INDEX TO PUBLICATIONS

OF THE

UNITED STATES DEPARTMENT OF AGRICULTURE

1901-1925

By

MARY A. BRADLEY, Assistant Editor of Indexes

Assisted by

MABEL G. HUNT, In Charge of Indexing Section

Division of Publications, Office of Information

[Issued September, 1932]

UNITED STATES
GOVERNMENT PRINTING OFFICE
WASHINGTON : 1932

For sale by the Superintendent of Documents, Washington, D. C. - - - Price $3.25 (Buckram)

ACKNOWLEDGMENT

GRATEFUL ACKNOWLEDGMENT IS MADE OF THE ASSISTANCE RENDERED BY THE MEMBERS OF THE INDEXING SECTION AND BY CHARLES H. GREATHOUSE, FORMERLY IN CHARGE, AND ANNIE R. GRAVATT, FORMERLY A MEMBER OF THE SECTION. THANKS ARE ALSO DUE CLARIBEL R. BARNETT, LIBRARIAN, AND EMMA B. HAWKES, CORABEL BIEN, AND CHARLOTTE TROLLINGER, OF THE LIBRARY STAFF, FOR THEIR WHOLE-HEARTED COOPERATION

KEY TO ABBREVIATIONS

Accts. Chief Rpt	Division of Accounts and Disbursements—Report of Chief.
Accts. [Misc.]	Division of Accounts and Disbursements—Miscellaneous (with part of title).
Adv. Com. F. and B. M. [Misc.]	Advisory Committee on Finance and Business Methods—Miscellaneous (with part of title).
Agr. Tech. Cir	Agricultural Technology Circular.
Agros. Bul	Agrostology Bulletin.
Agros. Cir	Agrostology Circular.
Alaska A. R	Alaska Experiment Stations—Annual Report.
Alaska Bul	Alaska Experiment Stations—Bulletin.
Alaska Cir	Alaska Experiment Stations—Circular.
Alaska G. C. Cir	Alaska Game Commission Circular.
Alk. and D. R. P. Cir	Bureau of Plant Industry—Alkali and Drought Resistant Plants—Circular.
An. Rpts	Annual Reports.
Appt. Clerk A. R	Appointment Clerk—Annual Report.
Appt. Clerk [Misc.]	Appointment Clerk—Miscellaneous (with part of title).
Atl. Am. Agr. Adv. Sh	Atlas of American Agriculture—Advance Sheet.
B. A. E. Chief Rpt	Bureau of Agricultural Economics—Report of Chief.
B. A. E. [Misc.]	Bureau of Agricultural Economics—Miscellaneous (with part of title).
B. A. E. S. R. A	Bureau of Agricultural Economics—Service and Regulatory Announcement.
B. A. I. A. H	Bureau of Animal Industry—Animal Husbandry series.
B. A. I. An. Rpt	Bureau of Animal Industry—Annual Report.
B. A. I. Bul	Bureau of Animal Industry—Bulletin.
B. A. I. Chief Rpt	Bureau of Animal Industry—Report of Chief.
B. A. I. Cir	Bureau of Animal Industry—Circular.
B. A. I. Dairy [Misc.]	Bureau of Animal Industry—Dairy Division—Miscellaneous (with part of title).
B. A. I Doc	Bureau of Animal Industry—Document.
B. A. I. [Misc.]	Bureau of Animal Industry—Miscellaneous (with part of title).
B. A. I. O	Bureau of Animal Industry—Order.
B. A. I. S. A	Bureau of Animal Industry—Service Announcement.
B. A. I. S. R. A	Bureau of Animal Industry—Service and Regulatory Announcement.
B. P. I. Bul	Bureau of Plant Industry—Bulletin.
B. P. I. C. P. and B. I. Cir	Bureau of Plant Industry—Crop Physiology and Breeding Investigations—Circular.
B. P. I. Chief Rpt	Bureau of Plant Industry—Annual Report of Chief.
B. P. I. Cir	Bureau of Plant Industry—Circular.
B. P. I. Doc	Bureau of Plant Industry—Document.
B. P. I. Inv	Bureau of Plant Industry—Inventory.
B. P. I. S. R. A	Bureau of Plant Industry—Service and Regulatory Announcement.
Biol. Bul	Biological Survey—Bulletin.
Biol. Chief Rpt	Biological Survey—Annual Report of Chief.
Biol. Cir	Biological Survey—Circular.
Biol. Doc	Biological Survey—Document.
Biol. [Misc.]	Biological Survey—Miscellaenous (with part of title).
Biol. S. R. A	Biological Survey—Service and Regulatory Announcement.
Bldg. Chm. Rpt	New Department Buildings Committee—Annual Report of Chairman.
Bot. Bul	Botany Bulletin.
Bot. Cir	Botany Circular.
C. P. S. R. A	Caustic Poison—Service and Regulatory Announcement.
C. T. and F. C. D. Inv. Cir	Bureau of Plant Industry—Cotton, Truck, and Forage Crop Disease Investigations—Circular.
Chem. Bul	Bureau of Chemistry—Bulletin.
Chem. Chief Rpt	Bureau of Chemistry—Annual Report of Chief.
Chem. Cir	Bureau of Chemistry—Circular.
Chem. [Misc.]	Bureau of Chemistry—Miscellaneous (with part of title).

KEY TO ABBREVIATIONS

Chem. N. J	Bureau of Chemistry—Notices of Judgment.
Chem. S. R. A	Bureau of Chemistry—Service and Regulatory Announcement.
Chief Clk. [Misc.]	Chief Clerk—Miscellaneous (with part of title).
Coop. Ext. Wk	Report of Office of Cooperative Extension Work.
Crop Est. Chief Rpt	Crop Estimates—Annual Report of Chief.
Crop Est. [Misc.]	Crop Estimates—Miscellaneous Unnumbered.
D. B	Department Bulletin.
D. C	Department Circular.
D. L. A. Cir	Bureau of Plant Industry—Dry Land Agriculture—Circular.
D. R. P. Cir	Bureau of Plant Industry—Demonstrations on Reclamation Projects—Circular.
Dairy Chief Rpt	Bureau of Dairying—Annual Report of Chief.
Dairy S. R. A	Bureau of Dairying—Service and Regulatory Announcement.
Ec. and Sys. Bot. Cir	Bureau of Plant Industry—Office of Economic and Systematic Botany—Circular.
Ed. An. Rpt	Office of Editorial and Distribution Work—Annual Report of Editor.
Ent. A. R	Bureau of Entomology—Annual Report of Entomologist.
Ent. Bul	Bureau of Entomology—Bulletin.
Ent. Cir	Bureau of Entomology—Circular.
Ent. [Misc.]	Bureau of Entomology—Miscellaneous (with part of title).
Ent. T. B	Bureau of Entomology—Bulletin (technical series).
Exh. A. R	Office of Exhibits—Annual Report.
Ext. Dir. Rpt	Extension Service—Annual Report of Director.
F. and D. I. B. [Misc.]	Food and Drug Inspection Board—Miscellaneous (with part of title).
F. and D. S. R. A	Food and Drug Administration—Service and Regulatory Announcement.
F. B	Farmers' Bulletin.
F. C. D. W. S. Cir	Bureau of Plant Industry—Farmers' Cooperative Demonstration Work in the South—Circular.
F. D. I. S. R. A	Food, Drug, and Insecticide Administration—Service and Regulatory Announcement.
F. H. B. An. Letter	Federal Horticultural Board—Annual Letter of Information.
F. H. B. An. Rpt	Federal Horticultural Board—Annual Report of Chairman.
F. H. B. [Misc.]	Federal Horticultural Board—Miscellaneous (with part of title).
F. H. B. Quar	Federal Horticultural Board—Quarantine Notice.
F. H. B. S. R. A	Federal Horticultural Board—Service and Regulatory Announcement.
F. I. D	Bureau of Chemistry—Food Inspection Decision.
F. S. and P. I. Cir	Bureau of Plant Industry—Foreign Seed and Plant Introduction—Circular.
F. S. and P. I. Inv	Bureau of Plant Industry—Foreign Seed and Plant Introduction—Inventories of Seeds and Plants Imported.
F. S. and P. I. [Misc.]	Foreign Seed and Plant Introduction—Miscellaneous (with part of title).
Farm M. Cir	Farm Management—Circular.
Farm M. Chief Rpt	Farm Management—Annual Report of Chief.
Farm M. [Misc.]	Farm Management—Miscellaneous (with part of title).
Fix. Nit. Lab. A. R	Fixed Nitrogen Research Laboratory—Annual Report.
Food Surv	Food Surveys.
Food Thrift Ser	Food Thrift Series.
For. A. R	Forest Service—Annual Report of Forester.
For. Bul	Forest Service—Bulletin.
For. Cir	Forest Service—Circular.
For. Dir	Forest Service—Directory.
For. Law Leaf	Forestry Laws Leaflet.
For. Map Fold	Forest Service—Map Folder.

KEY TO ABBREVIATIONS

For. Map	Forest Service—Maps.
For. Misc. F. G. L. O. R. S.	Forest Service—Miscellaneous F., G., L., O., R., S.
For. Mkts. Bul	Division of Foreign Markets—Bulletin.
For. Mkts. A. R	Division of Foreign Markets—Annual Report of Chief.
For. Mkts. Cir	Division of Foreign Markets—Circular.
For. Plant. Leaf	Forest Planting Leaflet.
For. Prod. [Misc.]	Forest Products Laboratory—Miscellaneous (with part of title).
For. Rec. Map	Forest Service—Recreation Map.
For. Silv. Leaf	Forest Service—Silvical Leaflets.
For. [Misc.]	Forest Service—Miscellaneous (with part of title).
Gr. Fut. Ad. A. R	Grain Futures Administration—Annual Report.
Guam A. R	Guam Experiment Station—Annual Report.
Guam Bul	Guam Experiment Station—Bulletin.
Guam Cir	Guam Experiment Station—Circular.
Guam Ext. Cir	Guam Experiment Station—Extension Circular.
H. and P. Cir	Horticultural and Pomological Investigations—Circular.
Hawaii A. R	Hawaii Experiment Station—Annual Report.
Hawaii Bul	Hawaii Experiment Station—Bulletin.
Hawaii Ext. Bul	Hawaii Experiment Station—Extension Bulletin.
Hawaii [Misc.]	Hawaii Experiment Station—Miscellaneous (with part of title).
Home Ec. A. R	Bureau of Home Economics—Annual Report.
Hort. and Pom. Cir	Bureau of Plant Industry—Horticulture and Pomology—Circular.
I. and F. Bd. A. R	Insecticide and Fungicide Board—Annual Report.
I. and F. Bd. I. Dec	Insecticide and Fungicide Board—Insecticides Decisions.
I. and F. Bd. N. J	Insecticide and Fungicide Board—Notices of Judgment.
I. and F. Bd. S. R. A	Insecticide and Fungicide Board—Service and Regulatory Announcement.
Inf. [Misc.]	Office of Information—Miscellaneous (with part of title).
J. A. R	Journal of Agricultural Research.
Joint Order	United States Treasury Department and United States Department of Agriculture—Joint Order.
Lib. A. R	Library—Annual Report of Librarian.
Lib. Leaf	Library—Leaflets.
Lib. [Misc.]	Library—Miscellaneous (with part of title).
M. C	Miscellaneous Circular.
[Misc]	Department—Miscellaneous (with enough of title).
Mkts. and R. O. [Misc.]	Office of Markets and Rural Organization—Miscellaneous (with part of title).
Mkts. Chief Rpt	Bureau of Markets—Annual Report of Chief.
Mkts. Doc	Markets—Document.
Mkts. [Misc.]	Bureau of Markets—Miscellaneous (with part of title).
Mkts. S. R. A	Bureau of Markets—Service and Regulatory Announcement.
Motion Pict. A. R	Motion Pictures—Annual Report.
N. A. Fauna	North American Fauna.
News L	News Letter.
O. E. S. An. Rpt	Office of Experiment Stations—Annual Report.
O. E. S. Bul	Office of Experiment Stations—Bulletin.
O. E. S. Cir	Office of Experiment Stations—Circular.
O. E. S. Dir. Rpt	Office of Experiment Stations—Annual Report of Director.
O. E. S. Doc	Office of Experiment Stations—Document.
O. E. S. F. I. L	Office of Experiment Stations—Farmers' Institute Lecture.
O. E. S. [Misc.]	Office of Experiment Stations—Miscellaneous (with part of title).
Off. Rec	Official Record.
P. P. I. Cir	Bureau of Plant Industry—Paper Plant Investigations—Circular.

KEY TO ABBREVIATIONS

P. Q. C. A. S. R. A	Plant Quarantine and Control Administration—Service and Regulatory Announcement.
P. R. An. Rpt	Porto Rico Experiment Station—Annual Report.
P. R. Bul	Porto Rico Experiment Station—Bulletin.
P. R. Cir	Porto Rico Experiment Station—Circular.
Pack. and S. Ad. Rpt	Packers and Stockyards Administration—Annual Report of Chief.
Pom. Bul	Pomology Bulletin.
Pub. A. R	Office of Publications—Annual Report.
Pub. Bul	Office of Publications—Bulletin.
Pub. [Misc]	Office of Publications—Miscellaneous (with part of title).
R. P. Exp. F. Rpt	Bureau of Plant Industry—Reclamation Project Experiment Farms—Annual Report.
Rds. Bul	Public Roads—Bulletin.
Rds. Chief Rpt	Bureau of Public Roads—Annual Report of Chief.
Rds. Cir	Bureau of Public Roads—Circular.
Rpt	Report.
S. B	Statistical Bulletin, 1923, and later.
S. R. S. An. Rpt	States Relations Service—Annual Report.
S. R. S. Doc	States Relations Service—Document.
S. R. S. [Misc]	States Relations Service—Miscellaneous (with part of title).
S. R. S. Rpt	States Relations Service—Report on Receipts, Expenditures, and Results.
S. R. S. Syl	States Relations Service—Syllabus.
Sec. A. R	Secretary—Annual Report.
Sec. Cir	Secretary—Circular.
Sec. [Misc]	Secretary—Miscellaneous (with part of title).
Sec. [Misc.] Spec	Secretary—Miscellaneous Special.
Ser. Dir	Service Directory.
Soil Sur. Adv. Sh	Soil Survey Advance Sheets.
Soils Bul	Bureau of Soils—Bulletin.
Soils Chief Rpt	Bureau of Soils—Annual Report of Chief.
Soils Cir	Bureau of Soils—Circular.
Soils F. O	Bureau of Soils—Field Operations.
Soils F. O. Sep	Bureau of Soils—Field Operations Reprint, 1901-3.
Soils [Misc.]	Bureau of Soils—Miscellaneous (with part of title).
Sol. A. R	Solicitor—Annual Report.
Sol. Cir	Solicitor—Circular.
Sol. [Misc.]	Solicitor—Miscellaneous (with part of title).
Stat. Bul	Bureau of Statistics—Bulletin.
Stat. Chief Rpt	Bureau of Statistics—Annual Report of Chief.
Stat. Cir	Bureau of Statistics—Circular.
Stat. [Misc.]	Bureau of Statistics—Miscellaneous (with part of title).
Thrift Leaf	Thrift Leaflet.
U. S. Food Leaf	United States Food Leaflet.
Veg. Phys. and Path. Bul	Division of Vegetable Physiology and Pathology—Bulletin.
Veg. Phys. and Path. Cir	Division of Vegetable Physiology and Pathology—Circular.
Vir. Is. A. R	Virgin Islands Experiment Station—Annual Report.
Vir. Is. Bul	Virgin Islands Experiment Station—Bulletin.
W. B. Abs. D	Weather Bureau—Abstract of Data.
W. B. Bul	Weather Bureau—Bulletin.
W. B. Chief Rpt	Weather Bureau—Annual Report of Chief.
W. B. Cir	Weather Bureau—Circular.
W. B. D. R. S	Weather Bureau—Daily River Stages.
W. B. Inst. Div. Cir	Weather Bureau—Instrument Division—Circular.
W. B. [Misc.]	Weather Bureau—Miscellaneous (with part of title).
W. I. A. Cir	Bureau of Plant Industry—Western Irrigation Agriculture—Circular.
Work and Exp	Work and Expenditures of the Agricultural Experiment Stations—(Annual Reports).
Y. B	Yearbook.
Y. B. Sep	Yearbook Separate.

INDEX TO PUBLICATIONS
OF THE
UNITED STATES
DEPARTMENT OF AGRICULTURE
1901-1925

This index covers all the publications of the United States Department of Agriculture for the period given with the exception of the periodicals issued by the bureaus. The JOURNAL OF AGRICULTURAL RESEARCH and the NEWS LETTER, later called the OFFICIAL RECORD, are included.

A. D. S. special kidney and bladder pills, misbranding. Chem. N.J. 13241. 1925.

AAMODT, O. S.—
"A study of rust resistance in a cross between Marquis and Kota wheats." With H. K. Hayes. J.A.R., vol. 24, pp. 997-1012. 1923.
"The effect of fertilizers on the development of stem rust of wheat." J. A. R., vol. 27, pp. 341-380. 1924.
"The inheritance of growth habit and resistance to stem rust in a cross between two varieties of common wheat." J.A.R., vol. 24, pp. 457-470. 1923.
"The mode of inheritance of resistance to *Puccinia graminis*, with relation to seed color in crosses between varieties of durum wheat." With J. B. Harrington. J.A.R., vol. 24, pp. 979-996. 1923.

AARONSOHN, AARON: "Agricultural and botanical explorations in Palestine." B.P.I. Bul. 180, pp. 64. 1910.

Abacá—
description, growing, cutting, and preparation of fiber for use. Y.B., 1911, pp. 194-195. 1912; Y.B. Sep. 560, pp. 194-195. 1912.
fiber—
testing for weight and strength. B.P.I. Cir. 128, p. 21. 1913.
use in making binder twine. Y.B., 1918, p. 359. 1919; Y.B., Sep. 790, p. 5. 1919.
imports, increase from 1891 to 1911. Y.B., 1911, p. 200. 1912; Y.B. Sep. 560, p. 200. 1912.
use for binder twine, different grades, and price. Y.B., 1911, pp. 193-195. 1912; Y.B. Sep. 560, pp. 193-195. 1912.
See also Hemp; Manila.

Abachi. *See* Pineapple, Abachi.

Abattoir(s)—
central, plan and specifications, cost and capacity. B.A.I. An. Rpt., 1910, pp. 249-253. 1912; B.A.I. Cir. 185, pp. 249-253. 1912.
Chicago, report of Federal Meat Inspection Committee, 1906. B.A.I. An. Rpt., 1906, pp. 406-442. 1908.
inspection—
regulations, 1904. B.A.I. An. Rpt., 1904, pp. 575-583. 1905.
service, application to Secretary, requirements. Y.B., 1915, pp. 274-275. 1916; Y.B. Sep. 676, pp. 274-275. 1916.
location, sanitary features. B.A.I. An. Rpt., 1909, pp. 248-249. 1911; B.A.I. Cir. 173, pp. 248-249. 1911.
municipal—
aid in local marketing of livestock. F.B. 809, pp. 12-13. 1917.
operations. Rpt. 113, pp. 55-57. 1916.
use in Europe. B.A.I. An. Rpt., 1910, p. 244. 1912; B.A.I. Cir. 185, p. 244. 1912.

Abattoir(s)—Continued.
public, capacity and cost, Australia and New Zealand. Y.B., 1914, pp. 433-436. 1915; Y.B. Sep. 650, pp. 433-436. 1915.
sanitary construction and equipment. G. H. Parks. B.A.I. An. Rpt., 1909, pp. 247-263. 1911; B.A.I. Cir. 173, pp. 247-263. 1911.
slaughtering animals, method. B.A.I. Cir. 125, pp. 21-22, 25. 1908.
under Federal inspection, 1908, list, location, and work. B.A.I. An. Rpt., 1908, pp. 406-407. 1910.
See also Slaughterhouses.

ABBE, CLEVELAND—
"A first report on the relations between climates and crops." W.B. Bul. 36, pp. 386. 1905.
address on instruction and research by Weather Bureau officials. W.B. [Misc.] "Proceedings, third convention * * *," pp. 133-164. 1904.

Abbella subflava, parasite of chinch bug. F.B. 1223, p. 14. 1922.

ABBEY, M. J.: "Normal school instruction in agriculture." O.E.S. Cir. 90, pp. 31. 1909.

ABBOTT, J. S.: "Directory of Federal and State dairy, food, drug, and feeding stuffs officials." November 1, 1917. Chem. [Misc.], pp. 10. 1918.

ABBOTT, J. W.—
"Mountain roads." Y.B., 1900, pp. 183-198. 1901; Y.B. Sep. 210, pp. 183-198. 1901.
"Mountain roads as a source of revenue." Y.B., 1901, pp. 527-540. 1902; Y.B. Sep. 253, pp. 527-540. 1902.
"Use of mineral oil in road improvement." Y.B., 1902, pp. 439-454. 1903; Y.B. Sep. 296, pp. 439-454. 1903.

ABBOTT, W. S.—
"A study of the effect of storage, heat, and moisture on pyrethrum." D.B. 771, pp. 7. 1919.
"Derris as an insecticide." With others. J.A.R., vol. 17, pp. 177-200. 1919.
"Results of experiments with miscellaneous substances against bedbugs, cockroaches, clothes moths, and carpet beetles." With others. D.B. 707, pp. 36. 1918.
"Results of experiments with miscellaneous substances against chicken lice and the dog flea." D.B. 888, pp. 15. 1920.

Abbott Bros. compound for rheumatism, misbranding. Chem. N.J. 12875. 1925.

Abbreviations, periodicals—
lists used in Experiment Station Record. O.E.S. Cir. 62, pp. 74. 1905.
lists used in Experiment Station Record. Frances A. Bartholow. D.B. 1330, pp. 160. 1925.

Abdomen, cattle, wounds, causes and treatment. B.A.I. [Misc.], "Diseases of cattle," rev., pp. 45-46. 1912.

ABEL, M. H.—
"Care of food in the home." F.B. 375, pp. 46. 1909.
"Sugar and its value as food." F.B. 535, pp. 32. 1913.
Abelia corymbosa, importation and description. No. 33315. B.P.I. Inv. 31, p. 13. 1914.
Abelluello. See Greenheart, West Indian.
Abelmoschus esculentus. See Okra.
Aberdeen Experiment Station, Idaho—
establishment, area, and cooperative maintenance. F.B. 769, p. 4. 1916.
growing grain under irrigation. F.B. 1103, pp. 18-28. 1920.
Aberia—
fruit value in Guam. Guam A. R., 1921, p. 24. 1923.
gardneri, growing and uses. Guam A. R., 1918, p. 46. 1919.
Abieiro, description of tree and fruit, use in Brazil. D.B. 445, p. 22. 1917.
Abies—
canadensis. See Spruce, white.
forrestii, importations value. Off. Rec., vol. 3, No. 24, p. 3. 1924.
genus, key. D.B. 327, p. 43. 1916.
spp.—
effect of iron sulphate on chlorosis. J.A.R., vol. 21, No. 2, p. 154. 1921.
hypertrophied lenticels. J.A.R., vol. 22, pp. 255-266. 1920.
injury by—
Rhizina inflata. J.A.R., vol. 4, pp. 93, 94. 1915.
sapsuckers. Biol. Bul. 39, pp. 26, 53, 64, 66. 1911.
leaf structure distinguishing different species. D.B. 55, p. 24. 1914.
See also Firs.
Abietene. See Heptane.
Abietic acid, content of rosin. For. Bul. 119, pp. 14, 15, 17, 21, 27. 1913.
Abin, description. D.B. 445, p. 22. 1917.
Abiu, importation and description. No. 37929, B.P.I. Inv. 39, p. 69. 1917; No. 41003, B.P.I. Inv. 44, p. 30. 1918.
Ablerus—
clisiocampae, parasitic enemy of the scurfy scale. Ent. Cir. 121, p. 9. 1910.
spp., parasites of grape scale. Ent. Bul. 97, Pt. VII, pp. 119, 120. 1912.
Abnormalities, relation to heredity. B.P.I. Bul. 256, p. 69. 1913.
Abo, importation and description. No. 47214, B.P.I. Inv. 58, pp. 8, 41. 1922; No. 49843, B.P.I. Inv. 63, p. 11. 1923.
Aboideau—
method of dike building, Nova Scotia and New Brunswick. O.E.S. Bul. 240, pp. 91-96. 1911.
See also Levee.
Abortifacients, laws, Federal and State. Chem. Bul. 98, rev., Pt. I, pp. 28-29, 135. 1909.
Abortion—
Angora goat, cause and prevention. F.B. 1203, p. 25. 1921.
bacillus, inoculation experiments with cow's udder. J.A.R., vol. 9, pp. 12-14. 1917.
bacteria, agglutination test in milk. J.A.R., vol. 5, pp. 871-875. 1916.
bovine infectious, immunology studies. J. M. Buck and G. T. Creech. J.A.R., vol. 28, pp. 607-642. 1924.
cattle—
causes, symptoms, prevalence, and periods. D.B. 106, pp. 16-49. 1914.
control work, 1921. An. Rpts., 1921, pp. 56-57. 1921.
effects of dipping. B.A.I. Bul. 40, p. 13. 1902.
infectious, testing, and studies. An. Rpts., 1916, pp. 119, 140. 1916; B.A.I. Chief Rpt., 1915, pp. 43, 64. 1915.
relation to granular venereal disease. W. L. Williams. D.B. 106, pp. 57. 1914.
slinking the calf. James Law. B.A.I. Cir. 67, pp. 11. 1905.
spread, control measures. B.A.I. Bul. 129, p. 27. 1911.
contagious—
cattle—
Adolf Eichhorn and George M. Potter. F.B. 790, pp. 12. 1917.

Abortion—Continued.
contagious—continued.
cattle—continued.
bacterium, occurrence in milk. Maurice C. Hall. B.A.I. Cir. 198, pp. 3. 1912.
carbolic acid as remedy. F.B. 549, pp. 20-21. 1913.
cause, symptoms, and prevention. B.A.I. [Misc.] "Diseases of cattle," rev., pp. 169-172, 173-174. 1912; D.B. 106, pp. 49-54. 1914; F.B. 374, pp. 19-22. 1909.
economic importance. News L., vol. 3, No. 41, pp. 1, 4. 1916.
extent, nature of disease, and symptoms. F.B. 790, pp. 3-6. 1917.
losses, and control studies. News L., vol. 4, No. 25, p. 2. 1917.
occurrence of bacterium in milk. B.A.I. Cir. 198, pp. 3. 1912.
on your farm, in your district. B.A.I. [Misc.] "Fight contagious * * *." Folder. 1916.
prevention and cure, suggestions. F.B. 790, p. 2. 1917.
spreading method, immunity, diagnosis, control methods. F.B. 790, pp. 6-12. 1917.
study and prevention. An. Rpts., 1912, pp. 311, 355, 384. 1913; B.A.I. Chief Rpt., 1912, pp. 15, 59, 88. 1912.
causes, tests, and transmission studies. S.R.S. Rpt., 1917, Pt. I, pp. 52, 66, 80, 126, 147, 261. 1918.
control studies. Work and Exp., 1919, pp. 80-81. 1921.
control work, progress. Y.B., 1919, p. 78. 1920; Y.B. Sep. 802, p. 78. 1920.
disease produced in guinea pigs. B.A.I. Cir. 198, p. 2. 1912.
infection of bulls, and spread of disease. J.A.R., vol. 17, pp. 239-246. 1919.
losses from, and control methods. Y.B., 1915, pp. 160, 166. 1916; Y.B. Sep. 666, pp. 160, 166. 1916.
mares and cows, control studies. Work and Exp., 1914, pp. 117, 136, 232. 1915.
studies and control. S.R.S. Rpt., 1915, Pt. I, pp. 127, 262. 1917.
testing of cows and calves, experiments. S.R.S. Rpt., 1916, Pt. I, pp. 52, 84, 127, 151, 170, 176. 1918.
tests of range cattle. F.B. 1395, p. 43. 1925.
cow—
caused by—
loco-weed poisoning. B.A.I. Bul. 112, pp. 19, 25, 61. 1909.
smelter-fumes poisoning. B.A.I. An. Rpt., 1908, pp. 243, 246, 247. 1910.
causes, prevention, and treatment. B.A.I. [Misc.] "Diseases of cattle," rev., pp. 165-174. 1912; rev., pp. 165-172. 1923.
Roberts's serum, test. Sec. Cir. 29, p. 1. 1909.
ewe, causes, symptoms, and treatment. F.B. 1155, pp. 32-33. 1921.
infectious—
animals, study, germ isolation. O.E.S. An. Rpt., 1911, pp. 116, 131. 1912.
bacillus, occurrence in milk. B.A.I. An. Rpt., 1911, pp. 137-183. 1913; B.A.I. Cir. 216, pp. 137-183. 1913.
cattle—
anatomy, symptoms, prevention, and treatment. B.A.I. An. Rpt., 1911, pp. 161-183. 1913; B.A.I. Cir. 216, pp. 161-183. 1913.
bacillus found in milk. B.A.I. An. Rpt., 1911, pp. 137-183. 1913; B.A.I. Cir. 216, pp. 137-183. 1913.
immunology, studies and experiments. J.A.R., vol. 28, pp. 607-642. 1924.
investigations and control. An. Rpts., 1918, pp. 113-114, 129-130. 1919; B.A.I. Chief Rpt. 1918, pp. 43-44, 59-60. 1918.
cows and mares, study of causes. O.E.S. An. Rpt., 1912, pp. 121-122. 1913.
diagnosis and testing methods. B.A.I. An. Rpt., 1911, pp. 165-175. 1913; B.A.I. Cir. 216, pp. 165-175. 1913.
occurrence in milk. B.A.I. An. Rpt., 1911, pp. 137-146. 1913; B.A.I. Cir. 216, pp. 137-146. 1913.
mare, percentage, causes and control. F.B. 803, p .14. 1917; F.B. 803, rev., p. 12. 1923.

Abortion—Continued.
noncontagious, of cattle, causes and treatment. B.A.I. [Misc.] "Diseases of cattle," rev., pp. 161–165, 168. 1912.
occurrence in goats, cause and treatment of doe. F.B. 920, p. 36. 1918.
serum, Roberts's test. Sec. Cir. 29, p. 1. 1909.
sow—
cause, symptoms, and treatment. F. B. 1244, p. 7. 1923.
control. Hawaii Bul. 48, p. 23. 1923.
Abrams, J. L.: "Vegetable growing at Sulzer, Alaska." Alaska A. R., 1910, pp. 71–72. 1911.
Abrasion—
machine, Deval type, for rock testing. Rds. Bul. 44, p. 16. 1912.
test—
road materials, object, equipment, method, and value. D.B. 347, pp. 4–6. 1916.
timber, machine and method. For. Cir. 38, rev., pp. 25, 55. 1909.
Abrastol, determination in food, methods. Chem. Bul. 107, p. 188. 1907.
Abroma augusta, importation and description. No. 34422, B.P.I. Inv. 33, p. 18. 1915; No. 38100, B.P.I. Inv. 39, p. 87. 1917; No. 47349, B.P.I. Inv. 59, p. 9. 1922.
Abrus precatorius. See Jequirity.
Absaroka National Forest, Mont., map. For. Maps. 1925.
Abscess(es)—
cattle, treatment. B.A.I. [Misc.] "Diseases of cattle," rev., p. 304. 1912; rev., p. 295. 1923.
causes and treatment. For. [Misc.] "First-aid * * *," p. 88. 1917.
cutaneous, of sheep foot. See Foot rot.
ear, cattle, treatment. B.A.I. [Misc.] "Cattle diseases," rev., p. 354. 1911; rev., p. 367. 1912.
foot, cattle and sheep, cause and treatment. B.A.I. Bul. 63, p. 32. 1905.
lung, cattle, symptoms and treatment. B.A.I. [Misc.] "Diseases of cattle," rev., p. 98. 1912.
navel, calf, treatment. B.A.I. [Misc.] "Diseases of cattle," rev., p. 254. 1912.
orbital and periorbital, cattle, symptoms and treatment. B.A.I. [Misc.] "Diseases of cattle," rev., p. 364. 1912.
Absence, leave of—
employees outside of Washington, regulations, 1913. B.A.I. S.R.A. 81, p. 15. 1914.
members of militia. Sol. [Misc.] Sup. 4, "Laws applicable * * *," pp. 113, 114. 1917.
regulations. B.A.I.S.A. 60, pp. 29–34. 1912; Sec. [Misc.] "Fiscal regulations," pp. 16–17, 30, 47. 1917.
rules, change. Off. Rec, vol. 4, No. 46, p. 4. 1925.
Absentee landlordism, discussion on limiting. Y.B., 1919, pp. 31–32. 1920.
Absinth—
adulteration. Chem. N.J. 2403, p. 1. 1913.
manufacture from wormwood oil. B.P.I. Bul. 219, p. 41. 1911; F.B. 663, rev., p. 50. 1920.
See also Wormwood.
Absorbents, gas, in apple packing, effect on apple scald. J.A.R., vol. 16, pp. 214–216. 1919.
Absorption—
chemical fixation. Soils Bul. 52, p. 62. 1908.
effect upon physical condition of soil. Soils Bul. 52, pp. 64–75. 1908.
material, calculation of probable thickness. Soils Bul. 52, pp. 63–64. 1908
noncolloidal, from mineral particles, estimation. D.B. 1122, pp. 7–13, 17, 18. 1922.
physical, nature of change. Soils Bul. 52, pp. 61–62. 1908.
plant, relation to concentration and reaction of nutrient medium. J.A.R., vol. 18, pp. 73–117. 1919.
selective, examples. Soils Bul. 52, pp. 26–36, 1908.
soil(s)—
Harrison E. Patten and William H. Waggaman. Soils Bul. 52, pp. 95. 1908.
constituents by plants, rate during growth. J.A.R., vol. 18, pp. 51–72. 1919.

Absorption—Continued.
soil(s)—continued.
early work, résumé. Soils Bul. 52, pp. 13–26. 1908.
formula expressing rate. Soils Bul. 52, pp. 50–52. 1908.
of dissolved salts, effect on strength of soil solution. Soils Bul. 55, pp. 11–13. 1909.
test, road materials. D.B. 1216, pp. 10, 25, 40, 80. 1924.
Abutilon—
moth. F. H. Chittenden. Ent. Bul 126, pp. 10. 1913.
spp., importations and description. Nos. 44207, 44438, B.P.I. Inv. 50, pp. 42, 72. 1922.
theophrasti. See Chingma.
Abyssinia, coffee production, 1906–1910. Stat. Bul. 79, p. 11. 1912.
Acacia—
arabica. See Gum arabic tree.
bull-horn, importation and description. No. 45792, B.P.I. Inv. 54, p. 21. 1922.
catechu—
importation and description. No. 50711, B.P.I. Inv. 64, p. 17. 1923.
timber value and gum yield. D.B. 9, pp. 29, 32. 1913.
cavenia. See Espino.
cebil. See Cebil.
characters, species on Pacific slope. For. [Misc.] "Forest trees * * * Pacific * * *," pp. 369–371, 376. 1908.
culture in California, history and species. D.B. 9, pp. 6–8, 12–15, 22–25, 26, 29, 30. 1913.
decurrens. See Wattle, black.
description, and regions suited to. F.B. 1208, pp. 11–13. 1922.
fornesiana—
food and host plant of huisache girdler. D.B. 184, pp. 5, 6. 1915.
See also Aroma; Cassie; Huisache tree.
green-bark, description, range, and occurrence on Pacific slope. For. [Misc.] "Forest trees * * * Pacific * * *," p. 376. 1908.
greggii—
value as host plant for lac insects. D.B. 9, pp. 9, 32. 1913.
See also Acacia, desert; Cat's claw.
group, characters, species on Pacific slope. For. [Misc.] "Forest trees * * * Pacific * * *," pp. 369–371. 1908.
gum-bearing species. D.B. 9, pp. 32–33. 1913.
implexa, importation and description. No. 47179, B.P.I. Inv. 58, p. 32. 1922.
importations and description. Nos. 42321, 42322, B.P.I. Inv. 46, p. 77. 1919.
injury by fire. D.B. 9, pp. 5–6. 1913.
insect pests, list. Sec. [Misc.] "A manual * * * insects * * *," pp. 9–11. 1917.
melanoxylon, tanning value, characteristics. D.B. 9, pp. 3, 17–18. 1913.
mellifera, importation and description. No. 46049, B.P.I. Inv. 55, p. 17. 1922.
planting, cost per acre, methods, and directions. D.B. 9, pp. 18–19, 34–37. 1913.
propagation and management. D.B. 9, pp. 34–37. 1913.
pycnantha—
importation and description. No. 54439, B.P.I. Inv. 69, pp. 3, 9. 1923.
tanning value. D.B. 9, pp. 12, 16–17, 18, 19, 22, 23, 24–25. 1913.
See also Wattle, golden.
seed—
sowing for sand reclamation or nursery planting. D.B. 9, pp. 10, 11, 34–36. 1913.
treatment before germination, tests. D.B. 9, p. 35. 1913.
shelter belts, species suited. D.B. 9, p. 31. 1913.
spp.—
characteristics, forms, and enemies. D.B. 9, pp. 1–6, 25–29. 1913.
descriptions and use as street trees. D.B. 816, pp. 17, 18, 20–21. 1920.

Acacia—Continued.
   spp.—continued.
      importations and description. Nos. 43451–43453, 43642, 43798, B.P.I. Inv. 49, pp. 25–26, 54, 79. 1921; Nos. 44452, 44752, 44865, 44922–44924, B.P.I. Inv. 51, pp. 10, 14, 59, 82, 90, 91. 1922; Nos. 45011, 45012, B.P.I. Inv. 52, p. 19. 1922; Nos. 45724, 45792, 45867, 45907, 45954, B.P.I. Inv. 54, pp. 11, 21, 32, 38, 49. 1922; Nos. 46355, 46356, B.P.I. Inv. 56, p. 11. 1922; Nos. 46804, 46805, 46871, 46872, B.P.I. Inv. 57, pp. 6, 37, 44. 1922; Nos. 47366–47368, 47496, 47580, B.P.I. Inv. 59, pp. 12, 22, 35. 1922; Nos. 48428, 48518, 48753–48755, 48802–48803, 48982, B.P.I. Inv. 61, pp. 1, 7, 19, 43, 49, 62. 1922; Nos. 49890, 50102–50114, B.P.I. Inv. 63, pp. 18, 35–37. 1923; Nos. 51428, 51484–51485, 51627, 51808, 51900, 52281, B.P.I. Inv. 65, pp. 16, 21, 33, 52, 65, 84. 1923; Nos. 52333, 52619, 52800, B.P.I. Inv. 66, pp. 11, 52, 77. 1923; Nos. 53563–53564, B.P.I. Inv. 67, p. 61. 1923; Nos. 55419–55423, B.P.I. Inv. 71, pp. 3, 41–42. 1923.
      root nodules, nitrogen-gathering, description Y.B., 1910, p. 215. 1911; Y. B. Sep. 530, p. 215. 1911.
      tanbark species, description, cost of planting. D.B. 9, pp. 2, 16–25, 27. 1913.
      timber species, characteristics. D.B. 9, pp. 25–30. 1913.
      trees, Porto Rico, occurrence, description, and uses. D.B. 354, pp. 48, 72. 1916.
      uses, economic. D.B. 9, pp. 9–34. 1913.
Acacian Balsam, Brown's, misbranding. Chem. N.J. 4444. 1916.
Academies, agricultural, in United States. O.E.S. Cir. 97, rev., pp. 12–33. 1912.
Acanthis spp. *See* Redpoll.
Acanthocephala femorata, injury to cotton bolls. Ent. Bul. 86, p. 91. 1910.
Acanthopanax—
   setuenensis, importation and description, No. 52928. B.P.I. Inv. 67, p. 15. 1923.
   sessiliflorum. *See* Seem.
   spp., importations and description. Nos. 36733, 36734, B.P.I. Inv. 37, p. 58. 1916.
Acanthoptenos, synonym. Ent. Tech. Bul. 20, Pt. II, p. 105. 1911.
Acanthoriza aculeata, importation and description. No. 45906, B.P.I. Inv. 54, pp. 38–39. 1922.
Acanthorynchus vaccinii, cause of blotch rot of cranberry. F.B. 1081, pp. 9–10. 1920.
Acanthosicyos horrida—
   importation and description. No. 55486, B.P.I. Inv. 71, pp. 3, 49. 1923; No. 55763, B.P.I. Inv. 72, p. 3, 31. 1924.
   See also Narras.
Acantochiton wrightii, description. D.B. 1345, p. 28. 1925.
Acarapis woodi—
   cause of Isle of Wight disease. D.C. 218, p. 5. 1922. D.C. 287, pp. 3–5, 11–25. 1923.
   search for in United States, results by States. D.C. 218, pp. 5–6. 1922.
Acari, enemies of purple scale in Italy. Ent. Bul. 120, p. 51. 1913.
Acarians. *See* Mites.
Acariasis, horse. *See* Mange.
Acarina—
   American, bibliography. Rpt. 108, pp. 143–146. 1915.
   enemies of boll weevil, list. Ent. Bul. 100, pp. 40, 43–47. 1912.
   insects affecting cereals. Ent. Bul. 96, Pt. I, p. 7. 1911.
   or mites. Nathan Banks. Rpt. 108, pp. 153. 1915.
   See also Mites.
Acarine, bees. *See* Isle of Wight disease.
Acaromantis spp., description. Rpt. 108, p. 56. 1915.
Acarus. *See* Cotton red spider.
Accidents—
   campers, directions for treatment. D.C. 138, p. 73. 1920.
   first-aid treatment, directions. For. [Misc.], "First-aid * * *," pp. 16–69. 1917.
   forest campers, first-aid suggestions. D.C. 185, pp. 37–39. 1921.
   out-door, treatment. D.C. 4, pp. 69–70. 1919.

Accipiter—
   atricapillus. *See* Goshawk.
   spp. *See* Hawk.
Acclimation—
   cotton, corn, and other crops. An. Rpts. 1912, pp. 204–408. 1913; B.P.I. Chief. Rpt. 1912, pp. 24–28. 1912.
   effect on composition of wheat. Chem. Bul. 128, pp. 14–15. 1910.
Acclimatization—
   animals, difficulties. B.A.I. An. Rpt. 1910, pp. 144–145. 1912.
   corn, value in securing good results. B.P.I. Cir. 95, pp. 6–7. 1912.
   cotton—
      coffee, and other crops. B.P.I. Bul. 198, pp. 26, 27–29. 1911.
      corn, and other crops. An. Rpts. 1913, pp. 117–124. 1914; B.P.I. Chief Rpt. 1913, pp. 13–20. 1913.
      varieties, to prevent deterioration, necessity. B.P.I. Bul. 156, pp. 7, 25–27. 1909.
   crops, change from annual to perennial, Hawaii and Guam. An. Rpts. 1910, pp. 146, 147, 751, 751. 1911; O.E.S. Dir. Rpt. 1910, pp. 21, 26. 1910; Sec. A.R. 1910, pp. 146, 147. 1910; Y.B., 1910, pp. 144, 146. 1911.
   relation to cotton breeding. B.P.I. Bul. 256, pp. 21–26. 1913.
Accounting—
   act, provisions. Off. Rec., vol. 3, No. 30, p. 5. 1924.
   cost, cooperative studies and records. An. Rpts. 1920, pp. 570–571. 1921.
   creamery, conditions and requisites. D.B. 559, pp. 4–5. 1917.
   experiment station, requirements, letter of O.E.S. Director. S.R.S. [Misc.], "Federal legislation, regulations, and rulings, * * *," rev. to July 15, 1917, p. 38. 1917.
   extension, instructions for. D.C. 251, pp. 42–48. 1923.
   farm—
      aid of farm inventory. F.B. 1182, pp. 3–4, 23. 1921.
      cost—
         principles, records, and items considered. D.B. 994, pp. 15–38. 1921.
         system. C. E. Ladd. F.B. 572, pp. 15. 1914.
         system. C. E. Ladd and James S. Ball. F. B. 572, rev., pp. 23. 1920
      improvement. D.C. 302, pp. 8–9. 1924.
   Farmers' Cooperative Association, methods, blank forms, and milk tickets. F.B. 1032, pp. 16–19. 1919.
   household, results of demonstration work. D.C. 141, p. 15. 1920.
   methods—
      for cooperative stores. News L., vol. 4, No. 10, p. 7. 1916.
      for farmers, accuracy. D.B. 529, pp. 8–9. 1917.
   poultry, system. Rob R. Slocum. B.A.I. Cir. 176, pp. 6. 1911.
   practice, relation to patronage dividends. D.B. 371, pp. 4–10. 1916.
   records for sampling apples by weight. J. H. Conn and A. V. Swarthout. D.B. 1006, pp. 13. 1921.
   road construction, regulations. Sec. Cir. 65, pp. 11, 19. 1916.
   schools, for farmers. Official Record, vol. 3, No. 7, p. 3. 1924; S.R.S. Dir. Rpt. 192, pp. 52–53. 1921.
   self-service in selling farm products, classification of expenses, and shrinkage. D.B. 1044, pp. 39–49. 1922.
   system—
      cooperative—
         elevators, for grain States. News L., vol. 2, No. 42, p. 5. 1915.
         fruit associations. G. A. Nahstoll and W. H. Kerr. D.B. 225, pp. 25. 1915.
         milk plants. D.B. 1095, pp. 29–36. 1922.
         stores, reports and auditing. D.B. 394, pp. 16–20. 1916.
      cotton ginneries. A. V. Swarthout and J. A. Bexell. D.B. 985, pp. 42. 1921.
      description, necessity, and blank forms. D.B. 178, pp. 2–5, 20–23. 1915.
      farm marketing. An. Rpts., 1919, pp. 433, 434. 1920; Mkts. Chief Rpt., 1919, pp. 7, 8. 1919.

Accounting—Continued.
system—continued.
fruit shipping organizations. G. A. Nashtoll and John R. Humphrey. D.B. 590, pp. 60. 1918.
primary grain elevators. John R. Humphrey and W. H. Kerr. D.B. 362, pp. 30. 1916.
Accounts—
administration, examination, and forms. Sec. [Misc.], "Fiscal regulations," pp. 8–12, 18, 25, 50, 95, 96–99. 1917.
apple sampling, records. J. H. Conn and A.B. Swarthout. D.B. 1006; pp. 13. 1921.
balances turned into Treasury, 1910. Accts. Chief Rpt., 1912, pp. 17–21. 1912; An. Rpts., 1912, pp. 793–797. 1913.
beef marketing, costs and proceeds. Rpt. 113, pp.68–98. 1916.
blanks, livestock shipping associations. D.B. 403, pp. 4, 6–11. 1916.
boys' and girls', value in learning thrift. Thrift Leaf 20, p. 4. 1919.
cannery, methods of keeping. Y.B. 1916, pp. 245–246. 1917; Y.B. Sep. 705, pp. 9–10. 1917.
classification of troublesome items. F.B. 572, rev., p.15. 1920.
cooperative organizations, keeping methods. D.B. 178, pp. 12–23. 1915.
cost, in highway operation, details and codes. D.B. 660, pp. 19–23. 1918.
cotton warehouse, importance, suggestions. Y.B. 1918, pp. 426–427. 1919; Y.B. Sep. 763, pp. 30–31. 1919.
creamery, forms, description. D.B. 559, pp. 5–12, 24–37. 1917.
experiment stations, classification and accounting requirements. D.C. 251, pp. 47–51. 1925; O.E.S. Cir. 111, p. 23. 1911; O.E.S. Cir. 111, rev., pp. 23–24. 1912; O.E.S. [Misc.], "Federal legislation * * *," rev., pp. 26–28. 1914; rev., pp. 29–31. 1915; rev., pp. 24–25. 1916; rev., p. 37. 1917.
farm—
cost, daily work form of records, opening and closing. F.B. 572, rev., pp. 4–20. 1920.
county agents, assistance to farmers. An. Rpts., 1919, p. 380. 1920; S.R.S. Dir. Rpt., 1919, p. 28. 1919.
extension work by county agents and specialists. S.R.S. Rpt., 1918, pp. 86, 105. 1919.
fundamental principles, usefulness and kinds. Y.B., 1917, pp. 153–155, 164–167. 1918; Y.B. Sep. 735, pp. 3–5, 14–17. 1918.
household. W. C. Funk. F.B. 964, pp. 11. 1918.
importance and profits from, instance. F.B. 1463, pp. 24–25. 1925.
interpretation and use. F.B. 511, rev., pp. 37–39. 1920.
keeping, encouragement among farmers. S.R.S. [Misc.], "Cooperative extension work in agriculture and home economics, 1919," pp. 26–27. 1921.
method and blank forms. F.B. 1139, pp. 5–17, 29–40. 1920.
purpose and value. News L., vol. 1, No. 39, pp. 1–2. 1914.
use of diary for. E. H. Thomson. F.B., 782, pp. 19. 1917.
uses, suggestions. F.B. 511, pp. 37. 1912.
financial, in farm bookkeeping, methods, and forms. F.B. 511, rev., pp. 20–34. 1920.
food for household, suggestions. F.B. 1228; pp. 24–26. 1921.
form, discussion. F.B. 661, pp. 3–9. 1915.
ginnery, forms and directions for use. D.B. 985, pp. 8–36. 1921.
grain elevators, bookkeeping system. D.B. 811, pp. 1–53. 1919.
household—
expenses, contests, and rules. O.E.S. Bul. 255, p. 46. 1913.
importance in practicing thrift. Thrift Leaf. No. 2, pp. 1–4. 1919.
keeping—
on farms, work of women. D.C. 148, pp. 10, 11. 1920.
on rented dairy farms. F.B. 1272, pp. 15–16. 1922.
use and value in grain farming. F.B. 704, pp. 2, 41. 1916.

Accounts—Continued.
ledger, for creameries, classification. George O. Knapp and others. D.B. 865, pp. 40. 1920.
lesson outlines for first-year classes, and correlative studies. D.B. 540, p. 31. 1917.
livestock—
shipping association, description and details. D.B.1150, pp. 18–23. 1923.
shipping associations, system for. John R. Humphrey and W. H. Kerr. D.B. 403, pp. 15. 1916.
lumber, and elevator, forms. Mkts. Doc. 2, pp. 1–12. 1916.
meat trade, character, classification. D.B. 1317, pp. 43–85. 1925.
milk plants, checking methods and daily balance form. D.B. 973, pp. 34–37. 1923.
poultry. Alfred R. Lee and Sheppard Haynes. F.B. 1427, pp. 6. 1924.
preparation, regulations of department, forms. Accts. [Misc.], "Fiscal regulations * * *," pp. 18–22, 38–50. 1913.
retail meat business, classification. D.B. 1317, pp. 46–50. 1925.
settlement specifications in large-scale farm contract. D.C. 351, p. 34. 1925.
study and interpretation of results. F.B. 572, rev., pp. 20–21. 1920.
system—
cooperative elevators, creameries, and exchanges. Y.B., 1915, p. 272. 1916; Y.B. Sep. 675, p. 272. 1916.
cotton warehouses. Roy L. Newton and John R. Humphrey. D.B. 520, pp. 32. 1917.
farmers' cooperative elevators. John R. Humphrey and W. H. Kerr. D.B. 236, pp. 30. 1915.
livestock shipping associations. Frank Robotka. D.B. 1150, pp. 52. 1923.
primary grain elevators. John R. Humphrey and W. H. Kerr. D.B. 362, pp. 30. 1916.
various rural activities. An. Rpts., 1916, pp. 386–388. 1917; Mkts. Rpt., 1916, pp. 2–4. 1916.
travel, regulations and sample forms. Sec. [Misc.], "Fiscal regulations * * *," rev., pp. 17–23. 1921.
weekly reports, regulations. Official Record, vol. 3, No. 38, p. 4. 1924.
with War Department, payment. Sol. [Misc.], 3d Sup., "Laws applicable * * *," rev., p. 58. 1915.
wool-pooling committee sample. News. L., vol. 6, No. 52, p. 12. 1919.
Accounts and Disbursements Division, report of Chief—
1901. F. L. Evans. Accts. Chief Rpt., 1901, pp. 17. 1901; An. Rpts., 1901, pp. 253–269. 1901.
1902. F. L. Evans. Accts. Chief Rpt., 1902, pp. 15. 1902; An. Rpts., 1902, pp. 219–233. 1902.
1903. F. L. Evans. Accts. Chief Rpt., 1903, pp. 19. 1903; An. Rpts., 1903, pp. 349–367. 1903.
1904. F. L. Evans. Accts. Chief Rpt., 1904, pp. 8. 1904; An. Rpts., 1904, pp. 307–314. 1904.
1905. F. L. Evans. Accts. Chief Rpt., 1905, pp. 10. 1905; An. Rpts., 1905, pp. 317–326. 1905.
1906. A. Zappone. Accts. Chief Rpt., 1906, pp. 36. 1906.
1907. A. Zappone. Accts. Chief Rpt., 1907, pp. 38. 1907; An. Rpts. 1907, pp. 507–540. 1908.
1908. A. Zappone. Accts. Chief Rpt., 1908, pp. 40. 1908; An. Rpts., 1908, pp. 591–626. 1909.
1909. A. Zappone. Accts. Rpt., 1909, pp. 42. 1909; An. Rpts., 1909, pp. 553–590. 1910.
1910. A. Zappone. Accts. Rpt., 1910, pp. 57. 1910; An. Rpts., 1910, pp. 567–619. 1911.
1911. A. Zappone. Accts. Rpt., 1911, pp. 67. 1911; An. Rpts., 1911, pp. 551–613. 1912.
1912. A. Zappone. Accts. Chief Rpt., 1912, pp. 82. 1912; An. Rpts., 1912, pp. 681–758. 1913.
1913. A. Zappone. Accts. Chief Rpt., 1913, pp. 5. 1913; An. Rpts., 1913, pp. 237–241. 1914.
1914. A. Zappone. Accts. Chief Rpt., 1914, pp. 2. 1914; An. Rpts., 1914, pp. 211–212. 1915.
1915. A. Zappone. Accts. Chief Rpt., 1915, pp. 3. 1915; An. Rpts., 1915, pp. 249–251. 1916.
1916. A. Zappone. Accts. Chief Rpt., 1916, pp. 3. 1916; An. Rpts., 1916, pp. 253–255. 1917.
1917. A. Zappone. Accts. Chief Rpt., 1917, pp. 3. 1917; An. Rpts., 1917, pp. 267–269. 1918.

Accounts and Disbursements Division, report of Chief—Continued.
  1918. A. Zappone. Accts. Chief Rpt., 1918, pp. 3. 1918; An. Rpts., 1918, pp. 277-279. 1919.
  1919. A. Zappone. Accts. Chief Rpt., 1919, pp. 4. 1919; An. Rpts., 1919, pp. 299-302. 1920.
  1920. A. Zappone. Accts. Chief Rpt., 1920, pp. 3. 1920; An. Rpts., 1920, pp. 379-381. 1921.
  1921. A. Zappone. Accts. Chief Rpt., 1921. pp. 4. 1921; An. Rpts., 1921, pp. 4. 1922.
  1922. A. Zappone. Accts. Chief Rpt., 1922, pp. 6. 1922; An. Rpts., 1922, pp. 371-376. 1922.
  1923. A. Zappone. Accts. Chief Rpt., 1923, pp. 7. 1923; An. Rpts., 1923, pp. 507-513. 1923.
  1924. A. Zappone. Accts. Chief Rpt., 1924, pp. 6. 1924.
  See also Accounts Division.
Accounts Division—
  appropriations, 1915. Sol. [Misc.], "Laws applicable * * * Agriculture," 3 Supp., p. 44. 1915.
  appropriations, 1916. Sol. [Misc.], "Laws applicable * * * Agriculture," 4th Supp., p. 56. 1917.
  force, growth, 1881-1908. An. Rpts., 1908, p. 777. 1909; Appt. Clerk Rpt., 1908, p. 9. 1908.
  organization. Sol. [Misc.], "A * * * statutory history * * *", p. 17. 1916.
  See also Accounts and Disbursements Division.
Accredited herd—
  list, No. 3. D.C. 142, pp. 52. 1920.
  plan for eradication of tuberculosis, 1918. Y.B., 1918, pp. 215-220. 1919; Y.B. Sep. 782, pp. 8. 1919.
Aceitillo, Porto Rico, occurrence, description, and uses. D.B., 354, pp. 28, 77. 1916.
Acelga. See Chard.
Acephalocystis ovis tragelaphi, history and synonomy. B.A.I. Bul. 125, Pt. I, p. 68. 1910.
Acer—
  circinatum. See Maple, vine.
  negundo. See Boxelder.
  saccharum—
    organic acids. J.A.R., vol. 22, pp. 221-229. 1921.
    See also Maple, sugar.
  spp.—
    importations and description. Nos. 42435, 42436, 43821, B.P.I. Inv. 47, pp. 13, 71. 1920.
    injury by—
      pith-ray flecks. For. Cir. 215, p. 10. 1913.
      sapsuckers. Biol. Bul. 39, pp. 45-46, 58-61, 84. 1911.
    substitutes for Viburnum opulus. Chem. S. R. A. 20, p. 60. 1917.
    See also Maples.
Aceraceae, injury by sapsuckers. Biol. Bul. 39, pp. 45-46, 84. 1911.
Acetanilid—
  and soda, tablets. Chem. N.J. 2313, p. 1. 1913; Chem N.J. 4048, p. 63. 1916.
  and sodium bromide tablets, adulteration and misbranding. Chem. N.J. 3019, p. 253. 1914.
  consumption in United States. F.B. 393, p. 3. 1910.
  derivatives and preparations, amendment to regulation 28. Chem. F.I.D. 112, p. 3. 1910.
  determination in—
    headache mixtures. Chem. Bul. 122, pp. 101, 102. 1909; Chem. Bul. 132, pp. 197, 199, 200. 1910; Chem. Bul. 152, pp. 236, 241. 1912.
    vanilla extracts. Chem. Bul. 132, p. 98. 1910.
  discovery, preparation, use, danger, and modification. Chem. Bul. 80, pp. 28, 31-32. 1904.
  effects in febrile conditions and in health, experiments. Chem. Cir. 81, p. 8. 1911.
  estimation in headache mixtures, methods. Chem. Bul. 162, pp. 193, 194, 195, 196, 198, 199, 200, 201. 1913.
  harmful effects, also antipyrin and phenacetin. L. F. Kebler and others. Chem. Bul. 126, pp. 85. 1909.
  headache cure, misbranding. Chem. N.J. 820, pp. 2. 1911; Chem. N.J. 906, p. 1. 1911; Chem. N.J. 2578, p. 2. 1911.
  headache wafers, misbranding. Chem. N.J. 908, pp. 2. 1911.
  mixtures, studies. Chem. Bul. 137, pp. 183-184. 1911.
  poisoning, literature and abstracts of cases. Chem. Bul. 126, pp. 21-45. 1909.

Acetanilid—Continued.
  presence in—
    headache cure, misbranding. Chem. N.J. 191, pp. 2. 1910.
    hydrogen peroxide. An. Rpts., 1908, p. 474. 1909; Chem. Chief Rpt., 1908, p. 30. 1908.
    phenacetin, tests. Chem. Bul. 80, pp. 40-44. 1904.
  use—
    as drug, effects, results of investigations, and caution. F.B. 377, pp. 3-13. 1909.
    as preservative in hydrogen peroxid solutions. Chem. Bul. 150, pp. 10, 21-22. 1912.
    in adulteration of fever and pain powder. Chem. N.J. 1178, pp. 2. 1911.
    in adulteration of headache and antipain powders. Chem. N.J. 2548, pp. 2. 1913.
    in headache powders. Chem. N.J. 1157, pp. 2. 1911.
Acetate cellulose, use as "doping" for airplane cloth, tests. D.B. 882, pp. 38-47. 1920.
Acetic acid—
  addition to invertase. Chem. Cir. 50, p. 4. 1910.
  adulterant of vinegar. Chem. N.J. 910, p. 2. 1911; Chem. N.J. 917, p. 2. 1911; Chem. N.J. 1007, p. 1. 1911; Chem. N. J. 1206, p. 2. 1912; Chem. N.J. 1349, p. 2. 1912.
  antiseptic value, experiments. Chem. Bul. 119, p. 25. 1909.
  cheese curds, cultures forming. J.A.R., vol. 2, pp. 197-204, 213. 1914.
  effect upon coagulation of rubber latex. Hawaii Bul. 16, p. 17. 1908.
  formation in vinegar, and testing. F.B. 1424, pp. 1, 7, 8-12, 25-27. 1924.
  in gum tragacanth, estimation. Chem. Cir. 94, pp. 3-5. 1912.
  presence in soils, effect on Azotobacter content. J.A.R., vol. 24, pp. 294-295. 1923.
  production from corncobs, studies. Work and Exp., 1919, p. 30. 1921.
  separation from alcohol. Chem. Cir. 36, pp. 32-35. 1907.
  test of meat extracts. J. A. R. vol. 17, pp. 13-14. 1919.
  testing. J.A.R., vol. 26, p. 329. 1923.
  use in—
    adulteration of vinegar. Chem. N.J. 1652, p. 1. 1912; Chem. N.J. 2603, p. 1. 1913.
    prevention of reddening of codfish. Chem. Bul. 133, pp. 33-34. 1911.
    removal of stains from textiles. F.B. 861, pp. 10, 15. 1917.
  yields from various hardwoods, results of distillation. D.B. 129, pp. 7-8. 1914; D.B. 508, pp. 2-3. 1917.
"Aceton," misbranding. Chem. N.J. 233, p. 2. 1910.
Acetone—
  demand for war uses, and wood used in making. Y.B., 1918, pp. 321-322. 1919; Y.B. Sep. 779, pp. 7-8. 1919.
  distillation and uses. Chem. Cir. 36, pp. 37-38. 1907.
  use as denaturant for alcohol. F.B. 429, p. 9. 1911.
Acetphenetidin—
  consumption in United States. F.B. 393, p. 3. 1910.
  determination in—
    headache mixtures. Chem. Bul. 132, pp. 198, 201. 1910.
    headache powders. Chem. Bul. 152, p. 240. 1912.
  mixtures, studies. Chem. Bul. 137, pp. 185-186. 1911.
  tablets, adulteration and misbranding. See Indexes to Notices of Judgment in bound volumes of Chemistry Service and Regulatory Announcements.
  See also Phenacetin.
Acetyl salicylic acid tablets, adulteration. Chem. N.J. 4686. 1917; Chem. N.J. 4922. 1917; Chem. N.J. 13411. 1925; Chem. N.J. 13634. 1925.
Acetylene gas—
  lighting system—
    for farmhouse, description and cost. F.B. 517, pp. 22-23. 1912; Y.B., 1909, p. 356. 1910; Y.B. Sep. 518, p. 356. 1910.
    for homes. Thrift L. 9, p. 3. 1919.

Acetylene gas—Continued.
   substitution for oil in storm-warning lanterns.
      H. W. Richardson. W.B. Bul. 31, pp. 154-156.
      1902.
Achatodes zeae, description. J.A.R., vol. 30, p. 791.
   1925.
Acheles spp., description and habits. Rpt. 108,
   pp. 33, 34. 1915.
Achemon sphinx moth, injury to vineyards, and
   control work. Ent. Rpt., 1921, p. 9. 1921.
Acherontia atropos. See Moth, death's-head.
Achillea—
   millefolium—
      source of cineol. B.P.I. Cir. 235, p. 12. 1912.
      See also Yarrow.
   ptarmica, susceptibility to *Puccinia triticina*.
      J.A.R., vol. 22, pp. 152-172. 1921.
Achimenes sp., importation and description. No.
   51195, B.P.I. Inv. 64, p. 71. 1923.
Achiote. See Anatto.
Achira, importation and description. No. 41321,
   B.P.I. Inv. 45, p. 11. 1918.
Achium auberianum, importation and description.
   No. 34258, B.P.I. Inv. 32, p. 28. 1914.
Achocha, growing in Hawaii, experimental work.
   Hawaii A.R., 1908, pp. 48-49. 1908.
Achorentes armatum. See Springtails.
Achorion schonleinii—
   cause of tinea favosa or ringworm. B.A.I. [Misc.],
      "Diseases of cattle," rev., p. 345. 1912.
   cause of white-comb disease of pheasants. F.B.
      390, p. 39. 1910.
Achradelpha viridis—
   new name for Sapote. B.P.I. Inv. 36, pp. 10, 69.
      1915.
   See also Sapote, green.
Achras zapota—
   importation and description. No. 34320, B.P.I.
      Inv. 32, p. 35. 1914.
   See also Sapodilla.
Achyrodes spp., description, distribution and uses.
   D.B. 772, pp. 9, 68, 69. 1920.
Achroia grisella. See Moth, lesser wax.
Aciculosporium take, cause of witches' broom of
   bamboo. B.P.I. Bul. 171, p. 10. 1910.
Acid(s)—
   addition to soils, effect on Azotobacter content.
      J.A.R., vol. 24, pp. 294-296. 1923.
   amino. See Amino acids.
   conditions, effect on growth of wheat seedlings,
      or alkaline conditions. J. F. Breazeale and
      J. A. Le Clerc. Chem. Bul. 149, p. 18. 1912.
   determination in—
      fats. Chem. Bul. 13, Pt. X, pp. 1421-1422.
         1902.
      fruits and fruit products. Chem. Bul. 66, rev.,
         pp. 14-17. 1905; Chem. Bul. 132, pp. 60-66.
         1910.
   development in ripening grapes, and sugar.
      William B. Allwood and others. D.B. 335,
      p. 28. 1916.
   effect—
      in destruction of the enzym invertase, with al-
         kalis and hot water. C. S. Hudson and H. S.
         Paine. Chem. Cir. 59, p. 5. 1910.
      on—
         availability of potassium to wheat seedlings.
            J.A.R., vol. 20, pp. 616-617, 619-621. 1921.
         calcium carbonate. Soils Bul. 49, p. 55.
            1907.
         citrus canker in soils. J.A.R., vol. 19, pp.
            217-218. 1920.
         fungi growth and reproduction. J.A.R., vol.
            5, No. 16, pp. 734-737. 1916.
         gluten hydration capacity. J.A.R., vol. 13,
            pp. 396-399. 1918.
         infectivity of tobacco-mosaic virus. J.A.R.,
            vol. 13, pp. 619-637. 1918.
         texture and ripening of cheese. B.A.I. Bul.
            150, pp. 18-21. 1912.
   fatty. See Fatty acids.
   fermentation, in milk for Cheddar cheese, studies.
      B.A.I. Cir. 210, pp. 1-3. 1913.
   formation—
      by *Botrytis cinerea*. J.A.R., vol. 25, pp. 155-164.
         1923.
      by *Rhizopus* spp. J.A.R., vol. 25, pp. 155-164.
         1923.
      in sauerkraut, influence of inoculation. J.A.R.,
         vol. 30, p. 959. 1925.

Acid(s)—Continued.
   formation—continued.
      in stover silage, causes, studies. J.A.R., vol.
         12, pp. 592-599. 1918.
   forming bacteria, influence on alcohol test of milk.
      D.B. 202, pp. 8-9. 1915.
   hydroxy-fatty, distribution, description, studies.
      Soils Bul. 74, pp. 13-17. 1910.
   in hop oils, free and other. J.A.R., vol. 2, pp.
      147-148, 155. 1914.
   influence on activity of invertase—
      theory. C. S. Hudson. Chem. Cir. 60, p. 3.
         1910.
      with alkalis. C. S. Hudson and H. S. Paine.
         Chem. Cir. 55, pp. 7. 1910.
   iron mineral compound, misbranding. Chem.
      N.J. 4336, pp. 477-479. 1916.
   kinds in sugar-beet-top silage. J.A.R., vol. 20,
      pp. 540-542. 1921.
   lactic. See Lactic acid.
   land—
      crops. D.B. 6, pp. 7-13. 1913.
      plants, nitrogen supply, sources. D.B. 6, pp.
         6-7. 1913.
   measure for testing cream. B.A.I. Cir. 56, p. 200.
      1904.
   mineral—
      action on cyanids and hydrocyanic acid. Ent.
         Bul. 90, Pt. III, pp. 96-99. 1911.
      added to corn rations, effect on reproduction.
         J.A.R., vol. 10, pp. 186-187. 1917.
      effect on cyanids and hydrocyanic-acid gas.
         Ent. Bul. 90, pp. 96-99. 1912.
      poisoning of cattle, treatment. B.A.I. [Misc.],
         "Diseases of cattle," rev., p. 61. 1912.
   numbers, hop oils from various sources. J.A.R.,
      vol. 2, pp. 125, 139-147. 1914.
   organic—
      and their salts, spraying tests as insecticides.
         D.B. 1160, pp. 6, 8, 9. 1923.
      in soils, effect on Azotobacter content. J.A.R.,
         vol. 24, pp. 295-296. 1923.
      occurrence in soils, studies. Soils Bul. 88, pp.
         6-14, 35-41. 1913.
      of *Pyrus coronaria*, *Rhus glabra*, and *Acer
         saccharum*. Charles E. Sando and H. H.
         Bartlett. J.A.R., vol. 22, pp. 221-229. 1921.
   other than lactic, influence on butter flavor.
      B.A.I. Bul. 114, pp. 17-18. 1909.
   paper destruction. Rpt. 89, p. 16. 1909.
   pepsin, methods of estimation of metabolic
      nitrogen. J.A.R., vol. 9, pp. 406-407. 1917.
   phosphate. See Superphosphate; Phosphate,
      acid.
   presence in grapes. J.A.R., vol. 30, pp. 1152-1155.
      1925.
   production—
      and examination. J.A.R., vol. 26, pp. 326-333,
         369-371. 1923.
      by storage-rot fungi. J.A.R., vol. 21, p. 223.
         1921.
      in silage. J.A.R., vol. 21, pp. 769-771. 1921.
      tests of streptococci of milk. J.A.R., vol. 1, pp.
         498-502. 1914.
   pyrimidine derivatives, description, studies.
      Soils Bul. 74, pp. 36-39. 1910.
   relation to—
      burning quality of tobacco. B.P.I. Bul. 105,
         pp. 18, 20, 22, 23. 1907.
      growth of *Phytophthora infestans*. B.P.I.
         Bul. 245, pp. 54-57. 1912.
   resin, description, analysis, studies. Soils Bul.
      74, pp. 21-23. 1910.
   soil, unknown constitution. Soils Bul. 74, pp.
      17-23. 1910.
   soils. See Soils, acid.
   solids, ratio in grapefruit. J.A.R., vol. 20, 359-
      373. 1920.
   stain removal from textiles. F.B. 861, pp. 8-9.
      1917.
   storage, necessity in alcohol plant. D.B. 983,
      p. 64. 1922.
   standardizing, method. Chem. Bul. 150, p. 48,
      1912.
   tannage, effect of wear of sole leather. D.B. 1168,
      pp. 11-12. 1923.
   test—
      determination of milk condition for Cheddar
         cheese, comparison with rennet test. E. G.
         Hastings and Alice C. Evans. B.A.I. Cir.
         210, pp. 6. 1913.

Acid(s)—Continued.
  test—continued.
    for milk. B.A.I. An. Rpt., 1911, pp. 211–212. 1913.
    jelly making. F.B. 1454, p. 12. 1925.
    testing for volatility and toxicity. J.A.R., vol. 10, pp. 366–371. 1917.
    thirty-eight normal, preparation, directions. Chem. Cir. 85, pp. 12–13. 1912.
  tolerant crops, value in utilization of acid lands. Frederick V. Coville. D.B. 6, p. 13. 1913.
  use in—
    cheese making, comparison of different kinds. B.A.I. Bul. 165, p. 30. 1913.
    fruit jellies. F.B. 388, p. 31. 1910.
  uvitonic, soil constituent, wheat-growing tests, table. Soils Bul. 87, pp. 66–67. 1912.
  value, soft resin of hops, experiments. D.B. 282, pp. 11–13, 19. 1915.
  volatile—
    apparatus for determination in wines and vinegars. H. C. Gore. Chem. Cir. 44, pp. 2. 1909.
    Roquefort cheese, studies, relation to flavor. J.A.R., vol. 2, pp. 3–9. 1914.
    yield from various woods. D.B. 983, p. 84. 1922.
  See also *under individual names, as* Acetic acid; Benzoic acid; Boric acid.
Acidia fratria. See Parsnip leaf miner.
Acidimeter—
  description and use. F.B. 381, pp. 30–31. 1909.
  necessity in cheese-making, cost and use. D.B. 148, pp. 11, 12. 1915.
Acidity—
  and rennet action, differentiation. D.B. 202, pp. 15–16. 1915.
  apples, normal and diseased, comparison. J.A.R. vol. 7, pp. 34–36. 1916.
  causes in peat soils. D.B. 802, p. 11. 1919.
  cell sap, daily periodicity. J.A.R., vol. 27, pp. 125–128. 1924.
  cereal products measurement, simple method. J.A.R., vol. 18, pp. 33–49. 1919.
  changes—
    in milk pasteurization. B.A.I. Bul. 166, p. 15. 1913.
    in wheat, relation to stem-rust resistance. Annie May Hurd. J.A.R., vol. 27, pp. 725–735. 1924.
    produced by growing seedlings in acid solutions. J.A.R., vol. 27, pp. 207–217. 1924.
  cheese—
    curd, influence on moisture. B.A.I. Bul. 122, pp. 29–39. 1910.
    problems, study and experiments. B.A.I. Bul. 115, pp. 18–21. 1909.
    testing. F.B. 1191, p. 10. 1921.
  cider, testing method. Y.B., 1914, p. 235. 1915; Y.B. Sep. 639, p. 235. 1915.
  citrus fruit—
    relation to canker resistance. J.A.R., vol. 6, pp. 86–88. 1916.
    value in judging quality. D.B. 1255, pp. 4, 5, 15, 16, 17, 18. 1924.
  content, tuna. B.P.I. Bul. 116, p. 35. 1907.
  corn—
    determination methods and apparatus. B.P.I. Bul. 199, pp. 10–12, 18–25. 1910; D.B. 102, pp. 1–6. 1914.
    relation to vegetative vigor. Annie May Hurd. J.A.R., vol. 25, pp. 457–469. 1923.
  cream—
    effect on whipping quality. D.B. 1075, pp. 17–18. 1922.
    influence on butter flavor. L. A. Rogers and C. E. Gray. B.A.I. Bul. 114. pp. 22. 1909.
    relation to—
      feathering in coffee. J.A.R., vol. 26, pp. 543–546. 1923.
      fishy flavor in butter. B.A.I. Cir. 146, pp. 10–12, 20. 1909.
  determinations in—
    brines. F.B. 1159, pp. 15, 21–22. 1920.
    cattle feed. Chem. Bul. 122, pp. 160–163. 1909.
    chicken fat under varying conditions. Chem. Cir. 75, p. 5. 1912.
    distillery mashes. Chem. Bul. 130, pp. 71–72. 1910.
    feeds, methods. Chem. Bul. 137, pp. 152–155. 1911; Chem. Bul. 162, pp. 170, 171, 172, 173, 174. 1913.

Acidity—Continued.
  determinations in—continued.
    flour. Chem. Bul. 152, pp. 102, 108, 114–116. 1912.
    meat proteids, methods. Chem. Bul. 116, pp. 46–48. 1907.
    milk and cream. B.A.I. Doc. A-7, pp. 32–34. 1916; B.A.I. Doc. A-12, pp. 36–38. 1917.
  effect on—
    germination of seed and growth of seedlings, studies. J.A.R., vol. 19, pp. 78–92. 1920.
    nitrogen growth and fixation by Azotobacter cultures. J.A.R., vol. 24, pp. 759–767. 1923.
  factor in determination of corn soundness. H. J. Besley and G. H. Baston. D.B. 102, pp. 45. 1914.
  flour, determination. D.B. 1187, pp. 30–32, 36. 1924.
  influence on alcohol test of milk. D.B. 202, pp. 8–9. 1915.
  milk—
    and cream, testing method. D.C. 53, pp. 18–19. 1919.
    investigations. S.R.S. Rpt., 1916, Pt. I, pp. 43, 204, 206. 1918.
    prevention in contest sample. D.B. 356, p. 23. 1916.
    scoring, and control. B.A.I. Cir. 205, pp. 16, 28. 1912.
  onion juice, relation to disease resistance of onion. J.A.R., vol. 24, pp. 1033–1036, 1038. 1923.
  plants—
    juices, changes during freezing. J.A.R., vol. 15, pp. 99–101. 1918.
    relations to photoperiodism. J.A.R., vol. 27, pp. 122–125. 1924.
  poultry feed mixtures. J.A.R., vol. 20, pp. 141–149. 1920.
  proportion to pectin and sugar in jelly making. Hawaii Bul. 47, pp. 9–14, 16, 19, 21. 1923.
  protein foods, correction by vegetable foods. D.B. 503, p. 4. 1917.
  readings, limits permissible. Chem. Bul. 130, p. 119. 1910.
  Rhizopus spp., and pectinase production. J.A.R., vol. 26, pp. 369–370. 1923.
  silage—
    extracts, determination. J.A.R., vol. 15, pp. 116–125. 1918.
    fermentation, progress and cause. J.A.R., vol. 8, pp. 368–372, 378. 1917.
    various crops. J.A.R., vol. 14, pp. 395–409. 1918.
  soil. See Soils, acidity.
  test of milk, comparison with alcohol test. D.B. 944, pp. 4–9. 1921.
  testing—
    alcohol method comparison with ice-water method. J.A.R., vol. 18, pp. 33–43. 1919.
    methods. F.B. 1438, p. 16. 1924.
  urine, effect of cucurbita seeds. J.A.R., vol. 21, pp. 524–528. 1921.
  vinegar, determination. F.B. 1424, pp. 26–27, 1924.
  wheat—
    changes due to tempering. J.A.R., vol. 20, pp. 272–275. 1920.
    determination with hydrogen electrode. J.A.R. vol. 16, pp. 1–13. 1919.
    relation to disease resistance. J.A.R., vol. 23, pp. 373–386. 1923.
  See also Hydrogen-ion concentration.
Acipenser transmontanus. See Sturgeon.
ACKERMAN, A. J.—
  "Preliminary report on control of San Jose scale with lubricating oil emulsion." D.C. 263, pp. 18. 1923.
  "Two leafhoppers injurious to apple nursery stock." D.B. 805, pp. 35. 1919.
ACKERT, J. E.: "Growing experimental chickens in confinement." With others. J.A.R., vol. 25, pp. 451–456. 1923.
Acmaeodera—
  pulchella. See Cypress, bald, sapwood borer.
  spp., larval structure, distribution, habits and host trees. D.B. 437, pp. 6, 7. 1917.
Acocanthera—
  spectabilis, importation and description, No. 45743. B.P.I. Inv. 54, pp. 5, 14. 1922.
  venenata, importation and description, No. 47095. B. P. I. Inv. 58, p. 23. 1922.

INDEX TO PUBLICATIONS, 1901–1925

Acom—
  description and various names. D.B. 1167, p. 3. 1923.
  importations and description. No. 47564, B.P.I. Inv. 59, pp. 6, 31. 1922; No. 51426, B.P.I. Inv. 65, p. 16. 1923; Nos. 53925–54054, B.P.I. Inv. 68, pp. 2, 10, 24. 1923.

Aconite—
  alkaloidal reactions. Chem. Bul. 150, pp. 37, 43. 1912.
  culture and handling as drug plant, yield, and price. F.B. 663, pp. 12–13. 1915; F. B. 663, rev., pp. 15–16. 1920.
  description and comparison with larkspur. D.B. 365, pp. 13, 19, 24–28. 1916; D.B. 1245, pp. 9–10. 1924.
  distribution, non-poisonous, injury to livestock. D.B. 575, p. 10. 1918.
  importations and descriptions. Nos. 38993, 38994. B.P.I. Inv. 40, pp. 54–55. 1917.
  leaves and root analysis. Chem. Bul. 116, pp. 82, 84, 85. 1908.
  poisoning, cattle, symptoms and treatment. B.A.I. [Misc.], "Diseases of cattle," rev., pp. 65–66. 1912.
  root—
    analysis, discussion of results. Chem. Bul. 107, rev., p. 259. 1907; Chem. Bul. 122, pp. 131–135. 1909; Chem. Cir. 38, p. 6. 1908; Chem. Bul. 116, pp. 85–86. 1908.
    substitute, opinion 207. Chem. S.R.A. 20, pp. 56–57. 1918.
    substitution of *Aconitum chasmanthum*, opinion 284. Chem. S.R.A. 23, pp. 99–100. 1918.

Aconitin, testing by use on mice. Chem. Bul. 122, p .103. 1909.

Aconitum spp.—
  anatomical studies. D.B. 365, pp. 24–28. 1916.
  distinctions in root. Chem. S.R.A. 20, pp. 56–57. 1917.
  importations and description. Nos. 51744–51747, B.P.I. Inv. 65, pp. 43–44. 1923.
  susceptibility to *Puccinia triticina*. J.A.R., vol. 22, pp. 155–172. 1921.
  See also Aconite; Monkshood.

Acordia, host of Mediterranean fruit fly in Hawaii. D.B. 536, pp. 24, 25. 1918.

Acorn(s)—
  distribution by jay birds. Biol. Bul. 34, p. 55. 1910.
  edible, importations and description. No. 35320, B.P.I. Inv. 35, pp. 37–38. 1915; Nos. 52391, 52393–52397, 52440–52448, B.P.I. Inv. 66, pp. 2, 3, 20, 21, 26. 1923.
  feed for hogs. B.A.I. Bul. 47, p. 236. 1904.
  food of woodpeckers. Biol. Bul. 34, pp. 23, 24, 26. 1910; F.B. 506, p. 8. 1912.
  poisonous to cattle. B.A.I. [Misc.], "Diseases of cattle," rev., p. 64. 1923.
  preparation for food by American Indians. F.B. 332, p. 22. 1908.
  storing for spring planting. F.B. 468, p. 27. 1911.
  uses as food. F.B. 332, pp. 16, 17, 21. 1908; Y.B. 1906, pp. 303–306. 1907; Y.B. Sep. 424, pp. 303–306. 1907.
  weevil, infestation with boll-weevil parasites. Ent. Bul. 100, pp. 45, 48, 80. 1912.

Acorus calamus. *See* Calamus; Flag.

Acre—
  cost, basis for computation. Stat. Bul. 73, pp. 26–28. 1909.
  foot, water measurement, equivalents, and definition. D.B. 1340, p. 3. 1925; Y.B., 1910, pp. 173, 175. 1911; Y.B. Sep. 626, pp. 173, 175. 1911.
  yields, problems for southern farmers. D.C. 85, pp. 8–9. 1920.

Acreage—
  crop, per farm, relation to crop acres per horse. D.B. 560, p. 22. 1917.
  farm—
    estimates methods. Stat. Cir. 17, rev., pp. 17–19, 20. 1915.
    in North Central States, distribution of crop areas. D.B. 920, pp. 8, 9–11, 23, 24–26, 42, 43–44. 1920.
    prospective, estimates and demand for. 1919. An. Rpts., 1919, pp. 331–332. 1920; Crop Est. Rpt., 1919, pp. 7–8. 1919.

Acreage—Continued.
  reduction, in wheat, discussion by Secretary. An. Rpts., 1923, pp. 14, 15. 1923; Sec. A.R., 1923, pp. 14, 15. 1923.
  relation to farming efficiency. Y.B., 1913, pp. 94–95. 1914; Y.B. Sep. 617, pp. 94–95. 1914.

Acrididae, destruction by crows. D.B. 621, pp. 20–21. 1918.

Acrobasis nebulella. *See* Pecan leaf case-bearer.

Acrocephalus familiaris. *See* Miller bird.

Acroclinium, description, cultivation, and characteristics. F.B. 1171, pp. 54, 82. 1921.

Acrocomia—
  mexicana. *See* Palm, cocoyol.
  totai, importation and description. No. 45483, B.P.I. Inv. 53, p. 39. 1922; No. 46301, B.P.I. Inv. 55, p. 43. 1922.

Acrolein, examination and reaction with hydrogen peroxide. J.A.R., vol. 26, pp. 335–336, 338, 348, 360. 1923.

Acromania, cotton disease, description. J.A.R., vol. 28, pp. 803–828. 1924.

Acronycta rumicis. *See* Sorrel cutworm.

Acrostalagmus—
  albus, enemy of aphids in Porto Rico. D.B. 192, p. 3. 1915.
  spp.,—
    cause of wilt disease of certain plants. J.A.R., vol. 12, pp. 530–533. 1918.
    data, comparison with *Verticillium* spp. J.A.R., vol. 12, p. 533. 1918.
    wilt, ginseng disease, description and control. F.B. 736, pp. 7–8. 1916.

Acrotriche depressa, importations and description. Nos. 48800, 48801, B.P.I. Inv. 61, pp. 4, 49. 1922.

Acrylic acid, occurrence in soils, description. Soils Bul. 88, pp. 12–14. 1912.

Actaea spicata, resistance to *Puccinia triticina*. J.A.R., vol. 22, pp. 155–172. 1921.

Actinidia—
  arguta—
    description. B.P.I. Cir. 110, p. 7. 1913.
    importation, and description. No. 36617, B.P.I. Inv. 37, p. 39. 1916.
  callosa henryi, importation and description. No. 42683, B.P.I. Inv. 47; pp. 7, 51. 1920.
  chinensis. *See* Yang-tao.
  spp.—
    Asiatic, description. B.P.I. Cir. 110, pp. 7–12. 1913.
    growth and uses in China, Siberia, and Korea. B.P.I. Bul. 204, pp. 48–49. 1911.
    importations and description. Nos. 45241, 45588, B.P.I. Inv. 53, pp. 15, 64. 1922; Nos. 47623, 47633, B.P.I. Inv. 59, pp. 7, 39, 40. 1922; No. 48551, B.P.I. Inv. 61, pp. 2, 21. 1922.

Actinobacillosis, cattle, prevalence, in Argentina. Y.B., 1913, p. 359. 1914; Y.B. Sep. 629, p. 359. 1914.

Actinomyces—
  bovis, cause of actinomycosis. F.B. 1155, pp. 54, 82. 1921.
  chromogenus—
    cause of corky scab. Hawaii Bul. 45, p. 27. 1920.
    cause of potato scab. Work and Exp., 1914, p. 229. 1915.
    identity with *Oospora scabies*. J.A.R., vol. 4, p. 129. 1915.
    description and development. B.A.I. [Misc.], "Diseases of cattle," pp. 440–442. 1923.
  necrophorus—
    cause of calf diphtheria. D.C. 322, p. 6. 1924.
    cause of necrotic stomatitis. F.B. 1244, p. 22. 1923.
  poolensis, found with soil rot of sweetpotato. J.A.R., vol. 13, pp. 445–447. 1918.
  scabies, experimental data. D.B. 1347, p. 35. 1925.
  spp., vitality tests under low temperature. J.A.R., vol. 5, No. 14, pp. 651, 652, 654, 655. 1916.

Actinomycosis—
  cattle—
    causes, location, prevention, treatment, and dangers. B.A.I. [Misc.], "Diseases of cattle," rev., pp. 447–457. 1912; rev., pp. 440–450. 1923.
    danger to milk supply. B.A.I. An Rpt., 1907, p. 153. 1909.

Actinomycosis—Continued.
  legislation. B.A.I. Bul. 28, pp. 54, 108. 1901.
  meat-inspection regulations, various countries. B.A.I.S.A. 73, pp. 42–43. 1913.
  occurrence in Honduras. B.A.I. An. Rpt., 1910, p. 291. 1912.
  on beef tongues, inspection, instructions. B.A.I. S.A. No. 9, p. 1. 1908.
  relation to public health. B.A.I. [Misc.], "Diseases of cattle," rev., pp. 454–457. 1912.
  sheep, cause and treatment. F.B. 1155, p. 17. 1921.
  See also Lumpy jaw.
Actinomycotic tubercles, diagnosis, distinction from tapeworm cysts. B.A.I. An. Rpt., 1911, p. 114. 1913; B.A.I. Cir. 214, p. 114. 1913.
Actinonema rosae, occurrence on plants, Texas. B.P.I. Bul. 226, p. 88. 1912.
Actitis macularia—
  breeding range and migration habits. Biol. Bul. 35, pp. 69–71. 1910.
  See also Sandpiper, spotted.
Acts—
  authorizing Secretary of Agriculture to make regulations. Sol. Cir. 22, pp. 7–8. 1909.
  of Congress—
    administration by Solicitor. An. Rpts., 1914, pp. 285–299. 1915; Sol. Rpt., 1914, pp. 5–19. 1914.
    meat inspection, scope and results. B.A.I. An. Rpt., 1908, pp. 83–85. 1910; B.A.I. Cir. 154, pp. 1–3. 1910.
    relating to animal-disease control. B.A.I.O. 245, pp. 28–34. 1916.
    See also Congress.
  See also Laws.
Acuan, nodules, abundance. B.P.I. Cir. 31, p. 6. 1909.
Acystosporea, description, and disease caused thereby. B.A.I. An. Rpt., 1910, p. 491. 1912 B.A.I. Cir. 194, p. 491. 1912.
Ada (horse) description, pedigree, and progeny. D.C. 153, p. 21. 1921.
Adalia—
  bipunctata, enemy of Pemphigus acerifalii. Ent. T. B. 24, p. 11. 1912.
  bipuncta. See also Ladybird, two-spotted.
  flavomaculata. See Ladybird, South African.
  melanopleura, enemy of walnut aphids. D.B. 100, pp. 39–40. 1914.
Adams, Bristow: "An agricultural almanac for 1921." F.B. 1202, p. 64. 1921.
Adams, C. F.: Report of Arkansas Experiment Station, work and expenditures—
  1909. O.E.S. An. Rpt., 1909, pp. 77–80. 1910.
  1910. O.E.S. An. Rpt., 1910, pp. 98–101. 1911.
  1911. O.E.S. An. Rpt., 1911, pp. 76–78. 1912.
  1912. O.E.S. An. Rpt., 1912.pp. 77–79. 1913.
Adams, D. W.: "Methods and apparatus for the prevention and control of forest fires as exemplified on the Arkansas National Forest." For. Bul. 113, pp. 27. 1912.
Adams, E. L.: "The culture of rice in California." With Charles E. Chambliss. F. B. 688, pp. 20. 1915.
Adams, Frank—
  "Agriculture under irrigation in the basin of Virgin River." O.E.S. Bul. 124, pp. 207–265. 1903.
  "Court adjudications of water rights on the Sevier River." O.E.S. Bul. 124, pp. 267–300. 1903.
  "Delivery of water to irrigators." O.E.S. Bul. 229, pp. 99. 1910.
  "Irrigation resources of California and their utilization." O.E.S. Bul. 254, pp. 95. 1913.
  "Second progress report of cooperative irrigation investigations in California." O.E.S. Cir. 108, pp. 39. 1911.
  "The distribution and use of water in Modesto and Turlock irrigation districts, California." O.E.S. Bul. 158, pp. 93–139. 1906.
Adams, G. H.: "Inspection of fruit and vegetable canneries." With others. D.B. 1084, pp. 38. 1922.
Adams, J. F.: "Parasitic fungi, internal, of seed corn." With Thomas F. Manns J.A.R., vol. 23, pp. 495–524. 1923.
Adams, J. M. R.: "Sweet-potato storage rots." With others. J.A.R., vol. 15, pp. 338–368. 1918.
Adams, J. W.—
  "Horseshoeing." F.B. 179, pp. 30. 1903.

Adams, J. W.—Continued.
  "Shoeing." B.A.I. [Misc.], "Diseases of the horse," rev., pp. 552–574. 1903; rev., pp. 559–581. 1907; rev., pp. 565–587. 1911; rev., pp. 583–605. 1916; pp. 583–605. 1923.
Adams Act—
  administration, discussion. O.E.S. Bul. 184, pp. 103–111. 1907.
  amendment, text and administration. D.C. 251, pp. 22–23, 27, 49, 50. 1923.
  endowment of agricultural experiment stations, 1906. An. Rpts., 1906, pp. 559–561. 1907; O.E.S. Cir. 68, rev., pp. 8–9. 1908.
  entomology, economic research. Ent. Bul. 67, pp. 77–85. 1907.
  establishment of experiment stations, text and amendment. D.C. 251, pp. 21–22. 1925.
  five-year limitation. Sec. A. R., 1910, p. 138. 1910; An. Rpts., 1910, p. 138. 1911; Y.B. 1910, p. 137. 1911.
  interpretation under agriculture appropriations act of 1907. D.C. 251, p. 22. 1925.
  opportunities offered for entomological work. O.E.S. Bul. 196, pp. 105, 106, 108. 1907.
  scope of investigations, problems. O.E.S. Cir. 71, pp. 1–7. 1907.
  ten years' work under, and disbursements. S.R.S. Rpt., 1916, Pt. I, pp. 13–15, 308. 1918.
  text and rulings. O.E.S. [Misc.], "Federal legislation, regulations, and rulings affecting agricultural colleges and experiment stations," rev. (to July 1, 1914) pp. 10–12, 26–28. 1914; rev. (to Dec. 21, 1914), pp. 10–12, 29–31. 1915; O.E.S. Cir. 111, rev., pp. 11–13, 19, 24–25. 1912.
  work and disbursements under, 1913. Work and Exp., 1913, pp. 18–19, 20, 106–110. 1915.
  See also Adams fund.
Adams Bayou Canal Company, works, rice irrigation, details. O.E.S. Bul. 222, p. 36. 1910.
Adams fund—
  accounting and uses, ruling of department. D.C. 251, p. 28. 1925.
  administration, 1914. Work and Exp., 1914, pp. 21–22. 1915.
  administrations and use in experiment station work. Sec. A.R., 1912, pp. 96–101, 212–213. 1912; An. Rpts., 1912, pp. 96–101, 212–213. 1913; Y.B., 1912, pp. 96–101, 212–213. 1913.
  experiment station work under discussion. Work and Exp., 1919, pp. 14–16. 1921.
  opinions of the Comptroller of the Treasury. O.E.S. Doc. 901, pp. 4. 1906.
  research projects, ten years' operations. An. Rpts., 1917, pp. 329–330. 1918. S.R.S. Dir. Rpt., 1917, pp. 7–8. 1917.
  use, benefit to agricultural education, projects. O.E.S. An. Rpt., 1910, pp. 16, 18, 75–76, 78. 1911.
  See also Adams Act.
Adam's needle. See Yucca.
Adanas sativus. See Pineapples.
Adansonia digitata. See Baobab tree.
Adenanthera pavonina. See Coral bean tree.
Adenine—
  occurrence in soils, description. Soils Bul. 88, pp. 16–17. 1912; Soils Bul. 89, pp. 25, 30. 1912.
  wheat-growing tests. Soils Bul. 87, p. 30. 1912.
Adenoid growths, human, relation to baccilus of infectious abortion. B.A.I. Chief Rpt., 1913, p. 34. 1913; An. Rpts., 1913, p. 104. 1914.
Adenoma tumor, cattle, description, treatment. B.A.I. [Misc.]. "Diseases of cattle," rev., p. 322. 1912.
Adenophora verticillata, importation and description. No. 39837, B.P.I. Inv. 42, p. 25. 1918.
Adenosarcoma, embryonal, of kidney in swine. L. Enos Day. B.A.I. An. Rpt., 1907, pp. 247–257. 1909.
Adenostoma spp., occurrence in chaparral, qualities. For. Bul. 85, pp. 6, 9, 11, 29, 36, 42. 1911.
Adhesive, arsenical sprays for insects, use of cactus solution. M. M. High. D.B. 160, pp. 20. 1915.
Adina cordifolia, importation and description. No. 52282, B.P.I. Inv. 65, p. 84. 1923.
Adirondack Preserve, public hunting grounds. D.B. 1049, p. 29. 1922.
Adirondacks—
  forest fires, 1903. H. M. Suter. For. Cir. 26, pp. 15. 1904.
  New York, game preserves, conditions. Biol. Cir. 72, pp. 7–8. 1910.

Administration—
and research, relation between work. O.E.S. Cir. 82, pp. 1-5. 1908.
business—
management of rural telephone companies, advice. F.B. 1245, pp. 23-24. 1923.
of Department reorganization. Off. Rec., vol. 4, No. 16, p. 4. 1925.
food-products inspection, Regulation 2. Sec. Cir. 160, p. 1. 1922.
Administrative—
regulations. See Regulations.
sites, national forests, laws, applicable. Sol. [Misc.], "The national * * * manual * * *," pp. 58-59. 1913; rev., p. 92. 1916.
Administrative Service, grades and compensation. Off. Rec., vol. 2, No. 13, pp. 5-6. 1923.
Admontia pergandei, parasite of smoky crane-fly. Ent. Bul. 85, Pt. VII, p. 128. 1910.
Adobe—
land, grapes, description, resistance to lime and climatic conditions. B.P.I. Bul. 172, p. 21. 1910.
soils, use in rice growing, California. F.B. 1141, pp. 3-4, 6, 13. 1920.
tick. See *Ornithodoros* spp.
use as building material, directions for use, cost and value. F.B. 499, pp. 20-22. 1912.
Adonis vernalis, importations and description. No. 51762, B.P.I. Inv. 65, p. 45. 1923.
Adoretus umbrosus tenuimaculatus. See Japanese beetle.
Adoxus obscurus, description. Ent. Bul. 89, p. 15. 1910.
Adrenalin—
discovery. O.E.S. An. Rpt., 1908, p. 353. 1909.
history of isolation, experiments, toxicity. B.P.I. Bul. 112, pp. 1-32. 1907.
Adsorbing agents, use in clarifying fruit juice. D.B. 1025, pp. 6-12. 1922.
Adsorption—
comparison with absorption, demonstration of process. J.A.R., vol. 26, pp. 84, 114, 117. 1923.
selective, by soils. J.A.R., vol. 1, pp. 179-188. 1913.
Adulterants—
alfalfa seed—
detection and control. F.B. 757, pp. 8, 22-23. 1916; S.R.S. Syl. 20, pp. 10-11. 1916.
precautions. F.B. 1283, p. 7. 1922.
clover seed—
detection. F.B. 428, pp. 5-6, 33-37. 1911.
imported. News L., vol. 1, No. 5, p. 1. 1913.
coffee, imports, countries. Stat. Bul. 79, pp. 126-130. 1912.
food—
and drinks, detection. Chem. Bul. 107, pp. 82, 87-89, 94, 101, 104, 105, 112, 113, 120-122, 125, 149, 152, 154, 155, 159, 164-166, 179-189, 190-200. 1907.
and drugs, imported products. Y.B., 1910, pp. 209-212. 1911; Y.B. Sep. 529, pp. 209-212. 1911.
Chemistry Bureau exhibit, Buffalo Exposition, 1901. Chem. Bul. 63, pp. 7-14. 1901.
detection, simple tests. Chem. Bul. 100, pp. 41-59. 1906.
forage seeds, description. F.B. 382, pp. 15-21. 1909; Y.B. 1915, pp. 314-315. 1916; Y.B. Sep. 679, pp. 314-315. 1916.
grass seeds, descriptions of weed seeds found. D.B. 692, pp. 22-24. 1918.
honey, and their detection. Chem. Bul. 110, pp. 56-68. 1908.
seeds—
classification and description. F.B. 428, pp. 16-28. 1911.
indications of European origin. F.B. 428, pp. 5, 8, 18, 34, 35, 36, 37, 38, 42, 43. 1911.
Sicilian sumac, detection, microscopical and chemical. Chem. Bul. 117, pp. 25-32. 1908.
turpentine, detection. Chem. Bul. 135, pp. 16-20, 29-31. 1911.
Adulteration—
act, Canada. Chem. Bul. 69, Pt. 2, pp. 120-128. 1905.
"Allen's Red Tame Cherry." Chem. N.J. 549, p. 1. 1910.
ample products. H. W. Wiley. For. Bul. 59, 47-54. 1905.

Adulteration—Continued.
butter. B.A.I. Cir. 56, p. 193. 1904.
canned tomatoes. Chem. N.J. 555, pp. 3. 1910.
clover seed. F.B. 353, pp. 5-7. 1909.
coffee. Chem. N.J. 530, pp. 2. 1910; Chem. N.J. 545, p. 1. 1910; Chem. N.J. 563, p. 1. 1910.
cream. Chem. N.J. 513, p. 1. 1910; Chem. N.J. 558, p. 1. 1910.
currants and raisins. Chem. N.J. 531, p. 2. 1910.
dairy products, reports. Chem. Bul. 132, pp. 122-131, 170-173. 1910.
desiccated eggs. Chem. N.J. 544, pp. 5. 1910.
drugs—
and chemicals. Lyman F. Kebler. Chem. Bul. 80, pp. 47. 1904.
Federal and State laws. Chem. Bul. 98, rev., Pt. I, pp. 14-18. 1906.
evaporated apples. Chem. N.J. 519, p. 2. 1910.
fertilizers, definition. Chem. Bul. 116, pp. 99-100. 1908.
foods—
and beverages, remarks. Chem. Bul. 90, pp. 77, 230. 1905.
and drugs—
definition of term. Chem. [Misc.], "Food and drug manual. * * *," pp. 17-18. 1920.
labeling, Regulations 23. Sec. Cir. 21, rev., p. 12. 1922.
prohibition, and correction methods. Y.B. 1913, pp. 126-129. 1914; Y.B. Sep. 619, pp. 126-129. 1914.
rules, for enforcement of law. Secy. Cir. 21, pp. 4-6. 1913.
drugs, and feeds, methods. News L., vol. 6, No. 42, pp. 2-3, 4. 1919.
interstate shipment, Information 19. Chem. S.R.A. 7, p. 525. 1914.
laws, 1908. Chem. Bul. 121, pp. 14-15, 19, 22, 29, 43, 49, 51, 56, 69, 79. 1909.
report of referee. Chem. Bul. 73, pp. 47-48. 1903; Chem. Bul. 122, pp. 11-12. 1909; Chem. Bul. 132, pp. 54-55. 1910; Chem. Bul. 152, pp. 88-89. 1912.
some forms and simple methods for their detection. Chem. Bul. 100, pp. 59. 1906.
work of department, advisory and legal. Sec. A.R., 1909, pp. 35-41. 1909; Y.B., 1909, pp. 35-41. 1910.
frozen-egg product. Chem. N. J. 537, p. 1. 1910.
honey—
chemical detection. Ent. Bul. 75, pp. 1, 16-18. 1911.
imported from Cuba, Mexico, and Haiti, tests. Chem. Bul. 154, pp. 15-16. 1912.
laws prohibiting. F.B. 397, p. 42. 1910.
imported foods and drugs, variety. Y.B., 1910, pp. 208-212. 1911; Y.B., Sep. 529, pp. 208-212. 1911.
insect powder—
history, and detection methods. D.B. 824, pp. 16-65. 1920.
with daisy flowers. R. C. Roark and G. L. Keenan. D.B. 795, pp. 12. 1919; rev., pp. 10. 1923.
lemon extract. Chem. N.J. 532, pp. 2. 1910. Chem. N.J. 534, p. 1. 1910. Chem. N.J. 536, pp. 2. 1910.
liquor and food, report. Chem. Bul. 62, p. 100. 1901; Chem. Bul. 67, pp. 75-77. 1902.
maple products, detection methods. Chem. Cir. 40, pp, 1-13. 1908; For. Bul. 59, pp. 47-54. 1905.
milk—
methods and results. F.B. 1359, p. 1. 1923.
See also Indexes to Notices of Judgment in bound volumes of Chemistry Service and Regulatory Announcements.
oils, essential, detection, studies. Chem. Chief Rpt., 1912, pp. 9, 18. 1912; An. Rpts., 1912, pp. 559, 568. 1913.
olive oil. Chem. N.J. 535, pp. 2. 1910.
olives. Chem. N.J. 560, p. 1. 1910.
peach extract. Chem. N.J. 520, pp. 2. 1910.
preserved whole egg. Chem. N.J. 508, pp. 5. 1910.
pyrethrum powders. Chem. Bul. 76, pp. 13-21. 1903.
regulation by department. F. I. D. 24, pp. 26-27. 1905.

36167°—32——2

Adulteration—Continued.
seed(s)—
alfalfa—
James Wilson. Sec. Cir. 12, pp. 2. 1904.
and red clover. James Wilson. Sec. Cir. 14, pp. 2. 1905.
detection. F.B. 215, p. 31. 1905.
red clover, and grass. B. T. Galloway. Sec. Cir. 26, pp. 3 1907
red clover, Kentucky bluegrass, orchard grass, and red top. William A. Taylor. Sec. Cir 35, pp. 6. 1911.
red clover, orchard grass and Kentucky bluegrass. A. F. Woods. Sec. Cir. 31, pp. 4. 1910
red clover, orchard grass, and Kentucky bluegrass. B. T. Galloway. Sec. Cir. 28, pp 5. 1909.
bluegrass. B.P.I. Bul. 84, pp. 12-38. 1905.
forage plants. F. H. Hillman. F.B. 382, pp. 23. 1909.
hairy vetch. Wm. A. Taylor. Sec. Cir. 45, pp. 6. 1913.
Kentucky bluegrass—
and orchard grass, list of dealers. James Wilson. Sec. Cir. 15, pp. 5. 1906.
red top, and orchard grass. B. T. Galloway. Sec. Cir. 43, pp. 6. 1913.
nature, forms, and ill effects. F.B. 382, pp. 5-6. 1909.
red clover—
James Wilson. Sec. Cir. 18, p. 1. 1906.
Kentucky bluegrass, orchard grass, and hairy vetch. B. T. Galloway. Sec. Cir. 39, pp. 7. 1912.
testing, directions. F.B. 382, pp. 21-23. 1909.
"Silver dragees." Chem. N.J. 543, pp. 4. 1910.
spirits of camphor. Chem. N.J. 550, pp. 2. 1910.
stock feed. Chem. N.J. 533, pp. 2. 1910.
turpentine, tests. Chem. N.J. 539, pp. 2. 1910; D.B. 898, pp. 36-38. 1920.
vetch seed, description. F.B. 515, pp. 23-27. 1912.
wheat, by watering. News L., vol. 6, No. 29, p. 12. 1919.
See also *Indexes, Notices of Judgment, in bound volumes and in separates published as supplements to Chemistry Service and Regulatory Announcements.*
See also *under names of articles adulterated.*
Advertisements, parcel-post marketing. F. B. 922, pp. 5-9. 1918.
Advertising—
cottage cheese, methods. D.C. 1, pp. 9-13. 1919.
cranberries, cost, and effect on sales. D.B. 1109, pp. 3, 14-19. 1923.
farm products, studies by department. Off. Rec., vol. 2, No. 35, p. 5. 1923.
matter, display, rules governing. Off. Rec., vol. 3, No. 15, p. 8. 1924.
meat market, retail. M.C. 54, pp. 30-33. 1925.
practices of meat dealers. D.B. 1317, pp. 32-35. 1925.
retail meat trade, expenses and value. D.B. 1317, pp. 56-57. 1925.
sweet potatoes. D.B. 1206, pp. 38-39. 1924.
use and necessity in disposal of canning-club products, methods. Mkts. Doc. 5, pp. 2-4. 1918.
Advisory—
board, agricultural, livestock subcommittee, work. Sec. Cir. 123, pp. 4-8. 1918.
boards, rules. For. [Misc.], "Use book, 1921," pp. 10-12. 1922.
committee on labor, report on farm labor. Sec. Cir. 112, pp. 9-10. 1918.
Aechmophorus occidentalis. See Grebe, western.
Aecidiospore, discharge as related to character of spore wall. B. O. Dodge. J.A.R., vol. 27, pp. 749-756. 1924.
Aecidium spp.—
occurrence on plants, Texas, and description. B.P.I. Bul. 226, pp. 56, 77, 90, 91. 1912.
pathogenicity on wheat. J.A.R., vol. 22, pp. 151-172. 1921.
See also Rusts, orange.
Aedemoses haesitans, similarity to *Pectinophora gossypiella.* J.A.R., vol. 20, pp. 816-817. 1921.

Aedes—
calopus—
distribution and description, yellow fever transmission. Hawaii A.R., 1912, pp. 21-22. 1913.
occurrence and habits. F.B. 444, pp. 5-6. 1911.
See also Mosquito, yellow fever.
mediovittata, occurrence in Porto Rico. P.R. An. Rpt., 1907, p. 38. 1908.
scutellaris, distribution and description. Hawaii A.R., 1912, pp. 20-21. 1913.
sollicitans, destruction by shorebirds. Biol. Cir. 79, p. 2. 1911.
spp. See Mosquitoes.
Aegeria—
exitiosa. See Peach borer.
pyri—
control and life history. F.B. 1270, pp. 77-79. 1922.
enemy of apple-tree borers. D.B. 886, p. 9. 1920.
Aegeriidae, similarity of one species to *Pectinophora gossypiella.* J.A.R., vol. 20, pp. 826-827. 1921.
Aegerita webberi—
occurrence in India. Ent. Bul. 120, p. 20. 1913.
See also Fungus, brown, of white fly.
Aegialitis—
spp. See Plovers.
vocifera. See Killdeer.
Aegilops—
genus, classification. B.P.I. Bul. 274, pp. 15, 28. 1913.
ovata, crossing with wild and domesticated wheat. B.P.I. Bul. 274, pp. 15, 24, 27, 28. 1913.
Aegopodium podagraria, susceptibility to *Puccinia triticina.* J.A.R., vol. 22, pp. 152-172. 1921.
Aegopogon spp., description, distribution and uses. D.B. 772, pp. 16, 169,171. 1920.
Aeluropus brevifolius, importation and description. No. 51110, B.P.I. Inv. 64, p. 57. 1923.
Aenoplex—
plesiotypus Cush., parasite of codling moth. D.B. 1235, pp. 72, 76. 1924.
sp., parasite enemy of dock false-worm. D.B. 265, pp. 33-34. 1916.
Aeoloplus bruneri. See Grasshopper, Bruner.
Aeolothrips, spp., key and description of new species. Ent. T. B. 23, Pt. 1, pp. 1-3. 1912.
Aeration—
aid in reduction of silage flavors and odors in milk. D.B. 1097, pp. 21-22, 23. 1922.
apple(s)—
before and during storage. F.B. 1380, pp. 4-6. 1923.
prevention of scald. J.A.R., vol. 18, pp. 221-225, 229. 1919.
effect—
of nitrogen fixation and dextrose fermentation. J.A.R., vol. 23, pp. 668-673. 1923.
on—
diseases of apples in storage. J.A.R., vol. 11, pp. 287-318. 1917.
fungi growth and reproduction, experiments. J.A.R., vol. 5, No. 16, pp. 727-730. 1916.
growth of Azotobacter. J.A.R., vol. 23, pp. 665-677. 1923.
milk. D.B. 1097, pp. 13, 16,18, 19, 23. 1922.
soil nitrogen. Hawaii Bul. 33, pp. 11-12. 1914.
milk—
effect on flavor and odor. D.B. 1190, pp. 8-9. 1923; D.B. 1208, pp. 5-6. 1923.
value, methods, and place suitable. D.B. 1097, pp. 21-22, 23. 1922.
relation to hypertrophied lenticels on roots of conifers. J.A.R., vol. 20, pp. 253-266. 1920.
soil(s)—
comparative experiments in Hawaii, with rice and taro. Hawaii A.R., 1917, p. 48. 1918.
composition of atmosphere and effect on plants. Soils Bul. 55, p. 16. 1909; Soils Bul. 73, pp. 25-49. 1910.
contributions to knowledge. Edgar Buckingham. Soils Bul. 25, pp. 52. 1904.
effect on cotton root rot, experiments. D. C. 209, p. 32. 1922.
importance—
and results on ammonification. Hawaii Bul. 37, pp. 12-16, 32, 50. 1915.
in date culture. B.P.I. Bul. 53, pp. 47, 50, 78, 80, 121. 1904.

Aeration—Continued.
  soil(s)—continued.
    importance—continued.
      to plant growth, and indication method.
        J.A.R., vol. 25, pp. 133-140. 1923.
      methods in improvement of lawns. Soils Bul.
        75, pp. 40, 42, 48. 1911.
      need in control of rice straighthead. F.B. 1212,
        pp. 11-16. 1921.
      tests with rice and taro, Hawaii. Hawaii A.R.,
        1915, pp. 15, 39-40. 1916.
Aerials, lightning conductor, description and installation. F.B. 842, pp. 8-14, 25, 26, 28. 1917.
Aerobic bacilli in canned ripe olives. J.A.R., vol.
  20, pp. 377-379. 1920.
Aerological work, development and extension.
  Y.B., 1917, pp. 51, 72. 1918.
Aerology, instructions for observers. W.G. Gregg
  and others. W.B. [Misc.] "Instructions for
  aerological * * *." Pp. 115. 1921.
Aeronautes melanoleucus. See Swift, white-throated.
Aeronautics, Advisory Committee, establishment
  and appropriation. Sol. [Misc.] "Laws applicable to * * * Agriculture." 3d Sup., pp. 13-
  14. 1915.
Aeroplane. See Airplane.
Aeroscope—
  modified standard, superiority for bacterial
    analysis. J.A.R., vol. 4, pp. 347-348, 351-358,
    365. 1915.
  Rettger, description and tests. J.A.R., vol. 4,
    pp. 348, 349-351, 355-358. 1915.
Aeschynomene—
  americana. See Yerba rosario.
  elaphroxylon, importation and uses. No. 43767,
    B.P.I. Inv. 49, p. 74. 1921.
  hystrix, importation and description. No. 41295,
    B.P.I. Inv. 44, p. 60. 1918.
  spp, importations and description. Nos. 44040,
    44113, 44143, B.P.I. Inv. 50, pp. 7, 18, 30, 34.
    1922.
Aesculaceae, injury by sapsuckers. Biol. Bul. 39,
  pp. 46, 84. 1911.
Aesculus—
  glabra—
    injury by sapsuckers. Biol. Bul. 39, pp. 46, 84.
      1911.
    See also Buckeye.
  hippocastanum. See Horse-chestnut.
  indica, importation and description. No. 52625,
    B.P.I Inv. 66, pp. 5, 53. 1923.
  plantierensis, importation and description. No.
    41961, B.P.I. Inv. 46, p. 39. 1919.
  turbinata, importation and description. No.
    49051, B.P.I. Inv. 61, p. 72. 1922.
Aestrelata hypoleuca. See Petrel.
Aethecerus, n. sp., parasite of Recurvaria milleri.
  J.A.R., vol. 21, No. 3, p. 138. 1921.
Aethia spp. See Auklets.
Aextozicon punctatum—
  importation and description. No. 44407, B. P. I.
    Inv. 50, p. 68. 1922.
  See also Tique.
Africa—
  Acacia species, growing and uses. D.B. 9, pp.
    5, 6, 10-11, 19-21, 31, 33, 38. 1913.
  agricultural education, progress, 1912. O.E.S.
    An. Rpt., 1912, p. 285. 1913.
  alfalfa varieties, characteristics. B.P.I. Bul. 258,
    pp. 9-10, 14, 15. 1913.
  blackleg occurrence. F.B. 1355, p. 2. 1923.
  British, East—
    agriculture report. Off. Rec., vol. 4, No. 42,
      p. 2. 1925.
    coconut diseases, investigations. B. P. I. Bul.
      228, p. 20. 1912.
    cotton report. Off. Rec., vol. 3, No. 36, pp. 1-2.
      1924.
    livestock statistics. Rpt. 109, pp. 27, 35, 46, 50,
      58, 61, 197, 212. 1916.
    sisal growing. Y.B., 1918, p. 362. 1919; Y.B.
      Sep. 790, p. 8. 1919.
    use of fish in mosquito extermination. Ent.
      Bul. 88, pp. 70-71. 1910.
  coconut disease, ravages. B.P.I. Cir. 36, p. 4.
    1909.
  coffee production, exports. Stat. Bul. 79, pp. 11,
    98-102. 1912.
  cotton production, extent. Atl. Am. Agr. Adv.
    Sh., Pt. 5, sec. A, p. 7. 1919.

Africa—Continued.
  farm products, shipments to U. S., increase 1905-
    1907. Stat. Bul. 70, pp. 7, 9. 1909.
  feeding stuffs, deficiency of lime and mineral
    matter. F.B. 329, pp. 24-25. 1908.
  forage plants suited to U. S., introduction. Y.B.,
    1908, pp. 248, 252. 1909; Y.B. Sep. 478, pp. 248,
    252. 1909.
  forest(s)—
    extent and per cent of land area. For. Bul. 83,
      p. 7. 1910.
    resources. For. Bul. 83, pp. 61-63. 1910.
  fruits, production, exports, and imports, 1909-
    1913. D. B. 483, pp. 38-39. 1917.
  German—
    Belgian, etc., experiment station work, progress,
      1912. O.E.S. An. Rpt., 1912, p. 66. 1913.
    hunting licenses. Biol. Bul. 19, p. 53. 1904.
  grain sorghums varieties, value, and uses. Y.B.
    1913, pp. 223, 224. 1914.
  map showing explorations of Dr. H. L. Shantz.
    B.P.I. Inv. 65, p. 3. 1923.
  Mediterranean fruit fly, distribution, and ravages.
    D.B. 536, pp. 4-5. 1918.
  olive culture. B.P.I. Bul. 192, pp. 10, 13, 21, 37,
    38, 41, 42, 44. 1911.
  peanut growing, value and uses of product. F.B.
    431, pp. 29, 33. 1911.
  Portuguese agricultural work, inauguration.
    O.E.S. An. Rpt., 1908, p. 59. 1909.
  potatoes, production, 1909-1913, 1921-1923. S.B.
    10, p. 20. 1925.
  prohibition of landing of various animals at U.S.
    ports. B.A.I.O. 174, p. 1. 1910.
  Sahara Desert soils and date growing, investigations. B.P.I. Bul. 53, pp. 73-99. 1904.
  sorghums—
    grain, production, varieties, and uses. Y.B.,
      1922, pp. 525-527. 1923.
    varieties and uses. B.P.I. Bul. 175, pp. 13-20.
      1910.
  South—
    agricultural statistics, 1911-1919. D.B. 987,
      pp. 59-60. 1921.
    dairy products, 1913-1919. B.A.I. Doc. A-37,
      p. 61. 1922.
    goat numbers, maps. Sec. [Misc.] Spec.,
      "Geography * * * world's agriculture,"
      pp. 142, 146. 1918.
    Mediterranean fruit fly occurrence. Ent. Cir.
      160, pp. 6, 8, 9, 10, 13, 14. 1912.
    Union of, nursery stock inspection, officials.
      F.H.B.S.R.A. 7, p. 65. 1914.
  Sudan grass, distribution and use, and Johnson
    grass. D.B. 981, pp. 5-6, 10, 16-17. 1921.
  Tunis, Sfax region, climate, general characteristics. B.P.I. Bul. 125, pp. 1-14. 1908.
African—
  cherry orange. See Citropsis.
  (East) coast fever, transmission by ticks. B.A.I.
    An. Rpt., 1906; p. 175. 1908; B.A.I. Cir. 121;
    p. 3. 1908.
  golden daisy, description, cultivation, and characteristics. F.B. 1171, pp. 46, 81. 1921.
  horse sickness, description. Y.B. 1919, p. 72.
    1920; Y.B. Sep. 802, p. 72. 1920.
  marigold, description, cultivation, and characteristics. F.B. 1171, pp. 46, 81. 1921.
  relapsing fever, transmission by ticks. Rpt. 108,
    pp. 15, 62, 65, 69. 1915; Y.B. 1910, p. 226. 1911;
    Y.B. Sep. 531, p. 226. 1911.
"African bees," other name for wild yeast, description and warning. News L., vol. 4, No. 2, p. 3.
  1916.
Afterbirth, cow, retention symptoms and treatment. B.A.I. [Misc.] "Disease of cattle" rev.,
  pp. 220-223. 1923.
Agalactia. See Milk suppression.
Agallia—
  sanguinolenta. See Clover leaf hopper.
  spp.—
    injurious to the sugar beet. Ent. Bul. 66, p. 51.
      1910.
    range, relation to beet diseases. Ent. Bul. 66,
      Pt. IV, pp. 50-51. 1910.
  tenalla, injury to beans and cowpeas. D.B. 192,
    pp. 2-3. 1915.
Agamermis decaudata—
  life history and description. J.A.R., vol. 23. pp.
    921-926. 1923.

Agamermis decaudata—Continued.
  nema parasite of grasshoppers and other insects. N. A. Cobb and others. J.A.R., vol. 23, pp. 921-926. 1923.
Agamia agami. See Heron, agami.
Agamodistomum ophthalmobium, trematode parasite in human eye. Ch. Wardell Stiles. B.A.I. Bul. 35, pp. 24-35. 1902.
Agar(s)—
  agar—
    detection by microscopical examination. Y.B. 1907, p. 383. 1908; Y.B. Sep. 455, p. 383. 1908.
    determination in marmalades. Chem. Bul. 66, rev. p. 29. 1905.
    in food products, opinion. Chem. S.R.A. 4, p. 205. 1914.
    use of Hawaiian limus. Hawaii A.R., 1906, pp. 80, 84. 1907.
  chestnut bark, formula and use. J.A.R., vol. 3, pp. 496-523. 1915.
  comparison as media for plating. J.A.R., vol. 31, pp. 506-509. 1925.
  culture—
    formulas. B.P.I. Cir. 131, pp. 10-11. 1913.
    media for Penicillium. B.A.I. Bul. 118, pp. 22, 83. 1910.
    Endos fuchsin, method of making, and growth of cultures. B.P.I. Bul. 223, pp. 88-90. 1912.
    fungi growth, methods. J.A.R., vol. 12, pp. 39-40. 1918.
Agaricus—
  melleus. See Mushrooms, honey.
  spp.—
    description. B.P.I. Bul. 85, pp. 45-47. 1905; D.B. 175, pp. 32-33. 1915.
    occurrence in formation of fairy rings. J.A.R., vol. 11, pp. 193, 194, 198-242. 1917.
    See also Mushrooms.
Agarrobo tree, Porto Rico, occurrence, description and uses. D.B. 354, pp. 33, 73. 1916.
Agastache urticifolia. See Horsemint.
Agateware—
  cleaning, directions. F.B. 1180, p. 20. 1921.
  kitchen utensils, advantages and disadvantages. Thrift Leaf. 10, p. 2. 1919.
Agati—
  grandiflora—
    importation and description. No. 52307, B.P.I. Inv. 66, p. 7. 1923; No. 54928, B.P.I. Inv. 70, p. 30. 1923.
    See also Gallito tree.
  spp. importations. Nos. 54468, 54516, B.P.I. Inv. 69, pp. 3, 14, 20. 1923.
Agaue spp., description. Rpt. 108, pp. 55, 56. 1915.
Agave(s)—
  availability for alcohol source. F.B. 429, p. 11. 1911.
  cantala—
    growing in Porto Rico, and Florida. An. Rpts., 1912, p. 417. 1913; B.P.I. Chief Rpt., 1912, p. 37. 1912.
    importation. No. 51206, B.P.I. Inv. 64, pp. 73-74. 1923.
    See also Maguey.
  deweyana. See Zapupe.
  elongata. See Henequen.
  fibers, testing for weight and strength. B.P.I. Cir. 128, p. 17. 1913.
  fourcroydes. See Henequen.
  lecheguilla. See Soap weed.
  sisalana—
    growing in manganiferous soil. Hawaii Bul. 26, p. 25. 1912.
    See also Sisal.
  spp.—
    feeding to range stock, description and value. D.B. 728, pp. 7, 8, 9, 13, 15. 1918.
    importations and uses. B.P.I. Bul. 223, p. 11. 1911; B.P.I. Bul. 233, pp. 56, 65. 1912.
    importations and description. Nos. 49836-49837, B.P.I. Inv. 63, p. 10. 1923.
    introduction, Hawaii. Hawaii A.R., 1911, p. 40. 1912.
    use in manufacture of denatured alcohol. Chem. Bul. 130, p. 25. 1910.
    useful plants. E. W. Nelson. Y.B. 1902, pp. 313-320. 1903; Y.B. Sep. 275, pp. 313-320. 1903.
    verschaffeltii, importation. No. 47583, B.P.I. Inv. 59, p. 35. 1922.
  pzaupe. See Zapupe.

Age—
  cattle, determining by teeth. George W. Pope. F.B. 1066, pp. 4. 1919.
  cow's, factor in reckoning milk production. J.A.R., vol. 30, p. 868. 1925.
  dairy cows and work horses, effect on value. J. C. McDowell. D.B. 413, pp. 12. 1916.
  indication, yearling sheep. F.B. 360, p. 21. 1909.
  men and women, dietary studies, discussion. O.E.S. Bul. 223, pp. 24-31, 34-36, 54-63, 75-83. 1910.
  relation to—
    composition of milk. J.A.R. vol. 16, pp. 81, 85-89, 95. 1919.
    effect on urediniospores of grain stem rust. J.A.R. vol. 16, pp. 73-75. 1919.
  sheep—
    determining by teeth. F.B. 1199, pp. 11-22. 1921.
    estimation by condition of teeth. D.B. 593, pp. 23-24. 1917.
  tree, relation to rot infection. D.B. 799, pp. 6-8, 19. 1919.
AGEE, ALVA—
  report of New Jersey, extension work in agriculture and home economics—
    1915. S.R.S. An. Rpt., 1915, Pt. II., pp. 262-265. 1916.
    1916. S.R.S. An. Rpt., 1916, Pt. II., pp. 288-293. 1917.
    1917. S.R.S. An. Rpt., 1917, Pt. II., pp. 291-297. 1919.
  "The Farmers' Institute with relation to agricultural fair associations." O.E.S. Bul. 213, pp. 63-65. 1909.
AGEE, H. P.—
  "Sugar analysis report." With A. Hugh Bryan. Chem. Bul. 132, pp. 175-184. 1910.
  "Sugar and molasses." With R. S. Hiltner. Chem. Bul. 137, pp. 160-167. 1911.
  "Soil survey of—
    Barnwell County, South Carolina." With others. Soil Sur. Adv. Sh., 1912, pp. 49. 1914; Soils F.O., 1912, pp. 411-455. 1915.
    Box Butte County, Nebraska." With F. A. Hayes. Soil Sur. Adv. Sh., 1916, pp. 34. 1918; Soils F.O., 1916, pp. 2041-2070. 1921.
    Callaway County, Missouri." With others. Soil Sur. Adv. Sh., 1916, pp. 38. 1919; Soils F.O., 1916, pp. 1971-2004. 1921.
    Eastland County, Texas." With others. Soil Sur. Adv. Sh., 1916, pp. 37. 1918; Soils F.O., 1916, pp. 1281-1313. 1921.
    Florence County, South Carolina." With others. Soil Sur. Adv. Sh., 1914, pp. 36. 1916; Soils F.O., 1914, pp. 697-728. 1919.
    Franklin County, Washington." With others. Soil Sur. Adv. Sh., 1914, pp. 101. 1917; Soils F.O., 1914, pp. 2531-2627. 1919.
    Henry County, Tennessee." With others. Soil Sur. Adv. Sh., 1922, pp. 77-109. 1925.
    Latah County, Idaho." With others. Soil Sur. Adv. Sh., 1915, pp. 24. 1917; Soils F.O., 1915, pp. 2179-2198. 1919.
    Meigs County, Tennessee." With A. T. Sweet. Soil Sur. Adv. Sh., 1919, pp. 38. 1921; Soils F.O., 1919, pp. 1253-1286. 1925.
    Nez Perce and Lewis Counties, Idaho." With P. P. Peterson. Soil Sur. Adv. Sh., 1917, pp. 37. 1920; Soils F.O., 1917, pp. 2121-2153. 1923.
    Orangeburg County, South Carolina." With others. Soil Sur. Adv. Sh., 1913, pp. 39. 1915; Soils F.O., 1913, pp. 267-301. 1916.
    Robertson County, Tennessee." With others. Soil Sur. Adv. Sh., 1912, pp. 26. 1914; Soils F. O., 1912, pp. 1127-1148. 1915.
    Roger Mills County, Oklahoma." With others. Soil Sur. Adv. Sh. 1914, pp. 32. 1916; Soils F. O., 1914, pp. 2137-2164. 1919.
    Shelby County, Alabama." With others. Soil Sur. Adv. Sh., 1917, pp. 60. 1920; Soils F. O., 1917, pp. 735-790. 1923.
    Washington County, Georgia." With others. Soil Sur. Adv. Sh., 1915, pp. 39. 1916; Soils F. O., 1915, pp. 683-717. 1919.
Agelaius—
  sale as reedbirds. Biol. Bul. 12, rev., p. 26. 1902.
  spp. See Blackbirds.
AGELASTO, A. M.—
  "Linters." D.C. 175, pp. 10. 1921.

AGELASTO, A. M.—Continued.
"The cotton situation." With others. Y.B., 1921, pp. 323-403. 1922; Y.B. Sep. 877, pp. 323-406. 1922.
Agency, cooperative associations, liabilities. D.B. 1106, rev., pp. 31-34. 1923.
Agents—
 boys' and girls' clubs, State, district, and county. S.R.S. Doc. 24, pp. 2. 1915.
 county. See County agents.
 extension—
  aid by local funds. Y.B., 1921, p. 36. 1922; Y.B. Sep. 875, p. 36. 1922.
  number of counties having, 1914-1925. Ext. Chief Rpt., 1925, pp. 118-119. 1925.
 farm labor, cooperative work in securing labor supply for 1918. News L., vol. 5, No. 21, p. 5. 1917.
 home demonstration—
  activities. D.C. 285, pp. 7-23. 1923.
  character of work, and number, 1911-1921. D.C. 248, pp. 12, 14, 15, 24-31, 36-37. 1922.
  duties, qualifications and equipment. D.C. 141, pp. 5-7. 1920.
  securing by counties, procedure. D.C. 141, pp. 8-9. 1920.
  work, 1916. S.R.S. Doc. 60, pp. 25-26. 1917.
 home extension, aid to boys' clubs, in Hawaii. Hawaii A.R., 1920, p. 16. 1921.
 negro, extension work. J. A. Evans. D.C. 355, pp. 24. 1925.
 poultry-club, work. Y.B., 1915, p. 197. 1916; Y.B. Sep. 669, p. 197. 1916.
Ageratum, description, cultivation, and characteristics. F.B. 1171, pp. 67-68, 79. 1921.
AGETON, C. N.—
 "Red clay soil of Porto Rico." With P. L. Gile. P.R. Bul. 14, pp. 24. 1914.
 report as assistant chemist Porto Rico Experiment Station, 1913. P.R. An. Rpt., 1913, pp. 11-15. 1914.
 "The effect of strongly calcareous soils on the growth and ash composition of certain plants." With P. L. Gile. P.R. Bul. 16, pp. 45. 1914.
Agglutination—
 and complement-fixation, combined, glanders, tests. B.A.I. An. Rpt., 1910, pp. 369-370. 1912; B.A.I. Cir. 191, pp. 369-370. 1912.
 diagnosis, glanders, use. An. Rpt., 1908, p. 239. 1909; B.A.I. Chief Rpt., 1908, p. 25. 1910.
 test—
  for Malta fever in goats. B.A.I. An. Rpt., 1911, pp. 121, 130-134. 1913; B.A.I. Cir. 215, pp. 121, 130-134. 1913.
  horses, vaccinated against glanders. D.B. 70, pp. 9-13. 1914.
  infectious abortion of cattle. B.A.I. An. Rpt., 1911, pp. 167-169. 1913; B.A.I. Cir. 216, pp. 167-169. 1913.
  use for *Bacterium abortus* in milk. J.A.R., vol. 5, No. 19, pp. 871-875. 1916.
Aggregates, road building—
 and concrete, testing and analysis. D.B. 1216, pp. 8, 11-12, 13, 14-19, 67. 1924.
 tests and sieve analysis, methods. D.B. 949, pp. 11, 12, 13, 14, 17, 62, 63. 1921.
Agreements, leases, and contracts, regulations. Sec. [Misc.] "Fiscal regulations," pp. 26-27. 1917.
Aggressin—
 blackleg preventive, manufacture and tests. J.A.R., vol. 14, pp. 254-256, 261-262. 1918.
 method of vaccination for blackleg. F.B. 1355, p. 9. 1923.
 remedy for septicemia. Y.B., 1924, p. 65. 1925.
Aging, vinegar. F.B. 1424, p. 14. 1924.
Agitators for sprayers, description. Y.B., 1908, p. 287. 1909; Y.B. Sep. 480, p. 287. 1909.
Agloape americana. See Grape leaf skeletonizer.
AGNEW, M. A.: "List of workers in State agricultural colleges and experiment stations, 1924-1925." M.C. 34, pp. 96. 1925.
"Agnew's catarrh powder," discussion. F.B. 393, pp. 10-11. 1910.
Agonoderus pallipes, destruction by birds. Biol. Bul. 15, pp. 21, 47. 1901
Agoseris glauca. See Dandelion, mountain.
Agreements—
 preparation, regulation. Off. Rec., vol. 3, No. 8, p. 4. 1924.
 road projects, Regulation 7. Sec. Cir. 161, p. 4. 1922.

Agricultural—
 Advisory Committee—
  disbandment. News L., vol. 6, No. 33, p. 12. 1919.
  recommendations to departments, report. News L., vol. 5, No. 52, pp. 6-7. 1918.
  work and personnel. An. Rpts., 1918, pp. 11-12. 1918; Sec. A. R., 1918, pp. 11-12. 1918.
 agencies, work in war emergency. An. Rpts., 1918, pp. 3-4, 12-13. 1918; Sec. A. R., 1918, pp. 3-4, 12-13. 1918.
 areas, Alaska. Alaska Cir. 1, pp. 8-10. 1916.
 associations—
  and farmers' institutes, relation. O.E.S. Bul. 110, p. 44. 1902.
  need of, and advantages to educational institutions. O.E.S. Cir. 109, pp. 8-9. 1911.
 clubs, boys'. Dick J. Crosby. Y.B. 1904, pp. 486-496. 1905; Y.B. Sep. 362, pp. 486-496. 1905.
 colleges—
  and mechanic arts, exhibits at St. Louis Exposition, 1904, description. W. H. Beal. O.E.S. Doc. 710, pp. 23. 1904.
  effect of peace on research work. S.R.S. [Misc.] Work and Exp., 1919, pp. 8, 9. 1921.
  establishment, development. News L., vol. 1, No. 37, pp. 1-2. 1914.
  legislation, regulations. O.E.S. An. Rpt., 1903, pp. 254-270. 1904.
  See also Colleges.
 commission to Europe, 1918, report. Sec. [Misc.] "Report * * * commission to Europe," pp. 89. 1919.
 committees, bankers' joint conference, address of Secretary. Sec. Cir. 131, pp. 11. 1919.
 conditions—
  Belle Fourche project, 1915. B.P.I. Doc. W.I.A. Cir. 9, pp. 4-6. 1916.
  Belle Fourche project, 1916. B.P.I., Doc. W.I.A. Cir. 14, pp. 5-8. 1917.
  improvement, work and experiments in Canada. O.E.S. Bul. 238, pp. 25-32. 1911.
 conference, national—
  recommendations. Off. Rec., vol. 1, No. 5, pp. 1, 3, 8. 1922.
  1924, activities. Off. Rec., vol. 4, No. 2, pp. 1-2, 8. 1925.
 cooperation, reading list. Chastina Gardner. Misc. Cir. 11, pp. 55. 1923.
 corporations, taxes. Off. Rec., vol. 4, No. 6, p. 3. 1925.
 cost—
  accounting investigations. B.P.I. Bul. 259, pp. 40-43. 1912.
  statistics, methods of collecting and compiling. Stat. Bul. 73, pp. 10-12. 1909.
  statistics, 1902-1907, summary of results. Stat. Bul. 73, pp. 65-69. 1909.
 courses—
  horticulture and allied subjects. O.E.S. Bul. 164, pp. 77-89. 1906.
  short and special. O.E.S. Cir. 106, pp. 15-19. 1911; rev., pp. 18-22. 1912.
 credit(s)—
  act—
   benefit to farmers. An. Rpts., 1923, pp. 12, 28. 1923; Sec. A. R., 1923, pp. 12, 28. 1923.
   passage, purpose, and provisions. Y.B. 1924, p. 233. 1925.
   provisions. Off. Rec., vol. 2, No. 11, pp. 1, 5. 1922.
  amortization papers. News L., vol. 1, No. 51, pp. 2-3. 1914.
  conditions, sources, and cost. An. Rpts., 1912, pp. 25-30. 1913; Sec. A. R, 1912, pp. 25-30. 1912; Y. B. 1912, pp. 25-30. 1913.
  corporations, national, authorization and development. Y.B., 1924, pp. 237-238. 1925.
  farm-land, bank establishment summary of bill introduced in House and Senate. News L., vol. 1, No. 29, pp. 1-6. 1914.
  organizations, papers. O.E.S. Bul. 256, pp. 31-42. 1913.
  depression, remedies, discussion. D.B. 999, pp. 22-24. 1921.
 development—
  cooperative relations. Address by Secretary Meredith. Sec. Cir. 153, pp. 13. 1920.
  in various States, counties, and areas. See Soil Surveys.

Agricultural—Continued.
  discoveries and improvements since 1897. Y.B., 1908, pp. 162-163. 1909.
  distilleries, experimental, regulations. Chem. Bul. 130, pp. 165, 159-160. 1910.
  economics, study in Agricultural Colleges. A. C. True. O.E.S. An. Rpt., 1903, pp. 739-743. 1904.
  education—
    M. H. Buckham. O. E. S. Bul. 184, pp. 40-46. 1907.
    advances, 1896-1908. Rpt. 87, pp. 93-94. 1908.
    American system. A. C. True and Dick J. Crosby. O.E.S. Cir. 83, pp. 27. 1909; O.E.S. Cir. 106, pp. 28. 1911; O. E. S. Doc. 706, pp. 21. 1904.
    and industrial schools, 1907. O.E.S. An. Rpt., 1907, pp. 288-291. 1908.
    application of chemistry. O.E.S. Bul. 195, pp. 1-22. 1908.
    college courses of study. O.E.S. An. Rpt., 1904, pp. 591-699. 1905.
    courses for southern schools. D.B. 592, pp. 1-40. 1917.
    development. Elmer E. Brown. O.E.S. Bul. 196, pp. 49-54. 1907.
    extension—
      in foreign countries, and results. An. Rpts., 1907, pp. 663-665. 1908.
      progress. John Hamilton. O.E.S. Cir. 98, pp. 12. 1910.
    farmers'—
      bulletins, classified list. Pub. [Misc.] "List of publications * * *," p. 1. 1914.
      institutes as factor. O.E.S. Bul. 120, p. 68. 1902.
    features of recent progress. A. C. True. O.E.S. An. Rpt., 1902, pp. 417-459. 1903.
    for adults in British Empire. O.E.S. Bul. 155, pp. 1-96. 1905.
    for negroes in South. Off. Rec., vol. 1, No. 19, p. 3. 1922.
    historical notes. O.E.S. Bul. 196, pp. 18-23. 1907; O.E.S. Cir. 84, pp. 1-40. 1909.
    in France. Y.B., 1900, p. 115. 1901; Y. B., Sep. 193, p. 115. 1901.
    institutions in United States giving instruction. O.E.S. Cir. 97, p. 15. 1910. O.E.S. Cir. 97, rev., pp. 1-38. 1912; O.E.S. Doc. 968, pp. 1-5. 1907. O.E.S. [Misc.] "Institutions * * * giving instructions * * * list." Pp. 10. 1908.
    international Congresses at Liége, Belgium, 1905. W. H. Beal. O.E.S. Rpt., 1905, pp. 305-313. 1906.
    judging sheep, secondary school work. D.B. 593, pp. 1-31. 1917.
    list of publications of the Office of Experiment Stations, corrected to November 1, 1906. O.E.S. Doc. 933, pp. 10. 1906.
    methods for reaching the people. O.E.S. Bul. 231, pp. 69, 74-75. 1910.
    progress—
      1902. A. C. True. Y.B., 1902, pp. 481-500. 1903; Y.B. Sep. 285, pp. 19. 1903.
      1903. O.E.S. An. Rpt., 1903, pp. 256-265. 1904.
      1904, review by Secretary. Rpt. 79, pp. 81-83. 1904.
      1905. O.E.S. Rpt., 1905, pp. 18-20. 1906.
      1907. Dick J. Crosby. O.E.S. An. Rpt., 1907, pp. 237-306. 1908.
      1908. Dick J. Crosby. O.E.S. An. Rpt., 1908, pp. 231-288. 1909.
      1909. Dick J. Crosby. O.E.S. An. Rpt., 1909, pp. 251-325. 1910.
      1910. Dick J. Crosby. O.E.S. An. Rpt., 1910, pp. 315-386. 1911.
      1911. O.E.S. An. Rpt., 1911, pp. 277-341. 1912.
      1912. O.E.S. An. Rpt., 1912, pp. 279-332. 1913.
    in United States. O.E.S. [Misc.], "Organization and work * * *," pp. 14-17. 1909.
    promotion by railroads. Stat. Bul. 100, pp. 27-31, 40-45. 1912.
    publications of Office of Experiment Stations, corrected to—
      October 1, 1905. O.E.S. Doc. 807, pp. 8. 1905.
      May 1, 1907. O.E.S. Doc. 992, pp. 11. 1907.
      Nov. 1, 1907. O.E.S. Doc. 1051, pp. 12. 1907.

Agricultural—Continued.
  education—continued.
    publications of Office of Experiment Stations, corrected to—Continued.
      July 1, 1909. O.E.S. Doc. 1184, pp. 14. 1909.
    rapid development in sixteen years. Y.B., 1912, p. 471. 1913; Y.B. Sep. 607, p. 471. 1913.
    relation of the natural sciences to agriculture in a four-year college course. O.E.S. Cir. 55, pp. 15. 1903.
    relation to Experiment Stations Office. O.E.S. [Misc.], "Organization and work * * *," pp. 14-17. 1909.
    school credit for home work. F. E. Heald. D.B. 335, pp. 27. 1916.
    secondary—
      course in agronomy. O.E.S. Cir. 77, pp. 1-44. 1907.
      courses. O.E.S. Cir. 49, pp. 1-10. 1902.
      in Alabama. C. J. Owens. O.E.S. Bul. 220, pp. 30. 1909.
      in United States. A. C. True. O.E.S. Bul. 228, pp. 17-24. 1910; O.E.S. Cir. 91, pp. 1-11. 1909.
    service, organization, work, and publications. O.E.S. Cir. 93, pp. 10. 1910.
    utilization of agricultural fair associations. John Hamilton. O.E.S. Cir. 109, pp. 23. 1911.
    See also Education.
  exhibits abroad, value to trade. Rpt. 67, p. 53. 1901.
  experiment stations, list. Off. Rec., vol. 3, No. 38, p. 8. 1924.
  explorations in—
    1904-1905. An. Rpt., 1905, pp. 171-173. 1906; B.P.I. Rpt., 1905, pp. 171-173. 1905.
    Algeria. Thomas H. Kearney and Thomas H. Means. B.P.I. Bul. 80, pp. 98. 1905.
    Asia for new plants. An. Rpts., 1908, pp. 40-41, 389-390. 1909; B.P.I. Rpt., 1908, pp. 117-118. 1908.
  exports, of United States, 1896-1900, distribution. Frank H. Hitchcock. For. Mkts. Bul. 25, pp. 182. 1901.
  extension—
    act—
      cooperative, Federal funds available, 1914-1920, by States. S.R.S. Doc. 40, rev., pp. 3-4. 1919.
      passage, benefit to farmers. Y.B., 1916, pp. 68-70. 1917; Y.B., Sep. 698, pp. 6-8. 1917.
      provisions and work. An. Rpt., 1915, pp. 38-44. 1916; Sec. A. Rpt., 1915, pp. 40-46. 1915.
      text. S.R.S. Doc. 40, pp. 30-31. 1917.
    expansion, and value of service. News L., vol. 6, No. 19, pp. 9, 10. 1918.
    increase of workers, July 1, 1917-July 1, 1918, and classification. News L., vol. 5, No. 48, p. 6. 1918.
    service, description, and scope. News L., vol. 6, No. 18, pp. 1-4. 1918.
    supervisors, Belgium, duties. O.E.S. An. Rpt., 1910, pp. 427-429. 1911.
    work—
      among women, county agents and fund available, 1914-1917 by States. News L., vol. 4, No. 22, pp. 4-5. 1917.
      and home economics. S.R.S. Doc. 90, pp. 8. 1918.
      and increase of county agents, 1916. S.R.S. Doc. 60, pp. 26. 1917.
      application of Smith-Lever funds in various States. News L., vol. 2, No. 39, p. 7. 1915.
      cooperative. S.R.S. Doc. 40, pp. 35. 1918; rev., pp. 36. 1919.
      in foreign countries. D.B. 83, pp. 13-19. 1914; D.B. 269, pp. 7-14. 1915.
      in Hawaii, 1916. Hawaii A.R., 1916, pp. 11-12, 32-39. 1917.
      in North and West, future outlook and plans. S.R.S. Rpt., 1916, Pt. II, pp. 172-173. 1917.
      in Porto Rico, 1919. P.R. An. Rpt., 1919, pp. 13-14, 34. 1920.
      in United States, 1913. John Hamilton. D.B. 83, pp. 41. 1914.
      methods, and success in West Virginia. News L., vol. 6, No. 25, pp. 4-6. 1919.

Agricultural—Continued.
  extension—continued.
    work—continued.
      of county agents, Northern and Western States, 1915. S.R.S. Doc. 32, pp. 19. 1917.
      relation of various States. News L., vol. 3, No. 7, pp. 1, 6–8. 1915.
      report of committee, Association of Agricultural Colleges and Experiment Stations. O.E.S. Bul. 184, pp. 68–73. 1907.
      State officers and institutions. S.R.S. Doc. 13, p. 1. 1918.
    See also Extension work.
  graphics, crops and livestock, United States and world. Middleton Smith. Stat. Bul. 78, pp. 67. 1910.
  implements, use of—
    beech and maple in manufacture. D.B. 12, pp. 4–5, 42–43, 51–52. 1913.
    basswood and other woods. D.B. 1007, pp. 42–43. 1922.
    wood in Arkansas. For. Bul. 106, p. 18. 1912.
  imports—
    and exports, 1904–1908. Y.B. 1908, pp. 752–771. 1909; Y.B. Sep. 498, pp. 752–771. 1909.
    average prices, 1901. Y.B., 1901, p. 806. 1902.
  industries, speech by the Secretary, April, 1907. Sec. Cir. 23, pp. 8. 1907.
  information, editing for daily paper. Hawaii A.R., 1920, pp. 15, 64, 68. 1921.
  inquiry, joint commission, work. Off. Rec., vol. 1, No. 37, p 7. 1922.
  institutions—
    foreign, relations of Office of Experiment Stations. O.E.S. An. Rpt., 1908, pp. 238–251. 1909.
    State, relation of department. An. Rpts., 1913, pp. 34–38. 1914; Sec. A. R., 1913, pp. 32–36. 1913; Y.B. 1913, pp. 43–47. 1914.
  instruction—
    for adults in British Empire. John Hamilton. O.E.S. Bul. 155, pp. 96. 1905.
    for adults in continental countries. John Hamilton. O.E.S. Bul. 163, pp. 32. 1905.
    in schools, investigations. An. Rpts., 1923, pp. 575–578. 1923; S.R.S. Rpt., 1923, pp. 23–26. 1923.
    readjustment to emergency conditions. S.R.S. Doc. 72, pp. 1–3, 11–12. 1918.
  labor. *See* Labor.
  land, timbered, disadvantages of private ownership. Y.B., 1914, pp. 71–72. 1915; Y.B., Sep. 633, pp. 71–72. 1915.
  machinery, development, and selection by farmer. Y.B., 1915, pp. 102–105. 1916; Y.B. Sep. 660, pp. 102–105. 1916.
  mechanics, International Congress, Belgium, 1905. O.E.S. An. Rpt., 1905, pp. 217–219, 309–312. 1906.
  organizations—
    cooperation of chemists official agricultural association, report of committee. Chem. Bul. 152, pp. 170–171. 1912.
    directory, 1920. Farm M. [Misc.] "Directory of American * * * organizations," pp. 75. 1920.
    federation, cooperation for. O.E.S. Bul. 256, pp. 63–66. 1913.
  outlook—
    agricultural and forecasts for September. F.B. 560, pp. 29. 1913.
    crop production in the United States. (October.) F.B. 563, pp. 14. 1913.
    for September, 1913. F.B. 558, pp. 20. 1913.
    for December, 1913. F.B. 570, pp. 35. 1913.
    for March, 1914. F.B. 581, pp. 50. 1914; F.B. 584, pp. 22. 1914.
    for April, 1914. F.B. 590, pp. 20. 1914.
    for July, 1914. F.B. 611, pp. 39. 1914.
    for August, 1914. F.B. 615, pp. 41. 1914.
    for September, 1914. F.B. 620, pp. 39. 1914.
    for October, 1914. F.B. 629, pp. 35. 1914.
    for November, 1914. F.B. 641, pp. 40. 1914.
    for March, 1915. F.B. 665, pp. 28. 1915.
    for April 1915. F.B. 672, pp. 28. 1915.
    for 1924. M.C. 23, pp. 22. 1924.
    for 1925. M.C. 38, pp. 24. 1925.
    "Livestock of the United States." F.B. 575, pp. 43. 1914.

Agricultural—Continued.
  outlook—continued.
    weather conditions during the past month (August) with relation to crops." F.B. 558, pp. 20. 1913.
    yearly crop summary, 1914. F.B. 645, pp. 45. 1914.
  new series of Farmers' Bulletins, object. News L., vol. 1, No. 5, p. 4. 1913.
  population—
    decrease. Off. Rec., vol. 1, No. 8, p. 2. 1922.
    world countries. Y.B., 1915, pp. 576–577. 1916; Y.B., Sep. 684, pp. 576–577. 1916.
  possibilities, Nevada irrigation projects. B.P.I. Bul. 157, pp. 16–18, 23–28. 1909.
  production—
    1909. Sec. A.R. 1909, pp. 9–15. 1909; Y.B., 1909, pp. 9–15. 1910.
    and prices. *See* Statistics.
    and trade, rank of United States in specified products. Stat. Cir. 31, p. 30. 1912.
    economic, importance. Sec. Cir. 3. p. 5. 1923.
    for 1918. Sec. Cir. 103, pp. 1–22. 1918.
    for 1919, crops and livestock. Sec. Cir. 125, pp. 1–27. 1919.
    increase per acre, results of scientific methods. Y.B., 1908, pp. 179–181. 1909.
    influence of depreciation of exchange. A. E. Taylor. Y.B., 1919, pp. 189–196. 1920; Y.B., Sep. 807, pp. 189–196. 1920.
  products—
    American, foreign markets. Rpt. 67, pp. 53. 1901.
    and conditions, Oregon, Medford area. Soils Sur. Adv. Sh., 1911, pp. 11–28. 1913. Soil F.O., 1911, pp. 2293–2310. 1914.
    Canal Zone, demand, present and prospective. Rpt. 95, pp. 43–44. 1912.
    cost of production. Stat. Bul. 48, pp. 1–90. 1906.
    cost of production, Minnesota, 1902–1907. Stat. Bul. 73, pp. 1–69. 1909.
    exports and imports—
      1852–1919. Y.B., 1919, pp. 700–704. 1920; Y.B., Sep. 829, pp. 700–704. 1920.
      1901–1924. Y.B., 1924, pp. 1074–1078. 1925.
      1919 statistics. Y.B., 1919, pp. 682–721. 1920; Y.B. Sep. 829, pp. 682–721. 1920.
    farm prices. *See* Corn; Wheat; Barley; Rye; Oats.
    foreign—
      demand, 1924. Sec. A.R., 1924, pp. 14–16. 1924.
      trade, 1851–1908. Y.B. 1908, pp. 15–19, 772–784. 1909; Y.B. Sep. 498, pp. 15–19, 772–784. 1909.
      trade, 1852–1917. Y.B., 1917, p. 775. 1918; Y.B. Sep. 762, p. 19. 1918.
      trade, 1901–1924, summary. Y.B., 1924, p. 1098. 1925.
      trade, 1910–1921. M.C. 6, p. 20. 1923.
    freight rates. Y.B., 1922, pp. 1011, 1013–1018. 1923; Y.B. Sep. 887, pp. 1011, 1013–1018. 1923.
    freight revenue to railroads, 1909. O.E.S. Cir. 112, pp. 13–14. 1911.
    imports, 1922–1924. Y.B., 1924, pp. 1058–1068. 1925.
    imports and exports—
      1852–1913. Y.B., 1913, pp. 493–513. 1914; Y.B., Sep. 631, pp. 493–513. 1914.
      1916. Y.B., 1916, pp. 707–743. 1917; Y.B., Sep. 722, pp. 37. 1917.
      1918. Y.B., 1918, pp. 627–665. 1919; Y.B., Sep. 794, pp. 41. 1919.
      1920. Y.B., 1920, pp. 761–802. 1921; Y.B., Sep. 864, pp. 44. 1921.
      1921. Y.B., 1921, pp. 737–769. 1922; Y.B., Sep. 867, pp. 33. 1922.
      statistics. Nat C. Murray and others. Y.B., 1922, pp. 949–982. 1923; Y.B., Sep. 880, pp. 949–982. 1923.
    income, 1924. Off. Rec., vol. 3, No. 50, pp. 1, 5. 1924.
    index numbers, 1900–1910. An. Rpts., 1911, pp. 14, 23–24. 1912; Sec. A.R., 1911, pp. 12, 21–22. 1911; Y.B., 1911, pp. 12, 21–22. 1912.
    marketing, bibliography. Emily L. Day and others. M.C. 35, p. 56. 1925.
    statistics—
      1910. Y.B., 1910, pp. 499–687. 1911; Y.B., Sep. 553, pp. 499–713. 1911.

Agricultural—Continued.
　products—continued.
　　statistics—continued.
　　　1924. Y.B., 1924, pp. 559-1230. 1925.
　　　world countries. Stat. Cir. 31, pp. 30. 1912.
　　　transportation rates. Y.B., 1907, pp. 731-735. 1908; Y.B. Sep. 465, pp. 731-735. 1908.
　　　value, comparisons, 1904. Rpt. 79, pp. 8-10. 1904.
　　　See also Farm products.
　programs—
　　community work and results. D.C. 106, pp. 7-9. 1920.
　　State and national, development. D.C. 106, p. 10. 1920.
　schools. See Schools, agricultural.
　provinces, United States, description and map. Y.B., 1915, pp. 331-332, 335. 1916; Y.B., Sep. 681, pp. 331-332, 335. 1916.
　regions, divisions, descriptions, and crop adaptability. Y.B., 1921, pp. 413-506. 1922; Y.B., Sep. 878, pp. 7-100. 1922.
　research—
　　effects of the war and peace. Work and Exp., 1919, pp. 5-9. 1921.
　　foreign countries, progress, 1908. O.E.S. An. Rpt., 1908, pp. 59-61. 1909.
　　outlook, discussion, 1919. Work and Exp., 1919, pp. 13-14. 1921.
　Research, Journal—
　　establishment, purpose. An. Rpts., 1914, p. 215. 1915; Ed. An. Rpt., 1914, p. 3. 1914.
　　resumption of publication. Off. Rec., vol. 1, No. 22, p. 4. 1922.
　science societies, proposed affiliation. Chem. Bul. 152, pp. 170-171. 1912.
　settlement, act of June 11, 1906, text. For. [Misc.] "The red book," pp. 35-37. 1907.
　situation for 1918—
　　Pt. I, hogs. Sec. Cir. 84, pp. 24. 1918.
　　Pt. II, dairying. Sec. Cir. 85, pp. 25. 1918.
　　Pt. III, sugar. Sec. Cir. 85, pp. 34. 1918.
　　Pt. IV, honey. Sec. Cir. 87, pp. 8. 1918.
　　Pt. V, cotton. Sec. Cir. 88, pp. 34. 1918.
　　Pt. VI, rice. Sec. Cir. 89, pp. 24. 1918.
　　Pt. VII, wheat. Sec. Cir. 90, pp. 32. 1918.
　　Pt. VIII, corn. Sec. Cir. 91, pp. 17. 1918.
　　Pt. IX, potatoes. Sec. Cir. 92, pp. 39. 1918.
　　Pt. X, sheep and wool. Sec. Cir. 93, pp. 15. 1918.
　Society—
　　Argentina, organization, scope, and growth. B.A.I. Bul. 48, pp. 8-12. 1903.
　　　Fair, Detroit, Michigan, tuberculin test requirements for Canadian cattle. B.A.I.O. 170, p. 1. 1910.
　statistics. See Statistics, agricultural.
　survey of—
　　Europe, Danube Basin—Part I. L. G. Michael. B. 1234, pp. 111. 1924.
　　southern New Hampshire. E. H. Thompson. B.P.I. Cir. 75, pp. 19. 1911.
　work, community spirit, importance. B.P.I. Cir. 116, pp. 8-9. 1913.
Agricultural Economics Bureau—
　demonstration work among negroes. D.C. 355, pp. 13-15. 1925.
　extension work, 1924. Off. Rec. vol. 3, No. 31, pp. 1, 2. 1924.
　extension work, 1925. Ext. Dir. Rpt., 1925, pp. 32-38, 1925.
　formation and appropriation. Off. Rec., vol. 1, No. 19, p. 1. 1922.
　formation and work. Y.B., 1922, pp. 17, 57-58, 59. 1923; Y.B. Sep. 883, pp. 17, 57-58, 59. 1923.
　history of development, references. Work and Exp., 1923, pp. 86-87. 1925.
　inspection of fruits and vegetables. Off. Rec., vol. 1, No. 29, p. 7. 1922.
　list of workers 1921-22. [Misc.], "List of workers * * * 1921-22," Pt. I, pp. 53-63. 1922.
　new organization. B.A.E. Chief Rpt., 1923, pp. 5-6. 1923; An. Rpts., 1923, pp. 135-136. 1923.
　receipts from classifying cotton. An. Rpts., 1923, pp. 509, 511. 1923; Accts. Chief Rpt., 1923, pp. 3, 5. 1923.
　report of chief—
　　1923. Henry C. Taylor. An. Rpts., 1923, pp. 131-197. 1923. B.A.E. Chief Rpt., 1923, pp. 56. 1923.

Agricultural Economics Bureau—Continued.
　report of chief—continued.
　　1924. Henry C. Taylor. B.A.E. Chief Rpt., 1924, pp. 53. 1924.
　　1925. Henry C. Taylor. B.A.E. Chief Rpt., 1925, pp. 56. 1925.
　See also Agriculture, workers list; Markets Bureau.
Agriculture—
　advisers—
　　appointment as aids to Alaska and Hawaii draft boards. News L., vol. 6, No. 15, p. 6. 1918.
　　for district draft boards, list by States. News L., vol. 6, No. 10, pp. 1, 12, 16. 1918.
　aid by transportation companies, 1913. D.B. 83, pp. 12-13. 1914.
　almanac for 1921. Bristow Adams. D.B. 1202, pp. 64. 1921.
　American—
　　antiquity, B.P.I. Bul. 274, pp. 31, 33-34. 1913.
　　atlas, climate, precipitation, and humidity. J. B. Kincer. Atl. Am. Agr. Adv. Sh., Pt. II, sec. A, pp. 48. 1922.
　　graphic summary. Middleton Smith and others. Y.B., 1915, pp. 329-304. 1916: Y.B. Sep. 681; pp. 329-403. 1916.
　　graphic summary. O. E. Baker. Y.B., 1921, pp. 407-506. 1922; Y.B. Sep. 878, pp. 101. 1922.
　　organization, address by Secretary Houston before National Grange, Nov. 14, 1913. News L., vol. 1, No. 16, pp. 1-3. 1913.
　　progress, discussion by Secretary. Y.B., 1919, pp. 17-25. 1920.
　　to-day and to-morrow. D. F. Houston, Secretary. Sec. [Misc.] pp. 11. 1919.
　　weed problem. H. R. Cates. Y.B., 1917, pp. 205-215. 1918; Y.B., Sep. 732, pp. 13. 1918.
　antiquity in Egypt and other countries. B.P.I. Bul. 274, pp. 31-34. 1913.
　and domestic economy, county schools in Wisconsin. A. A. Johnson. O.E.S. Bul. 242, pp. 24. 1911.
　application of chemistry, exercises. K. L. Hatch. O.E.S. Bul. 195, pp. 22. 1908.
　appropriation act—
　　1920, amendment. Off. Rec. vol. 1, No. 38, p. 1. 1922.
　　summary. Off. Rec., vol. 3, No. 24, pp. 1-2. 1924.
　aquatic, soils, Hawaii, effect of heat. Hawaii Bul. 30, pp. 24-25. 1913.
　balanced system, need in Southern States. S.R.S. Doc. 94, pp. 2-4. 1919.
　business of, extracts from addresses. F.B. 1012, p. 23. 1918; F.B. 1014, p. 24. 1918.
　census schedules, distribution. News L., vol. 7, No. 18, pp. 1-2. 1919.
　change—
　　and developments, 1897-1908, review by Secretary. Y.B., 1908, pp. 150-186. 1909.
　　in Mississippi. News L., vol. 6. No. 37, p. 5. 1919.
　　in Southern States in crop acreages. Y.B., 1919, pp. 210, 214. 1920; Y.B., Sep. 808, pp. 210, 214. 1920.
　clubs—
　　boys' and girls', organization, scope, growth, and constitution. News L., vol. 3, No. 6, pp. 7-8. 1915.
　　department, directory. Off. Rec., vol. 1, No. 2, pp. 7-8. 1922.
　　school boys' and girls', organization methods. D.B. 281, pp. 1-4. 1915.
　college extension, graduate school, discussions, July 4-27, 1910, Ames, Iowa. O.E.S. Bul. 231, pp. 86. 1910.
　Commission, return from European investigations. News L., vol. 6, No. 15, pp. 1, 2. 1918.
　Commissioners—
　　address of Secretary. News L., vol. 7, No. 16, pp. 1, 2-3, 5. 1919.
　　National Association, address of Secretary. Sec. Cir. 146, pp. 12. 1919.
　Committee, American, war mission to England, membership and duties. News L., vol. 6, No. 8, p. 1. 1918.
　conditions—
　　discussion by Secretary. An. Rpts., 1923, pp. 1, 6-14. 1923; Sec. A.R., 1923, pp. 1, 6-14. 1923.

INDEX TO PUBLICATIONS, 1901–1925

Agriculture—Continued.
  conditions—continued.
    in the United States, and difficulties. Sec. Rpt., 1921, pp. 5–14. 1921.
    review by Secretary. Y.B., 1922, pp. 1–10. 1923; Y.B., Sep. 883, pp. 1–10. 1923.
    for various States, counties, and areas. See Soil surveys.
  conference(s)—
    Missouri and California, increase of foodstuffs, work and results. News L., vol. 5, No. 19, pp. 2–3. 1917.
    St. Louis, Mo., April 9–10, 1917, members, committees and program. News L., vol. 4, No. 38, pp. 1–4. 1917.
  cooperative work, discussion of various aspects. O.E.S. Bul. 256, pp. 28–66. 1913.
  correlation with public-school subjects in Northern States. C. H. Lane and F. E. Heald. D.B. 281, pp. 42. 1915.
  county schools in Wisconsin. O.E.S. Rpt., 1904, pp. 677–685. 1905.
  course(s)—
    colleges and other institutions having. Y.B., 1907, pp. 505–506. 1908; Y.B., Sep. 464, pp. 505–506. 1908.
    for southern schools. H. P. Barrows. D.B. 521, pp. 53. 1917.
    four-year. O.E.S. Cir. 106, pp. 12–15. 1911.
    four-year college. O.E.S. Cir. 69, pp. 36. 1906.
    high school, Albion, N. Y. O.E.S. An. Rpt., 1909, pp. 315–316. 1910.
    of study. O.E.S. Bul. 164, pp. 87–89. 1906.
    secondary. O. E. S. Cir. 49, pp. 10. 1902.
    secondary, on animal production. H. R. Smith. O.E.S. Cir. 100, pp. 56. 1911.
  crisis of 1921–1924, discussion by Secretary. Y.B., 1924, pp. 17–21. 1925.
  dairying, poultry raising and household science, syndicate service, announcement. Sec. [Misc.] "Announcing an agricultural***," pp. 4. 1917.
  decline in southwestern Pennsylvania, causes and remedies. Soil Sur. Adv. Sh. 1909, pp. 54–68. 1911; Soils F.O., 1909, pp. 254–268. 1912.
  departments in—
    land-grant colleges, admission, costs, and requirements. Y.B., 1900, p. 674. 1901.
    South America. Off. Rec. vol. 3, No. 51, p. 5. 1924.
  depression in 1924. Sec. A.R., 1924, p. 2. 1924.
  development—
    in Alaska. Off. Rec., vol. 1, No. 36, pp. 1, 6. 1922.
    in Michigan, Lenawee County. 1836–1910. D.B. 694, pp. 4–7. 1918.
    in Olympic National Forest. For. Bul. 89, pp. 9–10, 18–19. 1911.
    in western Washington. D.B. 1236, pp. 4–5. 1924.
    relation of plant physiology. Albert F. Woods. Y.B., 1904, pp. 119–132. 1905; Y.B. Sep. 336, pp. 119–132. 1905.
    relation to power equipment. D.B. 1348, pp. 50–52. 1925.
    in various States, counties, and areas. See Soil surveys.
  discussion, general. Sec. Rpt., 1925, pp. 1–14. 1925.
  diversification bills. Off. Rec. vol. 3, No. 1, pp. 2, 5. 1924.
  diversified, on sheep farms, Minidoka project. D.B. 573, p. 6. 1917.
  draft advisers, various States. News L., vol. 6, No. 14, pp. 3–4. 1918.
  dry-land—
    experiments—
      Huntley Experiment Farm, 1912–1920. D.C. 204, pp. 12–20. 1921.
      Huntley Experiment Farm, 1921. D.C. 275, pp. 12–14. 1923.
    investigations, organization, and work. An. Rpts., 1908, pp. 319–321. 1908; Rpt. 87, pp. 34–35. 1908. B.P.I. Rpt., 1908, pp. 45–49. 1909.
    duty of water. Soils Bul. 71, pp. 7–14, 16–32. 1911.
  East African, report on. Off. Rec., vol. 4, No. 42, p. 2. 1925.
  eastern, changes 1840 to 1910, factors influencing. D.B. 341, pp. 10, 14 1916.

Agriculture—Continued.
  economic—
    conditions, 1921, discussion by Secretary. Y.B., 1921, pp. 1–13, 66. 1922; Y.B. Sep. 875, pp. 1–13, 66. 1922.
    problems, 1925. Sec. A.R., 1925, pp. 14–21. 1925.
  editorial conference, November 20, 1918, address by Agriculture Secretary. News L., vol. 6, No. 18, pp. 1, 5–11. 1918.
  education—
    and research in the U. S., Report * * * to the Brazil Centennial Exposition. A. C. True. S.R.S. [Misc.]—"Education and research * * *." Pp. 45. 1923.
    correspondence courses. O.E.S. Bul. 110, pp. 50, 137. 1902.
    development. E. E. Brown. O.E.S. Bul. 196, pp. 49–54. 1907.
    discussion. O.E.S. Bul. 199, pp. 9–13. 1908.
    in South. O.E.S. Bul. 123, pp. 67–73. 1903.
    instruction in high schools, grouping of studies. O.E.S. Cir. 77, rev., p. 2. 1908.
    normal instruction, discussion. O.E.S. Bul. 196, pp. 80–90. 1907.
    results of Smith-Lever act. News L., vol. 3, No. 7, pp. 7–8. 1915.
    secondary—
      progress. A. C. True. Y.B., 1902, pp. 481–500. 1903; Y.B. Sep. 285, pp. 18. 1903.
      United States. A. C. True. O.E.S. Cir. 91, pp. 11. 1909.
    short course, discussion. O.E.S. Bul. 196, pp. 90–95. 1907.
    See also Education.
  efficiency, place in school instruction. D.B. 213, pp. 10–11. 1915.
  Egyptian, notes on. George P. Foaden. B.P.I. Bul. 62, pp. 61. 1904.
  elementary—
    course, directions and syllabus. O.E.S. Cir. 60, pp. 15–20. 1904.
    exercises for school use. Dick J. Crosby. O.E.S. Bul. 186, pp. 64. 1907.
    introduction into schools. A. C. True. Y.B., 1906, pp. 151–164. 1907; Y.B. Sep. 413, pp. 151–164. 1907.
    lessons for Alabama schools. E. A. Miller. D.B. 258, pp. 36. 1915.
    list of publications, Experiment Stations Office. O.E.S. Doc. 992, pp. 11. 1907.
    text-books and reference books. O.E.S. An. Rpt. 1906, pp. 296–300. 1907.
  enemies, animal and insect, Russian, conflict. Ent. Bul. 38, p. 61. 1902.
  engineering and economics, experiment station studies. Work and Exp., 1919, p. 84. 1921.
  Europe, improvement. Off. Rec., vol. 1, No. 28, p. 1. 1922.
  exhibits and contests. H. P. Barrows. S.R.S. Doc. 42, pp. 8. 1917.
  expansion—
    and land needs. Off. Rec., vol. 3, No. 32, pp. 1, 5. 1924.
    problems, suggestions. Y.B., 1923, pp. 502–506. 1924; Y.B. Sep. 896, pp. 502–506. 1924.
  experiment stations—
    establishment—
      and endowment. D.C. 251, pp. 19–37. 1925.
      in Alaska, Hawaii, Porto Rico, and Guam, appropriations. Sol. [Misc.] "Laws applicable." 2d sup., p. 85. 1915.
    Hatch Act provisions, text. D.C. 251, pp. 19–20. 1925.
    rulings on experiment stations. S.R.S. [Misc.] "Federal legislation, regulations, and rulings * * *," pp. 20–24. 1916.
    See also under individual names.
  extension work and home economics, 1919, report. S.R.S. [Misc.] "Cooperative extension work in agriculture and home economics * * *, 1919." pp. 63. 1921.
  farmers' institutes for young people. John Hamilton and J. M. Stedman. O.E.S. Cir. 99, pp. 40. 1910.
  finance and credit, address by Assistant Secretary Ousley. News L., vol. 6, No. 31, pp. 1, 9–10. 1919.
  forces for national defense, farm-bureau organization. S.R.S. Doc. 54, pp. 1–11. 1917.

Agriculture—Continued.
  forecast for 1919. News L., vol. 6, No. 26, pp. 1, 13–15. 1919.
  four-year course, syllabus. O.E.S. Cir. 91, pp. 10–11. 1909.
  freight tonnage supplied to railroads in 1909. O.E.S. Cir. 112, pp. 12–13. 1911.
  future, influence of modern biology. B.P.I. Cir. 116, pp. 9–10. 1912.
  German and American, relative importance of potato. D.B. 47, pp. 1–2. 1913.
  graduate school(s)—
    history, object and work. O.E.S. An. Rpt., 1906, pp. 236–249. 1907.
    improvement of courses in agriculture. O.E.S. Bul. 123, pp. 61–67. 1903.
    inauguration, plan, and sessions. O.E.S. Cir. 106, p. 9. 1911; rev., p. 11. 1912.
  graphic summary, description. Y.B., 1921, pp. 408–410. 1922; Y.B. Sep. 878, pp. 2–4. 1922.
  high-school, influence on rural conditions. Y.B., 1912, pp. 481–482. 1913; Y.B., Sep. 607, pp. 481–482. 1913.
  historical notes, for various States, counties, and areas. See Soil surveys.
  home practice, school credit. F. E. Heald. D.B. 385, pp. 27. 1916
  hot waves, conditions and effects. Y.B., 1900, p. 325. 1901.
  improved methods, studies by Belleville community, New York. D.B. 984, pp. 44–47. 1921.
  improvements—
    measures, discussion. Sec. Cir. 130, pp. 10–11. 1919.
    results of demonstration work. Y.B. 1915, pp. 236–237, 246–247. 1916; Y.B. Sep. 672, pp. 236–237, 246–247. 1916.
  in Alaska—
    investigations, 1905. C. C. Georgeson. O.E.S. Bul. 169, pp. 100. 1906.
    possibilities. Levi Chubbuck. D.B. 50, pp. 31. 1914.
  in Belgium, results of extension since 1895. O.E.S An. Rpt., 1910, pp. 425–447. 1911.
  in California, situation, 1901. O.E.S. Bul. 100, p. 17. 1901.
  in Central America, vegetation affected by. O. F. Cook. B.P.I. Bul. 145, pp. 30. 1909.
  in Denmark, development and present condition. D.B. 1266, pp. 4–9. 1924.
  in East Africa, conditions. Off. Rec., vol. 3, No. 36, pp. 1–2. 1924.
  in East and West, comparisons. Y.B., 1915, pp. 331–332. 1916; Y.B. Sep. 681, pp. 331–332. 1916.
  in Europe, needs of allies during 1920, report. Sec. [Misc.], "Report * * * agricultural commission * * *," pp. 64–79. 1919.
  in foreign countries, progress. O.E.S. An. Rpt., 1910, pp. 85–89. 1911.
  in Great Plains, central part, semiarid portion. J. A. Warren. B.P.I. Bul. 215, pp. 43. 1911.
  in Guam. O.E.S. An. Rpt., 1907, pp. 405–414. 1908.
  in Hawaii, development, 1915–1920. Hawaii A.R., 1920, pp. 62–68. 1921.
  in Missouri farm survey, yield, 1914. D.B. 633, pp. 2–4. 1916.
  in New York, conditions in southern part. M. C. Burritt. B.P.I. Cir. 64, pp. 16. 1910.
  in North Carolina, Catawba County, census data for 1850–1920. D.B. 1070, p. 2. 1922.
  in Porto Rico, investigations, 1905. D. W. May. O.E.S. Bul. 171, pp. 47. 1906.
  in Sahara desert without irrigation. Thomas H. Kearney. B.P.I. Bul. 86, pp. 27. 1905.
  in San Luis Valley, Colorado, irrigation, crop adaptibility. Soils Cir. 52, pp. 15, 26. 1912.
  in rural schools, notes. O.E.S. Cir. 99, pp. 5–6. 1910.
  in schools, States requiring and encouraging. Y.B., 1907, p. 207. 1908; Y.B. Sep. 445, p. 207. 1908.
  in South Carolina, Anderson County, type changes, 1840–1910. D.B. 651, pp. 22–31. 1918.
  in Southern States—
    development. S. A. Knapp. B.P.I. Bul. 35, pp. 44. 1903.
    injury by cattle ticks. B.A.I. [Misc.], "The tick primer," pp. 4. 1915.

Agriculture—Continued.
  in the war, review by Secretary, address, Dubuque, Iowa, June 20, 1918. News L., vol. 5, No. 47, pp. 1, 3–8. 1918.
  in United States, importance and relation to population. Y.B., 1921, pp. 407–412. 1922; Y.B. Sep. 878, pp. 1–6. 1922.
  industry, new. O.E.S., Bul. 99, p. 124. 1901.
  injury by smoke and gases. F.B. 225, pp. 5, 7. 1905.
  institutions in United States giving instructions. O.E.S. Doc. 1110, "Institutions in the United States giving instruction in agriculture," pp. 10. 1908.
  instruction—
    committee report, 1911. O.E.S. Cir. 115, pp. 19. 1912.
    correlation with other subjects. O.E.S. Cir. 90, pp. 27–29. 1909.
    extension in foreign countries. O.E.S. An. Rpt., 1907, p. 314. 1908.
    for adults—
      in British Empire. John Hamilton. O.E.S. Bul. 155, pp. 96. 1905.
      in continental countries. John Hamilton, O.E.S. Bul. 163, pp. 32. 1905.
    in schools, classroom, laboratory, and field. Y.B., 1912, pp. 476–480. 1913; Y.B. Sep. 607, pp. 476–480. 1913.
    in the normal school. A. M. J. Abbey. O.E.S. Cir. 90, pp. 31. 1909.
    report of committee. O.E.S. Bul. 212, pp. 35–38. 1909; O.E.S. Bul. 228, p. 40. 1910.
  institutions in United States giving instruction. O.E.S. Cir. 97, pp. 15. 1910; O.E.S. Cir. 97, rev., pp. 38. 1912; O.E.S. Doc. 968, pp. 5. 1907.
  International Institute—
    at Rome, relation to department. Sec. A. R., 1924, p. 49. 1924.
    crop report, various countries, 1914. F.B. 641, p. 23. 1914.
    establishment and purposes. Rpt. 87, pp. 61–62. 1913.
    forecasts of world crops, Sept. 1913. F.B. 558, pp. 8, 10, 11, 12. 1913.
    membership. Off. Rec., vol. 3, No. 15, pp. 1–2, 5. 1924.
    origin, functions, and revenue. O.E.S. An. Rpt., 1908, pp. 238–240. 1909.
    reporting service, improvement. B.A.E. Chief Rpt., 1923, p. 57. 1923; An. Rpts., 1923, pp. 21, 187. 1923; Sec. A. R., 1923, p. 21. 1923.
  introduction into Porto Rico, benefit to coffee interests. An. Rpts., 1909, p. 699. 1910; O.E.S. Dir. Rpt., 1909, p. 21. 1909.
  investigations, Hawaii, 1905. J. G. Smith. O.E.S. Bul. 170, pp. 66. 1906.
  island possessions of United States, investigations. Walter H. Evans. Y.B., 1901, p. 503–526. 1902; Y.B., Sep. 252, pp. 24. 1902.
  laborers, number employed, and relation of machinery, immigration, etc. Y.B., 1910, pp. 189–193. 1911; Y.B. Sep. 528, pp. 189–193. 1911.
  lands, national forests, laws applicable. Sol. [Misc.], "Laws applicable * * * Agriculture," pp. 30–33. 1913.
  legislation affecting—
    1921, passage and administration. Sec. A.R., 1921, pp. 14–16, 29–30. 1921.
    1922. Off. Rec., vol. 1, No. 52, pp. 1–2. 1922.
    1924. Off. Rec., vol. 3, No. 24, pp. 1–2. 1924.
  livestock function in. George M. Rommel. Y.B., 1916, pp. 467–475. 1917; Y.B. Sep. 694, p. 9. 1917.
  marketing, cooperative organization methods. D.B. 178, pp. 1–24. 1915.
  meadow mice, relation to horticulture. D. E. Lantz. Y.B., 1905, pp. 363–376. 1906; Y.B. Sep. 388, pp. 363–376. 1906.
  miscellaneous papers, Pts. I–VII. E. F. Phillips and others. Ent. Bul. 75, p. 123. 1907–1909.
  movable schools, report of committee. O.E.S. Bul. 238, pp. 68–71. 1911.
  number of persons engaged, various countries. Y.B., 1917, p. 750. 1918; Y.B. Sep. 761, p. 44. 1918.
  on Government reclamation projects. C. S. Scofield and F. D. Farrell. Y.B., 1916, pp. 177–198. 1917; Y.B. Sep. 690, pp. 22. 1917.
  one-crop, objections. Bradford Knapp. News L., vol. 3, No. 29, pp. 3–4. 1916.

Agriculture—Continued.
 opportunities—
  B. T. Galloway and others. Y.B., 1904, pp. 161-190. 1905; Y.B. Sep. 340, pp. 161-190. 1905.
  in coal regions of Southwestern Pennsylvania. Y.B., 1909, pp. 321-332. 1910; Y.B. Sep. 516, pp. 321-332. 1910.
 outlook—
  crop production in the United States for October. F.B. 563, pp. 14. 1913.
  for 1925. Misc. Cir. 38, pp. 24. 1925.
  for December, 1913. F.B. 570, pp. 35. 1913.
  for May, 1914. F.B. 598, pp. 21. 1914.
  for June, 1914. F.B. 604, pp. 24. 1914.
  for November, 1914. F.B. 641, pp. 40. 1914.
 percentage of population engaged in, 1820-1910. An Rpts., 1920, p. 26. 1921; Sec. A.R., 1920, p. 26. 1920.
 periodicals, department library, 1902. Y.B., 1902, pp. 740-745. 1903; Y.B. Sep. 300, p. 6. 1903.
 persons engaged in, various countries. Y.B., 1916, p. 698. 1917; Y.B. Sep. 721, p. 40. 1917.
 prehistoric—
  Europe, discussion. B.A.I. An. Rpt., 1910, pp. 216-218. 1912.
  remains in Hawaii, Olaa substation. Hawaii A.R. 1912, p. 85. 1913.
 prices and production, advances, 1896-1908. An. Rpts., 1908 pp. 151-152. 1909; Sec. A. R., 1908, pp. 149-150. 1908.
 production—
  1910, and values. Sec. A. R., 1910, pp. 9-19. 1910; Rpt. 93, pp. 7-13. 1911; An. Rpts., 1910, pp. 9-19. 1911; Y.B., 1910, pp. 9-19. 1911.
  1911, and value. Sec. A. R., 1911, pp. 11-19. 1911; Y.B., 1911, pp. 11-19. 1912; An. Rpts., 1911, pp. 13-21. 1912.
  1915-1924, statistics. Y.B., 1924, pp. 84-85. 1925.
  1918. Sec. Cir. 103, pp. 22. 1918.
  per man and per acre, important. Y.B., 1918, pp. 693. Y.B. Sep. 795, p. 693. 1919.
 products—
  price fixing in Europe, difficulties. Y.B., 1919, pp. 191-194. 1920; Y.B. Sep. 807, pp. 191-194. 1920.
  statistics, imports, and exports. Y.B., 1917, pp. 759-799. 1918; Y.B. Sep. 762, p. 43. 1918.
 progress—
  in South since 1904. Sec. Cir. 56, pp. 3-5, 13. 1916.
  statistical aspect, 1896-1908. Rpt. 87, pp. 97-98. 1908.
 promotion by railroads, extent and methods. Stat. Bul. 100, pp. 10-47. 1912.
 public high schools. Dick J. Crosby. Y.B., 1912, pp. 471-482. 1913; Y.B. Sep. 607, 471-482. 1913.
 publications, distributions to corn-club members by Agricultural Department. B.P.I. Doc. 644, rev., pp. 7-8. 1913.
 reading course, list of publications for. Pub. [Misc.] "List of publications * * *" p. 1. 1914.
 regulatory laws. Sec. Cir. 133, pp. 11-12. 1919
 relation—
  of common mammals of western Montana, to spotted fever. Clarence Birdseye. F. B. 484, pp. 46. 1912.
  of horned larks. Biol. Bul. 23, p. 37. 1905.
  of plant physiology. O.E.S. Bul. 99, p. 127. 1901.
  of sparrows. Sylvester D. Judd. Biol. Bul. 15, pp. 98. 1901.
  of weather. A. J. Henry and others. Y.B., 1924, pp. 457-558. 1925; Y.B. Sep. 918, pp. 457-558. 1925.
  to crow. E. R. Kalmbach. F.B. 1102, pp. 20. 1920.
  to our industries. Secretary Wilson. Sec. Cir. 23, pp. 8. 1907.
 research and education, appropriations, progress. O.E.S. Cir. 84, pp. 3-6. 1909.
 resources, maximum population maintainable. Y.B., 1923, pp. 497-500. 1924; Y.B., Sep. 896, pp. 497-500. 1924.
 review—
  for four years, 1921-1924. Sec. A. R., 1924, pp. 17-22. 1924.
  of production, 1906, preliminary estimates. Rpt. 83, pp. 3-14. 1906.

Agriculture—Continued.
 school(s)—
  courses, need of farm children. Rpt. 105, pp 23-25. 1915.
  exercises in plant production. F.B. 408, pp. 1-48. 1910.
 movable—
  assistance to farmers. Y.B., 1909, p. 246. 1910; Y.B. Sep. 509, p. 246. 1910.
  course in cereal foods and their preparation. Margaret J. Mitchell. O.E.S. Bul. 200, pp. 78. 1908.
  course in cheese making. L. L. Van Slyke. O.E.S. Bul. 166, pp. 63. 1906.
  course in fruit growing. Samuel B. Green. O.E.S. Bul. 178, pp. 100. 1907.
  form of organization. John Hamilton. O.E.S. Cir. 79, pp. 8. 1908.
  secondary, establishment in States. O.E.S. Rpt. 1906, pp. 43-255. 1907.
  vegetable foods, course in use and preparation. Anna Burrows. O.E.S. Bul. 245, pp. 98. 1912.
  See also Schools.
 scope of term. O.E.S. Cir. 77, rev., pp. 1-2 1908.
 secondary—
  courses. O.E.S. Cir. 49, pp. 10. 1902.
  courses—
   for southern schools. H. P. Barrows. D.B. 592, pp. 40. 1917.
   home projects. H. P. Barrows. D.B. 346, pp. 20. 1916.
   education. A. C. True. O.E.S. Bul. 228, pp. 17-19. 1910.
  schools, demand for. O.E.S. An. Rpt., 1907, pp. 285-286. 1908.
 Secretary. See Secretary.
 Secretaries, list and historical data. F.B. 1202, p. 63. 1921.
 semiarid sections, relation to dairying. Y.B., 1912, pp. 463-470. 1913; Y.B. Sep. 606, pp. 463-470. 1913.
 situation—
  1918, circulars, list. Sec. Cir. 93, p. 15. 1918.
  1923. Y.B., 1923, pp. 6-7. 1924.
  in California. Elwood Mead. O.E.S. Bul. 100, pp. 17-69. 1901.
 soil waste by erosion. Y.B., 1913, pp. 212-214. 1914; Y.B. Sep. 624, pp. 212-214. 1914.
 sound practice, restoration by end of war. Sec. Cir. 125, pp. 24-27. 1919.
 southern—
  effect of safe farming. S.R.S. Rpt., 1918; pp 37-39. 1919.
  relation of cattle tick. August Mayer. F.B. 261, pp. 24. 1906.
 specialization in colleges. O.E.S. Cir. 83, p. 14. 1909.
 State departments, need of. D. F. Houston. Sec. [Misc.], "Need of strong * * *," pp. 8. 1919.
 State publications. Chas. H. Greathouse Y.B., 1904, pp. 520-526. 1905; Y.B. Sep. 365, pp. 6. 1905.
 statistical data, trends, 1899-1921. Y.B., 1921, p. 787. 1922; Y.B. Sep. 871, p. 18. 1922.
 statistics—
  1911. Y.B., 1911, pp. 519-698. 1912; Y.B. Sep. 587, pp. 519-614. 1912; Y.B. Sep. 588, pp. 615-699. 1912.
  1912. Y.B., 1912, pp. 557-750. 1913; Y.B. Sep. 614, pp. 557-654. 1913; Y.B. Sep. 615, pp. 655-750. 1913.
  miscellaneous—
   1920. Y.B., 1920, pp. 803-840. 1921; Y.B Sep. 865, pp. 40. 1921.
   1924. Y.B., 1924, pp. 1100-1230. 1925.
 study—
  collection and preservation of specimens. L. O. Howard. F.B. 606, pp. 18. 1914.
  courses—
   county schools, Wisconsin. O.E.S. Bul. 242, pp. 9, 11, 13, 15, 17-18. 1911.
   secondary schools. O.E.S. Bul. 220, pp. 12-14. 1909; O.E.S. Cir. 106, p. 6. 1911.
  in rural schools, review by Secretary. Rpt. 79, pp. 82-83. 1904.
  use of plant material, collection and preservation. H. B. Derr and C. H. Lane. F.B. 586, pp. 24. 1914.

Agriculture—Continued.
  sugar-beet areas in California, studies. D.B. 760, pp. 6-11. 1919.
  teachers, training courses. Y.B., 1907, pp. 207-220. 1908; Y.B. Sept. 445, pp. 207-220. 1908.
  teaching in—
    rural common schools. O.E.S. Cir. 60, pp. 20. 1904.
    rural schools, use of illustrative material. Dick J. Crosby. Y.B., 1905, pp. 257-274. 1906; Y.B. Sep. 382, pp. 257-274. 1906.
    county school, course of study. Y.B., 1919, pp. 295-297. 1920; Y.B. Sep. 812, pp. 295-297. 1920.
    text-book, developments in North America. O.E.S. An. Rpt., 1903, pp. 689-712. 1904.
    training courses for teachers, and suggested reading course. Edwin R. Jackson. D.B.7, pp. 17. 1913.
  tropical islands of the United States. O. F. Cook. Y.B., 1901, pp. 349-368. 1902; Y.B. Sep. 242, pp. 349-368. 1902.
  under irrigation, Virgin River Basin. Frank Adams. O.E.S. Bul. 124, pp. 207-265. 1903.
  use(s) of—
    thermometer, and its value to farmers. Alfred H. Thiessen. Y.B., 1914, pp. 157-166. 1915; Y.B. Sep. 635, pp. 157-166. 1915.
    war explosives. Off. Rec., vol. 4, No. 43, pp. 1-2. 1925.
    utilization of fixed-nitrogen compounds. An. Rpts., 1922, pp. 641-642. 1922; Fix. Nit. Lab. Rpt., 1922, pp. 9-10. 1922.
  value of grosbeaks. W. L. McAtee. F.B. 456, pp. 14. 1911.
  vocational, teaching by home projects. H. P. Barrows. D.B. 346, pp. 20. 1916.
  war program, 1918, experience of Indiana farmer in following. News L., vol. 6, No. 9, pp. 1-2. 1918.
  waste in, remarks. M.C. 39, pp. 16-17. 1925.
  West Indies, Spain, and Orient, letters. David G. Fairchild. B.P.I. Bul. 27, pp. 40. 1902.
  western, effects of horseflies. D.B. 1218, pp. 36. 1924.
  wheat regions, readjustment. Y.B., 1923, pp. 138-145. 1924.
  workers—
    Federal and State, list—
      1914. [Misc.] "List of workers * * *"; pp. 1-89. 1914.
      1915. [Misc.] "List of workers * * *"; pp. 1-122. 1915.
      1916. [Misc.] "List of workers * * *"; pp. 1-100. 1916.
      1917-1918. [Misc.] "List of workers," Pt. I, pp. 1-55. 1918; Pt. II, pp. 1-58. 1918.
      1918-19. [Misc.] "List of workers * * *," Pt. I, 1-73. 1919; Pt. II, pp. 1-89. 1919.
      1920-1921. [Misc.] "List of workers * * *", pp. 98. 1921.
      1921-22. [Misc.] "List of workers * * *," Pt. II, pp. 1-103. 1922.
      1922-23. M.C. 4, pp. 1-108. 1923.
    in State agricultural colleges and experiment stations, 1924-1925. Mary A. Agnew. M.C. 34, pp. 96. 1925.
    in subjects pertaining to, list. M.C. 17, pp. 103. 1924.
  world—
    geography. V. C. Finch and O. E. Baker. Sec. [Misc.] Spec., "Geography * * * world's agriculture." pp. 149. 1917.
    graphic summary. V. C. Finch and others. Y.B., 1916, pp. 531-553. 1917; Y.B. Sep. 713, pp. 23. 1917.
    markets, world and demands, surveys. B.A.E. Chief Rpt., 1923, pp. 56, 57. 1923; An. Rpts., 1923, pp. 21-22, 186, 187. 1923; Sec. A. R., 1923, pp. 21-22. 1923.
  Yuma Reclamation Project. B.P.I. Cir. 124, pp. 3-8. 1913.
  See also *Bureau of Soils Field Operations for various States, counties, and areas.*
Agriculture, Department of—
  accounts and disbursements for 1904. Rpt. 79, p. 97. 1904.
  act creating, approval by President Lincoln, May 15, 1862. News L., vol. 6, No. 4, p. 2. 1918.

Agriculture, Department of—Continued.
  activities—
    in Alaska. Sec. A. R. 1921, p. 51. 1921.
    in war work. News L., vol. 5, No. 44, pp. 2, 5. 1918.
  administrative—
    changes, 1925. Sec. A.R. 1925, pp. 30-31. 1925.
    regulations, revised to August 1, 1918. Adv. Com. F. and B. M. [Misc.] "Administrative regulations * * *." Pp. 227. 1918.
  aid—
    in tick eradication. B.A.I. [Misc.] "How to get the * * *"; pp. 24-29. 1922.
    to farmers in war helps. News L., vol. 5, No 45, pp. 2-7. 1918.
  animal husbandry investigations. Sec. A. R. 1925, pp. 49-51. 1925.
  anticipatory, preliminary formative, and expansive period. News L., vol. 4, No. 17, p. 3. 1916.
  appropriation act for 1907 (construing Adams Act, 1906). S.R.S. [Misc.] "Federal legislation, regulations, and rulings * * *," rev. to July 15, 1917, p. 26. 1917.
  appropriations—
    1839-1923, disbursements and balances. Accts. Chief Rpt. 1923, pp. 6-7 1923; An. Rpts 1923, pp. 512-513. 1923.
    1915-16, restrictions, with analysis table. News L., vol. 2, No. 36, pp. 1-4. 1915.
    1921, expenditures and receipts. Accts. Chief Rpt., 1921, p. 2. 1921; Y.B., 1921, pp. 68-70. 1922; Y.B. Sep. 875, pp. 68-70. 1922.
    1922. An. Rpts. 1920, p. 61. 1921; Sec. A. R. 1920, p. 61. 1920.
    1922, Y.B., 1922, pp. 61, 65-68. 1923; Y.B. Sep. 883, pp. 61, 65-68. 1923.
    1923, expenditures and receipts. An. Rpts. 1923, pp. 82-83, 87-89, 298-299. 1923; For. A. R., 1923, pp. 10-11. 1923; Sec. A. R., 1923, pp. 82-83, 87-89. 1923.
  act—
    March 4, 1915. Sol. [Misc.] "Laws applicable * * * agriculture," 3d sup. pp. 7-13, 14-20, 22-25, 31-47, 49-54, 56, 57. 1915.
    Aug. 11, 1916. Sol. [Misc.], "Laws applicable * * * agriculture," 4th sup., pp. 7-9, 12-22, 23-29, 40-47, 49-69, 95-98. 1917.
  arbitration in trade disputes. Sec. A. R. 1925, pp. 41-42. 1925.
  assistance to—
    cooperative work. D. B. 547, pp. 59-60. 1917.
    cow-testing work. B.A.I. An. Rpt., 1909, pp. 116-118. 1911; B.A.I. Cir. 179, pp. 116-118. 1911.
    farmers, organization. F.B. 1012, pp. 21-22. 1918. F.B. 1014, pp. 22-23. 1918.
  authority under Cotton Futures Act, address and opinions. Mkts. S.R.A. 5, pp. 51-78. 1915.
  brief statutory history. Sol. [Misc.], "A brief statutory * * *," pp. 26. 1916.
  building program. An. Rpts., 1922, pp. 39-41. 1922; Sec. A. R., 1922, pp. 39-41. 1922; Y.B., 1922, pp. 49-51. 1923; Y.B., Sep. 883, pp. 49-51. 1923.
  bureau chiefs' committee reports. Sec. [Misc.], "Report of the * * *," pp. 60. 1911.
  cooperation with—
    Chamber of Commerce in milk exhibition, Pittsburg, Pennsylvania, 1908. B.A.I. Cir. 151, pp. 7, 16. 1909.
    departments and agencies. An. Rpts., 1918, pp. 10-12. 1919; Sec. A. R., 1918, pp. 10-12. 1918. Y.B., 1918, pp. 19-21. 1919.
    experiment stations. An. Rpts., 1923, pp. 557-558. 1924.
    State experiment stations. An. Rpts., 1922; pp. 417, 423-424. 1923; S.R.S. Rpt., 1922, pp. 5, 11-12. 1922.
    Vocational Education Board. Y.B., 1921, p. 30. Y.B., Sep. 875, p. 30. 1922.
  cooperative work—
    against chestnut bark disease. F.B. 467, p 1911.
    in war emergency, summary. An. Rpts., 1918, pp. 13-15, 52-54. 1919; Sec. A. R., 1918, pp. 13-15, 52-54. 1918; Y.B., 1918, pp. 23-24, 71-72. 1919.
    with experiment stations in dry-land farming. Y.B., 1907, pp. 456-457. 1908; Y.B. Sep. 461, pp. 456-457. 1908.

Agriculture, Department of—Continued.
  discovery and development of "Wahi" date. D.B. 1125, pp. 13-15. 1923.
  distribution of seed loans. Off. Rec., vol. 1, No. 12, p. 1. 1922.
  duties under food and drugs act. Chem. Bul. 112, Pt. I, p. 51. 1908.
  economies effected, review by Secretary. An. Rpts., 1922, pp. 43-48. 1922; Sec. A. R., 1922; pp. 43-48. 1922; Y.B., 1922, pp. 53-60. 1923; Y.B. Sep. 883, pp. 53-60. 1923.
  employees, attendance at court proceedings, fees, and expenses. B.A.I.S.R.A. 85, pp. 76-77. 1914.
  establishment, and growth since 1863. An. Rpts., 1911, p. 956. 1912; Appt. Clerk Rpt., 1911, p. 10. 1911.
  extension work organization. Sec. Cir. 47, pp. 2-3. 1913; Sec. A. R., 1921, pp. 34-35. 1921.
  field service, appointments and other changes affecting the personnel, regulations governing. Appt. Clerk., [Misc.] "Regulations governing appointments * * *," pp. 28. 1912.
  financial—
    growth since 1839. Accts. Chief Rpt., 1909, pp. 19-42. 1909; An. Rpts., 1909, pp. 567-590. 1910.
    statement—
      1923. Y.B., 1923, pp. 77-87. 1924.
      1924. Y.B., 1924, pp. 89-95. 1925.
      1925. Sec. A.R., 1925, pp. 98-101. 1925.
  fiscal regulations, 1915. Adv. Com. F. & B. M. [Misc.], pp. 77, 1907; rev., pp. 124. 1915; rev., pp. 131. 1922.
  food production increase urged for 1918, program. News L., vol. 5, No. 30, pp. 1-6. 1918.
  formation, laws for. Sol., [Misc.], "A brief statutory history * * *," pp. 1-5. 1916.
  grounds, Washington, D. C., experimental roads, description. D.B. 53, p. 32. 1913.
  historical notes. An. Rpts., 1904, pp. 333-337. 1904.
  housing situation, 1923. Y.B., 1923, pp. 74-76. 1924.
  Junior Improvement Association, organization. Off. Rec., vol. 2, No. 2, p. 5. 1923.
  laws applicable—
    Aug. 28, 1912-March 4, 1913. Sol. [Misc.] "Laws applicable * * * Agriculture," 1st sup., pp. 61. 1913.
    Aug. 28, 1912 to Oct. 24, 1914. Sol. [Misc.], 2d sup., "Laws applicable * * * pp. 128. 1915.
    Oct. 25, 1914 to March 4, 1915. Sol. [Misc.] 3d Sup., "Laws applicable * * *," pp. 71. 1915.
    Dec. 6, 1915 to Sept. 8, 1916. Sol. [Misc.], 4th Sup., "Laws applicable * * *," pp. 137. 1917.
  "Le travail du departement d'agriculture des Etats-Unis." B.P.I. [Misc.], "Le travail du * * *," pp. 22. 1905.
  legal operations, 1908. Rpt. 87, pp. 11-12. 1908.
  list of workers. See Agriculture, workers' list.
  market information, handling. D.B. 1325, pp. 50-51. 1925.
  meat inspection service. George Detiwig. Y.B. 1916, pp. 77-97. 1917; Y.B. Sep. 714, pp. 21. 1917.
  motion pictures. Fred W. Perkins. D.C. 233, pp. 13. 1922.
  new building operations. Rpt. 87, pp. 12-13. 1908.
  operation of Center Market, D. C. Off. Rec., vol. 1, No. 14, p. 2. 1922.
  organic act, early history. Off. Rec., vol. 3, No. 24, p. 2. 1924.
  organization—
    1907-1913 Pub. Cir. 1, rev., pp. 20. 1901; rev., pp. 37. 1907; rev., pp. 41. 1908; rev., pp. 45. 1909; rev., pp. 69. 1910; rev., pp. 72, 1912; rev., pp. 31. 1913.
    1917-18, officials, and work. [Misc.], "List of workers * * *," Pt. I, pp. 68; Pt. II, pp. 89. 1918.
    1918-19, officials and work. [Misc.] "List of workers * * *," Pt. I, pp. 73, Pt. II, pp. 89. 1919.
    1921, and functions. Sec. A. R., 1921, pp. 23-24. 1921.

Agriculture, Department of—Continued.
  organization—continued.
    July, 1922. Y.B., 1921, pp. 24-25. 1922; Y.B. Sep. 875, pp. 24-25. 1922.
    change relation to States Relations Service. An. Rpts., 1923, pp. 572-573. 1924; S.R.S. Rpt., 1923, pp. 20-21. 1923.
  extension work, various bureaus. S.R.S. Doc. 40, rev., pp. 1-2. 1919.
  pink bollworm control and eradication, work through Horticultural Board. D.B. 723. pp. 25-26. 1918.
  plant-introduction gardens. P. H. Dorsett. Y.B., 1916, pp. 135-144. 1917; Y.B. Sep. 687, pp. 10. 1917.
  promotion of rural organization. C. W. Thompson. Y.B., 1915, pp. 272a-272p. 1916; Y.B. Sep. 675, pp. 272a-272p. 1916.
  property regulations, report of Board of Finance. Adv. Com. F. and B.M. [Misc.], "Property regulations * * *," pp. 141. 1916.
  publications—
    distribution. Jos. A. Arnold. Y.B., 1910, pp. 477-479. 1911; Y.B., 1911, pp. 505-507. 1912.
    for free distribution, Oct., 1909. Pub. Cir. 2, pp. 49. 1909.
    for sale, list, October, 1909. Pub. Cir. 3, pp. 85. 1909; rev., pp. 106. 1910.
    issued since July 1, 1913, list. Pub. [Misc.], "List of publications issued since July 1, 1913," rev. to Dec. 31, 1916, pp. 114. 1917.
    shipping vegetables. D.B. 601, pp. 1-29. 1917.
    See also Publications.
  questions submitted to International Institute of Agriculture. Off. Rec., vol. 1, No. 8, p. 1. 1922.
  receipts from Forest Service and other sources. An. Rpts., 1922, pp. 49-50. 1922; Sec. A. R., 1922, pp. 49-50. 1922; Y.B., 1922, pp. 62, 63-64. 1923; Y.B., Sep. 883, pp. 62, 63-64. 1923.
  records, copies, regulations. B.A.I.S.R.A. 85, p. 77. 1914.
  regulations—
    fiscal, property, and administrative. Adv. Com. F. and B.M. [Misc.], "Regulations of the U.S. * * *," pp. 1231. 1924.
    governing leaves of absence. James Wilson. Sec. [Misc.], "Regulations governing * * *," rev., pp. 11. 1911.
    judicial notice. Sol. Cir. 22, pp. 8. 1909.
    relation to national law for prevention of insect-infested or diseased plant importation. James Wilson. Sec. Cir. 37, pp. 11. 1911.
  reorganization—
    1915, authority and effect on various bureaus. News L., vol. 2, No. 36, pp. 1, 2-4. 1915.
    1922. Off. Rec. vol. 1, No. 49, p. 2. 1922.
    1923. Y.B., 1923, pp. 38-39. 1924.
    1924. Sec. A. R., 1924, pp. 22-23. 1924.
    plan, estimates. Sol. [Misc.], "Laws applicable * * * Agriculture," 2d sup., p. 5. 1915.
  report. See Secretary, report.
  responsiblities, reallocation. Off. Rec., vol. 2, No. 16, pp. 1, 2. 1923.
  research work, important lines. Sec. A. R., 1921, pp. 24-26. 1921.
  rules and regulations governing leaves of absence Chief Clerk [Misc.], "Rules and regulations * * *," pp. 5. 1902.
  rulings—
    and cooperation for experiment stations. D.C. 251, pp. 24-28. 1925.
    on experiment stations. O.E.S. Cir. 68, rev., pp. 17-21. 1912; O.E.S. Cir. 111, pp. 18-23. 1911; rev., pp. 19-24. 1912.
  sale of—
    nitrate to farmers. News L., vol. 6, No. 39, p. 1. 1919.
    potash. News L., vol. 6, No. 30, p. 14. 1919.
  scientific and extension work. Sec. A. R., 1925, pp. 61-82. 1925.
  Secretary. See Secretary, Agriculture.
  seed and plant introduction work since 1897. O.E.S. Bul. 99, p. 145. 1901.
  service rendered to War Depart nent, indorsement by Secretary Baker. News L., vol. 5, No. 46, pp. 1-2. 1918.
  share in supplying farm labor. Sec. Cir. 115, pp. 3-5. 1918.

Agriculture, Department of—Continued.
  shipment of plants and products, quarantine area. F.H.B., Quar. No. 43, Reg. 9, rev., p. 7. 1922.
  supplement by experiment stations. E. W. Allen. Y.B., 1905, pp. 167–182. 1906; Y.B. Sep. 375, pp. 167–182. 1906.
  technical workers, 1924–25, list. M.C. 45, pp. 91. 1925.
  War Relief Association, organization, officers, and work. News L., vol. 5, No. 46, p. 15. 1918.
  work—
    of insular experiment stations. Sec. A.R., 1925, pp. 94–97. 1925.
    of various bureaus, value to farmers. Y.B., 1916, pp. 64–71. 1917; Y.B. Sep. 698, pp. 2–9. 1917.
    outline, address by Secretary. Pub. [Misc.], "Speech by Hon. James Wilson," pp. 6. 1902.
    program for the fiscal year—
      1915. Sec. [Misc.], "Program of work * * *," pp. 278. 1914.
      1916. E. H. Bradley. Sec. [Misc.], "Program of work * * *," pp. 445. 1915.
      1917. E. H. Bradley. Sec. [Misc.], "Program of work * * *," pp. 502. 1916.
      1918. E. H. Bradley. Sec. [Misc.], "Program of work * * *," pp. 617. 1919.
  Yearbooks—
    1911–1915, index. Pub. [Misc.], "Index to yearbooks * * *," pp. 178. 1922.
    1921, change. Off. Rec., vol. 1, No. 15, p. 3. 1922.

Agrilus—
  anxius—
    description, habits, and control. F.B. 1169, pp. 59–61. 1921.
    See also Bark borer, flat-headed.
  bilineatus—
    description, habits, and control. F.B. 1169, pp. 61–63. 1921; J.A.R., vol. 3, pp. 283–294. 1915.
    injury to oak trees. D.B. 204, pp. 19, 20. 1915; F.B. 564, p. 5. 1914.
    larvae, description and habits. J.A.R., vol. 3, pp. 289–291. 1915.
    parasites. J.A.R., vol. 3, p. 292. 1915.
    See also Chestnut borer, two-lined.
  food plants, injury by North American species. Ent. Bul. 22, p. 64. 1912.
  frenatus, same as *Agrilus vittaticollis.* J.A.R., vol. 3, p. 179. 1914.
  ruficollis. *See* Raspberry cane borer, red-necked.
  spp.—
    habits, larval structure, distribution and host trees. D.B. 437, pp. 2, 3, 6, 7–8. 1917.
    injurious habits. J.A.R., vol. 3, p. 184. 1914.
    See also Birch borer, bronze.
  vittaticollis. *See* Apple root borer.
Agriotes mancus. *See* Wireworm, wheat.
Agroceric acid, isolation from soil, study. Soils Bul. 53, pp. 41–42, 52. 1909.

Agromyza—
  carbonaria, European form of birch cambium miner. J.A.R., vol. 1, p. 471. 1914.
  diminuta, injury to cabbage in Hawaii. Ent. Bul. 109, Pt. III, pp. 32–33. 1912.
  diminuta, injury to legumes, Hawaii, description and control. Hawaii A.R., 1911, p. 20. 1912.
  parvicornis—
    injury to corn in Porto Rico. D.B. 192, p. 10. 1915.
    parasites, description. J.A.R., vol. 2, pp. 25–29. 1914.
    similarity to *Cerodonta dorsalis.* D.B. 432, pp. 6, 7, 8, 10, 11, 15, 16. 1916.
    studies, and early names. J.A.R., vol. 2, pp. 15–17. 1914.
    See also Corn leaf blotch miner.
  pusilla—
    life history, hibernation, and generations. J.A.R., vol. 1, pp. 68–74. 1913.
    See also Serpentine leaf-miner.
  simplex. *See* Asparagus miner.
  spp.—
    likely to be mistaken for serpentine leaf-miner. J.A.R., vol. 1, pp. 83–85. 1913.
    two new. J.A.R., vol. 10, pp. 313–318. 1917.

Agronomic—
  division, Hawaii, report. Wallace M. Macfarlane and H. L. Chung. Hawaii A.R., 1920, pp. 26–32. 1921.
  investigations, variety-testing in Hawaii. Hawaii A.R., 1920, pp. 13–14. 1921.
  selection, definition. B.P.I. Bul. 256, p. 45. 1913.
Agronomist—
  Guam Experiment Station, report for—
    1915. A. C. Hartenbower. Guam A.R., 1915, pp. 7–23. 1916.
    1916. A. C. Hartenbower. Guam A.R., 1916, pp. 6–25. 1917.
    1917. Glen Briggs. Guam A.R., 1917, pp. 17–44. 1918.
    1918. Glen Briggs. Guam A.R., 1918, pp. 29–44. 1919.
    1919. Glen Briggs. Guam A.R., 1919, pp. 20–44. 1921.
    1920. Glen Briggs. Guam A.R., 1920, pp. 15–46. 1921.
    1921. Joaquin Guerrero. Guam A.R., 1921, pp. 8–23. 1923.
    1922. Joaquin Guerrero. Guam A.R., 1922, pp. 7–18. 1924.
    1923. Joaquin Guerrero. Guam A.R., 1923, pp. 4–12. 1925.
  Hawaii Experiment Station report for—
    1909. F. G. Krauss. Hawaii A.R., 1909, pp. 66–76. 1910.
    1910. F. G. Krauss. Hawaii A.R., pp. 51–64. 1911.
    1911. C. K. McClelland. Hawaii A.R., 1911, pp. 54–63. 1912.
    1912. C. K. McClelland. Hawaii A.R., 1912, pp. 74–82. 1913.
    1913. C. K. McClelland. Hawaii A.R., 1913, pp. 35–49. 1914.
    1914. C. K. McClelland and C. A. Sahr. Hawaii A.R., 1914, pp. 36–42. 1915.
    1915. C. A. Sahr. Hawaii A.R., 1915, pp. 39–44. 1916.
    1916. C. A. Sahr. Hawaii A.R., 1916, pp. 26–31. 1917.
    1917. C. A. Sahr. Hawaii A.R., 1917, pp. 48–55. 1918.
    1918. C. A. Sahr. Hawaii A.R., 1918, pp. 45–51. 1919.
    1919. H. L. Chung. Hawaii A.R., 1919, pp. 44–49. 1920.
    1920. Wallace McFarlane and H. L. Chung. Hawaii A.R., 1920, pp. 26–32. 1921.
    1921. H. L. Chung. Hawaii A.R., 1921, pp. 26–35. 1922.
Agronomy—
  application to farm management. B.P.I. Bul. 259, pp. 15, 35, 73. 1912.
  conferences in 1923. D.C. 343, pp. 2–3. 1925.
  extension—
    activities in 1923, statistics. D.C. 343, pp. 13–14. 1925.
  work—
    in 1923. O. S. Fisher. D.C. 343, pp. 15. 1925.
    of specialists in South, 1916. S.R.S. Rpt., 1916, Pt. II, p. 31. 1917.
  instruction at some agricultural colleges. D. J. Crosby and A. C. True. O.E.S. Bul. 127, pp. 85. 1903.
  investigations with crop breeding and horticulture. B.P.I. Chief Rpt., 1921, pp. 3–24. 1921.
  secondary course. O.E.S. Cir. 77, pp. 43. 1907; rev., pp. 44. 1908.
  studies in Mandan, North Dakota. D.B. 1337, pp. 13–16. 1925.
  syllabus for secondary instruction. O.E.S. Cir. 77, rev., pp. 3–6. 1908.
  teaching in schools, laboratory and field work. Y.B. 1912, pp. 477–479. 1913; Y.B. Sep. 607, pp. 477–479. 1913.
  text references required by teachers and pupils. O.E.S. Cir. 77, rev., pp. 9–11. 1908.
Agropyron—
  Chinese, importation. No. 36792, B.P.I. Inv. 37, p. 65. 1916.
  cristatum, drought-resistant Siberian variety, breeding experiments. B.P.I. Bul. 196, p. 32. 1910; B.P.I. Bul. 208, p. 79. 1911.
  occidentale. *See* Wheat grass.

INDEX TO PUBLICATIONS, 1901–1925

Agropyron—Continued.
repens. See Quack grass.
seeds—
identification. J.A.R., vol. 3, pp. 275–282. 1914.
nature, and comparison with bromegrass seeds. B.P.I. Cir. 73, pp. 4–5. 1911.
smithii, drought-resistant variety. B.P.I. Bul. 196, pp. 9–10, 30-31. 1910.
spp.—
description, distribution and uses. D.B. 772, pp. 12, 87–89. 1920.
distribution, description, and feed value. D.B. 201, pp. 4–5. 1915.
forage value, and association in Wyoming meadows. J.A.R. vol. 6, pp. 748, 749, 754, 755. 1916.
inoculations with *Puccinia graminis.* J.A.R., vol. 15, pp. 228–235, 238–242. 1918.
introduction and testing on dry lands. B.P.I. Chief Rpt., 1911, p. 91. 1911; An. Rpts., 1911, p. 339. 1912.
resistance to aeciospores of *Puccinia triticina.* J.A.R., vol. 22, pp. 163–172. 1921.
seed characters. J.A.R., vol. 3, pp. 276–277. 1914.
susceptibility to forms of *Puccinia graminis.* J.A.R., vol. 10, pp. 430–492. 1917.
value as soil binders on canal banks. B.P.I. Cir. 115, pp. 27–28. 1913.
spicatum. See Bunch grass.
tenerum, drought-resistant variety. B.P.I. Bul. 196, pp. 31–32. 1910.
violaceum. See Wheat grass, mountain.
Agrostemma githago—
susceptibility to *Puccinia triticina.* J.A.R. vol. 22, pp. 152–172. 1921.
See also Corn cockle.
Agrosterol, isolation from soil, study. Soils Bul. 53, pp. 42–45. 1909.
Agrostideae genera, key, and descriptions of grasses. D.B. 772, pp. 13–15, 121-165. 1920.
Agrostis—
alba. See Redtop.
borealis, host of *Puccinia triticina.* J.A.R. vol. 22, pp. 164–172. 1921.
crinigera, injury to cabbage in Hawaii. Ent. Bul. 109, Pt. III, pp. 32–33. 1912.
daryi, description. Agros. Cir. 30, p. 3. 1901.
distribution. N.A. Fauna 24, pp. 14, 15, 20. 1904.
history of genus and key to species. B.P.I. Bul. 68, pp. 15–22. 1905.
nana, description. Agros. Cir. 30, p. 2. 1901.
North American species. A. S. Hitchcock. B.P.I. Bul. 68, p. 68. 1905.
pringlei, description. Agros. Cir. 30, p. 2. 1901.
psendointermedia, description. Agros. Cir. 30, p. 8. 1901.
rossae. See Redtop, Alpine.
spp.—
description, distribution and uses. D.B. 201, pp. 5–6. 1915; D.B. 772, pp. 15, 125-132. 1920.
susceptibility to stem rust, studies. J.A.R., vol. 10, pp. 441–492. 1917.
stolonifera. See Bent grass, creeping.
virescens, description. Agros. Cir. 30, pp. 2–3. 1901.
vulgaris. See Bent grass, Rhode Island.
Agrotechny, scope of term. O.E.S. Cir. 77, rev., p. 2. 1908.
Agrotis—
crinigera, corn enemy in Hawaii. Hawaii Bul. 27, p. 8. 1912.
segetum, infection with *Sorosporella* sp. J.A.R., vol. 8, p. 189. 1917.
ypsilon—
description. Ent. Cir. 123, p. 1. 1910.
corn enemy in Hawaii. Hawaii Bul. 27, p. 8. 1912.
injury to papaya. Hawaii Bul. 3, p. 44. 1914.
injury to tobacco, and remedies. Y.B., 1910, pp. 283—284. 1911; Y.B. Sep. 537, pp. 283–284. 1911.
See also Cutworm, greasy.
Aguacate. See Avocado.
Ague—
bark. See Wafer-ash.
remedy, Collin's, misbranding. Chem. S.R.A., Sup. 18, pp. 550–551, 555. 1916.
tree. See Sassafras.

Agueweed. See Boneset.
Agyneja impubes, importation and description. No. 41261. B.P.I. Inv. 44, p. 56. 1918.
Ahma (horse), history and pedigree. B.A.I. An. Rpt., 1907, pp. 93, 125. 1909; B.A.I. Cir. 137, pp. 93, 125. 1908.
AICHER, L. C.—
"Growing grain on southern Idaho dry farms." F.B.769, pp. 23. 1916.
"Growing irrigated grain in southern Idaho." F.B. 1103, pp. 28. 1920.
"Trebi barley, a superior variety for irrigated land." With others. D.C. 208, pp. 8. 1922.
Aids, country correspondent and state statistical agents. News L., vol. 1, No. 21, pp. 2–3. 1913.
Ailanthus—
cacodendron, importation from China, No. 35259. B.P.I. Inv. 35, p. 29. 1915.
characteristics, growth in Kansas. For. Cir. 161, pp. 23, 48. 1909.
description and regions suited to. F.B.1208, p. 13. 1922.
description, and use for street trees. D.B. 816, p. 21. 1920.
glandulosa, adulterant of sumac. Chem. Bul. 117, p. 7. 1908.
Aino millet. See Millet, Japanese.
AINSLIE, C. N.—
alfalfa weevil investigations in Utah. Ent. Bul. 112, pp. 11, 12, 14. 1912.
"The New Mexico range caterpillar." Ent. Bul. 85, Pt. V, pp. 59–96. 1910.
"The western grass-stem sawfly." D.B. 841, pp. 27. 1920.
work on corn-leaf miner and its parasites. J.A.R., vol. 2, pp. 16, 26–29. 1914.
AINSLIE, G. G.—
"Biology of the lotus borer." With W. B. Cartwright. D.B. 1076, pp. 14. 1922.
"Biology of the smartweed borer, *Pyrausta ainslei* Heinrich." With W. B. Cartwright. J.A.R., vol. 20, pp. 837–844. 1921.
"Silver-striped webworm, *Crambus praefectellus* Zincken." J.A.R., vol. 24, pp. 415–426. 1923.
"Striped sod webworm, *Crambus mutabilis* Clemens." J.A.R., vol. 24, pp. 399–414. 1923.
studies of *Agromyza pusilla.* J.A.R., vol. 1, pp. 66, 71, 74, 77. 1913.
"The cowpea curculio." Ent. Bul. 85, pp. 133–146. 1911; Ent. Bul. 85, Pt. VIII, pp. 129–142. 1910.
"The larger corn stalk-borer." Ent. Cir. 116, pp. 8. 1910; F.B. 634, pp. 8. 1914; F.B. 1025, pp. 12. 1919.
"The lesser corn stalk-borer." With Philip Luginbill. D.B. 539, pp. 27. 1917.
"Webworms injurious to cereal and forage crops and their control." F.B. 1258, pp. 16. 1922.
work on parasites of corn-leaf miner, notes. J.A.R., vol. 2, pp. 27–28. 1914.
Air—
aid to fungous growth. D.B. 1037, p. 15. 1922.
analysis, bacterial, methods. J.A.R., vol. 4, pp. 343–368. 1915.
and vapor, density, increase by evaporation. D.B. 509, pp. 27–28. 1917.
atmospheric—
dust content, various localities. Soils Bul. 68, pp. 114–116. 1911.
effect on metals. B.A.I. An. Rpt., 1909, pp. 277, 281. 1911.
carbon-dioxide, content in barns. J.A.R., vol. 20, pp. 405–408. 1920.
circulating system, refrigeration, description, and operation methods. D.B. 98, pp. 48–49. 1914.
circulation—
between poles and equator factors influencing. Y.B., 1915, pp. 321–322. 1916; Y.B. Sep. 680, pp. 321–322. 1916.
in kilns, production, control, and testing. D.B. 1130, pp. 20–23. 1923.
composition, relation to apple scald. J.A.R., vol. 16, pp. 200-204. 1919.
content, butter, tests, and apparatus for testing. B.A.I. Cir. 146, pp. 14–18. 1909.
contributions to plant growth, studies. D.B. 355, pp. 10–11, 12–13. 1916.

26   UNITED STATES DEPARTMENT OF AGRICULTURE

Air—Continued.
 currents—
  mountain slopes. Y.B., 1912, pp. 316–317. 1913; Y.B. Sep. 593, pp. 316–317. 1913.
  studies. Off. Rec., vol. 3, No. 14, p. 5. 1924.
 dissemination of chestnut-blight fungus ascospores. J.A.R., vol. 3, pp. 493–526. 1915.
 drainage—
  mountain slopes Y.B. 1912, pp. 314–315. 1913; Y.B. Sep. 593, pp. 314–315. 1913.
  protection against frost. F.B. 1343, p. 6. 1923.
  relation to frost conditions. F.B. 1096, pp. 5–7. 1920.
 "dry"—
  definition of term. D.B. 353, p. 1. 1916.
  meaning of term as applied to wood. D.B. 556, pp. 20. 1917.
 effect on—
  olive oil, experiments. J.A.R., vol. 13, pp. 356–365. 1918.
  silage-tainted milk. D.B. 1097, pp. 2–3, 23. 1922.
 extraction from butter, description of apparatus. J. A. R., vol. 6, No. 24, pp. 931–933. 1916.
 forced, cooling hot-bottled pasteurized milk. D.B. 420, pp. 38. 1916.
 free circulation, necessity in storage houses. F.B 852, pp. 11–12. 1917.
 fresh, requirements for dairy cows. F.B. 1393, pp. 1–2, 14. 1924.
 hot, pipes and ducts, insulation. F.B. 1194, p. 18. 1921.
 humidity—
  effect on water requirements of crop plants, experiments. B.P.I. Bul. 285, pp. 63–65. 1913.
  for stock, study in 1923. Wk. & Exp., 1923, pp. 90–91. 1925.
 importance in sewage treatment. F.B. 1227, pp. 10–11. 1922.
 injections, new treatment for milk fever. B.A.I. [Misc.], "Diseases of Cattle," rev., p. 235. 1912.
 layering, plant propagation method. Hawaii. A.R. 1919, pp. 29–30. 1920.
 leaks, boiler settings, finding and stopping. D.B. 747, pp. 23–25. 1919.
 lift, use in raising water for irrigation. F.B. 899, p. 13. 1917.
 lifts, value in deep wells, description and capacity. F.B. 941, pp. 50–52. 1918.
 mail—
  commendation. Off. Rec., vol. 3, No. 34, p. 4. 1924.
  route, night operation. Off. Rec., vol. 2, No. 35, p. 3. 1923.
  use in speeding crop reports. Off. Rec., vol. 3, No. 30, p. 3. 1924.
 moisture indicator, description and use. Y.B., 1908, pp. 439–440. 1909; Y.B. Sep. 492, pp. 439–440. 1909.
 physics, course, graduate school. Off. Rec., vol. 1, No. 7, p. 2. 1922; Off. Rec., vol. 2, No. 42, p. 2. 1923.
 potato. See Yam, Hawaiian bitter.
 pressure observations, relation to weather forecasts. Y.B., 1908, pp. 437–438. 1909; Y.B. Sep. 492, pp. 437–438. 1909.
 requirement in drying fruits. D.B. 1335, p. 24. 1925.
 seasoning of lumber, directions for piling stock. D.B. 1136, pp. 63–64. 1923.
 Service—
  cooperation in fire protection. D.C. 211, p. 26. 1922.
  cooperation with Weather Bureau. W.B. Chief. Rpt. 1922, pp. 6–7. 1922; An. Rpts., 1922, pp. 72–73. 1922.
 soil circulation, relation to plant growth. F.B. 245, p. 7. 1906.
 temperature—
  effect on water requirement of crop plants. B.P.I. Bul. 285, p. 61. 1913.
  for stock, study in 1923. Wk. & Exp., 1923, pp. 90–91. 1925.
  in Central Rocky Mountains, relation to forest types. D.B. 1233, pp. 5–6, 27–52, 133–135. 1924.
 treatment for milk fever. F.B. 206, pp. 10–14. 1904.
 under the skin. See Emphysema.

Air—Continued.
 upper—
  investigations, 1907. An. Rpts., 1907, pp. 23–24, 144–146. 1908; Rpt., 85, p. 15. 1907; Sec. A.R., 1907, pp. 21–22. 1907; Y.B., 1907, pp. 23–24. 1908.
  investigations, 1908, value. An. Rpts., 1908, pp. 23, 189, 193. 1909; Sec. A.R., 1908, p. 21. 1908; W.B. Chief Rpt., 1908, p. 3. 1908.
  investigations, 1909, Mount Weather observatory. An. Rpts., 1909, pp. 45–47. 1910; Rpt., 91, pp. 34–35. 1909; Sec. A.R., 1909, pp. 45–47. 1909; Y.B., 1909, pp. 45–47. 1910.
  investigations, 1910, Weather Bureau. An. Rpts., 1910, pp. 37–38, 161–164. 1911; Sec. A.R., 1910, pp. 37–38. 1910; W.B. Chief Rpt., 1910, pp. 3–6. 1910; Y.B., 1910, pp. 37–38. 1911.
  investigations, 1911. An. Rpts., 1911, pp. 40–41, 155–161. 1912; Sec. A.R., 1911, pp. 38–39. 1911; W.B. Chief Rpt., 1911, pp. 5–11. 1912; Y.B. 1911, pp. 38–39. 1912.
  investigations, 1912, work of Weather Bureau. An. Rpts., 1912, pp. 36, 189–191. 1913; Sec. A.R., 1912, pp. 36, 189–191. 1912; Y.B., 1912, pp. 36, 189–191. 1913.
  investigations, 1913. An. Rpts., 1913, pp. 66–67. 1914; W.B. Chief Rpt., 1913, pp. 4–5. 1913.
  investigations, 1914, and observations. An. Rpts., 1914, pp. 54–55. 1915; W.B. Chief Rpt., 1914, pp. 6–7. 1914.
  investigations, 1915. An. Rpts., 1915, pp. 73–74. 1916; W.B. Chief Rpt., 1915, pp. 17–18. 1915.
  investigations, 1916. An. Rpts., 1916, pp. 64–65. 1917; W.B. Chief Rpt., 1916, pp. 16–17. 1917.
  spores. Elvin C. Stakman and others. J.A.R. vol. 24, pp. 599–606. 1923.
 See also Atmosphere.
Aira—
 caryophyllea. Hair-grass, silvery.
 spp., description, distribution, and uses. D.B., 772, pp. 13, 114–116. 1920.
Aircraft—
 manufacture from spruce wood. D.B. 1060, pp. 2, 6, 7. 1922.
 problems, cooperative work of Forest Service. An. Rpts., 1919, pp. 204–206, 207. 1920; For. A.R., 1919, pp. 28–30, 31. 1919.
 Production—
  Bureau, cooperation of Chemistry Bureau. Chem. Chief Rpt., 1921, p. 45. 1921.
  Bureau, cooperation of Forest Service. An. Rpts., 1918, pp. 180, 194–196. 1918; For. A.R., 1918, pp. 16, 30–32. 1918.
  cooperative work of Chemistry Bureau. An. Rpts., 1918, p. 213. 1918; Chem. Chief Rpt., 1918, p. 13. 1918.
 use in forest fires. News L., vol. 6, No. 37, pp. 1–2. 1919.
 See also Airplane.
Airmen—
 aid from Weather Bureau. Off. Rec., vol. 4, No. 39, p. 6. 1925.
 forecasts for. News L., vol. 7, No. 9, p. 7. 1919.
Airplane(s)—
 aid in location of forest fires. News L., vol. 6, No. 50, p. 1. 1919.
 boll-weevil control. Off. Rec. vol. 2, No. 25, p. 2. 1923.
 cloth—
  "doping" methods. D.B. 882; pp. 38–47. 1920.
  manufacturing and laboratory tests. D.B. 882. pp. 7–48. 1920.
  mercerization tests. D.B. 882, pp. 14–16, 27–38. 1920.
  specifications of Signal Corps. D.B. 882, pp. 2–6. 1920.
  use of Pima cotton as substitute for linen. D.B. 1184, p. 4. 1923.
 conditions governing, dangers. News L., vol. 6, No. 41, pp. 4–5. 1919.
 construction—
  cooperative work of Forest Service. An. Rpts. 1917, pp. 166, 167, 196. 1917; For. A.R., 1917, pp. 4, 5, 34. 1917.
  forestry work. News L., vol. 6, No. 47, p. 5. 1919.
  lamination, and drying problems. An. Rpts., 195–196. 1918; For. A.R., 1918, pp. 31–32. 1918.

Airplane(s)—Continued.
  construction—continued.
    of ash lumber, use. D.B. 523, pp. 37, 52. 1917.
    of black walnut, use. D.B. 909, pp. 73–74, 76–79. 1921.
  crop reporting in Ohio. News L., vol. 7, No. 12, p. 5. 1919.
  decay, prevention. D.B. 1128, pp. 40–42. 1923.
  duck hunting. Off. Rec., vol. 2, No. 47, p. 6. 1923.
  dusting cotton. B.R. Coad and others. D.B. 1204, pp. 40. 1924.
  fire patrol, newspaper delivery to lookouts. Off. Rec., vol. 1, No. 1, p. 16. 1922.
  flights—
    aid of Weather Bureau. Off. Rec. vol. 2, No. 20, p. 3. 1923.
    overseas, aid of Weather Bureau. News L., vol. 6, No. 41. pp. 4–5. 1919.
    forests, patrols. News L. vol. 6, No. 44, p. 8. 1919; News L., vol. 7, No. 6, p. 8. 1919.
    hunting game birds. Off. Rec. vol. 2, No. 5, p. 2. 1923.
    improvement, and use in war, discussion. D.B. 882, pp. 1–2. 1920.
    movement, comparison to flight of golden plover. D.B. 185, p. 35. 1915.
    naval service, aid of Weather Bureau. News L., vol. 6, No. 41, p. 14. 1919.
    parts, testing and improvement. D.C. 231, pp. 12, 16, 18, 27. 1922.
    propellers, woods used. Y.B. 1918, pp. 319, 320–321. 1919; Y.B. Sep. 779, pp. 5, 6–7. 1919.
    survey experiments. Off. Rec., vol. 3, No. 49, p. 3. 1924.
  use—
    against—
      boll weevil. Off. Rec., vol. 2, No. 51, p. 1. 1923.
      cotton insects. Off. Rec., vol. 2, No. 11, p. 1. 1923.
      grain rusts. Off. Rec. vol. 1, No. 44. p. 7. 1922.
      for weather data. Off. Rec., vol. 4, No. 25, p. 5. 1925.
    in—
      agriculture. News L., vol. 6, No. 30, p. 15. 1919.
      boll-weevil control. Off. Rec., vol. 1, No. 44, p. 5. 1922; Off. Rec., vol. 4, No. 31, p. 1. 1925.
      crop reporting. Off. Rec. vol. 2, No. 41, p. 5. 1923; Off. Rec., vol. 3, No. 25, p. 5. 1924.
      discovery of outlaw Texas cotton fields. News L., vol. 6, No. 30, p. 9. 1919.
      dusting. Off. Rec., vol. 4, No. 51, p. 6. 1925.
      dusting cotton. An. Rpts., 1923, p. 405. 1923; Ent.A.R., 1923, p. 25. 1923; Off.Rec. vol. 2, No. 39, p. 4, 1923; Off. Rec., vol. 2, No. 52, pp. 1, 5. 1923.
      forest-fire control. News L., vol. 7, No. 15, p. 7. 1919.
      insect control. Off. Rec., vol. 2, No. 23, p. 1. 1923.
      moth control. Off. Rec., vol. 1, No. 23, p. 3. 1922.
      stem rust epidemic. Off. Rec., vol. 1, No. 33, p. 5. 1922.
      study of spores in the upper air. J.A.R., vol. 24, pp. 599–600, 605. 1923.
      weather service. Off. Rec., vol. 3, No. 1, p. 2. 1924.
      to expedite county agent's report. Off. Rec., vol. 1, No. 3, p. 2. 1922.
    violation of hunting laws. Off. Rec., vol. 3, No. 8, p. 3. 1924.
  wings, cotton fabric for, manufacturing and laboratory tests. Fred Taylor and D. E. Earle. D.B. 882; p. 48. 1920.
  woods—
    decays and discolorations. J. S. Boyce. D.B. 1128, p. 52. 1923.
    drying schedule. D.B. 1136, pp. 38–39. 1923.
    used for various parts. D.B. 1128, pp. 3–5. 1923.
  work—
    as forest-fire patrols, experiments, results. An. Rpts., 1923, pp. 307–308. 1923; For. A.R. 1923, pp. 19–20. 1923.
    in fire detection and control on forests. M.C. 7, p. 19. 1923.

Aishton, R. H.: "The railways and wood preservation." M.C. 39, pp. 62–66. 1925.
Aithyia ferina. See Pochard, European.
Aix sponsa. See Duck, wood.
Ajaia ajaja. See Spoonbill, roseate.
Akala, Hawaiian raspberry, importation and description. No. 30907, B.P.I. Bul. 242, pp. 10, 50. 1912; No. 33793, B.P.I. Inv. 31, pp. 6, 55. 1914; Nos. 53480–82, 53625, 53759–60, 53847, B.P.I. Inv. 67, pp. 3, 54, 70, 87, 91. 1923.
Akee, importation—
  and description. No. 42273, B.P.I. Inv. 46, p. 70. 1919; No. 45917, B.P.I.Inv. 54, p. 41. 1922.
  description, and use as food. B.P.I. Bul. 162, p. 26. 1909.
Akis muricata. See Embaphion muricatum.
Akron, field station, Colorado—
  location, description, history, topography, soil, and climate. D.B. 402, pp. 2–11, 33. 1916.
  spring wheat production, various methods, 1909–1914, yields and cost. D.B. 214, pp. 28–30, 37–42. 1915.
  work, 1909–1923. J. F. Brandon. D.B. 1304, pp. 27. 1925.
Akron, Ohio, milk supply, statistics, officials and prices. B.A.I. Bul. 46, pp. 36, 140. 1903.
Alabama—
  accredited herds, list No. 3. D.C. 142, pp. 4, 6, 14, 17, 29, 41, 47, 48, 49. 1920.
  agricultural—
    Colleges. See Agriculture, workers.
    education, organization lists, and courses of study. See Colleges, agricultural, experiments.
    experiment stations. See Alabama, experiment stations.
    extension work, statistics. D.C. 253, pp. 3, 4, 7, 10–11, 17, 18. 1923.
    high schools, work. O.E.S. Cir. 83, p. 21. 1909; O.E.S. Cir 106, rev., pp. 18, 24, 28, 31. 1912.
    organizations and institutions. See Colleges; Experiment stations; Farmers' Institutes.
    schools. Y.B., 1902, pp. 491–492. 1903.
    schools, recent laws. O.E.S. An. Rpt., 1908, p. 273. 1909.
  apple growing, areas and varieties, and production. D.B. 485, pp. 28, 44–47. 1917.
  appropriation for—
    agricultural high schools. O.E.S. An. Rpt., 1911, p. 326. 1913.
    experiment station work, 1911. O.E.S. An. Rpt., 1911, pp. 55, 71, 72. 1913.
    experiment station work, 1912. O.E.S. An. Rpt., 1912, p. 54. 1913.
    roads and highway officials. An. Rpts., 1911, p. 746. 1912; Roads Chief Rpt., 1911, p. 36. 1911.
  areas quarantined for cattle fever, Nov. 1, 1911. B.A.I.O. 183, rule 1, rev., p. 7. 1911.
  associations, fruit and truck growers'. Rpt. 98, p. 166. 1913.
  barley—
    crops, 1866–1906, acreage, production and value. Stat. Bul. 59, 7–9, 11, 13–19, 33. 1907.
    rotation. F.B. 518, p. 11. 1912.
  bean—
    beetle—
      introduction and ravages. D.B. 1243, pp. 1–2, 4, 22–23. 1924; F.B. 1407, p. 5. 1924.
      outbreaks in 1921. D.B. 1103, p. 33. 1922.
    growing experiments. D.B. 119, pp. 13, 14. 1914.
  bee—
    and honey statistics—
      1914–1915. D.B. 325, pp. 2, 9, 10, 11, 12. 1915. 1918. D. B. 685, pp. 7, 10, 13, 15, 16, 18, 19, 22, 24, 26, 29, 31. 1918.
    disease, occurrence. Ent. Cir. 138, p. 3. 1911.
    industry, colonies and products. Ent. Bul. 75, Pt. VI, p. 63. 1909.
  beef and pork production investigations. B.A.I. An. Rpt., 1910, pp. 32–33. 1912.
  calves raising and fattening. Dan T. Gray and W. F. Ward. D.B. 73, pp. 11. 1914.
  cattle feeding. Dan T. Gray and W. F. Ward. B.A.I. Bul. 159, pp. 56. 1912.
  cattle production and demonstration work. An. Rpts., 1916, pp. 75, 78, 79. 1917; B.A.I. Chief Rpt. 1916, pp. 9, 12, 13. 1916.

Alabama—Continued.
  beef and pork production investigations—contd.
    production—
      experiments, 1908. An. Rpts., 1908, p. 263. 1909; B.A.I. Bul. 103, pp. 28. 1908; B.A.I. Bul. 131, pp. 47. 1911; B.A.I. Chief Rpt. 1908, p. 49. 1910.
      experiments, 1911. An. Rpts., 1911, p. 207. 1912; B.A.I. Chief Rpt., 1911, p. 17. 1911.
      experiments, 1913. Y.B. 1913, pp. 269–274, 275–278. 1914; Y.B. Sep. 627, pp. 269–274, 275–278. 1914.
      investigations and experiments. B.A.I. An. Rpt., 1911, p. 24. 1913.
  biological survey. Arthur H. Howell. N.A. Fauna 45, pp. 88. 1921.
  bird(s)—
    conditions, extract from speech of Judge Clayton. D.C. 182, pp. 1–3. 1921.
    investigations. An Rpts. 1912, p. 667. 1913; Biol. Chief. Rpt., 1912, p. 11. 1912.
    reports from observers. D.B. 1165, pp. 9, 24. 1923.
    reports from observers. D.B. 1165, pp. 9, 24.
  Birmingham, road-building experiments, 1908. Rds. Cir. 90, pp. 12–15. 1909.
  black belt, popular name for black prairie. soils Sec. A. R. 96, p. 6. 1911.
  boll weevil—
    infested territory, 1912. Ent. Cir. 167, p. 3. 1913.
    quarantine of 1911. Ent. Bul. 114, p. 165. 1912.
  boys'—
    corn clubs, yields, cost, and profit, 1913; News L., vol. 1, No. 40, p. 3. 1914.
    pig clubs. An. Rpts., 1914, p. 60. 1915; B.A.I. Chief Rpt., 1914, p. 4. 1914.
  broom-corn growing, and broom making. News L., vol. 6, No. 35, p. 10. 1919.
  cabbage production, acreage, yield, and shipments. D.B. 1242, pp. 12, 14, 16, 19, 51–52. 1924.
  camphor scale quarantine, hearing. F.H.B., S.R.A. 73, pp. 127–129. 1923.
  cane growing for sirup making. Chem. Bul. 75, pp. 35–36. 1903.
  cattle—
    fattening. Dan T. Gray and W. F. Ward. D.B. 110, pp. 41. 1914.
    feeding experiments and demonstrations. Y.B. 1917, pp. 331–332, 334. 1918; Y.B. Sep. 749, pp. 7–8, 10. 1918.
    fever quarantine—
      areas, September 15, 1915. B.A.I.O. 235, Amdt. 2, pp. 1–2, 3. 1915.
      areas, Dec. 1, 1917. B.A.I.O. 255, pp. 1–2, 8. 1917.
      areas, December, 1919. B.A.I.O. 269, pp. 1–2, 7. 1919.
      areas, Dec. 10, 1922. B.A.I.O. 279, pp. 1–2. 1922.
      establishment. B.A.I.O. 199, rule 1, rev., p. 8. 1913.
    tick—
      conditions, 1911. B.A.I. An. Rpt., 1910, pp. 256, 257. 1912. B.A.I. Cir. 187, pp. 256, 257. 1912.
      eradication. effect. B.A.I. [Misc.] Progress and results * * *, pp. 5–6. 1914.
      eradication, laws and court decisions. D.C. 184, pp. 3–8. 1921.
      eradication work, 1906. B.A.I. An. Rpt., 1906., p. 105. 1908.
  cement factories, potash content and loss. D.B. 572, p. 4. 1917.
  Chambers County, survey and tillage records for cotton. D.B. 511, pp. 45–46. 1917.
  cities—
    dairy products consumption and prices, 1905–6. B.A.I. An. Rpt., 1907, pp. 315–317. 1909; F.B. 349, pp. 14–16. 1909.
    milk supply, statistics. B.A.I. Bul. 70, pp. 6–7, 32–34. 1905.
  citrus—
    growing conditions. F.B. 1122, pp. 6–7, 13. 1920.
    industry, location and development. F.B. 1343, pp. 4, 10. 1923.
  Clarksville silt loam, location and areas. Soils Cir. 30, p. 15. 1911.
  closed season for shorebirds and woodcock. Y.B. 1914, p. 293. 1915; Y.B. Sep. 642, p. 293. 1915.

Alabama—Continued.
  community club work. News L., vol. 6, No. 47, p. 10. 1919.
  convict road work, laws. D.B. 414, p. 193. 1916.
  cooperative organizations, statistics, and laws. D.B. 547, pp. 12, 14, 34, 67. 1917.
  corn—
    club champions, records. S.R.S. Doc. 29, p. 1. 1915.
    crops, 1866–1906, acreage, production, and value. Stat. Bul. 56, pp. 7–27, 34. 1907.
    cultivation, cost. F.B. 1121, p. 24. 1920.
    growing—
      directions. F.B. 729, pp. 20. 1916.
      practices and farm conditions in Pike County. D.B. 320, pp. 58–61. 1916.
      practices and suggestions. F.B. 1149, pp. 3–19. 1920.
    production, movements, consumption, and prices. D.B. 696, pp. 15, 16, 20, 28, 29, 33, 36, 38, 41, 45. 1918.
    yields and prices, 1866–1915. D.B. 515, p. 11. 1917.
  cotton—
    growers' cooperative work at Montgomery, results. Y.B., 1912, p. 445. 1913; Y.B. Sep. 605, p. 445. 1913.
    growing—
      costs in representative districts. D.B. 896, pp. 1–7, 10–15, 19–42, 44, 53–55. 1920.
      experiments with borax fertilizers. J.A.R., vol. 23, pp. 433, 438–442. 1923.
    prices, variations and comparisons. D.B. 457, pp. 3, 6, 7, 8, 9, 11, 12. 1916.
    production and yield. D.B. 896, pp. 3–4. 1920.
    warehouses. number and capacity. D.B. 216, pp. 9, 14, 16, 17. 1915.
  counties, release from Texas fever quarantine. B.A.I.O. 262, Amdt. 7, p. 1. 1919.
  county organization and expenditures for extension work, 1918. S.R.S. Rpt., 1918, pp. 29, 128–158. 1919.
  cowpea seed, growing and shipments. F.B. 1308, pp. 4, 5, 14, 15. 1923.
  credits, farm-mortgage loans, costs and sources. D.B. 384, pp. 2, 3, 5, 7, 10. 1916.
  Crenshaw County, value of food and feed crops instead of cotton. News L., vol. 5, No. 42, p. 3. 1918.
  crop planting and harvesting dates. Stat. Bul. 85, pp. 26, 37, 48, 60, 98. 1912.
  crops, acreage and production, 1909–1919. D.C. 85, pp. 14–19. 1920.
  Dale County, cotton growing, notes and tables. D.B. 896, pp. 1–4, 55. 1920.
  Dallas County, road improvement, financing, maintenance, effect on land values and traffic. D.B. 393, pp. 62–68. 1916.
  Dekalb silt loam and location. Soils Cir. 38, pp. 3, 17. 1911.
  demurrage provisions, regulations. D. B. 191, pp. 3, 12, 13, 14, 16, 24, 25. 1915.
  district agricultural high schools. O.E.S. Cir. 106, p. 21. 1911.
  dog law, digest. F.B. 935, p. 11. 1918; F.B. 1268, p. 10. 1922.
  drainage—
    surveys, 1911, location and kind of land. An. Rpts., 1911, p. 708. 1912; O.E.S. Chief Rpt., 1911, p. 26. 1911.
    surveys, 1912. An. Rpts., 1912, p. 842. 1913; O.E.S. Chief Rpt., 1912, p. 28. 1912.
    work, 1911. O.E.S. An. Rpt. 1911, pp. 44, 47. 1913.
  drug laws. Chem. Bul. 98, pp. 24–25. 1906; Chem. Bul. 98, rev., Pt. I, pp. 30–33. 1909.
  early settlement, historical notes. See *Soil surveys for various counties and areas.*
  education, agricultural, secondary. C. J. Owens. O.E.S. Bul. 220, pp. 30. 1909.
  Etowah County home demonstration work, results. Y.B., 1916, pp. 254–255. 1917; Y. B. Sep. 710, pp. 4–5. 1917.
  Experiment Station—
    apple blackrot studies. J.A.R., vol. 7, pp. 17–40. 1916.
    beef and pork production investigations. An. Rpts., 1910, pp. 217–218. 1911; B.A.I. Chief Rpt., 1910, pp. 23–24. 1910.
    cowpeas, use as livestock feed, pasture and green manure. F.B. 1153, pp. 10, 16, 19, 22. 1920.

INDEX TO PUBLICATIONS, 1901–1925   29

Alabama—Continued.
  Experiment Station—Continued.
    organization. O.E.S. Bul. 247, pp. 10–11. 1912.
    report of work—
      1904. O.E.S. An. Rpt., 1904, pp. 54–58. 1905.
      1906. O.E.S. An. Rpt., 1906, pp. 77–80. 1907.
      1907. O.E.S. An. Rpt., 1907, pp. 67–70. 1908.
    work and expenditures—
      1908. O.E.S. An. Rpt., 1908, pp. 61–65. 1909.
      1909. O.E.S. An. Rpt., 1909, pp. 70–73. 1910.
      1910. O.E.S. An. Rpt., 1910, pp. 89–94. 1911.
      1911. O.E.S. An. Rpt., 1911, pp. 68–72. 1913.
      1912. O.E.S. An. Rpt., 1912, pp. 67–71. 1913.
      1915, report. S.R.S. Rpt. 1917, Pt. I, pp. 58–62. 1917.
      1916. S.R.S. Rpt. 1916, Pt. I, pp. 53–58. 1918.
      1917. S.R.S. Rpt., 1917, Pt. I, pp. 55–58. 1919.
  explorers, historical notes. N.A. Fauna 45, pp. 17–18. 1921.
  extension—
    schools, methods. Off. Rec., vol. 1, No. 30, p. 6. 1922.
    work—
      funds allotment and county-agent work. S.R.S. Doc. 40, pp. 4, 5, 9, 14, 23, 25, 28. 1915.
      in agriculture and home economics, 1915. S.R.S. Rpt., 1915, Pt. II, pp. 39–45. 1917.
      in agriculture and home economics, 1916. S.R.S. Rpt., 1916, Pt. II, pp. 33–41. 1917.
      in agriculture and home economics, 1917. S.R.S. Rpt., 1917, Pt. II, pp. 42–48. 1919.
      since 1910, results. S.R.S. Rpt., 1918, pp. 38–39, 43, 49. 1919.
      statistics. D.C. 306, pp. 3, 5, 9, 14, 20, 21. 1924.
  fairs, number, kind, location, and dates. Stat. Bul. 102, pp. 13, 14, 16. 1913.
  farm—
    animals, statistics, 1867–1907. Stat. Bul. 64, p. 126. 1908.
    demonstration work, results. B.P.I. Cir. 21, pp. 17, 19–20. 1908.
    diversification, crops, cost and yield per acre, 1904, 1905, 1906. F.B. 310, pp. 14, 18, 21. 1907.
    drainage, need, acreage and profit. Y.B., 1914, pp. 246, 251. 1915; Y.B. Sep. 640, pp. 246, 251. 1915.
    leases, provisions, notes. D.B. 650, pp. 6, 7, 8. 1918.
    products, acreage and value. Crop Est. [Misc.], " Field * * * handbook * * *." pp. 7–10. 1914.
    successful diversification. M. A. Crosby and others. F.B. 310, pp. 24. 1907.
    values, changes, 1900–1901. Stat. Bul 43, pp. 11–17, 29–46. 1906.
  Farmers' Institutes—
    control. O.E.S. Bul. 135, rev., p. 9. 1903.
    legislation. O.E.S. Bul. 241, pp. 7–8. 1911.
    report—
      1904. O.E.S. An. Rpt., 1904, pp. 631–632. 1905.
      1906. O.E.S. An. Rpt., 1906, p. 520. 1907.
      1907. O.E.S. An. Rpt., 1907, p. 316. 1908; O.E.S. Bul. 199, p. 20. 1908.
      1908. O.E.S. An. Rpt., 1908, p. 303. 1909.
      1909. O.E.S. An. Rpt., 1909, p. 340. 1910.
      1910. O.E.S. An. Rpt., 1910, p. 400. 1911.
      1911. O.E.S. An. Rpt., 1911, p. 367. 1913.
      1912. O.E.S. An. Rpt., 1912, p. 360. 1913.
    See also Farmers' institute work.
  farming, diversified. Y.B., 1905, pp. 201–207. 1906; Y.B. Sep. 377, pp. 201–207. 1906.
  farms, value, income, and tenancy classification. D.B. 1224, pp. 70–72. 1924.
  fattening calves. Dan T. Gray and W. F. Ward. B.A.I. Bul. 147, pp. 40. 1912.
  feeding calves, five year's work. W. F. Ward and S. S. Jerdan. D.B. 631, pp. 54. 1918.
  fertilizer—
    control laws. Soils Bul. 58, pp. 31–32. 1910.
    prices, 1919, by counties. D.C. 57, pp. 4, 6–7, 10–11. 1919.
  field work of plant industry, December, 1924. M.C. 30, p. 1. 1925.

Alabama—Continued.
  fig growing, notes. F.B. 1031, pp. 3, 4, 7, 14, 20. 1919.
  flood losses, 1909. An. Rpts., 1909, p. 170. 1910; W.B. Chief Rpt., 1909, p. 20. 1909.
  food—
    and drug officials. Chem. S.R.A. 13, p. 8. 1915.
    legislation and officials. Chem. Bul. 69, pp. 26–27. 1902; Chem. Bul. 69, Pt. I, pp. 42–44 1902; Chem. Bul. 112, Pt. I, p. 10. 1908; Chem. Cir. 16, pp. 5, 27. 1904; Chem. Cir. 16, rev., pp. 5, 27. 1908.
  forest(s)—
    acreage increase. Off. Rec., vol. 1, No. 24, p. 3. 1922.
    area, 1918. Y.B., 1918, p. 717. 1919; Y.B. Sep. 795, p. 53. 1919.
    fires, statistics. For. Bul. 117, p. 26. 1912.
    lands—
      studies, cooperation of Forest Service. An. Rpts., 1909, p. 400. 1910; For. A.R., 1909. p. 32. 1909.
    unit. D.C. 313, pp. 11–12. 1924.
    working plan. Franklin W. Reed. For. Bul. 68, pp. 71. 1905.
    legislation, 1907. Y.B. 1907, p. 574. 1908; Y.B. 1907, Sep. 470, p. 14. 1908.
  funds for cooperative extension work, sources. S.R.S. Doc. 40, pp. 4, 5, 8, 14. 1917.
  fur animals, laws—
    1915. F.B. 706, p. 2. 1916.
    1916. F.B. 783, p. 4. 1916.
    1917. F.B. 911, p. 6. 1917.
    1918. F.B. 1022, p. 5. 1918.
    1919. F.B. 1079, pp. 3, 8. 1919.
    1920. F.B. 1165, p. 6. 1920.
    1921. F.B. 1238, p. 5. 1921.
    1922. F.B. 1293, p. 3. 1922.
    1923–24. F.B. 1387, p. 5. 1923.
    1924–25. F.B. 1445, p. 5. 1924.
    1925–26. F.B. 1469, p. 7. 1925.
  game—
    laws—
      1902. F.B. 160, pp. 12, 31, 32, 41, 54. 1902.
      1903. F.B. 180, pp. 9, 22, 32, 44, 46, 53. 1903.
      1904. F.B. 207, pp. 16, 32, 42, 46, 54, 55, 60. 1904.
      1905. F.B. 230, pp. 14, 29, 37, 42, 50, 51. 1905.
      1906. F.B. 265, pp. 8, 13, 28, 36, 42, 50. 1906.
      1907. F.B. 308, pp. 6, 11, 27, 35, 41. 1907.
      1908. F.B. 336, pp. 13, 30, 39, 43, 49. 1908.
      1909. F.B. 376, pp. 6, 18, 23, 39, 42, 46. 1909.
      1910. F.B. 418, pp. 12, 26, 32, 35, 40. 1910.
      1911. F.B. 470, pp. 9, 16, 31, 40, 46. 1911.
      1912. F.B. 510, pp. 11, 25–26, 27, 32, 33, 37, 42. 1912.
      1913. D.B. 22, pp. 6, 21, 23, 38, 44, 52. 1913.
      1914. F.B. 628, pp. 10, 11, 12, 13, 14, 28–29, 30, 36, 40, 41, 45, 46. 1914.
      1915. F.B. 692, pp. 4, 8, 25, 40, 46, 51, 57. 1915.
      1916. F.B. 774, pp. 22, 38, 44, 50, 57. 1916.
      1917. F.B. 910, p. 10. 1917.
      1918. F.B. 1010, p. 8. 1918.
      1919. F.B. 1077, p. 9. 1919.
      1920. F.B. 1138, pp. 9–10. 1920
      1921. F.B. 1235, p. 11. 1921.
      1922. F. B. 1288, p. 7. 1922.
      1923–24. F.B. 1375, pp. 9–10, 48. 1923.
      1924–25. F.B. 1444, pp. 5, 36. 1924.
      1925–26. F.B. 1466, pp. 11, 43. 1925.
    officials, directory. See Game officials.
  girls' canning clubs, records and work. S.R.S. Doc. 28, pp. 1–4. 1915.
  grain supervision districts, counties. Mkts. S.R.A. 14, pp. 5, 6–7, 8, 25, 26. 1916.
  Gulf Coast region, farm practices that increase crop yields. M. A. Crosby. F.B. 986, pp. 28. 1918.
  Hagerstown clay, acreage and location. Soils Cir. 64, pp. 3, 12. 1912.
  hay crops, 1866–1906, acreage, production, and value. Stat. Bul. 63, pp. 5–25, 31. 1908.
  herds—
    lists of tested and accredited. D.C. 54, pp. 3, 9, 11, 21, 27, 50, 75, 77. 1919.
    once-tested, list No. 3, supplements. D.C. 143, pp. 6, 20, 61. 1920; D.C. 144, pp. 8, 19. 1920.

Alabama—Continued.
  hog—
    management, diversification farm. F.B. 310, p. 9. 1907.
    marketing, cooperative. News L., vol. 7, No. 5, p. 13. 1919.
    pasturing on velvet beans, results. F.B. 962, p. 36. 1918.
    sales days, cooperation of farmers. News L., vol. 5, No. 15, p. 7. 1917.
  Houston—
    black clay, areas, location, and uses. Soils Cir. 50, pp. 3, 12, 14. 1911.
    clay, areas, location, description, and uses. Soils Cir. 49, pp. 3, 5, 8, 9, 10, 11. 1911.
  intensive farming on a 2-acre cotton farm. F.B. 519, pp. 13. 1913.
  interest rates on loans to farmers. F.B. 1921, pp. 368, 778. 1922; Y.B. Sep. 877, p. 368. 1922; Y.B. Sep. 871, p. 9. 1922.
  irrigation need and possibilities. Y.B., 1911, p. 316. 1912; Y.B. Sep. 570, p. 316. 1912.
  Jackson County, increase in land values, by good roads. F.B. 505, p. 15. 1912.
  lands purchase under Weeks law. D.C. 313, p. 11. 1924.
  lard supply, wholesale and retail, Aug. 31, 1917, tables. Sec. Cir. 97, pp. 13–31. 1918.
  laws—
    against Sunday shooting. Biol. Bul. 12, rev., p. 63. 1902.
    and decisions on livestock sanitary control. D.C. 184, pp. 3–8. 1921.
    nursery stock interstate shipments. Ent. Cir. 75, rev., p. 1. 1908; F. H. B. S. R. A. 57, pp. 113, 114, 115. 1919.
  legislation—
    protecting birds. Biol. Bul. 12, rev., pp. 23, 30, 38, 43, 45, 46, 47, 48, 54, 76–77, 136. 1902.
    relative to tuberculosis. B.A.I. Bul. 28, p. 7. 1901.
  life zones. N.A. Fauna 45, pp. 10–16. 1921.
  Limestone County, hog-raising and shipping, demonstrations. Y.B., 1919, pp. 216–217. 1920; Y.B. Sep. 808, pp. 216–217. 1920.
  livestock—
    admission, sanitary requirements. B.A.I. Doc. A 28, pp. 3–4. 1917; B.A.I. Doc. A. 36, pp. 3–4. 1920; B.A.I. [Misc.] "State sanitary * * *," p. 3. 1915; M.C. 14, pp. 1–2. 1924.
    associations. Y.B., 1920, p. 515. 1921; Y.B. Sep. 866, p. 515. 1921.
    number, comparison with Iowa. Y.B., 1914, p. 18. 1915.
    trains, and value of shipments. News L., vol. 5, No. 41, p. 11. 1918.
  lumber cut—
    1918, by mills, by woods, and lath and shingles. D.B. 845, pp. 6–10, 13, 16, 19, 22, 26, 30, 32, 40, 42–47. 1920.
    1920, 1870–1920, value, and kinds, tables. D.B. 1119, pp. 27, 30–35, 43–61. 1923.
  mammals, report. N.A. Fauna 45, pp. 17–76. 1921.
  marketing—
    activities and organization. Mkts. Doc. 3, p. 1. 1916.
    demonstrations, results. Y.B., 1919, pp. 214–217. 1920; Y.B. Sep. 808, pp. 214–217. 1920.
  Marshall County, cotton growing, notes and tables. D.B. 896, pp. 1–44, 54. 1920.
  Meadow soil, areas and location. Soils Cir. 68, p. 20. 1912.
  milk supply. B.A.I. Bul. 46, pp. 34, 45–46. 1903.
  muck areas, location. Soils Cir. 65, p. 15. 1912.
  Muscle Shoals—
    borax—
      effect on cotton in 1920. D.B. 1126, pp. 5, 22–25. 1923.
      in fertilizers. D.B. 998, p. 2. 1922.
    nitrogen fertilizers, field experiments. D.B. 1180, pp. 2, 5, 6, 18. 1923.
  National Forest, map. For. Maps. 1924.
  negro—
    extension work and workers, 1905–1921. D.C. 190, pp. 3, 5, 6–9, 18, 21. 1921.
    farmers, organization. News L., vol. 6, No. 25, p. 7. 1919.
  nitrate plants—
    capacity and work. An. Rpts., 1922, pp. 634–635. 1922; Fix. Nit. Lab. A.R., 1922, pp. 2–3. 1922.

Alabama—Continued.
  nitrate plants—continued.
    for conversion of nitrogen. Y.B., 1919, p. 120. 1920; Y.B. Sep. 803, p. 120. 1920.
  Norfolk—
    sand, areas, location, and uses. Soils Cir. 44, p. 19. 1911.
    sandy loam, areas, location and use. Soils Cir. 45, pp. 3, 9, 14. 1911.
  oats acreage, production and value, 1866–1906. Stat. Bul. 58, p. 32. 1907.
  officials, dairy, drug, feeding stuffs, and food. See Dairy officials: Drug officials, etc.
  Orangeburg—
    fine sand, location and areas. Soils Cir. 48, pp. 3, 15. 1911.
    fine sandy loam, areas, location, and uses. Soils Cir. 46, pp. 3, 4, 9, 10, 11, 17, 18, 20. 1911.
    sandy loam, location, areas, and uses. Soils Cir. 47, pp. 3, 4, 6, 8, 10, 11, 12, 15. 1911.
  pasture land on farms. D.B. 626, pp. 15, 17. 1918.
  peach(es)—
    carload shipments from various stations, 1914. D.B. 298, p. 9. 1915.
    growing, production, districts, and varieties. D.B., 806, pp. 4, 5, 7, 8, 9, 25. 1919.
    industry, season and shipments, 1914. D.B. 298, pp. 4, 5, 9. 1915.
    shipping season and area of production. D.B. 298, pp. 4, 5, 6. 1915.
    varieties, names and ripening dates. F.B. 918, p. 5. 1918.
  peanut leafspot, control studies. J.A.R. vol. 5, No. 19, pp. 891–902. 1916.
  pear growing, distribution and varieties. D.B. 822, p. 11. 1920.
  physiography. N.A. Fauna 45, pp. 7–10. 1921.
  pig clubs, work, 1915. B.A.I. Chief Rpt., 1915, p. 9. 1915; An. Rpts., 1915, p. 85. 1916; Y.B., 1915, pp. 179–181. 1916; Y.B. Sep. 667, pp. 179–181. 1916.
  pine—
    belt, lumbering, effect, and value of stumpage. For. Cir. 35, p. 26. 1905.
    lands in beef cattle industry, conditions. D.B. 827, pp. 6–13, 31. 1921.
  plantations, crops, acreage, location, labor, and tenancy. D.B. 1269, pp. 2–7, 69–72, 75. 1924.
  Polytechnic Institute, teachers' courses. O.E.S. Cir. 118, p. 7. 1913.
  potato crops, 1866–1906, acreage, production and value. Stat. Bul. 62, pp. 7–27, 34. 1908.
  potatoes, early crop location and carloads. F. B. 1316, pp. 3, 5. 1923.
  prairie regions, soil, use for alfalfa. M. A. Crosby. Rpt. 96, pp. 48. 1911.
  production of cigar-leaf tobacco, opportunities. Milton Whitney. Soils Cir. 14, pp. 4. 1904.
  quail disease outbreak. B.A.I. An. Rpt., 1907, p. 44. 1909.
  quarantine—
    against cotton-boll weevil. Ent. Bul. 114, p. 165. 1912.
    areas, November 21, 1916. B.A.I.O. 251, pp. 1–2. 1916.
    for—
      cattle-tick, area release. News L., vol. 3, No. 18, pp. 1, 4. 1915.
      Mexican bean beetle. F.H.B.Quar. 50, pp 2–4. 1921.
      Texas fever, areas. B.A.I.O. 151, rule 1, rev. 3, p. 8. 1908; B.A.I.O. 158, rule 1, rev. 4, p. 8. 1909; B.A.I.O. 166, p. 8. 1909; B.A.I.O. 168, rule 1, rev. 6, p. 8, 1910; B.A.I.O. 187, rule 1, rev. 9, p. 7. 1912; B.A.I.O. 194, rule 1, rev. 10, p. 8. 1913; B.A.I.O. 235, rule 1, rev. 13, pp. 6–7. 1915; B.A.I.O. 241, pp. 6–7, 9. 1915; B.A.I.O. 262, pp. 2,13. 1918; B.A.I.O. 285, pp. 1, 5. 1923; B.A.I.O. 290, p. 1. 1924.
    Texas fever, areas released. B.A.I.O. 194, rule 1, rev. 10, p. 12. 1913; B.A.I.O. 207, amdt. 1, pp. 2–3. 1914; B.A.I.O. 207, rule 1, rev. 12, pp. 1, 7–8, 13. 1914; B.A.I.O. 241, amdt. 3, pp. 1–2, 4. 1916; B.A.I.O. 271, rule 1, rev. 19, pp. 1–2, 7. 1920; News L., vol. 7, No. 6, p. 4. 1919.

Alabama—Continued.
  ravages by plant-bug. D.B. 689, pp. 12, 13, 14. 1918.
  record in livestock shipments. News L., vol. 7, No. 3, p. 4. 1919.
  River, silt carried per year. Y.B., 1913, p. 212. 1914; Y.B. Sep. 624, p. 212. 1914.
  road(s)—
    bond-built, amount of bonds and rate. D.B. 136, pp. 37, 62, 80, 85. 1915.
    building—
      early days, by the French. Y.B., 1910. p. 267. 1911; Y.B. Sep. 535. p. 267. 1911.
      rock tests, 1916 and 1917. D.B. 670, p. 3. 1918.
      rock tests, results. D.B. 370, p. 13. 1916; D.B. 1132, pp. 2, 51. 1923.
    construction, details. An. Rpts., 1911, pp. 720, 723, 726, 746-747. 1912; Rds. Chief Rpt., 1911, pp. 10, 13, 16, 36-37. 1911.
    materials, tests. Rds. Bul. 44, p. 32. 1912.
    mileage and expenditures—
      1904. Rds. Cir. 46, pp. 3. 1906.
      1909. Rds. Bul. 41, pp. 12, 40, 42, 43-44. 1912.
      1914. D.B. 387, pp. 3-8, 8-11, I, XXXIV, XLVI-XLVII. 1915.
      1915. Sec. Cir. 52, pp. 2, 4, 6. 1915.
      1916. Sec. Cir. 74, pp. 4, 5, 7, 8. 1917.
    object lesson—
      1907, work. An. Rpts., 1907, p. 724. 1908.
      1908, description and cost. An. Rpts., 1908, pp. 750, 751, 752, 756. 1909; Rds. Chief Rpt., 1908, pp. 10, 11, 12, 16. 1908.
      1909, construction. An. Rpts., 1909, pp. 723, 730. 1910; Rds. Chief Rpt., 1909, pp. 15, 22. 1909.
      1910. An. Rpts., 1910, p. 774. 1911; Rds. Chief Rpt., 1910, p. 12. 1910.
      1912, work. An. Rpts., 1912, p. 854. 1913; Rds. Chief Rpt., 1912, p. 10. 1912.
      projects approved, 1918, 1919. An. Rpts., 1919, pp. 401, 403, 405, 407. 1920; Rds. Chief Rpt., 1919, pp. 11, 13, 15, 17. 1919.
  rock phosphate, raw, field experiments, and results. D.B. 699, p. 28. 1918.
  rye crops, 1866-1906, acreage, production, and value. Stat. Bul. 60, pp. 5-9, 12-25, 32. 1908.
  San Jose scale, occurrence. Ent. Bul. 62, p. 20. 1906.
  Satsuma oranges—
    coloring. R. C. Wright. D.B. 1159, pp. 23. 1923.
    growing. An. Rpts., 1919, p. 142. 1920; B.P.I. Chief Rpt., 1919, p. 6. 1919.
    introduction. B.P.I.H. and P. Cir. 1, pp. 4, 5. 1918.
  schools—
    elementary lessons in agriculture, outlined by months. E. A. Miller. D.B. 258, pp. 36. 1915.
    visiting rural nurse, duties. News L., vol. 1, No. 41, pp. 2-3. 1914.
  shipments of fruits and vegetables, and index to station shipments. D.B. 667, pp. 6-13, 15. 1918.
  soil survey of—
    Autauga County. L. A. Hurst and C. S. Waldrop. Soil Sur. Adv. Sh., 1908, p. 43. 1910; Soils F.O., 1908, pp. 515-553. 1911.
    Baldwin County. W. E. Tharp and others. Soil Sur. Adv. Sh., 1909, pp. 74. 1911; Soils F.O., 1909, pp. 705-774. 1912.
    Barbour County. Howard C. Smith and others. Soil Sur. Adv. Sh., 1914, pp. 50. 1916; Soils F.O., 1914, pp. 1071-1116. 1919.
    Bibb County. W. E. Tharp and W. L. Lett. Soil Sur. Adv. Sh., 1908, pp. 51. 1910; Soils F.O., 1908, pp. 661-707. 1911.
    Blount County. William G. Smith and F. N. Meeker. Soil Sur. Adv. Sh., 1905, pp. 22. 1906; Soils F.O., 1905, pp. 407-424. 1907.
    Bullock County. Howard C. Smith and W. E. Wilkinson. Soil Sur. Adv. Sh., 1913, pp. 50. 1915; Soils F.O., 1913, pp. 747-792. 1916.
    Butler County. A. E. Kocher and H. L. Westover. Soil Sur. Adv. Sh., 1907, pp. 33. 1909; Soils F.O., 1907, pp. 437-465. 1909.
    Calhoun County. Lewis A. Hurst and Philip H. Avary. Soil Sur. Adv. Sh., 1908, pp. 49. 1910; Soils F.O., 1908, pp. 615-659. 1911.

Alabama—Continued.
  soil survey of—continued.
    Chambers County. Howard C. Smith and P. H. Avary. Soil Sur. Adv. Sh., 1909, pp. 30. 1911; Soils F.O., 1909, pp. 775-800. 1912.
    Cherokee County. See Fort Payne area.
    Chilton County. L. Cantrell and W. E. Wilkinson. Soil Sur. Adv. Sh., 1911, pp. 36. 1913; Soils F.O., 1911, pp. 689-720. 1914.
    Choctaw County. Howard C. Smith and others. Soil Sur. Adv. Sh., 1921, pp. 975-1009. 1925; Soils F.O., 1921, pp. 975-1009. 1926.
    Clarke County. C. S. Waldrop and others. Soil Sur. Adv. Sh., 1912, pp. 31. Soils F.O., 1912, pp. 725-751. 1915.
    Clay County. Arthur E. Taylor and others. Soil Sur. Adv. Sh., 1915, pp. 41. 1916; Soils F.O., 1915, pp. 827-863. 1919.
    Cleburne County. H. G. Lewis and others. Soil Sur. Adv. Sh., 1913, pp. 38. 1915; Soils F.O., 1913, pp. 793-826. 1916.
    Coffee County. Lewis A. Hurst and A. D. Cameron. Soil Sur. Adv. Sh., 1909, pp. 51. 1911; Soil F.O., 1909, pp. 801-847. 1912.
    Colbert County. William G. Smith and others. Soil Sur. Adv. Sh., 1908, pp. 34. 1909; Soils F.O., 1908, pp. 555-584. 1911.
    Conecuh County. L. Cantrell and others. Soil Sur. Adv. Sh., 1912, pp. 48. 1914; Soils F.O., 1912, pp. 753-796. 1915.
    Covington County. R. T. Avon Burke and others. Soil Sur. Adv. Sh., 1912, pp. 37. 1914; Soils F.O., 1912, pp. 797-829. 1915.
    Crenshaw County. J. F. Stroud and others. Soil Sur. Adv. Sh., 1921, pp. 375-407. 1924.
    Cullman County. W. E. Tharp and W. L. Lett. Soil Sur. Adv. Sh., 1908, pp. 34. 1910; Soils F.O., 1908, pp. 585-614. 1911.
    Dale County. Lewis A. Hurst and others. Soil Sur. Adv. Sh., 1910, pp. 39. 1911; Soils F.O., 1910, pp. 605-639. 1912.
    Dallas County. E. P. Carr and others. Soil Sur. Adv. Sh., 1905, pp. 24. 1905; Soils F.O., 1905, pp. 453-472. 1907.
    De Kalb County. See Fort Payne area.
    Elmore County. R. A. Winston and R. C. McGehee. Soil Sur. Adv. Sh., 1911, pp. 47, 1913; Soils F.O., 1911, pp. 721-763. 1914.
    Escambia County. R. T. Avon Burke and others. Soil Sur. Adv. Sh., 1913, pp. 51. 1915; Soils F.O., 1913, pp. 827-873. 1916.
    Etowah County. W. S. Lyman and C. S. Waldrop. Soil Sur. Adv. Sh., 1908, pp. 31. 1910; Soils F.O., 1908, pp. 709-735. 1911.
    Fayette County. A. M. O'Neal and others. Soil Sur. Adv. Sh., 1917, pp. 40. 1920; Soils F.O., 1917, pp. 699-734. 1923.
    Fort Payne Area. Grove B. Jones and M. E. Carr. Soil Sur. Adv. Sh., 1903, pp. 21. 1904; Soils F.O., 1903, pp. 355-371. 1904.
    Geneva County. A. H. Meyer and others. Soil Sur. Adv. Sh., 1920, pp. 287-314. 1924; Soils F.O., 1920, pp. 287-314. 1925.
    Hale County. R. W. Rowe and others. Soil Sur. Adv. Sh., 1909, pp. 31. 1910; Soils F.O., 1909, pp. 677-703. 1912.
    Henry County. Grove B. Jones and others. Soil Sur. Adv. Sh., 1908, pp. 35. 1909; Soils F.O., 1908, pp. 483-513. 1911.
    Houston County. R. T. Avon Burke and A. T. Sweet. Soil Sur. Adv. Sh., 1920, pp. 315-344. 1923; Soils F.O., 1920, pp. 315-344. 1925.
    Huntsville area. Frank Bennett, jr., and A. M. Griffin. Soil Sur. Adv. Sh., 1903, pp. 24. 1904; Soils F.O., 1903, pp. 373-392. 1904.
    Jackson County. C. S. Waldrop and N. Eric Bell. Soil Sur. Adv. Sh., 1911, pp. 32. 1912; Soils F.O., 1911, pp. 765-792. 1914.
    Jefferson County. Howard C. Smith and E. S. Pace. Soil Sur. Adv. Sh., 1908, pp. 37. 1910; Soils F.O., 1908, pp. 737-769. 1911.
    Lamar County. E. R. Allen and W. L. Lett. Soil Sur. Adv. Sh., 1908, pp. 32. 1909; Soils F.O., 1908, pp. 455-482. 1911.
    Lauderdale County. F. E. Bonsteel and others. Soil Sur. Adv. Sh., 1905, pp. 21. 1905; Soils F.O., 1905, pp. 389-405. 1907.

Alabama—Continued.
  soil survey of—continued.
    Lawrence County. H. G. Lewis and J. F. Stroud. Soil Sur. Adv. Sh., 1914, pp. 50. 1916; Soils F.O., 1914, pp. 1155-1200. 1919.
    Lee County. W. Edward Hearn and W. J. Geib. Soil Sur. Adv. Sh., 1906, pp. 26. 1907; Soils F.O., 1906, pp. 363-384. 1908.
    Limestone County. R. T. Avon Burke and A. M. O'Neal, jr. Soil Sur. Adv. Sh., 1914, pp. 41. 1916; Soils F.O., 1914, pp. 1117-1153. 1919.
    Lowndes County. L. R. Schoenmann and R. T. Avon Burke. Soil Sur. Adv Sh., 1916, pp. 98. 1918; Soils F.O., 1916, pp. 787-850. 1921.
    Macon County. Henry J. Wilder and Hugh H. Bennett. Soil Sur. Adv. Sh., 1904, pp. 29. 1905. Soils F.O., 1904, pp. 291-315. 1905.
    Madison County. Frank Bennett, jr., and A. M. Griffin. Soil Sur. Adv. Sh., 1903, pp. 24. 1904; Soils F.O., 1903, pp. 373-392. 1904.
    Marengo County. S. W. Phillips and others. Soil Sur. Adv. Sh., 1920, pp. 555-597. 1923; Soils F.O., 1920, pp. 555-597. 1925.
    Marion County. Orla L. Ayrs, and others. Soil Sur. Adv. Sh., 1907, pp. 24. 1908; Soils F.O., 1907, pp. 381-400. 1909.
    Marshall County. C. S. Waldrop and N. Eric Bell. Soil Sur. Adv. Sh., 1911, pp. 32. 1913; Soils F.O., 1911, pp. 831-858. 1914.
    Mobile area. R. T. Avon Burke and others. Soil Sur. Adv. Sh., 1903, pp. 15. 1904; Soils F.O., 1903, pp. 393-403. 1904.
    Mobile County. Gustavus B. Maynadier and others. Soil Sur. Adv. Sh., 1911, pp. 42. 1912; Soils F.O., 1911, pp. 859-896. 1914.
    Monroe County. Howard C. Smith and others. Soil Sur. Adv. Sh., 1916, pp. 53. 1918; Soils F.O., 1916, pp. 851-899. 1921.
    Montgomery County. W. E. McLendon and Charles J. Mann. Soil Sur. Adv. Sh., 1905, pp. 32. 1906; Soils F.O., 1905, pp. 425-452. 1907.
    Morgan County. Austin L. Patrick and others. Soil Sur. Adv. Sh., 1918, pp. 46. 1921; Soils F.O., 1918, pp. 573-614. 1924.
    Perry County. R. T. Avon Burke and others. Soils F.O., 1902, pp. 309-323. 1903; Soils F.O. Sep., 1902, pp. 15. 1903.
    Pickens County. A. M. O'Neal, jr., and others. Soil Sur. Adv. Sh., 1916, pp. 41. 1917; Soils F.O., 1916, pp. 901-937. 1921.
    Pike County. W. E. Tharp and others. Soil Sur. Adv. Sh., 1910, pp. 67. 1911; Soils F.O., 1910, pp. 641-703. 1912.
    Randolph County. R. T. Avon Burke and others. Soil Sur. Adv. Sh., 1911, pp. 40. 1912; Soils F.O., 1911, pp. 897-932. 1914.
    Russell County. N. Eric Bell and others. Soil Sur. Adv. Sh., 1913, pp. 50. 1915; Soils F.O., 1913, pp. 875-920. 1916.
    St. Clair County. R. T. Avon Burke and N. Eric Bell. Soil Sur. Adv. Sh. 1917, pp. 46. 1920; Soils F.O., 1917, pp. 791-832. 1923.
    Shelby County. J. F. Stroud and others. Soil Sur. Adv. Sh. 1917, pp. 60. 1920; Soils F.O., 1917, pp. 735-790. 1923.
    Sumter County. William G. Smith and F. N. Meeker. Soil Sur. Adv. Sh. 1904, pp. 30. 1905; Soils F.O , 1904, pp. 317-342. 1905.
    Talladega County. Charles N. Mooney and Charles J. Mann. Soil Sur. Adv. Sh., 1907, pp. 40. 1908; Soils F.O., 1907, pp. 401-436. 1909.
    Tallapoosa County. Howard C. Smith and Philip H. Avary. Soil Sur. Adv. Sh., 1909, pp. 36. 1910; Soils F.O., 1909, pp. 645-676. 1912.
    Tuscaloosa County. R. A. Winston and others. Soil Sur. Adv. Sh. 1911, pp. 74. 1912; Soils F.O., 1911, pp. 933-1002. 1914.
    Walker County. J. O. Veatch and others. Soil Sur. Adv. Sh., 1915, pp. 30. 1916; Soils F.O., 1915, pp. 865-890. 1919.
    Washington County. Lewis A. Hurst and others. Soil Sur. Adv. Sh., 1915, pp. 51. 1917; Soils F.O. 1915, pp. 891-937. 1919.
    Wilcox County. R. A. Winston and N. Eric Bell. Soil Sur. Adv. Sh., 1916, pp. 71. 1918; Soils F.O., 1916, pp. 939-1005. 1921

Alabama—Continued.
  sorghum growing, rotation experiments. F.B. 1158, pp. 5-6. 1920.
  State appropriations for demonstration work. O.E.S. An. Rpt., 1912, p. 303. 1913.
  steer fattening—
    experiments. D.B. 762, pp. 3-8. 1919.
    on summer pasture, 1912, 1913. D.B. 777, pp. 3-11. 1919.
  strawberry—
    growing, practices. F.B. 1026, pp. 3, 6, 13, 16, 33. 1919.
    shipments, 1914. D.B. 237, p. 6. 1915.
    shipments, 1914, 1915. F.B. 1028, p. 6. 1919.
  Sudan grass-growing experiments. B.P.I. Cir. 125, pp. 16, 20. 1913.
  Susquehanna fine sandy loam, areas, locations, and crops. Soils Cir. 51, pp. 3, 4, 8, 10, 11. 1912.
  sweet clover—
    annual form, origination. D.C. 169, pp. 6, 11. 1921.
    production. F.B. 485, pp. 22, 30, 33-34. 1912.
  sweet potato—
    industry. D.B. 1206, pp. 5-13. 1924.
    weevil eradication work. Off. Rec., vol. 1, No. 27, p. 3. 1922.
  Tallapoosa County, cotton growing, notes and tables. D.B. 896, pp. 1-44, 50. 1920.
  Texas fever tick, studies, supplementary report. B.A.I. Bul. 152, pp. 1-13. 1912.
  tick—
    eradication—
      cost and profit, News L., vol. 5, No. 16, p 2. 1917.
      law. News L., vol. 6, No. 40, p. 8. 1919.
      quarantine, area release. News L., vol. 4, No. 6, p. 1. 1916.
  tile drainage systems, experimental. An. Rpts., 1912, p. 109. 1913; Sec. A. R., 1912, p. 109. 1912; Y.B., 1912, p. 109. 1913.
  tobacco—
    cigar-leaf, opportunities for production. Milton Whitney. Soils Cir. 14, pp. 4. 1904.
    experiments in growing Cuban seed. George T. McNess and Lewis W. Ayer. Soils Bul. 37, pp. 32. 1906.
    investigations. An. Rpts., 1908, p. 346. 1909; B.P.I. Chief Rpt., 1908, p. 74. 1908.
    production of cigar type. B.P.I. Cir. 48, pp. 5, 7. 1910.
    work, 1909. An. Rpts., 1909, p. 312. 1910; B.P.I. Chief Rpt., 1909, p. 60. 1909.
  tractors on farms, reports. H. R. Tolley and L. M. Church. F.B. 1278, pp. 26. 1922.
  Trinity clay areas, location and crops adaptable. Soils Cir. 42, pp. 3, 4, 8, 11, 12, 14. 1911.
  truck shipments, 1888, 1889, 1890, 1915. Y.B., 1916, pp. 443, 455-465. 1917; Y.B. Sep. 702, pp. 9, 21-31. 1917.
  turpentine production, percentage of United States supply. D.B. 898, p. 2. 1920.
  velvet bean, description and general adaptability. F.B. 1276, pp. 4-5. 1922.
  wage rates, farm labor, 1866-1909. Stat. Bul., pp. 29-43, 68-70. 1912.
  walnut—
    growing, notes. B.P.I. Bul. 254, pp. 17, 102. 1913.
    range and estimated stand. D.B. 933, pp. 7, 14. 1921.
    stand and quality. D.B. 909, pp. 9, 10, 17, 21. 1921.
  water supply, wells and springs, records, by counties. Soils Bul. 92, pp. 29-31. 1913.
  wheat—
    acreage and varieties. D.B. 1074, p. 208. 1922.
    crops, acreage, production, and value. Stat. Bul. 57, rev., 5 25, 32, 38. 1908.
    growing, yields and cultural suggestions. F.B. 885, pp. 14. 1917.
    varieties—
      adapted. F.B. 616, p. 6. 1914.
      grown. F.B. 1168, p. 9. 1921.
    yields and prices, 1866-1915. D.B. 514, p. 11. 1917.
  See also Gulf Coastal Plains.

Alabama argillacea—
  boll weevil enemy—
    defoliator and its enemies. Ent. Bul. 100, pp. 41, 42, 69, 70. 1912.
    description. Ent. Bul. 114, pp. 138-139. 1912.
  See also Cotton leafworm; Cotton worm.
Alachua Lake. *See* Payne Prairie Area.
Alameda, Calif., milk supply, statistics, officials, prices, and ordinances. B.A.I. Bul. 46, pp. 40, 51. 1903.
Alamoen, importation and description. No. 37804, B.P.I. Inv. 39, pp. 10, 46. 1917; No. 40917, B.P.I. Inv. 44, p. 13. 1918.
Atangium chinense, importation, No. 40032, and description. B.P.I. Inv. 42, p. 56. 1918; No. 44859, B.P.I. Inv. 51, p. 81. 1922.
Alanine, soil constituent, wheat-growing tests. Soils Bul. 87, p. 64. 1912.
Alaria fistulosa—
  distribution, description, and growth. Rpt. 100, pp. 18, 65, 67-69. 1915.
  location, area, tonnage, maps, and table. Rpt. 100, pp. 70, 80-104, 117-121. 1915.
  kelp, composition, notes. D.B. 150, pp. 53, 63. 1915.
Alaska—
  agricultural—
    area, comparison with various States. News L., vol. 3, No. 44, p. 2. 1916.
    development. Off. Rec., vol. 1, No. 36, pp. 1, 6. 1922.
    development, possibilities. Levi Chubluck. D.B. 50, pp. 31. 1914.
    Experiment Stations. *See* Alaska experiment stations; *See also* Agriculture workers.
    investigations, 1905, report. C. C. Georgeson. O.E.S. Bul. 169, pp. 100. 1906.
    organizations and institutions. *See* Colleges; Experiment stations; Farmers' Institutes.
    possibilities—
      1914. Soil Sur. Adv. Sh., 1914, pp. 202. 1915; Soils F.O., 1914, pp. 43-236. 1919.
      comparison with Finland and Siberia. News L., vol. 3, No. 5, p. 5. 1915.
      studies by Plant Industry Bureau. An. Rpts., 1912, p. 441. 1913; B.P.I. Chief Rpt., 1912, p. 61 1912.
    products—
      from United States, 1922-1924. Y.B., 1924, pp. 1050-1052. 1925.
      shipments to United States. Y.B., 1924, p. 1069. 1925.
    surveys. Off. Rec., vol. 3, No. 10, p. 5. 1924.
  animal statistics, impossibility of accuracy. D.C. 225, p. 2. 1922.
  bear, comparison with population. D.C. 225, p. 2. 1922.
  bears, grizzly and brown, description and characters. N. A. Fauna 41, pp. 25-28, 41, 42, 44, 50, 69, 92, 94, 101, 106-118, 119-131. 1918.
  Behm Canal unit, timber stand and quality. D.B. 950, pp. 8, 40. 1921.
  big game and fur bearers, protection. Y.B., 1920, pp. 171-174. 1921; Y.B. Sep. 836, pp. 171-174. 1921.
  biological—
    investigations. N.A. Fauna 30, pp. 96. 1909.
    survey work. Off. Rec., vol. 3, No. 2, p. 2. 1924.
  bird(s)—
    and game officials and organizations, 1921. D.C. 196, pp. 3, 14. 1921.
    and mammals, reserves, description and conditions. D.C. 168, p. 14 1921.
    reservations—
      conditions, 1913. An. Rpts., 1913, pp. 230, 232. 1914; Biol. Chief Rpt., 1913, pp. 8, 10. 1913.
      list and descriptions. Biol. Cir. 71, p. 15. 1910.
    protection. *See* Bird protection, officials.
  blue-fox farming—
    Frank G. Ashbrook and Ernest P. Walker. D.B. 1350, pp. 35. 1925.
    aid of department. Off. Rec., vol. 3, No. 20, p. 6. 1924.
    breeding cattle. Off. Rec. vol. 2, No. 15, p. 5. 1923.
  cattle raising—
    and feeding. Alaska A.R., 1908, pp. 19-20, 61-65. 1909.

Alaska—Continued.
  cattle raising—continued.
    Highland breeds, suggestions. B.A.I. An. Rpt., 1904, p. 228. 1905.
  central—
    climate, description and records. Soil Sur. Adv. Sh., 1914, pp. 23-33, 106-116, 143. 1915; Soils F.O., 1914, pp. 57-67, 140-150, 177. 1919.
    forests, growth and conditions. Soil Sur. Adv. Sh., 1914, pp. 20-23, 47, 66, 71, 119-120, 128, 131, 144, 146, 151, 174. 1915; Soils F.O., 1914, pp. 54-57, 81, 100, 105, 153-154, 162, 165, 178, 180, 185, 208. 1919.
    vegetation, timber, and agricultural possibilities. Soil Sur. Adv. Sh., 1914, pp. 19-22, 77-99, 119-121, 156-175, 183-184. 1915; Soils F.O., 1914, pp. 53-57, 111-133, 153-155, 190-209, 217-218. 1919.
  Chugach Forest, area, climate, flora, and timber growth. Soil Sur. Adv. Sh., 1916 (Kenai) pp. 7, 9-43. 1919; Soils F.O., 1916, pp. 39, 41-75. 1921.
  climate—
    and rainfall, coast region and interior region. Alaska Cir. 1, pp. 5-8. 1916.
    as factor in farming. Alaska A.R., 1914, pp. 9-10, 43-44, 54, 74. 1915.
    crops and transportation. Alaska Cir. 1, pp. 30. 1916.
    meteorological reports from different stations. Alaska A.R., 1910, pp. 76-85. 1911.
    notes and tables. Alaska A.R., 1908, pp. 8, 32, 48, 59, 72-80. 1909.
  climatic conditions—
    1909. Alaska A.R., 1909, pp. 7, 59-61, 72-82. 1910.
    1917, various locations. Alaska A.R., 1917, pp. 5, 34-35, 59-61, 72, 90-96. 1919.
    1918, and weather reports. Alaska A.R., 1918, pp. 7, 10, 13, 17, 33, 55, 71, 85, 93-104. 1920.
    1919, and reports. Alaska A.R., 1919, pp. 14, 30, 45, 55, 67, 80-90. 1920.
  climatological data. Alaska A.R., 1916, pp. 38-40, 53-54, 81-91. 1918.
  coal lands, agricultural entries. Off. Rec., vol. 1, No. 4, p. 2. 1922.
  coast region—
    adaptability to livestock. Alaska A.R., 1909, p. 27. 1910.
    wild strawberries. Alaska Bul. 4, pp. 3-4. 1923.
  cold-storage facilities, utilization for meat. D.B. 1089, p. 16. 1922.
  comparison with Finland and parts of Siberia. Soil Sur. Adv. Sh., 1914, pp. 195-202. 1915; Soils F.O., 1914, pp. 229-236. 1919.
  conditions, report by E. A. Sherman. Off. Rec., vol. 1, No. 44, p. 3. 1922.
  Cook Inlet—
    description and physiography. Soil Sur. Adv Sh., 1914, pp. 13-16. 1915; Soils F.O., 1914, pp. 47-50. 1919.
    region—
      flora. N.A. Fauna 21, pp. 53-56. 1901.
      life zones. N.A. Fauna 21, pp. 59-60. 1901.
      mammals. N.A. Fauna, 21, pp. 61-71. 1901.
      natural history. N.A. Fauna 21, pp. 51-81. 1901.
      physiography. N.A. Fauna 21, pp. 51-53. 1901.
    Susitna region, reconnoissance soil survey. Soil Sur. Adv. Sh., 1914; pp. 13-104. 1915; Soils F.O., 1914; pp. 47-138. 1919.
  cooperative work. M. D. Snodgrass. Alaska A.R., 1917; pp. 84-86. 1919.
  Copper Center Experiment Station. *See* Copper Center Experiment Station.
  Copper River—
    Delta (Kenai), description. Soil Sur. Adv. Sh., 1916, p. 142. 1919; Soils F.O., 1916, p. 174. 1921.
    regions, soil reconnoissance. Soil Sur. Adv. Sh., 1914; pp. 187-194. 1915; Soils F.O., 1914, pp. 221-228. 1919.
  cost of living. Alaska Cir. 1, pp. 15-16. 1916.
  crop(s)—
    acreage and production. Off. Rec., vol. 1, No. 13, p. 2. 1922.
    growing. Alaska A.R., 1919, pp. 10-14, 20-29, 32-52, 56-60, 68-80. 1920.

Alaska—Continued.
crop(s)—continued.
information for settlers. Alaska Cir. 1, pp. 16–18, 27. 1916.
production in Matanunska Valley, Kenai Peninsula. Soil Sur. Adv. Sh., 1916, pp. 70, 71. 1919; Soils F.O., 1916, pp. 102, 103. 1921.
cypress, description, range, and occurrence, Pacific slope. For. [Misc.] "Forest trees of Pacific * * *," pp. 168–171. 1908.
deer—
protection; regulation. Biol. Cir. 68, p. 1. 1909; Biol. Cir. 86, p. 1, 1912; Biol. S.R.A. 18, p. 1. 1918.
starvation. Off. Rec., vol. 4, No. 8, p. 2. 1925.
development—
and needs, 1920. An. Rpts., 1920, pp. 48–49. 1921; Sec. A.R., 1920, pp. 48–49. 1920.
retarded by destructive habits of bears. D.C. 88, pp. 4–5. 1920.
drainage needs. D.B. 50, p. 10. 1914.
drug laws. Chem Bul. 98, p. 26. 1906; Chem. Bul. 98, rev., p. 34. 1909.
early settlement, historical notes. See *Soil Surveys for various areas.*
economic needs. Alaska. A.R., 1907, p. 20. 1908.
Engineering Commission, personnel and work, 1914. Soil Sur. Adv. Sh., 1914, pp. 11–12. 1915; Soils F.O., 1914, pp. 44–45. 1919.
experiment stations—
aid. Off. Rec., vol. 1, No. 36, p. 1. 1922.
annual report—
1901. C. C. Georgeson. O.E.S An. Rpt., 1901, pp. 239–359. 1901.
1902. C. C. Georgeson. O.E.S. An. Rpt., 1902, pp. 233–307. 1902.
1903. C. C. Georgeson. O.E.S. An. Rpt., 1903, pp. 313–390. 1903.
1904. C. C. Georgeson. O.E.S. An. Rpt., 1904, pp. 265–360. 1904.
1905. C. C. Georgeson. O.E.S. Bul. 169, pp. 100. 1906.
1906. C. C. Georgeson and others. Alaska A.R., 1906, pp. 75. 1907.
1907. C. C. Georgeson and others. Alaska A.R., 1907, pp. 98. 1908.
1908. C. C. Georgeson and others. Alaska A.R., 1908, pp. 80. 1909.
1909. C. C. Georgeson and others. Alaska A.R., 1909, pp. 82. 1910.
1910. C. C. Georgeson and others. Alaska A.R., 1910, pp. 85. 1911.
1911. C. C. Georgeson and others. Alaska A.R., 1911, pp. 84. 1912.
1912. C. C. Georgeson and others. Alaska A.R., 1912, pp. 96. 1913.
1913. C. C. Georgeson and others. Alaska A.R., 1913, pp. 80. 1914.
1914. C. C. Georgeson and others. Alaska A.R., 1914, pp. 96. 1915.
1915. C. C. Georgeson and others. Alaska A.R., pp. 100. 1916.
1916. C. C. Georgeson and others. Alaska A.R., 1916, pp. 91. 1918.
1917. C. C. Georgeson and others. Alaska A.R., 1917, pp. 96. 1919.
1918. C. C. Georgeson and others. Alaska A.R., 1918, pp. 104. 1920.
1919. C. C. Georgeson and others. Alaska A.R., 1919, pp. 90. 1920.
1920. C. C. Georgeson and others. Alaska A.R., 1920, pp. 75. 1922.
1921. C. C. Georgeson and others. Alaska A.R., 1921, pp. 58. 1923.
1922. C. C. Georgeson. Alaska A.R., 1922, pp. 25. 1923.
1923. C. C. Georgeson. Alaska A.R., 1923, pp. 37. 1925.
establishment and—
progress. An. Rpts., 1905, p. CXXVI. 1905; Sec. A.R., 1905, p. CXXVI. 1905.
work, 1923. An. Rpts., 1923, pp. 558–559, 585–586. 1924; S.R.S. Rpt., 1923, pp. 6–7, 33–34. 1923.
improvements, 1915. Alaska A.R., 1915, pp. 17, 25–26, 70. 1916.

Alaska—Continued.
experiment stations—continued.
lists of workers—
1922. [Misc.] "List of workers," Pt. II, p. 2. 1922.
1923. M.C. 4, Pt. II, p. 2. 1923.
1924. M.C. 17, pp. 2–3. 1924.
location and work. D.B. 50, pp. 11, 12, 21, 22, 26. 1914.
meteorological work. Alaska A.R., 1907, pp. 87–98. 1908.
near railroad, Matanuska. An. Rpt., 1915, p. 302. 1916; O.E.S. Chief Rpt., 1915, p. 8. 1915.
needs, discussion. Alaska A.R., 1915, p. 28. 1916.
officers. O.E.S. Bul. 197, p. 10. 1908.
organization—
1905. O.E.S. Bul. 161, p. 10. 1905.
1907. O.E.S. Bul. 176, p. 10. 1907.
1910. O.E.S. Bul. 224, p. 9. 1910.
1912. O.E.S. Bul. 247, p. 11. 1912.
lists. See Experiment stations.
plans for 1914, needs. Alaska A.R., 1913, pp. 13, 16–17, 18–19, 20, 22, 23–24, 60. 1914.
recommendations. Off. Rec., vol. 1, No. 49, p. 8. 1922.
soil temperatures, report. O.E.S. An. Rpt., 1904, pp. 351–354. 1905.
statistics, 1918. S.R.S. [Misc.], "Statistics of cooperative * * *," pp. 70, 72–73. 1920.
summary of work—
1905. O.E.S. An. Rpt., 1905, pp. 46–48. 1906.
1906. C. C. Georgeson. Alaska A.R., 1906, pp. 9–21. 1907.
1907. O.E.S. An. Rpt., 1907, pp. 15–18, 71–73, 1908.
1907. C. C. Georgeson. Alaska A.R., 1907, pp. 7–31. 1908.
1908. C. C. Georgeson. Alaska A.R., 1908, pp. 7–32. 1909.
1909. C. C. Georgeson. Alaska A.R., 1909, pp. 7–32. 1910.
1910. C. C. Georgeson. Alaska A.R., 1910, pp. 9–43. 1911.
1911. C. C. Georgeson. Alaska A.R., 1911, pp. 9–33. 1912.
1912. C. C. Georgeson. Alaska A.R., 1912, pp. 9–45. 1913.
1913. C. C. Georgeson. Alaska A.R., 1913, pp. 7–24. 1914.
1914. C. C. Georgeson. Alaska A.R., 1914, pp. 9–42. 1915.
1915. C. C. Georgeson. Alaska A.R., 1915, pp. 7–42. 1916.
1916. C. C. Georgeson. Alaska A.R., 1916, pp. 5–23. 1918.
1917. C. C. Georgeson. Alaska A.R., 1917, pp. 5–34. 1919.
1918. C. C. Georgeson. Alaska A.R., 1918, pp. 7–21. 1920.
1919. C. C. Georgeson. Alaska A.R., 1919, pp. 7–19. 1920.
1920. C. C. Georgeson. Alaska A.R., 1920, pp. 1–12. 1922.
1921. C. C. Georgeson. Alaska A.R., 1921, pp. 1–7. 1923.
weather—
conditions. Alaska A.R., 1910, pp. 9–10. 1911.
forecast, value. Off. Rec., vol. 3, No. 4, p. 3. 1924.
work—
(since) 1898, review by Secretary. An. Rpts., 1912, p. 218. 1913; Sec. A.R., 1912, p. 218. 1912; Y.B., 1912, p. 218. 1913.
1902, review by Secretary. Rpt. 73, pp. 79–80. 1902.
1904. O.E.S. An. Rpt., 1904, pp. 58–60. 1905.
1904, review by Secretary. Rpt. 79, pp. 83–85. 1904.
1905. O.E.S. An. Rpt., 1905, pp. 460–463. 1905.
1906. An. Rpts., 1906, pp. 579–581. 1907; O.E.S., An. Rpt., 1906, pp. 19–21, 80. 1907; O.E.S. Dir. Rpt., 1906, pp. 27–29. 1906.
1907. O.E.S. An. Rpt., 1907, pp. 15–18, 673–677. 1907; O.E.S. Chief Rpt., 1907, pp. 29–33. 1907.

INDEX TO PUBLICATIONS, 1901-1925

Alaska—Continued.
weather—continued.
  work—continued.
   1907, review by the Secretary. An. Rpts.,
     1907, p. 121. 1908; Rpt. 85, p. 87. 1907;
     Sec. A.R., 1907, p. 120. 1907; Y.B., 1907,
     p. 120. 1908.
   1908. An. Rpts., 1908, pp. 135-136, 726-728.
     1909; O.E.S. Chief Rpt., 1908, pp. 12-14.
     1908; Sec. A.R., 1908, pp. 133-134. 1908.
   1908, review by Secretary. Y.B., 1908, pp.
     135-136. 1909.
   1909. An. Rpts., 1909, pp. 694-696. 1910;
     O.E.S. An. Rpt., 1909, pp. 18-21. 1910;
     O.E.S. Chief Rpt., 1909, pp. 16-18. 1909.
   1909, review by Secretary. Sec. A.R., 1909,
     pp. 138-139. 1909; Y.B., 1909, pp. 138-139.
     1910.
   1910. An. Rpts., 1910, pp. 145, 749-751. 1911;
     O.E.S. Chief Rpt., 1910, pp. 19-21. 1910;
     Rpt. 93, p. 90, 1910; Sec. A.R. 1910, p. 145.
     1910. Y.B., 1910, p. 143. 1911.
   1911. An. Rpts., 1911, pp. 697-698. 1912;
     O.E.S. Chief Rpt., 1911, pp. 15-16. 1911.
   1911, review by Secretary. An. Rpts., 1911,
     pp. 141-142. 1912; Sec. A.R., 1911, pp. 139-
     140. 1911; Y.B., 1911, pp. 139-140. 1912.
   1912. An. Rpts., 1912, pp. 830-832. 1913;
     O.E.S. Chief Rpt., 1912, pp. 16-18. 1912.
   1912, review by Secretary. An. Rpts., 1912
     pp. 103-104. 1913; Sec. A.R., 1912, pp. 103-
     104. 1912; Y.B., 1912, pp. 103-104. 1913.
   1913. An. Rpts., 1913, pp. 276-277. 1914;
     O.E.S. Chief Rpt., 1913, pp. 6-7. 1913.
   1914. An. Rpts., 1914, pp. 261-262. 1914;
     O.E.S. Chief Rpt., 1914, pp. 7-8. 1914.
   1915. An. Rpt., 1915, pp. 301-303. 1916;
     O.E.S. Chief Rpt., 1915, pp. 7-9. 1915.
   1916. An. Rpt., 1916, pp. 306-307. 1917;
     O.E.S. Chief Rpt., 1916, pp. 10-11. 1916.
   1917. An. Rpts., 1917, pp. 331-332. 1918;
     S.R.S. Chief Rpt., 1917, pp. 9-10. 1917.
   1918. An. Rpts., 1918, pp. 345-346. 1919;
     S.R.S. Chief Rpt., 1918, pp. 11-12. 1918.
   1919. An. Rpts., 1919, pp. 361-362. 1920;
     S.R.S. Chief Rpt., 1919, pp. 9-10. 1919.
   1920. An. Rpts., 1920, pp. 456, 457-459. 1921.
   1921. An. Rpts., 1921, pp. 426-428. 1922;
     O.E.S. Chief Rpt., 1921, pp. 2-4. 1921.
   1922. An. Rpts., 1922, pp. 426-428. 1923.
  work and expenditures—
   1901. O.E.S. An. Rpt., 1901, pp. 31-32,
     54-56. 1902.
   1902. O.E.S. An. Rpt., 1902, 37-38, 58, 71-73.
     1903.
   1903. O.E.S. An. Rpt., 1903, pp. 81-83.
     1904.
   1904. O.E.S. An. Rpt., 1904, pp. 58-60.
     1905.
   1905. O.E.S. An. Rpt., 1905, pp. 46-48.
     1906.
   1906. O.E.S. An. Rpt., 1906, pp. 80-81.
     1907.
   1907. O.E.S. An. Rpt., 1907, pp. 71-73.
     1908.
   1908. O.E.S. An. Rpt., 1908, pp. 16-19, 65-67.
     1909.
   1909. O.E.S. An. Rpt., 1909, pp. 74-75.
     1910.
   1910. O.E.S. An. Rpt., 1910, pp. 94-96.
     1911.
   1911. O.E.S. An. Rpt., 1911, pp. 16-20, 52,
     72-74. 1912.
   1912. O.E.S. An. Rpt., 1912, pp. 16-18, 71-74.
     1913.
   1913. C. C. Georgeson. O.E.S. An. Rpt.,
     1913, pp. 30-31. 1915.
   1914. C. C. Georgeson. O.E.S. An. Rpt.,
     1914, pp. 59-62. 1915.
   1915. C. C. Georgeson. O.E.S. An. Rpt.,
     1915, pp. 62-64. 1917.
   1915. S.R.S. Rpt., 1915, Pt. I, pp. 62-64.
     1917.
   1916. S.R.S. Rpt., 1916, Pt. I, pp. 58-60.
     1918.
   1917. S.R.S. Rpt., 1917, Pt. I, pp. 58-60.
     1919.
   1918. S.R.S. An. Rpt., 1918, pp. 70, 72. 1918.
   1919. C. C. Georgeson. Alaska A.R., 1919,
     pp. 7-19. 1920.

Alaska—Continued.
weather—continued.
  work and expenditures—continued.
   1919. S.R.S. An. Rpt., 1919, pp. 86, 88. 1921.
   1920. S.R.S. An. Rpt., 1920, pp. 86, 88.
     1922.
   1921. S.R.S. An. Rpt., 1921, pp. 109, 111.
     1923.
   1922. S.R.S. An Rpt., 1922, pp. 128, 130.
     1924.
   1923. An. Rpts., 1923, pp. 585-586. 1924.
   1924. An. Rpts., 1924, pp. 7-9. 1924; O.E.S.
     Chief Rpt., 1924, pp. 7-9. 1924.
 experimental work in agriculture. An. Rpts.,
   1923, pp. 558-559. 1924.
 exports and imports, balance of trade. D.B. 950,
   p. 20. 1921.
 Fairbanks section, agricultural conditions. Soils
   Sur. Adv. Sh., 1914, pp. 154-174. 1915; Soils
   F.O., 1914, pp. 188-208. 1919.
 farm and forest products—
   shipments to U. S., 1905-1907. Stat. Bul. 70,
     pp. 13, 16. 1909.
   value of receipts and shipments. Y.B., 1924,
     p. 1073. 1925.
 farmers—
   institutes—
     history. O.E.S. Bul. 174, p. 18. 1906.
     work, 1906. O.E.S. An. Rpt., 1906, p. 321.
       1907.
     work, 1907. O.E.S. An. Rpt., 1907, p. 317.
       1908.
     work, 1908. O.E.S. An. Rpt., 1908, p. 304.
       1909.
     work, 1909. O.E.S. An. Rpt., 1909, p. 341.
       1910.
     See also Farmers' institute work.
   work—
     1909, data. Alaska A.R., 1909, pp. 28-32.
       1910.
     1911, data. Alaska A.R., 1911, pp. 68-75.
       1912.
 farming—
   and grazing possibilities, area. News L., vol.
     1, No. 27, pp. 3-4. 1914.
   crops adaptable. News L., vol. 2, No. 52, p. 8.
     1915.
   experiments. An. Rpts., 1911, pp. 141-142.
     1912; Sec. A.R., 1911, pp. 139-140. 1911; Y.B.,
     1911, pp. 139-140. 1912.
   pioneer, suggestions. C. C. Georgeson. Alaska
     Bul. 1, pp. 15. 1902.
 fish—
   canning, laws. Soil Sur. Adv. Sh., 1916, pp.
     127-129. 1919; Soils F. O., 1916, pp. 158-161.
     1921.
   statistics. Y.B., 1913, pp. 197, 198. 1914;
     Y.B. Sep. 623, pp. 197, 198. 1914.
 fisheries, annual output value. Y.B., 1915, p.
   156. 1916; Y.B. Sep. 665, p. 156. 1916.
 flora, various sections. Soil Sur. Adv. Sh., 1914;
   pp. 19-23, 119-121, 144, 188. 1915; Soils F. O.,
   1914, pp. 19-23, 119-121, 144, 188. 1919.
 flowers—
   and ornamentals, growing, 1918. Alaska A.R.
     1918, pp. 30-33, 52-54, 91, 93. 1920.
   growing—
     1917, and tests for hardiness. Alsaka A.R.,
       1917, pp. 14, 21, 57, 70. 1919.
     1919. Alaska A.R., 1919, pp. 27-29, 43, 79-80.
       1920.
 food—
   crops, development experiments. News L.,
     vol. 6, No. 24, p. 13. 1919.
   laws—
     1902. Chem. Bul. 69, Pt. I, p. 45. 1902.
     1905. Chem. Bul. 69, rev., Pt. I, p. 45. 1905.
     1906. Chem. Bul. 104, pp. 17-19. 1906.
     enforcement. Chem. Cir. 16, rev., p. 5. 1908.
     officials. Chem. Cir. 16, rev, pp. 48. 1911.
   use of store of field mice by natives. Biol. Bul.
     31, p. 14. 1907.
 forests—
   R. E. Kellogg. For. Bul. 81, pp. 24. 1910.
   acreage, timber yields, and uses. An. Rpt.,
     1915, pp. 51-52. 1916; Sec. A.R., 1915. pp.
     53-54. 1915.
   area—
     1918. Y.B., 1918, p. 717. 1919; Y.B. Sep
       795, p. 53. 1919.

36   UNITED STATES DEPARTMENT OF AGRICULTURE

Alaska—Continued.
 forests—continued.
  area—continued.
   1923. For. [Misc.], "National forest areas," p. 2. 1923.
   conditions and resources. Sec. Cir. 183, pp. 30, 31. 1921.
   fires, statistics. For. Bul. 117, p. 38. 1912.
   future management, needs. For. Bul. 81, pp. 22–24. 1910.
   reserves. See Forests, national.
   Service employees, leave of absence, allowed to. Sol. [Misc.] "Laws applicable * * * Agriculture," 2d suppl., pp. 60–61. 1915.
   timber cut, water power, and paper pulp resources. An. Rpts., 1923, pp. 293–294. 1924; For. A.R., 1923, pp. 5–6. 1923.
   types, coast and interior, description, and stand. For. Bul. 81, pp. 13–22. 1910.
  Forester Island bird reservation, conditions. An. Rpts., 1913, p. 673. 1913; Biol. Chief Rpt., 1912, p. 17. 1912.
  forestry—
   administration, resources, and needs. For. A.R., 1921, pp. 3–5. 1921.
   policy and activities. An. Rpts., 1922, pp. 199–201. 1922; For A.R., 1922, pp. 5–7. 1922.
 fox—
  farming—
   areas, location, and climate. D.B. 1350, pp. 5–10. 1925.
   legal requirements. D.B. 301, pp. 33–34. 1915.
   farms, inspection. Off. Rec., vol. 3, No. 30, p. 4. 1924.
   frozen earth, use for crops. Off. Rec., vol. 2, No. 23, p. 6. 1923.
 fruit(s)—
  and vegetables, report on varieties. Alaska A.R., 1907, pp. 21–25, 31–41. 1908.
  growing—
   1912. Alaska A.R., 1912, pp. 10–13, 23–26. 1913.
   experiment stations and by settlers. Alaska A.R., 1918, pp. 22–23, 28–30, 51, 91–93. 1920.
   experiments, results. Alaska A.R., 1908, pp. 9–13, 22–30, 42, 56. 1909.
   notes. Alaska A.R., 1919, pp. 24–26, 60, 75, 76. 1920.
   report, 1909. Alaska A.R., 1909, pp. 8–14, 32–39. 1910.
 fur—
  animals—
   laws, 1915. F.B. 706, pp. 2–3. 1916.
   laws, 1916. F.B. 783, pp. 3, 4. 1916.
   laws, 1917. F.B. 911, pp. 6. 1917.
   laws, 1918. F.B. 1022, pp. 3, 5–6. 1918.
   laws, 1919. F.B. 1079, p. 8. 1919.
   laws, 1920. F.B. 1165, p. 7. 1920.
   laws, 1921. F.B. 1238, p. 6. 1921.
   laws, 1922. F.B. 1293, pp. 3–4. 1922.
   laws, 1923–24. F.B. 1387, pp. 6–7. 1923.
   laws, 1924–25. F.B. 1445, p. 5. 1924.
   laws, 1925–26. F.B. 1469, pp. 7–8. 1925.
   protection, 1921. Biol. Chief Rpt., 1921, pp. 30–33. 1921.
   protection, 1922. An. Rpts., 1922, pp. 353–355. 1922; Biol. Chief Rpt., 1922, pp. 23–25. 1922.
   protection and propagation. An. Rpt., 1915, p. 36. 1916; Sec. A. R., 1915, p. 38. 1915.
   protection regulations. Biol. S.R.A. 56, pp. 4. Biol. S.R.A. 60, pp. 4. 1924.
  farming—
   investigations. An. Rpts., 1916, p. 240. 1917; Biol. Chief Rpt., 1916, p. 4. 1916.
   location and progress. Biol. Chief Rpt., 1921, pp. 32–33. 1921.
  shipments—
   increase. Off. Rec., vol. 1, No. 6, p. 7. 1922.
   value. Off. Rec., vol. 3, No. 6, p. 3. 1924; O.R. vol. 4, No. 9, p. 3. 1925.
 game—
  abundance and protection. Sec. [Misc.]. "Report of the Governor * * * 1914," pp. 2–3. 1914; act. Off. Rec., vol. 4, No. 5, p. 3. 1925.
  and bird reservations, details and summary. Biol. Cir. 87, pp. 8, 9, 10, 12, 16. 1912.
  Commission—
   authority. Off. Rec., vol. 4, No. 12, p. 2. 1925.

Alaska—Continued.
 game—continued.
  Commission—Continued.
   work, 1925. Biol. Chief Rpt., 1925, pp. 17–20. 1925.
  laws—
   1902. F.B. 160, pp. 12, 31, 41, 50, 51, 52, 54, 56. 1902.
   1903. F.B. 180, pp. 9, 22, 32, 44, 46, 48, 53. 1903.
   1904. F.B. 207, pp. 16, 32, 38, 46, 60. 1904.
   1905. F.B. 230, pp. 14, 29, 37, 42. 1905.
   1906. F.B. 265, pp. 13, 28, 36, 42. 1906.
   1907. F.B. 308, pp. 11, 27, 35, 41. 1907.
   1908. F.B. 336, pp. 8, 13, 30, 39, 43, 49. 1908.
   1909. F.B. 376, pp. 9, 19, 23, 39, 42, 46. 1909.
   1910. F.B. 418, pp. 12, 26, 32, 35, 40. 1910.
   1911. F.B. 470, pp. 16, 31, 37, 40, 46. 1911.
   1912. F.B. 510, pp. 4, 11, 25–26, 27, 32, 33, 37, 39, 42. 1912.
   1913, D.B. 22, pp. 23, 38, 44, 48, 52. 1913.
   1914. F.B. 628, pp. 4, 5, 10, 14, 28–29, 30, 35, 36, 40, 46. 1914.
   1915. F.B. 692, pp. 4, 6, 8, 25, 40, 46, 51, 57. 1915.
   1916. F.B. 774, pp. 7–8, 22, 38, 44, 50, 57. 1916.
   1917. F.B. 910, pp. 11–49. 1917.
   1918. F.B. 1010, pp. 8. 1918.
   1919. F.B. 1077, pp. 9, 51. 1919.
   1920. F.B. 1138, pp. 10–11. 1920.
   1921. F.B. 1235, pp. 12. 1921.
   1922. F.B. 1288, pp. 8–9. 1922.
   1923–24. F.B. 1375, pp. 4, 7, 10. 1923.
   1924–25. F.B. 1444, p. 6. 1924.
   1925–26. F.B. 1466, pp. 11–12, 43. 1925.
  administration. Off. Rec., vol. 3, No. 28, p. 5. 1924; Off. Rec., vol. 3, No. 32, p. 5. 1924.
  changes. An. Rpts., 1908, pp. 582–583. 1909; Biol. Chief Rpt., 1908, pp. 14–15. 1908.
  enforcement. An. Repts., 1909, p. 545. 1910; Biol. Chief Rpt., 1909, p. 17. 1909.
  information for settlers. Alaska Cir. 1, pp. 22–25. 1916.
  receipts, 1913. Biol. [Misc.], "Report of Governor * * *," p. 7. 1913.
  regulations, Federal laws relating to game and birds in the Territory. Alaska G.C. Cir. 1, pp. 24. 1925.
  regulations of Agriculture Department, 1908. Biol. Cir. 66, pp. 8. 1908.
  summary. Biol. Cir. 85, pp. 11–12. 1912.
  violation, prosecution. An. Rpts., 1908, p. 800. 1909; Sol. A.R., 1908, p. 12. 1908.
  See also Alaska, governor's report.
 officials. See Game officials.
 protection—
  1907, importance and necessity. Y.B., 1907, pp. 470–471. 1908; Y.B. Sep. 462, pp. 470–471. 1908.
  act. Off. Rec., vol. 3, No. 25, p. 2. 1924.
  regulations. James Wilson. Biol. Cir. 39, pp. 6. 1903.
  regulations, 1904. James Wilson. Biol. Cir. 42, pp. 6. 1904.
  regulations, 1906. F.B. 265, pp. 13, 29, 36, 42. 1906.
  regulations, 1907. Biol. Chief Rpt., 1907, p. 13. 1907.
  regulations, 1908. Biol. Cir. 66, pp. 6–8. 1908.
  regulations, 1909. An. Rpts., 1909, p. 124. 1910; Rpt. 91, p. 84. 1909; Sec. A.R., 1909, p. 124. 1909; Y.B., 1909, p. 124. 1910.
  regulations, 1910. An. Rpts., 1910, pp. 559–560. 1911; Biol. Chief Rpt., 1910, pp. 13–14. 1910.
  regulations, 1911. An. Rpts., 1911, p. 545. 1912; Biol. Chief Rpt., 1911, p. 15. 1911.
  regulations, 1911, and needs for coming year. An. Rpts., 1911, p. 123. 1912; Sec. A.R., 1911, p. 121. 1911; Y.B., 1911, p. 121. 1912;
  regulations, 1912. An. Rpt., 1912, p. 676. 1913. Biol. Chief Rpt., 1912, p. 20. 1912; Biol. Cir. 90, pp. 13–14. 1913.
  regulations, 1912, and needs. An. Rpts., 1912, p. 85. 1913; Sec. A.R., 1912, p. 85. 1912; Y.B., 1912, p. 85. 1913.

Alaska—Continued.
game—continued.
protection—continued.
regulations, 1913, deer and mountain goats. Biol. [Misc.], "Report of Governor * * *," p. 1. 1913.
regulations, 1915. Biol. S.R.A. 5, p. 1. 1915.
regulations, 1916. Biol. S.R.A. 10, pp. 2. 1916.
regulations, 1917. Biol. S.R.A. 15, p. 1. 1917.
regulations, 1918. Biol. S.R.A. 22, pp. 3. 1918.
regulations, 1919. Biol. S.R.A. 28, pp. 3. 1919.
regulations, 1923. Biol. S.R.A. 53, pp. 3. 1923.
regulations, 1924. Biol. Chief Rpt., 1924, pp. 23–27. 1924. Biol. S.R.A. 59, pp. 3. 1924.
See also Game protection, officials.
resources. Y.B., 1907, pp. 469–482. 1908; Y.B. Sep. 462, pp. 469–482. 1908.
value, need of protection. Y.B., 1907, pp. 469–471. 1908; Y.B. Sep. 462, pp. 469–471. 1908.
wardens and guides, list. Biol. Cir. 85, p. 10. 1912; Biol. Doc. 105, pp. 14–15. 1917.
gardening, reports from private land holders. Alaska A.R., 1907, pp. 74–87. 1908.
gardens, vegetables and flowers, various settlements. Alaska A.R., 1912, pp. 77–89. 1913.
Governor—
 lack of authority. D.C. 225, p. 3. 1922.
 report on game laws—
  1910. Walter E. Clark. Biol. Cir. 77, pp. 8. 1911.
  1911. Walter E. Clark. Biol. Cir. 85, pp. 12. 1912.
  1912. Walter E. Clark. Biol. Cir. 90, pp. 14. 1913.
  1913. J. F. A. Strong. Biol. [Misc.], "* * *," pp. 14. 1913.
  1914. J. F. A. Strong. Biol. [Misc.], "Report of the Governor * * *," pp. 16. 1914.
  1915. J. F. A. Strong. Biol. [Misc.], "Report of Governor * * *," pp. 18. 1915.
  1916. J. F. A. Strong. Biol. Doc. 105, pp. 16. 1917.
  1918. Thomas Riggs, jr. Biol. Doc. 110, pp. 14. 1919.
  1919. Thomas Riggs, jr., D.C. 88, pp. 18. 1920.
  1920. Thomas Riggs, jr. D.C. 168, pp. 18. 1921.
  1921. Scott C. Bone. D.C. 225, pp. 7. 1922.
  1922. Scott C. Bone. D.C. 260, pp. 7. 1923.
grain—
 and animal shipments from the United States, 1903–1910. Stat. Bul. 89, pp. 19–20. 1911.
 growing—
  and breeding, experiments. Alaska A.R., 1917, pp. 22–26, 29, 39–54, 58–59, 61–65, 74, 84–86. 1919.
  by experiment stations, 1918. Alaska A.R., 1918, pp. 11, 14, 17, 38–47, 58–63, 73–77, 86. 1920.
  notes. Alaska A.R., 1908, pp. 14, 15, 17, 33–39, 45–47, 52–53, 55. 1909.
  results, 1909. Alaska A.R., 1909, pp. 14–17, 44–48, 52–56. 1910.
  varieties. Alaska A.R., 1907, pp. 17, 27–28, 30, 44–46, 54–57. 1908.
 supervision district and headquarters. Mkts. S.R.A. 14, p. 33. 1916.
grasses growing, varieties. Alaska A.R., 1907, pp. 27, 30, 47, 57. 1908.
grazing area available for reindeer. D.B. 1089, pp. 19–20. 1922.
hay growing, 1909. Alaska A.R., 1909, pp. 29, 58–59, 61–62. 1910.
haymaking at Kenai experiment station. P. H. Ross. Alaska Bul. 3, pp. 13. 1907.
homestead entries, law provisions. Alaska Cir. 1, pp. 11–12, 29. 1916.
highway act. Off. Rec., vol. 2, No. 7, p. 2. 1923.
history, physical features, and climate. For. Bul. 81, pp. 9–13. 1910.
homesteaders, difficulties confronting. D.B. 50, pp. 27–28, 31. 1914.
hunting—
 licenses—
  1908. Biol. Cir. 66, pp. 3–5. 1908.
  1920. D.C. 168, pp. 16–18. 1921.
  regulations, 1915. Biol. S.R.A. 5, p. 1. 1915; Biol. S.R.A. 6, p. 1. 1915.
importance of potato crop, yield and price. News L., vol. 2, No. 49, p. 2. 1915.

Alaska—Continued.
importation of reindeer. Biol. Bul. 36, p. 17. 1910.
industries, transportation and government. For. Bul. 81, pp. 9–10. 1910.
information for—
 prospective settlers. News L., vol. 3, No. 44, p. 2. 1916.
 prospective settlers. C. C. Georgeson. Alaska Cir. 1, rev., pp. 18. 1923.
interior, wild strawberries. Alaska Bul. 4, pp. 4–5. 1923.
investigations, Biological Survey. An. Rpts., 1923, pp. 446–450. 1923; Biol. Chief Rpt., 1923, pp. 28–32. 1923.
judicial and land districts. Alaska Cir. 1, p. 20. 1916.
Kalsin Bay, survey and reservation for station purposes. O.E.S. An. Rpt., 1911, pp. 20, 72. 1912.
Kenai, Cook Inlet, region, settlement and development. Soil Sur. Adv. Sh., 1916, pp. 43–51. 1919; Soils F.O., 1916, pp. 75–83. 1921.
Kenai Experiment Station, dairy practice. P. H. Ross. Alaska An. Rpt., 1907, pp. 62–74. 1908.
Kenai Peninsula—
 game protection from dogs. Biol. S.R.A. 17, p. 1. 1917.
 game protection, report and regulations. Biol. Doc. 105, pp. 3, 13–14. 1917.
 game regulation. Biol. S.R.A. 28, p. 2. 1919.
 geology. Soil Sur. Adv. Sh., 1916, pp. 33–35. 1919; Soils F.O., 1916, pp. 65–67. 1921.
 licensed guides and packers, 1914, list, regulations. Sec. [Misc.], "Report of the Governor * * * 1914," p. 16. 1914.
 region, reconnoissance of soils, agriculture and other resources, report on. Hugh H. Bennett. Soil Sur. Adv. Sh., 1916, pp. 142. 1918; Soils F.O. 1916, pp. 39–174. 1921.
Knik Arm Strip, Kenai Peninsula, location, description, and development. Soil Sur. Adv. Sh., 1916, pp. 131–134. 1918; Soils F.O., 1916, pp. 163–166. 1921.
Kodiak—
 Experiment station, cattle tuberculosis eradication. C. C. Georgeson and W. T. White. Alaska Bul. 5, pp. 11. 1924.
 Island, livestock work, effect of volcanic eruption on industry. Soil Sur. Adv. Sh., pp. 88–89. 1915; Soils F.O., 1914, pp. 123–124. 1919.
 livestock and breeding station, report of work, 1913. Alaska A.R., 1918, pp. 8, 19–21 84–90. 1920.
 weather condition, 1910. Alaska A.R., 1910, pp. 60–62. 1911.
labor conditions. Alaska Cir. 1, pp. 14–15. 1916.
lakes, discovery and mapping. Off. Rec., vol. 1, No 29, p. 5. 1922.
lands—
 leasing, bill. Off. Rec., vol. 1, No. 30, p. 3. 1922.
 survey, need. Alaska A.R., 1910, pp. 65–69. 1911.
 uses authorization. Off. Rec., vol. 1, No. 4, p.2. 1922.
laws for branding livestock. Off. Rec., vol. 2, No. 30, p. 1. 1923.
laws, homestead entry. Soil Sur. Adv. Sh., 1916, p. 91. 1919; Soils F.O., 1916, p. 123. 1921.
legumes and hay growing by experiment stations, 1918. Alaska A.R., 1918, pp. 12, 36, 66–67, 77, 83, 86, 88. 1920.
legumes, growing experiments, 1917. Alaska A.R., 1917, pp. 26–27, 36–39, 65–67, 75. 1919.
livestock—
 conditions, 1917. Alaska A.R., 1917, pp. 31, 71, 77–80. 1919.
 conditions, 1920. Alaska A.R., 1919, pp. 16, 17, 60, 61, 78. 1920.
 raising by experiment stations and by settlers. Alaska A.R., 1918, pp. 19–20, 69–70, 89–90. 1920.
 raising, note. News L., vol. 2, No. 50, p. 6. 1915.
locality for paper mills, and cost. News L., vol. 4, No. 34, p. 2. 1917.
location, description, topography and climate. D.B. 50, pp. 1–8, 29. 1914.
lumber cut, and utilization. For. Bul. 81, pp. 15–16, 20–22. 1910.

Alaska—Continued.
mammals reservations, list and description. Biol. Cir. 71, pp. 1–15. 1910.
market conditions, 1913. Alaska A.R., 1913, p. 35. 1914.
Matanuska Valley—
 grain testing, cooperative work. Alaska A.R., 1916, pp. 66–69. 1918.
 new experiment station, selection. An. Rpts., 1917, p. 331. 1918; S.R.S. An. Rpt., 1917, p. 9. 1917.
 problems confronting early settlers. Alaska Cir. 1, pp. 26–30. 1916.
 settlement and needs of settlers. S.R.S. Rpt. 1916, Pt. I, p. 59. 1918.
McKinley National Park, act, additions of lands. Off. Rec., vol. 1, No. 10, p. 8. 1922.
meteorological—
 records from thirty-seven stations. Alaska A.R., 1907, pp. 87–98. 1908.
 reports condensed for 25 stations. Alaska A.R., 1914, pp. 89–96. 1915.
migratory nongame birds, regulation. Biol. S.R.A. 55, p. 10. 1923.
Mount McKinley National Park, recommendation by governor. D.C., 168, pp. 2, 13. 1921.
Museum—
 Historical, recommendation. D.C. 168, pp. 14–15. 1921.
 of natural history, recommendation. D.C. 88, p. 13. 1920.
national forests—
 area reduction. News L., vol. 6, No. 43, p. 16. 1919.
 location, date, and area, Jan. 31, 1913. For. [Misc.], "Use Book," 1913, p. 88. 1913.
 regulations. Sol. [Misc.], "The national forest manual," pp. 60, 98. 1916.
 special regulations. For. [Misc.], "Use Book," pp. 62–63. 1908.
 supply of pulpwood and sales. An. Rpts., 1913, pp. 154, 155. 1914; For. A.R., 1913, pp. 20, 21. 1913.
 timber uses by small operators. Y.B., 1912, p. 408. 1913; Y.B. Sep. 602, 1912, p. 408. 1913.
natives, conditions, and needs, Kenai Peninsula. Soil Sur. Adv. Sh., 1916, pp. 46–48. 1918; Soils, F.O., 1916, pp. 78–80. 1921.
needs, for development of resources. For. A.R., 1921, pp. 4–5. 1921.
oat, Swedish Select, experiments and results. B.P.I. Bul. 182, p. 20. 1910.
oats for early maturity. J.A.R., vol. 30, p. 5. 1925.
opinions of President Harding. Off. Rec., vol. 2, No. 36, p. 1. 1923.
paper—
 industry—
  advantages. Off. Rec., vol. 2, No. 43, p. 1. 1923.
  and pulp resources. D.B., 1241, pp. 53–55. 1924.
 making possibility. Sec. Rpt., 1921, p. 51. 1921.
 pulp industry. D.Bul. 1060, p. 8. 1922.
 supply, source in forests, importance. D.B. 250, pp. 3–5. 1921.
pelt shipments value. Off. Rec., vol. 2, No. 3, p.3. 1923.
peninsula, base—
 biological reconnoissance. Wilfred H. Osgood. N.A. Fauna 24, pp. 86. 1904.
 description of region. N.A. Fauna 24, pp. 9–26. 1904.
plants, native, collection, 1908. Alaska A.R., 1908, pp. 57–58. 1909.
population, 1913. D.B. 50, p. 30. 1914.
potato(es)—
 for hog feed. News L., vol. 2, No. 49, p. 7. 1915.
 growing—
  1909. Alaska A.R., 1909, pp. 11, 28–30, 31, 39–40, 49, 51–52. 1910.
  varieties and yield. Alaska A.R., 1912, pp. 13–16, 30–32, 36, 65–66, 84–89. 1913.
 quality. Off. Rec., vol. 1, No. 1, p. 5. 1922.
Pribilof Islands—
 biological survey. N.A. Fauna 46, pp. 255. 1923.
 birds and mammals. Edward A. Preble and W. L. McAtee. N.A. Fauna 46, pp. 1–128. 1923.

Alaska—Continued.
Pribilof Islands—Continued
 insects, arachnids, and chilopods. W. L. McAtee and others. N.A. Fauna 46, Pt. II., pp. 129–244. 1923.
Prince William Sound region, description, soils, flora, and agriculture. Soil Sur. Adv. Sh., 1916 (Kenai), pp. 134–142. 1919; Soils F.O., 1916, pp. 166–174. 1921.
production of foodstuffs. Off. Rec., vol. 2, No. 39, p. 5. 1923.
protection to deer, sheep, moose, and caribou, extension, 1914. F.B. 628, p. 4. 1914.
public lands leasing, bill. Off. Rec., vol. 1, No. 21, p. 2. 1922.
pulp wood—
 sale. Off. Rec., vol. 2, No. 29, p. 3. 1923.
 supplies. Y.B., 1921, pp. 59–60. 1922; Y.B. Sep. 875, 1921, pp. 59–60. 1922.
railroad(s)—
 from Seward to Fairbanks. Off. Rec., vol. 1, No. 49, p. 8. 1922.
 survey for location, act of Congress. Soil Sur. Adv. Sh. Recon., 1914, pp. 10–11. 1915; Soils F.O., 1914, pp. 10–11, 44. 1919.
 Matanuska coal fields, route selected. Soil Sur. Adv. Sh., 1914, pp. 10, 78–79, 98. 1915. Soils F.O., 1914, pp. 44, 112, 132. 1919.
 use of forest materials, authority. Sol. [Misc.], "Laws applicable * * *," 3rd Sup., p. 26. 1915.
Rampart—
 Experiment station, needs. Alaska A.R., 1910, pp. 34–35. 1911.
 section, agricultural conditions. Soil Sur. Adv. Sh., 1914, pp. 178–184. 1915; Soils F.O., 1914, pp. 212–218. 1919.
ranges, climatology, relation to reindeer grazing. D.B., 1089, p. 27. 1922.
reconnoissance, itinerary, general description. Soil Sur. Adv. Sh., 1914, pp. 9–12. 1915; Soils F.O., 1914, pp. 43–46. 1919.
reindeer—
 Seymour Hadwen and Lawrence J. Palmer. D.B. 1089, pp. 74. 1922.
 and caribou. Off. Rec., vol. 3, No. 6, p. 4. 1924.
 breeding. Off. Rec., vol. 1, No. 37, p. 2. 1922.
 industry—
  1922. An. Rpts., 1922, pp. 355–357. 1922; Biol. Chief Rpt. 1922, pp. 25–27. 1922.
  1925. Off. Rec., vol. 4, No. 15, p. 6. 1925.
 meat shipping. Off. Rec., vol. 3, No. 10, p. 3. 1924.
 origin and number. Off. Rec., vol. 2, No. 47, p. 5. 1923.
 transfer. An. Rpts., 1914, p. 209. 1915; Biol. Chief Rpt., 1914, p. 11. 1914.
resources—
 development, bill. Off. Rec., vol. 1, No. 11, p. 7. 1922.
 undeveloped, review by Secretary, 1904. Rpt. 79, pp. 84–85. 1904.
rivers, location, description, and size. D.B. 50, pp. 5–6, 28. 1914.
road(s)—
 bridges, and trails, resolution. Off. Rec., vol. 1, No. 11, p. 7. 1922.
 problems. Off. Rec., vol. 1, No. 44, p. 3. 1922.
 work, branches. Off. Rec., vol. 2, No. 26, p. 6. 1923.
salmon packing, location and output of canneries. D.B. 150, pp. 13–17. 1915.
sanitary requirements for livestock admission. M.C. 14, p. 2. 1924.
school system. Alaska Cir. 1, p. 22. 1916.
seed—
 distribution—
  letters from experimenters. Alaska A.R., 1907, pp. 74–87. 1908.
  reports from settlers. Alaska A.R., 1913, pp. 60–74. 1914.
 grain—
  and plants, breeding experiments. News L., vol. 6, No. 25, p. 7. 1919.
  furnishing to other territories. News L., vol. 5, No. 22, p. 3. 1917.
  growing possibilities. Off. Rec., vol. 2, No. 15, p. 2. 1923.
settlement, economic conditions. Alaska A.R., 1907, p. 20. 1908.

INDEX TO PUBLICATIONS, 1901-1925

Alaska—Continued.
settlers—
letters and reports on raising vegetables. Alaska A.R., 1914, pp. 78-89. 1915.
letters from farmers. Alaska A.R., 1910, pp. 69-76. 1911.
notes on agricultural experiments—
1911. Alaska A.R., 1911, pp. 68-75. 1912.
1912. Alaska A.R., 1912, pp. 82-89. 1913.
prospective, information for. Alaska Cir. 1, pp. 30. 1916.
sheep, long-wooled, adaptability. Off. Rec., vol. 2, No. 22, p. 6. 1922.
sheep-raising experiments. Alaska A.R., 1908, p. 65. 1909.
shipments, farm and forest products—
from U. S., 1904-1906. Stat. Bul. 54, pp. 10-14, 32-35. 1907.
from U. S., 1905-1907. Stat. Bul. 71, pp. 16-19. 1909.
to and from U. S.—
1901-1908, tables. Stat. Bul. 77, pp. 16, 17, 19, 20, 23-27. 1910.
1901-1909, 1907-1909, tables. Stat. Bul. 83, pp. 16, 18, 19, 20, 21-25. 1910.
1901-1910, and 1908-1910, tables. Stat. Bul. 91, pp. 16, 17, 19, 20, 21-25. 1911.
1901-1911. Stat. Bul. 96, pp. 16, 18, 19, 20-25. 1912.
to U. S.—
1906-1908. Stat. Bul. 76, pp. 17-18. 1909.
1907-1909. Stat. Bul. 82, pp. 14, 15. 1910.
1908-1910. Stat. Bul. 90, pp. 15, 16. 1911.
1909-1911. Stat. Bul. 95, p. 16. 1912.
Sitka spruce stand, 1918, and cut, 1915-1918. D.B. 1060, pp. 4, 5. 1922.
soil—
reconnaissance, with an estimate of agricultural possibilities. Hugh H. Bennett and Thomas D. Rice. Soil Sur. Adv. Sh., 1914, pp. 202. 1915; Soils F.O., 1914, pp. 43-236. 1919.
survey of—
Cook Inlet-Susitana region. Soil Sur. Adv. Sh., 1914: pp. 13-104. 1915; Soils F.O., 1914, pp. 47-138. 1919.
Yukon-Tanana region, reconnaissance. Soil Sur. Adv. Sh., 1914, pp. 105-186. 1915; Soils F.O., 1914, pp. 139-220. 1919.
soils, origin, description. D.B. 50, pp. 9-10, 29. 1914.
south—
coast, grasslands. C. V. Piper. B.P.I. Bul. 82, pp. 38. 1905.
desirability as a home. B.P.I. Bul. 82, pp. 26-28. 1905.
southeastern—
kelp beds. Rpt. 100, pp. 60-104. 1915.
rail and water communication with East. D.B. 950, pp. 5-6. 1921.
surface features and climate. D.B. 950, pp. 6-8. 1921.
vegetable and flower gardens. J. E. W. Tracy. Alaska A.R., 1912, pp. 77-82. 1913.
water-power sources, sites, and permits. D.B. 950, pp. 4, 16-18, 39. 1921.
southern—
climate, comparison with Washington, D. C. D.B. 50, pp. 4, 29-30. 1914.
fair, exhibits. Off. Rec., vol. 2, No. 46, p. 6. 1923.
strawberries, production of hardy varieties. C. C. Georgeson. Alaska Bul. 4, pp. 13. 1923.
studies, of forestry and fur farms. Off. Rec., vol. 1, No. 25, p. 7. 1922.
subsoil, frozen, value to crops. Off. Rec., vol. 2, No. 23, p. 6. 1923.
Tanana Valley—
agricultural lands, investigations. Alaska A.R., 1910, pp. 66-69. 1911.
crops, production, 1921. Alaska A.R., 1921, p. 32. 1923.
teachers, reports on gardens and seed distribution. Alaska A.R., 1912, pp. 82-89. 1913.
timber—
for laboratory study. Off. Rec., vol. 1, No. 30, p. 2. 1922.
resources for pulpwood, sale policy. D.B. 950, pp. 23-24. 1921.
supply, present and future. For. Bul. 81, pp. 14, 16, 17, 21. 1910.

Alaska—Continued.
Tongass National forest—
location and accessibility, description. D.B. 950, pp. 5-8. 1921.
pulp timber sale prospectus, West Admiralty Island Unit. For. [Misc.], "Sale prospectus * * *," pp. 20. 1921.
pulp wood resources, development. Clinton G. Smith. D.B., 950, pp. 40. 1921.
timber sales. Off. Rec., vol. 2, No. 35, pp. 1, 5. 1923; Off. Rec., vol. 2, No. 36, p. 3. 1923; Off. Rec., vol. 3, No. 28, p. 5. 1924.
trade—
in animals and animal products. B.A.I. An. Rpt., 1904, pp. 501-502. 1905.
with U. S., farm and forest products, 1904-1906. Stat. Bul. 54, pp. 10-14. 1907.
transportation—
difficulties. Alaska A.R., 1916, pp. 50, 61. 1918.
facilities needed for development. Alaska A.R., 1907, p. 20. 1908.
to, investigation. Off. Rec., vol. 2, No. 3, p. 5. 1923.
Unalakleet reindeer station, personnel. D.B. 1089, p. 3. 1922.
vegetable(s)—
and root crops, growing, 1918. Alaska A.R., 1918, pp. 13, 14, 17, 25-26, 47-51, 67, 68, 80, 83, 90-93. 1920.
growing—
C. C. Georgeson. Alaska Bul. 2, pp. 46. 1905.
1909. Alaska A.R., 1909, pp. 11, 28-30, 40-42, 49-51, 65-72. 1910.
1912. Alaska A.R., 1912, pp. 16-23, 55, 66. 1913.
1917. Alaska A.R., 1917, pp. 6-11, 54, 55-57, 68-70, 75, 86-90. 1919.
by stations and by settlers. Alaska A.R., 1919, pp. 20-24, 40-42, 59, 76, 78. 1920.
yields and prices. News L., vol. 2, No. 49, p. 5. 1915.
varieties and yield, with notes from settlers. Alaska A.R., 1908, pp. 13, 21, 30-32. 40-42, 44, 49-52, 65-72. 1909.
vegetation. D.B. 50, pp. 8-9. 1914; N.A. Fauna 30, pp. 8-44. 1909.
volcanic eruption, 1912, injury to forage for livestock. An. Rpts., 1912, p. 104. 1913; Sec. A. R., 1912, p. 104. 1912; Y.B., 1912, p. 104. 1913.
water power development. Off. Rec., vol. 2, No. 35, p. 5. 1923.
weather—
conditions—
1921. Alaska A. R., 1921, pp. 7, 16, 23, 33, 44, 49-58. 1923.
and records, 1912. Alaska A.R., 1912, pp. 29, 34, 46, 57-58, 72-74, 89-96. 1913.
at different stations. Alaska A.R., 1920, pp. 5, 8, 10, 20, 36, 48, 58, 67-75. 1922.
forecast service. Off. Rec., vol. 3, No. 1, p. 2. 1924.
reports, December, 1907-August, 1908. Alaska A.R., 1908, pp. 72-80. 1909.
service—
1916. An. Rpts., 1916, p. 51. 1917; W.B. Chief Rpt., 1916, p. 3. 1916.
and forecasting stations. An. Rpts., 1923., p. 108. 1924; W.B. Chief. Rpt., 1923, p. 6. 1923.
station, establishment, 1917 and work. An. Rpts 1917, pp. 49, 52, 53. 1918; W.B. Chief Rpt., 1917, pp. 3, 6, 7. 1917.
stations, increase. An. Rpts., 1910, p. 172. 1911; W.B. Chief Rpt., 1910, p. 14. 1910.
western, kelp beds. Rpt. 100, pp. 105-122. 1915.
wheat, origin, history, description, other names, and false claims. News L., vol. 3, No. 40, pp. 1-2. 1916.
wood fuel, consumption and cost. For. Bul. 81, p. 21. 1910.
Yukon—
Delta Bird Reservation—
hunting regulations. Biol. S.R.A. 6, p. 1. 1915.
restoration to public domain. Off. Rec., vol. 1, No. 13, p. 4. 1922.
Pacific Exposition—
importation of Canadian sheep, special order. B.A.I.O., 161, p. 1. 1909.

Alaska—Continued.
 Pacific Exposition—Continued.
  public roads exhibit. Rds. [Misc.], "Exhibit, Office of Public Roads * * *," pp. 23. 1909.
 See also Pacific coast region; Pacific ports.
Alaskan islands, control by departments. D.B. 301, pp. 33-34. 1915.
Alaus sp. *See* Wireworms.
Alba (horse), description, pedigree, and progeny. D.C. 153, p. 21. 1921.
Albacore, similarity to tuna fish. Chem. S.R.A. 20, p. 61. 1917.
Albany, N. Y., milk supply, statistics, officials, prices, and laws. B.A.I. Bul. 46, pp. 32, 130-131. 1903.
Albatross—
 cakewalk, description. Y.B., 1911, p. 162. 1912; Y.B. Sep. 557, pp. 162. 1912.
 description, habits, and destruction by plume hunters. Y.B. 1911, pp. 161-164. 1912; Y.B. Sep. 557, pp. 161-164. 1912.
 occurrence on—
  Laysan Island, number, description, and habits. Biol. Bul. 42, pp. 15-17. 1912.
  Pribilof Islands. N.A. Fauna 46, p. 38. 1923.
 short-tailed, range, and habits. N.A. Fauna 21, pp. 72-73. 1901; N.A. Fauna 24, p. 54. 1904.
Albayalde, enemy of coffee ant. P.R. An. Rpt., 1912, p. 35. 1913.
ALBERT, A. R.: "Soil survey of north part of north-central Wisconsin, reconnoissance." With others. Soil Sur. Adv. Sh., 1914, pp. 76. 1916; Soils F.O., 1914, pp. 1655-1725. 1919.
Alberta—
 bears of, description and character. N.A. Fauna 41, pp. 23, 49, 77. 1918.
 big game killed, 1907-1918. D.B. 1049, p. 23. 1922.
 central, insect notes. Ent. Bul. 67, pp. 125-126. 1907.
 description, routes, and flora. N.A. Fauna 27, pp. 85-95. 1908.
 emmer and spelt growing, experiments. D.B. 1197, p. 42. 1924.
 fur animals, laws—
  1915. F.B. 706, p. 20. 1915.
  1916. F.B. 783, pp. 2, 22, 28. 1916.
  1917. F.B. 911, pp. 25, 31. 1917.
  1918. F.B. 1022, pp. 25, 31. 1918.
  1919. F.B. 1079, pp. 26, 31. 1919.
  1920. F.B. 1165, p. 25. 1920.
  1921. F.B. 1238, pp. 25, 31. 1921.
  1922. F.B. 1293, pp. 22-23. 1922.
  1923-24. F.B. 1387, p. 26. 1923.
  1924-25. F.B. 1445, pp. 18-19. 1924.
  1925-26. F.B. 1460, p. 23. 1925.
 game laws—
  1908. F.B. 336, pp. 10, 24, 35, 42, 45, 54. 1908.
  1909. F.B. 376, pp. 15, 28, 36, 41, 44, 51. 1909.
  1910. F.B. 418, pp. 23, 29, 34, 37, 45. 1910.
  1911. F.B. 470, pp. 27, 34, 39, 42, 51. 1911.
  1912. F.B. 510, pp. 22, 30, 35, 38, 47. 1912.
  1913. D.B. 22, pp. 17, 34, 42, 47, 50, 58. 1913.
  1914. F.B. 628, pp. 3, 6-7, 26, 39, 40, 43, 44, 53. 1914.
  1915. F.B. 706, p. 20. 1916.
  1916. F.B. 774, pp. 33, 42, 47, 53, 61. 1916.
  1917. F.B. 910, pp. 41, 51. 1917.
  1918. F.B. 1010, pp. 38, 50. 1918.
  1919. F.B. 1077, pp. 42, 61, 78. 1919.
  1920. F.B. 1138, p. 45. 1920.
  1921. F.B. 1235, pp. 47, 80. 1921.
  1922. F.B. 1288, pp. 44, 56, 72-78, 79. 1922.
  1923-24. F.B. 1375, pp. 42, 51. 1923.
  1924-25. F.B. 1444, pp. 31, 38. 1924.
  1925-26. F.B. 1466, pp. 37-38, 46. 1925.
 game officials. *See* Game officials.
 United Farmers, grain marketing organizations. D.B. 937, pp. 5, 7. 1921.
Albertia edulis, importation and description. No. 43413, B.P.I. Inv. 49, p. 14. 1921.
Albigula group, wood rats, description. N.A. Fauna 31, pp. 31-42. 1910.
ALBIN, H. C.: "The prevention of breakage of eggs in transit when shipped in carlots." With others. D.B. 664, pp. 31. 1918.
Albinism, notes on. B.P.I. Bul. 256, pp. 66, 68. 1913.

Albino(s)—
 occurrence in cotton and corn. B.P.I. Bul. 256, p. 85. 1913.
 plants, reproduction. B.P.I. Bul. 256, pp. 67-68. 1913.
Albinuria, cattle, causes and treatment. B.A.I. [Misc.], "Diseases of cattle," pp. 121-123. 1923.
Albizzia—
 chinensis, importation, description, and uses. Nos. 38735, 38820, 38996, 39104, B.P.I. Inv. 40, pp. 22, 32, 55, 74. 1917.
 importation and description. No. 38285, B.P.I. Inv. 39, p. 112. 1917.
 julibrissin—
  importation and description. No. 43392, B.P.I. Inv. 49, p. 11. 1921.
  See also Silk tree.
 eophantha, importation and description. No. 44957, B.P.I. Inv. 52, p. 11. 1922; No. 52895, B.P.I. Inv. 67, p. 10. 1923.
 procera, importation and description. No. 47832, B.P.I. Inv. 59, p. 65. 1922.
 spp.—
  value as forage and sand binder. D.B. 9, pp. 12, 15, 30-31. 1913.
  importations and description. No. 42809, 42828, B.P.I. Inv. 47, pp. 68, 72. 1920; No. 48034, 48231, 48232, B.P.I. Inv. 60, pp. 31, 58. 1922; No. 48429, 49025, B.P.I. Inv. 61, pp. 8, 68. 1922; No. 50694, 50712-50713, 51143, B.P.I. Inv. 64, pp. 15, 17, 64. 1923.
 welwitschii, importation and description. No. 45568, B.P.I. Inv. 53, p. 59. 1922; No. 46791, B.P.I. Inv. 57, p. 35. 1922.
Albugo—
 candida, cause of white-rust. F.B. 488, p. 30. 1912.
 ipomoeae-pondurance, cause of sweet-potato white rust. F.B. 714, p. 20. 1916. F.B. 1059, p. 18. 1918.
 spp. *See* Rust, white.
Albumen—
 egg—
  effect on growing chicks. J.A.R., vol. 22, p. 146. 1921.
  powdered, misbranding. Chem. N.J. 1389, p. 1. 1912.
 See also Albumin.
Albumenoids. *See* Albuminoids.
Albumin(s)—
 chemical changes in milk pasteurization, analysis methods, and tables. B.A.I. Bul. 166, pp. 11-13, 15. 1913.
 content of milk in lactation experiments. B.A.I. Bul. 155, pp. 45-47. 1913.
 determination in milk. Chem. Bul. 67, pp. 105-109. 1902.
 experiments with formaldehyde. J.A.R., vol 29, pp. 471-472. 1924.
 in urine—
  cattle, causes, symptoms and treatment. B.A.I. [Misc.], "Diseases of cattle," rev., pp. 119-120. 1909; p. 122. 1912.
  See also Albuminuria.
 kinds in ration for pigs. J.A.R., vol. 21, pp. 281-341. 1921.
 milk, effect of preservatives on determination. Chem. Bul. 90, pp. 79-83. 1905.
 See also Albumen.
Albuminoids, poisoning, horse, symptoms, treatment. B.A.I. [Misc.], "Diseases of the horse," pp. 82-84. 1907.
Albuminuria—
 cattle, causes, symptoms and treatment. B.A.I. [Misc.], "Diseases of cattle," rev., pp. 119-120. 1909; rev., pp. 121-123. 1912.
 result of sulphur in food. Chem. Cir. 37, p. 17. 1907; Chem. Bul. 84, Pt. III, pp. 824, 1022. 1907.
Alcallota, importation and description. No. 42970, B.P.I. Inv. 47, p. 82. 1920.
Alces—
 americana, description and range. Biol. Bul. 36, pp. 18-19. 1910.
 gigas, description and range. Biol. Bul. 36, pp. 18-19. 1910.
 spp. *See* Moose.
Alcohol(s)—
 addition to fruit juices, food inspection opinion. Chem. S.R.A. 5, p. 312. 1914.

Alcohol(s)—Continued.
  adulterant of cough cure. Chem. N.J. 1551, pp. 2-3. 1912.
  adulteration. See Indexes, Notices of Judgment, in bound volumes, and in separates published as supplements to Chemistry Service and Regulatory Announcements.
  agricultural, manufacture, studies, Germany. Edward Kremers. D.B. 182, pp. 36. 1915.
  by-product of starch factory. F.B. 334, p. 14. 1908.
  chemical composition, formulae, and description. Chem. Bul. 130, pp. 11-14. 1910.
  cherry juice, by-product. D.B. 350, p. 22. 1916.
  combustion in respiration calorimeter. J.A.R. vol. 5, p. 345. 1915.
  content—
    ciders before and after fermentation. Chem. Cir. 48, p. 6. 1910.
    testing method. An. Rpts., 1909, p. 432. 1910; Chem. Chief Rpt., 1909, p. 22. 1909.
  crops producing, composition and yield. F.B. 268, pp. 13-32. 1906.
  definitions. F.B. 429, pp. 5, 6. 1911.
  denaturants—
    and denaturing. F.B. 429, p. 9. 1911.
    See also Denaturants.
  denatured—
    and denaturants. Chem. Bul. 130, pp. 76-84, 161, 164. 1910.
    application of term. Chem. Bul. 130, p. 76. 1910.
    effect on pectin. D.B. 1323, p. 10. 1925.
    law, text. F.B. 429, pp. 6-8. 1911.
    law, remitting tax, texts. Chem. Bul. 130, pp. 9, 147-149. 1910.
    manufacture. H. W. Wiley and others. Chem. Bul. 130, pp. 166. 1910.
    medicinal preparations, Federal laws. Chem. Bul. 98, rev., Pt. I, pp. 27-28. 1909.
    model distillery. H. E. Sawyer. Chem. [Misc.], "Model denatured alcohol * * *," pp. 7. 1908.
    relation to sugar industry. Rpt. 84, pp. 32-37. 1907.
    statistics 1908. Chem. Bul. 130, pp. 165-166. 1910.
    two classes. Chem. Bul. 130, p. 77. 1910.
    use, and Government regulations. F.B. 410, pp. 5, 10. 1910.
    uses and statistics. H. W. Wiley. F.B. 269, pp. 31. 1906.
  denaturing—
    formulas adopted by United States. Chem. Bul. 130, pp. 80-81. 1910.
    system, formulas of different nations. Chem. Bul. 130, pp. 77-79, 82. 1910.
  derivatives and preparations, amendment to Regulation 28. F.I.D. 112, p. 2. 1910.
  determination—
    fruits and fruit products, method. Chem. Bul. 66 rev., pp. 17-18. 1905.
    in apples, sound and diseased. J.A.R., vol. 7, pp. 36-37. 1916.
    in distillery mash. Chem. Bul. 130, p. 75. 1910.
    in headache mixtures. Chem. Bul. 152, p. 236. 1912.
    in small quantities, methods. Chem. Cir. 74, pp. 1-6. 1911.
    methods. Chem. Bul. 122, pp. 200-205. 1909.
  digestion, sugar determination in grains and cattle foods. A. Hugh Bryan and others. Chem. Cir. 71, pp. 14. 1911.
  distillation methods. F.B. 429, pp. 28-29. 1911.
  distilling—
    and denaturing, details. F.B. 410, pp. 16-18. 1910.
    from potatoes, cost, and details of operation. F.B. 410, pp. 9-10, 11-18, 28-31. 1910.
  effect on—
    fat and milk production of cows. J.A.R., vol. 19, pp. 123, 124. 1920.
    invertase. C. S. Hudson & H. S. Paine. Chem. Cir. 58, pp. 8. 1910.
    nutrition, studies, program for 1915. Sec. [Misc.], "Program of work in 1915," p. 198. 1914.
    tetanus. J.A.R., vol. 20, p. 69. 1920.

Alcohol(s)—Continued.
  effect on—continued.
    virus of tobacco mosaic. J.A.R., vol. 13, pp. 627-633, 637. 1918; J.A.R., vol. 6, No. 17, pp. 652-654. 1916.
  ethyl—
    analysis methods. D.B. 983, pp. 17-19. 1922. Chem. Cir. 74, pp. 1-5. 1911.
    and methyl, determination, value, comparison. B. H. St. John. Chem. Bul. 162, pp. 221-223. 1913.
    formula and standard. Chem. Bul. 130, pp. 13-14, 16. 1910.
    manufacture from wood waste. F. W. Kressman. D.B. 983, pp. 100. 1922.
    manufacturing from wood, yeasting and fermentation experiments, tables. D.B. 983, pp. 19-53. 1922.
    preparation from sawdust. Chem. Cir. 36, p. 40. 1907.
    production from—
      wood waste. For. [Misc.], "Forest products * * *," p. 34. 1922.
      wood waste, patents, list. D.B. 983, pp. 98-100. 1922.
    tests, observations. Chem. Bul. 90, pp. 157, 162, 167. 1905.
  fermentation in milk, studies. D.B. 782, pp. 17-19. 1919.
  formation in silage fermentation, progress and cause. J.A.R., vol. 8, pp. 368-372, 378. 1917.
  free, bills introduced in Congress. Chem. Bul. 130, pp. 151-152. 1910.
  fuel—
    internal-combustion engines, tests. Charles Edward Locke and S. M. Woodward. O.E.S. Bul. 191, pp. 89. 1907.
    use for pumping, efficiency and cost. O.E.S. An. Rpt., 1908, pp. 393-394. 1909.
  grain, production from wood waste. D.C. 231, pp. 34-35. 1922.
  heat, quantity yielded in combustion. F.B. 269, pp. 10-14. 1906.
  hop oil, identity with myrcenol. J.A.R., vol. 2, pp. 151-154, 155. 1914.
  in beer, misbranding as to quantity. Chem. N.J. 64-65, pp. 2-4. 1909.
  in drug habit cure. Chem. N.J. 1291, pp. 2. 1912.
  in fruit juices, labeling requirements. News L., vol. 1, No. 46, pp. 2-3. 1914.
  industrial—
    from corn. Off. Rec., vol. 2, No. 36, p. 5. 1923.
    legislation and regulations. John G. Capers. Chem. Bul. 130, pp. 146-152. 1910.
    manufactured from cassava. Chem. Bul. 106, p. 29. 1907.
    operation of experimental distillery, details. Chem. Bul. 130, pp. 62-69. 1910.
    plant installation, Minnesota Experiment Station. O.E.S. An. Rpt., 1911, p. 133. 1913.
    potato culls. O. A. Wente and L. M. Tolman. F.B. 410, pp. 40. 1910.
    regulations for distilleries. Chem. Bul. 130, pp. 152-161. 1910.
    sources—
      and manufacture. H. W. Wiley. F.B. 268. pp. 47. 1906.
      and manufacture. H. W. Wiley. Revised by H. E. Sawyer. F.B. 429, pp. 32. 1911.
    uses—
      and statistics. H. W. Wiley. F.B. 269, pp. 31. 1906.
      increase. D.B. 182, pp. 6-7. 1915.
  injurious effects. Chem. Bul. 116, p. 18. 1908.
  label requirements, Regulation 25. Sec. Cir. 21, rev., pp. 12-13. 1922.
  lighting value, comparison with gasoline, cost. F.B. 517, p. 22. 1912.
  mailing, prohibition. B.A.I.S.R.A. 109, p. 48. 1916.
  making—
    from yautias and taros, investigations. B.P.I. Bul. 164, p. 17. 1910.
    low-grade materials, experiments and special treatment. Chem. Bul. 130, pp. 66-69. 1910.
    raw materials available. Chem. Bul. 130, pp. 24-31. 1910.
  manufacture—
    cost—
      factors influencing. F.B. 429, p. 31. 1911.

Alcohol(s)—Continued.
  manufacture—continued.
    cost—continued.
      per gallon for various raw materials. Chem. Bul. 130, pp. 25–31. 1910.
    directions. F.B. 268, pp. 37–42. 1906.
    fermentation, theory and methods. F.B. 429, pp. 20–29, 1911.
    from beet molasses. Rpt. 90, pp. 26, 28, 31, 32, 40, 41. 1909.
    from raisin seeds, quantity. B.P.I. Bul. 276, pp. 7, 13. 1913.
    from sugar beets. Rpt. 86, pp. 9, 18, 51, 52. 1908.
    from waste products. An. Rpts., 1906, p. 308. 1907.
    from wood, investigations, outline. D.B. 983, pp. 15–16. 1922.
    starch or sugar requirements, percentage. F.B. 410, p. 6. 1910.
    waste beet molasses, yield per gallon. Y.B., 1908, p. 448. 1909; Y.B. Sep. 493, p. 448. 1909.
  materials available. Chem. Bul. 130, pp. 24–31. 1910.
  medicinal compounds, in relation to special tax. Chem. Bul. 98, rev., Pt. I, pp. 18–23. 1909.
  methyl—
    adulteration of bitters. Chem. N.J. 1284, pp. 3. 1912.
    and ethyl, degrees of toxicity. Chem. Cir. 42, p. 2. 1908.
    determination method. Chem. Cir. 74, pp. 5–6. 1911.
    formula and standard, and poisonous effects. Chem. Bul. 130, pp. 12–13, 16. 1910.
    See also Alcohol, wood.
  misbranding, Gold Medal coffee cocktail. Chem. N.J. 1282, p. 1. 1912.
  occurrence in grape juice, causes. D.B. 656, p. 18. 1918.
  percentage, tables for calculating. Chem. [Misc.], "Tables for calculating * * *," pp. 10. 1905.
  potable, sources. F.B. 268, pp. 9–10. 1906.
  potato, use in making, studies. D.B. 47, pp. 11, 12. 1913.
  precipitate—
    determination in fruits and fruit products, method. Chem. Bul. 66, rev., p. 21. 1905.
    of tuna. B.P.I. Bul. 116, pp. 39–41. 1907.
  presence in Japanese soybean and use in food preparation. O.E.S. Bul. 159, pp. 29, 30, 31, 32, 33. 1905.
  preservative effect on food. Chem. Bul. 116, p. 18. 1908.
  produced in respiration of storage-rot fungi. J.A.R., vol. 21, pp. 221–222. 1921.
  production—
    from hardwood distillation. D.C. 231, pp. 33, 34, 35. 1922.
    from sweetpotatoes. F.B. 324, p. 39. 1908.
    from various sugar plants, cost, comparison. B.P.I. Inv. 36, p. 44. 1915.
    sources, and general discussion. F.B. 410, p. 5. 1910.
  proof strength, standards. Chem. Bul. 130, pp. 15–17. 1910.
  quantity in drug products, declaration on label. F.I.D. 54, pp. 1–2. 1907.
  relation to apple scald. J.A.R., vol. 18, pp. 215–216. 1919.
  soil, description, studies. Soils Bul. 74, pp. 23–24. 1910.
  source(s)—
    materials, chemical composition. F.B. 429, pp. 9–20. 1911.
    Nipa palm. No. 44405, B.P.I. Inv. 50, p. 67. 1922.
    sugars, starches, and raw materials. Chem. Bul. 130, pp. 18–31, 94–109. 1910.
  special denaturants, use, conditions, and list. Chem. Bul. 130, pp. 81–84, 161–164. 1910.
  specific gravity and percentage, tables. Chem. Bul. 107, pp. 203–208. 1907.
  spraying tests as insecticides. D.B. 1160, pp. 5, 9, 14. 1923.
  still, description. F.B. 429, pp. 28–29. 1911.
  sugar-beet, cost of production. Rpt. 82, p. 10. 1906.

Alcohol(s)—Continued.
  sweetpotato, as a by-product of starch industry. F.B. 517, pp. 16, 17. 1912.
  tables standardization, report of committee. Chem. Bul. 132, pp. 167–168. 1910. Chem. Bul. 137, pp. 48–49. 1911.
  taxes, Germany. D.B. 183, pp. 3–6, 7. 1915.
  taxes, rebate, litigation. Chem. Bul. 130, p. 149. 1910.
  test—
    alizarol, of milk, description and studies. D.B. 202, pp. 30–32. 1915.
    for milk quality. A. O. Dahlberg and H. S. Garner. D.B. 944, pp. 13. 1921.
    of milk. S. Henry Ayres and William T. Johnson, jr. D.B. 202, pp. 35. 1915.
  use—
    for lighting purposes, prize offered by France, conditions. Chem. Bul. 130, p. 79. 1910.
    in adulteration of apple base. Chem. N.J. 2574, pp. 2. 1913.
    in bitters "Fernet Milano." Chem. N.J. 1152, pp. 2. 1911.
    in cleaning eggs for setting. Y.B. 1911, p. 181. 1912; Y.B., Sep. 559, p. 181. 1912.
    in control of chiggers. D.B. 986, p. 18. 1921.
    in farm engines. S. M. Woodward. F.B. 277, pp. 40. 1907.
    in food and drugs, statement, requirements. Chem. S.R.A. 15, p. 23. 1915.
    in internal-combustion engines, experiments. An. Rpts., 1907, p. 704. 1908.
    in preserving pathological specimens. B.A.I. An. Rpt., 1906, pp. 200, 205. 1908; B.A.I. Cir. 123, pp. 4, 9. 1908.
    in processing persimmons. Chem. Bul. 141, pp. 10–11, 14–17. 1911.
    in removal of stains from textiles. F.B. 861, pp. 17, 19, 22, 26, 27, 28, 33, 34. 1917.
    in starch determination. J.A.R. vol. 23, pp. 997–1002, 1004. 1923.
    in sun cholera mixture. Chem. N.J. 1063, pp. 2. 1911.
    in testing corn. B.P.I. Bul. 199, pp. 10, 18, 19, 23, 24, 28, 30. 1910.
    of sorghum grain in manufacture. F.B. 972, pp. 3, 16. 1918.
  wood—
    composition, formula and poisonous character. Chem. Bul. 130, pp. 12–13. 1910.
    consumption and price, various industries. For. Serv. Inv. No. 2, pp. 46–48. 1913.
    control of price by manufacturers, attempt, note. Chem. Bul. 130, p. 80. 1910.
    demand for war purposes. Y.B., 1918, p. 322. 1919; Y.B. Sep. 779, p. 8. 1919.
    distillation—
      and composition. Chem. Cir. 36, pp. 35–37. 1907.
      studies. For. [Misc.], "Forest Products Laboratory * * *," p. 33. 1922.
    exports—
      1898–1908. Stat. Bul. 51, p. 22. 1909.
      1902–1906, quantity and value. For. Cir. 121, p. 7. 1907.
      1908. For. Cir. 162, pp. 6–7. 1909.
      1914, quantity, value, and destination. D.B. 296, p. 49. 1915.
      1922–1924. Y.B., 1924, p. 1049. 1925.
    for denaturing grain alcohol, specifications, Treasury Dept. Chem. Cir. 36, p. 36. 1907.
    formaldehyde generation. F.B. 345, p. 7. 1909.
    manufacture from lumber mill waste. Y.B., 1910, p. 261. 1911; Y.B. Sep. 534, p. 261. 1911.
    poison elimination by treatment of wood fiber with acid. Chem. Bul. 130, p. 95. 1910.
    poisonous effects. Chem. Bul. 130, p. 13. 1910.
    production, 1906. For. Cir. 121, pp. 4–5. 1907.
    prohibitive laws. Chem. Bul. 98, pp. 91, 92, 94, 105, 146. 1906; rev; pp. 32, 113–114, 138, 148, 161, 176. 1909.
    regulation of use. Chem. Bul. 69, rev., pp. 249, 313, 556, 673, 708. 1905–1906.
    use as denaturant. Chem. Bul. 130, pp. 77, 78, 80, 82, 161–163. 1910; F.B. 429, p. 9. 1911.
    yields from hardwoods. D.B. 129, pp. 7, 9, 11–15. 1919; D.B. 508, pp. 2–7. 1917; For. Cir. 114, pp. 3, 4. 1907.
  See also Liquor.

Alcoholic—
  beverage(s)—
    foreign trade practices, manufacture and export. H. W. Wiley. Chem. Bul. 102. pp. 45. 1906.
    Japanese. O.E.S. Bul. 159, p. 36. 1905.
  laws—
    State, 1907. Chem. Bul. 112, Pt. II, pp. 94–95, 108. 1908.
    States and territories, 1905. Chem. Bul. 69, Pts. I–II, pp. 42, 77, 87, 131, 135, 143, 150, 177, 209, 222, 236, 249, 279, 313, 326, 328, 351, 364, 380, 410, 417, 439, 466–471, 492, 495, 513, 551, 555, 569, 577, 587, 601, 621, 697, 708. 1906.
    State, 1907. Chem. Bul. 112, Pt. I, pp. 52, 63, 132. 1908; Chem. Bul. 112, Pt. II, pp. 94–95, 108. 1908.
  fermentation of milk. F.B. 348, p. 19. 1909.
  liquors, imports—
    1907–1909, quantity and value, by countries from which consigned. Stat. Bul. 82, pp. 45–47. 1910.
    1908–1910, quantity and value, by countries from which consigned. Stat. Bul. 90, pp. 47–50. 1911.
    1909–1911, by countries from which consigned. Stat. Bul. 95, pp. 51–54. 1912.
  solution essential oil determination, tentative method. Chem. Bul. 152, pp. 195–196. 1912.
Alcoholism, chronic, relation to the action of drugs. Chem. Cir. 81, p. 11. 1911.
Alcoholometry, standards, United States and Great Britain. Chem. Bul. 130, pp. 15–17. 1910.
Aldehydes—
  harmful effects in soils. Oswald Schreiner and J. J. Skinner. D.B. 108, pp. 26. 1914.
  occurrence in soils, studies. D.B. 108, pp. 12–22, 1914; Soils Bul. 88, pp. 19–21, 36, 37. 1913.
  salicylic, effect on plants in solution cultures with fertilizers, tables. D.B. 108, pp. 7–12. 1914.
  spraying tests as insecticides. D.B. 1160, pp. 5, 9, 11, 14. 1923.
  testing for volatility and toxicity. J.A.R., vol. 10, pp. 366–371. 1917.
  unsaturated examination in rancidity studies. J.A.R., vol. 26, pp. 335–336. 1923.
ALDEN, C. H.—
  "Dusting and spraying peach trees after harvest for control of the plum curculio." With Oliver I. Snapp. D.B. 1205, pp. 19. 1924.
  "Further studies with paradichlorobenzene for peach borer control." With Oliver I. Snapp. D.B. 1169, pp. 19. 1923.
  "The cankerworms." With B. A. Porter. D.B. 1238, pp. 38. 1924.
Alder(s)—
  black—
    honey source, value. Ent. Bul. 75, Pt. VII, pp. 92, 93. 1909.
    names, range, description, bark, prices, and uses. B.P.I. Bul. 139, p. 34. 1909.
    value for birds, and in protection of cultivated fruits. F.B. 630, p. 4. 1915.
  blight aphid, life history. Theo. Pergande. Ent. T. B. 24, pp. 28. 1912.
  characters. F.B. 468, p. 41. 1911.
  characters, varieties on Pacific slope. For. [Misc.] "Forest trees * * * Pacific * * *," pp. 263–272. 1908.
  description and key. D. C. 223, p. 5. 1922; M. C. 31, pp. 11–12. 1925.
  distribution. N.A. Fauna 21, pp. 12, 21, 53, 55. 1901; N.A. Fauna 24, pp. 11, 18, 19, 67. 1904.
  Himalayan, importation and description. No. 38997, B.P.I. Inv. 40, p. 55. 1917.
  importation and description. No. 47635, B.P.I. Inv. 59, p. 40. 1922; No. 55670, B.P.I. Inv. 72, p. 16. 1924.
  injury by—
    gipsy moth. F.B. 564, p. 5. 1914.
    sapsuckers. Biol. Bul. 39, p. 33. 1911.
  insects injurious. F.B. 1169, p. 95. 1921; Sec. [Misc.], "A manual of insects * * *," pp. 11–13. 1917.
  lanceleaf, injury by pith-ray flecks. For. Cir. 215, p. 10. 1913.
  mountain, description, range, and occurrence on Pacific slope. For. [Misc.], "Forest trees for Pacific * * *," pp. 266–268. 1908.
  occurrence in Colorado, description. N.A. Fauna 33, pp. 227–228. 1911.

Alder(s)—Continued.
  red—
    description, range, and occurrence on Pacific slope. For. [Misc.], "Forest trees for Pacific * * *," pp. 268–269. 1908.
    quantity used in manufacture of wooden products. D.B. 605, p. 14. 1918.
    range, occurrence, growth habits, reproduction, and use. For. Silv. Leaf. 53, pp. 4. 1912.
    soil requirements, root tubercles, vigorous growth, eastern Puget Sound Basin, Washington. Soil Sur. Adv. Sh., 1909, pp. 35–36, 38, 40. 1911; Soils F.O., 1909, pp. 1547–1548, 1549, 1552. 1912.
    tests for shrinkage, hardness, and strength. D.B. 676, p. 13. 1919.
  root nodules, nitrogen-gathering, description, usefulness. Y.B., 1910, pp. 216–218. 1911; Y.B. Sep. 530, pp. 216–218. 1911.
  Sitka—
    description, range, and occurrence on Pacific slope. For. [Misc.], "Forest trees for * * *," pp. 270–272. 1908.
    importation and description. No. 44377, B.P.I. Inv. 50, p. 64. 1922.
    speckled, injury from gipsy moth. D.B. 204, p. 14. 1915.
  striped. See Witch-hazel.
  stumps, blasting and burning, cost, diameter, and number per acre. B.P.I. Bul. 239, pp. 21, 41, 42, 43, 44, 45, 60. 1912.
  susceptibility to crown rust. D.B. 1162, pp. 15–16. 1923.
  tests for mechanical properties, results. D.B. 556, pp. 27, 37. 1917.
  type of peat material. D.B. 802, pp. 20, 36. 1919.
  white—
    description, range, and occurrence on Pacific slope. For. [Misc.], "Forest trees for * * *," pp. 263–266. 1908.
    importation and description. No. 43834, B.P.I. Inv. 49, p. 84. 1921.
    woolly aphid, description, habits, and control. F.B. 1169, pp. 86–87. 1921.
    Wyoming, distribution and growth. N.A. Fauna 42, p. 64. 1917.
ALDOUS, A. E.—
  "Eradicating tall larkspur on cattle ranges in the national forests." F.B. 826, pp. 23. 1917.
  "Types of vegetation in the semiarid portion of the United States and their economic significance." With H. L. Shantz. J.A.R., vol. 28, pp. 99–128. 1924.
ALDRICH, J. M.—
  description of Sarcophaga kellyi. J.A.R., vol. 2, pp. 443–445. 1914.
  "European fruit fly in North America." J.A.R., vol. 18, pp. 451–474. 1920.
Ale(s)—
  adulteration and misbranding. Chem. N.J. 2605, pp. 2. 1913.
  American, and beers, study. L. M. Tolman and J. Garfield Riley. D.B. 493, pp. 23. 1917.
  analysis, methods and results. D.B. 493, pp. 3–4, 8–15. 1917.
  cream, adulteration and misbranding. Chem. N.J. 834, pp. 2. 1911.
  ginger, adulteration and misbranding. Chem.N. J. 741, pp. 2. 1911; Chem.N.J. 1026, pp. 2. 1916.
Alectryon—
  excelsum. See Titoki.
  subcinereum, importation and description. No. 45925, B.P.I. Inv. 54, p. 42. 1922; No. 46299, B.P.I. Inv. 55, pp. 5, 43. 1922; No. 51000, B.P.I. Inv. 64, pp. 3, 39. 1923.
  spp., importations and description. No. 44520, 44521, B.P.I. Inv. 51, p. 19. 1922.
  tomentosum, importation and description. No. 42605, B.P.I. Inv. 47, p. 36. 1920.
Alegria—
  divaricata, importation and description. No. 42323, B.P.I. Inv. 46, p. 77. 1919.
  See Huauhtli.
Aleppo grass. See Johnson grass.
ALESHIRE, J. B., Quartermaster General, plan for breeding army horses. B.A.I. An. Rpt., 1910, 114–116. 1912; B.A.I. Cir. 186, pp. 114–116. 1911.
Aletris—
  description, culture, and handling as drug plant, yield, and price. F.B. 663, p. 13. 1915.

Aletris—Continued.
  growing and uses, harvesting, marketing, and prices. B.P.I. Bul. 107, p. 19. 1907; F.B. 663, rev., p. 15. 1920.
Aleurites—
  cordata, distribution, Hawaii. Hawaii A.R., 1911, p. 41. 1912.
  fordii. See Wood-oil tree; Tung tree.
  moluccana. See Kukui nut; Kukui-tree; Lumbang; Candleberry.
  spp.—
    Hawaii, comparison and hybridization. Hawaii A.R., 1915, p. 26. 1916.
    importations and description. Nos. 37926, 37980, 38527, B.P.I. Inv. 39, pp. 68, 75, 143. 1917; Nos. 50353, 50645, B.P.I. Inv. 63, pp. 4, 60, 89. 1923; Nos. 54703, 54738, B.P.I. Inv. 70, pp. 2, 10, 14. 1923.
Aleurobius spp., description and control. Rpt. 108, pp. 114, 116. 1915.
Aleurocanthus—
  citriperdus, description, occurrence, and economic importance. J.A.R. vol. 6, No. 12, pp. 459–463. 1916.
  spp. description. Ent. T.B. 27, Pt. II, p. 102. 1914.
  woglumi—
    occurrence, description and economic importance. J.A.R. vol., 6, No. 12, pp. 459, 463–465. 1916.
    See also Citrus white fly, spiny.
Aleurochiton spp., classification and description. Ent. T.B. 27, Pt. I, pp. 85–91. 1913.
Aleurocybotus sp., description. Ent. T.B. 27, Pt. II, p. 101. 1914.
Aleurodicus—
  manni, description. J.A.R., vol. 25, pp. 253–254. 1923.
  spp., classification and description. Ent. T.B. 27, Pt. I, pp. 41–81. 1913.
Aleurodothrips fasciapennis, enemy of white fly. Ent. Bul. 102, p. 9. 1912.
Aleurolobus—
  marlatti, occurrence on oranges, Japan. J.A.R., vol. 6, No. 12, p. 466. 1916.
  spp., description. Ent. T.B. 27, Pt. II, pp. 108–109. 1914.
Aleurone—
  color in corn, inheritance and relation to endosperm. D.B. 754, pp. 30–97. 1919.
  layer, function and importance in barley. D.B. 183, pp. 18–19. 1915.
Aleuroparadoxus sp., description. Ent. T.B. 27, Pt. II, p. 104. 1914.
Aleuroplatus spp., description. Ent. T.B. 27, Pt. II, p. 98. 1914.
Aleurothrixus spp., description. Ent. T.B. 27, Pt. II, pp. 103–104. 1914; J.A.R., vol. 6, No. 12, pp. 466–468. 1916.
Aleurotithus spp., description. Ent. T.B. 27, Pt. II, pp. 106–107. 1914.
Aleurotrachetus spp., description. Ent. T.B. 27, Pt. II, p. 103. 1914.
Aleurotutus spp., description. Ent. T.B. 27, Pt. II, pp. 101–102. 1914.
Aleutian Peninsula, zoo-geography, discussion. N.A. Fauna 46, pp. 8–9. 1923.
Alewives. See Herrings.
ALEXANDER, C. P.: "Diptera of the Pribilof Islands, Alaska (Tipulidae and Rhyphidae.)" N.A. Fauna 46, Pt. II, pp. 159–169. 1923.
ALEXANDER, W. H.—
  address on climatology of Porto Rico. W.B. [Misc.], "Proceedings, third convention * * *," pp. 239–246. 1904.
  "Hurricanes: Especially those of Porto Rico and St. Kitts." W.B. Bul. 32, pp. 79. 1902.
Aleyrodes—
  aurantii, identity with Aleyrodes citri. Ent. Bul. 120, pp. 15, 17. 1913.
  citri—
    notes. Ent. T.B. 12, Pt. IX, p. 174. 1909.
    See White fly, citrus.
  nubifera—
    notes. Ent. T.B. 12, Pt. IX, p. 173. 1909.
    See also White fly, cloudy-winged.
  spp., classification and description. Ent. T.B. 27, Pt. I, p. 91. 1913; Pt. II, pp. 100–101, 109. 1914.

Aleyrodidae—
  a new genus. A. L. Quaintance. Ent. T.B. 12, Pt. IX, pp. 169–174. 1909.
  classification. A. L. Quaintance and A. C. Baker. Ent. T.B. 27, Pt. I, pp. 93. 1913; Pt. II, pp. 95–109. 1914.
  important, infesting economic plants. A. L. Quaintance. Ent. T.B. 12, Pt. V, pp. 89–94. 1907
  morphology. Ent. T.B. 27, Pt. I, pp. 2–16. 1913.
  orange, with three new species, descriptions. J.A.R. vol. 6, No. 12, pp. 459–472. 1916.
  See also Citrus flies, white.
Alfalfa(s)—
  acreage—
    1909. Sec. [Misc.] Spec., "Geography * * * world's agriculture," p. 104. 1918; Y.B., 1915, p. 365. 1916; Y.B. Sep. 681, p. 365. 1916.
    1919, map. Y.B. 1921, p. 451. 1922; Y.B. Sep. 978, p. 45. 1922.
    1923, and importance. Y.B., 1923, pp. 346–347. 1924; Y.B. Sep. 895, pp. 346–347. 1924.
    increase, 1924. Off. Rec., vol. 3, No. 17, p. 5. 1924.
    production, in Nebraska, Nance County. Soil Sur. Adv. Sh., 1922, pp. 230, 232. 1925.
    recommendations, 1917–1918. Sec. Cir. 75, p. 12. 1917.
    under irrigation in Colorado, Cache la Poudre Valley, 1916–1917. D.B. 1026, p. 43. 1922.
    yield, and varieties, Nevada, Truckee-Carson farm. B.P.I.W.I.A. Cir. 3, pp. 4, 5–6. 1915.
  adaptability—
    for dry land crop. Y.B., 1911, pp. 355–358. 1912; Y.B. Sep. 574, pp. 355–358. 1912.
    of soils and districts, studies. News L., vol. 1, No. 33, p. 3. 1914.
    to Houston black clay. Soils Cir. 50, pp. 6, 9–10. 1911.
    to Houston clay soils. Soils Cir. 49, pp. 4, 6, 8. 1911.
    to irrigation projects, growing methods. B.P.I. Cir. 83, pp. 6–7. 1911.
    to San Luis Valley, Colo. Soils Cir. 52, pp. 22, 23, 26. 1912.
  Algerian, use of grass for paper. B.P.I. Bul. 80 pp. 96–98. 1905.
  alkali—
    resistance. F.B. 446, pp. 23–24. 1911.
    tolerance. F.B. 446, rev., pp. 12, 13, 15, 16, 22. 1920.
  and beef production in Argentina. F. W. Bicknell. Rpt. 77, pp. 32. 1904.
  and corn, pasturing with hogs, Huntley project experiments. B.P.I. [Misc.] "The work of the Huntley * * * 1913," pp. 6–8. 1914.
  and grasshopper problem. F.M. Webster. Ent. Cir. 84, pp. 10. 1907.
  ant mounds, treatment. F.B. 353, p. 16. 1909.
  Arabian—
    adaptability to peat lands. B.P.I. Cir. 23, p. 14. 1909.
    damage by rabbits in Oregon. F.B. 702, p. 3. 1916.
    description, uses and seed production. B.P.I. Cir. 119, pp. 25–30. 1913.
    seed, production affected by climate. B.P.I. Cir. 119, pp. 29–30. 1913.
  Argentine, hardiness test. B.P.I. Bul. 169, pp. 23, 24. 1910.
  bacteria—
    characteristics. J.A.R., vol. 14, pp. 319–321. 1918.
    relation to acidity, experiments. J.A.R., vol. 14, pp. 323–326, 328–332. 1918.
  Baltic—
    characteristics and tests. B.P.I. Bul. 169, p. 32. 1910.
    description. F.B. 757, pp. 11–12. 1916.
  barium content. B.P.I. Bul. 246, pp. 40, 41, 42, 45, 49. 1912.
  beef fattening, Argentina. Y.B., 1914, p. 385. 1915; Y.B. Sep. 648, p. 385. 1915.
  bloat, control. F.B. 1021, p. 29. 1919.
  botanical history and classification. B.P.I. Bul. 131, Pt. II, pp. 11–19. 1908.
  breeding—
    experiments, Colorado Experiment Station, 1912. O.E.S. An. Rpt., 1912, p. 85. 1913.

Alfalfa(s)—Continued.
breeding—continued.
for drought resistance, experiments. B.P.I. Bul. 196, pp. 9, 10, 12-20, 33, 34. 1910.
selection and methods. B.P.I. Bul. 169, pp. 51-54. 1910.
possibilities. F.B. 757, p. 23. 1916.
brown—
and black, losses of organic matter in making. J.A.R., vol. 18, pp. 299-304. 1919.
hay, causes, and quality for feed. F.B. 1229, pp. 10-12. 1921.
butterfly, localized injury to alfalfa, Yuma Experiment Farm, 1916. W.I.A. Cir. 20, pp. 12-13. 1918.
California peat lands, experimental plantings. B.P.I. Cir. 23. p. 14. 1909.
Canadian, origin and hardiness. B.P.I. Bul. 169, pp. 28-29. 1910.
caterpillar—
control. V. L. Wildermuth. D.B. 124, pp. 40. 1914; Ent. Cir. 133, pp. 14. 1911; F.B. 1094, pp. 16. 1920.
parasites, description and habits. D.B. 124, pp. 19-25. 1914.; F.B. 1094, pp. 8-9. 1920.
chalcid-fly—
infestation, description, and extent. News L., vol. 2, No. 25, pp. 3-4. 1915.
infested, harvesting as means of fly control. F.B. 636, p. 6. 1914.
parasites, life history, observations. J.A.R., vol. 16, pp. 165-174. 1919.
chemical compostion table. B.P.I. Bul. 169, p. 48. 1910.
Chinese, importation and description. No. 39426, B.P.I. Inv. 41, pp. 5, 27. 1917; No. 44432, B.P.I. Inv. 50, p. 71. 1922.
climate and soil conditions. F.B. 215, pp. 11-15. 1905.
close and clean cutting for caterpillar control. F.B. 1094, pp. 14, 16. 1920.
clover-root curculio attack. F. M. Webster. F.B. 649, pp. 8. 1915.
cold resistance, factors influencing. Charles J. Brand and L. R. Waldron. B.P.I. Bul. 185, pp. 80. 1910.
color variations in different strains. B.P.I. Bul. 169, pp. 36-38. 1910.
common, description, characters, and spread. B.P.I. Bul. 169, pp. 9-10. 1910.
comparative yields. B.P.I. Bul. 196, pp. 17-18. 1910.
comparison with sweet clover as pig pasture, tests, Truckee-Carson project, 1917. W.I.A. Cir. 23, pp. 22-23. 1918.
competition with sugar beets. D.B. 995, pp. 34-35. 1921.
composition—
comparison—
with other forage crops. F.B. 339, pp. 28-29. 1908.
with saltbush. D.B. 617, p. 8. 1919.
digestibility, relation to other feed. F.B. 215, pp. 31-33. 1905.
effect of calcium and magnesium compounds. J.A.R. vol. 6, No. 16, pp. 589-590, 597, 599, 604. 1916.
relation to sulphates in soil. J.A.R., vol. 17, p. 98. 1919.
crop—
value increased by "hogging off." B.P.I. D.R.P. Cir. 1, pp. 2, 9. 1915.
yield and water relations. D.B. 1340, pp. 17, 18, 19, 20. 1925.
cross-breeding for use in America. B.P.I. Bul. 150, pp. 18, 20, 28. 1909.
crossing, experiments and results. B.P.I. Bul. 167, pp. 16-22. 1910.
crown-gall inoculation experiments. B.P.I. Bul. 213, pp. 37, 58-60. 1911.
crowning—
in preparation for sugar beets, methods. D.B. 735, pp. 13-14. 1918.
in preparation of land for sugar beets. D.B. 726, pp. 16-17. 1918.
method and purpose. D.B. 881, p. 3. 1920.
crownwart caused by *Urophlictus alfalfae*. Fred R. Jones and others. J.A.R., vol 20, pp. 295-324. 1920.
cultivation. J. M. Westgate. F.B. 339, pp. 48. 1908.

Alfalfa(s)—Continued.
culture—
fertilizers, and harvesting, on New Jersey farms. F.B. 472, pp. 29-30. 1911.
for control of chalcid fly. D. B. 812, pp. 15-17. 1920.
in Alaska. Alaska A.R., 1907, p. 28. 1908.
in eastern United States. F.B. 276, pp. 9-14. 1907.
in Oregon and Washington, western slope. B.P.I. Bul. 94, pp. 23-25. 1906.
use of disk-harrow. F.B. 342, pp. 14-16. 1909.
yield for hog pasturage and hay. F.B. 310, pp. 12, 16, 20. 1907.
curing methods, effects on feeding value. J.A.R., vol. 18, pp. 299-304. 1919.
cutting—
for control of leaf-miner. J.A.R., vol. 1, p. 83. 1913.
for seed, time, machinery, methods, and experiments. F.B. 495, pp, 14-16. 1912.
frequency, studies. Work and Exp., 1919, pp. 47-48. 1921.
dairy feeding, comparison with Sudan grass. J.A.R., vol. 14, p. 178. 1918.
damage—
by Mexican conchuela, Texas. 1905. Ent. Bul. 64, Pt. I, pp. 3-5. 1907.
from caterpillars. Ent. Cir. 133, pp. 1-14. 1911.
danger from *Plathypena scabra*. D. B. 1336, pp. 1, 2. 1925.
deep-set crowns, hardiness. B.P.I. Bul. 258, pp. 15-16. 1913.
description—
adaptation to soils. D.C. 115, pp. 1-6. 1920.
and characteristics. F.B. 339, p. 7. 1908.
and history. F.B. 1283, pp. 1-3. 1922.
destruction by—
alfalfa weevil. Ent. Bul. 112, pp. 9-12, 16-24, 30. 1912.
field mice. Y.B., 1908, p. 302. 1909; Y.B. Sep. 482, p. 302. 1909.
meadow mice. F.B. 335, pp. 11, 19. 1908.
mice in Nevada, 1907-8, estimate of losses. F.B. 352, pp. 6, 9. 1909.
rootrot, and reestablishment. J.A.R., vol. 26, pp. 405-408, 412. 1923.
digestibility as cattle feed. B.A.I. Bul 106, pp. 29-30. 1908.
diseases—
description and control. F.B. 1283, pp. 32-36. 1922.
study in 1923. Work and Exp., 1923, p. 47. 1925.
Texas, occurrence and description. B.P.I. Bul. 226, p. 48. 1912.
distribution, United States, and acreage in 1899. F.B. 339, p. 6. 1908.
diversity in strains. B.P.I. Bul. 185, pp. 63-64. 1910.
dry-land farming—
description, seeding date and rate, and broadcast. D.C. 122, pp. 1-4. 1920.
experiments, Belle Fourche Experiment Farm. D.C. 339, p. 28. 1925.
experiments, Huntley Experiment Farm. D.C. 204, pp. 13-14, 17. 1921; D.C. 330, p. 18. 1925.
experiments, Wyoming, 1909. O.E.S.Cir. 95, p. 8. 1912.
duty of water, Pomona Valley, California, 1905, 1908. O.E.S. Bul. 236, pp. 89-90. 1911; rev., pp. 89-90. 1912.
eelworm disease, menace in America. G. H Godfrey. D.C. 297, pp. 8. 1923.
effect—
of autumn moisture on winter resistance. B.P.I. Bul. 185, pp. 60-63. 1910.
of soil temperature on development of nodules. J.A.R., vol. 22, pp. 17-31. 1921.
on beet crop, Nevada, experiments. B.P.I. Cir. 122, p. 18. 1913.
on crop yield, comparison with manure. D.B. 881, pp. 7, 10, 12. 1920.
on hydrocyanic acid in Sudan grass. J.A.R., vol. 22, pp. 135-136. 1921.
on subsequent yields of irrigated crops. C. S. Scofield. D.B. 881, pp. 13. 1920.
on succeeding crop, beets, potatoes, and corn W.I.A. Cir. 27, pp. 20, 21, 23, 25. 1919.

Alfalfa(s)—Continued.
  effect—continued.
    on succeeding crops, Nebraska, Scottsbluff Experiment Farm. D.C. 173, pp. 18-19, 23-24. 1921.
    on the land. F.B. 339, p. 32. 1908.
    on yields of sugar beets under irrigation. D.B. 881, pp. 9-12. 1920.
  Egyptian, importation and description, No. 30993. B.P.I. Bul. 242, p. 61. 1912.
  endurance of salts of magnesium and sodium. B.P.I. Bul. 113, pp. 12, 13, 15. 1907.
  enemies—
    control methods. Rpt. 96, p. 47. 1911.
    insects and diseases. F.B. 339, pp. 38-42. 1908.
    eradication for rotation crop, experiments. W.I.A. Cir. 2, pp. 13-15. 1915.
  establishment of new strains, difficulties and studies. D.B. 428, pp. 59-60, 65. 1917.
  extension—
    and possibilities, prediction by Secretary of Agriculture. B.P.I. Bul. 209, pp. 7, 59. 1911.
    program for Western States, report of subcommittee. D.C. 335, pp. 8, 13. 1924.
  extracts, toxicity. B.A.I. Bul. 246, pp. 50-51. 1912.
  fall irrigation, experiments. W.I.A. Cir. 4, p. 12. 1915.
  feed—
    for animals in the Great Plains. B.A.I. Cir. 86, pp. 1-26. 1905.
    for cattle in Argentina. B.A.I. Bul. 48, p. 32. 1903.
    for cattle in the South. Y.B., 1913, pp. 276, 278. 1914; Y.B. Sep. 627, pp. 276-278. 1914.
    for horses, value. B.A.I. Cir. 86, pp. 255-256. 1905; F.B. 162, pp. 16-19. 1903; F.B. 316, p. 25. 1910.
    value, comparison with soap weed and sotol. D.B. 728, pp. 15-18. 1918.
  feeding—
    stuff, value. F.B. 259, pp. 22-25. 1906.
    value—
      J. M. Westgate. F.B. 339, pp. 28-31. 1908.
      as hay or pasturage. S.R.S. Syl. 20, p. 15. 1916.
      computation. J.A.R., vol. 31, pp. 481-482. 1925.
    results of curing methods. J.A.R. vol. 18, pp. 303-304. 1919.
  fertilizers—
    directions. F.B. 310, pp. 12, 21. 1907; S.R.S. Syl. 20, p. 7. 1916; Soils Bul. 67, p. 55. 1910.
    studies, and results, 1913. Work and Exp., 1913, pp. 25, 48, 54, 86. 1915.
    value. F.B. 133, p. 6. 1901.
  fertilizing constituents, comparison with other legumes. F.B. 1153, p. 22. 1920.
  fields—
    destruction by meadow mice. F.B. 484, p. 33. 1912.
    garden webworm control. E. O. G. Kelly and T. S. Wilson. F.B. 944, pp. 7. 1918.
    green clover worm, control. Charles C. Hill. F. B. 982, pp. 7. 1918.
    handling for seed production. F.B. 495, pp. 9-14. 1912.
    injury from ice, note. News L., vol. 4, No. 14, p. 1. 1916.
    permanent, cultivation of wheat. David Fairchild. B.P.I. Bul. 72, Pt. I, pp. 5. 1905.
    plat experiments in North Dakota, 1907-1908. B.P.I. Bul. 185, pp. 18-30. 1910.
    selection. F.B. 1283, pp. 8-9. 1922.
    soils sampling for moisture content and hygroscopic coefficient. J.A.R., vol. 14, pp. 459, 460. 1918.
    treatment for control of—
      clover-leaf curculio. F.B. 649, pp. 7-8. 1915.
      fall army worm. Sec. Cir. 40, p. 2. 1912.
  first crop—
    injury by weevil larvae. F.B. 741, p. 10. 1916.
    on new lands, Nevada-Truckee-Carson project. B.P.I. Bul. 157, p. 15. 1909.
  flower—
    structure and pollination, investigations. D.B. 75, pp. 2-9. 1914.

Alfalfa(s)—Continued.
  flower—continued.
    tripping, relation to development of seed, agencies. D.B. 75, pp. 10-16, 19-25, 27-28. 1914.
    variations in different strains. B.P.I. Bul. 169, pp. 38-39, 45-46. 1910.
  food plant for conchuela. Ent. Bul. 86, pp. 67-68. 1910.
  forage—
    crop, Pacific Northwest, causes of failure, suggestions. F.B. 271, pp. 23-25. 1906.
    dry farming. B.P.I. Bul. 130, p. 13. 1908.
  forecast by States, September, 1913. F.B. 558, p. 17. 1913.
  freight rates, 1913 and 1923. Y.B., 1923, p. 1171. 1924; Y.B. Sep. 906, p. 1171. 1924.
  frost and rain warnings, Weather Bureau. An. Rpts., 1917, pp. 64-65. 1918; W.B. Chief Rpt., 1917, pp. 18-19. 1917.
  future prospects for America. B.P.I. Bul. 150, p. 20. 1909.
  gall midge. F. M. Webster. Ent. Cir. 147, pp. 4. 1912.
  German, variegated flowers, similarity to sand lucern. B.P.I. Bul. 169, p. 30. 1910.
  germination—
    and growth, effect of alkali salts, studies. J.A.R. vol. 5, No. 1, pp. 13, 23, 25, 31-35, 39, 41, 51. 1915.
    in culture solutions of varying reaction. J.A.R. vol. 19, pp. 88-92, 93. 1920.
  grazing to limit water requirements. D.B. 223, pp. 4-5. 1915.
  Great Plains region, for growing and fattening animals. I. D. Graham. B.A.I. Cir. 86, pp. 24. 1905.
  green, feed, effect on milk flavor and odor, experiments. D.B. 1190, pp. 2-12. 1923.
  Grimm—
    cold resistance. An. Rpts., 1909, p. 277. 1910; B.P.I. Chief Rpt., 1909, p. 25. 1909.
    description. D.C. 123, pp. 4. 1920; F.B. 757, pp. 10-11. 1916.
    hardiness. F.B. 339, p. 37. 1908; F.B. 514, p. 17, 18. 1912.
    origin, description, and hardiness. B.P.I. Bul. 169, pp. 24-28. 1910.
    root system, proliferation tendency. B.P.I. Cir. 115, p. 5. 1913.
    seed, quantity per acre, and seeding methods. Sec. Cir. 123, pp. 2-3. 1920.
    use in breeding new alfalfa crosses. B.P.I. Bul. 258, pp. 13-16, 23-36. 1913.
    utilization in Northwest. Charles J. Brand. B.P.I. Bul. 209, pp. 66. 1911.
    yield, tests. Work and Exp., 1914, p. 162. 1915.
  ground water effects. F.B. 373, pp. 44-45. 1909.
  groups, common, Turkestan, variegated, nonhardy. F.B. 757, pp. 2, 3-20. 1916.
  growing—
    advantages and limitations. F.B. 1021, pp. 4, 32. 1919.
    Akron Field Station. D.B. 1304, p. 20. 1925.
    and uses, experiments. S.R.S. Rpt., 1917, Pt. I, pp. 21, 72, 118, 164, 173. 1918.
    and yield in Kansas, Reno County. Soil Sur. Adv. Sh., 1911, pp. 15, 32, 40, 44, 51, 53, 54, 59, 61, 66, 67. 1913; Soils F.O., 1911, pp. 2001, 2018, 2026, 2030, 2037-2054. 1914.
    as forage crop for hogs. F.B. 951, pp. 10-11. 1918.
    at Newlands Irrigation Project. D.C. 352, pp. 2, 7-8. 1925.
    at Scottsbluff Experiment Farm, 1916. W.I.A. Cir. 18, pp. 17-18. 1918.
    at Truckee-Carson Project, methods, yield. B.P.I. Cir. 78, pp. 10-12, 19. 1911.
    at Yuma Experiment Farm, experiments. B.P.I. [Misc.], "The work of the Yuma * * * 1913," pp. 6-8. 1914; B.P.I. Cir. 126, p. 19. 1913.
    Corn-Belt farms. J. A. Drake and others. F.B. 1021, pp. 32. 1919.
    demonstration work, Kentucky and Virginia results. Y.B., 1915, pp. 232, 241. 1916; Y.B. Sep. 672, pp. 232, 241. 1916.
    directions. D.C. 115, pp. 1-6. 1920.
    directions. R. A. Oakley and H. L. Westover. F.B. 1283, pp. 36. 1922.

Alfalfa(s)—Continued.
  growing—continued.
    east of the ninety-fifth meridian, lecture. H. L. Westover and H. B. Hendrick. S.R.S. Syl. 20, pp. 17. 1916.
    effect of magnesium and calcium in soil. J.A.R. vol. 6, No. 16, pp. 596–604, 614. 1916.
    fertilizer and seeding experiments. S.R.S Rpt., 1916, Pt. I, pp. 88. 1918.
    for hay, leading States. F.B. 362, p. 9. 1909.
    for market hay in Cotton Belt. F.B. 677, pp. 10–11. 1915.
    grasshopper control. F. M. Webster. F.B. 637, pp. 9. 1915.
    in Alabama, Tuscaloosa County, cultural practices. Soils Sur. Adv. Sh. 1911, p. 61. 1912; Soils F.O. 1911, p. 989. 1914.
    in Alaska—
      1916 and hybridization. Alaska A.R. 1916, pp. 20, 26–28, 45. 1918.
      1923 experiments. Alaska A.R., 1923, pp. 10–11. 1925.
      experiments with Siberian alfalfa. O.E.S. An. Rpt., 1911, pp. 18, 73. 1913.
      Rampart Station. Alaska A.R., 1910, p. 34. 1911.
      varieties and yields. Alaska A.R., 1914, pp. 31, 47, 56. 1915.
      varieties proving hardy. Alaska A.R., 1912, pp. 35–36, 52, 64–65. 1913.
    in Argentina, suitability for grazing for entire year. D.C., 228, pp. 3–4, 5, 8, 9, 11. 1922.
    in Arizona—
      Benson area. Soils Sur. Adv. Sh., 1921, pp. 252, 254, 260–274. 1924.
      cost and yields. Work and Exp., 1919, p. 64. 1915.
      irrigation experiments, 1914. W.I.A. Cir. 7, pp. 12–13. 1915.
      Middle Gila Valley area, notes. Soil Sur. Adv. Sh., 1917, pp. 13, 23, 26. 1920; Soils F.O. 1917; pp. 2095, 2108, 2111, 2113. 1923.
      system for maintaining stand. Sec. Cir. 54, pp. 1–4. 1915.
      varieties, yields, and uses. W.I.A. Cir. 25, pp. 7, 9, 10, 19–23. 1919.
      Yuma reclamation project. D.C., 75, pp. 16–17, 32–33. 1920.
    in Arkansas—
      Howard County. Soil Sur. Adv. Sh., 1917, pp. 9, 35, 44, 45. 1919; Soils F.O., 1917, pp. 1359, 1385, 1394, 1395. 1923.
      management. F.B. 1000, p. 14. 1918.
      Mississippi County. Soil Sur. Adv. Sh., 1914, pp. 11, 17–36. 1916; Soil F.O., 1914, pp. 1331, 1337–1356. 1919.
      Yell County, yields. Soil Sur. Adv. Sh., 1915, pp. 23–24, 36, 37. 1917; Soils F.O.,1915, pp. 1204, 1218, 1230, 1231, 1234, 1235. 1919.
    in California—
      Big Valley. Soil Sur. Adv. Sh., 1920, pp. 1009, 1026. 1924; Soils F.O., 1920, pp. 1009 1026. 1925.
      central southern area. Soil Sur. Adv. Sh., 1917, pp. 33, 62, 64, 88–122. 1921; Soils F.O. 1917, pp. 2431–2516. 1923.
      El Centro area. Soil Sur. Adv. Sh., 1918, pp. 13, 16, 27–47. 1922; Soils F.O., 1918, pp. 1641–1678. 1924.
      Honey Lake area, yields. Soil Sur. Adv. Sh., 1915, pp. 11, 25, 29, 48. 1917; Soils F.O., 1915, pp. 2261–2295. 1919.
      Imperial Valley. Soil Sur. Adv. Sh., 1920, pp. 649–654, 667–683, 690, 695–698. 1923; Soils F.O., 1920, pp. 649–654, 667–683, 690, 695–698. 1925.
      Los Angeles area. Soil Sur. Adv. Sh., 1916, pp. 19, 40, 42, 44, 57, 65. 1919; Soils F.O. 1916, pp. 2361, 2376–2409. 1921.
      lower San Joaquin Valley. Soil Sur. Adv. Sh., 1915, pp. 18, 125, 143, 151. 1918; Soils F.O., 1915, pp. 2504, 2701, 2719, 2726. 1919.
      Marysville area, yield and prices. Soil Sur. Adv. Sh., 1909, pp. 18, 28, 38. 1911; Soils F.O., 1909, pp. 1702, 1703. 1912.
      Merced area. Soil Sur. Adv. Sh., 1914, pp. 13, 43, 55, 58. 1916; Soils F.O., 1914, pp. 2792, 2823, 2831–2839. 1919.
      Modesto-Turlock area, yield and cost. Soil Sur. Adv. Sh., 1908, pp. 48–49. 1909; Soils F.O., 1908, pp. 1272–1273. 1911.

Alfalfa(s)—Continued.
  growing—continued.
    in California—continued.
      Pajaro Valley, yields. Soil Sur. Adv. Sh., 1908, p. 9. 1910; Soils F.O., 1908, p. 1335. 1911.
      Pasadena area. Soil Sur. Adv. Sh., 1915, pp. 15–16, 19, 42 54. 1917; Soils F.O., 1915, pp. 2325–2326, 2329, 2352, 2364. 1919.
      Portersville area, yield. Soil Sur. Adv. Sh., 1908, p. 19. 1909; Soils F.O., 1908, p. 1309. 1911.
      Riverside area, methods, cost and yields. Soil Sur. Adv. Sh., 1915, pp. 16, 57, 62, 63, 70. 1917; Soils F.O., 1915, pp. 2378–2379, 2397, 2400, 2407, 2416, 2425, 2432, 2450. 1919.
      Sacramento Valley, soils. Soil Sur. Adv. Sh., 1913, pp. 17, 81, 92, 108. 1915; Soils F.O., 1913, pp. 2307, 2413. 1916.
      San Diego Region. Soil Sur. Adv. Sh., 1915, p. 14. 1918. Soils F.O., 1915, pp. 2518, 2580. 1919.
      San Fernando Valley area. Soil Sur. Adv. Sh., 1915, pp. 16, 41, 44, 51, 61. 1917; Soils F.O., 1915, pp, 2462, 2487, 2490, 2497, 2507 ,1919.
      San Joaquin Valley. Soil Sur. Adv. Sh., 1916, pp. 21, 22, 23–24. 1919; Soils F.O., 1916, pp. 2437, 2619[2] 1921.
      Shasta Valley area. Soil Sur. Adv. Sh., 1919, pp. 103, 105–6, 125–149. 1923; Soils F.O., 1919, pp. 103, 105–6, 125–149. 1925.
      Ukia area. Soil Sur. Adv. Sh., 1914, pp. 16, 41, 43, 45. 1916; Soils F.O., 1914, pp. 2640, 2665–2674. 1919.
      upper San Joaquin Valley. Soil Sur. Adv. Sh., 1917, pp. 20–21. 1921; Soils F.O., 1917, pp. 2548–2549. 1923.
      Victorville area. Soil Sur. Adv. Sh., 1921, pp. 632–633. 1924.
      Woodland area. Soil Sur. Adv. Sh., 1909, pp. 13, 21, 27, 32, 33, 34, 36. 1911; Soils F.O., 1909, pp. 1643, 1651, 1657, 1662, 1663, 1664, 1686. 1912.
      Yuma Experiment Farm, and water requirements. W.I.A. Cir. 12, pp. 9–10, 15. 1916.
    in central prairie States, Marshall silt loam. Soils Cir. 32, p. 12. 1911.
    in Colorado—
      farm practices. D.B., 917, pp. 11–40. 1921.
      Uncompahgre Valley area. Soil Sur. Adv. Sh., 1910, pp. 12, 15–16, 34, 36, 38, 40, 42, 45, 47. 1912; Soils F.O., 1910, pp. 1450, 1453–1454, 1472, 1474, 1476, 1478, 1480. 1912.
    in date gardens for green manure. F.B. 1016, p. 14. 1919.
    in Eastern States, cause of failure. D.B. 6, pp. 1–2. 1913.
    in Florida—
      Jefferson County. Soil Sur. Adv. Sh., 1907, p. 11. 1903; Soils F.O., 1907, p. 362. 1908.
      Marianna area. Soil Sur. Adv. Sh., 1909, pp. 14, 28. 1910; Soils F.O., 1909, pp. 624, 638. 1912.
    in Georgia—
      Colquitt County, yields. Soil Sur. Adv. Sh. 1914, p. 17. 1915; Soils F.O. 1914, p. 973. 1919.
      Meriwether County. Soil Sur. Adv. Sh., 1916, p. 9. 1917; Soils F.O. 1916, pp. 691, 698, 704. 1921.
      Tattnall County, methods. Soil Sur. Adv. Sh., 1914, p. 20. 1915; Soils F.O. 1914, p. 832. 1919.
      Wilkes County, experiments. Soil Sur. Adv. Sh., 1915, pp. 12, 23. 1916; Soils F.O. 1915; p. 726. 1919.
    in Great Plains, northern part, experiments. D.B. 1244, pp. 25–31, 42, 47. 1924.
    in Guam, culture, experiments, and tests. Guam A.R., 1916, pp. 13–14. 1917; Guam Bul. 4, pp. 22–23, 29. 1922.
    in Hawaii—
      crops per year, yields. Hawaii A.R., 1917, pp. 29, 49, 52, 53. 1918.
      for hog pasture. Hawaii Bul. 48, pp. 31, 33. 1923.
      Glenwood substation. Hawaii A.R., 1918, pp. 51–52. 1919.
      varieties, adaptability, cultural methods, and cost. Hawaii A.R., 1919, pp. 48, 63–64, 70. 1920; Hawaii Bul. 23, pp. 6–16. 1911.

Alfalfa(s)—Continued.
　growing—continued.
　　in Idaho—
　　　Portneuf area. Soil Sur. Adv. Sh., 1918, pp. 14–15, 29–47. 1921; Soils F.O., 1918, pp. 1506–1507, 1522, 1524, 1527–1528, 1530, 1534, 1541, 1543, 1544. 1924.
　　　Twin Falls area. Soil Sur. Adv. Sh., 1921, pp. 1372, 1373, 1383. 1925; Soils F.O., 1921, pp. 1372, 1373, 1383. 1925.
　　in Indiana—
　　　Benton County. Soil Sur. Adv. Sh., 1916, pp. 9, 14. 1917; Soils F.O., 1916, pp. 1683, 1688. 1921.
　　　Hamilton County, methods. Soil Sur. Adv. Sh., 1912, pp. 12, 23. 1914; Soils F.O. 1912, pp. 1452, 1463. 1915.
　　　Warren County, increase. Soil Sur. Adv. Sh., 1914, pp. 12, 26, 32. 1916; Soils F.O., 1914, pp. 1602, 1616, 1622. 1919.
　　　Wells County, yields. Soil Sur. Adv. Sh., 1915, p. 9. 1917; Soils F.O., 1915, p. 1445. 1919.
　　in Iowa—
　　　Clinton County, yields. Soil Sur. Adv. Sh., 1915, pp. 15, 34, 40, 42. 1917; Soils F.O., 1915, pp. 1676, 1682, 1684. 1919.
　　　Des Moines County. Soil Sur. Adv. Sh., 1921, p. 1100. 1925.
　　　Lee County. Soil Sur. Adv. Sh., 1914, pp. 13, 18–32. 1916; Soils F. O., 1914, pp. 1919, 1924–1938. 1919.
　　　Mills County. Soil Sur. Adv. Sh., 1920, pp. 108–134. 1923; Soils F.O., 1920, pp. 103–134. 1925.
　　　Montgomery County. Soil Sur. Adv. Sh., 1917, pp. 11, 14, 19–27. 1919; Soils F.O., 1917, pp. 1735, 1739, 1740, 1742, 1746, 1750. 1923.
　　　Page County. Soil Sur. Adv. Sh., 1921, p. 355. 1924.
　　　Pottawattamie County, soils and yields. Soil Sur. Adv. Sh., 1914, pp. 12, 17, 19, 26. 1916; Soils F.O., 1914, pp. 1890, 1892, 1897–1907. 1919.
　　　Sioux County, acreage and yields. Soil Sur. Adv. Sh., 1915, pp. 13, 16, 24, 34. 1917; Soils F.O., 1915, pp. 1755, 1764, 1766, 1770, 1776, 1778. 1919.
　　in Kansas—
　　　central part, labor and practices. D.B. 1296, pp. 37–40. 1925.
　　　Cowley County. Soil Sur. Adv. Sh., 1915, pp. 10, 12, 21, 25. 1917; Soils F.O., 1915, pp. 1926, 1938, 1946, 1950, 1955, 1962. 1919.
　　　Jewell County, methods and yields. Soil Sur. Adv. Sh., 1912, pp. 12, 13, 20–38. 1914; Soils F.O., 1912, pp. 1860, 1861, 1868–1886. 1915.
　　　Montgomery County, acreage and yields. Soil Sur. Adv. Sh., 1913, pp. 11, 24, 34. 1915; Soils F.O., 1913, pp. 1899, 1912, 1918. 1916.
　　　Reno County, yields. Soil Sur. Adv. Sh., 1911, pp. 15, 32–67. 1913; Soils F.O., 1911, pp. 2001, 2018–2053. 1914.
　　　Shawnee County, yields. Soil Sur. Adv. Sh., 1911, pp. 14, 22, 29, 38. 1913; Soils F.O., 1911, pp. 2068, 2076, 2083, 2092. 1914.
　　　•under irrigation. O.E.S. Bul. 211, pp. 12, 22, 24, 26. 1909.
　　in Louisiana—
　　　Concordia Parish, methods. Soil Sur. Adv. Sh., 1910, pp. 16-17. 1911; Soils F.O., 1910, pp. 838–839. 1912.
　　　Iberia Parish possibilities. Soil Sur. Adv.
　　　Billings area. Soils F.O. Sep., 1902, pp. 684, 686. 1903; Soils F.O., 1902, pp. 684, 686. 1903.
　　　Rapides Parish. Soil Sur. Adv. Sh., 1916, pp. 11, 38, 39. 1918; Soils F.O., 1916, pp. 1126–1127, 1130, 1154, 1155, 1158. 1918.
　　　Winn Parish. Soil Sur. Adv. Sh., 1907, p. 11. 1909; Soils F.O., 1907, p. 569. 1909.
　　in Maryland—
　　　Charles County. Soil Sur. Adv. Sh., 1918, pp. 13–39. 1922; Soils F.O., 1918, pp. 85–111. 1924.
　　　Frederick County. Soil Sur. Adv. Sh., 1919, pp. 10, 45, 48, 49. 1922; Soils F.O., 1919, pp. 650, 685, 688, 689. 1925.
　　in Massachusetts. O.E.S. An. Rpt., 1911, p. 128. 1913.

Alfalfa(s)—Continued.
　growing—continued.
　　in Michigan—
　　　Calhoun County. Soil Sur. Adv. Sh., 1916, pp. 13, 17. 25–40. 1919; Soils F.O., 1916, pp. 1637, 1639, 1641, 1649–1664. 1921.
　　　Lenawee County, studies. D.B. 694, pp. 3, 9, 17–18, 27, 28–30. 1918.
　　in Minnesota, Stevens County. Soil Sur. Adv. Sh., 1919, pp. 12, 13, 21, 23, 26. 1922; Soils F.O. 1919, pp. 1393, 1395, 1398. 1925.
　　in Mississippi—
　　　Clay County. Soil Sur. Adv. Sh., 1909, pp. 11, 12, 15, 19, 37. 1911; Soils F.O. 1909, pp. 855, 856, 859, 863, 881. 1912.
　　　Coahoma County, methods and yields. Soil Sur. Adv. Sh., 1915, pp. 11, 18, 20, 26. 1916; Soils F.O., 1915, pp. 979, 986, 988, 994. 1919.
　　　Lee County, yield and feeding value for hay. Soil Sur. Adv. Sh., 1916, pp. 9, 12. 1918; Soils F.O. 1916, pp. 1049, 1050. 1921.
　　　Lowndes County. Soil Sur. Adv. Sh., 1911, pp. 16, 25, 36. 1912; Soils F.O., 1911, pp. 1094, 1103, 1114. 1914.
　　　Noxubee County, preparation, seeding, and cost per acre. Soil Sur. Adv. Sh., 1910, pp. 21–22. 1911; Soils F.O., 1910, pp. 802–803. 1912.
　　　Wayne County, adaptability. Soil Sur. Adv. Sh., 1911, pp. 10–24. 1913; Soils F.O., 1911. pp. 1056, 1070. 1914.
　　in Missouri—
　　　Atchison County. Soil Sur. Adv. Sh., 1909, pp. 12, 20, 25, 26, 27, 29. 1910; Soils F.O., 1909, pp. 1312, 1320, 1325, 1326, 1827, 1329, 1912.
　　　Buchanan County, results. Soil Sur. Adv. Sh., 1915, pp. 13, 14, 15, 41. 1917; Soils F.O., 1915, pp. 1816, 1817–1818, 1819–1820, 1828, 1845. 1919.
　　　Cape Girardeau County, methods. Soil Sur. Adv. Sh., 1910, p. 19. 1912; Soils F.O., 1910, p. 1231. 1912.
　　　Dunklin County, soils and yields. Soil Sur. Adv. Sh., 1914, pp. 18, 27. 1916; Soils F.O., 1914, pp. 2106, 2115. 1919.
　　　Grundy County, methods and yields. Soil Sur. Adv. Sh., 1914. p. 13. 1916; Soils F.O., 1914, p. 1983. 1919.
　　　Harrison County. Soil Sur. Adv. Sh., 1914, pp. 11, 18–33. 1916; Soils F.O., 1914, pp. 1949, 1956–1971. 1919.
　　　Mississippi County. Soil Sur. Adv. Sh., 1921, pp. 559, 570–578. 1924.
　　　Nodaway County, methods and yield. Soil Sur. Adv. Sh., 1913, pp. 11, 24. 1915; Soils F.O., 1913, pp. 1763, 1773, 1776, 1780. 1916.
　　　Ozark region, acreage. D.B. 941, pp. 18, 25. 1921.
　　　Pettis County, methods and yields. Soil Sur. Adv. Sh., 1914, pp. 11, 21, 25, 36, 40. 1916; Soil F.O., 1914, p. 2071. 1919.
　　　Pike County, methods and yield. Soil Sur. Adv. Sh., 1912, pp. 13, 16. 1914; Soils F.O., 1912, pp. 1719, 1722. 1915.
　　　Ralls County, soils, conditions. Soil Sur. Adv. Sh., 1913, pp. 12-13. 1916; Soils F.O., 1913, pp. 1819, 1822, 1845, 1850. 1916.
　　in Montana—
　　　1913–1921. D.C. 275, pp. 3, 5. 1923.
　　　alkali land, experiments and yields. D.B. 135, pp. 2, 3, 9, 10, 12, 18. 1914.
　　　Billings area. Soils F. O. Sep., 1902, pp. 684 686. 1903; Soils F.O., 1902, pp. 684, 686. 1903.
　　　Bitter Root Valley area, acreage and yields. Soil Sur. Adv. Sh., 1914, pp, 15, 38, 40, 48. 1917; Soils F.O., 1914, p. 2473. 1917.
　　　Worden tract, alkali soil experiments. W.I.A. Cir. 8, pp. 23, 24. 1916.
　　in Nebraska—
　　　1913, yields. B.P.I. Doc 1081, pp. 5–7, 9–10. 1914.
　　　Antelope County. Soil Sur. Adv. Sh., 1921, pp. 765–766. 1924.
　　　Boone County. Soil Sur. Adv. Sh., 1921, pp. 1177, 1181. 1925.
　　　Cass County. Soil Sur. Adv. Sh., 1913, pp. 13, 22–35. 1914; Soils F.O., 1913, pp. 1933, 1942-1955. 1916.

Alfalfa(s)—Continued.
growing—continued.
in Nebraska—continued.
Chase County. Soil Sur. Adv. Sh., 1917, pp. 15-16, 29. 1919; Soils F.O., 1917, pp. 1799-1852. 1923.
Dakota County. Soil Sur. Adv. Sh., 1919, pp. 11, 13, 16, 23-39. 1921; Soils F.O., 1919, pp. 1680-1712. 1925.
Dawes County. Soils Sur. Adv. Sh., 1915, pp. 12, 14, 21, 22, 23, 28, 29. 1917; Soils F.O., 1915, pp. 1979, 1983, 1936, 1988, 1991, 1996, 1997. 1919.
Dawson County. Soil Sur. Adv. Sh., 1922, pp. 398-399, 401. 1925.
Deuel County. Soil Sur. Adv. Sh., 1921, pp. 714, 715, 719. 1924.
Dodge County. Soil Sur. Adv. Sh., 1916, pp. 11, 13, 22, 25-30, 37-51. 1918; Soils F.O., 1916, pp. 2077, 2079-2030, 2083-2089, 2096, 2101, 2112, 2113, 2114. 1918.
Douglas County, methods and yields. Soil Sur. Adv. Sh., 1913, pp. 13, 24, 28, 45. 1915; Soils F.O., 1913, pp. 1975-1976. 1915.
Fillmore County. Soil Sur. Adv. Sh., 1916, pp. 10, 12, 18, 22, 24. 1918; Soils F.O., 1916, pp. 2126, 2128, 2134-2140. 1921.
Gage County. Soil Sur. Adv. Sh., 1914, pp. 13, 22-39. 1916; Soils F.O., 1914, pp. 2331, 2340-2357. 1919.
Hall County. Soil Sur. Adv. Sh., 1916, pp. 10, 17-38. 1918; Soils F. O., 1916, pp. 2145-2148, 2153-2176. 1921.
Howard County. Soil Sur. Adv. Sh., 1920, pp. 969, 970, 979-1000. 1924; Soils F.O., 1920, pp. 968-970. 1925.
Jefferson County. Soil Sur. Adv. Sh., 1921, pp. 1449, 1452. 1925
Johnson County. Soil Sur. Adv. Sh., 1920, pp. 1259, 1261, 1270-84. 1924; Soils F.O., 1920, pp. 1259, 1261, 1270-84. 1925.
Kimball County. Soil Sur. Adv. Sh., 1916, pp. 10-11, 24, 25, 28. 1917; Soils, F.O., 1916, pp. 2183, 2184, 2194, 2199, 2202. 1921.
Madison County. Soil Sur. Adv. Sh., 1920, pp. 207-208, 210, 217-245. 1923; Soils F.O., 1920, pp. 207-208, 210, 217-245. 1925.
Nemaha County, acreage and yields. Soil Sur. Adv. Sh., 1914, pp. 12, 21, 23, 24, 29, 32, 33. 1916; Soils F.O., 1914, pp. 2296, 2305-2317. 1919.
North Platte reclamation project. D.C. 173, pp. 8, 9. 1921; D.C. 289, pp. 4, 5, 8. 1924.
Pawnee County. Soil Sur Adv. Sh., 1920, pp. 1323, 1332-1367. 1924; Soils F.O., 1920, pp. 1323, 1332-1367. 1925.
Perkins County. Soil Sur. Adv. Sh., 1921, pp. 891-892. 1924.
Phelps County. Soil Sur. Adv. Sh., 1917, pp. 11-12. 1919; Soils F.O., 1917, pp. 1925-1926. 1923.
Polk County, acreage and yields. Soil Sur. Adv. Sh., 1915, pp. 17-20. 1917; Soils F.O., 1915, pp. 2013, 2016, 2019. 1919.
Redwillow County. Soil Sur. Adv. Sh., 1919, pp. 12, 13, 15, 39, 40, 42, 45. 1921; Soils F.O., 1919, pp. 1723, 1745, 1747, 1748, 1750, 1753. 1925.
Richardson County. Soil Sur. Adv. Sh., 1915, pp, 12, 23, 26, 27, 29, 32. 1917; Soils F.O., 1915, pp. 2034, 2043, 2045, 2048, 2054. 1921.
Sand hills, varieties, seeding time, and rate. B.P.I. Cir. 80, pp. 16-23. 1911.
Saunders County. Soil Sur. Adv. Sh., 1913, pp. 13, 21, 23, 25, 32. 1915; Soils F.O., 1913, pp. 2019, 2027, 2029, 2031, 2038. 1916.
Scotts Bluff County, acreage, yields, and uses. D.C. 173, pp. 12-16. 1921; W.I.A. Cir. 27, pp. 8-20. 1919; Soil Sur. Adv. Sh., 1913, pp. 13-14, 42. 1916; Soils F.O., 1913, pp, 2067-2068, 2096. 1916.
Seward County, importance and yields. Soil Sur. Adv. Sh., 1914, pp. 12, 14, 20, 25, 32, 35. 1916; Soils F.O., 1914, pp. 2260, 2268-2284. 1919.
Sioux County. Soil Sur. Adv. Sh., 1919, pp. 10, 27-38. 1922; Soils F.O., 1919, pp. 1766-1798. 1925.
Thurston County, acreage, methods, and yields. Soil Sur. Adv. Sh., 1914, pp. 13, 23, 26, 29, 32, 34, 37. 1916; Soils F.O., 1914, pp. 2221, 2231-2246. 1919.

Alfalfa(s)—Continued.
growing—continued.
in Nebraska—continued.
Washington County, acreage and yields. Soil Sur. Adv. Sh., 1915, pp. 12, 14, 23, 24, 25, 26, 28, 29, 31, 32, 34. 1917; Soils F.O., 1915, pp. 2066, 2068, 2077, 2079, 2080, 2083, 2085. 1919.
Wayne County. Soil Sur. Adv. Sh., 1917, pp. 11, 13-14, 26-46. 1919; Soils F.O., 1917, pp. 1965, 1966-1967, 1970-1971, 1983. 1923.
western, yield. Soil Sur. Adv. Sh., 1911, pp. 30, 109, 114, 115. 1913; Soils F.O., 1911, pp. 1898, 1977, 1932, 1983. 1914.
in Nevada—
Fallon area. Soil Sur. Adv. Sh., 1909, pp. 12, 13, 21, 23, 25, 27, 30, 32, 34, 37. 1911; Soils F.O., 1909, pp. 1484, 1485, 1493, 1495, 1496, 1497, 1499, 1502, 1504, 1506, 1509. 1912.
Truckee-Carson Project, and uses. W.I.A. Cir. 13, pp. 6-7. 1916.
in New Mexico—
Mesilla Valley, methods and yields. Soil Sur. Adv. Sh., 1912, pp. 11-12, 30. 1914; Soils F.O., 1912, pp. 2017-2018, 2036. 1915.
middle Rio Grande Valley, yields and cost. Soil Sur. Adv. Sh., 1912, pp. 17-18, 38. 1914; Soils F.O., 1912, pp. 1975-1976, 1996. 1915.
in New York—
Jefferson County, need of lime. Soil Sur. Adv. Sh., 1911, pp. 31, 39, 43, 45. 1913; Soils F.O., 1911, pp. 118, 121, 126, 129, 133. 1914.
Monroe County. Soil Sur. Adv. Sh., 1910, pp. 15, 23, 24, 31, 33. 1912; Soils F.O., 1910, pp. 54, 69, 71. 1912.
Oneida County, increase since 1900. Soil Sur. Adv. Sh., 1913, pp. 10, 17, 18, 36, 44. 1915; Soils F.O., 1913, pp. 44, 51, 52, 70, 78. 1916.
Orange County, methods and yields. Soil Sur. Adv. Sh., 1912, pp. 16, 32, 40. 1914; Soils F.O., 1912, pp. 63, 84, 92. 1915.
Schoharie County, acreage and yields. Soil Sur. Adv. Sh., 1915, pp. 9, 16, 17. 1917; Soils F.O., 1915, pp. 129, 136, 137. 1919.
in North, seeding rate, and yields. S.R.S. Syl. 25, pp. 12-13. 1917.
in North Carolina, Wayne County. Soil Sur. Adv. Sh., 1915, pp. 43, 44. 1916; Soils F.O., 1915, pp. 535, 536. 1919.
in North Dakota—
Bottineau County. Soil Sur. Adv. Sh., 1915, pp. 12-13, 23, 37. 1917; Soils F.O., 1915, pp. 2136-2137, 2147, 2161. 1919.
McHenry County. Soil Sur. Adv. Sh., 1921 p. 942. 1925.
Sargent County. Soil Sur. Adv. Sh. 1917, pp. 21, 35. 1920. Soils F.O., 1917, pp. 2011, 2029. 1903.
western, yield, and seeding rate. Soil Sur. Adv. Sh., 1908, p. 36. 1910; Soils F.O., 1908; p. 1184. 1911.
in Ohio—
localities and soils adapted to. Soil Sur. Adv. Sh., 1912, pp. 36, 55, 75, 96. (Recon.) 1915; Soils F.O., 1912, pp. 1281, 1285, 1286, 1293, 1297, 1313, 1315, 1334, 1337, 1340, 1345. 1915.
Miami County, increase. Soil Sur. Adv. Sh., 1916, p. 9. 1918; Soils F.O., 1916, pp. 1587, 1598, 1602, 1616, 1617, 1622. 1921.
in Oklahoma—
Bryan County, yields. Soil Sur. Adv. Sh., 1914, pp. 12, 21, 23. 1915; Soils F.O., 1914, pp. 2174, 2183, 2183, 2199. 1919.
Canadian County. Soil Sur. Adv. Sh., 1917, pp. 12, 15, 16, 21, 57. 1919; Soils F.O., 1917, pp. 1404, 1406, 1409, 1410, 1415, 1418, 1447, 1451. 1923.
Kay County. Soil Sur. Adv. Sh., 1916, pp. 10, 13, 20, 27-38. 1917; Soils F.O., 1915, pp. 2098, 2099, 2101, 2115, 2118, 2121, 2125, 2127. 1919.
Payne County. Soil Sur. Adv. Sh., 1916, pp. 12, 21, 29-38. 1919; Soils F.O., 1916, pp. 2010, 2012, 2018-2039. 1921.
Roger Mills County, yields. Soil Sur. Adv. Sh., 1914, pp. 26, 27, 29. 1916; Soils F.O., 1914, pp. 2143, 2144, 2158-2161. 1919.

Alfalfa(s)—Continued.
  growing—continued.
    in Oregon—
      and Washington, use. Soil Sur. Adv. Sh., 1912, pp. 13, 19. 1914; Soils F.O., 1912, pp. 2061, 2080. 1915.
      Josephine County. Soil Sur. Adv. Sh., 1919, pp. 356, 384, 407. 1923; Soils F.O., 1919, pp. 356, 358, 384–407. 1925.
      Klamath reclamation project, yield and uses. Soil Sur. Adv. Sh., 1908, pp. 12–13, 15. 1910; Soils F.O., 1908, pp. 1380–1381, 1383. 1911.
      Medford area, yields. Soil Sur. Adv. Sh., 1911, pp. 14–15, 63, 67, 63. 1913; Soils F.O., 1911, pp. 2296–2297, 2345, 2349, 2350. 1914.
      Umatilla Project. W.I.A. Cir. 17, pp. 4, 7, 12, 17, 18–19. 1917.
    in Pennsylvania—
      eastern part, suggestions. D.B. 341, p. 86. 1916.
      Erie County, preparation of soil. Soil Sur. Adv. Sh., 1910, pp. 21–22. 1911; Soils F.O. 1910, pp. 161–162. 1912.
      southeastern part. Soil Sur. Adv. Sh., 1912, pp. 19, 21, 47, 54, 86, 89. 1914; Soils F.O., 1912, pp. 259, 261, 287, 294, 326, 329. 1915.
    in Porto Rico, experiments. P.R. An. Rpt., 1912, p. 44. 1913.
    in South, cultural notes, yields, and uses. S.R.S. Syl. 24, pp. 10–11. 1917.
    in South Dakota—
      acreage, production, and yield. D.C. 60, pp. 5–6, 10, 12. 1919.
      Beadle County. Soil Sur. Adv. Sh., 1920, pp. 1479, 1481, 1491. 1924; Soils F.O., 1920, pp. 1479, 1481, 1491. 1925.
      Belle Fourche Experiment Farm. W.I.A. Cir. 9, pp. 16–18. 1916.
      experiments and cooperative work. O.E.S. An. Rpt., 1912, p. 203. 1913.
      McCook County. Soil Sur. Adv. Sh., 1921, pp. 455, 460–469. 1924.
      Union County. Soil Sur. Adv. Sh., 1921, pp. 478, 480, 487–505. 1924.
      western part. Soil Sur. Adv. Sh., 1909, p. 70. 1911; Soils F.O., 1909, p. 1466. 1912.
    in Tennessee, Coffee County, directions. Soil Sur. Adv. Sh., 1908, p. 12. 1910; Soils F.O., 1908, p. 996. 1911.
    in Texas—
      Brazos County, acreage, methods and yields. Soil Sur. Adv. Sh., 1914, pp. 14, 41. 1916; Soils F.O., 1914, pp. 1284, 1311, 1314. 1919.
      Denton County. Soil Sur. Adv. Sh., 1918, pp. 10, 12, 53. 1922; Soils F.O., 1918, pp. 782, 825, 826. 1924.
      Ellis County, importance as hay crop. Soil Sur. Adv. Sh., 1910, p. 11. 1911; Soils F.O., 1910, p. 937. 1912.
      Grayson County. Soil Sur. Adv. Sh., 1909, pp. 11, 12, 23, 24. 1910; Soils F.O., 1909, pp. 957, 958, 969, 980. 1912.
      northwestern part. Soil Sur. Adv. Sh., 1919, pp. 17, 20, 37, 53, 67, 69, 74. 1922; Soils F.O., 1919, pp. 1115, 1118, 1135, 1151, 1165, 1167, 1172. 1925.
      Panhandle region, importance, yield and value. Soil Sur. Adv. Sh., 1910, pp. 26, 52. 1911; Soils F.O., 1910, pp. 982, 1008. 1912.
      south-central. Soil Sur. Adv. Sh., 1913, pp. 30, 68, 98. (Recon.) 1915; Soils F.O., 1913, pp. 1095, 1096, 1103, 1106, 1121. 1916.
      southern part. Soil Sur. Adv. Sh., 1909, pp. 93–94. 1910; Soils F.O., 1909, pp. 1117–1118. 1912.
      southwestern part. Soil Sur. Adv. Sh., 1911, pp. 29, 36. 1912; Soils F.O., 1911, pp. 1193, 1197, 1204. 1914.
      Washington County. Soil Sur. Adv. Sh., 1913, pp. 11, 16, 20, 30. 1915; Soils F.O., 1913, pp. 1051, 1056, 1060, 1070. 1916.
    in Utah—
      Ashley Valley, notes. Soil Sur. Adv. Sh., 1920, pp. 913, 919–934. 1924; Soils F.O., 1920, pp. 913, 919–934. 1925.
      Cache Valley area, methods and yield. Soil Sur. Adv. Sh., 1913, pp. 12–13, 34, 58. 1915; Soils F.O., 1913, pp. 2106–2107, 2121, 2132, 2133, 2134, 2143, 2149, 2150, 2152–2153. 1916.
      Delta area. Soil Sur. Adv. Sh., 1919, pp. 8, 9, 15–29. 1922; Soils F.O., 1919, pp. 1804, 1805, 1813, 1816, 1825, 1833. 1925.

Alfalfa(s)—Continued.
  growing—continued.
    in Virgin Islands, experiments. Vir. Is. A.R., 1919, pp. 13–14. 1920.
    in Virginia—
      Culpeper County, acreage and yield. Y.B., 1915, p. 241. 1916; Y.B., Sep. 672, 1915, p. 241. 1916.
      Frederick County, acreage, soils, and yields. Soil Sur. Adv. Sh., 1914, pp. 14, 46. 1916; Soils F.O., 1914, pp. 438, 453, 470. 1919.
      Henrico County. Soil Sur. Adv. Sh., 1913, pp. 33, 34. 1914; Soils F.O., 1913, pp. 171, 172. 1916.
    in Washington—
      Benton County. Soil Sur. Adv. Sh., 1916, pp. 12, 14, 39–63. 1919; Soils F.O., 1916, pp. 2210–2214, 2239–2261, 2269. 1921.
      Franklin County. Soil Sur. Adv. Sh., 1914, pp. 30, 63, 74, 83. 1917; Soils F.O., 1914, pp. 2556, 2579, 2586, 2589, 2591, 2598. 1919.
      orchards, furrowing and irrigation. D.B. 446, pp. 5, 11, 15, 24–26. 1917.
      Quincy area, and yields. Soil Sur. Adv. Sh., 1911, pp. 18, 19, 47. 1913; Soils F.O., 1911, pp. 2240, 2241, 2269. 1914.
      Stevens County, soils and yields. Soil Sur. Adv. Sh., 1913, pp. 27–28. 1915; Soils F.O., 1913, pp. 2185–2186. 1916.
      Wenatchee area, notes. Soil Sur. Adv. Sh., 1918, pp. 14–24, 44, 50, 65, 72, 73, 81. 1922; Soils F.O., 1918, pp. 1554–1564, 1586, 1600, 1604–1608, 1611, 1613, 1617, 1619, 1621, 1624. 1924.
      western Puget Sound Basin, possibilities. Soil Sur. Adv. Sh. (Recon.), 1910, p. 38. 1912; Soils F.O., 1910, pp. 1521–1522. 1912.
    in Western States, profits. Y.B., 1911, p. 270. 1912; Y.B., Sep. 567, p. 270. 1912.
    in Wisconsin—
      Fond du Lac County, yields. Soil Sur. Adv. Sh., 1911, pp. 11, 20, 29, 33, 36. 1913; Soils F.O., 1911, pp. 1429, 1438, 1447, 1451, 1454. 1914.
      Jackson County. Soil Sur. Adv. Sh., 1918, pp. 10, 18, 21. 1922; Soils F.O., 1918, pp. 946, 954, 957. 1924.
      Jefferson County, acreage and yields. Soil Sur Adv. Sh., 1912, pp. 11, 12, 24, 28, 30, 32, 35. 1914; Soils F.O., 1912, pp. 1561, 1562, 1574, 1578, 1580, 1582, 1585. 1915.
      Walworth County. Soil Sur. Adv. Sh., 1920, pp. 1386–1387, 1398–1418. 1924; Soils F.O., 1920, pp. 1386–1387, 1398–1418. 1925.
      Waukesha County, inoculation, seeding, and yield. Soil Sur. Adv. Sh., 1910, pp. 13, 22, 25, 27, 32. 1912; Soils F.O., 1910, pp. 1181, 1190, 1193, 1195, 1200. 1912.
    in Wyoming—
      Cheyenne farm, experiments and results. O.E.S. Cir. 92, pp. 40–41. 1910.
      experiments at field station. D.B. 1306, pp. 22–24, 30. 1925.
      Nebraska, Fort Laramie area. Soil Sur. Adv. Sh., 1917, pp. 15, 24–47. 1921; Soils F.O., 1917, pp. 2051, 2064–2083. 1923.
    inoculation and lime treatment, experiments and results. F.B. 374, pp. 5–7. 1909.
    instructions—
      adapted to southern New Jersey, Delaware, southern Maryland, Virginia, Arkansas, Tennessee, and the South Atlantic and Gulf States. D.C. 115, pp. 6. 1920.
      for different sections. F.B. 339, pp. 42–48. 1908.
    irrigation farming, importance and disposal. Y.B., 1916, pp. 178, 187, 190. 1917; Y.B., Sep. 690, pp. 2, 11, 14. 1917.
    methods. A. S. Hitchcock. F.B. 215, pp. 40. 1905.
    on alkali land in Nevada, experiments. D.C. 136, p. 18. 1920.
    on Houston clay. M.A. Crosby. Rpt. 96, Pt. II, pp. 35–41. 1911.
    on Huntley Experiment Farm, yields. W.I.A. Cir. 8, pp. 11–12. 1916.
    on Miami soils. D.B. 142, pp. 29, 35, 55. 1914.
    on Orangeburg fine sandy loam, yields. Soils Cir. 46, pp. 15–16. 1911.

Alfalfa(s)—Continued.
  growing—continued.
    on sandy lands, directions. F.B. 716, pp. 2, 11–12. 1916.
    permanent wheat fields. David Fairchild. B.P.I. Bul. 72, pp. 7. 1905.
    precautions, summary. F.B..339, p. 48. 1908.
    profits from irrigation. F.B. 373, pp. 47–48. 1909.
    requirements. F.B. 339, pp. 8–22. 1908.
    requirements, seed-bed preparation and lime. F.B. 981, pp. 37–38. 1918.
    rotation experiments. D.B. 881, pp. 2–3. 1920.
    study outline for home project. D.B. 346, p. 11. 1916.
    transplanting experiments. Work and Exp., 1914, p. 215. 1915.
    under irrigation, cost and yield. O.E.S. Bul. 222, pp. 86–87. 1910.
    with timothy in Eastern States. F.B. 990, p. 7. 1918.
  growth—
    and hardiness, lowest temperatures. B.P.I. Bul. 118, p. 814. 1907.
    effect of mineral phosphates, analyses. J.A.R., vol. 6, No. 13, pp. 494, 496. 1916.
    habits, seeding, and soil requirements. F.B. 1125, rev., pp. 29–31. 1920.
    on alkali soil after sweet clover. F.B. 797, p. 14. 1917.
    stage, relation to moisture content. D.B. 353, pp. 22–24, 26–27, 36. 1916.
  Guaranda, description, similarity to Peruvian variety. B.P.I. Bul. 118, pp. 27–28. 1907.
  hardiness—
    drill-row and hill experiments in North Dakota. B.P.I. Bul. 185, pp. 30–56. 1910.
    methods of increasing. B.P.I. Bul. 185, pp. 64–67. 1910.
    relation of zero point of growth. B.P.I. Bul 118, pp. 8–9. 1907.
  hardy—
    growing in Alaska. An. Rpts., 1912, p. 831. 1913; O.E.S. Chief Rpt., 1912, p. 17. 1912.
    introduction. Y.B., 1908, p. 48. 1909.
    problem, commercial aspects. B.P.I. Bul. 169, p. 55. 1910.
    varieties, breeding experiments. B.P.I. Bul. 258, pp. 1–39. 1913; F.B. 339, pp. 37–38. 1908; F.B. 514, pp. 13–18. 1912.
    yellow, introduction into Alaska. Alaska Cir. 1, pp. 17–18. 1916.
  harrowing practices. F.B. 342, pp. 14–16. 1909.
  harvest dates, and acreage, 1909. Y.B., 1917, pp. 570–571. 1918; Y.B. Sep. 758, pp. 36–37. 1918.
  harvesting—
    with hogs, sheep, and cattle, methods and profits. F.B. 1008, pp. 5–7. 1918.
    with sheep, Belle Fourche Experiment Farm, 1916. W.I.A. Cir. 14, pp. 18–19. 1917.
  Hawaii, harvesting methods, yield, and production cost. Hawaii Bul. 23, pp. 13–16. 1911.
  hay—
    and meal, feed for cattle, energy values, notes, and tables. J.A.R., vol. 3, pp. 437–487. 1915.
    and seed, growing in Utah, and uses. D.B. 117, p. 18. 1914.
    and seed, production on Yuma reclamation project. B.P.I. Cir. 124, pp. 4–5, 6, 7, 8. 1913.
    feeding to lambs, use of self feeders and feed cutters. Work and Exp., 1914, pp. 73, 97. 1915.
    See also Hay, alfalfa.
  haymaking, methods and implements. D.B. 578, pp. 6, 12, 24–31, 35, 47. 1918; F.B. 1021, pp. 12–24. 1919; F.B. 1229, pp. 2, 5–10. 1921.
  heads, injury by gall midge. Ent. Cir. 147, pp. 1–3. 1912.
  history—
    description, climate and soil requirements. S.R.S. Syl. 20, pp. 1–4. 1916.
    description, and distribution, four different species. B.P.I. Bul. 150, pp. 16–20. 1909.
  hog—
    feed—
      pasture and hay, methods. F.B. 331, pp. 6–10. 1908.
      value as pasture or soiling. F.B. 339, pp. 27, 30. 1908.

Alfalfa(s)—Continued.
  growing—continued.
    pasture—
      and winter feed, value. D.B. 68, pp. 12, 17, 18, 21, 26. 1914.
      failure, causes. B.P.I. Bul. 111, Pt. IV, p. 6. 1907.
      for weevil control, time. News L., vol. 2, No. 42, p. 2. 1915.
      number to acre. An. Rpts., 1908, p. 380. 1909; B.P.I. Chief Rpt., 1908, p. 100. 1908. Scottsbluff Experiment farm, 1913. B.P.I. Doc. 1081, pp. 9–10. 1914.
      value, number per acre, cost per pound of gain. B.P.I. Bul. 111, Pt. IV, pp. 6–9. 1907.
      value number per acre, cost per pound of gain. B.P.I. Bul. 111, pp. 32–35. 1907; F.B. 331, pp. 6–9. 1908.
    hopper, three-cornered—
      description, life history, and control. J.A.R. vol. 3, pp. 343–362. 1915; News L., vol. 2, No. 9, pp. 3–4. 1914.
      distribution and food plants. J.A.R., vol. 3, pp. 344–346, 359. 1915.
    Hungarian, comparison with Turkestan alfalfa. D.B. 138, p. 3. 1914.
    Huntley project, planting time, yield, value, cost, and tables. B.P.I. [Misc.], "The work of the Huntley * * * 1913," pp. 8–10. 1914.
    hybrids—
      development. Y.B., 1907, p. 147. 1908; Y.B., Sep. 441, p. 147. 1908.
      intermediate forms. B.P.I. Bul. 169, pp. 10–12, 33–35. 1910.
      proliferation tendency. B.P.I. Cir. 115, pp. 4, 5, 7–10. 1913.
      seed, sowing. B.P.I. Bul. 258, pp. 20–21. 1913.
      value as forage. Y.B., 1908, p. 253. 1909; Y.B. Sep. 478, p. 253. 1909.
    hybridization experiments. B.P.I. Bul. 169, pp. 33–35. 1910.
    importance of crop in Wisconsin, Fond du Lac County. Soil Sur. Adv. Sh., 1911, pp. 11, 13–14. 1913; Soils F.O., 1911, pp. 1429, 1431–1432. 1914.
    imported seed, field test conclusions. Sec. A. R., 1925, p. 61. 1925.
    importations and description. Nos. 28359, 28538, 28539, B.P.I. Bul. 223, pp. 14, 26–27. 1911; Nos. 29913, 29998, 30027, 30094, 30133, 30200, 30395, 30433–30436, B.P.I. Bul. 233, pp. 40, 47, 50, 58, 61, 66, 83, 87. 1912; Nos. 30504, 30622, 30712, 30738, 30829–30830, 30954–30955, 30994–31024, 31304–31305, B.P.I. Bul. 242, pp. 8, 15, 25, 34, 36, 43, 58, 61–62, 82. 1912; Nos. 31648, 31687, 31811–31815, B.P.I. Bul. 248, pp. 7, 33, 37, 50–51. 1912; Nos. 31939, 31979, 32078, 32089, 32136, 32178–32181, 32306, B.P.I. Bul. 261, pp. 11, 14, 25, 36, 37, 54. 1912; Nos. 35156, 35207, 35311, 35312, 35401, 35402, 35421, 35427, 35428, 35435–35443, B.P.I. Inv. 35, pp. 9, 14, 22, 36, 42, 44, 45. 1915; Nos. 37941–37942, 38123, 38208, 38464, 38523, 38643, B.P.I. Inv. 39, pp. 70, 92, 103, 133, 141, 156. 1917; Nos. 48094, B.P.I. Inv. 60, p. 42, 1922; Nos. 48755, 48776, B.P.I. Inv. 61, p. 46. 1922; No. 49761, B.P.I. Inv. 62, p. 82. 1923; No. 52612, B.P.I. Inv. 66, p. 51. 1923; Nos. 55388, 55390, 55517–55519, B.P.I. Inv. 71, pp. 38, 49, 54. 1923; Nos. 55569–55571, 55586, 55646, 55724, B.P.I. Inv. 72, pp. 2, 5, 7, 14, 25. 1924.
    in New Mexico, yield under irrigation. O.E.S. Bul. 158, pp. 305–308. 1905.
    injury by—
      bean thrips. Ent. Bul. 118, pp. 8, 16, 17, 28–30, 41, 43. 1912.
      clover leaf-hopper, field control treatment. F.B. 737, pp. 2, 5–8. 1916.
      clover stem borer, methods. D.B. 889, pp. 4–5, 10–11. 1920.
      clover worm, control. News L., vol. 7, No. 7, pp. 1–2. 1919.
      dodder, and control. News L., vol. 6, No. 50, p. 7. 1919.
      fall army worm. News L., vol. 2, No. 50, pp. 1, 3. 1915.
      flea beetle. D.B. 436, pp. 5, 21. 1917.
      garden flea hopper. D.B. 964, pp. 6–8. 1921.

Alfalfa(s)—Continued.
  injury by—continued.
    garden webworm, description. F.B. 944, pp. 3–4. 1918.
    gophers. N.A. Fauna 25, p. 132. 1905.
    rabbits. Y.B., 1907, p. 331. 1908; Y.B. Sep. 452, p. 331. 1908.
    three-cornered hopper and other insects. J. A. R., vol. 3, pp. 344, 345, 357–359. 1915.
    weevil, prevention by spraying. F.B. 1185, pp. 3–7. 1920.
    wireworms. D.B. 156, pp. 9, 19. 1915.
  inoculation—
    field tests and results. F.B. 315, pp. 15, 18, 19. 1908; F.B. 339, pp. 17–18. 1908.
    with Pseudopeziza cultures, experiments. D.B. 759, pp. 19–28. 1919.
  insect pests, list. Sec. [Misc.], "A manual of insects * * *," pp. 13–15. 1917.
  introduction—
    as new crop, suggestions. B.P.I. Bul. 259, pp. 13, 71. 1912.
    results. Y. B., 1908, p. 156. 1909.
  investigations by experiment stations. Work and Exp., 1918, pp. 17, 32, 41. 1920.
  irrigated lands—
    cost and profit per acre, Colorado. O.E.S. Bul. 218, pp. 43–44. 1910.
    cost and yield, Yakima Valley, Washington. O.E.S. Bul. 188, pp. 58–60. 1907.
    Montana, suggestions. B.P.I. Doc. 462, p. 5. 1909.
    pasturing experiments. D.C. 339, pp. 31–34. 1925.
    returns per acre, Washington. O.E.S. Bul. 214, pp. 23, 43. 1909.
    rotations, yields, seeding and harvesting. W. I. A. Cir. 2, pp. 6, 8, 9–15. 1915.
    South Dakota. B.P.I. Doc. 453, pp. 4–5. 1909.
  irrigation—
    Samuel Fortier. F.B. 373, pp. 48. 1909; F.B. 865, pp. 40. 1917.
    as factor in yield. D.B. 1340, p. 30. 1925.
    Belle Fourche project, 1913, experiment. B.P.I. [Misc.], "The work of the Belle Fourche * * *, 1913," pp. 11–12. 1914.
    effect on yields, Oregon. W.I.A. Cir. 26, pp. 17–18. 1919.
    experiments—
      and yields. W.I.A. Cir. 17, pp. 18–19. 1917.
      in California. O.E.S. Cir. 108, pp. 13–14, 17, 23–25. 1911.
      in Idaho. D.B.1340, p. 31. 1925.
      results. O.E.S. Cir. 95, pp. 4–5, 6–7. 1910.
    for control of chalcid fly in seed. D.B. 812, p. 15. 1920.
    hints. B.P.I. Doc. 453, p. 5. 1909.
    in Colorado, 1916, 1917. D.B. 1026, pp. 62–63, 84. 1922.
    in humid region, results. Y.B., 1911, pp. 315, 316. 1912; Y.B. Sep. 570, pp. 315, 316. 1912.
  methods—
    and cost. F.B. 399, pp. 12–14. 1910; F.B. 864, pp. 26–28. 1917.
    and cost, Pomona Valley, California. O.E.S. Bul. 236, pp. 81–85, 94–95. 1911.
    Arizona and California. Y.B., 1909, pp. 302–303. 1910; Y.B. Sep. 514, pp. 302–303. 1910.
    New Mexico. O.E.S. Bul. 215, pp. 17, 40. 1909.
    practices. F.B. 865, pp. 3–25. 1917.
    requirements per acre. Y.B. 1916, pp. 509, 510. 1917; Y.B. Sep. 703, pp. 3, 4. 1917.
    schedules and methods, 1909–1912. D.B. 10, pp. 2–8, 8–10. 1913.
    time needed, guides. F.B. 865, pp. 36–37. 1917.
    with pumped water, cost and yield per acre. O.E.S. Bul. 158, pp. 308–311. 1905.
  labor—
    and seed requirements on farms in southwestern Minnesota. D.B. 1271, pp. 41–44. 1924.
    requirements. D.B. 1181, pp. 7, 25–26, 61. 1924.
  lands—
    irrigated, preparation, and application of water, methods. O.E.S. Bul. 207, pp. 51–52, 54–59, 69–72. 1909.
    preparing for potatoes. B.P.I. Cir. 113, p. 16. 1913.

Alfalfa(s)—Continued.
  lands—continued.
    value for cotton growing. D.B. 742, pp. 21–22. 1919.
  leaf(ves)—
    composition and food value. F.B. 339, p. 24. 1908.
    miner, spike-horned, occurrence. D.B. 432, pp. 2, 4. 1916.
    spot caused by Pseudopeziza medicaginis. Fred Reuel Jones. D.B. 759, pp. 38. 1919.
    variations in different strains. B.P.I. Bul. 169, pp. 41–44. 1910.
    weevil control, experiments. O.E.S. An. Rpt., 1910, p. 245. 1911.
    weevil, description. Sec. [Misc.], "A manual of insects * * *," pp. 13–14. 1917.
  life-history studies, new varieties, investigations. B.P.I. Chief Rpt., 1907, pp. 31, 76. 1908.
  localities adapted to, and relative importance. F.B. 1289, pp. 3, 18, 30. 1923.
  lodging tendency, variations in different strains. B.P.I. Bul. 169, pp. 25, 44. 1910.
  looper—
    description, life history, and control. Ent. Bul. 95, Pt. VII, pp. 109–118. 1912.
    disease investigations. Ent. Bul. 95, Pt. VII, p. 118. 1912.
    in Pacific Northwest. James A. Hyslop. Ent. Bul. 95, Pt. VII, pp. 109–118. 1912.
    parasites, description. Ent. Bul 95, Pt. VII., pp. 114–118. 1912.
  meal—
    adulteration and misbranding. Chem. S.R.A 21, p. 70. 1918.
    feed for cattle, energy value, notes and tables. J.A.R., vol. 3, pp. 438–484. 1915.
    feeding stuff. F.B. 384, pp. 12–14. 1910.
    manufacture and uses. F.B. 1229, pp. 27–44. 1921.
    misbranding. Chem. N.J. 608, p. 1. 1910; Chem. N.J. 1409, p. 1. 1912; Chem. N.J. 2364, p. 1. 1913.
    preparation, and value. B.A.I. Cir. 86; p. 255. 1905.
    use as horse feed. F.B. 1030, pp. 14–15. 1919.
    use in grasshopper poison, formula. News L., vol. 5, No. 44, p. 12. 1918.
    value as feed. B.A.I. Cir. 86, p. 255. 1905; F.B. 339, p. 26. 1908.
  mildew, control. F.B. 339, p. 41. 1908.
  mixture(s)—
    for pasture. F.B. 339, p. 31. 1908.
    with alsike clover, seeding rate and value. F.B. 1151, p. 14. 1920.
    with brome grass hay and pasture. B.P.I. Bul. 111, Pt. V, p. 8. 1907.
  moisture loss in curing. D.B. 353, pp. 27, 29–30, 37. 1916.
  mountain, importations and description. Nos. 40748, 40749, B.P.I. Inv. 43, p. 75. 1918.
  need of sulphur in soil. Oscar C. Bruce. J.A.R. vol. 30, pp 937–947. 1925.
  nesting place for grasshoppers. Y.B., 1915, p. 264. 1916; Y.B. Sep. 674, p. 264. 1916.
  new—
    introduction from Siberia, 1908. Rpt. 87, pp. 23–24. 1908.
    use for greens. B.P.I. Bul. 208, p. 77. 1911.
    varieties. B.P.I. Bul. 207, pp. 13–14, 20–21, 23–24, 33, 38, 46–47, 61, 71–78, 86–90, 91. 1911; B.P.I. Bul. 208, pp. 11, 35, 40, 53–54, 62–63, 68. 1911.
  nonhardy variety, Arabian, description, uses, and quality of hay, B.P.I. Cir. 119, pp. 25–30. 1913.
  northernmost limit. B.P.I. Bul. 150, pp. 8, 9. 1909.
  of world, perspective view. N. E. Hansen. B.P.I. Bul. 150, pp. 31. 1909.
  orchard—
    cover crop. F.B. 1229, pp. 3, 27. 1921.
    cutting before spraying. F.B. 1326, p. 20. 1924.
  parent seed imported from Chile. B.P.I. Bul. 118, p. 3. 1907.
  pasturage—
    effect of frequent cutting on water requirements of crop. Lyman J. Briggs and H. L. Shantz. D.B. 228, pp. 6. 1915.
    use as control for loco weeds. D.B. 575, p. 7. 1918.

Alfalfa(s)—Continued.
pasture(s)—
and hay, use and value as hog feed, methods. News L., vol. 2, No. 28, pp. 2–3. 1915.
cause of bloat in cattle. D.R.P. Cir. 2, pp. 6, 15. 1916.
for cattle, Argentina. Y.B., 1913, pp. 357–358. 1914; Y.B. Sep. 629, pp. 357–358. 1914.
for hogs—
experiments. D.C. 330, p. 21. 1925; D.C. 352, pp. 15–17. 1925; F.B. 411, pp. 31–32. 1910; W.I.A. Cir. 6, pp. 7–9. 1915.
Oregon, experiments. W.I.A. Cir. 1, pp. 4, 8–9. 1915.
Scottsbluff Experiment Farm. D.C. 289, pp. 29–30. 1924.
value, number of hogs per acre. F.B. 310, pp. 10, 24. 1907; F.B. 334, p. 20. 1913.
for ostriches, number of birds per acre. B.A.I. An. Rpt., 1909, p. 235. 1911; B.A.I. Cir. 172, p. 235. 1911.
for pigs, sows, and hogs, Huntley Experiment Farm. D.C. 86, pp. 21–23. 1920.
for sheep, in Northwest. F.B. 1051, pp. 11–12, 23–28, 29. 1919.
for sheep, South Dakota, Belle Fourche Experiment Farm. W.I.A. Cir. 9, p. 14. 1916.
irrigated lands, rotation systems, examples. News L., vol. 3, No. 14, pp. 4–5. 1915.
pig fattening, experiments. D.C. 147, pp. 13–15, 16–18. 1921.
sows and litters, experiments, 1914, 1915. D.B. 488, pp. 16–18, 25. 1917.
Truckee-Carson Farm. W.I.A. Cir. 19, pp. 15–16. 1918.
uses and value. F.B. 1229, pp. 2, 16–21. 1921.
varieties. George W. Oliver. B.P.I. Bul. 258, pp. 39. 1913.
with various grain supplements, hog-feeding experiments, 1914, 1915. D.B. 488, pp. 7–16, 25. 1917.
pasturing—
carrying capacity, practices in cotton States. F.B., 1125, rev., pp. 30–31. 1920.
for control of weevil. F.B. 741, pp. 14–15, 16. 1916.
in Corn Belt. F.B., 1021, pp. 25–32. 1919.
methods, restrictions, and cautions. F.B. 704, p. 19. 1916.
Salt River Valley, Arizona. D. R. W. Clothier. Sec. Cir. 54, pp. 4. 1915.
to control caterpillar infection. D.B. 124, pp. 29–30. 1914.
with hogs—
and sheep, Belle Fourche, South Dakota. B.P.I. [Misc.] "The work of the Belle Fourche * * *, 1913," pp. 7–8. 1914; D.C. 60, pp. 19–21, 25–28, 30–32. 1919; W.I.A. Cir. 4, pp. 6–8. 1915; W.I.A. Cir. 9, pp. 11–13. 1916; W.I.A. Cir. 14, pp. 16–18. 1917; W.I.A. Cir. 24, pp. 14–21. 1918.
experiments. D.B. 488, pp. 3–19. 1917; D.B. 1143, pp. 3, 8, 11–21. 1923.
Huntley Experiment Farm. D.C. 86, pp. 18–19. 1920; D.C. 204, pp. 20–21. 1921; D.C. 330, pp. 29–30. 1925; W.I.A. Cir. 22, pp. 12–13, 22–25. 1918.
Nebraska, Scottsbluff Experiment Farm, results. W.I.A. Cir. 11, pp. 12–13. 1916.
time and methods. D.C. 204, pp. 19, 20–21. 1921.
value and returns. W.I.A. Cir. 8, pp. 9–10. 1916.
with and without supplementary feeds. D.B. 752, pp. 4–24, 35–36. 1919.
Yuma Experiment Farm, results. D.C. 75, pp. 74–76. 1920.
with sheep—
Belle Fourche Experiment Farm. D.C. 60, pp. 22–24. 1919.
experiments. D.C. 339, pp. 33–34. 1925.
Peruvian—
advantages for Southwest. B.P.I. Bul. 118, pp. 3, 28–29. 1907.
characteristics. F.B. 339, p. 38. 1908.
experiments in winter growing. B.P.I. Bul. 118, pp. 9–14. 1907.
importation No. 55724. B.P.I. Inv. 72, pp. 2, 25. 1924.
industry, development. H. L. Westover. D.C. 93, p. 8. 1920.

Alfalfa(s)—Continued.
Peruvian—continued.
introductions, and comparison with other alfalfas. D.C. 93, pp. 3–5, 6–8. 1920.
long-season variety for Southwest. Charles J. Brand. B.P.I. Bul. 118, pp. 35. 1907.
need of irrigation in Southwest. B.P.I. Bul. 118, pp. 29–30. 1907.
planting instructions. D.C. 117, pp. 3. 1920.
propagation, crown method, success. An.Rpts., 1909, p. 278. 1910; B.P.I. Chief Rpt., 1909, p. 26. 1909.
seed producing qualities. B.P.I. Bul. 118, pp. 24–25. 1907.
seed, source. B.P.I. Bul. 118, pp. 25–26. 1907.
use in breeding new alfalfa crosses. B.P.I. Bul. 258, pp. 29–32. 1913.
winter growth in Colorado River Valley. B.P.I. Bul. 118, pp. 8–14. 1907.
pest, clover stem-borer. W. L. Wildermuth and F. H. Gates. D.B. 889, pp. 25. 1920.
planting—
instructions—
for Michigan. D.C. 113, pp. 1–2. 1920.
for New England. D.C. 126, pp. 1–2. 1920.
for Ohio and Indiana. D.C. 116, pp. 1–3. 1920.
methods and yields, Montana. B.P.I. Cir. 121, pp. 23–24. 1913.
on poor land in South. F.B. 326, p. 15. 1908.
plat yield experiments. B.P.I. Cir. 109, pp. 27–31. 1913.
plowing up, discussion. F.B. 704, p. 16. 1916.
pods, injury by *Alydus pluto*, control studies. News L., vol. 5, No. 14, p. 7. 1917.
poisoned—
use in field mice destruction, preparation. F.B. 352. pp. 14–17. 1909.
use in rodent destruction. Y.B., 1908, pp. 307, 308. 1909; Y.B. Sep. 482, pp. 307, 308. 1909.
polia variety. See Alfalfa, Peruvian.
pollen, effect from different sources. D.B. 75, pp. 16–18. 1914.
pollination—
by insects, studies. Work and Exp., 1914, p. 155. 1915.
natural and artificial, insects and hand work. B.P.I. Cir. 24, pp. 8–10. 1909.
relation to rupture of stigmatic cells. D.B. 75, pp. 24–25. 1914.
production—
and value for semiarid regions. B.A.I. Bul. 215, pp. 33–34, 37. 1911.
in Argentina. Frank W. Bicknell. Rpt. 77, pp. 32. 1904.
in Oregon. O.E.S. Bul. 209, p. 27. 1909.
on Umatilla reclamation project, 1911–1919. D.C. 110, pp. 5, 8, 9, 10. 1920.
relation to sulphur in soil. Oscar C. Bruce. J.A.R., vol. 30, pp. 937–947. 1925.
products, fake and fad, warning against. F.B. 1229, p. 44. 1921.
profits and yields. F.B. 704, pp. 17–18. 1916.
proliferation, two types. B.P.I. Cir. 115, pp. 3–13. 1913.
promising crop for Columbia River Valley, with dairying. B.P.I. Cir. 60, pp. 13–14. 1910.
propagation—
by cuttings. B.P.I. Bul. 118, pp. 26–27. 1907.
by proliferation. B.P.I. Cir. 115, pp. 3–13. 1913.
in Alaska, methods. Alaska A.R. 1911, p. 27. 1912.
protection—
against clover stem borer, methods. D.B. 889, pp. 21–22. 1920.
against three-cornered hopper, methods. J.A.R., vol. 3, p. 361. 1915.
from grasshoppers by control in fields. F.B. 1140, pp. 13–14. 1920.
from winterkilling. F.B. 373, pp. 41–42. 1909.
protein content, comparison with other forage crops. F.B. 320, pp. 14, 26. 1908.
quarantine in Hawaii. F.H.B., Quar. 51, p. 2. 1921.
reclamation projects, pasture capacity for hogs, use. News L., vol. 3, No. 15, p. 3. 1915.
relation—
of bacterial activity and nitrogen content of soil. J.A.R., vol. 9, pp. 297, 302, 306–308, 315–323, 329–336. 1917.

Alfalfa(s)—Continued.
   protection—continued.
      of number of flowers to number of pods. D.B. 75, p. 19. 1914.
      to cropping systems in the Corn Belt. F.B. 1021, pp. 5–8. 1919.
   renovation, value to crop, and use against caterpillars. D.B. 124, pp. 33–34, 35, 36, 39. 1914.
   requirements of daylight. B.P.I. Chief Rpt. 1921, p. 24. 1921.
   resemblance to sand lucern, discussion. B.P.I. Bul. 169, pp. 26–28. 1910.
   resistance to cold and drought, different strains. B.P.I. Bul. 169, pp. 19, 21–29, 49–51, 56. 1910.
   rhizome development, relation to hardiness. B.P.I. Bul. 258, pp. 12–15. 1913.
   root—
      nodules, nitrogen-gathering, description. Y.B. 1910, p. 215. 1911; Y.B. Sep. 530, p. 215.
      proliferation. B.P.I. Cir. 115, pp. 8–13.
      studies. Samuel Garver. D.B. 1087, pp. 28, 1922.
      system. F.B. 233, p. 9. 1905.
   rotation—
      and tillage, tests at field station, near Mandan, North Dakota. D.B. 1301, p. 56. 1925.
      crop in sugar beet growing. D.B. 721, pp. 33–34. 1918; D.B. 726, p. 12. 1918.
      fertilizing. D.C. 115, pp. 2–4. 1920.
      long and short. F.B. 339, pp. 33–35. 1908.
      of crops. F.B. 215, pp. 28–29. 1905.
      systems, New Jersey farms. F.B. 472, pp. 27–30. 1911.
      under irrigation, Huntley project, experiments, 1912, 1913. B.P.I. [Misc.] "The work of the Huntley * * * 1913," pp. 4, 6, 8–10. 1914.
      with corn and cowpeas. F.B. 310, p. 7. 1907.
      with grain. F.B. 704, p. 16. 1914.
   Russian, variegated forms. B.P.I. Bul. 169, p. 31. 1910.
   Saharan, adaption to alkali soil. B.P.I. Bul. 53, pp. 23, 87, 115. 1904.
   samples, weight and moisture, comparison, tables. D.B. 353, pp. 6–9, 15–17, 18, 19, 20, 21, 22, 36. 1916.
   screenings, destruction as means of chalcid fly control. F.B. 636, pp. 7–8. 1914.
   seed(s). Edgar Brown. F.B. 194, pp. 13. 1904.
   seed—
      adulteration. F.B. 194, pp. 8–9. 1904; F.B. 215, pp. 29–30. 1905; F.B. 428, pp. 5, 37–38. 1911.
      adulteration—
         B. T. Galloway. Sec. Cir. 20, pp. 2. 1906.
         James Wilson. Sec. Cir. 12, pp. 2. 1904; Sec. Cir. 14, pp. 2. 1905.
         W. A. Taylor. Sec. Cir. 35, pp. 6. 1911.
         and misbranding. A. F. Woods. Sec. Cir. 31, pp. 4. 1910.
         and misbranding, results of analyses. Sec. Cir. 26, p. 2. 1907; Sec. Cir. 28, pp. 1–2. 1909.
         and testing directions. F.B. 428, pp. 5, 37–38. 1911.
         and use as adulterant of other seed. Y.B. 1915, p. 315. 1916; Y.B. Sep. 679, p. 315. 1916.
         description and detection. F.B. 382, pp. 8–10, 17. 1909.
         with dodder seed, and method of separation. F.B. 353, pp. 7–9. 1909.
      and clover, imported low-grade. B.P.I. Bul. 111, pp. 17–30. 1907.
      and red clover, separation from buckhorn, improved method. Harry B. Shaw. B.P.I. Cir. 2, pp. 12. 1908.
      bed, preparation and care. B.P.I. Cir. 24, pp. 12–13. 1909; B.P.I. Cir. 80, pp. 19–20. 1911; F.B. 1283, pp. 10, 19–24. 1922; S.R.S. Syl. 20, p. 5. 1916.
      bushel weights, various States. Y.B., 1918, p. 723. 1919; Y.B. Sep. 795, 1918, p. 59. 1919.
      buying directions. F.B. 704, pp. 30–31. 1916.
      chalcid fly—
         control. F.B. 1283, p. 34. 1922.
         parasite, life history. J.A.R., vol. 7, pp. 147–154. 1916.
      chalcs fly. Theodore D. Urbahns. D.B. 812, pp. 20. 1920.
      characteristics, and related genera. B.P.I. Bul. 131, Pt. II, pp. 17–18. 1908.

Alfalfa(s)—Continued.
   seed—continued.
      clean, relation to chalcid-fly control. F.B. 636, p. 8. 1914.
      cleaning methods. F.B. 636, pp. 9–10. 1914.
      commercial aspects. F.B. 495, pp. 34–35. 1912.
      cooperative buying. News L., vol. 6, No. 26, p. 6. 1919.
      countries producing surplus. D.B. 138, pp. 2–3. 1914.
      crop—
         early cuttings in chalcid fly control. F.B. 636, pp. 8–9. 1914.
         selection. F.B. 495, pp. 11–12. 1912.
      cultivation in rows—
         methods and yields. F.B. 495, pp. 21–26, 27–28. 1912.
         semiarid regions. Charles J. Brand and J. M. Westgate. B.P.I. Cir. 24, pp. 23. 1909.
      description—
         sources, and adulterants. S.R.S. Syl. 20, pp. 8–12. 1916.
         use. F.B. 194, pp. 1–13. 1904.
      development, effect of shade. D.B. 75, pp. 28–29. 1914.
      dodder-infested, examination and cleaning. F.B. 1161, pp. 9, 12–13. 1921.
      effect of hydrogen peroxide. B.P.I. Cir. 67, pp. 9–11. 1910.
      growing—
         experiments. B.P.I. Cir. 24, pp. 5, 6, 10, 11, 13, 15, 17, 22. 1909.
         experiments, Yuma, Arizona. W.I.A. Cir. 25, pp. 9, 10, 20. 1919.
         for market. Rpt. 98, pp. 133–134. 1913.
         history and underlying principles. B.P.I. Cir. 24, pp. 3–8. 1909.
         southern Arizona, acreage, and income. D.B. 654, pp. 2, 25–26, 42–47. 1918.
         tests, Belle Fourche Experiment Farm. D.C. 60, p. 16. 1919.
      hard shell, cracking. F.B. 704, p. 31. 1916.
      harvesting—
         adulteration. F.B. 215, pp. 29–31. 1905.
         and threshing. B.P.I. Cir. 24, pp. 19–20. 1909.
      impermeability studies. J.A.R., vol. 6, No. 20, pp. 764–793. 1916.
      imported—
         analyses. F.B. 194, pp. 9–10. 1904.
         field tests. Sec. A.R., 1925, p. 61. 1925.
         low-grade. Edgar Brown and Mamie L. Crosby. B.P.I. Bul. 111, Pt. III, pp. 18. 1907.
         sources, and adulterations. D.B. 138, pp. 2–3, 6. 1914.
      infestation with parasitized chalcid fly. J.A.R., vol. 7, pp. 147–150. 1916.
      injury by chalcid fly. F.B. 636, pp. 1–10. 1914.
      insect enemies. F.B. 495, pp. 29–31. 1912.
      market statistics. D.B. 982, p. 214. 1921.
      marketing methods. Rpt. 98, pp. 133–134, 167. 1913.
      planting—
         depth, dates and rate. D.B. 917, pp. 20, 21. 1921.
         instructions for Pennsylvania and West Virginia. D.C. 127, pp. 1–4. 1929.
      prices—
         1916–1918. News L., vol. 6, No. 25, p. 13. 1919.
         at Kansas City, by months, 1912–1921. Y.B., 1921, p. 608. 1922; Y.B. Sep. 869, p. 28. 1922.
      production. F.B. 339, pp. 35–36. 1908; F.B. 495, p. 36. 1912; F.B. 1283, pp. 29–31. 1922.
      production—
         and handling. F.B. 215, pp. 29–30. 1905.
         conditions affecting. F.B. 495, pp. 6–9. 1912.
         cultivation in rows, semiarid regions. Charles J. Brand and J. M. Westgate. B.P.I. Cir. 24, pp. 23. 1909.
         experiments, Belle Fourche experiment farm. W.I.A. Cir. 4, p. 11. 1915.
         experiments, Huntley farm, 1916, yield. W.I.A. Cir. 15, pp. 24–25. 1917.
         in various sections. F.B. 495, pp. 19–21. 1912.
         locality suited to. F.B. 757, p. 23. 1916.

Alfalfa(s)—Continued.
seed—continued.
production—continued.
of Grimm varieties. B.P.I. Bul. 209, pp. 48-54. 1911.
pollination studies. C. V. Piper and others. D.B. 75, pp. 32. 1914.
under irrigation, yields. D.C. 339, pp. 19-20. 1925; F.B. 373, p. 47. 1909; W.I.A. Cir. 2, p. 13. 1915.
purchasing precautions. F.B. 757, pp. 22-23. 1916; F.B. 1283, pp. 6-7. 1922.
pure, compared with poor. F.B. 296, pp. 7-9. 1907.
quantity per acre—
in irrigated sections, Montana. B.P.I. Doc. 462, p. 5. 1909.
in Nebraska, Cass County. Soil Sur. Adv. Sh. 1913, p. 13. 1914; Soils F.O. 1913, p. 1933. 1916.
in Nebraska, conditions. B.P.I. Cir. 80, p. 19. 1911.
in rows. B.P.I. Cir. 24, pp. 15-16. 1909.
in Tennessee, Coffee County. F.B. 339, pp. 42, 43, 44, 45, 47, 48. 1908; Soils F.O. 1908, p. 996. 1911; Soil Sur. Adv. Sh. 1908, p. 12. 1910.
in Wisconsin, Waukesha County. Soil Sur. Adv. Sh. 1910, pp. 13-14. 1912; Soils F.O. 1910, pp. 1181-1182. 1912.
notes. F.B. 339, pp. 42, 43, 44, 45, 47, 48. 1908.
planting practices, irrigated lands. B.P.I. Doc. 453, p. 5. 1909.
rate of sowing. F.B. 1283, pp. 16, 20, 21, 22, 23, 24. 1922.
separating sieve, directions for making and using. F.B. 353, pp. 7-9. 1909.
separation from buckhorn seeds, method. Harry B. Shaw. B.P.I. Cir. 2, pp. 12. 1908.
setting—
practical aspects of tripping. D.B. 75, pp. 29-30. 1914.
relation of insects. B.P.I. Cir. 24, pp. 8-10. 1909.
spurious Grimm and dry-land, warning. News L., vol. 1, No. 13, p. 4. 1913.
statistics, prices. Y.B., 1922, pp. 700, 704. 1923; Y.B., Sept. 884, pp. 700, 704. 1923
sterilization, experiments. D.B. 759, p. 32. 1919.
supply—
conditions affecting. D.B. 75, pp. 1-2. 1914.
sources. F.B. 1232, pp. 5, 15, 17. 1921; Y.B. 1917, pp. 521-522. 1918; Y.B., Sep. 757, pp. 27-28. 1918.
testing directions. F.B. 339, pp. 13-14. 1908; F.B. 428, pp. 37-38. 1911.
Turkestan—
commercial. Edgar Brown. D.B. 138, pp. 7. 1914.
commercial, description, warning to farmers. News L., vol. 2, No. 7, p. 1. 1914.
description and adulterants. S.R.S. Syl. 20, pp. 9-10. 1916.
unadaptability for United States. News L., vol. 4, No. 38, p. 9. 1917.
value as money crop, comparison with alfalfa hay. F.B. 495, pp. 26-27. 1912.
variations in different strains, shape, and weight. B.P.I. Bul. 169, pp. 39-41. 1910.
vitality retention, experimental tests, table. F.B. 495, p. 34. 1912.
weed enemies. F.B. 495, pp. 31-33. 1912.
weight per bushel. B.P.I. Bul. 267, p. 17. 1913.
yield from cultivated rows. B.P.I. Cir. 24, p. 21. 1909.
Yuma project, acreage, production, yield, value, in 1919-20, 1911-1920. D.C. 221, pp. 7-9, 10. 1922.
seeding—
and treatment. D.C. 115, pp. 4-6. 1920.
before irrigation. F.B. 373, pp. 43-44. 1909.
experiments, New Mexico Experiment Station, O.E.S. An. Rpt., 1912, p. 166. 1913.
in grain stubble, experiments. W.I.A. Cir. 6, pp. 17-18. 1915.
in oat stubble, method on irrigated land, Nebraska. B.P.I. Cir. 116, pp. 15-16. 1913.

Alfalfa(s)—Continued.
seeding—continued.
rate and method. B.P.I. Cir. 24, pp. 14-17. 1909; D.C. 115, pp. 4-5, 1920; F.B. 704, p. 19. 1916.
soil inoculation. F.B. 1125, rev., pp. 30-31. 1920.
tests at Belle Fourche Experiment Farm. W.I.A. Cir. 4, pp. 8-11. 1915.
time and rate. S.R.S. Syl. 20, pp. 12-13. 1916.
seedlings—
development. B.P.I. Bul. 258, pp. 21-23. 1913.
effect of hydrocyanic-acid gas and solutions. J.A.R., vol. 11, pp. 425-427. 1917.
growth in culture solutions of varying reaction. J.A.R., vol. 19, pp. 73, 81-85, 92. 1920.
selected seed, notes. B.P.I. Bul. 176, pp. 10, 15-16. 1910.
sheep-pasturing experiments, Belle Fourche farm, 1916. W.I.A. Cir. 14, pp. 11-12. 1917.
Siberian—
distribution, description, and value for cold climates. B.P.I. Bul. 150, pp. 11-15, 28. 1909.
experiments in Alaska. Alaska A.R. 1911, pp. 27, 28. 1912.
importations, Jan. to March, 1909. B.P.I. Bul. 162, pp. 7, 14-16. 1909.
introduction and value. Y.B., 1908, pp. 252-253. 1909; Y.B. Sep. 478, pp. 252-253. 1909.
sick land, cause and treatment. D.B. 889, p. 23. 1920.
silage—
bacteriological studies. J.A.R., vol. 15, pp. 571-592. 1918.
chemistry, comparison with sweet-clover silage. J.A.R., vol. 15, pp. 113-132. 1918.
effect on milk, experiments. D.B. 1097, pp. 15-17. 1922.
examination for acidity. J.A.R., vol. 14, pp. 404, 406-407. 1918.
making, chemical studies. J.A.R., vol. 10, pp. 275-292. 1917.
use, method, and value. F.B. 566, p. 5. 1913; F.B. 1229, pp. 3, 21-23. 1921.
smooth-Peruvian, origin and disadvantages. D.C. 93, pp. 3, 5-7. 1920.
sod—
for planting orchards, comparison with raw land. W.I.A. Cir. 17, p. 13. 1917.
plowing for reseeding. News L., vol. 7, No. 6, p. 6. 1919.
value for orchards. W.I.A. Cir. 26, p. 11. 1919.
soil(s)—
conditions, east and south. News L., vol. 4, No. 22, p. 6. 1917.
requirements. D.C. 115, pp. 1-2. 1920; D.C. 127, pp. 1-2. 1920.
requirements, and adaptability to Jackson County, Missouri. Soil Sur. Adv. Sh., 1910, p. 14. 1912; Soils F.O., 1910, p. 1270. 1912.
studies of water content, moisture equivalent and soil weights. J.A.R., vol. 13, pp. 5-28. 1918.
soiling crop, value. F.B. 1229, pp. 2, 23. 1921.
spraying—
equipment, capacity and description of parts. F.B. 1185, pp. 9-20. 1920.
for control of weevils. F.B. 741, pp. 12-14. 1916.
for extermination of dodder. F.B. 360, p. 17. 1909.
spring cultivation and spraying for control of weevils. F.B. 741, pp. 12-14. 1916.
spring sown, time for first cutting. News L., vol. 4, No. 36, p. 3. 1917.
stand—
destruction, in preparation for other crops. F.B. 339, p. 35. 1908.
treatment. D.C. 115, pp. 5-6. 1920; S.R.S. Syl. 20, p. 13. 1916.
staple crop of West. B.P.I. Bul. 118, p. 7. 1907.
stem blight, study, cause, and control. O.E.S. An. Rpt., 1910. pp. 106, 149. 1911.
strains—
for seed production. B.P.I. Cir. 24, p. 22. 1909.
growing in various sections, map. D.C. 93, p. 7. 1920.

Alfalfa(s)—Continued.
 straw, feed for livestock, use and value. F. B. 1229, pp. 2, 24–27. 1921.
 study at New Jersey Station in 1923. Work and Exp., 1923, pp. 22–23. 1925.
 subirrigation. F.B. 373, pp. 35–38. 1909; F.B. 865, pp. 29–33. 1917.
 substitute for clover on "clover sick" lands. An. Rpts., 1910, p. 359. 1911; B.P.I. Chief Rpt. 1910, p. 89. 1910.
 suitability—
  for pasture crop for hogs in Pacific Northwest. F.B. 599, pp. 11, 12, 17, 18, 21, 26. 1914.
  of limestone soils. News L., vol. 4, No. 18, p. 4. 1916.
 summer pasturage practice in Australia. D.B. 228, p. 5. 1915.
 tea, feed for pigs and calves. F.B. 1229, pp. 23–24. 1921.
 tests with sweet clover and with grass at field station near Mandan, North Dakota. D.B. 1301, pp. 58–60. 1925.
 thickness of stand, influence on seed production. F.B. 495, p. 6. 1912.
 thin stands, reseeding difficulties. News L., vol. 4, No. 17, p. 1. 1916.
 top roots, value in gathering moisture. News L., vol. 4, No. 33, p. 4. 1917.
 transpiration—
  and environmental data, for long periods, 1913 and 1914. J.A.R. vol. 5, No. 14, pp. 607–618, 624. 1916.
  rates, comparison with evaporation rates. J.A.R., vol. 9, pp. 277–292. 1917.
  studies, Akron, Colorado. J.A.R. vol. 7, pp. 158, 160–186, 190–194, 200–203. 1916.
 treatment—
  for control of fall army worm. Sec. Cir. 40, rev., p. 2. 1912.
  for eradication of dodder. F.B. 1161, pp. 13–19. 1921.
  with spray fertilizers, experiments. Hawaii A.R., 1918, p. 50. 1919.
  with sulphur, effects. J.A.R., vol. 11, pp. 94, 95–99. 1917.
 Truckee-Carson project, yields, 1917. W.I.A. Cir. 23, p. 8. 1918.
 Turkestan—
  commercial seed. Edgar Brown. D.B. 138, pp. 7. 1914.
  estimated value in Europe and United States. D.B. 138, pp. 2–4. 1914.
  hardiness, comparison with other varieties. F.B. 514, pp. 14, 15, 16, 17. 1912.
  testing for carrying capacity, Nebraska. D.C. 173, pp. 15–16. 1921.
  tests for hardiness and yield. B.P.I. Bul. 169, pp. 19, 21, 22, 23, 24. 1910.
 Umatilla reclamation project, production and value, 1911–1922. D.C. 342, pp. 2–3. 1925.
 underground growth. B.P.I. Bul. 258, p. 17. 1913.
 use—
  and value of acid phosphate. News L., vol. 4, No. 30, p. 4. 1917.
  as forage crop in cotton region. F.B. 509, pp. 22–23. 1912.
  as mulch, humus formation, studies. J.A.R., vol. 12, pp. 507–513. 1918.
  as potherb. F.B. 245, p. 29. 1912.
  as silage. F.B. 578, p. 5. 1914.
  as temporary pasture for sheep. F.B. 1181, pp. 7, 11, 13, 17. 1921.
  in calf feeding. D.B. 631, pp. 21–39. 1918.
  in Corn-Belt rotations. Y.B., 1911, pp. 332–333, 335. 1912; Y.B. Sep. 572, pp. 332–333, 335. 1912.
  in fattening lambs. F.B. 504, pp. 8–9. 1912.
  in fertilizing soil for potato growing. F.B. 386, p. 5. 1910.
  in grain farming. F.B. 704, pp. 16–20. 1916.
  in hog raising or for hay, value comparison. News L., vol. 3, No. 15, p. 2. 1915.
  in mixture for forage. F.B. 502, pp. 8–9, 11–12, 23, 31, 32. 1914.
  in poison bait for grasshoppers. Y.B., 1915, pp. 271, 272. 1916; Y.B., Sep. 674, pp. 271, 272. 1916.
  of prairie region soils of Alabama and Mississippi. M. A. Crosby. Rpt. 96, p. p 48. 1911.

Alfalfa(s)—Continued.
 use—continued.
  on Missouri farms as legume, method. D.B. 633, pp. 22. 1918.
  utilization. R. A. Oakley and H. L. Westover. F.B. 1229, pp. 44. 1921.
 value—
  as crop and soil renovator. F.B. 422, p. 16. 1910.
  as fertilizer. F.B. 133, p. 6. 1901.
  as green-manure crop, use, methods and places. F.B. 1250, pp. 38–39. 1922.
  extension, yield, and introduction of new varieties. An. Rpts., 1907, pp. 12, 43, 45, 47, 279, 280, 324. 1908; B.P.I. Chief Rpt., 1907, p. 31, 76. 1907; Rpt. 85, pp. 5, 31, 34. 1907; Sec. A.R., 1907, pp. 10, 41, 43, 45. 1907; Y.B., 1907. pp. 12, 42, 46, 47. 1908.
  for canal banks, South Dakota. B.P.I. Cir. 115, p. 28. 1913.
  for hog pastures. News L., vol. 6, No. 39, pp. 3–4. 1919.
  in cotton farming, Texas. D.B. 659, p. 34. 1918.
  in dairy feeding. Y.B., 1922, p. 332. 1923; Y.B. Sep. 879, p. 43. 1923.
  in insect and weed control. F.B. 704, pp. 19–20. 1916.
  variegated. J. M. Westgate. B.P.I. Bul. 169, pp. 63. 1910.
  variegated, strains, description, tests, and yield. B.P.I. Bul. 169, pp. 12–33. 1910.
 varietal tests—
  and experiments, Yuma Experiment Farm, 1919–1920. D.C. 221, p. 23. 1922.
  and yield per acre, Great Basin. B.P.I. Cir. 61, p. 32. 1910.
  Colorado. O.E.S. An. Rpt., 1911, p. 82. 1912.
  for hay, growing under irrigation. D.C. 339, pp. 20–21. 1925.
  for weevil resistance. Ent. Bul. 112, p. 14. 1912.
  Hawaii. O.E.S. Chief Rpt. 1915, p. 9. 1915; An. Rpts., 1915, p. 303. 1916.
  Scottsbluff Experiment Farm, 1916. W.I.A. Cir. 18, p. 18. 1918.
  Umatilla Experiment Farm. D.C. 110, p. 23. 1920.
  Yuma Experiment Farm. D.C. 75, pp. 32–33. 1920; W.I.A. Cir. 20, pp. 18–22. 1918.
 varieties—
  characteristic root systems, comparisons. D.B. 1087, pp. 12–23. 1922.
  commercial. R. A. Oakley and H. L. Westover. F.B. 757, pp. 24. 1916.
  description. F.B.1283, pp. 4–7. 1922.
  distribution. B.P.I. Bul. 185, pp. 10–11. 1910.
 growing—
  and yield, Nevada, experiments, 1912. B.P.I. Cir. 122, pp. 19–20. 1913.
  experiments in Alaska, 1913. Alaska A.R., 1913, pp. 17–18, 31–32, 40–42. 1914.
  experiments in Alaska, 1915. Alaska A.R., 1915, pp. 15, 18–19, 49–50, 58, 59–60, 61. 1916.
  in Alaska, 1922. Alaska A.R., 1922, pp. 5–6. 1923.
  hardy, introduction, results in Southwest. An. Rpts., 1912, p. 119. 1913; Y.B., 1912, p. 119. 1913; Sec. A. R., 1912, p. 119. 1912.
  importations and descriptions. Nos. 36551–36560, 36784, B.P.I. Inv. 37, pp. 8, 31, 64. 1916; Nos. 38852, 38864, 38865, 38984, 39157, B.P.I. Inv. 40, pp. 36, 38, 53, 84. 1917.
  introduction into United States. B.P.I. Bul. 185, pp. 9–10. 1910.
  investigations. B.P.I. Chief Rpt., 1905, pp. 188–189. 1906.
  studies of root growth, 1914–1920. D.B. 1087, pp. 9–10. 1922.
 yields—
  experiments in Texas. B.P.I. Cir. 106, pp. 19–20, 27. 1913.
  Hawaii, comparison, tests. Hawaii A.R., 1915, pp. 15, 41. 1916.
  Umatilla project. D.C. 342, pp. 16–17. 1925.
  various strains, introduction into United States. B.P.I. Bul. 185, pp. 9–10. 1910.
 wart, description and control. F.B. 1283, p. 32. 1922.

Alfalfa(s)—Continued.
  water—
    and yields from use. D.B. 1340, pp. 42, 46, 52, 53. 1925.
    consumption per ton. Y.B., 1910, p. 172. 1911; Y.B Sep. 526, p. 172. 1911.
    requirements. F.B. 373, pp. 38–39, 40. 1909; F.B. 865, pp. 33–36. 1917; J.A.R., vol. 3, pp. 28–29, 31–32, 37, 39, 50, 52, 60. 1914.
    requirements, effect of frequent cutting and pasturage. Lyman J. Briggs and H. L. Shantz. D.B. 228, pp. 6. 1915.
  weeds, destroying. F.B. 339, pp. 38–40. 1909; F.B.342, pp. 14–16. 1909.
  weevil. F. M. Webster. Ent. Cir. 137, pp. 9. 1911.
  weevil—
    control—
      by birds, list and description. D.B. 107, pp. 4–57. 1914.
      by cultural methods. An. Rpts., 1913, pp. 214–215. 1914; Ent. A. R., 1913, pp. 6–7. 1913.
      by mechanical means. Ent. Bul. 112, pp. 12, 26–30. 1912.
      cost and saving. An. Rpts., 1920, pp. 310–311. 1921.
      methods. An. Rpts., 1917, p. 238. 1918; Ent. A.R., 1917, p. 12. 1917.
      methods. Geo. L. Reeves and others. F.B. 741, pp. 16. 1916.
      studies, program for 1915. Sec. [Misc.], "Program of work * * *, 1915," pp. 227–228. 1914.
      work. F.B. 1283, p. 34. 1922.
      work, spraying, rotation, and pasturage. An. Rpts., 1916, pp. 223–224. 1917; Ent. A. R., 1916, pp. 11–12. 1916.
    description, injuries, and control methods. News L., vol. 2, No. 42, p. 2. 1915.
    destruction by birds. An. Rpts., 1913, pp. 225–226. 1914; Biol. Chief Rpt. 1913, pp. 3–4. 1913.
    distribution, a study in physical ecology. William C. Cook. J.A.R., vol. 30, pp. 479–491. 1925.
    distribution and control work. Ent. A.R, 1923, pp. 13–14. 1923; An. Rpts., 1923, pp. 392–394. 1924.
    economic importance. Y.B., 1924, pp. 355–356. 1925.
    effect of parasites. D.C. 301, pp. 6–8, 9. 1924.
    enemies—
      description and control, methods. F.B. 495, p. 31. 1912.
      natural, insects, and birds. Ent. Bul. 112, pp. 30–41. 1912.
      other birds. D.B 107, pp. 58–61. 1914.
      vertebrate, list. Ent. Bul. 112, pp. 40–41. 1912.
    food plants, list. Ent. Bul. 112, p. 24. 1912.
    fungous enemy. Ent. Bul. 112, p. 41. 1912.
    life history. D.B. 107, pp. 2–3. 1914.
    life history and climatic influence. J.A.R., vol. 30, pp. 479–489. 1925.
    outbreaks in 1921. D.B. 1103, pp. 21–23. 1922.
    parasite(s)—
      importation and colonization. Ent. A. R., 1911, pp. 12, 25. 1911.; An. Rpts., 1911, pp. 502, 515. 1912.
      introduction into United States. Thomas R. Chamberlin. D.C. 301, pp. 9. 1924.
      introduction, rearing, and use. Y.B., 1913, p. 87. 1914; Y.B. Sep. 616, p. 87. 1914.
      native and foreign. Ent. Bul. 112, pp. 34–39. 1912.
      preliminary report. F. M. Webster. Ent. Bul. 112, pp. 47. 1912.
      relation of birds. E. R. Kalmbach. D.B. 107, pp. 64. 1914.
    spraying—
      for control. Geo. I. Reeves and others. F.B. 1185, pp. 20. 1920.
      method. An. Rpts., 1919, pp. 248–249. 1920; Ent. A. R., 1919, pp. 2–3. 1919.
    spread—
      in Northwest, description, and control. News L., vol. 4, No. 2, pp. 1, 2. 1916.
      methods and agencies. Ent. Cir. 137, pp. 4–9. 1911; F.B. 741, pp. 2–7. 1916.

Alfalfa—Continued.
  weevil—continued.
    spread—continued.
      relation of climate. J.A.R., vol. 30, pp. 485–489. 1925.
    Wheeler, characteristics and tests. B.P.I. Bul. 169, p. 32. 1910.
  wild—
    destruction for control of clover stem-borer. D.B. 889, p. 22. 1920.
    forms. B.P.I. Bul. 118, pp. 19–20. 1907.
    importation and description. No. 32389, B.P.I. Bul. 282, pp. 13–14. 1913.
    occurrence, description, and soil indications. B.P.I. Bul. 201, pp. 46–47, 51, 69, 90. 1911.
    of Siberia, with perspective view of alfalfas of world. N. E. Hansen. B.P.I. Bul. 150, pp. 31. 1909.
  wilting coefficient, determinations. B.P.I. Bul. 230, pp. 29, 31, 36, 44. 1912.
  winter—
    irrigation. F.B. 373, p. 41. 1909; F.B. 865, pp. 37–38. 1917.
    resistance, comparison of conditions in rows and hills. B.P.I. Bul. 185, pp. 56–60. 1910.
  winterkilling, experiments. B.P.I. Bul. 185, pp. 11–70. 1910; F.B. 865, pp. 38–39. 1917.
  yellow-flowered—
    botanical history, description, and relationship. D.B. 428, pp. 8–33, 64. 1916.
    description—
      distribution and value. B.P.I. Bul. 150, pp. 11–15, 28. 1909; F.B. 757, pp. 17–20. 1916.
      variations, and characters. B.P.I. Bul. 169, pp. 8–9. 1910.
    distribution, climatic and soil requirements. D.B. 428, pp. 5–8, 63. 1917.
    growth habits, periods, and characteristics. D.B. 428, pp. 36–41, 64. 1917.
    hardiness, drought-resistance and seed production. D.B. 428, pp. 41–49. 1917.
    hay yield and feeding value. D.B. 428, pp. 49–51, 64. 1917.
    introduction and value. D.B. 428, pp. 3–4, 63. 1917; Y.B., 1908, pp. 252–253. 1909; Y.B. Sep. 478, pp. 252–253. 1909.
    Medicago falcata. R. A. Oakley and Samuel Garver. D.B. 428, pp. 70. 1917.
  yellow-leafblotch, caused by Pyrenopeziza medicaginis. J.A.R., vol. 13, pp. 307–330. 1918.
  yellows—
    control. News L., vol. 6, No. 47, p. 14. 1919.
    description and control. F.B. 1283, p. 33. 1922.
  yields—
    and use as sod crop in North Dakota. D.B. 991, pp. 3, 4, 17, 18, 19, 24. 1921.
    at western irrigation field stations. D.B. 752, p. 5. 1919.
    Eastern States. S.R.S. Syl. 20, p. 14. 1916.
    from manure fertilizer. D.C. 342, pp. 17–19. 1925.
    in dry-land experiments, North Dakota. D.B. 1293, pp. 6, 17. 1925.
    in rotation with other crops, experiments. W.I.A. Cir. 22, pp. 10, 11. 1918.
    Nebraska, Scottsbluff Experiment Farm. W.I.A. Cir. 11, p. 11. 1916.
    on sandy soils under irrigation. D.C. 342, pp. 15–16. 1925.
    per acre. D.B. 1338, p. 5. 1925.
    under different volumes of water, Idaho. D.B. 339, pp. 11, 12, 15, 17–24, 27–33, 35, 36, 39, 40. 1916.
    under irrigation, experiments. D.C. 339, p. 13. 1925.
    under irrigation, Oregon. O.E.S. Bul. 226, pp. 43, 46–47. 1910.
    under irrigation, South Dakota experiments. D.C. 339, p. 13. 1925.
  See also Lucerne; Medicago falcata.
Alfilaria—
  forage crop. F.B. 267, pp. 17–21. 1906.
  green manure, effect on soil ammonia. J.A.R., vol. 9, pp. 188, 189. 1917.
  growing, Hawaii, value as feed. Hawaii Bul. 36, pp. 32, 33–34. 1915.
  hay value and use. Y.B., 1924, p. 324. 1925.
  introduction on old ranges, methods, value. B.P.I. Bul. 117, p. 15. 1907.

Alfilaria—Continued.
  occurrence on sagebrush land, Utah. J.A.R., vol. 1, pp. 378, 379, 384-385. 1914.
  range seeding experiments. B.P.I Bul. 177, p. 12. 1910.
  seed, destruction by birds. Biol. Bul. 30, p. 19. 1907.
  use and value in reseeding experiments. D.B. 4, pp. 7-8, 25, 26. 1913.
  value for goat grazing. D.B. 749, p. 4. 1919.
Algae—
  chemical composition. O.E.S.Bul. 159, p. 40. 1905.
  contamination of public water supplies. George T. Moore. Y.B., 1902, pp. 176-186. 1903; Y.B. Sep. 262, pp. 176-186. 1903.
  control in cranberry fields. F.B. 1401, p. 10. 1924.
  destruction—
    in water supplies, methods. George T. Moore and Karl F. Kellerman. B.P.I. Bul. 64, pp. 43. 1904.
    in water supplies, value of discovery. Y.B., 1908, p. 162. 1909.
  deterrent of mosquito breeding. Ent. Bul. 88, pp. 29-30. 1910.
  dried, food, Japanese, preparation. O.E.S. Bul. 159, p. 34. 1905.
  edible, composition, comparison with other foods. Hawaii A.R., 1906, pp. 77-79. 1907.
  eradication by copper sulphate. An. Rpts., 1907, p. 287. 1908.
  food of shoal-water ducks. D.B. 862, pp. 5, 12, 20, 25, 34, 49. 1920.
  influence on effect of copper sulphate on organisms in water. J.A.R., vol. 20, pp. 200-203. 1920.
  lime, action of calcium and magnesium salts. Soils Bul. 49, p. 55. 1907.
  marine—
    digestibility studies. O.E.S. An. Rpt., 1909, p. 390. 1910.
    digestion experiment. O.E.S. Bul. 159, pp. 179, 180, 181, 182. 1905.
    growth and absorption of salts from water. Soils Bul. 94, p. 21. 1913.
    value as potash fertilizer, location, yield, cost of gathering. Y.B., 1912, pp 533-535. 1913; Y.B. Sep. 611, pp. 533-535. 1913.
  peat forming. D.B. 802, pp. 21, 22. 1919.
  transplanting and cultivating choice varieties, possibilities. Hawaii A.R., 1906, p. 73. 1907.
  water supplies, contamination. George T. Moore. Y.B., 1902, pp. 175-186. 1903; Y.B. Sep. 262, pp. 175-186. 1903.
  See also Kelp; Seaweed.
Algaroba—
  bean(s)—
    feed value and insect enemies. Hawaii A.R., 1912, pp. 15, 24-26. 1913.
    growing in Hawaii for hog feed or pasture. Hawaii Bul. 48, pp. 32, 34, 38. 1923.
    importation, and description, No. 52505. B.P.I. Inv. 66, p. 34. 1923.
  bruchids, investigations and control. Ent. A. R., 1921, p. 24. 1921.
  description and uses. Guam Bul. 4, pp. 27, 29. 1922.
  growing in Hawaii. Hawaii A.R., 1919, p. 37. 1920.
  Hawaii, origin, classification and uses. Hawaii A.R., 1916, p. 7. 1917.
  honey. See Honey, Algaroba.
  honey plant, value in Porto Rico. Ent. Bul. 75, pp. 47, 48, 51, 52. 1911; P.R. Bul. 15, pp. 13-14. 1914.
  importations and description. No 31238, B.P.I. Bul. 242, p. 75. 1912; No. 31601, B.P.I Bul. 248, p. 28. 1912; Nos. 42025, 42329, B.P.I. Inv. 46, pp. 45, 78. 1919; No. 42643, B.P.I. Inv. 47, p. 43. 1920; Nos. 43672, 43779, B.P.I. Inv. 49, pp. 60, 76. 1921; Nos. 44434, 44435, B.P.I. Inv. 50, p. 72. 1922; No. 44596, B.P.I. Inv. 51, p 30. 1922; Nos. 45075, 45076, 45165, B.P.I. Inv. 52, pp. 31, 41. 1922; No. 46973, B.P.I. Inv. 58, p. 13. 1922; Nos. 49004, 49023, B.P.I. Inv. 61, pp 65, 68. 1922
  insect pests, list. Sec. [Misc.], "A manual of insects * * *," p. 148. 1917.

Algaroba—Continued.
  introduction into Porto Rico and testing. P.R. An. Rpt., 1914, p. 28. 1916.
  meal—
    feed for horses and mules, Hawaii. Hawaii A.R., 1914, pp. 12, 19. 1915.
    industry, progress, Hawaii. An. Rpts., 1913, p. 278. 1914; O.E.S. Chief Rpt., 1913, p. 8. 1913.
    preparation and food value. Hawaii Bul. 36, pp. 11, 31. 1915.
  planting in Porto Rico, uses and value of tree. P.R. An. Rpt., 1919, p. 8. 1920.
  source of forage, preparation, and supplements. Hawaii Bul. 36, pp. 11, 30-32. 1915.
  weevil, parasites, introduction into Hawaii, and experiments. Hawaii A.R., 1910, pp. 20-21. 1911.
  See also Mesquite.
Algeria—
  agricultural—
    explorations. Thomas H. Kearney and Thomas H. Means. B.P.I. Bul. 80, pp. 98. 1905.
    statistics, 1910-1920. D.B. 987, pp. 2-3. 1921.
  barley acreage, production, and yield, maps. Sec. [Misc.] Spec., "Geography * * * world's agriculture," pp. 41-43. 1917.
  cattle, numbers and distribution. Sec. [Misc.] Spec., "Geography * * * world's agriculture," p. 123. 1917.
  cereal crops, 1911 statistics. Stat. Cir. 26, p. 12. 1912.
  citrus fruits—
    condition, 1914-1915, estimates. F.B. 629. pp. 13-14. 1914.
    industry. D.B. 134, p. 33. 1914.
  crops and areas. Off. Rec, vol. 4, No. 27, p. 8. 1925.
  date culture, irrigation, drainage and alkali conditions. B.P.I. Bul. 53, pp. 44-46, 49, 51, 73-99, 105, 112-113, 115-121. 1904.
  fruits, number of trees, production, exports, and imports, 1909-1913. D.B. 483, pp. 38-39. 1917
  goats, numbers. Sec. [Misc.] Spec., "Geography * * * world's agriculture," pp. 142, 144. Y.B., 1917, p. 431. 1918; Y.B. Sep. 741 pp. 9. 1918.
  humidity, relation to date growing, comparison B.P.I. Bul. 53, pp. 53, 55, 56, 57. 1904.
  livestock statistics, numbers of cattle, sheep, and hogs. Rpt. 109, pp. 25, 34, 45, 49, 57, 61, 192, 211. 1916.
  Mediterranean fruit fly, occurrence. Ent. Cir. 160, pp. 4, 8. 1912.
  olive culture, notes. B.P.I. Bul. 192, pp. 13, 37, 38. 1911.
  opportunities for grain-production. News L., vol. 6, No. 24, pp. 8-9. 1919.
  potatoes, production, 1909-1913, 1921-1923. Stat. Bul. 10, p. 20. 1925.
  sheep numbers. Y.B. 1917, p. 402. 1918; Y.B. Sep. 751, p. 4. 1918.
  temperature conditions, relation to date growing. B.P.I. Bul. 53, pp. 61-70. 1904.
  work against mosquitoes for prevention of malaria. Ent. Bul. 88, pp. 98-99. 1910.
Algerian durum wheats, classified list with descriptions. Carl S. Scofield. B.P.I. Bul. 7, p. 19. 1902.
Algeroba. See Algaroba.
Algicide, copper, in water supplies. George T. Moore and Karl F. Kellerman. B.P.I. Bul. 76, pp. 55. 1905.
Algin in kelp, precipitation and possible uses. J.A.R., vol. 4, pp. 47-50. 1915.
ALGUIRE, G. B. "Marketing broom corn." D.B. 1019, pp. 32. 1922.
Alhagi pseudalhagi. See Camel's thorn.
Alichus spp., description. Rpt. 108, p. 21. 1915.
Alien hunting laws, new, 1915. F.B. 692, pp 2, 17, 54. 1915.
Alien Property Corporation, resolution. Official Record, vol. 3, No. 21. pp. 1-2. 1924.
Alimentary canal, length, relation to bulky feed. B.A.I. Bul. 47, p. 73. 1904.
Alitcha, importations, use, and value, Nos. 28948, 28951, 29224. B.P.I. Bul. 227, pp. 7, 18, 19, 47. 1911.

Alkali(s)—
  accumulation—
    in soils, methods of prevention. Soils Bul. 34, pp. 8–9, 10–14. 1906; Soils Bul. 35, pp. 13–21. 1906.
    removal from surface of soil. B.P.I. Bul. 53, pp. 117–118. 1904.
  action on—
    cement, investigation. Work and Exp., 1914, p. 251. 1915.
    nicotine sulphate in sprays. J.A.R., vol. 10, pp. 48, 49, 50. 1917.
  allowable content in irrigation water. O.E.S. Cir. 103, pp. 23–25. 1911.
  and drought-resistant plant investigations, aid to farmers. News L., vol. 1, No. 21, pp. 3–4. 1913.
  and ground water, studies, Nevada. B.P.I. Cir. 122, pp. 22–23. 1913.
  black—
    description, effect on soil and vegetation. B.P.I. Bul. 53, pp. 101, 119–120. 1904.
    formation—
      by plants, value. Rpt. 71, pp. 61–70. 1902.
      in calcareous soils. J.A.R., vol. 10, pp. 541–590. 1917.
    harmfulness to plant growth. F.B. 446, rev., pp. 6–7. 1920.
    in soil, titration methods and equipment. D.B. 1059, pp. 199–200. 1922.
    reclamation by leaching. Soils Bul. 52, pp. 75–84. 1908.
    resistance of certain plants, specimens, tests. Rpt. 71, pp. 71–78. 1902.
    sulphur oxidation in soils. J.A.R., vol. 24, pp. 297–305. 1923.
    transformation to white alkali. J.A.R., vol. 24, pp. 298–299. 1923.
    See also Sodium carbonate.
  bug. See Beet leaf-beetle.
  cause of—
    accumulation. Rpt. 70, p. 41. 1901.
    farms abandonment. Rpt. 70, pp. 10–13. 1901.
  chemical nature, conditions causing, and effect on plants. F.B. 446, pp. 6–7. 1911; F.B. 446, rev., pp. 4–10. 1920
  composition, relation to drainage. F.B. 371, pp. 45–47. 1909.
  crusts—
    description, occurrence, origin, analyses. D.B. 61, pp. 33, 36, 43, 45, 60, 66–67, 82, 83, 85, 86, 88. 1914.
    Great Basin, analysis and origin. D.B. 61, p. 36. 1914.
    in irrigated region. J.A.R., vol. 10, pp. 573–580. 1917.
  dangers—
    in irrigation farming. Y.B. 1909, pp. 203–205. 1910; Y.B. Sep. 505, pp. 203–205. 1910.
    to rice, Louisiana, Lake Charles area. Soils F.O. Sep., 1901, pp. 644–645. 1902; Soils F.O. 1901, pp. 644–645. 1902.
  definition. Soils Bul. 34, p. 7. 1906.
  deposits—
    calcium sulphate in aqueous solutions. Frank K. Cameron and James M. Bell. Soils Bul. 33, pp. 71. 1906.
    soils, and necessity of drainage. D.C. 267, pp. 24–25. 1923.
  determination in plant ash, method. D.B. 600, pp. 19–22. 1917.
  destruction of the enzym invertase. C. S. Hudson and H. S. Paine. Chem. Cir. 59, pp. 5. 1910.
  disease of livestock in Pecos Valley. C. Dwight Marsh and Glenwood C. Roe. D.C. 180, pp. 8. 1921.
  districts, arsenical spraying, dangers. O.E.S. An. Rpt., 1908, p. 74. 1909.
  effect on—
    alfalfa. F.B. 210, p. 13. 1904.
    cement and sandstone. F.B. 353, pp. 20–21. 1909.
    citrus canker in soils. J.A.R., vol. 19, pp. 217–219. 1920.
    concrete lining of canals. D.B. 126, pp. 51–53. 1915.
    duck-food plants, Sandhill regions, Nebraska. D.B. 794, pp. 38, 40. 1920.
    Egyptian cotton. B.P.I. Cir. 112, pp. 20–24. 1913.

Alkali(s)—Continued.
  effect on—continued.
    fibers. J.A.R., vol. 27, pp. 247–248. 1924.
    fungi growth and reproduction. J.A.R., vol. 5, No. 16, pp. 734–737. 1916.
    land and on plant growth. F.B. 446, rev., pp. 3–4, 6–10. 1920.
    permeability of soil. J.A.R., vol. 21, pp. 265–278. 1921.
    plant growth, grade classifications. F.B. 446, pp. 8–12. 1911.
    vegetable growth, study. An. Rpts. 1901, pp. 137–138. 1901.
  estimating and mapping, instructions. 'Soils [Misc.], "Instructions to field * * *," pp. 89–113. 1914.
  fixed, estimation in saponified cresol solutions. D.B. 1308, pp. 6–8. 1924.
  function of vegetable food. D.B. 503, p. 4. 1917.
  fusion method of tin determination, description. Chem. Cir. 67, pp. 6–8. 1911.
  grades, classification in relation to plant adaptations. F.B. 446, rev., pp. 10–13. 1920.
  ground water, injury to alfalfa. F.B. 865, p. 40. 1917.
  indications in California. Soils Bul. 42, pp. 46, 47. 1907.
  indicators—
    native vegetation. F.B. 864, p. 4. 1917.
    plants—
      in California, Woodland area. Soil Sur. Adv. Sh., 1909, p. 51. 1911; Soils F.O., 1909, p. 1681. 1912.
      in Oregon, Klamath area. Soil Sur. Adv. Sh., 1908, pp. 43–44. 1910; Soils F.O. 1908, pp. 1411–1412. 1911.
    Truckee-Carson Experiment Farm. B.P.I. Bul. 157, p. 32. 1909.
    significance of vegetation in Tooele Valley, Utah. J.A.R., vol. 1, pp. 365–417. 1914.
    various sections. Y.B. 1909, pp. 204–205. 1910; Y. B. Sep. 505, pp. 204–105. 1910.
  influence on activity of invertase. C. S. Hudson and H. S. Paine. Chem. Cir. 55, pp. 7. 1910.
  influence on activity of invertase, theory. C. S. Hudson. Chem. Cir. 60, pp. 3. 1910.
  injury—
    in irrigated lands. B.P.I. Chief Rpt. 1924, pp. 38–39. 1924.
    on irrigated lands, prevention. An. Rpts., 1923, pp. 281–282. 1924; B.P.I. Chief Rpt., 1923, pp. 27–28. 1923.
    to sugar beets. J.A.R., vol. 4, pp. 164–165. 1915.
  irrigated lands, injury, investigations, and control. An. Rpts. 1912, p. 227. 1913; Sec. A.R. 1912, p. 227. 1912; Y.B. 1912, p. 227. 1913.
  land(s)—
    bromegrass thriving on. F.B. 1433, p. 5. 1925.
    California, Anaheim County, and drainage. Soil Sur. Adv. Sh., 1916, pp. 74–77. 1919; Soils F.O., 1916, pp. 2340–2343. 1921.
    choice of crops. Thomas H. Kearney. F.B. 446, pp. 32. 1911; F.B. 446, rev., pp. 32. 1920.
    classification, nature of functions of soil solutions. Frank K. Cameron. Soils Bul. 17, pp. 37. 1901.
    crops, experiments Huntley Experiment Farm, Montana. Dan Hansen. D.B. 135, pp. 19. 1914.
    drainage—
      California, Fresno district. Soils Bul. 42, pp. 20–23. 1907.
      studies. D.B. 355, pp. 38–39. 1916.
      in California, Fresno, reclamation. Thomas H. Means and W. H. Heileman. Soils Cir. 11, pp. 9. 1903.
      in Egypt, crops for reclamation. T. H. Kearney and T. H. Means. Y.B. 1902, pp. 573–588. 1903; Y.B. Sep. 291, pp. 573–588. 1903.
      in Utah, Salt Lake City, reclamation. W. H. Heileman. Soils Cir. 12, pp. 8. 1904.
    reclamation—
      and utilization. An. Rpts. 1914, pp. 115–116. 1915; B.P.I. Chief Rpt. 1914, pp. 15–16. 1914.
      experiments. Soils Cir. 13, pp. 12–14. 1905.
      in Texas, Archer County. Soil Sur. Adv. Sh., 1912, pp. 19–20. 1914; Soils F.O., 1912, pp. 1021–1022. 1915.
      in Utah, Salt Lake Valley. Clarence W. Dorsey. Soils Bul. 43, pp. 28. 1907.

Alkali(s)—Continued.
  land(s)—continued.
    reclamation—continued.
      methods. Soils Bul. 35, pp. 168-174. 1906.
      methods, cost, and crop production. D. B. 135, pp. 6-19. 1914.
      on Truckee-Carson Project, 1917. W.I.A. Cir. 23, pp. 16-17. 1918.
      progress, 1904. An. Rpts., 1904, pp. 257-261. 1904.
      review of work in Soils Bureau. An. Rpts., 1905, pp. 258-267. 1906; Soils Chief Rpt., 1905, pp. 258-267. 1905.
      Worden tract, Montana, experiments. W.I.A. Cir. 2, pp. 20-23. 1915.
      work of Bureau of Soils, 1904. Rpt. 79, pp. 61-62. 1904.
    soil survey. Soils Bul. 35, pp. 60-139. 1906.
    weeds infestation with beet leaf-beetles. D.B. 892, pp. 7-8. 1920.
  method of extracting from rock-powders. Rds. Cir. 38, pp. 4-7. 1905.
  origin and kinds. Soils Bul. 35, pp. 10-13. 1906.
  percentage in soil, determination by electrical bridge. Soils Bul. 61, p. 9. 1910.
  plant resistance. Soils Bul. 35, pp. 21-25, 39-42, 123. 1906.
  poisoning of cattle, symptoms and treatment. B.A.I. [Misc.], "Diseases of cattle," rev., p. 62. 1912.
  presence in shale lands, determination. D.B. 502, pp. 7-11, 39. 1917.
  prevention methods, western South Dakota. Soil Sur. Adv. Sh., 1909, pp. 78-79. 1911; Soils F.O., 1909, pp. 1474-1475. 1912.
  reclamation by drainage of irrigated lands. F.B. 805, pp. 26-29. 1917.
  relation to growth of *Phytophthora infestans*. B.P.I. Bul. 245, pp. 54-57. 1912.
  removal—
    by drainage, Nevada, Truckee-Carson Experiment Farm. W.I.A. Cir. 13, p. 14. 1916.
    by under drains, experiments. An. Rpts., 1914, p. 267. 1915; O.E.S. Chief Rpt., 1914, p. 13. 1914.
    from irrigated lands, method, and results. O.E.S. Bul. 217, pp. 27-30, 36-40. 1909.
    from soil by drainage. D.B. 190, pp. 29-31. 1915.
  residuum, source and description. D.B. 1003, pp. 40-41. 1921.
  resistance of—
    barley. F.B. 443, p. 20. 1911.
    date palm in Africa and in United States. B.P.I. Bul. 53, pp. 72-121 1904.
    Egyptian cotton in Southwestern States. B.P.I. Cir. 29, p. 18. 1909.
    sweet clover. F.B. 797, pp. 13-14. 1917.
  resistant—
    crop plants, studies, program for 1915. Sec. [Misc.], "Program of work * * * 1915," pp. 119-120. 1914.
    crops, suggestions for Nevada Truckee-Carson project. B.P.I. Bul. 157, pp. 30-32, 34. 1909.
    plants, suited to arid regions. An Rpt., 1908, p. 324. 1909; B.P.I. Bul. 53, pp. 23, 115, 121. 1904; B.P.I. Chief Rpt., 1908, p. 52. 1908.
  rice injury, symptoms. F.B. 1212, p. 9. 1921.
  rise—
    irrigated land, cause and control. Y.B., 1911, pp. 378-380. 1912; Y.B. Sep. 576., pp. 378-380. 1912.
    prevention methods, in date culture. B.P.I. Bul. 53, pp. 21, 48. 1904.
  salts—
    absorption by plants. Rpt. 71, pp. 66-69. 1902.
    cause of duck sickness in Utah. D.B. 672, pp. 15-18. 1918.
    dilute solutions, effect on plants. Rpt. 71, pp. 47-52. 1902.
    effect on—
      citrus seedlings. J.A.R. vol. 18, p. 271. 1919.
      germination and growth of crops. J.A.R. vol. 5, No. 1, pp. 1-53. 1915.
      nitrification in semiarid soils. J.A.R. vol. 7, pp. 426-428. 1916.
      vegetation, experiments. Rpt. 71, pp. 9-19. 1902.

Alkali(s)—Continued.
  salts—continued.
    in soil—
      toxicity and antagonism. F. S. Harris and others. J.A.R. vol. 24, pp. 317-338. 1923.
      effect on germination and growth of crops. J.A.R., vol. 5, No. 1, pp. 1-53. 1915.
      solution studies. Frank K. Cameron and others. Soils. Bul. 18, pp. 89. 1901.
      tolerance of plants, comparison. T. H. Kearney and L. L. Harter. B.P.I. Bul. 113, pp. 22. 1907.
      influence on leaf structure and transpiration of wheat, oats, and barley. L. L. Harter. B.P.I. Bul. 134, pp. 19. 1908.
      influence on the optical determination of sucrose. Chem. Bul. 137, pp. 167-168. 1911.
      qualitative determination, instructions. Soils [Misc.], "Soil survey field * * * "; pp. 39-41. 1906.
      solutions, tests on plant life. Rpt. 71, pp. 19-47. 1902.
      studies, and literature regarding. J.A.R., vol. 24, pp. 317-319, 337-338. 1923.
      Tempe, Arizona, chemical analyses. J.A.R., vol. 28, p. 726. 1924.
      tests on plant life, importance. Rpt. 71, pp. 52-54. 1902.
      toxicity, alone and in combinations, comparison. J.A.R., vol. 5, No. 1, pp. 2, 4, 8, 44-45. 1915.
    seepage injury to sugar beets. D.B. 721, pp. 24-25. 1918.
    separation in soil analysis by official method. Chem. Bul. 67, pp. 43-44. 1902.
  soil(s)—
    and vegetation, some mutual relations between. Thomas H. Kearney and Frank K. Cameron. Rpt. 71, pp. 78. 1902.
    bacteriological studies. Carl F. Kellerman and E. R. Allen. B.P.I. Bul. 211, pp. 36. 1911.
    black, reclamation by leaching. Soils Bul. 52, pp. 75-84. 1908.
    chemical examination. Soils Bul. 18, p. 65. 1913.
    crops—
      adaptable. B.P.I. Bul. 53, pp. 23, 115-121. 1904; Soils Bul. 42, pp. 18-20. 1907.
      resistant, in Colorado, Uncompahgre Valley area. Soil Sur. Adv. Sh., 1910, p. 28. 1912; Soils F.O. 1910, p. 1466. 1912.
    experiment stations, work, résumé. Soils Bul. 35, pp. 25-60. 1906.
    in Arizona—
      Benson area, description, crops, and treatment. Soil Sur. Adv. Sh., 1921, pp. 276-279. 1924.
      middle Gila Valley area, analyses. Soil Sur. Adv. Sh., 1917, pp. 32-35. 1920; Soils F.O., 1917, pp. 2114-2117. 1923.
      Salt River Valley relation to date culture. B.P.I. Bul. 53, pp. 99-101. 1904.
      Winslow area, relation to irrigation and drainage. Soil Sur. Adv. Sh., 1921, pp. 182-187. 1924.
    in California—
      Anaheim area, occurrence and conditions. Soil Sur. Adv. Sh., 1916, pp. 74-77. 1919; Soils F.O., 1916, pp. 2340-2343. 1921.
      Big Valley. Soil Sur. Adv. Sh., 1920, pp. 1030-1031. 1924; Soils F.O., 1920, pp. 1030-1031. 1925.
      central southern area. Soil Sur. Adv. Sh., 1917, pp. 127-132. 1921; Soils F.O., 1917, pp. 2525-2530. 1923.
      El Centro area. Soil Sur. Adv. Sh., 1918, pp. 51-56. 1922; Soils F.O., 1918, pp..1679-1684. 1924.
      Fresno area. Soil Sur. Adv. Sh., 1912, pp. 64-72. 1914; Soils F.O., 1912, pp. 2148-2156. 1915.
      Honey Lake area, descriptions. Soil Sur. Adv. Sh., 1915, pp. 51-54. 1917; Soils F.O., 1915, pp. 2301-2304. 1919.
      Imperial area. Soil Sur. Adv. Sh., 1903, pp. 1236-1240, 1242. 1904; Soils F.O., 1903, pp. 1236-1240, 1242. 1904.
      Imperial Valley, conditions. Soil Sur. Adv. Sh., 1920, pp. 701-707. 1923; Soils F.O., 1920, pp. 701-707. 1925.

Alkali(s)—Continued.
soil(s)—continued.
in California—continued.
Livermore area, composition. Soil Sur. Adv. Sh., 1910, pp. 60-62. 1911; Soils F.O., 1910, pp. 1712-1714. 1912.
Los Angeles area, causes and control. Soil Sur. Adv. Sh., 1916, pp. 74-76. 1919; Soils F.O. 1916, pp. 2416-2418. 1921.
lower San Joaquin Valley, kinds. Soil Sur. Adv. Sh., 1915, pp. 152-155. 1918; Soils F.O. 1915, pp. 2728-2731. 1919.
Madera area. Soil Sur. Adv. Sh., 1910, pp. 40-41. 1911; Soils F.O., 1910, pp. 1750-1751. 1912.
Marysville area, and analysis of sample. Soil Sur. Adv. Sh., 1909, pp. 27-28, 54. 1911; Soils F.O., 1909, pp. 1711-1712, 1738. 1912.
Merced area, effects. Soil Sur. Adv. Sh., 1914, pp. 66-68. 1916; Soils F.O., 1914, pp. 2846-2848. 1919.
Modesto-Turlock area, description, areas, and resistant crops. Soil Sur. Adv. Sh., 1908, pp. 41-44. 1909; Soils F.O., 1908, pp. 1265-1268. 1911.
Pasadena area, conditions, effect on crops. Soil Sur. Adv. Sh., 1915, pp. 52-53. 1917; Soils F.O., 1915, pp. 2362-2363. 1919.
Salton basin, relation to date culture. B.P.I. Bul. 53, pp. 101-114. 1904.
San Francisco Bay region, reclamation methods. Soil Sur. Adv. Sh., 1914, pp. 110-111. 1917; Soils F.O., 1914, pp. 2782-2783. 1919.
San Joaquin Valley, location and description. Soil Sur. Adv. Sh., 1916, pp. 108-109. 1919; Soils F.O., 1916, pp. 2522-2526. 1921.
Shasta Valley, area. Soil Sur. Adv. Sh., 1919, pp. 147-149. 1923; Soils F.O., 1919, pp. 147-149. 1925.
Woodland area, description and analyses. Soil Sur. Adv. Sh., 1909, pp. 51-54. 1911; Soils F.O., 1909, pp. 1681-1684. 1912.
in Colorado, Uncompahgre Valley area. Soil Sur. Adv. Sh., 1910, pp. 25-28. 1912; Soils F.O., 1910, pp. 1463-1464. 1912.
in Idaho, Twin Falls area. Soil Sur. Adv. Sh., 1921, p. 1392. 1925.
in Iowa, Webster County, location, and effect on crops. Soil Sur. Adv. Sh., 1914, pp. 40-43. 1916; Soils F. O., 1914, pp. 1820-1823. 1919.
in Kansas—
Reno County. Soil Sur. Adv. Sh., 1911, p. 24. 1913; Soils F.O., 1911, pp. 2010-2011. 1914.
western part. Soil Sur. Adv. Sh., 1910, pp. 101-102. 1912; Soils F.O., 1910, pp. 1439-1440. 1912.
in Minnesota, Crookston area. Soil Sur. Adv. Sh., 1906, p. 889. 1907; Soils F.O., 1906, p. 889. 1908.
in Nebraska—
Lancaster County. Soil Sur. Adv. Sh., 1906, pp. 22-23. 1908; Soils F.O., 1906, pp. 960-961. 1908.
North Platte area, occurrence. Soil Sur. Adv. Sh., 1907, p. 25. 1908; Soils F.O., 1907, pp. 833-834. 1909.
western, control methods. Soil Sur. Adv. Sh., 1911, pp. 36-37. 1913; Soils F.O., 1911, pp. 1904-1905. 1914.
in Nevada—
composition. B.P.I. Bul. 157, p. 29. 1909.
Fallon area, origin, studies. Soil Sur. Adv. Sh., 1909, pp. 42-43. 1911; Soils F.O., 1909, pp. 1514-1515. 1912.
in New Mexico—
Mesilla Valley, cause, and composition. Soil Sur. Adv. Sh., 1912, pp. 35-37. 1914; Soils F.O., 1912, pp. 2041-2043. 1915.
middle Rio Grande Valley area, analyses. Soil Sur. Adv. Sh., 1912, pp. 46-49. 1914; Soils F.O., 1912, pp. 2004-2007. 1915.
in North Dakota, Williston area, location and description. Soil Sur. Adv. Sh., 1906, pp. 25-26. 1908; Soils F.O., 1906, pp. 1019-1020. 1908.
in Oregon, Klamath area, and water. Soil Sur. Adv. Sh., 1908, pp. 39-44. 1910; Soils F.O., 1908, pp. 1411-1412. 1911.
in South Dakota, Belle Fourche area. Soil Sur. Adv. Sh., 1907, pp. 27-29. 1908; Soils F.O., 1907, pp. 903-905. 1909.

Alkali(s)—Continued.
soil(s)—continued.
in Texas—
Brownsville area, occurrence and composition. Soil Sur. Adv. Sh., 1907, pp. 29-30. 1908; Soils F.O., 1907, pp. 729-730. 1909.
Corpus Christi area. Soil Sur. Adv. Sh., 1908, pp. 19, 23. 1909; Soils F.O. 1908, pp. 913, 917. 1911.
south-central, occurrence. Soil Sur. Adv. Sh., 1913, pp. 115-116. 1915; Soils F.O. 1913, pp. 1181-1182. 1916.
southern soils, description, analyses, reconnaisance. Soils F.O., 1909, pp. 1103-1107. 1912. Soil Surv. Adv. Sh., 1909, pp. 79-83. 1910.
in United States. Clarence W. Dorsey. Soils Bul. 35, pp. 196. 1906.
in Utah—
Ashley Valley, conditions. Soil Sur. Adv. Sh., 1920, p. 935. 1924; Soils F.O., 1920, p. 935. 1925.
Cache Valley area, sources and analyses. Soil Sur. Adv. Sh., 1913, pp. 66-68. 1915; Soils F.O., 1913, pp. 2160-2162. 1916.
Delta area. Soil Sur. Adv. Sh., 1919, pp. 32-35. 1922; Soils F.O., 1919, pp. 1828-1831. 1925.
Tooele Valley. J.A.R., vol. 1, pp. 371-374. 1914.
in Washington, Quincy area, irrigation water. Soil Sur. Adv. Sh., 1911, pp. 54-55, 58. 1913; Soils F.O., 1911, pp. 2276-2277. 1914.
Newlands reclamation project, composition and treatment. D.C. 267, pp. 21-26. 1923.
nitrogen fixation. S.R.S. Rpt. 1916, Pt. I, pp. 34, 76, 174. 1918.
origin and accumulation. Soils Bul. 34, pp. 8-9. 1906.
origin and agricultural importance. J.A.R., vol. 10, pp. 331-353. 1917.
pasture plants. Y.B., 1900, pp. 595-597. 1901.
reclamation. Clarence W. Dorsey. Soils Bul. 34, pp. 30. 1906.
reclamation—
Billings, Montana. Clarence W. Dorsey. Soils Bul. 44, pp. 21. 1907.
experiments, Newlands Experiment Farm. D.C. 80, pp. 16-18. 1920; D.C. 136, pp. 16-21. 1920; D.C. 267, pp. 16-20. 1923.
relation to vegetation. Thomas H. Kearney and Frank K. Cameron. Rpt. 71, pp. 78. 1902.
salts, tolerance of plants, tests, comparison. T. H. Kearney and L. L. Harter. B.P.I. Bul. 113, pp. 22. 1907.
sodium salts, effect on wheat seedlings, studies. J.A.R., vol. 7, pp. 407-416. 1916.
solution studies of salts. Frank K. Cameron and others. Soils Bul. 18, pp. 89. 1901.
sorghum as forage crop. F.B. 246, pp. 19-20. 1906.
studies of experiment stations, 1923. Work and Exp., 1923, pp. 16-17. 1925.
sugar beets, growing. F.B. 267, pp. 14-17. 1906.
testing, Arizona and California. B.P.I. Cir. 112, pp. 20-24. 1913.
toxicity to nitrifying organisms in soil. J.A.R., vol. 16, pp. 110-112, 114-115, 129-133. 1919.
treatment, Truckee-Carson Farm. W.I.A. Cir. 19, pp. 17-18. 1918.
wilting coefficient for plants. B.P.I. Cir. 109, pp. 17-25. 1913.
soluble, in rock powders. Rds. Cir. 38, pp. 2-3. 1905.
spots in—
Illinois, Will County, cause and control. Soil Sur. Adv. Sh., 1912, pp. 35-36. 1914; Soils F.O., 1912, pp. 1551-1552. 1915.
Iowa soils, Winnebago County, control. Soil Sur. Adv. Sh., 1918, pp. 25, 26, 28-29. 1921; Soils F.O., 1918, pp. 1272-1273. 1924.
soils, origin. J.A.R., vol. 10, pp. 580-582. 1917.
stains, removal from textiles. F.B. 861, pp. 9-10. 1917.
tenth normal solution, preparation and preservation. B.A.I. Bul. 165, p. 32. 1913.
testing in tiles. J.A.R., vol. 24, pp. 477-480. 1923.
tests, school exercises. O.E.S. Bul. 195, pp. 20-21. 1908.

Alkali(s)—Continued.
  tolerance by sorghum. F.B. 1158, p. 5. 1920.
  toleration, plants, list. B.P.I. Bul. 157, pp. 30–31. 1909.
  toxicity, soil factors affecting. J.A.R., vol. 15, pp. 287–319. 1918.
  treatment, effect on cocoas. Eugene Bloomberg. D.B. 666, pp. 20. 1918.
  types, chloride and sulphate, relation to nitrification. B.P.I. Bul. 211, pp. 21–22. 1911.
  use in—
    decomposition of phosphate rock. D.B. 312, pp. 12–14. 1915.
    house cleaning. F.B. 1180, pp. 8, 18. 1921.
  water—
    fatal to wild ducks. An. Rpts. 1915, pp. 236–237. 1916; Biol. Chief Rpt. 1915, pp. 4–3. 1915.
    still, description. F.B. 522, p. 5. 1913.
    white-ash lands, reclamation, Fresno, California. W. W. Mackie. Soils Bul. 42, pp. 47. 1907.
Alkaline—
  conditions, effect of growth of wheat seedlings. J. F. Breazeale and J. A. Le Clerc. Chem. Bul. 149, pp. 18. 1912.
  extraction from soils, methods. Soils Bul. 88, pp. 31–32. 1913.
  fertilizers, bad effects on tobacco, root-rot soils. B.P.I. Cir. 7, p. 6. 1908.
  poison, cause of waterfowl mortality, investigations. D.B. 217, pp. 6–8. 1915.
  salts—
    kinds and quantities allowable. O.E.S. Cir. 103, p. 14. 1911.
    use in adulteration of powdered cocoa. Chem. N.J. 1588, pp. 2. 1912.
  soils—
    analyses. J.A.R., vol. 11, pp. 660–668. 1917.
    experiments with blueberry. B.P.I. Bul. 193, pp. 28–31, 64–65. 1910.
    meaning of term, studies. P.R. Bul. 13, pp. 22–23. 1913.
    waters for irrigation. Thomas H. Means. Soils Cir. 10, pp. 4. 1903.
Alkalinity—
  determination in feeds, methods. Chem. Bul. 162, pp. 172–173, 174. 1913.
  of soil, relation of calcium content. J.A.R., vol. 20, pp. 855–868. 1921.
  test, titration methods and equipment. D.B. 1059, pp. 199–200. 1922.
Alkaloid(s)—
  belladonna, effects of selection of plants. A. F. Sievers. D.B., 306, pp. 20. 1915.
  content of *Bikukulla* spp. J.A.R., vol. 23, pp. 71–76. 1923.
  determination methods. Chem. Bul. 116, pp. 81–82. 1908; Chem. Bul. 132, pp. 192–196. 1910; Chem. Cir. 52, pp. 14–16. 1910.
  identification—
    and analysis, microchemical, study. Chem. Bul. 122, pp. 97–100. 1909.
    by optical methods. Edgar T. Wherry. D.B. 679, pp. 11. 1918.
  lupine, cause of poisoning. D.B. 405, pp. 3, 5–6, 8–9, 10–11, 37–38. 1916.
  methods of determination adopted provisionally, A. O. A. C., 1907. Chem. Cir. 38, pp. 5–6. 1908.
  microchemical tests, progress. Chem. Bul. 137, pp. 189–190. 1911.
  moldy corn, study. B.P.I. Bul. 270, pp. 16–20. 1913.
  of delphiniums. D.B. 365, pp. 8–11. 1916.
  optical properties, measuring. D.B. 679, pp. 8–9. 1918.
  reactions. Chem. Bul. 150, pp. 36–40. 1912.
  spraying tests as insecticides. D.B. 1160, pp. 4, 7–8, 9, 13. 1923.
Alkaloidal—
  content, belladonna plants. J.A.R., vol. 1, pp. 129–146. 1913.
  drugs, assaying. Chem. Bul. 122, pp. 129–136. 1909.
Alkanna tinctoria, substitution of *Macrotamia cephalotes*, 278. Chem. S.R.A., 23, pp. 97–98. 1918.
Allantoin—
  determination in poultry urine. B.A.I. Bul. 56, pp. 84–85. 1904.
  soil constituent, wheat-growing tests table. Soils Bul. 87, pp. 56–57. 1912.

ALLARD, H. A.—
  "A specific mosaic disease in *Nicotiana viscosum* distinct from the mosaic disease of tobacco." J.A.R., vol. 7, pp. 481–486. 1916.
  "Distribution of the virus of the mosaic disease in capsules, filaments, anthers, and pistils of affected tobacco plants." J.A.R., vol. 5, No. 6, pp. 251–256. 1915.
  "Effect of dilution upon the infectivity of the virus of the mosaic disease of tobacco." J.A.R. vol. 3, pp. 295–299. 1915.
  "Effect of the relative length of day and night, and other factors of the environment on growth and reproduction of plants." With W. W. Garner. J.A.R., vol. 18, pp. 553–606. 1920.
  "Effects of various salts, acids, germicides, etc., upon the infectivity of the virus causing the mosaic disease of tobacco." J.A.R., vol. 13, pp. 619–637. 1918.
  "Flowering and fruiting of plants as controlled by the length of day." With W. W. Garner. Y.B., 1920, pp. 377–400. 1921; Y.B., Sep. 852, pp. 377–400. 1921.
  "Further studies in photoperiodism, the response of the plant to relative length of day and night." With W. W. Garner. J.A.R., vol. 23, pp. 871–920. 1923.
  "Further studies of the mosaic disease of tobacco." J.A.R., vol. 10, pp. 615–632. 1917.
  "Localization of the response in plants to relative length of day and night." With W. W. Garner. J.A.R., vol. 31, pp. 555–566. 1925.
  "Oil content of seeds as affected by the nutrition of the plant." With others. J.A.R., vol. 3, pp. 227–249. 1914.
  "Photoperiodism in relation to hydrogen-ion concentration of the cell sap and the carbohydrate content of the plant." With others. J.A.R., vol. 27, pp. 119–156. 1924.
  "Some properties of the virus of the mosaic disease of tobacco." J.A.R., vol. 6, No. 17, pp. 649–674. 1916.
  "The fibers of long-staple upland cottons." B.P.I. Bul. 111, Pt. II., pp. 13–15. 1907.
  "The mosaic disease of tobacco." D.B. 40, pp. 33. 1913.
Allard cases, alleged theocine poisoning. Chem. N.J. 1455, pp. 41, 44, 45, 46. 1912.
Allardyce—
  process, use in tie preservation, table. For. Cir. 209, pp. 8, 14. 1912.
  process of wood preservation. For. Bul. 78, p. 17. 1909.
  timber treatment method, successful. B.P.I. Bul. 214, pp. 28–29. 1911.
"Allasch style Kummel," misbranding. Chem. N.J. 2910, p. 137. 1914.
Alle alle. See Dovekie.
Allegheny, Pennsylvania, milk supply, statistics, officials, prices, and laws. B.A.I. Bul. 46, pp. 28, 146. 1903.
Allegheny Mountains, forestry problems, need of experiment stations. Sec. Cir. 183, pp. 24–26. 1921.
Allegheny National Forest—
  acreage and additions. Off. Rec., vol. 2, No. 26, p. 3. 1923.
  establishment. Off. Rec., vol. 2, No. 42, p. 3. 1923.
  purchase of lands for. Off. Rec., vol. 1, No. 25, p. 4. 1922.
Allegheny Plateau region, description and pomological features. D.B., 1189, pp. 13–16, 75–77. 1923; Soils Bul. 96, pp. 51–52. 1913.
ALLEN, E. R.—
  "Bacteriological studies of the soils of the Truckee Carson Irrigation Project." With Karl F. Kellerman. B.P.I. Bul. 211, pp. 36. 1911.
  "Soil survey of—
    Hamilton County, Ohio." With others. Soil Sur. Adv. Sh., 1915, pp. 139. 1917; Soils F.O., 1915, pp. 1317–1351. 1919.
    Lamar County, Alabama." With W. L. Lett Soil Sur. Adv. Sh., 1908, pp. 32. 1909; Soils F.O., 1908, pp. 455–482. 1911.
    Marion County, Alabama." With others. Soil Sur. Adv. Sh., 1907, pp. 24. 1908; Soils F.O., 1907, pp. 381–400. 1909.
    Miami County, Ohio." With Oliver Gossard. Soil Sur. Adv. Sh., 1916, pp. 50. 1918; Soils F. O., 1916, pp. 1583–1628. 1921.

ALLEN F. R.—Continued.
"Soil survey of—Continued.
Sandusky County, Ohio." With others. Soils Sur. Adv. Sh., 1917, pp. 64. 1920; Soils F.O., 1917, pp. 1079–1138. 1923.
the Middlebourne area, West Virginia. With others. Soil Sur. Adv. Sh., 1907, pp. 32. 1909; Soils F.O., 1907, pp. 165–192. 1909.

ALLEN, E. T.—
address at Forestry Convention on cooperative fire patrol. For. [Misc.] "Forest fire protection * * *," pp. 22–26. 1914.
"The western hemlock." For. Bul. 33, pp. 55. 1902.

ALLEN, E. W.—
"Some ways in which the Department of Argiculture and experiment stations supplement each other." Y.B., 1905, pp. 167–182. 1906; Y.B. Sep. 375, pp. 167–182. 1906.
"Work and expenditures of the agricultural experiment stations for—
1907." O.E.S. An. Rpt., 1907, pp. 51–191.
1908." O.E.S. An. Rpt., 1908, pp. 55–190. 1909.
1909." O.E.S. An. Rpt., 1909, pp. 55–209. 1910.
1910." With J. I. Schulte. O.E.S. An. Rpt., 1910, pp. 61–169. 1911.
1911." With J. I. Schulte. O.E.S. An. Rpt., 1911, pp. 53–230. 1912.
1912." With J. I. Schulte. O.E.S. An. Rpt., 1912, pp. 43–231. 1913.
1913." With J. I. Schulte. O.E.S. An. Rpt., 1913, pp. 110. 1914.
1914." With E. V. Wilcox. O.E.S. An Rpt., 1914, pp. 289. 1915.
1915." With others. S.R.S. Rpt., 1915, Pt. I, pp. 321. 1916.
1917." With others. S.R.S. Rpt., 1917, Pt. I, pp. 335. 1918.
1918." S.R.S. Rpt., 1918, Pt. I, pp. 80. 1920.
1919." With others. S.R.S. Rpt., 1919, Pt. I, pp. 94. 1921.
1920." With others. S.R.S. Rpt., 1920, Pt. I, pp. 94. 1922.
1921." With others. S.R.S. Rpt., 1921. Pt. I, pp. 138. 1923.
1922." With others. S.R.S. Rpt., 1922, Pt. I, pp. 158. 1924.
1923." With others. S.R.S. Rpt., 1923, Pt. I, pp. 122. 1925.

ALLEN, H. E.: "Sheep." Sec. Cir. 122, pp. 9–11. 1918.

ALLEN, J. H.: "Small sawmill waste and a remedy." M. Cir. 39, pp. 41–43. 1925.

ALLEN, R. F.—
"A cytological study of infection of Baart and Kanred wheats by *Puccinia graminis tritici.*" J.A.R. vol. 23, pp. 131–152. 1923.
"Cytological studies of infection of Baart, Kanred, and Mindum wheats by *Puccinia graminis tritici*, forms III and XIX." J.A.R. vol. 26, pp. 571–604. 1923.
"The resistance of oat varieties to stem rust." With William W. Mackie. J.A.R., vol. 28, pp. 705–720. 1924.

ALLEN, R. G.: "How many climate and crop correspondents are required * * *?" W.B. Bul. 31, pp. 195–196. 1902.

ALLEN, R. T.—
"Soil survey of—
Barnwell County, South Carolina." With others. Soil Sur. Adv. Sh., 1912, pp. 49. 1914; Soils F.O., 1912, pp. 441–455. 1915.
Bladen County, North Carolina." With others. Soil Sur. Adv. Sh., 1914, pp. 35. 1915; Soils F.O. 1914, pp. 623–663. 1919.
Cabarrus County, North Carolina." With others. Soil Sur. Adv. Sh., 1910, pp. 47. 1911; Soils F.O., 1910, pp. 297–339. 1912.
Center County, Pennsylvania." With others. Soil Sur. Adv. Sh., 1908, pp. 52. 1910; Soils F.O., 1908, pp. 245–292. 1911.
Christian County, Kentucky." With T. M. Bushnell. Soil Sur. Adv. Sh., 1912, pp. 34. 1914; Soils F.O., 1912, pp. 1149–1178. 1915.
Concordia Parish, Louisiana." With others. Soil Sur. Adv. Sh., 1910, pp. 35. 1911; Soils F.O., 1910, pp. 827–857. 1912.

ALLEN R. T.—Continued.
"Soil survey of—Continued.
Fairfield County, South Carolina." With others. Soil Sur. Adv. Sh., 1911, pp. 37. 1913; Soils F.O., 1911, pp. 479–511. 1914.
Forsyth County, North Carolina." With R. C. Jurney. Soil Sur. Adv. Sh., 1913. pp. 28. 1914; Soils F.O., 1913, pp. 177–200. 1916.
Jessamine County, Kentucky." Soil Sur. Adv. Sh., 1915, pp. 20. 1916; Soils F.O., 1915, pp. 1267–1282. 1919.
Jones County, Georgia." With others. Soil Sur. Adv. Sh., 1913, pp. 44. 1915; Soils F.O., 1913, pp. 475–514. 1916.
Miller County, Georgia." With E. J. Grimes. Soil Sur. Adv. Sh., 1913, pp. 34. 1914; Soils F.O., 1913, pp. 515–544. 1916.
Mobile County, Alabama." With others. Soil Sur. Adv. Sh., 1911, pp. 42. 1912; Soils F.O., 1911, pp. 859–896. 1914.
Morris County, Texas." With E. B. Watson. Soil Sur. Adv. Sh., 1909, pp. 24, 1910; Soils F.O., 1909, pp. 985–1004. 1912.
Rapides Parish, Louisiana." With others. Soil Sur. Adv. Sh., 1916, pp. 43. 1918; Soils F.O., 1916, pp. 1121–1159. 1921.
Richmond County, North Carolina." With others. Soil Sur. Adv. Sh., 1911, pp. 48. 1912; Soils F.O., 1911, pp. 387–430. 1914.
Scranton area, Mississippi." With others. Soil Sur. Adv. Sh., 1909, pp. 38. 1910; Soils F.O., 1909, pp. 887–920. 1912.
Shelby County, Tennessee." With others. Soil Sur. Adv. Sh., 1916, pp. 39. 1919; Soils F.O., 1916, pp. 1379–1413. 1921.
Wake County, North Carolina." With others. Soil Sur. Adv. Sh., 1914, pp. 45. 1916; Soils F.O., 1914, pp. 517–557. 1919.

ALLEN, R. W.—
"The work of the Umatilla Reclamation Experiment Farm—
1912." B.P.I. Cir. 129, pp. 21–32. 1913.
1913." B.P.I. [Misc.], "The work of the Umatilla. * * *, 1913," pp. 14. 1914.
1914." W.I.A. Cir. 1, pp. 18. 1915.
1915 and 1916." W.I.A. Cir. 17, pp. 39. 1917.
1917." W.I.A. Cir. 26, pp. 30. 1919.

ALLEN, T. W.—
"Highways and highway transportation." With others. Y.B., 1924, pp. 97–184. 1925; Y.B. Sep. 914, pp. 97–184. 1925.
"Report of national park and forest roads." An. Rpts., 1915, pp. 318–319. 1916; Rds. Chief Rpt., 1915, pp. 6–7. 1915.

ALLEN, W. N.: "Course in meteorology and physical geography." W.B. Bul. 39, pp. 35. 1911.

Allen's Lung Healer and Body Builder, misbranding. Chem. N.J., 13734. 1925.

Allen's Red Tame Cherry, adulteration and misbranding. Chem. N.J. 549, p. 1. 1910.

Allenrolfea occidentalis, occurrence, description, and associated plants. J.A.R., vol. 1, pp 403, 408–411. 1914.

Allentown, Pennsylvania, milk supply, statistics, officials, and prices. B.A.I. Bul. 46, pp. 36, 150. 1903.

ALLERMAN, DUDLEY: "Marketing eastern grapes." D.B. 861, pp. 61. 1920.

ALLERMAN, GELLERT: "Quantity and character of creosote in well-preserved timbers." For. Cir. 98, pp. 16. 1907.

Allies, agricultural needs, 1920, report of Thomas F. Hunt. Sec. [Misc.], "Need of strong departments * * *," pp. 64–79. 1919.

Alligator pear—
as promising tropical crop. Y.B. 1901, p. 354. 1902.
growing, experiments. F.B. 169, p. 21. 1903.
in Porto Rico, planting. Y.B., 1902, p. 24. 1903.
injury by greenhouse thrips. Ent. Cir. 151, pp. 7, 8. 1912.
See also Avocado.

Alligators—
designation as "livestock." Off. Rec., vol. 1, No. 8, p. 8. 1922.
protection, for destruction of muskrats in rice fields. F.B. 396, p. 18. 1910.

ALLISON, F. E.—
"Chemical and biological studies with cyanamid and some of its transformation products." With others. J.A.R., vol. 28, pp. 37–69 1924.

ALLISON, F. E.—Continued.
"Chemical and biological studies, etc.—Contd.
"Field experiments with atmospheric-nitrogen fertilizers." With others. D.B. 1180, pp. 44. 1923.
"Greenhouse experiments with atmospheric-nitrogen fertilizers and related compounds." With others. J.A.R., vol. 28, pp. 971–976. 1924.
"Influence of fertilizers containing borax on the growth and fruiting of cotton." With J. J. Skinner. J.A.R., vol. 23, pp. 433–444. 1923.
"The effect of cyanamid and related compounds on the number of microorganisms in soil." J.A.R., vol. 28, pp. 1159–1166. 1924.
"The nitrification of phosphorus nitride." J.A.R., vol. 28, pp. 1117–1118. 1924.
"Toxicity studies with dicyanodiamide on plants." With others. J.A.R., vol. 30, pp. 419–429. 1925.
Allium—
 cepa. See Onion, Persian.
 odorum. See Onion.
 spp.—
  hosts of *Colletotrichum circinans.* J.A.R., vol. 20, pp. 685–722. 1921.
  importations and description. Nos. 44247, 44248, 44294, 44313–44315, P.B.I. Inv. 50, pp. 47, 48, 54, 57. 1922; Nos. 52310–52314, B.P.I. Inv. 66, p. 8. 1923.
  susceptibility of, and of onion varieties to *Urocystis cepulae.* P. J. Anderson. J.A.R., vol. 31, pp. 275–286. 1925.
  See also Onion, wild; Garlic.
 triquetrum, importation and description. No. 44793, B.P.I. Inv. 51, pp. 9, 69. 1922; No. 46560, B.P.I. Inv. 56, p. 26. 1922.
Allograpta obliqua, aid in aphid control. F.B. 804, p. 34. 1917.
Allogyne cuneiformis, importation and description. No. 40525, B.P.I. Inv. 43, pp. 39–40. 1918.
Allotria sp., parasite, secondary, of "green bug." Ent. Bul. 110, p. 128. 1912.
Alloxan—
 origin, effects on wheat seedlings. Soils Bul. 47, pp. 26, 38. 1912.
 soil constituent, wheat-growing tests. Soils Bul. 87, p. 66. 1912.
Allspice—
 importation and description. No. 41134, B.P.I. Inv. 44, p. 42. 1918; No. 44824, B.P.I. Inv. 51, p. 74. 1922; No. 55102, B.P.I. Inv. 71, p. 23. 1923.
 oil, adulteration and misbranding. Chem. N.J. 3558. 1915.
 tannin determination. Chem. Bul. 107, p. 164. 1907.
 use as food flavoring. O.E.S. Bul. 245, pp. 55, 68. 1912.
 wild. *See* Spicebush.
 See also Spices.
Alluvial soils, in Kansas, Jewell County, origin and formation. Soil Sur. Adv. Sh., 1912, p. 23. 1914; Soils F.O., 1912, p. 1882. 1915.
Allyl, formation during maceration of Chinese colza seed. J.A.R., vol. 20, p. 131. 1920.
Almacigo tree, Porto Rico, occurrence, description, and uses. D.B., 354, pp. 34, 49, 77. 1916.
Almanac, Agricultural, for 1921. Bristow Adams. F.B., 1202, pp. 64. 1921.
Almon. *See* Mahogany, Philippine.
Almond(s)—
 acreage in 1919, map. Y.B., 1921, p. 468. 1922; Y.B., Sep. 878, p. 62. 1922.
 adulteration. *See Indexes, Notices of Judgment, in bound volumes, and in separates published as supplements to Chemistry Service and Regulatory Announcements.*
 bitter—
  extract, misbranding. Chem. N.J. 1126, pp. 2. 1911.
  oil similar to that of peach, prune, and apricot kernels. B.P.I. Bul. 195, p. 15. 1910.
  synthetic oil, adulteration. Chem. N.J. 2377, pp. 2. 1913.
  use in adulteration of maraschino cherries. Chem. N.J. 1585, pp. 2. 1912.
 blanching, process. Chem. Bul. 160, p. 8. 1912.
 breeding investigations. B.P.I. Chief Rpt., 1925, p. 8. 1925.

Almond(s)—Continued.
 budding with rosetted buds, results. J.A.R., vol. 24, p. 313. 1923.
 California, bird pests. News L., vol. 1, No. 7, p. 4. 1913.
 crop—
  California, 1905, amount and value. F.B. 332, p. 7. 1908.
  in Italy, report. Off. Rec., vol. 2, No. 39, p. 8. 1923.
 crown-gall, inoculation experiments, losses. B.P.I. Bul. 213, pp. 40, 44, 56, 80, 89, 183. 1911.
 cultivation in Tunis. B.P.I. Bul. 125, pp. 11, 13. 1908.
 description, characteristics and identification of adulterants. Chem. Bul. 160, pp. 6–15, 36–37. 1912.
 desert, occurrence, range, and description. J.A.R., vol. 1, pp. 149, 151, 152, 170–172, 178. 1913.
 dwarf, imported, value as almond or peach stock. Nos. 28943–23944, B.P.I. Bul. 227, pp. 7, 17. 1911.
 earth. *See* Chufa.
 extract—
  adulteration. Chem. N.J. 142, pp. 2. 1910; Chem. N.J. 1217, pp. 4. 1912; Chem. N.J. 2143, pp. 3. 1913.
  alcohol determination. Chem. Bul. 137, pp. 73–74. 1911.
  manufacture and substitutes. Y.B., 1908, pp. 341–342. 1909; Y.B. Sep. 485, pp. 341–342. 1909.
  use as food. O.E.S. Bul. 245, p. 68. 1912.
 flowering, importation and description. No. 45727, B.P.I. Inv. 54, pp. 5, 12. 1922.
 food value and uses. F.B. 332, pp. 13, 15, 17, 18, 26. 1908.
 grafting on wild stock from Palestine, recommendation. B.P.I. Bul. 180, pp. 14–15. 1910.
 green. *See* Pistache; Pistachio nut.
 growing in California—
  Colusa area. Soil Sur. Adv. Sh., 1907, p. 17. 1908; Soils F.O., 1907, p. 939. 1908.
  Lower San Joaquin Valley. Soil Sur. Adv. Sh., 1915, pp. 27, 86. 1918; Soils F.O., 1915, pp. 2603, 2662. 1919.
  Madera area, requirements. Soil Sur. Adv. Sh., 1910, p. 16. 1911; Soils F.O., 1910, p. 1726. 1912.
  Marysville area, yield and price. Soil Sur. Adv. Sh., 1909, pp. 16, 38. 1911; Soils F. O., 1909, pp. 1700, 1722. 1912.
  Modesto-Turlock area. Soil Sur. Adv. Sh. 1908, p. 56. 1909; Soils F.O., 1908, p. 1280. 1911.
  Sacramento Valley, yields. Soil Sur. Adv. Sh., 1913, pp. 19, 75, 88, 120. 1915; Soils F.O., 1913, pp. 2309–2416. 1916.
  San Francisco Bay region. Soil Sur. Adv. Sh., 1914, pp. 24–25. 1917; Soils F.O., 1914, pp. 2696–2697. 1919.
 importations and description. Nos. 29416, 29417, 29515, 30314, 30408, B.P.I. Bul. 233, pp. 19, 28, 75, 81. 1912; Nos. 33215, 33218, B.P.I. Bul. 282. p. 84. 1913; Nos. 39898, 40010–40011, B.P.I. Inv. 42, pp. 5, 34, 51. 1918; Nos. 43409, 43814, B.P.I. Inv. 49, pp. 13, 81. 1921.
 Imports—
  1851-1908. Y.B., 1908, p. 773. 1909; Y.B. Sep. 498, p. 773. 1909.
  1851–1910. Y.B., 1910, pp. 679–680. 1911; Y.B. Sep. 553, pp. 679–680. 1911.
  1851–1912. Y.B., 1912, pp. 741–742. 1913; Y.B. Sep. 615, pp. 741–742. 1913.
  1884 and 1914, increase and sources. D.B. 296, p. 35. 1915.
  1901–1924. Y.B., 1924, pp. 1062, 1075. 1925.
  1907–1909, quantity and value, by countries from which consigned. Stat. Bul. 82, p. 48. 1910.
  1907–1911 and 1851–1911. Y.B., 1911, pp. 665, 683. 1912; Y.B. Sep. 588, pp. 665, 683. 1912.
  1911–1913, and 1852–1913. Y.B., 1913, pp. 498, 510. 1914; Y.B. Sep. 631, pp. 498, 510. 1914.
  1913–1915, and 1852–1915. Y.B., 1915, pp. 545, 558. 1916; Y.B. Sep. 685, pp. 545, 558. 1916.
  1919–1921, and 1852–1921. Y.B., 1922, pp. 953, 965. 1923; Y.B. Sep. 880, pp. 953, 965. 1923.
  statistics. Y.B., 1921, pp. 741, 753. 1922; Y.B. Sep. 867, pp. 5, 17. 1922.

Almond(s)—Continued.
  in sacks, opinion 271. Chem. S.R.A. 22, p. 91. 1918.
  Indian—
    infestation with fruit fly, Hawaii, and effect of parasite. J.A.R. vol. 25, pp. 2–4. 1923.
    Porto Rico, description and uses. D.B. 354. pp. 27, 88. 1916.
  industry, Italy and Spain, report. Off. Rec., vol. 2, No. 1, p. 3. 1923.
  injury by pear thrips. D.B. 173, p. 19. 1915.
  insect pests. Sec. [Misc.] "A manual of insects * * *," pp. 56, 166–167, 218. 1917.
  Java—
    description. D.B. 1033, p. 5. 1922.
    importations, description, and uses, Nos. 43024, 43375–43377. B.P.I. Inv. 48, pp. 5, 10, 47. 1921.
  Javanese. See Canarium nut.
  Jordan, description, use, and source of supply. Chem. Bul. 160, pp. 7–8. 1912.
  Malabar, importation, description and uses, No. 41576. B.P.I. Inv. 45, pp. 50–51. 1918.
  Mexican, importation and description, No. 46741. B.P.I. Inv. 57, p. 27. 1922.
  oil—
    adulteration with oil of peach kernel. Chem. Bul. 97, p. 5. 1905.
    as adulterant of olive oil, analytical data, and tables. Chem. Bul. 77, pp. 15, 17, 21, 25, 27, 44, 45. 1905.
    digestion experiments, food weights and constituents. D.B. 630, pp. 4–6, 17. 1918.
    fixed and essential. Chem. Bul. 160, pp. 8–9. 1912.
    similarity to cherry oil, composition. D.B. 350, pp. 2, 8, 12, 15, 19. 1916.
    sources, extraction. Y.B., 1908, pp. 341–342. 1909; Y.B. Sep. 485, pp. 341–342. 1909.
    substitution of oil from other fruits. B.P.I. Bul. 133, pp. 11–12, 27. 1908.
  paste—
    alleged adulteration. Chem. N.J. 1335, pp. 2. 1912.
    confections. F.B. 332, p. 20. 1908.
    definition and standard. F.I.D. 197, p. 1. 1925.
    microscopic examination for origin of nut, method. Chem. Bul. 160, p. 6. 1912.
    standards. Off. Rec., vol. 4, No. 38, p. 3. 1925.
    planting, decrease in California, Livermore area. Soil Sur. Adv. Sh., 1910, p. 14. 1911; Soils F.O., 1910, p. 1666. 1912.
  product, bitter, use in adulteration of maraschino cherries. Chem. N.J. 1580, pp. 3. 1912.
  production and value, 1909. F.B. 700, p. 1. 1916.
  soft-shelled, handling, uses and description. Chem. Bul. 160, pp. 8, 9, 10. 1912.
  Spanish, and their introduction into America. David G. Fairchild. B.P.I. Bul. 26, pp. 16. 1902.
  statistics—
    imports, 1917. Y.B., 1917, pp. 765, 780. 1918; Y.B. Sep. 762, pp. 9, 24. 1918.
    imports, 1919. Y.B., 1919, pp. 702–703. 1920; Y.B. Sep. 829, pp. 702, 703. 1920.
    receipts and shipments, San Francisco, Calif. Rpt. 98, p. 291. 1913.
  stock, resistance to peach borer. Ent. Bul. 97, Pt. IV, p. 68. 1911; Ent. Bul. 97, p. 68. 1913.
  susceptibility to—
    drought. B.P.I. Bul. 192, pp. 15–16, 56. 1911.
    grape crown-gall. B.P.I. Bul. 183, pp. 23, 24. 1910.
  sweet—
    and bitter, relation to peach-apricot, and prune kernels. B.P.I. Bul. 133, pp. 7–10. 1908.
    importations contain bitter almonds, Inf. 26. Chem. S.R.A. 11, p. 751. 1915.
  Tangutian, importations and description, Nos. 41708–41709. B.P.I. Inv. 46, pp. 7, 12. 1919.
  testing, Texas. D.B. 162, pp. 20, 26. 1915.
  trees, injury by—
    ground squirrels. Biol. Cir. 76, p. 6. 1910.
    sapsuckers. Biol. Bul. 39, p. 42. 1911.
    tropical, infestation with Mediterranean fruit fly. D.B. 536, pp. 24, 48. 1918.
    utilization for food products. A. F. Sievers and Frank Rabak. D.B. 1305, pp. 22. 1924.

Almond(s)—Continued.
  varieties—
    identification key. D.B. 1282, pp. 15–20. 1924.
    in United States. Milo N. Wood. D. B. 1282, pp. 142. 1924.
    recommendations for various fruit districts. B.P.I. Bul. 151, p. 52. 1909.
  wild—
    Havard's, occurrence, range, and description. J.A.R., vol. 1, pp. 150, 176–177, 178. 1913.
    importations and description. Nos. 33311–33312, B.P.I. Inv. 31, pp. 5, 13. 1914; No. 42440, B.P.I. Inv. 47, p. 14. 1920.
    Mexican, occurrence, range, and description. J.A.R., vol. 1, pp. 150, 152, 174–176. 1913.
    Nevada, occurrence, range, description. J.A.R., vol. 1, pp. 148, 149, 152, 164–166, 178. 1913.
    Southwestern States. J.A.R., vol. 1, pp. 147–178. 1913.
    Texas, occurrence, range, and description. J.A.R., vol. 1, pp. 150, 151, 152, 172–174, 178. 1913.
Almshouse(s)—
  Bayview, Baltimore dietary studies. O.E.S. Bul. 223, pp. 17–46. 1910.
  food cost per man per day. O.E.S. Bul. 223, p.39. 1910.
ALMY, L. H.: "The commercial freezing and storing of fish." With Ernest D. Clark. D.B. 635, pp. 9. 1918.
Alnus—
  acuminata, injury by pith-ray flecks. For. Cir. 215, p. 10. 1913.
  nepalensis, importation and description, No. 50714. B.P.I. Inv. 64, p. 18. 1923.
  spp.—
    susceptibility to dry rot. B.P.I. Bul. 214, p. 12. 1911.
  See also Alder.
Alocasia—
  importations and description, Inv., Nos. 29519–29520. B.P.I. Bul. 233, p. 29. 1912.
  varieties, description, and uses. B.P.I. Bul. 164, pp. 16, 18, 22, 23, 24–25, 32, 33. 1910.
  spp. See Yautia; Taro; Dasheen.
Aloe—
  littoralis, importation and description, No. 46792. B.P.I. Inv. 57, p. 35. 1922.
  pretoriensis, importation and description, No. 48505. B.P.I. Inv. 61, p. 16. 1922.
  spp., importations and descriptions, Nos. 40528–40531. B.P.I. Inv. 43, pp. 40–41. 1918.
Aloes—
  Barbadoes, extract, use in plant culture experiment. Soils Bul. 56, pp. 20–21. 1909.
  effect on fat and milk production of cows. J.A.R., vol. 19, p. 124. 1920.
  importation and description, No. 44522. B.P.I. Inv. 51, p. 19. 1922.
  malgache and creole, source of maritius fiber. Y.B., 1911, pp. 197–199. 1912; Y.B. Sep. 560, pp. 197–199. 1912.
Aloin—
  origin, preparation, and use in plant culture experiments. Soils Bul. 56, pp. 20–21, 43. 1909.
  oxidation, action of salts. Soils Bul. 73, p. 36. 1910.
Alopecurus—
  pratensis Linnaeus. See Meadow foxtail.
  spp., distribution, description, feed value. D.B. 201, pp. 6–7. 1915; D.B. 772, pp. 14, 136–137. 1920.
Alopex pribilofensis. See Fox, Pribilof Arctic; Fox, blue.
Alpha-naphthylamine, use in plant culture experiments. Soils Bul. 56, pp. 17, 22. 1909.
Alphitobius piceus. See Fungus, beetle, black.
Alphitonia excelsa, importation and description, No. 52896. B.P.I. Inv. 67, p.10. 1923.
Alpinia—
  allughas, importation and description, No. 47636. B.P.I. Inv. 59, p. 40. 1922.
  exaltata, importations and description. No. 42799, B.P.I. Inv. 47, p. 66. 1920; No. 43948, B.P.I. Inv. 49, p. 102. 1921.
  nutans, importations and description, No. 40777. B.P.I. Inv. 43, p. 79. 1918.
Alpine—
  garden, hardy seed, grass and forage. B.P.I. Bul. 106, p. 6. 1907.
  herb tea, misbranding. Chem. N.J. 3801. 1915.

Alps, French, reforestation, result of experimental studies. Sec. Cir. 183, p. 10. 1921.
Alsace, potash mines, description. Rpt. 100, p. 10. 1915.
ALSBERG, C. L.—
"Contributions to the study of maize deterioration." With Otis F. Black. B.P.I. Bul. 270, pp. 48. 1913.
"Laboratory studies on the relation of barium to the loco-weed disease." With O. F. Black. B.P.I. Bul. 246, Pt. II, pp. 39–61. 1912.
"Pharmacology of gossypol." With Erich W. Schwartze. J.A.R., vol. 28, pp. 191–198. 1924.
"Quantitative variation of gossypol and its relation to the oil content of cottonseed." With Eric W. Schwartze. J.A.R., vol. 25, pp. 285–295. 1923.
"Relation between toxicity of cottonseed and its content." With Erich W. Schwartze. J.A.R., vol. 28, pp. 173–189. 1924.
"Report of Chief of Chemistry Bureau—
1913." An. Rpt., 1913, pp. 191–199. 1914; Chem. Chief Rpt., 1913, p. 9. 1913.
1914." An. Rpts., 1914, pp. 165–174. 1915; Chem. Chief Rpt., 1914, pp. 10. 1914.
1915." An. Rpts., 1915, pp. 191–200. 1916; Chem. Chief Rpt., 1915, pp. 10. 1915
1916." An. Rpts., 1916, pp. 191–204. 1917; Chem. Chief Rpt., 1916, pp. 14. 1916.
1917." An. Rpts., 1917, pp. 199–218. 1918; Chem. Chief Rpt., 1917, pp. 20. 1917.
1918." An. Rpts., 1918, pp. 201–224. 1919; Chem. Chief Rpt., 1918, pp. 24. 1918.
1919." An. Rpts., 1919, pp. 211–234. 1920; Chem. Chief Rpt., 1919, pp. 24. 1919.
1920." An. Rpts., 1920, pp. 255–284. 1920; Chem. Chief Rpt., 1920, pp. 30. 1920.
1921." Chem. Chief Rpt., 1921, pp. 48. 1921.
rural sanitation, abstract of remarks. News L., vol. 1, No. 6, pp. 1–2. 1913.
"The determination of the deterioration of maize, with incidental reference to pellagra." With O. F. Black. B.P.I. Bul. 199, pp. 36. 1910.
Alsem, importation and description, No. 46733. B.P.I. Inv. 57, p. 26. 1922.
Alsike, clover. See Clover, alsike.
Alsine media. See Chickweed.
ALSOP, W. K.: Reports on methods of determination of tannin. Chem. Bul. 67, pp. 128–147. 1902.
Alsophila pometaria—
control and life history. F.B. 1270, pp. 35–37. 1922.
description, habits, and control. F.B. 1169, pp. 36–37. 1921.
injury to apple trees, and control. F.B. 492, pp. 17–20. 1912.
See also Cankerworms, fall.
Alstroemeria—
ligtu. See Lintu.
spp. importation and description. Nos. 35918, 35919, B.P.I. Inv. 36, p. 26. 1915.
Altagana, importation and description. No. 48017. B.P.I. Inv. 60, p. 28. 1922.
Altavista soils, Virginia, description, uses, and location. D.B. 46, pp. 17, 19, 20. 1913.
Alter, J. Cecil: "Crop safety on mountain slopes." Y.B., 1912, pp. 309–318. 1913. Y.B., Sep. 593, pp. 309–318. 1913.
Alterative—
adulteration and misbranding. See Indexes to notices of judgment in bound volumes, and in separatees published as supplements to Chemistry Service and Regulatory Announcements.
Eckman's, misbranding. Chem. N.J. 2995. 1914.
Alternaria—
blight and root rot of ginseng, description, and control. B.P.I. Bul. 250, pp. 9–17. 1912; F.B. 736, pp. 2–4. 1916.
brassicae—
cause of cabbage leaf-blight. F.B. 488, p. 31. 1912.
cause of cabbage black leaf-spot. F.B. 925, rev., p. 29. 1921.
fasciculata, potato disease. B.P.I. Bul. 245, p. 16. 1912.
leafspot and brownrot of cauliflower. J. L. Weimer. J.A.R., vol. 29, pp. 421–441. 1924.

Alternaria—Continued.
mali—
inoculation experiments with apple leaves. J.A.R., vol. 2, pp. 58–65. 1914.
morphological characters. J. W. Roberts. J.A.R., vol. 27, pp. 699–708. 1924.
panax, cause of ginseng blight, description. B.P.I. Bul. 250, pp. 11–14. 1912; F.B. 736, pp. 2–4. 1916; J.A.R., vol. 5, No. 4, pp. 181–182. 1915.
rot—
description of the disease. F.B. 1160, pp. 14–15. 1920; F.B. 1435, pp. 1–2. 1924.
varieties of cherries affected and geographic distribution. F.B. 1435, p. 1. 1924.
solani—
vitality tests under low temperature. J.A.R., vol. 5, No. 14, pp. 652, 654, 655. 1916.
See also Potato, early blight.
Alternia spp.—
cause of Alternaria rot. F.B. 1435, p. 1. 1924.
cause of leaf blight of cotton. F.B. 1187, p. 30. 1921.
cause of sweet-potato rot. J.A.R., vol. 15, p. 355. 1918.
cause of fruit rot, temperature studies. J.A.R. vol. 8, pp. 142–162. 1917.
occurrence in moldy butter. J.A.R., vol. 3, pp. 302, 305, 306, 307, 309. 1915.
occurrence in Texas, description. B.P.I. Bul. 226, pp. 40, 42, 89. 1912.
relation to citrus gummosis. J.A.R., vol. 24, pp. 222, 232. 1923.
tenuis, glucose as a source of carbon. J.A.R., vol. 21, pp. 189–210. 1921.
Alternathera, injury by spotted beet webworm. Ent. Bul. 127, Pt. I, pp. 5, 6, 7. 1913.
Althaea—
boll-weevil feeding, experiments. J.A.R., vol. 2, pp. 237–244. 1914.
culture, and handling as drug plant, yield, and price. F.B. 663, p. 13. 1915.
growing and uses, harvesting, marketing, and prices. F.B. 663, rev., p. 16. 1920.
root-rot, occurrence and description. B.P.I. Bul. 226, p. 57. 1912.
Altica—
chalybea. See Grapevine flea beetle.
foliacea, control and life history. F.B. 1270, p. 33.
punctipennis, control, life history. F.B. 1270, p. 33. 1922.
Altingia excelsa, importations and description. No. 50395, B.P.I. Inv. 63, p. 66. 1923; No. 50695, B.P.I. Inv. 64, p. 15. 1923.
Altingiaceae, injury by sapsuckers. Biol. Bul. 39, pp. 39, 79–80. 1911.
Altitude—
changes, effect on home canning. F.B. 839, p. 12. 1917.
high, crop production studies. S.R.S. Rpt. 1916, Pt. I, pp. 77, 78, 79. 1918.
influence on bird migration. Biol. Bul. 18, pp. 48–49. 1904.
relation to—
olive culture. B.P.I. Bul. 192, pp. 10, 17, 19, 35–36. 1911.
reseeding, experiments, table. D.B. 4, pp. 21–22, 31. 1913.
United States, comparison of East and West. Y.B., 1915, p. 331. 1916; Y.B. Sep. 681, p. 331. 1916.
Altoona, Pennsylvania, milk supply, statistics, officials, prices, laws. B.A.I. Bul. 46, pp. 35, 149–150. 1903.
Aluco pratincola. See Owl, barn.
Alum—
chrome, use as poison against Argentine ants. D.B. 647, pp. 60–71. 1918.
clarifying use. F.B. 1448, p. 10. 1925.
detection in baking powder. Chem. Bul. 107, p. 177. 1907.
Great Basin, analyses. D.B. 61, pp. 34–35. 1914.
in foods—
prohibitions. Chem. Bul. 69, rev., pts. 1–9, pp. 72, 108, 131, 157, 249, 327, 364, 456, 673, 710. 1905–1906.
study and conclusions of Referee Board. D.B. 103, pp. 7. 1914.

Alum—Continued.
    in pickles, opinion 91. Chem. S.R.A. 9, p. 68.8 1914.
    production from alunite, methods. D.B. 415, pp. 5–6. 1916.
    tanning solution, formula. D.C. 230, pp. 21–22. 1922.
    use in—
        flea control. D.B. 248, p. 27. 1915.
        pickles, unnecessary. F.B. 1438, p. 14. 1924.
Alumina—
    content in Hawaiian soil. Hawaii Bul. 42, pp. 8, 9. 1917.
    cream preparation, directions. Chem. Bul. 66, rev., p. 21. 1905.
    derivation from alunite, cost and value. Soils Cir. 70, p. 4. 1912.
    determination in phosphate rocks. Chem. Bul. 122, pp. 140–146. 1909.
    Hawaiian soils, effect of heat. Hawaii Bul. 30, pp. 14–15. 1913.
    heating experiments. Chem. Cir. 101, pp. 5–8. 1912.
    in phosphates, determination, report of referee. Chem. Bul. 105, pp. 157–161. 1907.
Alumino-silicates, acidity caused by weathering. J.A.R., vol. 26, pp. 115, 116–117. 1923.
Aluminum—
    accumulation in corn plants. B.P.I. Rpt. 1921, pp. 33–34. 1921.
    action of fats upon, experiments. B.A.I. An. Rpt. 1909, pp. 276, 278, 282. 1911.
    arsenate, composition. D.B. 1147, p. 13. 1923.
    cleaning, directions. F.B. 1180, p. 19. 1921.
    compounds—
        accumulation in cornplants, relation to rootrots. G. N. Hoffer and R. H. Carr. J.A.R., vol. 23, pp. 801–824. 1923.
        See also Alum.
    determination—
        in phosphate rock, methods. Chem. Bul. 116, pp. 110–111. 1908.
        in water, modified method. Chem. Bul. 152, p. 78. 1912.
        method in saline solutions. Soils Bul. 94, p. 48. 1913.
    hydroxide, effect on virus of tobacco mosaic disease. J.A.R., vol. 6, No. 17, pp. 662–663, 671. 1916.
    in solution, poisonous effect on plants. J.A.R., vol. 23, p. 226. 1923.
    leaf coating for wood surfaces. D.C. 231, p. 27. 1922.
    nitride, studies. Fix. Nit. Lab. A.R., 1924, pp. 2–3. 1924.
    occurrence in soils. D.B. 122, pp. 12–13, 14, 15, 16, 27. 1914.
    oxides, occurrence in phosphate rock, description. D.B. 144, pp. 8–10. 1914.
    phosphate—
        effectiveness, on acid soils, discussion. Chem. Bul. 81, pp. 160–162. 1904.
        feeding to livestock, experiments. J.A.R., vol. 9, pp. 398, 403. 1917.
    plant, occurrence and distribution. J.A.R., vol. 23, pp. 802–806. 1923.
    salts—
        accumulation in tissues of corn plants, effects. J.A.R., vol. 23, pp. 814–818. 1923.
        effect on ammonia fixation in soils. J.A.R., vol. 9, p. 150. 1917.
        in soil—
            availability and relation to acidity. J.A.R. vol. 23 pp. 804, 814, 819. 1923.
            relation to iron and calcium. J.A.R., vol. 11, pp. 660–671. 1917.
        solutions, injection into corn plants, experiments. J.A.R., vol. 23, pp. 810–813. 1923.
    sulphate—
        effect on alkali soils. D.C. 267, p. 26. 1923.
        use on rhododendrons. Off. Rec., vol. 2, No. 15, p. 3. 1923.
    use in—
        electrolytic method of silver cleaning. D.B. 449, pp. 9, 11. 1916.
        reduction of solution acidity, experiments. Chem. Bul. 145, pp. 15–16. 1912.
        utensils for kitchen, advantages and disadvantages. Thrift Leaf. 10, p. 2. 1919.

Alunite—
    composition, occurrence, and origin. D.B. 415, pp. 2–3. 1916.
    deposit(s)—
        potash source. Y.B., 1912, p. 528. 1913; Y.B. Sep. 611, p. 528. 1913.
        Utah, source of potash. Y.B., 1916, p. 307. 1917; Y.B. Sep. 717, p. 7. 1917.
    Great Basin, types occurring. D.B. 61, pp. 35–36. 1914.
    potash source, location and amount. D.C. 61, p. 6. 1919.
    products, amount, cost, and value, economic studies. D.B. 415, pp. 12–14. 1916.
    samples, ignition temperature, losses. D.B. 415, pp. 9–11, 14. 1916.
    source of potash. W. H. Waggaman and J. A. Cullen. D.B. 415, pp. 14. 1916.
    source of potash—
        composition, value. W. H. Waggaman. Soils Cir. 70, pp. 4. 1912.
        distribution, analysis. Soils Cir. 71, pp. 1–2. 1912.
        utilization methods. News L., vol. 3, No. 22, p. 2. 1916.
    use as potash fertilizer, comparison with potassium sulphate and chloride. J. J. Skinner and A. M. Jackson. Soils Cir. 76, pp. 5. 1913.
ALVORD, E. D.: "Soil survey of Spokane County, Washington." With others. Soil Sur. Adv. Sh., 1917, pp. 108. 1921; Soils F. O., 1917, pp. 2155–2258. 1923.
ALVORD, H. E.—
    "Cheese making on the farm." F.B. 166, pp. 16. 1903.
    "Dairy products at Paris Exposition." Y.B., 1900, pp. 599–524. 1901; Y.B. Sep. 199, pp. 599–524. 1901.
    "Dairying at home and abroad." Y.B., 1902, pp. 145–154. 1903; Y.B. Sep. 260. pp. 145–154. 1903.
    "Scales of points for judging cattle of dairy breeds." B.A.I. Cir. 48, pp. 14. 1904.
    "Statistics of the dairy." B.A.I. Bul. 55, pp. 88. 1903.
    "The cold curing of cheese." B.A.I. Bul. 49, pp. 7–10. 1903.
    "The milk supply of two hundred cities and towns." With R. A. Pearson. B.A.I. Bul. 46, pp. 210. 1903.
    "The water content of creamery butter." B.A.I. Cir. 39, pp. 4. 1903.
ALWAY, F. J.—
    "A field study of the influence of organic matter upon the water-holding capacity of a silt-loam soil." With Joseph R. Neller. J.A.R., vol. 16, pp. 263–278. 1919.
    "Nitrogen content of the humus of arid soils." With Earl S. Bishop. J.A.R., vol. 5, No. 20, pp. 909–916. 1916.
    "Relation of movement of water in a soil to its hygroscopicity and initial moistness." With Guy R. McDole. J.A.R., vol. 10, pp. 391–428. 1917.
    "Relation of the water-retaining capacity of a soil to its hygroscopic coefficient." With G. R. McDole. J.A.R., vol. 9, pp. 27–71. 1916.
    "Soil studies in dryland regions. B.P.I. Bul. 130, pp. 17–42. 1908.
    "Some notes on the direct determination of the hygroscopic coefficient." With others. J.A.R. vol. 11, pp. 147–166. 1917.
    "Use of the moisture equivalent for the indirect determination of the hygroscopic coefficient." With Jouette C. Russel. J.A.R., vol. 6, No. 21, pp. 833–846. 1916.
    "Use of two indirect methods for the determination of the hygroscopic coefficients of soils." With Verne L. Clark. J.A.R. vol. 7, pp. 345–359. 1916.
    "Variations in the moisture content of the surface coefficient." With Guy R. McDole. J.A.R., vol. 14, pp. 453–480. 1918. pp. 453–480. 1918.
ALWOOD, W. B.—
    "A study of cider making in France, Germany, and England, with comments and comparisons on American work." Chem. Bul. 71, pp. 114. 1903.

Alwood, W. B.—Continued.
address on alcoholic ferments. Chem. Bul. 67, pp. 84–86. 1902.
"Crystallization of cream of tartar in the fruit of grapes." J.A.R., vol. 1, pp. 513–514. 1914.
"Development of sugar and acid in grapes during ripening." With others. D.B. 335, pp. 28. 1916.
"Enological studies. I. Experiments in cider making applicable to farm conditions. II. Notes on the use of pure yeasts in wine making." Chem. Bul. 129, pp. 32. 1909.
"Enological studies. The chemical composition of American grapes grown in Ohio, New York and Virginia." Chem. Bul. 145, pp. 35. 1911.
"Enological studies. The occurrence of sucrose in grapes." Chem. Bul. 140, pp. 24. 1911.
"Preliminary report on apple-packing houses in the Northwest." With W. M. Scott. Mkts. Doc. 4, pp. 31. 1917.
"The chemical composition of apples and cider." With others. Pts. I–II. Chem. Bul. 88, pp. 46. 1904.
"The chemical composition of American grapes grown in the Central and Eastern States." With others. D.B. 452, pp. 20. 1916.
"The fermenting power of pure yeasts and some associated fungi." Chem. Bul. 111, pp. 28. 1908.

Alydus—
pilosulus, destruction by birds. Biol. Bul. 15, p. 34. 1901.
pluto, injury to alfalfa pods, control studies. News L., vol. 5, No. 14, p. 7. 1917.

Alysicarpus—
nummularifolium, occurrence in Guam. Guam A.R., 1913, p. 17. 1914.
spp., importations and description. B.P.I. Inv. 31, Nos. 33443, 33444, 33598–33600, 33640, pp. 5, 23, 34–35, 39. 1914; Nos. 41883, 41884, B.P.I. Inv. 46, pp. 28–29. 1919.
vaginalis, importation and description. No. 50354. B.P.I. Inv. 63, p. 60. 1923.

Alyssum, sweet, description, cultivation, and characteristics. B.P.I. Doc. 433, p. 7. 1909; F.B. 1171, pp. 72–74, 79. 1921.

Amanita spp., description. D.B. 175, pp. 7–9. 1915.

Amanitopsis spp., description. D.B. 175, pp. 9–10. 1915.

AMANN, E. C., report on sugar-beet growing, Wisconsin. Rpt. 86, pp. 14–15. 1908.

Amar caterpillar, description. Sec. [Misc.] "A manual of insects * * *," p. 112. 1917.

Amara—
impuncticollis, destruction by birds. Biol. Bul. 15, p. 46. 1901.
spp., destruction by crows. D.B. 621, p. 17. 1918.

Amaradulcis. See Bittersweet.

Amaranth—
African spinach, importation No. 50726. B.P.I. Inv. 64, p. 20. 1923.
analysis method. Chem. Bul. 147, pp. 220–221. 1912.
chemical composition. Chem. Bul. 147, pp. 166–169, 185, 186–187, 189, 193–194, 199. 1912.
description of seed, appearance in red clover seed. F.B. 260 p. 22. 1906.
dyes, determination. Chem. Cir. 113, pp. 1–3, 4. 1913.
edible seeds, importation. Off. Rec. vol. 2, No. 30, p. 2. 1923.
globe, description, cultivation, and characteristics. F.B. 1171, pp. 52, 79. 1921.
importations and description. Nos. 34457, 34497, B.P.I. Inv. 33, pp. 6, 21, 28. 1915; No. 43411, B.P.I. Inv. 49, p. 14. 1921; No. 44178, B.P.I. Inv. 50, pp. 6, 38, 1922; Nos. 44566, 44567, 44915, B.P.I. Inv. 51, pp. 26, 90. 1922; Nos. 45182, 45183, B.P.I. Inv. 52, pp. 44, 45. 1922; Nos. 53896–53897, B.P.I. Inv. 68, pp. 2, 5. 1923.
seeds—
description. F.B. 428, pp. 7, 24. 1911.
study. J.A.R., vol. 29, p. 352. 1924.

Amaranthus—
caudatus, description, cultivation, and characteristics. F.B. 1171, pp. 30–31, 81. 1921.
cruentus, description, cultivation, and characteristics. F.B. 1171, pp. 31, 82. 1921.

Amaranthus—Continued.
graecizans, water requirement in Colorado, 1911. experiments. B.P.I. Bul. 284, pp. 33–34, 37. 1913.
growing experiments with daylight of different lengths. J.A.R. vol. 23, p. 873. 1923.
mangostanus, use as potherb, destruction by webworm. Ent. Bul. 109, Pt. I, pp. 2, 14. 1911.
palmeri, description. D.B. 1345, pp. 28–29. 1925.
retroflexus, water requirement in Colorado, 1911, experiments. B.P.I. Bul. 284, pp. 33–34, 37. 1913.
spp.—
importations and description. Nos. 44469, 44566, 44567, 44915, B.P.I. Inv. 51, pp. 16, 26, 90. 1922; Nos. 55405, 55424–55425, B.P.I. Inv. 71, pp. 39, 42. 1923.
seeds, catalase, and oxidase content, studies. J.A.R., vol. 15, pp. 144–164. 1918.
See also Pigweed.
transpiration—
and environmental data. J.A.R., vol. 5, No. 14, pp. 618–623. 1916.
studies, Akron, Colorado. J.A.R., vol. 7, pp. 158, 160–183, 191, 193. 1916.

Amargosa Valley, California, nitrate prospects. E.E. Free. Soils Cir. 73, pp. 6. 1912.

Amargoso, growing in Guam, directions. Guam Bul. 2, pp. 12, 25. 1922.

Amarillo Experiment Farm, Texas, kaoliang varieties testing, 1907–1911. B.P.I. Bul. 253, pp. 33–45, 57–59. 1913.

Amarillo Field Station, spring wheat production, various methods, 1908–1914, yields and cost. D.B. 214, pp. 35–36, 37–42. 1915.

Amaryllis—
bulbs, insects, control. F.B. 1362, pp. 22–25. 1924.
varieties, importation No. 35465. B.P.I. Inv. 35, p. 49. 1915.

Amatungula—
Guam, growing, studies and experiments. Guam A.R., 1912, p. 25. 1913.
importation No. 48807. B.P.I. Inv. 61, p. 50. 1922.

Amau, starch yield. Hawaii Bul. 53, pp. 3, 11. 1924.

Amaurosis, cattle, causes, symptoms and treatment. B.A.I. [Misc.], "Diseases of cattle," rev., p. 348. 1909; rev., pp. 360–361. 1912; rev., pp. 348–349. 1923.

Amazilia graysoni. See Hummingbird, Grayson's.

Amazona vittata. See Parrot, Porto Rican.

Ambari, importation and description. No. 35577, B.P.I. Inv. 35, p. 56. 1915.

Amblyetles brevicinctor, parasitic on European corn borer. F.B. 1046, p. 22. 1919.

Amblyomma—
americanum—
description. B.A.I. Bul. 78, p. 15. 1905.
See also Tick, lone star.
cajennense. See Tick, cayenne.
spp.—
description habits. Rpt. 108, pp. 58, 59, 60, 62, 68–69. 1915.
description, life history, habits, and control. Ent. Bul. 106, pp. 123–158. 1912.
table, description. Ent. Bul. 72, pp. 58–64. 1907.
See also Ticks.

Amblystoma jeffersonianum platineum, range, and habits. N.A. Fauna 22, p. 134. 1904.

Amboceptor—
antisheep, in blood of fowls. F. R. Beaudette and L. D. Bushnell. J.A.R., vol. 27, pp. 709–715. 1924.
hemolytic, method of obtaining. B.A.I. Bul. 136, pp. 9–11. 1911.

Ambrosia—
artemisaefolia. See Ragweed.
beetle—
damages to living trees. Ent. Bul. 58, Pt. V, pp. 61, 64. 1909.
description and habits. Rpt. 99, pp. 1–75. 1915.
injury to—
forest products, and control. Ent. Cir. 128, pp. 2, 4–5, 8–9. 1910.
girdled cypress in the South Atlantic and Gulf States. Ent. Cir. 82, pp. 1–5. 1903.
trees. Ent. Cir. 126, p. 2. 1910.
trees and timber. Ent. Bul. 58, pp. 61, 63, 65. 1910.

Ambrosia—Continued.
  beetle—continued.
    injury to—continued.
      trees, dying or dead. Ent. Cir. 127, p. 2. 1910.
      spraying experiments. D.B. 1079, pp. 10-11. 1922.
    sugar-cane, description. Sec. [Misc.], "A manual * * * insects * * *," p. 202. 1917.
  elatior. See Ragweed.
  trifida. See Kinghead.
Ambush bug, enemy of cabbage worm, description. F.B. 766, p. 9. 1916.
Ame—
  Japanese, use as sugar, characteristics. F.B. 535, pp. 10-11. 1913.
  preparation and use. O.E.S. Bul. 159, pp. 22-23. 1905.
Amelanchier—
  alnifolia. See Service berry; Shadbush.
  bakeri. See Juneberry.
  oreophila, occurrence in Colorado, description. N.A. Fauna 33, p. 235. 1911.
  spp.—
    check lists. For. Bul. 17, pp. 70-71.
    injury by pith-ray flecks. For. Cir. 215, p. 10. 1913.
Amenia and Sharon Land Company, organization and policies. D.C. 351, pp. 4-21. 1925.
America—
  tropical, cocoanut palm bud-rot, investigations. B.P.I. Cir. 36, p. 3. 1909.
  See also Central America; North America; South America; United States; West Indies.
American Falls Canal and Power Company, work in Idaho. O.E.S. Bul. 216, pp. 47-48. 1909.
American Ornithologists' Union, services in protecting birds. Biol. Bul. 12, rev., pp. 64, 65. 1902.
American Pomological Society, code of nomenclature. B.P.I. Bul. 126, pp. 9-11. 1908.
American Public Health Association, report of the committee on animal diseases and animal foods. B.A.I. Bul. 33, pp. 9-36. 1912.
American Railway Association, records of painting. M. C. 39, p. 65. 1925.
American Railway Engineering Association, bridge and trestle timbers, specifications. For. Bul. 115, p. 35. 1913; For. Bul. 122, p. 35. 1913.
American Research School, Santa Fe, work in Bandelier National Monument. M. C. No. 5, pp. 1, 2, 9, 10. 1923.
American Rio Grande Land and Irrigation Company, irrigation system, details. O.E.S. Bul. 222, pp. 55-56. 1911.
American Society of Bird Restorers, crusade against the English sparrow. Biol. Bul. 15, p. 96. 1901.
Americanization work, use of films. Off. Rec., vol. 4, No. 31, p. 4. 1925.
Americus, Shorthorn bull champion, breeding and price. Y.B., 1914, pp. 389-390. 1915; Y.B., Sep. 648., pp. 389-390. 1915.
Amerimnon—
  latifolium. See Shisham.
  sissoo—
    Importation and description. No. 40778, B.P.I. Inv. 43, pp. 79-80. 1918; No. 47637, B.P.I. Inv. 59, p. 40. 1922.
    See also Sissu.
Amerosporium economicum, cause of cowpea disease. B.P.I. Bul. 229, p. 25. 1912.
AMES, ADELINE: "Plant diseases in 1907." Y.B., 1907, pp. 577-589. 1908; Y.B. Sep. 467, pp. 577-589. 1908.
Ames hulling and scarifying machine, use for sweet cloverseed. F.B. 797, p. 20. 1917.
Ametastegia glabrata. See False-worm, dock.
Amherstia nobilis, importation and description. No. 42902, B.P.I. Inv. 47, p. 80. 1920; No. 47860, B.P.I. Inv. 59, p. 69. 1922.
Amianthium, insecticidal value tests. D.B. 1201, pp. 10, 11, 14-16, 31, 53. 1924.
Amianthium muscaetoxicum, cause of cattle poisoning. F.B. 536, p. 4. 1913.
Amidase, use in experimental work with Penicillium and Aspergillus molds. B.A.I. Bul. 120, pp. 21, 47-48. 1910.
Amido compounds, percentage in cheese. B.A.I. Bul. 49, p. 84. 1903.

Amines—
  formation in sardines during storage. D.B. 908, pp. 70-78, 85. 1921.
  presence in fish, fresh and decomposed. D.B. 908, pp. 86-93. 1921.
Amino acids—
  decomposition by microorganisms, studies. J.A.R., vol. 30, pp. 265-275, 279-280. 1925.
  in Georgia velvet bean. J.A.R., vol. 22, p. 15. 1921.
  in soy-bean and peanut, comparison with cereal amino acids. D.B. 717, pp. 5-8. 1918.
  in ungerminated rye kernel. S. L. Jodidi and J. G. Wangler. J.A.R., vol. 30, pp. 989-994. 1925.
  in ungerminated maize kernel. S. L. Jodidi. J.A.R., vol. 30, pp. 587-592. 1925.
  requirements for animal growth. Off. Rec., vol. 3, No. 37, pp. 1-2. 1924.
Amitermes—
  spp., description and habits. J.A.R., vol. 26, pp. 291-293. 1923.
  See also Ants, white.
Ammodramus—
  sale as reedbirds. Biol. Bul. 12, rev., p. 26. 1909.
  spp. See also Sparrows.
Ammon phenyl, misbranding. Chem. N.J. 942, p. 2. 1911.
"Ammonol with codein and camphor," danger. F.B. 393, p. 15. 1910.
Ammonia—
  absorption by soils. Soils Bul. 51, pp. 29-30. 1908.
  accumulation in soil, effect of paraffin. J.A.R., vol. 10, pp. 355-364. 1917.
  adsorption by colloidal material in soils. D.B. 1193, pp. 7-33. 1924.
  compound, misbranding. I. and F. Bd., S.R.A. 24, p. 531. 1919.
  content of soil and its relations. J.A.R., vol. 31, pp. 549-553. 1925.
  determination—
    by official magnesium oxide method. Chem. Bul. 132, p. 20. 1910.
    in baking powders. Chem. Bul. 107, p. 178. 1907.
    in casein-starch mixtures. J.A.R., vol. 12, pp. 3-6. 1918.
    in Hawaiian soils. Hawaii Bul. 33, pp. 7-8. 1914; Hawaii Bul. 37, pp. 9-12. 1915.
    in meat extracts. Chem. Bul. 114, p. 41. 1908.
    in nitrogenous materials. O. M. Shedd. J.A.R., vol. 28, pp. 527-539. 1924.
    in water, modified method. Chem. Bul. 152, p. 82. 1912.
  excretion of poultry, determination. B.A.I. Bul. 56, p. 42. 1904.
  fertilizer—
    availability in different forms. F.B. 1064, p. 11. 1919.
    use with tobacco, effects. Y.B., 1908, pp. 407, 408. 1909; Y.B. Sep. 490, pp. 407, 408. 1909.
  fixation in soils. J.A.R., vol. 9, pp. 141-155. 1917.
  formation in—
    sardines during storage. D.B. 908, pp. 70-78, 85. 1921.
    soil under different cropping systems. J.A.R., vol. 6, No. 24, pp. 961-963, 969. 1916.
  soils by use of manure and water, experiments. J.A.R., vol. 6, No. 23, pp. 896-908, 913. 1916.
  water-saturated soils. Hawaii Bul. 24, pp. 7, 10-12, 14, 16, 17, 19. 1911.
  forming bacteria, general distribution and importance in soils. B.P.I. Cir. 113, pp. 6-7. 1913.
  Haber process, study. An. Rpts., 1919, pp. 241, 245. 1920; Soils Chief Rpt., 1919, pp. 7, 11. 1919.
  in mixed fertilizers, sources. D.B. 798, pp. 7-12. 1919.
  in potato tubers, skins, and sprouts. J.A.R., vol. 20, pp. 632-634. 1921.
  in soils, increase by heat, studies. Hawaii Bul. 30, pp. 30, 32-34, 38. 1913.
  influence on efficiency of chlorin disinfectants. J.A.R., vol. 20, pp. 102-109. 1920.
  nitrogen—
    content of fertilizer base goods, studies, determination methods. D.B. 158, pp. 4-6. 1914.
    in soil, effects of sterilization. Hawaii Bul. 37, pp. 20-35, 51. 1915.

Ammonia—Continued.
　percentage in cheese. B.A.I. Bul. 49, pp. 84-85. 1903.
　presence in fish, fresh and decomposed. D.B. 908, pp. 86-93. 1921.
　process, direct synthetic, progress. Fix. Nit. Lab. A. R., 1924, pp. 1-2. 1924.
　production—
　　cost discussion. An. Rpts., 1923, pp. 501-503. 1924; Fix. Nit. Lab. A.R., 1923, pp. 7-9. 1923.
　　importance in nitrogen transformation. O.E.S. Bul. 194, pp. 48-55. 1907.
　　in ripening cheese by different cultures. J. A. R., vol. 2, pp. 205-206. 1914.
　　in soils by green manure. J.A.R., vol. 13, pp. 178-180. 1918.
　proportion—
　　in fertilizer. Soils Bul. 58, pp. 17-39. 1910.
　　of nitrogen. Y.B., 1905, p. 227. 1906; Y.B. Sep. 378, p. 227. 1906.
　recovery from soils, methods, comparison. J.A.R., vol. 9, pp. 143-146. 1917.
　results in mixed fertilizers, variable. Chem. Bul. 62, p. 28. 1901.
　soil, production under different incubation methods. J.A.R., vol. 11, pp. 44-46. 1917.
　sulfate—
　　effect on corn yield. Soils Bul. 64, pp. 24, 25, 27. 1910.
　　effect on yields of rice. D.B. 1356, pp. 17, 18, 32. 1925.
　　fertilizer for rice, superiority to nitrate of soda. An. Rpts., 1912, p. 219. 1913; Sec. A. R., 1912, p. 219. 1912; Y.B., 1912, p. 219. 1913.
　　imports, 1912-1923. Y.B., 1923, pp. 1187, 1188, 1189. 1924; Y.B. Sep. 906, pp. 1187, 1188, 1189. 1924.
　　imports, 1924. Y.B., 1924, p. 1168. 1925.
　　nitrifying power in humid and in arid soils. J.A.R., vol. 7, pp. 50-81. 1916.
　　stocks, 1917. Sec. Cir. 104, pp. 4, 5, 10-12. 1918.
　synthetic—
　　model of plant. Off. Rec., vol. 4, No. 39, p. 3. 1925.
　　nitrogen fixation process. Y.B., 1917, pp. 145-146. 1918; Y.B. Sep. 729, pp. 9-10. 1918.
　　process adopted. Sec. A. R., 1925, pp. 70-71. 1925.
　　production by Haber process. An. Rpts., 1918, pp. 230-231. 1919; Soils Chief Rpt., 1918, pp. 6-7. 1918.
　　production, process and problems. An. Rpts., 1917, pp. 223, 226. 1918; Soils Chief Rpt., 1917, pp. 5, 8. 1917.
　use—
　　and value in cure of chigger bites. News L., vol. 2, No. 43, p. 3. 1915.
　　as refrigerant. J.A.R., vol. 26, pp. 185, 190. 1923.
　　in house cleaning. F.B. 1180, p. 8. 1921.
　　in removal of stains from textiles. F.B. 861, pp. 8, 9, 10, 22, 23, 28, 34. 1917.
　　in softening water for washing. F.B. 1099, p. 26. 1920.
　　utilization in feeding stuffs, as a source of protein. B.A.I. Bul. 139, pp. 44, 46. 1911.
　　variation in furrow-irrigated soils, with and without fertilization. J.A.R. vol. 9, pp. 210-214. 1917.
　yield from nitrogenous substances in soils. Hawaii Bul. 39, pp. 7-25. 1915.
Ammoniacal copper carbonate—
　formula. F.B. 243, p. 13. 1906.
　spray for black rot of grape. B.P.I. Bul. 155, p. 12. 1909.
　spray formula. F.B. 1120, p. 12. 1920.
　use, for Sclerotium wilt. Hawaii Bul. 45, p. 13. 1920.
Ammoniates—
　organic, sources of nitrogenous fertilizers. Y.B. 1917, pp. 141-143. 1918; Y.B. Sep. 729, pp. 5-7. 1918.
　prices. Y.B. 1924, p. 1169. 1925.
　supply, sources in United States. D.B. 150, pp. 3-4. 1915.
　use in feeding animals. D.B. 1179, p. 2. 1923.
Ammonification—
　action of nitrogenous substances in soils. W. P. Kelly. Hawaii Bul. 39, pp. 25. 1915.

Ammonification—Continued.
　cause of orange decay, studies. B.P.I. Cir. 124, pp. 21-23. 1923.
　dried blood, in the presence of various salts and soils. J.A.R. vol. 13, pp. 216-220. 1918.
　Hawaiian soils. Hawaii Bul. 40, p. 15. 1915.
　in soils during submergence. Hawaii Bul. 33, p. 12. 1914.
　manure in soil. J.A.R. vol. 16, pp. 313-350. 1919.
　process. F.B. 1250, p. 12. 1922.
　soil—
　　effect of carbon bisulphide. J.A.R. vol. 5, No. 1, pp. 3-5. 1916.
　　in Hawaii, and nitrification. Hawaii Bul. 37, pp. 52. 1915.
　　power, capacity and efficiency determination. Chem. Bul. 132, pp. 35-37. 1910.
　　testing. B.P.I. Bul. 211, pp. 7, 9, 30-31. 1911.
　tests of—
　　kelps, dried blood, and cottonseed meal. J.A.R. vol. 4, pp. 23-37. 1915.
　　soil in rotation plots, corn growing. J.A.R. vol. 5, No. 18, pp. 858, 861, 864-868. 1916.
Ammonifiers, soil, taxonomic study. J.A.R. vol. 16, pp. 333-350. 1919.
Ammonium—
　carbonate, use in treatment of cocoas. D.B. 666, pp. 1, 3, 6, 8. 1918.
　chloride—
　　solubility of carbon dioxide. Soils Bul. 49, p. 13. 1907.
　　solubility of lime. Soils Bul. 49, pp. 22-23. 1907.
　citrate—
　　neutral, preparation. Chem. Bul. 132, pp. 8-11. 1910.
　　residue, treatment. Chem. Bul. 90, pp. 139-141. 1905.
　solutions—
　　examinations for neutrality. Chem. Bul. 122, pp. 147-148. 1909.
　　for determination of phosphoric acid. Chem. Bul. 152, pp. 25-27. 1912.
　compounds, spraying tests as insecticides. D.B. 1160, pp. 5, 8, 9, 10, 11, 14. 1923.
　fluoride, use for timber preservation, experiments. D.B. 1037, pp. 36-37. 1922.
　Hydrate—
　　in urine, effect of cucurbita seeds. J.A.R. vol. 21, pp. 524-528. 1921.
　　nitrogen in potato tubers, skins, and sprouts. J.A.R., vol. 20, pp. 628-634. 1921.
　hydroxide effect on germination of seed. J.A.R., vol. 5, No. 25, pp. 1168-1169. 1916.
　nitrate—
　　chemical composition and use as fertilizer. D. B. 1180, pp. 3-4, 10-27,42. 1923.
　　effect on soil bacteria, experiments. J.A.R. vol. 12, pp. 190, 201, 203, 210-215, 220, 226-227. 1918.
　　solubility of carbon dioxide. Soils Bul. 49, p. 16. 1907.
　products in urine, effect of cucurbita seeds. J.A.R. vol. 21, pp. 524-528. 1921.
　salts—
　　comparison with nitrates as rice fertilizer. Hawaii Bul. 24, pp. 1-20. 1911.
　　effect on—
　　　nitrification in semiarid soils. J.A.R., vol. 7, pp. 423-433. 1916.
　　　wheat at different stages of growth. J.A.R., vol. 23, pp. 57-62. 1923.
　　efficiency as nutrients for rice. J.A.R., vol. 24, pp. 623-624. 1923.
　　feeding experiments, notes. B.A.I. Bul. 139, pp. 6-45. 1911.
　　relation to rice chlorosis. J.A.R., vol. 24 pp. 625-635. 1923.
　solubility of—
　　calcium carbonate. Soils Bul. 49, p. 54. 1907.
　　magnesia. Soils Bul. 49, p. 59. 1907.
　testing method. B. Herstein. Chem. Bul. 150, pp. 47-48. 1912.
　utilization in animal bodies. B.A.I. Bul. 139, pp. 44-45. 1911.
　silicofluoride, use in control of root-knot, experiments. B.P.I. Bul. 217, p. 55. 1911.
　sulphate—
　　absorption by Hawaiian soils, studies. Hawaii Bul. 35, pp. 12-14, 20-21, 26-27. 1914.

Ammonium—Continued.
sulphate—continued.
  and cottonseed meal, nitrification in different soils. Chem. Bul. 67, pp. 36–41. 1902.
  as rice fertilizer, experiments. Hawaii Bul. 24, pp. 9–20. 1911.
  coal by-product, value as fertilizer, annual production. News L., vol. 5, No. 33, p. 6. 1918.
  determination in commercial fertilizers. D.B. 97, pp. 1–10, 11. 1914.
  effect on—
    citrus seedlings. J.A.R., vol. 18, pp. 272–274. 1919.
    coagulation of rubber latex. Hawaii Bul. 16, pp. 17–18. 1908.
    growth and oxidation, experiments. Soils Bul. 56, p. 33. 1909.
    nitrogen-fixation, experiments. B.P.I. Cir. 131, pp. 29–30. 1913.
    other materials in soils. J.A.R., vol. 12, pp. 676–683. 1918.
    plants in nutrient solutions supplied with ferric phosphate and ferrous sulphate as sources of iron. Linus H. Jones and John W. Shive. J.A.R., vol. 21, pp. 701–728. 1921.
    plants supplied with iron. J.A.R., vol. 21, pp. 701–728. 1921.
    soil acidity, studies. J.A.R., vol. 3, pp. 25, 26, 28–30. 1918.
    soil, studies. S.R.S. Rpt., 1916, Pt. I, pp. 36, 146. 1918.
  fertilizer for rice, superiority to nitrates. Hawaii Bul. 31, pp. 15–18. 1914.
  from refuse of gas manufactories, use as fertilizer. D.B. 479, p. 81. 1917.
  nitrification. Chem. Bul. 67, pp. 36–41. 1910.
  production—
    and value as fertilizer. Y.B., 1917, p. 141. 1918; Y.B. Sep. 729, p. 5. 1918.
    United States and world. D.B. 37, pp. 4–7. 1913.
    recovery from coke ovens. Y.B., 1919, pp. 116, 121. 1920; Y.B. Sep. 803, pp. 116, 121. 1920.
  semiarid soils, nitrification rates. J.A.R., vol. 7, pp. 418–420, 423–430, 433. 1916.
  solutions, solutility of carbon dioxide. Soils Bul. 49, p. 16. 1907.
  source of nitrogen, from coal and sewage. Y.B., 1914, pp. 295, 298. 1915; Y.B. Sep. 643, pp. 295, 298. 1915.
  use—
    as fertilizer for rice. O.E.S. An. Rpt. 1910, pp. 23, 124. 1911.
    as nitrogen fertilizer. D.B. 355, p. 44. 1916.
    in control of root-knot. B.P.I. Bul. 217, pp. 54–55, 56, 57, 58. 1911.
  tablets, adulteration and misbranding. Chem. N.J. 2894. 1914.
Ammophila—
  arenaria. See Beach grass.
  spp.—
    description, distribution, and uses. D.B. 772, pp. 15, 123, 124. 1920.
    sand-binding grass, importation from Asia. No. 33320. B.P.I. Inv. 31, pp. 5, 14. 1914.
Ammospermophilus—
  destruction by coyotes. Biol. Bul. 20, p. 13. 1905.
  leucurus. See Squirrel, antelope.
Ammunition, manufacture, use of alcohol. Chem. Bul. 130, p. 148. 1910.
Amoeba—
  meleagridis, cause of turkey blackhead. F.B. 530, pp. 16–17. 1913.
  spp., cause of diseases in man and lower animals. B.A.I. An. Rpt., 1910, p. 484. 1912; B.A.I. Cir. 194, p. 484. 1912.
Amoebocytes, action on parasites in insects, discussion. Ent. T. B. 19, Pt. V, pp. 75–76. 1912.
Amomis caryophyllata. See Limoncella.
Amomum—
  cardamomum, source of camphor and borneol. B.P.I. Bul. 235, p. 12. 1912.
  sp., importation and description., No. 48433, B.P.I. Inv. 61, pp. 1, 8. 1922; Nos. 51628–51629, B.P.I. Inv. 65, p. 33. 1923.

Amoora rohituka, importation and description. No. 38998, B.P.I. Inv. 40, p. 55. 1917.
Amorbia emigratella—
  injury to—
    avocado, description, and control. Hawaii Bul. 25, pp. 23, 24–26. 1911.
    legumes, and description. Hawaii A. R., 1911, pp. 18, 20, 25. 1912.
Amorpha—
  californica, importation and description. No. 43945, B.P.I. Inv. 49, p. 102. 1921.
  fruticosa—
    infestation with boll weevil parasites, value as hedge. Ent. Bul. 100, pp. 49, 51, 90, 95. 1912.
    See also Indigo, false.
Amorphophallus—
  giganteus, importation and description. No. 39146, B.P.I. Inv. 40, p. 83. 1917.
  haematospadix, importation and description. No. 39486, B.P.I. Inv. 41, p. 33. 1917.
  konjac, importation and description. No. 47226, B.P.I. Inv. 58, pp. 8, 44. 1922.
Amorphota sp., enemy of southern beet webworm, and description. Ent. Bul. 109, Pt. II, p. 21. 1911.
Amortization—
  methods, farm mortgage loans. Leon E. Truesdell. Sec. Cir. 60, pp. 12. 1916.
  table—
    for $1,000 loan on farm property. F. B. 792, p. 6. 1917.
    for borrowers. News L., vol. 1, No. 51, pp. 2–3. 1914.
Ampalaya. See Amargoso.
Ampelis—
  cedrorum. See Waxwing, cedar.
  garrulus. See Waxwing, Bohemian.
Ampelocissus imperialis, importation and description. No. 54727, B.P.I. Inv. 70, pp. 12–13. 1923.
Ampelodesma bicolor—
  importation and description. No. 46382, B.P.I. Inv. 56, p. 13. 1922.
  See also Bunch grass.
Ampeloglypter sesostris, infestation with boll weevil parasites. Ent. Bul. 100, pp. 45, 48, 80. 1912.
Ampelopsis—
  aconitifolia, importation and description. No. 36754, B.P.I. Inv. 37, p. 61. 1916; No. 44549, B.P.I. Inv. 51, p. 23. 1922.
  leeoides, importation and description. No. 42684, B.P.I. Inv. 47, p. 51. 1920.
  megalophylla, importation and description. No. 34537, B.P.I. Inv. 33, pp. 5, 32. 1915.
  spp., importation and description. Nos. 40738, 40739, B.P.I. Inv. 43, p. 74. 1918.
Amphiachyris drachunculoides. See Broom-weed.
Amphiacusta caraibea, injurious to seedlings in Porto Rico. P.R. An. Rpt., 1916, pp. 26–27. 1918.
Amphibole. See Hornblende.
Amphicarpon spp., description, distribution, and uses. D.B. 772, pp. 19, 249–251. 1920.
Amphicerus fortis, cotton stalk injury. Ent. Bul. 57, p. 38. 1906.
Amphiscepa bivittata. See Cranberry vinehopper.
Amphispiza spp. See Sparrows.
Amphorophora lactucae, habits and control. F.B. 1128, pp. 30, 48. 1920.
Amthor test for caramel. Chem. Bul. 66, rev., p. 28. 1905.
Amygdalaceae, injury by sapsuckers. Biol. Bul. 39, pp. 42–43, 52, 81. 1911.
Amygdalin, presence in apple seeds. D.B. 1166, pp. 17, 18, 22, 32, 33, 34. 1923.
Amygdalus—
  communis. See Almond.
  davidiana—
    testing as peach stock. Nos. 34672–34688, B.P.I. Inv. 33, pp. 46–47. 1915.
    See also Peach, wild Chinese.
  fonzliana, description and importation. Nos. 43302, 43303, B.P.I. Inv. 48, p. 42. 1921.
  persica—
    effect of temperature on damage from rots. J. A. R., vol. 22, pp. 452–465. 1921.
    importation and description. No. 34131, B.P.I. Inv. 32, p. 14. 1914; No. 34211, B.P.I. Inv. 32, p. 24. 1914.

Amygdalus—Continued.
spp.—
importations and description. Nos. 38676–38683, 39295, B.P.I. Inv. 40, pp. 10, 96. 1917; Nos. 41708–41709, 41727, 41731–41743, 41881, 42178, 42200, B.P.I. Inv. 46, pp. 7, 12, 16, 17, 28, 60, 66. 1919; Nos. 43402–43404, 43409, 43567–43577, 43586, 43747–43753, 43814–43816, 43872, B.P.I. Inv. 49, pp. 13, 45, 48, 72, 81, 89. 1921; Nos. 51103–51104, 51162–51163, B.P.I. Inv. 64, pp. 56, 68. 1923; Nos. 52339–52340, 52604, 52662, 52849, B.P.I. Inv. 66, pp. 12, 49, 56, 84. 1923.
injury by sapsuckers. Biol. Bul. 39, pp. 42–43. 1911.
inoculation experiments with *Coccomyces* spp. J.A. R. vol. 13, pp. 539–569. 1918.
See also Almonds; Nectarines; Peaches.
triloba. See Almond, flowering.
Amylase—
experimental work with Penicillium and Aspergillus molds. B.A.I. Bul. 120, pp. 26–28, 53–56. 1910.
of *Rhizopus tritici*, with a consideration of its secretion and action: L. L. Harter. J.A.R., vol. 20, pp. 761–786. 1921.
study of. J.A.R., vol. 30, p. 964. 1925.
Amylopsin, action of formaldehyde. B.A.I. Cir. 59, p. 117. 1904.
Amylose—
blue, red, rose, character. O.E.S. Bul. 202, pp. 40–41. 1908.
rose, attempts to identify in potato starch. O.E.S. Bul. 202, p. 37. 1908.
Amyris balsamifera, source of so-called sandalwood oil. Chem. S.R.A. 13, p. 6. 1915.
Anacahuita, importation and description. No. 39221. B.P.I. Inv. 40, p. 93. 1917.
Anacardiaceae—
characters. For. [Misc.], "Forest trees for * * *," p. 384. 1908.
injury by sapsuckers. Biol. Bul. 39, pp. 45, 52. 1911.
Anacardium—
excelsum, importation and description. No. 38209. B.P.I. Inv. 39, pp. 11, 104. 1917.
occidentale. See Cashew.
rhinocarpus, use as windbreak in Venezuela, introduction to Porto Rico. P.R. An. Rpt., 1913, p. 25. 1914.
Anacharis canadensis gigantea. See Water-weed.
Anacolosa luzoniensis. See Galo.
Anaconda, Montana, investigations of injury to vegetation and animal life. Chem. Bul. 113, pp. 19–34. 1908.
"Anadol," misbranding. Chem. N.J. 795, pp. 2. 1911.
Anaerobic bacilli in canned ripe olives. J.A.R., vol. 20, pp. 377–379. 1920.
Anaesthetics, effect on cell sap of apples. J.A.R., vol. 24, p. 174. 1923.
Anagrus—
sp., parasite of leaf hopper, Hawaii. Hawaii Bul. 27, p. 11. 1912.
spp., parasites of the rose leaf hopper. D.B. 805, p. 28. 1919.
Analges spp., description and habits. Rpt. 108, pp. 122, 126. 1915.
Analgesidae, classification and description. Rpt. 108, pp. 18, 119–126. 1915.
Analgine tablets, misbranding. Chem. N.J. 276, p. 1. 1910.
Analysis(es)—
American food products—
shipped to foreign countries. Chem. S.R.A. 13, p. 3. 1915.
table. O.E.S. Cir. 46, pp. 4–6. 1903.
ash of upland rice at various stages of growth. J.A.R., vol. 5, No. 9, pp. 360–363. 1915.
bacterial, of—
air, methods. J.A.R., vol. 4, pp. 343–368. 1915.
ice cream, difficulties, and sampling method. D.B. 563, pp. 1–3. 1917.
barley, methods, chemical, mechanical, and biological. Chem. Bul. 124, pp. 30–34. 1909.
beans, hay and seed. D.B. 119, pp. 29–30. 1914.
beer, report on methods. H. E. Barnard. Chem. Cir. 33, pp. 16. 1907.
butterfat, official method. B.A.I. Bul. 111, p. 10. 1909.
by sublimation, new apparatus. An. Rpts., 1919, p. 503. 1920; I. and F. Bd. A. R., 1919, p. 5. 1919.

Analysis(es)—Continued.
cactus varieties. Chem. Bul. 130, p. 106. 1910.
Camembert cheese. D.B. 1171, pp. 3-5. 1923.
cassava, methods. Chem. Bul. 106, pp. 6–8, 12–14. 1907.
cereals, for feeding value. Joseph S. Chamberlain. Chem. Bul. 120, pp. 64. 1909.
changes in official methods, 1899–1905. Chem. Cir. 30, pp. 28. 1906.
chemicals used for production of hydrocyanic-acid gas. Ent. Bul. 90, pp. 91–93. 1912.
Chinese jujubes, results and summary. D.B. 1215, pp. 25–29. 1924.
coal-tar creosote and cresylic acid sheep dips. Robert M. Chapin. B.A.I. Bul. 107, pp. 35. 1908.
coffee pulp. Hawaii A.R. 1919, p. 36. 1920.
corn—
during ripening. J.A.R., vol. 21, pp. 818–819. 1921.
sweet, tables. Chem. Bul. 127, pp. 16–21, 29–36, 38–57, 62. 1909.
creosote—
and tar. D.B. 607, pp. 28–41. 1918.
methods. For. Cir. 112, pp. 33–41. 1908.
dairy feeds in comparison with prickly pears. J.A.R., vol. 4, pp. 439–440, 445. 1915.
feeding stuffs, Hawaii. Hawaii A. R., 1919, pp. 42–43. 1920.
fermented milks. B.A.I. An. Rpt., 1909, pp. 144, 149, 152. 1911; B.A.I. Cir. 171, pp. 144, 149, 152. 1911.
fertilizer—
materials from minor sources, table. Y.B., 1917, pp. 285–288. 1918; Y.B. Sep. 733, pp. 5–8. 1918.
tables and explanations. D.B. 1108, pp. 4–21. 1922.
fish scrap, salmon and menhaden, comparison. D.B. 150, pp. 33–34. 1915.
food—
and drugs—
act, regulation 4. Sec. Cir. 21, rev., pp. 4–5. 1922.
samples, methods and reports. Chem. [Misc.] "Food and drug manual," pp. 49–56. 1920.
methods for showing nutrients. O.E.S. Bul. 200, pp. 12–16. 1908.
fruits—
and fruit products, methods and data. Chem. Bul. 66, rev., pp. 9–102. 1905.
comparative. B.P.I. Bul. 116, p. 33. 1907.
grape varieties, tables. Chem. Bul. 145, pp. 20–35. 1911.
honey. Chem. Bul. 110, pp. 22–39. 1908.
honey imported from Cuba, Mexico, and Haiti, methods and results. Chem. Bul. 154, pp. 7–16. 1912.
insect flowers and powder. D.B. 824, pp. 31–65. 1920.
insecticides—
and fungicides—
compilation. Chem. Bul. 76, pp. 23–56. 1903.
methods. J. K. Haywood. Chem. Bul. 68, pp. 62. 1902.
methods, report of referee, 1901. Chem. Bul. 67, pp. 97–102. 1902.
jellies and preserves. Chem. N.J. 3429. 1915.
kelps, Pacific Ocean. D.B. 150, pp. 57–58, 63. 1915.
loganberry juices. R. S. Hollingshead. D.B. 773, pp. 12. 1919.
malt liquors, suggestions. Chem. Bul. 73, pp. 155–157. 1903.
mechanical, of soils, modification of method. C. C. Fletcher and H. Bryan. Soils Bul. 84, pp. 16. 1912.
method(s)—
alcohols, ethyl and methyl, and formic acid. Chem. Cir. 74, pp. 8. 1911.
Association of Official Agricultural Chemists. J. K. Haywood and others. Chem. Bul. 107, pp. 230. 1907.
branch laboratories, uniformity. Chem. Chief. Rpt. 1908, pp. 25–26. 1908.
changes—
and additions adopted, Association of Official Agricultural Chemists, 1896. Chem. Cir. 28, pp. 13. 1906.

INDEX TO PUBLICATIONS, 1901–1925   73

Analysis(es)—Continued.
method(s)—continued.
changes—continued.
in official, and additions thereto, 1899 to 1905. Chem. Cir. 30, pp. 28. 1906.
coal tar. Rds. Cir. 97, pp. 8–9. 1912.
colors, testing for certification. Chem. Bul. 147, pp. 210–225. 1912.
description. O.E.S. Bul. 227, pp. 29–30. 1910.
detection of coloring matter in foodstuffs. Chem. Cir. 25, pp. 40. 1905.
for meats. J.A.R., vol. 28, pp. 339–341. 1924.
for milk and cream. D.C. 53, pp. 13–19. 1919.
improvement. An. Rpts., 1915, p. 349. 1916; I. and F. Bd. A.R., 1915, p. 3. 1915.
improvements, studies, New York branch laboratory. An. Rpts., 1909, p. 459. 1910; Chem. Chief Rpt., 1909, p. 49. 1909.
maple products. A. Hugh Bryan. Chem. Cir. 40, pp. 13. 1908.
maple sugar. D.B. 466, pp. 1–46. 1917.
meat extracts—
and similar preparation. Chem. Bul. 114, pp. 28–44. 1908.
yeast extracts and similar preparations. W. D. Bigelow and F. C. Cook. Chem. Bul. 114, pp. 56. 1908.
milk samples. B.A.I. An. Rpt., 1909, pp. 164–165. 1911.
modifications, A.O.A.C., 1908. Chem. Cir. 43, pp. 1–16. 1909.
of foods, changes in provisional and additions thereto from 1902 to 1905. Chem. Cir. 29, pp. 20. 1906.
official and provisional Association of Official Agricultural Chemists. J. K. Haywood and others. Chem. Bul. 107, rev., pp. 272. 1907.
phosphorus feeding experiments, rabbits. Chem. Bul. 123, pp. 33, 48–55. 1909.
recommendations, reports of referees, 1910, A.O.A.C. Chem. Cir. 66, pp. 27. 1911.
reports of referees committees A, B, and C. Chem. Bul. 152, pp. 83–86, 188–192, 210–212. 1912; Chem. Cir. 90, pp. 19. 1912.
smelter investigations. Chem. Bul. 113, pp. 34–40. 1908; rev., pp. 57–63. 1910.
studies—
1916. An. Rpts., 1916, pp. 195–196. Chem. Chief Rpt., 1916, pp. 5–6. 1916.
and papers prepared. An. Rpts., 1918, pp. 222–223. 1919; Chem. Chief Rpt., 1918, pp. 22–23. 1918.
by Chemistry Bureau. An. Rpts., 1919, p. 233. 1920; Chem. Chief Rpt., 1919, p. 23. 1919.
tobacco. D.B. 79, pp. 10–11. 1914.
tuna. B.P.I. Bul. 116, pp. 30–31. 1907.
milk—
filtration, methods. B.A.I. Bul. 166, pp. 7–8. 1913.
methods used in lactation experiments. B.A.I. Bul. 155, pp. 22–24. 1913.
mineral waters. Chem. Bul. 91, pp. 32–74, 85–97. 1905; Chem. Bul. 139, pp. 14–18, 22–29. 1911.
of distillate fractions, alcohol. Chem. Bul. 130, pp. 131–132. 1910.
official methods, changes, 1899 to 1905. Chem. Cir. 30, pp. 28. 1906.
oil and rosin of western pines. For. Bul. 119, pp. 12–36. 1913.
olive oils—
from various sources, pure and adulterated. Chem. Bul. 77, pp. 46–59. 1905.
methods and results. Chem. Bul. 77, pp. 13–31. 1905.
olives, fresh and pickled. D.B. 803, pp. 11–12, 21–23. 1920.
orange leaves, trunks, and roots. J.A.R. vol. 24, pp. 808–810. 1923.
peaches, compilation of results. Chem. Bul. 97, pp. 5–6. 1905.
peas, dried, green, and canned. Chem. Bul. 125, p. 7. 1909.
pig iron, steel, and wire. F.B. 239, pp. 10, 13, 21. 1905.
prickly pear. D.B. 160, p. 16. 1915. J.A.R., vol. 4, pp. 413, 439–440, 445. 1915.
pyrethrum powders. Chem. Bul. 76, pp. 13–19. 1903.

Analysis(es)—Continued.
red clover, hay. B.A.I. Bul. 101, p. 8. 1908.
results, full table. Rpt. 94, pp. 332–375. 1911.
rice by-products. D.B. 570, pp. 4–13. 1917.
rocks for road building, methods, macroscopic and microscopic. Rds. Bul. 37, pp. 8–11. 1911.
saline solutions from various sources. Soils Bul. 94, pp. 10–11, 30, 33, 53–66. 1913.
Satsuma oranges, picked between September 13 and November 15. D.B. 1159, pp. 3, 4. 1923.
soil, various sections, United States. D.B. 551, pp. 5–9. 1917.
soils. See *Soil surveys and field operations, for analysis tables, various soils.*
sugar beets, methods and apparatus. Chem. Bul. 63, pp. 23–25. 1901.
sweet potatoes during storage. J.A.R., vol. 5, No. 13, pp. 546–557. 1915.
tanbark, California forests. For. Cir. 75, pp. 12, 13, 14, 15. 1911.
Tecoma mollis, Mexican plant. L. F. Kebler and A. Seidell. Chem. Cir. 24, pp. 6. 1905.
turpentine, by fractional distillation with steam. William C. Geer. For. Cir. 152, pp. 29. 1908.
variegated alfalfas and others. B.P.I. Bul. 169, p. 48. 1910.
water—
interpretation of results. J. K. Haywood. Y.B., 1902, pp. 283–294. 1903; Y.B. Sep. 272, pp. 283–294. 1903.
methods. Chem. Bul. 91, pp. 16–32. 1905.
wheat, flour, and mixtures with impurities. D.B. 328, p. 21. 1915.
wood turpentines, method. For. Bul. 105, pp. 10–28. 1913.
work for other bureaus and departments, by Chemistry Bureau. An. Rpts., 1919, pp. 212, 219, 221, 222, 228, 233. 1920; Chem. Chief Rpt., 1919, pp. 2, 9, 11, 12, 18, 23. 1919.
Analytical—
methods—
studies by Chemistry Bureau. An. Rpts., 1914, p. 174. 1915; Chem. Chief Rpt., 1914, p. 10. 1914.
work of Chemistry Bureau. An. Rpts., 1917, pp. 202–203. 1917; Chem. Chief Rpt., 1917, pp. 4–5. 1917.
terms unification, report of committee, A.O.A.C. Chem. Bul. 116, pp. 100–104. 1908.
Ananas sativus—
growing, Guam. Guam A.R., 1911, p. 20. 1912.
importation and description. No. 34124, B.P.I. Inv. 32, p. 13. 1914.
See also Pineapple.
"Ananasine," pineapple, digestive medicine. F.B. 140, pp. 36, 46. 1901.
Anaphes—
gracilis, parasitic on oyster-shell scale. Ent. Cir. 121, p. 6. 1910.
sp., parasite of alfalfa weevil received from Italy. Ent. Bul. 112, p. 35. 1912.
Anaphoidea—
conotracheli—
parasite of grape curculio. D.B. 730, p. 14. 1918.
parasite of plum curculio. Ent. Bul. 103, pp. 140–142. 1912.
una, parasite of alfalfa weevil eggs, introduction. D.C. 301, pp. 2, 3. 1924.
Anaphothrips, key and description of new species. Ent. T.B. 23, Pt. I, pp. 14–17. 1912.
Anaphrodisia, cattle—
causes and prevention. B.A.I. [Misc.], "Diseases of cattle," rev., pp. 149–150. 1923.
disease, description and prevention. B.A.I. [Misc.], "Diseases of cattle," rev., pp. 149–150. 1912.
Anaplasma marginale, companion to protozoa, *Piroplasma bigeminum*. B.A.I. An. Rpt., 1910, p. 425. 1912; B.A.I. Cir. 193, p. 425. 1912.
Anaplasmosis, cattle, occurrence in Brazil. Y.B. 1913, p. 361. 1914; Y.B. Sep. 629, p. 361. 1914.
Anarsia lineatella. See Peach twig borer.
Anas spp. See Duck; Mallard; Teal.
Anasa—
sp. See Cotton stainer.
tristis. See Squash bug.
Anasarca—
description and treatment. B.A.I. [Misc.], "Diseases of the horse," rev., pp. 508–512. 1907.

Anasarca—Continued.
　skin, cattle, causes, symptoms, and treatment. B.A.I. [Misc.], "Diseases of cattle," rev., pp. 329-330. 1909.
　skin. *See also* Edema.
Anastatica hierochuntica. See Rose of Jericho.
Anastatus—
　bifasciatus—
　　description. Ent. T.B. 19, Pt. I, pp. 7-8. 1910.
　　distribution, New England. An. Rpts., 1915, p. 213. 1916; Ent. A.R. 1915, p. 3. 1915.
　　establishment—
　　　1910. An. Rpts., 1910, p. 517. 1911; Ent A.R., 1910, p. 13. 1910.
　　　1912. An. Rpts., 1912, p. 622. 1913; Ent. A.R., 1912, p. 10. 1912.
　　　in New England. D.B. 204, pp. 5, 8, 12. 1915.
　　　from Hungary. An. Rpts., 1909, p. 496. 1910; Ent. A.R., 1909, p. 10. 1909.
　　importation and distribution as a moth parasite. J.A.R., vol. 30, pp. 643-675. 1925.
　　introduction—
　　　1911. An. Rpts., 1911, p. 500. 1912; Ent. A.R., 1911, p. 10. 1911.
　　　and results. An. Rpts., 1919, p. 264. 1920; Ent. A.R., 1919, p. 18. 1919.
　　　into the United States, studies. Ent. Bul. 91, p. 75. 1911.
　　parasite of gipsy moth. An. Rpts., 1917, p. 229. 1918; Ent. A.R., 1917, p. 3. 1917; F.B. 564, p. 7. 1914.
　　relation to low temperatures. D.B. 1080, pp. 12, 13. 1922.
　　spread, New England. An. Rpts., 1913, p. 210. 1914; Ent. A.R., 1913, p. 2. 1913.
　　usefulness and spread. An. Rpts., 1914, p. 185. 1915; Ent. A.R., 1914, p. 3. 1914.
　　See also Gipsy moth parasite.
　semiflavidus—
　　description. J.A.R., vol. 21, pp. 374-375. 1921.
　　distribution, life history, and hosts. J.A.R., vol. 21, p. 373-384. 1921.
　　recently described egg parasite of *Hemileuca oliviae*, biology and economic importance. D. J. Caffrey. J.A.R., vol. 21, pp. 373-384. 1921.
Anastrepha—
　acidusa, pest of mango, description and life history. P.R. An. Rpt., 1911, pp. 34-35. 1912.
　raterculus—
　　fly injurious to mango, control. P.R. Bul. 24, p. 24. 1918.
　　See also Fruit fly, West Indian; Mango fly.
　ludens. See Fruit fly, Mexican; Orange maggot.
　sp., injury to mangoes, Porto Rico. P.R. An. Rpt., 1912, p. 36. 1913.
Anatidae, Laysan Island, birds, number, and description. Biol. Bul. 42, pp. 20-21. 1912.
Anatinae. *See* Ducks, shoal-water.
Anatto tree, Porto Rico, description and uses. D.B. 354, pp. 46, 48, 86. 1916.
Anay, importations and description. Nos. 43432, 43433, B.P.I. Inv. 49, pp. 6, 20-21. 1921.
Anchistrochphalus, name erroneous for Polyoncho—bothrium. B.A.I. Bul. 35, pp. 21-22. 1902.
Anchovies—
　adulteration. See *Indexes, Notices of Judgment, in bound volumes and in separates published as supplements to Chemistry Service and Regulatory Announcements.*
　California, canned, labeling. Chem. S.R.A. 13, p. 4. 1915.
　labeling regulation. An. Rpts., 1911, p. 444. 1912; Chem. Chief Rpt., 1911, p. 30. 1911.
　preparation, feed elimination. D.B. 908, p. 19. 1921.
Anchusa spp., host of aecial stage of *Puccinia rubigovera*. J.A.R., vol. 22, pp. 151-172. 1921.
Ancochi, importation and description. No. 41313, B.P.I. Inv. 44, p. 62. 1918.
Ancylis nubeculana—
　control and life history. F.B. 1270, p. 50. 1922.
　See also Apple leaf sewer.
Ancylostoma—
　caninum, hematoxins, experimental results. J.A.R., vol. 22, pp. 383, 406-415, 427. 1921.
　duodenale, hemotoxins. J.A.R., vol. 22, pp. 382-432. 1921.
　spp. *See* Hookworms.

ANDERSON, A. C.—
　"Reconnaissance soil survey of northwest Texas." With others. Soil Sur. Adv. Sh., 1919, pp. 75. 1922; Soils F.O., 1919, pp. 1099-1173. 1925.
　"Soil survey of—
　　Barnes County, North Dakota." With others. Soil Sur. Adv. Sh., 1912, pp. 47. 1914; Soils F.O., 1912, pp. 1921-1963. 1915.
　　Bottineau County, North Dakota." With others. Soil Sur. Adv. Sh., 1915, pp. 54. 1917; Soils F.O., 1915, pp. 2129-2178. 1921.
　　Choctaw County, Mississippi." With others. Soil Sur. Adv. Sh., 1920, pp. 249-286. 1923; Soils F.O., 1920, pp. 249-286. 1925.
　　Dickey County, North Dakota." With others. Soil Sur. Adv. Sh., 1914, pp. 56. 1916; Soils F. O.,1914, pp. 2411-2462. 1919.
　　Horry County, South Carolina." With others. Soil Sur. Adv. Sh., 1918, pp. 52. 1920; Soils F.O., 1918, pp. 329-376. 1924.
　　Lamar County, Mississippi." With others. Soil Sur. Adv. Sh., 1919, pp. 42. 1922; Soils F.O., 1919, pp. 973-1010. 1925.
　　Lamoure County, North Dakota." With others. Soil Sur. Adv. Sh., 1914, pp. 53. 1917; Soils F.O., 1914, pp. 2361-2409. 1919.
　　Sabine Parish, Louisiana." With others. Soil Sur. Adv. Sh., 1919, pp. 62. 1922; Soils F.O., 1919, pp. 1041-1098. 1925.
　　Washington Parish, Louisiana. With others. Soil Sur. Adv. Sh., 1922, pp. 345-390. 1925.
ANDERSON, A. E.: "Growing vegetables at Unga, Alaska." Alaska A.R., 1910, p. 73. 1911.
ANDERSON, A. P.: "Rural highway mileage, income, and expenditures, 1921 and 1922." D.B. 1279, pp. 88. 1925.
ANDERSON, B. G.: "Improvement of Virginia fire-cured tobacco." With others. Soils Bul. 46, pp. 40. 1907.
ANDERSON, JAMES: "Explorations in Athabaska-Mackenzie region, 1855." N.A. Fauna 27, pp. 69-70. 1908.
ANDERSON, M. S.—
　"Absorption by colloidal and noncolloidal soil constitutents." With others. D.B. 1122, pp. 20. 1922.
　"Estimation of colloidal material in soils by adsorption." With others. D.B.1193, pp. 42. 1924.
　"The heat of wetting of soil colloids." J.A.R., vol. 28, pp. 927-935. 1924.
ANDERSON, MARK: "Range management on the national forests." With James T. Jardine. D.B. 790, pp. 98. 1919.
ANDERSON, P. J.: "Comparative susceptibility of onion varieties and of species of Allium to *Uro cystis cepulae*." J.A.R., vol. 31, pp. 275-286. 1925.
ANDERSON, W. A.: Report as superintendent of rubber substation, Hawaii—
　1912. Hawaii A.R., 1912, pp. 88-91. 1913.
　1914. Hawaii A.R., 1914, pp. 51-55. 1915.
ANDERSON, Rep.: Agriculture appropriation, bill. Off. Rec., vol. 1, No. 11, p. 7. 1922; Off. Rec., vol. 3, No. 9, pp. 1, 5. 1924.
ANDERTON, B. A.: "Experimental roads in the vicinity of Washington, D. C." With J. T. Pauls. Sec. Cir. 77, pp. 8. 1917.
Andes berry—
　importation and description. No. 45365. B.P.I. Inv. 53, p. 33. 1922; No. 46800. B.P.I. Inv. 57, p. 36. 1922; Nos. 46957, 47122. B.P.I. Inv. 58, pp. 11, 27. 1922; Nos. 49332, 49387. B.P.I. Inv. 62, pp. 26, 34. 1923; No. 50691. B.P.I. Inv. 64, p. 14. 1923; Nos. 52717, 52733-52734. B.P.I. Inv. 66, pp. 4, 65, 68. 1923; No. 55788. B.P.I. Inv. 72, p. 34. 1924.
　introduction and value. Off. Rec., vol. 4, No. 18, p. 1. 1925.
Andesite, origin, classification, and mineral constituents. Rds. Bul. 37, pp. 13, 14-23, 26. 1911.
Andira spp. *See* Moca.
Andiroba, importation and description, No. 36715. B.P.I. Inv. 37, p. 56. 1916.
Andress, J. L.—
　"Soil survey of—
　　Clay County, Alabama." With others. Soil Sur. Adv. Sh., 1915, pp. 41. 1916; Soils F.O., 1915, pp. 827-863. 1919.
　　Pickens County, Alabama." With others. Soil Sur. Adv. Sh., 1916, pp. 41. 1917; Soils F.O., 1916, pp. 901-937. 1921.

Andress, J. L.—Continued.
"Soil survey of—continued.
 Washington County, Alabama." With others.
 Soil Sur. Adv. Sh., 1915, pp. 51. 1917; Soils
 F.O., 1915, pp. 891-937. 1919.
ANDREWS, FRANK—
"Apples: Production estimates and important
 commercial districts and varieties." With
 H. P. Gould. D.B. 485, pp. 48. 1917.
"Corn from Argentina." F.B. 581, pp. 6-9. 1914.
"Cost and methods of transporting meat
 animals." Y.B., 1908, pp. 227-244. 1909;
 Y.B. Sep. 477, pp. 227-244. 1909.
"Costs of hauling crops from farms to shipping
 points." Stat. Bul. 49, pp. 63. 1907.
"Crop export movement and port facilities on the
 Atlantic and Gulf Coasts." Stat. Bul. 38, pp.
 80. 1905.
"Freight costs and market values." Y.B., 1906,
 pp. 371-386. 1907; Y.B. Sep. 430, pp. 371-386.
 1907.
"Grain movement in the Great Lakes region."
 Stat. Bul. 81, pp. 82. 1910.
"Handbook of foreign agricultural statistics."
 D.B. 987, pp. 69. 1921.
"Inland boat service: Freight rates on farm products and time of transit on inland waterways of
 the United States." D.B. 74, pp. 36. 1914.
"Marketing grain and livestock in the Pacific
 coast region." Stat. Bul. 89, pp. 94. 1911.
"Methods and costs of marketing." Y.B., 1909,
 pp. 161-172. 1910; Y.B. Sep. 502, pp. 161-172.
 1910.
"Oats from Canada." F.B. 581, pp. 17-18. 1914.
"Ocean freight rates and conditions affecting
 them." Stat. Bul. 67, pp. 42. 1907.
"Peaches: Production estimates and important
 commercial districts and varieties." With
 H. P. Gould. D.B. 806, pp. 35. 1919.
"Pears. Production estimates and important
 commercial districts and varieties." With
 H. P. Gould. D.B. 822, pp. 16. 1920.
"Railroads and farming." Stat. Bul. 100. p. 47.
 1912.
"Sugar supply of the United States." Y.B., 1917,
 pp. 447-460. 1918; Y.B. Sep. 756, pp. 16. 1918.
"The reduction of waste in marketing." Y.B.,
 1911, pp. 165-176. 1912; Y.B. Sep. 558, pp. 165-
 176. 1912.
"The sugar supply." F.B. 672, pp. 5-6. 1915.
"Traffic on Chesapeake Bay and Tennessee
 River." Y.B. 1907, pp. 289-304. 1908; Y.B.
 Sep. 449, pp. 289-304. 1908.
"Wagon hauls for farm products." F.B. 672, pp.
 11-14. 1915.
Andropogon—
annulatus, importation and description. No.
 39716, B.P.I. Inv. 42, p. 15. 1918.
aciculatus. See Awn grass.
citratus. See Citronella grass.
contortus. See Beard grass, twisted.
halepensis—
 name first given to Sudan grass. Y.B., 1912,
 pp. 500, 501. 1913; Y.B. Sep. 609, pp. 500,
 501. 1913.
 parent form of cultivated sorghums. B.P.I.
 Bul. 175, pp. 8, 23. 1910.
 See also Johnson grass.
hallii. See Bluestem, big.
infection by Puccinia rust, studies. J.A.R.,
 vol. 2, pp 304, 316. 1914.
nardus. See Citronella grass.
schoenanthus. See Lemon grass.
scoparius—
 prevalence in forests of Southwest. D.B. 1105,
 pp. 35, 47, 53, 55. 1923.
 See also Bunch grass; Sedge, broom.
sericeus. See Bluegrass, Australian.
sorghum—
 classification of varieties by Koernicke, 1885.
 B.P.I. Bul. 175, pp. 45-46. 1910.
drummondii. See Corn, chicken.
effurus. See Kamerun grass.
exiguus. See Tunis grass.
hewisoni. See Hewison grass.
host of Scierospora philippinensis. J.A.R., vol.
 20; p. 669-683. 1921.
sudanensis. See Sudan grass.
verticilliflorus. See Tabucki grass.
 See also Sorghum.

Andropogon—Continued.
spp.—
 distribution, description, and value. D.B. 201,
 pp. 7-8. 1915; D.B. 772, pp. 21, 258-266.
 1920.
 grown for perfumery plants. An. Rpts. 1909,
 p. 281. 1910; B.P.I. Chief Rpt., 1909, p. 29.
 1909.
 importations, and description. Nos. 20535,
 29456, 29536, B.P.I. Bul. 233, pp. 22, 31. 1912;
 Nos. 33595-33597, B.P.I. Inv. 31, pp. 5, 34.
 1914. Nos. 41762, 41885-41891, B.P.I. Inv. 46,
 pp. 20, 29. 1919; Nos. 51630, 51792, B.P.I.
 Inv. 65, pp. 4, 33, 50. 1923; Nos. 54333-5,
 B.P.I. Inv. 68, p. 53. 1923.
 occurrence in Guam. Guam A.R., 1913, pp. 15,
 16. 1914.
 See also Sedges, broom.
squarrosus. See Cuscus grass.
virginicus. See Sedge, broom.
Andropogoneae, key and descriptions. D.B. 772,
 pp. 20-21, 252-280. 1920.
Androsace, indicator value on ranges. D.B. 791,
 pp. 45, 48. 1919.
Anemia—
 caused by ascaris. J.A.R., vol. 16, p. 253. 1919.
 equine—
 diagnosis and transmission. J.A.R., vol. 30,
 pp. 689-690. 1925.
 infectious, investigations in Nevada. Lewis
 H. Wright. J.A.R., vol. 30, pp. 683-691.
 1925.
 inoculation experiments. O.E.S. An. Rpt.,
 1912, p. 157. 1913.
 infectious—
 John R. Mohler. B.A.I., [Misc.], "Diseases
 of the horse," rev., pp. 551-574. 1911; pp.
 569-572. 1916; pp. 569-572. 1923.
 of horses—
 Lewis H. Wright. J.A.R., vol. 30, pp.
 683-691. 1925.
 cause, symptoms, and treatment. B.A.I.
 An. Rpt., 1908, pp. 225-229. 1910; B.A.I.
 Cir. 138, pp. 4. 1910.
 experiments and results, 1909. An. Rpts.,
 1909, p. 230. 1910; B.A.I. Chief Rpt., 1909,
 p. 40. 1909.
 immunization experiments. B.A.I. An.
 Rpt., 1909, pp. 46-47. 1911.
 See also Swamp fever.
 virus, experiments. Work and Exp., 1914,
 p. 221. 1915.
 intestinal parasites as cause. J.A.R., vol. 22
 p. 382. 1921.
 pernicious, in horses, study. O.E.S. An. Rpt.,
 1911, p. 218. 1912.
 sheep, cause, symptoms, and treatment. F.B.
 1155, pp. 19-20. 1921.
 tablets. See Indexes, Notices of Judgment, in
 bound volumes, and in separates published as
 supplements to Chemistry Service and Regulatory
 announcements.
Anemometer—
 description and use in forest work, and cost. D.B.
 1059, pp. 146-151. 1922.
 homemade, directions for making. Y.B., 1907,
 pp. 272-273. 1908; Y.B., Sep. 471, pp. 272-273.
 1908.
 new standard. Off. Rec., vol. 3, No. 25, p. 3.
 1924.
 standardization. An. Rpts., 1913, p. 69. 1914;
 W.B. Chief Rpt., 1913, p. 7. 1913.
Anemone—
 description, varieties and adaptation. F.B. 1381,
 pp. 66-67. 1924.
hepatica. See Liverleaf.
spp.—
 importations and descriptions. Nos. 38841,
 38999, B.P.I. Inv. 40, pp. 35, 55. 1917; Nos.
 47638, 47639, B.P.I. Inv. 59, pp. 40-41. 1922;
 Nos. 49922, 49923, B.P.I. Inv. 63, pp. 20-21.
 1923.
 resistance to Puccinia triticina. J.A.R., vol. 22,
 pp. 155-172. 1921.
Aneroid barometer, description, use, and price.
 Y.B., 1908, pp. 437-438, 441. 1909; Y B. Sep. 492,
 pp. 437-438, 441. 1909.
Anesone triduo, misbranding. Chem. N.J. 2947.
 1914.
Anesthetics, use in forcing plants. F.B. 320, pp
 23-25. 1908.

Anethum graveolens. See Dill.
Aneurism—
cattle—
cause and result. B.A.I. [Misc.] "Diseases of cattle," p. 85. 1923.
description and cause. B.A.I. [Misc.], "Diseases of cattle," rev., p. 83. 1912.
horse, description and treatment. B.A.I.[Misc.], "Diseases of the horse," rev., pp. 242–244. 1923.
Ang-khak—
Chinese, manufacture studies. An. Rpts., 1919, p. 229. 1920; Chem. Chief Rpt., 1919, p. 19. 1919.
See also Rice, red, Chinese.
Angeles National Forest, Calif.—
eastern division, map. For. Map. 1923.
location, camping facilities, and area. D.C. 185, pp. 20–21. 1921.
map. For. Map. 1924.
uses by city for municipal playground. For. [Misc.], "Recreation uses * * * national forests," pp. 19–20. 1918.
western division, map. For. Map. 1923.
Angelica—
American, habitat, range, description, collection, prices, and uses of roots. B.P.I. Bul. 107, p. 51. 1907.
culture and handling as drug plant, yield, and price. F.B. 663, p. 14. 1915.
growing and uses, harvesting, marketing, and prices. F.B. 663, rev., pp. 16–17. 1920.
officinalis. See Angelica.
tree. See Ash, prickly, northern.
ANGELL, E. I.—
"Soil survey of—
Marshall County, Iowa." With A. H. Meyer. Soil Sur. Adv. Sh., 1918, pp. 35. 1921; Soils F.O., 1918, pp. 1101–1131. 1924.
Wapello County, Iowa." With E. C. Hall. Soil Sur. Adv. Sh., 1917, pp. 43. 1919; Soils F.O. 1917, pp. 1751–1789. 1923.
Woodbury County, Iowa." With others. Soil Sur. Adv. Sh., 1920, pp. 759–784. 1923; Soils F.O., 1920, pp. 759–784. 1925.
Angioma tumor, cattle, description and treatment. B.A.I. [Misc.], "Diseases of cattle," rev., p. 310. 1909; rev., p. 322. 1912; rev., p. 310. 1923.
Angitia plutellae—
enemy of *Plutella maculipennis.* J.A.R., vol. 10, p. 8. 1917.
parasite of horse-radish webworm. Ent. Bul. 109, Pt. VI, p. 75. 1913.
Angophora—
cordifolia, importation and description. No. 49841, B.P.I. Inv. 63, p. 10. 1923.
lanceolata, importation and description. No. 39318, B.P.I. Inv. 41, p. 10. 1917.
subvelutina, importation and description. No. 46873, B.P.I. Inv. 57, p. 44. 1922.
Angoumois grain moth—
E. A. Back. F.B. 1156, pp. 20. 1920.
association with pink corn worm. D.B. 363, pp. 2, 4, 14, 15. 1916.
control—
by community action. F.B. 1156, pp. 2, 20. 1920.
by para-dichlorobenzene. D.B. 167, pp. 4, 5. 1915.
methods. F.B. 1156, pp. 16–19. 1920.
description—
and development in wheat. F.B. 1260, pp. 13–15, 43. 1922.
life history, and injury to corn. F.B. 1029, pp. 6–7, 21. 1919.
destruction by *Pediculoides ventricosus.* Ent. Cir. 118, pp. 2–7. 1910.
in stored wheat, control. F.B. 885, pp. 9–10. 1917.
injuries—
1101. Ent. Bul. 38, pp. 93–94. 1902.
in Hawaii, description. Hawaii Bul. 27, pp. 18–19. 1912.
introduction, early records, and ignorance concerning. Y.B., 1913, p. 80. 1914; Y.B. Sep. 616, p. 80. 1914.
origin, description, and life history. F.B. 1156, pp. 3–7. 1920.
parasite. F.B. 1156, p. 19. 1920.
Angraecum fragrans, importation and description. No. 29926, B.P.I. Inv. 42, p. 40. 1918.

Anguillula—
aceti. See Vinegar eel.
spp., synonyms of *Heterodera radicicola.* B.P.I. Bul. 217, pp. 8, 9. 1911.
Anhinga anhinga. See Turkey, water.
Anhydride production, new method. Chem. Chief Rpt., 1921, p. 45. 1921.
Ani, occurrence in Porto Rico, habits and food. D.B. 326, pp. 10, 59–62. 1916.
Anigozanthos manglesii, importation and description. No. 51344, B.P.I. Inv. 64, p. 87. 1923.
Aniline—
acetate, use in detection of invert sugar in honey. Ent. Bul. 75, Pt. I, p. 17. 1907.
use for fly larvae destruction in manure, experiments. D.B. 245, pp. 7–10, 20. 1915.
Animal(s)—
acclimatization, difficulties. B.A.I. An. Rpt., 1910, pp. 144–145. 1912.
agency in spread of coconut bud-rot. B.P.I. Bul. 228, pp. 11, 49, 52. 1912.
American and Canadian, for export, inspection, 1914. An. Rpts., 1914, p. 82. 1915; B.A.I. Chief Rpt., 1914, p. 26. 1914.
ancient pictures and sculptures, notes. B.A.I. An. Rpt., 1910, pp. 171, 198–201, 209, 225. 1912.
and animal matter, imports, 1907–1909, values by groups. Stat. Bul. 82, p. 13. 1910.
autopsies, National Zoological Park, 1909. An. Rpts., 1909, p. 224. 1910; B.A.I. Chief Rpt., 1909, p. 34. 1909.
average number per car, received at different markets, 1916. Rpt. 113, p. 33. 1916.
barium poisoning. B.P.I. Bul. 129, pp. 57–62, 65–74. 1908.
bedding requirements, per head, and manure saved. J.A.R., vol. 14, pp. 189–190. 1918.
beef—
number on farms, Jan. 1, 1918, with comparisons and increase methods. Sec. Cir. 103, pp. 15–16. 1918.
See also Cattle.
body—
components, working parts and composition. D.B. 459, pp. 1–3. 1916.
machine, demand for repair and fuel. D.B. 459, pp. 4–13. 1916.
bounty, key for identification. Vernon Bailey. Biol. Cir. 69, pp. 3. 1909.
breeding—
and—
disease. Melvin and Schroeder. B.A.I. An. Rpt., 1906, pp. 213–222. 1908.
feeding experiments. An. Rpts. 1909, pp. 60, 61. 1910; Rpt. 91, p. 44. 1909; Sec. A.R., 1909, pp. 60, 61. 1909; Y.B., 1909, pp. 60, 61. 1910.
feeding improvements. An. Rpts., 1923, pp. 47, 203–210. 1924; B.A.I. Chief Rpt., 1923, pp. 5–12. 1923; Sec. A.R., 1923, p. 47. 1923.
feeding, in Porto Rico, work, 1910. O.E.S. An. Rpt., 1910, pp. 29–30, 230. 1911.
feeding investigations. D. E. Salmon. B.A.I. Cir. 77, pp. 12. 1906; Y.B. 1904, pp. 527–537. 1905; Y.B. Sep. 366, pp. 11. 1905.
feeding work of department. B.A.I. An. Rpt., 1907, pp. 60–68. 1909.
meat. News L., vol. 7, No. 13, p. 6. 1919.
Alaska experiments. Alaska A.R., 1917, pp. 31, 71. 1919.
certification regulations, B.A.I.O. 175, B.A.I. An. Rpt., 1911, pp. 312–314. 1913.
conditions existing before requirement of tuberculin test. B.A.I. Bul. 32, pp. 8–9. 1901.
cooperative work, beginning 1905. B.A.I. An. Rpt., 1907, pp. 100, 101. 1909; B.A.I. Cir. 137, pp. 100, 101. 1908.
course, graduate school. Off. Rec. vol. 2, No. 42, p. 2. 1923.
danger in feeding beets. F.B. 465, p. 16. 1911.
demand from Argentina, possibilities. Y.B., 1914, pp. 388, 389, 390. 1915; Y.B. Sep. 648, pp. 388, 389, 390. 1915.
essentials. George M. Rommel. F.B. 1167; pp. 38. 1920.
evolution. D.B. 905, pp. 1–2. 1920.
experiments. O.E.S. Bul. 123; pp. 86–89. 1093.
Guam, progress of work. Guam A.R., 1914, pp. 7, 18–27. 1915.

INDEX TO PUBLICATIONS, 1901-1925 77

Animal(s)—Continued.
breeding—continued.
importation(s)—
cattle, April-June 30, 1911. B.A.I. [Misc.], "Animals imported * * *," pp. 15. 1911.
cattle, July 1 to September 30, 1911. B.A.I. [Misc.], "Animals imported * * *," pp. 22. 1911.
cattle, Oct. 1 to Dec. 31, 1911. B.A.I. [Misc.], "Animals imported * * *," pp. 6. 1912.
cattle, 1913. B.A.I. [Misc.], "Animals imported * * *," pp. 32. 1914.
horses, Jan.-March, 1911. B.A.I. [Misc.], "Animals imported * * *," pp. 16. 1911.
horses, April 1-June 30, 1911. B.A.I. [Misc.], "Animals imported * * *," pp. 11. 1911.
horses, July 1 to Sept. 30, 1911. B.A.I. [Misc.], "Animals imported * * *," pp. 8. 1911.
horses, Oct. 1 to Dec. 31, 1911. B.A.I. [Misc.], "Animals imported * * *," pp. 16. 1912.
horses, 1912. B.A.I. [Misc.], "Animals imported * * *," pp. 52. 1913.
horses, 1913. B.A.I. [Misc.], "Animals imported * * *," pp. 46. 1914.
horses, 1914. B.A.I. [Misc.], "Animals imported * * *," pp. 22. 1915.
regulations. An. Rpt., 1908, p. 62. 1910; News L., vol. 1, No. 17, p. 4. 1913.
tariff regulations. B.A.I. O. 175, pp. 5-6. 1910.
imported and certified—
1911-1913. Y.B., 1913, p. 514. 1914; Y.B. Sep. 631, p. 514. 1914.
1912-1914. Y.B., 1914, p. 651. 1915; Y.B. Sep. 657, p. 651. 1915.
imports. B.A.I. Chief Rpt., 1924, p. 10. 1924.
improvement on original type a necessity. B.A.I. Cir. 163, p. 12. 1910.
in Great Britain. Robert Wallace. O.E.S. Bul. 196, pp. 42-47. 1907.
information for importers. George M. Rommel. B.A.I. Cir. 50, pp. 16. 1904.
interesting notes, address by Robert Wallace. O.E.S. Bul. 196, pp. 42-47. 1907.
investigations—
1908. An. Rpts. 1908, pp. 258, 261. 1910; B.A.I. Chief Rpt., 1908, pp. 44, 47. 1908.
1910. B.A.I. An. Rpt., 1910, p. 30. 1912.
1912. An. Rpts., 1912, pp. 317-321. 1913; B.A.I. Chief Rpt., 1912, pp. 21-25. 1912.
laws, experiments and results. B.A.I. An. Rpt., 1910, pp. 174-186. 1912.
need of organized work among farmers. Y.B., 1914, pp. 100-102. 1915; Y.B. Sep. 632, pp. 14-16. 1915.
objections to selling, breeding importance. News L., vol. 4, No. 42, p. 2. 1917.
Porto Rico, work, 1912. O.E.S. An. Rpt., 1912, pp. 21, 194. 1913; P.R. An. Rpt., 1912, pp. 39-42. 1913.
prices, 1918, highest on record. Y.B., 1918, p. 289. 1919; Y.B. Sep. 773, p. 3. 1919.
principles and the origin of domesticated breeds. B.A.I. An. Rpt., 1910, pp. 125-186. 1912.
progress. Y.B., 1901, pp. 217-232. 1902.
rations containing sorghum grain. F.B. 724, pp. 5, 14. 1916.
results, 1897-1908. Y.B., 1908, p. 155. 1909.
season. D.B., 905, p. 6. 1920.
shipment embargo lifted. News L., vol. 6, No. 18, p. 11. 1918.
testing for tuberculosis and registering. News L., vol. 2, No. 20, p. 5. 1914.
work of department—
1910. An. Rpts., 1910, pp. 208, 211-215, 219-229. 1911; B.A.I. Chief Rpt., 1910, pp. 14, 17-21, 25-35. 1910; B.A.I. Cir. 178, pp. 13, 1911.
1912. An. Rpts., 1912, pp. 43-44, 105, 154-155. 1913; Sec. A.R., 1912, pp. 43-44, 105, 154, 155. 1912; Y.B., 1912, pp. 43-44, 105, 154-155. 1913.
1916. An. Rpts., 1916, pp. 74-75, 77, 80, 82-84. 1917; B.A.I. Chief Rpt., 1916, pp. 8-9, 11, 14, 16-18. 1916.

Animal(s)—Continued.
breeding—continued.
work of department—continued.
1917. An. Rpts., 1917, pp. 73, 75-77, 80, 126. 1918; B.A.I. Chief Rpt., 1917, pp. 7, 9-11, 14, 60. 1917.
1918. An. Rpts., 1918, pp. 72, 78, 81-83. 1918; B.A.I. Chief Rpt., 1918, pp. 2, 8, 11-13. 1918.
1919. An. Rpts., 1919, pp. 78, 81, 82, 85, 86-87. 1920; B.A.I. Chief Rpt., 1919, pp. 6, 9, 10, 13, 14-15. 1919.
See also Livestock breeding.
breeds—
and purebred, recognition. B.A.I.O. 206, amdt. 1, p. 1. 1914.
certification regulation. B.A.I.O. 175, pp. 2-6. 1911; B.A.I.O. 293, pp. 1-6. 1925.
burrowing. See Rodents.
by-products—
imports—
1918. An. Rpts., 1918, p. 106. 1918; B.A.I. Chief Rpt., 1918, p. 36. 1918.
disinfection order for hides and skins. B.A.I.O. 256, pp. 4. 1917.
handling. B.A.I. Chief Rpt., 1924, p. 25. 1924.
marketing—
investigations. An. Rpts., 1918, pp. 465-466. 1919; Mkts. Chief Rpt., 1918, pp. 15-16. 1918.
study, Markets Office. Mkts. Doc. 1, pp. 9-10. 1915.
Canadian—
certification regulation. B.A.I.O. 175, amdt. 1, p. 1. 1910.
import, for slaughter. B.A.I.O. 281, p. 9. 1923.
recognized breeds. B.A.I.O. 175, p. 5. 1910.
carcasses and—
parts, diseased, disposal, regulations. B.A.I.O. 211, pp. 25-34. 1914.
parts, rendering into lard and tallow, sterilization. B.A.I.O. 211, p. 36. 1914.
products, condemned, tanking and denaturing, regulations. B.A.I.O. 211, pp. 35-36. 1914.
care—
in skinning, profitableness. News L., vol. 6, No. 5, p. 7. 1918.
of, projects in home practice for school credit. D.B. 385, pp. 19-20. 1916.
carnivorous—
feeding experiments, with nonproteins. B.A.I. Bul. 139, pp. 6-12. 1911.
usefulness in destruction of rodents. F.B. 932, pp. 21-22. 1918.
carriers of disease germs, precautions necessary. News L., vol. 2, No. 43, p. 1. 1915.
color of skin, relation to climate. O.E.S. Bul. 196, pp. 43-44. 1908.
condemnation at slaughter—
1907-1921. Y.B., 1921, pp. 735-736. 1922; Y.B. Sep. 870, pp. 61-62. 1922.
numbers and kinds. Y.B., 1913, p. 482. 1914; Y.B. Sep. 631, p. 482. 1914.
condemned—
diseases and conditions, 1906. B.A.I. An. Rpt., 1907, p. 364. 1909.
tracing back to original owners. B.A.I. An. Rpt., 1906, p. 222. 1908.
contagious diseases—
changes in State laws. Y.B., 1902, p. 714. 1903.
foreign countries—
1905. B.A.I. An. Rpt., 1905, pp. 298-305. 1907.
1909. B.A.I. An. Rpt., 1909, pp. 330-339. 1911.
inspection report. B.A.I.S.R.A. 120, pp. 40-41. 1917.
reporting regulations, and inspection list. B.A.I.S.R.A. 137, p. 75. 1918.
crossbred, Maine experimental herd, parentage and description. J.A.R., vol. 15, pp. 7, 13-21. 1918.
cruelty—
in transit, prevention, congressional act. B.A.I.O. 210, pp. 35-36. 1914.

Animal(s)—Continued.
  cruelty—continued.
    prevention. D.B. 589, pp. 1–13. 1918.
  dairy, purebred, breeders associations. B.A.I. Cir. 204, p. 26. 1912.
  dead—
    carcass disposal. F.B. 190, p. 32. 1904; News L., vol. 3, No. 24, p. 4. 1916; News L., vol. 5, No. 26, p. 4. 1918; News L., vol. 6, No. 6, pp. 2–3. 1918.
    disposal, danger of spreading trichinosis. News L., vol. 1, No. 4, p. 4. 1913.
    interstate movement, prohibition. B.A.I.O. 263, p. 7. 1919.
    of anthrax, disposal of carcasses. News L., vol. 5, No. 7, p. 8. 1917.
    preparation for fertilizer, methods and value. Y.B., 1914, pp. 300–301. 1915; Y.B. Sep. 643, pp. 300–301. 1915.
    saving of fats and oils by rendering carcasses, cautions. News L., vol. 6, No. 6, p. 3. 1918.
    shipment with livestock, prohibition. News L., vol. 4, No. 4, p. 4. 1916.
    transportation regulation. B.A.I.O. 210, amdt. 3, p. 1. 1915.
  destructive, annual loss to farmers and stockmen, control methods. News L., vol. 4, No. 40, p. 11. 1917.
  development, influence of environment. B.A.I. An. Rpt., 1910, pp. 146–149. 1912.
  dip(s)—
    lime-sulphur—
      chemical composition, studies. D.B. 451, pp. 16. 1916.
      description, and formulas. News L., vol. 4, No. 22, p. 8. 1917.
    zenoleum, misbranding. I. and F.Bd.N.J. 1, p. 1. 1912.
  dipping for cattle ticks. B.A.I. [Misc.], "A tick-free South," pp. 23–24. 1917.
  disease-infected, regulations. B.A.I.O. 237, pp. 2–5. 1915; B.A.I.O. 263, p. 3. 1919.
  disease(s)—
    and our food supply, losses of meat. Y.B., 1915, pp. 159–172. 1916; Y.B. Sep. 666, pp. 159–172. 1916.
    and parasites—
      control studies. News L., vol. 5, No. 30, p. 6. 1918.
      losses, and cooperative control work. Sec. Cir. 103, p. 20. 1918.
    annual loss, note. News L., vol. 4, No. 12, p. 5. 1916.
    causing condemnation for meat purposes. An. Rpts., 1909, p. 210. 1910; B.A.I. Chief Rpt., 1909, p. 20. 1909.
    contagious—
      Canadian order, regulation amendments. B.A.I.S.R.A. 141, p. 8. 1919.
      control. An. Rpts., 1906, pp. 135–137. 1907; B.A.I. Chief Rpt., 1906, pp. 17–19. 1908.
      in foreign countries, 1906. B.A.I. An. Rpt., 1906, pp. 327–334. 1908.
      State and Territorial laws relating to, 1601. B.A.I. Bul. 43, pp. 72. 1901.
    control—
      address by Dr. Mohler. News L., vol. 6, No. 32, pp. 1, 7. 1919.
      early history. Off. Rec., vol. 3, No. 24, p. 2. 1924.
      extension work, 1918. S.R.S. Rpt., 1918, pp. 40, 67, 85, 116–117. 1919.
      in national forests. An. Rpts., 1908, p. 429. 1909; For. A.R., 1908, p. 25. 1908.
      laws. D.C. 184, p. 1–71. 1921.
      work, 1896–1908. Rpt. 87, pp. 85–86. 1908.
      work, 1912. An. Rpts., 1912, pp. 45–48, 161, 162–173. 1913; Sec. A.R., 1912, pp. 45–48, 161, 162–173. 1912; Y.B., 1912, pp. 45–48, 161, 162–173. 1913.
      work, 1914. An. Rpts. 1914, pp. 11–13, 77–90, 92–96. 1914; B.A.I. Chief Rpt. 1914, pp. 21–34, 36–40. 1914; Sec. A.R. 1914, pp. 13–15. 1914.
      work, 1916. An. Rpts., 1916, pp. 67–74, 113–125, 127, 132. 1917; B.A.I. Chief Rpt., 1916, pp. 1–8, 47–59, 61, 66. 1916.
      work, 1917. An. Rpts., 1917, pp. 69–70, 71–73, 101–127. 1918; B.A.I. Chief Rpt., 1917, pp. 3–4, 5–7, 35–61. 1917.

Animal(s)—Continued.
  disease(s)—continued.
    control—continued.
      work, 1918. An. Rpts., 1918, pp. 16–18, 112–120, 121, 122–126, 127–131. 1919; B.A.I. Chief Rpt., 1918, pp. 42–50, 51, 52–56, 57–61. 1918; Sec. A.R., 1918, pp. 16–18. 1918; Y.B., 1918, pp. 26–28. 1919.
      work, 1921. Y.B., 1921, p. 41. 1922; Y.B. Sep. 875, p. 41. 1922.
      work of county agents. S.R.S. Doc. 88, pp. 21–22. 1918.
    cost to farmers, and control. Sec. Cir. 130, p. 11. 1919.
    decrease. News L., vol. 6, No. 46, p. 12. 1919.
    effect of products on public health. B.A.I. Bul. 53, p. 8. 1904.
    eradication—
      and control service, program of work for 1915. Sec. [Misc.], "Program of work * * *," 1915," pp. 57, 76–79. 1914.
      appropriation. Sol. [Misc.], "Laws applicable * * *," Sup. 4, pp. 21–22, 1917.
      influence of meat-inspection service. Y.B., 1915, pp. 278–280. 1916; Y.B. Sep. 676, pp. 278–280. 1916.
      work, 1914. Sec. A.R., 1914, pp. 13–15. 1914; Y.B. 1914, pp. 19–23. 1915.
      work, 1916. An. Rpts., 1916, pp. 13–17. 1917; News L., vol. 3, No. 23, pp. 1, 4. 1916; Sec. A.R., 1916, pp. 15–20. 1916; Y.B., 1916, pp. 22–27. 1917.
      work, 1917. An. Rpts., 1917, pp. 23–24, 25, 27, 101–104. 1918; B.A.I. Chief Rpt., 1917, pp. 3, 5, 35–38. 1917; Sec. A.R., 1917, pp. 25–26. 1917; Y.B., 1917, pp. 34–35, 73. 1918.
      work, 1918. An. Rpts., 1918, pp. 73–75, 107–112. 1919; B.A.I. Chief Rpt., 1918, pp. 3–5, 37–42. 1918.
      work, 1919. An. Rpts. 1919, pp. 74–77, 102–103, 110–132, 134–135. 1920; B.A.I. Chief Rpt. 1919, pp. 2–5, 30–31, 38–60, 62–63. 1919; News L., vol. 7, No. 10, pp. 1, 11. 1919.
      work, progress. John R. Mohler. Y.B. 1919, pp. 69–78. 1920; Y.B. Sep. 802, pp. 69–78. 1920.
      work, progress, 1921. Sec. A.R. 1921, pp. 36–41. 1921.
    for school studies. D.B. 521, pp. 50–51. 1917.
    glanders, ophthalmic test. B.A.I. Doc. A-1, pp. 5. 1914.
    in—
      Argentina. Y.B., 1913, p. 359. 1914; Y.B. Sep. 629, p. 359. 1914.
      Arizona, Yuma Experiment Farm, losses. W.I.A. Cir. 25, p. 12. 1919.
      Australia and New Zealand. Y.B., 1914, pp. 436–437. 1915; Y.B. Sep. 650, pp. 436–437. 1915.
      foreign countries, effect on imports. B.A.I. An. Rpt. 1911, pp. 88–89. 1913; B.A.I. Cir. 213, pp. 88–89. 1913.
      United States, control work. Y.B., 1919, pp. 77–78. 1920; Y.B. Sep. 802, pp. 77–78. 1920.
    investigations and control. An. Rpts., 1913, pp. 87–90, 93–97, 103–104. 1914; B.A.I. Chief Rpt., 1913, pp. 17–20, 23–27, 33–34. 1913.
    law enforcement. Sol. [Misc.], "Laws applicable ...," Sup. 2, p. 24. 1915.
    losses and cooperative control work. Sec. Cir. 103, p. 20. 1918.
    meaning under meat inspection regulations. B.A.I. An. Rpt., 1906, p. 87. 1908; B.A.I. Cir. 125, p. 27. 1908.
    miscellaneous work—
      1904. B.A.I. An. Rpt., 1904, p. 30. 1905.
      1905. An. Rpts., 1905, pp. 39–41. 1906.
    pathological specimens for diagnosis, instructions. B.A.I. An. Rpt., 1906, pp. 197–206. 1908; B.A.I. Cir. 123, pp. 10. 1908.
    production by fungus of moldy corn, experiments. B.A.I. An. Rpt., 1907, pp. 260–261, 275. 1909.
    relation to food supply, losses of meat. Y.B. 1915, pp. 159–172. 1916; Y. B. Sep. 666, pp. 159–172. 1916.
    requiring condemnation of carcasses for food. B.A.I. O. 211 rev., pp. 18–26. 1922.

INDEX TO PUBLICATIONS, 1901-1925   79

Animal(s)—Continued.
 disease(s)—continued.
  scientific investigation—
   1906. An. Rpts., 1906, pp. 28-29. 1907; Sec. A.R., 1906, pp. 28-30. 1906.
   1907. Y.B., 1907, pp. 31-33. 1908.
  suppression and prevention, laws relating to, text. B.A.I. O. 273, pp. 34-40. 1921.
  value of prevention and combatting. News L., vol. 6, No. 3, p. 4. 1918.
  Yuma Experiment Farm, slight injury to livestock, and prompt control, 1916. B.P.I. W.I.A. Cir. 20, p. 12. 1918.
 diseased—
  appraisement. An. Rpts., 1915, pp. 19-20. 1916; Sec. A.R., 1915, pp. 21-22. 1915.
  appraisement and indemnity. F.B. 1069, pp. 30-31. 1919.
  burning or burying carcasses, importance. News L., vol. 3, No. 24, p. 4. 1916.
  carcasses, disposal. B.A.I. O. 150, pp. 15-21. 1908; F.B. 190, p. 32. 1904.
  destruction at quarantine station. Y. B. 1918, p. 243. 1919; Y.B. Sep. 783, p. 7. 1919.
  effect of products on public health. B.A.I. Bul. 33, p. 11. 1901.
  slaughter methods. B.A.I. An. Rpt. 1908, p. 383. 1910.
 disinfection and treatment, value in abortion control. News L., vol. 2, No. 41, pp. 6-7. 1915.
 domestic—
  free entry. Off. Rec., vol. 2, No. 5, p. 2. 1923; Off. Rec., vol. 2, No. 7, p. 2. 1923; Off. Rec., vol. 2, No. 10, p. 2. 1923.
  gestation period. D.B. 905, pp. 7-8. 1920.
  injury caused by flies. D.B. 131, pp. 2-5. 1914.
  insects injurious, investigations—
   1917. An. Rpts., 1917, pp. 236-237. 1918; Ent. A.R., 1923, pp. 28-29. 1923.
   1918. An. Rpts., 1918, pp. 243, 249. 1919; Ent. A.R., 1918, pp. 11, 17. 1918.
   1923. An. Rpts., 1923, pp. 408-409. 1924; Ent. A.R., 1923, pp. 28-29. 1923.
  origin. B.A.I. An. Rpt., 1910, pp. 155, 157, 189-190, 230. 1912.
  responsibility for fever infestation, Bitterroot Valley, Montana, control methods. Biol. Cir. 82, pp. 4-5. 1911.
  temperature, pulse, and respiration. Y.B. 1900, p. 740. 1901.
  treatment, viruses, and serums, regulations governing. B.A.I. O. 196, pp. 8. 1913.
  use in control of rats and mice. F.B. 896, p. 18. 1917.
  See also Livestock.
 domesticated, protozoan parasites. Howard Crawley. B.A.I. An. Rpt., 1910, pp. 465-498. 1912; B.A.I. Cir. 194, pp. 34. 1912.
 domestication. Biol. Bul. 36, pp. 8-10. 1910.
 domestication, relation to agricultural development. B.P.I. Bul. 274, p. 32. 1913.
 dourine-infected, cooperative purchase, appraisal. B.A.I. O. 263, p. 24. 1919.
 effect of benzene fumes, experiments. J.A.R., vol. 9, p. 371. 1917.
 experiments—
  testing medicinal preparations, necessity. Chem. Bul. 122, pp. 103-105. 1909.
  with, results. Off. Rec., vol. 3, No. 11, p. 2 1924.
 export(s)—
  1851-1908. Stat. Bul. 75, pp. 23-24. 1910.
  1906-1907. B.A.I. An. Rpt., 1907, p. 384. 1909.
  and import, inspection—
   1906. An. Rpts., 1906, p. 24. 1907; Rpt. 83, p. 18. 1906; Sec. A.R., 1906, p. 25. 1906; Y.B., 1906, p. 28. 1907.
   and quarantine, 1907. Y.B., 1907, pp. 28, 30. 1908.
  and imports—
   1906-1909. B.A.I. An. Rpt., 1909, pp. 316-318. 1911.
   value, 1906-1908. B.A.I. An. Rpt., 1908, pp. 402-405. 1910.
  by countries to which consigned—
   1897-1906. B.A.I. An. Rpt., 1907, pp. 346, 386-395. 1909.
   1907-1914. Y.B., 1914, p. 677. 1915; Y.B. Sep. 657, p. 677. 1915.
  handling, regulations. B.A.I.O. 264, amdt. 2, p. 1. 1921.

Animal(s)—Continued.
 export(s)—continued.
  inspection—
   1905. An. Rpts., 1905, pp. 50-51. 1906.
   1906. B.A.I. An. Rpt., 1906, pp. 19-20. 1908.
   1907. B.A.I. An. Rpt., 1907, p. 27. 1909.
   1908. An. Rpts., 1908, p. 233. 1909; B.A.I. Chief Rpt., 1908, p. 19. 1908.
   1909. An. Rpts., 1909, pp. 215-216. 1910; B.A.I. Chief Rpt., 1909, pp. 25-26. 1909; Rpt. 91, p. 38. 1909; Sec. A.R., 1909, p. 53. 1909; Y.B., 1909, p. 53. 1910.
   1910. An. Rpts., 1910, p. 249. 1911; B.A.I. An. Rpt., 1910, pp. 68-69. 1912; B.A.I. Chief Rpt., 1910, p. 55. 1910.
   1911. An. Rpts., 1911, pp. 52, 227. 1912; B.A.I. Chief Rpt., 1911, p. 37. 1911; Sec. A.R., p. 50. 1911. 1912; Y.B., 1911, p. 50. 1912.
   1913. An. Rpts., 1913, p. 92. 1914; B.A.I. Chief Rpt., 1913, p. 22. 1913.
   1914. An. Rpts., 1914, p. 82. 1915; B.A.I. Chief Rpt., 1914, p. 26. 1914.
   1915. An. Rpts., 1915, pp. 115-116. 1916; B. A. I. Chief Rpt., 1915, pp. 39-40. 1915.
   1916. An. Rpts., 1916, pp. 110-111. 1917; B.A.I. Chief Rpt., 1916, pp. 44-45. 1916.
   1917. An. Rpts., 1917, p. 99. 1918. B.A.I. Chief Rpt., 1917, p. 33. 1917.
   1918. An. Rpts., 1918, p. 106. 1919; B.A.I. Chief Rpt., 1918, p. 36. 1918.
   1919. An. Rpts., 1919, pp. 109-110. 1920; B.A.I. Chief Rpt., 1919, pp. 37-38. 1919.
  and safe transport, regulations, 1906. B.A.I. An. Rpt., 1906, pp. 349, 393-402. 1908.
  handling and transport, regulations. B.A.I. O. 264, pp. 23. 1919.
  handling and transport. B.A.I.O. 264, Amdt. 1, p. 1. 1919.
  regulations. B.A.I.O. 139, pp. 18. 1906.
  requirements and numbers, 1912. An. Rpts. 1912, pp. 48, 161. 1913; Sec. A.R. 1912, pp. 48, 161. 1912; Y.B., 1912, pp. 48, 161. 1913.
  to Canada, inspection—
   and testing. B.A.I. S.A. 47, p. 15. 1911.
   and testing, regulation. B.A.I.S.A. 65, p. 64. 1912.
   1910. B.A.I. An. Rpt., 1910, pp. 68-69. 1912.
   instructions. B.A.I.S.R.A. 143, p. 20. 1919.
   and shipment, regulations. B.A.I.O. 264, pp. 6-7. 1919.
   tuberculin test. B.A.I.O. 264, amdt. 1, p. 1. 1919.
 farm—
  agency in disease spread. F.B. 925, rev., pp. 5, 14. 1921.
  aggregate value, by States, comparisons. Y.B., 1921, p. 733. 1922; Y.B. Sep. 870, p. 59. 1922.
  and their products, statistics—
   1908. Y.B., 1908, pp. 711-745, 752, 763. 1909; Y.B. Sep. 498, pp. 711-745, 752, 763. 1909.
   1910. Y.B., 1910, pp. 615-645, 653, 665. 1911; Y.B. Sep. 553, pp. 615-645, 653, 665. 1911.
   1916. Y.B., 1916, pp. 659-695. 1917; Y.B. Sep. 721, pp. 1-37. 1917.
   1917. Y.B., 1917, pp. 709-747. 1918; Y.B. Sep. 761, pp. 3-41. 1918.
   1922. Y.B., 1922, pp. 795-913. 1923; Y.B. Sep. 888, pp. 795-913. 1923.
  breeding, Government aid and supervision, Denmark. B.A.I. Bul. 129, pp. 13-20, 32-40. 1911.
  cabbage as feed. F.B. 305, pp. 22-24. 1907.
  carriers of plant diseases. F.B. 1351, p. 3. 1923.
  destruction by coyotes in West. Biol. Bul. 20, pp. 14-18. 1905.
  exports, 1917-1919, 1910-1919. Y.B., 1920, pp. 12, 33. 1921; Y.B. Sep. 864, pp. 12, 33. 1921.
  Farmers' Bulletins, list. Pub. [Misc.], "Alphabetical subject ndex * * *," pp. 1-3. 1915.
  fattening, value of sugar and molasses. F.B. 535, p. 20. 1913.
 feed—
  and feeding, school studies. D.B. 521, pp. 41-42. 1917.
  requirements for fattening and milk production. F.B. 346, pp. 16-20. 1909.
  value of beet molasses and pulp. F.B. 263, pp. 19-23. 1906.

Animal(s)—Continued.
farm—continued.
feeding—
directions. M.C. 12, pp. 11–32. 1924.
experiments, table. O.E.S. An. Rpt., 1903, pp. 532–533. 1904.
on roots. F.B. 305, pp. 19–22. 1907.
requirements comparative, note on animal unit. Sec. Cir. 57, p. 3. 1916.
immunity from anthrax, production methods. B.A.I. Bul. 137, pp. 24–27. 1911.
improvement, need in South. Sec. Cir. 33, pp. 2, 3. 1910.
in United States, freedom from disease. B.A.I. Bul. 32, pp. 7–8. 1901.
maintenance rations. Henry Prentiss Armsby. B.A.I. Bul. 143, pp. 110. 1912.
manure—
composition, pounds per ton. F.B. 1202, p. 45. 1921.
production quantity, composition, and value. S.R.S. Doc. 30, pp. 2–3. 1916.
monthly variation in numbers. F.B. 590, pp. 8–9. 1914.
domestic—
breeds, certification. B.A.I.O. 175, amdt. 6, p. 1. 1911.
contagious diseases, laws for control, 1902–1903. B.A.I. Bul. 54, pp. 46. 1904.
diseases, legislation. Y.B., 1904, p. 581. 1905.
fleas—
injury and control. F.B. 683, pp. 10–14. 1915.
remedy. Ent. Bul. 30, pp. 94–95. 1901.
number(s)—
Jan. 1, 1914, estimate. F.B. 575, pp. 2, 5–23, 34–39. 1914.
and value, 1867–1907. Stat. Bul. 64, pp. 145. 1908.
and value, 1907–1909. B.A.I. An. Rpt., 1908, p. 394. 1910.
and value, 1907–1910. B.A.I. An. Rpt., 1909, p. 302. 1911.
and value, Jan. 1, 1915, estimates by States, with comparisons for other years. F.B. 651, pp. 14–19. 1915.
and value, 1920, graph. Y.B., 1921, p. 470. 1922. Y.B. Sep. 878, p. 64. 1922.
in United States, January 1, 1917. D.B. 646, p. 1. 1918.
in world countries, 1915. Y.B., 1915, pp. 507–510. 1916; Y.B. Sep. 684, pp. 507–510. 1916.
in world countries, 1917. Y.B., 1917, pp. 709–713. 1918; Y.B. Sep. 761, pp. 3–7. 1918.
in world countries, 1921. Y.B., 1921, pp. 675–680. 1922; Y.B. Sep. 870, pp. 1–6. 1922.
on farms, Jan. 1, 1915, comparison with Jan. 1, 1914. News L., vol. 2, No. 26, p. 1. 1915.
overfeeding. M.C. 12, p. 5. 1924.
poisoning by oak leaves. News L., vol. 6, No. 38, p. 11. 1919.
prices, 1914, comparison with other years, estimates. F.B. 611, pp. 36–37. 1914.
products, statistics—
1903. Y.B., 1903, pp. 659–676. 1904; Y.B. Sep. 659–676. 1904.
1904. Y.B., 1904, pp. 700–717. 1905; Y.B. Sep. 370, pp. 700–717. 1905.
1905. Y.B., 1905, pp. 732–754. 1906; Y.B. Sep. 404, pp. 732–755. 1906.
1906. Y.B., 1906, pp. 632–664. 1907; Y.B. Sep. 436, pp. 632–664. 1907.
profits. News L., vol. 7, No. 13, pp. 5, 8. 1919.
rations—
computation by use of energy values. Henry P. Armsby. F.B. 346, pp. 32. 1909.
energy values in the computation. D.B. 459, pp. 31. 1916.
of grain. News L., vol. 7, No. 7, p. 3. 1919.
sold and slaughtered, prices and value, 1913, estimate. F.B. 570, pp. 16, 17. 1913.
spread of cabbage diseases. F.B. 925, p. 5. 1918.
statistics—
1910. Y.B., 1910, pp. 615–645, 653, 665. 1911; Y.B. Sep. 554, pp. 615–645, 653, 665. 1911.
1911. Y.B., 1911, pp. 619–648, 656, 668. 1912; Y.B. Sep. 588, pp. 619–648, 656, 668. 1912.
1912. Y.B., 1912, pp. 666–702. 1913; Y.B. Sep. 615, pp. 666–702. 1913.
1913. Y.B., 1913, pp. 455–487, 493, 501. 1914; Y.B. Sep. 631, pp. 455–487, 493, 501. 1914.

Animal(s)—Continued.
domestic—continued.
statistics—continued.
1914. Y.B., 1914, pp. 612–640, 651, 659, 677. 1915; Y.B. Sep. 656, pp. 612–640. 1915; Y.B. Sep. 657, pp. 651, 659, 677. 1915.
1915. Y.B., 1915, pp. 507–539. 1916; Y.B. Sep. 684, pp. 507–589. 1916.
1918. Y.B., 1918, pp. 587–626. 1919; Y.B. Sep. 793, pp. 42. 1919.
1919. Y.B., 1919, pp. 644–681. 1920; Y.B. Sep. 828, pp. 644–681. 1920.
1920. Y.B., 1920, pp. 3–62. 1921; Y.B. Sep. 863, pp. 3–62. 1921.
1921. Y.B., 1921, pp. 675–736. 1922; Y.B. Sep. 870, pp. 62. 1922.
1923. Y.B., 1923, pp. 878–1049. 1924; Y.B. Sep. 902, pp. 879–980. 1924; Y.B. Sep. 903, pp. 981–1049. 1924.
Texas statistics, 1907. O.E.S. Bul. 222, p. 13. 1910.
types and breeds, department references. S.R.S. Doc. 58, p. 12. 1917.
use and value as harvest hands, methods. F.B. 1008, pp. 16. 1918.
use of fruit for feed. F.B. 202, pp. 20–22. 1904.
winter care and feeding, studies. News L., vol. 3, No. 14, pp. 1, 5. 1915.
fats—
description, and manufacturing methods. D.B. 769, pp. 32–43. 1919.
digestibility, experiments. D.B., 613, pp. 27. 1919.
kinds, description, and value. D.B. 469, pp. 8–12. 1916.
See also Fats, animal.
feed—
requirements. M.C. 12, pp. 2–4. 1924.
requirements for maintenance, growth, and fattening. D.B. 459, pp. 14–17. 1916.
value of peanut by-products. D.B. 1096, pp. 4–7, 9–11. 1922.
feeding—
and breeding, cooperation between Agriculture Department and State experiment stations. S.R.S., [Misc.], "Federal legislation, regulations, and rulings * * *," rev. to July 15, 1917, p. 27. 1917.
and pasture, investigations by experiment stations. Work and Exp., 1918, pp. 17, 22–24, 39–41, 48. 1920.
capacity of silos of different dimensions. M.C. 12, p. 41. 1924.
cottonseed kernels and meal. J.A.R., vol. 12, pp. 83–100. 1918.
danger of beets in forming calculi. F.B. 465, p. 16. 1911.
experiments—
valuable results. Y.B., 1908, p. 163. 1909.
work, 1907. An. Rpts., 1907, pp. 239–241. 1908.
for exhibition, methods, and champion steers. F.B. 486, pp. 5–12. 1912.
for meat production. Henry Prentiss Armsby. B.A.I. Bul. 108, pp. 89. 1908.
gossypol experiments. J.A.R., vol. 12, pp. 88–97. 1918.
in club work. S.R.S. Doc. 29, pp. 2–3. 1915.
katabolism, determination and comparisons. J.A.R., vol. 13, pp. 43–57. 1918.
meat from tuberculous cattle, experiments. B.A.I. An. Rpt., 1908, p. 159. 1910.
science. News L., vol. 6, No. 47, p. 16. 1919.
stuff, utilization, summary of records. B.A.I. Bul. 128, p. 200. 1911.
value of palm kernel and palm-kernel meal. J.A.R., vol. 25, pp. 165–169. 1923.
females and young, killing in Alaska. Biol. S.R.A. 53, p. 1. 1923.
fibers, imports, 1910–1914. News L., vol. 3, No. 13, p. 3. 1915.
food(s)—
annual production in United States, and meat consumption. John Roberts. B.A.I. An. Rpt., 1905, pp. 277–285. 1907.
birth and slaughter monthly ratios. D.C. 241, pp. 6–9. 1924.
cost and nutritive value. Y.B., 1902, pp. 391–397. 1903. Y.B. Sep. 280, pp. 391–397. 1903.

INDEX TO PUBLICATIONS, 1901-1925   81

Animal(s)—Continued.
　food(s)—continued.
　　destroying, killing, 1915-1917, kinds, and value of skins. News L., vol. 5, No. 45, p. 2. 1918.
　　duckling. F.B. 233, pp. 25-26. 1905.
　　exports—
　　　and imports, 1907-1921. D.C. 241, pp. 14-15, 16. 1922.
　　　from Australia and New Zealand, 1901-1913. Y.B., 1914, p. 432. 1915; Y.B. Sep. 650, p. 432. 1915.
　　　increase. Off. Rec., vol. 2, No. 25, pp. 1-2. 1923.
　　habits, study. Biol. Chief Rpt., 1925, pp. 14-15. 1925.
　　imports—
　　　1913-1914. Y.B., 1913, pp. 348-350. 1914; Y.B. Sep. 629, pp. 348-350. 1914.
　　　each month. See also Bureau of Animal Industry, Service and Regulatory Announcement, various dates.
　　in diet of American people, discussion. Y.B., 1902, pp. 391-397. 1903.
　　in United States—
　　　John Roberts. D.C. 241, pp. 12. 1922.
　　　and meat consumption. John Roberts. D.C. 241, rev., pp. 21. 1924.
　　insufficiency from grains and vegetables. News L., vol. 6, No. 5, p. 7. 1918.
　　Japanese. O.E.S. Bul. 159, pp. 38, 41. 1905.
　　needs. News L., vol. 6, No. 48, p. 4. 1919.
　　number slaughtered annually under Federal inspection. D.C. 241, pp. 11-12. 1922.
　　parasites, infestation of food. F.B. 1374, p. 4. 1923.
　　producing—
　　　regional lymph glands, anatomical description, etc. B.A.I. An. Rpt., 1910, pp. 371-400. 1912; B.A.I. Cir. 192, pp. 371-400. 1912.
　　　tuberculosis. D. E. Salmon. B.A.I. Bul. 38, pp. 99. 1906.
　　　tuberculosis, economic importance. B.A.I. An. Rpt., 1908, pp. 97-107. 1910.
　　registered purebred, on farms. January 1, 1920. D.C. 241, pp. 4-7. 1922.
　　slaughter and consumption in United States, 1909. B.A.I. An. Rpt., 1911, pp. 253-267. 1913.
　foot-and-mouth diseased—
　　appraisement, discussion by Secretary in annual report. News L., vol. 3, No. 21, p. 7. 1915.
　　killing and burial, regulations. B.A.I.S.R.A. 204, pp. 43-44. 1924.
　for breeding, information for importers. G. Arthur Bell. B.A.I. Cir. 177, p. 3. 1911.
　for import, testing for disease. An. Rpts., 1923, pp. 241-242. 1924; B.A.I. Chief Rpt., 1923, pp. 43-44. 1923.
　foreign—
　　introduction into United States, objections. Biol. Bul. 36, pp. 24-25. 1910.
　　trade, 1898-1907. B.A.I. An. Rpt., 1907, pp. 383-395. 1909.
　　trade, 1907-1923. D.C. 241, pp. 16-18. 1924.
　fossil remains, discussion of origin of breeds. B.A.I. An. Rpt., 1910, pp. 153-168, 172, 173, 193-198, 201-208, 211, 226. 1912.
　from Asia and Africa, prohibition of landing. B.A.I. An. Rpt., 1910, p. 174, 1912.
　fur-bearing—
　　Alaska, protection. Biol. Chief Rpt., 1921, pp. 30-33. 1921.
　　breeding in captivity, progress. D.C. 135, pp. 8-9. 1920.
　　breeding studies. News L., vol. 2, No. 32, p. 4. 1915.
　　conditions in Alaska—
　　　1919, report. D.C. 88, pp. 10-11. 1920.
　　　1921. Off. Rec., vol. 1, No. 6, p. 7. 1922.
　　　1922. D.C. 225, p. 5. 1922.
　　conflict of authority, recommendations by Secretary. News L., vol. 3, No. 20, p. 1. 1915.
　　dependence on forests. M.C. 47, pp. 2-3. 1925.
　　destruction methods. Biol. Cir. 82, p. 5. 1911.
　　domestication, feeding and care. Y.B., 1916, pp. 490-503. 1917; Y.B. Sep. 693, pp. 2-15. 1917.

Animal(s)—Continued.
　fur bearing—continued.
　　feeding, rearing, and protection. An. Rpts., 1919, pp. 283-284. 1920; Biol. Chief Rpt., 1919, pp. 9-10. 1919.
　　laws. See Fur animals, laws.
　　legislation passed by States and provinces in 1916. F.B. 783, pp. 2-3. 1916.
　　need for trapping restrictions. News L., vol. 5, No. 16, p. 8. 1917.
　　not admitted for breeding purposes. F.B. 706, p. 2. 1916.
　　protection laws. News L., vol. 7, No. 10, p. 9. 1919.
　　protection, summary of laws, 1916. F.B. 783, pp. 25-28. 1916.
　　raising. Biol. Chief Rpt., 1921, pp. 11-13. 1921.
　　source of revenue to States and Government. D.C.135, pp. 5-6, 10. 1920.
　　studies. Off. Rec., vol. 2, No. 20, p. 6. 1923.
　　trapping, and curing skins. Y.B., 1919, pp. 457-481. 1920; Y.B. Sep. 823, pp. 457-481. 1920.
　game—
　　Alaska, habits and distribution. Y.B., 1907, pp. 471-481. 1908; Y.B. Sep. 462, pp. 471-481. 1908.
　　Bitterroot Valley, Montana, relation to fever ticks, note. Biol. Cir. 82, p. 5. 1911.
　　condition and numbers, 1907. Y.B., 1907, pp. 593-594. 1908; Y.B. Sep. 469, pp. 593-594. 1908.
　　destruction, Alaska, prevention, territorial law. Biol. Doc. 105, p. 16. 1917.
　　laws. See Game laws.
　　occurrence in Wyoming, lists. N.A. Fauna 42, pp. 25, 33, 34, 42, 51. 1917.
　　raising in United States. Biol. Bul. 36, pp. 1-62. 1910.
　　species, selection for rearing experiments. Biol. Bul. 36, pp. 10-25. 1910.
　geographic distribution, study by Biological Survey. An. Rpts., 1907, pp. 490-492. 1908.
　grazing—
　　competition with plants. D.B. 1001, p. 10. 1922.
　　injury to young forests. D.B. 153, pp. 20-21. 1915.
　　on national forest ranges—
　　　permits and numbers, 1909. An. Rpts., 1909, pp. 379-380, 392-393. 1910; For. A.R., 1909, pp. 11-12, 24-25. 1909.
　　　permits and numbers, 1910. An. Rpts., 1910, pp. 397-399. 1911; For. A.R., 1910, pp. 37-39. 1910.
　　　permits and numbers, 1911. An. Rpts., 1911, pp. 391-393. 1912; For. A.R., 1911, pp. 51-53. 1911.
　　　permits and numbers, 1913. An. Rpts., 1913, pp. 164-169. 1914; For. A.R., 1913, pp. 30-35. 1913.
　　　permits and numbers, 1914. An. Rpts., 1914, pp. 8-10, 146-151. 1915; For. A.R., 1914, pp. 18-23. 1914; Sec. Rpt., 1914, pp. 10-12. 1914.
　growing on amino acids. Off. Rec., vol. 3, No. 37, p. 2. 1924.
　growth and reproduction, effect of certain rations. J.A.R., vol. 10, pp. 175-198. 1917.
　handling in transportation, act, text. B.A.I.O. 273, rev., p. 34. 1923.
　head, inspection. Y.B., 1916, p. 84. 1917; Y.B. Sep. 714, p. 8. 1917.
　health, insects affecting—
　　investigations, 1914. An. Rpts., 1914, pp. 189-191. 1915; Ent. A.R., 1914, pp. 7-9. 1914.
　　investigations, 1915. An. Rpts., 1915, pp. 219-220. 1916; Ent. A.R., 1915, pp. 9-10. 1915.
　heat production, relation to surface measurement. J.A.R., vol. 25, pp. 419-421. 1923.
　herbivorous, feeding experiments, with nonproteins. B.A.I. Bul. 139, pp. 12-45. 1911.
　hosts of—
　　gid parasite discussion and lists, historical data. B.A.I. Bul. 125, Pt. I, pp. 30-40. 1910.
　　Multiceps serialis. B.A.I. Bul. 125, Pt. I, pp. 58-64. 1910.
　　spotted-fever tick. Ent. Bul. 105, pp. 26-30. 1911.

Animal(s)—Continued.
Husbandry—
Division—
Karakul sheep breeding, experiments. Y.B., 1915, pp. 250, 255, 258, 260. 1916; Y.B. Sep. 673, pp. 250, 255, 259, 260. 1916.
livestock range station. Off. Rec., vol. 3, No. 33, pp. 1-2. 192-.
scope of work. News L., vol. 2, No. 38, p. 8. 1915; News L., vol. 2, No. 39, p. 4. 1915.
work, 1910. An. Rpts., 1910, pp. 211-229. 1911; B.A.I. Chief Rpt., 1910, pp. 17-35. 1910.
work, 1911. An. Rpts., 1911, pp. 202-209. 1912; B.A.I. An. Rpt., 1911, pp. 18-26. 1913; B.A.I. Chief Rpt., 1911, pp. 12-19. 1911.
work, 1912. An. Rpts., 1912, pp. 317-324. 1913; B.A.I. Chief Rpt., 1912, pp. 21-28. 1912.
work, 1913. An. Rpts., 1913, pp. 71-72. 1914; B.A.I. Chief Rpt., 1913, pp. 1-26. 1913.
work, 1914. An. Rpts., 1914, pp. 58-65. 1915; B.A.I. Chief Rpt., 1914, pp. 2-9. 1914.
work, 1915. An. Rpts., 1915, pp. 83-93. 1916; B.A.I. Chief Rpt., 1915, pp. 7-17. 1915.
work, 1916. An. Rpts., 1916, pp. 74-88. 1917; B.A.I. Chief Rpt., 1916, pp. 8-22. 1916.
work, 1917. An. Rpts., 1917, pp. 73-81. 1918; B.A.I. Chief Rpt., 1917, pp. 7-15. 1917.
work, 1918. An. Rpts., 1918, pp. 77-87. 1919; B.A.I. Chief Rpt., 1918, pp. 7-17. 1918.
work, 1919. An. Rpts., 1919, pp. 79-89. 1920; B.A.I. Chief Rpt., 1919, pp. 7-17. 1919.
work, 1920. B.A.I. Chief Rpt., 1920, pp. 7-18. 1920.
work, 1921. An. Rpts., 1921, pp. 8-19. 1921; B.A.I. Chief Rpt., 1921, pp. 8-19. 1921.
work, 1922. An. Rpts., 1922, pp. 104-113. 1923; B.A.I. Chief Rpt., 1922, pp. 6-15. 1922.
work, 1923. An. Rpts., 1923, pp. 203-210. 1924; B.A.I. Chief Rpt., 1923, pp. 5-12. 1923.
equipment for school studies. D.B. 521, pp. 51-52. 1917.
exhibit at livestock show. Off. Rec., vol. 1, No. 4, p. 3. 1922.
experiment farm, Beltsville, Md.—
work, 1922. An. Rpts., 1922, pp. 104, 106, 108, 122-123. 1923; B.A.I. Chief Rpt., 1922, pp. 6, 8, 10, 24-25. 1922.
work, 1923. An. Rpts., 1923, pp. 203, 205, 207, 208, 209. 1924; B.A.I. Chief Rpt., 1923, pp. 5, 7, 9, 10, 11. 1923.
extension work, North and West, 1916. S.R.S. Rpt., 1916, Pt. II, pp. 168-169. 1917.
home projects and substitutes for school studies. D.B. 521, p. 51. 1917.
in California, San Francisco Bay region, kinds and extent. Soil Sur. Adv. Sh., 1914, pp. 27-28. 1917; Soils F.O., 1914, pp. 2699-2700. 1919.
in Guam, report—
1917. C. W. Edwards. Guam A.R., 1917, pp. 5-17. 1918.
1918. C. W. Edwards. Guam A.R., 1918, pp. 5-29. 1919.
1919. C. W. Edwards. Guam A.R., 1919, pp. 5-20. 1921.
1920. C. W. Edwards. Guam A.R., 1920, pp. 6-15. 1921.
1921. C. W. Edwards. Guam A.R., 1921, pp. 1-7. 1923.
1922. C. W. Edwards. Guam A.R., 1922, pp. 1-7. 1924.
in Porto Rico, report—
1908. P.R. An. Rpt., 1908, pp. 37-39. 1909.
1909. P.R. An. Rpt., 1909, pp. 37-43. 1910.
1910. E. G. Ritzman. P.R. An. Rpt., 1910, pp. 41-44. 1911.
1911. E. G. Ritzman. P.R. An. Rpt., 1911, pp. 40-44. 1912.
1912. E. G. Ritzman. P.R. An. Rpt., 1912, pp. 39-44. 1913.
1913. P.R. An. Rpt., 1913, pp. 30-34. 1914.
law enforcement. Sol. [Misc.], "Laws applicable * * *," Sup. 2, p. 24. 1915.
Office, work, outline. George M. Rommel. B.A.I. [Misc.], "An outline of * * *," pp. 13. 1906.

Animal(s)—Continued.
Husbandry—continued.
school studies, suggestions. S.R.S. Doc. 76, pp. 1-12. 1918.
texts and references for school studies. D.B. 521, pp. 52-53. 1917.
work in Virgin Islands. Vir. Is. A.R., 1922, pp. 10-14. 1923.
See also Animals, farm.
immunization against anthrax, studies and experiments. J.A.R., vol. 8, pp. 37-56. 1917.
import(s)—
and exports. John Roberts. B.A.I. An. Rpt., 1904, pp. 469-505. 1905.
countries of origin, 1907-1914. Y.B., 1914, p. 683. 1915; Y.B. Sep. 657, p. 683. 1915.
increase. Off. Rec. vol. 1, No. 1, p. 12. 1922.
inspection by Animal Industry Bureau. Rpt. 73, pp. 6-7. 1902.
number and value—
by countries from which consigned, 1907-1909. Stat. Bul. 82, pp. 19-21. 1910.
by countries from which consigned, 1908-1910. Stat. Bul. 90, pp. 20-22. 1911.
by countries from which consigned, 1909-1911. Stat. Bul. 95, pp. 20-21. 1912.
importation—
for breeding purposes, restrictions. Sol. [Misc. "Laws applicable * * *," Sup. 2, pp. 18-19. 1915.
for exhibition at Panama Exposition. B.A.I.O. 224, p. 2. 1914.
from Canada, prohibition revoked. B.A.I.O. 209, amdt. 3, p. 1. 1914.
inspection and quarantine. B.A.I. Chief Rpt., 1925, pp. 20-22. 1925.
ports. B.A.I.O. 281, pp. 2-3. 1923.
imported—
certification requirements. News L., vol. 2, No. 38, p. 8. 1915.
for breeding purposes, certification regulations. B.A.I. Cir. 177, pp. 1-3. 1911.
inspection and quarantine, program of work, 1915. Sec. [Misc.], "Program of work * * *, 1915," pp.74-75. 1914.
inspection and quarantine regulations, effective April 15, 1907. B.A.I.O. 142, pp. 21. 1907.
quarantine, amdt. 2, to B.A.I.O. 259. B.A.I. S.R.A. 141, pp. 6-7. 1919.
in transit, act to prevent cruelty (June 29, 1906), text. Sol. [Misc.], "The 28-hour law * * *," pp. 7-8. 1915.
inbreeding—
for improvement. Y.B., 1905, pp. 379-381. 1906; Y.B. Sep. 389, pp. 379-381. 1906.
tests. Off. Rec., vol. 3, No. 4, p. 3. 1924.
index generum mammalium. T. S. Palmer. N.A. Fauna 23, p. 957. 1904.
industry—
field work, need of diplomacy by inspectors. B.A.I.S.R.A. 134, pp. 39-41. 1918.
in Argentina. B.A.I. An. Rpt., 1908, pp. 315-333. 1910.
in Argentina. Frank W. Bicknell. B.A.I. Bul. 48, pp. 72. 1903.
in Austria, conditions pre-war and in 1920. D.B. 1234, pp. 61-63. 1924.
in Hungary, pre-war and 1920-21. D.B. 1234, pp. 31-37. 1924.
legislation needed. An. Rpts., 1911, pp. 53, 201. 1912; B.A.I. Chief Rpt., 1911, p. 11. 1911; Sec. A.R., 1911, p. 51. 1912. Y.B., 1911, p. 51. 1912.
work, 1896-1908. Rpt. 87, pp. 84-86. 1908.
infected, removal, as prevention of hog tuberculosis. B.A.I. Cir. 201, pp. 36-37. 1912.
infestation—
by nematodes, note. Y.B., 1914, pp. 460, 468-469. 1915; Y.B. Sep. 652, pp. 460, 468-469. 1915.
with maggots, treatment. F.B. 857, pp. 12-13. 1917.
with spinose ear tick, and treatment methods. Marion Imes. F.B. 980, pp. 8. 1918.
inheritance of characteristics from parents. D.B. 905, pp. 13-14, 15-23. 1920.
injurious—
importation, precautions. An. Rpts., 1911, p. 122. 1912; Sec. A.R., 1911, p. 120. 1911; Y.B., 1911, p. 120. 1912.

INDEX TO PUBLICATIONS, 1901–1925 83

Animal(s)—Continued.
  injurious—continued.
    importation, prohibition. An. Rpts., 1907, p. 493. 1908.
    life habits. Biol. Chief Rpt., 1921, p. 19. 1921.
    life habits, investigations. An. Rpts., 1923, p. 444. 1924; Biol. Chief Rpt., 1923, p. 26. 1923.
    to agriculture, control studies. An. Rpts. 1912, pp. 81, 175. 1913; Sec. A.R., 1912, pp. 81,175. 1912; Y.B., 1912, pp. 81, 175. 1913.
    to young trees, control. D.L.A. Cir. 4, p. 4. 1919.
  injury(ies) by—
    fly larvae. Ent. T.B. 22, pp. 10, 11, 19, 22, 25, 35. 1912.
    poisonous milkweed. D.B. 969, p. 16. 1921.
    screw-worm. F.B. 857, pp. 4–5. 1917.
    smoke and gases. F.B. 225, pp. 5, 6. 1905.
  injury(ies) to—
    corn crop, control methods. F.B. 773, pp. 20–21. 1916.
    lodgepole pine. D.B. 154, p. 26. 1915.
    trees by gnawing and girdling. F.B. 710, pp. 2–3. 1916.
  inoculation with anthrax serum, tests. J.A.R., vol. 8, pp. 41–45. 1917.
  inspected for—
    contagious diseases. An. Rpts., 1913, pp. 88, 89. 1914; B.A.I. Chief Rpt., 1913, pp. 18, 19. 1913.
    slaughter, number. An. Rpts., 1911, pp. 43–44. 1912; Sec. A.R. 1911, pp. 41–42. 1911; Y.B. 1911, pp. 41–42. 1912.
    slaughter, numbers and kinds. Y.B., 1913, p. 481. 1914; Y.B. Sep. 631, p. 481. 1914.
  inspection—
    and certification for interstate movement. B.A.I.O. 245, pp. 6–7. 1916.
    and quarantine, 1921. An. Rpts., 1921, pp. 34–38. 1921.
    and testing for Canada, methods and inspectors. B.A.I.S.R.A. 85, pp. 74–75. 1914.
    and testing, instructions. B.A.I.S.A. 78, pp. 91–92. 1913.
    ante-mortem and post-mortem—
      1907. An. Rpts., 1907, pp. 200–201. 1908; B.A.I. An. Rpt., 1907, pp. 19–29. 1909.
      1908. An. Rpts., 1908, p. 228. 1909; B.A.I. Chief Rpt., 1908, p. 14. 1908.
      1915. An. Rpt., 1915, pp. 105–107. 1916; B.A.I. Chief Rpt., 1915, pp. 29–31. 1915.
      1916. Y.B., 1916, pp. 80–87. 1917; Y.B. Sep. 714, pp. 4–11. 1917.
    regulations. B.A.I.O. 211, pp. 19–22. 1914; B.A.I.O. 211, rev., pp. 13–18. 1922.
    for—
      Canada. B.A.I.S.A. 34, p. 11. 1910.
      contagious diseases. An. Rpts., 1917, p. 100. 1918; B.A.I. Chief Rpt., 1917, p. 34. 1917.
      Indian agencies. An. Rpts., 1919, p. 111. 1920; B.A.I. Chief Rpt., 1919, p. 39. 1919.
    interstate movement, inspection and certification. B.A.I.O. 263, p. 7. 1919.
  judging, comparative. F.B. 1068, pp. 20–21. 1919.
  killing by department. Off. Rec., vol. 1, No. 47, p. 8. 1922.
  kinds poisoned by death camas. F.B. 1273, pp. 4, 11. 1922.
  kingdom, heterozygosis, extension of conclusions. B.P.I. Bul. 243, pp. 39–43. 1912.
  large mammals—
    directions for preparing specimens in the field. Biol. Doc. 102, p. 4. 1915.
    directions for preparing specimens in the field. C. Hart Merriam. Biol. Cir. 49, pp. 4, 1905.
  life—
    influence of climate. R. H. Dean. W.B. Bul. 31, pp. 107–110. 1902.
    injury by smelter wastes. Chem. Bul. 113, pp. 1–40. 1908; Chem. Bul. 113, rev., pp. 1–63. 1910.
  live—
    and dead, shipping regulation. News L., vol. 4, No. 4, p. 4. 1916.
    exports—
      statistics. Y.B., 1921, pp. 743, 749. 1922; Y.B. Sep. 867, pp. 7, 13. 1922.
      to France and Belgium, July, 1919. News L., vol. 7, No. 5, p. 14. 1919.

Animal(s)—Continued.
  live—continued.
    imports—
      and exports, 1903–1907. Y.B., 1907, pp. 736, 747. 1908; Y.B., Sep. 465, pp. 736, 747. 1908.
      statistics. Y.B., 1921, pp. 737, 743, 749. 1922; Y.B. Sep. 867, pp. 1, 7, 13. 1922.
    losses in United States from disease and exposure. Rpt. 109, pp. 18, 140–141, 278. 1916.
    ocean-carrying trade, conditions. An. Rpts., 1905, p. 50. 1906.
    percentage composition, table. D.B. 459, p. 3. 1916.
    shipment from Alaska, regulations. Biol. Cir. 66, pp. 7–8. 1908.
    statistics, imports and exports, and value, 1917. Y.B., 1917, pp. 759, 768, 775. 1918; Y.B. Sep. 762, pp. 3, 12, 19. 1918.
    statistics, imports, exports, and value, 1918. Y.B., 1918, pp. 627, 635, 643, 654, 660. 1919; Y.B. Sep. 794, pp. 3, 11, 18, 19, 30, 36. 1919.
    trade with foreign countries, exports and imports. D.B. 296, pp. 2, 5–7, 20. 1915.
  local attachments, peculiarities. D.C. 135, pp. 9–10. 1920.
  locoed—
    autopsies, notes. B.A.I. Bul. 112, pp. 19, 20, 22, 25, 26, 27, 28, 95–98. 1909.
    bone analyses. B.P.I. Bul. 246, pp. 54–55. 1912.
    post-mortem appearance. F.B. 1054, pp. 15–16. 1919.
    symptoms and treatment. D.B. 1245, pp. 19–21, 32. 1924.
    treatment. F.B. 380, pp. 13–14. 1909.
  losses—
    from disease, summary, 1915. Y.B., 1915, p. 160. 1916; Y.B. Sep. 666, p. 160. 1916.
    from parasites. B.A.I. An. Rpt., 1908, p. 214. 1908.
    on farm. News L., vol. 6, No. 46, p. 12. 1919.
  marketing in various seasons, percentages. Rpt. 113, pp. 19–20. 1916.
  matter, imports—
    1907–1909, quantity and value, by countries from which consigned. Stat. Bul. 82, pp. 21–34. 1910.
    1908–1910, quantity and value, by countries from which consigned. Stat. Bul. 90, pp. 20–36. 1911.
    1909–1911, by countries from which consigned. Stat. Bul. 95, pp. 20–40. 1912.
    and exports, statistics. Y.B., 1921, pp. 737, 738, 743–744, 749, 757–759, 764–765. 1922; Y.B. Sep. 867, pp. 1, 2, 7–8, 13, 21–23, 28–29. 1922.
  maturity, influence of environment. B.A.I. An. Rpt., 1910, pp. 145–146. 1912.
  measurements, weights, and feeding records, food-utilization experiments, tables. B.A.I. Bul. 128, pp. 223–245. 1911.
  meat—
    and meat, imports, 1912–1914. F.B. 575, pp. 26–27. 1914.
    condemnation causes. An. Rpts., 1916, pp. 101–102. 1917; B.A.I. Chief Rpts., 1916, pp. 35–36. 1916.
    edible—
      tissues, vitamin B source. D.B. 1138, pp. 1–48. 1923.
      viscera, chemical composition. Wilmer C. Powick and Ralph Hoagland. J.A.R., vol. 28, pp. 339–346. 1924.
    exemption from inspection—
      1907. An. Rpts., 1907, p. 199. 1908.
      shipment of products. An. Rpts., 1917, p. 95. 1918; B.A.I. Chief Rpt., 1917, p. 29. 1917.
    exports—
      1890–1904, table. Stat. Bul. 39, pp. 13–14. 1905.
      1890–1906, by countries. Stat. Bul. 55, pp. 14–35. 1907.
      from nine countries of surplus production. Rpt. 109, pp. 70–72, 216–229. 1916.
      from United States, 1895–1915. Rpt. 109, pp. 70, 71, 73, 224, 226–228. 1916.
    farm prices, increase, 1911–1914. News L., vol. 2, No. 5, pp. 2–3. 1914.

84 UNITED STATES DEPARTMENT OF AGRICULTURE

Animal(s)—Continued.
 meat—continued.
  feeding and care, general principles. B.A.I. Bul. 108, pp. 89. 1908.
  foreign trade, 1904–1918. Y.B., 1918, p. 707. 1919; Y.B. Sep. 795, p. 43. 1919.
  foreign trade, 1904–1919. Y.B., 1919, p. 744. 1920; Y.B. Sep. 830, p. 744. 1920.
  gross income from, 1923–1925. Sec. A.R. 1925. p. 1. 1925.
  imports—
   inspection reports by months. See *Bureau of Animal Industry, Service and Regulatory Announcements.*
   into eleven principal countries. Stat. Bul. 40, pp. 1–92. 1906.
   into fifteen deficiency countries. Rpt. 109, pp. 99, 231–260. 1916.
   monthly. See *Bureau of Animal Industry, Service and Regulatory Announcements.*
  increase on farms. News L., vol. 6, No. 45, p. 16. 1919.
  inspection—
   and condemnation with causes. B.A.I. An. Rpt., 1908, pp. 19–20. 1910.
   and diseases for which condemned. An. Rpts., 1913, p. 85. 1914; B.A.I. Chief Rpt., 1913, p. 15. 1913.
   ante-mortem and post-mortem, 1909. An. Rpts., 1909, p. 209. 1910; B.A.I. An. Rpt., 1909, pp. 23–24. 1911; B.A.I. Chief Rpt., 1909, p. 19. 1911.
   ante-mortem and post-mortem, 1910. An. Rpts., 1910, pp. 199–202, 242–243, 1911; B.A.I. Chief Rpt., 1910, pp. 5–8, 48–49. 1910.
   ante-mortem and post-mortem, 1911. An. Rpts., 1911, pp. 221–222. 1912; B.A.I. An. Rpt., 1911, pp. 40–41. 1913; B.A.I. Chief Rpt., 1911, pp. 31–32. 1911.
   ante-mortem and post-mortem, 1912. An. Rpts., 1912, pp. 343–345. 1913; B.A.I. Chief Rpt., 1912, pp. 47–49. 1912.
   ante-mortem and post-mortem, 1913. An. Rpts., 1913, p. 85. 1914; B.A.I. Chief Rpt., 1913, p. 15. 1913.
   ante-mortem and post-mortem, 1914. An. Rpts., 1914, pp. 73–74. 1915; B.A.I. Chief Rpt., 1914, pp. 17–18. 1914.
   ante-mortem and post-mortem, 1915. An. Rpts., 1915, pp. 105–109. 1916.
   ante-mortem and post-mortem, 1916. An. Rpts., 1916, p. 101. 1917; B.A.I. Chief Rpt., 1916, p. 35. 1916.
   ante-mortem and post-mortem, 1917. An. Rpts., 1917, pp. 92–94. 1918; B.A.I. Chief Rpt., 1917, pp. 26–28. 1917.
   ante-mortem and post-mortem, 1920. B.A.I. Chief Rpt., 1920, pp. 30–33. 1920.
   number, and number of establishments. An. Rpts., 1912, pp. 159–160. 1913; Sec. A.R., 1912, pp. 159–160. 1912; Y.B., 1912, pp. 159–160. 1913.
   numbers of various kinds. Y.B., 1915, p. 275. 1916; Y.B. Sep. 676, p. 275. 1916.
  losses—
   annually caused by tuberculosis, estimates. B.A.I. An. Rpt., 1908, pp. 102–104. 1910.
   from plant poisoning. News L., vol. 6, No. 33, p. 8. 1919.
   summary. F.B. 590, p. 8. 1914.
  lymph glands, description, importance in inspection. B.A.I. An. Rpt., 1910, pp. 371–400. 1912; B.A.I. Cir. 192, pp. 371–400. 1912.
  management, general principles. B.A.I. Bul. 108, pp. 78–89. 1910.
  number(s)—
   in U. S. and other countries. Rpt. 109, pp. 13–14, 22–68, 192–215. 1916.
   in world countries, before and after war. Sec. Cir. 142, pp. 23–24. 1919.
   slaughtered, 1910–1913. F.B. 560, pp. 17–19. 1913.
   slaughtered, 1921, 1922, 1923. An. Rpts., 1923, p. 2. 1924; Sec. A.R., 1923, p. 2. 1923.
   slaughtered in U. S. each year, estimate. News L., vol. 3, No. 15, p. 4. 1915.
   slaughtered, under Federal inspection, 1907–1918. Y.B. 1918, p. 625. 1919; Y.B. Sep. 792, p. 41. 1919.

Animal(s)—Continued.
 meat—continued.
  number(s)—continued.
   slaughtered under Federal inspection, 1907–1919. Y.B., 1919, pp. 679–681. 1920. Y.B. Sep. 828, pp. 679–681. 1920.
  parasite-infested livers, instructions. B.A.I. S.A. 33, pp. 2–3. 1910.
  price(s)—
   comparison with meat prices. Rpt. 109, pp. 18, 142–165, 279–301. 1916.
   increase, 1917, over 1916. News L., vol. 5, No. 15, p. 4. 1917.
   increase and decrease, 1911–1915. News L., vol. 3, No. 1, p. 5. 1915.
   index numbers, 1908–1921. Y.B., 1922, p. 993, 1923; Y.B. Sep. 887, p. 993. 1923.
   index numbers, 1910–1921. Y.B., 1921, p. 781. 1922; Y.B. Sep. 871, p. 12. 1922.
   to farmers, 1912–1915. News L., vol. 2, No. 42, p. 1. 1915.
   trend at farms. News L., vol. 6, No. 16, p. 8. 1918.
  raising in Texas, Denton County. Soil Sur. Adv. Sh., 1918, pp. 8, 11, 12, 27–29, 51, 57. 1922; Soils F.O., 1918, pp. 780, 783, 784, 799–801, 823, 829. 1924.
  situation in the United States. George K. Holmes. Rpt. 109, Pt. I, p. 307. 1916.
  slaughter—
   1923–24. Off. Rec., vol. 3, No. 36, p. 2. 1924.
   centralized and local, comparison. D.B. 1317, pp. 5–7. 1925.
   percentage to number on hand. B.A.I. An. Rpt., 1914, pp. 258–260. 1913.
   ratio to stock on hand. Rpt. 109, pp. 124–128, 269–270. 1916.
   with and without inspection, 1907, figures. B.A.I. An. Rpt., 1908, pp. 85–86. 1910; B.A.I. Cir. 154, pp. 3–4. 1910.
  slaughtered—
   1907, for food, by cities, increase since 1906. B.A.I. An. Rpt., 1907, pp. 380–383. 1909.
   1908, by cities, under Federal inspection. B.A.I. An. Rpt., 1908, pp. 406–407. 1910.
   1909, under Federal inspection, number and kinds. B.A.I. An. Rpt., 1909, pp. 319–320. 1911.
   1912, and tankage, yield. D.B. 37, pp. 10–11. 1913.
  slaughtering under municipal control, advantages. B.A.I. An. Rpt., 1910, pp. 241–254. 1912; B.A.I. Cir. 185, pp. 241–254. 1912.
  transportation, cost—
   and methods. Frank Andrews. Y.B., 1908, pp. 227–244. 1909; Y.B. Sep. 477, pp. 227–244. 1909.
   decrease. Rpt. 98, p. 118. 1913.
  U. S., number. Stat. Bul. 55, pp. 1–2, 43–45. 1907.
  weight, live and dressed, percentage. Y.B., 1922, p. 903. 1923; Y.B. Sep. 888, p. 903. 1923.
  world, number. Stat. Bul. 55, pp. 42–43. 1907. See also Livestock.
 mechanics, studies at agricultural colleges. B.A.I. Bul. 61, pp. 120–124. 1904.
 milk, feeding experiments, with nonproteins. B.A.I. Bul. 139, pp. 22–23, 32–44. 1911.
 necrosis bacillus infection, remarks with list. B.A.I. An. Rpt., 1094, p. 89. 1905.
 need—
  in France. News L., vol. 6, No. 52, p. 3. 1919.
  of lysine in feed. D.B. 1096, p. 5. 1922.
 nicotine poisoning. J.A.R., vol. 7, pp. 114–117. 1916.
 North America, geographic distributions. Y. B. 1904, p. 203. 1905.
 noxious—
  bounty legislation, 1905. Y.B., 1905, p. 621. 1906; Y.B. Sep. 405, p. 621. 1906.
  destruction—
   methods and results, 1915. News L., vol. 4, No. 19, p. 4. 1916.
   work of department. Rpt. 83, pp. 69–70. 1906.
  injurious to persons and livestock. News L., vol. 4, No. 19, p. 4. 1916.
  law prohibiting importations, text. F.B. 470, p. 30. 1911.

Animal(s)—Continued.
  number in important countries. Y.B., 1917, pp. 425-432. 1918; Y.B. Sep. 741, pp. 3-10. 1918.
  Nutrition—
    Institute, Penn. State College, work. O.E.S. An. Rpt., 1909, pp. 175-176. 1910; O.E.S. An. Rpt., 1910, pp. 228-229. 1911; O.E.S. Bul. 196, p. 47. 1907: O.E.S. Bul. 247, p. 62. 1912.
    investigations—
      1906. B.A.I. An. Rpt., 1906, pp. 51, 263-285. 1908.
      1909. B.A.I. An. Rpt., 1909, p. 67. 1911.
      1911. An. Rpts., 1911, p. 207. 1912. B.A.I. Chief Rpt., 1911, p. 17. 1911.
      1914. An. Rpts., 1914, pp. 58-59. 1915; B.A.I. Chief Rpt., 1914, pp. 2-3. 1914.
    problems in relation to work of experiment stations. O.E.S. An. Rpt., 1908, pp. 337-354. 1909.
    studies—
      by experiment stations, results. Work and Exp., pp. 77-82. 1923.
      department and Pennsylvania State College. J.A.R., vol. 3, pp. 435-491. 1915.
    note. News L., vol. 2, No. 39, p. 4. 1915.
    value of nonprotein of feeding stuffs. Henry Prentiss Armsby. B.A.I. Bul. 139, p. 49. 1911.
  occurrence on Laysan Island, description. Biol. Bul. 42, pp. 9-10, 25, 26, 28. 1912.
  other than Canadian, for exhibition at Panama Exposition, importation regulations. B.A.I.O. 221, p. 2. 1914.
  parasite(s)—
    control, investigations. News L., vol. 2, No. 49, p. 6. 1915.
    eleven miscellaneous papers. Ch. Wardell Stiles and others. B.A.I. Bul. 35, pp. 61. 1902.
    study. B.A.I. Chief Rpt., 1907, pp. 44-46. 1907.
  pathology—
    course, graduate school. Off. Rec., vol. 2, No. 42, p. 2. 1923.
    specimens—
      instructions for preparing and shipping. B.A.I. An. Rpt., 1906, pp. 197-206. 1908.
      instructions for preparing and shipping. George H. Hart. B.A.I. Cir. 123, pp. 10, 1908.
    work, 1917. An. Rpts., 1917, pp. 105-111. 1918. B.A.I. Chief Rpt. 1917, pp. 39-45. 1917.
  pests, control work—
    1923. Y.B., 1923, pp. 44-45. 1924.
    by Biological Survey. An. Rpts., 1908, pp. 112-116, 572-578. 1909; Biol. Chief Rpt., 1908, pp. 4-10. 1908; Sec. A.R., 1908, pp. 110-114. 1908.
  pet, exclusion from homes as disease preventive. News L., vol. 3, No. 38, p. 2. 1916.
  pet, in kitchen, dangers as disease carriers. F.B. 375, p. 18. 1909.
  phosphorus elimination, studies. J.A.R., vol. 4, pp. 459-460. 1915.
  physiological chemistry—
    An. Rpts., 1911, p. 87. 1912; Sec A.R., 1911, p. 85. 1911;Y. B., 1911, p. 85. 1912.
    work, Chemistry Bureau. An. Rpts., 1912, pp. 587-588. 1913; Chem. Chief Rpt., 1912, pp. 37-38. 1912.
  poisoning—
    by cottonseed, symptoms. J.A.R., vol. 5, No. 11, pp. 489-490. 1915.
    by goldenrod, treatment. D.C. 180, pp. 7-8. 1921.
    by oak leaves. C. Dwight Marsh. D.B. 767, pp. 36. 1919.
    with penicillic acid from moldy corn, experiments. B.P.I. Bul. 270, pp. 22-30. 1913.
  post-mortem inspection—
    in slaughtering establishments, details. B.A.I. An. Rpt. 1906, pp. 82-83, 85-86. 1908. B.A.I. Cir. 125, pp. 22-23, 25-26. 1908.
    regulations. B.A.I. O. 211, pp. 22-24. 1914.
  predatory—
    bounty laws, 1919, notes. F.B. 1079, pp. 5-29. 1919

Animal(s)—Continued.
  predatory—continued.
    combating methods and numbers killed. Y.B., 1920, pp. 292-293, 299. 1921; Y.B. 845, pp. 292-293, 299. 1921.
    control—
      1916. An. Rpts., 1916, pp. 172, 237-238. 1917; Biol. Chief Rpt., 1916, pp. 1-2. 1916; For. A.R., 1916, pp. 18. 1916; Y.B., 1916, pp. 29-30. 1917.
      1918. An. Rpts., 1918, pp. 18, 257-262. 1919; Biol. Chief Rpt., 1918, pp. 1-6. 1918; Sec. A.R., 1918, p. 18. 1918.
      1919. An. Rpts., 1919, pp. 276-283. 1920; Biol. Chief Rpt., 1919, pp. 2-9. 1919.
      1921. Biol. Chief Rpt., 1921, pp. 2-6. 1921.
      1922. An. Rpts., 1922, pp. 23, 48. 1923; Sec. A.R., 1922, pp. 23, 48. 1922; Y.B., 1922, pp. 28-29, 59. 1923; Y.B. Sep. 883, pp. 28-29, 59. 1923.
      1924. Biol. Chief Rpt., 1924, pp. 2-16. 1924.
      1925. Biol. Chief Rpt., 1925, pp. 2-5. 1925; Sec. A. R., 1925, pp. 81-82. 1925.
    campaign studies. News L., vol. 6, No. 34, p. 7. 1919.
    cooperative work, 1918. An. Rpt., 1918, p. 18. 1919; Sec. A.R., 1918, p. 18. 1918; Y.B., 1918, pp. 28-29. 1919.
    for benefit of elk herds. D.C. 51, pp. 17, 34. 1919.
    in Alaska. Biol. Chief Rpt., 1924, pp. 25, 27. 1924.
    on ranges. News L., vol. 6, No. 12, p. 5. 1918; Y.B., 1923, p. 400. 1924; Y.B. Sep. 895, p. 400. 1924.
    provision. Off.Rec., vol. 2, p. 2. 1923.
    work. Off. Rec., vol. 1, No. 14, p. 3. 1922; Off. Rec., vol. 3, No. 10, p. 6. 1924.
    destruction—
      1917. News L., vol. 5, No. 23, p. 3. 1918; News L., vol. 6, No. 29, p. 14. 1919; Off. Rec. vol. 3, No. 26, p. 6. 1924.
      for livestock protection. News L., vol. 6, No. 15, p. 6. 1918.
      national forests, 1914 and 1915. An. Rpts., 1915, p. 173. 1916; For. A. R., 1915, p. 15. 1915.
      national forests, 1917. An. Rpts., 1917, pp. 180-181, 252. 1918; Biol. Chief Rpt., 1917, p. 2. 1917; For. A.R., 1917, pp. 18-19. 1917.
      of livestock, national forests. An. Rpts., 1916, pp. 19-20. 1917; Sec. A. R.. 1916, pp. 21-22. 1916.
      on forest rantes. For. [Misc.] "Use book * * *," 1921, p. 72. 1922.
    eradication. Y.B., 1921, pp. 45-46. 1922; Y.B. Sep. 875, pp. 45-46. 1922.
    farm losses, and control studies. News L., vol. 5, No. 30, p. 6. 1918.
    killing with poisons in Alaska. Biol. S.R.A. 53, p. 3. 1923.
    losses—
      and control studies and work. Sec. Cir. 103, p. 21. 1918.
      from, and control work. An. Rpts. 1920, pp. 345-347. 1921.
    poisoning. Off. Rec., vol. 2, No. 44, p. 7. 1923.
    rabies infection and spread, investigations. An. Rpts.1917, pp. 251-252. 1918; Biol. Chief Rpt. 1917, pp. 1-2. 1917.
    prices, index numbers, 1912-1918. Y.B., 1918. p. 701, 1919; Y.B. Sep. 795, p. 37. 1919.
  production—
    elementary course, syllabus. O.E.S. Cir. 60, p. 18. 1904.
    publications, list for teachers. Pub. Cir. 19, pp. 14-16. 1912.
    secondary course. H. R. Smith. O.E.S. Cir. 100, pp. 56. 1911.
    study, 1923. Work and Exp., 1923, pp. 57-67. 1925.
  products—
    cold storage, data from warehousemen. Chem. Bul. 115. pp. 14-17. 1908.
    definitions and standards. Chem. [Misc.], "Food definitions and standards," pp. 1-3. 1903.
    export(s)—
      1906-1907. B.A.I. An. Rpt., 1907, p. 384. 1909.

Animal(s)—Continued.
  products—continued.
    export(s)—continued.
      and imports, 1906-1908, value. B.A.I. An. Rpt., 1908, pp. 402-405. 1910.
      and imports, 1906-1909. B.A.I. An. Rpt., 1909, pp. 316-317. 1911.
      to France. B.A.I. An. Rpt., 1904, pp. 484-486. 1906.
      to Germany. B.A.I. An. Rpt., 1904, pp. 481-484. 1906.
      trade, 1906. B.A.I. An. Rpt., 1906, p. 309. 1908.
    farm prices, 1917, comparison with 1915. News L., vol. 5, No. 29, p. 5. 1918.
    food standards. Sec. Cir. 136, pp. 3-6. 1919.
    foreign trade, 1898-1907. B.A.I. An. Rpt., 1907, pp. 383-395. 1909.
    imported, inspection, and quarantine work. 1914. An. Rpts., 1914, pp. 80-82. 1915; B.A.I. Chief Rpt., 1914, pp. 24-26. 1914.
    imports—
      1906-1907. B.A.I. An. Rpt., 1907, pp. 384-385. 1909.
      and exports, 1900. B.A.I. An. Rpt., 1900, p. 535. 1901.
      and exports, 1901. B.A.I. An. Rpt., 1901, p. 611. 1902.
      in Maryland, Charles County, value by classes. Soil Sur. Adv. Sh., 1918, pp. 11-12. 1922; Soils F.O., 1918, pp. 83-84. 1924.
      increase in value, 1903. Rpt. 87, pp. 7-8. 1908.
    "inedible," export certificates, 1909. B.A.I. An. Rpt., 1909, p. 26. 1911.
    infected with foot-and-mouth disease, treatment. Sec. [Misc.] Special, "Notice regarding foot * * ", p. 4. 1915.
    marketing—
      investigations. An. Rpts., 1914, pp. 326-327. 1915; Mkts. Chief Rpt., 1914, pp. 10-11. 1914.
      studies, 1915. An. Rpts., 1915, pp. 384-387, 1916; Mkts. Chief Rpt., 1915, pp. 22-25. 1915.
      statistics—
        1918. Y.B., 1918, pp. 591-595, 606-611, 618-622. 1919; Y.B. Sep. 793, pp. 7-11, 22-27, 34-38. 1919.
        1921. Y.B., 1921, pp. 681-683, 700-709, 718-722, 730-731, 735-736. 1922; Y.B. Sep. 870, pp. 7-9, 26-35, 44-48, 56-57, 61-62. 1922.
      trade with foreign countries. D.B. 296, pp. 2, 3, 4, 9-23. 1915.
      United Kingdom, imports and exports. B.A.I. An. Rpt., 1904, pp. 476-481. 1905.
    values—
      1908. An. Rpts., 1908, p. 15. 1909; Sec. A.R., 1908, p. 13. 1908.
      1913, estimate. F.B. 570, pp. 16, 17. 1913.
      1914, estimates. F.B. 645, p. 6. 1914.
      1916, comparison with other years. News L., vol. 4, No. 26, p. 1. 1917.
    protection—
      from flies, repellents. D.B. 131, pp. 26. 1914.
      national forests, against disease, wild animals, and poison. An. Rpts., 1911, pp. 394-397. 1912; For. A.R., 1911, pp. 54-57. 1911.
  purebred—
    Canadian records, certification regulation. B.A.I.O. 175, amdt. 4, p. 1. 1911; B.A.I.O. 186, amdt. 2, p. 1. 1912.
    certification—
      Canadian national records for dogs. B.A.I.O. 206, amdt. 2, p. 1. 1915.
      regulations. B.A.I.O. 175, amdt. 1, p. 1. 1910; B.A.I.O. 175, pp. 6. 1911; B.A.I.O. 186, pp. 6. 1912; B.A.I.O. 206, pp. 1-2. 1913; B.A.I.O. 206, amdt. 4, p. 1. 1919; B.A.I.O. 278, pp. 1-2. 1922; B.A.I.O. 278, amdt. 4, p. 1. 1924; B.A.I.O. 288, pp. 6; 1924; B.A.I.O. 293, pp, 1-2. 1925.
    imported, certification regulations. B.A.I. An. Rpt., 1907, pp. 403, 448. 1909; B.A.I. An. Rpt., 1911, p. 85. 1913; B.A.I.O. 175, pp. 6. 1910; B.A.I.O. 266, p. 10. 1919.
    prices, 1918, highest on record. Y.B., 1918, p. 289. 1919; Y.B. Sep. 773, p. 3. 1919.
    record books, foreign, regulation. B.A.I.O. 206, amdt. 3, p. 1. 1916.
    record books, recognition in Canada. B.A.I.O. 186, amdt. 3, p. 1. 1913.

Animal(s)—Continued.
  quarantine—
    for foot-and-mouth disease, California counties. B.A.I.O. 287, amdt. 2, p. 1. 1924; B.A.I.O. 287, amdt. 3, p. 2. 1924.
    inspection, law enforcement. Sol. [Misc.], "Laws applicable * * *," Sup. 2, pp. 23-24. 1915.
    laws—
      administration and fines. An. Rpts., 1918, p. 417. 1919; Sol. A.R., 1918, p. 25. 1918.
      amendment of March 4, 1913. Sol. [Misc.], "The 28-hour law and * * *," p. 17. 1915.
      enforcement by Solicitor, 1919. An. Rpts., 1919, p. 489. 1920; Sol. A.R., 1919, p. 21. 1919.
      violations, 1913, administration by solicitor. An. Rpts., 1913, pp. 300, 320. 1914; Sol. A.R., 1913, pp. 2, 22. 1913.
    movement from vessels to stations. B.A.I.O. 281, p. 5. 1923.
    National Feeders' and Breeders' Show, Fort Worth, Texas. B.A.I.O. 183, amdt. 1, p. 1. 1912.
    ports of entry named, Texas. B.A.I.O. 142, amdt. 9, p. 1. 1909.
    regulations—
      1907, areas, orders, and diseases. B.A.I. An. Rpt., 1907, appendix. 1909.
      1909, issued by Secretary, text. B.A.I. An. Rpt., 1909, pp. 347, 351-390. 1911.
    station, designation of Campo, San Diego, Calif. B.A.I.O. 142, amdt. 5, p. 1. 1909.
    work—
      1916. An. Rpts., 1916, pp. 1909-113. 1917. B.A.I. Chief Rpt., 1916, pp. 43-47. 1916.
      1917. An. Rpts., 1917, pp. 97-99. 1918; B.A.I. Chief Rpt., 1917, pp. 31-33. 1917.
      1919. An. Rpts., 1919, pp. 108-110. 1920; B.A.I. Chief Rpt., 1919, pp. 36-38. 1919.
      1920. B.A.I. Chief Rpt., 1920, pp. 38-40. 1920.
  rabid, cauterizing bites. B.A.I. [Misc.], "Diseases of cattle," rev., p. 397. 1908; B.A.I. [Misc.] "Diseases of cattle," rev., p. 413. 1912.
  rabies, infection and spread—
    investigations, 1918. An. Rpts., 1918, pp. 258-259. 1918; Biol. Chief Rpt. 1918, pp. 2-3. 1918.
    investigations, 1919. An. Rpts., 1919, pp. 276-278. 1920; Biol. Chief Rpt., 1919, pp. 2-4. 1919.
  reactors from tuberculin test, disposal of. F.B; 1069, pp. 28-29. 1919.
  reproduction, discussion. D.B. 905, pp. 2-11. 1920.
  requirements of lime and other mineral matter in feed. F.B. 329, pp. 22-26. 1908.
  responsibility for distribution of plant diseases. F.B. 488, p. 9. 1912.
  sale or exchange, Forest Service, law. Sol. [Misc.] "The national forest manual," p. 28. 1916.
  selection for—
    breeding purposes. D.B. 905, pp. 47-50. 1920.
    feeding. M.C. 12, p. 1. 1924.
  sex determination in breeding, discussion. D.B. 905, pp. 23-29. 1920.
  sexual maturity and continuance of breeding. D.B. 905, pp. 4-6. 1920.
  shipment—
    from Philippine Islands, quarantine. B.A.I.O. 281, p. 9. 1923.
    of live with dead, prohibition. B.A.I.S.R.A 90, p. 144. 1914.
  sires—
    purebred, in Florida. News L., vol. 7, No. 13, p. 7. 1919.
    scrub elimination. News L., vol. 6, No. 33, p. 9. 1919.
  slaughter—
    1915, comparison with receipts at stockyards. Rpt. 113, p. 39. 1916.
    for food in United States, 1909, 1903, and 1900. Rpt. 113, pp. 15-16. 1916.
    increase. Off. Rec., vol 3, No. 40, p. 1. 192x.
    necessity in foot-and-mouth outbreak, and details. D.C. 325, pp. 15, 18-21. 1924.
    statistics, 1909. F.B. 1055, p. 4. 1919.

Animal(s)—Continued.
  slaughtered—
    condemnation under meat inspection, 1907-1915. Y.B., 1915, p. 538. 1916; Y.B. Sep. 684, p. 538. 1916.
    for disease, appraisement for reimbursement. An. Rpts., 1915, pp. 81, 82. 1916; B.A.I. Chief Rpt., 1915, pp. 5, 6. 1915.
    foot-and-mouth disease—
      1908, value. B.A.I. An. Rpt., 1908, p. 381. 1910.
      1909, value. An. Rpts., 1909, p. 215. 1910; B.A.I. Chief Rpt., 1909, p. 25. 1909.
      1915. Y.B., 1915, p. 159. 1916; Y.B. Sep. 666, p. 159. 1916.
      1916, value. An. Rpts., 1916, pp. 68-69. 1917; B.A.I. Chief Rpt., 1916, pp. 2-3. 1916.
    under Federal meat inspection. See *Bureau of Animal Industry, Service and Regulatory Announcements.*
  small, carriers of cattle diseases. B.A.I. [Misc.], "Diseases of cattle," rev., pp. 393, 396. 1912.
  source of heat in barns. F.B. 1293, pp. 5, 9-10. 1924.
  spread of wheat nematodes. J.A.R., vol. 27, pp. 944-947. 1924.
  stock-killing, value of skins sold annually, by Biological Survey. News L., vol. 6, No. 8, pp. 7-8. 1918.
  studies, exercises for southern rural schools. E. A. Miller. D.B. 305, pp. 63. 1915.
  substances, metals found in. J.A.R., vol. 30, p. 195. 1925.
  sugar. See Glycogen.
  susceptible to—
    anthrax. F.B. 784, p. 6. 1917.
    Bacillus necrophorus, list and instances. B.A.I. Bul. 67, pp. 21-22. 1905.
    rabies, list. F.B. 449, p. 11. 1911.
    tuberculosis. B.A.I. An. Rpt., 1908, pp. 159-160. 1910.
  tagged, certificate of post-mortem disposition. B.A.I.S.R.A. 76, p. 74. 1913.
  tested, identification. D.C. 249, pp. 25-26. 1922.
  thoroughbred, French Studbook, registration. B.A.I.O. 186, amdt. 4, p. 1. 1913.
  transportation—
    by ocean steamers, inspection and handling. B.A.I.O. 139, amdt. 1, reg. 4, p. 1. 1914.
    feed and water requirements. D.B. 189, pp. 3-4. 1918.
    laws. B.A.I.O. 273, pp. 34-40. 1921.
    to foreign countries, regulations, 1906. B.A.I. An. Rpt., 1906, pp. 349, 393-402. 1908.
    "twenty-eight hour" law. B.A.I. An. Rpt. 1906, p. 460. 1908.
  treatment—
    for abortion control. News L., vol. 4, No. 12, pp. 3-4. 1916.
      with serums. B.A.I.O. 276, pp. 13-18. 1922.
      with viruses, and serums, regulation. B.A.I.O. 265, A. 1, pp. 2-4. 1920.
  tuberculosis—
    affected, cooperative control, appraisal, regulations. B.A.I.O. 260, pp. 2-3. 1918.
    annual estimated loss, and cooperative work for control. News L., vol. 5, no. 46, p. 8. 1918.
    decrease, 1917-1919. News L., vol. 7, No. 18, p. 7. 1919.
    dissemination methods. B.A.I. Cir. 175, pp. 9, 22. 1911.
    eradication expenditures for control, appraisement. B.A.I.O. 260, p. 5. 1918.
    hard testing. News L., vol. 6, No. 34, p. 13. 1919.
    national and State eradication. News L., vol. 6, No. 40, p. 3. 1919.
    testing regulations. News L., vol. 6, No. 45, p. 9. 1919.
    use of flesh as food, percentage of loss. B.A.I. An. Rpt., 1908, pp. 101-102, 106. 1910.
  tuberculous—
    appraisal. B.A.I.O. 282, pp. 2-3. 1923.
    eradication regulations. B.A.I.O. 282, pp. 4, 1923.
    marking for identification. F.B. 1069, pp. 29-30. 1919.
    meat inspection principles and rules. B.A.I. An. Rpt., 1907, pp. 368-372. 1909.

Animal(s)—Continued.
  tuberculous—continued.
    mortgage and other liens. B.A.I.O. 282, p. 3. 1923.
  unit—
    definition, in regard to food requirements. Sec. Cir. 57, p. 3. 1916.
    definition, note. Y.B., 1923, p. 321. 1924; Y.B. Sep. 895, p. 321. 1924.
    equivalent to one mature horse or cow. D.B. 705, p. 4. 1918.
    income, percentage of farm income, Oregon farms. D.B. 705, pp. 9-10. 1918.
    support by various forage crops. Y.B., 1923, p. 342. 1924; Y.B. Sep. 895, p. 342. 1924.
    use of term. F.B. 929, p. 10. 1918; Y.B., 1923, p. 419. 1924; Y.B. Sep. 896, p. 419. 1924.
  use for testing hog-cholera virus, observation. B.A.I.S.R.A. 127, p. 122. 1918.
  varieties susceptible to mange. B.A.I. Bul. 40, p. 10. 1902.
  water requirements. Y.B., 1910, p. 175. 1911; Y.B. Sep. 526, p. 175. 1911.
  weight—
    and body surface, relation to katabolism. J.A.R., vol. 13, pp. 45-49, 50-54. 1918.
    live and dressed, United States and other countries. Rpt. 109, pp. 137-140, 276-277. 1916.
  wild—
    autopsies—
      1906. B.A.I. An. Rpt., 1906, p. 41. 1908.
      1907. An. Rpts. 1907, pp. 220-221. 1908; B.A.I. An. Rpt. 1907, p. 43. 1907.
      1911. An. Rpts., 1911, p. 239. 1912; B.A.I. An. Rpts., 1911, pp. 61, 78. 1913; B.A.I. Chief Rpt., 1911, p. 49. 1911.
      1917. An. Rpts., 1917, p. 110. 1918; B.A.I. Chief Rpt. 1917, p. 44. 1917.
      1918. An. Rpts., 1918, p. 117. 1918; B.A.I. Chief Rpt., 1918, p. 47. 1918.
      1919. An. Rpts., 1919, p. 123. 1920; B.A.I. Chief Rpt., 1919, p. 51. 1919.
      1923. An. Rpts., 1923, p. 242. 1924; B.A.I. Chief Rpt., 1923, p. 44. 1923.
    National Zoological Park, causes of death. B.A.I. An. Rpt., 1909, pp. 40-41. 1911.
    carnivorous, beneficial habits, control of rodents. Y.B., 1916, p. 397. 1917; Y.B. Sep. 708, p. 17. 1917.
    conservation, and birds. Edward A. Goldman. Y.B., 1920, pp. 159-174. 1921; Y.B. Sep. 836, pp. 159-174. 1921.
    control—
      in national forests, 1908. An. Rpts., 1908, pp. 429-430. 1909; For. A.R., 1908, pp. 25-26. 1908.
      in national forests, 1912, 1913. An. Rpts., 1913, p. 170. 1914; For. A.R., 1913, p. 36. 1913.
      in national forests, 1914. An. Rpts., 1914, pp. 150-151. 1925; For. A.R., 1914, pp. 22-23. 1914.
      studies by Korea. Off. Rec., vol. 2, No. 15, p. 6. 1923.
    destruction—
      by Biological Survey hunters, value of furs sold. News L., vol. 5, No. 48, p. 2. 1918.
      by forest officers in protection of livestock. An. Rpts., 1910, p. 402. 1911; For. A.R., 1910, p. 42. 1910.
      of domestic animals. D.B. 1001, pp. 11-12. 1922.
    extermination in national forests, 1909. An. Rpts., 1909, p. 395. 1910; For. A.R., 1909, p. 27. 1909.
    field studies, important data, collection. D.C. 59, p. 1-8. 1919.
    food habits and control, studies. News L., vol. 5 No. 8, p. 7. 1917.
    glanders inoculation, effects. B.A.I. Doc. A-13, pp. 4-5. 1917
    harboring spotted-fever tick. Ent. Bul. 105, pp. 29, 30, 33, 34. 1911.
    importation and inspection, 1907, list. B.A.I. An. Rpt., 1907, p. 29. 1909.
    in Alaska, Kenai Peninsula region. Soil Sur. Adv. Sh., 1916, pp. 117-125. 1918; Soils F.O., 1916, pp. 149-157. 1921.

Animal(s)—Continued.
  wild—continued.
    in Canal Zone. Off. Rec., vol. 3, No. 31, pp. 1, 8. 1924.
    in national parks and national forests. Biol. Chief Rpt., 1921, p. 19. 1921.
    investigations, economic—
      and biological, 1915. An. Rpts., 1915, pp. 233–240. 1916; Biol. Chief Rpt., 1915, pp. 1–8. 1915.
      and biological, 1916. An. Rpts., 1916, pp. 237–244. 1917; Biol. Chief. Rpt., 1916, pp. 1–8. 1916.
    killing, benefits. News L., vol. 6, No. 43, p. 5. 1919.
    mites infesting. Rpt. 108, pp. 14, 58, 67, 68, 69, 77, 78, 84, 114, 127. 1915.
    national forests, control work. An. Rpts., 1911, p. 396. 1912; For. A.R., 1911, p. 56. 1911.
    natural enemies of beavers, list. D.B. 1078, p. 16. 1922.
    pests—
      control, 1923. An. Rpts., 1923, pp. 47–48, 420–425. 1924; Biol. Chief Rpt. 1923, pp, 2–7. 1923; Sec. A.R., 1923, pp. 47–48. 1923.
      control. 1924. Biol. Chief Rpt., 1924, pp. 2–16.. 1924.
      protection against, national forests, number killed. An. Rpts. 1912. pp. 522–523. 1913; For. A.R. 1912, pp. 64–65. 1912.
    rearing for furs, experiments. An. Rpts., 1919, pp. 283–284. 1920; Biol. Chief Rpt., 1919, pp. 9–10. 1919.
    relation—
      of forestry and fire. Off. Rec., vol. 1, No. 51, p. 5. 1922.
      to coyote-proof fence. For. Cir. 160, pp. 6–7, 9–11. 1909.
    study, Biological Survey. Y.B. 1907, pp. 97–98. 1908.
    susceptibility to—
      diseases of domestic cattle. B.A.I. [Misc.], "Diseases of cattle," rev., pp. 405, 470, 516. 1912.
      foot-and-mouth disease. F.B. 666, p. 1. 1915.
    tick infestation. Ent. Bul. 72, pp. 46, 51, 54, 56, 57, 58, 59, 61. 1907.
    work—
      conditions on rented dairy farms. F.B. 1272, pp. 2, 12. 1922.
      efficiency in crop, acres per animal. D.B. 651, pp. 3, 4, 17–22. 1918.
      number on farms in Indiana, Clinton County. 1910 and 1913–1919. D.B. 1258, pp. 25–26, 1924.
    wounds, protection against flies, repellent formulas. News L., vol. 2, No. 7, p. 4. 1914.
    young—
      calcium requirement in food, notes. Chem. Bul. 123, pp. 21, 24–27. 1909.
      destruction by rats. Biol. Bul. 33, p. 29. 1909.
      phosphorus feeding studies. Chem. Bul. 123, pp. 9, 11, 20. 1909.
      strychnine tolerance. D.B. 1023, pp. 4, 6, 12. 1921.
      susceptibility to blackleg. Y.B. 1355, pp. 3–4. 1923.
Animal Industry Bureau:
  aid to hog breeders. News L., vol. 6, No. 52, p. 10. 1919.
  annual report—
    1900 (17th). B.A.I. An. Rpt., 1900, pp. 642. 1901.
    1901 (18th). B.A.I. An. Rpt., 1901, pp. 706. 1902.
    1902 (19th). B.A.I. An. Rpt., 1902, pp. 651. 1903.
    1903 (20th). B.A.I. An. Rpt., 1903, pp. 618. 1904.
    1904 (21st). B.A.I. An. Rpt., 1904, pp. 632. 1905.
    1905 (22d). B.A.I. An. Rpt., 1905, pp. 348. 1907.
    1906 (23d). B.A.I. An. Rpt., 1906, pp. 478. 1908.
    1907 (24th). B.A.I. An. Rpt., 1907, pp. 486. 1909.
    1908 (25th). B.A.I. An. Rpt., 1908, pp. 502. 1910.

Animal Industry Bureau—Continued.
  annual report—continued.
    1909 (26th). B.A.I. An. Rpt., 1909, pp. 407. 1911.
    1910 (27th). B.A.I. An. Rpt., 1910, pp. 573. 1912.
    1911 (28th). B.A.I. An. Rpt., 1911, pp. 356. 1913.
    discontinuance, notice. B.A.I.S.R.A. 92, p. 187. 1915.
  appropriations—
    1910, disbursements. Accts. Chief Rpt., 1910, pp. 8, 52. 1910; An. Rpts. 1910, pp. 570, 614. 1911.
    1911, disbursements. Accts. Chief Rpt., 1911, pp. 11, 18. 1911; An. Rpts., 1911, pp. 557, 564, 1912.
    1912, disbursements. Accts. Chief Rpt., 1912, pp. 12, 23, 31. 1912; An. Rpts., 1912, pp. 688, 691, 707. 1913.
    1915. Sol. [Misc.], "Laws applicable * * *," Sup. 2, pp. 22–25. 1915.
  assistance in club work. Y.B., 1915, pp. 272c–272f. 1916; Y.B. Sep. 675, pp. 272c–272f. 1916.
  changes in—
    appropriations and work. News L., vol. 2, No. 36, p. 3. 1915.
    field force and veterinarians. See Bureau of Animal Industry Service Announcements.
  control of viruses, for treatment of animals. An. Rpts., 1914, p. 89. 1915; B.A.I. Chief Rpt., 1914, p. 33. 1914.
  cooperation—
    in pig club work. Y.B., 1917, pp. 381–382. 1918; Y.B. Sep. 753, pp. 13–14. 1918.
    in poultry club organization. F.B. 562, p. 12. 1913.
    on lecture on clean milk. S.R.S. Syl. 18, pp. 17. 1915.
  cooperative studies of animal nutrition. J.A.R., vol. 3, pp. 435–491. 1915.
  creation—
    conditions leading to. B.A.I. An. Rpt., 1911, pp. 83–84. 1913; B.A.I. Cir. 213, pp. 2. 1913.
    of new divisions, names of chiefs. News L., vol. 4, No. 40, p. 3. 1917.
  data on meat supply. Off. Rec., vol. 3, No. 12, p. 2. 1924.
  Directory, Jan. 20, 1910. Corrected quarterly through July, 1919. Corrected annually 1920–1925.
  distribution of tuberculin and mallein. Y.B., 1906, pp. 347–354. 1907; Y.B. Sep. 428, pp. 347–354. 1907.
  division libraries, work, 1917. An. Rpts., 1917, pp. 316, 317, 318, 319. 1918; Lib. A. R., 1917, pp. 8, 9, 10, 11. 1917.
  economies effected. Y.B. 1922, p. 58. 1923; Y.B. Sep. 883, p. 58. 1923.
  educational work—
    1909. O.E.S. An. Rpt. 1909, p. 253. 1910.
    1910. O.E.S. An Rpt., 1910, p. 316. 1911.
  enforcement of laws. Chem. Cir. 16, rev., p. 3. 1908.
  establishment—
    act, text. B.A.I. O. 210, pp. 30–32. 1914; B.A.I. O. 273, pp. 34–36. 1921; B.A.I. O. 273, rev., pp. 30–31. 1923.
    acts of Congress. B.A.I. O. 263, pp. 30–37. 1919.
  estimates and appropriations—
    1911. Accts. Chief Rpt., 1910, pp. 15, 19, 22. 1910; An. Rpts., 1910, pp. 577, 581, 584. 1911.
    1912. Accts. Chief Rpt., 1911, pp. 19, 24. 1911; An. Rpts., 1911, pp. 565, 570. 1912.
  exhibit at—
    Louisiana Purchase Exposition. James M. Pickens and J. William Fink. B.A.I. An. Rpt., 1904, pp. 406–146. 1905.
    Wisconsin Centennial. Off. Rec., vol. 1, No. 4, p. 3. 1922.
  experimental farm, Beltsville, Md., work, 1911. B.A.I. Chief Rpt., 1911, pp. 8, 14, 16, 18, 30. 1911; An. Rpts., 1911, 198, 204, 206, 208, 220. 1912.
  experiments in Guam. O.E.S. An. Rpt., 1907, pp. 411–412. 1908.
  field inspection division, instructions concerning the work. B.A.I. [Misc.], "Instructions concerning * * *," pp. 28. 1915.

Animal Industry Bureau—Continued.
  food officials, list. Chem. Cir. 16, 1904 and later, revisions.
  force, growth, 1885–1908. An. Rpts., 1908, p. 774. 1909; Appt. Clerk A.R., 908, p. 6. 1908.
  fortieth anniversary. Off. Rec., vol. 3, No. 24, p. 2. 1924.
  general expenses, 1915, appropriations. Sol. [Misc.] "Laws applicable * * *," Sup. 2, pp. 22–25. 1915.
  growth. News L., vol. 6, No. 43, p. 15. 1919.
  hog cholera, control work. Y.B., 1918, pp. 191–192. 1919; Y.B. Sep. 777, Y.B., 1918, pp. 3–4. 1919.
  law enforcement. Sol. [Misc.], "Laws applicable * * *," Sup. 2, pp. 22–25. 1915.
  laws applicable—
    1912–1913. Sol. [Misc.] "Laws applicable * * *," Sup. 1, pp. 12–17. 1913.
    appropriations—
      1915. Sol. [Misc.] "Laws applicable * * *," Sup. 2, pp. 17–25. 1915; Sup. 3, pp. 16–20. 1915.
      1916. Sol. [Misc.] "Laws applicable * * *," Sup. 4, pp. 18–21. 1917.
  list of workers.]Misc.] "List of workers * * *," pp. 9–13. 1922.
  meat inspection service. An. Rpts., 1918, pp. 14, 20. 1919; Sec. A.R., 1918, pp. 14, 20. 1918.
  motion-picture films, list. D.C. 233, pp. 3–5. 1922.
  officials, address list. See Animal Industry Bureau, Directory.
  orders. See Bureau of Animal Industry for compilations.
  organization. See Bureau of Animal Industry Service and Regulatory Announcements.
  poultry work—
    1924. Off. Rec., vol. 3, No. 53, pp. 1, 8. 1924.
  Beltsville farm. B.A.I. Doc. A–11, pp. 8. 1916.
  projects and symbols, list. B.A.I. [Misc.], "List of * * *," pp. 11. 1917.
  publications available, classified list. B.A.I. Cir. 134, pp. 8. 1908.
  receipts from meat inspection work. Accts. Chief Rpt. 1923, p. 5. 1923; An. Rpts. 1923, p. 511. 1924.
  recent work on cause and prevention of hog cholera. Y.B. 1908, pp. 321–332. 1909; Y.B. Sep. 484, pp. 321–332. 1909.
  regulations, breeders' associations. B.A.I. O. 136, pp. 13. 1906.
  report of chief—
    1901. D.E. Salmon. An. Rpts. 1901, pp. 15–42. 1901; B.A.I. An. Rpt. 1901, pp. 7–39. 1902.
    1902. D. E. Salmon. An. Rpts., 1902, pp. 25–46. 1902; B.A.I. An. Rpt., 1902 (19th), pp. 7–32. 1903.
    1903. D. E. Salmon. An. Rpts., 1903, pp. 47–83. 1903; B.A.I. An. Rpt., 1903 (20th), pp. 7–40. 1904.
    1904. D.E. Salmon. An. Rpts., 1904, pp. 43–67. 1904; B.A.I. An. Rpt., 1904 (21st), pp. 9–38. 1905.
    1905. D. E. Salmon. An. Rpts., 1905, pp. 29–62. 1905; B.A.I. An. Rpt., 1905 (22d), pp. 9–47. 1907.
    1906. A. D. Melvin. An. Rpts., 1906, pp. 123–174. 1906; B.A.I. An. Rpt., 1906 (23d), pp. 9–63. 1908; B.A.I. Chief Rpt., 1906, pp. 56. 1906.
    1907. A. D. Melvin. An. Rpts., 1907, pp. 191–255. 1908; B.A.I. An. Rpt., 1907 (24th), pp. 9–84. 1909; B.A.I. Chief Rpt., 1907, pp. 69. 1907.
    1908. A. D. Melvin. An. Rpts., 1908, pp. 219–282. 1909; B.A.I. An. Rpt., 1908 (25th), pp. 9–81. 1910; B.A.I. Chief Rpt., 1908, pp. 68. 1908.
    1909. A. D. Melvin. An. Rpts., 1909, pp. 195–259. 1910; B.A.I. An. Rpt., 1909 (26th), pp. 7–80. 1911; B.A.I. Chief Rpt., 1909, pp. 69. 1909.
    1910. A. D. Melvin. An. Rpts., 1910, pp. 199–277. 1911; B.A.I. An. Rpt., 1910 (27th), pp. 11–102. 1912; B.A.I. Chief Rpt., 1910, pp. 83. 1910.

Animal Industry Bureau—Continued.
  report of chief—continued.
    1911. A. D. Melvin. An. Rpts., 1911, pp. 195–256. 1912; B.A.I. An. Rpt., 1911 (28th), pp. 9–82. 1913; B.A.I. Chief Rpt., 1911, pp. 66. 1911.
    1912. A. D. Melvin. An. Rpts., 1912, pp. 303–388. 1913; B.A.I. Chief Rpt., 1912, pp. 92. 1912.
    1913. A. D. Melvin. An. Rpts., 1913, pp. 71–104. 1914; B.A.I. Chief Rpt., 1913, pp. 34. 1913.
    1914. A. D. Melvin. An. Rpts., 1914, pp. 57–100. 1915; B.A.I. Chief Rpt., 1914, pp. 44. 1914.
    1915. A. D. Melvin. An. Rpts., 1915, pp. 77–142. 1916; B.A.I. Chief Rpt., 1915, pp. 66. 1915.
    1916. A. D. Melvin. An. Rpts., 1916, pp. 67–136. 1917; B.A.I. Chief Rpt., 1916, pp. 70. 1916.
    1917. A. D. Melvin. An. Rpts., 1917, pp. 67–129. 1918; B.A.I. Chief Rpt., 1917, pp. 63. 1917.
    1918. John R. Mohler. An. Rpts., 1918, pp. 71–133. 1919; B.A.I. Chief Rpt., 1918, pp. 63. 1918.
    1919. John R. Mohler. An. Rpts., 1919, pp. 73–135. 1920; B.A.I. Chief Rpt., 1919, pp. 63. 1919.
    1920. John R. Mohler. An. Rpts., 1920, pp. 89–157. 1921; B.A.I. Chief Rpt., 1920, pp. 69. 1920.
    1921. John R. Mohler. An. Rpts., 1921, pp. 1–57. 1922; B.A.I. Chief Rpt., 1921, pp. 57. 1921.
    1922. John R. Mohler. An. Rpts., 1922, pp. 99–160. 1923; B.A.I. Chief Rpt., 1922, pp. 62. 1922.
    1923. John R. Mohler. An. Rpts., 1923, pp. 199–254. 1924; B.A.I. Chief Rpt., 1923, pp. 56. 1923.
    1924. John R. Mohler. B.A.I. Chief Rpt., 1924, pp. 40. 1924.
    1925. John R. Mohler. B.A.I. Chief Rpt., 1925, pp. 40. 1925.
  rules and regulations—
    1900. B.A.I. An. Rpt., 1900, p. 592. 1901.
    1901. B.A.I. An. Rpt., 1901, p. 673. 1902.
    1904. B.A.I. An. Rpt., 1904, pp. 559–602. 1905.
    1906. B.A.I. An. Rpt., 1906, pp. 339–406. 1907.
    1909. B.A.I. An. Rpt., 1909, pp. 347–390. 1911.
    1911. B.A.I. An. Rpt., 1911, pp. 309–343. 1913.
  salaries, 1915. Sol. [Misc.], "Laws applicable * * *," Sup. 2, pp. 22–23. 1915.
  scientific exhibits at Louisiana Purchase Exposition. B.A.I. An. Rpt., 1904, pp. 411–412. 1905.
  statement on meats. Off. Rec., vol. 2, No. 10, p. 3. 1923.
  stations—
    directory. See Animal Industry Bureau, Directory.
    list. Off. Rec., vol. 3, No. 8, p. 2. 1924.
  statistics, compilation. Off. Rec., vol. 1, No. 28, p. 2. 1922.
  vaccine for anthrax, method. F.B. 784, pp. 14–15. 1917.
  work—
    1902, review by Secretary. Rpt. 73, pp. 5–7. 1902.
    1904, review by Secretary. Rpt. 79, pp. 15–20. 1904.
    1905, review by Secretary. An. Rpts., 1905, pp. XXV–XXXVI. 1906; Sec. A. R., 1905, pp. XXV–XXXVI. 1905.
    1906, review by Secretary. An. Rpt., 1906, pp. 22–33. 1906; Rpt. 83, pp. 16–27. 1906; Sec. A. R., 1906, pp. 23–34. 1906; Y. B., 1906, pp. 25–38. 1907.
    1907, review by Secretary. An. Rpt., 1907, pp. 27–40. 1908; Rpt. 85, pp. 17–28. 1907; Y.B., 1907, pp. 26–39. 1908.
    1908, review by Secretary. Sec. A. R., 1908, pp. 25–38. 1908; An. Rpts., 1908, pp. 27–40. 1909; Rpt. 87, pp. 15–22. 1908; Y.B., 1908, pp. 27–40. 1909.

Animal Industry Bureau—Continued.
work—continued.
1909, review by Secretary. Sec. A.R., 1909, pp. 50-63. 1909; Y.B., 1909, pp. 50-63. 1910.
1910, review by Secretary. An. Rpts., 1910, pp. 42-53. 1911; Rpt. 93, pp. 32-39. 1911; Sec. A. R., 1910, pp. 42-53. 1910; Y.B., 1910, pp. 42-52. 1911.
1911, review by Secretary. An. Rpts., 1911, pp. 43-53. 1912; Sec. A. R., 1911, pp. 41-51. 1911; Y.B., 1911, pp. 41-51. 1912.
1912, review by Secretary. An. Rpts., 1912, pp. 42-50, 114, 154-173. 1913; Sec. A. R., 1912, pp. 42-50, 114, 154, 173. 1912; Y.B., 1912, pp. 42-50, 114, 154, 173. 1913.
1917, review and summary. Y.B., 1917, pp. 34, 37, 72-74. 1918.
in farm-animal disease control. News L. vol. 3, No. 23, pp. 1-2. 1916.
in improvement of eggs. B.A.I. Bul. 141, pp. 19-42. 1911.
in livestock drought relief details. Y.B., 1919, pp. 391-392. 1920; Y.B. Sep. 820, pp. 391-392. 1920.
on milk supply of Washington. B.A.I. Bul. 138, pp. 39-40. 1911.
reorganization, 1917, and changes. An. Rpts., 1917, pp. 69, 124. 1918; B.A.I. Chief Rpt., 1917, pp. 3, 58. 1917.
Animal Industry Experiment Station, Bethesda, Md., work—
1909. An. Rpts., 1909, pp. 240-243. 1910; B.A.I. An. Rpt., 1909, pp. 59-62. 1911; B.A.I. Chief Rpt., 1909, pp. 50-53. 1909.
1910. An. Rpts., 1910, pp. 215, 274-277. 1911; B.A.I. Chief Rpt., 1910, pp. 21, 80-83. 1910.
1911. An. Rpts. 1911, pp. 253-256. 1912; B.A.I. Chief Rpt., 1911, pp. 63-66. 1911.
1916. An. Rpts., 1916, pp. 132-134. 1917; B.A.I. Chief Rpt., 1916, pp. 66-68. 1916.
Animas Mountains, New Mexico, location, description, and climate. N. A. Fauna 35, pp. 66-68. 1913.
Anions, antagonism, effect on barley yields on clay-adobe soil. J.A.R., vol. 4, pp. 201-218. 1915.
Anisacanthus thurberi, importation and description. No. 45190, B.P.I. Inv. 52, p. 46. 1922.
Anisandrus pyri—
control and life history. F. B. 1270, p. 66, 1922.
See also Pinhole borer.
Anise—
culture and handling as drug plant, yield, and price. F.B. 663, p. 14. 1915.
extract, adulteration, and misbranding. Chem. S.R.A N.J. 3501, pp. 1-3. 1915.
growing and uses, harvesting, marketing, and prices. F.B. 663, rev., p. 17. 1920.
oil, adulteration. Chem. N.J. 2539, pp. 2. 1913; Chem. N.J. 2750, pp. 2-3. 1914.
pickaway. See Wafer-ash.
wine, Moreau's, misbranding. Chem. N. J. 3468, p. 705. 1915.
See also Spices.
Aniseed—
adulteration, 285. Chem. S.R.A. 23, p. 100. 1918.
importation, notice to importers. Opinion 71. Chem. S.R.A. 7, p. 529. 1914.
oil and carbolic acid, effect in fattening chickens. D.B. 21, p. 16. 1914.
source of perfumery, notes. B.P.I. Bul. 195, pp. 10, 12, 40, 42, 44. 1910.
syrup, Gauvin's, misbranding. Chem. N.J. 773, pp. 2. 1911.
use as food flavoring, note. O.E.S. Bul. 245, p. 68. 1912.
Anisette, adulteration and misbranding. Chem. N.J. 4095, pp. 127-128. 1916.
Anisodactylus rusticus, destruction by birds. Biol. Bul. 15, p. 47. 1901.
Anisopteryx vernata. See Cankerworm.
Anisota rubicunda—
description, habits, and control. F.B. 1169, pp. 86-87. 1921.
See also Maple worm, green-striped.
Annatto—
tree, importation and description. No. 36869, B.P.I. Inv. 37, p. 76. 1916; No. 44954, B.P.I. Inv. 52, p. 10. 1922; No. 50222, B.P.I. Inv. 63, p. 47. 1923.

Annatto—Continued.
use in coloring cheese. B.A.I. Bul. 105, pp. 32, 39. 1908; B.A.I. Bul. 146, pp. 35, 43. 1911.
Anniston, Alabama, Calhoun County, resources, water supply, and industries. Soil Sur. Adv. Sh., 1908, pp. 7. 1910; Soils F.O., 1908, pp. 617. 1911.
Annona—
fruit fly, description. Sec. [Misc.], "A manual of insects * * * ," p. 115. 1917.
growing in Hawaii, and variety tests. Hawaii A.R., 1921, p. 22. 1922.
hybrid—
from Miami, Florida. No. 36562, B.P.I. Inv. 37, pp. 8, 32. 1916.
importation and description. No. 45181, B.P.I. Inv. 52, p. 44. 1922.
insect pests, list. Sec. [Misc.], "A manual of insects * * * ," pp. 93-94. 1917.
lutescens, importation and description. No. 35590, B.P.I. Inv. 35, p. 57. 1915.
purpurea—
importation and description. No. 39358, B.P.I. Inv. 41, pp. 7, 17. 1917.
See also Ilama.
senegalensis, importation and description. No. 55554. B.P.I. Inv. 71, p. 56. 1923.
spp., importations and description. Nos. 36274, 36288-36294, 36532, 36632, 36700, B.P.I. Inv. 37, pp. 11, 14, 28, 42, 52. 1916; Nos. 37818, 37911, 38525-38526, 38635, B.P.I. Inv. 39, pp. 49, 65, 142, 155. 1917; Nos. 41384, 41464, B.P.I. Inv. 45, pp. 20, 33. 1918; Nos. 42723, 42811, 42836, 42897-42901, 42988, 42999, B.P.I. Inv. 47, pp. 56, 66-69, 73, 80, 85. 1920; Nos. 43253, 43263-43265, 43293, B.P.I. Inv. 48, pp. 33, 35, 40. 1921; Nos. 43426, 43447, 43448, 43485, 43763, 43927, B.P.I. Inv. 49, pp. 7, 18, 24, 25, 34, 74, 96. 1921; Nos. 44453, 44568, 44671-44673, 44770, 44774, 44801, 44841, B.P.I. Inv. 51, pp. 6, 8, 14, 26, 41, 62, 63, 70, 77. 1922; Nos. 45020, 45021, 45077, 45106, 45184, B.P.I. Inv. 52, pp. 20, 21, 31, 36, 44. 1922; Nos. 45231, 45386-45387, 45548, 45571, 45576, B.P.I. Inv. 53, pp. 14, 40, 51, 59, 61. 1922; Nos. 45798, 45870, 45908, 45955, B.P.I. Inv. 54, pp. 21, 33, 39, 49. 1922; Nos. 46630, 46781, B.P.I. Inv. 57, pp. 14, 33. 1922; Nos. 47108, 47214, 47318, B.P.I. Inv. 58, pp. 8, 25, 41, 49. 1922; Nos. 49006-49008, B.P.I. Inv. 61, pp. 65-66. 1922; Nos. 49843, 49978-49990, 50069, 50211, 50597, B.P.I. Inv. 63, pp. 11, 26, 33, 45, 83. 1923; Nos. 50728-50731, 51003, 51013-51015, 51050, 51217, B.P.I. Inv. 64, pp. 3, 20, 39, 42, 47, 77. 1923; Nos. 51374, 51404, 51903, B.P.I. Inv. 65, pp. 9, 14, 66. 1923.
squamosa, importation and description. Nos. 34321-34322, B.P.I. Inv. 32, p. 35. 1914.
See also Anona.
Annuals—
flowering. L. C. Corbett. F.B. 195, pp. 48. 1904.
flowering plants, growing. L. C. Corbett and F. L. Mulford. F.B. 1171, pp. 83. 1921.
growing in Alaska, varieties and directions. Alaska A.R., 1917, pp. 20-21. 1919; Alaska A.R. 1921, pp. 14, 31. 1923.
relation to biennials and perennials, environmental factors. J.A.R., vol. 18, pp. 579-581. 1920.
vegetable, parts eaten and seed saving. F.B. 1390, pp. 3-7. 1924.
See also Flowers, annual.
Annuity bonds, highway, issuance, and retirement, studies. D.B. 136, rev., pp. 16-17. 1917.
Annular budding, directions, care, and tools. F.B. 700, pp. 12-14, 15-16. 1916.
Anocecina, genera, description and key. D.B. 826, pp. 13-14. 1920.
Anodyne tablets, adulteration and misbranding. Chem. N.J. 13603. 1925.
Anogeissus spp., importations and description. Nos. 51904, 52283-52284, B.P.I. Inv. 65, pp. 66-84. 1923; Nos. 53565-53566, B.P.I. Inv. 67, p. 62. 1923.
Anoiis stolidus stolidus. See Noddy.
Anomala—
blossom injury, history, and control. F.B. 1261, pp. 15-17, 30. 1922.
grape, description. Sec. [Misc.], "A manual of insects * * *," p. 127. 1917.
mango blossom, description, life history, and control. F.B. 1257, pp. 3-6. 1922.

Anomala—Continued.
   orientalis, new sugar-cane pest, Hawaii. O.E.S. An. Rpt. 1912, p. 104. 1913.
   undulata. See Anomala, mango blossom.
Anona—
   cherimolia. See Cherimoya.
   cultivation in Porto Rico. P.R. An. Rpt., 1907, p. 23. 1908.;
   description, use, and growth in Cuba. Chem. Bul. 87, pp. 22–24. 1904.
   fruits, Bahia, varieties and uses. D.B. 445, pp. 19, 31, 33. 1917.
   grafting and budding experiments. An. Rpts., 1907, p. 337. 1908.
   muricata. See Soursop.
   new varieties, description. B.P.I. Bul. 207, pp. 31–32. 1911.
   spp.—
      introduction and growing, Guam. Guam A. R., 1911, p. 20. 1912.
      introduction and value. B.P.I. Bul. 205, pp. 8, 20, 35, 47. 1911.
   Porto Rico, description and uses. D.B. 354, p. 69. 1916.
   squamosa. See Sweetsop.
   varieties, importations and description. Nos. 31978, 32044–32046, 32083, 32248, 32298–32302, 32319, B.P.I. Bul. 261, pp. 9, 14, 22, 26, 47, 53, 55. 1912; Nos. 43253, 43263–43265, 43293, B.P.I. Inv. 48, pp. 33, 35, 40. 1921.
   See also Annona.
Anonaceae—
   injury by sapsuckers. Biol. Bul. 39, pp. 38, 78. 1911.
   Porto Rico, description and uses. D.B. 354, pp. 69–70. 1916.
Anonang, importation and description. No. 46705, B.P.I. Inv. 57, p. 22. 1922.
Anopheles—
   crucians, occurrence and description. F.B. 450, pp. 9–12. 1911.
   destruction, work in Cuba. Ent. Bul. 88, p. 93. 1910.
   malaria-bearing, distinguishing marks. Y.B., 1901, pp. 179, 182, 183. 1902.
   punctipennis, occurrence and description. F.B. 450, pp. 9–12. 1911.
   quadrimaculatus—
      malaria bearer, suggested remedy. News L., vol. 1, No. 35, p. 2. 1914.
      occurrence and description. F.B. 450, pp. 9–12. 1911.
   spp., investigations, 1917. An. Rpts, 1917, pp. 234–235. 1918; Ent. A. R., 1917, pp. 8–9, 1917.
   three recognized species, distribution in United States. Ent. Bul. 25, pp. 43–45. 1912.
   See also Mosquitoes, malaria-bearing.
Anoplocephala—
   spp., lack of hemotoxins. J.A.R., vol. 22, p. 382. 1921.
Anoplotermes *gracilis*, occurrence in Panama. D.B. 1232 p. 22. 1924.
Anoplura, in the Pribilof Islands, Alaska. N.A. Fauna 46, Pt. II., p. 142. 1923.
Anous *stolidus ridgwayi*. See Tern, noddy, Pacific.
Anser *albifrons gambeli*. See Goose, white-fronted, American.
Ant(s)—
   agent in spread of hop aphid. Ent. Bul. 111, p. 19. 1913.
   agricultural, distribution, habits and control. Ent. Cir. 148, pp. 4–7. 1912.
   American lawn, description and control. F.B. 740, pp. 9, 12. 1916.
   aphid protection, and spread. F.B. 835, pp. 20–21. 1917.
   Argentine. Wilmon Newell and T. C. Barber. Ent. Bul. 122, pp. 98. 1913.
   Argentine—
      aid to mealybug infestation, and hindrance to its control. F.B. 1309, pp. 3, 6, 10. 1923.
      aid to orange enemies, description, and control methods. News L., vol. 5, No. 45, p. 5. 1918.
      area of ultimate infestation, studies. Ent. Bul. 122, pp. 16–18. 1913.
      as household pest. E. R. Barber. F.B. 1101, pp. 11. 1920.
      boll weevil enemy. Ent. Bul. 114, p. 140. 1912.
      classification, description of species, comparison with other ants. Ent. Bul. 122, pp. 26–31. 1913.

Ant(s)—Continued.
   Argentine—continued.
      control—
         cost. D.B. 965, pp. 10, 13, 24, 27, 33, 41. 1921.
         in citrus groves. D.B. 647, pp. 60–71. 1918.
         in citrus orchards in California. R. S. Woglum and A. D. Borden. D.B. 965, pp. 43. 1921.
         in orange groves. J. R. Horton. F.B. 928, pp. 20. 1918.
         methods. D.B. 377, pp. 10–23. 1916; Ent. Bul. 122, pp. 72–96. 1913; F.B. 1309, pp. 6–9. 1923.
         on trees. F.B. 862, pp. 12–14. 1917.
         plants for municipal work. F.B. 1101, p. 11. 1920.
         studies, program for 1915. Sec. [Misc.], "Program of work * * *, 1915," p. 231. 1914.
         work. An. Rpts., 1918, pp. 246, 249. 1919; Ent. A. R., 1918, pp. 14, 17. 1918.
      dispersion methods. D.F. 377, pp. 3–5. 1916; Ent. Bul. 122, pp. 19–21. 1913.
      distribution and control in the United States. Ernest R. Barber. D.B. 377, pp. 23. 1916.
      economic importance. Ent. Bul. 122, pp. 22–26. 1913.
      enemy of sorghum midge. Ent. Bul. 85, pp. 44, 57. 1911.
      feeding habits. D.B. 647, pp. 8–15. 1918.
      habits and life history. D.B. 377, pp. 6–9. 1916.
      in citrus groves. J. R. Horton. D.B. 647, pp. 47. 1918.
      injuries, distribution and control methods. News L., vol. 4, No. 7, pp. 6–7. 1916.
      injury to orange tree. D.B. 647, pp. 10–12. 1918.
      introduction, distribution, characteristics, and habits. D.B. 965, pp. 1–9. 1921; F.B. 740, pp. 4, 6. 1916.
      nesting habits, social organization, and spread. F.B. 1101, pp. 4–6. 1920.
      nests and protective structures. D.B. 647, pp. 52–55. 1918.
      occurrence, history, habits, and distribution. Ent. Bul. 122, pp. 10–18, 38–61. 1913.
      origin of name, common names. Ent. Bul. 122, p. 18. 1913.
      poisoning tests in Louisiana groves. D.B. 647, pp. 60–71. 1918.
      relation to—
         insects injurious to citrus trees. D.B. 647, pp. 15–48. 1918.
         mealybugs and scales. D.B. 965, pp. 2–4. 1921.
         mealybugs, eradication experiments. D.B. 1040, pp. 8–11, 20. 1922; D.B. 1117, p. 18. 1922.
         other arthropoda. Ent. Bul. 122, pp. 61–72. 1913.
      spread—
         and damage to flowers and fruits. Y.B. 1907, p. 541. 1908; Y.B. Sep. 472. 1908.
         of aphids on artichoke. D.B. 703, pp. 2, 3. 1918.
      trapping methods in orange groves, cost. F.B. 928, pp. 12–19. 1918.
   association with other termites. Ent. Bul. 94, Pt. II, p. 70. 1915.
   attendants on—
      root aphids. Ent. Bul. 85, pp. 105, 109, 115–116. 1911.
      strawberry root louse. J.A.R., vol. 30, p. 448. 1925.
      walnut aphids. D.B. 100, pp. 19, 20, 46. 1914.
   attraction by honeydew of terrapin scale. D.B. 351, p. 62. 1916.
   barriers, description and use methods. News L., vol. 4, No. 7, p. 6. 1916.
   bird enemies in Southeastern States. F.B. 755, pp. 6–36. 1916.
   black—
      damage to chestnut poles. Ent. Bul. 94, Pt. I, p. 8. 1910.
      enemy of chicken tick. Ent. Cir. 170, p. 9. 1913.
      injury to chestnut poles. Ent. Cir. 134, p. 5. 1911.
   boll weevil, description and habits. F.B. 344, p. 16. 1909.

Ant(s)—Continued.
  brown—
    (*Solenopsis geminata* Fab.), and mealy bug (*Pseudococcus citri* Risso), control in pineapple plantations. W.V. Tower. P.R. Cir. 7, pp. 3. 1908.
    control in orange orchards. O. W. Barrett. P.R. Cir. 4, pp. 3. 1904.
    enemy of flea beetles. D.B. 901, p. 22. 1920.
    injury to citrus fruits, description and control methods. P.R. Bul. 10, p. 11. 1911.
  care of plant lice. Ent. Cir. 86, p. 8. 1907.
  carpenter—
    description and control. F.B. 740, pp. 7–8, 12. 1916.
    enemies of termites. Ent. Bul. 94, P. II, p. 70. 1915.
  coffee, habits, and natural enemies. P.R. An. Rpt., 1912, pp. 34–35. 1913.
  colonies, injuries to coffee shade trees, by harboring injurious insects. P.R. An. Rpt., 1914, p. 42, 1916.
  Colorado, notes, habits, and control. Ent. Bul. 64, Pt. IX, pp. 73–78. 1910.
  control—
    by carbon disulphide. F.B. 799, pp. 14–15. 1917.
    by gases, fumigation experiments. D.B. 893, pp. 4, 6, 7, 10. 1920.
    factors influencing. D.B. 965, pp. 34–37. 1921.
    in Arizona and California. D.C. 75, p. 22. 1920.
    in homes. F.B. 1180, p. 27. 1921.
    methods, Porto Rico. P. R. Cir. 17, pp. 7–8, 10, 18, 21. 1918.
    on chrysanthemums. F.B. 1306, pp. 21–22. 1923.
    poisons, experiments, and formulas. D.B. 377, pp. 11–22, 23. 1916.
    spray, carbolic-acid emulsion. Guam Bul. 2, p. 21. 1922.
  corn-root aphid attendant. Ent. Bul. 60, pp. 29–41. 1906.
  cornfield, relations with corn root-aphid. F.B. 891, pp. 8–9. 1917.
  cotton boll-weevil enemy, description, work, and investigations. Ent. Bul. 63, Pt. III, pp. 45–48. 1907.
  crazy, description and habits. F.B. 740, p. 5. 1916.
  creosote use for control, injury to germination. Work and Exp., 1919, p. 68. 1921.
  Cuba, control method. Ent. Cir. 148, p. 4. 1912.
  cutting—
    description, distribution, habits, and control. Ent. Cir. 148, pp. 1–4. 1912.
    Texas, habits, injury to buildings. Ent. Bul. 69, p. 85. 1907.
  description, habits, and injuries. Ent. Cir. 171, pp. 6, 7. 1913.
  destruction—
    by birds. Biol. Bul. 30, pp. 25–92. 1907; F.B. 630, pp. 8, 13, 14, 22, 23. 1915.
    by flickers. Biol. Bul. 38, p. 48. 1911.
    by starlings. D.B. 868, pp. 23–24, 43, 63. 1921.
    by woodpeckers. Biol. Bul. 34, pp. 16, 17, 20, 21, 23, 25, 27. 1910.
    of cattle ticks. Ent. Bul. 72, p. 36. 1907.
  domesticators of other insects. Ent. T.B. 10, p. 10. 1905.
  double rôle in cotton field. F.B. 890, pp. 24–25. 1917.
  enemies of—
    bees, prevention. F.B. 397, p. 40. 1910; F.B. 447, p. 44. 1911.
    boll weevil. Ent. Bul. 100, pp. 41, 69–73. 1912; F.B. 512, pp. 16. 1912; Rpt. 78, pp. 4–7. 1904.
    California peach borer moth. Ent. Bul. 97, p. 83. 1913.
    corn earworm. F.B. 1310, p. 11. 1923.
    other termites. J.A.R., vol. 26, pp. 287, 294, 296. 1923.
    Pemphigus acerifolii, list. Ent. T. B. 24, p. 11. 1912.
    plum curculio. Ent. Bul. 103, p. 152. 1912.
    range caterpillar. Ent. Bul. 85, Pt. V, p. 93. 1910.
    white ants. Ent. Bul. 94, Pt. II, p. 70. 1915.

Ant(s)—Continued.
  eradication by use of hydrocyanic-acid gas. F.B. 699, p. 1. 1916.
  exterminator, misbranding. I. and F. Bd. S.R.A. 16, pp. 227–228. 1917.
  fire, enemy of boll weevil, habits. Ent. Bul. 100, p. 70. 1912.
  flying, stage of white ants, use in location of colonies. F.B. 759, pp. 5, 15. 1916.
  fumigation, directions and precautions. Ent. Cir. 163, p. 1. 1912.
  garden, importance as house pests. F.B. 740, pp. 8–9. 1916.
  guama, injurious to coffee, control. P.R. An. Rpt., 1913, p. 23. 1914; P. R. Cir. 15, pp. 14, 24. 1912.
  Guatemalan—
    colonization, experiments. Rpt. 79, p. 67. 1904.
    cotton-boll weevil, habits, report. O. F. Cook. Ent. Bul. 49, pp. 15. 1904.
    cotton-boll weevil. *See also* Kelep.
  harvest, Texas, habits and control. Sec. Cir. 61, pp. 22–23. 1916.
  harvester, enemy of Mediterranean fruit fly. D.B. 536, p. 77. 1918.
  house, kinds, and control methods. C. L. Marlatt. F.B. 740, p. 12. 1916.
  injurious habits, and control by thrushes. Biol. Bul. 30, p. 87. 1907; Y.B., 1913, pp. 138, 139. 1914; Y.B. Sep. 620, pp. 138, 139. 1914.
  injury to—
    bees, and control. P.R. Cir. 13, pp. 29–30. 1911.
    timber, prevention. Ent. Cir. 128, p. 8. 1910.
    vegetable seeds in Porto Rico. D.B. 192, p. 10. 1915.
    vegetables, and control remedy. F.B. 856, p 19. 1917.
  kinds—
    destructive to codling-moth larvae. Ent. Bul. 80, Pt. VI, p. 110. 1910.
    feeding on grape curculio, list. D.B. 730, pp. 13–14. 1918.
  lawn or garden, description and control methods. Newa L., vol. 2, No. 47, p. 6. 1915.
  leaf-cutting, injury to—
    cotton and control. F.B. 890, pp. 13–14, 24–25. 1917.
    plants in Canal Zone. Rp. 95, pp. 16–17. 1912.
  little black, description and habits. F.B. 740, pp. 8–9. 1916.
  Madeira, introduction and importance as pest. F.B. 740, p. 4. 1916.
  mating concourses, annual. Ent. T.B. 10, pp. 8–10. 1905.
  method of detection in stomach of bird. Biol. Bul. 15, p. 14. 1901.
  mound-building prairie, occurrence, habits, damage, and control. F.B. 353, pp. 15–17. 1909.
  nests, destruction, directions. F.B. 740, p. 12. 1916.
  North American, native and introduced. F.B. 740, pp. 3–8. 1916.
  pavement, similarity to rove-beetle. D.B. 264, pp. 1–2. 1915.
  Pharaoh's, description and habits. F.B. 740, pp. 3, 4. 1916.
  poison—
    description and use methods. News L., vol. 4, No. 7, p. 7. 1916.
    misbranding. I. and F. Bd. N.J. 39, 41, 53, 57. 1913.
    (Hoodoo paper) misbranding. I. and F. Bd. S.R.A. 9, pp. 23–24. 1915.
  Porto Rico, injuries, remedy. O.E.S. Bul. 171, p. 28. 1906.
  prevention of injury to sorghum. F.B. 1158, p. 31. 1920.
  preventives, adulteration and misbranding. N.J. 910, 915. I. and F. Bd. S.R.A. 47, pp. 9, 14. 1924.
  protection of aphids. Ent. Bul. 64, pp. 73–74. 1911.
  red—
    enemy of codling moth. D.B. 189, p. 46. 1915; Ent. Bul. 67, p. 38. 1907.
    extermination in house. Ent. Bul. 67, p. 16. 1907.

Ant(s)—Continued.
 relation to—
  corn root-aphid, and repellents for their control. F.B. 835, rev., pp. 20, 21. 1920.
  mealy bug, control methods. D.B. 1329, p. 41. 1925; F.B. 862, pp. 11–15. 1917; Hawaii Bul. 25, p. 22. 1911.
  spring grain aphid, or "green bug." Ent. Bul. 110, p. 136. 1912.
 remedies. Ent. Bul. 30, p. 97. 1901.
 sauba, description, habits, and control, Brazil. D.B. 445, pp. 11–12. 1917.
 social organization. Ent. T.B. 10, p. 37. 1905.
 spread of plant lice. D.C. 40, p. 8. 1919.
 Texas, boll-weevil control, tables and notes. Ent. Bul. 74, pp. 24, 27–63, 74. 1907.
 thief, description and habits. F.B. 740, p. 7. 1916.
 trapping directions. D.B. 377, pp. 22–23. 1916; F.B. 1101, p. 11. 1920.
 traps, description and use. News L., vol. 4, No. 7, p. 7. 1916.
 tropical, enemy of boll weevil. An. Rpts., 1904, p. 274. 1904.
 umbrella, injuries and manner of work. Ent. Bul. 38, p. 104. 1902.
 useful against chinch bug. F.B. 1223, p. 14. 1922.
 utilization of strawberry root louse. J.A.R., vol. 30, p. 448. 1925.
 white. C. L. Marlatt. Ent. Cir. 50, pp. 8. 1902.
 white—
  as pests in United States—
   control methods. T. E. Snyder. F.B. 759. pp. 20. 1916.
   damage prevention methods. T. E. Snyder. F.B. 1037, pp. 16. 1919.
  control in buildings. News L., vol. 6, No. 51, p. 3. 1919.
  control, Porto Rico. P.R. Cir. 17, pp. 5, 6, 18. 1918.
  damages—
   prevention. F.B. 1037, pp. 2, 3, 6–16. 1919.
   to buildings, prevention. Ent. Bul. 58, p. 84. 1910.
   to chestnut poles. Ent. Bul. 94, Pt. I, pp. 7–8. 1910.
   to telegraph and telephone poles, prevention. Ent. Cir. 134, pp. 5–6. 1911.
   to woodwork, timber, and stored material. F.B. 759, pp. 5–8. 1916.
  description, habits, and life history. F.B. 759, pp. 2–5. 1916; F.B. 1037, pp. 3–5. 1919.
  destruction in greenhouses. F.B. 759, pp. 18–19. 1916.
  Eastern States, biology, prevention, and control. Ent. Bul. 94, Pt. II, pp. 13–85. 1915.
  enemy of larger corn stalk borer. F.B. 1025. p. 10. 1919.
  immunity of western hemlock. For. Silv. Leaf 45, p. 5. 1912.
  importation, danger. Sec. [Misc.], "A manual of insects * * *," p. 15. 1917.
  infestation of buildings. Off. Rec., vol. 4, No. 20, p. 3. 1925.
  injury and control studies in Virgin Islands, 1921. S.R.S. [Misc.], "Report of Virgin Islands agricultural experiment station, 1921," pp. 21, 23, 24. 1922.
  injury to—
   forest products, and buildings. Ent. Bul. 94, Pt. II, pp. 13, 75–76. 1915.
   timber, control methods. News L., vol. 2, No. 30, p. 4. 1915.
   wood, prevention methods. Thomas E. Snyder. D.B. 1231, pp. 16. 1924.
  Porto Rico, habits and control. P.R. An. Rpt., 1914, pp. 43–44. 1916.
  species occurring in Panama and Canal Zone, habits. D.B. 1232, pp. 1–26. 1924.
 winged, destruction by birds. Biol. Bul. 15, p. 32. 1901.
 See also Termites.
Antelope—
 census in Western States. Off. Rec., vol. 3, No. 6, p. 2. 1924.
 characteristics and chosen habitat. D.B. 1346, pp. 4–8. 1925.
 conditions—
  in West, danger of extermination. An. Rpts., 1912, pp. 675–676. 1913; Biol. Chief Rpt., 1912, pp. 19–20. 1912.

Antelope—Continued.
 conditions—continued.
  past and present. Y.B., 1910, pp. 247–248. 1911; Y.B. Sep. 533, pp. 247–248. 1911.
 conservation and control. D.B. 1346, pp. 8–64. 1925.
 decrease—
  in various States. Biol. Bul. 36, pp. 11–13. 1910.
  Wyoming. An. Rpts., 1913, p. 234. 1914; Biol. Chief Rpt., 1913, p. 12. 1913.
 distribution in North America, past and present. D.B. 1346, pp. 2–4. 1925.
 enumeration and value. D.B. 1049, pp. 24, 25. 1922.
 foreign, description, adaptability to United States. Biol. Bul. 36, pp. 13–14. 1910.
 gid occurrence, notes. B.A.I. Bul. 125, Pt. I, pp. 30–33, 37. 1910.
 in national forests, decrease. Off. Rec., vol. 2, No. 46, p. 1. 1923.
 number and distribution on reservations. Biol. Chief Rpt., 1924, pp. 28–29. 1924.
 occurrence in Colorado, description. N.A. Fauna 33, pp. 58–60. 1911.
 penalty for hunting, Montana and Idaho. For. [Misc.], "Trespass on national * * *," pp. 23, 25, 45. 1922.
 protection—
  1909. Biol. Cir. 73, pp. 4, 5, 7. 1910.
  in various States and provinces. Biol. Bul. 36, pp. 11–12. 1910.
 pronghorn, status, 1922–1924. Edward W. Nelson. D.B. 1346, pp. 64. 1925.
 restocking experiments, 1924. D.B. 1346, pp. 16–18. 1925.
 species, description, and adaptability. Biol. Bul. 36, pp. 13–14. 1910.
 statistics—
  1908. Y.B., 1908, p. 582. 1909; Y.B. Sep. 500, p. 582. 1909.
  1910. Biol. Cir. 80, p. 11. 1911.
 survey and protection. Biol. Chief Rpt., 1924, pp. 27–28. 1924.
 Texas, occurrence, and protection. N.A. Fauna 25, pp. 67–68. 1905.
 transferring to refuges. D.B. 1346, pp. 18–22. 1925.
 Wichita National forest. M.C. 36, pp. 5–6. 1925.
 See also Pronghorn.
Antelope Valley, description and horsefly conditions. D.B. 1218, pp. 4–6. 1924.
Antennophori, classification, description, and habits. Rpt. 108, pp. 79, 86–87. 1915.
Anthaenantia spp., description, distribution, and uses. D.B. 772, pp. 20, 213–214. 1920.
Anthaxia spp., larval structure, distribution, habits, and host trees. D.B. 437, pp. 4, 5, 7. 1917.
Anthelmintic(s)—
 action on parasites outside of the alimentary canal. Brayton Howard Ransom and Maurice C. Hall. B.A.I. Bul. 153, pp. 23. 1912.
 carbon tetrachlorid tests. M. C. Hall and J. E. Shillinger. J.A.R., vol. 23, pp. 163–192. 1923.
 efficacy. J.A.R., vol. 12, pp. 397–447. 1918.
 efficacy of carbon trichloride and solubility as a factor. Maurice C. Hall and Eloise B. Cram. J.A.R., vol. 30, pp. 949–953. 1925.
 experimental work. B.A.I. Chief Rpt., 1925. p. 39. 1925.
 experiments with foxes, report and discussion. J.A.R., vol. 28, pp. 331–337. 1924.
 miscellaneous, critical tests. Maurice C. Hall and Jacob E. Shillinger. J.A.R., vol. 29, pp. 313–332. 1924.
 solubility as factor in efficacy. Maurice C. Hall and Eloise B. Cram. J.A.R., vol. 30, pp. 949–953. 1925.
 testing work. B.A.I. Chief Rpt., 1924, p. 39. 1924.
 toxicity. J.A.R., vol. 30, pp. 949–950. 1925.
 use—
  against dog parasites. D.C. 338, pp. 17, 18, 21–22, 23, 26. 1925.
  in control of internal parasites. An. Rpts., 1919, pp. 131–132. 1920; B.A.I. Chief Rpt., 1919, pp. 59–60. 1919.
 See also Worm destroyers.
Anthemis nobilis. See Camomile, Roman.
Anthephora hermaphrodita, importation from Brazil. No. 33692, B.P.I. Inv. 31, pp. 6, 44. 1914.

Anthocephalus cadamba, importation and description. No. 39637, B.P.I. Inv. 41, p. 52. 1917.
Anthocercis viscosa, host of *Phytophthora infestans*. B.P.I. Bul. 245, p. 26. 1912.
Anthochloa spp., description, distribution, and uses. D.B. 772, pp. 10, 71–73. 1920.
Anthocyanin formation, Wheldale theory. B.P.I. Bul. 264, pp. 17–18. 1912.
Anthonomus—
　grandis. See Boll weevil.
　grandis thurberiae—
　　feeding experiments with hibiscus. J.A.R., vol. 2, pp. 241–242, 244–245. 1914.
　　technical description, habits, and food plants. J.A.R., vol. 1, pp. 89–98. 1913.
　See also Boll weevil, Arizona.
　spp.—
　　description and characteristics. Ent. Bul. 63, Pt. II, pp. 39–43. 1907.
　　weevils having boll weevil parasites. Ent. Bul. 100, pp. 43, 45, 50, 51, 52, 53, 54, 64, 67, 68, 71, 76–77. 1912.
　vestitus, cotton square weevil from Peru, description. Rpt. 102, p. 12. 1915.
ANTHONY, G. A.—
　"Killing hogs and curing pork." With F. G. Ashbrook. F.B. 913, pp. 40. 1917.
　"Pork on the farm: Killing, curing, and canning." With others. F.B. 1186, pp. 44. 1921.
ANTHONY, R. D.: "Inheritance of certain characters of grapes." With U. P. Hedrick. J.A.R., vol. 4, pp. 315–330. 1915.
ANTHONY, S. B.—
　"Development of barley kernels in normal and clipped spikes and the limitations of awnless and hooded varieties." With Harry V. Harlan. J.A.R., vol. 19, pp. 431–472. 1920; J.A.R. vol. 21, pp. 29–45. 1921.
　"Effect of time of irrigation on kernel development of barley." With Harry V. Harlan. J.A.R., vol. 21, pp. 29–45. 1921.
　"Germination of barley pollen." With Harry V. Harlan. J.A.R., vol. 18, pp. 525–536. 1920.
Anthothrips spp., key and description of new species. Ent. T. B. 23, Pt. I, pp. 17–19. 1912.
Anthoxanthum—
　odoratum, host of *Puccinia triticina*. J.A.R., vol. 22, pp. 164–172. 1921.
　odoratum. See also Sweet vernal grass.
　spp.—
　　description, distribution, and uses. D.B. 772, pp. 17, 201–202. 1920.
　　susceptibility to stem rust, studies. J.A.R., vol. 10, pp. 443–484. 1917.
Anthracene oil (with zinc chloride) use as spray for poultry mites and cost. News L., vol. 4, No. 40, p. 6. 1917.
Anthracnose—
　apple, cause, and prevention. D.B. 587, pp. 11–12. 1917.
　apple, control by Bordeaux mixture. O.E.S. An. Rpt., 1912, p. 187. 1913.
　banana, cause, and results. Guam A. R., 1917, p. 46. 1918.
　bean—
　　cause and result. Guam A.R., 1917, p. 47. 1918.
　　description, causes, symptoms, and control. B.P.I. Doc. 330, p. 1. 1907; F.B. 856, pp. 25–26. 1917.
　　study of resistance. J.A.R., vol. 31, pp. 102–145, 149–151, 153. 1925.
　blackberry and raspberry, control. S.R.S. Doc. 93, pp. 6, 12. 1919.
　canker of flax, cause and symptoms. D.B. 1120, p. 2. 1922.
　clover—
　　cause of failure in South. F.B. 1365, p. 20. 1924.
　　control. S.R.S.Rpt., 1916, Pt. I, p. 254. 1918.
　　description. F.B. 1339, p. 28. 1923.
　　injury to red clover, description and control methods. F.B. 455, pp. 40–41. 1911.
　cotton—
　　control. S.R.S. Rpt., 1916, Pt. I., pp. 49, 132, 246. 1918.
　　control. W. W. Gilbert. F.B. 555, p. 8. 1913.
　　control study. Work and Exp., 1914, pp. 210. 1915.
　　description and control. B.P.I. Doc. 331, p. 1. 1907; F.B. 517, pp. 6–8. 1912; F.B. 787, p. 39. 1916; F.B. 1187, pp. 14–16. 1921.

Anthracnose—Continued.
　cotton—continued.
　　dissemination methods, development, and extent of injuries. F.B. 555, pp. 3–4, 5–7, 8. 1913.
　　distribution, description, and injuries. F.B. 555, pp. 1–4, 6–7, 8. 1913.
　　nature and control. Y.B., 1921, pp. 356–357. 1922; Y.B., Sep. 877, pp. 356–357. 1922.
　　relation to production. Sec. Cir. 88, p. 12. 1918.
　　transmission in seed, study. O.E.S. An. Rpt., 1909, p. 181. 1910.
　cranberry, description, cause, and control. B.P.I. Bul. 110, pp. 30–35. 1907; F.B. 221, p. 8. 1905; F.B. 1081, pp. 8–9. 1920.
　cucumber—
　　comparison with bacterial spot. D.C. 234, pp. 1–2. 1922.
　　control in greenhouses. F. B. 1320, p. 25. 1923.
　　description and control by spraying. D.C. 35, p. 14. 1919; F.B. 460, pp. 26–27. 1911; F.B. 856, p. 47. 1917; News L., vol. 2, No. 13, pp. 1–2. 1914.
　cucurbits—
　　description. F.B. 231, pp. 8–9, 24. 1905.
　　description, cause, and control. M. W. Gardner. D.B. 727, pp. 68. 1918.
　　history and geographic distribution. D.B. 727, pp. 3–8. 1918.
　currant, description and treatment. F.B. 1024, p. 21. 1919.
　description and control. D.C. 35, pp. 5, 6. 1919.
　fungi, varieties causing. D.B. 727, p. 24. 1918.
　ginseng, control. B.P.I. Bul. 250, pp. 19–20. 1912.
　gooseberry, description and control. F.B. 1024, p. 22. 1919.
　grape—
　　control experiments. Lon A. Hawkins. B.P.I. Cir. 105, pp. 8. 1913.
　　description and control. B.P.I. Cir. 105, p. 3, 1913; F.B. 1220, pp. 55–56. 1921.
　　injury, treatment. F.B. 284, pp. 34–35. 1907.
　lettuce, caused by *Marssonina panattoniana*. E.W. Brandes. J.A.R., vol. 13, pp. 261–280. 1918.
　lime fruit, control. Hawaii Bul. 47, pp. 12–13. 1923.
　mango—
　　blossom injury. D.B. 542, pp. 1–2, 18. 1917.
　　in Florida. S. M. McMurran. D.B. 52, pp. 15. 1914.
　　relations of weather conditions, studies. D.B. 52, pp. 11–14, 15. 1914.
　muskmelons. George K. K. Link and F. C. Meier. D. C. 217, pp. 4. 1922.
　northwestern, apple, description, cause, and control. F.B. 1160, pp. 12–13. 1920.
　occurrence on plants in Texas, and description. B.P.I. Bul. 226, pp. 34, 35, 40, 41, 43, 55, 67, 68, 72, 85. 1912.
　of vegetables, under market, storage, and transit conditions. B.P.I. [Misc.], "Handbook of the diseases * * *," pp. 24, 33, 36–37, 42, 65–66, 72. 1919.
　onions. See Onion smudge.
　pecan, cause and description. F.B. 1129, pp. 11–12. 1920; J.A.R., vol. 1, pp. 319–330, 338. 1914.
　raspberry, description. F.B. 887, p. 35. 1917.
　resistant strain of clover, development and distribution. O.E.S. An. Rpt., 1912, p. 205. 1913.
　rose, control. F.B. 750, p. 33. 1916.
　rye, control method. F.B. 756, p. 16. 1916.
　tomato, description and control. D.C. 40, p. 15. 1919; S.R.S. Doc. 95, pp. 15, 18. 1919.
　watermelon—
　　cause—
　　　description, effects and spread. D.C. 90, pp. 9–11. 1920; F.B. 821, pp. 3, 6–11. 1917; F.B. 1394, pp. 13–15. 1924.
　　of crop losses. J.A.R., vol. 6, No. 4, p. 152. 1916.
　　control by spraying. F. C. Meier. D.C. 90, pp. 11. 1920.
　　spread by cultural practices. D.B. 727, pp. 43–44. 1918.
　　symptoms, cause, and control. F.B. 1277, pp. 4, 9–18. 1922.

Anthracosis, nodules, characteristics. B.A.I. An.
   Rpt., 1910, p. 348. 1912; B.A.I. Cir. 191, p. 348.
   1912.
Anthracothorax spp. *See* Mango birds.
Anthranilate, methyl, in grape juices. F. B.
   Power and V. K. Chesnut. J.A.R., vol. 23,
   pp. 47–53. 1923.
Anthrax—
   animal infection and distribution. B.A.I. Bul.
      137, pp. 5–6, 9–11. 1911.
   articles exposed, prohibition. Off. Rec., vol. 3,
      No. 15, pp. 2. 1924.
   bacillus—
      description and growth. B.A.I. An. Rpt.,
         1909, pp. 218–220, 221, 227. 1911; B.A.I. Bul.
         137, pp. 6–9. 1911; F.B. 439, pp. 6–8, 9, 15.
         1911.
      discovery, different organism from blackleg
         bacillus. B.A.I. Cir. 31, rev., p. 1. 1907.
      nature, occurrence, description, and action.
         B.A.I. [Misc.], "Diseases of cattle," rev.,
         pp. 364, 440–441. 1909; rev., pp. 378, 457–458.
         1912; F.B. 784, pp. 3–4, 8, 9. 1917.
   carcasses infected, destruction or deep burial
      for disease prevention. F.B. 784, pp. 4, 8,
      15–16. 1917.
   cattle—
      and horse, control methods. News L., vol. 3,
         No. 14, p. 3. 1915.
      cause, infection methods, symptoms, and pre-
         vention. B.A.I. [Misc.], "Diseases of cat-
         tle," rev., pp. 440–446. 1908; rev., pp. 457–464.
         1912; rev., pp. 449–458. 1923.
      danger to milk supply. B.A.I. An. Rpt., 1907,
         p. 153. 1909.
      horses and men. D. E. Salmon and Theobald
         Smith. B.A.I. Cir. 71, pp. 10. 1905.
   causative agent, description and spread. F.B.
      480, pp. 6, 7–8. 1912.
   cause—
      discovery. F.B. 784, p. 3. 1917.
      symptoms and treatment. F.B. 1244, pp. 6–7.
         1923.
   control—
      by new serum treatment, experiments. An.
         Rpts., 1910, pp. 260–261. 1911; B.A.I. Chief
         Rpt., 1910, pp. 66–67. 1910.
      by vaccination. Y.B. 1919, p. 77. 1920;
         Y.B. Sep. 802, p. 77. 1920.
      in South, advice to owners of animals. An.
         Rpts., 1909, p. 229. 1910; B.A.I. Chief Rpt.,
         1909, p. 39. 1909.
      methods. B.A.I. An. Rpt., 1909, pp. 223–228.
         1911; F.B. 439, pp. 11–16. 1911.
      on Delaware marsh lands, conditions. O.E.S.
         Bul. 240, p. 26. 1911.
   diagnosis—
      and anatomical changes. F.B. 784, pp. 9–11.
         1917.
      differentiation from hemorrhagic septicemia.
         D.B. 674, p. 7. 1918.
      methods. B.A.I. Bul. 137, pp. 11–16. 1911.
   difference from blackleg. B.A.I. Cir. 31, rev.,
      pp. 8, 23. 1911.
   disinfectants, germicidal efficiency, experimental
      work. J.A.R., vol. 4, pp. 67–90. 1915.
   disinfection methods. An. Rpts. 1917, p. 116.
      1917; B.A.I. Chief Rpt. 1917, p. 50. 1917.
   distinction from hemorrhagic septicemia and from
      blackleg. B.A.I. [Misc.], "Diseases of cattle,"
      rev., pp. 407, 467. 1912.
   emphysematous. *See* Blackleg.
   experiments with liquor cresolis compositus as
      germicide. B.A.I. Bul. 100, pp. 22–24. 1907.
   forms—
      and symptoms. F.B. 784, pp. 4–6. 1917.
      description of symptoms and results. B.A.I.
         An. Rpt., 1909, pp. 220–221. 1911; F.B. 439,
         pp. 8–9. 1911.
   hog—
      similarity to hog cholera. F.B. 384, p. 12. 1917.
      symptoms. F.B. 379, p. 17. 1909.
   human, description and cause. F.B. 784, pp. 6–7.
      1917.
   immune serum, preparation. J.A.R., vol. 8, pp.
      38–41. 1917.
   immunity, production. C. F. Dawson. B.A.I.
      Bul. 137, pp. 47. 1911.
   in cattle, horses, and men. D. E. Salmon and
      Theobald Smith. B.A.I. Cir. 71, pp. 10. 1905.

Anthrax—Continued.
   in horse, description, history, causes, symptoms,
      and treatment. B.A.I.[Misc.], "Diseases of
      the horse," pp. 529–532. 1911.
   in man, transmission and treatment. B.A.I.
      [Misc.], "Diseases of cattle," rev., pp. 458–459.
      1923; B.A.I. Cir. 71, rev., pp. 9–10. 1904.
   inefficacy of echinacea against. J.A.R., vol. 20,
      pp. 74–75. 1920.
   infection sources and method. B.A.I. An. Rpt.,
      1909, pp. 218–220, 228. 1911; F.B. 439, pp. 6–8,
      16. 1911.
   injuries to livestock in South, control by vaccine
      and serum. News L., vol. 5, No. 7, p. 7. 1917.
   inoculation, description of vaccine, and precau-
      tions. B.A.I.[Misc.], "Diseases of cattle," rev.,
      p. 445. 1909; rev., p. 463. 1912.
   introduction in hides, necessity of sterilization
      methods. B.A.I. An. Rpt., 1911, pp. 94–95.
      1913; B.A.I. Cir. 213, pp. 94–95. 1913.
   legislation. B.A.I. Bul. 28, pp. 54, 75, 79, 108, 110,
      112, 167, 172. 1901.
   losses from, nature and control, and animals
      affected. Y.B. 1915, pp. 160, 163–166. 1916;
      Y.B. Sep. 666, pp. 160, 163–166. 1916.
   nature, history, and control methods. B.A.I. An.
      Rpt., 1909, pp. 217–228. 1911; F.B. 439, pp.
      1–16. 1911.
   occurrence in—
      Honduras. B.A.I. An. Rpt., 1910, p. 291. 1912.
      man, and serum treatment. Y.B. 1915, pp. 164,
         165. 1916; Y.B. Sep. 666, pp. 164, 165. 1916.
   outbreak—
      and scourge, 1613, historical note. B.A.I., An.
         Rpt., p. 217. 1911; F.B. 439, p. 5. 1911; F.B.
         784, p. 3. 1917.
      preventive measures. Off.Rec., vol. 3, No. 31,
         p. 5. 1924.
   prevalence, persistence, and control methods.
      D.B. 340, pp. 1–2. 1915.
   serum—
      heating experiments and results. J.A.R., vol.
         8, pp. 449–451, 454–455. 1917.
      immunity studies. J.A.R., vol. 8, pp. 37–56.
         1917.
      preparation and standardization, details. D.B.
         340, pp. 4–8, 9–10. 1915.
      use on sheep. O.E.S. An. Rpt., 1911, pp. 62, 90.
         1912.
   sheep, cause, symptoms, and diagnosis. F.B.
      1155, pp. 3–4. 1921.
   simultaneous treatment, testing, and results.
      D.B. 340, pp. 13–14. 1915.
   South Dakota, outbreak and losses, 1909. An.
      Rpts., 1909, p. 219. 1910; B.A.I. Chief Rpt.,
      1909, p. 29. 1909.
   specimens for examination, directions for packing.
      B.A.I. An. Rpt., 1906, pp. 201–202, 1908; B.A.I.
      Cir. 123, pp. 5–6. 1908.
   spores—
      digestion by buzzards. F.B. 755, p. 38. 1916.
      disinfection, bacteriological study. J.A.R., vol.
         4, pp. 67–90. 1915.
      effect of chlorine disinfectants. J.A.R., vol. 20;
         pp. 94–98. 1920.
   spread by—
      buzzards and other carriers, comparison. F.B.
         755, pp. 38–39. 1916.
      hornfly. S.R.S. Rpt., 1915, Pt. I, p. 132. 1917.
      horseflies. News L., vol. 3, No. 1, pp. 1–2.
         1915.
   susceptibility of man. B.A.I. An. Rpt., 1909, p.
      217. 1911; B.A.I. Bul. 137, pp. 19–20. 1911;
      F.B. 439, p. 5. 1911.
   symptomatic—
      immunization against, improved methods.
         R. A. Kelser. J.A.R. vol. 14, pp. 253–262.
         1918.
      See also Blackleg.
   symptoms, distinction from blackleg. B.A.I.
      Cir. 31, rev., p. 9. 1907.
   transmission—
      by flies. S.R.S. Rpt., 1916, Pt. I, pp. 132–133.
         1918.
      by house flies. F.B. 412, p. 11. 1910.
      by insects. S.R.S. Rpt., 1917, Pt. I, pp. 54, 131.
         1918.
      by soil and water. Work and Exp., 1914, p. 121.
         1915.
      studies. O.E.S. Rpt., 1922, pp. 72–73. 1924.

Anthrax—Continued.
  transmission—continued.
    to hogs. O.E.S. An. Rpt., 1910, p. 264. 1911.
    treatment in man with immune serum. J.A.R. vol. 8, p. 52. 1917.
    vaccination, experiments. Adolph Eichhorn. D.B. 340, pp. 16. 1915.
  See also Blackleg.
Anthraxase, immunizing power in anthrax control, experiments. B.A.I. Bul. 137, pp. 35–38. 1911.
Anthraxin, immunizing power in anthrax control, experiments. B.A.I. Bul. 137, pp. 28–29. 1911.
Anthraxoin, immunizing power in anthrax control, experiments. B.A.I. Bul. 137, pp. 38–40. 1911.
Anthrenus spp. See Carpet beetles.
Anthus—
  pensilvanicus. See Titlark.
  rubescens. See Pipit.
Antiapoplectine, misbranding. Chem. N.J. 4091. 1916.
Anticephalalgine, misbranding. Chem. S.R.A., Sup. 18, pp. 500–562. 1916.
Anticoagulins in hookworms, determination. J.A.R., vol. 22, pp. 418–420. 1921.
Anticyclones, nature and causes. Y.B., 1924, pp. 459–460. 1925.
Antidesma—
  bifrons, importation and description. No. 34163. B.P.I. Inv. 32, p. 17. 1914.
  bunius—
    importation, description, and uses. No. 43544, B.P.I. Inv. 49, p. 40. 1921; No. 46704, B.P.I. Inv. 57, p. 22. 1922.
    See also Bignai.
Antidotes—
  barium, experiments and results B.P.I. Bul. 246, pp. 9–16. 1912.
  different poisons. B.A.I. [Misc.], "Diseases of cattle," rev., pp. 55–56, 57, 60, 61, 62, 64, 68. 1909; rev., 57–66. 1912; Y.B., 1908, pp. 423, 425. 1909; Y.B. Sep. 491, pp. 423, 425. 1909.
Antifat cures, warning against. News L., vol. 1, No 51, pp. 3–4. 1917.
Antifebrin. See Acetanilid.
Antiferment, adulteration and misbranding. See Indexes to Notices of Judgment, in bound volumes and in separates published as supplements to Chemistry Service and Regulatory Announcements.
Antigen(s)—
  complement fixation—
    new method of preparation. J.A.R., vol. 14, pp. 573–576. 1918.
    test, use of germ-free filtrates. W.S. Gochenour. J.A.R., vol. 19, pp. 513–515. 1920.
  for diagnosis of tuberculosis, classification and preparation. J.A.R., vol. 8, pp. 5–10. 1917.
  preparation for—
    conglutination test of glanders. J.A.R., vol. 11, pp. 69–70. 1917.
    dourine diagnosis. An. Rpts., 1912, pp. 360–361. 1913; B.A.I. Chief Rpt., 1912, pp. 64–65. 1912; J.A.R., vol. 1, pp. 104–105. 1923.
    titration method. B.A.I. Bul. 136, pp. 20–21. 1911.
  use in diagnosis of glanders, preparation method. B.A.I. Bul. 136, pp. 19–21. 1911.
Antigerm, adulteration and misbranding. Chem. N.J. 889. 1923.
Antigonon—
  guatimalense, importation and description. No. 38397, B.P.I. Inv. 39, p. 124. 1917.
  teptopus, occurrence in Guam. Guam A. R., 1913, pp. 21–22. 1914.
'Antikamnia—
  and codein tablets," danger. F.B. 393, p. 15. 1910.
  fatal poisoning. Chem. Bul. 126, pp. 36, 44, 85. 1909.
  tablets, misbranding alleged. Chem. N.J. 1056, pp. 11. 1911.
Antilocapra americana—
  mexicana, note. D.B. 1346, p. 6. 1925.
  See Pronghorn.
Antimony—
  oxide, use as poison against Argentine ants. D.B. 647, pp. 60–71. 1918.
  separation of arsenic. Chem. Cir. 102, pp. 11–12. 1912.
  sulphides, use against tobacco budworm, efficiency. F.B. 819, p. 8. 1917.

Antinonnin, analysis. Chem. Bul. 76, p. 52. 1903.
Antipain powders, misbranding. Chem. N.J. 2548, pp. 2. 1913.
Antipest, Perfection Carman, misbranding. Chem. N.J. 95. 1914.
Antiphonie, meaning of term. B.P.I. Bul. 256, p. 39. 1913.
Antipyretics, investigations. Chem. Bul. 80, pp. 27–32. 1904.
Antipyrin—
  consumption in United States. F.B. 393, p. 3 1910.
  determination in headache mixtures. Chem. Bul. 152, p. 240. 1912.
  effects in febrile conditions and in health, experiments. Chem. Cir. 81, p. 7. 1911.
  harmful effects, also acetanilid and phenacetin. L. F. Kebler and others. Chem. Bul. 126, pp. 85. 1909.
  poisoning, abstracts of cases. Chem. Bul. 126, pp. 46–79. 1909.
  preparation and use. Chem. Bul. 80, p. 31. 1904.
  use as drug, effects, results of investigation, caution. F.B. 377, pp. 3–9, 13–15. 1909.
Antirat campaigns, local. Off. Rec., vol. 2, No. 1, p. 8. 1923.
Antirrhinum, spp., description, cultivation and characteristics. F.B. 1171, pp. 47–48, 82. 1921.
Antirrhoea spp., description and uses. D.B. 354, p. 96. 1916.
Antiseptic(s)—
  comparison with green feed as preventive of intestinal disorders in chicks. J.A.R., vol. 20, pp. 869–873. 1921.
  effect on—
    nitrogen-fixing and nitrifying organisms. J.A.R., vol. 15, pp. 601–614. 1918.
    Penicillium and Aspergillus. B.A.I. Bul. 120, p. 15. 1910.
  ingredients in tomato ketchup. Chem. Bul. 119, pp. 23, 25. 1909.
  peroxide talcum, misbranding. Chem. N.J. 4056. 1916.
  powder, misbranding. Chem. N.J. 3753. 1915.
  use in—
    cattle wounds. B.A.I. [Misc.], "Diseases of cattle," rev., p. 299. 1909; rev., pp. 307, 309. 1912.
    control of cattle abortion, formulas. F.B. 790, pp. 11–12, 1917.
    experimental dipping. D.B. 1037, pp. 39, 51. 1922.
    timber protection, experiments. D.B. 1037, pp. 37–46. 1922.
  See also Preservatives.
Antisheep amboceptor and complement in blood of fowls. J.A.R., vol. 27, pp. 709–715. 1924.
Antitipping regulations. Off. Rec., vol. 1, No. 48, p. 4. 1922.
Antitoxin(s)—
  diphtheria, use and value in control of cerebrospinal meningitis. D.B. 65, p. 14. 1914.
  preparation, use of guinea pigs. F.B. 525, pp. 6–7. 1913.
  study with special reference to septicemia. B.A.I. Bul. 36, pp. 19–23. 1902.
  tetanus—
    destruction by chemicals, W. N. Berg and R. A. Kelser. J.A.R., vol. 13, pp. 471–495. 1918.
    human, requirements of law. B.A.I. Bul. 121, pp. 14, 21. 1909.
    standardization. B.A.I. An. Rpt., 1911, pp. 187–188. 1913.
    standardization, methods, European and American. B.A.I. Bul. 121, pp. 13–15. 1909.
    veterinary, manufacture, need of control and standardization. J.R. Mohler and Adolph Eichhorn. B.A.I. Bul. 121, pp. 22. 1909.
Antitrust—
  acts, definition of term. Sec. Cir. 156, p. 30. 1921.
  laws—
    Clayton amendment. D.B. 547, pp. 77–78. 1917.
    effect on farmers, executive order of President Wilson. News L., vol. 5, No. 37, p. 5. 1918.
Antivomit tablets, adulteration and misbranding. Chen. N.J. 3019. 1914.
Antonina crawi, injury to bamboo. D.B. 1329, p. 40. 1925.

Antrostomus—
carolinensis. See Chuck-will's-widow.
vociferus. See Whippoorwill.
Anuraphis—
bakeri, description and control. F.B. 1128, pp. 12, 38–47. 1920.
crataepifolia, description and occurrence. F.B. 1128, pp. 14–15. 1920.
persicae-niger, description, habits and control. F.B. 1128, pp. 26–27, 47–48. 1920.
prunicola, description, habits and control. F.B. 1128, pp. 28, 47–48. 1920.
roseus, description, habits and control. F.B. 1128, pp. 5–8, 38–47. 1920; F.B. 1270, pp. 22–24. 1922.
Anystidae, classification, description, and habits. Rpt. 108, pp. 30–32. 1915.
Anystis spp., description and habits. Rpt. 108, p. 31. 1915.
Anyu, importation and description. Nos. 41185, 41186, 41195, B.P.I. Inv. 44, pp. 6, 7, 49, 50. 1918.
Aoudad. See Sheep, Barbary.
Apache National Forest—
Ariz. and N. Mex., map. For. Maps. 1925.
composite type of growth. H. G. Greenamyre. For. Bul. 125, pp. 32. 1913.
Apanteles—
carpatus, parasitic enemy of moths. F.B. 659, pp. 4, 6. 1915.
congregatus, parasitic on catalpa sphinx, description and hyperparasites. Ent. Cir. 96, p. 5. 1907; F.B. 705, pp. 5, 9. 1916.
glomeratus, parasitic on common cabbage worm. F.B. 766, pp. 8–9, 13. 1916.
harti, parasitic on lotus borer, description and habits. D.B. 1076, p. 11. 1922.
hyphantriae, parasitized by *Perilampus hyalinus.* Ent. T.B. 19, Pt. IV, pp. 36, 44. 1912.
lacteicolor—
parasitic on brown-tail moth, life history. J.A.R., vol. 14, pp. 192–201. 1918.
parasitic on gipsy and brown-tail moths. F.B. 564, pp. 6–7. 1914; F.B. 845, p. 9. 1917.
spread in New England. An. Rpts., 1913, pp. 210–211. 1914; Ent. A.R., 1913, pp. 2–3. 1913.
melanoscelus—
breeding for gipsy moth control, details. D.B. 1028, pp. 19–21. 1922.
description and life history. D.B. 1028, pp. 2–14. 1922.
host of *Schedius kuvanae.* J.A.R., vol. 30, p. 653. 1925.
introduction and establishment in New England. D.B. 1028, pp. 14–25. 1922.
parasite of the gipsy moth. S. S. Crossman. D.B. 1028, pp. 25. 1922.
militaris—
biology. J.A.R., vol. 5, No. 12, pp. 495–542. 1915.
parasitic on army worm. F.B. 731, p. 9. 1916; J.A.R., vol. 6, No. 12, pp. 455–458. 1916.
n. sp., parasitic on *Recurvaria milleri.* J.A.R., vol. 21, No. 3, p. 138. 1921.
spp.—
enemies of brown-tail moth, introduction. An. Rpts., 1911, pp. 499, 501. 1912; Ent. Rpt., 1911, pp. 9, 11. 1911.
enemies of little-known cutworm. Ent. Bul. 109, Pt. IV p. 51. 1912.
gipsy moth parasite, establishment in New England. D.B. 204, pp. 6, 7, 8–9, 11, 12. 1915.
importation and spread, New England. An. Rpts., 1912, pp. 621, 622, 623. 1913; Ent. A.R. 1912, pp. 9, 10, 11. 1912.
introduction into the United States, studies. Ent. Bul. 91, pp. 47, 73–75, 79–82, 278–290. 1911.
Apantesis arge. See Moth, tiger.
Apate monachus, citrus pest. Sec. [Misc.] "A manual of * * * insects * * *," p. 56. 1917.
Apatela populi, description, habits, and control. F.B. 1169, pp. 47–48. 1921.
Apateticus—
marginiventris, destruction of Colorado potato beetle. Ent. Bul. 82, Pt. VII p. 85. 1911.
mucronatus, enemy of army worm. Ent. Bul. 66, Pt. V, p. 64. 1909.
Apatite—
Canadian, phosphorus availability for various crops. J.A.R., vol. 6, No. 13, pp. 497–502, 512. 1916.

Apatite—Continued.
determination in commercial fertilizers. D.B. 97, pp. 1–10. 1914.
occurrence and nature. Soils Bul. 41, pp. 8–9. 1907.
use in acid phosphate, description, source, and value. D.B. 144, pp. 2–3, 4. 1914.
Apentelicus, description. Hawaii A.R., 1912, p. 26. 1913.
Aphaereta sp.—
parasitic on radish maggot. Ent. Bul. 66, Pt. VII, p. 96. 1909.
parasitic on sarcophagids. J.A.R., vol. 2, p. 442. 1914.
Aphanogmus varipes, hyperparasite of common red spider. Ent. Bul. 117, p. 19, 1913; Ent. Cir. 104, p. 6. 1909.
Aphanomyces—
euteiches, cause of root rot of peas. F.R. Jones and Charles Drechsler. J.A.R., vol. 30, pp. 293–325. 1925.
laevis, cause of disease in beets. J.A.R., vol. 4, pp. 136, 139, 161–163. 1915.
Aphelenchus cocophilus, cause of coconut red-ring, spread by termites. D.B. 1232, pp. 12, 13–16, 19–20. 1924.
Aphelininae, new genera and species. L. O. Howard. Ent. T.B. 12, Pt. IV, pp. 69–88. 1907.
Aphelinus—
fuscipennis, parasitic on grape scale, rearing. Ent. Bul. 97, Pt. VII pp. 119, 120. 1912.
spp.—
parasitic on "green bug," description. Ent. Bul. 110, pp. 122–125. 1912.
parasitic on oyster-shell scale. Ent. Cir. 121, p. 6. 1910; F.B. 723, p. 6. 1916.
Aphelocoma californica. See Jay, California.
Aphelopus spp.—
parasitic on apple and rose leaf hoppers. D.B. 805, pp. 20, 29. 1919.
parasitic on grape leaf hopper. D.B. 19, pp. 32–33. 1914.
Aphicide—
misbranding. Insect. N.J. 73, I. and F. Bd., S.R.A. 1, p. 11. 1914.
paper, fumigation of greenhouse thrips, experiments. Ent. Bul. 64, Pt. VI, pp. 53–55. 1909.
Aphid(s)—
affecting grasses and grains of United States. Theo. Pergande. Ent. Bul. 44, pp. 5–23. 1904.
apple, pear, and quince. E. D. Sanderson. O.E.S. Bul. 115, pp. 123–127. 1902.
carriers of mosaic and other plant diseases. F.B. 1436, pp. 12–13. 1924; J.A.R., vol. 31, pp. 12, 23, 29. 1925.
carriers of mosaic of Chinese cabbage. J.A.R., vol. 22, pp. 173–178. 1921.
classification and relationships, studies. D.B. 826, pp. 7–8. 1920.
control—
by carbon disulphide. F.B. 799, pp. 16–18. 1917.
by derris powder and spray, experiments. J.A.R., vol. 17, pp. 190–191, 193–196. 1919.
by gases, fumigation experiments. D.B. 893, pp. 4, 6, 7, 10. 1920.
by plant insecticides. D.B. 1201, pp. 4–51. 1924.
by quassia extracts, formulas and experiments. J.A.R., vol. 10, pp. 507–528. 1917.
by tobacco solutions. Y.B., 1908, p. 279. 1909; Y.B. Sep. 480, p. 279. 1909.
by water spray. Guam A.R., 1914, pp. 9, 11. 1915.
in forest nurseries, spray formulas. D.B. 479, pp. 75–76. 1917.
in frame, truck grown. F.B. 460, p. 27. 1911.
in greenhouses. F.B. 1320, p. 24. 1923.
in Porto Rico. P.R. Cir. 17, p. 10. 1918.
measures. F.B. 804, pp. 34–42. 1917.
on fruit trees. S.R.S. Rpt., 1917, Pt. I, pp. 120, 140, 186, 196. 1918.
on potatoes, spinach and peas. An. Rpts., 1918, pp. 241, 242, 249. 1919; Ent. A.R., 1918, pp. 9, 10, 17. 1918.
use of nicotine dust. F.B. 1282, pp. 14–19. 1922.
destroyer, "Nikoteen punk," adulteration and misbranding. N.J. 101. I. and F.Bd.S.R.A. 3, p. 47. 1914.

Aphid(s)—Continued.
   destruction by—
      Aphidoletes meridionalis. J.A.R., vol. 6, No. 23, pp. 883–888. 1916.
      birds. Biol. Bul. 30, pp. 18, 45, 75, 77. 1907.
      ladybirds. Y.B., 1911, pp. 454–457. 1912; Y.B. Sep. 583, pp. 454–457. 1912.
   development, description and injuries. F.B. 804, pp. 2–34. 1917.
   dusting with nicotine sulphate, costs. D.C. 154, pp. 5–9, 11–12. 1921.
   effect of pyrethrum. D.B. 824, pp. 13, 79. 1920.
   eggs, sprays, effects. Ent. Bul. 67, pp. 29–31. 1907.
   family, tribe, and genera, classification. A. C. Baker. D.B. 826, pp. 109. 1920.
   fumigation, cost, and results. F.B. 880, pp. 11, 13–18. 1917.
   gall-forming, classification and description. D.B. 826, pp. 9, 68–77, 81–86. 1920.
   green. *See* Melon aphid.
   habits, control, and description of species. F.B. 1169, pp. 83–88. 1921.
   honeydew secretion. D.B. 826, pp. 77–79. 1920.
   host-plant destruction, control measure. F.B. 804, p. 42. 1917.
   infected with spinach blight, transferrence, experiments. J.A.R., vol. 14, pp. 16–24, 34–46. 1918.
   injurious, preservation by ants. F.B. 740, p. 9. 1916.
   injury—
      and control summary. F.B. 804, p. 2. 1917.
      to barley, distribution. F.B. 443, pp. 44–45. 1911.
      to hops, nature of damage, and control methods. Ent. Bul. 111, pp. 21–22, 23–37. 1913.
      to legumes, Hawaii, and control by natural enemies. Hawaii A.R., 1911, p. 18. 1912.
      to purple vetch. F.B. 967, p. 12. 1918.
      to rosebushes, control methods. News L., vol. 3, No. 42, p. 4. 1916.
      to spruce trees. D.B. 1060, p. 21. 1922.
      to tomatoes, description, and control. S.R.S. Doc. 95, pp. 7–8. 1919.
      to vegetables in Porto Rico. D.B. 192, pp. 3, 10, 11. 1915.
   key to genera. Hawaii A.R., 1909, p. 21. 1910.
   migration, relation to length of daylight. J.A.R., vol. 27, pp. 513–522. 1924.
   natural enemies. F.B. 804, pp. 33–34. 1917.
   new species, injurious to plums and peaches in Georgia. Ent. Bul. 31, p. 56. 1902.
   nicotine poisoning, experiments and studies. J.A.R., vol. 7, pp. 92–95, 96, 103, 105, 110, 113. 1916, occurrence in—
      Hawaii, description. Hawaii A.R., 1909, pp. 21–46. 1910.
      Pribilof Islands, Alaska. N.A. Fauna 46, Pt. II., pp. 143–144. 1923.
   or garden plant lice. Ent. [Misc.], "Garden plant lice * * *," p. 1. 1918.
   relation to Argentine ant in Louisiana. D.B. 647, pp. 15, 42–48. 1918.
   rosy, description, habits, injuries, and control. F.B. 1270, pp. 22–24. 1923.
   sexual forms, relation to length of light exposure. J.A.R., vol. 27, pp. 513–522. 1924.
   similar to oat aphid, description. D.B. 112, pp. 4–6. 1914.
   spray—
      formula. F.B. 1436, p. 16. 1924.
      use in Colorado orchards, formula. D.B. 500, pp. 30–31. 1917.
   spraying for control on carious fruits, times and methods. F.B. 804, pp. 40–42. 1917.
   spread—
      by ants. Ent. Bul. 85, pp. 101–102, 105, 109, 115. 1911.
      by Argentine ant. F.B. 1101, p. 4. 1920.
      of mosaic disease. J.A.R., vol. 19, pp. 326–328, 330, 331. 1920.
   study, methods. J.A.R., vol. 5, No. 21, pp. 958–960. 1916; Rpt. 101, pp. 17–18. 1915.
   transmission of—
      leafroll. J.A.R., vol. 21, pp. 53–59. 1921.
      potato diseases. J.A.R., vol. 25, pp. 50–51, 75, 84, 90, 91, 113. 1923.
      potato mosaic. J.A.R., vol. 17, pp. 256–266. 1919.
      potato virus. F.B. 1436, pp. 12–13. 1924.

Aphid(s)—Continued.
   underground, control by carbon disulphide. F.B. 799, pp. 16–17. 1917.
   use in inoculation of potatoes. J.A.R., vol. 30, pp. 505–514, 516–519. 1925.
   varieties, injuries to apples, Yakima Valley, Washington, and control studies. D.B. 614, p. 7. 1918.
   winter eggs, destruction by pruning. F.B. 804, p. 41. 1917.
   woolly—
      habits and control on maple, alder, beech, and elm. F.B. 1169, pp. 86–88. 1921.
      of apple—
         C. L. Marlatt. Ent. Cir. 20, pp. 6. 1908.
         immune strains, importations. Inv. Nos. 31511–31536, B.P.I. Bul. 248, pp. 8, 22. 1912.
         relation to elm trees. Work and Exp., 1914, pp. 45, 73, 126. 1915.
   See also Aphididae; Aphidius; Aphis; Plant lice.
Aphidencyrtus aphidiphagus, secondary parasite of "green bug." Ent. Bul. 110, pp. 126–127. 1912.
Aphididae—
   birth investigations. Ent. Bul. 67, pp. 31–33. 1907.
   eradication, necessity of descriptions, suggestions for color and measurement keys. Ent. Bul. 60, pp. 162–166. 1906.
   fecundity, extraordinary results if unchecked. Ent. Bul. 110, p. 73. 1912.
   generic classification. A. C. Baker. D.B. 826, pp. 109. 1920.
   migration and sexual forms, relation to length of day. S. Marcovitch. J.A.R., vol. 27, pp. 513–522. 1924.
   papers, studies on a species of Toxoptera. W. J. Phillips and J. J. Davis. Ent. T.B. 25, Pt. I, pp. 16. 1912.
   phylogeny. D.B. 826, pp. 3–10. 1920.
   three species, biological studies. John June Davis. Ent. T.B. 12, Pt. VIII, pp. 123–168. 1909.
   tribes and genera, classification, description, and keys. D.B. 826, pp. 4, 10–61. 1920.
Aphidius—
   nigripes, parasitic on English grain aphid. J.A.R., vol. 7, pp. 478–479. 1916.
   testaceipes—
      artificial introduction for control of "green bug." Ent. Bul. 110, pp. 142–143. 1912.
      control of oat aphid. D.B. 112, pp. 11, 13. 1914.
      parasitic on green bug, description. F.B. 1217, pp. 7–8, 10. 1921; Ent. Bul. 110, pp. 104–121. 1912; Sec. Cir. 50, p. 2. 1916.
Aphidoidea, superfamily, key to families. D.B. 826, p. 2. 1920.
Aphidoletes—
   meridionalis, dipterous enemy of aphids. J.A.R., vol. 6, No. 23, pp. 883–888. 1916.
   sp., enemy of spring grain aphid or "green bug." Ent. Bul. 110, p. 113. 1912.
Aphiochaeta—
   albidihalteris, description and control. Ent. Cir. 155, pp. 1–3. 1912.
   albidihalteris. See also Mushroom fly.
   perdita, enemy of alfalfa caterpillar. D.B. 124, pp. 24–25. 1914.
   spp., boll weevil enemies. Ent. Bul. 100, pp. 42, 45–48. 1912; Ent. Bul. 114, p. 142. 1912.
Aphis—
   avenae—
      comparison with *Aphis pomi.* J.A.R., vol. 5, No. 21, pp. 964, 966–968. 1916.
      See also Oat aphid.
   bakeri. See Clover aphid.
   brassicae—
      injury to cabbage in Hawaii. Ent. Bul. 109, Pt. III, pp. 32–33. 1912.
      See Cabbage louse; Cabbage aphid.
   cardui, description, history, and injury to plums. F.B. 804, pp. 20–21. 1917.
   cerasifoliae, description and habits. F.B. 804, p. 25. 1917; F.B. 1128, pp. 22–23, 47–48. 1920.
   crataegifoliae. See Thorn-leaf aphid.
   forbesi. See Strawberry root louse.
   furcata, description, habits, and control. F.B. 1128, pp. 24, 47–48. 1920.

Aphis—Continued.
  gossypii—
    cause of hybosis in cotton. B.P.I. Cir. 120, p. 30. 1913.
    destruction by ladybirds. Hawaii Bul. 25, p. 18. 1911.
    resemblance to *A. medicaginis*. Ent. Bul. 57, p. 27. 1906.
    transmission of mosaic disease. D.B. 879, pp. 43-44. 1920.
    See also Melon aphid.
  houghtonensis, injury to gooseberries, description. F.B. 804, p. 31. 1917.
  illinoisensis, description, habits, and control. F.B. 1128, pp. 36-37, 48. 1920.
  Killer, misbranding. Insect. N. J. 895. I. and F. Bd. S.R.A. 46, p. 1105. 1923.
  lanigera, description, identity to *Eriosoma lanigera*. Rpt. 101, pp. 12-13. 1915.
  maidis—
    disease transmission, sugar-cane mosaic. J.A.R., vol. 19, pp. 135, 137. 1920.
    injury to corn and other cereals, Hawaii. Hawaii Bul. 27, pp. 9-10. 1912.
    mosaic transmission to plants, tests. J.A.R., vol. 24, pp. 251-255. 1923.
  maidi-radicis. See Cotton root-aphid; Corn root-aphid.
  mali. See Apple aphid.
  malifoliae—
    comparison with *Aphis pomi*. J.A.R., vol. 5, No. 21, pp. 966-968. 1916.
    See also Apple, aphid, rosy.
  middletoni. See Erigeron root-aphid.
  neomexicanus, description and control. F.B. 1128, pp. 33, 48. 1920.
  neomexicanus, injury to currants in New Mexico. F.B. 804, p. 31. 1917.
  persicae-niger, description, habits, and life history. F.B. 804, pp. 26-27. 1917.
  pisa, injury to field pea crop. F.B. 690, p. 22. 1915.
  pomi—
    comparison with *Aphis avenae* and *Aphis malifoliae*. J.A.R., vol. 5, No. 21, pp. 964, 966-968. 1916.
    description, habits, and control. F.B. 1128, pp. 5-10, 38-47. 1920; F.B. 1270, pp. 24-25. 1922.
    See also Apple aphid.
  pseudobassicae, control. S.R.S. Rpt., 1916, Pt. I, p. 260. 1918.
  ribis, description, habits, and control. F.B. 804, p. 31. 1917; F.B. 1128, pp. 33-34, 48. 1920.
  rumicis. See Bean aphid; Dock aphid.
  sacchari—
    injurious to sugarcane, destruction by ladybird. Ent. Bul. 93, p. 45. 1911.
    See also Sugar-cane aphid.
  sanborni—
    description and control. F.B. 1128, pp. 33, 48. 1920.
    injury to gooseberries, description. F.B. 804, p. 31. 1917.
  setariae. See Plum aphid, rusty.
  sorbi. See Apple aphid, rosy.
  spp.—
    carriers of mosaic disease. J.A.R., vol. 23, pp. 279-283. 1923.
    injury to—
      cabbage, and control. F.B. 856, p. 35. 1917.
      cabbage in Hawaii. Ent. Bul. 109, Pt. III, pp. 32-33. 1912.
      plants in Guam, and their control. Guam A.R., 1911, pp. 28-32. 1912.
    insecticidal tests. J.A.R., vol. 29, pp. 259-261. 1924.
    key and description. D.B. 826, pp. 41, 43-44. 1920.
  stamineus. See *Prociphilus tessellata*.
  tuberculata, description, habits, and control. F.B. 1128, pp. 23-24, 47-48. 1920.
  varians—
    habits and control. F.B. 1128, pp. 30-32, 48. 1920.
    injury to currants, description. F.B. 804, pp. 30-31. 1917.
  See also Aphid; Aphididae; Aphidius.
Aphloia theaeformis, importation and description. No. 46005, B.P.I. Inv. 55, p. 12. 1922; No. 46389, B.P.I. Inv. 56, pp. 3, 15. 1922.

Aphodius fimetarius. See Dung beetle.
Aphrizidae—
  Laysan Island, number and description on. Biol. Bul. 42, pp. 21-22. 1912.
  See also Surf bird; Turnstones.
Aphtah—
  calf, symptoms and treatment. B.A.I. [Misc.], "Diseases of cattle," rev., pp. 19, 259. 1909; rev., pp. 19, 268. 1912.
  infectious. See Foot-and-mouth disease.
  sporadic. See Mycotic stomatitis.
Aphthous fever, sheep. See Foot-and-mouth disease.
Apiary(ies)—
  Argentine ant control, methods, and experiments. Ent. Bul. 122, pp. 88-91. 1913.
  arrangement for wind protection. F.B. 1012, pp. 4-6. 1918; F. B. 1014, p. 7. 1918.
  bacteria—
    description and comparison. J.A.R., vol. 8, pp. 399-412. 1917.
    nonpathogenic. Ent. T.B. 14, pp. 12-30. 1906.
    spore-forming. J.A.R., vol. 8, pp. 399-420. 1917.
    with special reference to bee diseases. Gershom Franklin White. Ent. T.B. 14, pp. 50. 1906.
  diseases, losses, and control by inspection. Y.B., 1917, p. 399. 1918; Y.B. Sep. 747, p. 7. 1918.
  infection with Nosema, three-year study. D.B. 780, pp. 13-21. 1919.
  inspection—
    benefit to beekeeping industry. F.B. 442, pp. 19-20. 1911.
    investigations, 1912. An. Rpts., 1912, pp. 652-653. 1913; Ent. A. R., 1912, pp. 40-41. 1912.
    laws, desirability of State action. F.B. 397, pp. 39, 42. 1910.
    State requirements. Ent. Cir. 138, pp. 4-23. 1911.
    value to beekeeping industry. Sec. Cir. 87, p. 8. 1918.
  inspectors, report of meeting at San Antonio, Tex., Nov., 1906. Ent. Bul. 70, pp. 79. 1907.
  laws, officers, various States and Territories. Ent. Bul. 61, pp. 184-200. 1906.
  laws, Porto Rico. S.P.R. An. Rpt., 1911, p. 33. 1912.
  location, equipment, and general information. F.B. 397, pp. 6-11, 40-44. 1910; F.B. 447, pp. 6-12, 44-48. 1911.
  management for comb-honey production. George S. Demuth. F.B. 1039, pp. 40. 1919.
  queen-rearing, extent of industry in North Carolina. D.B. 489, p. 6. 1916.
  technique. Ent. T.B. 14, pp. 7-12. 1906.
  work, Guam, progress. Guam A.R., 1914, pp. 16-17. 1915.
  See also Beekeeping.
Apiculture—
  Guam, conditions, methods, and results. Guam A.R., 1915, pp. 41-43. 1916.
  miscellaneous papers. E. F. Phillips and others. Ent. Bul. 75, pp. 123. 1911.
  report of entomologist. An. Rpts., 1904, pp. 282-283. 1904.
  status in the United States. E. F. Phillips. Ent. Bul. 75, Pt. VI, pp. 59-80. 1909.
  See also Beekeeping.
Apio—
  importation and description. No. 35400, B.P.I. Inv. 35, p. 42. 1915.
  See also Arracacia.
Apiomerus spisispes, enemy of cotton boll weevil. Ent. Bul. 63, pp. 49-54. 1907; Ent. Bul. 100, pp. 12, 40. 1912; Ent. Bul. 114, p. 137. 1912.
Apion—
  colon, description, occurrence in Mexico. Ent. Bul. 64, p. 30. 1911; Ent. Bul. 64, Pt. IV, p. 30. 1908.
  griseum, damage to beans. Ent. Bul. 64, pp. 29-30. 1911; Ent. Bul. 64, Pt. IV, pp. 29-30. 1908.
  injurious North American species with notes on related forms. Ent. Bul. 64, Pt. IV, pp. 29-32. 1908.
  spp., infested with boll weevil parasites. Ent. Bul. 100, pp. 45, 50, 51, 75. 1912.

Apios fortunei, importation. No. 44569, B.P.I.
Inv. 51, p. 26. 1922; No. 48569, B.P.I. Inv. 61,
pp. 2, 23. 1922.
Apium graveolens—
host of *Pseudomonas apii*. J.A.R., vol. 21, pp.
185–188. 1921.
See also Celery.
Aplanobacter—
spp., cause of diseases of grasses. J.A.R., vol. 11,
p. 627. 1917.
stewarti—
cause of Stewart's disease of corn. J.A.,R.
vol. 21, pp. 263–264. 1921.
See also Stewart's disease.
Aplastomorpha—
vandinei—
description and life history. J.A.R., vol. 23,
pp. 550–555. 1923.
parasitic on broad-nose grain weevil. D.B.
1085, p. 8. 1922.
parasitic on *Sitophilus oryza*. J.A.R., vol. 23,
pp. 549–556. 1923.
spp., parasitic enemies of tobacco beetle. D.B.
737, pp. 35–36. 1919.
Apocellus sphaericollis. *See* Rove-beetle, violet.
Apocynum—
cannabium. *See* Dogbane.
spp., importations from Asia. Nos. 30501–30502,
30637–30638, B.P.I. Bul. 242, pp. 15, 26. 1912.
Apogeotropism, plants, relation to length of day.
J.A.R., vol. 23, pp. 886–889. 1923.
Aponomma spp., description. Rpt. 108, pp. 65, 68.
1915.
Apooke, Indian name for tobacco. Y.B., 1919, p.
151. 1920; Y.B. Sep. 805, p. 151. 1920.
Apoplexy—
cattle, cause and control. B.A.I. [Misc.], "Diseases of cattle," rev., p. 106. 1912; rev., p. 106.
1923.
chicken, description, remedy and prevention.
F.B. 287, p. 43. 1907.
parturient. *See* Milk fever.
Aporodon, description. N.A. Fauna 36, pp. 63–64. 1914.
Appalachian(s)—
forest(s)—
and the waning hardwood supply. William L.
Hall. For. Cir. 116. pp. 16. 1907.
lands—
acquisition and prices. An. Rpts., 1915, p.
51. 1916; Sec. A.R., 1915, p. 53. 1915.
administration by Forest Service. An. Rpts.,
1915, pp. 159–160. 1916; For. A.R., 1915,
pp. 1–2. 1915.
purchase and protection. An. Rpts., 1916,
pp. 40, 159, 160, 165, 171, 178, 179–180. 1917;
For. A.R., 1916, pp. 5, 6, 11, 17, 24, 25–26.
1916; Sec. A.R., 1916, pp. 42. 1916.
purchase areas, location, and acreage. An.
Rpts., 1918, pp. 169, 172. 1919; For A.R,
1918, pp. 5, 8. 1918.
reserve extension. Off. Rec., vol. 1, No. 24,
p. 3. 1922.
southern, management. Y.B., 1902, pp. 37–41.
1903.
White Top Purchase area, insect control work.
An. Rpts., 1916, p. 227. 1917; Ent. A.R., 1916,
p. 15. 1916.
hardwood forests, composition and management.
D.B. 285, pp. 1–80. 1915.
land—
acquisition—
by national forests. An. Rpts., 1913, pp. 180–181. 1914; For. A.R., 1913, pp. 46–47. 1913.
under Weeks law. Sec. [Misc.], "Program
of work * * * 1915," pp. 176–177. 1914.
protection need. D.C. 313, p. 2. 1924.
region—
cattle industry and feed requirements. Y.B.,
1921, pp. 258–260. 1922; Y.B. Sep. 874, pp.
258–260. 1922.
central, studies of codling moth. F. E. Brooks
and E. B. Blakeslee. D.B. 189, pp. 49. 1915.
erosion, damages to water power reservoirs.
Y.B., 1917, pp. 121–122. 1917; Y.B. Sep. 688,
pp. 15–16. 1917.
geology, studies. D.B. 180, p. 18. 1915.
pasture problems. D.B. 1251, pp. 1–2. 1924.

Appalachian(s)—Continued.
southern—
chestnut oak. H. D. Foster and W. A. Ashe.
For Cir. 135, pp. 23. 1908.
logging and lumbering, improvement in methods. For. Cir. 118, pp. 9–15. 1907.
practical forestry. Y.B., 1900, pp. 357–368.
1901.
studies of trees. An. Rpts., 1905, pp. 212–213.
1906.
timber management of second growth. Raphael
Zon. For. Cir. 118, pp. 22. 1907.
white oak. W. B. Greeley and W. W. Ashe.
For. Cir. 105, pp. 27. 1907.
streams, description. Y.B., 1913, p. 209. 1914;
Y.B. Sep. 624, p. 209. 1914.
Appalachian Forest—
reproduction. Off. Rec., vol. 3, No. 50, p. 6. 1924.
Reservation, relation to cotton manufacture in
South. For. Cir. 35, p. 29. 1905.
Appalachian Mountain(s)—
and Plateau province, soils, description and use.
D.B. 46, pp. 1, 8–10. 1913; Soils Bul. 55, pp.
132–137. 1909; Soils Bul. 78, pp. 183–205. 1911;
Soils Bul. 96, pp. 49–83. 1913.
lands, added to National Forests, acreage. An.
Rpts., 1912, pp. 69, 258. 1913; Sec. A.R., 1912.
pp. 69, 258. 1912; Y.B., 1912, pp. 69, 258. 1913.
region beef-production experiments. D.B. 1024,
pp. 1–17. 1922.
forest conditions and need of experiment stations.
Sec. Cir. 183, pp. 26–27. 1921.
hemlock stand, value, rate of growth, and volume.
D.B. 152, pp. 4, 6, 9, 26, 34, 36, 39–43. 1915.
relation to inland water navigation. M. O.
Leighton and A. H. Horton. For. Cir. 143, pp.
38. 1908.
southern, relation to development of water power.
M. O. Leighton and others. For. Cir. 144, pp.
54. 1908.
Appalachian National Park, establishment, bill.
Off. Rec., vol. 1, No. 22, p. 2. 1922.
Appalachian States, sheep-production possibilities.
F.B. 840, p. 4. 1917.
Apparatus—
beekeeping, description. F.B. 397, pp. 8–11.
1910; F.B. 447, pp. 9–12. 1911.
bleeding hogs for serum production, description.
B.A.I. An. Rpt., 1910, pp. 404–407. 1912.
chemical—
fire fighting, for shoulder and horseback use.
For. Bul. 113, pp. 16–17. 1912.
two new pieces, description. R. F. Bacon and
P. B. Dunbar. Chem. Cir. 80, pp. 3. 1911.
dairy laboratory for school, items and costs.
O.E.S. Cir. 100, pp. 7, 56. 1911.
detection of sulphured grain. Mkts. S.R.A.
55, pp. 3. 1919.
evaporating, maple sirup, description. Chem.
Bul. 134, p. 53. 1910.
fire fighting, for use in forests. Daniel W. Adams.
For. Bul. 113, pp. 27. 1912.
for weather observers. An. Rpts., 1910, pp. 175–176. 1911; W.B. Chief Rpt., 1910, pp. 17–18.
1910.
fumigation, citrus trees. Ent. Bul. 90, pp. 10–24.
1912.
pasteurizing, tests. D.B. 85, pp. 2–12. 1914.
penetrance tests of preservatives in longleaf pine.
D.B. 607, pp. 23–28. 1918.
refining, crude turpentine, description, and
operation. For. Bul. 105, pp. 28–34. 1913.
sale or exchange, regulations. Sec. [Misc.],
"Property regulations," pp. 27, 61, 63–64. 1916.
seed testing, directions. F.B. 428, pp. 11–15.
1911.
sirup making, description. F.B. 477, pp. 14–29. 1912.
solar physics, study. An. Rpts., 1908, pp. 192–193. 1909; W.B. Chief Rpt., 1908, pp. 6–7.
1908.
spraying—
description, F.B. 1056, p. 30. 1919.
with solid stream, description. D.B. 480,
pp. 3–5. 1917.
sweet-potato sirup manufacture, description and
cost. D.B. 1158, pp. 6–14, 23–25. 1923.
temperature of bee colony, studies. D.B. 96,
pp. 1–5. 1914.

INDEX TO PUBLICATIONS, 1901-1925

Apparatus—Continued.
  use by Weather Bureau employees for carrying on original scientific investigations. W.B. Bul. 31, pp. 22-28. 1902.
  Weather Bureau installation at various stations. An. Rpts., 1912, pp. 41, 185-187. 1913; Sec. A.R. 1912, pp. 41, 185-187. 1912; Y.B., 1912, pp. 41, 185-187. 1913.
Appeals—
  by importers of food and drugs. Chem. [Misc.] "Food and drug manual," pp. 126-128. 1920.
  Circuit Courts, decisions in food and drugs cases. An. Rpts., 1910, p. 802, 1911; Sol. A.R., 1910, p. 14. 1910.
  cotton, regulations. Sec. Cir. 143, pp. 25-28. 1919.
  First Circuit Court, syllabus of opinion on twenty-eight hour law. Sol. Cir. 15, pp. 13. 1909.
  forest decision, Reg. A-13. For. [Misc.), "Use book," 1921, pp. 2-3. 1922.
grain—
  grading, instructions, catechetical. Mkts. S.R.A. 52, pp. 20. 1919.
  grading, work of supervisors. Y.B., 1918, pp. 339-340, 342. 1919; Y.B. Sep. 766, pp. 7-8, 10. 1919.
  inspection decisions, regulations. Mkts. S.R.A. 12, pp. 22-30. 1916; Mkts. S.R.A. 18, pp. 11-17. 1917; Mkts. S.R.A. 47, pp. 10-14. 1919; Sec. Cir. 141, pp. 27-32. 1919.
  standards act, regulations. Sec. Cir. 70, pp. 18-27, 37-42. 1916.
  weights and grades, effect. Mkts. S.R.A. 49, pp. 6-9. 1919.
  hay inspection, regulations. B.A.I. S.R.A. 77, pp. 4-5. 1923.
  meat inspector's decisions, regulations. B.A.I.O. 211, p. 55. 1914.
  regulations, forest cases. For. [Misc.], "Use book," rev. 5, pp. 56-57. 1915.
  wheat grades, privilege of farmers. News L., vol. 7, No. 5, p. 2. 1919.
APPERT, NICHOLAS, invention of canning process. Chem. Bul. 151, pp. 7-11. 1912; Y.B. 1911, p. 383. 1912; Y.B. Sep. 577, p. 383. 1912.
Appetite, depraved, cattle, causes and treatment. B.A.I. [Misc.], "Diseases of cattle," rev., pp. 30-31. 1912.
Apple(s)—
  acreage—
    and production in North Carolina, Haywood County. Soil Sur. 1922, pp. 207, 208, 215-216. 1925.
    commercial, regional distribution, map. Y.B., 1918, p. 370. 1919; Y.B. Sep. 767, p. 6. 1919.
    in Yakima County, Wash., 1904, and shipments, 1912-1916. D.B. 614, pp. 3-4. 1918.
  adaptability to—
    Marion silt loam, eastern United States. Soils Cir. 59, pp. 7, 9. 1912.
    Porters loam and black loam in the thermal zone. Soils Cir. 39, pp. 10, 11, 13-14, 17. 1911.
    Volusia loam, eastern United States. Soils Cir. 60, pp. 4-5, 7, 11. 1912.
  adulteration and misbranding. See Indexes to Notices of Judgment, in bound volumes and in separates published as supplements to Chemistry Service and Regulatory Announcements.
  aeration, preventative of scald. J.A.R. vol. 18, pp. 221-225, 229. 1919.
  Albemarle Pippin, adapted to Porters black loam. Soils Cir. 39, pp. 10, 11, 13, 17. 1911.
  alcohol—
    making, experimental run. Chem. Bul. 130, p. 68. 1910.
    yield and cost per gallon. F.B. 429, p. 12. 1911.
  Alexander, origin, description, and characteristics. B.P.I. Bul. 194, pp. 23-24, 52. 1911.
  American, shipments to Australasia. D.C. 145, pp. 5, 12, 13. 1921.
  analyses, methods. Chem. Bul. 88, pp. 7-19. 1904; Chem. Bul. 94, pp. 65-67. 1905.
  and citrus pectin extracts, homemade, use in jelly making. Minna C. Denton and others. D.C. 254, pp. 11. 1923.
  anthracnose, northwestern, description, cause, and control. F.B. 1160, pp. 12-13. 1920.
  aphid (s)—
    birth, investigations. Ent. Bul. 67, p. 33. 1907.

Apple(s)—Continued.
  aphid(s)—continued.
    control—
      by derris spray mixture, experiments. J.A.R., vol. 17, p. 193. 1919.
      in 1923. Work and Exp., 1923, p. 49. 1925.
      measures. F.B. 908, pp. 77, 81, 82. 1918.
      Washington, Benton County. Soil Sur. Adv. Sh., 1916, p. 16. 1919; Soils F.O., 1916, p. 2214. 1921.
      work, 1914. An. Rpts., 1914, p. 186. 1915; Ent. A.R., 1914, p. 4. 1914.
    description. A.L. Quaintance. Ent. Cir. 81, pp. 10. 1907.
    description—
      seasonal history, and control. F.B. 1128, pp. 5-14, 38-47. 1920; O.E.S. Bul. 115, pp. 123-127. 1902.
      method of destruction. Ent. Bul. 37, pp. 97-100. 1902.
    destruction by ladybirds and other enemies. Y.B., 1911, pp. 455-456. 1912; Y.B. Sep. 583, pp. 455-456. 1912.
    development, relation of temperature and evaporation. Frank H. Lathrop J.A.R., vol. 23, pp. 969-987. 1923.
    green, description, habits, injuries to orchards, and control. F.B. 1270, pp. 24-25. 1923; J.A.R., vol, 5, No. 21, pp. 960-991, 994. 1916; J.A.R., vol. 27, pp. 516-517. 1924.
    injuries, description, and control by spraying. News L., vol. 4, No. 39, p. 4. 1917.
    insecticide. Off. Rec., vol. 3, No. 53, p. 7. 1924.
    life history. J.A.R., vol. 23, p. 970. 1923.
    rosy, life history and control. Ent. Cir. 81, pp. 7, 9-10. 1907; J.A.R., vol. 7, pp. 321-344. 1916; J.A.R., vol. 27, pp. 515, 518-521. 1924.
    similarity to oat aphid, description. D.B. 112, p. 4. 1914.
    species, history, description, and injuries. F.B. 804, pp. 5-18. 1917.
    spraying for control, times, and methods. F.B. 804, pp. 39-40. 1917.
    spraying with contact poisons, experiments. D.B. 278, pp. 25-27. 1915.
    sprays, experiments. Ent. Bul. 67, pp. 29-31. 1907.
    treatment—
      experiments. O.E.S. An. Rpt., 1905, p. 265. 1905.
      in Georgia, 1906. Ent. Bul. 67, p. 104. 1907.
    woolly—
      and other Aphididae, manner of birth. Ent. Bul. 67, pp. 31-33. 1907.
      control. D. B. 730, pp. 29-40. 1918; Ent. Bul. 67, p. 104. 1907; F.B. 908, p. 82. 1918.
      control of root form, experiments. D.B. 730, pp. 29-40. 1918.
      description, and injuries. F.B. 804, pp. 16-17. 1917; F.B. 1128, pp. 13, 38-47. 1920; F.B. 1270, pp. 79-80. 1923.
      destruction. News L., vol. 6, No. 26, p. 22. 1919.
      destruction by carbon disulphide. News L., vol. 6, No. 26, p. 22. 1919.
      immunity of importations, Nos. 39320-39322. B.P.I. Inv. 41, pp. 7, 10. 1917.
    forms. A. C. Baker. Rpt. 101, pp. 56. 1915.
  area and production in Canada, 1900, 1910. D.B. 483, p. 8. 1917.
  Arkansas—
    description and characteristics in Piedmont and Blue Ridge region. B.P.I. Bul. 135, pp. 30, 71. 1908; B.P.I. Bul. 194, p. 57. 1911.
    apple-scald susceptibility, studies. J.A.R., vol. 16, pp. 201-212. 1919.
  Bachelor Blush, origin, description, and characteristics. B.P.I. Bul. 194, pp. 24, 52. 1911.
  Baldwin—
    characteristics in Piedmont and Blue Ridge regions. B.P.I. Bul. 135, pp. 31, 71. 1908.
    cider experiments, analysis and tests. Chem. Cir. 48, pp. 2, 3, 4, 5, 6, 9, 11. 1910.
    New England belt, commercial production. Y.B., 1918, p. 371. 1919; Y.B. Sep. 767, p. 7. 1919.
    phenological records. B.P.I. Bul. 194, pp. 57-59. 1911.
    production and relation to total crop, 1909-1913, 1915. D.B. 485, pp. 2, 3, 5, 6, 7, 8. 1917.

Apple(s)—Continued.
 Baldwin—Continued.
  soil(s)—
   favorable in New England. D.B. 140, pp. 49, 52–56, 72. 1915.
   requirements, northwestern Pennsylvania. Soil Sur. Adv. Sh., 1908, p. 49. 1910; Soils F.O., 1908, p. 241. 1911.
 banana, history and description. Y.B., 1913, pp. 110–111. 1914; Y.B. Sep. 618, pp. 110–111. 1914.
 barrel(s)—
  cost to farmers, 1914. D. B. 302, p. 3. 1915.
  for establishment of standard by Congress. News L., vol. 2, No. 52, p. 6. 1915.
  packing details. F.B. 1080, pp. 22–28. 1919.
  standard, law, text. News L., vol. 1, No. 8, p. 2. 1913; Rpt. 98, p. 55. 1913.
 barreled—
  and boxed, cold-storage holdings, 1914–1924. Stat. Bul. 4, pp. 8–9. 1925.
 grade(s)—
  adopted by Virginia State Horticultural Society. Off. Rec., vol. 1, No. 28, p. 4. 1922.
  establishment. Off. Rec., vol. 2, No. 39, p. 8. 1923.
  preparation for market. W. M. Scott and others. F.B. 1080, pp. 40. 1919.
  standards. B.A.E. S.R.A. 85, amdt. 1, pp. 3. 1924.
 barreling and barrels. News L., vol. 7, No. 12, p. 2. 1919.
 base, adulteration and misbranding. Chem. N.J. 2574, pp. 2. 1913.
 Ben Davis—
  characteristics in Piedmont and Blue Ridge region. B.P.I. Bul. 135, pp. 31, 72. 1908.
  origin, description and characteristics. B.P.I. Bul. 194, pp. 59–61. 1911; B.P.I. Bul. 275, pp. 28–30, 68–71. 1913.
  picking date, and acreage, 1909. D.C. 183, p. 51. 1922; Y.B., 1917, p. 587. 1918; Y.B. Sep. 758, p. 53. 1918.
  production and relation to total crop, 1909–1913, 1915. D.B. 485, pp. 2, 5, 6, 7, 8. 1917.
  soils favorable, New England. D.B. 140, pp. 62, 73. 1915.
  susceptibility to apple blotch. B.P.I. Bul. 144, pp. 12, 17, 19, 23. 1909.
  susceptibility to russeting from copper fungicides. B.P.I. Cir. 58, pp. 3, 9–15, 18. 1910.
 Bennett, origin, and description. Y.B., 1908, pp. 475–476. 1909; Y.B. Sep. 496, pp. 475–476. 1909.
 Bibbing, origin, description, and characteristics. B.P.I. Bul. 194, p. 24. 1911.
 Bietigheimer, origin, description, and characteristics. B.P.I Bul. 194, p. 23. 1911.
 bitter pit—
  description, cause, and control. F.B. 1160, pp. 7–8. 1920.
  development in storage. D.B. 587, p. 9. 1917.
  names, description, and control experiments. J.A.R., vol. 12, pp. 109–126. 1918.
  similiarity to Jonathan fruit spot. B.P.I. Cir. 112, p. 16. 1913.
 bitter rot—
  affected fruit, spraying, results, cost of treatment. F.B. 283, pp. 10–14. 1907.
  cankers, description, and removal. F.B. 938, pp. 6–9, 11. 1918.
  cause—
   description, and control. F.B. 1160, pp. 11–12. 1920.
   limiting factors, and control. F.B. 492, pp. 26–29. 1912.
  control—
   Hermann von Schrenk and Perley Spaulding. B.P.I. Bul. 44, pp. 54. 1903.
   John W. Roberts and Leslie Pierce. F.B. 938, pp. 14. 1918.
   W. M. Scott. B.P.I. Bul. 93, pp. 33. 1906.
   measures. B.P.I. Bul. 93, p. 33. 1906; D.B. 684, pp. 21–22. 1918.
   work, 1916. An. Rpts., 1916, pp. 141–142. 1917; B.P.I. Chief Rpt., 1916, pp. 5–6. 1916.
  description, cause, climatic influences. F.B. 283, pp. 7–10. 1907.
  early infections, sources. John W. Roberts. J.A.R., vol. 4, pp. 59–64. 1915.

Apple(s)—Continued.
 bitter rot—continued.
  experiment station studies. F.B. 267, pp. 21–23. 1906.
  infection sources. John W. Roberts. D.B. 684, pp. 26. 1918.
  injury, description, and control by spraying. News L., vol. 4, No. 39, p. 4. 1917.
  overwintering. An. Rpts. 1915, p. 146. 1916; B.P.I. Chief Rpt., 1915, p. 4. 1915.
  self-boiled lime-sulphur mixture as fungicide. W. M. Scott. B.P.I. Cir. 1, pp. 18. 1908.
  sources of infection, description and control. F.B. 938, pp. 6–9, 10–11. 1918; J.A.R., vol. 4, pp. 59–64. 1915.
  spraying—
   applications, periods. B.P.I. Bul. 144, p. 22. 1909.
   demonstration in Arkansas. F.B. 283, pp. 10–14. 1907.
   experiments, results of different sprays. B.P.I. Cir. 54, pp. 4, 13. 1910.
   with lime-sulphur. Y.B., 1907, p. 577. 1908; Y.B. Sep. 467, p. 577. 1908.
 black rot—
  description—
   and effect on composition of fruit. J. A. R., vol. 7, pp. 17–40. 1916.
   cause and control. F.B. 1160, pp. 13–14. 1920.
  on apple and currant. J.A.R., vol. 28, pp. 583–588. 1924.
  treatment. F.B. 243, p. 19. 1906.
 blight—
  and pear, investigations in Arkansas Experiment Station. Work and Exp., 1914, p. 65. 1915.
  partial control. Y.B., 1908, p. 209. 1909. Y.B. Sep. 475, p. 209. 1909.
  proof, importation No. 39145. B.P.I. Inv. 40, p. 83. 1917.
  spread by aphids, bees, etc. S.R.S. Rpt., 1917, Pt. I, pp. 33, 120, 216. 1918.
 blotch—
  cankers, origin, and control. Max W. Gardner. J.A.R., vol. 25, pp. 403–418. 1923.
  control. An. Rpts., 1918, p. 154. 1919; B.P.I. Chief Rpt., 1918, p. 20. 1918.
  control—
   John W. Roberts. D.B. 534, pp. 11. 1917.
   by spraying. An. Rpts., 1912, p. 398. 1913; B.P.I. Chief Rpt., 1912, p. 18, 1912.
   studies. Work and Exp., 1914, p. 49. 1915.
  description, and development in storage. F.B. 1160, p. 4. 1920.
  eradication method. Work and Exp., 1914, p. 115. 1915.
  fruit, twig, and leaf, description and behavior, cause and control. B.P.I. Bul. 144, pp. 9–23. 1909.
  injuries—
   and control by spraying. News L., vol. 4, No. 39, pp. 4–5. 1917.
   to fruit, cause, and control. F.B. 492, pp. 29–31. 1912.
  inoculation experiments. D.B., 534, pp. 5–8. 1917.
  occurrence, description, cause, and treatment. F.B. 283, pp. 14–18. 1907.
  serious disease of southern orchards. W. M. Scott and James B. Rorer. B.P.I. Bul. 144, pp. 23. 1909.
  spraying—
   experiments, results of different sprays. B.P.I. Cir. 54, p. 13. 1910.
   progress. S.R.S. Rpt. 1917, Pt. I, pp. 42, 105. 1918.
  See also *Phyllosticta solitaria*.
 blue-mold, description, cause, and control. F.B. 1160, pp. 15–16. 1920.
 Bonum—
  characteristics in Piedmont and Blue Ridge region. B.P.I. Bul. 135, pp. 32, 73. 1908.
  origin, description and characteristics. B.P.I. Bul. 194, pp. 25, 52, 62. 1911.
 borers—
  control work, 1914. An. Rpts., 1914, p. 185. 1915; Ent. A.R., 1914, p. 3. 1914.
  description. Sec. [Misc.], "A manual of insects * * *," pp. 17–19. 1917.

Apple(s)—Continued.
  Bough, origin, description, characteristics and phenological records. B.P.I. Bul. 194, pp. 25, 52, 62. 1911.
  boxed—
    marketing. Rpt. 98, pp. 236, 248. 1913.
    packing houses, construction arrangement and equipment. F.B. 1204, pp. 1–39. 1921.
  boxes—
    Colorado, cost. D.B. 500, pp. 34–36. 1917.
    labeling directions. F.B. 1204, pp. 37–39. 1921.
    stamping, lidding, and labeling. F.B. 1204, pp. 36–39. 1921.
    standard size recommendation. F.B. 1196, p. 21. 1921.
  brandy, adulteration and misbranding. Chem. N.J. 3380, p. 586. 1915; Chem. N.J. 3506, p. 8. 1915.
  breakdown, internal, cause and control. F.B. 1160, pp. 18–19. 1920.
  breeding—
    and handling. B.P.I. Chief Rpt., 1924, pp. 5–6. 1923.
    and pollination studies, experiment stations. S.R.S. Rpt. 1915, Pt. I, pp. 52, 70, 103, 106, 117, 263, 274. 1917.
    methods. Veg. Phys. and Path. Bul. 29, pp. 64–68. 1901.
  browning, in cold storage, experimental studies and work. D.B. 1104, pp. 1–4, 6–24. 1922.
  bucculatrix, control. F.B. 1270, p. 57. 1922.
  Buckingham, origin, description and characteristics. B.P.I. Bul. 194, pp. 25–26. 1911.
  bud—
    aphid, description, habits and control. F.B. 1128, pp. 10–12, 38–47. 1920.
  moth—
    control. F.B. 908, p. 80. 1918.
    spraying directions. Y.B., 1908, p. 272. 1909; Y.B. Sep. 480, p. 272. 1909.
  bushel weight, Federal and State. Y.B., 1918, p. 723. 1919; Y.B. Sep. 795, pp. 59, 62. 1919.
  butter—
    adulteration and misbranding. Chem. N.J. 702, pp. 2. 1910; Chem. N.J. 2363, p. 1. 1913; Chem. N.J. 3333, pp. 2. 1915; Chem. N.J. 4493, pp. 2. 1916.
    description and composition. Chem. Bul. 66, rev., p. 97. 1905.
    directions for making. F.B. 853, p. 29. 1917; F.B. 900, pp. 3–5. 1917.
    manufacture from apple pomace, methods. F.B. 1264, pp. 25–26. 1922.
    recipes. News L., vol. 5, No. 4, pp. 5, 6. 1917.
    stock, adulteration. See *Indexes to Notices of Judgment, in bound volumes and in separates published as supplements to Chemistry Service and Regulatory Announcements.*
  by-products—
    canning, cider and sirup. S.R.S. Doc. 15, pp. 2–3. 1915.
    value as stock foods. G.P. Walton and G. L. Bidwell. D.B. 1166, pp. 40. 1923.
  calendar, codling moth and apple scab. F.B. 247, p. 21. 1906.
  Canadian exports to China. D.C. 146, p. 16. 1920.
  canker—
    cause and control. S.R.S. Rpt. 1915, Pt. I, pp. 150, 166. 1917.
    growth and reproduction, studies. J.A.R., vol. 5, No. 16, pp. 713–769. 1916.
    varieties, description, control methods. News L., vol. 3, No. 17, p. 4. 1915.
  canned—
    adulteration. Chem. N.J. 2961. 1912; Chem. N.J. 4609. 1917; Chem. N.J. 12863. 1925.
    misbranding. Chem. N.J. 36–37, pp. 1–5. 1909; Chem. N. J. 56–57, pp. 3–4. 1909; Chem. N.J. 64–65, pp. 1–2. 1909.
  canning—
    directions. F.B. 839, pp. 20–21, 30. 1917; F.B. 853, pp. 15, 28. 1917.
    inspection instructions. D.B. 1084, p. 20. 1922.
    recipe and uses. B.P.I. [Misc.], "Cooperative extension * * * suggestions * * *," p. 1. 1915; S.R.S. Doc. 15, pp. 1–2. 1915.
    seasons. Chem. Bul. 151, pp. 34, 37–38. 1912.
    suitability, methods, and waste utilization. D.B. 196, p. 32. 1915.

Apple(s)—Continued.
  Cannon Pearmain, characteristics in Piedmont and Blue Ridge region. B.P.I. Bul. 135, p. 32. 1908.
  carloads, loading and bracing. Mkts. Doc. 4, pp. 27–28. 1917.
  car-lot—
    shipments—
      1916–1920. D.B. 935, pp. 16–17, 19. 1921.
      monthly by States, 1918–1923. S.B. 7, pp. 2–6. 1925.
    unloads, comparison with shipments, 12 markets, 1918–1923. S.B. 7, p. 106. 1925.
  Carson, description. Y.B., 1905, pp. 496–497. 1906; Y.B. Sep. 399, pp. 496–497. 1906.
  caterpillars, other than codling moth. Ent. Bul. 80, Pt. III, p. 46. 1909.
  cedar. *See* Cedar apple.
  cedar-rust control, in Virginia, Frederick County. Soil Sur. Adv. Sh., 1914, p. 18. 1916.; Soils F.O., 1914, p. 442. 1919.
  Celestia, origin, description and characteristics. B.P.I. Bul. 194, pp. 26, 52. 1911.
  Champlain, origin, description and characteristics. B.P.I. Bul. 194, pp. 26, 52. 1911.
  changes produced by blackrot fungus, artificial cultures. J.A.R., vol. 7, pp. 32–34. 1916.
  characters, varieties in forests of Pacific slope. For. [Misc.] "Forest trees for Pacific * * *," pp. 342–344. 1908.
  chemical—
    composition. Wm. B. Alwood and others. Chem. Bul. 88, pp. 46. 1904.
    composition changes during ripening. J.A.R., vol. 5, No. 3, pp. 105–106. 1915.
  Chenango, origin, description, characteristics, and phenological records. B.P.I. Bul. 194, pp. 26, 62. 1911.
  Chilian, importation and description, No. 40830. B.P.I. Inv. 43, p. 87. 1918.
  chops—
    adulteration. Chem. N.J. 2126, p. 1. 1913.
    dried, evaporation. Chem. N.J. 1408, p. 1. 1912.
    evaporated, adulteration. Chem. N.J. 1313, p. 1. 1912.
  cider—
    and culls, Idaho, Payette Valley. D.B. 636, pp. 29–30. 1918.
    making, summer and winter, experiments. Chem. Bul. 129, pp. 5–20. 1909.
    See also Cider, apple.
  clearwing, description. Sec. [Misc.], "A manual of insects," pp. 21, 23. 1917.
  clubs—
    organization, scope, and value. News L., vol. 2, No. 10, p. 3. 1914.
    project, crop report [blank form]. S.R.S. Doc. 21, pp. 8. No date.
    work in Indiana. News L., vol. 7, No. 10, p. 7. 1919.
  codling-moth—
    investigations in Northwest, 1901. C. B. Simpson. Ent. Bul. 35, pp. 29. 1902.
    Ozarks, experiments and investigations. E.L. Jenne. Ent. Bul. 80, pt. I, pp. 32. 1909.
    See also Apple worm; Codling moth.
  Coffman—
    description and synonyms. Y.B., 1909, pp. 377–378. 1910; Y.B. Sep. 521, pp. 377–378. 1910.
    origin, description and characteristics. B.P.I. Bul. 194, p. 49. 1911.
  cold storage—
    G. Harold Powell and S. H. Fulton. B.P.I. Bul. 48, pp. 66. 1903.
    Mar. 1, 1915. F.B. 665, pp. 13–14. 1915.
    June 1 and May 1, 1915, with comparisons. News L., vol. 2, No. 46, p. 2. 1915.
    barrels on hand, 1915 and 1914, comparison. News L., vol. 3, No. 20, p. 4. 1915.
    for control of Mediterranean fruit fly. J.A.R., vol. 5, No. 15, pp. 659–665. 1916.
    holdings—
      1914. F.B. 645, pp. 14–15. 1914.
      1915–1923. S.B. 1, pp. 7–8. 1923.
      1916–1919. D.B. 935, p. 19. 1921.
      and movement, 1914–1915, by months. D.B 302, pp. 14–16, 21. 1915.

Apple(s)—Continued.
cold storage—continued.
holdings—continued.
and the market, Jan. 1, 1915. F.B. 651, pp. 10-12. 1915.
by months. Y.B., 1921, p. 629. 1922; Y.B. Sep. 869. p. 49. 1922.
inoculation with rot fungi. J.A.R., vol. 8, pp. 151-153. 1917.
internal browning, description, causes, and control experiments. D.B. 1104, pp. 1-24. 1922.
reports, 1917-1918. D.B. 776, pp. 2-7. 1919.
season, 1916-1917, review. D.B. 709, pp. 13-17. 1918.
coleopterous enemies. Ent. Bul. 37, pp. 108-109. 1902.
collar rot, infections, character, study. O.E.S. [Misc.], "Work and Exp. * * * 1914," pp. 152, 202. 1915.
color—
as guide for picking time. News L., vol. 4, No. 36, p. 7. 1917.
effect of fertilizers. F.B. 316, pp. 8-9. 1908.
Colton, origin, description, characteristics, and phenological records. B.P.I. Bul. 164, pp. 27, 52, 62. 1911.
composition—
and polarization, analytical data. Chem. Bul. 66, rev., pp. 41, 49, 51. 1905.
changes made by *Sclerotinia fructigenia*. J.A.R. vol. 6, No. 5, p. 194. 1916.
effects of blackrot fungus, *Sphaeropsis malorum*. J.A.R., vol. 7, No. 1, pp. 17-40. 1916.
in relation to cider and vinegar production. Chem. Bul. 88, pp. 7-19. 1904.
use in salads. D.B. 123, pp. 6, 13, 23. 1916.
cooling, influence on keeping quality in storage. F.B. 852, pp. 7-8. 1917.
Cooper's Early White, origin, description, and characteristics. B.P.I. Bul. 194, p. 49. 1911.
cork disease, description, and control experiments. J.A.R., vol. 12, pp. 131-134, 135. 1918.
Cornell, origin and description. Y.B., 1911, pp. 423-424. 1912; Y.B., Sep. 581, pp. 423-424. 1912; B.P.I. Bul. 194, pp. 27, 52. 1911.
cost of—
material and other items for growing in Idaho. D.B. 636, pp. 31-33. 1918.
production—
Payette Valley, Idaho. S. M. Thomson and G. H. Miller. D.B. 636, pp. 36. 1918.
per acre by States. Y.B., 1921, pp. 816, 827. 1922; Y.B. Sep. 876, pp. 13, 24. 1922.
Wenatchee Valley, Washington. G. H. Miller and S. M. Thomson. D.B. 446, pp. 35. 1917.
western Colorado. S. M. Thomson and G. H. Miller. D.B. 500, pp. 44. 1917.
Yakima Valley, Washington. News L., vol. 5, No. 44, p. 11. 1918.
crab. See *Pyrus coronaria;* Crab apple.
crop—
1914, estimate, and production, price, etc. 1909-1914, by States. F.B. 620, pp. 15, 29-30. 1914; F.B. 645, pp. 8-10. 1914.
commercial, 1913-1914, estimates. F.B. 672, p. 6. 1915.
conditions preceding movement, 1914. D.B. 302, pp. 2-4, 21. 1915.
disposition and estimate. News L., vol. 4, No. 36, p. 3. 1917.
effects of methods of orcharding. F.B. 237, pp. 8-11. 1905.
handling and disposition, discussion. Y.B., 1901, pp. 605-607. 1902; Y.B. Sep. 230, pp. 605-607. 1902.
labor, day's work. D.B. 412, pp. 2, 14, 16. 1916.
losses—
caused by plum curculio, estimation. Ent. Bul. 103, p. 27. 1912.
extent and causes, 1912-1921. Y.B., 1922, p. 733. 1923; Y.B. Sep. 884, p. 733. 1923.
value, 1914-1918. F.B. 1270, p. 3. 1923.
Cross, origin, description, and characteristics. B.P.I. Bul. 194, p. 27. 1911.
crotch-borer—
description, habits, injuries, and control. F.B. 1270, pp. 77-79. 1923.

Apple(s)—Continued.
crotch-borer—continued.
name suggested for pear borer. D.B. 887, p. 1. 1920.
crown-gall—
disease, relation of wrapping grafts. B.P.I. Bul. 100, pp. 13-20. 1907.
experiments in cross-inoculation of fruit trees and shrubs. B.P.I. Bul. 131, Pt. III, pp. 21-23. 1908.
inoculation from various plants. B.P.I. Bul. 213, pp. 42, 68, 77, 93. 1911.
losses. B.P.I. Bul. 213, pp. 185-186. 1911.
cull—
and surplus, utilization in new products. H. C. Gore. Y.B., 1914, pp. 227-244. 1915; Y.B. Sep. 639, pp. 227-244. 1915.
and windfall, canning directions, and uses. S.R.S. Doc. 15, pp. 1-2. 1915.
disposition at packing houses. F.B. 1204, p. 34. 1921.
cultivation—
experiments, at Umatilla Experiment Farm. D. C. 110, pp. 23-24. 1920.
in Alaska. Alaska A. R., 1907, pp. 31-35. 1908.
practices. Y.B., 1901, pp. 599-601. 1902; Y.B. Sep. 230, pp. 599-601. 1902.
culture—
and handling, influence on keeping quality in storage. F.B. 852, p. 6. 1917.
in Arkansas, Fayetteville area. Soils F.O., 1906, pp. 620-625. 1908; Soil Sur. Adv. Sh., 1906, pp. 38-43. 1907.
Datana, larvae, control by derris spray. J.A.R., vol. 17, p. 196. 1919.
Dawes, origin, description, and characteristics. B.P.I. Bul. 194, p. 27. 1911.
decay development in storage, types, and causes. D.B. 587, pp. 9-12. 1917.
deformity caused by woolly aphid. Rpt. 101, pp. 34-35. 1915.
Delicious, origin and description. Y.B., 1907, pp. 305-307. 1908; Y.B. Sep. 450, pp. 305-307. 1908.
destruction by crows. D.B. 621, p. 51. 1918.
devil's. See Jimson weed.
diseases—
and the codling moth in the Ozarks, spraying for. W. M. Scott and A. L. Quaintance. F.B. 283, pp. 42. 1907.
control—
by lime-sulphur instead of Bordeaux mixture. W. M. Scott. B.P.I. Cir. 54, pp. 15. 1910.
by self-boiled lime-sulphur mixture. B.P.I. Cir. 1, pp. 1-18. 1908.
by spraying. News L., vol. 4, No. 39, pp. 4-5. 1917.
experiments. S.R.S. Rpt., 1917, Pt. I, pp. 42, 105, 115, 165, 168, 201, 204, 216, 264, 265, 273. 1918.
lime-sulphur spray. An. Rpts., 1911, pp. 56, 57. 1912; F.B. 435, pp. 14, 15. 1911; Sec. A.R., 1911, pp. 54, 55. 1911; Y.B., 1911, pp. 54, 55. 1912.
work. B.P.I. Chief Rpt., 1921, pp. 27, 28. 1921.
developing during storage, causes and control. D.B. 587, pp. 5-12. 1917.
in Kentucky, Tennessee, and West Virginia D.B. 1189, pp. 24-25. 1923.
in storage—
Charles Brooks and others. F.B. 1160, pp. 24. 1920.
causes and control. D.B. 587, pp. 5-12. 1917.
effect of temperature, aeration, and humidity. J.A.R., vol. 11, pp. 287-318. 1917.
injurious, spraying for control. News L., vol. 4, No. 39, pp. 4-5. 1917.
investigations and control work. An. Rpts., 1912, pp. 396, 397-398. 1913; B.P.I. Chief Rpt. 1912, pp. 16, 17-18. 1912.
kinds, injuries, control studies. Work and Exp., 1919, p. 62. 1921.
on the market. D. H. Rose. D.B.1253, pp. 24. 1924.
study in 1923. Work and Exp., 1923, pp. 38-39. 1925.
Texas, occurrence and description. B.P.I. Bul. 226, pp. 24-25. 1912.

Apple(s)—Continued.
diseases—continued.
    treatment. F.B.243, pp. 18–19. 1906.
  distillation, experimental. Chem. Bul. 130, p. 68. 1910.
  distribution of northwestern boxes. C.W. Kitchen and others. D.B. 935, pp. 27. 1921.
  dried—
    adulteration. See *Indexes to Notices of Judgment, in bound volumes and in separates published as supplements to Chemistry Service and Regulatory Announcements.*
    cooking recipes. F.B. 841, p. 28. 1917.
    definition and standard. F.I.D. 176, p. 1. 1918.
    evaporation. Chem. N.J. 1369, p. 1. 1912.
    production decrease. News L., vol. 6, No. 5, p. 11. 1918.
    use in making tea. D.C. 3, p. 18. 1919.
  drought-spot—
    description, and control experiments. J.A.R., vol. 12, pp. 130–131, 135. 1918.
    description, cause, and common names. F.B. 1160, pp. 8–9. 1920.
  drying—
    directions. D.B. 1335, p. 31. 1925; D.C. 3, p. 21. 1919; F.B. 841, pp. 22–23. 1917; F.B. 984, pp. 41–42. 1918.
    preparation. F.B. 291, pp. 27–29. 1907.
    workroom and equipment required. D.B. 1141, pp. 17–24. 1923.
  dwarf—
    occurrence in Colorado, description. N.A. Fauna 33, p. 236. 1911.
    stock, importation from Asia. An. Rpts., 1910, pp. 78, 355. 1911; B.P.I. Chief Rpt., 1910, p. 85. 1910; Y.B., 1910, p. 77. 1911.
    studies. S.R.S. Rpt., 1916, Pt. I, pp. 46, 205, 228. 1918.
  early—
    and late, relative proportion in different States. D.B. 485, pp. 43–44. 1916.
    grading and packing. B.P.I. Bul. 194, pp. 20–21. 1911.
    harvesting, grading and packing. B.P.I. Bul. 194, pp. 19–21. 1911.
    markets and importance. B.P.I. Bul. 194, p. 22. 1911.
    production. Y.B., 1918, p. 689. 1919; Y.B. Sep. 795, p. 25. 1919.
  Early Cooper, origin, description, and characteristics. B.P.I. Bul. 194, p. 49. 1911.
  Early Edward, origin, description, and characteristics. B.P.I. Bul. 194, pp. 28, 52. 1911.
  Early Harvest, characteristics in Piedmont and Blue Ridge region. B.P.I. Bul. 135. pp. 34, 73. 1908.
  Early Harvest, origin, description, characteristics, and phenological records. B.P.I. Bul. 194, pp. 28, 52, 63–65. 1911.
  Early Joe, origin, description, and characteristics. B.P.I. Bul. 194, pp. 28, 52. 1911.
  Early Ripe, origin, description, characteristics, and phenological records. B.P.I. Bul. 194, pp. 29–30, 52, 65. 1911.
  Early Strawberry, origin, description, and characteristics. B.P.I. Bul. 194, pp. 30–31, 52. 1911.
  Eastman, origin, description, and synonyms. Y.B., 1912, pp. 262–263. 1913; Y. B. Sep. 589, pp. 262–263. 1913.
  enemies other than insects, and control. F.B. 1270, pp. 80–82. 1923.
  English Codlin, origin, description, and characteristics. B.P.I. Bul. 194, pp. 31, 52. 1911.
  Ensee, origin and description. Y.B., 1907, pp. 305–307. 1908; Y.B. Sep. 450, pp. 305–307. 1908.
  enzymes, relation to ripening process. J.A.R., vol. 5, No. 3, pp. 103–116. 1915.
  estimates, 1910–1922. M.C. 6, p. 17. 1923.
  evaporated—
    adulteration. See *Indexes to Notices of Judgment, in bound volumes and in separates published as supplements to Chemistry Service and Regulatory Announcements.*
    definition and standard. Chem. S.R.A. 23, p. 95. 1918; F.I.D. 176, p. 1. 1918.
    grading and packing for market. F.B. 903, pp. 55–57. 1917.
    investigations. B.P.I. Chief Rpt., 1921, pp. 14–15. 1921.

Apple(s)—Continued.
evaporated—continued.
    packages and packing. F.B. 291, pp. 35–38. 1907.
    production. D.B. 1141, p. 2. 1923.
    sulphuring, reasons. Chem. Bul. 84, Pt. III, p. 764. 1907; Chem. Cir. 37, p. 4. 1907.
    vinegar labeling. Off. Rec., vol. 3, No. 32 p. 5. 1924.
  evaporating by artificial heat, details. F.B. 903, pp. 23–31. 1917.
  evaporation. H. P. Gould. F.B. 291, pp. 40. 1907.
  evaporation, details. D.B. 1141, pp. 35–45. 1923.
  experiments in Alaska, 1913. Alaska A.R., 1913, pp. 11–12, 64–65, 66, 72. 1914.
  export(s)—
    1851–1908. Y.B., 1908, pp. 778–779. 1909; Y.B., Sep. 498, pp. 778–779. 1909.
    1901–1924. Y.B., 1924, p. 1074. 1925.
    1902–1904. Stat. Bul. 36, pp. 13, 21, 22, 53. 1905.
    1903, 1913, quantity and distribution. D.B. 296, p. 42. 1915.
    1907–1911. Rpt. 98, p. 55. 1913.
    1908–1912, 1851–1912. Y.B., 1912, pp. 731, 738–739. 1913; Y.B., Sep. 615, pp. 731, 738–739. 1913.
    1910, 1912. D.B. 140, p. 37. 1915.
    1919–1921 and 1852–1921. Y.B., 1922, pp. 958, 963, 972. 1923; Y.B., Sep. 880, pp. 958, 963, 972. 1923.
    1922–1924. Y.B., 1924, pp. 1043, 1044. 1925.
    box reinforcement, wrapping, etc. F.B. 1457, pp. 8, 10–11. 1925.
    by destinations. Y.B., 1924, p. 668. 1925.
    markets, studies. D.B. 302, pp. 17–21, 22. 1915.
    shipments from Northwest, 1916–1920. D.B. 935, pp. 8–9, 27. 1921.
    to China from Japan and United States. D.C. 146, pp. 7, 12, 15–16. 1920.
    to England, importance. Y.B., 1918, p. 372. 1919; Y.B., Sep. 767, p. 8. 1919.
    to South America, 1910–1914, by countries, and prices. D.B. 302, pp. 18–21. 1915.
    United States and Canada, 1914–1915, with comparisons. D.B. 302, pp. 17–18. 1915.
  exposure to volatile substances, relation to scald. J.A.R., vol. 18, pp. 215–216. 1919.
  Fall Pippin—
    phenological records. B.P.I. Bul. 194, p. 65. 1911.
    soil favorable, New England. D.B. 140, p. 61. 1915.
  Fameuse, phenological records. B.P.I. Bul. 194, p. 66. 1911.
  Fanny, origin, description, characteristics, and phenological records. B.P.I. Bul. 194, pp. 31–32, 52, 66. 1911.
  feed for hogs, with pumpkins. B.A.I. Bul. 47, p. 164. 1904.
  fertilizer(s)—
    and manures. F.B. 1284, pp. 12–15. 1922.
    directions. F.B. 1360, pp. 33–37. 1924.
    experiments. F.B. 316, pp. 8–9. 1908.
    necessity of nitrogen. O.E.S. An. Rpt., 1911, p. 185. 1913.
  fire blight, injury in Yakima Valley, Washington, control studies. D.B. 614, p. 6. 1918.
  fly maggot, anatomy and metamorphosis. J.A.R. vol. 28, pp. 1–36. 1924.
  foliage—
    action of lead arsenate, experiments, 1907 and 1908. Chem. Bul. 131, pp. 27–49. 1910.
    injury by—
      Bordeaux mixture. B.P.I. Cir. 54, pp. 1–15. 1910.
      sprays and effect of sulphur. D.B. 120, pp. 11–14.
    spraying experiments for testing arsenates. J.A.R., vol. 10, pp. 201–206. 1917.
  food value, analysis and comparison with other fruits. D.B. 975, p. 17. 1921; F.B. 685, p. 21. 1915.
  for cider making, storing treatment, and suggestions. F.B. 1264, pp. 9–10, 53. 1922.
  forecasts, distribution to growers. News L., vol. 6, No. 20, p. 5. 1918.

Apple(s)—Continued.
freezing—
by jarring. D.B. 916, p. 4. 1921.
injury. H. C. Diehl and R. C. Wright. J.A.R., vol. 29, pp. 99-127. 1924.
points. D.B. 1133, pp. 3, 4, 5, 7. 1923.
results. F.B. 1160, p. 19. 1920.
fried, preparation and use, food value. Y.B., 1912, pp. 507, 509, 517, 519. 1913; Y.B., Sep. 610, pp. 507, 509, 517, 519. 1913.
fruit salad, canning recipe. B.P.I. [Misc.], "Cooperative extension * * * suggestions * * *," p. 2. 1915.
fruit-spot—
Jonathan, studies. B.P.I. Cir. 112, pp. 11-16. 1913.
prevalence and treatment, 1908. Y.B., 1908, pp. 534-535. 1909.
fumigated, absorption of hydrocyanic acid. D.B. 1149, pp. 2, 3, 5. 1923.
fumigation, for San José scale. A. L. Quaintance. Ent. Bul. 84, pp. 43. 1909.
fungus diseases, investigations. O.E.S. An. Rpt., 1910, pp. 154, 155. 1911.
gall—
hard and soft, cause, and inoculation on various plants. B.P.I. Bul. 213, pp. 95-100. 1911.
See also Apple crown-gall.
Gano—
phenological records. B.P.I. Bul. 194, p. 66. 1911.
soils favorable, New England. D.B. 140, pp. 62, 73. 1915.
Garrettson, origin, description, and characteristics. B.P.I. Bul. 194, p. 32. 1911.
Gilpin, cider experiments, analysis and tests. Chem. Cir. 48, pp. 2, 3, 4, 5, 6, 9. 1910.
Glowing Coal, origin, description, and characteristics. B.P.I. Bul. 194, p. 32. 1911.
Golden Sweet, origin, description, and characteristics. B.P.I. Bul. 194, pp. 32, 52. 1911.
grade(s)—
and package laws, Federal and State, comparisons. D.B. 302, pp. 13-14, 21. 1915.
and sizes, table of reciprocals. D.B. 1006, pp. 8-9. 1921.
establishment, progress. An. Rpts., 1919, p. 437. 1920; Mkts. Chief Rpt., 1919, p. 11. 1919.
grading—
and packing for market. F.B. 1080, pp. 10-28. 1919; F.B. 1457, pp. 2-5. 1925.
importance and value. D.B. 302, pp. 10-11, 20-21, 22. 1915.
laws, various States. F.B. 1080, p. 21. 1919; Rpt. 98, p. 55. 1913.
rules and regulations. D.B. 935, pp. 5, 10, 17-18. 1921; News L., vol. 7, No. 12, pp. 2-3. 1919.
sorting, and sizing in packing houses. F.B. 1204, pp. 16-25. 1921.
use of sizing machine. D.B. 864, p. 1. 1920.
grafts, wrapping, relation to crown gall disease. Hermann von Schrenk and George G. Hedgcock. B.P.I. Bul. 100, Pt. II, pp. 13-20. 1907.
grain aphid, description, habits, and control. F.B. 1128, pp. 10-12, 38-47. 1920; F.B. 1270, pp. 25-26. 1923; J.A.R., vol. 18, pp. 311-324. 1919.
Grand Sultan, origin, description, and characteristics. B.P.I. Bul. 194, p. 32. 1911.
grater, use in picking grape pomace. D.B. 952, p. 8. 1921.
Gravenstein—
origin, description, characteristics, and phenological records. B.P.I. Bul. 194, pp. 33, 52, 67. 1911.
soils favorable in New England. D.B. 140, pp. 62-63, 73. 1915.
gray-mold, cause and description. F.B. 1160, p. 18. 1920.
green and dried, exports, 1910, 1915. D.B. 483, p. 7. 1917.
Grimes—
apple-scald susceptibility, studies. J.A.R., vol. 16, pp. 196-213. 1919.
characteristics in Piedmont and Blue Ridge regions. B.P.I. Bul. 135, pp. 35-36, 75. 1908.
irrigation for control of bitter-pit, experiments. J.A.R., vol. 12, pp. 114-120. 1918.

Apple(s)—Continued.
Grimes—Continued.
origin, description and phenological records, Ozark region. B.P.I. Bul. 275, pp. 35-36, 71-72. 1913.
phenological records. B.P.I. Bul. 194, pp. 67-68. 1911.
Grimes Golden, production and relation to total crop, 1909-1913, 1915. D.B. 485, pp. 2, 3, 5, 6, 7, 8. 1917.
growers, problems in orchard management. F.B. 1360, p. 49. 1924.
growing—
analyses, tables showing changes. Chem. Bul. 94, pp. 44-65. 1905.
costs other than labor, fertilizers, materials, and fixed costs. D.B. 518, pp. 48-50. 1917.
east of the Mississippi River. H. P. Gould. F.B. 1360, pp. 50. 1924.
for home use. F.B. 1001, pp. 4, 5, 8, 14, 17. 1919; Y.B., 1918, p. 369. 1919; Y.B., Sep. 767, p. 5. 1919.
in Alabama—
Limestone County, varieties. Soil Sur. Adv. Sh., 1914, pp. 24, 27-28. 1916; Soils F.O., 1914, pp. 1125, 1136, 1139-1140. 1919.
Tallapoosa County, varieties. Soil Sur. Adv. Sh., 1909, pp. 12, 24. 1910; Soils F.O. 1909, pp. 652, 664. 1912.
in Alaska—
1909. Alaska A.R., 1909, pp. 8-9, 32-36. 1910.
1918. Alaska A.R., 1918, pp. 28, 81, 91, 92. 1920.
1919. Alaska A.R., 1919, pp. 26, 75. 1920.
1920. Alaska A.R., 1920, pp. 15-16, 64. 1922.
difficulties and experiments. Alaska A.R., 1917, pp. 11-12, 27-28, 54. 1919.
Sitka Experiment Station. Alaska A.R., 1916, pp. 6, 7-8. 1918.
varieties and results. Alaska A.R., 1912, pp. 23-24. 1913; Alaska A.R., 1914, pp. 15-16. 1915.
in Arkansas, Fayetteville area. Soils F.O., 1906, p. 620. 1908; Soil Sur. Adv. Sh., 1906, p. 11, 1907.
in California—
Healdsburg area, details. Soils Sur. Adv. Sh., 1915, pp. 11, 12, 36. 1917; Soils F.O., 1915, pp. 2206-2207, 2230, 2239. 1919.
Pajaro Valley, methods, and varieties. Soil. Sur. Adv. Sh., 1908, pp. 12-16, 32. 1910; Soils F.O. 1908, pp. 1338-1342, 1358. 1911.
San Francisco Bay region, decline of industry. Soil Sur. Adv. Sh., 1914, pp. 19-20. 1917; Soils F.O., 1914, pp. 2691-2692. 1919.
in Colorado—
materials and fixed costs, other than labor. D.B. 500, pp. 41-43. 1917.
Uncompahgre Valley area, varieties. Soil Sur. Adv. Sh., 1910, pp. 18-20. 1912; Soils F.O., 1910, pp. 1456-1458. 1912.
in Connecticut, Windham County, decline and revival. Soil Sur. Adv. Sh., 1911, pp. 11, 13, 15, 20, 28. 1912; Soils F.O., 1911, pp. 75, 77, 79, 84, 92. 1914.
in Delaware, Sussex County. Soil Sur. Adv. Sh., 1920, pp. 1535, 1537, 1547, 1549. 1924; Soils F.O., 1920, pp. 1535, 1537, 1547, 1549. 1925.
in Georgia—
Haversham County, acreage, and varieties. Soil Sur. Adv. Sh., 1913, pp. 19-21. 1915; Soils F.O., 1913, pp. 415-417. 1916.
Rabun County. Soil Sur. Adv. Sh., 1920, pp. 1196-1197, 1203-1211. 1924; Soil F.O., 1920, pp. 1196-1197, 1203-1211. 1925.
in Idaho—
Nez Perce and Lewis counties. Soil Sur. Adv. Sh., 1917, pp. 14, 15, 25, 31. 1920; Soils F.O., 1917, pp. 2130, 2141, 2145. 1923.
Twin Falls area. Soil Sur. Adv. Sh., 1921, pp. 1372-1373, 1380. 1925.
in Iowa—
Jefferson County. Soil Sur. Adv. Sh., 1922, p. 312. 1925.
Pottawattamie County. Soils F.O., 1914, pp. 1893, 1897, 1899. 1919; Soil Sur. Adv. Sh., 1914, pp. 9, 13, 19. 1916.

Apple(s)—Continued.
growing—continued.
  in Maine, Cumberland County, yields and varieties. Soil Sur. Adv. Sh., 1915, pp. 20–21, 41. 1917; Soils F.O., 1915, pp. 52–53, 74. 1919.
  in Maryland—
    Carroll County. Soil Sur. Adv. Sh., 1919, pp. 12, 23. 1922; Soils F.O., 1919, pp. 614, 625. 1925.
    Charles County. Soil Sur. Adv. Sh., 1918, pp. 10, 13, 20, 24, 26. 1922; Soils F.O., 1918, pp. 82, 85, 92, 94, 98. 1924.
    Washington County. Soil Sur. Adv. Sh., 1917, pp. 12, 13, 15, 23, 36. 1919; Soils F.O., 1917, pp. 316, 330, 331, 333, 339. 1923.
  in Minnesota, Stevens County. Soil Sur. Adv. Sh., 1919, p. 12. 1922; Soils F.O., 1919, p. 1384. 1925.
  in Missouri—
    acreage, and yield, 1914. D.B. 633, pp. 3, 5, 6. 1918.
    Atchison County. Soil Sur. Adv. Sh., 1909, pp. 15, 20, 31. 1910; Soils F.O., 1909, pp. 1315, 1320, 1331. 1912.
    Buchanan County, numbers, varieties, and yields. Soil Sur. Adv. Sh., 1915, pp. 13, 16, 26. 1917; Soils F.O., 1915, pp. 1817, 1820, 1830. 1919.
    Greene County, varieties, soils, and acreage. Soil Sur. Adv. Sh., 1913, pp. 12–13, 23. 1915; Soil F.O., 1913, pp. 1730–1731. 1916.
    Laclede County, varieties. Soil Sur. Adv. Sh., 1911, pp. 17–18, 30, 32. 1912; Soils F.O., 1911, pp. 1647–1648, 1660, 1662. 1914.
    Newton County, varieties and acreage. Soil Sur. Adv. Sh., 1915, pp. 12, 13, 15, 26. 1917; Soils F.O., 1915, pp. 1859, 1873. 1921.
    Nodaway County, varieties and adaptability. Soil Sur. Adv. Sh., 1913, pp. 12, 17. 1915; Soils F.O., 1913, pp. 1769, 1781. 1916.
    Ozark region. D.B. 941, p. 26. 1921.
  in Montana—
    Bitterroot Valley area, varieties. Soil Sur. Adv. Sh., 1914, pp. 12, 13, 29, 32, 33, 38, 42, 60. 1917; Soils F.O., 1914, pp. 2470, 2472, 2504, 2506, 2508. 1919.
    varieties and yields. D.C. 147, pp. 12–13. 1921.
  in Nebraska—
    Cass County, varieties and possibilities. Soil Sur. Adv. Sh., 1913, pp. 14, 25. 1914. Soils F.O., 1913, pp. 1934, 1946. 1916.
    Richardson County. Soil Sur. Adv. Sh., 1915, pp. 12, 26. 1917; Soils F.O., 1915, p. 2034. 1919.
    Washington County. Soil Sur. Adv. Sh., 1915, p. 13. 1917; Soils F.O., 1915, p. 2067. 1919.
  in Nevada, blossoming dates and varieties adapted. D.C. 136, p. 15. 1920.
  in New Hampshire—
    Merrimack County. Soil Sur. Adv. Sh., 1906, p. 17. 1908; Soils F.O., 1906, p. 45. 1908.
    Nashua area. Soil Sur. Adv. Sh., 1909, pp. 13, 21, 22. 1910; Soils F.O., 1909, pp. 83, 91, 92. 1912.
  in New Jersey—
    Belvidere Area. Soil Sur. Adv. Sh., 1917, pp. 13, 30, 52. 1920; Soils F.O., 1917, pp. 146, 149, 151, 153, 161, 165, 167, 168–169, 172. 1923.
    Camden area. Soil Sur. Adv. Sh., 1915, p. 13. 1917; Soils F.O., 1915, pp. 162–163. 1919.
    Millville area. Soil Sur. Adv. Sh., 1917, pp. 14, 28, 30. 1921; Soils F.O., 1917, pp. 202, 203, 216, 218. 1923.
  in New Mexico—
    middle Rio Grande Valley area, varieties. Soil Sur. Adv. Sh., 1912, pp. 11–13. 1914; Soils F.O., 1912, pp. 1969–1971. 1915.
    varieties adapted. N.A. Fauna, 35, pp. 23, 38. 1913.
  in New Mexico-Texas, MesillaValley, methods, varieties. Soil Sur. Adv. Sh., 1912, pp. 15–16, 32. 1914; Soils F.O., 1912, pp. 2021–2022, 2038. 1915.

Apple(s)—Continued.
growing—continued.
  in New York—
    Clinton County, varieties. Soil Sur. Adv. Sh., 1914, pp. 10, 20. 1916; Soils F. O., 1914, pp. 251, 252, 280, 282, 293. 1919.
    Lyons area. Soils F. O. Sep., 1902, p. 161. 1903. Soils F.O., 1902, p. 161. 1903.
    orchard, cash costs, fixed costs, etc., 1911–1912, tables. D.B. 130, pp. 12–16. 1914.
    progress. F.B. 237, pp. 8–11. 1905.
    Tompkins County. Soil Sur. Adv. Sh., 1920, p. 1575. 1924; Soils F.O., 1920, p. 1575. 1925.
    Wayne County. Soil Sur. Adv. Sh., 1919, pp. 285, 286, 299, 307–338. 1923; Soils F.O., 1919, pp. 285, 286, 299, 307–338. 1925.
    Yates County. Soil Sur. Adv. Sh., 1916, pp. 9, 10, 18, 22, 29, 30. 1918; Soils F.O., 1916, pp. 223, 230–232, 236–245. 1921.
  in North Carolina—
    Alleghany County. Soil Sur. Adv. Sh., 1915, p. 11. 1917; Soils F.O., 1915, p. 345. 1919.
    Caldwell County. Soil Sur. Adv. Sh., 1917. pp. 11, 12, 24, 25. 1919; Soils F.O., 1917, pp. 449–450, 455, 462. 1923.
    Hickory area. Soils F.O. Sep., 1902, pp. 251, 257, 258. 1903; Soils F. O., 1902, pp. 251, 257, 258. 1903.
    Orange County. Soil Sur. Adv. Sh., 1918, p. 11. 1921; Soils F.O., 1918, p. 227. 1924.
  in Ohio, Hamilton County, number of trees, yields and varieties. Soil Sur. Adv. Sh., 1915, pp. 11, 12, 21. 1917; Soils F.O., 1915, pp. 1323, 1324, 1334. 1919.
  in Oregon—
    and Washington, methods and varieties. Soil Sur. Adv. Sh., 1912, pp. 15, 19. 1914; Soils F.O., 1912, pp. 2061, 2076, 2079, 2082 1915.
    Benton County. Soil Sur. Adv. Sh., 1920, pp. 1436, 1437, 1446–1458. 1924; Soils F.O., 1920, pp. 1436, 1437, 1446–1458. 1925.
    Hood River-White Salmon area, methods and varieties. Soil Sur. Adv. Sh., 1912, pp. 17–19. 1914; Soils F.O., 1912, pp. 2059–2061. 1915.
    Josephine County. Soil Sur. Adv. Sh., 1919, pp. 355–357, 370–407. 1923; Soils F.O., 1919, pp. 355–357, 370–407. 1925.
    Marshfield area. Soil Sur. Adv. Sh., 1909, pp. 13, 19, 39. 1911; Soils F.O., 1909, pp. 1609, 1614, 1634. 1912.
    Umatilla Experiment Farm. W.I.A. Cir. 17, pp. 4, 7, 12, 19–20, 27–28. 1917; W.I.A. Cir. 26, pp. 9–11, 24. 1919.
  in Ozark region, varieties. B.P.I. Bul. 275, pp. 1–95. 1913.
  Pacific Northwest, number of trees, 1910, and production, 1913–14. D.B. 587, pp. 1–2. 1917.
  in Pennsylvania—
    Bedford County, soils, and varieties. Soil Sur. Adv. Sh., 1911, pp. 16–17. 1913; Soils F.O., 1911, pp. 186–187. 1914.
    Lehigh County, varieties. Soil Sur. Adv. Sh., 1912, p. 17. 1914; Soils F.O., 1912, p. 117. 1915.
    southwestern part. Soil Sur. Adv. Sh., 1909, p. 68. 1911; Soils F.O., 1909, p. 268. 1912.
    York County, varieties and practices. Soils Sur. Adv. Sh., 1912, pp. 16–17. 1914; Soils F.O., 1912, pp. 166–167. 1915.
  in United States and foreign countries. Sec. [Misc.] Spec. "Geography * * * Agriculture," pp. 77–83. 1918.
  in Utah—
    Cache Valley area, varieties and yields. Soil Sur. Adv. Sh., 1913, pp. 16–17. 1915; Soils F.O., 1913, pp. 2110–2111. 1916.
    methods, and studies. D.B. 117, pp. 15–16. 1914.
  in Virginia—
    Albemarle area, possibilities. Soils Cir. 53, pp. 9, 12, 15. 1912.
    Campbell County. Soil Sur. Adv. Sh., 1909, p. 15. 1911; Soils F.O., 1909, p. 317. 1912.
    Frederick County, acreage, varieties, and yields. Soil Sur. Adv. Sh., 1914, pp. 12, 15–18, 27, 29, 30. 1916; Soils F.O., 1914, pp. 436, 439–442, 451, 453, 454. 1919.

Apple(s)—Continued.
  growing—continued.
    in Washington—
      Benton County. Soil Sur. Adv. Sh., 1916, pp. 13, 16, 18, 39, 53–61. 1919; Soils F.O., 1916, pp. 2211–2212, 2245–2261, 2269. 1921.
      southwestern, varieties. Soil Sur. Adv. Sh., 1911, pp. 30–31, 57, 62. 1913; Soils F.O., 1911, pp. 2120–2121, 2147, 2152. 1914.
      Spokane County. Soil Sur. Adv. Sh. 1917, pp. 24–26, 61, 64, 89, 104. 1921; Soils F.O., 1917, pp. 2174–2175, 2206, 2214, 2254, 2258. 1923.
      Stevens County, number and varieties. Soil Sur. Adv. Sh., 1913, pp. 30–31. 1915; Soils F.O., 1913, pp. 2189. 1916.
      Wenatchee area. Soil Sur. Adv. Sh., 1918, pp.12, 14–19, 23, 28, 44, 48–51, 54, 56, 65, 72. 1922; Soils F.O., 1918, pp. 1554–1559, 1590, 1594, 1596, 1599, 1603, 1605, 1607, 1608, 1612–1614, 1627. 1924.
    in West Virginia—
      Barbour and Upshur Counties. Soil Sur. Adv. Sh., 1917, p. 14. 1919; Soils F.O., 1917, p. 1002. 1923.
      Berkeley, Jefferson, and Morgan Counties. Soil Sur. Adv. Sh., 1916, pp. 15, 19, 31–72. 1918; Soils F.O., 1916, pp. 1490, 1494, 1505–1546. 1921.
      Fayette County. Soil Sur. Adv. Sh., 1919, pp. 12–13, 21. 1921; Soils F.O., 1919, pp. 1182–1183, 1191. 1925.
      Point Pleasant area, varieties. Soil Sur. Adv. Sh., 1910, pp. 13, 25, 36, 45. 1911; Soils F.O., 1910, pp. 1085, 1097, 1108, 1117. 1912.
      Preston County, varieties. Soils F.O., 1912, pp. 1214, 1224, 1228. 1915; Soil Sur. Adv. Sh., 1912, pp. 14, 28, 42. 1914.
    in Wisconsin, northeastern part, varieties. Soil Sur. Adv. Sh., 1913, pp. 24, 43, 62–63. 1915; Soils F.O., 1913, pp. 1580, 1599, 1618–1619. 1916.
    sprays and effect of sulphur. D.B. 120, pp. 11–14. 1914.
    labor and materials, requirements in various States. D.B. 1000, pp. 46–49. 1921.
    labor cost, for maintenance and handling. D.B. 518, pp. 19–48. 1917.
    on Chester loam, varieties adaptable. Soils Cir. 55, pp. 7, 9. 1912.
    on Great Plains, planting directions, length of root. F.B. 727, pp. 14–15. 1916.
    on Miami soils, varieties. D.B. 142, pp. 26, 49. 1914.
    on Sassafras soils, possibilities, and varieties. D.B. 159, pp. 23, 31, 43. 1915.
    publications, list. F.B. 938, pp. 13–14. 1918.
    study in 1923. Work and Exp., 1923, pp. 33–34. 1925.
  growth, relation to length of daylight. J.A.R., vol. 23, p. 888. 1923.
  hairy-root inoculations in various plants. B.P.I. Bul. 213, pp. 101–105. 1911.
  handling—
    and storage in Pacific Northwest. H. J. Ramsey and others. D. B. 587, pp. 32. 1917.
    care, and storage suggestions. An. Rpts., 1905, pp. 131–133. 1906; B.P.I. Chief Rpt., 1905, pp. 131–133. 1906.
    from tree to packing table. F.B. 1080, pp. 8–9. 1919.
    Payette Valley, Idaho. D.B. 636, pp. 25–27. 1918.
    sorting and sampling at packing houses. D.B. 1006, pp. 4–7. 1921; F.B. 1204, pp. 15–16. 1921.
  hardy—
    importations and description. B.P.I. Bul. 242. pp. 8, 56–57, 79. 1912; B.P.I. Bul. 248, pp. 7, 37. 1912.
    varieties and tests at Huntley, Montana. W.I.A. Cir. 2, p. 20. 1915.
  harvesting—
    and handling, details and cost. D.B. 446, pp. 26–32. 1917.
    Colorado, practices, and cost. D.B. 500, pp. 34–39. 1917.
    for market. F.B. 1080, pp. 3–10. 1919.
    time, relation to internal browning. J.A.R., vol. 24, pp. 168–169. 1923.

Apple(s)—Continued.
  hauling—
    and loading on cars. F.B. 1080, pp. 36–40. 1919.
    from farm to shipping points, costs. Stat. Bul. 49, pp. 16–17, 35. 1907.
    receiving, checking, sampling, and loading. Mkts. Doc. 4, pp. 24–31. 1917.
    to packing houses. F.B. 1204, p. 12. 1921.
  Hawthornden, origin, description, and characteristics. B.P.I. Bul. 194, p. 33. 1911.
  hold-over blight, entrance through crown-gall. B.P.I. Bul. 213, p. 186. 1911.
  Horse, origin, description, and characteristics. B.P.I. Bul. 194, pp. 33–34, 52. 1911.
  host of Glomerella spp., and Gloeosporium sp., studies. B.P.I. Bul. 252, pp. 38–42. 1913.
  Hubbardston, soils favorable, New England. D.B. 140, pp. 58–59, 73. 1915.
  hybridization, experiments in Alaska. An. Rpts., 1910, p. 750. 1911.; O.E.S. Dir. Rpt., 1910, p. 20. 1910.
  immune to woolly aphid importations. Inv. Nos. 31511–31536. B.P.I. Bul. 248, pp. 8, 22. 1912.
  importance over other fruits. News L., vol. 4, No. 39, p. 11. 1917.
  importations and description. Inv. Nos. 30309, 30326–30328, 30353. B.P.I. Bul. 233, pp. 75, 76–77, 79. 1912; Nos. 37683, 38231, 38279, 38280, B.P.I. Inv. 39, pp. 18, 105, 111. 1917; Nos. 43703–43705, 43758, B.P.I. Inv. 49, pp. 9, 65, 87. 1921; Nos. 44281–44282, 44340, 44423, B.P.I. Inv. 50, pp. 52, 60, 70. 1922; Nos. 44577, 44713–44720, B.P.I. Inv. 51, pp. 8, 27, 54. 1922; Nos. 46698–46701, B.P.I. Inv. 57, pp. 8, 21. 1922; Nos. 49033–49039, 49075–49093, B.P.I. Inv. 61, pp. 70–71, 75–77. 1922; Nos. 51164–51179, B.P.I. Inv. 64, p. 68. 1923; Nos. 51874–51875, 52305, B.P.I. Inv. 65, pp. 61, 88. 1923; Nos. 52341, 52392, 52647, 52667, 52684, B.P.I. Inv. 66, pp. 5, 12, 20, 54, 56, 60. 1923; Nos. 53008, 53380–53401, B.P.I. Inv. 67, pp. 21, 48. 1923; Nos. 54299–54302, 54385, 54387–54392, B.P.I. Inv. 68, pp. 3, 47, 56–57. 1923; Nos. 54635–54638, 54647–54649, B.P.I. Inv. 69, pp. 4, 30, 32–33. 1923; Nos. 55053–55054, 55212–55232, B.P.I. Inv. 71, pp. 3, 18, 27–28. 1923; Nos. 55817, 55889, 55990, 56092–56099, 56135–56136, B.P.I. Inv. 73, pp. 6, 13, 26, 37, 41. 1924.
  imports, 1901–1924. Y.B., 1924, p. 1061. 1925.
  in cold storage, April 1, 1915, with comparisons, condition. F.B. 672, pp. 19–20. 1915.
  industry—
    future, hopeful outlook. Y.B., 1918, pp. 376–377. 1919; Y.B. Sep. 767, pp. 12–13. 1919.
    in Colorado, history and growth. D.B. 500, p. 5. 1917.
    in Delaware and New Jersey. B.P.I. Bul. 194, pp. 17–18. 1911.
    in United States. J.C. Folger. Y.B. 1918, pp. 367–378. 1919; Y.B. Sep. 767, pp. 14. 1919.
    in Yakima County, Wash., history and development. D.B. 614, pp. 4–6. 1918.
  infection with coconut budrot. J.A.R., vol. 25, p. 270. 1923.
  inferior, effect on market and prices. D.B. 302, pp. 10–11, 22. 1915.
  infestation by—
    codling moth, method of entrance. D.B. 88, pp. 5–6. 1914.
    Mediterranean fruit fly. D.B. 536, pp. 24, 46, 47. 1918; J.A.R., vol. 3, pp. 316, 317. 1915.
  Ingram, origin, description, and phenological records, in Ozark region. B.P.I. Bul. 275, pp. 38–39, 72. 1913.
  injury—
    by arsenical sprays. J.A.R., vol. 24, pp. 511, 512, 515–519. 1923; S.R.S. Rpt., 1916, Pt. 1, p. 173. 1918.
    by blister mites. Ent. Bul. 67, pp. 44–46. 1907.
    by cedar rust, control. An. Rpts., 1916, p. 141. 1917; B.P.I. Chief Rpt., 1916, p. 5. 1916.
    by codling moth larvae, description. Y.B., 1907, pp. 435–436. 1908; Y.B. Sep. 450, pp. 435, 436. 1918.
    by dock false-worm, nature and economic importance. D.B. 265, pp. 5–7. 1916.
    by fungous diseases. B.P.I. Bul. 149, pp. 24, 37, 48. 1909.
    by gipsy moth. F.B. 564, p. 5. 1914.

Apple(s)—Continued.
  injury—continued.
    by Howard scale. Ent. Bul. 67, p. 88. 1907.
    by leaf sewer. D.B. 435, pp. 2–4. 1916.
    by melon fly, Hawaii. D.B. 491, p. 16. 1917.
    by oriental peach moth. J.A.R., vol. 13, pp. 62, 63. 1918.
    by pear thrips. D.B. 173, p. 18. 1915.
    by Phytophthora rot, description. J.A.R., vol. 30, p. 464. 1925.
    by plum curculio. Ent. Bul. 103, pp. 36, 56, 103, 138–139. 1912.
    by powdery mildew, description. F.B. 1120, pp. 4–6. 1920.
    by red-banded leaf-roller. D.B. 914, pp. 5, 9. 1920.
    by rose chafers. F.B. 721, p. 3. 1916.
    by ruffed grouse. Off. Rec., vol. 2, No. 12, p. 6. 1923.
    by San Jose scale in Arkansas and other States. D.C. 263, pp. 1, 3–5. 1923.
    by starlings. D.B. 868, pp. 29–39. 1921.
    by sulphur spraying for mildew control in Northwest. D.B. 712, pp. 9–10, 25–26. 1918.
    in packing, results. F.B. 1204, pp. 15–16. 1921.
    in winter. S.R.S. Rpt., 1916, Pt. I, pp. 45, 180. 1918.
  inoculation—
    of roots with cultures of *Xylaria* sp., experiments. J.A.R., vol. 9, pp. 275–276. 1917.
    with bitter-rot infection, experiments. D.B. 684, pp. 7–8, 10–17. 1918.
    with citrus-knot fungus. B.P.I. Bul. 247, pp. 67–68. 1912.
    with cultures of pecan anthracnose. J.A.R., vol. 1, pp. 324–325, 338. 1914.
  insects—
    and fungous enemies, control. A. L. Quaintance and W. M. Scott. F.B. 492, pp. 48. 1912.
    control—
      by dormant spraying. Y.B. 1908, p. 270. 1909; Y.B. Sep. 480, p. 270. 1909.
      work, 1923. An. Rpts., 1922, pp. 301–302. 1923; Ent. A.R., 1922, pp. 3–4. 1922.
      work, 1924. An. Rpts., 1923, pp. 386–387. 1924; Ent. A.R., 1923, pp. 6–7. 1923.
    damage, 1907. Y.B., 1907, pp. 546–547. 1908; Y.B. Sep. 472, pp. 546–547. 1908.
    description and control. F.B. 908, pp. 76–84. 1918.
    enemies, notes. Ent. Bul. 54, pp. 43, 71, 88, 89. 1905.
    injurious, spraying for control. News L., vol. 4, No. 39, p. 4. 1917.
    investigations—
      1916. An. Rpts., 1916, pp. 216–217. 1917. Ent. A. R., 1916, pp. 4–5. 1916.
      1919. An. Rpts., 1919, pp. 250–252. 1920. Ent. A. R., 1919, pp. 4–6. 1919.
      1920. An. Rpts., 1920, pp. 314–315. 1921.
    program for 1915. See [Misc.] "Program of work * * * 1915," pp. 218–219. 1914.
    pests, list. Sec.]Misc.[, "A manual of * * * insects * * *," pp. 15–24, 105, 111–115, 173. 1917.
    studies, experiment stations. S.R.S. Rpt., 1915, Pt. I, pp. 69–70, 71, 190, 196. 1917.
  insoluble carbohydrates or marc. Chem. Bul. 94, pp. 67–89. 1905.
  inspection in Delaware. Off. Rec., vol. 2, No. 39, p. 8. 1923.
  internal browning, description. J.A.R., vol. 24, pp. 165–166. 1923.
  irrigation—
    for control of spot diseases, experiments. J.A.R., vol. 12, pp. 109–138. 1918.
    relation to development of scald. J.A.R., vol. 16, p. 198. 1919.
    Washington, quantity of water used. Y.B., 1909, p. 307. 1910; Y.B. Sep. 514, p. 307. 1910.
  Jeffries, origin, description, and characteristics. B.P.I. Bul. 194, pp. 34, 52. 1911.
  jelly—
    adulteration and misbranding. Chem. N.J. 238, pp. 2. 1910; Chem. N.J. 1622, pp. 2. 1912; Chem. N.J. 2896, pp. 128–129. 1914.
    directions for making. F.B. 853, p. 40. 1917; News L., vol. 5, No. 1, p. 7. 1917.

Apple(s)—Continued.
  Jersey Sweet, origin, description, characteristics, and phenological records. B.P.I. Bul. 194, pp. 34, 52, 68. 1911.
  Jonathan—
    irrigation for control of spot diseases, experiments. J.A.R., vol. 12, pp. 120–126, 127–129. 1918.
    phenological records. B.P.I. Bul. 194, p. 68. 1911; B.P.I. Bul. 275, pp. 40–41, 72–73. 1913.
    production and prices, Pacific Northwest. D.B. 935, pp. 4, 11. 1921.
    production and relation to total crop, 1909–1913, 1915. D.B. 485, pp. 2, 3, 5, 6, 7, 8. 1917.
  Jonathan-spot—
    description, cause and control. F.B. 1160, p. 6. 1920; J.A.R., vol. 11, pp. 288–294. 1917.
    development in storage. D.B. 587, pp. 7–8. 1917.
  juice—
    adulteration and misbranding. Chem. N.J. 2843. 1914.
    analyses, table. Chem. Bul. 88, p. 12. 1904; Chem. Bul. 129, p. 5. 1909.
    analysis, varieties in cold storage. Chem. Cir. 48, p. 2. 1910.
    benzoate of soda as preservative. Chem. Bul. 118, pp. 19–22, 23. 1908.
    blending, rates and methods. F.B. 1264, pp. 28, 52. 1922.
    carbonation, methods. Chem. Bul. 118, pp. 17–18. 1908.
    clarification—
      methods. D.B. 1025, pp. 4–15, 23, 24. 1922.
      sterilization and carbonation. Y.B. 1906. pp. 239–246. 1907; Y.B. Sep. 420, pp. 239–246. 1907.
      tests, methods. Chem. Bul. 118, pp. 15–17. 1908.
    composition. F.B. 233, p. 28. 1905.
    filtration for clarification. F.B. 1264, pp. 29–30, 37–38, 48–50. 1922.
    handling methods. F.B. 1264, pp. 26–31, 52–53. 1922.
    labeling, time, kinds, importance and value. F.B. 1246, pp. 45–46, 53. 1922.
    manufacture—
      and sale, Federal regulations. F.B. 1264, pp. 53–56. 1922.
      on farm. Off. Rec., vol. 1, No. 30, p. 5. 1922.
    mold prevention, use of carbon dioxide. Chem. Bul. 118, pp. 18–19, 23. 1908.
    siphoning methods. F.B. 1264, pp. 27–28, 36–37, 52, 53. 1922.
    sterilization methods. Chem. Bul. 118, pp. 5–19, 23. 1908.
    unfermented. H. C. Gore. Chem. Bul. 118, pp. 23. 1908.
    unfermented—
      farm manufacture. F.B. 1264, pp. 5?. 1922.
      preparation. H. C. Gore. Y.B., 1906, pp. 239–246. 1907; Y.B. Sep. 420, pp. 239–246. 1907.
    use as foundation for jams and jellies. Chem. Bul. 66, rev., pp. 36, 38. 1905.
    use of terms. F. B. 1264, pp. 4–5. 1922.
    See also Cider.
  July, origin, description, characteristics, and phenological records. B.P.I. Bul. 194, pp. 34–35, 52, 69. 1911.
  Kane, origin, description, and characteristics. B.P.I. Bul. 194, p. 36. 1911.
  keeping—
    quality in storage, factors governing. F.B. 852, pp. 5–9. 1917.
    relation to temperature. F.B. 334, p. 17. 1908.
  Kentucky Red, cider experiments, analysis and tests. Chem. Cir. 48, pp. 2, 3, 4, 6, 11, 12. 1910.
  Keswick, origin, description, and characteristics. B.P.I. Bul. 194, pp. 36, 52. 1911.
  Kinnard—
    description and characteristics in Piedmont and Blue Ridge region. B.P.I. Bul. 135, p. 37. 1908.
    history and description. Y.B., 1910, pp. 427–428. 1911; Y.B. Sep. 549, pp. 427–428. 1911.
  Kirkbridge, origin, description, and characteristics. B.P.I. Bul. 194, p. 36. 1911.

Apple(s)—Continued.
labor—
cost, material, and fixed cost, total per acre. D.B. 614, pp. 61-74. 1918.
requirements. D.B. 1181, pp. 7, 15, 61. 1924.
leaf(ves)—
blister mite, description, and control. F.B. 722, pp. 1-8. 1916.
cover with arsenic adhering after sprays of arsenates. D.B. 1147, p. 21. 1923.
hopper, control by spraying. News L., vol. 7, No. 18, p. 3. 1919.
hopper, description, distribution, life history, and control. D.B. 805, pp. 2-20, 29-32. 1919.
inoculation with leaf-spot fungi, experiments. J.A.R., vol. 2, pp. 57-65. 1914.
miner—
control. O.E.S. An. Rpt., 1910, p. 115. 1911.
parasites. Ent. Bul. 68, p. 28. 1909.
unspotted tentofirm, description. J.A.R. vol. 6, No. 8, pp. 289-296. 1916.
sewer. B.R. Leach. D.B. 435, p. 16. 1916.
skeletonizer, description, habits, injuries, and control. F.B. 1270, p. 50. 1923.
spotting caused by *Alternaria mali*. J.A.R., vol. 27, pp. 699, 707. 1924.
testing for copper after spraying with Bordeaux mixture. B.D. 785, pp. 3-5. 1919.
leaf spot—
caused by *Sphaeropsis malorum*, treatment. B.P.I. Bul. 121, Pt. V, pp. 47-53. 1908.
description, cause, treatment. F.B. 283, pp. 18-20. 1907.
experiments and studies. J.A.R., vol. 2, pp. 57-66. 1914.
frog-eye, control. S.R.S. Rpt., 1916, Pt. I, p. 274. 1914.
fungi, experiments and studies. J.A.R., vol. 2, pp. 57-66. 1914.
infection from "cedar apples." For. Cir. 161, p. 38. 1909.
leafwork of tentiform leaf miner, description. J.A.R., vol. 6, No. 8, pp. 291-292. 1916.
Limbertwig—
description and characteristics in Piedmont and Blue Ridge region. B.P.I. Bul. 135, pp. 37-38, 75. 1908.
phenological records. B.P.I. Bul. 194, p. 69. 1911.
susceptibility to apple blotch. B.P.I. Bul. 144, pp. 12, 18. 1909.
Limoncella, importation and description. No. 39829, B.P.I. Inv. 42, pp. 7, 23. 1918.
London Sweet, phenological records. B.P.I. Bul. 194, p. 69. 1911.
loose, handling in packing houses, pooling, sampling, and testing. F.B. 1204, pp. 32-33. 1921.
losses—
causes and extent, 1912-1920. Y.B., 1921, p. 629, 1922; Y.B. Sep. 869, p. 49. 1922.
from bitter-rot disease. D.B. 684, pp. 1-2. 1918.
Lowell, origin, description, and characteristics. B.P.I. Bul. 194, pp. 36, 52. 1911.
Lowry, history, and description. Y.B., 1910, pp. 426-427. 1911; Y.B. Sep. 549, pp. 426-427. 1911.
McCroskey, history and description. Y.B., 1913, pp. 111-113. 1914; Y.B. Sep. 618, pp. 111-113. 1914.
McIntosh, soils favorable in New England. D.B. 140, pp. 60-61, 73. 1915.
maggot—
anatomy and metamorphosis. R. E. Snodgrass. J.A.R., vol. 28, pp. 1-36. 1924.
control—
by gathering fallen fruit. Y.B., 1907, p. 450. 1908; Y.B. Sep. 460, p. 450. 1908.
measures. F.B. 908, p. 79. 1918; S.R.S. Rpt., 1915, Pt. I. pp. 49, 183. 1917.
description, habits, injuries and control. Ent. Cir. 101, pp. 1-12. 1908; F.B. 1270, pp. 13-15. 1923.
fruit fly, native to United States, damages. Y.B., 1917, p. 187. 1918; Y.B. Sep. 731, p. 5. 1918.
injuries, description and control by spraying. News L., vol. 4, No. 39, p. 4. 1917.

Apple(s)—Continued.
Maiden Blush, origin, description, characteristics, and phenological records. B.P.I. Bul. 194, pp. 36-37, 52, 70. 1911; B.P.I. Bul. 275, pp. 42, 74. 1913.
marc, analyses. Chem. Bul. 94, pp. 87-89. 1905.
market(s)—
diseases. D. H. Rose. D. B. 1253, pp. 24. 1924.
investigations, 1914-1915. Clarence W. Moomaw and M. M. Stewart. D.B. 302, pp. 23. 1915.
need of study by producers, and benefit of market news. Y.B. 1919, pp. 107, 111-112. 1920; Y.B. Sep. 797, pp. 107, 111-112. 1920.
statistics, 1919 and 1920. D.B. 982, pp. 216, 225-227, 243-252, 264, 266. 1921.
marketing—
and prices, Oregon, Hood River Valley. D.B. 518, pp. 17-18. 1917.
bibliography. M.C. 35, pp. 36-37. 1925.
by parcel post, suggestions. F.B. 703, p. 13. 1916.
conditions, commercial supply, 1915, comparison with 1914. News L., vol. 3, No. 7, pp. 2-3. 1915.
costs. Off. Rec. vol. 3, No. 52. p. 2. 1924.
distribution, retail methods, and cost. D.B. 302, pp. 4-8. 1915.
including sorting and packing. D.B. 636, pp. 27-29. 1918.
methods. Rpt. 98, pp. 53-55, 198, 230, 236, 244, 247, 248, 249. 1913.
methods in relation to codling moth. Ent. Bul. 41, pp. 65-67. 1903.
time, and methods. F.B. 620, pp. 16-22. 1914.
Mattamuskeet, origin and description in North Carolina, Lake Mattamusket area. Soil Sur. Adv. Sh., 1909, p, 7. 1910; Soils F.O., 1909, p. 377. 1912.
maturity—
essential for cider making, treatment. F.B. 1264, pp. 8-9. 1922.
relation to scald development. J.A.R., vol. 16, pp. 195-197. 1919; J.A.R., vol. 18, pp. 217, 220-221. 1919.
relation to storage diseases, Jonathan spot and scald. J.A.R., vol. 11, pp. 293, 308-311. 1917.
stage for picking and storing. D.B. 587, pp. 13-17. 1917.
tests, tables. D.C. 350, pp. 7, 8. 1925.
Metz, origin, description, and characteristics. B.P.I. Bul. 194, pp. 37, 52. 1911.
Milam, phenological records. B.P.I. Bul. 194, p. 70. 1911.
misbranding. Chem. N.J. 3242. 1914; Chem. N.J. 12798. 1925.
mold, blue, description, cause and control. F.B. 1160, pp. 15-16. 1920.
Monocacy, origin and description, and synonyms. Y.B., 1912, pp. 263-266. 1913; Y.B. Sep. 589, pp. 263-266. 1913.
moth. *See* Codling moth.
Mother, description and synonyms. Y.B., 1909, p. 376. 1910; Y.B. Sep. 521, p. 376. 1910.
Mountain, infestation with Mediterranean fruit fly. D.B. 536, pp. 24, 37. 1918.
movement, 1913. F.B. 604, pp. 23-24. 1914.
mummied, source of bitter-rot infection. J.A.R., vol. 4, pp. 60-61, 64. 1915.
Muster, origin, description, and characteristics. B.P.I. Bul. 194, p. 37. 1911.
need of deep subsoil. News L., vol. 2, No. 45, p. 2. 1915.
Nero, phenological records. B.P.I. Bul. 194, p. 71. 1911.
new varieties, description—
1906. Y.B., 1906, pp. 355-360. 1907; Y.B. Sep. 429, pp. 355-360. 1907.
1907. Y.B., 1907, pp. 305-307. 1908; Y.B. Sep. 450, pp. 305-307. 1908.
1911. B.P.I., Bul. 207, pp. 9, 25, 58, 63, 65-66. 1911; B.P.I., Bul. 208, pp. 36, 43-44. 1911.
1913. Y.B., 1913, pp. 110-114. 1914; Y.B. Sep. 618, pp. 110-114. 1914.
New York orchards, picking, packing, marketing, and cost. D.B. 130, pp. 10-12. 1914; D.B. 302, p. 3. 1915.
nomenclature. W. H. Ragan. B.P.I. Bul. 56, pp. 383. 1905.

Apple(s)—Continued.
Northern Spy—
characteristics in Piedmont and Blue Ridge region. B.P.I. Bul. 135, pp. 39, 76. 1908.
phenological records. B.P.I. Bul. 194, pp. 71-72. 1911.
production and relation to total crop, 1909-1913, 1915. D. B. 485, pp. 2, 3, 5, 6, 7, 8. 1917.
soil requirements in northwestern Pennsylvania. Soil Sur. Adv. Sh., 1908, p. 49. 1910; Soils F.O., 1908, p. 241. 1911.
soils favorable, New England. D.B. 140, pp. 49, 58–59, 73. 1915.
northwestern—
car-lot shipments, 1919-1920 and their destination. D.B. 935, pp. 3, 11–16, 19, 20–26. 1921.
loading, shipping and bracing regulations, recommendations. Mkts. Doc. 13, pp. I, 21–22. 1918.
marketing and distribution. D.B. 935, pp. 7-8, 20-26. 1921.
shipping conditions, car shortage, car capacity, etc., 1917-1918. Mkts. Doc. 13, pp. 1, 3–5. 1918.
storage, local versus distant. D.B. 587, pp. 25-26. 1917.
transportation—
heavy loading of freight cars. H. J. Ramsey. Mkts. Doc. 13, pp. 23. 1918.
Markets Doc. 13, pp. 23. 1918.
methods and storage facilities. D.B. 935, pp. 5-6. 1921.
not adapted to southern Texas. D.B. 162, p. 18. 1915.
nursery stock, leafhoppers injurious. A.J. Ackerman. D.B. 805, pp. 35. 1919.
observers of phenological data, coastal plains region. B.P.I. Bul. 194, pp. 54–56. 1911.
oil, synthetic, manufacture. Off. Rec., vol. 2, No. 15, p. 9. 1923.
Oldenburg—
origin, description, characteristics and phenological records. B.P.I. Bul. 194, pp. 37-38, 52, 72. 1911; B.P.I. Bul. 275, pp. 45, 74–75. 1913.
production and relation to total crop, 1909-1913, 1915. D.B. 485, pp. 2, 3, 5, 6, 7, 8. 1917.
Opalescent, history and description. Y.B., 1913, pp. 113–114. 1914; Y.B. Sep. 618, pp. 113–114. 1914.
Orange Pippin, origin, description, and characteristics. B.P.I. Bul. 194, pp. 38, 52. 1911.
orchard(s)—
canker-worm control. Ent. Bul. 68, pp. 17–28. 1909; Ent. Bul. 68, pp. 17–28. 1907.
codling moth investigations. Ent. Bul. 80, pp. 95–98, 102–104. 1912.
combination spraying for different diseases. B.P.I. Bul. 144, pp. 21–23. 1909.
cultivation for renewal, direction. F.B. 491, pp. 16–17, 21, 22. 1912.
fertilizing in Pennsylvania, Cambria County. Soil Sur. Adv. Sh., 1915, p. 7. 1917; Soils F.O., 1915, p. 251. 1919.
in Arkansas, Fayetteville area. Soil Sur. Adv. Sh., 1906, pp. 38–43. 1907; Soils F.O., 1906, pp. 618–625. 1907.
in Colorado, location, size, age, number of trees, and varieties. D.B. 500, pp. 12–14. 1917.
in Colorado, relation to farm organization. D.B. 500, pp. 8–9. 1917.
in New York, average yields. F.B. 491, pp. 7-8, 20. 1912.
in New York, operating cost. G. H. Miller. D. B. 130, p. 16. 1914.
in Oregon, Hood River Valley, area, planting methods. Soil Sur. Adv. Sh., 1912, pp. 15–16, 17–19. 1914; Soils F.O. 1912, pp. 2057–2058, 2059–2061. 1915.
in Oregon, Hood River Valley, size, age and yields. D.B. 518, pp. 15–17. 1917.
in Ozark region, conditions, spraying for diseases and the codling moth. W. M. Scott and A. L. Quaintance. F.B. 283, pp. 42. 1907.
in Washington, Wenatchee Valley, survey 1914, details. D.B. 446, pp. 1–35. 1917.
increased planting, necessity. News L., vol. 6, No. 39, p. 4. 1919.
injury by—
cigar case-bearer. Ent. Bul. 80, pp. 3–35, 36. 1912.

Apple(s)—Continued.
orchard(s)—continued.
injury by—continued.
grouse. Biol. Bul. 24, pp. 18, 33. 1905.
irrigation—
for control of apple spot diseases. J.A.R., vol. 12, pp. 109–138. 1918.
in humid region, results. Y.B. 1911, p. 314. 1912; Y.B. Sep. 570, p. 314. 1912.
location and site selection, factors influencing. F.B. 1360, pp. 4–8. 1924.
maintenance labor, details and cost. D.B. 518, pp. 19–40. 1917.
management—
details and cost. D.B. 446, pp. 10–26. 1917.
in Virginia, Frederick County. Soil Sur. Adv. Sh., 1914, pp. 15–18. 1916; Soils F.O. 1914, pp. 439–442. 1919.
renovation. H. P. Gouki. F.B. 1284, pp. 32. 1922.
renovation, illustrated lecture. H. M. Conolly. S. R. S. Syl. 31, pp. 16. 1918.
small, profitable management on general farm. M. C. Burritt. F.B. 491, pp. 22. 1912.
soil management and fertility requirements. F.B. 1284, pp. 8–15. 1922.
spraying—
cost and results. D.B. 518, pp. 34–39. 1912; F.B. 479, pp. 8–10. 1912; F.B. 492, pp. 5–48. 1912.
experiments with lime-sulphur sprays and Bordeaux mixture, comparison. B.P.I. Cir. 54, pp. 1–15. 1910.
for codling moth and plum curculio. Ent. Bul. 115, Pt. II, pp. 87–112. 1912.
for codling moth in New Mexico, Pecos Valley. D.B. 88, pp. 2–5. 1914.
for San Jose scale. D.C., 263, pp. 6–12. 1923.
outfits and schedule of applications. Ent. Bul. 41, pp. 73–80, 85–88. 1903; Y.B. 1907, pp. 445–448. 1908; Y.B. Sep. 460, pp. 445–448. 1908.
schedule and methods in California. D.B. 120, pp. 17–21, 25, 26. 1914.
scheme for summer. Y.B., 1908, p. 272. 1909; Y.B. Sep. 480, p. 272. 1909.
tests with various insecticides. D.B. 278, pp. 1–47. 1915.
tillage versus sod mulch. F.B. 419, pp. 5–10. 1910.
Wellman farm, history, treatment, labor cost, and rate. D.B. 130, pp. 4–12. 1914.
orcharding—
commercial. Y.B. 1901, pp. 593–608. 1902.
commercial, relation of cold storage. G. Harold Powell. Y.B. 1903, pp. 225–238. 1904; Y.B. Sep. 317, pp. 14. 1904.
in Connecticut, New London County. Soil Sur. Adv. 1912, pp. 1320. 1913; Soils F. O., 1912, pp. 39, 46. 1915.
origin, classes, and cultivation. O.E.S. Bul. 178, pp. 67–72. 1907.
ornamental, importation, No. 55744. B.P.I. Inv. 72, p. 29. 1924.
outlook, 1913, and forecast of condition and price, by States. F.B. 558, pp. 2–3, 18. 1913.
packages—
close and ventilated, comparison. J.A.R., vol. 18, pp. 230–233. 1919.
fumigation tests. Ent. Bul. 84, pp. 18–22, 28–30. 1909.
packing—
community work, houses, and equipment. Mkts. Doc. 4, pp. 2–16. 1917.
cooperative work. Rpt. 98, p. 54. 1913.
details and costs, Oregon, Hood River Valley. D.B. 518, pp. 43–46. 1917.
house(s)—
location, plans, and requirements. F.B. 1080, pp. 28–36. 1919.
Northwestern. R. R. Pailthorp and H. W. Samson. F.B. 1204, pp. 39. 1921.
Northwestern, preliminary report. W. M. Scott and W. B. Alwood. Mkts. Doc. 4, pp. 31. 1917.
supplies, specifications. F.B. 1457, pp. 9–11. 1925.
workers, organization and personnel. F.B. 1204, pp. 13–15. 1921.
in boxes. Raymond R. Pailthorp and Frank S. Kinsey. F.B. 1457, p. 22. 1925.

Apple(s)—Continued.
packing—continued.
operations of typical houses, details. Mkts. Doc. 4, pp. 28–31. 1917.
season. D.B. 196, p. 16. 1915.
without machinery, details. Mkts. Doc. 4, pp. 30–31. 1917.
paring, trimming, bleaching, and slicing for evaporation. D.B. 1141, pp. 37–40. 1923.
parings and cores, utilization. D.C. 3, p. 21. 1919.
Parry White, origin, description, and characteristics. B.P.I. Bul. 194, p. 38. 1911.
parts, analyses. D.B. 1166, p. 4. 1923.
paste, recipe. F.B. 853, p. 33. 1917; F.B. 1033, pp. 12–13. 1919; News L., vol. 5, No. 1, p. 8. 1917.
Patten, origin, description. Y.B., 1908, pp. 474–475. 1909; Y.B. Sep. 496, pp. 474–475. 1909.
pectin—
extraction, directions. D.C. 254, pp. 2–3, 10. 1923.
preparation and use. F.B. 853, pp. 39–40. 1917.
pulp—
composition and feeding value. D.B. 1166, pp. 18–22, 29–32. 1923.
feeding to cows, results. D.B. 1272, pp. 8–9. 1924.
recipe. News L., vol. 5, No. 1, p. 7. 1917.
use in jelly making. F.B. 1454, p. 9. 1925.
peels, quercetin isolation and identification. Charles E. Sando. J.A.R., vol. 28, pp. 1243–1245. 1924.
pests control, Washington, Benton County. Soil Sur. Adv. Sh., 1916, p. 16. 1919; Soils F.O., 1916, p. 2214. 1921.
phosphate, adulteration and misbranding. Chem. N.J., 796, pp. 2. 1911.
Phytophthora rot. Dean H. Rose and Carl C. Lindegren. J.A.R., vol. 30, pp. 463–468. 1925.
picking—
and hauling, costs, Oregon, Hood River Valley. D.B. 518, pp. 40–43. 1917.
and packing, details and costs. D.B. 446, pp. 27–33. 1917.
boxes and boxing, packing, sorting, hauling, etc., total cost. D.B. 614, pp. 49–61. 1918.
color as maturity indication. Y.B. 1916, pp. 100–102. 1917; Y.B. Sep. 686, pp. 2–4. 1917.
day's work. D.B. 3, p. 40. 1913.
methods, utensils, and paying basis. F.B. 1080, pp. 5–10. 1919.
Payette Valley, Idaho. D.B. 636, pp. 25–26. 1918.
pie—
recipe. F.B. 1136, p. 35. 1920.
sugarless, recipe. News L., vol. 5, No. 51, pp. 2–3. 1918.
Pilot, characteristics in Piedmont and Blue Ridge region. B.P.I. Bul. 135, p. 40. 1908.
pollination—
experiments. An. Rpts., 1910, p. 141. 1911; Y.B., 1910, p. 140. 1911; Sec. A. R., 1910, p. 141, 1910.
tests. An. Rpts., 1908, p. 368. 1909; B.P.I. Rpt., 1908, p. 96. 1908.
pomace—
adulteration. See Indexes to Notices of Judgment, in bound volumes and in separates published as supplements to Chemistry Service and Regulatory Announcements.
analyses, table. Chem. Bul. 88, p. 13. 1904.
dried, composition and feeding value. D.B., 1166, pp. 10–18, 26–29. 1923.
for milk cows. F.B. 186, pp. 21–22. 1904.
Porter, origin, description, and characteristics. B.P.I. Bul. 194, pp. 38–39. 1911.
powdery mildew. See Mildew.
preserves, adulteration and misbranding glucose. Chem. N. J. 1038, p. 1. 1911.
prices—
at main markets. Y.B. 1924, pp. 670, 673. 1925.
in Northwest, f. o. b., trend in 1916–1919, by varieties. D.B. 935, pp. 9–11. 1921.
Primate, origin, description, characteristics, and phenological records. B.P.I. Bul. 194, pp. 39, 52, 73. 1911.
processing directions and time table. F.B. 1211, pp. 39, 49. 1921.

Apple(s)—Continued.
production—
1914. Y.B., 1914, p. 12. 1915.
and price, 1919. News L., vol. 7, No. 12, p. 2. 1919.
and shipments, 1899–1914. F.B. 615, p. 14. 1914.
and value—
leading States. 1909. Y.B., 1914, p. 645 1915; Y.B., Sep. 656, p. 645. 1915.
1917. News L., vol. 5, No. 35, p. 6. 1918.
census 1909, and estimate 1915, by States, map. Y.B., 1915, p. 383. 1916; Y.B., Sep. 681, p. 383. 1916.
centers, details for States. D.B. 485, pp. 8–42. 1917.
commercial, by States and regions, table. Y.B. 1918, p. 378. 1919; Y.B. Sep. 767, p. 14. 1919.
comparison with peaches, and increase. D.B. 806, pp. 2, 9. 1919.
cost—
and profits, studies. Work and Exp., 1919, p. 53. 1921.
Colorado, factors considered and results. D.B. 500, pp. 3–4, 44. 1917.
in Idaho, studies. News L., vol. 5, No. 51, p. 12. 1918.
in Yakima Valley, Washington. G. H. Miller and S. H. Thomson. D.B. 614, pp. 75. 1918.
estimates, districts and varieties. H. P. Gould and Frank Andrews. D.B. 485, pp. 48. 1917.
important States, 1899 and 1909. D.B. 140, pp. 35–37. 1915.
in 1919, map. Y.B., 1921, p. 465. 1922; Y.B. Sep. 878, p. 59. 1922.
in 1920. An. Rpts., 1920, p. 3. 1921; Sec. A.R., 1920, p. 3. 1920.
in Idaho, Payette Valley, costs, and summary. D.B. 636, pp. 33–37. 1918.
in Oregon, Hood River Valley, cost. S. N. Thompson and G. H. Miller. D.B. 518, pp. 52. 1917.
in Spain, 1919. D.B. 483, p. 34. 1917.
In United States, 1909. D.B. 483, pp. 2, 3. 1917.
in West Virginia, Berkeley County, 1916. Soil Sur. Adv. Sh., 1916, p. 16. 1918; Soils F. O., 1916, p. 1490. 1921.
increase and decrease, various sections, 1918, with comparisons, estimates. News L., vol. 6, No. 1, p. 13. 1918.
increasing importance. Y.B., 1918, pp. 367–369. 1919; Y.B. Sep. 767, pp. 3–5. 1919.
Pacific Northwest, by States and by varieties. D.B. 935, pp. 2–4. 1921.
prices and marketing, 1923. Y.B., 1923, pp. 731–739. 1924; Y.B. Sep. 900, pp. 731–739. 1924.
quality, and price, 1914, with comparisons. F.B. 641, p. 30. 1914.
yield, and quality, Nov. 1, 1915, estimate. News L., vol. 3, No. 16, p. 2. 1915.
products, regulations, food laws. Chem. Bul. 69, Pt. VI, rev., p. 514. 1906.
promising new varieties—
1905. Y.B., 1905, pp. 495–497. 1906; Y.B. Sep. 399, pp. 495–497. 1906.
1909. description. Y.B., 1909, pp. 376–378. 1910; Y.B., Sep. 521, pp. 376–378. 1910.
1910. Y.B., 1910, pp. 426–428. 1911; Y.B. Sep. 549, pp. 426–428. 1911.
1911, origin and description. Y.B., 1911, pp. 423–427. 1912; Y.B. Sep. 581, pp. 423–427. 1912.
1912. Y.B. 1912, pp. 262–267. 1913; Y.B. Sep. 589, pp. 262–267. 1913.
propagation methods. An. Rpts., 1922, pp. 182–183. 1923. B.P.I. Chief Rpt., 1922, pp. 22–23. 1922.
propping of trees, Payette Valley, Idaho. D.B. 636, p. 17. 1918.
protection—
by bands against codling moth larvae. D.B. 429, pp. 32–34, 80–87. 1917.
from cedar rust by law on cutting cedars, West Virginia, Jefferson, Morgan, and Berkeley Counties. Soil Sur. Adv. Sh., 1916, p. 20. 1918; Soils F. O., 1916, p. 1494. 1921.
of trees against borers, directions. D.B. 847, pp. 30–39. 1920.

Apple(s)—Continued.
pruning—
  directions and tools. F.B. 1284, pp. 15–21. 1922.
  for control of powdery mildew. D.B. 120, pp. 22–26. 1914; F.B. 1120, pp. 7–8. 1920.
  publications relating to, list. D.B. 684, p. 26. 1918.
pulp—
  detection in fruit products. Chem. Bul. 66, rev., pp. 104–105, 107. 1905.
  use as food relish. O.E.S. Bul. 245, p. 67. 1912.
Ralls—
  characteristics in Piedmont and Blue Ridge regions. B.P.I. Bul. 135, pp. 41, 77. 1908.
  phenological records. B.P.I. Bul. 194, p. 73. 1911.
Randolph, origin, description, and characteristics. B.P.I. Bul. 194, pp. 39, 52. 1911.
Red Astrachan—
  analyses, in blackrot studies. J.A.R., vol. 7, No. 1, pp. 24–32. 1916.
  characteristics in Piedmont and Blue Ridge region. B.P.I. Bul. 135, pp. 42, 77. 1908.
  origin, description, characteristics, and phenological records. B.P.I. Bul. 194, pp. 40, 52, 74–75. 1911.
red bugs, description, habits, injuries, and control. F.B. 908, p. 79. 1918; F.B. 1270, pp. 11–12. 1923.
Red June, origin, description, characteristics, and phenological records. B.P.I. Bul. 194, pp. 40–41, 52, 75. 1911; B.P.I. Bul. 275, pp. 47, 75. 1913.
refrigeration, importance, and effect on trade. Y.B., 1900, pp. 570–573. 1901.
resistance to alkali. Soils Bul. 35, p. 40. 1906.
respiration—
  effect of high and low temperatures. F.B. 334, p. 17. 1908.
  in common and cold storage. Chem. Bul. 94, pp. 40–44. 1905.
  studies. Chem. Bul. 142, pp. 14, 16, 21, 25, 26. 1911.
retailing, New York and St. Louis, purchase and selling prices, 1914. D.B. 302, pp. 5–8. 1915.
Rhode Island Greening—
  injury by fumigation. Ent. Bul. 84, pp. 23, 24, 31. 1909.
  production and relation to total crop, 1909–1913, 1915. D.B. 384, pp. 2, 3, 5, 6, 7, 8. 1917.
  soil requirements, northwestern Pennsylvania. Soil Sur. Adv. Sh., 1908, p. 50. 1910; Soils F.O., 1908, p. 242. 1911.
  soils favorable, New England. D.B. 140, pp. 56–58, 73. 1915.
ripening—
  changes on tree and in storage. J.A.R., vol. 27, pp. 1–23. 1923.
  in cold storage. Chem. Bul. 94, pp. 31–40. 1905.
  relation of enzymes in fruit. J.A.R., vol. 5, No. 3, pp. 103–116. 1915.
Roadstown, origin, description, and characteristics. B.P.I. Bul. 194, pp. 41, 52. 1911.
Rome Beauty—
  apple-scald susceptibility, studies. J.A.R., vol. 16, pp. 195, 196, 199, 204, 205, 211. 1919.
  phenological records. B.P.I. Bul. 194, p. 76. 1911.
  production and prices, Pacific Northwest. D.B. 935, pp. 4, 11. 1921.
  production and relation to total crop, 1909–1913, 1915. D.B. 485, pp. 2, 3, 5, 6, 7, 8. 1917.
  soils favorable in New England. D.B. 140, pp. 61–62, 72. 1915.
root borer—
  life history, habits, and control. J.A.R., vol. 3, No. 2, pp. 179–186. 1914.
  parasite, habits. J.A.R., vol. 3, p. 184. 1914.
root rot, black, caused by *Xylaria* sp. J.A.R. vol. 9, pp. 269–276. 1917; J.A.R., vol. 10, pp. 163–174. 1917.
rooting for hardiness, studies. Work and Exp., 1919, p. 51. 1921.
rot(s)—
  fungi causing, temperature relations, studies. J.A.R., vol. 8, pp. 139–163. 1917.
  in storage, causes, description, and control. F.B. 1160, pp. 10–12, 13–17. 1920.

Apple(s)—Continued.
rot(s)—continued.
  infestation, storage experiments. J.A.R., vol. 8, No. 4, pp. 150–151. 1917.
  "rough-bark," isolation of fungus, description, and growth. B.P.I. Bul. 280, pp. 8–13, 15. 1913.
Roxbury—
  phenological records. B.P.I. Bul. 194, p. 76. 1911.
  soils favorable, New England. D.B. 140, pp. 18, 63–64, 73. 1915.
Russet, Golden, cider experiments, analysis and tests. Chem. Cir. 48, pp. 2–6, 10, 11. 1910.
Russet, Roxbury, cider experiments, analysis and tests. Chem. Cir. 48, pp. 2, 3, 4, 6, 11. 1910.
russeting, caused by copper fungicides, experiments. B.P.I. Cir. 58, pp. 3, 9–15, 18. 1910.
rust. *See* Cedar rust.
sale by parcel post, advantages. News L., vol. 3, No. 30, p. 2. 1916.
sales by 5-and-10-cent stores, cost and profits. D.B. 302, p. 8. 1915.
sampling by weight, accounting records. J.H. Conn and A. V. Swarthout. D.B. 1006, pp. 13. 1921.
San Jacinto, origin and description. Y.B., 1911, pp. 425–426. 1912; Y.B., Sep. 581, pp. 425–426. 1912.
Sandbrook, origin, description, and characteristics. B.P.I. Bul. 194, p. 41. 1911.
sauce, cider making. F.B. 203, p. 24. 1905.
scab—
  and codling moth control. C. L. Marlatt and W. A. Orton. F.B. 247, pp. 23. 1906.
  control—
    by lime-sulphur spray. F.B. 435, pp. 14, 15. 1911; Y.B., 1908, p. 270. 1909; Y.B. Sep. 480, p. 270. 1909.
    measures. An. Rpts., 1922, p. 181. 1923; B.P.I. Chief Rpt., 1922, p. 21. 1922.
    use of combination spray. F.B. 1326, pp. 24–26. 1924.
  description—
    and control by spraying. News L., vol. 4, No. 39, p. 4. 1917.
    development in storage, and control. F.B. 1160, pp. 3–4. 1920.
  development—
    in storage. D.B. 587, pp. 8–9. 1917.
    relation of spore dissemination of *Venturia inaequalis*. C. N. Frey and G. W. Keitt. J.A.R., vol. 30, pp. 529–540. 1925.
  distribution, cause, injuries, and control. F.B. 492, pp. 23–26. 1912.
  in Pacific Northwest. F.B. 153, pp. 7–8, 14. 1902.
  injury, description, cause, and treatment. F.B. 283, pp. 20–23. 1907.
  life history and control. Work and Exp., 1914, pp. 126–127, 153, 173. 1915.
  spraying—
    applications, periods. B.P.I. Bul. 144, pp. 22–23. 1909.
    experiments. B.P.I. Cir. 27, pp. 15–17. 1909; B.P.I. Cir. 54, pp. 4, 9, 11, 13. 1910.
    treatment. F.B. 243, p. 18. 1906; F.B. 247, pp. 12–21. 1906.
scald—
  Charles Brooks and others. J.A.R. vol. 16, pp. 195–217. 1919.
  and its control. Charles Brooks and others. F. Bul. 1380, pp. 17. 1923.
  cause, description and control. F.B. 1160, pp. 20–23, 24. 1920.
  comparison with internal browning. J.A.R., vol. 24, pp. 178–179. 1923.
  control by—
    air renewal in storage houses. News L., vol. 5, No. 18, p. 3. 1917.
    use of oiled paper and other oiled materials. Charles Brooks and J. S. Cooley. J.A.R., vol. 29, pp. 129–135. 1924.
  description, and effect of storage conditions. J.A.R., vol. 11, pp. 294–312. 1917.
  development, relation to orchard conditions. J.A.R., vol. 18, pp. 218–219. 1919.
  in storage, cause and control. Y.B., 1916, pp. 99, 100, 101. 1917; Y.B. Sep. 686, pp. 1, 2, 3. 1917.

Apple(s)—Continued.
scald—continued.
injuries to apples, causes, and control. News L., vol. 5, No. 18, p. 3. 1917.
nature and control. Charles Brooks and others. J.A.R., vol. 18, pp. 211–240. 1919.
prevention. News L., vol. 5, No. 52, p. 12. 1918.
relations of humidity, oxygen, ozone, and carbon dioxide. J.A.R., vol. 18, pp. 212–215. 1919.
score cards for school use. D.B. 132, p. 38. 1915.
seed(s)—
after-ripening and germination. George T. Harrington and Bertha C. Hite. J.A.R., vol. 23, pp. 153–161. 1923.
chalcid, life history. J.A.R., vol. 7, pp. 487–502. 1916.
chalcidid, injuries to apple and forest trees. Ent. T.B. 20, Pt. VI, pp. 158–159. 1913.
enzymes. J.A.R., vol. 5, No. 3, p. 115. 1915.
infestation with chalcids. J.A.R., vol. 7, pp. 489, 491, 492, 493, 499. 1916.
inspection for chalcid infestation. F.H.B. S.R.A. 32, pp. 122–124. 1916.
recovery from apple pomace. D.B. 1166, pp. 6, 17, 18, 22, 32, 33, 34. 1923.
removal of outer coat, effect on germination. J.A.R., vol. 23, pp. 157–159. 1923.
respiration. George T. Harrington. J.A.R., vol. 23, pp. 117–130. 1923.
seedling—
grafting for orchard use, New England. D.B. 140, pp. 33, 35. 1915.
growing experiments in Alaska. Alaska A. Rpt., 1915, pp. 10–11. 1916.
Shiawassee, origin and description. Y.B. 1911, pp. 426–427. 1912; Y.B. Sep. 581, pp. 426–427. 1912.
shipment(s)—
1913, estimate. F.B. 570, pp. 22–23. 1913.
by States, and by stations. 1916. D.B. 667, pp. 6, 7, 51–70, 91. 1918.
effects of ventilation and refrigeration. D.B. 302, pp. 12–13. 1915.
from north-central Washington. D.B. 446, p. 6. 1917.
heavy loading, relation to, and aid in distribution. Mkts. Doc. 13, p. 13. 1918.
in carloads, by States, 1920–1923. S.B. 8, pp. 2–24. 1925.
to South America, freight, insurance and storage cost. D.B. 302, p. 20. 1915.
use of box cars only in car shortage emergency. Mkts. Doc. 13, p. 23. 1918.
via Panama Canal, time, and rates. D.B. 302, pp. 16–17, 22. 1915.
West Virginia, Kentucky and Tennessee, 1920, 1921. D.B. 1189, pp. 4–5. 1923.
shippers, advice from Office of Markets. News L., vol. 2, No. 8, p. 2. 1914.
shipping in box cars, temperature fluctuations, and control studies and experiments. Mkts. Doc. 13, pp. 7–9. 1918.
shipping-point inspection, value. Off. Rec., vol. 3, No. 30, p. 7. 1924.
Shockley—
description and characteristics in Piedmont and Blue Ridge region. B.P.I. Bul. 135, pp. 43, 79. 1908.
phenological records. B.P.I. Bul. 194, p. 77. 1911.
sirup—
and concentrated cider surplus and cull utilization. H. C. Gore. Y.B., 1914, pp. 227–244. 1915; Y.B. Sep. 639, pp. 227–244. 1915.
recipe for making and canning. S.R.S. Doc. 15, p. 3. 1915.
use of windfalls, methods. News L., vol. 5, No. 2, p. 6. 1917.
skin blemishes developing in storage. D.B. 587, pp. 6–9. 1917.
Smith cider, phenological records. B.P.I. Bul. 194, pp. 77–78. 1911.
soils of—
Massachusetts and Connecticut, with peaches. Henry J. Wilder. D.B. 140, pp. 73. 1915.
Virginia, location. D.B. 46, pp. 9, 14. 1913.
Sops-of-wine, origin, description, and characteristics. B.P.I. Bul. 194, p. 42. 1911.

Apple(s)—Continued.
soufflé, recipe. News L., vol. 5, No. 18, p. 7. 1917.
South American markets, barrels and prices, 1910–1914. D.B. 302, p. 21. 1915.
Spitzenberg, production and prices, Pacific Northwest. D.B. 935, pp. 4, 11. 1921.
spot diseases—
irrigation, experiments. Charles Brooks and D. F. Fisher. J.A.R., vol. 12, pp. 109–138. 1918.
cause, description, and control experiments. J.A.R., vol. 12, pp. 126–129. 1918.
nondevelopment in storage. F.B. 1160, p. 5. 1920.
spray—
injury, prevention by use of sulphur compounds. An. Rpts., 1910, p. 283. 1911; B.P.I. Chief Rpt., 1910, p. 13. 1910.
schedule—
Southern States. Ent. [Misc.], "Spray schedule * * *". P. 1. 1918.
sprays, and methods. F.B. 1270, pp. 86–87. 1923.
winter and summer. F.B. 908, pp. 82–84. 1918.
spraying—
danger of poisoning, data. D.B. 1027, pp. 33–47. 1922.
efficiency and effects on foliage. S.R.S. Rpt., 1916, Pt. I, pp. 108, 110, 114, 140. 1918.
experiments—
1914. Work and Exp., 1914, pp. 100–101. 1915.
for codling moth and plum curculio. Ent. Bul. 115, Pt. II, pp. 87–112. 1912.
with various fungicides, and results. B.P.I. Cir. 58, pp. 1–19. 1910.
for control of—
apple blotch. D.B. 534, pp. 9–10. 1917.
bud moth. D.B. 1273, pp. 16–18, 19. 1924.
codling moth and scab. O.E.S. An. Rpt. 1908, p. 89. 1909.
codling moth, directions and calendar. D.B. 88, pp. 7–8. 1914.
codling moth in Idaho. Ent. Bul. 30, pp. 58–63. 1901.
gipsy moth. D.B. 250, pp. 35–36. 1915.
injurious leaf hoppers. D.B. 805, pp. 29–33. 1919.
plum curculio, experiments. Ent. Bul. 103, pp. 189–201. 1912.
powdery mildew. D.B. 120, pp. 10–26. 1914.
powdery mildew, time and materials. F.B. 1120, pp. 8–14. 1920.
spotted borer. D.B. 886, p. 9. 1920.
for insect and fungus enemies. F.B. 492, pp. 5, 10, 14–16, 23, 25–26, 29, 31, 37–48. 1912.
for Jonathan fruit spot, experiments. B.P.I. Cir. 112, pp. 13–15. 1913.
in Payette Valley, Idaho. D.B. 636, pp. 22–25. 1918.
one-spray method experiments. A. L. Quaintance and others. Ent. Bul. 80, Pt. VII, pp. 113–146. 1910.
with Pickering sprays and Bordeaux mixture, comparison of results. D.B. 866, pp. 29–37. 1920.
standard—
barrel, text of Sulzer law. F.B. 620, pp. 21–22. 1914; News L., vol. 1, No. 8, p. 2. 1913.
grades, law, text. News L., vol. 1, No. 8, p. 2. 1913.
standardization. Off. Rec., vol. 1, No. 15, p. 5. 1922.
star. See Star-apple.
starch—
content at various stages of maturity. Chem. Bul. 66, rev. pp. 36, 103, 104, 107. 1905.
examinations, microscopic and macroscopic. Chem. Bul. 94, pp. 89–99. 1905.
Starr, origin, description, and characteristics. B.P.I. Bul. 194, pp. 42, 52. 1911.
statistics—
1914–15. D.B: 302, p. 23. 1915.
1915, production, prices, varieties, exports. Y.B., 1916, pp. 487–489, 551, 556, 567. 1916; Y.B. Sep. 683, pp. 487–489. 1916; Y.B. Sep. 685, pp. 551, 556, 567. 1916.

Apple(s)—Continued.
statistics—continued.
1916, production and prices, by States, and varieties. Y.B. 1916, pp. 635-636. 1917; Y.B. Sep. 720, pp. 25-26. 1917.
1917, production and prices, by States, and varieties. Y.B., 1917, pp. 681-682, 771, 778, 791. 1918; Y.B. Sep. 760, pp. 29-30. 1918; Y.B. Sep. 762, pp. 15, 22, 35. 1918.
1918, production, prices and export. Y. B., 1918, pp. 545-548, 639, 645, 656. 1919; Y.B., Sep. 792. 41-44. 1919; Y.B. Sep. 794, pp. 15, 21, 32. 1919.
1919, production, prices, varieties, and exports. Y.B., 1919, pp. 601-604, 694, 701, 712. 1920; Y.B. Sep. 827, pp. 601-604. 1920; Y.B. Sep. 829, pp. 694, 701, 712. 1920.
1920, production and prices, and varieties. Y.B., 1920, pp. 43-46. 1921; Y.B. Sep. 862, pp. 43-46. 1921.
1921, production, value, prices, and shipments. Y.B., 1921, pp. 625-629. 1922; Y.B. Sep. 869, pp. 45-49. 1922.
1922, production, prices and shipments. Y.B., 1922, pp. 730-738, 774, 776. 1923; Y.B. Sep. 884, pp. 730-738, 774, 776. 1923.
1924. Y.B., 1924, pp. 664-673, 677, 1043, 1044, 1061, 1074. 1925.
for West Virginia, Kentucky, and Tennessee, 1910 and 1920. D.B. 1189, p. 3. 1923.
graphic showing of average production, United States. Stat. Bul. 78, p. 33. 1910.
production, districts, and varieties. D.B. 485, pp. 1-48. 1917.
receipts and shipments at trade centers. Rpt. 98, pp. 287, 291-292. 1913.
Stayman Winesap—
origin, and value of seedlings. Y.B., 1913, pp. 109, 112-113. 1914; Y.B. Sep. 618, pp. 109, 112-113. 1914.
origin, description, and phenological records, Ozark region. B.P.I. Bul. 275, pp. 50, 75. 1913.
phenological records. B.P.I. Bul. 194, p. 79. 1911.
stem-borne, rudimentary roots. Off. Rec., vol. 4, No. 30, p. 5, 1925.
description. Sec. [Misc.], "A manual * * * insects * * *," p. 17. 1917.
discovery in imported apple-stock. Off. Rec., vol. 1, No. 25, p. 4. 1922.
stem tumor, comparison with crown-gall. Nellie A. Brown. J.A.R., vol. 27, pp. 695-698. 1924.
stigmonose, description, cause, and control. F.B. 1160, pp. 9-10. 1920.
stocks, propagation. An. Rpts., 1910, p. 354. 1911; B.P.I. Chief Rpt., 1910, p. 84. 1910.
storage—
accommodations in packing house. F.B. 1080, p. 30. 1919.
air-cooled and ice-cooled, comparison. J.A.R., vol. 18, pp. 225-230. 1919.
bitter-pit disease, development. J.A.R., vol. 12, pp. 115-126. 1918.
control of scald. J.A.R., vol. 26, pp. 513-536. 1923.
experiments, Vermont. Work and Exp., 1914, p. 231. 1915.
factors governing. News L., vol. 5, No. 15, pp. 1-2. 1917.
for home use. F.B. 879, p. 22. 1917.
handling temperature, inspection. D.B. 729, pp. 3-4. 1918.
houses, in Pacific Northwest, management. H. J. Ramsey and S. J. Dennis. F.B. 852, pp. 23. 1917.
investigations, 1917. An. Rpts., 1917, pp. 158-160. 1918; B.P.I. Chief Rpt., 1917, pp. 28-30. 1917.
kinds, comparison, and value. News L., vol. 5, No. 4, p. 4. 1917.
life limitations. F.B. 1160, pp. 23-24. 1920.
places and methods. News L., vol. 6, No. 6, p. 5. 1918.
relation—
of air conditions to apple scald. J.A.R., vol. 18, pp. 211-216. 1919.
to picking maturity. Y.B., 1916, pp. 102-104. 1917; Y.B. Sep. 686, pp. 4-6. 1917.
respiration and growth. Chem. Bul. 94, pp. 9-67. 1905.

Apple(s)—Continued.
storage—continued.
studies, Experiment Stations, 1915. S.R.S. Rpt., 1915, Pt. I, p. 52. 1917.
temperature—
and handling barns, F.B. 125, pp. 15-17. 1901.
relations to disease. J.A.R., vol. 24, pp. 165, 169-171. 1923.
studies. W. D. Bigelow and others. Chem. Bul. 94, pp. 100. 1905.
summer—
Middle Atlantic States. H. P. Gould. B.P.I. Bul. 194, pp. 96. 1911.
industry in Middle Atlantic States, development and present status. B.P.I. Bul. 194, pp. 16-18. 1911.
promising varieties, recommended for trial. B.P.I. Bul. 194, pp. 22-50. 1911.
Summer Extra, origin, description, and characteristics. B.P.I. Bul. 194, p. 50. 1911.
Summer Hagloe, origin, description, characteristics, and phenological records. B.P.I. Bul. 194, pp. 43, 52, 79. 1911.
Summer King, origin and description, and synonyms. B.P.I. Bul. 194, p. 44. 1911; Y.B., 1912, pp. 266-267. 1913; Y.B. Sep. 589, pp. 266-267. 1913.
Summer Rambo, origin, description, and characteristics. B.P.I. Bul. 194, p. 50. 1911.
Summer Rose, origin, description, and characteristics. B.P.I. Bul. 194, pp. 44, 52. 1911.
susceptibility to scald, factors influencing. J.A.R., vol. 16, pp. 195-216. 1919.
sweet, feeding to sheep in winter. F.B. 929, p. 21. 1918.
tests of varieties at Mandan, North Dakota. D.B. 1337, p. 8. 1925.
Tetofski, origin, description, characteristics, and phenological records. B.P.I. Bul. 194, pp. 45, 52, 79. 1911.
Thaler, origin, description, and characteristics. B.P.I. Bul. 194, p. 45. 1911.
thinning—
directions. F.B. 202, p. 16. 1904; F.B. 1360, p. 48. 1924.
on tree—
Colorado methods, time and cost. D.B. 500, pp. 26-27. 1917.
Payette Valley, Idaho. D.B. 636, pp. 16-17. 1918.
Washington orchards, requirements of several varieties. D.B. 446, pp. 17-19. 1917.
tissue, permeability, relation to disease. J.A.R., vol. 24, pp. 179-181. 1923.
Tolman, cider experiments, analysis and tests. Chem. Cir. 48, pp. 2, 3, 5, 6, 7, 12. 1910.
Tompkins King—
phenological records. B.P.I. Bul. 194, p. 79. 1911.
soils favorable, New England. D.B. 140, pp. 61, 73. 1915.
Tonkin, importation, No. 54903. B.P.I. Inv. 70, pp. 3, 26. 1923.
top-working, directions. S.R.S. Syl. 31, pp. 8-9. 1918.
Townsend, origin, description, and characteristics. B.P.I. Bul. 194, pp. 45-46. 1911.
transportation—
and storage, 1915. An. Rpt., 1915, pp. 377-378. 1916; Mkts. Rpt., 1915, pp. 15-16. 1915.
difficulty. Off. Rec., vol. 1, No. 38, p. 2. 1922.
treatment—
to control bitter rot. D.B. 684, pp. 21-22. 1918.
with gas absorbents to prevent scald. J.A.R., vol. 18, pp. 216-217, 233-236. 1919.
tree(s)—
acreage—
1910, by States, map. Y.B., 1915, p. 382. 1916; Y.B. Sep. 681, p. 382. 1916.
1919, maps. Y.B., 1921, p. 464. 1922; Y.B. Sep. 878, p. 58. 1922.
arsenical injury by spraying. J.A.R., vol. 8, pp. 283-318. 1917.
banding for—
codling-moth control, studies. D.B. 189, pp. 1-49. 1915; Ent. Bul. 80, Pt. VI, pp. 95-98, 102-104. 1910; Ent. Bul. 115, Pt. III, pp. 161-164. 1913; F.B.908, pp. 50-52. 1918.

Apple(s)—Continued.
tree(s)—continued.
banding for—continued.
gipsy-moth control, recommendation. D.B. 250, p. 36. 1915; D.B. 899, pp. 15-16. 1920.
bearing, top working, discussion. Y.B., 1902, pp. 247-248. 1903.
borer(s)—
control directions. D.B. 847, pp. 30-39. 1920; D.B. 886, p. 9. 1920; S.R.S. Rpt., 1917, Pt. I, pp. 33, 65, 227, 275. 1918.
description, habits, injuries, and control. F.B. 1270, pp. 71-77. 1923.
flat-headed. Fred E. Brooks. F.B. 1065, pp. 15. 1919.
flat-headed, description, life history, and control. Ent. Cir. 32, rev., pp. 8-10. 1907; F.B. 843, pp. 37-40. 1917; F.B. 1364, pp. 38-41. 1924.
food plants, list. Ent. Cir. 32, rev., pp. 3, 9. 1907.
larger. F.H. Chittenden. Ent. Cir. 32, pp. 11. 1902; rev., 1907.
natural enemies and parasites. D.B. 847, pp. 29-30, 41. 1920.
roundheaded, Fred E. Brooks. F.B. 675, pp. 20. 1915.
roundheaded, comparison with Parandra borer. D.B. 262, p. 4. 1915.
roundheaded, injuries and control. F.B. 809, pp. 81-82, 87. 1918.
roundheaded, life history and control. Fred E. Brooks. D.B. 847, pp. 42. 1920.
rounheaded, similarlity to spotted borer. D.B. 886, pp. 1, 3, 5, 6. 1920.
spotted. Fred E. Brooks. D.B. 886, pp. 12. 1920.
spotted, description, remedies. Ent. Cir. 32, rev., p. 7. 1907.
braces formation, directions. F.B. 1284, p. 32. 1922.
bridge grafting. F.B. 1369, pp. 1, 11. 1923.
cankers, source of bitter-rot infection. J.A.R., vol. 4, pp. 60-64. 1915.
codling moth band records, 1909 and 1910, California. Ent. Bul. 97, pp. 28, 29, 30, 31. 1913.
crown-gall—
and hairy root diseases. George G. Hedgcock. B.P.I. Bul. 90, Pt. II, pp. 7. 1906.
hairy-root studies. George G. Hedgecock. B.P.I. Bul. 186, pp. 108. 1910.
destruction by roundheaded borers. F.B. 675, pp. 1, 2, 3. 1915.
diseases—
crown-gall and hairy-root. George G. Hedgecock. B.P.I. Bul. 90, Pt. II, pp. 15-17. 1906.
suggestions to nurserymen. B.P.I. Bul. 90, Pt. II, pp. 15-17. 1906.
distance apart in orchards. B.P.I. Cir. 118, p. 18. 1913.
distribution from Arlington Experiment Farm to forest rangers. An. Rpts., 1911, p. 330. 1912; B.P.I. Chief Rpt., 1911, p. 82. 1911.
field mice injuries, treatment. Biol. Bul. 31, pp. 27-30. 1907.
Illinois canker, source of bitter-rot infection. J.A.R., vol. 4, pp. 61-64. 1915.
immune to woolly aphid, importations. Nos. 39320-39322, B.P.I. Inv. 41, pp. 7, 10. 1917.
injury by—
Bordeaux mixture, prevention. F.B. 305, p. 12. 1907.
borers. D.B. 847, pp. 5-6, 11-12. 1920.
codling moth in Appalachian region, control studies. F.E. Brooks and E. Blakeslee. D.B. 189, pp. 49. 1915.
flat-headed borers. F.B. 1065, pp. 4-5. 1919.
gipsy and brown-tail moths. F.B. 1335, pp. 8, 9, 13, 14. 1923.
green aphid. J.A.R., vol. 5, No. 21, pp. 955, 957, 960. 1916.
leaf blister mite. Ent. Cir. 154, pp. 3-4. 1912.
leaf hoppers. D.B. 805, pp. 4-5, 22, 33. 1919.
lesser bud-moth. D.B. 113, pp. 1, 2, 3, 11, 13, 14. 1914. J.A.R., vol. 2, pp. 161-162. 1914.
para-dichlorobenzene fumigation. D.B. 796, p. 20. 1919.

Apple—Continued.
tree(s)—continued.
banding for—continued.
pear borer. D.B. 887, pp. 1, 3. 1920.
sapsuckers. Biol. Bul. 39, pp. 40-42, 51-52, 54, 80-81. 1911.
smelter fumes. Chem. Bul. 89, p. 18. 1905.
spotted apple-tree borer. D.B. 886, pp. 3-4. 1920.
washes for control of borers. D.B. 847, pp. 33, 34, 37. 1920.
woolly aphid. Rpt. 101, pp. 7, 9, 33, 34, 35. 1915.
inoculation—
with hairy root. B.P.I. Bul. 213, p. 103. 1911.
for "rough-bark" disease experiments. B.P.I. Bul. 280, pp. 8-10. 1913.
knots, or stem tumors. George G. Hedgcock. B.P.I. Cir. 3, pp. 16. 1908.
loss from mice in Virginia and control campaign. News L., vol. 5, No. 22, p. 6. 1917.
number, by States. Sec. [Misc.], Spec., "Geography * * * world's agriculture," p. 78. 1917.
occurrence of—
American plum borer. D.B. 261, pp. 1, 2, 3. 1915.
oat aphid and eggs. D.B. 112, pp. 2-3, 7, 9, 11. 1914.
old pruning, directions. S.R.S. Syl. 31, pp. 7-8. 1918.
Ozark region, number, 1890, 1900, and 1910. Census figures. B.P.I. Bul. 275, pp. 7-9. 1913.
per acre, number and setting method. D.B. 518, pp. 15-16. 1917.
propping, methods and costs, Washington orchards. D.B. 446, pp. 19-20. 1917.
protection against—
borers. Ent. Cir. 32, rev., pp. 6-7, 11. 1907; J.A.R., vol. 3, pp. 184-185. 1914.
flat-headed borers. F.B. 1065, pp. 10-12. 1919.
rabbits and mice. F.B. 1360, pp. 47-48. 1924.
pruning—
discussion. Y.B., 1901, p. 601. 1902.
for renewal, methods, season. F.B. 491, pp. 11-15, 21. 1912.
root-borer burrows, description. J.A.R., vol. 3, pp. 181, 183, 186. 1914.
spraying—
directions. F.B. 1326, pp. 17-23, 24-26. 1924.
for apple blotch and other diseases, periods. B.P.I. Bul. 144, pp. 21-23. 1909.
for lesser bud-moth control, experiments. D.B. 113, pp. 11-14. 1914.
for oat-aphid control. D.B. 112, p. 16. 1914.
standard preferable to dwarf. O.E.S. An. Rpt., 1912, pp. 169, 218. 1913.
stem tumors or knots. George G. Hedgcock. B.P.I. Cir. 3, pp. 16. 1908.
tent caterpillar. See Tent caterpillar.
top-grafting. F.B. 1284, pp. 25-32. 1922.
top-working, results. S.R.S. Rpt., 1917, Pt. I, pp. 37-115. 1918.
types for renovation, description, and ideal forms. F.B. 1284, pp. 4-8. 1922.
varieties, susceptibility to crown-gall and hairy-root. B.P.I. Bul. 186, pp. 41-43. 1910.
winter killing, lethal temperature. S.R.S. Rpt. 1917, Pt. I, pp. 37, 173. 1918.
worming, for borers, directions. D.B. 847, pp. 31-32, 41. 1920.
Trenton Early, origin, description, and characteristics. B.P.I. Bul. 194, p. 46. 1911.
trumpet leaf-miner, description, food, seasonal history, distribution and treatment. Ent. Bul. 68, Pt. III, pp. 23-30. 1909.
twig blight, control studies. O.E.S. An. Rpt., 1911, p. 77. 1912.
use in—
adulteration of tomato ketchup. Chem. N.J. 2522, pp. 2. 1913; Chem. N.J. 2523, pp. 2. 1913.
jellies with cranberries, marmalades. News L., vol. 3, No. 24, pp. 3-4. 1916.
making vinegar, preparation and fermentation. F.B. 1424, pp. 2-3, 6-14. 1924.
salad, note. O.E.S. Bul. 245, p. 24. 1912.

Apple(s)—Continued.
  use of sodium nitrate on studies. Work and Exp., 1919, p. 52. 1921.
  utilization for apple butter, use methods. News L., vol. 5, No. 4, p. 5. 1917.
  value—
    as crop in California, Butte Valley. Soil Sur. Adv. Sh., 1907, pp. 16–18. 1909; Soils F.O., 1907, pp. 1012–1014. 1909.
    in pig feeding. B.A.I. An. Rpt., 1903, p. 295. 1904; B.A.I. Cir. 63, p. 295. 1904.
  varietal—
    resistance to bitter rot. F.B. 492, p. 28. 1912.
    tests, Nevada, Newlands Farm. D.C. 352, p. 14. 1925.
  varieties—
    adaptable to—
      Connecticut, Windham County. Soil Sur. Adv. Sh., 1911, p. 13. 1912; Soil F.O., 1911, p. 77. 1914.
      different soil, New England. D.B. 140, pp. 51–65. 1915.
      Maine, Caribou area. Soil F.O., 1908, pp. 42. 1911.; Soil Sur. Adv. Sh., 1908, p. 12. 1910.
      Coffee County, Tennessee. Soil Sur. Adv. Sh., 1908, pp. 13. 1910; Soils F.O., 1908, pp. 997. 1911.
      Parkersburg, area, West Virginia. Soil Sur. Adv. Sh., 1908, p. 14. 1909; Soils F.O., 1908, pp. 1028. 1911.
    cider tests, cold storage, chemical and organoleptic. Chem. Cir. 48, pp. 2–12. 1910.
    comments on. F.B. 1001, pp. 27, 32–39. 1919.
    descriptions. D.B. 1189, pp. 26–54. 1923.
    desirable qualities. F.B. 491, p. 10. 1912.
    difference in keeping qualities. News L., vol. 5, No. 15, p. 2. 1917.
    early, discussion and list with detailed descriptions. B.P.I. Bul. 194, pp. 22–53. 1911.
    for Great Plains area. F.B. 727, pp. 31–32. 1916.
    for Ozark region, origin, description, and phenological records. B.P.I. Bul. 275, pp. 25–58, 68–79, 88. 1913.
    for various sections. Soils F.O., 1909, pp. 83, 19, 268, 317, 1253, 1315, 1320, 1609. 1912.
    from New Zealand, importations. Nos. 43151–43174, B.P.I. Inv. 48, pp. 22–24. 1921.
    growing and yield, Oregon. D.B. 518, pp. 15, 17, 18. 1917.
    grown commercially. Y.B., 1918, pp. 370–376. 1919; Y.B., Sep. 767, pp. 6–12. 1919.
    grown in West Virginia, Logan and Mingo Counties. Soil Sur. Adv. Sh., 1913, p. 11. 1915; Soils F.O., 1913, p. 1323. 1916.
    important in Payette Valley, Idaho. D.B. 636, p. 5. 1918.
    in Alabama, Madison County. Soil Sur. Adv. Sh., 1911, pp. 18, 28, 33. 1913; Soils F.O., 11, pp. 806, 816, 821. 1914.
    in Nevada. B.P.I. Cir. 118, p. 26. 1913.
    in New York, Livingston County, adaptation to soil types. Soil Sur. Adv. Sh., 1908, pp. 87–89. 1910; Soils F.O., 1908, pp. 153–155. 1911.
    in northwestern Pennsylvania, soil requirements. Soil Sur. Adv. Sh., 1908., pp. 48–50. 1910; Soils F.O., 1908, pp. 240–242. 1911.
    in Pacific Northwest, keeping qualities. D.B. 587, pp. 27–31. 1917.
    in Virginia, Georgia, North and South Carolina. B.P.I. Bul. 135, pp. 29–49, 64–66, 71–83. 1908.
    in Washington orchards, numbers and bearing age. D.B. 446, pp. 7–8. 1917.
    influence on keeping quality in storage. F.B. 852, p. 5. 1917.
    irrigated sections, Montana. B.P.I. Doc. 462, p. 3. 1909.
    leading, production and distribution, by States. D.B. 485, pp. 4–8. 1917.
    new, adaptability to particular localities. News L., vol. 1, No. 18, p. 3. 1913.
    new promising, description. Y.B., 1908, pp. 474–477. 1909; Y.B. Sep. 496, pp. 474–477. 1909.
    on markets, preferences. D.B. 302, p. 9. 1915.
    on Shenandoah Valley farm. F.B. 432, p. 15. 1911.

Apple(s)—Continued.
  varieties—continued.
    phenological records. B.P.I. Bul. 194, pp. 53–87. 1911.
    production—
      1909–1913, estimates. F.B. 641, pp. 16–19. 1914.
      by States, 1918. Y.B., 1918, p. 548. 1919; Y.B. Sep. 792, p. 44. 1919.
      by States, 1919. Y.B., 1919, p. 604. 1920; Y.B. Sep. 827, p. 604. 1920.
      in Alaska. Alaska A.R., 1911, pp. 11–13, 69, 74. 1912.
    quality of juice. Chem. Bul. 118, pp. 11–13. 1908.
    recommendations for various fruit districts. B.P.I. Bul. 151. pp. 14–22. 1909.
    recommended for regions of Tennessee, Kentucky and West Virginia. D.B. 1189, pp. 75–76. 1923.
    relative production in principal States. Y.B., 1915, pp. 488–489. 1916; Y.B. Sep. 683, pp. 488–489. 1916.
    relative susceptibility to blotch infection. D.B. 534, p. 9. 1917.
    scald control by oiled wrappers, oils and waxes, results. J.A.R., vol. 26, pp. 513–520, 527, 529, 530, 534. 1923.
    soils adapted, New England. D.B. 140, pp. 47–51. 1915.
    statistical estimates. D.B. 485, pp. 1–8. 1917.
    studies. Work and Exp., 1919, pp. 53–54. 1921.
    suitable for evaporation. F.B. 291, p. 26. 1907.
    suited—
      for irrigation projects. B.P.I. Cir. 83, p. 8. 1911.
      to Arkansas, Pope County. Soil Sur. Adv. Sh., 1913, pp. 13, 27. 1915; Soils F.O., 1913, pp. 1229, 1243. 1916.
      to Knox silt loam, Central Prairie States. Soils Cir. 33, pp. 9, 14. 1911.
      to Marshall silt loam. Soils Cir. 32, p. 14. 1911.
      to Miami clay loam. Soils Cir. 31, pp. 9, 14. 1911.
      to sandy lands, Columbia River Valley. B.P.I. Cir. 60, p. 15. 1910.
    susceptibility to—
      apple blotch, list. B.P.I. Bul. 144, p. 12. 1909.
      bitter-pit disease. J.A.R., vol. 12, No. 3, p. 110. 1918.
      bitter-rot canker. D.B. 684, p. 14. 1918; F.B. 938, p. 6. 1918.
      borer attack. D.B. 847, p. 19. 1920.
      different storage diseases. F.B. 1160, pp. 6, 7, 10, 21. 1920.
      fruit spot. B.P.I. Cir. 112, pp. 12–13. 1913.
      powdery mildew. D.B. 120, p. 10. 1914; D.B. 712, p. 7. 1918; F.B. 1120, p. 3. 1920.
      San José scale. D.C. 263, p. 5. 1923.
    testing—
      Belle Fourche Experiment Farm. D.C. 60, pp. 33–34. 1919.
      Umatilla Experiment Farm, 1912. B.P.I. Cir. 129, pp. 25, 26. 1913.
      tests at field station near Mandan, N. Dak. D.B. 1301, pp. 16–18. 1925.
    vinegar-making in the home. S.R.S. Doc. 99, pp. 3, 6. 1919.
    vinegar. See Vinegar.
  Virginia Beauty—
    description. Y.B., 1905, pp. 495–496. 1906; Y.B., Sep. 399, pp. 495–496. 1906.
    phenological records. B.P.I. Bul. 194, p. 80. 1911.
  Wagener, soils favorable, New England. D.B. 140, pp. 60, 73. 1915.
  Washington, superior yield and quality returns per acre. O.E.S. Bul. 214, pp. 18,19, 20, 21, 22. 1909.
  waste—
    and chop, adulteration. Chem. N.J. 3057. 1914.
    use for fruit butter in hospitals. News L., vol. 7, No. 6, p. 4. 1919.
  water-core—
    causes. D.B. 587, p. 11. 1917.
    description, and varieties susceptible. F.B. 1160, p. 10. 1920.

Apple(s)—Continued.
   Wealthy—
      origin, description, charactertistics, and phenological records. B.P.I. Bul. 194, pp. 46, 52, 80. 1911.
      production and relation to total crop, 1909-1913, 1915. D.B. 485, pp. 2, 3, 5, 6, 7, 8. 1917.
   weevils, description. Sec. [Misc.], "A manual * * * insects * * *", pp. 17, 18. 1917.
   wild—
      importations and description. Nos. 32223, 32303, 32360, B.P.I. Bul. 261, pp. 43, 53, 59. 1912; No. 40619, B.P.I. Inv. 43, pp. 8, 56-57. 1918; Nos. 45676-45682, B. P. I. Inv. 53, pp. 9, 76-77. 1922.
      introduction from China. An. Rpts., 1911, p. 334. 1912; B.P.I. Chief Rpt., 1911, p. 86. 1911.
   Williams, origin and description. B.P.I. Bul. 194, pp. 46-48, 52, 80. 1911; Y.B., 1908, pp. 476-477. 1909; Y.B. Sep. 496, pp. 476-477. 1909.
   Wilson June, origin, description, and characteristics. B.P.I. Bul. 194, p. 50. 1911.
   windfall—
      canning methods, value. News L., vol. 2, No. 4, pp. 1-2. 1914.
      cull, and by-products, canning. S.R.S. Doc. 15, pp. 3. 1915; rev. 1917.
      saving by canning. News L., vol. 7, No. 12, p. 5. 1919.
   Winesap—
      apple-scald susceptibility, studies. J.A.R., vol. 16, pp. 195, 196, 211. 1919.
      cider and vinegar, chemical data. Chem. Bul. 129, p. 18. 1909.
      cider experiments, analysis and tests. Chem. Cir. 48, pp. 2, 3, 5, 6, 7, 12. 1910.
      description, characteristics in Piedmont and Blue Ridge region. B.P.I. Bul. 135, pp. 45-46, 79. 1908.
      origin, description, and phenological records in Blue Ridge region. B.P.I. Bul. 135, pp. 45-46, 79. 1908.
      origin, description, and phenological records in Ozark region. B.P.I. Bul. 275, pp. 54-55, 76-78. 1913.
      phenological records. B.P.I. Bul. 194, pp. 81-93. 1911.
      production and relation to total crop, 1909-1913, 1915. D.B. 485, pp. 2, 3, 5, 6, 7, 8. 1917.
   production and prices, Pacific Northwest. D.B. 935, pp. 4, 11. 1921.
   winter spraying with nitrate of soda solutions. J.A.R. vol. 1, pp. 437-442. 1914.
   Winter Paradise, phenological records. B.P.I. Bul. 194, p. 83. 1911.
   wood, quantity used in manufacture of wooden products. D.B. 605, p. 17. 1918.
   wood-stainer, description, habits, and injuries. F.B. 763, pp. 13-14. 1916.
   worm—
      control. F.B. 908, pp. 77-78. 1918.
      lesser—
         A. L. Quaintance. Ent. Bul. 68. Pt. V, pp. 49-60. 1908.
         additional observations. S. W. Foster and P. R. Jones. Ent. Bul. 80, Pt. III, pp. 45-60. 1909.
         and codling moth, comparative abundance. Ent. Bul. 80, Pt. III, pp. 46-47. 1909.
         description, habits, injuries, and control. F.B. 1270, pp. 10-11. 1923.
         description of injuries to fruit and control. F.B. 492, pp. 16-17. 1912.
         history, description, and control. Ent. Bul. 68, pp. 49-60. 1908.
         See also Codling moth.
   wormy, cause, and treatment. F.B. 283, pp. 23-32. 1903.
   wrappers, waxed and oiled, use in scald prevention. J.A.R. vol. 18, pp. 233-236. 1919.
   wrapping—
      for export, practices. F.B. 1457, pp. 10-11. 1925.
      to control disease. F.B. 1160, pp. 16, 23. 1920.
      with absorbents for prevention of internal browning. J.A.R. vol. 24, pp. 177-179. 1923.
   Yakima Valley Orchards, handling the crop, work and cost. D.B. 614, pp. 49-61. 1918.

Apple(s)—Continued.
   Yellow Newtown—
      characteristics in Piedmont and Blue Ridge region. B.P.I. Bul. 135, pp. 47-48, 81. 1908.
      cider experiments analysis and tests. Chem. Cir. 48, pp. 2, 3, 5, 6, 8. 1910.
      internal browning. W. S. Ballard and others. D.B. 1104, pp. 24. 1922.
      internal browning, study. A. J. Winkler. J.A.R. vol. 24, pp. 165-184. 1923.
      phenological records. B.P.I. Bul. 194, p. 84. 1911.
      "rough-bark" disease. John W. Roberts. B.P.I. Bul. 280, pp. 16. 1913.
   Yellow Transparent, origin, description, characteristics, and phenological records. B.P.I. Bul. 194, pp. 48-49, 52, 84-85. 1911; B.P.I. Bul. 275, pp. 56, 78-79. 1913.
   yields—
      and prices in Payette Valley, Idaho. D.B. 636, pp. 13-14. 1918.
      per acre. D.B. 1338, p. 4. 1925.
      tests of individual trees and plots. J.A.R., vol. 12, pp. 250-263, 270, 272, 279. 1918.
      Washington orchards. D.B. 446, p. 9. 1917.
   York Imperial—
      apple-scald susceptibility studies. J.A.R., vol. 16, pp. 201, 205, 213. 1919.
      characteristics in Piedmont and Blue Ridge region. B.P.I. Bul. 135, pp. 49, 83. 1908.
      origin, description, and phenological records in Ozark region. B.P.I. Bul. 275, pp. 57-58, 79. 1913.
      phenological records. B.P.I. Bul. 194, pp. 86-87. 1911.
      production, and relation to total crop, 1909-1913, 1915. D.B. 485, pp. 2, 3, 5, 6, 7, 8. 1917.
Appleman, C. O.—
   "Carbohydrate metabolism in green sweet corn during storage at different temperatures." With J. M. Arthur. J.A.R., vol. 17, pp. 137-152. 1919.
   "Evaluation of climatic temperature efficiency for the ripening processes in sweetcorn." With S. V. Eaton. J.A.R., vol. 20, pp. 795-805. 1921.
   "Reliability of the nail test for predicting the chemical composition of green sweet corn." J.A.R. vol. 21, pp. 817-820. 1921.
Appointees, emergency, annual leave, departmental regulations. B.A.I.S.R.A. 130, p. 14. 1918.
Appointment clerk—
   duties. Pub. [Misc.], "Organization * * * Agriculture," p. 3. 1913.
   report—
      1902. J.B. Bennett. An. Rpts., 1902, pp. 383-400. 1902; Appt. Clerk Rpt., 1902, pp. 18. 1902.
      1903. J. B. Bennett. An. Rpts., 1903, pp. 461-482. 1903; Appt. Clerk Rpt., 1903, pp. 21. 1903.
      1904. J. B. Bennett. An. Rpts., 1904, pp. 315-337. 1904; Appt. Clerk Rpt. 1904, pp. 23. 1904.
      1905. J. B. Bennett. An. Rpts., 1905, pp. 529-542. 1905; Appt. Clerk Rpt., 1905, pp. 15. 1905.
      1906. J. B. Bennett. An. Rpts., 1906, pp. 641-673. 1907; Appt. Clerk Rpt., 1906, pp. 35. 1906.
      1907. J. B. Bennett. An. Rpts. 1907, pp. 741-758. 1908; Appt. Clerk Rpt., 1907, pp. 22. 1907.
      1908. J. B. Bennett. An. Rpts., 1908, pp. 771-790. 1909; Appt. Clerk Rpt., 1908, pp. 22. 1908.
      1909. J. B. Bennett. An. Rpts., 1909, pp. 791-816. 1910; Appt. Clerk Rpt., 1909, pp. 28. 1909.
      1910. J. B. Bennett. An. Rpts., 1910, pp. 897-916. 1911; Appt. Clerk Rpt., 1910, pp. 24. 1910.
      1911. R. W. Roberts. An. Rpts., 1911, pp. 949-965. 1912; Appt. Clerk Rpt., 1911, pp. 19. 1911.
      1912. R. W. Roberts. An. Rpts., 1912, pp. 1077-1092. 1913; Appt. Clerk Rpt., 1912, pp. 20. 1912.
      1913. R. W. Roberts. An. Rpts., 1913, pp. 327-329. 1914; Appt. Clerk Rpt., 1913, pp. 3. 1913.

Appointment clerks' office, organization and work. Sec. [Misc.], "Program of work of the Department of Agriculture, 1915," pp. 30. 1914.

Appointments—
changes in administration of civil-service laws. An. Rpts., 1911, pp. 949-951. 1912; Appt. Clerk Rpt., 1911, pp. 3-5. 1911.
Civil Service—
memorandum of Mr. Jump. Off. Rec., vol. 1, No. 1, p. 10. 1922.
regulations, and Executive orders. An Rpts., 1909, pp. 811-816. 1910; Appt. Clerk Rpt., 1909, pp. 23-28. 1909.
personnel policy. Off. Rec., vol. 4, No. 14, p. 5. 1925.
regulations—
1924. Off. Rec., vol. 3, No. 47, p. 4. 1924.
extracts from U. S. compiled statutes. An. Rpts. 1907, pp. 743-745. 1908.
temporary, circular letter. Sec. [Misc.], "Temporary appointments," p. 1. 1908.
without compensation, ruling. Off. Rec., vol. 4, No. 12. p. 4. 1925.

Appraisement—
animals condemned for tuberculosis, and indemnity. F.B. 1069, pp. 30-31. 1919.
diseased animals, foot-and-mouth disease. An. Rpts., 1915, pp. 19-20. 1916; Sec. A.R., 1915, pp. 21-22. 1915.
farm resources for inventory. F.B. 1182, pp. 19-20. 1921.
livestock and property destroyed on account of contagious disease. D. C. 325, pp. 18, 21. 1924.
slaughtered animals, for reimbursement. An. Rpts., 1915, pp. 81, 82. 1916; B.A.I. Chief Rpt., 1915, pp. 5, 6. 1915.

Appropriation(s)—
Act, Agriculture Department—
March 4, 1915. Sol. [Misc.], "Laws applicable * * * Agriculture," Sup. 3, pp. 7-57. 1915.
Aug. 11, 1916. Sol. [Misc.], "Laws applicable * * *," Sup. 4, pp. 7-9, 12-22, 23-29, 40-47, 49-69, 95-98. 1917.
1917, synopsis. News L, vol. 4, No. 5, pp. 1-7. 1916.
1920, amendment. Off. Rec., vol. 1, No. 10. p. 8. 1922.
1924. Off. Rec., vol. 2, No. 9, pp. 1, 8. 1923.
1925. Sec. A.R., 1925, p. 23. 1925.
1926, provisions. Off. Rec., vol. 4, No. 7, pp. 1-2, 8. 1925.
agricultural colleges—
State, 1906. O.E.S. An. Rpt., 1906, pp. 250-252. 1907.
State, 1907. O.E.S. An. Rpt., 1907, pp. 261-264. 1908.
State, 1909. O.E.S. An. Rpt., 1909, pp. 292-293. 1910.
Agriculture Department—
1838-1862, laws authorizing. An. Rpts., 1907, pp. 745-749. 1908.
1839-1896, statistics. Y.B., 1901, p. 614. 1902; Y.B. Sep. 259, p. 614. 1902.
1839-1906, statement. Accts. Chief Rpt., 1906, pp. 17-36. 1906.
1839-1907. Accts. Chief Rpt., 1908, pp. 18-40. 1908; An. Rpts., 1908, pp. 604-626. 1909; Stat. Chief Rpt., 1907, p. 7. 1907.
1901-1902, estimates for 1902. An. Rpts., 1901, pp. 256-261. 1901.
1902, estimates for 1903. Accts. Chief Rpt., 1902, pp. 15. 1902; An. Rpts., 1902, pp. 219-233. 1902.
1903, and estimates for 1904. An. Rpts., 1903, pp. 349-367. 1903.
1904, and estimates for 1905. An. Rpts., 1904, pp. 307-314. 1904.
1905 and 1906, uses. Accts. Chief Rpt., 1905, pp. 10. 1905; An. Rpts., 1905, pp. 317-326. 1905.
1906. An. Rpts., 1906, pp. 420-421. 1907; Y.B., 1906, p. 458. 1907; Y.B. Sep. 435, p. 458. 1907.
1907, estimates for 1908. Accts. Chief Rpt., 1907, pp. 12-14, 17-38. 1907; An. Rpts., 1907 pp. 508, 510-511. 1908.
1908, estimate for 1909. Sec. A.R., 1908, pp. 119, 120. 1908; An. Rpts., 1908, pp. 121, 122. 1909; Y.B., 1908, pp. 121, 497. 1909; Y.B. Sep. 497, pp. 121, 497. 1909.

Appropriation(s)—Continued.
Agriculture Department—Continued.
1903, summary. Accts. Chief Rpt., 1909, pp. 7-8. 1909; An. Rpts., 1909, pp. 555-556. 1910.
1910. Accts. Chief Rpt., 1910, pp. 29-57. 1910; An. Rpts., 1910, pp. 591-619. 1911.
statistics, 1911. Accts. Chief Rpt., 1911, pp. 30-67. 1911; An. Rpts., 1921, pp. 576-613. 1912.
1912 and 1913. Sec. A.R., 1912; pp. 86, 115. 1912; An. Rpts., 1912, pp. 86, 115. 1913; Y.B., 1912, pp. 86, 115. 1913.
1912, summary and by offices. Accts. Chief Rpt., 1912, pp. 6, 7-15, 37-82. 1912; An. Rpts., 1912, pp. 682, 683-691, 713-758. 1913.
1913, estimates. Accts. Chief Rpt., 1912, pp. 22-34. 1912; An. Rpts., 1912, pp. 698-710. 1913.
1914, and 1839-1914. Accts. Chief Rpt., 1914, pp. 1, 2. 1914; An. Rpts., 1914, pp. 211, 212. 1914; Sol. [Misc.], Sup. 1, "Laws applicable * * *," pp. 5-49. 1913.
1915. Accts. Rpt., 1915, pp. 1-2. 1915; An. Rpt., 1915, pp. 249-250. 1916; Sol. [Misc.], Sup. 2 "Laws applicable * * *," pp. 10-88. 1915.
1916 and 1839-1916. Accts. Chief Rpt., 1916, pp. 1-3. 1916; An. Rpts., 1916, pp. 253-255. 1917.
1917. Accts. Chief Rpt., 1917, pp. 2-3. 1917; An. Rpts., 1917, pp. 268-269. 1917.
1918. Accts. Chief Rpt., 1918, pp. 2-3. 1918; An. Rpts., 1918, pp. 278-279. 1919.
1919, and 1839-1919. Accts. Chief Rpt., 1919, pp. 1, 3-4. 1919; An. Rpts., 1919, pp. 299, 301-302. 1920.
1920, and 1839-1920. An. Rpts., 1920, pp. 379-381. 1921.
1921, and special funds. Sec. A.R., 1921, pp. 59-60, 61. 1921; Y.B., 1921, pp. 68-70. 1922; Y.B. Sep. 875, pp. 68-70. 1922.
1922 and 1839-1922. Accts. Chief Rpt., 1922, pp. 2, 5-6. 1922; An. Rpts., 1922, pp. 372, 375-376. 1923; Sec. A.R., 1922, pp. 49, 50-52. 1922; Y.B., 1922, pp. 61, 65-68. 1923; Y.B. Sep. 883, pp. 61, 65-68. 1923.
1923 and 1839-1923. Sec. A.R., 1923, pp. 82, 84-89. 1923; An. Rpts., 1923, pp. 82, 84, 89, 512-513. 1924; Accts. Chief Rpt., 1923, pp. 2-3, 6-7. 1924.
1924. Sec. A.R., 1924, pp. 82-83, 88-96. 1924; Accts. Chief. Rpt. 1924, pp. 2-6. 1924.
changes. News L., vol. 2, No. 36, pp. 2-4. 1915; Off. Rec. vol. 1, No. 49, p. 1. 1922.
summary. Off. Rec., vol. 3, No. 24, pp. 1-2. 1924.
Alaska game law administration, 1912. Biol. Cir. 90, p. 5. 1913.
barberry eradication. Off. Rec., vol. 2, No. 17, p. 1. 1923.
bill—
review. Off. Rec., vol. 3, No. 23, pp. 1-2. 1924.
synopsis and report. Off. Rec., vol. 1, No. 52. pp. 1, 2. 1922.
Committees, reorganization. Off. Rec., vol. 1, No. 32, p. 3. 1922.
cooperative extention work—
1921. Federal allotment, by States. D.C. 203, p. 5. 1921.
1925. Ext. Dir. Rpt., 1925, pp. 1-2. 1925.
emergency, for agriculture needs, recommendation of agriculture conference. News L., vol. 4, No. 38, p. 3. 1917.
experiment stations—
agricultural and forest, comparison. Sec. Cir. 183, pp. 19-20. 1921.
and relations of department thereto. O.E.S. [Misc.], "Federal legislation, regulations, and rulings affecting agricultural colleges and experiment stations," rev. to July 1, 1914, pp. 6-7. 1914; rev. to Dec. 21, 1914, p. 19. 1915.
need for increase. Work and Exp., 1919, pp. 12-13. 1921.
extension work, 1921. S.R.S. [Misc.], "Cooperative extension work, 1921," pp. 5-6, 23-44. 1923.
Federal highway act, additional, extracts from Post Office Department law. Sec. Cir. 161, pp. 12-14. 1922.

120   UNITED STATES DEPARTMENT OF AGRICULTURE

Appropriations—Continued.
Forest Service—
expenditures, 1922. For. A.R., 1922, p. 11. 1922; An. Rpts., 1922, p. 205. 1922.
fire protection. Sol. [Misc.], "Laws, decisions * * * forests," pp. 17, 119. 1916.
increase by State legislatures. Off. Rec., vol. 1, No. 1, p. 4. 1922.
laws and decisions. Sol. [Misc.], "Laws, decisions * * * forests," pp. 118–127. 1916. West Virginia. For. Laws Leaf. 22, p. 4. 1917.
hearing by Senate subcommittee. Off. Rec., vol. 1, No. 14, p. 1. 1922.
interchange in bureaus. Off. Rec., vol. 1, No. 19, p. 1. 1922.
Library, 1864, 1870, 1894, 1895, and 1912. Lib. A.R., 1912, p. 17. 1912; An. Rpts., 1912, p. 813. 1913.
lump-sum—
availability, limitations. Sol. [Misc.], "Laws applicable * * * Agriculture," Sup. 2, pp. 5–6. 1915; Sup. 4, pp. 8–9. 1917.
payment to employees, restrictions. Sol. [Misc.], "Laws applicable * * * Agriculture," Sup. 2, pp. 98–99. 1915.
use for salary increases for scientific work, limitation. Sol. [Misc.], "Laws applicable * * * Agriculture," Sup. 2, pp. 5–6. 1915.
national forests, laws applicable, decisions. Sol. [Misc.], "Laws applicable * * * Agriculture," pp. 75–82. 1913.
purchase of land at headwaters of streams. Sol. [Misc.], "Laws, decisions * * * forests," pp. 18, 20. 1916.
roads—
Federal-aid. Off. Rec., vol. 3, No. 25, p. 3. 1924.
since 1916. Off. Rec., vol. 2, No. 22, p. 2. 1923.
Smith-Lever Act., expenditure provisions. News L., vol. 2, No. 36, p. 1. 1915.
tick eradication, Federal and State. B.A.I. Cir. 187, pp. 255, 269, 265. 1912; B.A.I. An. Rpt., 1910, pp. 255, 269, 265. 1912.
tuberculosis eradication, text. B.A.I.O. 267, p. 4. 1919.
unexpended balances, Hatch and Adams Acts, rulings. S.R.S. [Misc.], "Federal legislation, regulations, and rulings * * *," rev. to July 15, 1917, p. 32. 1917.
Weather Bureau, per cent of increase, July 1, 1895–July 1, 1905. An. Rpts., 1905, pp. 3–4. 1906; W.B. Chief Rpt., 1905, pp. 3–4. 1905.
See also Budget.
Apricot(s)—
adulteration. Chem. N.J. 2296, p. 1. 1913; Chem. N.J. 2587, p. 1. 1913; Chem. N.J. 3744, p. 1. 1915.
Armenian, introduction and cultural notes. B.P.I. Bul. 205, p. 11. 1911.
bacterial spot, on the market. F.B. 1435, pp. 2–3. 1924.
brandy, adulteration and misbranding. Chem. N.J. 413, p. 1. 1910; Chem. N.J. 1248, pp. 2. 1912; Chem. N.J. 1435, pp. 3. 1912.; Chem. N.J. 2852, p. 1. 1914.
brown-rot on the market. F.B. 1435, pp. 5–9. 1924.
butter, recipe. News L., vol. 5, No. 4, p. 5. 1917.
canned, misbranding. Chem. N.J. 92–93, pp. 1–2. 1909; Chem. N.J. 114, pp. 6–7. 1909; Chem. N.J. 330, p. 1. 1910.
canning—
directions. F.B. 839, pp. 19–20, 30. 1917.
inspection instructions. D.B. 1084, pp. 20–21. 1922.
methods, sirup weight and composition. D.B. 196, pp. 32–35. 1915.
seasons. Chem. Bul. 151, pp. 34, 38. 1912.
Chinese, importations and description. Nos. 4002–40013, B.P.I. Inv. 42, pp. 5, 51–52. 1918.
composition, analytical data. Chem. Bul. 66, rev., p. 41. 1905.
cordial, adulteration and misbranding. Chem. N.J. 1684, pp. 2. 1912; Chem. N.J.1767, pp. 2. 1912; Chem. N.J. 2089, pp. 2. 1913.
desert, occurrence, range, and description. J.A.R., vol. 1, pp. 148, 149, 152, 166–170, 178. 1913.
diseases, Texas, occurrence and description. B.P.I. Bul. 226, p. 25. 1912.

Apricot(s)—Continued.
dried—
misbranding. Chem. N.J. 589, p. 1. 1910.
production and uses. Y.B., 1912, pp. 510, 511, 519, 520. 1913; Y.B. Sep. 610, pp. 510, 511, 519, 520. 1913.
production in California. D.B. 1141, p. 2. 1923.
drying—
directions. D.B. 1335, p. 31. 1925; D.C. 3, p. 20. 1919; F.B. 841, pp. 23–24. 1917; F.B. 984, pp. 43–44. 1918.
in sun, details. F.B. 903, pp. 52–53. 1917.
evaporated, reasons for sulphuring. Chem. Cir. 37, p. 4. 1907; Chem. Bul. 84, Pt. III, p. 764. 1907.
evaporation details. D.B. 1141, p. 49. 1923.
exports—
1903, quantity, and destination. D.B. 296, p. 42. 1915.
statistics. Y.B., 1918, pp. 639, 656. 1919; Y.B. Sep. 794, pp. 15, 32. 1919.
growing—
for home use. F.B. 1001, pp. 4, 5, 11. 1919.
in California—
central southern area. Soil Sur. Adv. Sh., 1917, pp. 29, 30, 58, 88–104. 1921; Soils F.O., 1917, pp. 2427, 2428, 2456, 2486–2502. 1923.
lower San Joaquin Valley, reconnaissance. Soil Sur. Adv. Sh., 1915, p. 24. 1918; Soils F.O., 1915, pp. 2600, 2701. 1919.
middle San Joaquin Valley. Soils F.O., 1916, p. 24444. 1921; Soil Sur. Adv. Sh., 1916, p. 30. 1919.
Pajaro Valley. Soil Sur. Adv. Sh., 1908, pp. 16–17, 46. 1910; Soils F.O. 1908, pp. 1342–1343, 1372. 1911.
Riverside area. Soil Sur. Adv. Sh., 1915, pp. 14, 88. 1917; Soils F.O., 1915, pp. 2376, 2450. 1919.
San Fernando Valley area. Soil Sur. Adv. Sh., 1915, pp. 16, 35, 46, 51. 1917; Soils F.O. 1915, pp. 2462, 2481, 2492, 2497. 1919.
San Francisco Bay region. Soil Sur. Adv. Sh., 1914, pp. 21–22. 1917; Soils F.O., 1914, pp. 2693–2694, 2719, 2727, 2742, 2760. 1919.
upper San Joaquin Valley. Soil Sur. Adv. Sh., 1917, pp. 28–29. 1921; Soils F.O., 1917, p. 2556, 2557. 1923.
Ventura area, details. Soil Sur. Adv. Sh., 1917, pp. 17, 30, 75. 1920; Soils F.O., 1917, pp. 2333, 2368, 2369, 2378, 2380, 2383, 2385. 1923.
in Colorado, Uncompahgre Valley area. Soil Sur. Adv. Sh. 1910, p. 21. 1912; Soils F.O., 1910, pp. 1458–1459. 1912.
in Oregon, Umatilla Experiment Farm, variety tests. W.I.A. Cir. 26, p. 25. 1919.
in Washington, Wenatchee area. Soil Sur. Adv. Sh. 1918, pp. 14, 16, 17, 20, 49. 51. 1922; Soils F.O., 1918; pp. 1554, 1556, 1557, 1560, 1589, 1590. 1924.
importations, and description. Nos. 30310–30313, 30321, 30342–30348, 30355, B.P.I. Bul. 233, pp. 75, 76, 78–79. 1912; Nos. 30463, 30628, 30634, 30644, 30646, 30952, 31281, B.P.I. Bul. 242, pp. 8, 11, 25, 26, 27, 57, 79. 1912; Nos. 32348–32350, B.P.I. Bul. 261, p. 58. 1912; No. 34264, B.P.I. Inv. 32, p. 29. 1914; Nos. 34269, 34270, B.P.I. Inv. 32, p. 30. 1914; Nos. 35701, B.P.I. Inv. 36, pp. 7, 13. 1915; Nos. 37072, 37474, B.P.I. Inv. 38, pp. 33, 62. 1917; Nos. 37744, 38230, 38281, B.P.I. Inv. 39, pp. 9, 32, 105, 112. 1917; Nos. 38778, 38978, B.P.I. Inv. 40, pp. 6, 27, 52. 1917; Nos.39429, 39430, 39439, 39464, B.P.I. Inv. 41, pp. 8, 27, 29, 38. 1917; Nos. 43405–43408, 43558, B.P.I. Inv. 49, pp. 9, 13, 42. 1921; Nos. 45237, 45238, B.P.I. Inv. 53, p. 15. 1922; Nos. 52578, 52739, B.P.I. Inv. 66, pp. 43, 69. 1923; No. 52914, B.P.I Inv. 67, pp. 4, 13. 1923; Nos. 54442–54444, B.P.I. Inv. 69, pp. 1, 9–10. 1923; Nos. 55725, 55729, B.P.I. Inv. 72, pp. 25, 26. 1924.
infestation with Mediterranean fruit fly. Ent. Cir. 160, pp. 5–9, 12, 13. 1912.
injury by—
mealy plum aphid. D.B. 774, pp. 1,15. 1919.
pear thrips. D.B. 173, p. 19. 1915.
inoculation with *Monochaetia* sp. to produce tumor. J.A.R., vol. 26, pp. 52–54. 1923.

Apricot(s)—Continued.
  insect pests, list. Sec. [Misc.], "A manual of * * * insects * * *," pp. 21, 24–25, 114, 115. 1917.
  introduction, description, and value. B.P.I. [Misc.], "New plant introductions, 1917–1918," pp. 59–60, 62. 1917.
  Japanese, importations and description. No. 41061, B.P.I. Inv. 44, p. 35. 1918; Nos. 45063, 45064, 45176, B.P.I. Inv. 52, pp. 29, 42. 1922; No. 45523, B.P.I. Inv. 53, pp. 46–47. 1922; Nos. 45876–45881, B.P.I. Inv. 54, pp. 2, 33–34. 1922; Nos. 46473, 46572, B.P.I. Inv. 56, pp. 19, 27. 1922; No. 46694, B.P.I. Inv. 57, p. 20. 1922; No. 47950, B.P.I. Inv. 60, p. 18. 1922; Nos. 54709–54725, 54780, B.P.I. Inv. 70, pp. 2, 11, 20. 1923; Nos. 55633–55646, B.P.I. Inv. 72, pp. 2, 14. 1924.
  kernel(s)—
    description and microscopic identification. Chem. Bul. 160, pp. 12–13, 37. 1912.
    peach and prune, as by-products of fruit industry of United States. Frank Rabak. B.P.I. Bul. 133, pp. 34. 1908.
  Mexican, importation. B.P.I. Bul. 106, p. 6. 1907.
  misbranding. Chem. N.J. 13405, 13407. 1925.
  Moorpark, susceptibility to tumor. J.A.R., vol. 26, pp. 46, 48. 1923.
  New Mexico, varieties adapted. N.A. Fauna 35, pp. 23, 40. 1913.
  oil, from kernels, digestion experiments. D.B. 781, pp. 4–6. 1919.
  orchards, spraying tests. Ent. Bul. 80, Pt. VIII, pp. 147–160. 1910.
  packing season. D.B. 196, p. 16. 1915.
  Palestine, varieties, description, value, and uses. B.P.I. Bul. 180, pp. 17–18. 1910.
  paste—
    directions for making. F.B. 853, p. 32. 1917; News L., vol. 5, No. 1, p. 8. 1917.
    manufacture and use. B.P.I. Bul. 180, p. 17. 1910.
  pits, production and uses. B.P.I. Bul. 133, p. 27. 1908.
  processing directions and time table. F.B. 1211, pp. 39, 49. 1921.
  pulp, adulteration. Chem. N.J. 3142. 1914; Chem. N.J. 11498. 1923.
  scale. See Fruit lecanium, European.
  seed, almond-oil extraction. Y.B., 1908, p. 341. 1909; Y.B. Sep. 485, p. 341. 1909.
  shipments by States and by stations, 1916. D.B. 667, pp. 6, 7, 71, 91. 1918.
  Siberian, importation and description. No. 40504. B.P.I. Inv. 43, p. 36. 1918.
  spraying for curculio with arsenate of lead. O.E.S. An. Rpt., 1908, p. 155. 1908.
  stunting by peach rosette. J.A.R., vol. 24, p. 309. 1923.
  susceptibility to—
    drought. B.P.I. Bul. 192, pp. 13, 15, 17, 18, 23, 42–43, 56. 1911.
    peach borer and control. Ent. Bul. 97, Pt. IV, pp. 68, 83–85. 1911.
  trees—
    concentration of cell sap. J.A.R., vol. 21, pp. 85–86, 94–95. 1921.
    injury by sapsuckers. Biol. Bul. 39, p. 52. 1911.
  tumor, new. Amram Khazanoff. J.A.R., vol. 26, pp. 45–60. 1923.
  use as stock for plums. F.B. 1372, p. 32. 1924.
  variety(ies)—
    comments on. F.B. 1001, pp. 30, 32–39. 1919.
    importations and description. Nos. 32348–32350, B.P.I. Bul. 261, p. 58. 1912.
    recommendations for various fruit districts. B.P.I. Bul. 151, p. 23. 1909.
    tests in—
      Nevada. B.P.I. Cir. 118, p. 26. 1913.
      Oregon, Umatilla Experiment Farm, results. W.I.A. Cir. 17, pp. 30–31. 1917.
      Texas. D.B. 162, p. 18. 1915.
    with sweet kernels, importations, and value. Nos. 28953–28962, 29223, B.P.I. Bul. 227, pp. 7, 19, 20, 47. 1911.
  wild, growth habit in arid regions. B.P.I. Bul. 192, p. 24. 1911.

Aprocta spp., diagnosis, synonymy, and bibliography. B.A.I. Bul. 60, pp. 40–41. 1904.
Aprons—
  canning club—
    directions for making. S.R.S. Doc. 35, p. 7. 1917; S.R.S. Doc. 83, pp. 7, 8. 1918.
    uniform. D.C. 2, p. 9. 1919.
  gardening, directions for making. D.C. 2, p. 5. 1919; S.R.S. Doc. 83, pp. 3–4. 1918.
Aprostecetus diplosidis, parasitic on sorghum midge. Ent. Bul. 85, Pt. IV, pp. 55–57. 1910; Ent. Bul. 85, pp. 55–57. 1911.
Apterygota, Pribilof Islands, occurrence and description. N.A. Fauna 46, Pt. II, p. 139. 1923.
Apulid, importation, and use. No. 41680, B.P.I. Inv. 45, p. 60. 1918.
Aqua—
  fortis. See Nitric acid.
  regia, use in oxidation of organic matter. J.A.R., vol. 3, p. 425. 1915.
Aqueous solutions, action upon soil carbonates. Frank K. Cameron and James M. Bell. Soils Bul. 49, pp. 64. 1907.
Aquifoliaceae, injury by sapsuckers. Biol. Bul. 39, pp. 45, 83. 1911.
Aquila chrysaetos. See Eagle, golden.
Aquilegia spp.—
  importations. Nos. 42734–42737, B.P.I. Inv. 47, pp. 57–58. 1920.
  resistance to Puccinia triticina. J.A.R., vol. 22, pp. 155–172. 1921.
Arabia, Persian Gulf dates, varieties, culture, irrigation. B.P.I. Bul. 53, pp. 35, 40, 48, 132. 1904.
Arabian—
  alfalfa, characteristics. F.B. 339, p. 38. 1908.
  coffee—
    production, 1906–1910. Stat. Bul. 79, pp. 10, 84–88. 1912.
    varieties in Porto Rico, description. P.R. Bul. 30, pp. 2–15. 1924.
Arable land—
  area and location. O. E. Baker and H. M. Strong. Y.B., 1918, pp. 433–441. 1919; Y.B. Sep. 771, pp. 11. 1919.
  total and classes. Y.B., 1918, p. 438. 1919; Y.B. Sep. 771, p. 8. 1919.
Aracache. See Arracacia.
Arachidic acid, detection in fats. Chem. Bul. 13, Pt. X, pp. 1429–1430. 1902.
Arachis hypogea. See Peanuts.
Arachnids, Pribilof Islands, Alaska, occurrence and description. N.A. Fauna 46, Pt. II., pp. 237–239. 1923.
Araecerus fasciculatus—
  characters, description, and synonomy. J.A.R., vol. 20, pp. 605–608. 1921.
  enemy of stored products. Hawaii A.R., 1907, p. 48. 1908.
  occurrence in pigeon seed, Hawaii, and description. Hawaii A.R., 1911, pp. 22, 23. 1912.
  weevils having boll-weevil parasites. Ent. Bul. 100, pp. 45, 51, 67, 74. 1912.
  See also Coffee-bean weevil.
Aragallus lamberti—
  description and comparison with Astragalus mollissimus. B.A.I. Bul. 112, pp. 37–38, 39, 101–102, 115. 1909.
  feeding experiments. B.A.I. Bul. 112, pp. 44–73. 1909.
  See also Loco weed, white.
Aragonite, solubility compared with that of calcite. Soils Bul. 49, p. 37. 1907.
Aralia—
  cachemirica, importation and description. No. 50580. B.P.I. Inv. 63, p. 79. 1923; No. 51366, B.P.I. Inv. 65, p. 8. 1923; No. 55000, B.P.I. Inv. 71, p. 12. 1923.
  californica. See Spikenard, California.
  chinensis—
    glabrescens, importation and description. No. 52929, B.P.I. Inv. 67, p. 15. 1923.
    mandshurica, importation and description. No. 35148, B.P.I. Inv. 35, p. 13. 1915; No. 45573, B.P.I. Inv. 53, p. 60. 1922.
  cordata. See Udo.
  spp. importations and description. Nos. 42607, 42612, B.P.I. Inv. 47, pp. 36, 37. 1920; No. 52669, 52788, B.P.I. Inv. 66, pp. 57, 75. 1923.

Araliaceae, Porto Rico, description and uses. D.B. 354, p. 90. 1916.
Aramus vociferus. See Limpkin.
Arapahoe National Forest, Colo., map. For. Maps, "Arapahoe * * *." 1924.
Araticum—
importations and descriptions. Nos. 37872, 37879–80, 37892, 37930, 38171. B.P.I. Inv. 39, pp. 11, 61, 62, 63, 69, 99. 1917.
swamp, description and uses. D.B. 445, p. 33. 1917.
Araucaria—
araucana—
importation and description. No. 38695, B.P.I. Inv. 40, pp. 12–13. 1917.
See also Pehuen.
bidwellii, hypertrophied lenticels. J.A.R., vol. 20, pp. 255–266. 1920.
brasiliana, importation and description. No. 43383, B.P.I. Inv. 48, p. 48. 1921.
insect pests, list. Sec. [Misc.], "A manual of insects * * *," p. 25. 1917.
Arayan, edible myrtle, importation and description. No. 30499. B.P.I. Bul. 242, pp. 9, 15. 1912.
Arbitration—
commission rates. Off. Rec., vol. 2, Nos. 32 and 33, pp. 1, 5. 1923.
wheat trade. Stat. Bul. 65, pp. 30–31. 1908.
Arbor(s)—
posts, concrete, construction. F.B. 403, p. 30. 1910.
roses adapted for, varieties, planting, and pruning. F.B. 750, pp. 8–12. 1916.
Arbor Day—
1919. D. F. Houston. Sec. [Misc.], "Arbor Day," pp. 2. 1919.
address by Secretary, by radio. Off. Rec. vol. 1, No. 17, p. 3. 1922.
dates in different States. D.C. 8, pp. 8–10, 1919.
establishment and founder. Off. Rec., vol. 2. No. 22, p. 5. 1923.
laws. Biol. Bul. 12, rev. pp. 67–68, 134–135. 1902.
meaning, origin, and observance. D.C. 265, pp. 15. 1923.
observance urged. News L., vol. 6, No. 35, pp. 1–2. 1919.
origin. L. C. Everard. D.C. 8, pp. 23. 1919.
suggestions for teaching forestry. For. Cir. 96, pp. 4. 1907.
value to the rural school. F.B. 134, pp. 7–8, 21–31. 1901.
Arboretum—
Rock Creek National Park—
additions. An. Rpts., 1914, p. 160. 1914; For. A.R., 1914, p. 32. 1914.
establishment of conifer species. For. A.R., 1913, p. 53. 1913. An. Rpts., 1913, p. 187. 1914.
Virgin Islands. Vir. Is. A.R., 1923, p. 12. 1924.
Arboriculture—
dry-land—
importance in ancient Africa. B.P.I. Bul. 125, pp. 7–12. 1908.
investigations. An. Rpts., 1908, pp. 300–301 1909; B.P.I. Chief Rpt., 1908, pp. 28–29. 1908.
See also Trees, growing.
Arborvitae—
characteristics and descriptions of species. D.B. 680, pp. 32–39. 1918.
characters. F.B. 468, p. 40. 1911.
characters and species on Pacific slope. For. [Misc.], "Forest trees for Pacific * * *," pp. 153–158. 1908.
description and key. D.C. 223, pp. 4, 8 1922.
Chinese—
adaptability to southern Great Plains. F.B. 1312, p. 17. 1923.
description, uses, and growth. For. Misc. S–18, p. 3. 1916.
description, uses, and planting details. F.B. 888, pp. 13, 19. 1917.
freedom from gypsy-moth injury. D.B. 204, p. 15. 1915.
giant, occurrence, habits, and reproduction. For. Silv. Leaf. 11, pp. 3. 1907.
growth rate. For. Bul. 36, p. 188. 1910.
host of bagworm. F.B. 701, p. 3. 1916.
importation and description. No. 37660, B.P.I. Inv. 39, p.15. 1917.

Arborvitae—Continued.
importations and description. Nos. 38797, 38798, 38831, B.P.I. Inv. 40, pp. 30, 34. 1917.
insect pests, list. Sec. [Misc.], "A manual of insects * * *" p. 25. 1917.
planting for windbreaks. F.B. 1453,p. 30. 1925.
poles, seasoning and preservative treatment, cost. C. Stowell Smith. For. Cir. 136, pp. 29. 1908.
seed, collection and drying. For. Bul. 76, p. 11. 1909.
source of borneol. B.P.I. Bul. 235, p. 11. 1912.
See also Cedar, western red.
Arbutin—
origin, effects on wheat plants. Soils Bul. 47, pp. 30, 39, 42, 48–50. 1907.
soil solutions, addition of fertilizers, effect on wheat plants. Soils Bul. 47, p. 48. 1907.
Arbutus—
crown gall, inoculations on other plants. B.P.I. Bul. 213, pp. 53–54, 130, 196. 1911.
habitat, range, description, uses, collection, and prices. B.P.I. Bul. 219, p. 18. 1911.
menziesii, injury by sapsuckers. Biol. Bul. 39, p. 48. 1911.
sp. See Madrona.
trailing, habitat, range, description, uses, collection, and prices. B.P.I. Bul. 219, p. 18. 1911.
unedo. See Strawberry tree.
Arc process for nitrogen fixation—
1917. Y.B., 1917, pp. 143–144. 1918; Y.B. Sep. 729, pp. 7–8. 1918.
1923. progress. An. Rpts., 1923, pp. 497, 503–504. 1924; Fix. Nit. Lab. A.R., 1923, pp. 3, 9–10. 1923.
Arceuthobium spp. See Mistletoe.
Arches—
bridges and culverts, types and description. Rds. Bul. 43, pp. 16–17. 1912.
concrete, construction data. Rds. Bul. 45, p. 34. 1913.
highway, types, material, and construction methods. Rds. Bul. 39, pp. 16–17. 1911.
ARCHIBALD, J. G.—
"Determination of fatty acids in butterfat—2." With others. J.A.R., vol. 24, pp. 365–398. 1923.
"The effect of sodium hydroxide on the composition, digestibility, and feeding value of grain hulls and other fibrous material." J.A.R., vol. 27, pp. 245–265. 1924.
ARCHIBALD, R. W.—
decree on Globe flour middlings. Chem. N.J. 119–122, p. 2. 1909.
"Effect of various factors on the creaming ability of market milk." With others. D.B. 1344, pp. 24. 1925.
Archibuteo lagopus. See Hawk, rough-legged.
Archilochus colubris. See Humming bird, ruby-throated.
Archips argyrospila. See Leaf-roller, fruit-tree.
Architects, course at Forest Products Laboratory. Off. Rec., vol. 2, No. 45, p. 3. 1923.
Archytas piliventris—
insect enemy of grass worm. D.B. 192, p. 7. 1915.
parasitic on fall army worm. F.B. 752, p. 11. 1916.
Arcoline hydrobromide, use in control of tapeworms in dogs. F.B. 1330, p. 26. 1923.
Arctic—
Alpine zone—
New Mexico, physical features, climate, fauna, and flora. N.A. Fauna 35, pp. 51–53. 1913.
Oregon, characteristic vegetation. J.A.R., vol. 3, pp. 97–98. 1914.
explorations and explorers, 1770–1908. N.A. Fauna 27, pp. 54–85. 1908.
Arctiidae, destruction by birds. Biol. Bul. 9, pp. 13, 23. 1908.
Arctium lappa. See Burdock.
Arctomys—
name first given to prairie dogs. N.A. Fauna 40, pp. 7, 8. 1916.
dacota. See Marmot, Black Hills.
Arctonetta fischeri, occurrence in Pribilof Islands, and food habits. N.A. Fauna 46, p. 53. 1923.
Arctostaphylos—
tomentosa. See Manzanita.
uva-ursi. See Bearberry.

INDEX TO PUBLICATIONS, 1901–1925   123

Ardea—
  egretta. See Egret.
  herodias. See Heron, great blue.
Ardisia—
  involucrata, importation. No. 47640, B.P.I. Inv. 59, p. 41. 1922.
  sp., importation. No. 51052, B.P.I. Inv. 64, pp. 3, 48. 1923.
Arduenna—
  dentata, anatomical details. B.A.I. Bul. 158, pp. 20–21. 1912.
  strongylina, anatomical details, and distribution. B.A.I. Bul. 158, pp. 9–20, 32–34. 1912.
Arduino, Pietro, description and classification. B.P.I. Bul. 175, pp. 42–44. 1910.
Areca—
  catechu. See Betel nut.
  ipot, importation and description. No. 47619, B.P.I. Inv. 59, p. 38. 1922.
  nut, use—
    as anthelmintic, results. J.A.R., vol. 12, pp. 418–419. 1918.
    in control of tapeworms, sheep and dogs. F.B. 1330, pp. 22, 25. 1923.
  sapida. See Palm, Nikau.
  spp., importation. No. 49528, 49548–49549, B.P.I. Inv. 62, pp. 50, 52. 1923.
  triandra, importation. No. 45965, B.P.I. Inv. 54, p. 38. 1922.
Arecastrum romanzoffianum, importation and description. No. 43653, B.P.I. Inv. 49, p. 56. 1921.
Arecolin, use and value in control of cerebrospinal meningitis. D.B. 65, p. 13. 1914.
Arenaria interpres. See Turnstone.
Argan tree, importation and description. No. 46969, B.P.I. Inv. 58, pp. 6, 12. 1922.
Argas—
  miniatus—
    description. B.A.I. Bul. 78, p. 15. 1905.
    tick transmitting protozoan disease to fowls. B.A.I. An. Rpt., 1910, p. 471. 1912; B.A.I. Cir. 194, p. 471. 1912.
    See also Tick, fowl.
  sanchezi. See Tick, adobe.
  spp.—
    description, habits, and control. Ent. Bul. 106, pp. 45–61. 1912; Rpt. 108, pp. 56, 62, 63–64. 1915.
    occurrence and description. Ent. Bul. 72, pp. 42–45. 1907.
Argasidae—
  classification, description, and habits. Rpt. 108, pp. 19, 63–66. 1915.
  development. Ent. Bul. 106, pp. 45–69. 1912.
  genera, description, parasitic on mammals and birds. Ent. Bul. 72, pp. 41–46. 1907.
Argemone—
  growth in prairie-dog town. Biol. Bul. 20, p. 13. 1905.
  platyceras, importation and description. No. 45191, B.P.I. Inv. 52, p. 46. 1922.
Argentina—
  adaptability to grain growing and livestock raising. D.C. 228, pp. 3–11. 1922.
  agricultural—
    development. Y. B., 1904, pp. 271–285. 1905; Y.B., Sep. 346, pp. 271–285. 1905.
  education—
    progress, 1910. O.E.S. An. Rpt., 1910. p. 322. 1911.
    progress, 1911. O.E.S. An. Rpt., 1911, p. 282. 1912.
    progress, 1912. O.E.S. An. Rpt., 1912, p. 286. 1913.
  statistics—
    1910–1920. D.B. 987, pp. 3–5. 1921.
    crops and livestock, 1890–1912. Stat. Cir. 30, pp. 12. 1912.
  agriculture, activities. Off. Rec., vol. 4, No. 3, p. 3. 1925.
  alfalfa and beef production. Frank W. Bicknell. Rpt. 77, pp. 32. 1904.
  animal—
    diseases. Y.B. 1913, p. 359. 1914; Y.B. Sep. 629, p. 359. 1914.
    industry. B.A.I. An. Rpt., 1908, pp. 315–333. 1910.
    industry. Frank W. Bicknell. B.A.I. Bul. 48, p. 72. 1903.

Argentina—Continued.
  area, meat animals, and population. Y.B. 1914. pp. 381–382. 1915; Y.B. Sep. 648, pp. 381–382. 1915.
  beef—
    production and exports. F.B.581,pp.30–40. 1914, trade, increase since 1884. Y.B., 1914, pp. 382–384. 1915; Y.B. Sep. 648, pp. 382–384. 1915.
  cattle—
    and sheep exports. Rpt. 109, pp. 71, 72, 217. 1916.
    breeding and fattening methods. Y.B. 1914, pp. 384–386. 1915; Y.B. Sep. 648, pp. 384–386. 1915.
    numbers. Sec. [Misc.] Spec., "Geography * * * world's agriculture," pp. 121, 128. 1918.
    prices, decrease. Off. Rec., vol. 3, No. 10, p. 3. 1924.
    shipments to England, rates. Y.B. 1908, pp. 243, 244. 1909; Y.B. Sep. 477, pp. 243, 244. 1909.
  cereal region and farm lands, location and conditions. Y.B. 1915, pp. 282–283, 286–288. 1916; Y.B. Sep. 677, pp. 282–283, 286–288. 1916.
  cheese trade. D.C. 71, p. 16. 1919.
  climate, immigration, and farming lands. Rpt. 75, pp. 7–16. 1903.
  climatic conditions, comparison with Southern States. D.C. 228, pp. 3–4. 1922.
  corn—
    acreage. Sec. [Misc.] Spec., "Geography * * * world's agriculture," p. 34. 1918.
    area, production, exports and prices, 1906–1913. Stat. Cir. 47, pp. 4–6. 1913.
    crop, 1923. Off. Rec., vol., 3 No. 19, p. 3. 1924.
    crop, production, prices. F.B. 581, pp. 6–12 1914.
    exportation, shipping facilities, proposed improvements. Rpt. 75, pp. 32–48. 1903.
    moisture content. B.P.I. Cir. 55, p. 23. 1910.
    production—
      and export. Frank W. Bicknell. Rpt. 75, pp. 48. 1903.
    exports, quality, and value. Y.B., 1921, pp. 205–207. 1922; Y.B. Sep. 872, pp. 205–207. 1922.
  crops, foreign, 1912. Charles M. Daugherty. Stat. Cir. 28, pp. 12. 1912.
  dairy—
    cows and cattle, 1850–1918. D.C. 7, pp. 3, 8. 1919.
    industry. B.A.I. Bul. 48, pp. 43–55. 1903.
    statistics, cattle, butter, and cheese. B.A.I. Doc. A-37, pp. 43–44. 1922.
  experiment station work, progress, 1912. O.E.S. An. Rpt. 1912, p. 65. 1913.
  explorations. Off. Rec. vol. 3, No. 19, pp. 1, 7. 1924.
  exports—
    food animals and meat food products, 1912. Y.B., 1913, pp. 353–354. 1914; Y.B. Sep. 629, pp. 353–354. 1914.
    index to resources. B.A.I. Bul. 48, pp. 58–59, 68–72. 1903.
    of cereals and flaxseed. Y.B., 1915, pp. 284–286. 1916; Y.B. Sep. 677, pp. 284–286. 1916.
  farm land conditions. Y.B. 1915, pp. 286–288. 1916; Y.B. Sep 677 pp. 286–288. 1916.
  flax acreage and production of seed. Sec. [Misc.] Spec., "Geography * * * world's agriculture," pp. 57, 60. 1918.
  flaxseed—
    area. Off. Rec., vol. 3, No. 40, p. 3. 1924.
    production and exports. Y.B. 1922, pp. 533–535. 1923; Y.B. Sep. 891, pp. 533–535. 1923.
  foot-and-mouth disease outbreak. B.A.I. S.A. 63, p. 57. 1912.
  fruit(s)—
    and vegetables quarantine restrictions. F.H.B. Quar. 56, p. 5. 1923.
    production, imports, and exps, 1909–1913. D.B. 483, pp. 12–13. 1917.
    trees, number, 1908. D.B. 483, p. 12. 1917.
  goats, numbers, maps. Sec. [Misc.] Spec., "Geography * * *," worlds' agriculture," pp. 142 145. 1918.

124   UNITED STATES DEPARTMENT OF AGRICULTURE

Argentina—Continued.
grain—
acreages, increase. Off. Rec., vol. 2, No. 37, p. 3. 1923.
production and handling. Laurel Duval. Y.B. 1915, pp. 281-298. 1916; Y.B. Sep. 677, pp. 281-298. 1916.
grape acreage and production. Sec. [Misc.] Spec., "Geography * * * world's agriculture," pp. 84, 88. 1918.
hogs—
imported from United States, requirements. B.A.I.S.R.A. 196, p. 74. 1923.
numbers. Sec. [Misc.] Spec., "Geography * * * world's agriculture," pp. 130, 131. 1918.
horses, mules, and asses, numbers, maps. Sec. [Misc.] Spec. "Geography * * * world's agriculture," pp. 111, 114. 1918.
Indian corn. Frank W. Bicknell. Rpt. 75, pp. 47. 1903.
introduction of bovine tuberculosis. B.A.I. Bul. 32, p. 13. 1901.
laws on fruit and plant introduction. Ent. Bul. 84, p. 33. 1909.
leading country for meat consumption. D.C. 241, pp. 18-19. 1922.
livestock—
conditions and trade demands. Y.B., 1919, pp. 377-380. 1920; Y.B. Sep. 818, pp. 377-380. 1920.
numbers of cattle, sheep, goats, and horses. Y.B., 1917, pp. 428, 430, 431, 432. 1918; Y.B. Sep. 741, pp. 6, 8, 9, 10. 1918.
raising and exports. Stat. Bul. 39, pp. 65-70. 1905.
statistics, numbers of cattle, sheep, and hogs. Rpt. 109, pp. 25-26, 34, 45, 50, 57, 61, 192-194, 211. 1916.
market for purebred cattle from United States. D.E. Salmon. B.A.I. Cir. 37. pp. 4. 1902.
meat—
consumption. Rpt. 109, pp. 128, 130, 133, 271-273. 1916.
establishments, frozen meat trade. Y.B., 1913, pp. 351-354. 1914; Y.B. Sep. 629, pp. 351-354. 1914.
exports—
statistics (and meat animals.) Rpt. 109, pp. 15, 71-78, 93, 94, 98, 217, 229. 1916.
to England. B.A.I. An. Rpt. 1908, pp. 315-316. 1910.
extracts, exports, form for certificates. Chem. [Misc.], "Inspection of * * * meats * * *," p. 6. 1910.
industry. Y.B., 1913, pp. 347-348, 351-359. 1914; Y.B. Sep. 629, pp. 347-348, 351-359. 1914.
inspection certificate, reproduction. B.A.I. S.R.A. 199, p. 98. 1923.
packing methods, comparison with United States. B.A.I. An. Rpt. 1908, pp. 316, 329-331 1910.
production, and its effect on United States industry. A.D. Melvin and George M. Rommel, Y.B. 1914, pp. 381-390. 1915; Y.B. Sep. 648, pp. 381-390. 1915.
need of agricultural literature. B.A.I. Bul. 48, pp. 11-12. 1903.
potatoes, production, 1909-1913, 1921-1923. S.B. 10, p. 20. 1925.
quebracho, importance, uses, and exports. For. Cir. 202, pp. 8-10. 1912.
resources as shown by exports. B.A.I. Bul. 48, pp. 68-72. 1903.
sheep industry. Y.B., 1923, p. 233. 1924; Y.B. Sep. 894, p. 233. 1924.
sheep numbers, maps. Sec. [Misc.] Spec., "Geography * * * world's agriculture, pp. 137, 140. 1917.
shipment of meat foods, F.I.D. 153. Chem. S.R.A. 4, pp. 204-205. 1914.
statistics, crops, and livestock, 1911-1913, graphs. Y.B. 1916, pp. 533, 537-553. 1917; Y.B., Sep. 713, pp.3,7-23. 1917.
sugar industry, 1895-1914. D.B. 473, pp. 27-29. 1917.
veterinary colleges. Y.B., 1913, pp. 356-357. 1914; Y.B. Sep. 629, pp. 356-357. 1914.

Argentina—Continued.
wheat—
acreage—
1924. Off. Rec., vol. 3, No. 40. p. 3. 1924.
map. Sec. [Misc.] Spec., "Geography * * * world's agriculture," p. 25. 1917.
production and trade, 1909-1917 and changes. Y.B., 1917, pp. 463, 469, 471, 475, 477. 1918; Y.B. Sep. 752, pp. 5, 11, 13, 17, 19. 1918.
production, exports, etc., 1890-1914. F.B. 645, pp. 15, 16-17. 1914.
and flax. Off. Rec., vol. 3, No. 45, p. 6. 1924.
and flaxseed areas, 1907-1910. Stat. Cir. 25, p. 5. 1911.
flour, and corn, area, production, and exports, in specified years. Stat. Cir. 19, pp. 5-6. 1911.
increase, 1891-1919. News L., vol. 6, No. 40, p. 8. 1919.
production and farm life. Frank W. Bicknell. Stat. Bul 27, pp. 100. 1904.
Argentine ant—
Wilmon Newell and T. C. Barber. Ent. Bul. 122, pp. 98. 1913.
aid to orange enemies, description, and control methods. News L., vol. 5, No. 45, p. 5. 1918.
as household pest. E. R. Barber. F. B. 1101, pp. 11. 1920.
control by carbon disulphide. F.B. 799, pp. 14-15. 1917.
injuries, distribution and control method. News L., vol. 4, No. 7, pp. 6-7. 1916.
relation to citrus groves. J. R. Horton. D.B. 647, pp. 47. 1918.
Argentine—
Plain, similarity to Middle West. Off. Rec., vol. 3, No. 19, p. 7. 1924.
Republic—
hog tuberculosis, prevalence. B.A.I.An. Rpt., 1907. p. 218. 1909; B.A.I. Cir. 144, p. 218. 1909.
tuberculosis, animal, prevalence. B.A.I. Cir. 201, p. 10. 1912.
Arginine—
acid, occurrence in soil, description. Soils Bul. 74, pp. 34-36. 1910.
determination in processed fertilizer base, methods. D.B. 158, pp. 10, 23. 1914.
in animal growth. Off. Rec., vol. 3, No. 37, p. 2. 1924.
isolation and identification in soils. Soils Bul. 89, pp. 20, 25, 31. 1912.
occurrence in soils. Soils Bul. 80, p. 18. 1911.
soil constituent, wheat-growing tests, table. Soils Bul. 87, pp. 47-48. 1912.
ARGO, G. R.—
"Report of agricultural situation in Europe." Sec. [Misc.], "Report of agricultural * * *," pp. 83-86. 1919.
"Report on cotton requirements in allied countries." Sec. [Misc.], "Report * * * agricultural commission * * *," pp. 83-86. 1919.
Argol(s)—
crystallization, avoidance in jelly making. F.B. 1454, pp. 8, 9, 10. 1925.
imports—
1851-1908. Y.B., 1908, p. 773. 1909; Y.B. Sep. 498, p. 773. 1909.
1906-1910 and 1851-1910. Y.B., 1910, pp. 655-679. 1911; Y.B. Sep. 553, pp. 655-679. 1911.
1907-1909, amount and value, by countries from which consigned. Stat. Bul. 82, p. 34. 1910.
1907-1911 and 1861-1911. Y.B., 1911, pp. 658, 683. 1912; Y.B. Sep. 588, pp. 658, 683. 1912.
1908-1910, quantity and value, by countries from which consigned. Stat. Bul. 90, p. 37. 1911.
1908-1912 and 1851-1912. Y.B., 1912, pp. 715, 741-742. 1913; Y.B. Sep. 615, pp. 715, 741-742. 1913.
1909, 1914, amount and source. D.B. 296, p. 45. 1915.
1911-1913, 1852-1913. Y.B., 1913, pp. 494-510. 1914; Y.B. Sep. 631, pp. 494-510. 1914.
1912-1914. Y.B., 1914, p. 653. 1915; Y.B. Sep. 657, p. 653. 1915.
1913-1915, and 1852-1915. Y.B., 1915, pp. 542, 555, 558. 1916; Y.B. Sep. 685, pp. 542, 555, 558. 1916.

INDEX TO PUBLICATIONS, 1901–1925 125

Argol(s)—Continued.
imports—continued.
  1915–1917 and value. Y.B., 1917, pp. 761, 776, 780. 1918; Y.B. Sep. 762, pp. 5, 20, 24. 1918.
  1916, statistics. Y.B., 1916, pp. 709, 722, 725. 1917; Y.B. Sep. 722, pp. 3, 16, 19. 1917.
  1917–1919, 1852–1919. Y.B., 1919, pp. 684, 702–703. 1920; Y.B. Sep. 829, pp. 684, 702, 703. 1920.
  1918, statistics. Y.B., 1918, pp. 629, 643, 647. 1919; Y. B. Sep. 794, pp. 5, 19, 23. 1919.
  1919–1921. Y.B., 1922, pp. 950, 961, 965. 1923; Y.B. Sep. 880, pp. 950, 961, 965. 1923.
  origin in grape juice. D.B. 656, p. 13. 1918.
Argyresthia ephippella, description. Sec. [Misc.], "A manual * * * insects * * *," p. 175. 1917.
Argyrol, use—
  against roup disease of chickens, experiments. Guam A. R., 1915, p. 37. 1916.
  in chicken diseases. F.B. 1337, pp. 5, 8, 24. 1923.
Arid—
  lands. See Lands, arid.
  region(s)—
    apple powdery mildew, control, Pacific Northwest. D.F. Fisher. D.B. 712, p. 28. 1918.
    codling moth control. Ent. Bul. 67, pp. 53–55. 1907.
    durum wheat, comparison with humid regions. Y.B., 1906, p. 202. 1907; Y.B. Sep. 417, p. 202. 1907.
    investigations and experiments, 1909. An. Rpts., 1909, pp. 316–321. 1910; B.P.I. Chief Rpt., 1909, pp. 64–69. 1909.
    interior, mammals harmful and beneficial. Vernon Bailey. F.B. 335, pp. 31. 1908.
    location, boundaries, and climate. B.P.I. Cir., 12, p. 7. 1908.
    need of small water-supplies. Y.B., 1907, p. 409. 1908.; Y.B. Sep. 458, p. 409. 1908.
    Southwest, soil, character and agricultural value, by series. Soils Bul. 55, pp. 188–191. 1909; Soils Bul. 96, pp. 555–572. 1913.
  West, cotton crop, relation to Arizona boll weevils. B. R. Coad. D.B. 233, pp. 12. 1915.
  wheat belt, wheats adaptable. F.B. 732, p. 6. 1916.
  See also Desert.
Arisaema—
  fimbriatum, importation. No. 39487. B.P.I. Inv. 41, p. 34. 1917.
  sp., importation. No. 48552. B.P.I. Inv. 61, p. 21. 1922.
Aristida—
  longioeta. See Wire-grass.
  purpurea and its allies. Elmer D. Merrill. Agros. Cir. 34, pp. 8. 1901.
  spp.—
    abundance on Arizona ranges. B.P.I. Bul. 177, pp. 15, 16. 1910.
    description, distribution, and uses. D.B. 772, pp. 14, 161, 163–165. 1920.
    distribution, description, and feed value. D.B. 201, pp. 9–10. 1915.
    importations and description. Nos. 54396–54398, B.P.I. Inv. 68, pp. 57–58. 1923.
  See Needle grasses.
Aristoclesia esculenta. See Pacuri.
Aristolochia—
  acuminata, importation and description. No. 53612, B. P. I. Inv. 67, p. 69. 1923.
  fimbriata, importation and description. No. 48657. B.P.I. Inv. 61, p. 32. 1922.
  galeata. See Birthwort.
  macrophylla, injury by sapsuckers. Biol. Bul. 39, p. 22. 1911.
  ringens, importation, and description. No. 47118, B.P.I. Inv. 58, p. 26. 1922.
  serpentaria. See Serpentaria.
  sp.—
    importation from Brazil, description. No. 41644, B.P.I. Inv. 45, p. 56. 1918.
  See also Snakeroot.
Aristonetta valisineria. See Canvasback.
Aristotelia macqui. See Maqui.
Arithmetic problems, suggested for rural schools. D.B.132, pp. 38–41. 1915; D.B., 281, pp. 31–35. 1915.
Ariza tree, importation and description. No. 42856. B.P.I. Inv. 47, p. 75. 1920.

Arizona—
  adaptability to growing Egyptian cotton. An. Rpts., 1911, p. 63. 1912; Sec. A.R., 1911, p. 61. 1911; Y.B., 1911, p. 61. 1912.
  agricultural colleges and experiment stations, organization lists—
    1910. O.E.S. Bul. 233, p. 10. 1911.
    1912. O.E.S. Bul. 253, pp. 10–11. 1913.
    1924–25. M.C. 34, p. 3. 1925.
  alfalfa—
    caterpillar, history and control work. D.B. 124, pp. 4–8, 34–36. 1914.
    hopper studies, and temperature relations. J.A.R., vol. 3, pp. 348–349, 352, 356–357. 1915.
    irrigation methods. Y.B., 1909, pp. 302–303. 1910; Y.B. Sep. 514, pp. 302–303. 1910.
  and Sonora trough valleys, description. D.B. 54, pp. 50–51. 1914.
  antelope, number and distribution. D.B. 1346, pp. 24–25. 1925.
  Apache National Forest, composite type. Harold G. Greenamyre. For. Bul. 125, pp. 32. 1913.
  apple growing, areas and varieties. D.B. 485, p. 35, 44–47. 1917.
  appropriation for experiment station work, 1912. O.E.S. An. Rpt., 1912, p. 54. 1913.
  area, industries, assessed valuation, population, and climate. O.E.S. Bul. 235, pp. 12–17. 1911.
  association of produce growers. Rpt. 98, p. 167. 1913.
  Australian saltbush, spread and pasture value. D.B. 617, pp. 1–2, 3–6. 1919.
  barley crops, 1882–1906, acreage, production and value. Stat. Bul. 59, pp. 14–26, 35. 1907.
  bean—
    beetle outbreaks in 1921. D.B. 1103, p. 32. 1922.
    ladybird distribution and damages. F.B. 1074, p. 4. 1919.
    thrips, seasonal history, study. Ent. Bul. 118, p. 39. 1912.
  bee(s)—
    and honey statistics—
      1914–1915. D.B. 325, pp. 2, 3, 6, 9, 10, 11, 12. 1915.
      1918. D.B. 685, pp. 7, 10, 13, 15, 17, 18, 20, 22, 24, 27, 30, 31. 1918.
    disease, occurrence. Ent. Cir. 138, p. 3. 1911.
  beet-sugar industry—
    1903. Misc., "Progress * * * beet-sugar * * *," 1903," pp. 12–14, 128. 1903.
    1906, experiments and prospects for extension. Rpt. 84, pp. 46–48, 111. 1907.
    1909, prospects. Rpt. 90, p. 60. 1909.
    1910, development and conditions. Rpt. 92, pp. 40–41. 1910.
    1911, factories, statistics. B.P.I. Bul. 260, pp. 23, 71. 1912.
  Bermuda onion growing for seed, yields. B.P.I. C.P. and B.I. Cir. 3, pp. 3, 5, 6. 1917.
  bird protection. See Bird protection, officials.
  birds and game officials, and organizations, 1921. D.C. 196, pp. 3, 18. 1921.
  bounty laws, 1907. Y. B. 1907, p. 560. 1908; Y.B. Sep. 473, p. 560. 1908.
  boys' and girls' clubs. News L., vol. 6, No. 34, p. 10. 1919.
  canals—
    concrete-lined, construction, cost, and other data. D.B. 126, pp. 71–73, 83. 1915.
    seepage measurements. D.B. 126, pp. 4–5. 1915.
  cantaloupe shipments, 1914. D.B. 315, pp. 17, 18. 1915.
  cattle, transfer to South Dakota forest. News L., vol. 5, No. 52, p. 10. in. 1918.
  central, Utah juniper. Frank J. Phillips and Walter Mulford. For. Cir. 197, pp. 19. 1912.
  Chiricahua National Monument. Off. Rec., vol. 3, No. 21, p. 3. 1924.
  citrus—
    industry, development and magnitude. F.B. 1447, pp. 5–6. 1925.
    thrips—
      control, and in California. J. R. Horton. F.B. 674, pp. 15. 1915.
      distribution. D.B. 616, pp. 3, 7. 1918.

Arizona—Continued.
  citrus—continued.
    white fly, occurrence. J.A.R. vol. 6, p. 471. 1916.
  climate—
    comparison with Louisiana and Texas. J.A.R. vol. 1, pp. 94–95. 1913.
    rainfall, humidity, and temperature records. B.P.I. Bul. 192, pp. 11, 36, 37–40, 50. 1911.
  climatic conditions, temperature and rainfall, 1910–1919. J.A.R. vol. 23, pp. 928–930. 1923.
  closed season for shorebirds and woodcock. Y.B. 1914, p. 293. 1915; Y.B. Sep. 642, p. 293. 1915.
  Coconino Forest Experiment Station, work, 1909. An. Rpts., 1909, p. 390. 1910; For. A.R., 1909, p. 22. 1909.
  Colorado Plateau, physical and climatic features. D.B. 1112; pp. 2–3. 1922.
  Colorado Valley, irrigation, farm practices. O.E.S. Bul. 235, pp. 62–67. 1911.
  convict-road work, laws. D.B. 414, pp. 193–194. 1916.
  cooperative—
    associations, laws. Off. Rec., vol. 2, No. 46, p. 1. 1923.
    extension work, funds, sources. S.R.S. Doc. 40, pp. 4, 5, 8, 14. 1917.
  corn—
    crops, 1882–1906, acreage, production, and value. Stat. Bul. 56, pp. 15–27, 36. 1907.
    growing, drought-resistant Pueblo varieties. J.A.R. vol. 1, pp. 293–302. 1914.
    production, movements, consumption, and prices. D.B. 696, pp. 15, 16, 21, 28, 29, 33, 35, 36, 38, 41. 1918.
    seed testing for new-place effects, experiments. J.A.R. vol. 12, pp. 239–242. 1917.
    yields and prices, 1882–1915. D.B. 515, p. 14. 1917.
  cotton(s)—
    boll weevil, new variety, occurrence, and description. J.A.R. vol. 1, pp. 89–98. 1913.
    comparison. C.J. King and others. J.A.R., vol. 28, pp. 938–954. 1924.
    culture, varieties, and details. O. F. Cook and R. D. Martin. F.B. 1432, pp. 14. 1924.
    fertilization studies. Thomas H. Kearney. D.B. 1134, pp. 68. 1923.
    gins, adjustment. D.B. 311, pp. 3–4. 1915.
    growing—
      advantages over Egypt. B.P.I. Bul. 210, p. 52. 1911. D.B. 332, pp. 8–10. 1916.
      conditions. B.P.I. Cir. 132. 132, p. 12. 1913; Y.B., 1921, p. 372. 1922; Y.B. Sep. 877, p. 12. 1922.
      conditions, introduction, and progress. D.B. 742, pp. 5–11, 15–16, 21, 24–27. 1919.
      danger from imported insects. Ent. [Misc.], "The pink bollworm." pp. 1–2. 1914.
      one-variety communities. D.B. 1111, pp. 4, 24, 33, 36–39, 47. 1922.
      varieties. J.A.R., vol. 1, p. 95. 1913.
    growth of fruiting parts under irrigation in dry region. J.A.R. vol. 25, pp. 195, 196, 197, 198, 199–201. 1923.
    leaf-tissue fluids, chlorid-content determination. J.A.R., vol. 28, No. 7, pp. 695–704. 1924.
    new varieties from Egyptian importations. J.A.R., vol. 2, pp. 290–295, 300–301. 1914.
    production—
      1916 and 1917. D.B. 733, pp. 5, 7–8. 1918.
      and yield. D.B. 896, pp. 3–4. 1920.
    root rot. C.J. King. J.A.R., vol. 23, pp. 525–527. 1923.
    weevil—
      possible enemy of Egyptian cotton. D.B. 332, p. 25. 1916.
      wild, distribution and life history. D.B. 344, pp. 3, 5, 13–23. 1916.
      wild, studies on biology. B. R. Coad. D.B. 344, pp. 23. 1916.
  credits, farm-mortgage loans, costs and sources. D.B. 384, pp. 2, 3, 6, 8, 10. 1916.
  crop—
    experiments, 1914. W.I.A. Cir. 7, pp. 9–18. 1915.
    growing by Indians. An. Rpts., 1911, pp. 269–270. 1912; B.P.I. Chief Rpt., 1911, pp. 21–22. 1911.

Arizona—Continued.
  date—
    and olive growing, experiments. An. Rpts., 1910, p. 142. 1911; Sec. A.R., 1910, p. 142. 1910; Y.B., 1910, p. 140. 1911.
    growing—
      alkali conditions, climatic notes. B.P.I. Bul. 53, pp. 13, 31–33, 41–43, 46–60, 68, 99–101, 126–133. 1904.
      progress. B.P.I. Chief Rpt., 1912, pp. 22, 68. 1912; Stat. Chief Rpt., 1912, pp. 402, 448. 1913.
    production. Off. Rec., vol. 2, No. 26, p. 6. 1923.
    palm—
      parlatoria, infestation and remedy. Ent. Bul. 37, p. 107. 1902.
      sections suitable. Y.B., 1900, p. 487. 1901.
  deer in Kaibab Forest. Off. Rec., Vol. 3, No. 28, p. 3. 1924.
  demurrage provisions, regulations. D.B. 191, pp. 3, 13, 14, 15, 25. 1915.
  desert vegetation, studies. J.A.R., vol. 24, p. 103. 1923.
  drug laws. Chem. Bul. 98, pp. 27–28. 1906; Chem. Bul. 98, rev., Pt. I, pp. 35–37. 1909.
  dry-land olive culture, areas adapted. B.P.I. Bul. 192, pp. 36, 37, 38, 39, 40, 42. 1911.
  early settlement, historical notes. See *Soil Surveys for various counties and areas.*
  Egyptian corn, growing, 1909. An. Rpts., 1909, p. 319. 1910; B.P.I. Chief Rpt., 1909, p. 67. 1909.
  Egyptian cotton—
    culture. B.P.I. Bul. 128, pp. 28–62. 1908; D.B. 60, p. 10. 1914.
    growing, acreage yield and cost. B.P.I. Cir. 123, pp. 21–28. 1913.
  elk herd in forest, increase. Off. Rec., vol. 2, No. 46, p. 1. 1923.
  emmer growing, experiments. D.B. 1197, pp. 43–44. 1924.
  entomological notes. Ent. Bul. 37, p. 107. 1902.
  experiment farm for plant breeding, establishment. D.B. 332, p. 11. 1916.
  Experiment Station—
    Farm, irrigation. A. J. McClatchie. O.E.S. Bul. 104, pp. 125–135. 1902; O.E.S. Bul. 119, pp. 87–101. 1902.
    work and expenditures—
      1904. O.E.S. Rpt., 1904, pp. 60–62. 1905.
      1905. O.E.S. An. Rpt., 1905, pp. 48–50. 1906.
      1906. O.E.S. Rpt., 1906, pp. 81–83. 1907.
      1907. O.E.S. An. Rpt., 1907, pp. 73–75. 1908.
      1908. O.E.S. An. Rpt., 1908, pp. 67–69. 1909.
      1909. O.E.S. An. Rpt., 1909, pp. 75–77. 1910.
      1910. O.E.S. An. Rpt., 1910, pp. 96–98. 1911.
      1911. O.E.S. An. Rpt., 1911, pp. 74–76. 1912.
      1912. O.E.S. An. Rpt., 1912, pp. 74–77. 1913.
      1913. Work and Exp., 1913, pp. 20, 31–32. 1915.
      1914. Work and Exp., 1914, pp. 62–67. 1915.
      1915. Work and Exp., 1915, Pt. I, pp. 64–68. 1917.
      1916. Work and Exp., 1916, Pt. I, pp. 60–64. 1918.
      1917. Work and Exp., 1917, Pt. I, pp. 60–63. 1919.
      1918. Work and Exp., 1918, p. 70. 1920.
      1919. Work and Exp., 1919, pp. 86, 88, 90, 92, 94. 1921.
      1920. Work and Exp., 1920, pp. 86, 88, 90, 92, 94. 1922.
      1921. Work and Exp., 1921, pp. 109, 111, 114, 116, 118. 1923.
      1922. Work and Exp., 1922, pp. 128, 130, 132, 134, 136. 1924.
      1923. Work and Exp., 1923, pp. 12, 14, 20, 29, 30, 32, 33, 72, 73. 1925.
  experimental study of rodent injuries. D.B. 1227, pp. 4–13. 1924.
  extension work, agricultural statistics. D.C. 253, pp. 3, 4, 7, 10–11, 17, 18. 1923; D.C. 306, pp. 3, 5, 9, 14, 20, 21. 1924.
  extension work—
    funds allotment, and county-agent work. S.R.S. Doc. 40, pp. 4, 5, 9, 14, 23, 25, 28. 1918.

Arizona—Continued.
  extension work—continued.
    in agriculture and home economics—
      1915. S.R.S. Rpt. 1915, Pt. II, pp. 172-176. 1917.
      1916. S.R.S. Rpt., 1916, Pt. II, pp. 173-178. 1918.
      1917. S.R.S. Rpt., 1917, Pt. II, pp. 182-187. 1919.
    fairs, number, kind, location, and dates. Stat. Bul. 120, pp. 13, 14, 16. 1913.
  farm—
    animals, statistics, 1883-1907. Stat. Bul. 64, p. 137. 1908.
    conditions, letters from women. Rpt. 103, p. 74. 1915; Rpt. 104, p. 51. 1915; Rpt. 106, p. 42. 1915.
    crops, fruits, vegetables, yields, and value. O.E.S. Bul. 235, pp. 17-21. 1911.
    leases, provisions. D.B. 650, p. 12. 1918.
    organization in irrigated valleys. R. W. Clothier. D.B. 654, pp. 59. 1918.
    values—
      changes, 1900, 1905. Stat. Bul. 43, pp. 11-17, 30-46. 1906.
      income, and tenancy classification. D.B. 1224, p. 72. 1924.
  farmers' institutes—
    for young people. O.E.S. Cir. 99, p. 16. 1910.
    history. O.E.S. Bul. 174, p. 19. 1906.
    laws. O.E.S. Bul. 135, p. 9. 1903; O.E.S. Bul. 241, p. 8. 1911.
    work—
      1904. O.E.S. Rpt. 1904, p. 632. 1905.
      1906. O.E.S. Rpt. 1906, p. 321. 1907.
      1907. O.E.S. An. Rpt., 1907, p. 317. 1908.
      1908. O.E.S. An. Rpt., 1908, p. 304. 1909.
      1909. O.E.S. An. Rpt., 1909, p. 341. 1910.
      1910. O.E.S. An. Rpt., 1910, p. 400. 1911.
      1911. O.E.S. An. Rpt., 1911, p. 367. 1912.
      1912. O.E.S. An. Rpt., 1912, p. 360. 1913.
    farming types, acreage, and income. D.B. 654, pp. 21-42. 1918.
  field work of Plant Industry, December, 1924. M.C. 30, p. 1. 1925.
  food laws—
    1905. Chem. Bul. 69, Pt. I, pp. 46-47. 1902.
    enforcement. Chem. Cir. 16, rev., p. 5. 1908.
  forest(s)—
    area, 1918. Y.B. 1918, p. 717. 1919; Y.B. Sep. 795, p. 53. 1919.
    conditions and needs. Sec. Cir. 183, pp. 27, 29. 1921.
    fires, statistics. For. Bul. 117, p. 26. 1912.
    highway approval. Off. Rec. vol. 2, No. 19, p. 3. 1923.
    lands, transportation of water for grazing improvement. Off. Rec., vol. 1, No. 5, p. 2. 1922.
    pine reproduction, studies. D.B. 1105, pp. 1-144. 1923.
    reservation, bill. Off. Rec., vol. 3, No. 1, p. 2. 1924.
    reserves. See Forests, national.
    timber cutting, bill. Off. Rec., vol. 1, No. 11, p. 2. 1922.
    water right of way. Off. Rec., vol. 1, No. 4, p. 2. 1922.
  Fort Mohave Experiment Station, bill. Off. Rec., vol. 1, No. 22, p. 2. 1922.
  fruit(s)—
    and vegetables—
      grain, and forage crops. D.B. 654, pp. 8-9, 12. 1918.
      shipments, and index to station shipments. D.B. 667, pp. 6-13, 15. 1918.
    growing, irrigation practices. O.E.S. Bul. 108, pp. 1-54. 1902.
  fur animals, laws—
    1915. F.B. 706, p. 3. 1916.
    1916. F.B. 783. pp. 4, 27. 1916.
    1917. F.B. 911, pp. 6, 31. 1917.
    1918. F.B. 1022, pp. 6, 30. 1918.
    1919. F.B. 1079, pp. 3, 9. 1919.
    1920. F.B. 1165, p. 7. 1920.
    1921. F.B. 1238, p. 6. 1921.
    1922. F.B. 1293, p. 4. 1922.
    1923-24. F.B. 1387, p. 7. 1923.
    1924-25. F.B. 1445, pp. 5-6. 1924.
    1925-26. F.B. 1469, p. 8. 1925.

Arizona—Continued.
  game—
    and bird—
      officials, organizations, and publications. Biol. Cir. 65, pp. 2, 10. 1908.
      reservations, details and summary. Biol. Cir. 87, pp. 8, 9, 10, 12, 16. 1912.
    laws—
      1902. F.B. 160, pp. 12, 13, 38, 41, 52, 54. 1902.
      1903. F.B. 180, pp. 9, 22, 32, 44, 46, 53. 1903.
      1904. F.B. 207, pp. 16, 32, 38, 42, 60. 1904.
      1905. F.B. 230, pp. 9, 15, 29, 37, 42. 1905.
      1906. F.B. 265, pp. 13, 28, 36, 42. 1906.
      1907. F.B. 308, pp. 12, 27, 35, 41. 1907.
      1908. F.B. 336, pp. 14, 30, 39, 43, 49. 1908.
      1909. F.B. 376, pp. 11, 19, 33, 39, 42, 46. 1909.
      1910. F.B. 418, pp. 12, 26, 32, 35, 40. 1910.
      1911. F.B. 470, pp. 16, 31, 37, 40, 46. 1911.
      1912. F.B. 510, pp. 4, 5, 6, 7, 11, 25-26, 27, 32, 33, 37, 39, 42. 1912.
      1913. D.B. 22, pp. 11, 20, 21, 23, 38, 44, 48, 52. 1913.
      1914. F.B. 628, pp. 10, 11, 12, 13, 15, 28-29, 30, 36, 40, 44, 46. 1914.
      1915. F.B. 692, pp. 4, 8, 25, 40, 46, 51, 57. 1915.
      1916. F.B. 774, pp. 22, 38, 44, 50, 57. 1916.
      1917. F.B. 910, pp. 11, 49. 1917.
      1918. F.B. 1010, pp. 9, 61. 1918.
      1919. F.B. 1077, pp. 10, 52, 72, 73. 1919.
      1920. F.B. 1138, p. 11. 1920.
      1921. F.B. 1235, p. 13. 1921.
      1922. F.B. 1288, pp. 9, 52, 67. 1922.
      1923-24. F.B. 1375, pp. 11, 48. 1923.
      1924-25. F.B. 1444, pp. 6-7, 36. 1924.
      1925-26. F.B. 1466, pp. 8, 12-13, 43. 1925.
    officials, directory. See Game officials.
  Gila Valley—
    location, description, climate, and crops. D.B. 654, pp. 13-15, 16. 1918.
    physiography, soils, and vegetation. J.A.R., vol. 28, pp. 724-725, 728-730. 1924.
  Glendale poultry substation. Off. Rec., vol. 2, No. 38, p. 1. 1923.
  grain-supervision districts, counties. Mkts. S.R.A. 14, pp. 28, 31. 1916
  Grand Canyon-Kaibab project, insect-control work. An. Rpts., 1923, p. 411. 1924; Ent. A.R., 1923, p. 31. 1923.
  grasshopper-eradication work, 1915. Y.B., 1915, pp. 268, 270-271. 1916; Y.B. Sep. 674, pp. 268, 270-271. 1916.
  hay crops, 1882-1906, acreage, production, and value. Stat. Bul. 63, pp. 13-25, 33. 1908.
  introduction of African date palm, quantity of fruit. Y.B., 1900, pp. 460, 463, 466, 475. 1901.
  irrigated valleys, description, climate, and crops. D.B. 654, pp. 4-15. 1918.
  irrigation—
    R. H. Forbes. O.E.S. Bul. 235, p. 83. 1911.
    areas under cultivation, 1909, estimated possible area. O.E.S. Bul. 235, pp. 80-83. 1911.
    borders, preparation methods, and size. F.B. 1243, pp. 24-26. 1922.
    canals, water-supply system. O.E.S. Bul. 229, pp. 63-66. 1910.
    districts and their statutory relations. D.B. 1177, pp. 4, 5, 10-19, 26-31, 45. 1923.
    enterprises, farm practices. O.E.S. Bul. 235, pp. 65-79. 1911.
    experiments, Yuma Reclamation project, 1917. W.I.A. Cir. 25, p. 45. 1919.
    investigations, Santa Cruz Valley, 1912. O.E.S. An. Rpt., 1912, p. 23. 1913.
    laws and usages. O.E.S. Bul. 235, pp. 57-61. 1911.
    State laws. D.B. 1257, p. 15. 1924.
  lands, area, classification, and acquisition methods. O.E.S. Bul. 235, pp. 22-27. 1911.
  lard supply, wholesale and retail, Aug. 31, 1917, tables. Sec. Cir. 97, pp. 14-32. 1918.
  laws—
    dog control, digest. F.B. 935, p. 11. 1918. F.B. 1268 p. 11. 1922.
    nursery stock, interstate shipment, digest. Ent. Cir. 75, rev., p. 1. 1909; F.H.B.S.R.A. 57, pp. 113, 114, 115. 1919.
    relating to contagious animal diseases. B.A.I. Bul. 43, pp. 7-23. 1901.

Arizona—Continued.
  leaf-miner studies and laboratory work. D.B. 438, pp. 3, 4, 9, 10, 11, 12, 14. 1916.
  legislation—
    protecting birds. Biol. Bul. 12, rev., pp. 18, 19, 23, 30, 38, 48, 78, 136. 1902.
    relative to tuberculosis. B.A.I. Bul. 28, pp. 7-12. 1901.
  livestock—
    admission, sanitary requirements. B.A.I. [Misc.], "Quarantine * * * Texas * * *," p. 4. 1915; B.A.I. Cir. A-28, p. 4. 1917; B.A.I. Cir. A-36, pp. 4-5. 1920; M.C. 14, pp. 3-4. 1924.
    associations. Y.B., 1920, p. 515. 1921; Y.B. Sep. 866, p. 515. 1921.
    production from reports of stockmen. Rpt. 110, pp. 5-27, 28-31, 46-47, 51-55. 1916.
  lumber cut—
    1918, value and kinds. D.B. 845, pp. 6-10, 14, 16, 23, 42-47. 1920.
    1920, 1870-1920, value and kinds. D.B. 1119, pp. 27, 30-35, 44, 56, 58. 1923.
  Madison community house, description and plans. F.B. 1173, p. 8. 1921.
  marketing—
    activities and organization. Mkts. Doc. 3, pp. 1-2. 1916.
    work. Mkts. Chief Rpt., 1917, p. 18. 1917; An. Rpts. 1917, p. 448. 1917.
  milo growing under irrigation. F.B. 1147, p. 7. 1920.
  mohair production, 1909, quality, weight. F.B. 573, pp. 1, 7, 9. 1914.
  national forests—
    description and uses. D.C. 318, pp. 19. 1924.
    location, date, and area, Jan. 31, 1913. For. [Misc.], "The use book," pp. 84, 88. 1913.
    losses from western red-rot. D.B. 490, pp. 1, 3-5, 7, 8. 1917.
    the sunshine recreation ground of a nation. For. [Misc.], "The sunshine * * * ," Folder. 1922.
    timber cutting. Off. Rec., vol. 1, No. 19, p. 3. 1922.
  oat crops, 1883-1906, acreage, production, and value. Stat. Bul. 58, pp. 14, 23-25, 34. 1907.
  occurrence of bean ladybird. D.B. 843, pp. 12, 13. 1920.
  olive—
    groves, abandoned, description. B.P.I. Bul. 192, pp. 10-17. 1911.
    growing, and acreage. Sec. [Misc.] Spec. "Geography * * * world's agriculture," p. 90. 1917.
    growing, location, acreage, and conditions. F.B. 1249, pp. 2-6, 9-10. 1922.
  onion growing and yield. F.B. 384, pp. 6-8. 1910.
  ostrich farming. Watson Pickrell. Y.B. 1905, pp. 399-406. 1906; Y.B. Sep. 391, pp. 399-406. 1906.
  pasture land on farms. D.B. 626, pp. 15, 17. 1918.
  peach—
    growing, production, districts, and varieties. D.B. 806, pp. 4, 5, 8, 30. 1919.
    varieties, names and ripening dates. F.B. 918, p. 5. 1918.
  pear growing, distribution, and varieties. D.B. 822, p. 14. 1920.
  Phoenix—
    alfalfa pasturage for dairy cows. Sec. Cir. 54, pp. 1-2. 1915.
    headquarters of Roads District. Off. Rec., vol. 1, No: 15, p. 4. 1922.
    prickly pears of Mexican importation. B.P.I. Bul. 140, p. 16. 1909.
  Pima cotton—
    ginning. James S. Townsend. D.B. 1319, pp. 12. 1925.
    growing conditions. D.B. 1184, p. 10. 1923.
  pink bollworm control, field scouting record, 1917-1922. F.H.B.S.R.A. 74, p. 8. 1923.
  plants—
    barium occurrence. B.P.I. Bul. 246, pp. 39-41. 1912.

Arizona—Continued.
  plants—continued.
    inspection, plant products, and stations, lists. F.H.B.S.R.A. 20, pp. 77-78. 1915; F.H.B. S.R.A. 23, p. 99. 1916.
  pocket gophers, occurrence and description. N.A. Fauna 39, pp. 9, 23-28, 71, 75-81, 84-86, 111. 1915.
  postmasters, instructions to, plant inspection. F.H.B.S.R.A. 46, p. 138. 1918.
  potato(es)—
    acreage and production under irrigation. F.B. 953, p. 4. 1918.
    crops, 1882-1895, acreage, production, and value. Stat. Bul. 62, pp. 15-21, 37. 1908.
    early-crop location and carloads. F.B. 1316, pp. 3, 5. 1923.
  poultry as sideline, profits. News L., vol. 6, No. 46, p. 13. 1919.
  prairie dogs—
    control methods, results. Biol. Chief Rpt., 1918, p. 4. 1918; An. Rpts., 1918, p. 260. 1919.
    descriptions. N.A. Fauna 40, pp. 19-21. 1916.
    eradication. Off. Rec., vol. 2, No. 24, p. 2. 1923.
  public control of irrigation. Y.B., 1901, p. 680. 1902.
  quarantine for sheep scabies, area. B.A.I.O. 195, rule 3, rev. 2, p. 1. 1913.
  rainfall, map, and table. B.P.I. Bul. 188, pp. 33, 46. 1910.
  range—
    improvement. David Griffiths. B.P.I. Bul. 4, pp. 30. 1901.
    investigations. David Griffiths. B.P.I. Bul. 67, pp. 62. 1904.
    stock, emergency feeding on desert plants. D.B. 728, pp. 1-27. 1918.
  reclamation-experiments tract. Soils Bul. 35, pp. 189-191. 1906.
  Reclamation Service, siphon spillways. D.B. 831, pp. 28-31. 1920.
  reforestation, choice of sites and species for planting. D.B. 475, pp. 29, 36, 37, 39, 63. 1917.
  rice-growing development, and production 1859-1919. Y.B., 1922, pp. 516-517, 567. 1923; Y.B. Sep. 891, pp. 516-517, 567. 1923.
  rivers and streams, locations, description, and monthly flow. O.E.S. Bul. 235, pp. 29-52. 1911.
  road(s)—
    bond-built, amount of bonds, rate. D.B. 136, pp. 37, 80, 85. 1915.
    building, rock tests—
      1916 and 1917. D.B. 370, p. 13, 1916; D.B. 670, p. 3. 1918.
      results, 1921. D.B. 1132, pp. 3, 51. 1923.
    conditions, mileage, and costs. D.B. 389, pp. 2,3,4,5,6,7-9, I, XXX, LXIV. 1917.
    laws and mileage. Y.B., 1914, pp. 214, 222, 1915; Y.B. Sep. 638, pp. 214, 222. 1915.
    materials, tests. Rds. Bul. 44, p. 32. 1912
    mileage and cost—
      statistics, 1909. Rds. Bul. 41, pp. 12, 40, 42, 44-45. 1912.
      statistics, 1916. Sec. Cir. 74, pp. 4, 5, 7, 8. 1917.
      to Jan. 1, 1915. Sec. Cir. 52, pp. 2, 4, 6. 1915.
    object-lesson—
      1910. Rds. Chief Rpt., 1910, p. 8. 1910; An. Rpts., 1910, p. 770. 1911.
      work, 1912, details and cost. Rds. Chief Rpt., 1912, p. 6. 1912; An. Rpts., 1912, p. 850. 1913.
    projects approved 1918, 1919. An. Rpts., 1919, pp. 401, 403, 405, 407. 1920; Rds. Chief Rpt., 1919, pp. 11, 13, 15, 17. 1919.
    public, mileage and expenditures, 1904. Rds. Cir. 40, pp. 2. 1906.
    work by department, 1913-1914. D.B. 284, pp. 18, 55, 56. 1915.
  rodents—
    extermination. An. Rpts., 1922, pp. 338, 339, 340. 1923; Biol. Chief Rpt., 1922, pp. 8, 9, 10. 1922.
    poisoning. Off. Rec., vol. 3, No. 10, p. 3. 1924.
  rubber production, remarks. B.P.I. Chief Rpt., 1924, p. 34. 1924.

Arizona—Continued.
 Sacaton—
  cotton-breeding experiments. B.P.I. Bul. 156, pp. 28, 32–34, 46. 1909; B.P.I. Cir. 29, pp. 3, 8, 10–14, 18. 1909.
  soil testing in relation to Egyptian cotton. B.P.I. Cir. 112, pp. 20–22. 1913; D.B. 742, p. 11. 1919.
  testing garden work on Egyptian cotton. D.B. 742, p. 11. 1919.
 Sacaton Cooperative Testing Station—
  cotton-breeding experiments. J.A.R., vol. 27, pp. 330–331. 1924.
  crop tests. C. J. King. D.C. 277, pp. 40. 1923.
  garden work demonstration. An. Rpts., 1908, p. 296. 1909; B.P.I. Chief Rpt., 1908, p. 24.
 Salt River project, size and capacity. Y.B., 1908, p. 176. 1909.
 Salt River Bird Refuge, report, 1923. An. Rpts., 1923, p. 455. 1924; Biol. Chief Rpt., 1923, p. 37. 1923.
 Salt River Valley—
  alkali conditions, relation to date culture. B.P.I. Bul. 53, pp. 99–101. 1904.
  description, irrigation systems, and crops. D.B. 654, pp. 4–11, 15. 1918.
  district, muskmelon marketing and distribution. D.B. 401, pp. 22–28. 1916.
  Egyptian cotton growing. D.B. 332, pp. 5–11, 15–16, 27–28. 1916.
  Egyptian cotton growing. E. W. Hudson. F.B. 577, pp. 8. 1914.
  handling and marketing Egyptian cotton. J. G. Martin. D.B. 311, pp. 16. 1915.
  land preparation for Egyptian cotton. B.P.I. Cir. 110, pp. 17–20. 1913.
  pasturing alfalfa. D. R. W. Clothier. Sec. Cir. 54, pp. 4. 1915.
  tests of Pima Egyptian cotton. T.H. Kearney. A. & D.R.P. Cir. 1, p. 4. 1916.
 San Jose scale, occurrence. Ent. Bul. 52, p. 20. 1905.
 Santa Rita Range Reserve, description, and climate. D.B. 367, pp. 1–40. 1916.
 sewing demonstration. News L., vol. 6, No. 49, p. 6. 1919.
 sheep quarantine, removal. B.A.I.O. 146, amdt. 7, rule 3, rev., 1, pp. 2. 1910.
 soil survey of—
  Benson area. E. J. Carpenter and W. S. Bransford. Soil Sur. Adv. Sh., 1921, pp. 247–280. 1924.
  Cochise County. See Benson and San Simon area.
  Coconimo County. See Winslow area.
  Graham County. See Solomonsville area.
  Maricopa County. See Middle Gila Valley and Salt River Valley areas.
  middle Gila Valley area. E. C. Eckmann and others. Soils F.O., 1917, pp. 2087–2119. 1923; Soil Sur. Adv. Sh., 1917, pp. 37. 1920.
  Navajo County. See Winslow area.
  Pinal County. See Middle Gila Valley area.
  Salt River Valley. Thomas H. Means. Soils F. O. Sep. 1900; pp. 287–332. 1901; Soils F. O. 1900. pp. 287–332. 1901.
  San Simon area. E. J. Carpenter and W. S. Brandsford, Soil Sur. Adv. Sh., 1921, pp. 583–622. 1924.
  Solomonsville area. Macy H. Lapham and N. P. Neill. Soil Sur. Adv. Sh., 1903, pp. 30. 1904; Soils F.O., 1903, pp. 1045–1070. 1904.
  Winslow area. A. T. Strahorn and others. Soil Sur. Adv. Sh., 1921, pp. 155–188. 1924.
  Yuma area (extending into California). J. Garnett Holmes and others. Soil Sur. Adv. Sh., 1904, pp. 27. Soils F.O., 1904, pp. 1025–1047. 1905.
  Yuma area. J. Garnett Holmes. Soils F.O. Sep. 1902, pp. 16. 1903; Soils F.O., 1902, pp. 777–791. 1903.
  Yuma County. See Yuma area.
 soils—
  and alkali survey. Soils Bul. 35, pp. 68, 108, 111. 1906.
  investigations, Arizona Experiment Station. Soils Bul. 35, pp. 26–29. 1906.

Arizona—Continued.
 soils—continued.
  irrigable, studies. O.E.S. Bul. 235, pp. 27–28. 1911.
  similarity to soils of Greece. Off. Rec., vol. 1, No. 30, p. 1. 1922.
  sorghum growing for forage under irrigation. F.B. 1158, p. 8. 1920.
  southern—
   Emory oak, studies. Frank J. Phillips. For. Cir. 201, pp. 15. 1912.
   farms, areas, capital, expenses, and incomes. D.B. 654, pp. 47–58. 1918.
   grazing ranges, carrying capacity. E. O. Wooton. D.B. 654, pp. 40. 1916.
  spelt growing, experiments. D.B. 1197, pp. 43–44. 1924.
  stock range, protected. David Griffiths. B.P.I. Bul. 177, pp. 28. 1910.
 Tempe, lacewing fly, studies and records. J.A.R. vol. 6, No. 14, pp. 515–525. 1916.
 temperatures, comparison with California and Algeria. B.P.I. Bul. 53, pp. 61, 62, 66, 68. 1904.
 termites, occurrence, and damage. D.B. 333, pp. 12, 18. 1916.
 thornless prickly pear, growing, sections suitable. F.B. 483, p. 7. 1912.
 timber—
  cut, approval and sale. An. Rpts., 1914, pp. 138, 139. 1914; For. A. R., 1914, pp. 10, 11, 1914.
  cutting, bill. Off. Rec., vol. 1, No. 9, p. 8, 1922.
 trucking industry, acreage, and crops. Y.B., 1916, pp. 455–465. 1917; Y.B. Sep. 702, pp. 21–31 1917.
 turpentining experiments on western yellow pine. For. Bul. 116, pp. 5–16, 21, 23. 1912.
 Tusayan National Forest, studies of western yellow-pine seed. For. Cir. 196, pp. 1–11. 1912.
 wage rates, farm labor, 1866–1909. Stat. Bul. 99, pp. 29–43, 68–70. 1912.
 water—
  resources. O.E.S. Bul. 235, pp. 28–52, 53–56. 1911.
  rights, officials, location. D.B. 913, p. 3. 1920.
  supply, records, by counties. Soils Bul. 92, pp. 31–32. 1913.
 western yellow pine. Theodore S. Woolsey. For. Bul. 101, pp. 64. 1911.
 wheat—
  acreage and varieties. D.B. 1074, pp. 208–209. 1922.
  crops, acreage, production, and value. Stat. Bul. 57, pp. 13–25, 34. 1907; Stat. Bul. 57, rev., pp. 13–25, 34, 39. 1908.
  yields and prices, 1882–1915. D.B. 514, p. 14. 1917.
 wood, fuel tests. For. Serv. Inv. No. 2, pp. 39–42. 1913.
 wool-handling methods. Y.B., 1914, p. 330. 1915; Y.B. Sep. 645, p. 330. 1915.
 yellow-pine area, annual cut and stumpage. D.B. 1003, pp. 4, 12–13. 1921.
 Yuma—
  alfalfa crop and pasture management. Sec. Cir. 54, pp. 2–4. 1915.
  cotton-breeding experiments. B.P.I. Bul. 156, pp. 11, 30, 34. 1909.
  crop-growing experiments, work 1907. An. Rpts., 1907, p. 322. 1908.
  experiments with Egyptian cotton, 1908. B.P.I. Cir. 29, pp. 3, 7–14. 1909.
 Yuma Valley—
  description, climate, irrigation, and crops. D.B. 654, pp. 11–13, 15. 1918.
  Peruvian alfalfa, growing, experiments. D.C. 93, pp. 3–4, 7–8. 1920.
 Zygadenus spp., occurrence and distribution. D.B. 1012, pp. 3, 16. 1922.
Arizona (horse) pedigree and history. B.A.I. Cir. 137, 107, 126. 1908; B.A.I. An. Rpt., 1907, pp. 107, 126. 1909; D.C. 153, p. 10. 1921.
Arizona Canal, description and destruction. D.B. 654, p. 5. 1918.
Arjan tree, description. Inv. No. 29500, B.P.I. Bul, 233, p. 27. 1912.
Ark-A-Lu, misbranding. Chem. N.J. 12766, 12767. 1925.

Arkansas—
  agricultural—
    colleges and experiment stations, organization lists—
      1901. O.E.S. Bul. 88, pp. 11, 48. 1901.
      1902. O.E.S. Bul. 111, p. 15. 1902.
      1903. O.E.S. Bul. 122, pp. 17–18. 1903.
      1903. O.E.S. Bul. 137, pp. 17–18. 1903.
      1904. O.E.S. Bul. 151, pp. 18–19. 1904.
      1905. O.E.S. Bul. 161, pp. 11–12. 1905.
      1906. O.E.S. Bul. 176, pp. 12, 13. 1907; O.E.S. Bul. 196, p. 25. 1907.
      1907. O.E.S. Bul. 197, pp. 11–12, 13. 1908.
      1908. O.E.S. Bul. 206, pp. 11–13. 1909.
      1909. O.E.S. Bul. 224, pp. 10–11. 1910.
      1910. O.E.S. Bul. 233, pp. 10–11. 1911.
      1911. O.E.S. Bul. 247, pp. 12–13. 1912.
      1912. O.E.S. Bul. 253, pp. 11–12. 1913.
      See also Agricultural workers list.
    extension work, statistics. D.C. 253, pp. 3, 4, 7, 10–11, 17, 18. 1923.
    high schools, progress. O.E.S. An. Rpt., 1911, pp. 326–327. 1913; O.E.S. Cir. 106, p. 25. 1911.
    organizations directory. Farm M. [Misc.], "Directory of American agricultural organizations, 1920," pp. 17–18. 1920.
  and Missouri, soil reconnaissance of Ozark region. Curtis F. Marbut. Soil Sur. Adv. Sh., 1911, pp. 153. 1914; Soils F.O., 1911, pp. 1727–1873. 1914.
  apple blotch, spraying experiments. B.P.I. Bul. 144, pp. 17–20. 1909.
  apple growing—
    areas, production, and varieties. D.B. 485, pp. 6, 29, 44–47. 1917.
    regions, varieties, and production. Y.B. 1918, pp. 370, 373, 378. 1919; Y.B. Sep. 767, pp. 6, 9, 14. 1919.
  barley crops, 1866–1906, acreage, production and value. Stat. Bul. 59, pp. 7–9, 17–19, 34. 1907.
  bee and honey statistics. D.B. 325, pp. 3, 4, 9, 10, 11, 12. 1915; D.B. 685, pp. 7–31. 1918; Ent. Cir. 138, p. 4. 1911.
  beef cattle, demonstration work. An. Rpts., 1916, p. 78. 1917; B.A.I. Chief Rpt., 1916, p. 12. 1916.
  Benton County, codling-moth investigations. Ent. Bul. 80, Pt. I, pp. 1–32. 1909.
  Big Lake—
    Bird Refuge, report, 1923. An. Rpts., 1923, p. 454. 1924; Biol. Chief Rpt., 1923, p. 36. 1923.
    Reservation, fishing regulations. Biol. S.R.A., 24, p. 1. 1918.
    Reservation, headlights prohibition. Biol. S.R.A. 58, p. 1. 1923.
  bird—
    protection. See Bird protection, officials.
    refuge report. An. Rpts., 1922, p. 361. 1923; Biol. Chief Rpt., 1922, p. 31. 1922.
  birds. Arthur H. Howell. Biol. Bul. 38, pp. 100. 1911.
  boll-weevil—
    control. Off. Rec., vol. 2, No. 47, p. 3. 1923.
    control study, and statistics, 1906–1909. Ent. Bul. 100, pp. 20–38. 1912.
    dispersion line, 1922. D.C. 266, pp. 2, 3. 1923.
    infested territory, 1912. Ent. Cir. 167, pp. 1, 3. 1913.
  bounty laws, 1907. Y.B., 1907, p. 560. 1908; Y.B. Sep. 473, p. 560. 1908.
  boys' and girls' clubs. Off. Rec., vol. 2, No. 16, p. 5. 1923.
  business men and clubs. News L., vol. 6, No. 45, p. 14. 1919.
  cantaloupe shipments, 1914. D.B. 315, pp. 17, 18. 1915.
  cattle-fever quarantine, areas—
    Nov. 1, 1911. B.A.I.O. 183, rule 1, rev. 8, p. 5. 1911.
    Sept. 1, 1913. B.A.I.O. 199, rule 1, rev. 11, p. 6. 1913.
    Dec. 1, 1917, and release. B.A.I.O. 255, pp. 2, 9. 1918.
    Aug. 15, 1919. B.A.I.O. 262, amdt. 5, p. 1. 1919.
    December, 1919. B.A.I.O. 269, pp. 2–3, 7. 1920.
    Dec. 10, 1922. B.A.I.O. 279, pp. 2, 7. 1922.

Arkansas—Continued.
  cattle-tick—
    conditions, 1911. B.A.I. An. Rpt., 1910, pp. 256, 257. 1911; B.A.I. Cir. 187, pp. 256, 257. 1912.
    control. News L., vol. 6, No. 31, pp. 15–16. 1919.
    eradication—
      effect. B.A.I. [Misc.], "Cattle-tick eradication," p. 6. 1914.
      laws and court decisions. D.C. 184, pp. 8–12. 1921.
  Chicot County, Cypress Creek drainage district, report. S. H. McCrory and others. D.B. 198, pp. 20. 1915.
  cities, dairy products, consumption and prices, 1905–06. B.A.I. An. Rpt., 1907, pp. 315–317. 1909; F.B. 349, pp. 14–16. 1909.
  community hog shipping. News L., vol. 6, No. 41, p. 10. 1919.
  convict road work, laws. D.B. 414, pp. 194–195. 1916.
  cooperative organizations, statistics. D.B. 547, pp. 12, 14, 32, 34, 46. 1917.
  corn—
    club, labor records, specimen. D.B. 385, p. 26. 1916.
    crops, 1866–1906, acreage, production, and value. Stat. Bul. 56, pp. 7–27, 35. 1907.
    production, movements, consumption, and prices. D.B. 696, pp. 15, 16, 20, 28, 29, 33, 36, 38, 41, 45. 1918.
    yields and prices, 1866–1915. D.B. 515, p. 13. 1917.
  cotton—
    plantation, run-down, building up. D. A, Brodie. F.B. 326, pp. 22. 1908.
    prices, variations, and comparisons. D.B. 457. pp. 3, 9. 11, 12. 1916.
    production—
      1916 and 1917. D.B. 733, pp. 7–8. 1918.
      and yield. D.B. 896, pp. 3–4. 1920.
    records, comparisons. D.B. 529, pp. 4, 5. 1917.
    single-stalk culture, experiments and yields. D.B. 526, pp. 16–19, 28–30. 1918.
    warehouses, number, and capacity. D.B. 216, pp. 9, 14, 16, 17. 1915.
  county(ies)—
    organization, and expenditures for extension work, 1918. S.R.S. Rpt., 1918, pp. 29 128–158. 1919.
    quarantine for cattle fever. B.A.I.O. 271, amdt. 1, pp. 2. 1921.
  court decisions on nonresident license laws. Biol. Bul. 19, pp. 46, 47. 1904.
  Craighead County, drainage under St. Francis Valley drainage project. O.E.S. Cir. 86, pp. 15–16. 1907.
  credits, farm-mortgage loans, costs, and sources. D.B. 384, pp. 2, 3, 5, 7, 8, 10. 1916.
  crop(s)—
    acreage and production, 1909–1919. D.C. 85, pp. 14–19. 1920.
    and cultural methods. Y.B., 1905, pp. 207–210. 1906; Y.B. Sep. 377, pp. 207–210. 1906.
    labor requirements, man and horse. D.B. 385, p. 23. 1916.
    planting and harvesting dates, important crops. Stat. Bul. 85, pp. 28, 38, 62, 99, 106. 1912.
    systems. A. D. McNair. F.B. 1000, pp. 24. 1918.
  Cross and Crittenden Counties, drainage under St. Francis Valley drainage project. O.E.S. Cir. 86, p. 16. 1907.
  Crowley silt loam, area, locations, and uses. Soils Cir. 54, pp. 3, 4, 5, 6, 7, 8. 1912.
  Cypress Creek drainage district—
    acreage. Y.B. 1918, p. 140. 1919; Y.B. Sep., Sep. 781, p. 6. 1919.
    Desna and Chicot Counties. S. H. McCrory and others. D.B. 198, p. 20. 1915.
    demonstration work, cooperative, organization, results. F.B. 319, pp. 6, 21, 22. 1918.
    demurrage provisions, regulations. D.B. 191, pp. 3, 12, 13, 14, 15, 16, 25. 1915.
  drainage—
    law. O.E.S. Cir. 76, p. 17. 1907.
    St. Francis Valley report. Arthur E. Morgan. O.E.S. Cir. 86, pp. 31. 1909.

Arkansas—Continued.
drainage—continued.
surveys—
1911, location and kind of land. An. Rpts., 1911, pp. 708, 709, 710. 1912; O.E.S. Chief Rpt., 1911, pp. 26, 27, 28. 1911.
1912, and construction. An. Rpts., 1912, pp. 841, 842. 1913; O.E.S. Chief Rpt., 1912, pp. 27, 28. 1912.
drug laws. Chem. Bul. 98, pp. 30-31. 1906; Chem. Bul. 98, rev., Pt. I, pp. 38-41. 1909.
duck shooting. News L., vol. 7, No. 18, p. 2. 1919.
early settlement, historical notes. See *Soil surveys for various counties and areas.*
egg—
circle, market profits. News L., vol. 6, No. 47, p. 14. 1919.
demonstration car, work and itinerary, 1913. Y.B., 1914, pp. 365, 378, 379. 1915; Y.B. Sep. 647, pp. 365, 378, 379. 1915.
Experiment Station, cowpeas, uses. F.B. 1153, pp. 18, 22. 1920.
Experiment Station, work and expenditures—
1905. O.E.S. An. Rpt., 1905, pp. 40-52. 1906.
1906. O.E.S. An. Rpt., 1906, pp. 83-84. 1907.
1907. O.E.S. An. Rpt., 1907, pp. 75-77. 1908.
1908. O.E.S. An. Rpt., 1908, pp. 69-71. 1909.
1909. O.E.S. An. Rpt., 1909, pp. 77-80. 1910.
1910. O.E.S. An. Rpt., 1910, pp. 98-101. 1911.
1911. O.E.S. An. Rpt., 911, pp. 76-78. 1912.
1912. O.E.S. An. Rpt., 1912, pp. 61, 77-79. 1913.
1913. O.E.S. An. Rpt., 1913, pp. 32-33, 92, 100, 102. 1913.
1914. O.E.S. An. Rpt., 1914, pp. 64-67, 254, 256, 258. 1915.
1915. Work and Exp., 1915, Pt. I, pp. 68-72. 1917.
1916. Work and Exp., 1916, Pt. I, pp. 64-68. 1918.
1917. Work and Exp., 1917, Pt. I, pp. 63-68. 1919.
1918. Work and Exp., 1918, Pt. I, pp. 54, 65, 70-80. 1920.
1919. Work and Exp., 1919, Pt. I, pp. 86, 88, 90, 92, 94. 1921.
1920. Work and Exp., 1920, Pt. I, pp. 86, 88, 90, 92, 94. 1922.
1921. Work and Exp., 1921, Pt. I, pp. 109, 111, 114, 116, 118. 1923.
1922. Work and Exp., 1922, Pt. I, pp. 128, 130, 132, 134, 136. 1924.
1923. Work and Exp., 1923, Pt. I, pp. 12, 14, 16. 1925.
extension work—
funds allotment, and county-agent work. S.R.S. Doc. 40, pp. 4, 5, 9, 14, 23, 25, 28. 1918.
in agriculture and home economics—
1915. S.R.S. Rpt., 1915, Pt. II, pp. 46-52. 1916.
1916. S.R.S. Rpt., 1916, Pt. II, pp. 41-51. 1917.
1917. S.R.S. Rpt., Pt. II, pp. 48-57. 1919.
1918. S.R.S. Rpt., 1918, Pt. II, p. 29. 1919.
statistics. D.C. 306, pp. 3, 5, 9, 14, 20, 21. 1924.
fairs, number, kind, location, and dates. Stat. Bul. 102, pp. 13, 14, 17. 1913.
farm—
animals, statistics, 1867-1907. Stat. Bul. 64, p. 132. 1908.
labor, man and horse, for corn and cotton. D.B. 529, pp. 4-5. 1917.
leases, provisions. D.B. 650, p. 7. 1918.
values, changes, 1900-1905. George K. Holmes. Stat. Bul. 43, pp. 11-17, 29-46. 1906.
farmers'—
cooperative demonstration work, letters reporting. F.B. 319, pp. 21, 22. 1908.
institutes—
for young people. O.E.S. Cir. 99, pp. 16-17. 1910.
laws. O.E.S. Bul. 241, p. 9. 1911.
work, 1904. O.E.S. Rpt., 1904, p. 632. 1905.
work, 1906. O.E.S. Rpt., 1906, p. 322. 1907.
work, 1907. O.E.S. An. Rpt., 1907, pp. 317-318. 1908; O.E.S. Bul. 199, p. 21. 1908.
work, 1908. O.E.S. An. Rpt., 1908, p. 305. 1909.

Arkansas—Continued.
farmers'—continued.
institutes—continued.
work, 1909. O.E.S. An. Rpt., 1909, p. 341. 1910.
work, 1910. O.E.S. An. Rpt., 1910, p. 401. 1911.
work, 1911. O.E.S. An. Rpt., 1911, p. 368. 1912.
work, 1912. O.E.S. An. Rpt., 1912, p. 361. 1913.
farming, diversified. Y.B. 1905, pp. 207-212. 1906; Y.B. Sep. 377, pp. 207-212. 1906.
farms, value, income, and tenancy classification. D.B. 1224, pp. 72-74. 1924.
fertilizer prices, 1919, by counties. D.C. 57, pp. 4, 7, 11. 1919.
field work of Plant Industry, December, 1924. M. C. 30, pp. 2-3. 1925.
flood losses, 1909. An. Rpts., 1909, p. 170, 1910; W. B. Chief Rpt., 1909, p. 20. 1909.
food laws—
1901. Chem. Bul. 69, Pt. I, pp. 48-51. 1902.
1903. Chem. Cir. 16, pp. 5, 27. 1904.
1907. Chem. Bul. 112, Pt. I, pp. 11-13. 1908.
1908. Chem. Cir. 16, rev., p. 34. 1908.
enforcement. Chem. Cir. 16, rev., p. 5. 1908.
forest—
acreage increase. Off. Rec., vol. 1, No. 24, p. 3. 1922.
area, 1918. Y.B., 1918, p. 717. 1919; Y.B. Sep. 795, p. 53. 1919.
fires, statistics. For. Bul. 117, p. 26. 1912.
lands—
near Pine Bluff, working plans. Frederick E. Olmsted. For. Bul. 32, pp. 48. 1902.
proposals invited. For. [Misc.], "Purchase of lands * * *," rev. p. 13. 1921.
units. D.C. 313, p. 12. 1924.
fruit and vegetable growers association. Rpt. 98, pp. 167-168. 1913.
fruits and vegetables, shipments and index to station shipments. D.B. 667, pp. 6-13, 15-16. 1918.
funds for cooperative extension work, sources. S.R.S. Doc. 40, pp. 4, 5, 8, 14. 1917.
fur animals, laws—
1915. F.B. 706, p. 3. 1916.
1916. F.B. 783, pp. 5, 27. 1916.
1917. F.B. 911, pp. 7, 31. 1917.
1918. F.B. 1022, pp. 6, 30. 1918.
1919. F.B. 1079, pp. 4, 9. 1919.
1920. F.B. 1165, p. 8. 1920.
1921. F.B. 1238, pp. 7, 31. 1921.
1922. F.B. 1293, pp. 4-5. 1922.
1923-24. F.B. 1387, p. 7. 1923.
1924-25. F.B. 1445, p. 6. 1924.
1925-26. F.B. 1469, p. 8. 1925.
game—
laws—
1906. F.B. 265, pp. 8, 14, 36, 42. 1906.
1907. F.B. 308, pp. 12, 27, 35, 41. 1907.
1908. F.B. 336, pp. 14, 30, 39, 43, 49. 1908.
1909. F.B. 376, pp. 19, 33, 39, 42, 46. 1909.
1910. F.B 418, pp. 12, 26, 32, 35, 40. 1910.
1911. F.B. 470, pp. 16, 31, 37, 40, 46. 1911.
1912. F.B. 510, pp. 11-12, 25-26, 27, 32, 33, 37, 41, 42. 1912.
1913. D.B. 22, pp. 11, 20, 23, 39, 44, 48, 52. 1913.
1914. F.B. 628, pp. 10, 11, 15, 28-29, 30, 36, 40, 43, 45, 46. 1914.
1915. F.B. 692, pp. 4, 5, 6, 7, 8, 25, 40, 46, 50, 51, 57. 1915.
1916. F.B. 774, pp. 22, 38, 44, 48, 50, 57. 1916.
1917. F.B. 910, pp. 12, 47, 49. 1917.
1918. F.B. 1010, pp. 9, 45, 61. 1918.
1919. F.B. 1077, pp. 10, 49, 52, 72, 73. 1919.
1920. F.B. 1138, pp. 11-12. 1920.
1921. F.B. 1235, pp. 13, 55. 1921.
1922. F.B. 1288, pp. 9, 52, 67, 79. 1922.
1923-24. F.B. 1375, pp. 3, 5, 11-12, 48. 1923.
1924-25. F.B. 1444, pp. 7, 36. 1924.
1925-26. F.B. 1466, pp. 8, 13, 43. 1925.
relating to domesticated deer. F.B. 330, p. 19. 1908.
officials. See Game officials.
resources and legislation. Biol. Bul. 38, pp. 10-11. 1911.

Arkansas—Continued.
grain-supervision districts, counties. Mkts. S.R.A. 14, pp. 22, 23, 25, 28, 29. 1916.
harvest-labor distribution 1921. D.B. 1230, p. 31. 1924.
hay crops, 1866-1906, acreage, production, and value. Stat. Bul. 63, pp. 5-25, 32. 1908.
haymaking methods, and costs. D.B. 578, p. 41. 1918.
herd lists, tested and accredited cattle. D.C. 54, pp. 3, 21, 50, 77. 1919; D.C. 142, pp. 4, 14, 17, 30, 41, 47-49. 1920; D.C. 143, pp. 3, 20, 61. 1920; D.C. 144, pp. 3, 8, 16, 19. 1920.
highway department, establishment, and road mileage. Y.B., 1914, pp. 215, 222. 1915; Y.B. Sep. 638, pp. 215, 222. 1915.
hill-land erosion control method. S.R.S. Doc. 41, p. 5. 1917.
hog-breeding improvement by pig club work. Y.B., 1917, p. 375. 1918; Y.B. Sep. 753, p. 7. 1918.
hogs, tuberculosis rarity. B.A.I. An. Rpt., 1907, p. 217. 1909; B.A.I. Cir. 144, p. 217. 1909.
hunting laws. Biol. Bul. 19, pp. 12, 14, 15, 19. 26, 55. 1904.
indebtedness, legislation. Off. Rec., vol. 4, No 17, p. 6. 1925.
inspection of mail shipments of plants. F.H.B S.R.A. 64, pp. 87-88. 1919.
interest rates on loans to farmers. Y.B. 1921, pp. 368, 778. 1922; Y.B. Sep. 877, p. 368. 1922; Y.B. Sep. 871, p. 9. 1922.
irrigation of rice, cost of pumping from wells. W. B. Gregory. O.E.S. Bul. 201, p. 39. 1908.
labor requirements for specified crops. A. D. McNair. D.B. 1181, p. 63. 1924.
lands purchase under Weeks law. D. C. 313, p. 12. 1924.
lard supply, wholesale and retail, Aug. 31, 1917, tables. Sec. Cir. 97, pp. 14-32. 1918.
laws—
  dog control, digest. F.B. 935, p. 11. 1918; F.B. 1268, p. 11. 1922.
  nursery stock, interstate shipment, digest. Ent. Cir. 75, rev., p. 2. 1911; F.H.B.S.R.A. 57, pp. 113, 114, 115. 1919.
  relative to contagious animal diseases. B.A.I. Bul. 43, pp. 24-31. 1901.
legislation—
  protecting birds. Biol. Bul. 12, rev., pp. 18, 32, 34, 35, 36, 38, 43, 78-79, 136. 1902.
  relative to tuberculosis. B.A.I. Bul. 28., p. 12. 1912.
lespedeza, Korean, testing. D.C. 217, p. 12. 1924.
livestock—
  admission, sanitary requirements. B.A.I. Doc. A-36, pp. 5-6. 1920; B.A.I. Doc. A-28, p. 4. 1917; D.C. 184, pp. 8-12. 1921; M.C.14, pp. 4-5. 1924.
  associations. Y.B., 1920, p. 516. 1921; Y.B. Sep. 866, p. 516. 1921.
lumber cut—
  1920, 1870-1920, value, and kinds. D.B. 1119, pp. 27, 30-35, 43-61. 1923.
  value and kinds, 1918. D.B. 845, pp. 6-47. 1920.
marketing—
  activities and organization. Mkts. Doc. 3, p. 2. 1916.
  sweet potatoes, methods. News L., vol. 6, No. 36. p. 13. 1919.
milk supply. B.A.I. Bul. 46, pp. 34, 47. 1903.
Mississippi County, drainage under St. Francis Valley project. O.E.S. Cir. 86, pp. 14-15. 1909.
National Forest—
  composition and stand. D.B. 244, pp. 6, 31, 46. 1915.
  fire fighting methods and tests. Daniel W. Adams. For. Bul. 113, pp. 27. 1912.
  map. For. Map. 1925.
national forests—
  cutting. D.B. 308, pp. 48-51. 1915.
  location—
    and area, July 1, 1908. For. [Misc.], "The national forest of Arkansas," p. 1. 1909.

Arkansas—Continued.
national forests—continued.
  location—continued.
    and area, 1912. For. Bul. 106, pp. 27-36. 1912.
    and area, Jan. 31, 1913. For. [Misc.], "The use book, 1913," p. 84. 1913.
  small operators, output of cooperage. Y.B., 1912, p. 410. 1913.
Negro extension work and workers, 1908-1921. D.C. 190, pp. 6-9, 21. 1921.
northeastern, St. Francis Valley drainage project, preliminary report. Arthur E. Morgan. O.E.S. Cir. 86, pp. 31. 1909.
oat acreage, production, and value, 1866-1906. Stat. Bul. 58, p. 33. 1907.
oat growing, varietal experiments. D.B. 823, pp. 32, 35, 67. 1920.
object-lesson road construction, details, and cost. An. Rpts., 1911, p. 734. 1912; Rds. Chief Rpt., 1911, p. 24. 1911.
opposition to cattle dipping, and results. An. Rpts., 1922, p. 137. 1923; B.A.I. Chief Rpt., 1922, p. 39. 1922.
Orangeburg fine sandy loam, areas, location, and uses. Soils Cir. 46, pp. 3, 18, 20. 1911.
orchard spraying experiments, one-spray method. Ent. Bul. 80, Pt. VII, pp. 116-129. 1910.
ostrich industry. B.A.I. An. Rpt. 1909, p. 233. 1911. B.A.I. Cir. 172, p. 233. 1911.
Ouachita Mountains, area, soils, and vegetation. Soil Sur. Adv. Sh., 1911, pp. 142-151. 1914; Soils F.O., 1911, pp. 1729-1744. 1914.
Ozark region—
  apple bitter-rot outbreak, 1914, studies. J.A.R. vol. 4, pp. 59-64. 1915.
  description, and fruit growing. B.P.I. Bul. 275, pp. 8, 10-20, 65. 1913.
  peach orchards, control of peach diseases, experiments. D.B. 543, pp. 4-7. 1917.
  San Jose scale, prevalence and control work. D.C. 263, pp. 1-12, 17. 1923.
pasture land on farms. D.B. 626, pp 15, 18, 19. 1918.
peaches—
  carload shipments from various stations, 1914. D.B. 298, pp. 9-10. 1915.
  growing, production, districts, and varieties. D.B. 806, pp. 4, 5, 7, 8, 26. 1919.
  industry, season, and shipments, 1914. D.B. 298, pp. 4, 5, 9-10. 1916.
  shipping, forecast. News L., vol. 6, No. 52, p. 16. 1919.
  spraying experiment. B.P.I. Cir. 27. p. 11. 1909.
  varieties, names and ripening dates. F.B. 918, p. 5. 1918.
pear growing, distribution and varieties. D.B. 822, p. 11. 1920.
phosphate—
  deposits. D.B. 312, p. 7. 1915.
  natural, report. Soils Bul. 81, pp. 30-36. 1912.
  rock deposits and forms. Y.B., 1917, pp. 178, 179, 180. 1918; Y.B. Sep. 730, pp. 4, 5, 6. 1918.
physical features and life zones, description, forests, and birds. Biol. Bul. 38, pp. 5-8. 1911.
pig-club work. Y.B., 1915, pp. 179, 181. 1916; Y.B., Sep. 667, pp. 179, 181. 1916.
pine lands, in beef-cattle industry, conditions. D.B. 827, pp. 6-13, 31. 1921.
pink bollworm—
  control, field-scouting record, 1917-1922. F.H.B. S.R.A. 74, pp. 8, 9. 1923.
  injury to corn. D.B. 363, pp. 2, 6, 10, 19. 1916.
plantations, crops, acreage, location, labor, tenancy. D.B. 1269, pp. 2-7, 69-72, 75. 1924.
plum-curculio control work, experiments. Ent. Bul. 103, pp. 174, 196. 1912.
Poinsett County, drainage under St. Francis Valley Drainage Project. O.E.S. Cir. 86, p. 16. 1909.
potato(es)—
  crops, 1866-1906, acreage, production, and value. Stat. Bul. 62, pp. 7-27, 35. 1908.
  early crop, location, and carloads. F.B. 1316, pp. 3, 5. 1923.

Arkansas—Continued.
poultry—
club and association work. News L., vol. 6, No. 41, p. 8. 1919.
marketing. News L., vol. 7, No. 12, p. 5. 1919.
prairie land, rice irrigation. C. E. Tait. O.E.S. Bul. 158, pp. 545–565. 1905.
production of white oak timber. M.C. 53, pp. 1–2 1925.
pumping plants, description and cost. O.E.S. Bul. 201, pp. 22–37. 1911.
quarantine area—
cattle-tick, release. News L., vol. 3, No. 18, pp. 1, 4. 1915.
Texas fever—
April 1, 1908. B.A.I.O. 151, rule 1, rev. 3, p. 5. 1908.
April 1, 1909. B.A.I.O. 158, rule 1, rev. 4, p. 5. 1909.
December 6, 1909. B.A.I.O. 166, rule 1, rev. 5, p. 5. 1909.
April 1, 1910. B.A.I.O. 168, rule 1, rev. 6, pp. 5–6. 1910.
March 25, 1912. B.A.I.O. 187, rule 1, rev. 9, pp. 5–6. 1912.
February 16, 1914. B.A.I.O 207, rule 1, rev. 12, pp. 1, 5, 11. 1914.
March 1, 1915. B.A.I.O. 235, rule 1, rev. 13, pp. 5, 9. 1915.
December 1, 1915. B.A.I.O. 241, pp. 5, 9. 1915.
November 21, 1916. B.A.I.O. 251, p. 2. 1916.
December 1, 1918. B.A.I.O. 262, pp. 1, 2. 13. 1918.
July 1, 1920. B.A.I.O. 269, amdt. 1, rule 1, p. 2. 1920.
December 1, 1920. B.A.I.O. 271, rule 1, rev. 19 pp. 2–3. 1920.
December 21, 1923. B.A.I.O. 285, pp. 2, 5. 1923.
December 15, 1924. B.A.I.O. 290, rule 1, rev. 23, p. 2. 1924.
rice—
growing—
methods and length of season. D.B. 330, pp. 1, 29. 1916; F.B. 673, pp. 3, 12. 1915.
under irrigation. An. Rpts., 1913, pp. 280–281. 1914; O.E.S. Chief Rpt., 1913, pp. 10–11. 1913.
irrigation, cost of pumping from wells, and in Louisiana. W. B. Gregory. O.E.S. Bul. 201, pp. 39. 1908.
irrigation—
cost. O.E.S. An. Rpt., 1908, p. 401. 1909.
methods. Y.B., 1909, pp. 301–302. 1910; Y.B. Sep. 514, pp. 301–302. 1910.
small pumping plants, suggestions. O.E.S. Cir. 101, pp. 1–40. 1910.
prairies, location, climate and soils. F.B. 1092, pp. 3–5. 1920.
straighthead, occurrence, and investigations. F.B. 1212, pp. 3, 4, 11. 1921.
road(s)—
bond-built, amount of bonds, rate, D.B. 136, pp. 37, 62, 80, 85. 1915.
building, rock tests, results, table. D.B. 370, p. 14. 1916; D.B. 670, pp. 3, 24. 1918; D.B. 1132, pp. 3–4, 46, 51. 1912.
materials, tests. Rds. Bul. 44, p. 32. 1912, mileage and expenditures—
1904. Rds. Cir. 41, p. 3. 1906.
1909. Rds. Bul. 41, pp. 13, 40, 43, 45–46. 1912.
1914. D.B. 387, pp. 3–8, 11–14. II, XXXIV, XLVIII–XLIX. 1917.
Jan. 1, 1915. Sec. Cir. 52, pp. 2, 4, 6. 1915.
1916. Sec. Cir. 74, pp. 5, 7, 8. 1917.
model county system. An. Rpts., 1912, pp. 869–870. 1913. Rds. Chief Rpt., 1912, pp. 25–26. 1912.
object-lesson, cost, 1908. Rds. Chief Rpt., 1908, pp. 8, 9. 1908; An. Rpts., 1908, pp. 748, 749. 1909.
rye crops, 1866–1906, acreage, production, and value. Stat. Bul. 60, pp. 5–25, 33. 1908.
San Jose scale, occurence. Ent. Bul. 62, p. 20. 1906.
schools agricultural work. O.E.S. Cir. 106, rev., pp. 18, 24, 28. 1912.

Arkansas—Continued.
shortleaf pine—
stands, conditions and growth. D.B. 244, pp. 10–12, 15, 17, 20, 24, 25, 28, 30, 34, 37, 40, 43. 1915.
yields. D.B. 308, pp. 31–32, 36. 1915.
slash rotting, investigations. W. H. Long. D.B. 496, pp. 15. 1917.
soil—
reconnaissance of Ozark region (including part of Missouri). Curtis F. Marbut. Soil Sur. Adv. Sh., 1911, pp. 153. 1914; Soils F.O., 1911, pp. 1727–1873. 1914.
survey of—
Arkansas County. See Stuttgart area.
Ashley County. E. S. Vanatta and others. Soil Sur. Adv. Sh., 1913, pp. 39. 1914; Soils F.O., 1913, pp. 1185–1219. 1916.
Benton County. See Fayetteville area.
Columbia County. Clarence Lounsbury and E. B. Deeter. Soil Sur. Adv. Sh., 1914, pp. 38. 1916; Soils F.O., 1914, pp. 1363–1396. 1919.
Conway County. James L. Burgess and Charles W. Ely. Soil Sur. Adv. Sh., 1907, pp. 23. 1908. Soils F.O., 1907, pp. 753–771. 1909.
Craighead County. E. B. Deeter and L. V. Davis. Soils Sur. Adv. Sh., 1915, pp. 32. 1917; Soils F.O., 1916, pp. 1161–1188. 1921.
Drew County. B. W. Tillman and others. Soil Sur. Adv. Sh., 1917, pp. 48. 1919; Soils F.O. 1917, pp. 1279–1322. 1923.
Faulkner County. E. B. Deeter and Henry I. Cohn. Soil Sur. Adv. Sh., 1917, pp. 35. 1919; Soils F.O. 1917, pp. 1323–1353. 1923.
Fayetteville area. Henry J. Wilder and Charles F. Shaw. Soil Sur. Adv. Sh., 1906, pp. 45. Soils F.O. 1906, pp. 587–627. 1908.
Hempstead County. Arthur E. Taylor and W. B. Cobb. Soil Sur. Adv. Sh., 1916, pp. 53. 1917; Soils F.O., 1916, pp. 1189–1237. 1921.
Howard County. M. W. Beck and others. Soil Sur. Adv. Sh., 1917, pp. 48. 1919; Soils F.O., 1917, pp. 1355–1398. 1923.
Jefferson County. B. W. Tillman and others. Soil Sur. Adv. Sh., 1915, pp. 39. 1916; Soils F.O., 1915, pp. 1163–1197. 1919.
Lonoke County. E. W. Knobel and others. Soil Sur. Adv. Sh., 1921 pp. 1279–1327. 1925; Soils F.O. 1921, pp. 1279–576. 1925.
Miller County. J. O. Martin and E. P. Carr. Soil Sur. Adv. Sh. 1903, pp. 18. 1904. Soils F.O., 1903, pp. 563–576. 1904.
Mississippi County. E. C. Hall and others. Soil Sur. Adv. Sh., 1914, pp. 42. 1916; Soils F.O., 1914, pp. 1325–1362. 1919.
Perry County. E. B. Deeter and others. Soil Sur. Adv. Sh., 1920, pp. 493–536. 1923. Soils F.O., 1920, pp. 493–536. 1925.
Pope County. Clarence Lounsbury and E. B. Deeter. Soil Sur. Adv. Sh., 1913, pp. 51. 1915; Soils F.O., 1913, pp. 1221–1267. 1916.
Prairie County. William T. Carter, jr., and others. Soil Sur. Adv. Sh., 1906, pp. 36. 1907; Soils F.O., 1906, pp. 629–660. 1908.
Stuttgart area. J. E. Lapham. Soils F.O., Sep. 1902, pp. 12. 1903; Soils F.O., 1902, pp. 611–622. 1903.
Yell County. E. B. Deeter and Clarence Lounsbury. Soil Sur. Adv. Sh., 1915. pp. 41. 1917; Soils F.O., 1915, pp. 1199–1235. 1919.
Washington County. See Fayetteville area.
soils—
Clarksville silt loam, location and areas. Soils Cir. 30, p. 15. 1911.
Meadow, areas and location. Soils Cir. 68, p. 20. 1912.
sorghum—
growing, rotation experiments. F.B. 1158, pp. 5–6. 1920.

Arkansas—Continued.
  sorghum—continued.
    webworm outbreaks in 1921. D.B. 1103, pp. 24–25. 1922.
  source of arsenic supply. News L., vol. 6, No. 48, p. 3. 1919.
  St. Francis County, survey and tillage records for cotton. D.B. 511, pp. 40–42. 1917.
  St. Francis Valley drainage project, report. Arthur E. Morgan and O. G. Baxter. O.E.S. Bul. 230, Pt I, pp. 100. 1911; O.E.S. Bul. 230, Pt. II, pp. 58. 1911.
  State—
    agricultural schools. C. H. Lane. O.E.S. Bul. 250, pp. 20. 1912.
    appropriations for demonstration work. O.E.S. An. Rpt., 1912, p. 303. 1913.
  strawberry—
    growing, practices. F.B. 1026, pp. 3, 5. 1919.
    shipments, 1914. D.B. 237, p. 6. 1915; F.B. 1028, p. 6. 1919.
    weevil, 1905. Ent. Bul. 63, p. 61. 1907.
  substations for demonstration work, 1909. O.E.S An. Rpt., 1909, p. 79. 1910.
  summer schools, success. News L., vol. 6, No. 37, p. 15. 1919.
  sweet-potato—
    grades, establishment. News L., vol. 3, No. 25, p. 8. 1916.
    industry. D.B. 1206, pp. 5, 7, 9–13. 1924.
  Texas fever. See Arkansas, quarantine areas.
  tight-cooperage production, 1905, 1906. For. Cir. 125, pp. 5–6. 1907.
  tile drainage, effects. Y.B., 1914, p. 251. 1915; Y.B., Sep. 640, p. 251. 1915.
  timber resources, in national forests. For. Bul. 106, pp. 27–36. 1912.
  time available each year for crop work. F.B. 1000, p. 19. 1918.
  tomato-club work, prizes. News. L., vol. 6, No. 40, p. 16. 1919.
  truck crops. Y.B., 1916, pp. 446, 448, 455–465. 1917; Y.B., Sep. 702, pp. 12, 14, 21–31. 1917.
  wage rates, farm labor, 1866–1909. Stat. Bul. 99, pp. 29–43, 68–70. 1912.
  walnut—
    growing. B.P.I. Bul. 254, pp. 17, 102. 1913.
    range and estimated stand. D.B. 933, pp. 7, 13. 1921.
    stand and quality. D.B. 909, pp. 9, 10, 14, 20, 21. 1921.
  water supply, records, by counties. Soils Bul. 92, pp. 32–35. 1913.
  wheat—
    acreage and varieties. D.B. 1074, p. 209. 1923.
    crops, acreage, production, and value. Stat. Bul. 57. pp. 5–25, 33. 1907; rev., pp. 5–25, 33, 38. 1908.
    disease occurrence, observations. J.A.R., vol. 25, pp. 351–353. 1923.
    varieties grown. F.B. 616, p. 6. 1914; F.B. 1168, p. 8. 1921.
    yields and prices, 1866–1915. D.B. 514, p. 13. 1917.
  wood-using industries and national forests. J. T. Harris and others. For. Bul. 106, pp. 40. 1912.
  working plan for forest lands near Pine Bluff. Frederick E. Olmsted. For. Bul. 32, pp. 48. 1902.
Arkansas River—
  Colorado, water discharge measurements. B.P.I. Bul. 260, pp. 51–52. 1912; O.E.S. Bul. 218, p. 18. 1910.
  irrigation, Kansas. O.E.S. Bul. 211, pp. 15–20. 1909.
  University, teachers' courses. O. E. S. Cir. 118, pp. 7–8. 1913.
  Valley, Colorado, acquirement of water rights. J. S. Greene. O.E.S. Bul. 140, pp. 83. 1903.
Arlington Experimental Farm—
  aid to farmers, description. News L., vol. 1, No. 30, pp. 1–2. 1914.
  alfalfa seed, growing experiments. B.P.I. Cir. 24, pp. 5, 6, 11, 22. 1909.
  alsike clover growing. F.B. 1151, pp. 15, 19. 1920.
  belladonna growing and testing. J.A.R. vol. 1, pp. 132–135, 142, 145. 1913.

Arlington Experimental Farm—Continued.
  boron-treated manure, experiments. J.A.R., vol. 13, pp. 456–460. 1918.
  bean growing, yields. D.B. 119, pp. 4, 5, 10, 13, 18, 21, 22, 26, 27, 29. 1914.
  bulb growing, Easter lilies. An. Rpts., 1919, p. 149. 1920; B.P.I. Chief Rpt., 1919, p. 13. 1919.
  cereal experiments. D.B. 336, pp. 8, 9, 12, 13, 16–27, 30–52. 1916.
  corn-growing experiments, seeding date. D.B. 1014, pp. 3–11. 1922.
  corn growing experiments with mutilated seed. D.B. 1011, pp. 4, 7, 8–12. 1922.
  cotton growing with borax, experiments. J.A.R., vol. 23, pp. 433, 434–437. 1923.
  description, soil and climatic conditions. D.B. 1309, pp. 2–6. 1925.
  epidemic of timothy rust. B.P.I. Bul. 224, pp. 7, 12. 1911.
  experiments—
    treating wheat seed. D.C. 305, pp. 4–6. 1924.
    with borax in fertilizers. D.B. 998, p. 2. 1922.
    with small grains. John W. Taylor. D.B. 1309, pp. 28. 1925.
    with soils containing boron. J.A.R., vol. 5, No. 19, pp. 879, 883, 884, 886. 1916.
  grass mixture for growing market hay in South. F.B. 677, pp. 9–10. 1915.
  kaoliang varieties, testing. B.P.I. Bul. 253, pp. 29–32. 1913.
  laboratory work on fertilizers. Y.B., 1917, pp. 85–86. 1918.
  location, personnel, and physical factors. D.B. 336, pp. 1–6. 1916.
  origin, development, and work, review. An. Rpts., 1912, pp. 130–132. 1913; Sec. A.R., 1912. pp. 130–132. 1912; Y.B., 1912, pp. 130–132. 1913.
  shallu sorghum, experiments. B.P.I. Cir. 50, p. 3. 1910.
  studies of—
    oil content of seeds. J.A.R., vol. 3, pp. 230, 231, 236–238, 244. 1914.
    tile drainage, exceptional plant. D.B. 854, pp. 5–8. 1920.
  sugar-beet experiments. Chem. Bul. 74, pp. 9–11, 31. 1903; Chem. Bul. 78, pp. 8–11. 1903; Chem. Bul. 95, pp 6–8. 1905.
  sweet-clover seed, studies. D.B. 844, pp. 2–25. 1920.
  sweet-potato storage experiment. D.B. 1063, pp. 3–18. 1922.
  testing tomatoes for wilt resistance. D.B. 1015, pp. 3–9. 1922.
  wheat growing tests of Stoner and other varieties. D. B. 357, pp. 20–21. 1916.
  wheat varieties testing with flag smut. J. A. R., vol. 27, pp. 428, 431, 435–447. 1924.
  willow growing experiments. F.B. 622, pp. 11, 18, 19, 24. 1914.
Arloing, Saturnin blackleg vaccination, discovery and method. B.A.I. Cir. 31, rev. pp. 2, 16, 17. 1907; F.B. 1355, pp. 8–9. 1923.
Armadillidium vulgare. See Pillbugs; Sowbugs.
Armadillo, Texas, distribution, description, habits, uses. N.A. Fauna 25, pp. 14, 52–56. 1905.
Armillaria—
  mellea—
    cause of death of chestnuts and oaks. W. H. Long. D.B. 89, pp. 9. 1914.
    destruction of oaks and relation to borers. J.A.R., vol. 3, pp. 284–285. 1915.
    injury to forest trees. D. B. 275, pp. 12, 13. 1916.
    See Mushroom, honey.
  spp., description. D.B. 175, pp. 11–12. 1915.
Armorbia emigratella, description, life history, and control. Hawaii Bul. 27, pp. 12–14. 1912.
Armour-Morris merger case—
  conclusion. Sec. A.R., 1925, pp. 39–40. 1925.
  dismissal. Off. Rec., vol. 4, No. 38, pp. 1, 5. 1925.
  economic phases. Pack. and S. Ad. Rpt., 1924, p. 16. 1924.
ARMSBY, H. P.:
  "Animal nutrition investigations." B.A.I. An. Rpt., 1906, pp. 263–285. 1908.
  "Basal katabolism of cattle and other species." With others. J.A.R. Vol. 13, pp. 43–57. 1918.

ARMSBY, H. P.—Continued.
"Energy values of—
  hominy feed and maize meal for cattle." With J. August Fries. J.A.R. Vol. 10, pp. 559-613. 1917.
  red-clover hay and maize meal." With J. August Fries. B.A.I. Bul. 74, pp. 64. 1905.
  red-clover hay and maize meal." With others. J.A.R. Vol. 7, pp. 379-387. 1916.
"Feeding for meat production." B.A.I. Bul. 108, pp. 89. 1908.
"Influence of the degree of fatness of cattle upon their utilization of feed." With J. August Fries. J.A.R. Vol. 11, pp. 451-472. 1917.
"Net energy values of—
  alfalfa hay and starch." With J.A. Fries. J.A.R. vol. 15, pp. 269-286. 1918.
  feeding stuffs for cattle." With J. August Fries. J.A.R. Vol. 3, pp. 435-491. 1915.
report of—
  Pennsylvania Experiment Station, Animal Nutrition Work—
    1913. O.E.S. An. Rpt., 1913, p. 75. 1913.
    1915. S.R.S. An. Rpt., 1915, pp. 202-203. 1915.
  Pennsylvania State College Agricultural Experiment station, 1906. O.E.S. An. Rpt., 1906, pp. 147-149. 1907.
  Pennsylvania State College, Institute of Animal Nutrition—
    1908. O.E.S. An. Rpt., 1908, pp. 161-162. 1909.
    1909. O.E.S. An. Rpt., 1909, pp. 175 176. 1910.
    1910. O.E.S. An. Rpt., 1910, pp. 228-229. 1911.
    1911. O.E.S. An. Rpt., 1911, pp. 187-188. 1912.
    1912. O.E.S. An. Rpt., 1912, pp. 192-193. 1913.
    1913. O.E.S. An. Rpt., 1913, p. 75. 1915.
    1914. O.E.S. An. Rpt., 1914, pp. 202-203. 1915.
    1915, S.R.S. An. Rpt., 1915, Pt. I, pp. 231-232. 1916.
    1916. S.R.S. An. Rpt., 1916, Pt. I, pp. 237-238. 1918.
    1917. S.R.S. An. Rpt., 1917, Pt. I, p. 234. 1918.
"Some fundamentals of stable ventilation." With Max Kriss. J.A.R. Vol. 21, pp. 343-368. 1921.
"The available energy of red-clover hay, investigations with the respiration calorimeter." With J. August Fries. B.A.I. Bul. 101, pp. 61. 1908.
"The available energy of timothy hay." With J. August Fries. B.A.I. Bul. 51, pp. 77. 1903.
"The computation of rations for farm animals by the use of energy values." F.B. 346, pp. 32. 1909.
"The influence of type and of age upon the utilization of feed by cattle." With J. August Fries. B.A.I. Bul. 128, pp. 245. 1911.
"The maintenance rations of farm animals." B.A.I. Bul. 143, pp. 110. 1912.
"The nutritive value of the nonprotein of feeding stuffs." B.A.I. Bul. 139, pp. 49. 1911.
"The use of energy values in the computation of rations for farm animals." D.B. 459, pp. 31. 1916.
Army—
  beef grading by Agriculture Department. News L., vol. 6, No. 17, p. 11. 1918.
  cutworm—
    life history. J.A.R., vol. 6, No. 23, pp. 871-881. 1916.
    See also *Chorizagrottis auxiliaris*.
  demobilization. Sec. [Misc.]. "Remarks * * * Secretary * * * editors * *," p. 10. 1918.
  health of men and animals, insects affecting. Sec. Cir. 61, pp. 1-24. 1916.
  Japanese, dietary studies. O.E.S. Bul. 159, pp. 59-60, 80-91, 93-100, 122. 1905.
  officers, detail to—
    Agricultural Colleges, regulations S.R.S. [Misc.], "Federal, legislation, regulations, and rulings * * *," pp. 6-8. 1916.

Army—Continued.
  officers, detail to—continued.
    land-grant colleges, act authorizing. O.E.S. [Mis.], "Federal legislation, regulations, and rulings affecting agricultural colleges and experimental stations, "rev. to July 1, 1914, pp. 6-7. 1914; rev. to December 21, 1914, pp. 6-7. 1915.
    land-grant colleges, acts providing for, 1888, 1891. O.E.S. Cir. 111, pp. 7-8. 1911, rev. 1912.
  posts—
    forest fire fighting. News L., vol. 7, No. 8, p. 7. 1919.
    Hawaii, cooperation with experiment station. Hawaii A. R., 1914, p. 12. 1915.
  remount(s)—
    aid of Agriculture Department, and methods. News L., vol. 6, No. 1, p. 6. 1918.
    breeding, Government encouragement and advantages to farmers. Y.B. 1917, pp. 341-342, 353-356. 1918; Y.B. Sep. 754, pp. 3-4, 15-18 1918.
    problem. Geórge M. Rommel. B.A.I. An. Rpt., 1910; pp. 103-124. 1912; B.A.I. Cir. 186, p. 22. 1912.
  reserves, notice regarding. B.A.I.S.R.A. 115, p. 101. 1916.
  stores, protection from insects by Agriculture Department, methods. News L., vol. 5, No. 45, p. 2. 1918.
  supplies, exports, definition. News L., vol. 6, No. 27, p. 3. 1919.
  trucks, transfer to Roads Bureau. News L., vol. 6, No. 40, p. 15. 1919.
  worm—
    beet—
      description, life history, and injuries to cotton. Ent. Bul. 57, pp. 35-36. 1906.
      injury to cabbage in Hawaii. Ent. Bul. 109, Pt. III, pp. 32-33. 1912.
      injury to cotton, and control. F.B. 890, pp. 15-16. 1917.
      injury to vegetables, and control. F.B. 856, p. 30. 1917.
    control. News L., vol. 1, No. 51, p. 1. 1914; News L., vol. 6, No. 44, pp. 1-2, 15. 1919; News L., vol. 6, No. 45, p. 8. 1919.
    control by—
      bait, poison. Hawaii Bul. 45, pp. 14, 30-31. 1920; News L., vol. 6, No. 48, p. 4. 1919.
      furrow method. F.B. 793, p. 27. 1917.
      tachinid flies. Ent. Bul. 67, p. 98. 1907; Y.B. 1907, pp. 246-248. Y.B. Sep. 447, pp. 246-248. 1908.
    damage to crops. Biol. Bul. 15, p. 10. 1901.
    description—
      and control on cereal crops. F.B. 835, rev., pp. 8-11. 1920.
      comparison with fall army worm. Sec. Cir. 40, rev. p. 4. 1912.
    destruction. Ent. Bul. 60, pp. 81, 83. 1906.
    destruction—
      by skunks. F.B. 587, p. 10. 1914.
      of southern field crops. Y.B., 1911, pp. 203, 204. 1912; Y.B. Sep. 561, pp. 203, 204.
    detection and control in fields of grain. F.B. 835, pp. 8-11. 1917.
    early records, and control work. Y.B., 1913, p. 79. 1914; Y.B. Sep. 616, p. 79. 1914.
    enemies, natural. F.B. 731, pp. 9-10. 1916.
    fall—
      and control. W. K. Walton and Philip Luginbill. F.B. 752, pp. 16. 1916.
      and variegated cut worm. F. H. Chittenden. Ent. Bul. 29, pp. 64. 1901.
      comparison with true army worm. F.B. 731, pp. 1-2. 1916.
      control. Ent. A. R., 1913, p. 7. 1913; An. Rpts., 1913, p. 215. 1914.
      control studies. S.R.S. Rpt., 1916, Pt. I, pp. 44, 56. 1918.
      control with calcium arsenate. D.B. 875, p. 29. 1920.
      damage to milo. F.B. 322, p. 21. 1908.
      description, control measures, and caution. News L., vol. 4, No. 3, p. 4. 1916.
      description, distribution, remedial measures. Ent. Bul. 29, pp. 13-45. 1901.

Army—Continued.
worm—continued.
fall—continued
description, injuries, control methods. News L., vol. 2, No. 50, pp. 1, 3. 1915.
history in the United States. F.B. 752, p. 9. 1916.
injury to crops. Ent. Cir. 171, pp. 5, 7. 1913.
natural enemies, insects, birds, and animals. F.B. 752, pp. 9-12. 1916.
outbreak and recommendations for control. James Wilson. Sec. Cir. 40, pp. 2. 1912.
outbreak, description, and control recommendations. James Wilson. Sec. Cir. 40, rev. pp. 4. 1912.
parasites. F.B. 752, pp. 10-11. 1916.
spread, injuries, and control. News L., vol. 3, No. 2, p. 1. 1915.
temperature and humidity relations, importance. J.A.R., vol. 5, No. 25, pp. 1189-1191. 1916.
See also Grassworm, southern.
immunity to *Streptococcus disparis*. J.A.R., vol. 13, pp. 518, 521. 1918.
in Georgia 1906, injury to corn, cotton, and grass. Ent. Bul. 67, p. 102. 1907.
incorrect name for cotton worm. Ent. Cir. 153, p. 1. 1912.
injuries—
and control work in Florida. News L., vol. 6, No. 4, p. 5. 1918.
to cranberries, and control. F.B. 860, pp. 18-19. 1917.
to legumes in Hawaii, control, parasites. Hawaii A. R. 1911, pp. 17-18. 1912.
killing with poisoned bait. F.B. 704, p. 32. 1916.
larvae, parasitized and nonparasitized, food habits. J. A. R., vol. 6, pp. 455-458. 1916.
life-history studies. J.A.R., vol. 6, No. 21, pp. 799-812. 1916.
parasite(s)—
Apanteles militaris, biology of. J.A.R., vol. 5, No. 12, pp. 495-542. 1915.
effect on feeding habits of larvae. J.A.R., vol. 6, pp. 455-458. 1916.
in Hawaii. Hawaii A.R., 1911, p. 18. 1912.
list. Ent. Bul. 66, Pt. V., p. 63. 1909: F.B. 835, p. 9. 1917.
relation to boll-weevil control. F.B. 344. pp. 35-36. 1909; F.B. 848, pp. 1-30. 1917.
semitropical, description, life history, and control. Ent. Bul. 66, pp. 53-70. 1910; Ent. Bul. 66, Pt. V, pp. 53-70. 1909.
true, control. W. R. Walton. F.B. 731, pp. 12. 1916.
See also Cotton worm.
ARNER, G. B. L.—
committee on statistics, work. Y.B., 1924, p. 559. 1925.
"Sugar." With others. Y.B., 1923, pp. 151-228. 1924; Y.B. Sep. 893, pp. 98. 1924.
Arnica—
culture and handling as drug plant, yield, and price. F.B. 663, p. 15. 1915.
flowers, substitutes 208. Chem. S.R.A. 20, p. 57. 1917.
growing and uses, harvesting, marketing, and prices. F.B. 663, rev., p. 18. 1920.
spp., importation, and description. Nos. 35474, 35475, B.P.I. Inv. 35, p. 50. 1915.
ARNOLD J. A.—
"James Wallace Pinchot," (biographical sketch). Y.B., 1907, pp. 495-497. 1908.
"Publications of the Department of Agriculture and how they are distributed." Y.B., 1909, pp. 417-418. 1910; Y.B., 1910, pp. 477-479. 1911.
"Publications of the Department of Agriculture and their distribution." Y.B., 1911, pp. 505-507. 1912.
"Report as Editor of Publications Division—
1907." An. Rpts., 1907, pp. 541-627. 1908; Pub. A.R., 1907, pp. 91. 1907.
1909." An. Rpts., 1909, pp. 591-654. 1910; Pub. A.R., 1909, pp. 66. 1909.
1910." An. Rpts., 1910, pp. 621-694. 1911; Pub. A.R., 1910, pp. 78. 1910.
1911." An. Rpts., 1911, pp. 615-637. 1912; Pub. A.R., 1911, pp. 27. 1911.

ARNOLD, J. A.—Continued.
"Report as Editor of Publications Division—Continued.
1912." An. Rpts., 1912, pp. 759-779. 1913; Pub. A.R., 1912, pp. 23. 1912.
1913." An. Rpts., 1913, pp. 243-256. 1914; Pub. A.R., 1913, pp. 14. 1913.
1914." An. Rpts., 1914, pp. 213-231. 1914; Pub. A.R., 1914, pp. 19. 1914.
1915." An. Rpt., 1915, pp. 253-273. 1916; Pub. A.R., 1915, pp. 21. 1915.
1916." An. Rpts., 1916, pp. 257-276. 1917; Pub. A.R., 1916, pp. 20. 1916.
1917." An. Rpt., 1917, pp. 271-294. 1918; Pub. A.R., 1917, pp. 24. 1917.
1918." An. Rpts., 1918, pp. 281-304. 1919; Pub. A.R., 1918, pp. 24. 1918.
ARNOLD, J. H.—
"A simple and economical method of burning lime," with John E. Nichols. B.P.I. Cir. 130, pp. 19-23. 1913.
"A study of farming in southwestern Kentucky." D.B. 713, p. 19. 1918.
"Crew work, costs and returns in commercial orcharding in West Virginia." D.B. 29, pp. 24. 1913.
"Farm practices in growing wheat," With R. R. Spafford. Y.B., 1919, pp. 123-150. 1920; Y.B. Sep. 804, pp. 123-150. 1920.
"Farm practices that increase crop yields in Kentucky and Tennessee." F.B. 981, pp. 38. 1918.
"Farming in the Bluegrass region." With Frank Montgomery. D.B. 482, pp. 29. 1917.
"How a city family managed a farm." F.B. 432, pp. 28. 1911.
"How livestock is handled in the bluegrass region of Kentucky. F.B. 812, pp. 14. 1917.
"How to manage a corn crop in Kentucky and West Virginia." F.B. 546, pp. 7. 1913.
"Influence of a city on farming." With Frank Montgomery. D.B. 678, pp. 24. 1918.
"The business of ten dairy farms in the bluegrass region of Kentucky." D.B. 548, pp. 12. 1917.
"Ways of making southern mountain farms more productive." F.B. 905, pp. 28. 1918.
Arnold Arboretum, meadow mice as plant destroyers. F.B. 670, p. 4. 1915.
ARNY, A. C.—
"Experiments in field technic in plot tests," with H. K. Hayes. J.A.R., vol. 15, pp. 251-262. 1918.
"Experiments in field technic in rod row tests," with H. K. Hayes. J.A.R., vol. 11, pp. 399-419. 1917.
"Further experiments in field technic in plot tests." J.A.R., vol. 21, pp. 483-500. 1921.
"Seedflax as a farm crop in 1925," with others. D.C. 341, pp. 14. 1925.
"Variation and correlation in wheat, with special reference to weight of seeds planted." With R. J. Garber. J.A.R., vol. 14, pp. 359-392. 1918.
Aroids—
collection and testing. Y.B., 1916, p. 202. 1917; Y.B. Sep. 689, p. 4. 1917.
growing, Southern States. An. Rpts., 1910, pp. 78, 357. 1911; B.P.I. Chief Rpt., 1910, p. 87. 1910; Sec. A. R., 1910, p. 78. 1910; Y.B., 1910, p. 78. 1911.
root crop(s)—
for South. O. W. Barrett and O. F. Cook. B.P.I. Bul. 164, pp. 43. 1910.
food use, various countries. Y.B., 1916, pp. 200-202. 1917; Y.B. Sep. 689, pp. 2-4. 1917.
rots in storage, causes, experimental studies. J.A.R., vol. 6, No. 15, pp. 549-571. 1916.
soft rot, cause, studies and inoculation experiments. J.A.R., vol. 6, pp. 561-565. 1916.
tropical, value for South. B.P.I. Doc. 1110, p. 1. 1914.
See also Dasheen; Taro; Yautia.
Aroma—
extraction methods. B.P.I. Bul. 195, pp. 16-27. 1910.
hops, relation between volatile oil and geographical source, study. J.A.R., vol. 2, pp. 115-159. 1914.
nature, development, and extraction. B.P.I. Bul. 195, pp. 9-27. 1910.

Aroma (plant)—
  importations and description. No. 42807, B.P.I. Inv. 47, pp. 7, 67. 1920; No. 50381, B.P.I. Inv. 63, pp. 4, 64. 1923.
  injurious to livestock, Guam. Guam A.R., 1918, p. 10. 1919.
Aromadendrene content of western pine oleoresins For. Bul. 119, p. 24. 1913.
Aromo, description and control in Guam. Guam Bul. 4, p. 26. 1922.
Aronia arbutifolia, importation and description. No 44379, B.P.I. Inv. 50, p. 64. 1922.
Aroru. See Arrowroot.
Arquatella spp. See Sandpipers.
Arpagostoma, families and genera separation, table. Ent. Bul. 72, p. 41. 1907.
Arracacha—
  importation and description. Inv. No. 31557, B.P.I. Bul. 248, p. 23. 1912; No. 33467–33468, B.P.I. Inv. 31, pp. 5, 25. 1914; No. 42137, B.P.I. Inv. 46, p. 58. 1919; No. 42455, B. P.I., Inv. 47, p. 17. 1920.
  introduction, description, and food value. B.P.I. Bul. 205, pp. 9, 26. 1911; F.S. and P.I. Cir. 1, p. 14. 1917.
Arracacia, promising vegetable for Southern States. B.P.I. Chief Rpt., 1919, p. 23. 1919; An. Rpts. 1919, p. 159. 1920.
Arrellana. See Arayan.
Arrenurus spp., description and habits. Rpt. 108, pp. 46, 48, 50. 1915.
Arrhenatherum—
  elatis, resistance to aeciospores of Puccinia triticina J.A.R., vol. 22, pp. 163–172. 1921.
  spp.—
    description, distribution, and uses. D.B. 772, pp. 13, 113, 114. 1920.
    See also Oat grasses.
Arrow-leaf diseases, Texas, occurrence and description. B.P.I. Bul. 226, p. 90. 1912.
Arrowgrass—
  description, eastern Puget Sound Basin, Washington. Soil Sur. Adv. Sh., 1909, p. 29. 1911; Soils F.O., 1909, p. 1541. 1912.
  peat, description. D.B. 802, pp. 20, 33. 1919.
Arrowhead—
  daylight experiments. J.A.R., vol. 23, No. 11, pp. 878, 912. 1923.
  resemblance to wild celery, distinguishing characters. Biol. Cir. 81, p. 9. 1911.
  root, digestion experiment. O.E.S. Bul. 159, pp. 169, 171. 1905.
  wild-duck food. D.B. 465, p. 21. 1917.
Arrowhead Dam, California, construction, details, and cost. O.E.S.. Bul. 249, Pt. I, pp. 34–36, 92. 1912.
Arrowroot—
  biscuit, misbranding alleged. Chem N.J. 3423. 1915.
  Fiji, importation and description. No. 43559, B.P.I. Inv. 49, p. 43. 1921; No. 48217, B.P.I. Inv. 60, p. 56. 1922.
  fungous attack by Glomerella cingulata, studies. B.P.I. Bul. 252, p. 42. 1913.
  growing in Guam—
    directions. Guam A.R., 1920, p. 32. 1921.
    yields and uses. Guam A.R., 1920, p. 32. 1921.
  importation, description, and uses. No. 42463, B.P.I. Inv. 47, p. 18. 1920.
  industry in Hawaii. Hawaii Bul. 54, pp. 1–16. 1924.
  origin and food value. D.B. 123, p. 28. 1916.
  Queensland, importation and uses. No. 46313, B.P.I. Inv. 56, pp. 1, 7. 1922.
  starch—
    digestibility experiments, comparison with potato and cereal starches. Edna D. Day. O.E.S. Bul. 202, pp. 42. 1908.
    grains, microscopic appearance. Y.B. 1907, p. 380. 1908; Y.B. Sep. 455, p. 380. 1908.
    source, growing in Guam. Guam A.R., 1917, p. 42. 1918.
  use as food. O.E.S. Bul. 245, p. 43. 1912.
Arrows, sugar-cane, use in breeding new cane varieties. P.R. An. Rpt., 1919, pp. 28–29. 1920.
Arrowwood, Indian. See Dogwood.
Arsenate(s)—
  adulteration and misbranding, N.J. 780, 788, 792, 793. I. and F. Bd., S.R.A. 42, pp. 986–988, 997–998, 1000–1001. 1925.

Arsenate(s)—Continued.
  apple spraying for borer control. D.B. 847, pp. 38–39, 41. 1920.
  comparison with arsenites in toxicity. D.B. 1147, pp. 36–38. 1923.
  of soda. See Sodium arsenate.
  powder, adulteration and misbranding, N. J. 805. I. and F. Bd., S.R.A. 43, pp. 1012–1013. 1923.
  toxic values and killing efficiency, experiments. J.A.R. vol. 10, pp. 199–207. 1917.
  use—
    against chewing insects. F.B. 1169, pp. 11, 33, 36–52. 1921.
    as insecticide, investigations. An. Rpts., 1917, p. 413. 1918; I. and F. Bd. A.R., 1917, p. 3. 1917.
    as insecticide, precautions. S.R.S. Rpt., 1917, Pt. I, pp. 38, 165, 223–224. 1918.
    in insect poison in Virgin Islands. S.R.S. [Misc.], "Report of Virgin Islands agricultural experiment station, 1921," pp. 21–22. 1922.
Arsenic—
  acid, reduction to arsenious acid by thiosulphuric acid. J.A.R., vol. 1, pp. 515–517. 1914.
  adulterant of—
    candy. Chem N.J. 1243, p. 1. 1912; Chem N.J. 1244, p. 1. 1912; Chem N.J. 1506, p. 1. 1912; Chem. N. J. 1518, p. 1. 1912.
    chemical reagents, investigations. An. Rpts., 1912, p. 569. 1913; Chem. Chief Rpt., 1912, p. 19. 1912.
    food product, chocolate cremolin. Chem. N.J. 989, pp. 2. 1911.
    phosphates. Chem. N.J. 1203, pp. 2. 1912.
    sodium aluminum sulphate. Chem. N.J. 1000, p. 1. 1911.
  alum cattle dips, experiments. B.A.I. Bul. 144, pp. 36–37. 1912.
  analysis, method and apparatus. D.B. 1316, pp. 6–7. 1925.
  and zinc sulphate dip for cattle, experiment. B.A.I. Bul. 144, pp. 34–35. 1912.
  content of—
    papers and fabrics sold in market. Chem. Bul. 86, pp. 21–44. 1904.
    shellac, food contamination. Bernard H. Smith. Chem. Cir. 91, pp. 4. 1912.
  control of industry, by Food Administration, proclamation of President. News L., vol. 5, No. 19, p. 7. 1917.
  cost, comparison with strychnine. Y.B., 1908, p. 425. 1909; Y.B. Sep. 491, p. 425. 1909.
  danger to livestock. D.B. 1316, pp. 5–6. 1925.
  detection in woven and spun goods, German method. Chem. Bul. 86, pp. 48–49. 1904.
  determination—
    in colors. Chem. Bul. 147, pp. 212–214, 218, 222. 1912.
    in foods, work, and methods. Chem. Bul. 162, p. 144. 1913.
    in glycerin, method. Chem. Bul. 150, p. 26. 1912.
    in hops, and causes, analyses and experiments. D.B. 568, pp. 2–7. 1917.
    method, apparatus, precautions. Chem. Cir. 99, pp. 2–7. 1912.
    methods. Claude R. Smith. Chem. Cir. 102, pp. 12. 1912.
    methods in Bureau of Chemistry. Chem. Bul. 86, pp. 25–27. 1904.
  dipping bath, oxidation changes, studies. Robert M. Chapin. D.B. 259, pp. 12. 1915.
  effects upon—
    plants and soil. D.B. 1316, pp. 3–5. 1925.
    cattle in vicinity of Washoe smelter. Chem. Bul. 113, pp. 27–30. 1908.
    vegetables, studies. Work and Exp., 1919, p. 31. 1921.
  excess in hydrogen peroxide. Chem. N.J. 1539, p. 2. 1912.
  feeding experiment, Germany, 1864–1865, results. B.A.I. An. Rpt. 1908, p. 243. 1910.
  fixation in soils, and effect on plant growth. J.A.R., vol. 5, No. 11, pp. 459–463. 1915.
  fly killer, labeling, Opinion 34. I. and F. Bd. S.R.A. 5, p. 66. 1914.
  forms used in spraying solutions for trees, relative injury. J.A.R., vol. 8, pp. 287–310, 313. 1917.

Arsenic—Continued.
  Fowler's solution, effect on fat and milk production of cows. J.A.R., vol. 19, pp. 125, 126, 128. 1920.
  from smelters, injury to cattle. Chem. Bul. 113, rev., pp. 29–31, 55–57. 1910.
  green and white, formulas, use in sprays. Y.B., 1908, p. 275. 1909; Y.B. Sep. 480, p. 275. 1909.
  in coal-tar colors, Gutzeit test. An. Rpts., 1910, p. 268. 1911; B.A.I. Chief Rpt., 1910, p. 74. 1910.
  in dried hops, sources. B.P.I. Bul. 121, Pt. 4, pp. 41–46. 1908.
  in foods, investigations. An. Rpts., 1912, pp. 577, 581, 584. 1913; Chem. Chief Rpt., 1912, pp. 27, 31, 34. 1912.
  in papers and fabrics. J. K. Haywood and H. J. Warner. Chem. Bul. 86, p. 53. 1904.
  in soils—
    after spraying, dangers, investigation. An. Rpts., 1909, p. 512. 1910; Ent. A.R., 1909, p. 26. 1909.
    chemical reactions. J.A.R., vol. 5, No. 11, pp. 461–463. 1915.
  mash, grasshopper, poison, formula. Ent. Bul. 30, p. 96. 1901.
  minute amounts in foods, estimation. Edmund Clark and A. G. Woodman. Chem. Cir. 99, pp. 7. 1912.
  mixture for spraying cattle, formula. B.A.I. [Misc.], "Diseases of cattle," rev., p. 504. 1912.
  neutralization in cattle dips, process. B.A.I. Cir. 207, p. 11. 1912.
  occurrence in—
    chemical reagents. Chem. Bul. 105, p. 181. 1907.
    foods, study. An. Rpts., 1910, pp. 438, 472. 1911; Chem. Chief Rpt., 1910, pp. 14, 48. 1910.
    soils, studies. Work and Exp., 1914, pp. 224–225. 1915.
  on foliage sprayed with arsenates. D.B. 1147, pp. 21–22. 1923.
  on tobacco after use of Paris green, discussion. Ent. Cir. 123, pp. 14–16. 1910.
  oxidation—
    degree changes in dipping baths, experiments, 1913, 1914. D.B. 259 pp. 3–12. 1915.
    in dipping fluids. Aubrey V. Fuller. B.A.I. Cir. 182, pp. 8. 1911.
  oxide(s)—
    chemical properties, forms, and solubility. D.B. 1147, pp. 2–4. 1923.
    determination methods. Chem. Bul. 132, pp. 43–45. 1910.
    presence in stored calcium arsenate, investigations. D.B. 1115, pp. 4–23. 1922.
    proportion to lime in making calcium arsenate, D.B. 750, pp. 4–7. 1918.
    use for calcium arsenate, composition and proportion used. D.B. 750, rev., pp. 2, 4. 1923.
  papers and fabrics. J. K. Haywood and H. J. Warner. Chem. Bul. 86, p. 53. 1904.
  poisoning—
    cattle, symptoms and treatment. B.A.I. [Misc.], "Diseases of Cattle," rev., pp. 56–57, 1909; rev., pp. 57–58. 1912.
    livestock, smelters in Northwest, investigations. B.A.I. An. Rpt., 1908, pp. 237–268. 1910.
  potato injury, cause and avoidance. Hawaii Bul. 45, p. 35. 1920.
  precautions in handling in cattle dips. F.B. 1057, pp. 31–32. 1919.
  presence in—
    food products, food inspection opinion. Chem. S.R.A. 5, pp. 312–313. 1914.
    hops. W. W. Stockberger and W. D. Collins. D. B. 568, p. 7. 1917.
  remedy for loco disease, experiments and directions. B.A.I. Bul. 112, pp. 75, 78, 80–81, 83, 88–90, 109, 110, 111, 116. 1909.
  separation from antimony and tin. Chem. Cir. 102, pp. 11–12. 1912.
  soda-pine-tar dips for cattle, formulas and experiments. B.A.I. Bul. 144, pp. 10–34, 44–47. 1912.
  solubility increase by addition of soap to lead arsenates. J.A.R., vol. 24, pp. 90–93. 1923.

Arsenic—Continued.
  soluble—
    in arsenical insecticides. Ent. Bul. 37, p. 51. 1902.
    relation to toxicity of arsenical sprays. D.B. 1147, pp. 42–46. 1923.
  solution for cattle dip, formula. B.A.I. O. 183, rule 1, rev. 8, pp. 9–10. 1911.
  spraying—
    amount remaining on fruits and vegetables. D.B. 1027, pp. 48, 49. 1922.
    cattle, precautions. F.B. 378, p. 24. 1909.
  sprays—
    injury to—
      apple trees. S.R.S. Rpt., 1916, Pt. I, p. 173. 1918.
      foliage, D. B. Swingle and others. J.A.R. vol. 24, pp. 501–538. 1923.
    use for apple-tree caterpillar control, formulas. News L., vol. 2, No. 41, p. 5. 1915.
  stimulating effect on nitrogen-fixing organisms of soil. J. E. Greaves. J.A.R., vol. 6, No. 11, pp. 389–416. 1916.
  sulphide—
    injurious effects. Ent. Bul. 67, p. 47. 1907.
    yellow. See Orpiment.
  test, Penicillium brevicaule. B.A.I. Bul. 120, p. 10. 1910.
  testing outfits for use in the field. F.B. 498, p. 31. 1912.
  total, determination in cattle dips, field method and outfit. D.B. 76, pp. 16–17. 1914.
  trioxide—
    preparation, and use as insecticide. J.A.R., vol. 24, pp. 502, 519, 521. 1923.
    use as poison for Argentine ants. D.B. 647, pp 60–71. 1918.
    use in cattle dips. B.A.I. An. Rpt., 1910, pp. 270–272, 280–281. 1912; B.A.I. Bul. 144, pp. 10, 61. 1912.
  trisulphides, influence on nitrogen-fixing organisms of soil. J.A.R., vol. 6, No. 11, pp. 390–395, 411–412. 1916.
  undissolved, in dips, danger to cattle. B.A.I. Bul. 167, pp. 5, 25–26. 1913.
  use—
    against—
      noxious mammals, directions. Y.B., 1908, p. 424. 1909; Y.B. Sep. 491, p. 424. 1909.
      rats in Guam. Guam Bul. 2, p. 23. 1922.
      tobacco splitworm. Hawaii Bul. 34, p. 10. 1914.
      wood rats, method. F.B. 484, pp. 31–32. 1912.
    as adulterant in lemon-yellow color. Chem. N.J. 3308, p. 499. 1914.
    as rat poison. Biol. Bul. 33, pp. 21, 46. 1909.
    in adulteration of sodic aluminic sulphate. Chem. N.J. 1105, p. 2. 1911.
    in candy coating. An. Rpts., 1911, pp. 427, 431. 1912; Chem. Chief Rpt., 1911, pp. 13, 17. 1911.
    in cattle dips, formulas, and precautions. B.A.I. Cir. 207, pp. 3–11. 1912.
    in candy, other foods, and toys, prohibitions. Chem. Bul. 69, rev. pp. 176, 252, 327, 711. 1905–1906.
    in control of silverfish, formula. F.B. 1180, p. 29. 1921.
    in egg color. Chem. N.J. 1103, p. 1. 1911.
    in heaves control. News L., vol. 3, No. 12, p. 5. 1915.
    in poison baits for insect pests, formula. D.C. 35, pp. 3–4. 1919.
    in poisoning rats, formulas. F.B. 896, pp. 16–17. 1917.
    in prevention of termites. Ent. Bul. 94, Pt. III, pp. 77, 79. 1915.
    in tablets. Chem. N.J. 1706, p. 2. 1912.
    in termite control. D.B. 1232, p. 23. 1924.
    in treatment of loco-weed poisoning. F.B. 1054, pp. 16, 17. 1919.
    warning. F.B. 856, p. 16. 1917.
  white—
    analysis. Chem. Bul. 68, p. 3. 1902.
    composition and use. Chem. Bul. 68, p. 30. 1902.
    dangerous to cotton foilage. Ent. Cir. 153, p. 8. 1912.
    use—
      against leaf-biting insects, formulas. F. B. 1362, p. 5. 1924.

Arsenic—Continued.
white—continued.
  use—continued.
    against rodents. F.B. 484, pp. 7-8. 1912.
    as substitute for Paris Green, directions. F.B. 731, p. 11. 1916.
    in cattle dips, description, and antidote. F.B. 603, pp. 1-2, 4-5. 1914.
    in control of June beetle grubs. D.B. 891, pp. 38, 47. 1922.
    in dips for animals. Sec. Cir. 61, p. 24. 1916.
    in poison bait. News L., vol. 6, No. 45, p. 10. 1919.
    in spray, precaution. F.B. 752, pp. 14, 16. 1916.
Arsenical(s)—
  addition to Bordeaux mixture in control of insects. F.B. 527, p. 9. 1913.
  baths—
    cattle, for tick control, outfit, and cost per animal. News L., vol. 3, No. 6, p. 4. 1915.
    use in dipping cattle for tick control. B.A.I. [Misc.], "A tick free South," pp. 20-23. 1917.
    waste, disposal method. F.B. 603, p.16. 1914.
  blister-beetle control, experiments. D.B. 967, pp. 21-23, 23-25. 1921.
  codling moth—
    application. Ent. Bul. 37, p. 101. 1902.
    sprays. D.B. 959, pp. 5-16, 25-27, 29, 34. 1921.
  cutworm control. D.B. 703, pp. 13-14. 1918.
  dips. See Dips, arsenical.
  dry—
    dusting on roses to control strawberry leaf beetle. F.B. 1344, p. 11. 1923.
    use—
      against asparagus beetles. F.B. 837, p. 10. 1917.
      as dust sprays, directions. F.B. 1038, pp. 13, 15. 1919.
      on cucumbers. F.B. 1322, pp. 14, 15. 1923.
  effect on beet leaf beetles, experiments. D.B. 892, pp. 19-21. 1920.
  experiments—
    for Katydid control on oranges. D.B. 256, pp. 20-24. 1915.
    in control of yellow-bear caterpillar. Ent. Bul. 82, Pt. V, pp. 63-66. 1910.
  fruit-worm control in tomato. D.B. 703, pp. 15-19. 1918.
  ineffectiveness against aphids. F.B. 804, p. 34. 1917.
  injurious to peach trees in spraying. Ent. Bul. 103, pp. 202-215. 1912.
  injury to—
    foliage. Off. Rec., vol. 4, No. 48, p. 5. 1925.
    fruit trees through the bark, experiments. J.A.R., vol. 8, pp. 283-318. 1917.
    plants, relation to excretions from leaves. C. M. Smith. J.A.R., vol. 26, pp. 191-194. 1923.
  insecticides—
    description, formulas, and use. F.B. 908, pp. 8-16, 73-75. 1918.
    report of referee, 1901. Chem. Bul. 67, pp. 96-102. 1902.
    soluble arsenic. Ent. Bul. 37, p. 51. 1902.
  poisons, use against bollworm. Ent. Bul. 50, pp. 131-132. 1905.
  potato poisoning, prevention. F.B. 1349, p. 17. 1923.
  powders, properties. D.B. 1147, p. 23. 1923.
  precautions in use for insecticides. Ent. Cir. 153, p. 9. 1912.
  properties, chemical, physical, and insecticidal. F. C. Cook and N. E. McIndoo. D.B. 1147, p. 58. 1923.
  soluble, insecticides, discussion. Ent. Bul. 37, pp. 51-65. 1902.
  solutions, use on tick-infested cattle, effects on milk production. D.B. 147, pp. 14-16, 17. 1915.
  spraying—
    greenhouse roses for control of leaf beetles. F.B. 1344, p. 10. 1923.
    plum curculio, effects. Ent. Bul. 103, pp. 18-19, 178-189, 189-218. 1912.
  sweetened, use on rose-chafer. Ent. Bul. 97, pp. 62-63. 1913.
  tests—
    as insecticides, experiments, 1912-1914. D.B. 278, pp. 1-47. 1915.
    of injury to foliage. D.B. 278, pp. 9-11. 1915.

Arsenical(s)—Continued.
  use—
    against—
      catalpa sphinx. Ent. Cir. 96, p. 6. 1907.
      corn borer. F.B. 1294, p. 35. 1922.
      fall army worm. Sec. Cir. 40, pp. 1-2. 1912.
      flea-beetles. Ent. Bul. 66, pp. 83-85. 1909.
      flies, and caution. F.B. 734, rev., p. 16. 1921.
      Japanese beetles. Off. Rec., vol. 4, No. 52, p. 6. 1925.
      locust borers. D.B. 787, pp. 11-12. 1919.
      maple worms. Ent. Cir. 110, p. 7. 1909.
      potato beetle experiments, Virginia. 1908. Ent. Bul. 82, Pt. I, pp. 4-6. 1909.
      rose chafer, directions. F.B. 721, pp. 6-7. 1916.
      striped cucumber beetle. Ent. Cir. 31, rev., p. 6. 1909.
    as insecticides, composition, application, and results. J.A.R. vol. 24, pp. 502-511. 1923.
    as sprays against cutworms. News L., vol. 4, No. 38, p. 8. 1917.
    as sprays, caution requirements. News L., vol. 2, No. 41, p. 5. 1915.
    for fall army worm on cotton, danger on other crops. Sec. Cir. 40, rev., pp. 1, 2, 4. 1912.
    in control of—
      boll weevils. News L., vol. 5, No. 50, pp. 1, 5-6. 1918.
      canna leaf-roller. Ent. Cir. 145, pp. 9-10. 1912.
      catalpa sphinx. F.B. 705, pp. 6-8. 1916.
      codling moth. Y.B. 1907, pp. 444-445. 1908; Y.B. Sep. 460, pp. 444-445. 1908.
      cotton worms. Vir. Is. Bul. 1, p. 12. 1921.
      cutworms. News L., vol. 3, No. 12, p. 2. 1915.
      eggplant tortoise beetle. D.B. 422, pp. 6-7. 1916.
      hickory tiger-moth. D.B. 598, p. 12. 1918.
      horse-radish webworm. D.B. 966, pp. 9-10. 1921.
      potato insects. Sec. Cir. 92, pp. 31, 32. 1918.
      sweet-potato leaf folder. D.B. 609, pp. 10-11. 1917.
      yellow-necked flea-beetle. Ent. Bul. 82, p. 32. 1912.
    in potato spraying. F.B. 868, pp. 6-8, 9, 10, 18. 1917; F.B. 1064, p. 31. 1919.
    in spraying—
      apple orchards. F.B. 492, pp. 9, 15, 19, 25, 31, 42-43. 1912.
      description and cautions. Y.B., 1908, pp. 271-276. 1909; Y.B. Sep. 480, pp. 271-276. 1909.
      tent caterpillars. F.B. 662, p. 10. 1915.
      vineyards against insects. Ent. Cir. 97, Pt. III, pp. 58-64. 1911.
    on asparagus beetles. Ent. Cir. 102, p. 8. 1908.
    on bean ladybirds. F.B. 1074, pp. 5, 6-7. 1919.
    on cabbage worms, directions. F.B. 766, pp. 10-11. 1916.
    on cotton boll weevils, effectiveness, strength. D. B. 731, pp. 11-12. 1918.
    on potatoes for insect pests. F.B. 1205, pp. 21, 22. 1921.
    with Bordeaux mixture for vineyards. Ent. Bul. 89, pp. 84, 90. 1910.
Arsenious—
  acid—
    reduction of arsenic acid by thiosulphuric acid. J.A.R., vol. 1, pp. 515-517. 1914.
    solution, preparation. J.A.R. vol. 30, p. 889. 1925.
    use in loco-weed disease. B.A.I. Bul. 112, pp. 75, 78, 82. 1909.
  oxide—
    determination in cattle dips, field method, outfit. D.B. 76, pp. 10-15. 1918.
    determination in Paris green. Chem. Bul. 67, pp. 97-101. 1902; Chem. Bul. 82, p. 7. 1904; I. and F. Bd. Dec. No. 5, p. 1. 1912.
    use in prevention of sheep-wool maggots. F.B 1330, p. 16. 1923.
Arsenite, green, composition. Chem. Bul. 76, p. 41, 1903.
Arsenoid(s)—
  green, analysis. Chem. Bul. 68, p. 25. 1902.
  pink, composition, and use. Chem. Bul. 76, p. 44. 1903.

Arsenoid(s)—Continued.
  white, analyses. Chem. Bul. 68, p. 29. 1902; Chem. Bul. 76, p. 42. 1903.
Arsine, fumigation experiments, effects on insects and seeds. D.B. 893, pp. 5-7. 1920.
Artace punctistriga—
  hosts, breeding, and habits. O.E.S. Bul. 99, pp. 182-183. 1901.
  observations. O.E.S. Doc. 433, "Some observations upon Artace punctistriga," p. 2. 1901.
Artemina spp., variations as results of environment. B.A.I. An Rpt., 1910, p. 140. 1912.
Artemisia—
  absinthium. See Absinth; Wormwood.
  cana—
    occurrence in Colorado, and description. N.A. Fauna 33, p. 246. 1911.
  See Sagebrush; Wormseed.
  filifolia. See Sage, sand.
  frigida—
    injury to pastures. D.B. 1337, p. 17. 1925.
    occurrence, description and soil indications. B.P.I. Bul. 201, pp. 27, 41, 45, 61, 67. 1911.
    use as perfumery plant. An. Rpts., 1909, p. 281. 1910; B.P.I. Chief Rpt., 1909, p. 29. 1909.
  Russian—
    description, and use as hedge. B.P.I. Cir. 60, pp. 20, 21. 1910.
    value as a hedge plant. B.P.I. Doc. 495, p. 11. 1909.
  spp.—
    on native pastures, indication of cover injury. D.B. 1170, pp. 24-28, 42. 1923.
    value as honey source. Ent. Bul. 75, p. 49. 1911; Ent. Bul. 75, Pt. V, p. 49. 1909.
    See also Sagebrush.
  tridentata, occurrence, description and indicator value. J.A.R., vol. 1, pp. 377-386. 1914.
  See Sage, black.
Artery(ies)—
  bleeding, taking up and tying, directions. B.A.I. [Misc.], "Diseases of cattle," rev., p. 306. 1912; rev. p. 296. 1918.
  horse, diseases, symptoms and treatment. B.A.I. [Misc.], "Diseases of the horse," pp. 246. 1911.
Artesian—
  areas, South Dakota, Kansas, and Colorado. Soils Bul. 93, pp. 6, 19, 28, 36, 39. 1913.
  belt, in California, Madera area, possibilities for irrigation. Soil Sur. Adv. Sh., 1910, p. 40. 1911; Soils F.O., 1910, p. 1750. 1912.
  water—
    rights of farmers in Western States. D.B. 913, pp. 8-9. 1920.
    use in irrigation of date palms, Algeria, analyses. B.P.I. Bul. 53, pp. 45, 82, 84-85, 89-91, 95, 96, 106. 1904.
    Utah, Cache Valley area. Soil. Sur. Adv. Sh., 1913, pp. 6, 51, 53, 63. 1915; Soils F.O., 1913, pp. 2100, 2145, 2147, 2157. 1916.
  wells—
    California, distribution, and uses. O.E.S. Bul. 237, pp. 27-28. 1911.
    Kansas, depth and flow. O.E.S. Bul. 211, p. 10. 1909.
    origin of name and condition necessary for flow. Soils Bul. 92, pp. 13-15. 1913.
    South Dakota. O.E.S. Bul. 210, p. 19. 1909.
    Texas, occurrence and use. O.E.S. Bul. 222, pp. 24, 28, 34. 1910.
Arthritis—
  description and treatment. B.A.I. [Misc.], "Diseases of the horse," pp. 332-335. 1907.
  infectious, of—
    colts, relation to contagious abortion. S.R.S. Rpt. 1915, pt. 1, p. 127. 1916.
    pigs, cause, symptoms and treatment. F.B. 1244, p. 6. 1923.
    See also Joint disease.
Arthrocnodax sp., enemy of red spider. Ent. Cir. 172, p. 15. 1913.
Arthrostylidium capillifolium. See Bamboo, climbing.
ARTHUR, J. M.: "Carbohydrate metabolism in green sweet corn during storage at different temperatures." With Charles O. Appleman. J.A.R., vol. 17, pp. 137-152. 1919.

Arthur's Sextone tablets, misbranding. Chem. N.J. 12662. 1925.
Artichokes—
  Alaska growing. Alaska A. R., 1923, p. 13. 1925.
  aphid, description and control. D.B. 703, pp. 1-4. 1918.
  canned, quantity declaration, 291. Chem. S.R.A. 23, p. 102. 1918.
  canning, inspection instructions. D.B. 1084, pp. 28-29. 1922.
  composition as source of alcohol. F.B. 429, p. 18, 1911.
  cultural directions, and varieties. F.B. 934, pp. 24-26. 1918; F.B. 937, pp. 16, 19, 27-28. 1918.
  drying directions. D.C. 3, pp. 9-10. 1919.
  feed for hogs, experiments. B.A.I. Bul. 47, pp. 171-172. 1904.
  food use and preparation. D.B. 123, pp. 27, 35-36. 1916.
  globe—
    and Jerusalem, cultural hints. F.B. 255, p. 24. 1906.
    Botrytis rot. George K. K. Link and others. J.A.R., vol. 29, pp. 85-92. 1924.
    French, use as food. O. E. S. Bul. 245, pp. 49-50. 1912.
    grazing for hogs, feed value with corn. F.B. 1125, rev., p. 50. 1920.
  growing—
    experiments with daylight of different lengths. J.A.R., vol. 23, pp. 895-896, 897. 1923.
    in San Francisco Bay region, Calif., adaptability. Soil Sur. Adv. Sh., 1914. p. 25. 1917; Soils F.O. 1914, p. 2698. 1919.
  hog feed, value. B.P.I. Bul. 111, p. 43. 1907; B.P.I. Bul. 111, Pt. IV., p. 17. 1907; D.B. 68, pp. 16, 22. 1914; F.B. 331, p. 17. 1908.
  hogging-off crop, suitability, growing methods. F.B. 599, pp. 16, 22-23. 1914.
  injury by corn root-aphid. Ent. Bul. 85, Pt. VI, p. 111. 1910.
  insects injurious in Louisiana. D.B. 703, pp. 1-5. 1918.
  Jerusalem—
    description, food value, and uses. D.B. 468, pp. 21-22, 28. 1917.
    feed for horses, experiments. F.B. 316, p. 24. 1908.
    food value. F.B. 295, p. 28. 1907.
    growing in—
      cotton States, value. F.B. 1125, rev., p. 50. 1920.
      Hawaii, yield and value as hog feed. Hawaii A.R., 1916, p. 41. 1917.
    use—
      as forage crop in cotton region. F.B. 509, pp. 35-36. 1912.
      for food. O.E.S. Bul. 245, p. 41. 1912.
      in manufacture of alcohol, and cost per gallon. Chem. Bul. 130, p. 30. 1910.
  leaf-spot, occurrence and description, Texas. B.P.I. Bul. 226, pp. 40, 109. 1912.
  milk poisoning. B.A.I. An. Rpt., 1907, p. 158. 1909.
  shipments by States and by stations, 1916. D.B. 667, pp. 12, 182. 1918.
  use as salad. O.E.S. Bul. 245, p. 21. 1912.
  value in pig feeding. B.A.I. An. Rpt., 1903, pp. 300-301. 1904; B.A.I. Cir. 63, pp. 300-301. 1904.
  wild, use in curdling sheep's milk for cheese. B.A.I. Bul. 105, p. 39. 1908; B.A.I. Bul. 146, p. 43. 1911.
Articulation formed by bones of animals, description. B.A.I. [Misc.], "Diseases of cattle," rev., p. 290. 1912.
Artiodactyla, occurrence in Alabama. N.A. Fauna 45, pp. 75-76. 1921.
ARTIS, G. H.—
  "Soil survey of—
    Johnson County, Iowa." With W. E. Tharp. Soil Sur. Adv. Sh., 1919, pp. 52. 1922; Soils F. O., 1919; pp. 1495-1542. 1925.
    Palo Alto County, Iowa." With others. Soil Sur. Adv. Sh., 1918, pp. 36. 1921; Soils F. O., 1918, pp. 1133-1164. 1924.
    Winnebago County, Iowa." With W. E. Tharp. Soil Sur. Adv. Sh., 1918, pp. 31. 1921; Soils F. O., 1918; pp. 1249-1275. 1924.

INDEX TO PUBLICATIONS, 1901–1925 — 141

Artocarpus—
champeden, importation No. 51804, B.P.I. Inv. 65, p. 52. 1923.
communis—
occurrence in Guam. Guam A.R., 1913, p. 17. 1914.
See also Breadfruit.
integrifolia. See Jack fruit.
lakoocha, importation and description. No. 47833, B.P.I. Inv. 59, pp. 8, 65. 1922.
odoratissima. See Marang.
spp. growing in Bahia, value and uses. D.B. 445, p. 19. 1917.
Artotrogus hydnosporus, fungus development of *Phytophthora infestans.* B.P.I. Bul. 245, pp. 59, 60, 63, 64, 68. 1912.
ARTSCHWAGER, E. F.—
"Anatomical studies on potato wart." J.A.R., vol. 23, pp. 963–968. 1923.
"Anatomy of the potato plant, with special reference to the onotgeny of the vascular system." J.A.R., vol. 14, pp. 221–252. 1918.
"Anatomy of the vegetative organs of sugar-cane." J.A.R., vol. 30, pp. 197–241. 1925.
"Histological studies on potato leafroll." J.A.R., vol. 15, pp. 559–570. 1918.
"Occurrence and significance of phloem necrosis in the Irish potato." J.A.R., vol. 24, pp. 237–246. 1923.
"On the anatomy of the sweet-potato root, with notes on internal breakdown." J.A.R., vol. 27, pp. 157–166. 1924.
"Pathological anatomy of potato blackleg." J.A.R., vol. 20, pp. 435–330. 1920.
"Studies on the potato tuber." J. A. R., vol. 27, pp. 809–836. 1924.
Arum, water, distribution. N.A. Fauna 22, p. 15. 1902.
Arundinaria—
falcata. See Bamboo.
japonica, characteristics. D.B. 1329, p. 36. 1925.
simonii, characteristics. D.B. 1329, p. 36. 1925.
spp.—
description, distribution, and uses. D.B. 772, pp. 8, 22–23. 1920.
importations and descriptions. Nos. 38914, 38921, B.P.I. Inv. 40, pp. 45, 47. 1917; No. 42649–42655, B.P.I. Inv. 47, pp. 44–45. 1920.
In United States. D.B. 1329, p. 1. 1925.
tecta, commercial use. D.B. 132, p. 23. 1925.
Arundinella—
berteroniana, importation and description. Nos. 51069, 51184. B.P.I. Inv. 64, pp. 50, 69. 1923.
hispida, importation and description. No. 47641, B.P.I. Inv. 59, p. 41. 1922.
Arundo—
plinii, importation and description. No. 52566, B.P.I. Inv. 66, p. 40. 1923.
spp., description, distribution, and uses. D.B. 772, pp. 9, 60–63. 1920.
Arvicola—
similarity to Oryzomys. N.A. Fauna 43, p. 9. 1918.
See also Vole.
Asafetida—
adulteration. An. Rpts., 1908, p. 471. 1909; Chem. Chief Rpt., 1908, p. 27. 1908.
adulteration—
and condemnation, decision. Sol. Cir., 41, pp. 7. 1911.
and misbranding. Chem. N.J. 3412. 1915.
case, opinion of J. Holland. Sol. Cir. 41, pp. 7. 1911.
discussion. Chem. Bul. 122, p. 95. 1909.
and allied products, lead number. E. C. Merrill and H. A. Seil. Chem. Bul. 162, pp. 217–218. 1913.
importation and description. No. 38633, B.P.I. Inv. 39, p. 155. 1917.
imports, adulteration. Y.B., 1910, p. 211. 1911. Y.B., Sep. 529, p. 211. 1911.
misbranding. Chem. N.J. 583, p. 1. 1910.
powdered, adulteration and misbranding. Chem. N.J. 157, pp. 2. 1910.
tincture, use as repellent against corn root aphid. F.B. 835, p. 21. 1917.
Asarum canadense. See Snakeroot, Canada; Ginger, wild.
Asbestos testing. Chem. Bul. 109, rev., p. 61. 1908.

Ascaridia—
lineata, parasite of chickens in the United States. Benjamin Schwartz. J.A.R., vol. 30, pp. 763–772. 1925.
perspicillum—
description and comments. J.A.R., vol. 30, pp. 763–765. 1925.
See also Roundworms.
Ascaridole—
chemical investigations. Chem. Cir. 109, pp. 1–4. 1913.
separation for wormseed oil. D.B. 1332, pp. 3–4. 1925.
wormseed-oil contents and description. Chem. Cir. 73, pp. 1–5, 9–10. 1911.
Ascarids—
efficacy of carbon tetrachloride against. J.A.R., vol. 21, No. 2, pp. 157–175. 1921.
fox, treatment. D.B. 1151, p. 57. 1923.
See also Roundworms.
Ascaris—
conocephala, cause of anemia. J.A.R., vol. 22, pp. 385–432. 1921.
egg stage, incubation experiments. D.B. 817 pp. 4–10, 43–44. 1920.
equorum, relation to Eosinophiles. J.A.R., vol. 21, pp. 679–688. 1921.
experiments, details. D.B. 817, pp. 31–43. 1920.
hog, control. Off. Rec., vol. 3, No. 35, p. 2. 1924.
infestation, influence of age, experiments. D.B. 817, pp. 24–27, 44. 1920.
larvae, longevity outside of host, experiments. D.B. 817, p. 29. 1920.
leptoptera, identification. B.A.I. Bul. 60, p. 45 1904.
lumbricoides—
blood-destroying power, discussion. J.A.R., vol. 16, pp. 253–258. 1919.
egg(s)—
producing capacity. Eloise B. Cram. J.A.R., vol. 30, pp. 977–983. 1925.
production figures. J.A.R., vol. 30, pp. 978–981. 1925.
effect on low temperatures and disinfectants. Eloise B. Cram. J.A.R., vol. 27, pp. 167–175. 1924.
life history—
and infection methods. J.A.R., vol. 11, pp. 395–398. 1917.
observations on. B. H. Ransom and W. D. Foster. D.B. 817, p. 47. 1920.
occurrence in sheep. D.B. 817, pp. 29–30. 1920.
relation to anemia. J.A.R., vol. 16, pp. 253–254. 1919.
sensitization. B. H. Ransom and others. J.A.R., vol. 28, pp. 577–582. 1924.
spp. See also Roundworms.
vitulorum, infestation of cattle, treatment. B.A.I. [Misc.], "Diseases of cattle," rev. p. 536. 1912.
"Ascateo," asthma remedy. F.B. 393, p. 9. 1910.
Aschersonia—
aleyrodis, fungous parasite of woolly whitefly. Ent. Bul. 64, p. 70. 1911; Ent. Bul. 64, Pt VIII, p. 70. 1910.
red, attack on white fly, description and effects. Ent. Bul. 102, pp. 20–26, 61–68. 1912.
yellow, attack on white fly, description. Ent Bul. 102, pp. 26–28. 1912.
Ascites—
sheep, cause, symptoms, and treatment. F.B. 1155, p. 19. 1921.
See also Dropsy, abdominal.
Asclepias—
curassavica, importation and description. No. 51368, B.P.I. Inv. 65, p. 9. 1923.
eriocarpa—
wooly-pod milkweed, as a poisonous plant. C. Dwight Marsh and A. B. Clawson. D.B. 1212, pp. 14. 1924.
See also Milkweed, woolly-pod.
galioides—
chemical examination and analyses. D.B. 800, pp. 20–25. 1920.
comparison with other species in toxicity. D.B. 942, pp. 114. 1921.
See also Milkweed, whorled.
mexicana—
description, distribution, and habits. D.B. 969, pp. 3–4, 16. 1921.
See also Milkweed, Mexican whorled.

Asclepias—Continued.
  pumila, description and experimental use as feed. D.B. 942, pp. 2-9. 1921.
  spp.—
    description, classification, and occurrence. D.B. 800, pp. 2-6. 1920.
    poisonous nature, studies, and experiments. D.B. 969, pp. 1-3, 16. 1921.
    See also Milkweeds.
  verticillata, description and experimental use as feed. D.B. 942, pp. 10-14. 1921.
Ascochyta—
  abelmoschi, description and cultural characters. J.A.R., vol. 14, pp. 209-211. 1918.
  clematidina, cause of stem-rot and leaf-spot of clematis. W. O. Glover. J.A.R., vol. 4, pp. 331-342. 1915.
  colorata, vitality tests under low temperature. J.A.R., vol. 5, No. 14, pp. 654, 655. 1916.
  cycadina, occurrence on plants, Texas, and description. B.P.I. Bul. 226, p. 85. 1912.
  hortorum, relation to *Phomopsis rexans*, studies. J.A.R., vol. 2, pp. 336-338. 1914.
Ascogaster carpocapsae, parasitic enemy of codling moth. D.B. 1235, p. 72. 1924; Ent. Bul. 80, Pt. VI, p. 110. 1910; Ent. Bul. 115, Pt. I, pp. 6, 7, 31, 74-76, 86. 1912.
Ascomycetes, classification, key to genera, and description of species. D.B. 175, pp. 54-55. 1915.
Ascospores, *Endothia parasitica*, dissemination by air and wind. F. D. Heald and R. A. Studhalter. J.A.R., vol. 3, pp. 493-526. 1915.
Asemidae, classification, and description. Ent. T. B. 20, Pt. V, p. 155. 1912.
Asemum moestum, flight period and control spraying. D.B. 1079, pp. 5-10. 1922.
Asese, importation, description, source. No. 34257, B.P.I. Inv. 32, pp. 27-28. 1914.
Ash(es)—
  absorption by spinach from concentrated soil solutions. J.A.R., vol. 16, pp. 15-25. 1919.
  alkalinity in maple products. Chem. Cir. 40, pp. 6-7. 1908.
  analyses, constituents of wheat seedlings. B.P.I. Bul. 79, p. 37. 1905.
  analysis, methods. Chem. Bul. 81, pp. 191-195. 1904.
  bone, effect on growing chicks. J.A.R., vol. 22, pp. 145-149. 1921.
  composition—
    plants, and growth, effect of calcareous soils. P. L. Gile and C. N. Ageton. P.R. Bul. 16. pp. 45. 1914.
    upland rice at various stages of growth. J.A.R. vol. 5, No. 9, pp. 357-364. 1915.
  constituents in diet, studies. O.E.S. An. Rpt., 1909, pp. 372-373. 1910.
  content of—
    barley, awn, rachis, palea, and kernel during growth and maturation. Harry V. Harlan and Merritt N. Pope. J.A.R., vol. 22, pp. 433-449. 1921.
    farm crops, study. F.B. 329, pp. 23-26. 1908.
    green and chlorotic leaves, examination. P.R. Bul. 11, pp. 34-39. 1911.
    spinach, blighted and normal. J.A.R., vol. 15, pp. 371-375. 1918.
    tuna. B.P.I. Bul. 116, p. 41. 1907.
  cotton-seed, fertilizer value. News L., vol. 3, No. 14. p. 6. 1915.
  Cuban fruits, analyses. Chem. Bul. 87. pp. 29-30. 1904.
  determination in—
    canned meats. Chem. Bul. 13, Pt. X, p. 1395. 1902.
    maple products. Chem Cir. 40, pp. 5-6. 1908.
    maple products, methods. Chem. Cir. 23. pp. 1, 5-8. 1905.
    maple-sap sirup. Chem. Bul. 134, pp. 16-17. 66-89. 1910.
  examination in fruits and fruit products. Chem. Bul. 66, rev., p. 14. 1905.
  export from Uruguay. B.A.I. Chief Rpt., 1900, p. 519. 1901.
  extracts, plants containing barium, toxicity experiments. B.P.I. Bul. 246, pp. 48-61. 1912.
  fertilizer value. Y.B., 1917, pp. 284, 285. 1918; Y.B., Sep. 733, pp. 4, 5. 1918.

Ash(es)—Continued.
  hardwood—
    source of potash. Y.B., 1917, pp. 254-255. 1918; Y.B., Sep. 728, pp. 4-5. 1918.
    use on sweet potatoes. F.B. 999, p. 8. 1919.
    value for sweet potatoes. F.B. 324, p. 9. 1908.
  in fruits, Cuban, analyses. Chem. Bul. 87, pp. 29-30. 1904.
  in potato tubers, skins, and sprouts. J.A.R., vol. 20, pp. 628-634. 1921.
  in spices, total determination. A. L. Mehring. J.A.R., vol. 29, pp. 569-574. 1924.
  in sugar-beet-top silage. J.A.R., vol. 20, pp. 538-540. 1921.
  in sugars in storage. J.A.R., vol. 20, pp. 638-653. 1921.
  injurious to ginseng soils. F.B. 736, pp. 9, 18. 1916.
  loss of sulphur in preparation. Chem. Bul. 62, p. 98. 1901.
  methods of analysis. Chem. Bul. 67, pp. 54-62. 1902; Chem. Bul. 73, pp. 18-27. 1903.
  requirements of animal body, study. O.E.S. An. Rpt., 1908, pp. 345-346. 1909.
  rice hull, fertilizer, value, note. F.B. 417, p. 26. 1910.
  soluble and insoluble, ratio in maple products. Chem Cir. 40, p. 7. 1908.
  source of potash and correction of acidity in soils. F.B. 366, pp. 6, 10. 1909.
  storage by animals on different rations. J.A.R., vol. 21, pp. 326-334. 1921.
  sugar maple, use in manufacture. D.B. 12, p. 46. 1913.
  sulphur, A. O. A. C. report, 1903. Chem. Bul. 81, pp. 191-195. 1904.
  use—
    as fertilizer for truck crop. F.B. 460, p. 14. 1911.
    as fertilizer, in Florida, Orange County. Soil Sur. Adv. Sh., 1919, p. 7. 1922; Soils F. O., 1919, p. 953. 1925.
    on garden soils. F.B. 1044, pp. 8-9. 1919.
    on garden soil, results. D.C. 48, p. 3. 1919.
    with peat soil for tomatoes. Y.B., 1902, pp. 562-568. 1903.
  value as fertilizer, content of lime and potash. F.B. 921, pp. 20-21. 1918.
  volcanic—
    chemical analysis, pasture restoration in Alaska, and method. Alaska A.R., 1915, pp. 24-25, 69-70, 78-79. 1916.
    crop-growing experiments. O.E.S. An. Rpt., 1912, pp. 18, 73. 1913.
    effect on grass lands, Alaska, Cook Inlet-Susitna region (reconn.). Soil Sur. Adv. Sh., 1914, p. 89. 1915; Soils F.O., 1914, p. 123. 1919.
    in Alaska, effects, value, fertilization. Alaska A.R., 1913, pp. 21-22, 48-49, 50, 51, 52, 53, 54, 55, 56-59, 60. 1914.
    soil restoration for meadow and pasture. Alaska A.R., 1916, pp. 62-64. 1918.
    use as soil, Alaska, experiments. Alaska A.R., 1912, pp. 41-42, 69-71. 1913.
  water, use in control of beet wireworms, experiments. Ent. Bul. 123, pp. 52, 56. 1914.
  wood—
    cause of potato scab. F.B. 544, pp. 5-6. 1913.
    potash source, quantity and value, in United States. Y.B., 1912, pp. 524-525. 1913; Y.B., Sep. 611, pp. 524-525. 1913; Y.B., 1916, pp. 305-306. 1917; Y.B. Sep. 717, pp. 5-6. 1917.
    responsibility for alkaline soils in ginseng beds. B.P.I. Bul. 250, pp. 30-31, 42. 1912.
    use and value as fertilizer. D.B. 479, p. 81. 1917. News L., vol. 2, No. 11, pp. 3-4. 1914.
    use as fertilizer for peanuts. O.E.S. F. I. L. 13, p. 8. 1912; F.B. 431, p. 11. 1911; F.B. 1127, p. 7. 1920.
Ash (tree)—
  adaptability for various regions in reforestation. D.B. 299, p. 51. 1915; F.B. 1177, rev. p. 24. 1920.
  American—
    groups and species, key, and silvicultural significance. D.B. 299, pp. 6-10. 1915.
    white. *See* Ash, white.
  annual cut and value, by States, 1899-1915. D.B. 523, pp. 8-11. 1917.

Ash (tree)—Continued.
  Biltmore, botanical description, distribution, occurrence. D.B. 299, pp. 6, 8, 11, 15, 19, 20, 32. 1915.
  bitter. See Wahoo.
  black, botanical description, distribution, occurrence. D.B. 299, pp. 7, 8, 10, 12, 17, 19, 21, 31, 32, 34, 51, 74–77, 85–87. 1915.
  blue, botanical description, distribution, occurrence. D.B. 299, pp. 7, 10, 12, 17, 18, 26, 32. 1915.
  character(s), species on Pacific slope. For. [Misc.], "Forest trees * * * Pacific * * *," pp. 422–429. 1908.
  characteristics—
    and management. W. D. Sterrett. D.B. 299, pp. 88. 1915.
    and physical and mechanical properties. D.B. 523, pp. 17–25. 1917.
  commercial, demand and supply. D.B. 523, pp. 2–15. 1917.
  consumption in Arkansas, amount and value. For. Bul. 106, pp. 7, 9, 13, 14, 15, 16, 18, 19, 20, 21, 22, 26, 32, 38. 1912.
  cutting to secure natural reproduction. D.B. 299, pp. 42–44. 1915.
  description—
    and regions suited to. F.B. 1208, p. 13. 1922.
    key and list of common kinds. D.C. 223, pp. 7, 11. 1922.
    uses, and adaptability to Great Plains. F.B. 1312, p. 6. 1923.
  diseases—
    caused by fungi. B.P.I. Bul. 149, pp. 19, 46–47, 49, 56. 1909.
    in Texas, occurrence and description. B.P.I. Bul. 226, pp. 57–58. 1912.
  distillation, yields of alcohol and lime acetate. D.B. 508, pp. 3–7. 1917.
  flowering—
    description, range, and occurrence on Pacific slope. For. [Misc.], "Forest trees * * * Pacific * * *," pp. 428–429. 1908.
    See also Fringe-tree.
  forests, replanting by natural and artificial methods. D.B. 299, pp. 40–50. 1915.
  form and development, rate of growth for different species. D.B. 299, pp. 25–32. 1915.
  freedom from gipsy moth injury. D.B. 204, p. 15. 1915.
  green—
    adaptability for shelter-belt planting. D.B. 1113, pp. 8, 15. 1923.
    botanical description, distribution, occurrence, and growth. D.B. 299, pp. 7–9, 11, 15, 20, 23, 29–31, 34, 51, 53, 62–73, 83–85, 87–88. 1915.
    characteristics, uses, insect enemies, rate of growth. For. Cir. 161, pp. 13, 16, 23, 24, 28, 37–38. 1909.
    description—
      range, habits, uses, propagation, and planting directions. For. Cir. 92, p. 4. 1907.
      uses, and planting details. F.B. 888, pp. 11, 13, 19. 1917.
    growth, spacing, planting methods, and products. Y.B. 1911, pp. 259, 263, 267. 1912; Y.B. Sep. 566, pp. 259, 263, 267. 1912.
    habits, uses, cost, and yield of plantations, Nebraska. For. Cir. 45, pp. 17–19. 1906.
    planting directions, uses. For. Cir. 99, p. 7. 1907.
    value—
      for windbreaks. F.B. 1405, pp. 11, 12, 13, 14. 1924. For. Bul. 86, pp. 22, 25, 27, 32, 34, 54, 77, 80, 97. 1911.
      per acre for fence posts. For. Bul. 86, p. 80. 1911.
    Wyoming, distribution and growth. N.A. Fauna 42, p. 76. 1917.
  importations and description. Nos. 30143, 30414, B.P.I. Bul. 233, pp. 62, 85. 1912; No. 46083, B.P.I. Inv. 55, p. 21. 1922; No. 47687, B.P.I. Inv. 59, p. 47. 1922; No. 55993, B.P.I. Inv. 73, p. 27. 1924.
  infestation by May beetles. F.B. 543, pp. 10, 19. 1913.
  injury by—
    borers. Y.B., 1910, pp. 353–354. 1911; Y.B. Sep. 542, pp. 353–354. 1911.
    pith-ray flecks. For. Cir. 215, p. 10. 1913.

Ash (tree)—Continued.
  injury by—continued.
    sapsuckers. Biol. Bul. 39, pp. 49, 51, 88–89. 1911.
    storms, drought, diseases, and insects. D.B. 299, pp. 23–25. 1915.
  insect(s)—
    injurious. F.B., 1169, p. 95. 1921.
    pests, list. Sec. [Misc.], "A manual * * * insects * * *," pp. 25–27. 1917.
  kinds useful for street planting and regions adapted to. D.B. 816, pp. 17, 18, 19, 21. 1920.
  leatherleaf, description—
    distribution and occurrence. D.B. 299, pp. 7, 12, 16–17. 1915.
    range and occurrence on Pacific slope. For. [Misc.], "Forest trees * * * Pacific * * *," pp. 423–424. 1908.
  logs, spraying experiments. D.B. 1079, pp. 5–11. 1922.
  Louisiana, stumpage value. For. Bul. 114, pp. 10, 16. 1912.
  lumber—
    characteristics, D.B. 1128, pp. 3, 13. 1923.
    production—
      1899–1914, and estimates, 1915. D.B. 506, pp. 13–15, 27–28. 1917; D.B. 523, pp. 11–13. 1917.
      1905, by States. For. Bul. 74, p. 26. 1907.
      1906, by States, value. For. Cir. 122, pp. 24–25. 1907.
      1909–1916, by States, and 1896–1910, prices. D.B. 523, pp. 39–44. 1917.
      1913, species and range. D.B. 232, pp. 23, 31–32. 1915.
      1916, by States, mills reporting, and lumber value. D.B. 673, p. 30. 1918.
      1917, by States, value. D.B. 768, pp. 31–32, 38, 43. 1919.
      1918, and States producing. D.B. 845, pp. 35, 46. 1920.
      1920, by States, value. Y.B., 1922, p. 927. 1923.
      1920, by States. D.B. 1119, p. 52. 1923.
      in Connecticut, uses, and value. For. Bul. 96, p. 17. 1912.
    steaming for control of powder-post beetle. J.A.R., vol. 28, pp. 1033–1038. 1924.
    utilization by industries. D.B. 523, pp. 27–39, 48–52. 1917.
    value and uses. Y.B., 1918, pp. 318, 320–321. 1919; Y.B. Sep. 779, 1918; pp. 4, 6–7. 1919.
  Mexican, botanical description, distribution, and occurrence. D.B. 299, pp. 7, 11. 1915.
  Nepal, importations and descriptions. Nos. 39014, 39115, B.P.I. Inv. 40, pp. 7, 58, 76. 1917.
  occurrence in—
    Colorado, description. N.A. Fauna 33, pp. 243–244. 1911.
    northern forests, characteristics. D.B. 285. pp. 6–16, 32–33. 1915.
  one-leaved, importation and description. No. 41569. B.P.I. Inv. 45, p. 48. 1918.
  Oregon—
    botanical description, distribution, and occurrence. D.B. 299, pp. 7, 12, 16, 32. 1915.
    description, range, and occurrence, Pacific slope. For. [Misc.], "Forest trees * * * Pacific * * *," pp. 425–426. 1908.
    planting, uses, yield, and value. D.B. 153, pp. 9, 17, 18, 19, 22, 31–32, 35. 1915.
  preservation, characteristics, and results of treatment. D.B. 606, pp. 18, 19, 28, 32. 1918; F.B. 744, p. 17. 1916.
  prickly—
    diseases, Texas, occurrence and description. B.P.I. Bul. 226, p. 77. 1912.
    names, range, description, bark, prices, and uses. B.P.I. Bul. 139, pp. 31–33. 1909; D.B. 26, pp. 8–9. 1913.
    southern, fustic wood substitute. For. Cir. 184, pp. 9–11. 1911.
  pumpkin, botanical description, distribution, and occurrence. D.B. 299, pp. 7, 8, 9, 11, 16, 32. 1915.
  quantity used in manufacture of wooden products. D.B. 605, p. 11. 1918.
  red, botanical description, distribution, and occurrence. D.B. 299, pp. 7, 8, 11, 16, 19, 32. 1915.

Ash (tree)—Continued.
reproduction, method, seed dissemination, and weight. D.B. 299, pp. 19–23. 1915.
Rhodesian, importation and description. No. 48804, B.P.I. Inv. 61, pp. 49–50. 1922; No. 49230, B.P.I. Inv. 62, pp. 2, 14. 1923.
Russian, importation and description. No. 42838, B.P.I. Inv. 47, p. 73. 1920.
seed, sowing, quantity per acre, methods and cost. D.B. 299, p. 48. 1915.
seedlings, planting and cultivating, methods and cost. D.B. 299, pp. 44–48. 1915.
single-leaf, botanical description, distribution, occurrence. D.B. 299, pp. 7, 12. 1915.
spacing in forest planting, and seed per acre. F.B. 1177, rev. p. 22. 1920.
stumpage value, 1907. For. Cir. 122, p. 36. 1907.
susceptibility to powder-post damage. F.B. 778, pp. 4, 15. 1917.
tables showing form, size, and yield, principal species. D.B. 299, pp. 52–88. 1915.
tests for mechanical properties, results. D.B 556, pp. 27–28, 37. 1917.
tests for shrinkage and hardness. D.B. 676, pp. 13–15. 1919.
Texan, botanical description, distribution, and occurrence. D.B. 299, pp. 6, 11, 15, 40. 1915.
timber—
destruction by borers, prevention. D.B. 299, p. 25. 1915.
disease and insect control. D.B. 523, p. 26. 1917.
stumpage value. D.B. 523, pp. 29, 30, 31, 45–47. 1917.
supply, acreage and stand. D.B. 523, pp. 14–15. 1917.
tree borer—
banded, description, habits, and control. Y. B., 1910, p. 353. 1911; Y.B. Sep. 542, p. 353. 1911.
control. D.B. 299, p. 25. 1915.
utilization on farms. F.B. 1071, p. 21. 1920.
utilization, species, supply, characteristics, and uses. D.B. 523, pp. 1–52. 1917.
value of products, cost of planting, uses. For. Cir. 81, pp. 15–17. 1907.
velvety, botanical description, distribution, and occurrence. D.B. 299, pp. 7, 12, 19. 1915.
volume tables, growth rate. For. Bul. 36, pp. 144–145, 190, 194. 1910.
water, botanical description, distribution, and occurrence. D.B. 299, pp. 7, 12, 17, 32. 1915.
white—
botanical description, distribution, occurrence, growth. D.B. 299, pp. 6, 8–11, 13–15, 19–22, 27–28, 35, 49–61, 78–81. 1915; For. Cir. 84, pp. 1–4. 1907.
disease caused by *Polyporus frazinophilus*. Herman von Schrenk. B.P.I. Bul. 32, pp. 20. 1903.
growth, planting methods, uses, and products. Y.B., 1911, pp. 261–267. 1912; Y.B. Sep. 566, pp. 261–267. 1912.
names, range, description, root bark, prices, and uses. B.P.I. Bul. 139, pp. 44–45. 1909.
planting directions and uses. For. Cir. 195, pp. 14–15. 1912.
weight, uses, volume tables, and freight rates. F.B. 715, pp. 4, 6, 18, 22, 34, 35, 39, 40, 41. 1916.
wood—
borer, control. D.B. 523, p. 26. 1917.
characteristics. D.B. 523, pp. 15–27. 1917.
chemical properties. D.B. 523, pp. 25–26. 1917.
protection from powder-post beetles. An. Rpts., 1918, p. 244. 1919; Ent. A.R. 1918, p. 12. 1918.
seasoning, comparison with other hardwoods. D.B. 523, p. 25. 1917.
yields of pure stands. D.B. 299, pp. 32–34. 1915.
See also *Fraxinus* sp.

ASHBROOK, F. G.—
"Blue-fox farming in Alaska." With Ernest P. Walker. D.B. 1350, pp. 35. 1925.
"Breeds of swine." F.B. 765, pp. 16. 1917.
"Castration of young pigs." F.B. 780, pp. 16.
"Disposal of city garbage by feeding to hogs." With J. D. Behout. Sec. Cir. 80, pp. 8. 1917.
"Feeding dried pressed potatoes to swine." With R. E. Gongwer. D.B. 596, pp. 11. 1917.

ASHBROOK, F. G.—Continued.
"Feeding garbage to hogs." With A. Wilson. F.B. 1133, pp. 26. 1920.
"Fish meal as a feed for swine." D.B. 610, pp. 10. 1917.
"Hog pastures for the Southern States." With Lyman Carrier. F.B. 951, pp. 20. 1918.
"Killing hogs and curing pork." With G. A. Anthony. F.B. 913, pp. 40. 1917.
"Laws relating to fur animals for the season—
1924–25." With Frank L. Earnshaw. F.B. 1445, pp. 22. 1924.
1925–26." With Frank L. Earnshaw. F.B. 1469, pp. 29. 1925.
"Pork on the farm: Killing, curing, and canning." With others. F.B. 1186, pp. 44. 1921.
"Silver-fox farming." D.B. 1151, pp. 60. 1923.
"Swine-judging suggestions for pig club members." With J. D. McVean. Sec. Cir. 83, pp. 14. 1917.
"Swine management." With George M. Rommel. F.B. 874, pp. 38. 1917.
"The self-feeder for hogs." With R. E. Gongwer. F.B. 906, pp. 12. 1917.

ASHBY, R. C.: "Variation of individual pigs in economy of gain." With A. W. Malcomson. J.A.R., vol. 19, pp. 225–234. 1920.

Ashby agar, medium for Azotobacter culture, growth, formula. J.A.R., vol. 24, p. 264. 1923.

ASHE, W. W.—
"Chestnut oak in the southern Appalachians." With H. D. Foster. For. Cir. 135, pp. 23. 1908.
"White oak in the southern Appalachians." With W. B. Greeley. For. Cir. 105, pp. 27. 1907.

ASHTON, F. W.—
"Soil survey of—
Franklin County, Washington." With others. Soil Sur. Adv. Sh., 1914, pp. 101. 1917; Soils F.O., 1914, pp. 2531–2637. 1919.
Stevens County, Washington." With Cornelius Van Duyne. Soil Sur. Adv. Sh., 1913, pp. 137. 1915; Soils F.O., 1913, pp. 2165–2295. 1916.

ASHURST, SEN., bill for Fort Mohave Experiment Station. Off. Rec., vol. 1, No. 22, p. 2. 1922.

Asia—
bean varieties, uses and value as food and forage. D.B. 119, pp. 1–3, 5–6, 9, 10, 16, 20. 1914.
blister-rust occurrence and distribution. D.B. 957, pp. 3–6. 1922.
cattle of ancient civilizations, description and classification. B.A.I. An. Rpt., 1910, pp. 214–215. 1912.
coffee production, exports. Stat. Bul. 79, pp. 10, 11, 84–98. 1912.
eastern, kaoliang culture, origin and uses. B.P.I. Bul. 253, pp. 7–21. 1913.
farm products, shipments to U. S., 1905–1907. Stat. Bul. 70, pp. 7, 9. 1909.
forage plants suited to U. S., introduction. Y.B., 1908, pp. 247–254. 1909; Y.B. Sep. 478, pp. 247–254. 1909.
forest resources. For. Bul. 83, pp. 57–59. 1910.
forests, extent and per cent of land area. For. Bul. 83, p. 7. 1910.
fruits, production, exports, and imports, 1909–1913, 1914. D.B. 483, pp. 37–38. 1917.
grain sorghums, production. Y.B., 1922, p. 525. 1923; Y.B. Sep. 891, p. 525. 1923.
prohibition on landing of various animals at U. S. ports. B.A.I.O. 174, p. 1. 1910.
rice, production, principal countries. Y.B., 1922, pp. 512–514. 1923; Y.B. Sep. 891, pp. 512–514. 1923.
sorghum, varieties and uses. B.P.I. Bul. 175, pp. 20–25. 1910.
southeastern, citrus white fly investigations, search for natural enemies. Russell S. Woglum. Ent. Bul. 120, pp. 58. 1913.

Asia Minor—
angora-goat industry. B.A.I. Chief Rpt., 1901, p. 493. 1902.
cotton production. Atl. Am. Agr., Pt. 5, sec. A, p. 7. 1919.
number and value of Angora goats. B.A.I. Bul. 27, p. 70. 1906.
original home of Angora goat. F.B. 1203, p. 3. 1921.

Asimina triloba—
  injury by sapsuckers. Biol. Bul. 39, p. 38. 1911.
  See also Papaw.
Asio—
  flammeus pontoppidan, occurrence in Pribilof Islands. N.A. Fauna 46, p. 84. 1923.
  spp. *See* Owls.
Asionidae, hosts of eye parasite. B.A.I. Bul. 60, p. 48. 1904.
Asparagine—
  decomposition, chemistry. J.A.R., vol. 30, pp. 274-275. 1925.
  feeding experiments, carnivora and herbivora. B.A.I. Bul. 139, pp. 6-45. 1911.
  origin, effect on plant growth. Soils Bul. 47, pp. 17, 38. 1907.
  soil constituent, wheat-growing tests, tables. Soils Bul. 87, pp. 51-54. 1912.
  use in wheat growing, experiments, tables. Soils Bul. 87, pp. 16-17. 1912.
Asparagus—
  acreage—
    1924. Y.B., 1924, p. 687. 1925.
    in United States, 1909. Sec. [Misc.] Spec. "Geography * * * world's agriculture," p. 99. 1917.
    on farms, census 1909, by States, map. Y.B., 1915, p. 375. 1916; Y.B., Sep. 681, p. 375. 1916.
  acutifolius, importation and uses. No. 49458; B.P.I. Inv. 62, pp. 3-39. 1923.
  alkali tolerance. F.B. 446, rev., pp. 12, 13, 28. 1920.
  Argenteuil, yield of 300 trial rows, 1910, 1911. B.P.I. Bul. 263, p. 26. 1913.
  beds—
    starting in small garden. F.B. 818, p. 42. 1917.
    winter treatment. B.P.I. Bul. 263, p. 59. 1913.
  beetle(s)—
    F. H. Chittenden. Ent. Cir. 102, pp. 12. 1908.
    common, description, habits, and control. Ent. Cir. 102, pp. 2-9. 1908; F.B. 837, pp. 3-11. 1917.
    common, distribution, and remedies. Ent. Bul. 66, pp. 6-9, 93. 1910; Ent. Bul. 66, Pt. I, pp. 6-9. 1907.
    control. F. H. Chittenden. F.B. 837, pp. 15. 1917.
    description, injuries, and control F.B. 856, p. 24. 1917.
    distribution, injuries, and control methods. News L., vol. 5, No. 37, p. 8. 1918.
    egg, parasite. F. A. Johnston. J.A.R., vol. 4, pp. 303-314. 1915.
    enemies. F.B. 837, pp. 7-8. 1917.
    injury and control. F.B. 829, pp. 15-16. 1917.
    leaf, description. Sec. [Misc.], "A manual * * * insects * * *," p. 27. 1917.
    life history and control. F.B. 1242, p. 6. 1921.
    occurrence and remedies. Ent. Bul. 66, Pt. I, pp. 6-10 1905.
    parasite, discovery and spread. An. Rpts., 1909, p. 516. 1910; Ent. A.R., 1909, p. 30. 1909.
    spraying—
      for control. News L., vol. 5, No. 37, p. 8. 1918.
      with arsenicals. F.B. 837, pp. 10-11, 13. 1917.
      with lead arsenate, successful results. Ent. Bul. 66, Pt. VII, pp. 93-94. 1909.
    twelve-spotted, protection against. B.P.I. Bul. 263, p. 58. 1913.
    twelve-spotted, description life history, control. Ent. Bul. 66, Pt. I, pp. 9-10. 1907; Ent. Cir. 102, pp. 9-12. 1908.
  berries, infestation by fig moth. Ent. Bul. 104, pp. 16, 19. 1911.
  breeders and growers, suggestions for rust prevention. B.P.I. Bul. 263, pp. 55-59. 1913.
  breeding for rust resistance, methods. J. B. Norton. B.P.I. Bul. 263, pp. 60. 1913.
  canned—
    danger of *Bacillus botulinus*. An. Rpts., 1919, p. 222. 1920; Chem. Chief Rpt., 1919, p. 19. 1919.
    souring prevention. News L., vol. 3, No. 44, p. 3. 1916.

Asparagus—Continued.
  canning—
    directions. F.B. 359, p. 14. 1910; F.B. 829, pp. 16-18. 1917; F.B. 853, pp. 19, 27, 28. 1917.
    early history, methods, and keeping qualities. Chem. Bul. 151, pp. 34, 43-44. 1912; D.B. 136, pp. 63-56. 1915.
    experiments in testing temperature changes. D.B. 956, pp. 28-29. 1921.
    inspection instructions. D.B. 1084, p. 29. 1922.
    requirements. F.B. 839, p. 32. 1917.
    composition and preparation for table. D.B. 123, pp. 5, 15-16, 19. 1916.
  cooking, directions. F.B. 1242, p. 7. 1921.
  crates and boxes, types used in different localities. F.B. 1196, pp. 21-23. 1921.
  cultivation and intertilled crops. F.B. 829, pp. 7-8. 1917.
  cultural—
    directions. F.B. 937, pp. 16, 17, 28-29. 1918; S.R.S. Doc. 49, p. 4. 1917.
    hints, Oregon. B.P.I. Doc. 495, p. 8. 1909.
    practices for control of beetles. F.B. 837, pp. 9-10. 1917.
  development of new variety by Agriculture Department, description, rust-resistant character. News L., vol. 5, No. 44, p. 8. 1918.
  diseases, in Texas, occurrence and description B.P.I. Bul. 226, p. 34. 1912.
  drought resistant, importation, and description. No. 34620, B.P.I. Inv. 33, pp. 7, 39. 1915.
  drying, directions. D. C. 3, p. 10. 1919.
  fertilizers—
    experiments and results. S.R.S. Rpt., 1916, Pt. I, pp. 145-146. 1918.
    investigations in Massachusetts, 1914. Work and Exp., 1914, p. 133. 1915.
    needs and kinds used. F.B. 233, pp. 11-13. 1905; F.B. 829, pp. 4-6. 1917.
    fertilizing methods. F.B. 469, pp. 7-8. 1911.
  flowers—
    anatomical structure. B.P.I. Bul. 263, pp. 27-28. 1913.
    pollination, details and directions. B.P.I. Bul. 263, pp. 28-31. 1913.
  fly, description. Sec. [Misc.], "A manual of insects * * *", p. 29. 1917.
  food-value comparisons, chart. D.B. 975, p. 13. 1921.
  forcing, directions. F.B. 829, pp. 18-19. 1917.
  growing—
    acreage and States, 1910. Y.B., 1916, pp. 449, 455. 1917; Y.B. Sep. 702, pp. 15, 21. 1917.
    and fertilizing. Soils Cir. 20, p. 13. 1910.
    and marketing suggestions. C.T., and F.C.D. Cir. 7, pp. 4-6. 1919.
    and uses. H. C. Thompson. F.B. 829, pp. 20. 1917.
    and yield on Norfolk sand. Soils Cir. 44, pp. 12, 17. 1911.
    as truck crop. Y.B., 1907, p. 433. 1908; Y.B. Sep. 459, p. 433. 1908.
    cost and returns. F.B. 829, pp. 19-20. 1917.
    directions—
      and varieties recommended for home gardens. F.B. 936, pp. 35-36. 1918; F.B. 1242, pp. 4-7. 1921.
      for club members. D.C. 48, p. 7. 1919.
      Yuma Experiment Farm. D.C. 75, pp. 47-48. 1920.
    in Alaska, notes. Alaska A.R., 1919, p. 24. 1920.
    in California, Yuma Experiment Farm, varieties. W.I.A. Cir. 12, pp. 17-18. 1916.
    in Guam, directions. Guam Bul. 2, pp. 12, 26. 1922.
    in Iowa, Muscatine County, yields and soils. Soil Sur. Adv. Sh., 1914, pp. 18, 37, 39, 40. 1916; Soils F.O., 1914, pp. 1838, 1857, 1859. 1919.
    in Nevada, for home garden. B.P.I. Cir. 110, pp. 21-22. 1913.
    in New Jersey, Freehold area, details, and soils. Soil Sur. Adv. Sh., 1913, pp. 13, 20, 26, 32, 33. 1916; Soils F.O., 1913, pp. 103, 110, 116, 122, 123. 1916.
    in North Carolina, New Hanover County. Soil Sur. Adv. Sh., 1906, pp. 32-33. 1906; Soils F.O., 1906, pp. 272-273. 1908.

Asparagus—Continued.
　growing—continued.
　　in North Carolina, Scotland County. Soil Sur. Adv. Sh., 1909, p. 12. 1911; Soils F.O. 1909, p. 428. 1912.
　　in Pennsylvania, Erie County, soils, fertilizers, and yields. Soil Sur. Adv. Sh., 1910, pp. 15–16. 1911; Soils F.O., 1910, pp. 155–156. 1912.
　　in South Carolina, Barnwell County, soils, and yields. Soil Sur. Adv. Sh. 1912, pp. 14, 22, 26, 30, 32. 1914; Soils F.O., 1912, pp. 420, 428, 432, 436, 438. 1915.
　　in winter, methods, and temperature requirements. News L., vol. 6, No. 9, p. 5. 1918.
　　methods, and varieties. F.B. 647, p. 11. 1915.
　　on New Jersey soils. D.B. 677, pp. 30–63, 66, 71, 73–74. 1918.
　　on Norfolk fine sand, fertilization. Soils Cir. 23, pp. 13, 15. 1911.
　　under irrigation. B.P.I. Cir. 60, p. 17. 1910.
　importation and description. Inv. Nos. 29461, 29462, 29981, 29992, 30010–30015, 30217–30220, 30378, B.P.I. Bul. 233, pp. 24, 46, 47, 48, 68, 82. 1912; No. 34153, N.P.I. Inv. 32, p. 14. 1914; No. 37713, 37940, 38142–38143. B.P.I. Inv. 39, pp. 26, 70, 94. 1917; Nos. 42769–42775, B.P.I. Inv. 47, p. 62. 1920; No. 48520, 48697, B.P.I. Inv. 61, pp. 19, 38. 1922.
　injury by red-banded leaf-rollers. D.B. 914, pp. 1, 6, 7, 9, 10, 12. 1920.
　insect(s)—
　　and diseases attacking. F.B. 856, pp. 24–25. 1917.
　　enemies, and remedies. Ent. Bul. 66, Pt. I, p. 10. 1907; Ent. Bul. 66, pp. 4, 8, 93. 1910.
　　pests, list. Sec. [Misc.], "A manual * * * insects * * *," pp. 27–29. 1917.
　lucidus, importation and description. No. 40617, B.P.I. Inv. 43, pp. 8, 56. 1918.
　marketing—
　　bibliography. M., C. 35, p. 41. 1925.
　　by parcel post, preparation. F.B. 703, p. 15. 1916.
　miner(s)—
　　description. Sec. [Misc.], "A manual * * * insects * * *," p. 21. 1917.
　　description, distribution, and remedies. Ent. Bul. 66, pp. 1–5, 94. 1910; Ent. Bul. 66, Pt. I, pp. 1–5. 1907.
　　injuries and control. F.B. 856, pp. 24–25. 1917.
　new strains, distribution methods. C.T. and F.C.D. Cir. 7, p. 8. 1919.
　packing season. D.B. 196, p. 16. 1915.
　pedigreed strains, descriptive notes. C.T. and F.C.D. Cir. 7, pp. 3–4. 1919.
　pest, little known, description. O.E.S. Bul. 99, p. 177. 1912.
　power sprayer. O.E.S. Bul. 99, p. 177. 1912.
　processing, directions, and time table. F.B. 1211, pp. 43, 48, 49. 1921.
　roots—
　　growing and planting. F.B. 829, pp. 6–7. 1917.
　　selling suggestions. C.T. and F.C.D. Cir. 7, p. 7. 1919.
　rust—
　　control. B.P.I. Bul. 263, pp. 9, 12–14, 59–60. 1913; F.B. 259, pp. 21–22. 1906; F.B. 829, pp. 13–15. 1917.
　　resistant—
　　　breeding. Y.B., 1907, p. 141. 1908; Y.B. Sep. 441, p. 141. 1908.
　　　breeding and distribution. An. Rpts., 1918, pp. 141, 157. 1919; B.P.I. Chief Rpt., 1918, pp. 7, 23. 1918.
　　　breeding methods. J. B. Norton. B.P.I. Bul. 263, pp. 60. 1913.
　　　strains, history. C.T. and F.C.D. Cir. 7, pp. 2–3. 1919.
　　　varieties, seed distribution by department. News L., vol. 4, No. 31, pp. 3–4. 1917.
　salt as fertilizer. F.B. 233, p. 11. 1905.
　seed—
　　growing, harvesting, and care. B.P.I. Bul. 263, pp. 18, 31. 1913.
　　saving, directions. F.B. 1390, p. 13. 1924.
　　selection and harvesting methods. C.T. and F.C.D. Cir. 7, p. 7. 1919.
　　selling suggestions. C.T. and F.C.D. Cir. 7, p. 7. 1919.

Asparagus—Continued.
　seedlings—
　　correlation studies. B.P.I. Bul. 263, pp. 32–53. 1913.
　　testing for rust resistance, studies. B.P.I. Bul. 263, pp. 31–53. 1913.
　selection methods for breeding plants. B.P.I. Bul. 263, pp. 20–27. 1913.
　shipments by States, and by stations, 1916. D.B. 667, pp. 12, 182. 1918.
　South African hybrids, description and value. Y.B., 1907, p. 142. 1908; Y.B. Sep. 441, p. 142. 1908.
　spraying calendar. S.R.S. Doc. 52, p. 6. 1917.
　statistics, acreage, and value, 1909. F.B. 829, pp. 3–4. 1917.
　tests of varieties. D.B. 1337, p. 11. 1925.
　trichophyllus, importation and description, source. No. 34133, B.P.I. Inv. 32, p. 14. 1914.
　use as potherb. O.E.S. Bul. 245, p. 28. 1912.
　value as food, composition, and blanching. Y.B., 1911, pp. 440, 441, 445. 1912; Y.B. Sep. 582, pp. 440, 441, 445. 1912.
　varieties—
　　recommendation. F.B. 829, pp. 12–13. 1917.
　　testing for rust resistance. B.P.I. Bul. 263, pp. 14–16, 19–20. 1913.
　Washington. J.B. Norton. C.T. and F.C.D. Cir. 7, p. 8. 1919.
　wild, danger of rust-infection spread. B.P.I. Bul. 263, pp. 9, 59. 1913.
　yields, factors influencing. S.R.S.Rpt., 1917, Pt. I, pp. 37, 232, 242. 1918.
Aspartic acid—
　in soil, wheat-growing tests. Soils Bul. 87, p. 54. 1912.
　origin, effect on wheat seedlings. Soils Bul. 47, pp. 16, 38. 1907.
Aspen—
　American, distribution. N.A. Fauna 21, pp. 53, 55. 1901; N.A. Fauna 22, p. 16. 1902.
　borer—
　　control. George Hofer. F.B. 1154, p. 11. 1920.
　　description, habits, and control. F.B. 1154, pp. 7–11. 1920; F.B. 1169, pp. 58–59. 1921.
　　infested, injury by wood rot. F.B. 1154, p. 6. 1920.
　　injuries to trees, character and extent. F.B. 1154, pp. 4–6. 1920.
　　parasites, and associated insects and diseases. F.B. 1154, pp. 8–10. 1920.
　central Rocky Mountain region. Frederick S. Baker. D.B. 1291, p. 47. 1925.
　characteristics, and value as paper pulp. D.B. 80, pp. 41–47. 1914.
　climatic and soil needs, shade tolerance, growth, size, and age. For. Bul. 93, pp. 13–22. 1911.
　competition with pines on forest burns. For. Bul. 79, pp. 13, 20–21, 27, 46. 1910.
　description—
　　habits and control. F. B. 1169, pp. 58–59. 1921.
　　range, and occurrence on Pacific slope. For. [Misc.], "The forests * * * Pacific * * *," pp. 239–244. 1908.
　　value and uses as wood. F.B. 1154, pp. 3–4. 1920.
　diseases caused by fungi. B.P.I. Bul. 149, pp. 26, 27, 28, 30, 31, 32, 33, 42, 76. 1909.
　grinder runs, table. D.B. 343, p. 119. 1916.
　growth—
　　and management. W.G. Weigle and E.H. Frothingham. For. Bul. 93, pp. 35. 1911.
　　and value in Alaska, Kenai Peninsula region. Soil Sur. Adv. Sh., 1916, pp. 40, 69. 1919. Soils F.O., 1916, pp. 72, 101. 1921.
　　rate in reproduction. D.B. 741, pp. 21–23, 27. 1919.
　heart rot caused by Polyporus dryophilus, description. J.A.R., vol. 3, pp. 68–70. 1914.
　indicator of land value and possibilities. J.A.R., vol. 28, pp. 116, 118, 123–125. 1924.
　injury from—
　　gipsy moth. D.B. 204, p. 14. 1915.
　　sapsuckers. Biol. Bul. 39, p. 28. 1911.
　insect pests, list. Sec. [Misc.], "A manual * * * insects * * *," pp. 180–181. 1917.
　introduction, responsibility of fire. For. Bul. 93, pp. 18, 23–24. 1911.
　lands, reproduction, with pasturage. News L., vol. 6, No. 28, p. 9. 1919.

INDEX TO PUBLICATIONS, 1901–1925 — 147

Aspen—Continued.
  names, range, description, bark, prices, and uses. B.P.I. Bul. 139, pp. 11–12. 1909.
  occurrence in Colorado, description. N.A. Fauna 33, pp. 224–225. 1911.
  paper pulp, characteristics. D.B. 80, pp. 44–45. 1914.
  preservation, characteristics, and results of treatment. D.B. 696, pp. 18, 19, 28, 32. 1918.
  pulp, yields under varying conditions of cooking. D.B. 80, pp. 16–18, 28–29, 36, 39. 1914.
  quaking—
    abundance on old forest burns. M.C. 19, p. 3. 1924.
    growth habits. F.B. 358, pp. 14, 15. 1909.
  reproduction, effect of grazing. Arthur W. Sampson. D.B. 741, pp. 29. 1919.
  reproduction, injury by livestock. D.B. 741, pp. 2–10, 25–27. 1919.
  silvicultural management, cutting and brush-disposal methods. D.B. 741, pp. 23–25, 27. 1919.
  soda-pulp production, effects of varying cooking conditions. Henry E. Surface. D.B. 80, pp. 63. 1914.
  sprouts, injuries by sheep and cattle, comparison. D.B. 741, pp. 16–17, 26. 1919.
  stands, origin, characteristics, development, and decadence, tables. For. Bul. 93, pp. 23–30. 1911.
  testing for pulp manufacture. D.B. 343, pp. 45–46, 48, 50, 52, 53, 55. 1916.
  tests for mechanical properties, results. D.B. 556, pp. 28, 38. 1917; D.B. 676, p. 15. 1919.
  treatment for borer control. F.B. 1154, p. 11. 1920.
  use in shelter-belt planting. D.B. 1113, p. 9. 1923.
  uses and value. D.B. 741, pp. 1–2. 1919.
  value for—
    beaver food. D.B. 1078, pp. 17–18, 26. 1922.
    pulp and excelsior, rapid growth and short rotations. An. Rpts., 1910. p. 410. 1911; For. A. Rpt., 1910, p. 50. 1910.
  varieties, distribution, description, and uses. For. Bul. 93, pp. 6–10, 11–13. 1911.
  volume table, and growth rate. For. Bul. 36, pp. 113, 182, 193. 1910.
  wood, analyses. D.B. 1298, p. 23. 1925.
  See also *Populus tremuloides*.
Aspergillosis—
  and coccidiosis, distinction. B.A.I. An. Rpt., 1908, p. 39. 1910.
  cause, symptoms, and treatment. F.B. 530, pp. 21–22. 1913; F.B. 957, pp. 24–26. 1918.
  chicks, caused by molds. Y.B., 1911, pp. 186, 187. 1912; Y.B. Sep. 559, pp. 186, 187. 1912.
  See also Pneumonia, brooder chicks.
Aspergillus—
  candidus, growth on tragacanth gum and tobacco. D.B. 109, pp. 4, 5. 1914.
  cucurbiteus, identity with *Choanephora cucurbitarum*. J.A.R., vol. 8, p. 319. 1917.
  flavus—
    on corn, toxic character. An. Rpts., 1914, p. 106. 1914; B.P.I. Chief Rpt., 1914, p. 6. 1914.
    oryzae, use in soy-bean fermentation. D.B. 1152, pp. 3, 6, 12, 16, 21, 23, 25. 1923.
    spores, enzymic activity. J.A.R., vol. 18, p. 204. 1919.
  fumigatus—
    cause of—
      bird disease. B.A.I. An. Rpt., 1903, pp. 122–136. 1904; B.A.I. Cir.58, pp. 122–136. 1904.
      brooder pneumonia. F.B. 1337, p. 13. 1923.
      poultry disease. F.B. 530, pp. 21–22, 27. 1913; F.B. 1337, p. 13. 1923; Y.B. 1911, pp. 186, 187, 188. 1912; Y.B. Sep. 559, pp. 186, 187, 188. 1912.
    presence in chick diarrhea. B.A.I. An. Rpt., 1908, p. 39. 1910.
    See also Aspergillosis.
  niger—
    enzymic action. J.A.R., vol. 18, pp. 197–201, 208. 1919; J.A.R., vol. 20, pp. 778–779. 1921.
    group, characteristics. J.A.R., vol. 7, pp. 1–15. 1916.
    penetration into wood, studies. J.A.R., vol. 26, pp. 220, 223, 225, 227. 1923.

Aspergillus—Continued.
  oryzae, Japanese use in fermentation. O.E.S. Bul. 159, pp. 29, 31. 1905.
  pollini, cause of "pickled brood" of bees, theory. Ent. Bul. 98, pp. 42–44, 46. 1912.
  spp.—
    cellulose destruction, studies. B.P.I. Bul. 266, pp. 42–43. 1913.
    distribution and economic importance, culture. B.A.I. Bul. 120, pp. 9–15. 1910.
    experiments with onions. J.A.R., vol. 29, pp. 509–510. 1924.
    forms and description. J.A.R., vol. 7, pp. 11–15. 1916.
    found in corn meal. J.A.R., vol. 22, pp. 181–188. 1921.
    from Idaho soil. J.A.R., vol. 13, pp. 79, 81, 93. 1918.
    glucose as a source of carbon. J.A.R., vol. 21, pp. 189–210. 1921.
    intracellular enzyms, with Penicillium. Arthur Wayland Dox. B.A.I. Bul. 120, pp. 70. 1910.
    occurrence in moldy butter. J.A.R., vol. 3, pp. 306, 307, 309. 1915.
    pasteurization experiments. J.A.R., vol. 6, No. 4, pp. 155–165. 1916.
    relation to disease in bees. Ent. Cir. 169, p. 1. 1913.
    studies in invertase activity. J.A.R., vol. 18, pp. 537–542. 1920.
  sydowi—
    cause of mold spores in cane sugar, studies. Work and Exp., 1919, p. 33. 1921.
    spores, enzymic activity, studies. J.A.R., vol. 18, pp. 205–207. 1919.
  terreus, in canned ripe olives. J.A.R., vol. 20, pp. 377–379. 1920.
Asphalt(s)—
  artificial, use in construction of earth asphalt road. Rds. Cir. 92, p. 30. 1910.
  blocks, road building, experiments, and cost. Rds. Cir. 94, pp. 13–17. 1911.
  colloid-carrying capacity, microscopic examination. J.A.R. vol. 17, pp. 167–176. 1919.
  compounds, loss on heating, test. D.B. 1216, pp. 50–51. 1924.
  description, value in road building. Rds. Cir. 93, pp. 5–6, 13. 1911.
  earth, road experiment, cost and results. Rds. Cir. 90, pp. 10–12. 1909.
  floors construction, directions. B.A.I. An. Rpt. 1909, pp. 253–254. 1911; B.A.I. Cir. 173, pp. 253–254. 1911.
  fluxed—
    Bermudez, for construction, specifications. D.B. 691, pp. 23–34. 1918.
    native, analysis, use on road, experiment. Rds. Cir. 99, pp. 14, 27, 35, 37. 1913.
    Trinidad, for construction, specifications. D.B. 691, pp. 35–36. 1918.
  mixtures, use in filling tree cavities. F.B. 1178, pp. 20–23. 1920.
  native, emulsion, use on road at Chevy Chase, Maryland, analysis. Rds. Cir. 99, pp. 9–11. 1913.
  oil—
    artificial road-binding experiment. Rds. Cir. 92, pp. 15–16, 27. 1910.
    compounds, loss from heating, tests. D.B. 1216, pp. 50–51. 1924.
    for poured-joint filler, specifications. D.B. 691, p. 22. 1918.
    for road construction, specifications. D.B. 691, pp. 9–21. 1918.
    penetration tests, results with different needles. J.A.R. vol., 5, No. 24, pp. 1123–1125. 1916.
    preparation, road binding, experiments, and cost. Rds. Cir. 94, pp. 7–10, 12–13, 20, 23–25, 49, 50, 51, 53–54, 56. 1911.
    use on roads, results. Rds. Cir. 99, pp. 35, 36–37, 41–42, 44, 50–51. 1913.
  paint, use in mistletoe eradication. B.P.I. Bul. 166, pp. 27, 33. 1910.
  pavement, comparison with wood. For. Cir. 141, pp. 8, 10. 1908.
  penetration test, effect of variations in conditions. J.A.R., vol. 5, No. 17, pp. 805–818. 1916.
  preparations, properties, and experiments in road building. Rds. Cir. 90, pp. 4–7, 10. 1909.

Asphalt(s)—Continued.
rock—
Kentucky, use in road-binding experiments Rds. Cir. 92, pp. 20, 25, 31. 1910.
use in road building. Y.B., 1910, pp. 305-306. 1911; Y.B. Sep. 538, pp. 305-306. 1911.
stains, removal from textiles. F.B. 861, p. 32. 1917.
testing and sampling D.B. 949, pp. 36-61, 75-74. 1921.
use in—
road building, analyses, and cost. Rds. Bul. 38, pp. 7-8. 1911; Rds. Cir. 98, pp. 7, 8-11, 12-13, 21, 22, 23-24, 25, 26, 27, 29-31, 33-40, 42, 46, 47. 1912.
road experiments, 1914, reports. D.B. 257, pp. 7-16, 19-25, 30-43. 1915.
tree pruning, method. News L., vol. 3, No. 27, pp. 1, 4. 1916.
tree surgery. Y.B., 1913, p. 179. 1914; Y.B. Sep. 622, p. 179. 1914.
tree surgery, details and methods. F.B. 1187; pp. 9, 10, 20-25. 1921.
value of presence in road-making oils. Y.B., 1902, pp. 443-453. 1903.
Asphaltum—
bands for control of peach-tree borer. O.E.S. An. Rpt., 1910, p. 104. 1911.
treatment for peach-tree borer. F.B. 517, p. 8. 1912.
See also Asphalt.
Asphondylia—
miki. See Alfalfa gall midge.
opuntiae—
description and injury to cactus. Ent. Bul. 113, pp. 34-35. 1912.
fly injurious to cactus flower buds. D.B. 31, p. 20. 1913.
Aspidiotiphagus citrinus—
description, parasitic on San Jose scale. Ent. Cir. 124, p. 9. 1910.
destruction of scurfy scale. F.B. 723, p. 6. 1916.
enemy of purple scale, Mediterranean countries. D.B. 134, pp. 17, 19. 1914.
parasite on oyster-shell scale. Ent. Cir. 121, p. 6. 1910.
Aspidiotus—
cyanophylli, enemy of Ceara rubber tree. Hawaii A.R., 1907, p. 46. 1908; Hawaii Bul. 16, p. 30. 1913.
destructor, injury to coconut trees, control measures. P.R. An. Rpt., 1914, p. 45. 1916.
howardii. See Scale, Howard.
lantaniae, enemy of pepper tree and wild guava. Hawaii A.R., 1907, p. 46. 1908.
perniciosus—
control, life history. F.B. 1270, pp. 62-64. 1922.
See also San Jose scale.
Aspidium filix-mas. See Fern, male.
Aspidoglossa subangularis, enemy of plum curculio. Ent. Bul. 103, p. 152. 1912.
Aspidosperma—
peroba, importation and description. No. 51107, B.P.I. Inv. 64, p. 57. 1923.
spp., quebracho substitutes. For. Cir. 202, pp. 5, 10-11. 1912.
Aspirator tests in study of chestnut-blight fungus spores. J.A.R., vol. 3, pp. 516-519. 1915.
Aspirin—
mixtures, melting temperature, studies. Chem. Bul. 162, pp. 202-203. 1913.
tablets, adulteration and misbranding. Chem. N.J. 3019. 1914.
Aspris spp., description, distribution, and uses. D.B. 772, pp. 13, 116, 117, 288. 1920.
Ass(es)—
admission, sanitary requirements, various States. B.A.I. Doc. A-28, pp. 1-44. 1917; B.A.I. Doc. A-36, pp. 1-67. 1920.
breed registered in certified studbook. B.A.I. An. Rpt., 1906, p. 261. 1908. B.A.I. Cir. 124, p. 15. 1908.
breeders' association, certified pedigree stock. B.A.I. An. Rpt., 1907, p. 405. 1909.
classification at county fairs. F.B. 822, p. 12. 1917.

Ass(es)—Continued.
dourine—
infected, quarantine regulations. B.A.I.O. 263, p. 24. 1919.
spread, prevention, regulation. B.A.I.O. 245, p. 27. 1916; B.A.I.O. 273, rev., pp. 22-23. 1923; B.A.I.O. 292, p. 21. 1925.
exclusion from landing at U. S. ports from Asia and Africa. B.A.I.O. 174, p. 1. 1910.
hides. See Horsehides.
host of cattle tick. Ent. Bul. 72, p. 35. 1907.
number in world countries—
1908. Y.B., 1908, pp. 715-716. 1909; Y.B. Sep. 498, pp. 715-716. 1909.
1910. Y.B., 1910, pp. 618-620. 1911; Y.B. Sep. 553, pp. 618-620. 1911.
1911. Y.B., 1911, pp. 623-625. 1912; Y.B. Sep. 588, pp. 623-625. 1912.
1914. Y.B., 1914, pp. 612-615. 1915; Y.B. Sep. 656, pp. 612-615. 1915.
1915. Y.B., 1915, pp. 507-510. 1916; Y.B. Sep. 684, 1915, pp. 507-510. 1916.
1917. Sec. [Misc.] Spec. "Geography * * * world's agriculture," pp. 109, 114-116. 1917; Y.B., 1917, pp. 709-713. 1918; Y.B. Sep. 761, pp. 3-7. 1918.
1918. Y.B., 1918, pp. 587-591. 1919; Y.B. Sep. 793, pp. 3-7. 1919.
1919. Y.B., 1919, pp. 644-648. 1920; Y.B. Sep. 828, pp. 644-648. 1920.
1920, graph. Y.B., 1921, p. 470. 1922; Y.B. Sep. 878, p. 64. 1922.
1921. Y.B., 1921, pp. 675-680. 1922; Y.B. Sep. 870, pp. 1-6. 1922.
1922. Y.B., 1922, pp. 795-801. 1923; Y.B Sep. 888, pp. 795-801. 1923.
public service, State legislation. B.A.I. An. Rpt., 1908, pp. 335-344. 1910.
registrations, by States. S.B. 5, p. 10. 1925.
selection, care, and feed in mule production. F.B. 1341, pp. 4-6. 1923.
statistics—
graphic showing of average numbers in world. Stat. Bul. 78, p. 44. 1910.
numbers and classes in 18 States. Y.B., 1916, p. 291. 1917; Y.B. Sep. 692, p. 3. 1917.
tick-infested, interstate movement regulations. B.A.I.O. 263, p. 15. 1919; B.A.I.O. 292, p. 13. 1925.
zebra hybrids, breeding experiments and results. B.A.I. An. Rpt., 1909, pp. 229-232. 1911.
See also Horses; Mules; Jacks.
Assahy, importation and description. No. 46743, B.P.I. Inv. 57, p. 28. 1922.
Assam—
citrus subspecies, collection and description. J.A.R., vol. 1, p. 11. 1913.
explorations by Joseph F. Rock. D.B. 1057, pp. 20-21. 1922.
Khasi Hills, citrus species, variety of citrus ichangensis. J.A.R., vol. 1, pp. 11-13. 1913.
rainfall, excessive. Y.B., 1915, p. 323. 1916; Y.B. Sep. 680, p. 323. 1916.
Assassin bug, enemy of citrus thrips. D.B. 616, p. 26. 1918.
Assay, opium, methods, results and discussion. Chem. Bul. 90, pp. 142-150. 1905.
Assessments—
drainage, methods of making. D.B. 1207, pp. 3-4 51-63. 1924.
fire insurance. D.B. 530, pp. 15, 25-26. 1917.
notices and collection. For. [Misc.], "Use book 1921," pp. 12, 13. 1922.
political. Sec. [Misc.], "Political assessments," pp. 2. 1902.
Assessors, drainge board, requirements and duties of members. D.B. 1207, pp. 22-24. 1924.
Association—
chemists. See Chemists, A. O. A. C.
Federal business, directory. B.A.I.S.R.A. 203, pp. 35-36. 1924.
protective, organization, and value in forest-fire protection. For. Cir. 205, p. 5. 1912.
See also Clubs, cooperative associations.
Assonia calantha. See Currajong.
Astelia sp., source of honey, importation. No. 43187, B.P.I. Inv. 48, p. 25. 1921

INDEX TO PUBLICATIONS, 1901–1925 149

Asters—
 China—
  cultivation. F.B. 169, pp. 24–25. 1903.
  description, cultivation, and characteristics. F.B. 1171, pp. 40–42, 79. 1921.
 growing, environment experiments. J.A.R., vol. 18, pp. 564, 567, 571, 579, 594. 1920.
 growing in window garden. B.P.I. Doc. 433, p. 3. 1909.
 honey source, value. Ent. Bul. 75, Pt. VII, pp. 90, 92, 94, 95. 1909.
 importation and description. No. 47642, B.P.I. Inv. 59, p. 41. 1922; No. 53009–53030, B.P.I. Inv. 67, pp. 3, 21–22. 1923.
 injury by root-aphid. Ent. Bul. 85, Pt. VI, pp. 109–111, 115. 1910.
 slender, occurrence, and control in rice fields. F.B. 1240, p. 25. 1924.
 wilt caused by *Acrostalagmus* sp. J.A.R., vol. 12, pp. 531, 533, 544. 1918.
 woody—
  description and poisonous character. D.B. 575, p. 18. 1918; D.B. 1245, p. 30. 1924.
  sheep poisoning, control work, Wyoming Experiment Station. O.E.S. An. Rpt., 1912, pp. 64, 230. 1913.
Asteriastigma macrocarpa. See Cannon-ball tree.
Asterochiton spp., description. Ent. T.B. 27, Pt. II, pp. 104–105. 1914.
Asterolecanium—
 miliaris longum, injury to bamboo, and control. D.B. 1329, p. 40. 1925; Hawaii A.R., 1907, p. 46. 1908.
 pustulans—
  injury to algeroba. Hawaii A.R., 1907, p. 46. 1908.
  See Scale, fringed.
Asthma—
 bird, symptoms. F.B. 770, p. 20. 1916.
 cure—
  "Az-ma-syde." misbranding Chem. N.J. 727, pp. 2. 1911.
  Dr. B. W. Hair's, misbranding. Chem. N.J. 837, p. 2. 1911.
  Munyon's, misbranding. Chem. N.J. 874, p. 3. 1911.
  Stello's misbranding. Chem. N.J. 1179, p. 2. 1911.
 remedy (ies)—
  "Dr. Tucker's specific," misbranding. Chem. N.J. 1077, p. 3. 1911.
  narcotic, danger in use. F.B. 393, pp. 8–10. 1910.
 weed. See Lobelia.
 See also Heaves.
Astilbe—
 rivularis—
  importation and description. No. 50362. B.P.I. Inv. 59, p. 41. 1922.
  importation and description. No. 50362, B.P.I. Inv. 63, p. 61. 1923.
 taqueti importation. No. 44685, B.P.I. Inv. 51, p. 48. 1922.
Astragalinus spp.—
 sale as reedbirds. Biol. Bul. 12, rev. p. 26. 1902.
 See also Goldfinch.
Astragalus—
 diphysus—
  description and distribution. D.B. 575, p. 6. 1918.
  poisonous properties. An. Rpts., 1918, p. 118. 1919; B.A.I. Chief Rpt., 1918, p. 48. 1918. 1918.
  See also Loco weed, blue.
 drummondi, description and harmless character. D.B. 575, p. 5. 1918; F.B. 1054, pp. 9, 11. 1919.
 gummifer—
  source of tragacanth gum. Chem. Cir. 94, p. 1. 1912.
  See also Tragacanth gum.
  importations and description. Nos. 32027, 32059, 32184–32186, B.P.I. Bul. 261, pp. 20, 23, 38. 1912; No. 36790, B.P.I. Inv. 37, p. 65. 1916. No. 52617, B.P.I. Inv. 66, p. 51. 1923.
 mollissimus—
  description, comparison with *Argallus lamberti*. B.A.I. Bul. 112, pp. 38–40, 101–102, 115. 1909.
  See also Loco weed, purple.

Astragalus—Continued.
 nitidus, description and harmless character. F.B. 1054, pp. 9, 10. 1919.
 nodule occurrence. B.P.I. Cir. 31, p. 6. 1909
 sinicus. See Clover, Genge.
 spp.—
  description. F.B. 1054, pp. 4–5, 7–10. 1919.
  feeding experiment. Woodland Park, Colorado. B.A.I. Bul. 112, pp. 71–72. 1909.
  See also Loco weed.
 tetrapterus, description, distribution and poisonous character. C. D. Marsh and A. B. Clawson. D.C. 81, pp. 7. 1920.
Astrakhan, Angora goat product. B.A.I. Bul. 27, p. 59. 1906.
Astrocaryum—
 polystachyum, importation and description. No. 46147. B.P.I. Inv. 55, p. 31. 1922.
 spp., importation and description. No. 43058. B.P.I. Inv. 48, p. 15. 1921; No. 43950, B.P.I. Inv. 49, p. 103. 1921; No. 47997, B.P.I. Inv. 60, p. 26. 1922; No. 50340–50341, B.P.I. Inv. 63, p. 58. 1923.
Astronium—
 balansae, importation and description. No. 41296, B.P.I. Inv. 44, p. 60. 1918.
 urundenva. See Urunday.
Astur atricapillus. See Goshawk.
Atnenia gairdneri. See Potato, Indian.
Atalantia—
 disticha, resistance to citrus canker. J.A.R., vol. 15, pp. 662, 665. 1919.
 glauca, name applied to *Eremocitrus glauca*. J.A.R., vol. 2, pp. 85, 88, 95, 98. 1914.
 hemiglauca, importation and description. No. 48835. B.P.I. Inv. 61, p. 53. 1922; No. 49891, B.P.I. Inv. 63, p. 53. 1923.
 racemosa, importation, description. No. 36102, B.P.I. Inv. 36, p. 52. 1915.
ATANASOFF, DIMITR—
 "Corn rootrot and wheatscab." With others. J.A.R., vol. 14, pp. 611–612. 1918.
 "Fusarium blight (scab) of wheat and other cereals." J.A.R. vol. 20, pp. 1–32. 1920.
 "Treatment of cereal seeds by dry heat." With A. G. Johnson. J.A.R., vol. 18, pp. 379–390. 1920.
Atanycolus rugosirentris, parasitic on mangrove borer. J.A.R., vol. 16, p. 161. 1919.
Atax spp. description and habits. Rpt. 108, pp. 49, 50, 52, 54. 1915.
Ataxia crypta, cause of cotton-stalk injury. Ent. Bul. 57, p. 38. 1906.
 See also Cotton stalk-borer.
Atchison, Topeka and Santa Fe Railway Company, right of way on Fort Wingate Military Reservation. Soil. [Misc.], "Laws applicable * * * agriculture * * *," Sup. 2, pp. 42–43. 1915.
Atemoya—
 description and importation. No. 43263. B.P.I. Inv. 48, p. 35. 1921; No. 45571, B.P.I. Inv. 53, pp. 59. 1922.
 hybrid annona, origin and description. Nos. 39808–39816. B.P.I. Inv. 42, pp. 21–22. 1918.
Athabaska Valley and Lake, description, climate, seasonal events. N.A. Fauna 27, pp. 17–23. 1908.
Athabaska-Mackenzie region—
 biological investigations. E. A. Preble N.A. Fauna 27, pp. 574. 1908.
 explorations and explorers, 1770–1907. N.A. Fauna 27, pp. 10–11, 54–85. 1908.
 life zones. N.A. Fauna 27, pp. 49–54. 1908.
Athel—
 importation and description. No. 45952, B.P.I. Inv. 54, pp. 4, 47–48. 1922; No. 52534, B.P.I. Inv. 66, p. 38. 1923.
 use for—
  tannin and as soil binder. B.P.I. Bul. 180, p. 35. 1910.
  windbreaks. F.B. 1447, pp. 39, 40. 1925.
Athenia, quarantine station for imported livestock. B.A.I. An. Rpt. 1911, p. 95. 1913; B.A.I. Cir. 213, p. 95. 1913.
Athletic (s)—
 goods, manufacture from basswood and other woods. D.B. 1007, p. 51. 1922.
 in agricultural colleges, discussion. O.E.S. An. Rpt., 1912, p. 299. 1913.
 use of community buildings. F.B. 1274, pp. 9–10, 14, 20, 24–25, 32. 1922.

Athysanus—
exitiosus, parasite of sharp-headed grain leafhopper. D.B. 254, p. 14. 1915.
spp., description, life history, and control. Ent. Bul. 108, pp. 86-94. 1912.

ATKINS, H. C. "Better utilization through better machinery." M.C. 39, pp. 59-62. 1925.

ATKINSON, C. E.—
"Cotton ginning information for farmers." With others. F.B. 764, pp. 24. 1916.
"Cotton ginning information for farmers." With Fred Taylor. F.B. 764, rev., pp. 28. 1917.

ATKINSON, JAMES: "Government market reports on livestock and meats." Y.B., 1918, pp. 379-398. 1919; Y.B. Sep. 788, pp. 22. 1919.

ATKINSON, T. R.: "Irrigation in North Dakota." O.E.S Bul. 219, pp. 39. 1909.

ATKINSON, V. T.—
"Bones: Diseases and accidents." B.A.I. [Misc.], "Diseases of cattle," rev., pp. 261-284. 1904; pp. 251-284. 1908; pp. 269-294. 1912; pp. 264-288. 1923.
"Poisons and poisoning." B.A.I., [Misc.], "Diseases of cattle," rev., pp. 53-69. 1904; pp. 53-69. 1908; pp. 54-70. 1912; pp. 51-72. 1923.
"Osteomalacia, or creeps, in cattle." B.A.I. Cir. 66, pp. 2. 1905.

Atlanta, Georgia—
milk supply, details and statistics. B.A.I. Bul. 46, pp. 30, 59. 1903; B.A.I. Bul. 70, pp. 6-7, 28-29. 1905.
trade center for farm products, statistics. Rpt. 98, pp. 288, 321. 1913.

Atlantic—
and Gulf Coastal plains, new soil types, classification. Soils [Misc.], "Description of soil types * * *," pp. 1-7. 1911; Soils Bul. 78, pp. 15-72. 1911.
coast—
fields, rice flooding. F.B. 673, p. 11. 1915.
forests, acreage decrease. M.C. 15, p. 4. 1924.
region, truck soils. Jay A. Bonsteel. Y.B., 1912, pp. 417-432. 1913; Y.B. Sep. 603, pp. 417-432. 1913.
south, diversified farming. Y.B., 1905, pp. 193-200. 1906.
steamboat routes, description. D.B. 74, pp. 6-7. 1914.
trucking region, climatic conditions. Y.B., 1912, pp. 417-419. 1913; Y.B., Sep. 603, pp. 417-419. 1913.
coastal plain—
crop-yield, increase, method. F.B. 924, pp. 1-24. 1918.
northern, description, terraces, and formations. D.B. 159, pp. 4-16. 1915.
province, soils, description, area, and uses. Soils Bul. 96, pp. 221-301. 1913.
soil, character and agricultural value, by series. Soils Bul. 55, pp. 95-118. 1909; Soils Bul. 78, pp. 17-47, 56-57, 64-66, 68, 69, 72. 1911.
Middle States, summer apples. H. P. Gould. B.P.I. Bul. 194, pp. 96. 1911.
Ocean, north, weather service. W.B. Chief Rpt., 1912, p. 11. 1912; An. Rpts., 1912, p. 269. 1913.
States—
corn injury by larger stalk-borer. F.B. 1025, p. 4. 1919.
farm management problems, investigations. An. Rpts., 1918, p. 497. 1919; Farm M. Chief Rpt., 1918, p. 7. 1918.
irrigation need and possibilities. Y.B., 1911, pp. 314-318, 319. 1912; Y.B. Sep. 570, pp. 314-318, 319. 1912.
Middle, roads, mileage and revenues, 1911. D.B. 386, pp. 28. 1916.
North, irrigation. Aug. J. Bowie, jr., O.E.S. Bul. 167, pp. 50. 1906.
rice rats, descriptions. N.A. Fauna 43, pp. 21-24. 1918.
truck farming. L. C. Corbett. Y.B., 1907, pp. 425-434. 1908; Y.B. Sep. 459, pp. 425-434. 1908.
trucking industry, acreage and crops. Y.B., 1916, pp. 438-442, 448. 1917; Y.B., Sep. 702, pp. 4-8, 14. 1917.

Atlantic City, New Jersey—
milk supply, statistics, officials, and prices. B.A.I. Bul. 46, pp. 36, 117. 1903.
typhoid epidemic, 1902, investigation. Chem. Bul. 156, p. 7. 1912.

Atlas—
American Agriculture, climate, precipitation, and humidity. J.B. Kincer. Atl. Am. Agr. Adv. Sh., Pt. II, sec. A, pp. 48. 1922.
farm, cotton. O. C. Stine and others. Atl. Am. Agr. Adv. Sh., Pt. V, sec. A, pp. 28. 1919.
forest—
geographic distribution of North American trees. Pt. I—pines. For [Misc.], "Forest atlas * * *," maps 36. 1913.
preparation. For. [Misc.], "Preparation * * * atlas," pp. 4. 1907.
Forest Service, from statistical volume of Forest Service Atlas for 1907. For. [Misc.], "Forest Service * * *," pp. 30. 1908.

Atmometers, use in—
evaporation studies, description, and cost. D.B. 1059, pp. 152, 156-160, 168. 1922; J.A.R., vol. 6, No. 13, p. 477. 1916.
study of transpiration rate of alfalfa. J.A.R. vol. 9, pp. 277-292. 1917.

Atmosphere—
density, composition extension movements. Y.B., 1915, pp. 318-323. 1916; Y.B., Sep. 680, pp. 318-323. 1916.
exploration by means of kites. W.B. Bul. 31, pp. 66-67. 1902.
investigations by Weather Bureau. W.B. Chief Rpt., 1924, pp. 11-12. 1924.
purification by forests. Off. Rec. vol. 3, No. 9, p. 5. 1924.
stories. Roscoe Nunn. Y.B., 1915, pp. 317-327. 1916; Y.B., Sep. 680, pp. 317-327. 1916.

Atmospheric conditions—
effect on water requirements of crop plants, experiments. B.P.I. Bul. 285, pp. 58-61, 89. 1913.
weather indications, proverbs on sight and sound. Y.B., 1912, p. 282. 1913; Y.B., Sep. 599, p. 282. 1913.

Atomic weights, international, 1907, table. Chem. Bul. 107, p. 230. 1907.

Atomizers—
hand—
for small spraying operations. F.B. 908, p. 61. 1918.
for spraying plants or small trees. F.B. 1169, p. 20. 1921.
use in spraying potatoes. B.P.I. Doc. 884, p. 6. 1913.

Atomus spp., description. Rpt. 108, p. 40. 1915.

Atony, stomach of sheep, cause, symptoms, and treatment. F.B. 1155; p. 28. 1921.

Atoposomoidea ogimae, description. Ent. T.B. 19, Pt. I, pp. 9-11. 1910

Atoxyl—
remedy for loco-weed disease. B.A.I. Bul. 112, pp. 83, 110. 1909.
toxicity studies. Chem. Bul. 148, p. 8. 1912.
use as anthelmintic, experiment. B.A.I. Bul. 153, p. 13. 1912.

Atractides spp., description. Rpt. 108, pp. 49, 52. 1915.

Atriplex—
canescens. See Orache; Saltbush, gray.
confertifolia, description, occurrence, and indications. J.A.R. vol. 1, pp. 394-399. 1914.
description and occurrence in Washington saltwater bogs. Soil Sur. Adv. Sh., 1909, p. 34. 1911; Soils F.O. 1909, p. 1544. 1912.
spp. See Greasewood; saltbush.

Atropa belladonna—
growing for use as drug. J.A.R., vol. 1, pp. 129-130. 1913.
roots, description. Chem. S.R.A. 21, p. 69. 1918.
See also Belladonna.

Atrophy, cattle, effects. B.A.I. [Misc.], "Diseases of cattle," rev., p. 126. 1916.

Atropine—
identification tests. Chem. Bul. 150, pp. 36-40 1912.
sulphate—
adulteration and misbranding. Chem. N.J. 12947, 12950. 1925.

INDEX TO PUBLICATIONS, 1901–1925   151

Atropine—Continued.
  sulphate—continued.
    tablets, adulteration and misbranding. Chem. N.J. 13399. 1925; Chem. N.J. 13607. 1925.
    toxicity studies. Chem. Bul. 148, p. 8. 1912.
Attagenus piceus—
  injury to tobacco. D.B. 737, p. 30. 1919.
  See also Carpet beetle.
Atta texana. See Ant, leaf-cutting.
Attalea—
  cohune—
    importation. No. 42707, B.P.I. Inv. 47, pp. 7, 54. 1920.
    See also Cohune.
  gomphococca, importation. No. 47440, B.P.I. Inv. 59, p. 19. 1922.
  guaranitica, importation. No. 45484, B.P.I. Inv. 53, p. 39. 1922.
  sp., importation. No. 51024, B.P.I. Inv. 64, p. 43. 1923.
  spectabilis, palm, importation and description. No. 43056, B.P.I. Inv. 48, p. 15. 1921.
ATTERBERG, ALBERT, work on classification of barley varieties. D.B. 622, pp. 4, 31. 1918.
Attorney General—
  decision in regard to—
    labeling of whiskies, sold under distinctive names. F.I.D. 127, pp. 6. 1910.
    legality of referee board. F.I.D. 107, pp. 6. 1909.
  opinion on inspection of lard substitue, J. A. Fowler, acting. Sol. Cir. 38, pp. 9. 1910.
  opinion on twenty-eight-hour law. Sol. Cir. 27, pp. 21-23. 1909.
Attu mackerel labeling. Opinion 104. Chem. S.R.A. 12, p. 755. 1915.
Aturus spp. description. Rpt., 108, pp. 49, 51. 1915.
ATWATER, H. W.—
  "Bread and bread making." F.B. 389, pp. 47. 1910.
  "Family living in farm homes." With others. D.B. 1214, pp. 36. 1924.
  "Food for farm families." Y.B., 1920, pp. 471-484. 1921; Y.B. Sep. 858, pp. 471-484. 1921.
  "Honey and its uses in the home." With Caroline L. Hunt. F.B. 653, pp. 26. 1915.
  "How to select foods. I. What the body needs." With Caroline L. Hunt. F.B. 808, pp. 14. 1917.
  "How to select foods. II. Cereal foods." With Caroline L. Hunt. F.B. 817, pp. 23. 1917.
  "How to select foods. III. Foods rich in protein." With Caroline L. Hunt. F.B. 824, pp. 19. 1917.
  "Poultry as food." F.B. 182, pp. 40. 1903.
  "Selection of household equipment." Y.B., 1914, pp. 339-362. 1915; Y.B. Sep. 646, pp. 339-362. 1915.
  "The food value and uses of poultry." D.B. 467, pp. 29. 1916.
ATWATER, W. O.—
  "Dietaries in public institutions." Y.B., 1901, pp. 393-408. 1902; Y.B. Sep. 244, pp. 393-407. 1902.
  "Dietary studies in New York City in 1896 and 1897." With A. P. Bryant. O.E.S. Bul. 116, pp. 83. 1902.
  "Experiments on the metabolism of matter and energy in the human body, 1898-1900." With others. O.E.S. Bul. 109, pp. 147. 1902.
  "Experiments on the metabolism of matter and energy in the human body, 1900-1902." With others. O.E.S. Bul. 136, pp. 357. 1903.
  "Principles of nutrition and nutritive value of food." F.B. 142, pp. 48. 1902.
  "The effect of severe and prolonged muscular work on food consumption, digestion, and metabolism." With H. C. Sherman. O.E.S. Bul. 98, pp. 7-56. 1901.
  "The respiration calorimeter." With F. G. Benedict. Y.B., 1904, pp. 205-220. 1905; Y.B. Sep. 342, pp. 205-220. 1905.
Atwater food standards. O.E.S. Bul. 223, pp. 39, 95. 1910.
ATWOOD, A. C.: "Description of the comprehensive catalogue of botanical literature in the libraries of Washington." B.P.I. Cir. 87, pp. 7. 1911.
ATWOOD, K. H.: "The relation of agricultural extension agencies to farm practices." With C. Beaman Smith. B.P.I. Cir. 117, pp. 13-25. 1913.

AUBEL, C. E.: "Inheritance of fertility in swine." With Edward N. Wentworth. J.A.R., vol. 5, No. 25, pp. 1145-1160. 1916.
Auburn, New York, milk supply, statistics, officials, prices, and ordinances. B.A.I. Bul. 46, pp. 36, 133. 1903.
Auction—
  buyers, classes. D.B. 1362, pp. 16-17. 1925.
  club members' cattle. News L., vol. 7, No 5, pp. 9-10. 1919.
  fruit—
    and produce, American. Admer D. Miller and Charles W. Hauck. D.B. 1362, pp. 36. 1925.
    and vegetable, extent and growth of business. D.B. 1362, pp. 6-7. 1925.
    at market centers, methods. D.B. 267, pp. 14-15. 1915.
    consignments. Rpt. 98, pp. 168, 171, 176, 178, 179, 185, 189, 193, 196, 209, 242, 247. 1913.
  hogs, advantages. Y.B., 1922, p. 239. 1923. Y.B. Sep. 882, p. 239. 1923.
  tobacco—
    at warehouses, description. B.P.I. Bul 268, pp. 13-27, 48-53. 1913.
    methods. Y.B. 1922, pp. 433-437. 1923; Y.B. Sep. 885, pp. 433-437. 1923.
Auctioneer, produce, requirements. D.B. 1362, pp. 15-16. 1925.
Auditing—
  associations, farmers, membership, methods, and work. News L., vol. 5, No. 19, p. 8. 1917.
  cooperative organizations, purposes, and methods. D.B. 178, pp. 18-20, 21, 23. 1915.
  creamery accounts. D.B. 559, p. 5. 1917.
Audubon societies—
  directory—
    1901. Biol. Cir. 33, pp. 8-10. 1901.
    1902. Biol. Cir. 35, pp. 9-10. 1902.
    1903. Biol. Cir. 40, pp. 11-12. 1903.
    1904. Biol. Cir. 44, pp. 13-15. 1904
    1905. Biol. Cir. 50, pp. 14-16. 1905.
    1906. Biol. Cir. 53, pp. 14-16. 1906.
    1907. Biol. Cir. 62, pp. 14-16. 1907.
    1908. Biol. Cir. 65. pp. 14-16. 1908.
    1909. Biol. Cir. 70, pp. 14-16. 1909.
    1910. Biol. Cir 74, pp. 14-16. 1910.
    1911. Biol. Cir. 83, pp. 14-16. 1911.
    1912. Biol. Cir. 88, pp. 14-16. 1912.
    1913. Biol. Cir. 94, pp. 14-16. 1913.
    1914. Biol. [Misc.], "Directory of officials * * * 1914 * * *", pp. 14-16. 1914.
    1915. Biol. Doc. 101, pp. 14-16. 1915.
    1916. Biol. Doc. 104, pp. 15-16. 1916.
    1917. Biol. Doc. 108, pp. 16-17. 1917.
    1918. Biol. Doc. 109, pp. 16-17. 1918.
    1919. D.C. 63, pp. 16-18. 1919.
    1920. D.C. 131, pp. 16-18. 1920.
    1921. D.C. 196, pp. 18-20. 1921.
    1922. D.C. 242, pp. 18-20. 1922.
    1923. D.C. 298, pp. 15-16. 1923.
    1924. D.C. 328, pp. 15-16. 1924.
    1925. D.C. 360, pp.10-11. 1925.
  relation to farmer. Henry Oldys. Y.B. 1902, pp. 205-218. 1903; Y.B. Sep. 263, pp. 205-218. 1903.
  See also Game protection; Bird protection.
Auger(s)—
  grain, care and repair. F.B. 1036, p. 10. 1919.
  post-hole, use and value in testing ground water in irrigated orchards. F.B. 882, p. 37. 1917.
  soil, for boring test pits in irrigated lands. F.B. 805, p. 8. 1917.
AUGHEY, SAMUEL, study of food habits of birds. Biol. Bul. 15, pp. 23, 54, 57, 73-74, 91. 1901.
Augite—
  constituent of road-building rocks, description. D.B. 348, pp. 6, 7. 1916.
  description and composition. Rds. Bul. 37, p. 18. 1911.
Augusta, Georgia—
  milk supply, statistics. B.A.I. Bul. 46, pp. 34, 60. 1903; B.A.I. Bul. 70, pp. 6-7, 30. 1905.
  trade center for farm products, statistics. Rpt. 98, pp. 288, 321. 1913.
Auklet—
  Alaska, occurrence. N.A. Fauna 24, p. 52. 1904.
  description, habits, and food. N.A. Fauna 24, p. 52. 1904; N.A. Fauna 46, pp. 20-24. 1923.
  Paroquet, description, habits, and food. N.A. Fauna 46, pp. 20-21. 1923.

152   UNITED STATES DEPARTMENT OF AGRICULTURE

Aulacizes irrorata, occurrence on cotton.   Ent. Bul 57, p. 58.   1906.
Auleutes tenuipes infested with boll weevil parasites. Ent. Bul. 100, pp. 45, 51, 64, 67, 79.   1912.
AUNE, BEYER—
"Effect of fall irrigation on crop yields at Belle Fourche, S. D." With F. D. Farrell. D.B. 546, pp. 15.   1917.
"Suggestions to settlers on the Belle Fourche irrigation project."   B.P.I. Cir. 83, pp. 14.   1911.
"The work of the Belle Fourche—
experiment farm in 1912." B.P.I. Cir. 119, pp. 15–22.   1913.
Reclamation Project Experiment Farm in 1913." B.P.I. [Misc.], "Reclamation Project Experiment Farms, Belle Fourche, 1913," pp. 19.   1914.
Reclamation Project Experiment Farm in 1914." W.I.A. Cir. 4, pp. 16.   1915.
Reclamation Project Experiment Farm in 1915." W.A.I. Cir. 9, pp. 26.   1916.
Reclamation Project Experiment Farm in 1916." W.I.A. Cir. 14, pp. 28.   1917.
Reclamation Project Experiment Farm in 1917." W.I.A. Cir. 24, pp. 31.   1918.
Reclamation Project Experiment Farm in 1918." D.C. 60, pp. 34.   1919.
experiment farm, 1919–1922." D.C. 339, pp. 48. 1925.
Aunt Jemima's sugar cream syrup, misbranding. Chem. N.J. 325, pp. 2.   1910.
Auraphis—
cardui, description, habits, and control. F.B. 1128, pp. 17, 47–48.   1920
helichrysi, description, habits, and control. F.B. 1128, pp. 20, 47–48.   1920.
Auriparus flaviceps. *See* Tit, yellow-headed.
Aurora, Illinois, milk supply, statistics, officials, prices, and ordinances. B.A.I. Bul. 46, pp. 40, 68.   1903.
Austral zone, lower, Texas, topography, fauna, and flora. N.A. Fauna 25, pp. 16–33.   1905.
Australasia—
animal industry, statistics. B.A.I. An. Rpt., 1900, p. 557.   1901.
forests, extent and per cent of land area. For. Bul. 83, p. 7.   1910.
fruits, homegrown, marketing seasons. D.C. 145, p. 16.   1921.
Mediterranean fruit fly, distribution and ravages. D.B. 536, pp. 5–6.   1918.
sheep raising, importance of industry, methods. News L., vol. 3, No. 14, p. 8.   1915.
suggestions to American sheep raisers. F. R. Marshall. Y.B., 1914, pp. 319–338.   1915; Y.B. Sep. 645, pp. 319–338.   1915.
wool and sheep imports from, probable increase. D.B. 313, pp. 34–35.   1915.
Australia—
abattoirs, public, cost, and capacity. Y.B. 1914, pp. 433–436.   1915; Y.B. Sep. 650, pp. 433–436. 1915.
Acacia sp., growing and uses. D.B. 9, pp. 5, 9, 11, 16, 18–19, 25.   1913.
agricultural instruction for adults. O.E.S. Bul. 155, pp. 11–23.   1905.
agricultural statistics, 1910–1920. D.B. 987, pp. 5–7.   1921.
alfalfa as summer pasturage for sheep. D.B. 228, p. 5.   1915.
and New Zealand, market for American fruit. Samuel B. Moomaw and Caroline B. Sherman. D.C. 145, pp. 16.   1921.
butter—
exports, increase. Rpt. 67, pp. 23–24.   1901.
industry, production and trend. D.C. 70, pp. 6, 11.   1919.
cattle, numbers and distribution, maps. Sec. [Misc.] Spec., "Geography * * * world's agriculture," pp. 121, 127.   1917.
citrus—
fruit quarantine regulations. News L., vol. 6, No. 49, p. 4.   1919.
trees, injury by gummosis. J.A.R., vol. 24, p. 193.   1923.
cows and cattle, 1850–1918. D.C. 7, pp. 3, 17. 1919.
dairy statistics, 1901–1920 and 1788–1920. B.A.I. Cir. 37, pp. 45–46.   1922.

Australia—Continued.
egg production, monthly percentage. Stat. Bul. 101, p. 53.   1913.
eucalyptus utilization. O.E.S. Bul. 231, pp. 28–30.   1910.
experimental farms. O.E.S. An. Rpt., 1910, p. 86.   1911.
forest resources.   For. Bul. 83, pp. 59–61.   1910.
fruit(s)—
and vegetables, quarantine restrictions. F.H.B. Quar. 56, p. 4.   1923.
exports and imports. D.C. 145, pp. 4, 5, 14, 15.   1921.
production—
exports, and imports, 1908–1909, 1912–1913. D.B. 483, pp. 39–40.   1917.
grading and marketing. D.C. 145, pp. 2–4, 13, 16.   1921.
grape acreage and production. Sec. [Misc.] Spec., "Geography * * * world's agriculture," pp. 84, 88.   1917.
home of white scale and its parasite. Y.B., 1916, pp. 274–275.   1917; Y.B. Sep. 704, pp. 2–3. 1917.
horses, numbers, map. Sec. [Misc.] Spec., "Geography * * * world's agriculture," p. 111. 1917.
horses, registration. B.A.I.O. 175, amdt. 2, p. 1. 1911.
inspectors of plants, list. F.H.B., S.R.A. 11, p. 87.   1915.
introduction of bovine tuberculosis. B.A.I. Bul. 32, pp. 13–14.   1901.
irrigation and rainfall. Y.B., 1902, p. 636.   1903.
King Island, melilot production, description, and value for hay and fertilizer. B.P.I. Bul. 168, p. 21.   1909.
laws on fruit importation and quarantine. D.C. 145, pp. 6–7.   1921.
livestock—
number of cattle and sheep. Y.B., 1917, pp. 429–430.   1918; Y.B. Sep. 741, pp. 7, 8.   1918.
production and marketing. Y.B., 1914, pp. 422–426.   1915; Y.B. Sep. 650, pp. 422–426. 1915.
statistics. Rpt. 109, pp. 26, 34, 46, 50, 58, 61, 195, 211.   1916.
meat—
consumption. Rpt. 109, pp. 16, 20, 128, 130, 133, 271–273.   1916.
exports—
1901–1913, by countries. Y.B., 1914, pp. 432–433.   1915; Y.B. Sep. 650, pp. 432–433. 1915.
statistics (and meat animals). Rpt. 109, pp. 15, 74–90, 92, 94, 98, 218–219, 229.   1916.
inspection, laws and regulations. Y.B., 1914, pp. 429–430.   1915; Y.B. Sep. 650, pp. 429–430. 1915.
production, with New Zealand. E. C. Joss. Y.B., 1914, pp. 421–438.   1915; Y.B. Sep. 650, pp. 421–438.   1915.
Mediterranean fruit fly occurence. Ent. Cir. 160, pp. 2, 5, 6, 8, 9, 11.   1912.
new genus of citrus fruits, Eremocitrus. J.A.R., vol. 2, pp. 85–100.   1914.
New South Wales, wool classification methods. Y.B., 1914, pp. 328–329.   1915; Y.B. Sep. 645, pp. 328–329.   1915.
nursery stock inspection officials. F.H.B., S.R.A. 7, pp. 51–52.   1914; F.H.B. S.R.A. 20, pp. 59–60.   1915; F.H.B. S.R.A. 32, p. 104. 1916.
pink bollworm occurrence. F.H.B., S.R.A. 76, p. 105.   1923.
pork exports. Y.B., 1922, p. 273.   1923; Y.B. Sep. 882, p. 273.   1923.
potatoes—
importation, restriction. F.H.B., S.R.A. 41, pp. 57–58.   1917.
production, 1909–1913, 1921–1923. S.B. 10, p. 20. 1925.
rabbit pest, cost of destruction. Y.B., 1907, p. 339.   1908; Y.B. Sep. 442, p. 339.   1908.
Rhodes grass seed, growing and harvesting, Y.B., 1912, pp. 497, 499.   1913; Y.B. Sep. 609, pp. 497, 499.   1913.

Australia—Continued.
sheep—
  industry—
    1923. Y.B., 1923, pp. 232-233. 1924; Y.B. Sep. 894, pp. 232-233. 1924.
    comparison with New Zealand and United States. F. R. Marshall. D.B. 313, pp. 35. 1914.
  infestation with maggots, control work. F.B. 857, p. 18. 1917.
  numbers, discussion, and maps. Sec. [Misc.] Spec., "Geography * * * world's agriculture," pp. 135, 137, 141. 1917.
  numbers, wool production and exports. Y.B., 1917, pp. 402-403, 404, 405, 413. 1918; Y.B. Sep. 751, pp. 4-5, 6, 7, 15. 1918.
  pests control. F.B. 1330, p. 16. 1923.
  raising, conditions, comparison with United States. Y.B., 1914, pp. 320-334. 1915; Y.B. Sep. 645, pp. 320-334. 1915.
starch making from edible canna. Hawaii Bul. 54, pp. 1-2. 1924.
tomato weevil, habits and food plants. D.C. 282, pp. 5-6. 1923.
wheat—
  acreage, map. Sec. [Misc.] Spec., "Geography * * * world's agriculture," p. 25. 1917.
  acreage, production, and trade, 1909-1917, and war conditions. Y.B., 1917, pp. 463, 467, 470, 475. 1918; Y. B. Sep. 752, pp. 5, 9, 12, 17. 1918.
  area and production—
    1900-1912. Stat. Cir. 37, pp. 17-19. 1912.
    1909-1910. Stat. Cir. 25, pp. 6-7. 1911.
wool packing methods. F.B. 527, p. 13. 1913.
"Australian bees," other name for wild yeast, description, warning. News L., vol. 4, No. 2, p. 3. 1916.
Australian oats. See Rescue grass.
Australian tick fever. See Texas fever.
Australian wheat weevil. See Grain borer, lesser.
Austria—
  agricultural—
    situation, 1924. D.B. 1234, pp. 45-67. 1924.
    statistics, 1910-1918. D.B. 987, pp. 7-9. 1921.
  bee diseases, survey. D.C. 287, p. 24. 1923.
  cheese trade. D.C. 71, p. 19. 1919.
  contagious diseases of animals, 1909. B.A.I. An. Rpt. 1909, pp. 330-331. 1911.
  crop conditions—
    1909-1911. Stat. Cir. 28, p. 13. 1912.
    October, 1910. Stat. Cir. 25, p. 13. 1911.
    1910-1912. Stat. Cir. 39, pp. 9-10. 1912.
    May-June, 1912. Stat. Cir. 37, pp. 13-14. 1912.
  dairy cows and total cattle, 1869-1910. B.A.I. Doc. A-37, p. 46. 1922.
  food laws—
    affecting American exports. Chem. Bul. 61, pp. 9-11. 1901.
    colors. Chem. Bul. 147, p. 35. 1912.
  forest resources. For. Bul. 83, pp. 9-12. 1910.
  glanders, control by diagnostic procedure. D.B. 166, p. 10. 1915.
  grain production, and acreage. Stat. Bul. 68, pp. 49-51. 1908.
  hay and forage acreage. Sec. [Misc.] Spec., "Geography * * * world's agriculture," pp. 106, 107. 1917.
  horse breeding, progress. F.B. 419, p. 21. 1910.
  laws governing sale of arsenical papers, and fabrics. Chem. Bul. 86, p. 45. 1904.
  potatoes, production, 1909-1913, 1921-1923. S.B. 10, p. 19. 1925.
  sugar industry, 1903-1914. D.B. 473, pp. 40-41, 67-69. 1917.
  tobacco-leaf requirements. Y.B., 1905, p. 222. 1906; Y.B. Sep. 378, p. 222. 1906.
  wheat acreage, percentage of total land area, and increase since 1884. Y.B., 1909, pp. 262, 264. 1910; Y.B. Sep. 511, pp. 262, 264. 1910.
Austria-Hungary—
  alcohol denaturing, systems and formulas. Chem. Bul. 130, p. 79. 1910.
  barley acreage, production, and yield maps. Sec. [Misc.] Spec., "Geography * * * world's agriculture," pp. 41, 43. 1917.
  beet-sugar production and exports, 1913. Sec. Cir. 86, pp. 5-6. 1918.

Austria-Hungary—Continued.
  cattle and milk cows, numbers, maps. Sec. [Misc.] Spec., "Geography * * * world's agriculture," pp. 121, 123, 125. 1917.
  corn acreage and production, map. Sec. [Misc.] Spec., "Geography * * * world's agriculture," p. 33, 1917.
  corn imports, 1906-1910, by countries of origin. Stat. Cir. 26, p. 9. 1912.
  flax acreage and production of fiber. Sec. [Misc.] Spec., "Geography * * * world's agriculture," pp. 57, 59. 1917.
  forest resources. For. Bul. 83, pp. 9-16. 1910.
  fruits, area, production, imports, and exports, 1909-1913. D.B. 483, pp. 16-17. 1917.
  goats, numbers, map. Sec. [Misc.] Spec., "Geography * * * world's agriculture," p. 144. 1917.
  grain—
    area, 1885, 1895, 1905. Stat. Bul. 68, pp. 8-9. 1908.
    trade. Stat. Bul. 69, pp. 7-9, 11-13. 1908.
  grape acreage and production. Sec. [Misc.] Spec., "Geography * * * world's agriculture," pp. 86, 87. 1917.
  hemp acreage and production, map. Sec. [Misc.] Spec., "Geography * * * world's agriculture," p. 56. 1917.
  hogs, numbers, map. Sec. [Misc.] Spec., "Geography * * * world's agriculture," pp. 130, 131, 133. 1917.
  horse breeding for army remounts. B.A.I. An. Rpt., 1910, pp. 104-105. 1912; B.A.I. Cir. 186, pp. 104-105. 1911.
  horses, numbers, maps. Sec. [Misc.] Spec., "Geography * * * world's agriculture," pp. 111, 113. 1917.
  laws on fruit and plant introduction. Ent. Bul. 84, p. 33. 1909.
  livestock statistics. Rpt. 109, pp. 27, 35, 46, 50, 58, 61, 195, 211. 1916.
  meat—
    consumption. Rpt. 109, pp. 128, 130, 133, 271-273. 1916.
    imports statistics. Rpt. 109, pp. 101-114, 232-233, 247, 259, 261. 1916.
  oats acreage, production, and yield, maps. Sec. [Misc.] Spec., "Geography * * * world's agriculture," pp. 36, 38. 1917.
  potato acreage, production, and yield. Sec. [Misc.] Spec., "Geography * * * world's agriculture," pp. 68, 70. 1917.
  rye production, 1910-1914. Y.B., 1922, p. 501. 1923; Y.B. Sep. 891, p. 501. 1923.
  statistics, crops and livestock, 1911-1913, graphs. Y.B., 1916, pp. 533, 536-551. 1917. Y.B. Sep. 713, pp. 3, 6-21. 1917.
  sugar industry 1903-1914. D.B. 473, pp. 3, 4, 37-40. 1917.
  sugar production and consumption, and beet acreage. Sec. [Misc.] Spec., "Geography * * * world's agriculture," pp. 73, 75. 1917.
  tobacco acreage, production, exports, and imports. Sec. [Misc.] Spec., "Geography * * * world's agriculture," pp. 61, 62, 64. 1917.
  wheat acreage, production, and yield, maps. Sec. [Misc.] Spec., "Geography * * * world's agriculture," pp. 20-23. 1917.
Ausubo tree, Porto Rico, description and uses. D.B. 354, pp. 91-92. 1916.
Authorizations, stock-grazing permits, duration, and winter ranges, reg. G-1. For. [Misc.], "Use book, 1921," pp. 6-7. 1922.
Authors, corrections by regulations. Off. Rec. vol. 1, No. 32, p. 6. 1922.
Auto-cure method of salting bacon. B.A.I. An. Rpt., 1906, p. 233. 1908.
Auto-inoculation for glanders diagnosis. B.A.I. An. Rpt., 1910, pp. 349-350. 1912; B.A.I. Cir. 191, pp. 349-350. 1912.
Autoclave, use on cotton seed meal, effect on toxicity. C. T. Dowell and Paul Menaul. J.A.R. vol. 26, pp. 9-10. 1923.
Autocracy, Prussian historical sketch by Agriculture Secretary. News L., vol. 5, No. 13, pp. 1-2, 6-8. 1917.
Autoelectrolysis, cause of iron corrosion, discussion. Rds. Bul. 35, pp. 10, 11, 37. 1909.

Autographa—
 brassicae. See Cabbage looper.
 gamma californica. See Alfalfa looper.
 precationis, injury to cabbage in Hawaii. Ent. Bul. 109, Pt. III, pp. 32–33. 1912.
Autointoxication—
 correction by use of fermented milk, discussion and experiments. D.B. 319, pp. 2–7. 1916.
 intestinal, treatment by use of fermented milks, discussion. B.A.I. An. Rpt., 1909, pp. 135–141. 1911; B.A.I. Cir. 171, pp. 135–141. 1911.
Autolysis—
 beef, experiments, methods and results. D.B. 433, pp. 8–29. 1917.
 creatin, experiments, aseptic and antiseptic, description. J.A.R., vol. 6, No. 14, pp. 537–546. Ralph Hoagland and C. N. McBryde. 1916.
 effect upon muscle creatin, experiments. J.A.R. vol. 6, No. 14, pp. 535–547. 1916.
Automobile(s)—
 accidents, road types. Off. Rec., vol. 4, No. 16, p. 5. 1925.
 action on macadam roads. Rds. Bul. 48, pp. 19–21. 1913.
 aid in road improvement, increase since 1899. F.B. 505, pp. 16–18. 1912.
 control needed for benefit of farm women. Rpt. 103, pp. 66–75. 1915.
 dimension stock, requirements. M.C. 39, pp. 50–51. 1925.
 equipment—
  allowances to employees. B.A.I.S.R.A. 199, p. 101. 1923.
  purchase by employees, regulation. B.A.I.S.R.A. 202, p. 20. 1924.
 factor in gipsy moth spread. Ent. Bul. 119, p. 11. 1913.
 farm types, study. Off. Rec., vol. 2, No. 52, p. 3. 1923.
 fees, use in road building and maintenance, expenditures in 1915. News L., vol. 3, No. 51, p. 1. 1916.
 gasoline and oil, reimbursement ruling. B.A.I.S.R.A. 116, p. 119. 1917.
 Government insurance. Off. Rec., vol. 3, No. 22, p. 4. 1924.
 highways in Oregon National Forest, Mount Hood region. D.C. 105, pp. 1–32. 1920.
 numbers—
  and per cent of operators, in each tenure class. D.B. 1068, p. 55. 1922.
  in United States, and number per road mile, 1916. News L., vol. 4, No. 11, p. 1. 1916.
  increase—
   1906–1916. News L., vol. 5, No. 37, p. 15. 1918.
   since 1906. Sec. Cir. 59, p. 1. 1916.
  of farmers reporting. Y.B. 1921, pp. 505,789. 1922; Y. B., Sep. 878, p. 99. 1922; Y.B., Sep. 871, p. 20. 1922.
  on farms, by States. S.B. 5, pp. 84–85. 1925.
 official use. B.A.I.S.R.A. 88, pp. 116–117. 1914; B.A.I.S.R.A. 176, p. 127. 1921.
 operating expenses, regulations. Off. Rec., vol. 3, No. 29, p. 4. 1924.
 paints for. F.B. 1452, p. 11. 1925.
 production, 1910, use of substitutes for wood. Rpt. 117, pp. 47–49, 72. 1917.
 registration(s)—
  and revenues, 1914, by States. Sec. Cir. 49, p. 1. 1915.
  by States. S.B. 5, pp. 87–88, 89. 1925.
  in New Jersey. D.B. 386, p. 8. 1916.
  in United States, 1915, and in certain States. News L., vol. 3, No. 51, p. 1. 1916.
  licenses, and revenues in United States—
   1915. Sec. Cir. 59, pp. 15. 1916.
   1916. Sec. Cir. 73, pp. 15. 1917.
 road destruction, causes and remedies. Y.B., 1907, pp. 257–266. 1908; Y. B., Sep. 448, pp. 257–266. 1908.
 statistics, registration, and fees. An. Rpts., 1918, p. 382. 1919; Rds. Chief Rpt.,1918, p. 10. 1918.
 taxation, revenue from. Off. Rec. vol. 2, No. 45, p. 1. 1923.
 tires and tubes, reduced prices. Off. Rec. ,vol. 1, No. 3, p. 4. 1922.
 tours, extension work. Off. Rec., vol. 2, No. 47. p. 3. 1923.

utomobile(s)—Continued.
 traffic and revenues to States, 1903–1912. Rds. Bul. 48, pp. 68–71. 1913.
 use by farm women, reports. D.C. 148, p. 12. 1920.
 vacation camping, increase by road building. Y.B., 1916, pp. 523–524, 525. 1917; Y.B., Sep. 696, pp. 3–4, 5. 1917.
 wear of roads, causes. Y.B., 1910, p. 302. 1911; Y.B., Sep. 538, p. 302. 1911.
 See also Motor trucks; Motor vehicles.
Autopsy(ies)—
 fowls, after testing for *Bacterium pullorem.* D.B. 517, pp. 3–8, 11, 13, 15. 1917.
 hogs infected with tuberculosis. B.A.I. Bul. 88. pp. 38–42. 1906.
 rabbits, phosphorus-feeding experiments. Chem. Bul. 123 pp. 56–60. 1909.
Autumn moisture, effect on wintering over of alfalfa. B.P.I. Bul. 185, pp. 60–63. 1910.
Auyama, importation from West Indies. Inv. No. 30305, B.P.I. Bul. 233, p. 74. 1912.
Ava, importation and description. No. 38291. B.P.I. Inv. 39, pp. 11, 113. 1917.
Avalanches—
 northern Cascades, and forest cover. Thornton T. Munger. For. Cir. 173, pp. 12. 1911.
 preventive measures in the northern Cascades. For. Cir. 173, pp. 10–12. 1911.
Avalon distemper and cold compound, misbranding. Chem. N. J. 13728. 1925.
AVARY, P. H.: "Soil survey of—
 Baldwin County, Alabama." With others. Soil Sur. Adv. Sh., 1909, pp. 74. 1911; Soils F.O., 1909, pp. 705–774. 1912.
 Calhoun County, Alabama." With Lewis A. Hurst. Soil Sur. Adv. Sh., 1908, pp. 49. 1910; Soils F.O., 1908, pp. 615–659. 1911.
 Chambers County, Alabama." With Howard C. Smith. Soil Sur. Adv. Sh., 1909, pp. 30. 1911; Soils F.O., 1909, pp.775–800. 1912.
 Clarke County, Alabama." With others. Soil Sur. Adv. Sh., 1912, pp. 31. 1913; Soils F.O., 1912, pp. 725–751. 1915.
 Tallapoosa County, Alabama." With Howard C. Smith. Soil Sur. Adv. Sh., 1909, pp. 36. 1910; Soils F.O., 1909, pp. 645–676. 1912.
Avellane—
 importation and description. No. 34113, B.P.I. Inv. 32, p. 11. 1914; No. 35954, 35955, B.P.I. Inv. 36, p. 30. 1915; No. 44409, B.P.I. Inv. 50, p. 68. 1922.
 introduction, description, and use. B.P.I. Bul. 205, p. 38. 1911.
Avena—
 byzantina relationships. J.A.R., vol. 30, pp. 7–9. 1925.
 fatua, origin of cultivated oats. F.B., 424, p. 6. 1910.
 sativa. See Oats.
 spp.—
  classification, discussion. J.A.R., vol. 30, pp. 1–2, 6–9. 1925.
  description, distribution, and uses. D.B. 772, pp. 13, 110–113. 1920.
  description, distribution, and feed value. D.B. 201, pp. 10–11. 1915.
 sterilis, origin of cultivated oats. F.B. 424, p. 6. 1910.
 strigosa, origin of cultivated oats. F.B. 424, p. 6. 1910.
 varieties, *Puccinia graminis* on, biologic forms. E. C. Stakman and others. J.A.R., vol. 24, pp. 1013–1918. 1923.
Aveneae, key and descriptions of grasses. D.B. 772, pp. 12–13, 106–120. 1920.
Avens, Alpine distribution and growth. Wyoming, N.A. Fauna 42, p. 69. 1917.
AVERITT, S. D.—
 "Chemical composition of the soils of Shelby County, Kentucky." Soil Sur. Adv. Sh., 1916, pp. 67. 1919; Soils F.O., 1916, pp. 1465–1477. 1921.
 report as referee on—
  insecticides. Chem. Bul. 162, pp. 27–37. 1913.
  soils, phosphorus and potassium determinations. Chem. Bul. 132, pp. 25–30. 1910.

AVERITT, S. D.—Continued.
"Soil survey of—
Garrard County, Kentucky." With J. A. Kerr. Soil Sur. Adv. Sh., 1921, pp. 509-550. 1924.
Logan County, Kentucky." With others. Soils F.O., 1919, pp. 1201-1252. 1925; Soils Sur. Adv. Sh., 1919, pp. 56. 1922.
Shelby County, Kentucky." With others. Soil Sur. Adv. Sh., 1916, pp. 67. 1919; Soils F.O., 1916, pp. 1415-1464. 1919.

Averrhoa carambola—
importation and description. No. 48698, B. P. I. Inv. 61, p. 38. 1922.
See also Carambola.

AVERY, GLEN: "Soil survey of McCook County, South Dakota." With others. Soil Sur. Adv. Sh., 1921, pp. 451-471. 1924.

Avian tuberculosis. See Tuberculosis, fowl.

Aviaries, indoor and outdoor, arrangement and fittings. F.B. 1327, pp. 8-9. 1923.

Aviation—
relation to—
agriculture. Y.B., 1924, pp. 557-558. 1925.
winds. Y.B., 1911, p. 350. 1912; Y.B. Sep. 573, p. 350. 1912.

Aviation service, cooperative work of Forest Service. An. Rpts., 1917, pp. 166-167, 196. 1918; For. A.R., 1917, pp. 4-5, 34. 1917.

Aviators, work in measuring dust. Off. Rec., vol. 2, No. 38, pp. 1, 5. 1923.

Avicennia nitida. See Mangrove, black.

Avocado(s)—
acclimatization in California and Florida. An. Rpts., 1915, p. 153. 1916; B.P.I. Chief Rpt., 1915, p. 11. 1915.
Akbal, origin and description, S.P.I. No. 45505. D.B. 743, pp. 66-67. 1919.
Beardsley, origin and description. Hawaii A.R., 1919, p. 21. 1920.
Benick, origin and description. Inv. No. 44626, D.B., 743, pp. 57-58. 1919.
blight, rusty—
control. O.E.S. An. Rpt., 1911, pp. 23, 98. 1913.
description and control. Hawaii Bul. 25, pp. 23-26. 1911.
blossom, thrips, injury and control. F. B. 1261, pp. 19-20, 30. 1922.
botanical affinities and varieties. B.P.I. Bul. 77, pp.17-27. 1905; Hawaii Bul. 25, pp. 9-11. 1911.
breeding, methods and results. Hawaii Bul. 25, pp. 32-34. 1911.
budding—
and spraying experiments. An. Rpts., 1911, p. 700. 1912; O.E.S. Chief Rpt., 1911, p. 18. 1911.
method, and disease control, Hawaii. O.E.S. An. Rpt., 1911, pp. 22, 23, 98. 1912.
Cabnal, origin and description. Inv. No. 44782, D.B. 743, pp. 62-63. 1919.
California, changes in composition during growth. C. G. Church and E. N. Chace. D.B. 1073, p. 22. 1922.
Cantel, origin and description, Inv. No. 44783, D.B. 743, pp. 63-64. 1919.
Chabil, origin and description, Inv. No. 45534, D.B. 743, p. 69. 1919.
Chappelow, description and qualities. Hawaii Bul. 25, p. 37. 1911; Y.B., 1906, pp. 363-365. 1907; Y.B. Sep. 329, pp. 363-365. 1907.
Chisoy, origin and description. S.P.I. No. 43934. D.B. 743, pp. 49-50. 1919.
classification by race or type, general characters. D.B. 743, pp. 8-10. 1919.
Coban, origin and description, Inv. No. 43935. D.B. 743, pp. 46-47. 1919.
composition, variety comparison, discussion of results. D.B. 1073, pp. 5-9, 10-14, 15-22. 1922.
cross-pollination experiments, Hawaii. Hawaii A.R., 1916, pp. 17-18. 1917.
cultivation, in Porto Rico. P.R. An. Rpt., 1907, pp. 18-19, 24. 1908.

Avocado(s)—Continued.
cuttings, rooting tests. D.C. 310, pp. 8-10. 1924.
damage to seed by broad-nosed grain weevil. D.B. 1085, p. 2. 1922.
description, culture, and propagation. Hawaii Bul. 25, pp. 8-32. 1911.
enemies, insects, and diseases. D.B. 743, pp. 33-36. 1919.
entry, restrictions. F.H.B. S.R.A. 74, p. 56. 1923.
fat content—
and digestibility. S.R.S. Rpt. 1917, Pt. I, pp. 30, 70. 1918.
use for food. D.B. 469, p. 15. 1916.
fly, injury, history, and control. F.B. 1261, pp. 9-12, 30. 1922.
food value and preparation for table. Hawaii Bul. 25, pp. 34-37. 1911.
fumigated, absorption of hydrocyanic acid. D.B. 1149, p. 6. 1923.
fungous attack by *Glomerella cingulata*. B.P.I. Bul. 252, pp. 44-46. 1913.
growing—
Bahia, and use. D.B. 445, p. 18. 1917.
California, importance of industry. D.B. 1073, pp. 1-2. 1922.
Florida experiments. An. Rpts., 1912, pp. 423, 424. 1913; B.P.I. Chief Rpt., 1912, pp. 43, 44. 1912.
Guam. Guam A.R., 1917, pp. 38-39. 1918.
Guatemala, extent. D.B. 743, pp. 2-4. 1919.
Guatemalan highlands, elevation, soils, and yields. D.B. 743, pp. 10-36. 1919.
Hawaii. J.E. Higgins and others. Hawaii Bul. 25, pp. 48. 1911.
Hawaii, 1914. Hawaii A.R., 1914, pp. 17, 31. 1915.
Hawaii, 1920, experiments. Hawaii A.R., 1920, pp. 12, 17-19. 1921.
Hawaii, propagation. Hawaii A.R., 1915, pp. 12, 23-24. 1916.
Hawaii, variety tests. Hawaii A.R., 1921, pp. 2, 9-12. 1922.
Porto Rico, Cuba, Florida, and California, progress. Hawaii A.R., 1915, pp. 70-72. 1916.
Porto Rico, need of better shipping facilities. P.R. An. Rpt., 1919, pp. 8, 21. 1920.
growing, varieties. An. Rpts., 1919, pp. 141-142, 157-158. 1920; B.P.I. Chief Rpt., 1919, pp. 5-6, 21-22. 1919.
Guatemalan—
fruit characters, size, color, skin, and seed. D.B. 743, pp. 22-26. 1919.
growing in—
California and Florida. News L., vol. 4, No. 30, p. 2. 1917.
Hawaii. W. T. Pope. Hawaii Bul. 51, pp. 24. 1924.
improvement, results of selection. D.B., 743, pp. 11-14. 1919.
type, varieties, description, and freezing points. J.A.R. vol. 7, pp. 262, 264-265. 1916.
varieties, growing experiments. Hawaii A.R., 1920, pp. 17-19. 1921.
hard-shelled from Guatemala. An. Rpts., 1914, p. 125. 1914; B.P.I. Chief Rpt., 1914, p. 26. 1914.
harvesting time, determination investigation, purpose. D.B. 1073, p. 2. 1922.
Hawaiian—
marketing. Hawaii Bul. 14, pp. 29-32. 1907.
varieties—
description. Hawaii Bul. 25, pp. 41-48. 1911.
propagation, insects, and disease control, Hawaii A.R., 1910, pp. 25-30. 1911.
heptose content, discovery. An. Rpts., 1916, p. 193. 1917; Chem. Chief Rpt., 1916, p. 3. 1916.
immunity to camphor thrips. D.B. 1225, p. 20. 1923.

Avocado(s)—Continued.
importation(s)—
   and description. Nos. 29352, 29363, B.P.I. Bul. 233, pp. 14, 15, 57. 1912; Nos. 30494, 31361, B.P.I. Bul. 242, pp. 9, 13, 88. 1912; Nos. 31375, 31376, 31478, 31614, 31616, 31631, 31928, B.P.I. Bul. 248, pp. 8, 11, 18, 30, 31, 63. 1912; Nos. 31984, 32172, B.P.I. Bul. 261, pp. 15, 36. 1912; Nos. 34831, 34855, 34856, 35121, B.P.I. Inv. 34, pp. 5, 18, 21, 43. 1915; Nos. 35137, 35138, 35231, 35282, B.P.I. Inv. 35, pp. 11, 25, 31. 1915; Nos. 35675, 35676, B.P.I. Inv. 36, p. 10. 1915; Nos. 36270, 36603, 36604, 36623, 36687, 36817, B.P.I. Inv. 37, pp. 8, 10, 36, 37, 41, 49, 69. 1916; Nos. 37035, 37059, 37060, B.P.I. Inv. 38, pp. 29, 31, 32. 1917; Nos. 38400-38402, 38477, 38549-38564, 38578, 38582, 38587, 38638-38640, B.P.I. Inv. 39, pp. 11, 125, 135, 146, 150, 151, 155. 1917; Nos. 38888, 39172, B.P.I. Inv. 40, pp. 42, 86. 1917; Nos. 39369-39375, B.P.I. Inv. 41, pp. 6, 19-21, 1917; No. 40555, B.P.I. Inv. 43, p. 45. 1918; Nos. 40912, 40978-40982, B.P.I. Inv. 44, pp. 7, 11, 24-25. 1918; Nos. 41688, 41725, B.P.I. Inv. 46, pp. 10, 16. 1919; Nos. 43431, 43475, 43476, 43486, 43487, 43560, 43563, 43602-43606, 43932-43935, B.P.I. Inv. 49, pp. 6, 19, 30, 34, 43, 45, 50-51, 97-101. 1921; Nos. 44104, 44201, 44252, 44365, 44439, 44440, 44443-44445, B.P.I. Inv. 50, pp. 8, 41, 48, 63, 73, 74, 75-76. 1922; Nos. 44625-44628, 44679-44681, 44781-44783, 44785, 44820, 44856, B.P.I. Inv. 51, pp. 5-6, 32, 42, 64, 67, 73, 80. 1922; Nos. 45078, 45083, 45091, B.P.I. Inv. 52, pp. 31, 32, 33. 1922; Nos. 45505, 45560-45564, 45580, B.P.I. Inv. 53, pp. 6, 7, 42, 54-58, 62. 1922; Nos. 46337, 46574, B.P.I. Inv. 56, pp. 10, 28. 1922; Nos. 46624, 46724, 46803, 46895, B.P.I. Inv. 57, pp. 13, 25, 37, 47. 1922; Nos. 46984, 47004, B.P.I. Inv. 58, pp. 15, 18. 1922; Nos. 49730, 49739-49740, 49764-49776, B.P.I. Inv. 62, pp. 76, 77-78, 82-84. 1923; Nos. 50584, 50585, B.P.I. Inv. 63, pp. 80-81. 1923; Nos. 50680, 50688, 50968, 51029-51031, 51032, 51105, 51208, B.P.I. Inv. 64, pp. 1, 12, 13, 44, 45, 56, 75. 1923; Nos. 53182-53185, 53895, B.P.I. Inv. 67, pp. 1, 35-37, 94. 1923; Nos. 54270-54278, B.P.I. Inv. 68, p. 2, 42-44. 1923. Nos. 55625, 55736, B.P.I. Inv. 72, pp. 13, 27. 1924.
   prohibition, cause. Off. Rec., vol. 1, No. 26, p. 1. 1922.
   regulations. F.H.B.S.R.A. 59, p. 14. 1919; F.H.B.S.R.A. 76, p. 131. 1923.
in Florida, cultivation, propagation, and marketing. P. H. Rolfs. B.P.I. Bul. 61, pp. 36. 1904.
in Guatemala. Wilson Popenoe. D.B. 743, p. 69. 1919.
in Porto Rico, description and uses. D.B. 354, p. 70. 1916.
industry, development in 1910. An. Rpts., 1910, p. 358. 1911; B.P.I. Chief Rpt., 1910, p. 88. 1910.
infestation with Mediterranean fruit fly, in Hawaii. D.B. 536, pp. 17, 24, 43-45, 69. 1918.
injury by—
   red-banded thrips. Ent. Bul. 99, Pt II, pp. 19, 20, 21, 25. 1912.
   red spider. D.B. 1035, pp. 2, 3, 8, 15. 1922.
insect(s)—
   attacking in Florida. F.B. 1261, pp. 4-30. 1922.
   description and control. Hawaii Bul. 25, pp. 21-26. 1911.
   enemies and how to combat them. G. F. Moxnette. F.B. 1261, pp. 32. 1922.
   from importations, May, 1917. F.B.H. An. Letter 24, pp. 4, 6. 1917.
   pests, list. Sec. [Misc.], "A manual * * * insects * * *," pp. 29-30. 1917.
introduction, description, nativity, and value. B.P.I. [Misc.] "New plant introductions, 1917-1918," pp. 54-55. 1917.
introduction from Ecuador. Off. Rec., vol. 4, No. 18, p. 1. 1925.
investigational work, sampling and analysis methods. D.B. 1073, pp. 3-5. 1922.
investigations, budding, and spraying. Hawaii A.R., 1911, pp. 10, 25. 1912.
Ishim, origin and description. S.P.I. No. 45562. D.B. 743, pp. 67-68. 1919.

Avocado(s)—Continued.
Iskkal, origin and description. S.P.I. No. 43602. D.B. 743, pp. 45-46. 1919.
Kanan, origin and description. S.P.I. No. 45563. D.B. 743, p. 68. 1919.
Kanola, origin and description. S.P.I. No. 43560. D.B. 743, pp. 43-45. 1919.
Kashlan, origin and description. S.P.I. No. 43934. D.B. 743, pp. 47-49. 1919.
Kayab, origin and description. No. 44681. D.B. 743, pp. 60-61. 1919.
Kekchi, origin and description. No. 44679. D.B. 743, pp. 58-59. 1919.
lace-bug, injury and control. F.B. 1261, pp. 17-18, 30. 1922.
Lamat, origin and description. S.P.I. No. 43476. D.B. 743, pp. 42-43. 1919.
leaf-roller, injury and control. F.B. 1261, pp. 20-21, 30. 1922.
leaf spot, in Guam, occurrence. Guam A.R., 1917, p. 46. 1918.
Manik, origin and description. S.P.I. No. 45560. D.B. 743, pp. 61-62. 1919.
marketing, bibliography. M. C. 35, p. 38. 1925.
Mayapan, origin and description. S.P.I. No. 44680. D.B. 743, pp. 59-60. 1919.
Mexican—
   characters, and distribution in Guatemala. D.B. 743, pp. 10, 36. 1919.
   type, varieties, description and freezing points. J.A.R., vol. 7, pp. 262, 263-264. 1916.
Nabal origin and description. S.P.I. No. 44439. D.B. 743, pp. 52-53. 1919.
new varieties, description. B.P.I. Bul. 207, pp. 26-30. 1911.
Nimlioh, origin and description. S.P.I. No. 44440. D.B. 743, pp. 50-52. 1919.
nutmeg variety, description. Hawaii A.R. 1912, p. 38. 1913.
orchard, location and planting. Hawaii Bul. 25, pp. 12, 16. 1911.
origin and description. Y.B., 1910, pp. 431-432. 1911; Y.B. Sep. 549, pp. 431-432, 1911.
Panchoy, origin and description. S.P.I. No. 44625. D.B. 743, pp. 54-55. 1919.
Pankay, origin and description. S.P.I. No. 44785. D.B. 743, pp. 50-52. 1919.
picking and marketing. Hawaii Bul. 25, pp. 27-32. 1911.
planting on Porto Rico mountain. P.R. An. Rpt., 1921, p. 5. 1922.
Pollock—
   description and qualities. Hawaii Bul. 25, p. 38. 1911.
   history and description. Y.B. 1912, p. 272. 1913; Y.B. Sep. 589, p. 272. 1913.
pot, culture in manganiferous soils. Hawaii Bul. 26, pp. 27, 29. 1912.
preserving method. Hawaii A.R., 1919, p. 41. 1920.
production and crossing experiments in Hawaii, 1917. Hawaii A.R., 1917, pp. 19-20. 1918.
promising new—
   history and description. Y.B., 1912, p. 272. 1913; Y.B. Sep. 589, p. 272. 1913.
   origin and description. Y.B., 1910, pp. 431-432. 1911; Y.B. Sep. 549, pp. 431-432. 1911.
propagation methods, and distribution of stock. Hawaii A.R., 1912, pp. 11, 36-39. 1913.
pruning, thinning and girdling. Hawaii Bul. 25, pp. 19-21. 1911.
quarantine—
   1917. An. Rpts., 1917, pp. 429, 430. 1918; F.H.B. An. Rpt., 1917, pp. 15-16. 1917.
   in Hawaii. F.H.B. Quar. 51, p. 2. 1921.
   regulations, orders, F.H.B.S.R.A. 1, pp. 2, 5-6. 1914; F.H.B. Quar. 37, rev., p. 13. 1923; F.H.B. Quar. 56, pp. 1, 5. 1923.
red spider. G. F. Moznette. D.B. 1035, p. 15. 1922.
red spider, injury and control methods. F.B. 1261, pp. 21-29, 30. 1922.
requirements of climate, soils, location, and protection. Hawaii Bul. 25, pp. 11-12. 1911.
ripening—
   changes in stored product. D.B. 1073, pp. 16-22. 1922.
   in Guatemala, practices. D.B. 743, pp. 21-22. 1919.

Avocado(s)—Continued.
  salad fruit from tropics. G. N. Collins. B.P.I. Bul. 77, pp. 52. 1905.
  seed—
    fumigation experiments. D.B. 186, pp. 4-5. 1915.
    germination, methods. Hawaii Bul. 25, pp. 12-13. 1911.
    infestation by broad-nosed grain weevil. Ent. Bul. 96, Pt. II, pp. 19-20. 1911.
    medicinal use. D.B. 743, p. 5. 1919.
    quarantine. F.H.B. Quar. 12, p. 1. 1924; F.H.B.S.R.A. 71, pp. 175, 177. 1922; F.H.B. S.R.A. 74, p. 54. 1923.
  seeded, entry. Off. Rec., vol. 1, No. 43, p. 3. 1922.
  seedlings, Guatemalan, introduced into United States, descriptions. D.B. 743, pp. 42-69. 1919.
  shipping, grading, packing, and refrigeration. Hawaii Bul. 25, pp. 29-32. 1911.
  smuggling into Texas. Off. Rec., vol. 1, No. 26, p. 1. 1922.
  softening, time required. D.B. 1073, p. 9. 1922.
  source of sugar, researches. An. Rpts., 1917, p. 201. 1918; Chem. Chief Rpt., 1197, p. 3. 1917.
  spraying, apparatus and formulas for sprays. D.B. 1035, pp. 11-13, 15. 1922.
  success in South. Off. Rec., vol. 2, No. 30, p. 1. 1923.
  Tertoh, origin and description. S. P. I. No. 44856. D.B. 743, pp. 64-65. 1919.
  thrips, injury and control. F.B. 1261, pp. 19-20, 30. 1922.
  transplanting, tillage, irrigation, and cover crops. Hawaii Bul. 25, pp. 16-18. 1911.
  Trapp, description and qualities. Hawaii Bul. 25, p. 38. 1911.
  tree—
    growth habits, age, bearing, and yields. D.B. 743, pp. 15-20. 1919.
    termites occurrence. J.A.R., vol. 26, pp. 287, 289, 290, 298. 1923.
  Tumin, origin and description. S. P. I. No. 44627. D.B. 743, pp. 55-57. 1919.
  use(s)—
    in Guatemala food, oil, medicinal. D.B. 743, pp. 4-6. 1919.
    promising new variety. Y.B., 1905, pp. 508-510. 1906; Y.B. Sep. 399, pp. 508-510. 1906.
    propagation, marketing, extent of orchards. Y.B., 1905, pp. 439-444. 1906.
  value in Hawaii, comparative freedom from Mediterranean fruit-fly attacks. D.B. 640, pp. 16-18. 1918.
  variety(ies)—
    established and under test, description. Hawaii Bul. 25, pp. 37-48. 1911.
    freezing-point constants, studies. J.A.R., vol. 7, pp. 261-268. 1916.
    importation and description. No. 34698, B.P.I. Inv. 33, pp. 7, 48. 1915.
    recommendations for various fruit districts. B.P.I. Bul. 151, p. 63. 1909.
    subject to insect attack. F.B. 1261, p. 1. 1922.
    testing in California and Florida. Y.B., 1916, pp. 143-144. 1917; Y.B. Sep. 687, pp. 9-10. 1917.
  weevil(s)—
    cause of quarantine of avocado seed. An. Rpts., 1914, pp. 307, 308. 1914; F.H.B. An. Rpt., 1914, pp. 3, 4. 1914.
    description. Sec. [Misc.], "A manual of * * * insects * * *," p. 30. 1917.
    fumigation experiments. D.B. 186, p. 4. 1915.
    Guatemalan, investigation and quarantine against. F.B. 1261, p. 31. 1922.
    infesting. D.B. 743, pp. 34-35. 1919.
    interception in plant imports. F.H.B. An. Letter 36, pp. 2, 32. 1923.
    introduction prevention. Off. Rec., vol. 1, No. 43, p. 3. 1922.
    Mexican, investigation and quarantine against. F.B. 1261, p. 31. 1922.
    new species from the Canal Zone. H. F. Dietz and H. S. Barber. J.A.R., vol. 20, pp. 111-116. 1920.
    quarantine. F.H.B. 55, S. R. A. pp. 82-83. 1918.
  West Indian—
    characters, and distribution in Guatemala. D.B. 743, pp. 10, 36. 1919.

Avocado(s)—Continued.
  West Indian—Continued.
    varieties, description and freezing points. J.A.R., vol. 7, pp. 262, 265-266. 1916.
    white fly, injury, history, and control. F.B. 1261, pp. 9-12, 30. 1922.
Avocet—
  Athabaska-Mackenzie region. N.A. Fauna 27, p. 317. 1908.
  breeding range and migration habits. Biol. Bul. 35, pp. 19-20. 1910.
  distribution and food habits. D.B. 1359, pp. 12-16. 1925.
  occurrence and breeding range. Biol. Bul. 38, p. 29. 1911.
  protection need. Y.B., 1914, pp. 285, 291. 1915. Y.B. Sep. 642, pp. 285, 291. 1915.
Awn(s)—
  barley—
    ash content during growth and maturation, with rachis, palea, and kernel. Harry V. Harlan. J.A.R. vol. 22, pp. 433-449. 1921.
    relation to kernel development. J.A.R., vol. 19, pp. 432-461. 1920.
    variations in emergence, dimensions, D.B. 137, pp. 7-8, 24-26. 1914.
  grass, Guam, description, and disadvantages. Guam Bul. 1, p. 7. 1921.
  wheat, suppression by fungus. J.A.R., vol. 21, pp. 699-700. 1921.
Awnless brome. See Bromegrass.
Axes, felling and bucking, description and prices. D.B. 711, pp. 33, 35, 41-42. 1918.
Aronopus—
  compressus. See Carpet grass.
app.—
  description, distribution, and uses. D.B. 772, pp. 20, 223-225. 1920.
  importation and description. No. 52917, B.P.I. Inv. 67, pp. 4, 13. 1923.
AYER, L. W.: "Experiments in growing Cuban seed tobacco in Alabama." With George T. McNess. Soils Bul. 37, pp. 32. 1906.
AYERS, S. H.:—
  "A bacteriological study of retail ice cream." With William T. Johnson, jr. D. B. 303, pp. 24. 1915.
  "A simple butter color standard." B.A.I. Cir. 200, pp. 3. 1912.
  "A simple steam sterilizer for farm dairy utensils." With George B. Taylor. F.B. 748, pp. 11. 1916; F.B. 748, rev., pp. 16. 1919.
  "A study of the alkali-forming bacteria found in milk." With others. D.B. 782, pp. 39. 1919.
  "A study of the bacteria which survive pasteurization." With William T. Johnson. B.A.I. Bul. 161, pp. 66. 1913.
  "Ability of colon bacilli to survive pasteurization." With W. T. Johnson. J.A.R., vol. 3, pp. 401-410. 1915.
  "Ability of streptococci to survive pasteurization." William T. Johnson. J.A.R., vol. 2, pp. 321-330. 1914.
  "Casein media adapted to the bacterial examinations of milk." B.A.I. An. Rpt., 1911, pp. 225-235. 1913.
  "Cooling hot-bottled pasteurized milk by forced air." With others. D.B. 420, pp. 38. 1916.
  "Effect of pasteurization on mold spores." With Charles Thom. J.A.R., vol. 6, No. 4, pp. 155-166. 1916.
  "Interpretation of results of bacteriological examinations of milk." With A. L. Rogers. B.A.I. Cir. 153, pp. 46-52. 1910.
  "Pasteurizing milk in bottles, and bottling milk pasteurized in bulk." With W. T. Jackson, jr. D.B. 240, pp. 27. 1915.
  "Removal of garlic flavor from milk and cream." With W. T. Johnson. F.B. 608, pp. 4. 1914.
  "The alcohol test in relation to milk." With Wm. T. Johnson. D.B. 202, pp. 35. 1915.
  "The bacteriology of commercially pasteurized and raw market milk." With William T. Johnson, jr. B.A.I. Bul. 126, pp. 98. 1910.
  "The determination of bacteria in ice cream." With W. T. Johnson, jr. D.B. 563, pp. 16. 1917.
  "The dissemination of disease by dairy products, and methods for prevention." With others. B.A.I. Cir. 153, pp. 57. 1910.

AYERS, S. H.—Continued.
"The four essential factors in the production of milk of low bacterial content." With others. D.B. 642, pp. 61. 1918.
"The pasteurization of milk." B.A.I. Cir. 184, pp. 44. 1912.
"The present status of the pasteurization of milk." D.B. 342, pp. 16. 1916.
"The significance of the colon count in raw milk." With Paul W. Clemmer. D.B. 739, pp. 35. 1918.
"The sporogenes test as an index of the contamination of milk." With Paul W. Clemmer. D.B. 940. pp. 20. 1921.
AYERS, P. W.: "Commercial importance of the White Mountain forests." For. Cir. 168, pp. 32. 1909.
AYERS, T. W.: "The control of peach brown-rot and scab." With W. M. Scott. B.P.I. Bul. 174, pp. 31. 1910.
AYRS, O. L.—
"Soil survey of—
Giles County, Tennessee." With M. W. Gray. Soil Sur. Adv. Sh., 1907, pp. 23. 1909; Soils F.O., 1907, pp. 773-791. 1909.
Madison County, Kentucky." With A. M. Griffen. Soil Sur. Adv. Sh., 1905, pp. 20. 1906; Soils F.O., 1905, pp. 659-678. 1907.
Marion County, Alabama." With others. Soil Sur. Adv. Sh., 1907, pp. 24. 1908; Soils F.O., 1907, pp. 381-400. 1909.
Niagara County, New York." With others. Soil Sur. Adv. Sh., 1906, pp. 53. 1908; Soils F.O., 1906, pp. 69-117. 1908.
Overton County, Tennessee." With D. H. Hill. Soil Sur. Adv. Sh., 1908, pp. 24. 1908; Soils F.O. 1908, pp. 969-988. 1911.
Racine County, Wisconsin." With G. B. Jones. Soil Sur. Adv. Sh., 1906, pp. 25. 1907; Soils F.O., 1906, pp. 791-811. 1908.
Sumner County, Tenn." With others. Soil Sur. Adv. Sh., 1909, pp. 29. 1910; Soils F.O., 1909, pp. 1149-1173. 1912.
the Tishomingo area, Indian Territory." With T.D. Rice. Soil Sur. Adv. Sh., 1906, p. 28. 1907; Soils F.O., 1906, pp. 539-562. 1908.
Ayrshire Breeders Association, cattle, registered. 1910-1921. B.A.I. Doc. A.-37, p. 14. 1922.
Aythya americana. See Redhead.
Azadirachta indica. See Neem tree.
Azalea—
importations, infestation with gipsy moth. F.H.B. An. Letter 21, p. 1. 1916.
leaf-beetle occurrence. D.B. 352, p. 3. 1916.
occidentalis. See Laurel.
Az-ma-syde, drug product, misbranding. Chem. N.J. 727, p. 2. 1911.
Azofication, tests of soil in rotation plots, corn growing. J.A.R., vol. 5, No. 18, pp. 859, 868. 1916.
Azolla caroliniana. See Duckweeds.
Azores, citrus trees, injury by gummosis. J.A.R., vol. 24, p. 192. 1923.
Azotobacter—
cell, composition, studies. J.A.R., vol. 24, pp. 265-266. 1923.
chroococcum, cytological studies. Augusto Bonazzi. J.A.R., vol. 4, pp. 225-239. 1915.
cultures—
nitrogen growth and fixation, influence of hydrogen-ion concentration. P. L. Gainey and H. W. Batchelor. J.A.R., vol. 24, pp. 759-767. 1923.
production and analyses. J.A.R., vol. 24, pp. 264-265. 1923.
dried, as source of vitamin B., feeding experiments. J.A.R., vol. 23, pp. 828-830. 1923.
flora in soil, relation to acidity. J.A.R., vol. 24, pp. 907-938. 1923.
growth—
and reproduction in presence of nitrates. J.A.R., vol. 12, pp. 187-208. 1918.
and soil reaction. P. L. Gainey. J.A.R., vol. 14, pp. 265-271. 1918.
effects of calcium carbonate in medium. J.A.R. vol. 24, pp. 185-189. 1923.
stimulation by aeration. O. W. Hunter. J.A.R., vol. 23, pp. 665-677. 1923.

Azotobacter—Continued.
growth—continued.
stimulation by calcium carbonate. J.A.R., vol. 23, p. 676. 1923.
promoting substance, production. O. W. Hunter. J.A.R., vol. 23, pp. 8258-31. 1923.
life cycle studies. J.A.R., vol. 23, pp. 404-429. 1923.
nitrogen-fixing bacteria, occurrence in soils. Y.B., 1909, p. 225. 1910; Y.B. Sep. 507, p. 225. 1910.
organisms, destruction by carbon disulphide and toluol. J.A.R., vol. 15, pp. 601-614. 1918.
Porto Rico, occurrence in soils, test methods. P.R. An. Rpt., 1910, pp. 15-17. 1911.
protein synthesis. O. W. Hunter. J.A.R., vol. 24, pp. 263-274. 1923.
relation to acidity and alkalinity, experiments. J.A.R., vol. 14, pp. 327-328, 331-332. 1918.
soils reaction, change, effect, study. P. L. Gainey. J.A.R., vol. 24, pp. 289-296. 1923.
spp.—
action in soils. P.R. An. Rpt. 1912, p. 16. 1913.
nitrogen-fixing ability. B.P.I. Cir. 131, pp. 25, 27-33. 1913; Y.B., 1910, pp. 214-218. 1911; Y.B. Sep. 530, pp. 214-218. 1911.
soil inoculation, effect of arsenic in solutions and soils. J.A.R., vol. 6, No. 11, pp. 397-402. 1916.
studies. S.R.S. Rpt., 1917, Pt. I, pp. 28, 248. 1918.
Azoturia, description, symptoms, cause, and control method. News L., vol. 2, No. 14, p. 1. 1914. News L., vol. 7, No. 18, p. 4. 1919.
Azotus, spp., parasites of grape scale, rearing. Ent. Bul. 97, Pt. VII, pp. 119, 120. 1912.
Azteca foreli, occurrence in Panama, and shelter tubes, description. D.B. 1232, p. 22. 1924.

B. & M. external remedy, misbranding. See Indexes. Notices of Judgment in bound volumes and in separates published as supplements to Chemistry Service and Regulatory Announcements.
Babaco—
importations. Nos. 52574, 52721. B.P.I. Inv. 66, pp. 4, 42, 66. 1923.
introduction. Off. Rec., vol. 4, No. 18, p. 8. 1925.
Babassu, importations and description. Nos. 50594, 50595. B.P.I. Inv. 63, pp. 82-83. 1923.
Babbitt, metal testing. Chem. Bul. 109, rev., pp. 52-55. 1910.
Babbler, European, enemy of codling moth. Y.B., 1911, p. 245. 1912; Y.B. Sep. 564, p. 245. 1912.
Babcock, C. J.—
"Effect of feeding cabbage and potatoes on flavor and odor of milk." D.B. 1297, pp. 12. 1924.
"Effect of feeding green alfalfa and green corn on flavor and odor of milk." D.B., 1190, pp. 12. 1923.
"Effect of feeding green rye and green cowpeas on the flavor and odor of milk." D.B. 1342, p. 8. 1925.
"Effect of feeding turnips on the flavor and odor of milk." D.B. 1208, pp. 8. 1923.
"Effect of garlic on the flavor and odor of milk." D.B. 1326, pp. 11. 1925.
"The whipping quality of cream." D.B. 1075, pp. 22. 1922.
BABCOCK, F. R.—
"Cereal experiments at the Williston Station." D.B. 270, pp. 36. 1915.
"Grains for western North and South Dakota." With others. F.B. 878, pp. 22. 1917.
BABCOCK, RAY: "Soil survey of Morton area, North Dakota." With others. Soil Sur. Adv. Sh., 1907, pp. 26. 1908; Soils F.O., 1907, pp. 837-858. 1909.
BABCOCK, S. M.—
"Experiments in cold curing of cheese." With others. B.A.I. Bul. 49, pp. 11-70. 1903.
"The cold curing of cheese." With others. B.A.I. Bul. 49, pp. 88. 1903.
Babcock—
method, fat testing of cream. Ed. H. Webster. B.A.I. Bul. 58, pp. 29. 1904.
standard, new, terms. Chem. Cir. 43, p. 9. 1909.

INDEX TO PUBLICATIONS, 1901-1925   159

Babcock—Continued.
test—
advantages, disadvantages, and use in cheese making. O.E.S. Bul. 166, pp. 26-28. 1906.
certified milk. D.B. 1, p. 32. 1913.
dairy products, apparatus and directions. B.A.I. Doc. A.-7, pp. 5-16. 1916.
regulations. Chem. Bul. 69, rev., pp. 60, 93, 198, 224, 315, 317, 480, 500, 591, 613, 625, 684, 711. 1905-1906.
Wisconsin Experiment Station, indebtedness of nation. An. Rpts., 1912, pp. 100-101. 1913; Sec. A. R., 1912, pp. 100-101. 1912; Y.B. 1912, pp. 100-101. 1913.

Babesia bigeminum, transmission by cattle tick. Rpt. 108, pp. 61, 67. 1915.

Babies—
feeding with, goats' milk and other milk, comparison. D.B. 613, p. 3. 1919.
need of milk. D.C. 129, pp. 2, 4. 1920.
welfare, work of women's organizations. D.B. 719, pp. 5-6. 1918.

Babul, importation and description. No. 43642, B.P.I. Inv. 49, pp. 54-55. 1921.

Baby's breath, description, cultivation, and characteristics. F.B. 1171, pp. 38-40. 1921.

Baby's Friend, Kopp's, misbranding. Chem. N.J. 1068, p. 1. 1911; Chem. N.J. 4213, 4214. 1916.

Bacarubu, importation and description. No. 42434, B.P.I. Inv. 47, pp. 12-13. 1920.

Baccaurea—
motleyana. See Rambe.
sapida. See Euphorbiaceae.

Baccharis—
pteronioides. See Burro weed.
spp., importations and description. Nos. 48658, 48659, B.P.I. Inv. 61, p. 32. 1922.

BACH, W. J.: "Relative susceptibility of some rutaceous plants to attack by the citrus-scab fungus." With others. J.A.R., vol. 30, pp. 1087-1093. 1925.

Bachhousia citroidora, importation and description. No. 51062, B.P.I. Inv. 64, p. 49. 1923.

BACHMANN, F. M.: "Further studies on the toxicity of juice extracted from succulent onion scales." With others. J.A.R. vol. 30, pp. 175-187. 1925.

Bacilli—
aromatic, new species from dairy wastes. J.A.R., vol. 28, pp. 275-276. 1924.
growth—
in raw milk, discussion. D.B. 739, pp. 19-26. 1918.
under influence of saccharine. Rpt. 94, pp. 122-125. 1911.
pathogenic, in cow's milk, discovery and investigation. B.A.I. An. Rpt., 1911, pp. 81, 82. 1913.

Bacillus—
abortus—
cause of cattle abortion, and control. News L., vol. 4, No. 11, p. 7. 1916.
cultures, staining, media, and characteristics. B.A.I. An. Rpt., 1911. pp. 150-154. 1913; B.A.I. Cir. 216, pp. 150-154. 1913.
transmission in milk, study and experiments. An. Rpts., 1912, pp. 356-357. 1913; B.A.I. Chief Rpt., 1912, pp. 60-61. 1912.
See also *Bacterium abortus*: Abortion, infectious.
aerogenes—
inoculation against white scours of calves. An. Rpts., 1914, p. 87. 1915; B.A.I. Chief Rpt., 1914, p. 31. 1914.
relation of nodule bacteria to. J.A.R., vol. 20, pp. 543-556. 1921.
sources, and presence in milk. D.B. 739, pp. 3-9, 27-30. 1918.
alvei—
cause of bee disease, study. Ent. Bul. 98, pp. 21, 25-29, 30-33, 34, 49-50. 1912.
occurrence in bee diseases. J.A.R., vol. 8, pp. 399, 412, 418. 1917.
presence in European foulbrood, and description. D.B. 810, pp. 8-9, 11-12, 30, 31, 32. 1920.
relation to brood diseases, notes and experiments. Ent. Cir. 157, pp. 1-15. 1912.
amylobacter—
relation to coconut bud rot. B.P.I. Bul. 228, pp. 39, 151. 1912.
study. B.P.I. Bul. 266, pp. 11, 12, 17. 1913.

Bacillus—Continued.
amylovorus cankers, source of bitter-rot infection. J.A.R., vol. 4. No. 1, pp. 61, 63, 64. 1915.
anthracis—
cause of anthrax. F.B. 1155, p. 3. 1931.
disinfection, studies. J.A.R., vol. 4, pp. 65-92. 1915.
description and spread. F.B. 480, pp. 7-8. 1911.
effect of chlorin disinfectants. J.A.R., vol. 20, pp. 94-98. 1920.
symptomatici, cause of blackleg. F.B. 1155, p. 4. 1921.
See also Anthrax bacillus.
atrospeticus, description and comparison with other species. J.A.R., vol. 8, pp. 94-124. 1917.
avisepticus, cause of bird disease, animals susceptible. An. Rpts., 1913, p. 97. 1914; B.A.I. Chief Rpt., 1913, p. 27. 1913.
azotobacter—
life cycle. J.A.R., vol. 6, No. 18, pp. 677-688. 1916.
soil, increase by use of lime, studies. J.A.R., vol. 12, pp. 467-468, 493-495. 1918.
See also *Azotobacter* sp.
bibulus, description and cultural features. B.P.I. Bul. 266, pp. 35-37, 52. 1913.
bipolaris—
bubalisepticus, cause of hemorrhagic septicemia of buffalo. An. Rpts., 1912, pp. 365-366. 1913; B.A.I. Chief Rpt., 1912, pp. 67-70. 1912.
septicus, cause of hemorrhagic septicemia. D.B., 674, pp. 3-4. 1918; F.B. 1018, p. 3. 1918.
suisepticus, cause of swine plague. D.B. 674, pp. 2, 3. 1918.
vitulisepticus, cause of septic pleuropneumonia of calves. D.B. 674, p. 5. 1918.
botulinus—
cause of forage poisoning. An. Rpts., 1917, pp. 107-108. 1918; An. Rpts., 1918, p. 116. 1919; B.A.I. Chief Rpt., 1918, p. 46. 1918.
control by heating canned foods. News L., vol. 5, No. 16, p. 6. 1917.
danger in—
canned asparagus. An. Rpts., 1919, p. 229. 1920; Chem. Chief Rpt., 1919, p. 19. 1919.
foods. F.B. 1211, pp. 9, 10. 1921; F.B. 1374, p. 2. 1923.
brandenburgiensis, occurrence in bee diseases. Ent. Bul. 98, pp. 72, 84, 85, 91. 1912.
bulgaricus—
characteristics. B.A.I. Bul. 154, pp. 7-8. 1912.
cultures, sources and care of. D.B. 148, pp. 11-12. 1915.
description, and use in feeding experiments. B.A.I. An. Rpt., 1909, pp. 138-140, 148. 1911; B.A.I. Cir. 171, pp. 138-140, 148. 1911.
origin, description, and use. F.B. 490, pp. 13, 18. 1912.
suppression of other bacteria in digestive tract, experiments. D.B. 319, pp. 4-7. 1916.
tablets, nature of preparation, caution. D.B. 319, pp. 8-9. 1916.
use in—
control of autointoxication, experiments. D.B. 319, pp. 4-7. 1916.
milk, therapeutic value. D.B. 319, pp. 4-9. 1916.
starters for making Swiss cheese. C. F. Doane and E. E. Eldredge. D.B. 148, pp. 16. 1915.
starting cheese, studies. B.A.I. An. Rpt., 1911, p. 36. 1913; D.B. 148, pp. 5-10. 1915.
starting yogurt. D.C. 72, pp. 5-7. 1919.
carotovorous—
cause of—
soft rot of aroids, studies. J.A.R., vol. 6, No. 15, pp. 561-565, 567, 569. 1916.
soft rot of cabbage. F.B. 488, p. 25. 1912; F.B. 925, rev., p. 23. 1921.
soft rot of spinach. F.B. 1189, p. 9. 1921.
enzym production. J.A.R., vol. 21, pp. 611-612. 1921.
casei, ability to produce ammonia. J.A.R., vol. 21, p. 787. 1921.
caucasicus. See *Bacillus bulgaricus*.
cereus, inoculation into manured soils, experiments. J.A.R., vol. 16, pp. 319-322. 1919.

Bacillus —Continued.
  cholerae suis—
    cultures, experiments with hogs. B.A.I. Bul. 72, pp. 13–34. 1905.
    discovery, experiments and results. Y.B., 1908, pp. 321–325. 1909; Y.B. Sep. 484, pp. 321–325. 1909.
    filtration, literature, review, and mention. D.B. 113, pp. 6, 14, 16, 23, 27, 31. 1909.
    granule formation in cultures. B.A.I. Bul. 113. pp. 27, 29–30. 1909.
    studies and experiments in inoculation for hog cholera. B.A.I. Bul. 72, pp. 1–102. 1905.
  coagulans, spoilage of canned milk. S.R.S. Rpt., 1915, Pt. I, p. 119. 1917.
  coli—
    cause of coconut bud-rot, characteristics of organism. B.P.I. Bul. 228, pp. 52–53, 64–126, 136–146, 163. 1912.
    cause of quail disease. B.A.I. An. Rpt., 1907, p. 44. 1909.
  communis—
    description. B.A.I. Bul. 72, p. 40. 1905.
    destruction by chlorine. J.A.R., vol. 26, pp. 376–381. 1923.
    destruction of pentosans in corn stover. J.A.R., vol. 23, p. 660. 1923.
    effects of presence of *Bacillus bulgaricus*. B.A.I. An. Rpt., 1909, p. 140. 1911; B.A.I. Cir. 171, p. 140. 1911.
    lambs, cause, symptoms, and treatment. F.B. 1155, p. 13. 1921.
    comparisons with various organisms isolated from coconut. B.P.I. Bul. 228, pp. 126–136, 142–146. 1912.
    determination in eggs, method, and procedure. Chem. Bul. 158, pp. 20, 21. 1912.
    determination in ice cream, methods and results. D.B. 303, pp. 3, 15–21. 1915.
    determination in oysters, description. Chem. Bul. 136, pp. 11, 14–15. 1911.
    identification methods. B.P.I. Bul. 228, pp. 77–92. 1912.
    in bottled waters, significance, and restrictions. D.B. 369, pp. 2–7. 1916.
    occurrence in water supply, District of Columbia. B.A.I. Cir. 153, p. 15. 1910.
    presence in opened eggs. D.B. 391, pp. 7–10, 17, 19, 22. 1918.
    sources and presence in milk. D.B. 739, pp. 3–9, 27–30. 1918.
    See also Colon bacillus.
  cyanogenes, cause of blue milk. B.A.I. [Misc.] "Diseases of cattle," rev. p. 239. 1909; rev. 246. 1912; B.A.I. An. Rpt., 1907, p. 157. 1909.
  cytaseus, description and cultural features. B.P.I. Bul. 266, pp. 39–40, 52. 1913.
  depilis, cause of baldness in bees. Ent. Bul. 98, pp. 24, 28. 1912.
  edematis maligni, cause of malignant edema. F.B. 1155, p. 5. 1921.
  enteritidis—
    finding in poultry. B.A.I. An. Rpt., 1907, p. 47. 1909.
  sporogenes—
    as index of milk contamination. D.B. 940, pp. 3–19. 1921.
    determination in oysters, description. Chem. Bul. 136, pp. 13–14. 1911.
  ermentationis cellulosae, description and study. B.P.I. Bul. 266, pp. 18, 19. 1913.
  firmatatis, cause of red color in Brie cheese. B.A.I. Bul. 105, p. 11. 1908; B.A.I. Bul. 146, p. 11. 1911.
  flavigena, destruction of pentosans in corn stover. J.A.R., vol. 23, pp. 660, 662. 1923.
  foedans, discovery by Klein, distinction from *Bacillus putrefaciens*. B.A.I. Bul. 132, pp. 14, 49. 1911.
  icteroides—
    identity with hog cholera bacillus, discovery. F.B. 1354, p. 10. 1923.
    relation to yellow fever Ent. Bul. 78, p. 19. 1909; F.B. 547, p. 14. 1913.
  lactuacae, cause of lettuce disease, Italy. J.A.R., vol. 4, p. 477. 1915

Bacillus—Continued.
  larvae—
    cause of American foulbrood. D.B. 671, p. 8. 1918; D.B. 809, pp. 1–2, 39. 1920; Ent. Bul. 75, pp. 20, 24, 37, 38, 39–40, 41, 58. 1907; Ent. Bul. 98, pp. 67, 77, 81, 84, 86. 1912; F.B. 442, p. 13. 1911; F.B. 1084, pp. 8, 10. 1920.
    experiments in Argentine ant control. Ent. Bul. 122, pp. 75–76. 1913.
  lathyri, cause of "stripe" disease of tomato. J.A.R., vol. 21, No. 2, p. 123. 1921.
  mallei—
    cause of glanders, transmission methods. B.A.I. Cir. A-13, pp. 2–5. 1917.
    description and spread. F.B. 480, p. 7. 1912.
  megatherium—
    cause of souring of beef. Hubert Bunyea. J.A.R., vol. 21, pp. 689–698. 1921.
    var. *de Bary*, similarity to *B. megatherium* var. *ravenellii*. J.A.R., vol. 21, pp. 691–698. 1921.
  melanogenes, description and comparison with other species. J.A.R., vol. 8, pp. 94–122. 1917.
  melitensis. See *Bacierium melitensis*.
  melonis, vitality tests under low temperature. J.A.R., vol. 5, No. 14, pp. 654, 655. 1916.
  mesentericus—
    description, occurrence and cultures. J.A.R., vol. 8, pp. 399–407. 1917.
    identity and relation to foul brood of bees. Ent. Bul. 98, pp. 53–57, 66. 1912.
    occurrence in soy-bean fermentation. D.B. 1152, pp. 12–14, 24. 1923.
  vulgaris—
    effect on bread. F.B. 389, p. 34. 1910.
    occurrence in foulbrood. Ent. Cir. 157, pp. 4, 14. 1912.
  Metchnikoff. See *Bacillus bulgaricus*.
  milu, supposed cause of black brood of bees. Ent. Bul. 98, pp. 46–47, 58. 1912.
  necrophorus—
    active agent in diphtheria of calves and sore mouth of pigs. B.A.I. Bul. 67, pp. 12–32. 1905.
    animals susceptible, list. B.A.I. Bul. 67, p. 21. 1905.
    cause of—
      calf diphtheria. B.A.I. (Misc.] "Diseases of cattle," rev., pp. 465–466. 1923.
      lip-and-leg disease of sheep. An. Rpts., 1909, p. 225. 1910; B.A.I. Chief Rpt., 1909, p. 35. 1909.
      lip-and-leg ulceration. F.B. 1155, pp. 8, 12. 1921.
      necrotic dermatitis in sheep. An. Rpts., 1907, p. 222. 1908.
      necrotic stomatitis. B.A.I. Bul. 67; pp. 12–32. 1905; B.A.I. [Misc.], "Diseases of Cattle," rev., pp. 452–453, 456. 1908; rev., p. 470. 1912.
      skin disease in sheep. B.A.I. An. Rpt., 1907, p. 45. 1909.
    economic importance. John R. Mohler and George Byron Morse. B.A.I. Cir. 91, pp. 41. 1906.
    experiments in transmission of chicken diseases. An. Rpts., 1910, p. 263. 1911; B.A.I. Chief Rpt., 1910, p. 69. 1910.
    impaired-tissue development, essential. B.A.I. Bul. 67, pp. 12, 19. 1905.
    infective character and modes of infection. B.A.I. Bul. 67, pp. 34–36. 1905.
    relation to—
      animal diseases, economic importance. B.A.I. Bul. 67, pp. 37–39. 1905.
      foot-rot of sheep. B.A.I. Bul. 63, pp. 15–19. 1904.
    study, description, and inoculation experiments. B.A.I. An. Rpt., 1904, pp. 76–116. 1905; B.A.I. Bul. 63, pp. 15–26. 1905; B.A.I. Bul. 67, pp. 12–32. 1905.
    virulence for animals other than sheep. B.A.I. Bul. 67, pp. 24–26. 1905.
  niger in corn meal. J.A.R., vol. 22, pp. 186–188. 1921.
  noctuarum, cause of cutworm septicemia. J.A.R. vol. 26, pp. 488–491. 1923.
  oleae, studies. B.P.I. Bul. 131, Pt. IV, pp. 25–43 1908.

Bacillus—Continued.
 oleracea. See Soft rot.
 orpheus—
  discovery in foulbrood. Ent. Cir. 157, pp. 3, 14. 1912; J.A.R., vol. 8, pp. 399, 410–412. 1917.
  presence in European foulbrood, and description. D.B. 810, pp. 9, 13–14, 30, 32. 1920.
 orisepticus, cause of hemorrhagic septicemia. F.B. 1155, p. 7. 1921.
 paratyphosus—
  occurrence in spring water. D.B. 369, p. 3. 1916.
  resemblance to typhoid bacillus, effects. Chem Bul. 156, pp. 39, 42. 1912.
 pestiformis apis, cause of Isle of Wight disease, description. Ent. Bul. 98, pp. 87–88. 1912.
 phytophthorus—
  cause of—
   blackleg potato-tuber rot. J.A.R., vol. 22, pp. 81–92. 1921.
   potato blackleg. F.B. 544, p. 8. 1913.
   potato rot and control. An. Rpts., 1912, p. 136. 1913; Sec. A.R., 1912, p. 136. 1912; Y.B., 1912, p. 136. 1913; B.P.I. Bul. 245, p. 17. 1912.
  description and comparison with other spp. J.A.R., vol. 8, pp. 94–122. 1917.
 pluton—
  cause of foulbrood. D.B. 92, p. 2. 1914; D.B. 671, p. 4. 1918; D.B. 804, pp. 2, 26. 1920; Ent. Cir. 157, pp. 2, 4, 10–13, 14, 15. 1912; J.A.R., vol. 8, pp. 399, 412, 418. 1917.
  description and biology, studies. D.B. 810, pp. 9, 10–11, 15–30, 31–34. 1920.
  discovery as cause of European foulbrood. Dr. G. F. White, An. Rpts., 1912, p. 651. 1913; Ent. A.R., 1912, p. 39. 1912.
 populi. See Poplar crown-gall.
 prodigiosus, use in filtration inoculation experiments in hog cholera. B.A.I. Bul. 72, pp. 41–98. 1905.
 pullorum, cause of white diarrhea of chicks. O.E.S. An. Rpt., 1910, p. 112. 1911.
 putrefaciens, cause of souring in hams. B.A.I. Bul. 132, p. 53. 1911.
 pyocyaneus, use in filtration experiments, hog cholera. B.A.I. Bul. 72, pp. 52, 54. 1905.
 radicicola—
  comparison with cowpea-soybean bacteria. J.A.R., vol. 20, pp. 545–554. 1921.
  cultures, testing. B.P.I. Cir. 120, pp. 3–5. 1913.
  effect of sulphur. J.A.R., vol. 22, pp. 102–110. 1921.
  growth and reproduction in presence of nitrates. J.A.R., vol. 12, pp. 208–226. 1918.
  soil, increase by carbonates of calcium, magnesium, and limestone. J.A.R., vol. 12, pp. 496–497. 1918.
  use in—
   nitrogen-fixing experiments. B.P.I. Cir. 131, pp. 27–28. 1913.
   tests of effect of soil temperature on nodule development. J.A.R., vol. 22, pp. 20–31. 1921.
  See also Bacteria, nitrogen assimilating.
 radiobacter, comparison with soybean-cowpea, bacteria. J.A.R., vol. 20, pp. 545–554. 1921.
 rossica, use in nitrogen-fixing experiments. B.P.I. Cir. 131, pp. 31–33. 1913.
 Schiff's, olive tubercle, inoculation experiments, characteristics. B.P.I. Bul. 131, pp. 27–29, 38–39. 1913.
 solanacearum—
  cause of—
   Fusarium-wilt of tobacco, disproval. J.A.R., vol. 20, pp. 515–536. 1921.
   potato brown rot. D.C. 281, p. 1. 1923.
   potato brown rot and soft rot. B.P.I. Bul. 245, p. 16. 1912.
  See also Wilt, southern bacterial.
 solanisaprus, description and comparison with other species. J.A.R., vol. 8, pp. 94–122. 1917.
 sorghi, cause of sorghum blight, comparisons. J.A.R., vol. 26, pp. 157–158. 1923.
 sphingidis, cause of hornworm septicemia. J.A.R., vol. 26, pp. 478–483. 1923.
 spp.—
  association with potato blackleg, comparisons. J.A.R., vol. 8, pp. 94–124. 1917.

Bacillus—Continued.
 spp.—continued.
  cause of—
   cattle tuberculosis, horse glanders, and anthrax. F.B. 954, pp. 3–5. 1918.
   damping-off of cotton and cucumbers. D.B. 934, p 2. 1921.
  changes caused by environment, studies. B.A.I. An. Rpt., 1908, p. 173. 1910.
  effect—
   of chlorine disinfectants upon. J.A.R., vol. 20, pp. 88–110. 1920.
   on catalase production. B.A.I. An. Rpt., 1911, pp. 197, 206–211. 1913.
  failure to produce odor on beef. J.A.R., vol. 21, pp. 694, 695. 1921.
  glucose as a source of carbon. J.A.R., vol. 21, pp. 189–210. 1921.
  in canned ripe olives. J.A.R., vol. 20, pp. 375–379. 1920.
  in foodstuffs, development, investigations. An. Rpts., 1916, pp. 193–194. 1917; Chem. Chief Rpt., 1916, pp. 3–4. 1916.
  inefficacy of echinacea against. J.A.R., vol. 20, pp. 71–75. 1920.
  life cycles. J.A.R., vol. 6, No. 18, pp. 688–694. 1916.
  on plants, Texas, occurrence and description. B.P.I. Bul. 226, pp. 30, 53, 82. 1912.
 subtilis—
  discovery of spores in sausage. An. Rpts., 1911, p. 245. 1912; B.A.I. Chief Rpt., 1911, p. 55. 1911.
  growth in rinse water after disinfection of seeds, experiments. B.P.I. Cir. 67, pp. 5–6. 1910.
  occurrence in peanut press-cake. D.B. 1152, p. 13. 1923.
  presence in sausage in oil, investigations. B.A.I. An. Rpt., 1911, p. 69. 1913.
  relation to animal influenza. An. Rpts., 1919, p. 102. 1920; B.A.I. Chief Rpt., 1919, p. 48. 1919.
 suipestifer, relation to hog cholera. An. Rpts., 1923, p. 246. 1924; B.A.I. Chief Rpt., 1923, p. 48. 1923.
 tetani, cause of tetanus. B.A.I. Bul. 121, pp. 9–15. 1909; F.B. 1155, p. 7. 1921.
 tracheiphilus—
  isolations from cucumber beetles, experiments. D.B. 828, pp. 24–25, 42. 1920.
  See also Wilt, bacterial, of cucurbits.
 trifolii, cause of Italian clover disease, description. J.A.R., vol. 25, p. 472. 1923.
 tuberculosis—
  cause of tuberculosis. F.B. 1155, p. 15. 1921.
  cow feces, infection. B.A.I. Cir. 118, pp. 6, 7, 8, 10, 11, 12, 15, 18. 1907.
  description and spread method. F.B. 480, pp. 6–7. 1912.
  discovery by Koch, 1882. B.A.I. An. Rpt., 1908, p. 155. 1910.
  discovery, description, and action. B.A.I. [Misc.], "Diseases of cattle," rev., pp. 378, 420. 1912.
  experiments with carbolic acid and with liquor cresolis compositus as germicides. B.A.I. Bul. 100, pp. 20–22. 1907.
  virulence and persistence in butter. B.A.I. Cir. 118, pp. 9, 15, 18. 1907.
  See also Tubercle bacillus.
 tuberculosis avium, cause of tuberculosis of chickens. F.B. 1200, p. 3. 1921.
 tumefaciens. See *Bacterium tumefaciens*; Crown gall.
 typhimurium, destruction of field mice, experiments. Y.B., 1908, p. 306. 1909; Y.B. Sep. 482, p. 306. 1909.
 typhosus—
  cause of typhoid fever. F.B. 478, p. 4. 1911.
  determination methods. B.P.I. Bul. 228, pp. 91–92, 106–107. 1912.
  isolation from polluted oysters. Chem. Bul. 136, pp. 13–14. 1911; Chem. Bul. 156, pp. 39–42. 1912.
  vitality tests under low temperature. J.A.R., vol. 5, No. 14, p. 654. 1916.
 vulgatus—
  cultures, studies in bee diseases. J.A.R., vol. 8, pp. 407–410. 1917.

Bacillus—Continued.
vulgatus—continued.
    occurrence in soy-bean fermentation. D.B. 1152, pp. 12–14, 16, 24. 1923.
    odor on beef. J.A.R., vol. 21, p. 695. 1921.
Walfischrauschbrand, occurrence in herring feed, studies. D.B. 908, pp. 21, 24–25, 121. 1921.
Y—
    discovery in bee diseases. Ent. Bul. 98, p. 86. 1912.
    probable cause of European foul brood of bees. Ent. Bul. 75, p. 41. 1911; Ent. Bul.. 75, Pt. V. p. 41. 1909
    See also *Bacillus pluton*.

BACK, E. A—
"Absorption and retention of hydrocyanic acid by fumigated food products." With E. L. Griffin. D.B. 1307, pp. 8. 1924.
"Angoumois grain moth." F.B. 1156, pp. 20. 1920.
"Banana as a host fruit of the Mediterranean fruit fly." With C. E. Pemberton. J.A.R., vol. 5, No. 17, pp. 793–804. 1916.
"Bean and pea weevils." With A. B. Duckett. F.B. 983, pp. 24. 1918.
"Book lice or psocids: Annoying household pests." F.B. 1104, pp. 4. 1920.
"Carpet beetles and their control." F.B. 1346, pp. 14. 1923.
"Clothes moths and their control." F.B. 1353, pp. 29. 1923.
"Conserving corn from weevils in the Gulf Coast States." F.B. 1029, pp. 36. 1919.
"Danger of introducing fruit flies in the United States." Y.B., 1917, pp. 185–196. 1918; Y.B. Sep. 731, pp. 14. 1918.
"Effect of cold storage temperatures on the pupae of the Mediterranean fruit fly." With C. E. Pemberton. J.A.R., vol. 6, No. 7, pp. 251–260. 1916.
"Effect of cold storage temperatures upon the Mediterranean fruit fly." With C. E. Pemberton. J.A.R., vol. 5, No. 15, pp. 657–666. 1916.
"Effect of fumigation upon heating of grain caused by insects." With R. T. Cotton. J.A.R., vol. 28, pp. 1103–1116. 1924.
"Effective use of hydrocyanic-acid gas in the protection of chick-peas warehoused in 240-pound sacks." With R. T. Cotton. J.A.R., vol. 28, pp. 649–660. 1924.
"Fumigation against grain weevils with various volatile organic compounds." With others. D.B. 1313, pp. 40. 1925.
"How weevils get into beans." Y.B., 1918, pp. 327–334. 1919; Y.B. Sep. 786, pp. 10. 1919.
"Insect control in flour mills." D.B. 872, pp. 40. 1920.
"Life history of the Mediterranean fruit fly from the standpoint of parasite introduction." With C. E. Pemberton. J.A.R., vol. 3, pp. 363–374. 1915.
"Life history of the melon fly." With C. E. Pemberton. J.A.R., vol. 3, pp. 269–274. 1914.
"Natural control of white flies in Florida." With A. W. Morrill. Ent. Bul. 102, pp. 78. 1912.
"Red cedar chests as protectors against moth damage." With Frank Rabak. D.B., 1051, pp. 14. 1922.
"Relative resistance of the rice weevil and the granary weevil to high and low temperatures." With R. T. Cotton. J.A.R., vol. 28, pp. 1043–1044. 1924.
"Stored-grain pests." With R. T. Cotton. F.B. 1260, pp. 47. 1922.
"Susceptibility of citrus fruits to the attack of the Mediterranean fruit fly." With C. E. Pemberton. J.A.R., vol. 3, pp. 311–330. 1914.
"The silverfish, or 'slicker,' an injurious household insect." F.B. 902, pp. 4. 1917.
"The Mediterranean fruit fly." With C. E. Pemberton. D.B. 640, pp. 44. 1918.
"The Mediterranean fruit fly in Bermuda." D.B. 161, pp. 8. 1914.
"The Mediterranean fruit fly in Hawaii." With C. E. Pemberton. D.B. 536, pp. 119. 1918.
"The melon fly." With C. E. Pemberton. D.B. 643, pp. 32. 1918.
"The melon fly in Hawaii." With C. E. Pemberton. D.B. 491, pp. 64. 1917.

BACK, E. A.—Continued.
"The woolly white fly: A new enemy of the Florida orange." Ent. Bul. 64, pp. 65–71. 1911; Ent. Bul. 64, Pt. VIII, pp. 65–71. 1910.
"Weevils in beans and peas." F.B. 1275, pp. 35. 1923.
"White flies injurious to citrus in Florida." With A. W. Morrill. Ent. Bul. 92, pp. 109. 1911.
BACK, GEORGE, explorations in Athabaska-Mackenzie region. N.A. Fauna 27, p. 63. 1908.
Back-firing, control of forest fires, precautions and directions. For. Bul. 82, pp. 46–47. 1910; For. Bul. 113, pp. 15, 26. 1912.
Back-yard poultry keeping. Rob R. Slocum. F.B. 889, pp. 23. 1917; F.B. 1331, pp. 23. 1923.
Backhousia—
    bancroftii, importation and description. No. 38095, B.P.I. Inv. 39, p. 87. 1917.
    citriodora, importation, value for volatile oil. No. 33642, B.P.I. Inv. 31, pp. 6, 39. 1914.
BACON, C. W.—
"Photoperiodism in relation to hydrogen-ion concentration of the cell sap and the carbohydrate content of the plant." With others. J.A.R., vol. 27, pp. 119–156. 1924.
"Research studies on the curing of leaf tobacco." With others. D.B. 79, pp. 40. 1914.
"Sand drown, a chlorosis of tobacco due to magnesium deficiency, and the relation of sulphate and chlorids of potassium to the disease." With others. J.A.R., vol. 23, pp. 27–40. 1923.
BACON, R. F.—
"Changes taking place during the spoilages of tomatoes, with methods for detecting spoilage in tomato products." With P. B. Dunbar. Chem. Cir. 78, pp. 15. 1911.
"Detection and determination of small quantities of ethyl and methyl alcohol and of formic acid." Chem. Cir. 74, pp. 8. 1911.
"Determination of malic acid." With P. B. Dunbar. Chem. Cir. 76, pp. 12. 1911.
"Tin salts in canned foods of low acid content, with special reference to canned shrimp." With W. D. Bigelow. Chem. Cir. 79, pp. 6. 1911.
"Two new pieces of chemical apparatus." Pts. I–II. With P. B. Dunbar. Chem. Cir. 80, pp. 3. 1911.
Bacon—
    adulteration. See *Indexes, Notices of Judgment, in bound volumes and in separates published as supplements to Chemistry Service and Regulatory Announcements*.
    American, trade promotion. An. Rpts., 1923, p. 679; 1924; Pack, and S. Ad. Rpt., 1923, p. 23. 1923.
    box-cured with sugar and with substitutes, experiments. D.B. 928, pp. 19–23. 1920.
    carcass of hog, judging. B.A.I. Bul. 61, pp. 118–119. 1904.
    commercial stocks in the United States on August 31, 1917. Sec. Cir. 101, pp. 1–6. 1918.
    cooking directions. F.B. 244, p. 25. 1906.
    curing, methods—
        and formula. F.B. 183, pp. 29–32. 1903; News L., vol. 2, No. 4, p. 4. 1914.
        at home and brine formula. News L., vol. 6, No. 20, p. 8. 1918.
    Danish—
        comparison with American product. B.A.I. An. Rpt., 1903, p. 309. 1904; B.A.I. Cir. 63, p. 309. 1904.
        smoking in England. B.A.I. An. Rpt., 1906, p. 234. 1908.
    Denmark—
        export trade with England. B.A.I. An. Rpt., 1906, pp. 243–245. 1908.
        imports and exports. B.A.I. An. Rpt., 1906, pp. 245–246. 1908.
        production, cost, exports, discussion. Stat. Bul. 39, pp. 79–81. 1905.
    exports—
        1902–1904. Stat. Bul. 36, p. 37. 1905.
        1908. Y.B., 1908, pp. 764, 778–779. 1909; Y.B. Sep. 498, pp. 764, 778–779. 1909.
        1910–1925, by months, and by countries. Y.B. 1924, p. 923. 1925.
        1917–1919, 1910–1919. Y.B., 1920, pp. 13, 34. 1921; Y.B. Sep. 864, pp. 13, 34. 1921.

Bacon—Continued.
  exports—continued.
    1919-1921 and 1852-1921. Y.B., 1922, pp. 950, 971. 1923; Y.B. Sep. 880, pp. 950, 971. 1923.
    from Canada. Stat. Bul. 39, pp. 78-79. 1905.
    from Denmark. Rpt. 109, pp. 74, 75, 220, 230. 1916.
    increase. Off. Rec., vol. 2, No. 45, p. 3. 1923.
    trade, demands of foreign markets and prices. Rpt. 67, p. 49. 1901.
  feeding pigs for, in Europe. B.A.I. Bul. 77, pp. 90, 91, 94, 95, 96, 98. 1905.
  firmness, influence of feed and maturity. B.A.I. Bul. 47, pp. 212-214, 215, 216. 1904.
  food value. F.B. 244, p. 24. 1906.
  home production, profit. News L., vol. 7, No. 12, p. 8. 1919.
  increased need for army use. News L., vol. 5, No. 14, pp. 2-3. 1917.
  industry in Denmark and cooperation. D.B. 1266, pp. 31-45. 1924.
  need by Germany. Off. Rec., vol. 2, No. 43, p. 3. 1923.
  package form, notice of hearing. Chem. S.R.A. 16, p. 25. 1916.
  pickle-cured, records of treatment. D.B. 1086, pp. 32-36. 1922.
  prices, 1913-1924. Y.B., 1924, p. 918. 1925.
  prime, production, feeding experiments. B.A.I. An. Rpt., 1903, pp. 307-309. 1904; B.A.I. Cir. 63, pp. 307-309. 1904.
  production—
    for English market, experiments, discussion. B.A.I. Bul. 47, pp. 206-228. 1904.
    improved by cooperative work. B.A.I. Bul. 77, pp. 93-94. 1905.
    in Georgia, Brooks County. News L., vol. 1, No. 39, p. 4. 1914.
    salting, Danish method. B.A.I. An. Rpt., 1906, pp. 232-234. 1908.
  soft—
    causes. F.B. 162, pp. 26-27. 1903.
    influence of feed and management experiments. B.A.I. Bul. 47, pp. 208-223. 1904.
    nature, cause, and prevention, studies. B.A.I. Bul. 47, pp. 208-223. 1904.
  statistics—
    1901-1903. B.A.I. Bul. 47, pp. 259-278. 1904.
    1918, imports and exports. Y.B., 1918, pp. 638, 636, 655. 1919; Y.B. Sep. 794, pp. 4, 12, 31. 1919.
  sugar-cured, recipe. F.B. 183, p. 32. 1903.
  sweet-pickle, with sugar and with substitutes, experiments. D.B. 928, pp. 12-19. 1920.
  use as children's food, cooking recipe. F.B. 717, p. 17. 1916.
  with mushrooms, cooking recipe. F.B. 796, p. 21. 1917.
  wrapped, not considered in "package form." Chem. S.R.A. 21, p. 74. 1918.
Bacteria—
  action—
    in cold storage, effect of air, light, temperature, humidity. Chem. Bul. 115, pp. 85-98. 1908.
    in decay of organic matter. Y.B., 1906, pp. 126-130. 1907; Y.B. Sep. 411, pp. 126-130. 1907.
    in flax retting. D.B. 1185, pp. 1, 7-10. 1923.
    on flesh at low temperatures. Chem. Bul. 115, pp. 91-98. 1908.
    on garden soil, experiments. Y.B., 1909, pp. 223-225. 1910; Y.B. Sep. 507, pp. 223-225. 1910.
  activities in soils, relation to crop-producing power. J.A.R., vol. 5, No. 18, pp. 855-869. 1916.
  agency in fixation of atmospheric nitrogen. Chem. Bul. 81, pp. 146-160. 1904.
  alkali-forming—
    from milk, grouping, studies. D.B. 782, pp. 33-35, 37-38. 1919.
    history, definition, and cause. D.B. 782, pp. 1-9, 35-38. 1919.
    in milk, study. S. Henry Ayers and others. D.B. 782, pp. 39. 1919.
    sources, morphology and growth. D.B. 782, pp. 9-11. 1919.
  and the nitrogen problem. George T. Moore. Y.B., 1902, pp. 333-342. 1903; Y.B. Sep. 227, pp. 333-342. 1903.

Bacteria—Continued.
  beneficial—
    for leguminous crops. George T. Moore and T. R. Robinson. F.B. 214, pp. 48. 1905.
    root nodules comparison with root knot. F.B. 1345, pp. 2, 3-4. 1923.
  bur-clover, inoculation of soil. F.B. 693, pp. 6-7. 1915.
  canning powder and yeast used. D.C. 237, pp. 2-3. 1922.
  casein-digesting, work with fishy butter. B.A.I. Cir. 146, p. 7. 1909.
  cause of—
    change in milk and cream, description. F.B. 541, pp. 5-6. 1913.
    cocoanut disease, investigation. B.P.I. Cir. 36, pp. 3-5. 1902.
    decomposition of eggs. D.B. 471, pp. 16, 19, 20. 1917.
    spoilage in fruits and vegetables. F.B. 1211, pp. 4-5. 1921.
  cellulose-destroying, studies, description. B.P.I. Bul. 266, pp. 1-52. 1913.
  Cheddar cheese—
    flavor production. Alice C. Evans and others. J.A.R., vol. 2, pp. 167-192. 1914.
    making, relation to flavor. Lore A. Rogers. B.A.I. Bul. 62, p. 38. 1904.
    ripening action. E. B. Hart and others. J.A.R., vol. 2, pp. 193-216. 1914.
  cheese. See Cheese, bacteria.
  citrus blast, identification, description, and control. J.A.R., vol. 9, pp. 2-9. 1917.
  contents of acid soils, effect of lime, J.A.R., vol. 16, pp. 29, 33-38. 1919.
  control—
    by high pressure. S.R.S. Rpt., 1917. Pt. I, pp. 28, 273. 1918.
    in food. F.B. 853, pp. 4-5. 1917.
  count(s)—
    casein-agar and infusion agar, comparison. B.A.I. An. Rpt., 1911, pp. 230-231. 1913.
    in fresh milk on average farm. D.B. 642, pp. 43-45. 1918.
    in ice cream, sampling and plating. D.B. 563, pp. 1-3. 1917.
    in milk and cream, methods for contests. D.C. 53, pp. 22-24. 1919.
    in sauerkraut, various types. J.A.R., vol. 30, pp. 956-959. 1925.
    in tomato products, method. D.B. 581, pp. 21-22. 1917.
    milk-tube method, use in experiments. B.A.I. Bul. 161, pp. 11, 19, 21-23. 1913.
    plate method, use in experiments. B.A.I. Bul. 161, pp. 11, 18-19, 22-23. 1913.
  cowpeas, need and beneficial effects, sources of supply. F.B. 1148, p. 12. 1920.
  cream, causes and prevention. F.B. 309, p. 31. 1907.
  crimson clover, culture, sources of supply. F.B. 1142, p. 13. 1920.
  culture—
    for legumes, directions for use. F.B. 315, pp. 7-8. 1908.
    value in soil improvement, distribution by department. News L., vol. 2, No. 18, p. 3. 1914.
  denitrifying—
    action on soil. Y.B., 1909, pp. 220-225. 1910; Y.B. Sep. 507, pp. 220-225. 1910.
    dangerous action in soils. B.P.I. Cir. 113, pp. 7-8. 1913.
    in soils, testing methods and studies. B.P.I. Bul. 211, pp. 22-24. 1911.
    study and experiments. O.E.S. Bul. 194, pp. 69-71. 1907.
  development at low temperatures. Chem. Bul. 115, pp. 86-88. 1908; J.A.R., vol. 5, No. 14, pp. 651-655. 1916.
  development in koji and in soy-bean mash. D.B. 1152, pp. 9, 12, 13, 14, 16, 24. 1923.
  dissemination by house fly. Ent. Bul. 78, pp. 23-36. 1909; F.B. 412, pp. 12-13. 1910.
  effect on foods, and control. F.B. 1374, pp. 1-2. 1923.
  fluorescent, description and characteristics. J.A.R., vol. 16, pp. 337-342. 1919.
  formation of animal deposits, study. An. Rpts., 1923, p. 281. 1924; B.P.I. Chief Rpt., 1923, p. 27. 1923.

Bacteria—Continued.
  gas-forming, significance in milk testing. B.A.I. Cir. 153, pp. 50-51. 1910.
  groups, casein-agar and infusion agar, comparison. B.A.I. An. Rpt., 1911, pp. 232-233. 1913.
  growth—
    and viability in cream and butter. B.A.I. An. Rpt., 1909, pp. 180-182. 1911.
  in—
    air, analysis methods. J.A.R., vol. 4, pp. 343-368. 1915.
    alfalfa silage, studies. J.A.R., vol. 15, pp. 571-592. 1918.
    canned meat. B.A.I. An. Rpt., 1907, pp. 292-296. 1910.
    commercial bottled waters. Maud Mason Obst. D.B. 369, pp. 14. 1916.
    cream after pasteurization, results of different temperatures. B.A.I. Cir. 189, pp. 308-310. 1912; B.A.I. An. Rpt., 1910, pp. 308-310. 1912.
    egg, relation to shell and physical condition. D.B. 391, pp. 4-14. 1918.
    food, dangers to health. Y.B., 1911, p. 178. 1912; Y.B. Sep. 559, p. 178. 1912.
    milk at high and low temperatures, tables. F.B. 490, pp. 8, 21, 22. 1912.
    milk, factors influencing. S. Henry Ayers and others. D.B. 642, pp. 61. 1918.
    milk, relation to temperature. D.B. 642, pp. 45-58. 1918.
    soils, influence on organic matter. Y.B., 1908, p. 102. 1909.
    tomato products, relation to rot percentage. D.B. 581, p. 16. 1917.
    water, effect of copper. B.P.I. Bul. 100, pp. 57-71. 1907.
  injury to maple sap. F.B. 1366, p. 24. 1924.
  inoculating, distribution by department. News L., vol. 3, No. 6, p. 6. 1915.
  inoculation—
    by soil transfer. News L., vol. 6, No. 11, p. 4, 1918.
    of legumes, progress. Karl F. Kellerman and T. R. Robinson. F.B. 315, pp. 10. 1908.
  intestinal, effects of lactic acid. B.A.I. An. Rpt. 1909, pp. 134-141. 1911; B.A.I. Cir. 171, pp. 134-, 141. 1911.
  kinds causing spoilage in vinegar. F.B. 1424, pp. 20, 21. 1924.
  lactic-acid—
    classification methods. Lore A. Rogers and Brooke J. Davis. B.A.I. Bul. 154, pp. 30. 1912.
    description, growth, and action. Y.B., 1907, pp. 186-187. 1908; Y.B. Sep. 444, pp. 186-187. 1908.
    destruction, temperature required, experiments. B.A.I. Bul. 126, pp. 52-58. 1910.
  legume—
    discovery, value to agriculture. Y.B. 1916, p. 67. 1917; Y.B. Sep. 698, p. 5. 1917.
    increase of number, effect on nodulation, experiments. J.A.R., vol. 30, pp. 95-96. 1925.
    inoculating, distribution. Y.B., 1908, p. 56. 1909.
    investigations. An. Rpts., 1908, pp. 294-295. 1909; B.P.I. Chief. Rpt., 1908, pp. 22-23. 1909.
    nodules, function. S.R.S. Syl. 24, p. 2. 1917; S.R.S. Syl. 25, p. 2. 1917.
    study of distribution, 1923. Work and Exp., 1923, p. 30. 1925.
    value in supplying nitrogen. Guam Bul. 4, p. 3. 1922.
    work, program for 1915. Sec. [Misc.], "Program of work * * * 1915," pp. 96-97. 1914.
  life cycles. F. Löhnis and N. R. Smith. J.A.R., vol. 6, No. 18, pp. 675-702. 1916.
  life cycles, studies—Pt. II. Life history of Azotabacter. F. Löhnis and N. R. Smith. J.A.R., vol. 23, pp. 401-432. 1923.
  liquifying, number in milk. B.A.I. Bul. 73, p. 27. 1905.
  nature—
    and control. F.B. 375, pp. 7, 10. 1909.
    habits of growth, life processes. F.B. 348, pp. 7-11. 1909.
    multiplication, distribution, study. Ent. Bul. 70, pp. 10-14. 1907.

Bacteria=Continued.
  need in soil, and supply by Agriculture Department. News L., vol. 6, No. 11, p. 4. 1918.
  nitrifying—
    action on soil. Y.B., 1909. pp. 220-225. 1910. Y.B. Sep. 507, pp. 220-225. 1910.
    activity, seasonal variations, discussion. B.P.I. Bul. 173, pp. 23-25, 28. 1910.
    effect on the solubility of tricalcium phosphate. W. P. Kelley. J. A. R., vol. 12, pp. 671-683. 1918.
    in soils, testing methods. B.P.I. Bul. 211, pp. 10-11, 19-21. 1911.
  nitrogen—
    assimilating—
      influence of nitrates. T. L. Hills. J.A.R., vol. 12, pp. 183-230. 1918.
      influence of reaction of the soil. E. B. Fred and Audrey Davenport. J.A.R., vol. 14, pp. 317-336. 1918.
    fixation—
      three processes. Y.B., 1909, pp. 225-226. 1910; Y.B. Sep. 507, pp. 225-226. 1910.
      species. Y.B., 1909, p. 225. 1910; Y.B. Sep. 507, p. 225. 1910.
    fixing—
      absence a cause of failure in growing legumes. F.B. 326, pp. 16-17. 1908.
      discussion. O.E.S. Bul. 194, pp. 77-98. 1906.
      distribution by Agriculture Department, value in soil improvement. News L., vol. 2, No. 18, p. 3. 1914.
      improvements in distribution. Rpt. 83, pp. 40-41. 1906.
      in Pavetta, importation and description. No. 42767. B.P.I. Inv. 47, pp. 8, 61. 1920.
      inoculation, of soil. A. E. Woods. B.P.I. Bul. 72, Pt. IV., pp. 23-30. 1905.
      studies. S.R.S. Syl. 34, pp. 8-9. 1918.
      supply to soil, methods. D.B. 355, pp. 41-43. 1916.
      tests, 1904, review by Secretary. Rpt. 79, pp. 40-41. 1904; B.P.I. Cir. 76, pp. 4-5. 1911.
      tests of commercial cultures, table. Sec. Cir. 16, p. 1. 1906.
      weakening by carbon disulphides and toluol. J.A.R., vol. 15, pp. 601-614. 1918.
    gathering—
      cultures, preparation, distribution, use, and results. F.B. 315, pp. 1-20. 1908.
      essential to clover. F.B. 1365, p. 22. 1924.
      increase in sandy soils. F.B. 329, p. 8. 1908.
      inoculation of peas. F.B. 1255, pp. 11-12. 1922.
      types in root nodules. Y.B., 1910, p. 214. 1911; Y.B. Sep. 530, p. 214. 1911.
    nodule—
      forming—
        cultures, testing. B.P.I. Cir. 120, pp. 3-5. 1913.
        growing and distributing. F.B. 214, pp. 15-22. 1905.
        increased use and results. An. Rpts., 1909, p. 273. 1910; B.P.I. Chief Rpt., 1909, p. 21. 1909.
        inoculation studies and experiments. S.R.S., Syl. 34, pp. 5-7. 1918.
        need, and methods of supplying. B.P.I. Cir. 60, p. 19. 1910.
        source of nitrogen fertilizer. Y.B., 1919, p. 116. 1920; Y.B. Sep. 803, p. 116. 1920.
    of leguminous plants. F. Löhnis and Roy Hansen. J.A.R., vol. 20, pp. 543-556. 1921.
  numbers—
    and kinds in corn meal. J.A.R., vol. 22, pp. 181-188. 1921.
    effect on nodulation of Virginia soybeans. Alfred T. Perkins. J.A.R., vol. 30, pp. 95-96. 1925.
    in milk, pasteurized and raw, tables. B.A.I. Bul. 73, pp. 17-24. 1905.
  one-flagellate yellow, parasitic on plants, cultural characters. V.P.P. Bul. 28, pp. 1-153. 1901.
  organisms, allowable in preparation of food products. Y.B., 1911, p. 306. 1912; Y.B. Sep. 569, p. 306. 1912.
  oxidizing-ferments production, discussion. Soils Bul. 56, pp. 12, 25, 41. 1909.
  paper destruction. Rpt. 89, p. 16. 1918.

INDEX TO PUBLICATIONS, 1901-1925 165

Bacteria—Continued.
  pasteurization-resistant, study. S. Henry Ayers and William T. Johnson. B.A.I. Bul. 161, pp. 66. 1913.
  pasteurized—
    and raw milk, tables. B.A.I. Bul. 73, pp. 15-28. 1905.
    and unpasteurized milk, under laboratory conditions. Lore A. Rogers. B.A.I. Bul. 73, pp. 32. 1905.
  pathogenic, and algae, method of destroying in water supplies. George T. Moore and Karl F. Kellerman. B.P.I. Bul. 64, pp. 44. 1904.
  peptonizing—
    and lactic, relations. B.A.I. Bul. 73, pp. 28-30. 1905.
    determination various methods, casein-agar. B.A.I. An. Rpt., 1911, pp. 228-229, 234-235. 1913.
    number in milk. B.A.I. Bul. 73, p. 27. 1905.
  plant diseases—
    dissemination, studies, résumé. J.A.R., vol. 8, pp. 457-461. 1917.
    spread by insects. An. Rpts., 1912, p. 138. 1913; Sec. A.R., 1912, p. 138. 1912; Y.B., 1912, p. 138. 1913.
  putrefactive, control by lactic acid. B.A.I. Bul. 150, p. 20. 1912.
  relation—
    of alcohol test to, in market milk. D.B. 202, pp. 18-19. 1915.
    to fermentation of corn silage. J.A.R., vol. 8, pp. 361-380. 1917.
    to flavor changes in storage butter. B.A.I. Bul. 162, pp. 6-8, 32-34. 1913.
    to silage fermentation, discussion. J.A.R., vol. 12, pp. 594-599. 1918.
  removal from sewage by copper sulphate, and by chlorine. B.P.I. Bul. 115, pp. 9-21, 21-31. 1907.
  resistance to—
    low temperatures. Chem. Bul. 115, pp. 85-86. 1908.
    pasteurization, and subsequent growth. B.A.I. Bul. 161, pp. 21-26, 38, 39, 45-53, 59, 60, 65, 66. 1913.
  rot-producing in oysters. J.A.R., vol. 30, pp. 973-975. 1925.
  samples for examination, directions for handling. Chem. [Misc.], "Food and drug manual," pp. 36-38. 1920.
  saprophytic, in olive tubercles. B.P.I. Bul. 131, p. 29. 1908.
  seed-borne, stimulation by presoak treatment of seed. J.A.R., vol. 19, pp. 388-390. 1920.
  soil, effect of toxic salts, study in California. Work and Exp., 1914, pp. 68-69. 1915.
  spore-bearing, survival after pasteurization. B.A.I. Cir. 153, p. 56. 1910.
  study with dyes. Off. Rec., vol. 3, No. 14, p. 6. 1924.
  temperature limits, and multiplication at different temperatures. Y.B., 1907, pp. 181, 184. 1908; Y.B. Sep. 444, pp. 181, 184. 1908.
  types, description. F.B. 490, pp. 5-7. 1912.
  use in—
    rat destruction, results. F.B. 349, p. 18. 1909.
    study of decomposition of proteins and amino acids. J.A.R., vol. 30, pp. 265, 274, 275. 1925.
    yeast and fermentation. F.B. 203, p. 5. 1905.
  See also *Bacillus* sp.; *Bacterium* sp.; Microorganisms; *names of bacterial diseases*.
Bacterial—
  blight—
    occurrence on plants in Texas, description. B.P.I. Bul. 226, pp. 36, 53. 1912.
    of gladioli. Lucia McCulloch. J.A.R., vol. 27, pp. 225-230. 1912.
  bud rot of cannas. Mary K. Bryan. J.A.R., vol. 21, No. 3, pp. 143-152. 1921.
  cells, disappearance in cheese. B.A.I. Bul. 150, pp. 39-40. 1912.
  contamination during egg handling, studies, causes, and control methods. Chem. Cir. 98, pp. 8-12. 1912.
  content, relation of alcohol test to number. D.B. 202, pp. 22-25. 1915.
  diseases—
    for destruction of rodents, experiments. Biol. Chief Rpt., 1907, p. 5. 1907.

Bacterial—Continued.
  diseases—continued.
    for rat infection, experiments. Biol. Bul. 33. p. 50. 1909.
    of lettuce, studies. J.A.R., vol. 13, pp. 367-388. 1918.
    of orchard fruits, Pacific Northwest. F.B. 153, pp. 13, 14, 31-38. 1902.
    plant(s)—
      control progress. F. C. Stewart. O.E.S. Bul. 196, pp. 96-99. 1907.
      dissemination, studies, résumé. J.A.R., vol. 8, pp. 475-461. 1917.
      spread from man to man, control methods. F.B. 463, pp. 8-10. 1911.
  flora—
    milk, effect of cooling. D.B. 240, pp. 20-22, 26. 1915.
    Roquefort cheese. Alice C. Evans. J.A.R., vol. 13, pp. 225-233. 1918.
  gummosis. See Curly-top.
  leafspot—
    disease of celery. Ivan C. Jagger. J.A.R., vol. 21, pp. 185-188. 1921.
    of Martynia. Charlotte Elliott. J.A.R., vol. 29, pp. 483-490. 1924.
    of plants, occurrence in Texas, and description. B.P.I. Bul. 226, pp. 31, 42, 82, 84. 1912.
  precipitation, measurement, methods. J.A.R., vol. 4, pp. 363-365. 1915.
  pustule of soybean. Frederick A. Wolf. J.A.R., vol. 29, pp. 57-68. 1924.
  pustule of soybean and a comparison of *Bacterium phaseoli sjoense* Hedges with *Bacterium phaseoli* EFS. Florence Hedges. J.A.R., vol. 29, pp. 229-251. 1924.
  spot—
    of cucumbers. F. C. Meier and G. K. K. Link. D.C. 234, p. 5. 1922.
    of lima bean. W. B. Tisdale and Maude M. Williamson. J.A.R., vol. 25, No. 3, pp. 141-154. 1923.
    of tomato. Max W. Gardner and James B. Kendrick. J.A.R., vol. 21, No. 2, pp. 123-156. 1921.
    See also *under host*; Spot disease.
  starters, use in pasteurized milk for cheese making. B.A.I. Bul. 165, pp. 40-42. 1913.
  wilt. See Wilt.
Bacterin(s), use—
  against hemorrhagic septicemia. An. Rpts., 1916, p. 115. 1917; B.A.I. Chief Rpt., 1916, p. 49. 1916; D.B. 674, pp. 2, 3, 8-9. 1918.
  against hemorrhagic septicemia, of buffaloes. An. Rpts., 1912, p. 171. 1913; Y.B., 1912, p. 171. 1913; Sec. A.R., 1912, p. 171. 1912.
  in control of cattle abortion, studies. News L., vol. 3, No. 41, p. 1. 1916.
Bacteriological—
  studies, publications, list. Bul. 369, p. 14. 1916.
  study of canned ripe olives. S. A. Koser, J.A.R., vol. 20, pp. 375-379. 1920.
  technique, lecture. Chem. Bul. 130, pp. 133-135. 1910.
Bacteriology—
  of bee diseases. G. F. White, Ent. Bul. 70, p. 10-22. 1907.
  See also *under subject treated*.
Bacteriosis—
  control by planting blight-resistant walnut trees. D.B. 611, pp. 6-7. 1917.
  injuries to Persian walnuts, and control. D.B. 611, pp. 4-5, 6. 1917.
  wheat, description and prevention, studies, 1917. An. Rpts., 1917, pp. 134-135. 1918. B.P.I. Chief Rpt., 1917, pp. 4-5. 1917.
  See also Curly-top; Walnut blight.
Bacterium—
  abortus—
    agglutination test in milk. L. H. Cooledge. J.A.R., vol. 5, No. 19, pp. 871-875. 1916.
    comparison with *Bacterium melitensis*. John M. Buck. J.A.R., vol. 29, pp. 585-591. 1924.
    infection of bulls. J. M. Buck and others. J.A.R., vol. 17, pp. 239-246. 1919.
    See also *Bacillus abortus*.
  andropogoni, cause of broomcorn disease. J.A.R., vol. 26, p. 158. 1923.

Bacterium—Continued.
  angulatum, cause of angular leaf spot of tobacco, and description. J.A.R., vol. 16, pp. 226–227. 1919.
  aptatum. comparison with similar organisms. J.A.R., vol. 1, pp. 206–210. 1913.
  atrofaciens, cause of wheat-glume rot, studies. J.A.R., vol. 18, pp. 543–552. 1920.
  avicida, cause of fowl cholera. B.A.I. An. Rpt., 1910, p. 86. 1912.
  avisepticum, cause of chicken cholera. B.A.I. An. Rpt., 1907, p. 47. 1909.
  bovisepticum, causal agent of hemorrhagic septicemia. B.A.I. [Misc.], "Diseases of cattle" rev., p. 405. 1912; rev., p. 397. 1923.
  bulgaricum—
    life cycles, studies. J.A.R., vol. 6, No. 18, pp. 688–694. 1916.
    presence in Roquefort cheese. J.A.R., vol. 13 pp. 227–229, 231, 232. 1918.
  campestre, cause of cabbage black-rot. F.B. 488, pp. 17–18. 1912; F.B. 925, rev., p. 15. 1921.
  cannae, n. sp., description, distribution, and hosts. J.A.R., vol. 21, No. 3, p. 145. 1921.
  casei—
    group—
      classification by biochemical tests. J.A.R., vol. 2, pp. 174–177. 1914.
      effect on cheese curd, substances formed. J.A.R., vol. 2, pp. 203–204, 212–213. 1914.
      relation to flavor production. J.A.R., vol. 2, pp. 184–186. 1914.
  caucasicum—
    description. B.A.I. An. Rpt., 1909, pp. 153–156. 1911; B.A.I. Cir. 171, pp. 153–156. 1911.
    nature, action in milk, studies. D.B. 319, pp. 20–22. 1916.
  cause of—
    disease of sugar-beet leaves and nasturtium leaves. Nellie A. Brown and Clara O. Jamieson. J.A.R., vol. 1, pp. 189–210. 1913.
    milk fermentation, description. B.A.I. An. Rpt., 1909, pp. 153–156. 1911; B.A.I. Cir. 171, pp. 153–156. 1911.
  citrarefaciens, identification and description. J.A.R., vol. 9, pp. 2–7. 1917.
  coli—
    cause of disease in chickens. F.B. 1337, p. 15, 1923.
    See also *Bacillus coli*.
  coronafaciens, cause of halo blight, description and isolation. J.A.R., vol. 19, pp. 144–158. 1920.
  diplo-streptococcic, use in control of cerebrospinal meningitis, studies. D.B. 65, pp. 15. 1914.
  eurydice—
    discovery in foulbrood, and occurrence. Ent. Cir. 157, pp. 3, 11, 14. 1912.
    presence in European foulbrood and description. D.B. 810, pp. 9, 13–14, 30, 32. 1920.
  exitiosum, n. sp. description, host relationships, and symptoms. J.A.R., vol. 21, No. 2, pp. 123–155. 1921.
  fimi—
    description and cultural features. B.P.I. Bul. 266, pp. 30–32, 52. 1913.
    use in nitrogen-fixing experiments. B.P.I. Cir. 131, pp. 31–33. 1913.
  flaccumfaciens, resistance of beans. J.A.R., vol. 31, pp. 103, 110–145, 151, 153. 1925.
  gallinarum, cause of fowl typhoid. F.B. 1337, p. 16. 1923.
  glycineum—
    cause of bacterial blight of soybean. J.A.R., vol. 18, pp. 181–188, 192. 1919.
    comparison with *Bacterium trifoliorum*. J.A.R., vol. 25, pp. 479, 481, 483. 1923.
  gummis, cause of citrus gummosis. J.A.R., vol. 24, pp. 194, 227. 1923.
  gummisudans, cause of blight of gladiolus. J.A.R., vol. 27, pp. 226–229. 1924.
  guntheri—
    occurrence in sour brood of bees. Ent. Bul. 98, pp. 69, 70, 71. 1912.
    same as *Streptococcus lacticus*. J.A.R., vol. 13, p. 238. 1918.

Bacterium—Continued.
  influenzae, investigations. J.A.R., vol. 23, pp. 401–402. 1923.
  japonicum, possible name for cowpea-soybean nodule bacteria. J.A.R., vol. 20, p. 551. 1921.
  lachrymans—
    cause of angular leaf-spot of cucumbers. J.A.R., vol. 5, No. 11, pp. 466–467, 470–475. 1915.
    cause of bacterial spot of cucumbers. D.C. 234, p. 1. 1922.
    See also Cucumber, angular leaf-spot.
  lactis acidi—
    classification and constancy of reaction. J.A.R., vol. 2, pp. 171–174. 1914.
    factor in ripening Cheddar cheese. B.A.I. Bul. 150, pp. 13–15, 31–39. 1912; J.A.R., vol. 2, pp. 167, 193. 1914.
    in starters for pasteurized-milk cheese. J.A.R., vol. 2, p. 187. 1914.
    same as *Streptococcus lacticus*. J.A.R., vol. 13, pp. 238, 239. 1918.
    source, and determination. O.E.S. An. Rpt., 1909, p. 87. 1910.
  liquatum, description and cultural features. B.P.I. Bul. 266, pp. 32–35, 52. 1913.
  maculicolum—
    cause of cauliflower spot disease. F.B. 925, rev. p. 28. 1921.
    See also Cauliflower spot disease.
  malvacearum—
    cause of bacterial blight of cotton. F.B. 1187, p. 21, 1921.
    cause of cotton angular leaf-spot, studies. J.A.R., vol. 8, pp. 457–475. 1917.
    cause of cotton boll rot. F.B. 555, p. 3. 1913.
  marginatum, cause of gladiolus disease. Lucia McCulloch. J.A.R., vol. 29, pp 159–177. 1924.
  martyniae, description. J.A.R., vol. 29, pp. 485, 490. 1924.
  melitensis—
    comparison with *Bacterium abortus* in primary isolations, by cultural and atmospheric requirements. John M. Buck. J.A.R., vol. 29, pp. 585–591. 24.
    isolation, origin, and method. J.A.R., vol. 29, pp. 586–587. 1924.
  melleum, cause of bacteria leaf-spot of tobacco. J.A.R., vol 23, pp. 481, 486–490. 1923.
  of contagious abortion of cattle occurrence in milk. B.A.I. Cir. 198, pp. 3. 1912.
  panici, description, comparisons, and spread. J.A.R., vol. 26, pp. 157–159. 1923.
  pelargoni, cause of bacterial leaf-spot of geranium. J.A.R., vol. 23, pp. 363–372. 1923.
  phaseoli—
    cause of bacterial blight of beans. J.A.R., vol. 25, pp. 141–142. 1923.
    comparison with *Bacterium aptatum*. J.A.R., vol. 1, p. 208. 1913.
    resistance of beans. J.A.R., vol. 31, pp. 102–145, 149–151, 153. 1925.
  sojense, comparison with *Bacterium phaseoli*. study of bacterial pustule of soybean. Florence Hedges. J.A.R., vol. 29, pp. 229–251. 1924.
  pruni, cause of bacterial spot. D.B. 543, pp. 3, 7. 1917; F.B. 1435, p. 2. 1924.
  pseudozoogloeae, cause of tobacco black-rust, characters. J.A.R., vol. 23, p. 490. 1923.
  pullorum—
    cause of chick diarrhea. F.B. 530, p. 27. 1913; F.B. 1337, pp. 9–12. 1923.
    infection—
      in fowls, intradermal test. Archibald R. Ward and Bernard A. Gallagher. D.B. 517, pp. 15. 1917.
      of eggs, cause of chick diseases. Y.B. 1911, p. 189. 1912; Y.B. Sep. 559, p. 189. 1912.
      of fowls, description, cause, symptoms, and treatment. F.B. 957, pp. 21–22. 1918.
    tests, agglutination and intradermal, comparison. D.B. 517, pp. 12–13. 1917.
  radicicola, action in soils. P.R. An. Rpt., 1912, p. 16. 1913.
  savastanoi, cause of olive knot. F.B. 1249, pp. 41–42. 1922.
  sojae comparison with *Bacterium trifoliorum*. J.A.R., vol. 25, pp. 479, 481, 483. 1923.

Bacterium—Continued.
  solanacearum—
    cause of—
      potato and tobacco diseases. B.P.I. Bul. 141, pp. 17, 20. 1909.
      tobacco wilt. D.B. 562, pp. 4, 18. 1917.
    nature and infection methods. J.A.R., vol. 4, pp. 451–458. 1915.
    See also Wilt, bacterial.
  spp.—
    occurrence on plants, Texas. B.P.I. Bul. 226, pp. 28, 31, 36, 54. 1912.
    responsibility for crown gall. D.B. 203, pp. 3, 8. 1915.
  tabacum—
    cause of wildfire disease, description. J.A.R., vol. 12, pp. 449, 454–455. 1918.
    inoculations into various plants. J.A.R., vol. 12, pp. 451–453. 1918.
  translucens—
    cause of bacterial blight of barley, description. J.A.R., vol. 11, pp. 633, 636. 1917.
    on wheat seed, presoak treatment. J.A.R., vol. 19, pp. 363–386. 1920.
    treatment by dry heat. J.A.R., vol. 18, pp. 386, 387. 1920.
  trifoliorum—
    cause of clover bacterial leaf-spot, cultural studies. J.A.R., vol. 25, pp. 475–489. 1923.
    technical description. J.A.R., vol. 25, p. 487. 1923.
  tumefaciens—
    cause of crown-gall. B.P.I. Bul. 183, pp. 20–22. 1910; B.P.I. Bul. 186, p. 15. 1910; J.A.R., vol. 1, pp. 334–338. 1914.
    cause of pecan crown-gall, control, F.B. 1129, p. 11. 1920.
    cultures, chemists' reports. J.A.R., vol. 8, pp. 169–170, 184. 1917.
    description, staining, and cultural characters. B.P.I. Bul. 213, pp. 105–127. 1911.
    discovery on Paris daisy, inoculation experiments. B.P.I. Bul. 213, pp. 21–53, 105–127, 197. 1911.
    inoculation studies. J.A.R., vol. 6, No. 4, pp. 179–182. 1916.
    inoculations on *Bryophyllum calycinum*. J.A.R., vol. 21, pp. 593–598. 1921.
    morphology. J.A.R., vol. 26, pp. 425–436. 1923.
    studies. J.A.R., vol. 8, pp. 165–186. 1917.
    See also Crown gall.
  vesicatorium, n. sp. See *Bacterium exitiosum*, n. sp.
  viridifaciens, isolation, morphology, and temperature relations. J.A.R., vol. 25, pp. 144–150. 1923.
  viridilividum—
    cause of—
      lettuce disease from Louisiana. J.A.R., vol. 4, pp. 475–478. 1915.
      lettuce rots, description. J.A.R., vol. 13, pp. 371, 379, 380, 387. 1918.
  vitians, cause of South Carolina lettuce disease, study. J.A.R., vol. 13, pp. 374–379, 380, 387. 1918.
  zanthochlorum, comparison with *Bacterium aptatum*. J.A.R., vol. 1, pp. 209–210. 1913.
Bactris utilis, importation, description, and uses. No. 36573, B.P.I. Inv. 37, pp. 8, 33. 1916.
Bactrocera—
  cucurbitae. See Melon fly.
  spp. *See* Fruit flies.
Bacupari, description and uses. D.B. 445, pp. 30–31. 1917.
"Bad-Em-Salz," N.J. 3962, discussion. An. Rpts. 1915, p. 339. 1916; Sol. A. R., 1915, p. 13. 1915.
Bad lands—
  description, North Dakota, Morton and McKenzie area. Soil Sur. Adv. Sh., 1907, p. 24. 1908; Soils F.O., 1907, pp. 838, 856, 877. 1909.
  South Dakota, description. O.E.S. Bul. 210, p. 22. 1909.
  western North Dakota, description, drainage, and value for grazing. Soil Sur. Adv. Sh., 1908, pp. 14, 38, 73–74. 1910; Soils F.O., 1908, pp. 1162, 1186, 1221–1222. 1911.
  western South Dakota, description. Soil Sur. Adv. Sh., 1909, pp. 46–49. 1911; Soils F.O. 1909, pp. 4041, 1442–1445. 1912.

Badam, importations and description. Inv. Nos. 30314, 30408, B.P.I. Bul. 233, pp. 75, 84. 1912.
Badburya sp. importation and description. No. 37493, B.P.I. Inv. 38, p. 65. 1917.
Badgers—
  damage to coyote-proof fence. For. Cir. 160, p. 11. 1909.
  destruction of rodents. Y.B., 1908, p. 192. 1909; Y.B. Sep. 474, p. 192. 1909.
  food habits, beneficial to farmer, need of protection. F.B. 335, p. 29. 1908.
  habits, enemies of rodents. F.B. 484, pp. 44–45. 1912.
  Mexican, occurrence in Texas, habits, and food. N. A. Fauna 25, pp. 184–186. 1905.
  natural enemy of kangaroo rat. D.B. 1091, pp. 34–35. 1922.
  occurrence in—
    Athabaska-Mackenzie region. N.A. Fauna 27, p. 229. 1908.
    Colorado, description. N.A. Fauna 33, pp. 181–182. 1911.
    Montana. Biol. Cir. 82, p. 22. 1911.
  relation to wire fences. For. Cir. 178, p. 9. 1910.
  young, key for identification. Biol. Cir. 69, p. 2. 1909.
Bael—
  fruit—
    importation and description. Nos. 38299, 38389, 38664, B.P.I. Inv. 39, pp. 115, 123, 161–162. 1917; No. 41133, B.P.I. Inv. 44, p. 42. 1918.
    Indian, introduction. B.P.I. Bul. 153, p. 7. 1909.
    susceptibility to citrus canker. J.A.R., vol. 19, p. 341. 1920.
  seed importation, 1909, and description. B.P.I. Bul. 162, pp. 8, 13–14. 1909.
  tree. *See also* Bel.
Baeolophus bicolor. *See* Titmouse, tufted.
BAER, U. S.: "The cold curing of cheese." With others. B.A.I. Bul. 49, pp. 88. 1903.
Bag(s)—
  dipping, for sheep, description. F.B. 713, p. 28. 1916.
  grain, furnishing to farmers. D.B. 558, p. 40. 1917.
  limits—
    Federal regulations. F.B. 1466, pp. 9–10. 1925.
    legislation, 1916. F.B. 774, p. 6. 1916.
    migratory birds, regulations. Biol. S.R.A 29, p. 2. 1919.
    various States. D.B. 1049, pp. 16, 18. 1922.
    See also under names of States and Provinces.
  paper, use in protection of fruit from flies, in Hawaii. D.B. 536, p. 101. 1918.
  use in jelly making. F.B. 1454, pp. 11, 12. 1925.
Bagasse—
  fermentation—
    action of molds and mushrooms. J.A.R., vol. 30, pp. 625–628. 1925.
    causes and conditions, study. J.A.R. vol. 30, pp. 625–628. 1925.
  fuel value, investigations. O.E.S. An. Rpt., 1910, p. 150. 1911.
  furnaces, study of conditions, use of drier. O.E.S An. Rpt., 1911, pp. 63, 119. 1912.
  poisoned, use in control of soil grubs in sugarcane fields. Vir. Is. An. Rpt., 1920, pp. 14, 18–19. 1921.
  sorghum, paper making tests. An. Rpts., 1914, p. 112. 1914; B.P.I. Chief Rpt., 1914, p. 12. 1914.
  sorgo, uses for fuel. F.B. 1389, pp. 22–23, 26. 1924.
  sugar test by invertase. Chem. Cir. 50, p. 6. 1910.
  treatment and uses. Y.B., 1923, p. 213. 1924; Y.B., Sep. 893, p. 80. 1924.
  use. Chem. Bul. 93, pp. 14, 44, 46, 56. 1905. F.B. 477, p. 38. 1912.
  use—
    and value—
      for cattle feed or fertilizer. D.B. 486, pp. 44–45. 1917; Rpt. 112, pp. 26–27. 1916.
      in paper-making experiments. B.P.I. Cir. 82, pp. 14–15. 1911; P.P.I. Cir. 1, p. 12. 1916; Chem. Cir. 41, pp. 11, 19. 1908.
    as fuel in sirup mills. F.B. 477, pp. 35, 38. 1912.
    utilization on small farms. F.B. 1034, p. 34. 1919.

Baggage, passengers'—
  plant pests intercepted by inspectors, notes. F.H.B., An. Letter 36, pp. 1, 2, 3. 1923.
  to Hawaii, regulations. F.H.B., Quar. 51, p. 3. 1921.
Bagging—
  cotton—
    directions. D.B. 311, p. 5. 1915.
    imports—
      1920-1921. F.H.B. An. Rpt., 1921, pp. 11, 12. 1921.
      1922-1923. An. Rpts., 1923, p. 641. 1924; F.H.B. An. Rpt., 1923, p. 27. 1923.
  fruits, for protection from insects. F.B. 908, p. 53. 1918; Hawaii A.R., 1914, pp. 17, 31. 1915.
  grape(s)—
    against curculio. D.B. 730, p. 16. 1918.
    cost and results. D.B. 550, pp. 9, 39. 1917.
    for control of insects and disease. Ent. Bul. 116, Pt. II, p. 52. 1912.
    for protection from rose bugs. Ent. Bul. 67, p. 35. 1907.
    to prevent black rot. F.B. 1220, p. 51. 1921.
  seed, directions for marketing. F.B. 1232, p. 7. 1921.
  standard for cotton baling. Sec. Cir. 88, pp. 29, 30. 1918.
  trees or fruit, for control of papaya fruit fly. D. B. 1081, p. 9. 1922.
Bagley farm, Oregon, irrigation experiments, 1908, 1909. O.E.S. Bul. 226, pp. 43-52. 1910; O.E.S. Cir. 78, pp. 21-24. 1908.
Bagons simplex, early name for rice water-weevil. Ent. Cir. 152, p. 3. 1912.
Bagworm(s)—
  L. O. Howard and F. H. Chittenden. Ent. Cir. 97, pp. 10. 1908.
  attack on shade trees. F.B. 701, pp. 1-2. 1916.
  description, distribution, habits, and control methods. News L., vol. 3, No. 26, pp. 3-4. 1916.
  description, habits, seasonal history, and control. F.B. 701, pp. 1-2. 1916; F.B. 1169, pp. 31-33. 1921.
  directions for collection. F.B. 701, p. 8. 1916.
  habits and life history. F.B. 701, pp. 5-7. 1916.
  injury to—
    acacia, and control. D.B. 9, p. 5. 1913.
    ornamental trees, control methods. News L., vol. 3, No. 26, pp. 3-4. 1916.
  remedial measures. F.B. 701, pp. 7-11. 1916.
  tea, description. Sec. [Misc.]. "A manual * * * insects * * ," p. 211. 1917.
Bahama grass. *See* Bermuda grass.
Bahia—
  coffee production, 1906-1910. Stat. Bul. 79, p. 10. 1912.
  grass, habits and use. F.B. 1433, pp. 25-27. 1925.
Baikiaea spp., importations and description. Nos. 47989, 48234, B.P.I. Inv. 60, pp. 25, 58. 1922.
BAILEY, A. A.—
  "Botrytis rot of globe artichoke." With others. J.A.R., vol. 29, pp. 85-92. 1924.
  "Fundamentals for taxonomic studies of fusarium." With others. J.A.R., vol. 30, pp. 833-843. 1925.
BAILEY, C. H.—
  "A method for the determination of the specific gravity of wheat and other cereals." With L. M. Thomas. B.P.I. Cir. 99, pp. 7. 1912.
  baking test for flour. Chem. Bul. 152, pp. 105-106. 1912.
  discussion of flour bleaching and flour grades. Chem. N.J. 382, pp. 19-22. 1910.
  "Respiration of stored wheat." With A. M. Gurjar. J.A.R., vol. 12, pp. 685-713. 1918.
BAILEY, D. L.: "Biologic forms of *Puccinia graminis* on varieties of *Avena* spp." J.A.R., vol. 24, pp. 1013-1018. 1923.
BAILEY, E. M., report on cocoa and cocoa products. Chem. Bul. 116, p. 11. 1908.
BAILEY, H. S.—
  "Peanut oil." With H. C. Thompson. F.B. 751, pp. 16. 1916.
  "Some American vegetable food oils, their sources, and methods of production." Y.B., 1916, pp. 159-176. 1917; Y.B. Sep. 691, pp. 18. 1917.

BAILEY, H. S.—Continued.
  "The peanut, a great American food." With J. A. Le Clerc. Y.B., 1917, pp. 289-301. 1918; Y.B. Sep. 746, pp. 15. 1918.
  "The production and conservation of fats and oils in the United States." With B. E. Reuter. D.B. 769, pp. 48. 1919; D.B. 769, suppl., pp. 7. 1919.
  report as referee on fats and oils. Chem. Bul. 152, pp. 16-100. 1912; Chem. Bul. 162, pp. 114-118. 1913.
BAILEY, I. M.: "Family living in farm homes." With others. D.B. 1214, pp. 36. 1924.
BAILEY, L. H.—
  "Development of the text-book of agriculture in North America." O.E.S. An. Rpt., 1903, pp. 689-712. 1904.
  paper on the better preparation of men for college and station work. O.E.S. Bul. 228, pp. 25-32. 1910.
  "Preparation of men for college and station work." O.E.S. An. Rpt., 1910, p. 333. 1911.
  report of Cornell University Experiment Station, work—
    1906. O.E.S. An. Rpt., 1906, pp. 137-139. 1907.
    and expenditures, 1908. O.E.S. An. Rpt., 1908, pp. 142-144. 1909.
    and expenditures, 1910. O.E.S. An. Rpt., 1910, pp. 202-206. 1911.
    and expenditures, 1911. O.E.S. An. Rpt., 1911, pp. 165-168. 1912.
    and expenditures, 1912. O.E.S. An. Rpt., 1912. pp. 170-173. 1913.
    and expenditures, 1913. O.E.S. An. Rpt., 1913, pp. 66-67. 1915.
  "The editing of experiment station publications." O.E.S. Bul. 123, pp. 112-113. 1903.
BAILEY, VERNON—
  "Beaver habits, beaver control and possibilities in beaver farming." D.B. 1078, pp. 31. 1922.
  "Biological survey of Texas." N.A. Fauna 25, pp. 222. 1905.
  "Birds known to eat the boll weevil." Biol. Bul. 22, pp. 16. 1905.
  "Breeding, feeding, and other life habits of meadow mice." J.A.R., vol. 27, pp. 523-536. 1924.
  "Destruction of deer by the northern timber wolf." Biol. Cir. 58, pp. 2. 1907.
  "Destruction of wolves and coyotes, 1907." Biol. Cir. 63, pp. 11. 1908.
  "Directions for destruction of wolves and coyotes." Biol. Cir. 55, pp. 6. 1907.
  "Directions for field work of the assistants of the Biological Survey." Biol. Sur. [Misc.], "Directions for field * * *," pp. 10. 1912.
  "Harmful and beneficial mammals of the arid interior." F.B. 335, pp. 31. 1908.
  "Life zones and crop zones of New Mexico." N.A. Fauna, 35, pp. 100. 1913.
  "Key to animals on which wolf and coyote bounties are often paid." Biol. Cir. 69, pp. 3. 1909.
  "Revision of the pocket gophers of the genus Thomomys." N.A. Fauna 39, pp. 136. 1915.
  "Wolves in relation to stock, game, and the national forest reserves." For. Bul. 72, pp. 31. 1907.
Baileya multiradiata, importation and description. No. 43999, B.P.I. Inv. 50, p. 15. 1922.
BAIN, J. B.—
  "Requirements and cost of producing market milk in northwestern Indiana." With R. J. Posson. D.B. 858, pp. 31. 1920.
  "Unit requirements for producing market milk in Delaware." With Ralph P. Hotis. D.B. 1101, pp. 16. 1922.
  "Unit requirements for producing market milk in eastern Nebraska." With others. D.B. 972, pp. 16. 1921.
  "Unit requirements for producing market milk in southeastern Louisiana." With others. D.B. 955, pp. 15. 1921.
  "Unit requirements for producing market milk in Vermont." With others. D.B. 923, pp. 18. 1921.
  "Unit requirements for producing market milk in western Washington." With G. E. Braun. D.B. 919, pp. 19. 1920.

Baiomys spp., key and description. N.A. Fauna 28, pp. 252-260. 1909.

BAIRD, W. P.—
"Report of the Northern Great Plains Field Station for the 10-year period 1913-1922, inclusive." With others. D.B. 1301, pp. 80. 1925.
"Work of the Northern Great Plains Field Station in 1923." With others. D.B. 1337, pp. 18. 1925.

Baits—
 animals, preparation and use. Biol. Cir. 63, p. 9. 1908.
 arsenical, for insects, formulas. F.B. 908, pp. 15-16. 1918.
 bird trapping. M. C. 18, p. 14. 1924.
 codling-moth control. F.B. 1326, p. 8. 1924.
 cotton-stainer control. Ent. Cir. 149, pp. 4, 5. 1912.
 fly, recommendations for meat establishments. B.A.I.S.R.A. 107, p. 24. 1916.
 flytrap and bait holders. F.B. 734, pp. 10-12. 1916.
 poison for—
  animal pests. D.L.A. Cir. 4, p. 4. 1919.
  ants, formulas. F.B. 740, p. 11. 1916.
  Argentine ants. D.B. 1040, pp. 9, 18. 1922; F.B. 928, pp. 17-19. 1918.
  army worm. F.B. 731, p. 10. 1916; F.B. 835, rev., p. 10. 1920; Hawaii Bul. 45, pp. 14, 31. 1920; News L., vol. 3, No. 42, p. 1. 1916.
  beet wireworms, experiments. Ent. Bul. 123, pp. 60-61. 1914.
  birds, preparation. F.B. 493, pp. 20-23. 1912; rev., pp. 18-21. 1917.
  crabs, Porto Rico, formula and use. P.R. Cir. 17, p. 29. 1918.
  cutworms—
   and crickets in Guam, formula. Guam Bul. 2, p. 19. 1922.
   and slugs. S.R.S. Doc. 52, pp. 5, 7. 1917.
   and wireworms. Y.B., 1912, pp. 332, 333, 334. 1913; Y.B. Sep. 594, pp. 332, 333, 334. 1913.
   formula. F.B. 460, p. 27. 1911; F.B. 739, p. 3. 1916; F.B. 835, rev., p. 13. 1920; F.B. 856, pp. 14-16, 18, 51. 1917; F.B. 1220, p. 30. 1921; F.B. 1349, p. 10. 1923; F.B. 1338, pp. 22, 23. 1923; Hawaii Bul. 27, p. 8. 1912; Hawaii Bul. 34, p. 8. 1914; Hawaii Bul. 45, pp. 14, 31. 1920; Vir. Is. Bul. 1, p. 14. 1921.
  fall army worm on forage. Sec. Cir. 40, rev. pp. 2-3. 1912.
  field mice, directions for preparing. F.B. 352, pp. 14-17. 1909.
  gophers, preparation and use methods. News L., vol. 5, No. 4, pp. 7-8. 1917.
  grain insects. F.B. 835, pp. 10, 13, 15-16. 1917.
  grasshopper control. F.B. 835, rev., pp. 14-16. 1920; Y.B., 1915, pp. 266-272. 1916; Y.B. Sep. 674, pp. 266-272. 1916.
  ground squirrels, cost. News L., vol. 5, No. 22, p. 6. 1917.
  insects. F.B. 1306, pp. 18, 20, 22, 24, 25, 27. 1923.
  kangaroo rat, formula, use methods, and caution. D.B. 1091, pp. 37-38, 39. 1922.
  Mediterranean fruit fly, formulas. Ent. Cir. 160, pp. 18-19. 1912.
  mice and rabbits. News L., vol. 3, No. 21, pp. 1-2. 1915.
  mice, formulas. F.B. 1397, pp. 11-13. 1924.
  predatory animals. Off. Rec., vol. 2, No. 10, p. 6. 1924.
  noxious mammals, preparation and use. Y.B. 1908, pp. 427-432. 1909; Y.B. Sep. 491, pp. 427-432. 1909.
  rats, preparation and distribution. F.B. 1302, pp. 2-4. 1923; Off. Rec., vol. 2, No. 1, pp. 1, 8. 1923.
  rodents, formulas. D.B. 1023, p. 16. 1921; F.B. 932, pp. 5-19. 1918.
  seed-eating rodents, preparation methods. Biol. Cir. 78, p. 2. 1911.
  sowbugs and crickets. Ent. Cir. 155, p. 9. 1912.
  sugar-cane borer, experiments. D.B. 746, pp. 44-45. 1919.
 poisoned-bran, for—
  corn earworm in vetch. F.B. 1206, pp. 15-16, 18. 1921.

Baits—Continued.
 poisoned-bran, for—continued.
  crane-flies, and formula. D.C. 172, pp. 7-8. 1921.
  grasshoppers. D.B. 293, pp. 11-12. 1915.
  grasshoppers, formulas, use methods, and time. F.B. 747, pp. 15-17. 1916.
 rat traps. Biol. Bul. 33, pp. 41, 43, 44. 1909.
 sugar-cane borers, methods used in Fiji. Ent. Bul. 93, pp. 39-40. 1911.

BAKER, A. C.—
"A further contribution to the study of *Eriosoma pyricola*, the woolly pear aphis." With W. M. Davidson. J.A.R., vol. 10, pp. 65-74. 1917.
"Aleyrodidae or white flies attacking orange, with descriptions of three new species of economic importance." With A. L. Quaintance. J.A.R., vol. 6, No. 12, pp. 459-472. 1916.
"An undescribed orange pest from Honduras." J.A.R., vol. 25, pp. 253-254. 1923.
"Aphids injurious to orchard fruits, currant, gooseberry, and grape." With A. L. Quaintance. F.B. 804, pp. 42. 1917.
"Apple-grain aphis." With W. F. Turner. J.A.R., vol. 18, pp. 311-324. 1919.
"Classification of the Aleyrodidae." With A. L. Quaintance. Ent. T.B. 27, Pt. I-II, pp. 114. 1913-1914.
"Control of aphids injurious to orchard fruits, currant, gooseberry, and grape." With A. L. Quaintance. F.B. 1128, pp. 48. 1920.
"Generic classification of the hemipterous family Aphididae." D.B. 826, pp. 109. 1920.
"Identity of *Eriosoma pyri*." J.A.R., vol. 5, No. 23, pp. 1115-1119. 1916.
"Life history of *Macrosiphum illinoisensis*, the grapevine aphis." J.A.R., vol. 11, pp. 83-90. 1917.
"Morphology and biology of the green apple aphis." With W. F. Turner. J.A.R., vol. 5, No. 21, pp. 955-994. 1916.
"Rosy apple aphis." With W. F. Turner. J.A.R., vol. 7, pp. 321-344. 1916.
"Technical description of *Aleurocanthus woglumi*." With Margaret L. Moles. D.B. 885, pp. 39-42. 1920.
"The woolly apple aphis." Rpt. 101, pp. 56. 1915.
"Woolly pear aphis." With W. M. Davidson. J.A.R., vol. 6, No. 10, pp. 351-360. 1916.

BAKER, E. L.: Report on potash. Chem. Bul. 137, pp. 16-25. 1911; Chem. Bul. 152, pp. 28-42. 1912.

BAKER, E. W.: "Castrating and docking lambs." With G. H. Bedell. F.B. 1134, pp. 14. 1920.

BAKER, F. S.—
"Aspen in Central Rocky Mountain Region." D.B. 1291, pp. 47. 1925.
"Black walnut: Its growth and management." D.B. 933, pp. 43. 1921.
"Forest planting in the intermountain region." With C. F. Korstian. D.B. 1264, pp. 57. 1925.
"The construction of taper curves." J.A.R., vol. 30. pp. 609-624. 1925.
"What the National Forests mean to the Intermountain Region." M.C. 47, pp. 21. 1925.

BAKER, H. J.: report of Connecticut extension work in agriculture and home economics—
1915. S.R.S. Rpt., 1915, Pt. II, pp. 183-187. 1917.
1916. S.R.S. Rpt., 1916, Pt. II, pp. 187-192. 1917.
1917. S.R.S. Rpt., 1917, Pt. II, pp. 198-202. 1919.

BAKER, H. P.: "Native and planted timber of Iowa." For. Cir. 154, pp. 24. 1908.

BAKER, J. S.: "Irrigation in Montana." With others. O.E.S. Bul. 172, pp. 108. 1906.

BAKER, O.E.—
"A graphic summary of American agriculture." Y.B., 1921, pp. 407-506. 1922; Y.B. Sep. 878, pp. 101. 1922.
"A graphic summary of American agriculture." With others. Y.B., 1915, pp. 329-403. 1916; Y.B. Sep. 681, pp. 329-403. 1916.
"A graphic summary of seasonal work on farm crops." With others. Y.B., 1917, pp. 537-589. 1918; Y.B. Sep. 758, pp. 55. 1918.

BAKER, O. E.—Continued.
"A graphic summary of world agriculture." With others. Y.B., 1916, pp. 531-553. 1917; Y.B. Sep. 713, pp. 23. 1917.
"Arable land in the United States." With H. M. Strong. Y.B., 1918, pp. 433-441. 1919; Y.B. Sep. 771, pp. 11. 1919.
"Cotton." With others. Atl. Am. Agr. Adv. Sh., Pt. V, sec. A, pp. 28. 1919.
"Geography of the world's agriculture." With V. C. Finch. Sec. [Misc.] Spec. "Geography . . . agriculture" pp. 149. 1917.
"Hog production and marketing." With others. Y.B., 1922, pp. 181-280. 1923; Y.B. Sep. 882, pp. 181-280. 1923.
"Land utilization for crops, pasture, and forests." With others. Y.B. 1923, pp. 415-506. 1924; Y.B. Sep. 896, pp. 415-506. 1924.
"Oats, barley, rye, rice, grain sorghum, seed flax, and buckwheat." With others. Y.B., 1922, pp. 469-568. 1923; Y.B. Sep. 891, pp. 469-568. 1923.
"Our beef supply." With others. Y.B., 1921, pp. 227-322. 1922; Y.B. Sep. 874, pp. 227-322. 1922.
"Our forage resources." With others. Y.B., 1923, pp. 311-414. 1924; Y.B. Sep. 895, pp. 311-414. 1924.
"Seedtime and harvest." With others. D.C. 183, pp. 53. 1922.
"Soil survey of Juneau County, Wisconsin." Soils Sur. Adv. Sh., 1911, pp. 54. 1913; Soils F. O., 1911, pp. 1463-1512. 1914.
"Sugar." With others. Y.B., 1923, pp. 151-228. 1924; Y.B. Sep. 893, pp. 98. 1924.
"The corn crop." With others. Y.B., 1921, pp. 161-226. 1922; Y.B. Sep. 872, pp. 161-226. 1922.
"The sheep industry." With others. Y.B., 1923, pp. 229-310. 1924; Y.B. Sep. 894, pp. 229-310. 1924.
"Wheat production and marketing." With others. Y.B., 1921, pp. 77-160. 1922; Y.B. Sep. 873, pp. 77-160. 1922.
"Wheat situation, report." With others. Y.B., 1923, pp. 95-150. 1924.
Baker water supply, in Oregon, Whitman National Forest, lands reserved, law. Sol. [Misc.], "Laws applicable * * *," sup. 2, pp. 57-58. 1915.
Bakeries—
definition and regulations. Chem. Bul. 69, rev., Pts. I-IX, pp. 88, 174, 176, 177, 251, 287, 331, 380-384, 419, 501, 515, 656, 673-675, 711-712. 1905-1906.
products, misbranding. Chem. N.J. 12891. 1925; Chem. N.J. 12929. 1925; Chem. N.J. 13393. 1925.
sanitation, importance to public health. F.B. 375, pp. 21-22. 1909.
Bakers, sugar stocks, reported, 1916, 1917. Sec. Cir. 96, pp. 15, 25, 26, 32-34, 45, 48. 1918.
Bakers' whip, adulteration and misbranding. See Indexes, Notices of Judgment, in bound volumes and in separates, published as supplements to Chemistry Service and Regulatory Announcements.
BAKEWELL, ROBERT, pioneer in livestock improvement. D.B. 905, p. 2. 1920.
Baking—
experimental. J.H. Shollenberger, and others. D.B. 1187, pp. 54. 1924.
home. Charlotte Chatfield. F.B. 1450, pp. 14. 1925.
home. Hannah L. Wessling. F.B. 1136, pp. 40. 1920.
Kanred wheat, value, comparison with other wheats. D.C. 194, pp. 11-13. 1921.
Kota wheat, value. D.C. 280, pp. 13-14. 1923.
new and old guides, comparison. News L., vol. 5, No. 45, p. 7. 1918.
powder—
adulteration—
and misbranding. See Indexes, Notices of Judgment, in bound volumes and in separates published as supplements to Chemistry Service and Regulatory Announcements.
laws, State. Chem. Bul. 69, rev., pp. 250, 313. 1904.
adulterants, methods. Chem. Bul. 100, pp. 14-15. 1906.
analysis methods. Chem. Bul. 107, pp. 169-178. 1907.

Baking—Continued.
powder—continued.
and baking chemicals. Chem. Bul. 90, pp. 36-38, 198-205. 1905.
comparison with yeast in testing flours. F.B. 320, p. 20. 1908.
composition and substitutes. O.E.S. Bul. 200, pp. 64-65. 1908.
definition and standard, F. I. D. 174, p. 1. 1918. Chem. S.R.A. 22, pp. 86-87. 1918.
food standard. Sec. Cir. 136, p. 22. 1919.
laws—
State, 1905. Chem. Bul. 69, rev., pp. 150, 172, 176, 193, 206, 211, 222, 250, 305, 313, 314, 443, 446, 544, 558, 570, 588, 589, 596, 631, 666, 673, 690, 712. 1905-6.
State, 1907. Chem. Bul. 112, pp. 63, 95, 108-109, 129, 137, 145-146. 1908.
State, 1908. Chem. Bul. 121, pp. 16, 25. 1909.
phosphate, arsenic determination. Chem. Cir. 102, p. 10. 1912.
purity standards. Sec. Cir. 136, p. 22. 1919.
report of associate referee. Chem. Bul. 137, pp. 86-87. 1911; Chem. Bul. 162, pp. 95, 162. 1913.
use in alum investigations. D.B. 103, pp. 2-7. 1914.
temperatures, requirements for various breads. F.B. 1450, pp. 10-14. 1925.
tests—
bleached flowers. Chem. N.J. 722, pp. 25-26, 34-39, 43-47, 65-67, 77, 85, 92. 1911.
of durum wheat flour. F.B. 412, p. 32. 1910.
of flour—
and meal. O.E.S. An. Rpt., 1909, pp. 373-374, 376. 1910.
characters, and data. J.A.R., vol. 23, pp. 535-542. 1923.
from Australian wheat varieties. D.B. 877, 18-25. 1920.
from spring wheats in Northern Great Plains, experiment. D.B. 878, pp. 44-46. 1920.
methods. Chem. Bul. 152, pp. 105-106, 111-112. 1912.
quality of wheat varieties. F.B. 320, pp. 18-22. 1908.
of Montana wheat. D.B. 522, pp. 8-11, 22, 24, 26-28, 30, 31, 34. 1917.
of wheat—
containing impurities, rye, corn, cockle, kinghead, and vetch. R. C. Miller. D.B. 328, pp. 24. 1915.
varieties. D.B. 357, pp. 12-14. 1916; B.D. 1172, pp. 19-23, 33. 1923.
with wheat varieties. J. H. Shollenberger and J. Allen Clark. D.B. 1183, pp. 93. 1924.
Bakken prairie-dog set, for trapping wolves, description and use. Y.B., 1919, pp. 468-470. 1920; Y.B. Sep. 823, pp. 468-470. 1920.
Bako, importation and description. No. 41481, B.P.I. Inv. 45, p. 36. 1918.
Bakopary tree, importation and description. No. 37802, B.P.I. Inv. 39, pp. 11, 45. 1917.
Bakury, importation and description. No. 37802, B.P.I. Inv. 39, p. 45. 1917.
Balaena mysticetus. See Whale, Greenland.
Balaenoptera spp., occurrence off Pribilof Islands. N.A. Fauna 46, p. 116. 1923.
Balance—
construction, directions. F.B. 408, pp. 21-23. 1910.
seed-testing, directions for making. F.B. 428, pp. 11-14. 1911.
sheet, ginnery accounts, form. D.B. 985, p. 4. 1921.
Balaninus caryae. See Pecan weevil.
Balanites—
aegyptiaca, importation and description. No. 44563, B.P.I. Inv. 51, p. 25. 1922; No. 50120-50121, B.P.I. Inv. 63, pp. 3, 37-38. 1923.
maughamii, importation and uses. No. 39196, B.P.I. Inv. 40, pp. 7, 92. 1917.
Balanius nasicus, infestation with boll weevil parasites. Ent. Bul. 100, pp. 45, 48, 80. 1912.
Balansia blight, feathergrass, occurrence in Texas, and description. B.P.I. Bul. 226, pp. 50, 111. 1912.

INDEX TO PUBLICATIONS, 1901–1925 — 171

Balata—
  imports, 1907–1909, quantity and value, by countries from which consigned. Stat. Bul. 82, p. 65. 1910.
  See also Rubber.
Balcom, R. W., report on vinegar. Chem. Bul. 132, pp. 93–97. 1910; Chem. Bul. 137, pp. 57–61. 1911.
Balcones Escarpment, fault-line, southwest Texas, description. Soil Sur. Adv. Sh., 1911, pp. 9, 41. 1912; Soils F.O. 1911, pp. 1179, 1214. 1914.
BALDERSTON, L. R. "Home laundering." F.B. 1099, pp. 32. 1920.
Baldness—
  birds, causes and treatment. F.B. 770, p. 19, 1916.
  canary, treatment. F.B. 1327, p. 18. 1923.
  sheep, treatment. F.B. 1155, p. 38. 1921.
Baldpate—
  description and food habits. D.B. 862, pp. 10–16, 49–67. 1920.
  occurrence and food habits. Biol. Bul. 38, p. 18. 1911.
  occurrence in Porto Rico. D.B. 326, p. 30. 1916.
BALDT, L. I.: "Selection and care of clothing"; F.B. 1089, pp. 32. 1920.
BALDWIN, MARK: "Soil survey of—
  Adams County, Indiana. With others. Soil Sur. Adv. Sh., 1921, pp. 20. 1923.
  Bremer County, Iowa. With others. Soil Sur. Adv. Sh., 1913, pp. 37. 1914; Soils F.O., 1913, pp. 1689–1721. 1916.
  Carroll County, Georgia. With others. Soil Sur. Adv. Sh., 1921, pp. 129–154. 1924.
  Decatur County, Indiana. With others. Soil Sur. Adv. Sh., 1919, pp. 32. 1922; Soils F.O. 1919, pp. 1287–1305. 1925.
  Dekalb County, Georgia. With David D. Long, Soil Sur. Adv. Sh., 1914, pp. 25. 1915; Soils, F.O., 1914, pp. 795–815. 1919.
  Jackson County, Georgia. With David D. Long. Soil. Sur. Adv. Sh., 1914, pp. 27. 1915; Soils F.O., 1914, pp. 729–751. 1919.
  Meriwether County, Georgia. With J. A. Kerr. Soil Sur. Adv. Sh., 1916, pp. 31. 1917; Soils F.O., 1916, pp. 687–713. 1921.
  Mitchell County, Georgia. With others. Soil Sur. Adv. Sh., 1920, pp. 37. 1922; Soils F.O., 1920, pp. 1–37. 1925.
  Orange County, Florida. With others. Soil Sur. Adv. Sh., 1919, pp. 25. 1922; Soils F.O., 1919, pp. 947–971. 1925.
  Polk County, Georgia. With David D. Long. Soil Sur. Adv. Sh., 1914, pp. 46. 1916; Soils F.O., 1914, pp. 753–794. 1919.
  Terrell County, Georgia. With David D. Long. Soil Sur. Adv. Sh., 1914, pp. 62. 1915; Soils F.O., 1914, pp. 861–918. 1919.
  the Fort Lauderdale area, Florida. With others. Soil Sur. Adv. Sh., 1915, pp. 52. 1915; Soils F.O., 1915, pp. 751–798. 1921.
  the Indian River area, Florida. With Charles N. Mooney. Soil Sur. Adv. Sh., 1913, pp. 47. 1915; Soils F.O., 1913, pp. 675–717. 1916.
  the Middle Gila Valley area, Arizona, With others. Soil Sur. Adv. Sh., 1917, pp. 37. 1920; Soils F.O., 1917, pp. 2087–2119. 1923.
  the Twin Falls area, Idaho. With F. O. Youngs. Soil Sur. Adv. Sh., 1921, pp. 1367–1394. 1925.
  the Winslow area, Arizona. With others. Soil Sur. Adv. Sh., 1921, pp. 155–188. 1924.
  Will County, Illionis. With Charles J. Mann. Soil Sur. Adv. Sh., 1912, pp. 37. 1914; Soils F.O., 1912, pp. 1521–1553. 1915.
BALDWIN, R. J., report of Michigan extension work in agriculture and home economics—
  1915. S.R.S. An. Rpt., 1915, Pt. II, p. 228–234. 1916.
  1916. S.R.S. An. Rpt., 1916, Pt. II, pp. 249–257. 1917.
Bale(s)—
  broomcorn, standard sizes and tying methods. D.B. 1019, p. 11. 1922.
  cotton—
    careless preparation, in United States. F.B. 764, pp. 18–21. 1916.
    covers, importation regulation. F.H.B. S.R.A. 33, pp. 137–138. 1916.

Bale(s)—Continued.
  cotton—continued.
    effects of faulty compressing. D.B. 1184, pp. 18–22. 1923.
    Egyptian and American, comparison. F.B. 764, pp. 21, 24. 1916.
    flat, description and spinning tests. D.B. 1135, pp. 2, 6–17. 1923.
    high-density, description and spinning tests. D.B. 1135, pp. 2, 6–17. 1923.
    injuries in handling and transportation. Y.B. 1912, pp. 454, 458–460, 461. 1913; Y.B. Sep. 605, pp. 454, 458–460, 461. 1913.
    round, description and spinning tests. D.B. 1135, pp. 2, 9–11. 1923.
    size. Atl. Am. Agr. Adv. Sh., Pt. 5, sec. A., p. 28. 1919.
    size—
      methods of pressing. Y.B. 1912, pp. 456–458. 1913; Y.B. Sep. 605, pp. 456–458. 1913.
      shape, weight, and density. Y.B. 1921, pp. 373–374. 1922; Y.B. Sep. 877, pp. 373–374. 1922.
    standard, description, and spinning tests. D.B. 1135, pp. 2, 6–17. 1923.
    types—
      and sizes, gin-compressed and plated. F.B. 1465, pp. 18–21. 1925.
      description. D.B. 1135, pp. 2–3. 1923.
  hay—
    defects from bad baling. D.B. 977, pp. 5–7. 1921.
    different makes. Rpt. 98, pp. 94–95. 1913.
    inspection. D.B. 980, p. 13. 1921.
    sizes—
      and weight(s). F.B. 1049, pp. 13–14, 32–33. 1919, and weight, requirements of southern markets. F.B. 677, pp. 20–21. 1915.
      demanded in the markets. Rpt. 98, pp. 79, 81–91, 94, 99, 101. 1913.
      made and methods of marking. F.B. 508, pp. 20, 22. 1912.
    weighing, directions. D.B. 978, pp. 1–7. 1921.
    linters, weight. Y.B. 1921, p. 382. 1922; Y.B. Sep. 877, p. 382. 1922.
Baleri, horse disease, spread by dogs. D.B. 260, p. 22. 1915.
Baling—
  alfalfa—
    directions. F.B. 1229, pp. 9–10. 1921.
    hay. F.B. 339, p. 25. 1908.
  broomcorn—
    directions. F.B. 958, p. 17. 1918.
    for market. F.B. 768, p. 13. 1916.
    precautions to prevent injury. Rpt. 98, p. 35. 1913.
  cotton—
    character of and relation to process F.B. 764, pp. 22–26, 27. 1917.
    compression bagging. Sec. Cir. 88, pp. 28–30. 1918.
    necessity for care, and covering. D.B. 458, pp. 6–8. 1917.
    practices. Y.B. 1921, p. 373. 1922; Y.B. Sep. 877, p. 373. 1922.
    Egyptian, precautions. F.B. 577, p. 8. 1914.
  hay—
    H. B. McClure. F.B. 1049, pp. 35. 1919.
    cost. D.B. 641, p. 15. 1918.
    day's work. D.B. 3, pp. 28–32. 1913.
    directions. F.B. 677, pp. 18–19. 1915.
    faulty methods, effects on quality. D.B. 977, pp. 5–7, 15. 1921.
    from the windrow, method and costs. D.B. 578, pp. 37–49. 1918.
    in the field, management of crews. F.B. 943, pp. 23–24, 28–29. 1918.
    methods—
      and cost. F.B. 502, pp. 28–29. 1912.
      and presses. F.B. 508, pp. 12–20. 1912.
      and use of hay truck. F.B. 956, pp. 14–16. 1918.
    practices, labor-wasting and labor-saving. F.B. 987, pp. 17–19, 20. 1918.
  hemp—
    average weight per bale. Y.B. 1913, p. 335. 1914; Y.B. Sep. 628, p. 335. 1914.
    hurds, for shipment, cost per ton. D.B. 404 pp. 5–6. 1916.

36167°—32——12

Baling—Continued.
  hops, description of presses. F.B. 304, pp. 33–36. 1907.
  ties, cooperative buying. News L., vol. 7, No. 6, p. 4. 1919.
BALL, C. R.—
  "Alaska and Stoner or 'Miracle' wheats: Two varieties much misrepresented." With Clyde R. Leighty. D.B. 357, pp. 29. 1916.
  "Better grain-sorghum crops." F.B. 448, p. 36. 1911.
  "Classification of American wheat varieties." With others. D.B. 1074, p. 238. 1922.
  "Experiments with durum wheat." With J. Allen Clark. D.B. 618, p. 64. 1918.
  "Experiments with Marquis wheat." With J. Allen Clark. D.B. 400, p. 40. 1916.
  "Feterita, a new variety of sorghum." With H. N. Vinall. B.P.I. Cir. 122, pp. 25–32. 1913.
  "Grain-sorghum experiments in the panhandle of Texas." With Benton E. Rothgeb. D.B. 698, p. 91. 1918.
  "Grain-sorghum production in the San Antonio region of Texas." With Stephen H. Hastings. B.P.I. Bul. 237, p. 30. 1912.
  "Grain sorghums: Immigrant crops that have made good." Y.B., 1913, pp. 221–238. 1914; Y.B. Sep. 625, pp. 221–238. 1914.
  "Grasses and fodder plants on the Potomac Flats." Agros. Cir. 28, pp. 18. 1901.
  "Growing hard spring wheat." With J. Allen Clark. F.B. 678, p. 16. 1915.
  "How to use sorghum grain." With Benton E. Rothgeb. F.B. 972, p. 18. 1918.
  "Johnson grass: Report of investigations made during the season of 1901." B.P.I. Bul. 11, p. 24. 1902.
  "Kafir as a grain crop." With Benton E. Rothgeb. F.B. 552, p. 19. 1913.
  "Marquis wheat." With J. Allen Clark. F.B. 732, p. 8. 1916.
  "Milo as a dry-land grain crop." With Arthur H. Leidigh. F.B. 322, p. 23. 1908.
  "Oats, barley, rye, rice, grain sorghums, seed flax, and buckwheat." With others. Y.B., 1922, pp. 469–568. 1923; Y.B. Sep. 891, pp. 469–568. 1923.
  "Pearl millet." F.B. 168, p. 16. 1903.
  "Saccharine sorghums for forage." F.B. 246, p. 37. 1906.
  "Soy bean varieties." B.P.I. Bul. 98, p. 28. 1907.
  "The history and distribution of sorghum." B.P.I. Bul. 175, p. 63. 1910.
  "The importance and improvement of the grain sorghums." B.P.I. Bul. 203, p. 45. 1911.
  "The kaoliangs: A new group of grain sorghums." B.P.I. Bul. 253, p. 64. 1913.
  "Three much-misrepresented sorghums." B.P.I. Cir. 50, p. 14. 1910.
  "Uses of sorghum grain." With Benton E. Rothbeg. F.B. 686, p. 15. 1915.
  "Varieties of hard spring wheat." With J. Allen Clark. F.B. 680, p. 20. 1915.
  "Wheat production and marketing." With others. Y.B., 1921, pp. 77–160. 1922; Y.B. Sep. 873, pp. 77–160. 1922.
  "Winter forage crops for the South." F.B. 147, p. 36. 1902.
BALL, E. D.—
  report of Utah Experiment Station, work and expenditures—
    1907. O.E.S. An. Rpt., 1907, pp. 174–176. 1908.
    1908. O.E.S. An. Rpt., 1908, pp. 175–177. 1909.
    1909. O.E.S. An. Rpt., 1909, pp. 190–192. 1910.
    1910. O.E.S. An. Rpt., 1910, pp. 245–249. 1911.
    1911. O.E.S. An. Rpt., 1911, pp. 206–209. 1912.
    1912. O.E.S. An. Rpt., 1912, pp. 210–213. 1913.
    1913. O.E.S. An. Rpt., 1913, pp. 82–83. 1915.
    1914. O.E.S. An. Rpt., 1914, pp. 223–228. 1915.
    1915. S.R.S. An. Rpt., 1915, Pt. I, pp. 254–259. 1916.
    1916. S.R.S. An. Rpt., 1916, Pt. I, pp. 261–265. 1918.

BALL, E. D.—Continued.
  "Rules and regulations governing: (1) Entry for immediate export, (2) Entry for immediate transportation and exportation in bond, and (3) Safeguarding the arrival at a port where entry or landing is not intended of prohibited plants and plant products," F.H.B. [Misc.], p. 6. 1920.
  "The leafhoppers of the sugar beet and their relation to the 'curly-leaf' condition." Ent. Bul. 66, Pt. IV, pp. 33–52. 1910.
BALL, J. S.—
  "A system of farm cost accounting." With C. E. Ladd. F.B. 572, rev., p. 23. 1920.
  "Farm bookkeeping." With Edward H. Thompson. F.B. 511, rev. p. 42. 1920.
  "Farm inventories." F.B. 1182, p. 31. 1921.
  "Pasture land on farms in the United States." With E. A. Goldenweiser. D.B. 626, p. 94. 1918.
  "Value of records to the farmer." Y.B., 1917, pp. 153–167. 1918; Y.B. Sep. 735, p. 17. 1918.
  "Waste land and wasted land on farms." F.B. 745, pp. 18. 1916.
Ball mill, for rock grinding, description. Rds. Bul. 44, pp. 19–20. 1912.
BALLARD, W. S.—
  "Apple powdery mildew and its control in the Pajaro Valley." With W. H. Volck. D.B. 120, p. 26. 1914.
  "Internal browning of the Yellow Newtown apple." With others. D.B. 1104, p. 24. 1922.
  orchard spraying for plum curculio. Ent. Bul. 103, p. 197. 1912.
  "Winter spraying with solutions of nitrate of soda." W. H. Volck. J.A.R., vol. 1, pp. 437–444. 1914.
BALLARD, W. W.—
  "Behavior of cotton planted at different dates in weevil-control experiments in Texas and South Carolina." With D. M. Simpson. D.B. 1320, pp. 44. 1925.
  "Cotton-seed mixing increased by modern gin equipment." With C. B. Doyle. D.C. 205, pp. 12. 1922.
  "Growth of fruiting parts in cotton plants." With others. J.A.R., vol. 25, pp. 195–208. 1923.
Ballast, ship, spread of plant enemies, possibility. An. Rpts., 1919, p. 530. 1920; F.H.B. An. Rpt., 1919, p. 26. 1919; F.H.B. S.R.A. 59, p. 3. 1919; News L., vol. 6, No. 37, pp. 9–10. 1919.
Balling determinations, corn mashes, limits. Chem. Bul. 130, pp. 119, 127. 1910.
BALLINGER, A. M.: "Life-history studies of the Colorado potato beetle." With Pauline M. Johnson. J.A.R., vol. 5, No. 20, pp. 917–926. 1916.
Ballman, lithium-determination method. Chem. Bul. 153, p. 26. 1912.
Balloon—
  flower, description, cultivation, and characteristics. F.B. 1171, pp. 46–47, 79. 1921.
  vine, importation and description. No. 47121, B.P.I. Inv. 58, p. 27. 1922.
Balloons, use in—
  insect control work. Off. Rec., vol. 2, No. 24, p. 3. 1923.
  wind determinations. Off. Rec., vol. 2, No. 36, p. 5. 1923.
Ballota hirsuta, use as horehound substitute. Chem. S.R.A. 20, p. 58. 1917.
Balm—
  Brant's soothing, misbranding. Chem. N.J. 777, pp. 2. 1916.
  Brazilian, misbranding, N. J. 4365. Chem. N.J. 4351–4400. 1916.
  lemon. See Melissa.
  of Life, Trafton's, misbranding. Chem. N.J. 4142, pp. 223–225. 1916.
  of Life, Wrightman's Sovereign, misbranding. Chem. N.J. 4438. 1916.
  oil, Quaker, misbranding. Chem. N.J. 4474, pp. 760–761. 1916.
Balm-of-Gilead—
  adaptability to Truckee-Carson project, description. B.P.I. Cir. 78, p. 8. 1911.

Balm-of-Gilead—Continued.
  description, range, and occurrence on Pacific slope. For. [Misc.], "Forest trees for Pacific * * *," pp. 244-247. 1908.
  injury from gipsy moth. D.B. 204, p. 14. 1915.
  injury to trees by sapsuckers. Biol. Bul. 39, p. 28, 67. 1911.
Balmony, habitat, range, description, uses, collection, and prices. B.P.I. Bul. 219, p. 31. 1911.
Balmwort, compound fluid, alleged misbranding. Chem. N.J. 697, pp. 11. 1911.
Balsa wood, importation and description. No. 47593, B.P.I. Inv. 59, p. 36. 1922; No. 54332, B.P.I. Inv. 68, p. 52. 1923.
Balsam—
  and tar compound, misbranding. Chem. N.J. 4139, pp. 217-219. 1916.
  apple—
    importation and description. No. 43007, B.P.I. Inv. 47, p. 86. 1920; No. 46903, B.P.I. Inv. 57, p. 48. 1922.
    leaf blight, in Texas, occurrence and description. B.P.I. Bul. 226, pp. 82, 110. 1912.
  Arabian, misbranding. Chem. N.J. 4349, pp. 498-500. 1916.
  Canada, effect on ticks, comparison with oils, Beaumont and cottonseed. B.A.I. Bul. 167, pp. 5, 9-15. 1913.
  copaiba, adulteration and misbranding. Chem. N.J. 4661, p. 241. 1917.
  determination in chocolate and confectionery coatings. Chem. Bul. 132, pp. 59-60. 1910.
  gem, misbranding. Chem. N.J. 4393. 1916.
  Indian tar, misbranding. Chem. N.J. 898, p. 2. 1911.
  Jackson's magic, misbranding. Chem. N.J. 4134. 1916.
  misbranding, "Denton's healing." Chem. N.J. 1465, pp. 2. 1912.
  production from red gum trees. News L., vol. 6, No. 50, p. 8. 1919.
  pulmonary, vegetable, misbranding. Chem. N.J. 4380. 1916.
  See also Fir, balsam.
Balsamea, importation and description. No. 44005, B.P.I. Inv. 50, p. 16. 1922.
Balsamorrhiza sagittata. *See* Sunflower, balsam root.
Baltimore—
  almshouse, data for 1852, quotation. O.E.S. Bul. 223, p. 43. 1910.
  climate, diurnal periodicities. Oliver L. Fassig. W.B. [Misc.], "Proceedings, third convention * * *," pp. 113-132. 1904.
  dietary studies in public institutions and others. O.E.S. Bul. 223, pp. 15-83, 94, 98. 1910.
  fruit grades used in canning. D.B. 1084, p. 10. 1922.
  hay market, methods, demands, grading, and inspection. Rpt. 98, pp. 92-97. 1913.
  Livestock Exchange charges, restraining order. Off. Rec., vol. 1, No. 28, p. 2. 1922.
  market station, lines of work. Y.B., 1919, pp. 96, 101. 1920; Y.B. Sep. 797, 1919, pp. 96, 101. 1920.
  meat inspection, examination. Off. Rec., vol. 3, No. 28, p. 5. 1924.
  milk supply, statistics, officials, prices, and laws. B.A.I. Bul. 46, pp. 26, 84, 206. 1903.
  need of mosquito work. Ent. Bul. 88, p. 106. 1910.
  ocean freight rates on farm products, to eleven European ports, 1903-1906. Stat. Bul. 67, pp. 16-18. 1907.
  seeds, market prices, 1920-1923, tables. S.B. 2, pp. 22-62. 1924.
  temperature, rise in the normal curve for May. Oliver L. Fassig. W.B. Bul. 31, pp. 68-69. 1902.
  tobacco market and manufacturing center. B.P.I. Bul. 268, pp. 8-13. 1913.
  trade center for farm products, statistics. Rpt. 98, pp. 287-290. 1913.
Baltimore and Ohio Southwestern Railroad Company versus U. S., Supreme Court decision on twenty-eight-hour law. Sol. Cir. 31, pp. 1-2. 1910; Sol. Cir. 46, pp. 1-5. 1911.
Bamba (horse) description, pedigree, and progeny. D.C. 153, p. 22. 1921.

Bamboo(s)—
  American, description, distribution, and uses. D.B. 772, pp. 8, 22-23. 1920.
  borers—
    description. Sec. [Misc.], "A manual of insects * * *," pp. 31-32. 1917.
    shot-hole, injury to tobacco. D.B. 737, p. 29. 1919.
  botany of. D.B. 1329, pp. 4-6. 1925.
  Calcutta fish rod, description. D.B. 1329, pp. 12-13. 1925.
  Chinese, description and uses as timber and food. Y.B., 1915, pp. 214-216. 1916; Y.B. Sep. 671, pp. 214-216. 1916.
  climbing, importation and description. No. 47123, B.P.I. Inv. 58, p. 27. 1922.
  culture and uses in United States. B. T. Galloway. D.B. 1329, pp. 46. 1925.
  description of species. Sec. [Misc.], "*Bambusa arundinacea*," p. 1. 1908.
  diseases. D.B. 1329, pp. 37-39. 1925.
  dwarf, importation and description. No. 41924, B.P.I. Inv. 46, p. 35. 1919.
  edible—
    immunity to cane mosaic. J.A.R., vol. 24, p. 249. 1923.
    of Himalayas, importation. No. 53909, B.P.I. Inv. 68, p. 7. 1923.
  flowering peculiarity. D.B. 1329, p. 4. 1925.
  fly, description. Sec. [Misc.], "A manual of insects * * *," p. 32. 1917.
  garden, Brooksville, Fla., work, 1910. An. Rpts., 1910, p. 77, 357. 1911; B.P.I. Chief Rpt., 1910, p. 87. 1910.
  genera and species, table. D.B. 1329, p. 5. 1925.
  grass, value as forage crop, Hawaii, propagation method, and yield. Hawaii A.R., 1917, pp. 43-44. 1918.
  growing—
    and uses in South. An. Rpts., 1919, p. 158. 1920; B.P.I. Chief Rpt., 1919, p. 22. 1919.
    Arizona experiments. W.I.A. Cir. 7, p. 24. 1915.
    as ornamentals. D.B. 1329, pp. 33-39. 1925.
    experimental, uses and value. Y.B., 1916, p. 143. 1917; Y.B. Sep. 687, p. 9. 1917.
    experiments, Yuma Experiment Farm, 1912. B.P.I. Cir. 126, p. 25. 1913.
  growth, rapidity of. D.B. 1329, p. 33. 1925.
  importations—
    and description. Nos. 29451-29453, 29534, B.P.I. Bul. 233, pp. 23, 31. 1912; No. 31761, B.P.I. Bul. 248, p. 45. 1912; Nos. 37009, 37129, 37223, 37555, 37556, B.P.I. Inv. 38, pp. 6, 24, 41, 48, 73. 1917; No. 37679, B.P.I. Inv. 39, p. 18. 1917; Nos. 38736, 38909-38922, 39154, 39178, B.P.I. Inv. 40, pp. 7, 22, 44-47, 84, 87. 1917; No. 40936, B.P.I. Inv. 44, pp. 8, 16. 1918; Nos. 42388, 42649-42673, 42885, B.P.I. Inv. 47, pp. 6, 10, 44-50, 73. 1920; No. 44240, B.P.I. Inv. 50, pp. 6, 46. 1922; No. 45902, B.P.I. Inv. 54, p. 38. 1922; No. 45963, B.P.I. Inv. 54, p. 50. 1922; No. 47370, B.P.I. Inv. 59, p. 13. 1922; Nos. 48229, 48266, B.P.I. Inv. 60, pp. 5, 58, 63. 1922; Nos. 49175, 49222, 49357, 49505, B.P.I. Inv. 62, pp. 10, 13, 28, 46. 1923; Nos. 50648, 51026, B.P.I. Inv. 64, pp. 3, 7, 43. 1923; Nos. 51361, 51476, B.P.I. Inv. 65, pp. 4, 7, 20. 1923; Nos. 52670-52674, 52686, B.P.I. Inv. 66, pp. 5, 57, 60. 1923; No. 53610, B.P.I. Inv. 67, pp. 5, 68. 1923; Nos. 53909, 54045, 54311, B.P.I. Inv. 68, pp. 3, 7, 22, 50. 1923; Nos. 54429-54430, 54449-54450, 54457, B.P.I. Inv. 69, pp. 1, 7, 10, 11, 12. 1923; Nos. 55576, 55582-55583, 55713, B.P.I. Inv. 72, pp. 3, 6, 17, 23. 1924; Nos. 55815, 55975, 56068, B.P.I. Inv. 73, pp. 5, 23, 34. 1924.
    and growing. D.B. 1329, pp. 1-4. 1925.
    by Bureau of Plant Industry. B.P.I. Bul. 223, pp. 16, 31, 50. 1912.
  injury by smut, control studies, and warning to growers. News L., vol. 3, No. 42, p. 3. 1916.
  insects—
    belonging to *Aleyrodidae*. Ent. T.B. 12, Pt. V, p. 94. 1907.
    pests, control. D.B. 2329, pp. 39-44. 1925.
    pests, list. Sec. [Misc.], "A manual * * * insects * * *," pp. 31-33. 1917.

Bamboo(s)—Continued.
  introduction and disease control. An. Rpts., 1916, pp. 143-150. 1917; B.P.I. Chief Rpt., 1916, pp. 13-14. 1916.
  Japanese—
    introduction into America. David G. Fairchild. B.P.I. Bul. 43, p. 36. 1903.
    plant importations, January to March, 1909, and description. B.P.I. Bul. 162, pp. 8, 41. 1909.
    value for farms in South. B.P.I. Chief Rpt., 1913, p. 26. 1913; An. Rpts., 1913, p. 130. 1914.
  kinds adaptable to semitropics. D.B. 1329, pp. 35-37. 1925.
  mite(s)—
    control by gases, fumigation experiments. D.B. 893; pp. 4, 6, 7, 10. 1920.
    remedy. D.B. 1329, p. 44. 1925.
  new, importation, note. B.P.I. Bul. 153, p. 7. 1909.
  paper-making—
    experiments. D.B. 309, p. 1. 1915.
    value and use. Chem. Cir. 41. pp. 5, 11. 1908.
  plants—
    diseased, eradication as means of smut control. News L., vol. 3, No. 42, p. 3. 1916.
    injury by flea-beetle. D.B. 436, p. 5. 1917.
    Porto Rico, description and uses. D.B. 354, p. 97. 1916.
    propagation and culture, discussion. D.B. 1329, pp. 26-33. 1925.
    propagation from rhizome cuttings. An. Rpts., 1913, p. 129. 1914; B.P.I. Chief Rpt., 1913, p. 25. 1913.
  quarantine—
    against pest introduction. D.B. 1329, p. 2. 1925.
    against plant diseases, regulations. News L., vol. 6, No. 4, p. 6. 1918.
    hearing. F H.B. S.R.A. 55, p. 80-81. 1918. No. 34, summary. F.H.B., S.R.A. 71, p. 176. 1922.
    on account of smut and other diseases. F.H.B., S.R.A. 53, p. 65. 1918.
    order. F.H.B., S.R.A. 74, p. 54. 1923.
    restrictions. F.H.B., Quar. 37, rev., p. 13. 1923.
  reproduction. D.B. 1329, pp. 26-27. 1925.
  rhizomes, handling and use. D.B. 1329, pp. 26-31. 1925.
  seed—
    plants, and cuttings, quarantine establishment. F.H.B., S.R.A. 56, p. 93. 1918.
    use for propagation, difficulties. D.B. 1329, pp. 27, 31-32. 1925.
  shoots—
    digestion experiments. O.E.S. Bul. 159, pp. 180, 182. 1905.
    use as food. B.P.I. Inv. 40, pp. 22, 88. 1917; O.E.S. Bul. 159, p. 34. 1905.
  smut—
    discussion. D.B. 1329, p. 37. 1925.
    quarantine against. F.H.B. S.R.A. 55, p. 82. 1918.
  steaming, cracking prevention. D.B. 1329, p. 24. 1925.
  timber—
    groves, establishment, Florida and Louisiana. An. Rpts., 1921, p. 119. 1913; Sec. A. R., 1912. p. 119. 1912; Y.B., 1912, p. 119. 1913.
    use. D.B. 1329, pp. 23-24. 1925.
    use in Orient, cane-production possibilities, plant supply. News L., vol. 4, No. 24, p. 4. 1917.
  use. D.B. 1329, pp. 14-26. 1925.
  use as windbreak for citrus fruits. P.R. An. Rpt., 1907, p. 33. 1908; P.R. An. Rpt., 1911, p. 34. 1912.
  value for fencing in Guam. Guam Cir. 2, p. 7. 1921.
  varieties, importations. Nos. 43289, 43287, B.P.I. Inv. 48, pp. 36, 39. 1921.
  witches' broom, cause and description. B.P.I. Bul. 171, pp. 9-11. 1910.
Bambos—
  balcooa, importation and uses, No. 51361. B.P.I. Inv. 65, pp. 4, 7. 1923.

Bambos—Continued
  spp.—
    descriptions. D.B. 1329, pp. 35-36. 1925.
    importations, Nos. 42657, 42658, 42668-42673. B.P.I. Inv. 47, pp. 46, 49-50. 1920.
    See also Bamboo.
  tulda, paper-making use. D.B. 1329, p. 25. 1925.
Bamboseae, genera, descriptions. D.B. 772, pp. 8, 22-24. 1920.
Bambusa—
  arundinacea, description and use. Sec. [Misc.], "Bambusa arundinacea," p. 1. 1908.
  spp., occurrence in Guam. Guam A. R., 1913, p. 16. 1914.
  vulgaris. See Bamboo.
Bamihl gluten test, wheat detection in rye flour. Chem. Bul. 122, pp. 218-219. 1909.
Banana—
  alcohol manufacture, value. F.B. 268, p. 15. 1906.
  analyses—
    comparison with potatoes. Chem. Bul. 130, p. 104. 1910.
    methods. J.A.R., vol. 3, pp. 188-189. 1914.
  Bluefields—
    origin and description. Hawaii A. R., 1911, p. 33. 1912.
    planting test, Hawaii. Hawaii A. R., 1912, pp. 83-84. 1913.
  brandy, adulteration and misbranding, Chem. N.J., 2852. 1914.
  butts and tops, as forage, in Hawaii, analyses, Hawaii Bul. 13, pp. 11, 17. 1906.
  cause of spurious parasitism. Chas. Wardell Stiles and Albert Hassall. B.A.I. Bul. 35, pp. 56-57. 1902.
  chamalueo, growing in Porto Rico, yield and diseases. P.R. An. Rpt., 1914, pp. 36-41. 1916.
  cooking—
    as vegetable directions. D.B. 123, p. 4. 1916.
    varieties, description, and susceptibility to fruit flies. J.A.R., vol. 5, pp. 795-796, 804. 1916.
  cordial, adulteration and misbranding. Chem. N.J. 1523, p. 1. 1912; Chem. N.J. 2936, p. 2. 1914; Chem. N.J. 3650, p. 1. 1915; Chem. N.J. 3884, p. 1. 1915.
  Cuban, composition. Chem. Bul. 87, pp. 17-19. 1904.
  Cuban growth, consumption, Chem. Bul. 87, pp. 17-19. 1904.
  cultivation in Porto Rico. P.R. An. Rpt., 1907, pp. 26-27. 1908.
  culture. (In Portuguese and Hawaiian.) E. V. Wilcox. Hawaii [Misc.], "A cultura da banana." p. 7. 1911.
  culture, Hawaii experiments. O.E.S. Bul. 170, p. 59. 1906.
  diseases—
    Guam, causes and results. Guam A.R., 1917, p. 46. 1918.
    Hawaii, control and description. Hawaii A.R., 1917, pp. 40-42. 1918.
    in Porto Rico, control studies. P.R. An. Rpt. 1914, pp. 34-41. 1916.
  disease-resistant, experiments in Porto Rico. P.R. An. Rpt., 1921, p. 22. 1922.
  dried, preparation and use. Y.B., 1912, p. 515. 1913; Y.B., Sep. 610, p. 515. 1913.
  exports from Central America, 1909-1913. D.B. 483, p. 9. 1917.
  extract, adulteration and misbranding. Chem. N.J. 465, p. 1. 1910; Chem. N.J. 2533, p. 2. 1913;
  fertilizer experiments, Hawaii. Hawaii A.R., 1919, p. 43. 1920; Hawaii A.R., 1920, pp. 34-36. 1921.
  flavor, misbranding. Chem. N.J. 1057, pp. 1-2. 1911; Chem. N.J. 1675, p. 1. 1912.
  flour and bread, analyses and characteristics. D.B. 701, pp. 4-9. 1918.
  food—
    crop, emergency. J. E. Higgins. Hawaii Bul. 6, pp. 16. 1917.
    uses. O.E.S. Bul. 245, p. 54. 1912.
    value comparisons, chart. D.B. 975, p. 18. 1921.
  freckle disease, description and control. Hawaii A.R. 1918, pp. 10, 36-40. 1919; Hawaii A.R., 1919, pp. 14, 15-53. 1920.

Banana—Continued.
   freezing points. D.B. 1133, pp. 5, 7. 1923.
   fruit fly, distribution. Y.B., 1917, p. 191. 1918;
      Y.B., Sep. 731, p. 9. 1918.
   fumigation—
      absorption of hydrocyanic acid. D.B. 1149,
         p. 6. 1923.
      for scale insects. Hawaii A.R. 1912, pp. 42–43.
         1913.
   fungus disease caused by *Fusarium incarnatum*.
      J.A.R., vol. 2, p. 259. 1914.
   green, immunity to fruit-fly attack, causes.
      J.A.R., vol. 5, No. 17, pp. 799–801, 803. 1916.
   growing in—
      Florida, Fort Lauderdale area. Soil Sur. Adv.
         Sh., 1915; pp. 3, 32, 41, 45. 1915; Soils F.O.,
         1915, pp. 759, 787, 791. 1919.
      Guam. Guam A.R., 1920, pp. 55–56. 1921;
         Guam Bul. 2, p. 26. 1922.
      Hawaii. Hawaii A. R., 1921, pp. 2, 13–14,
         36, 64. 1922; O.E.S. An. Rpt., 1911, pp. 23,
         98. 1912.
      Porto Rico. P.R. An. Rpt., 1916, p. 21. 1918;
         P.R. An. Rpt., 1919, pp. 27–28. 1920.
   Hamakua—
      origin and description. Hawaii A.R., 1911,
         p. 34. 1912.
      planting test, Hawaii, 1912. Hawaii A.R., 1912,
         pp. 83–84. 1913.
   Hawaiian—
      marketing. Hawaii A.R., 1920, pp. 69–70. 1921.
         Hawaii Bul. 14, pp. 35–38. 1907.
      quarantine regulations. F.H.B., Quar., 13,
         rev., pp. 1–3. 1917.
      varieties free from Mediterranean fruit fly rav-
         ages. D.B. 640, pp. 18–19. 1918.
   host plant of Mediterranean fruit fly. E. A. Back
      and C.E. Pemberton. J.A.R., vol. 5, No. 17,
      pp. 793–804. 1915.
   immunity to Mediterranean fruit fly, discussion.
      D.B. 536, pp. 15, 24, 40–43. 1918.
   importations and description. Nos. 36984, 37032,
      B.P.I. Inv. 38, pp. 18, 29. 1917; Nos. 38923–
      38927, B.P.I. Inv. 40, pp. 47–48. 1917; No.
      53120, B.P.I. Inv. 67, p. 29. 1923; Nos. 55101,
      55246–55252, B.P.I. Inv. 71, pp. 22, 28–29. 1923
   imports—
      1903, 1913, value and source, and reexports
         D.B. 296, pp. 43, 49. 1915.
      1904–1908. Y.B., 1908, p. 757. 1909; Y.B. Sep.
         498, p. 757. 1909.
      1907–1909, quantity and value, by countries from
         which consigned. Stat. Bul. 82, p. 40. 1910.
      1908–1910, quantity and value, by countries
         from which consigned. Stat. Bul. 90, p. 42.
         1911.
      1909–1911, quantity and value, by countries
         from which consigned. Stat. Bul. 95, p. 45.
         1912.
      1910, 1915. D.B. 483, p. 7. 1917.
      1911–1913. Y.B., 1913, p. 497. 1914; Y.B. Sep.
         631, p. 497. 1914.
      1913–1915. Y.B., 1915, pp. 544, 574. 1916; Y.B.
         Sep. 685, pp. 544, 574. 1916.
      1917–1919, 1910–1919. Y.B., 1919, pp. 686, 719.
         1920; Y.B Sep. 829, pp. 686, 719. 1920.
      1918. Y.B. 1918, pp. 631, 651, 663. 1919; Y.B.
         Sep. 794, pp. 7, 27, 39. 1919.
      1919–1921. Y.B., 1922, pp. 952, 979. 1923; Y.B.
         Sep. 880, pp. 952, 979. 1923.
      1921. Y.B., 1921, pp. 740, 766. 1922; Y. B.
         Sep. 867, pp. 4, 30. 1922.
      1922–1924. Y.B. 1924, p. 1061. 1925.
      in Hawaii. J. E. Higgins. Hawaii Bul. 7, pp.
         53. 1904.
   industry, growth. Y.B. 1912, pp. 297–298. 1913;
      Y.B. Sep. 592, pp. 297–298. 1913.
   infestation with Mediterranean fruit fly. Ent.
      Cir. 160, pp. 11, 12. 1912; J.A.R. vol. 5, No. 17,
      pp. 796–799. 1916.
   insect injurious, Hawaii, 1906. Ent. Bul. 30, p.
      95. 1901; Hawaii A.R., 1906, p. 30. 1907.
   insect pests, list. Sec. [Misc.]. "A manual * * *
      insects * * *," pp. 33–34, 109, 114, 115, 118.
      1917.
   inspection and certification, Hawaiian customs.
      J.A.R., vol. 5, No. 17, pp. 793, 794, 797. 1916.
   Moa, susceptibility to Mediterranean fruit fly.
      J.A.R., vol. 5, No. 17, pp. 795–796. 1916.
   oil, adulteration. Chem. N.J. 2470, p. 2. 1913.

Banana—Continued.
   Panama disease, cause and control, Porto Rico
      studies. P.R. An. Rpt., 1914, pp. 36–41. 1916.
   parasitic attack by *Gloeosporium musarum*,
      studies. B.P.I. Bul. 252, p. 43. 1913.
   plant(s)—
      dimorphic branches, studies. B.P.I. Bul. 198,
         pp. 43–48, 54, 55, 57. 1911.
      importations, prohibition, T.D. 37564, plant
         quarantine act. F.H.B. S.R.A. 51, pp. 47–48.
         1918.
      importation, proposed quarantine for insect
         control, hearings and press notices. F.H.B.
         S.R.A. 49, pp. 16–18. 1918.
      injury by sugar-cane borer, Hawaii. Ent.
         Bul. 93, pp. 36, 37. 1911.
      mailing restrictions in Hawaii and Porto Rico.
         F.H.B. S.R.A. 50, p. 34. 1918.
      quarantine—
         for root borer. An. Rpts., 1918, p. 444. 1919;
            F.H.B. An. Rpt. 1918, p. 14. 1918.
         No. 31, foreign. F.H.B. S.R.A. 50, p. 33.
            1918.
         No. 31, summary. F.H.B. S.R.A. 71, p. 176.
            1922.
         No. 32, domestic. F.H.B. S.R.A. 50, p. 34.
            1918.
         orders. F.H.B. S.R.A. 74, pp. 52, 54. 1923.
      planting, and test of varieties, Hawaii, 1912.
         Hawaii A.R., 1912, pp. 83–84. 1913.
      polapola, substitution for sweet-potato crop in
         Hawaii. Hawaii A.R., 1907, p. 29. 1908.
      popoulu, susceptibility to Mediterranean fruit
         fly. J.A.R., vol. 5, No. 17, pp. 795–796. 1916.
      Porto Rico, varieties. P.R. An. Rpt., 1911, p.
         27. 1912.
      pulp, wheat flour substitute, use in Hawaii.
         An. Rpts., 1918, p. 347. 1919; S.R.S. Rpt.,
         1918, p. 13. 1918.
   quarantine restrictions. F.H.B. Quar. 37, (2d
      rev.), p. 13. 1923.
   ripening—
      changes in composition of peel and pulp. Ha-
         waii A.R., 1914, pp. 27, 66, 69–73. 1915;
         J.A.R., vol. 3, pp. 187–203. 1914.
      studies, with respiration calorimeter. O.E.S.
         Cir. 116, p. 2. 1912; Y.B., 1911, p. 493. 1912;
         Y.B., Sep. 586, p. 493. 1912; Y.B., 1912, pp.
         293–308. 1913; Y.B., Sep. 592, pp. 293–308.
         1913.
   root—
      borer—
         control by quarantine, press notice. F.H.B.
            S.R.A. 49, pp. 17, 18. 1918.
         description. Sec. [Misc.], "A manual * * *
            insects * * *," p. 34. 1917.
         description, distribution, life history, and
            control. J.A.R., vol. 19, No. 1, pp. 39–46.
            1920.
         description, injury to plant. J.A.R., vol. 19,
            No. 1, pp. 40–41. 1920.
         infestation in Florida, and proposed quar-
            antine. F.H.B., S.R.A. 48, p. 2. 1918.
         occurrence, in United States, quarantine
            notice. F.H.B., S.R.A. 50, p. 34. 1918.
         quarantine. An. Rpts., 1918, p. 444. 1919;
            F.H.B. An. Rpt., 1918, p. 14. 1918.
      disease caused by nematode, *Tylenchus similis*.
         J.A.R., vol. 4, pp. 561–568. 1915.
      selection work, Porto Rico. P.R. An. Rpt.,
         1922, p. 13. 1923.
   shipments by States, and by stations, 1916. D.B.
      667, pp. 8, 98–99. 1918.
   shipping—
      from Hawaii, experiments. Hawaii A.R.,
         1912, pp. 4–42. 1913; Hawaii A.R. 1921,
         p. 49. 1922.
      protection by Weather Bureau. W.B. Chief
         Rpt., 1924, pp. 5–6. 1924.
      spraying with fertilizer, in Hawaii, experiments,
         1917. Hawaii A.R., 1917, p. 27. 1918.
   starch, microscopical examinations. Chem. Bul.
      130, p. 137. 1910.
   statistics, imports. 1917. Y.B., 1917, pp. 763,
      797. 1918; Y.B. Sep. 762, pp. 7, 41. 1918.
   steamers, special equipment. Y.B. 1912, pp. 297–
      298. 1913; Y.B. Sep. 592, pp. 297–298. 1913.
   storing with oranges, study. Y.B., 1912, p. 295.
      1913; Y.B. Sep. 592, p. 295. 1913.

Banana—Continued.
  use—
    as bait for flytraps. F.B. 734, pp. 11-12. 1916.
    as temporary shade for coffee plantations. P.R. Cir. 15, pp. 24-25. 1912.
    in manufacture of denatured alcohol. Chem. Bul. 130, pp. 29, 104-105. 1910.
    varieties, recommendations for various fruit districts. B.P.I. Bul. 151, p. 62. 1909.
    wilt, West Indies, description and cause. P.R. An. Rpt., 1916, pp. 29-31. 1918.
Bananae, importation and description. No. 43267. B.P.I. Inv. 48, p. 36. 1921; No 43545, B.P.I. Inv 49, p. 40. 1921.
Bananaquit, Porto Rican. See Creeper, honey, Porto Rican.
BANCROFT, W. F.—
  "Directory of officials and organizations concerned with the protection of birds and game." Biol. Doc. 108, p 17. 1917.
  "Game laws for—
    1913." With others. D.B. 22, pp. 59. 1913.
    1914." With others. F.B. 628, pp. 54. 1914.
    1915." With others. F.B. 692, pp. 64. 1915.
    1916." With others. F.B. 774, pp. 64. 1916.
    1917." With others. F.B. 910, pp. 70. 1917.
Band(s)—
  bird—
    description, and attaching to birds. D.C. 170, pp. 15-17. 1921, M.C. 18, p. 19. 1924.
    holders. M.C. 18, p. 21. 1924.
  burlap, use in moth control, methods. F.B. 564, pp. 13-15, 17. 1914.
  poison—
    use against ants. P.R. Cir. 17, p. 18. 1918.
    use against Argentine ant. D.B. 377, pp. 10-11. 1916.
  resurfacing in control of gipsy moth on trees. D.B. 899, pp. 13-14. 1920.
  sticky—
    for control of—
      canker worm. F.B. 492, p. 19. 1912.
      caterpillars on trees. F.B. 845, pp. 15-17. 1917.
      gipsy moth. Ent. Bul. 87, pp. 18, 64. 1910.
      mealy bug, formula. F.B. 862, p. 13. 1917.
    for tree protection, application methods. D.B. 899, pp. 7-8, 11. 1920; F.B 908, pp. 55-57. 1918; F.B. 1169, pp. 18-20. 1921.
    use in control of Argentine ants. D.B. 965, pp. 9-18. 1921.
  wood pipe, specifications, sizes and weights. D.B. 155, pp. 7-10. 1914.
Bandage(s)—
  cattle sprains and fractures. B.A.I. [Misc.], "Diseases of cattle", rev. pp. 275, 278-280, 282, 288. 1912.
  description and use for injuries. For [Misc.], "First-aid manual . . .", pp. 16-21. 1917. plaster of Paris, application to fractures, directions. B.A.I. [Misc.], "Diseases of cattle", rev. p. 273. 1923.
Bandelier, Adolph F., life and work. M.C. No. 5, pp. 1-2. 1923.
Bandelier National Monument, Santa Fe National Forest. M.C. No. 5, pp. 1-18. 1923.
Banding—
  apple trees—
    for control of moths. News L., vol. 6, No. 30, p. 13. 1919.
    for control of roundheaded borers. F.B. 675, p. 19. 1915.
    in codling moth studies, records, 1909, 1910, 1911. Ent. Bul. 115, pt. 3, pp. 161-164. 1913.
  birds—
    in Utah for migration records, returns. D.B. 1145, pp. 1-16. 1923.
    instructions. Frederick C. Lincoln. D.C. 170, pp. 19. 1921; M.C. 18, pp. 28. 1924.
  chicks, directions. F.B. 1376, p. 15 1924.
  citrus trees, for control of Argentine ants. D.B. 965, pp. 9-18. 1921.
  fruit trees—
    collection of codling moth larvae and pupae. Ent. Bul. 97, Pt. II, pp. 27-32. 1911.
    for control of codling moth. F.B. 1326, pp. 9-10. 1924.
    for control of peach tree borer. O.E.S. An. Rpt. 1910, p. 104. 1911.
    suggestions. Ent. Bul. 30, pp. 61-63. 1901.

Banding—Continued.
  fruit trees—continued.
    to trap insect. S.R.S. Syl. 23, p. 11. 1916.
  furniture, against Argentine ant. F.B. 1101, pp. 6-8. 1920.
  materials, description and use on trees. F.B. 908, pp. 50-52, 55-57. 1918.
  mixtures for tree protection. F.B. 928, p. 19. 1918.
  tree(s)—
    for control of—
      Argentine Ant. F.B. 928, pp. 19-20. 1918; F.B. 1101, pp. 6-8. 1920.
      borers. Ent. Cir. 32 rev., p. 6. 1907.
      cankerworms. D.B. 1238, pp. 33-35. 1924; Ent. Bul. 68, p. 22. 1907; F.B. 1169, p. 37. 1921.
      caterpillars. Y.B., 1907, p. 151, 152. 1908; Y.B. Sep. 442, pp. 151-152. 1908.
      citrophilus mealybug. D.B. 1040, pp. 11-13, 16. 1922.
      codling moth, studies and experiments. D.B. 189, pp. 49. 1915; Y.B., 1907, p. 450. 1908; Y.B. Sep. 460, p. 450. 1908.
      gipsy moth. D.B. 899, pp. 7-12. 1920. F.B. 845, pp. 15-17. 1917; F.B. 1335, pp. 15-16. 1923.
    control of insects, directions and materials. F.B. 1169, pp. 17-20. 1921.
    records of codling moth larvae. D.B. 429, pp. 32-34, 80-87. 1917.
    tanglefoot, substitution for burlap. Ent. A. R., 1910, p. 9. 1010; An. Rpts., 1910, p. 513. 1911.
    usefulness against codling moth. Ent. Bul. 41, pp. 88-92. 1903.
BANG, B.—
  experiments—
    concerning tuberculosis. B.A.I. Bul. 52, Pt. II, pp. 80-81, 99. 1905.
    infectiveness of tuberculous milk. B.A.I. Bul. 44, pp. 15-16, 90. 1903.
    treatment of tuberculous cattle, use in Alaska herds. Alaska A.R., 1919, p. 16. 1920.
Bang—
  method—
    tuberculosis control. H. A. Harding. O.E.S. Bul. 212, pp. 98-101. 1909.
    tuberculosis suppression in cattle herds. B.A.I. Cir. 175, pp. 24-27. 1911.
  tuberculous cattle management, details. Alaska A. R., 1916, p. 14. 1918.
  theory of contagious abortion, discussion. D.B. 106, pp. 19-21. 1914.
Bangilan, ornamental plant from Malay, description. No. 34366. B.P.I. Inv. 33, pp. 6, 12. 1915.
Banhinia sp. importation and description. Inv. No. 29413, B.P.I. Bul. 233, p. 19. 1912.
Bank(s)—
  acceptance of warehouse receipts. Off. Rec., vol. 1, No. 49. p. 3. 1922.
  accounts, farmers, methods. D.B. 409, pp. 10-12. 1916.
  aid in dairy work, Grove City, Pennsylvania. Y.B., 1918, pp. 157-158. 1919; Y.B., Sep. 765, pp. 7-9. 1919; D.C. 139, pp. 11-12. 1920.
  aid to dairy clubs in Pennsylvania. D.C. 152, p. 18. 1921.
  deposits—
    farmers', increase since 1896. Y.B., 1908, p. 184. 1909.
    relation to money circulation and prices. D.B. 999, p. 5. 1921.
  examinations, farm-loan banks, provisions. News L., vol. 3, No. 51, p. 4. 1916.
  farm land, national, establishment, summary of bill introduced in House and Senate. News L., vol. 1, No. 29, pp. 1-6. 1914.
  farm-land, use in rural communities. Y.B., 1914, p. 120. 1915. Y.B. Sep. 632, p. 34. 1915.
  Federal—
    intermediate credit establishment and operations. Y.B., 1924, pp. 233-238. 1915.
    land—
      as source of credit, terms. F.B. 1385, pp. 21-24. 1923.
      authority and conditions for farm loans. News L., vol. 3, No. 51, p. 3. 1916.
    capitalization and management. Y.B., 1924, pp. 199-207. 1925.

INDEX TO PUBLICATIONS, 1901–1925   177

Bank(s)—Continued.
 Federal—Continued.
  land—continued.
   directory. Farm M. [Misc.], "Directory of American . . ." p. 16. 1920.
   establishment, provisions. Off. Rec. vol. 2, No. 11, p. 1. 1923.
   loans to farmers. Off. Rec., vol. 1, No. 1, p. 14. 1922.
   location and list. F.B. 1385, p. 30. 1923.
   number, capital stock, and shares. News L., vol. 3, No. 51, pp. 1–2. 1916.
   relation to farm loans, conditions. D.B. 1047, p. 23. 1921.
   relation to intermediate credit banks. Y.B., 1924, p. 233. 1925.
   system, establishment, and advantages. F.B. 792, pp. 3, 5–7, 10–11. 1917.
   loan, agents in seed-grain loans. News L., vol. 6, No. 25, p. 7. 1919.
   location and operation. M. C. 32, pp. 58–62. 1924.
   Reserve, relation to farm credits. Y.B., 1924, pp. 225–228. 1925.
  forms for purchasing associations, order and payment. Y.B., 1919, p. 389. 1920; Y.B. Sep. 819, p. 389. 1920.
  joint-stock land, establishment and conditions. News L., vol. 3, No. 51, pp. 3–4. 1916.
  Lake Region, in settlement and colonization. D.B. 1295, p. 55. 1925.
  land—
   aid by Federal legislation. Sec. A.R., 1921, pp. 14, 15. 1921.
   interest on farm-loan bonds. Y.B., 1921, p. 14. 1922; Y.B. Sep. 875, p. 14. 1922.
   mortgage, operation in Illinois. An. Rpts., 1913, p. 27. 1914; Sec. A.R., 1913, p. 25. 1913; Y.B., 1913, p. 34. 1914.
  land system, establishment, and advantages. F.B. 792, pp. 3, 5–7, 10–11. 1917.
  loans—
   basis of reports from. D.B. 1047, p. 6. 1921.
   short-term farm, and conditions. Y.B., 1924, pp. 219–225. 1925.
   to cotton growers in leading States. Y.B., 1921, p. 369. 1922; Y.B. Sep. 877, p. 369. 1922.
   to farmers—
    Jan. 1, 1921. Off. Rec., vol. 1, No. 6, p. 3. 1922.
    balance requirements. D.B. 1048, pp. 17–18, 25. 1922.
    interest rates, by States. Y.B., 1921, p. 778. 1922; Y.B. Sep. 871, p. 9. 1922.
    on personal and collateral security. V. N. Valgren and Elmer E. Engelbert. D.B. 1048, p. 26. 1922.
   to marketing associations, and security. Y.B., 1914, pp. 202–203, 204–206. 1915; Y.B. Sep. 637, pp. 202–206. 1915.
  number replying to questionnaire, and farm loans reported, by divisions and States. D.B. 1047, p. 7. 1922.
  of France, capital and deposits. An. Rpts., 1914, p. 26. 1914; Sec. A.R., 1914, p. 28. 1914.
  power over farm management. News L., vol. 2, No. 49, p. 2. 1915.
  resources, growth, and magnitude. Y.B., 1924, pp. 193–194. 1925.
  security on farm loans, kinds. Y.B., 1924, pp. 217–219. 1925.
  source(s) of—
   capital for farm-mortgage loans. D.B. 384, pp. 9–11, 13. 1916.
   long-term farm credits. Y.B., 1924, pp. 193–196. 1925.
   use by cooperative buyers. Y.B., 1915, pp. 78–79. 1916; Y.B. Sep. 658, pp. 78–79. 1916.
 Bank, of stream, revetment, use of willows. D.B. 316, pp. 39–41. 1915.
Bankers—
 agricultural commission, joint conference, address of Secretary. Sec. Cir. 131, p. 11. 1919.
 aid in establishing a safe system of farming. Sec. Cir. 56, pp. 3, 7–12. 1916.
 aid to pig clubs. Sec. Cir. 84, pp. 15–16. 1918.
 cooperation with club work among young people. D.C. 66, pp. 11–12. 1920.
 credit-rate sheet for farmers' loans. Sec. Cir. 50, pp. 10–13. 1915.

Bankers—Continued.
 influence on farming community. Sec. Cir. 50, pp. 9–10, 12, 13–14. 1915.
 interest in agriculture. Sec. Cir. 131, pp. 4–5. 1919.
 relation to stabilization of long-staple cotton. D.B. 324, pp. 15–16. 1915.
 southern, aid to cattle industry, method. News L., vol. 4, No. 1, p. 5. 1916.
 study of farming. Off. Rec., vol. 4, No. 32, p. 6. 1925.
Banking—
 legislation for farmers. Off. Rec., vol. 3, No. 7, pp. 1–2. 1924.
 practices, United States, discussion by Secretary in annual report, extract. News L., vol. 2, No. 20, p. 2. 1914.
 relation to farming during war, address by Assistant Secretary Ousley. Sec. (Misc.[, "The business of agriculture * * *," pp. 26–35. 1918.
Bankruptcy, farmers—
 1910–1923. Y.B., 1923, pp. 1158–1160. 1924; Y.B. Sep. 906, pp. 1158–1160. 1924.
 1921–1924. Y.B., 1924, p. 1130. 1925.
BANKS, NATHAN—
 "A list of works on North American entomology." Ent. Bul. 81, pp. 120. 1910.
 "A revision of the Ixodoidea, or ticks, of the United States." Ent. T.B. 15, p. 61. 1908.
 "A revision of the Tyroglyphidae of the United States." Ent. T.B. 13, pp. 34. 1906.
 "An index to bulletins Nos. 1–30 (new series) of the Division of Entomology." Ent. Bul. 36, p. 64. 1902.
 "Bibliography of the more important contributions to American economic entomology," Pt. VII, Ent. [Misc.], "Bibliography of the * * *." p. 113. 1901.
 "Collection and preservation of insects and other materials, for use in the study of agriculture." With C. H. Lane, F.B. 606, pp. 18. 1914.
 "Mites and lice on poultry." Ent. Cir. 92, pp. 8. 1907.
 "Principal insects liable to be distributed on nursery stock." Ent. Bul. 34, pp. 46. 1902.
 "The Acarina or mites." Rpt. 108, pp. 153. 1915.
 "The structure of certain dipterous larvae with particular reference to those in human foods." Ent. T.B. 22, p. 44. 1912.
 "Trichoptera, Mecoptera, and Arachnida of the Pribilof Islands, Alaska." N.A. Fauna 46, Pt. II, pp. 146, 158, 237–239. 1923.
Banksia marginata, importation and description. No. 47548, B.P.I. Inv. 59. p. 29. 1922.
Bantams—
 Booted White, breeds, varieties and descriptions. F.B. 1251, pp. 8, 15. 1921.
 Brahma, breeds, varieties, and descriptions. F.B. 1251, pp. 15–17. 1921.
 game, breeds, varieties, and descriptions. F.B. 1251, pp. 8, 9–13. 1921.
 Mille Fleur, breeds, varieties, and descriptions. F.B. 1251, pp. 8, 21–22. 1921.
 Polish, breeds, varieties, and descriptions. F.B. 1251, pp. 8, 20–21. 1921.
 Sebright, breeds, varieties, and descriptions. F.B. 1251, pp. 8, 13–14. 1921.
 Silkie, breeds, varieties, and descriptions. F.B. 1251, pp. 9, 23. 1921.
 size increase, and prevention methods. F.B. 1251, p. 5. 1921.
Banucalag—
 importation and description. No. 47942, B.P.I. Inv. 60, p. 17. 1922.
 introduction, description, and uses. B.P.I. Bul. 205, p. 11. 1911.
Banyan tree—
 importation and description, No. 39113, B.P.I. Inv. 40, p. 76. 1917.
 insect pests, list. Sec. [Misc.], "A manual * * * insects * * *," pp. 100–103. 1917.
 introduction, description, and uses. B.P.I. Bul. 205, p. 22. 1911.
Baobab tree—
 cultivation in Guam. O.E.S. An. Rpt., 1907, p. 410. 1908.
 importation and description. No. 42827, B.P.I. Inv. 47, p. 72. 1920.

Baphia racemosa, importation and description. No. 34164, B.P.I. Inv. 32, p. 17. 1914.
Baptisia bracteata. See Indigo, false.
Barbadoes millet. See Kaoliang.
Barbados, nursery stock inspection officials. F.H.B.S.R.A. 7, p. 52. 1914; F.H.B.S.R.A. 20, p. 60. 1915; F.H.B.S.R.A. 32, p. 104. 1916.
Barbarea vulgaris—
 susceptibility to *Puccinia triticina.* J.A.R., vol. 22, pp. 152–172. 1921.
 See also Cress, winter.
Barbatimao, tanning plant, importation and description. No. 39335, B.P.I. Inv. 41, p. 12. 1917.
BARBER, E. R.—
 ant eradication method, and formula. D.B. 965, pp. 9, 21–25. 1921.
 "The Argentine ant as a household pest." F.B. 1101, pp. 11. 1920.
 "The Argentine ant: Distribution and control in the United States." D.B. 377, pp. 23. 1916.
BARBER, G. W.—
 "The European corn borer *Pyrausta nubilalis* Hbn., versus the corn earworm, *Heliothis obsoleta* Fab." J.A.R., vol. 27, pp. 65–70. 1923.
 "The grain bug." With D. J. Caffrey. D.B. 779, pp. 35. 1919.
BARBER, H. S.: "A new avocado weevil from the Canal Zone." With H. F. Dietz. J.A.R., vol. 20, pp. 111–116. 1920.
BARBER, J. H.: "Irrigation in the Sacramento Valley, California." With others. O.E.S. Bul. 207, pp. 99. 1909.
BARBER, L. B., report of animal husbandman—Guam Experiment Station, 1914. With J. B. Thompson. Guam A.R., 1914, pp. 18–27. 1915.
 and veterinarian, Guam Experiment Station—
 1915. Guam A.R., 1915, pp. 23–41. 1916.
 1916. Guam A.R., 1916, pp. 41–58. 1917.
BARBER, M. A., artificial infection of chinch bugs with white fungus. Ent. Bul. 107, pp. 25–26. 1911.
BARBER, T. C.—
 "Damage to sugar cane in Louisiana by the sugar-cane borer." Ent. Cir. 139, pp. 12. 1911.
 "The Argentine Ant." With Wilmon Newell. Ent. Bul. 122, pp. 98. 1913.
BARBER, W. H.: "Producers' cooperative milk-distributing plants." With others. D.B. 1095, pp. 44. 1922.
Barber formula, poison bait. D.B. 1040, p. 9. 1922.
Barberry—
 advocates and enemies in United States. D.C. 269, pp. 10–12. 1923.
 Arizona, description. B.P.I. Bul. 223, p. 43. 1911.
 banishment. B.P.I. [Misc.], "Banish the barberry," p. 1. 1913.
 bridging host of *Puccinia graminis*, experiments. J.A.R., vol. 15, pp. 223, 227–228. 1918.
 cause of black rust among spring grains, necessity for extermination. News L., vol. 5, No. 35, pp. 4, 7. 1918.
 Chinese varieties, importations, description. Nos. 43817–43826, B.P.I. Inv. 49, pp. 9, 81–83. 1921.
 common—
  control campaign. News L., vol. 6, No. 31, pp. 5–6, 14. 1919.
  description and distinction from Japanese variety. F.B. 1058, pp. 9–11. 1919.
  description, host of black stem rust. D.C. 188, p. 8. 1921.
  destruction. F. E. Kempton and Noel F. Thompson. D.C. 356, pp. 4. 1925.
  eradication—
   for control of black stem rust. Y.B., 1918, pp. 88–100. 1919; Y.B. Sep. 796, pp. 16–28. 1919.

Barberry—Continued.
 common—continued.
  eradication—continued.
   with chemicals. D.C. 332, p. 4. 1925.
  injury to—
   spring wheat, rust spreading agency. News L., vol. 5, No. 35, pp. 4, 7. 1918.
   wheat, and control. News L., vol. 6, No. 25, p. 11. 1919.
  quarantine for wheat-rust control, hearing notice. F.H.B.S.R.A. 59, pp. 10–11. 1919.
 control by chemicals. Noel F. Thompson. D.C. 268, pp. 4. 1923.
 danger—
  as alternate host for wheat rust. F.B. 1239, pp. 6, 7. 1921.
  of use in hedges or on lawns, losses in spring-wheat States, 1916. News L., vol. 5, No. 35, p. 4. 1918.
 description. Y.B., 1918, pp. 89, 90, 91. 1919; Y.B. Sep. 796, pp. 17, 18, 19. 1919.
 destruction—
  by law in North Dakota and Manitoba. News L., vol. 5, No. 35, p. 4. 1918.
  State laws. News L., vol. 5, No. 35, p. 4. 1918.
 distribution and growth in Wyoming. N.A. Fauna 42, p. 67. 1917.
 dwarf, same as Japanese. Y.B., 1918, p. 89. 1919; Y.B. Sep. 796, p. 17. 1919.
 eradication. F.H.B. An. Rpt., 1924, p. 8. 1924; Y.B., 1921, p. 45. 1922; Y.B. Sep. 875, p. 45. 1922.
 eradication—
  appropriation. Off. Rec., vol. 1, No. 14, p. 1. 1922.
  area. Off. Rec., vol. 2, No. 37, p. 3. 1923.
  as host of stem rust. Sec. A.R., 1924, pp. 65–66. 1924.
  as prevention of black rust in Western Europe. E. C. Stakman. D.C. 269, pp. 15. 1923.
  campaign—
   area covered. Sec. Cir. 142, p. 16. 1919.
   origin and methods, and results. D.C. 188, pp. 9–37. 1921.
   review. Sec. A.R., 1925, pp. 55–56. 1925.
  difficulties and chemicals as aid. D.C. 332, p. 1. 1925.
  directions. Y.B., 1918, p. 100. 1919; Y.B. Sep. 796, p. 28. 1919.
  directions and reasons for. F.B. 1058, pp. 1–12. 1919.
  for control of black stem rust of wheat, 1917. F.H.B. S.R.A. 51, pp. 42–43. 1918; Y.B., 1917, p. 490. 1918; Y.B. Sep. 755, p. 11. 1918.
  for control of black stem rust of wheat, 1922. Y.B., 1922, pp. 26–28. 1923; Y.B. Sep. 883, pp. 26–28. 1923.
  for control of black stem rust of wheat, 1924. B.P.I. Chief Rpt., 1924, pp. 16–17. 1924.
  in Iowa. News L., vol. 6, No. 29, pp. 14–15. 1919.
  laws. Y.B. Sep. 796, pp. 26–27. 1919; Y.B., 1918, pp. 98–99. 1919.
  progress. F. E. Kempton. D.C. 188, pp. 37. 1921.
  progress, 1922. An. Rpts. 1922, pp. 22–23. 1923; Sec. A.R., 1922, pp. 22–23. 1922.
  progress and methods. Sec. A.R. 1925, pp. 55–56. 1925.
  summary of work, by years, 1918–1920. D.C. 188, pp. 14–21. 1921.
 grain-rust spread, methods. F.B. 1058 pp. 3–7. 1919.
 holly-leaved, habitat, range, description, collection, prices, and uses of roots. B.P.I. Bul. 107, pp. 36–37. 1907.
 host of black stem rust, manner of infection. Y.B., 1918, pp. 80–84, 94–98. 1919; Y.B. Sep. 796, pp. 8–12, 22–26. 1919.

INDEX TO PUBLICATIONS, 1901–1925   179

Barberry—Continued.
  importations and description. Nos. 29957, 2999, 30234, 30282, 30413, B.P.I. Bul. 233, pp. 9, 44, 48, 70, 73, 85. 1912; Nos. 32102, 32235, B.P.I. Bul. 261, pp. 28, 45. 1912; Nos. 35162–35163, 35176, B.P.I. Inv. 35, pp. 15, 17, 1915; No. 35293, B.P.I. Inv. 36, p. 26. 1915; Nos. 36568, 36626, 36736, 36737, B.P.I. Inv. 37, pp. 7, 32, 41, 53–59. 1916; Nos. 37495–37499, 37560–37562, 37599, B.P.I. Inv. 38, pp. 8, 65–66, 74, 82. 1917; Nos. 37975–37976, 38144–38145, B.P.I. Inv. 39, pp. 74, 94, 1917; Nos. 38811, 39105, B.P.I. Inv. 40, pp. 7, 31, 74. 1917; Nos. 39574, 39575, B.P.I. Inv. 41, p. 43. 1917; Nos. 40139–40153, 40208, B.P.I. Inv. 42, pp. 8, 70–75, 96. 1918; Nos. 40562, 40563, 40681–40688, B.P.I. Inv. 43, pp. 46, 66. 1918; Nos. 41764, 41765, 42184, 42185, B.P.I. Inv. 46, pp. 20, 62. 1919; Nos. 42428, 42635–42637, 42973, B.P.I. Inv. 47, pp. 12, 41, 82. 1920; Nos. 43980, 44339, 44380, 44381, 44418, B.P.I. Inv. 50, pp. 11, 60, 64, 65–70. 1922; Nos. 44523–44530, B.P.I. Inv. 51, pp. 7–8, 19–20. 1922; No. 45477, B.P.I. Inv. 53, pp. 8, 38. 1922; No. 46711, B.P.I. Inv. 57, p. 23. 1922; Nos. 47299, 47300, B.P.I. Inv. 58, p. 47. 1922; Nos. 47645, 47646, B.P.I. Inv. 59, pp. 8, 41. 1922; No. 48015, B.P.I. Inv. 60, p. 28. 1922; Nos. 49052–49070, B.P.I.Inv. 61, pp. 72–74. 1922; Nos. 49125–49130, 49616–49619, 49662, B.P.I. Inv. 62, pp. 3, 5, 59–60, 67, 1923; Nos. 49924–49933, 50288, 50405, B.P.I. Inv. 63, pp. 21, 50, 57. 1923; No. 50715, B.P.I. Inv. 64, p. 18. 1923; Nos. 51787, 51795, B.P.I. Inv. 65, pp. 1, 49, 50. 1923; Nos. 52358, 52453–52454, 52626–52628, B.P.I. Inv. 66, pp. 12, 28, 53. 1923; Nos. 52874–52877, 52930–52932, 53034, 53035, 53089–53090, 53177, 53627–53649, B.P.I. Inv. 67, pp. 3, 8, 15–16, 22, 26, 27, 34, 71–73. 1923; Nos. 54061–54074, 54269, B.P.I. Inv. 68, pp. 3, 25–26, 42. 1923; Nos. 55071–55075, B.P.I. Inv. 71, pp. 5, 20. 1923; Nos. 55671–55673, 55718, B.P.I. Inv. 72, pp. 16–17, 24. 1924.
  injury to spring grains, rust spreading, control studies. News L., vol. 5, No. 35, pp. 4, 7. 1918.
  inoculation with timothy rust. B.P.I. Bul. 224, pp. 10–11. 1911.
  Japanese—
    description, distinction from common barberry. D.C. 188, p. 8. 1921; F.B. 1058, pp. 9–11. 1919.
    description, resistance to black stem rust. Y.B. 1918, pp. 89–91, 98. 1919; Y.B. Sep. 796, pp. 17–19, 26. 1919.
    harmlessness. News L., vol. 5, No. 35, p. 4. 1918; News L., vol. 6, No. 25, p. 11. 1919.
  killing with—
    chemicals, precautions. D.C. 332, p. 3. 1925.
    salt. Off. Rec., vol. 4, No. 22, p. 3. 1925.
    sodium arsenite, effects. E. R. Schulz and Noel F. Thompson. D.B. 1316, pp. 19. 1925.
  kinds. D.C. 356, pp. 2, 3. 1925.
  list with related plants. Y.B., 1918, p. 91. 1919; Y.B. Sep. 796, pp. 19. 1919.
  methods of spread. D.C. 188, pp, 19–21. 1921.
  native, description and uses. No. 43474, B.P.I. Inv. 49, p. 30. 1921.
  occurrence in Colorado, description. N.A. Fauna 33, p. 230. 1911.
  plants—
    mailing restrictions. F.H.B. S.R.A. 63, p. 71. 1919.
    relation to black stem rust of wheat. An. Rpts., 1918, 153. 1919; B.P.I. Chief Rpt., 1918, p. 19. 1918.
  purple, description, host of black stem rust. D.C. 188, p. 8. 1921.
  quarantine—
    black stem rust. F.H.B. Quar. No. 38, pp. 2. 2. 1919; F.H.B. S.R.A. 62 pp. 58–60. 1919.
    order. F.H.B. S.R.A. 74, p. 52. 1923.
  relation to—
    black stem rust. E. C. Stakman. Y.B., 1918, pp. 75–100. 1919; Y.B. Sep. 796, p. 28. 1919.
    black stem rust of wheat. D.C. 188, pp. 3–9. 1921.
    grain rust, history. B.P.I. Bul. 216, pp. 28–32. 1911.
    reproduction characteristics. D.C. 332, p. 1. 1925.
    roots, characteristics. D.C. 332, pp. 2–3. 1925.

Barberry—Continued.
  seeds, spread by birds. D.C. 188, pp. 19–21. 1921.
  susceptibility to—
    grain rust, varietal differences. J.A.R., vol. 24, pp. 540, 545, 546, 555–560, 565. 1923.
    stem rust and cause of spread to cereals. J.A.R., vol. 10, pp. 459, 489–491. 1917.
  value as ornamental for plains region. F.B. 888, pp. 14–15. 1917.
  varieties—
    distinction. F. B. 1058, pp. 9–11. 1919.
    harmful and harmless, description. Y.B., 1918, pp. 89–91. 1919; Y.B. Sep. 796, pp. 17–19. 1919.
    imported by Bureau of Plant Industry. B.P.I. Bul. 223, p. 58. 1911.
  wheat-rust propogation. B.P.I. Bul. 274, p. 39. 1913.
  winter control. News L., vol. 7, No. 13, p. 8. 1919.
Barbone. See Septicemia, hemorrhagic.
BARBOUR, J., report of Cotot Stock Farm, Guam Experiment Station. Guam A.R., 1916, pp. 40–41. 1917.
Barchans. See Sand dunes, crescentic.
BARCHET, S. P., description of kaoliang introductions. B.P.I. Bul. 253, pp. 8, 13, 41, 42. 1913.
BARCROFT, JOSEPH, apparatus for testing air in butter. B.A.I. Cir. 146, pp. 14–15. 1909.
BARGER, W. R.: "Borax as a disinfectant for citrus fruit." With Lon A. Hawkins. J.A.R., vol. 30, pp. 189–192. 1925.
BARGHAUSEN, J. F.: "A peach-sizing machine." With Manley Stockton. D.B. 864, pp. 6. 1920.
Baris torquatus, description, food plants, and control in Porto Rico. P.R. An. Rpt., 1914, p. 43. 1916.
Barium—
  arsenate, composition studies. D.B. 1147, pp. 12–13, 24. 1923.
  carbonate—
    toxicity to rats. Erich W. Schwartze. D.B. 915, p. 11. 1920.
    use—
      against rats in Guam. Guam Bul. 2, p. 23. 1922.
      against rodents. Y.B., 1908, pp. 426, 427, 431. 1909; Y.B. Sep. 491, pp. 426, 427, 431. 1909.
      as rat poison. Biol. Bul. 33; pp. 44–45, 47. 1909; F.B. 1302, pp. 2–4. 1923; P.R. Cir. 17, pp. 29–30. 1918; Y.B., 1917, pp. 250–251. 1918; Y.B. Sep. 725, pp. 18–19. 1918.
      in control of rats and mice. F.B. 1180, p. 29. 1921.
      in meat establishments, regulations. B.A.I. S.R.A. 194, p. 55. 1923.
  cause of loco-weed disease. Albert C. Crawford. B.P.I. Bul. 129, pp. 87. 1908.
  chloride—
    in salt. Chem. S.R.A. 13, p. 5. 1915.
    solubility of carbon dioxide. Soils Bul. 49, p. 18. 1907.
    toxicity to rats and other animals. D.B. 915, pp. 2, 9. 1920.
    use—
      as purgative in case of horse meningitis. B.A.I. An. Rpt., 1906, p. 172. 1908. B.A.I. Cir. 122, p. 8. 1908.
      in milk-bottle testing, dangers and cautions. D.B. 240, pp. 6–7. 1915.
  compounds and strontium effect on growth of plants. J. S. McHargue. J.A.R., vol. 16, pp. 183–194. 1919.
  determination—
    from beech ashes. D.B. 600, pp. 2, 16. 1917.
    in barium phytate from rice. J.A.R., vol. 3, pp. 426–429. 1915.
    in plant ash, method. D.B. 600, p. 24. 1917.
    in soils. G. H. Failyer. Soils Bul. 72, p. 23. 1910.
    investigations. B.P.I. An. Rpts., 1908, pp. 57, 306, 308, 525. 1909; B.P.I. Chief Rpt., 1908, pp. 34, 36. 1908.
    laboratory, studies in relation to loco-weed disease. B.P.I. Bul. 246, pp. 39–61. 1912.
  occurrence in—
    plants. Colorado, Wyoming, Arizona, and Virginia. B.P.I. Bul 246, pp. 39–44. 1912.

Barium—Continued
  occurrence in—continued.
    soils. D.B. 122, pp. 3, 12–13, 14, 16, 27. 1914.
  poisoning—
    comparison with loco poisoning. B.P.I. Bul. 246, pp. 34–36, 37. 1912.
    symptoms, results, and antidote. B.P.I. Bul. 129, pp. 62–74. 1908.
    relation to loco-weed disease. C. Dwight Marsh and others. B.P.I. Bul. 246, pp. 67. 1912.
    removal from impure salt. Chem. Chief Rpt., 1921, pp. 13–14. 1921.
  salts—
    feeding, experiments and results. B.P.I. Bul. 246, pp. 17–36. 1912.
    in acids of Roquefort cheese. J.A.R., vol. 2, p. 3. 1914.
    poisonous dose for man and lower animals. D.B. 915, pp. 2, 9. 1920.
  soils, effect on plants. S.R.S. Rpt., 1915, Pt. I, p. 128. 1917.
  source of poison in loco weeds. F.B. 380, p. 13. 1909.
  sulphate—
    absorption of soda from sodium sulphate solution. Soils Bul. 52, p. 31. 1908.
    colloidal, experiments, loco studies. B.P.I. Bul. 246, pp. 52–53. 1912.
    leather weighting. Chem. Bul. 165, p. 9. 1913.
  testing soils, photographing the spectra. Soils Bul. 72. pp. 22–23. 1910.
  water sprays, comparisons with Pickering and Bordeaux sprays. D.B. 866, pp. 14–16, 19, 22, 30, 31, 38. 1920.
BARK, D. H.—
  "Experiments on the economical use of irrigation water in Idaho." D.B. 339, pp. 58. 1916.
  "Irrigation in Kansas." O.E.S. Bul. 211, pp. 28. 1909.
Bark—
  beetle(s)—
    cause of death of trees. Ent. Bul. 58, pp. 58–60, 91. 1910.
    coniferous, lists and descriptions. Sec. [Misc.], "A manual * * * insects * * *," pp. 66, 69, 74–75. 1917.
    control—
      investigations. Ent. A.R. 1925, pp. 29–31. 1925.
      methods. Ent. Bul. 58, pp. 73–78. 1909; Ent. Bul. 83, pp. 29–38, 47, 51, 67, 87, 98, 112, 125, 142. 1909; News L., vol. 1, p. 4. 1913.
      national forests, demonstration. An. Rpts., 1914, p. 193. 1914; Ent. A.R. 1914, p. 11. 1914.
      work, Oregon and Idaho, cooperation of Entomology and Forest Service. An. Rpts. 1910, p. 524. 1911; Ent. A.R. 1910, p. 20. 1910.
    damage, to pine. Off. Rec., vol. 4, No. 51, p. 2. 1925.
    destruction of breeding places for control. F.B. 763, pp. 9–11. 1916.
    effects of climatic changes. Ent. Bul. 83, Pt. I, pp. 23–24. 1909.
    enemies, insects, parasites, birds, and diseases. Ent. Bul. 83, Pt. I, pp. 26–28. 1909.
    genus Dendroctonus. A. D. Hopkins. Ent. Bul. 83, Pt. I, pp. 169. 1909.
    injury to—
      girdled cypress in the South Atlantic and Gulf States. Ent. Cir. 82, pp. 1–5. 1907.
      timber in Crater National Forest. For. Bul. 100, p. 12. 1911.
      trees in reproduction. D.B. 1176, pp. 15, 21. 1923.
    introduction, danger, descriptions. Sec. [Misc.], "A manual * * * insects * * *," pp. 6, 8, 24, 25, 27, 40, 46, 52, 54, 66, 69, 74, 75, 79, 96, 137, 148, 149, 154, 167, 170, 174, 179, 194, 218. 1917.
    natural enemies. F.B. 763, p. 6. 1916.
    occurrence and control. Ent. Cir. 125, pp. 3–5. 1910.
    relation of brush burning in forests. For. [Misc.], "Suggestions for disposal * * *," p. 15. 1907.
    trees attacked, and feeding habits. F.B. 763, pp. 3, 5–6. 1916.

Bark—Continued.
  beetle(s)—continued.
    western pine-destroying. J. L. Webb. Ent. Bul. 58, Pt. II, pp. 30. 1906.
    See also under hosts and individual names.
  borer(s)—
    flat headed, injury to birch trees. For. Cir. 163, p. 321. 1909.
    injuries to forests and forest products. Y.B., 1910, pp. 341–358. 1911; Y.B. Sep. 542, pp. 341–358. 1911.
  disease, chestnut. See Chestnut bark disease; Chestnut blight; Endothia parasitica.
  drugs, collection and curing. F.B. 188, p. 9. 1904.
  effect of gipsy moth banding material. D.B. 899; p. 15. 1920.
  fruit trees—
    arsenical injury. Deane B. Swingle. J.A.R, vol. 8, No. 8, pp. 283–318. 1917.
    description, natural protection and breaks. J.A.R., vol. 8, pp. 288–290. 1917.
  grafting, propagation of plants. F.B. 157, p. 19. 1902.
  hemlock, for tanning, consumption and value. D.B. 152, pp. 12–13. 1915.
  incense cedar, use and value as top dressing for roads. D.B. 604, p. 9. 1918.
  infusion for tanning leather, formula. D.C. 230, pp. 9–10. 1922.
  loss percentage at mill. M.C. 39, p. 94. 1925.
  medicinal, American. Alice Henkel. B.P.I. Bul. 139, pp. 59. 1909.
  protection to trees. Y.B., 1913, p. 166. 1914; Y.B. Sep. 622, p. 166. 1914.
  removal—
    as preventive of sap-rot. B.P.I. Bul. 114, p. 26. 1907.
    beetle-infested pine trees. Ent. Bul. 83, pt. 1, pp. 67–68, 88, 98. 1909.
    from posts before treatment. F.B. 320, p. 32. 1908.
    from timber to prevent insect injuries. Ent. Bul. 58, pp. 11, 27, 28, 36, 55, 80–81. 1910.
  rough, arsenical injury through. J.A.R. vol. 8, pp. 306–311. 1917.
  sacred, Purshiana. See Cascara sagrada.
  source of volatile oils. B.P.I. Bul. 195, pp. 12, 14, 37, 38. 1910.
  stripping, birch trees, injury prevention. For. Cir. 163, p. 21. 1909.
  weevil—
    control, Douglas fir. D.B. 1200, p. 54. 1924.
    genus Pissodes, monograph. A. D. Hopkins. Ent. T.B. 20, Pt. I, pp. 68. 1911.
BARKER, H. W.: "First-aid manual for field parties." For. [Misc.], pp. 98. 1917.
Barking, timbers, to prevent insect injury. Ent. Cir. 156, p. 3. 1912.
Barklya syringifolia. See Gold-blossom tree.
Barleria cristata, importation and description. No. 41458. B.P.I. Inv. 45, p. 32. 1918; No. 47224, B.P.I. Inv. 58, p. 43. 1922; No. 49005, 49022, B.P.I. Inv. 61, pp. 65, 68. 1922; No. 49852–49853, B.P.I. Inv. 63, pp. 12. 1923.
Barley(s)—
  absorption of soil constituents during growth. J.A.R., vol. 18, pp. 55–62, 65–69. 1919.
  Abyssinian, testing in breeding experiments, notes. D.B. 137, pp. 10, 14, 23, 24, 32. 1914.
  acreage—
    and production, world countries, 1910–1914. Y.B., 1916, pp. 533, 540. 1917; Y.B. Sep. 713, pp. 3, 10. 1917.
    and yield, North Dakota, McHenry County. Soil Sur. Adv. Sh. 1921, pp. 935, 936, 940. 1925.
    by countries, 1924. Y.B., 1924, pp. 632–633. 1925.
    by countries, Europe, 1885, 1895, 1905. Stat. Bul. 68, pp. 15–16. 1908.
    census 1909, and estimate 1915, by States, map. Y.B., 1915, p. 355. 1916; Y.B. Sep. 681, p. 355. 1916.
    condition and price, June 1, 1914. F.B. 604, p. 14. 1914.
    growing and harvesting, southwestern Minnesota. D.B. 1271, pp. 29–32. 1924.
    in 1919, map. Y.B., 1921, p. 442. 1922; Y.B. Sep. 878, p. 36. 1922.

Barley(s)—Continued.
  acreage—continued.
    increase, 1917. An. Rpts., 1917, p. 149. 1918;
      B.P.I. Chief Rpt., 1917, p. 19. 1917.
    production—
    and foreign trade, 1925. Sec. A.R., 1925,
      pp. 3, 102-104. 1925.
    and portion fed. Y.B., 1923, pp. 355-357.
      1924; Y.B. Sep. 895, pp. 355-357. 1924.
    and value, 1866-1906, by States, table. Stat.
      Bul. 59, pp. 7-26. 1907.
    and value, 1913, 1914, by States, estimates.
      F.B. 645, p. 29. 1914.
    and value, 1913, estimate. F.B. 570, pp. 8,
      10, 16, 17, 18, 32. 1913.
    and value, 1914, estimate, and comparison.
      F.B. 611, pp. 3, 29. 1914.
    and value, in Iowa, Delaware Co. Soil Sur.
      Adv. Sh. 1922, p. 6. 1925.
    and value, in Nebraska, Nance County.
      Soil Sur. Adv. Sh. 1922, pp. 230, 232. 1925.
    and yields in Iowa, Bremer County. Soil
      Sur. Adv. Sh., 1913, pp. 9, 17, 23, 29, 32, 36.
      1914. Soils F.O., 1913, pp. 1693, 1701, 1707,
      1713, 1716, 1720. 1916.
    yield, prices, and marketing, 1923. Y.B., 1923,
      pp. 696-707. 1924; Y.B. Sep. 899, pp. 696-707.
      1924.
  adaptability to—
    San Luis Valley, Colorado. Soils Cir. 52,
      pp. 22, 26. 1912.
    various States, yield, and value. News L.,
      vol. 4, No. 37, p. 1. 1917.
    western Kansas. Soil Sur. Adv. Sh., 1910, p.
      94. 1912; Soils F.O., 1910, p. 1432. 1912.
  adulteration and misbranding. See *Index, Notices of Judgment*, in bound volumes, and in separates published as supplements to Chemistry Service and Regulatory Announcements.
  alcohol manufacture, and value. F.B. 268,
    pp. 15-16. 1906.
  Algerian, cultivation. B.P.I. Bul. 80, p. 75.
    1905.
  alkali—
    resistance. B.P.I. Bul. 53, pp. 23, 115, 121.
      1904.
    tolerance. F.B. 446, rev., pp. 12, 13, 14, 16, 25.
      1920.
  American—
    chemical studies. J. A. Le Clerc and Robert
      Wahl. Chem. Bul. 124, pp. 75. 1909.
    description, areas where grown, and varieties.
      D.B. 183, pp. 27-28. 1915.
    valuation system, tentative. Chem. Bul. 124,
      pp. 27-29. 1909.
  analysis—
    as source of alcohol. F.B. 429, p. 16. 1911.
    comparison with oats and other grains. F.B.
      420, pp. 16, 18. 1910.
    discussion of results. Chem. Bul. 120, pp. 36-40,
      44, 58-61. 1909.
    methods, chemical, mechanical, and biological.
      Chem. Bul. 124, pp. 30-34. 1909.
  analytical key and description of seedlings.
    D.B. 461, pp. 27, 28. 1917.
  area and production, in various countries—
    1907-1911. Stat. Cir. 29, pp. 11-13. 1912.
    1911. Stat. Cir. 19, pp. 7-9. 1911; Stat. Cir.
      24, pp. 6, 9, 12-14. 1911.
  ash content of awn, rachis, palea, and kernel
    during growth and maturation. Harry V.
    Harlan and Merritt N. Pope. J.A.R., vol. 22,
    pp. 433-449. 1921.
  awnless—
    and hooded varieties, limitations in development. Harry V. Harlan and Stephen Anthony. J.A.R., vol. 19, pp. 431-472. 1920.
    definition. D.B. 622, p. 7. 1918.
  bacterial blight. L. R. Jones and others. J.A.R.,
    vol 11, pp. 625-643. 1917.
  bacterial blight, dry-heat treatment. J.A.R.
    vol. 18, p. 386. 1920.
  Bay Brewing, properties. Chem. Bul. 124,
    pp. 18, 50, 64-67. 1909.
  beardless—
    efforts to produce in Alaska by hybridization.
      Alaska A.R., 1909, p. 17. 1910.
    improved, development. O.E.S. An. Rpt.,
      1922, p. 26. 1924.

Barley(s)—Continued.
  beardless—continued.
    production and extension. An. Rpts., 1909,
      p. 299. 1910; B.P.I. Chief Rpt., 1909, p. 47.
      1909.
  bleached, and oats. F.I.D. 145, p. 1. 1912.
  bleaching with sulphur. B.P.I. Cir. 74, pp. 1-13.
    1911.
  bread—
    and cake recipes. Sec. Cir. 111, pp. 3-4. 1918.
    making, objections. F.B. 389, p. 14. 1910.
  breeding—
    Alaska, hybrids experimental growing. Alaska
      A.R., 1917, pp. 23, 46-49, 62, 86. 1919.
    and selection, studies by Dr. A. Mann. An.
      Rpts., 1908, p. 43, 394. 1909; B.P.I. Chief
      Rpt., 1908, p. 122. 1908; Sec. A.R., 1908,
      p. 41. 1908.
    and variety testing, and diseases, study. An.
      Rpts., 1919, pp. 151, 153, 169. 1920; B.P.I.
      Chief Rpt., 1919, pp. 15, 17, 33. 1919.
    relations of distinctions in varieties. Harry V.
      Harlan. D.B. 137, pp. 38. 1914.
  bushel weights—
    1918, Federal and State. Y.B. 1918, p. 723.
      1919; Y.B. Sep. 795, p. 59. 1919.
    1922. Y.B., 1922, p. 992. 1923; Y.B. Sep. 887,
      p. 992. 1923.
  California, production and value. F.B. 1240, p.
    2. 1924.
  Chevalier, introduction into United States, cost
    and results. B.P.I. Cir. 100, p. 21. 1912.
  Cheyenne farm experiments and results. O.E.S.
    Cir. 92, pp. 38-39. 1910.
  Chittyna variety, description use in hybridizing
    experiments. Alaska A.R., 1909, p. 17. 1910.
  classification—
    by length of internode in rachis spike, historical
      notes. D.B. 869, pp. 1-3. 1920.
    scheme, species and varieties, keys. D.B. 622,
      pp. 8-25. 1918.
    work of different investigators. D.B. 137, pp.
      3-4, 26-28. 1914.
  color—
    conditions in different varieties. D.B. 622, pp.
      7-8, 27. 1918.
    variations. studies. D.B. 137, pp. 30-34, 35-36.
      1914.
  comparison with—
    corn in fattening hogs. D.C. 275, p. 17. 1923.
    grain sorghums for malt. D.B. 1129, pp. 6-7.
      1922.
    oats, cost and value. M.C. 32, pp. 20-21.
      1924.
  constituents changed by malting. Chem. Bul.
    124, pp. 54-60, 74-75. 1909.
  consumption in world countries—
    1902-1911. Y.B. 1918, p. 684. 1919; Y.B. Sep.
      795 p. 20. 1919.
    1909-1918. Y.B. 1921, p. 580. 1922; Y.B. Sep.
      868 p. 74. 1922.
  content of manganese, and occurrence. J.A.R.
    vol. 5, No. 8, p. 353. 1915.
  cost of production per acre, and requirements
    by States. Stat. Bul. 48, pp. 40, 41, 83. 1936;
    Y.B. 1921, pp. 814, 822. 1922; Y.B. Sep. 876,
    pp. 11, 19. 1922; Y.B. 1922, pp. 553-556. 1923;
    Y.B. Sep. 891, pp. 553-556. 1923.
  crops—
    1866-1906, in U. S. Stat. Bul. 59, pp. 36. 1907.
    1899-1918, increase. News L., vol. 6, No. 27,
      p. 15. 1919.
    1909-1921, losses, extent and causes. Y.B. 1922,
      p. 634. 1923; Y.B. Sep. 881, p. 634. 1924.
    1910, amount and value, estimate. An. Rpts.,
      1910, p. 14. 1911; Sec. A.R., 1910, p. 14, 1910,
      Rpt. 93, pp. 11-12. 1911; Y.B. 1910, p. 14.
      1911.
    1911, amount and value, estimate. An. Rpts.,
      1911, pp. 17-18. 1912; Sec. A.R., 1911, pp. 15-
      16. 1911; Y.B. 1911, pp. 15-16. 1912.
    dry-farming methods, experiments. Y.B.
      1907, pp. 457-458, 459. 1908; Y.B. Sep. 461,
      pp. 457, 458, 459. 1908.
    extent of industry in Wisconsin, Fond du Lac
      County. Soil Sur. Adv. Sh., 1911, p. 10.
      1913; Soils F.O., 1911, p. 1428. 1914

Barley(s)—Continued.
  crops—continued.
    world, and production uses. F.B. 581, pp. 18-21. 1914.
    yield and water relations. D.B. 1340, pp. 17, 23. 1925.
  cropping and summer tillage, experiments, Great Plains area. B.P.I. Bul. 187, pp. 14-20. 1910.
  crossbreeding experiments in Alaska, Rampart station. Alaska A.R., 1910, p. 31. 1911; O.E.S. An. Rpt., 1912, pp. 17, 72. 1913.
  crosses, occurrence of fixed intermediate. J.A.R., vol. 19, pp. 575-592. 1920.
  cultivated—
    distinctions with reference to use in breeding. Harry V. Harlan. D.B. 137, pp. 38. 1914.
    variable factors. D.B. 622, pp. 5-8. 1918.
  cultivation—
    and utilization. Harry V. Harlan. F.B. 968, pp. 39. 1918.
    semiarid regions. B.P.I. Bul. 215, p. 33. 1911.
  culture—
    in Northern Great Plains. Mark Alfred Carleton. B.P.I. Cir. 5, pp. 12. 1908.
    in the United States, map. F.B. 1464, p. 5. 1925.
    uses and varieties. Harry V. Harlan. F.B. 1464, pp. 32. 1925.
  damage by black stem rust. Y.B. 1918, pp. 75, 76. 1919; Y.B. Sep. 796, 1918, pp. 3, 4. 1919.
  density variations in different varieties. D.B. 622, p. 8. 1918.
  development rate, study of variations. D.B. 137, pp. 5-13. 1914.
  difference in quality and price, and suggestion for improvement. Y.B. 1900, p. 136. 1901.
  digestion experiments. O.E.S. Bul. 159, pp. 146, 147, 149, 161-162, 181, 189, 197-198. 1905.
  diseases—
    attacking. F.B. 427, p. 13. 1910; F.B. 443, pp. 42-44. 1911; F.B. 1464, pp. 30-31. 1925.
    description and control. F.B. 968, pp. 35-37. 1918.
    in Texas, occurrence and description. B.P.I. Bul. 226, p. 46. 1912.
    losses and control measure. Y.B. 1917, pp. 75, 483-489. 1918; Y.B. Sep. 755, pp. 4-8. 1918.
  drought-resistant varieties for dry lands. B.P.I. Cir. 12, p. 4. 1908.
  dry farming in Nebraska, yields. D.C. 289, pp. 28, 29. 1924.
  dry-land—
    experiments, Huntley Project, yields, 1914-1920. D.C. 204, pp. 12-14, 15-16. 1921.
    rotation at Huntley Farm. D.C. 330, pp. 15-16. 1925.
  early sowing. News L., vol. 6, No. 40, p. 4. 1919.
  early varieties from Asia, growing in Alaska. Alaska A.R., 1909, p. 16. 1910.
  effect on—
    soils, graphs of seasonal studies. J.A.R. vol. 12, pp. 343-359. 1918.
    water extract of soil. J.A.R. vol. 20, pp. 663-667. 1921.
  entry regulations. F.H.B. Quar. 39, pp. 1-3. 1919.
  estimates, 1910-1922. M.C. 6, p. 8. 1923.
  experiments at—
    Akron, Colo. D.B. 402, pp. 28-31, 34. 1916; D.B. 1304, pp. 16-17. 1925.
    Cheyenne farm, varieties, seeding rate, date, and yield, 1913-1915. D.B. 430, pp. 30-33, 39. 1916.
    Copper Center Station, Alaska. O.E.S. An. Rpt., 1904, pp. 314-318. 1905.
    near Mandan, N. Dak. D.B. 1301, pp. 53-54, 69-70. 1925.
    Newlands Farm. D.C. 352, pp. 8-9. 1925.
  exports—
    1902-1904. Stat. Bul. 36, p. 58. 1905.
    1851-1905, from Russia. Stat. Bul. 66, p. 8. 1908.
    1864-1908. Stat. Bul. 75, p. 43. 1910.
    1906-1910, and imports. Y.B., Sep. 554, pp. 659, 669. 1911; Y.B. 1910, pp. 659, 669. 1911.
    1921. Y.B. 1921, p. 746. 1922; Y.B. Sep. 867, p. 10. 1922.
    1922-1924. Y.B. 1924, p. 1044. 1925.

Barley(s)—Continued.
  exports—continued.
    and imports, leading countries. Farm M. [Misc.], "Geography * * * world's agriculture," p. 41. 1918.
  extension program for Western States, report of subcommittee. D.C. 335, pp. 9, 13. 1924.
  farm prices. Y.B. 1901, p. 730. 1902; Y.B. 1902, p. 793. 1903; Y.B. 1903, p. 618. 1904; Y.B. 1904, p. 661. 1905.
  feed—
    adulteration and misbranding. See Indexes, Notices of judgment, in bound volumes and in separates published as supplements to Chemistry Service and Regulatory Announcements.
    for chickens. F.B. 287, p. 21. 1907.
    for fattening pigs, comparison with corn, experiments, Truckee-Carson project, 1917. W.I.A. Cir. 23, pp. 23-24. 1918.
    for hogs, experiments. D.R.P. Cir. 1, p. 10, 1915.
    for horses. F.B. 133, p. 29. 1901.
    for sows and pigs, comparison with corn. D.C. 147, pp. 15-16. 1921.
    value. F.B. 170, pp. 12, 13. 1903.
    value for pigs, compared with corn. B.A.I. Bul. 47, pp. 100-102. 1904.
  fertility—
    studies of varieties. D.B. 137, pp. 23-24. 1914; D.B. 622, pp. 6, 26. 1918.
    variations in different forms. D.B. 622, pp. 6, 26. 1918.
  fertilizer—
    sulphur, experiments. J.A.R. vol. 5, No. 6, pp. 237, 245. 1915.
    requirements. F.B. 968, pp. 12-14. 1918.
    tests. Soils Bul. 67, pp. 56-57. 1910.
    tests in Alaska. Alaska A.R., 1911, p. 40. 1912.
  flour, substitute for wheat. F.B. 968, pp. 6, 27-28. 1918; F.B. 1464, p. 22. 1925; Sec. Cir. 111, pp. 1-4. 1918.
  flowering glumes, variations. D.B. 137, pp. 24-26. 1914.
  foods—
    feeds, and feeding uses. Y.B. 1922, pp. 488-490. 1923; Y.B. Sep. 891, pp. 488-490. 1923.
    use. F.B. 249, p. 9. 1906.
    value as wheat substitute, studies. Work and Exp., 1918, p. 38. 1920.
  forecast—
    for world crop, September 1913. F.B. 558, pp. 10-11. 1913.
    general and by States, September 1913, prices. F.B. 558, pp. 10-11, 16. 1913.
  foreign types, collection. Off. Rec., vol. 3, No. 17, p. 4. 1924.
  forms and varieties, studies, review. D.B. 622, pp. 3-5. 1918.
  freezing point and sap density. J.A.R. vol. 13, pp. 500-504. 1918.
  freight rates from Pacific ports. Stat. Bul. 89, p. 66. 1911.
  fungi, isolation study, with wheat and oats. Edward C. Johnson. J.A.R. vol. 1, pp. 475-490. 1914.
  futures trading, Jan. 1, 1921-May 31, 1924. S.B. 6, pp. 6-15. 1924.
  Gatami, earliness and yield. An. Rpts., 1910, pp. 67, 313. 1911; B.P.I. Chief Rpt., 1910, p. 43. 1910; Sec. A.R., 1910, p. 67. 1910; Y.B. 1910, p. 66. 1911.
  germination—
    and growth, effect of alkali salts, studies. J.A.R., vol. 5, No. 1, pp. 13, 23, 31-35, 39, 41, 51. 1915.
    effect of hot-water treatment of seed. B.P.I. Bul. 152, pp. 21-24, 37-38. 1909.
    for malt. Chem. Bul. 102, p. 7. 1906.
    results of forcing methods. J.A.R., vol. 23, pp. 82, 84, 85, 87, 90, 93. 1923.
  glassy, studies. Chem. Bul. 124, pp. 11-13. 1909.
  glumes, variations. D.B. 622, pp. 6-7. 1918.
  grades, tests, new basis. B.P.I. Cir. 16, pp. 1-8. 1908.
  grain—
    crop, on peat lands of California. B.P.I. Cir., 23, p. 13. 1909.

Barley(s)—Continued.
  grain—continued.
    development studies. Harry V. Harlan and Stephen B. Anthony. J.A.R., vol. 19, pp. 393-472. 1920.
    morphology, with reference to its enzym-secreting areas. Albert Mann and H. V. Harlan. D.B. 183, pp. 32. 1915.
    green, effect on nitrate nitrogen in soil experiments. J.A.R., vol. 2, pp. 108-110. 1914.
    ground, prices at main markets. S.B. 11, pp. 85, 105-106. 1925.
  growing—
    economics, and comparisons with other grains. F.B. 968, pp. 6-10. 1918.
    experiments, at Williston station, 1908-1914, varieties and yields. D.B. 270, pp. 28-32, 33, 34, 35-36. 1915.
    extension. An. Rpts., 1913, p. 118. 1914; B.P.I. Chief Rpt., 1913, p. 14. 1913.
    for control of wild oats in wheat fields. F.B. 833, pp. 15-16. 1917.
    hand and machine labor, comparison, time, and cost. Stat. Bul. 94, pp. 60, 62. 1912.
    in Alaska—
      and hybridization. Alaska A.R., 1916, pp. 18, 29, 32, 42-43, 44, 67. 1918.
      at Fairbanks station. Alaska A.R., 1910, p. 36, 37, 55. 1911.
      at Rampart station. Alaska A.R., 1910, pp. 30-31. 1911.
      cause of light yield. Alaska A.R., 1911, p. 28. 1912.
      central part. Soil Sur. Adv. Sh., 1914, pp. 50, 57, 87, 148, 164. 1915; Soils F.O. 1914, pp. 84, 91, 121, 182, 198. 1919.
      progress. Alaska Cir. 1, p. 17. 1916; D.B. 50, pp. 11, 14, 17, 21-22. 1914.
      varieties, and hybrids. Alaska A.R., 1919, pp. 10, 34-36, 49, 51, 70. 1920; Alaska A.R., 1921, pp. 5, 19-20, 26-28, 40-42. 1923.
      varieties and yields—
        1912. Alaska A.R., 1912, pp. 34, 51, 60-62. 1913.
        1914. Alaska A.R., 1914, pp. 44-45, 60-61. 1915.
        1918. Alaska A.R., 1918, pp. 14-86. 1920.
    in America. D.B. 1334, pp. 2-13. 1925.
    in Arizona—
      Benson area. Soil Sur. Adv. Sh., 1921, pp. 252-254, 260-274. 1924.
      Yuma reclamation project, 1911-1918. D.C. 75, pp. 17-18. 1920.
    in California—
      El Centro area. Soil Sur. Adv. Sh., 1918, pp. 13, 15-16. 1922; Soils F.O., 1918, pp. 1641, 1643, 1644. 1924.
      Imperial Valley Brawley area. Soil Sur. Adv. Sh., 1920, pp. 649-654, 668-683, 690, 698. 1923; Soils F.O., 1920; pp. 649-654, 668-683, 690, 698. 1925.
      Merced area, increase and yields. Soil Sur. Adv. Sh. 1914, pp. 10, 12-13, 28, 34. 1916; Soils F.O., 1914, pp. 2790, 2792, 2814, 2849. 1914.
      San Diego Region. Soil Sur. Adv. Sh., 1915, pp. 13-14. 1915; Soils F.O., 1915, pp. 2517-2518. 1919.
      Santa Maria area. Soil Sur. Adv. Sh., 1916, pp. 10, 12, 34, 36, 45. 1919. Soils F.O., 1916, pp. 2539, 2560, 2562. 1921.
      varietal experiments. D.B. 1172, pp. 24-29, 33. 1923.
      Woodland area. Soil Sur. Adv. Sh., 1909, pp. 21, 22, 32, 35, 37, 41, 46, 50. 1911; Soils F.O., 1909, pp. 1651, 1652, 1662, 1665, 1667, 1671, 1676, 1680. 1912.
    in Colorado—
      experiments. D.B., 1287, pp. 44-48. 1925.
      farm practices (with other crops). D.B. 917, pp. 11-40. 1921.
      labor distribution and cost. D.B. 917, pp. 10, 11, 45. 1921.
    in Great Plains area, cultural methods and production. E. C. Chilcott and others. D.B. 222, pp. 32. 1915.
    in Idaho—
      dry farms, seeding time, and yield. F.B. 769, p. 22. 1916.

Barley(s)—Continued.
  growing—continued.
    in Idaho—Continued.
      Latch County. Soil Sur. Adv. Sh., 1919, pp. 11, 18, 23. 1917; Soils F. O., 1915, pp. 2185, 2192, 2197. 1919.
      Nez Perce and Lewis Counties. Soil Sur. Adv. Sh., 1917, pp. 12, 25-28. 1920; Soils F.O., 1917, pp. 2128, 2141, 2142, 2144, 2151. 1923.
      Twin Falls area. Soil Sur. Adv. Sh., 1921, p. 1380. 1925.
    in Iowa—
      Bremer County, Soil Sur. Adv. Sh. 1913, pp. 9, 17, 23, 29, 32, 36. 1914; Soils F.O. 1913, pp. 1693, 1701, 1707, 1713, 1716, 1720. 1915.
      Cedar County. Soil Sur. Adv. Sh., 1919, pp. 10, 11, 12. 1921. Soils F.O. 1919, pp. 1432, 1433, 1434. 1925.
      Dickinson County. Soil Sur. Adv. Sh., 1920; pp. 602-604, 615-632. 1923; Soils F.O. 1920, pp. 602-604, 615-632. 1925.
      Emmet County. Soil Sur. Adv. Sh., 1920, pp. 414, 415, 426-434. 1923; Soils F.O., 1920, pp. 414, 415, 426-434. 1925.
      Fayette County. Soil Sur. Adv. Sh., 1919, pp. 11, 12, 24, 27, 30, 38. 1922; Soils F.O., 1919; pp. 1465, 1466, 1478, 1481, 1484, 1492. 1925.
      Muscatine County, acreage and yields. Soil Sur. Adv. Sh., 1914, pp. 14, 16, 27, 33, 45-57. 1916; Soils F.O., 1914; pp. 1832-1836, 1847-1875. 1919.
      Palo Alto County. Soil Sur. Adv. Sh., 1918, pp. 11. 13. 22. 24. 25. 27. 1921; Soils F.O., 1918, pp. 1139, 1141, 1150, 1152, 1153, 1155. 1924.
      Scott County. Soil Sur. Adv. Sh., 1915, pp. 10, 11, 13, 21, 25. 1917; Soils F.O., 1915, pp. 1713, 1715, 1723, 1727, 1743. 1919.
      Sioux County. Soil Sur. Adv. Sh., 1915, pp. 13, 21. 1917; Soils F.O., 1915, pp. 1755, 1763. 1919.
    in Kentucky, increase under demonstration work. Y.B., 1915, p, 231. 1916; Y.B. Sep. 672, p. 231. 1916.
    in Minnesota—
      Goodhue County, acreage and yield. Soil Sur. Adv. Sh., 1913, pp. 10, 17, 19, 33. 1915; Soils F.O., 1913, pp. 1663, 1664, 1667, 1671, 1673. 1916.
      Stevens County. Soil Sur. Adv. Sh., 1919, pp. 10, 11, 21, 23, 27, 29, 31. 1922; Soils F.O., 1919, pp. 1382, 1383, 1393, 1395, 1399, 1401, 1403. 1925.
    in Missouri, Buchanan County. Soil Sur. Adv. Sh., 1915, p. 12. 1917; Soils F.O., 1915, p. 1816. 1919.
    in Montana—
      dry lands, varieties and methods. F.B. 749, pp. 17-19. 1916.
      experiments at Judith Basin Substation. D.B. 398, pp. 31-34. 1916.
    in Nebraska—
      Chase County. Soil Sur. Adv. Sh., 1917, pp. 14, 20, 27, 45, 51, 60. 1919; Soils F.O., 1917, pp. 1799, 1800, 1813, 1817, 1818, 1822, 1824, 1835, 1837, 1840, 1842, 1844, 1846, 1850. 1923.
      Dawson County. Soil Sur. Adv. Sh., 1922, pp. 398, 401. 1925.
      irrigation and dry farming, results. D.C. 173, pp. 29-31, 32-34. 1921.
      irrigation experiments. D.B. 133, pp. 8-9, 14. 1914.
      North Platte Reclamation Project, statistics. D.C. 173, pp. 8, 9. 1921.
      Thurston County. Soil Sur. Adv. Sh., 1914, pp. 12, 23, 39, 43. 1916; Soils F.O., 1914, pp. 2220, 2231-2247. 1919.
      varieties and yields, 1913. B.P.I. Doc. 1081, pp. 12-13. 1914.
      Washington County. Soil Sur. Adv. Sh., 1915; pp. 13, 26. 1917; Soils F.O. 1915, pp. 2067, 2091. 1919.
    in Nevada on alkali land, experiments. D.C. 136, p. 18. 1920.

Barley(s)—Continued.
  growing—continued.
    in New York, Jefferson County, early importance and decline. Soil Sur. Adv. Sh., 1911, p. 16. 1913; Soils F.O., 1911, p. 106. 1914.
    in North Central States, protein content, comparison with other States. Chem. Bul. 124, pp. 35–37. 1909.
    in North Dakota—
      acreage, 1891–1916. D.B. 757, pp. 1, 6, 7. 1919.
      Bottineau County. Soil Sur. Adv. Sh., 1915, pp. 11, 20–27. 1917; Soils F.O., 1915, pp. 2135, 2147, 2149, 2151, 2166. 1919.
      date of various operations. D.B. 757, pp. 25–26. 1919.
      Dickey County, yields. Soil Sur. Adv. Sh., 1914, pp. 11, 13, 23–49. 1916; Soils F.O., 1914, pp. 2419, 2427–2459. 1919.
      Lamoure Company, seeding and yields. Soil Sur. Adv. Sh., 1914, pp. 13, 15, 22–29, 44. 1917; Soils F.O., 1914, pp. 2369, 2379–2405. 1919.
      Sargent County. Soil Sur. Adv. Sh., 1917, pp. 13, 20–35. 1920; Soils F.O., 1917, pp. 2009, 2011, 2019, 2020, 2027, 2028, 2029, 2033, 2035. 1923.
      Traill County. Soil Sur. Adv. Sh., 1918, pp. 11, 13, 24–44. 1920; Soils F.O., 1918, pp. 1367, 1369, 1380–1400. 1924.
      western part, and Montana. F.B. 878, pp. 18–19. 1917.
      yields, 1891–1916, and factors affecting. D.B. 757, pp. 27–33. 1919.
    in Oregon, central part, varieties and methods. F.B. 800, pp. 20–21. 1917.
    in Palestine, varieties, growth, annual export, and value. B.P.I. Bul. 180, p. 32. 1910.
    in South Dakota—
      acreage, production, and yield. D.C. 60, pp. 5–6, 10. 1919.
      Beadle County. Soil Sur. Adv. Sh., 1920, p. 1479. 1924; Soils F.O., 1920, p. 1479. 1925.
      experiments. D.B. 39, pp. 28–36. 1914; D.B. 297, pp. 34–38. 1915.
      western part, and yields. F.B. 1163, pp. 6–8, 11–13. 1920.
      western part, crops, 1904. Soil Sur. Adv. Sh., 1909, pp. 68, 69. 1911; Soils F.O., 1909, pp. 1464, 1465. 1912.
    in Southern States. H. B. Derr. F.B. 427, pp. 16. 1910.
    in Texas—
      Denton County. Soil Sur. Adv. Sh., 1918, pp. 7, 8, 11, 27. 1922; Soils F.O., 1918, pp. 780, 783, 829. 1924.
      Panhandle, yields, and seeding rate and date. F.B. 738, p. 14. 1916.
    in Utah dry lands. F.B. 883, pp. 19–20. 1917.
    in Wisconsin—
      Buffalo County, acreage and yields. Soil Sur. Adv. Sh., 1913, pp. 11, 20, 26, 30, 32, 33, 35, 39, 40. 1915; Soils F.O., 1913, pp. 1447–1448, 1456, 1462, 1468, 1471, 1475, 1476. 1916.
      Dane County, soils, methods and yields. Soil Sur. Adv. Sh., 1913, pp. 13, 32, 67. 1915; Soils F.O., 1913, pp. 1495, 1508, 1547. 1916.
      Fond du Lac County, yields. Soil Sur. Adv. Sh., 1911, pp. 10, 20–36. 1913; Soils F.O., 1911, pp. 1428, 1438–1454. 1914.
      Jackson County. Soil Sur. Adv. Sh., 1918, pp. 9, 12, 17, 21, 26, 27, 31, 43. 1922; Soils F.O., 1918, pp. 945, 948, 953, 957, 962, 963, 967, 979. 1924.
      Jefferson County, history, and recent decline. Soil Sur. Adv. Sh., 1912, pp. 10, 13, 24, 32, 37, 38, 50. 1914; Soils F.O., 1912, pp. 1560, 1561, 1563, 1578, 1580, 1582, 1585, 1587, 1588, 1600. 1915.
      Kewaunee County, yields. Soil Sur. Adv. Sh., 1911, pp. 11, 20–37. 1913; Soils F.O., 1911, pp. 1519, 1528–1545. 1914.
      La Crosse County, yields. Soil Sur. Adv. Sh., 1911, pp. 10, 26, 29, 36, 38. 1913; Soils F.O., 1911, pp. 1565, 1566, 1574, 1585, 1599. 1914.

Barley(s)—Continued.
  growing—continued.
    in Wisconsin—Continued.
      north central, reconnaissance. Soil Sur. Adv. Sh., 1915, pp. 16, 17, 64. 1917; Soils F.O., 1915, pp. 1596, 1644. 1921.
      northern part, reconnaissance. Soil Sur. Adv. Sh., 1914, pp. 20, 21, 43, 57, 68, 75. 1916; Soils F.O., 1914, pp. 1670, 1671, 1693, 1707, 1710, 1718. 1919.
      Rock County. Soil Sur. Adv. Sh., 1917, pp. 9, 19, 47. 1920; Soils F.O., 1917, pp. 1187, 1198, 1200, 1202, 1205, 1207, 1209, 1215, 1217, 1219, 1222, 2228. 1923.
      Wood County. Soil Sur. Adv. Sh., 1915, pp. 10, 11, 21, 50. 1917; Soils F.O., 1915, pp. 1542, 1543, 1553, 1582. 1919.
    in Wyoming—
      experiments. D.B. 1306, pp. 9–11, 13–14, 17–18, 21, 22, 29–30. 1925.
      southeast, experiments. D.B. 1315, pp. 10–11. 1925.
    labor and seed requirements on farms in southwestern Minnesota. D.B. 1271, pp. 29–32. 1924.
    labor and seed requirements on farms in various States. D.B. 1000, pp. 36–38. 1921.
    on Arlington Experimental Farm, varieties and yields. D.B. 1309, pp. 23–26. 1925.
    on Miami soils, yields. D.B. 142, pp. 25, 39, 49, 55. 1914.
    on rice land, practices. F.B. 1240, p. 5. 1924.
    on Yuma project, acreage, yield, value, in 1919–1920. D.C. 221, pp. 7, 9, 10. 1922.
    seed-bed requirements. Y.B., 1922, p. 555. 1923; Y.B. Sep. 891, p. 555. 1923.
    the crop. H.B. Derr. F.B. 443, pp. 48. 1911.
    with crimson clover, yield, experiment. F.B. 550, p. 14. 1913.
    with oats. F.B. 424, pp. 12–13. 1910.
    work of county agents, North and West. S.R.S. Rpt., 1918, Pt. I, p. 83. 1919.
  growth—
    effect of—
      alkali salts. B.P.I. Bul. 134, pp. 1–19. 1908.
      manures treated with borax and colemanite. J.A.R., vol. 13, pp. 453–455. 1918.
      mineral phosphates, analyses and notes. J.A.R., vol. 6, No. 13, pp. 494, 495. 1916.
      temperatures, minimum, optimum, and maximum. J.A.R., vol. 13, p. 133. 1919.
  Hanna, yield per acre, western North and South Dakota. B.P.I. Cir. 59, pp. 18, 19, 20. 1910.
  Hannchen—
    kennel development daily, studies at Aberdeen, Idaho. Harry V. Harlan. J.A.R., vol. 19, pp. 393–430. 1920.
    tests, description, and yields. D.B. 39, pp. 29–33, 35–36. 1914.
  harvesting. F.B. 1464, p. 17. 1925.
  harvesting, shocking, stacking, and threshing. F.B. 968, pp. 21–24. 1918.
  hauling from farm to shipping points, costs. Stat. Bul. 49, pp. 17–18, 36. 1907.
  Hawaii, insects injurious. Hawaii A.R., 1910, p. 22. 1911.
  hay, green manure, effect on soil ammonia. J.A.R., vol. 9, pp. 188, 189. 1917.
  hog pasture, value. D.B. 68, pp. 8–9, 15, 20, 23, 24, 25, 27. 1914.
  holdings—
    June 1, 1918. News L., vol. 5, No. 51, p. 11. 1918.
    October 1, 1918, food survey estimates, with comparisons. News L., vol. 6, No. 14, p. 2. 1918.
  hooded—
    definition. D.B. 622, p. 7. 1918.
    value as crop. F.B. 427, p. 4. 1910.
  hull-less—
    importations from China. Inv. Nos. 31793–31796. B.P.I. Bul. 248, pp. 7, 48. 1912.
    introduction. B.P.I. Bul. 176, p. 26. 1910.
  hybrid—
    Alaska, list and description. Alaska A.R., 1912, p. 62. 1913.
    production in Alaska. Alaska A.R., 1908, pp. 17, 49. 1909.

Barley(s)—Continued.
  hybrid—continued.
    study and experiments. B.P.I. Bul. 274, pp. 24, 29. 1913.
  identification of varieties. D.B. 1334, pp. 13-14. 1925.
  importance—
    and outlook, by States, discussion. Y.B., 1922, 486-500. 1923; Y.B. Sep. 891, pp. 486-500. 1923.
    as grain crop. D.B. 222, p. 3. 1915.
  importations and description. Nos. 30393, 30420, 30430-30432, B.P.I. Bul. 233, pp. 83, 86, 87. 1912; No. 34314, B.P.I. Inv. 32, p. 34. 1914; Nos. 37706-37707, 37968, 38057-38062, 38302-38326, 38484-38485, 38490, B.P.I. Inv. 39, pp. 24, 25, 73, 85, 115, 136, 137. 1917; Nos. 39363, 39365-39368, 39395-39411, 39460-39462, 39494-39531, 39590-39592, B.P.I. Inv. 41, pp. 5, 18, 19, 24, 31, 35, 47. 1917; Nos. 40645-40649, 40652, B.P.I. Inv. 43, pp. 6, 60, 61. 1918; Nos. 42061, 42092-42101, B.P.I. Inv. 46, pp. 51, 57. 1919; Nos. 42732, 42888-42891, B.P.I. Inv. 47, pp. 57, 79. 1920; Nos. 45366, 45459-45463, 45492, B.P.I. Inv. 53, pp. 33, 37, 40. 1922; Nos. 48077-48080, 48084, 48121-48144, 48194, 48195, B.P.I. Inv. 60, pp. 39, 41, 42, 45-47, 55. 1922; Nos. 51209, 51229, B.P.I. Inv. 64, pp. 75, 78. 1923; Nos. 51415, 52167, B.P.I. Inv. 65, pp. 15, 72. 1923; Nos. 52517-52519, 52618, 52823-52825, 52838-52840, B.P. I. Inv. 66, pp. 37, 52, 81, 82. 1923; Nos. 53057, 53102-53105, 53147, 53239, B.P.I. Inv. 67, pp. 24, 27, 32, 42. 1923; Nos. 54742, 54911-54917, B.P.I. Inv. 70, pp. 15, 28. 1923.
  imports—
    by Germany before the war. Y.B. 1919, p. 66. 1920; Y.B. Sep. 801, p. 66. 1920.
    1907-1909, quantity and value, by countries from which consigned. Stat. Bul. 82, p. 43. 1910.
    1911-1920, of world countries. Y.B., 1921, p. 558. 1922; Y.B. Sep. 868, p. 52. 1922.
    entry regulations under Plant Quarantine No. 39, and forms. F.H.B.S.R.A. 64, pp. 78-81. 1919.
  improvement—
    and valuation, new basis. Albert Mann. B.P.I. Cir. 16, pp. 8. 1908.
    by culture, possibility. D.B. 183, pp. 28-30. 1915.
  increase in importance. Off. Rec., vol. 2, No. 27, p. 2. 1923.
  infection with—
    rust, sizes of urediniospores. J.A.R., vol. 16, pp. 52-63, 68. 1919.
    Ustilago nuda through seed inoculation. W. H. Tisdale and V. F. Tapke. J.A.R., vol. 29, pp. 263-284. 1924.
  infestation by—
    Angoumois grain moth. F.B. 1156, pp. 7, 9. 1920.
    jointworm. D.B. 808, pp. 11-13. 1920.
    wheat-gall nematode. J.A.R., vol. 27, pp. 934-935. 1924.
  influence on bacon. B.A.I. Bul. 47, p. 216. 1904.
  inheritance of botanical characters. Fred Griffee. J.A.R., vol. 30, pp. 915-935. 1925.
  injury by—
    corn leaf aphis. An. Rpts. 1911, p. 516. 1912; Ent. A. R. 1911, p. 26. 1911.
    European fruit fly. J.A.R., vol. 18, pp. 451, 466. 1920.
    flea beetle. D.B. 436, pp. 5, 21. 1917.
    Helminthosporium spp. J.A.R., vol. 24, pp. 642, 650-663, 691-693, 701, 704. 1923.
  inoculation with—
    bacterial blight, experiments. J.A.R., vol. 11, pp. 637-638. 1917.
    cereal fungi, experiments. J.A.R., vol. 1, pp. 476-481. 1914.
    Puccinia graminis, experiments. J.A.R., vol. 4, pp. 194-198. 1915.
    timothy rust, experiments. J.A.R., vol. 5, No. 5, pp. 211-215. 1915.
    wheat-nematode larvae, result. D.B. 842, p. 28. 1920.
  insects—
    attacking. F.B. 427, pp. 13-14. 1910.
    attacking growing stems. Ent. Bul. 42, pp. 7-62. 1903.

Barley(s)—Continued.
  introduction into United States, types, adaptability to various areas. F.B. 443, pp. 8-11. 1911.
  investigations, 1911, new varieties, and strains. An. Rpts., 1911, pp. 290-291. 1912; B.P.I. Chief Rpt., 1911, pp. 42-43. 1911.
  irrigation—
    cost per acre, Colorado. O.E.S. Bul. 218, p. 41. 1910.
    experiments California. O.E.S. Cir. 108, pp. 17-18. 1911.
    experiments, 1910-1912, yield, and value. D.B. 10, pp. 10-13. 1913.
    experiments, comparison with summer fallowing. O.E.S. Cir. 95, pp. 3, 6, 7. 1910.
    in Colorado, 1916, 1917. D.B. 1026, pp. 65, 84. 1922.
    in southern Idaho. F.B. 1103, pp. 24-26. 1920.
  kernels—
    development—
      effect of time of irrigation. Harry V. Harlan and Stephen Anthony. J.A.R., vol. 21, pp. 29-45. 1921.
      in Hannchen variety, studies at Aberdeen, Idaho. Harry V. Harlan. J.A.R., vol. 19, pp. 393-430. 1920.
      in normal and clipped spikes limitations of awnless and hooded varieties. Harry V. Harlan and Stephen B. Anthony. J.A.R., vol. 19, No. 9, pp. 431-472. 1920.
    variations, studies. D.B. 137, pp. 4, 28-30, 35. 1914.
    water content during growth and maturation. H. V. Harlan and Merritt N. Pope. J.A.R., vol. 23, pp. 333-360. 1923.
  kinds, classification, and locality. Chem. Bul. 124, pp. 17-19, 27. 1909.
  Kitzing tests, description, and yield. D.B. 39, pp. 29-33, 36. 1914.
  leaching experiment, for plant-food loss determination. Y.B., 1908, p. 396. 1909; Y.B. Sep. 489, p. 396. 1909.
  leaf—
    characteristics and variations, studies. D.B. 137, pp. 13-16, 35. 1914.
    miner, spike-horned occurrence. D.B. 432, pp. 3, 4, 8, 9. 1916.
  rusts—
    control. An. Rpts., 1919, pp. 169-170. 1920; B.P.I. Chief Rpt., 1919, pp. 33-34. 1919.
    Puccinia anomala, aecial stages. J.A.R., vol. 28, pp. 1119-1126. 1924.
    variations, studies. D.B. 137, pp. 13-16, 35. 1914.
  localities adapted to, and relative importance. F.B. 1289, pp. 5, 20, 21, 29. 1923.
  losses—
    causes and extent, 1909-1920. Y.B., 1921, p. 557. 1922; Y.B. Sep. 868, p. 51. 1922.
    from black stem rust in 1919. D.C. 188, p. 4. 1921.
    from diseases. Off. Rec., vol. 2, No. 5, p. 4. 1923.
    from diseases, 1917-1921. Y.B., 1922, pp. 496-497. 1923; Y.B. Sep. 891, pp. 496-497. 1923.
    from specified causes in various localities, 1909-1918. D.B. 1043, pp. 6, 8, 10. 1922.
    of soil constituents during growth. J.A.R., vol. 18, pp. 62-65. 1919.
  malting operations, and changes in composition. Chem. Bul. 130, pp. 38-42. 1910.
  Manchurian—
    awn removal, effect on development, experiments. J.A.R., vol. 19, pp. 432-454. 1920.
    testing in breeding experiments. D.B. 137, pp. 9-25. 1914.
  manures and fertilizers. F.B. 1464, pp. 9-10. 1925.
  market statistics, prices, imports, and exports, 1910-1921. D.B. 982, pp. 195-199. 1921.
  marketing—
    bibliography. M.C. 35, p. 19. 1925.
    grades and types, quality variations. Y.B. 1922, pp. 497-498. 1923; Y.B. Sep. 891, pp. 497-498. 1923.

Barley(s)—Continued.
  Nepal, description, value for hogging down, in dry farming. F.B. 749, pp. 19, 22. 1916.
  net blotch, cause, description, and control. J.A.R. vol. 24, pp. 642, 656–663. 1923.
  new varieties, description. B.P.I. Bul. 207, p. 48. 1911; B.P.I. Bul. 208, pp. 39–40, 48, 56. 1911.
  nitrogen content, studies. Chem. Bul. 124, pp. 8–17. 1909.
  nurse crop—
    for clover. F.B. 405, p. 12. 1910.
    uses. F.B. 518, pp. 16–17. 1912.
  nutritive value as dairy feed. F.B. 743, p. 17. 1916.
  occurrence of ray fungus, cause of actinomycosis. B.A.I. [Misc.], "Diseases of cattle," rev., pp. 447, 453. 1912.
  Odessa—
    testing in breeding experiments. D.B. 137, pp. 10–25. 1914.
    tests, description, and yields, in South Dakota, experiments. D.B. 39, pp. 29–33, 34–35. 1914.
  origin, history, characteristics, and types. F.B. 443, pp. 3–8. 1911.
  pasturing with hogs, experiments. D.B. 1143, pp. 3, 4, 6, 8, 10, 13, 14, 16, 19. 1923; D.C. 204, pp. 18–19. 1921; D.C. 330, pp. 19–20. 1925.
  pearled, use. F.B. 1464, pp. 21, 22. 1925.
  planting—
    and harvesting dates, by season and by States. Stat. Bul. 85, pp. 62–71, 126–127. 1912.
    dates, by States. Y.B., 1922, pp. 989–990. 1923; Y.B. Sep. 887, pp. 989–990. 1923.
    intentions and outlook for 1924. M.C. 23, pp. 2, 4, 10. 1924.
    preparation of seed, control of disease. F.B. 554, p. 7. 1914.
  poisoned, use in—
    control of forest rodents. For. Bul. 98, pp. 37, 38. 1911.
    destruction of ground squirrels, preparation. Biol. Cir. 76, pp. 9–12, 13–14. 1910.
  pollen, germination. Stephen Anthony and Harry V. Harlan. J.A.R. vol. 18, pp. 525–536. 1920.
  position and rank in American agriculture. Y.B. 1922, pp. 470, 565–566. 1922; Y.B. Sep. 891, pp. 470, 565–566. 1923.
  pot culture in manganiferous soils. Hawaii Bul. 26, pp. 26, 34. 1912.
  prices, farm and mill, Mar. 1, 1915, by States. F.B. 665, p. 18. 1915.
  production—
    and portion fed. Y.B., 1923, pp. 335–336. 1924; Y.B. Sep. 895 pp. 335–336. 1924.
    and value, 1908. Y.B., 1908, pp. 12. 1909.
    and value, 1913. An. Rpts., 1913, pp. 55, 56. 1914; Sec. A.R., 1913, pp. 53, 54. 1913; Y.B., 1913, pp. 67, 69. 1914.
    and value, 1914–15. An. Rpts., 1915, pp. 3, 4, 5. 1916; Sec. A.R., 1915, pp. 5, 6, 7. 1915.
    and value, 1917. News L., vol. 5, No. 35, p. 6. 1918.
    cost. F.B. 968, pp. 24–26. 1918; F.B. 1464, pp. 19–21. 1925; Stat. Bul. 73, pp. 29–30. 1909.
    factors affecting, and changes in location, 1839–1919. Y.B., 1922, pp. 490–497. 1923. Y.B., Sep. 891, pp. 490–497. 1923.
    imports and exports, annual and average, by countries. Stat. Cir. 31, pp. 13, 29, 30. 1912.
    in European countries, 1883–1906, tables. Stat. Bul. 68, pp. 27–29, 35–37, 50–99. 1908.
    in European countries, 1913, comparison with 1912. News L., vol. 1, No. 18, p. 4. 1913.
    in Russia, 1901–1910, area, yields, comparisons. Stat. Bul. 84, pp. 8–98. 1911.
    in Southern States, 1909, table. F.B. 427, p. 3. 1910.
    per acre, increase since 1886. An. Rpts., 1910, p. 711. 1911; Stat. A.R., 1910, p. 21, 1910.
    regions. F.B. 1464, pp. 2–3. 1925.
  protein content—
    analyses, A.O.A.C. report, 1903. Chem. Bul. 81, pp. 97–98. 1904.
    relation to brewing value, studies. Chem. Bul. 124, pp. 8–17, 35–42. 1909.
  rations for farm animals. News L., vol. 7, No. 7, p. 3. 1919.
  regions, United States, climatic and soil variations, map. F.B. 968, pp. 4–5, 30–35. 1918.

Barley(s)—Continued.
  resistance to—
    alkali. Soils Bul. 35, pp. 40, 50, 55, 104, 114, 123. 1906.
    Hessian-fly injury. J.A.R., vol. 12, pp. 522–527. 1918.
  roguing for prevention of loose smut. B.P.I. Bul. 152, pp. 20, 34–37. 1909.
  rolling for feed. F.B. 968, p. 29. 1918.
  root-knot resistant crop. News L., vol. 2, No. 40, p. 6, 1915.
  rotation with—
    beet crop, result of experiment. Rpt. 92, p. 23. 1910.
    other crops, experiments, and yields. F.B. 443, pp. 16–19. 1911.
  rust—
    danger. F.B. 1464, p. 30. 1925.
    varieties, description. F.B. 443, pp. 44–45. 1911.
  seed—
    advice to farmers. News L., vol. 4, No. 22, p. 8. 1917.
    amount per acre. F.B. 427, pp. 9–10. 1910.
    amount per acre, dry lands. B.P.I. Cir. 59, pp. 6–7, 20. 1910.
    bed, preparation and planting. F.B. 518, pp. 11–13. 1912; F.B. 1464, pp. 11–13. 1925.
    desiccation, and germination tests. J.A.R., vol. 14, pp. 527–531. 1918.
    disinfection. F.B. 1464, p. 31. 1925.
    effect of disinfectants. B.P.I. Cir. 67, pp. 6–9. 1910.
    electrochemical treatment, results. D.C. 305, pp. 2–3. 1924.
    hot-water treatment for smut, directions. B.P.I. Bul. 152, pp. 39–41. 1909.
    importations, Jan. 1 to March 31, 1914. Nos. 36939, 37031, 37156, B.P.I. Inv. 38, pp. 6, 11, 29, 44. 1917.
    infection with bacterial blight, cause of spread of disease. J.A.R. vol. 11, pp. 640–641. 1917.
    inoculation with *Ustilago nuda*. W. H. Tisdale and V. F. Tapke. J.A.R., vol. 29, pp. 263–284. 1924.
    pedigreed, growing centers in Wisconsin. O.E.S. An. Rpt., 1910, pp. 66, 264. 1911.
    planting dates and rate, Colorado. D.B. 917, p. 21. 1921.
    preparation, testing, and sowing. F.B. 518, pp. 12–13. 1912.
    pure, introduction and distribution. F.B. 443, pp. 45–46. 1911.
    quality and source. F.B. 1464, pp. 10–11. 1925.
    selection and rate, and method of planting. F.B. 968, pp. 14, 17–21, 35. 1918.
    selection and sowing. F.B. 427, pp. 9–10. 1910.
    separation by specific gravity method. H. B. Derr. B.P.I. Cir. 62, pp. 6. 1910.
    source. F.B. 1464, p. 29. 1925.
    supply for the United States. Y.B., 1917, pp. 506–507. 1918; Y.B. Sep. 757, pp. 12–13. 1918.
    testing, directions. F.B. 428, p. 45. 1911.
    treatment—
      by dry heat, experiments. J.A.R. vol. 18, pp. 381–388. 1920.
      of smut. F.B. 968, p. 37. 1918.
    winter improvement by selection. F.B. 518, pp. 17–18. 1912.
  seeding—
    date and rate, Montana dry lands. F.B. 749, pp. 19, 22. 1916.
    rate and methods, and date. F.B. 968, pp. 17–21. 1918.
  shipments, Pacific ports, foreign and domestic trade. Stat. Bul. 89, pp. 14–15, 29–33, 35–36, 37, 38. 1911.
  six-row, protein content. Chem. Bul. 124, pp. 8, 18, 34–42, 47–53, 58–67. 1909.
  six-row, two-row, and naked, varietal tests. D.B. 336, pp. 42–49. 1916.
  small-berried, diastatic power and high nitrogen content. D.B. 183, pp. 19–21, 28, 31. 1915.
  smut—
    control—
      methods, experiments in Texas. B.P.I. Bul. 283, p. 69. 1913.
      treatment. F.B. 419, p. 16. 1910; F.B. 1464, pp. 30–32. 1925.

Barley(s)—Continued.
  smut—continued.
    varieties, description. F.B. 443, pp. 42–43. 1911; F.B. 507, pp. 8–32. 1912; F.B. 939, pp. 11, 15–24. 1918; F.B. 968, pp. 36–37. 1918.
  smutty, adulteration. Chem. S.R.A. 14, p. 11. 1915.
  sowing—
    and harvesting, average date, by States. Y.B., 1910, pp. 490, 491, 492. 1911.
    dates, by States. Y.B., 1921, pp. 775–776. 1922; Y.B. Sep. 871, pp. 6–7. 1922.
    with oats, methods, studies. F.B. 443, p. 42. 1911.
  spike—
    density, inheritance studies. D.B. 869, pp. 126. 1920.
    density variations, studies. D.B. 137, pp. 4, 16–22, 35. 1914.
    length of internode in rachis, inheritance. H. K. Hayes and Harry V. Harlan. D.B. 869, pp. 26. 1920.
  spring—
    early sowing in Pacific Northwest, importance. News L., vol. 4, No. 37, p. 4. 1917.
    growing at Rampart station, Alaska. Alaska A.R., 1910, pp. 45–48, 49. 1911.
    value as crop, in South. F.B. 427, pp. 4–5, 11. 1910.
    varietal experiments in Texas. B.P.I. Bul. 283, pp. 28, 57–58, 77, 79. 1913.
    varieties for semiarid areas. D.B. 1334, pp. 157–158. 1925.
    varieties, testing, at Moro, Oreg., 1911–1915. D.B. 498, pp. 31–35, 37. 1917.
  starch, microscopical examinations. Chem. Bul. 130, p. 136. 1910.
  statistics—
    acreage, production, prices, exports and imports—
      1905. Y.B., 1905, pp. 681–687. 1906.
      1906. Y.B., 1906, pp. 568–575. 1907; Y.B., 436, pp. 568–575. 1907.
      1907. Y.B., 1907, pp. 634–640, 742, 751. 1908; Y.B. Sep. 465, pp. 742, 751. 1908.
      1909. Y.B., 1909, pp. 467–468. 1910; Y.B. Sep. 524, pp. 467–468. 1910.
      1910. Y.B., 1910, pp. 532–540, 659, 669. 1911; Y.B. Sep. 553, pp. 532–540, 659, 669. 1911.
      1911. Y.B., 1911, pp. 548–555, 663, 672. 1912; Y.B. Sep. 587, pp. 558–555. 1912; Y.B. Sep. 588, pp. 663,672. 1912.
      1912. Y.B., 1912, pp. 589–596, 720, 731. 1913; Y.B. Sep. 614, pp. 589–596. 1915; Y.B. Sep. 615, pp. 720, 731. 1913.
      1913. Y.B., 1913, pp. 394–399, 504. 1914; Y.B. Sep. 630, pp. 394–399. 1914; Y.B. Sep. 631, p. 504. 1914.
      1914. Y.B., 1914, pp. 541–547, 649, 662. 1915; Y.B. Sep. 654, pp. 541–547. 1915; Y.B. Sep. 656, p. 649. 1915; Y.B. Sep. 657, p. 662. 1915.
      1915. Y.B., 1915, pp. 437–444, 551. 1916; Y.B. Sep. 682, pp. 437–444. 1916; Y.B. Sep. 685, p. 551. 1916.
      1916. Y.B., 1916, pp. 587–594, 718. 1917; Y.B. Sep. 719, pp. 27–34. 1917; Y.B. Sep. 722, p. 12. 1917.
      1917. Y.B., 1917, 631–638. 1918; Y.B. Sep. 759, pp. 28–34. Y.B. Sep. 762, p 15. 1918.
      1918. Y.B., 1918, pp. 482–489, 639. 1919; Y.B. Sep. 791, pp. 36–43. 1919; Y.B. Sep. 794, p. 15. 1919.
      1919. Y.B., 1919, pp. 539–546, 564, 566, 694. 1920; Y.B. Sep. 826, pp. 539–546, 564, 566. 1920; Y.B. Sep. 829, p. 694. 1920.
      1920 Y.B., 1920, pp. 45–54. 1921; Y.B. Sep. 861, pp. 576–585. 1921.
      1921. Y.B., 1921, pp. 71, 72, 74, 552–558, 580. 1922; Y.B. Sep. 868, pp. 46–52, 74. 1922; Y.B. Sep. 875, pp. 71, 72, 74. 1922.
      1922. Y.B., 1922, pp. 69, 70, 73, 489–490, 629–636. 1923; Y.B. Sep. 891, pp. 489–490. 1923; Y.B. Sep. 881, pp. 629–636. 1923.
      1923. An. Rpts., 1923, pp. 90, 91, 92. 1924; Sec. A.R., 1923, pp. 90, 91, 92. 1923.
      1924. Y.B., 1924, pp. 630–639, 1044. 1925.
    acreage, yields, nutritive value, and costs. F.B. 968, pp. 6–10, 16, 25. 1918.

Barley(s)—Continued.
  statistics—continued.
    for Hungary, pre-war and 1921–22. D.B. 1234 pp. 22–24, 42. 1924.
    for Yugoslavia. D.B. 1234, pp. 95–96, 99, 101, 104–109. 1924.
    foreign countries, 1908–1912. Stat. Cir. 45, pp. 11–14. 1913.
    graphic showing of average production, United States. Stat. Bul. 78, p. 19. 1910.
    graphic showing of average production, world. Stat. Bul. 78, p. 57. 1910.
    production, acreage, yields, value, and costs. F.B. 968, pp. 6–10, 16, 25. 1918.
    receipts and shipments at trade centers. Rpt. 98, pp. 287, 293–297. 1913.
  steeping and sprouting for malt. F.B. 410, pp. 19–21. 1910.
  stem rust, studies and experiments. J.A.R., vol. 10, pp. 430–492. 1917.
  stocks on hand—
    March 1, 1918 and 1919. News L., vol. 6, No. 36, p. 7. 1919.
    April 1, 1918. News L., vol. 5, No. 42, p. 2. 1918.
    1918, with comparisons. News L., vol. 6, No. 1, p. 9. 1918.
  storage, concrete and steel bins. An. Rpts., 1919, p. 443. 1920; Mkts. Chief Rpt., 1919, p. 17. 1919.
  storing after threshing. F.B. 443, p. 33. 1911.
  straw—
    effect on nitrate nitrogen in soil experiments. J.A.R., vol. 2, pp. 108–110. 1914.
    source of actinomycosis. B.A.I. [Misc.], "Diseases of cattle," rev. p. 435. 1908.
  strawworm, description, enemies, prevention. Ent. Bul. 42, pp. 29–34. 1903.
  stripe disease—
    cause and description. J.A.R., vol. 11, pp. 625, 626, 642. 1917.
    cause, symptoms, description, and control. J.A.R., vol. 24, pp. 642, 650–656. 1923.
  subsoiling, effects on yield, experiments. J.A.R., vol. 14, pp. 488, 490–499. 1918.
  subvarieties, key. D.B. 622, pp. 16–25. 1918.
  suitability for hogging-off, varieties, and experiments. F.B. 599, pp. 8–9, 15, 20, 23, 24, 25, 27. 1914.
  sulphured, detection, simple method. W. P. Carroll. B.P.I. Cir. 40, pp. 8. 1909.
  supply, in May, 1919. News L., vol. 6, No. 45. p. 7. 1919.
  susceptibility to—
    formaldehyde injury. J.A.R., vol. 20, pp. 240–241. 1920.
    infection by *Helminthosporium sativum*. J.A.R., vol. 26, pp. 198, 204, 216. 1923.
    to rust, experiments and studies. J.A.R., vol. 14, pp. 114–117. 1918.
  technical description and forms. D.B. 772, pp. 99–101. 1920.
  Tennessee winter variety. F.B. 427, p. 3. 1910.
  testing for moisture, directions. B.P.I. Cir. 72, rev., p. 11. 1914.
  tests—
    and yields, 1918, Huntley Experiment Farm. D.C. 86, p. 17. 1920.
    for American varieties. Chem. Bul. 124, pp. 128–129. 1909.
    natural and sulphured, comparison. B.P.I. Cir. 40, pp. 7–8. 1909.
    threshed, identification of varieties. D.B. 622, pp. 26–28. 1918.
  tillage—
    comparison of average yields and profit or loss. F.B. 1464, p. 12. 1925.
    dry farming. Y.B., 1911, p. 254. 1912; Y.B., Sep. 565, p. 254. 1912.
    methods, yields, profits and loss, comparison. F.B. 968, pp. 15–17. 1918.
  total production and value, 1917. News L., vol. 5, No. 35, p. 6. 1918.
  trade international, 1911–1921. Y.B., 1922, p. 636. 1923; Y.B., Sep. 881, p. 636. 1923.
  transpiration studies, Akron, Colorado. J.A.R., vol. 7, pp. 157–161, 165, 168–195, 201–203. 1916.
  Trebi, a superior variety for irrigated land, origin and yields. Harry V. Harlan and others. D.C. 208, pp. 8. 1922.

Barley(s)—Continued.
   tribe, key to genera, and descriptions. D.B. 772, pp. 11–12, 87–106. 1920.
   two-row—
      comparison with other varieties. D.B. 137, pp. 23–24, 28, 30. 1914.
      protein content. Chem. Bul. 124, pp. 8, 18, 49, 50. 1909.
   Union, winter variety. F.B. 427, p. 3. 1910.
   use—
      and value as hog feed, superiority to other grains, feeding methods. News L., vol. 2, No. 28, p. 2. 1915.
      and value as wheat substitutes, recipes. News L., vol. 5, No. 42, pp. 7, 8. 1918.
      as forage crop in cotton region. F.B. 510, p. 18. 1912.
      as horse feed. F.B. 1030, p. 12. 1919.
      as silage and soiling for dairy cows. F.B. 355, pp. 11–12, 16. 1909.
      as temporary pasture for sheep. F.B. 1181, pp. 7, 11, 12. 1921.
      for sheep feed. D.B. 20, pp. 41, 43. 1913.
      for maltose. News L. vol. 6, No. 40, p. 15. 1919.
      in bread as substitute for wheat flour, recipes. F.B. 955, pp. 10, 15. 1918.
      in Corn Belt rotations. Y.B., 1911, pp. 333–334. 1912; Y.B., Sep. 572, pp. 333–334. 1912.
      in making alcohol. F.B. 429, pp. 16, 24–25. 1911.
      in manufactories. F.B. 968, pp. 26–28. 1918.
      in manufacture of alcohol and cost per gallon of alcohol. Chem. Bul. 130, pp. 31, 95. 1910.
      to save wheat. Sec. Cir. 111, p. 4. 1918.
   valuation—
      and improvement, new basis. Albert Mann. B.P.I. Cir. 16, pp. 8. 1908.
      factors and systems. Chem. Bul. 124, pp. 19–29. 1908.
   value—
      as feed. F.B. 427, pp. 9–10. 1910.
      as pig feed. B.A.I. An. Rpt., 1903, p. 270. 1904; B.A.I. Cir. 63, p. 270. 1904.
      as southern crop, statements of farmers and seedsmen. F.B. 427, pp. 14–15. 1910.
      for emergency forage crop. Sec. Cir. 36, pp. 1–2. 1911.
      of crop, comparison with wheat. Y.B., 1921, p. 80. 1922; Y.B. Sep. 873, p. 80. 1922.
      under 3-year rotations. B.P.I. Bul. 187, pp. 40–54. 1910.
   variations with reference to use in plant breeding. Harry V. Harlan. D.B. 137, pp. 38. 1914.
   varieties—
      adaptability—
         to Great Plains. News L., vol. 4, No. 37, p. 4. 1917.
         to Pacific Northwest. News L., vol. 4, No. 37, p. 4. 1917.
         to various States, yield, and experiments. F.B. 443, pp. 33–40. 1911.
      adaptation to malting, comparisons. D.B. 183, pp. 22–27. 1915.
      and hybrids, measurements. D.B. 137, pp. 9–29. 1914.
      and smuts. B.P.I. Chief Rpt., 1924, pp. 19–20., 1924.
      botanical comparison. D.B. 1334, pp. 205–207. 1925.
      commercial, key to. D.B. 622, pp. 28–30. 1918.
      comparison. D.B. 1334, pp. 205–207. 1925.
      cultivated in the United States. D.B. 622, p. 28. 1918.
      description—
         and adaptations to regions and areas. F.B. 968, pp. 30–35. 1918.
         and yields. D.B. 498, pp. 32, 33, 34, 35. 1917.
      distribution by experiment stations. D.B. 1334, p. 212. 1925.
      domestic and foreign, feeding value, comparison. Chem. Bul. 120, pp. 36–37. 1909.
      experiments at Scottsbluff Experiment Farm, 1916, with comparisons. W.I.A. Cir. 18, pp. 14–15. 1918.
      for Maryland and Virginia. F.B. 786, pp. 19–20. 1917.
      grown in South. F.B. 427, pp. 3–5. 1910.
      identification. Harry V. Harlan. D.B. 622, pp. 32. 1918.

Barley(s)—Continued.
   varieties—continued.
      importations and description. Nos. 32042, 32367–32368, B.P.I. Bul. 261, pp. 22, 59. 1912; Nos. 3688, 38885–38887, 39149, 39150, 39192, B.P.I. Inv. 40, pp. 11, 41, 83, 91. 1917.
      improvement, selection methods. F.B. 443, pp. 46–47. 1911.
      in Alaska, experiments. Alaska A.R., 1911, pp. 37, 38. 1912.
      in America, tests. Harry V. Harlan and others. D. B. 1334, pp. 219. 1925.
      kernel development studies. J.A.R. vol. 23, pp. 333–358. 1923.
      key. D.B. 622, pp. 14–16. 1918.
      production and distribution. B.P.I. Chief Rpt., 1921, p. 6. 1921.
      seeding dates and yields. D.B. 398, pp. 32–34. 1916.
      smut resistance, comparison. B.P.I. Bul. 152, p. 19. 1909.
      tests—
         and yields in Kansas. B.P.I. Bul. 240, pp. 15–16, 21. 1912.
         and yields in Nebraska. B.P.I. Cir. 115, pp. 14, 15, 17. 1913; D.C. 173, pp. 28–31. 1921; W.I.A. Cir. 6, pp. 11–12. 1915.
         and yields in South Dakota. D.B. 39, pp. 28–36. 1914.
         at Belle Fourche farm. D.B. 297, pp. 34–38. 1915; D.B. 1039, pp. 32–35, 56–59, 71, 22. 1922; D.C. 60, p. 15. 1919; W.I.A. Cir. 9, pp. 20–21. 1916.
         at Dickinson substation, 1907–1913, yields. D.B. 33, pp. 31–36, 44. 1914.
         at Huntley Experiment Farm, 1916, yields. W.I.A. Cir. 15, p. 21. 1917.
         at Newlands Experiment Farm. D.C. 80, p. 9. 19–20; D.C. 136, pp. 7–8. 1920; W.I.A. Cir. 11, pp. 14–15. 1916; W.I.A. Cir. 23, pp. 10–12. 1918.
         in Arizona. D.C. 277, p. 16. 1923.
         in rod rows, field technic. J.A.R., vol. 11, pp. 402–413, 415. 1917.
         in Utah, 1908–1912, yields. D.B. 30, pp. 29–31, 48. 1913.
         in Nevada, Fallon, cooperative work. W.I.A. Cir. 13, pp. 9–10. 1916.
         two-rowed, comparison with six-rowed. B.P.I. Cir. 59, pp. 19–20, 23. 1910.
         yield per acre, western North and South Dakota. B.P.I. Cir. 59, pp. 17–20. 1910.
   Wall—
      forage plant, objections. B.P.I. Bul. 117, p. 16. 1907.
      growing, Hawaii, characteristics. Hawaii Bul. 36, pp. 13, 22. 1915.
   water—
      consumption per ton. Y.B., 1910, p. 172. 1911. Y.B. Sep. 526, p. 172. 1911.
      requirements—
         and yields. D.B. 1340, pp. 48, 49, 52. 1925.
         at Logan, Utah. D.B. 1340, p. 44. 1925.
         experiments. O.E.S. Bul. 177, pp. 54–56. 1907.
         in Colorado, 1911, experiment. B.P.I. Bul. 284, pp. 21–23, 35, 36, 37, 47. 1918.
         of different varieties. J.A.R., vol. 3, pp. 13–14, 50, 55, 59. 1914.
   weight per bushel—
      estimates, 1902–1921. Y.B., 1921, p. 778. 1922; Y.B. Sep. 871, p. 9. 1922.
      testing. D.B. 472, pp. 5, 6, 7. 1916.
   White Smyrna, adaptation to Montana dry lands. F.B. 749, pp. 18, 22. 1916.
   wholesale prices, 1896–1909. Y.B., 1909, p. 475. 1910; Y.B. Sep. 524, p. 475. 1910.
   wild—
      alfalfa enemy. F.B. 495, p. 32. 1912.
      association with wild emmer. B.P.I. Bul 180, pp. 45, 48, 50. 1910.
      control. D.C. 342, p. 7. 1925.
      injurious—
         to alfalfa. F.B. 339, p. 38. 1908.
         weeds in forage and hay. D.B. 772, p. 101. 1920.
      resemblance to cultivated types. B.P.I. Bul. 274, p. 29. 1913.
      seed description. F.B. 1411, p. 12. 1924.

INDEX TO PUBLICATIONS, 1901-1925 189

Barley(s)—Continued.
 wilting coefficient, determinations. B.P.I. Bul. 230, pp. 22, 26-29, 31, 32, 35-38, 42, 66, 75. 1912.
 winter—
  and spring varieties, tests, and yields per acre, Utah. B.P.I. Cir. 61, pp. 14-15. 1910.
  area in several States. F.B. 518, p. 7. 1912.
  growing, harvesting, and uses. F.B. 518, pp. 1-18. 1912.
  planting experiments. B.P.I. Bul. 152, p. 19. 1909.
  seeding tests in Texas, rate, date, and yield. B.P.I. Bul. 283, pp. 29, 30, 78. 1913.
  value as crop. F.B. 427, pp. 3-5, 11, 12. 1910.
  varietal—
   experiments in Texas. B.P.I. Bul. 283, pp. 25, 27, 42, 43, 76, 78. 1913.
   tests, Maryland and Virginia. D.B. 336, pp. 42-49. 1916.
  varieties, description. F.B. 518, pp. 5-7. 1912.
 world acreage, production and yields by countries. Sec. [Misc.], Spec., "Geography * * * world's agriculture," pp. 40-44. 1917.
 yellow-leaf, description. F.B. 443, p. 44. 1911.
 yields—
  and value per acre, comparison with oats and wheat, Moro, Oreg., 1911-1915. D.B. 498, p. 35. 1917.
  and value per acre, Oregon, Willamette Valley farms. D.B. 705, p. 13. 1918.
  at Akron Field Station, 1909-1923. D.B. 1304, pp. 16-17. 1925.
  at Mandan, N. Dak. D.B. 1337, p. 15. 1925.
  at stations. D.B. 1334, pp. 17-154. 1925.
  changes since 1786. Y.B., 1919, pp. 20, 23. 1920.
  comparison with yield of other cereals. F.B. 443, p. 41. 1911.
  effect of—
   hot-water treatment of seed. B.P.I. Bul. 152, pp. 30-32. 1909.
   salts in soil. J.A.R., vol. 4, pp. 201-218. 1915.
   windbreaks. F.B. 1405, p. 10. 1924.
  improvement methods, 1900-1909. F.B. 443, p. 45. 1911.
  in border rows in plot tests, experiments. J.A. R., vol. 15, pp. 254-261. 1918.
  in dry-land experiments in North Dakota. D.B. 1293, pp. 6-10, 12, 16, 19-20. 1925.
  in European countries, 1886-1905. Stat. Bul. 68, pp. 20, 21; 1908.
  in South Dakota in fall irrigated plats, 1914, 1915, 1916. D.B. 546, pp. 6-7. 1917.
  in specified countries, and prices. Rpt. 109, pp. 165-168, 301-302, 305. 1916.
  on Fargo clay loam. Y.B., 1911, pp. 229, 236. 1912; Y.B., Sep. 563, pp. 229, 236. 1912.
  on reclamation project and value as supplementary feed. D.B. 752, pp. 6, 15-16. 1919.
  per acre—
   1925. D.B. 1338, pp. 4-5. 1925.
   by countries. Y.B., 1923, p. 467. 1924; Y.B. Sep. 896, p. 467. 1924.
   estimate, June 1, by States. F.B. 598, p. 21. 1914.
Barley. See also Cereals; Crops; Grain; Hordeum spp.
BARLOW, J. C.: "Organization plan for women's institutes." O.E.S. Bul. 238, pp. 57-60. 1911.
Barlow-Tollens method of sulphur determination, comparison with other methods. Chem. Cir. 56, pp. 1, 7. 1910.
Barm, Scotch, method of raising bread. F.B. 389, p. 24. 1910.
Barn(s)—
 adaptability to use in tobacco curing by heat, description. B.P.I. Bul. 241, pp. 23-24, 25. 1912.
 air, carbon-dioxide content. Mary F. Hendry and Alice Johnson. J.A.R., vol. 20, pp. 405-408. 1920.
 apple, description. F.B. 125, p. 16. 1901.
 arrangement of stalls. F.B. 126, pp. 46-47. 1901.
 bank, description. F.B. 978, pp. 4-5. 1918.
 beef cattle—
  types, location, arrangement, and construction. F.B. 1350, pp. 1-17. 1923.
  ventilation requirements. F.B. 1350, pp. 6-11. 1923.

Barn(s)—Continued.
 book, cows, directions for keeping. M.C. 26, pp. 4-11. 1924.
 building—
  at Alaska Experiment Stations. Alaska A.R., 1920, pp. 5, 10, 51. 1922.
  description, directions. O.E.S.F.I.L. 8, pp. 13-15. 1907.
 cattle—
  destruction by forest fires in Minnesota. News L., vol. 6. No. 23, p. 2. 1919.
  Porto Rico, building and care of. P.R. Bul. 29, pp. 13-14. 1922.
 cleaning and disinfection after tuberculosis infection. F.B. 1069, pp. 6-7, 26-27. 1919.
 cleanliness, relation to colon bacilli in milk. D.B. 739, pp. 12-14, 20-26. 1918.
 closed, comparison with open sheds for dairy cows. T. E. Woodward and others. D.B. 736, pp. 15. 1918.
 combination, horse, cattle, and sheep, drawings and cost. F.B. 810, pp. 13-15. 1917.
 cow, construction and care. F.B. 241, p. 8. 1905.
 curing tobacco, plans and description. Hawaii Bul. 15, pp. 8-14. 1908.
 dairy—
  care in farm butter making. F.B. 541, p. 8. 1913.
  conditions for experimental purposes. D.B. 642, pp. 3-23. 1918.
  construction. K. E. Parks. F.B. 1342, pp. 22. 1923.
  farm, designs for building. B.A.I. An. Rpt., 1906, pp. 287-298. 1908; B.A.I. Cir. 131, pp. 5-16. 1908.
  sanitary inspection and care, school lesson. D.B. 763, pp. 17-18, 28. 1919.
  Southern States. B.A.I. An. Rpt., 1907, pp. 326-327. 1909; F.B. 151, pp. 8-12. 1902; F.B. 349, pp. 25-26. 1909.
  suggestions for modern construction. B.A.I. Cir. 90, pp. 6. 1906.
  ventilation. M. A. R. Kelly. F.B. 1393, pp. 22. 1924.
  ventilation systems, study. Work and Exp., 1923, pp. 91-93. 1925.
  See also Stable, dairy.
 dirty, factor in spread of tuberculosis. F.B. 1069, pp. 6, 10. 1919.
 disinfection, after—
  disease outbreak, and inspection. D.C. 325, pp. 21-25. 1924.
  sheltering diseased animals. F.B. 1069, pp. 6-7, 26-27. 1919.
 goat, description. B.A.I. An. Rpt., 1904, pp. 344-346. 1905; B.A.I. Bul. 68, pp. 30-32, 77. 1905.
 horse, with cattle and sheep, equipment, plans, and cost. F.B. 810, pp. 13-15. 1917.
 location—
  in farmstead, types, suggestions. F.B. 1132, pp. 15-17, 20, 22, 24. 1920.
  plans, cost. F.B. 126, pp. 34-48. 1901.
  size, conveniences, etc., for ideal farm home. O.E.S. F. I. L. 12, p. 13. 1912.
 meetings, extension. D.C. 347, p. 30. 1925.
 paints for. F.B. 1452, pp. 16-17. 1925.
 paprika, directions for building. D.B. 43, pp. 18-19. 1913.
 sheep, plans, drawings, and cost. F.B. 810, pp. 10-13, 15-17. 1917.
 tobacco—
  construction. B.P.I. Bul. 143, pp. 27-30, 41-44, 47. 1909.
  curing, construction plans. F.B. 523, pp. 11-12, 17-20, 23. 1913.
  different types, illustrations. B.P.I. Bul. 244, pp. 23, 30, 39, 52, 76, 92. 1912.
  equipment for sweet-potato storage, directions and cost. F.B. 1267, pp. 4-8. 1922.
  flue-cured, types. F.B. 1267, p. 4. 1922.
  management. Soils Bul. 37, pp. 19, 29. 1906.
  utilization for sweet-potato storage. Fred E. Miller. F.B. 1267, pp. 12. 1922.
 use of oil-mixed concrete, methods, and formula. D.B. 230, p. 13. 1915.
 ventilators, use in Michigan, description. News L., vol. 4, No. 11, p. 7. 1916.

BARNARD, H. E.—
report—
as referee on preservatives. Chem. Bul. 152,
p. 167. 1912; Chem. Bul. 162, pp. 135–138.
1913.
on food adulteration and beer analysis. Chem.
Bul. 132, pp. 54–55, 87–90. 1910.
"Report on methods of beer analysis." Chem.
Cir. 33, pp. 16. 1907.
"The keeping qualities of sugar sirups, fruit sirups, and crushed fruits." Chem. Bul. 132, pp.
66–71. 1910.
BARNES, W. C.—
"Livestock production in the eleven far western
range States." With James T. Jardine.
Rpt. 110, p. 100. 1916.
"Our forage resources." With others. Y.B.
1923, pp. 311–314. 1924; Y.B. Sep. 895, pp. 311–
314. 1924.
"Stock-watering places on western grazing lands."
F.B. 592, pp. 27. 1914.
"The sheep industry." With others. Y.B.,
1923, pp. 229–310. 1924; Y.B. Sep. 894, pp. 229–
310. 1924.
BARNETT, C. R.—
report of Librarian—
1907. An. Rpts., 1907, pp. 645–648. 1908;
Lib. A.R., 1907, pp. 8. 1907.
1908. An. Rpts., 1908, pp. 713–716. 1909;
Lib. A.R., 1908, pp. 8. 1908.
1909. An. Rpts., 1909, pp. 669–682. 1910;
Lib. A.R., 1909, pp. 16. 1909.
1910. An. Rpts., 1910, pp. 723–734. 1911;
Lib. A.R., 1910, pp. 16. 1910.
1911. An. Rpts., 1911, pp. 657–684. 1912;
Lib. A.R., 1911, pp. 31. 1911.
1912. An. Rpts., 1912, pp. 799–817. 1913;
Lib. A.R., 1912, pp. 22. 1912.
1913. An. Rpts., 1913, pp. 263–270. 1914;
Lib. A.R., 1913, pp. 8. 1913.
1914. An. Rpts., 1914, pp. 245–253. 1915; Lib.
A.R., 1914, pp. 9. 1914.
1915. An. Rpts., 1915, pp. 283–193. 1916;
Lib. A.R., 1915, pp. 11. 1915.
1916. An. Rpts., 1916, pp. 285–296. 1917; Lib.
A.R., 1916, pp. 12. 1916.
1917. An. Rpts., 1917, pp. 309–321. 1917; Lib.
A.R., 1917, pp. 13. 1917.
1918. An. Rpts., 1918, pp. 319–334. 1918; Lib.
A.R., 1918, pp. 16. 1918.
1919. Lib. A.R., 1919, pp. 16. 1919; An. Rpts.,
1919, pp. 337–352. 1920.
1920. An. Rpts., 1920, pp. 427–444. 1921; Lib.
A.R., 1920, pp. 18. 1920.
1921. Lib. A.R., 1921, pp. 16. 1921.
1922. An. Rpts., 1922, pp. 395–412. 1923; Lib.
A.R., 1922, pp. 18. 1922.
1923. An. Rpts., 1923, pp. 537–552. 1924; Lib.
A.R., 1923, pp. 16. 1923.
1924. Lib. A.R., 1924, pp. 15. 1924.
1925. Lib. A.R., 1925, pp. 16. 1925.
"List of serials currently received in the library
of the Department of Agriculture." D.C. 187,
pp. 358. 1922.
BARNUM, C. T.; "The prevention of sap stain in
lumber." With Howard F. Weiss. For. Cir.
192, pp. 19. 1911.
Barnyard(s)—
care and drainage, requirements, certified dairies. B.A.I. Bul. 104, p. 10. 1908; D.B. 1,
pp. 15, 25, 26. 1913.
grass—
analytical key and description of seedlings.
D.B. 461, pp. 8, 21. 1917.
control. D.C. 110, p. 11. 1920.
control in rice fields. F.B. 1141, pp. 18–20.
1920.
description. D.B. 772, pp. 238, 240. 1920.
growing in Hawaii, composition and value.
Hawaii Bul. 36, pp. 11, 13, 21. 1915.
pest in rice field, description and control. F.B.
688, pp. 16–18, 20. 1915.
grassweed in rice fields, control. F.B. 1092, pp.
22–23. 1920.
Pennsylvania farms. F.B. 978, pp. 5–7. 1918.
Barometer, aneroid—
description, use, and price. Y.B., 1908, pp.
437–438, 441. 1909; Y.B. Sep. 492, pp. 437–438,
441. 1909.
use and cost. F.B. 401, p. 23. 1910.

Barometer, aneroid—Continued.
use in trail surveying. For. Misc., 0–6, p. 15.
1915.
Barometric—
pressure—
for different altitudes. D.B. 1022, p. 16. 1922.
normal, three charts. W.B. [Misc.], "Climatic
charts of U. S.," pp. 17–20. 1904.
wave, daily, westward movement. Oliver L.
Fassig. W.B. Bul. 31, pp. 62–65. 1902.
Baron De Hirsh Agricultural School, Woodbine,
N. J., requirements, course of study. O.E.S.
An. Rpt., 1907, pp. 301–302. 1908.
Barosma Compound, misbranding. Chem. N.J.
4114, pp. 168–170. 1916.
Barosma spp.—
importations. Nos. 50123–50124. B.P.I. Inv. 63,
p. 38. 1923.
nonofficial buchu, comparison with official.
Chem. S.R.A. 20, p. 58. 1917.
See also Buchu.
BARR, J. E.—
"Delinting and recleaning cottonseed for planting
purposes." D.B. 1219, pp. 20. 1924.
"Marketing cottonseed for planting purposes."
DB. 1056, pp. 24. 1922.
"Marketing the cowpea seed crop." F.B. 1308,
pp. 27. 1923.
BARRE, H. W.: Report of South Carolina Experiment Station, work and expenditures, 1917.
S.R.S. An. Rpt., 1917, Pt. I., pp. 240–243. 1918.
Barrels—
apple—
packing, capacity and grade, and packing details. F.B. 1080, pp. 22–28. 1919.
standard, law, text. News L., vol. 1, No. 8
p. 2. 1913.
breeding places, mosquitoes, and treatment for
control. P.R. Cir. 14, pp. 9, 10, 13–17, 18, 19.
1912.
for packing extracted honey, disadvantages.
Ent. Bul. 75, Pt. I, p. 13. 1907.
heading and hoops, slack production, 1906. For.
Cir. 123, pp. 4–8. 1907.
hoops of bamboo. D.B. 1329, p. 25. 1925.
lining tests, suggestions. D.B. 86, p. 7. 1914.
potato—
legal dimensions. F.B. 1050, p. 18. 1919.
loading in case. F.B. 1050, pp. 9–11. 1919.
requirements. News L., vol. 6, No. 52, p. 4.
1919.
process, vinegar making. F.B. 1424, pp. 8–10.
1924.
pumps, hand spraying, description. F.B. 1169
p. 21. 1921.
rain water, protection from mosquitoes. P.R.
Cir. 20, pp. 5–7, 9, 10. 1921.
second-hand, responsibility for spread of potato
powdery scab. D.B. 82, p. 14. 1914.
standard—
dimensions. F.B. 753, p. 24. 1916; F.B. 1196,
pp. 6, 7. 1921.
for apples and vegetables, laws. Mkts. Doc. 1,
p. 5. 1915.
staves—
slack, production by States and different woods.
For. Cir. 123, pp. 4–6, 1907.
See also Cooperage.
sweet potato—
packing and heading. F.B. 520, p. 15. 1912.
style and capacity. D.B. 1206, p. 24. 1924.
tests, methods and results. D.B. 68, pp. 2–3, 4.
1914.
trap, rat, description. F.B. 896, p. 14. 1917.
turpentine, gluing directions. D.B. 898, pp. 8–9.
1920.
use in potato shipping. F.B. 1316, pp. 14–15, 17,
20. 1923.
wooden, tests. J. A. Newlin. D.B. 86, pp. 12.
1914.
Barren Grounds, Mackenzie basin, description,
climate, seasonal events. N.A. Fauna 27, pp.
46–49. 1908.
BARRETT, O. W.—
"Brown ant control in orange orchards." P.R.
Cir. 4, pp. 3. 1904.
"Sansevieria." (In Spanish.) P.R. Cir. 1, pp. 4.
1903.

BARRETT, O. W.—Continued.
"The changa, or mole cricket, in Porto Rico." (Also Spanish edition.) P.R. Bul. 2, pp. 19. 1902.
"The yautias, or taniers, of Porto Rico." (Also Spanish edition.) P.R. Bul. 6, pp. 27. 1903.
"Yautias, taros, and dasheens." B.P.I. Bul. 164, pp. 7–29. 1910.

BARRETT, WENDELL—
"Soil survey of—
Lake County, Indiana." With T. M. Bushnell. Soil Sur. Adv. Sh., pp. 48. 1921; Soils F.O. 1917, pp. 1139–1182. 1923.
Porter County, Indiana." With T. M. Bushnell. Soil Sur. Adv. Sh., 1916, pp. 47. 1919; Soils F.O., 1916, pp. 1695–1737. 1921.
Starke County, Indiana." With others. Soil Sur. Adv. Sh., 1915, pp. 42. 1917; Soils F.O., 1915, pp. 1385–1422. 1919.

Barriers, dust and oil, chinch bug control. F.B. 1223, pp. 22, 31–33. 1922.
Barrigudo, use in mosquito extermination. Ent. Bul. 88, p. 71. 1910.
Barringtonia asiatica—
importation. No. 54963. B.P.I. Inv. 70, pp. 4, 33. 1923.
See also Futu.

BARRON, JOHN, originator of county agent work. D.C. 179, p. 3. 1921.
BARRON, J. H.: "An example of successful farm management in southern New York." With M. C. Burritt. D.B. 32, pp. 24. 1913.
BARROW, D. N.: "Seed selection for southern farms." With S. A. Knapp. B.P.I. Doc. 386, pp. 8. 1908.

BARROWS, ANNA—
"Course in the use and preparation of vegetable foods for movable and correspondence schools of agriculture." O.E.S. Bul. 245, pp. 98. 1912.
"Extension course in vegetable foods." D.B. 123, pp. 78. 1916.
"The farm kitchen as a workshop." F.B. 607, pp. 20. 1914.

BARROWS, H. H.: "Drainage investigations, 1911–1912. O.E.S. An. Rpt., 1912, pp. 29–37. 1913.
BARROWS, H. P.—
"Agricultural exhibits and contests." S.R.S. Doc. 42, pp. 8. 1917.
"Beef production." S.R.S. Doc. 81, pp. 11. 1918.
"Course in secondary agriculture for southern schools." D.B. 521, pp. 53. 1917; D.B. 592, pp. 40. 1917.
"Farm records and accounts." S.R.S. Doc. 38, pp. 10. 1917.
"Home floriculture and home-ground improvement." S.R.S. Doc. 62, pp. 12. 1917.
"Home projects in secondary courses in agriculture." D.B. 346, pp. 20. 1916.
"Increasing production on the farm: Suggestions for teachers in secondary schools." S.R.S. Doc. 73, pp. 12. 1917.
"Instructions in sheep and goat husbandry." S.R.S. Doc. 76, pp. 12. 1918.
"Judging horses as a subject of instruction in secondary schools." D.B. 487, pp. 31. 1917.
"Judging sheep as a subject of instruction in secondary schools." D.B. 593, pp. 31. 1917.
"Judging the dairy cow as a subject of instruction in secondary schools." With H. P. Davis. D.B. 434, pp. 20. 1916.
"Marketing farm products." S.R.S. Doc. 72, pp. 12. 1917.
"Raising ducks, geese, and turkeys: Suggestions for teachers in secondary schools." S.R.S. Doc. 57, pp. 10. 1917.
"The propagation and pruning of plants." S.R.S. Doc. 63, pp. 12. 1917.
"Types and breeds of farm animals." B.A.I., S.R.A. 5, pp. 12. 1917.

BARROWS, W. B.—
"Measuring and marketing farm timber." With Wilbur R. Mattoon. F.B. 1210, pp. 62. 1921.
"Measuring and marketing woodlot products." With Wilbur R. Mattoon. F.B. 715, pp. 48. 1916.

Barrows—
classification for fair exhibit. F.B. 1455, pp. 3, 7. 1925.
fattening value as compared with sows. B.A.I. Bul. 47, p. 242. 1904.

Barrows—Continued.
method, construction of tree-volume tables. J.A.R. vol. 30, pp. 609, 611–615. 1925.
Barschall timber treatment unsuccessful. B.P.I. Bul. 214, pp. 28, 29. 1911.
Barstow Land and Irrigation Company, system, details. O.E.S. Bul. 222, p. 73. 1910.
Barthenia McCord (horse), pedigree. B.A.I. An. Rpt., 1907, pp. 105, 126. 1909; B.A.I. Cir. 137, pp. 105, 126. 1908.
BARTHOLOMEW, L. K.: "Relation of certain soil factors to the infection of oats by loose smut." With E. S. Jones. J.A.R. vol. 24, pp. 569–575. 1923.
BARTHOLOW, F. A.: "Abbreviations employed in Experiment Station Record for titles of periodicals." D.B. 1330, pp. 160. 1925.
BARTLET, G. M.: "Occurrence and estimation of tin in food products." With Bernard H. Smith. Chem. Bul. 137, pp. 134–137. 1911.
BARTLETT, H. H.—
"Concentration relations of dilute solutions of calcium and magnesium nitrates to pea roots." With Rodney H. True. B.P.I. Bul. 231, Pt. I, pp. 36. 1912.
"Notes on the organic acids of *Pyrus coronaria*, *Rhus glabra*, and *Acer saccharum*." With Charles E. Sando. J.A.R. vol. 22, pp. 221–229. 1921.
"Occurrence of quercetin in Emerson's brown-husked type of maize." With Charles E. Sando. J.A.R. vol. 22, pp. 1–4. 1921.
"The purpling chromogen of a Hawaiian dioscorea." B.P.I. Bul 264, pp. 19. 1912.
"The source of the drug dioscorea, with a consideration of the Dioscoreae found in the United States." B.P.I. Bul. 189, pp. 29. 1910.
BARTLETT, J. M., report on adulteration of dairy products. Chem. Bul. 132, pp. 170–173. 1910.
BARTLETT, W. F.: "Irrigation conditions in Raft River water district, Idaho, 1904." O.E.S. Bul. 158, pp. 279–302. 1905.
BARTON, J. E.: "Fire fighting." For. [Misc.], "Forest fire protection * * *," pp. 66–67. 1914.
BARTON, J. H.—
"Soil survey of—
Somerset County, Maryland." With J. M. Snyder. Soil Sur. Adv. Sh., 1920, pp. 1287–1316. 1924; Soils F. O., 1920, pp. 1287–1316. 1925.
Sussex County, Delaware. With others. Soil Sur. Adv. Sh., 1920, pp. 1531–1565. 1924; Soils F. O., 1920, pp. 1531–1565. 1925.
BARTOW, E., notes on pollution of farm water supply in Illinois. F.B. 549, pp. 6–7. 1913.
BARTRAM, H. E.: "Effect of natural low temperature on certain fungi and bacteria." J.A.R. vol. 5, No. 14, pp. 651–655. 1916.
Bartramia longicauda—
breeding range and migration habits. Biol. Bul. 35, pp. 64–67. 1910.
See also Plover, upland.
BARTRUM, S. C.: "Fire prevention and control on national forests." For. [Misc.], "Fire prevention * * *," pp. 20. 1913.
Barytes—
testing methods. Chem. Bul. 109, pp. 15–16. 1908.
use as adulterant. Chem. Bul. 69, rev., Pts. I–IX, pp. 44, 49, 89, 103, 109, 132, 136, 148, 162, 178, 195, 203, 217, 223, 280, 314, 332, 340, 358, 365, 415, 438, 448, 471, 496, 515, 516, 561, 571, 578, 589, 602, 623, 639, 641, 666, 698, 712. 1905–6.
Baryxylum—
africanum, importation and description. No. 50125, B.P.I. Inv. 63, p. 38. 1923.
inerme, importation and description. No. 34330, B.P.I. Inv. 32, p. 36. 1914; No. 41574, B.P.I. Inv. 45, p. 50. 1918; No. 51810, B.P.I. Inv. 65, p. 53. 1923.
Basalt, origin, classification, and mineral constituents. Rds. Bul. 37, pp. 13, 14–23, 29 1611.
Base goods—
fertilizer, stocks, 1917. Sec. Cir. 104, pp. 4, 9, 10–12. 1918.
use as fertilizer source. Y.B. 1917, p. 143. 1918; Y.B. Sep. 729, p. 7. 1918.
Basella rubra—
importation. No. 42430, B.P.I. Inv. 47, p. 12. 1920.
See also Nightshade, Malabar.

Basidiospores—
  cultures from potato dextrose agar, plates. J.A.R. vol. 30, pp. 409–410. 1925.
  experimental studies. D.B. 1053, pp. 4–19. 1922.
Basin—
  catch, in draining roads, construction and cost. D.B. 724, pp. 24–28. 1919.
  dam method, illustrations. O.E.S. Bul. 240, Pt. I, pp. 91–92. 1912.
  desert, value as potash sources. Y.B. 1912, pp. 530–533. 1913; Y.B. Sep. 611, pp. 530–533. 1913.
  irrigation—
    date gardens. F.B. 1016, pp. 13, 14. 1919.
    description. F.B. 404, pp. 22–23. 1910; F.B. 882, pp. 24–26. 1917; O.E.S. Bul. 158, p. 82. 1905; Y.B. 1909, p. 297. 1910; Y.B. Sep. 514, p. 297. 1910.
    nitrate distribution in soils. J.A.R. vol. 9, pp. 242–243. 1917.
  mulched—
    humus content, and its relation to orange production. Charles A. Jensen. J.A.R., vol. 12, pp. 505–518. 1918.
    irrigation system for citrus orchards, relation to mottle-leaf. Lyman J. Briggs and others. D.B. 499, pp. 31. 1917.
    size and cost of preparing and maintaining. D.B. 499, pp. 23–25. 1917.
  settling, in irrigation systems. D.B. 906, pp. 27–29. 1921.
Basket flower, description, cultivation, and characteristics. F.B. 1171, pp. 28, 79. 1921.
Basket willow. See Willow.
Baskets—
  bamboo, suggestion for. D.B. 1329, p. 24. 1925.
  Climax—
    fruit, provisions of law. News L., vol. 4, No. 6, p. 1. 1916.
  standard(s)—
    act, 1916. Sec. Cir. 76, pp. 1–8, 1917; Sol. [Misc.], "Laws applicable * * * Agriculture * * *," Sup. 4, pp. 93, 94. 1917.
    dimensions. D.B. 861, p. 11. 1920.
    measurement and enforcement of law. F.B. 1196, pp. 6, 7. 1921.
    use for—
      grapes, losses from improper loading. News L., vol. 6, No. 3, p. 6. 1918.
      grapes, sizes and materials. Mkts. Doc. 14, pp. 2, 3. 1918.
      tomato shipping. F.B. 1291, pp. 13, 32. 1922.
  field planting, description. D.B. 475, p. 45. 1917.
  forms used in packing tomatoes. F.B. 1291, pp. 11–14, 21–26. 1922.
  fruits and vegetables, law. Sec. Cir. 76, pp. 1–8. 1917.
  grape, sizes, construction, and causes of loss in transit. Mkts. Doc. 14, pp. 2, 3–7. 1918.
  law, standard, provisions. News L., vol. 4, No. 6, p. 1. 1916.
  makers, suggestions for. F.B. 622, p. 34. 1914.
  manufacture—
    use of elm lumber. D.B. 683, pp. 18–20, 39, 41, 42. 1918.
    utilization of sycamore. D.B. 884; pp. 11, 24. 1920.
  materials, American. F.B. 341, p. 35. 1909.
  parcel-post marketing, requirements, suggestions. F.B. 703, pp. 6–7. 1916.
  peach, used in shipping. F.B. 1266, pp. 10–14. 1922.
  pollen, loading details. Ent. Bul. 121, pp. 18–22. 1912.
  standard, for fruits and vegetables. F. P. Downing and H. A. Spilman. F.B. 1434, pp. 18. 1924.
  standardization need. F.B. 1196, pp. 13–18. 1921.
  use—
    in Europe, suggestions to American makers. F.B. 341, p. 42. 1909.
    of willows, experiments. D.B. 316, p. 34. 1915.
    of wood in Arkansas. For. Bul. 106, pp. 17–18. 1912.
  weaving industry, St. John, Virgin Islands. Vir. Is. A. R., 1920, p. 6. 1921.
Bassaris astuta. See Cat, ring-tailed.

BASSETT, C. E.—
  "Cooperative marketing, and financing of marketing associations." With others. Y.B., 1914, pp. 185–210. 1915; Y.B., Sep. 637, pp. 185–210. 1915.
  "Cooperative marketing, where? when? how?" With O. B. Jesness. Y.B., 1917, pp. 385–393. 1918; Y.B. Sep. 738, pp. 11. 1918.
  "Cooperative organization by-laws." With O. B. Jesness. D.B. 541, pp. 23. 1918.
  "Teamwork between the farmer and his agent." Y.B., 1917, pp. 321–325. 1918; Y.B. Sep. 736, pp. 7. 1918.
  "The community egg circle." With W. H. Kerr. F.B. 656, pp. 7. 1915.
  "The cooperative purchase of farm supplies." Y.B., 1915, pp. 73–82. 1916; Y.B. Sep. 658, pp. 73–82. 1916.
Bassus carpocapsae, parasitism of codling moth. D.B. 1235, p. 72. 1924.
Basswood—
  For. Cir. 63, pp. 3. 1907; rev. 1909.
  characters. F.B. 468, p. 40. 1911.
  consumption in Arkansas, amount, value, etc. For. Bul. 106, pp. 7, 11, 22, 31, 38. 1912.
  description, key, and list. D.C. 223, pp. 4, 9. 1922.
  description, use as street tree and regions adapted to. D.B. 816, pp. 17, 18, 19, 27. 1920.
  distribution. N.A. Fauna 22, p. 11. 1902.
  family, injury to trees by sapsuckers. Biol. Bul. 39, pp. 47, 84–85. 1911.
  growth in different regions, rate. F.B. 1177, rev. p. 24. 1920.
  honey source—
    dates of blooming periods, and quality. D.B. 685, pp. 41–49, 53. 1918.
    value. Ent. Bul. 75, Pt. VII, pp. 91, 93, 94. 1909.
  injury—
    by pith-ray flecks. For. Cir. 215, p. 10. 1913.
    from gipsy moth. D.B. 204, p. 14. 1915.
  insect pests, list. Sec. [Misc.] "A manual * * * insects * * *," p. 141. 1917.
  logging on cove lands, directions. For. Cir. 118, pp. 11–13. 1907.
  lumber production and value, by States—
    1899–1914. D.B. 506, pp. 13–15, 26–27. 1917.
    1905. For. Bul. 74, p. 23. 1907.
    1906. For. Cir. 122, pp. 21–22. 1907.
    1916. D.B. 673, pp. 28–29. 1918.
    1917. D.B. 768, pp. 29–30, 38, 43. 1919.
    1918. D.B. 845, pp. 33, 46. 1920.
    1920. D.B. 1119, p. 51. 1923; Y.B., 1922, p. 926. 1923.
  northern forests, characteristics, volume, etc. D.B. 285, pp. 6–21, 28–33, 55–57, 61, 75–79. 1915.
  pollen, type, and shape of grains. Chem. Bul. 110, p. 74. 1908.
  preservative treatment, results. D.B. 606, pp. 18, 23, 28, 31. 1918; F.B. 744, pp. 7, 28. 1916.
  quantity used in manufacture of wooden products. D.B. 605, p. 10. 1918.
  range qualities, uses, propagation, and care. For. Cir. 63, pp. 1–3. 1907.
  seed, care, and germination. For. Cir. 63, p. 2. 1907.
  spacing in forest planting. F.B. 1177, rev., p. 22. 1920.
  sprouting in cleared stands. D.B. 285, pp. 36–37, 40, 41. 1915.
  stumpage value, 1907. For. Cir. 122, p. 36. 1907.
  tests for mechanical properties, results. D.B. 556, pp. 28, 38. 1917; D.B. 676, p. 15. 1919.
  utilization. Warren D. Brush. D.B. 1007, pp. 64. 1922.
  value as ornamental for Plains region. F.B. 888, p. 14. 1917.
  weight and freight rates. F.B. 715, pp. 4, 6, 18, 34, 35, 40, 41. 1916.
  See also Linden, Tilia.
Bast fibers, paper making. Chem. Cir. 41, pp. 4, 12, 20. 1908.
BASTIN, E. S.:
  "Road materials in southern and eastern Maine." With Henry Leighton. Rds. Bul. 33, pp. 56. 1907.
BASTON, G. H.—
  "A preliminary study of the bleaching of oats with sulphur dioxid." D.B. 725, pp. 11. 1918.

BASTON, G. H.—Continued.
"Acidity as a factor in determining the degree of soundness in corn." With H. J. Besley. D.B. 102, pp. 45. 1914.
"Improved apparatus for detecting sulphured grain." B.P.I. Cir. 111, pp. 23-24. 1913.
"Improved apparatus for use in making acidity determinations of corn." With H. J. Besley. Sec. Cir. 68, pp. 4. 1916.

Bat(s)—
big-eared, occurrence in Colorado, description. N.A. Fauna 33, p. 204. 1911.
brown—
 large, description and habits. N.A. Fauna 45, p. 25. 1921.
 little, range, and habits. N.A. Fauna 22, p. 73. 1902; N.A. Fauna 24, p. 50. 1904; N.A. Fauna 45, p. 24. 1921.
 occurrence in Colorado, description. N.A. Fauna 33, pp. 209-210. 1911.
 occurrence in Montana. Biol. Cir. 82, p. 24. 1911.
California, little, occurrence in Colorado, description. N.A. Fauna 33, p. 208. 1911.
evening, description and habits. N.A. Fauna 45, p. 27. 1921.
Fort Yuma, occurrence in Colorado, description. N.A. Fauna 33, p. 207. 1911.
free-tailed—
 description and habits. N.A. Fauna 45, p. 28. 1921.
 occurrence in Colorado, description. N.A. Fauna 33, pp. 204-205. 1911.
 Tacubaya, occurrence in Colorado, description. N.A. Fauna 33, p. 205. 1911.
gray, description and habits. N.A. Fauna 45, pp. 23-24. 1921.
guano. See Guano, bat.
hair-lipped, occurrence in Colorado, description. N.A. Fauna 33, p. 209. 1911.
hoary—
 description and habits. N.A. Fauna 45, p. 27. 1921.
 occurrence in Colorado, description. N.A. Fauna 33, p. 211. 1911.
infestation by mites. Rpt. 108, pp. 14, 64, 65, 68, 70, 76, 77, 78, 126, 127, 132. 1915.
Le Conte big-eared, description and habits. N.A. Fauna 45, p. 28.
mahogany, description and habits. N.A. Fauna 45, pp. 26-27. 1921.
manure, fertilizer value. Guam Bul. 2, p. 9. 1922.
manure. See also Guano, bat.
occurrence in—
 Alabama, description and habits. N.A. Fauna 45, pp. 23-29. 1921.
 Alaska. N.A. Fauna 24, p. 50. 1904.
 Athabaska-Mackenzie region. N.A. Fauna 27, pp. 249-251. 1908.
 Colorado, description. N.A. Fauna 33, pp. 204-211. 1911.
 Wyoming. N.A. Fauna 42, pp. 16, 20, 22, 24, 26, 33, 34, 43. 1917.
pale, occurrence in Colorado, description. N.A. Fauna 33, pp. 205-206. 1911.
range and habits. N.A. Fauna 21, pp. 36-37, 71. 1901.
red—
 description and habits. N.A. Fauna 45, p. 26. 1921.
 occurrence in Colorado, description. N.A. Fauna 33, p. 211. 1911.
silver-haired—
 description and habits. N.A. Fauna 45, pp. 24-25. 1921.
 occurrence in Colorado, description. N.A. Fauna 33, p. 211. 1911.
 occurrence in Montana. Biol. Cir. 82, p. 24. 1911.
Texas, occurrence and habits. N.A. Fauna 25, pp. 208-216. 1905.
useful as insect destroyers. F.B. 335, p. 31. 1908.
western, occurrence in Colorado, description. N.A. Fauna 33, p. 209. 1911.
BATCHELDER, C. H.: "Fluctuation in the distribution of the Colorado potato beetle." J.A.R., vol. 31, pp. 541-547. 1925.

BATCHELOR, H. W.: "Influence of the hydrogen-ion concentration on the growth and fixation of nitrogen." With P. L. Gainey. J.A.R., vol. 24, pp. 759-767. 1923.
BATCHELOR, L. D.: "Relation of the variability of yields of fruit trees to the accuracy of field tests." With H. S. Reed. J.A.R., vol. 12, pp. 245-283. 1918.
Batchelor's-button, description, cultivation, and characteristics. F.B. 1171, pp. 32-33, 80. 1921.
BATEMAN, ERNEST—
"A visual method for determining the penetration of inorganic salts in treated wood." For. Cir. 190, pp. 5. 1911.
"Coal-tar and water-gas tar creosotes: Their properties and methods of testing." D.B. 1036, pp. 114. 1922.
"Modification of the sulphonation test for creosote." For. Cir. 191, pp. 7. 1911.
"Quantity and quality of creosote found in two treated piles after long service." For. Cir. 199, pp. 8. 1912.
"The analysis and grading of creosotes." With Arthur L. Dean. For. Cir. 112, pp. 44. 1908.
"The fractional distillation of coal-tar creosote." With Arthur L. Dean. For. Cir. 80, pp. 31. 1907.
BATES, G.—
"Forest types in central Rocky Mountains as affected by climate and soil." D.B. 1233, p. 152. 1924.
"Forestation of the sand hills of Nebraska and Kansas." With Roy G. Pierce. For. Bul. 121, pp. 49. 1913.
"Physiological requirements of Rocky Mountain trees." J.A.R., vol. 24, pp. 97-164. 1923.
"Relative resistance of tree seedlings to excessive heat." With Jacob Roeser, jr. D.B. 1263, pp. 16. 1924.
"Research methods in the study of forest environment." With Raphael Zon. D.B. 1059, pp. 209. 1922.
"The windbreak as a farm asset." F.B. 788, pp. 16. 1917; F.B. 1405, pp. 16. 1924.
"Windbreaks: Their influence and value." For. Bul. 86, pp. 100. 1911.
BATES, CARLETON: "A bacteriological study of shell, frozen, and desiccated eggs, made under laboratory conditions at Washington, D. C." With George W. Stiles, jr. Chem. Bul. 158, pp. 36. 1912.
BATES, E. N.—
"Estimating the quantity of grain in bins." M.C. 41, pp. 8. 1925.
"The bulk handling of grain." With A. L. Rush. F.B. 1290, pp. 22. 1922.
"The installation of dust-collecting fans on thrashing machines for the prevention of explosions and fires for grain cleaning." With H. E. Roethe, jr. D.C. 98, pp. 11. 1920.
BATES, G. E.: "Soil survey of Nance County, Nebraska." With others. Soil Sur. Adv. Sh., 1922, pp. 46. 1925.
BATES, HUGH, founder of truck industry in Norfolk region. Y.B., 1907, p. 426. 1908; Y.B. Sep. 459, p. 426. 1908.
Bates road test, discussion. Y.B., 1924, pp. 132-134. 1925.
Bath(s)—
bird, artificial supply. F.B. 912, p. 5. 1918.
brick, use in house cleaning. F.B. 1180, pp. 9, 19. 1921.
dust, value for fowls. F.B. 801, p. 26. 1917.
mud, medicinal use. D.B. 802, p. 16. 1919.
pans, importance in squab raising, uses. F.B. 684, p. 12. 1915.
shower, homemade, suggestions. F.B. 270, p. 20. 1906.
Bathroom—
cleaning directions. F.B. 1180, pp. 21-22. 1921.
farmhouse, fixtures, heating, description, and cost. F.B. 270, pp. 14-17. 1906; F.B. 927, pp. 21-23. 1918; Y.B., 1909, pp. 347-349. 1910; Y.B. Sep. 518, pp. 347-349. 1910.
Bathtubs, farmhouse plumbing. F.B. 1426, pp. 19-20. 1924.
Bathymetic sp., parasitic on grape-berry moth. Ent. Bul. 116, Pt. II, p. 46. 1912.

Bathyplectes curculionis, parasitic on alfalfa weevil, description and work. D.C. 301, pp. 4–5, 6–8, 9. 1924.
Bathythrix sp., parasitic on dock false-worm. D.B. 265, pp. 33–34. 1916.
Batodendron arboreum, injury by sapsuckers. Biol. Bul. 39, pp. 48, 87. 1911.
Baton Rouge, La., milk supply details and statistics. B.A.I. Bul. 70, pp. 6–7, 38. 1905.
Batrachedra rileyi, description and life history. Hawaii Bul. 27, pp. 15–16. 1912.
Batrachedra rileyi. See also Corn worm, pink.
Batrachians—
  distribution in—
    Athabaska-Mackenzie region. N.A. Fauna 27, pp. 500–502. 1908.
    Colorado. N.A. Fauna 33, pp. 21–22, 23–24, 25–27, 39–40. 1911.
  infestation by mites. Rpt. 108, pp. 14, 22, 31, 62, 69. 1915.
BATTEL, JOSEPH, gift of horse farm to Agriculture Department, 1906, 1908, sketch. D.C. 199, pp. 6, 9. 1921.
Batting, black raspberries, practices. F.B. 213, p. 17. 1905.
Battle Creek, Mich., milk supply, statistics, officials, prices, and ordinances. B.A.I. Bul. 46, pp. 40, 102. 1903.
Battlement National Forest—
  change of name. Off. Rec., vol. 3, No. 16, p. 2. 1924.
  vacation days. For. [Misc.], "Vacation days in the battlement * * *," pp. 13. 1919.
BAUER, A. H.: "Soil survey of Dallas County, Texas." With others. Soils F.O., 1920, pp. 1213–1254. 1925; Soil Sur. Adv. Sh., 1920, pp. 1213–1254. 1924.
BAUER, J. W.: "The examination of monthly meteorlogical reports of voluntary observers: It is desirable to report back to the voluntary observer the errors and irregularities discovered in his report." W.B. Bul. 31, pp. 172–175. 1902.
BAUGHMAN, W. F.: "The constituents of Chufa oil, a fatty oil from the tubers of *Cyperus esculentus* Linne." With George S. Jamieson. J.A.R., vol. 26, pp. 77–82. 1923.
Bauhinia—
  faberi, importation, description. No. 40780, B.P.I. Inv. 43, p. 69. 1918.
  hookeri, importation and description. No. 37135, B.P.I. Inv. 38, pp. 8, 42. 1917.
  kappleri, importation and description. No. 50734, B.P.I. Inv. 64, p. 21. 1923.
  racemosa. See Ebony, mountain.
  spp. importation. No. 36842, B.P.I. Inv. 37, p. 72. 1916; Nos. 47940, 48236–48237, B.P.I. Inv. 60, pp. 17, 59. 1922; No. 48437, 48438, B.P.I. Inv. 61, pp. 1, 8. 1922; No. 50126–50127, B.P.I. Inv. 63, p. 38. 1923; No. 52746–52747, B.P.I. Inv. 66, pp. 5, 70. 1923; No. 53567–53568, B.P.I. Inv. 67, pp. 3, 62. 1923; No. 54462, 54472, B.P.I. Inv. 69, pp. 13, 14. 1923.
BAUMAN, H. T., report of East Carolina Truck and Fruit Growers' Association, Wilmington, N. C. Rpt. 98, pp. 238–240. 1913.
Baumé gravity scale, formulae. Rds. Cir. 93, p. 7. 1911.
Baumé spindle. See Saccharometer.
BAUMGARTEL, W. H.: "Centralized management of a large estate operated by tenants in the wheat belt." D.C. 351, pp. 35. 1925.
Bauno, importation and description. Nos. 34353, 34431, B.P.I. Inv. 33, pp. 10, 19. 1915; No. 43479, B.P.I. Inv. 49, pp. 8, 32. 1921.
Bauxite, price in 1910, artificial bauxite in alunite. Soils Cir. 70, p. 4. 1912.
Bavaria—
  forest destruction by insects, instances. Y.B., 1907, pp. 151, 153, 156. 1908; Y.B. Sep. 442, pp. 151, 153, 156. 1908.
  hogs, prevalence of tuberculosis. B.A.I. Cir. 201, p. 11. 1912.
BAXTER, H. W., report of Growers, and Shippers' Exchange, Rochester, N. Y. Rpt. 98, p. 236. 1913.
BAXTER, O. G.—
  "Report upon the Cypress Creek drainage district, Desha and Chicot Counties, Arkansas." With others. D.B. 198, pp. 20. 1915.

BAXTER, O. G.—Continued.
  "The St. Francis Valley drainage project in Northeastern Arkansas." With Arthur E. Morgan. O.E.S. Bul. 230, Pt. I, pp. 100. 1911; Pt. II, pp. 58. 1911.
Bay—
  leaf, use as flavoring in meat dishes. F.B. 391, p. 37. 1910; O.E.S. Bul. 245, p. 68. 1912.
  oil, industry, of St. John, Virgin Islands. Vir. Is. Rpt., 1920, p. 6. 1921.
  swamp—
    description, distribution, oil distillation, and identification. B.P.I. Bul. 235, pp. 29–36. 1912.
    economic importance. B.P.I. Bul. 235, pp. 29–36. 1912.
  sweet. See Magnolia.
  thrips, comparison with camphor thrips. D.B. 1225, p. 4. 1924.
  tree—
    growing in Guam, uses. Guam A.R., 1917, p. 43. 1918.
    importation and description. No. 44823, B.P.I. Inv. 51, p. 74. 1922.
    injury by sapsuckers. Biol. Bul. 39, pp. 37, 38, 78–79. 1911.
    insect pests, list. Sec. [Misc.], "A manual * * * insects * * *," p. 35. 1917.
Bay City, Mich., milk supply, statistics, officials, prices, and ordinances. B.A.I. Bul. 46, pp. 36, 101. 1903.
Bay of Fundy, tides and soils. O.E.S. Bul. 240, pp. 14, 84, 86–99. 1911.
Bayberry—
  description, range, occurrence, Pacific slope. For. [Misc.], "Forest trees * * * Pacific * * *," pp. 209–210. 1908.
  fruiting season and use as bird food. F.B. 844, pp. 11, 13, 14. 1917.
  importation and description. No. 33716, B.P.I. Inv. 31, pp. 47–48. 1914.
  method of detection in stomach of bird. Biol. Bul. 15, p. 14. 1901.
  names, range, description, bark, prices, and uses. P.B.I. Bul. 139, p. 14. 1909.
  rust, aecidiospore discharge, studies. J.A.R., vol. 27, pp. 749–756. 1924.
  trees, injury by sapsuckers. Biol. Bul. 39, p. 29, 67. 1911.
Bayonne, N. J., milk supply, statistics, and prices. B.A.I. Bul. 46, pp. 36, 116. 1903.
Bayous, Mississippi, Bolivar County, descriptions and proposed plans for improvement. O.E.S. Cir. 81, pp. 11–28. 1909.
Bayview Asylum, Baltimore, dietary studies. O.E.S. Bul. 223, pp. 15–46. 1910.
Bdella spp., description and habits. Rpt. 108, pp. 24, 25. 1915.
Bdellidae, classification and description. Rpt. 108, pp. 18, 23–25. 1915.
BEACH, B.A.: "Observations on an outbreak of favus." With J. G. Halpin. J.A.R., vol. 15, pp. 415–418. 1918.
BEACH, C.W.: "Irrigation in Colorado." With P. J. Preston. O.E.S. Bul. 218, pp. 48. 1910.
Beachgrass—
  danger to cattle in spring, Alaska. Alaska A.R., 1909, pp. 26, 64. 1910.
  description and use. D.B. 772, pp. 123, 124. 1920.
  use as sand binder. Soils Bul. 68, p. 75. 1911.
BEADLE, C. E., experience with a forty-acre farm in Nebraska. F.B. 325, pp. 7–17. 1908.
BEAL, F. E. L.—
  "Birds of California in relation to the fruit industry. Part I." Biol. Bul. 30, pp. 100. 1907.
  "Birds of California in relation to the fruit industry. Part II." Biol. Bul. 34, pp. 96. 1910.
  "Common birds of southeastern United States in relation to agriculture." With others. F.B. 755, pp. 40. 1916.
  "Food habits of the swallows, a family of valuable native birds." D.B. 619, pp. 28. 1918.
  "Food habits of the thrushes of the United States." D.B. 280, pp. 23. 1915.
  "Food of our more important flycatchers." Biol. Bul. 44, pp. 67. 1912.
  "Food of some well-known birds of forest, farm, and garden." With W. L. McAtee. F.B. 506, pp. 35. 1912.

BEAL, F. E. L.—Continued.
"Food of the robins and bluebirds of the United States." D.B. 171, pp. 31. 1915.
"Food of the woodpeckers of the United States." Biol. Bul. 37, pp. 64. 1911.
"How birds affect the orchard." Y.B. 1900, pp. 291-304. 1901; Y.B. Sep. 197, pp. 291-304. 1901.
"Our meadow larks in relation to agriculture." Y.B., 1912, pp. 279-284. 1913; Y.B. Sep. 590, pp. 279-284. 1913.
"Some common birds useful to the farmer." F.B. 630, pp. 27. 1915.
"Some common game, aquatic, and rapacious birds in relation to man." With W. L. McAtee. F.B. 497, pp. 30. 1912.
"The American thrushes valuable bird neighbors." Y.B., 1913, pp. 135-142. 1914; Y.B. Sep. 620, pp. 135-142. 1914.
"The relation of birds to fruit growing in California." Y.B., 1904, pp. 241-254. 1905; Y.B. Sep. 344, pp. 15. 1905.
"The relations between birds and insects." Y.B., 1908, pp. 343-350. 1909; Y.B. Sep. 486, pp. 343-350. 1909.

BEAL, W. H.—
"Barnyard manure." F.B. 192 (F.B. 26, rev.), pp. 32. 1904.
"Description of exhibits of colleges of agriculture and mechanic arts and experiment stations, Louisiana Purchase Exposition, St. Louis, Mo., 1904." O.E.S. Doc. 710, pp. 23. 1904.
"Range investigations by experiment stations." With others. O.E.S. An. Rpt., 1922, pp 113-126. 1924.
"Some practical results of experiment station work." Y.B., 1902, pp. 589-606. Y.B. Sep. 292, pp. 589-606. 1903.
"Work and expenditures of the agricultural experiment stations, 1922." With others. O.E.S. An. Rpt., 1922, pp. 158. 1924.
"Work and expenditures of the agricultural experiment stations, 1923." With others. Work and Exp., 1923, pp. 122. 1925.

Beals, C. L.: "Chemical composition, digestibility and feeding value of vegetable ivory meal." With J. B. Lindsey. J.A.R., vol. 7, pp. 301-320. 1916.

BEALS, E. A.—
Columbia River, address. W.B. [Misc.], "Proceedings, third convention * * *," pp. 109-113. 1904.
"Forecasting frost in the north Pacific States." W.B. Bul. 41, pp. 49. 1912.
"Rainfall and irrigation." Y.B., 1902, pp. 627-642. 1903; Y.B. Sep. 294, pp. 627-642. 1903.

BEAN, Judge, opinion on twenty-eight-hour law. Sol. Cir. 28, pp. 4. 1909.
BEAN, W. O.: "Soil survey of Sioux County, Iowa." With E. H. Smies. Soil Sur. Adv. Sh., 1915, pp. 37. 1917. Soils F.O., 1915, pp. 1747-1779. 1919.

Bean(s)—
L. C. Corbett. F.B. 289, pp. 28. 1907.
absorption of boron and distribution, studies. J.A.R., vol. 5, No. 19, pp. 884, 885, 886, 887, 888. 1916.
acreage—
1918, studies. Sec. Cir. 75, p. 12. 1917.
1924., by States. Y.B., 1924, p. 688. 1925.
under irrigation, Colorado, Cache la Poudre Valley, 1916, 1917. D.B. 1026, p. 43. 1922.
yield, prices and marketing, 1923. Y.B., 1923, pp. 790-891. 1924; Y.B. Sep. 901, pp. 790-791. 1924.
adaptability for poor soil and various conditions. News L., vol. 4, No. 47, p. 8. 1917.
adsuki—
and other, importations from Asia, descriptions and uses. Nos. 34643-34654, 34700-34702. B.P.I. Inv. 33, pp. 7, 42, 43, 49. 1915.
description, botany, history, and introductions. D.B. 119, pp. 3-12. 1914.
description, introduction, and value. Y.B., 1908, pp. 253-254. 1909; Y.B. Sep. 478, pp. 253-254. 1909.

Bean(s)—Continued.
adsuki—continued.
importations and description. Nos. 36080, 36084, 36085, B.P.I. Inv. 36, p. 50. 1915; Nos. 36838-36840, 36907, 36910-36912, 36921-36923, B.P.I. Inv. 37, pp. 71, 82, 83. 1916; Nos. 37002-37003, 37038-37039, 37057, 37058, 37357-37366, 37395, 37575, B.P.I. Inv. 38, pp. 22, 30, 53, 58, 75. 1917; Nos. 45298, 45299, B.P.I. Inv. 53, p. 22. 1922.
planting experiments and yield. O.E.S. An. Rpt., 1911, p. 170. 1913.
use as food, and cooking directions. D.B. 123, p. 43. 1916.
adulteration. See Indexes, Notices of Judgment, in bound volumes and in separates published as supplements to Chemistry Service and Regulatory Announcements.
algaroba, grinding by new method, for feed. An. Rpts., 1909, p. 697. 1910; O.E.S. Dir. Rpt., 1909, p. 19. 1910.
analysis of seeds. D.B. 119, p. 30. 1914.
anthracnose. B.P.I. Doc. 330, p. 1. 1907.
anthracnose—
control investigations. O.E.S. An. Rpt., 1910, p. 149. 1911.
difference from cucurbit anthracnose. D.B. 727, pp. 4, 12-13, 23, 24. 1918.
prevalence and prevention, 1908. Y.B., 1908, p. 533.
aphid—
avoidance by late planting. D.B., 807, p. 20. 1920.
description and control. D.C. 35, p. 7. 1919.
injury—
and control by nicotine sulphate. F.B. 856, p. 29. 1917.
to globe artichoke in Louisiana. D.B. 703, pp. 1, 2-4. 1918.
spinach blight, transmission. J.A.R., vol. 14, No. 1, p. 51. 1918.
ashy-pod, description and characteristics. B.P.I. Bul. 179, p. 15. 1910.
asparagus—
and Jack, advertising under new names. News L., vol. 1, No. 18, pp. 1-2. 1913.
description. B.P.I. Bul. 109, p. 38. 1907; B.P.I. Bul. 229, p. 9. 1912; F.B. 1148, p. 11. 1920.
description, comparison with so-called shahon pea. News L., vol. 2, No. 35, p. 2. 1915.
habits of growth, description. B.P.I. Bul. 229, pp. 78, 80, 85, 101, 109, 110, 111, 116, 118, 119, 120, 121, 122, 127, 131. 1912.
importations and description. Nos. 40901, 40902, B.P.I. Inv. 44, p. 10. 1918.
origin, characteristics, and uses. F.B. 1148, pp. 3, 11. 1920.
bacterial blight—
organism, comparison with Bacterium aptatum. J.A.R., vol. 1, p. 208. 1913.
study of resistance. J.A.R., vol. 31, pp. 102-145, 149-151, 153. 1925.
Bacterium phaseoli, control. S.R.S. Rpt., 1916, Pt. I, p. 226. 1918.
baked—
and tomato sauce, misbranding. N.J. 84. Chem. N.J. 83-90, pp. 5-7. 1909.
canning methods. Chem. Bul. 151, pp. 34, 72-74. 1912; D.B. 196, p. 77. 1915.
banana, note. F.B. 289, p. 7. 1907.
beetle—
Colorado, outbreaks in 1921. D.B. 1103, p. 32. 1922.
extermination appropriation. Off. Rec., vol. 1, No. 35, p. 2. 1922; Off. Rec., vol. 1, No. 38, p. 2. 1922.
Mexican—
control. An. Rpts., 1923, pp. 400-401. 1923; Ent. A.R., 1923, pp. 20-21. 1923; Off. Rec., vol. 2, No. 3, p. 2. 1923.
in the East. Neale F. Howard. F.B. 1407, pp. 14. 1924.
in the Southeast, studies. Neale F. Howard and L. L. English. D.B. 1243, pp. 51. 1924.

Bean(s)—Continued.
　beetle—continued.
　　Mexican—Continued.
　　　menace to leguminous crops. Off. Rec., vol. 1, No. 28, p. 3. 1922.
　　　outbreaks in 1921. D.B. 1103, pp. 32–34. 1922.
　　　parasites. F.B. 1407, p. 7. 1924.
　　　quarantine, notice of lifting. F.H.B. [Misc.], "Notice of lifting * * * beetle quarantine * * *," p. 1. 1921.
　　　quarantine, regulations. F.H.B. Quar. 50, pp. 4. 1921.
　　　quarantine removal. F.H.B., S.R.A. 71, pp. 103, 155–157. 1922.
　　　spread. Off. Rec., vol. 3, No. 44, p. 5. 1924.
　　　parasites. D.B. 1243, pp. 27–28. 1924.
　Bengal. See Bean, Mauritius.
　blight—
　　cause and comparison with wilt. J.A.R., vol. 28, No. 5, p. 490. 1924.
　　description and control. D.C. 35, pp. 5–6. 1919.
　　symptoms and control. F.B. 856, p. 26. 1917.
　Bonavist—
　　drought resistance. An. Rpts., 1910, p. 86. 1911; Sec. A.R., 1910, p. 86. 1910; Y.B., 1910, p. 85. 1911.
　　hay yield per acre. B.P.I. Cir. 34, p. 13. 1909.
　　importation(s) and description(s). Nos. 35351–35354, 35621, B.P.I. Inv. 35, pp. 40, 60. 1915; No. 37081, B.P.I. Inv. 38, p. 34. 1917; Nos. 42577–42580, B.P.I. Inv. 47, pp. 5, 30–31. 1920; Nos. 43505–43517, 43594, B.P.I. Inv. 49, pp. 38, 49. 1921; Nos. 44500, 44766, 44772, B.P.I. Inv. 51, pp. 17, 61, 62. 1922; No. 47058, B.P.I. Inv. 58, p. 21. 1922; No. 47568, B.P.I. Inv. 59, pp. 6, 32. 1922; Nos. 47977, 47998, B.P.I. Inv. 60, p. 24. 1922; Nos. 53045, 53533, 53859, B.P.I. Inv. 67, pp. 23, 58, 93. 1923.
　　introduction, description, and varietal characters. D.B. 318, pp. 1–15. 1915.
　　origin, introduction, characteristics, and value. Y.B., 1908, p. 258. 1909; Y.B. Sep. 478, p. 258. 1909.
　　See also Cerebilla; Bean, hyacinth.
　Boston baked, recipe. U.S. Food Leaf. 14, p. 3. 1918.
　broad—
　　acreage reduction. D.B. 807, p. 8. 1920.
　　adulteration, regulation. Chem. S.R.A. 15, p. 24. 1915.
　　description. F.B. 289, p. 6. 1907.
　　importations and descriptions. No. 40655, B.P.I. Inv. 43, pp. 61–62. 1918; Nos. 43228–43232, 43334–43336, B.P.I. Inv. 48, pp. 30, 45. 1921; Nos. 45305–45307, 45474–45476, B.P.I. Inv. 53, pp. 23, 38. 1922.
　　production, 1916, 1917, 1918, California. D.B. 807, p. 6. 1920.
　　weevil—
　　　F. H. Chittenden. Ent. Bul. 96, Pt. V, pp. 59–82. 1912.
　　　control by holding over of seed. D.B. 807, pp. 17–18. 1920.
　　　infested, germination tests. D.B. 807, pp. 13–14. 1920.
　　See also Horse beans.
　bunch, growing directions. News L., vol. 6, No. 37, p. 4. 1919.
　buck. See Buck bean; Bog bean.
　bush—
　　growth and composition on calcareous and non-calcareous soils, experiments, and methods. P.R. Bul. 16, pp. 14, 15–17. 1914.
　　planting directions for club members. D.C. 27, pp. 15–16. 1919.
　velvet—
　　Porto Rico, studies of cover crops. P.R. An. Rpt., 1921, p. 10. 1922.
　　value. News L., vol. 6, No. 34, p. 2. 1919.
　bushel weights, Federal and State. Y.B., 1918, p. 723. 1919; Y.B. Sep. 795, pp. 59, 62. 1919.
　California pink, labeling regulations, F.I.D. 201. Chem. S.R.A. 19, p. 52. 1917.
　canavalia, introduction into Porto Rico, and testing. P.R. An. Rpt., 1914, p. 29. 1916.

Bean(s)—Continued.
　canned—
　　adulteration. Chem. N.J. 3639, pp. 185, 186, 203, 208, 221. 1915; Chem N.J. 4193, 4194, 4197, pp. 305, 306, 309. 1916; Chem N.J. 4201, p. 318. 1916; Chem. N.J. 13476, p. 1. 1925; Chem. N.J. 13716, p. 1. 1925.
　　analyses showing composition of different grades. W. A. Dubois. Chem. Cir. 54, pp. 9. 1910.
　　misbranding. Chem. N.J. 2177, pp. 2. 1913.
　　souring prevention. News L., vol. 3, No. 44, p. 3. 1916.
　canning—
　　directions. F.B. 839, pp. 17, 29, 32. 1917; S.R.S. Doc. 17, p. 3. 1915.
　　inspection instructions. D.B. 1084, pp. 29–31. 1922.
　　with corn and tomatoes, directions. S.R.S. Doc. 12, p. 5. 1917.
　cape, importation and description. No. 40925. B.P.I. Inv. 44, p. 15. 1918.
　castor. See Castor bean; Castor-oil plant.
　Chinese asparagus, same as fijole of Guam. Guam Bul. 4, p. 25. 1922.
　club(s)—
　　in Guam, enrollment and work, 1920. Guam A.R., 1920, pp. 71, 72. 1921.
　　in Guam, results of work, 1921. Guam A.R., 1921, pp. 37, 39. 1923.
　　success, California and Washington. D.C. 66, pp. 22, 33. 1920.
　　work, growing, demonstrations. D.C 152, pp. 9–10. 1921.
　competition with sugar beets. D.B. 995, p. 33. 1921.
　content of prussic acid, opinion 219. Chem. S.R.A. 20, p. 62. 1917.
　cooking—
　　directions. D.B. 123, pp. 41–44, 46–47. 1916.
　　lesson outlines for first year, and correlative studies. D.B. 540, p. 39. 1917.
　　recipes. F.B. 256, pp. 22–26. 1906; F.B. 824, pp. 13, 16. 1917.
　cost—
　　and food value. News L., vol. 7, No 18, p. 5. 1919.
　　of production, and requirements. Y.B., 1921, pp. 812, 829, 832. 1922; Y.B. Sep. 876, pp. 9, 26, 29. 1922.
　crop—
　　acreage, geographical distribution. F.B. 289, pp. 8–10. 1907.
　　harvesting, notes. F.B. 425, p. 8. 1910.
　　labor, normal day's work. D.B. 412, pp. 2, 10–11. 1916.
　　crossing, experiments and results. B.P.I. Bul. 165, pp. 63–64, 65, 66. 1909.
　cull—
　　feed for hogs, experiments. F.B. 305, pp. 25–28. 1907.
　　feed value and use. F.B. 907, p. 15. 1917.
　　use in food products, opinion. Chem. S.R.A. 1, p. 1. 1914.
　　use and value as hog feed. F.B. 561, p. 12. 1913.
　cultivation, days' work. D.B. 3, p. 26. 1913.
　cultural directions—
　　and varieties. F.B. 934, pp. 26–27. 1918; F.B. 818, pp. 37–39. 1917; F.B. 937, pp. 16, 17, 23, 29. 1918.
　　for city gardens. F.B. 1044, pp. 21–23. 1919.
　　for home gardens. S.R.S. Doc. 49, pp. 4–5, 7. 1917.
　　for control of weevils. F.B. 983, pp. 21–22. 1918.
　digestion experiments. O.E.S. Bul. 159, pp. 147, 150, 191. 1905.
　disease(s)—
　　and insect pests, description and control. D.C. 35, pp. 5–7. 1919.
　　cause and results. Guam A.R., 1917, pp. 46–47. 1918.
　　free seed, importance of careful selection. News L., vol. 5, No. 4, p. 3. 1917.
　　occurring under market, storage, and transit conditions. B.P.I. [Misc.], "Handbook of the * * *," pp. 24–27. 1919.

Bean(s)—Continued.
  disease(s)—continued.
    resistance tests. J.A.R., vol. 31, pp. 102–103. 1925.
    Texas, occurrence and description. B.P.I. Bul. 226, pp. 34–38, 109, 110, 111. 1912.
  dried—
    adulteration, opinion 165. Chem. S.R.A. 16, pp. 32–33. 1916.
    cooking, tests. F.B. 342, pp. 29–30. 1909.
    food-value—
      comparisons, chart. D.B. 975, pp. 6, 19. 1921.
      uses, and recipes for cooking. Sec. U.S. Food Leaf. 14, pp. 4. 1918.
    value as meat substitute, digestibility. Y.B., 1910, pp. 360, 363–364. 1911; Y.B. Sep. 543, pp. 360, 363–364. 1911.
  dry—
    adulteration, rulings by Agriculture Department. News L., vol. 3, No. 15, p. 8. 1915.
  edible—
    acreage, census 1909, by States, map. Y.B., 1915, p. 369. 1916; Y.B. Sep. 681, p. 369. 1916.
    acreage in United States, map. Sec. [Misc.] Spec., "Geography * * * world's agriculture," p. 100. 1917.
    standardization. Sec. A.R., 1925, p. 45. 1925.
    shipments by States, and by stations, 1916. D.B. 667, pp. 13, 186–188. 1918.
    shipments in carloads, by States, 1920–1923. Stat. Bul. 9, pp. 3–7. 1925.
    standards, establishment. Off. Rec., vol. 3, No. 20, p. 7. 1924.
  drying—
    directions. F.B. 841, pp. 17–18. 1917.
    for food use. D.C. 3, pp. 10, 11. 1919.
  emergency crops, overflowed lands. B.P.I. Doc. 756, p. 7. 1912.
  estimates, 1914–1922. M.C. 6, p. 16. 1923.
  experiments and varietal tests, San Antonio farm, 1917. W.I.A. Cir. 21, pp. 19–20. 1918.
  exports and imports—
    1906–1910. Y.B., 1910, pp. 664, 673. 1911; Y.B. Sep. 554, pp. 664, 673. 1911.
    1921, statistics. Y.B., 1921, pp. 742, 748, 757. 1922; Y.B. Sep. 867, pp. 6, 12, 21. 1922.
  extract, use in preparation of antihog-cholera serum, directions. J.A.R. vol. 6, No. 9, pp. 334, 335, 338. 1916.
  fertilizer—
    experiments. J.A.R., vol. 28, pp. 972–974. 1924.
    formula. F.B. 222, p. 9. 1905.
    of sulphur, experiments. J.A.R., vol. 5, No. 6, pp. 237, 238–239. 1915.
    tests. Soils Bul. 67, pp. 34–36. 1910.
  field—
    acreage in 1919, map. Y.B., 1921, p. 455. 1922; Y.B., Sep. 878, 1921, p. 49. 1922.
    changes, necessity. F.B. 856, p. 28. 1917.
    cultivation, method. F.B. 907, pp. 5, 9. 1917.
    harvest time, graph. D.C. 183, p. 47. 1922.
    planting date, graph. D.C. 183, p. 46. 1922.
    production—
      and importance. Y.B., 1923, p. 361, 363. 1924; Y.B. Sep. 895, pp. 361, 363. 1924.
      decrease, 1916, distribution, and price increase. News L., vol. 4, No. 37, p. 2. 1917.
  flea beetle, rejection by birds. Biol. Bul. 15, p. 24. 1901.
  fleshy-pod, description, distribution and uses. B.P.I. Bul. 179, pp. 19–20. 1910.
  flour and bread, analyses and characteristics. D.B. 701, pp. 4–9. 1918.
  fly, description. Sec. [Misc.], "A manual of insects * * *," p. 37. 1917.
  foliage—
    analyses showing injury by smelter fumes. Chem. Bul. 89, pp. 15, 22. 1905.
    burning, insecticide testing. J.A.R., vol. 28, p. 402. 1924.
  food—
    use, various countries. D.B. 119, pp. 5–7, 9, 10, 14, 16. 1914.
    value. F.B. 169, pp. 26–29. 1903; F.B. 249, p. 15. 1906.
  forecast by States, September, 1913. F.B. 558, p. 19. 1913.

Bean(s)—Continued.
  fumigated, absorption of hydrocyanic acid. D.B. 1149, pp. 10, 11. 1923.
  garden—
    American varieties. W. W. Tracy, jr. B.P.I. Bul. 109, pp. 160. 1907.
    planting time and varieties. News L., vol. 4, No. 37, p. 8. 1917.
    profitableness as late crop. News L., vol. 4, No. 47, p. 8. 1917.
  germination, changes in inorganic constituents. Chem. Bul. 138, p. 18. 1911.
  germination, effect of weevil infestation. F.B. 983, p. 20. 1918.
  giant, importation, No. 42049. B.P.I. Inv. 46, pp. 6, 49. 1919.
  Goa, importations and descriptions. Nos. 45928, 45929, B.P.I. Inv. 54, p. 43. 1922; No. 47510, B.P.I. Inv. 59, p. 24. 1922; No. 49711, B.P.I Inv. 62, pp. 3, 74. 1923; No. 51765, B.P.I. Inv. 65, pp. 4, 46. 1923.
  Great Northern, description. News L., vol. 6, No. 37, p. 10. 1919.
  green—
    canning directions. F.B. 359, pp. 12, 14. 1908.
    growing, acreage and States, 1910. Y.B., 1916, pp. 443, 460. 1917; Y.B. Sep. 702, pp. 9, 26. 1917.
  growing—
    as truck crop. Y.B., 1907, p. 433. 1908; Y.B. Sep. 459, p. 433. 1908.
    by club members, kinds, planting, and care. S.R.S. Doc. 92, pp. 15–16. 1919.
    club garden directions. D. C. 27, pp. 15–16. 1919.
    commercial. F.B. 425, pp. 5–9. 1910.
    cost, yield, and price. F.B. 561, pp. 4, 9–10, 12. 1913.
    crop rotation. F.B. 425, p. 6. 1910.
    directions—
      and varieties recommended for home gardens. F.B. 936, pp. 36–37. 1918.
      for club members. D.C. 48, pp. 7–8. 1919.
      for seed, methods, yield, and prices. B.P.I. Bul. 184, pp. 24–28. 1910.
    in Alaska, experiments—
      1915. Alaska A.R., 1915, pp. 35, 67, 82, 83, 90. 1916.
      1916 and results. Alaska A.R., 1916, pp. 36, 48. 1918.
      1920. Alaska A.R., 1920, pp. 34, 45, 65, 66. 1922.
      1921. Alaska A.R., 1921, pp. 7, 21, 29, 44. 1923.
    in Arizona, Yuma Experiment Farm, varieties and yields. W.I.A. Cir. 25, pp. 41–42. 1919.
    in California—
      Anaheim area. Soil Sur. Adv. Sh., 1916, pp. 15, 16–17, 18. 1919; Soils, F.O., 1916, pp. 2279–2284, 2293–2330. 1921.
      central southern area. Soil Sur. Adv. Sh., 1917, pp. 31, 48–75, 112–120. 1921; Soils F.O., 1917, pp. 2429, 2446–2473, 2520–2528. 1923.
      Los Angeles area. Soil Sur. Adv. Sh., 1916, pp. 20, 70. 1919; Soils F.O., 1916, pp. 2362, 2376–2412. 1921.
      Pajaro Valley and yield. Soil Sur. Adv. Sh., 1908, pp. 11, 28. 1910; Soils F.O., 1908, pp. 1337, 1354. 1911.
      Santa Maria area. Soil Sur. Adv. Sh., 1916, pp. 10–12, 24–25. 1919; Soils F.O., 1916, pp. 2536–2541, 2550–2571. 1921.
      upper San Joaquin Valley. Soil Sur. Adv. Sh., 1917, pp. 25–26. 1921; Soils F.O., 1917, pp. 2553–2554. 1923.
    in Colorado—
      farm practices (with other crops). D.B. 917, pp. 11–40. 1921.
      labor, distribution and cost. D.B. 917, pp 6, 9, 10, 11, 12, 45. 1921.
    in eastern Washington—
      Oregon and northern Idaho. Lee W. Fluharty. F.B. 561, pp. 12. 1913.
      Oregon and northern Idaho. Lew W. Fluharty and Byron Hunter. F.B. 907, pp. 16. 1917.

Bean(s)—Continued.
  growing—continued.
    in Florida, Fort Lauderdale area, and yields. Soil Sur. Adv. Sh., 1915, pp. 24, 32, 46. 1915; Soils F.O., 1915, pp. 770, 778, 792. 1919.
    in Guam—
      cultural directions. Guam Cir. 2, p. 9. 1921.
      directions, varieties. Guam Bul. 2, pp. 12, 26–32. 1922.
      experiments, yields, 1916. Guam A.R., 1916, pp. 28–30. 1917.
      varieties and insect enemies. Guam A.R., 1914, pp. 11–12. 1915.
      varieties and uses. Guam A.R., 1920, pp. 28–29. 1921.
    in Hawaii—
      and mutations. Hawaii A.R., 1919, pp. 45–46, 69. 1920.
      variety tests. Hawaii A.R., 1918, pp. 16–19. 1919.
    in Idaho—
      Latch County. Soil Sur. Adv. Sh. 1915, pp. 11, 18. 1917; Soils F.O., 1915, pp. 2186, 2192, 2193. 1919.
      Twin Falls area. Soil Sur. Adv. Sh., 1921, pp. 1372–1373, 1380. 1925.
    in Michigan, Calhoun County. Soil Sur. Adv. Sh., 1916, pp. 14, 16, 17, 28–46. 1919; Soils F.O., 1916, pp. 1635, 1640, 1641, 1649–1668. 1921.
    in Nevada, for home garden, varieties. B.P.I. Cir. 110, p. 22. 1913.
    in New Jersey. D.B. 677, pp. 20, 30, 38, 62–74. 1918.
    in New York, Yates County. Soil Sur. Adv. Sh., 1916, pp. 8, 9, 11, 16–32. 1918; Soils F.O., 1916, pp. 223, 230–247. 1921.
    in Oregon, Benton County. Soil Sur. Adv. Sh., 1920, pp. 1436, 1456–1461. 1924; Soils F.O., 1920, pp. 1436, 1456–1461. 1925.
    in Porto Rico—
      from imported seed, experiments. P.R. Bul. 20, pp. 10–15. 1916.
      varieties, breeding and testing, and yields. P.R. An. Rpt., 1918, pp. 13–14, 18–19, 24. 1920; P.R. An. Rpt., 1919, pp. 10, 20, 30, 32, 37. 1920.
      yield and value as food crop. P.R. An. Rpt., 1916, pp. 6, 7, 9. 1918.
    in Virgin Islands, experiments. Vir. Is. An. Rpt., 1920, pp. 16–17. 1921.
    in Virginia trucking districts. D.B. 1005, pp. 4, 13–16, 23–35, 38–43, 64–66, 70. 1922.
    in Washington, profit. News L., vol. 6, No. 43, p. 10. 1919.
    in Wisconsin—
      Columbia County, yields. Soil Sur. Adv. Sh., 1911, pp. 12, 26–46. 1913; Soils F.O., 1911, pp. 1372, 1386–1406. 1914.
      Waushara County, and yield. Soil Sur. Adv. Sh., 1909, pp. 13, 16. 1911; Soils F.O., 1909, pp. 1211, 1214. 1912.
    labor and materials, requirements in various States. D.B. 1000, pp. 25–27. 1921.
    methods and varieties. F.B. 647, p. 12. 1915.
    on Clyde soils, yields. D.B. 141, pp. 30, 31, 36, 54–56. 1914.
    on manganiferous soils. Hawaii Bul. 26, pp. 24, 27, 34. 1912.
    on Miami soils, yields. D.B. 142, pp. 25, 30, 39, 49, 55. 1914.
    rotation with sugar beets. D.B. 721, pp. 31–32. 1918.
    soils, preparation. F.B. 425, pp. 5–6. 1910.
    tests, Yuma Experiment Farm, 1916. W.I.A. Cir. 20, p. 38. 1918.
    translocation of mineral constituents, experiments. J.A.R. vol. 5, No. 11. pp. 450–454. 1915.
    under irrigation, cost and yield. O.E.S. Bul. 222, pp. 85–86. 1910.
    variety tests and yields, Yuma Experiment Farm. D.C. 75, pp. 41, 48–49. 1920.
  growth—
    effect of manure treated with borax and colemanite. J.A.R., vol. 13, pp. 458, 459, 461, 462, 463. 1918.

Bean(s)—Continued.
  growth—continued.
    temperatures, minimum, optimum, and maximum. J.A.R., vol. 13, p. 133. 1918.
  Haricot, description. F.B. 289, p. 6. 1907.
  harvester—
    cost per acre and per day, relation to service, table. D.B. 338, pp. 19–20. 1916.
    description and use. F.B. 561, pp. 6–7. 1913.
    use in harvesting cowpea seed. F.B. 318, pp. 19, 20. 1908.
  hauling from farm to shipping points, costs. Stat. Bul. 49, pp. 1–18. 1907.
  Hawaii, shipping to San Francisco. Y.B., 1915, p. 144. 1916; Y.B. Sep. 663, p. 144. 1916.
  history from early times. B.P.I. Bul. 102, pp. 44–59. 1907.
  holding over for control of weevil. D.B. 807, pp. 17–18. 1920.
  hyacinth—
    importation and description. No. 40903, B.P.I. Inv. 44, p. 10. 1918; No. 51433, 51497, 51608, 51938, B.P.I. Inv. 65, pp. 17, 21, 31, 68. 1923.
    See also Bean, Bonavist.
  hybrids, inheritance of length of pod. J.A.R., vol. 5, No. 10, pp. 405–420. 1915.
  importance and value as emergency crop, Provo area. D.B. 582, pp. 24–26. 1918.
  importations and description. Nos. 35984, 35985, 35993, 36173–36182, B.P.I. Inv. 36, pp. 33, 35, 64. 1915; Nos. 36395–36484, 36838–36840, 36861, 36907, 36909–36912, B.P.I. Inv. 37, pp. 21, 71, 75, 82, 83. 1916; Nos. 36970, 36988–36989, 37023–37024, 37079, 37220, 37369–37374, B.P.I. Inv. 38, pp. 16, 20, 28, 34, 47, 53. 1917; Nos. 37888, 37890–37891, 38437, 38441–38446, B.P.I. Inv. 39, pp. 63, 130, 131, 132. 1917; Nos. 39979–39981, 40286, 40289, B.P.I. Inv. 42, pp. 45, 101. 1918; Nos. 43492–43543, 43594, 43771, B.P.I. Inv. 49, pp. 9, 39, 49, 75. 1921; Nos. 44215–44217, 44222–44228, 44232, B.P.I. Inv. 50, pp. 43–44. 1922; Nos. 44460, 44501–44505, 44710, 44762, 44877, B.P.I. Inv. 51, pp. 15, 18, 53, 60, 83. 1922; Nos. 46322–46326, 46340–46351, 46362–46370, 46465–46470, 46491–46495, 46509, 46518, 46526–46530, B.P.I. Inv. 56, pp. 9, 11, 12, 18, 22, 23, 24. 1922; Nos. 46770–46779, B.P.I. Inv. 57, p. 32. 1922; Nos. 50169–50173, 50217, 50248–50267, B.P.I. Inv. 63, pp. 42, 46, 49. 1923; Nos. 50845–50901, 50962–50966, 50999, 51079, 51198, B.P.I. Inv. 64, pp. 30, 37, 39, 52, 72. 1923; Nos. 52363, 52744, 52775, 52831–52834, B.P.I. Inv. 66, pp. 16, 70, 73, 82. 1923; Nos. 52857, 53199–53215, 53244–53261, 53269–53377, 53500–53527, 53532, 53762–53812, 53814–53823, 53825–53842, 53867–53894, B.P.I. Inv. 67, pp. 6, 40, 43, 45–48, 57, 58, 87–90, 93–94. 1923; Nos. 54995, 55418, 55430–55434, B.P.I. Inv. 71, pp. 11, 41, 42. 1923; Nos. 56072–56079, B.P.I. Inv. 73, pp. 34–35. 1924.
  infection with Corticium vagum, temperature studies and results. J.A.R., vol. 25, pp. 438–442. 1923.
  influence on pork. B.A.I. Bul. 47, p. 220. 1904.
  injury by—
    bean thrips. Ent. Bul. 118, pp. 8, 16, 24, 27. 1912.
    clover-root curculio. Ent. Bul. 85, p. 29. 1911.
    flea-beetle. D.B. 436, p. 5. 1917.
    insecticides, investigations. D.B. 278, pp. 9–11. 1915.
    ladybirds. D.B. 843, pp. 1–2, 10, 12, 13. 1920.
    legume pod moth. Ent. Bul. 95, Pt. VI, pp. 89–104. 1912.
    melon fly. D.B. 643, p. 21. 1918.
    red-banded leaf-roller. D.B. 914, pp. 1, 2, 9, 10, 12. 1920.
    southern green plant bug. D.B. 689, pp. 2, 13, 14. 1918.
    weevils. F.B. 1275, pp. 1–35. 1923.
  inoculation, field tests and results. F.B. 315, pp. 17, 19. 1908.
  insect(s)—
    and diseases attacking. F.B. 856, pp. 25–29. 1917.
    injurious, control. D.C. 35, pp. 6–7. 1919.

INDEX TO PUBLICATIONS, 1901–1925   199

Bean(s)—Continued.
  insect(s)—continued.
    pests in Virgin Islands, description and control. Vir. Is. Bul. 4, pp. 1-6. 1923.
    pests, list. Sec.[Misc.], "A manual * * * insects * * *," pp. 35-38. 1917.
    introductions from the East, numbers and descriptions. D.B. 119, pp. 7-12, 14-16, 22-25, 27-28. 1914.
  irrigation in Colorado, 1916, 1917. D.B. 1026, pp. 68, 84. 1922.
  jack—
    analyses. B.P.I. Cir. 110, p. 34. 1913.
    as cover crop for the avocado. Hawaii Bul. 25, p. 18. 1911.
    chemical analyses. D.C. 92, p. 7. 1920.
    culture experiments. Hawaii A. R., 1913, p. 45. 1914.
    description, history, and value. B.P.I. Cir. 110, pp. 29-34. 1913.
    growing in Guam—
      cultural directions and yields. Guam Bul. 4, pp. 7, 17, 20-21, 29. 1922.
      experiments. Guam A. R., 1916, p. 19. 1917; Guam A. R., 1917, pp. 26, 27. 1918; Guam An. Rpt., 1919, pp. 29, 34. 1921.
    growing in Hawaii—
      description, adaptability, yield, and seeding rate. Hawaii Bul. 23, pp. 19-21. 1911.
      insects injurious. Hawaii A. R., 1910, pp. 22, 23. 1911.
      value and yield. Hawaii A.R., 1915, pp. 15, 41. 1916.
    growing in Porto Rico, value as cover crop. P.R. Bul. 19, pp. 12-13. 1916.
    importations and description. No. 34633, B.P.I. Inv. 33, p. 41. 1915; No. 43059, B.P.I. Inv. 48, p. 15. 1921; Nos. 49231, 49259, B. P.I. Inv. 62, pp. 14, 17. 1923; No. 51607, B.P.I. Inv. 65, p. 31. 1923.
    use in feeding hogs. B.P.I. Cir. 110, p. 30. 1913.
    value as legume for green manure, Hawaii. Hawaii A.R., 1914, p. 21. 1915.
    yield of green fodder and seed. B.P.I. Cir. 110, p. 33. 1913.
    yields and economic values. D.C. 92, pp. 7, 8. 1920.
  Kentucky Wonder—
    growing in Guam, directions. Guam Bul. 2, pp. 12, 27. 1922.
    yield, Newlands Experiment Farm, 1918. D.C. 80, p. 15. 1920.
  kidney—
    bush and pole varieties. B.P.I. Bul. 109, pp. 53-133. 1907.
    description. F.B. 289, p. 6. 1907.
    digestibility, experiments. O.E.S. Bul. 187, pp. 20-25. 1907.
    mineral content of cotyledons. J.A.R., vol. 20, pp. 875-876. 1921.
    production experiments in Porto Rico. P.R. An. Rpt., 1921, p. 15. 1922.
  Kulthi—
    growing, experiments with daylight of different lengths. J.A.R., vol. 23, p. 875. 1923.
    growing in Hawaii. Hawaii A.R., 1921, p. 31. 1922.
  Lady Washington—
    adaptability for Washington, Oregon, and Idaho. F.B. 907, p. 13. 1917.
    description. F.B. 561, p. 10. 1913.
  ladybird—
    F. H. Chittenden and H. O. Marsh. D.B. 843, pp. 24. 1920.
    Colorado, distribution and damages. F.B. 1074, pp. 4. 1919.
    control methods. F. H. Chittenden. F.B. 1074, pp. 7. 1919.
    late planting for control of weevil. D.B. 807, pp. 18-20. 1920.
  leaf-beetle—
    habits and treatment. D.C. 35, pp. 6-7. 1919.
    injuries and control. F.B. 856, pp. 28-29. 1917.
  Lima—
    and string, canning methods. News L., vol. 3, No. 51, p. 8. 1916.
    bacterial spot, cause and description. W. B. Tisdale and Maude M. Williamson. J.A.R., vol. 25, pp. 141-154. 1923.

Bean(s)—Continued.
  Lima—Continued.
    bush and pole varieties. B.P.I. Bul. 109, pp. 41-53. 1907.
    canned—
      analysis and results. Chem. Cir. 54, pp. 4-5, 9. 1910.
      recipes for table use. S.R.S. Doc. 31, p. 2. 1916.
    canning—
      directions. F.B. 359, p. 14. 1910.
      experiments in testing temperature changes. D.B. 956, pp. 24-25. 1921.
      methods. Chem. Bul. 151, pp. 35, 45-46. 1912; D.B. 196, p. 57. 1915.
    Chickasaw. See Bean, jack.
    chowder, recipe. F.B. 871, p. 10. 1917.
    colored, introduction. No. 43391, B.P.I. Inv. 49, p. 11. 1921.
    cooking directions. D.B. 123, pp. 43, 46. 1916; News L., vol. 3, No. 24, p. 3. 1916.
    cultural directions for city gardens. F.B. 1044, pp. 22-23. 1919.
    dry, soaked, labeling regulations. Chem. S.R.A. 28, p. 39. 1923.
    drying directions. D.C., 3, p. 10. 1919.
    experiments with borax fertilizer in 1920, results. D.B. 1126, pp. 6-7, 27, 28. 1923.
    green—
      labeling regulations for cans. Chem. S.R.A. 28, p. 38. 1923.
      shipments by States, and by stations, 1916. D.B. 667, pp. 13, 183. 1918.
    growers' associations, Oxnard, Calif., report. Rpt. 98, pp. 182-183. 1913.
    growing in—
      California, San Diego Region. Soil Sur. Adv. Sh., 1915, p. 14. 1918; Soils F.O., 1915, pp. 2518, 2565, 2568, 2580. 1919.
      Guam, directions. Guam, Bul. 2, pp. 12, 28. 1922.
    importations, and description. Nos. 42075. 42270, B.P.I. Inv. 46, pp. 54, 70. 1919; Nos, 44721, 44758-44761, 44876, B.P.I. Inv. 51, pp, 55, 60, 83. 1922; Nos. 45615, B.P.I. Inv. 53. p. 70. 1922; No. 25794, B.P.I. Inv. 54, p. 21, 1922; Nos. 46304, 46339, 46359-46361, 46381, 46490, 46502-46408, B. P. I. Inv. 56, pp. 5, 11, 12, 13, 21, 22. 1922; No. 47447, B. P. I. Inv. 59, pp. 6, 20. 1922; Nos. 47979-47982, B. P. I. Inv. 60, p. 24. 1922; Nos. 53199-53215, 53273-53274, 53762, 53780, 53835, 53868, 53891, B.P.I. Inv. 67, pp. 40, 45, 87, 88, 90, 93, 94. 1923.
    inoculation with bacterial spot, results. J.A.R., vol. 25, pp. 150-151. 1923.
    misbranding. Chem. N.J. 1638, p. 1. 1912; Chem. N.J. 1688, pp. 2. 1912; Chem. N.J. 2596, p. 1. 1913.
    packing season. D.B. 196, p. 17. 1915.
    pod-blight, caused by *Diaporthe phaseolorum*. J.A.R., vol. 11, pp. 473-504. 1917.
    pod-borer, injuries to truck crop, description, and distribution. Ent. Bul. 82, pp. 25-28. 1912.
    processing, directions and time table. F.B. 1211, pp. 44, 48, 49. 1921.
    production in California, 1917. News L., vol. 5, No. 15, p. 4. 1917.
    seed, disinfection for control of pod-blight fungus. J.A.R., vol. 11, p. 500. 1917.
    types, planting, cultivation, etc. F.B. 289, pp. 25-27. 1907.
    vine-borer, description, and habits. Ent. Bul. 82, Pt. III, pp. 25-28. 1909.
    weather effects in Virgin Islands. Vir. Is. A.R., 1924, pp. 9-10. 1925
  losses, by weevils and method of infestation. F.B. 983, pp. 3-5, 6-8. 1918.
  loaf, meat substitute, recipe. U. S. Food Leaf. No. 14, p. 4. 1918.
  Lyon—
    crossing with Florida velvet bean, results. J.A.R., vol. 5, No. 10, pp. 410-419. 1915.
    description—
      and characteristics. B.P.I. Bul. 179, pp. 15-17. 1910.
      origin, introduction, and value. Y.B. 1908. pp. 248-249. 1909; Y.B. Sep. 478, pp. 248-249. 1909.
    importation. No. 45940, B.P.I. Inv. 54, p. 45. 1922.

Bean(s)—Continued.
 Lyon—Continued.
  value as cover crops in Porto Rico. P.R. Bul. 19, p. 17. 1916.
  market statistics, 1919 and 1920. D.B. 982, p. 227. 1921.
  marketing—
   by parcel post, preparation. F.B. 703, p. 15. 1916.
  system. Rpt. 98, p. 33. 1913.
 mesquite, carob, and honey locust, studies by G. P. Walton. D.B. 1194, pp. 20. 1923.
 Metcalfe, injury by *Apion griseum*. Ent. Bul. 64, Pt. IV, pp. 29-30. 1905.
 Mexican red, growing, directions for club members. Southwest. D.C. 48, p. 11. 1919.
 moth, description, habits, value, and yield. D.B. 119, pp. 28-29. 1914; Y.B. 1908, p. 253. 1909; Y.B. Sep. 478, p. 253. 1909.
 moth, growing in Hawaii for green manure and forage. Hawaii A.R. 1916, p. 27. 1917.
 multiflora, bush and pole varieties. B.P.I. Bul. 109, pp. 39-41. 1907.
 navy—
  acre value in food. F.B. 877, pp. 4, 8. 1917.
  purée to serve with lamb, recipe. F.B. 1324, p. 8. 1923.
 new varieties, description. B.P.I. Bul. 208, pp. 15, 41-42, 54, 61. 1911.
 nomenclature discussion. J.A.R., vol. 31, pp. 101-102. 1925.
 oriental—
  characters, key. D.B. 119, pp. 1-3. 1914.
  diseases affecting. D.B. 119, pp. 6, 13, 21, 26. 1914.
  five species. C. V. Piper and W. J. Morse. D.B. 119, pp. 32. 1914.
  hay analyses comparison with cowpea hay. D.B. 119, p. 29. 1914.
 Patani, growing in Guam, cultural directions and yields. Guam Bul. 4, pp. 7, 17, 23-24. 1922.
 periodicals list. M.C. 11, p. 51. 1923.
 pests, control. O.E.S. Ar. Rpt., 1922, pp. 51-52. 1924.
 plant—
  effect of moisture. B.P I. Bul. 184, p. 24. 1910.
  susceptibility to *Bacterium aptatum*. J.A.R., vol. 1, pp. 194, 210. 1913.
 planters, description. F.B. 561, pp. 3-5. 1913.
 planting—
  early and late, to avoid ladybirds. D.B. 843, pp. 15-16, 18. 1920.
  with cottonseed to save select seed. D.B. 668, pp. 3-6. 1918.
 pod borer—
  Hawaii, description, habits, and life history. Hawaii A.R., 1911, pp. 21-22. 1912.
 pest of pigeon pea. Hawaii Bul. 46, p. 23. 1921.
 poisonous, treatment for removal of poison. An. Rpts., 1918, p. 217. 1919; Chem. Chief Rpt., 1918, p. 17. 1918.
 pole, planting directions for club members. D.C. 27, p. 16. 1919.
 pot roast, cooking recipe. F.B. 391, p. 30. 1910.
 price(s)—
  increase as incentive to increased production. News L., vol. 4, No. 37, p. 2. 1917.
  stabilizing. News L., vol. 6, No. 44, p. 15. 1919.
  wholesale, in principal cities, 1903-1907. Y.B., 1907, p. 697. 1908; Y.B. Sep. 465, p. 697. 1908.
  wholesale per bushel, 1897-1908. Y.B., 1908, p. 710. 1909; Y.B. Sep. 498, p. 710. 1909.
 production—
  and value, 1917. News L., vol. 5, No. 35, p. 6. 1918.
  cost comparison with wheat, profits. F.B. 907, p. 15. 1917.
  factors favoring. F.B. 907, p. 4. 1917.
  field, in Hawaii. Hawaii Ext. Bul. 3, pp. 1-5. 1917.
 production in Washington, Oregon, and Idaho, method. F.B. 907, pp. 4-12. 1917.
 quantity per acre for sowing. F.B. 907, pp. 8-9. 1917.
 Rangoon, danger in use as food. Y.B., 1917, p. 531. 1918; Y.B., Sep. 757, p. 37. 1918.
 red kidney, adulteration and misbranding. Chem. N.J. 12545. 1925.

Bean(s)—Continued.
 red, labeling, opinion 268. Chem. S.R.A. 22, p. 90. 1918.
 Red Mexican—
  adaptability for Washington, Oregon, and Idaho, description and value. F.B. 907. p. 13. 1917.
  description F.B. 561, p. 10. 1913.
 rice—
  distribution, description and introductions. D.B. 119, pp. 13-16. 1914.
  importation and description. No. 36988, B.P.I. Inv. 38, pp. 19-20. 1917; No. 42056, B.P.I. Inv 46, p. 50. 1919.
  root nodules, nitrogen-gathering, description. Y.B., 1910, pp. 215-216. 1911; Y.B., Sep. 530, pp. 215-216. 1911.
 rotation with—
  rice. D.B. 1155, p. 55. 1923.
  sugar beets, Michigan and Ohio. D.B. 748, p. 8. 1919.
 runner, bush, and pole varieties. B.P.I. Bul. 109, pp. 39-41. 1907.
 rust, disease of imported varieties of cowpeas. B.P.I. Bul. 229, p. 28. 1912.
 Sarawak, importation, description and culture. No. 39335, B.P.I. Inv. 41, pp. 5, 12. 1917.
 scarlet runner, description and importation. No. 43388, B.P.I. Inv. 48, p. 49. 1921; No. 4562, B.P.I. Inv. 53, p. 72. 1922; No. 48021, B.P.I. Inv. 60, p. 39. 1922.
 seed—
  demand and supply. Y.B., 1917, pp. 530-532. 1918; Y.B., Sep. 757, pp. 36-38. 1918.
  development and distribution. News L., vol. 6, No. 17, p. 3. 1918.
  germination temperatures. J.A.R., vol. 23, pp. 322, 326, 328, 329. 1923.
  growing—
   localities, acreage, yield, production, and consumption. Y.B., 1918, pp. 204, 206, 207. 1919; Y.B., Sep. 775, pp. 12, 14, 15. 1919.
   methods, yield and prices. B.P.I. Bul. 184, pp. 24-28. 1910.
  improvement methods. F.B. 561, pp. 10-11. 1913.
  iron and manganese content. J.A.R., vol. 23, pp. 397, 398. 1923.
  planting depth, dates and rate. D.B. 917, pp. 20, 21. 1921.
  quantity per acre, planting methods. F.B. 561, pp. 5-6. 1913.
  saving, directions. F.B. 884, p. 5. 1917; F.B. 1390, pp. 3-4. 1924.
  selection—
   for quality and quantity improvement methods, and advantages. F.B. 907, pp. 13-14. 1917.
   methods and advantages. F.B. 907, pp. 13-14. 1917.
  planting for commercial crop. F.B. 425, p. 7. 1910.
  viability, requirements. B.P.I. Bul. 184, p. 27. 1910.
 weevil—
  detection by signs. Y.B., 1918, pp. 327, 331-333. 1919; Y.B., Sep. 786, pp. 3, 7-8. 1919.
  infested, germination tests. Ent. Bul. 96, Pt. V, pp. 68-69. 1912.
  weight and temperature effect on growth of seedlings. J.A.R., vol. 26, pp. 537-539. 1923.
 seeding and harvest dates and acreage, 1909. Y.B., 1917, pp. 582-583. 1918; Y. B., Sep. 758, pp. 48-49. 1918.
 seedlings—
  analysis, and distribution of mineral constituents. J.A.R., vol. 5, No. 11, pp. 452, 454. 1915.
  cotyledons, comparative utilization of mineral constituents when grown in soil and in distilled water. G. Davis Buckner. J.A.R., vol., 20, pp. 875-880. 1921.
  growth, relation to temperature and initial weight of seeds. J.A.R., vol. 26, pp. 537-539. 1923.
 Seheult, importation and description. No. 45602, B.P.I. Inv. 53, p. 66. 1922.
 shipments, labeling. Chem. S.R.A. 21, p. 73. 1918.

INDEX TO PUBLICATIONS, 1901–1925   201

Bean(s)—Continued.
  silage use, value, methods, etc. F.B. 556, p. 5. 1913.
  similar to Florida velvet bean. C. V. Piper and S. M. Tracy. B.P.I Bul. 179, pp. 26. 1910.
  small varieties, testing in Guam. Guam Bul. 4, p 24. 1922.
  snap—
    dried, cooking. F.B. 841, p. 26. 1917.
    experiments with borax fertilizer in 1920, results. D.B. 1126, pp. 7–8, 27, 28. 1923.
    fertilizers, tests. Soils Bul. 67, p. 69. 1910.
    growing in frames, directions. F.B. 460, p. 25. 1911.
    growing on Norfolk fine sand, market prices, etc. Soils Cir. 23, pp. 12, 15. 1911.
    marketing. F.B. 460, p. 29. 1911.
    soaked, violation of food and drugs act, warnings. News L., vol. 5, No. 11, p. 4. 1917.
    soaking, food law violation. News L., vol. 4, No. 29, p. 4. 1917.
  soup—
    calf feeding, directions. F.B. 381, p. 15. 1909; F.B. 777, p. 10. 1917.
    canning recipe. S.R.S. Doc. 9, p. 2. 1915.
    preparation and canning directions. F.B. 839, pp. 24, 31. 1917.
  spot disease. C. W. Carpenter. Hawaii Bul. 8, pp. 4. 1918.
  starch grains, microscopic appearance. Y.B., 1907, p. 380. 1908; Y.B. Sep. 455, p. 380. 1908.
  statistics—
    acreage, production, prices, imports, and exports—
      1905. Y.B., 1905, pp. 728–729. 1906; Y.B. Sep. 404, pp. 728–729. 1906.
      1906. Y.B., 1906, p. 629. 1907; Y.B. Sep. 436, p. 629. 1907.
      1910. Y.B., 1910, pp. 600, 664, 673. 1911; Y.B. Sep. 553, pp. 600, 664, 673. 1911.
      1911. Y.B., 1911, pp. 598–602, 667, 676. 1912; Y.B. Sep. 587, pp. 598–602. 1912; Y.B. Sep. 588, pp. 667, 676. 1912.
      1912. Y.B., 1912, pp. 643–645, 725, 735. 1913; Y.B. Sep. 614, pp. 643–645. 1913; Y.B. Sep. 615, pp. 725–735. 1913.
      1912–1916. Y.B., 1916, pp. 640–641. 1917; Y.B. Sep. 720, pp. 30–31. 1917.
      1913. Y.B., 1913, pp. 441–443, 500, 506. 1914; Y.B. Sep. 630, pp. 441–443. 1914; Y.B. Sep. 631, pp. 500, 506. 1914.
      1914. Y.B., 1914, pp. 596–597, 645, 658, 665. 1915; Y.B., Sep. 655, pp. 596–597. 1915; Y.B., Sep. 656, p. 645. 1915; Y.B., Sep. 657, pp. 658, 665. 1915.
      1914–1917. Y.B., 1917, pp. 687–689, 774, 1918; Y.B., Sep. 760, pp. 35–37. 1918; Y.B. Sep. 762, p. 18. 1918.
      1915. Y.B., 1915, pp. 493–494, 547, 553. 1916; Y.B. Sep. 683, pp. 493–494. 1916; Y.B. Sep. 685, pp. 547, 553. 1916.
      1917, 1918. Y.B., 1918, p. 688. 1919; Y.B. Sep. 795, p. 24. 1919.
      1918. Y.B., 1918, pp. 556–559, 634, 641. 1919; Y.B. Sep. 772, pp. 52–55. 1919; Y.B. Sep. 794, pp. 10–17. 1917.
      1918–1924. Y.B., 1924, pp. 688–689, 1046, 1065. 1925.
      1919. Y.B., 1919, pp. 613–615, 690, 697. 1920; Y.B. Sep. 827, pp. 613–615. 1920; Y.B. Sep. 829, pp. 690, 697. 1920.
      1920. Y.B., 1920, pp. 663–665. 1921; Y.B. Sep. 862, pp. 55–57. 1921.
      1921. Y.B., 1921, pp. 72, 638–640. 1922; Y.B. Sep. 869, pp. 58–60. 1922; Y.B. Sep. 875, p. 72. 1922.
      1922. Y.B., 1922, pp. 752–756, 774. 1923; Y.B. Sep. 884, pp. 752–756, 774. 1923.
      1924. Y.B., 1924, pp. 688, 639, 741. 1925.
    graphic showing of average production, United States. Stat. Bul. 78, p. 35. 1910.
    receipts and shipments at trade centers. Rpt. 98, pp. 298–299. 1913.
  stinging hairs. B.P.I. Bul. 179, pp. 9–10, 15. 1910.
  Stizolobium sp.—
    growing for cover crops, Porto Rico. P.R. Bul. 19, pp. 15–19. 1916.

Bean(s)—Continued.
  Stizolobium sp.—Continued.
    white velvet, very prolific. B.P.I. Bul. 1, p68. 10. 1909.
    value as forage plant, Porto Rico. P.R. An. Rpt., 1912, p. 44. 1913.
  stock seed, growing. B.P.I. Bul. 184, p. 28. 1910.
  stocking, advantages and methods. F.B. 561, pp. 7–8. 1913.
  stocks August 31, 1917. Sec. Cir. 99, pp. 9–12. 1918.
  stocks, March 1, 1918, 1919. News L., vol. 6, No. 36, p. 7. 1919.
  storage for home use. F.B. 879, pp. 15. 1917.
  stored—
    destruction by weevils, and reinfestation. F. B. 983, pp. 5–8. 1918.
    insect injuries. F.B. 1260, pp. 24, 27. 1922.
  storing, warehouse regulations. B.A.E.S.R.A. 87, pp. 21. 1924.
  straw, use and feeding value. F.B. 561, pp. 11–12. 1913.
  string—
    canned, adulteration. Chem. N.J., 12682. 1925; Chem. N.J., 13197. 1925.
    canning—
      directions. F.B. 359, p. 12. 1910; F.B., 853, pp. 19, 27, 28. 1917.
      experiments in testing temperature changes. D.B. 956, pp. 18–21, 45–47. 1921.
      methods. D.B. 196, p. 56. 1915; News L., vol. 4, No. 52, p. 8. 1917.
      pressure, vacuum and heat studies. D.B. 1022, pp. 19–25. 1922.
      seasons and methods. Chem. Bul. 151. pp. 34, 44–45. 1912.
    drying, directions. D.C. 3, p. 10. 1919; F.B. 984, p. 55. 1918.
    fermenting in dry salt or brine, and use. F.B. 881, pp. 9, 10, 13. 1917.
    field-grown, effect of salicylic aldehydes, tables. D.B. 108, pp. 23–24, 25, 26. 1914.
    food-value comparisons, chart. D.B. 975, p. 15. 1921.
    growing for market in Florida, Indian River area. Soil Sur. Adv. Sh., 1913, pp. 15, 32. 1915; Soils F.O., 1913, pp. 685, 702. 1916.
    injury by melon fly, Hawaii. D.B. 491, p. 14. 1917.
    injury by vanillin, field tests and pot tests. D. B. 164, pp. 2, 4–5, 6, 9. 1915.
    packing season. D.B. 196, p. 17. 1915.
    prices and yield in North Carolina, Pender County. Soil Sur. Adv. Sh., 1912, p. 12. 1914; Soils F.O., 1912, p. 376. 1915.
    processing, directions and time table. F.B. 1211, pp. 43, 48, 49. 1921.
    shipments by States and by stations, 1916. D.B. 667, pp. 13, 183–185. 1918.
    soup, recipe. F.B. 871, p. 9. 1917.
    variety tests, Newlands Experiment Farm, 1918. D.C. 80, p. 15. 1920.
    weather effects in Virgin Islands. Vir. Is. A.R., 1924, pp. 9–10. 1925.
  stringless—
    Bonavist, growing in Porto Rico, description. P.R. An. Rpt., 1920, p. 19. 1921.
    use of term, opinion 19. Chem. S.R.A. 3, p. 111. 1914; Chem. S.R.A. 6, p. 419. 1914.
  substitute for Florida velvet bean, new legume for South. An. Rpts., 1908, p. 48. 1910; Sec. A.R., 1908, p. 46. 1909.
  sunscald, description and cause. J.A.R., vol. 13, pp. 647–650. 1918.
  sweetmeats, preparation, Japan and China. D.B. 119, pp. 5, 6, 9, 10. 1914.
  swelling, investigations, note. An. Rpts., 1916, p. 198. 1917; Chem. Chief Rpt., 1916, p. 8. 1916.
  sword—
    culture experiments. Hawaii A.R., 1913, pp. 44–45. 1914.
    description—
      and distinction from jack bean. D.C. 92, p. 5. 1920.
      history and value. B.P.I. Cir. 110, pp. 34–36 1913.
    food use in foreign countries. B.P.I. Cir. 110, p. 35. 1913.

Bean(s)—Continued.
  sword—continued.
    importations and description, Nos. 35658–35665. B.P.I. Inv. 35, p. 64. 1915; No. 44806, B.P.I. Inv. 51, p. 71. 1922; No. 45501, B.P.I. Inv.. 53 p. 41. 1922; No. 48443, B.P.I. Inv. 61, p. 9. 1922.
    Porto Rico, value as cover crop. P.R. Bul. 19, pp. 13–14. 1916.
    use as cover crop, Porto Rico. P.R. An. Rpt., 1911, p. 25. 1912.
    value as soil enricher, Porto Rico. P.R. An. Rpt., 1912, p. 8. 1913.
  tepary—
    digestibility. Harry J. Deuel. J.A.R., vol. 29, pp. 205–208. 1924.
    growing experiments, in Hawaii, 1917, yields. Hawaii A.R., 1917, p. 49. 1918.
    uses, experiments. Work and Exp., 1917, Pt. I, pp. 21, 66. 1918.
    value as nurse crop with select cotton seed. D.B. 668, p. 5. 1918.
  thrips—
    anatomical description. Ent. Bul. 118, pp. 8–14 1912.
    control, natural and artificial. Ent. Bul. 118, pp. 40–44. 1912.
    food plants. Ent. Bul. 118, pp. 27–31. 1912.
    life history, summary. Ent. T.B. 23, Pt. II, p. 28. 1912.
    parasite, discovery and life history. Ent. T.B. 23, Pt. II, pp. 25–52. 1912.
    parasites, description. Ent. Bul. 118, pp. 41–42, 44. 1912.
  types resistant to blight and anthracnose, descriptions. J.A.R., vol. 31, pp. 149–151. 1925.
  unthreshed, use as horse feed. F.B. 1030, p. 18. 1919.
  use—
    as—
      food, studies. O.E.S. Bul. 245, pp. 55, 56, 57, 58, 60–61. 1912.
      horse feed. F.B. 1030, p. 13. 1919.
      meat savers. F.B. 871, p. 5. 1917.
      meat substitute, recipes for cooking. U.S. Food Leaf. 8, p. 2. 1917.
    with cheese in food. F.B. 487, p. 28. 1912.
  value—
    1917. News L., vol. 5, No. 35, p. 6. 1918.
    in diet, and cost. Thrift L. 15, pp. 2, 4. 1919.
  vanilla. See Vanilla bean.
  varietal—
    susceptibility to rust. F.C. Fromme and S. A. Wingard. J.A.R., vol. 21, pp. 385–404. 1921.
  tests—
    for disease resistance. R. D. Rands and Wilbur Brotherton, jr. J.A.R., vol. 31, pp. 101–154. 1925.
    in Hawaii. Hawaii A.R., 1920, pp. 26–27, 31. 1920.
  variety(ies)—
    adaptability to eastern Washington and Oregon and northern Idaho. F.B. 561, p. 10. 1913.
    for legumes, Porto Rico, tests. P.R. An. Rpt., 1921, p. 10. 1922.
    growing in Guam. Guam A. R., 1921, pp. 14–17. 1923.
    grown—
      as cover crops, Porto Rico. P.R. Bul. 19, pp. 12–19. 1916.
      Washington, Oregon, and Idaho. F.B. 907, p. 13. 1917.
    importations and description. Nos. 32035, 32094, 32095, 32361, 32363, 32364, B.P.I. Bul. 261, pp. 20, 27, 59, 1912; Nos. 35216–35222, 35224–35226, 35228, 35346, 35347, 35629–35632, B.P.I. Inv. 35, pp. 23, 24, 40, 61. 1915.
    investigations. An. Rpts., 1908, p. 399. 1909; B.P.I. Chief Rpt., 1908, p. 127. 1908.
    manure-production tests, Yuma Experiment Farm, 1916. W.I.A. Cir., 20, pp. 28–30. 1918.
    suitable for commercial crops. F.B. 425, pp. 5–6. 1910.
    testing, Texas, San Antonio Experiment Farm, 1918. D. C. 73, pp. 26–27. 1920.
    tests, Porto Rico. P.R. An. Rpt., 1920, pp. 15, 38. 1921.

Bean(s)—Continued.
  variety(ies)—continued.
    value as feed and fertilizer, experiments at St. Croix Experiment Station, 1921. S.R.S. [Misc.]. "Report of Virgin Islands Agricultural Experiment Station, 1921," pp. 9–10. 1922.
  velvet. See Velvet beans.
  water—
    consumption per ton. Y.B., 1910. p. 172. 1911; Y.B., Sep. 526, p. 172. 1911.
    requirements. J.A.R., vol. 3, pp. 34, 35, 52, 53, 59. 1914.
    requirements at Logan, Utah. D.B. 1340, p. 44. 1925.
  wax—
    canning methods. Chem. Bul. 151, p. 46. 1912; D.B. 196, p. 57. 1915.
    fungous parasite, Glomerella sp., and Colletotrichum sp., studies. B.P.I. Bul. 252, pp. 46–47. 1913.
  weevil(s)—
    broad—
      control methods and recommendations. D.B. 807, pp. 15–21. 1920.
      description, distribution, and occurrence. Ent. Bul. 96, Pt. V, pp. 59–65. 1912.
      description, life history, and control. Roy E. Campbell. D.B. 807, pp. 23. 1920.
      description, life history, and control. F.B. 983, pp. 17, 20–24. 1918.
      enemies and description. Ent. Bul. 96, Pt. V, pp. 66–67, 72–74. 1912.
      injury to stored products, studies. F. H. Chittenden. Ent. Bul. 96, Pt.V, pp. 59–82. 1912.
      introduction into California, and spread. D.B. 807, pp. 3–5. 1920.
      natural enemy, Pediculoides ventricosus. D.B. 807, p. 14. 1920.
      nature of attack, life history, control remedies and methods. Ent. Bul. 96, Pt. V, pp. 70–72, 74–80. 1912.
      poisonous nature, studies. Ent. Bul. 96. Pt. V, pp. 66–67. 1912.
    cold storage, insecticidal effect. A. O. Larson and Perez Simmons. J.A.R., vol. 27, pp. 96–105. 1923.
    control—
      by bisulphid of carbon. Y.B., 1907, p. 543. 1908; Y.B. Sep. 472, p. 543. 1908.
      experiments. S.R.S. Rpt. 1917, Pt. I, pp. 32, 186, 205–253. 1918.
      studies. An. Rpts., 1922, p. 309. 1922; Ent. A.R., 1922, p. 11. 1922; News L., vol. 6, No. 1, p. 13. 1918; Off. Rec., vol. 3, No. 49, p. 3. 1924; Work and Exp., 1919, p. 67. 1921.
    damage and control. Ent. A.R., 1925, pp. 13–14. 1925.
    description and control. F.B. 983, p. 24. 1918.
    four-spotted—
      biology notes. A. O. Larson and Perez Simmons. J.A.R., vol. 26, pp. 609–616. 1923.
      description and control. F.B. 856, pp. 53–54. 1917.
      description, life history, and control. F.B. 983, pp. 15, 20–24. 1918.
      fumigation. A. O. Larson. J.A.R., vol. 28, pp. 347–356. 1924.
      fumigation with carbon tetrachlorid, experiments. Ent. Bul. 96, p. 55. 1911.
      life history and habits. J.A.R., vol. 26, pp. 609–616. 1923.
    habits and control. D.C. 35, p. 6. 1919.
    horse—
      control in seed. F.B. 969, pp. 11–12. 1918.
      introduction and destructiveness. An. Rpts. 1911, p. 525. 1912; Ent. A.R., 1911, p. 35. 1911.
    infestation, explanation. E. A. Back. Y.B. 1918, pp. 327–334. 1919; Y.B. Sep. 786, pp. 10. 1919.
    injuries and control. F.B. 856, p. 27. 1917.
    introduction, danger, and description. Sec. [Misc.], "A manual of * * * insects * * *," pp. 8, 35–37. 1917.

Bean(s)—Continued.
 weevil(s)—continued.
  life cycle, description, and illustrations. Y.B. 1918, pp. 329–331, 334. 1919; Y.B. Sep. 786, pp. 5–7, 10. 1919.
  losses caused, descriptions, and control. E. A. Back and A. B. Duckett. F.B. 983, pp. 24. 1918.
  Mexican, description, life history, and control. F.B. 983, pp. 16, 20–24. 1918.
  notes. Ent. Bul. 82, Pt. VII, pp. 92–93. 1911; Ent. Bul. 82, pp. 92–93. 1912.
  origin and control. News L., vol. 6, No. 46, p. 14. 1919.
  parasites, introduction into Hawaii, and experiments. Hawaii A.R. 1910, pp. 20–21. 1911.
 white, digestibility, experiments. O.E.S. Bul. 187, pp. 26–29. 1907.
 wilt, moisture effect. Lewis T. Leonard. J.A.R., vol. 24, pp. 749–752. 1923.
 winged, edible, importation and description. No. 37699, B.P.I. Inv. 39, p. 21. 1917.
 with pork, adulteration. Chem. N.J. 11493. 1923.
 with tomato sauce, adulteration. See *Indexes, Notices of Judgment, in bound volumes and in separates published as supplements to Chemistry Service and Regulatory Announcements.*
 wormy, shipment prohibition. D.B. 807, p. 1. 1920.
 yam—
  description and uses in Guam. Guam Bul. 4, p. 26. 1922.
  growing in Hawaii. Hawaii A.R., 1921, p. 32. 1922.
  importations and description. No. 47517, B.P.I. Inv. 59, p. 26. 1922; Nos. 49797, 50436, B.P.I. Inv. 63, pp. 6, 69. 1923; No. 51364, B.P.I. Inv. 65, p. 8. 1923.
 yard-long—
  description. B.P.I. Bul. 109, p. 38. 1907.
  importation from Mexico. No. 45795, B.P.I. Inv. 54, p. 21. 1922.
  See also Frijole.
 yield—
  per acre. D.B. 1338, pp. 4–5. 1925.
  under irrigation, Oregon. O.E.S. Bul. 226, pp. 46, 54–55. 1910.
 Yokohama—
  description and introduction into United States. B.P.I. Bul. 179, pp. 17–18. 1910.
  new legume for the South. An. Rpts., 1910, pp. 85–86. 1911; Sec. A.R., 1910, pp. 85–86. 1910; Y.B., 1910, p. 85. 1911.
 See also Legumes.
Bear(s)—
 big brown, North America, species and subspecies, descriptions. N.A. Fauna 41, pp. 116–133. 1918.
 black—
  Alaska, notes. N.A. Fauna 30, pp. 29, 56, 81, 82. 1909.
  and brown, protection in Alaska, recommendations. Sec. [Misc], "Report of the governor * * * 1914," pp. 1–2. 1914.
  description, varieties, and habits. Y.B., 1907, p. 480. 1908; Y.B. Sep. 462, p. 480. 1908.
  occurrence in Colorado, description. N.A. Fauna 33, pp. 195–197. 1911.
  occurrence in Montana, host of fever ticks. Biol. Cir. 82, p. 22. 1911.
  range and habits. N.A. Fauna 24, p. 41. 1904.
  bounties paid by different States, notes. F.B. 1238, pp. 7–23. 1921.
 brown—
  and black, Alaska, habits. N.A. Fauna 24, pp. 41–45. 1904.
  depredations, and danger to human beings. D.C. 168, pp. 4, 7–8. 1921.
  depredations on livestock, Alaska. Alaska A.R., 1916, p. 61. 1918.
  description, distribution, and habits. Y.B., 1907, pp. 478–479. 1908; Y.B. Sep. 462, pp. 478–479. 1908.
  destruction of sheep on Kodiak Island, control suggestions. Alaska A.R., 1915, p. 82. 1916.
  habits and dangers. D.C. 225, p. 4. 1922.

Bear(s)—Continued.
 brown—continued.
  injury to man, fish, and farm animals in Alaska, control. Biol. Doc. 110, pp. 5–6. 1919.
  menace to stock raising, Alaska. Alaska Cir. 1, p. 19. 1916.
  peninsular, range, and habits. N.A. Fauna 24, pp. 41–45. 1904.
  pest in Alaska, protection by law. Biol. Doc. 105, pp. 4, 8, 9, 10. 1917.
  protection undesirable. D.C. 168, pp. 4, 7–8. 1921.
  ravages in Alaska, objection to close season. Biol. Cir. 85, p. 5. 1912.
 cinnamon, Alaska. N.A. Fauna 30, p. 29. 1909.
 damage to coyote-proof fences. For. Cir. 160, pp. 7, 10. 1909.
 danger and protection laws. D.C. 225, p. 4. 1922.
 destruction of livestock, Alaska. Alaska A. R., 1912, p. 44. 1913.
 destructive habits, menace to development of Alaska. D.C. 88, pp. 4–5. 1920.
 glacier, description, habits. Y.B., 1907, p. 480. 1908; Y.B. Sep. 462, p. 480. 1908.
 grizzly—
  Alaska. N.A. Fauna 30, pp. 29, 56–57, 81. 1909.
  distribution and habits. Y.B., 1907, p. 480. 1908; Y.B. Sep. 462, p. 480. 1908.
  North American species and subspecies, descriptions. N.A. Fauna 41, pp. 17–116. 1918.
  occurrence in—
   Colorado, description. N.A. Fauna 33, pp. 197–201. 1911.
   Montana, host of fever ticks. Biol. Cir. 82, p. 22. 1911.
 habits—
  and control. Biol. Chief Rpt., 1924, p. 8. 1924.
  occurrence, Athabaska-Mackenzie region. N.A. Fauna 27, pp. 220–227. 1908.
 hosts of—
  fever-tick, Bitterroot Valley, Montana, control methods. Biol. Cir. 82, p. 5. 1911.
  wood ticks. F.B. 484, p. 46. 1912.
 hunting—
  in Texas. N.A. Fauna 25, pp. 188, 190–192. 1905.
  laws, 1919, notes. F.B. 1079, pp. 3–30. 1919.
  regulations in Idaho. For [Misc.], "Trespass on national * * *," pp. 40, 46. 1922.
 in Alaska—
  conditions. D.C. 260, p. 3. 1923.
  distribution, numbers and conditions. D.C. 88, pp. 3–5. 1920.
  Kenai Peninsula region, injurious habits and game value. Soil Sur. Adv. Sh., 1916, pp. 122–123. 1919; Soils F.O., 1916, pp. 154–155. 1921.
  occurrence. N.A. Fauna 30, p. 29. 1909.
  protection withdrawal, recommendation. Sec. [Misc.], "Report of the governor * * * 1915," p. 4. 1916.
  varieties, habits, food, and distribution. Y.B. 1907, pp. 478–481. 1908; Y.B., Sep. 462, pp. 178–481. 1908.
 increase and decrease in Alaska, notes. D.C. 225, pp. 2, 4. 1922.
 injury to livestock in Alaska. Alaska A.R., 1914, pp. 41–42, 78. 1915.
 North America, description of grizzly and brown and Vetularctos, a new genus. C. Hart Merriam. N.A. Fauna 41, p. 136. 1918.
 occurrence in—
  Alabama, description and habits. N.A. Fauna 45, p. 29. 1921.
  Colorado, description. N.A. Fauna 33, pp. 195–201. 1911.
 polar, occurrence in—
  Alaska. Y.B., 1907, p. 480. 1908; Y.B., Sep. 462, p. 480. 1908.
  Pribilof Islands. N.A. Fauna 46, p. 103. 1923.
 preference for black over brown, note. D.C. 225, p. 4. 1922.
 protection laws, summary—
  1917. F.B. 911, p. 30. 1917.
  1918. F.B. 1022, p. 30. 1918.

Bear(s)—Continued.
  range and habits. N.A. Fauna 21, pp. 30-32, 68-69. 1901; N.A. Fauna 22, pp. 64-65. 1902.
  relation to wire fences. For Cir. 178, p. 9. 1910.
  Texas, occurrence, habits, and food. N.A. Fauna 25, pp. 186-192. 1905.
  tubercle bacilli, cultures and experiment. B.A.I. An. Rpt., 1906, pp. 137, 151-152. 1908.
  Yukon Territory, description and habits. N.A. Fauna, 30 pp. 56, 81-82. 1909.
  See also Game.
Bear grass—
  feed value in emergency feeding. D.B. 745, pp. 17, 19. 1919.
  feeding to range stock, description, and use. D.B. 728, pp. 7-8, 9, 10, 11, 13, 14, 15, 17. 1918.
  natural food of leaf-footed plant bugs. Ent. Bul. 86, pp. 89, 90. 1910.
Bear River Valley, water requirements of old and new lands. F.B. 399, pp. 19-20. 1910.
Bearberry—
  distribution. N.A. Fauna 21, pp. 21, 56. 1901.
  habitat, range, description, uses, collection, and prices. B.P.I. Bul. 219, p. 20. 1911.
  red, occurrence in Colorado, description. N.A. Fauna 33, pp. 242-243. 1911.
  trees. See *Cascara sagrada*.
  Wyoming distribution and growth. N.A. Fauna 42, p. 76. 1917.
BEARCE, H. W.: "Studies in the expansion of milk and cream." J.A.R., vol. 3, pp. 251-268. 1914.
Beard grass—
  description. Agros. Cir. 34, p. 8. 1901.
  description, and occurrence in Washington saltwater bogs. Soil Sur. Adv. Sh., 1909, p. 32. 1911; Soils F.O., 1909, p. 1544. 1912.
  silver, diseases, Texas, occurrence and description. B.P.I. Bul. 226, p. 53. 1912.
  twisted, Hawaii, growing and uses. Hawaii Bul. 36, pp. 13, 26-27. 1915.
BEARDSLEY, H. S.: "Farmers' telephone companies: Organization, financing, and management." With I. M. Spasoff. F.B. 1245, p. 30. 1923.
Beardtongue—
  blue, description, habits, and forage value. D.B. 545, pp. 47-48, 58, 60. 1917.
  importations and description. No. 44003, B.P.I. Inv. 50, p. 15. 1922; No. 46595, B.P.I. Inv. 57, pp. 11-12. 1922.
Bear's—
  billberry. See Bearberry.
  grape. See Bearberry.
  weed. See Yerba santa.
  whortleberry. See Bearberry.
Beartooth National Forest, timber uses by small operators. Y.B., 1912, p. 408. 1913; Y.B., Sep. 602, p. 408. 1913.
Bearwood. See *Cascara sagrada*.
Beaters, threshing machines, care and repair. F.B. 1036, p. 7. 1919.
Beatrice (horse)—
  description, pedigree, and progeny. D.C. 153, p. 20. 1921.
  history and pedigree. B.A.I. An. Rpt., 1907, pp. 104, 107, 127. 1909; B.A.I. Cir. 137, pp. 104, 107, 127. 1909.
BEATTIE, J. H.—
  "City street sweepings as a fertilizer." With J. J. Skinner. Soils Cir. 66, pp. 8. 1912.
  "Commercial evaporation and drying of fruits." With H. P. Gould. F.B. 903, pp. 61. 1917.
  experiments with truck crops. Off. Rec., vol. 1, No. 22, p. 7. 1922.
  "Greenhouse construction and heating." F.B. 1318, pp. 38. 1923.
  "Greenhouse tomatoes." F.B. 1431, pp. 25. 1924.
  "Group classification and varietal descriptions of American varieties of sweetpotatoes." With H. C. Thompson. D.B. 1021, pp. 30. 1922.
  "Home storage of vegetables." F.B. 879, pp. 22. 1917.
  "Lettuce growing in greenhouses." F.B. 1418, pp. 22. 1924.
  "Sweetpotato storage studies." With H. C. Thompson. D.B. 1063, pp. 18. 1922.
  "The farm garden in the North." F.B. 937, pp. 54. 1918.

Bear(s)—Continued.
  "The production of cucumbers in greenhouses." F.B. 1320, pp. 30. 1923.
  "Tomatoes for canning and manufacturing." F.B. 1233, pp. 19. 1921.
BEATTIE, W. R.—
  "Celery." F.B. 282, pp. 38. 1907.
  "Celery culture." F.B. 148, pp. 32. 1902.
  "Celery growing." F.B. 1269, pp. 32. 1922.
  "Comforts and conveniences in farmers' homes." Y.B., 1909, pp. 345-356. 1910; Y.B. Sep. 518, pp. 345-356. 1910.
  "Culture and uses of okra." F.B. 232, Rev., pp. 12. 1918.
  "Extension work with fruits, vegetables, and ornamentals, 1923." With others. D.C. 346, pp. 16. 1925.
  "Frames as a factor in truck growing." F.B. 460, pp. 29. 1911.
  "Okra: Its culture and uses." F.B. 232, pp. 16. 1905.
  "Onion culture." F.B. 354, pp. 36. 1909.
  "Peanut butter." B.P.I. Cir. 98, pp. 14. 1912.
  "Peanut growing for profit." F.B. 1127, pp. 33. 1920.
  "Peanuts." F.B. 356, pp. 40. 1909.
  "Permanent fruit and vegetable gardens." With C.P. Close. F.B. 1242, pp. 23. 1921.
  "Repair of farm equipment." F.B. 347, pp. 32. 1909.
  "Sweetpotatoes." F.B. 324, pp. 39. 1908.
  "Syllabus of illustrated lecture on the peanut: Its culture and uses." O.E.S.F.I.L. 13, pp. 23. 1912.
  "The city home garden." F.B. 1044, pp. 40. 1919.
  "The home production of onion seed and sets." F.B. 434, pp. 24. 1911.
  "The home vegetable garden." F.B. 255, pp. 48. 1906.
  "The peanut." F.B. 431, pp. 39. 1911.
  "The picking and handling of peanuts." B.P.I. Cir. 88, pp. 7. 1911.
  "The storage and marketing of sweetpotatoes." F.B. 520, pp. 16. 1912.
  "Tomato growing for club work." S.R.S. Doc. 98, pp. 14. 1919.
  "Tomatoes as a truck crop." F.B. 1338, pp. 34. 1923.
  "Watermelons." F.B. 1394, pp. 22. 1924.
BEAUDETTE, F. R.: "Natural antisheep amboceptor and complement in the blood of fowls." With L. D. Bushnell. J.A.R., vol. 27, pp. 709-715. 1924.
Beaumont—
  Irrigation Company, canal, rice irrigation, details. O.E.S. Bul. 222, pp. 38-40. 1910.
  oil—
    crude value in spraying and dipping ticky cattle. B.A.I.[Misc.], "Diseases of cattle," rev., p. 475. 1908; rev., p. 528. 1912.
    effect on ticks, comparison with Canada balsam and cottonseed oil. B.A.I. Bul. 167, pp. 5, 9-15. 1913.
    emulsion preparation. B.A.I. Cir. 89, pp. 2-3. 1905.
    fly repellents, formulas and experiments. D.B. 131, pp. 8, 15, 17, 18, 20, 24. 1914.
    value in spraying and dipping cattle. F.B. 498, p. 26. 1912.
Beaumontia grandiflora, importation and description No. 42971, B.P.I. Inv., 47, p. 82. 1920.
Beauveria globulifera, fungus disease of chinch bug. F.B. 1223, p. 13. 1922.
Beavers—
  and oil compound, misbranding. Chem. N.J. 239, pp. 3. 1910.
  broad-tailed, occurrence in Colorado, description. N.A. Fauna 33, pp. 126-128. 1911.
  Canadian—
    Athabaska-Mackenzie region. N.A. Fauna 27, pp. 194-195. 1908.
    range and habits. N.A. Fauna 22, pp. 48-49. 1902; N.A. Fauna 24, pp. 32-33. 1904.
  control and trapping. F.B. 1293, pp. 1-2. 1922.
  damages to crops and control. An. Rpts., 1920, p. 352. 1921.
  distribution, description, and habits. D.B. 1078, pp. 2-9. 1922.

INDEX TO PUBLICATIONS, 1901-1925 205

Beavers—Continued.
 economic importance, and destruction. D.B. 1078, pp. 1-2. 1922.
 extermination danger, and need of protection. D.C. 135, pp. 6, 7, 8. 1920.
 farming experiments. An. Rpts., 1907, p. 501. 1908.
 farms, selection, conditions governing. D.B. 1078, pp. 17-18. 1922.
 food, list. D.B. 1078, pp. 6, 26. 1922.
 fur growing, value and costs, inclosures, feed. Y.B., 1916, pp. 494, 496, 498. 1917; Y.B. Sep. 693, pp. 6, 8, 10. 1917.
 fur, value increase since 1915. D.C. 135, p. 5. 1920.
 habits, control, and possibilities in beaver farming. Vernon Bailey. D.B. 1078, pp. 31. 1922.
 handling, inclosure, feed and care en route, D.B. 1078, pp. 23-24. 1922.
 nematodes, description. J.A.R., vol. 30, pp. 679-681. 1925.
 of—
  Alabama description and habits. N.A. Fauna 45, pp. 67-70. 1921.
  Alaska—
   conditions. D.C. 168, p. 6. 1921.
   damage to streams. D.C. 225, pp. 2-3. 1922.
   east central, note. N.A. Fauna 30, p. 23. 1909.
   increase, D.C. 225, p. 5. 1922.
   occurrence. N.A. Fauna 24, pp. 32-33. 1904.
  Montana. Biol. Cir. 82, p. 19. 1911.
  Texas. description, occurrence, habits, value. N.A. Fauna 25, pp. 122-127. 1905.
  Yukon Territory, description, habits. N.A. Fauna 30, pp. 78-79. 1909.
 penalty for killing, Montana and Idaho. For. [Misc.] "Trespass on nation. * * *," pp. 24, 45, 46. 1922.
 protection—
  in Alaska, regulations. Biol. S.R.A. 56, pp. 1-3. 1923.
  laws summary—
   1917. F.B. 911, p. 29. 1917.
   1918. F.B. 1022, p. 29. 1918.
   1919. F.B. 1079, p. 30. 1919.
 taming, breeding, and care requirements. D.B. 1078, pp. 17, 18-19. 1922.
 trapping—
  directions, and curing of skins. Y.B., 1919, p. 476. 1920; Y.B. Sep. 823, p. 476. 1920.
  for fur, methods. D.B. 1078, pp. 14-16. 1922.
 usefulness in conserving water supplies. D.C. 135, p. 10. 1920.
 wild, immunity to disease. D.B. 1078, p. 16. 1922.
Beaver Creek Nursery, practices. D.B. 479, pp. 49, 69, 73. 1917.
BEAVERS, J. C.—
 "Farm practice in the use of commercial fertilizers in the South Atlantic States." F.B. 398, pp. 24. 1910.
 "Systems of farming in central New Jersey." With George A. Billings. F.B. 472, pp. 40. 1911.
BEBOUT, J. D.: "Disposal of city garbage by feeding to hogs." With F. G. Ashbrook. Sec. Cir 80, p 8. 1917.
BECHDEL, S. I.: "Corn-stover silage." With J. M. Sherman. J.A.R. vol. 12, pp. 589-600. 1918.
BECK, M. W.—
 "Reconnaissance soil survey of northwest Texas." With others. Soil Sur. Adv. Sh., 1919, pp. 75. 1922; soils F.O., 1919, pp. 1099-1173. 1923.
 "Soil survey of Bowie County, Texas." With others. Soil Sur. Adv. Sh., 1918, pp. 62. 1921; Soils F.O., 1918, pp. 715-772. 1924.
 "Soil survey of Chesterfield County, South Carolina" With others. Soil Sur. Adv. Sh., 1914, pp. 45. 1915; Soils F.O., 1914, pp. 655-695. 1919.
 "Soil survey of Cumberland County, Maine." With C. Van Duyne. Soil Sur. Adv. Sh., 1915, pp. 92. 1917; Soils F.O., 1915, pp. 37-124. 1919.
 "Soil survey of Denton County, Texas." With William T. Carter, jr. Soil Sur. Adv. Sh., 1918, p. 58. 1922; Soils F.O., 1918, pp. 773-830. 1924

BECK, M. W.—Continued.
 "Soil survey of Hampton County, South Carolina." With A. L. Goodman. Soil Sur. Adv. Sh., 1915, pp. 37. 1917; Soils F.O., 1915, pp. 587-619. 1919.
 "Soil survey of Henrico County, Virginia." With W. J. Latimer. Soil Sur. Adv. Sh., 1913, pp. 38. 1914; Soils F.O., 1918, pp. 143-176. 1916.
 "Soil survey of Howard County, Arkansas." With others. Soil Sur. Adv. Sh., 1917, pp. 48. 1919; Soils F.O. 1917, pp. 1355-1398. 1923.
 "Soil survey of Kanawha County, West Virginia." With W. J. Latimer. Soil Sur. Adv. Sh., 1912, pp. 30. 1914; Soils F.O., 1912, pp. 1179-1204. 1915.
 "Soil survey of Mahoning County, Ohio." With Oliver P. Gossard. Soil. Sur. Adv. Sh., 1917, pp. 41. 1919; Soils F.O. 1917, pp. 1041-1077. 1923.
 "Soil survey of Nemaha County, Nebraska." With others. Soil Sur. Adv. Sh., 1914, pp. 38. 1916; Soils F.O., 1914, pp. 2289-2322. 1919.
 "Soil survey of Red River County, Texas." With others. Soil Sur. Adv. Sh., 1919, pp. 153-206. 1923; Soils F.O., 1919, pp. 153-206. 1925.
 "Soil survey of San Saba County, Texas." With others. Soil Sur. Adv. Sh., 1916, pp. 57. 1917; Soils F.O., 1916, pp. 1315-1377. 1921.
 "Soil survey of Scotts Bluff County, Nebraska." With L. T. Skinner. Soil Sur. Adv. Sh., 1913, pp. 43. 1916; Soils F.O., 1913, pp. 2059-2097. 1916.
 "Soil survey of Stewart County, Georgia." With others. Soil Sur. Adv. Sh., 1913, pp. 66. 1915; Soils F.O., 1913, pp. 545-606. 1916.
 "Soil survey of Tarrant County, Texas." With others. Soil Sur. Adv. Sh., 1920 pp. 859-905. 1924; Soils F.O. 1920; pp. 859-905. 1925.
 "Soil survey of Thurston County, Nebraska." With others. Soil Sur. Adv. Sh., 1914, pp. 44. 1916; Soils F.O., 1914, pp. 2213-2252. 1919.
BECKER, J. A., committee on statistics, work. Y.B., 1924, p. 559. 1925.
BECKETT, S. H.—
 "Evaporation from irrigated soils." With Samuel Fortier. O.E.S. Bul. 248, pp. 77. 1912.
 "Progressive report of cooperative irrigation experiments at California University Farm, Davis, California, 1909-1912." D.B. 10, pp. 21. 1913.
Beckmannia spp., description, distribution, and uses. D.B. 772, pp. 17, 180-182. 1920.
BECKWITH, A. M.: "The life history of the grape rootrot fungus *Roesleria hypogaea*." J.A.R., vol. 27, pp. 609-616. 1924.
BECKWITH, T. D.: "The effect of copper upon water bacteria." With Karl F. Kellerman. B.P.I. Bul. 100 ,Pt. VII, pp. 57-71. 1907.
Bed(s)—
 coverings, selection. Y.B., 1914, p. 354. 1915; Y.B., Sep. 646, p. 354. 1915.
 forest camping requirements. D.C. 185, p. 22. 1921.
 grounds, injury to range forage. D.B. 791, pp. 58-61, 71-72. 1919.
 isolation from fleas, methods. D.B. 248, pp. 30-31. 1915.
Bedbug(s)—
 agency in transmission of human diseases, studies. F.B. 754, pp. 9-10. 1916.
 bites, injury to persons, and control treatment. F.B. 754, p. 9. 1916.
 cone-nose, description and remedy for bite. Sec. Cir. 61, p. 21. 1916.
 control—
  as camp pests. Sec. Cir. 61, p. 19. 1916.
  by gases, fumigation experiments. D.B. 893. pp. 4, 6, 7, 10. 1920.
  directions. F.B. 1180, p. 27. 1921.
  remedies. F.B. 754, pp. 11-12. 1916.
  tests of various substances. D.B. 707, pp. 2-8. 1918.
 description, history, and remedies. C. L. Marlatt. Ent. Cir. 47, pp. 8. 1902.
 derris powder not effective. J.A.R., vol. 17, p. 192. 1919.
 eggs, destruction, tests of various substances. D.B. 707, p. 7. 1918.

Bedbug(s)—Continued.
  eradication—
    by use of hydrocyanic-acid gas. F.B. 699, pp. 1-8. 1916.
    methods. News L., vol. 1, No. 5, p. 4. 1913; News L., vol. 4, No. 12, p. 8. 1916.
  fumigation directions and precautions. Ent. Cir. 163, pp. 1-8. 1912.
  habits and life history. F.B. 754, pp. 4-7. 1916.
  injury to chickens. Y.B. 1912, p. 394. 1913; Y.B. Sep. 600, p. 394. 1913.
  invasion of houses, methods. F.B. 754, p. 1. 1916.
  killer tests, formulas. News L., vol. 6, No. 24, p. 16. 1919.
  longevity without food. F.B. 754, pp. 7-8. 1916.
  origin, common names, distribution, characteristics, and control. F.B. 754, pp. 1-12. 1916.
  poison misbranding, "Conkey's bug and moth killer." Chem. N.J. 20, pp. 2. 1914.
  powder—
    and swat, misbranding. Chem. S.R.A. 24, pp. 506, 509. 1919.
    misbranding. Chem. N.J. 53, pp. 2. 1913.
    quassia, testing. Chem. S.R.A. 14, p. 153. 1916.
  similarity of chicken ticks in habits. Ent. Cir. 170, p. 5. 1913.
  transmission of kala-azar disease. B.A.I. An. Rpt., 1910, p. 495. 1912; B.A.I. Cir. 194, p. 495. 1912.
  varieties and related insects, studies. F.B. 754, p. 3. 1916.
Bedding—
  calf, cost during two years. D.B. 49, pp. 13, 14-15. 1914.
  cotton, time and crew. D.B. 896, pp. 29-30. 1920.
  cows, requirements, score-card rating, best material. B.A.I. Cir. 199, pp. 11, 14. 1912.
  dairy cows—
    requirements, certified milk production. B.A.I. Bul. 104, pp. 25, 41. 1908; D.B. 1, pp. 14, 26. 1913.
    requirements in open sheds and closed barns. D.B. 736, pp. 11-12. 1918.
  fertilizer ingredients, and value in saving manure. S.R.S. Doc. 30, pp. 3-4. 1916.
  forest camping requirements. D.C. 185, p. 22. 1921.
  goats, milch. B.A.I. Bul. 68, p. 32. 1905.
  goats on ranges, directions. D.B. 749, pp. 13-16. 1919.
  hogs, materials preferred. F.B. 465, p. 19. 1911.
  horse, cost, notes. F.B. 1298, pp. 3, 4. 1922.
  horses, use of rye straw. Y.B., 1918, p. 182. 1919; Y.B., Sep. 769, 1918, p. 15. 1919.
  livestock—
    on cars, kinds and cost. Rpt. 113, p. 33. 1916.
    use of farm wastes, weeds, and leaves. F.B. 981, p. 12. 1918.
    use of sphagnum peat, note. D.B. 802, p. 31. 1919.
    water-holding capacity, and manure saved. J.A.R., vol. 14, pp. 187-190. 1918.
  plants, tests at field station near Mandan. D.B. 1301, p. 41. 1925.
  sheep—
    on ranges, effect on reproduction, suggestions. D.B. 738, pp. 16, 18, 25-27, 30-31. 1918.
    precautions to prevent plant poisoning. F.B. 720, pp. 7-8. 1916.
    steers, during fattening. D.B. 762, pp. 11, 28. 1919.
  sweet potatoes—
    directions. F.B. 324, pp. 13-14. 1908.
    heating methods, directions. F.B. 999, pp. 10-13. 1919.
  use and value of leaves. News L., vol. 6, No. 17, p. 13. 1918.
BEDELL, G. H.—
  "Castrating and docking lambs." With E. W. Baker. F.B. 1134, pp. 14. 1920.
  "Sheep judging." F.B. 1199, pp. 23. 1921.
BEDELL, H. L.—
  "Soil survey of Banner County, Nebraska." With F. A. Hayes. Soil Sur. Adv. Sh., 1919, pp. 62. 1921; Soils F.O. 1919; pp. 1617-1674. 1925.

BEDELL, H. L.—Continued.
  "Soil survey of Dakota County, Nebraska." Soil Sur. Adv. Sh., 1919, pp. 42. 1921; Soils F.O., 1919, pp. 1675-1712. 1925.
  "Soil survey of Johnson County, Nebraska." With H. E. Engstrom. Soil Sur. Adv. Sh., 1920, pp. 1255-1285. 1924; Soils F.O., 1920. pp. 1255-1285. 1925.
  "Soil survey of Nance County, Nebraska." With others. Soil Sur. Adv. Sh., 1922, pp. 46. 1925.
  "Soil survey of Pawnee County, Nebraska." With others. Soil Sur. Adv. Sh., 1920, pp. 1317-1350. 1924; Soils F.O., 1920, pp. 1317-1350. 1925.
  "Soil survey of Sheridan County, Nebraska." With others. Soil Sur. Adv. Sh., 1918, pp. 60. 1927; Soils F.O., 1918, pp. 1441-1496. 1924.
Bee(s)—
  activities, investigation. An. Rpts., 1913, p. 222. 1914; Ent. A.R., 1913, p. 14. 1913.
  activity, relation to fruit setting. J.A.R., vol. 17, pp. 105, 107, 109, 110, 123. 1919.
  adult—
    diseases—
      description, and control. F.B. 442, pp. 20-21. 1911.
      examinations by States. D.C. 218, pp. 5-6. 1922.
      occurrence. E. F. Phillips. D.C. 218, pp. 16. 1922; D.C. 287, pp. 34. 1923.
  aid in fertilization of cotton plants, note. F.B. 890, p. 26. 1917.
  afterswarms, prevention. F.B. 1198, pp. 25-28. 1921.
  apiary, methods. Off. Rec., vol. 3, No. 24, p. 6. 1924.
  "bald-headed," description. F.B. 442, p. 12. 1911.
  baldness, cause. Ent. Bul. 98, pp. 24, 28. 1912.
  Banat, desirable characteristics. F.B. 397, pp. 13, 17. 1910.
  basket, anatomical details. Ent. Bul. 121, pp. 16-22. 1912.
  behavior—
    and disease studies—
      1924. Ent. A.R., 1924, pp. 27-30. 1924.
      1925. Ent. A.R., 1925, pp. 33-34. 1925.
    in colonies affected by European foulbrood, studies. Arnold P. Sturtevant. D.B. 804, pp. 28. 1920.
  bird enemies, Southeastern States, notes. F.B. 755, pp. 6, 10, 11, 24, 25, 30, 36. 1916.
  black, objectionable characteristics. F.B. 397, pp. 12, 18. 1910.
  breeding for improvement of stock and honey production. P.R. Cir. 16, pp. 1-12. 1918.
  breeding investigations. Work and Exp., 1914, pp. 46, 141. 1915.
  breeding, number in United States. Ent. Bul. 75, Pt. VI, p. 69. 1909.
  brood—
    combs—
      foundations, relation to swarming. F.B. 1198, pp. 7-9. 1921.
      infection with *Nosema apis*, results to colonies. D.B. 780, pp. 25, 43. 1919.
      objections to use in production of extracted honey. Ent. Bul. 75, Pt. I, p. 5. 1907.
      saving and transferring to new hives. F.B. 961, pp. 6-7. 1918.
    diseases—
      E. F. Phillips. Ent. Cir. 79, pp. 5. 1906.
      "American" and "European," origin of names. Ent. Bul. 98, p. 75. 1912.
      description, causes, and review of work. Ent. Bul. 98, pp. 1-96. 1912.
      differential features in diagnosis, table. D.B. 671, pp. 11-12. 1918.
      investigations, 1912. An. Rpts., 1912, pp. 651-653. 1913; Ent. A.R., 1912, pp. 30-31. 1912.
      prevalence in United States, table. Ent. Cir. 138, p 25. 1911.
      spread and control. Ent. Bul. 75, pp. 23-32. 1911.
      symptoms, spread, and treatment. F.B. 442, pp. 5-20. 1911.

INDEX TO PUBLICATIONS, 1901-1925 207

Bee(s)—Continued.
  brood—continued.
    diseased—
      examination of samples. Ent. Cir. 138, p. 23. 1911.
      examination by Entomology Bureau, directions for sending. F.B. 442, p. 20. 1911.
      management in early spring. F.B. 397, pp. 26, 27. 1910. F.B. 1216, pp. 16-17. 1922.
      manipulation in production of extracted honey. Ent. Bul. 75, Pt. I, p. 3. 1907.
    pickled—
      investigations. An. Rpts., 1913, p. 222. 1914; Ent. Rpt., 1913, p. 14. 1913.
      supposed causes. Ent. Bul. 75, pp. 34, 37, 41-42. 1911.
    rearing—
      effect on swarming. F.B. 1198, pp. 11-13, 30, 45. 1921.
      methods and value. F.B. 503, pp. 22-25. 1912.
      removing directions. F.B. 1039, pp. 30-32. 1919.
    care in winter in buckwheat region, studies. F.B. 1216, pp. 9, 13-16.
  Carniolan—
    desirable characteristics. F.B. 397, pp. 13,17, 1910; F.B. 447, pp. 15, 20. 1911.
    temperature studies. J.A.R., vol. 24, No. 4, pp. 281, 284-285. 1923.
  Caucasian, desirable characteristics. F.B. 397, pp. 13, 17. 1910; F.B. 447, pp. 14, 20. 1911.
  cell cups, description and use. P.R. Cir. 16, pp. 6-8. 1918.
  cellar, construction, arrangement, and maintenance. F.B. 1014, pp. 7-17. 1918.
  chilling of brood, cause of disease. Ent. Bul. 98, p. 14. 1912.
  cluster, winter phenomena. D.B. 96, pp. 10-18. 1914.
  clusters, winter work, measurement method, and experiments. D.B. 988, pp. 6-14. 1921.
  colony(ies)—
    affected by sacbrood. Ent. Cir. 169, pp. 2-3. 1913.
    area necessary for support. Ent. Bul. 75, Pt. V, p. 46. 1909.
    characteristic odor. F.B. 397, p. 22. 1910.
    comparison with furnace principle. F.B. 695, p. 6. 1915.
    dividing in June, practices. F.B. 1216, pp. 19-20. 1922.
    in United States, 1900-1918. D.B. 685, pp. 3, 5-9. 1918.
    increase, method. F.B. 1215, pp. 25-26. 1922; F.B. 1222, p. 23. 1922.
    need for strength in fall. F.B. 1014, pp. 5-6. 1918.
    number and value on farms, by geographic divisions, 1900. Ent. Bul. 75, Pt. VI, p. 63. 1909.
    number, census 1910, by States, map. Y.B., 1915, p. 403. 1916; Y.B. Sep. 681, p. 403. 1916.
    strengthening, methods. F.B. 503, pp. 20-22, 24, 25-26. 1912.
    temperature. Burton N. Gates. D.B. 96, pp. 1-29. 1914.
    temperature studies. D.B. 96, pp. 29. 1914.
    transferring, uniting, and care during swarming. F.B. 397, pp 20-23, 26-29. 1910.
    uniting for winter keeping. F.B. 1216, pp. 20-21. 1922.
    weakening effect of sacbrood. D.B. 431, pp. 30, 50. 1917.
  comb building, foundation. F.B. 133, pp. 23-25 1901.
  conveyance of blight of apple and pear, study. O.E.S. An. Rpt., 1912, p. 151. 1913.
  culture—
    and honey plants, California chaparral. For. Bul. 85, pp. 38-39. 1911
    investigations, program for 1915. Sec. [Misc.], "Program of work * * *" 1915, pp. 242-243. 1914.
    status in the United States. Ent. Bul. 75, pp. 59-80. 1911.
    See also Apiculture.
  Cyprian—
    objections. P.R. Bul. 15, p. 16. 1914.
    undesirable characteristics. F.B. 447, p. 15. 1911.

Bee(s)—Continued.
  danger from bee louse, study. D.C. 334, pp. 1-11. 1925.
  dead, infection with *Nosema apis*, period of virulence. D.B. 780, pp. 40-43. 1919.
  death rate. D.B. 1328, pp. 33-34. 1925.
  dequeening and requeening, methods and results. F.B. 503, pp. 36-39. 1912.
  destruction by—
    birds. Biol. Bul 30, pp. 28, 31, 56. 1907.
    birds, notes and discussion. Biol. Bul. 44, pp. 7, 9, 13, 20, 25, 31, 43, 45, 50. 1912.
    Enthyrhyneus floridans. Ent. Bul. 82, Pt. VII, skunks. F.B. 587, p. 9. 1914.
  deterioration of industry in Porto Rico. P.R. An. Rpt., 1921, pp. 25-26. 1922.
  development—
    activities, and diseases, studies, 1915. An. Rpts., 1915, p. 231. 1916; Ent. A.R., 1915, p. 21. 1915.
    behavior, and wintering. An. Rpts., 1912, pp. 653-654. 1913; Ent. A.R., 1912, pp. 41-42. 1912.
  digestive tract, anatomy. D.B. 780, pp. 4-7. 1919.
  disease(s)—
    and—
      bacteria of the apiary. Gershom Franklin White. Ent. T.B. 14, pp. 50. 1906.
      bacteriology. G. F. White. Ent. Bul. 70, pp. 10-22. 1907.
      enemies, treatment. F.B. 397, pp. 38-40. 1910.
      enemies, treatment. F.B. 447, pp. 42-44. 1911.
    bacteria causing, studies, and inoculation experiments. J.A.R., vol. 8, pp. 399-420. 1917.
    bacteriology, and discussion. G. F. White, Ent. Bul. 70, pp. 10-22. 1907.
    causes—
      and treatment. F.B. 447, pp. 42-43. 1911.
      historical notes. E. F. Phillips and G. F. White. Ent. Bul. 98, pp. 96. 1912.
      relation to treatment. Ent. Bul. 75, pp. 33-42. 1911; Ent. Bul. 75, Pt. IV, pp. 33-42. 1908.
    control in Massachusetts. Ent. Bul. 75, pp. 23-32. 1911; Ent. Bul. 75, Pt. III, pp. 23-32. 1908.
    control methods. F.B. 1216, p. 24. 1922.
    diagnosis—
      by laboratory methods. Arthur H. McCray and G. F. White. D.B. 671, pp. 15. 1918.
      comparisons of symptoms. D.B. 810, pp. 28-31. 1920.
      differential. D.B. 780, pp. 51-53. 1919.
      methods. News L., vol. 6, No. 9, p. 16. 1918.
    disinfection. Ent. Bul. 75, pp. 29-30, 32, 39. 1911; Ent. Bul. 75, Pts. III, IV; pp. 29-30, 32, 39. 1908.
    distribution, causes, and control. An. Rpts., 1923, pp. 414-416. 1924; Ent. A.R., 1923, pp. 34-36. 1923.
    examination of samples. D.B. 671, pp. 2-4. 1918.
    foulbrood, pickle brood, and black brood. Ent. T.B. 14, pp. 30-46. 1906.
    in Hawaii investigations, control regulations. Ent. Bul. 75, pp. 56-58. 1911; Ent. Bul. 75, Pt. V, pp. 56-58. 1909.
    infection sources. Ent. Bul. 75, Pt. III, pp. 29-30. 1908; Ent. Bul. 75, pp. 29-30. 1911.
    infectious, destruction of germs by heating. G. F. White. D.B. 92, pp. 8. 1914.
    introduction prevention. Off. Rec., vol. 2, No. 12, p. 3. 1923.
    kinds and control in North Carolina. D.B. 489, pp. 4-5. 1916.
    law, New York. Chem. Bul. 69, Pt. V, p. 429. 1906.
    laws, States and territories. Ent. Bul. 61, pp. 184-200. 1906.
    losses—
      and prevention. Ent. Bul. 75, Pt. VI, pp. 73-75. 1909.
      caused. D.B. 685, pp. 14-15, 17-18, 21. 1918.
      occurrence in United States. E. F. Phillips. Ent. Cir. 138, pp. 25. 1911.

Bee(s)—Continued.
 disease(s)—continued.
  present status of investigation. Ent. Bul. 70, pp. 22-55. 1907.
  preventive measures. F.B. 1084, pp. 9-10. 1920.
  publications, Agriculture Department. Ent. Cir. 138, p. 24. 1911; F.B. 442, p. 22. 1911.
  quarantine laws, Porto Rico. P.R. Bul. 15, pp. 20-21. 1914.
  source of loss. Y.B., 1917, p. 399. 1918; Y.B. Sep. 747, p. 7. 1918.
  spread by robbing. D.B. 810, pp. 28, 34. 1920.
  study. An. Rpts. 1906, p. 154. 1907; B.A.I. Chief Rpt., 1906, p. 36. 1906.
  study by Entomology Bureau, 1909. An. Rpts., 1909, pp. 525-526. 1910; Ent. A.R., 1909, pp. 39-40. 1909.
  transmission methods, discussion. Ent. Bul. 98, pp. 21, 28, 36, 37, 49, 74, 77-78, 89. 1912.
  treatment—
   E. F. Phillips. F.B. 442, pp. 22. 1911.
   discussion. Ent. Bul. 70, pp. 61-73. 1907.
   relation to causes. G. F. White. Ent. Bul. 75, pp. 33-42. 1911; Ent. Bul. 75, Pt. IV, pp. 33-42. 1908.
 distribution through hives to avoid congestion. F.B. 1198, pp. 13-19, 46. 1921.
 drifting, prevention. F.B. 1014, pp. 17-18. 1918.
 drumming out from old hives. F.B. 961, pp. 6-7. 1918.
 dysentery—
  description, causes, control. News L., vol. 3, No. 18, p. 2. 1915.
  malignant cause, note. B.A.I. An. Rpt., 1910, p. 496. 1912; B.A.I. Cir. 194, p. 496. 1912.
 enemies, diseases and insects. D.B. 685, pp. 14-15, 17-18, 21. 1918.
 energy output in winter, experiment summary and charts. D.B. 988, pp. 14-18. 1921.
 escapes and traps, description and use. F.B. 447, pp. 24, 30, 31, 37, 38. 1911; F.B. 442, p. 17. 1911.
 examination for arsenical poisoning. D.C. 218, pp. 5-6, 12-13. 1922.
 fall preparation—
  brood-rearing for winter. F.B. 1215, pp 15-16. 1922.
  for wintering and brood-rearing. F.B. 1216. pp. 12-13. 1922.
  in tulip-tree region. F.B. 1222, pp. 13-14. 1922.
 feces, accumulation, effect of honey-dew honey. F.B. 695, p. 5. 1915.
 feed, alfalfa. F.B. 339, p. 31. 1908.
 feeding—
  directions. F.B. 695, pp. 11-12. 1915.
  directions and precautions. F.B. 397, pp. 23-24, 36-37. 1910; F.B. 447, pp. 26, 40. 1911.
  in—
   spring and care. F.B. 1014, pp. 19-20. 1918.
   winter, consumption of stores. D.B. 96, pp. 6-10. 1914.
   winter, effect on heat production and vitality. D.B. 93, pp. 11, 12, 13, 15. 1914.
  infected food, experiments. Ent. Bul. 98, pp. 42, 46, 59, 76, 81, 84, 90. 1912.
  with medicated sirup for control of disease. Ent. Bul. 98, pp. 21, 22, 23, 39, 40, 51. 1912.
 flight of, variation with flow of honey, time in hive. D.B. 1328, pp. 24, 32-33. 1925.
 flight, recording apparatus, study and use. D.B. 1328, pp. 2-6. 1925.
 folklore in North Carolina. D.B. 489, p. 10. 1916.
 food—
  habits and plants, and winter protection, studies. O.E.S. Ar. Rpt., 1922, p. 52. 1924.
  supply and protection in winter. D.B. 685, pp. 11-14. 1918.
 forage value of Siberian alfalfa and clover. B.P.I. Bul. 150, pp. 13, 14, 24. 1909.
 foulbrood—
  American—
   cause. G. F. White. Ent. Cir. 94, pp. 4. 1907.
   cause, and control studies. D.B. 809, pp. 1-64. 1920.
   and wax moths. E. F. Phillips. Ent. Bul. 75, Pt. II, pp. 19-22. 1907.

Bee(s)—Continued.
 foulbrood—continued.
  causes and development. J.A.R., vol. 28, pp. 130-135. 1924.
  control. E. F. Phillips. F.B. 1084, pp. 15. 1920.
  European control. E. F. Phillips. F.B. 975. pp. 16. 1918.
  laws, States and territories. Ent. Bul. 61, pp. 184-200. 1906.
 freezing point, studies. J.A.R., vol. 24, pp. 276, 277, 279, 285. 1923.
 German, undesirable characteristics. F.B. 397, p. 12. 1910; F.B. 447, p. 14. 1911.
 gums, disadvantages. F.B. 961, pp. 3-4. 1918
 habit and—
  age. F.B. 503, pp. 20-21, 24-25. 1912.
  diseases, investigations. An. Rpts., 1922, pp. 325-329. 1922; Ent. A.R., 1922, pp. 27-31. 1922.
  breeding, and normal behavior. F.B. 397, pp. 14-17. 1910; F.B. 447, pp. 15-19. 1911.
  handling, transfer tube, description and use. F.B. 961, pp. 9-10. 1918.
 hiving directions. F.B. 1198, pp. 23-25. 1921.
 honey—
  and wax production. Y.B. 1901, p. 784. 1902.
  flow, effect of weather. James I. Hambleton. D.B. 1339, p. 52. 1925.
  gathering—
   problems. D.B. 1328, p. 6. 1925.
   season of, in Maryland. D.B. 1328, p. 7. 1925.
  production, 1918, with comparisons. News L., vol. 6, No. 14, p. 9. 1918.
  production and care, methods of testing. Ent. Bul. 75, pp. 1-18. 1911.
  See also Honeybee.
 housing methods and importance. News L., vol. 6, No. 5, p. 3. 1918.
 housing, necessity for room and care. News L., vol. 4, No. 46, p. 2. 1917.
 importation—
  conference. Off. Rec., vol. 2, No. 12, p. 3. 1923.
  Porto Rico, laws, enforcement. P.R. Bul. 15, p. 21. 1914.
  regulation. Off. Rec., vol. 1, No. 20, p. 2; No. 24, p. 2; No. 32, p. 1. 1922.
 in Guam, studies and experiments. Guam A.R., 1912, p. 27. 1913.
 industry in Porto Rico, increase, honey plants. P.R. An. Rpt., 1911, pp. 32-34. 1912.
 infestation by mites. Rpt. 108, pp. 84, 109, 117-118. 1915.
 information sources. F.B. 397, pp. 40-44. 1910; F.B. 447, pp. 44-48. 1911.
 injury—
  by—
   green June beetle. D.B. 891, p. 17. 1922.
   louse, Braula coeca. D.C. 334, pp. 1-12. 1925.
   plant insecticides, notes. D.B. 1201, pp. 4-14, 21-24, 41. 1924.
  to—
   crops, supposed. F.B. 397, p. 42. 1910.
   grapes, and prevention. F.B. 1220, p. 13. 1921.
 inoculation—
  experimental, in study of foulbrood. Ent. Cir. 157, pp. 3-12. 1912.
  methods. D.B. 431, pp. 32-34, 52. 1917.
  with apiary bacteria. J.A.R., vol. 8, pp. 412-418. 1917.
  with Bacillus pluton to produce European foulbrood. D.B. 810, pp. 15-28, 32-33. 1920.
 insect—
  enemies. Ent. Bul. 75. Pt. VII, pp. 103-104. 1911.
  enemies and diseases, Porto Rico. P.R. Cir. 13, pp. 29-31. 1911.
 inspection, laws in various States and territories. Ent. Bul. 61, pp. 184-200. 1906.
 inspection, States having laws, and force at work. Ent. Bul. 75, Pt. VI, p. 75. 1909.
 introduction into—
  America, historical notes. Ent. Bul. 75, pp. 81-84. 1911; Ent. Bul. 75, Pt. VII, pp. 81-84. 1909.
  Guam, experiments and work. Guam A.R., 1913, pp. 20-21. 1914.

INDEX TO PUBLICATIONS, 1901-1925 209

Bee(s)—Continued.
introduction into—continued.
New England. Ent. Bul. 75, Pt. VII, pp. 81-83. 1909.
Italian—
characteristics, selection, and improvements by breeding. F.B. 397, pp. 13, 17. 1910.
desirable characteristics. F.B. 447, pp. 14, 20. 1911.
predominant race in Massachusetts. Ent. Bul. 75, pp. 96, 97, 106. 1911; Ent. Bul. 75, Pt. VII, pp. 96, 97, 106. 1909.
resistance to European foulbrood. F.B. 975, pp. 8, 10, 15. 1918.
resistance to foulbrood. F.B. 442, p. 19. 1911.
superiority for tulip-tree region. F.B. 1222, pp. 9, 12, 21. 1922.
superiority in clover region. F.B. 1215, p. 14. 1922.
temperature studies. J.A.R., vol. 24, pp. 280, 282-284. 1923.
larva(e)—
description, anatomy, and histology of various parts. J.A.R., vol 28, pp. 1167-1208. 1924.
diseased, microscopic examination. Ent. Cir. 157, pp. 10-12. 1912.
foulbrood, symptoms and test. Ent. Cir. 157, pp. 4-10. 1912.
growth and feeding. James A. Nelson and others. D.B. 1222, pp. 38. 1924.
morphology. J.A.R., vol. 28, pp. 1167-1208. 1924.
transferring, directions. P.R. Cir. 16, pp. 6-7. 1918.
life and work, film distribution. Off. Rec., vol. 1, No. 7, p. 6. 1922.
limit of age and usefulness. F.B. 503, pp. 20-21, 24-25. 1912.
losses by disease and in wintering, causes. D.B. 685, pp. 14-21. 1918.
louse—
Braula coeca, in the United States. E. F. Phillips. D.C. 334, p. 12. 1925.
first appearance in United States. D.C. 334, pp. 1-2. 1925.
mouth parts, description. D.C. 334, p. 6. 1925.
reproduction processes. D.C. 334, pp. 4-5. 1925.
See also *Braula coeca*.
management—
causes of failure and success. Y.B. 1917, pp. 396-400. 1918; Y.B. Sep. 747, pp. 4-8. 1918.
details. F.B. 503, pp. 18-44. 1912; F.B. 1039, pp. 13-36. 1919.
general directions. F.B. 397, pp. 1-44. 1910; F.B. 447, pp. 1-48. 1911.
Porto Rico—
behavior. O.E.S.P.R. Cir. 13, p. 11. 1911.
equipment and methods. P.R. Bul. 15, pp. 11-15. 1914.
spring and winter. F.B. 397, pp. 24-26, 36-38. 1910.
marketing, Massachusetts. Ent. Bul. 75, Pt. VII, pp. 102-103, 107. 1911.
martin. See Kingbird.
mating and breeding, phenomena. Ent. Bul. 55, p. 27. 1905.
mites, introduction by queen-mailing cages, prevention methods. D.C. 218, pp. 6-9. 1922.
moth, injury to bees, spread of insect. Ent. Bul. 75, Pt. VII, p. 103. 1909; Ent. Bul. 75, Pt. II, pp. 19-22. 1911.
nicotine poisoning, experiments and studies. J.A.R. vol. 7, pp. 90-91, 95-98, 101-103, 106-109. 1916.
North Carolina, races, swarming control, wintering methods. D.B. 489, pp. 3, 4, 5-6. 1916.
nosema-disease. G. F. White. D.B. 780, pp. 59. 1919.
nuisance, laws against. F.B. 397, p. 42. 1910.
number of colonies—
condition and comparisons, estimates. F.B. 598, pp. 8-9, 17. 1914.
on farms, Jan. 1, 1920, map. Y.B., 1921, p. 488. 1922; Y.B. Sep. 878, p. 82. 1922.
occurrence in the Pribilof Islands, Alaska. N.A. Fauna 46, Pt. II, p. 236. 1923.
olfactory sense, investigations. An. Rpts., 1914, p. 198. 1914; Ent. A.R., 1914, p. 16. 1914.

Bee(s)—Continued.
packing for out-door wintering, details and schedule. F.B. 1012, pp. 6-18. 1918.
parasite, study of *Braula coeca*. D.C. 334, pp. 1-12. 1925.
pasturage—
on—
alfalfa. B.A.I. An. Rpt., 1904, p. 267. 1905.
sweet clover and alsike. F.B. 1005, p. 16 1919.
Porto Rico, value of coffee plantations for apiaries. P.R. An. Rpt., 1911, pp. 32-33. 1912.
value of vetches. F.B. 529, p. 16. 1913.
pests, control by fumigation with carbon bisulphid. Work and Exp., 1914, pp. 222-223. 1915.
physiology studies. An. Rpts., 1923, pp. 413-414. 1924; Ent. A.R., 1923, pp. 33-34. 1923.
plants, Hawaiian, list. Hawaii A.R., 1908, pp. 24-27. 1908.
"play flights," effect on temperature. D.B. 96, pp. 22-23. 1914.
poisoning with arsenic, tests. D.B. 1147, pp. 27, 32, 35-39, 44-46, 48. 1923.
pollenizing agent. Ent. Bul. 75, pp. 69-71, 99-102. 1911; Ent. Bul. 75, Pts. VI, VII, pp. 69-71, 99-102. 1909.
pollination of—
alfalfa flowers and tripping. D.B. 75, pp. 12-13. 1914.
clover. News L., vol. 3, No. 5, p. 7. 1915.
cucumber. F.B. 1320, pp. 22-23. 1923.
mango. D.B. 542, p. 6. 1917.
red clover and crossing. D.B. 289, pp. 3-4, 5, 18-20. 1915.
sweet clover. D.B. 844, pp. 3, 21. 1920.
prices for colonies and queens. Ent. Bul. 75, Pt. VII, p. 103. 1911.
protection—
from—
cold, means, methods, and importance. F.B. 695, pp. 7-11. 1915.
winter conditions, feeding, methods. F.B. 503, pp. 21-22, 25. 1912.
winter winds, necessity. News L., vol. 3, No. 11, pp. 2-3. 1915.
in cold regions, description of bee cellar. News L., vol. 6, No. 10, pp. 2, 6, 7, 16. 1918.
insulation of hives—
in winter. News L., vol. 3, No. 16, p. 2. 1915.
value, experiments and study. News L., vol. 5, No. 18, p. 7. 1917.
quarantine, postal regulation. Off. Rec., vol. 1, No. 15, p. 4. 1922.
queen—
cells, management in swarming. F.B. 1198, pp. 26-27, 32, 34-43. 1921.
characteristics, food. Ent.T.B. 18, pp. 29, 40, 41, 69, 82, 92, 93, 130-131, 134-139. 1910.
clipping wings in spring. F.B. 397, pp. 26, 27. 1910.
cost. F.B. 397, p. 12. 1910.
danger from bee louse. D.C. 334, p. 6. 1925.
excluder, use in transferring bees. F.B. 961, pp. 11-12. 1918.
exclusion from—
comb sections. F.B. 397, p. 33. 1910.
surplus honey. Ent. Bul. 75, p. 5. 1911; Ent. Bul. 75, Pt. I, p. 5. 1907.
habits, breeding, and necessity to colony. F.B. 397, pp. 14-17, 26, 27, 29. 1910; F.B. 477, pp. 15-19, 28, 29, 30, 32, 44-45. 1911.
importance in wintering colony. F.B. 695, p. 5. 1915.
importation—
from British Isles to United States, prohibition necessity. D.C. 218, pp. 8-9, 12. 1922.
regulations. D.C. 287, pp. 9, 33-34. 1923.
infection with bacilli, and transmission of disease to larvae. Ent. Bul. 98, pp. 21, 25, 28, 40, 49, 74, 78, 89. 1912.
mailing regulations. An. Rpts., 1912, p. 653. 1913; Ent. A.R., 1912, p. 31. 1912.
management—
and breeding. P.R. Cir. 13, pp. 16-19. 1911.
in natural and artificial swarming. F.B. 1198, pp. 23-25, 34-43. 1921.
mating—
Ent. Bul. 55, pp. 24-28. 1905.

Bee(s)—Continued.
 queen—continued.
  mating—continued.
   and testing. P.R. Cir. 16, pp. 10-11. 1918.
  nursery cages, construction. Ent. Bul. 55, pp. 20-24. 1905.
  price in Massachusetts, amount of trade. Ent. Bul. 75, Pt. VII, p. 103. 1911.
  rearing—
   E. F. Phillips. Ent. Bul. 55, pp. 32. 1905.
   and renewal, suggestions. F.B. 1215, pp. 15, 23, 25, 26. 1922.
   artificial, cell cups. P.R. Cir. 16, pp. 5-10, 11-12. 1918.
   in North Carolina. D.B. 489, p. 6. 1916.
   in Porto Rico. R. H. Van Zwaluwenburg and Rafael Vidal. P.R. Cir. 16, p. 12. 1918.
  removing, directions. F.B. 1039, pp. 28-30. 1919.
  selection for colonies weakened by disease. F.B. 975, pp. 10, 13, 15. 1918.
  shipping and introducing into colony. F.B. 397, p. 41. 1910.
 rearing in spring for production, and stores. F.B. 1039, pp. 16-19. 1919.
 relation to pollination of vetch blossoms. F.B. 967, p. 12. 1918.
 removal—
  from hollow trees, method. Guam A.R., 1915, pp. 42-43. 1916.
  from house walls. F.B. 397, p. 21. 1910.
 report of meeting of inspectors of apiaries, San Antonio, Tex., Nov., 1906. Ent. Bul. 70, pp. 79. 1907.
 requeening—
  as remedy for European foulbrood. F.B. 975, pp. 10, 13, 15. 1918.
  how often desirable. F.B. 397, p. 29. 1910.
  necessity. Ent. Bul. 55, p. 7. 1905.
  of hive. F.B. 961, p. 13. 1918.
  time and—
   frequency in clover region. F.B. 1215, p. 25. 1922; F.B. 1222, pp. 21-22. 1922.
   method in buckwheat region. F.B. 1216, pp. 20, 22-23. 1922.
  "rights," buying, practice in Hawaii. Ent. Bul. 75, p. 45. 1911; Ent. Bul. 75, Pt. VI, p. 45. 1909.
 robbing, prevention. F.B. 397, p. 23. 1910.
 schedule for winter packing in various localities. F.B. 1012, pp. 14-18. 1918.
 school lesson on habits. D.B. 258, pp. 33-34. 1915.
 sex determination, remarks. B.P.I. Bul. 256, p. 37. 1913.
 shaking treatment for American foulbrood, details. F.B. 1084, pp. 10-14. 1920.
 source of heat in winter clusters, experiments. D.B. 988, pp. 3-4. 1921.
 spring—
  care—
   directions. F.B. 1222, pp. 16-18. 1922; News L., vol. 3, No. 30, pp. 3-4. 1916.
   in clover region. F.B. 1215, pp. 18-21. 1922.
  dwindling—
   cause and preventive measures. F.B. 695, p. 5. 1915.
   prevention. F.B. 397, p. 24. 1910; F.B. 442, p. 21. 1911.
 starvation, control methods. News L., vol. 3, No. 16, p. 2. 1915.
 statistics—
  1909. Ent. Bul. 75, pp. 61-71, 79. 1914.
  1914-1915. D.B. 325, pp. 12. 1915.
  and honey. D.B. 685, pp. 6-7, 9-10, 12-24, 26-27, 29-33, 36-37. 1918.
 stings—
  cattle, treatment. B.A.I. [Misc.], "Diseases of cattle," rev., p. 70. 1912.
  treatment. F.B. 397, p. 19. 1910; F.B. 447, p. 20, 1911.
 stores for winter, nature, quality, and importance. F.B. 695, pp. 11-12. 1915.
 structure, development, and behavior, investigations. An. Rpts., 1910, pp. 544-545. 1911; Ent. A.R., 1910, pp. 40-41. 1910.

Bee(s)—Continued.
 studies for—
  schools. D.B. 521, pp. 49-50. 1917.
  southern rural schools, notes and references. D.B. 305, pp. 17-18. 1915.
 susceptibility to nosema infection, predisposing causes. D.B. 780, pp. 10-13. 1919.
 swarm control without division, time and methods. F.B. 1216, pp. 21-22. 1922.
 swarming—
  artificial, directions for beekeepers. F.B. 1198, pp. 34-43. 1921.
  by months, and resulting increase. D.B. 685, pp. 9-11. 1918.
  causes and prevention. F.B. 1198, pp. 19-45. 1921.
  causes, discussion. Ent. Bul. 55, p. 9. 1905.
  management. F.B. 397, pp. 26-29. 1910; F.B. 447, pp. 29-32. 1911.
  management, details. F.B. 1039, pp. 20-36. 1919.
  tendency, factors influencing. F.B. 1198, pp. 6-19. 1921.
 swarms, control methods. F.B. 503, pp. 28-44. 1912.
 temperature—
  maximum, experiments. J.A.R., vol. 24, pp. 277, 278, 284, 285. 1923.
  method of taking. J.A.R., vol. 24, pp. 279, 281. 1923.
  relation to outside air, handling and moving. D.B. 96, pp. 12-29. 1914.
  requirements for winter protections. News L., vol. 3, No. 11, pp. 2-3. 1915.
  studies. Gregor B. Pirsch. J.A.R., vol. 24, pp. 275-288. 1923.
 Texas, western, adaptability. N.A. Fauna 25, p. 31. 1905.
 transfer tube, description and use. F.B. 961, pp. 9-10. 1918.
 transferring—
  effect on temperature, precautions. D. B. 96, pp. 26-29. 1914.
  into cellar and out, directions. F.B. 1014, pp. 12-13, 17-19. 1918.
  time suitable. F.B. 961, pp. 4-5. 1918.
  to modern hives. E.L. Secrist. F.B. 961, pp. 15. 1918.
 trips—
  for honey, duration. D.B. 1328, pp. 26-32. 1925.
  number per day, and time in hive. D.B. 1328, pp. 32-33. 1925.
 United States, and honey production. D.B. 685, pp. 161. 1918.
 usefulness in greenhouses. Ent. Bul. 75, pp. 99-102. 1911; Ent. Bul. 75, Pt. VII, pp. 99-102. 1909.
 varieties, breeding in United States. Ent. Bul. 75, p. 69. 1911; Ent. Bul. 75, Pt. VI, p. 69. 1909; F.B. 1198, pp. 7, 45. 1921.
 veil, description. F.B. 447, p. 11. 1911.
 weak colonies, wintering, dangers. F.B. 695, pp. 4-5. 1915.
 wild—
  pollination of—
   alfalfa flowers. B.P.I. Cir. 24, p. 9. 1909.
   cotton in Arizona. D.B. 1134, pp. 36, 37, 64. 1923.
  transferring from house wall to modern hives. F.B. 961, pp. 13-14. 1918.
 winter—
  care, hive protection, food stores. News L., vol. 5, No. 15, p. 1. 1917.
  favorable. News L., vol 6, No 46, p 13. 1919.
  feeding. News L., vol. 3, No. 16, p. 2. 1915.
  feeding, experiments and results. D.C. 222, pp. 7-8. 1922.
  losses—
   causes, and control methods. News L , vol. 3, No. 16, p. 2. 1915.
   percentage, causes and influences. F.B. 695, pp 1-6. 1915.
   prevention methods. Ent. Bul. 75, Pt. VI, p. 72. 1911.
  temperature of cluster, investigations. D.B. 93, pp. 1-16. 1914.

INDEX TO PUBLICATIONS, 1901–1925   211

Bee(s)—Continued.
  wintering—
    1914–1915. D. B. 325, pp. 1–3, 9–10. 1915.
    heat—
      conservation, effect on expenditure of energy.
        F.B. 695, p. 7. 1915.
      generation, necessity, effect on colony.
        F.B. 695, pp. 3–4. 1915.
    in—
      cellars. E.F. Phillips and George S. Demuth.
        F.B. 1014, p. 24. 1918.
      cellars, necessity. News L., vol. 6, No. 14,
        p. 3. 1918.
      cellars, rules for protection. News L., vol.
        6, No. 16, p. 8. 1918.
      clover region. F.B. 1215, pp. 16–18. 1922.
      tulip-tree region. F.B.1222, pp. 14–18. 1922.
    injury by accumulation of feces, preventive
      measures. F.B. 695, p. 5. 1915.
    investigations—
      1915. An. Rpts., 1915, p. 230. 1916; Ent.
        A.R., 1915, p. 20. 1915.
      1916. An. Rpts., 1916, pp. 234–235. 1917;
        Ent. A. R., 1916, pp. 22–23. 1916.
      1917. An. Rpts., 1917, p. 249. 1917; Ent.
        A.R., 1917, p. 23. 1917.
      1920. An. Rpts., 1920, pp 340–341. 1921.
      1921. Ent. A.R., 1921, p. 21. 1921.
    methods. News L., vol 4, No. 17, p. 2. 1916.
    methods and losses. D.B. 685, pp. 11–21.
      1918.
    mortality under different methods. Ent. Bul.
      75, pp. 98–99. 1911; Ent. Bul. 75, Pt. VII,
      pp. 98–99. 1909.
    outdoor(s)—
      E. F. Phillips and George S. Demuth. F.B.
        695, pp. 12. 1915.
      care. News L., vol. 6, No. 17, p. 16. 1918.
      preparation and packing. E. F. Phillips and
        George S. Demuth. F.B. 1012, pp. 24.
        1918.
      requirements, care, protection and feed. News
        L., vol. 3, No. 11, pp. 2–3. 1915.
      supply of stores, importance. F.B. 695, p. 6.
        1915.
      temperature studies. D.B. 96, pp. 1–19. 1914.
    work in winter by clusters, experiment outline
      and temperature discussion. D.B. 988, pp. 4–6.
      1921.
    workers—
      characteristics. Ent. T.B. 18, pp. 130, 131.
        1910.
      maintaining supply for honey flow. F.B. 1039,
        pp. 14–20. 1919.
    young—
      advantages for wintering. F.B. 695, p. 4. 1915
      relation to swarming. F.B., 1198, pp. 13, 35,
        44–45. 1921.
    See also Beekeeping; Bumblebees; Honeybees.
BEEBE, L. L.—
    "Care and repair of farm implements. No. 3.
      Plows and harrows." With E. B. McCormick.
      F.B. 946, pp. 9. 1918.
    "Care and repair of farm implements. No. 4.
      Mowers, reapers, and binders." With E. B.
      McCormick. F.B. 947, pp. 16. 1918.
Beebird, protection by law. Biol. Bul. 12, rev.,
  p. 41. 1902.
Beebread, source and uses. Ent. T. B. 18, pp.
  91–94, 98–101. 1910.
Beech—
  antarctic importation. No. 44412. B.P.I. Inv.
    50, p. 69. 1922.
  aphis—
    blight, habits and control. F.B. 1169, pp. 87–88.
      1921.
    woolly, habits and control. F.B. 1169, pp. 87–88.
      1921.
  Australian, distribution and description. For.
    Bul. 87, pp. 15, 21. 1911.
  characters. F.B. 468, p. 41. 1911.
  Chilean, importation and description. Nos.
    34381, 34384–34386. B.P.I. Inv. 33, pp. 6, 13, 14.
    1915; Nos. 52592–52594, B.P.I. Inv. 66, pp. 2, 47.
    1923.
  consumption in Arkansas, amount and value.
    For. Bul. 106, pp. 7, 11, 15, 22, 38. 1912.
  cooperage stock, slack, production and value,
    1906. For. Cir. 123, pp. 4–7. 1907.

Beech—Continued.
  cross-ties, cost per year for maintenance. For.
    Bul. 118, p. 46. 1912.
  cut in U. S., 1905. For. Cir. 52, pp. 5, 20. 1906.
  density determinations. J.A.R., vol. 2, pp. 426–
    427. 1914.
  description and key. D.C. 223, pp. 5, 9. 1922.
  diseases caused by fungi. B.P.I. Bul. 149, pp.
    22, 26, 27, 28, 32, 33, 39, 49, 50–51, 56, 57, 63. 1909.
  distillation yields of alcohol and—
    acetic acid. D.B. 129, pp. 7–16. 1914.
    lime acetate. D.B. 508, pp. 3–7. 1917.
  grades and amount of lumber sawed with value
    tables. For. Bul. 73, pp. 26, 28. 1906.
  injury from—
    gipsy moth. D.B. 204, pp. 14, 15. 1915; F.B.,
      564, p. 5. 1914.
    insects. F.B. 1169, p. 95. 1921.
    sapsuckers. Biol. Bul. 39, pp. 33, 71–72, 73, 74.
      1911.
    smelter fumes. Chem. Bul. 89, p. 17. 1905.
  insect pests, list. Sec. (Misc.), "A manual * * *
    insects * * *" pp. 38–40. 1917.
  leaves, content of manganese. D.B. 42, p. 2.
    1914.
  lumber cut and value—
    1899–1914, and estimates, 1915. D.B. 506, pp.
      13–15, 26. 1917.
    1905, by States. D.B. 74, p. 26. 1914.
    1906, by States. For. Cir. 122, p. 23. 1907.
    1913, by States. D.B. 232, pp. 19, 31–32. 1915.
    1916, by States reporting and lumber value.
      D.B. 673, p. 27. 1918.
    1918, by States. D.B. 845, pp. 29–30, 45. 1920.
    1919, by States. D.B. 768, pp. 27, 38, 43. 1919.
    1920, by States. D.B. 1119, p. 49. 1923.
    1922, by States. Y.B., 1922, p. 925. 1923.
  northern forests, characteristics and volume.
    D.B. 285, pp. 6–21, 25–33, 38, 49–51, 65. 1915.
  preservation, characteristics, and results of treat-
    ment. D.B. 606, pp. 18, 20, 21, 28, 34. 1918.
  preservative treatment, results. F.B. 744, pp. 17,
    25, 28. 1916.
  properties, supply and uses. D.B. 12, pp. 2–11.
    1913.
  quantity used in manufacture of wooden products.
    D.B. 605, p. 11. 1918.
  red, importation, description No. 46643. B.P.I.
    inv. 57, p. 16. 1922.
  silver, importation, description No. 46644. B.P.I.
    inv. 57, p. 16. 1922.
  spacing in forest planting, and seed per acre. F.B.
    1177, rev. p. 22. 1920.
  stumpage value, 1907. For. Cir. 122, p. 40. 1907.
  tests for mechanical properties, results. D.B.
    556, pp. 28, 38. 1917.
  volume table and growth rate. For. Bul. 36, pp.
    114, 188, 193. 1910.
  weight, uses, freight rates, and value. F.B. 715,
    pp. 4, 10, 18, 28, 34, 35, 41. 1916.
  wood structure, comparison with sycamore.
    D.B. 884, pp. 4–5. 1920.
Beechi, importation and description. No. 48565,
  B.P.I. Inv. 61, p. 23. 1922.
Beef(ves)—
  a la mode, recipe for making. F.B. 391, p. 29.
    1910.
  adulteration. Chem. N. J. 13329. 1925.
  analysis methods. D.B. 433, pp. 11–15, 33–34.
    1917.
  and beef products, trade international. Y.B.,
    1924, p. 866. 1925.
  animals—
    raising in Iowa, Hamilton County. Soil S.,
      Adv. Sh., 1917, p. 12, 1920; Soils F.O., 1917,
      p. 1636. 1923.
    See also Beef, baby; Cattle, beef.
  Argentine—
    prices, 1913. Y.B., 1913, p. 355. 1914; Y.B.
      Sep. 629, p. 355. 1914.
    production, exports and prices. F.B. 581, pp.
      30–40. 1914.
  autolysis—
    chemical studies, analysis methods and results.
      D.B. 433, pp. 11–15. 1917.
    experiments, methods and results. D.B. 433,
      pp. 8–29. 1917.

Beef(ves)—Continued.
baby—
Ernest G. Ritzman. B.A.I. An. Rpt., 1905, pp. 181-212. 1907; B.A.I. Cir. 105, pp. 34. 1907.
club demonstrations. D.C., 152, pp. 15-16. 1921.
club winners. News L., vol. 7, No. 5, p. 9. 1919.
clubs for North and West, enrollment, production, and demonstrations. D.C. 192, p. 26. 1921.
conditions governing, and profit. News L., vol. 4, No. 44, pp. 4-5. 1917.
cost of—
 fattening, coefficient of correlation. D.B. 504, pp. 1-15. 1917.
 100 pounds gain, by States. Y.B., 1921, p. 838. 1922; Y.B. Sep. 876, p. 35. 1922.
 production. Y.B., 1921, pp. 266-268, 838; Y.B. Sep. 874, pp. 266-268. 1922; Y.B. Sep. 876; p. 35. 1922.
description and profits. News L., vol. 4, No. 44, pp. 4-5. 1917.
feeding directions. M.C. 12, p. 17. 1924.
feeding experiments. F.B. 479, pp. 13-15. 1912.
number of cattle shipped in cars of various lengths. F.B. 811, pp. 10-11. 1917.
production—
 S. H. Ray. F.B. 811, pp. 22. 1917.
 conditions governing, and profit. News L., vol. 4, No. 44, pp. 4-5. 1917.
 costs in Corn Belt. Rpt. 111, pp. 8, 22, 30, 34, 38, 44, 61-64. 1916.
 herd management, rations, etc. F.B. 1073, pp. 6, 7, 13, 18, 19. 1919.
 in Provo area, methods and profits. D.B. 582, pp. 35-36. 1918.
 management, suggestions. F.B. 588, pp. 16-17. 1914.
 methods, profitableness, feeding rations, studies. News L., vol. 2, No. 36, pp. 6-7. 1915.
raising, advantages, and when not advisable. F.B. 811, pp. 3-7. 1917.
winter feeding, school lesson. D.B. 258, pp. 14, 15. 1915.
birds, recipe for making. F.B. 391, p. 27. 1910.
boiled, with horse-radish sauce, recipe. F.B. 391, p. 29. 1910.
bones, inspection regulations. B.A.I., S.R.A. 205, p. 55. 1924.
braised, recipe. F.B. 391, p. 29. 1910.
breeds—
 conformation, comparison with dairy breeds. D.B. 434, pp. 4-5. 1916.
 of cattle—
  E. W. Sheets. F.B. 612, rev., pp. 31. 1921.
  comparative standards, color, and weight. F.B. 612, rev., pp. 19-21. 1921.
  tuberculosis in Great Britain. B.A.I. Bul. 32, pp. 11-15. 1901.
broth, food value, and directions for making. D.B. 27, pp. 5-6. 1913.
by-products—
 prices. Y.B., 1921, p. 302. 1922; Y.B. Sep. 874, p. 302. 1922.
 value under centralized slaughtering. B.A.I. An. Rpts., 1908, pp. 94-95. 1910; B.A.I. Cir. 154, pp. 12-13. 1910.
canned—
 and pickled, exports. Y.B., 1921, p. 758. 1922; Y.B. 867, p. 22. 1922.
 composition and characteristics. Chem. Bul. 13, Pt. X, pp. 1433-1436, 1440. 1902.
 process of preparation. Chem. Bul. 13, Pt. X, pp. 1375-1391. 1902.
cannelon, cooking recipe. F.B. 391, p. 34. 1910.
canning—
 at home, recipes. S.R.S. Doc. 80, rev., pp. 13-15, 17, 19. 1919.
 club, work of one day. News L., vol. 6, No. 17, p. 16. 1918.
 influence on composition, tables. Chem. Bul. 13, Pt. X, pp. 1378-1387. 1902.
 process, description. Y.B., 1911, pp. 385-387. 1912; Y.B. Sep. 577, pp. 385-387. 1912.

Beef(ves)—Continued.
carcasses—
 classes, grades, and names applied to. F.B. 435, pp. 16-17. 1911.
 contamination prevention, directions. B.A.I., S.R.A. 103, p. 123. 1915.
 inspection for tapeworm cysts, instructions. B.A.I., S.A. 56, p. 87. 1911.
 judging, block record, etc. B.A.I. Bul. 61, pp. 116-117. 1904.
 parts and names of wholesale cuts. F.B. 1068, pp. 5, 7. 1919.
casings, preparation order. B.A.I., S.R.A. 132, p. 27. 1918.
cattle. See Cattle, beef.
chemical—
 changes during autolysis. D.B. 433, pp. 17-27. 1917.
 composition, tables. O.E.S. Bul. 162, pp. 99, 102, 105, 114, 120. 1905.
chilled, Argentina trade with England. B.A.I. An. Rpt., 1908, pp. 315-316. 1910.
clubs—
 boys' organization, membership, and work. News L., vol. 3, No. 48, p. 4. 1916.
 number, membership, and results in 1921. D.C. 255, pp. 15, 25-26. 1923.
cold storage—
 changes above freezing. Ralph Hoagland and others. D.B. 433, pp. 100. 1917.
 holdings, 1915-1924. S.B. 4, pp. 14-15. 1925.
 receipts, deliveries and length of storage. Stat. Bul. 93, pp. 14, 16-17, 30, 31, 34, 37, 40, 43-47. 1913.
 holdings, 1916-1923. S.B. 1, pp. 13-14. 1923.
comparison with buffalo meat. Off. Rec., vol. 3, No. 12, p. 4. 1924.
composition—
 and comparisons. Chem. Cir. 62, p. 1. 1910.
 at different periods of storage. D.B. 433, pp. 36-87. 1917.
 comparison with veal. B.A.I. An. Rpt., 1905, pp. 190-191. 1907.
consumption—
 annual per capita, United States. An. Rpts., 1912, p. 309. 1913; B.A.I. Chief Rpts., 1912, p. 13. 1912.
 by farm families. F.B. 1082, pp. 7, 19. 1920.
 eastern cities supplied by wholesale packers. Rpt. 113, p. 50. 1916.
 per capita—
  1907-1921. Y.B. 1921, pp. 312-316. 1922; Y.B. Sep. 874, pp. 312-316. 1922.
  and comparison with other meats. F.B. 1172, p. 3. 1920.
 United States. Rpt. 109, pp. 129, 271. 1916.
content of lime comparison with that of milk. D.C. 129, p. 3. 1920.
cooking, digestion experiments. O.E.S. Bul. 193, pp. 27-36. 1907.
coolers, humidity, factor in spoilage of stored meat. D.B. 433, pp. 4, 97-98. 1917.
corned—
 canning—
  directions. F.B. 839, pp. 27, 30. 1917.
  method. B.A.I. An. Rpt., 1907, pp. 279-281. 1909.
  method for curing, boiling, processing, etc. Chem. Bul. 13, Pt. C., pp. 1390-1391.
  recipe. S.R.S. Doc. 80, pp. 14-15. 1918.
 recipe. F.B. 183, p. 30. 1903.
corning, methods, formula. News L., vol. 2, No. 4, p. 3. 1914.
cost—
 of—
  lean and total, in various retail cuts. F.B. 527, pp. 17-19. 1913.
  production, variations, etc. Y.B., 1921, pp. 265-275. 1922; Y.B. Sep 874, pp. 265-275. 1922.
  to consumer, and distribution of profits. Y.B., 1921, p. 300. 1922; Y.B. Sep. 874, p. 300. 1922.
 crisis, need of supervision. News L., vol. 6, No. 49, pp. 1-2. 1919.
cured—
 prices, 1909. An. Rpts., pp. 27-28. 1910; Rpt. 91. pp. 20-21. 1909; Sec. A.R., 1909, pp. 27-28. 1909. Y.B. 1909, pp. 27-28. 1910.

Beef(ves)—Continued.
 cured—continued.
  products, description, and grades. F.B. 435, p. 18. 1911.
  storage holdings, 1918, by localities and by months. D.B. 792, pp. 15-19. 1919.
 cuts—
  and grades, standards. Y.B., 1921, pp. 308-312. 1922; Y.B. Sep. 874, pp. 308-312. 1922.
  cold-water extracts, analyses. Chem. Bul. 122, pp. 63-64. 1909.
  grades and cured products. F.B. 435, pp. 16-18. 1911.
  location, cost, and food value. F.B. 527, pp, 14-19. 1913.
  standard grades. D.B. 1246, pp. 33-34. 1924.
  wholesale—
   description and percentage yields. D.C. 300, pp. 3-4. 1924.
   standard, description and percentage yields. D.B. 1246, pp. 30-33. 1924.
 department, packing house, expenses. Rpt. 113, p. 48. 1916.
 digestion—
  experiments—
   and nutritive value. O.E.S. Bul. 159, pp. 157-158. 1905.
   comparison with veal. J.A.R., vol. 5, No. 15, pp. 684-703. 1916.
 dressing and handling—
  cost, investigations. Y.B., 1914, pp. 29, 30. 1915.
  methods and cost. An. Rpts., 1914, pp. 19-20. 1915; Sec. A.R., 1914, pp. 21-22. 1914.
 drying, methods, formula. News L., vol. 2, No. 4, pp. 3-4. 1914.
 exports—
  1851-1910. Y.B., 1910, pp. 675-676. 1911; Y.B. Sep. 553, pp. 675-676. 1911.
  1851-1908 per capita, increase. Stat. Bul. 75, pp. 6, 12, 27-30. 1910.
  1884, from Argentina, increase. Y.B., 1914, pp. 382-383. 1915; Y.B. Sep. 648, pp. 382-383. 1915.
  1884-1898, from Argentina. Y.B., 1913, p. 353. 1914; Y.B. Sep. 629, p. 353. 1914.
  1890-1906, by countries. Stat. Bul. 55, pp. 20-22. 1907.
  1901-1914, from United States, decrease. Y.B., 1914, p. 386. 1915; Y.B. Sep. 648, p. 386. 1915.
  1901-1924. Y.B., 1924, pp. 869, 870, 1041, 1074. 1925.
  1902-1904. Stat. Bul. 36, pp. 19, 34-36. 1905.
  1904. Stat. Bul. 39, pp. 8, 15-18. 1905.
  1904-1908, 1851-1908. Y.B., 1908, pp. 764, 777. 1909; Y.B., Sep. 498, pp. 764, 777. 1909.
  1908-1912, and 1851-1912. Y.B., 1912, pp. 726-727, 737-738. 1913; Y.B. Sep. 615, pp. 726-727, 737-738. 1913.
  1912. Y.B., 1913, p. 260. 1914; Y.B. Sep. 627, p. 260. 1914.
  1913-1919, to United Kingdom, changes. Sec. Cir. 146, p. 11. 1919; Sec. Cir. 147, pp. 5-6. 1919.
  1917 and 1918, and beef products. Sec. Cir. 123, p. 8. 1918.
  1917-1919, 1910-1919. Y.B. Sep. 864, pp. 12, 33. 1921.
  1921, statistics. Y.B., 1921, pp. 744, 758. 1922; Y.B. Sep. 867, pp. 8, 22. 1922.
  from nine countries of surplus production. Rpt. 109, pp. 77-86, 94, 216-219, 221-230. 1916.
  prohibitions of imports. Y.B., 1906, p. 251. 1907; Y.B. Sup. 421, p. 251. 1907.
  rank of countries. News L., vol. 6, No. 38, p. 2. 1919.
 extracts—
  analysis, directions and results. Chem. Bul. 132, pp. 153-158. 1910.
  comparison with yeast extracts of known origin. F. C. Cooke. Chem. Cir. 62, pp. 7. 1910.
  manufacture from "soup liquor." Chem. Bul. 13, Pt. X, pp. 1389-1390. 1902.
  moisture determinations, methods. Chem. Bul. 132, pp. 151-153. 1910.
  nitrogen—
   content, comparative results, studies. Chem. Bul. 162, pp. 149-150. 1913.

Beef(ves)—Continued.
 extracts—continued.
  nitrogen—continued.
   determination, reports of referees, results, etc. Chem. Bul. 152, pp. 176-184. 1912.
  nutritive value. Chem. Bul. 114, pp. 48-54. 1908.
  samples, description. Chem. Bul. 114, pp. 7-15. 1908.
 farm, slaughtering, cutting and curing. W. H. Black and E. W. McComas. F.B. 1415, p. 34. 1924.
 fat—
  description, characteristics, sources, and uses. D.B. 469, pp. 10-11. 1916.
  detection in lard, method. James A. Emery. B.A.I. Cir. 132, pp. 9. 1908.
  digestion experiments. D.B. 310, pp. 8-11. 1915; D.B. 507, pp. 8-11. 1917.
  test. Chem. Bul. 107, p. 147. 1907.
 food value—
  chart. F.B. 1383, p. 20. 1924.
  comparison(s)—
   chart. D.B. 975, pp. 6, 7, 8, 23. 1921.
   with sardines. D.B. 908, p. 5. 1921.
 fresh—
  canning directions. F.B. 839, pp. 27, 30. 1917.
  price(s)—
   compilations, sources, and grades. Stat. Bul. 101, pp. 37, 39, 40, 42, 43, 47, 48. 1913.
   uniformity for year, comparisons. Stat. Bul. 101, pp. 68-70. 1913.
   wholesale, various markets, 1880-1911. Stat. Bul. 101, pp. 76-77, 99-100. 1913.
  frozen, storage holdings, 1918, by localities and by months. D.B. 792, pp. 5-8. 1919.
 grade(s)—
  and classes, retail. D.B. 1317, pp. 28-32. 1925.
  handled by retailers. D.B. 1317, pp. 28-32. 1925.
  specifications. Off. Rec., vol. 2, No. 23, p. 4. 1923.
 grading—
  by Agriculture Department. News L., vol. 6, No. 17, p. 11. 1918.
  dinner test. Off. Rec., vol. 3, No. 49, p. 5. 1924.
 hams, curing with sugar and with substitutes. D.B. 928, pp. 23-28. 1920.
 importation from Argentine, influence on meat supply. F.B. 560, p. 26. 1913.
 imports—
  1910-1920, world countries. Y.B., 1921, p. 700. 1922; Y.B. Sep. 870, p. 26. 1922.
  1913, 1914, from Argentina to United States by months. Y.B., 1914, p. 388. 1915; Y.B. Sep. 648, p. 388. 1915.
  1913-1915, and 1852-1915, and exports. Y.B. 1915, pp. 541, 548, 556, 565. 1916; Y.B. Sep. 685, pp. 541, 548, 556, 565. 1916.
  fifteen principal countries. Rpt. 109, pp. 103-108, 113, 231-262. 1916.
 industry on reclamation projects—
  1917. An. Rpts., 1917, p. 152. 1918; B.P.I. Chief Rpt., 1917, p. 22. 1917.
  1918. An. Rpts., 1918, p. 150. 1919; B.P.I. Chief Rpt., 1918, p. 16. 1918.
 infested with tapeworm, disposal. B.A.I. An. Rpt., 1911, pp. 115-116. 1913; B.A.I. Cir. 214, pp. 115-116. 1913.
 inspection—
  for tapeworm—
   cysts or measles. B.A.I. An. Rpt., 1911, pp. 111-113. 1913.
   cysts, regulations. B.A.I.S.A. 63, pp. 56-57. 1912.
   infestation, regulation. B.A.I.O.150, amend. 3, pp. 2. 1912.
  of lymph glands, directions. B.A.I. An. Rpt., 1910, pp. 377-395. 1912; B.A.I. Cir. 192, pp. 377-395. 1912.
 interior and exterior cuts, experiments in cooking. F.B. 391, p. 14. 1910.
 iron-and-wine—
  misbranding. Chem. N.J. 1474, p. 1. 1912.
  preparation. E. A. Ruddiman and L. F. Kebler. Chem. Bul. 137, pp. 194-197. 1911.

Beef(ves)—Continued.
jerked, production, South America. Y.B., 1913, pp. 360, 361. 1914; Y.B. Sep. 629, pp. 360, 361. 1914.
juices, composition of samples. Chem. Bul. 114, pp. 18-20. 1908.
Kosher, preparation, and classes of beef used. D.B. 1246, p. 45. 1924.
losses from tick infestation. Y.B., 1915, p. 161. 1916; Y.B. Sep. 666, p. 161. 1916.
market—
classes and grades. W. C. Davis and C. V. Whalin. D.B. 1246, pp. 48. 1924.
statistics, exports, imports and prices, 1910-1921. D.B. 982, pp. 22-25, 102-125. 1921.
mature—
analytical data. J.A.R., vol. 5, No. 15, pp. 670-684. 1916.
biochemical comparisons with immature veal. William N. Berg. J.A.R., vol. 5, No. 15, pp. 667-711. 1916.
maturity of cattle for use. B.A.I. An. Rpt., 1905, pp. 181-186. 1907.
meal, packing house by-product, hog feed. B.A.I. Bul. 47, pp. 132-133. 1904.
Mexican, cooking, recipe. F.B. 391, p. 25. 1910.
neutral bouillon for culture medium, directions. J.A.R., vol. 8, No. 3, pp. 101-102, 111-112. 1917.
nutritive value—
and cost, comparison with cheese, table. F.B. 487, pp. 14-15. 1912.
effects of cold storage. D.B. 433, pp. 95-97. 1917.
oils, exports, statistics. Y.B., 1921, p. 750. 1922; Y.B. Sep. 867, p. 14. 1922.
parts, per cent of total dressed weight. F.B. 391, p. 7. 1910.
percentage of total meat imports, various countries. Rpt. 109, pp. 113, 261-262. 1916.
pie, with potato crust, recipe. Sec. Cir. 106, p. 6. 1918.
pork, and lamb, vitamin A in. Ralph Hoagland and George G. Snider. J.A.R., vol. 31, pp. 201-221. 1925.
prices—
1906. B.A.I. An. Rpt., 1906, pp. 315, 317-318. 1908.
1909, retail, wholesale, and summary. Sec. A.R., 1909, pp. 24-28. 1909; Y.B., 1909, pp. 24-28. 1910.
comparison—
American and European. B.A.I. An. Rpt., 1907, pp. 396-397. 1909.
American and European, 1907-1908. B.A.I. An. Rpt., 1908, pp. 397-399. 1910.
American and European, 1907-1909. B.A.I. An. Rpt., 1909, pp. 305-308. 1911.
with cattle prices. Rpt. 109, pp. 143-154, 159-160, 279-301. 1916.
home and foreign countries, 1909-1911. B.A.I. An. Rpt., 1911, pp. 274-275. 1913.
increase, 1910. An. Rpts., 1910, p. 19. 1911; Rpt. 93, p. 16. 1911; Sec. A.R., 1910, p. 19. 1910; Y.B., 1910, p. 19. 1911.
of purebred and scrub. Off. Rec., vol. 3, No. 7, p. 5. 1924.
United States and Europe, 1911-1913. Y.B., 1913, p. 483. 1914; Y.B. Sep. 631, p. 483. 1914.
various cities. News L., vol. 6, No. 49, p. 5. 1919.
production—
1907-1923. D.C. 241, pp. 15-16. 1924.
1913-1919, and exports, 1915-1919. Sec. Cir. 142, pp. 24-25. 1919.
1921, areas and trend. Y.B., 1921, pp. 245-264, 317-321. 1922; Y.B. Sep. 874, pp. 245-264, 317-321. 1922.
Agriculture Department publications, lists. S.R.S. Doc. 81, p. 12. 1918.
and alfalfa in Argentina. Frank W. Bicknell. Rpt. 77, pp. 32. 1904.
animal feeding. Henry Prentiss Armsby. B.A.I. Bul. 108, pp. 89. 1908.
beef type versus dairy type. F.B. 233, p. 22. 1905.
club demonstrations. D.C. 312, p. 22. 1924.

Beef(ves)—Continued.
production—continued.
cost—
per 100 pounds from birth of calf to maturity. B.A.I. Bul. 131, pp. 14-17, 19-23, 33, 34, 41-45, 47. 1911.
studies. Off. Rec., vol. 2, No. 2, p. 2. 1923.
study. Off. Rec., vol. 3, No. 25, p. 3. 1924.
decrease—
causes. An. Rpt., 1909, pp. 21-22. 1910; Rpt. 91, p. 15. 1909; Sec. A.R., 1909, pp. 21-22. 1909; Y.B., 1909, pp. 21-22. 1910.
since 1910. An. Rpts., 1912, pp. 308-309. 1913; B.A.I. Chief Rpt., 1912, pp. 12-13. 1912.
discouragements. News L., vol. 7, No. 18, p. 6. 1919.
economy in breeding. News L., vol. 7, No. 18, pp. 1, 6. 1919.
experiments—
F.B. 479, pp. 12-19. 1912.
1908. An. Rpts., 1908, pp. 37, 262-263. 1909; B.A.I. An. Rpt., 1908, pp. 58-59. 1910; B.A.I. Chief Rpt., 1908, pp. 48-49. 1908; Y.B. 1908, p. 37. 1909.
1911, Alabama. An. Rpts., 1911, pp. 46, 207. 1912; B.A.I. Chief Rpt., 1911, p. 17. 1911; Sec. A.R., 1911, p. 44. 1912; Y.B., 1911, p. 44. 1912.
1914, Mississippi. An. Rpts., 1914, pp. 59-60. 1915; B.A.I. Chief Rpt., 1914, pp. 3-4. 1914.
objects and details. B.A.I. Bul. 103, pp. 10-14. 1908.
feed requirement for pound. Off. Rec., vol. 2, No. 41, p. 5. 1923.
forecasts, 1919, and estimates, 1910-1919. An. Rpts., 1919, pp. 5, 8. 1920; Sec. A.R., 1919, pp. 7, 10. 1919.
from—
acre of staple crops. F.B. 877, pp. 5, 10. 1917.
dairy stock. Y.B., 1922, pp. 338-339. 1923; Y.B. Sep. 879, pp. 47-49. 1923.
in—
Alabama, experiments. Y.B., 1913, pp. 269-274, 275-278. 1914; Y.B. Sep. 627, pp. 269-274, 275-278. 1914.
Alabama, experiments. J. F. Duggar and W. F. Ward. B.A.I. Bul.103, pp. 28. 1908.
Alabama records. Dan T. Gray and W. F. Ward. B.A.I. Bul. 131, pp. 47. 1911.
Appalachian Mountain region, studies in West Virginia. D.B. 870, pp. 3-20. 1920.
Corn Belt. W. H. Black. F.B. 1218, pp. 34. 1921.
Cotton Belt. Arthur T. Semple. F.B. 1379, pp. 19. 1923.
Northwest, cost and profit. News L., vol. 3, No. 21, pp. 5, 8. 1915.
the South. W. F. Ward. Y.B., 1913, pp. 259-282. 1914; Y.B. Sep. 627, pp. 259-282. 1914.
the South. W. F. Ward and Dan T. Gray. F.B. 580, pp. 20. 1914.
the South, cost. F.B. 479, p. 18. 1912.
the South, studies and experiments. News, L., vol. 1, No. 34, pp. 3-4. 1914.
the South, work of department. B.A.I. An. Rpt., 1907, p. 67. 1909.
increase—
for 1918, methods. News L., vol. 5, No. 30, p. 5. 1918.
in Southern States. An. Rpts., 1919, pp. 80-82. 1920; B.A.I. Chief Rpt., 1919, pp. 8-10. 1919.
since 1914. An. Rpts., 1918, pp. 6, 8. 1918; Sec. A.R., 1918, pp. 6, 8. 1918.
influence of age, condition, and type of animal. F.B. 479, pp. 15-16. 1912.
investigations—
1910. An. Rpts., 1910, pp. 217-218. 1911; B.A.I. Chief Rpt., 1910, pp. 23-24. 1910.
1912. An. Rpts., 1912, p. 323. 1913; B.A.I Chief Rpt., 1912, p. 27. 1912.
1915. An. Rpts. 1915, pp. 83-84. 1916; B.A.I. Chief. Rpt. 1915, pp. 7-8. 1915. Sec. [Misc.]
"Program of work in 1915," pp. 67-68. 1914.
irrigated lands, opportunities. Y.B., 1916, pp. 193-194. 1917; Y.B. Sep. 690, pp. 17-18. 1917.

INDEX TO PUBLICATIONS, 1901-1925   215

Beef(ves)—Continued.
    production—continued.
        need in Southern States. B.A.I. Bul. 131, pp.
            9-11. 1911.
        on—
            Corn Belt farm, value of sweet clover pasture.
                F.B. 1005, pp. 18, 21. 1919.
            farms. F. W. Farley. F.B. 1073, p. 23.
                1919.
            the farm, school studies, classroom instruc-
                tion. S.R.S. Doc. 81, pp. 2-5. 1918.
            the range. An. Rpts., 1923 p. 205. 1923;
                B.A.I. Chief Rpt., 1923, p. 7. 1923.
        project—
            suggestions and references. S.R.S. Doc. 73,
                p. 8. 1918.
            summary and financial statement, suggested
                form. S.R.S. Doc. 81, pp. 7-8. 1918.
        selection of type in breeding. D.B. 905, pp. 50,
            57, 59. 1920.
        semirange, conditions, cost, study, Colorado.
            Work and Exp., 1914, p. 73. 1915.
        studies, note. News L., vol. 2, No. 39, p. 4.
            1915.
        suggestions for teachers in secondary schools.
            H. P. Barrows. S.R.S. Doc. 81, pp. 11. 1918.
        ten rules. News L., vol. 7, No. 18, p. 1. 1919.
        United States, 1900. Rpt. 109, pp. 116-117, 263.
            1916.
        value of soft corn. F.B. 210, p. 22. 1904.
        wintering cattle, Southern States. An. Rpts.,
            1916, pp. 76-77. 1917; B.A.I. Chief Rpt.,
            1916, pp. 10-11. 1916.
        work in the South. An. Rpts., 1918, pp. 80-81,
            132. 1918; B.A.I. Chief Rpt., 1918, pp. 10-11,
            62. 1918.
    products, exports, 1901-1923. Y.B., 1924, pp. 868,
        1074. 1925.
    protein equivalents per pound, in other foods.
        Y.B., 1910, pp. 360, 361, 362, 369. 1911; Y.B.
        Sep. 543, pp. 360, 361, 362, 369. 1911.
    purchasing power. Y.B., 1921, pp. 296, 297.
        1922; Y.B. Sep. 874, pp. 296, 297. 1922.
    qualities, inheritance in cross breeding. J.A.R.
        vol. 15, pp. 49-51. 1918.
    quality of flesh of cattle at different ages. B.A.I.
        An. Rpt., 1905, pp. 190, 191. 1907.
    raising, in Alaska. O.E.S. Rpt., 1904, pp. 278-
        279. 1905.
    range production, studies. B.A.I. Chief Rpt.,
        1924, p. 6. 1924.
    raw, cooked, dried, etc., relation to tapeworm
        cysts. News L., vol. 2, No. 42, p. 4. 1915.
    recipes for cooking. F.B. 391, pp. 7, 14, 25, 26,
        27, 29, 31, 34. 1910.
    retail buying, cost of various cuts, and food value.
        F.B. 527, pp. 14-16. 1913.
    "rings," purpose and practices. D. B. 1317, p.
        1925.
    roast—
        canning, selection and preparation of meat,
            methods of packing houses, etc. Chem. Bul.
            13, Pt. X. pp. 1375-1390. 1902.
        with Yorkshire pudding, recipe for making.
            F.B. 391, p. 26. 1910.
    rolls, canning recipe. S.R.S. Doc. 80, p. 15. 1918.
    salt, commercial stocks in the United States on
        August 31, 1917. Sec. Cir. 101, pp. 9-12. 1918.
    scrap—
        adulteration and misbranding. Chem. N. J.
            13726. 1925.
        misbranding. Chem. N.J. 13457. 1925.
        use and value for hen, feed for winter-egg pro-
            duction. News L., vol. 4, No. 26, pp. 1-2.
            1917.
        value for egg production, experiments. News
            L., vol. 5, No. 13, p. 4. 1917.
        value in scratch rations for chickens, and re-
            sults. D.B. 561. pp. 11-13, 41. 1917.
    slaughtering, cutting, and curing on farms. W.
        H. Black and E. W. McComas. F.B. 1415,
        p. 34. 1924.
    smoked, yellow wash, formula. F.B. 1415, p. 29.
        1924.
    sour, recipe for making. F.B. 391, p. 31. 1910.
    souring, caused by *Bacillus megatherium*. Hu-
        bert Bunyea. J.A.R. vol. 21, pp. 689-698. 1921.
    statistics—
        1923. Y.B., 1923, pp. 906-909. 1924; Y.B.,
            Sep. 902, pp. 906-909. 1924.

Beef(ves)—Continued.
    statistics—continued.
        imports and exports—
            1914-1916 and 1852-1916. Y.B., 1916, pp. 708,
                715, 723, 732. 1917; Y.B. Sep. 722, pp. 2, 9,
                17, 26. 1917.
            1917. Y.B., 1917; pp. 761, 768, 777, 789. 1918;
                Y.B. Sep. 762, pp. 5, 12, 21, 33, 1918.
            1918. Y.B., 1918, pp. 628, 636, 644, 654. 1919;
                Y.B. Sep. 794, pp. 4, 12, 20, 30. 1919.
            1919. Y.B., 1919, pp. 683, 691, 700, 710, 1920;
                Y.B. Sep. 829, pp. 683, 691, 700, 710, 1920.
            1922. Y.B., 1922, pp. 809, 837-838, 950, 956, 962,
                970. 1923; Y.B. Sep. 888, pp. 809, 937-38.
            1923; Y.B. Sep. 880, pp. 950, 956, 962, 970. 1923.
        stewed shin, recipe. F.B. 391, p. 29. 1910.
        studies, chemical and physical, and summary.
            D.B. 433, pp. 32-95. 1917.
        supply—
            E. W. Sheets and others. Y.B., 1921, pp. 227-
                322. 1922; Y.B. Sep. 874, pp. 227-322. 1922.
            local marketing and distribution. Rpt. 113,
                pp. 52-53. 1916.
        tallow, insoluble acids, stearic-acid determination.
            J.A.R., vol. 6, No. 3, p. 111. 1916.
        tapeworm infection, B.A.I. [Misc.], "Diseases of
            cattle," rev., pp. 513, 514. 1908; rev., pp. 538,
            539. 1912.
        tongues—
            imported, need of examination for infection.
                B.A.I.S.R.A. 82, p. 22. 1914.
            inspection for antinomycosis. B.A.I.S.A. No.
                9, p. 1. 1908.
        trade conditions, receipts, and prices, December.
            1918. Y.B., 1918, pp. 381-383. 1919; Y.B. Sep,
            788, pp. 5-7. 1919.
        use in autolysis experiments with creatin and
            creatinin. J.A.R., vol. 6, No. 14, pp. 537-546.
            1916.
        vitamin A in. J.A.R., vol. 31, pp. 207-211, 219.
            1925.
        warble injury, loss to trade. B.A.I. [Misc.],
            "Diseases of cattle," rev., p. 500. 1908.
        water percentage. J.A.R., vol. 5, No. 15, pp. 683-
            684. 1916.
        wholesale distribution. Rpt. 113, pp. 43-44. 1916.
        wine, and coca, misbranding. Chem. N.J. 2213,
            p. 1. 1913.
        winter feeding, Provo area, cost and price. D.B.
            582, pp. 34-35. 1918.
        world countries, exports 1910-1920. G.B., 1921,
            p. 699. 1922; Y.B. Sep. 870, p. 25. 1922.
    See also Exports, agricultural statistics; Meats.
Beefly, enemy of grasshopper. D.B. 967, p. 3.
    1921.
Beefsteak—
    canning recipe. S.R.S. Doc. 80, p. 15. 1918.
    sour, cooking, recipe. F.B. 391, p. 31. 1910.
    Spanish, cooking, recipe. F.B. 391, p. 32. 1910.
Beefwood importation. No. 42286, B.P.I. Inv. 46,
    p. 73. 1919.
Beehives—
    box, disease spreading. Ent. Bul. 75, Pt. VII,
        pp. 97-98. 1907.
    cedar, effect on wax moth. Off. Rec., vol. 2,
        No. 43, p. 5. 1923.
    changing in American foulbrood, methods. F.B.
        1084, pp. 10-15. 1920.
    cleaning after foulbrood. F.B. 442, p. 16. 1911.
    conditions, conducive to swarming tendency. F.B.
        1198, pp. 7-11, 31, 45. 1921.
    construction, use of cement. P.R. An. Rpt.,
        1912, p. 38. 1913.
    description and apparatus. F.B. 397, pp. 9-11,
        18-20, 33. 1910; F.B. 447, pp. 9-11, 19-22, 37-38.
        1911.
    disinfection. Ent. Bul. 73, Pt. III, pp. 30, 32;
        1908; Ent. Bul. 75, pp. 30, 32. 1911; Ent. Bul.
        98, pp. 16, 40. 1912.
    double-walled—
        description. Off. Rec., vol. 1, No. 32, p. 6. 1922.
        insulating value. E. F. Phillips. D.C. 222,
            pp. 10. 1922.
    equipment recommended for clover region. F.B.
        1215, p. 14. 1922.
    hollow-log and other varieties, use in North Caro-
        lina, use methods, etc. D. B. 489, pp. 2, 3, 4.
        1916.
    infected, cleaning directions. F.B. 1084, pp. 13-
        14. 1920.

Beehives—Continued.
  insulated, temperature tests. D.C. 222. p. 10. 1922.
  insulation—
    for winter protection, directions. F.B. 1012, pp. 6-11. 1918.
    necessity in winter. News L., vol. 3, No. 11, pp. 2-3. 1915.
  kinds and studies. Off. Rec., vol. 3, No. 24, p. 6. 1924.
  Langstroth, description and use methods. F.B. 653, pp. 2-3. 1915.
  Massachusetts. Ent. Bul. 75, pp. 97-98. 1911; Ent. Bul. 75, Pt. VII, pp. 97-98. 1909.
  movable-frame, advantages. F.B. 961, pp. 3-4. 1918.
  preparation for winter packing, ventilation and stores. F.B. 1012, pp. 6-19. 1918.
  protection in spring after cellar wintering. F.B. 1014, pp. 18-19. 1918.
  sectional, description. F.B. 503, pp. 10-18. 1912.
  standard form in use, Porto Rico. P.R. Bul. 15, pp. 16, 22. 1914.
  temperature studies, appliances, description. D.B. 96, pp. 2-5. 1914.
  tiering in production of extracted honey. Ent. Bul. 75, Pt. I, p. 4. 1907; Ent. Bul. 75, p. 4. 1911.
  transfer of bees. News L., vol. 6, No. 2, p. 3. 1918.
  use in—
    comb-honey production, varieties and description. F.B. 503, pp. 7-18. 1912.
    Massachusetts. Ent. Bul. 75, Pt. VII, pp. 97-98. 1911.
  uses, types, sections, and supers. F.B. 1039, pp. 5-11. 1919.
  ventilation—
    and shade, necessity. F.B. 1198, pp. 9-11. 1921.
    in cellars. F.B. 1014, pp. 15-16. 1918.
  worn-out, a source of infection. Ent. Bul. 75, p. 29. 1911.
  See also Hives.
Beekeeper(s)—
  aid by Weather Bureau. W.B. Chief Rpt., 1924, p. 6. 1924.
  association—
    conference. Off. Rec., vol. 2, No. 4, p. 6. 1923.
    directory. F.M. [Misc.], "Directory of American * * *," p. 69. 1920.
    Hawaii. Ent. Bul. 75, Pt. V, p. 44. 1909.
    Massachusetts. Ent. Bul. 75, Pt. VII, p. 105. 1909; Ent. Bul. 75, p. 105. 1911.
    national—
      objects, conventions. F.B. 447, p. 45. 1911.
      officers, 1900. Y.B., 1900, p. 662. 1901.
      officers, 1901. Y.B., 1901, p. 633. 1902.
      officers, 1902. Y.B., 1902, p. 685. 1903.
      officers, 1903. Y.B., 1903, p. 524. 1904.
      officers, 1904. Y.B., 1904, p. 555. 1905.
      officers, 1905. Y.B., 1905, p. 579. 1906.
      officers, 1906. Y.B. 1906, p. 470. 1907.
      officers, 1907. Y.B., 1907, p. 520. 1908; Y.B. Sep. 464. 1908.
      officers, 1908. Y.B., 1908, p. 512. 1909; Y.B., Sep. 497, p. 512. 1909.
  need of, in North Carolina. D.B. 489, pp. 9-10. 1916.
  objects and location. F.B. 397, p. 41. 1910.
  control of mice. Off. Rec. vol. 3, No. 4, p. 3. 1924.
  extension schools. News L., vol. 6, No. 6. p. 8. 918; News L., vol. 6, No. 38, p. 13. 1919; News L., vol. 6, No. 39, p. 13. 1919.
  growing sentiment for improved apparatus and method. D.B. 489, p. 10. 1916.
  honey-testing methods. Ent. Bul. 75, pp. 16-18. 1911.
  Massachusetts, experience and number of colonies. Ent. Bul. 75, Pt. VII, pp. 84-87. 1909.
  weather forecasts for. Off. Rec. vol. 2, No. 45, p. 7. 1923.
Beekeeping—
  Alaska, note. Alaska A.R., 1906, pp. 14-15. 1907.
  apparatus, directions. P.R. Cir. 13, pp. 7-10. 1911.
  beginners equipment. F.B. 397, pp. 11-13. 1910.
  buckwheat region. E.F. Phillips and George S. Demuth. F.B. 1216, pp. 26. 1922.

Beekeeping—Continued.
  clover region, investigation. Off. Rec., vol. 1, No. 14. p. 6. 1922.
  college courses, inauguration and value to industry. Sec. Cir. 87, p. 8. 1918.
  damage by gipsy moth and brown-tail moth. Ent. Bul. 75, p. 104. 1911. Ent. Bul. 75, Pt. VII, p. 104. 1909.
  demonstration(s)—
    1921. Ent. A.R., 1921, pp. 29-31. 1921.
    1923. Ent. A.R., 1923, p. 36. 1923; An. Rpts. 1923, p. 416. 1923.
    and extension. An. Rpts., 1917, pp. 247-248. 1918; Ent. A.R., 1917, pp. 21-22. 1917.
  development in—
    buckwheat region and possibilities. F.B. 1216, pp. 8, 26. 1922.
    clover region, and possibilities. F.B. 1215, pp. 10-11, 27. 1922.
    tulip-tree region, and possibilities. F.B. 1222, pp. 7-9, 24-25. 1922.
  equipment and—
    methods, Porto Rico. P. R. Bul. 15, pp. 15-18. 1914.
    minor apparatus, description. F.B. 397, pp. 8-11. 1910.
    practice adapted to clover region. F.B. 1215, pp. 14-26. 1922.
    practice in tulip-tree region. F.B. 1222, pp. 11-23. 1922.
    practices, buckwheat region. F.B. 1216, pp. 11-24. 1922.
  extension work—
    1917. An. Rpts., 1917, p. 248. 1917; Ent. A.R., 1917, p. 22. 1917.
    of specialists. S.R.S. Rpt., 1918, pp. 68, 119-120. 1919.
  factors insuring success. Sec. Cir. 87, pp. 5-7. 1918.
  failures, causes. Y.B., 1917, pp. 398-400. 1918; Y.B. Sep. 747, pp. 6-8. 1918.
  growth of industry, increasing honey demand, and export increase. News L., vol. 5, No. 44, p. 7. 1918.
  Guam, conditions, methods, and results. Guam A. R., 1915, pp. 41-43. 1916.
  Hawaii. Hawaii A.R., 1907, pp. 39-41. 1908; O.E.S. Bul. 170, p 40. 1906.
  Hawaiian publications. Ent. Bul. 75, Pt. V, pp. 43-58. 1909.
  importance—
    and growth. News L., vol. 6, No. 21, p. 6. 1918.
    of industry and expansion opportunities. Sec. Cir. 87, pp. 3-5. 1918.
  in—
    California—
      lower San Joaquin Valley, and value of bees in pollenizing fruit trees. Soil Sur. Adv. Sh., 1915, pp. 27, 29. 1918; Soils F. O., 1915 pp. 2603, 2605. 1919.
      upper San Joaquin Valley. Soil Sur. Adv. Sh. 1917, p. 31. 1921; Soils F. O., 1917, p. 2559. 1923
    the clover region. E. F. Phillips and George S. Demuth. F.B. 1215, p. 27. 1922.
    the tulip-tree region. E. F. Phillips and George S. Demuth. F. B. 1222, p. 25. 1922.
  increase—
    as specialty. An. Rpts., 1920, pp. 341-342. 1921.
    in Hawaii. Hawaii A. R., 1908, pp. 23-24. 1908.
  industry—
    expansion, method. Sec. Cir. 87, pp. 7-8. 1918.
    rank of North Carolina, extent, need and value. D.B. 489, pp. 1-2, 13-16. 1916.
  instruction for soldiers. News L., vol. 6, No. 49, pp. 6-7. 1919.
  investigations—
    of regions. Off. Rec., vol. 1, No. 14, p. 6. 1922.
    by Experiment Stations. Work and Exp., 1918, pp. 22, 37. 1920.
  laws affecting. F.B. 397, p. 42. 1910; F.B. 447, pp. 45-46. 1911.
  literature, lack in North Carolina. D.B. 489, p. 9. 1916.
  losses, sources, and control. Ent. Bul. 75, pp. 71-76. 1911.
  management by corporations. Ent. Bul. 75, Pt. V, p. 44. 1911.

INDEX TO PUBLICATIONS, 1901-1925 — 217

Beekeeping—Continued.
  Massachusetts. Ent. Bul. 75, pp. 81-109. 1911.
  Montana farm, instance of success. F.B. 1051, p. 18. 1919.
  needs and possibilities. Ent. Bul. 75, Pt. VI, pp. 76-79. 1911.
  New England, historical notes. Ent. Bul. 75, pp. 81-84. 1911; Ent. Bul. 75, Pt. VII, pp. 81-84. 1909.
  North Carolina, conditions governing. D.B. 489, pp. 2-16. 1916.
  places, methods, and advantages. News L., vol. 5, No. 37, p. 10. 1918.
  Porto Rican. E. F. Phillips. P.R. Bul. 15, pp. 24. 1914. (Also Spanish edition.)
  Porto Rico—
    W. V. Tower. P.R. Cir. 13, pp. 32. 1911.
    P.R. Bul. 15, pp. 24. 1914; P.R. Cir. 13, pp. 32. 1911.
    and Guam. O.E.S. An. Rpt., 1908, pp. 26, 31. 1909.
    difficulties, possibilities, and outlook. P.R. Bul. 15, pp. 18-24. 1914.
    experiments. P.R. An. Rpt., 1916, p. 27. 1918.
    methods, studies. P.R. An. Rpt., 1910, pp. 32-33. 1911.
    progress—
      1911. O.E.S. An. Rpt., 1911, pp. 25, 189. 1912.
      1912. P.R. An. Rpt., 1912, p. 38. 1913.
      1913. P.R. An. Rpt., 1913, pp. 9-10. 1914.
      1914. An. Rpts., 1914, p. 264. 1915; O.E.S. Chief Rpt., 1914, p. 10. 1914; P.R. An. Rpt. 1914, p. 35. 1915.
      1919. P.R. An. Rpt., 1919, p. 13. 1920.
    reasons for failure in honey production. P.R. Cir. 16, pp. 3-5. 1918.
    report for 1920. P.R. An. Rpt., 1920, p. 23. 1921.
    requirements and conditions. P.R. An Rpt., 1918, pp. 15-16. 1920.
    use of cement for stands. O.E.S. An. Rpt., 1912, p. 195. 1913.
  problems and difficulties. Ent. A.R., 1921, p. 32. 1921.
  publications by department. F.B. 397, pp. 43-44. 1910; F.B. 447, pp. 47-48. 1911.
  record of club boy. News L., vol. 6, No. 44, p. 10. 1919.
  relation to honeydew, Hawaii. Ent. Bul. 93, pp. 20-22. 1911.
  requirements and exacting nature of calling. Y.B., 1917, p. 400. 1918; Y.B. Sep. 747, p. 8. 1918.
  schools, results. News L., vol. 7, No. 5, p. 15. 1919.
  specialists. Southern States, work, results. S.R.S. Rpt., 1917, Pt. II, p. 39. 1919.
  statistics—
    scope of industry. Ent. Bul. 75, Pt. VI, pp. 61-71. 1911.
    Wisconsin. Ent. Bul. 70, pp. 73-74. 1907.
  studies in various State associations. Off. Rec. vol. 1, No. 52, p. 6. 1922.
  survey in North Carolina. E. G. Carr. D.B. 489, p. 16. 1916.
  swarm control—
    Geo. S. Demuth. F.B. 1198, p. 47. 1921.
    advantages. News L., vol. 4, No. 44, p. 2. 1917.
  Texas, southwest, number of colonies, honey yield, etc. Soil Sur. Adv. Sh., 1911, pp. 35-36. 1912; Soils F.O., 1911, pp. 1203-1204. 1914.
  tulip-tree region, investigation. Off. Rec., vol. 1, No. 14, p. 6. 1922.
  Utah—
    Cache Valley area, yield and price of honey. Soil Sur. Adv. Sh., 1913, p. 20. 1915; Soils F.O., 1913, p. 7. 1916.
    Uinta River Valley area. Soil Sur. Adv. Sh., 1921, p. 1495. 1925.
  war-time importance for increase of sugar. F.B. 1012, p. 24. 1918.
  wintering bees outdoors. F.B. 695, pp. 1-12. 1915.
  work—
    Hawaii. Hawaii A.R., 1907, pp. 39-41. 1908.
    of club. News L., vol. 6, No. 34, pp. 9-10. 1919.

Beekeeping—Continued.
  work—continued.
    study and publications. An. Rpts., 1914, pp. 197-198. 1915; A.R., 1914, pp. 15-16. 1914.
  See also Apiaries; Apiculture; Bees.
Beer(s)—
  adulteration and misbranding. See Indexes to Notices of Judgment in bound volumes of Chemistry Service and Regulatory Announcements.
  American, and ales, study. L. M. Tolman and J. Garfield Riley. D.B. 493, p. 23. 1917.
  analysis—
    method. Chem. Bul. 107, pp. 90-94. 1907.
    methods, and results. D.B. 493, pp. 3-6, 12-23. 1917.
    report by H. E. Barnard. Chem. Bul. 132, pp. 87-90. 1910.
    report on methods. H. E. Barnard. Chem. Cir. 33, p. 16. 1907.
  bottled—
    clarification, Wallerstein method. D.B. 1025, pp. 3-4. 1922.
    misbranding. Chem. N.J. 51. 1909.
  brewing, statistics, with supply, foreign trade, consumption of hops in principal countries. Eugene Merritt. S. B. 50, p. 34. 1907.
  European, low protein content, discussion. D.B. 498, pp. 17-18. 1917.
  labeling, opinion. Chem. S.R.A. 17, pp. 40-41. 1916.
  laws, European countries, affecting American export. Chem. Bul. 61, pp. 7-39. 1901.
  lithia, misbranding. Chem. N.J. 2543, p. 2. 1913.
  manufacture and sale regulations. Chem. Bul. 69, rev., Pts. I-IX, pp. 42, 77, 108, 143, 177, 234, 236, 276, 279, 314, 326, 328, 329, 380, 415, 442, 454, 513, 556, 577, 598, 666, 713. 1905-6.
  mash, average temperatures, summer and winter. Chem. Bul. 130, p. 120. 1910.
  medicinal, Hercules, adulteration and misbranding. N.J. 403, Chem. S.R.A. 5, Sup., p. 403. 1914.
  medicinal, misbranding. N.J. 3070, Chem. S.R.A. 4, Sup., p. 288. 1914.
  recommendation of committee. Chem. Bul. 162, p. 165. 1913.
  report by associate referee. Chem. Bul., 90, pp. 64-68. 1905.
  stale, use as bait in flytraps. F.B. 734, pp. 10, 11. 1916.
  statement of contents. Opinion 78, Chem. S.R.A. 8, p. 634. 1914.
  temperance, misbranding, "Cream of hops," and "Hop tonic." Chem. N.J. 1420, p. 1. 1912.
  wort, extract, specific gravity and percentage tables. Chem. Bul. 107, pp. 209-217. 1907.
  See also Alcoholic beverages.
"Beer bees," other name for wild yeast, description, warning. News L., vol. 4, No. 2, p. 3. 1916.
Beeswax—
  adulteration. Chem. Bul. 80, pp. 20, 26. 1904.
  analysis—
    methods. Chem. Bul. 150, pp. 49-50. 1912.
    work, cooperation of Chemistry and Entomology Bureaus. An. Rpts., 1909, p. 115. 1910; Sec. A.R., 1909, p. 115. 1909; Y.B., 1909, p. 115. 1910.
  commercial samples, examination and analysis. Chem. Bul. 150, pp. 49-50. 1912.
  definition. Chem. Bul. 69, rev., Pt. I, p. 83. 1905.
  exports—
    1851-1908. Stat. Bul. 75, p. 24. 1910.
    Porto Rico, 1901-1914. P.R. Bul. 15, p. 9. 1914.
  See also Farm products, exports.
  extraction, methods and extractors. F.B. 334, pp. 29-30. 1908.
  imports—
    1851-1908. Ent. Bul. 75, p. 68. 1911; Ent. Bul. 75, Pt. VI, p. 68. 1909.
    1901-1924. Y.B. 1924, p. 1077. 1925.
    1907-1909, amount and value, by countries from which consigned. Stat. Bul. 82, p. 21. 1910.

Beeswax—Continued.
 imports—continued.
  1908–1910, quantity and value by countries from which consigned. Stat. Bul. 90, p. 122 1911.
  1911–1913. Y.B., 1913, pp. 493, 511. 1914; Y.B. Sep. 631, pp. 493, 511. 1914.
  1913–1915, and 1887–1915. Y.B., 1915, pp. 540, 559. 1916; Y.B. Sep. 685, pp. 540, 559. 1916.
 and exports—
  1851–1908. Ent. Bul. 75, p. 68. 1911; Ent. Bul. 75, Pt. VI, p. 68. 1909.
  1903–1907. Y.B., 1907, pp. 736, 747. 1908; Y.B. Sep. 465, pp. 736, 747. 1908.
  1906–1910, and imports 1851–1910. Y.B., 1910. pp. 653, 665, 683. 1911; Y.B. Sep. 553, pp. 653, 665, 683. 1911.
  1908–1912. Y.B., 1912, pp. 712, 726. 1913; Y.B. Sep. 615, pp. 712, 726. 1913.
  statistics. Y.B., 1921, pp. 737, 743, 755, 1922; Y.B. Sep. 867, pp. 1, 7, 19. 1922.
 by countries from which consigned, 1909–1911. Stat. Bul. 95, p. 22. 1912.
 See also Farm products, imports.
 market reports, issuance. Off. Rec. vol. 2, Nos. 32, 33, p. 7. 1923.
 production—
  and care. F.B., 397, p. 36. 1910; F.B. 447, p. 39. 1911.
  North Carolina, rendering method, price. D.B. 489, pp. 7–8, 15. 1916.
  Porto Rico, possibilities. P.R. Bul. 15, pp. 21–23. 1914.
 refractive index. L. Feldstein. Chem. Cir. 86, p. 3. 1911.
 saving from diseased combs. F.B. 442, p. 16. 1911.
 secretion by honeybees. O.E.S. Bul. 204, p. 11. 1909.
 statistics—
  1911. Ent. Bul. 75, pp. 62–69, 79. 1911.
  imports and exports—
   1916. Y.B., 1916, pp. 707, 715, 727. 1917; Y.B. Sep. 722 pp. 1, 9, 21. 1917.
   1917. Y.B., 1917, pp. 759, 768, 782. 1918; Y.B. Sep. 762, pp. 3, 12, 26. 1918.
   1919. Y.B., 1919, pp. 682, 691. 1920; Y.B. Sep. 829 pp. 682, 691. 1920.
 use in determining wilting coefficient, method. B.P.I. Bul. 230, pp. 13–14, 49. 1912.
 waste, need of better method of extraction. Ent. Bul. 75, p. 73. 1911; Ent. Bul. 75, Pt. VI, p. 73. 1909.
Beet(s)—
 absorption of boron and distribution. J.A.R., vol. 5, No. 19, pp. 880, 886, 888. 1916.
 acreage—
  competition among sugar mills, studies. D.B. 995, pp. 54–55. 1921.
  France, 1907–1911. Stat. Cir. 21, p. 9. 1911.
  relation to—
   size of farm and irrigation area. D.B. 693, pp. 8–10. 1918.
   tillage area, California sugar-beet districts. D.B. 760, p. 11. 1919.
 adaptability for fall and winter gardens, planting directions, and varieties. News L., vol. 4, No. 4, p. 1. 1916.
 analysis, rapid method. Chem. Bul. 90, pp. 19–25. 1905.
 army worm. See Army worm.
 balls, single germ, production method, results. Rpt. 92, p. 13. 1910.
 beetles—
  description. Sec. [Misc.], "A manual * * * insects * * *," p. 41. 1917.
  leaf, description and life history, and control. F. H. Chittenden and H. O. Marsh. D.B. 892, pp. 1–24. 1920.
 blocking and thinning, practices and costs. D.B. 693, pp. 30–31. 1918.
 breeding—
  effects of environment, needs and prospects. B.P.I. Bul. 260, pp. 43–48. 1912.
  fertilizers and disease. B.P.I. Chief Rpt., 1924, pp. 21–22. 1924.
 bunching, directions. Rpt. 86, p. 30. 1908.
 by-products, use as feed for livestock. Sec. Cir. 86, pp. 22–25. 1918.

Beet(s)—Continued.
 growing under irrigation, yields and rotation. D.C. 339, pp. 14–15. 1925.
 canning—
  directions—
   and fading prevention. F.B. 839, pp. 18, 29. 1917.
   home use. F.B. 359, p. 13. 1910; F.B. 853, pp. 19, 27, 28. 1917.
  inspection instructions. D.B. 1084, p. 31. 1922.
  methods—
   fading prevention. News L., vol. 3, No. 44, p. 3. 1916.
   suitability. D.B. 196, p. 57. 1915.
  seasons. Chem. Bul. 151, pp. 34, 46–47. 1912.
  standards and directions. B.P.I. Doc. 631, rev., pp. 4, 6. 1915.
 caterpillar, striped. H. O. Marsh. Ent. Bul. 127, Pt. II, pp. 13–18. 1913.
 composition and food value, comparison with other foods. D.B. 503, pp. 3, 5, 6, 8. 1917.
 cost of production, and requirements, per acre, by States. Y.B., 1921, pp. 811, 825. 1922; Y.B., Sep. 876, pp. 8, 22. 1922.
 crop yield and water relations. D.B. 1340, pp. 17, 18. 1925.
 cross pollination by thrips. D.B. 104, pp. 9–10. 1914.
 crown-gall tumor, similarity to mouse tumor. B.P.I. Bul. 213, p. 166. 1911.
 cultivating, with labor-saving practices. F.B. 1042, pp. 9–10. 1919.
 cultivation, farm practices, Michigan and Ohio. D.B. 748, pp. 3, 21–23. 1919.
 cultural—
  directions—
   and varieties. F.B. 934, p. 27. 1918.
   and varieties. F.B. 937, pp. 16, 19, 23, 30. 1918.
   for home gardens. S.R.S. Doc. 49, pp. 5, 7. 1917.
  methods for control of nematodes. F.B. 1248, pp. 13, 14. 1922.
 culture on irrigated land. F.B. 210, pp. 14–15. 1904.
 curly top. See Curly top, beet.
 damping-off, causes. D.B. 934, pp. 2, 47, 65. 1921.
 deformities, causes. D.B. 1340, p. 27. 1925.
 diseases—
  and insect pests, control. D.C. 35, pp. 7–8. 1919.
  control, study and experiments. An. Rpts., 1909, p. 307. 1910; B.P.I. Chief Rpt., 1909, p. 55. 1909.
  dangers to seed beets, precautions. Y.B., 1909, p. 176. 1910; Y.B., Sep. 503, p. 176. 1910.
  description and control. D.B. 721, pp. 17, 44–47. 1918.
  notes. F.B. 392, p. 40. 1910; Rpt. 82, pp. 127–128. 1906.
  occurring under market, storage, and transit conditions. B.P.I. (Misc.), "Handbook of the * * *," pp. 27–28. 1919.
  Texas, occurrence and description. B.P.I. Bul. 226, p. 38. 1912.
 dried, cooking recipes. F.B. 841, p. 26. 1917.
 drying—
  benefits, results of experiments, details. Rpt. 84, pp. 27–32. 1907.
  directions. D.C. 3, p. 11. 1919; F.B. 841, p. 20. 1917; F.B. 984, p. 50. 1918.
 dump soil, disposal to prevent spread of nematodes. F.B. 1248, p. 13. 1922.
 early planting for prevention of curly-top. B.P.I. Bul. 181, p. 20. 1910.
 edible top, importation. No. 46951, B.P.I. Inv. 58, pp. 5, 10. 1922.
 fading in canning, cause and prevention. S.R.S. Doc. 33 p. 2. 1917.
 farming, use of cable system of plowing. B.P.I. Bul. 170, pp. 27–28. 1910.
 farms, Utah and Idaho, size, tenure, and crop acreage. D.B. 963, pp. 6–8. 1921.
 feeding—
  to breeding animals, danger of calculus formations. F.B. 465, p. 16. 1911.
  tops. D.B. 726, pp. 4, 55–56. 1918.

Beet(s)—Continued.
fertilizers—
experiments at Scottsbluff, Nebraska. D.C. 173, pp. 18-21. 1921.
formulas. F.B. 222, p. 9. 1905.
requirements. D.B. 721, p. 25. 1918.
flowers, pollination by thrips. Harry B. Shaw. D.B. 104, pp 12. 1914.
food use—
and cooking directions. D.B. 123, p. 31. 1916.
and other succulent roots. C. F. Langworthy. D.B. 503, pp. 19. 1917.
composition. F.B. 295, pp. 33-35. 1907.
for seed—
curly-top, symptoms and effect. Rpt. 92, pp. 80-81, 84-85. 1910.
harvesting, cleaning, curing, and marketing. Y.B., 1909, pp. 181-183. 1910; Y.B., Sep. 503, pp. 181-183. 1910.
gall-affected, sugar—
content, comparison with unaffected beets. D.B. 203, pp. 5-7, 8. 1915.
tests. D.B. 203, pp. 4-5, 8. 1915.
garden—
cultural directions. F.B. 1044, pp. 23-24. 1919.
growing in frames, directions. F.B. 460, pp. 24-25. 1911.
seed growing, localities, acreage, yield, production, and consumption. Y.B., 1918, pp. 205, 206, 207. 1919; Y.B., Sep. 775, pp. 13, 14, 15. 1919.
grading, and canning, or drying, method. News L., vol. 4, No. 50, p. 5. 1917.
growers—
characteristics required for success. D.B. 995, pp. 44-45. 1921.
contract prices received for sugar beets, terms, etc. D.B. 995, pp. 51-54. 1921.
growing—
Alaska—
experiments. Alaska A.R., 1912, p. 21. 1913.
notes. Alaska A.R., 1908, p. 50. 1909.
benefit to general farm crops in rotations. B.P.I. Bul. 260, pp. 30, 33-35, 37-42. 1912.
cost—
1906. Y.B., 1906, pp. 268-274. 1907; Y.B. Sep. 422, pp. 268-274. 1907.
comparison with corn for cow feed. F.B. 384, p. 15. 1910.
per acre. Rpt 92, p. 15. 1910.
per acre, at Lakin, Kansas. Rpt. 90, p. 63. 1909.
cultivation methods and soil management. Rpt. 90, pp. 14-25, 64. 1909.
directions and varieties recommended for home gardens. F.B. 936, pp. 37-38. 1918.
experiments—
in Alaska, 1915. Alaska A.R., 1915, pp. 35, 83. 1916.
with daylights of different lengths. J.A.R., vol. 23, pp. 888, 896. 1923.
improved implements. Rpt. 84, pp. 37-44. 1907.
in Alaska—
1919. Alaska A.R., 1919, pp. 21, 41, 52, 74-75. 1920.
1920. Alaska A.R., 1920, pp. 19, 32, 33, 44, 45, 57, 64-66. 1922.
1921. Alaska A.R., 1921, pp. 7, 21, 29, 44. 1923.
at Sitka Experiment Station. Alaska A.R., 1910, p. 16. 1911.
in Guam directions. Guam Bul. 2, pp. 12, 32. 1922; Guam Cir. 2, p. 9. 1921.
in Hawaii as feed. Hawaii A.R., 1919, pp. 47-48. 1920.
in Nebraska—
North Platte Reclamation Project, statistics. D.C. 173, pp. 8, 9. 1921.
Redwillow County, notes. Soil Sur. Adv. Sh., 1919, pp. 12, 13, 19, 37-40, 47. 1921; Soils F.O., 1919, pp. 1720, 1721, 1727, 1745-1748, 1755. 1925.
in Nevada, for home garden. B.P.I. Cir. 110, p. 22. 1913.
in Porto Rico. P.R. An. Rpt., 1920, p. 22. 1921.
in Virginia trucking districts, notes. D.B. 1005, pp. 4, 13, 42, 70. 1922.

Beet(s)—Continued.
growing—continued.
in Wisconsin, yield and importance in Kewaunee County, note. Soil Sur. Adv. Sh., 1911, p. 13. 1913; Soils F.O., 1911, p. 1521. 1914.
labor—
rates for man and horse. D.B., 693, p. 14. 1918.
requirements in various operations. D.B. 963, pp. 22-40. 1921.
machinery and cultural methods, improvement. Sec. Cir. 86, pp. 20—22. 1918.
methods and varieties. F.B. 647, p. 12. 1915.
preparation of land, planting and cultivation. Rpt. 92, pp. 16-20. 1910.
soil preparation, directions. Rpt. 90, pp. 18-19 20. 1909.
under irrigation, cost in Utah and Idaho. D.B. 963, pp. 1-41. 1921.
vegetable garden, cultural suggestions. F.B. 818, p. 31. 1917.
harvester, improvement suggestions. Rpt. 86, p. 24. 1908.
harvesting and storing for sirup making. F.B. 823, pp. 6-8. 1917.
hauling—
labor-saving practices. F.B. 1042, pp. 16-18. 1919.
time and labor requirements. D.B. 963, pp. 39-40. 1921.
hog feed, value, notes. B.P.I. Bul. 111, Pt. IV, p. 19. 1907.
improvement. Y.B., 1906, pp. 266-268. 1907; Y.B. Sep. 422, pp. 266-268. 1907.
injury(ies) by—
blister beetles. D.B. 967, pp. 3, 23, 24. 1921.
cucumber beetles. Ent. Bul. 82, pp. 71, 72, 75. 1912; Ent. Bul. 82, Pt. VI, pp. 71, 72, 75. 1910.
flea-beetle. D.B. 436, p. 5. 1917.
hop flea beetle. Ent. Bul. 66, p. 74. 1910; Ent. Bul. 66, Pt. VI, p. 74. 1909.
thrips. D.B. 421, p. 3. 1916.
webworm—
and control. Vir. Is. A.R., 1920, pp. 18, 33. 1921.
description. Ent. Bul. 109, Pt. III, pp. 24, 30. 1912; Ent. Bul. 109, Pt. VI, pp. 59-62. 1912.
Guam. Guam A.R., 1911, pp. 13, 31. 1912.
innoculation—
of leaves with *Phoma betae*, experiments. J.A. R., vol. 4, pp. 171-173. 1915.
with fungous diseases, methods and experiments. J.A.R., vol. 4, pp. 138-139, 143, 145, 153-159. 1915.
insect(s)—
and diseases attacking. F.B. 856, pp. 29-30. 1917.
injurious, study in Colorado. An. Rpts. 1910, p. 533. 1911; Ent. A.R. 1910, p. 29. 1910.
investigations, California. An. Rpts., 1912, p. 643. 1913; Ent. A.R. 1912, p. 31. 1912.
pests, list. Sec. [Misc.] "A manual * * * insects * * *," pp. 41-44. 1917.
irrigated, cost per acre, Colorado. O.E.S. Bul 218, pp. 41-42. 1910.
juice, extraction and evaporation for sirup. F.B. 1241, pp. 11-14. 1921.
leaf—
beetle—
and its control. F. H. Chittenden. F.B. 1193, pp. 8. 1921.
description, life history, and control. F. H. Chittenden and H. O. Marsh. D.B. 892, pp. 24. 1920.
hopper—
cause of curly-top disease, description, habits, and control. B.P.I. Bul. 181, pp. 13-18, 22-23, 33-36. 1910.
description, food plants, distribution, life history, and control. Ent. Bul. 66, pp. 35-44. 1910.
description, habitat, injury to beets, and control. Rpt. 92, pp. 81-87. 1910.
studies. J.A.R. vol. 14, pp. 393-394. 1918; O.E.S. An. Rpt. 1922, pp. 50-51. 1924.
spot and insect enemies, treatment and prevention. F.B. 1371, pp. 12-13, rev. 1924.
stomata, relation to infection by leaf-spot fungus. J.A.R., vol. 5, No. 22, pp. 1011-1038. 1916.

Beet(s)—Continued.
  leaf—continued.
    susceptibility to Phoma infection, age as a factor. J.A.R., vol. 4, pp. 170-173. 1915.
    use as potherb. D.B. 123, pp. 16, 19. 1916.
  lifting—
    in California areas, time, methods, and cost. D.B. 760, pp. 27-29. 1919.
    labor-saving practices, illustrations. F.B. 1042, pp. 11-15. 1919.
  losses through nematode infestation. F.B. 1248, pp. 4, 10, 15. 1922.
  manure, amount used and labor requirements. D.B. 963, p. 28. 1921.
  molasses. See Molasses, beet.
  mother—
    development of seed stalks and seed, time. J.A.R., vol. 30, pp. 812-814. 1925.
    infection with Phoma rot. J.A.R., vol. 4, pp. 146, 165. 1915.
    time for testing. Dean A. Pack. J.A.R., vol. 26, pp. 125-150. 1923.
  Nebraska, Deuel County. Soil Sur. Adv. Sh. 1921, pp. 716, 719. 1924.
  nematode-resistant, breeding or selecting. F.B. 772, p. 18. 1916.
  oxidase content, relation to disease, studies. B.P.I. Bul. 277, pp. 10-26. 1913.
  packing season. D.B. 196, p. 17. 1915.
  planting—
    and cultivating, labor requirements. D.B. 963, pp. 33-34. 1921.
    directions for club members. D.C. 48, p. 8. 1919.
    for seed production, time. Dean A. Pack. J.A.R., vol. 30, pp. 811-815. 1925.
    time and varieties for garden. News L., vol. 4, No. 37, p. 8. 1917.
  plowing and harrowing, labor-saving practices, illustrations. F.B. 1042, pp. 4-9. 1919.
  pollination—
    experiments. D.B. 104, pp. 5-9. 1914.
    natural and artificial. Y.B., 1909, p. 181. 1910; Y.B. Sep. 503, p. 181. 1910.
  preparation for sugar making. F.B. 1241, pp. 9-11. 1921.
  processing, directions and time table. F.B. 1211, pp. 44, 49. 1921.
  production—
    1909, leading States. Y.B. 1914, p. 645. 1915; Y.B. Sep. 656, p. 645. 1915.
    cost in Utah and Idaho, 1918-1919. L. A. Moorhouse and S. B. Nuckols. D.B. 963, pp. 41. 1921.
    profits, comparison with other farm crops. D.B. 963, p. 41. 1921.
  pulp—
    and tops, composition, and silage therefrom. S. F. Sherwood. D.C. 319, pp. 12. 1924.
    dried—
      composition, comparison, apple-pectin, etc. D.B. 1166, pp. 16, 20-22. 1923.
      prices at main market. S.B. 11, pp. 86-109. 1925.
    use as horse feed. F.B. 1030, p. 15. 1919.
  drying in sugar factories. Rpt. 90, p. 6. 1909.
  effect on milk, comparison of wet with dry. J.A.R., vol. 6, No. 4, pp. 174-175. 1916.
  extract, feeding experiments, with nonproteins, notes. B.A.I. Bul. 139, pp. 19-27, 41-43. 1911.
  feed—
    for farm animals, value. experiments. F.B. 262, pp. 19-23. 1906.
    use for sheep feed. D.B. 20, p. 46. 1913.
    value and cost, comparison with corn for fattening steers. Rpt. 90, pp. 35-37. 1909.
  feeding value and importance. Y.B., 1923, pp. 358-359. 1924; Y.B. Sep. 895, pp. 358-359. 1924.
  nutritive value as dairy feed, analysis. F.B. 743, pp. 15-16. 1916.
  silage use. F.B. 556, p. 5. 1913.
  stock feed, use and value. F.B. 567, p. 24. 1914; F.B. 568, pp. 15, 18-19, 20. 1914.
  use in stock feeding. Rpt. 112, p. 26. 1916.
  value as fertilizer and feed, uses, and selling price. Y.B., 1908, pp. 445-447. 1909; Y.B. Sep. 493, pp. 445-447. 1909.

Beet(s)—Continued.
  quality and yield of sugar, 1901-1907. Rpt. 86, p. 63. 1908.
  raising at Newlands irrigation project. D.C. 352, p. 2. 1925.
  requirements of water for growth. D.B. 1340, pp. 26-27. 1925.
  rolling, Colorado, acreage, labor and costs. D.B. 723, pp. 29-30. 1918.
  root(s)—
    for seed production, requirements and testing. Y.B., 1909, pp. 174-175, 178. 1910; Y.B., Sep. 503, pp. 174-175, 179. 1910.
    louse, control. W.I.A. Cir. 2, pp. 17-18. 1915.
    sickness caused by *Rhizopus* sp. J.A.R. vol. 4, pp. 163-164. 1915.
    weevil, description. Sec. [Misc.], "A manual of insects * * *," p. 41. 1917.
    See also Beets, seed.
  season for planting for seed production. J.A.R., vol. 30, pp. 811-818. 1925.
  seed—
    American—
      and foreign, comparative tests. Rpt. 86, p. 87. 1908.
      grown, value and necessity. An. Rpts., 1911, pp. 59-60. 1912; Sec. A.R. 1911, pp. 57-58. 1911; Y.B., 1911, pp. 57-58. 1912.
    bed preparation, relation to stand. D.B. 721, pp. 14-15. 1918.
    cost per acre. D.B. 726, p. 46. 1918.
    demand, present and prospective. Y.B., 1909, pp. 173-174. 1910; Y.B. Sep. 503, pp. 173-174. 1910.
    development, testing, investigations. An. Rpts., 1908, pp. 351, 353. 1909; B.P.I. Chief Rpt., 1908, pp. 79, 81. 1908.
    fields, management. F.B. 1095, p. 22. 1919.
    germination temperatures. J.A.R. vol. 23, pp. 322, 326, 328, 329. 1913.
    growing and saving directions. F.B. 1390, pp. 11-12. 1924.
    harvesting and use in silos. F.B. 1095, pp. 4, 22. 1919.
    importance in sugar beet acreage. Sec. Cir. 86, pp. 19-20. 1918.
    imports, 1922-1924. Y.B., 1924, p. 1064. 1925.
    improvement, value to sugar industry. Rpt. 90, pp. 12-14. 1909.
    increase of production by early planting. J.A.R., vol. 30, p. 815. 1925.
    injuries by curly-top, symptoms and results. B.P.I. Bul. 181, pp. 12-13, 24-28, 29-31. 1910.
    injury by thrips. D.B. 104, pp. 3, 10, 12. 1914.
    keeping over winter. Rpt. 86, p. 87. 1908.
    list and location of growers. Rpt. 90, p. 13. 1909.
    loss through curly-top disease. B.P.I. Bul. 181, pp. 29-31. 1910.
    pedigree strains. An. Rpts., 1908, p. 351. 1909; B.P.I. Chief Rpt., 1908, p. 79. 1908.
    planting—
      and caring for. Y.B., 1909, pp. 179-181. 1910; Y.B. Sep. 503, pp. 179-181. 1910.
      by club members, for sirup. News L., vol. 6, No. 4, p. 4. 1918.
      data, Colorado, acreage, labor, and costs. D.B. 726, pp. 27-29. 1918.
      dates and methods, cost and quantity per acre. D.B. 748, pp. 3, 20-21, 35-36. 1919.
      dates, relation to stand. D.B. 721, p. 15. 1918.
      for sirup, by boys' and girls' clubs. News L., vol. 6, No. 4, p. 4. 1918.
      quantity per acre. F.B. 567, pp. 13-15. 1914.
    production—
      climatic conditions, importance. Y.B., 1909, pp. 175-176. 1910; Y.B. Sep. 503, pp. 175-176. 1910.
      importance of adaptation and environment. B.P.I. Bul. 260, pp. 43-48. 1912.
      increase by time of planting. J.A.R., vol. 30, p. 815. 1925.
      investigations. Rpt. 82, pp. 128-130. 1906.
      plates. J.A.R., vol. 30, pp. 813, 814, 816, 817. 1925.
    relation to stand. D.B. 721, pp. 13-14. 1918.
    saving. F.B. 884, pp. 13, 14. 1917.
    selection, storing, and transplanting. F.B. 1152, pp. 3-15. 1920.

Beet(s)—Continued.
  seed—continued.
    siloing—
      An. Rpts., 1908, p. 354. 1908; B.P.I. Chief Rpt., 1908, p. 82. 1908; Rpt. 86. p. 87. 1908.
      experiments. An. Rpts., 1907, p. 310. 1908.
      methods. Y.B., 1909, pp. 177–178. 1910; Y.B. Sep. 503, pp. 177–178. 1910.
    single germ—
      development. C.O. Townsend and E. D. Rittue. B.P.I. Bul. 73, pp. 26. 1905.
      investigations. An. Rpts., 1908, p. 353. 1909; B.P.I. Chief Rpt., 1908, p. 81. 1908.
      note. Rpt. 82, p. 127. 1906.
      production and value. Rpt. 90, pp. 13–14. 1909.
      work, 1909. An. Rpts., 1909, p. 308. 1910; B.P.I. Chief Rpt., 1909, p. 56. 1909.
    sowing directions, quantity per acre. Rpt. 90, p. 20. 1909.
    tests for presence of stock-beet seed. Off. Rec., vol. 1, No. 6, p. 3. 1922.
    time to plant mother beets for producing. Dean A. Pack. J.A.R., vol. 30, pp. 811–815. 1925.
    treatment for infection with fungi. J.A.R., vol. 4, No. 2, pp. 138, 140, 149, 150. 1915.
    uses. Y.B., 1908, p. 450. 1909; Y.B. Sep. 493, p. 450. 1909.
    waste—
      products, utilization as stock feed. Y.B., 1916, pp. 409–410. 1917; Y.B. Sep. 695, pp. 11–12. 1917.
      use as stock feed. Y.B., 1908, p. 450. 1909; Y.B. Sep. 493, p. 450. 1909.
      See also Stecklings.
  sheep pasturing and feeding. F.B. 1051, pp. 24, 26. 1919.
  shipments by States, and by stations, 1916. D.B. 667, pp. 11, 165. 1918.
  siloing. Y.B., 1906, p. 278. 1907; Y.B. Sep. 422, p. 278. 1907.
  sirup—
    making on farm. F.B. 823, pp. 1–13. 1917.
    value as sugar substitute. Sec. Cir. 86, p. 32. 1918.
  sledding labor and costs. D.B. 726, p. 35. 1918.
  spraying—
    calendar. S.R.S. Doc. 52, p. 6. 1917.
    for webworm and army worm. An. Rpts. 1912, p. 644. 1913; Ent. A.R., 1912, p. 32. 1912.
  statistics, acreage and production. Y.B., 1921, pp. 73, 457, 658, 659, 665, 771. 1922; Y.B. Sep. 878, p. 51. 1922; Y.B. Sep. 869, pp. 78, 79, 85. 1922; Y.B. Sep. 871, p. 2. 1922; Y.B. Sep. 875, p. 73. 1922.
  stock—
    growing, Nebraska, yields and varieties. B.P.I. Doc. 1081, p. 14. 1914.
    seed, occurrence in sugar-beet seed, tests. Off. Rec., vol. 1, No. 6, p. 3. 1922.
    yields, Nebraska, Scottsbluff Experiment Farm, 1913, 1914, 1915. W.I.A. Cir. 11, pp. 16–17. 1916.
    yields under irrigation, Nebraska, 1913, 1914. W.I.A. Cir. 6, p. 13. 1915.
  stomatal movement, environmental factors affecting. J.A.R., vol, 5, No. 22, pp. 1020–1029. 1916.
  storage for home use. F.B. 879, pp. 15–16. 1917.
  stored, loss of sugar, tests. J.A.R., vol. 26, pp. 126–149. 1923.
  study in 1923. Work and Exp., 1923, p. 31. 1925.
  stunted. *See* Curly-top.
  sugar—
    content—
      determination, methods. Chem. Bul. 146, pp. 14–22. 1911.
      effect of drying, laboratory analyses and experiments. D.B. 199, pp. 7–8. 1915.
    factories, number in United States in 1904. Rpt. 80, p. 12. 1905.
    factories, period of operation, factors. Rpt. 92, pp. 57–58. 1910.
    factories, work and location. Rpt. 92, pp. 22–46. 1910.
    home market. [Misc.], "Progess of the beet-sugar industry, * * * 1903," pp. 68–69. 1903.

Beet(s)—Continued.
  sugar—continued.
    industry—
      development and influence on agriculture, discussion. Rpt. 92, pp. 8–15. 1910.
      difficulties and advantages, discussion. Rpt. 92, pp. 61–63. 1910.
      exhibit at Pan-American Exposition. Chem. Bul. 63, pp. 14–25. 1901.
      extension, plans and prospects. Rpt. 92, pp 61–70. 1910.
      relative magnitude in different States. Rpt. 92, pp. 54–55. 1910.
      United States. Y.B., 1900, p. 750. 1901; Y.B., 1901, p. 487. 1902.
      United States, progress, 1900. Charles F. Saylor. Rpt. 69. pp. 178. 1901.
      United States, progress, 1901. Y.B., 1901, pp. 487–502. 1902.
      United States, progress, 1904. Charles F. Saylor and others. Rpt. 80, pp. 183. 1905.
      United States, progress, 1909. Charles F. Saylor and others. Rpt. 92, pp. 87. 1910.
      production in 1920. An. Rpts., 1920, p. 3. 1921 Sec. A.R., 1920, p. 3. 1920.
    tails, utilization as stock feed. F.B. 1095, pp. 4, 22. 1919.
    thinning—
      and bunching. Rpt. 86, pp. 29–30. 1908.
      tests, Nebraska. D.C. 173, pp. 17–18. 1921.
    tops—
      cattle feed, use methods. D.B. 995, pp. 41–42, 49–50. 1921.
      danger to sheep, control remedies. D.B. 573, pp. 22–23. 1917.
      disposal—
        in California, feed use versus plowing under. D.B. 760, pp. 3, 11, 45–46. 1919.
        methods as aid in leaf-spot control. F.B. 618, pp. 17–18. 1914.
      drying, directions. F.B. 841, p. 21. 1917.
      farm value and prices. D.B. 726, pp. 4, 55. 1918.
      feed use, methods, and value. F.B. 1095, pp. 4–14. 1919.
      feeding—
        to lambs, experiments. D.C. 339, p. 35. 1925.
        value per acre. R.P.I. Bul. 260, pp. 24, 27. 1912.
      harvesting with sheep, Belle Fourche Experiment Farm. D.C. 60, pp. 22–23. 1919.
      pasturing by sheep and cattle. D.B. 721, p. 40. 1918.
      silage—
        Ray E. Neidig. J.A.R., vol. 20, pp. 537–542. 1921.
        and other by-products of sugar beets. James W. Jones. F.B. 1095, pp. 24. 1919.
        comparison with corn silage, analyses. F.B. 1095, p. 11. 1919.
      use—
        and value as feed for livestock. F.B. 568, pp. 15, 18, 20. 1914.
        in stock feeding. Rpt. 86, pp. 16–17. 1908.
      utilization—
        as feed and green manure, value. D.B. 693, pp. 40–41. 1918.
        value as forage or silage. B.P.I. Cir. 121, pp. 15–17. 1913.
      value—
        as feed and green manure. D.B. 748, pp. 41–42. 1919; F.B. 567, pp. 23–24. 1914.
        for fertilizer or stock feed. Y.B. 1908, pp. 443–445. 1909; Y.B. Sep. 493, pp. 443–445. 1909.
    Turkestan, importation and description, No. 38883. B.P.I. Inv. 40, p. 41. 1917.
    use—
      as—
        food, notes. O.E.S. Bul. 245, pp. 45, 47. 1912. potherb, notes. O.E.S. Bul. 245, pp. 27, 28. 1912.
      in manufacture of sugar, note. O.E.S. Bul. 245 p. 83. 1912.
    value in pig feeding. B.A.I. An. Rpt. 1903, pp. 295–298, 303. 1904; B.A.I. Cir. 63, pp. 295–298, 303. 1904.
    water—
      and yields. D.B. 1340, pp. 41, 48. 1925.
      consumption per ton. Y.B., 1910, p. 172. 1911; Y.B. Sep. 526, p. 172. 1911.

Beet(s)—Continued.
  webworm—
    carrier of *Phoma betae* fungus. J.A.R., vol. 4, p. 174. 1915.
    habits and control. D.C. 35, p. 8. 1919; Guam Bul. 2, p. 33. 1922.
    Hawaiian—
      description. Sec. [Misc.], "A manual of * * * insects * * *," pp. 42, 43. 1917.
      description, life history, and control. Ent. Bul. 109, Pt. I, pp. 1–15. 1911; Ent. Bul. 109, Pt. II, pp. 21–22. 1911.
      injury to plants and vegetables, control studies. Ent. Bul. 127, Pt. I, pp. 9, 10. 1913.
    injuries—
      and control. F.B. 856, p. 30. 1917.
      to beets in Guam and control. Guam A.R., 1911, pp. 13, 31. 1912.
      southern, control methods, and remedies. Ent. Bul. 109, Pt. II, p. 22. 1911.
      spotted, description and distribution. Ent. Bul. 127, Pt. I, pp. 1–7. 1913.
      treatment and prevention. F.B. 1371, p. 13, rev. 1927.
    "whiskered." See Curly-top.
    winter growing, directions. News L., vol. 7, No. 11, p. 2. 1919.
  yield(s)—
    after—
      alfalfa and manure. D.C. 173, pp. 18–19, 21. 1921.
      different crops, Nebraska, Scottsbluff Experiment Farm. W.I.A. Cir. 11, p. 11. 1916.
      different rotation crops, South Dakota, Belle Fourche. W.I.A. Cir. 9, pp. 9–11. 1916.
      rotation crops, Belle Fourche Experiment Farm. D.C. 60, pp. 10–12. 1919.
    effect of fertilizers, experiments, New York. Rpt. 90, pp. 15–16. 1909.
    fall-irrigated plats, South Dakota, 1914, 1915, 1916. D.B. 546, pp. 6–7. 1917.
    in rotation experiments with other crops. W.I.A. Cir. 6, p. 6. 1915.
    per acre—
      and value. D.B. 1338, p. 5. 1925.
      crop-rotation experiments, Belle Fourche farm, 1916. W.I.A. Cir. 14, pp. 14–16, 25–26. 1917.
      under irrigation, Oregon. O.E.S. Bul. 226, pp. 41, 45. 1910.
    See also Sugar beets.
Beetles—
  associates of termites. Ent. Bul. 94, Pt. II, pp. 64, 71–72. 1915.
  attraction by geraniol. Off. Rec., vol. 4, No. 45, p. 5. 1925.
  botrichid, injury to lead cables. D.B. 1107, pp. 4–9. 1922.
  carriers—
    cucurbit wilt, experiments. D.B. 828, pp. 3–4, 41, 42. 1920.
    mosaic disease. J.A.R., vol. 31, pp. 12–18, 30. 1925.
  cerambycid, host-selection principle as related to. F. C. Craighead. J.A.R., vol. 22, pp. 189–220. 1921.
  chrysomelid, injury to vegetables in Porto Rico, description. D.B. 192, p. 5. 1915.
  clerid, enemy of tobacco beetle, description. D.B. 737, pp. 32–35. 1919.
  coarctate larvae, development. D.B. 967, pp. 17–21. 1921.
  control by—
    birds, notes. F.B. 630, pp. 2–27. 1915.
    gases, fumigation experiments. D.B. 893, pp. 4, 6, 7, 10. 1920.
  damage to vegetables and control. Ent. A.R., 1924, pp. 16–19. 1924.
  Dendroctonus—
    control—
      method and cost, demonstration. An. Rpts., 1915, pp. 224–225. 1916; Ent. A.R., 1915, pp. 14–15. 1915.
      studies and work in Yosemite National Park. News L., vol. 2, No. 29, p. 4. 1915.
      work, localities and cost. An. Rpts., 1912, pp. 632–635. 1913; Ent. A.R., 1912, pp. 20–23. 1912.

Beetles—Continued.
  Dendroctonus—Continued.
    control—continued.
      work, national forests. An. Rpts., 1914, pp. 142, 193. 1914; Ent. A.R., 1914, p. 11. 1914; For. A.R., 1914, p. 14, 1914.
    genus, description, characteristics, new species. Ent. T.B. 17, Pt. I, pp. 1–164. 1915.
  dermestid, injuries and remedies. Ent. Bul. 38, pp. 96–97. 1902.
  destruction by—
    crows. D.B. 621, pp. 12–19, 57–59, 82. 1918.
    flycatchers, notes. Biol. Bul. 44, pp. 8, 12, 13, 20, 23, 24, 28, 30, 36, 39, 42, 45, 50, 52, 55, 58, 61, 64. 1912.
    starlings. D.B. 868, pp. 16–20, 42, 44, 60–63. 1921.
  detection in stomach of bird. Biol. Bul. 15, p. 13. 1901.
  development, conditions, favorable and unfavorable. Ent. Cir. 143, pp. 7–9. 1912.
  food of mallard ducks. D.B. 720, p. 28–30. 1918.
  fumigation with hydrocyanic-acid gas, dosages. J.A.R., vol. 11, pp. 423, 428. 1917.
  hand picking. F.B. 875, pp. 9, 10. 1917.
  hibernation experiments. D.B. 828, pp. 16, 17. 1920.
  injurious—
    in Southeastern States, and bird enemies. F.B. 755, pp. 5–37. 1916.
    to—
      aspen. D.B. 1291, pp. 16–17. 1925.
      dried fruits, control measures. Ent. A.R., 1925, pp. 15–17. 1925.
      forest products, and control. Ent. Cir. 128, pp. 1–9. 1910.
      forest trees, 1907. Y.B., 1907, pp. 548–549. 1908; Y.B. Sep. 472, pp. 548–549. 1908.
      forest trees, investigations. An. Rpts., 1917, pp. 240–241. 1918; Ent. A.R., 1917, pp. 14–15. 1917.
      legumes, Hawaii. Hawaii A.R., 1911, p. 22. 1912.
      roses, description and remedies. Ent. Bul. 27, pp. 96–98. 1901.
      standing timber, damages and control. Ent. Cir. 143, pp. 1–10. 1912.
      stored peanuts. Ent. Cir. 142, p. 2. 1911.
      sugar cane. Vir. Is. A.R., 1920, p. 28. 1921.
      tobacco plants. Y.B., 1910, pp. 293, 295. 1911; Y.B. Sep. 537, pp. 293, 295. 1911.
      vegetables, control work. Ent. A.R., 1925, pp. 20–24. 1925.
      woods. D.B. 1128, p. 12. 1923.
      yellow pine in Oregon. D.B. 418, pp. 12–13. 1917.
  laboratory, club visit. Off. Rec., vol. 3, No. 40, p. 3. 1924.
  lumber destruction, prevention measures. An. Rpts., 1918, pp. 244–245. 1919; Ent. A.R., 1918, pp. 12–13. 1918.
  Lyctus—
    insect enemies. F.B. 778, p. 17. 1917.
    powder-post damage to seasoned hardwood. A. D. Hopkins and T. E. Snyder. F.B. 778, pp. 20. 1917.
  mites, classification, description, and habits. Rpt. 108, pp. 9, 11, 12, 14, 15, 18, 95–102. 1915.
  occurrence in the Pribilof Islands, Alaska. N.A. Fauna 46, Pt. II, pp. 150–157. 1923.
  predacious—
    rearing, equipment, methods. Ent. Bul. 101, pp. 13–71. 1911.
    value in destroying insect pests. A. F. Burgess and C. W. Collins. Y.B., 1911, pp. 453–466. 1912; Y.B. Sep. 583, pp. 453–466. 1912.
  predators on—
    alfalfa weevil. Ent. Bul. 112, pp. 31–32. 1912.
    citrophilus mealybug. D.B. 1040, p. 19. 1922.
    boll weevil. Ent. Bul. 100, pp. 12, 40, 41, 68. 1912.
    codling moth, destruction. Ent. Bul. 115, Pt. I, pp. 73–74. 1912; Ent. Bul. 97, Pt. I, p. 32. 1913.
    cornstalk-beetle, destruction. D.B. 1267, pp. 29–30. 1924.
    codling moth larvae. D.B. 189, p. 36. 1915; Ent. Bul. 80, Pt. VI, p. 110. 1910.
    elm scale. D.B. 1223, p. 12. 1924.
    tea scale. Ent. T.B. 16, Pt. V, p. 79. 1912.

Beetles—Continued.
 rose. See Rose beetle.
 rove. See Rove-beetle.
 scarabaeid, Alabama, injury to orchard trees, notes Ent. Bul. 22, p. 105. 1912
 scolytid—
  general characters, anatomy, habits and distribution. Ent. T.B. 17, Pt. II, pp. 169, 1–207. 1915.
  monograph. Ent. T.B. 17, Pt. I, p. 164. 1915.
 spread of peanut-leaf spot. J.A.R., vol. 5, No. 19, pp. 898, 899, 900, 902. 1916.
 useful, introduction and breeding. An. Rpts., 1909, pp. 497–498. 1910; Ent. A.R., 1909, pp. 11–12. 1910.
 usefulness against tobacco wireworm. D.B. 78, p. 13. 1914.
 wood boring—
  avocado, control. Hawaii Bul. 24, p. 23. 1911; Hawaii Bul. 51, pp. 14–15. 1924.
  destruction by woodpeckers. Biol. Bul. 34, pp. 14, 16, 17, 20. 1910.
  injury to girdled cypress. Ent. Bul. 82, p. 5. 1907.
  ravages, Hawaii, and control. Hawaii A.R., 1912, p. 38. 1913.
 See also under specific hosts and individual names.
Befaria phillyreaefolia, importation and description. No. 51786, B.P.I. Inv. 65, p. 49. 1923.
Beggar weed, Florida—
 grazing crop for hogs. F. B. 985., pp. 18, 27. 1918.
 growing in—
  cotton States, description and value. B.B. 1251, rev., pp. 44–45. 1920.
  South, seed, rate, use, and value. S.R.S. Syl. 24, p. 14. 1917.
 value—
  as—
   forage and soil improver in Alabama, Barbour County. Soil Sur. Adv. Sh., 1914, p. 26. 1917; Soils F. O., 1914, p. 1092. 1919.
   forage crop in cotton region, description. F. B. 509, pp. 32–33. 1912.
   hay and forage crop. F.B. 300, pp. 7–8. 1907.
   hay and forage crop in the South. D.B. 827, pp. 30, 36. 1921.
   legume in cotton rotation. F.B 787, pp. 10, 11. 1916.
   rotation crop in control of root knot. F.B. 648, p. 16. 1915.
   soil-improvement crop for Southern States. F.B. 986, p. 16. 1918.
  for—
   forage in Florida, Putnam County. Soil Sur. Adv. Sh., 1914, pp. 21, 24. 1916; Soils F. O., 1914, pp. 1013, 1016. 1919.
   hay, in Florida, Ocala area, and for green manure. Soil Sur. Adv. Sh., 1912, pp. 15, 33, 36, 48. 1913; Soils F. O., 1912, pp. 679, 697, 700, 712. 1915.
Begonia—
 importations and description. No. 42820, B.P.I. Inv. 47, p. 70. 1920; No. 47644, B.P.I. Inv. 59, p. 41. 1922; Nos. 50212–50213, 50609–50613, B.P.I. Inv. 63, pp. 5, 46, 85. 1923.
 leaf-blight occurrence and description, Texas. B.P.I. Bul. 226, pp. 82–83, 112. 1912.
 reproduction, note. B.P.I. Bul. 256, p. 32. 1913.
 socotrana, importation and description. No. 40526, B.P.I. Inv. 43, pp. 8, 40. 1918.
Beijerinck, M. W., experiments in nitrogen fixation, and medium used. J.A.R., vol. 24, pp. 185, 189. 1923.
Beinhart, E. G.: "Steam sterilization of seed beds for tobacco and other crops." F.B. 996, p. 15. 1918.
Bel, importation and description. Nos. 43027, 43028, 43337, B.P.I Inv. 48, pp. 11, 46. 1921; Nos. 43478, 43551, 43768, B.P.I. Inv. 49, pp. 32, 41, 74. 1921; Nos. 46477, 46500, B.P.I. Inv. 56, pp. 3, 19, 22. 1922.
Belar, importation and description. No. 38147. B.P.I Inv. 39, p. 94. 1917.
Belascaris spp. See Roundworms
Belaustium spp., description. Rpt. 108, pp. 40, 41. 1915.

Belden, H. L.—
 "Soil survey of Bienville Parish, Louisiana." With others. Soil Sur. Adv. Sh., 1908, pp. 36, 1909; Soils F.O., 1908, pp. 843–874. 1911.
 "Soil survey of Dutchess County, New York." With Chas. N. Mooney. Soil Sur. Adv. Sh., 1907, pp. 53. 1909; Soils F.O., 1907, pp. 31–79. 1909.
 "Soil survey of East Carroll and West Carroll Parishes, Louisiana." With E. L. Worthen. Soil Sur. Adv. Sh., 1908, pp. 28. 1909; Soils F.O., 1908, pp. 875–898. 1911.
 "Soil survey of Escambia County, Florida." With others. Soil Sur. Adv. Sh., 1906, pp. 32. 1907; Soils F.O., 1906, pp. 335–362. 1908.
 "Soil survey of Jefferson County, Florida." With others. Soil Sur. Adv. Sh., 1907, pp. 39. 1908; Soils F.O., 1907, pp. 345–379. 1909.
 "Soil survey of New Hanover County, North Carolina." With J. A. Drake. Soil Sur. Adv. Sh., 1906. pp. 39. 1906; Soils F.O., 1906, pp. 245–279. 1908.
 "Soil survey of Winn Parish, Louisiana." With others. Soil Sur. Adv. Sh., 1907, pp. 37. 1909; Soils F.O., 1907, pp. 557–589. 1909.
Belden, W. S.: "The necessity for binding and otherwise preserving the publications of climate and crop sections." W.B. Bul. 31, pp. 177–178. 1902.
Belfast, Me., milk supply, statistics, officials, and prices. B.A.I. Bul. 46, pp. 40, 83. 1903.
Belgian—
 draft horse. See Horse, Belgian draft.
 hare. See Hare; Rabbit.
Belgium—
 agricultural—
  education—
   and International Congress of Nutrition. O.E.S. An. Rpt. 1911, pp. 283–284. 1912.
   progress, 1908. O.E.S. An. Rpts. 1908, p. 241. 1909.
   progress, 1910. O.E.S. An. Rpt., 1910, p. 323. 1911.
   progress, 1912. O.E.S. An. Rpt., 1912, pp. 287–288. 1913.
  extension—
   results. J. M. Stedman. O.E.S. An. Rpt. 1910, pp. 425–447. 1911.
  See also Agricultural extension.
 cattle—
  importation regulations. B.A.I.S.A. 62, p. 45. 1912.
  number per square mile, maps. Sec. [Misc.], Spec. "Geography * * * world's agriculture," pp. 121, 123. 1917.
  shipments to. An. Rpts., 1919, p. 110. 1920; B.A.I. Chief Rpt., 1919, p. 38. 1919.
 cheese trade. D.C. 71, p. 17. 1919.
 contagious diseases of animals—
  1906. B.A.I. An. Rpt., 1906, pp. 328–329. 1908.
  1907. B.A.I. An. Rpt., 1907, pp. 411, 412–413. 1909.
  1908. B.A.I. An. Rpt., 1908, pp. 417, 418. 1910.
  1909. B.A.I. An. Rpt., 1909, pp. 331–332. 1911.
  1910. B.A.I. An. Rpt., 1910, pp. 515–516. 1912.
 corn imports, 1906–1910, by countries of origin. Stat. Cir. 26, p. 7. 1912.
 crop yields, comparison with United States. Y.B., 1919, pp. 24, 25. 1920.
 experiment station, Gembloux. O.E.S. An. Rpt., 1910, p. 87. 1911.
 farming, intensive. Stat. Bul. 68, p. 22. 1908.
 field-seed needs for 1920. News L., vol. 6, No. 41, pp. 1, 5. 1919.
 flax growing, notes. F.B.669, pp. 2, 4. 1915.
 food—
  laws affecting American exports. Chem. Bul. 61, pp. 11–16. 1901.
  requirements, 1920, estimate. Sec. [Misc.], "Report * * * Agricultural Commission * * *," p. 71. 1919.
 foreign trade in agricultural products for 1902. George W. Roosevelt. For. Mkts. Cir. 26, pp. 8. 1903.
 forest resources. For. Bul. 83, pp. 48–49. 1910.
 fruits, area, production, imports, and exports, 1909–1913. D.B. 483, pp. 17–18. 1917.
 grain—
  production, acreage. Stat. Bul. 68, pp. 56–58. 1908.

Belgium—Continued.
  grain—continued.
    trade. Stat. Bul. 69, pp. 14–17. 1908.
    hay and straw importations into United States, regulation, 1909. B.A.I. An. Rpt., 1909, p. 347. 1911.
    hogs, numbers per square mile. Sec. [Misc.], Spec. "Geography * * * world's agriculture," p. 131. 1917.
  horse(s)—
    breeding—
      1900. B.A.I. An.Rpt., 1900, p. 503. 1901.
      progress. F.B. 419, p. 21. 1910.
      prices. S.B. 5, p. 66. 1925.
    laws—
      governing sale of arsenical papers, fabrics. Chem. Bul. 86, p. 46. 1904.
      on fruit and plant introduction. Ent. Bul. 84, p. 33. 1909.
    livestock—
      conditions, 1919, and food demands. Y.B., 1919, pp. 411–412. 1920; Y.B. Sep. 821, pp. 411–412. 1920.
      situation and outlook. News L., vol. 7, No. 5, p. 4. 1919.
      statistics—
        and crops, 1910–1920. D.B. 987, pp. 9–11. 1921.
        and crops, 1911–1913, graphs. Y. B.,1916, pp. 537–551. 1917; Y.B. Sep. 713, pp. 7–21. 1917.
        cattle, sheep, and hogs. Rpt. 109, pp. 27, 35, 46, 50, 58, 61, 195–212. 1916.
    meat—
      consumption. Rpt. 109, pp. 128, 133, 271–273. 1916.
      extracts, exports to United States, certificate, forms. Chem. [Misc.], "Inspection of imported meats * * *," p. 7. 1910.
      imports, statistics. Rpt. 109, pp. 101–114, 233–234, 248, 259, 261. 1916.
    nursery—
      conditions. F.B. 453, p. 13. 1911.
      stock inspection, official. F.H.B.S.R.A. 7, p. 52. 1914; F.H.B.S.R.A., 20, p. 60. 1915; F.H.B.S.R.A. 32, p. 104. 1916.
    oats yield per acre, comparison to other European countries. Sec. [Misc.], Spec. "Geography * * * world's agriculture," p. 36. 1917.
    potato—
      acreage and production. Sec. [Misc.], Spec. "Geography * * * world's agriculture," p. 70. 1917.
      production, 1909–1913, 1921–1923. S.B. 10, p. 19. 1925.
      quarantine regulations. F.H.B.S.R.A. 2, p. 9. 1914.
    poultry raising. B.A.I. An. Rpt., 1900, p. 506. 1901.
    rabbit-raising industry, extent. F.B. 1090, p. 4. 1920; Y.B., 1918, pp. 146, 149. 1919; Y.B. Sep. 784, pp. 4, 7. 1919.
    spruce-beetle ravages and control. Ent. Bul. 83, Pt. I, p. 145. 1909.
    sugar—
      industry, 1903–1914. D.B. 473, pp. 3, 4, 5, 50–51. 1917.
      production. Sec. [Misc.], Spec. "Geography * * * world's agriculture," p. 73. 1917.
      trade with United States. D.B. 296, pp. 5, 10–45. 1915.
      tuberculous carcasses, disposition, legal provisions. B.A.I.S.A. 72, pp. 27–28. 1913.
    wheat imports—
      1885–1906. Stat. Bul. 66, pp. 47–49. 1908.
      with countries of origin, 1906–1911. Stat. Cir. 39, p. 8. 1912.
    white pine injury by blister rust, and control measures. D.B. 1186, pp. 16–17, 19, 23. 1924.
Belis lanceolata, importation and timber value, No. 44665. B.P.I. Inv. 51, pp. 39–40. 1922.
BELL, G. A.—
  "Breeds of draft horses." F.B. 619, pp. 16. 1914.
  "Cottonseed meal for horses." With J. O. Williams. D.B. 929, pp. 10. 1920.
  "Effect of war on exports of horses." F.B. 651, pp. 3–4. 1915.
  "Feeding horses." With J. O. Williams. F.B. 1030, pp. 24. 1919.

BELL, G. A.—Continued.
  "Hints to poultry raisers." B.A.I. Cir. 82, pp. 3. 1905.
  "Livestock conditions in Europe." With Turner Wright. Y.B. 1919, pp. 407–424. 1920; Y.B. Sep. 821, pp. 407–424. 1920.
  "Poultry management." F.B. 287, pp. 48. 1907; F.B. 287, rev., pp. 39. 1921.
BELL, J. M.—
  "Calcium sulphate in aqueous solutions: A contribution to the study of alkali deposits." With Frank K. Cameron. Soils Bul. 33, pp. 71. 1906.
  "The action of water and aqueous solutions upon soil carbonates." With Frank K. Cameron. Soils Bul. 49, pp. 64. 1907.
  "The action of water and aqueous solutions upon soil phosphates." With Frank H. Cameron. Soils Bul. 41, pp. 58. 1907.
  "The mineral constituents of the soil solution." With Frank K. Cameron. Soils Bul. 30, pp. 70. 1905.
BELL, J. O.—
  "Cold storage reports, season, 1917–1918." D.B. 776, pp. 44. 1919.
  "Reports of storage holdings of certain food products." D.B. 709, pp. 44. 1918.
  "Report of storage holdings of certain food products during 1918." D.B. 792, pp. 80. 1919.
BELL, J. T., experiment in use of hydrocyanic acid gas as fumigant. D.B. 1149, p. 1. 1923.
BELL, N. E., "Soil survey of—
  Barbour County, Alabama." With others. Soil Sur. Adv. Sh., 1914, pp. 50. 1917; Soils F.O., 1914, pp. 1071–1116. 1919.
  Clarke County, Alabama." With others. Soil Sur. Adv. Sh., 1912, pp. 31. 1913; Soils F.O., 1912, pp. 725–751. 1915.
  Clay County, Alabama." With others. Soil Sur. Adv. Sh., 1915, pp. 41. 1916; Soils F.O., 1915, pp. 827–863. 1919.
  Covington County, Alabama." With others. Soil Sur. Adv. Sh., 1912, pp. 37. 1914; Soils F.O., 1912, pp. 797–829. 1915.
  Jackson County, Alabama." With C. S. Waldrop. Soil Sur. Adv. Sh., 1911, pp. 32. 1912; Soils F.O., 1911, pp. 777–790. 1914.
  Marshall County, Alabama." With C. S. Waldrop. Soil Sur. Adv. Sh., 1911, pp. 32. 1912; Soils F.O., 1911, pp. 831–858. 1914.
  Russell County, Alabama." With others. Soil Sur. Adv. Sh., 1913, pp. 50. 1915; Soils F.O., 1913, pp. 875–920. 1916.
  St. Clair County, Alabama." With R. T. Avon Burke. Soil Sur. Adv. Sh. 1917, pp. 46. 1920; Soils F.O., 1917, pp. 791–832. 1923.
  Wilcox County, Alabama." With R. A. Winston. Soil Sur. Adv. Sh., 1916, pp. 71. 1918; Soils F.O., 1916, pp. 939–1005. 1921.
BELL, ROBERT, explorations in Athabaska-Mackenzie region, 1882, 1899. N.A. Fauna 27, pp. 75, 82. 1908.
BELL, W. B.—
  "Cooperative campaigns for the control of ground squirrels, prairie dogs, and jack rabbits." Y.B., 1917, pp. 225–233. 1918; Y.B. Sep. 724, pp. 11. 1918.
  "Death to the rodents." Y.B., 1920, pp. 821–838. 1921; Y.B. Sep. 855, pp. 821–838. 1921.
  "Hog production and marketing." With others. Y.B. 1922, pp. 181–280. 1923; B.Y., Sep. 882, pp. 181–280. 1923.
  "Hunting down stock killers." Y.B., 1920, pp. 289–300. 1921; Y.B. Sep. 845, pp. 289–300. 1921.
  "Our forage resources." With others. Y.B. 1923, pp. 311–414. 1924.
  "The sheep industry." With others. Y.B., 1923, pp. 229–310. 1924; Y.B., Sep. 894, pp. 229–310. 1924.
Bell, lithium determination method. Chem. Bul. 153, p. 27. 1912.
Belladonna—
  adulteration, detection. Chem. Bul. 122, p. 138. 1909.
  alkaloidal—
    content—
      of selected plants at Arlington, Va., table. D.B. 306, pp. 2–17. 1915.

Belladonna—Continued.
alkaloidal—continued.
content—continued.
standardization. An. Rpts., 1913, p. 111. 1914; B.P.I. Chief Rpt., 1913, p. 7. 1913.
reactions, comparison with other drugs. Chem. Bul. 150, pp. 36–40. 1912.
culture and handling as drug plant, yield, and price. F.B. 663, pp. 15–16. 1915.
danger in use. F.B. 393, p. 8. 1910.
growing—
and uses, harvesting, marketing, and prices. F.B. 663, rev., pp. 18–19. 1920.
Arlington Experimental Farm, plants, description. J.A.R., vol. 1, pp. 132–135, 142. 1913.
pollination experiments. D.B. 306, pp. 2–3. 1915.
yield and consumption. Y.B., 1917, pp. 172–173. 1918; Y.B. Sep. 734, pp. 6–7. 1918.
leaves—
adulteration and misbranding. Chem. N.J. 871, pp. 2. 1911; Chem. N.J. 2091, pp. 2. 1913.
and root—
analysis. Chem. Bul. 107, rev., p. 259. 1912. Chem. Bul. 116, pp. 83, 84, 86. 1908.
analysis, results. Chem. Bul. 122, pp. 132–133, 134–135. 1909.
imports, adulteration. Y.B., 1910, p. 211. 1911; Y.B. Sep. 529, p. 211. 1911.
methods of alkaloid determination. Chem. Cir. 38, p. 6. 1908.
as substitute use of *Solanum nigrum*, opinion 209. Chem. S.R.A. 20, pp. 57–58. 1917.
examination, adulteration. Chem. Bul. 80, pp. 13, 21. 1904.
tincture, adulteration, and misbranding. Chem. N.J. 13396. 1925.
plants—
from cuttings, alkaloidal content, table. D.B. 306, pp. 18–19. 1915.
variations in age, stage of growth. J.A.R., vol. 1, pp. 139–146. 1913.
powdered extract, use as poison against Argentine ants. D.B. 647, pp. 60–71. 1918.
production of alkaloids in, effects of selection. A.F. Sievers. D.B. 306, p. 20. 1915.
quality of supply. D.B. 306, p. 1. 1915.
root adulteration. An. Rpts., 1908, p. 472. 1909; Chem. N.J. 754, pp. 2. 1911; Chem. Chief Rpt., 1908, p. 28. 1908; Chem. S.R.A. 21, p. 68. 1918.
tincture, adulteration and misbranding. Chem. N.J. 4048; pp. 2. 1916.
Belle Fourche—
bird—
refuge, report, 1923. An. Rpts., 1923, p. 454. 1924; Biol. Chief Rpt., 1923, p. 36. 1923.
reservation, conditions. An. Rpts., 1912, p. 672. 1913; Biol. Chief Rpt., 1912, p. 16. 1912.
Experiment Farm—
cereal investigation. Cecil Salmon. D.B. 297, pp. 43. 1915.
establishment and uses. B.P.I. Cir. 83, p. 11. 1911; B.P.I. Doc. 453, p. 7. 1909.
Newell, South Dakota, experiments with cereals. John H. Martin. D.B. 1039, pp. 72. 1922.
South Dakota, experiments with cereals. John H. Martins. D.B. 1039, pp. 72. 1922.
work, 1912. Beyer Aune. B.P.I. Cir. 119, pp. 15–22. 1913.
work 1919–1922. Beyer Aune. D.C. 339, pp. 48. 1925.
irrigation project, suggestions to settlers. Beyer Aune. B.P.I. Cir. 83, pp. 14. 1911.
project, South Dakota, hints to settlers. C. A. Jensen. B.P.I. Doc. 453, pp. 4. 1909.
reclamation project, gumbo soils water penetration. O. R. Mathews. D.B. 447, pp. 12. 1916.
Reclamation Project Experiment Farm—
alfalfa rotations. D.B. 881, pp. 1–13. 1920.
barley growing, cost and yields. D.B. 222, pp. 19–20, 29. 1915.
climatic conditions—
1908–1912. B.P.I. Cir. 119, pp. 16–17. 1913.
1908–1913. B.P.I. [Misc.], "Work of the Belle Fourche * * * 1913," pp. 3–5. 1914.
1908–1914. W.I.A. Cir., 4 pp. 2–5. 1915.
1908–1915. W.I.A. Cir., 9 pp. 2–5. 1916.
1908–1916. W.I.A. Cir. 14. pp. 3–4. 1917.
1908–1917. W.I.A. Cir. 24, pp. 3–9. 1918.

Belle Fourche—Continued.
Reclamation Project Experiment Farm—Con.
climatic conditions—continued.
1908–1918. D.C. 60, p. 4. 1919.
1908–1919. D.B. 1039, pp. 5–11. 1922.
cooperation with other offices of Bureau of Plant Industry. W.I.A. Cir. 4, p. 16. 1915.
corn growing, methods, cost, and yields. D.B. 219, pp. 19–20, 27–31. 1915.
crop yields stimulation by manure, experiments. J.A.R., vol. 15, pp. 493–503. 1918.
crops, acreage, yield and value, 1922. D.C. 339, pp. 4–6. 1925.
crops and cultural methods. F.B. 1163, pp. 6–14. 1920.
description, location, canals. O.E.S. Bul. 210, pp. 41–43. 1909.
experiments with cereals. Off. Rec. vol. 1, No. 21, p. 5. 1922.
grasses for canal banks. B.P.I. Cir. 115, pp. 23–31. 1913.
hog production. News L., vol. 6, No. 50, p. 2. 1919.
location—
climate and crops. D.C. 339, pp. 1–10. 1925.
description, soil, and vegetation. D.B. 1039, pp. 2–5, 70. 1922.
establishment and uses. B.P.I. Cir. 83, p. 11. 1911.
soil and climate. D.B. 297, pp. 2–10. 1915.
oats growing, methods, cost and yield. D.B. 218; pp. 22–24, 40. 1915.
pasture irrigation experiments. D.R.P. Cir. 2, pp. 1–16. 1916.
scope of work. B.P.I. Doc. 453, p. 7. 1909; D.C. 339, pp. 10–48. 1925.
size and capacity. Y.B. 1908, p. 177. 1909.
soil, climate, and grain yields. P.B.I. Cir. 59, pp. 4–6, 8, 10, 14, 15, 16, 18, 19. 1910.
spring wheat—
growing experiments. D.B. 878, pp. 23–25. 1920.
production, various methods, 1909–1914, yields and cost. D.B. 214, pp. 23–25, 37–42. 1915.
vegetation. D.B. 297, p. 3. 1915.
work—
1913, Beyer Aune. B.P.I. [Misc.], "Work of Belle Fourche * * * 1913," Pp. 19. 1914.
1914. Beyer Aune. W.I.A. Cir., pp. 16. 1915.
1915. Beyer Aune. W.I.A. Cir. 9, pp. 26. 1916
1916. Beyer Aune. W.I.A. Cir., 14, pp. 28. 1917.
1917. Beyer Aune. W.I.A., Cir. 24, pp. 31. 1918.
1918. Beyer Aune. D.C. 60, pp. 34. 1919.
1919–1922. Beyer Aune. D.C. 339, pp. 48. 1925.
South Dakota, effect of fall irrigation on crop yields. F. D. Farrell and Beyer Aune. D.B. 546, pp. 15. 1917.
Station, crops, cultural methods. F.B. 1163, pp. 6–14. 1920.
Belleville, Jefferson County, New York, community study. D.B. 984, pp. 6–17. 1921.
Bellflower(s)—
Chilean—
importation and description, Nos. 54459, 54621. B.P.I. Inv. 69, pp. 12, 28. 1923.
See also Copigue, Copihue.
description, varieties, and climatic adaptations. F.B. 1381, pp. 37–38. 1924.
Japanese, description, cultivation, and characteristics. F.B. 1171. pp. 46–47, 79. 1921.
BELLING, JOHN: "Inheritance of length of pod in certain crosses." J.A.R., vol. 5, No. 10, pp. 405–420. 1915.
Bellingham, bulb garden, experiments in bulb growing. P. H. Dorsett. D.B. 28 pp. 21. 1913.
Bellota—
miersii. See Belloto.
importation and description. No. 54627, B.P.I. Inv. 69, pp. 4, 28. 1923.
Bellucia sp. See Papaturro.
Belmont (horse), description and descendants. B.A.I. An. Rpt. 1907, p. 91. 1909; B.A.I. Cir. 137, p. 91. 1908.

Beloperone plumbaginifolia, importation and description. No. 41297, B.P.I. Inv. 44, p. 60. 1918.
Belou marmelos. See Bael; Bel.
Belt(s)—
 conveyer, use in cheese making. F.B. 960, p. 22. 1918.
 driving, selection and care. F.B. 1183, rev. pp. 16–19. 1922.
 grading use in packing apples. F.B. 1204, pp. 16–18. 1921.
 lacing—
  machines, school exercises. F.B. 638, pp. 8–9. 1915.
  threshing machines, care and repair. F.B. 1036, pp. 15–16. 1919.
 leather, tanning directions. D.C. 230, pp. 6–19. 1922.
 sawmill, description and management. D.B. 718, pp. 22–25. 1918.
 sorting, use in packing cranberries. D.B. 714, pp. 11–12. 1918.
 threshing machines, use and care. F.B. 991, pp. 6–7. 1918.
 work—
  farm—
   use of tractors. D.B. 997, pp. 14, 24, 26. 1921.
   use of tractors. F.B. 1299, pp. 5, 8–9. 1922.
   use of tractors and horses in Corn Belt. F.B. 1295, pp. 12–13. 1923.
  with tractors, cost. D.B. 1202, pp. 15–17. 1924.
Beltsville Experiment Farm, additional acreage. Off. Rec., vol. 4, No. 51, p. 5. 1925.
Beltsville, Experiment Farm—
 animal husbandry—
  and dairy work, 1918. An. Rpts., 1918, pp. 81, 82, 84, 86, 97–98. 1919; B.A.I. Chief Rpt., 1918, pp. 11, 12, 14, 16, 27–28. 1918.
  work, An. Rpts. 1917, pp. 73, 75, 78, 91. 1917; B.A.I. Chief Rpt. 1917, pp. 7, 9, 12, 25. 1917.
 calf meal formula. F.B. 1336, p. 10. 1923.
 experiments with open sheds, D.B. 736, pp. 3–13. 1918.
 dairy—
  cows, experiments with open sheds, D.B. 736, pp. 3–13. 1918.
  cows, feeding experiments. D.B. 945, pp. 1–28. 1921; D.B. 1297, pp. 1–12. 1924.
  work, 1912. An. Rpts. 1912, pp. 339–340, 341. 1913; B.A.I. Chief Rpt. 1912, pp. 43–44, 45. 1912.
 drainage survey. O.E.S. An. Rpt., 1911, p. 41. 1912.
 establishment—
  and work. B.A.I. An. Rpt., 1911, pp. 12, 22, 25, 39, 79. 1913.
  purchase and objects. B.A.I. An. Rpt., 1910, p. 22. 1912.
 milk-production. News L., vol. 6, No. 35, p. 11. 1919.
 poultry work of Animal Industry Bureau. B.A.I.A.H., pp. 8. 1916.
 purchase. B.A.I. Chief Rpt.. 1910, pp. 14, 35. 1910; Sec. A.R., 1910, p. 53. 1911; Rpt. 93, p. 39; An. Rpts., 1910, pp. 53, 208, 229. 1911; Y.B., 1910, p. 52. 1911.
 scope of work. News L., vol. 2, No. 39, p. 5. 1915.
 sheep—
  and goats, breeding experiments. An. Rpts., 1911, p. 45. 1912; Sec. A.R., 1911, p. 43. 1911; Y.B., 1911, p. 43. 1912.
  pasturing experiments. F.B. 1181, pp. 5–14. 1921.
  raising experiments. D.B. 996, rev., pp. 1, 3–8, 13, 14. 1923.
 silage, experimental studies. D.B. 953, pp. 5–14. 1921.
 temporary pastures for sheep. F.B. 1181, pp. 5–14. 1921.
 udder disease among cows, study. J.A.R., vol. 1, pp. 508–510. 1914.
 work—
  1911. An. Rpts., 1911, pp. 198, 204, 206, 208, 220. 1912; B.A.I. Chief Rpt., 1911, pp. 8, 14, 16, 18, 30. 1911.
  1912. An. Rpts., 1912, pp. 323–324, 339–341. 1913; B.A.I. Chief Rpt., 1912, pp. 27–28, 43–45. 1912.

Beltsville Experiment Farm—Continued.
 work—continued.
  1913. An. Rpts., 1913, pp. 79–80. 1914; **B.A.I. Chief Rpt**, 1913, pp. 9–10. 1913.
  1914. An. Rpts., 1914, pp. 60, 61, 62, 67, 72. 1914; B.A.I. Chief Rpt., 1914, pp. 4, 5, 6, 11, 16. 1914.
  1915. An. Rpts., 1915, pp. 86, 88–89, 92, 93, 98, 103–104. 1916; B.A.I. Chief Rpt., 1915, pp. 10, 12–13, 16, 17, 22, 27–28. 1915.
  1916. An. Rpts., 1916, pp. 75, 80, 81, 85, 87, 92, 99–100. 1917; B.A.I. Chief Rpt., 1916, pp. 9, 14, 15, 19, 21, 28, 33–34. 1916.
  1917. An. Rpts., 1917, pp. 73–74, 75, 78, 91. 1918; B.A.I. Chief Rpt., 1917, pp. 7–8, 9, 12–13, 25. 1917.
  1918. An. Rpts., 1918, pp. 81, 82, 84, 86, 97–98. 1919. B.A.I. Chief Rpt., 1918, pp. 11, 12, 14–15, 16, 27–28. 1918.
  1919. An. Rpts., 1919, pp. 80, 84, 85, 87, 89, 100, 101. 1920; B.A.I. Chief Rpt., 1919, pp. 8, 12, 13, 15, 17, 28, 29. 1919.
  1920. An. Rpts., 1920, pp. 94, 95, 98, 99, 105, 116. 1921; B.A.I. Chief Rpt., 1920, pp. 10–12, 17–18, 29–30. 1920.
  1921. B.A.I. Chief Rpt., 1921, pp. 11–13, 19, 25, 27. 1921.
  1922. An. Rpts., 1922, pp. 104, 106, 108, 122–123. 1923; B.A.I. Chief Rpt., 1922, pp. 6, 8, 10, 24–25. 1922.
  1923. An. Rpts., 1923, pp. 203, 205, 208, 209, 217–219. 1924; B.A.I. Chief Rpt., 1923, pp. 5, 7, 10, 11, 19–21. 1923.
  1924. B.A.I. Chief Rpt., 1924, pp. 15–16. 1924.
  1925. B.A.I. Chief Rpt., 1925, pp. 6–10. 1925.
BELZ, J. O.: "Dry farming in relation to rainfall and evaporation." With Lyman J. Briggs. B.P.I. Bul. 188, pp. 71. 1910.
Belzoni drainage district, Mississippi, location and description. O.E.S. Bul. 244, pp. 10–22. 1912.
Bemisia—
 giffardi, citrus pest in Hawaii and India. J.A.R., vol. 6, No. 12, p. 469. 1916.
 spp., description. Ent. T.B. 27, Pt. II, pp. 99–100. 1914.
Bench—
 marks—
  Georgia Central Railroad and Savannah River. O.E.S. Cir. 113, pp. 23–24. 1911.
  Kansas, Marais des Cygnes Valley survey. O.E.S. Bul. 234, pp. 52–53. 1911.
  marsh lands, Delaware and New Jersey. O.E.S. Bul. 240, p. 53. 1911.
  Mississippi, Big Black River, overflowed lands. D.B. 181, p. 37. 1915.
  South Carolina Black and Boggy Swamps district. D.B. 114, p. 7. 1914.
  St. Francis Valley drainage project, Arkansas. O.E.S. Bul. 230, Pt. II, pp. 1–58. 1911.
 terrace, description and construction. F.B. 997, pp. 8–12, 38. 1918.
Benches, greenhouse. F.B. 1318, p. 30. 1923.
BENDER, W. A., report on vinegar. Chem. Bul. 152, pp. 125–127. 1912; Chem. Bul. 162, pp. 77–81. 1913.
BENEDICT, F. G.—
 "Experiments on the metabolism of matter and energy in the human body, 1898–1900." With others. O.E.S. Bul. 109, pp. 147. 1902.
 "Experiments on the metabolism of matter and energy in the human body, 1900–1902." With others. O.E.S. Bul. 136, pp. 357. 1903.
 "Experiments on the metabolism of matter and energy in the human body, 1903–1904." With R. D. Milner. O.E.S. Bul. 175, pp. 335. 1907.
 "The influence of muscular and mental work on metabolism and the efficiency of the human body as a machine." With Thorne M. Carpenter. O.E.S. Bul. 208, pp. 100. 1909.
 "The respiration calorimeter." With W. O. Atwater. Y.B., 1904, pp. 205–220. 1905; Y.B. Sep. 342, pp. 205–220. 1905.
Benedittina, misbranding. Chem. N.J. 2405, p. 2. 1913.
Bengal, explorations by Joseph F. Rock. D.B. 1057, pp. 19–22. 1922.
BENGTSON, C. A.: "Efficiency of commercial egg candling." With M. K. Jenkins. D.B. 702, pp. 22. 1918.

BENGTSON, N. A. "Soil survey of—
  Fillmore County, Nebraska." With others. Soil Sur. Adv. Sh., 1916, pp. 24. 1918; Soils F.O., 1916, pp. 2121–2140. 1921.
  Gage County, Nebraska." With others. Soil Sur. Adv. Sh., 1914, pp. 42. 1916; Soils F. O., 1914. pp. 2323–2360. 1919.
Benincasa hispada. See Gourd, wax, Chinese.
Benise seed. See Sesame.
Benjamin-bush. See Spicebush.
BENNETT, C. M.—
  "A study in the cost of producing milk on four dairy farms located in Wisconsin, Michigan, Pennsylvania, and North Carolina." With others. D.B. 501, pp. 35. 1917.
  "The cost of raising a dairy cow." With Morton D. Cooper. D.B. 49, pp. 23. 1914.
BENNETT, FRANK: "Soil survey of—
  Chesterfield County, Virginia." With others. Soil Sur. Adv. Sh., 1906, pp. 32, 1908; Soils F.O. 1906, pp. 195–222. 1908.
  Ellis County, Texas." With others. Soil Sur. Adv. Sh., 1910, pp. 34. 1911; Soils F.O., 1910, pp. 931–960. 1912.
  Grayson County, Texas." With others. Soil Sur. Adv. Sh., 1909, pp. 35. 1910; Soils F.O., 1909, pp. 951–983. 1912.
  Lee County, South Carolina." With others. Soil Sur. Adv. Sh., 1907, pp. 27. 1908; Soils F.O., 1907, pp. 323–343. 1909.
  Madison County, Tennessee." With others. Soil Sur. Adv. Sh., 1906, pp. 18, 1907; Soils F.O., 1906, pp. 687–700. 1908.
  Merrimack County, New Hampshire." With others. Soil Sur. Adv. Sh., 1906, pp. 39. 1908; Soils F.O., 1906, pp. 33–67. 1908.
  Pontotoc County, Mississippi." With R. A. Winston. Soil Sur. Adv. Sh., 1906, pp. 26. 1907; Soils F.O., 1906, pp. 405–426. 1908.
  Richland County, North Dakota." With others. Soil Sur. Adv. Sh., 1908, pp. 38. 1909; Soils F.O., 1908, pp. 1121–1154. 1911.
  Rockcastle County, Kentucky." With others. Soil Sur. Adv. Sh., 1910, pp. 36. 1911; Soils F.O., 1910, pp. 1017–1048. 1912.
  Sumter County, South Carolina." With others. Soil Sur. Adv. Sh., 1907, pp. 27. 1908; Soils F.O., 1907, pp. 299–321. 1909.
BENNETT, FRANK, jr.: "Soil survey of—
  the Brazoria Area, Texas." With Grove B. Jones. Soil Sur. Adv. Sh., 1902, pp. 16. 1903; Soils F.O., 1902, pp. 349–364. 1903.
  the Lebanon Area, Pennsylvania." With W. G. Smith. Soil Sur. Adv. Sh., 1901, pp. 23. 1902; Soils F.O., 1901, pp. 149–171. 1902.
BENNETT, H. H.—
  "A reconnoissance of the soils, agriculture, and other resources of the Kenai Peninsula region of Alaska." Soil Sur. Adv. Sh., 1916, pp. 142. 1918; Soils F.O., 1916, pp. 39–174. 1921.
  "Geography of production." With H. D. Smith. Atl. Am. Agr., Pt. V, sec. A., pp. 6–10. 1919.
  "Reconnoissance soil survey of Tattnall County, Georgia." Soil Sur. Adv. Sh., 1912, pp. 18. 1913; Soils F.O., 1912, pp. 655–668. 1915.
  "Soil reconnoisance in Alaska, with an estimate of the agricultural possibilities." With Thomas D. Rice. Soil Sur. Adv. Sh., 1914, pp. 202. 1915; Soils F.O., 1914, pp. 43–236. 1919.
  "Soil survey of—
    Barbour and Upshur Counties, West Virginia." With W. J. Latimer. Soil Sur. Adv. Sh., 1917, pp. 47. 1919; Soils F.O., 1917, pp. 993–1039. 1923.
    Blue Earth County, Minnesota." With L. A. Hurst. Soil Sur. Adv. Sh., 1906, pp. 55. 1907; Soils F.O., 1906, pp. 813–863. 1908.
    Cape Girardeau County, Missouri." With others. Soil Sur. Adv. Sh., 1910, pp. 48. 1912; Soils F.O., 1910, pp. 1217–1260. 1912.
    Center County, Pennsylvania." With others. Soils F.O., 1908, pp. 245–292. 1911; Soil Sur. Adv. Sh., 1908, pp. 52. 1910.
    Chatham County, Georgia." With others. Soil Sur. Adv. Sh., 1911; pp. 34. 1912; Soils F.O., 1911, pp. 563–592. 1914.
    Covington County, Mississippi." With others. Soil Sur. Adv. Sh., 1917, pp. 36. 1919; Soils F.O., 1917; pp. 867–902. 1923.

BENNETT, H. H.—Continued.
  "Soil survey of—Continued.
    Davidson County, Tennessee." With William G. Smith. Soil Sur. Adv. Sh., 1903, pp. 13. 1904; Soils F.O., 1903; pp. 605–617. 1904.
    Grady County, Georgia." With others. Soil Sur. Adv. Sh., 1908, pp. 57. 1909; Soils F.O., 1908, pp. 341–393. 1911.
    Lauderdale County, Mississippi." With others. Soil Sur. Adv. Sh., 1910, pp. 56. 1911; Soils F.O., 1910, pp. 733–784. 1912.
    Rapides Parish, Louisiana." With others. Soil Sur. Adv. Sh., 1916, pp. 43. 1918; Soils F. O., 9116, pp. 1121–1159. 1921.
    Ripley County, Missouri." With others. Soil Sur. Adv. Sh., 1915, pp. 36. 1917; Soils F.O., 1915, pp. 1889–1920. 1919.
    Robertson County, Texas." With Charles F. Shaw. Soil Sur. Adv. Sh., 1907, pp. 54. 1909; Soils F.O., 1907, pp. 591–640. 1909.
    San Saba County, Texas." With others. Soil Sur. Adv. Sh., 1916, pp. 57. 1917. Soils F.O., 1916, pp. 1315–1377. 1921.
    Shelby County, Tennessee." With others. Soil Sur. Adv. Sh., 1916, pp. 39. 1919; Soils F.O., 1916, pp. 1379–1413. 1921.
    the Clarksburg area, West Virginia." With others. Soil Sur. Adv. Sh., 1910, pp. 32. 1912; Soils F.O., 1910; pp. 1049–1076. 1912.
    Thomas County, Georgia." With Charles J. Mann. Soil Sur. Adv. Sh., 1908, pp. 64. 1909; Soils F.O., 1908, pp. 395–454. 1911.
  "Soils in the vicinity of Brunswick, Georgia: A preliminary report." Soils Cir. 21, pp. 21. 1910.
  "Soils of Pender County, North Carolina: A preliminary report." Soils Cir. 20, pp. 16. 1910.
  "Soils of Sumter County, Georgia." Soil Sur. Adv. Sh., 1910, pp. 19–45. 1911; Soils F.O., 1910, pp. 515–541. 1912.
  "Soils of the prairie regions of Alabama and Mississippi and their use for alfalfa. Pt. I, Houston clay and associated soils." Rpt. 96, pp. 5–38. 1911.
  "Soils of the Shenandoah River terrace: A revision of certain soils in the Albemarle area of Virginia." Soils Cir. 53, pp. 16. 1912.
  "Soils of the United States." With others. Soils Bul. 96, pp. 791. 1913.
  "The agricultural possibilities of the Canal Zone. Pt. 1, Reconnoissance soil survey." Rpt. 95, pp. 38. 1912.
BENNETT, J. B., appointment clerk, report—
  1902. An. Rpts., 1902 pp. 383–400. 1902; Appt. Clerk A.R., 1902, pp. 18. 1902.
  1903. An. Rpts., 1903, pp. 461–482. 1903; Appt. Clerk A.R., 1903, pp. 461–482. 1903.
  1904. An. Rpts., 1904, pp. 315–337. 1904; Appt. Clerk A.R., 1904, pp. 23. 1904.
  1905. An. Rpts., 1905, pp. 529–542. 1906; Appt. Clerk A.R., 1905, pp. 14. 1905.
  1906. An. Rpts., 1906, pp. 641–673. 1907; Appt. Clerk A.R., 1906, pp. 35. 1906.
  1907. An. Rpt., 1907, pp. 741–758. 1908; Appt. Clerk A.R., 1907, pp. 22. 1907.
  1908. An. Rpts., 1908, pp. 771–790. 1909; Appt. Clerk A.R., 1908, pp. 22. 1908.
  1909. An. Rpts., 1909, pp. 791–816. 1910; Appt. Clerk A. R., 1909, pp. 28. 1909.
  1910. An. Rpts., 1910, pp. 897–916. 1911; Appt. Clerk A.R., 1910, pp. 24. 1910.
BENNETT, R. L: "A method of breeding early cotton to escape boll weevil damage." F.B. 314, pp. 28. 1908.
BENSON, C. H.—
  "Report of work at Sitka Station," 1918. With C. C. Georgeson. Alaska A.R., 1918, pp. 22–33. 1920.
  "Report of work at Sitka Experiment Station," 1919. Alaska A.R., 1919, pp. 19–29. 1920.
  "Report of work at Sitka Station." 1920. Alaska A.R., 1920, pp. 12–20. 1922.
BENSON, O. H.—
  "Boys' and girls' club work. Tinning, capping, and soldering cans." S.R.S. Doc. 11, pp. 4. 1916.
  "Canning tomatoes at home and in club work." With J. F. Breazeale. F.B. 521, pp. 36. 1913.

BENSON, O. H.—Continued.
"Canning windfall and cull apples and use of by-products." S.R.S. Doc. 15, pp. 3. 1915.
"Directions for home canning in tin, and mechanical sealing." With George E. Farrell. S.R.S. Doc. 97, pp. 8. 1919.
"Farm and home handicraft clubs." S.R.S. Doc. 26, pp. 3. 1915.
"Home canning by the one-period cold-pack method." F.B. 839, pp. 39. 1917.
"Home canning club instructions to save fruit and vegetable waste." S.R.S. Doc. 17, pp. 6. 1915.
"Home canning instructions." S.R.S. Doc. 18, pp. 6. 1915.
"Organization and instruction in boys' corn club work." B.P.I. Doc. 803, pp. 14. 1913.
"Organization and results of boys' and girls' club work." With Gertrude Warren. D.C. 66, pp. 38. 1920.
"Potato starch and its use in the home." S.R.S. Doc. 8, p. 1. 1915.
"Preparation for home canning club demonstrations." S.R.S. Doc. 47, pp. 2. 1917.
"Some home canning difficulties and how to avoid them." With G. E. Farrell. S.R.S. Doc. 33, pp. 6. 1917.
"Special contests for corn club work. B.P.I. Cir. 104, pp. 15. 1912.
"Suggestions and instructions for home canning club demonstrations." S.R.S. [Misc.], "Suggestions and instructions * * *," pp. 2. 1915.
"Suggestions No. 4 to club leaders and demonstrators in home canning-club projects." S.R.S. Doc. 7, pp. 2. 1915.
"The mother-daughter home canning club." S.R.S. Doc. 20, pp. 6. 1917.
Bensonberry—
description and value. Alaska A.R., 1920. p. 15. 1922.
growing in Alaska, origin and description. Alaska A.R. 1919, p. 25. 1920.
BENT, A. S., discussion of flow of water in concrete. D.B. 852, p. 92. 1920.
Bent grass(es)—
agricultural species, Pt. I. Charles V. Piper and F. H. Hillman. D.B. 692, pp. 27. 1918.
carpet, description. D.B. 692, pp. 11–12. 1918.
creeping—
analytical key and description of seedlings. D.B. 461, pp. 7, 18–19. 1917.
description, habitat, and use. F.B. 1433, pp. 11–12, 14. 1925.
use on lawns. F.B. 494, pp. 29, 30, 37, 38, 39. 1912.
description and uses. D.B. 772, pp. 125–132. 1920.
florin, description. D.B. 692, pp. 5–7. 1918.
identification and uses. News L., vol. 6, No. 2, p. 4. 1918.
Rhode Island—
description, distribution, pasture value. F.B. 1254, pp. 33–35. 1922.
description of grass and seed. D.B. 692, pp. 7–10, 20–21. 1918.
harvesting for seed. An. Rpts., 1919, p. 157. 1920; B.P.I. Chief Rpt., 1919, p. 21. 1919.
seed industry revival. An. Rpts., 1918, p. 142. 1919; B.P.I. Chief Rpt., 1918, p. 8. 1918.
use on lawns. F.B. 494, pp. 29, 30, 33, 35, 37, 38, 39. 1912.
use on sandy land and value as sand binder. Soils Bul. 75, pp. 18, 52. 1911.
seacoast, use on seashore lawns. F.B. 494, p. 30. 1912.
seed, German mixed, and impurities. D.B. 692, pp. 15–16, 22–24. 1918.
seeds, and their adulterants. D.B. 692, pp. 15–26. 1918.
velvet, description of grass and its seed. D.B. 692, pp. 4, 11, 21. 1918.
Bentinckia nicobarica, importation and description. No. 51707, B.P.I. Inv. 65, p. 39. 1923.
BENTLEY, H. L.: "Experiments in range improvement in central Texas." B.P.I. Bul. 13, pp. 72. 1902.
BENTLEY, W. D., report of Oklahoma, extension work in agriculture and home economics, 1915. S.R.S. An. Rpt., 1915, Pt. II, pp. 100–106. 1916.

BENTON, HARMON: "A successful southern hay farm." F.B. 312, pp. 15. 1907.
BENTON, T. H. "Soil survey of—
Adair County, Iowa." With others. Soil Sur. Adv. Sh., 1919, pp. 25. 1921; Soils F.O., 1919, pp. 1405–1425. 1925.
Benton County, Iowa." With others. Soil Sur. Adv. Sh., 1921, pp. 30. 1925; Soils F.O., 1921, pp. 1221–1250. 1926.
Bowie County, Texas." With others. Soil Sur. Adv. Sh., 1918, pp. 62. 1921; Soils F.O., 1918, pp. 715–772. 1924.
Clay County, Iowa." With E. H. Smies. Soil Sur. Adv. Sh., 1916, pp. 45. 1918; Soils F.O., 1916, pp. 1833–1873. 1921.
Des Moines County, Iowa." With E. P. Lowe. Soil. Sur. Adv. Sh., 1921, pp. 36. 1925; Soils F.O., 1921, pp. 1091–1126. 1927.
Hardin County, Iowa." With W. W. Strike. Soil Sur. Adv. Sh., 1920, pp. 717–757. 1923; Soils F.O., 1920, pp. 717–757. 1925.
Henry County, Iowa." With A. H. Meyer. Soil Sur. Adv. Sh., 1917, pp. 32. 1919; Soils F.O., 1917, pp. 1655–1683. 1923.
Linn County, Iowa." With others. Soils F. O., 1917, pp. 1685–1724. 1923; Soil Sur. Adv. Sh., 1917, pp. 44. 1920.
Madison County, Iowa." With Hugh B. Woodroffe. Soil Sur. Adv. Sh., 1918, pp. 40. 1921; Soils F.O., 1918, pp. 1065–1100. 1924.
Wright County, Iowa." With C. O. Jaeckel. Soils F.O., 1919, pp. 1579–1616. 1925; Soil Sur. Adv. Sh., 1919, pp. 42. 1922.
Bentonite, use in de-inking newspaper. D.C. 231, p. 31. 1922.
Benzaldehyde—
determination in liqueurs, distilled liquors, and cordials. Chem. Bul. 152, pp. 192–195. 1912.
estimation methods. An. Rpts., 1908, p. 465. 1909; Chem. Rpt., 1908, p. 21. 1908.
oil, adulteration. Chem. N. J. 2377, pp. 2. 1913.
synthetic, substitute for almond extract. Y.B., 1908, p. 342. 1909; Y.B. Sep. 485, p. 342. 1909.
See also Oil, bitter almond.
Benzene—
compounds, toxicity to insects, experiments. J. A.R., vol. 9, pp. 372–380. 1917.
derivatives in soils. J.A.R., vol. 1, pp. 357–363. 1914.
derivatives, toxicity to insects, experiments. J.A.R., vol. 9, pp. 371–381. 1917.
nucleus, conversion into hippuric acid. Chem. Cir. 39, p. 7. 1908.
series, spraying tests as insecticides. D.B. 1160, pp. 6, 8, 9, 12, 14. 1923.
sulphonation studies. An. Rpts., 1919, p. 231. 1920; Chem. Chief Rpt., 1919, p. 21. 1919.
use—
as denaturant for alcohol. F.B. 429, p. 9. 1911.
in—
bedbug eradication, methods. News L., vol. 1, No. 15, p. 4. 1913.
denaturing alcohol. Chem. Bul. 130, pp. 78, 81. 1910.
flea eradication. Ent. Cir. 108, pp. 3–4. 1909.
house-cleaning, precautions. F.B. 1180, pp. 8, 27. 1921.
moth control, precautions. F.B. 1353, p. 27. 1923.
paint, precautions. F.B. 474, pp. 9, 10, 22. 1911.
Benzidine, use in plant culture experiments. Soils Bul. 56, pp. 17, 22. 1909.
Benzine. See Benzene.
Benzoate(s)—
effect on digestion and health, Chem. Bul. 84, Pt. IV, pp. 1043–1294. 1907.
experiments, conclusions. Chem. Cir. 39, pp. 13–15. 1908.
increase in use as preservative. Chem. Cir. 39, p. 1. 1908.
of soda—
use in foods, amendment to F.I.D. Nos. 76 and 89. F.I.D. 104, pp. 3. 1909.
See also Soda benzoate; Sodium benzoate.
Benzoic acid—
and benzoates, effect—
on digestion and health. H. W. Wiley and others. Chem. Bul. 84, Pt. IV, pp. 103–4 1294. 1908.

INDEX TO PUBLICATIONS, 1901–1925   229

Benzoic acid—Continued.
and benzoates, effect—continued.
  upon digestion and health. Chem. Cir. 39, pp. 15. 1908.
  conversion into hippuric acid. Chem. Cir. 39, p. 14. 1908.
  detection in canned meats. Chem. Bul. 13, Pt. X, pp. 1408–1410. 1902.
  determination. Chem. Bul. 122, pp. 68–77. 1909.
  determination in—
    food. Chem. Bul. 107, p. 181. 1907.
    fruits and fruit products, method. Chem. Bul. 66, rev., p. 23. 1905.
    milk. D.B. 1, p. 34. 1913.
    poultry excrement. B.A.I. Bul. 56, p. 84. 1904.
  presence of saccharin and salicylic acid. Chem. Bul. 90, pp. 57, 58–60. 1905.
  urine. Chem. Bul. 84, Pt. IV, pp. 1046–1061. 1908.
dietary experiments, summary of results. H. W. Wiley and others. Chem. Bul. 84, Pt. IV, pp. 1285–1290. 1908.
heat of combustion, determination. B.A.I. Bul. 124, pp. 26–32. 1910.
increase in use as preservative. Chem. Cir. 39, p. 1. 1908.
injury by use as food preservative, conclusions. Chem. Cir. 39, pp. 14, 15. 1908
meat, canned, detection, methods. Chem. Bul. 13, Pt. X, pp. 1408–1410. 1902.
presence in subsoil, method of extraction. J.A.R., vol. 1, pp. 357–358, 362. 1914.
test modification. Chem. Bul. 137, pp. 113–114. 1911.
use as food preservative. Y.B. 1900, p. 558. 1901; Y. B. Sep. 221, p. 558. 1901.
Benzoin—
  citriodorum, importation and description. No. 48699. B.P.I. Inv. 61, p. 38. 1922.
  importation and description. No. 36588, B.P.I. Inv. 37, p. 34. 1916.
  injury by sapsuckers. Biol. Bul. 39, p. 38. 1911.
  odoriferum. See Spicebush.
Benzol—
extraction of corn germs and oil cake. D.B. 1054, pp. 8–10, 17. 1922.
use in denaturing alcohol. Chem. Bul. 130, pp. 83, 161, 162, 163. 1910.
Benzophenol, estimation in saponified cresol solutions. D.B. 1308, pp. 17–20. 1924.
Berberin alkaloidal reactions, notes. Chem. Bul. 150, pp. 36, 39. 1912.
Berberis—
  sp.—
    growing in Alaska. Alaska A.R., 1910, p. 26. 1911.
    injury by sapsuckers. Biol. Bul. 39, p. 51. 1911.
  See also Barberry.
  vulgaris, infection with Puccinia, two species. J.A.R., vol. 22, pp. 152–172. 1921.
Berchemia volubilis, injury by sapsuckers. Biol. Bul. 39, p. 22. 1911.
BERG, W. N.—
"Biochemical comparisons between mature beef and immature veal." J.A.R., vol. 5, No. 15, pp. 667–711. 1916.
"Concentration of symptomatic anthrax (blackleg) toxin." J.A.R., vol. 14, pp. 263–264. 1918.
"Destruction of tetanus antitoxin by chemical agents." With R. A. Kelser. J.A.R., vol 13, pp. 471–495. 1918.
"Factors influencing the change in flavor in storage butter." With others. B.A.I. Bul. 162, p. 69. 1913.
"Immunity studies of anthrax serum." With others. J.A.R., vol. 8, pp. 37–56. 1917.
"The temperature of pasteurization for butter making." With others. B.A.I. An. Rpt., 1910, pp. 307–326. 1912; B.A.I. Cir. 189, p. 20. 1912.
"Transformation of pseudoglobulin into euglobulin." J.A.R., vol. 8, pp. 449–456. 1917.
Bergamot—
oil, from Calabria, Italy. B.P.I. Bul. 160, p. 36. 1909.
oil, with kerosene, use against mosquito bites. Ent. Bul. 88, p. 14. 1910.

Bergamot—Continued.
wild—
  distillation, uses. B.P.I. Bul. 235, p. 8. 1912.
  value as source of carvacrol. B.P.I. Bul. 195, p. 39. 1910.
BERGER, ALWIN, seeds contributed to Bureau of Plant Industry. B.A.I. Bul. 223, pp. 58–62. 1911.
BERGLUND, J. P., originator of Humpback wheat. D.B. 478, p. 1. 1916.
BERGMAN, H. F.: "The relation of water-raking to the keeping quality of cranberries." With Neil E. Stevens. D.B. 960, p. 12. 1921.
BERGER, H. W.: "Manufacture of denatured alcohol." With others. Chem. Bul. 130, p. 166. 1910.
BERGQUIST, S. G.: "Soil survey of St. Joseph County, Michigan." With L. C. Wheeting. Soil Sur. Adv. Sh., 1921, pp. 49–72. 1923.
Bergues cheese. See Cheese, Leyden.
Beriberi—
cause—
  and prevention. D.B. 1138, p. 1. 1923.
  note. An. Rpts., 1914, p. 85. 1914; B.A.I. Chief Rpt., 1914, p. 29. 1914; J.A.R., vol. 10, p. 194. 1917.
caused by diet of polished rice. Chem. S. R. A. 14, p. 11. 1915; O. E. S. Bul. 159, pp. 13–14. 1905
similarity to cottonseed poisoning in pigs. J.A.R., vol. 5, No. 11, pp. 489–493. 1915.
Bering Sea Islands, transportation to, investigations. Off. Rec., vol. 2, No. 3, p. 5. 1923.
Bering Sea Reservation, Alaska, description. Biol. Cir. 71, pp. 2–3. 1910.
Berkefeld filters, description and use in hog cholera studies. B.A.I. Bul. 113, pp. 7–9, 11–14. 1909.
Berkeley, California, agricultural conference on war emergency. An. Rpts., 1917, p. 6. 1918; Sec. A.R. 1917, p. 8. 1917.
Berkshire—
Agricultural Society, Pittsfield, Massachusetts, organization, 1810. Stat. Bul. 102, p. 11. 1913.
hogs. See Hogs.
Berliner Kuhkase. See Cheese, hand.
Bermuda—
grass—
  A. H. Hitchcock. Agros. Cir. 31, p. 6. 1901.
  Samuel M. Tracy. F.B. 814, p. 29. 1917.
  adaptability to sandy land and warm climate. Soils Bul. 75, pp. 16, 18, 52. 1911.
  advantages and disadvantages, eradication methods. News L., vol. 6, No. 16, pp. 1–2. 1918.
  analytical key and description of seedlings. D.B. 461, pp. 8, 24. 1917.
  and burr clover, pasture mixture for South (Butler County, Alabama). Soil Sur. Adv. Sh., 1907, p. 11. 1909. Soils F.O. 1907, p. 443. 1909.
  as a weed, control methods and studies. News L., vol. 2, No. 43, p. 2. 1915.
  basis for permanent pasture, treatment. S. A. Knapp. B.P.I. Doc. 578, p. 4. 1910.
  characters. News L., vol. 2, No. 40, p. 2. 1915.
  comparison with Kentucky bluegrass. F.B. 814, pp. 3, 17. 1917.
  description—
    and characteristics. F.B. 1254, pp. 11–12. 1922.
    distribution, spread, and products injured. F.B. 660, p. 27. 1915.
    history, climatic and soil adaptations, and distribution. F.B. 814, pp. 3–6, 18. 1917.
    value, for feed. Agros. Cir. 31, pp. 1–6. 1901.
    value for hay and pasture in cotton States. F.B. 1125, pp. 5–8. 1919.
  distribution. Y.B., 1923, p. 386. 1924; Y.B. Sept. 895, p. 386. 1924.
  enemy of alfalfa in Hawaii. Hawaii Bul. 23, p. 15. 1911.
  eradication—
    Albert A. Hansen. F.B. 945, p. 12. 1918.
    methods. Agros. Cir. 31, pp. 5–6. 1901; F.B. 814, pp. 18, 19. 1917; F.B. 1125, pp. 7–8. 1920.
    for farm-gully prevention. News L., vol. 6, No. 31, p. 3. 1919.

Bermuda—Continued.
grass—continued.
giant—
description and value. F.B. 814, pp. 7, 19. 1917; F.B. 1125, p. 7. 1920.
growing and forage value, Hawaii. Hawaii A.R., 1914, pp. 18, 38. 1915; Hawaii A.R., 1915, p. 43, 1916.
growing for pasture, Yuma Experiment Farm. D.C. 75, p. 42. 1920.
grazing crop for hogs. F.B. 985, pp. 7, 9, 10, 15, 27. 1918.
growing—
and use. F.B. 814, pp. 1–29. 1917.
for market hay in Cotton Belt. F.B. 677, p. 7. 1915.
Hawaii, composition, uses, and value. Hawaii Bul. 36, pp. 11, 13, 15, 20–21, 39. 1915.
in Guam value as lawn grass. Guam A.R., 1919, p. 25. 1921.
in Texas, Denton County. Soil Sur. Adv. Sh. 1918, p. 10. 1922; Soils F.O., 1918, p. 782. 1924.
Yuma Experiment Farm, 1912. B.P.I. Cir. 126, p. 20. 1913.
growth on old ranges, southwest. B.P.I. Bul. 117, p. 17. 1907.
hardy. F.B. 281, pp. 10–12. 1907.
hog pasture, value. B.P.I. Bul. 111, Pt. IV, p. 17. 1907.
identification, feed value, and danger as a weed. F.B. 945, pp. 4–8. 1918.
importations and description. Nos. 36953, 37508, B.P.I. Inv. 38, pp. 14, 68. 1917.
injury to alfalfa, cotton, and other crops, control methods. News L., vol. 2, No. 43, pp. 1–2. 1915.
leaf spot, occurrence and description, Texas. B.P.I. Bul.226, pp. 50, 111. 1912.
management in Mississippi, Lauderdale County. Soil Sur. Adv. Sh., 1910, p. 21. 1912; Soils F.O., 1910, p. 749. 1912.
objections and means of dissemination. F.B. 945, pp. 7–8. 1918.
occurrence in Guam. Guam A.R., 1913, pp. 15, 16. 1914.
pasture for hogs. F.B. 310, p. 10. 1907.
planting roots and cuttings, practices. F.B. 1125, rev., pp. 5–7. 1920.
propagation methods. News L., vol. 2, No. 43, pp. 1–2. 1915.
purposes for which valuable. F.B. 945, pp. 6–7. 1918.
St. Lucie, description and value for pastures and lawns. F.B. 814, p. 7. 1917.
securing a stand, eradication. F.B. 374, pp. 16–17. 1909.
seed—
description and quantity to sow per acre. F.B. 677, p. 7. 1915.
production. F.B. 945, p. 7. 1918.
production, and propagation methods. F.B. 814, pp. 8–10. 1917.
small areas, eradication method. F.B. 945, pp. 11. 1918.
soil binder, use in Lowndes County, Miss. Soil Sur. Adv. Sh., 1911, p. 16. 1912; Soils F.O., 1911, p. 1094. 1914.
southern pasture, setting. Sec. [Misc.] Special, "Permanent pastures * * *," p. 2. 1914.
technical description, and uses. D.B. 772, pp. 175, 177–179. 1920.
use—
and propagation in South. Y.B., 1913, p. 266. 1914; Y.B. Sep. 627, p. 266. 1914.
and value as pasture plant. News L., vol. 2, No. 43, pp. 1–2. 1915.
as forage crop in cotton region, description. F.B. 509, pp. 7–8. 1912.
as pasture, Calhoun County, Alabama. Soil Sur. Adv. Sh., 1908, pp. 11, 29, 33, 1910; Soils F.O., 1908, pp. 621, 639, 643. 1911.
on lawns. F.B. 494, pp. 30, 31, 32, 34, 35, 40, 42. 1912.
with lespedeza as farm crop. F.B. 441, p. 9. 1911.

Bermuda—Continued.
grass—continued.
value—
comparison with harmfulness. News, L. vol. 2, No. 43, pp. 1–2. 1915.
for hay and for eroded soils. B.P.I. Doc. 578, p. 2. 1910.
for pastures in South. B.A.I. Bul. 131, pp. 12, 20, 23, 37. 1911.
for pasturage, Mississippi, Wilkinson County. Soil Sur. Adv. Sh., 1913, p. 13. 1915; Soils F.O., 1913, p. 961. 1916.
for pastures, propagation methods. News L., vol. 4, No. 50, p. 8. 1917.
in checking soil erosion, Newberry County, S. C. Soil Surv. Adv. Sh., 1918, pp. 23, 25, 29. 1921; Soils F.O., 1918, pp. 395, 397, 401. 1924.
varieties, description, and value comparisons. F.B. 814, pp. 7–8, 19. 1917.
See also Cynodon dactylon.
hay—
labor requirements. D.B. 1181, pp. 7, 28, 61. 1924.
yield and value. F.B. 320, pp. 12–13. 1918.
lily. See Lily, Bermuda; Lily, Easter.
onions. See Onions, Bermuda.
Bermuda Islands—
Mediterranean fruit fly—
distribution and ravages. D.B. 536, p. 6. 1918.
occurrence. D.B. 161, p. 1–8. 1914; Ent. Cir. 160, pp. 5, 8, 11, 17. 1912.
nursery stock inspection, F. H. B. S. R. A. 7, p. 52. 1914; F. H. B. S. R. A. 20, p. 60. 1915; F. H. B. S. R. A. 32, p. 105. 1916.
potatoes, import restrictions. F.H.B.S.R.A. 74, p. 43. 1923.
source of danger to United States from Mediterranean fruit fly, studies. D.B. 161, pp. 6–7, 8. 1915.
"Bernardine" misbranding. Chem. N.J. 1247, p. 3. 1912.
BERRY, E. H.: "Report of the chemical composition of authentic vanilla extracts, together with analytical methods." With A. L. Winton. Chem. Bul. 152, pp. 146–158. 1912.
BERRY, JAMES—
address on former conventions of Weather Bureau officials. W.B. [Misc.], "Proceedings, third convention * * *," pp. 254–259. 1904.
"Proceedings of the second convention of Weather Bureau officials." With W. F. R. Phillips. W. B. Bul. 31, pp. 246. 1902.
review of weather and crop conditions, 1907. Y.B., 1907, pp. 524–541. 1908.
BERRY, SWIFT: "Lumbering in the sugar and yellow pine region of California." D.B. 440, p. 99. 1917.
BERRY, W. G.—
"Coloring matters for foodstuffs and methods for their detection." Chem. Cir. 25, pp. 40. 1905.
report on colors in connection with foodstuffs. Chem. Bul. 81, pp. 13–17. 1904.
Berry(ies)—
adaptability to Portsmouth sandy soil. Soils Cir. 24, p. 10. 1911.
Alaska. O.E.S. Rpt., 1904, pp. 295–296. 1905.
boxes, measurement, standard. F.B. 1196, p. 7. 1921.
buffalo. See Buffalo berry.
bushes, trimming time and methods. News L., vol. 5, No. 52, p. 4. 1918.
canning—
directions. F.B. 839, pp. 19–20, 30. 1917; F.B. 853, pp. 15–16, 28. 1917; S.R.S. Doc. 17, p. 1, 1915.
inspection instructions. D.B. 1084, pp. 20–21. 1922.
standards and directions. B.P.I. Doc. 631, rev., pp. 5, 6. 1915.
containers—
declaration of quantity, Opinion 155. Chem. S.R.A. 16, p. 28. 1916.
quantity declaration. Chem. S.R.A. 13, p. 3. 1915.
standard sizes, act, text and regulations. Sec. Cir. 76, pp. 1–8. 1917.
crates, marking requirements, department ruling. News L., vol. 3, No. 26, p. 4. 1916.

Berry(ies)—Continued.
crops, sharing methods under lease contracts, various States. D.B. 650, p. 12. 1918.
culture. S.R.S. Doc. 93, p. 12. 1919.
drying—
 by artificial heat, details and shrinkage. F.B. 903, pp. 39–43. 1917.
 directions. D.B. 1335, p. 34. 1925; D.C. 3, p. 20. 1919; F.B. 984, pp. 46–47. 1918.
 for winter food. Y.B., 1912, p. 512. 1913; Y.B. Sep. 610, p. 512. 1913.
edible, Athabaska-Mackenzie region. N.A. Fauna 27, 525–527, 528, 529, 530, 532–534. 1908.
fall or spring setting. News L., vol. 6, No. 32, p. 4. 1919.
growers' associations, reports. Rpt. 98, pp. 198–200, 221–224, 227–228, 229. 1913.
growing—
 blackberry, dewberry, and raspberry. S.R.S. Doc. 93, pp. 1–12. 1919.
 in—
  Alaska, Kenai Peninsula region. Soil Sur. Adv. Sh., 1916, pp. 85, 86, 98. 1918; Soils F.O., 1916, pp. 117, 118, 130. 1921.
  California, Healdsburg area. Soil Sur. Adv. Sh., 1915, pp. 11, 13. 1917; Soils F.O., 1915, pp. 2207, 2230. 1919.
  California, Los Angeles area. Soil Sur. Adv. Sh., 1916, pp. 15, 48–69. 1919; Soils F.O., 1916; pp. 2357, 2390–2411. 1921.
  Maryland, Frederick County. Soil Sur. Adv. Sh., 1919, pp. 45, 46. 1922; Soils F.O., 1919, pp. 685, 686. 1925.
  Oregon, Multnomah County. Soil Sur. Adv. Sh., 1919, pp. 52, 67, 94. 1922; Soils F.O., 1919, pp. 52, 67, 94. 1925.
  small home garden. F.B. 818, pp. 44. 1917.
  Utah, yield per acre, prices, marketing. D.B. 117, p. 18. 1914.
  Washington, Benton County. Soil Sur. Adv. Sh., 1916, pp. 13, 17, 18, 47. 1919; Soils F.O., 1916, pp. 2211, 2215, 2216, 2245. 1921.
  Washington, Wenatchee area. Soil Sur. Adv. Sh., 1918, pp. 14, 15, 20. 1922; Soils F.O., 1918, pp. 1554, 1555, 1560. 1924.
shipping, and disease studies. B.P.I. Chief Rpt., 1925, pp. 7–8. 1925.
statistics of day's work in several operations. Y.B., 1922, p. 1072. 1923; Y.B. Sep. 890, p. 1072. 1923.
hybridization experiments in Alsaka. Alaska A.R., 1911, pp. 10–11, 15–16. 1912.
industry, Puyallup Valley, Washington, volume, growth. D.B. 274, pp. 2–5. 1915.
injury by starlings. D.B. 868, p. 29. 1921.
insects, control work. Ent. A.R., 1921, pp. 13–14. 1921.
irrigation methods, Pomona Valley, California. O.E.S. Bul. 236, p. 85. 1911.
jam, recipe. F.B. 853, p. 29. 1917.
marketing—
 bibliography. M.C. 35, p. 38. 1925.
 by parcel post. D.B. 688, pp. 1–15. 1918; F.B. 703, pp. 13–14. 1916.
medicinal, gathering time, care, and packing methods. D.B. 26, pp. 1–2. 1913.
occurrence in Colorado, varieties, description. N.A. Fauna 33, pp. 20, 22, 38, 39, 45, 77, 80, 110, 111, 235, 241–242, 243, 245. 1911.
paste, recipe, and uses. News L., vol. 5, No. 1, p. 8. 1917.
picking while cool, effects of disease resistance. D.B. 830, pp. 2, 6. 1920.
planting distances for different kinds and number per acre. S.R.S. Doc. 93, pp. 4, 6, 8, 10. 1919.
precooling, investigations. An. Rpts., 1923, p. 272. 1924; B.P.I. Chief Rpt., 1923, p. 18. 1923.
preserved, recipe. S.R.S. Doc. 22, rev., pp. 11–12. 1919.
preserves and jam, directions. S.R.S. Doc. 22, pp. 10–11. 1916.
processing, directions and time table. F.B. 1211, pp. 40, 49, 50. 1921.
protection. News L., vol. 6, No. 14, p. 14. 1918.
returns per acre, Washington irrigated land. O.E.S. Bul. 214, p. 22. 1909.
shipment from Puyallup Valley, factors governing. D.B. 274, pp. 1–37. 1915.

Berry(ies)—Continued.
shipments by States, and by stations, 1916. D.B. 667, pp. 9, 99–107. 1918.
stains, removal from textiles. F.B. 861, pp. 14–17. 1917.
study and development. B.P.I. Chief Rpt., 1924, pp. 8–10. 1924.
use in vinegar making. F.B. 1424, p. 4. 1924.
value of partial shade. News L., vol. 6, No. 32, p. 10. 1919.
varieties, growing—
 on Truckee-Carson project. B.P.I. Cir. 78, p. 17. 1911.
 tests, Yuma Experiment Farm, 1916. W.I.A. Cir. 20, pp. 36–37. 1918.
wild—
 honey source, value. Ent. Bul. 75, pp. 91, 93, 94, 95. 1911; Ent. Bul. 75, Pt. VII, pp. 91, 93, 94, 95. 1909.
 use in attracting birds. Y.B., 1909, pp. 186–193, 195. 1910; Y.B. Sep. 504, pp. 186–193, 195. 1910.
Berseem—
 alkali tolerance. F.B. 446, rev., pp. 15, 23. 1920.
 Egyptian agriculture. B.P.I. Bul. 62, pp. 46–49. 1904.
 importations and uses. No. 36966, B.P.I. Inv. 38, p. 15. 1917; No. 38139, B.P.I. Inv. 39, pp. 92–93. 1917; Nos. 47520–47523, 47597, B.P.I. Inv. 59, pp. 26, 37. 1922.
 origin, yield, and value as forage. B.P.I. Bul. 180, p. 28. 1910.
 resistance to alkali, use in reclamation of alkali lands in Egypt. Y.B., 1902, pp. 585–586. 1903.
 soil inoculation, report. F.B. 214, p. 46. 1905.
 the great forage and soiling crop of the Nile Valley. David Fairchild. B.P.I. Bul. 23, pp. 20. 1902.
BERTHAULT, PIERRE: "Potato selection." D.B. 195, pp. 26–27. 1915.
BERTHOLF, L. M., work on bee diseases. D.C. 287, p. 10. 1923.
Bertholletia spp. See Brazil nut.
BESLEY, F. W., address at Forestry Convention on "Patrol." For. [Misc.], "Forest fire protection * * *," pp. 20–22. 1914.
BESLEY, H. J.—
"Acidity as a factor in determining the degree of soundness in corn." With G. H. Baston. D.B. 102, p. 45. 1914.
"Improved apparatus for use in making acidity determination of corn." With G. H. Baston. Sec. Cir. 68, pp. 4. 1916.
"United States grades for grain sorghums." With others. D.C. 245, pp. 8. 1922.
"United States grades for milled rice." With others. D.C. 291, pp. 17. 1923.
"United States grades for rough rice." With others. D.C. 290, pp. 10. 1923.
"United States grades for rye." With others. D.C. 246, pp. 6. 1922.
Besredka's antigen for tuberculosis, preparation and results of tests. J.A.R., vol. 8, pp. 6, 15. 1917.
Bessarabia soils, nitrogen in humus. J.A.R., vol. 5, No. 20, pp. 909, 910. 1916.
BESSEY, E. A.—
explorations for securing rare seeds and plants. B.P.I. Cir. 100, p. 18. 1912.
"Root-knot and its control." B.P.I. Bul. 217, pp. 89. 1911.
"The control of root-knot." With L. P. Byars. F.B. 648, pp. 19. 1915.
Bessey Nursery, irrigation and other practices, capacity. D.B. 479, pp. 2, 35–37, 41, 46, 49, 55, 61, 67, 71, 85. 1917.
Bestill. See Oleander, yellow.
Beta naphthol, use as antiseptic for bee diseases. Ent. Bul. 98, pp. 39, 40, 51. 1912.
Beta vulgaris—
description. D.B. 1345, p. 18. 1925.
See also Beets.
Betaine—
feeding experiments with animals. B.A.I. Bul. 139, p. 29. 1911.
origin, effects on wheat seedlings. Soils Bul. 47, pp. 26, 38. 1907.
soil constituent, wheat-growing tests. Soils Bul. 87, p. 65. 1912.

232 UNITED STATES DEPARTMENT OF AGRICULTURE

Betel—
nut—
Chinese, description. Guam A. R., 1917, p. 44. 1918.
insect pests, list. Sec. [Misc.], "A manual of insects * * *," p. 44. 1917.
use in Guam. Guam A. R. 1911, p. 20. 1912.
palm—
disease similar to bud-rot. B.P.I. Bul. 228, pp. 154–155. 1912.
importations and description. No. 45478, B.P.I. Inv. 52, p. 38. 1922; Nos. 50733, 51127, B.P.I. Inv. 64, pp. 21, 61. 1923.
Bethel, Ellsworth: "Pinon blister rust." With others. J.A.R., vol. 14, pp. 411–424. 1918.
Bethel, Connecticut, community building, description, cost, and uses. F.B. 1274, pp. 25–27. 1922.
Bethel Princess, (horse) pedigree and history. B.A.I. An. Rpts., 1907, pp. 105, 127. 1909; B.A.I. Cir. 137, pp. 105, 127. 1908.
Bethell process, wood preservation. For. Bul. 78, p. 15. 1909.
Bethesda Experiment Station, work—
An. Rpts., 1908, p. 265. 1909; B.A.I. Chief Rpt., 1908, p. 51. 1909.
1909. An. Rpts., 1909, pp. 240–243. 1911; B.A.I. Chief Rpt., 1909, pp. 50–53. 1909.
1910. An. Rpts., 1910, pp. 215, 274–277. 1911; B.A.I. Chief Rpt., 1910, pp. 21, 80–83. 1910.
1911. An. Rpts., 1911, pp. 253–256. 1912; B.A.I. Chief Rpt., 1911, pp. 63–65. 1911.
1912. An. Rpts., 1912, pp. 384–388. 1913; B.A.I. Chief Rpt., 1912, pp. 88–92. 1912.
1913. An. Rpts., 1913, pp. 103–104. 1914; B.A.I. Chief Rpt., 1913, pp. 33–34. 1913.
1914. An. Rpts., 1914, pp. 84, 99–100. 1914; B.A.I. Chief Rpt., 1914, pp. 28, 43–44. 1914.
1915. An. Rpts., 1915, pp. 137–140. 1916; B.A.I. Chief Rpt., 1915, pp. 61–64. 1915.
1916. An. Rpts., 1916, pp. 132–134. 1917; B.A.I. Chief Rpt., 1916, pp. 66–68. 1916.
1917. An. Rpts., 1917, pp. 125–127. 1918; B.A.I. Chief Rpt., 1917, pp. 59–61. 1917.
1918. An. Rpts., 1918, pp. 129–131. 1919; B.A.I. Chief Rpt., 1918, pp. 59–61. 1918.
1919. An. Rpts., 1919, pp. 134–135. 1920; B.A.I. Chief Rpts., 1919, pp. 62–63. 1919.
1920. An. Rpts., 1920, pp. 154–155. 1921; B.A.I. Chief Rpt., 1920, pp. 66–67. 1920.
1921. B.A.I. Chief Rpt., 1921, pp. 56–57. 1921.
1922. An. Rpts., 1922, pp. 159–160. 1923; B.A.I. Chief Rpt., 1922, pp. 61–62. 1922.
1923. An. Rpts., 1923, pp. 253–254. 1923; B.A.I. Chief Rpt., 1923, pp. 55–56. 1923.
1925. B.A.I. Chief Rpt., 1925, p. 40. 1925.
Bethlehem sage. See Spearmint.
Bethroot, habitat, range, description, collection, prices and uses of roots. B.P.I. Bul. 107, p. 20. 1907.
Betony, wood. See Bugleweed; Speedwell, common.
Betoom, importation and description. B.P.I. Inv. 32, No. 34212, p. 24. 1914.
"Better sires," campaign—
competition. Off. Rec., vol. 2, No. 17, p. 3. 1923.
data—
preparation. Off. Rec., vol. 1, No. 3, p. 2. 1922.
request. Off. Rec., vol. 2, No. 24, p. 6. 1923.
exhibits—
at National Dairy Show. D.C. 139, p. 10. 1920.
department. Off. Rec., vol. 1, No. 40, p. 6. 1922.
in Guam. Guam A.R., 1921, p. 31. 1923.
leading counties, list. Off. Rec., vol. 2, No. 31, p. 8. 1923.
progress—
1919. objects and origin. Y.B., 1919, pp. 347–354. 1920; Y.B. Sep. 816, 1919, pp. 347–354. 1920.
1921, in the South. S.R.S. Dir. Rpt., 1921 p. 30. 1921.
1923. An. Rpts., 1923, pp. 47, 200–201. 1923; B.A.I. Chief Rpt., 1923, pp. 2–3. 1923; Sec. A.R., 1923, p. 47. 1923.
1924. Off. Rec., vol. 3, No. 25, p. 3. 1924.
results on animal-production. S.R.S. [Misc.], "Education and research * * *," pp. 6, 15, 17. 1922.

"Better sires," campaign—Continued.
results on livestock industry. Y.B. 1920, pp. 331–338. 1921; Y.B. Sep. 848, pp. 331–338. 1921.
State officials, list. Off. Rec., vol. 1, No. 41, p. 2. 1922.
States enrolling. News L., vol. 7, No. 5, p. 14. 1919.
summary for 1922. Off. Rec., vol. 2, No. 9, p. 7. 1923.
BETTS, H. M. P.—
"How to candle eggs." With others. D.B. 565, pp. 20. 1918.
"How to kill and bleed market poultry." With Mary E. Pennington. Chem. Cir. 61, pp. 15, 1910; Chem. Cir. 61, rev., pp. 12. 1915.
BETTS, H. S.—
"How lumber is graded." D.C. 64, pp. 39. 1920.
"Possibilities of western pines as a source of naval stores." For. Bul. 116, pp. 23. 1921.
"Properties and uses of the southern pines." For. Cir. 164, pp. 30. 1909.
"Strength tests of structural timbers, treated by commercial wood-preserving processes". With J. A. Newlin. D.B. 286, pp. 15. 1915.
"Tests of vehicle and implement woods". With H. B. Holroyd. For. Cir. 142, pp. 29. 1908.
"The naval stores industry." With A. W. Schorger. D.B. 229, pp. 58. 1915.
"The seasoning of wood." D.B. 552, pp. 28. 1917.
"Utilization of California eucalyptus." With C. Stowell Smith. For. Cir. 179, pp. 30. 1910.
"Utilization of the wood of tanbark oak." For. Bul. 75, pp. 24–32. 1911.
"Wood fuel tests." For. Serv. Inv., No. 2, pp. 39–42. 1913.
BETTS, M. C.: "Planning the farmstead." With W. R. Humphries. F.B. 1132, pp. 24. 1920.
BETTS, N. de W.—
"Rocky Mountain mine timbers." D.B. 77, pp. 34. 1914.
"Tests of Rocky Mountain woods for telephone poles." With A. L. Heim. D.B. 67, pp. 28. 1914.
Betula—
medwediewi, importation and description. B.P.I. Inv. 71, No. 55076, p. 20. 1923.
spp.—
injury by—
pith-ray flecks. For. Cir. 215, p. 10. 1913.
sapsuckers. Biol. Bul. 39, pp. 32–33. 1911.
See also Birch.
Betulaceae—
family, characters. For. [Misc.] "Forest trees * * * Pacific * * *", p. 253. 1908.
injury by sapsuckers. Biol. Bul. 39, pp. 31–33, 51, 71. 1911.
Beverage(s)—
adulteration. Chem. Bul. 100, pp. 15–16. 1906.
alcoholic—
content, opinion 267. Chem. S.R.A. 22, p. 90. 1918.
foreign trade practices, manufacture and export. H. W. Wiley. Chem. Bul. 102, pp. 45. 1906.
Japan, preparation and use. O.E.S. Bul. 159, p. 36. 1905.
laws, Roumania, affecting American exports. Chem. Bul. 61, pp. 27–30. 1901.
laws, State, fiscal year, 1907. Chem. Bul. 112, Pt. I, pp. 52, 63, 132. 1908; Chem. Bul. 112, Pt. II, pp. 94–95, 108. 1908.
bottled, labeling regulations. Chem. S.R.A. 28, pp. 37–38. 1923.
composition. O.E.S. Bul. 159, p. 422. 1905.
control work. An. Rpts. 1923, pp. 365, 368. 1924; Chem. Chief Rpt. 1923, pp. 21–24. 1923.
fermented or unfermented, use of term "Sparkling", opinion 223. S.R.A. Chem. 20, p. 63. 1918.
food, studies. O.E.S. Bul. 245, pp. 69, 70. 1912.
fruit juice, labeling, 289. Chem. S.R.A. 23, p. 101. 1918.
home cooking, directions. D.B. 123, pp. 52, 53. 1916.
investigations, program for 1915. Sec. [Misc.], "Program of work in 1915," pp. 201–202. 1914.
Japanese, composition. O.E.S. Bul. 159, p. 44. 1905.

INDEX TO PUBLICATIONS, 1901-1925 233

Beverage(s)—Continued.
  laboratory, Chemistry Bureau, work in 1921. Chem. Rpt., 1921, pp. 12-14. 1921.
  laws, State, 1908. Chem. Bul. 121, pp. 28, 29, 30-35. 1909.
  medicated, investigation. An. Rpts., 1908, pp. 455, 472-473. 1909; Chem. Chief Rpt., 1908, pp. 11, 28-29. 1908.
  milk and other substances, directions. Y.B. 1359, pp. 16-17. 1923.
  nutritive value. Y.B., 1902, p. 404. 1903; Y.B. Sep. 280, p. 404. 1903.
  purity standards. Chem. [Misc.] "Purity of food * * *," pp. 2-3. 1906; Sec. Cir. 136, pp. 19-21. 1919.
  research work. Off. Rec., vol. 1, No. 50, p. 5. 1922.
  skim milk, value. F.B. 413, p. 16. 1910.
  studies by Chemistry Bureau. An. Rpts., 1919, p. 223. 1920; Chem. Chief Rpt. 1919, p. 13. 1919.
  study of juices-for. Off. Rec. vol. 4, No. 42, p. 6. 1925.
  See also Drinks; Soft drinks.
Bewick wren. *See* Wren.
BEXELL, J. A.—
  "A survey of typical cooperative stores in the United States." With others. D.B. 394, p. 32. 1916.
  "A system of accounting for cotton ginneries". With A. V. Swarthout. D.B. 985, pp. 42. 1921.
  "Business practice and accounts for cooperative stores." With W. H. Kerr. D.B. 381, pp. 56. 1916.
BEYER, A. H.—
  "Contribution to the knowledge of *Toxoptera graminum* in the South." With Philip Luginbill. J.A.R., vol. 14, pp. 97-110. 1918.
  "Corn earworm as an enemy of vetch." With Philip Luginbill. F.B. 1206, p. 19. 1921.
  "Garden flea-hopper in alfalfa and its control." D.B. 964, p. 27. 1921.
BEYERINCK, M. W.: Studies on *Bacterium caucasicum*. B.A.I. An. Rpt., 1909, p. 153. 1911. B.A.I. Cir. 171, p. 153. 1911.
Bezembo, Japanese variety, introduction in Hawaii, yield. Hawaii A.R. 1914, pp. 17, 36. 1915.
Bibliography, marketing products. Emily L. Day and others. M.C. 35, p. 56. 1925.
Bicarbonates, Hawaiian soils, effect of heat. Hawaii Bul. 30, pp. 23-24. 1913.
Bichea sp., importation and description. B.P.I. Inv. 63, No. 49863, p. 14. 1923.
BICKELL, CHARLES, method of making phosphoric acid-potash fertilizer. D.B. 143, pp. 2-3. 1914.
BICKNELL, F. W.—
  "Agricultural development in Argentina." Y.B., 1904, pp. 271-285. 1905; Y.B. Sep. 346, pp. 271-285. 1905.
  "Alfalfa and beef production in Argentina." Rpt. 77, p. 32. 1904.
  "Indian corn in Argentina, production and export." Rpt. 75, p. 48. 1903.
  "The animal industry of Argentina." B.A.I. Bul. 48, pp. 72. 1903.
  "Wheat production and farm life in Argentina." Stat. Bul. 27, pp. 100. 1904.
Bick's nerve tonic, misbranding. Chem. N.J. 12662. 1925.
Bicycle ergometer calibration, method and results. O.E.S. Bul. 208, pp. 14-19. 1909.
Bicyclers, mechanical work—
  and efficiency. R.C. Carpenter. O.E.S. Bul. 98, pp. 57-67. 1901.
  effect on food consumption, digestion, and metabolism. W. O. Atwater and H. C. Sherman. O.E.S. Bul. 98, pp. 56. 1901.
Bids, handling household goods. Off. Rec., vol. 3, No. 9, p. 4. 1924.
BIDWELL, G. L.—
  "A physical and chemical study of milo and feterita kernels". With others. D.B. 1129, pp. 8. 1922.
  "A physical and chemical study of the kafir kernel." D.B. 634, pp. 6. 1918.
  "Apple by-products as stock feed." With G. P. Walton. D.B. 1166, pp. 40. 1923.
  "Composition of cotton seed." With Charles F. Creswell. D.B. 948, pp. 221. 1921.

BIDWELL, G. L.—Continued.
  "Salt bushes and their allies in the United States." With E. O. Wooton. D.B. 1345, pp. 40. 1925.
  "Native pasture grasses of the United States." With others. D.B. 201, pp. 52. 1915.
Biennials, relation to annuals and perennials, environment factors. J.A.R., vol. 18, pp. 579-581. 1920.
Big neck—
  calves, investigations. An. Rpt., 1915, p. 120. 1916; B.A.I. Chief Rpt., 1915, p. 44. 1915.
  sheep, cause and treatment. F.B. 1155, pp. 20-21. 1921.
Big nut, synonym of hickory mockernut. For. Bul. 80, p. 21. 1910.
Big-root. *See* Root-knot.
Big tree—
  description—
    characteristics, and reproduction, notes. For. Bul. 98, p. 51. 1911.
    range, occurrence, Pacific slope. For. [Misc.] "Forest trees * * * Pacific * * *," pp. 139-147. 1908.
  grove, Calaveras, acquisition by Government. Y.B., 1909, p. 543. 1909.
  heartwood borer, description and habits. Y.B. 1909, pp. 408-409. 1910; Y.B. Sep. 523, pp. 408-409. 1910.
  injuries by borers. Y.B., 1909, pp. 408-409. 1910; Y.B. Sep. 523, pp. 408-409. 1910.
  injury by sapsuckers. Biol. Bul. 39, p. 26. 1911.
  occurrence, reproduction, and management. For. Silv. Leaf. 19, pp. 5. 1908.
  See also Sequoias.
Big Hatchet Mountains, New Mexico, location, description, and flora. N.A. Fauna 35, pp. 68-69. 1913.
Big Horn River, drainage area. O.E.S. Bul. 205, p. 15. 1909.
Big Lake bird reservation, establishment in Arkansas, 1915. News L., vol. 3, No. 10, p. 6. 1915.
Big Thompson River, irrigation. John E. Field. O.E.S. Bul. 118, pp. 75. 1902.
Bigcone—
  See Pine, Coulter.
  spruce. *See* Spruce, bigcone.
BIGELOW, F. H.—
  "A manual for observers in climatology and evaporation." W.B. [Misc.], "A manual for observers * * *," pp. 106. 1909.
  address on "Mount Weather research observatory." W.B. [Misc.], "Proceedings, third convention * * *," pp. 14-23. 1904.
  address on storms, the countercurrent theory. W.B. [Misc.], "Proceedings, third convention * * *," pp. 79-88. 1904.
  "Eclipse meteorology and allied problems." W.B. Bul. I, pp. 166. 1902.
  "Higher meteorology in the United States Weather Bureau." W.B. Bul. 31, pp. 19-22. 1902.
  "Mountain snowfall observations and evaporation investigations in the United States." Y.B., 1910, pp. 407-412. 1911; Y.B. Sep. 547, pp. 407-412. 1911.
  "Report on the temperatures and vapor tensions of the United States reduced to a homogeneous system of 24 hourly observations for the 33-year interval, 1873-1905." W.B. Bul. S, pp. 302. 1909.
  "The daily normal temperature and the daily normal precipitation of the United States." W.B. Bul. R, pp. 186. 1908.
BIGELOW, W. D.—
  address as President of Association of Official Agricultural Chemists. Chem. Bul. 132, pp. 131-134. 1910.
  "Benzoic acid and benzoates." With others. Chem. Bul. 84, Pt. IV., pp. 1043-1294. 1908.
  "Boric acid and borax." With others. Chem. Bul. 84, Pt. I., pp. 1-477. 1904.
  "Effects of sulphur food preservatives." With others. Chem. Bul. 84, Pt. III, pp. 761-1041. 1907.
  "Exhibit of pure and adulterated foods at Pan American Exposition." Chem. Bul. 63, pp. 7-14. 1901.
  "Food legislation during the year ended June 30. 1906." Chem. Bul. 104, pp. 53. 1906.

234 UNITED STATES DEPARTMENT OF AGRICULTURE

BIGELOW, W. D.—Continued.
"Food legislation during the year ended June 30, 1907." Pts. I–II. Chem. Bul. 112, Pt. I, pp. 155. 1908; Pt. II, pp. 155. 1908.
"Food legislation during the year ended June 30, 1908." With N. A. Parkinson. Chem. Bul. 121, pp. 85. 1909.
"Foods and food adulterants: Preserve meats." With others. Chem. Bul. 13, Pt. X, pp. 1375–1517. 1902.
"Foods and food control." Pts. I–VI. Chem. Bul. 69, Pts. I–V, pp. 1–461. 1902; Pt. VI, pp. 463–548. 1904.
"Foods and food control." Pt. VIII. Chem Bul. 69, rev. Pt. VIII, pp. 639–704. 1906.
"Foods and food control." Pt. IX. With C. H. Greathouse. Chem. Bul. 69, rev., Pt. IX, pp. 705–778. 1906.
"Foods and food control. I. Legislation during the year ended July 1, 1903." Chem. Bul. 83 Pt. I, pp. 157. 1904.
"Foods and food control. II. Legislation during the year ended July 1, 1904." Chem. Bul. 83, Pt. II, pp. 23. 1904.
"Formaldehyde." With others. Chem. Bul. 84, Pt. V, pp. 1295–1500. 1908.
"Influence of food preservatives and artificial colors on digestion and health." With others. Chem. Bul. 84, Pt. II, pp. 479–759. 1906.
"Meat extracts and similar preparations, including studies of the methods of analysis employed." With F. C. Cook. Chem. Bul. 114, pp. 56. 1908.
"Proceedings of 29th annual convention of Association of Official Agricultural Chemists, 1912." With G. O. Savage. Chem. Bul. 162, pp. 245. 1913.
"Provisional methods for the analysis of foods adopted by the Association of Official Agricultural Chemists, Nov. 14–16, 1901." With H. W. Wiley. Chem. Bul. 65, pp. 169. 1902.
"Pure-food laws of European countries affecting American exports." Chem. Bul. 61, pp. 39. 1901.
report on—
food adulteration. Chem. Bul. 73, pp. 47–48. 1903; Chem. Bul. 81, p. 13. 1904.
food and drug inspection and legislation, 1907. Y.B., 1907, pp. 553–556. 1908.
liquor and food adulteration. Chem. Bul. 67, pp. 75–77. 1902.
preservatives. Chem. Bul. 116, pp. 12–16. 1908; Chem. Bul. 117, pp. 12–16. 1908.
separation of meat proteids. Chem. Bul. 81, pp. 104–110. 1904.
"Salicylic acid and salicylates." With others. Chem. Bul. 84, Pt. II, pp. 479–760. 1906.
"Some forms of food adulteration and simple methods for their detection." With Burton J. Howard. Chem. Bul. 100, pp. 59. 1906.
"Studies on apples: I. Storage, respiration, and growth. II. Insoluble carbohydrates or marc. III. Microscopic and macroscopic examinations of apple starch." With others. Chem. Bul. 94, pp. 100. 1905.
"Studies on peaches." With H. C. Gore. Chem. Bul. 97, pp. 32. 1905.
study of canning problems. D.B. 1022, pp. 2, 3, 4. 1922.
"The detail of the enforcement of the food and drugs act." Y.B., 1907, pp. 321–328. 1908; Y.B. Sep. 451, pp. 321–328. 1908.
"The use and abuse of food preservatives." Y.B., 1900, pp. 551–560. 1901; Y.B. Sep. 221, pp. 551–560. 1901.
"Tin salts in canned foods of low acid content, with special reference to canned shrimp." With R. F. Bacon. Chem. Cir. 79, pp. 6. 1911.
BIGGAR, H. H.—
"Early vigor of maize plants and yield of grain as influenced by the corn root, stalk, and ear rot diseases." With others. J.A.R., vol. 23, pp. 583–630. 1923.
"The old and the new in corn culture." Y.B., 1918, pp. 123–136. 1919; Y.B. Sep. 776, pp. 3–6. 1919.
"The rag-doll seed tester." With others. F.B. 948, pp. 7. 1918.
Bighead—
goat, description and control methods. F.B. 1203, p. 25. 1921.

Bighead—Continued.
horse, causes, symptoms and treatment. B.A.I. An. Rpt., 1906, pp. 173–179. 1908.
names applied to disease. B.A.I. An. Rpt., 1906, p. 173. 1908; B.A.I. Cir. 121, p. 1. 1908.
osteoporosis, horse. John R. Mohler. B.A.I. Cir. 121, pp. 8. 1908.
sheep—
1901, status. B.A.I. An. Rpt., 1901, p. 230. 1902.
cause—
and control. An. Rpts., 1913, p. 96. 1914; B.A.I. Chief Rpt., 1913, p. 26. 1913.
symptoms, treatment and prevention. F.B. 1155, pp. 21–24. 1921.
study. An. Rpts., 1910, pp. 259–260. 1911; B.A.I. Chief Rpt., 1910, pp. 65–66. 1910.
See also Osteoporosis.
Bighorn. See Sheep, mountain.
Bignai, Philippine fruit, importation and description. No. 34690, B.P.I. Inv. 33, p. 47. 1915; No. 36088, B.P.I. Inv. 36, p. 51. 1915.
Bignonia unguis-cati, importation, description. No. 43769, B.P.I. Inv. 49, p. 75. 1921.
Bignoniaceae—
family, characters. For. [Misc.], "Forest trees * * * Pacific," p. 429. 1908.
injury by sapmakers. Biol. Bul. 39, pp. 50, 89. 1911.
Porto Rico, description and uses. D.B. 354, pp. 95–96. 1916.
Bikukulla—
canadensis. See Squirrel-corn.
cucullaria. See Dutchman's breeches.
spp., chemical examination, and alkaloids found. J.A.R., vol. 23, pp. 71–76. 1923.
Bilberry—
bear's. See Bearberry.
importation and uses. No. 42640, B.P.I. Inv. 47, p. 42. 1920.
occurrence in Colorado, description. N.A. Fauna 33, p. 243. 1911.
red—
importation and description. No. 50344, B.P.I. Inv. 63, p. 59. 1923.
Wyoming, distribution and growth. N.A. Fauna 42, p. 76. 1917.
small-leaved, occurrence in Colorado, description. N.A. Fauna 33, p. 243. 1911.
Bilharziasis, treatment, experiments. B.A.I. Bul. 153, pp. 14, 15. 1912.
Bilious fever, horse. See Influenza.
Bill of lading, form used by cooperative buyers Y.B., 1915, pp. 78–79. 1916; Y.B. Sep. 658, pp. 78–79. 1916.
Bill of lading, standard, for motor-truck transportation, sample. D.B. 770, p. 28. 1919.
Billbug(s)—
clay-colored, description, life history, destructiveness, and control. F.B. 1003, pp. 10–11, 21. 1919.
control—
methods. Ent. Bul. 95, Pt. II, p. 22. 1911.
cultural methods. F.B. 1003, pp. 20–23. 1919.
on cereal and forage crops. A. F. Satterthwait. F.B. 1003, pp. 23. 1919.
corn. See Bud worm; Root-worm.
description—
and life history, in general and by species. F.B. 1003, pp. 6–19. 1919.
life history, and control. F.B. 835, rev., pp. 18–19. 1920.
destruction by starlings. D.B. 868, pp. 17, 42, 63. 1921.
detection and control in corn land. F.B. 835, p. 18. 1917.
food plants. Ent. Bul. 95, Pt. II, pp. 15–16. 1911.
history, distribution, and habits of various kinds. Ent. Bul. 95, Pt. II, pp. 12–16, 22. 1911.
injury(ies) to—
corn—
control studies. Y.B., 1921, pp. 186–187. 1922; Y.B. Sep. 872, pp. 186–187. 1922.
description and life history. F.B. 1003, p. 17. 1919.
crops. News L., vol. 6, No. 44, p. 16. 1919.
late plowing for control. News L., vol. 4, No. 45, p. 5. 1917.
little, description, life history, and injury to crops. F.B. 1003, p. 19. 1919.

INDEX TO PUBLICATIONS, 1901-1925 235

Billbug(s)—Continued.
  necessity for destruction of weed roosting places. News L., vol. 5, No. 14, p. 2. 1917.
  southern corn. See Curlew bug.
  true, description and life history. F.B. 1003, pp. 15-16. 1919.
  y-marked, description, life history, and distribution. F.B. 1003, p. 18. 1919.
Billets, wood—
  measurement, uses, and weight per cubic foot. F.B. 715, pp. 4, 5-6. 1916.
  uses, grades, and weights. F.B. 1210, pp. 7-9. 1921.
Billing, railroad, in potato marketing. F.B. 753, pp. 36-37. 1916.
Billings, F. H.: "Results of the artificial use of the white-fungus disease in Kansas, with notes on approved methods of fighting chinch bugs." With Glenn A. Pressley. Ent. Bul. 107, pp. 58. 1911.
Billings, G. A.—
  "Farm management practice of Chester County, Pennsylvania." With others. D. B. 341, pp. 99. 1916.
  "Seasonal distribution of farm labor in Chester County, Pennsylvania." D.B. 528, pp. 29. 1917.
  "Systems of farming in central New Jersey. With J. C. Beavers. F.B. 472, pp. 40. 1911.
Billings region, description, area, and development of sugar-beet industry. D.B. 735, pp. 3-5. 1918.
Bills of fare—
  for children. F.B. 717, pp. 1-5. 1916.
  for a week, suggestions. F.B. 1313, pp. 15-16. 1923.
  See also Menu.
Bimichaelia spp., description. Rpt. 108, p. 21. 1915.
Binder(s)—
  care and repair, with details of adjustment. F.B. 947, pp. 9-15. 1918.
  corn—
    advantage(s)—
      objections, cost of operating. F.B. 313, p. 13. 1907.
      over hand methods of cutting corn for fodder or silage. F.B. 992, pp. 6-9. 1918.
    age limit, and use cost. News L., vol. 3, No. 13, p. 7. 1915.
    capacity, and community use. News L., vol. 5, No. 51, p. 6. 1918.
    cost per acre and per day, relation to service, table. D.B., 338, pp. 20-21. 1916.
    description and capacity. News L., vol. 4, No. 9, pp. 6-7. 1916.
    description—
      average days' work, and use cost. F.B., 992, pp. 3-5. 1918.
      illustrations and cost. O.E.S. Bul. 173, pp. 16-25, 46. 1907.
    history, description, cost and efficiency. F.B. 303, pp. 10-19. 1907.
    objections and difficulties. F.B. 992, pp. 5-6. 1918.
    use—
      by three men and three teams. News L., vol. 6, No. 6, p. 9. 1918
      directions. S.R.S. Syl. 21, p. 18. 1916.
  grain—
    and corn, cost per acre and per day, relation to service, tables. D.B. 338, pp. 20-21. 1916.
    description and use in harvesting sweet-clover seed. F.B. 836, pp. 7-15. 1917.
    repair costs, by types. D.B. 627, p. 9. 1918.
  road—
    investigations, Roads Office, 1909, machine for testing. An. Rpts., 1909, pp. 712, 735. 1910; Rds. Chief Rpt., 1909, pp. 4, 27. 1909.
    research by Roads Bureau. An. Rpts., 1918, p. 385. 1919; Rds. Chief Rpt., 1918, p. 13. 1918.
    use in construction of macadam roads. F.B. 338, pp. 19, 27. 1908.
  twine—
    as factor in wheat profits. Y.B., 1921, pp. 117, 120. 1922; Y.B. Sep. 873, pp. 117, 120. 1922.
    fiber(s)—
      cooperative work. An. Rpts., 1923, pp. 52, 267-268. 1924; B. P.I. Chief Rpt., 1923, pp. 13-14. 1923; Sec. A.R., 1923, p. 52. 1923.

Binder(s)—Continued.
  twine—continued.
    fiber(s)—continued.
      for, supply problem. Y.B., 1923, pp. 49-50. 1924.
      production in Philippines. Off. Rec., vol. 1, No. 25, p. 2. 1922.
      production in the Philippine Islands. H. T. Edwards. D.B. 930, p. 19. 1920.
      sisal and henequen. H. T. Edwards. Y.B., 1918, pp. 357-366. 1919; Y.B. Sep. 790, pp. 12. 1919.
      sources and conditions. D.B. 1278, pp. 1-2. 1924.
      work of 1918. An. Rpts., 1918, p. 161. 1918. B.P.I. Chief Rpt., 1918, p. 27. 1918.
      work of 1919. An. Rpts., 1919, pp. 154-156. 1920; B.P.I. Chief Rpt., 1919, pp. 18-20. 1919.
      world production, distribution per cent of henequen. News L., vol. 3, No. 30, pp. 1-2. 1916.
    use in cutting green wheat for hay. F.B. 769, p. 10. 1916.
    value, life, repair cost, and acreage worked. D.B. 757, pp. 17, 20. 1919.
    wheat—
      labor cost, prices, acreage, life, and repairs. D.B. 627, pp. 3-6. 1918.
    use in—
      harvesting. Y.B., 1919, pp. 142, 143, 149. 1920; Y.B. Sep. 804, pp. 142, 143, 149. 1920.
      threshing. Y.B., 1921, pp. 92, 93. 1922; Y.B. Sep. 873, pp. 92, 93. 1922.
    wear estimate. D.B. 214, p. 9. 1915.
Binders (plants), sand dunes, useful plants in Palestine. B.P.I. Bul. 180, pp. 35-36. 1910.
Bindweed(s)—
  blue. See Bittersweet.
  characters. News L., vol. 2, No. 40, p. 2. 1915.
  description, distribution, spread, and products injured. F.B. 660, p. 27. 1915.
  destruction by birds. Boil. Bul. 15, p. 27. 1901.
  eradication, methods. H. R. Cox. F.B. 368, pp. 18. 1909.
  growing, experiments with daylight of different lengths. J.A.R., vol. 23, p. 877. 1923.
  injurious effects, distribution and characteristics. F.B. 368, pp. 5-10. 1909.
  injury to hemp, note. Y.B., 1913, p. 317. 1914; Y.B. Sep. 628, p. 317. 1914.
  seeds, description—
    F.B. 428, pp. 19, 21. 1911.
    adulterants of vetch seed. F.B. 515, p. 26. 1912.
Binghamton, New York, milk supply, statistics, officials, prices, and laws. B.A.I. Bul. 46, pp. 36, 132. 1903.
Bins—
  concrete, reinforcing calculations and directions. D.B. 789, pp. 6-14. 1919.
  grain—
    air-tight, need in South. F.B. 1156, pp. 18-19. 1920.
    concrete and steel, testing. An. Rpts., 1919, p. 443. 1920; Mkts. Chief Rpt., 1919, p. 17. 1919.
    estimation of quantity. E. N. Bates. Cir. 41, pp. 8. 1925.
    portable, needs for bulk handling of grain, description. F.B. 1290, pp. 18-19. 1922.
    potato storage, size and ventilation. F.B. 847, pp. 7-8. 1917.
    storage, grain pressures, notes. W. J. Larkin, jr. D.B. 789, pp. 16. 1919.
  sweet potato—
    description. F.B. 520, pp. 7, 8. 1912.
    storage, construction. F.B. 1267, pp. 8-9. 1922; F.B. 1442, pp. 7-8, 17. 1925.
Binus, H. O., description of Angora goat. B.A.I. Bul. 27, pp. 14, 25. 1906.
Biochemical research work and laboratories, Chemistry Bureau. Chem. Chief Rpt., 1921, pp. 3, 14-30. 1921.
Bioclimatic law—
  relation to Hessian fly control. F.B. 1083, pp. 11-12. 1920.
  research work—
    1919. Ent. A.R,. 1919, pp. 13-14. 1919; An. Rpts., 1919, pp. 259-260. 1920.

36167°—32——16

236 UNITED STATES DEPARTMENT OF AGRICULTURE

Bioclimatic law—Continued.
  research work—continued.
    1919. Ent. A.R., 1921, p. 29. 1921.
BIOLETTI, F. T.: "Little-leaf of the vine." With Leon Bonnet. J.A.R., vol. 8, pp. 381-398. 1917.
Biological—
  investigations—
    Alaska and Yukon Territory. Wilfred H. Osgood. N.A. Fauna 30, pp. 96. 1909.
    Athabaska-Mackenzie region. E. A. Preble. N.A. Fauna 27, pp. 574. 1908.
    Hudson Bay region. E. A. Preble. N.A. Fauna 22, pp. 140. 1902.
    program for 1915. Sec. [Misc.], "Program of work * * * 1915," pp. 251-252. 1914.
    phenomena, measurement by logarithmic curves. J.A.R., vol 3, pp. 411-412. 1915.
  products—
    examination. An. Rpts., 1919, p. 122. 1920; B.A.I. Chief Rpt., 1919, p. 50. 1919.
    preparation and sale regulations. B.A.I.O. 196, amdt. 1, pp. 2. 1915; B.A.I.O. 265, pp. 34. 1919.
    supervision. An. Rpts., 1916, p. 118. 1917; B.A.I. Chief Rpt., 1916, p. 52. 1916.
    testing. An. Rpts., 1923, pp. 242, 252-253. 1923; B.A.I. Chief Rpt., 1923, pp. 44, 54-55. 1923.
    veterinary, licenses for manufacture. See *Bureau of Animal Industry Service and Regulatory Announcements.*
    See also Serums; Veterinary supplies; Viruses.
  reconnaissance, Alaska Peninsula, base. Wilfred H. Osgood. N.A. Fauna 24, pp. 86. 1904.
  studies, green clover worm. Chas. C. Hill. D.B. 1336, pp. 20. 1925.
  survey(s)—
    field work. An. Rpts., 1918, pp. 265-266. 1919; Biol. Chief Rpt., 1918, pp. 9-10. 1918.
    of—
      Alabama. Arthur H. Howell. N.A. Fauna, 45, pp. 88. 1921.
      States, progress, 1919. An. Rpts., 1919, p. 289. 1920; Biol. Chief Rpt., 1919, p. 15. 1919.
Biological Survey Bureau—
  addition to collection of birds' stomachs. Off. Rec. vol. 1, No. 2, p. 2. 1922.
  administration of Alaska game laws. Off. Rec., vol. 3, No. 32, p. 5. 1924.
  aid in—
    bird banding. Off. Rec., vol. 3, No. 24, p. 5. 1924.
    control of—
      animal pests. News L., vol. 3, No. 22, p. 8. 1916.
      animal pests. News L., vol. 5, No. 22, p. 6. 1917.
    fur farming. Off. Rec., vol. 1, No. 26, p. 2. 1922.
    gopher eradication. Off. Rec., vol. 3, No. 50, p. 5. 1924.
    prairie-dog destruction. Off. Rec., vol. 1, No. 6, p. 7. 1922.
    rodent control. An. Rpts., 1916, p. 19. 1917; News L., vol. 6, No. 28, p. 10. 1919; Off. Rec., vol. 1, No. 14, p. 3. 1922; Sec. A.R., 1916, p. 21. 1916; Y.B., 1917, pp. 227-231. 1918; Y.B. Sep. 724, pp. 5-9. 1918.
  appropriations—
    1910, and disbursements. Accts. Chief. Rpt., 1910, pp. 9, 54. 1910; An. Rpts., 1910, pp. 571, 616. 1911.
    1911, and disbursements. Accts. Chief Rpt. 1911, pp. 13, 20, 26. 1911; An. Rpts., 1911, pp. 559, 566, 572. 1912.
    1912, and disbursements. Accts. Chief Rpt., 1912, pp. 14, 27, 32. 1912; An. Rpts., 1912, pp. 690, 703, 708. 1913.
    1915. Sol. [Misc.], "Laws applicable * * *," 2d Supp., pp. 75-76. 1915; 3d Supp., pp. 42-44. 1915.
    1916. Sol. [Misc.], "Laws applicable * * *," 4th Supp. pp. 54-56. 1917.
  cooperation with Forest Service and others. An. Rpts., 1922, pp. 333, 336, 338, 343, 344. 1922; Biol. Chief Rpt., 1922, pp. 3, 6, 8, 13, 14. 1922.
  enforcement of migratory-bird act. Y.B., 1918, pp. 315-316. 1919; Y.B. Sep. 785, pp. 15-16. 1919.

Biological Survey Bureau—Continued.
  field—
    stations, list. Off. Rec., vol. 3, No. 9, p. 3. 1924.
    work of the assistants, directions. Vernon Bailey. Biol. Sur. [Misc.] "Directions for field * * *," pp. 10. 1912.
  fur farm in New York. Off. Rec., vol. 2, No. 36, p. 5. 1923.
  hunters, work, results. Y.B., 1920, pp. 290, 292, 296-300. 1921; Y.B. Sep. 845, pp. 290, 292, 296-300. 1921.
  interest in Zoological Park. Off. Rec., vol. 3, No. 48, p. 3. 1924.
  law enforcement. Sol. [Misc.], "Laws applicable * * *," 2d Supp., pp. 73-75, 75-76. 1915.
  laws relating to, August 28, 1912-March 1, 1913. Sol. [Misc.], "Laws applicable * * *," 1st Supp. pp. 40-43. 1913.
  motion-picture films, list., D.C. 114, p. 22. 1920; D.C. 233, p. 13. 1922.
  ornithology, game protection, studies. Rpt. 73, pp. 69-71. 1902.
  publications list—
    1906. Biol. Cir. 51, pp. 6. 1906.
    1907. An. Rpts., 1907, pp. 499, 570, 611. 1908; Biol. Cir. 60, pp. 8. 1907.
    1908. An. Rpts., 1908, pp. 655-666, 686. 1909; Ed. An. Rpt., 1908, pp. 33-34, 64. 1908.
    1909. An. Rpts., 1909, pp. 623-625. 1910; Ed. An. Rpt., 1909, pp. 35-37. 1909.
    1910. An. Rpts., 1910, pp. 561, 662-663. 1911; Biol. Chief Rpt., 1910, p. 15. 1910; Ed. An. Rpt., 1910, pp. 46-47. 1910.
    1911. Pub. Cir. 8, pp. 3. 1911.
    1915, available for general distribution. Biol. [Misc.], "List of publications * * *," pp. 3. 1915.
  relating to food of birds. W. L. McAtee. Biol. Bul. 43, pp. 69. 1913.
  relations outside department. Off. Rec., vol. 2, No., 23, p. 2. 1923.
  report of chief—
    1901. T. S. Palmer. An. Rpts. 1901, pp. 151-162. 1901; Biol. Chief Rpt., 1901, pp. 151-162. 1901.
    1902. C. Hart Merriam. An. Rpts., 1902, pp. 209-218. 1902; Biol. Chief Rpt., 1902, pp. 10. 1902.
    1903. C. Hart Merriam. An. Rpts., 1903, pp. 483-495. 1903; Biol. Chief Rpt., 1903, pp. 483-495. 1903.
    1904. C. Hart Merriam. An. Rpts., 1904, pp. 291-305. 1905; Biol. Chief Rpt. 1904, pp. 15. 1904.
    1905. C. Hart Merriam. An. Rpts., 1905, pp. 303-315. 1906; Biol. Chief Rpt., 1905, pp. 13. 1905.
    1906. C. Hart Merriam. An. Rpts., 1906, pp. 397-418. 1907; Biol. Chief Rpt., 1906, pp. 24. 1906.
    1907. C. Hart Merriam. An. Rpts., 1907, pp. 485-505. 1908; Biol. Chief Rpt., 1907, pp. 23. 1907.
    1908. C. Hart Merriam. An. Rpts., 1908, pp. 571-590. 1909; Biol. Chief Rpt., 1908, pp. 22. 1908.
    1909. C. Hart Merriam. An. Rpts., 1909, pp. 533-551. 1910; Biol. Chief Rpt., 1909, pp. 23. 1909.
    1910. Henry W. Henshaw. An. Rpts. 1910 pp. 549-565. 1911; Biol. Chief Rpt., 1910, pp. 19, 1910.
    1911. Henry W. Henshaw. An. Rpts., 1911, pp. 533-550. 1912; Biol. Chief Rpt., 1911, pp. 20. 1911.
    1912. Henry W. Henshaw. An. Rpts., 1912, pp. 659-680. 1913; Biol. Chief Rpt., 1912, pp. 24. 1912.
    1913. Henry W. Henshaw. An. Rpts., 1913, pp. 223-236. 1914; Biol. Chief Rpt., 1913, pp. 14. 1913.
    1914. Henry W. Henshaw. An. Rpts., 1914, pp. 199-210. 1914; Biol. Chief Rpt., 1914, pp. 12. 1914.
    1915. Henry W. Henshaw. An. Rpts., 1915, pp. 233-247. 1916; Biol. Chief Rpt., 1915, pp. 15. 1915.

INDEX TO PUBLICATIONS, 1901-1925 237

Biological Survey Bureau—Continued.
  field—continued.
    1916. Henry W. Henshaw. An. Rpts., 1916, pp. 237-252. 1917; Biol. Chief Rpt., 1916, pp. 16. 1916.
    1917. E. W. Nelson. An. Rpts., 1917, pp. 251-266. 1918; Biol. Chief Rpt., 1917, pp. 16. 1917.
    1918. E. W. Nelson. An. Rpts., 1918, pp. 257-275. 1919; Biol. Chief Rpt., 1918, pp. 19. 1918.
    1919. E. W. Nelson. An. Rpts., 1919, pp. 275-298. 1920; Biol. Chief Rpt., 1919, pp. 24. 1919.
    1920. E. W. Nelson. An. Rpts., 1920, pp. 343-378. 1921; Biol. Chief Rpt., 1920, pp. 36. 1920.
    1921. E. W. Nelson. Biol. Chief Rpt., 1921, pp. 34. 1921.
    1922. E. W. Nelson. An. Rpts., 1922, pp. 331-369. 1923; Biol. Chief Rpt., 1922, pp. 39. 1922.
    1923. E. W. Nelson. An. Rpts., 1923, pp. 419-462. 1924; Biol. Chief Rpt., 1923, pp. 44. 1923.
    1924. E. W. Nelson. Biol. Chief Rpt., 1924, pp. 39. 1924.
    1925. E. W. Nelson. Biol. Chief Rpt., 1925, pp. 28. 1925.
  researches on bird life, banding, and trapping. D.C. 170, pp. 2-4. 1921.
  supervision of fur-bearing animals, Alaska. D.C. 168, pp. 5, 6, 10, 12. 1921.
  work—
    in Alaska. Off. Rec., vol. 2, No. 26, p. 1. 1923.
    in control of stock killing on ranges, examples. News L., vol. 6, No. 12, p. 5. 1918.
    on game birds. Off. Rec., vol. 2, No. 36, p. 8. 1923.
    See also Biological Survey Bureau, report of chief.
  workers in foreign countries. Off. Rec., vol. 1, No. 14, pp. 1, 3. 1922.
Biology—
  generic type designation, historical review. B.A.I. Bul. 79, pp. 12-24. 1905.
  modern, effect on agriculture of the future. B.P.I. Cir. 116, p. 10. 1913.
  study, value of nematodes. Y.B., 1914, p. 463. 1915; Y.B. Sep. 652, p. 463. 1915.
  Texas-fever tick, studies. H. W. Graybill. B.A.I. Bul. 130, pp. 42. 1911.
Bionomics—
  chinch bug. Philip Luginbill. D.B. 1016, pp. 14. 1922.
  ticks, North American, and life history. W. A. Hooker and others. Ent. Bul. 106, pp. 239. 1912.
Biotite—
  constituent of road building rocks. D.B. 348, pp. 6, 7. 1916.
  description and composition. Rds. Bul. 37, pp. 16, 19. 1911.
  potash availability in soils, and effect of lime. J.A.R., vol. 14, pp. 297-313. 1918.
Birch—
  Alaska, abundance and value. Soil Sur. Adv. Sh., 1914, pp. 20, 23, 47, 52, 56, 66, 69, 71. 1915; Soils F.O., 1914, pp. 54, 57, 81, 86, 90, 100, 103, 105. 1919.
  bark beetle, injury to birch trees. For. Cir. 163, p. 21. 1909.
  borer, bronze—
    description, habits, and control. F.B. 1169, pp. 59-61. 1921; Y.B., 1909, p. 403. 1910; Y.B. Sep., p. 403. 1910.
    injury to poplar trees. F.B. 1154, p. 9. 1920.
  cambium miner, life history. J.A.R., vol. 1, pp. 471-474. 1914.
  canoe, uses and importance, Athabaska-Mackenzie region. N.A. Fauna 27, p. 523. 1908.
  characters—
    and description. F.B. 468, p. 41. 1911.
    species on Pacific slope. For. [Misc.], "Forest trees * * * Pacific, * * *," pp. 254-262. 1908.
  consumption, amount, and value. For. Bul. 106, pp. 7, 10, 15, 16, 22, 38. 1912.
  control in cranberry fields. F.B. 1401, p. 11. 1924.

Birch—Continued.
  description, key and list of common kinds. D.C. 223, pp. 5, 9. 1922.
  distillation yields of alcohol and acetic acid. D.B. 129, pp. 7-16. 1914; D.B. 508, pp. 3-4, 7. 1917.
  distribution. N.A. Fauna 21, pp. 53, 55. 1901; N.A. Fauna 22, pp. 12, 13, 16, 17. 1902; N.A. Fauna 22, pp. 12, 13, 16, 17. 1902; N.A. Fauna 24, pp. 11, 16, 17, 37, 66. 1904.
  dwarf, description and occurrence—
    in Colorado. N.A. Fauna 33, p. 227. 1911.
    peat bogs, Eastern Puget Sound Basin, Washington. Soil Sur. Adv. Sh., 1909, pp. 31, 35. 1911; Soils F.O., 1909, pp. 1543, 1547. 1912.
  fungous diseases attacking. B.P.I. Bul. 149, pp. 19, 24, 26, 39, 42-44, 47, 49-52, 57, 76. 1909.
  growth and value, Alaska, Kenai Peninsula region. Soil Sur. Adv. Sh., 1916, pp. 37, 38, 39, 69, 82, 85. 1919; Soils F.O. 1916, pp. 68, 69, 70, 101, 113, 117. 1921.
  importations and description. No. 37037, B.P.I. Inv. 38, p. 23. 1917; No. 38287, B.P.I. Inv. 39, pp. 7, 113. 1917; No. 39002, B.P.I. Inv. 40, p. 56. 1917; No. 39489, B.P.I. Inv. 41, p. 34. 1917; Nos. 39989-39991, 40154-40155, B.P.I. Inv. 42, pp. 48, 75. 1918; Nos. 50654, 40565, B.P.I. Inv. 43, p. 46. 1918; Nos. 43827, 43828, B.P.I. Inv. 49, p. 83. 1921; No. 44382, B.P.I. Inv. 50, p. 65. 1922; No. 47647, B.P.I. Inv. 59, pp. 7, 42. 1922; No. 49520, B.P.I. Inv. 62, pp. 3, 60. 1923; Nos. 50289-50290, B.P.I. Inv. 63, pp. 50-51. 1923; No. 52933, B.P.I. Inv. 67, p. 16. 1923.
  injury—
    gipsy moth. D.B. 204, pp. 14, 15. 1915.
    pith-ray flecks. For. Cir. 215, p. 10. 1913.
    sapsuckers. Biol. Bul. 39, pp. 32, 51, 71. 1911.
  insect pests, list. F.B. 1169, p. 95. 1921; Sec. [Misc.], "A manual of insects * * *," pp. 45-47. 1917.
  Kenai, description, range, and occurrence on Pacific slope. For. [Misc.], "Forest trees * * * Pacific * * *," pp. 256-258. 1908.
  lumber production and value—
    1905, by States. For. Bul. 74, p. 24. 1907.
    1906, by States. For. Cir. 122, p. 22. 1907.
    1913, species and range. D.B. 232, pp. 18-19, 31-32. 1915.
    1916, by States. D.B. 673, pp. 25-26. 1918.
    1917, by States. D.B. 768, pp. 24, 38, 42. 1919.
    1918, by States. D.B. 845, pp. 28, 45. 1920.
    1920, by States. D.B. 1119, p. 48. 1923; Y.B., 1922, p. 925. 1923.
  mountain, description, range, occurrence, Pacific slope. For. [Misc.], "Forest trees for Pacific * * *," pp. 260-262. 1908.
  New England, uses in manufactures. For. Cir. 168, pp. 12-13. 1909.
  northern forests, characteristics, volume. D.B. 285, pp. 6-24, 28-33, 47-49, 64, 67-68. 1915.
  occurrence in—
    Alaska. D.B. 50, p. 8. 1914; N.A. Fauna 30, p. 12. 1909.
    Colorado, description. N.A. Fauna 33, pp. 226-227. 1911.
  oil—
    adulteration and misbranding. See *Indexes, Notices of Judgment, in bound volumes and in separates published as supplements to Chemistry Service and Regulatory Announcements.*
    and wintergreen, adulteration, court decisions. An Rpts., 1920, p. 262. 1921.
    substitution for oil of wintergreen. Chem. Chief Rpt., 1909, p. 22. 1909; An. Rpts., 1909, p. 432. 1910; Y.B., 1908, p. 341. 1909; Y.B. Sep. 485, p. 341. 1909.
    sweet, distillation and value. B.P.I. Bul. 195, pp. 37-38. 1910.
  paper—
    annual cut and exports. For. Cir. 163, pp. 5-9. 1909.
    description, requirements, enemies, growth and reproduction. For. Cir. 163, pp. 15-23. 1909.
    in the Northeast. S. T. Dana. For. Cir. 163, pp. 37. 1909.
    lumbering methods and cost. For. Cir. 163, pp. 23-27. 1909.
    occurrence, reproduction, and management. For. Silv. Leaf. 38, pp. 7. 1908.

Birch—Continued.
  paper—continued.
    volume and yield tables. For Cir. 163, pp. 30–37. 1909.
    preservation, characteristics, and results of treatment. D.B. 606, pp. 20, 23, 28, 30, 31. 1918.
    preservative treatment, results. F.B. 744, pp. 17, 25, 28. 1916.
    production, 1899–1914, and estimates, 1915. D.B. 506, pp. 13–15, 25. 1917.
  properties—
    comparison with black walnut, and prices. D.B. 909, pp. 5, 41, 69. 1921.
    supply and uses. D.B.12, pp. 11–32. 1913.
  quantity used in manufacture of wooden products. D.B. 605, p. 9. 1918.
  river, cambium miner. J.A.R. vol. 1, pp. 471–474. 1914.
  Rocky Mountain, occurrence in Colorado and description. N.A. Fauna 33, pp. 226–227. 1911.
  seed, description, and germination. For. Cir. 163, p. 22. 1909.
  spacing in forest planting and seed per acre. F.B. 1177, rev. p. 22. 1920.
  stumpage value, 1907. For. Cir. 122, p. 39. 1907.
  sweet—
    distillation B.P.I. Bul. 235, pp. 7, 8. 1912; For. Cir. 114, p. 4. 1907.
    names, range, description, bark, prices and uses. B.P.I. Bul. 139, pp. 16–18. 1909.
  tea, mountain, medicinal, misbranding. Chem. N.J. 4387, pp. 588–589. 1916.
  tests for mechanical properties, results. D.B. 556, pp. 28–29, 38. 1917; D.B. 676, p. 15. 1919.
  type of peat material. D.B. 802, pp. 20, 36. 1919.
  use as substitute for mahogany, identification key, and description. D.B. 1050, pp. 1, 4, 14. 1922.
  use in wood paving, comparative value. For. Cir. 194, pp. 4, 5, 6, 7, 11. 1912.
  volume tables, and growth rate. For. Bul. 36, pp. 115–117, 188, 193, 195. 1910.
  western—
    description, range, occurrence, Pacific slope. For [Misc.], "Forest trees * * * Pacific * * *," pp. 254–256. 1908.
    soil requirements and indications, Eastern Puget Sound Basin, Washington. Soil Sur. Adv. Sh., 1909, p. 35. 1911; Soils F.O., 1909, p. 1547. 1912.
  white—
    Alaska, conditions. For. Bul. 81, pp. 17–18, 20 1910.
    description, range, occurrence, Pacific slope. For. [Misc.], "Forest trees for * * *," pp. 258–260. 1908.
    grinder runs, table. D.B. 343, p. 118. 1916.
    quality tests, table. D.B. 343, p. 144. 1916.
    testing for pulp manufacture. D.B. 343, pp. 46–47, 48, 49, 50, 52, 55. 1916.
  wood—
    structure, comparison with sycamore. D.B. 884 pp. 4–5. 1920.
    use in manufacture of firearms. D.B. 909, p. 69. 1921.
  Wyoming, distribution and growth. N. A. Fauna 42, pp. 63–64. 1917.
  yellow, grades and amounts sawed, with value tables. For. Bul. 73, pp. 25, 28, 29. 1906.
BIRCKNER, VICTOR: "Simple method for measuring the acidity of cereal products; its application to sulphured and unsulphured oats." J.A.R., vol. 18, pp. 33–49. 1919.
BIRD, H. S.—
  "Lining and loading cars of potatoes for protection from cold." With A. M. Grimes. Mkts. Doc. 17, pp. 26. 1918.
  "Loading American grapes." With A. M. Grimes. Mkts. Doc. 14, pp. 28. 1918.
  "The handling and storage of apples in the Pacific Northwest," With others. D.B. 587, pp. 32. 1917.
Bird(s)—
  abundance of certain species. D.B. 1165, pp. 21–23. 1923.
  Alabama—
    conditions, extract from speech of Judge Clayton. D.C. 182, pp. 1–3. 1921.
    life zones, lists, N.A. Fauna 45, pp. 10, 12–13. 1921.

Bird(s)—Continued.
  Alaska, east central, species description, N.A. Fauna 30, pp. 33–44. 1909.
  Peninsula, base, descriptive list. N.A. Fuana 24, pp. 51–81. 1904.
  and game, protection, directory of officials, and organizations. T. S. Palmer. Biol. [Misc.], "Directory of officials * * *" pp. 16. 1914; Biol. Cir. 50, pp. 16. 1905.
  Arkansas, list of species. Arthur H. Howell. Biol. Bul. 38, pp. 100. 1911.
  association, directory. F.M. [Misc.], "Directory of American * * *," pp. 68–69. 1920.
  Athabaska-Mackenzie region. N.A. Fauna 27, pp. 251–500. 1908.
  attraction—
    by plants, with notes on useful plants for various localities. Y.B., 1909, pp. 185–196. 1910; Y.B. Sep. 504, pp. 185–196. 1910.
    information. An. Rpts., 1917, pp. 256–257. 1917; Biol. Chief Rpt., 1917, pp. 6–7. 1917.
  methods—
    for East Central States. W. L. McAtee. F.B. 912, pp. 15. 1918.
    for Middle Atlantic States. W. L. McAtee. F.B. 844, pp. 16. 1917.
    for northeastern United States. W. L. McAtee. F.B. 621, pp. 15. 1914; F.B. 621, rev., pp. 16. 1921.
    in Northwestern United States. W. L. McAtee. F.B. 760, pp. 12. 1916.
    to farms. An. Rpts., 1908, p. 578. 1909; Biol. Chief Rpt., 1908, p. 10. 1908; F.B. 1239, pp. 3–13. 1921; Y.B., 1907, p. 177. 1908; Y.B. Sep. 443; p. 177. 1908.
    to homes. Biol. Chief Rpt., 1915, p. 6. 1915; An. Rpt., 1915, p. 238. 1916; News L., vol. 4, No. 16, p. 3. 1916. News L., vol. 4, No. 28, p. 2. 1917. News L., vol. 4, No. 30, p. 2. 1917.
    to orchards and farms. An. Rpts., 1910, p. 126. 1911; Sec. A.R., 1910, p. 126. 1910; Y.B. 1910, p. 125. 1911.
    to reservations, public and semipublic. W. L. McAtee. D.B. 715, pp. 13. 1918.
  banded—
    recovery in various countries. Off. Rec., vol. 3, No. 42, p. 3. 1924.
    releasing after handling. D.C. 170, p. 17. 1921.
    returns, 1920 to 1923. Frederick C. Lincoln. D.B. 1268, pp. 56. 1924.
  Banding Association, American, organization. D.C. 170, p. 2. 1921.
  banding—
    collaboration and permits. Off. Rec. vol. 1, No. 26, p. 8. 1922.
    history and objects. D.C. 170, pp. 2–4, 19. 1921.
    in Utah, migration records and returns. D.B. 1145, pp. 1–16. 1923.
    instructions. Frederick C. Lincoln. D.C. 170; pp. 19. 1921; Misc. Cir. 18, pp. 28. 1924.
  work—
    data on migration, habits. Biol. Rpt. 1924, pp. 20–23. 1924.
    progress. An. Rpts., 1923, p 441. 1924; Biol. Chief Rpt., 1923, p. 23. 1923; Off. Rec., vol. 2, No. 26, p. 5. 1923; Off. Rec., vol. 2, No. 40, p. 6. 1923; Off. Rec., vol. 3, No. 2, p. 2. 1924; Off. Rec., vol. 3, No. 24, p. 5. 1924.
  along Yukon River, Alaska. Off. Rec., vol. 3, No. 19, p. 2. 1924.
  bands—
    description and attaching to birds. D C. 170, pp. 15–17. 1921; M.C. 18, p. 19. 1924.
    holders. M.C. 18, p. 21. 1924.
  baths, description and importance. F.B 621, pp. 3, 4. 1914.
  beneficial, habits. Ent Bul 58; p. 86. 1910; F.B. 506, pp. 6, 7, 11, 19, 21, 23, 24, 26, 28, 29, 32, 35. 1912.
  boll-weevil eating. Arthur H. Howell. Biol. Bul. 25, pp. 22. 1906.
  breeding—
    Arkansas, lower Austral zone and upper Austral zone, lists. Biol. Bul. 38, p. 8. 1911.
    in Colorado, species, distribution, etc. N.A. Fauna 33, pp. 20, 23, 24–25, 29, 37–38, 44, 48, 50–51. 1911.
    in New Mexico, different life zones, lists. N.A. Fauna 35, pp. 19, 28, 33, 44, 48, 50, 52. 1913.

Bird(s)—Continued.
 breeding—continued.
  places, provision for. F.B. 621, rev., pp. 4-5. 1921; F.B. 760, pp. 2-3. 1916; F.B. 844, pp. 4-5. 1917; F.B. 912, pp. 4-5. 1918.
 cage—
  care and breeding, investigations. An. Rpts., 1917, p. 257. 1918; Biol. Chief Rpt., 1917, p. 7. 1917.
  importations. 1906, species and countries. Y.B. 1906, pp. 168-179. 1907; Y.B. sep. 414, pp. 168-179. 1907.
  laws, United States and Canada. Biol. Bul. 12, rev., pp. 44-46. 1902.
  traffic—
   extent and possibilities. An. Rpts., 1907, pp. 98, 101, 494. 1908; Sec. A.R., 1907, pp. 96, 100. 1907; Rpt. 85, pp. 71-73. 1907; Y.B. 1907, pp. 96, 99. 1908.
   of the United States. Henry Oldys. Y.B., 1906, pp. 165-180. 1907; Y.B. Sep. 414, pp. 105-180. 1907.
 captive, laws—
  United States and Canada. Biol. Bul. 12, rev., pp. 44-46. 1902.
  governing disposal. F.B. 1010, pp. 44-47. 1918.
 carriers of—
  apple bitter-rot. D.B. 684, pp. 3, 23. 1918.
  chestnut-bark disease, studies. An. Rpts. 1912. pp. 663-664. 1913; Biol. Chief Rpt. 1912, pp. 7-8. 1912; F.B. 467, pp. 9, 24. 1911.
  chestnut-blight fungus. J.A.R. vol. 2, pp. 405-422. 1914.
  corn pollen. B.P.I. Bul. 184, p. 16. 1910.
  hog cholera. News L. vol. 6, No. 52, p. 13. 1919.
  seed on Laysan Island. Biol. Bul. 42, p. 11. 1912.
  seeds. Y.B. 1911, pp. 156-157. 1912; Y.B. Sep. 557, pp. 156-157. 1912.
  wheat nematodes. J.A.R. vol. 27, pp. 944-945. 1924.
 census—
  1914, northeastern United States, distribution, area, purpose. D.B. 187, pp. 4-11. 1915.
  instructions for taking. Biol. Doc. 103, pp. 3. 1916.
  instructions for taking. Off. Rec., vol. 2, No. 15, p. 3. 1923.
  purpose and methods. May Thacher Cooke. D.C. 261, pp. 4. 1923.
  United States. Wells W. Cooke. D.B. 187, pp. 11. 1915.
  work. Biol. Rpt., 1924, p. 21. 1924.
 collection—
  for scientific purposes, regulations. Biol. Bul. 12, rev., pp. 46-50. 1902; Biol. S.R.A. 21; pp. 2. 1918.
  on bird reservation for use of department. Biol. S.R.A. 8, p. 1. 1916.
 colonization habits. F.B. 609, pp. 18-19. 1914.
 commerce, interstate. James Wilson. Biol. Cir. 38. Pp. 3. 1902.
 common—
  game, acquatic and rapacious, relation to man. W. L. McAtee and F. E. L. Beal. F.B. 497, pp. 30. 1912.
  of southeastern States, relation to agriculture, teaching by use of F.B. 755. E. A. Miller. S.R.S. [Misc.], "How teachers may use * * *," pp. 2. 1917.
 conditions—
  in Alaska. D.C. 225, p. 5. 1922.
  on game and bird refuges. Biol. Chief Rpt., 1923, pp. 34-37. 1923; An. Rpts., 1923, pp. 452-455. 1924.
 conservation and wild animals. Edward A. Goldman. Y.B. 1920, pp. 159-174. 1921; Y.B. Sep. 836, pp. 159-174. 1921.
 "cooperative protection" on forest ranges. Reg. G-28. For. [Misc.], "Use book, 1921," pp. 69-70. 1922.
 count—
  1915, pairs on average-sized farms. News L., vol. 4, No. 19, p. 2. 1916.
  and banding work, 1921. Biol. Chief Rpt., 1921, pp. 17-18. 1921.

Bird(s)—Continued.
 count—continued.
  and banding work. 1922. An. Rpts., 1922, pp. 350-351. 1923; Biol. Chief Rpt., 1922, pp. 20-21. 1922.
  second annual report in the United States. Wells W. Cooke. D.B. 396, pp. 20. 1916.
 counting—
  instructions: E. W. Nelson. Biol. Doc. 106, pp. 2. 1917.
  under various conditions, directions. D.C. 261, pp. 2-4. 1923.
 danger of extinction, discussion. Y.B. 1902, pp. 206-209. 1903; Y.B. Sep. 263, pp. 206-209. 1903.
 day, observance in public schools. Biol. Bul. 12, rev., pp. 67-68, 134-136. 1902.
 decrease in 1918, causes. D.B. 1165, pp. 28-31. 1923.
 depredations—
  causes, protective measures. Biol. Bul. 30, pp. 8, 10. 1907.
  control. Y.B. 1918, pp. 314-315. 1919; Y.B. Sep. 785, pp. 14-15. 1919.
 destruction—
  by light-houses. News L., vol. 4, No. 11, p. 4. 1916.
  by storms during migration. Y.B. 1910, pp. 382, 384, 386. 1911; Y.B. Sep. 545, pp. 382, 384, 386. 1911.
  of cotton boll weevil in winter. Arthur H. Howell. Biol. Cir. 64, pp. 5. 1908.
 destructive to—
  alfalfa weevil. Biol. Chief Rpt., 1912, p. 7. 1912; An. Rpts., 1912, p. 663. 1913.
  alfalfa weevil. An. Rpts., 1913, pp. 225-226. 1914; Biol. Chief Rpt., 1913, pp. 3-4. 1913.
  boll-weevil. An. Rpts., 1908, pp. 118, 576. 1909; Biol. Bul. 22, p. 16. 1905; Biol. Chief Rpt., 1908, p. 8. 1908; Ent. Bul. 74, p 22. 1907; F.B. 1262, p. 14. 1922.
  codling moth. Y.B., 1907, p. 443. 1908; Y.B. Sep. 460, p. 443. 1908.
  false wireworms, list. Ent. Bul. 95, Pt. V, pp. 76, 78, 84-85. 1912.
  forest beetles. Ent. Bul. 83, Pt. I, pp. 27, 35. 1909.
  forest insects. Ent. Cir. 129, p. 9. 1910.
  white grubs. F.B. 543, pp. 13-14. 1913.
  wireworms. D.B. 156, pp. 25-27. 1915.
 disease(s)—
  caused by protozoan parasites. B.A.I. Cir. 194, pp. 470, 471, 474, 480, 482, 488, 489, 491. 1912; B.A.I. An. Rpt., 1910, pp. 470, 471, 474, 480, 488, 489, 491. 1912.
  control in canaries. F.B. 1327, pp. 17-20. 1923.
  spreading. F.B. 755, pp. 18, 38-39. 1916.
  treatment in care of canaries. F.B. 770, pp. 19-20. 1916.
 distributors of mistletoe seed. B.P.I. Bul. 166, pp. 11-12, 21. 1910.
 domestic, traffic. Y.B., 1906, p. 166. 1907; Y.B. Sep. 414, p. 166. 1907.
 eaters of cotton boll weevil. Arthur H. Howell. Biol. Bul. 25, p. 22. 1906.
 economic value to farmer. F.B. 609, pp. 1-3, 16, 17. 1914; F.B. 1456, pp. 3-4. 1925.
 enemies of—
  alfalfa weevil. Ent. Bul. 112, pp. 40-41. 1912.
  army worm, list. F.B. 731, p. 9. 1916.
  beet leaf-beetles. D.B. 892, pp. 18-19. 1920.
  billbugs. F.B. 1003, p. 20. 1919.
  boll weevil. Ent. Bul. 114, pp. 145-146. 1912; F.B. 755, pp. 2, 3, 11, 15, 16, 29, 37. 1916.
  cabbage flea-beetle. D.B. 902, p. 14. 1920.
  cabbage worms. F.B. 766, p. 9. 1916.
  Calosoma beetles. D.B. 417, p. 11. 1917.
  cankerworms. D.B. 1238, pp. 29-30. 1924.
  catalpa sphinx. Ent. Cir. 96, p. 6. 1907.
  cattle ticks. Ent. Bul. 72, pp. 37, 39. 1902.
  chinch bug. F.B. 657, p. 10. 1915.
  cicada. Ent. Bul. 71, pp. 13, 104, 128, 138-139. 1907.
  clover-leaf curculio. F.B. 649, p. 7. 1915.
  clover-leaf weevil, list. D.B. 922, p. 17. 1920.
  codling moth. W. L. McAtee. Y.B., 1911, pp. 237-246. 1912; Y.B. Sep. 564, 1911, pp. 237-246. 1912.

Bird(s)—Continued.
enemies of—continued.
corn borer. F.B. 1294, p. 27. 1922.
corn earworm. F.B. 1206, p. 13. 1921; F.B. 1310, p. 12. 1923.
corn rootworm. D.B. 5, p. 9. 1913; D.B. 8, p. 6. 1913.
corn stalk-beetle. D.B. 1267, p. 29. 1924.
false wireworm. J.A.R., vol. 26, No. 11, p. 562. 1923.
field mice. F.B. 670, p. 9. 1915.
flea-beetles, list. D.B. 901, p. 22. 1920.
fruit-tree leaf-roller, list. Ent. Bul. 116, Pt. V, p. 102. 1912.
grasshoppers. Ent. Cir. 84, p. 4. 1907; F.B. 691, rev., p. 10. 1920; F.B. 747, pp. 11–12. 1916.
injurious insects in southeastern States. F.B. 755, pp. 2–37. 1916.
injurious insects, value to farming. An. Rpts. 1912, pp. 81–82, 175. 1913; Y.B., 1912, pp. 81–82, 175. 1913; Sec. A. R., 1912, pp. 81–82, 175. 1912.
insect pests. An. Rpts., 1920, p. 360. 1921; F.B. 908, p. 61. 1918.
leafhoppers, list, and results of examination. Ent. Bul. 108, pp. 22–31. 1912.
mice. F.B. 1397. p. 13. 1924.
mole crickets. P.R. Bul. 23, pp. 18–19. 1918.
plant-bugs injurious to cotton. Ent. Bul. 86, p. 66. 1910.
plum curculio. Ent. Bul. 103, p. 154. 1912.
range caterpillar. Ent. Bul. 85, Pt. V, p. 93. 1910.
rice water-weevil. Ent. Cir. 152, p. 12. 1912.
roundheaded apple-tree borer. F.B. 675, p. 11. 1915.
southern corn rootworm, list. F.B. 950, p. 8. 1918.
striped cucumber beetle, list. F.B. 1322, p. 7. 1923.
sugar-beet wireworms, list. Ent. Bul. 123, pp. 46–47. 1914.
tent caterpillar. F.B. 662, p. 8. 1915.
termites or "white ants," list. D.B. 333, p. 9. 1916.
tobacco flea beetle. F.B. 1352, p. 5. 1923.
white grubs. F.B. 940, p. 12. 1918.
wireworms. F.B. 725, p. 10. 1916.
eye parasites, nematodes infestations. B.A.I. Bul. 60, pp. 45–50. 1904.
factor in spread of barberry seed. D.C. 188, pp. 19–21. 1921.
farm relations to, seasonal suggestions for each month. F.B. 1202, pp. 4–49. 1921.
feeding—
as attraction to home grounds. News L., vol. 4, No. 16, p. 3. 1916.
devices and kinds of food. F.B. 621, pp. 4–6. 1914; F.B. 621, rev., pp. 6–15. 1921.
of young, observations. Biol. Bul. 30, pp. 61, 90. 1907.
on agricultural ants. Ent. Cir. 148, p. 6. 1912.
on alfalfa hopper, list. J.A.R. vol. 3, No. 4, p. 360. 1915.
on avocados. D.B. 743, p. 5. 1919.
on boll weevil, list, and stomach examinations. Ent. Bul. 114, pp. 145–146. 1912.
on chinch bugs, list. Ent. Cir. 113, p. 10. 1909.
on clover-root curculio. Ent. Bul. 85, p. 37. 1911.
on grasshoppers. F.B. 637, p. 4. 1915.
on mice, lists and habits. Biol. Bul. 31, pp. 42–53. 1907.
on mosquitoes. An. Rpts., 1908, p. 577. 1909; Biol. Chief Rpt., 1908, p. 9. 1908.
on New Mexico range caterpillar, list. Ent. Bul. 85, p. 93. 1911.
on rabbits, list. Y.B., 1907, p. 336. 1908; Y.B. Sep. 452, p. 336. 1908.
on scale insects. Y.B., 1906, pp. 189–198. 907; Y.B. Sep. 416, pp. 189–198. 1907.
on spring grain aphid or green bug. Ent. Bul. 110, p. 135. 1912.
on ticks, list. Ent. Bul. 106, pp. 42–43. 1912.
on tipulid larvae, list. Ent. Bul. 85, Pt. VII, pp. 129–130. 1910; Ent. Bul. 85, pp. 129–130. 1911.
on weevils, distribution in Utah, and habits. D.B. 107, pp. 3–57. 1914.

Bird(s)—Continued.
fifty common, of farm and orchard. F.B. 513. pp. 31. 1913.
fish-eating, control An. Rpts., 1920, p. 358. 1921; Biol. Chief Rpt., 1925, pp. 12–13. 1925.
flight, endurance tests, and distances. Y.B., 1914, pp. 286, 287, 289. 1915. Y.B. Sep. 642, pp. 286, 287, 289. 1915.
flying, endurance, and speed. News L., vol. 2, No. 41, pp. 5, 8. 1915; News L., vol. 2, No. 42, pp. 3, 5. 1915.
food—
and shelter, as attractions to farm homes. News L., vol. 4, No. 18, pp. 1–2. 1916.
constituents, investigation methods, classification. Biol. Bul. 15, pp. 7–18. 1901.
determination by stomach examinations. Biol. Bul. 12, rev., p. 76. 1902.
habits—
as winter visitants. Ira N. Gabrielson. D.B. 1249, pp. 32. 1924.
investigations. Biol. Bul. 15, p. 11. 1901.
list of department publications. D.B. 862, pp. 67, 68. 1920.
of American phalaropes, avocets, and stilts. Alexander Wetmore. D.B. 1359, pp. 20. 1925.
of grosbeaks. W. L. McAtee. Biol. Bul. 32, pp. 92. 1908.
usefulness to farmers. News L., vol. 2, No. 29, p. 4. 1915.
in forest, farm, and garden. F. E. L. Beal and W. L. McAtee. F.B. 506, pp. 35. 1912.
indication of beneficial or injurious character of birds, investigations. News L., vol. 2, No. 43, p. 2. 1915.
of robins and bluebirds. D.B. 171, pp. 31. 1915.
papers by members of Biological Survey, list and index. W. L. McAtee. Biol. Bul. 43, pp. 69. 1913.
plants desirable for different localities. Y.B., 1909, pp. 185–196. 1910; Y.B. Sep. 504, pp. 185, 196. 1910.
shelter, description, location. F.B. 609, pp. 16–18. 1914.
studies, by examination of stomachs. D.B. 171, pp. 5–31. 1915.
supply—
artificial and natural. F.B. 844, pp. 5–13. 1917; F.B. 912, pp. 6–13. 1918.
Northwestern States. F.B. 760, pp. 4–11. 1916.
value of wild rice. D.C. 229, pp. 3, 15–16. 1922.
foreign—
colonization, difficulties. Y.B., 1909, pp. 249–250, 257. 1910. Y.B. Sep. 510, pp. 249–250, 257. 1910.
enemies of codling moth. Y.B., 1911, pp. 244–245. 1912; Y.B. Sep. 564, pp. 244–245. 1912.
importations—
1909. Biol. Cir. 73, p. 11. 1910.
1910. Biol. Cir. 80, pp. 23–24. 1911.
traffic. Y.B. 1906, pp. 168–171. 1907; Y.B. Sep. 414. pp. 168–171. 1907.
fruit(s)—
attractive to, seasons, Northwestern States. F.B. 760, pp. 9–11. 1916.
eating—
feeding methods. F.B. 760, pp. 8–11. 1916.
plants for attracting, seasons and list. F.B. 621, pp. 8–14. 1914.
plants furnishing food supply. F.B. 844, pp. 9–15. 1917.
supply of fruits, and fruiting season. F.B. 621, rev., pp. 10–15. 1921.
injury, control, value of mulberry as decoy tree. Biol. Bul. 32, pp. 63–66. 1908.
game—
advice to sportsmen for conservation, game law provisions. News L., vol. 5, No. 38, p. 2. 1918.
Alaska conditions and hunting regulations. 1915. Sec. [Misc.], "Report of the Governor * * *, 1915," pp. 1, 3, 14. 1916.
and—
eggs, for propagation, importation regulations. James Wilson. Biol. Cir. 37, pp. 2. 1902.
eggs, importation for propagation. T.S. Palmer and Henry Oldys. F.B. 197, pp. 30. 1904.

Bird(s)—Continued.
game—continued.
and—continued.
insectivorous, daily closed season, proposed. Biol. S.R.A. 14, p. 1. 1917.
migratory, legislation, 1918. F.B. 1010, pp. 4-5. 1918.
nongame, Sandhill region, Nebraska, description. D.B. 794, pp. 12-35. 1920.
song, importations in 1914. News L., vol. 4, No. 18, p. 4. 1916.
bag limits and export restrictions. Y.B., 1918, p. 311. 1919; Y.B. Sep. 785, p. 11. 1919.
bag limits under treaty act, regulations. Biol. S.R.A. 23, p. 9. 1918.
breeding for profit. D.B. 1049, pp. 43-44. 1922.
breeding for table use. D.B. 467, pp. 7, 27. 1916.
closed season, in certain zones, regulations. Biol. S.R.A. 9, pp. 2, 3-4. 1916; Biol. S.R.A. 20, pp. 2-3. 1918.
conditions—
1907. Y.B., 1907, p. 594. 1908; Y.B. Sep. 469. p, 594. 1908.
1908. Y.B., 1908, p. 582. 1909; Y.B. Sep. 500, p. 582. 1909.
1909. Biol Cir. 73, pp. 6-7. 1910.
1910. statistics. Biol. Cir. 80, pp. 13-16. 1911.
in Alaska, Kenai Peninsula. Soil Sur. Adv. Sh., 1916, pp. 123-124. 1918; Soils, F.O., 1916, pp. 155-156. 1921.
decrease, causes, danger of extermination. Y.B., 1914, pp. 279, 281-283, 284, 287, 289, 290. 1915. Y.B. Sep. 642, pp. 279, 281-283, 284, 287, 289, 290. 1915.
definitions, and species sometimes considered as game. Biol. Bul. 12, rev., pp. 20-22. 1902.
destruction by cats, control by legislation. News L., vol. 5, No. 16, p. 8. 1917.
distribution and migration. D.B. 128, pp. 1-50. 1914; Rpt. 83, p. 69. 1906.
early abundance and recent decrease. Y.B., 1910, pp. 243-245, 248, 252, 253. 1911; Y.B. Sep. 533, pp. 243-245, 248, 252, 253. 1911.
egg importation prohibited. Sol. [Misc.], "Laws applicable * * *," 2d sup., p. 74. 1915.
eggs for propagation, importation regulations. Biol., S.R.A. 54, pp. 2. 1923.
farming. Y.B., 1918, pp. 313-314. 1919; Y.B. Sep. 785, pp. 13-14. 1919.
Federal hunting laws. For. [Misc.], "Trespass on national * * *," pp. 10-12, 24-26, 40, 42, 43, 44. 1922.
feeding grounds, surveys. Biol. Chief Rpt., 1924, p. 18. 1924.
for propagation, foreign and domestic importations. An. Rpts., 1906, p. 407. 1907; Biol. Chief Rpt., 1906, p. 13. 1906.
hunting seasons. Off. Rec., vol. 4, No. 36, p. 3. 1925.
importation, and cage, 1907. Y.B., 1907, p. 596. 1908; Y.B. Sep. 469, p. 596. 1908.
importation of eggs for propagation, regulations. James Wilson. Biol. Cir. 37, p. 2. 1902.
improving coverts, lists of plants desirable. D.B. 715, pp. 4-5. 1918.
in Alaska—
conditions. D. C. 260, pp. 3-4. 1923.
habits, distribution, need of protection. Y.B., 1907, pp. 481-482. 1908; Y.B. Sep. 462, pp. 481-482. 1908.
open season desirable. Biol. Cir. 77, pp. 3-4. 1911.
information from hunters. News L., vol. 6, No. 48, p. 7. 1919.
introduction and propagation, State experiments. F.B. 197, pp. 17-21. 1904.
kinds imported. F.B. 197, pp. 10-15. 1904.
Lacey Act for restoration and protection. Y.B., 1900, p. 46. 1901.
laws. See Game laws.
legislation, new, 1920. F.B. 1138; pp. 5-6, 55-60 1920.
migratory—
decrease in 75 years. News L., vol. 3, No. 6, pp. 2-3. 1915.
definitions. Biol. S.R.A. 9, pp. 1-2. 1916.
local names. W. L. McAtee. M.C. 13, p. 95. 1923.

Bird(s)—Continued.
game—continued.
migratory—continued.
open season, bag limits, and shipment. Biol. S.R.A., 25, pp. 1-2. 1918; News L., vol. 6, No. 13, p. 8. 1918.
protection, regulations under treaty act. Biol. S.R.A. 23, pp. 7-12. 1918; Biol. S.R.A. 27, pp. 6-11. 1919.
number imported and countries from which imported. F.B. 197, pp. 22-26. 1904.
possession and sale, right of State to regulate, history, and decisions. Biol. Cir. 67, pp. 8-12. 1908.
protection, Alaska, Yukon Delta Reservation. Biol. S.R.A. 6, p. 1. 1915.
protection, exceptions. Biol. Bul. 12, rev., pp. 38-42. 1902.
relation of skunks. F.B. 587, p. 9. 1914.
season changes in 1919. F.B. 1077, pp. 4-5. 1919.
shipment, Federal laws. Biol. Doc. 107, p. 2. 1917.
traffic restrictions. Y.B., 1918, pp. 310, 311, 313. 1919; Y.B. Sep. 785, pp. 10, 11, 13. 1919.
two vanishing. A. K. Fisher. Y.B., 1901, pp. 447-458. 1902; Y.B. Sep. 247, pp. 447-458. 1902.
upland—
legislation, 1921. F.B. 1235, p. 4. 1921.
plants for food and coverts. Y.B., 1909, p. 194. 1910; Y.B. Sep. 504, p. 194. 1910.
See also Game.
geographic distribution, study by Biological Survey. An. Rpts., 1907, pp. 490-492. 1908.
harmful to orchards. Y.B., 1900, p. 302. 1901.
handling for banding and examination. D.C. 170, pp. 13-15, 17. 1921.
homes for. E. R. Kalmbach and W. L. McAtee. F.B. 1456, p. 22. 1925.
help to farmers. W. L. McAtee. Y.B., 1920, pp. 253-270. 1921; Y.B. Sep. 843, pp. 253-270. 1921.
houses—
adaptability to various birds, studies. F.B. 690, p. 18. 1914.
building and care. Ned Dearborn. F.B. 960, p. 19. 1914.
construction, school exercise. D.B. 527, pp. 11-13. 1917.
enemies and control methods. F.B. 609, pp. 15-16. 1914.
sanitation, importance and methods. F.B. 1456, p. 19. 1925.
types and construction principles. F.B. 1456, pp. 5-16. 1925.
hunting by airplanes. Off. Rec., vol. 2, No. 5, p. 2. 1923.
importance as insect destroyers. Y.B., 1907, pp. 166-170, 171, 175. 1908; Y.B. Sep. 443, pp. 166-170, 171, 175. 1908.
importation—
1902. An. Rpts., 1902. pp. 212-213. 1902.
1906 permits and inspection. An. Rpts., 1906, pp. 405-408. 1907; Biol. Chief Rpt., 1906, pp. 11-14. 1906.
1907. Biol. Chief Rpt., 1907, pp. 11-12. 1907.
1908. Y.B., 1908, p. 586. 1909; Y.B. Sep. 500, p. 586. 1909.
1909, restrictions. An. Rpts., 1909, p. 542. 1910; Biol. Chief Rpt., 1909, p. 14. 1909; Sec. A. R., 1909, p. 123. 1909; Y.B., 1909, p. 123. 1910.
1911, inspection, permits. An. Rpts., 1911, pp. 541-542. 1912; Biol. Chief Rpt., 1911, pp. 11-12. 1911.
1912, kinds, number. An. Rpts., 1912, pp. 82-83, 174. 1913; Biol. Chief Rpt., 1912, pp. 13-14. 1913; Sec. A. R., 1912, pp. 82-83, 174, 1912; Y.B., 1912, pp. 82-83, 174. 1913.
1913. An. Rpts., 1913, pp. 228-230. 1914; Biol. Chief Rpt., 1913, pp. 6-8. 1913.
1914, permits. An. Rpts., 1914, p. 209. 1914; Biol. Chief Rpt., 1914, p. 11. 1914.
1915. An. Rpt., 1915, p. 244. 1916; Biol. Chief Rpt., 1915, p. 12. 1915.
1916 control by Biological Survey. An. Rpts., 1916, pp. 248-250. 1917; Biol. Chief Rpt., 1916, pp. 12-14. 1916.
1917. An. Rpts., 1917, p. 263. 1917; Biol. Chief Rpt., 1917, p. 13. 1917.

Bird(s)—Continued.
  importation—continued.
    1918. An. Rpts., 1918, pp. 271-273. 1918; Biol. Chief Rpt., 1918, pp. 15-17. 1918.
    1919, work. An. Rpts., 1919, p. 297. 1920; Biol. Chief Rpt., 1919, p. 23. 1 919.
    1920, control. An. Rpts., 1920, pp. 376-377. 1921.
    1921. Biol. Chief Rpt., 1921, pp. 29-30. 1921.
    1922. An. Rpts., 1922, pp. 366-368. 1923; Biol. Chief Rpt., 1922, pp. 36-38. 1922.
    1924. Biol. Chief Rpt., 1924, pp. 38-39. 1924.
  imported, possession and sale, right of State to regulate. Biol. Bul. 12, rev., pp. 50-53. 1902.
  imports—
    increase. Off. Rec., vol. 1, No. 1, p. 12. 1922.
    number and permits. Off. Rec., vol. 4, No. 41, p. 6. 1925.
  increase—
    and protection, methods, suggestions for Porto Rico. D.B. 326, pp. 11-14. 1916.
    by use of nesting provisions. F.B. 1456, pp. 2-3. 1925.
    under protective methods. D.B. 396, pp. 11-12, 17-20. 1916.
  infection with tuberculosis, means. F.B. 1200, p. 3. 1921.
  injurious—
    control—
      1918. Y.B., 1918, pp. 314-315. 1919; Y.B. Sep. 785, pp. 14-15. 1919.
      by war gases, experiments. An. Rpts., 1923, p. 439. 1924; Biol. Chief Rpt., 1923, p. 21. 1923.
      methods. F.B. 493, rev., pp. 1-23. 1917.
      1924. Biol. Chief Rpt., 1924, pp. 17-18. 1924.
    habits. F.B. 506, pp. 7, 8, 9, 12-15. 1912.
    importation prohibition. An. Rpts., 1907, p. 493. 1908.
  injury to—
    Calosoma sycophanta. D.B. 251, p. 18. 1915.
    cherries, control. F.B. 776, pp. 24-25. 1916.
    grain, Hawaii. Hawaii A.R., 1914, pp. 18, 37, 38. 1915.
    grains, Yuma project, 1919-1920. D.C. 221, p. 13. 1922.
    nursery stock, control. D.B. 479, p. 76. 1917.
    sugar pine. D.B. 426, p. 5. 1916.
  insect—
    definition. Biol. Bul. 12, rev., pp. 30-31. 1902.
    destruction. An. Rpts., 1907, pp. 97-98, 489, 490. 1908; Rpt. 85, p. 71. 1907; Sec. A.R., 1907, p. 96. 1907; Y.B., 1907, pp. 95-96. 1908.
    eating. J. A. Le Clerc. Y.B., 1906, pp. 189-198. 1907. Y.B. Sep. 416, pp. 189-198. 1907.
  insectivorous—
    closed season, proposed. Biol. S.R.A. 9, pp. 2, 3, 4. 1916.
    food habits of vireos. D.B. 1355, p. 44. 1925.
    habits. Y.B., 1907, pp. 166-170. 1908; Y.B. Sep. 443, pp. 166-170. 1908.
    list. Y.B., 1908, pp. 343-344. 1909; Y.B. Sep. 486, pp. 343-344. 1909.
    protection. Biol. Bul. 12, rev., pp. 30-31. 1902.
  interstate commerce. James Wilson. Biol. Cir. 38, p. 3. 1902.
  introduction, Porto Rico. D.B. 326, pp. 14-15. 1916.
  kinds excepted from protection. Biol. Bul. 12, rev., pp. 42-44. 1902.
  laws—
    dates of enactment. Biol. Bul. 12, rev., pp. 136-137. 1902.
    for protection in District of Columbia. T. S. Palmer. Biol. Cir. 34, p. 3. 1901.
    migratory—
      cooperative enforcement, State inspectors, game wardens. News L., vol. 5, No. 19, p. 8. 1917.
      Federal, effect on increase of migratory game birds. News L., vol. 3, No. 6, pp. 2-3. 1915.
    legislation, protection, need in certain States. Biol. Bul. 12, rev., pp. 53-61. 1902.

Bird(s)—Continued
  life—
    moving pictures, permits on several reservations. An. Rpts., 1914, p. 207. 1915; Biol. Chief Rpt., 1914, p. 9. 1914.
    problems to be solved by banding and trapping birds. D.C. 170, pp. 2-4, 19. 1921.
    zones, Texas, list, inhabiting. N.A. Fauna 25, pp. 21, 27, 34, 37. 1905.
  live, shipment from Alaska, regulations. Biol. Cir. 66, pp. 7-8. 1908.
  lice—
    control on canaries. F.B. 1327, p. 16. 1923.
    eradication on pigeons. H. P. Wood. D.C. 213, p. 4. 1922.
    occurrence in Pribilof Islands, Alaska. N.A. Fauna 46, Pt. II, p. 141. 1923.
  migration—
    casualties during flight. D.B. 185, pp. 3, 21, 29, 31-33. 1915.
    causes and routes. Wells W. Cooke. D.B. 185, p. 47. 1915.
  habits—
    Mississippi Valley. Biol. Bul. 18, pp. 30-31. 1904.
    Pribilof Islands. N.A. Fauna 46, pp. 13-14. 1923.
  records, ducks and others banded in Salt Lake Valley, Utah. Alexander Wetmore. D.B. 1145. p. 16. 1923.
  routes taken by various birds. Biol. Cir. 41, p. 1. 1904.
  some new facts. Wells W. Cooke. Y.B., 1903, pp. 371-386. 1904; Y.B. Sep. 322, pp. 371-386. 1904.
  waves, exceptionally large, historical. Y.B., 1910, pp. 379, 381. 1911; Y.B. Sep. 545, p. 379, 381. 1911.
  migratory—
    and nonmigratory, conditions, Alaska. D.C. 168, pp. 11-12. 1921; D.C. 260, pp. 3-4. 1923.
    breeding grounds. An. Rpts., 1919, pp. 289, 293. 1920; Biol. Chief Rpt., 1919, pp. 15, 19. 1919.
    Canadian convention act, 1917. F.B. 910, pp. 67-69. 1917.
    Canadian regulations. F.B. 1288, pp. 72-78. 1922; F.B. 1375, pp. 64-69. 1923.
    closed seasons, regulations. D.B. 22, rev., pp. 17-22. 1913; F.B. 692, pp. 20, 21, 22-23. 1915.
    collection for scientific purposes, permits, 1918. Biol. S.R.A. 23, pp. 11-12. 1918; Biol. S.R.A. 25, pp. 3-4. 1918; Biol. S.R.A. 55, p. 12. 1923.
    conservation, future outlook. Y.B., 1918, p. 316. 1919; Y.B. Sep. 785, p. 16. 1919.
    convention between United States and Great Britain. F.B. 1288, pp. 59-63. 1922.
    distribution. D.B. 128, pp. 1-50. 1914.
    five-year closed season. Biol. Cir. 93, pp. 3-4. 1913.
    game—
      definitions. Biol. Cir. 92, p. 2. 1913 Biol. S.R.A. 9, pp. 1-2. 1916; F.B. 692, p. 20. 1915.
      hunting on Cold Springs Reservation, Oregon. Biol. S.R.A. 57, p. 1. 1923.
      local names. W. L. McAtee. M.C. 13, pp. 95. 1923.
      sale prohibition. News L., vol. 6, No. 17, p. 5. 1918.
    habits, data collection from banded birds. D.C. 170, pp. 3-4, 17-19. 1921.
    hunting regulations. D.B. 1049, pp. 27-28. 1922.
    injurious, permits to kill. An. Rpts. 1923, p. 456. 1923; Biol. Chief Rpt. 1923, p. 38. 1923; Biol. S.R.A. 55, p. 13. 1923; Biol. S.R.A. 23, p. 12. 1918.
    legislation—
      1921, additions to treaty act. F.B. 1235, pp. 3-4. 1921.
      1922. F.B. 1288, pp. 1-3. 1922.
    movements, relation to the weather. Wells W. Cooke. Y.B. 1910, pp. 379-390. 1911; Y.B. Sep. 545, pp. 379-390. 1911.

INDEX TO PUBLICATIONS, 1901-1925   243

Bird(s)—Continued.
  migratory—continued.
    of Yukon Delta, studies. Biol. Chief Rpt., 1924, p. 22. 1924.
    open seasons—
      and general conditions. Y.B., 1918, pp. 304-305, 311-312. 1919; Y.B. Sep. 785, pp. 4-5, 11-12. 1919.
      and protection by law. Biol. Sur. Doc. 110, pp. 8-9. 1919.
    protection—
      and appropriation. Sol. [Misc.], "Laws applicable * * *" 2d Sup., pp. 73-74, 76. 1915.
      by Federal law. Biol. Cir. 92, p. 6. 1913.
      Federal. George A. Lawyer. Y.B., 1918, pp. 303-316. 1919; Y.B. Sep. 785, p. 16. 1918.
      law, 1913, and its repeal in 1918. Y.B., 1918, pp. 305-306. 1919; Y.B. Sep. 785, pp. 5-6. 1919.
      law, 1913, enforcement details. An. Rpts., 1913, pp. 45-46. 1914; Sec. A.R., 1913, pp. 43-44. 1913; Y.B., 1913, pp. 55-56. 1914.
      law, 1914, enforcement details. An. Rpts., 1914, pp. 206-207, 298-299. 1914; Biol. Chief Rpt., 1914, pp. 8-9. 1914; Sol. A. R., 1914, pp. 18-19. 1914; Y.B., 1914, pp. 291-294. 1915; Y.B. Sep. 642, pp. 291-294. 1915.
      law, 1915, enforcement details. An. Rpt., 1915, pp. 245-246. 1916; Biol. Chief Rpts., 1915, pp. 13-14. 1915.
      law, 1916, enforcement details. An. Rpts., 1916, pp. 251-252, 347, 363-364. 1917; Biol. Chief Rpts., 1916, pp. 15-16. 1916; Sol. A. R., 1916, pp. 3, 19-20. 1916.
      law, 1917, enforcement details. An. Rpts., 1917, pp. 265-266. 1918; Biol. Chief Rpt., 1917, pp. 15-16. 1917.
      law, 1918, enforcement details. An. Rpts., 1918, pp. 273-275. 1919; Biol. Chief Rpt., 1918, pp. 17-19. 1918.
      proposed regulations. Biol. Cir. 92, pp. 6. 1913; Biol. S.R.A. 9, pp. 4. 1916; Biol. S.R.A. 14, pp. 2. 1917; Biol. S.R.A. 16, pp. 2. 1917.
      proposed regulations, changes, July, 1914. Biol. [Misc.], "Explanation of the proposed changes * * *" pp. 2. 1914.
      proposed regulations, explanation. T. S. Palmer. Biol. Cir. 93, pp. 5. 1913.
      regulations, United States and Canada. News L., vol. 6, No. 4, pp. 1, 8. 1918.
      results. Y.B., 1920, pp. 162-166. 1921; Y.B. Sep. 836, pp. 162-166. 1921.
      State laws, observance. Biol., S.R.A. 25, p. 4. 1918.
      zones, breeding and wintering. F.B. 692, p. 21. 1915; F.B. 774, pp. 15-17. 1916; Biol. S.R.A., p. 3. 1916.
    treaty act—
      administration, 1919. An. Rpts., 1919, pp. 293-296, 490-491. 1920; Biol. Chief Rpt., 1919, pp. 19-22. 1919; Sol. A. R., 1919, pp. 22-23. 1919.
      administration, 1921. Biol. Chief Rpt., 1921, pp. 25-30. 1921.
      administration, 1922. An. Rpts., 1922, pp. 362-366. 1922; Biol. Chief Rpt., 1922, pp. 32-36. 1922.
      administration, 1923. An. Rpts., 1923, pp. 420, 455-461. 1924; Biol. Chief Rpt., 1923, pp. 2, 37-43. 1923.
      adoption and terms. Y.B., 1918, pp. 307-308. 1919; Y.B. Sep. 785, pp. 7-8. 1919.
      decision against State of Missouri. D.C. 102, p. 4. 1920.
      effect in Alaska. D.C. 88, pp. 9-10. 1920.
      and regulations. F.B. 1138, pp. 64-82. 1920; F.B. 1235, pp. 61-79. 1921; Biol. S.R.A. 23, pp. 12. 1918; Biol. S.R.A. 27, pp. 11. 1919; Biol. Sur. S.R.A. 48, pp. 12. 1922; Biol. S.R.S. 55, pp. 13. 1923.
      United States vs. Joseph Lumpkin. Office of the Solicitor. D.C. 202, pp. 1-6. 1922.
      treaty and Lacey Acts. An. Rpts., 1919, pp. 284, 288, 293-296. 1920; Biol. Chief Rpt., 1919, pp. 10, 14, 19-22. 1919.

Bird(s)—Continued.
  migratory—continued.
    treaty between United States and Great Britain. F.B. 774, pp. 18-20. 1916; F.B. 1010, pp. 53-68. 1918; F.B. 1077, pp. 65-68. 1919; F.B. 1235, pp. 61-64. 1921.
    unprotected by treaty, list. Y.B., 1918, p. 307. 1919; Y.B. Sep. 785, p. 7. 1919.
  mites, description, habits, and control. Rpt. 108, pp. 14, 27, 28, 63, 64, 77, 78, 79, 119-126. 1915.
  native—
    increase, methods. An. Rpts., 1911, pp. 533-534. 1912; Biol. Chief Rpt., 1911, pp. 3-4. 1911.
    protection against the English sparrow. F.B. 493, pp. 7-8. 1912.
  nestling—
    food. Biol. Bul. 30, pp. 21, 30, 37, 49, 54, 73, 79, 89, 90, 99. 1907.
    food. Silvester D. Judd. Y.B., 1900, pp. 411-451. 1901; Y.B. Sep. 194, pp. 411-451. 1901.
  nests, and eggs, collection on bird reservations for Agriculture Department, regulations. Biol. Sur., S.R.A. 7, p. 1. 1915.
  nongame, protection—
    1908. Y.B., 1908, p. 586. 1909.
    1909. Biol. Cir. 73, p. 12. 1910.
    1911. F.B. 470, p. 9. 1911; Biol Cir. 80, pp. 24-25. 1911.
    legislation, United States and Canada. T. S. Palmer. Biol. Bul. 12, rev., pp. 143. 1902.
  North American—
    distribution and migration, number cards on file in Department. News L., vol. 4, No. 16, p. 3. 1916.
    orders. Biol. Bul. 12, rev., p. 21. 1902.
  noxious, importation, law prohibiting, text. F.B. 470, p. 30. 1911.
  observed. Biol. Sur. [Misc.], "Birds observed." Blank form. 1916.
  of—
    Arkansas. Arthur H. Howell. Biol. Bul. 38, pp. 100. 1911.
    California, relation to fruit industry. F. E. L. Beal. Biol. Bul. 30, pp. 100. 1907; Biol. Bul. 34. pp. 96. 1910.
    Canada, Keewatin, annotated list. N.A. Fauna, 22, pp. 75-131. 1902.
    farm and orchard. F.B. 513, pp. 1-30. 1913.
    Klamath Lake Refuge. Off. Rec., vol. 3, No. 43, p. 8. 1924.
    Laysan Island—
      and their enemies. Y.B. 1911, pp. 162-164. 1912; Y.B., Sep. 557, pp. 162-164. 1912.
      cooperative studies by Nutting expedition, 1911. Biol. Bul. 42, pp. 7-8, 11-30. 1912.
      list, numbers, and characteristics. Biol. Bul. 42, pp. 13-23. 1912.
    Maryland farm. Sylvester D. Judd. Biol. Bul. 17, p. 116. 1902.
    Nebraska sandhill region, and description, D.B. 794, pp. 10-21. 1920.
    Paradise, range and restrictions. Off. Rec., vol. 4, No. 19, p. 5. 1925.
    Porto Rico. Alex Wetmore. D.B. 326, pp. 140. 1916.
    Porto Rico—
      annotated list, habits, food, and protection. D.B. 326, pp. 17-129. 1916.
      food supply, discussion. D.B. 326, pp. 7-11. 1916.
      investigations. An. Rpts., 1912, pp. 665-666. 1913; Biol. Chief Rpt., 1912, pp. 9-10. 1912.
      report. An. Rpts., 1916, p. 241. 1917; Biol. Chief Rpt., 1916, p. 5. 1916.
      study, injury by mongoose. An. Rpts., 1913, p. 227. 1914; Biol. Chief Rpt., 1913, p. 5. 1913.
    Pribilof Islands, description, food, and habits. N.A. Fauna 46, pp. 6, 10-101. 1923.
    Queen Charlotte Islands. N.A. Fauna 21, pp. 38-50. 1901.
    southeastern United States, in relation to agriculture. F. E. L. Beal and others. F.B. 755, p. 40. 1916.
    Texas, southern, list. N.A. Fauna 25, p. 15. 1905.
    Tres Marias Islands. N.A. Fauna 14, p. 21. 1901.

Bird(s)—Continued.
of—continued.
Wichita National Forest. M. C. 36, p. 7. 1925.
Wyoming, species characteristic of different life zones. N.A. Fauna 42, pp. 16, 19, 20, 22, 24, 26–27, 33, 34–35, 43–44, 49, 51. 1917.
Yukon Territory, Ogilvie range and Macmillan regions. N.A. Fauna 30, pp. 58–65, 84–92. 1909.
permits for killing. Biol. Chief Rpt., 1924, pp. 34–36. 1924.
plumage—
protection, international cooperation. An. Rpts., 1910, pp. 130, 563. 1911; Biol. Chief Rpt., 1910, p. 17. 1911; Rpt. 93, p. 82; Y.B. 1910, p. 129. 1911, Sec. A.R., 1910, p. 130. 1910.
sale prohibition, various States. News L., vol. 5, No. 14, p. 6. 1917.
traffic, suppression methods. Biol. Cir. 80, pp. 24–25. 1911.
poisoned by shot eating. D.B. 793, p. 3. 1919.
poisoning, danger, discussion. An. Rpts., 1920, pp. 359–360. 1921.
population—
increase desired, need of protection. D.B. 187, pp. 7–9. 1915.
localities having highest records. D.B. 1165, pp. 23–24. 1923.
possession and sale when captured in other States. Biol. Bul. 12, rev., pp. 50–53. 1902.
poultry and game, canning directions. F.B. 839, pp. 26–27, 30–31. 1917.
pox, cause, symptoms, and treatment. F.B. 530, pp. 15–16. 1913.
predatory—
beneficial habits in control of rodents. Y.B., 1916, p. 398. 1917; Sep. 708, Y.B. p. 18. 1917.
bounty laws, 1919. F.B. 1079, pp. 9–28. 1919.
control of noxious rodents. F.B. 335, pp. 12, 15, 16, 21, 25. 1908.
field mice control. Y.B., 1908, pp. 304, 309. 1909; Y.B. Sep. 482, pp. 304, 309. 1909.
protection and exceptions from. Biol. Bul. 12, rev., pp. 31–34, 43–44. 1902.
usefulness in control of rodents. F.B. 932, p. 22. 1918.
value in control of rodents. F.B. 1302, p. 10. 1923.
preserves, private, in several States, conditions, area, and use. Biol. Cir. 72, pp. 5–6. 1910.
protection—
and introduction. Sec. A.R., 1908, pp. 117–119, 160. 1908; An. Rpts., 1908, pp. 119–121, 162. 1909.
assistance given by trespass laws. Biol. Bul. 12, rev., pp. 61–62. 1902.
associations, 1920. D.C. 131, pp. 12–18. 1920.
bills for, precautions to be observed in framing. Biol. Bul. 12, rev., pp. 58–61. 1902.
by householders on home grounds, methods. News L., vol. 4, No. 16, p. 3. 1916.
Federal bird reservations—
1917. F.B. 910, p. 59. 1917.
1918. F.B. 1010, p. 53. 1918.
1919. F.B. 1077, p. 64. 1919.
1920. F.B. 1138, p. 63. 1920.
1921. F.B. 1235, p. 60. 1921.
1922. F.B. 1288, p. 59. 1922.
1923. F.B. 1375, p. 54. 1923.
from enemies. F.B. 621, pp. 1–2. 1914; F.B. 912, pp. 2–4. 1918.
Great Plains waterfowl breeding grounds. Y.B., 1917, pp. 197–204. 1918; Y.B. Sep. 723, pp. 1–10. 1918.
hearings, object, explanation, etc. Biol. Cir. 93, p. 5. 1913.
in Alaska, legislation, recommendations, Sec. [Misc.], "Report of the governor * * * 1913," p. 3. 1913.
in Hawaiian Islands, history and legislation needed. Y.B. 1911, pp. 155–164. 1912; Y.B. Sep. 557, pp. 155–164. 1912.
laws—
American and Canadian, comparison. Biol. Bul. 12, rev., pp. 37–44, 127–133. 1902;
Biol. S.R.A., 62, pp. 22. 1924; Y.B., 1914, pp. 280, 294. 1915; Y.B. Sep. 644, pp. 280, 294. 1915.

Bird(s)—Continued.
protection—continued.
laws—continued.
District of Columbia. Biol. Cir. 34, pp. 1–8. 1901.
Federal and State, references. Biol. Cir. 87, p. 9. 1912.
necessity. Y.B., 1907, p. 176. 1908; Y.B. Sep. 443, p. 176. 1908.
of District of Columbia. T. S. Palmer. Biol. Cir. 34, pp. 10. 1901.
United States and Canada. Biol. Bul. 12, rev., pp. 76–133. 1902.
methods. F.B. 621, rev., pp. 3–4. 1921.
national forests, regulations. For. [Misc.], "Use book," rev. 5, pp. 26–28, 156. 1915.
need, Porto Rico. D.B. 354, p. 49. 1916.
officials and organizations, directory—
1901. Biol. Cir. 33, pp. 10. 1901.
1902. Biol. Cir. 35, pp. 10. 1902.
1903. Biol. Cir. 40, pp. 12. 1903.
1904. Biol. Cir. 44, pp. 15. 1904.
1905. T. S. Palmer. Biol. Cir. 50, pp. 16. 1905.
1906. Biol. Cir. 53, pp. 16. 1906.
1907. Biol. Cir. 62, pp. 16. 1907.
1908. Biol. Cir. 65, pp. 16. 1908.
1909. Biol. Cir. 70, pp. 16. 1909.
1910. Biol. Cir. 74, pp. 16. 1910.
1911. Biol. Cir. 83, pp. 16. 1911.
1912. Biol. Cir. 88, pp. 16. 1912.
1913. Biol. Cir. 94, pp. 16. 1913.
1914. Biol. [Misc.], "Directory of officials * * * 1914," pp. 16. 1914.
1915. T. S. Palmer. Biol. Doc. 101, pp. 16. 1915.
1916. T. S. Palmer. Biol. Doc. 104, pp. 16. 1916.
1917. W. F. Bancroft. Biol. Doc. 108, pp. 17. 1917.
1918. Biol. Doc. 109, pp. 17. 1918.
1919. D.C. 63, pp. 18. 1919.
1920. D.C. 131, pp. 19. 1920.
1921. Geo. A. Lawyer and Frank L. Earnshaw. D.C. 196, pp. 20. 1921.
1922. George A. Lawyer and Frank L. Earnshaw. D.C. 242, pp. 20. 1922.
1923. George A. Lawyer and Frank L. Earnshaw. D.C. 298, pp. 16. 1923.
1924. George A. Lawyer and Talbott Denmead. D.C. 328, pp. 16. 1924.
1925. Talbott Denmead and Frank L. Earnshaw. D.C. 360, pp. 12. 1925.
on Big Lake Reservation, Arkansas. Biol. S.R.A. 58, p. 1. 1923.
on farms as means of increase. News L., vol. 4, No. 18, pp. 1–2. 1916.
See also Game laws.
pulmonary mycosis, with report of case in a flamingo. John R. Mohler and John S. Buckley. B.A.I. Cir. 58, pp. 17. 1904.
refuges—
community. W. L. McAtee. F.B. 1239, pp. 13. 1921.
Flat Creek National Reservation. Off. Rec., vol. 1, No. 44, p. 4. 1922.
hunting, prohibition. Sol. [Misc.], "Forestry laws," p. 109. 1916.
on farms. F.B. 1239, pp. 3–5. 1921.
See also Names of refuges and reservations.
relation to—
agriculture, cotton growing and fruit raising. An. Rpts., 1908, pp. 117–118. 1909; Sec. A.R., 1908, pp. 115–116. 1908; Y.B., 1908, p. 117 1909.
agriculture in Southeastern United States. F. E. L. Beal and others. F.B. 755, pp. 40. 1916.
agriculture, investigations, program for 1915. Sec. [Misc.], "Program of work * * * 1915," pp. 250, 252. 1914.
alfalfa weevil. E.R. Kalmbach. D.B. 107, pp. 64. 1914.
cotton boll weevil. Arthur H. Howell. Biol. Bul. 29, pp. 31. 1907.
forest insects. Ent. Bul. 58, Pt. V, pp. 86–87 1909.
fruit growing in California. F. E. L. Beal. Y.B., 1904, pp. 241–254. 1905; Y.B. Sep. 344, pp. 241–254. 1905.

INDEX TO PUBLICATIONS, 1901-1925

Bird(s)—Continued.
 relation to—continued.
  gipsy and brown-tail moths. An. Rpts., 1910, p. 553. 1911; Biol. Chief Rpt., 1910, p. 7. 1910.
  gipsy moth dispersion. Ent. Bul. 119, pp. 12-15. 1913.
  grain aphids. W. L. McAtee. Y.B., 1912, pp. 397-404. 1913.
  insect pests. Biol. Chief Rpt., 1921, pp. 14-15. 1921; Y.B., 1908, pp. 343-350. 1909; Y.B. Sep. 486, pp. 343-350. 1909.
 reports, directions, importance of prompt returns. D.C. 170, pp. 17-18. 1921.
 reservations—
  in—
   Alaska, description, and need of protection. Biol. Cir. 71, pp. 1-15. 1910; Biol. Doc. 110, pp. 9-10. 1919.
   Arkansas, Big Lake, fishing permits. Biol. S.R.A., 24, p. 1. 1918.
   Hawaiian Islands, establishment, area and purpose. Biol. Bul. 42, pp. 7-9. 1912.
  law protecting birds and eggs. F.B. 1077, p. 64. 1919.
  list, location, date of establishment, and bird species. Biol. Cir. 87, pp. 8-13, 22-29. 1912.
  national, establishment in Arkansas and Minnesota, 1915. News L., vol. 3, No. 10, p. 6. 1915.
  on Laysan Island, trespass by Japanese poachers. An. Rpts., 1910, pp. 558, 869. 1911; Biol. Chief Rpt., 1910, p. 12. 1910; Sol. A.R., 1910, p. 81. 1910.
  on Yukon Delta, restoration to public domain. Off. Rec., vol. 1, No. 13, p. 4. 1922.
  regulations, collection of birds, nests, and eggs. Biol. S.R.A. 8, p. 1. 1916.
  species in various districts. Biol. Cir. 87, pp. 10-13. 1912.
  supervision. An. Rpts., 1920, pp. 343, 366, 369-372. 1921.
  trespass cases reported, 1909. Sol. A.R., 1909, p. 40. 1909; An. Rpts., 1909, p. 774. 1910.
  trespass law, violations. An. Rpts., 1918, pp. 394, 419. 1918; Sol. A.R., 1918, pp. 2, 27. 1918.
 resistance to poisonous gases. Off. Rec., vol. 1, No. 49, p. 3. 1922.
 Restorers, American Society, crusade against English sparrows. Biol. Bul. 15, p. 96. 1901.
 sanctuary, Wooden's garden, location, description, history, and occupants, 1915. News L., vol. 4, No. 18, p. 2. 1916.
 sea, beneficial habits. Y.B., 1908, pp. 193-194. 1909; Y.B. Sep. 474, pp. 193-194. 1909.
 seed-eating—
  feeding methods. F.B. 760, pp. 6-7. 1916.
  plants for attracting, list. F.B. 621, pp. 6-7. 1914; F.B. 621, pp. 8-10, rev. 1921; F.B. 844, pp. 8-9, 14. 1917.
 sex determination. D.B. 905, p. 27. 1920.
 shipment(s)—
  crates, and methods. Y.B., 1906, p. 170. 1907; Y.B. Sep. 414, p. 170. 1907.
  law violations and penalties. News L., vol. 4, No. 6, p. 6. 1916.
 shore—
  and their future. Wells W. Cooke. Y.B., 1914, pp. 275-294. 1915; Y.B. Sep. 642, pp. 275-294. 1915.
  closed seasons—
   laws governing, various States. Y.B., 1914, pp. 292-294. 1915; Y.B. Sep. 642, pp. 292-294. 1915.
   regulations. Biol. S.R.A. 1-9, pp. 3, 4, 1916. zones 1 and 2. Biol. Cir. 92, pp. 4, 5. 1913.
  flight, enormous distances. Biol. Bul. 35, pp. 10, 11. 1910.
  hunting dates, lawful and unlawful. News L., vol. 5, No. 4, p. 8. 1917.
  migration—
   peculiarities of many species. Biol. Bul. 35, pp. 10-14. 1910.
   routes and habits. Y.B., 1914, pp. 275-276, 286-288, 290. 1915; Y.B. Sep. 642, pp. 275-276, 286-288, 290. 1915.
  North American, distribution and migration. Wells W. Cooke. Biol. Bul. 35, p. 100. 1910.

Bird(s)—Continued.
 shore—continued.
  Porto Rico, annotated list, habits, and food. D.B. 326, pp. 17-48. 1916.
  protection—
   hunting regulations. D.B. 1049, pp. 27-28. 1922.
   laws, Federal, State, and Canadian. Y.B., 1914, pp. 291-294. 1915; Y.B. Sep. 642, pp. 291-294. 1915.
  range and local names. M.C. 13, pp. 47-73. 1923.
  See also Avocets; Phalaropes; Stilts.
 slaughter, cause of inset pests in West and elsewhere. Ent. Bul. 85, Pt. V, p. 95. 1910.
 small, killing and dressing for food. F.B. 493, pp. 23-24. 1912.
 societies. See Audubon Societies.
 song—
  migration routes and habits. D.B. 185, pp. 1-47. 1915.
  protection. Biol. Bul. 12, rev. pp. 30-31. 1902.
 stomachs—
  collecting directions. C. Hart Merriam. Biol. Cir. 46, p. 1. 1905.
  examination—
   and results, 1917. An. Rpts. 1917, p. 256. 1917; Biol. Chief Rpt. 1917, p. 6. 1917.
   for boll weevils, schedules, record by months. Biol. Bul. 29, pp. 30-31. 1907.
   review of work, 1908. An. Rpts., 1908, pp. 575-576. 1909; Biol. Chief Rpt., 1908, pp. 7-8. 1908.
 storage of carcasses. Off. Rec., vol. 2, No. 4, p. 4. 1923.
 studies—
  for southern rural schools, notes and references. D.B. 305, pp. 3-62. 1915.
  in the schools. Biol. Bul. 12, rev., pp. 67-69. 1902.
 susceptibility to mycosis of the lungs. B.A.I. An. Rpts., 1911, p. 62. 1913.
 tick-infested. Ent. Bul. 72, pp. 42, 54. 1907.
 trapping—
  directions. F.B. 493, pp. 10-20. 1912; F.B. 493, rev., pp. 8-18. 1917; Y.B., 1919, pp. 456-457. 1920; Y.B., Sep. 823, pp. 456-457. 1920.
  methods, Porto Rico. D.B. 326, pp. 91, 123. 1916.
  traps, description, construction, and operation. D.C. 170, pp. 4-13. 1921.
 tropical game, acclimatization. Biol. Chief Rpt., 1924, p. 23. 1924.
 tuberculosis—
  investigations. B.A.I. An. Rpt., 1907, pp. 40-41. 1909.
  transmission to mammals. B.A.I. An. Rpt., 1908, pp. 165-176. 1910.
 upland game, legislation in 1922. F.B. 1288, p. 3. 1922.
 use for millinery purposes, protection laws, different States. Biol. Bul. 12, rev., pp. 34-37. 1902.
 use of bird houses, list, increase. F.B. 609, pp. 2-3. 1914.
 useful—
  habits, insect and weed control. F.B. 630, pp. 1-2. 1915.
  identification, value of study. Y.B., 1908, p. 162. 1909.
  to farmer. F.E.L. Beal. F.B. 630, pp. 27. 1915.
 usefulness—
  against—
   chinch bugs. F.B. 1223, p. 15. 1922.
   cotton boll weevil. H. W. Henshaw. Biol. Cir. 57, pp. 4. 1907.
   grain aphids, records on North Carolina farm. Y.B., 1912, pp. 399-404. 1913; Y.B., Sep. 601, pp. 399-404. 1913.
   green June beetle, list. D.B. 891, pp. 37, 49. 1922.
   potato beetles. Ent. Bul. 82, p. 87. 1912.
   rose aphid. D.B. 90, p. 10. 1914.
   tobacco wireworm. D.B. 78, pp. 13-14. 1914.
  in worm destruction on maple trees, list. Ent. Cir. 110, p. 5. 1909.
  varieties, value in control of grain bug. D.B. 779, p. 31. 1919.
 wash, misbranding, insect. N. J. 863. I. and F. Bd., S.R.A. 45, p. 1076. 1923.

## 246	UNITED STATES DEPARTMENT OF AGRICULTURE

Bird(s)—Continued.
  water supply, Northwestern States. F.B. 760, pp. 3–4. 1916.
  wild—
    destruction by—
      crows. D.B. 621, pp. 29–36, 64–65, 83. 1918.
      eagles. Biol. Bul. 27, pp. 11, 19, 27–29. 1906.
    egg production as compared with that of domestic fowls, tables. B.A.I. Bul. 110, Pt. III, pp. 225–228. 1914.
    feathers, skins, etc., importation prohibition. Sol. [Misc.], "Laws applicable * * *," 2nd sup., p. 74. 1915.
    infestation with fowl ticks. F.B. 1070, p. 5. 1919.
    plant food surveys. Biol. Chief Rpt., 1921, p. 14. 1921.
    Swan Lake, Minnesota. Off. Rec. vol. 2, No. 34, p. 3. 1923.
    winter feeding. News L., vol. 6, No. 19, p. 7. 1918.
Birdgrass, habits, history and use. F.B. 1433, pp. 8–10. 1925.
Birdline, use in control of caterpillars on trees, cost. Y.B. 1907, pp. 151, 152. 1908; Y.B. Sep. 442, pp. 151, 152. 1908.
Birdseed, hemp seed utilization. Y.B., 1913, pp. 301, 317. 1914; Y.B. Sep. 628, pp. 301, 317. 1914.
BIRDSEYE, CLARENCE—
  "Some common mammals of western Montana in relation to agriculture and spotted fever." F.B. 484, pp. 46. 1912.
  "The mammals of Bitterroot Valley, Mont., in their relation to spotted fever." With Henry W. Henshaw. Biol. Cir. 82, pp. 24. 1911.
BIRDSEYE, MIRIAM: "Extension work in foods and nutrition, 1923." D.C. 349, p. 31. 1925.
BIRGE, E. A.:—
  cooperation in "Soil survey of Iowa County, Wisconsin." Soil Sur. Adv. Sh., 1910, pp. 29. 1912.
  cooperation in "Soil survey of Waushara County, Wisconsin." Soil Sur. Adv. Sh., 1909, pp. 33. 1911.
Birket el Haggi. See Date, Hayany.
Birmingham, Alabama, milk supply details and statistics. B.A.I. Bul. 46, pp. 34, 45. 1903; B.A.I. Bul. 70, pp. 6–7, 33. 1905.
Birth. See Parturition.
Birthwort, importation and description. No. 37893, B.P.I. Inv. 39, p. 63. 1917.
Biribá, importation and description. Nos. 44658, 44659, B.P.I. Inv. 51, pp. 8, 38. 1922.
Bischofia—
  javanica, importation and description. No. 34263, B.P.I. Inv. 32, p. 29. 1914.
  trifoliata, importation and description. No. 47835, B.P.I. Inv. 59, p. 66. 1922; No. 51194, B.P.I. Inv. 64, pp. 4, 71. 1923.
Biscuit(s)—
  baking powder, flours suitable, experiments. F.B. 374, pp. 31–32. 1909; F.B. 389, p. 33. 1910.
  frou frou, adulteration. Chem. N.J. 696, pp. 2. 1910.
  "Maryland" or "beaten," description, and preparation. F.B. 389, p. 26. 1910.
  "New Amsterdam Dutch rusk," misbranding. Chem. N.J. 1415, p. 1. 1912.
  potato, recipe. Sec. Cir. 106, p. 4. 1918.
  "Sunshine Suffolk," misbranding. Chem. N.J. 2053, p. 1. 1913.
  recipes and directions. F.B. 807, pp. 17–18. 1917; F.B. 1136, pp. 22–24. 1920; F.B. 1450, pp. 11–12. 1925.
  soy-bean flour recipe. Sec. Cir. 113, p. 3. 1918.
  wheat flour, and partial substitutes, recipes. F.B. 955, p. 14. 1918; S.R.S. Doc. 64, pp. 2–3. 1917.
BISHOP, EARL S.: "Nitrogen content of the humus of arid soils." With Frederick J. Alway. J.A.R. vol. 5, No. 20, pp. 909–916. 1916.
BISHOPP, F. C.—
  "An annotated bibliography of the Mexican cotton boll weevil." Ent. Cir. 140, pp. 30. 1911.
  "Dispersion of flies by flight." With E. W. Laake. J.A.R., vol. 21, pp. 729–766. 1921.
  "Fleas." D.B. 248, p. 31. 1915.
  "Fleas and their control." F.B. 897, pp. 16. 1917.

BISHOPP, F. C.—Continued.
  "Fleas as pests to man and animals, with suggestions for their control." F.B. 683, pp. 15. 1915.
  "Flytraps and their operation." F.B. 734, pp. 14. 1916.
  "Mites and lice on poultry." With H. P. Wood. F.B. 801, pp. 27. 1917.
  "Screw-worms and other maggots affecting animals." With others. F.B. 857, pp. 20. 1917.
  "Solenopotes capillatus, a sucking louse of cattle not heretofore known in the United States." J.A.R., vol. 21, pp. 797–801. 1921.
  "Some important insect enemies of livestock in the United States." Y.B., 1912, pp. 383–396. 1913; Y.B. Sep. 600, pp. 383–396. 1913.
  "Some of the more important ticks of the United States." With W. D. Hunter. Y.B., 1910, pp. 219–230. 1911; Y.B. Sep. 531, pp. 219–230. 1911.
  "The bollworm or corn earworm." F.B. 872, pp. 16. 1917.
  "The cotton bollworm." With A. L. Quaintance. F.B. 212, pp. 32. 1905.
  "The cotton bollworm." With C. R. Jones. F.B. 290, pp. 32. 1907.
  "The distribution of the Rocky Mountain spotted-fever tick." Ent. Cir. 136, pp. 3. 1911.
  "The fowl tick." Ent. Cir. 170, pp. 14. 1913.
  "The fowl tick and how premises may be freed from it." F.B. 1070, pp. 16. 1919.
  "The house fly and how to suppress it." With L. O. Howard. F.B. 1408, pp. 17. 1924.
  "The life history and bionomics of some North American ticks." With others. Ent. Bul. 106, pp. 239. 1912.
  "The puss caterpillar and the effects of its sting on man." D.C. 288, pp. 14. 1923.
  "The rat mite attacking man." D.C. 294, pp. 4. 1923.
  "The Rocky Mountain spotted-fever tick." With W. D. Hunter. Ent. Bul. 105, pp. 47. 1911.
  "The stable fly." F.B. 540, pp. 28. 1913.
  "The stable fly: How to prevent its annoyance and its losses to live stock." F.B. 1097, pp. 23. 1920.
Bismarck, N. Dak., irrigation project, proposed work. O.E.S. Bul. 219, pp. 24–25. 1909.
Bismuth and calomel tablets, misbranding. Chem. N.J. 3019. 1914.
Bison—
  American, occurrence in Colorado, description, etc. N.A. Fauna 33, pp. 60–62. 1911.
  Athabaska-Mackenzie region. N.A. Fauna 27, pp. 143–150. 1908.
  bison. See Buffalo.
  blood, presence of trypanosomes. B.A.I. Bul. 145, pp. 6–7, 38. 1912.
  National Range—
    buffalo protection, 1909. Biol. Cir. 73, p. 9. 1910.
    conditions—
      1910. An. Rpts., 1910, pp. 558–559. 1911; Biol. Chief Rpt., 1910, pp. 12–13. 1910; Sec. A.R., 1910, p. 130; Rpt. 93, p. 82. 1911; Y.B., 1910, p. 129. 1911.
      1911. An. Rpts., 1911, pp. 123, 545. 1912; Biol. Chief Rpt., 1911, p. 15. 1911; Y.B., 1911, p. 121. 1912.
      1912. An. Rpts., 1912, p. 84. 1913; Sec. A.R., 1912, p. 84. 1912; Y.B., 1912, p. 84. 1913.
      1913. An. Rpts., 1913, p. 233. 1914; Biol. Chief Rpt., 1913, p. 11. 1913.
      1914. An. Rpts., 1914, pp. 207–208. 1915; Biol. Chief Rpt., 1914, pp. 9–10. 1914.
      1915. An. Rpt., 1915, pp. 242–243. 1916; Biol. Chief Rpt., 1915, pp. 10–11. 1915.
      1924. Biol. Chief Rpt., 1924, p. 29. 1924.
    establishment. An. Rpts., 1908, p. 589. 1910; Biol. Chief Rpt., 1908, p. 21. 1909.
    purchase and cost. D.B. 1049, p. 45. 1922.
  nematodes. J.A.R., vol. 30, pp. 677–688. 1925.
  occurrence in Europe in early ages, ancestor of present breeds. B.A.I. An. Rpt., 1910, pp. 200, 207, 217. 1912.
  penalty for hunting in national forests. For. [Misc.], "Trespass on national * * *," p. 23. 1922.

INDEX TO PUBLICATIONS, 1901–1925 247

Bison—Continued.
  See also Buffalo.
Biston spp., description. Sec. [Misc.], "A manual of insects * * *," pp. 110, 111, 211. 1917.
Bites, poisonous, treatment. D.C. 4, p. 70. 1919; For [Misc.], "First aid * * *," pp. 67–69. 1917.
Bitongal, importation and description. No. 34094. B.P.I. Inv. 32, p. 9. 1914.
Bitter—
  brush, value as forage plant. F.B. 425, pp. 11, 12. 1910.
  buttons. See Tansy.
  herb. See Balmony.
  rot of—
    apples. Hermann von Schrenk and Perley Spalding. B.P.I. Bul. 44, pp. 54. 1903.
    apples. See also Apple, bitter rot.
    cranberry—
      occurrence. Off. Rec., vol. 2, No. 21, p. 8. 1923.
      cause and control. D.B. 714, pp. 8–9, 19. 1918.
      See also Anthracnose, cranberry.
    grape, description and control. F.B. 1220, pp. 62–63. 1921.
  thistle. See Thistle, blessed.
  wintergreen. See Pipsissewa.
Bittern—
  American—
    and others, occurrence in Nebraska. D.B. 794, p. 33. 1920.
    destruction of field mice. Biol. Bul. 31, p. 52. 1907.
  Athabaska-Mackenzie region. N. A. Fauna 27, p. 311. 1908.
  Cory least, distribution, breeding. Biol. Bul. 45, pp. 32–33. 1913.
  Guatemalan sun, range. D.B. 128, p. 47. 1914.
  least—
    Porto Rico, occurrence and food habits. D.B. 326, pp. 26–27. 1916.
    protection by law. Biol. Bul. 12. rev. p. 40. 1902.
  occurrence, Arkansas, habits and food. Biol. Bul. 38, p. 24. 1911.
  protection and exceptions. Biol. Bul. 12, rev. pp. 39, 41, 44. 1902.
  range and habits. Biol. Bul. 45, pp. 26–29, 33. 1913; N. A. Fauna 22, pp. 91. 1902.
  tiger, ranges. Biol. Bul. 45, p. 67. 1913.
Bitterns, artificial and natural, analysis. Soils Bul. 94, pp. 61–66. 1913.
Bitternut, injury to trees by sapsuckers. Biol. Bul. 39, pp. 30, 71. 1911.
Bitterroot National Forest, western division, Calif., map. For Maps. 1923.
Bitters—
  Cocainized pepsin cinchona, misbranding. Chem. N.J. 735, pp. 2. 1911.
  Fernet-Branca, adulteration and misbranding. Chem. N.J. 726, p. 2. 1911; Chem. N.J. 1284, p. 3, 1912; Chem. N.J. 1909, p. 2. 1913; Chem. N.J. 2737, pp. 2–3. 1914.
  "Fernet-Milan," misbranding. Chem. N.J. 743, p. 1. 1911; Chem. N.J. 1152, p. 2. 1911.
  Ferro-china, adulteration and misbranding. Chem. N.J. 1284, p. 3. 1912; Chem. N.J. 1909, p. 2. 1913; Chem. N.J. 3320, p. 1. 1914; Chem. N.J. 3693, p. 1. 1915; Chem. N.J. 3724, p. 1. 1915.
  Ferro-china antimalarico, misbranding. N.J. 745, p. 2. 1911.
  labeling, F.I.D. 85. F.I.D. 84–85, pp. 3–4. 1908.
  misbranding. Chem. N.J. 483, p. 1. 1910; Chem. N.J. 839, p. 3. 1911; Chem. N.J. 2094, p. 1–2. 1913; Chem. N.J. 2199, p. 1. 1913; Chem. N.J. 2222, p. 2. 1913; Chem. N.J. 2736, pp. 1–2. 1914; Chem. N.J. 2834, 2837, pp. 1–2. 1914.
  stomach, misbranding. Chem. N.J. 2207, p. 2. 1913.
  sulphur, Kaufmann's, misbranding. Chem. N.J. 4370, pp. 1–2. 1916.
Bittersweet—
  Chinese, importation and description. No. 38836, B.P.I. Inv. 40, p. 34. 1917.
  importation and description. No. 32232, B.P.I. Bul. 261, p. 45. 1912; No. 47657, pp. 8, 43. 1922.

Bittersweet—Continued.
  names, range, description, branches, prices, and uses. B.P.I. Bul. 139, pp. 46–47. 1909.
Bitterweed—
  occurrence in pastures, extermination. F.B. 509, pp. 41–42. 1912; F.B. 1125, rev., p. 57. 1920.
  See also Fennel; Ragweed.
BITTING, A. W.—
  "Experiments on the spoilage of tomato ketchup." Chem. Bul. 119, p. 37. 1909.
  "Feeding fat into milk. The physiology of milk secretion." B.A.I. Cir. 75, pp. 23–43. 1905.
  "Methods followed in the commercial canning of foods." D.B. 196, pp. 79. 1915.
  "Preparation of the cod and other salt fish for the market, including a bacteriological study of the causes of reddening." Chem. Bul. 133, pp. 63. 1911.
  "The canning of foods." Chem. Bul. 151, pp. 77. 1912.
  "The canning of peas, based on factory inspection and experimental data." Chem. Bul. 125, pp. 32. 1909.
Bitumens—
  classification, native and artificial. Y.B., 1910, pp. 297, 299. 1911; Y.B. Sep. 538, pp. 297, 299. 1911.
  colloid-carrying capacity, microscopic examination. J.A.R., vol. 17, pp. 167–176. 1919.
  constituents for road construction and maintenance. Prevost Hubbard. Rds. Cir. 93, pp. 16. 1911.
  determination by solubility tests. D.B. 1216, pp. 47–50. 1924.
  distillates, value as road binders. Y.B., 1910, pp. 298–299. 1911; Y.B. Sep. 538, pp. 298–299. 1911.
  insoluble in naphtha, road-material test, Grooch crucible method. D.B. 691, pp. 53–54. 1918.
  investigations, Roads Office. An. Rpts., 1911, pp. 742–744. 1912; Rds. Chief Rpt., 1911, pp. 32–34. 1911.
  road-building—
    determination methods. D.B. 1216, pp. 47–50. 1924.
    methods of application over macadam. Rds. Bul. 42, pp. 11–14. 1912.
    treatment methods. Y.B., 1910, pp. 297–306. 1911; Y.B. Sep. 538, pp. 297–306. 1911.
  soluble and insoluble, determination in road materials. D.B. 314, pp. 25–30. 1915; Rds. Bul. 38, pp. 27–31. 1911.
  testing and sampling, methods and apparatus. D.B. 949, pp. 36–61, 73–74. 1921.
  use as road binders, mixing method, and cost. J.A.R., vol. 10, pp. 321–326. 1917; Y.B., 1910, pp. 303–305. 1911; Y.B. Sep. 538, pp. 303–305. 1911.
Bituminous road materials. See Road materials, bituminous.
Bivalves, food of mallard ducks. D.B. 720, pp. 10, 13, 34–35. 1918.
Bixa orellana. See Annatto tree.
BIXBY, F. L.—
  "Tests of deep-well turbine pumps." J.A.R., vol. 31, pp. 227–246. 1925.
  "The storage of water for irrigation purposes, Pts. I and II." With Samuel Fortier. O.E.S. Bul. 249, Pt. I, pp. 95. 1912; Pt. II, pp. 64. 1912.
Blacicus blancoi. See Pewee, wood.
BLACK, E. A.: "The Mediterranean fruit fly." With C. E. Pemberton. D.B. 640, pp. 44. 1918.
BLACK, J. D.—
  "Input as related to output in farm organization and cost-of-production studies." With others. D.B. 1277, pp. 44. 1924.
  "Land settlement and colonization in the Great Lakes States." With L. C. Gray. D.B. 1295, pp. 88. 1925.
BLACK, O. F.—
  "Ash absorption by spinach from concentrated soil solutions." With others. J.A.R., vol. 16, pp. 15–25. 1919.
  "Ash content in normal and in blighted spinach." With others. J.A.R., vol. 15, pp. 371–375. 1918.
  "Contributions to the study of maize deterioration." With Carl L. Alsberg. B.P.I. Bul. 270, pp. 48. 1913.

BLACK, O. F.—Continued.
"Laboratory studies on the relation of barium to the loco-weed disease." With C. L. Alsberg. B.P.I. Bul. 246, Pt. II, pp. 39–61. 1912.
"Poisonous properties of *Bikukulla cucullaria* (Dutchman's-breeches) and *B. canadensis* (squirrel-corn)." With others. J.A.R., vol. 23, pp. 69–78. 1923.
"The deterioration of maize, with incidental reference to pellagra." With C. L. Alsberg. B.P.I. Bul. 199, pp. 36. 1910.

BLACK, R. H.: "Foreign material in spring wheat." With C. R. Haller. F.B. 1287, pp. 22. 1922.

BLACK, W. H.—
"Beef on the farm—slaughtering, cutting, curing." With E. W. McComas. F.B. 1415, pp. 34. 1924.
"Beef production in the Corn Belt." F.B. 1218, pp. 34. 1921.
"Dehorning and castrating cattle." F.B. 949, pp. 14. 1922.
"Fattening steers in the Corn Belt." F.B. 1382, pp. 18. 1924.

BLACK, W. J.: "Organization of the central department of institute control." O.E.S. Bul. 251, pp. 54–56. 1912.

BLACK, W. L.: "Angora goats as brush clearers". B.A.I. An. Rpt., 1900, p. 302. 1901.

Black—
alkali. *See* Alkali; Sodium carbonate.
blotch occurrence in plants in Texas, description. B.P.I. Bul. 226, pp. 52, 53. 1912.
brood. *See* Foulbrood, European.
bundle disease of corn. Charles S. Reddy and James R. Holbert. J.A.R., vol. 27, pp. 177–206. 1924.
cap. *See* Raspberry, black.
check in western hemlock. H. E. Burke. Ent. Cir. 61, pp. 10. 1905.
Death, analysis. Chem. Bul. 68, p. 28. 1902; Chem. Bul. 76, p. 43. 1903.
flies, control in 1923. Work and Exp., 1923, p. 52. 1925.
flies. *See also* Buffalo gnats.
knot. *See* Crown-gall.
medic. *See* Trefoil, yellow.
mint. *See* Peppermint.
oil. *See* Petroleum.
quarter. *See* Blackleg.
root. *See* Black rot; Wilt, cotton.
rot—
cause of apple leaf spot. F.B. 492, p. 36. 1912.
effects on apples. J.A.R., vol. 7, pp. 17–40. 1916.
Java, description, cause and control. F.B. 714, pp. 23–24, 24–25. 1916; F.B. 1059, p. 21. 1919; J.A.R., vol. 6, No. 15, pp. 550–556. 1916; J.A.R., vol. 15, pp. 347–349. 1918; S.R.S. Syl. 26, p. 16. 1917.
occurrence in Texas, description. B.P.I. Bul. 226, pp. 24, 29, 33. 1912.
of—
apple, life history of fungus, study. An. Rpts., 1913, p. 107. 1914; B.P.I. Chief. Rpt., 1913, p. 3. 1913.
cabbage, control by seed treatment. O.E.S. An. Rpt., 1911, p. 163. 1912.
cabbage, description, cause, and control. F.B. 925, rev., pp. 13–15. 1921.
cranberry, description, cause, and control. F.B. 1081, pp. 15–17. 1920.
grape, control. C. L. Shear and others. B.P.I. Bul. 155, pp. 42. 1909.
grape, effect on muscadine grapes. F.B. 709, p. 23. 1916.
leaf tobacco, control. An. Rpts., 918; p. 156. 1919; B.P.I. Chief Rpt., 1918, p. 22. 1918.
sweet potato, control. S.R.S. Rpt., 1916, Pt. I, pp. 50, 87. 1918.
sweet potato, description, cause, and control. F.B. 1059, pp. 8–11, 20. 1919.
turnips, effect. Erwin F. Smith. B.P.I. Bul. 29, pp. 20. 1903.
See also Brown rot.
sawyer. *See* Sawfly, black grain-stem.
scab, potato. *See* Wart disease.
shank. *See* Black rot.
spot—
banana. *See* Banana freckle.

Black—Continued.
spot—continued.
occurrence in Texas, description. B.P.I. Bul. 226, p. 100. 1912.
stem rust. *See* Rust.
wood, Australia, value for tanning and timber. D.B. 9, pp. 3, 17–18, 26–27, 29. 1913.

Black Belt—
Alabama—
and Mississippi, popular name for black prairie soils. Sec. A.R., 96, p. 6. 1911.
Bullock County, productiveness. Soil Sur. Adv. Sh., 1913, pp. 32–34, 36. 1915; Soils F.O., 1913, pp. 775–777, 778. 1916.
See also Houston clay.

"Black Hawk Purchase," location, in Iowa, Clinton County. Soil Sur. Adv. Sh., 1915, p. 10. 1917; Soils F.O., 1915, p. 1652. 1919.

Black Hills—
beetle. A. D. Hopkins. Ent. Bul. 56, pp. 24. 1905.
beetle—
control, example of success. Ent. Bul. 58, pp. 76–78. 1910; Ent. Bul. 83, pp. 36–38. 1909.
control work—
1908. An Rpts., 1908, pp. 539–541. 1910; Ent. A.R., 1908, pp. 17–19. 1908.
1909. An. Rpts., 1909, pp. 507–508. 1910; Ent. A.R., 1909, pp. 21–22. 1909.
1913. Tongue River Indian Reservation. An. Rpts., 1913, p. 216. 1914; Ent. A.R., 1913, p. 8. 1913.
damage to standing timber and control. Ent. Cir. 143, p. 7. 1912.
description, habits, injuries to trees, and control. Ent. Bul. 83, Pt. I, pp. 90–101. 1909.
forest destruction in the West. Ent. Bul. 58, pp. 59, 67, 70. 1910; Ent. Cir. 125, pp. 2, 3–8. 1910.
pine-destroying, discussion. Y.B., 1902, pp. 275–281. 1903.
Forest Reservation—
laws relating to entries. Sol. [Misc.], "Laws * * * forests," pp. 35–36, 48, 109. 1916.
pine insect enemies, preventive measures. Ent. Bul. 32, pp. 1–24. 1902.
Forest Reserve, "bluing" and "red rot" of western yellow pine. Hermann Von Schrenk. B.P.I. Bul. 36, pp. 40. 1903.
National Forest—
insect depredations. An. Rpts., 1907, p. 457. 1908.
in South Dakota and Wyoming, map. For. Map. 1924.
S. Dak., description, and adaption to fruit growing. Soils F.O., 1909, pp. 1402–1403, 1461, 1467. 1912; Soil Sur. adv. sh., pp. 6–7, 65, 71. 1911.

Black Land, utilization in relation to tenure, 1860–1920. D.B. 1068, pp. 5–6. 1922.

Black Land Prairie, Texas area, description, and land tenancy studies. D.B. 1068, pp. 2–4. 1922.

Black Swamp, South Carolina, drainage, details, and cost. D.B. 114, pp. 15–19, 20. 1914.

Black Waxy Belt. *See* Black Land Prairie.

Blackbeard Island Bird Reservation, abandonment in Georgia, 1915. News L., vol. 3, No. 10, p. 6. 1915.

Blackberry(ies)—
acreage, by States, 1909. F.B. 643, p. 1. 1915.
acreage, varieties, growing, Pajaro Valley California. Soil Sur. Adv. Sh., 1908, pp. 16, 19–20. 1910; Soils F.O., 1908, pp. 1342, 1345–1346. 1911.
adaptability to acid soils. D.B. 6, p. 8. 1913.
adulteration. Chem. N.J. 2161, p. 1. 1913.
blue-stem disease, occurrence. D.C. 227, p. 6. 1923.
brandy, adulteration and misbranding. Chem. N.J. 1435, pp. 3. 1912.
canned, adulteration. Chem. N.J. 12697. 1925; Chem. N.J. 12971. 1925.
canned, misbranding. Chem. N.J. 26–27, pp. 4. 1908; Chem. N. J. 36, pp. 5. 1909.
canning—
inspection instructions. D.B. 1084, p. 23. 1922.
methods, sirup weight and composition. D.B. 196, pp. 35–37. 1915.
seasons. Chem. Bul. 151, pp. 34, 38. 1912.
cold storage. B.P.I. Bul. 108, pp. 1–28. 1907.

INDEX TO PUBLICATIONS, 1901–1925   249

Blackberry(ies)—Continued.
composition and polarization, analytical data. Chem. Bul. 66, rev., pp. 41, 43, 51. 1905.
cooling, effect on resistance to wounding, tests. D.B. 830, pp. 2, 4, 5. 1920.
cordial, adulteration and misbranding. See *Indexes to Notices of Judgment in bound volumes of Chemistry Service and Regulatory Announcements.*
cordial, standard and declaration. Chem. S.R.A. 14, p. 13. 1915.
cultivation, propagation. O.E.S. Bul. 178, pp. 90–91. 1907.
culture, George M. Darrow. F.B. 643, pp. 13. 1915.
destruction by birds. Biol. Bul. 15, p. 74. 1901.
diseases, occurrence in Texas, description. B.P.I. Bul. 226, p. 33. 1912.
diseases, treatment. F.B. 243, p. 23. 1906.
distinction from dewberries. F.B. 728, pp. 1–2, 17. 1916.
dried, adulteration. Chem. N.J. 1531, p. 1. 1912; Chem. N.J. 1808, p. 1. 1912.
drying, directions. F.B. 841, p. 23. 1917.
extract, misbranding. Chem. N.J. 4152, p. 1. 1916.
failure to grow in Alaska. Alaska A.R., 1909, p. 10. 1910.
fall care and winter protection, methods. News L., vol. 3, No. 19, pp. 1, 4. 1915.
flavor, adulteration and misbranding. Chem. N.J. 1538, pp. 2. 1912; Chem. N.J. 2056, pp. 2. 1913.
foliage analyses showing injury by smelter fumes. Chem. Bul. 89, pp. 15, 22. 1905.
food value, analysis and comparison with other fruits. F.B. 685, p. 21. 1915.
freezing points. D.B. 1133, pp. 4, 5, 7. 1923.
from West Virginia mountains. No. 40904, B.P.I. Inv. 44, p. 10. 1918.
growing. George M. Darrow. F.B. 1399, pp. 18. 1924.
growing—
acreage, soils, propagation, and varieties. F.B. 643, pp. 1–13. 1915.
and yield, Washington, eastern Puget Sound Basin. Soil Sur. Adv. Sh., 1909, pp. 26, 62. 1911; Soils F.O. 1909, pp. 1538, 1574. 1912.
directions. S.R.S. Doc. 93, pp. 3–6. 1919.
Great Plains area, varieties. F.B. 727, p. 37. 1916.
in Arkansas, Fayetteville area. Soil Sur. Adv. Sh., 1906, p. 28. 1907; Soils F.O., 1906, p. 619. 1908.
labor requirements. D.B. 1181, pp. 7, 43, 46, 61. 1924.
planting distances and varieties. F.B. 1001, pp. 4, 5, 8, 11, 13, 30, 32–39. 1919.
training and disease control. S.R.S. Doc. 93, pp. 3–6. 1919.
growth, aid in spread of chiggers. D.B. 986, pp. 3, 5, 16. 1921.
Guatemalan, importation and description. No. 43438, B.P.I. Inv. 49, p. 22. 1921.
Himalaya, introduction and testing, various sections. B.P.I. Cir. 116, pp. 23–26. 1913.
hybrid breeding, Texas. O.E.S. An. Rpt., 1912, p. 209. 1913.
importations and description. Nos. 36571, 36572, B.P.I. Inv. 37, p. 33. 1916; Nos. 38054–38055, 38114–38115, 38646, B.P.I. Inv. 39, pp. 84, 89, 157, 1917; Nos. 45891, 45919, B.P.I. Inv. 54, pp. 35, 41. 1922; No. 46765, B.P.I. Inv. 57, p. 30. 1922. Nos. 49331, 49333, 49388, B.P.I. Inv. 62, pp. 26, 34. 1923; Nos. 50293–50305, 50328–50330, B.P.I, Inv. 63, pp. 51–53, 56–57. 1923; Nos. 50681, 51033, 51354, B.P.I. Inv. 64, pp. 2, 12, 45, 89, 1923; Nos. 51402, 51535, 51569, B.P.I. Inv. 65, pp. 2, 13, 24, 27. 1923; Nos. 52490–52491, 52773, 52816, B.P.I. Inv. 66, pp. 73, 80. 1923; Nos, 53219, 53545, B.P.I. Inv. 67, pp. 4, 41, 59. 1923, Nos. 53995, 54279–54280, B.P.I. Inv. 68, pp. 2. 17, 44–45. 1923; No. 55755, B.P.I. Inv. 72, p. 30. 1924.
infection with orange rust, studies. J.A.R., vol. 25, pp. 210–212, 219–240. 1923.
infestation with boll-weevil parasites, value as hedge for cotton field. Ent. Bul. 100, pp. 51, 64, 89, 95. 1912.

Blackberry(ies)—Continued.
injury by apple trumpet leaf-miner. Ent. Bul. 68, p. 26. 1909.
insect pests, list. Sec. [Misc.], "A manual of insects * * *," p. 47. 1917.
jam, adulteration and misbranding. Chem. N.J. 1097, p. 1. 1911; Chem. N.J. 3875, p. 1. 1915.
jelly directions. F.B. 853, p. 41. 1917.
juice, extraction, and sterilization experiments. D.B. 241, pp. 11, 19. 1915.
Logan—
culture, and related varieties. George M. Darrow. F.B. 998, pp. 24. 1918.
description, uses, and value. News L., vol. 6, No. 20, p. 4. 1918.
duration and propagation on plantations. F.B. 998, pp. 22–23. 1918.
evaporation details. D.B. 1141, p. 56. 1923.
juices, chemical analyses. R. S. Hollingshead. D.B. 773, pp. 12. 1919.
production, distribution, description, origin, and status of industry. F.B. 998, pp. 3–6. 1918.
utilization methods. F.B. 998, pp. 19–21. 1918. See also Loganberry.
Mammoth Logan hybrid, origin, description, and value. F.B. 998, pp. 23–24. 1918.
marketing by parcel post, suggestions. F.B. 703, p. 14. 1916.
names, range, description, root bark prices and uses. B.P.I. Bul. 139, pp. 28–29. 1909.
orange rust—
further data. J.A.R., vol. 19, pp. 501–512. 1920.
new type. B.O. Dodge. J.A.R., vol. 25, pp. 491–494. 1923.
uninucleated aecidiospores. J.A.R., vol. 28, pp. 1045–1058. 1924.
packing season. D.B. 196, p. 17. 1915.
planting for permanent gardens. F.B. 1242, p. 12. 1921.
Phenomenal, origin, similarity to Logan, description, and value. F.B. 998, p. 24. 1918.
preserved—
adulteration and misbranding. Chem. N.J. 707, p. 1. 1910.
food value, chart. D.B. 975, p. 32. 1921; F.B. 1383, p. 29. 1924.
Primus, origin, description, and lack of value. F.B. 998, p. 34. 1918.
propagation, canes and tips. F.B. 643, p. 3. 1915.
respiration studies. Chem. Bul. 142, pp. 13, 24, 25. 1911.
shipping by parcel post, 1915–1916, distance, methods of handling, experiments. D.B. 688, pp. 2–11. 1918.
shipments by States, and by stations, 1916. D.B. 667, pp. 9, 99–100. 1918.
stomata, development and distribution, relation to orange rusts. J.A.R., vol. 25, pp. 495–500. 1923.
susceptibility to grape crown gall. B.P.I. Bul. 183, pp. 23, 24. 1910.
training systems. F.B. 643, pp. 5–7. 1915.
varieties—
description. B.P.I. Bul. 207, pp. 81, 91. 1911; D.B. 1189, pp. 64–66. 1923.
recommendations for Southern States. S.R.S. Doc. 93, pp. 4, 6. 1919.
recommendations for various fruit districts. B.P.I. Bul. 151, pp. 24–25. 1909; F.B. 643, pp. 11–13. 1915.
resistant to orange rust. J.A.R., vol. 25, pp. 237–238. 1923.
self-sterile and self-fertile, investigations. O.E.S. An. Rpt., 1912, p. 174. 1913.
tests at field station near Mandan, North Dakota. D.B. 1301, p. 24. 1925.
Blackbird—
Brewer's—
description, range, and food habits. F.B. 513, p. 18. 1913; F.B. 630, pp. 12–13. 1915.
enemy of codling moth larvae. Y.B., 1911, p. 241. 1912; Y.B., Sep. 564, p. 241. 1912.
food habits. D.B. 107, pp. 23–27. 1914.
food habits, relation to agriculture, California. Biol. Bul. 34, pp. 59–65. 1910.

Blackbird—Continued.
Brewer's—Continued.
sale as reedbird. Biol. Bul. 12, rev., p. 26. 1902.
value in destruction of alfalfa weevil. An. Rpts., 1913, p. 225. 1914; Biol. Chief Rpt., 1913, p. 3. 1913.
crow—
description, range, and food habits. F.B. 513, p. 17. 1913; F.B. 630, p. 12. 1915.
enemy of codling moth. Y.B., 1911, p. 241. 1912; Y.B., Sep. 564, p. 241. 1912.
food habits. Biol. Bul. 15, p. 29. 1901; F.B. 374, pp. 30–31. 1909.
corn damages in Ohio. An. Rpts., 1919, p. 286. 1920; Biol. Chief Rpt., 1919, p. 12. 1919.
damages to rice crop. An. Rpts., 1918, p. 264. 1918; Biol. Chief Rpt., 1918, p. 8. 1918; F. B. 1240, p. 26. 1924.
description, range, and habits. F.B. 513, pp. 17, 18, 19. 1913.
destruction of—
cicada. Ent. Bul. 71, pp. 115, 138. 1907.
cotton boll weevil. Biol. Bul. 25, pp. 11–12. 1906; Biol. Bul. 29, pp. 8, 16–18. 1907; Biol. Cir. 64, p. 3. 1908.
green June beetle. D.B. 891, p. 37. 1922.
grubs. F.B. 543, pp. 13–14. 1913.
sugar-beet webworm. Ent. Bul. 109, Pt. VI, p. 62. 1912.
English, protection by law. Biol. Bul. 12, p. 42. 1902.
family, habits, and food, relation to agriculture. Biol. Bul. 34, pp. 56–65. 1910.
food habits. Biol. Bul. 38, pp. 57–60. 1911; D.B. 107, pp. 17–18, 23–27. 1914; Y.B., 1907, p. 171. 1908; Y.B. Sep. 443, p. 171. 1908.
Louisiana law, game bird status. F.B. 418, p. 7. 1910.
mountain, protection by law. Biol. Bul. 12, rev., pp. 40, 41. 1902.
occurrence in Athabaska-Mackenzie region. N.A. Fauna 27, pp. 408–412. 1908.
Porto Rican, habits and food. D.B. 326, pp. 9, 10, 117–120. 1916.
protection by law. Biol. Bul. 12; rev., pp. 39, 40, 41. 1902.
red-winged—
description, range and habits. F.B. 513, p. 19. 1913; F.B. 630, pp. 15–17. 1915.
enemy of boll weevil. Biol. Bul. 22, pp. 10–11. 1905.
food habits. Biol. Bul. 15, pp. 15, 29. 1901.
game bird status. Biol. Bul. 12, rev., pp. 26–28. 1902.
protection and exception. Biol. Bul. 12, rev., pp. 38, 43. 1902.
rusty—
occurrence in Alaska. N.A. Fauna 30, pp. 40, 90. 1909.
occurrence in Pribilof Islands. N.A. Fauna 46, p. 87. 1923.
range and habits. N.A. Fauna 21, p. 77. 1901; N.A. Fauna 24, p. 72. 1904.
range habits. N.A. Fauna 22, pp. 116–117. 1902.
use for food. Biol. Bul. 12, rev., p. 28. 1902.
yellow-headed, food habits. D.B. 107, pp. 17–18. 1914.
yellow-shouldered, occurrence in Porto Rico, habits and food. D.B. 326, pp. 113–115. 1916.
Blackburn's cascara, wild lemon, castor-oil pills, compound, misbranding, N.J. 32. Chem. N.J. 28–35, pp. 7–8. 1908.
Blackcap, adaptability to acid soils. D.B. 6, p. 8. 1913.
Blackeyed Susan—
description, cultivation, and characteristics. F.B. 1171, pp. 44–45, 82. 1921.
seeds, description. F.B. 428, pp. 27, 28. 1911.
Blackfeet National Forest, Mont., map. For. Map. 1923.
Blackfish range habits. N.A. Fauna 21, p. 25. 1901.
Blackhead—
poultry, causes. S.R.S. Rpt., 1917, Pt. I, pp. 54, 238. 1918.
poultry, description, cause, symptoms, and treatment. F.B. 530, pp. 16–19. 1913; F.B. 957, pp. 28–31. 1918.

Blackhead—Continued.
turkeys—
cause, symptoms, and prevention. F.B. 1337, pp. 18–20. 1923.
cause, symptoms, post-mortem appearance, and prevention. F.B. 1337, pp. 18–20. 1923.
description and prevention. F.B. 1409, pp. 19–20. 1924.
infection in hen manure. B.A.I. Cir. 119, pp. 6–9. 1907.
investigations. B.A.I. An. Rpt., 1907, p. 59. 1908.
lesions, distinction from tuberculosis. F.B. 1200, p. 9. 1921.
notes on experiments. Cooper Curtice. B.A.I. Cir. 119, pp. 10. 1907.
symptoms and control methods. F.B. 334, pp. 27–28. 1908; F.B. 791, pp. 24–25. 1917.
transmission and control. O.E.S. An. Rpt., 1907, p. 165. 1907.
transmission by chickens. B.A.I. Cir. 119, pp. 7, 9. 1907.
treatment. D.C. 352, pp. 24, 25. 1925.
Blackhead fireworm, cranberry, on Pacific Coast. H. K. Plank. D.B. 1032, pp. 46. 1922.
Blackheart, celery, cause. F.B. 1269, p. 17. 1922.
Blackleaf 40—
spray, use in control of oat aphid. D.B. 112, p. 16. 1914.
use in fly larvae destruction in manure, experiments. D.B. 245, pp. 14, 21. 1915.
use in greenhouses. J.A.R. vol. 10, p. 388. 1917.
Blackleg—
bacillus—
discovery, different organism from anthrax bacillus. B.A.I. Cir. 31, p. 2. 1907.
nature, description, and action. B.A. [Misc.], "Diseases of cattle," rev., pp. 378, 465–466. 1912; rev., pp. 364, 447–448. 1909.
potato, cultures, studies, and details. J.A.R., vol. 8, pp. 98–122. 1917.
vitality. B.A.I. Cir. 31, rev., pp. 11, 12, 16. 1907; rev., pp. 11, 12, 16. 1911; rev., pp. 11, 12, 16. 1915.
cattle—
cause, treatment, and prevention. B.A.I. [Misc.], "Diseases of cattle," rev., pp. 447–451. 1908; rev., pp. 465–469. 1912; rev., pp. 459–464. 1923.
control by vaccination. W.I.A. Cir. 27, p. 12. 1919.
diagnosis, differences from other diseases. B.A. I. [Misc.], "Diseases of cattle," rev., pp. 443, 449, 461. 1916.
control by vaccination. D.B. 1031, p. 74. 1922.
control, work of county agents. S.R.S. Doc. 88, p. 22. 1918.
disinfection of premises, destruction of carcass. B.A.I. Cir. 31, rev., p. 13. 1907.
disinfection, treatment of premises, destruction of carcass. B.A.I. Cir. 31, rev., p. 13. 1907; rev., pp. 12–13. 1915.
distinction from—
hemorrhagic septicemia. D.B. 674, p. 7. 1918.
hemorrhagic septicemia and from anthrax. B.A.I. [Misc.], "Diseases of cattle," rev., pp. 408, 461. 1912.
Texas fever. F.B. 258, pp. 29–30. 1906.
filtrate antigenic value, experiments. J.A.R., vol. 19, pp. 514–515. 1920.
history, prevalence in foreign countries, and outbreaks in United States. B.A.I. Cir. 31, rev., pp. 1–13. 1911.
Idaho and Oregon, control work. News L., vol. 6, No. 29, p. 15. 1919.
immunization methods. J.A.R. vol. 14, pp. 253–262. 1918
infection, manner and spread. B.A.I. Cir. 31, rev., pp. 9, 11, 13. 1911.
investigations, 1904. B.A.I. An. Rpt., 1904, pp. 23–25. 1905.
investigations, 1909 and control. B.A.I. An. Rpt. 1909, p. 49. 1911.
losses from, nature and control. Y.B., 1915, pp. 160, 165–166. 1916; Y.B. Sep. 666, pp. 160, 165–166. 1916.
meanace to baby beef cattle, preventive measures. F.B. 588, p. 17. 1914.

Blackleg—Continued.
nature—
and prevention. F.B. 1073, pp. 22-23. 1919.
cause and prevention. John R. Mohler. F.B. 1355, p. 13. 1923.
cause and prevention. Victor A. Nörgaard. B.A.I. Cir. 31, rev., pp. 24. 1907; rev., pp.23. 1911.
occurrence in range area. F.B. 1395, p. 43. 1925.
of—
cabbage. See Cabbage, blackleg.
cauliflower, description, distribution, and control methods. F.B. 488, pp. 21-24. 1912.
potatoes. See Potato, blackleg.
outbreak in Colorado, control methods. News L., vol. 2, No. 40, p. 5. 1915.
prevention among range cattle in Southwest. D.B. 588, p. 27. 1917.
symptoms, and appearance after death of animal. B.A.I. Cir. 31, rev., pp. 7-9. 1907; rev., pp. 6-8. 1911; rev., pp. 6-11. 1915; F.B. 1355, pp. 5-6. 1923.
termination, treatment, spread of infection. B.A.I. Cir. 31, rev., pp. 10-11. 1907..
vaccination—
cause of increased calf production on forest ranges, 1916. News L., vol. 5, No. 26, p. 3. 1918.
methods. F.B. 1355, pp. 8-10. 1923.
results, 1907. B.A.I. An. Rpt., 1908, p. 37. 1910.
vaccine—
directions for use. B.A.I. Cir. 23, pp. 1-8. 1900; 2d rev. 1907; 3d rev., pp. 8. 1908; Spanish edition. pp. 9. 1908; B.A.I. [Misc.], "Diseases of cattle," rev., p. 469. 1912.
distribution. B.A.I. An. Rpt., 1905, pp. 12-14. 1907; B.A.I. An. Rpt., 1906, p. 35. 1908; An. Rpts., 1907, pp. 34, 225, 226. 1908.
distribution, discontinuance. B.A.I.S.R.A. 182, p. 76. 1922.
manufacture, discontinuance. Y.B. 1922, p. 59. 1923; Y.B. Sep. 883, p. 59. 1923.
Blacks, manufactured, testing methods. Chem. Bul. 109, p. 18. 1908.
Blacksmith, tools, list. D.B. 718, p. 54. 1918.
Blackstrap. See Molasses, low-grade.
BLACOW, C.R.: "Cultivation of tobacco in Hawaii." With J. G. Smith. Hawaii Bul. 15, pp. 29. 1908.
Bladder—
diseases, cattle, causes, symptoms and treatment. B.A.I. [Misc.], "Diseases of cattle," rev., pp. 125-128. 1908.
human, infection by vinegar eel (*Anguillula aceti*). Ch. Wardell Stiles and W. Ashby Frankland. B.A.I. Bul. 35, pp. 35-41. 1902.
imports, 1907-1909, value. Stat. Bul. 82, p. 27. 1910.
neck palsy, cattle, cause and treatment. B.A.I. [Misc.], "Diseases of cattle," rev. pp. 127-128. 1908; rev., pp. 128-130. 1912; rev., pp. 130. 1923
stone, of cattle, symptoms and treatment. B.A. I. [Misc.], "Diseases of cattle," rev., pp. 100-102. 1907; rev., pp. 514-515. 1908; rev.,pp. 139-141. 1909; rev., pp. 142-144. 1912; rev., pp. 142-144. 1923.
worms—
causes of diseases, spread by dogs, description. D.B. 260, pp. 5-15. 1915.
gid, life history, distribution, symptoms, etc. B.A.I. Cir. 193, pp. 421, 436-438. 1912. B.A.I. An. Rpt., 1910, pp. 421, 436-438. 1912.
prevalence, in Honduras. B.A.I. An. Rpt., 1910, p. 292. 1912.
source and nature. D.C. 338, pp. 24, 25. 1925.
thin-necked, life history, symptoms, and treatment. F.B. 1330, pp. 24-25. 1923.
See also Gid parasite.
Bladderwort, description, eastern Puget Sound Basin, Washington. Soils F.O. 1909, p. 1541. 1912; Soil Sur. Adv. Sh. 1909, p. 29. 1911.
BLAIR, A. W.: Report on referee on "Fruit and fruit products." Chem. Bul. 137, pp. 56-57. 1911; Chem. Bul. 152, pp. 218-220. 1912.
BLAIR, F. J.: "Development and localization of truck crops in the United States." Y.B. 1916, pp. 435-465. 1917; Y.B. Sep. 702, p. 31. 1917.

BLAIR, G. Y.: "Soil survey of Leavenworth County, Kansas." With E. H. Smies. Soil Sur. Adv. Sh. 1919, pp. 207-271. 1923; Soils F.O. 1919, pp. 207-271. 1925.
BLAIR, R. E.—
"Horticultural experiments at the San Antonio Field Station, southern Texas." With Stephen H. Hastings. D.B. 162, p. 26. 1915.
"The work of the Yuma Reclamation Project Experiment Farm in 1913. B.P.I. [Misc.], "The work of the Yuma Project Experiment Farm, 1913," p. 18. 1914.
"The work of the Yuma Reclamation Project Experiment Farm in 1914." W.I.A. Cir. 7, pp. 24. 1915.
"The Work of the Yuma Reclamation Project Experiment Farm in 1915." W.I.A. Cir. 12, pp. 27. 1916.
"The Work of the Yuma Reclamation Project Experiment Farm in 1916." W.I.A. Cir. 20, pp. 40. 1918.
"The Work of the Yuma Reclamation Project Experiment Farm in 1917." W.I.A. Cir. 25, pp. 45. 1919.
"The Work of the Yuma Reclamation Project Experiment Farm in 1918." D.C. 75, pp. 77. 1920.
BLAIR, W. G.—
"Comparative spinning tests of Meade and Sea Island Cottons." With Wm. R. Meadows. D.B. 946, pp. 5. 1921.
"Comparative spinning tests of superior varieties of cotton (grown under weevil conditions in the southeastern States; crop of 1921)." With William R. Meadows. D.B. 1148, pp. 7. 1923.
"Preliminary manufacturing tests of the official cotton standards of United States for color for upland tinged and stained cotton." With W. R. Meadows. D.B. 990, pp. 12. 1921.
"Spinning tests of cotton compressed to different densities." With William R. Meadows. D.B. 1135, pp. 19. 1923.
BLAKE, E. W., inventor of stone crusher. D.B. 220, p. 22. 1915.
BLAKE, S. F.—
"Directions for collecting flowering plants and ferns. D.C. 76, pp. 8. 1920.
"Directions for the preparation of plant specimens for identification." Ec. and Sys. Bot. Cir. 1, pp. 2. 1919.
BLAKESLEE, E. B.—
"American plum borer." D.B. 261, pp. 13. 1915.
"Studies of the codling moth in the central Appalachian region." With F. E. Brooks. D.B. 189, pp. 49. 1915.
"Use of toxic gases as a possible means of control of the peach-tree borer." D.B. 796, pp. 23. 1919.
BLANCHARD, H. F.: "Improvement of the wheat crop in California." B.P.I. Bul. 178, pp. 37. 1910.
BLANCHARD, H. L., work as owner of a successful poultry and dairy farm. F.B. 355, pp. 1-40. 1909.
Blancmange, preparation from Hawaiian limus. O.E.S. An. Rpt., 1906, p. 82. 1907.
Blanket flower, description, cultivation, and characteristics. F.B. 1171, pp. 45, 81. 1921.
Blapstinus sp., description. Ent. Bul. 123, p. 13. 1914.
Blarina spp. See Shrew.
Blaspberry. See Loganberry; Blackberry, Logan.
Blast—
furnace, potash source. Y.B. 1916, p. 304. 1917; Y.B. Sep. 717, p. 4. 1917.
lamp, precipitates, ignition without use of. Percy H. Walker and J. B. Wilson. Chem. Cir. 101, pp. 8. 1912.
rice. See Rice blight.
Blasting—
hardpan, California, Sacramento Valley. Soil Sur. Adv. Sh., 1913, pp. 47, 48, 144. 1915; Soils F.O., 1913, pp. 2337, 2338, 2434. 1916.
powders, use in removal of stumps, directions for handling. B.P.I. Bul. 239, pp. 14-16. 1912.
taprooted stumps, boring outfit. Harry Thompson. F.B. 600, pp. 5. 1914.

Blasting—Continued.
   use of T N T. C. E. Munroe and S. P. Howell. D.C. 94, pp. 24. 1920.
Blastobasidae, similarity of certain species to *Pectinophora gossypiella.* J.A.R., vol. 20, pp. 817-819. 1921.
Blastobasis citriella. See *Zenodochium citricolella.*
Blastomyces, cause of odor on beef. J.A.R. vol. 21, p. 695. 1921.
Blastophaga—
   description, habits, and enemies. Y.B. 1900, pp. 99-104. 1901; Y.B. Sep. 196, pp. 99-104. 1901.
   importance in Smyrna fig pollination. B.P.I. Bul. 53, p. 14. 1904; F.B. 1031, p. 35. 1919; F.B. 430, p. 7. 1911.
   introduction and use in Southern States. An. Rpts., 1918, p. 163. 1919; B.P.I. Chief Rpt., 1918, p. 1918.
   life history, habits, and importance in fig growing. D.B. 732, pp. 12-17, 21-22. 1918.
   use in caprification of Smyrna figs. B.P.I. Doc. 537, rev., p. 1. 1912.
Blattella germanica. See Roaches.
Blaze O'Glory (horse), history and pedigree. B.A.I. An. Rpt., 1907, pp. 97, 143. 1909; B.A.I. Cir. 137, pp. 97, 143. 1908.
Blazing star, growing, experiments with daylight of different lengths. J.A.R., vol. 23, pp. 875-876, 896. 1923.
Bleaching powder—
   deterioration, report of referee. Chem. Bul. 99, pp. 33. 1906.
   ingredients. Insect. Notice 18, I. and F. Bd. S.R.A., 2, p. 25. 1914.
   use as disinfectant, labels. Opinion 39, I. and F. Bd. S.R.A. 7, pp. 94-95. 1915.
Bleeding—
   surgical operation, directions. B.A.I. [Misc.] "Disease of cattle," rev. pp. 300-301. 1912.
   See also Hemorrhage.
Bleeding heart, yellow, importation. No. 51613, B.P.I. Inv. 65, p. 32. 1923.
Blepharidachne spp., description, distribution and uses. D.B. 772, pp. 10, 78, 80, 288. 1920.
Blepharipa scutellata—
   introduction and value as parasite. An. Rpts. 1919, p. 265. 1920; Ent. A.R. 1919, p. 19. 1919.
   moth caterpillar parasite, description. Ent. Bul. 91, pp. 213-218. 1911.
   notes on. Ent. T.B. 12, Pt. VI, p. 99. 1908.
   parasite of gipsy moth—
      attack by *Perilampus cuprinus.* Ent. T.B. 19, Pt. IV, pp. 65, 69. 1912.
      establishment. An. Rpts., 1910, p. 516. 1911; An. Rpts., 1917, p. 229. 1917; Ent. A.R., 1910, p. 12. 1910; Ent. A.R., 1917, p. 3. 1917.
Blepharoneron spp., description, distribution, and uses. D.B. 772, pp. 15, 151, 153. 1920.
Blepharocalyx lanceolatus, importation and description. No. 48660, B.P.I. Inv. 61, p. 32. 1922.
Blighia sapida. See Akee.
Blight(s)—
   bacterial, occurrence on plants, Texas, and description. B.P.I. Bul. 226, pp. 36, 53. 1912.
   bacterial of gladioli. Lucia McCulloch. J.A.R., vol. 27, pp. 225-230. 1924.
   beet disease. See Curly top.
   chestnut. See Chestnut bark disease; Chestnut blight; *Endothia parasitica.*
   coniferous nursery stock. Carl Hartley. D.B. 44, pp. 21. 1913.
   due to presence of *Phytophora* spp., studies. J.A.R., vol. 8, pp. 233-276. 1917.
   head and seedling, weather conditions favoring. F.B. 1224, pp. 13-14. 1921.
   late, effect on potato plants. D.C. 220, p. 2. 1922.
   injury to potato and tomato, description, and control by spraying. F.B. 856, pp. 58-59, 69. 1917.
   occurrence on plants, Texas, and description. B.P.I. Bul. 226, pp. 34, 42, 65, 72, 75, 84, 85, 106. 1912.
   onion. See Mildew, onion.
   pineapple. See Wilt, red.
   rice. See Rice, rottenneck disease.
   sorghum. See Sorghum red-spot.
   vegetables, occurring under market, storage, and transit conditions. B.P.I. [Misc.], "Handbook of the diseases * * *," pp. 24-25, 26, 31-32. 1919.

Blight(s)—Continued.
   western, of beets. See Curly-top.
   See also *under hosts.*
Blind staggers—
   distribution, symptoms, control methods. News L., vol. 1, No. 31, pp. 2-3. 1914.
   horses, common names, outbreak in various States, description, cause, and prevention F.B. 499, pp. 19-20. 1912.
   See also Forage poisoning; Meningitis, cerebro-spinal; Staggers.
Blindness, result of use of antipyrin. Chem. Bul 126, p. 76. 1909.
Blish, M. J.: "Effect of premature freezing on composition of wheat." J.A.R. vol. 19, pp. 181-188 1920.
Bliss, C. I.: "The three-banded grape leaf hopper and other leaf hoppers injuring grapes." With G. A. Runner. J.A.R., vol. 26, pp. 419-424. 1923
Bliss, G. S.: "Forecasting the weather." W.B Bul. 42, pp. 34. 1913.
Bliss, R. K., report of extension work in agriculture and home economics in Iowa—
   1915. S.R.S. Rpt., 1915, Pt. II, pp. 206-211. 1917
   1916. S.R.S. Rpt., 1916, Pt. II, pp. 215-223. 1917
   1917. S.R.S. Rpt., 1917, Pt. II, pp. 222-229. 1919
Blissus leucopterus. See Chinch bug.
Blister—
   beetles—
      advantages and disadvantages. F.B. 747, p. 11. 1916.
      classification and study. F. B. Milliken. D.B. 967, pp. 26. 1921.
      control measures. D.B. 967, pp. 21-26. 1921; D.C. 40, p. 5. 1919.
      description, common name, and control treatment. F.B. 856, pp. 17, 56. 1917.
      driving from fields, instructions. D.B. 967, p. 25. 1921.
      eaten by flycatchers and kingbirds. Biol. Bul. 44, pp. 12-13. 1912.
      economic importance and injury to crops. D.B. 967, pp. 2-3. 1921.
      enemy of potato, habits and control. F.B. 868, pp. 8-9. 1917.
      feeding habits. Ent. Bul. 82, pp. 91-92. 1912.
      habits and control in vegetable garden. D.C 35, pp. 4, 23. 1919.
      injurious to fruit trees, remedies. Ent. Bul. 38, pp. 97-99. 1902.
      injury(ies) to—
         beans and beets, control. F.B. 856, pp. 17-18, 29. 1917.
         cotton and aid in destruction of other insects. F.B. 890, pp. 21-22. 1917.
         vegetables, habits, and control remedies. F.B. 856, pp. 17-18. 1917.
         young trees. D.L.A. Cir. 4, p. 4. 1919. 1919.
      rregular development. D.B 967, pp. 17-21. 1921.
      methods as enemies of grasshoppers. F.B. 747, p. 11. 1916.
      relation to grasshoppers. D.B. 967, pp. 2-3, 26. 1921.
      striped, hibernating habits, and control. Y.B., 1908, pp. 377-378. 1909; Y.B. Sep. 488, pp. 377-378. 1909.
      use in medicine. Y.B., 1908, p. 347. 1909; Y.B. Sep. 486, p. 347. 1909.
   mite—
      cotton—
         enemy, habits, and control. Vir. Is. Bul. 1, p. 12. 1921.
         in Hawaii and Porto Rico, quarantine against. F.H.B., Quar. notice, No. 47, pp. 4. 1920.
         leaf, control. Ent. Bul. 67, p. 122. 1907.
         quarantine No. 47. F.H.B., S.R.A. 71, p. 174. 1922.
         introduction, danger, and description. Sec. [Misc.], "A manual of insects * * *," pp. 11, 45, 82, 86, 127, 132, 133, 139, 172. 1917.
      leaf. A. L. Quaintance. Ent. Cir. 154, pp. 6. 1912.
      leaf, of pear and apple. A. L. Quaintance. F.B. 722, pp. 8. 1916.
   pear leaf—
      injuries, host plants, control. Ent. Bul. 67, pp. 43-46. 1907.

Blister—Continued.
  mite—continued.
    pear leaf—continued.
      description, habits, and control. Rpt. 108, pp. 15, 135, 137. 1915.
      injury and control. F.B. 1056, pp. 19-20. 1919.
Blister rust—
  control—
    cooperation of nursery men and inspectors. F.H.B.S.R.A. 26, pp. 36-38. 1916.
    methods, practical suggestions. B.P.I. Bul. 206, pp. 40-42, 45-51. 1911.
    on white pine, study. D.C. 345, pp. 10-12. 1925.
  danger to white pines, Eastern and Western States. F.B. 742, pp. 5-9. 1916.
  economic importance, effect on trees and bushes. B.P.I. Bul. 206, pp. 15-21. 1911.
  examination of specimens, procedure. J.A.R., vol. 15, No. 12, pp. 620-624. 1919.
  forms on pines and Ribes, life history, important dates. D.B. 957, pp. 24-72. 1922.
  gooseberry, infection and spread. D.C. 226, pp. 3, 4, 5. 1922.
  history, distribution, and spread in Pacific Northwest. J.A.R., vol. 30, pp. 593-607. 1925.
  infection of pines at Kittery Point, Maine, and Ribes eradication. J.A.R., vol. 28, pp. 1253-1258. 1924.
  injury to ornamental white pines, treatment. J. F. Martin and others. D.C. 177, pp. 20. 1921.
  inoculation on pines and Ribes spp. experiments. D.B. 957, pp. 12-14, 16-24, 61. 1922.
  inspection directions. F.B. 742, pp. 3-5. 1916.
  losses by, and remedy. Sec. A. Rpt., 1924, pp. 64-65. 1924.
  movement in Pacific Northwest, forecast. J.A.R., vol. 30, p. 606. 1925.
  Peridermium stage of currant rust. B.P.I. Cir. 38, p. 2. 1909.
  pine hosts, American and foreign. F.B. 489, pp. 9-10. 1912.
  piñon, fungus causing. J.A.R., vol. 14, pp. 411-424. 1918.
  quarantine—
    conference. Off. Rec., vol. 3, No. 36, p. 3. 1924.
    regulations. D.B. 957, pp. 80-82. 1922.
    restrictions on pines and on Ribes. D.C. 226, pp. 5-6. 1922.
    violations, parcel-post inspection, instruction to postmasters. F.H.B.S.R.A. 72, pp. 93-94. 1922.
    See also Blister rust, white pine, quarantine; Currant quarantine; Gooseberry quarantine; Ribes quarantine.
  Ribes—
    cause and control, 1921. An. Rpts., 1920, pp. 54-57, 213-214. 1921; B.P.I. Chief Rpt., 1925, pp. 23-24. 1925.
    infection and spread. D.C. 226, pp. 3, 4, 5. 1922.
    spread under weather conditions of Pacific Northwest, discussion. J.A.R., vol. 30, pp. 604-606. 1925.
  white pine. Perley Spaulding. B.P.I. Bul. 206, pp. 88. 1911; F.B. 742, pp. 15. 1916.
  white pine—
    amendment No. 1, to Notice of Quarantine No. 7. F.H.B.S.R.A. 25, pp. 29-30. 1916.
    appearance, life history, and control. F.B. 742, pp. 4, 8, 9-15. 1916.
    cause—
      and control. An. Rpts., 1919, pp. 175-176. 1920; B.P.I. Chief Rpt., 1919, pp. 39-40. 1919; B.P.I. Chief Rpt., 1925, pp. 23-24. 1925.
      distribution, and hosts. D.B. 957, pp. 3-24. 1922.
      spread, and control. F.B. 1398, pp. 19-23. 1924.
    caused by Peridermium filamentosum, studies. J.A.R., vol. 5, No. 17, pp. 781-785. 1916.
    characteristics. B.P.I. Bul. 206, pp. 34-36. 1911.
    characters, spread, and quarantine. B.P.I. Cir. 129, pp. 9-20. 1913.

Blister rust—Continued.
  white pine—continued.
    conference notice. F.H.B.S.R.A. 18, p. 54. 1915; F.H.B.S.R.A. 19, pp. 55-56. 1915.
    control. D.C. 345, pp. 10-12. 1925; Sec. A.R., 1925, pp. 57-58. 1925; Y.B., 1922, p. 28. 1923; Y.B. Sep. 883, p. 28. 1923.
    control—
      bill. Off. Rec., vol. 1, No. 3, p. 1. 1922.
      by destruction of Comandra plants. J.A.R., vol. 5, No. 3, pp. 133-135. 1915.
      efforts, and status in 1915. F.B. 742, pp. 14-15. 1916.
      Europe, experiments. D.B. 957, pp. 76-80. 1922.
      methods and studies. D.B. 957, pp. 73-90. 1922.
      quarantine of gooseberry plants from Great Britain. F.H.B.S.R.A. 43, p. 106. 1917.
      status in United States. D.B. 957, pp. 89-90. 1922.
      work, 1922. An. Rpts., 1922, pp. 23, 190-192, 611-612, 625, 626. 1923; B.P.I. Chief Rpt., 1922, pp. 30-32. 1922; F.H.B. An. Rpt., 1922, pp. 9-10, 23, 24. 1922; A.R., 1922, p. 23. 1922.
      work, 1924. F.H.B. An. Rpt., 1924, p. 8. 1924.
    cooperative eradication work, various States. News L., vol. 6, No. 4, p. 5. 1918.
    Cronartium stage on Ribes spp. B.P.I. Cir. 129, pp. 10-17. 1913; D.B. 957, pp. 40-68. 1922.
    damage and control measures. M.C. 40, pp. 1-8. 1925.
    description and control, 1921. B.P.I. Chief Rpt., 1921, pp. 41-43. 1921.
    diagnosing by mycelium. J.A.R., vol. 11, pp. 281-286. 1917.
    distribution of spores, observations. D.B. 116, pp. 6-7. 1914.
    eradication increase, various States. News L., vol. 6, No. 4, p. 5. 1918.
    establishment, distribution, and importance. D.C. 177, pp. 4, 6-7. 1921.
    fungus, life history and spread. D.C. 226, pp. 3-4. 1922.
    Geneva, New York, investigations. D.B. 116, pp. 1-2. 1914.
    history and life cycle. D.C. 177, pp. 4-6, 19-20. 1921.
    hosts, list, description. D.B. 957, pp. 11-24. 1922.
    in western Europe. W. Stuart Moir. D.B. 1186, pp. 32. 1924.
    in western United States. D.C. 226, pp. 5. 1922.
    infected trees worth treatment, studies. D.C. 177, p. 8. 1921.
    infection at Kittery Point, Maine, and effect of Ribes eradication. J.A.R., vol. 28, pp. 1253-1258. 1924.
    injuries, causes, and control. News L., vol. 3, No. 48, pp. 3-4. 1916.
    inspection and results. D.B. 116, p. 8. 1914.
    introduction on imported nursery stock. B.P.I. Chief Rpt., 1911, p. 16. 1911; An. Rpts., 1911, pp. 55, 264. 1912; Sec. A.R., 1911, p. 53, 1911; Y.B., 1911, p. 53. 1912.
    investigations. Perley Spaulding. D.B. 957, pp. 100. 1922.
    1920. An. Rpts., 1920, pp. 211-215. 1921. 1915-1921. D.B. 957, pp. 1-3. 1922.
    1925. B.P.I. Chief Rpt., 1925, pp. 23-24. 1925.
    life history, studies and dates. D.B. 957, pp. 24-72. 1922.
    origin and distribution. D.B. 957, pp. 3-11. 1922.
    overwintering on pines and Ribes. D.B. 957, pp. 68-71.
    parasitism, morphology, and cytology. J.A.R., vol. 15, No. 12, pp. 619-660. 1919.
    Peridermium stage on pines. D.B. 957, pp. 24-40. 1922.
    production of internal telia in Ribes spp. J.A.R., vol. 8, pp. 329-332. 1917.
    quarantine—
      1912. F.H.B. Quar. Notice 1, p. 1. 1912.

Blister rust—Continued.
  white pine—continued.
    quarantine—continued.
      currants and gooseberries. F.H.B. Quar. No. 7, p. 1, 1913; F.H.B. Quar. 7, amd. 2, p. 1. 1917; F.H.B. Quar. 26, p. 1. 1917; F.H.B. Quar. 26, amd. 1, p. 1. 1917; F.H.B., S.R.A. 24, pp. 1–2. 1916; F.H.B., S.R.A. 38, pp. 28–34. 1917; F.H.B., S.R.A. 39, pp. 41–42. 1917; F.H.B., S.R.A. 71, pp. 106, 160–162. 1922; F.H.B., S.R.A. 72, p. 70. 1922.
      enforcement and blank forms. F.H.B.S., R.A. 49, pp. 18–20. 1918.
      extension. F.H.B., S.R.A. 72, p. 71. 1922; F.H.B., S.R.A. 73, p. 120. 1923; F.H.B., S.R.A. 74, pp. 40–41, 53. 1923.
      hearing by Federal Horticultural Board. Off. Rec., vol. 1, No. 1, p. 4. 1922.
      policy, explanation by Chairman Marlatt. F.H.B., S.R.A. 72, pp. 69–70. 1922.
      text. B.P.I. Cir. 129, pp. 19–20. 1913.
      violations. F.H.B., S.R.A. 63, p. 67. 1919.
      See also Blister rust, quarantine; Currants, quarantine; Gooseberry, quarantine; Ribes, quarantine.
    spread—
      1918. An. Rpts., 1918, pp. 154–155. 1919; B.P.I. Chief Rpt., 1918, pp. 20–21. 1918.
      1923. Y.B., 1923, p. 43. 1924.
      1924. Off. Rec., vol. 3, No. 37, p. 8. 1924.
      1925. Off. Rec., vol. 4, No. 41, pp. 1–2. 1925.
      by currants and gooseberries. F.B. 1024, pp. 22–25. 1919; F.B. 1242, pp. 13–14. 1921.
      by gypsy-moth larvae. J.A.R., vol. 12, No. 7, pp. 459–462. 1918.
      by weeds. Y.B. 1917, p. 207. 1918; Y.B. Sep. 732, p. 5. 1918.
      in Pacific Northwest, relation of weather conditions. L. H. Pennington. J.A.R., vol. 30, pp. 593–607. 1925.
      methods. D.B. 957, pp. 42–68, 73–74, 84, 85. 1922.
    State cooperation in eradication, importance. News L., vol. 3, No. 3, p. 5. 1915.
    symptoms, young and old cankers. D.C. 177, pp. 8–11. 1921.
    See also Cronartium ribicola; Currant rust.
Bloat—
  cattle—
    cause and prevention. F.B. 1339; p. 14. 1923, caused by alfalfa, control, Argentina. Y.B. 1913; p. 359. 1914; Y.B. Sep. 629, p. 359. 1914.
    caused by hairy clover. B.P.I. Bul. 95, p. 12. 1906.
    chronic, sometimes caused by tuberculosis. B.A.I. [Misc.], "Diseases of cattle," rev., pp. 26, 27, 424. 1912.
    control treatment. F.B. 820, pp. 9–10. 1917.
    danger on alfalfa pasture and prevention. F.B. 215, p. 25. 1905; F.B. 339, p. 27. 1908; F.B. 1229, pp. 17–18. 1921.
    danger on sweet clover pasture, prevention. F.B. 485, pp. 25, 27. 1912.
    symptoms and treatment. B.A.I. Cir. 68, rev., pp. 1–4. 1908; B.A.I. [Misc.], "Diseases of cattle," rev., pp. 24–27. 1912.
  sheep—
    causes and prevention. F.B. 1051, pp. 12, 13, 20, 24, 25, 28. 1919; F.B. 1339, p. 14. 1923.
    on alfalfa pasturage. F.B. 1229, p. 19. 1921.
  See also Colic.
Bloaters—
  misbranding. Chem. N.J. 1343, pp. 2. 1912; Chem. N.J. 1621, p. 1. 1912.
  smoked, in boxes, quantity declaration. Chem. S.R.A. 13, p. 4. 1915.
BLOCISZEWSKI, THADDÄUS, studies of plant growth from mutilated seeds. D.B. 1011, pp. 2, 12. 1922.
Block and tackle, stump pulling. F.B. 974, pp. 22–24. 1918.
Blocks—
  paving, treatment with tar-creosote mixture. D.B. 607, pp. 3, 11, 31–32, 34–35, 39. 1918.
  red-oak, experimental dipping with preservatives. D.B. 1037, pp. 47–48. 1922.
  wood, sampling and testing method. D.B. 1216, pp. 42–43. 1924.
  wood, use as pavement in United States. For. Cir. 141, pp. 1–24.

BLODGETT, J. H.—
  "Relations of population and food products in the United States, exclusive of Alaska and the insular possessions; mainly as indicated by census reports, 1850–1900." Stat. Bul. 24, pp. 86. 1903.
  "Wages of farm labor in the United States. Results of twelve statistical investigations, 1866–1902." Stat. Bul. 26, pp. 62. 1903.
BLODGETT, J. W.: "The road to better utilization." M.C. 39, pp. 19–21. 1925.
Blood—
  action of saltpeter, experiments. B.A.I. An. Rpt., 1908, pp. 304–305. 1910.
  calcium content. Chem. Bul. 123, p. 21. 1909.
  circulation description and functions. B.A.I. [Misc.], "Diseases of cattle, rev., pp. 70–73, 84. 1909.
  composition, effect of sodium benzoate in food. Rpt. 88, pp. 31–34, 582, 594, 606, 617, 767. 1909.
  composition, relation to secretion of milk by cows. J.A.R., vol. 29, pp. 603–604. 1924.
  corpuscles, effect of sulphur in diet. Chem. Cir. 37, pp. 13, 17. 1907; Chem. Bul. 84, Pt. III, pp. 877–889, 1040. 1907.
  corpuscles, red, variation with use of benzoate and benzoic acid. Chem. Cir. 39, pp. 11–12. 1908.
  defibrinated, preparation for centrifugalizing. J.A.R. vol. 6, No. 9, p. 335. 1916.
  destruction by Ascaris lumbricoides, studies. J.A.R., vol. 16, pp. 253–258. 1919.
  diseases, remedies, misbranding. Chem. N. J. 4673, 4676. 1917.
  dried—
    ammonification—
      and nitrification, comparison with kelps. J.A.R., vol. 4, pp. 23–37. 1915.
      effects of calcium and magnesium carbonates. Hawaii Bul. 37, pp. 39–42, 46–47, 51. 1915.
      in presence of various salts and soils. J.A.R. vol. 13, pp. 216–220. 1918.
      influence of water in soils. Hawaii Bul. 31, pp. 18–19. 1914.
    availability of iron to rice plants in calcareous and noncalcareous soils. J.A.R., vol. 20, pp. 50–54. 1920.
    decomposition in soils, effect of bacterial action. Hawaii Bul. 39, pp. 7–12, 18–19. 1915.
    determination in commercial fertilizers. D.B. 97, pp. 1–10, 12. 1914.
    effect on—
      bacterial activities of soil and crop production. J.A.R., vol. 5, pp. 858–861, 865–868. 1916.
      corn yield. Soils Bul. 64, pp. 26, 29. 1910.
      nitrification of soils. Hawaii Bul. 43, pp. 9–10. 1917; J.A.R., vol. 9, pp. 200–204. 1917.
    soils experiments. J.A.R., vol. 6, No. 23, pp. 905–917. 1916.
    feed for farm stock. F.B. 388, pp. 24–25. 1910.
    fertilizer stocks, 1917. Sec. Cir. 104, pp. 4, 8, 10–12. 1918.
    imports, value—
      1907–1909, by countries from which consigned. Stat. Bul. 82, p. 26. 1910.
      1909–1913. D.B. 798, p. 24. 1919.
    nitrification, effect of various chemicals. J.A.R. vol. 12, pp. 676–682. 1918.
    nitrification in citrus soils, comparison with green manures. J.A.R., vol. 9, pp. 187–200. 1917.
    nitrifying powers in humid and in arid soils. J.A.R., vol. 7, pp. 50–81. 1916.
    prices, 1913–1923. Y.B., 1923, p. 1189. 1924; Y.B. Sep. 906, p. 1189. 1924.
    remedy for scours in calves. F.B. 233, p. 25. 1905.
    semiarid soils, nitrification rates. J.A.R., vol. 7, pp. 418–435. 1916.
    use in top-dressing lawns. Soils Bul. 75, p. 54. 1911.
    value as fertilizer. D.B. 37, pp. 9–11. 1913; News L., vol. 1, No. 23, p. 3. 1914.
    wheat soils, tests. Soils Bul. 66, pp. 12, 17, 19. 1910.
  extract solution, use in protozoa studies. J. A. R., vol. 4, No. 6, pp. 514, 520–530, 534–538, 544–549, 552. 1915.

INDEX TO PUBLICATIONS, 1901–1925 — 255

Blood—Continued.
filtered, experiments in hog-cholera investigations. B.A.I. Bul. 72, pp. 41–98. 1905.
flukes, control by destruction of intermediate host. Aca C. Chandler. J.A.R., vol. 20, pp. 193–208. 1920.
food use, German regulations. B.A.I. Bul. 50, p. 44. 1903.
impoverishment, result of sulphur in food. Chem. Bul. 84, Pt. III, pp. 877–889, 1018, 1040. 1907; Chem. Cir. 37, pp. 13, 17. 1907.
inoculation, for Texas fever immunity. "Diseases of cattle," rev., pp. 483–486. 1908; "Diseases of cattle," rev., pp. 507–510. 1912; F.B. 569, pp. 19–22. 1914.
microscopical examination in feeding experiments with salicylates. Chem. Bul. 84, pp. 520–525, 703, 1378–1380. 1908.
parasites, studies. Howard Crawley. B.A.I. Bul. 119, pp. 31. 1909.
parasitism of *Trypanosoma americanum*, investigations on cattle. Howard Crawley. B.A.I. Bul. 145, pp. 39. 1912.
poison remedy misbranding "Lopez specific special compound." Chem. N.J. 816, pp. 3. 1911.
poisoning. *See* Pyemia; Septicemia.
powder, use as fertilizer. D.B. 479, p. 81. 1917.
purifier, misbranding. Chem. N.J. 3966. 1915.
serum—
a constant-temperature bath for heating. R. R. Henley. J.A.R., vol. 21, pp. 541–544. 1921
effect on efficacy of chlorin disinfectants. J.A.R., vol. 20; pp. 89–110. 1920.
filtration rate. B.A.I. Bul. 113, pp. 28–29. 1909.
hogs, bacteriolytic power. B. M. Bolton. B.A.I. Bul. 95, pp. 62. 1907.
stains, removal from textiles. F.B. 861, p. 10. 1917.
tests for tubercle bacilli in circulation. E. C. Schroeder and W. E. Cotton. B.A.I. Bul. 116, pp. 23. 1909.
transfusion, experiments in cattle protection against tuberculosis. B.A.I. Cir. 190, pp. 342–343. 1912; B.A.I. An. Rpt., 1910, pp. 342–343. 1912.
treatment, Brown's, misbranding. Chem. S.R.A. Supp. 19, pp. 703–704. 1916.
Bloodine tablets, misbranding. Chem. N.J. 4343. 1916.
Bloodroot, habitat, range, description, collection prices and uses of roots. B.P.I. Bul. 107, p. 40. 1907.
BLOOMBERG, EUGENE: "The effect of alkali treatment on cocoas." D.B. 666, pp. 20. 1918.
Blossom—
anomala, injury, history, and control. F.B. 1261, pp. 15–17, 30. 1922.
end rot. *See under* Hosts.
false, disease of cultivated cranberry. C. L. Shear. D.B. 444, pp. 8. 1916.
worm, cranberry, injury, history, and control. F.B. 860, pp. 23–25. 1917.
Blossoming, effect of varying length of day, experiments. J.A.R., vol. 28, pp. 447–453. 1924.
Blotch—
miner. *See* Corn-leaf blotch miner.
See Leaf-spot.
Blotting papers, specifications. Rpt. 89, pp. 48–49. 1909.
Blow-out lands, Colorado, description and vegetation. B.P.I. Bul. 201, pp. 20, 60, 91. 1911.
'Blow out" lands, sand-hill, description. B.P.I. Cir. 80, p. 5. 1911.
Blowers—
dust, use in distributing sulphur for chigger control. News L., vol. 2, No. 43, p. 3. 1915.
grain separator, to prevent dust explosions. D.B. 379, pp. 12–13, 19–20. 1916.
silage, description. F.B. 578, p. 8. 1914.
Blowfly—
black, description, life history, and habits. F.B. 857, pp. 14–15. 1917.
black. *See also Phormia regina*.
dangers to man, prevention. Sec. Cir. 61, pp. 9–10. 1916.
enemy of grasshoppers. F.B. 747, pp. 10–11. 1916.
enemy of sheep. Hawaii A.R., 1907, p. 47. 1908.
injury to sheep. D.B. 131, pp. 2, 23. 1914.
larvae, description and occurrence in food. Ent. T.B. 22, pp. 9, 10, 12, 20–21, 36. 1912.

Blowfly—Continued.
parasites, enemies of green June beetle, list. D.B. 891, pp. 31–33. 1922.
trapping and poisoning, directions. F.B. 857, pp. 11–12. 1917.
Blowing Cave, Grady County, Georgia, description. Soil Sur. Adv. Sh., 1908, p. 7. 1911; Soils F.O., 1908, p. 343. 1911.
Blowing soils. L. E. Hazen. B.P.I. Bul. 130, pp. 51–53. 1908.
Blue—
bag. *See* Mammitis.
bug(s)—
description and control. F.B. 1110, p. 5. 1920.
remedy, misbranding. N.J. 923, I. and F.Bd. S.R.A. 47, p. 21. 1924.
See also Tick, fowl.
disease. *See* Cyanosis.
flag—
culture and handling as drug plant, yield, and price. F.B. 663, p. 16. 1915; F.B. 663, rev., p. 19. 1920.
habitat, range, description, collection, prices, uses of roots. B.P.I. Bul. 107, p. 22. 1907.
See also Iris.
fly. *See* Citrus black fly.
gum. *See* Eucalyptus.
methylene, use in treatment of—
contagious abortion of breeding stock. Work and Exp., 1914, pp. 117, 232. 1915.
infectious abortion. An. Rpts., 1914, p. 86. 1914; B.A.I. Chief Rpt., 1914, p. 30. 1914.
mold rot. *See Penicillium expansum*.
myrtle, description, range, and occurrence on Pacific slope. For. [Misc.], "Forest trees of Pacific * * *," p. 409. 1908.
oil, treatment of wood against termites. Ent. Bul. 94, Pt. II, p. 77. 1915.
ointment, use in treatment of chicken lice. D.C. 16, p. 5. 1919; F.B. 1110, p. 5. 1920.
prints, dairy buildings, preparation by department. F.B. 1342, pp. 20, 22. 1923.
stain—
in lumber, causes. D.B. 418, p. 15. 1917.
wood, cause and control. D.B. 1128, pp. 26–28. 1923.
vitriol—
use against bunt in wheat. Y.B. 1921, p. 110. 1922; Y.B. Sep. 873, p. 110. 1922.
use against weeds. F.B. 424, p. 24. 1910.
See also Copper sulphate.
Blue Mountains, Oreg.—
forest region, physical and climatic features. D.B. 317, pp. 5–10. 1916.
stumpage appraisal, example. For. [Misc.], "Instructions for appraising * * *," pp. 50–54. 1922.
Blue Ridge—
belt, description, drainage, and geology. Soils Bul. 96, pp. 49–51. 1913.
regions—
soils, description. B.P.I. Bul. 135, pp. 18–22. 1908.
Virginia, and South Atlantic States, orchard fruits. H. P. Gould. B.P.I. Bul. 135 pp. 102. 1908.
Bluebell, Mexican, occurrence and description Texas. B.P.I. Bul. 226, pp. 87, 109. 1912.
Blueberry(ies)—
acid soil indicators. An. Rpts., 1910, p. 305. 1911; B.P.I. Chief Rpt., 1910, p. 35. 1910.
adaptability to acid soils. D.B. 6, p. 7. 1913.
budding directions. D.B. 974, pp. 6–8. 1921.
bushes, age, and size. B.P.I. Bul. 193, p. 11. 1910.
canned, adulteration. Chem. N.J. 12828. 1925; Chem. N.J. 12901. 1925; Chem. N.J. 13202–13203. 1925.
canning, inspection instructions. D.B. 1084, p. 23. 1922.
comparison with huckleberries. D.B. 974, p. 4. 1921.
cost of picking. B.P.I. Bul. 193, pp. 12–14. 1910.
cultivation, need of acid soil. Y.B., 1909, p. 82. 1910; Sec. A.R., p. 82. 1909.
culture—
acid peat lands, studies. An. Rpts., 1909, p. 419. 1910; Chem. Chief Rpt., 1909, p. 9. 1909.
directions. B.P.I. Cir. 122, pp. 3–11. 1913.
directions, 1921. Frederick V. Coville. D.B. 974, pp. 24. 1921; D.B. 334, pp. 16. 1915.

Blueberry(ies)—Continued.
  culture—continued.
    experiments. Frederick V. Coville. B.P.I. Bul. 193, pp. 100. 1910.
    soil requirements. D.B. 974, pp. 2–4, 19. 1921.
    danger from lime. B.P.I. Bul. 193, pp. 20–23. 1910.
    destruction by birds. Biol. Bul. 15, p. 74. 1901.
    domestication, need of fungus on roots. Y.B., 1908, p. 62. 1909.
    drying directions. D.C. 3, p. 20. 1919.
    fertilizers, formula, and requirements. D.B. 974, p. 20. 1921.
    fruiting season and use as bird food. F.B. 912, pp. 12, 13. 1918. F.B. 844, pp. 12, 13. 1917.
    grafting experiments. B.P.I. Bul. 193, pp. 83–84. 1910.
  growing—
    Alaska, breeding and testing. Alaska A.R. 1914, p. 14. 1915; Alaska A.R., 1915, pp. 10, 31, 85. 1916.
    and breeding experiments. B.P.I. Chief Rpt., 1913, p. 24. 1913; An. Rpts., 1913, p. 128. 1914.
    in New Jersey, Chatsworth area. Soil Sur. Adv. Sh., 1919, pp. 480–481. 1923; Soils F.O., 1919, pp. 480–481. 1925.
    methods, cost and yields. D.B. 334, pp. 1–16. 1915.
    utilization of acid or worthless land, yield and profit. News L., vol. 3, No. 21, p. 6. 1915.
  high-bush, influence of cold in stimulating growth. J.A.R. vol. 20, pp. 156–160. 1920.
  hybrids, value. D.B. 974, pp. 1–2, 5, 18, 23. 1921.
  improvement, propagation methods. B.P.I. Bul. 193, pp. 80–86. 1910.
  misbranding. See *Indexes to Notices of Judgment, in bound volumes, and in separates published as supplements to Chemistry Service and Regulatory Announcements.*
  mycorhizal fungi on roots, function. D.B. 6, p. 7. 1913.
  occurrence in—
    Athabaska-Mackenzie region. N.A. Fauna 27, p. 533. 1908.
    China. B.P.I. Bul. 204, p. 50. 1911.
    Colorado, description. N. A. Fauna 33, p 243. 1911.
    Wyoming, distribution and growth. N. A. Fauna 42, p. 76. 1917.
  picking, cost. D.B. 974, p. 23. 1921.
  plantation maintenance, cost. D.B. 974, p. 23. 1921.
  planting—
    and fertilizing. B.P.I. Cir. 122, pp. 8–10. 1913.
    in field, soil, spacing, tillage, and pruning. D.B. 974, pp. 16–22. 1921; D. B. 334, pp. 11–15. 1915.
  plants, growth and length of life. D.B. 334, p. 15. 1915.
  pollination, requirements. D.B. 974, p. 17. 1921.
  propagation, methods. An. Rpts., 1918, p. 163. 1919; B.P.I. Chief Rpt., 1918, p. 29. 1918; B.P.I. Cir. 122, pp. 4–8. 1913; D.B. 974, pp. 6–15. 1921; D.B. 334, pp. 3–11. 1915.
  pruning requirements. D.B. 974, pp. 20–21. 1921.
  requirements, soil moisture. B.P.I. Cir. 122, pp. 3, 4, 6, 9. 1913.
  swamp—
    description and special requirements. D.B. 334, pp. 1–2, 5–6. 1915.
    field culture. B.P.I. Bul. 193, pp. 86–88. 1910.
    seedling culture, method. B.P.I. Bul. 193, pp. 51–80. 1910.
  varieties improved, importance to growers. D.B. 974, pp. 4–5. 1921.
  wild varieties, selection and use. D.B. 974, pp. 2, 4, 5, 17. 1921.
  yield(s) and—
    profits per acre. B.P.I. Cir. 122, pp. 10–11. 1913.
    receipts. D.B. 974, pp. 22–23. 1921.
    receipts, Indiana, 1910–1915. D.B. 334, p. 16. 1915.
  See also Huckleberries.

Bluebird(s)—
  banded, returns, 1920 to 1923. D.B. 1268, p. 53. 1924.
  description, range, and food habits. F.B. 513, p. 7. 1913; F.B. 630, pp. 2–3. 1915; F.B. 755, pp. 23–24. 1916; N.A. Fauna 22, p. 131. 1902; Y.B., 1913, pp. 135–137, 140. 1914; Y.B. Sep. 620, pp. 135–137, 140. 1914.
  eastern, distribution, characteristics, and food habits. D.B. 171, pp. 19–25. 1915.
  economic value and protection. News L., vol. 2, No. 41, p. 6. 1915.
  enemy of codling moth. Y.B., 1911, p. 243. 1912; Y.B. Sep. 564, p. 243. 1912.
  food studies, examination of stomachs. D.B. 171, pp. 19–31. 1915.
  migration habits. D.B. 185, pp. 3, 31. 1915.
  mountain, distribution, characteristics, and food habits. D.B. 171, pp. 29–31. 1915; D.B.107, pp. 45–46. 1914.
  occurrence in Athabaska-Mackenzie region. N.A. Fauna 27, pp. 499–500. 1908.
  protection by law. Biol. Bul. 12, rev., pp. 38, 39, 40, 41. 1902.
  relation to starlings. D.B. 868, pp. 46, 47, 50, 51, 58. 1921.
  useful food habits, and occurrence in Arkansas. Biol. Bul. 38, p. 92. 1911.
  western, distribution, characteristics, and food habits. D.B. 171, pp. 25–29. 1915; Biol. Bul. 30, pp. 97–100. 1907.
  western, protection by law. Biol. Bul. 12, rev., p. 40. 1902.
Bluebottle, description, cultivation, and characteristics. F.B. 1171, pp. 32–33, 80. 1921.
Bluefish, cold storage holdings, 1918, by months. D.B. 792, pp. 29–31. 1919.
Bluegrass(es)—
  analytical key and description of seedlings. D.B. 461, pp. 6, 12–14. 1917.
  Australian—
    description and forage value. Hawaii A.R., 1915, p. 43. 1916.
    growing experiments in Hawaii, 1917, and hay value. Hawaii A.R. 1917, p. 50. 1918.
    Hawaii, composition and value. Hawaii Bul. 36, pp. 11, 26. 1915.
  billbug, description, life history, destructiveness, and control. F.B. 1003, pp. 8–9, 21. 1919.
  Canada—
    adulterant of—
      Kentucky bluegrass. F.B. 402, pp. 5, 11, 13. 1910; F.B. 428, pp. 7, 8, 40, 41. 1911.
      other seeds, testing by department, 1909. Sec. 1, Cir. 31, pp. 1, 3. 1910.
      other seeds, use and description. F.B. 382, pp. 5, 12–13, 21. 1909.
    culture and uses. R. A. Oakley. F.B. 402, pp. 20. 1910.
    description, distinction from Kentucky bluegrass. F.B. 402, pp. 5–8, 11. 1910.
    drought resistance and value on poor soils. F.B. 402, pp. 7–8, 9, 11, 12, 18, 19. 1910.
    origin, description, and value for pasture. F.B. 1254, pp. 17–18. 1922.
    seed yield per acre and quantity to sow. F.B. 402, pp. 16, 17, 19. 1910.
    soils adaptable. Soils Bul. 75, pp. 16, 52. 1911.
    undesirable qualities. F.B. 402, pp. 5, 11. 1910.
    use on lawns. F.B. 494, pp. 29, 30, 33. 35. 1912.
  description, distribution, and uses. D.B. 772, pp. 11, 38–45. 1920.
  effect of burning pastures. J.A.R., vol. 23, pp. 633, 636, 637, 642. 1923.
  English, hog pasture, value. B.P.I. Bul. 111, Pt. IV, p. 17. 1907.
  English. See Fescue, meadow.
  growing in—
    Missouri, Grundy County, yields and seed production. Soil Sur. Adv. Sh., 1914, p. 14. 1916; Soils F.O., 1914, p. 1984. 1919.
    Tennessee, Sumner County. Soil Sur. Adv. Sh., 1909, pp. 11, 17, 19. 1910; Soils F.O., 1909, pp. 1155, 1161, 1163. 1912.
  improvement by hybridizing. Y.B. 1907, p. 145. 1908; Y.B. Sep. 441, p. 145. 1908.

Bluegrass(es)—Continued.
  indicator value on ranges, and forage value.
    D.B. 791, pp. 23, 25, 28, 30, 31, 32. 1919.
  infestation by jointworms. D.B. 808, pp. 16-17.
    1920.
  injury by spring grain aphid. Ent. Bul. 110,
    pp. 35, 37, 38, 79, 142. 1912.
  injury by straw-worm. D.B. 808, pp. 17-18.
    1920.
  Kentucky—
    adulteration and misbranding, list of dealers.
      Sec. Cir. 35, p. 2. 1911.
    adulteration, description, and detection of seed.
      F.B. 382, pp. 12-14, 20-21. 1909.
    and Canada, injury to timothy fields and
      control methods. F.B. 502, pp. 24-25.
      1912.
    and orchard grass, seed adulteration. James
      Wilson. Sec. Cir. 15, pp. 5. 1906.
    comparison with Canada bluegrass. F.B. 402,
      pp. 5-6, 11. 1910.
    crossing with Texas bluegrass, new varieties.
      Y.B., 1907, pp. 145-146. 1908; Y.B. Sep. 441,
      pp. 145-146. 1908.
    description and hay value. F.B. 1254, pp. 8-9.
      1922.
    description and value for cotton States. F.B.
      1125, rev., p. 20. 1920.
    distribution. Y.B., 1923, p. 379. 1924; Y.B.
      Sep. 895, p. 379. 1924.
    germination. O.E.S. Bul. 115, pp. 105-110.
      1902.
    growing experiments in Alaska. Alaska A.R.,
      1911, p. 43. 1912.
    growing in Alaska. B.P.I. Bul. 82, p. 17. 1905.
    growing in Hawaii, history, area, and value.
      Hawaii Bul. 36, pp. 11, 15, 18, 39, 41. 1915.
    injury by *Helminthosporium vagans*. J.A.R.,
      vol. 24, pp. 642, 686-688. 1923.
  seed—
    adulteration. James Wilson. Sec. Cir. 15,
      p. 5. 1906.
    adulteration and misbranding. A. F.
      Woods. Sec. Cir. 31, pp. 4. 1910.
    adulteration and misbranding. B. T. Gallo-
      way. Sec. Cir. 39, pp. 7. 1912; Sec. Cir.
      43, pp. 6. 1913.
    adulteration and misbranding, dealers, ad-
      dresses. News L., vol. 2, No. 34, pp. 2-3.
      1915.
    adulteration and misbranding, results of
      analyses. Sec. Cir. 26, pp. 3-5. 1907;
      Sec. Cir. 28, pp. 4-5. 1909.
    adulteration, description and detection.
      F.B. 382, pp. 12-14, 20-21. 1909.
    adulterations, list of dealers. James Wilson.
      Sec. Cir. 15, p. 5. 1906.
    germination temperatures. J.A.R., vol. 23,
      pp. 296-299, 301-303, 314, 323, 327, 330.
      1923.
    harvesting, curing, and cleaning. A. J.
      Pieters and Edgar Brown. B.P.I. Bul. 19,
      pp. 19. 1902.
    marketing methods. Rpt. 98, p. 146. 1913.
    testing, adulterants. F.B. 428, pp. 7, 16,
      40-41. 1911.
    testing by department, 1909. Sec. Cir. 31,
      pp. 3-4. 1910.
  soils adaptable. Soils Bul. 75, pp. 14, 16.
    1911.
  spread on western range lands, methods.
    B.P.I. Bul. 117, pp. 14, 17. 1907.
  use—
    and value in reseeding experiments. D.B. 4,
      pp. 7, 10, 13, 14, 15, 17, 18, 20, 21, 22, 26, 27, 28,
      29, 32. 1913.
    as forage crop in cotton region, description.
      F.B. 509, p. 16. 1912.
    as pasture plant for logged-off land. F.B. 462,
      p. 12. 1911.
    on lawns. F.B. 494, pp. 28, 29, 30, 31, 32, 33,
      34, 35, 37, 38, 39, 42. 1917.
    value for lawns. F.B. 248, pp. 9-10. 1906.
  lands, farm practices, Kentucky and Tennessee.
    F.B. 981, pp. 9, 11. 1918.
  leaf miner, spike-horned, occurrence. D.B. 432,
    pp. 2, 4. 1917.
  little, description, habits and forage value. D.B.
    545, pp. 22-23, 58, 59. 1917.

Bluegrass(es)—Continued.
  native, forage-crop, nutritive value, etc., notes.
    F.B. 425, pp. 11, 12. 1910.
  pastures—
    for hogs, study in 1923. Work and Exp., 1923, p.
      61. 1925.
    for steers, with supplemental feeds. F.B. 1218,
      pp. 32-34. 1921.
    seeding to sweet clover, advantages. F.B. 1005,
      pp. 16, 19, 26-28. 1919.
  region—
    adaptability to livestock industry. F.B. 812,
      pp. 3-6. 1917.
    description. D.B. 482, pp. 3-5, 7-9. 1917.
    description from point of view of dairying.
      D.B. 548, pp. 1-2. 1917.
    farming. J. H. Arnold and Frank Montgom-
      ery. D.B. 482, pp. 29. 1917.
    grazing industry. Lyman Carrier. D.B. 397,
      pp. 18. 1916.
    Kentucky, dairy farms, business of ten. J. H.
      Arnold. D.B. 548, pp. 12. 1917.
    Kentucky, Scott County, location. Soil Sur.
      Adv. Sh., 1903, p. 8. 1904; Soils F. O. 1903, p.
      627. 1904.
  seed(s)—
    Edgar Brown and F. H. Hillman. B.P.I.
      Bul. 84, pp. 38. 1905.
    bushel weights, Federal and State. Y.B. 1918,
      p. 723. 1919. Y.B. Sep. 795, p. 59. 1919.
    comparison of distinguishing characters.
      B.P.I. Bul. 84, pp. 20-21. 1905.
    curing methods. S.R.S. Rpt. 1916, Pt. I, pp.
      32, 130. 1918.
    forecast for Kentucky, September, 1913. F.B.
      558, p. 14. 1913.
  growing in—
    Missouri, De Kalb County. Soil Sur. Adv.
      Sh., 1914, pp. 10-11. 1916; Soils F.O., 1914,
      pp. 2010-2011. 1919.
    Missouri, Ralls County. Soil Sur. Adv. Sh.,
      1913, p. 13. 1914. Soils F.O., 1913, p. 1823.
      1916.
  supply, location, and harvesting methods.
    Y.B. 1917, p. 512. 1918; Y.B. Sep. 757, p. 18.
    1918.
  sod for control of erosion, Spencer area, West Vir-
    ginia. Soil Sur. Adv. Sh. 1909, p. 21. 1910.
    Soils F.O. 1909, p. 1191. 1912.
  sod, value as tobacco soil. F.B. 343, pp. 12-15.
    1909.
  Texas, value for terraces. O.E.S. An. Rpt., 1910,
    p. 236. 1911.
  use in meadow pastures. Soils F.O. 1908, p.
    1036. 1911.
  value for—
    pasturage in Missouri, Harrison County. Soil
      Sur. Adv. Sh., 1914, pp. 10, 18-33. 1916.
      Soils F.O., 1914, pp. 1949, 1956-1971. 1919.
    soil improvement. F.B. 981, pp. 9, 17, 23.
      1918.
  See also *Poa pratensis*.
Bluegrass webworm, description and habits. F.B.
  1258, p. 12. 1922.
Bluejoint grass, description, habits, and use. D.B.
  545, pp. 15-16. 1917; D.B. 772, pp. 121-123. 1920.
Bluestem (disease), eastern, of black raspberry,
  symptoms, and control. R. B. Wilcox. D.C.
  227, p. 12. 1922.
Bluestem (grass)—
  big, occurrence, description, and soil indications.
    B.P.I. Bul. 201, pp. 58, 63, 65, 91. 1911.
  description. D.B. 772, pp. 260, 261, 263, 264.
    1920.
  palatability for cattle. D.B. 1170, pp. 36, 37,
    1923.
  pasture burning, result. J.A.R., vol. 23, No. 8.
    pp. 633, 636, 637, 642. 1923.
  value for grazing, western North Dakota. Soil
    Sur. Adv. Sh., 1908, p. 40. 1911; Soils F. O.
    1908, p. 1188. 1911.
Bluestone—
  and lime treatment, wheat stinking smut, direc-
    tion. F.B. 250, pp. 8-16. 1906.
  use against wireworms and tapeworms. B.A.I.
    Bul. 35, pp. 9-11. 1902.
  use in treatment of crown gall. B.P.I. Bul. 213,
    p. 184. 1911.
  See also Copper sulphate.

Bluet rust, occurrence and description, Texas. B.P.I. Bul. 226, p. 90. 1912.
Bluetop grass, growth in Alaska. B.P.I. Bul. 82, pp. 11, 12, 13, 14, 16. 1905.
Bluetop grass, Alaska, value for hay. Alaska A.R., 1918, p. 88. 1920.
Bluewash for stables, formula. D.B. 131, pp. 5-6. 1914.
Blueweed—
  alkali indication. B.P.I. Bul. 157, p. 32. 1909.
  pest in Texas Panhandle, control. Soil Sur. Adv. Sh., 1910, pp. 39, 42, 43. 1911; Soils F. O., 1910, pp. 995, 998, 999. 1912.
Blue-wing. See Teal, blue winged.
Blueing—
  and red rot, western yellow pine, Black Hills Forest Reserve. Hermann Von Schrenk. B.P.I. Bul. 36, pp. 40. 1903.
  stains, removal from textiles. F.B. 861, pp. 11-12. 1917.
  use in home laundering. F.B. 1099, p. 28. 1920.
  wood. See also Blue stain.
BLUMBERG, A.: "Diagnosis of tuberculosis by complement fixation with special reference to bovine tuberculosis." With A. Eichhorn. J.A.R., vol. 8, pp. 1-20. 1917.
Blumea balsamifera, source of borneol. B.P.I. Bul. 235, p. 11. 1912.
BLYSTONE, M. E.: "Is it advisable to distribute the night forecasts by the rural free delivery?" W.B. Bul. 31, pp. 191-195. 1902.
BLYTHE, W. T.: "Methods of saving time in the distribution of forecasts." W.B. Bul. 31, pp. 203-205. 1902.
Boar—
  care and feed. O.E.S.F.I.L. 16, p. 6. 1914; News. L., vol. 4, No. 47, v. 4. 1917.
  cooperative ownership and use. Sec. [Misc.] Spec. "How southern farmers * * *," pp. 1, 3. 1914.
  management during breeding season, care and feed. F.B. 874, pp. 20-22. 1917.
  market price. F.B. 222, p. 29. 1905.
  purebred, use value, cooperative ownership. F.B. 566, p. 7. 1913.
  selection—
    and management for breeding stock. B.A.I. Bul. 47, pp. 34-35, 62-64. 1904; F.B. 1437, pp. 5-7. 1925. Hawaii Bul. 48, pp. 13, 14-16, 17. 1923.
    and management for foundation of herd. F.B. 205, pp. 22-23, 33-35. 1904.
    for fair exhibit. F.B. 1455, pp. 5-6. 1925.
    for farm herd, conformation and characteristics. F.B. 874, pp. 11-13. 1917.
Board(s)—
  administrative of Agriculture Department, duties. Sec. A. R., 1912, pp. 243-247. 1912; An. Rpts., 1912, pp. 243-247. 1913; Y.B., 1912, pp. 243-247. 1913.
  advisory—
    Agriculture Department, 1909. Pub. Cir. 1, pp. 44-45. 1912.
    organization and duties, 1913. Pub. [Misc.], "Organization of the Department * * *," pp. 25-26. 1913.
  farm hand cost per month and per day, per man. Stat. Bul. 73, p. 17. 1909.
  Food and Drug Inspection. See Food and drug inspection.
  laborer's computed value. Stat. Bul. 99, pp. 53-54, 55-65. 1912.
  of health. See Hygiene.
  of review, Federal grain inspection service, definition. Mkts. S.R.A. 52, p. 11. 1919.
  of trade. See Commerce; Chambers of Commerce.
BOARDMAN, W. C.—
  "Reconnoissance soil survey of north part of north-central Wisconsin." With others. Soil Sur. Adv. Sh., 1914, pp. 76. 1916; Soils F.O., 1914, pp. 1655-1725. 1919.
  "Soil survey of—
    Sandusky County, Ohio." With others. Soil Sur. Adv. Sh., 1917, pp. 64. 1920; Soils F.O., 1917, pp. 1079-1138. 1923.
    Wood County, Wisconsin." With others. Soil Sur. Adv. Sh., 1915, pp. 51. 1917; Soils F.O., 1915, pp. 1537-1583. 1919.

Boards—
  paper—
    materials used, sources and consumption. D.B. 1241, pp. 20-22, 23. 1924.
    or card, specifications. Rpt. 89, pp. 50-51. 1909.
    piling to dry out. B.P.I. Bul. 114, p. 16. 1907.
    sap rot, description, microscopic changes. B.P.I. Bul. 114, pp. 12-13. 1907.
    thickness as a factor in lumber saving. M. C. 39, pp. 57-58. 1925.
    thickness, effect of usage requirements upon sizes. D.C. 296, pp. 18-23. 1923.
Boat(s)—
  building—
    cost and profit, Tennessee River. Y.B., 1907, pp. 301-302. 1908; Y.B., Sep. 449, pp. 301-302. 1908.
    use of ash lumber. D.B. 523, pp. 33, 48, 50. 1917.
    use of lumber in Arkansas. For. Bul. 106, p. 20. 1912.
  cattle, interstate, cleaning and disinfecting. B.A.I.O. 263, pp. 15-16. 1919.
  construction, use of Douglas fir. For. Bul. 88, p. 67. 1911.
  disinfection—
    general provisions. B.A.I.O. 245, pp. 3-6, 14-15. 1916.
    in moving livestock, rules. B.A.I.O. 292, pp. 3, 13-14, 27. 1925.
    transportation of hides, skins. Joint Order No. 1, pp. 6-7. 1916.
  drag, for cutting dry-land ditches. O.E.S. Cir. 74, p. 17. 1907.
  grain capacity and average cargoes. Rpt. 98, p. 65. 1913.
  official business, exchange authorization. Off. Rec. vol. 1, No. 28, p. 2. 1922.
  sardine fishery, sanitary precautions. D.B. 908, pp. 99-100. 1921.
Boatbill, Zeledon, ranges. Biol. Bul. 45, p. 55. 1913.
BOATMAN, BRYAN—
  "Soil survey of—
    Benton County, Iowa." With others. Soil Sur. Adv. Sh., 1921, pp. 30. 1925.
    Delaware County, Iowa." With Clarence Lounsbury. Soil Sur. Adv. Sh., 1923, pp. 32. 1925.
BOATMAN, J. L.: "Soil survey of Dickinson County, Iowa." With J. Ambrose Elwell. Soil Sur. Adv. Sh., 1920, pp. 41. 1923; Soils F.O., 1920, pp. 599-640. 1925.
BOATWRIGHT, C. B.: "Soil Survey of Jefferson County, Iowa." With C. L. Orrben. Soil Sur. Adv. Sh., 1922, pp. 307-343. 1925.
Bobbins—
  manufacture from birch, New England. For. Cir. 168, p. 12. 1911.
  woods, study and tests. An. Rpts., 1910, p. 416. 1911; For. A.R., 1910, p. 56. 1910.
Bobcats—
  beneficial habits. Y.B., 1908, p. 188. 1909; Y.B. Sep. 474, p. 188. 1909.
  control, number killed, and bait used. An. Rpts., 1923, p. 422. 1924; Biol. Chief Rpt., 1923, pp. 4, 7. 1923.
  description, injurious and beneficial habits, control. F.B. 335, p. 26. 1908.
  habits and control. Biol. Chief Rpt., 1924, pp. 7-8. 1924.
  occurrence in Montana. Biol. Cir. 82, p. 21. 1911.
  reactions toward coyote-proof fence. For. Cir. 160, p. 10. 1909.
  relation to wire fences. For. Cir. 178, p. 9. 1910.
  young, key for identification. Biol. Cir. 69, p. 2. 1909.
  See also Wildcat.
Bobolink—
  description, range, and food habits. F.B. 630, p. 17. 1915; F.B. 513, p. 20. 1913.
  food habits, good and bad. Biol. Bul. 15, p. 17. 1901; D.B. 107, p. 15. 1914; Y.B., 1907, p. 171. 1908; Y.B. Sep. 443, p. 171. 1908.
  food habits injurious in South, occurrence in Arkansas. Biol. Bul. 38, p. 56. 1911.

Bobolink—Continued.
  game bird, status. Biol. Bul. 12, rev., pp. 25-26. 1902.
  injurious habits and open seasons, Atlantic States. An. Rpts., 1919, p. 286. 1920; Biol. Chief Rpt., 1919, p. 12. 1919.
  killing, order permitting. F.B. 1077, p. 77. 1919; F.B. 1288, p. 71. 1922; F.B. 1375, p. 64. 1923.
  migration habits and routes. Biol. Bul. 18, p. 14. 1904; D.B. 185, pp. 6, 13, 25, 31, 37. 1915.
  protection by law. Biol. Bul. 12, rev., pp. 38, 39, 40, 41, 42. 1902.
  range, occurrence, and names. M.C. 13, p. 75. 1923.
  rice destruction, control, and use restriction. Y.B., 1918, p. 315. 1919; Y.B. Sep. 785, p. 15. 1919.
Bobwhite—
  closed season, various States, breeding season. F.B. 657, p. 10. 1915; Biol. Bul. 21, pp. 11-12. 1905.
  comparison to Hungarian partridge in size. Y.B., 1909, p. 252. 1910; Y.B. Sep. 510, p. 252. 1910.
  description, range, and habits. F.B. 513, p. 29. 1913; F.B. 755, pp. 36-37. 1916; Biol. Bul. 21, pp. 9-46. 1905.
  economic value. Sylvester D. Judd. Y.B., 1903, pp. 193-204. 1904; Y.B. Sep. 309, pp. 193-204. 1904.
  enemies. Biol. Bul. 21, pp. 21-22. 1905.
  enemy of chinch bug. Ent. Cir. 113, p. 9. 1909; F.B. 657, p. 10. 1915.
  food habits. Y.B., 1903, pp. 194-197. 1904; Y.B. Sep. 309, pp. 194-197. 1904.
  food plants for coverts. Y.B., 1909, p. 194. 1910; Y.B. Sep. 504, p. 194. 1910.
  legislation. Biol. Bul. 21, pp. 19-20. 1905.
  masked, extinction in U. S. Biol. Bul. 21, p. 46. 1905.
  occurrence, Arkansas, breeding season, food habits, and value. Biol. Bul. 38, pp. 33-34. 1911.
  protection, various States. Ent. Cir. 113, p. 10. 1909; Biol. Bul. 21, pp. 20-26. 1905.
  value to farmer. Y.B., 1909, p. 258. 1910; Y.B. Sep. 510, p. 258. 1910.
  See also Quail.
Bochmeria spp., importations and description. Nos. 47836, 47837, B.P.I. Inv. 59, p. 66. 1922.
Bockwurst, use of term. B.A.I.S.R.A. 203, p. 27. 1924.
Bodo spp., description. B.A.I. Cir. 194, p. 482. 1912; B.A.I. An. Rpt., 1910, p. 482. 1912.
Boeger, E. A.—
  "A study of share rented dairy farms in Green County, Wis., and Kane County, Ill." D.B. 603, pp. 15. 1918.
  "A study of the tenant systems of farming in the Yazoo-Mississippi Delta." With E. A. Goldenweiser. D.B. 337, pp. 18. 1916.
  "Rent contracts in typical counties of the wheat belt." D.B. 850, pp. 15. 1920.
Boehmeria—
  nivea. See Ramie.
  rugulosa, importation and description. No. 39368, B.P.I. Inv. 41, p. 52. 1917.
  spp. importations and description. Nos. 44860, 44861, B.P.I. Inv. 51, pp. 81-82. 1922.
Boeolophus inornatus. See Titmouse.
Boeotomus subapterus, enemy of Hessian fly, description. F.B. 640, p. 16. 1915.
Boerhavia, spp. white-rust, occurrence and description, Texas. B.P.I. Bul. 226, pp. 90-91. 1912.
Boerner, E. G.—
  "A device for sampling grain seeds, and other material." D.B. 287, pp. 4. 1915.
  "A modified Boerner sampler." With E. H. Ropes. D.B. 857, pp. 8. 1920.
  "American export corn (maize) in Europe." With others. B.P.I. Cir. 55, pp. 42. 1910.
  "Factors influencing the carrying qualities of American export corn." D.B. 764, pp. 99. 1919.
  "Handbook. Official grain standards for wheat and shelled corn." Mkts.[Misc.], "Handbook. Official grain * * *," pp. 47. 1918.

Boerner, E. G.—Continued.
  "Handbook. Official grain standards for wheat, shelled corn and oats." Mkts.[Misc.], "Handbook. Official grain * * *," pp. 53. 1919.
  "Handbook of official grain standards for wheat, shelled corn, and oats." B.A.E. [Misc.], "Handbook of official * * *," pp. 58, rev. 1922.
  "Handbook of official grain standards for wheat, shelled corn, oats, and rye." B.A.E. [Misc.], "Handbook of official * * *," rev., pp. 74. 1924.
  "Improved apparatus for determining the test weight of grain, with a standard method of making the test." D.B. 472, pp. 15. 1916.
  "Table for converting weights of mechanical separations into percentages of the sample analyzed." D.B. 516, pp. 21. 1916.
  "The conversion of the weights of mechanical separations of corn, wheat, and other grains into percentages." D.B. 574, pp. 22. 1917.
  "The intrinsic values of grain, cottonseed, flour, and similar products, based on the dry-matter content." D.B. 374, pp. 32. 1916.
  "The test weight of grain: A simple method of determining the accuracy of the testing apparatus." With E. H. Ropes. D.B. 1065, pp. 13. 1922.
  "United States grades for grain sorghums." With others. D.C. 245, pp. 8. 1922.
  "United States grades for milled rice." With others. D.C.291, pp. 17. 1923.
  "United States grades for rough rice." With others. D.C. 290, pp. 10. 1923.
  "United States grades for rye." With others. D.C. 246, pp. 6. 1922.
Bog(s)—
  bean—
    (Menyanthes trifoliata), distribution. Biol. N.A. Fauna 22, p. 17. 1902.
    three-leaf, control in cranberry fields. F.B. 1401, p. 14. 1924.
    See also Buck bean.
  cranberry. See Cranberry bogs.
  definition. D.B. 802, p. 10. 1919.
  description and characteristic flora, Washington, Eastern Puget Sound Basin. Soil Sur. Adv. Sh., 1909, pp. 30-34. 1911; Soils F.O., 1909, pp. 1540-1544. 1912.
  drainage. F.B. 138, pp. 17-18. 1901.
  floating, in reservoirs. O.E.S. Bul. 158, pp. 639-640. 1905.
  fresh-water, characteristic flora, Washington, Eastern Puget Sound Basin. Soil Sur. Adv. Sh., 1909, pp. 30-31. 1911; Soils F.O., 1909, pp. 1540-1541. 1912.
  peat materials. D.B. 902, pp. 19-20, 29-34. 1919.
  salt-water, description and characteristic flora, Washington, Eastern Puget Sound Basin. Soil Sur. Adv. Sh., 1909, pp. 32-34. 1911; Soils F.O. 1909, pp. 1543-1544. 1912.
  shoes, use on horses in muck or peat soils. Soils Cir. 65, p. 13. 1912.
  See also Marshes.
Boggs, E. M.: "A study of water rights on the Los Angeles River, California." O.E.S. Bul. 100, pp. 327-351. 1901.
Boggy Swamp, South Carolina, drainage, details and cost. D.B. 114, pp. 11-14, 17-19. 1914.
Bogoslof Reservation, Alaska, description. Biol. Cir. 71, pp. 14-15. 1910.
Bohemia—
  hop oils, comparison with those from other sources. J.A.R., vol. 2, pp. 117-147, 157. 1914.
  See also Czechoslovakia.
Bohemian cream, use of unfermented grape juice, recipe. F.B. 644, p. 16. 1915.
Bohemian oats. See Oats, hull-less.
Boiler(s)—
  air leaks in settings, finding and stopping. D.B 747, pp. 23-25. 1919.
  creamery, construction of settings, details. D.B. 747, pp. 6-10. 1919.
  house, cotton warehouse, construction. D.B. 801, p. 61. 1919.
  pumping plants, types, setting, and feeders. O.E.S. Cir. 101, pp. 33-38. 1910.

Boiler(s)—Continued.
  sawmill, description, prices and operations. D.B. 718, pp. 16–21. 1918.
  use in plumbing for farm homes, size, and description. D.B. 57, pp. 31–32. 1914.
  water, analysis, discussion. Y.B., 1902, pp. 293–294. 1903.
Boiling houses for maple sap and evaporating apparatus. F.B. 1366, pp. 19–24. 1924.
Boils—
  cattle, causes, symptoms, and treatment. B.A.I. [Misc.], "Diseases of cattle," pp. 328. 1908; rev., pp. 340–341. 1912; rev., pp. 328–329. 1923.
  causes and treatment. For [Misc.], "First-aid manual * * *," pp. 88–90. 1917.
  horse, treatment. B.A.I. [Misc.], "Diseases of the horse," p. 439. 1911.
Bois d'arc. See Osage orange.
Boise National Forest, Idaho, map. For. Maps. 1925.
BOISEN, A. T., "The commercial hickories." With J. A. Newlin. For. Bul. 80, pp. 64. 1910.
Bokhara clover. See Melilotus.
Bokhara, description of area and of sheep industry. Y.B., 1915, pp. 249, 252–254. 1916; Y. B. Sep. 673, pp. 249, 252–254. 1916.
Boldo, importation, description and use. No. 34393. B.P.I. Inv. 33, p. 15. 1915; No. 36279, P. P. I. Inv. 33, p. 15. 1915; No. 54639, B.P.I. Inv. 69, pp. 4, 31. 1923.
Bolctus spp., description. D.B. 175, pp. 38–39. 1915; F.B. 796, p. 15. 1917.
Bolivia—
  agricultural school, establishment, 1911. O.E.S. An. Rpt., 1912, p. 288. 1913.
  coffee production. Stat. Bul. 79, p. 36. 1912.
  plateau, notes. Off. Rec., vol. 3, No. 14, p. 4. 1924.
  rubber expedition. Off. Rec. vol. 3, No. 19, p. 1. 1924.
Boll rot. See Anthracnose, cotton.
Boll weevil—
  W. D. Hunter and B. R. Coad. F.B. 1262, pp. 31. 1922.
  abundance and control. Off. Rec. vol. 1, No. 28, p. 3. 1922.
  advance into new territory, rapidity. News L., vol. 3, No. 11, p. 8. 1915.
  and late-planted cotton. News L., vol. 1, No. 25, p. 4. 1914.
  and related and associated insects, papers. E. Dwight Sanderson and others. Ent. Bul. 63, Pts. I–VII, pp. 64. 1907.
  annual—
    damage, estimate. F.B. 1262, pp. 4–5. 1922.
    increase per pair. Ent. Bul. 114, pp. 76–77. 1912.
  ant—
    description and habits. Ent. Bul. 63, pp. 45–48. 1907.
    Guatemalan, habits, report. O. F. Cook. Ent. Bul. 49, pp. 15. 1904.
    See also Kelep.
  area—
    infested. Ent. Bul. 74, p. 23. 1907. F.B. 344, pp. 5–7. 1909.
    infested in 1921, outside of irrigated fields, by States. D. C. 210, p. 2. 1922.
  Arizona and Mexican, life history, studies. D.B. 358, pp. 32. 1916.
  assistance of nature in destruction. F.B. 1262, pp. 12–14. 1922.
  bacterial disease, studies. D.B. 231, pp. 31–32. 1915.
  biological complex, lists of parasite and predatory enemies. Ent. Bul. 100, pp. 39–83. 1912.
  birds—
    enemies. F.B. 755, pp. 2, 3, 11, 15, 16, 29, 37. 1916.
    enemies. Vernon Bailey. Biol. Bul. 22, pp. 16. 1905.
    feeding on. Arthur H. Howell. Biol. Bul. 25, pp. 22. 1906
    useful in war against. H. W. Henshaw. Biol. Cir. 57, pp. 4. 1907.
  burning plants as control measures. F.B. 217, p. 16. 1905.

Boll weevil—Continued.
  cause of—
    decline in cotton growing in Mississippi, Wilkinson County. Soil Sur. Adv. Sh., 1913, pp. 10–11, 51. 1915; Soils F.O., 1913, pp. 958–959, 999. 1916.
    decrease in cotton production. Ent. Bul. 118, pp. 21–26. 1912.
  conditions—
    cotton cultural system. F.B. 319, pp. 10–14. 1908; B.P.I. Doc. 344, pp. 4–5. 1908.
    methods of cotton growing. S.R.S. Doc. 36, pp. 8. 1917.
  control. An. Rpts., 1919, pp. 267–268, 500. 1920; Ent. A.R., 1919, pp. 21–22. 1919 F.B. 344, pp. 1–46. 1909; I. and F. Bd. A.R., 1919, 2. 1919.
  control—
    W. D. Hunter. F.B. 500, pp. 14. 1912.
    at oil mills. F.B. 209, pp. 28–30. 1904.
    by—
      breeding early cotton, method. R. L. Bennett. F.B. 314, pp. 28. 1908.
      burning plants. F.B. 217, p. 16. 1905.
      calcium arsenate substitute for lead arsenate. D.B. 750, rev., p. 1.1923.
      cultural means in Mississippi, Adams County. Soil Sur. Adv. Sh., 1910, pp. 4–15. 1911; Soils F.O., 1910, pp. 714–775. 1912.
      cultural methods. An. Rpts., 1923, p. 265. 1923; B.P.I. Chief Rpt., 1923, p. 11. 1923; B.P.I. Chief Rpt., 1912, pp. 24–25. 1912; An. Rpts. 1912, pp. 404–405. 1913; Ent. Bul. 60, pp. 107–111. 1906.
      dust insecticides. Ent. A.R., 1918, p. 11, 1918; An. Rpts., 1918, p. 243. 1919; D. C. 274, pp. 1–3. 1923.
      dusting machinery. Elmer Johnson and B. R. Coad. F. B. 1098, pp. 31. 1920.
      early cotton picking. News L., vol. 5, No. 4, p. 7. 1917.
      fall destruction of plants. Ent. Cir. 95, pp. 1–8. 1907.
      fall treatment of cotton fields. News L., vol. 5, No. 14, p. 7. 1917.
      insect enemies, economic application. Ent. Bul. 100, pp. 83–96. 1912.
      natural factors, selections profiting most. Ent. Bul. 74, pp. 62–63, 75. 1905.
      poisoned water, experiments in Louisiana. News L., vol. 5, No. 50. pp. 1, 5–6. 1918.
      use of poison. B. R. Coad and T. P. Cassidy. D.B. 875, pp. 31. 1920.
      winter destruction, directions. W. D. Hunter. Ent. Cir. 107, pp. 4. 1909.
    community action necessary. B.P.I. Cir. 130, pp. 8–9, 14. 1913.
    considerations and suggestions. Sec. Cir. 32, pp. 3–10. 1910.
    cultural system, most important step. W. D. Hunter. Ent. Cir. 56, pp. 7. 1904.
    cultural system for producing cotton. F.B. 319, pp. 10–15. 1908.
    effect of burial, experiments. Ent. Bul. 114, pp. 147–149. 1912.
    experimental work in Texas. F.B. 344, pp. 9–10. 1909.
    factors, Y.B., 1906, pp. 318–322. 1907; Y.B. Sep. 425, pp. 318–322. 1907.
    in—
      cotton cultivation. B.P.I. Doc. 523, rev., pp. 5–6. 1911.
      cotton harvesting, methods. News L., vol. 5, No. 9, p. 1. 1917.
      cottonseed and at ginneries. W. D. Hunter. F.B. 209, pp. 32. 1904.
      cultivation. B.P.I. Doc. 523, pp. 5–6. 1912.
      Mississippi Delta, collection of weevils and infested squares. B. R. Coad and T. F. McGehee. D.B. 564, pp. 51. 1917.
      Mississippi Delta, square picking and weevil picking. B. R. Coad. D.B. 382, pp. 12. 1916.
      South by lead arsenate, and application, times and methods. News L., vol. 5, No. 52, p. 4. 1918.
      including results of recent investigations. W. D. Hunter. F.B. 216, pp. 32. 1905.

INDEX TO PUBLICATIONS, 1901-1925   261

Boll weevil—Continued.
  control—continued.
    ineffective methods. F.B. 1262, pp. 25-28. 1922.
    measures, summary. F.B. 500, pp. 11-14. 1912.
    methods. F.B. 130, pp. 10-20. 1901; F.B. 163, pp. 1-16. 1903; F.B. 209, pp. 28-30. 1904; F.B. 211, p. 23. 1904; F.B. 216, p. 32. 1905; F.B. 217, p. 16. 1905.
    method(s)—
      W. D. Hunter. F.B. 163, pp. 16. 1903.
      and experiments. F.B. 457, pp. 11-14. 1911; F.B. 1262, pp. 15, 31. 1922; Ent. Bul. 114, pp. 147-163. 1912.
      and false remedies. F.B. 848, pp. 17-40. 1917.
      for Louisiana, Bienville Parish. Soil Sur. Adv. Sh., 1908, pp. 16-17. 1909; Soils F.O., 1908, pp. 854-855. 1911.
      for Louisiana, Concordia Parish. Soil Sur. Adv. Sh., 1910, pp. 11-12. 1911; Soils F. O., 1910, pp. 833-834. 1912.
      for Louisiana, Winn Parish. Soils F. O., 1907, p. 566. 1909; Soil Sur. Adv. Sh., 1907, p. 14. 1909.
    used in Mexico. An. Rpts. 1907, p. 284. 1908.
    most important step. W. D. Hunter. Ent. Cir. 95, pp. 8. 1907.
    natural. Ent. Bul. 114, pp. 118-146. 1912.
    on cotton planted at different dates. W. W. Ballard and D. M. Simpson. D.B. 1320, pp. 44. 1925.
    recommendations. F.B. 216, pp. 3-5. 1905; F.B. 512, pp. 18-42. 1912.
    relation to control of other insects. F.B. 344, pp. 38-39. 1909.
    remarks. Sec. A.R., 1924, p. 68. 1924.
    remedies unsuccessful, list. Ent. Bul. 114, pp. 153-155. 1912; F.B. 344, pp. 42-44. 1909; F.B. 512, pp. 42-45. 1912; F.B. 848, pp. 36-38. 1917; Ent. Bul. 114, pp. 153-155. 1912.
    review of work of department and States. F.B. 344, pp. 9-10. 1909.
    studies and experiments in the South. B.P.I. Chief Rpt., 1910, p. 66. 1910; An. Rpts., 1910, pp. 81-82, 83, 120, 336. 1911; Sec. A.R., 1910, pp. 81-82, 83, 120. 1910; Rpt. 93, pp. 58, 59, 76. 1911; Y.B., 1910, pp. 81-82, 119. 1911.
    studies and work. D.B. 231, pp. 31-32. 1915.
    territory. News L., vol. 6, No. 43, p. 7. 1919.
    control, use of Paris green. W. D. Hunter. F.B. 211, pp. 22. 1904.
    value of cultural practices. Ent. Bul. 74, pp. 18-19, 48-51, 73, 74, 76. 1907.
  work—
    1902. Rpt. 73, pp. 64-65. 1902.
    1904, Bureau of Entomology. Rpt. 79, pp. 65-67. 1904.
    1908, and machinery. An. Rpts., 1908, pp. 104, 528-531. 1909; Ent. A.R., 1908, pp. 6-9. 1908; Sec. A.R., 1908, p. 102. 1908; Rpt. 87, p. 52. 1908.
    1912. An. Rpts., 1912, pp. 79, 146. 1913; Sec. A.R., 1912, pp. 79, 146. 1912; Y.B., 1912, pp. 79, 146. 1913.
    1913. An. Rpts., 1913, p. 213. 1914; Ent. A.R., 1913, p. 5. 1913.
    1914. An. Rpts., 1914, pp. 187-188. 1914; Ent. A.R., 1914, pp. 5-6. 1914.
    1915. An. Rpts., 1915, pp. 216-217. 1916; Ent. A.R., 1915, pp. 6-7. 1915.
    1921. Ent. A.R., 1921, pp. 17-18. 1921.
    1922. An. Rpts., 1922, pp. 25-26. 1923; Sec. A.R., 1922, pp. 25-26. 1922; Y.B., 1922, p. 31. 1923; Y.B., Sep. 883, p. 31. 1923.
    1923. An. Rpts., 1923, pp. 404-406. 1924; Ent. A.R., 1923, pp. 24-26. 1923.
    1924. Sec. A.R., 1924, p. 69. 1924.
  controlling in seed and at ginneries. W. D. Hunter. F.B. 209, pp. 31. 1904.
  cost in destruction of cotton. Y.B., 1921, p. 41. 1922; Y.B. Sep. 875, p. 41. 1922.
  damage—
    in 1924. Off. Rec., vol. 3, No. 38, p. 3. 1924.
    prospects in newly invaded territory. F.B. 1262, p. 6. 1922.
    to cotton crop—
      by States. Y.B.; 1904, pp. 195-197. 1905; Y.B. Sep. 341, pp. 195-197. 1905; Y.B., 1921, p. 613. 1922; Y.B. Sep. 869, p. 33. 1922.

Boll weevil—Continued.
  damage—continued.
    to cotton crop—continued.
      means of reducing. F.B. 344, pp. 1-46. 1909.
    description, life history, and habits. F.B. 189, pp. 24-26. 1904; F.B. 344, pp. 10-18. 1909; F.B. 848; pp. 9-16. 1917; F.B. 1264, pp. 7-10. 1922.
  destruction—
    by—
      birds. Y.B., 1908, p. 118. 1909; Y.B. Sep. 474, p. 118. 1909; Biol. Bul. 22, p. 16. 1905; Biol. Bul. 30, p. 27. 1907; Biol. Bul. 38. pp. 9, 32-86. 1911.
      birds in winter. Arthur H. Howell. Biol. Cir. 64, pp. 5. 1908.
      bobwhite. Biol. Bul. 21, p. 40. 1905.
      drought and cold, discussion. Ent. Cir. 146, p. 2. 1912.
      flycatchers. Biol. Bul. 44, pp. 9, 12, 24, 31, 42, 61, 64. 1912.
      Guatemalan ant, discussion. An. Rpts., 1905, p., 282. 1906; Ent. A.R., 1905, p. 282. 1905.
      meadow lark. Y.B., 1912, p. 282. 1913; Y.B. Sep. 590, p. 282. 1913.
      oriole. Y.B., 1907, p. 171. 1908; Y.B., Sep. 443, p. 171. 1908.
      parasite of coffee-bean weevil. Ent. Bul. 64, Pt. VII, p. 64. 1909.
    in—
      cotton seed, method. Ent. Bul. 114, pp. 162-163. 1912; F.B. 512, pp. 37-39. 1912; F.B. 344, pp. 36-38. 1909.
      fall and winter. F.B. 319, pp. 10, 11. 1908; F.B. 344, pp. 18-23. 1909; F.B. 500, pp. 7-8, 11-12. 1912; F.B. 848, pp. 17-22. 1917.
    of cotton and cottonseed, estimates. News L., vol. 6, No. 6, p. 14. 1918.
    of cotton crop in Mississippi, and cause of dairy-industry prosperity. News L., vol. 5, No. 37, p. 12. 1918.
    special devices. F.B. 848, pp. 27-29. 1917; F.B. 512, pp. 29-34. 1912.
  destructiveness and eradication work. Sec. A.R., 1921, pp. 37, 38, 41. 1921.
  discussion by entomologists. Ent. Bul. 60, pp. 127-133. 1906.
  disinfection of cars and freight from Mexico. F.H. B.S.R.A. 49, pp. 15-16. 1918.
  dispersion in—
    1920. B. R. Coad and R. W. Moreland. D.C. 163, pp. 2. 1921.
    1921. B. R. Coad and others. D.C. 210, pp. 3. 1922.
    1922. F. F. Bondy and others. D.C. 266, pp. 6. 1923.
  dissemination—
    by flight, habits. F.B. 1262, pp. 14-15. 1922.
    methods. F.B. 344, pp. 17-18. 1909.
    natural and artificial. Ent. Bul. 114, pp. 85-94. 1912.
    relation to control. F.B. 512, pp. 5-6, 17-18. 1912.
  distribution in—
    1919. B. R. Coad. Ent. [Misc.], "The distribution of * * *," pp. 2. 1920.
    South, 1894-1907, map. Biol. Cir. 64, p. 1. 1908.
  districts, agricultural methods for. S. A. Knapp. B.P.I. Doc. 136, pp. 8. 1905.
  dusting—
    B. R. Coad and T. P. Cassidy. D.C. 274, pp. 3. 1923.
    by airplane in Mexico. Off. Rec., vol. 4, No. 31, p. 1. 1925.
    cost. Off. Rec., vol. 3, No. 3, p. 5. 1924.
  eaten by birds: A report of progress. Arthur H. Howell. Biol. Bul. 25, pp. 22. 1906.
  effect on cotton—
    growing in Mississippi, Jefferson Davis County. Soil Sur. Adv. Sh., 1915, pp. 8, 12, 22. 1916; Soils F. O., 1915, pp. 1003, 1030, 1047. 1919.
    growing in Mississippi, Madison County. Soil Sur. Adv. Sh., 1917, pp. 10, 18, 20, 31, 32. 1920; Soils F.O., 1917, pp. 908, 916, 918, 929, 930. 1923.
  improvement. F.B. 501, pp. 1-22. 1912.
  emergence after hibernation. Ent. Bul. 77, pp. 43-48, 52-54, 67-82. 1909; Ent. Bul. 74, p. 25. 1907.

262 UNITED STATES DEPARTMENT OF AGRICULTURE

Boll weevil—Continued.
  enemy. Ent. Bul. 63, Pt. IV, pp. 49–54. 1907.
  enemy. O. F. Cook. Rpt. 78, pp. 7. 1904.
  extension work in 1923. D.C. 347, pp. 14–15. 1925.
  extermination studies—
    1904. An. Rpts., 1904, pp. 274–277. 1904.
    1920. An. Rpts., 1920, pp. 329–331. 1921.
    1925. Ent. A. R., 1925, pp. 24–25. 1925.
  exterminator, Veldop, misbranding. I. and F. Bd. N. J., 191, 192, 193. 1915.
  feeding habits on plants other than cotton. J.A.R., vol. 2, pp. 235–245. 1914.
  field studies. D.B. 926, pp. 15–25, 33. 1921.
  food plants. D.B. 926, p. 5. 1921; Ent. Bul. 114, pp. 31–32. 1912.
  from Louisiana, behavior, comparison with Texas weevils. D.B., 231, pp. 32–33. 1915.
  habits and control by cultural method. Sec. Cir. 88, p. 13. 1918.
  hand picking. F.B. 512, pp. 34–35. 1912; F.B. 344, pp. 34–35. 1909.
  hibernation—
    F.B. 344, pp. 13–14, 22–23. 1909.
    W. E. Hinds and W. W. Yothers. Ent. Bul. 77, pp. 100. 1909.
    and destruction during winter. F.B. 344, pp. 22–23. 1909; F.B. 848, pp. 13–14, 21–22. 1917.
    and development. E. Dwight Sanderson. Ent. Bul. 63, Pt. I, pp. 38. 1907.
    and development. Ent. Bul. 63, pp. 1–38. 1907; F.B. 512, pp. 13–15. 1912.
    in Florida. D.B. 926, pp. 33–43. 1921.
    quarters. Ent. Cir. 107, pp. 2–4. 1909.
    studies. Ent. A.R., 1908, p. 8. 1908; An. Rpts. 1908, p. 530. 1909; Ent. Bul. 114, pp. 94–118. 1912.
  history, description, and food habits. Ent. Bul. 114, pp. 32–85. 1912.
  identification by condition of cotton squares. F.B. 512, p. 11. 1912.
  implements for destroying. F.B. 344, pp. 29–34, 44–45. 1909.
  in Arizona—
    life history and habits, studies. D.B. 358, pp. 1, 2, 4, 7–8, 11–13, 18–21, 23–24, 28. 1916.
    new variety, occurrence, description. J.A.R. vol. 1, pp. 89–98. 1913.
    relation to cotton planting in arid West. B. R. Coad. D.B. 233, pp. 12. 1915.
    temperature and humidity relations. J.A.R. vol. 5, No. 25, p. 1189. 1916.
    transfer to cotton, and possible damage. D.B. 233, pp. 8–12. 1915.
  in Georgia. News L., vol. 7, No. 10, p. 12. 1919.
  in Louisiana, mortality from natural causes, tables. Ent. Bul. 74, pp. 37, 40, 51, 54, 61, 62. 1907.
  in Texas. O. F. Cook. D.B. 1153, pp. 20. 1923.
  in Texas, mortality from natural causes, tables. Ent. Bul. 74, pp. 37, 40, 51, 54, 61, 62. 1907.
  increase from single pair in a season. F.B. 500, p. 5. 1912.
  incubation and development periods, studies, tables. D.B. 231, pp. 27–29. 1915.
  infestation(s)—
    area, 1920, by States. D.C. 163, p. 2. 1921.
    of cotton plantings. D.B. 1320, pp. 6–9, 16–19, 23–25, 26–27, 29–32, 37, 41. 1925.
  infested area, 1908, map. F.B. 344, p. 7. 1909.
  injury—
    effect on quality of cotton fiber. F.B. 501, pp. 15–16. 1912; F.B. 501, rev., pp. 15–16. 1920.
    habits, and control. F.B. 890, pp. 16–17. 1917.
    in South, and substitution of dairying for cotton growing. Y.B., 1917, pp. 303–310. 1918; Y.B. Sep. 744, p. 10. 1918.
    to cotton plants, danger. F.B. 601, pp. 2, 12. 1914.
    to cotton, statistics. Y.B., 1924, p. 750. 1925.
  insect enemies. W. Dwight Pierce and others. Ent. Bul. 100, pp. 99. 1912.
  insectary studies. D.B. 926, pp. 11–14. 1921.
  introduction—
    and effects on cotton industry. Atl. Am. Agr. Adv. Sh., Pt. V, sec. A, pp. 22–23. 1919.
    distribution, and injuries. D.C. 200, p. 3. 1921.
  invasion and ravages in Southern States. Y.B., 1917, pp. 329–331. 1918; Y.B. Sep. 749, pp. 5–7. 1918.

Boll weevil—Continued.
  killing with poison dust. B. R. Coad. Y.B. 1920, pp. 241–252. 1921; Y.B. Sep. 842, pp. 241. 252. 1921.
  legal restrictions, quarantine. Ent. Bul. 114, pp. 164–168. 1912.
  life history—
    habits, and control. B.P.I. Doc. 619, pp. 8–1911.
    important features. F.B. 500, p. 6. 1912.
    stages, and nature of damages. D.B. 233, pp. 5–8. 1915.
  longevity—
    on various Malvaceae, tests, summary. J.A.R. vol. 2, pp. 244–245. 1914.
    studies. D.B. 926, pp. 7–10. 1921.
    with and without food, tables. Ent. Bul. 114, pp. 47–50. 1912.
  loss to cotton planters in various States. Ent. Bul. 114, pp. 21–26. 1912.
  losses, by States, 1909–1921. Y.B. 1922, p. 714. 1923; Y.B. Sep. 884, p. 714. 1913.
  map showing area infested. Ent. Cir. 122, p. 1. 1910.
  Mexican—
    Frederick W. Mally. F.B. 130, pp. 30. 1901.
    W. D. Hunter and W. E. Hinds. Ent. Bul. 45, pp. 116. 1904; Ent. Bul. 51, pp. 181. 1905.
    annotated bibliography. F. C. Bishopp. Ent. Cir. 140, pp. 30. 1911.
    biology studies on upland and sea island cottons. George D. Smith. D.B. 926, pp. 44. 1921.
    control—
      by proliferation. Ent. Bul. 74, pp. 19–20, 35. 1907.
      some natural factors. W. E. Hinds. Ent. Bul. 74, pp. 79. 1907.
      death from proliferation. W. E. Hinds. Ent. Bul. 59, pp. 45. 1906.
    dispersion in United States, 1892–1921, map. D.C. 210, p. 3. 1922.
    distribution, description, food plants, and characteristics. D.B. 231, pp. 2–10. 1915.
    information concerning. W. D. Hunter. F.B. 189, pp. 29. 1904.
    movement in 1911. W. D. Hunter. Ent. Cir. 146, pp. 4. 1912.
    present status in the United States. W. D. Hunter. Y.B., 1901, pp. 369–380. 1902; Y.B. Sep. 243, pp. 369–380. 1902.
    problem of resistant strains of cotton. Y.B., 1902, pp. 384–385. 1903.
    recent studies. B. R. Coad. D.B. 231, pp. 34. 1915.
    resistance to low temperatures. Ent. Bul. 74, p. 17. 1907.
    spread from—
      1892 to 1914, map showing. Ent. [Misc.], "Map showing spread * * *." Map. 1914.
      1892–1917, map showing. Ent. [Misc.], "Map showing spread * * *." Map. 1917.
      1892–1918, map showing. Ent. [Misc.], "Map showing spread * * *." Map. 1918.
      1892–1919. Ent. [Misc.], "Map showing spread * * *." Map. 1919.
      1892–1920, map showing. Ent. [Misc.], "Map showing * * *." Map. 1920.
      1892–1921, map showing. Ent. [Misc.], "Map showing spread * * *." Map. 1923.
      1892–1922, map showing. Ent. [Misc.], "Map showing spread * * *." Map. 1922.
    status in the United States. W. D. Hunter. Y.B., 1903, pp. 205–214. 1904; Y.B. Sep. 316, pp. 205–214. 1904.
    studies in the Mississippi Valley. R. W. Howe. D.B. 358, pp. 32. 1916.
    studies. W. D. Hunter. Y.B., 1906, pp. 313–324. 1907; Y.B. Sep. 425, pp. 313–324. 1907.
  summary of investigation of insects up to December 31, 1911. Ent. Bul. 114, pp. 188. 1912.
  work of Entomology Bureau. An. Rpts., 1906, pp. 364–367. 1907; Ent. A.R., 1906, pp. 4–7. 1906; Rpt. 83, pp. 62–64. 1906; Y.B., 1906, pp. 81–83. 1907.
  migration. F.B. 130, pp. 9–10, 21–23. 1901.

Boll weevil—Continued.
  mortality—
    1906-1909, studies and records. Ent. Bul. 100, pp. 14-39. 1912.
    in various "forms" of cotton, discussion. Ent. Bul. 74, pp. 26-35, 73. 1907.
  movement in—
    1912. W. D. Hunter and W. D. Pierce. Ent. Cir. 167, pp. 3. 1913.
    1914. W. D. Hunter and W. D. Pierce. Ent. [Misc.], "The movement of * * *," pp. 2. 1915.
  natural control, heat, parasites. F.B. 512, pp. 15-16. 1912.
  natural enemies. F.B. 344, pp. 15-16, 27. 1909.
  number of generations, and dates. D.B. 231, pp. 29-31. 1915.
  observations. Ent. Bul. 52, pp. 14-16. 1905.
  odors attracting. Off. Rec., vol. 4, No. 10, p. 3. 1925.
  origin—
    and ravages in Southern States. D.B. 233, pp. 1-2. 1915.
    history, spread, injuries, and control. Y.B., 1921, pp. 334, 349-352, 405-406. 1922; Y.B. Sep. 877, pp. 334, 349-352, 405-406. 1922.
    spread, and distribution. F.B. 512, pp. 5-6, 10-15. 1912; F.B. 1262, pp. 3-4, 6. 1922.
  outbreaks and spread in 1921. D.B. 1103, pp. 42-43. 1922.
  oviposition period and rate. D.B. 358, pp. 23-26, 31-32. 1916.
  parasites—
    description. Ent. Bul. 100, pp. 9-68, 80-96. 1912; Ent. Cir. 122, pp. 9-10. 1910; F.B. 344, pp. 15-16, 35. 1909; F.B. 848, p. 15. 1917.
    effect on pest. F.B. 1329, p. 11. 1923.
    habits and life history. Ent. Bul. 74, pp. 27-63. 1907; Ent. Bul. 100, pp. 54-60. 1912.
    list and description. Ent. Bul. 114, pp. 136-145. 1912.
    preservation and encouragement. F.B. 500, pp. 10, 12-13, 14. 1912.
    studies. W. Dwight Pierce. Ent. Bul. 73, pp. 63. 1908.
    value in control, presence in fallen squares. F.B. 512, pp. 15-16, 35. 1912.
  Paris green as insecticide, Department of Agriculture experiments. F.B. 211, pp. 9-19. 1904.
  picking methods in Mississippi Delta. D.B. 382, pp. 5-7, 10. 1916.
  pink, quarantine on cottonseed oil from Mexico, July 1, 1917. F.H.B.S.R.A. 38, p. 16. 1917.
  pink, quarantine on cottonseed products, foreign countries, June 24, 1913. F.H.B. Quar. 9, p. 1. 1917.
  poisoning—
    attempts and results. F.B. 512, pp. 40-42. 1912.
    cost, and gains to be expected. D.B. 875, pp. 26-28. 1920.
    directions. B. R. Coad and T. B. Cassidy. D.C. 162, pp. 4. 1921.
    experimental work. B. R. Coad. D.B. 731, pp. 15. 1918.
    machine. News L., vol. 6, No. 51, p. 7. 1919
    principles. D.B. 875, pp. 1-2. 1920.
  present status. Pub. [Misc.], "The present status of * * *," p. 1. 1908.
  present status in the United States. W. D. Hunter. Y.B., 1904, pp. 191-204. 1905; Y.B. Sep. 341, pp. 191-204. 1905.
  problem—
    W. D. Hunter. F.B. 344, pp. 46. 1909.
    W. D. Hunter and B. R. Coad. F.B. 1262, pp. 31. 1922; F.B. 1329, pp. 30. 1923.
    and means of reducing damage. W. D. Hunter. F.B. 512, pp. 46. 1912.
    special reference to means of reducing damage. W. D. Hunter. F.B. 848, pp. 40. 1917.
  production estimate per season. F.B. 1262, p. 12. 1922.
  protection by shade. D.B. 1153, pp. 5-7. 1923.
  quarantine—
    laws. F.B. 216, pp. 26-32. 1905.
    regulations, California. B.P.I. Cir. 29, p. 17. 1909.
    regulations, various States. Ent. Bul. 114, pp. 164-168. 1912.

Boll weevil—Continued.
  ravages, work of B.P.I. B. T. Galloway. Y.B., 1904, pp. 497-508. 1905; Y.B. Sep. 363, pp. 497-508. 1905.
  related weevils, biological notes. Ent. Bul. 63, pp. 39-44. 1907.
  relation to—
    birds. Arthur H. Howell. Biol. Bul. 29, pp. 31. 1907.
    cotton worm. Ent. Cir. 153. p. 4. 1912.
    malaria problem. Ent. A.R., 1914, pp. 7-8. 1914; An. Rpts., 1914, pp. 189-190. 1915.
    oil in cotton plant. J. A. R., vol. 13, pp. 345, 349. 1918.
    peanut-acreage increase. News L., vol. 4, No. 51, p. 2. 1917.
  repression, effect of burial, experiments. Ent. Bul. 114, pp. 147-149. 1912.
  resistance, Central-American cottons, investigations. An. Rpts., 1907, p. 284. 1908.
  review of control work. F.B. 512, pp. 1-46. 1912.
  school lesson. D.B. 258, pp. 5-6. 1915.
  shelter by shade of large plants. D.B. 1153, pp. 4-5. 1923.
  southern Mississippi, arrival and ravages. Y.B., 1917, pp. 303-304. 1918; Y.B. Sep. 744, pp. 3-4. 1918.
  spray, "Veldop," misbranding. N.J. 191-193, I. and F. Bd. S.R.A. 11, pp. 76-80. 1915.
  spread—
    and damages, 1907. Y.B., 1907, p. 542. 1908; Y.B. Sep. 472, p. 542. 1908.
    effect on farming system. Y.B., 1913, p. 264. 1914; Y.B. Sep. 627, p. 264. 1914.
    from—
      1892-1914, map showing. Ent. [Misc.], "Map showing spread * * *." 1914.
      1892-1915, map showing. Atl. Am. Agr., Pt. V, sec. A., p. 15. 1919; Ent. [Misc.], "Map, showing spread * *". 1915.
      1892-1916, map showing. Ent. [Misc.], "Map showing spread * * *" 1916
      1916; Sec. [Misc.], Spec. Geography * * world's agriculture," p. 53. 1918.
      1892-1918, map showing. Ent. [Misc.], "Map showing * * *." 1918.
      1892-1919, map showing. Ent. [Misc.], "Map showing * * *." 1919.
      1892-1921, map showing. Ent. [Misc.], "Map showing * * *." 1921.
      1892-1922, map showing. Ent. [Misc.], "Map showing * * *." 1922.
      1892-1923, map showing. Ent. [Misc.], "Map showing * * *." 1923.
    in—
      1915. W. D. Hunter and W. D. Pierce. Ent. [Misc.], "The spread of * * *," pp. 2. 1916.
      1916. W. D. Hunter and W. D. Pierce. Ent. [Misc.], "The spread of * * *," pp. 2. 1916.
      1917. W. D. Hunter and W. D. Pierce. Ent. [Misc.], "The spread of * * *," pp. 2. 1917.
    methods. F.B. 848, p. 16. 1917.
    status, 1904-5. Biol. Bul. 25, pp. 15-21. 1906.
  status, 1909. W. D. Hunter. Ent. Cir. 122, pp. 12. 1910.
  studies—
    for southern rural schools. D.B. 305, pp. 28-29. 1915.
    in different cottons. D.B. 926, pp. 27-29. 1921.
  temperature—
    and humidity relations, studies. J.A.R., vol. 5, No. 25, pp. 1183-1191. 1916.
    fatal to. Ent. Bul. 100, pp. 34, 35, 38, 39, 86. 1912.
  territory affected. Y.B., 1904, pp. 192-195. 1905; Y.B., Sep. 341, pp. 192-195. 1905.
  treatment in small infected areas. F.B. 344, p. 46. 1909.
  varieties, crossing, experiments and studies. D.B. 358, pp. 2, 19-20. 1916.
  water-drinking, bearing on poisoning. D.B. 731, pp. 2, 11. 1918.
  wild cotton, Arizona, a new variety of Anthonomus grandis. J.A.R., vol. 1, pp. 89-98. 1913.
  winter mortality, importance in control. F.B. 500, pp. 7, 11-12. 1912.

Boll weevil—Continued.
  work, origin and development. Y.B., 1911, p. 153. 1912; Y.B., Sep. 556, p. 153. 1912.
Bollene insecticide, analyses. Chem. Bul. 76, pp. 52–54. 1903.
BOLLEY, H. L.: "Flax culture." F.B. 274, pp. 36. 1907.
Bollworm—
  cotton—
    F. C. Bishop and C. R. Jones. F.B. 290, pp. 32. 1907.
    A. L. Quaintance and C. T. Brues. Ent. Bul. 50, pp. 155. 1905.
    A. L. Quaintance and F. C. Bishopp. F.B. 212, pp. 32. 1905.
    abandonment of cotton growing for control in Texas. F.H.B.S.R.A. 42, p. 86. 1917.
    association with pink corn worm. D.B. 363, pp. 3, 9, 10, 11, 14. 1916.
    bacterial, disease. Ent. Bul. 50, pp. 124–126. 1905.
    bird enemies, Southeastern States. F.B. 755, pp. 3, 10, 13, 22, 31. 1916.
    cannibalism, among larvae beneficial to crops. Ent. Bul. 50, pp. 79–80. 1905.
    classification, distribution, origin, and food plants. Ent. Bul. 50, pp. 11–19. 1905.
    control—
      by cultural methods, experiments. Ent. Bul. 50, pp. 127–130. 1905.
      by insecticides, methods. Ent. Bul. 50, pp. 131–132. 1905.
      by pruning, Hawaii. O.E.S. An. Rpt., 1911, pp. 21, 97. 1913.
      in Virgin Islands. Vir. Is. A.R., 1920, p. 29. 1921.
      methods. F.B. 290, pp. 14–19. 1907; F.B. 872, pp. 8–15. 1917.
      relation to boll weevil control. F.B. 344, pp. 38–39. 1909; F.B. 512, p. 39. 1912.
    damage to cotton, and control methods. F.B. 848, pp. 33. 1917.
    description—
      and control. Sec. Cir. 88, p. 14. 1918.
      and list. Sec. [Misc.]," A manual of insects * * *," pp. 87–88. 1917.
      distribution, injuries. F.B. 872, pp. 3–6. 1917.
      injuries to tobacco, and control. Y.B., 1910, pp. 288–289. 1911; Y.B. Sep. 537, pp. 288–289. 1911.
      oviposition, hatching, and development. Ent. Bul. 50, pp. 41–92. 1905.
    destruction by blackbirds. Biol. Bul. 34, pp. 57, 61. 1910.
    distribution and destructiveness. Ent. Bul. 50, pp. 25–29. 1905.
    drowning by rain. Ent. Bul. 50, p. 68. 1905.
    economic importance. F.B. 872, p. 2. 1917.
    economic status in United States. Ent. Bul. 50, pp. 21–25. 1905.
    enemies—
      discussion. Ent. Bul. 50, pp. 107–126. 1905.
      of alfalfa caterpillar. F.B. 1094, p. 9. 1920.
      of alfalfa weevil. D.B. 124, p. 25. 1914.
      of southern field crops. Y.B., 1911, pp. 202, 203. 1912; Y.B. Sep. 561, pp. 202, 203. 1912.
    food plants. Ent. Bul. 50, pp. 17–19. 1905.
    habits—
      and control. Y.B., 1921, p. 354. 1922; Y.B. Sep. 877, p. 354. 1922; Vir. Is. Bul. 1, p. 13. 1921.
      history and relation to crop growth. F.B. 872, pp. 6–8. 1917.
    Hawaii, control by parasites and by pruning. Hawaii A.R., 1911, pp. 10, 14, 57, 58, 59. 1912.
    identity with corn earworm. F.B. 1206, p. 3. 1921.
    in foreign countries. Ent. Bul. 50, pp. 19–20. 1905.
    in Mexico, and control by quarantine. News L., vol. 4, No. 48, p. 2. 1917.
    increase, relation of farm management. Ent. Bul. 50, pp. 29–32. 1905.
    infestation in Texas from Mexican cotton seed. News L., vol. 5, No. 9, p. 5. 1917.
    injury(ies)—
      mechanical control. Ent. Bul. 50, pp. 133–134. 1905.

Bollworm—Continued.
  cotton—continued.
    injury(ies)—continued.
      relation of weather. Ent. Bul. 50, pp. 32–35. 1905.
      to cotton, corn, and other crops. Ent. Bul. 50, pp. 68–78. 1905.
      to hairy vetch, and control. D.B. 876, pp. 31–32. 1920.
      to tobacco in Guam, and control. Guam A.R., 1916, pp. 15–16. 1917.
      to various crops, description and control. F.B. 890, p. 18. 1917.
    larva, descriptions and habits. Ent. Bul. 50, pp. 55–83. 1905.
    life history and habits. F.B. 191, pp. 5–7. 1904.
    parasites, descriptions. Ent. Bul. 50, pp. 115–127. 1905.
    report. Ent. Bul. 29, pp. 1–73. 1901.
    scavengers, observations. Ent. Bul. 50, pp. 126–127. 1905.
    school lesson. D.B. 258, pp. 5–6. 1915.
    seasonal history. Ent. Bul. 50, pp. 102–105. 1905.
    trap crops, protection for cotton. Ent. Bul. 50, pp. 130–131. 1905.
  or corn earworm. F. C. Bishopp. F.B. 872, pp. 16. 1917.
  pink. F.H.B. Quar. 9, p. 1. 1913.
  pink—
    appearance in Texas. F.H.B.S.R.A. 44, pp. 113–114. 1918.
    cleaning of cotton fields in eradication, 1917–1921. F.H.B. Quar. 47, pp. 4. 1920.
    cleaning up work. F.H.B.S.R.A. 74, pp. 10–14. 1923.
    conditions in Texas. F.H.B.S.R.A. 48, pp. 1–2. 1918; F.H.B.S.R.A. 52, pp. 53–63. 1918; F.H.B.S.R.A. 55, pp. 79–80. 1918; F.H.B. S.R.A. 71, pp. 124–136. 1922.
    control—
      by cotton-mill screening, regulations. F.H. B.S.R.A. 43, p. 105. 1917.
      by cotton seed quarantine. D.B. 723, pp. 15–20. 1918.
      by fumigation of baled cotton. F.H.B. S.R.A. 21, pp. 82–85. 1915.
      by mortality, parasites and other enemies. D.B. 918, pp. 38–47. 1921.
      by prohibition of cotton growing in Texas, letter of Agriculture Secretary. F.H.B. S.R.A. 48, pp. 4–6. 1918.
      in Egypt by cotton quarantine. News L., vol. 3, No. 52, p. 4. 1916.
      in Louisiana. F.H.B.S.R.A. 71, pp. 99, 136–138. 1922.
      in New Mexico. F.H.B.S.R.A. 71, pp. 99–100, 138–140. 1922.
      in Texas, methods and studies. News L., vol. 5, No. 1, p. 6. 1917.
      in United States. W. D. Hunter. Y.B., 1919, pp. 355–368. 1920; Y.B. Sep. 817, 1919, pp. 355–368. 1920.
      methods. D.B. 918, pp. 47–56. 1921.
      methods and results. News L., vol. 6, No. 19, p. 5. 1918.
      of outbreak at Hearne, Texas. News L., vol. 5, No. 11, p. 2. 1917.
      situation in Texas, quarantine. F.H.B. Rpt., 1919, pp. 1–6, 7–8, 27. 1919; An. Rpts., 1919, pp. 505–510, 511–512, 531. 1920.
      work and law. F.H.B.S.R.A. 59, pp. 1–2. 1919.
      work by Agriculture Department. W. D. Hunter. D.B. 723, pp. 27. 1918.
      work, details and summary, and order. F.H.B.S.R.A. 74, pp. 2–15, 53. 1923.
      work in Texas. F.H.B.S.R.A. 58, pp. 121–122. 1919.
      work, review. Y.B., 1922, pp. 31–32. 1923; Y.B. Sep. 883, pp. 31–32. 1924.
    danger of introduction in cotton waste. F.H.B. S.R.A. 41, pp. 69–70. 1917.
    description—
      generic and specific. A. Busck. D.B. 918, pp. 58–64. 1921.
      life history, and food plants. D.B. 723, pp. 7–14. 1918.

INDEX TO PUBLICATIONS, 1901-1925 265

Bollworm—Continued.
  pink—continued.
    description—continued.
      origin, life history, and spread. Ent. [Misc.], "The pink bollworm," pp. 6. 1914.
      destruction by fumigation, tests of results. D.B. 366, pp. 12. 1916.
      distribution. D.B. 918, pp. 4-5. 1921.
      effect on cotton crop, Laguna, Mexico. F.H.B.S.R.A. 56, p. 88. 1918.
      enemy of Egyptian cotton. D.B. 742, pp. 8, 25. 1919.
    eradication—
      and State relief, 1921, law. F.H.B.S.R.A. 71, p. 115. 1922.
      car disinfection, proposed amendments to pending agricultural bill. F.H.B.S.R.A. 50, pp. 27-28. 1918.
      project status. F.H.B.S.R.A. 73, p. 101. 1923.
      work. Y.B., 1921, pp. 42-43. 1922; Y.B. Sep. 875, pp. 42-43. 1922.
      work, progress. F.H.B.S.R.A. 74, pp. 1-15. 1923.
    exclusion from United States, restrictions. F.H.B.S.R.A. 41, pp. 58-70. 1917.
    experiment station, establishment at Lerdo, Mexico. F.H.B.S.R.A. 50, pp. 25-26. 1918.
    field scouting record, 1917-1922. F.H.B.S.R.A. 74, pp. 7-9. 1923.
    fumigation date, order. F.H.B.S.R.A. 26, pp. 31-32. 1916.
    Hawaii, quarantine notice and regulations. F.H.B.S.R.A. 25, pp. 20-29. 1916.
    history and control. Y.B., 1921, pp. 352-354. 1922; Y.B. Sep. 877, pp. 352-354. 1922.
    host plants. Off. Rec., vol. 4, No. 46, p. 5. 1925.
    identification in field, characteristics. J.A.R., vol. 9, p. 346. 1917.
    importation—
      in Egyptian cotton. News L., vol. 1, No. 39, p. 4. 1914.
      restrictions, notices of public hearings. F.H.B.S.R.A. 4, pp. 26-28. 1914.
      with cotton lint, control rules and regulations. F.H.B.S.R.A. 15, pp. 26-34. 1915.
    in—
      Hawaii and Porto Rico, quarantine against. F.H.B. Quar. 47, pp. 4. 1920.
      Mexico, congressional conference. F.H.B.S.R.A. 43, pp. 104-105. 1917.
      Mexico, report on investigations. U. C. Lofton and others. D.B. 918, pp. 64. 1921.
    infestation—
      in Virgin Islands. Vir. Is. A.R., 1924, p. 19. 1925.
      of cottonseed cargo of German war prize, control work of Horticulture Board. News L., vol. 4, No. 20, p. 5. 1916.
    infested and regulated areas, extension or reduction. F.H.B. Quar. 52, reg. 5, p. 10. 1922; F.H.B. Quar. 52, reg. 3, pp. 3-5. 1922.
    injury—
      in Mexico, congressional conference. F.H.B.S.R.A. 43, pp. 104-105. 1917.
      to cotton, and control studies at St. Croix Experiment Station, 1921. S.R.S. [Misc.], "Report of Virgin Islands Agricultural Experiment Station, 1921," pp. 7-9. 1922.
      to cotton, control by boll-weevil control methods. F.B. 1262, p. 29. 1922.
      to cotton crop. D.B.918, pp. 24-32. 1921.
      to cotton growing, Egypt. D.B. 332, pp. 5, 8-9, 26. 1916.
      to cotton, nature and amount of damage. D. B. 723, pp. 5-7. 1918.
    insect enemies. D.B. 723, pp. 14-15. 1918.
    interception in—
      imports, 1923. F.H.B.S.R.A. Sup. 77, pp. 176, 86, 191, 193, 200, 213, 218. 1924.
      shipment. Off. Rec., vol. 1, No. 10, p. 2. 1922.
    introduction—
      description, ravages, and control. An. Rpts., 1917, pp. 40-43. 1918; Sec. A.R., 1917, pp. 42-45. 1917; Y.B., 1917, pp. 56-60, 71. 1918.
      into Mexico and present distribution. D.B. 918, pp. 4-5. 1921.

Bollworm—Continued.
  pink—continued.
    introduction—continued.
      into United States, prevention precautions. D.B. 723, pp. 15-20. 1918.
      prevention, cooperation of customs collectors, Atlantic coast. F.H.B.S.R.A. 58, pp. 123-124. 1919.
      with cotton lint, control regulations. News L., vol. 2, No. 43, p. 3. 1915.
    larvae, mortality studies. D. B. 918, pp. 38-46. 1921.
    law for Texas. F.H.B.S.R.A. 71, pp. 97, 109-114, 116-118. 1922.
    life history. D.B. 918, pp. 5-19. 1921.
    menace to cotton in South and control work. Sec. Cir. 88, pp. 14-17. 1918.
    Mexican situation. F.H.B.S.R.A. 58, pp. 122-123. 1919.
    occurrence and determination in West Indies. F.H.B.S.R.A. 71, pp. 101-102. 1922.
    occurrence in Virgin Islands. S.R.S. An. Rpt., 1921, pp. 3, 25. 1921.
    origin, technical description, food plants, parasites. J.A.R., vol. 9, pp. 343-370. 1917.
    outbreak in Texas, and control studies and work. News L., vol. 5, No. 9, p. 5. 1917.
    outbreaks in 1921. D.B. 1103, pp. 43-44. 1922.
    parasites, list and descriptions. J.A.R., vol. 9, pp. 359-361. 1917.
    quarantine—
      against Mexican cottonseed. F.H.B.S.R.A. 36, pp. 1-3. 1917.
      amendments. F.H.B.S.R.A. 79, pp. 34-35. 1924.
      establishment, regulations. F.H.B. Quar. 8, pp. 2. 1913; F.H.B. Quar. 8, amdt. 3, p. 1. 1916.
      foreign and domestic. F.H.B. An. Rpt., 1913, p. 9. 1913; An Rpts., 1913, p. 343 1914.
      in Texas and Louisiana. F.H.B. Quar. 46, amdt. 1, p. 1. 1920.
      modification, April 5, 1924. F.H.B. Quar. 52, amdt. 3, pp. 4. 1924.
      modification, November 25, 1925. F.H.B. Quar. 52, rev. 2, amdt. 5, p. 1. 1925.
      modification, September 2, 1924. F.H.B. Quar. 52, rev. 2, amdt. 4, pp. 3. 1924.
      notice, July 1, 1913. F.H.B. Quar. 8, pp. 2. 1924.
      proclamations by Texas Governor, and letters by Agriculture Secretary. F.H.B.S.R.A. 49, pp. 11-16. 1918.
      regulations. F.H.B. Quar. 8, amdt. 1, pp. 20. 1913; F.H.B. Quar. 52, pp. 8. 1921; F.H.B. Quar. 52, amdt. 1, rev. 2, pp. 2. 1923; F.H.B. Quar. 52, amdt. 2, pp. 2. 1924; F.H.B. Quar. 52, amdt. 3, pp. 4. 1924; F.H.B. Quar. 52, amdt. 4, pp. 3. 1924; F.H.B.S.R.A. 5, pp. 30. 1914; F.H.B.S.R.A. 75, pp. 59-69. 1923.
    regulations, cotton-free zones. F.H.B.S.R.A 62, pp. 49-56. 1919.
    regulations, effective September 10, 1921. F.H.B.S.R.A. 71, pp. 116-124, 174-175. 1922.
    regulations, effective October 15, 1923. F.H. B.S.R.A. 77, pp. 134-142, 170, 171, 173. 1924.
    regulations, effective June 1, 1923. F.H.B. S.R.A. 75, pp. 59-69. 1923.
    regulations, effective June 17, 1924. F.H.B. S.R.A. 78, pp. 1-3. 1924.
    regulations for the crop season of 1923. F.H. B.S.R.A. 76, pp. 99-105. 1923.
    scouting record, 1917 to 1922, in Southern States. F.H.B.S.R.A. 74, pp. 7-9. 1923.
    seasonal history and feeding habits. D.B. 918, pp. 19-24. 1921.
    similar Lepidoptera. Carl Heinrich. J.A.R., vol. 20, pp. 807-836. 1921.
    situation—
      October, 1917. F.H.B.S.R.A. 45, pp. 119-120. 1917.
      December, 1917. F.H.B.S.R.A. 47, p. 143. 1918.
      in Mexico, studies by Mr. Busck. F.H.B. S.R.A. 41, p. 58. 1917.

Bollworm—Continued.
pink—continued.
situation—continued.
in Texas, 1918. F.H.B.S.R.A. 57, pp. 99-100. 1919.
in Texas and Egypt, and control. F.H.B. S.R.A. 53, pp. 63-65. 1918.
in Texas and Mexico, November, 1917. F.H.B.S.R.A. 46, pp. 135-137. 1918.
spread—
from seed cotton. Off. Rec., vol. 1, No. 27, p. 4. 1922.
in Mexico, and danger to United States from infested seed, press notice. F.H.B.S.R.A. 43, pp. 105-106. 1917.
means. D.B. 918, pp. 35-38. 1921.
status in Texas. F.H.B.S.R.A., 56, pp. 87-88. 1918.
supplemental appropriation act, text. F.H.B. S.R.A. 72, p. 56. 1922.
Texas law, text. F.H.B.S.R.A. 61, pp. 29-30. 1919; F.H.B.S.R.A., 71, pp. 109-114. 1922.
work in Texas—
and Mexico. F.H.B.S.R.A. 60, pp. 17, 19. 1919.
Texas, appropriation. F.H.B.S.R.A. 51, pp. 39-42. 1918.
See also Corn ear worm.
Bolometer, description, and use in forest study. D. B. 1059, pp. 50, 58. 1922.
BOLSTER, R. H.—"The relation of the southern Appalachian Mountains to the development of water power." With others. For. Cir. 144, pp. 54. 1908.
Bolting, tree cavities, directions. F.B. 1178, pp. 15-17. 1920.
BOLTON, B. M.—
"Hygienic water supplies for farms." Y. B., 1907, pp. 399-408. 1908; Y.B. Sep. 457, pp. 399-408. 1908.
"The bacteriolytic power of the blood serum of hogs." B.A.I. Bul. 95, pp. 62. 1907.
"The etiology of hog cholera." With others. B.A.I. Bul. 72, pp. 102. 1905.
Bolts, wood, measurement, uses, and weight per cubic foot. F.B. 715, pp. 4, 5-6. 1916; F.B. 1210, pp. 7-9. 1921.
Bolusanthus speciosus, importations and description. No. 55555, B.P.I. Inv. 71, p. 56. 1923.
Bomb calorimetry, methods and standards. J. August Fries. B. A. I. Bul. 124, pp. 32. 1910.
Bombaceae, Porto Rico, description and uses. D.B. 354, pp. 84-85. 1916.
Bombacopsis sp., importation and description. No. 43414, B.P.I. Inv. 49, p. 14. 1921.
Bombax—
malabaricum—
importation and description. No. 50716, B.P.I. Inv. 64, p. 18. 1923.
See also Cotton tree.
sp., importation and description. No. 34051, B.P.I. Inv. 31, pp. 7, 79. 1914; No. 34292, B.P.I. Inv. 32, p. 31. 1914.
Bombay mace. *See* Mace, false.
Bombus spp. *See* Bumblebees.
Bombyx mori. *See* Mulberry silkworm.
Bonanza farming. *See* Farming.
BONAPARTE, C. J., opinion concerning section 9, food and drugs act. Sec. [Misc.], pp. 6-11. 1910.
Bonasa umbellus. *See* Grouse, ruffed.
BONAZZI, AUGUSTO—
"Cytological studies of *Azotobacter chroococcum*." J. A. R., vol. 4, pp. 225-239. 1915.
"Soil survey of Stark County, Ohio." With others. Soil Sur. Adv. Sh., 1913, pp. 39. 1915; Soils F.O. 1913, pp. 1343-1377. 1916.
BOND, F. M.—
"Experiments in the preservative treatment of red-oak and hard-maple crossties." For. Bul. 126, pp. 92. 1913.
"Progress report on wood-paving experiments in Minneapolis." For. Cir. 194, pp. 19. 1912.
BOND, FRANK—
"Irrigation of rice in the United States." With G. H. Keeney. O.E.S. Bul. 113, pp. 77. 1902.
"Rice irrigation in Louisiana and Texas." O.E.S Bul. 133, pp. 178-195. 1903.
Bonding, regulation at markets. Off. Rec. vol. 3, No. 41, p. 3. 1924.

Bonds—
assessment collection. For. [Misc.], "Use book, * * * 1921," p. 13. 1922.
cotton warehouse—
ragulation 3. Sec. Cir. 94, pp. 9-10. 1918.
regulations. Sec. Cir. 143, pp. 8-10. 1919.
drainage—
issues and proceeds. F.B. 815, pp. 20-26. 1917.
value. Y.B., 1918, p. 139. 1919; Y.B. Sep. 781, p. 5. 1919.
farm-loan and farm-mortgage, extension. Y.B. 1921, pp. 14, 15. 1922; Y.B. Sep. 875, pp. 14, 15. 1922.
grain warehouses. Sec. Cir. 141, pp. 9-10. 1919.
highway. *See* Highway(s), bonds.
issues—
cooperation of Roads Bureau with Capital Issues Committee. An.Rpts., 1918, pp. 374, 388, 389. 1919; Rds. Chief Rpt., 1918, pp. 2, 16, 17. 1918.
restrictions, advantages, needs, and benefits to property owners. D.B. 136, rev., pp. 27-33. 1917.
land-bank, marketing methods. F.B. 792 pp. 7, 10. 1917.
Liberty, appeal to farmers to purchase, by Agriculture Secretary. News L., vol. 5, No. 11, p. 1. 1917.
Liberty, buying reasons. Bradford Knapp. News L., vol. 5, No. 12, p. 8. 1917.
mortgage, issue by Federal land banks, advantages. F.B. 792, pp. 5, 7, 10-11, 12. 1917.
national forest grazing, Reg. G-21. For. [Misc.], "Use book, * * * 1921," p. 65. 1922.
road. *See* Road(s), bonds.
timber, interest, burden on lumber industry. Rpt. 114, pp. 14, 48, 58. 1917.
Victory, buying by farmers. News L. vol. 6, No. 40, pp. 1-2. 1919.
warehouse. *See* Warehouse(s), bonds.
BONDY, P. F.—
"Dispersion of the boll weevil in 1921." With others. D.C. 210, p. 3. 1922.
"Dispersion of the boll weevil in 1922." With others. D.C. 266, p. 6. 1923.
BONE, S. C.—
"Annual report of Governor of Alaska on the Alaska game laws, 1921." D.C. 225, p. 7. 1922.
"Annual report of the Governor of Alaska on the Alaska game law, 1922." D.C. 260, p. 7. 1923.
Bone(s)—
ash, effect on growing chicks. J.A.R., vol. 22, pp. 145-149. 1921.
black—
determination in commercial fertilizers. D.B. 97, pp. 1-10, 13. 1914.
value as source of phosphoric acid. S.R.S. Rpt., 1915, Pt. I, p. 40. 1917.
broken. *See* Fractures.
cattle, diseases, and accidents. V. T. Atkinson. Revised by J. R. Mohler. B.A.I. [Misc.], "Diseases of cattle," rev., pp. 264-288. 1923; rev., pp. 268-279. 1908; rev., pp. 269-294. 1912.
certification and disinfection, regulations. Joint Order No. 1, pp. 3-4. 1916.
composition, inorganic constituents and relation to age. Chem. Bul. 123, pp. 23-24. 1909.
diseases and accidents. V.T. Atkinson. B.A.I. [Misc.], "Diseases of cattle," rev., pp. 261-284. 1904; rev., pp. 261-284. 1908; rev., pp. 269-294. 1912; rev., pp. 264-288. 1923.
dust, imports, 1912-1923. Y.B., 1923, p. 1187. 1924. Y.B. Sep. 906, p. 1187. 1924.
exports from Uruguay. B.A.I. An. Rpt., 1900, p. 519. 1901.
extracts, analyses. J. A. R., vol. 17, p. 14. 1919.
fractures, horse, description, variations, and treatment. B.A.I. [Misc.], "Diseases of the horse," rev., pp. 297-329. 1911.
ground—
effect on corn yield. Soils Bul. 64, pp. 26, 29. 1910.
effects on potato yield. Soils Bul. 65, pp. 15, 18. 1910.
fertilizing value. F.B. 140, p. 27. 1901.
wheat soils, tests. Soils Bul. 66, pp. 12, 17, 19. 1910.
growth, need of milk in diet. D.C. 129, p. 2. 1920.
hog, breaking strength, as affected by ration and breeding. B.A.I. Bul. 47, pp. 205-206. 1904.

Bone(s)—Continued.
 hoofs and horns, imports, 1908-1910, value by countries from which consigned. Stat. Bul. 90, p. 20. 1911.
 importations, control regulations (with hoofs and horns). Joint Order No. 2, pp. 3-4. 1917.
 imported, disinfection order. B.A.I. O. 256, pp. 3-4. 1917.
 imports and exports value, 1909-1913 (with hoofs, etc.). D.B. 798, pp. 20-23. 1919.
 imports 1907-1909 (with hoofs and horns), value, by countries from which consigned. Stat. Bul. 82, p. 26. 1910.
 meal—
  efficiency in Porto Rican soils. J.A.R., vol. 25, pp. 174-183, 187. 1923.
  feed, for hogs in a corn-meal ration. B.A.I. Bul. 47, p. 240. 1904.
  fertilizer, value and composition. Soils Bul. 41, p. 10. 1907.
  manufacturing methods, cost and use rate. F.B. 704, p. 7. 1916.
  raw and steamed, determination in commercial fertilizers. D.B.97, pp. 1-10, 12. 1914.
  semiarid soils, nitrification rates. J.A.R., vol. 7, pp. 418, 423-425. 1916.
  stock feeding. F.B. 329, p. 25. 1908.
  use—
   and value for fertilizer. News L., vol. 3, No. 34, p. 2. 1916.
   as fertilizer for red clover, quantity. F.B. 455, p. 13. 1911.
   as fertilizer in forest nurseries. D.B. 479, p. 82. 1917.
   for hogs. F.B. 276, pp. 21-24. 1907.
  percentage in cuts of lamb and mutton. F.B. 1324, p. 5. 1923.
  phosphate, value for lawns. F.B. 494, pp. 9, 27, 45. 1912.
  raw and steamed, fertilizer stock, 1917. Sec. Cir. 104, pp. 4, 8-9, 10-12. 1918.
  softening, cattle. See Osteomalacia.
  source of phosphate. D.B. 312, p. 1. 1915.
  use in acid phosphate, methods and value. D.B. 144, pp. 2, 4. 1914.
  utilization—
   and treatment of wastes for fertilizer. Y.B. 1917, p. 256. 1918; Y.B. Sep. 728, p. 6. 1918.
   as nourishment. F.B. 391, p. 11. 1910.
   value as hen feed, and feeding method. F.B. 889, p. 18. 1917.
Boneset—
 culture and handling as drug plant, yield, and price. F.B. 663, p. 16. 1915.
 drug use, with price, description, and range. F.B. 188, p. 30. 1904.
 growing and uses, harvesting, marketing, and prices. F. B. 663, rev., pp. 19-20. 1920.
 habitat, range, description, uses, collection, and prices. B.P.I. Bul. 219, p. 36. 1911.
Bonete, importation and description. No. 46696, B.P.I. Inv. 57, p. 20. 1922.
Bonfires, burning brush, stubble, or rubbish on farms, fire dangers and control. F.B. 904, p. 7. 1918.
Bongay. See Horse-chestnut.
Bonito, dried, food use by Japanese. O.E.S. Bul. 159, pp. 19-20. 1905.
BONNET, LEON: "Little-leaf of the vine." With Frederic T. Bioletti. J.A.R., vol. 8, pp. 381-398. 1917.
Bonneville Basin, and tributaries, description. D.B. 54, pp. 18-22. 1914.
BONSTEEL, F. E.—
 "Manurial requirements of the Cecil silt loam of Lancaster County, S. C." With F. D. Gardner. Soils Cir. 16, pp. 7. 1911.
 "Manurial requirements of the Portsmouth sandy loam of the Darlington area, S. C." With F. D. Gardner. Soils Cir. 17, pp. 10. 1905.
BONSTEEL, J. A.—
 "Important American soils." Y.B., 1911, pp. 223-236. 1912; Y.B. Sep. 563, pp. 223-236. 1912.
 "The use of soil surveys." Y.B., 1906, pp. 181-188. 1907; Y.B. Sep. 415, pp. 181-188. 1907.
 "Truck soils of the Atlantic coast region." Y.B., 1912, pp. 417-432. 1913; Y.B. Sep. 603, pp. 417-432. 1913.

BONSTEEL, J. A.—Continued.
 "Soil survey of Long Island area, New York." With others. Soil Sur. Adv. Sh., 1903, pp. 48. 1904; Soils F.O., 1903, pp. 91-128. 1904.
 "Soils in the vicinity of Savannah, Ga.: A preliminary report." Soils Cir. 19, pp. 19. 1909.
 "Soils of southern New Jersey and their uses." D.B. 677, pp. 78. 1918.
 "Soils of eastern Virginia and their uses for truck crop production." D.B. 1005, pp. 70. 1922.
 "Soils of the eastern United States and their use—Marsh and swamp—XL." Soils Cir. 69, pp. 14. 1912.
  Meadow—XXXIX." Soils Cir. 68, pp. 21. 1912.
  Muck and peat—XXXVIII." Soils Cir. 65, pp. 15. 1912.
  The Carrington clay loam—XXXIII." Soils Cir. 58, pp. 11. 1912.
  The Carrington loam—XII." Soils Cir. 34, pp. 15. 1911.
  The Carrington silt loam—XXXII." Soils Cir. 57, pp. 10. 1912.
  The Cecil clay—VI." Soils Cir. 28, pp. 16. 1911.
  The Cecil sandy loam—V." Soils Cir. 27, pp. 19. 1911.
  The Chester loam—XXX." Soils Cir. 55, pp. 10. 1912.
  The Clarksville silt loam—VIII." Soils Cir. 30, pp. 15. 1911.
  The Clyde loam—XV." Soils Cir. 37, pp. 16. 1911.
  The Crowley silt loam—XXIX." Soils Cir. 54, pp. 8. 1912.
  The Dekalb silt loam—XVI." Soils Cir. 38, p. 13. 1911.
  The Fargo clay loam—XIV." Soils Cir. 36, pp. 16. 1911.
  The Hagerstown clay—XXXVII." Soils Cir. 64, pp. 12. 1912.
  The Hagerstown loam—VII." Soils Cir. 29, pp. 18. 1911.
  The Houston black clay—XXVII." Soils Cir. 50, pp. 14. 1912.
  The Houston clay—XXVI." Soils Cir. 49, pp. 11. 1911.
  The Knox silt loam—XI." Soils Cir. 33, pp. 17. 1911.
  The Marion silt loam—XXXIV." Soils Cir. 59, pp. 10. 1912.
  The Marshall silt loam—X." Soils Cir. 32, pp. 18. 1911.
  The Memphis silt loam—XIII." Soils Cir. 35, pp. 19. 1911.
  The Miami clay loam—IX." Soils Cir. 31, pp. 17. 1911.
  The Norfolk fine sand—II." Soils Cir. 23, pp. 16. 1911.
  The Norfolk fine sandy loam—I." Soils Cir. 22, pp. 16. 1911.
  The Norfolk sand—XXI." Soils Cir. 44, pp. 19. 1911.
  The Norfolk sandy loam—XXII." Soils Cir. 45, pp. 14. 1911.
  The Orangeburg fine sand—XXV." Soils Cir. 48, pp. 15. 1911.
  The Orangeburg fine sandy loam—XXIII." Soils Cir. 46, pp. 20. 1911.
  The Orangeburg sandy loam—XXIV." Soils Cir. 47, pp. 15. 1911.
  The Penn loam—XXXI." Soils Cir. 56, pp. 9. 1912.
  The Porters loam and Porters black loam—XVII." Soils Cir. 39, pp. 19. 1911.
  The Portsmouth sandy loam—III." Soils Cir. 24, pp. 12. 1911.
  The Sassafras silt loam—IV." Soils Cir. 25, pp. 14. 1911.
  The Susquehanna fine sandy loam—XXVIII." Soils Cir. 51, pp. 11. 1912.
  The Trinity clay—XX." Soils Cir. 42, pp. 14. 1911.
  The Volusia loam—XXXV." Soils Cir. 60, pp. 13. 1912.
  The Volusia silt loam—XXXVI." Soils Cir. 63, pp. 16. 1912.
  The Wabash clay—XIX." Soils Cir. 41, pp. 16. 1911.

BONSTEEL, J. A.—Continued.
"Soils of the eastern United States and their use—Continued.
The Wabash silt loam—XVIII." Soils Cir. 40, pp. 15. 1911.
"Soils of the Sassafras series." D.B. 159, pp. 52. 1915.
"The Clyde series of soils." D.B. 141, pp. 60. 1914.
"The Miami series of soils." D.B. 142, pp. 59. 1914.
Bontia daphnoides, importation and description. No. 44907, B.P.I. Inv. 51, p. 89. 1922.
Bonus—
crop, Black Land Prairie, investigations and summary of findings. D.B. 1068, pp. 1–4. 1922.
employees, omission. Off. Rec., vol. 3, No. 9, p. 1. 1924.
law, enactment. Off. Rec., vol. 2, No. 11, p. 1. 1923.
Booby—
description and habits. D.B. 326, pp. 18–19. 1916.
occurrence on Laysan Island, number and description. Biol. Bul. 42, pp. 19–20. 1912.
Book(s)—
destruction by termites, and protection measures. D.B. 333, pp. 16, 31. 1916.
duplicate, disposition by Department Library. An. Rpts., 1910, pp. 729–730. 1911; Lib. A.R., 1910, pp. 11–12. 1910.
injury by silverfish. F.B. 902, p. 3. 1917.
leather, care of. F.B. 1183, rev., p. 30. 1922.
library—
accessions. See Librarian, Annual Reports.
exchange regulations. Sec. [Misc.], "Property regulations," p. 7. 1916.
lice—
description and habits. F.B. 1260, p. 41. 1922.
habits, and conditions favorable to their increase. F.B. 1104, pp. 2–4. 1920.
or psocids. E. A. Back. F.B. 1104, pp. 4. 1920.
papers—
materials used, sources and consumption. D.B. 1241, pp. 19–20, 23, 24. 1924.
specifications. Rpt. 89, pp. 42–44. 1909.
protection against insects, poison formula, and use. P.R. Cir. 17, p. 29. 1918.
See also Literature; Publications; Textbooks.
Bookbinding—
leather for, requirements and care. F.B. 1183, rev., pp. 17–18. 1920.
work of library. See Librarian, Annual Reports.
Bookkeeping—
aid to farmers. Off. Rec., vol. 2, No. 46, p. 2. 1923; Off. Rec., vol. 3, No. 7, p. 3. 1924.
cooperative organizations, necessity, and methods. D.B. 178, pp. 2–3, 21. 1915.
definition, scope, and discussion. D.B. 865, pp. 38–40. 1920.
distinction from cost keeping. D.B. 660, p. 9. 1918.
farm. Edward H. Thompson and James S. Ball. F.B. 511, rev., pp. 42. 1920.
farm—
development of system and form. An. Rpts., 1918, p. 496. 1919; B.P.I. Bul. 259, p. 41. 1912; Farm M Chief Rpt., 1918, p. 6. 1918.
difficulties, types, and record forms. F.B. 511, pp. 37. 1912.
importance. B.P.I. Bul. 259, p. 34. 1912.
special records, and correlation with farm accounts. S.R.S. Doc. 38, pp. 1–2. 1917.
fruit-shipping organization. D.B. 590, pp. 2–3. 1918.
ginnery, directions for closing accounts. D.B. 985, pp. 36–38. 1921.
grain elevators—
closing and balancing accounts. D.B. 811, pp, 31–37. 1919.
system for. B. B. Mason and others. D.B. 811, pp. 53. 1919.
ledger accounts for creameries, classification. George O. Knapp and others. D.B. 865, pp. 40. 1920.
parcel-post marketing, suggestions. F.B. 922, pp. 10–14. 1918.
system for—
cooperative milk plants. D.B. 1095, pp. 29–36. 1922.

Bookeeping—Continued.
system for—continued.
primary grain elevators. D.B. 362, pp. 1–30. 1916.
Bookracks, bamboo, utilization. D.B. 1329, p. 18. 1925.
Boophilus—
annulatus, description. B.A.I. Bul. 78, pp. 13–14. 1905.
spp. See also *Margaropus* spp.; Tick, cattle.
Boos, W. F.: Discussion of nitrite poisoning in food. Chem. N.J. 382, pp. 42–44. 1910.
Boots, selection, care, and waterproofing. F.B. 1183, rev., pp. 5–12. 1920; F.B. 1183, rev., pp. 5–13. 1922.
Bopst, L. E.: "A physical and chemical study of milo and feterita kernels." With others. D.B. 1129, pp. 8. 1922.
Boquette's family remedy, misbranding. See *Indexes, Notices of Judgment, in bound volumes, and in separates published as supplements to Chemistry Service and Regulatory Announcements*.
Bor, importation and description. No. 52417, B.P.I. Inv. 66, p. 23. 1923; No. 52858, B.P.I. Inv. 67, pp. 2, 6. 1923.
Borage, importation and description. No. 53091, B.P.I. Inv. 67, p. 27. 1923.
Borassus flabellifer. See Palm, Palmyra.
Borates—
in saltpeter, analysis. B.A.I.S.R.A. 98, p. 65. 1915.
of Great Basin, analyses and origin. D.B. 61, pp. 33–34. 1914.
use in control of fly larvae in horse manures, experiments and directions. D.B. 118, pp. 17–25. 1914.
Borax—
and boric acid. Influence of food preservatives and artificial colors on digestion and health. H. W. Wiley and others. Chem. Bul. 84, pt. 1, pp. 477. 1904.
adulteration of shrimp. Chem. S.R.A. 11, p. 751. 1915.
disinfectant for citrus fruit: William R. Barger and Lon A. Hawkins. J.A.R., vol. 30, pp. 189–192. 1925.
effect on—
crops, publications. D.B. 998, p. 8. 1922.
digestion and health, investigations. An. Rpts., 1904, pp. 212–213. 1904; Chem. Cir. 15, pp. 1–27. 1911; Rpt. 79, pp. 53–54. 1904.
plant growth in black alkali soil. J.A.R., vol. 24, pp. 332–333, 337. 1923.
roaches, tests. D.B. 707, pp. 10–11, 16. 1918.
wheat grain and straw. J.A.R., vol. 10, pp. 591–595. 1917.
experiment, results. H. W. Wiley. Chem. Cir. 15, pp. 27. 1904.
fertilizer(s)—
effect on—
cotton. J. J. Skinner and F. E. Allison. J.A.R., vol. 23, pp. 433–444. 1923.
crops. An. Rpts., 1922, p. 189. 1923; B.P.I. Chief Rpt., 1922, p. 29. 1922.
growth and yield of potatoes. B. E. Brown. D. B. 998, pp. 8. 1922.
rainfall effect. D.B. 1126, pp. 11–14. 1923.
in—
canned meats, detection. Chem. Bul. 13, Pt. X, pp. 1406–1407. 1902.
fertilizers, injury to crops. Oswald Schreiner and others. D.C. 84, pp. 35. 1920.
milk and cream, determination. B.A.I. Doc. A.-7, pp. 34–35. 1916.
injury to—
crops, symptoms. D.B. 1126, pp. 26–27. 1923.
plants, studies by experiment stations, results. Work and Exp. 1921, pp. 37–38. 1923.
mixtures, analysis. Chem. Bul. 68, pp. 40–44. 1902.
powdered, use—
and value in roach powder. F.B. 658, p. 13. 1915.
in control of fly maggots. F.B. 679, pp. 16–17. 1915.
preservative, effects on food, discussion. Chem. Bul. 116, p. 18. 1908.
residual in soils, effect on later crops. D.B. 1126, pp. 25–26. 1923.

INDEX TO PUBLICATIONS, 1901–1925

Borax—Continued.
  toxicity, greenhouse experiments in pots. D.C. 84, pp. 32–35. 1920.
  use—
    and value for fly control in outhouses, dumps, and refuse piles. D.B. 245, pp. 1–2. 1915.
    as insecticide, cost, and dangers, comparison with hellebore. D.B. 245, p. 21. 1915.
    in—
      control of fly larvae in horse manure, tests and directions. D.B. 118, pp. 17–25. 1914.
      food preservatives. Y.B., 1900, p. 555. 1901.
      insect control. Sec. Cir. 61, pp. 6, 8. 1916.
      removal of stains from textiles. F.B. 861, pp. 12, 32. 1917.
      softening water for washing. F.B. 1099, p. 26. 1920.
      treating manure for boron investigations. J.A.R., vol. 5, pp. 878, 888. 1916.
      treatment of citrus fruits for the prevention of blue rot mold. J.A.R., vol. 28, pp. 961–968. 1924.
      treatment of roup. Y.B., 1911, p. 190. 1912; Y.B. Sep. 559, p. 190. 1912.
    on manure as larvicide, rate, and effects on crops. F.B. 851, pp. 17–18, 23. 1917; J.A.R., vol. 13, pp. 451–470. 1918.
    with Bordeaux mixture. B.P.I. Bul. 155, p. 12. 1909.
    See also Preservatives.

Bordeaux mixture(s)—
  addition of arsenicals. F.B. 283, pp. 34–38. 1907.
  adherence, experiments, review of work. B.P.I. Bul. 265, pp. 16–29. 1912.
  adulteration and misbranding, Sherwin-Williams. Chem. N.J. 109, 112, 1914; I. and F. Bd., S.R.A. 5, pp. 74–75, 77–78. 1923.
  analysis. Chem. Bul. 68, p. 27. 1902.
  and compounds. An. Rpts., 1923, pp. 652, 654. 1924; I. and F. Bd., A.R., 1923, pp. 2, 4. 1923.
  and Paris green—
    active and inert ingredients, opinion. I. and F. Bd., S.R.A. 1, p. 8. 1914.
    compound, composition. Chem. Bul. 68, p. 27. 1902.
  apparatus, materials, preparation and use. F.B. 1277, pp. 14–18. 1922.
  arsenate of lead—
    formulas, notice to manufacturers. I. and F. Bd. S.R.A. 20, pp. 379–382. 1918.
    misbranding. I. and F. Bd. N.J. 65, pp. 2. 1914.
  combined with arsenicals, composition and toxicity. D.B. 1147, pp. 16–17, 33–36, 51. 1923.
  commercial, how to calculate their values. Errett Wallace and L. H. Evans. F.B. 994, pp. 11. 1918.
  comparison with Pickering sprays, results. D.B. 866, pp. 8–45. 1920.
  copper content. News L., vol. 5, No. 52, pp. 14–15. 1918.
  device for making and distributing. F.B. 1081, pp. 20–21. 1920.
  different formulas, description, and comparison of results. B.P.I. Bul. 155, pp. 11, 37–38. 1909.
  dry—
    adulteration and misbranding. N.J. 862, I. and F. Bd., S.R.A. 45, p. 1076. 1923.
    analysis. Chem. Bul. 68, p. 31. 1902.
  earliest use against tomato insects. B.P.I. Bul. 245, p. 26. 1912.
  effect on—
    foliage of orchard trees, study. O.E.S. An. Rpt., 1910, p. 131. 1911.
    plants, transpiration rates. J.A.R., vol. 7, pp. 529–548. 1916.
  efficiency, factors influencing. Lon A. Hawkins. B.P.I. Bul. 265, pp. 29. 1912.
  formula(s)—
    and directions. B.P.I. Bul. 250, pp. 37–39. 1912; D.C. 176, pp. 3–4. 1921; F.B. 1269, p. 18. 1922; F.B. 1410, pp. 9–11. 1924; Hawaii Bul. 45, pp. 10–14. 1920; F.B. 705, p. 7. 1916; F.B. 938, pp. 12–13. 1918.
    for—
      acid lime fungi. Hawaii Bul. 49, p. 13. 1923.
      apple scab and use. F.B. 247, p. 13. 1906.
      avocado, preparation. Hawaii Bul. 25, pp. 24–25. 1911.

Bordeaux mixture(s)—Continued.
  formula(s)—continued.
    for—continued.
      coffee diseases and use. P.R. Bul. 17, pp. 10, 14, 29. 1915.
      potatoes and use. F.B. 1064, pp. 31–32. 1919; F.B. 1205, pp. 21, 22, 36. 1921.
      roses, and use. F.B. 750, p. 34. 1916.
      spraying apple blotch. B.P.I. Bul. 144, p. 20. 1909.
      spraying apples. F.B. 1120, pp. 12–13. 1920.
      spraying onions, directions. F.B. 1060, pp. 11–12. 1919.
      spraying pecans. F.B. 1129, p. 5. 1920.
    preparation and use. B.P.I. Bul. 265, pp. 7–16. 1912; B.P.I. Doc. 883, pp. 6–7. 1913; F.B. 221, p. 9. 1905; F.B. 231, pp. 21, 23. 1905; F.B. 243, pp. 5–12. 1906; F.B. 284, pp. 38–40. 1907; F.B. 407, pp. 18–20. 1910; F.B. 856, pp. 6–8, 61, 68. 1917; F.B. 868, pp. 20–22. 1917; F.B. 908, pp. 38–40. 1918; F.B. 1202, p. 60. 1921; F.B. 1322, pp. 12–14. 1923; F.B. 1349, pp. 21–22. 1923; P.R. Bul. 10, p. 31. 1911; S.R.S., Doc. 52, pp. 2–3, 5, 6–10. 1917.
  French, adulteration and misbranding. I. and F. Bd. N.J. 30, pp. 2. 1913.
  homemade, formula and directions. F.B. 821, pp. 9–10. 1917.
  ingredients, calculation of values, tables. F. B. 994, pp. 4–6. 1918.
  injury to—
    apple trees, prevention. F.B. 305, p. 12. 1907.
    plants caused by fumigation. D.B. 907, p. 31. 1920.
  misbranding. I. and F. Bd. N.J. 14, p. 1. 1913; I. and F. Bd. N.J. 66, pp. 2. 1914; I. and F. Bd. S.R.A. 1, pp. 6–7. 1914; I. and F. Bd. S.R.A. 7, pp. 104–106. 1915; I. and F. Bd. S.R. A. 9, p. 22. 1915; I. and F. Bd. S.R.A. 24, pp. 513, 520. 1919.
  paste, active and inert ingredients, opinion. I. and F. Bd. S.R.A. 1, pp. 5–6. 1914.
  physical properties determining value. F.B. 994, pp. 9–11. 1918.
  powder, adulteration and misbranding. N.J. 172, I. and F. Bd. S.R.A. 10, pp. 40–41. 1915.
  relation to—
    control of mealybugs. D.B. 1117, pp. 2, 15, 18. 1922.
    gas injury of citrus trees. F.B. 1321, pp. 46–48. 1923.
  soap formula and preparation. C.T. and F.C.D. Cir. 4, pp. 3, 4. 1918.
  soil sterilization, methods. F.B. 488, p. 11. 1912.
  spray for—
    apple diseases. Y.B., 1907, pp. 577–578. 1908; Y.B. Sep. 467, pp. 577–578. 1908.
    apple orchard, formulas, and schedule. F.B. 492, pp. 15, 25, 28, 31, 40–43. 1912.
    apple "roughbark" disease. B.P.I. Bul. 280, p. 14. 1913.
    celery, danger to health. News L., vol. 2, No. 52, p. 1. 1915.
    celery, precautions. News L., vol. 1, No. 39, pp. 3–4. 1914.
    cherries, formulas and directions. F.B. 1053, pp. 5–8. 1919.
    cranberry insects, formula. F.B. 860, pp. 20, 41. 1917.
    cucumber and melon diseases, formula. News L., vol. 2, No. 13, pp. 1–2. 1914.
    cucumber, formula and directions. F.B. 1038, pp. 16–17. 1919.
    fruit, formula. News L., vol. 4, No. 39, p. 6. 1917.
    grape-berry moth, propositions. D.B. 550, pp. 15–26, 30, 37–39, 40. 1917.
    melon anthracnose. News L., vol. 3, No. 12, p. 6. 1915.
    pecan diseases. J.A.R., vol. 1, pp. 305, 307, 312. 1914.
    potato blight diseases, Hawaii. Hawaii A.R., 1917, pp. 36–37. 1918; Hawaii Bul. 45, pp. 21–35, 41. 1920.
    potatoes, advantages. F.B. 527, pp. 7–9. 1913; O.E.S. An. Rpt., 1912, p. 169. 1913.
    roses in fall and spring. J.A.R., vol. 15, p. 599. 1918.

Bordeaux mixture(s)—Continued.
  spray for—continued.
    tomatoes, and directions. D.C. 40, pp. 10, 12, 13, 14, 16. 1919.
    vineyards, experiments. Ent. Bul. 97, Pt. III, pp. 59–64. 1911.
    vineyards, with and without arsenicals. Ent. Bul. 116, Pt. II, pp. 54–62, 63–64. 1912.
    watermelon, formula. D.C. 90, pp. 7–8. 1920.
  stimulating action, study. Work and Exp., 1914, p. 229. 1915.
  stock solutions, preparation and keeping methods. News L., vol. 3, No. 25, p. 3. 1916.
  testing, Porto Rico, 1914. P.R. An. Rpt., 1914, p. 27. 1915.
  use against—
    apple bitter-rot. F.B. 1270, p. 83. 1923.
    black-rot of grape, preparation. B.P.I. Cir. 65, pp. 5–14. 1910.
    brown rot of prunes and cherries. D.B. 368, pp. 4, 6, 7, 8, 9, 10. 1916.
    cranberry diseases, preparation and application. B.P.I. Bul. 110, pp. 51–53. 1907.
    cucumber diseases. F.B. 460, pp. 26, 27. 1911.
    endrot of cranberries. J.A.R., vol. 11, p. 40. 1917.
    hop flea-beetles. Ent. Bul. 82, Pt. IV, pp. 53–54. 1910; Ent. Bul. 82, pp. 53–54. 1912.
    lily enemies. D.B. 1331, p. 14. 1925.
    periodical cicada. Ent. Cir. 132, p. 6. 1911.
    plant diseases and insects. D.C. 35, pp. 7, 12, 13, 14. 15, 22, 23, 25, 26, 27–28. 1919.
    potato beetle, advantages. Ent. Bul. 82, Pt. I, pp. 5, 6, 7. 1909; Ent. Bul. 82, pp. 5, 6, 7, 8. 1912.
    potato insects and diseases. F.B. 1349, pp. 4, 6, 7, 9, 11, 17, 18. 1923.
    tomato pests, and formula. F.B. 1338, pp. 23–25. 1923.
  use in control of —
    bacterial wilt of cucurbits. J.A.R., vol. 6, No. 11, pp. 429–433. 1916.
    beet leaf-spot, formula, and cost. F.B. 618, pp. 13–16. 1914.
    cabbage webworm. Ent. Bul. 109, Pt. III, p. 43. 1912.
    citrus scab and value. D.C. 215, pp. 4–8. 1922.
    codling moth. Y.B., 1907, p. 444. 1908; Y.B. Sep. 460, p. 444. 1908.
    Colorado potato beetle. Ent. Bul. 109, Pt. V, pp. 53–56. 1912.
    ginseng diseases. B.P.I. Bul. 250, pp. 16–17, 19, 20, 22, 31, 36, 37–39. 1912; F.B. 736, pp. 4, 7, 15, 19. 1916.
    grape enemies, directions. F.B. 1920, pp. 7, 9, 22, 24, 27, 42, 50, 55, 56, 68–70, 74, 75. 1921. Ent. Bul. 89, pp. 84–85. 1910.
    leafhoppers, directions. F.B. 1225, pp. 13–16. 1921.
    leafspot rot of pond lilies. J.A.R., vol. 8, pp. 230, 231, 232. 1917.
    mango anthracnose, methods and formula. D.B. 52, pp. 4–10, 14–15. 1915.
    mildews. B.P.I. Bul. 149, p. 18. 1909.
    pear scab, directions. F.B. 1056, pp. 8–13, 24–25, 30–34. 1919.
    plant fungi. Guam Bul. 2, p. 21. 1922.
    rhubarb footrot. J.A.R. vol. 23, pp. 21–23. 1923.
    springtails. F.B. 856, p. 22. 1917.
    tomato and potato fungus diseases. B.P.I. Bul. 245, pp. 26, 40–42, 85. 1912.
    vegetable diseases. F.B. 818, p. 26. 1917.
    watermelon anthracnose. News L., vol. 3, No. 25, p. 3. 1916.
    western cabbage flea-beetle. D.B. 902, pp. 18, 20. 1920.
  use on infested sugar cane. D.B. 746, pp. 50–52, 62. 1919.
  various formulas, experiments and results on apples. B.P.I. Cir. 58, pp. 6–7, 10, 14, 18. 1910.
  with—
    arsenicals—
      grape spraying, tests. D.B. 278, pp. 38, 40. 1915.
      use against hop flea beetle. Ent. Bul. 66, p. 87. 1910.
    Disparene for codling moth. Ent. Bul. 67, pp. 54, 75. 1907.

Bordeaux mixture(s)—Continued.
  with—continued.
    fish-oil soap, for control of tomato leaf spot, formula. News L., vol. 5, No. 1, pp. 2–3. 1917.
    iron sulphate for spraying. O.E.S. An. Rpt., 1908, pp. 152–154. 1909.
Bordeaux—
  oil emulsion—
    John R. Winston and others. D.B. 1178, pp. 24. 1923.
    preparation directions. D.C. 259, p. 7. 1923.
    use and value in citrus scab control. Off. Rec., vol. 1, No. 9, p. 5. 1922.
  Paris Green mixture, adulteration and misbranding. N.J. 909, I. and F. Bd. S.R.A. 47, pp. 8–9. 1924.
  solution, use on tobacco mildew. D.C. 174, p. 6. 1921.
  spray(s)—
    and dust, for control of gray mold of castor bean. J.A.R., vol. 23, pp. 707–711. 1923.
    effect on yield and composition of potatoes. D.B. 1146, pp. 1–27. 1923.
    nozzle, description. F.B. 908, p. 69. 1918.
    use and value in control of melon diseases, methods and cost. News L., vol. 5, No. 48, pp. 10–11. 1918.
  spraying, effect on composition of potato tubers, skins, and sprouts. J.A.R., vol. 20, pp. 632–634. 1921.
  tobacco extract, use against hop flea-beetles. Ent. Bul. 82, Pt. IV, p. 54. 1910. Ent. Bul. 82, p. 54. 1912.
Borden, A. D.—
  "A biological study of the red date-palm scale, Phoenicococcus marlatti." J.A.R., vol. 21, pp. 659–668. 1921.
  "Control of the Argentine ant in California citrus orchards." With R. S. Woglum. D.B. 965, pp. 43. 1921.
  "Control of the citrophilus mealybug." With R. S. Woglum. D.B. 1040, pp. 20. 1922.
  "Control of the common mealybug on citrus in California." F.B. 1309, pp. 11. 1923.
  "Fumigation of ornamental greenhouse plants with hydrocyanic-acid gas." With E. R. Sasscer. F.B. 880, pp. 20. 1917; D.B. 513, pp. 20. 1917.
  "The rose midge." With E. R. Sasscer. D.B. 778, pp. 8. 1919.
Borden, A. P.—
  importation of Brahman cattle into Texas. F.B. 1361, pp. 13–14. 1923.
  importation of zebu cattle, history of case. B.A.I. An. Rpt., 1911, pp. 91–92. 1913; B.A.I. Cir. 213, pp. 91–92. 1913.
Bordering, plats, effect on crops, study. D.C. 209, pp. 13–14. 1922.
Borders—
  garden, arrangement and use of perennials. F.B. 1381, pp. 8–10, 16–18. 1924.
  roses adapted for. F.B. 750, pp. 2–8. 1916.
Bordo—
  arsenate, adulteration and misbranding, N. J., 728, 733, 739. I. and F. Bd., S.R.A. 40, pp. 929, 935, 944. 1922.
  lead, misbranding. I. and F. Bd., S.R.A. 9, p. 22. 1915.
  lead mixture, adulteration and misbranding. I. and F. Bd. S.R.A. 9, pp. 17–18, 20. 1915.
  pulp, electro, adulteration and misbranding. I. and F. Bd. S.R.A. 9, pp. 17, 19–20. 1915.
Borecole—
  use as potherb. O.E.S. Bul. 245, p. 29. 1912.
  See also Kale.
Borer(s)—
  control—
    by removing bark from trees. Ent. Cir. 24, rev., p. 6. 1909.
    methods. Ent. Cir. 109, pp. 6–8. 1909.
    on trees. News L., vol. 6, No. 43, p. 4. 1919.
  cutting out of squash vines, directions. F.B. 668, p. 6. 1915.
  European corn. See Corn borer, European.
  flat-headed—
    affecting forest trees in the United States. H. E. Burke. D.B. 437, pp. 8. 1917.
    damage to chestnut poles. Ent. Bul. 94, Pt. I, p. 8. 1910.

Borer(s)—Continued.
 flat-headed—continued.
  injuries to forest trees. Y.B., 1909, pp. 399-415. 1910; Y.B. Sep. 523, pp. 399-415. 1910.
  forest trees, destruction by woodpeckers. F.B. 506, pp. 6-7, 11. 1912.
 injury to—
  chestnut telephone poles. Ent. Bul. 67, p. 38. 1907.
  mesquite cordwood and posts, protection from. F. C. Craighead and George Hofer. F.B. 1197, pp. 12. 1921.
  pecan trees, description and control. F.B. 843, pp. 35-42. 1917.
  poplars, aspens, and cottonwoods. F.B. 1154, pp. 3-6, 9-10. 1920.
  spruce timber. D.B. 1060, pp. 21-22. 1922.
  sugar-cane, distribution and habits. D.B. 486, p. 31. 1917.
  trees in farm woods. F.B. 1177, rev., pp. 15-16. 1920.
  wood. D.B. 1128, p. 12. 1923.
 pinhole. See Ambrosia beetles.
 pod, tobacco. See Bud worm; Tobacco pod borer.
 resistant trees, breeding, suggestions. Ent. Bul. 58, pp. 13-14, 39, 79. 1910.
 root. See Root borer; also under specific hosts and common names.
 shot-hole. See Bark beetles; Shot-hole borers.
 tree, preventive coverings and washes, directions for use. Ent. Cir. 24, rev., pp. 6-7. 1909.
 wood—
  control by carbon disulphid. F.B. 799, p. 19. 1917.
  destruction by birds. Biol. Bul. 30, pp. 25. 1907.
  in lumber, control by steaming. D.B. 1136, p. 31. 1923.
  injury to forest products, and control. Ent. Cir. 128, pp. 2, 3, 4-5, 8-9. 1910.
  worming fruit trees for control of. F.B. 908, pp. 45-46. 1918.
 See also under host and common names.
Boric acid—
 adulterant of ice cream cones. Chem. N.J. 911, p. 1. 1911; Chem. N.J. 1073, p. 1. 1911; Chem. N.J. 1301, p. 2. 1912; Chem. N.J. 1395, p. 1. 1912; Chem. N.J. 1426, p. 1. 1912.
 adulteration of preserved whole eggs. Chem. N.J. 1438, p. 1. 1912.
 and borax, food preservatives and artificial colors, influence on digestion and health. H. W. Wiley and others. Chem. Bul. 84, Pt. I, pp. 477. 1904.
 detection in canned meats. Chem. Bul. 13, Pt. X, pp. 1406-1407. 1902.
 determination in food. Chem. Bul. 107, p. 183. 1907.
 effect on—
  butter-flavor, experiments. An. Rpts., 1913, p. 81. 1914; B.A.I. Chief Rpt., 1913, p. 11. 1913.
  digestion and health. An. Rpts., 1904, pp. 212-213. 1904.
  digestion and health, experiments. Chem. Cir. 15, pp. 1-27. 1911.
 in milk, determination. D.B. 1, p. 34. 1913.
 ointment, adulteration and misbranding. Chem. N.J. 3883. 1915.
 turmeric test, effect of nitrates and nitrites. Chem. Bul. 137, pp. 115-116. 1911.
 use as—
  fish preservative. Chem. Bul. 133, p. 39. 1911.
  fungicide possibility. J.A.R., vol. 5, No. 19, p. 878. 1916.
  milk preservative. An. Rpts., 1913, p. 98. 1914; B.A.I. Chief Rpt., 1913, p. 28. 1913.
 use in—
  adulteration of ox-aline meat color. Chem. N.J. 2537, pp. 2. 1913.
  adulteration of potted fish paste. Chem. N.J. 1648, p. 1. 1912.
  canning and preserving, danger. News L., vol. 1, No. 41, p. 4. 1914.
  canning powder, experiments. Ruth B. Edmondson and others; D.C. 237, p. 12. 1922.
  crystal eggs. Chem. N. J. 1102, p. 1. 1911.

Boric acid—Continued.
 use in—continued.
  destruction of fly larvae. D.B. 408, p. 17. 1916.
  food preservatives. Y.B., 1900, p. 555. 1901.
  value as disinfectant. J.A.R., vol. 20, pp. 86-110. 1920.
 See also Borax; Preservatives.
Boring outfit for blasting taprooted stumps. Harry Thompson. F.B. 600, pp. 5. 1914.
Borkhausenia—
 minutella, distinguishing characters. J.A.R., vol. 20, pp. 815-816. 1921.
 spp., similarity to Triclonella spp. J.A.R., vol. 20, pp. 815-816. 1921.
Borna disease—
 similarity to cerebrospinal meningitis. An. Rpts., 1912, p. 358. 1913; B.A.I. Chief Rpt., 1912, p. 62. 1912.
 See Meningitis, cerebrospinal.
Borneol—
 origin, effect on wheat plants. Soils Bul. 47, pp. 12, 36, 39. 1907.
 plant sources, commercial uses. B.P.I. Bul. 235, pp. 10-13, 28, 35. 1912.
BORNMANN, J. H.: "Composition of corn (maize) meal manufactured by different processes, and the influence of composition on the keeping qualities." With others. D.B. 215, pp. 31. 1915
Boron—
 absorption and distribution in plants and effect on growth. J.A.R., vol. 5, pp. 877-890. 1916.
 compounds, injurious effects. Chem. Bul. 116, pp. 18-20. 1908.
 determination method, use of curcumin. J.A.R., vol. 5, p. 879. 1916.
 effect on—
  crops, and distribution in plants and soils. J.A. R., vol. 13, pp. 451-470. 1918.
  wheat, three annual applications. J.A.R., vol. 10, pp. 591-597. 1917.
 injury to plant growth, studies and tests. J. A. R., vol. 10, pp. 595-596. 1917.
 occurrence in soils. D.B. 122, pp. 24, 27. 1914.
 presence in soil, plant and animal material. J. A.R., vol. 5, pp. 877-878. 1916.
 stimulating action on plants, limit of safety. J.A.R., vol. 5, pp. 887, 889. 1916.
Borrowing. See Credit; Loans, farm.
BORT, K. S.: "The Florida velvet bean and its history." B.P.I. Bul. 141, Pt. III, pp. 25-32. 1909.
Bos—
 acutifrons. See Ox, Siwalik.
 frontosus, description, origin and changes of type. B.A.I. An. Rpt., 1910, pp. 202-203. 1912.
 gaurus. See Gaur.
 genus, and five subgenera, description. B.A.I. An. Rpt., 1910, pp. 156-161, 190-192. 1912.
 grunniens. See Yak.
 indicus. See Cattle, Brahman; Cattle, zebu.
 longifrons, classification, origin, geological period, and changes of type. B.A.I. An. Rpt., 1910, pp. 203-207. 1912.
 macroceros, modification of Asiatic urus. B.A.I. An. Rpt., 1910, p. 157. 1912.
 namadicus. See Ox, Narbada.
 primogenius, description, names, and characteristics. B.A.I. An. Rpt., 1910, pp. 159-161, 1917-207. 1912.
 taurus domesticus, origin. B.A.I. An. Rpt., 1910, pp. 212-214. 1912.
Boschniakia himalaica, importation and description. No. 39003, B.P.I. Inv. 40, p. 56. 1917.
Boscia undulata, importation and description. B.P.I. Inv. 32, No. 34177, p. 19. 1914.
Boselaphus tragocamelus. See Nilgai.
BOSHNAKIAN, SARKIS: "Genetic behavior of the spelt form in crosses between Triticum spelta and Triticum sativum." With Clyde E. Leighty. J.A.R., vol. 22, pp. 335-364. 1921.
Bosnia—
 agricultural conditions. D.B. 1234, pp. 105-106. 1924.
 agricultural education, progress, 1912. O.E.S. An. Rpt., 1912, p. 288. 1913.
Bosnia-Herzegovina—
 cereal and hay production, 1907-1911. Stat. Cir. 28, p. 14. 1912.

Bosnia-Herzegovina—Continued.
   grain production, 1882-1906, and acreage, 1886, 1895, and 1906. Stat. Bul. 68, pp. 54-55. 1908.
   grain trade. Stat. Bul. 69, pp. 13-14. 1908.
Boss, ANDREW—
   "Farm management: Organization of research and teaching." With others. B.P.I. Bul. 236, pp. 96. 1912.
   "Meat on the farm: Butchering, curing, and keeping." F.B. 183, pp. 38. 1903.
"Boss chop feed," adulteration and misbranding. Chem. N.J. 468, pp. 3. 1910.
Bossiaea sp., importation and description. No. 47185, B.P.I. Inv. 58, p. 36. 1922.
Boston—
   broomcorn restriction modification. F.H.B.S. R.A. 75, pp. 86-87. 1923.
   child survey, methods and scope. News L., vol. 6, No. 42, p. 15. 1919.
   Common—
      demonstration garden. News L., vol. 6, No. 47, p. 15. 1919.
      soil conditions. Soils Bul. 75, p.p 40-42. 1911.
   eggs receipts, by months, 1897-1911, tables. Stat. Bul. 93, pp. 56, 63, 69-71, 73-75, 80. 1913.
   Littleton Quarantine Station for imported livestock. B.A.I. An. Rpt., 1911, p. 96, 1913; B.A.I Cir. 213, p. 96. 1913.
   market—
      station, lines of work. Y.B., 1919, p. 96. 1920; Y.B. Sep. 797, p. 96. 1920.
      statistics for dairy products, 1918-1920. D.B. 982, pp. 142, 144, 145, 148, 149. 1921.
      statistics for meat, 1910-1920. D.B. 982, pp. 105, 108, 121-125, 129-130. 1921.
   milk—
      pasteurized and raw, comparison and study. B.A.I. Bul. 126, pp. 25-32. 1910.
      supply—
         increases since 1870. D.B. 177, pp. 13-14. 1915.
         rules for dairymen. B.A.I. Bul. 46, pp. 181-182. 1903.
         statistics, officials, prices, ordinances, and forms. B.A.I. Bul. 46, pp. 26, 86-87, 181, 195, 196, 202. 1903.
   ocean freight rates on farm products to eleven European ports, 1903-1906. Stat. Bul. 67, p. 13. 1907.
   potato market methods. F.B. 1317, p. 30. 1923.
   trade center for farm products, statistics. Rpt. 98, pp. 287-290. 1913.
   wool market, report, December 11, 1915. B.A.I. [Misc.], "Growing and handling * * *," p. 3. 1916.
Bostrichidae—
   affecting cereals. Ent. Bul. 96, Pt. I, p. 4. 1911.
   larva, description. D.B. 1107. pp. 49-50. 1922.
Boswellia—
   klaincana. See Mahogany, Liberville.
   serrata, importation and description. No. 53569, B.P.I. Inv. 67, pp. 3, 62. 1923.
   sp. importation and description. No. 32019, B.P.I. Bul. 261, pp. 18-19. 1912.
BOSWORTH, A. W.—
   report as referees on nitrogen determination in milk and cheese. With O. B. Winter. Chem. Bul. 152, pp. 185-187. 1912.
   "The Camembert type of soft cheese in the United States." With others. B.A.I. Bul. 71, pp. 29. 1905.
Botanical—
   and agricultural explorations, Palestine. Aaron Aaronsohn. B.P.I. 180, pp. 64. 1910.
   characters, inheritance in barley. Fred Griffee. J.A.R., vol. 30, pp. 915-935. 1925.
   gardens—
      attraction of birds. D.B. 715, p. 8. 1918.
      India, Java, and China, scientific value. Ent. Bul. 120, pp. 17-18, 24, 25, 30, 35. 1913.
Botany—
   catalogue, in Washington libraries, description. Alice C. Atwood. B.P.I. Cir. 87, pp. 7. 1911.
   economic—
      and systematic investigations, program of work, 1915. Sec. [Misc.], "Program of work * * * 1915," pp. 123-126. 1914.
      relation to cookery. O.E.S. Bul. 245, pp. 15-17. 1912.

Botany—Continued.
   economic—continued.
      study of wild relatives of cultivated plants. B.P.I. Cir. 116, pp. 5-8. 1913.
      publications, list for use of teachers. Pub. Cir. 19, pp. 25-26. 1912.
      relation of forestry, studies. For. Cir. 130, pp. 13, 18. 1907.
      section report. L. R. Jones. O.E.S. Bul. 115, pp. 52-54. 1902.
Botflies—
   annoyance to horses and control methods. D.B. 597, pp. 14-15, 42-45. 1918.
   description and control. News L., vol. 6, No. 50, p. 16. 1919.
   development into "warble," and possible infestation of human beings. Ent. T.B. 22, p. 10. 1912.
   horses—
      annoyance and natural protection. D.B. 597, pp. 14-15, 42-45. 1918.
      description, life history, and control. Y.B., 1912, pp. 387-388. 1913; Y.B. Sep. 600, pp. 387-388. 1913.
      life history. Y.B., 1905, p. 144. 1906; Y.B. Sep. 374, p. 144. 1906.
      injury to livestock, and control. D.B. 131, pp. 1, 23. 1914.
   larval infestation and injuries, review of opinions. D.B. 597, pp. 6-8, 48. 1918.
   ox, description, life history, and control. Y.B., 1912, pp. 388-389. 1913; Y.B. Sep. 600, pp. 388-389. 1913.
   relation to swamp fever, studies. S.R.S. Rpt., 1916, Pt. I, pp. 51, 213, 294. 1918.
   sheep, description, life history, and control treatment. Y.B., 1905, p. 143. 1906; YB. Sep. 374, p. 143. 1906; Y.B., 1912, p. 389. 1913; Y.B. Sep. 600, p. 389. 1913.
   See also *Gastrophilus haemorrhoidalis;* Warble fly.
Botis nelumbialis, synonym of *Pyrausta penitalis*. D.B. 1076, pp. 1, 2. 1922.
Bothriocephalinae, preference to Ptychobothriinae. B.A.I. Bul. 35, pp. 20-21. 1902.
Botor tetragonoloba—
   introduction into Porto Rico and testing. P.R. An. Rpt., 1914, p. 29. 1916.
   See also Goa bean.
Botryodiplodium—
   cause of bark cankers of naranjilla plants. Guam A.R., 1917, p. 52. 1918.
   relation to coconut bud-rot. B.P.I. Bul. 228, pp. 25, 47,158-159. 1912.
Botryomycosis, cattle, danger to milk supply. B.A.I. An. Rpt., 1907, p. 153. 1909.
Botryosphaeria—
   berengeriana—
      cause of pecan dieback disease. S.R.S. Rpt., 1915, Pt. I, p. 93. 1917.
      control on pecan trees. F.B. 1129, pp. 12-13. 1920.
   marconii, fungus causing hemp disease, description. J.A.R., vol. 3, pp. 81-84. 1914.
   ribis, cause of currant cane blight. J.A.R., vol. 27, pp. 838-839. 1924.
Botrytis—
   bassiana, cause of fungous disease of—
      beet leaf-beetle. F.B. 1193, p. 8. 1921.
      yellow-bear caterpillar. Ent. Bul. 82, Pt. V. p. 61. 1910.
   cinerea—
      cause of—
         fruit rot, temperature studies. J.A.R., vol. 8, pp. 142-162. 1917.
         gray-mold rot. F.B. 1435, p. 9. 1924.
         gummosis of citrus and control. J.A.R. vol. 24, No. 3, pp. 214-219, 224, 226. 1923.
         potato rot. J.A.R., vol. 21, pp. 211-226. 1921.
         sweet-potato rot. J.A.R., vol. 15, pp. 356, 361, 362. 1918.
      connection with conifer seedling diseases. J.A.R., vol. 15, pp. 547-548. 1918.
      glucose as a source of carbon. J.A.R., vol. 21, pp. 189-210. 1921.
      growth in concentrated solutions. J.A.R., vol. 7, pp. 255-259. 1916.
      hydrogen-ion changes caused by. J.A.R., vol. 25, pp. 160-164. 1923.
      injury to coniferous nursery stock. J.A.R., vol. 24, p. 741. 1923.

Botrytis—Continued.
    cinerea—continued.
        occurrence on squash in Texas. B.P.I. Bul. 226, p. 43. 1912.
        parasitism method. J.A.R., vol. 18, pp. 275-276, 280. 1919.
        parasitism on conifers, experiments. D.B. 934, pp. 64-65. 1921.
    disease of plants in Alaska, cause and ravages. Alaska A.R., 1914, p. 26. 1915.
    growth on—
        strawberries under refrigeration, tests. D.B. 686, pp. 9-10, 13. 1918.
        strawberry, varieties resistant. F.B. 1043, p. 21. 1919.
    infestans, cause of potato disease. B.P.I. Bul. 245, p. 24. 1912.
    injury to Madonna lily. D.B. 1331, p. 14. 1925.
    parasitica. See Fire disease, tulip.
    relation to gray mold of castor bean. J.A.R., vol. 23, pp. 680, 686, 691. 1923.
    rileyi—
        destroyer of green clover worm. D.B. 1336, p. 18. 1925.
        fungus enemy of grass worm. D.B. 192, p. 7. 1915.
        rot of the globe artichoke. George K. K. Link and others. J.A.R., vol. 29, pp. 85-92. 1924.
    spp.—
        cause of—
            calcino of silk worms. Ent. Bul. 38, p. 31. 1903.
            disease of peonies and chrysanthemums. B.P.I. Bul. 171, pp. 11-12. 1910.
            field rot of strawberries, description. D.B. 686, pp. 8-10. 1918.
            gray mold of apples. F.B. 1160, p. 18. 1920.
            mycelial neck rot of onions. J.A.R., vol. 30, p. 365. 1925.
        effect on strawberries, and comparison with *Rhizopus* spp. J.A.R., vol. 6, pp. 362-363, 365-366. 1916.
        experiments with onions. J.A.R., vol. 29, pp. 510-512. 1924.
Bots—
    horse—
        biological and control studies. W. E. Dove. D.B. 597, pp. 52. 1918.
        control. J.A.R., vol. 23, pp. 163, 178, 179. 1923.
        control, by carbon-bisulphide treatment. An. Rpts., 1913, p. 103. 1914; B.A.I. Chief Rpt., 1913, p. 33. 1913.
        infestation, injuries and treatment. News L., vol. 1, No. 5, p. 4. 1913.
    ox, molts, observations. E. W. Laake. J.A.R., vol. 28, pp. 271-274. 1924.
    remedies, misbranding. N.J. 456, 468, 471, I. and F. Bd. S.R.A. 26, pp. 580, 599, 603. 1919.
    throat, occurrence in Cuba. Ent. Bul. 67, p. 117. 1907.
    See also Botfly.
Bottle brush grass, importation and description. No. 43647. B.P.I. Inv. 49, p. 55. 1921.
Bottles—
    air-tight, seed storage results. J.A.R., vol. 22, pp. 482, 484-493. 1922.
    blown, use of word "registered," opinion 101. Chem. S.R.A. 11, p. 752. 1915.
    capacity, variations, maximum. D.B. 1009, pp. 12-14. 1921.
    capper, types, description. F.B. 1075, pp. 24-25. 1919.
    caps and seals, certified milk production. D.B.1, pp. 12, 27, 28. 1913; B.A.I. Bul. 104, pp. 12, 28-29, 43. 1908.
    hot milk or water, cooling, temperature variations. D.B. 420, pp. 19-23. 1916.
    manufacture, details. D.B. 1009, pp. 2-5, 6-7. 1921.
    use and value in home canning, use methods. News L., vol. 4, No. 40, p. 4. 1917.
    weights of various capacities. D.B. 1009, p. 10. 1921.
Bottled-in-bond goods, opinion 63. Chem. S.R.A. 7, p. 527. 1914.
Bottling, good commercial practice, principles. D.B. 1009, pp. 7-9, 19. 1921.
Bottomlands, trees recommended for planting. For. Bul. 65, pp. 18, 19, 20, 22, 35. 1905.

Botulinus organism, studies by experiment stations, results. Work and Exp., pp. 98, 100. 1923.
Botulism—
    caused by *Bacillus botulinus*. J.A.R., vol. 20, pp. 375-379. 1920.
    inefficacy of echinacea against. J.A.R., vol. 20, pp. 71-72. 1920.
    occurrence in food, studies. Off. Rec., vol. 1, No. 50, p. 2. 1922.
    outbreaks from olives. Off. Rec., vol. 3, No. 47, p. 4. 1924.
Botys rogatalis, synonym for *Hellula undalis*. Ent. Bul. 109, Pt. III, pp. 27. 1912.
BOUCHER, A. C.: "Soil survey of Barnes County North Dakota." With others. Soil Sur. Adv. Sh. 1912, pp. 47. 1914; Soils F.O. 1912, pp. 1921-1963. 1915.
Bouea oppsitifolia, importation No. 55046. B.P.I. Inv. 71, p. 16. 1923.
Bougainvillea, importation and description. No. 43471. B.P.I. Inv. 49, p. 29. 1921.
BOUGHTON, E. W.—
    "The fluorescent test for mineral and rosin oils." With Percy H. Walker. Chem. Cir. 84, pp. 2. 1911.
    "The effect of certain pigments on linseed oil, with a note on the manganese content of raw linseed oil." Chem. Cir. 111, pp. 7. 1913.
Bouillon cubes, composition and food value, comparison with other meat preparations. F. C. Cox. D.B. 27, pp. 7. 1913.
Boulder Nursery, shading, irrigation and practices. D.B. 479, pp. 35, 37, 40, 43, 47, 49, 50, 69, 71, 73. 1917.
BOULE, PROF., report on fossil remains of Grotto of Grimaldi. B.A.I. An. Rpt., 1910, pp. 158, 164. 1912.
Boulevards, attraction for birds. D.B. 715, p. 9. 1918.
Bounty(ies)—
    animals, key for identification. Biol. Cir. 69, pp. 1-3. 1909.
    beet-sugar industry. [Misc.] "Progress of beet-sugar industry * * * 1903," pp. 183-184. 1903.
    failure to control rodents. Y.B. 1917, p. 225. 1918; Y.B. Sep. 724, p. 3. 1918.
    fur animals, laws, 1915, with trapping protection. F.B. 706, pp. 1-24. 1916.
    fur animals, legislation, 1923. F.B. 1387, p. 3. 1923.
    law(s)—
        crow, States enacting. D.B. 621, pp. 80, 81. 1918.
        in force, U. S. July 1, 1907. Y.B. 1907, pp. 560-565. 1908; Y.B. Sep. 473, pp. 560-565. 1908.
        loco-weed, Colorado. B.A.I. Bul. 112, pp. 25, 113. 1909.
        predatory animals and birds. F.B. 1079, pp. 5-28. 1919; F.B. 1238, pp. 6-30. 1921.
    legislation, destruction of noxious animals, 1905. Y.B. 1905, p. 621. 1905; Y.B. Sep. 405, p. 621. 1905.
    maple sugar, conditions and effect on industry. For. Bul. 59, pp. 17-18. 1905.
    sugar, abolition by European countries, results. D.B. 473, pp. 2, 34, 35. 1917.
    wolf—
        and eagle, in Alaska. D.C. 168, pp. 12-13. 1921; D.C. 225, p. 3. 1922.
        in Alaska, territorial law, text. Biol. Doc. 105, pp. 15-16. 1917.
        in national forest reserves. For. Bul. 72, pp. 20-21. 1902.
        in Texas. N.A. Fauna 25, pp. 172, 174. 1905.
Bourbon King (horse), description and pedigree. B.A.I. An. Rpt., 1907, pp. 95, 105, 128. 1909; B.A.I. Cir. 137, pp. 95, 105, 128. 1908.
Boutela. See Mesquite.
Bouteloua—
    hirticulmis, description. Agros. Cir. 30, pp. 4-5. 1901.
    pringlei, description. Agros. Cir. 30, p. 4. 1901.
    rothrockii. See Grama, crowfoot.
    spp.—
        distribution, description, and feed value. D.B. 201, pp. 11-14. 1915; D.B. 772, pp. 17, 193-194. 1920.
        growth on native pastures, studies. D.B. 1170, pp. 28-33, 36-38, 42. 1923.

Bouteloua—Continued.
  spp.—continued.
    occurrence and value, Arizona ranges. D.B. 367, pp. 9, 12–15, 17. 1916.
    susceptibility to stem rusts, studies. J.A.R., vol. 10, pp. 435–463. 1917.
    value in natural reseeding of ranges. B.P.I. Bul. 177, pp. 11, 14, 15, 16. 1910.
    See Grama grass.

BOUYOUCOS, G. J.—
  "Degree of temperature to which soils can be cooled without freezing." J.A.R., vol. 20, pp. 267–269. 1920.
  "Determining the absolute salt content of soils by means of the freezing-point method." With M. M. McCool. J.A.R., vol. 15, pp. 331–336. 1918.
  "Effect of temperature on movement of water vapor and capillary moisture in soils." J.A.R., vol. 5, pp. 141–172. 1915.
  "Measurement of the amount of water that seeds cause to become unfree and their water-soluble material." With M. M. McCool. J.A.R., vol. 20, pp. 587–593. 1921.
  "Measurement of the inactive or unfree moisture in the soil by means of the dilatometer method." J.A.R., vol. 8, pp. 195–217. 1917.
  "Movement of soil moisture from small capillaries to the large capillaries of the soil upon freezing." J.A.R., vol. 24, pp. 427–432. 1923.
  "Soil survey of Monroe County, New York." Soils F.O. 1910, pp. 43–91. 1912. Soil Sur. Adv. Sh. 1910, pp. 53. 1911.

Bovidae, historical sketch. B.A.I. An. Rpt., 1910, pp. 188–190. 1912.

Bovine—
  bacilli, inoculation of man, and treatment. B.A.I. Bul. 53, pp. 13–16. 1904.
  hybrids, note. B.P.I. Bul. 256, p. 63. 1913.
  tubercle bacilli, certain variations in morphology. C. N. McBryde. B.A.I. Cir. 60, pp. 5. 1904.
  tuberculosis—
    and public health. D. E. Salmon. B.A.I. Bul. 53, pp. 63. 1904.
    control methods. V. A. Moore. O.E.S. Bul. 212, pp. 88–94. 1909.
    legislation. D. E. Salmon. B.A.I. Bul. 28, pp. 173. 1901.
    relation to public health. D. E. Salmon. B.A.I. Bul. 33, pp. 36. 1901.

BÖVING, A. G.:
  "Biology of *Embaphion muricatum*." With J. S. Wade. J.A.R., vol. 22, pp. 323–334. 1921.
  "Description of the mature larva of *Tabanus punctifer*." D.B. 1218, pp. 17–18. 1924.
  "Life-history studies of the tobacco flea beetle in the southern cigar-wrapper district." With others. J.A.R., vol. 29, pp. 575–584. 1924.
  "Taxonomy and morphology of the larval stages of *Scobicia declivis* Leconte." D.B. 1107, pp. 49–54. 1922.
  "The tobacco-beetle: An important pest in tobacco products." With G. A. Runner. D.B. 737, p. 77. 1918.

Bovista pila, description. D.B. 175, p. 50. 1915.

Bovo-vaccination—
  experiments with cattle and hogs. An. Rpts., 1910, p. 275. 1911; B.A.I. Chief Rpt., 1910, p. 81. 1910.
  See also Cattle vaccination.

Bovovaccine, use against tuberculosis in cattle experiments. O.E.S. An. Rpt., 1910, p. 104. 1911; O.E.S. An. Rpt., 1911, p. 79. 1913.

Bowel troubles, treatment. For. [Misc.], "First-aid," pp. 77–83. 1917.

BOWEN, J. T.—
  "A method of automatic control of low temperatures employed by the United States Department of Agriculture." J.A.R., vol. 26, pp. 183–190. 1923.
  "Cooling hot-bottled pasteurized milk by forced air." With others. D.B. 420, pp. 38. 1916.
  "Cooling milk and storing and shipping it at low temperatures." With James A. Gamble. D.B. 744, pp. 28. 1919.
  "Harvesting and storing ice on the farm." F.B. 1078, pp. 31. 1920.
  "Ice houses and the use of ice on the dairy farm." With Guy M. Lambert. F.B., 623 pp. 24. 1915.

BOWEN, J. T.—Continued.
  "Methods for close automatic control of incubating temperatures in laboratories." D.B. 951, pp. 16. 1921.
  "The application of refrigeration to the handling of milk." D.B. 98, pp. 88. 1914.
  "The cost of pasteurizing milk and cream." D.B. 85, pp. 12. 1914.
  "The economical use of fuel in milk plants and creameries." D.B. 747, pp. 47. 1919.
  "The utilization of exhaust steam for heating boiler feed and wash water in milk plants, creameries, and dairies." B.A.I. Cir. 209, pp. 12. 1913.

Bowenia spectabilis, importation and description. No. 55607, B.P.I. Inv. 72, p. 10. 1924.

BOWER, L. J.: "The alfalfa weevil and methods of controlling it." With others. F.B. 741, pp. 16. 1916.

Bower-Barf process of oxidizing steel. Rds. Bul. 35, p. 35. 1909.

BOWIE, A. J., JR.:
  "Irrigation in southern Texas." O.E.S. Bul. 158, pp. 347–507. 1905.
  "Irrigation in the North Atlantic States." O.E.S. Bul. 167, pp. 50. 1906.

BOWIE, E. H.—
  address on storms, method for determining direction and velocity of movement. W. B. [Misc.], "Proceedings, third convention * * *," pp. 89–97. 1904.
  "Weather forecasting in U. S." With others. W. B. [Misc.], "Weather forecasting in * * *," pp. 370. 1916.

Bowlders, disposal on cleared lands, methods. F.B. 974, p. 29. 1918.

BOWLING, J. D.: "A physical and chemical study of milo and feterita kernels." With others. D.B. 1129, pp. 8. 1922.

BOWMAN, A. E., report of Wyoming, extension work in agriculture and home economics—
  1915. S.R.S. An. Rpt., 1915, Pt. II, pp. 323–326. 1916.
  1916. S.R.S. An. Rpt., 1916, Pt. II, pp. 367–371. 1917.
  1917. S.R.S. An. Rpt., 1917, Pt. II, pp. 372–375. 1919.

BOWMAN, J. J.—
  "Bordeaux-oil emulsion." With others. D.B. 1178, pp. 24. 1923.
  "Commercial control of citrus melanose." With John R. Winston. D.C. 259, pp. 8. 1923.
  "Commercial control of citrus stem-end rot." With others. D.C. 293, pp. 10. 1923.
  "Preliminary results with the borax treatment of citrus fruits for the prevention of blue mold rot." With Harry R. Fulton. J.A.R., vol. 28, pp. 961–968. 1924.
  "Relative susceptibility of some rutaceous plants to attack by the citrus-scab fungus." With others. J.A.R., vol. 30, pp. 1087–1093. 1925.

Bowman project, irrigation, in North Dakota, proposed work. O.E.S. Bul. 219, p. 28. 1909.

Box—
  importation and description. No. 40566, B.P.I. Inv. 43, pp. 8, 47. 1918.
  insect pests, list. Sec. [Misc.], "A manual of insects * * *," p. 48. 1917.
  Japanese, importation and description No. 43830, B.P.I. Inv. 49, p. 83. 1921.
  leaf-blight, occurrence and description, Texas. B.P.I. Bul. 226, p. 59. 1912.
  mountain. See Bearberry.
  wild running. See Squaw vine.

Boxes—
  apple—
    handling in packing houses, conveyors, elevators, and chutes. F.B. 1204, pp. 25–30. 1921.
    making, equipment and materials. F.B. 1457, pp. 6–9. 1925.
    stamping, lidding, and labeling. F.B. 1204, pp. 36–39. 1921.
  construction—
    black walnut utilization. D.B. 909, pp. 60, 73, 88. 1921.
    by Forest Products Laboratory, saving affected. D. C. 231, pp. 4, 13, 46, 47. 1922.
    course at Forest Products Laboratory. Off. Rec., vol. 1, No. 46, p. 2. 1922.
    of ash. D.B. 523, pp. 32, 33, 50. 1917.

Boxes—Continued.
  lumber, demand during war. Y.B., 1918, p. 317. 1919; Y.B. Sep. 779, p. 3. 1919.
  manufacture—
    from—
      basswood. D.B. 1007, pp. 29-31, 47. 1922.
      elm. D.B. 683, pp. 18-20. 1918.
      Norway pine. D.B. 139, pp. 14, 15. 1914.
      pine. For. Bul. 99, pp. 20, 23, 30, 34, 48, 58, 60, 64, 68, 73. 1911.
      slash-pine lumber. F.B., 1256, p. 14. 1922.
      wood and substitutes. Rpt. 117, pp. 39-43, 71. 1917.
    improvement to reduce waste of wood. Y.B. 1920, pp. 450-451. 1921; Y.B., Sep. 856, pp. 450-451. 1921.
    utilization of sycamore. D.B. 884, pp. 9, 10-13, 24. 1920.
    various woods and quantity used. D.B. 605, pp. 8-17. 1918.
  orchard, use in handling and packing apples. F.B. 1204, pp. 34-36. 1921.
  packing—
    tests of various forms. John A. Newlin. For. Cir. 214, pp. 23. 1913.
    various woods, strength. W. Kendrick Hatt. For. Cir. 47, pp. 8. 1906.
    woods used in New England. J. P. Wentling. For. Cir. 78, pp. 4. 1907.
  presses, use in lidding apple boxes, description. F.B. 1204, p. 37. 1921.
  shipping, better designs as means of saving lumber. M. C. 39, pp. 52-54. 1925.
  standardization need. F.B. 1196, pp. 19-34. 1921.
  use of lumber in Arkansas. For. Bul. 106, pp. 13-14. 1912.
  wooden and fiber. H. W. Maxwell and H. S. Sackett. For. Cir. 177, pp. 14. 1911.
Boxelder—
  adaptability to shelter-belt planting. D.B. 1113, pp. 7-8, 15. 1923.
  aphid—
    description, habits, and control. F.B. 1169, p. 85. 1921. J.A.R., vol. 27, p. 517. 1924.
    life history. J.A.R., vol. 27, p. 517. 1924.
  California, description, range, occurrence, Pacific slope. For. [Misc.], "Forest trees for Pacific * * *" pp. 396-398. 1908.
  characteristics, uses, and rate of growth. For. Cir. 161, pp. 23, 24, 45, 46. 1909.
  comparison with sugar maple. For. Bul. 59, p. 25. 1905.
  description. M. C. 31, p. 11. 1925.
  description—
    and key. D.C. 223, pp. 7, 10. 1922.
    habits, uses, methods of propagation, care. For. Cir. 86, pp. 1-3. 1907; For. Cir. 86, rev., pp. 1-3. 1909.
    uses, and adaptation to Great Plains. F.B. 1312, pp. 9, 10. 1923.
    uses, and planting details. F.B. 888, pp. 11, 19. 1917.
  diseases in Texas, occurrence and description. B.P.I. Bul. 226, pp. 59, 60. 1912.
  growth, in Illinois. For. Cir. 81, rev., pp. 20, 21. 1910.
  host of bag worm. For., 701, p. 3. 1916.
  in Wyoming, distribution and growth. N.A. Fauna 42, p. 73. 1917.
  injury by gipsy moth. D.B. 204, p. 14. 1915.
  injury by sapsuckers. Biol. Bul. 39, pp. 46, 84. 1911.
  insects injurious. F.B. 1169, p. 95. 1921.
  occurrence in Colorado and description. N.A. Fauna 33, p. 238. 1911.
  plant-bug, description, habits, and control. Ent. Bul. 30, p. 98. 1901; F.B. 1169, pp. 75-76. 1921.
  planting directions, uses. For. Cir. 99, p. 12. 1907.
  red stain in wood. Ernest E. Hubert. J.A.R., vol. 26, pp. 449-458. 1923.
  windbreaks, characteristics and value. For. Bul. 86, pp. 23. 1911.
Boxing—
  and crating courses, enrollment at Forest Products Laboratory. For. [Misc.], "Boxing and * * *," folder. 1921; "Enrollment in boxing and crating * * *," pp. 4, 1921.

Boxing—Continued.
  demonstration course, details and cost. M.C. 8, pp. 9-14, 20. 1923.
  machines, care of, and prevention of heating. F.B. 991, pp. 7-9. 1918.
Boxwood—
  Chinese, description, No. 38805. B.P.I. Inv. 40, pp. 7, 31. 1917.
  New England. See Dogwood.
  Turkish, quantity used in manufacture of wooden products. D.B. 605, p. 17. 1918.
  West Indian, quantity used in manufacture of wooden products. D.B. 605, p. 15. 1918.
Boy Scouts—
  Kansas Agricultural College, regulations. O.E.S. An. Rpt., 1911, p. 325. 1913.
  report to Forest Service on location of black walnut, blank form. For. [Misc.], "Boy Scouts of America * * *," p. 1. 1918.
  use of community building. F.B. 1274, pp. 11, 19, 26, 31, 32. 1922.
  work in Hawaii. Hawaii A.R., 1920, pp. 16, 70. 1921.
BOYCE, C. W.: "How the United States can meet its present and future pulp-wood requirements." With Earle H. Clapp. D.B. 1251, pp. 100. 1924.
BOYCE, J. S.—
  "A Study of decay in Douglas fir in the Pacific Northwest." D.B. 1163, pp. 20. 1923.
  "Decays and discolorations in airplane woods." D.B. 1128, pp. 52. 1923.
  "The deterioration of felled western yellow pine on insect-control projects." D.B. 1140, pp. 8. 1923.
  "The dry rot of incense cedar." D.B. 871, pp. 58. 1920.
Boycott, cooperatives against independent companies, complaint by Secretary of Agriculture. Off. Rec., vol. 1, No. 10, p. 4. 1922.
BOYD, G. R.—
  "Drainage district assessments." With R. A. Hart. D.B. 1207, pp. 70. 1924.
  "Extension work in agricultural engineering, 1922." D.C. 270, pp. 16. 1924.
  "Use of explosives in blasting stumps." D.C. 191, pp. 15. 1921.
BOYD, J. E., decision on misbranding—
  of cheese. N.J., 137, 138. Chem. N.J. Nos. 134-140, pp. 7-8, 9-10. 1910.
  of flour. N.J. 113. Chem. N.J. 112-116, pp. 4-5. 1909.
BOYDEN, B. L.: "Eradication of the sweet-potato weevil in Florida." With J. E. Graf. D. C. 201, pp. 13. 1921.
BOYER, H. B.: "Weather forecasts and the public." W.B. Bul. 31, pp. 151-152. 1902.
BOYKIN, E. B.—
  "Comparative value of whole cottonseed and cottonseed meal in fertilizing cotton." F.B. 286, pp. 14. 1907.
  "The advantage of planting heavy cottonseed." With Herbert J. Webber. F.B. 285, pp. 16. 1907.
BOYKIN, L. E.: "Federal aid to highways." With J. E. Pennybacker. Y.B., 1917, pp. 127-138; 1918; Y.B. Sep. 739, pp. 14. 1918.
Boylei group of Peromyscus spp., key and description. N.A. Fauna 28, pp. 141-165. 1909.
BOYLES, F. M.: "Character of samples of beeswax submitted with bids." With L. F. Kebler. Chem. Bul. 150, Pt. VII, pp. 49-51. 1912.
Boys'—
  agricultural clubs. Dick J. Crosby. Y.B., 1904, pp. 489-496. 1905; Y.B. Sep. 362, pp. 489-496. 1905.
  and girls'—
    bread club, wheat-saving studies. News L., vol. 5, No. 50, p. 8. 1918.
  club(s)—
    a model constitution. S.R.S. Doc. 2, pp. 3. 1915.
    activities. News L., vol. 6, No. 30, pp. 6-8. 1919.
    advantages. C. B. Smith and George E. Farrell. Y.B., 1920, pp. 485-494. 1921; Y.B. Sep. 859, pp. 485-494. 1921.
    agents, State, district, and county, suggestions No. 3. O. H. Benson. S.R.S. Doc. 24, pp. 2. 1915.

Boys'—Continued.
 and girls'—continued.
  club(s)—continued.
   agricultural. F. W. Howe. F.B. 385, pp. 23. 1910.
   agricultural, organization by teachers. D.B. 132, pp. 2–5. 1915.
   agricultural, scope, and membership increase and progress. News L., vol. 2, No. 11, p. 7. 1915.
   benefit to agriculture. Y.B., 1916, pp. 471–473. 1917; Y.B. Sep. 694, pp. 5–7. 1917.
   benefits to young people. S.R.S. Doc. 90, pp. 4–5. 1918.
   corn and potato. O.E.S. An. Rpt., 1911, pp. 278, 336–338. 1912.
   cottage cheese work. Y.B., 1918, p. 274. 1919; Y.B. Sep. 787, p. 6. 1919.
   country life enrichment. C. B. Smith and George E. Farrell. Y.B., 1920, pp. 485–494. 1921; Y.B. Sep. 859, pp. 485–494. 1921.
   dairy cattle, design and results. Y.B., 1918, p. 163. 1919; Y.B. Sep. 765, p. 13. 1919.
   directions for growing potatoes. F.B. 1190, pp. 1–28. 1921.
   early development and growth. D.C. 66, pp. 3–4. 1920.
   enlargement of membership and work. News L., vol. 5, No. 3, p. 4. 1917.
   enrollment and accomplishments, 1921. S.R.S. [Misc.], "Cooperative extension work, 1921," p. 7. 1923.
   enrollment and products. An. Rpts., 1923, pp. 603–604. 1924; S.R.S. Rpt., 1923, pp. 51–52. 1923.
   enrollment, regular and emergency. An. Rpts., 1917, p. 14. 1918; Sec. A.R., 1917, p. 16. 1917.
   exhibits at fairs, suggestions. S.R.S., Doc. 55, pp. 11. 1917.
   farm work. News L., vol. 6, No. 50, pp. 6–7. 1919.
   garden and canning, festivals, exhibit list. S.R.S. Doc. 59, pp. 5–6. 1917.
   grading by score cards. News L., vol. 6, No. 50, p. 7. 1919.
   hints to potato growers. George E. Farrell. S.R.S. Doc. 10, pp. 4. 1915.
   home canning aprons and caps. A. H. Whittelsey. S.R.S. Doc. 35, pp. 7. 1917.
   home garden and canning, instruction to local leaders. George F. Farrell. S.R.S. Doc. 59, pp. 6. 1917.
   home vegetable garden. D.C. 48, pp. 11. 1919.
   importance in study of agricultural extension. O.E.S. Bul. 231, p. 66. 1910.
   in Arkansas. Off. Rec., vol. 2, No. 16, No. 5. 1923.
   in Guam, work, 1919. Guam A.R., 1919, pp. 10, 49. 1921.
   in Guam, 1920, enrollment and work. Guam A.R., 1920, pp. 70–77. 1921.
   in Guam, 1921, plans. W. J. Green. Guam Ext. Cir. 1, pp. 2. 1920.
   in Guam, 1921, work and exhibits. Guam A.R., 1921, pp. 33–41. 1923.
   in Hawaii, 1921. Hawaii A.R., 1921, pp. 5, 43. 1922.
   in Hawaii, 1923. Hawaii A.R., 1923, pp. 12–13, 15–16. 1924.
   in Minnesota. News L., vol. 6, No. 43, p. 10. 1919.
   in North and West, membership and work. An. Rpts., 1917, pp. 350–352. 1917; S.R.S. An. Rpt., 1917, pp. 28–30. 1917.
   in North and West, organization, administration, and result, 1916. S.R.S. Rpt., 1916, Pt. II, pp. 164–167. 1917.
   in Northern and Western States, 1921. George E. Farrell and Gertrude L. Warren. D.C. 255, pp. 29. 1923.
   in Philippines. News L., vol. 6, No. 34, p. 11. 1919.
   labor records, selected specimens. D.B. 385, pp. 26–27. 1916.
   meetings and programs, suggestions. S.R.S. Doc. 1, pp. 3. 1915.

Boys'—Continued.
 and girls'—continued.
  club(s)—continued.
   membership increase, 1912. An. Rpts., 1912, p. 824. 1913; O.E.S. Chief Rpt., 1912, p. 10. 1912.
   membership, regular and emergency, annual report of Agriculture Secretary. News L., vol. 5, No. 24, p. 8. 1918.
   needs in farm sections, discussion. Rpts. 105 pp. 35–36. 1915.
   news service. D.C. 66, pp. 18–19. 1920.
   number. An. Rpts., 1919, pp. 353, 372–375, 383–384. 1920; S.R.S. An. Rpt., 1919, pp. 1, 20–23, 31–32. 1919.
   number, receipts, and profits. Y.B., 1917, p. 73. 1918.
   organization. D.C. 348, pp. 9–11. 1925.
   organization and objects. S.R.S. Doc. 40, rev., pp. 25–27, 31. 1918.
   organization and results. O. H. Benson and Gertrude Warren. D.C. 66, pp. 38. 1920.
   organization, membership, and work. An. Rpts., 1918, pp. 341, 355–357, 364–366. 1919; S.R.S. An. Rpt., 1918, pp. 3, 21–23, 30–32. 1918.
   organization, officers, records, uniforms, and program. S.R.S. Doc. 59, pp. 1–4. 1917.
   organization, work of department. Y.B., 1915, p. 272. 1916; Y.B. Sep. 675, p. 272. 1916.
   pig and poultry, aid in increasing meat output. News L., vol. 4, No. 23, p. 2. 1917.
   pig and poultry, enrollment and work, 1915. An. Rpts., 1915, pp. 85, 89–90. 1916; B.A.I. Chief Rpt., 1915, pp. 9, 13–14. 1915.
   prizes. B.P.I. Doc. 865, pp. 3–4. 1913.
   publications relating to. Rpt. 104, pp. 79, 90–91. 1915.
   rabbit growing, work. Y.B., 1918, p. 152. 1919; Y.B. Sep. 784, p. 10. 1919.
   recommendation. F.B. 448, p. 34. 1911.
   relation to country life. C. B. Smith and George E. Farrell. Y.B., 1920, pp. 485–494. 1921; Y.B. Sep. 859, pp. 485–494. 1921.
   results of work. Sec. A.R., 1921, p. 34. 1921.
   rivalry in food-production. News L., vol. 6, No. 7, p. 7. 1918.
   social advantages in rural communities. Y.B., 1916, pp. 257, 258, 261, 262, 264, 266. 1917; Y.B. Sep. 710, pp. 7, 8, 11, 12, 14, 16. 1917.
   southern membership and work. An. Rpts., 1917, pp. 340–343. 1918; S.R.S. An. Rpt., 1917, pp. 18–21. 1917.
   State supervision and leadership. D.C. 312, pp. 44–47. 1924.
   success in Guam. S.R.S. An. Rpt., 1921, pp. 3, 24. 1921.
   training camps. News L., vol. 6, No. 7, p. 8. 1918.
   use of community buildings. F.B. 1274, pp. 11, 16, 20, 24, 31, 32. 1922.
   various sections, work, enrollment. An. Rpts., 1913, pp. 125–126, 127, 128. 1914; B.P.I. Chief Rpt., 1913, pp. 21–22, 23, 24. 1913.
  club work—
   1914. An. Rpts., 1914, pp. 57, 63, 120, 121–122. 1914; B.A.I. Chief Rpt., 1914, pp. 1, 7. 1914; B.P.I. Chief Rpt., 1914, pp. 20, 21–22. 1914.
   1919. An. Rpts., 1919, pp. 372–375, 383–384. 1920.
   1922. An. Rpts., 1922, pp. 447–448. 1923; Coop. Ext. Wk., 1922, pp .2, 3, 5, 6, 7, 8, 9, 1924.
   1922. Ivan L. Hobson and Gertrude L. Warren. D.C. 312, pp. 52. 1924.
   1923, report. An. Rpts., 1923, pp. 603–604. 1924.
   and profits. News L., vol. 6, No. 34, p. 10. 1919.
   and results, 1916. An. Rpts., 1916, pp. 314–317, 323–324. 1917; S.R.S. An. Rpt. 1916 pp. 18–21, 27–28. 1916.
   and results, 1923. An. Rpts., 1923, pp. 54, 603–604. 1924; Sec. A.R., 1923, p. 54. 1923; S.R.S. An. Rpt., 1923, pp. 51–52. 1923.

Boys'—Continued.
 and girls'—continued.
  club work—continued.
   by county agents, 1920-1921. D.C. 244, pp. 22–23. 1922.
   in crop production. Y.B., 1914, p. 99. 1915.
   in meat production. An. Rpts., 1917, pp. 67, 78, 80. 1918; B.A.I. Chief Rpt., 1917, pp. 1, 12, 14. 1917.
   in North and West, 1919. Coop. Ext. Wk. 1919, pp. 31–33. 1921.
   in North and West, enrollment. S.R.S. Dir. Rpt., 1921, pp. 48–52. 1921.
   Northern and Western States, 1916, organization. S.R.S. Rpt., 1916, Pt. II, pp. 164–167. 1917.
   Northern and Western States, 1918, organization and results. O. H. Benson and Gertrude Warren. D.C. 66, pp. 38. 1920.
   Northern and Western States, 1919, organization and results. George E. Farrell and Ivan L. Hobson. D.C. 152, pp. 35. 1921.
   Northern and Western States, 1920, status and results. George E. Farrell. D.C. 192, pp. 36. 1921.
   Northern and Western States, 1921, status and results. George E. Farrell and Gertrude L. Warren. D.C. 255, pp. 29. 1923.
   of county agents, 1916. S.R.S. Doc. 60, pp. 24–25. 1917.
   of teachers of agriculture and economics. Y.B., 1912, p. 481. 1913; Y.B. Sep. 607, p. 481. 1913.
   recipes for canned vegetables and their preparation for table use. Caroline L. Hunt. S.R.S. Doc. 31, pp. 4. 1916.
   scope and growth. S.R.S. Doc. 40, rev., pp. 27–28. 1919.
   summary and details. An. Rpts., 1922, pp. 440, 447–448. 1923; S.R.S. An. Rpt., 1922, pp. 28, 35–36. 1922.
   See also *Reports of extension work in various States.*
  fairs, judging awards, ribbons and premiums. S.R.S. Doc. 55, pp. 11. 1917.
  food club, organization, membership regulations and scope of work. News L., vol. 5, No. 47, pp. 12–13. 1918.
  forestry work. D.C. 345, p. 12. 1925.
  livestock record book. (Blank forms.) S.R.S. [Misc.], "Boys' and girls' * * *," pp. 8. 1920.
  poultry clubs, organization. Harry M. Lamon. F.B. 562, pp. 12. 1913.
  thrift standards. Thrift Leaf. 20, pp. 4. 1919.
 bread clubs, membership. News L., vol. 6, No. 38, p. 12. 1919.
 city, aid to New York farmers in harvesting work. News L., vol. 5, No. 49, p. 7. 1918.
 clubs—
  advantages. Y.B., 1921, p. 37. 1922; Y.B. Sep. 875, p. 37. 1922.
  age requirement. News L., vol. 7, No. 7, p. 9. 1919.
  agricultural—
   aim and scope. News L., vol. 3, No. 19, p. 2. 1915.
   in South, kind, and work, 1916. S.R.S. Rpt., 1916, Pt. II, pp. 25–28. 1917.
   notes. O.E.S. Cir. 99, pp. 6–7. 1910.
   progress and membership increase. News L., vol. 3, No. 11, p. 7. 1915.
  aid to agriculture in Hawaii. Hawaii A.R. 1920, pp. 16, 70. 1921.
  baby beef, organization, membership, and work. News L., vol. 3, No. 48, p. 4. 1916.
  cooperative marketing. Off. Rec. vol. 2, No. 20, p. 5. 1923.
  corn–
   and cotton, prize winners, list, records, 1912. B.P.I. Doc. 865, pp. 4–6. 1913.
   and pig, combination with crop rotations, methods. News L., vol. 1, No. 15, p. 1. 1913.
   potato, sugar-beet, work and membership. News L., vol. 2, No. 33, pp. 2–3. 1915.
   to all members. [Circular letter.] B.P.I. [Misc.], "To all members * * *," pp. 8. 1913.

Boys'—Continued.
 clubs—continued.
  corn—continued.
   yield in Mississippi, Jefferson Davis County. Soil Sur. Adv. Sh., 1915, p. 16. 1916; Soils F.O., 1915, p. 1038. 1919.
  development of work. O. B. Martin. S.R.S. Doc. 29, pp. 4. 1915.
  enrollment, increase. An. Rpts. 1917, p. 14. 1918; Sec. A.R., 1917, p. 16. 1917.
  food production in South, 1917. News L., vol. 5, No. 48, p. 11. 1918.
  home work. News L., vol. 6, No. 26, pp. 8–10. 1919.
  in Guam, enrollment, projects and results. Guam A.R., 1920, pp. 70–77. 1921; Guam A.R., 1921, pp. 33–41. 1923.
  in Southern States, enrollment and work, 1915. S.R.S. [Misc.], "Report on agricultural experiment stations and cooperative agricultural extension work in the U. S., for the year ended 1915," Pt. II, pp. 30–32, 44, 50, 56, 61, 63, 69, 77, 83, 89, 97, 105, 110, 118, 125, 133, 141. 1916.
  in Western States, enrollment and work, 1915. S.R.S. [Misc.], "Report on agricultural experiment stations and cooperative agricultural extension work in the U. S., for the year ended 1915," Pt. II, pp. 175, 179, 181, 192, 217, 241, 247, 252, 268, 279, 289, 304, 308, 317, 325. 1916.
  increase in Louisiana, 1914-1915, influence of local fair. News L., vol. 3, No. 4, p. 3. 1915.
  instruction methods and instructor. D.C. 38, pp. 14, 18. 1919.
  kind and work in South, 1917. News L., vol. 5, No. 21, p. 8. 1917.
  labor records, specimens. D.B. 385, pp. 26–27. 1916.
  Locust Valley, N. Y., organization and work. F.B. 1274, pp. 18–19, 26. 1922.
  methods, beneficial results. News L., vol. 6, No. 46, p. 6. 1919.
  negro, enrollment, 1921. Coop. Ext. Wk. 1921, p. 13. 1923.
  North and West, data. S.R.S. An. Rpt., 1919, pp. 31–32. 1919; An. Rpts., 1919, pp. 383–384. 1920.
  Northern States, enrollment and work. S.R.S. Rpt., 1915, Pt. II, pp. 186, 189, 190, 198, 201, 205, 211, 224, 232, 285, 298, 300, 313. 1916.
  objects, kinds, membership requirements, organization methods. D.C. 38, pp. 3–6. 1919; News L., vol. 2, No. 44, pp. 2–3. 1915; Sec. Cir. 33, p. 5. 1910.
  organization—
   membership, and work. An. Rpts., 1918, pp. 337, 356–357, 364–366. 1919; S. R. S. An. Rpt., 1918, pp. 3, 22–23, 30–32. 1918.
   work of department. Y.B., 1915, pp. 272. 1916; Y.B., Sep. 675, pp. 272. 1916.
  pig and poultry, work, 1915. An. Rpts., 1915, pp. 85, 89–90. 1916; B.A.I. Chief Rpt., 1915, pp. 9, 13–14. 1915.
  pruning and spraying. News L., vol. 7, No. 10, p. 9. 1919.
  records, and progress. O.E.S. An. Rpt., 1912, p. 281. 1913.
  South, enrollment. An. Rpts., 1919, pp. 374–375. 1920; S.R.S. An. Rpt., 1919, pp. 22–23. 1919.
  Southern States, organization, objects, and classification. S.R.S. Doc. 27, pp. 1–10. 1915.
  use of self-feeders for pigs. News L., vol. 6, No. 46, p. 10. 1919.
  winners, visit to England. Off. Rec., vol. 1, No. 25, p. 2. 1922.
  work,—
   1914. An. Rpts., 1914, pp. 120, 121, 122. 1914; B.P.I. Chief Rpt., 1914, pp. 20, 21–22. 1914.
   1916, results. An. Rpts., 1916, pp. 314–316, 323–324. 1917; S.R.S. An. Rpt., 1916, pp. 18–20, 27–28. 1916.
   1917, results. S.R.S. Rpt., 1917. Pt. II, pp. 24, 29–32, 164, 173–176. 1919.
   1920-1921 by county agents. D.C. 244, pp. 22–23. 1922.
   1921, results. Sec. A.R., 1921, p. 34. 1921.
   1925. Off. Rec., vol. 4, No. 33, pp. 1–2. 1925.

Boys'—Continued.
  clubs—continued.
    work—continued.
      agricultural, in Southern States. I. W. Hill and G. W. Chambers. D.C. 38, pp. 22. 1919.
      and objects. S.R.S. Doc. 40, pp. 23-25. 1917. details and summary. Y.B., 1922, p. 44. 1923; Y.B. Sep. 883, p. 44. 1923.
      in Guam, 1919. Guam A. R., 1919, pp. 10, 49. 1921.
      in North and West, 1918, report. S.R.S. Rpt., 1918, Pt. II, pp. 95-103. 1919.
      in North and West, 1921. S.R.S. An. Rpt., 1921, pp. 48-52. 1921.
      in South, 1913, and in North and West. An. Rpts., 1913, pp. 125-126, 127, 128. 1914; B.P.I. Chief Rpt., 1913, pp. 21-22, 23, 24. 1913.
      in South, 1918, report, enrollment, types of work. S.R.S. Rpt., 1918, Pt. II, pp. 18, 59-61. 1919.
      in South, 1921, enrollment and profits. S.R.S. An. Rpt., 1921, pp. 4, 34-36, 37. 1921.
      of Farm Management Office. B.P.I. Bul. 259, p. 81. 1912.
      progress. Sec. Cir. 47, pp. 6-7. 1915.
      with dairy cattle, design and results. Y.B., 1918, p. 163. 1919; Y.B., Sep. 765, p. 13. 1919.
    See also Girls' clubs.
  cooking clubs, reasons for joining. D.C. 152, p. 29. 1921.
  corn clubs—
    Alabama, winning of prize trophy for Southern States, 1913. News L., vol. 1, No. 40, p. 3. 1914.
    corn production. Off. Rec., vol. 2, No. 48, p. 5. 1923.
    demonstration work—
      S. A. Knapp and O. B. Martin. B.P.I. Doc. 644, pp. 7. 1911; B.P.I. Doc. 644, rev., p. 12. 1913.
      1910, results. S. A. Knapp and O. B. Martin. B.P.I. Doc. 647. 1911.
      1911, results. Bradford Knapp and O. B. Martin. B.P.I. Doc. 741, pp. 7. 1912.
      1912. O. B. Martin and I. W. Hill. B.P.I. Doc. 865, pp. 8. 1913.
    enrollment. An. Rpts., 1912, p. 142. 1913; Sec. A.R., 1912, p. 142. 1912; Y.B., 1912, p. 142. 1913.
    features. F.B. 422, pp. 16-18. 1910.
    organization and instruction. O. H. Benson. B.P.I. Doc. 803, pp. 14. 1913.
    organization and results in demonstration work. Y.B., 1909, p. 158. 1910; Y.B. Sep. 501, p. 158. 1910.
    results of work. Y.B., 1911, pp. 294-295. 1912; Y.B. Sep. 568, pp. 294-295. 1912.
    Southern States, enrollment and work. An. Rpts., 1909, p. 89. 1910; Rpt. 91, p. 62. 1909; Sec. A.R. 1909, p. 89. 1910.
    special contests. O. H. Benson. B.P.I. Cir. 104, pp. 15. 1912.
    success, 1910. An. Rpts., 1910, pp. 82-83, 338. 1911; B.P.I. Chief Rpt., 1910, p. 68. 1910; Sec. A.R., 1910, pp. 82-83. 1910; Y.B., 1910, p. 82. 1911.
    Virginia, Culpeper County, number and work. Y.B., 1915, p. 240. 1916; Y.B. Sep. 672, p. 240. 1916.
  cotton clubs. See Cotton clubs, boys'.
  country, creed. News L., vol. 1, No. 32, p. 4. 1914.
  crop-production rules and prizes. D.C. 38, pp. 6-11. 1919.
  dairy club work, in Texas. News L., vol. 6, No. 44, p. 10. 1919.
  encampment, relation to farmers' institute work, features. O.E.S. Cir. 99, p. 12. 1910.
  enrollment as farm workers, usefulness. Sec. Cir. 112, pp. 3-4, 10. 1918.
  farm—
    clubs, formation in South, scope, value, and total membership. News L., vol. 3, No. 8, p. 6. 1915.
    handicraft clubs, organization, object, and scope. News L., vol. 3, No. 22, pp. 3-4. 1916.
    management, extension work club. D.C. 302, pp. 13-15. 1924.

Boys'—Continued.
  4-H club work, 1923. I. W. Hill and Gertrude L. Warren. D.C. 348, pp. 47. 1925.
  garment clubs, scope and work. News L., vol. 7, No. 15, p. 14. 1919.
  height and weight table. D.C. 250, p. 14. 1923.
  hog-breeding advice. News L., vol. 1, No. 28, p. 4. 1914.
  institutes, report of committee. O.E.S. Bul. 225, pp. 19-24. 1910.
  pig-clubs—
    breeding of pure-bred pigs. News L., vol. 7, No. 5, p. 12. 1919.
    organization in South. W. F. Ward. F.B. 566, pp. 16. 1913.
    progress. News L., vol. 1, No. 13, p. 4. 1913.
    work. W. F. Ward. Y.B., 1915, pp. 173-188. 1916; Y.B. Sep. 667, pp. 173-188. 1916.
    See also Pig clubs.
  poultry clubs—
    work in the South. Y.B., 1915, pp. 195-200. 1916; Y.B. Sep. 669, pp. 195-200. 1916.
    work in Virginia. News L., vol. 1, No. 15, pp. 1-2. 1913.
  school on Luzon Island. Off. Rec., vol. 2, No. 11, p. 5. 1923.
  Serbian, education by farm bureaus, W. Va. News L., vol. 6, No. 44, p. 14. 1919.
  study of agriculture in high schools. D.B. 213, p. 9. 1915.
  training courses for farm work, various States. News L., vol. 5, No. 50, p. 8. 1918.
  working reserve—
    in Hawaii. Hawaii A.R., 1920, p. 70. 1921.
    labor during war. S.R.S. Rpt., 1918, Pt. II, p. 85. 1919.
    organization and objects. S.R.S. Doc. 73, p. 4. 1917.
  See also Children.
Brabejum stellatifolium, importation and description. No. 46474, B.P.I. Inv. 56, pp. 3, 19. 1922.
Brace and bit, description and use. D.B. 527, p. 5. 1917.
Brachiaria—
  brizantha, description and importation. No. 43240, B.P.I. Inv. 48, p. 32. 1921.
  plantaginea, importation. No. 52918, B.P.I. Inv. 67, pp. 4, 14. 1923.
  spp., description, distribution, and uses. D. B. 772, pp. 20, 221, 223, 288. 1920.
Brachychiton—
  acerifolium. See Lace-bark tree.
  spp., importations and description. Nos. 38979, 38980, B.P.I. Inv. 40, p. 52. 1917.
Brachyelytrum spp., description, distribution, and uses. D.B. 772, pp. 15, 154-156, 157. 1920.
Brachylagus—
  generic characters, and key to species. N.A. Fauna 29, pp. 46, 59. 1909.
  idahoensis, description and distribution. N.A. Fauna 29, pp. 275-278. 1909.
  idahoensis. See also Hare, pygmy.
Brachypodium distachyon, description. D.B. 772, p. 34. 1920.
Brachyramphus spp. See Murrlet.
Brachyrhimus laevigatus, occurrence in plum, description. Sec. [Misc.], "A manual of insects * * *," p. 173. 1917.
Brachys spp., larval structure, distribution, habits and host trees. D.B. 437, pp. 6, 8. 1917.
Brachysm—
  definition, and occurrence in corn. D.B. 925, pp. 1-28. 1921.
  hereditary deformity of cotton and other plants. J.A.R., vol. 3, pp. 387-400. 1915.
Brachystegia spp., importations and description. Nos. 49960, 50070, 50128-50131, 50207, B.P.I. Inv. 63, pp. 24, 33, 38, 44. 1923.
Brachystola magna. See Grasshoppers; Locust, clumsy.
Brachytarsus alternatus, infestation with boll weevil parasites. Ent. Bul. 100, pp. 45, 49, 74. 1912.
Brachytic variation, maize. J. H. Kempton. D.B. 925, pp. 28. 1921.
BRACKEN, A. F.
  "Experiments in wheat production on the dry lands of the Western United States." With others. D.B. 1173, pp. 60. 1923.

BRACKEN, A. F.—Continued.
"Grains for the Utah dry lands." With Jenkin W. Jones. F.B. 883, pp. 22. 1917.
BRACKEN, J., report on institute organization and methods. O.E.S. Bul. 199, pp. 30–32. 1908.
Bracken, control in cranberry fields. F.B. 1401, p. 12. 1924.
Bracken. *See also* Brake.
Brackets, tree. *See* Fungi.
BRACKETT, G. B.—
"Commercial apple orcharding." Y.B., 1901, pp. 593–608. 1902; Y.B. Sep. 230, pp. 593–608. 1902.
"Prevention of frost injury to fruit crops." Y.B. 1909, pp. 357–364. 1910; Y.B. Sep. 519, pp. 357–364. 1910.
"The pear and how to grow it." F.B. 482, p. 31. 1912.
Bracon—
mellitor, boll weevil parasite. D.B. 231, p. 31. 1915.
mellitor, synonym for *Microbracon mellitor*. Ent. Bul. 100, pp. 11, 53. 1912.
montrealensis, parasitism on European horseradish webworm. D.B. 966, p. 9. 1921.
scrutator, parasitism on grape-berry moth, description. Ent. Bul. 116, Pt. II, p. 46. 1912.
sp., enemy of southern beet webworm. Ent. Bul. 109, Pt. II, p. 21. 1911.
webbi, enemy of southern pine sawyer, description. Ent. Bul. 58, p. 54. 1910.
Braconidae—
enemies of boll weevil. Ent. Bul. 100, pp. 42, 53. 1912.
usefulness as insect destroyers. Biol. Bul. 15, p. 10. 1901.
Bradburya plumiers, importation and description. No. 41950, B.P.I. Inv. 46, p. 38. 1919.
Bradburya spp., importations and description. Nos. 48597–48599, B.P.I. Inv. 61, p. 27. 1922.
BRADFORD, Q. Q.: "The Ceara rubber tree in Hawaii." With J. G. Smith. Hawaii Bul. 16, pp. 30. 1908.
BRADLEE, THOMAS, report of Vermont extension work in agriculture and home economics—
1915. S.R.S. An. Rpt., 1915, Pt. II, pp. 310–314. 1916.
1916. S.R.S. An Rpt., 1916, Pt. II, pp. 347–352. 1917.
BRADLEY, E. H.: "Program of work of Department of Agriculture—
1916." Sec. [Misc.], "Program of work * * *, 1916." pp. 447. 1915.
1917." Sec. [Misc.], "Program of work * * *, 1917." pp. 502. 1916.
1919." Sec. [Misc.], "Program of work * * * 1919." pp. 617. 1919.
BRADSHAW, NETTIE P.: "Our forage resources." With others. Y.B., 1923, pp. 311–414. 1924; Y.B. Sep. 895, pp. 311–414. 1924.
BRAHAM, J. M.—
"Chemical and biological studies with cyanamid and some of its transformation products." With others. J.A.R. vol. 28, pp. 37–69. 1924.
"Field experiments with atmospheric-nitrogen fertilizers." With others. D.B. 1180, pp. 44. 1923.
Brain(s)—
and nerve food, "Make-man Tablets," misbranding. Chem. N. J. 891, pp. 2. 1911.
canning recipe. S.R.S. Doc. 80, p. 18. 1918.
diseases—
cattle, causes, symptoms, and treatment. B.A.I. [Misc.], "Diseases of cattle," rev., pp. 101–105, 110. 1908; rev., pp. 103–107, 112. 1912; rev., pp. 103–107, 112. 1923.
horse, description, cause, and treatment B.A.I. [Misc.], "Diseases of the horse," rev., pp. 193–208. 1907.
horse—
anatomy and physiology. B.A.I. [Misc.], "Diseases of the horse," rev., pp. 190–192. 1907.
examination for dourine. J.A.R. vol. 18, pp. 148–149, 153. 1919.
lamb, food value. D.B. 1138, pp. 35–36. 1923.
ox, food value. D.B. 1138, pp. 35–36. 1923.
pork, canning directions. F.B. 1186, p. 39. 1921.

Brain(s)—Continued.
work—
effect on metabolism, early investigations. O.E.S. Bul. 208, pp. 45–52. 1909.
See also Mental work.
BRAINERD, W. K.—
"Feeding and management of dairy calves and young dairy stock." With H. P. Davis. F.B. 777, pp. 20. 1917; F.B. 1336, pp. 18. 1913.
"The feeding of dairy cows." With others. F.B. 743, pp. 23. 1916.
Brake—
description and control. F.B. 687, pp. 2–3, 11–12. 1915.
description and control, Washington, Eastern Puget Sound Basin. Soil Sur. Adv. Sh., 1909, p. 40. 1911; Soils F.O., 1909, p. 1550. 1912.
description, distribution, spread, and products injured. F.B. 660, p. 28. 1915.
See also Bracken.
Brakes—
engine friction, description and use. D.B. 718, p. 61. 1918.
hand and machine, description and use for hemp. Y.B. 1913, pp. 329–333. 1914; Y.B. Sep. 628, pp. 329–333. 1914.
hand, basket willow, several types. F.B. 341, pp. 16–17. 1909.
BRAMAN, W. W.—
"Basal katabolism of cattle and other species." With others. J.A.R. vol. 13, pp. 43–57. 1918.
"Energy values of red-clover hay and maize meal." With others. J.A.R., vol. 7, pp. 379–387. 1916.
"Relative utilization of energy in milk production and body increase of dairy cows." With others. D.B. 1281, pp. 36. 1924.
Bramble, importations and description. No. 36071, B.P.I. Inv. 36, p. 48. 1915; Nos. 42585–42595, 42626, 42750–42757, 42766, 42782–42789. B.P.I. Inv. 47, pp. 32–34, 40, 59–60, 61, 63–64. 1920; Nos. 47922–47924, 48408–48419. B.P.I. Inv. 60, pp. 15, 79. 1922; Nos. 52939–52951, 53535–53540. B.P.I. Inv. 67, pp. 17–18, 58. 1923.
Brambling, occurrence in Pribilof Islands, and food habits. N.A. Fauna 46, pp. 87–88. 1923.
Bran—
adulteration and misbranding. Chem. N.J. 2649, p. 1, 1914; Chem. N.J. 3447, 1915; Chem. N.J. 3461, 3469. 1915; Chem. N.J. 3912. 1915. Chem. N.J. 4145. 1916; Chem. N.J. 231, pp. 2. 1910.
and screening mixtures, labeling Chem. S. R.A. 1, p. 5. 1914.
bread. *See* Bread.
buckwheat, feed use. Y.B., 1922, p. 553. 1923; Y.B. Sep. 891, p. 553. 1923.
bug, flour-mill pest, control. D.B. 872, pp. 27–39. 1920.
bushel weights, Federal and State. Y.B., 1918, p. 723. 1919; Y.B. Sep. 795, p. 59. 1919.
cattle feed, energy value. B.A.I. Bul. 128, pp. 56–57. 1911.
corn, adulteration. Chem. N.J. 1071, p. 1. 1911.
extracts, use in baking, experiments. Work and Exp., 1914, p. 185. 1915.
feed for hogs, fermented versus unfermented. B.A.I. Bul. 47, p. 89. 1904.
feed use, comparison with cottonseed meal. F.B. 1179, p. 17. 1920.
feed value, comparison with sweet-clover screenings. D.C. 87, pp. 5–6. 1920.
fine, dietary experiments. D.B. 751, pp. 9–13. 1919.
food value and uses in diet. F.B. 817, pp. 5, 6, 20. 1917.
misbranding of "Ralston select." Chem. N.J. 1507, pp. 3. 1912.
mixture with scourings, labeling. Chem. S.R.A. 13, p. 8. 1915.
particles in flour, counting. D.B. 839, pp. 4–5. 1920.
poisoned—
for army worm. News L., vol. 6, No. 48, p. 4. 1919.
mash—
for control of cabbage worms. F.B. 766, pp. 11–12. 1916.

Bran—Continued.
   poisoned—continued.
      mash—continued.
         for control of grasshoppers, directions. F.B. 691, pp. 10-11, 15. 1915; F.B. 691, rev., pp. 11-14, 1920; Y.B., 1915, pp. 267, 268-272. 1916; Y.B. Sep. 674, pp. 267-272. 1916.
         mixture for control of grasshoppers, formula and use. F.B. 1140, pp. 8-16. 1920.
      use against fall army worm, directions. F.B. 752, p. 14. 1916.
      use in control of southern corn leaf-beetle, formula and use methods. D.B. 221, p. 10. 1915.
   prices—
      1916-1921. Y.B., 1921, p. 603. 1922; Y.B. Sep. 869, p. 23. 1922.
      1916-1923. Y.B., 1923, p. 1153. 1924; Y.B. Sep. 906, p. 1153. 1924.
      at main markets, monthly. S.B. 11, pp. 86-90, 104-109. 1925.
      to farmers. Y.B., 1924, pp. 591-592. 1925.
   rice—
      analyses and yields. D.B. 570, pp. 6-8, 10, 11, 12, 13, 15. 1917; F.B. 417, p. 26. 1910.
      chemical composition and use. D.B. 330, pp. 25-26, 28-29. 1916.
      feed value. F.B. 412, pp. 18-19. 1910; F.B. 1141, p. 22. 1920; Y.B., 1922, p. 524. 1923; Y.B. Sep. 891, p. 524. 1923.
      phytin content. J.A.R., vol. 3, pp. 426, 429. 1915.
      unground, dietary experiments. D.B. 751, pp. 13-17. 1919.
   use—
      as sheep feed. D.B. 20, p. 44. 1913.
      in muffins. F.B. 1136, pp. 24-25. 1920.
   wheat—
      adulteration and misbranding. Chem. N.J. 2387, p. 1. 1913; Chem. N.J. 3008, 3044, 3073. 1914; Chem. N.J. 3369, p. 576. 1915.
      and middlings, analyses for value as dairy feed. F.B. 743, p. 13. 1916.
      ash content, comparison with grains. B.A.I. [Misc.], "Diseases of cattle," rev., p. 130. 1904.
      digestibility in diet without wheat flour, experiments. Arthur D. Holmes. D.B. 751, pp. 20. 1919.
      dry feeding, dangers of producing calculi in cattle. B.A.I. [Misc.], "Diseases of cattle," rev., pp. 129-131. 1904; rev., pp. 132-134. 1912.
      energy in 100 pounds, comparison with other feeds. D.B. 459, pp. 8, 13, 22, 24. 1916.
      feed for cattle, energy value, notes and tables. J.A.R., vol. 3, pp. 438-487. 1915.
      feed value, comparison with cottonseed meal. F.B. 1179, p. 8. 1923.
      feeding value. F.B. 273, pp. 19-20. 1906.
      laxative properties. F.B. 305, p. 16. 1907.
      nutritive value as dairy feed, analysis. F.B. 743, p. 13. 1916.
      phloroglucids determination. Chem. Bul. 132, p. 174. 1910.
      substitute for in feeds. Misc. Cir. 12, p. 36. 1924.
      use as horse feed. F.B. 1030, p. 12. 1919.
      value, comparison with alfalfa meal for cows. F.B. 384, pp. 13, 14. 1910.
      with wheat preparations, digestibility, discussion. F.B. 249, pp. 19-20. 1906.
      yield of wheat varieties. D.B. 1183, pp. 27, 30, 42, 53, 74, 79, 82. 1924.
BRANCH, F. H.: "The place of sheep on New England farms." F.B. 929, pp. 30. 1918.
BRANCH, G. V.—
   "Retail public markets." Y.B., 1914, pp. 167-184. 1915; Y.B. Sep. 636, pp. 167-184. 1915.
   "The commercial grading, packing, and shipping of cantaloupes." With C. T. More. F.B. 707, pp. 23. 1916.
   "Marketing Maine potatoes." With C. T. More. Sec. Cir. 48., p. 7. 1915.
Branching, character and extent, relation to daylight length. J.A.R., vol. 23, pp. 898-900. 1923.
BRAND, C. J.—
   "A new type of red clover." B.P.I. Bul. 95, pp. 48. 1906.

BRAND, C. J.—Continued.
   "Alfalfa in cultivated rows for seed production in semi-arid regions." With J. M. Westgate. B.P.I. Cir. 24, pp. 23. 1909.
   "Behavior of seed cotton in farm storage." With W. A. Sherman. B.P.I. Cir. 123, pp. 11-20. 1913.
   "Cold resistance of alfalfa, and some factors influencing it." With L. R. Waldron. B.P.I. Bul. 185, pp. 80. 1910.
   "Community production of Egyptian cotton in the United States." With others. D.B. 332, pp. 30. 1916.
   "Conference on the cotton marketing situation." F.B. 620, pp. 8-15. 1914.
   "Cooperative production and marketing." News ', vol. 1, No. 24, pp. 1-3. 1914.
   "Cotton as a crop for the Yuma reclamation project." With others. B.P.I. Doc. 1009, pp. 6. 1913.
   "Crop plants for paper making." B.P.I. Cir. 82, pp. 19. 1911; B.P.I. Cir. 1, pp. 16. 1916.
   "Grimm alfalfa and its utilization in the Northwest." B.P.I. Bul. 209, pp. 66. 1911.
   "Improved methods of handling and marketing cotton." Y.B., 1912, pp. 443-462. 1913; Y.B. Sep. 605, pp. 443-462. 1913.
   "Marketing by parcel post." F.B. 611, pp. 16-22. 1914.
   opinion on cotton futures act and scope. Mkts. S.R.A. 3, pp. 2-4. 1915; Mkts. S.R.A. 5, pp. 67-78. 1915.
   "Peruvian alfalfa: A new long-season variety for the Southwest." B.P.I. Bul. 118, pp. 35. 1907.
   "Production of American Egyptian cotton." With others. D.B. 742, pp. 30. 1919.
   report of chief—
      Office of Markets, 1914. An. Rpts., 1914, pp. 317-327. 1914. Mkts. Chief Rpt., 1914, pp. 11. 1914.
      Markets and Rural Organization, 1915. An. Rpts. 1915, pp. 363-400. 1916; Mkts. Chief Rpt., 1915, pp. 38. 1915.
      Markets and Rural Organization, 1916. An. Rpts., 1916, pp. 385-413. 1917; Mkts. Chief Rpt., 1916, pp. 29. 1916.
      Markets and Rural Organization, 1917. An. Rpts., 1917, pp. 431-472. 1918; Mkts. Chief Rpt., 1917, pp. 42. 1917.
      Markets Bureau, 1918. An. Rpts., 1918, pp. 451-489. 1919; Mkts. Chief Rpt., 1918, pp. 39. 1918.
   "Studies of primary cotton market conditions in Oklahoma." With others. D.B. 36, pp. 36. 1913.
   "The utilization of crop plants in paper making." Y.B., 1910, pp. 329-340. 1911; Y.B. Sep. 541, pp. 329-340. 1911.
   "Work of the Office of Markets and Rural Organization." Mkts. Doc. 1, pp. 16. 1915.
   "Zacaton as a paper making material." With Jason L. Merrill. D.B. 309, pp. 28. 1915.
BRANDENBURG, F. H.—
   address on "An aid in forecasting." W.B. [Misc.], "Proceedings, third convention * * *," pp. 52-54. 1904.
   "Facilities for systematic study of corresponding weather types." W.B. Bul. 31, pp. 136-137. 1902.
BRANDES, E. W.—
   "Anthracnose of lettuce caused by Marssonina panattoniana." J.A.R., vol. 13, pp. 261-280. 1918.
   "Artificial and insect transmission of sugar-cane mosaic." J.A.R., vol. 19, pp. 131-138. 1920.
   "Cultivated and wild hosts of sugar-cane or grass mosaic." With Peter J. Klaphaak. J.A.R., vol. 24, pp. 247-262. 1923.
   "Mechanics of inoculation with sugar-cane mosaic by insect vectors." J.A.R., vol. 23, pp. 279-284. 1923.
   "Mosaic disease of corn." J.A.R., vol. 19, pp. 517-522. 1920.
   report of plant pathologist, Porto Rico Experiment Station—
      1915. P.R. An. Rpt., 1915, pp. 34-35. 1916.
      1916. P.R. An. Rpt., 1916, pp. 31. 1918.
   "Sugar." With others. Y.B., 1923, pp. 151-228. 1924; Y.B. Sep. 893, pp. 98. 1924.

BRANDES, E. W.—Continued.
"The mosaic disease of sugar-cane and other grasses." D.B., 829, pp. 26. 1919.
Branding—
Angora goats, kinds and place. F.B. 1203, p. 20. 1921.
beavers, for sex and age, methods. D.B. 1078, p. 25. 1922.
carcasses—
and meat food products, directions. B.A.I. S.R.A. 113, pp. 79-81. 1916.
meats, and meat products, regulation changes. B.A.I. S.R.A. 120, p. 40. 1917.
cotton, methods. D.B. 458, pp. 8-9. 1917.
dairy and food products, for interstate commerce, decisions. F.I.D. 2, pp. 3-9. 1905.
farm products, importance in marketing. Y.B., 1914, pp. 103-104. 1915; Y.B. Sep. 632, pp. 17-18. 1915.
injury to hides, prevention suggestions. F.B. 1055, pp. 6-8. 1919.
market products, regulations. F.B. 707, pp. 22-23. 1916.
meat—
and meat products, regulations. B.A.I.O. 211, pp. 36-41. 1914.
special instructions. B.A.I. S.R.A. 122, p. 64. 1917.
mushroom scraps. F.I.D. 19, pp. 23-24. 1905.
reindeer, experiments. D.B. 1089, p. 47. 1922.
sheep, injury to wool by paint. D.B. 206, pp. 7-8, 30. 1915.
timber for structural purposes. D.B. 510, pp. 40-41. 1917.
See also Misbranding.
BRANDON, J. F.: "Crop rotation and cultural methods at Akron (Colorado) field station, 1909-1923. D.B. 1304, pp. 28. 1925.
BRANDON, M. J.: "A method of determining grease and dirt in wool." With others. D.B. 1100, pp. 20. 1922.
Brands—
brass or rubber, instructions. B.A.I. S.A. No. 71, p. 17. 1913.
cranberry, discussion. F.B. 1402. pp. 22, 28. 1924.
Egyptian cotton, suggestions. D. B. 311, p. 6. 1915.
importance in sale of canning-club products. Mkts. Doc. 5, p. 5. 1917.
labels, meat inspection, notices. B.A.I. S.R.A. 108, p. 35. 1916.
meat—
inspection. Y.B., 1916, pp. 88, 89. 1917; YB. Sep. 714, pp. 12, 13. 1917.
inspection regulations, uses. B.A.I.O. 150, pp. 23-26. 1908.
marking, approval, regulation. B.A.I. S.R.A. 203, pp. 27-29. 1924.
potato, recommendation. F.B. 753, p. 26. 1916.
BRANDT, R. P.: "Potash from kelp: Early development and growth of the giant kelp Macrocystis pyrifera." With J. W. Turrentine. D.B. 1191, pp. 40. 1923.
Brandy—
adulteration. See Indexes, Notices of Judgment in bound volumes and in separates published as supplements to Chemistry Service and Regulatory Announcements.
apple, adulteration and misbranding. Chem. N.J. 4345. 1916; Chem. N.J. 2253, p. 2. 1913.
apricot—
adulteration and misbranding. Chem. N.J. 1435, pp. 3. 1912; Chem. N.J. 2732, pp. 4-7. 1914.
and banana, adulteration and misbranding. Chem. N.J. 2852, p. 1. 1914.
banana, adulteration and misbranding. See Indexes, Notices of Judgment in bound volume and in separates published as supplements to Chemistry Service and Regulatory Announcements.
blackberry, adulteration and misbranding. Chem. N.J. 1435, pp. 3. 1912.
blended peach, adulteration and misbranding. Chem. N.J. 2066, pp. 2. 1913.
cognac, adulteration and misbranding. Chem. N.J. 2732, pp. 4-7. 1914; Chem. N.J. 4384. 1916.

Brandy—Continued.
cognac labeling, Chemistry Bureau opinion. Chem. S.R.A. 3, p. 113. 1914.
cognac labeling, Chemical Bureau opinion. Chem. definition. F.I.D. 152, p. 1. 1913.
distillation from pomace and other by-products. Chemistry Bureau opinion. Chem. S.R.A. 3, p. 113. 1914.
fig, adulteration and misbranding. Chem. N.J. 2732, pp. 4-7. 1914.
French, manufacture and export. Chem. Bul. 102, pp. 39-41. 1906.
ginger, labeling, Opinion 158. Chem. S.A.R. 16, p. 29. 1916.
grape, misbranding. Chem. N.J. 1592, p. 1. 1912.
imports—
1898, 1903, 1910-1914, discussion. D.B. 296, p. 37. 1915.
1907-1909, quantity and value, by countries from which consigned. Stat. Bul. 82, p. 45. 1910.
1908-1910, quantity and value, by countries from which consigned. Stat. Bul. 90, p. 47. 1911.
manufacture from excess raisin grapes. D.B. 349, p. 4. 1916.
manufacture from raisin seeds. B.P.I. Bul. 276, p. 7. 1913.
Monaco and apple flavor, adulteration and misbranding. Chem. N.J. 2735, pp. 1-2. 1914.
peach, adulteration and misbranding. See Indexes, Notices of Judgment in bound volumes and in separates published as supplements to Chemistry Service and Regulatory Announcements.
prune, adulteration and misbranding. Chem. N.J. 3553. 1915.
raisin, adulteration and misbranding. Chem. N.J. 4001. 1916; Chem. N.J. 4693. 1917.
wine, and champagne manufacture, discussion. Y.B., 1902, pp. 416-419. 1903.
BRANIFF, E. A.—
"Grades and amount of lumber sawed from yellow poplar, yellow birch, sugar maple, and beech." For. Bul. 73, pp. 30. 1906.
"The determination of timber values." Y.B., 1914, pp. 453-460. 1915; Y.B. Sep. 359, pp. 453-460. 1915.
BRANN, J. W.: "Ginseng diseases and their control." With others. F.B. 736, pp. 23. 1916.
BRANNEN, C. O.—
"Farm credit, farm insurance and farm taxation." With others. Y.B., 1924, pp. 185-284. 1925; Y.B. Sep. 915, pp. 185-284. 1925.
"Relation of land tenure to plantation organization." D.B. 1269, p. 78. 1924.
BRANSFORD, W. S.: "Soil survey of—
Benson area, Arizona." With E. J. Carpenter. Soil Sur. Adv. Sh., 1921, pp. 247-280. 1924.
The San Simon area, Arizona." With E. J. Carpenter. Soil Sur. Adv. Sh., 1921, pp. 583-622. 1924.
Brant—
black, occurrence in Pribilof Islands, and food habits. N.A. Fauna 46, pp. 60-61. 1923.
breeding range, and migration habits. Biol. Bul. 26, pp. 79-81. 1906.
occurrence in Athabaska-Mackenzie region. N.A. Fauna 27, pp. 307-309. 1908.
Branta spp.—
occurrence in Pribilof Islands. N.A. Fauna 46, pp. 60-61. 1923.
See also Goose.
Brant's soothing balm, misbranding. Chem. N.J. 777, pp. 2. 1911.
Brasenia spp., comparison with Nymphaea. D.B. 58, p. 15. 1914.
BRASH, W. D.: "Utilization of elm." D.B. 683, pp. 43. 1917.
Brass, cleaning directions. F.B. 1180, p. 18. 1921.
Brassaiopsis speciosa, importation and description. B.P.I. Inv. 47, p. 38. 1920; B.P.I. Inv. 51, p. 88. 1922.
Brassica—
arvensis. See Mustard, wild.
campestris chinoleifera. See Chinese colza.
crown-gall inoculation from daisy and poplar. B.P.I. Bul. 213, pp. 44, 93. 1911.

Brassica—Continued.
  genus, seed coats of certain species. A. J. Pieters and Vera K. Charles. Bot. Bul. 29, pp. 19. 1901.
  oleracea. See Cabbage.
  pekinensis, importation and description. No. 34216, B. P.I. Inv. 32, p. 25. 1914.
  pekinensis. See also Cabbage, Chinese; Pe tsai.
  rapa. See Turnip.
  shipments by States, and by stations, 1916. D.B. 667, pp. 12, 170–178. 1918.
  spp.—
    importations and descriptions. Nos. 44747, 44787, 44788, 44829, 44892, B.P.I. Inv. 51, pp. 58, 68, 69, 75–86. 1922; Nos. 46399–46402, 46475, 46478–46479, B.P.I. Inv. 56, pp. 16, 19. 1922; Nos. 48627–48630, 49024, B.P.I. Inv. 61, pp. 29, 68. 1922.
    insect pests, lists. Sec. [Misc.], "A manual of insects * * *," pp. 48–50, 91. 1917.
    Japanese, importations and description. Nos. 54411–54424, B.P.I. Inv. 68, pp. 59–60. 1923.
Brassicacae. *See* Mustards.
Brassiopsis speciosa, importation. No. 47648, B.P.I. Inv. 59, p. 42. 1922.
BRAUCHER, R. W.: "The one-spray method in the control of the codling moth and the plum curculio." With others. Ent. Bul. 80, Pt. VII, pp. 113–146. 1910.
Braula coeca, classification, development, and feeding habits. D.C. 334, pp. 3–7. 1925.
Braula coeca. See also Bee louse.
BRAUN, G. E.—
  "Unit requirements for producing market milk in eastern Nebraska." With others. D.B. 972, pp. 16. 1921.
  "Unit requirements for producing market milk in southeastern Louisiana." With others. D.B. 955, pp. 15. 1921.
  "Unit requirements for producing milk in western Washington." With J. B. Bain. D.B. 919, pp. 19. 1920.
BRAUN, Harry—
  "A gradient of permeability to iodine in wheat seed coats." J.A.R., vol 28, pp. 225–226. 1924.
  "Comparative studies of *Pythium debaryanum* and two related species from geranium." J.A.R., vol. 30, pp. 1043–1062. 1925.
  "Geranium stemrot caused by *Pythium complectens* n. sp., host resistance reactions, significance of pythium type of sporangial germination." J.A.R., vol. 29, pp. 399–419. 1924.
  "Presoak method of seed treatment: A means of preventing seed injury due to chemical disinfectants and of increasing germicidal efficiency." J.A.R., vol. 19, pp. 363–392. 1920.
Brauneria angustifolia. See Echinacea.
BRAY, M. W.: "Control of decay in pulp and pulp wood." With others. D.B. 1298, pp. 80. 1925.
BRAY, W. L.—
  "Forest resources of Texas." For. Bul. 47, pp. 71. 1904.
  "The mistletoe pest in the Southwest." B.P.I. Bul. 166, pp. 39. 1910.
  "The timber of the Edwards Plateau of Texas: Its relation to climate, water supply, and soil." For. Bul. 49, pp. 30. 1904.
Brazil—
  agricultural—
    education, progress, 1909. O.E.S. An. Rpt. 1909, p. 267. 1910.
    education, progress, 1910. O.E.S. An. Rpt. 1910, pp. 323–324. 1911.
    statistics, 1911–1919. D.B. 987, pp. 11–12. 1921.
  Bahia, climate and vegetation, description. D.B. 445, pp. 7–8. 1917.
  Centennial Exposition—
    at Rio. Off. Rec., vol. 1, No. 4, p. 2. 1922.
    weather report prepared for. C. F. Marvin. (Also in Spanish and Portugese text.) W.B. [Misc.], "Report prepared for Brazil * * *," pp. 8. 1922.
  citrus fruits other than the navel orange. D.B. 445, pp. 15–17. 1917.
  citrus gummosis, occurrence. J.A.R., vol. 24, pp. 193, 194. 1923.
  coffee—
    Government ownership and control. Stat. Bul. 79, pp. 23–29. 1912.

Brazil—Continued.
  coffee—continued.
    growing, location and production. Sec. [Misc.] Spec., "Geography * * *, world's agriculture," pp. 93–95. 1917.
  cotton growing, increase. Y.B. 1921, p. 327. 1922; Y.B. Sep. 877, p. 327. 1922.
  experiment station work, progress—
    1910. O.E.S. An. Rpt., 1910, p. 88. 1911.
    1912. O.E.S. An. Rpt., 1912, p. 65. 1913.
  farm and forest products, shipments to United States, 1905, 1907. Stat. Bul. 70, pp. 8, 10, 11. 1909.
  fruits—
    exports and imports, 1910–1912. D.B. 483, p. 13. 1917.
    navel oranges of Bahia and other little-known fruits. P. H. Dorsett and others. D.B. 445, pp. 35. 1917.
  livestock—
    conditions and demands. Y.B., 1919, pp. 371–374. 1920; Y.B. Sep. 818, pp. 371–374. 1920.
    statistics, cattle and goats. Y.B., 1917, pp. 429, 431. 1918; Y.B. Sep. 741, pp. 7, 9. 1918.
    statistics, cattle, sheep, and hogs. Rpt. 109, pp. 27, 35, 46, 50, 58, 61, 196, 211. 1916.
  meat industry, conditions. Y.B., 1913, pp. 360–361. 1914; Y.B. Sep. 629, pp. 360–361. 1914.
  meat production. Stat. Bul. 39, pp. 76–77. 1905.
  nuts—
    adulteration. See *Indexes, Notices of Judgment, in bound volumes, and in separates published as supplements to Chemistry Service and Regulatory Announcements.*
    description and identification. Chem. Bul. 160, pp. 29–30, 37. 1912.
    importation. No. 42812, B.P.I. Inv. 47, p. 69. 1920; No. 43114, B.P.I. Inv. 48, pp. 5, 18. 1921.
    imports, 1907–1909 (with cream nuts), quantity and value, by countries from which consigned. Stat. Bul. 82, p. 49. 1910.
    imports, 1907, 1912, 1914, amount and source. D.B. 296, p. 36. 1915.
    imports, 1922–1923. Y.B., 1924, p. 1062. 1925.
    oil, digestion experiments, food weight and constituents. D.B. 630, pp. 8–9, 17. 1918.
  pink bollworm—
    damage to cotton crop, information from American Vice Consul. F.H.B. S.R.A. 50, pp. 28–29. 1918.
    distribution and establishment. F.H.B. An Rpt., 1917, p. 5. 1917; An. Rpts., 1917, p. 419. 1918.
    introduction. J.A.R., vol. 9, p. 344. 1917.
  Rio de Janeiro, yellow fever eradication by mosquito work. Ent. Bul. 88, pp. 95–98. 1910.
  sheep numbers, 1914. Y.B., 1917, p. 403. 1918; Y.B. Sep. 751, p. 5. 1918.
  sugar—
    industry, 1904–1914. D.B. 473, pp. 29–30. 1917.
    production. Sec. [Misc.] Spec., "Geography * * * world's agriculture," p. 73. 1917.
    trade with United States. D.B. 296, pp. 3, 4–5, 11, 30, 36, 46, 47. 1915.
  transportation facilities, adaptability for stock raising and size. D.C. 228, pp. 28–33. 1922.
Brazos River, Texas, description, drainage area, and silt measurements. O.E.S. Bul. 222, pp. 17–20. 1910.
Bread—
  aerated, description, and cooking. F.B. 389, pp. 20, 30. 1910; O.E.S. Bul. 200, p. 66. 1908.
  and—
    biscuit exports, 1851–1908. Stat. Bul. 75, p. 45. 1910.
    bread making. Helen W. Atwater. F.B. 389, pp. 47. 1910.
    macaroni, digestibility and nutritive value, studies, University of Minnesota, 1903–1905. Harry Snyder. O.E.S. Bul. 156, pp. 80. 1905.
    toast, digestibility, experiments. F.B. 193, pp. 26–29. 1904.
    wheat flour. Harry Snyder and Charles D. Woods. Y.B., 1903, pp. 345–362. 1904; Y.B. Sep. 324, pp. 345–362. 1904.
  baking—
    and cooling directions. F.B. 389, pp. 28–30. 1910.

INDEX TO PUBLICATIONS, 1901-1925 283

Bread—Continued.
baking—continued.
powder, use in alum investigations. D.B. 103, pp. 2, 6, 7. 1914.
straight-dough method. D.B. 1187, p. 26. 1924.
barley—
flour, recipe. Sec. Cir. 111, pp. 3, 4. 1918.
quality. F.B. 1464, p. 22. 1925.
biscuit, digestion experiments. O.E.S. Bul. 159, pp. 170, 172. 1905.
bleached flour, quality and appearance. Chem. N.J. 382, pp. 8-36. 1910.
Boston brown—
recipes. F.B. 565, p. 20. 1914; F.B. 1136, pp. 29-30. 1920.
recipes with wheat flour substitutes. F.B. 955, p. 16. 1918.
bran—
flour, nutrition experiments. O.E.S. Bul. 156, pp. 39-46. 1905.
recipe and direction. D.B. 751, p. 9. 1919.
brown, recipe with bran and honey. F.B. 653, p. 15. 1915.
camp cooking, directions. D.C. 4, p. 61. 1919.
care to prevent mold. Thrift Leaf. 13, p. 3. 1919.
changes produced in process of making. O.E.S. Bul. 200, pp. 56-58. 1908.
character, relation to gluten content of the flour. F.B. 389, pp. 31-33. 1910.
clubs—
boys' and girls', wheat-saving studies. News L., vol. 5, No. 50, p. 8. 1918.
North and West—
demonstrations and results. D.C. 152, pp. 23-24. 1921.
enrollment and work, 1920. D.C. 192, pp. 13-15. 1921.
enrollment and work, 1921. S.R.S. Dir. Rpt., 1921, p. 50. 1921.
number, membership, and results in 1921. D.C. 255, pp. 15, 16-17. 1923.
See also Girls' clubs.
cocoa, preparation. Off. Rec., vol. 3, No. 35, p. 3. 1924.
color, comparisons. D.B. 557, pp. 14-18. 1917.
composition, comparison—
of values, table. F.B. 389, pp. 36-37. 1910.
with—
eggs and other foods. D.B. 471, pp. 6, 7, 9, 10. 1917.
succulent roots as food. D.B. 503, pp. 5, 6. 1917.
consumption, Austria, increased per capita. D.B. 1234, pp. 55-56. 1924.
contest requirements, farmers' institute work. O.E.S. Cir. 99, pp. 38-39. 1910.
corn—
digestibility test. D.B. 470, pp. 19-20, 21. 1916.
meal-and-wheat, recipe. News L., vol. 4, No. 42, p. 6. 1917.
recipes. F.B. 565, pp. 14-21. 1914; F.B. 559, pp. 4-5. 1913; F.B. 955, p. 16. 1918; F.B. 1236, pp. 11-14. 1923; U. S. Food Leaf. No. 2, pp. 1-3. 1917.
cost—
causes of imperfections. O.E.S. Bul. 200, pp. 60-62. 1908.
reduction by home baking, recipes. Food Thrift Ser. 5, p. 4. 1917.
crumbs, use of stale bread, keeping method. News L., vol. 4, No. 39, p. 7. 1917.
definitions and standards for enforcement of food and drugs act. F.I.D. 188, pp. 2. 1923.
digestibility—
and food value, studies. An. Rpts., 1918, pp. 369, 370. 1919; S.R.S. Dir. Rpt., 1918, pp. 35, 36. 1918.
and nutritive value, studies at the University of Minnesota, 1900-1902. Harry Snyder. O.E.S. Bul. 126. pp. 52. 1903.
and nutritive value, studies at Maine Agricultural Experiment Station, 1899-1903. C. D. Woods and L. H. Merrill. O.E.S. Bul. 143, pp. 77. 1904.
experiments. F.B. 193, pp. 26-29. 1904; O.E.S. Bul. 159, pp. 162-163. 1905.
of different kinds. F.B. 389, pp. 42-44. 1910.
durum wheat value. F.B. 251, pp. 14-18. 1906.
exports, 1922, 1924. Y.B., 1924, p. 1044. 1925.

Bread—Continued.
feterita, digestion experiments. D.B. 470, pp. 12-14. 1916.
flour—
from spring wheats, tests. D.B. 878, pp. 44-46. 1920.
from winter wheats, volume, by varieties. D.B. 1276, pp. 45-46. 1925.
restrictions removal. News L., vol. 6, No. 42, p. 15. 1919.
food value, cooking directions, and recipes. F.B. 817, pp. 9-14. 1917.
fried, with cottage cheese, recipes. Sec. Cir. 109, rev., p. 16. 1918.
germ-flour, nutrition experiments. O.E.S. Bul. 156, pp. 46-50. 1905.
graham—
preparation and nutritive value. F.B. 389, pp. 27, 29, 40, 41. 1910.
recipe. F.B. 1450, p. 8. 1925; F.B. 807, p. 18. 1917; O.E.S. Bul. 200, pp. 51-52. 1908; F.B. 1136, pp. 12, 17, 23, 24, 29. 1920.
grain—
sorghum, digestibility, summary. D.B. 470, p. 18. 1916.
world situation. Sec. [Misc.], "The wheat situation;" pp. 4-9. 1923.
home-ground wheat, recipes. News L., vol. 4, No. 25, pp. 2-3. 1917; News L., vol. 5, No. 3, p. 7. 1917.
homemade, recipes. News L., vol. 4, No. 42, p. 7. 1917.
hominy, recipes. U. S. Food Leaf. 19, p. 2. 1918.
hot—
or quick, soybean flour recipes. Sec. Cir. 113, pp. 3, 4. 1918.
use of barley, recipes. News L., vol. 5, No. 42, p. 7. 1918.
imperfections, causes. F.B. 389, pp. 33-35. 1910.
importance in diet, and definition of name. F.B. 807, p. 3. 1917.
ingredients, process of making. O.E.S. Bul. 200, pp. 38-41, 63-66. 1908.
injury by foreign material in wheat. F.B. 1287, p. 9. 1922.
Japan, use. O.E.S. Bul. 159, p. 20. 1905.
judging methods. F.B. 807, pp. 23-24. 1917.
kafir, digestion experiments. D.B. 470, pp. 7-11. 1916.
kaoliang, digestion experiments. D.B. 470, pp. 16-18. 1916.
Kota wheat, quality and comparisons. D.C. 280, pp. 13-14, 15. 1923.
laws, State—
1905. Chem. Bul. 69, rev., Pts. I-IX, pp. 43, 88, 108, 114, 132, 134, 157, 174, 251, 331, 380, 419, 515, 558, 619, 656, 673. 1905-6.
1907. Chem. Bul. 112, Pt. II, pp. 13-14, 19, 138-140, 152. 1908.
1908. Chem. Bul. 121, pp. 35, 38, 60. 1909.
lime content, comparison with that of milk. D.C. 129, p. 3. 1920.
loaf(ves)—
made from Montana wheats. D.B. 522, pp. 10, 18-19. 1917.
shaping, baking, and care after baking. F.B. 807, p. 14. 1917.
volume—
and texture, American wheats. D.B. 557, pp. 3-5, 18-22. 1917.
and weight, significance in baking tests. D.B. 1187, pp. 23-24. 1924.
from Australian wheat varieties. D.B. 878, pp. 20-23. 1920.
from spring wheat varieties. D.B. 878, pp. 44-46. 1920.
relation to wheat characters. D.B. 1183, pp. 10, 28, 40, 52, 75, 86. 1924; J.A.R., vol. 23, pp. 535-542. 1923.
weight regulations, Massachusetts and New Jersey. Chem. Bul. 69, Pts. III, V, rev., pp. 251, 384. 1905.
machines, value and use. F.B. 389, p. 23. 1910.
making—
baking tests, equipment and procedure. D.B. 1187, pp. 15-23. 1924.
clubs, girls' organization work. F.B. 385, pp. 1-23. 1910.

36167°—32——19

Bread—Continued.
making—continued.
contests. D.C. 349, p. 23. 1925; O.E.S. Bul. 255, pp. 39-40. 1913.
demonstration work. D.C. 248, p. 27. 1922.
direction—
and recipes. F.B. 817, pp. 9-14. 1917.
for quick yeast and overnight. S.R.S. Doc. 64, pp. 5-10. 1917.
study, lectures. O.E.S. Bul. 200, pp. 38-41, 60-67. 1908.
flours, kinds and blends. Y.B., 1921, pp. 123-124. 1922; Y.B. Sep. 873, pp. 123-124. 1922.
from rye and wheat, comparison. Y.B., 1918, pp. 171-172. 1919. Y.B., Sep. 769, pp. 5-6. 1919.
general methods. F.B. 389, pp. 21-27. 1910.
in the home. Caroline L. Hunt and Hannah L. Wessling. F.B. 807, pp. 26. 1917.
lessons for first-year classes, and correlative studies. D.B. 540, pp. 19, 20-21, 22. 1917.
losses of material. F.B. 389, p. 33. 1910.
principles and methods. F.B. 1136, pp. 4-8. 1920.
results from Polish and poulard wheats. F.B. 1340, pp. 3, 6, 8, 9. 1923.
sponge processes. F.B. 1136, pp. 7-8, 10-11, 12, 13, 14, 15, 16, 17. 1920.
straight-dough processes. F.B. 1136, pp. 7, 8-10, 11-12, 13, 14, 16. 1920.
studies, University of Minnesota, 1899 and 1900. Harry Snyder. O.E.S. Bul. 101, pp. 65. 1901.
tests with varieties of hard red spring wheats. D.B. 478, pp. 2-4. 1916.
with wheat and partial substitutes. Hannah L. Wessling. S.R.S. Doc. 64, pp. 11. 1917.
with wheat flour and substitutes. Hannah L. Wessling. F.B. 955, pp. 22. 1918.
work of girls' clubs. News L., vol. 3, No. 26, p. 2. 1916.
medicinal notes. F.B. 389, pp. 27, 28, 43. 1910.
milo, digestion experiments. D.B. 470, pp. 14-16. 1916.
mixer, use and value in bread making. F.B. 807, p. 10. 1917.
need for children's food. News L., vol. 7, No. 15, p. 11. 1919.
nutritive value—
and place in diet. F.B. 807, pp. 24-25. 1917.
comparison with other foods. F.B. 389, pp. 36-40. 1910.
oatmeal, recipe and directions. U.S. Food Leaf. No. 6, p. 3. 1917.
peanut-butter recipes. D.C. 128, p. 16. 1920; Y.B., 1917, pp. 293, 294, 295-296. 1918; Y.B. Sep. 746, pp. 7, 8, 9-10. 1918.
place in diet. F.B. 389, pp. 5-6, 45. 1910.
potato, recipe. Sec. Cir. 106, pp. 3-4. 1918.
price factors. Off. Rec., vol. 3, No. 13, p. 3. 1924.
prices for 1913-1924. Y.B., 1924, pp. 590-591. 1925.
problem of use of homemade and of baker's. Y.B., 1902, pp. 399-400. 1903; Y.B. Sep. 280, pp. 399-400. 1903.
quality, factors denoting. D.B. 1187, pp. 23-25. 1924.
quick—
directions for home making and baking. F.B. 1136, pp. 21-33. 1920.
low-priced, recipes and directions. F.B. 817, pp. 12-14. 1917.
recipes. F.B. 1450, pp. 8-14. 1925.
use to save flour. U.S. Food Leaf. 20, pp. 1-3. 1918.
raiser(s)—
description and value in bread making. F.B. 807, p. 10. 1917.
for farm home, description and use methods. F.B. 927, pp. 7-9. 1918.
recipes. F.B. 807, pp. 14-23. 1917.
recipes for corn meal and corn flour. Sec. Cir. 117, p. 3. 1918.
recipes with honey. F.B. 653, pp. 15-16. 1915.
reheating to freshen. F.B. 817, p. 17. 1917.
retail price distribution. Y.B., 1923, p. 127. 1924.
rice, recipes. F.B. 1195, pp. 16-17. 1921.

Bread—Continued.
rye—
and other digestibility coefficients. O.E.S. Bul. 156, p. 45. 1905.
recipe with honey. F.B. 653, p. 16. 1915.
utilization. Sec. Cir. 90, p. 30. 1918.
score card for school use. D.B. 132, p. 37. 1915.
scoring, directions. F.B. 955, pp. 21-22. 1918; F.B. 1136, pp. 14, 16, 19-21, 28. 1920; S.R.S. Doc. 64, pp. 10-11. 1917.
sorghum, recipe. D.B. 470, p. 5. 1916.
spring wheat, Moro, 1915, baking tests. D.B. 498, pp. 22-23, 37. 1917.
stale, changes in texture. F.B. 389, p. 31. 1910.
stale, uses, and recipes. F.B. 817, pp. 17-20. 1917; Food Thrift Ser. 3, pp. 6-7. 1917.
standards recommended. Off. Rec., vol. 1, No. 32, p. 5. 1922.
steamed, directions for use of fireless cooker. F.B. 771, p. 16. 1916; F.B. 771, rev. p. 15. 1918.
storage and care in the home. F.B. 375, p. 35. 1909. F.B. 1374, p. 10. 1923.
substitute, potatoes, discussion. News L., vol. 2, No. 31, p. 4. 1915.
supply of—
family for a week, and place in menu. F.B. 1228, pp. 12-14, 19. 1921; F.B. 1313, pp. 3, 10-11. 1923.
farm families. F.B. 1082, p. 11. 1920.
sweet-potato experiments. Off. Rec. vol. 2, No. 31, p. 2. 1923.
tests, use studies, and food values. News L., vol. 4, No. 44, p. 5. 1917.
texture and color of wheat varieties. D. B. 1183. pp. 28, 40, 52, 75, 88, 89. 1924.
unleavened, varieties. F.B. 389, pp. 27-28. 1910.
use—
and value in children's diet. News L., vol. 3, No. 33, p. 4. 1916.
for children, restrictions. F. B. 717, pp. 14-15. 1916.
in preparation of mold powder for Roquefort cheese inoculation. D.B. 970, pp. 9-11. 1921.
of soybean flour, recipes. Sec. Cir. 113, pp. 3, 4. 1918.
with cheese in food. F.B. 487, p. 31. 1912.
with milk for children, method. F.B. 717, p. 6. 1916.
value as food, kinds and description. F.B. 712, pp. 3-5, 8. 1916.
wheat—
and rye as basis. News L., vol. 6, No. 40, p. 11. 1919.
composition and table. F.B. 298, p. 17. 1907.
digestibility test. D.B. 470, pp. 20-21, 22. 1916.
flour substitute, chemical analysis. J. A. Le Clerc and H. L. Wessling. D.B. 701, pp. 12. 1918.
food value, chart. F.B. 1383, p. 27. 1924; D.B. 975, pp. 8, 29. 1921.
recipes. F.B. 807, pp. 14-22. 1917.
wheatless, recipes. U. S. Food Leaf. 20, pp. 1-3. 1918.
white, comparison with hulled corn. F.B. 360, p. 32. 1909.
yeast—
directions for homemaking and baking. F.B. 1136, pp. 4-21. 1920.
directions for making. F.B. 817, pp. 10-12. 1917.
recipes. F.B. 1450, pp. 3-8. 1925.
soybean flour recipe. Sec. Cir. 113, pp. 3, 4. 1918.
use of barley, recipes. News L., vol. 5, No. 42, p. 7. 1918.
wheat flour and partial substitutes. S.R.S. Doc. 64, pp. 5-10. 1917.
Breadfruit—
composition. Hawaii A.R., 1914, pp. 64, 66. 1915.
feed for livestock, Guam. Guam A.R., 1918, pp. 17, 19, 21, 22. 1919; An. Rpts. 1913, p. 17. 1914.
infestation with Mediterranean fruit fly, in Hawaii. D. B. 536, pp. 24, 25. 1918.
tree—
growing, in Guam, uses and insect enemies Guam A.R., 1911, pp. 20-21, 30. 1912.
growing in Hawaii. Hawaii A.R., 1922, p. 7. 1924.

Breadfruit—Continued.
 tree—continued.
  importations and descriptions. No. 31378, B.P.I. Bul. 248, pp. 9, 12. 1912; No. 44908, B.P.I. Inv. 51, p. 89. 1922; No. 45916, B.P.I. Inv. 54, p. 41. 1922; No. 51804, B.P.I. Inv. 65, pp. 4, 52. 1923.
  Porto Rico, description and uses. D.B. 354, p. 67. 1916.
  Porto Rico, propagation, O.E.S. An. Rpt. 1908, p. 26. 1909.
  use as hog feed in Guam. Guam A.R., 1915, pp. 24, 25. 1916; Guam A.R., 1916, pp. 51–52. 1917; Guam A.R., 1917, p. 12. 1918.
Breadnut tree, importations and descriptions. No. 34876, B.P.I. Inv. 34, pp. 5, 23. 1915; No. 41880, B.P.I. Inv. 46, p. 28. 1919; No. 46725, B.P.I. Inv. 57, p. 25. 1922; No. 47996, B.P.I. Inv. 60, p. 26. 1922; No. 53534, B.P.I. Inv. 67, p. 58. 1923.
Breadstuffs, imports and exports. Y.B. 1911, pp. 663, 672, 681–682. 1912; Y.B. Sep. 588, pp. 663, 672, 681–682. 1912.
Breakbone fever. See Dengue fever.
Breakfast—
  cereals, kinds, value, and preparation. F.B. 817, pp. 14–16, 19. 1917.
  cooking recipes. O.E.S. Bul. 200, pp. 33, 36–38, 51–53, 69–73. 1908.
  customary features, suggestions. Y.B., 1913, p. 154. 1914; Y.B. Sep. 621, p. 154. 1914.
  dishes, eggs, and meat, comparison of value and price. D.B. 471, pp. 26–29. 1917.
  family of five, menu. News L., vol. 4, No. 36, p. 2. 1917.
  foods—
   annual use of oats. D.B. 755, pp. 4, 5. 1919.
   cereal, palatability increase by salt, note. News L., vol. 5, No. 2, p. 4. 1917.
   corn club, 4-H brand, invention of corn clubs, description and use methods. News L., vol. 5, No. 8, p. 8. 1917.
   corn, preparation, food value, and digestibility. F.B. 298, pp. 17, 21, 24. 1907.
   exports. Y.B., 1924, p. 1044. 1925.
   from small grains. Y.B., 1922, pp. 483, 498, 510, 524, 546, 553. 1923; Y.B., Sep. 891, pp. 483, 498, 510, 524, 546, 553. 1923.
   homemade. O.E.S. Bul. 200, p. 32. 1908.
   honey crisps corn flakes, misbranding. Chem. N.J. 2575, pp. 2. 1913.
   laws and standards. Chem. Bul. 69, rev., Pts. I–IX, pp. 184, 215, 306, 443, 597, 667, 715. 1905–1906.
   left-over, utilization methods. News L., vol. 5, No. 16, p. 6. 1917.
   "Manana gluten," misbranding. N.J. 470, p. 1. 1910.
   Mexican, guate, importation. No. 45811, B.P.I. Inv. 54, p. 25. 1922.
   "Scotch oats," misbranding. Chem. N. J. 620, pp. 2. 1910.
   suitable. U. S. Food Leaf., No. 1, pp. 4. 1917.
   use of pop corn. News L., vol. 1, No. 12, p. 4. 1913.
   use of quinoa. No. 46658, B.P.I. Inv. 57, p. 17. 1922.
   use of stale bread. News L., vol. 4, No. 39, p. 7. 1917.
   See also Foods; Cereals.
  preparations from corn meal and hominy. F.B. 1236, p. 20. 1923.
  suitability for children. F.B. 717, pp. 1, 4. 1916.
Breathing. See Respiration.
BREAZEALE, J. F.—
 "Availability of potash on certain orthoclase-bearing soils as affected by lime or gypsum." With Lyman J. Briggs. J.A.R., vol. 8, pp. 21–28. 1917.
 "Canning tomatoes at home and in club work." With O. H. Benson. F.B. 521, pp. 36. 1913.
 "Canning vegetables in the home." F.B. 359, pp. 16. 1910.
 "Concentration of potassium in orthoclase solutions not a measure of its availability to wheat seedlings." With Lyman J. Briggs. J.A.R., vol. 20, pp. 615–621. 1921.
 "Effect of lime upon the sodium-chloride tolerance of wheat seedlings." With J. A. LeClerc. J.A.R., vol. 18, pp. 347–356. 1920.

BREAZEALE, J. F.—Continued.
 "Effect of sodium salts in water cultures on the absorption of plant food by wheat seedlings." J.A.R., vol. 7, pp. 407–416. 1916.
 "Formation of 'black alkali' (sodium carbonate) in calcareous soils." J.A.R., vol. 10, pp. 541–590. 1917.
 "Further studies on the properties of unproductive soils." With others. Soils Bul. 36, pp. 71. 1907.
 "Nutrition of plants considered as an electrical phenomenon." J.A.R., vol. 24, pp. 41–54. 1923.
 "Plant food removed from growing plants by rain and dew." With J. A. LeClerc. Y.B., 1908, pp. 389–402. 1909; Y.B. Sep. 489, pp. 389–402. 1909.
 "Response of citrus seedlings in water cultures to salts and organic extracts." J.A.R., vol. 18, pp. 267–274. 1919.
 "The growth of wheat seedlings as affected by acid or alkaline conditions." With J. A. LeClerc. Chem. Bul. 149, pp. 18. 1912.
 "Translocation of plant food and elaboration of organic plant material in wheat seedlings." With J. A. LeClerc. Chem. Bul. 138, pp. 32. 1911.
BRECKLER, A. M.—
 "Chemical control of distillery operations applying especially to grain distilleries." Chem. Bul. 130, pp. 117–121. 1910.
 "Practical yeasting of distilleries with special reference to grain distillers." Chem. Bul. 130, pp. 122–125. 1910.
Breed(s)—
 animal—
  books of record, inclusion of zebu cattle. B.A.I.O. 278, amdt. 4, p. 1. 1924.
  certification, regulations and books of record. B.A.I.O. 186, pp. 2–6. 1912.
  recognition, regulations. B.A.I.O. 288, pp. 6. 1924.
  recognized, certification regulation. B.A.I.O. 175, pp. 2–6. 1911.
  registration, horses, Australia. B.A.I.O. 175, amdt. 2, p. 1. 1911.
 beef—
  cattle. E. W. Sheets. F.B. 612, rev., pp. 31. 1921.
  cattle. W. F. Ward. F.B. 612, pp. 26. 1915.
  cattle, American, with remarks on pedigrees. George M. Rommel. B.A.I. Bul. 34, pp. 34. 1902.
 chickens, standard varieties: II. Mediterranean and continental classes. Rob R. Slocum. F.B. 898, pp. 26. 1917.
 cow, influence on composition and properties of milk. C. H. Eckles and Roscoe H. Shaw. B.A.I. Bul. 156, pp. 27. 1913.
 dairy cattle. H. P. Davis. F.B. 893, pp. 35. 1917.
 dairy cattle, scales of points for judging. Henry E. Alvord. B.A.I. Cir. 48, pp. 14. 1904.
 draft horses. G. A. Bell. F.B. 619, rev., pp. 14. 1924.
 fowls, American—
  I. The Plymouth Rock. T. F. McGrew. B.A.I. Bul. 29, pp. 32. 1901.
  II. The Wyandotte. T. F. McGrew. B.A.I. Bul. 31, pp. 30. 1901.
 light horses. H. H. Reese. F.B. 952, pp. 16. 1918.
 registry books, information concerning, directions. F.B. 993, p. 34. 1918.
 sheep—
  domestic in America. E. L. Shaw and L. L. Heller. D.B. 94, pp. 59. 1914.
  for farm. F. R. Marshall. F.B. 576, pp. 16–1914.
Breeders—
 animal, opportunities for trade with Argentina, suggestions. B.A.I. An. Rpt., 1908, pp. 331–333. 1910.
 association(s)—
  American, directory. See Directory, agricultural organizations.
  articles and by-laws. F.B. 504, pp. 14–16. 1912.
  certification, amendment. Amdt. 7 to B.A.I.O. 136, p. 1. 1909.

Breeders—Continued.
  association(s)—continued.
    cooperation in foreign trade purebred livestock. B.A.I. An. Rpt., 1907, p. 349. 1909.
    cooperative in Denmark. D.B. 1266, pp. 74–81. 1924.
    dairy animals, purebred, B.A.I. Cir. 99, p. 14. 1906; B.A.I. Cir. 135, p. 27. 1908; B.A.I. Cir. 204, p. 26. 1912; D.B. 763, p. 30. 1919.
    International Nubian, for goats, organization. F.B. 920, p. 36. 1918.
    livestock, and books of record of pedigrees, regulations for certification. B.A.I. O. 136, pp. 13, 1906; B.A.I. 136, amdt. 2, 1908; B.A.I. O. 136, amdt. 3, p. 1, 1908; B.A.I. O. 136. amdt. 5, 1909.
    national and State, lists. B.A.I. An. Rpt., 1908, pp. 409–414. 1910.
    pedigree stock list, directory. B.A.I. An. Rpt., 1907, pp. 403–406. 1909.
    sheep of different kinds. F.B. 576, pp. 4, 5, 7, 8, 9, 10, 11, 12, 13, 14, 16. 1914.
    State. George M. Rommel, B.A.I. Bul. 64, pp. 53. 1904.
    withdrawal of certification. B.A.I. O. 136, amdt. 4, p. 1. 1908.
  bee, number in United States. Ent. Bul. 75, Pt. VI, p. 69. 1909; F.B. 397, p. 40. 1910.
  cattle—
    associations in Denmark. Frederik Rasmussen. B.A.I. Bul. 129, pp. 40. 1911.
    in favor of accrediting herds. Y.B., 1918, pp. 217–218. 1919; Y.B. Sep. 782, pp. 5–6. 1919.
    rules for tuberculosis-free herds. B.A.I. Doc. A. 33, pp. 1–2. 1918.
  corn, cooperative work, directions. C. H. Kyle. B.P.I. Doc. 564, pp. 10. 1910.
  cotton, need in long-staple districts to preserve pure seed. B.P.I. Cir. 111, p. 20. 1913.
  dairy animals, associations. B.A.I. Cir. 162, p. 31. 1910.
  fur animals, cooperation, importance. Y.B., 1916, pp. 505–506. 1917; Y.B. Sep. 693, pp. 17–18. 1917.
  geese, reports on breeds, prices and weights. F.B. 767, pp. 14–16. 1917.
  hog—
    assistance to pig club members. Sec. Cir. 84, pp. 15. 1918.
    qualifications. B.A.I. Bul. 47, p. 31. 1904.
  horse, need of care in selection of stallions. Y.B. 1916, pp. 289, 294, 298. 1917; Y.B. Sep. 692, pp. 1, 6, 10. 1917.
  importance of integrity. B.A.I. Bul. 44, p. 26. 1901.
  livestock—
    losses from tuberculosis. Y.B., 1919, p. 281. 1920; Y.B. Sep. 810, p. 281. 1920.
    protection by pedigree certificates. News L., vol. 1, No. 3, p. 4. 1913.
  organizations, list. B.A.I. Bul. 34, p. 34. 1902; B.A.I. Bul. 41, pp. 14–15. 1902.
Breeding—
  age factor, importance. Y.B., 1900, p. 740. 1901.
  alfalfa—
    possibilities. F.B. 757, p. 23. 1916.
    selection and methods. B.P.I. Bul. 169, pp. 51–54. 1910.
    varieties for pastures. George W. Oliver. B.P.I. Bul. 258, pp. 39. 1913.
  Angora goats—
    conditions and care. F.B. 1203, p. 4. 1921.
    crossing, in-and-in breeding. B.A.I. Bul. 27, pp. 28–36. 1901.
    directions. F.B. 137, pp. 38–42. 1901; B.A.I. An. Rpt., 1900, pp. 340–348. 1901; B.A.I. Bul. 27, pp. 30–36. 1901.
    directions, care of kids. F.B. 573, pp. 10–15. 1914.
  animal(s)—
    Alaska experiments. Alaska A.R., 1917, pp. 31, 71. 1919.
    and plant, work, 1896–1908. Rpt. 87, pp. 75–77. 1908; Sec. A. R., 1908, pp. 150–153. 1908; An. Rpts. 1908, pp. 152–155. 1909.
    certification regulations. B.A.I. An. Rpt., 1911, pp. 312–314. 1913.
    certification regulations for importing. B.A.I. Cir. 177, pp. 1–3. 1911.

Breeding—Continued.
  animal(s)—continued.
    cooperative work beginning 1905. B.A.I. An. Rpt., 1907, pp. 100–101. 1909; B.A.I. Cir. 137, pp. 100–101. 1908.
    essentials. George M. Rommel. F.B. 1167, pp. 38. 1920.
    gestation, fecundity, prepotency. F.B. 1167, pp. 4–16. 1920.
    importation. B.A.I. [Misc.], "Animals imported for breeding * * *," pp. 15. 1911; rev., pp. 52. 1913.
    importation regulations. News L., vol. 1, No. 17, p. 4. 1913.
    improvement by use of inbreeding, discussion. Y.B., 1905, pp. 379–381. 1906; Y.B. Sep. 389, pp. 379–381. 1906.
    information for importers. G. Arthur Bell. B.A.I. Cir. 177, pp. 3. 1911.
    information for importers. George M. Rommel. B.A.I. Cir. 50, pp. 16. 1904.
    in Porto Rico—
      1910. O.E.S. An. Rpt., 1910, pp. 29, 230. 1911.
      1912. P.R. An. Rpt., 1912, pp. 39–42. 1913.
    principles—
      and technical details. F.B. 1167, pp. 4–16. 1920.
      study in selection of beef calves. F.B. 1135, pp. 5–6. 1920.
    quarantine rules. B.A.I.O. 292, pp. 21–22. 1925.
    selection—
      for immunity to disease and parasites. B.A.I. An. Rpt., 1906, pp. 220–222. 1908.
      inbreeding and outcrossing. F.B. 1167, pp. 17–30. 1920.
  asparagus for rust resistance, methods, studies. B.P.I. Bul. 263, pp. 27–53. 1913.
  avocado, methods and results. Hawaii Bul. 25, pp. 32–34. 1911.
  barley, relation of distinctions in varieties. Harry V. Harlan. D.B. 137, p. 38. 1914.
  beaver, stock selection and desirable varieties. D.B. 1078, pp. 24–25. 1922.
  bee(s)—
    for improvement of stock and honey production. P.R. Cir. 16, pp. 1–12. 1918.
    need of scientific work. Ent. Bul. 75, Pt. VI, p. 78. 1909.
  beef cattle, herd description and management. F.B. 1416, pp. 3–5. 1924.
  Belgian hares, age season, and methods. F.B. 496, pp. 11–13. 1912.
  "best to best," principles. B.A.I. An. Rpt., 1910, pp. 184–185. 1912.
  blue foxes, essentials in Alaska. D.B. 1350, pp. 16–19. 1925.
  broad, in corn, importance. B.P.I. Bul. 141, Pt. IV, pp. 33–44. 1909.
  canaries, directions. F.B. 770, pp. 14–16. 1916.
  cattle—
    characteristics, and score card for beef. F.B. 1068, pp. 10–12, 17–19. 1919.
    color inheritance, studies. J.A.R., vol. 6, pp. 141–147. 1916.
    cooperative, work of associations. F.B. 504, pp. 13–16. 1912.
    effect on beef production. B.A.I. An. Rpt., 1905, p. 184. 1907.
    experiments and projects. B.A.I. Chief Rpt., 1922, pp. 8, 26–27. 1922; An. Rpts., 1922, pp. 106, 124–125. 1923.
    for—
      beef in South, suggestions. Y.B., 1913, pp. 269, 272. 1914; Y.B. Sep. 627, pp. 269, 272. 1914.
      dairy purposes, discussion. F.B. 1470, pp. 1–2. 1926; Y.B., 1922, pp. 322–324. 1923; Y.B. Sep. 879, pp. 35–37. 1923.
    improvement of stock, New Mexico range. D.B. 588, pp. 20–23, 30. 1917.
    history, and classification of breeds. B.A.I. An. Rpt., 1910, pp. 214–233. 1912.
    influence of livestock shows. B.A.I. An. Rpt., 1908, pp. 345–356. 1910.
    inheritance studies, cross breeds. J.A.R., vol. 15, pp. 1–58. 1918.

INDEX TO PUBLICATIONS, 1901–1925

Breeding—Continued.
cattle—continued.
Kansas, experiments with Shorthorns. An. Rpts., 1916, pp. 77–78. 1917; B.A.I. Chief Rpt., 1916, pp. 11–12. 1916.
loss from diseased breeding stock, danger. B.A.I. Bul. 32, pp. 15–20. 1901.
methods, Argentina and United States. Y.B., 1914, pp. 385–386, 388–390. 1915; Y.B. Sep. 648, pp. 385–386, 388–390. 1915.
range management. F.B. 1395, pp. 24–26. 1925.
record forms for use of herdsmen. J.A.R., vol. 15, p. 6. 1918.
registration, purpose and methods. B.A.I. Bul. 34, pp. 28–29. 1901.
Sni-a-Bar demonstration. Off. Rec., vol. 3, No. 43, pp. 1–2. 1924.
work at Kodiak Station. Alaska A.R., 1909, pp. 26, 63–65. 1910.
cereals, relation to grain marketing. Sec. A. R., 1921, pp. 21–22. 1921.
certificates, purebred livestock, supervision by department. B.A.I. An. Rpt., 1907, p. 349. 1909.
character changes, effects of environment, discussion. B.P.I. Bul. 260, pp. 45–47. 1912.
chickens—
community work. S.R.S. Syl. 17, pp. 2–3. 1915.
directions. F.B. 1040, pp. 8–9. 1919.
experiments, 1915. S.R.S. Rpt., 1915, Pt. I, pp. 45, 124, 135, 172, 224, 237, 256. 1917.
for egg production. S.R.S. Syl. 17, p. 16. 1915.
for exhibition purposes, directions. F.B. 1347, pp. 5–7. 1923.
stock improvement and breeder selection. P.R. Cir. 19, pp. 17–20. 1921.
community—
elimination of varieties. News L., vol. 6, No. 33, p. 9. 1919.
practice in pig clubs. Y.B., 1915, pp. 180–181, 197. 1916; Y.B. Sep. 667, pp. 180–181. 1916; Y.B. Sep. 669, p. 197. 1916.
work, advantage of one breed. Y.B., 1916, p. 316. 1917; Y.B. Sep. 718, p. 6. 1917.
corn—
brachytic variation, investigations. D.B. 925, pp. 1–28. 1921.
correlated characters, study. J.A.R. vol. 6, pp. 435–454. 1916.
crossing of self-fertilized lines. D.B. 1354, pp. 1–19. 1925.
directions, details. B.P.I. Doc. 564, pp. 7–8. 1910; Y.B. 1905, pp. 388–391. 1906; Y.B. Sep. 389; pp. 388–391. 1906.
effects in ten generations on composition and form. F.B. 366, pp. 10–13. 1909.
effects of continuous selection for ear type. D.B. 1341, pp. 1–11. 1925.
experiments. O.E.S. An. Rpt., 1904, pp. 533–539. 1905.
experiments, effects of selection on yield. D.B. 1209, pp. 2–10, 14–18. 1924.
for disease resistance. F.B. 1176, p. 20. 1920.
for higher yielding strains. C. P. Hartley. Y.B., 1909, pp. 309–320. 1910; Y.B. Sep. 515, pp. 309–320. 1910.
improved method of artificial pollination. B.P.I. Cir. 89, pp. 1–7. 1912.
method, outline. F.B. 229, pp. 10–16. 1905.
prevention of inbreeding. F.B. 267, pp. 5–10. 1906.
school exercise. F.B. 409, pp. 26–27. 1910.
selection effects, statistical study. J.A.R., vol. 11, pp. 105–146. 1917.
selection of parent ears. F.B. 229, pp. 10, 11. 1905.
selection of seed from breeding plat. F.B. 229, p. 15. 1905.
sweet varieties resistant to the corn earworm. J.A.R., vol. 11, pp. 549–572. 1917.
tests. B.P.I. Bul. 218, pp. 1–72. 1912.
tests for yield germination. F.B. 317, p. 21. 1908.
to improve shuck protection. D.B. 708, p. 15. 1918.
work, 1909. B.P.I. Chief Rpt., 1909, p. 50. 1909; An. Rpts., 1909, p. 302. 1910.

Breeding—Continued.
corn—continued.
work at experiment stations. Y.B. 1906, pp. 279–294. 1907; Y.B. Sep. 423, pp. 279–294. 1907.
cotton—
control of boll weevil. F.B. 314, p. 28. 1908.
Egyptian, new types. Thomas H. Kearney. B.P.I. Bul. 200, p. 39. 1910.
Egyptian, studies and experiments in Arizona. D.B. 38, pp. 3–4. 1913.
experiments, 1911. B.P.I. Cir. 96, p. 21. 1912.
experiments in selective fertilization. J.A.R., vol. 27, pp. 329–340. 1924.
for wilt-resistance, experiments. B.P.I. Cir. 92, pp. 8–19. 1912; F.B. 333, p. 14. 1908; F.B. 625, pp. 13–21. 1914; F.B. 1187, pp. 5–8. 1921.
heredity. O. F. Cook. B.P.I. Bul. 256, p. 113. 1913.
long-staple varieties. F.B. 501, pp. 16–18. 1912.
methods, effect on diversity of varieties. B.P.I. Bul. 156, pp. 25–27. 1909.
pedigree. F.B. 302, p. 30. 1907.
principles. F.B. 625, p. 16. 1914.
progeny-row method, directions. B.P.I. Cir. 92, pp. 13–19. 1912.
suppression and intensification of characters, study. O. F. Cook. B.P.I. Bul. 147, pp. 27. 1909.
transmission of latent characters. B.P.I. Bul. 256, pp. 26–28. 1913.
wilt-resistant strains, methods. F.B. 333, pp. 22–24. 1908.
work of—
several leaders. D.B. 1111, pp. 19, 35. 1922.
Yuma Experiment Farm. D.C. 75, pp. 31–32. 1920.
cows for dairy, importance to owners. Y.B., 1920, pp. 409–410. 1921; Y.B. Sep. 853, pp. 409–410. 1921.
cross. See Crossbreeding.
dairy cattle—
directions, records, and gestation table. F.B. 1412, pp. 9–11. 1924.
work of cooperative bull associations. F.B. 993, pp. 1–35. 1918.
dairy cows, for increase of butterfat production. Y.B., 1917, pp. 360–361. 1918; Y.B. Sep. 743, pp. 6–7. 1918.
deer, Virginia experience of breeders. F.B. 330, pp. 13–17. 1908.
definitions of terms. News L., vol. 7, No. 7, p. 2. 1919.
drought-resistant plants, Great Plains area, experiments, and methods. B.P.I. Bul. 196, pp. 9–34. 1910.
early, effect on sows and heifers, study. Work and Exp., 1914, pp. 146–147. 1915.
early, effects on dam, experiments. S.R.S. Rpt., 1917, Pt. I, pp. 27–161. 1918.
effects of inbreeding and crossbreeding, study. An. Rpts., 1921, p. 19. 1921.
elk in inclosures, range food, fence, and management. F.B. 330, p. 13. 1908.
environment, effects on variation, maturity, and development. B.A.I. An. Rpt., 1910, pp. 138–149. 1912.
farm animals—
Government aid and supervision, Denmark. B.A.I. Bul. 129, pp. 13–20, 32–40. 1911.
need of organized work by farmers. Y.B. 1914, pp. 100–102. 1915; Y.B. Sep. 632, pp. 14–16. 1915.
flax, for wilt resistance. J.A.R., vol. 11, pp. 588–602. 1917.
forage plants, drought-resistant, for Great Plains area. Arthur C. Dillman. B.P.I. Bul. 196, pp. 40. 1910.
foxes—
age, time, gestation period, and care in mating. D.B. 1151, pp. 36–38. 1923.
care of young. F.B. 795, pp. 20–21, 24–26. 1917.
difficulties, causes of failure. F.B. 328, pp. 17–19. 1908.
essentials, methods, pedigree records, and mating. D.B. 1151, pp. 32–39. 1923.
importations, inspection regulation. B.A.I. O. 266, amdt. 7, pp. 2. 1921.

Breeding—Continued.
  foxes—continued.
    in confinement, directions. Y.B. 1916, pp. 500-501. 1917; Y.B. Sep. 693, pp. 12-13. 1917.
  fruit, experiments at field station near Mandan, N. Dak. D.B. 1301, pp. 30-33, 40. 1925.
  fur animals—
    in captivity, licenses, legislation, 1923. F.B. 1387, p. 3. 1923.
    in confinement, directions. Y.B. 1916, pp. 500-501. 1917; Y.B., Sep. 693, pp. 12-13. 1917.
  geese, incubation and care. F.B. 767, pp. 7-12, 15-16. 1917.
  goats—
    management. B.A.I. Bul. 68, pp. 29-41. 1905.
    on range. D.B. 749, p. 30. 1919.
  grain—
    for forest resistance and drought. B.P.I. Bul. 130, pp. 55-57. 1908.
    hybridization work in Alaska. Alaska A.R., 1922, pp. 4-5. 1923.
    in Alaska. Alaska A.R., 1919, pp. 7, 10-11, 32-38. 1920.
    in Kansas, experiments. B.P.I. Bul. 240, pp. 7-9. 1912.
  grapes—
    investigations with Muscadine grapes. F.B. 709, pp. 23-24. 1916.
    self-fertility and sterility studies. B.P.I. Bul. 273, pp. 41-43. 1913.
    studies of character inheritance. J.A.R. vol. 4, pp. 315-330. 1915.
  grounds—
    migratory wild fowl. An. Rpts., 1919, pp. 289, 293. 1920; Biol. Chief Rpt. 1919, pp. 15, 19. 1919.
    water birds, Alaska, need of protection. Y.B. 1907, p. 481. 1908; Y.B. Sep. 462, p. 481. 1908.
    waterfowl in Great Plains, protection. Harry C. Oberholser. Y.B. 1917, pp. 197-204. 1918; Y.B. Sep. 723, pp. 10. 1918.
  guinea fowls, directions. F.B. 858, pp. 7-8. 1917; F.B. 1391, pp. 5-6. 1924.
  guinea pigs—
    experiments. J.A.R., vol. 26, pp. 163-180. 1923.
    methods and numbers. F.B. 525, pp. 10-11. 1913.
    seasonal fluctuations, allowance. D.B. 1121, pp. 5-10. 1923.
  habits—
    kangaroo rats, seasons, and reproduction rate. D.B. 1091, pp. 16-18, 39. 1922.
    muskrat. F.B. 396, pp. 13-15. 1910.
  hens—
    for egg production. F.B. 355, pp. 32-34. 1909.
    selective, effects on seasonal egg production. B.A.I. Bul. 110, Pt. II, pp. 101-112, 156. 1911.
  herd, baby beef, management, and feeding. F.B. 811, pp. 10-17. 1917.
  hog—
    centers and societies, Denmark. B.A.I. An. Rpt., 1906, pp. 228-232. 1909.
    crate construction, material. F.B. 966, p. 4. 1918.
    experiments for study of heredity. J.A.R., vol. 23, pp. 557-581. 1923.
    for lard type in Guam. Guam A.R., 1921, p. 3. 1923.
    Guam experiments. Guam A.R., 1922, pp. 5-6. 1924.
    management. Hawaii Bul. 48, pp. 13, 17, 29. 1923.
    practices on North Platte Reclamation Project. B.P.I. D.R.P. Cir. 1, pp. 7-8. 1915.
    preservation of breeding animals necessary. Sec. Cir. 84, pp. 11-12. 1918.
    selection of stock. B.A.I. Bul. 47, pp. 19-35, 60-61. 1904.
    selection of stock. F.B. 1437, pp. 3-6. 1925.
    to secure cholera immunity. B.A.I. An. Rpt., 1907, p. 51. 1909.
  horses—
    and mules in the South, suggestions. George M. Rommel. B.A.I. An. Rpt., 1906, pp. 247-261. 1908; B.A.I. Cir. 124, pp. 15. 1908.

Breeding—Continued.
  horses—continued.
    and stallion legislation. Charles C. Glenn. Y.B., 1916, pp. 289-299. 1917; Y.B. Sep. 692, pp. 11. 1917.
    and stallion legislation in United States. F.B. 425, pp. 12-18. 1910.
    associations, directory. F.B. 952, pp. 5, 6, 7, 9, 11, 12, 14, 15, 16. 1918.
    at several State stations. B.A.I. Chief Rpt., 1908, pp. 44-46. 1908; An. Rpts., 1908, pp. 258-260. 1909.
    cannon-bone size, studies. J.A.R., vol. 7, pp. 361-371. 1916.
    Colorado, Vermont and Iowa stations, 1909. An. Rpts., 1909, p. 244. 1910; B.A.I. Chief Rpt., 1909, p. 54. 1909.
    decline, effect upon market. B.A.I. Bul. 37, pp. 12-13. 1902.
    effect upon market price. B.A.I. Bul. 37, p. 15. 1902.
    experiments, history and object. D.C. 153, pp. 4-6. 1921.
    for—
      army, European methods, and plan for United States. B.A.I. An. Rpt., 1910, pp. 103-105, 114-121. 1912; B.A.I. Cir. 186, pp. 103-105, 114-121. 1911; B.A.I. S.A. 72, pp. 34-37. 1913.
      United States Army. B.A.I. Cir. 178, pp. 1-3. 1911.
      United States Army. H. H. Reese. Y.B., 1917, pp. 341-356. 1918; Y.B. Sep. 754, pp. 18. 1918.
    Government encouragement, imported breeds. B.A.I. An. Rpt., 1905, pp. 147-159. 1907.
    importations and certificates issued, 1915. B.A.I. [Misc.] "Horses imported for breeding * * *," pp. 7. 1916.
    imported, 1914, breeds, kinds and numbers, list publication. News L., vol. 2, No. 43, p. 8. 1915.
    selecting and judging. Y.B. 1902, pp. 455-468. 1903; Y.B., Sep. 286, pp. 455-468. 1903.
    stallions purchased, list. B.A.I.S.A. 69, pp. 5-6. 1913.
    suggestions for farmers. H. H. Reese. F.B. 803, pp. 22. 1917; F.B. 803, pp. 22, rev. 1923.
    work of department in Colorado and Vermont, records. B.A.I. An. Rpt., 1907, pp. 60-61, 100-120. 1909; B.A.I. Cir. 137, pp. 100-120. 1908.
  hunter horse—
    beneficial and detrimental factors. B.A.I. Rpt., 1904, pp. 209-217. 1905.
    in Ireland. B.A.I. Cir. 87, pp. 1-39. 1905.
  immature animals, cause of sterility among cattle. B.A.I. [Misc.], "Diseases of cattle," rev., p. 148. 1908.
  in-and-in—
    Angora goats, discussion. B.A.I., Bul. 27, p. 71. 1901; B.A.I. An. Rpt., 1900, pp. 343-345. 1901.
    danger in goat raising. B.A.I. Bul. 68, p. 41. 1905.
    discussion. B.P.I. Bul. 146, pp. 17-18. 1909.
  inheritance of fertility in swine. J.A.R., vol. 5, pp. 1145-1160. 1916.
  Karakul sheep in United States, experiments and results. Y.B., 1915, pp. 249, 250, 256-261. 1916; Y.B. Sep. 673, pp. 249, 250, 256-261. 1916.
  line—
    and narrow, influence on vigor. B.P.I. Bul. 256, p. 14. 1913.
    dairy stock, cooperative work. Y.B., 1916, p. 315. 1917; Y.B. Sep. 718, p. 5. 1917.
    effect on variations in cotton. J.A.R., vol. 21, pp. 235-237. 1921.
    superiority over narrow breeding. B.P.I. Bul. 146, pp. 45. 1909.
  livestock—
    Alaska, experiments and results. Alaska A.R., 1916, pp. 13, 16, 49, 55, 58-62. 1918.
    Argentina, farm management. B.A.I. An. Rpt., 1908, pp. 318-329. 1910.
    experiments, 1911. O.E.S. An. Rpt., 1911, pp. 19-20, 27, 73, 76, 83, 109, 137, 190, 286. 1913.
    experiments in Guam, 1915. Guam A.R., 1915, pp. 15-16, 23-24. 1916.
    experiments in Guam, 1920. Guam A.R., 1920, pp. 6-8, 9, 13. 1921.

Breeding—Continued.
 livestock—continued.
  facilities furnished by breeding stables at county fairs. O.E.S. Cir. 109, p. 20. 1911.
  improvement by Indians. News L., vol. 7, No. 15, p. 10. 1919.
  principles. Sewall Wright. D.B. 905, pp. 67. 1920.
  stimulation in European countries. Y.B., 1919, pp. 408, 411, 414, 420. 1920; Y.B. Sep. 821, pp. 408, 411, 414, 420. 1920.
 meadow mice, habits and factors modifying. J.A.R., vol. 27, pp. 528–531. 1924.
 methods, summary. B.P.I. Bul. 256, pp. 94–96. 1913.
 Morgan horses—
  at United States Morgan Horse Farm. H. H. Reese. D.C. 199, rev., pp. 22. 1923.
  best methods to revive the breed. B.A.I. Cir. 163, pp. 10–14. 1910.
 narrow, superiority of line breeding. O. F. Cook. B.P.I. Bul. 146, pp. 45. 1909.
 oats, studies, crosses between naked and hulled oats. J.A.R., vol. 10, pp. 293–312. 1917.
 papayas, cross-pollination. Hawaii A.R., 1911, pp. 27–30. 1912.
 parasites of boll weevil, work. Ent. Bul. 73, pp. 27–41. 1908.
 pheasants, mating. F.B. 390, pp. 18, 25–26. 1910.
 phlox, in color heredity studies, experiments. J. A. R., vol. 4, pp. 296–301. 1915.
 pigs, improvement, results of pig-club work. Y.B., 1917 pp. 374–376. 1918; Y.B., Sep. 753, pp. 6–8. 1918.
 places—
  flea-beetle, destruction, value in control. D. B. 436, pp. 18, 20, 21. 1917.
  for birds. F.B. 621, pp. 2–3. 1914.
  house fly, investigations. Ent. Bul. 78, pp. 31–32. 1909.
  mosquitoes, detection and abolition. Ent. Bul. 88, pp. 19–22, 107–108. 1910.
 plant(s)—
  Willet M. Hays. Veg. Phys. and Path. Bul. 29, pp. 69. 1901.
  Alaska, work of experiment station. Alaska A.R., 1916, pp. 20, 28–29, 33, 42–44. 1918.
  alkali and drought resistant, investigations. An. Rpts., 1908, pp. 323–326. 1909; B.P.I. Chief Rpt., 1908, pp. 51–54. 1908.
  and animals, heredity principles. S.R.S. Rpt., 1917, Pt. I, pp. 35, 65, 79, 103, 112, 163, 181, 194, 204. 1918.
  and animal, improvement since 1897. Y.B., 1908, pp. 152–155. 1909.
  application of principles of heredity. W. J. Spillman. B.P.I. Bul. 165, pp. 74. 1909.
  difference from local adjustment. B.P.I. Bul. 159, pp. 56–62. 1909.
  difficulties and importance of work. Y.B. 1911, pp. 411–413. 1912; Y.B. Sep. 580, pp. 411–413. 1912.
  dry-land. J. H. Shepperd. B.P.I. Bul. 130, pp. 81–83. 1908.
  dry-land farming. L. R. Waldron. B.P.I. Bul. 130, pp. 55–57. 1908.
  for disease resistance, genetics. J. A. R., vol. 23, pp. 450–453. 1923.
  for improvement of corn, cotton, tobacco, and other crops. Y.B., 1907, pp. 49–52. 1908.
  inheritance of botanical characters in barley. Fred Griffee. J.A.R., vol. 30, pp. 915–935. 1925.
  measurement of linkage values. G. N. Collins. J.A.R., vol. 27, pp. 881–891. 1924.
  new methods. George W. Oliver. B.P.I. Bul. 167, pp. 39. 1910.
  new work by Plant Industry Bureau. Beverly T. Galloway. Y.B., 1907, pp. 139–148. 1908; Y.B., Sep. 441, pp. 139–148. 1908.
  on the farm. F.B. 334, pp. 5–9. 1908.
  resistant to—
   alkali and drought. An. Rpts., 1910, pp. 323–325. 1911; B.P.I. Chief Rpt., 1910, pp. 53–55. 1910.
   root-knot. B.P.I. Bul. 217, pp. 71–72, 75. 1911.
  sex inheritance, discussion. J.A.R., vol. 12, pp. 658–664. 1918.

Breeding—Continued.
 plant(s)—continued.
  types and methods. B.P.I. Bul. 146, pp. 1–45. 1909.
  potato—
   experiments and results. D.B. 1195, pp. 8–22. 1924; F.B. 342, pp. 10–14. 1909.
   for seed improvement. J.A.R., vol. 19, pp. 543–573. 1920.
  poultry—
   age of stock. F.B. 1116, p. 7. 1920.
   cleanliness essential, directions. Y.B., 1911, pp. 183, 187–189, 192. 1912; Y.B., Sep. 559, pp. 183, 187–189, 192. 1912.
   community work. S.R.S. Syl. 17, pp. 2–3. 1916.
   directions. S.R.S. Syl. 17, p. 16. 1916.
   stock, and eggs, distribution among farmers. Y.B., 1912, p. 349. 1913; Y.B., Sep. 596, p. 349. 1913.
  principles, and origin of domesticated breeds of animals. B.A.I. An. Rpt., 1910, pp. 125–186. 1912.
  problems and growth, correlation and causation. J.A.R., vol. 20, pp. 557–585. 1921.
  problems, solution, questions. D.B. 123, pp. 89–90. 1903.
  pure, effect on vigor of plants. B.P.I. Bul. 256, pp. 48–50. 1913.
  rabbit, care of young, directions. F.B. 1090, pp. 19–20. 1920.
  record, value in selection of animals for breeding. D.B. 905, p. 50. 1920.
  relation—
   of selection and hybridization. B.P.I. Bul. 256, p. 61. 1913.
   to evolution. B.P.I. Bul. 136, pp. 22–24. 1908.
  rootstock, asexual propagation as aid. J.A.R. vol. 29, pp. 515–521. 1924.
  scrub, campaign against, in Texas. News L., vol. 7, No. 17, p. 7. 1919.
  seasons for animals. D.B. 905, p. 6. 1920.
  seed—
   art, science, and purpose. Y.B., 1907, pp. 223–224. 1908; Y.B., Sep. 446, pp. 223–224. 1908.
   lines of work. Y.B., 1907, pp. 224–230. 1908; Y.B., Sep. 466, pp. 224–230. 1908.
   work of seedsmen. Y.B., 1917, pp. 499–501. 1918; Y.B., Sep. 757, pp. 5–7. 1918.
  sheep—
   at Wyoming Experiment Station. An. Rpts. 1908, pp. 260–261. 1909; B.A.I., Chief Rpt. 1908, pp. 46–47. 1908.
   family performance as basis for selection. J.A.R., vol. 10, pp. 93–97. 1917.
   for increased lamb yields, results of experiments. D.B. 996, rev., pp. 1–15. 1923.
   Mendelism of short ears. J.A.R., vol. 6, pp. 797–798. 1916.
   methods on Minidoka project, care and feeding. D.B. 573, pp. 11–12, 15–18. 1917.
   on farm, management of ewes and lambs. F.B. 840, pp. 11–12. 1917.
   range, by Department of Agriculture. B.A.I. [Misc.], "Breeding of range sheep * * *," pp. 4. 1911.
   suggestions for New England. F.B. 929, pp. 26–28. 1918.
  Shorthorn cattle at Minnesota Station. An. Rpts., 1908, p. 261. 1909; B.A.I. Chief Rpt., 1908, p. 47. 1908.
  silver fox, history, requirements, and profits. F.B. 328, pp. 6–21. 1908.
  skunks, time, size of litter, and inclosures. F.B. 587, pp. 7, 16–18, 18–19. 1914.
  sows, gestation table. F.B. 874, p. 17. 1917.
  squab, reports and data from breeders. F.B. 684, pp. 14–16. 1915.
  stock—
   American, plan for improvement. George M. Rommel. B.A.I. Cir. 62, pp. 316–325. 1904.
   Argentina, annual sales. B.A.I. Bul. 48, pp. 14–21. 1903.
   chickens, selection. Y.B., 1918, p. 310. 1920; Y.B. Sep. 800, p. 4. 1920.
   cows, sows, and hens, suggestions for South. News L., vol. 4, No. 49, p. 2. 1917.
   hog raising. F.B. 205, pp. 31, 32. 1904.

Breeding—Continued.
 stock—continued.
  improved, use. For. [Misc.], "Use book, 1921." pp. 13-14. 1922.
  poultry—
   selection. B.A.I. Bul. 90, pp. 11-16. 1906.
   selection and care. Rob R. Slocum. F.B. 1116, pp. 10. 1920.
  range, low increase rate, suggestions. D.B. 1001, pp. 30-31. 1922.
  similarity of type in different breeds. B.A.I. Bul. 47, pp. 18-19, 30-31. 1904.
  studies, Pisum inheritance, genetic factors. J.A.R., vol. 11, pp. 167-190. 1917.
  Sudan grass, strains. D.B. 981, pp. 62-63. 1921.
  suppressed characters, reappearance. B.P.I. Bul. 256, pp. 28-31. 1913.
  sweet potato, study in Virgin Islands. Vir. Is. Bul. 5, pp. 3-4, 13. 1925.
  timothy for improved varieties. F.B. 514, pp. 5-13. 1912.
  tobacco. A. D. Shamel and W. W. Cobey. B.P.I. Bul. 96, pp. 71. 1907.
  tobacco—
   experiments, necessity. Y.B., 1906, pp. 397-399. 1907; Y.B. Sep. 431, pp. 397-399. 1907.
   for improvement. B.P.I. Bul. 105, pp. 1-21. 1907. Y.B., 1904, pp. 435-452. 1905; Y.B., Sep. 358, pp. 18. 1905.
  turkey management, feeding and housing. F.B. 791, pp. 8-13. 1917; F.B. 1409, pp. 6-11. 1924.
  value for improvement of dairy stock. Sec. Cir. 85, pp. 11-13. 1918.
  waterfowl, essential requirements for grounds. Y.B., 1917, pp. 6-7. 1918; Y.B. Sep. 723, pp. 6-7. 1918.
  wheat—
   comparative vigor of hybrids and parents. J.A.R., vol. 22, pp. 53-63. 1921.
   directions. F.B. 334, pp. 6-8. 1908.
   experimental error in nursery and variation in nitrogen and yields. E. G. Montgomery. B.P.I. Bul. 269, pp. 61. 1913.
   experiments, Missouri and Nebraska experiment stations, 1912. O.E.S. An. Rpt., 1912, pp. 63, 155. 1913.
   for bunt resistance. J.A.R., vol. 23, pp. 460-472. 1923.
   for rust resistance, studies. J.A.R., vol. 14, pp. 111-124. 1918.
   origination of new varieties. Y.B., 1902, pp. 222-223. 1903.
   use of emmer to increase hardiness. F.B. 466, pp. 22-23, 24. 1911.
  work, farm crops, 1908. Rpt. 87, p. 29. 1908.
  young dairy stock, precautions. F.B. 777, p. 18. 1917.
BREGGER, THOMAS, report of plant breeder, Porto Rico Experiment Station—
 1921. P. R. An. Rpt., 1921, pp. 14-16. 1922.
 1923. P. R. An. Rpt., 1922, pp. 9-10. 1923.
BREITHAUPT, L. R.: "Grains for the dry lands of central Oregon." F.B. 800, pp. 22. 1917.
Bremen Cotton Exchange, visit of representatives of department. Mkts. S.R.A. 7, pp. 47-49. 1916.
Bremia lactucae, cause of downy mildew of lettuce, description. J.A.R., vol. 23, pp. 990-993. 1923.
Brennan soils, south Texas, distribution, description, and uses. Soil Sur. Adv. Sh., 1909, pp. 40-45. 1910; Soils F.O., 1909, pp. 1064-1069. 1912.
BRENTZEL, W. E.: "Investigations of heat canker of flax." With C. S. Reddy. D.B. 1120, pp. 18. 1922.
BRERETON, C.V.: "Law enforcement on the national forests, California district." With C. L. Hill. For. [Misc.], "Law enforcement * * *," pp. 107. 1920.
Breton Island Reservation, warning against trespass. James Wilson. Biol. Cir. 45, p. 1. 1905.
Brevoortia tyrannus. See Menhaden.
BREWBAKER, H. E.; "Brittle straw and other abnormalities in rye." With others. J.A.R., vol. 28, pp. 169-172. 1924.
Brewers'—
 grains—
  dried, nutritive value as dairy feed, analysis. F.B. 743, p. 15. 1916.
  dried, use as horse feed. F.B. 1030, p. 15. 1919.
  feed value, comparison with cottonseed meal. F.B. 1179, p. 16. 1920.

Brewers'—Continued.
 grains—continued.
  manufacture method. Chem. Bul. 108, p. 11. 1908.
  use as cow's feed, objections. B.A.I. An. Rpt., 1907, p. 318. 1909; F.B. 349, p. 17. 1909.
 milled rice—
  class and grade requirements. D.C. 291, pp. 4, 14, 17. 1923.
  food value and uses. F.B. 1195, pp. 6-7. 1921.
  grades. D.C. 133, pp. 15, 16. 1920.
 use of barley, annual consumption. Y.B., 1922, p. 496. 1923; Y.B. Sep. 891, p. 496. 1923.
Brewery(ies)—
 by-products, use in feeding cattle. Rpt. 115, p. 25. 1916.
 change to maltose factories. News L., vol. 6, No. 40, p. 15. 1919.
 products, analysis. Chem. Bul. 108, pp. 32-34. 1908.
 use of shellac. Chem. Cir. 91, pp. 2, 3. 1912.
Brewing, materials used, statistics. Y.B., 1918, p. 709. 1919; Y.B. Sep. 795, p. 45. 1919.
Brewster, C. E.—
 "Game laws for—
  1907." With others. F.B. 308, pp. 52. 1907.
  1909." With others. F.B. 376, pp. 56. 1909.
  1910." With others. F.B. 418, pp. 47. 1910.
  1911." With others. F.B. 470, pp. 52. 1911.
  1912." With others. F.B. 510, pp. 48. 1912.
 "Game protection, progress, 1909." With others. Biol. Cir. 73, pp. 19. 1910.
BREWSTER, D. R.: "Girdling as a means of removing undesirable tree species in the western white pine type." With J. A. Larsen. J.A.R., vol.31, pp. 267-274. 1925.
Bribery—
 meat inspection employees, penalty. B.A.I.O. 211, rev., p. 47. 1922.
 meat-inspection employees, regulations. B.A.I.O. 211, p. 56. 1914.
 prosecution by department, 1907. An. Rpts., 1907, p. 773. 1908.
Brick(s)—
 building—
  consumption in United States, 1895-1915. Rpt. 117, pp. 16-17. 1917.
  sampling and testing for masonry. D.B. 1216, pp. 40-41. 1924.
 floors, objections in abattoirs. B.A.I. An. Rpt., 1909, p. 253. 1911. B.A.I. Cir. 173, p. 253. 1911.
 gutter, construction and cost. D.B. 724, pp. 23, 24. 1919.
 inspection, directions. D.B. 23, p. 34. 1913.
 manufacture for use in roads, and requirements. D.B. 373, pp. 3-4, 4-5, 29-30. 1916.
 masonry construction, sampling and testing. D.B. 1216, pp. 40-41. 1924.
 painting preparations. F.B. 1452, p. 22. 1925.
 paving—
  cost at kiln. D.B. 246, p. 19. 1915.
  inspection and testing. D.B. 373, pp. 5-8, 34-40. 1916.
  rattler test for. D.B. 1216, pp. 35-39. 1924.
  requirements and tests. D.B. 23, pp. 4-8, 29-34. 1913.
  specification forms, tests, and sampling methods. D.B. 555, pp. 28-29, 37, 51-52. 1917; D.B. 704, pp. 21-23, 38. 1918.
  testing and sampling. D.B. 949, pp. 28-35, 74. 1921; D.B. 1216, pp. 5-6, 35-39. 1924.
 physical requirements and tests for road making. D.B. 246, pp. 5-8, 31-38. 1915.
 prices, comparison with other building materials. Rpt. 117, pp. 13-14, 28, 29. 1917.
 road(s)—
  Vernon M. Peirce and Charles H. Moorefield. D.B. 373, pp. 40. 1916.
  specifications. D.B. 373, pp. 26-34. 1916.
  See also Roads.
 silos, description. F.B. 855, p. 6. 1917.
 testing for road surfacing. Rds. Cir. 92, p. 25. 1910; D.B. 23, pp. 5-8, 29-34. 1913; D.B. 373, pp. 5-8, 34-40. 1916.
 use in—
  road building. Rds. Cir. 98, p. 37. 1912.
  walls, details. D.B. 801, pp. 18, 19, 20, 21, 22. 1919.

Brick(s)—Continued.
vat for cattle dipping, specifications and directions. B.A.I. Cir. 207, pp. 18–20. 1912.
vitrified—
as paving material for country roads. Vernon M. Peirce and Charles H. Moorefield. D.B. 23, pp. 34. 1913.
for country roads. Vernon M. Peirce and Charles H. Moorefield. D.B. 246, pp. 38. 1915.
road binding experiments. D.B. 105, pp. 1, 6–10. 1914.
use in road experiments, 1914 report. D.B. 257, p. 28. 1915.
Bricklaying, in construction of brick roads. D.B. 23, pp. 14–18, 24–27. 1913; D.B. 373, pp. 16–21, 31–33. 1916.
Bridelia retusa importation and description. No. 43759, B.P.I. Inv. 49, p. 70. 1921.
Bridge grafting. Guy E. Yerkes. F.B. 1369, pp. 20. 1923.
Bridges—
bamboo, construction and use. D.B. 1329, p. 24. 1925.
construction—
and maintenance from July 1, 1913, to December 31, 1914. D.B. 284, pp. 64. 1915.
Government permits necessary during war. News L., vol. 6, No. 10, p. 2. 1918.
historical notes. Rds. Bul. 43, pp. 5–6, 16. 1912.
plans, inspection, 1912–1913. D.B. 53, p. 34. 1913.
wood substitutes. Rpt. 117, pp. 24, 27. 1917.
designing, requirements. Rds. Bul. 43, pp. 6–8. 1912.
electrical, for determination of soluble salts in soil. R. O. E. Davis and H. Bryan. Soils Bul. 61, pp. 36. 1910.
engineer, application to Roads Office for, from county officials, form of blank. Rds. Bul. 39, p. 22. 1911.
Federal-aid, construction and cost, 1925. Rds. Chief Rpt., 1925, pp. 4–5. 1925.
forest trails, site selection, types, and materials. For. Misc. 0–6, pp. 42–55. 1915.
foundations, examination and testing. Rds. Bul. 43, pp. 8–11. 1912.
highway—
and culverts. Charles H. Hoyt and William H. Burr. Rds. Bul. 39, pp. 22. 1911; Rds. Bul. 43, pp. 21. 1912.
designs, importance and methods of securing. Rds. Bul. 39, pp. 6–8. 1911.
location, profile and soundings. Rds. Bul. 39, p. 11. 1911; Rds. Bul. 43, p. 11. 1912.
iron, introduction and replacement by steel structure. Rds. Bul. 43, p. 6. 1912.
natural, United States, location and description. Rds. Bul. 39, p. 5. 1911; Rds. Bul. 43, p. 5. 1912.
pontoon, and others, of ancient times. Rds. Bul. 43, pp. 5, 16. 1912.
reinforced concrete, description and construction methods. D.B. 220, pp. 20–21. 1915.
rural, beautification. F.B. 1441, pp. 25, 33. 1925.
short-span, and culverts, designing data. Charles H. Moorefield. Rds. Bul. 45, pp. 39. 1913.
steel—
highway—
fabrication and erection, specifications. Rds. Cir. 100. pp. 25. 1913.
standard specifications. D.B. 1259, pp. 48. 1924.
types, construction methods. Rds. Bul. 39, pp. 19–20. 1911.
types, plate girders and trusses, description. Rds. Bul. 43, pp. 19–20. 1912.
stringers, seasoning, strength tests, and specifications. For. Bul. 115, pp. 24, 27, 28, 31, 35–40. 1913; For. Bul. 122, pp. 22, 26, 36–40. 1913.
timbers—
destruction by termites, and protection methods. D.B. 333, pp. 16, 29. 1916.
preservative treatment. F.B. 744, pp. 31–32. 1916.
use of pine lumber. For. Bul. 99, pp. 9, 34, 44–45, 64, 93. 1911.
use of western hemlock, suitability. For. Bul. 115, p. 42. 1913.

Bridgeport, Conn., milk supply, statistics, officials, prices, and ordinances. B.A.I. Bul. 46, pp. 30, 55. 1903.
BRIDWELL, J. C.: "Additional observations on the tobacco stalk weevil." Ent. Bul. 44, pp. 44–46. 1904.
BRIGGS, F. N.—
"Relative resistance of wheat to bunt in Pacific Coast States." With others. D.B. 1299, pp. 29. 1925.
"Varietal susceptibility of oats to loose and covered smuts." With others. D.B. 1275, pp. 40. 1925.
BRIGGS, G. R.: Report of New England Cranberry Sales Company, Middleboro, Mass. Rpt. 98, pp. 225–226. 1913.
BRIGGS, GLEN—
"Leguminous crops for Guam." Guam Bul. 4, pp. 29. 1922.
"Para and paspalum grasses." Guam Cir. 1, pp. 10. 1921.
"Para and paspalum: Two introduced grasses of Guam." Guam Bul. 1, pp. 44. 1921.
report of Guam Experiment Station, agronomist and horticulturist—
1917. Guam A.R., 1917, pp. 17–44. 1918.
1918. Guam A.R., 1918, pp. 29–59. 1919.
1919. Guam A.R., 1919, pp. 20–44. 1921.
1920. Guam A.R., 1920, pp. 15–64. 1921.
"The home garden for club members." Guam Cir. 2, pp. 15. 1921.
"The sorghums in Guam." Guam Bul. 3, pp. 28. 1922.
"Vegetable growing in Guam." Guam Bul. 2, pp. 60. 1922.
BRIGGS, L. J.—
"A hand grain thrasher." B.P.I. Cir, 119, pp. 23–24. 1913.
"An automatic transpiration scale of large capacity for use with freely exposed plants." With H. L. Shantz. J.A.R. vol. 5, No. 3, pp. 117–132. 1915.
"An electrical resistance method for the rapid determination of the moisture content of grain." B.P.I. Cir. 20, pp. 8. 1908.
"Availability of potash in certain orthoclase-bearing soils as affected by lime or gypsum." With J. F. Breazeale. J.A.R. vol. 8, pp. 21–28. 1917.
"Capillary studies and filtration of clay from soil solutions." With Macy H. Lapham. Soils Bul. 19, pp. 40. 1902.
"Comparison of the hourly evaporation rate of atmometers and free water surfaces with the transpiration rate of *Medicago sativa*." With H. L. Shantz. J.A.R., vol. 9, pp. 277–292. 1917.
"Concentration of potassium in orthoclase solutions not a measure of its availability to wheat seedlings." With J. F. Breazeale. J.A.R. vol. 20, pp. 615–621. 1921.
"Daily transpiration during the normal growth period and its correlation with the weather." With H. L. Shantz. J.A.R. vol. 7, pp. 155–212. 1916.
"Dry farming in relation to rainfall and evaporation." With J. O. Belz. B.P.I. Bul. 188, pp. 71. 1910.
"Effect of frequent cutting on the water requirements of alfalfa and its bearing on pasturage." With H. L. Shantz. D.B. 228, pp. 6. 1915.
"Hourly transpiration rate on clear days as determined by cyclic environmental factors." With H. L. Shantz. J.A.R. vol. 5, No. 14, pp. 583–650. 1916.
"Indicator significance of vegetation in Tooele Valley, Utah." With others. J.A.R. vol. 1, pp. 365–417. 1914.
"Influence of hybridization and cross-pollination on the water requirements of plants." With H. L. Shantz. J.A.R. vol. 4, pp. 391–402. 1915.
"Mottle-leaf of citrus trees in relation to soil conditions." With others. J.A.R. vol. 6, No. 19, pp. 721–740. 1916.
"Objects and methods of investigating certain physical properties of soils." Y.B. 1900, pp. 397–410. 1901.
"Preliminary report on the Klamath Marsh Experiment Farm." With Carl S. Schofield. B.P.I. Cir 86, pp. 10. 1911.

BRIGGS, L. J.—Continued.
"Relative water requirements of plants." With H. L. Shantz. J.A.R. vol. 3, pp. 1-64. 1914.
"Solution studies of salts occurring in alkali soils." With others. Soils Bul. 18, pp. 89. 1901.
"The centrifugal method of mechanical soil analysis." With others. Soils Bul. 24, pp. 38. 1904.
"The field treatment of tobacco root-rot." B.P.I. Cir. 7, pp. 8. 1908.
"The moisture equivalents of soils." With John W. McLane. Soils Bul. 45, pp. 25. 1907.
"The mulched-basin system of irrigated citrus culture and its bearing on the control of mottleleaf." With others. D. B. 499, pp. 31. 1917.
"The water requirement of plants. I. Investigations in the Great Plains in 1910 and 1911." With H. L. Shantz. B.P.I. Bul. 284, pp. 49. 1913.
"The water requirement of plants. II. A review of the literature." With H. L. Shantz. B.P.I. Bul. 285, pp. 96. 1913.
"The wilting coefficient for different plants and its indirect determination." With H. L. Shantz. B.P.I. Bul. 230, pp. 83. 1912.
Briggs centrifugal machine, manner of operation. Soils Bul. 22, p. 54. 1903.
BRIGHAM, C. I., raising dairy cows, records for five years. D. B. 49, pp. 3-17. 1914.
BRIGHT, J. W.: "What soil organisms take part in the ammonification of manure?" J.A.R. vol. 16, pp. 315-332. 1919.
Bright's disease contributed to by use of Coca Cola. Chem. N.J. 1455, p. 28. 1912.
BRILL, J. B.—
"Soil survey of Adams County, Indiana." With others. Soil Sur. Adv. Sh., 1921, pp. 20. 1923.
"Soil survey of Benton County, Indiana." With Grove B. Jones. Soil Sur. Adv. Sh., 1916, pp. 20. 1917; Soils F.O. 1916, pp. 1679-1694. 1921.
Brimstone. See Sulphur.
BRINE(S)—
analysis. D.B. 61, pp. 41, 43, 47, 51, 52, 53, 54-56, 78, 85-86. 1914.
canning, formulas. F.B. 839, p. 12. 1917.
circulating system, refrigeration, description, and operation methods. D.B. 98, pp. 43-45. 1914.
dipping figs for drying. F.B. 984, p. 45. 1918.
formula for—
mutton curing. F.B. 1172, p. 17. 1920.
vegetables in canning, directions. S.R.S. Doc. 22, pp. 4-5. 1916.
freezing point at different concentrations. F.B. 1159, p. 20. 1920.
natural—
origin, and composition. Soils Bul. 94, pp. 20-24, 53-60, 64-65. 1913.
potash source, location and extent. D.C. 61, pp. 4-5. 1919.
preparation for fermenting vegetables. F.B. 881, p. 9. 1917.
preservation, formula. News L., vol. 4, No. 47, p. 6. 1917.
storage system, refrigeration, description, operation methods. D.B. 98, pp. 45-46. 1914.
table for making. S.R.S. Doc. 18, p. 4. 1915.
use—
as refrigerant. J.A.R., vol. 26, pp. 185, 190. 1923.
in—
cooking shrimp, preparation and testing. D.B. 538, pp. 2-3. 1917.
curing pork, formulas. F.B. 913, pp. 15-17. 1917.
processing persimmons. Chem. Bul. 141, p. 26. 1911.
tomato canning, formula. F.B. 521, p. 26. 1913.
See also Salines; Salts.
Brining—
cucumber, directions, equipment, and supplies. F.B. 1159, pp. 6-9, 13-15. 1920.
effect on vegetables. F.B. 1438, p. 1. 1924.
soybean fermentation, quality of salt used. D.B. 1152, pp. 5, 6, 14, 19. 1923.
tomatoes and peppers. Off. Rec., vol. 3, No. 43, p. 8. 1924.

Brining—Continued.
vegetable(s)—
directions. F.B. 881, pp. 9-10. 1917.
for canning. F.B. 853, pp. 18, 24. 1917.
BRINKLEY, L. L.: "Soil survey of—
Beaufort County, North Carolina." With others. Soil Sur. Adv. Sh., 1917, pp. 40. 1919; Soils F.O., 1917, pp. 409-442. 1923.
Bladen County, North Carolina." With others. Soil Sur. Adv. Sh., 1914, pp. 35. 1915; Soils F.O., 1914, pp. 623-653. 1919.
Columbus County, North Carolina." With others. Soil Sur. Adv. Sh., 1915, pp. 42. 1917; Soils F.O., 1915, pp. 423-460. 1919.
Davidson County, North Carolina." With R. B. Hardison. Soil Sur. Adv. Sh., 1915, pp. 39. 1917; Soils F. O., pp. 461-495. 1921.
Durham County, North Carolina." With others. Soil Sur Adv. Sh., 1920, pp. 1351-1379. 1924; Soils F.O. 1920; pp. 1351-1379. 1925.
Halifax County, North Carolina." With R. B. Hardison. Soil Sur. Adv. Sh., 1916, pp. 47. 1918; Soils F.O., 1916, pp. 343-385. 1921.
Henry County, Tennessee." With others. Soil Sur. Adv. Sh., 1922, pp. 77-109. 1925.
Hoke County, North Carolina." With others. Soil Sur. Adv. Sh., 1918, pp. 32. 1921; Soils F.O. 1918, pp. 193-220. 1924.
Johnston County, North Carolina." With W. Edward Hearn. Soil Sur. Adv. Sh., 1911, pp. 52. 1913; Soils F.O., 1911, pp. 431-478. 1914.
Jones County, Georgia." With others. Soil Sur. Adv. Sh., 1913, pp. 44. 1915; Soils F.O., 1913, pp. 475-514. 1916.
Lincoln County, North Carolina." With R. T. Avon Burke. Soil Sur. Adv. Sh., 1914, pp. 33. 1916; Soils F.O., 1914, pp. 559-587. 1919.
Mecklenburg County, North Carolina." With others. Soil Sur. Adv. Sh., 1910, pp. 42. 1912; Soils F.O., 1910, pp. 381-418. 1912.
Moore County, North Carolina." With others. Soil Sur. Adv. Sh., 1919, pp. 44. 1922; Soils F.O., 1919, pp. 723-762. 1925.
Orange County, North Carolina." With others. Soil Sur. Adv. Sh., 1918, pp. 44. 1921; Soils F.O., 1918, pp. 221-264. 1924.
Pender County, North Carolina." With others. Soil Sur. Adv. Sh., 1912, pp. 45. 1914; Soils F.O., 1912, pp. 369-409. 1915.
Richmond County, North Carolina." With others. Soil Sur. Adv. Sh., 1911, pp. 48. 1912; Soils F.O., 1911, pp. 387-430. 1914.
Wake County, North Carolina." With others. Soil Sur. Adv. Sh., 1914, pp. 45. 1916; Soils F.O., 1914, pp. 517-557. 1919.
BRINLEY, F. J. "Preparation and properties of colloidal arsenate of lead." J.A.R., vol. 26, pp. 373-374. 1923.
BRINSMADE, J. C., Jr.: "Report of the Northern Great Plains Field Station for the 10-year period, 1913-1922, inclusive." With others. D.B. 1301, pp. 80. 1925.
Briquet(s)—
form and use in testing road materials. D.B. 949, pp. 27, 48. 1921.
machine for molding rock dust specimens. Rds. Bul. 44, p. 21. 1912.
manufacture, waste beet molasses. Y.B., 1908, p. 449. 1909; Y.B. Sep. 493, p. 449. 1909.
sawdust, manufacturing methods, description, and cost. D.B. 753, pp. 21-22. 1919.
use in protecting—
lemon grove from frost. Y.B., 1907, p. 354. 1908.
orchard. Y.B., 1909, p. 359. 1910; Y.B. Sep. 519, p. 359. 1910.
BRISCOE, J. M.: "Eucalypts in Florida." With Raphael Zon. For. Bul. 87, pp. 47. 1911.
Bristles, imports—
1906-1910., and exports. Y.B., 1910, pp. 654, 667. 1911; Y.B. Sep. 553, pp. 654, 667. 1911.
1907-1909, amount and value, by countries from which consigned. Stat. Bul. 82, p. 26. 1910.
1913-1915. Y.B., 1915, p. 542. 1916; Y.B. Sep. 685, p. 542. 1916.
statistics, 1918. Y.B., 1918, p. 628. 1919; Y.B. Sep. 794, p. 4. 1919.
Bristol board, specifications. Rpt. 89, pp. 50-51. 1909.

INDEX TO PUBLICATIONS, 1901-1925 293

British cattle, classification. B.A.I. An. Rpt., 1910, p. 231. 1912.
British—
  Dairy Farmers' Association, investigations of tuberculosis. B.A.I. Bul. 32, p. 12. 1901; B.A.I. [Misc.], "Diseases of cattle," rev., p. 415. 1912.
  Royal Commission, work on contagious abortion of cattle. D.B. 106, pp. 2, 20, 21. 1914.
British Columbia—
  bears, grizzly and brown, description and characters. N.A. Fauna 41, pp. 21-25, 27, 43, 55, 68, 81, 88, 103, 118. 1918.
  blister-rust infection, study. J.A.R., vol. 30, No. 7, pp. 593-607. 1925.
  canals, concrete-lined, construction, cost, and other data. D.B. 126, pp. 65-66, 70, 83. 1915.
  deer skins, exports. B.A.I. Rpt., 1900, p. 519. 1901.
  emmer and spelt growing, experiments. D.B. 1197, p. 48. 1924.
  fur animals, laws—
    1915. F.B. 706, pp. 20-21. 1916.
    1916. F.B. 783, pp. 2, 22, 28. 1916.
    1917. F.B. 911, pp. 25, 31. 1917.
    1918. F.B. 1022, pp. 25, 31. 1918.
    1919. F.B. 1079, pp. 27. 1919
    1920. F.B. 1165, pp. 25-26. 1920.
    1921. F.B. 1238, p. 25. 1921.
    1922. F.B. 1293, p. 23 1922.
    1923-24. F.B. 1387, pp. 26-27. 1923.
    1924-25. F.B. 1445, p. 19. 1924.
    1925-26. F.B. 1469, p. 23. 1925.
  game bird, definition. Biol. Bul. 12, rev., p. 20. 1902.
  game laws—
    1908. F.B. 336, pp. 10, 25, 35, 42, 45, 54. 1908.
    1909. F.B. 376, pp. 30, 36, 41, 44, 51. 1909.
    1910. F.B. 418, pp. 9, 23, 29, 34, 37, 46. 1910.
    1911. F.B. 470, pp. 14, 27, 34, 42, 52. 1911.
    1912. F.B. 510, pp. 23, 30, 35, 39, 47. 1912.
    1913. D.B. 22, pp. 35, 42, 47, 50, 58. 1913.
    1914. F.B. 628, pp. 3, 7, 26, 34, 35, 39, 43, 44, 53. 1914.
    1915. F.B. 692, pp. 36, 44, 49. 1915.
    1916. F.B. 774, pp. 11, 34, 42, 47, 53, 61-62. 1916.
    1917. F.B. 910, pp. 41, 56. 1917.
    1918. F.B. 1010, pp. 39, 50. 1918.
    1919. F.B. 1077, pp. 42, 61, 78. 1919.
    1920. F.B. 1138, pp. 45-46. 1920.
    1921. F.B. 1235, pp. 48, 80. 1921.
    1922. F.B. 1288, pp. 45, 56, 72-78, 79. 1922.
    1923-24. F.B. 1375, pp. 42-43, 51. 1923.
    1924-25. F.B. 1444, pp. 31, 38. 1924.
    1925-26. F.B. 1466, pp. 38-39, 46. 1925.
  agency for enforcement. Biol. Bul. 12, rev., p. 65. 1902.
  game officials. See Game officials.
  laws—
    hunting. Biol. Bul. 19, pp. 15, 22, 28, 31, 58. 1904.
    on fruit and plant introduction. Ent. Bul. 84, p. 33. 1909.
    legislation protecting birds. Biol. Bul. 12, rev., pp. 27, 31, 35, 36, 37, 42, 46, 50, 127-128. 1902.
  log grading rules. D.B. 711, pp. 21-22. 1918.
  Natural History of Queen Charlotte Islands and of Cook Inlet Region, Alaska. Wilfred H. Osgood. N.A. Fauna, No. 21, pp. 87. 1901.
  paper mills establishment. D.B. 950, pp. 2, 3. 1921.
  precipitation records. J.A.R., vol. 30, p. 603. 1925.
  Queen Charlotte Islands—
    fauna. N.A. Fauna 21, pp. 16-20. 1901.
    flora. N.A. Fauna 21, pp. 11-16. 1901.
    physiography and life zones. N.A. Fauna 21, pp. 9-11, 20-22. 1901.
  Sitka spruce stand, 1918, and cut, 1915-1918. D.B. 1060, pp. 4, 5. 1922.
  winds. J.A.R., vol. 30, p. 602. 1925.
British Empire—
  agricultural instruction for adults. John Hamilton. O.E.S. Bul. 155, pp. 96. 1905.
  agricultural production, comparison with U. S. Y.B., 1921, p. 407. 1922; Y.B. Sep. 878, p. 1. 1922.
British Honduras, sugar industry, 1893-1914. D.B. 473, p. 27. 1917.
British India—
  coffee production, area, and exports. Stat. Bul. 79, pp. 10, 92-94. 1912.
  crops, area, production, and livestock, 1891-1912. Stat. Cir. 36, pp. 1-15. 1912.
  foreign crops, April, 1912. Harry C. Graham. Stat. Cir. 36, pp. 15. 1912.
British Isles—
  agricultural education, progress—
    1907. O.E.S. An. Rpt., 1907, pp. 244-247. 1908.
    1908. O.E.S. An. Rpt., 1908, pp. 241-242. 1909.
    1910. O.E.S. An. Rpt., 1910, pp. 324-325. 1911.
    1911. O.E.S. An. Rpt., 1911, pp. 284-288. 1913.
  freedom from barberry bushes and black rust. D.C. 269, p. 5. 1923.
  white-pine injury by blister rust, and control measures. D.B. 1186, pp. 13-15, 20, 22, 23. 1924.
British South Africa—
  fruit exports and imports, 1914. D.B. 483, p. 39. 1917.
  livestock statistics, numbers of cattle, sheep, and hogs. Rpt. 109, pp. 28, 35, 46, 50, 58, 62, 197-198, 212. 1916.
British West Indies—
  coffee production, exports. Stat. Bul. 79, pp. 59-60. 1912.
  fruit production and exports, 1909-1912. D.B. 483, pp. 10-11. 1917.
Britt, unfitness for sardines. D.B. 908, p. 94. 1921.
Brittle straw, rye, and other abnormalities. F. R. Davison and others. J.A.R., vol. 28, pp. 169-172. 1924.
BRITTON, J. C.—
  "Studies on the properties of unproductive soil." With others. Soils Bul. 28, p. 39. 1905.
  "Soil survey of—
    Berks County, Pennsylvania." With others. Soil Sur. Adv. Sh., 1909, pp. 47. 1911; Soils F.O., 1909, pp. 161-203. 1912.
    Colbert County, Alabama." With others. Soil Sur. Adv. Sh., 1908, pp. 34. 1909; Soils F.O., 1908, pp. 555-584. 1911.
    Marion County Missouri." With E. S. Vanatta. Soil Sur. Adv. Sh., 1910, pp. 26. 1911; Soils F.O., 1910, pp. 1295-1316. 1912.
    Sumter County, Georgia." With F. S. Welsh. Soil Sur. Adv. Sh., 1910, pp. 47. 1911; Soils F.O., 1910, pp. 501-543. 1912.
    the Marianna area, Florida." With others. Soil Sur. Adv. Sh., 1909, pp. 30. 1910; Soils F.O., 1909, pp. 619-644. 1912.
    Tift County, Georgia." With Percy O. Wood. Soil Sur. Adv. Sh., 1909, pp. 20. 1910; Soils F.O., 1909, pp. 603-618. 1912.
BRITTON, L. H.—
  "Soil survey of—
    Cheyenne County, Nebraska." With others. Soil Sur. Adv. Sh., 1918, pp. 39. 1920; Soils F.O., 1918, pp. 1405-1439. 1924.
    Sheridan County, Nebraska." With others. Soil Sur. Adv. Sh., 1918, pp. 60. 1921; Soils F.O., 1918, pp. 1441-1496. 1924.
    Sioux County, Nebraska." With others. Soil Sur. Adv. Sh., 1919, pp. 43. 1922; Soils F.O., 1919, pp. 1757-1800. 1925.
BRITTON, W. E., paper on occurrence of gipsy moth in Connecticut. Ent. Bul. 67, pp. 22-26. 1907.
Briza—
  minor. See Grass, quaking.
  spp., description, distribution, and uses. D.B. 772, pp. 10, 45, 46. 1920.
BROADBENT, B. M.: "The green-house leaf-tyer, Phlyctaenia rubigalis." With others. J.A.R., vol. 29, pp. 137-158. 1924.
BROADBENT, W. H., statement on barberry and black rust in Wales. D.C. 269, pp. 3-5. 1923.
Broadcasting (radio), growth. Off. Rec., vol. 3, No. 6, pp. 6. 1924.
Broadcasting, sorghum seed, methods and results. F.B., 1158, pp. 10, 13, 15. 1920.
Broadtail fur, description and value. Y.B., 1915, p. 251. 1916; Y.B. Sep. 673, p. 251. 1916.
Broccoli—
  Alaska, growing at Sitka station. Alaska A.R., 1910, p. 16. 1911.
  shipments by States, and by stations, 1916. D.B. 667, pp. 12, 170. 1918.
  use as potherb. O.E.S. Bul. 245, p. 29. 1912.

Brockton, Mass., milk supply, statistics, officials, and prices. B.A.I. Bul. 46, pp. 36, 93. 1903.
Brockymena, rejection by birds. Biol. Bul. 15, p. 48. 1901.
BRODIE, D. A.—
 "Building up a run-down cotton plantation." F.B. 326, pp. 22. 1908.
 "Diversified farming in the Cotton Belt: Louisiana, Arkansas, and northeastern Texas." Y.B., 1905, pp. 207-212. 1906; Y.B. Sep. 377, pp. 207-212. 1906.
 "Diversified farming under the plantation system." With C. K. McClelland. F.B. 299, pp. 16. 1907.
 "Emergency forage crops." Sec. Cir. 36, pp. 4. 1911.
 "Handling barnyard manure in eastern Pennsylvania." F.B. 978, pp. 24. 1918.
 "The influence of relative area in intertilled and other classes of crops on crop yield." Sec. Cir. 57, pp. 8. 1916.
Broilers—
 classification, fattening ration and use, killing method, and marketing. S.R.S. Doc. 78, p. 2. 1918.
 cold storage reports, 1917-1918. D.B. 776, pp. 32, 33, 35, 36, 41, 42. 1919.
 composition before and after fleshing. D.B. 657, pp. 9-10. 1918.
 early—
  high prices. B.A.I. A.H. G-28, p. 5. 1919.
  value and high prices realized. B.A.I. A.H. G-28, p. 5. 1918.
 fattening rations, composition and results. D.B. 1052; pp. 5, 6, 9, 12-17, 18-22. 1922.
 market surplus, and control remedy, prices. News L., vol. 4, No. 51, p. 3. 1917.
 marketing, classification and methods. S.R.S. Doc. 78, p. 2. 1918.
 production—
  for market. S.R.S. Syl. 17, p. 10. 1916.
  mineral requirements of feed of chicks. J.A.R., vol. 14, pp. 125-134. 1918.
  on the farm, directions. S.R.S. Syl. 17, p. 10. 1915.
 raising for market breeds, methods and feed. News L., vol. 2, No. 46, pp. 1-2. 1915.
Brokers—
 farm produce, methods. D.B. 267, pp. 11-14. 1915.
 imported cotton, license forms. F.H.B. S.R.A. 22, pp. 87-88. 1915.
Bromalgine, Kenealy's, misbranding. Chem. N.J. 3850. 1915.
Bromcresol purple, use as substitute for litmus in milk cultures J.A.R., vol. 10, pp. 105-111. 1917.
Brome grass—
 awned, culm formation rate. L. R. Waldron. J.A.R., vol. 21. pp. 803-816. 1921.
 awnless, seed adulteration—
  and testing directions. F.B. 428, pp. 7, 42-43. 1911.
  description and detection. F.B. 382, pp. 14, 20. 1909.
  with quack-grass seed. B.P.I. Cir. 73, pp. 3, 5, 9. 1911.
 breeding for drought resistance, experiments. B.P.I. Bul. 196, pp. 9, 10, 29. 1910.
 brown rust, relation to resistant plants. J.A.R., vol. 4, p. 193. 1915.
 culture and uses. R. A. Oakley. B.P.I. Bul. 111, Pt. V., pp. 51-63. 1907.
 description—
  distribution, and uses. D.B. 772, pp. 24-28, 29. 1920.
  habits, yields. F.B. 1433, pp. 1-3. 1925.
  introduction and use. B.P.I. Bul. 111, Pt. V, p. 3. 1907.
 dry-land experiments—
  and yields. Huntley project, 1914-1920. D.C. 204, pp. 13-14, 17. 1921.
  at Belle Fourche Farm. D.C. 339, p. 28. 1925.
  at Huntley Farm. D.C. 330, p. 18. 1924.
 growing at Akron Field Station. D.B. 1304, p. 20. 1925.
 growing on sandylands, Indiana and Michigan. F.B. 716, p. 15. 1916.
 growth and water requirements, experiments. D.B. 700, pp. 9-14. 1918.

Brome grass—Continued.
 hay crop for western South Dakota. F.B. 1163, pp. 10, 14. 1920.
 hay, nutritive value. B.P.I. Bul. 111, Pt. V, p. 9. 1907.
 importation and description. Inv. No. 29880, B.P.I. Bul. 233, p. 38. 1912; Nos. 53036-53038, 53092, 53135, 53557, B.P.I. Inv. 67, pp. 22, 27, 31, 61. 1923.
 irrigation and yields at Logan, Utah. D.B. 1340, p. 42. 1925.
 meadows, preparation for other crops. B.P.I. Bul. 111, Pt. V, p. 13. 1907.
 mixtures with other grasses, and with clovers. B.P.I. Bul. 111, Pt. V, p. 7. 1907.
 pasturing—
  hogs, time and methods. D.C. 204, pp. 19-20. 1921.
  value. B.P.I. Bul. 111, Pt. V, p. 8. 1907.
  with hogs, experiments. D.B. 1143, pp. 3, 8, 11, 13, 15, 17, 22. 1923; D.C. 330, p. 21. 1925.
 protein content and value as forage. F.B. 320, p. 16. 1908.
 seed—
  awnless—
   adulteration, description and detection. F.B. 382, pp. 14, 20. 1909.
   adulteration with quack grass seed. B.P.I. Cir. 13, pp. 3, 5, 9. 1911.
   description and comparison with Agropyron seed. B.P.I. Cir. 73, p. 5. 1911.
  growing, harvesting, and threshing. B.P.I. Bul. 111, Pt. V, pp. 10-12. 1907.
  harvesting. B.P.I. Bul. 111, pp. 58-60. 1907.
  quantity per acre, yield. B.P.I. Bul. 111, pp. 52, 53, 60. 1907; B.P.I. Bul. 111, Pt. V., pp. 4, 5, 12. 1907.
  yields. F.B. 1433, p. 3. 1925.
 seeding—
  in crop rotations. B.P.I. Bul. 187, pp. 59, 60, 61, 70. 1910.
  renewal of meadows, and fertilization. B.P.I. Bul. 111, pp. 52-55. 1907.
 short-awned, description, habits, and forage value. D.B. 545, pp. 23-24, 58, 59. 1917.
 smooth—
  adaptability and value in Alaska. Alaska A.R., 1913, pp. 19, 40. 1914.
  cultivation in Alaska. Alaska A.R., 1907, p. 27. 1908.
  use and value in reseeding experiments. D.B. 4, pp. 7, 13, 14, 15, 17, 18, 20, 21, 26, 32. 1913.
 test and yield of seed, Nephi substation, 1909. B.P.I. Cir. 61, p. 33. 1910.
 use as sand binder. B.P.I. Bul. 111, Pt. V, p. 14. 1907.
 value—
  as soil binder on canal banks. B.P.I. Cir. 115, pp. 26-27, 29, 31. 1913.
  for new, rich bottom land. B.P.I. Bul. 111, Pt. V, p. 13. 1907.
  western, value as forage crop. F.B. 425, pp. 11, 12. 1910.
 yields—
  and use as sod crop in North Dakota. D.B. 991, pp. 3, 4, 17, 18, 19, 24. 1921.
  in dry-land experiments, North Dakota. D.B. 1293, pp. 6-7, 16. 1925.
Bromelia—
 chrysantha, importation and description. No. 44796, B.P.I. Inv. 51, p. 70. 1922.
 importation and description. No. 37898, B.P.I. Inv. 39, p. 64. 1917.
 pinguin—
  importation and description. No. 54798, B.P.I. Inv. 70, p. 22. 1923.
  See also Pinguin.
Bromeliaceae, characteristics. Hawaii Bul. 28, pp. 7, 9, 11. 1912.
BROMELL, A. W.: "A wheatless ration for the rapid increase of flesh on young chickens." With others. D.B. 657, pp. 12. 1918.
Bromine—
 determination in saline solutions, methods. Soils Bul. 94, pp. 51-52. 1913.
 estimation of presence of iodine in. Chem. Cir. 65, pp. 2-3. 1910.
 oxidation, for identification of dyestuffs in small amounts. Chem. Cir. 114, pp. 3. 1913.

INDEX TO PUBLICATIONS, 1901–1925   295

Bromine—Continued.
  solutions, use in determination of salol. C. C.
    Le Fevre. Chem. Bul. 162, pp. 203–204. 1913.
BROMLEY, J. H.—
  "Soil survey of—
    Oswego County, New York." With others.
      Soil Sur. Adv. Sh., 1917, pp. 43. 1919; Soils
      F. O., 1917, pp. 47–86. 1923.
    Saratoga County, New York. With others.
      Soil Sur. Adv. Sh., 1917, pp. 42. 1919; Soils
      F.O., 1917, pp.87–124. 1923.
    the White Plains area, New York. With Cornelius Van Duyne. Soil Sur. Adv. Sh., 1919,
      pp. 44. 1922; Soils F. O., 1919, pp. 563–606
      1925.
Bromo febrin, misbranding. Chem. N. J. 182,
  pp. 2. 1910.
Bromo-Seltzer, fatal poisoning. Chem. Bul. 126,
  pp. 14, 43, 44. 1909.
Bromoform, remedy for screw worms, study in 1923.
  Work and Exp., 1923, p. 69. 1925.
Bromus—
  hordeaceus. See Cheat, soft.
  inermis—
    culm formation rate. L. R. Waldron. J.A.R.,
      vol. 21, pp. 803–816. 1921.
    drought resistant grass. B.P.I. Bul. 196, pp.9,
      10, 29. 1910.
    seed adulteration and misbranding, results of
      analyses. Sec. Cir. 26, p. 2. 1907.
    See also Brome grass, smooth.
  marginatus. See Brome grass, short-awned.
  schraderi. See Rescue grass.
  secalinus. See Cheat; Chess.
  spp., analytical key and descriptions of seedlings.
    D.B. 461, pp. 7, 8, 16, 17, 19. 1917.
    distribution, description, and feed value. D.B.
      201, pp. 14–16. 1915. D.B. 772, pp. 11, 24–28.
      1920.
    growing experiments in Alaska. Alaska A.R.,
      1911, p. 43. 1912.
    host of wheat leaf rust. J.A.R., vol. 22, p. 165.
      1921.
    spread on western range lands, objections.
      B.P.I. Bul. 117, p. 16. 1907.
    susceptibility to stem rust, studies, notes.
      J.A.R., vol. 10, pp. 435–483. 1917.
  See also Cheat; Chess; Brome grass.
  tectorum, occurrence on sagebrush land, Utah.
    J.A.R., vol. 1, pp. 378, 379, 384–385. 1914.
Bronchitis—
  cattle, symptoms and treatment. B.A.I. [Misc.],
    "Diseases of cattle," rev., pp. 92–93, 97–98.
    1908; rev., pp. 93–94, 99, 540. 1912; rev., pp. 94–
    95. 1923.
  chronic, horse, symptoms and treatment. B.A.I.
    [Misc.], "Diseases of the horse," p. 119. 1911.
  hog, control. Hawaii Bul. 48, p. 23. 1923.
  infectious. See Influenza.
  sheep, cause, symptoms and treatment. F.B.
    1155, p. 25. 1921.
  verminous, cattle, description, and treatment.
    B.A.I. [Misc.], "Diseases of cattle," rev., pp.
    99, 540–541. 1912; rev., p. 100. 1923.
Bronchopneumonia—
  cattle, description, comparison with pleuropneumonia. B.A.I. [Misc.], "Diseases of cattle,"
    rev., pp. 370, 376. 1923.
  cheesy, of sheep, cause and treatment. F.B.
    1155, p. 14. 1921.
Bronze, cleaning directions. F.B. 1180, p. 18. 1921.
Brood—
  coops—
    and appliances, boys' and girls' poultry club
      work. D.C. 13, pp. 8. 1919.
    construction, school exercise. D.B. 527, pp.
      30–32. 1917.
    description. F.B. 624, pp. 4–5. 1914.
  diseases, bees. E. F. Phillips. Ent.Cir. 79, pp.5.
    1906.
  foul. See Foulbrood.
  honeybee. See Honeybee.
  mare(s)—
    care. F.B. 451, pp. 20–24. 1911.
    selection for hunter horse production. B.A.I.
      Rpt., 1904, pp. 208–209. 1905.
    rearing, honeybee, cycle. W. J. Nolan. D.B.
      1349, pp. 56 1925.

Brood—Continued.
  trees—
    destruction for borer control. F.B. 1154, p. 11.
      1920.
    Zimmerman pine moth, description and importance. D.B. 295, pp. 7–10. 1915.
Brooder(s)—
  care of young chicks. F.B. 355, pp. 26–27. 1909.
  chick, and heating methods. F.B. 1376, pp. 7–10.
    1924.
  chicken, varieties, capacity and temperature requirements. News L., vol. 3, No. 35, p. 4.
    1916.
  cleaning and disinfection. Y.B., 1911, pp. 181,
    183, 187, 192. 1912; Y.B., Sep. 559, pp. 181–183,
    187, 192. 1912.
  disinfection. Y.B., 1911, pp. 181–183. 1912; Y.B.
    Sep. 55), pp. 181–183. 1912.
  duck, management. F.B. 697, pp. 15–16. 1915.
  emergency, directions for making. B.A.I. A. H.
    G–30, p. 1. 1919; D.C. 14, p. 4. 1919; F.B.
    1108, pp. 5–6. 1920.
  fireless, description. F.B. 624, p. 10. 1914.
  fresh-air, description and value. F.B. 499, pp.
    10–14. 1912.
  gasoline-heated, description, directions for making. F.B. 381, pp. 23–30. 1909.
  heated and fireless, comparisons, Guam. Guam
    A.R., 1917, pp. 14–15. 1918.
  hot-water pipe, description. F.B. 624, p. 9. 1914.
  house—
    chickens, successful. F.B. 225, pp. 27, 31. 1905.
    description, plans. B.A.I. Bul. 90, pp. 19–21.
      1906; F.B. 357, pp. 10–13. 1909.
    duck farming, description and uses. F.B. 697,
      rev., pp. 11–14. 1923.
    portable. F.B. 357, p. 11. 1909.
    successful. F.B. 225, pp. 27, 31. 1905.
  management in rearing turkeys. F.B. 465, p. 23.
    1911.
  pneumonia. See Aspergillosis; Pneumonia,
    brooder chicks.
  poultry, description. F.B. 697, rev., pp. 11–14.
    1923.
  use and care. F.B. 287, rev., pp. 24–25. 1921.
  use in growing chicks. F.B. 1111, pp. 3–4. 1920.
Broodiness—
  fowls, relation to egg production, records of breeds.
    D.B. 561, pp. 34–35. 1917.
  poultry, studies and experiments. S.R.S. Rpt.,
    1916, Pt. I, pp. 42, 148. 1918.
Brooding—
  chickens—
    artificial and natural, rules. F.B. 528, p. 8.
      1913.
    experiments, Guam. Guam A.R., 1917, pp.
      13–15. 1918.
    natural and artificial. Alfred R. Lee. F.B.
      1376, pp. 17. 1924.
    natural and artificial. Harry M. Lamon. F.B.
      624, pp. 14. 1914.
  chicks—
    and feeding. B.A.I. [Misc.], "More poultry
      needed * * *," pp. 2–3. 1918.
    experiments with feeds, Guam. Guam A.R.,
      1918, p. 26. 1919.
    natural and artificial methods, directions. F.B.
      528, pp. 8–9. 1913; F.B. 1040, pp. 10–13. 1919;
      S.R.S. Syl. 17, pp. 6–8. 1916.
    systems in use. F.B. 1376, pp. 7–12. 1924.
  guinea chicks, natural and artificial. F.B. 1391,
    pp. 9–10. 1924.
  methods, chickens, marking. News L., vol. 4,
    No. 36, p. 5. 1917.
  ostriches, directions. B.A.I. An. Rpt., 1909, p.
    236. 1911; B.A.I. Cir. 172, p. 236. 1911.
  poults, methods. News L., vol. 3, No. 34, pp. 5–6.
    1916.
  temperatures for hover or brooder. F.B. 624, pp.
    11–12. 1914.
  young turkeys, coop requirements, care, and location. F.B. 791, pp. 16–18. 1917.
Brooke soils, southwestern, Pennsylvania, area and
  location. Soils F.O., 1909, pp. 239–242. 1912.
  Soil Sur. Adv. Sh. 1909, pp. 39–42. 1911.
BROOKS, CHARLES—
  "Apple scald." With others. J.A.R., vol. 16,
    pp. 195–217. 1919.

BROOKS, CHARLES—Continued.
"Apple scald and its control." With others. F.B. 1380, pp. 17. 1923.
"Brown rot of prunes and cherries in the Pacific Northwest." With D. F. Fisher. D.B. 368, pp. 10. 1916.
"Control of brown-rot of prunes and cherries in the Pacific Northwest." With D. F. Fisher. F.B. 1410, pp. 13. 1924.
"Diseases of apples in storage." With others. F.B. 1160, pp. 24. 1920.
"Effect of temperature, aeration, and humidity on Jonathan-spot and scald of apples in storage." With J. S. Cooley. J.A.R., vol. 11, pp. 289–318. 1917.
"Irrigation experiments on apple-spot diseases." With D. F. Fisher. J.A.R., vol. 12, pp. 109–138. 1918.
"Nature and control of apple-scald." With others. J.A.R., vol. 18, pp. 211–240. 1919.
"Oiled paper and other oiled materials in the control of scald on barrel apples." With J. S. Cooley. J.A.R., vol. 29, pp. 129–135. 1924.
"Oiled wrappers, oils and waxes in the control of apple scald." With others. J.A.R., vol. 26, pp. 513–536. 1923.
"Prune and cherry brown-rot investigations in the Pacific Northwest." With D. F. Fisher. D.B. 1252, pp. 22. 1924.
"Temperature relations of apple rot fungi." With J. S. Cooley. J.A.R., vol. 8, pp. 139–163. 1917.
"Temperature relations of stone fruit fungi." With J. S. Cooley. J.A.R., vol. 22, pp. 451–465. 1922.
"Transportation, rots of stone fruits as influenced by orchard spraying." With D. F. Fisher. J.A.R., vol. 22, pp. 467–477. 1922.

BROOKS, C. F.—
"A graphic summary of seasonal work on farm crops." With others. Y.B., 1917, pp. 537–589. 1918; Y.B. Sep. 758, pp. 55. 1918.
"Seedtime and harvest." With others. D.C. 183, pp. 53. 1922.

BROOKS, F. E.—
"Apple root borer." J.A.R., vol. 3, pp. 179–186. 1914.
"Curculios that attack the young fruits and shoots of walnut and hickory." D.B. 1066, pp. 16. 1922.
"Oak sapling borer, *Goes tesselatus* Haldeman." J.A.R., vol. 26, pp. 313–318. 1923.
"Orchard barkbeetles and pinhole borers, and how to control them." F.B. 763, pp. 16. 1916.
"Pear-borer." D.B. 887, pp. 8. 1920.
"Roundheaded apple-tree borer: Its life history and control." D.B. 847, pp. 42. 1920.
"Spotted apple-tree borer." D.B. 886, pp. 12. 1920.
"Studies of the codling moth in the Central Appalachian region." With E. B. Blakeslee. D. B. 189, pp. 49. 1915.
"The cambium curculio *Conotrachelus anaglypticus*." With R. T. Cotton. J.A.R. vol. 28, pp. 377–386. 1924.
"The flat-headed apple-tree borer." F.B. 1065, pp. 15. 1919.
"1. The grape curculio. 2. The grape root-borer." D.B. 730, pp. 28. 1918.
"The Parandra borer as an orchard enemy." D.B. 262, pp. 7. 1915.
"The roundheaded apple-tree borer." F.B. 675, pp. 20. 1915.
"Walnut husk-maggot." D.B. 992, pp. 8. 1921.

BROOKS, W. P., report of Massachusetts Experiment Station, work and expenditures—
1906. O.E.S. An. Rpt., 1906, pp. 115–117. 1907.
1907. O.E.S. An. Rpt., 1907, pp. 116–118. 1908.
1908. O.E.S. An. Rpt., 1908, pp. 111–114. 1909.
1909. O.E.S. An Rpt., 1909, pp. 123–125. 1910.
1910. O.E.S. An. Rpt., 1910, pp. 159–163. 1911.
1911. O.E.S. An. Rpt., 1911, pp. 126–130. 1912.
1912. O.E.S. An. Rpt., 1912, pp. 133–136. 1913.
1913. O.E.S. An. Rpt., 1913, pp. 53–54. 1915.
1914. O.E.S. An. Rpt., 1914, pp. 131–135. 1915.
1915. S.R.S. An. Rpt., 1915, Pt. I, pp. 143–149. 1916.
1916. S.R.S. An. Rpt., 1916, Pt. I, pp. 145–151. 1918.
1917. S.R.S. An. Rpt., 1917, Pt. I, pp. 142–146. 1918.

Broom (plant)—
importations and description. Nos. 42552, 42572–42574. B.P.I. Inv. 47, pp. 28, 29. 1920; No. 43838, B.P.I. Inv. 49, p. 85. 1921.
rape—
branched, injurious weed, seeds, and control. Y.B. 1913, p. 317. 1914; Y.B. Sep. 628, p. 317. 1914.
description and occurrence. D.B. 1256, pp. 24–25, 49. 1924.
sedge—
characters. News L., vol. 2, No. 40, p. 2. 1915.
description. D.B. 772, pp. 260, 262. 1920.
pasture, burning practice. B.P.I. Bul. 117, p. 19. 1907.
pasture, value on piney woods land. D.B. 827, pp. 22, 25. 1921.
Spanish, importation and description. No. 43666, B.P.I. Inv. 49, p. 59. 1921.

Broom(s)—
factory, refuse, spread of corn borer. F.B. 1294, p. 35. 1922.
house-cleaning, description and care. F.B. 1180, pp. 5, 9. 1921.
making, home demonstration. News L., vol. 6, No. 35, pp. 10, 13. 1919.

Broomcorn—
Charles P. Hartley. F.B. 174, p. 32. 1903.
acreage, yield, and prices—
1923. Y.B. 1923, p. 795. 1924; Y.B. Sep. 901, p. 795. 1924.
1924. Y.B. 1924, pp. 744–745. 1925.
bacterial disease, description and comparisons. J.A.R., vol. 26, pp. 157–158. 1923.
borer—
quarantine. F.H.B., Quar. 43, rev., pp. 1, 4. 1921.
survey in Mexico. F.H.B.S.R.A. 75, pp. 58–59 1923.
carrier of corn borer. F.B. 1294, pp. 1, 3, 4. 1922.
classification, and general description of culture. D.B. 836, pp. 10–15. 1920
climatic adaptation and State acreages and yields. F.B. 768, pp. 1–2, 16. 1916.
consignments, handling. D.B. 1019, pp. 22–25. 1922.
crop, cost and yields. F.B. 768, pp. 14–16. 1916.
curing, grading, baling, and storing for market F.B. 768, pp. 10–13. 1916.
description, relation to saccharine sorghums. F.B. 246, p. 7. 1906.
diseases, description and control. F.B. 958, pp. 9, 17–18. 1918.
disinfection, methods. F.H.B.S.R.A. 74, pp. 28–30. 1923.
dwarf—
Benton E. Rothgeb. F.B. 768, pp. 16, 1916.
agronomic data, and common names. D.B. 836, pp. 20–26. 1920.
growing, and cost in Louisiana, Concordia Parish. Soil Sur. Adv. Sh. 1910, p. 16. 1911; Soils F.O. 1910, p. 838. 1912.
entry, restrictions on account of corn-borer quarantine. F.H.B.S.R.A. 77, pp. 153–156. 1924; F.H.B.S.R.A. 78, pp. 15, 31. 1924.
experimental tests in Texas. B.P.I. Bul. 283, pp. 67–68. 1913.
experiments at Woodward, Okla. B. E. Rothgeb and John B. Sieglinger. D.B. 836, pp. 53. 1920.
foreign, entry restrictions. F.H.B.S.R.A. 74, pp. 27–30. 1923.
grading, baling, and storing. F.B. 958, pp. 16–17. 1918.
growing—
and use. News L., vol. 6, No. 35, pp. 10, 13. 1919.
for seed. Rpt. 98, p. 135. 1913.
hand and machine labor, comparison, time and cost. Stat. Bul. 94, p. 62. 1912.
in—
Guam, description and yield. Guam Bul. 3, pp. 11, 14. 1922.
Missouri, Ozark region. D.B. 941, p. 26. 1921.
Oklahoma, Roger Mills County, yields. Soil Sur. Adv. Sh., 1914, pp. 11, 13, 23, 24, 25. 1916; Soils F.O. 1914, pp. 2143, 2145, 2155, 2156, 2157. 1925.
requirements, planting, harvesting and curing. F.B. 958, pp. 7–16. 1918.

Broomcorn—Continued.
   growing—continued.
      sowing and cultivation. F.B. 768, pp. 3-8. 1916.
      harvesting experiments. D.B. 836, pp. 47-48. 1920.
      history, adaptation, and varieties. F.B. 958, pp. 3-7. 1918.
      hybridization from volunteer sorghum, injury to seed. Rpt. 98, p. 34. 1913.
   importation—
      permits. F.H.B. Quar. 41, amdt. 1, p. 1. 1923.
      restrictions. F.H.B. Quar. 41, pp. 1-4. 1921; F.H.B.S.R.A. 71, p. 178. 1922; F.H.B.S.R.A. 74, pp. 27-30. 1923; F.H.B.S.R.A. 75, pp. 86-88. 1923.
   imports, 1907-1909, amount and value, by countries from which consigned. Stat. Bul. 82, p. 34. 1910.
   imports and exports, 1906-1910. Y.B., 1910, pp. 654, 667. 1911; Y.B. Sep. 553, pp. 654, 667. 1911.
   industry, Hawaii. Hawaii A.R., 1911, pp. 15, 62. 1912.
   infestation with corn borer, means of spread. Y.B., 1920, pp. 85, 88, 89, 102. 1921; Y.B. Sep. 831, pp. 85, 88, 89, 102. 1921.
   infestation with European corn borer, imports. Off. Rec., vol. 1, No. 22, p. 4. 1922.
   limited area, and yield per acre. Y.B., 1910, p. 333. 1911; Y.B. Sep. 541, p. 333. 1911.
   marketing. G.B. Alguire. D.B. 1019, pp. 32. 1922.
   marketing—
      at country points, methods. D.B. 1019, pp. 11-25. 1922.
      bibliography. M.C. 35, p. 44. 1925.
      problems, handling, and baling. Rpt. 98 pp. 33-37, 1913.
   markets, terminal and manufacturing points. D.B. 1019, p. 30. 1922.
   millet. See Millet; Proso.
   movement, seasonal. D.B. 1019, pp. 15-16. 1922.
   nursery experiments. D.B. 836, pp. 49-53. 1920.
   preparation for market, threshing, curing, and baling. D.B. 1019, pp. 2-11. 1922.
   prices, supply and demand. F.B. 958, pp. 3, 19. 1918.
   production, cost, profit and loss. F.B. 958, pp. 18-20. 1918.
   quarantine, notice and regulation. F.H.B. Quar. 41, p. 2. 1920.
   sampling, directions. D.B. 1019, pp. 25-26. 1922.
   seed—
      bed preparation. F.B. 768, pp. 3-5. 1916.
      bushel weights, Federal and State. Y.B., 1918, p. 723. 1919; Y.B. Sep. 795, p. 59. 1919.
      growing in home plat. F.B. 768, p. 6. 1916.
      injury by hybridization from volunteer sorghum. Rpt. 98, p. 34. 1913.
      marketing. Rpt. 98, pp. 134-136. 1913.
      need for good crop. F.B. 174, pp. 11-13. 1903.
      quantity per acre. F.B. 174, p. 13. 1903.
      securing, precautions. F.B. 768, pp. 5-7. 1916.
      sources and treatment. F.B. 958, pp. 7-9. 1918.
      sowing dates, quantities and methods. D.B. 836, pp. 26-34. 1920; F.B. 768, pp. 7-8. 1916; F.B. 958, pp. 9-10. 1918.
      supply. Y.B., 1917, p. 529. 1918; Y.B. Sep. 757, p. 35. 1918.
   selection and harvesting. D.B. 1019, p. 3. 1922.
   smuts—
      control. F.B. 958, pp. 9, 17-18. 1918.
      description and treatment. F.B. 768, pp. 6, 14. 1916.
      inoculation, experiments. D.B. 1284, pp. 21-22. 1925.
   spacing, experiments. D.B. 836, pp. 34-47. 1920.
   stalk(s)—
      combination with poplar and spruce pulp for paper making. Y.B., 1910, p. 332. 1911; Y.B. Sep. 541, p. 332. 1911.
      use and value in paper making, experiments. B.P.I. Cir. 82, pp. 10-11. 1911.
      use as paper fiber, investigations. Y.B., 1910, pp. 332-333. 1911; Y.B. Sep. 541, pp. 332-333. 1911.

Broomcorn—Continued.
   standard. Benton E. Rothgeb. F.B. 958, pp. 20. 1918.
   standard, varieties, and requirements. F.B. 958, pp. 5-7. 1918.
   statistics, acreage, production, and value—
      1918. Y.B., 1918, p. 561. 1919; Y.B. Sep. 792, p. 57. 1919.
      1919. Y.B., 1919, p. 618. 1920; Y.B. Sep. 827, p. 618. 1920.
      1921, by States. D.B. 1019, p. 2. 1922.
      1922. Y.B., 1922, pp. 758-759. 1923; Y.B. Sep. 884, pp. 758-759. 1923.
   statistics, receipts, and shipments at trade centers. Rpt. 98, pp. 287, 299-300. 1913.
   storage. D.B. 1019, pp. 26-28. 1922.
   suckering, effects of various seeding methods. D.B. 836, pp. 27, 36, 37, 39, 41, 42, 43. 1920.
   terms used in industry. D.B. 1019, p. 1. 1922.
   transportation, loading methods, and destination. D.B. 1019, pp. 28-30. 1922.
   use in foreign countries. B.P.I. Bul. 175, pp. 24, 25, 27. 1903.
   value, 1917. News L., vol. 5, No. 35, p. 6. 1918.
   varieties—
      adaptability to western Kansas. Soils F.O., 1910, p. 1434. 1912; Soil Sur. Adv. Sh. 1910, p. 96. 1912.
      description and data for experimental growing. D.B. 836, pp. 15-26. 1920.
      description and uses. F.B. 768, pp. 2-3. 1916.
      testing, Arizona. B.P.I. W.I.A. Cir. 7, p. 17. 1915.
      testing, San Antonio Experiment Farm, 1912. B.P.I. Cir. 120, pp. 19-20. 1913.
   warehouses, regulations. B.A.E. S.R.A. 84, pp. 27. 1924.
   yields of varieties, comparisons. D.B. 836, pp 23-26. 1920.
   See also Sorghum.
BROOMELL, A. W.—
   "A wheatless ration for the rapid increase of flesh on young chickens." With others. D.B. 657, pp. 12. 1918.
   "The milling of rice and its mechanical and chemical effect upon the grain." With F. B. Wise. D.B. 330, p. 31. 1916.
Broomroot grass, name for zacaton. D.B. 309, p. 3. 1915.
Broomweed—
   eradication. B.P.I. Bul. 117, p. 21. 1907.
   rust, occurrence and description, Texas. B.P.I. Bul. 226, p. 91. 1912.
Brosimum alicastrum. See Breadnut tree.
Broth—
   clam, canning recipe. S.R.S. Doc. 80, p. 27. 1918.
   mutton, recipe. F.B. 1172, p. 20. 1920; F.B. 526, pp. 16, 17. 1913.
   Scotch, recipe for making. F.B. 391, p. 29. 1910.
BROTHERTON, WILBUR, Jr.—
   "Bean varietal tests for disease resistance." With R. D. Rands. J.A.R., vol. 31, pp. 101-154. 1925.
   "Further studies of the inheritance of 'rogue' type in garden peas." J.A.R., vol. 24, pp. 815-852. 1923.
   "Gamete production in certain crosses with 'rogues' in peas." J.A.R., vol. 28, pp. 1247-1252. 1924.
Broussonetia papyrifera.—
   range. D.B. 17, p. 63. 1913.
   See also Mulberry, paper.
BROWN, B. E.—
   "Crop injury by borax in fertilizers." With others. D.C. 84, pp. 35. 1920.
   "Effect of borax in fertilizer on the growth and yield of potatoes." D.B. 998, pp. 8. 1922.
   "Occurrence and nature of carbonized material in soils." With Oswald Schreiner. Soils Bul. 90, pp. 28. 1912.
   "The effect of borax on the growth and yield of crops." With others. D.B. 1126, pp. 31. 1923.
BROWN, C. F.: "Drainage of irrigated lands." F.B. 371, pp. 52. 1909.

BROWN, D. E.: "Effects of crops in the rotation, with special reference to tobacco." With others. J.A.R., vol. 30, pp. 1095-1132. 1925.
BROWN, E. B.—
"Corn varieties for distribution in Texas, Oklahoma, and Louisiana." B.P.I. [Misc.], "Corn varieties, * * * ," pp. 12. 1914.
"Crossbreeding corn." With others. B.P.I. Bul. 218, pp. 72. 1912.
"Effect of date of seeding on germination, growth, and development of corn." With H. S. Garrison. B. 1014, pp. 11. 1922.
"Effects of mutilating the seeds on the growth and productiveness of corn." D.B. 1011, pp, 14. 1922.
"Influence of spacing on productivity in single-ear and prolific types of corn." With H. S. Garrison. D.B. 1157, pp. 11. 1923.
BROWN, E. E.—
address before convention, agricultural colleges and experiment stations, 1908. O.E.S. Bul. 212, pp. 27-28. 1909.
"Development of agricultural education." O.E.S. Bul. 196, pp. 49-54. 1907.
letter on Nelson amendment, instructions to teachers. O.E.S. Bul. 196, p. 80. 1907.
BROWN, E. W.: "Digestion experiments with poultry." B.A.I. Bul. 56, pp. 112. 1904.
BROWN, EDGAR—
"A quick method for the determination of moisture in grain." With J. W. T. Duvel. B.P.I. Bul. 99, pp. 24. 1907.
"Alfalfa seed." F.B. 194, pp. 13. 1904.
"Commercial Turkestan alfalfa seed." D.B. 138, pp. 7. 1914.
"Crimson clover seed." B.P.I. [Misc.], "Crimson clover seed," pp. 4. 1904.
"How seed testing helps the farmer." Y.B., 1915, pp. 311-316. 1916; Y.B. Sep. 679, pp. 311-316. 1916.
"Imported low-grade clover and alfalfa seed." With Mamie L. Crosby. B.P.I. Bul. 111, Pt. III, pp. 17-30. 1907.
inventor of moisture tester for grain and seeds. B.P.I. Cir. 72, p. 3. 1910.
"Kentucky bluegrass seed: Harvesting, curing, and cleaning." With A. J. Pieters. B.P.I. Bul. 19, pp. 19. 1902.
"Legal and customary weights per bushel of seeds." B.P.I. Bul. 51, Pt. V, pp. 27-34. 1905.
"Seed of red clover and its impurities." With F. H. Hillman. F.B. 260, pp. 24. 1906.
"The germination of packeted vegetable seeds." With W. L. Goss. B.P.I. Cir. 101, pp. 9. 1912.
"The germination of vegetable seeds." With Willard L. Goss. B.P.I. Bul. 131, Pt. I, pp. 5-10. 1908.
"The production of hairy vetch seed." With C. V. Piper. B.P.I. Cir. 102, pp. 8. 1913.
"The seeds of the bluegrasses." With F. H. Hillman. B.P.I. Bul. 84, pp. 38. 1905.
"What the farmer should expect from the seedsman." Y.B. 1919, pp. 343-346. 1920; Y.B. Sep. 815, pp. 343-346. 1920.
"Wild rice: Its uses and propagation." With Carl S. Scofield. B.P.I. Bul. 50, pp. 23. 1903.
BROWN, F. W.—
"Importance of developing our natural resources of potash." Y.B. 1916, pp. 301-310. 1917; Y.B. Sep. 717, pp. 10. 1917.
"The sources of nitrogenous fertilizers." Y.B. 1917, pp. 139-146. 1918; Y.B. Sep. 729, pp. 10. 1918.
BROWN, H. B.: "Life history and poisonous properties of *Claviceps paspali*." J.A.R., vol. 7 pp. 401-406. 1916.
BROWN, H. E., fine for violation of livestock quarantine law. News L., vol. 1, No. 36. 1914.
BROWN, H. P.: "Pith-ray flecks in wood." For. Cir. 215, pp. 15. 1913.
BROWN, H. R.: "Unprotected electric lights. A recently developed dust explosion and fire hazard." With David J. Price. D.C. 171, pp. 7. 1921.
BROWN, LAWRASON: Experiments with tubercle bacilli. B.A.I. An. Rpt., 1906, pp. 128-129. 1908.
BROWN, N. A.—
"A bacterial disease of lettuce." J.A.R., vol. 4, pp. 475-478. 1915.

BROWN, N. A.—Continued.
"A bacterium causing a disease of sugar-beet and nasturtium leaves." With Clara O. Jamieson. J.A.R., vol. 1, pp. 189-210. 1913.
"An apple stem-tumor not crown gall." J.A.R., vol. 27, pp. 695-698. 1924.
"Bacterial leafspot of geranium in the eastern United States." J.A.R., vol. 23, pp. 361-372. 1923.
"Crown gall of plants: Its cause and remedy." With others. B.P.I. Bul. 213, pp. 215. 1911.
"Some bacterial diseases of lettuce." J.A.R., vol. 13, pp. 367-388. 1918.
"The structure and development of crown gall: A plant cancer." With others. B.P.I. Bul. 255, pp. 60. 1912.
BROWN, P. E.: "Relation between certain bacterial activities in soils and their crop-producing power." J.A.R., vol. 5, pp. 855-869. 1916.
BROWN, R. E.: "Dimension stock from the standpoint of the consumer." M. C. 39, pp. 50-52. 1925.
BROWN, R. H.—
"Dockage under the Federal wheat grades." F.B. 1118, pp. 26. 1920.
"The farmer and Federal grain supervision." Y.B. 1918, pp. 335-346. 1919; Y.B. ep. 766, pp. 14. 1919.
BROWN, R. M.—
"Volume tables of important timber trees of the United States. Part I, Western species." With E. N. Munns. For. [Misc.] "Volume tables * * * ," pp. 159. 1925.
"Volume tables of important timber trees of the United States. Part II, Eastern conifers." With E. N. Munns. For. [Misc.], "Volume tables * * * ," p. 146. 1925.
"Volume tables of important timber trees of the United States. Part III. Eastern hardwoods." With E. N. Munns. For. [Misc.], "Volume tables * * * ," pp. 104. 1925.
Brown-Duvel, moisture tester for grain, description and use. B.P.I. Cir. 72, rev., pp. 1-16. 1914.
Brown—
mint. See Spearmint.
oak, heartwood stain. D.B. 1128, p. 29. 1923.
rot—
attack on acid lime fruit. Hawaii Bul. 49, p. 12. 1923.
cauliflower, cause and description. J.A.R., vol. 29, pp. 421-441. 1924.
cause of losses to Georgia peach growers, 1920. D.C. 216, pp. 4-5. 1922.
cherry, Pacific Northwest. D.B. 368, pp. 1-10. 1916.
control—
in peach belt. Off. Rec., vol. 1, No. 24, p. 5. 1922.
measures, necessity for annual orchard treatment in Georgia. D.C. 216, pp. 29-30. 1922.
curculio and scab control in Georgia peach belt. Oliver I. Snapp, and others. D.C. 216, pp. 30. 1922.
description and remedies, in Pacific Northwest. F.B. 153, pp. 9, 34. 1902.
development in stone fruits, experiments. J.A.R., vol. 22, pp. 452-455, 460-463, 465. 1922.
diseases of redwood. For. Bul. 38, pp. 1-40. 1903.
importance on peaches. F.B. 1435, pp. 6-7, 15. 1924.
injury to fruits. F.B. 1435, p. 5. 1924.
of—
cherries and prunes, control by spraying. J.A.R., vol. 22, pp. 467-477. 1922.
cherries, varieties susceptible. F.B. 776, p. 32. 1916.
fruits in America, fungus causing. J.A.R., vol. 28, pp. 955-960. 1924.
lemon, appearance and effects. B.P.I. Cir. 26, pp. 4, 16. 1909.
lemon, control. Y.B. 1907, p. 355. 1908; Y.B. Sep. 453, p. 355. 1908.
peach, and scab, control. W. M. Scott and T. Willard Ayres. B.P.I. Bul. 174, pp. 31. 1910.

INDEX TO PUBLICATIONS, 1901-1925   299

Brown—Continued.
 rot—continued.
  of—continued.
   peach, control by lime-sulphur spray. An. Rpts., 1909, p. 270. 1910; B.P.I. Chief Rpt., 1909, p. 18. 1909.
   peach, control by lime-sulphur sprays. F.B. 435, pp. 14, 15. 1911.
   peach, control work. B.P.I. Chief Rpt., 1921, p. 28. 1921.
   peach, effect of fungus on sugar content of fruit. J.A.R., vol. 6, p. 195. 1916.
   peaches, and plum curculio, control. W. M. Scott and A. L. Quaintance. Ent. Cir. 120, pp. 7. 1910.
   plums, varietal resistance. J.A.R., vol. 5, No. 9, pp. 365-396. 1915.
   potato. F. C. Meier and G. K. K. Link. D.C. 281, pp. 6. 1923.
   potato, description and distribution. B.P.I. Bul. 245, pp. 16, 18. 1912.
   potato, spread methods. D.C. 281, pp. 3-5. 1923.
   prune and cherry, investigations, Pacific Northwest. Charles Brooks and D. F. Fisher. D.B. 1252, pp. 22. 1924; F.B. 1410, pp. 13. 1924.
   prunes and cherries, control. B.P.I. Chief Rpt., 1921, p. 28. 1921.
   prunes and cherries in the Northwest. Charles Brooks and D. F. Fisher. D.B. 368, pp. 10. 1916.
   prunes, relation to shipments, experiments. D.B. 331, pp. 24-26, 28. 1916.
   stone fruits, control, self-boiled lime-sulphur solution. Y.B., 1908, p. 210. 1909; Y.B. Sep. 475, p. 210. 1909.
   strawberries, description. J.A.R., vol. 28, pp. 643-648. 1924.
   spores on stone fruit. F.B. 1435, p. 5. 1924.
   spraying schedule. F.B. 1410, p. 12. 1924.
   stringy, trees attacked, and characteristics. D.B. 658, p. 16. 1918.
  See also Black-rot; Sclerotinia cinerea.
 spot—
  internal, potato, cause and control. B.P.I. Bul. 245, p. 18. 1912; F.B. 1367, p. 29. 1924.
  of—.
   apple, description, cause, and control. F.B. 1160, p. 17. 1920.
   corn, control. F.B. 1124, p. 9. 1920.
   corn, description, with suggestions for its control. F.B. 1124, pp. 1-9. 1920.
   rice, cause and control. P.R. An. Rpt., 1923, p. 15. 1924.
   rice, studies. P.R. An. Rpt., 1922, pp. 16-18. 1923.
Brown-tail moth(s)—
 American publications, list. Ent. Bul. 87, pp. 77-78. 1910.
 and gipsy moth—
  control. A. F. Burgess. F.B. 1335, pp. 28. 1923.
  control by solid-stream spraying in New England. L.H. Worthley. D.B. 480, pp. 16. 1917.
  importation into United States with nursery stock, need of control legislation. Sec. Cir. 37, pp. 2-3. 1911.
  parasite, Compsilura concinnata, study. Julian J. Culver. D.B. 766, pp. 27. 1919.
  report, 1904. C. L. Marlatt. Ent. Cir. 58, pp. 12. 1904.
  spread through imported nursery stock, danger. C. L. Marlatt. F.B. 453, pp. 22. 1911.
  suppression, value to States not infested. A. F. Burgess. Y.B., 1916, pp. 217-226. 1917; Y.B. Sep. 706, pp. 10. 1917.
  and their European parasites. L. O. Howard. Y.B., 1905, pp. 123-138. 1906; Y.B. Sep. 373, pp. 123-138. 1906.
  appearance and ravages in Massachusetts. Ent. Bul. 87, pp. 30-31. 1910.
 caterpillars—
  description and poisonous character. F.B. 1335, pp. 12-14. 1923; Y.B. 1916, p. 218. 1917; Y.B. Sep. 706, p. 2. 1917.
  parasitic enemies. Ent. Bul. 91, pp. 295-304. 1911.
 control—
  by Entomophthora aulicae. D.B. 1117, p. 5. 1922.

Brown-tail moth(s)—Continued.
 control—continued.
  measures. L. O. Howard. F.B. 264, pp. 22. 1906.
  scouting work, various States. D.B. 204, p. 29. 1915.
  suggestions. F.B. 564, pp. 1-3, 7-12, 20-24. 1914.
  work—
   1908. An. Rpts., 1908, pp. 102-104, 531-534, 535-537, 566. 1909; Ent. A. R., 1908, pp. 9-12, 13-15, 44. 1908; Rpt. 87, pp. 50-51. 1908; Sec. A. R., 1908, pp. 100-102. 1908.
   1909. An. Rpts., 1919, pp. 263-266. 1920; Ent. A. R., 1919, pp. 17-20. 1919.
   1910. An. Rpts., 1910, pp. 113, 115-116, 510-517, 542, 546, Ent. A. R., 1910, pp. 6-13, 38, 42. 1910; Sec. A. R., 1910, pp. 113, 115-116, 1910; Rpt. 93, pp. 71, 72-73. 1911; Y.B. 1910, pp. 112, 114-115. 1911.
   1911, New England. An. Rpts., 1911, p. 111. 1912; Sec. A.R., 1911, p. 109. 1911; Y.B., 1911, p. 109. 1912.
   1912. An. Rpts., 1912, pp. 75, 146-147. 1913; Sec. A.R., 1912, pp. 75, 146-157. 1912; Y.B., 1912, pp. 75, 146-147. 1913.
   1913. An. Rpts., 1913, pp. 209-211. 1914; Ent. Rpt., 1913, pp. 1-3. 1913.
   1914. An. Rpts., 1914, pp. 183-185. 1914; Ent. A.R., 1914, pp. 1-3. 1914.
   1915. An. Rpts., 1915, pp. 212-213. 1916; Ent. A.R., 1915, pp. 2-3. 1915.
   1916. An. Rpts., 1916, pp. 213-216. 1917; Ent. A.R., 1916, pp. 1-4. 1916.
   1917, review. An. Rpts., 1917, pp. 227-229. 1918; Ent. A.R., 1917, pp. 1-3. 1917.
   1918. An. Rpts., 1918, pp. 253-256. 1919; Ent. A.R., 1918, pp. 21-24. 1918.
   1920. An. Rpts., 1920, pp. 326-329. 1921.
   1921. Ent. A.R., 1921, p. 17. 1921.
   1922. An. Rpts., 1922, pp. 305, 306. 1923; Ent. A.R., 1922, pp. 7, 8. 1922.
   1923. An. Rpts., 1923, pp. 388-392. 1924; Ent. A.R., 1923, pp. 8-12. 1923.
   1924. Ent. A.R., 1924, pp. 7-9. 1924.
   1925. Ent. A.R., 1925, pp. 9-11. 1925.
   in New England States. F.B. 564, pp. 1-3, 5-7, 18, 20, 21-22, 23-24. 1914.
   methods and results. Ent. Bul. 87, pp. 1-81. 1910.
   methods, cost, and value. Y.B., 1916, pp. 217-226. 1917; Y.B. Sep. 706, pp. 10. 1917.
   report. D. M. Rogers and A. F. Burgess. Ent. Bul. 87, pp. 81. 1910.
  damage to beekeeping in Massachusetts. Ent. Bul. 75, p. 104. 1911; Ent. Bul. 75, Pt. VII, p. 104. 1909.
  danger of introduction from foreign countries. Ent. Bul. 87, pp. 60-62. 1910.
  decrease in 1921. D.B. 1103, pp. 50-51. 1922.
  description—
   geographical distribution, remedies. F.B. 264, pp. 7-19. 1906.
   habits, injuries, and control. F.B. 1270, pp. 44-46. 1923.
   technical. Sec. [Misc.], "A manual of insects * * *," p. 107. 1917.
  destruction by blue jay. Y.B. 1907, p 171. 1908; Y.B. Sep. 443, p. 171. 1908.
  destruction by Calosoma beetles. D.B. 417, pp. 6, 9. 1917.
  detection on imported nursery stock. An. Rpts., 1915, p. 358, 1916; F.H.B. An. Rpt., 1915, p. 8. 1915.
  discovery in America. Ent. Bul. 87, p. 20. 1910.
  effect on health. F.B. 453, pp. 11-12, 19. 1911.
  egg parasites, species, description, studies. Ent. Bul. 91, pp. 256-261. 1911.
  European history. Ent. Bul. 87, p. 21. 1910.
  importation with French nursery stock, plants, and seeds, quarantine establishment. F.H.B. S.R.A. 71, pp. 104-105. 1922.
  infested areas, notice, July 1, 1916. F.H.B., Quar. 25, p. 1. 1916; F.H.B. S.R.A. 28, p. 64. 1916.
  injury to beekeeping in Massachusetts. Ent. Bul. 75, Pt. VII, p. 104. 1909.
  insect enemies, studies. F.B. 564, p. 11. 1915.

36167°—32——20

Brown-tail moth(s)—Continued.
  inspection of imported seedlings from France. An. Rpts., 1909, p. 523. 1910; Ent. A.R., 1909, p. 37. 1909.
  interception in plant imports. F.H.B.S.R.A., Suppl. 77, pp. 177, 195, 196. 1924.
  introduction—
    from Holland. F.B. 453, pp. 10, 18. 1911.
    history, habits and control methods. F.B. 564, pp. 1–3, 7–12, 20, 20–24. 1914; F.B. 845, pp. 5, 10–15, 24, 28. 1917.
    into the United States on nursery stock, control methods. Ent. Bul. 91, pp. 75–76. 1911.
    spread methods and control work. Y.B. 1916, pp. 218–220, 222–224. 1917; Y.B. Sep. 706, pp. 2–4, 6–8. 1917.
  life history. D.B. 1088, p. 2. 1922; Ent. Bul. 87, pp. 21–24. 1910; F.B. 453, pp, 18–22. 1911.
  natural enemies. Ent. Bul. 87, pp. 70–71. 1910.
  on importations from France, precautions. F.H.B.S.R.A. 60, p. 22. 1919.
  parasites—
    importation, and results. Y.B., 1916, pp. 285–286. 1917; Y.B. Sep. 704, pp. 13–14. 1917.
    in Europe, sequence, table. Ent. Bul. 91, pp. 132–135, 136. 1911.
    results. F.B. 1335, p. 15. 1923.
    two important, introduction. J.A.R., vol. 14, pp. 191–206. 1918.
  parasitism—
    in the United States. Ent. Bul. 91, pp. 143–151. 1911.
    with Limnerium validum. Ent. T.B. 19, pt. 5, pp. 71–92. 1912.
  poisonous effect of hairs, remedies. Ent. Bul. 87, pp. 24–26. 1910.
  pupae, parasites, description, studies. Ent. Bul. 91, pp. 304–305. 1911.
  quarantine—
    in New England, proposed notice of hearing. F.H.B.S.R.A. 15, pp. 24–25. 1915.
    mailing restrictions on plants. F.H.B.S.R.A. 30, p. 87. 1916; F.H.B.S.R.A. 18, pp. 51, 52. 1915; F.H.B.S.R.A. 64, p. 88. 1919.
    modification—
      July 1, 1921. F.H.B. Quar. 45, amdt. 1, pp. 3. 1921; F.H.B. An. Rpt., 1921, pp. 6–7. 1921.
      Jan. 1, 1922. F.H.B. Quar. 45, amdt. 2, p. 1. 1922.
      July 1, 1922. F.H.B. Quar. 45, amdt. 3, pp. 1–3. 1922.
      July 1, 1923. F.H.B. Quar. 45, amdt. 4, p. 4. 1923; F.H.B.S.R.A. 75, pp. 84–86. 1923.
      August 21, 1923. F.H.B. Quar. 45, amdt. 5, pp. 2. 1923; F.H.B.S.R.A. 76, pp. 105–106, 123. 1923.
      October 14, 1925. F.H.B. Quar. 45, amdt. 1, pp. 4. 1925.
    notice—
      and regulations, effective August 1, 1914. F.H.B.S.R.A. 6, pp. 47–49. 1914.
      effective July 1, 1920. F.H.B. Quar. 45, pp. 5. 1920.
      25, and regulations, effective July 1, 1916. F.H.B.S.R.A. 28, pp. 64–67. 1916.
    regulations, effective—
      August 1, 1914. F.H.B. Quar. 17, pp. 4. 1914.
      July 1, 1915. F.H.B.S.R.A. 16, pp. 39–42. 1915.; F.H.B.P. Quar. 22, pp. 1, 2, 3, 4. 1915.
      July 1, 1916. F.H.B. Quar. 25, pp. 4. 1916; F.H.B. Quar. 27, p. 4. 1917.
      July 1, 1917. F.H.B.S.R.A. 41, pp. 70–74. 1917.
      July 1, 1918. F.H.B. Quar. 33, pp. 4. 1918; Quar. 33. F.H.B.S.R.A. 52, pp. 55–58. 1918.
    regulations on Christmas trees. F.H.B. Quar. 4, pp. 4. 1912.
    rules and regulations. F.H.B. Quar. 45, pp. 5. 1920.
    with regulations (revised), effective July 1, 1919. F.H.B.S.R.A. 63, pp. 67–70. 1919.
    See also Quarantine, gipsy and brown-tail moths.
  quarantined areas, map showing. 1916. Ent. [Misc.], "Map showing areas * * *," map. 1916.
  spread through imported nursery stock, danger. C. L. Marlatt. F.B. 453, pp. 22. 1911.

Brown-tail moth(s)—Continued.
  webs, parasites hibernating in, description, studies. Ent. Bul. 91, pp. 60, 261–295. 1911.
Brown-tail rash, caused by hairs of brown-tail moth. An. Rpts., 1907, p. 452. 1908; F.B. 453, p. 11. 1911.
BROWNE, C. A.—
  "Chemical analysis and composition of American honeys." Chem. Bul. 110, pp. 1–69. 1908.
  "Influence of salts of the alkalis on the optical determination of sucrose." With G. H. Hardin. Chem. Bul. 137, pp. 167–168. 1911.
  "Methods of honey testing for bee keepers." Ent. Bul. 75, pt. 1, pp. 16–18. 1907.
  report—
    as Chief of Chemistry Bureau, 1924. Chem. Chief Rpt., 1924, p. 26. 1924.
    as Chief of Chemistry Bureau, 1925. Chem. Chief Rpt., 1925, pp. 23. 1925.
  on analysis of feeding materials. Chem. Bul. 81, pp. 43–44. 1904.
  on cattle feeds. Chem. Bul. 73, pp. 146–154. 1903.
  analysis of condensed milk. Chem. Bul. 116, p. 57. 1908.
  on sugar and molasses methods, 1907. With J. E. Halligan. Chem. Bul. 116, pp. 68–76. 1908.
Brownea grandiceps, importation and description. No. 51796, B.P.I. Inv. 65, pp. 1, 51. 1923; No. 52308, B.P.I. Inv. 66, pp. 7–8. 1923.
Browning—
  apples, relation to soil fertility, fertilizers, and individual trees. D.B. 1104, pp. 14–17. 1922.
  internal, of—
    apples, prevention experiments. J.A.R., vol. 24, pp. 170–171, 176–179. 1923.
    apples, relation to storage and orchard conditions. D.B. 1104, pp. 4–14, 22–24. 1922.
  the yellow Newton apple, study. A. J. Winkler. J.A.R., vol. 24, pp. 165–184. 1923.
Brownsville Irrigation Company, canal, irrigation, details. O.E.S. Bul. 222, pp. 52–53. 1910.
Browsing. See Grazing.
BRUCE, E. S.—
  "A forest working plan for Township 40, Hamilton County, New York State forest preserve." For. Bul. 30, pp. 64. 1901.
  "Flumes and fluming." D.B. 87, pp. 36. 1914.
BRUCE, O. C.—
  "Soil survey of—
    Allegany County Maryland." With A. M. Smith. Soil Sur. Adv. Sh. 1921, pp. 1060–1090. 1925.
    Baltimore County, Maryland." With others. Soil Sur. Adv. Sh. 1917, pp. 42. 1919; Soils F.O. 1917, pp. 271–308. 1923.
    Frederick County, Maryland." With others. Soil Sur. Adv. Sh. 1919, pp. 82. 1922; Soils F.O. 1919, pp. 641–722. 1925.
  "The relation of sulphur to alfalfa production" J. A.R. vol. 30, pp. 937–947. 1925.
Bruchid(s)—
  algaroba, control by parasites, studies. Ent. A. R., 1921, p. 24. 1921.
  injury to cotton, Peru, description. Rpt., 102, pp. 5–8. 1915.
  occurrence, Hawaii, and injury to legumes. Hawaii A.R., 1911, p. 22. 1912.
Bruchophagus—
  funebris—
    infestation by Tetrastichus bruchophagi. J.A.R. vol. 8, pp. 277–282. 1917.
    life-history observations. J.A.R., vol. 16, pp. 165–174. 1919.
  See also Chalcid fly, clover-seed.
  herrerae, enemy of boll weevil. Ent. Bul. 100, pp. 11, 41, 49. 1912.
Bruchus—
  chinensis. See Cowpea weevil.
  genus, European nomenclature. Ent. Bul. 82, pt., 7, 92–93. 1911.
  obsoletus, description, and occurrence. Ent. Bul. 64, p. 41. 1911; Ent. Bul. 64, Pt. V., pp. 41. 1908.
  obtectus—
    cold storage experiments. J.A.R. vol. 27, pp. 99–102, 105. 1923.
    fumigation methods and results. J.A.R. vol. 28, pp. 347–356. 1924.

INDEX TO PUBLICATIONS, 1901–1925

Bruchus—Continued.
  obtectus—continued.
    insect affecting seeds, effect of low temperature on. Walter Carter. J.A.R. vol. 31, pp. 165–182. 1925.
    See also Bean weevil; Pea weevil.
  prosopis, bean weevil destruction of kiawe bean. Hawaii A. R., 1912, p. 24. 1913.
  quadrimaculatus—
    biology notes. J.A.R. vol. 26, pp. 609–616. 1923.
    cold storage experiments. J.A.R. vol. 27, pp. 102–105. 1923.
    fumigation, methods and results. J.A.R. vol. 28, pp. 347–356. 1924.
    longevity and fecundity, effects of different foods. J.A.R. vol. 29, pp. 297–305. 1924.
    See also Bean weevil, 4-spotted.
  rufimanus. See Bean, broad, weevil.
  sp.—
    fumigation experiments. D.B. 186, p. 5. 1915.
    synonym for *Laria* spp. Ent. Bul. 96, Pt. V, p. 60. 1912.
BRUES, C. T.: "The cotton bollworm." With A. L. Quaintance. Ent. Bul. 50, n. s., pp. 155. 1905.
BRUHN, A. T.: "The manufacture of cheese of the Cheddar type from pasteurized milk." With J. L. Sammis. B.A.I. Bul. 165, pp. 95. 1913.
Bruga, host plant for coffee leaf spot. P.R. Bul. 28, p. 7. 1921.
Brulay estate irrigation system, details. O.E.S. Bul. 222, p. 51. 1910.
BRUNKOW, O. R.: "A study of the influence of inoculation upon the fermentation of sauerkraut. with others. J.A.R. vol. 30, pp. 955–960. 1925.
BRUNNER, JOSEF—
  "Douglas fir pitch moth." D.B. 255, pp. 23. 1915.
  "The sequoia pitch moth, a menace to pine in western Montana." D.B. 111, pp. 11. 1914.
  "The Zimmerman pine moth." D.B. 295, pp. 12. 1915.
Brunsfelsia hopeana, importation and description. No. 45230, B.P.I. Inv. 53, p. 14. 1922.
Brunswick, Ga., trade center for farm products, statistics. Rpt. 98, pp. 288–322. 1913.
BRUSH, W. D.—
  "A microscopic study of the mechanical failure of wood." For. Serv. Inv. No. 2, pp. 33–38. 1913.
  "Greenheart" with C. D. Mell. For. Cir. 211, pp. 12. 1913.
  "Quebracho wood and its substitutes." With Clayton D. Mell. For. Cir. 202, pp. 12. 1912.
  "Selling black walnut timber." F.B. 1459, pp. 21. 1925.
  "Trees of Porto Rico." With others. D.B. 354, pp. 56–99. 1916.
  "Utilization of basswood." D.B. 1007, pp. 64. 1922.
  "Utilization of black walnut." D.B. 909, pp. 89. 1921.
  "Utilization of elm." D.B. 683, pp. 43. 1918.
  "Utilization of sycamore." D.B. 884, pp. 24. 1920.
Brush—
  and tank pole treatments. Carl G. Crawford. For. Cir. 104, pp. 24. 1907.
  antelope, Wyoming, distribution and growth. N.A. Fauna 42, p. 69. 1917.
  blue, value for goat browsing. D.B. 749, p. 3. 1919.
  broomcorn, defects, causes, careless handling, and harvesting. Rpt. 98, pp. 34–35. 1913.
  burner, use in orchards. D.B. 518, p. 21. 1917.
  burning—
    advantages and disadvantages. For. [Misc.], "Suggestions for disposal * * * ," pp. 3–6. 1907.
    cause of forest fires. For. Bul. 117, pp. 9–10, 25–31. 1912; News L., vol. 3, No. 38, p. 2. 1916.
    effect on soil. Hawaii Bul. 30, pp. 5, 33–34. 1913.
    in forests, when desirable. D.B. 1105, pp. 110–112, 114. 1923.
    stimulation to plant growth, Hawaii, 1917. Hawaii A.R., 1917, p. 53. 1918.
    under the selection system of cutting. D.B. 418, pp. 47–48. 1917.

Brush—Continued.
  Colorado orchards, hauling and burning, time and cost. D.B. 500, p. 17. 1917.
  control in forest cuttings and disposal methods. D.B. 1176, pp. 19–21. 1923.
  covering protection of newly cleared land from wind. Soils Bul. 68, p. 170. 1911.
  cutting methods. News L., vol. 6, No. 6, p. 13. 1918.
  dams, description. O.E.S. Bul. 249, Pt. 2, pp. 9–10. 1912.
  destruction by sheep. F.B. 840, p. 5. 1917.
  disposal—
    in—
      apple orchards, Oregon, Hood River Valley. D. B. 518, pp. 20–21. 1917.
      national forests, suggestions. T. S. Holmes. For [Misc.], "Suggestions for disposal * * * ," pp. 15. 1907.
      sprout forests. Y.B., 1910, p. 160. 1911; Y.B. Sep. 525, p. 160. 1911.
      spruce forests, methods. D.B. 544, pp. 59–44. 1918.
      trail construction, regulations. For. Misc., O–6, p. 25. 1915.
    methods—
      discussion and recommendations. D.B. 496, pp. 2–3, 11–13. 1917.
      used in forests of Southwest. D.B. 1105, pp. 92–114, 138–140. 1923.
      national forests. Y.B. 1907, p. 287. 1908; Y.B. Sep. 466, p. 287. 1908.
      on different types of forest growth. For [Misc.] "Suggestions for disposal * * * ," pp. 10–15, 1907.
      western yellow pine forests. For. Bul. 101, pp. 53–54. 1911.
    drag—
      caterpillar control, construction and use. D.B. 124, pp. 38–39. 1914.
      dust mulch control of alfalfa weevil. F.B. 741, p. 15. 1916.
    fields—
      California, cause and sequence. D.C. 358, pp. 8–10. 1925.
      fires, effects. D.B. 1294, pp. 39–44. 1924.
    land—
      clearing—
        by means of Angora goats. F.B. 137, pp. 12–15, 1901; F.B. 573, pp. 2, 4, 6. 1914; F.B. 1203, pp. 5–6, 9–10. 1921.
        methods. B.A.I. An. Rpt., 1900, pp. 298–306. 1901; B.A.I. Bul. 27, pp. 41–47. 1901.
        value of elk, goats, and deer. F.B. 330, pp. 10, 16. 1908.
      kudzu planting for pasture. Y.B., 1908, p. 250. 1909; Y. B. Sep. 478, p. 250. 1909.
      preservation for goat browsing. B.A.I. Bul. 27, p. 44. 1906.
    lodgepole pine clearings, disposal methods. D.B. 234, pp. 32–35. 1915.
    method, wood preservation. For. Bul. 78, pp. 21–22. 1909.
    penalty for failure to dispose of, on national forests. For. [Misc.], "Trespass on national * * *," pp. 22, 37. 1922.
    piling and burning—
      cost, methods for fire prevention. For. Bul. 82, pp. 20–25. 1910.
      directions and cost. For. [Misc.], "Suggestions for disposal * * *," pp. 6–8. 1907.
      in national forests, cost. Y.B. 1911, p. 365. 1912; Y.B. Sep. 575, p. 365. 1912.
    rabbit, Wyoming, distribution and growth. N.A. Fauna 42, pp. 78–79, 81. 1917.
    removal from orchards, devices. F.B. 917, pp. 32–33. 1918.
    rotting in forests, relation to method of piling. D.B. 496, pp. 5–7, 8–9, 10–11. 1917.
    sleds, use in orchards. F.B. 632, pp. 9, 11, 12. 1915.
    treatment—
      chestnut poles. For. Cir. 147, pp. 10–14. 1908.
      of timber. F.B. 744, p. 23. 1916.
      use in preservation of mine timbers. For. Bul. 107, pp. 3–9. 1912.
      use in checking soil erosion. D.B. 180, p. 14. 1915.

Brush—Continued.
  varieties, indicators of land value and possibilities. J.A.R., vol. 28, pp. 101, 108, 109, 114, 115, 117-127. 1924.
  yellow—
    growth habits, value as indicator, and forage uses. D.B. 791, pp. 15-17, 21-32. 1919.
    type of range vegetation, composition and uses. D.B. 791, pp. 22-32, 68-69. 1919.
Brushes—
  house-cleaning, description and care. F.B. 1180. pp. 5, 9-10. 1921.
  manufacture from—
    basswood and other woods. D.B. 1007, p. 50. 1922.
    zacaton roots. Y.B., 1910, p. 337. 1911; Y.B. Sep. 541, p. 337. 1911.
  paint—
    description and care. F.B. 474. pp. 6-7. 1911.
    or whitewash, use in insect control. F.B. 1169, p. 16. 1921.
    selection and use. F.B. 1452, pp. 27-31. 1925.
    use in farm dairies, description. F.B. 541, p. 20. 1913.
Brushwood—
  clearing by goats, advantages. F.B. 137, pp 9-14. 1901.
  destruction, use of milch goats. B.A.I. Bul. 68, p. 46. 1905.
  objections to some varieties for goat browsing. B.A.I. Bul. 27, pp. 45-46. 1906.
Brussels—
  convention, 1901-1902, effect on sugar industry. D.B. 473, pp. 1-2, 5, 34, 35, 42-43, 45, 47. 1917.
  Exposition, 1910, agricultural features. O.E.S. An. Rpt., 1911, p. 283. 1912.
Brussels sprouts—
  canning directions. S.R.S. Doc. 12, p. 5. 1917.
  cultural directions, and varieties. F.B. 255, p. 27. 1906; F.B. 934, pp. 27-28. 1919; F.B. 937, p. 30. 1918; F.B. 1044, p. 32. 1919.
  drying directions. D.C. 3, p. 11. 1919.
  growing experiments in Alaska. Alaska A.R. 1913, pp. 9, 70. 1914.
  growing for small gardens, cultural hints. F.B. 818, p. 40. 1917.
  planting, directions for club members. D.C. 48, p. 8. 1919.
  shipments by States, and by stations. 1916. D.B. 667, pp. 12, 170. 1918.
  special truck crop of Long Island. Y.B., 1907, p. 427. 1908; Y.B. Sep. 459, p. 427. 1908.
  spraying calendar. S.R.S. Doc. 52, p. 6. 1917.
Brya ebenus. See Ebony, Jamaica.
BRYAN, A. H.—
  "Analysis and valuation of maple sugar." Chem. Bul. 162, pp. 59-60. 1913.
  "Analysis of sugar beets, 1905-1910, together with methods of sugar determination." Chem. Bul. 146, pp. 48. 1911.
  "Chemical analysis and composition of imported honey from Cuba, Mexico, and Haiti." With others. Chem. Bul. 154, pp. 21. 1912.
  "Effect of hydrosulphite and rongalite on polarization of dextrose, levulose and sucrose" Chem. Bul. 116, pp. 76-77. 1908.
  "Extraction of grains and cattle foods for the determination of sugars." With others. Chem. Cir. 71, pp. 14. 1911.
  "Manufacture of denatured alcohol." With others. Chem. Bul. 130, pp. 166. 1910.
  "Maple-sap sirup." Chem. Bul. 134, pp. 110. 1910.
  "Maple sugar: Composition methods of analysis, effect of environment." With others. D.B. 466, pp. 46. 1917.
  "Methods for the analysis of maple products and the detection of adulterants, together with the detection of adulterants, together with the interpretation of the results obtained." Chem. Cir. 40, pp. 13. 1907.
  "Production of maple sirup and sugar." With others. F.B. 1366, pp. 35. 1924.
  report of Seventh International Commission on sugar analysis. Chem. Bul. 162, p. 185. 1913.
  "Report on sugar analysis." With H. P. Agee. Chem. Bul. 132, pp. 175-184. 1910.
  "Sorghum sirup manufacture." F.B. 477, pp. 40. 1912.

BRYAN, A. H.—Continued.
  "Sorgo-sirup manufacture." With Sidney F. Sherwood. F.B. 1389, pp. 29. 1924.
  "The production of maple sirup and sugar." With William F. Hubbard. F.B. 516, pp. 46. 1912.
BRYAN, E. A.—
  discussion of—
    Nelson amendment. O.E.S. Bul. 196, pp. 83, 88. 1907.
    the distinctive work of the land-grant colleges. O.E.S. Bul. 228, pp. 57-64. 1910.
  report of Washington Experiment Station, work and expenditures, 1906. O.E.S. An. Rpt., 1906, pp. 164-165. 1907.
BRYAN, H.—
  "Modification of the method of mechanical soil analysis." With C. C. Fletcher. Soils Bul. 84, pp. 16. 1912.
  "The electrical bridge for the determination of soluble salts in soils." With R. O. E. Davis. Soils Bul. 61, pp. 36. 1910.
BRYAN, M. K.—
  "Angular leaf spot of cucumbers." With Erwin F. Smith. J.A.R., vol. 5, No. 11, pp. 465-476. 1915.
  "A bacterial budrot of cannas." J.A.R., vol. 21, No. 3, pp. 143-152. 1921.
  "A nasturtium wilt caused by *Bacterium solanacearum.*" J.A.R., vol. 4, pp. 451-458. 1915.
  "Bacterial leaf spot of Delphinium." J.A.R., vol. 28, pp. 261-270. 1923.
BRYAN, T. J.—
  "Carbon dioxid value of pure compressed yeast and compressed yeast and starch compounds." Chem. Bul. 116, pp. 25-28. 1908.
  report on fats and oils. Chem. Bul. 132, pp. 120-122. 1910; Chem. Bul. 137, pp. 87-91. 1911.
BRYAN, W. A.: "Report of an expedition to Laysan Island in 1911." With Homer R. Dill. Biol. Bul. 42, pp. 30. 1912.
BRYANT, A. P.—
  "Dietary studies in New York City in 1896 and 1897." With W. O. Atwater. O.E.S. Bul. 116, pp. 83. 1902.
  "Experiments on the metabolism of matter and energy in the human body, 1898-1900." With others. O.E.S. Bul. 109, pp. 147. 1902.
  "Experiments on the metabolism of matter and energy in the human body, 1900-1902." With others. O.E.S. Bul. 136, pp. 357. 1903.
BRYANT, O. W.—
  "Irrigation in the Sacramento Valley, California." With others. O.E.S. Bul. 207, pp. 99. 1909.
  "Progress report on experiments in supplemental irrigation with small water supplies at Cheyenne and Newcastle, Wyoming, 1905-1908." O.E.S. Cir. 92, pp. 51. 1910.
Bryobia pratensis—
  control, life history. F.B. 1270, pp. 60-61. 1922.
  description, habits, and control. Rpt. 108, pp. 33, 34-35. 1915.
  See also Clover mite.
Bryophyllum—
  calycinum, effect of crowngall inoculations. J.A.R., vol. 21, 593-598. 1921.
  calycinum. See also Bruja.
  pinnatum, importation and description. No. 31982, B.P.I. Bul. 261, p. 14. 1912.
Brysonima crassifolia. See Nance.
Bubakia crotonis, occurrence on croton, Texas, and description. B.P.I. Bul. 226, p. 93. 1912.
Bubo—
  virginianus, protection and exception. Biol. Bul. 12, rev., p. 33. 1902.
  spp. See Owl.
Bubonic plague—
  conveyance by rat fleas. Biol. Bul. 33, pp. 31-32. 1909.
  danger from California ground squirrels. Biol. Cir. 76, p. 2. 1910.
  introduction by fleas, through rats and mice. F.B. 897, p. 9. 1917.
  spread by—
    Beechey ground squirrel. D.B. 932, pp. 12-13. 1918.
    fleas and rats. Biol. Bul. 33, pp. 31-32. 1909; D.C. 338, p. 15. 1925; D.B. 248, pp. 11-15. 1915; F.B. 683, pp. 1, 2, 9-10. 1915; Sec. Cir. 61, p. 19. 1916.

Bubonic plague—Continued.
  spread by—continued.
    rats. Y.B., 1917, pp. 235-236, 246, 247-248. 1918; Y.B. Sep. 725, pp. 3-4, 14, 15-16. 1918.
    transmission by ground squirrels, area mapped. An. Rpts., 1912, p. 174. 1913; Sec. A.R., 1912, p. 174. 1912; Y.B., 1912, p. 174. 1913.
Bucare—
  importations and descriptions. No. 31317, B.P.I. Bul. 242, p. 84. 1912; No. 33673, B.P.I. Inv. 31, p. 43. 1914; No. 43049, B.P.I. Inv. 48, p. 14. 1921.
  Porto Rico, description and uses. D.B. 354, pp. 35, 75. 1916.
  use as—
    shade for coffee. P.R. Cir. 15, p. 24. 1912.
    support of vanilla vines, planting and pruning. P.R. Bul. 26, pp. 9, 10, 16, 17. 1919.
    value as windbreak and shade for citrus trees. P.R. An. Rpt., 1920, p. 25. 1921.
Bucculatrix—
  apple, description, habits, injuries, and control. F.B. 1270, p. 57. 1923.
  pomifoliella, control, life history. F.B. 1270, p. 57. 1922.
Buchanania latifolia, importation and description. No. 43038, B.P.I. Inv. 48, pp. 7, 13. 1921.
BUCHBINDER, H. E.: "Cooperative work on morphin." Chem. Bul. 162, pp. 218-221. 1913.
Buchenavia capitata. See Granadillo.
BUCHER, F. S.: "Soil survey of—
  Barnwell County, South Carolina." With others. Soil Sur. Adv. Sh., 1912, pp. 49. 1914; Soils F.O., 1912, pp. 411-455. 1915.
  Barton County, Missouri." With H. H. Krusekopf. Soil Sur. Adv. Sh., 1912, pp. 28. 1914; Soils F.O., 1912, pp. 1609-1632. 1915.
  Cass County, Missouri." With H. H. Krusekopf. Soil Sur. Adv. Sh., 1912, pp. 28. 1914; Soils F.O., 1912, pp. 1663-1686. 1915.
  Chatham County, Georgia." With W. J. Latimer. Soil Sur. Adv. Sh., 1911, pp. 34. 1912; Soils F.O. 1911, pp. 563-592. 1914.
  Erie County, Pennsylvania." With Gustavus B. Maynadier. Soil Sur. Adv. Sh., 1910, pp. 52. 1911; Soils F.O., 1910, pp. 145-192. 1912.
  Macon County, Missouri." With H. Krusekopf. Soil Sur. Adv. Sh., 1911, pp. 28. 1913; Soils F.O., 1911, pp. 1677-1700. 1914.
  Stoddard County, Missouri." With others. Soil Sur. Adv. Sh., 1912, pp. 38. 1914; Soils F.O., 1912, pp. 1751-1784. 1915.
  Washington County, Pennsylvania." With others. Soil Sur. Adv. Sh., 1910, pp. 34. 1911; Soils F.O., 1910, pp. 267-269. 1912.
Buchloe dactyloides. See Buffalo grass.
Buchu—
  and juniper, compound, misbranding. Chem. N.J. 3978. 1915.
  gin—
    (Baird-Daniels), misbranding, N.J. 134. Chem. N.J. Nos. 134-140, pp. 1-4. 1910.
    Bouvier's, misbranding. Chem. N.J. 160, pp. 3. 1910.
  importations and description. Nos. 46376, 46377, B.P.I. Inv. 56, p. 13. 1922; Nos. 47221, 47222, B.P.I. Inv. 58, p. 43. 1922; Nos. 47953, 47954, B.P.I. Inv. 60, pp. 19-20. 1922.
  introduction from Cape Town. B.P.I. Bul. 176, p. 16. 1910.
  leaves, substitute, Opinion 210. Chem. S.R.A. 20, p. 58. 1918.
Bucida buceras—
  injury by sapsuckers. Biol. Bul. 39, p. 47. 1911.
  See also Ucar tree.
BUCK, J. M.—
  "*Bacterium abortus* infection of bulls." With others. J.A.R., vol. 17, pp. 239-246. 1919.
  "Studies relating to the immunology of bovine infectious abortion." With G. T. Creech. J.A.R., vol. 28, pp. 607-642. 1924.
  "The diagnosis of dourine by complement fixation." With others. J.A.R., vol. 1, pp. 99-1070. 1913.
  "The differentiation of primary isolations of *Bacterium melitensis* from primary isolations of *Bacterium abortus* (bovine) by their cultural and atmospheric requirements." J.A.R., vol. 29, pp. 585-591. 1924

Buck bean—
  description, eastern Puget Sound Basin, Washington. Soil Sur. Adv. Sh., 1909, p. 29, 31. 1911; Soils F.O., 1909, p. 1541. 1912.
  habitat, range, description, uses, collection and prices. B.P.I. Bul. 219, p. 21. 1911.
  See also Bog bean.
Bucket(s)—
  dredge, various kinds. O.E.S. Cir. 74, p. 23. 1907.
  milk. See Milk pail.
  sap, wooden and metal, covered and uncovered. Chem. Bul. 134, pp. 11, 51-52, 97, 99. 1910.
  use in house-cleaning. F.B. 1180, p. 7. 1921.
  water, for fire protection, farm buildings. News L., vol. 1, No. 6, p. 2. 1913.
Buckeye—
  California, description, range, and occurrence, Pacific slope. For. [Misc.], "Forest trees for Pacific * * *," pp. 398-400. 1908.
  characters. F.B. 468, p. 43. 1911.
  characters, varieties on Pacific Slope. For. [Misc.], "Forest trees of Pacific * * *," pp. 398-400. 1908.
  description, key, and list of kinds. D.C. 223, pp. 7, 11. 1922.
  family, injury to trees by sapsuckers. Biol. Bul. 39, pp. 46, 84. 1911.
  insect pests, list. Sec. [Misc.], "A manual of insects * * *," pp. 137-138. 1917.
  leaf-blight, occurrence and description, Texas. B.P.I. Bul. 226, p. 60. 1912.
  Ohio, fetid, and smooth, description, bark and nut, uses. B.P.I. Bul. 139, pp. 37-38. 1903.
  quantity used in manufacture of wooden products. D.B. 605, p. 13. 1918.
  tests for mechanical properties, results. D.B. 556, pp. 29, 38. 1917; D.B. 676, p. 16. 1919.
  See also Horse chestnut.
Buckeye Irrigation Farm, Texas, rice irrigation, details. O.E.S. Bul. 222, p. 43. 1910.
Buckhorn—
  seed, description. F.B. 428, pp. 5, 7, 22. 1911; F.B. 1283, p. 7. 1922.
  seed, separation from red clover and alfalfa seeds, method. Harry B. Shaw. B.P.I Cir. 2, pp. 12. 1908.
  See also Plantain.
BUCKINGHAM, D. E.: "Sanitation and treatment of diseases." D.B. 1350, pp. 29-31. 1925.
BUCKINGHAM, EDGAR—
  "Contributions to our knowledge of the aeration of soils." Soils Bul. 25, pp. 52. 1904.
  "Studies on the movement of soil moisture." Soils Bul. 38, pp. 61. 1907.
Buckinghamia celissima, importation and description. No. 48840, B.P.I. Inv. 61, p. 55. 1922.
Bucklandia populnea, importations and descriptions. No. 39639, B.P.I. Inv. 41, p. 53. 1917; No. 42647, B.P.I. Inv. 47, p. 43. 1920; No. 47649, B.P.I. Inv. 59, p. 42. 1922; No. 54692, B.P.I. Inv. 70, p. 8. 1923; No. 55674, B.P.I. Inv. 72, p. 17. 1924.
BUCKLEY, J. P., Jr.—
  "Determination of fatty acids in butter fat: 1." With E. B. Holland. J.A.R., vol. 12, pp. 719-732. 1918.
  "Determination of stearic acid in butter fat." With others. J.A.R., vol. 6, No. 3, pp. 101-113. 1916.
  "Stability of olive oil." With others. J.A.R., vol. 13, pp. 353-366. 1918.
BUCKLEY, J. S.—
  "Pulmonary mycosis of birds—with a report of a case in a flamingo." With John R. Mohler. B.A.I. An. Rpt., 1903, pp. 122-136. 1904; B.A.I. Cir. 58, pp. 17. 1904.
  "The regional lymph glands of food-producing animals." With Thomas Castor. B.A.I. Cir. 192, pp. 30. 1912.
BUCKLEY, S. S.—
  "Castration of hogs." F.B. 1357, pp. 8. 1923.
  "Hog production and marketing." With others. Y.B. 1922, pp. 181-280. 1923; Y.B. Sep. 882 pp. 181-280. 1923.
BUCKMAN, H. O.: "Soil survey of Tompkins County, New York." With others. Soil Sur. Adv. Sh., 1920, pp. 1567-1622. 1924; Soils F.O. 1920, pp. 1567-1622. 1925.

BUCKNER, G. D.—
"Comparative utilization of the mineral constituents in the cotyledons of bean seedlings grown in soil and in distilled water." J.A.R., vol. 20, pp. 875–880. 1921.
"Effect of certain grain rations on the growth of the white leghorn chick." With others. J.A.R., vol. 16, pp. 305–312. 1919.
"Translocation of mineral constituents in seeds and tubers of certain plants during growth." J.A.R., vol. 5. pp. 449–458. 1915.
Buckram, use for binding, cost and durability. Pub. A.R., 1909, p. 15. 1909; An. Rpts., 1909, p. 603. 1910.
Bucks—
Angora, management and care. B.A.I. Bul. 27, pp 31–32. 1907; B.A.I. An. Rpt., 1900, pp. 346–347. 1901; F.B. 137, p. 35. 1901.
dipping for scab. F.B. 713, p. 18. 1916.
fleeces, separation, necessity. D.B. 206, pp. 9, 29. 1915.
management in raising milch goats, characteristics of good animal. B.A.I. Bul. 68, pp. 29, 37. 1905.
shipping advice and warning. F.B. 1203, p. 15. 1921.
"Buckshot" land drainage experiments. O.E.S. An. Rpt., 1908, p. 44. 1908.
Buckthorn—
cascara, tests for mechanical properties, results. D.B. 556, pp. 29, 38. 1917.
characters, species on Pacific slope. For. [Misc.], "Forest trees for Pacific * * *." pp. 400–407. 1908.
crown-rust occurrence. B.P.I. Chief Rpt., 1921, p. 40. 1921.
distribution. N.A. Fauna 22, p. 16. 1902.
distribution and growth in Wyoming. N.A. Fauna 42, p. 73. 1917.
European, hoist of oat crown-rust. Work and Exp., 1921, p. 65. 1923.
evergreen, description, range, occurrence, Pacific slope. For. [Misc.], "Forest trees for Pacific * * *," pp. 401–403. 1908.
fruiting season, and use as bird food. F.B. 912, pp. 12, 13. 1918.
host of crown rust of wheat. Work and Exp., 1923, p. 43. 1925.
injury by sapsuckers. Biol. Bul. 39, pp. 48–49, 88. 1911.
insect pests, list. Sec. [Misc.], "A manual of insects * * *," p. 48. 1917.
occurrence in—
chaparral, undesirable qualities. For. Bul. 85, p. 31. 1911.
Colorado, description. N.A. Fauna 33, p. 238. 1911.
relation to spread of crown rust. D.B. 1162, pp. 1–19. 1923.
sea, importation and description. No. 36743, B.P.I. Inv. 37, p. 59. 1916.
seeds, separation from red clover and alfalfa seeds, improved method. Harry B. Shaw. B.P.I. Cir. 2, pp. 12. 1908.
tests for shrinkage and hardness. D.B. 676, p. 16. 1919.
Buckwheat—
acreage—
1866–1922, production, yield, and price. Y.B., 1922, pp. 547–549. 1923; Y.B. Sep. 891, pp. 547–549. 1923.
1913, production, and value, estimate. F.B. 570, pp. 8, 15, 17, 18, 21, 34. 1913.
1913, 1914, production, and value, by States, estimates. F.B. 645, p. 31. 1914.
1915, census 1909, and estimate by States, map. Y.B., 1915, p. 359. 1916; Y.B. Sep. 681, p. 359. 1916.
1919, map. Y.B., 1921, p. 444. 1922; Y.B., Sep. 878, p. 38. 1922.
1923, yield, prices, and marketing, 1923. Y.B., 1923, pp. 725–728. 1924; Y.B. Sep., 899, pp. 725–728. 1924.
1924 and value, by States. Y.B., 1924, pp. 659, 1044. 1925.
and production, North Carolina, Haywood County. Soil Sur. Adv. Sh., 1922, p. 207. 1925.
by countries, Europe, 1885, 1895, 1905. Stat. Bul. 68, pp. 16–17. 1908.

Buckwheat—Continued.
adaptability to—
acid soils. D.B. 6, pp. 8–9. 1913.
Volusia loam, eastern United States. Soils Cir. 60, pp. 4, 6, 7, 9–10, 11. 1912.
adaptation to abandoned lands of New York. B.P.I. Cir. 64, pp. 6–7. 1910.
bran, use as feed. Y.B., 1922, p. 553. 1923; Y.B. Sep. 891, p. 553. 1923.
bushel weights, Federal and State. F.B. 1062, pp. 23–24. 1919; Y.B., 1918, p. 723. 1919; Y.B., Sep. 795, p. 59. 1919.
characteristics. F.B. 1216, pp. 6–7. 1922.
composition of various products, and feeding value. F.B. 1062, pp. 18–19. 1919.
cost of production per acre. Y.B., 1921, p. 826. 1922; Y.B., Sep. 876, p. 23. 1922.
crop(s)—
1866–1906, by States and by years. Stat. Bul. 61, pp. 24. 1908.
1902, yields, prices, and values. Y.B., 1902, pp. 802–804. 1903.
1907, remarks by Secretary. An. Rpts., 1907, p. 18. 1907; Sec. A.R., 1907, p. 16. 1907; Rpt. 85, p. 10. 1907; Y.B., 1907, p. 18. 1908.
1910–1922, estimates. M. C. 6, p. 7. 1923.
1911, price per bushel. An. Rpts., 1911, p. 19, 1912; Sec. A.R. 1911, p. 17. 1911; Y.B., 1911, p. 17. 1912.
experiments—
at Cheyenne farm, 1913–1915, varieties and yields. D.B. 430, p. 38. 1916.
in Texas. B.P.I. Bul. 283, p. 60. 1913.
exports—
1864–1908. Stat. Bul. 75, p. 43. 1910.
1906–1910. Y.B., 1910, p. 669. 1911; Y.B., Sep. 554, p. 669. 1911.
1921, statistics. Y.B., 1921, p. 746. 1922; Y.B., Sep. 867, p. 10. 1922.
family, saltbush species, descriptions. D.B. 1345, pp. 30–36. 1925.
farm prices—
1900. Y.B., 1900, p. 796. 1901.
1901. Y.B., 1901, p. 739. 1902.
1902. Y.B., 1902, p. 804. 1903.
1903. Y.B., 1903, p. 630. 1904.
1904. Y.B., 1904, p. 672. 1905.
feed for chickens. F.B. 287, p. 21. 1907.
fertilizer—
requirements, and materials removed by crop. F.B. 1062, pp. 8–10. 1919.
tests. Soils Bul. 67, p. 30. 1910.
flour—
adulteration and misbranding. Chem. N.J. 28–35, pp. 5–6. 1908; 58–63, pp. 5–6. 1909; 117–118, pp. 2–3. 1909; 123–133, pp. 3,11. 1910; 263, p. 1. 1910; 317, p. 1. 1910; 481, p. 1. 1910.
laws and standards. Chem. Bul. 69, rev., pts. 1–9, pp. 11, 15, 171, 174, 185, 212, 279, 305, 429, 443, 666, 686, 690, 743. 1905–1906.
purity standard. Chem. N.J. 58–63, p. 6. 1909.
value and use as food. Y.B., 1902, p. 401. 1903.
food—
and feed uses. Y.B., 1922, pp. 552–553. 1923; Y.B. Sep. 891, pp. 552–553. 1923.
value, analysis. F.B. 249, p. 14. 1906.
forecast, general and by States, September, 1913, price. F.B. 558, pp. 11, 16. 1913.
germination and growth. F.B. 1062, p. 14. 1919.
groats, white, adulteration and misbranding. Chem. N.J. 3610. 1915.
growing. F.B. 267, pp. 10–13. 1906.
growing—
after other crops, yields. S.R.S. Rpt., 1916, Pt. I, pp. 32, 241. 1918.
and uses. Clyde E. Leighty. F.B. 1062, pp. 24. 1919.
and yield in West Virginia. Morgantown area. Soil Sur. Adv. Sh., 1911, pp. 11, 26, 28. 1912; Soils F.O., 1911, pp. 1333, 1348, 1350. 1914.
climate and soil requirements. F.B. 1062, pp. 5–6. 1919.
directions for southern farmers. B.P.I. Doc. 632, pp. 6–7. 1910.
experiments—
Belle Fourche Farm. D.B. 1039, pp. 37, 72. 1922.

Buckwheat—Continued.
growing—continued.
experiments—continued.
in Alaska, 1915. Alaska A.R., 1915, pp. 13, 21, 46, 66. 1916.
on irrigated land, Belle Fourche Farm. D.B. 1039, pp. 61, 72. 1922.
with daylight of different lengths. J.A.R., vol. 23, pp. 874, 880, 887. 1923.
factors and requirements. Y.B., 1922, pp. 549-552. 1923; Y.B. Sep. 891, pp. 549-552. 1923.
in Alaska—
1908. Alaska A.R., 1908, p. 39. 1909.
1909. Alaska A.R., 1909, pp. 14, 48, 55. 1910.
1917, varieties and yields. Alaska A.R., 1917, pp. 53, 65. 1919.
1919. Alaska A.R., 1919, pp. 58, 71. 1920.
1921. Alaska A.R., 1921, p. 30. 1923.
in—
Colorado, experiments. D.B. 1287, p. 51. 1925.
Georgia, Mitchell County. Soil Sur. Adv. Sh. 1920, p. 4. 1922; Soils F.O., 1920, p. 4. 1925.
Hawaii, Japanese and Silverhull yield tests. Hawaii A.R., 1915, p. 43. 1916.
Indiana, Starke County. Soil Sur. Adv. Sh., 1915, p. 12. 1917; Soils F.O., 1915, pp. 1392. 1919.
Maryland, Allegany County, 1879-1919. Soil Sur. Adv. Sh., 1921, p. 1068. 1925.
Maryland, Frederick County. Soil Sur. Adv. Sh., 1919, pp. 9, 13, 14, 26, 28, 34, 36, 40. 1922; Soils F.O., 1919, pp. 649, 653, 654, 666, 668, 674, 676, 680, 681. 1925.
Nevada, Newlands Experiment Farm, 1918. D.C., 80, p. 11. 1920.
New Jersey, Belvidere Area. Soil Sur. Adv. Sh., 1917, pp. 12-15. 1920; Soils F.O., 1917, pp. 132, 134-135. 1923.
New York, Chatauqua County. Soil Sur. Adv. Sh., 1914, pp. 14-15, 25, 27, 30. 1916; Soils F.O., 1914, pp. 280, 290, 293, 296, 302. 1919.
New York, Clinton County. Soil Sur. Adv. Sh., 1914, pp. 9, 16, 19, 28, 35. 1916; Soils F.O., 1914, pp. 241, 248, 251, 260, 267. 1919.
New York, Cortland County. Soil Sur. Adv. Sh., 1916, pp. 10, 16, 17, 18, 19, 21. 1917; Soils F.O., 1916, pp. 200, 206, 204, 208, 209, 211. 1921.
New York, Oneida County. Soil Sur. Adv. Sh., 1913, pp. 17, 21, 23, 24, 31, 38, 47. 1915; Soils F.O., 1913, pp. 51, 55, 57, 58, 65, 72, 81. 1916.
New York, Orange County, decline. Soil Sur. Adv. Sh., 1912, p. 15. 1914; Soils F.O., 1912, p. 67. 1915.
New York, Saratoga County. Soil Sur. Adv. Sh., 1917, pp. 9, 16-38. 1919; Soils F.O., 1917, pp. 91, 98-120. 1923.
New York, Schoharie County, 1879-1909. Soil Sur. Adv. Sh., 1915, pp. 9, 20, 32. 1917 Soils F.O., 1915, pp. 129, 140, 152. 1919.
New York, Tompkins County. Soil Sur Adv. Sh., 1921, p. 1575. 1924.
New York, Yates County. Soil Sur. Adv. Sh., 1916, pp. 8-9, 11, 16-32. 1918; Soils F.O., 1916, pp. 222, 223, 225, 234, 236, 237, 238. 1921.
North Carolina, Alleghany County, yields. Soil Sur. Adv. Sh., 1915, pp. 9, 10, 17, 19, 21, 23. 1917; Soils F.O., 1915, pp. 344, 346, 351, 355. 1919.
North Carolina, Wilkes County. Soil Sur. Adv. Sh., 1918, pp. 9, 10, 27-33. 1921; Soils F.O., 1918, pp. 297, 298, 315-321. 1924.
Pennsylvania, Blair County, acreage and yields. Soil Sur. Adv. Sh., 1915, pp. 10, 27, 38. 1917; Soils F.O., 1915, pp. 202, 219, 230. 1919.
Pennsylvania, Bradford County, yields. Soil Sur. Adv. Sh., 1911, pp. 13, 22, 28. 1913; Soils F.O., 1911, pp. 239, 248, 254. 1914.
Pennsylvania, Cambria County, methods and yields. Soil Sur. Adv. Sh., 1915, pp. 13, 19, 21, 23, 26. 1917; Soils F.O., 1915, pp. 245, 247, 248, 267. 1919.

Buckwheat—Continued.
growing—continued.
in—continued.
Pennsylvania, Clearfield County. Soil Sur. Adv. Sh., 1916, pp. 11, 12, 21-25. 1919; Soils F.O., 1916, pp. 257, 258, 267-271. 1921.
Pennsylvania, Mercer County. Soil Sur. Adv. Sh., 1917, pp. 9-10, 23, 28, 31. 1919; Soils F.O., 1917, pp. 239-240, 253, 258, 261. 1923.
Pennsylvania, northeastern, value, and yield. Soil Sur. Adv. Sh., 1911, pp. 14, 30, 39-53. 1913; Soils F.O., 1911, pp. 278, 294, 303-317. 1914.
Pennsylvania, southeastern, acreage and yields. Soil Sur. Adv. Sh., 1912, pp. 19, 20. 1914; Soils F.O., 1912, pp. 259, 260. 1915.
soil cultures and sand cultures, within climatic chambers. J.A.R., vol. 25, pp. 17-27. 1923.
Virginia, Frederick County, acreage, methods, and yields. Soil Sur. Adv. Sh., 1914, pp. 12, 13, 37, 41. 1916; Soils F.O., 1914, pp. 436, 437, 461, 465. 1925.
West Virginia, Morgantown area, yields. Soil Sur. Adv. Sh., 1911, pp. 11, 23, 26, 28. 1912; Soils F.O., 1911, pp. 1333, 1345, 1348, 1350. 1914.
West Virginia, Nicholas County. Soil Sur. Adv. Sh., 1920, pp. 14-22. 1922; Soils F.O., 1920, pp. 45, 47, 52, 54, 55, 58, 59. 1925.
West Virginia, Preston County, acreage and yield. Soil Sur. Adv. Sh., 1912, pp. 13, 15, 24, 26, 32, 38. 1914; Soils F.O., 1912, pp. 1213, 1215, 1224, 1226, 1232, 1238. 1915.
West Virginia, Raleigh County, yields. Soil Sur. Adv. Sh., 1914, pp. 11, 17-20, 24-27. 1916; Soils F.O., 1914, pp. 1403, 1409-1412, 1416-1419. 1919.
Wisconsin, Jackson County. Soil Sur. Adv. Sh., 1918, pp. 9, 17, 22, 23, 30, 32. 1922; Soils F.O., 1918, pp. 945, 953, 958, 959, 966, 968. 1924.
methods, soil requirements. News L., vol. 2, No. 49, p. 4. 1915.
on Volusia silt loam. Soils Cir. 63, pp. 4, 7, 11, 13. 1912.
growth, effect of carbon bisulphide, different soils. J.A.R., vol. 6, No. 1, pp. 2, 6-11, 14-15. 1916.
harvesting—
threshing and yields. F.B. 1062, pp. 15-17. 1919.
with reaper. Y.B., 1921, p. 89. 1922; Y.B. Sep. 873, p. 89. 1922.
hauling from farm to shipping points, costs. Stat. Bul. 49, p. 19. 1906.
honey source—
dates of blooming periods. D.B. 685, pp. 45, 50-51, 54. 1918.
utilization studies. F.B. 1216, pp. 3-4. 1922.
value. Ent. Bul. 75, pp. 91, 93, 94. 1911.
import into Netherlands. Stat. Bul. 72, p. 8. 1909.
importance as crop and position in American agriculture. Y.B., 1922, pp. 546-547, 567. 1923; Y.B. Sep. 891, pp. 546-547, 567. 1923; F.B. 1062, pp. 3-5. 1919.
importation and description. No. 44208, B.P.I. Inv. 50, p. 42. 1922.
Japanese, tests and results, Kansas experiments. B.P.I. Bul. 240, pp. 19, 22. 1912.
land, newly cleared, advantages. D.B. 6, p. 2. 1913.
macaroni-like food preparation, Japanese. O.E.S. Bul. 159, p. 21. 1905.
middlings, nutritive value as dairy feed, analysis. F.B. 743, p. 16. 1916.
milling, methods and products. F.B. 1062, p. 22. 1919.
occurrence in wheat. F.B. 1287, p. 9. 1922.
planting and harvesting—
average date, by States. Y.B., 1910, pp. 491, 493. 1911.
dates, by season and by States. Stat. Bul. 85, pp. 81-88, 130-131. 1912.
plants—
transpiration, water requirements, and yields. J.A.R., vol. 14, pp. 170-173. 1918.

Buckwheat—Continued.
plants—continued.
weights of tops, roots, and seeds, grown in culture solutions. J.A.R., vol. 14, pp. 155-170. 1918.
poisoning, similarity to bighead in sheep. B.A.I. [Misc.], "Bighead in sheep," pp. 1-2. 1914.
prices—
and yield, 1909-1924. Y.B., 1924, pp. 660, 661. 1925.
changes, 1866-1915. Y.B., 1922, pp. 547-549. 1923; Y.B. Sep. 891, pp. 547-549. 1923.
production—
and value, 1912. An. Rpts., 1912, p. 16. 1913; Sec. A.R., 1912, p. 16. 1912; Y.B., 1912, p. 16. 1913.
and value in northeastern Pennsylvania. Soil Sur. Adv. Sh., 1911, pp. 14, 30, 39-40, 41, 43, 46, 48, 49, 53. 1913; Soils F.O., 1911, pp. 278, 294, 303-304, 305, 307, 310, 312, 313, 317. 1914.
and yield, 1913. An. Rpts., 1913, p. 55. 1914; Sec. A.R., 1913, p. 53. 1913; Y.B., 1913, p. 67. 1914.
centers and acreage. Sec. [Misc.] Spec. "Geography * * * world's agriculture," p. 101. 1917.
European countries, tables, 1883-1906. Stat. Bul. 68, pp. 51-91. 1908.
increase, 1909-1918. News L., vol. 6, No. 27, p. 24. 1919.
marketing, and uses, discussion and historical notes. Y.B., 1922, pp. 546-552. 1923; Y.B. Sep. 891, pp. 546-552. 1923.
planting time, soil requirements. News L., vol. 5, No. 30, p. 4. 1918.
principal countries, and growing region in United States. F.B. 1062, pp. 3-5. 1919.
yield, prices, 1914, with comparisons, by States. F.B. 641, p. 28. 1914.
yields, and prices, estimates and comparisons, by States. F.B. 563, pp. 2, 4, 11. 1913.
region—
beekeeping. E. F. Phillips and George S. Demuth. F.B. 1216, pp. 26. 1922.
beekeeping, boundaries and variations. F.B. 1216, pp. 4-5. 1922.
relation to other beekeeping regions. F.B. 1216, p. 6. 1922.
rotation, yields, and effect on other crops. Work and Exp., 1914, p. 207. 1915.
seed—
cleaning and grading before sowing. F.B. 1062, p. 13. 1919.
composition, and effect of green manures. J.A.R., vol. 5, No. 25, p. 1162. 1916.
description, variations, and vitality. F.B. 1062, pp. 11-12, 13. 1919.
quantity per acre. B.P.I. Doc. 632, p. 7. 1910.
quantity per acre for orchard cover crop. F.B. 491, p. 18. 1912.
supply and demand, United States. Y.B., 1917, p. 508. 1918; Y.B. Sep. 757, p. 14. 1918.
vitality at different ages. F.B. 1062, p. 13. 1919.
smother crop for quackgrass. F.B. 1307, p. 21. 1923.
sowing—
time, method, and rate. F.B. 1062, pp. 13-15. 1919.
with crimson clover as nurse crop. F.B. 550, p. 12. 1913.
statistics—
1904-1918, acreage, production and value. F.B. 1062, pp. 23, 24. 1919.
1905. Y.B., 1905, pp. 694-697. 1906; Y.B. Sep. 404, pp. 694-697. 1906.
1906. Y.B., 1906, pp. 582-584. 1907; Y.B. Sep. 436, pp. 582-584. 1907.
1907, acreage, production and value, exports and imports. Y.B., 1907, pp. 648-650, 743-751. 1908; Y.B. Sep. 465, pp. 648-650. 1908.
1908, acreage, production and value. Y.B., 1908, pp. 645-648, 758, 767. 1909; Y.B. Sep. 498, pp. 645-648. 1909.
1910, acreage, production, prices, exports, and imports. Y.B., 1910, pp. 551-553, 669. 1911; Y.B. Sep. 553, pp. 551-553. 1911; Y.B. Sep. 555, p. 669. 1911.

Buckwheat—Continued.
statistics—continued.
1910-1923, acreage and production. An. Rpts., 1923, pp. 90, 91. 1924; Sec. A.R., 1923, pp. 90, 91. 1923.
1911, acreage, production, prices, and exports. Y.B. 1911, pp. 562-564, 672. 1912; Y.B. Sep. 587, pp. 562-564. 1912; Y.B. Sep. 588, p. 672. 1912.
1912, acreage, production, prices, and exports. Y.B., 1912, pp. 604-606, 731. 1913; Y.B. Sep. 614, pp. 604-606. 1913; Y.B. Sep. 615, p. 731. 1913.
1913, acreage, production, value, and exports. Y.B., 1913, pp. 406-407, 504. 1914; Y.B. Sep. 630, pp. 406, 407. 1914; Y.B. Sep. 631, p. 504. 1914.
1914, acreage, production, yield, value, and exports. Y.B., 1914, pp. 554-556, 649, 662. 1915; Y.B. Sep. 654, pp. 554-556. 1915; Y.B. Sep. 656, p. 649. 1915; Y.B. Sep. 657, p. 662. 1915.
1915, acreage, production, yield, prices, and exports. Y.B., 1915, pp. 451-453, 551. 1916; Y.B. Sep. 682, pp. 451-452. 1916; Y.B. Sep. 685, p. 551. 1916.
1916, acreage, production, and prices. Y.B., 1916, pp. 600-602. 1917; Y.B. Sep. 719, pp. 40-42. 1917.
1917, acreage, production, yield, prices, exports, and imports. Y.B., 1917, pp. 644-646, 771. 1918; Y.B. Sep. 759, pp. 40-42. 1918; Y.B. Sep. 762, p. 15. 1918.
1918, acreage, production, yield, prices, exports, and imports. Y.B., 1918, pp. 496-498, 639. 1919; Y.B. Sep. 791, pp. 50-52. 1919; Y.B. Sep. 794, p. 15. 1919.
1919, acreage, production, exports, and imports. Y.B., 1919, pp. 554-556. 1920; Y.B. Sep. 826, pp. 554-556. 1920.
1920, acreage, production, and value. Y.B., 1920, pp. 64-66. 1921; Y.B. Sep. 861, pp. 64-66. 1921
1921, acreage, production, and prices. Y.B., 1921, pp. 71, 72, 565-567. 1922; Y.B. Sep. 868, pp. 69, 71. 1922; Y.B. Sep. 875, pp. 71, 72. 1922; Sec. A.R., 1921, pp. 62, 63. 1921.
1923, acreage, production, and value. Y.B., 1923, pp. 69-73, 547-549, 644-646. 1923; Y.B. Sep. 891, pp. 547-549. 1923; Y.B. Sep. 881, pp. 644-646. 1923.
graphic showing of average production, United States. Stat. Bul. 78, p. 21. 1910.
Tartary, description, common names, and uses. F.B. 1062, p. 12. 1919.
use and value in soil improvement, Coastal Plain section. F.B. 924, pp. 12, 18. 1918.
use as—
cereal food. F.B. 817, p. 5. 1917.
fertilizer. F.B. 1250, p. 44. 1922.
food. F.B. 389, p. 16. 1910; O.E.S. Bul. 245, p. 60. 1912.
food, feed, green manure, cover crop. F.B. 1062, pp. 17-22. 1919.
horse feed. F.B. 1030, p. 13. 1919.
nurse crop for crimson clover. F.B. 1142, p. 18. 1920.
use in bread as substitute for wheat flour, recipes. F.B. 955, pp. 10, 15. 1918.
use on old orchards, seeding rate. S.R.S. Syl. 31, pp. 11 1918.
value—
as catch crop. F.B. 267, pp. 10-13. 1906.
as cover crop for orchard, seeding. F.B. 491, pp. 17, 18, 22. 1912.
for emergency forage crop. Sec. Cir. 36, p. 3. 1911.
varieties, description and botanical classification. F.B. 1062, pp. 10-12. 1919.
vitality of buried seeds J.A.R., vol. 29, p. 352. 1924.
water requirement in Colorado, 1911, experiments. B.P.I. Bul. 284, pp. 23-24, 37, 47. 1913.
wild—
description, habits, and forage value. D.B. 545, pp. 41-42, 58, 59. 1917.
injury to grain fields. B.P.I. Bul. 240, p. 9. 1912.
occurrence in chaparral. For. Bul. 85, p. 32. 1911.

INDEX TO PUBLICATIONS, 1901-1925   307

Buckwheat—Continued.
  wild—continued.
    use and value in sheep feeding. F.B. 704, p. 36. 1916.
    wilting coefficient, determinations. B.P.I. Bul. 230, pp. 33, 37. 1912.
    yield of an acre. F.B. 877, pp. 4, 9. 1917.
Bud(s)—
  blasted, retention in brachytic varieties. J.A.R., vol. 3, pp. 392-393. 1915.
  fruit—
    chemical studies. Work and Exp., 1922, p. 91. 1924.
    destruction by house finch. Biol. Bul. 30, p. 15. 1907.
    formation on apple trees, studies. S.R.S. Rpt., 1916, Pt. I, pp. 45, 104, 186, 271. 1918.
    freezing. Frank L. West and N. E. Edlefsen. J.A.R., vol. 20, pp. 655-662. 1921.
    quarantine. F.H.B. Quar. 44, pp. 2. 1920.
  moth—
    description, life history, habits, and control. F.B. 492, pp. 20-21. 1912; F.B. 1270, pp. 28-31. 1923.
    eye-spotted—
      similarity to lesser bud moth. J.A.R., vol. 2, pp. 161-162. 1914.
      similarity to lesser bud moth. D.B. 113, p. 1. 1914.
    fruit pest. B. A. Porter. D.B. 1273, pp. 20. 1924.
    gray fruit trees, description. Sec. [Misc.] "A manual of insects * * *," p. 113. 1917.
    lesser—
      E. W. Scott and J. H. Paine. D.B. 113, pp. 16. 1914.
      classification, injury to apple trees. J.A.R., vol. 2, pp. 161-162. 1914.
      history and distribution. D.B. 113, pp. 2-3. 1914.
    older, description. Sec. [Misc.] "A manual of insects * * *," p. 11. 1917.
    parasites, description. D.B. 1273, pp. 14-15. 1924.
    verbena. D. E. Fink. D.B. 226, pp. 7. 1915.
  mutations, discussions. B.P.I. Bul. 146, pp. 22-23. 1909.
  propagation, asparagus plants. B.P.I. Bul. 263, p. 53. 1913.
  rot, causes other than *Bacillus coli*, discussion. B.P.I. Bul. 228, pp. 146-152. 1912.
  selection(s)—
    for citrus fruit improvement, study methods. A. D. Shamel. B.P.I. Cir. 77, pp. 19. 1911.
    for citrus fruit improvement, 1919, and results. Y.B. 1919, pp. 270-275. 1920; Y.B. Sep. 813, pp. 270-275. 1920.
    citrus strains, isolation. D.B. 813, pp. 80-81. 1920.
    importance in propagation of Marsh strain of grapefruit. D.B. 697, pp. 109-110, 111-112. 1918.
    isolation of Lisbon lemon strains. D.B. 815, pp. 64, 70. 1920.
    navel orange, relation to quantity production. A. D. Shamel, and others. J.A.R. vol. 26, pp. 319-322. 1923.
    relation to quality of crop in the Washington navel orange. A. D. Shamel and others. J.A.R., vol. 28, pp. 521-526. 1924.
  sticks—
    cutting, directions. D.B. 813, pp. 86-87. 1920.
    orange and lemon, handling and cost. Y.B. 1919, pp. 268-270. 1920; Y.B. Sep. 813, pp. 268-270. 1920.
    packing to keep for long periods. B.P.I. Cir. 111, p. 31. 1913.
  stinger, pear, description. Sec. [Misc.] "A manual of insects * * *," p. 169. 1917.
  variants of Eureka and Lisbon lemons. E. M. Chace and others. D.B. 1255, pp. 19. 1924.
  variation(s)—
    explanation, discussion, and literature cited. D.C. 206, pp. 5-8. 1922.
    in—
      citrus fruits. F.B. 794, p. 4. 1917.
      citrus fruits, investigations, California. Y.B. 1919, pp. 250-253. 1920; Y.B. Sep. 813, pp. 250-253. 1920.

Bud(s)—Continued.
  variation(s)—continued.
    in—continued.
      citrus, new feature. Tyozaburo Tanaka. D.C. 206, pp. 8. 1922.
      Eureka lemon, study. A. D. Shamel and others. D.B. 813, pp. 88. 1920.
      Lisbon lemon, study in citrus-fruit improvement. A. D. Shamel and others. D.B. 815, pp. 70. 1920.
      Valencia orange, study. D.B. 624, pp. 120. 1918.
      Washington navel orange, citrus fruit improvement. A. D. Shamel and others. D. B. 623, p. 146. 1918.
    occurrence and frequency in Valencia variety. D.B. 624, pp. 4-5. 1918.
    various plants, and reversions. D.C. 206, pp. 3-5. 1922.
    wild, varieties, uses and value for food. News L., vol. 5, No. 32, p. 6. 1918.
  wood—
    citrus—
      securing and distribution, cooperative work. Y.B. 1919, pp. 265-275. 1920; Y.B. Sep. 813, pp. 265-275. 1920.
      selection. F.B. 794, p. 12. 1917; F.B. 1122, p. 22. 1920.
      storage and care. F.B. 794, pp. 14, 16. 1917.
    cutting and preservation, directions for blueberries. D.B. 974, pp. 6-7. 1921.
    fruit-bearing, use in citrus improvement. D.B. 813, pp. 80, 85-87. 1920.
    preparation for shipment. D.C. 323, pp. 8-9. 1924.
    selection—
      and care. D.B. 813, pp. 85-87. 1920.
      in orange propagation. D.B. 623, pp. 142-144. 1918. D.B. 624, pp. 116-117. 1918.
  worm—
    false, description and remedies. Hawaii Bul. 10, pp. 9-10. 1905.
    false. *See also* Bollworm; Tobacco bud worm.
    injury to corn caused by larger stalk borer. F.B. 1025, p. 5. 1919.
    pecan. *See* Case-bearer, pecan leaf.
    See also Corn rootworm, southern.
  wrappings, protection from weather. D.B. 974. p. 7. 1921.
Buddeized milk—
  definition. F.B. 348, p. 24. 1909.
  method of sterilization. Y.B. 1907, p. 195. 1908; Y.B. Sep. 444, p. 195. 1908.
Budding—
  annular, directions, care, tools. F.B. 700, pp. 12-14, 15-16. 1916.
  avocado—
    directions. Hawaii Bul. 25, pp. 13-15. 1911; Hawaii Bul. 51, pp. 6-8. 1924.
    methods in Hawaii, California, and Florida. Hawaii A.R., 1915, pp. 24, 70, 71. 1916.
  blueberry, directions. D.B. 974, pp. 6-8. 1921.
  chip, directions. F.B. 685, pp. 13-15. 1915; F.B. 700, pp. 16-17. 1916.
  citrus—
    fruits, directions. B.P.I. Bul. 204, p. 45. 1911; F.B. 238, pp. 42-48. 1905; Hawaii Bul. 9, pp. 9-11. 1909.
    fruits, for top working undesirable trees. F.B. 794, p. 14. 1917.
    stock, bud selection and management. F.B. 1447, pp. 13-17. 1925.
  coffee trees, methods. Hawaii A.R., 1919, p. 34. 1920.
  directions. F.B. 685, pp. 10-13, 15. 1915.
  dormant, for citrus trees, time and method. F.B. 539, p. 16. 1913.
  flute, directions, tools, care. F.B. 700, pp. 12-14, 15-16. 1916.
  fruit trees, transmission of characteristics. D.B. 1255, pp. 2-3. 1924.
  jujubes, directions. D.B. 1215, p. 13. 1924.
  limes, directions. Hawaii Bul. 47, p. 8. 1923.
  mangoes, experiments, Hawaii. O.E.S. An. Rpt., 1908, pp. 20, 85. 1909.
  materials, citrus trees, list, use method. F.B. 539, pp. 11-12. 1913.
  orange in Bahia, and stocks used. D.B. 445, pp. 9-10. 1917.

Budding—Continued.
　patch, directions, tools, care. F.B. 700, pp. 14–16. 1916.
　peach—
　　seedlings. F.B. 631, p. 9. 1915.
　　trees, directions. F.B. 917, p. 9. 1918; O.E.S. An. Rpt., 1906, pp. 413–415. 1907.
　pecan. George W. Oliver. B.P.I. Bul. 30, pp. 18. 1902.
　pecan trees, methods, materials, tools. B.P.I. Bul. 251, pp. 25–29, 30–31. 1912.
　pear trees. F.B. 482. pp. 8–9. 1912.
　persimmon, directions. F.B. 685, pp. 9–15. 1915.
　propagation of plants. F.B. 157, pp. 21–23. 1902.
　ring, directions, tools, care. F.B. 700, pp. 12–14, 15–16. 1916.
　shield, mango. J. E. Higgins. Hawaii Bul. 20, pp. 16. 1910.
　walnuts, directions. B.P.I. Bul. 254, pp. 69–74. 1913; O.E.S. An. Rpt., 1911, p. 65. 1913.
　waxed wrappers, directions for making and use. F.B. 685, p. 15. 1915.
Buddleia—
　albiflora, importation and description. No. 36001, B.P.I. Inv. 36, p. 36. 1915.
　asiatica, importation and description. No. 47650, B.P.I. Inv. 59, p. 7, 42. 1922.
　davidii, importation and description. No. 44531, B.P.I. Inv. 51, p. 20. 1922.
　incana, importation and description. No. 41114, B.P.I. Inv. 44, pp. 39–40. 1918.
　japonica, importation and description. No. 55077, B.P.I. Inv. 71, p. 20. 1923.
　lindleyana sinuato-dentata, importation and description. No. 35177, B.P.I. Inv. 35, p. 18. 1915.
　spp., importations and descriptions. Nos. 42685, 42864, B.P.I. Inv. 47, pp. 52, 76. 1920; Nos. 43677, 43678, 43829, B.P.I. Inv. 60, pp. 6, 63, 69. 1922.
Budget—
　home—
　　business methods. Thrift Leaf. 18, p. 2. 1919.
　　demonstrations, results. D.C. 314, pp. 36–37. 1924.
　　proportion used for clothing, spending plan. F.B. 1089, pp. 4–8. 1920.
　system, Federal, needs of Government, description. Sec. Cir. 130, pp. 15–16. 1919.
Budget Bureau—
　directions on new activities. Off. Rec., vol. 1, No. 35, p. 4. 1922.
　plans for economy. Y.B., 1922, pp. 53, 54. 1923; Y.B. Sep. 883, pp. 53, 54. 1923.
　See also Appropriations.
Budytes flavus leucostriatus. See Wagtail, yellow, Siberian.
BUELL, JENNIE; "Time for organization of women's institutes." O.E.S. Bul. 238, pp. 55–57. 1911.
Buena Vista, California, vineyard, historical notes. D.B. 903, pp. 4–6. 1921.
Buenos Aires, statistics on tuberculosis. B.A.I. Bul. 32, pp. 16–17. 1901.
Buffalo (N. Y.)—
　international good roads congress. Sept. 1901. Rds. Bul. 21, pp. 100. 1901.
　market statistics for livestock, 1910–1920. D.B. 982, pp. 19, 54, 86. 1921.
　milk supply, statistics, officials, prices and ordinances. B.A.I. Bul. 46, pp. 28, 127–128. 1903.
Buffalo(es)—
　Algerian, ancestor of domestic buffalo. B.A.I. An. Rpt., 1910, pp. 192, 194. 1912.
　American, occurrence in Texas, scarcity, crossbreeding. N.A. Fauna 25, pp. 68–70. 1905.
　condition and numbers. Y.B., 1907, p. 594. 1907; Y.B. Sep. 469, p. 594. 1907.
　draft animals, statistics. Y.B., 1907, pp. 701–703. 1908; Y.B. Sep. 465, pp. 701–703. 1908.
　enumeration and value. D.B. 1049, pp. 24, 25. 1922.
　hemorrhagic septicemia outbreaks, and treatment. D.B. 674, pp. 2–3. 1918.
　hemorrhagic septicemia, treatment by vaccination. An. Rpts., 1912, pp. 365–366. 1913; B.A.I. Chief Rpt., 1912, pp. 69–70. 1912.
　herd, establishment. Wichita National Forest, M.C. 36, pp. 3–4. 1925.
　hides, imports, and consumption. Y.B., 1917. pp. 435, 437, 443. 1918; Y.B. Sep. 741, pp. 13, 15, 21. 1918.

Buffalo(es)—Continued.
　Hungary, in 1911. D.B. 1234, p. 32. 1924.
　in Italy, numbers, 1881–1918. B.A.I. Doc. A.-37, p. 54. 1922.
　Indian, number, 1894–1918. B.A.I. Doc. A.-37, p. 54. 1922.
　infestation with *Cooperia bisonis*, a new nematode. J.A.R., vol. 30, p. 571. 1925.
　milk—
　　cheese, description. B.A.I. Bul. 105, pp. 30, 46. 1908; B.A.I. Bul. 146, pp. 33, 45, 51. 1911.
　　composition. J.A.R., vol. 16, pp. 83, 84. 1919.
　new nematode, *Cooperia bisonis*. Eloise B. Cram. J.A.R., vol. 30, pp. 571–573. 1925.
　number—
　　and distribution on reservation. Biol. Chief Rpt. 1924, pp. 28–29. 1924.
　　in India and Ceylon, map. Sec. [Misc.], Spec. "Geography * * * world's agriculture," p. 129. 1917.
　　in world countries—
　　　1906. Y.B., 1906, p. 636. 1907; Y.B. Sep. 436, p. 636. 1907.
　　　1908. Y.B., 1908, pp. 714–715. 1909; Y.B. Sep. 500, pp. 714–715. 1909.
　　　1910. Y.B., 1910, pp. 618–620. 1911; Y.B. Sep. 553, pp. 618–620. 1911.
　　　1914. Y.B., 1914, pp. 612–615. 1915; Y.B. Sep. 656, pp. 612–615. 1915.
　　　1915. Y.B., 1915, pp. 507–510. 1916; Y.B. Sep. 684, pp. 507–510. 1916.
　　　1916. Y.B., 1916, pp. 659–662. 1917; Y.B. Sep. 721, pp. 1–4. 1917.
　　　1917. Y.B., 1917, pp. 709–713. 1918; Y.B. Sep. 761, pp. 3–7. 1918.
　　　1918. Y.B., 1918, pp. 587–591. 1919; Y.B. Sep. 793, pp. 3–7. 1919.
　　　1919. Y.B., 1919, pp. 644–648. 1920; Y.B. Sep. 828, pp. 644–648. 1920.
　　　1921. Y.B., 1921, pp. 675–680. 1922; Y.B. Sep. 870, pp. 1–6. 1922.
　　　1922. Y.B., 1922, pp. 795–801. 1923; Y.B. Sep. 888, pp. 795–801. 1923.
　occurrence in Colorado, description. N.A. Fauna 33, pp. 60–62. 1911.
　penalty for hunting in Montana and Idaho. For. [Misc.], "Trespass on national * * *," pp. 23, 45. 1922.
　statistics—
　　1910. Biol. Cir. 80, pp. 12–13. 1911.
　　graphic showing of average numbers, world. Stat. Bul. 78, p. 49. 1910.
　use as meat. Off. Rec., vol. 3, No. 33, p. 3. 1924.
　wallows, occurrence in Kansas Greenwood County, cause, remedy. Soil Sur. Adv. Sh., 1912, p. 21. 1914; Soils F.O., 1912, p. 1839. 1915.
　water, statistics, for different countries. Y.B., 1911, pp. 623–625. 1912; Y.B. Sep. 588, pp. 623–625. 1912.
　wild, conditions, past and present. Y.B., 1910, pp. 244, 247. 1911; Y.B. Sep. 533, pp. 244, 247. 1911.
Buffalo—
　berry—
　　adaptability for shelter-belt planting. D.B. 1113, pp. 10, 15. 1923.
　　Canadian, distribution. N.A. Fauna 22, pp. 16, 21. 1902.
　　Canadian, occurrence in Colorado, description. N.A. Fauna 33, p. 242. 1911.
　　description, use and planting details. F.B 888, pp. 9, 19. 1917.
　　description and uses in Great Plains. F.B. 1312, pp. 12, 21. 1923.
　　fruiting season, and use as bird food. F.B. 912, pp. 12, 13. 1918.
　　growing, Great Plains area. F.B. 727, p. 38. 1916.
　　importations and description. Nos. 43472, 43473, B.P.I. Inv. 49, pp. 29–30. 1921.
　　root nodules, nitrogen-gathering, description, usefulness. B.P.I. Cir. 70, pp. 3–4, 1910; Y.B., 1910, pp. 216, 218. 1911; Y.B. Sep. 530, pp. 216, 218. 1911.
　　Wyoming, distribution and growth. N.A. Fauna 42, p. 74. 1917.
　bur—
　　characters. News L., vol. 2, No 40, p. 2. 1915.
　　See also Sand bur.

Buffalo—Continued.
gnat—
distribution, description, outbreak, and control. D.B. 329, pp. 2-26. 1916; Y.B., 1912, pp. 383-385. 1913; Y.B. Sep. 600, pp. 383-385. 1913.
five North American, of the genus Simulium, notes on. Arthur W. Jobbins-Pomeroy. D.B. 329, pp. 48. 1916.
injuries to cattle, prevention. B.A.I. [Misc.], "Diseases of cattle," rev., p. 478. 1904; rev., p. 497. 1908; rev., p. 521. 1912; rev., p. 505. 1923.
injuries to man and animals. D.B. 329, pp. 1-2. 1916.
pest, 1886-1890, control work and results. Y.B., 1913, pp. 81-82. 1914.
grass—
description, distribution, and uses. D.B. 772, pp. 199, 200. 1920.
growing, Hawaii, composition and value. Hawaii Bul. 36, pp. 11, 13-14, 41. 1915.
native vegetation of Belle Fourche region. D.B. 1039, p. 4. 1922.
occurrence, description, soil indications. B.P.I. Bul. 201, pp. 25, 26, 40, 45, 50. 1911.
South Africa. See Guinea grass.
use on lawns. F.B. 494, pp. 31, 32. 1912.
value and importance for grazing in Great Plains. J.A.R., vol. 19, No. 2, pp. 66, 67. 1920.
value for western lawns. F.B. 248, p. 12. 1906.
moth—
control by fumigation. News L., vol. 2, No. 23, pp. 3-4. 1915.
See also Carpet beetles.
BUFFINGTON, Judge, decision in case of misbranding pink pills. Sol. Cir. 87, pp. 4. 1916.
Bufflehead—
occurrence in Porto Rico. D.B. 326, p. 28. 1916.
occurrence in Pribilof Islands, and food habits. N.A. Fauna 46, p. 49. 1923.
BUFFUM, B. C., report of Wyoming Experiment Station, work and expenditures, 1906. O.E.S. An. Rpt., 1906, pp. 169-170. 1907.
Bufo lentiginosus woodhousei. See Toad, Rocky Mountain.
Buford-Trenton project, irrigation work in North Dakota. O.E.S. Bul. 219, p. 22. 1909.
Buford-Trenton reclamation project, western North Dakota. Soil Sur. Adv. Sh., 1908, p. 76. 1910; Soils F.O., 1908, p. 1224. 1911.
Bug(s)—
apple, false red. See Apple, red bugs.
bird enemies, Southeastern States. F.B. 755, pp. 3-35. 1916.
compound, English, analyses. Chem. Bul. 76, p. 43. 1903.
death—
analysis. Chem. Bul. 68, pp. 47-48. 1902; Chem. Bul. 76, p. 50. 1903.
composition, value. F.B. 146, p. 11. 1902; Chem Bul. 68, pp. 47-48. 1902.
destruction by—
birds. Biol. Bul. 30, pp. 25-99. 1907.
crows. D.B. 621, pp. 24, 61. 1918.
flycatchers, notes and lists. Biol. Bul. 44, pp. 6-67. 1912.
detection in stomach of birds. Biol. Bul. 15, p. 14. 1901.
food of shoa.-water ducks. D.B. 862, pp. 16, 27, 30, 36, 46, 59. 1920.
hand picking, in control of harlequin cabbage bug, results. F.B. 1061, p. 11. 1920.
occurrence in the Pribilof Islands, Alaska. N.A. Fauna 46, Pt. II, p. 145. 1923.
pentatomid, injurious to cotton. Ent. Bul. 86, pp. 62-64, 78, 82, 87. 1910.
poison, misbranding. I. and F. Bd. S.R.A. 9, p. 15. 1915.
predatory, enemies of striped cucumber beetle. F.B. 1322, p. 7. 1923.
Bugleweed—
habitat, range, description, uses, collection, and prices. B.P.I. Bul. 219, p. 27. 1911.
seed, adulterant of redtop seed description. D.B. 692, p. 23. 1918.
Buglewort. See Bugleweed.
Buhach—
use against fleas. Hawaii A.R., 1907, pp. 37-39. 1908.

Buhach—Continued.
use and origin of name. D.B. 824, p. 2. 1920.
See also Pyrethrum powders.
Building(s)—
and equipments, farm, depreciation studies, blank forms. F.B. 661, pp. 6, 23. 1915.
and grounds, laws, 1916. Sol. [Misc.], "Laws applicable * * *," Sup. 4, p. 120. 1917.
and loan associations, loans to farmers. An. Rpts., 1913, p. 28. 1914; Sec. A.R., 1913, p. 26. 1913; Y.B., 1913, p. 35. 1914.
ant-infected, treatment of grounds and lots. D.B. 965, pp. 38-41, 43. 1921.
apple-packing—
construction and equipment. F.B. 1457, pp. 1-8. 1925.
suggestions for location, light, and floor space. Mkts. Doc. 4, pp. 19-24. 1917.
arrangement, location, and quality, effect on farm selection. F.B. 1088, pp. 19-20. 1920.
auxiliary to warehouses, description. D.B. 801. pp. 58-61. 1919.
blocks—
cement and concrete. F.B. 235, p. 25. 1905.
hollow, use in silo construction, description. F.B. 430, pp. 12, 14, 22. 1911.
cattle in South, plans. D.B. 827, pp. 46-47. 1921.
codes, city, variations and general requirements. Rpt. 117, pp. 10, 37. 1917.
community—
classified according to source of funds. D.B. 825, pp. 2-4. 1920.
financing methods. F.B. 1192, pp. 3-12. 1921.
in United States. W. C. Nason and C. W. Thompson. D.B. 825, pp. 36. 1920.
organization. W. C. Nason. F.B. 1192, pp 42. 1921.
plans. W. C. Nason and C. J. Galpin. F.B. 1173, pp. 38. 1921.
specific example, size, cost, and uses. D.B. 852, pp. 6-34. 1920.
State laws governing. F.B. 1192, pp. 28-39. 1921.
types, description. F.B. 1274, pp. 3-11. 1922.
types in different States. F.B. 1173, pp. 7-38. 1921.
upkeep financing. F.B. 1192, pp. 11-12. 1921.
uses. W. C. Nason. F.B. 1274, pp. 32. 1922.
uses, architecture, and costs. F.B. 1173, pp. 4-6. 1921.
construction, displacement of lumber by other materials. Rpt. 114, pp. 55-56. 1917.
cooperative milk-distributing plant, location, equipment. D.B. 1095, pp. 6-15. 1922.
cost—
and upkeep in market-milk production. D.B. 972, pp. 11-12, 16. 1921.
in milk production. D.B. 1144, p. 15. 1923.
cotton warehouses, fire protection. Y.B. 1918, pp. 408-414. 1919. Y.B. Sep. 763, pp. 12-18. 1919.
county fairs, suggestions. O.E.S. Cir. 109, pp. 16-18, 20. 1911.
dairy—
designs. Ed. H. Webster. B.A.I. An. Rpt., 1906, pp. 287-308. 1908. B.A.I. Cir. 131, pp. 26. 1908.
farm, average annual cost, Minnesota. Stat Bul. 88, pp. 22-23. 1911.
farms, cost per cow, per year, certain States. D.B. 501, pp. 4, 12, 19. 1917.
herd requirements per 100 pounds of milk produced. D.B. 919, pp. 5, 6, 13-14. 1920.
improvement, result of community work. Y.B. 1918, pp. 163-164. 1919. Y.B. Sep. 765, 1918, pp. 13-14. 1919.
per cent of cost in milk production. D.B. 955, pp. 9-10. 1921; D.B. 1101, p. 10. 1922.
plans and models, preparations. An. Rpts., 1916, pp. 99, 100. 1917; B.A.I. Chief Rpt., 1916, pp. 33-34. 1916.
damage—
by woodpeckers. Biol. Bul. 39, p. 13-14. 1911.
to woodwork by white ants and control. F.B. 1037, pp. 2, 3, 6-7, 10-14. 1919.
department—
conditions and needs. Y.B., 1921, pp. 61-62. 1922. Y.B. Sep. 875, pp. 61-62. 1922.
construction. An. Rpts., 1906, pp. 99-100. 1906; Sec. A.R., 1906, pp. 102-103. 1906; Rpt. 83, p. 93. 1906.

Buildings—Continued.
  department—continued.
    new, equipments, contracts, and financial statement. An. Rpts., 1907, pp. 777–779. 1908.
    new, report of operations for—
      1904. B. T. Galloway. An. Rpts., 1904, pp. 525–529. 1904; Bldg. Chm. Rpt., 1904, pp. 5. 1904.
      1905. B. T. Galloway. An. Rpts., 1905, pp. 525–528. 1906.
      1906. B. T. Galloway. An. Rpts., 1906, pp. 675–678. 1907; Bldg. Chm. Rpt., 1906, pp. 8. 1906.
      1907. B. T. Galloway. An. Rpts., 1907, pp. 777–779. 1908 Bldg. Chm. Rpt., 1907, pp. 7. 1907.
      1908. B. T. Galloway. An. Rpts., 1908, pp. 819–821. 1909 Bldg. Chm. Rpt., 1908, pp. 5. 1908.
    program, estimates for 1924. Off. Rec., vol. 1, No. 39, p. 1. 1922.
  disinfection for cattle ticks. F.B. 378, p. 27. 1909.
  erection by community endeavor, financing, upkeep, and control. F.B. 1192, pp. 5–10, 11, 15. 1921.
  expense in fattening beef cattle. F.B. 1218, p. 27. 1921.
  xperiment stations, equipment, 1918. Work and Exp., 1918, pp. 65–68. 1920.
  rm—
    arranging in farmstead plan, suggestions. F.B 1132, pp. 12, 14–24. 1920.
    charges for use, distribution. F.B. 572, rev., p. 18. 1920.
    construction, designs, and blueprints. An. Rpts., 1916, pp. 343–344. 1917; Rds. Chief Rpt., 1916, pp. 15–16. 1916.
    cost, relation to size of farm, surveys of Pennsylvania, Chester County. D.B. 341, p. 60. 1916.
    course for southern schools, references. D.B. 592, pp. 25–27. 1917.
    description, location, and comparison. O.E.S. F.I.L. 14, pp. 4–6. 1912.
    drawings and plans, work of Roads Bureau, 1919. An. Rpts., 1919, pp. 417–418, 419. 1920; Rds. Chief Rpt., 1919, pp. 27–28, 29. 1919.
    extension work. D.C. 270, pp. 8–9. 1924.
    ice-house, construction and specifications. F.B. 623, pp. 8–23. 1915.
    implement house. F.B. 504, pp. 22–24. 1912.
    location—
      and arrangement, importance. F.B. 126, pp. 6–8. 1901; F.B. 1087, pp. 17–21. 1920.
      exposure and type desirable. S.R.S. Syl. 28, pp. 2–3. 1917.
    for fire-danger control. F.B. 904, p. 11. 1918.
    plans, description. Y.B. 1915, pp. 105–108. 1916; Y.B. Sep. 660, pp. 105–108. 1916.
    orientation, importance. F.B. 1132, pp. 10–11. 1920.
    painting. H. P. Holman. F.B. 1452, pp. 1–33. 1925.
    plans and specifications, work of Roads Bureau. An. Rpts., 1918, pp. 390–391. 1919; Rds. Chief Rpt., 1918, pp. 18–19. 1918.
    poultry house construction. F.B. 1413, pp. 1–28. 1924.
    practical suggestions. George G. Hill. F.B. 126, pp. 48. 1901.
    protection from lightning. F.B. 367, pp. 14–20. 1909.
    rat-proofing, directions. F.B. 896, p. 7. 1917.
    repairs and improvements, suggestions. News L., vol. 5, No. 9, p. 2. 1917.
    requirement, location, and size. O.E.S. F.I.L. 12, pp. 13–14. 1912.
    school exercises. F.B. 638, pp. 11–14. 1915.
    stave silo construction. B. H. Rawe and J. A. Conover. B.A.I. Cir. 136, pp. 18. 1909.
    suggestions. F.B. 432, p. 9. 1911.
    syllabus of illustrated lecture. O.E.S. F.I.L. 8, pp. 1–19. 1907.
    thrift practice. Thrift L. 17, p. 2. 1919.
    valuation for farm inventory. F.B. 1182, pp. 12–14, 21. 1921.
    value—
      and percentage of total farm valuation, by States. Y.B. 1911, pp. 694–695. 1912; Y.B. Sep. 588, pp. 694–695. 1912.

Buildings—Continued.
  farm—continued.
    value—continued.
      census, 1910. Y.B., 1913, p. 489. 1914; Y.B. Sep. 631, p. 489. 1914.
      Jan. 1, 1920, map. Y.B., 1921, p. 494. 1922; Y.B. Sep. 878, p. 88. 1922.
      per acre by farms classified as to principal source of income. Stat. Bul. 43, pp. 11, 15–16, 17, 28, 38. 1906.
      per acre in North Dakota. D.B., 1322, pp. 3–4. 1925.
    work of experiment stations. O.E.S. Rpt., 1922, pp. 100–103. 1924.
  forest—
    nursery. D.B. 479, pp. 14–15. 1917.
    ranger stations, restrictions. Suppl. 2, Sol. [Misc.] "Laws applicable * * p. 33. 1915.
  fruit drying. F.B. 903, pp. 5–15. 1917.
  fumigation with carbon bisulphide, directions. F.B. 145, pp. 18–19. 1902; F.B. 799, pp. 12–14. 1917.
  horticultural, Hawaii, description. Hawaii A.R. 1912, pp. 7, 45–47. 1913.
  industrial plants, wiring system for grounding. D.C. 271, pp. 2–4. 1923.
  injury by—
    termites, and protection methods. D.B. 1232, pp. 7–8, 22–23, 24. 1924.
    termites in Canal Zone. J.A.R., vol. 26, pp. 279, 283, 288–289, 294, 297, 301. 1923.
    white ants. Ent. Bul. 94, Pt. II, pp. 13, 75–76. 1915.
  laundry and equipment, description and cost. Y.B., 1915, pp. 190–191. 1916; Y.B. Sep. 668, pp. 190–191. 1916.
  materials—
    cost, comparison. Rpt. 117, pp. 12–14, 28–29. 1917.
    demand, drain on farm woodlots. Y.B., 1918, p. 318. 1919; Y.B. Sep. 779, p. 4. 1919.
    house construction, use of Douglas fir. For. Bul. 88, pp. 65–67. 1911.
    in North Dakota, Williston project. B.P.I. Doc. 455, p. 4. 1909.
    sorghum stalks, utilization in China. Y.B., 1913, p. 223. 1914; Y.B. Sep. 625, p. 223. 1914.
  Ohio farms, list, size, cost, value as farm equipment. B.P.I. Bul. 212, pp. 15–17, 19, 20, 21, 24–26, 29–36. 1911.
  old, utilization for storing sweet potatoes, directions. F.B. 970, pp. 19–20. 1918.
  plans, supply by Public Roads Bureau. F.B. 1132, p. 24. 1920.
  portable, for camp use, construction and moving. materials and costs. D.B. 583, pp. 10–19. 1918.
  poultry. See Poultry houses.
  power to Secretary to requisition. News L., vol. 5, No. 41, p. 7. 1918.
  practical suggestions. F.B. 126, pp. 1–48. 1901.
  protection from corrosive sprays. D.B. 480, p. 15. 1917.
  rat-proof, directions for construction. F.B. 349, pp. 6–7. 1909; F.B. 896, pp. 5–8. 1917; F.B. 1302, pp. 8–9. 1923; Y.B., 1917, pp. 240–241, 246. 1918; Y.B. Sep. 725, pp. 8–9, 14. 1918.
  rented for department, District of Columbia—
    1907. Accts. Chief Rpt., 1907, p. 12. 1907; An. Rpts., 1907, p. 514. 1908.
    1908. Accts. Chief Rpt., 1908, p. 12. 1908; An. Rpts. 1908, p. 598. 1909.
    1909, purposes and rental. Accts. Chief Rpt., 1909, pp. 11–12. 1909; An. Rpts., 1909, pp. 559–560. 1910.
    1910. Accts. Chief Rpt., 1910, p. 14. 1910; An. Rpts. 1910, p. 576. 1911.
    1911. Y.B., 1911, p. 564. 1912.
    1912, list and amount. Accts. Chief Rpt., 1912, p. 22. 1912; An. Rpts., 1912, p. 698. 1913.
    1913, location, purpose, and rental. Accts. Chief Rpt., 1913, p. 3. 1913; An. Rpts., 1913, p. 339. 1914.
    1914, annual report, requirements. Sol. [Misc.] "Laws applicable * * *," Sup. 2, p. 104. 1915.
    1917. Provisions. Sol. [Misc.], "Laws applicable * * *," Suppl. 4, pp. 9, 14. 1917.

INDEX TO PUBLICATIONS, 1901-1925 311

Buildings—Continued.
  requirement in farming on large scale, Red River Wheat Belt. D.C. 351, pp. 8-11. 1925.
  rural—
    planning and beautification. F.B. 1441, pp. 38-45. 1925.
    See also Buildings, community.
  school—
    improvement, examples. F.B. 1325, pp. 13-15, 16. 1923.
    plans and suggestions. O.E.S. Cir. 84, pp. 28-31. 1909.
  sheep—
    important features, warmth and light. F.B. 810, pp. 6-10. 1917.
    Minidoka project, lambing sheds, racks and troughs, description. D.B. 573, pp. 18-20. 1917.
    raising requirements. F.B. 840, p. 6. 1917; F.B. 1051, pp. 8-9. 1919.
  site, selection to avoid damp cellars. Y.B. 1919, pp. 425-427. 1920; Y.B. Sep. 824, pp. 425-427. 1920.
  soldiers' memorial, State laws. F.B. 1192, pp. 29, 31-34, 38. 1921.
  sweet-potato storage, materials, heating. F.B. 1442, pp. 1, 8-14, 17-18. 1925.
  timber requirements. Y.B. 1922, pp. 136-137. 1923; Y.B. Sep. 886, pp. 136-137. 1923.
  use of bamboo. D.B. 1329, pp. 23-24. 1925.
  utilization of lumber. John M. Gries. M.C. 39, pp. 55-59. 1925.
  value of weater forecasts. Off. Rec. vol. 4, No. 33, p. 8. 1925.
  wood substitutes. Rpt. 117, pp. 8-39, 70-75. 1917.
  woodwork, damage by white ants, and preventive methods. F.B. 759, pp. 5-8, 12-17. 1916.
Bulb(s)—
  adaptability to cold climates. D.B. 797, pp. 2, 4. 1919.
  American-grown, distribution, superiority. B.P.I. Doc. 1122, pp. 4-5. 1914.
  care in fall and winter storage. News L., vol. 4, No. 14, p. 4. 1916.
  crops, shipments by States, and by stations, 1916. D.B. 667, pp. 11, 159-165. 1918.
  cultivation and harvesting. D.B. 797, pp. 11-14. 1919.
  cultural directions. B.P.I. Doc. 984, pp. 1-2. 1913.
  culture, possibilities, Lauderdale County, Mississippi. Soil Sur. Adv. Sh., 1910, p. 21. 1912; Soils F.O., 1910, p. 1551. 1912.
  destruction by rats. Biol. Bul. 33, p. 26. 1909.
  digging. D.B. 797, pp. 13-14. 1919.
  distribution, 1919, cultural directions. D.C. 65, pp. 1-4. 1919.
  domestic production, outlook. Off. Rec., vol. 2, No. 1, p. 4. 1923.
  Dutch—
    commercial growing in United States, distribution, and advantages. News L., vol. 3, No. 14, p. 4. 1915.
    commercial culture in the United States. David Griffith and H. E. Juenemann. D.B. 797, pp. 50. 1919.
    culture on Pacific coast. An. Rpts., 1907, p. 300. 1908.
    establishment of propagating garden at Bellingham, Wash. News L, vol. 3, No. 14, p. 4. 1915.
    growing—
      in America. Y.B., 1908, p. 45. 1909.
      suitable localities. B.P.I. Doc. 984, pp. 4-5. 1913.
    importations from Netherlands. B.P.I. Doc. 1122, p. 4. 1914.
    propagation—
      in Washington, 1919. B.P.I. An. Rpt., 1919, pp. 12-13. 1919; An. Rpts., 1919, pp. 148-149. 1920.
      locations. D.C. 65, p. 4. 1919.
  flower—
    growing in—
      Alaska. Alaska A. R., 1910, p. 29. 1911.
      Washington, Bellingham area. Soil Sur. Adv. Sh., 1907, p. 13. 1909; Soils F.O. 1907, p. 1023. 1909.

Bulb(s)—Continued.
  flower—continued.
    growing in—continued.
      Washington, Bellingham garden. Y.B. 1916, p. 143. 1917; Y.B. Sep. 687, p. 9. 1917.
    miscellaneous, list. D.B. 797, p. 33. 1919.
    flowering quality, determination. D.B. 797, pp. 26-27. 1919.
    fly, lesser, interception in plant imports. F.H.B. An. Let. No. 36, pp. 2, 24. 1923.
    food use, varieties. F.B. 295, pp. 32-41. 1907.
    foreign, restriction on imports. Off. Rec. vol. 4, No. 19, pp. 1-2. 1925.
    formation, relation to length of day, and night. J.A.R. vol. 23, pp. 889-898. 1923.
    free entry, list. Off. Rec. vol. 2, No. 1, p. 4. 1923.
    fumigation experiments. D.B. 186, p. 5. 1915.
    grape-hyacinth, production. David Griffiths. D.B. 1327, pp. 16. 1925.
  growing—
    experiments at the United States bulb garden at Bellingham. P. H. Dorsett. D.B. 28, pp. 21. 1913.
    for pleasure, out of doors and indoors. D.B. 797, pp. 29-33. 1919.
    in Alaska, Sitka Experiment Station, 1920. Alaska A.R., 1920, p. 17. 1922.
    in water, directions. D.B. 797, p. 32. 1919.
    indoors, methods, varieties, and time. News L., vol. 2, No. 14, pp. 1-2. 1914; News L., vol. 6, No. 14, p. 4. 1918.
    requirements in soil, temperature, and fertilizer. D.B. 797, pp. 3-5. 1919.
  house for storing and curing Dutch bulbs. D.B. 797, pp. 14-18. 1919.
  importation—
    quarantine status. Off. Rec. vol. 1, No. 42, p. 1. 1922.
    regulations, Quar. 37, amdt. 2, F.H.B.S. R.A. 73, pp. 110. 1923.
    imported, infestation with larvae. Off. Rec., vol. 1, No. 50, p. 4. 1922.
  imports, 1922-1924. Y.B., 1924, p. 1066 1925;. F.H.B. Rpt., 1924, pp. 16-20. 1924.
  insect control. F.B. 1362, pp. 22-25. 1924.
  insects, collection from imported bulbs. F.H.B. S.R.A., Sup. 77, pp. 176, 177. 1924.
  lily—
    American grown, superiority. News L., vol. 6, No. 34, p. 11. 1919.
    Easter—
      harvesting. D.B. 962, pp. 20-21. 1921.
      planting, directions, and mulching. D.B. 962, pp. 11-19. 1921.
      production in United States. George W. Oliver. B.P.I. Bul. 120, pp. 20. 1908.
      sizes and numbers of flowers. D.B. 962, p. 27. 1921.
    family, use for food. O.E.S. Bul. 245, pp. 33-38. 1912.
    handling suggestions. D.B. 1331, pp. 10-11. 1925.
    propagation in California. Y.B., 1907, pp. 143-144. Y.B. Sep. 441, pp. 143-144. 1908.
    use in propagation D.B. 1331, pp. 2-3. 1925.
    literature and definitions of terms used. D.B. 797, pp. 47-50. 1919.
  mite—
    damages to Bermuda lilies and other plants. Rpt. 108, pp. 112, 116. 1915.
    fumigation experiments. D.B. 186, p. 5. 1915.
    habits and control. F.B. 1362, pp. 23-25. 1924.
    interception in plant imports. F.H.B. An. Let. No. 36, pp. 2, 24. 1923.
  narcissus—
    and tulip, planting time and methods. News L., vol. 6, No. 10, p. 11. 1918.
    growing. David Griffiths. D.B. 1270, pp. 31. 1924.
  number per acre, spacing and planting. D.B. 797, pp. 5-9. 1919.
  onion—
    diseased, removal before storage. F.B. 1060, p. 16. 1919.
    selection, care, and planting for seed, directions. F.B. 434, pp. 6-12. 1911.
    selection for seed stock. B.P.I.C.P. and B.I. Cir. 3, pp. 3-4. 1917.

Bulb(s)—Continued.
  packing and shipping. D.B. 797, pp. 28–29. 1919.
  pests, insects, and diseases. D.B. 797, pp. 33–36. 1919.
  planting, methods and depth for various kinds. D.B. 797, pp. 6–10. 1919.
  planting studies. Off. Rec. vol. 2, No. 20, p. 6. 1923.
  potting for indoor culture. D.B. 797. pp. 31–32. 1919.
  production in United States—
    letter by C. L. Marlatt. F.H.B.S.R.A. 72, pp. 43–44. 1922.
    possibilities and varieties. D.B. 797, pp. 1–3. 1919.
  propagating garden, establishment at Bellingham, Wash., by Agriculture Department. B.P.I. Doc. 1122, p. 5. 1914.
  propagation, natural and artificial. D.B. 797, pp. 23–26. 1919.
  quarantine No. 37, and importations in 1920–1921. F.H.B. Rpt., 1921, pp. 13, 14. 1921; F.H.B. Quar. 37, amdt. 2, p. 1. 1923.
  resting period necessary to normal growth. Y.B., 1901, p. 173. 1902; Y.B. Sep. 225, p. 173. 1902.
  soil packing, sterilization. F.H.B.S.R.A. 61, p. 32. 1919.
  storing and curing, cleaning and sizing. D.B. 797, pp. 14–22. 1919.
  tests at field station near Mandan, N. Dak. D.B. 1301, p. 38. 1925.
  tulip and narcissus—
    distribution in—
      1914. R. A. Oakley. B.P.I. Doc. 1122, pp. 5. 1914.
      1919. R. A. Oakley. D.C. 65, pp. 4. 1919.
      1921. B.P.I. Doc. 2005, pp. 4. 1921.
      1922. B.P.I. Doc., 2113, pp. 4. 1922.
    planting, cultivation, lifting, and dividing. B.P.I. Doc. 1122, pp. 1–2. 1914.
  tulip, production. David Griffiths. D.B. 1082, pp. 48. 1922.
  wireworm, interception in plant imports. F.H.B. An. Letter N. 36, pp. 2, 24, 33. 1923.
  worm, wheat, description, distribution, remedies. F.B. 132, pp. 29–30. 1901.
Bulbilis—
  dactyloides—
    importance in grazing. J.A.R., vol. 19, p. 67. 1920.
    distribution, description, feed value. D.B. 201, pp. 16–17. 1915.
    See also Buffalo grass.
  spp., description, distribution, and uses. D.B. 772, pp. 16, 197-199, 200. 1920.
Bulbils, fungi producing. J.A.R., vol. 8, p. 193. 1917.
Bulbine longiscapa, importation. No. 47582, B.P.I. Inv. 59, p. 35. 1922.
Bulblets—
  Easter lily, propagation and management. D.B. 962, pp. 22–24. 1921.
  use in propagation of plants. F.B. 1381, p. 21. 1924.
Bulgaria—
  agricultural statistics, 1910–1920. D.B. 987, pp. 14–16. 1921.
  cereal crops, statistics, 1908–1910. Stat. Cir. 26, pp. 13–14. 1912.
  corn acreage and production, map. Sec. [Misc.] Spec., "Geography * * * world's agriculture," p. 33. 1917.
  forest resources. For. Bul. 82, pp. 55–66. 1910.
  fruits, production, imports, and exports, 1909–1911. D.B. 483, pp. 28–29. 1917.
  grain—
    production, acreage. Stat. Bul. 68, pp. 58–61. 1908.
    trade. Stat. Bul. 69, pp. 17–19. 1908.
  livestock statistics, numbers of cattle, sheep, and hogs. Rpt. 109, pp. 28, 35, 46, 50, 58, 62, 199, 212. 1916.
  wheat acreage—
    percentage of total land area, and increase since 1897. Y.B., 1909, pp. 262, 263, 264. 1910; Y.B. Sep. 511, pp. 262, 263, 264. 1910.
    production and yield, map. Sec. [Misc.] Spec. "Geography * * * world's agriculture," p. 23. 1917.

Bulgaria spp., description. D.B. 175, p. 54. 1915.
Bulgaricus organisms in silage. J.A.R. vol. 21, p. 770. 1921.
Bulkhead—
  concrete, in drainage system, description. D.B. 190, p. 18. 1915.
  outlet of drainage system, description. F.B. 805, p. 22. 1917.
BULL, SLEETER: "Nitrogen metabolism of two-year-old steers." With H.S. Grindley. J.A.R., vol. 18, pp. 241–254. 1919.
Bull(s)—
  abortion—
    control treatment, methods. F.B. 790, p. 11. 1917.
    infection, possible source. J.A.R., vol. 9, p. 15. 1917.
  association(s)—
    benefits to farmers and dairymen. News L., vol. 5, No. 49, p. 8. 1918.
    cooperative—
      Joel G. Winkjer. F.B. 993, pp. 35. 1918. Y.B., 1916, pp. 311–319. 1917; Y.B. Sep. 718, pp. 9. 1917.
      discussion. B.A.I. [Misc.], "Your future * * *," folder. 1921.
      work for increase of dairy products. Sec. Cir. 85, pp. 12–13. 1918.
    exhibit at National Dairy Show. D.C. 139, p. 9. 1920.
    history and development. News L., vol. 6, No. 41, p. 15. 1919.
    Holstein-Friesian, Grove City, methods and work. Y.B., 1918, p. 161. 1919; Y.B. Sep. 765, p. 11. 1919.
    improvement of cattle breeds. News L., vol. 6, No. 5, p. 7. 1918.
    improvement of dairy herd. F.B. 1446, pp. 14–15. 1925.
    increase, 1917–1918, number, July 1, 1918, and average number of bulls and cows. News L., vol. 6, No. 4, p. 5. 1918.
    Jersey, Grove City, Pennsylvania, methods and work. Y.B., 1918, p. 161. 1919; Y.B. Sep. 765, p. 11. 1919.
    methods, and advantages to dairymen. News L., vol. 4, No. 41, p. 6. 1917.
    typical, organization and cost, constitution and by-laws. F.B. 993, pp. 4–6, 14–33. 1918.
    value in building up herds. Sec. Cir. 142, p. 22. 1919.
  beef, characteristics, feeding and management. F.B. 1379, p. 5. 1923.
  Brahman, breeding type, requirements in conformation. F.B. 1361, p. 4. 1923.
  breeding, diseases of the generative organs. B.A.I. [Misc.], "Diseases of cattle," rev., pp. 152–157. 1923.
  care and feed in beef breeding. F.B. 1073, p. 11. 1919.
  cost requirements for keeping 31, per season and year. D.B. 1101, p. 7. 1922.
  cottonseed-meal feeding, cautions. F.B. 655, p. 3. 1915.
  dairy—
    breeds, progeny records. F.B. 893, pp. 12, 16, 22, 28, 34. 1917.
    care and management. J. R. Dawson. F.B. 1412, pp. 22. 1924.
    herds, keeping, cost, requirements. D.B. 972, pp. 5, 8. 1921.
    score card and special points for marking. D.B. 434, pp. 8, 10. 1916.
  dehorning, directions. B.A.I. [Misc.], "Diseases of cattle," rev., p. 290. 1908; B.A.I. [Misc.], "Diseases of cattle," rev., p. 299. 1912.
  discard, quality of meat. Y.B., 1922, p. 339. 1923; Y.B. Sep. 879, p. 48. 1923.
  disinfecting for abortion control, methods. News L., vol. 4, No. 12, pp. 3–4. 1916.
  feed and pasture, requirements per head. Y.B., 1907, pp. 392–395. 1908; Y.B. Sep. 456, pp. 392–395. 1908.
  feeding on cottonseed products, caution. F.B. 1179, p. 12. 1920.
  feet—
    protection by shoes. Off. Rec., vol. 3, No. 21, p. 3. 1924.
    trimming directions. F.B. 1412, pp. 20, 21. 1924.

Bull(s)—Continued.
  graded, cooperative ownership and use in South.
    B.A.I. Doc. A-4, rev., pp. 2-4, 6, 7. 1917.
  Hereford, use in improvement in range cattle,
    Southwest. D.B. 588, pp. 20-21. 1917.
  Holstein, sale below value, cause. News L., vol.
    6, No. 36, p. 9. 1919.
  importance in beef cattle breeding, in South.
    Y.B. 1913, p. 269. 1914; Y.B. Sep. 627, p. 269.
    1914.
  infection with *Bacterium abortus*. J.A.R. vol. 17,
    pp. 239-246. 1919.
  keeping requirements—
    Louisiana. D.B. 955, pp. 7, 14. 1921.
    per season and per year. D.B. 858, pp. 9-10.
      1920; D.B. 919, pp. 9-10. 1920; D.B. 923, pp.
      8-9. 1921.
  maintenance cost, summary and details. Rpt.,
    111, pp. 6-7, 29-31, 36-40, 49-50. 1916.
  management—
    and feeding in baby beef production. F.B. 811,
      p. 12. 1917.
    on ranges. D.B. 1031, pp. 62-63. 1922.
    purity. B.A.I., Doc. A-24, rev., pp. 2-4, 6, 7.
      1917.
  market prices and purchase contracts, Denmark.
    B.A.I. Bul. 129, pp. 25-26, 38-40. 1911.
  numbers, census, 1910, by States, map (and steers).
    Y.B. 1915, p. 393. 1916; Y.B. Sep. 681, p. 393.
    1916.
  ownership, cooperative, low cost, and profits on
    investment. Y.B. 1913, pp. 312-315, 317-318.
    1917; Y.B. Sep. 718, pp. 2-5, 7-8. 1917.
  pedigreed, beef breeds, lists. F.B. 612, pp. 5, 6,
    10, 12-13, 14. 1915.
  purebred—
    association, advantages. Dairy. [Misc.], "Your
      future herd." Folder. 1921.
    beef breeds, demand by Mexico. B.A.I. Bul.
      41, p. 5. 1902.
    beef breeds on farms. Y.B. 1921, p. 241. 1922;
      Y.B. Sep. 874, p. 241. 1922.
    club ownership and biennial exchange, necessity
      in South. News L., vol. 3, No. 29, p. 2. 1916;
    percentage, by States. Y.B. 1922, p. 325. 1923.
      Y.B. Sep. 879, p. 39. 1923.
    profits on Maryland farms. News L., vol. 6,
      No. 39, p. 8. 1919.
    use in grading-up southern cattle. D.B. 827,
      pp. 9-13. 1921.
    value in beef herds. F.B. 1218, pp. 5-6. 1921.
  registered—
    use as beef. News L., vol. 7, No. 1, p. 2. 1919.
    value fixing by cow testing. News L., vol. 6,
      No. 36, p. 9. 1919.
  ringing, directions and instruments. B.A.I.
    [Misc.], "Diseases of cattle," rev., pp. 287-288,
    303. 1916; B.A.I. [Misc.), "Diseases of cattle,"
    rev., pp. 291-292. 1912; B.A.I. [Misc.), "Diseases of cattle," rev., pp. 297-298, 314. 1923.
  sale, Uruguay to Brazil. D.C. 228, pp. 32, 33.
    1922.
  score-card, Sweden. B.A.I. Bul. 129, p. 25. 1911.
  scrub—
    beef value versus breeding value. News L.,
      vol. 5, No. 32, p. 2. 1918.
    elimination from herd, importance. F.B. 993,
      pp. 7-12. 1918.
  selection for—
    beef breeding, characteristics, care, and feed.
      F.B. 1073, pp. 8-11. 1919.
    dairy herd, comparison of grade and purebred.
      Y.B. 1922, pp. 322-325. 1923; Y.B. Sep. 879,
      pp. 36-38. 1923.
    ranges. F.B. 1395, pp. 23-24. 1925.
    use by cooperative bull associations. F.B. 993,
      pp. 12, 33-35. 1918.
  service—
    cost on dairy farms. D.B. 1144, p. 14. 1923.
    credit on dairy account. D.B. 919, p. 10. 1920.
    shipping suggestions. News L., vol. 7, No. 7, p. 8.
      1919.
  Shorthorn, Matchless Dale, breeding record. An.
    Rpts., 1916, p. 78. 1917; B.A.I. Chief Rpt., 1916,
    p. 12. 1913.
  silage rations. F.B. 578, p. 17. 1914.

Bull(s)—Continued.
  use on dairy farms, cost, certain States. D.B. 501,
    pp. 4, 13, 19. 1917.
  young, feeding and management in dairy herds.
    F.B. 1336, p. 18. 1923; F.B. 1135, p. 32. 1920;
    F. B. 777, p. 19. 1917.
  See also Cattle breeding; Sires.
Bull-grass. *See* Vasey grass.
Bull nettle, leaf-spot, occurrence and description,
  Texas. B.P.I. Bul. 226, p. 91. 1912.
Bull Run National Forest, Oregon, trespass, penalty. Sol. [Misc.], "Forestry laws," p. 109. 1916.
Bull thistle, similarity to Canada thistle, points of
  difference. F.B. 545, p. 6. 1913.
Bullbat. *See* Nighthawk.
Bulletin(s)—
  agricultural, use by farmers, and influence on
    work. B.P.I. Cir. 117, pp. 15-17. 1913.
  available for free distribution, list. Editions 1-14.
    Pub. [Misc.], "List of bulletins * * *," pp.
    39, 1897-1906.
  daily, on harvest conditions. D.B. 1020, p. 26.
    1922.
  experiment stations, lists, to 1920. D.B. 1199, pp.
    186. 1924.
  file, agent's filing cabinet, classification key.
    D.C. 107, rev., pp. 10-11. 1924; S.R.S. Doc. 34,
    pp. 9-13. 1918.
  illustration. F. A. Waugh. O.E.S. Bul. 123, pp.
    113-114. 1903.
  of interest to residents of cities and towns, lists.
    Pub. [Misc.], "Bulletins of interest * * *,"
    pp. 21. 1911-1912; rev. Apr., June, July, Oct.,
    Nov., 1913; rev. Jan., March, May, July, Sept.,
    1914; rev. Apr., July, 1915; rev., 1916; rev., 1917;
    rev. 1918, rev., 1921; rev., Apr., Aug., 1924.
  of value to settlers in Columbia River Valley.
    B.P.I. Cir. 60, pp. 22-23. 1910.
Bullfinch, protection by law. Biol. Bul. 12, rev
  p. 41. 1902.
Bullfrogs, penalty for hunting in Idaho. For.
  [Misc.], "Trespass on national * * *," p. 43.
  1922.
Bullheads, Athabaska-Mackenzie region. N.A.
  Fauna 27, p. 514. 1908.
BULLIARD, PIERRE, discovery of *Boletus pseudoigniarius* or *Polypus dryadeus*. J.A.R., vol. 1,
  p. 239. 1913.
Bullnose. *See* Rhinitis, necrotic.
Bullock's-heart, importation and description No.
  32083, B.P.I. Bul. 261, p. 26. 1912.
Bulnesia arborea, importation and description. No.
  43057, B.P.I. Inv. 48, p. 15. 1921.
Bulrush, distribution. N.A. Fauna 22, p. 13.
  1902.
Bulrush. *See also Scirpus* sp.
Bulso nut, importation and description. No.
  49799, B.P.I. Inv. 63, pp. 2, 6. 1923.
Bulweria bulweri. *See* Petrel.
Bumblebee(s)—
  exportation to Philippines for clover fertilization.
    An. Rpts., 1908, p. 539. 1909; Ent. A. R., 1908,
    p. 17. 1908.
  pollination of—
    alfalfa flowers. B.P.I. Cir. 24, p. 8. 1909.
    okra. B.P.I. Bul. 232, p. 9. 1905.
    red clover. D.B. 289, pp. 3-4, 5, 17-18. 1915.
  social organization. Ent. T.B. 10, pp. 28, 34. 1905.
  temperature studies. J.A.R., vol 24, pp. 276, 277.
    1923.
Bumelia—
  diseases, Texas, occurrence and description.
    B.P.I. Bul. 226, p. 61. 1912.
  spp., injury by sapsuckers. Biol. Bul. 39, pp
    48-49. 1911.
Bunch grass—
  big, description, habits. and forage value. D.B.
    545, pp. 26-28, 58, 59. 1917.
  burning for control of chinch bugs. F.B. 1223, pp.
    27, 35. 1922.
  growth on old ranges. B.P.I. Bul. 117, p. 10.
    1907.
  lands, Colorado, crop production. B.P.I. Bul.
    201, pp. 76-82. 1911.
  mountain—
    description and forage value on range. D.B.
      545, pp. 6-9, 58, 59. 1917.

Bunch grass—Continued.
mountain—continued.
importance as forage and restocking of ranges. For. Cir. 169, pp. 5, 10, 13, 15, 19, 27. 1908; For. Cir. 158, pp. 6–7, 14–21. 1908; J.A.R., vol. 3, pp. 97, 106–119, 126–141. 1914.
seed production, relation to grazing. D.B. 34, pp. 5, 11. 1913.
occurrence, description, and soil indications. B.P.I. Bul. 201, pp. 52, 53, 54, 57, 58, 65, 90, 91. 1911.
Bunchberry, distribution. N.A. Fauna 21, p. 56. 1901.
Bunchosia—
armeniaca, importation and description. No. 52715, B.P.I. Inv. 66, p. 64. 1923.
glandulifera, importation and description. No. 51116, B.P.I. Inv. 64, p. 58. 1923.
sp., importation and description. No. 37895, B.P.I. Inv. 39, p. 64. 1917.
BUNNEMEYER, B., addresses on:
forecasting fogs on the Gulf Coast. W.B. [Misc.], "Proceedings, third convention * * *," pp. 52–54. 1904.
rainfall on west Florida coast. W.B. [Misc.], "Proceedings, third convention * * *," pp. 235–238. 1904.
Bunostomum—
phlebotomum—
hematoxin experiments, results. J.A.R., vol. 22, pp. 415–418, 427. 1921.
preparasitic stages in life history. J.A.R., vol. 29, pp. 451–458. 1924.
spp. *See* Hookworm.
trigonocephalum, description, occurrence, in sheep and treatment. F.B. 1150, pp. 45–47. 1920.
Bunt—
damage to wheat, and control. Y.B., 1921, p. 110. 1922; Y.B. Sep. 873, p. 110. 1922.
infection of wheat, effect of seeding time, control treatment. D.B. 30, pp. 43–48, 50. 1913.
relative resistance of wheat in Pacific Coast States. W. H. Tisdale and others. D.B. 1299, pp. 29. 1925.
spreading in Pacific Northwest. News L., vol. 7, No. 10, p. 7. 1919.
wheat—
characteristics. B.P.I. Bul. 152, pp. 9, 12, 44. 1909.
control with copper carbonate. Off Rec., vol. 4, No. 41, p. 6. 1925.
development, factors affecting. D.B. 1239, pp. 1–18. 1924.
literature, summary. Horace M. Woolman and Harry B. Humphrey. D.B. 1210, pp. 44. 1924.
physiology and control studies. H. M. Woolman and H. B. Humphrey. D.B. 1239, pp. 30. 1924.
resistance, experiments. D.B. 1299, pp. 2–3. 1925.
resistance genetics. E. F. Gaines. J.A.R., vol. 23, pp. 445–480. 1923.
spread and control. B.P.I. Chief Rpt., 1921, p. 37. 1921.
treatment of seed. B.P.I. Cir. 61, pp. 23–31. 1910.
See also Smut, stinking, of wheat.
Bunting—
food habits, and occurrence in Arkansas. Biol. Bul. 38, p. 68. 1911.
lazuli—
Athabaska-Mackenzie region. N.A. Fauna 27, p. 449. 1908.
enemy of codling moth. Y.B., 1911, p. 241. 1912; Y.B. Sep. 564, p. 241. 1912.
food habits. D.B. 107, pp. 38–39. 1914.
occurrence in Pribilof Islands, and food habits. N.A. Fauna 46, pp. 91–94. 1923.
painted—
description and food habits. F.B. 755, pp. 15–16. 1916.
enemy to boll weevil, investigations. Biol. Bul. 25, p. 12. 1905.
protection by law. Biol. Bul. 12, pp. 38, 40. 1902.
snow, food habits, winter and summer. D.B. 1249, pp. 18–22. 1924.

Bunyea, Hubert—
"A souring of beef caused by *Bacillus megatherium*." J.A.R., vol. 21, pp. 689–698. 1921.
"The poultry industry." With others. Y.B., 1924, pp. 377–456. 1925.
"Udder disease of dairy cows." F.B. 1422, pp. 18. 1924.
BUNZEL, H. H.—
"A biochemical study of the curly-top of sugar beets." B.P.I. Bul. 277, pp. 28. 1913.
"Oxidase reaction in healthy and in blighted spinach." J.A.R., vol. 15, pp. 377–380. 1918.
"Oxidases in healthy and in curly-dwarf potatoes." J.A.R., vol. 2, pp. 373–404. 1914.
"The measurement of the oxidase content of plant juices." B.P.I. Bul. 238, pp. 40. 1912.
Buphaga africanus. See Oxpecker.
Bupleurum fruticosum, importation and description. No. 54693, B.P.I. Inv. 70, p. 8. 1923.
Buprestid larvae genera, key. D.B. 437, pp. 5–6. 1917.
Buprestidae. *See* Wood borers.
Buprestis—
golden, description, and injuries to pine species. Y.B., 1909, p. 412. 1910; Y.B. Sep. 523, p. 412. 1910.
rufipes. See Borer, flat-headed.
spp., larval structure, distribution, habits and host trees. D.B. 437, pp. 4, 5, 6. 1917.
Bur—
grass—
characters. News L., vol. 2, No. 40, p. 2. 1915.
description, distribution, spread, and products injured. F.B. 660, p. 27. 1915.
reed, description, Eastern Puget Sound Basin, Washington. Soil Sur. Adv. Sh. 1909, p. 29. 1911; Soils F.O. 1909, p. 1541. 1912.
BURBANK, LUTHER, breeder of potatoes. D.B. 195, p. 5. 1915.
BURCH, D. S.—
"From scrubs to quality stock." Y.B., 1920, pp. 331–338. 1921; Y.B. Sep. 848, pp. 331–338. 1921.
"Harnessing heredity to improve the Nation's livestock." Y.B., 1919, pp. 347–354. 1920; Y.B. Sep. 816, pp. 347–354. 1920.
"Some tested methods for livestock improvement." M.C. 33, pp. 1–20. 1925.
"Utility value of purebred livestock." D.C. 235, pp. 22. 1922.
BURD, J. S.—
"Rate of absorption of soil constituents at successive stages of plant growth." J.A.R., vol. 18, pp. 51–72. 1919.
"Water extractions of soils as criteria of their crop-producing power." J.A.R., vol. 12, pp. 297–309. 1918.
BURDETTE, W. W.: "Soil survey of Stewart County, Georgia." With others. Soil Sur. Adv. Sh., 1913, pp. 66. 1915; Soils F.O., 1913, pp. 545–606. 1916.
Burdock—
culture and handling as drug plant, yield, and price. F.B. 663, pp. 16–17. 1915.
description, occurrence as weed in Washington. Soil Sur. Adv. Sh., 1909, p. 39. 1911; Soils F.O., 1909, p. 1551. 1912.
growing and uses, harvesting, marketing, and prices. F.B. 663, rev., p. 20. 1920.
habitat, range, description, collection, prices and uses of roots. B.P.I. Bul. 107, p. 64. 1907.
occurrence and spread, Washington, Eastern Puget Sound Basin. Soil Sur. Adv. Sh., 1909, p. 41. 1911; Soils F.O., 1909, p. 1551. 1912.
roots—
digestion experiment. O.E.S. Bul. 159, pp. 177, 178. 1905.
sun drying, method. F.B. 1231, p. 6. 1921.
use as potherb. O.E.S. Bul. 245, p. 29. 1912.
Burgenland, description, area, crop production. D.B. 1234, p. 50. 1924.
BURGER, O. F.: "Variations in *Colletotrichum gloeosporioides*." J.A.R., vol. 20, pp. 723–736. 1921.
BURGESS, A. F.—
"*Calosoma sycophanta*: Its life history, behavior, and successful colonization in New England." Ent. Bul. 101, pp. 94. 1911.
"Controlling the gipsy moth and the brown-tail moth." F.B. 1335, pp. 28. 1923.
"Methods used in codling moth experiments." Ent. Bul. 67, pp. 53–55. 1907.

BURGESS, A. F.—Continued.
"Notes on the use of the lime, sulphur, and salt and the resin washes in Ohio." Ent. Bul. 37, pp. 33-35. 1902.
"Report on the field work against the gipsy moth and the brown-tail moth." With D. M. Rogers. Ent. Bul. 87, pp. 81. 1910.
"Report on the gipsy moth work in New England." D.B. 204, pp. 32. 1915.
"Requirements to be complied with by nurserymen or those who make interstate shipments of nursery stock." Ent. Cir. 75, pp. 6. 1906; Ent. Cir. 75, pp. 7, rev. 1908.
"Suppression of the gipsy and brown-tail moths and its importance to states not infested." Y.B., 1916, pp. 217-226. 1917; Y.B. Sep. 706, pp. 10. 1917.
"The Calosoma beetle (*Calosoma sycophanta*) in New England." With C. W. Collins. D.B. 251, pp. 40. 1915.
"The dispersion of the gipsy moth." Ent. Bul. 119, p. 62. 1913.
"The genus Calosoma." With C. W. Collins. D.B. 417, pp. 124. 1917.
"The gipsy moth and the brown-tail moth and their control." F.B. 845, pp. 28. 1917.
"The gipsy moth and the brown-tail moth, with suggestions for their control." F.B. 564, pp. 24. 1914.
"The laws in force against injurious insects and foul brood in the United States." With L. O. Howard. Ent. Bul. 61, pp. 222. 1906.
"The satin moth. An introduced enemy of poplars and willows." D.C. 167, pp. 16. 1921.
"The value of predaceous beetles in destroying insect pests." With C. W. Collins. Y.B., 1911, pp. 453-466. 1912; Y.B. Sep. 583, pp. 453-466. 1912.

BURGESS, J. L., "Soil survey of—
Conway County, Arkansas." With Charles W. Ely. Soil Sur. Adv. Sh., 1907, pp. 23. 1908; Soils F.O., 1907, pp. 753-771. 1909.
Howell County, Missouri." With Elmer O. Fippin. Soils F.O. Sep. 1902, pp. 17. 1903; Soils F.O. 1902, pp. 593-609. 1903.
Lancaster County, Nebraska." With E. L. Worthen. Soil Sur. Adv. Sh., 1906, pp. 24. 1908; Soils F.O., 1906, pp. 943-962. 1908.
Lee County, South Carolina." With others. Soil Sur. Adv. Sh., 1907, pp. 27. 1908; Soils F.O., 1907, pp. 323-343. 1909.
Sumner County, Tennessee." With others. Soil Sur. Adv. Sh., 1909, pp. 29. 1910; Soils F.O., 1909, pp. 1149-1173. 1912.
Sumter County, South Carolina." With others. Soil Sur. Adv. Sh., 1907, pp. 27. 1908; Soils F.O., 1907, pp. 299-321. 1909.
The Grand Island area, Nebraska." With W. Edward Hearn. Soil Sur. Adv. Sh., 1903, pp. 19. 1904; Soils F.O., 1903, pp. 927-945. 1904.

BURGESS, P. S.: "Comparison of the nitrifying powers of some humid and some arid soils." With others. J.A.R., vol. 7, pp. 47-82. 1916.

Burgundy—
adulteration and misbranding. Chem. N.J. 4121, p. 1. 1916; Chem. N.J. 4516, p. 1. 1917; Chem. N.J. 4539, p. 1. 1917.
mixture formulas. B.P.I. Bul. 155, p. 11. 1909; F.B. 284, pp. 40-50. 1907.
sparkling, adulteration and misbranding. Chem. N.J. 1665, pp. 2. 1912.

BURGWALD, L. H.—
"Cleaning milking machines." F.B. 1315, pp. 16. 1923; J.A.R., vol. 31, pp. 191-195. 1925.
"Some factors which influence the feathering of cream in coffee." J.A.R., vol. 26, pp. 541-546. 1923.

BURK, L. B.—
"Shrinkage of soft pork under commercial conditions." D.B. 1086, pp. 40. 1922.
"The live-stock industry in South America." With E. Z. Russell. D.C. 228, pp. 36. 1922.

BURKE, EDMUND: "Injury to foliage by arsenical spray mixtures." With others. J.A.R., vol. 24, pp. 501-538. 1923.

BURKE, H. E.—
"Black check in western hemlock." Ent. Cir. 61, pp. 10. 1905.

BURKE, H. E.—Continued.
"California oak worm." With F. B. Herbert. F.B. 1076, pp. 14. 1920.
"Flat-headed borers affecting forest trees in the United States." D.B. 437, pp. 8. 1917.
"Injuries to forest trees by flat-headed borers." Y.B., 1909, pp. 399-415. 1910; Y.B. Sep. 523, pp. 399-415. 1910.
"The lead-cable borer or 'short-circuit beetle' in California." With others. D.B. 1107, pp. 56. 1922.

BURKE, R. T. A., "Soil survey of—
Alleghany County, North Carolina." With H. D. Lambert. Soil Sur. Adv. Sh., 1915, pp. 26. 1917; Soils F.O., 1915, pp. 339-360. 1921.
Carroll County, Georgia." With others. Soil Sur. Adv. Sh., 1921, pp. 129-154. 1924.
Carroll County, Maryland." Soils F.O., 1919; pp. 607-639. 1925; Soil Sur. Adv. Sh., 1919 p. 37. 1922.
Cobb County, Georgia." With Herbert W. Marean. Soils F.O. Sep., 1901, pp. 11. 1902; Soils F.O., 1901, pp. 317-327. 1902.
Columbus County, North Carolina." With others. Soil Sur. Adv. Sh., 1915, pp. 42. 1917; Soils F.O., 1915, pp. 423-460. 1921.
Covington County, Alabama." With others. Soil Sur. Adv. Sh., 1912, pp. 37. 1914; Soils F.O., 1912, pp. 797-829. 1915.
Ellis County, Texas. With others. Soils F.O., 1910 pp. 931-960. 1912; Soil Sur. Adv. Sh., 1910, pp. 34. 1911.
Escambia County, Alabama." With others. Soil Sur. Adv. Sh., 1913, pp. 51. 1915; Soils F.O., 1913, pp. 827-873. 1916.
Frederick County, Maryland." With others. Soil Sur. Adv. Sh., 1919, pp. 82. 1922; Soils F.O., 1919, pp. 641-722. 1925.
Grayson County, Texas." With others. Soil Sur. Adv. Sh., 1909, pp. 35. 1910; Soils F.O., 1909, pp. 951-983. 1912.
Houston County, Alabama." With A. T. Sweet. Soils F.O., 1920, pp. 315-344. 1925; Soil Sur. Adv. Sh., 1920, pp. 315-344. 1923.
Limestone County, Alabama." With A. M. O'Neal, jr. Soil Sur. Adv. Sh., 1914, pp. 41. 1916; Soils F.O., 1914, pp. 1117-1153. 1919.
Lincoln County, North Carolina." With L. L. Brinkley. Soil Sur. Adv. Sh., 1914, pp. 33. 1916; Soils F.O., 1914, pp. 559-587. 1919.
Lowndes County, Alabama." With L. R. Schoenmann. Soil Sur. Adv. Sh., 1916, pp. 68. 1918; Soils F.O., 1916, pp. 787-850. 1921.
Madison County, Alabama." With A. M. O'Neal, jr. Soil Sur. Adv. Sh., 1911, pp. 42. 1913; Soils F.O., 1911, pp. 793-830. 1914.
Morgan County, Alabama." With others. Soils F.O., 1918, pp. 573-614. 1924; Soil Sur. Adv. Sh., 1918, pp. 46. 1921.
Randolph County, Alabama." With others. Soil Sur. Adv. Sh., 1911, pp. 40. 1912; Soils F.O., 1919, pp. 897-932. 1914.
Rice County, Minnesota." With Lawrence A. Kolbe. Soil Sur. Adv. Sh., 1909, pp. 39. 1911; Soils F.O., 1909, pp. 1269-1303. 1912.
Rockcastle County, Kentucky." With others. Soil Sur. Adv. Sh., 1910, pp. 36. 1911; Soils F.O., 1910, pp. 1017-1048. 1912.
St. Clair County, Alabama." With N. Eric Bell. Soil Sur. Adv. Sh., 1917, pp. 46. 1920; Soils F.O. 1917, pp. 791-832. 1923.
Scott County, Kentucky." Soil Sur. Adv. Sh., 1903, pp. 12. 1904; Soils F.O., 1903, pp. 619-630. 1904.
Shelby County, Missouri." With La Mott Ruhlen. Soil Sur. Adv. Sh., 1903, pp. 15. 1904; Soils F.O., 1903, pp. 875-889. 1904.
the Mobile area, Alabama." With others. Soil Sur. Adv. Sh., 1903, pp. 11. 1904; Soils F.O., 1903, pp. 393-403. 1904.
Washington County, Maryland." With others. Soil Sur. Adv. Sh., 1917, pp. 46. 1919; Soils F.O., 1917, pp. 309-350. 1923.
Westfield area, New York." With Herbert W. Marean. Soils F.O. Sep., 1901, pp. 18. 1902; Soils F.O., 1901, pp. 75-92. 1902.

Burl(s)—
conifers, caused by mistletoe infection of trunk. D.B. 360, pp. 21-25. 1916.

Burl(s)—Continued.
   Douglas fir, relation to decay. D.B. 1163, pp. 11, 17. 1923.
   jack pine, entrance of disease and borers. D.B. 212, pp. 3-4. 1915.
   walnut, description and price. F.B. 1459, p. 14. 1925.
   walnut veneer, value. D.B. 909, pp. 49, 55, 81, 82. 1921.
Burlap—
   bands—
      for trees. D.B. 1040, pp. 11-13. 1922.
      gipsy moth control. F.B. 1335, p. 15. 1923.
   cotton wrapper, importation, regulations. F.H.B.S.R.A. 29, pp. 78-79. 1916.
   use, importation regulations. F.H.B.S.R.A. 33, pp. 134-136. 1916; F.H.B.S.R.A. 37, pp. 10-11. 1917; F.H.B.S.R.A. 39, pp. 37-38. 1917; F.H.B. [Misc.], "Rules and regulations * * *," Amdt. 8, pp. 2. 1916.
   use in gipsy-moth control. Ent. Bul. 87, pp. 17-18, 63-64. 1910.
Burlington, Iowa, milk supply, statistics, officials, prices. B.A.I. Bul. 46, pp. 40, 76. 1903.
Burlington Railroad, twenty-eight hour law case, decision, 1911. An. Rpts., 1911, p. 774. 1912; Sol. A.R., 1911, p. 18. 1911.
BURLISON, W. L.—
   "Availability of mineral phosphates for plant nutrition." J.A.R., vol. 6, pp. 485-514. 1916.
   "Early vigor of maize plants and yield of grain as influenced by the corn root, stalk and ear rot diseases." With others. J.A.R., vol. 23, pp. 583-630. 1923.
Burma, explorations. Joseph F. Rock. D.B. 1057, pp. 12-18. 1922.
BURMEISTER, C. A.—
   "Corn, milo, and kafir in the Southern Great Plains area: Relation of cultural methods to production." With others. D.B. 242, pp. 20. 1915.
   "Marketing berries and cherries by parcel post." With C. C. Hawbaker. D.B. 688, pp. 18. 1918.
BURN, R. R: "Soil survey of—
   Cass County, Nebraska." With others. Soil Sur. Adv. Sh., 1913, pp. 46. 1914; Soils F.O., 1913, pp. 1925-1966. 1916.
   Dawes County, Nebraska." With others. Soil Sur. Adv. Sh., 1915, pp. 41. 1917; Soils F.O., 1915; pp. 1963-1999. 1919.
   Douglas County, Nebraska." With others. Soil Sur. Adv. Sh., 1913, pp. 48. 1915; Soils F.O., 1913, pp. 1967-2010. 1916.
   Gage County, Nebraska." With others. Soil Sur. Adv. Sh., 1914, pp. 42. 1916; Soils F.O., 1914, pp. 2323-2360. 1919.
   Jefferson County, Arkansas." With others. Soil Sur. Adv. Sh., 1915, pp. 39. 1916; Soils F.O., 1915, pp. 1163-1197. 1919.
   Nemeha County, Nebraska." With others. Soil Sur. Adv. Sh., 1914, pp. 38. 1916; Soils F.O., 1914, pp. 2289-2322. 1919.
   Rapides Parish, Louisiana." With others. Soil Sur. Adv. Sh., 1916, pp. 43. 1918; Soils F.O., 1916, pp. 1121-1159. 1921.
   Saunders County, Nebraska." With others. Soil Sur. Adv. Sh., 1913, pp. 52. 1915; Soils F.O., 1913, pp. 2011-2058. 1916.
BURNET, W. C.: "Composition of corn (maize) meal manufactured by different processes, and the influence of composition on the keeping qualities." With others. D.B. 215, pp. 31. 1915.
Burnet, importation and description. No. 53921, B.P.I. Inv. 68, p. 9. 1923.
BURNETT, E. A.—
   "American system of agricultural extension, organization." O.E.S. Bul. 231, pp. 61-66. 1910.
   "Functions of land-grant colleges in promoting agricultural education in secondary schools." O.E.S. Bul. 228, pp. 87-93. 1910.
   report of Nebraska Experiment Station, work and expenditures—
      1906. O.E.S. An. Rpt., 1906, pp. 127-129. 1907.
      1907. O.E.S. An. Rpt., 1907, pp. 130-132. 1908.
      1908. O.E.S. An. Rpt., 1908, pp. 127-130. 1909.
      1909. O.E.S. An. Rpt., 1909, pp. 141-144. 1910.

BURNETT, E. A.—Continued.
   report of Nebraska Experiment Station, work and expenditures—continued..
      1910. O.E.S. An. Rpt., 1910, pp. 182-186. 1911.
      1911. O.E.S. An. Rpt., 1911, pp. 146-150. 1912.
      1912. O.E.S. An. Rpt., 1912, pp. 152-156. 1913.
      1913. O.E.S. An. Rpt., 1913, pp. 60-61. 1915.
      1914. O.E.S. An. Rpt., 1914, pp. 154-157. 1915.
      1915. S.R.S. An. Rpt., 1915, Pt. I, pp. 174-178. 1916.
      1916. S.R.S. An. Rpt., 1916, Pt. I, pp. 177-182. 1918.
      1917. S.R.S. An. Rpt., 1917, Pt. I, pp. 172-176. 1918.
   "The farmers' institute with relation to the agricultural experiment station." O.E.S. Bul. 213, pp. 41-44. 1909.
BURNETT, L. C.—
   "Improved oat varieties for the Corn Belt." With others. D.B. 1343, pp. 31. 1925.
   "Tests of selections from hybrids and commercial varieties of oats." With others. D.B. 99, pp. 25. 1914.
Burnett process, use in tie preservation, table. For. Cir. 209, pp. 9, 13, 16, 18-19, 24. 1912.
Burnettizing process, wood—
   prevention of termite injury. D.B 1231, p. 12. 1924.
   preservation. For. Bul. 78, p. 15. 1909.
Burning—
   bushes, destruction of birds. Biol. Bul. 15, p. 88. 1901.
   cactus for insect control. Ent. Bul. 113, pp. 20, 22, 23, 24, 27-28, 34. 1912.
   chinch bugs, use of gasoline torches. F.B. 1223, pp. 26-27, 35. 1922.
   citrus bark, relation to gum formation. J.A.R., vol. 24, p. 225. 1923.
   cotton plants for boll weevil control, importance and methods. F.B. 344, pp. 18-23. 1909.
   cranberry vines, uses. F.B. 1401, p. 17. 1924.
   grass, for destruction of grain insects, pests. F.B. 835, pp. 8. 1917.
   light, in California forests. F. E. Olmstead. For. [Misc.], "Light burning * * *," pp. 4. 1911.
   old grass, destruction of leafhoppers. Ent. Bul. 108, pp. 36-37. 1912.
   pastures, reasons, objections. B.P.I. Bul. 117, pp. 18-19. 1907.
   plants infested with European corn borer. F.B. 1046, pp. 23-24. 1919.
   point, road materials, determination. D.B. 314, pp. 16-18. 1915.
   pruned branches, as method of control of huisache girdler. D.B. 184, p. 9. 1915.
   rice field, for control of insects. F.B. 1086, p. 9. 1920.
   rubbish for chinch bug control. Ent. Bul. 107, pp. 46-47. 1911.
   stumps—
      methods and directions. F.B. 974, pp. 10-14. 1918.
      use of blowing machine and charpitting. B.P.I. Bul. 239, pp. 47-60. 1912.
   sugar-cane trash in fields for control of moth borer. D.B. 746, pp. 54-60. 1919.
   value in control of harlequin cabbage bug, use of hand torches. F.B. 1061, pp. 11, 12-13. 1920.
   waste vegetation for early winter insect control. Y.B., 1908, p. 375. 1909; Y.B. Sep. 388, p. 375. 1909.
Burningbush. See Wahoo.
Burns, Findley—
   "The Crater National Forest: Its resources and their conservation." For. Bul. 100, pp. 20. 1911.
   "The Olympic National Forest: Its resources and their management." For. Bul. 89, pp. 20. 1911.
Burns—
   cattle, treatment. B.A.I. [Misc.], "Diseases of cattle," rev., p. 346. 1912; B.A.I. [Misc.], "Diseases of cattle," rev., p. 331. 1916; B.A.I. [Misc.], "Diseases of cattle," rev., p. 333. 1923.
   sulphuric acid, treatment. Ent. Cir. 163, p. 7. 1912.
   treatment, first-aid. For. [Misc.], "First-aid * * *," pp. 38-40. 1917.

INDEX TO PUBLICATIONS, 1901–1925   317

Burnt-clay roads and sand-clay roads. William L. Spoon. F.B. 311, pp. 22. 1907.
Burnt-clay roads. *See also* Roads.
BURR, W. H.—
"Highway bridges and culverts." With Charles H. Hoyt. Rds. Bul. 39, pp. 22. 1911; Rds. Bul. 43, pp. 21. 1912.
"Barley in the Great Plains area: Relation of cultural methods to production." With others. D.B. 222, pp. 32. 1915.
"Corn in the Great Plains area: Relation of cultural methods to production." With others. D.B. 219, pp. 31. 1915.
"Crop production in the Great Plains area: Relation of cultural methods to yields." With others. D.B. 268, pp. 28. 1915.
"Oats in the Great Plains area: Relation of cultural methods to production." With others. D.B. 218, pp. 42. 1915.
"Spring wheat in the Great Plains area: Relation of cultural methods of production." With others. D.B. 214, pp. 43. 1915.
"Summer tilling." With W. P. Snyder. B.P.I. Bul. 187, pp. 71–72. 1910.
Burra murra. *See* Turpentine tree.
BURRITT, M. C.—
"A successful New York farm." F.B. 454, pp. 32. 1911.
"Agricultural conditions in southern New York." B.P.I. Cir. 64, pp. 16. 1910.
"An example of successful farm management in southern New York." With John H. Barron. D.B. 32, pp. 24. 1913.
"The profitable management of the small apple orchard on the general farm." F.B. 491, pp. 22. 1912.
Burro(s)—
elimination in favor of antelope, suggestion. An. Rpts., 1923, p. 443. 1924; Biol. Rpt., 1923, p. 25. 1923.
number and value, Jan. 1, 1920, graph. Y.B., 1921, p. 470. 1922; Y.B. Sep. 878, p. 64. 1922.
utilization of tuna rinds as feed. B.P.I. Bul. 116, p. 13. 1907.
vaccination for anthrax. B.A.I. An. Rpt., 1909, p. 227. 1911; F.B. 439, p. 15. 1911.
wild, injury to ranges in national forests. An. Rpts., 1918, p. 185. 1919; For. A.R., 1918, p. 21. 1918.
Burro grass, description. D.B. 772, p. 81. 1920.
Burrow weed, description and poisonous effects on stock, and control. D.B. 1245, pp. 29–30. 1924.
BURROWS, A. T.—
"Hot waves; conditions which produce them, and their effect on agriculture." Y.B., 1900, pp. 325–326. 1901; Y.B. Sep. 205, pp. 325–326. 1901.
"The Chinook winds." Y.B., 1901, pp. 555–566. 1902; Y.B. Sep. 255, pp. 555–566. 1902.
Burrows—
ground squirrel, formation, danger to levees. Biol. Cir. 76, pp. 5, 6–7. 1910.
kangaroo rats, description, and tunnels. D.B. 1091, pp. 28–33, 39. 1922.
pocket gophers, description, injury to crops and dams. N.A. Fauna 39, pp. 8–11. 1915.
Burs—
clover, variation in different species, weight, and quantity of seed. B.P.I. Bul. 267, pp. 17. 19–24. 1913.
in wool, injury to prices, disposition method. D.B. 206, pp. 8–9. 1915.
sand. *See* Sand bur; Buffalo bur.
See also Burdock.
Bursa bursa-pastoris, injury by webworm. Ent. Bul. 109, Pt. III, pp. 30–31. 1912.
Bursera sp. *See* Copal.
BURT, G. J.: "The rag-doll seed tester." With others. F.B. 948, pp. 7. 1918.
Burweed seed, destruction by birds. Biol. Bul. 30, p. 21. 1907.
BUSCK, AUGUST—
"The European pine-shoot moth, a serious menace to pine timber in America," D.B. 170, pp. 11. 1915.
"The greenhouse leaf-tyer, *Phlyctaenia rubigalis*." With others. J.A.R., vol. 29, pp. 137–158. 1924.
"The pink bollworm, *Pectinophora gossypiella*." J.A.R., vol. 9, pp. 343–370. 1917.

BUSER, A. L.: "Reconnoissance soil survey of northeastern Wisconsin." With others. Soil Sur. Adv. Sh., 1913, pp. 101. 1915; Soils F.O., 1913, pp. 1561–1657. 1916.
Bush—
drag, for control of the spring grain aphid, experiments. Ent. Bul. 110, pp. 136–137. 1912.
fruits—
acreage, census 1909, by States, map. Y.B., 1915, p. 387. 1916; Y.B. Sep. 631, p. 387. 1916.
growing in Alaska. O.E.S. An. Rpt. 1904, pp. 295–296. 1905.
protection, fall care. News L., vol. 3, No. 19, pp. 1, 4. 1915.
See Blackberries; Currants; Gooseberries; Raspberries; Fruits, small.
grape, description, resistance to phylloxera. B.P.I. Bul. 172, p. 22. 1910.
tick, importation and description. Nos. 36878, 36879. B.P.I. Inv. 37, p. 77. 1916.
tit—
California, enemy of codling moth. Y. B., 1911, pp. 242–243. 1912; Y. B. Sep. 564, pp. 242–243. 1912.
California, food habits. Biol. Bul. 30, pp. 74–80. 1907.
food habits. F.B. 630, pp. 5–6. 1915.
Bushel—
grain, test weight, determination apparatus, and method. E. G. Boerner. D.B. 472, pp. 15. 1916.
weight(s)—
buckwheat, various States. F.B. 1062, pp. 23–24. 1919.
corn. S.R.S. Syl. 21, p. 22. 1916.
corn, ear and shelled. F.B. 313, p. 23. 1907.
emmer and spelt. D.B. 1197, p. 6. 1924.
equivalent in different grains. Stat. Bul. 69, p. 7. 1908.
farm products. F.B. 1182, p. 30. 1921.
grain, 1902–1921; Y.B., 1921, p. 778. 1922; Y.B. Sep. 871, p. 9. 1922.
grain, 1922; Y.B., 1922, p. 992. 1923; Y.B. Sep. 887, p. 992. 1923.
legal standards of States. *See Yearbook tables.*
oats, legal, in various States and Canada. F.B. 420, p. 12. 1910.
peanut varieties. F.B. 356, pp. 29, 30. 1909; F.B. 431, pp. 28, 29. 1911.
pop corn. F.B. 554, rev., p. 10. 1920.
seeds, customary and legal. Edgar Brown. B.P.I. Bul. 51, Pt. V, pp. 27–34. 1905.
variation in different States, need of uniformity. F.B. 1434, pp. 7–8. 1924.
various commodities. D.B. 987, p. 69. 1921; Y.B., 1920, p. 11. 1921; Y.B. Sep. 865, p. 11. 1921; F.B. 1202, p. 62. 1921.
wheat in Great Plains. D.B. 878, p. 41. 1920.
wheat varieties. D.B. 1183, pp. 7, 28, 40, 52, 75, 76–79. 1924.
wheat (winter) varieties. D.B. 1276, pp. 42–43. 1925.
See also under names of crops.
Bushman grass, importation and description. No. 34622, B.P. I. Inv. 33, pp. 7, 40. 1915.
BUSHNELL, L. D.: "Natural antisheep ambroceptor and complement in the blood of fowls." With F. R. Beaudette. J.A.R., vol. 27, pp. 709–715. 1924.
BUSHNELL, T. M.—
"Reconnoissance soil survey of northwest Texas." With others. Soil Sur. Adv. Sh., 1919, pp. 75. 1922; Soils F.O., 1919, pp. 1099–1173. 1925.
"Soil survey of—
Adams County, Indiana." With others. Soil Sur. Adv. Sh., 1921, pp. 20. 1923.
Cass County, Nebraska." With others. Soil Sur. Adv. Sh., 1913, pp. 46. 1914; Soils F.O., 1913, pp. 1925–1966. 1916.
Christian County, Kentucky." With Risden T. Allen. Soil Sur. Adv. Sh., 1912, pp. 34. 1914; Soils F.O., 1912, pp. 1149–1178. 1915.
Dallas County, Texas." With others. Soil Sur. Adv. Sh., 1920, pp. 1213–1254. 1924; Soils F.O., 1920, pp. 1213–1254. 1925.
Dickey County, North Dakota." With others. Soil Sur. Adv., 1914, pp. 56. 1916; Soils F.O., 1914, pp. 2411–2462. 1919.

BUSHNELL, T. M.—Continued.
"Soil survey of—continued.
Douglas County, Nebraska." With others. Soil Sur. Adv. Sh., 1913, pp. 48. 1915; Soils F.O., 1913, pp. 1967-2010. 1916.
Erath County, Texas." With others. Soil Sur. Adv. Sh., 1920, pp. 371-408. 1923; Soils F.O., 1920, pp. 371-408. 1925.
Fayette County, Alabama." With others. Soil Sur. Adv. Sh., 1917, pp. 40. 1920; Soils F.O. 1917, pp. 699-734. 1923.
Jefferson County, Texas." With others. Soil Sur. Adv. Sh., 1913, pp. 47. 1915; Soils F.O., 1913, pp. 1001-1043. 1916.
Jefferson Davis County, Mississippi." With L. Vincent Davis. Soil Sur. Adv. Sh. 1915, pp. 27. 1916; Soils F.O., 1915, pp. 1027, 1049. 1919.
Lake County, Indiana." With Wendell Barrett. Soil Sur. Adv. Sh., 1917, pp. 48. 1921; Soils F.O., 1917, pp. 1139-1182. 1923.
Lamoure County, North Dakota." With others. Soil Sur. Adv. Sh., 1914, pp. 53. 1917; Soils F.O., 1914, pp. 2361-2409. 1919.
Mississippi County, Arkansas." With others. Soil Sur. Adv. Sh., 1914, pp. 42. 1916; Soils F.O., 1914, pp. 1325-1362. 1919.
Perry County, Arkansas." With others. Soil Sur. Adv. Sh. 1920, pp. 493-536. 1923; Soils F.O., 1920, pp. 493-536. 1925.
Porter County, Indiana." With Wendell Barrett. Soil Sur. Adv. Sh., 1916, pp. 47. 1919; Soils F.O., 1916, pp. 1695-1737. 1921.
Richmond County, Georgia." With J. M. Snyder. Soil Sur. Adv. Sh., 1916, pp. 38. 1917; Soils F.O. 1916, pp. 715-748. 1921.
Saunders County, Nebraska." With others. Soil Sur. Adv. Sh., 1913, pp. 52. 1915; Soils F.O., 1913, pp. 2011-2058. 1916.
Starke County, Indiana." With others. Soil Sur. Adv. Sh., 1915, pp. 42. 1917; Soils F.O., 1915, pp. 1385-1422. 1921.
White County, Indiana." With C. P. Erni. Soil Sur. Adv. Sh., 1915, pp. 43. 1917; Soils F.O., 1915, pp. 1449-1487. 1921.
Bushukan, importation, and description. No. 39940, B.P.I. Inv. 42, pp. 8, 41. 1918.
Business—
analysis of 100 farms in Indiana, Clinton County. H. W. Hawthorne and H. M. Dixon. D.B. 1258, pp. 68. 1924.
improvement as result of improved roads, examples. News L., vol. 4, No. 16, p. 1. 1916.
men—
associations, aid to farmers, Kentucky. Y.B., 1915, pp. 226, 227-229, 235. 1916; Y.B. Sep. 672, pp. 226-229, 235. 1916.
relation to farmers, and cooperation. Y.B., 1914, pp. 209-210. 1915; Y.B. Sep. 637, pp. 209-210. 1915.
methods—
for the home. Thrift L. 18, pp. 4. 1919.
training in, as benefit of cooperative credit association. F.B. 654, p. 13. 1915.
organization of Government. Off. Rec., vol. 3, No. 30, pp. 1-2, 5. 1924.
BUSTER, SPENCER: "Soil survey of—
McHenry County, North Dakota." With others. Soil Sur. Adv. Sh., 1921, pp. 45. 1925.
Sargent County, North Dakota." With others. Soil Sur. Adv. Sh., 1917, pp. 41. 1920; Soils F.O., 1917, pp. 2003-2039. 1923.
Butcher bird—
protection, exception from. Biol. Bul. 12, rev., pp. 38, 43. 1902.
southern, food habits, description. F.B. 506, pp. 29-32. 1912.
See also Shrike.
Butchering—
beef on the farm, cutting and curing. F.B. 1415, pp. 34. 1924.
farm—
equipment, and methods. News L., vol. 5, No. 18, p. 5. 1917.
practices. F.B. 183, pp. 1-38. 1903.
hogs—
methods, outfit, care of animals before killing. News L., vol. 3, No. 9, pp. 1-2, 4. 1915.
on the farm, directions. F.B. 1186, pp. 5-9. 1921.

Butchering—Continued.
home—
methods and profits. News L., vol. 6, No. 20, p. 8. 1918.
suggestions. F.B. 1202, pp. 47-48. 1921.
Butchers—
blocks, manufacture, utilization of sycamore D.B. 884, pp. 9, 10, 15, 24. 1920.
retail, exemptions from meat inspection laws. B.A.I. An. Rpt., 1906, pp. 91, 95. 1908; B.A.I. Cir. 125, pp. 31, 35. 1908.
terms. B.A.I. Bul. 47, pp. 186, 243-244. 1904.
Buteo—
lineatus, value as destroyer of insects. Biol. Bul. 12, rev., p. 33. 1902.
spp. See Hawk.
swainsoni, value as destroyer of insects. Biol Bul. 12, rev., p. 33. 1902.
Butia—
bonneti, importation and description. No. 43116, B.P.I. Inv. 48, pp. 6, 18. 1921.
capitata pulposa, importations and descriptions; No. 42534, B.P.I. Inv. 47, p. 26. 1920; No. 43238, B.P.I. Inv. 48, pp. 6, 31. 1921; No. 47350, B.P.I. Inv. 59, pp. 5, 9. 1922; No. 51890, B.P.I. Inv. 65, p. 64. 1923.
spp. importations and description. Nos. 54664-54669, B.P.I. Inv. 69, pp. 5, 36-37. 1923.
BUTLER, O. M.: "The distribution of softwood lumber in the Middle West. Studies of the lumber industry." Pt. 8, Rpt. 115, pp. 96. 1917; Pt. 9, Rpt. 116, pp. 100. 1918.
BUTLER, TAIT: "Agricultural journal for farmers institutes and other forms of extension work." O.E.S. Bul. 256, pp. 28-29. 1912.
BUTT, N. I.: "Effect of irrigation water and manure on the nitrates and total soluble salts of the soil." With F. S. Harris. J.A.R., vol. 8, pp. 333-359. 1917.
Butt rot—
black walnut, injury to lumber. D.B. 933, p. 21. 1921.
chestnut, caused by Polyporus pilotae. D.B. 89, p. 2. 1914.
oak, caused by injuries in logging and Hydnum erinaceus. D.B. 89, p. 4. 1914.
yellow, red gum, description. B.P.I. Bul. 114, p. 9. 1907.
Butte, Mont., milk supply, statistics, officials, and prices. B.A.I. Bul. 46, pp. 36, 109. 1903.
Butter—
acidity, causes of increase. B.A.I. Bul. 57, pp. 9-21. 1904.
action on different metals, experiments. B.A.I. An. Rpt., 1909, p. 276. 1911.
adulterated, definition and Federal law. Chem. Bul. 69, Pt. I, pp. 33-41. 1902; Chem. Bul. 69, rev., pp. 33-41. 1905.
adulteration—
and detection. Chem. Bul. 100, pp. 22-23, 25, 50-51. 1906; Chem. Bul. 107, p. 125. 1912.
and misbranding. See Indexes, notices of judgment, in bound volumes and in separates published as supplements to Chemistry Service and Regulatory Announcements.
laws, State and Federal. Chem. Bul 69, rev., Pts. I-IX, pp. 33-40, 43, 46, 48, 55, 79, 81, 90, 101, 108, 132, 136, 144, 151, 158, 165, 167, 197, 209, 217, 225, 239, 256, 283, 316, 332, 341, 348, 354, 355, 359, 368, 386, 391, 420, 440, 448, 473, 498, 558, 571, 602, 662, 716-721. 1905-1906.
study by Dairy Division. B.A.I. An. Rpt., 1910, pp. 56, 57. 1912.
with milk. Chem. S.R.A. 3, p. 113. 1914.
air content, testing. B.A.I. Cir. 146, pp. 14-18. 1909.
analysis methods. Chem. Bul. 107, pp. 123-126. 1907.
analysis of samples from different States. B.A.I. Bul. 149, pp. 31. 1912.
artificial, Europe. Rpt. 67, pp. 30-31. 1901.
bacterial—
determination. B.A.I. Bul. 114, pp. 12-15. 1909.
studies. S.R.S. Rpt., 1917, Pt. I, pp. 30-31, 105-114, 147-161, 195-199, 278-279. 1918; Chem, Chief Rpt., 1921, p. 16. 1921.
bulk, packages, styles, and preparation. D.B. 456, pp. 3-8, 36. 1917.

INDEX TO PUBLICATIONS, 1901–1925   319

Butter—Continued.
  canned, keeping quality and studies. Lore A. Rogers. B.A.I. Bul. 57, pp. 24. 1904.
  changes in storage, relation to enzymes. J.A.R. vol. 11, pp. 437–438, 447. 1917.
  churning, washing, salting, and working, methods. Sec. Cir. 66, pp. 4–5. 1916.
  cold-storage—
    and fishy flavor. B.A.I. Cir. 146, pp. 6, 11–12, 19. 1909.
    consumption, monthly. Stat. Bul. 101, pp. 54, 55–57, 58, 61–62, 65, 66–67. 1913.
    data from warehousemen. Chem. Bul. 115, p. 17. 1908.
    holdings, 1915–1923. Stat. Bul, 1, pp. 8–9. 1923.
    holdings, 1915–1924. Stat. Bul. 4, pp. 9–10. 1925.
    oxidation, progressive. D.C. Dyer. J.A.R. vol. 6, No. 24, pp. 927–952. 1916.
    receipts, deliveries, length of storage. Stat. Bul. 93, pp. 15, 24–25, 30, 32, 34, 37, 40, 43–47. 1913.
    reports, season 1917–1918. D.B. 776, pp. 7–14. 1919.
    season, 1916–1917, review. D.B. 709, pp. 17–19. 1918.
    shortage, January 1, 1919. News L., vol. 6, No. 26, p. 6. 1919.
  color—
    addition to cream, directions. F.B. 876, pp. 13, 22. 1917.
    standard, simple. S. H. Ayers. B.A.I. Cir. 200, pp. 3. 1912.
  coloring—
    decision, F.I.D. 51. F.I.D. 49–53, p. 2. 1907.
    methods, formula, etc. F.B. 541, p. 13. 1913.
  comparison with milk on basis of nitrogen content. J.A.R., vol. 11, p. 447. 1917.
  composition and food value. F.B. 363, pp. 9, 28, 34, 36–37, 44. 1909; F.B. 1359, pp. 11, 13. 1923.
  consumption—
    by countries and by seasons in United States. Y.B. 1922, pp. 288, 366. 1923; Y.B. Sep. 879, pp. 6, 8, 73. 1923.
    of average family for a week, and place in menu. F.B. 1228, pp. 16–17, 19. 1921.
    per capita, by countries. D.C. 70, pp. 20–21. 1919; B.A.I. Doc. A–37, p. 5. 1922.
    per capita on farms, various sections. D.B. 177, p. 18. 1915.
  containers, specifications of U. S. Navy for tin. B.A.I. An. Rpt., 1909, p. 270. 1911.
  cost and prices. B.A.I. Cir. 56, p. 194–196. 1904.
  creamery—
    American, normal composition. S. C. Thompson and others. B.A.I. Bul. 149, pp. 31. 1912.
    cold storage reports, 1917–1918. D.B. 776, pp. 7–13. 1919.
    examination for pathogenic organisms, results. An. Rpts., 1913, p. 97. 1914; B.A.I. Chief Rpt., 1913, p. 27. 1913.
    improvement by grading cream. Y.B. 1910, pp. 276, 277, 278. 1911; Y.B. Sep. 536, pp. 276, 277, 278. 1911.
    manufacturing and marketing in South, suggestions. R. C. Potts and William White. Sec. Cir. 66, pp. 12. 1916.
    market grades, establishment in various cities. D.B. 456, pp. 17–20, 36. 1917.
    marketing. R. C. Potts and H. F. Meyer. D.B. 456, pp. 38. 1917.
    prices and quality study. G. P. Warber. D.B. 682, pp. 24. 1918.
    production of the South. F.B. 349, pp. 7–8. 1909; B.A.I. An. Rpt., 1907, p. 309. 1909.
    quality dependent on cream received. News L. vol. 1, no. 11, pp. 3–4. 1913.
    retail price levels, comparison in various cities. D.B. 682, pp. 11–14, 21. 1918.
    transportation to market, methods. D.B. 690, pp. 6–7. 1918.
    water content. Henry Alvord. B.A.I. Cir. 39, pp. 4. 1903.
    wholesale market distribution, cost. D.B. 690, pp. 11–14. 1918.
  cultures, study. B.A.I. Chief Rpt., 1908, p. 60. 1908; An. Rpts., 1908, p. 274. 1909; B.A.I. An. Rpt., 1908, p. 72. 1910.
  dairy and country, use in southern cities. F.B. 349, pp. 8–9, 15, 35. 1909; B.A.I. An. Rpt., 1907, pp. 310, 316, 335. 1909.

Butter—Continued.
  defects—
    commonly found. D.B. 456, pp. 3, 36. 1917; D.C. 236, pp. 10–13. 1922.
    in quality. C. W. Fryhofer. D.C. 236, pp. 14. 1922.
    of body and texture, causes and control. D.C. 236, pp. 8–10. 1922.
  definitions and standards for enforcement of food and drugs act. F.I.D. 190, p. 1. 1923.
  Denmark, imports, and exports, 1866–1921, and prices, 1851–1921. B.A.I. Doc. A–37, pp. 49–50. 1922.
  description and importance as food. F.B. 1207, pp. 25–26. 1921.
  digestion experiments. D.B. 310, pp. 14–17. 1915.
  effect of salt. B.A.I. Bul. 84, pp. 16–17, 23–24. 1906.
  enzymes, studies. J.A.R., vol. 11, pp. 437–450. 1917.
  exports—
    1851–1921 and imports. B.A.I. Doc. A–37, p. 29. 1922.
    1884–1911, monthly. Stat. Bul. 101, pp. 72–73, 74–75. 1913.
    1910–1918, imports. Sec. Cir. 123, p. 12. 1918.
    1913–1920, imports. B.A.I. Doc. A–37, p. 41. 1922.
    1914–1919, imports. Sec. Cir. 142, p. 21. 1919.
    1921, imports. Y.B., 1921, pp. 737, 743, 757. 1922; Y.B. Sep. 867, pp. 1, 7, 21. 1922.
    1922. Y.B., 1922, pp. 302, 392. 1923; Y.B. Sep. 879, pp. 18, 97. 1923.
    1922–1924. Y.B., 1924, p. 1041. 1925.
    from Canada, development of trade, method. Rpt. 67, pp. 28–31. 1901.
    increase, 1917. News L., vol. 5, No. 11, p. 5. 1917.
    inspection, recommendations. Rpt. 67, pp. 24–25. 1901.
    opportunity for increasing. Rpt. 67, pp. 25–26. 1901.
  factory(ies)—
    by States, 1900. B.A.I. Bul. 55, pp. 27–29. 1903.
    location and production. Y.B., 1922, pp. 296, 314. 1923; Y.B. Sep. 879, pp. 15, 28. 1923.
    renovated or process, sanitation, regulations governing. B.A.I.O. 193, pp. 4. 1912.
    statistics, 1900, prices. B.A.I. Bul. 55, pp. 27–29, 36, 60–61. 1903.
    production, 1870–1910. D.B. 177, p. 8. 1915.
    production and trend of industry. D.C. 70, pp. 3–5. 1919.
  farm—
    consumption, 1900, 1910, estimates. D.B. 177, p. 10. 1915.
    improvement methods, packing. Food Thrift Ser., No. 2, pp. 3–4. 1917.
    making in the South. Sec. Spec., "Making farm butter * * *," pp. 4. 1914.
    prices May 1, 1914. News L., vol. 1, No. 43, p. 3. 1914.
    production—
      and sales, 1900. B.A.I. Bul. 55, pp. 24–26. 1903.
      and trend. D.C. 70, pp. 4–5. 1919.
      products in Pennsylvania, Chester County, survey. D.B. 341, pp. 46–47. 1916.
  fat and oil content. D.B. 769, p. 38. 1919.
  flavor(s)—
    body, color, salt, etc., judging. Mkts. S.R.A. 51, pp. 16–21. 1919.
    changes in storage, factors influencing. L. A. Rogers and others. B.A.I. Bul. 162, pp. 69. 1913.
    effect of lactic and other acids. B.A.I. Bul. 114, pp. 17–18. 1909.
    effect of rusty milk cans, and high temperature in pasteurizing. B.A.I. Cir. 189, pp. 314, 324. 1912; B.A.I. An. Rpt., 1910, pp. 314, 324. 1912.
    fishy—
      causes and control. D.C. 236, pp. 5–6. 1922.
      investigations. L. A. Rogers. B.A.I. Cir. 146, pp. 20. 1909.
    garlic and leek, cream aeration for removal. Sec. Cir. 66, p. 11. 1916.
    grain, and color, causes. B.A.I. Cir. 56, pp. 180–184. 1904.

Butter—Continued.
  flavor(s)—continued.
    influence of acidity of cream. L. A. Rogers and C. E. Gray. B.A.I. Bul. 114, pp. 22. 1909.
    metallic, causes and control. D.C. 236, pp. 6-7. 1922.
    of stored product. B.A.I. Bul. 84, pp. 12-15, 23-24. 1905.
    oily, causes and control. D.C. 236, pp. 7-8. 1922.
    relation to metal containers, effect of salts. B.A.I. Bul. 162, pp. 8, 38-69. 1913.
  food—
    inspection law, rules of Agricultural Economics Bureau. D.C. 236, pp. 1-2. 1922.
    standard. Sec. Cir. 136, p. 5. 1919.
    value comparisons, chart. D.B. 975, p. 33. 1921; F.B. 1383, p. 30. 1924.
  for Navy—
    packing and inspection by Dairy Division. An. Rpts., 1912, p. 335. 1913; B.A.I. Chief Rpt., 1912, p. 39. 1912.
    scoring by department inspectors, 1915. News L., vol. 2, No. 37, p. 7. 1915.
    specifications and analyses. B.A.I. Bul. 149, pp. 20-21, 31. 1912.
    storage tests, studies. News L., vol. 2, No. 37, p. 7. 1915.
  freezing of, effect on vitamin content. Work and Exp., 1923, p. 56. 1925.
  fresh and cold-storage, relative prices, in New York, 1880-1911, study. Stat. Bul. 101, pp. 12-13, 15. 1913.
  from cream of varying acidity, bacterial determinations. B.A.I. Bul. 114, pp. 12-15. 1909.
  fruit, kinds, and recipes. News L., vol. 5, p. 8. 1917.
  fruit. See also Fruit butter.
  goat—
    description, price, etc., comparison with cows' butter. F.B. 920, p. 6. 1918.
    digestibility, experiments. D.B. 613, pp. 3-6. 1919.
    manufacture, composition. B.A.I. Bul. 68, pp. 26-27. 1905.
  Goshen, adulteration and misbranding. Chem. N.J. 3625. 1915.
  high-acid, deterioration, possible action of enzymes. B.A.I. Bul. 114, pp. 15-17. 1909.
  history, commerce, and manufacture. Harry Hayward. B.A.I. Cir. 56, p. 14. 1904.
  home care, directions. F.B. 1374, p. 7. 1923.
  home making, equipment and use methods. F.B. 927, pp. 18-21. 1918.
  homogenized, use in ice cream. F.I.D. 132, p. 1. 1911.
  importations, certificates, opinion 82. Chem. S.R.A. 8, p. 635. 1914.
  imports—
    1906-1910, 1907-1911. Y.B., 1911, pp. 633, 656. 1912; Y.B. Sep. 588, pp. 633, 656. 1912.
    1907-1909, amount and value by countries from which consigned. Stat. Bul. 82, p. 21. 1910.
    1922-1924. Y.B., 1924, p. 1058. 1925.
    and exports by Pan American countries. B.A.I. Doc. A-37, p. 42. 1922.
    by countries. D.C. 70, pp. 8, 12-19. 1919.
  improvement by cream pasteurization. News L., vol. 3, No. 13, p. 7. 1915.
  industry, United States and other countries, trend. T. R. Pirtle. D.C. 70, pp. 24. 1919.
  infection with tubercle bacilli, and remedy by pasteurization. Y.B., 1908, p. 223. 1909; Y.B. Sep. 476, p. 223. 1909.
  inferior, loss to dairy industry in South. F.B. 349, pp. 35, 36. 1909; B.A.I. An. Rpt., 1907, pp. 335-336. 1909.
  inspection—
    and certification, regulations. B.A.E. S.R.A. 79, pp. 6. 1923.
    and prices. Y.B., 1922, pp. 372-375. 1923; Y.B. Sep. 879, pp. 78-80. 1923.
    at markets. B.A.E. Chief Rpt., 1923, p. 34. 1923; An. Rpts., 1923, p. 164. 1924.
    offices, location. D.C. 236, p. 14. 1922.
    official rules, classes, grades and requirements. Mkts. S.R.A. 51, pp. 3-10. 1919.
  international trade, 1901-1906. Y.B., 1906, p. 646. 1907; Y.B. Sep. 436, p. 646. 1907.

Butter—Continued.
  judging, grades and rules. B.A.I. Cir. 56, pp. 190-193. 1904.
  keeping qualities—
    experiments and tests, Idaho. O.E.S. An. Rpt., 1910, p. 129. 1911.
    experiments with canned butter. Lore A. Rogers. B.A.I. Bul. 57, pp. 24. 1904.
    rancidity and mottling, studies. S.R.S. Rpt., 1915, Pt. I, pp. 104, 113, 119, 151, 280. 1917.
    relation to acidity of cream. Work and Exp., 1913, pp. 26, 43, 54. 1915.
    studies. Work and Exp., 1919, pp. 79-80. 1921.
  lactose oxidation, studies. B.A.I. Bul. 162, pp. 57-64. 1913.
  ladled, adulteration. Chem. N.J. 836, p. 1. 1911.
  laws—
    Austria, Vienna, affecting American export. Chem. Bul. 61, p. 11. 1901.
    Belgium, affecting American exports. Chem. Bul. 61, pp. 11-12. 1901.
    France, affecting American export. Chem. Bul. 61, pp. 18-19. 1901.
    Germany, for labeling, affecting American export. Chem. Bul. 61, pp. 21-22. 1901.
    Italy, affecting American exports. Chem. Bul. 61, pp. 25-26. 1901.
    Rumania, affecting American export. Chem. Bul. 61, p. 31. 1901.
    various States. B.A.I. Cir. 56, p. 198. 1904.
  legal standards, different States. B.A.I. An. Rpt., 1909, pp. 329-330. 1911.
  makers, association, Kossuth County, Iowa, organization. Y.B., 1916, pp. 213, 215. 1917; Y.B., Sep. 707, pp. 5, 7. 1917.
  makers, creamery, work in community development. Y.B., 1916, p. 212. 1917; Y.B., Sep. 707, p. 4. 1917.
  making—
    acidity measurement method. F.B. 381, pp. 30-32. 1909.
    bacteriology of pasteurized cream. B.A.I. An. Rpt., 1910, pp. 308-310. 1912; B.A.I. Cir. 189, pp. 308-310. 1912.
    comparison of acid cream with sweet. B.A.I. Bul. 148, pp. 8, 13-27. 1912.
    contest, rules, blanks. O.E.S. Bul. 255, pp. 38-39. 1913.
    directions. Alaska A.R., 1907, p. 70. 1907.
    equipment—
      addition to cheese factory, cost. B.A.I. Cir. 161, pp. 1-2. 1910.
      for farm. F.B. 876, rev., pp. 18-19. 1924.
      essentials, summary. B.A.I. Cir. 56, p. 199. 1904.
    home demonstration work in South. S.R.S. An. Rpt., 1921, pp. 32, 33. 1921.
    in Denmark, practices, grading, packing and marketing. D.B. 1266, pp. 21-31. 1924.
    industry, water heating with exhaust steam. B.A.I. Cir. 209, pp. 1-13. 1913.
    old method and utensils, description. S.R.S. Syl. 19, pp. 1-2. 1916.
    on farm—
      Edwin H. Webster. F.B. 241, pp. 31. 1905.
      J. R. Keithley. F.B. 541, pp. 28. 1913.
      William White. F.B. 876, rev., pp. 22. 1924.
      illustrated lecture. J. H. McClain. S.R.S. Syl. 19, pp. 10. 1916.
      suggestions. F.B. 384, pp. 22-24. 1910.
      teachers' use of F.B. 876. E. H. Shinn. D.C. 69, pp. 4, 1919.
    pasteurization, temperature. B.A.I. An. Rpt., 1910, pp. 307-326. 1912; B.A.I. Cir. 189, pp. 307-326. 1912; F.B. 412, p. 28. 1910.
    practice at Kenai Station, Alaska. Alaska A.R., 1907, pp. 70-71. 1908.
    school lesson. D.B. 258, p. 17. 1915; D.B. 763, pp. 19-21. 1919.
    score-card form, school studies. D.B. 763, p. 29. 1919.
    use of starters in ripening cream. F.B. 317, pp. 27-28. 1908; F.B. 469, pp. 17-18. 1911.
    with cream of varying acidity, experiments, with results. B.A.I. Bul. 114, pp. 8-12. 1909.
  manufacture—
    and storage, investigations. C. E. Gray and G. L. McKay. B.A.I. Bul. 84, pp. 24. 1906.
    for storage. L. A. Rogers and others. B.A.I. Bul. 148, pp. 27. 1912.

Butter—Continued.
 manufacturing methods, studies. Sec. Cir. 66, pp. 4-6. 1916.
 maple, preparation. D.B. 466, p. 41. 1917.
 market(s)—
  inspection—
   1910. B.A.I. An. Rpt., 1910, p. 51. 1912.
   and inspectors. D.B. 456, pp. 20-21, 36. 1917.
   rating defects, number. D.C. 236, p. 1. 1922.
  of world. Rpt. 67, p. 31. 1901.
  quality grades and standards, comparisons. D.B. 682, pp. 5-8. 1918.
  reports, value. News L., vol. 5, No. 33, p. 4. 1918.
  standards, seasonal changes. D.B. 682, pp. 8-9. 1918.
  statistics, 1910-1920, prices, stocks, imports, and exports. D.B. 982, pp. 142-147. 1921.
  wholesale, location and influence on prices. D.B. 682, pp. 3-5. 1918.
 marketing—
  and shipment forms. Y.B., 1922, pp. 361-363. 1923; Y.B., Sep. 879, pp. 68-70. 1923.
  and storing. F.B. 241, pp. 29-31. 1905.
  at principal cities, 1880-1911, tables. Stat. Bul. 93, pp. 50-85. 1913.
  bibliography. M. C. 35, p. 29. 1925.
  by parcel post, preparation, containers, etc. F.B. 930, pp. 4-8, 10-12. 1918.
  methods. F.B. 541, pp. 18-19, 28. 1913; Sec. Cir. 66, pp. 6-10. 1916; Rpt. 98, pp. 37-38. 1913.
  moisture determination, simple test. An. Rpts., 1907, p. 245. 1908; O.E.S. An. Rpt., 1907, p. 186. 1908.
 molds—
  causes and control. D.C. 236, pp. 13-14. 1922.
  in tubs, prevention. L. A. Rogers. B.A.I. Bul. 89, pp. 13. 1906.
  types. J.A.R. vol. 3, pp. 302-303. 1915.
 moldy—
  analyses of samples. J.A.R., vol. 3, pp. 301-302. 1914.
  cause. B.A.I. Cir. 130, p. 1. 1908.
 mottled—
  causes and control methods. News L., vol. 3, No. 24, p. 4. 1916.
  description. News L., vol. 6, No. 37, p. 8. 1919.
 overworking, cause of fishy flavor. B.A.I. Cir. 146, pp. 12-18, 20. 1909.
 oxidation by inclosed air, possibility, studies. B.A.I. Bul. 162, pp. 7, 34-38. 1913.
 packages—
  packing. Sec. Cir. 66, pp. 5-6. 1916.
  kind and description for individual consumers. D.B. 456, pp. 8-13, 36. 1917.
  postal regulations. F.B. 930, p. 12. 1918.
 packing—
  and storing on farm. F.B. 876, rev., pp. 16-17. 1924.
  branding, marketing, and weighing methods. D.B. 456, pp. 5-8, 36. 1917.
  investigations of keeping qualities. B.A.I. Bul. 84, p. 11, 18-20. 1906.
  marketing, storing. F.B. 241, pp. 28-31. 1905.
  printing and wrapping. F.B. 876, pp. 17-18, 23. 1917.
 parcel-post trade, establishment by Vermont creamery. News L., vol. 3, No. 26, p. 2. 1916.
 pasteurized—
  definition. Chem. Bul. 69, rev., Pt. I, p. 63. 1905.
  gas content before and after storage, analysis. B.A.I. Bul. 162, pp. 35-37. 1913.
  physical condition, cause of weight errors, and control. Sec. Cir. 95, pp. 5-6. 1918.
  poor quality, lack of cream cooling as cause. News L., vol. 2, No. 23, pp. 1-2. 1915.
 price(s)—
  at creameries, 1909, Minnesota, Wisconsin, and Iowa. Y.B., 1910, p. 277. 1911; Y.B. Sep. 536, p. 277. 1911.
  basis, relations, and variations. Y.B., 1922, pp. 371, 372, 376, 378-385. 1923; Y.B., Sep. 879, pp. 77, 78, 82, 83-91. 1923.
  compilation, sources, and grades. Stat. Bul. 101; pp. 36, 37, 38, 39, 40, 43, 45, 46, 48. 1913.
  conditions governing southern creameries. Sec. Cir. 66, p. 8. 1916.

Butter—Continued.
 price(s)—continued.
  creamery and retail. An. Rpts., 1910, pp. 21, 24. 1911; Sec. A. R., 1910, pp. 21, 24. 1910; Rpt. 93, pp. 17, 20. 1911; Y.B., 1910, pp. 21, 24. 1911.
  farm—
   and market. Y.B., 1924, pp. 885-887, 1175. 1925.
   and wholesale, comparisons in different States. D.B. 999, p. 18. 1921.
   city, and export, comparison. Stat. Bul. 101, pp. 70-71. 1913.
  fixing in Denmark. D.B. 1266, pp. 29-30. 1924.
  levels in New York, studies. Stat. Bul. 101, pp. 17-18, 19, 20-21, 22-23, 24-26. 1913.
  markets, and international trade, 1889-1912, and 1907-1911. Y.B., 1912, pp. 684-685, 1913; Y.B., Sep. 615, pp. 684-685. 1913.
  on New York market, 1866-1921. B.A.I. Doc. A-37, pp. 30, 31. 1922.
  on San Francisco market. B.A.I. Doc. A-37, p. 29. 1922.
  uniformity for year, comparisons. Stat. Bul. 101, pp. 68-70. 1913.
  variations, New York City, 1901-1912, average, 1865-1909. D.B. 177, p. 15. 1915.
  wholesale—
   during Civil War and World War periods. D.B. 999, pp. 14, 32. 1921.
   various markets, 1880-1911. Stat. Bul. 101, pp. 82-91, 104-110. 1913.
 print, errors in weight, causes and prevention. H. Runkel and H. M. Roeser. Sec. Cir. 95, pp. 15. 1918.
 printer, use in farm butter making. F.B. 541, p. 26. 1913.
 process. See Butter, renovated.
 production—
  1849-1920. B.A.I. Doc. A-37, p. 25. 1922.
  1909-1919. Sec. Cir. 142, p. 18. 1919.
  1917-1924. Y.B., 1924, pp. 872-874, 881. 1925.
  and consumption in southern cities. B.A.I. An. Rpts., 1907, pp. 309-311, 315-317, 330, 336. 1909; F.B. 349, pp. 7-10, 14-16, 29, 35. 1909.
  and exportation of various countries, 1909-1919. B.A.I. Doc. A-37, p. 7. 1922.
  at Grove City Creamery, 1920. D.C. 139, p. 5. 1920.
  average per cow. B.A.I. Cir. 103, p. 13. 1907.
  cost. Off. Rec., vol. 3, No. 22, p. 1. 1924.
  development in United States, seasons and market receipts. Y.B., 1922, pp. 292, 293, 310, 312-314, 366, 367. 1923; Y.B. Sep. 879, pp. 11, 12, 24, 26-28, 73, 74. 1923.
  handling, etc., exhibition contests. F.B. 499, pp. 16-18. 1912.
  in—
   Argentina, consumption, 1903-1919, imports and exports, 1870-1920. B.A.I. Doc. A-37, p. 44. 1922.
   Australia, 1901-1919, and exports, 1899-1920. B.A.I. Doc. A-37, pp. 45, 46. 1922.
   Canada, imports and exports, 1871-1920. B.A.I. Doc. A-37, pp. 47-48. 1922.
   creameries, 1910, census return. D.B. 747, p. 6. 1919.
   France, imports and exports, 1850-1920. B.A.I. Doc. A-37, pp. 51-52. 1922.
   Germany, imports and exports, 1897-1920. B.A.I. Doc. A-37, p. 53. 1922.
   Hawaii, handling, storing and marketing. Y.B., 1915, pp. 136, 138, 141. 1916; Y.B. Sep. 663, pp. 136, 138, 141. 1916.
   Italy, imports and exports, 1871-1920. B.A.I. Doc. A-37, p. 55. 1922.
   Japan, production, 1915-1919. B.A.I. Doc. A-37, p. 56. 1922.
   Netherlands, consumption, 1916-1920, imports and exports, 1850-1920. B.A.I. Doc. A-37, pp. 56-58. 1922.
   New Zealand, exports, 1866-1921. B.A.I. Doc. A-37, p. 59. 1922.
   North Central States, increase, 1900-1905. Y.B., 1906, pp. 414-416. 1907; Y.B. Sep. 432, pp. 414-416. 1907.
   northeastern Pennsylvania (reconnaissance). Soil Sur. Adv. Sh., 1911, p. 13. 1913; Soils F.O., 1911, p. 277. 1914.

Butter—Continued.
　production—continued.
　　in—continued.
　　　Russia, 1901–1917, and exports, 1860–1917. B.A.I. Doc. A–37, pp. 60–61. 1922.
　　　Sweden, 1890–1919, imports and exports, 1861–1920. B.A.I. Doc. A–37, pp. 62, 63. 1922.
　　　Switzerland, and consumption, 1911–1918, imports and exports, 1885–1920. B.A.I. Doc. A–37, pp. 64–65. 1922.
　　　United Kingdom, imports and exports, 1850–1920. B.A.I. Doc. A–37, p. 68. 1922.
　　　United States, 1900. B.A.I. Bul. 55, pp. 24–26, 27–29, 41–44. 1903.
　　　United States, 1910, monthly percentage. Stat. Bul. 101, p. 51. 1913.
　　　Wisconsin, Minnesota, and Iowa. D.B. 423, p. 4. 1916.
　　　world countries, exports and imports, 1909–1920. Y.B., 1921, p. 704. 1922; Y.B. Sep. 870, p. 30. 1922.
　　increase since 1870, by 10-year periods. D.B. 177, pp. 1–8. 1915.
　　increase, systems. D.C. 70, pp. 3–5. 1919.
　　on farms, 1919, by States. B.A.I. Doc. A–37, p. 27. 1922.
　　on farms in 1919, and in factories in 1921, maps. Y.B., 1921, pp. 480, 481. 1922; Y.B. Sep. 878, pp. 74, 75. 1922.
　　prices, etc., 1923. Y.B., 1923, pp. 917–923. Y.B. Sep. 902, pp. 917–923. 1924.
　　records, dairy cows, Denmark. B.A.I. Bul. 129, p. 24. 1911.
　proteolysis, detection methods. B.A.I. Bul. 162, pp. 9–26. 1913.
　purity standards. Sec. Cir. 136, p. 5. 1919.
　quality—
　　effect of feeding prickly pears. J.A.R., vol. 4, pp. 423, 433. 1915.
　　from limed and unlimed creams. D.B. 524, pp. 10, 12–13, 14. 1917.
　　relation to demand and prices. Y.B., 1922, p. 372. 1923; Y.B. Sep. 879, p. 78. 1923.
　quotations, creamery butter, at various markets, studies and basis. D.B. 456, pp. 21–26, 36. 1917.
　rating, regulations. D.C. 236, p. 2. 1922.
　ratio in milk average. B.A.I. Bul. 55, pp. 36–37. 1903.
　receipts—
　　and shipments, at Chicago, 1870–1911. D.B. 177, pp. 15–16. 1915.
　　at New York City, 1880–1911. D.B. 177, p. 17. 1915.
　　at New York, Chicago, and San Francisco markets, 1865–1921. B.A.I. Doc. A–37, p. 28. 1922.
　　at various markets for August, 1910–1914. F.B. 620, p. 7. 1914.
　records, dairy herd, tables. B.A.I. Bul. 75, pp. 31–33, 37–38, 39, 41–42, 49–53, 61–79, 82–89, 91–93, 100, 150–164. 1905.
　relation to type of dairy cow. F.B. 124, pp. 28–30. 1901.
　renovated—
　　and oleomargarine, detection, household tests. G. E. Patrick. F.B. 131, pp. 40. 1901.
　　consumption and prices, southern cities. B.A.I. An. Rpt., 1907, pp. 310, 315, 316, 330. 1909; F.B. 349, pp. 9, 14, 15, 29. 1909.
　　detection methods, tests. Chem. Bul. 67, pp. 109–111, 115–127. 1902; Chem. Cir. 19, pp. 1–6. 1904.
　　factories bonded, and production, 1907. B.A.I. An. Rpt. 1907, p. 83. 1909.
　　factories, sanitary regulations. B.A.I. O. 193, p. 4. 1912.
　　Federal tax law. Chem. Bul 69, Pt. I, pp. 36–41. 1902; Chem. Bul. 69, rev., pp. 36–41. 1905.
　　Hess and Doolittle method of detection. Chem. Bul. 81, pp. 92–93. 1904.
　　inspection, work of Dairy Division. B.A.I. Cir. 162, p. 4. 1910.
　　labeling regulations. B.A.I. O. 147 Amndt. 1, pp. 2. 1908; B.A.I. O. 147, amdt. 2, p. 1. 1914.
　　laws—
　　　1905. Chem. Bul. 69, rev., Pts. I–IX, pp. 55, 64–65, 92, 153, 167, 226, 256, 283–285, 316, 317, 423, 424, 453, 498, 522, 533–535, 559, 615, 616, 662, 681, 719. 1905–1906.

Butter—Continued.
　renovated—continued.
　　laws—continued.
　　　1908. Chem. Bul. 121, pp. 27, 51, 58. 1909.
　　misbranding. Chem. N.J. 39–42, pp. 6–7 1909.
　　origin and history. Levi Wells. Y.B. 1905, pp. 393–398. 1906; Y.B. Sep. 390, pp. 393–398. 1906.
　　prices, 1907–1920. B.A.I. Doc. A–37. p. 36. 1922.
　　production and exports, 1902–1921. B.A.I. Doc. A–37, p. 22. 1922.
　　regulations, 1907. B.A.I. An. Rpt., 1907, pp. 453–457. 1909.
　　tests and comparison with other butters. Chem. Bul. 99, pp. 100–106. 1906.
　　test by boiling. B.A.I. Cir. 56; p. 194. 1904.
　　Waterhouse test, report of chemist for 1903. Chem. Bul. 81, pp. 81–83. 1904.
　renovation—
　　for home use. F.B. 375, p. 38. 1909.
　　regulations. B.A.I. O. 147, pp. 8. 1907.
　　use of lime to neutralize, analyses of products. D.B. 524, pp. 20–22. 1917.
　ripening, bacterial changes. B.A.I. An. Rpt., 1909, p. 180. 1911.
　rules of New York Produce Exchange. B.A.I. Cir. 56, p. 191. 1904.
　sale, act of the United Kingdom, 1907. Chem. Bul. 143, pp. 34–37. 1911.
　salt content, determination methods. B.A.I. Cir. 202, pp. 1–8. 1912.
　salting—
　　quantity and effects of salt. B.A.I. Cir. 56, pp. 184–185. 1904.
　　uniformity, care in working. Sec. Cir. 95, p. 6. 1918.
　score(s)—
　　at various temperatures of cream pasteurization. B.A.I. Cir. 189, pp. 322–325. 1912; B.A.I. An. Rpt., 1910, pp. 322–325. 1912.
　　card, use, description. F.B. 499, pp. 16–18. 1912; D.B. 132, p. 35. 1915.
　　from cream, raw, pasteurized, and reinoculated. B.A.I. Bul. 162, p. 34. 1913.
　　in storage under different conditions. J.A.R., vol. 6, No. 24, pp. 941–944. 1916.
　shipment—
　　lake-and-rail haul, territory benefited by, map. News L., vol. 3, No. 3, pp. 1, 3. 1915.
　　Minnesota to New York, boat and rail, time, freight rates. News L., vol. 3, No. 3, pp. 1, 3. 1915.
　shrinkage from creamery to market, Chicago and New York shipments. D.B. 690, pp. 7–8. 1918.
　South Africa, exports. 1913–1919. B.A.I. Doc. A–37, p. 61. 1922.
　southern markets, trade conditions and methods. Sec. Cir. 66, pp. 8–10. 1916.
　specifications for Navy, and scoring after storage. B.A.I. Bul. 148, pp. 10–14. 1912.
　stains, removal from textiles. F.B. 861, p. 12. 1917.
　standards—
　　in Australia. B.A.I. [Misc.], "World's dairy congress." 1923, pp. 797–798. 1924.
　　law, enactment. Off. Rec., vol. 2, No. 11, p. 1. 1923.
　　of butterfat and moisture content, various countries. B.A.I. Doc. A–37, p. 8. 1922.
　　State laws. B.A.I. Doc. A–8, pp. 2–3. 1916; Chem. Bul. 69 rev., Pts. I–IX, pp. 14, 108, 154, 171, 183, 212, 274, 284, 305, 316, 440, 442, 558, 589, 596, 613, 631, 666, 716. 1905–1906.
　starter production, study by Dairy Division An. Rpts., 1909, p. 253. 1910; B.A.I. Chief Rpt. 1909, p. 63. 1909.
　statistics—
　　1913. Stat. Bul. 93, pp. 50–85. 1913.
　　exports, imports, production, and consumption. Sec. Cir. 85, pp. 3, 5, 7, 8. 1918.
　　prices, exports and imports—
　　　1907. Y.B. 1907, pp. 716–717, 736, 747. 1908; Y.B. Sep. 465, pp. 716–717, 736, 747. 1908.
　　　1913. Y.B. 1913, pp. 465–469, 493, 501. 1914; Y.B. Sep. 631, pp. 465–469, 493, 501. 1914.
　　　1913–1915. Y.B. 1915, pp. 521–523, 540, 548, 565. 1916; Y.B. Sep. 684, pp. 521–523. 1916; Y.B. Sep. 685, pp. 540, 548, 565. 1916.

INDEX TO PUBLICATIONS, 1901–1925 323

Butter—Continued.
  statistics—continued.
    prices, exports and imports—continued.
      1916, and receipts at markets. Y.B. 1916, pp. 674–677, 707, 715, 732. 1917; Y.B. Sep. 721, pp. 16–19. 1917; Y.B. Sep. 722, pp. 1, 9, 26. 1917.
      1917, market receipts. Y.B. 1917, pp. 725–728, 759, 768, 789. 1918; Y.B. Sep. 761, pp. 19–22. 1918; Y.B. Sep. 762, pp. 3, 12, 33. 1918.
      1918, market receipts. Y.B. 1918, pp. 606–608, 627, 635, 654. 1919; Y.B. Sep. 793, pp. 22–24. 1919; Y.B. Sep. 794, pp. 3, 11, 30. 1919.
      1919. Y.B. 1919, pp. 661–664, 682, 691, 710. 1920; Y.B. Sep. 828, pp. 661–664. 1920; Y.B. Sep. 829, pp. 682, 691, 710. 1920.
      1921. Y.B. 1921, pp. 703–705, 737, 743, 757. 1922; Y.B. Sep. 870, pp. 29–31. 1922; Y.B. Sep. 867, pp. 1, 7, 21. 1922.
      1922. Y.B. 1922, pp. 845–851, 949, 955, 969. 1923; Y.B. Sep. 888, pp. 845–851. 1923; Y.B. Sep. 880, pp. 949, 955, 969. 1923.
    receipts and shipments at trade centers. Rpt., 98, pp. 300–302. 1913.
  storage—
    and manufacture investigations. C. E. Gray and G. L. McKay. B.A.I. Bul. 84, pp. 24. 1906.
    change in flavor, factors influencing. L. A. Rogers and others. B.A.I. Bul. 162, pp. 69. 1913.
    investigations. B.A.I. An. Rpt., 1911, pp. 37–38. 1913.
    manufacture experiments, results, and scoring. B.A.I. Bul. 148, pp. 14–27. 1912.
    packing, temperature. D.B. 729, p. 9. 1918.
    ratings by scores, table. B.A.I. Bul. 114, pp. 10–11. 1907.
    seasons and temperature for holding. Y.B. 1922, pp. 368, 369, 371. 1923; Y.B. Sep. 879, pp. 75, 77. 1923.
    study in 1923. Work and Exp., 1923, pp. 65–66. 1925.
  substitute(s)—
    analysis. Chem. Bul. 107, pp. 123–126. 1912.
    and adulterations. B.A.I. Cir. 56, p. 193. 1904.
    laws, State, 1908. Chem. Bul. 121, pp. 16, 26, 51, 58, 63. 1909.
    whey product, adulteration and misbranding. Chem. N.J. 721, pp. 2. 1911.
    See also Oleomargarine.
  sugar, cane and maple, misbranding. Chem. N.J. 1121, p. 1. 1911; Chem. N.J. 1122, p. 1. 1911.
  surplus, marketing methods, storage, payment. Sec. Cir. 66, pp. 9–10, 10–11. 1916.
  sweet-cream—
    definition. Off. Rec., vol. 3, No. 38, p. 3. 1924.
    keeping quality. An. Rpts., 1908, p. 274. 1909; B.A.I. Chief Rpt., 1908, p. 60. 1908.
    keeping qualities. Off. Rec., vol. 3, No. 38, p. 3. 1924.
    manufacture. B.A.I. Bul. 114, pp. 18–21. 1909.
    testing for oxidation, air extract. J.A.R., vol. 6, No. 24, pp. 934–935. 1916.
  sweet or unsalted, preparation, and use. F.B. 363, p. 37. 1909.
  tariff rates, 1824–1922. Y.B. 1922, pp. 389–390. 1923; Y.B. Sep. 879, pp. 94–95. 1923.
  testing for—
    oxidation and flavors. J.A.R., vol. 6, No. 24, pp. 936, 937. 1916.
    tubercle bacilli, feeding and inoculating guinea pigs. B.A.I. An. Rpt., 1909, pp. 182–184. 1911.
  trade—
    international, 1901–1910. Stat. Bul. 103, pp. 8–9. 1913.
    United States and other countries. D.C. 70, pp. 8–23. 1919.
  tubercle bacilli—
    infection. An. Rpts., 1908, pp. 240, 256. 1909; B.A.I. Chief Rpt., 1908, pp. 26, 42. 1908; B.A.I. Cir. 153, pp. 34, 40, 43. 1910.
    occurrence and virulence, experiments. An. Rpts., 1907, p. 153. 1908; B.A.I. An. Rpt., 1907, pp. 38, 58, 153, 189–193. 1909; B.A.I. Cir. 143, pp. 189–193. 1909.

Butter—Continued.
  tubercle bacilli—continued.
    occurrence, vitality significance. E. C. Schroeder and W. E. Cotton. B.A.I. Cir. 127, pp. 23. 1908.
  tuberculous milk as source, infection and persistence of infection. B.A.I. Cir. 118, pp. 9, 15, 18. 1907.
  tubes, storage of butter. J.A.R., vol. 6, No. 24, p. 933. 1916.
  tubs—
    and churns, use of ash lumber. D.B. 523, pp. 29, 48, 49. 1917.
    paraffining. L. A. Rogers. B.A.I. Cir. 130, pp. 6. 1908.
  typhoid bacilli, vitality, experiments to determine. B.A.I. An. Rpt., 1908, pp. 297–300. 1910.
  uniformity, market requirement, and importance. D.B. 456, pp. 2–3, 36. 1917.
  use for children's food. F.B. 717, p. 16. 1916.
  uses and food value. D.C. 26, p. 7. 1919.
  washing, salting, printing, and wrapping. F.B. 541, pp. 16–18. 1913; S.R.S. Syl. 19, pp. 5–7. 1916; F.B. 876, pp. 14–18, 22–23. 1917.
  waste and economy suggestions. Food Thrift Ser. 5, p. 7. 1917.
  water determination, a rapid method. C. E. Gray. B.A.I. Cir. 100, pp. 6. 1906.
  weight—
    errors, causes. Sec. Cir. 95, pp. 5–12. 1918.
    loss, prevention by paraffining. B.A.I. Cir. 130, pp. 2–3. 1908.
    regulations governing. Sec. Cir. 95, pp. 3–5. 1918.
  whey—
    C. F. Doane. B.A.I. Cir. 161, pp. 7. 1910.
    description and value as food. F.B. 486, pp. 21–22. 1912.
  wholesale price—
    quotations, accuracy. D.B. 682, pp. 1–3. 1918.
    United States, 1902–1906. Y.B. Sep. 436, p. 654. 1907; Y.B., 1906, p. 654. 1907.
  yellow, description and physiological action. Chem. Bul. 147, pp. 85, 161. 1912.
  yield from whey. B.A.I. Cir. 161, p. 2. 1910.
Buttercup—
  leaf-beetle occurrence. D.B. 352, p. 3. 1916.
  prairie, occurrence on Washington prairie land. Soil Sur. Adv. Sh., 1909, p. 33. 1911; Soils F.O., 1909, p. 1545. 1912.
  seaside, description, and occurrence in Washington salt-water bogs. Soil Sur. Adv. Sh., 1909, p. 32. 1911; Soils F.O., 1909, p. 1544. 1912.
Butterfat—
  abstraction in cream adulteration. Chem. N.J. 1581, p. 1. 1912; Chem. N.J. 1582, p. 1. 1912; Chem. N.J. 1583, p. 1. 1912.
  analysis, official method. B.A.I. Bul. 111, p. 10. 1909.
  analytical data. B.A.I. Bul. 111, p. 10. 1909; Chem. Bul. 77, pp. 23, 24, 30. 1905.
  basis for price of milk. D.B. 973, pp. 40, 41. 1923.
  content, milk and cream, testing. D.C. 53, pp. 15–16. 1919.
  determination—
    method. B.A.I. Cir. 202, pp. 1–8. 1912.
    of stearic acid. J.A.R., vol. 6, pp. 101–113. 1916.
  fatty acids—
    determination(s). J.A.R., vol. 12, pp. 719–732. 1918.
    determination. E. B. Holland and others. J.A.R., vol. 24, pp. 365–398. 1923.
    relation to oils and fats in feed of cows. J.A.R., vol. 24, pp. 380–392. 1923.
  highest producers, different dairy-cattle breeds. F.B. 893, pp. 11, 16, 21, 28, 33. 1917.
  increase under cow-testing work. B.A.I. An. Rpt., 1909, pp. 102, 103, 110. 1911; B.A.I. Cir. 179, pp. 102, 103, 110. 1911.
  investigations and experimental work, 1867–1907. B.A.I. Bul. 111, pp. 16. 1909.
  method of testing and calculating payment. F.B. 237, pp. 28–29. 1905.
  oxidation in air-tight storage, and exposed to air. J.A.R., vol. 6, pp. 937–941. 1916.
  per cent in cream, influence on whipping quality. D.B. 1075, pp. 15–16. 1922.

Butterfat—Continued.
  percentage of weight in milk. F.B. 1207, p. 5. 1921.
  production—
    and cost in Minnesota. Stat. Bul. 88, pp. 25–38. 1911.
    and income over cost of feed. D.B. 1069, pp. 5–14. 1922.
    and profit, from various cows. News L., vol. 5, No. 1, p. 5. 1917.
    average per cow. F.B. 504, p. 10. 1912.
    cost, 1898, 1908. B.A.I. Cir. 151, p. 31. 1909.
    effect of age, register-of-merit Jersey and advanced-register Guernsey cattle—
      and development. R. R. Graves and M. H. Fohrman. D.B. 1352, pp. 24. 1925.
      and pregnancy of cows, D.B. 1352, pp. 21–24. 1925.
    effect of various feeds. D.B. 1272, pp. 2–14. 1924.
    increase in dairy cows by careful breeding. Y.B., 1916, pp. 317–318. 1917; Y.B. Sep. 718, pp. 7–8. 1917.
    of dairy breeds of cows. F.B. 1443, p. 5. 1925.
    per cow on farms in Wisconsin, Michigan, Pennsylvania, and North Carolina. D.B. 501, p. 17. 1917.
    records, different classes of cows in the South. B.A.I. An. Rpt., 1908, p. 67. 1910.
    relation to—
      calving season. D.B. 1071, pp. 4, 8–9. 1922.
      cost of feed. Y.B. 1917, pp. 358–359. 1918; Y.B. Sep. 743, pp. 4–5. 1918.
      feed and feed cost. Y.B., 1918, p. 16. 1919; Y.B. Sep. 765, p. 10. 1919.
      Truckee-Carson project, 1917, and value. W. I. A. Cir. 23, p. 8. 1918.
    relation to income. J. C. McDowell. Y.B., 1917, pp. 357–362. 1918; Y.B. Sep. 743, pp. 8. 1918.
    requirement for cheese making, and price per pound. News L., vol. 3, No. 33, p. 1. 1916.
    substitutes in calf feeding. F.B. 381, pp. 19, 21, 22. 1909.
    testing in dairy records, illustrated lecture. S.R.S. Syl. 30, pp. 3–5. 1917.
    value as merchantable commodity in semiarid regions. Y.B., 1912, pp. 465–466, 467. 1913; Y.B. Sep. 606, pp. 465–466, 467. 1913.
  yields—
    champion cows and average dairy cows. Y.B. 1202, p. 56. 1921.
    per cow in United States, 1900. B.A.I. An. Rpt., 1909, p. 104. 1911; B.A.I. Cir. 179, p. 104. 1911.
    testing methods, variations. B.A.I. An. Rpt., 1909, p. 113. 1911; B.A.I. Cir. 179, p. 113. 1911.
BUTTERFIELD, K. L.—
  "Problems of agricultural extension work." O.E.S. Bul. 231, pp. 52–53. 1910.
  report of committee on cooperation with other educational agencies. O.E.S. Bul. 225, pp. 14–16. 1910.
Butterfish—
  cold-storage holdings, 1918, by month. D.B. 792, pp. 31–33. 1919.
  food value, digestion experiments D.B. 649, pp. 8–9, 14. 1918.
Butterfly(ies)—
  alfalfa, description, life history, and control. D.B. 124, pp. 1–40. 1914.
  description. Sec. [Misc.], "A manual of insects * * *," p. 37. 1917.
  cabbage worm—
    description and habits. Hawaii A.R., 1914, pp. 45, 47. 1915.
    description, life history and control. F.B. 766, pp. 1–14. 1916.
    detection in stomach of birds. Biol. Bul. 15, p. 13. 1901.
  hackberry, description, habits and control. F.B. 1169, pp. 49–50. 1921.
  hairstreak, bean pest, description. Sec. [Misc.], "A manual of insects * * *," p. 37. 1917.
  mourning-cloak, parasitism by Limnerium validum, note. Ent. T. B. 19, Pt. V, p. 83. 1912.
  pine, description, injury to yellow pine in Oregon. D.B. 418, p. 12. 1917.

Butterfly(ies)—Continued.
  southern cabbage, description, injuries, and control. F.B. 856, pp. 32–33. 1917.
  swallowtail, yellow, destruction by birds. Biol. Bul. 15, p. 48. 1901.
  swallowtail. See also Celery caterpillar.
  usefulness in tripping alfalfa flowers. D.B. 75, p. 13. 1914.
Butterine—
  laws, State, 1908. Chem. Bul. 121, pp. 16, 26. 1909.
  See also Oleomargarine.
Buttermilk—
  and artificial buttermilk. B.A.I. Dairy [Misc.] "Buttermilk and * * *," p. 1. 1917.
  Bulgarian. See Yogurt.
  cheese—
    description and process. B.A.I. Bul. 146, p. 12. 1911.
    origin, description, and manufacturing method. F.B. 487, pp. 20–21. 1912.
  composition—
    and food value. D.B. 319, p. 11. 1916; F.B. 363, pp. 9, 27, 28, 30, 40, 44. 1909; F.B. 413, p. 12. 1910; F.B. 1359, pp. 11, 13–14. 1923.
    table. B.A.I. An. Rpt., 1909, p. 144. 1911; B.A.I. Cir. 171, p. 144. 1911.
  concentrated, misbranding. Chem. N.J. 13798. 1925.
  condensed—
    manufacture—
      and use as chicken feed. B.A.I. Bul. 140, pp. 19, 32, 33, 34, 48. 1911.
      in Europe. F.B. 363, p. 40, 1909.
    possibilities of commercial importance. F.B. 486, p. 20. 1912.
    production, by months, 1918, 1919. B.A.I. Doc., A-37, p. 37. 1922.
  cream, origin, description, and manufacturing method. F.B. 487, p. 21. 1912.
  creamery by-product, value and utilization. B.A.I. Cir. 188, pp. 301–305. 1912; B.A.I. An. Rpt., 1910, pp. 301–305. 1912.
  definition. News L., vol. 6, No. 44, p. 3. 1919.
  demand—
    factors. D.B. 319, p. 1. 1916.
    in southern cities. B.A.I. Bul. 70, pp. 12, 13. 1905.
  fat content, effect on casein quality. D.B. 661, pp. 17–19. 1918.
  feed value for poultry. D.B. 1052, pp. 4, 23–24. 1922; D.B. 21, pp. 11–14, 17–20. 1914.
  feeding to calves, study in 1923. Work and Exp. 1923, p. 63. 1925.
  food value and ways of using. D.C. 26, p. 9. 1919; B.A.I. Doc. A-22, pp. 1–2. 1917; F.B. 1207, pp. 26–27. 1921.
  galactase, effect of sodium chloride and cold storage. B.A.I. Bul. 162, pp. 27–32. 1913.
  lemonade, directions for making. D.B. 319, p. 14. 1916.
  making—
    and bottling, directions. D.B. 973, p. 44. 1923.
    directions. B.A.I. An. Rpt., 1909, pp. 142–147. 1911; B.A.I. Cir. 171, pp. 142–147. 1911; D.B. 319, pp. 9–14. 1916; D.C. 72, pp. 3–7. 1919; F.B. 384, pp. 18–19. 1910.
  oxidation testing in storage. J.A.R., vol. 6, No. 24, pp. 947–948. 1916.
  powdered, use in chicken feeding. D.B. 1052, p. 24. 1922.
  profits in dairy industry. Y.B., 1918, pp. 155, 166. 1919; Y.B., Sep. 765, pp. 5, 16. 1919.
  skim-milk—
    direction for making. F.B. 384, pp. 18–19. 1910.
    use in the diet. F.B. 413, pp. 18–19. 1910.
  testing for peroxidase, catalase, galactase, and lipase. B.A.I. Cir. 189, pp. 310–322, 325. 1912; B.A.I. An. Rpt., 1910, pp. 310–322, 325. 1912.
  therapeutic value, experiments. D.B. 319, pp. 1, 2–7. 1916.
  use—
    as beverage and cheese. F.B. 486, pp. 13–18. 1912.
    in manufacture of casein, methods. D.B. 661, pp. 2–22. 1918.
    of name. Chem. S.R.A. 15, p. 23. 1915; D.B. 319, p. 9. 1916.

Buttermilk—Continued.
  value—
    comparison with skim milk, as food. News L., vol. 5, No. 15, p. 5. 1917.
    in hog feeding. B.A.I. Doc. A-31, p. 1. 1917.
Butternut—
  Chinese, importation and description. No. 34555, B.P.I. Inv. 33, pp. 5, 33. 1915.
  curculio, description, distribution, life history, and control. D.B. 1066, pp. 2-7, 16. 1922.
  description, characteristics, and identification key. Chem. Bul. 160, pp. 17-18, 36. 1912.
  diseases caused by fungi. B.P.I. Bul. 149, pp. 27, 32, 33, 37. 1909.
  freedom from gipsy moth injury. D.B. 204, p. 15. 1915.
  growth, Illinois. For. Cir. 81, rev., pp. 20, 21. 1910.
  injury by sapsuckers. Biol. Bul. 39, p. 29. 1911.
  insect(s)—
    injurious. F.B. 1169, p. 95. 1921.
    pests, list. Sec. [Misc.], "A manual of insects * * *," pp. 219-220. 1917.
  names, range, description, bark, prices, and uses. B.P.I. Bul. 139, p. 15. 1909.
  occurrence of maggots. Ent. T.B. 22, p. 32. 1912.
  oil, digestion experiments, food weight and constituents. D.B. 630, pp. 9-11, 17. 1918.
  preservative treatment, results. F.B. 744, p. 17. 1916.
  quantity used in manufacture of wooden products. D.B. 605, p. 14. 1918.
  tests for mechanical properties. D.B. 556, pp. 29, 38. 1917; D.B. 676, pp. 16-17. 1919.
  wood, similarity to Circassian walnut. For. Cir. 212, p. 12. 1913.
"Butterol concreta," misbranding. Chem. N.J. 343, pp. 2. 1910.
Butterweed—
  description, habits and forage value. D.B. 545, pp. 54, 58, 60. 1917.
  See also Fleabane, Canada.
Butterworker, use in farm butter making, description. F.B. 541, p. 25. 1913.
Buttonball tree. See Sycamore.
Buttonbush—
  description, range, occurrence, Pacific slope. For. [Misc.], "Forest trees for Pacific * * *," pp. 431-433. 1908.
  diseases, Texas, occurrence and description. B.P.I. Bul. 226, pp. 61-62, 110. 1912.
  injury by sapsuckers. Biol. Bul. 39, p. 50. 1911.
  names, range, description, stem and root bark, prices and uses. B.P.I. Bul. 139, pp. 47-48. 1909.
  seed, food of shoal-water ducks. D.B. 862, pp. 5, 7, 25, 44. 1920.
Buttonwood—
  injury by sapsuckers. Biol. Bul. 39, p. 47. 1911.
  See also Sycamore.
Butyric—
  acid—
    cause of bitterness in milk. F.B. 490, p. 15. 1912.
    in soil, cause of disease, and treatment. O.E.S. An. Rpt., 1910, p. 26. 1911.
    presence in soils, effect on Azotobacter content. J.A.R., vol. 24, pp. 294-295. 1923.
  bacillus in soils, action. P.R. An. Rpt., 1912, p. 16. 1913.
Butyrospermum parkii, importation and description. No. 51912, B.P.I. Inv. 65, p. 66. 1923.
Buxus microphylla japonica. See Box, Japanese.
Buying, cooperative, saving in Louisiana. News L., vol. 6, No. 43, p. 9. 1919.
Buzz saw, firewood, size of crew, prices for work. F.B. 1023, pp. 11-12. 1919.
Buzzard(s)—
  disseminators of coconut bud-rot. B.P.I. Bul. 228, p. 51. 1912.
  hosts of eye parasites. B.A.I. Bul. 60, p. 46. 1904.
  turkey—
    description and habits. F.B. 755, pp. 37-39. 1916.
    description, food habits, and occurrence in Arkansas. Biol. Bul. 38, p. 36. 1911.
    food of nestlings. Y.B., 1900, p. 431. 1901.
    protection by law. Biol. Bul. 12, rev., pp. 32, 38, 40, 41. 1902.

Buzzard(s)—Continued.
  See also Vulture.
BYALL, S.: "Invertase activity of mold spores, as affected by concentration and amount of inoculum." With Nicholas Kopeloff. J.A.R., vol. 18, pp. 537-542. 1920.
BYARS, L. P.—
  "Soil disinfection with hot water to control the root-knot nematode and parasitic soil fungi." With W. W. Gilbert. D.B. 818, pp. 14. 1920.
  "The control of root knot." With Ernst A. Bessey. F.B. 648, pp. 19. 1915.
  "The eelworm disease of wheat and its control." F.B. 1041, pp. 10. 1919.
  "The nematode disease of wheat caused by Tylenchus tritici." D.B. 842, pp. 40. 1920.
  "A serious eelworm or nematode disease of wheat." Sec. Cir. 114, pp. 7. 1918.
BYERS, W. C.—
  "Reconnaissance soil survey of south-central Pennsylvania." With others. Soils Sur. Adv. Sh., 1910, pp. 77. 1911; Soils F.O., 1910, pp. 193-265. 1912.
  "Soil survey of—
    Bradford County, Florida." With others. Soil Sur. Adv. Sh., 1913, pp. 36. 1914; Soils F.O., 1913, pp. 643-674. 1916.
    Bullock County, Georgia." With others. Soils Sur. Adv. Sh., 1910, pp. 52. 1911; Soils F.O., 1910, pp. 453-500. 1912.
    Fairfield County, South Carolina." With others. Soils Sur. Adv. Sh., 1911, pp. 37. 1913; Soils F.O., 1911, pp. 479-511. 1914.
    Greenwood County, Kansas." With others. Soil Sur. Adv. Sh., 1912, pp. 34. 1914; Soils F.O., 1912, pp. 1823-1852. 1915.
    Harrison County, Texas." With Cornelius Van Duyne. Soil Sur. Adv. Sh., 1912, pp. 47. 1914; Soils F.O., 1912, pp. 1055-1097. 1915.
    the Nashua area, New Hampshire." With Charles N. Mooney. Soil Sur. Adv. Sh., 1909, pp. 34. 1910; Soils F.O., 1909, pp. 75-104. 1912.
    Shawnee County, Kansas." With R. I. Throckmorton. Soil Sur. Adv. Sh., 1911, pp. 41. 1913; Soils F.O., 1911, pp. 2659-2095. 1914.
By-laws—
  associations—
    fruit and truck growers'. Rpt. 98, pp. 215-219, 223-224, 259-261, 262-284. 1913.
    importance and suggested form. D.B. 1106, rev., pp. 8-10, 61-72. 1923.
  cooperative—
    associations—
      importance and adaptation to local needs. D.B. 541, pp. 1-2. 1918.
      preparation and adoption, methods. D.B. 541, pp. 12-13. 1918.
    marketing associations, with capital stock, suggested form. D.B. 541, pp. 22-23. 1918.
    nonprofit, market associations, without capital stock, suggested form. D.B. 541, pp. 14-22. 1918.
    organizations. C. E. Bassett and O. B. Jesness. D.B. 541, pp. 23. 1918.
  insurance companies, suggestions, and amendment methods. D.B. 530, pp. 18-19, 21-28. 1917.
By-products—
  animal, value as feed and fertilizer. Rpt. 112, p. 25. 1916.
  apple, value as stock foods. G. P. Walton and G. L. Bidwell. D.B. 1166, pp. 40. 1923.
  bean-growing industry, uses and value. F.B. 907, p. 15. 1917.
  beet sugar, uses and value. B.P.I. Bul. 260, pp. 24-27, 34, 35. 1912; [Misc.], "Progress of the beet-sugar * * * 1903," pp. 117-118, 127-128. 1904.
  blackberry, value. F.B. 1399, p. 17. 1924.
  cherry, utilization. Frank Rabak. D.B. 350, pp. 24. 1916.
  citrus fruits—
    exchange companies. D.B. 1261, pp. 2, 3. 1924.
    from culls. Off. Rec., vol. 2, No. 43, p. 6. 1923.
    uses, value, and preparation methods. D.C. 232, pp. 1-4. 1922; D.B. 1237, pp. 34-37, 44. 1924.

By-products—Continued.
  commercial, use in pig feeding. B.A.I. An. Rpt., 1903, pp. 273-285. 1904; B.A.I. Cir. 63, pp. 273-285. 1904.
  composition and energy value as feeding stuffs. F.B. 170, p. 11. 1903; F.B. 346, pp. 7-8, 14-15. 1909.
  creamery—
    hog feeding, cause of tuberculosis. B.A.I. An. Rpt., 1907, pp. 37, 217, 221-224. 1909; B.A.I. Cir. 144, pp. 37, 217, 221-224. 1909; B.A.I. Cir. 201, pp. 9, 39, 40. 1912.
    marketing methods. D.B.690, pp. 5-6. 1918.
    utilization. 1910; B.A.I. Cir. 188, pp. 301-305. 1912; B.A.I. An. Rpt., 1910, pp. 301-305. 1912.
    value in dairy industry. Y.B., 1918, pp. 155, 166. 1919; Y.B. Sep. 765, pp. 5, 16. 1919.
  feed, protein and energy value per 100 pounds. D.B. 459, p. 13. 1916.
  furnaces and refineries, use in road surfacing. An. Rpts., 1908, p. 148. 1909; Sec. A.R., 1908, p. 146. 1908.
  grain, feed value. Y.B., 1922, pp. 483, 498-499, 510, 524, 546, 553. 1923; Y.B. Sep. 891, pp. 483, 498-499, 510-553. 1923.
  kelp manufacture, value. An. Rpts., 1919, pp. 243-245. 1920; Soils Chief Rpt., 1919, pp. 9-11. 1919.
  lumber, opportunities in waste from mills. For. Cir. 171, p. 21. 1909.
  manufacture from raisin seeds, list, quantity, uses, and value. B.P.I. Bul. 276, pp. 7-9, 12-35. 1913.
  meats, increased value under centralized slaughtering. B.A.I. An. Rpt. 1908, pp. 93-96. 1910; B.A.I. Cir. 154, pp. 11-14. 1910.
  milk, value. D.B. 973, pp. 43, 44. 1923; F.B. 486, pp. 12-24. 1912.
  peanut. J. B. Reed. D.B. 1096, p. 12. 1922.
  potash sources, cement mills, blast furnaces, sugar beets. D.C. 61, pp. 4, 5-6. 1919.
  recovery from longleaf and other southern pines, value. D.B. 983, pp. 61-62. 1922.
  rice—
    analyses. D.B. 570, pp. 4-13. 1917.
    culture. F.B. 417, pp. 26-27. 1910.
    description, uses, and chemical composition. D.B. 330, pp. 25-26, 28-29. 1916.
  strawberries, value. F.B. 664, p. 20. 1915.
  sugar beets—
    and their uses. C. O. Townsend. Y.B., 1908, pp. 443-452. 1909; Y.B. Sep. 493, pp. 443-452. 1909.
    increased use in United States. Rpt. 90, pp. 6, 11-12, 25-41. 1909.
    use in stock feeding. Rpt. 86, pp. 16-20, 41, 42, 44, 46, 51, 52, 54, 56, 58. 1908; D.B. 995, pp. 41-42, 49-50. 1921.
    uses. F.B. 567, pp. 23-25. 1914.
    utilization as feed and fertilizer. D.B. 721, pp. 40-41, 48-49. 1918.
  sugar-cane, utilization methods. D.B. 486, pp. 43-45. 1917.
  sweet-potato, possibilities. D.B. 1158, pp. 1-3. 1923.
  use as road binders. 1908; Y.B., 1908, pp. 148, 172. 1909.
  utilization, possibilities in cooperative marketing. Y.B., 1914, p. 198. 1915; Y.B. Sep. 637, p. 198. 1915.
Byrsonima crassifolia. See Nance.
Byrsonima spp., Porto Rico, description and uses. D.B. 354, p. 79. 1916.
Byttneria aspera, importation and description. No. 42614, B.P.I.Inv. 47, p. 38. 1920.

"C. P." misuse of designation. Chem. Bul. 80, pp. 14-16. 1904.
Cabalonga, importation and description. Inv. No. 31484, B.P.I. Bul. 248, p. 19. 1912.
Cabbage(s)—
  acreage in —
    1909. Sec. [Misc.], Spec. "Geography * * * world's agriculture," p. 99. 1917; Y.B. 1915, p. 376. 1916; Y.B. Sep. 658, p. 376. 1916.
    1919, map. Y.B., 1921, p. 460. 1922; Y.B. Sep. 878, p. 54. 1922.

Cabbage(s)—Continued.
  adulteration. See *Indexes, Notices of Judgment, in bound volumes and in separates published as supplements to Chemistry Service and Regulatory Announcements.*
  and related crops, diseases, control. L. L. Harter. F.B. 488, pp. 32. 1912.
  aphids—
    control by derris powder, experiments. J.A.R., vol. 17, pp. 189, 195. 1919.
    control by use of nicotine dust. D.C. 154, pp. 7-9. 1921; F.B. 1282, pp. 15-16. 1922.
    parasites. S.R.S. Rpt., 1915, Pt. I, p. 270. 1917.
  black leaf-spot, description, cause, and control. F.B. 925, rev., pp. 28-29. 1921.
  black-rot—
    cause of decay in storage. B.P.I. Cir. 39, pp. 4, 5. 1909.
    control by seed treatment. O.E.S. An. Rpt., 1911, p. 163. 1913.
    description—
      and spread by seed. D.C. 311, pp. 2-3. 1924.
      cause, and control. F.B. 925, pp. 13-14. 1918; F.B. 925, rev., pp. 13-15. 1921; F.B. 1351, pp. 11-13. 1923; F.B. 856, p. 39. 1917; F.B. 488, pp. 16-18. 1912; D.C. 35, pp. 8-9. 1919.
  blackleg—
    control in relation to seed treatment and rainfall. J. C. Walker. D.B. 1029, pp. 27. 1922.
    description and prevention. D.C. 35, pp. 9-10. 1919.
    description and spread by seed. D.C. 311, pp. 1-2. 1924.
    description, cause, and control. F.B. 488, pp. 21-24. 1912; F.B. 925, pp. 19-21. 1918; F.B. 925, rev., pp. 19-21. 1921.
    development in seed bed. D.B. 1029, pp. 13-14. 1922.
    injury, preventive measures. F.B. 856, p. 38. 1917.
    relation of rainfall to development. D.B. 1029, pp. 14-17. 1922.
    treatment and prevention. F.B. 1371, pp. 16-17. 1924.
  blight, occurrence on leaf. B.P.I. Cir. 39, p. 6. 1909.
  bug. See Harlequin cabbage bug.
  bushel weights, Federal and State. Y.B., 1918, p. 723. 1919; Y.B. Sep. 795, p. 59. 1919.
  canning—
    directions. F.B. 839, pp. 17, 29. 1917; S.R.S. Doc. 12, p. 5. 1917.
    experiments in testing temperature changes. D.B. 956, pp. 41-42. 1921.
  car-lot—
    shipments monthly by States 1918-1923. Stat. Bul. 7, pp. 7-13. 1925.
    unloads, comparison with shipments, 12 markets, 1918-1923. Stat. Bul. 7, p. 107. 1925.
  Chinese—
    description and value. Y.B., 1915, p. 221. 1916; Y.B. Sep. 671, p. 221. 1916.
    importation and description. No. 34216, B.P.I. Inv. 32, p. 25. 1914.
    mosaic disease. J.A.R., vol. 22, pp. 173-178. 1921.
  climate, soil, and fertilizers. F.B. pp. 6-7, 14-15, 17-18. 1911.
  clubroot—
    cause and growth. J.A.R., vol. 14, pp. 543-572. 1918.
    control. Alaska A.R., 1917, p. 8. 1919; O.E.S. An. Rpt., 1911, pp. 214-215. 1912.
    description, cause and control. D.C. 35, p. 10. 1919; F.B. 488, pp. 13-14. 1912; F.B. 856, p. 39. 1917; F.B. 925, pp. 9-11. 1918; F.B. 925, rev., pp. 10-11. 1921; F.B. 1351, pp. 7-9. 1923; F.B. 1371, rev., pp. 13-14. 1924.
    infection, relation to temperature and moisture. J.A.R., vol. 28, pp. 553-557. 1924.
    commercial shipments, various States. News L., vol. 2, No. 19, p. 3. 1914.
  cooking recipes. F.B. 256, pp. 13-15. 1906.
  crates, types used in different localities. F.B. 1196, pp. 23-24. 1921.

INDEX TO PUBLICATIONS, 1901-1925

Cabbage(s)—Continued.
crop—
  acreage, yield, and production, 1914, estimate, with comparison with 1913. F.B. 645, pp. 11-12. 1914.
  labor, day's work for men, horses, and wagons. D.B. 412, pp. 12-14. 1916.
  of 1917, 1918, 1919. Sec. Cir. 142, p. 18. 1919.
crown-gall inoculation from daisy and poplar. B.P.I. Bul. 213, pp. 44, 93. 1911.
cultural—
  directions, and varieties. F.B. 934, pp. 28-29. 1918; F.B. 937, pp. 16, 19, 23, 30-31. 1918; F.B. 1044, pp. 30-32. 1919; S.R.S. Doc. 49, pp. 5, 7. 1917.
  methods for control of flea-beetles. D.B. 902, pp. 18-19, 20. 1920.
culture and returns under irrigation. O.E.S. Bul. 158, pp. 405-406. 1905.
damping off. *See* Damping off.
decay in storage, cause and prevention. L. L. Harter. B.P.I. Cir. 39, pp. 8. 1909.
diseases—
  L. L. Harter and L. R. Jones. F.B. 925, pp. 30. 1918; F.B. 925, rev., pp. 30. 1921; F.B. 1351, pp. 29. 1923.
  and insect pests, description and control. D.C. 35, pp. 8-13. 1919; F.B. 1371, pp. 13-20. 1924.
  classification, description and control methods. F.B. 488, pp. 12-32. 1912.
  control methods. F.B. 488, pp. 9-12. 1912.
  control, with related crops. L. L. Harter. F.B. 488, p. 32. 1912.
  occurrence in Texas, and description. B.P.I. Bul. 226, p. 38. 1912.
  occurring under market, storage, and transit conditions. B.P.I. [Misc.], "Handbook of the * * *," pp. 28-30. 1919.
  resistant, seed growing and distribution. Work and Exp., 1914, p. 246. 1915.
  spread, causes. F.B. 1351, pp. 1-4. 1923.
disinfection of seed and seed beds, necessity, methods. F.B. 488, pp. 7, 9-11. 1912.
downy mildew, description, cause, and control. F.B. 925, pp. 25-26. 1918; F.B. 925, rev., pp. 25-26. 1921.
dried, cooking recipes. F.B. 841, p. 29. 1917.
drop, description, cause, and control. F.B. 925, rev., pp. 26-27. 1921.
drying, directions. D.C. 3, p. 11. 1919; F.B. 841, p. 21. 1917; F.B. 984, pp. 50-51. 1918; F.B. 1335, p. 36. 1925.
early, saving by sauerkraut manufacture, methods. News L., vol. 4, No. 47, p. 7. 1917.
effect of salicylic aldehyde in nutrient solution. D.B. 108, pp. 4-5. 1914.
emergency crop, overflowed lands. B.P.I. Doc. 756, p. 7. 1912.
farm prices, 1910-1918. Y.B., 1918, p. 710. 1919; Y.B. Sep. 795, p. 46. 1919.
feed for stock. F.B. 305, pp. 22-24. 1907.
feeding to dairy cows, effect on milk flavor and odor, experiments. B.A.I. Chief Rpt., 1924, p. 13. 1924; D.B. 1297, pp. 2-9. 1924.
fermentation for sauerkraut. F.B. 1159, pp. 15-16. 1920.
fermented. *See* Sauerkraut.
fertilizer tests. Soils Bul. 67, pp. 64-66. 1910; Chem. Bul. 152, pp. 19, 21, 22, 23. 1912.
flea beetle—
  habits and control. D.C. 35, p. 12. 1919.
  western. F. H. Chittenden and H. O. Marsh. D.B. 902, pp. 21. 1920.
food-value comparisons, chart. D.B. 975, pp. 6, 14. 1921.
forecast by States, September, 1913. F.B. 558, p. 19. 1913.
freezing points. D.B. 1133, pp. 6, 7, 8. 1923.
frost injury developments, studies. J.A.R., vol. 15, pp. 85-107. 1918.
Fusarium—
  disease, relation to soil temperature and soil moisture. J.A.R., vol. 24, pp. 55-86. 1923.
  resistant, progress with second early varieties. L. R. Jones and others. J.A.R., vol. 30, pp. 1027-1034. 1925.
growing—
  acreage and States, 1910. Y.B., 1916, pp. 443, 446, 447, 449, 453, 456. 1917; Y.B. Sep. 702, pp. 9, 12, 13, 15, 19, 22. 1917.

Cabbage(s)—Continued.
growing and yield in—
  Alaska. Alaska A.R., 1912, pp. 17, 66. 1913.
  Florida, Ocala area. Soil Sur. Adv. Sh., 1912, pp. 11, 13, 16, 48. 1913; Soils F.O., 1912, pp. 675, 677, 680, 712. 1915.
  Mississippi, Adams County. Soil Sur. Sh., 1910, pp. 12, 22, 24. 1911; Soils F.O., 1910, pp. 712, 722, 724. 1912.
growing—
  as truck crop. Y.B., 1907, pp. 423-429. 1908; Y.B. Sep. 459, pp. 428-429. 1908.
  as truck crop, Atlantic coast region. Y.B., 1912, pp. 422, 423, 425, 428, 429, 431. 1913; Y.B. Sep. 603, pp. 422, 423, 425, 428, 429, 431. 1913.
  Clyde soils, yields. D.B. 141, pp. 37, 41, 42, 56. 1914.
  contest, rules, blanks, score cards. O.E.S. Bul. 255, pp. 18-20. 1913.
  directions and varieties recommended for home gardens. F.B. 936, pp. 38-39. 1918.
  directions, Yuma Experiment Farm. D.C. 75, pp. 49-50. 1920.
  for small gardens, cultural hints. F.B. 818, pp. 40, 43. 1917.
in—
  Alaska, central. Soil Sur. Adv. Sh., 1914, pp. 81, 158-159. 1915; Soils F.O., 1914, pp. 115, 192-193. 1919.
  Alaska, Kenai Peninsula region. Soil Sur. Adv. Sh., 1916, pp. 70, 71, 76, 95. 1919; Soils F.O., 1916, 102, 103, 108, 127. 1921.
  California, Yuma Experiment Farm, varieties. W.I.A. Cir. 12, pp. 18-19. 1916.
  Florida, Fort Lauderdale area. Soil Sur. Adv. Sh., 1915, pp. 32, 46. 1915; Soils F.O., 1915, pp. 778, 792. 1919.
  Florida, Ocala area. Soil Sur. Adv. Sh., 1912, pp. 11, 13, 16, 48. 1913; Soils F.O., 1912, pp. 675, 677, 680, 712. 1915.
  Florida, Orange County. Soil Sur. Adv. Sh., 1919, pp. 5, 6, 23, 25. 1922; Soils F.O., 1919, pp. 952, 953, 969, 971. 1925.
  Guam, cultural directions. Guam Cir. 2, p. 9. 1921; Guam. Bul. 2, pp. 12, 33. 1922.
  Hawaii, experiments. Hawaii A.R., 1921, p. 33. 1922.
  Iowa, Muscatine County, yields. Soil Sur. Adv. Sh., 1914, pp. 18, 34, 45, 48, 49, 51. 1916; Soils F.O., 1914, pp. 1838, 1854, 1865, 1868, 1869, 1871. 1919.
  Maine, Cumberland County. Soil Sur. Adv. Sh., 1915, pp. 20, 47, 54, 72, 77. 1917; Soils F.O., 1915, pp. 52, 79, 86, 108, 109. 1919.
  New York, Cortland County. Soil Sur. Adv. Sh., 1916, pp. 10, 11, 16, 21, 22. 1917; Soils F.O., 1916, pp. 200, 201, 206, 211, 212. 1921.
  New York, Wayne County. Soil Sur. Adv. Sh., 1919, pp. 284, 300-309, 319, 328. 1923; Soils F.O., 1919, pp. 284, 300-309, 319, 328. 1925.
  North Carolina, New Hanover County. Soil Sur. Adv. Sh., 1906, p. 35. 1906; Soils F.O., 1906, p. 275. 1908.
  Porto Rico. P.R. An. Rpt., 1920, p. 21. 1921.
  Texas, Corpus Christi area, methods, and yield. Soil Sur. Adv. Sh., 1908, pp. 12, 22, 27. 1911; Soils F.O., 1908, pp. 906, 916, 921. 1911.
  Texas, south, yields, freight rates. Soil Sur. Adv. Sh., 1909, p. 45, 55, 58, 71, 90. 1910; Soils F.O., 1909, pp. 1069, 1079, 1082, 1095, 1114. 1912.
  Texas, southwest, yields. Soil Sur. Adv. Sh., 1911, pp. 31, 33, 80, 106. 1912; Soils F.O., 1911, pp. 1199, 1201, 1248, 1274. 1914.
  Virginia, Accomac and Northampton Counties. Soil Sur. Adv. Sh., 1917, pp. 21, 28, 30, 42. 1920; Soils F.O., 1917, pp. 367, 374-375, 376. 1923.
  Virginia trucking districts. D.B. 1005, pp. 5, 13-17, 23-35, 38-43, 54-70. 1922.
  Wisconsin, Columbia County, yield. Soil Sur. Adv. Sh., 1911, pp. 14, 32, 51. 1913; Soils F.O., 1911, pp. 1374, 1392, 1411. 1914.
  Wisconsin, cultural method, yield. Soils Cir. 58, p. 8. 1912.
  Wisconsin, Columbia County, methods, yield, cost, and value. Soil Sur. Adv. Sh., 1911, p. 14. 1913; Soils F.O., 1911, p. 1374. 1914.

Cabbage(s)—Continued.
   growing—continued.
     in—continued.
       Wisconsin, Kenosha and Racine Counties. Soil Sur. Adv. Sh., 1919, pp. 9, 27, 34–51. 1922; Soils F.O., 1919, pp. 1325, 1327, 1345, 1361, 1363, 1364, 1365, 1369, 1372, 1376. 1925.
       Wisconsin, Milwaukee County. Soil Sur. Adv. Sh., 1916, pp. 11, 20, 23, 24, 27. 1918; Soils F.O., 1916, pp. 1785, 1794–1804. 1921.
       Wisconsin, Outagamie County. Soil Sur. Adv. Sh., 1918, pp. 10, 24, 34. 1921; Soils F.O., 1918, pp. 986, 1000, 1016. 1924.
     methods, varieties. F.B. 647, pp. 12–13, 27. 1915.
     on manganiferous soils. Hawaii Bul. 26, p. 25. 1912.
     on New Jersey soils. D.B. 677, pp. 20–42, 62–74. 1918.
     statistics of day's work in several operations. Y.B., 1922, pp. 1071, 1072. 1923; Y.B. Sep. 890, pp. 1071, 1072. 1923.
     various States, area. F.B. 433, p. 5. 1911.
   hairworm. F.H. Chittenden. Ent. Cir. 62, pp. 6. 1905.
   hardened and nonhardened, proteins, precipitation. J.A.R., vol. 15, pp. 92–93, 95–97, 103–104. 1918.
   home garden, cultural hints. F.B. 255, p. 28. 1906.
   industry, classification. F.B. 488, pp. 5–6. 1912.
   injury by—
     common cabbage worm. F.B. 766, pp. 3–5. 1916.
     diamond-back moth. J.A.R., vol. 10, pp. 1, 2, 3, 7, 8. 1917.
     leaf-miner. J.A.R., vol. 1, pp. 63, 65, 71, 75. 1913.
     melon fly, Hawaii. D.B. 491, pp. 16–17. 1917.
     webworm. Ent. Bul. 109, Pt. III, pp. 23, 24, 25, 26, 27, 30, 32–42. 1912.
   insect(s)—
     and diseases attacking. F.B. 856, pp. 31–39, 70. 1917.
     injuries, 1907. Y.B., 1907, pp. 544, 545, 546. 1908; Y.B. Sep. 472, pp. 544–546. 1908.
     parasites, in Hawaii. Hawaii A.R., 1914, pp. 45, 46, 47, 48, 49. 1915.
   pests—
     life history, description, and control. Hawaii A.R., 1914, pp. 43–50. 1915.
     lists. Sec. [Misc.], "A manual of insects * * *," pp. 48–50, 91. 1917.
   Kerguelan, importation and description. No. 37554. B.P.I. Inv. 38, pp. 5, 72–73. 1917.
   leaf spot in Guam, causes and results. Guam A.R., 1917, p. 47. 1918.
   leaves, intumescences caused by wounds. J.A.R., vol. 13, pp. 255, 257. 1918.
   looper—
     description, habits, and prevention. D.C. 35, p. 11. 1919; F.B. 856, pp. 33–34. 1917.
     greenhouse pest, control. F.B. 1362, pp. 25–26. 1924.
   maggot—
     control by hand picking. F.B. 856, pp. 36–37, 38. 1917.
     control by screening seed beds. F.B. 479, pp. 5–8. 1912.
     description. Sec. [Misc.], "A manual of insects * * *," p. 49. 1917.
     description and control. Ent. Cir. 63, pp. 3–6. 1905.
     habits and control. D.C. 35, pp. 12–13. 1919; F.B. 856, pp. 8, 28, 36–38. 1917.
     life history study of parasites, control, cultural methods. Ent. Bul. 67, pp. 13–15. 1907.
   malnutrition, description and control. F.B. 925, rev. pp. 23–25. 1921.
   market statistics, 1919 and 1920. D.B. 982, pp. 217, 228–229, 243–250, 253, 254, 264. 1921.
   marketing—
     Alexander E. Cance and George B. Fiske. D. B. 1242, pp. 60. 1924.
     bibliography. M.C. 35, p. 41. 1925.
     statistics. D.B. 1242, pp. 49–58. 1924.
   marrow, description, uses, tests. F.B. 522, pp. 7–11. 1918.
   midges, description. Sec. [Misc.], "A manual of insects * * *," p. 49. 1917.

Cabbage(s)—Continued.
   parasites, Fusarium as cause of yellows. J.A.R., vol. 30, p. 1027. 1925.
   planting—
     days' work. D.B. 3, p. 20. 1913.
     directions for club members. D.C. 48, p. 8. 1919.
   plants—
     growing for fall and spring planting, South Carolina. Y.B., 1912, pp. 422, 429. 1913; Y.B. Sep. 603, pp. 422, 429. 1913.
     transpiration, effect of Bordeaux mixture. J.A.R., vol. 7, pp. 536, 539–541, 546. 1916.
   preparation for—
     market. Charles W. Hauck. F.B. 1423, pp. 14. 1924.
     use. D.C. 123, pp. 12, 13, 17, 19, 61. 1916.
   root-knot, description, cause and control. F.B. 925, pp. 11–12. 1918.
   root maggot, control experiments, Connecticut, 1914. Work and Exp., 1914, p. 77. 1915.
   roots—
     burning for root-disease control. News L., vol. 5, No. 44, p. 6. 1918.
     clubroot infection, method and growth. J.A.R. vol. 14, No. 12, pp. 545–567. 1918.
     infestation with Pemphigus populitransversus. J.A.R., vol. 14, pp. 577, 584, 585. 1918.
   rots, description, cause, and control. F.B. 925, pp. 13–14, 21–22. 1918.
   seed—
     bed—
       blackleg, development and spread. D.B. 1029, pp. 13–14, 17–20. 1922.
       care and preparation, methods. F.B. 488, pp. 10–11. 1912.
       location and care for disease prevention. F.B. 925, pp. 7–8. 1918; F.B. 925, rev., p. 7. 1921.
       screening. F.B. 479, pp. 5–8. 1912.
       screening experiments. Ent. Bul. 109, Pt. III, pp. 41, 42. 1912.
     coats, description. Bot. Bul. 29, pp. 1–19. 1901.
     disinfection for prevention of disease. F.B. 925, pp. 6–7. 1918; F.B. 925, rev., pp. 6, 13, 20. 1921; F.B. 488, pp. 7, 9–10. 1912.
     field trials in blackleg control. D.B. 1029, pp. 13–23. 1922.
     growing—
       and saving directions. F.B. 1390, p. 8. 1924.
       localities, acreage, yield, production, and consumption. Y.B. 1918, pp. 202, 206, 207. 1919; Y.B. Sep. 775, pp. 10, 14, 15. 1919.
     infected, responsibility for introduction of cabbage diseases. F.B. 488, p. 7. 1912.
     sources, and importance of freedom from disease. D.B. 1029, pp. 23–25. 1922.
     special truck crop of Long Island. Y.B., 1907, p. 427. 1908; Y.B. p. 427. Sep. 459. 1908.
     supply, source. Y.B., 1917, p. 533. 1918; Y.B., Sep. 757, p. 39. 1918.
     treatment—
       for disease control. J.C. Walker. D.C. 311, pp. 4. 1924.
       in relation to control of blackleg. J.C. Walker. D.B. 1029, pp. 27. 1922.
       with fungicides, for blackleg control. D.B. 1029, pp. 3–13. 1922.
     varietal resistance to Fusarium disease. J.A.R., vol. 24, No. 1, pp. 64–67, 69–73. 1923.
     yellows-resistant, production and distribution. B.P.I. Chief Rpt. 1921, pp. 32–33. 1921.
   seedlings—
     Fusarium disease, relation to soil temperature and soil moisture. J.A.R., vol. 24, pp. 55–86. 1923.
     growth, influence of soil temperature and moisture. J.A.R., vol. 24, pp. 58–62, 82. 1923.
   shipments in carloads, by States, 1920–1923. D.B. 667, pp. 12, 170–177. 1918; S.B. 9. pp. 10–20. 1925.
   soft-rot, description, cause, and control. F.B. 925, rev., pp. 21–23. 1921; F.B. 925, pp. 13–14, 21–22. 1918.
   soils adapted and fertilizer requirements. D.B. 355, p. 82. 1916.
   spot-disease, description, distribution, and control methods. F.B. 488, p. 30. 1912.

INDEX TO PUBLICATIONS, 1901–1925   329

Cabbage(s)—Continued.
spraying—
calendar. S.R.S. Doc. 52, pp. 6–7. 1917.
for control of—
cabbage worms. F.B. 766, pp. 10–11. 1916.
diamond-back moth. J.A.R., vol. 10, p. 9. 1917.
insect pests. Hawaii A.R. 1914, pp. 45, 47, 48. 1915.
standards, use by growers. Off. Rec., vol. 1, No. 43, p. 3. 1922.
statistics, acreage, yield, and prices—
1921. Y.B., 1921, pp. 72, 460, 648–649, 771. 1922; Y.B., Sep. 869, pp. 68–69. 1922; Y.B., Sep. 871, p. 2. 1922; Y.B., Sep. 878, p. 54. 1922; Y.B., Sep. 875, p. 72. 1922.
1922, shipments. Y.B., 1922, pp. 763–764, 774, 776. 1923; Y.B., Sep. 884, pp. 763–764, 774, 776. 1923.
1923. Y.B., 1923, pp. 751–753. 1924; Y.B., Sep. 900, pp. 751–753. 1924.
1924. Y.B., 1924, pp. 689, 690, 691–693. 1925.
storage methods. D.B. 729, p. 6. 1918; F.B. 1423, pp. 13–14, 1924; F.B. 879, pp. 16–17. 1917.
storing, cause and prevention of decay. L. L. Harter. B.P.I. Cir. 39, pp. 8. 1909.
transplanters, cost per acre and per day, relation to service, table. D.B. 338, pp. 15–16. 1916.
treatment for control of cabbage worms. F.B. 766, pp. 10–13. 1916.
tree. See Moca tree.
tumors, from frost injury, development. J.A.R., vol. 15, pp. 87–92. 1918.
use—
as salad and potherb, studies. O.E.S. Bul. 245, pp. 23, 24, 25, 29, 30. 1912
as sheep feed. D.B. 20, p. 42. 1913.
with cheese in food. F.B. 487, p. 33. 1912.
value as potherb, preparation. Y.B. 1911, pp. 442, 450, 451. 1912; Y.B., Sep. 582, pp. 442, 450, 451. 1912.
varieties—
adaptablility to various sections. F.B. 433, pp. 13, 17, 20. 1911.
Chinese, importations. Nos. 36781–36783. B.P.I. Inv. 37, p. 64. 1916.
resistant to Fusarium. J.A.R., vol. 30, pp. 1027–1034. 1925.
resistant to yellows. F.B. 925, Rev., p. 18. 1921.
susceptibility to Fusarium disease. J.A.R., vol. 24, pp. 64–67, 69–73. 1923.
testing in Nevada, Newlands Experiment Farm. D.C. 267, pp. 13–14. 1923.
water requirements. J.A.R., vol. 3, pp. 41, 42, 52, 59. 1914.
water requirements at Logan, Utah. D.B. 1340, p. 45. 1925.
webworm, imported, description. Ent. Bul. 109, Pt. III, pp. 23–45. 1912.
white rust, cause, description, and control. F.B. 925, p. 26. 1918.
winter growing, directions. News L., vol. 7, No. 11, p. 2. 1919.
worm(s)—
birds feeding on. F.B. 766, p. 9. 1916.
common. F. H. Chittenden. F.B. 766, pp. 16. 1916.
control by—
Compsilura concinnata. D.B. 766, p. 24. 1919.
derris powder. J.A.R., vol. 17, No. 5, p. 196. 1919.
fungous disease. D.B. 922, p. 17. 1920.
parasites, Hawaii. Hawaii A.R., 1921, p. 34. 1922.
control directions. Ent. [Misc.], "Cabbage worms," p. 1. 1918; Guam Bul. 2, p. 33. 1922.
control on radishes by use of fertilizers, note. Guam A.R., 1916, p. 32. 1917.
damage to cabbage. Biol. Bul. 15, p. 17. 1901.
description, life history, and control. D.C. 35, pp. 10–11. 1919.
imported—
F. H. Chittenden. Ent. Cir. 60, pp. 8. 1905.
description, life history, and control. Hawaii A.R., 1914, pp. 44–45. 1915.
injuries—
description and control. F.B. 856, pp. 31–34. 1917.

Cabbage(s)—Continued.
worm(s)—continued.
injuries—continued.
to cabbage in Hawaii. Ent. Bul. 109, Pt. III, pp. 32–33. 1912.
natural enemies, description and utilization. F.B. 766, pp. 8–9, 13. 1916.
parasites, descriptions and value. F.B. 766, pp. 8–9, 13. 1916.
southern, injury to cabbage and radish. P.R. An. Rpt., 1907, pp. 35–36. 1908.
yellows—
cause and discovery. J.A.R., vol. 30, p. 1027. 1925.
cause, relation to soil temperature and moisture. J.A.R., vol. 24, pp. 55–86. 1923.
description, cause, and control. F.B. 925, pp. 15–19. 1918; F.B. 925, pp. 15–19. (rev.) 1921; F.B. 1351, pp. 13–17. 1923; D.C. 35, p. 9. 1919; F.B. 856, pp. 38–39. 1917.
yield per acre, prices. F.B. 563, pp. 6–7. 1913.
Cabelluda—
description of tree and fruit. D.B. 445, p. 29. 1917.
importation and description. No. 36713, B.P.I. Inv. 37, pp. 55–56. 1916.
Cabinet—
beetle—
larger, description and habits. F.B. 1260, p. 38. 1922.
small, description and habits. F.B. 1260, p. 39. 1922.
driers, steam-heated, description. F.B. 903, pp. 5–22. 1917.
kitchen, homemade, for farm home, description. F.B. 927, pp. 3–4. 1918.
woods, imports—
1907–1909, quantity and value, by countries from which consigned. Stat. Bul. 82, pp. 69–70. 1910.
1908–1910, quantity and value, by countries from which consigned. Stat. Bul. 90, p. 73. 1911.
Cabinetwork, black walnut utilization, and reported consumption. D.B. 909, pp. 59–67, 88–89. 1921.
Cabombaceae. See Waterlily.
CABRERO, J. O.: "Report as assistant chemist, Porto Rico Experiment Station, 1921." With L. G. Willis. P.R. An. Rpt., 1921, pp. 7–9. 1922.
Cabugao, importation and description. No. 41388. B.P.I. Inv. 45, p. 21. 1918.
Cabuya fiber, use for binder twine. Y.B., 1911, p. 198. 1912; Y.B., Sep. 560, p. 198. 1912.
Cabuyao, importation and description. No. 35484, B.P.I. Inv. 35, p. 51. 1915; No. 38293, B.P.I. Inv. 39, p. 114. 1917.
Cacanapa, forms of prickly pear, climatic adaptations. F.B. 1072, pp. 10, 11. 1920.
Cacao—
as promising tropical crop, remarks. Y.B., 1901, p. 355. 1902; Y.B. Sep. 229, p. 355. 1902.
beans—
destruction by fig moth. Ent. Bul. 104, pp. 14, 15, 19. 1911.
injury by rice moth. D.B. 783, pp. 1–2, 5. 1919.
black rot, cause, study. J.A.R., vol. 25, pp. 267–284. 1923.
butter—
definition for enforcing food and drugs act. F.I.D. 187, p. 1. 1923.
description, uses, imports, and exports. D.B. 769, p. 31. 1919.
canker—
cause, study. J.A.R., vol. 25, pp. 267–284. 1923.
description and cause. J.A.R., vol. 25, pp. 267–284. 1923; P.R. An. Rpt., 1914, p. 30, 1915.
creme, misbranding. Chem. N.J. 1247, p. 1. 1912.
description and uses in Porto Rico. D.B. 154, pp. 35–36, 85. 1916.
disease caused by Acrostalagmus sp. J.A.R., vol. 12, pp. 531–533, 544. 1918.
fermentation, description of fruit. P.R. An. Rpt., 1907, pp. 41–52. 1908.
food standards. Sec. Cir. 136, pp. 18–19. 1919.
fruit fly, description. Sec. [Misc.], "A manual of insects * * *," p. 116. 1917.
fungous infection, experiments. P.R. An. Rpt., 1913, p. 27. 1914.

Cacao—Continued.
   growing in—
      Guam—
         1912, and insect enemies. Guam A.R., 1911, pp. 25, 31. 1912.
         1917, and injury by storms and insects. Guam A.R., 1917, pp. 40–41, 47. 1918.
         1920. Guam A.R., 1920, pp. 56–57. 1921.
      Hawaii—
         1906 experiments. Hawaii An. Rpt. 1906. p. 15. 1907.
         experiment. O.E.S. Bul. 170, p. 59. 1906.
      Porto Rico—
         1913, yield and price, and disease control. P.R. An. Rpt., 1913, pp. 23, 26–28. 1914.
         1914, yield, and diseases affecting. P.R. An. Rpt., 1914, pp. 25, 29–30. 1915.
         1915, and experimental planting. P.R. An. Rpt., 1915, p. 32. 1916.
         1917, climatic and soil requirements, methods. Hawaii A.R., 1917, pp. 21–23. 1918.
         1918, increase in yields and value. P.R. An. Rpt. 1918, p. 12. 1920.
      Venezuela, methods. P.R. An. Rpt., 1913, pp. 24–25. 1914.
   importations and descriptions. Nos. 41666–41670, B.P.I. Inv. 45, pp. 58–59. 1918; Nos. 46860, 46866–46868, 46898–46901; P.B.I. Inv. 57, pp. 42, 44, 48. 1922; Nos. 47371–47374, 47403–47408, B.P.I. Inv. 59, pp. 13, 16. 1922; No. 49744, B.P.I. Inv. 62, p. 79. 1923.
   infection with coconut bud rot. J.A.R., vol. 25, p. 270. 1923.
   injury by red-banded thrips. Ent. Bul. 99, Pt. II, pp. 17, 18, 19, 20, 25. 1912.
   insect pests, list. Sec. [Misc.], "A manual of insects * * *," pp. 50–51. 1917.
   losses from black rot and canker, in the Philippines. J.A.R., vol. 25, pp. 267, 283. 1923.
   planting, Porto Rico, results. P.R. An. Rpt., 1916, pp. 22–23. 1918.
   products, definitions and standards. F.I.D. 165, p. 1. 1916; S.R.A. 17, p. 36. 1916; F.I.D. 191, pp. 2. 19123; Sec. Cir. 136, pp. 18–19. 1919.
   propagation by inarching. B.P.I. Bul. 202, p. 10. 1911.
   starch. Burton J. Howard. Chem. Bul. 99, pp. 74–76. 1906.
   statistics—
      1905. Y.B. 1905, pp. 727–728. 1906; Y.B. Sep. 404, pp. 727–728. 1906.
      1906. Y.B. 1906, p. 622. 1907; Y.B. Sep. 436, p. 622. 1907.
   thrips. See Thrips, red-banded.
   tree, dimorphic branches, studies. B.P.I. Bul. 198, pp. 38–43, 54, 55, 56. 1911.
Cacara erosa—
   importations. Nos. 42552, 42567, 42740, B.P.I. Inv. 47, pp. 16, 29, 58. 1920.
   See also Bean, yam.
Cache-cache. See Chufa.
Cache Creek, irrigation investigations. J. M. Wilson. O.E.S. Bul. 100, pp. 155–191. 1901.
Cache la Poudre—
   and Big Thompson rivers, storage of water. C. E. Tait. O.E.S. Bul. 134, pp. 100. 1903.
   River, Colorado, stream flow, measurement. O.E.S. Bul. 218, p. 19. 1910.
   Valley, reservoir system. E. S. Nettleton. O.E.S. Bul. 92, p. 48. 1901.
Cache National Forest—
   law for exchange of land with Joseph Hodges. Sol. [Misc.], "Laws applicable * * *," 2d Sup., p. 41. 1915.
   map and directions to campers and travelers. For. Map Fold. "Map of Cache * * *," 1914.
Caches, use in storing corn, Indian practices. Y.B., 1918, pp. 130, 132. 1919; Y.B. Sep. 776, pp. 10, 12. 1919.
Cacoecia fumiferana. See Spruce budworm.
Cacomistle—
   occurrence in Colorado, description. N.A. Fauna 33, pp. 192–193. 1911.
   See also Civet cat.
Cactaceae, Porto Rico, description. D.B. 354, p. 87. 1916.
Cactico hair grower, misbranding. Chem. N.J. 715, p. 2. 1911.

Cactorum, group of Phytophthora genus, technical description. J.A.R., vol. 8, p. 271. 1917.
Cactus—
   adhesive, use in comparison with whale-oil soap. D.B. 160, pp. 12–13. 1915.
   ball, occurrence in Colorado, description. N.A. Fauna 33, p. 239. 1911.
   beetles, description. Ent. Bul. 113, pp. 13–15, 32. 1912.
   chopped, use in mosquito eradication. Ent. Bul. 88, p. 74. 1910.
   cochineal—
      climatic requirements. F.B. 483, pp. 6, 7. 1912.
      importation and description. No. 41377. B.P.I. Inv. 45, p. 20. 1918.
   composition and feeding value, yield, and uses, in Hawaii. Hawaii Bul. 36, pp. 11, 33, 35–36. 1915.
   decorative value, planting methods. B.P.I. Bul. 262, pp. 18–22. 1912.
   description, varieties, and climate adaptations. F.B. 1381, pp. 55–58. 1924.
   desert, behavior under cultural conditions. D.B. 3, pp. 7, 9, 14, 18, 22. 1913.
   disease studies. B.P.I. Bul. 262, pp. 15–16. 1912.
   distribution, adaptability, growing methods and value. B.P.I. Bul. 262, pp. 13–15, 16–18. 1912.
   Ellis, value as stock feed. F.B. 1072, pp. 4, 10, 11, 23. 1920.
   feed for cattle—
      experiments, 1912. An. Rpts., 1912, pp. 340–341. 1913; B.A.I. Chief Rpt., 1912, pp. 44–45. 1912.
      preparation and value. Rpt. 112, p. 22. 1916.
   flowers, coloration, effect of cultural conditions. D.B. 31, pp. 18–19. 1913.
   food value of different parts. B.P.I. Bul. 102, p. 11. 1907.
   fruit—
      proliferation, cause, and effect on feeding value. D.B. 31, pp. 19–20. 1913.
      use as hog feed in Hawaii. Hawaii Bul. 48, pp. 34, 40. 1923.
   giant, insects affecting. Ent. Bul. 113, pp. 11. 1912.
   grafting, methods. B.P. I. Bul. 262, pp. 12–13. 1912.
   growing, early studies and experiments. B.P.I. Bul. 262, pp. 7–8. 1912.
   history, introduction, and description. B.P.I. Bul. 262, pp. 7–8. 1912.
   host of Mediterranean fruit fly, in Hawaii. D.B. 536, pp. 13, 24, 43. 1918.
   importations. Nos. 51556, 51559–61, 51565, 51763, B.P.I. Inv. 65, pp. 25, 26, 27, 45. 1923.
   indicators of land value and possibilities. J.A.R., vol. 28, pp. 112, 118, 121, 122, 127. 1924.
   injury—
      by frost. D.B. 31, pp. 16–17. 1913.
      by wood rats. N.A. Fauna 31, p. 11. 1910.
      from insect pests. B.P.I. Bul. 262, p. 16. 1912.
   insects—
      parasites, lists. Ent. Bul. 113, pp. 45–47. 1912.
      principal, of United States. W. D. Hunter and others. Ent. Bul. 113, pp. 71. 1912.
   investigations, 1905, results, feeding methods. An. Rpts., 1905, pp. 115–116. 1906; B.P.I. Chief Rpt., 1905, pp. 115–116. 1905.
   missouriensis. See Cactus, ball.
   moisture requirements. D.B. 31, pp. 22–23. 1913.
   nutrition studies. O.E.S. An. Rpt., 1909, p. 367. 1910.
   occurrence in Colorado, description. B.P.I. Bul. 201, p. 27. 1911; N.A. Fauna 33, p. 239. 1911.
   opuntia under cultural conditions, behavior. David Griffiths. D.B. 31, pp. 24. 1913.
   ornamental, culture and decorative value. Charles Henry Thompson. B.P.I. Bul. 262, pp. 24. 1912.
   Porto Rico, classification and description. D.B. 354, p. 87. 1916.
   prickly pear and others, as food for stock. David Griffiths. B.P.I. Bul. 74, pp. 48. 1905.
   proliferation of fruit, cause, and effect on feeding value. D.B. 31, pp. 19–20. 1913.
   propagation from seeds and cuttings, methods. B.P.I. Bul. 262, pp. 8–12. 1912.

INDEX TO PUBLICATIONS, 1901-1925

Cactus—Continued.
 radiosus, occurrence in Colorado, description. N.A. Fauna 33, p. 239. 1911.
 San Saba, same as Ellis cactus. F.B. 1072, p. 11. 1920.
 singed, as forage. F.B. 259, pp. 25-27. 1906.
 snake, occurrence in Colorado, description. N.A. Fauna 33, p. 239, 1911.
 solution, adhesive in arsenical sprays for insects. M. M. High. D.B. 160, pp. 20. 1915.
 solution, preservatives. D.B. 160, pp. 13-15. 1915.
 spineless—
  Hawaii, description, and origin. Hawaii A.R., 1914, pp. 17, 32-33. 1915.
  importation and description. No. 39853, B.P.I. Inv. 42, pp. 6, 26. 1918.
  varieties not hardy. B.P.I. Bul. 116, pp. 7, 8, 9, 11. 1907.
  See also Prickly pear.
 spines, variations under cultural conditions. D.B. 31, pp. 1-7. 1913.
 spraying for insect control. Ent. Bul. 113, pp. 24, 25. 1912.
 stock feed, value, investigations. David Griffiths and R. F. Hare. B.P.I. Bul. 102, Pt. I, pp. 11. 1907.
 use—
  as forage, Hawaii, analyses. Hawaii Bul. 13, pp. 11, 17. 1906.
  in manufacture of denatured alcohol, lectures. Chem. Bul. 130, pp. 25, 105-109. 1908.
  in whitewash. F.B. 499, p. 24. 1912.
  utilization as stock feed, study by Farm Management Office. B.P.I. Bul. 259, pp. 81-84. 1912.
  value as stock food, investigations, summary. David Griffiths and R.F. Hare. B.P.I. Bul. 102, Pt. I, pp. 1-18. 1907.
 varieties—
  analyses. Chem. Bul. 130, p. 106. 1910.
  importation. B.P.I. Bul. 106, p. 6. 1907.
  in United States, list. B.P.I. Bul. 262, pp. 22-24. 1912.
 See also Nopal; Prickly pear; Tuna.
Caculo. See May beetle.
Caddis worm, watercress, description. Sec. [Misc.], "A manual of insects * * *," p. 220. 1917.
Caddy, tobacco, manufacture from sycamore. D.B. 884, pp. 11, 24. 1920.
Cade oil, wholesale price. B.P.I. Bul. 195, p. 44. 1910.
Cadelle—
 biology, notes. Richard T. Cotton. J.A.R. vol. 26, pp. 61-68. 1923.
 description and habits. F.B. 1260, pp. 28-30. 1922.
 enemy of stored products. Hawaii A.R., 1907, p. 48. 1908.
 flour-mill pest, control. D.B. 872, pp. 27-39. 1920.
 fumigation with carbon tetrachloride. Ent. Bul. 96, Pt. IV, p. 54. 1911.
 injury to stored peanuts. Ent. Cir. 142, p. 2. 1911.
 life history and habits. J.A.R., vol. 26, pp. 61-68. 1923.
Cadinene, content of western pine oleoresins. For. Bul. 119, p. 29. 1913.
CADISCH, G. F.: "Farm credit, farm insurance, and farm taxation." With others. Y.B., 1924, pp. 185-284. 1925; Y.B. Sep. 915, pp. 185-284. 1925.
Cadomene tincture, concentrated compound, alleged misbranding. Chem. N.J. 697, pp. 11. 1911.
Caeculidae, classification and description. Rpt. 108, pp. 19, 45. 1915.
Caeculisoma spp., description. Rpt. 108, pp. 40, 41. 1915.
Caeculus spp., description and occurrence. Rpt. 108, p. 45. 1915.
Caelenopsis spp., description. Rpt. 108, pp. 79, 80. 1915.
Caenocara oculata, occurrence. D.B. 737, p. 7. 1919.
Caenocorse ratzeburgi, fumigation with carbon tetrachloride, experiments. Ent. Bul. 96, Pt. IV, p. 56. 1911.
Caenophanes sp., parasite of huisache girdler. D.B. 184, p. 8. 1915.
Caeoma nitens. See Blackberry orange rust.
Caesalpinaceae, injury by sapsuckers. Biol. Bul. 39, p. 44. 1911.

Caesalpinia—
 melanocarpa, importation and description. No. 44816, B.P.I. Inv. 51, p. 72. 1922.
 melanocarpa. See also Guayacana.
 pectinata. See Tara.
 pulcherrima, importation and description. No. 50598, B.P.I. Inv. 63, p. 83. 1923.
 sepiaria, importation and description. No. 47351, B.P.I. Inv. 59, p. 9. 1922.
 spp., importations and descriptions. Nos. 43643, 43644, 43770, B.P.I. Inv. 49, pp. 55, 75, 1921; Nos. 49985, 50071, 50598, B.P.I. Inv. 63, pp. 27, 33, 83. 1923.
 vernalis, importation and description. No. 46949, B.P.I. Inv. 57, p. 50. 1922.
Caesarean section, cattle, directions. B.A.I. [Misc.], "Diseases of cattle," rev., pp. 204-205. 1908; rev., pp. 209-211. 1912; rev., pp. 207-209. 1923.
Caesium—
 chloride solutions, solubility of carbon dioxide. Soils Bul. 49, p. 14. 1907.
 determination from sugar beet ashes. D.B. 600, pp. 3, 16. 1917.
 occurrence in soils. D.B. 122, pp. 3, 12-13, 14, 27. 1914.
 search for in saline concentrates. Soils Bul. 94, pp. 95-96. 1913.
"Cafe-Coca Compound," misbranding. Chem. N.J. 235, pp. 2. 1910.
Cafe do matto. See Bunchosia.
Caffein—
 administration methods, comparison of effects. Chem. Bul. 148, pp. 17, 42, 52, 59, 62, 91-95. 1912.
 adulterant of Coca Cola, with testimony as to harmfulness. Chem. N.J. 1455, pp. 57. 1912.
 citrate tablets, adulteration. Chem. N.J. 1843, pp. 5. 1912.
 consumption in United States. F.B. 393, p. 3. 1910.
 cumulative effect on rabbits, experiments. Chem. Bul. 166, pp. 21-24. 1913.
 danger in use. F.B. 393, pp. 6-8. 1910.
 determination—
  in—
   coffee, methods. Chem. Bul. 132, p. 135. 1910; Chem. Bul. 137, p. 105-108, 118-119. 1911; Chem. Bul. 152, p. 164. 1912; Chem. Bul. 122, pp. 78-79, 83-84. 1909.
   headache mixtures, directions and results. Chem. Bul. 122, pp. 100-101, 102. 1909; Chem. Bul. 132, pp. 197, 199-201. 1910; Chem. Bul. 152, pp. 236-237, 240. 1912; Chem. Bul. 162, pp. 193, 194, 201. 1913.
   soft drinks. Chem. Bul. 162, pp. 205, 206-207, 208. 1913.
   tea. Chem. Bul. 107, p. 150. 1907.
  method, report of referees, committee. Chem. Cir. 90, p. 9. 1912; Chem. Bul. 152, p. 212. 1912.
 discovery and discoverers. Chem. Bul. 148, p. 9. 1912.
 effect on Bacillus coli. B.P.I. Bul. 228, p 107. 1912.
 elimination—
  experimental study on hervivora and carnivora. William Salant and J.B. Rieger. Chem. Bul. 157, pp. 23. 1912.
  in nephrectomized rabbits, experiments. Chem. Bul. 166, pp. 7-20. 1913.
 free coffee, inspection, results. Y.B., 1910, p. 210. 1911; Y.B. Sep. 529, p. 210. 1911.
 habit-forming drug, harmfulness, testimony. Chem. N.J. 1455, pp. 15-17. 1912.
 in soft drink "Rococola," adulteration and misbranding. Chem. N.J. 466, p. 1. 1910.
 injurious effects, estimation, studies. Chem. Chief Rpt., 1098, pp. 11, 21. 1908; AD. Rpts., 1908, pp. 455, 465. 1909.
 intoxication, acute and chronic, experiments on small animals. Chem. Bul. 148, pp. 18-91, 95-96. 1912.
 isolation, analysis, methods and plan of work. Chem. Bul. 157, pp. 8-9. 1912.
 recovery from coffee wastes, pulp, and prunings, possibility. Hawaii A.R. 1919, pp. 35, 36. 1920.
 tablets, adulteration. Chem. N.J. 2366, pp. 2. 1913.

Caffein—Continued.
  tolerance, experiments on lower animals. An. Rpts., 1909, p. 438. 1910; Chem. Chief Rpt., 1909, p. 28. 1909.
  toxicity—
    experimental study on animals. William Salant and J. B. Rieger. Chem. Bul. 148, pp. 98. 1912.
    in nephrectomized rabbits, experiments. Chem. Bul. 166, pp. 20–30. 1913.
  use in—
    adulteration of fever and pain powder. Chem. N.J. 1178, pp. 2. 1911.
    control of zygadenus poisoning of sheep. D.B. 125, pp. 37–38. 1915.
    headache cure. Chem. N.J. 1051, pp. 2. 1911.
    headache powders. Chem. N.J. 1157, pp. 2. 1911.
Caffetannic acid, characteristics, methods of estimation. Chem. Bul. 105, pp. 41–45. 1907; Chem. Bul. 107, p. 155. 1907; Chem. Bul. 122, pp. 78–79, 82–83. 1909.
CAFFEY, F. G.—
  "A brief statutory history of the United States Department of Agriculture." Sol. [Misc.], "Statutory history," pp. 26. 1916.
  "Health laws." Y.B., 1913, pp. 125–134. 1914; Y.B. Sep. 619, pp. 125–134. 1914.
  report of solicitor—
    1913. An. Rpts., 1913, pp. 299–326. 1914; Sol. A.R., 1913, pp. 28. 1913.
    1914. An. Rpts., 1914, pp. 281–300. 1914; Sol. A.R., 1914, pp. 20. 1914.
    1915. An. Rpts., 1915, pp. 327–346. 1916; Sol. A.R., 1915, pp. 20. 1916.
    1916. An. Rpts., 1916, pp. 345–366. 1917; Sol. A.R. 1916, pp. 22. 1916.
CAFFREY, D. J.—
  "Biology and economic importance of *Anastatus semiflavidus*, a recently described egg parasite of *Hemileuca oliviae*." J.A.R., vol. 21, pp. 373–384. 1921.
  "The European corn borer: A menace to the country's corn crop." F.B. 1046, pp. 28. 1919.
  "The European corn borer and its control." With L. H. Worthley. F.B. 1294, pp. 45. 1922.
  "The grain bug." With George W. Barber. D.B. 779, pp. 35. 1919.
  "The New Mexico range caterpillar and its control." With V. L. Wildermuth. D.B. 443, pp. 12. 1916.
Cage(s)—
  aphid rearing, description. J.A.R. vol. 23, p. 971. 1923.
  birds. See Birds, cage.
  breeding, for insects. F.B. 606, pp. 14–16. 1914.
  canary, description and care. F.B. 770, pp. 7–9, 14–16. 1916.
  gathering, for trapped birds, description. M.C. 18, p. 13. 1924.
  insect rearing, description. D.B. 438, pp. 14–15. 1916; J.A.R., vol. 6, No. 10, p. 368. 1916.
  rearing, for peach slug, description. Ent. Bul. 97, Pt. V, p. 93. 1911.
  shipping, for birds. Y.B., 1906, p. 170. 1907; Y.B. Sep. 414, p. 170. 1907.
Caigna, importation and description. Inv. No. 29330, B.P.I. Bul. 233, p. 11. 1912.
Cailliea nutans, importations and descriptions. No. 31899, B.P.I. Bul. 248, p. 61. 1912; No. 43645, B.P.I. Inv. 49, p. 55. 1921; No. 48805, B.P.I. Inv. 61, p. 50. 1922; Nos. 49816, 50132, B.P.I. Inv. 63, pp. 8, 39. 1923.
Caimito—
  description, use, growth in Cuba. Chem. Bul. 87, p. 28. 1904.
  importations and descriptions. No. 45918, B.P.I. Inv. 54, p. 41. 1922; Nos. 50471–50743, B.P.I. Inv. 63, p. 71. 1923; No. 51814, B.P.I. Inv. 65, p. 53. 1923.
  See also Star-apple.
CAINE, J. T., III, report of Utah extension work in agriculture and home economics, 1917. S.R.S. An. Rpt., 1917, Pt. II, pp. 347–354. 1919.
CAINE, T. A. "Soil survey of—
  Arecibo to Ponce, Porto Rico." With others. (Also Span. ed.) P.R. Bul. 3, pp. 53. 1903.
  Bienville Parish, Louisiana." With others. Soil Sur. Adv. Sh., 1908, pp. 36. 1909; Soils F.O., 1908, pp. 843–874. 1911.

CANE, T. A. "Soil survey of—Continued.
  Montgomery County, Mississippi." With F. C. Schroeder. Soil Sur. Adv. Sh., 1906, pp. 24. 1907; Soils F.O., 1906, pp. 385–404. 1908.
  the Bedford area, Virginia." With others. Soils F.O. Sep., 1901; pp. 19. 1903; Soils F.O. 1901, pp. 239–257. 1902.
  the Hickory area, North Carolina." Soil Sur. Adv. Sh., 1902, pp. 20. 1903; Soils F.O., 1902, pp. 239–258. 1903.
  the Jamestown area, North Dakota." With A. E. Kocher. Soil Sur. Adv. Sh., 1903, pp. 22. 1904; Soils F.O., 1903, pp. 1005–1026. 1904.
  the Middlebourne area, West Virginia." With others. Soil Sur. Adv. Sh., 1907, pp. 32. 1909; Soils F.O., 1907, pp. 165–192. 1909.
  the Mount Mitchell area, North Carolina." With A. W. Mangum. Soil Sur. Adv. Sh., 1902, pp. 13. 1903; Soils F.O., 1902, pp. 259–271. 1903.
  the Prince Edward area, Virginia." With Charles N. Mooney. Soils F.O. Sep., 1901, pp. 13. 1902; Soils F.O., 1901, pp. 259–271. 1902.
  the Wheeling area, West Virginia." With G. W. Trilby, jr. Soil Sur. Adv. Sh., 1906, pp. 32. 1907; Soils F.O., 1906, pp. 167–194. 1908.
  Winn Parish, Louisiana." With others. Soil Sur. Adv. Sh., 1907, pp. 37. 1909; Soils F.O. 1907, pp. 557–589. 1909.
Cajanus indicus, growing in manganiferous soils. Hawaii Bul. 26, pp. 24–25. 1912.
Cajanus indicus. See also Pea pigeon.
Cajuput—
  growing in Florida. An. Rpts., 1912, p. 423. 1913; B.P.I. Chief Rpt., 1912, p. 43. 1912.
  importation and description. No. 42357. B.P.I. Inv. 46, p. 82. 1919; No. 45510, B.P.I. Inv. 53, p. 44. 1922.
  oil, adulteration. Chem. N. J. 2544, p. 1. 1913; Chem. N. J. 2147, p. 1. 1913; Chem. N.J. 2748, p. 2. 1914; Chem. N. J. 4536. 1917.
  oil, use in treatment of corn seed before planting. Ent. Bul. 85, pp. 24–25. 1911.
Cajuputi leucadendra. See Cajuput.
Cake(s)—
  artificial coloring. An. Rpts., 1909, p. 452. 1910; Chem. Chief Rpt., 1909, p. 42. 1909.
  baking directions. O.E.S. Bul. 200, pp. 70–73. 1908.
  butter, food-value comparisons, chart. D.B. 975, pp. 11, 35. 1921.
  chocolate recipe, with potato. Sec. Cir. 106, p. 5. 1918.
  colors, misbranding. Chem. N.J. 1057, p. 2. 1911.
  curd cup, recipe. News L., vol. 3, No. 2, pp. 3–4. 1915.
  Dutch, from cottage cheese, recipes. Sec. Cir. 109, rev., p. 18. 1918.
  flavor adulteration. Chem. N.J. 4662. 1917.
  food value. F.B. 817, pp. 8, 16. 1917.
  gingerbread, made with corn meal, recipes. F.B. 565, pp. 23–24. 1914.
  kinds, composition. O.E.S. Bul. 200, pp. 70–71. 1908.
  lessons for first-year classes and correlative studies. D.B. 540, p. 47. 1917.
  potato starch, recipes. S.R.S. Doc. 16, pp. 2–3. 1915.
  recipe(s). F.B. 1450, pp. 8, 10. 1925.
  use of—
    barley flour, recipes. Sec. Cir. 111, p. 4. 1918.
    honey recipes. F.B. 653, pp. 12–15, 16–23. 1915.
    wheatless, recipes. U. S. Food Leaf. 20, p. 4. 1918.
    with sugar substitutes, recipes. News L., vol. 7, No. 15, p. 14. 1918.
    without sugar, recipe. U. S. Food Leaf. No. 15, p. 2. 1918.
Calabash—
  artificial shaping and pipe making, directions. B.P.I. Cir. 41, pp. 6–8. 1909.
  pipe, South African. David Fairchild and G. N. Collins. B.P.I. Cir. 41, pp. 9. 1909.
  tree, description. Inv. No. 29465. B.P.I. Bul. 233, p. 22. 1912.

Calabaza, growing in Guam, cultural directions.
Guam Cir. 2, p. 10. 1921; Guam Bul. 2, pp. 12, 33. 1922.
Caladium, resemblance to yautia. B.P.I. Bul. 164, pp 8, 10. 1910.
Calamagrostis—
canadensis, susceptibility to stem rust. J.A.R., vol. 10, pp. 442-484. 1917.
canadensis. See also Bluejoint.
coarctata, importation and description. No. 52955, B.P.I. Inv. 67, p. 19. 1923.
fosteri. See Heupuueo.
langsdorfii, hay, making in Alaska. P. H. Ross. Alaska Bul. 3, pp. 13. 1907.
lucida, description. Agros. Cir. 30, p. 8. 1901.
perplexa, description. Agros. Cir. 30, p. 7. 1901.
spp., description, distribution, and uses. D.B. 201, pp. 17-18. 1915; D.B. 772, pp. 15, 121-123. 1920.
Calameuta johnsoni, occurrence in New Jersey, description. D.B. 834, p. 2. 1920.
Calamondin—
importation and description. No. 41958, B.P.I. Inv. 46, pp. 38-39. 1919; No. 44139, B.P.I. Inv. 50, p. 34. 1922.
susceptibility to citrus scab. D.B. 1118, p. 3. 1923.
Calamovilfa—
longifolia, distribution, description, and feed value. D.B. 201, p. 18. 1915.
longifolia. See also Sand-grass.
spp., description, distribution, and use. D.B. 772, pp. 15, 123, 125. 1920.
Calamus—
culture and handling as drug plant, yield, and price. F.B. 663, p. 17. 1915; F.B. 663, rev., pp. 20-21. 1920.
root, use as condiment and sweetmeat. D.B. 503, p. 16. 1917.
roxburghii. See Rattan.
scipionum, importation and description. No. 51708, B.P.I. Inv. 65, p. 39. 1923.
sp., use in manufacture of cane seats, baskets, etc., description. B.P.I. Bul. 176, pp. 7, 18-19. 1910.
See also Sweet flag.
Calandra—
granaria, injuries to corn. B.P.I. Bul. 199, p. 14. 1910.
linearis striata, enemy of stored products. Hawaii A.R. 1907, p. 48. 1908.
oryza—
damages to seed corn, Guam, and control. Guam A.R. 1911, p. 28. 1912.
injuries to corn. B.P.I. Bul. 199, p. 14. 1910.
See also Rice weevil.
sordida, same as *Cosmopolites sordidus.* J.A.R., vol. 19, p. 39. 1920.
spp.—
control by para dichlorobenzene, experiments. D.B. 167, pp. 3, 5. 1915.
fumigation with carbon tetrachloride. Ent. Bul. 96, Pt. IV, pp. 54, 56. 1911.
Calarin, resistance to citrus canker. J.A.R., vol. 19, pp. 358, 359. 1920.
Calasha, resistance to citrus canker. J.A.R., vol. 19, pp. 358, 359. 1920.
Calathea lutea. See Pampano.
Calaveras Big Tree Grove, California, acquisition by the Government. Y.B. 1908, p. 543. 1909.
Calcarius spp. See Longspur.
Calcamine—
formulas, quantity required for certain dimensions. F.B. 474, p. 21. 1911.
nature and use. F.B. 1452, pp. 12, 30. 1925.
Calcino, cause and control, in mulberry silk worms. Ent. Bul. 39, pp. 31-32. 1903.
Calcite—
description and composition. Rds. Bul. 37, pp. 16, 19, 21, 22, 26. 1911.
solubility compared with that of aragonite. Soils Bul. 49, p. 37. 1907.
See also Calcium carbonate; Lime carbonate.
Calcium—
absorption by barley during growth. J.A.R. vol. 18, pp. 55-62, 66, 67, 69. 1919.
acid phosphate, adulteration and misbranding. Chem. N. J. 300, pp. 1-5. 1910; Chem. N.J. 2796, pp 32-33. 1914; Chem. N. J. 3399, p. 1. 1915.

Calcium—Continued.
adsorptions relations of soil reaction. C. O. Swanson. J.A.R., vol. 26, pp. 83-123. 1923.
analyses, various soils. Soils Bul. 54, pp. 15-35. 1908.
and magnesium—
compounds, effect on plant growth. J.A.R. vol. 6, No. 16, pp. 589-619. 1916.
salts, effects on calcium carbonate. Soils Bul. 49, p. 55. 1907.
and sodium-dilute solutions, pseudo-antagonism. H. S. Reed and A. R. C. Haas. J.A.R., vol. 24, pp. 753-758. 1923.
arsenate—
adulteration and misbranding—
N.J. 730, 731, 732, 737, 738, 748. I. and F. Bd. S.R.A. 40, pp. 931-935, 942-944, 957. 1922.
N.J. 864, I. and F. Bd. S.R.A. 45, p. 1077. 1923.
N.J. 849. I. and F. Bd. S.R.A. 44, pp. 1054-1056. 1923.
N.J. 904, 911, 914. I. and F. Bd. S.R.A. 47, pp. 3, 10, 13. 1924.
boll weevil control—
cost and result. Ent. A.R., 1923, p. 24. 1923; Sec. A.R., 1923, p. 45. 1923.
methods and directions. F.B. 1329, pp. 14-17. 1923.
use and value. F.B. 1262, pp. 16-18. 1922; D.B. 875, pp. 3-29. 1920.
use in dust machines. F.B. 1098, pp. 6, 9-10. 1920.
boll weevil poisoning, requirements. D.B. 875, pp. 3-5. 1920; D.C. 162, p. 4. 1921.
chemical changes during storage. C. C. McDonnell and others. D.B. 1115, pp. 28. 1922.
commercial grade, preparation. J. K. Haywood and C. M. Smith. D.B. 750, pp. 10. 1918.
commercial samples, valuation. J.A.R., vol. 13, pp. 292-294. 1918.
composition, mixtures, and toxicity, studies. D.B. 1147, pp. 7-8, 10, 11, 12, 15-23, 24, 31-36, 40-48, 51. 1923.
cotton dusting, specifications, and tests. D.B. 1204, pp. 3, 31. 1924.
dust, pink bollworm control, experiments. D.B. 918, pp. 51-52. 1921; D.C. 274, p. 3. 1923.
effect on man and animals, precaution. D.B. 875, pp. 5-6. 1920.
efficiency in vineyard spraying. D.B. 837, pp. 17-19, 24. 1920.
formula, and use in insecticide experiments. D.B. 750, p. 10. 1918; J.A.R., vol. 10, pp. 199-206. 1917.
insecticide, preparation and use. F.B. 1306, pp. 26, 35. 1923.
labeling directions. D.B. 750, p. 10. 1918; D.B. 750, rev., p. 9. 1923.
manufacture and study. J.A.R., vol. 13, pp. 281-294. 1918.
preparation—
and distribution to farmers. An. Rpts., 1919, pp. 500, 502. 1920; I. and F. Bd. A.R., 1919, pp. 2, 4. 1919.
and use as insecticide, investigations. D.B. 278, pp. 9, 11, 15-19, 22-25, 29-30, 39-40, 43. 1915.
of commercial grade. J. K. Haywood and C. M. Smith. D.B. 750, rev., pp. 10. 1923.
purchase for farmers. Off. Rec., vol. 3, No. 4, p. 5. 1924.
spray and dust—
formulas and use. F.B. 1407, pp. 8, 9, 13-14. 1924.
use against Colorado potato beetle. F.B. 1349, p. 6. 1923.
substitute, for arsenate of lead. Y.B. 1917, p. 88. 1918.
use—
against cotton pests. Y.B., 1921, pp. 351, 354. 1921; Y.B. Sep. 877, pp. 351, 354. 1921.
against leaf-biting insects. F.B. 1362, p. 4. 1924.
in control of cotton insects. D.B. 875, p. 29. 1920.
in control of tobacco hornworms, objections. F.B. 1356, p. 7. 1923.

Calcium—Continued.
arsenite, preparation, and use as insecticide. J.A.R., vol. 24, pp. 502, 511, 512, 514, 516, 519, 520. 1923.
balance in lactating animals, relation to eed. O.E.S. An. Rpt., 1922, pp. 83–86. 1924.
borate, value as disinfectant. J.A.R., vol. 20, pp. 86–110. 1920.
carbide—
 nitrification and determination. An. Rpts., 1923, p. 497. 1924; Fix. Nit. Lab. A.R., 1923, p. 3. 1923.
 Phylloxera remedy, method of application, cost. Ent. Bul. 30, p. 95. 1901.
 use in control of crawfish. Y.B. 1911, p. 324. 1912; Y.B. Sep. 571, 1911, p. 324. 1912.
 use in control of root knot, experiments. B.P.I. Bul. 217, p. 51. 1911.
 use in moisture determination. H. C. McNeil. Chem. Cir. 97, pp. 8. 1912.
carbonate—
 action upon organic matter in soil. J.A.R., vol. 10, pp. 572–575. 1917.
 addition to phosphate fertilizer, effects. J.A.R., vol. 6, pp. 502–507. 1916.
 addition to soils, effect on Azotobacter content. J.A.R., vol. 24, pp. 292–294. 1923.
 addition to toxic solutions cumarin and vanillin, effect. Soils Bul. 47, pp. 45, 50. 1907.
 and sodium salts, reaction between. J.A.R., vol. 10, pp. 543–546, 566. 1917.
 beneficial effect on citrous plants. J.A.R., vol. 2, pp. 108–109. 1914.
 cause of chlorosis in plants. J.A.R., vol. 20, pp. 36–49. 1920.
 content of soil, relation to growth of Azotobacter. J.A.R., vol. 14, pp. 268–271. 1918.
 determination in soils. Chem. Bul. 122, pp. 120–121. 1909.
 effect on—
  action of salicylic aldehyde on plants, table. D. B. 108, pp. 10–12. 1914.
  germination of cottonseed. J.A.R., vol. 5, No. 25, p. 1170. 1916.
  growing chicks. J.A.R., vol. 22, pp. 139–149. 1921.
  growth and oxidation, experiments. Soils Bul. 56, pp. 34–35, 44. 1909.
  growth of Azotobacter. J.A.R., vol. 23, pp. 676. 1923.
  nitrification of dried blood. J.A.R., vol. 12, pp. 676–682. 1918.
  plant growth, experiments. J.A.R., vol. 6, pp. 602, 606–610. 1916; J.A.R., vol. 22, pp. 102–110. 1921; Hawaii Bul. 52, pp. 23–24, 35. 1924.
  soil bacteria. J.A.R., vol. 12, pp. 463–504. 1918.
  toxicity of copper sulphate. J.A.R., vol. 22, pp. 281–287. 1921.
 modifications and hydrates. Soils Bul. 49, pp. 36–38. 1907.
 relation to acid soils. J.A.R., vol. 18, pp. 119–125. 1919.
 solubility in water and in aqueous solutions. Soils Bul. 49, pp. 38–57. 1907; Soils Bul. 18, p. 58. 1901.
 use in—
  making grape sirup. F.B. 1454, pp. 3, 5. 1925.
  nitrogen fixation experiments. P. L. Garney. J.A.R., vol. 24, pp. 185–190. 1923.
 See also Lime carbonate; Calcite.
chloride—
 action on dried blood in sandy and clay soils. J.A.R., vol. 13, pp. 218–221. 1918.
 effect on plant growth, experiments. J.A.R., vol. 6, pp. 608–609. 1916.
 mixtures, tests on plant life. Rpt. 71, p. 37. 1902.
 road binding experiments. Rds. Cir. 90, p. 22. 1909.
 solution—
  solubility of carbon dioxide. Soils Bul. 49, p. 17. 1907.
  solubility of lime. Soils Bul. 49, pp. 25–27. 1907.
 use as dust preventive. Y.B., 1907, p. 264. 1908; Y.B. Sep. 448, p. 264. 1908.

Calcium—Continued.
chloride—continued.
 use in—
  pasteurized milk for cheese making. B.A.I. Bul. 165, pp. 13–15, 16–17. 1913.
  pig feed. O.E.S. An. Rpt., 1911, pp. 27, 190. 1912.
  prevention of freezing. D.B. 801, pp. 62–63. 1919.
  seed preservation in humid climate. P.R. Bul. 20, pp. 5, 26–29. 1916.
  road experiments, 1914, reports. D.B. 257, pp. 1–5. 1915.
compounds—
 effect on growth of plants. J.A.R., vol. 20, pp. 40–44. 1920.
 in soils. J.A.R., vol. 8, pp. 57–77. 1917.
 use as disinfectants. J.A.R., vol. 20, pp. 86–110. 1920.
concentration in soils effect of moisture variation. J.A.R., vol. 18, pp. 141, 142, 143. 1919.
content of mottled leaves, studies. J.A.R., vol. 9, pp. 157–166. 1917.
content of some Kansas soils, relation to soil reaction as determined by electrometric titration. C. O. Swanson and others. J.A.R., vol. 20, pp. 855–868. 1921.
cyanamide—
 and calcium nitrate, use on soils, reference list on electric fixation of atmospheric nitrogen. Stephen Conrad Stuntz. Soils Bul. 63, pp. 89. 1910.
 preparation and use, manufacturers and composition. D.B. 37, pp. 8–9. 1913.
 use in—
  control of fly larvæ in horse manure, tests. D.B. 118, pp. 16–17. 1914.
  fertilizer for destruction of fly larvae. D.B. 408, pp. 6–17. 1916; F.B. 851, pp. 18–19. 1917.
  wireworm control, rate, etc., comparison with insecticides. D.B. 78, pp. 27–28. 1914.
cyanide determination in commercial fertilizers. D.B. 97, pp. 1–10, 12. 1914.
determination in—
 plant ash, method. D.B. 600, p. 25. 1917.
 saline solutions, methods. Soils Bul. 94, p. 48. 1913.
 water, modified method. Chem. Bul. 152, p. 79. 1912.
distribution between soil and solution. Soils Bul. 52, p. 38. 1908.
fluoride(s)—
 occurrence in phosphate rock, description. D.B. 144, pp. 8, 26–27. 1914.
 use in cement mix for potash recovery. D.B. 572, p. 12. 1917.
hydrogen arsenate, preparation, specific gravity, and solubility. J.A.R., vol. 13, pp. 284–287. 1918.
hydroxide, effect on solubility of the calcium arsenates. J.A.R., vol. 13, pp. 387–388. 1918.
in soil extract. J.A.R., vol. 20, pp. 387–394. 1921.
income and outgo, experiments and results. O.E.S. Bul. 227, pp. 11–20. 1910.
lactate, effect on growing chicks. J.A.R., vol. 22, pp. 145–149. 1921.
losses from soils by weathering, cause of acidity. J.A.R., vol. 26, pp. 115, 116. 1923.
metabolism. Chem. Bul. 123, pp. 24–30. 1909.
need in dairy feed, and sources of supply. D.B. 945, pp. 6–7, 11, 15. 1921.
nitrate—
 action on dried blood in sandy and clay soils. J.A.R., vol. 13, pp. 217–221. 1918.
 analysis. D.B. 37, p. 7. 1913.
 and calcium cyanamide, use on soils, reference list on electric fixation of atmospheric nitrogen. Stephen Conrad Stuntz. Soils Bul. 63, pp. 89. 1910.
 concentrated solutions, effect on growth of fungi. J.A.R., vol. 7, pp. 256–259. 1916.
 determination in commercial fertilizers. D.B. 97, pp. 1–10, 11. 1914.
 effect on growth and oxidation, experiments. Soils Bul. 56, pp. 31–33, 35. 1909.
 effect on soil bacteria, experiments. J.A.R., vol. 12, pp. 189, 192, 194–196, 198, 204–227. 1918.

Calcium—Continued.
nitrate—continued.
solutions, solubility of lime. Soils Bul. 49, pp. 28-31. 1907.
occurrence and metabolism in the body. O.E.S. Bul. 227, pp. 7-9. 1910.
oxalate crystals, presence in urine. Chem. Bul. 84, Pt. V, p. 1371. 1908.
percentage in maple products. Chem. Cir. 40, pp. 8-9. 1908.
phosphate—
content in pure milk and cream. D.B. 524, pp. 2-3. 1917.
crystals in condensed milk. J.A.R., vol. 21, p. 791. 1921.
effect on growth of plants. J.A.R., vol. 20, pp. 40-44. 1920.
relation to soil reaction. J.A.R., vol. 20, pp. 855-868. 1921.
requirements, and per cent furnished by various foods. F.B. 1383, pp. 1-2, 9-33. 1924.
requirements of animals, studies. Work and Exp., 1919, p. 70. 1921.
salts—
beneficial effects on alkali soils. J.A.R., vol. 27, pp. 687, 690. 1924.
effect on—
ammonia fixation in soils. J.A.R., vol. 9, p. 152. 1917.
citrus seedlings in water cultures. J.A.R., vol. 18, pp. 269-270. 1919.
growth and oxidation, experiments. Soils Bul. 56, pp. 34-35. 1909.
nitric-nitrogen of the soil. J.A.R., vol. 16, pp. 114-115. 1919.
soil acidity, experiments. J.A.R., vol. 26, pp. 91-114. 1923.
wheat at different stages of growth. J.A.R., vol. 23, pp. 57-62. 1923.
mixtures, tests on plant life. Rpt. 71, pp. 37-38. 1911.
proportions in culture solutions for buckwheat. J.A.R., vol. 14, pp. 153-154, 163-167. 1918.
relation to coagulation of casein. Chem. Bul. 123, pp. 22-24. 1909.
toxic effects on citrous plants. J.A.R., vol. 2, p. 109. 1914.
sodium ratio of irrigation water. J.A.R., vol. 21, pp. 274-277. 1921.
soil—
content, effect of sulphur and gypsum. J.A.R., vol. 30, pp. 456-458. 1925.
relation to iron and aluminum. J.A.R., vol. 11, pp. 660-671. 1917.
solubility, effect of various salts. J.A.R., vol. 9, pp. 153-154. 1917.
solubility, increase by addition of organic matter, studies. J.A.R., vol. 9, pp. 255-268. 1917.
solutions—
effect on solubility of potassium in certain soils. J.A.R., vol. 8, pp. 22-27. 1917.
relations to pea roots, experiments. B.P.I. Bul. 231, pp. 36. 1912.
sources, in food, notes and charts. D.B. 975, pp. 1-10, 11-36. 1921.
starvation experiments. Chem. Bul. 123, pp. 24, 25, 26, 27-29. 1909.
sucrate detection in milk or cream, methods. Chem. Bul. 122, pp. 52-53. 1909.
sulphate—
adulterant of turmeric. Chem. N.J. 996, p. 1. 1911.
determination in plant ash, methods. D.B. 600, p. 18. 1917.
effect on—
alkali soil. J.A.R., vol. 21, p. 271. 1921.
availability of potassium. J.A.R., vol. 20, pp. 616-617. 1921.
growth and oxidation, experiments. Soils Bul. 56, p. 35. 1909.
nitrification of poor soils. B.P.I. Bul. 211, pp. 26-28. 1911.
plant growth. J.A.R., vol. 6, No. 16, pp. 608-609. 1916; J.A.R., vol. 22, pp. 102-110. 1921; J.A.R., vol. 5, No. 16, pp. 771-780. 1916.
plant growth on black alkali soil. J.A.R., vol. 24, pp. 320-326, 335. 1923.

Calcium—Continued.
sulphate—continued.
effect on—continued.
solubility of soil. M. M. McCool and C. E. Millar. J.A.R., vol. 19, pp. 47-54. 1920.
efficiency in removing black alkali. Soils Bul. 52, pp. 84-88. 1908.
in aqueous solutions. Frank K. Cameron and James M. Bell. Soils Bul. 33, pp. 71. 1906.
neutralizing effect on toxicity of other salts. B.P.I. Bul. 113, pp. 14-19, 20. 1907.
soil contamination. Soils Bul. 88, pp. 34-35. 1912.
solutions, solubility of lime. Soils Bul. 49, p. 28. 1907.
translocation in growing beans, corn, and potatoes. J.A.R., vol. 5, No. 11, pp. 452-458. 1915.
withdrawal from soils by crops, rate. J.A.R., vol. 12, pp. 300-301. 1918.
See also Lime; Gypsum.
Calculi—
in—
kidney and bladder, cattle, description, symptoms and treatment. B.A.I. [Misc.], "Diseases of cattle," rev., pp. 139-144, 145. 1912; rev., pp. 136-141, 143. 1916.
prepuce, cattle, treatment, B.A.I. [Misc.], "Diseases of cattle," rev., p. 144. 1923.
stomach and intestines, horse, causes and treatment. B.A.I. [Misc.], "Diseases of the horse," pp. 54-55. 1911.
metalloid of cattle, description. B.A.I. [Misc.], "Diseases of cattle," rev., p. 134. 1904; rev., p. 138. 1912; rev., p. 137-138. 1923.
renal, description. B.A.I. [Misc.], "Diseases of cattle," rev., p. 139. 1923.
siliceous, of cattle. B.A.I. [Misc.], "Diseases of cattle," rev., p. 135. 1904; rev., p. 138. 1912; rev., p. 138. 1923.
urinary, causes—
in cattle, description, various forms and situations. B.A.I. [Misc.], "Diseases of cattle," rev., pp. 137-144, 145. 1912; rev., pp. 134-135. 1916; rev., pp. 130-144. 1923.
in horse, classification, symptoms and treatment. B.A.I. [Misc.], "Diseases of the horse," pp. 94-103. 1911.
symptoms and treatment. F.B. 1155, p. 32. 1921.
See also Stones.
Calcura Solvent, misbranding. Chem. N.J. 3770, p. 1. 1915.
Calcutta Royal Botanic Garden, Annals, accession by Library. An. Rpts., 1911, p. 661. 1912; Lib. A.R., 1911, p. 7. 1911.
Caldcluvia paniculata. See Tiaca.
CALDWELL, J. S.—
"Evaporation of fruits." D.B. 1141, pp. 64. 1923.
"Farm and home drying of fruits and vegetables." F.B. 984, pp. 61. 1918.
"Farm manufacture of unfermented apple juice." F.B. 1264, pp. 56. 1922.
"Some effects of seasonal conditions upon the chemical composition of American grape juices." J.A.R., vol. 30, pp. 1133-1176. 1925.
"Some effects of the blackrot fungus, Sphaeropsis malorum, upon the chemical composition of the apple." With others. J.A.R., vol. 7, pp. 17-40. 1916.
"Studies in the clarification of unfermented fruit juices. D.B. 1025, pp. 30. 1922.
Calendar—
change, discussion. Off. Rec., vol. 3, No. 22, pp. 1, 5. 1924.
seedtime and harvesting. Stat. Bul. 85, pp. 107-111. 1912.
simplification, as aid to publication of scientific data. C. F. Marvin. W.B. Misc.], "Let us simplify * * * ," pp. 7. 1924.
spraying, vegetable garden. S.R.S. Doc. 52, pp. 6-10. 1917.
Calendula—
culture and handling as drug plant, yield, and price. F.B. 663, pp. 17-18. 1915.
description, cultivation and characteristics. F.B. 1171, pp. 57, 79. 1921.

Calendula—Continued.
  flowers, use in drug adulteration. An. Rpts., 1908, p. 472. 1909; Chem. Chief Rpt., 1908, p. 28. 1908.
  growing and uses, harvesting, marketing, and prices. F.B. 663, rev., p. 21. 1920.
  See also Marigold.
Calf(ves)—
  abortion or slinking. James Law. B.A.I. Cir. 67, pp. 11. 1905.
  baby beef, buying or raising. F.B. 811, pp. 15-16. 1917.
  beef—
    care of. News L., vol. 6, No. 44, pp. 6, 7. 1919.
    dehorning and castration. F.B. 1073, p. 21. 1919.
    fattening. Sam H. Ray. Revised by Arthur T. Semple. F.B. 1416, pp. 13. 1924.
    feeding experiments with cottonseed meal, 1910, 1911, 1913-1914. F.B. 655, pp. 2 3. 1915.
    grade, costs of raising to weaning age. D.B. 1024, pp. 15-17. 1922.
    growth and development. E. W. Sheets. F.B. 1135, pp. 32. 1920.
    marketing. F.B. 1416, pp. 1, 12. 1924.
    raising and fattening in Alabama, experiments. Dan T. Gray and W. F. Ward. D.B. 73, 11. 1914.
    raising and finishing on the same farm, costs. F. B. 517, pp. 8-10. 1912.
    raising to 9½ months, cost. D.B. 93, pp. 6-7. 1914.
  birth(s)—
    by months. Y.B. 1921, p. 287. 1922; Y.B. Sep. 874, p. 287. 1922.
    presentations, natural and unnatural, description. B.A.I. [Misc.], "Diseases of cattle," rev., pp. 171, 182-198, 206-208. 1908; rev. 175, 186-203, 212-214. 1912.
  blackleg—
    control by vaccination. Y.B. 1919, p. 77. 1920; Y.B. Sep. 802, pp. 77. 1920.
    symptoms, cause and prevention. F.B. 1135, p. 12. 1920.
    testing spinal fluids. J.A.R., vol. 26, pp. 500, 501, 502. 1923.
  breeding, care, management, and feeding. B.A.I. Doc. A-4 (rev.), pp. 6, 7. 1917.
  care and feeding, rations. News L., vol. 3, No. 13, p. 8. 1915.
  castrating and treatment following. F.B. 949, pp. 9-13. 1918.
  clubs—
    cooperation of bankers in financing. News L., vol. 5, No. 8, p. 6. 1917.
    membership increase in Florida. News L., vol. 6, No. 43, p. 11. 1919.
    North and West, enrollment and work. S.R.S. Rpt., 1921, p. 50. 1921.
    organization, Southern States. B.A.I. Chf. Rpt., 1919, p. 10. 1919; An. Rpts., 1919, p. 82. 1920.
    purebred, sale in Iowa, and prices. News L., vol. 6, No. 31, p. 15. 1919.
    work and profits, North Carolina. News L., vol. 6, No. 40, p. 10. 1919.
    work for increasing dairy products. Sec. Cir. 85, p. 13. 1918.
  condemnation—
    at slaughter, 1907-1921. Y.B. 1921, p. 735. 1922; Y.B. Sep. 870, p. 610. 1922.
    under inspection, causes, 1907-1924. Y.B., 1924, p. 964. 1925.
  congenital imperfections, treatment. B.A.I. [Misc.], "Diseases of cattle," rev., p. 259. 1908.
  cost and value, comparison with yearlings. Rpt. 111, pp. 59-60. 1916.
  cost at weaning time, experiments. D.B. 615, pp. 3-5. 1917.
  crop—
    increase on fenced-in ranges over unfenced. D.B. 1001, 38-39. 1922.
    increasing on ranges during drought condition. D.B. 1031, pp. 58-64. 1922.
  dairy—
    and young dairy stock, feeding and management. W. K. Brainerd and H. P. Davis. F.B. 777, pp. 20. 1917; F.B. 1336, pp. 18. 1923.

Calf(ves)—Continued.
  dairy—continued.
    cows fed on prickly pears. J.A.R. vol. 4, pp. 426-427. 1915.
    feeding and care. Sec. [Misc.], Spec., "The feeding * * * calves," pp. 4. 1914.
    feeding, directions. F.B. 430, pp. 8-10. 1911.
    use in veal production. Y.B. 1922, pp. 338, 339. 1923; Y.B. Sep. 879, pp. 47-49. 1923.
  dehorning—
    and treatment following. F.B. 949, pp. 4-9. 1918.
    castration and vaccination. F.B. 811, p. 17. 1917; F.B. 1416, p. 8. 1924.
    directions. B.A.I. An. Rpt., 1907, pp. 305-306. 1909; B.A.I. [Misc.], "Diseases of cattle," rev., p. 299. 1912; F.B. 350, pp. 13-14. 1909.
  diarrhea—
    caused by abortion bacillus. B.A.I. An. Rpt., 1911, pp. 157-158. 1913.
    causes, symptoms, and treatment. B.A.I. [Misc.], "Diseases of cattle," rev., pp. 34-35, 259-268. 1912.
  diphtheria—
    cause, symptoms, prevention, and treatment. B.A.I. [Misc.], "Diseases of cattle," rev., pp. 451-456, 521. 1908; B.A.I. [Misc.], "Diseases of cattle," rev., pp. 470-474, 546. 1912.
    occurrence of necrotic stomatitis. B.A.I. Bul. 67, pp. 1-48. 1905.
    relation to necrosis bacillus. B.A.I. An. Rpt., 1904, pp. 77-80. 1906.
  dipping for lice. F.B. 1073, p. 21. 1919.
  diseases—
    causes, symptoms, and treatment. B.A.I. [Misc.], "Diseases of cattle," rev., pp. 252-268. 1912.
    description and control. F.B. 777, pp. 16-17. 1917; F.B. 1135, pp. 11-14. 1920; F.B. 1336, pp. 15-16. 1923.
    description, causes, and control. B.A.I. [Misc.], "Diseases of cattle," rev., pp. 247-263. 1923.
    See also Cattle diseases.
  elk, feeding in "creeps," experiments. An. Rpts., 1923; p. 454. 1924; Biol. Chief Rpt., 1923, p 36. 1923.
  embryo, abortion infection relation, discussion. J.A.R., vol. 9, pp. 9, 15-16. 1917.
  fall-born, management and feeding, calendar. F.B. 811, p. 20. 1917.
  fall or spring, advantages and disadvantages, and management. F.B. 811, p. 15. 1917; F.B. 1416, pp. 6, 9. 1924.
  fattening—
    comparison with mature cattle. F.B. 1416, pp. 1-2. 1924.
    cost of different feeds, experiments. F.B. 517, pp. 9-10. 1912.
    equipment and shelter. F.B. 1416, pp. 8-9. 1924.
    experiments in—
      Alabama, plan of work. B.A.I. Bul. 147, pp. 8, 10, 23, 28, 35-36. 1912.
      Mississippi, 1915-1916. News L., vol. 4, No. 8, pp. 7, 8. 1916.
    feed, rations, cost, etc., experiments. F.B. 580, pp. 6-8, 20. 1914.
    in Alabama. Dan T. Gray and W. F. Ward. B.A.I. Bul. 147, pp. 40. 1912.
    with cottonseed, corn, and alfalfa. D.B. 631, pp. 21-39. 1918.
  feed—
    adulteration and misbranding. See *Indexes, Notices of Judgment, in bound volumes, and in separates published as supplements to Chemistry Service and Regulatory Announcements.*
    and feeding. News L., vol. 5, No. 33, p. 8. 1918.
    and pasture requirements per head. Y.B., 1907, pp. 392-395. 1908; Y.B. Sep. 456, pp. 392-395. 1908.
    preparation. B.A.I. An. Rpt., 1905, p. 203. 1907.
    recommendations. F.B. 1135, pp. 14-15, 17. 1920.
  feeding—
    after weaning, composition of feeds. J.A.R., vol. 26, pp. 437-438. 1923.

INDEX TO PUBLICATIONS, 1901–1925   337

Calf(ves)—Continued.
  feeding—continued.
    before and after weaning. F.B. 1135, pp. 14–19. 1920.
    cost. D.B. 49, pp. 6–8, 10–11, 13, 18, 19, 20. 1914.
    cottonseed, precautions. F.B. 1179, p. 11. 1923.
    cowpeas, value. F.B. 1153, p. 10. 1920.
    directions. M.C. 12, pp. 16–17, 24. 1924.
    during first five weeks, directions. F.B. 777, pp. 7–8. 1917.
    experiments—
      1909. F.B. 381, pp. 14–23. 1909.
      Alabama, weights, and gains. B.A.I. Bul. 147, pp. 13–16, 20, 21, 24, 31–32, 34–35, 36. 1912.
      Iowa. F.B. 704, p. 34. 1916.
      Louisiana. An. Rpts., 1908, p. 272. 1909; B.A.I. Chief Rpt., 1908, p. 58. 1908.
      for baby beef, different systems. F.B. 811, pp. 16–17, 20, 21. 1917.
      for dairy. F.B. 430, pp. 8–10. 1911.
      foreign countries, methods. F.B. 381, pp. 19–23. 1909.
      from birth to weaning time, and to market. F.B. 1416, pp. 7, 9–11. 1924.
    in—
      Alabama and Mississippi, five year's work. Clarence E. Clement and Gustav P. Warber. D.B. 631, pp. 54. 1918.
      beef-cattle herds. F.B. 1073, pp. 12–13, 17–18, 19. 1919.
      South, discussion. Y.B., 1913, pp. 275–278. 1914; Y.B. Sep. 627, pp. 275–278. 1914.
      management on Missouri farm. F.B. 588, p. 16. 1914.
      milk and other foods required. B.A.I. Doc. A–37, p. 9. 1922.
      on ranges. D.B. 1031, pp. 67–68, 79. 1922.
      regulations. News L., vol. 6, No. 52, p. 13. 1919.
      rules. F.B. 1135, pp. 18–19. 1920.
      summary of five-year experiments. D.B. 631, pp. 48–53. 1918.
      tuberculous milk, results. B.A.I. Cir. 118, p. 9. 1907.
      value of emmer. F.B. 466, p. 17. 1911.
    gains, winter and pasture. E. W. Sheets and R. H. Tuckwiller. D.B. 1042, pp. 15. 1922.
    growth on hay and grain feeds after weaning. J.A.R., vol. 26, pp. 439–446. 1923.
    health, effects of—
      feed of mother. B.A.I. [Misc.], "Diseases of cattle," rev., p. 252–255. 1908; rev., pp. 261–263. 1909.
      unsanitary stabling. B.A.I. [Misc.], "Diseases of cattle," rev., p. 252. 1908.
    heifer, necessity and value of raising for cows. News L., vol. 6, No. 3, p. 8. 1918.
    horn—
      development. B.A.I. An. Rpt., 1907, p. 306, 1907. F.B. 350, p. 14. 1909.
      prevention. F.B. 777, p. 14. 1917.
    immature, meat, enforcement of law. An. Rpts., 1909, p. 222. 1910; B.A.I. Chief Rpt., 1909, p. 32. 1909.
    increase in number and improvement in grade on ranges. D.B. 588, pp. 20–23, 30. 1917.
    increase on forest ranges by improved methods, and feeding. News L., vol. 5, No. 22, p. 8. 1917.
    infection with necro-bacillosis. B.A.I. An. Rpt., 1911, p. 55. 1913.
    infection with tuberculosis. F.B. 1069, pp. 7, 11. 1919.
    injury by cottonseed meal rations. F.B. 1179, pp. 2, 11, 12. 1920.
    inoculation with—
      anthrax serum, experiments. J.A.R., vol. 8, pp. 44–45. 1916.
      Bacillus necrophorus, experiments. B.A.I. Bul. 67, pp. 26–29. 1905.
      Coccidioides immitis, experiments. J.A.R., vol. 14, pp. 537–539. 1918.
      tubercle bacilli. B.A.I. An. Rpt., 1906, pp. 118, 121, 122, 123, 125. 1908.
      vaccine virus, experiments, details. B.A.I. Cir. 147, pp. 15–21, 24–25. 1909.

Calf(ves)—Continued.
  inoculation with—continued.
    vaccine virus, foot-and-mouth disease, experiments. B.A.I. [Misc.], "Instructions * * * foot-and-mouth disease," pp. 9–15, 17–21. 1915.
  inspection—
    and condemnations, 1907–1914. Y.B. 1914, pp. 639, 640. 1915; Y.B., Sep. 656, pp. 639, 640. 1915.
    diseases for which condemned. An. Rpts., 1913, p. 85. 1914; B.A.I. Chief Rpt., 1913, p. 15. 1913.
  keeping, cost, for first four weeks, note. News L., vol. 3, No. 14, p. 7. 1915.
  late, fattening for market. D.B. 631, pp. 39–48. 1918.
  losses from cattle tick. B.A.I. [Misc.], "Story of cattle fever tick," rev., p. 18. 1922.
  management and feeding schedule for fifteen months. F.B. 1416, p. 9. 1924.
  market statistics, prices, shipments, etc., 1910–1920. D.B. 982, pp. 3–4, 7–21. 1921.
  marking for identification, methods. F.B. 777, pp. 14–16. 1917.
  meal, recipes and directions for use. F.B. 777, p. 11. 1917.
  meat, hearts and livers, regulation. B.A.I. S.R.A. 193, p. 47. 1923.
  mouth disease, aphtha, symptoms and treatment. B.A.I. [Misc.], "Diseases of cattle," rev., p. 19. 1912.
  necrotic stomatitis (diphtheria) and sore mouth of pigs. John R. Mohler and George Byron Morse. B.A.I. Bul. 67, pp. 48. 1905.
  newborn—
    breath suspended, treatment. B.A.I. [Misc.], "Diseases of cattle," rev., p. 244. 1908; rev., p. 247. 1923.
    care and feeding. F.B. 1073, p. 11. 1919.
  number—
    increase on western ranges, methods. Rpt. 110, pp. 23–24, 54, 61, 76, 79, 86, 89, 96. 1916.
    raised in 1919, map. Y.B., 1921, p. 475. 1922; Y.B. Sep. 878, p. 69. 1922.
    slaughtered, 1909. F.B. 1055, p. 4. 1919.
  nutrition studies. Work and Exp., 1919, p. 71. 1921.
  parasites and diseases affecting. F.B. 1073, pp. 21–22. 1919.
  pasture, management. F.B. 1416, p. 11. 1924.
  pens, stanchions, and feeding racks. F.B. 777, pp. 12–14. 1917.
  preparing for show or sale, directions. F.B. 1135, pp. 19–29. 1920.
  prize, keeping for breeding purposes. F.B. 1135, pp. 29–30. 1920.
  production—
    cost. Off. Rec., vol. 3, No. 28, p. 3. 1924.
    effect of varying quantities of winter feed, cost. D.B. 615, pp. 4–5, 6–8. 1917.
    increase on grazing ranges, 1916 methods. News L., vol. 5, No. 26, p. 3. 1918.
    under different feeding methods. D.B. 1024, pp. 8–9. 1922.
  profit per cow, Minnesota. Stat. Bul. 88, p. 38. 1911.
  protection against screw-worms. F.B. 857, pp. 10, 12. 1917.
  protein requirements, studies. Work and Exp., 1919, p. 18. 1921.
  purebred, infection with tuberculosis. B.A.I. Bul. 32, p. 22. 1901.
  raising—
    cost—
      feed, labor. D.B. 49, pp. 5–20. 1914.
      for various ages. B.A.I. Bul. 131, pp. 19–22. 1911.
      summary and details. Rpt., 111, pp. 6–9, 40–50. 1916.
    credit against cost of milk. D.B. 858, pp. 7, 9, 26–27. 1920.
    equipment. F.B. 1135, pp. 8–11. 1920.
    for baby beef, cost, and requirements. Y.B., 1921, pp. 266–268. 1922; Y.B., Sep. 874, pp. 266–268. 1922.
    milk requirement minimum. A. C. Ragsdale and C. W. Turner. J.A.R., vol. 26, pp. 437–446. 1923.
    project, suggestions and references. S.R.S. Doc. 73, pp. 6–7. 1918.

Calf(ves)—Continued.
  range crop, effect of drought. F.B. 1428, pp. 1-2. 1925.
  rations. D.B. 631, pp. 6, 8, 10, 14-15, 16, 17, 23, 24, 25, 31, 32, 33, 44, 50. 1918.
  rearing and care. F.B. 355, pp. 18-19. 1909.
  receipts and shipments. B.A.I. An. Rpt., 1904, pp. 524-552. 1906.
  receipts and shipments at stock centers, 1906. B.A.I. An Rpt., 1906, pp. 320-322. 1908.
  relation to dairy industry. Y.B. 1922, p. 283. 1923; Y.B. Sep. 879, p. 3. 1923.
  scours—
    causes and control. Sec. [Misc.] Spec., "The feeding and care * * *," p. 4. 1914.
    causes, symptoms, and treatment. B.A.I. Cir. 68, rev., pp. 10-11. 1908.
    control. F.B. 381, p. 20. 1909.
    treatment. F.B. 233, p. 25. 1905; F.B. 273, p. 17. 1906.
  selection for—
    breeding purposes, and judging. F.B. 1135, pp. 6-8. 1920.
    club work, time, and kind of animals. F.B. 1135, pp. 3-8. 1920.
  separation from cow, and teaching to drink milk. F.B. 777, pp. 3-4. 1917.
  septic pleuropneumonia, symptoms. F.B. 1018, p. 4. 1918.
  shelter and lots in South. D.B. 631, p. 4. 1918.
  silage rations. F.B. 578, pp. 16-20. 1914.
  skim-milk—
    feeding methods. F.B. 233, pp. 22-25. 1905.
    use for baby beef, discussion. B.A.I. Chief Rpt., 1905, pp. 198-203. 1907.
  skinning, directions for farmers. F.B. 1055, pp. 22-27. 1919.
  slaughter under Federal inspection. Y.B. 1921, pp. 291, 316. 1922; Y.B., Sep. 874, pp. 291, 316. 1922.
  slinking—
    causes, prevention, and treatment. B.A.I. [Misc.], "Diseases of cattle," rev., pp. 161-170. 1908; rev., pp. 165-174. 1912.
    See also Abortion.
  sour skim-milk as feed. News L. vol. 1, No. 49. 1914.
  spraying for lice. F.B. 1073, p. 21. 1919.
  spring-born, management and feeding, calendar. F.B. 811, p. 20. 1917.
  stanchions, construction, school exercise. D.B. 527, pp. 35-36. 1917.
  statistics, 1900-1924. Y.B., 1924, pp. 840-848, 855-862, 968-969, 971-972. 1925.
  statistics, receipts and shipments at trade centers. Rpt. 98, pp. 287, 303-306. 1913.
  stocker—
    quality and age, and number supplied by leading markets. F.B. 1218, pp. 9-10. 1921.
    raising in the Corn Belt, feeds and cost. F.B. 1218, pp. 3-8. 1921.
    winter rations. F.B. 1218, p. 8. 1921.
  susceptibility to scabies. B.A.I. Bul. 40, p. 8. 1902.
  tapeworm infestation, and treatment. B.A.I. [Misc.], "Diseases of cattle," rev., p. 510. 1908; rev., p. 534. 1912.
  testing for tuberculosis. News L., vol. 6, No. 45, p. 4. 1919.
  training to halter. F.B. 1135, p. 19. 1920.
  transportation and handling for exhibition. F.B. 1135, pp. 28-29. 1920.
  tuberculous cows—
    rearing free from disease. B.A.I. [Misc.], "Diseases of cattle," rev., p. 419. 1908.
    treatment. Alaska Bul. 5, pp. 9-10. 1924.
  type suitable for—
    baby beef. F.B. 811, p. 9. 1917.
    fattening, description. F.B. 1416, p. 3. 1924.
  umbilical hernia, causes and treatment. B.A.I. [Misc.], "Diseases of cattle," rev., pp. 41-43, 248-249. 1908.
  unborn—
    abnormal conditions, treatment. B.A.I. [Misc.], "Diseases of cattle", rev., pp. 176-204. 1908; rev., pp. 180-209. 1912; rev., pp. 179-201. 1923.
    dissection, directions. B.A.I. [Misc.], "Diseases of cattle," rev., pp. 198-204. 1908; rev., pp. 204-209. 1912.

Calf(ves)—Continued.
  value—
    as credit against cost of keeping cows. D.B. 501, p. 16. 1917; D.B. 919, p. 9. 1920; D.B. 923, pp. 7, 18. 1921; D.B. 955, pp. 4-6, 11. 1921; D.B. 972, pp. 6, 16. 1921; D.B. 1101, pp. 5, 15. 1922.
    at birth, grades and pure-bred. D.B. 49, p. 17. 1914.
  veal—
    marketing methods, by States and by sections. Rpt. 113, pp. 9-10, 13, 15. 1916.
    prices—
      1910-1914. Rpt. 113, p. 65. 1916.
      1912-1915, to farmers. News L., vol. 2, No. 42, p. 1. 1915.
      1912-1918, advance. News L., vol. 6, No. 33, p. 2. 1919.
    weaner, description. F.B. 1422, p. 4. 1924.
  weaning—
    directions. F.B. 1135, p. 17. 1920.
    feed. B.A.I. An. Rpt., 1905, pp. 197, 198, 200-201. 1907.
    time on dairy farms. News L., vol. 4, No. 30, p. 3. 1917.
  white scours, investigations, inoculation experiments. An. Rpts., 1914, p. 87. 1914; B.A.I. Chief Rpt., 1914, p. 31. 1914.
  winter—
    fattening, breeds, feed varieties, methods. B.A.I. Bul. 147, pp. 9-11, 22, 23-26, 28-29, 37-38, 40. 1912.
    rations, effect on pasture gains. E. W. Sheets and R. H. Tuckwiller. D.B. 1042, pp. 15. 1922.
  young—
    care, school lesson. D.B. 258, pp. 8-9. 1915.
    digestion of starch. J.A.R., vol. 12, pp. 575-578. 1918.
    diseases of. James Law. B.A.I. [Misc.], "Diseases of cattle," rev., pp. 244-260. 1904; rev., pp. 244-260. 1908; rev., pp. 252-268. 1912; rev., pp. 247-263. 1923.
    See also Beef, baby; Cattle; Livestock.
Calfskins—
  exports and imports, statistics. Y.B., 1921, pp. 738, 744, 765. 1922; Y.B. Sep. 867, pp. 2, 8, 29. 1922.
  imports, 1922-1924. Y.B., 1924, p. 1058. 1925.
  production, foreign trade, supply, and consumption. Y.B., 1917, pp. 433-444. 1918; Y.B. Sep. 741, pp. 11-22. 1918.
Calicarpa macrophylla, importation and description. No. 47838, B.P.I. Inv. 59, p. 66. 1922.
Calico bush. See Laurel, mountain.
"Calico" disease, tobacco. See Mosaic, tobacco.
Calicoback. See Harlequin cabbage bug.
Calidris—
  arenaria. See Sanderling.
  leucophaea, breeding range and migration habits. Biol. Bul. 35, pp. 48-50. 1910.
California—
  acacia culture, history, and species. D.B. 9, pp. 6-8, 12-15, 22-25, 26, 29-30. 1913.
  acala cotton, production in, San Joaquin Valley. Wofford B. Camp. D.C. 357, pp. 24. 1925.
  agricultural—
    extension work, statistics. D.C. 253, pp. 3, 4, 7, 10-11, 17, 18. 1923.
    high schools. O.E.S. Cir. 83, p. 22. 1909.
    situation. Elwood Mead. O.E.S. Bul. 100, pp. 17-69. 1901.
  alfalfa—
    acreage in 1919. F.B. 1283, p. 3. 1922.
    caterpillar, history, and control work. D.B. 124, pp. 4-8, 32-34. 1914.
    looper depredations. Ent. Bul. 95, Pt. VII, pp. 109-118. 1912.
  alkali conditions in the Salton Basin, relation to date culture. B.P.I. Bul. 53, pp. 101-114. 1904.
  Almond Growers Exchange, a type of cooperation. D.B. 547, pp. 42-43. 1917.
  almonds, production districts. D.B. 1282, pp. 1-3. 1924.
  Amargosa Valley, nitrate prospects. E. E. Free. Soils Cir. 73, pp. 6. 1912.
  and Arizona citrus thrips, control. J. R. Horton. F.B. 674, pp. 15. 1915.

California—Continued.
Angora goats, exportations to foreign countries. F.B. 573, p. 3. 1914.
antelope, number and distribution. D.B. 1346, pp. 25-27. 1925.
apple—
 browning, experimental investigations and investigators. D.B. 1104, pp. 1-4, 6-24. 1922.
 growing, localities, varieties, and production. D.B. 485, pp. 6, 38-47. 1917; Y.B., 1918, pp. 370, 375, 378. 1919; Y.B. Sep. 767, pp. 6, 11, 14. 1919.
 spraying, schedule and methods. D.B. 120, pp. 17-21, 25, 26. 1914.
 storage, investigations. An. Rpts., 1917, pp. 159-160. 1918; B.P.I. Chief Rpt., 1917, pp. 29-30. 1917.
appropriations for agricultural education. O.E.S. An. Rpt., 1910, pp. 351-352. 1911.
Argentine ant, injuries and control methods. F.B. 928, pp. 3, 5-6, 9, 10, 12-19. 1918.
Argentine ant, occurrence and distribution. Ent. Bul. 122, pp. 15-16. 1913.
asparagus crop, acreage and value, 1909. F.B. 829, pp. 3, 4. 1917.
associations, fruit and truck growers. Rpt. 98, pp. 168-202. 1913.
Australian saltbush, spread and pasture value. D.B. 617, pp. 1-2, 3-6. 1919.
avocado(s)—
 changes in composition during growth. C. G. Church and E. M. Chace. D.B. 1073, pp. 22. 1922.
 growing, varieties, and progress of industry. Hawaii A.R., 1915, pp. 70-72. 1916.
bamboo experiments. D.B. 1329, pp. 2-3. 1925.
Bard—
 Experiment Farm for plant breeding, establishment. D.B. 332, p. 11. 1916.
 soil testing in relation to Egyptian cotton. B.P.I. Cir. 112, pp. 17-20, 22-24. 1913.
 testing garden work on Egyptian cotton. D.B. 742, p. 11. 1919.
barley—
 breeding studies and experiment. D.B. 137, pp. 3, 10-22. 1914.
 crop, 1868-1906, acreage, production, and value. Stat. Bul. 59, pp. 8-26, 36. 1907.
 shipments to New York, 1914. F.B. 645, p. 13. 1914.
Bay area, soils, nitrification studies. J.A.R., vol. 7, pp. 56-59. 1916.
bean—
 thrips, occurrence and depredation on various crops. Ent. Bul. 118, pp. 7, 16-17, 28-39, 40-42. 1912.
 thrips, seasonal history, study. Ent. Bul. 118, pp. 31-39. 1912.
 weevil investigations. J.A.R., vol. 26, pp. 609-616. 1923.
bears, description and characters. N.A. Fauna 41, pp. 29-33, 72-76, 87. 1918.
bee—
 and honey statistics. D.B. 685, pp. 7, 10, 13, 15, 17, 18, 20, 22, 24, 27, 30, 31. 1918.
 and honey statistics, 1914-1915. Bul. 325, pp. 2, 3, 4, 5, 6, 9, 10, 11, 12. 1915.
 diseases, occurrence. Ent. Cir. 138, p. 4. 1911.
beekeeping, products. Ent. Bul. 75, Pt. VI, p. 63. 1909.
beet-sugar industry—
 1903. Misc., "Progress of beet-sugar industry * * * 1903," pp. 52-54, 134-138. 1903.
 1904. Rpt. 80, pp. 42-45, 101-104. 1905.
 1906, factories, repot. Rpt. 84, pp. 48-56. 1907.
 1907, factories, location and capacity. Rpt. 86, pp. 35-39, 71. 1908.
 1908, factories, location, use of by-products. Rpt. 90, pp. 26-29, 51, 60. 1909.
 1909, development and conditions. Rpt. 92, pp. 21-25. 1910.
 1912, factories, statistics. B.P.I. Bul. 260, pp. 15, 18, 19, 29, 30, 69, 71-72. 1912.
 1912-1917, production. Sec. Cir. 86, p. 17. 1918.
 factories, water supply, cost. F.B. 392, p. 43. 1910.
Berkeley, headquarters of farm-irrigation division. An. Rpts., 1918, p. 387. 1919; Rds. Chief Rpt., 1918, p. 15. 1918.

California—Continued.
Bermuda onion growing, acreage and conditions. B.P.I.C.P. and B.I. Cir. 3, pp. 1-2. 1917.
Bieber, removal from list of terminal inspection ports. F.H.B.S.R.A. 26, p. 36. 1916.
Biggs Rice Field Station—
 establishment and work. F.B. 1141; pp. 3-4. 1920.
 rice experiments. Jenkin W. Jones. D.B. 1155, pp. 60. 1923.
bird(s)—
 protection. See Bird protection, officials.
 relation to fruit industry—
  Pt. I. F.E.L. Beal. Biol. Bul. 30, pp. 100. 1907.
  Pt. II. F.E.L. Beal. Biol. Bul. 34, pp. 96. 1910.
 reports from observers, 1918, 1920. D.B. 1165, pp. 14-15, 23. 1923.
blue gum, yield and return. T. D. Woodbury. For. Cir. 210, pp. 8. 1912.
boll-weevil quarantine regulations. Ent. Bul. 114, p. 165. 1912.
border-field irrigation, practices, and suggestions. F.B. 1243, pp. 34-41. 1922.
bounty laws, 1907. Y.B., 1907, p. 560. 1908; Y.B. Sep. 473, p. 560. 1908.
broad-bean weevil occurrence, records, and distribution. D.B. 807, pp. 3-4. 1920; Ent. Bul. 96, Pt. V, pp. 64-65. 1912.
bubonic plague, 1907. Biol. Bul. 33, p. 32. 1909.
buckwheat crops, 1868-1896, acreage, production, and value. Stat. Bul. 61, pp. 5-14, 24. 1908.
bulb-growing experiments. An. Rpts., 1919, p. 149. 1920; B.P.I. Chief Rpt., 1919, p. 13. 1919; D.B. 797, pp. 8, 15, 18, 21, 34. 1919.
bur-clover growing, uses, and value. B.P.I. Bul. 267, pp. 7-17. 1913.
Butte County, irrigation conditions. O.E.S. Bul. 207, pp. 64-74. 1909.
butter analyses. B.A.I. Bul. 149, p. 15. 1912.
cabbage—
 flea-beetle, occurrence and injuries to crops. D.B. 902, pp. 4, 6, 7. 1920.
 production, acreage, yield, and shipments. D.B. 1242, pp. 4, 7, 14, 15, 18, 23, 47, 49-52. 1924.
Calexico, water-meter testing, experiments. J.A.R., vol. 2, pp. 77-79. 1914.
Campo (San Diego) designation as animal quarantine station. B.A.I.O. 142, Amdt. 5, p. 1. 1909; B.A.I. An. Rpt., 1909, p. 351. 1911.
canals—
 concrete-lined, capacity, cost, and other data. D.B. 126, pp. 42-45, 61-62, 77-78, 81, 83. 1915.
 seepage measurements. D.B. 126, pp. 4-9. 1915.
cantaloupe(s)—
 composition and maturity. E. M. Chace and others. D.B. 1250, pp. 27. 1924.
 shipments, 1914. D.B. 315, pp. 17, 18. 1915.
 shipments to New York, conditions. F.B. 1145, pp. 4, 5, 7, 13, 14, 16, 17, 18, 19. 1921.
cattle—
 conditions prior to commencement of eradication of cattle ticks. B.A.I. An. Rpt., 1909, pp. 283-285. 1911; B.A.I. Cir. 174, pp. 283-285. 1911.
 shortage. Off. Rec., vol. 3, p. 3. 1924.
tick—
 conditions, 1911. B.A.I. An. Rpt., 1910, p. 257. 1912; B.A.I. Cir. 187, p. 257. 1912.
 eradication, effect. B.A.I. [Misc.], "Progress and results of cattle-tick eradication," pp. 6-7. 1914.
 eradication work, 1909. B.A.I. An. Rpt., 1909, pp. 283-300. 1911; B.A.I. Cir. 174, pp. 283-300. 1911.
celery growing localities. F.B. 1269, p. 4. 1922.
cement factories, potash content and loss. D.B. 572, p. 4. 1917.
chaparral, studies in dwarf forests. Fred G. Plummer. For. Bul. 85, pp. 48. 1911.
cherry growing. D.B. 350, pp. 2, 3. 1916.
Chico—
 cactus growing. D.B. 31, pp. 1-24. 1913.
 cereal-growing experiments. Victor H. Florell. D.B. 1172, pp. 34. 1923.

340 UNITED STATES DEPARTMENT OF AGRICULTURE

California—Continued.
 Chico—continued.
  Garden, Plant Introduction—
   cactus varieties growing, methods, yields. F.B. 1072, pp. 6, 9, 14, 16, 17. 1920.
   work, 1907. An. Rpts., 1907, pp. 338-339. 1908.
   work, 1908. An. Rpts., 1908, pp. 405-407. 1909; B.P.I. Chief Rpt., 1908, pp. 133-135. 1908.
   work, 1909. B.P.I. Chief Rpt., 1909, pp. 107, 110. 1909; An. Rpts., 1909, pp. 359, 363. 1910.
   work, 1910. An. Rpts., 1910, pp. 355-356. 1911; B.P.I. Chief Rpt., 1910, pp. 85-86. 1910.
   1911. An. Rpts., 1911, p. 335. 1912; B.P.I. Chief Rpt., 1911, p. 87. 1911.
   work, 1912. An. Rpts., 1912, pp. 422, 424. 1913; B.P.I. Chief Rpt., 1912, pp. 42, 44. 1912.
   work, 1916. Y.B., 1916, pp. 135, 136, 139-142. 1917. Y.B. Sep. 687, pp. 1, 2, 5-8. 1917.
   prickly pear experimental plantings. B.P.I. Bul. 140, p. 12. 1909.
   station, Australian wheat tests, growing, milling, and baking. D.B. 877, pp. 9, 14-17, 20-22. 1920.
 Chula Vista, corn-breeding experiments. J.A.R., vol. 11, pp. 552-554, 558. 1917.
 citrus—
  districts, cultural practices. D.B. 499, pp. 3-4. 1917.
  Experiment Station, orange fertilizers, studies. J.A.R., vol. 8, pp. 127-129. 1917.
 fruit—
  acreage. Sec. [Misc.], Spec. "Geography * * * world's agriculture," pp. 89, 90. 1917.
  cooperative marketing. D.B. 1237, pp. 1-68. 1924.
  industry. B.P.I. Bul. 123, pp. 9-20. 1908.
  industry, organization, 1910, extent, and value. Y.B., 1910, pp. 396, 403-405. 1911; Y.B. Sep. 546, pp. 39, 403-405. 1911.
  injury from mealybug. D.B. 1117, p. 1. 1922
  marketing. Rpt. 98, pp. 169-171, 175-179, 184-187. 1913.
  groves, plowsole, relation to soil colloids. J.A.R., vol. 15, pp. 505-519. 1918.
  growing, experiments with manures. J.A.R., vol. 9, pp. 255-268. 1917.
  mealybug, control methods. Arthur D. Borden. F.B. 1309, pp. 11. 1923.
 orchards—
  control of Argentine ant. R. S. Woglum and A. D. Borden. D.B. 965, pp. 43. 1921.
  fumigation for insect pests. F.B. 1321, pp. 1-59. 1923.
  injury by fluted scale, and remedy. Y.B., 1916, pp. 274, 276-277. 1917; Y.B. Sep. 704, pp. 2, 4-5. 1917.
  mealybug control. R. S. Woglum and J. D. Neuls. F.B. 862, pp. 16. 1917.
  mulched-basin irrigation, results. D.B. 499, pp. 15-16, 18-23, 26-28. 1917.
  thrips, distribution and injury to fruit. D.B. 616, pp. 2, 5-7. 1918.
 trees—
  fumigation. Ent. Bul. 90, pp. 1-81. 1912.
  fumigation, cost reduction. Sec. A.R., 1911, p. 110. 1911; Y.B., 1911, p. 110. 1912; An. Rpts., 1911, p. 112. 1912.
  injury by gummosis. J.A.R., vol. 24, pp. 191, 193, 195, 230. 1923.
  pruning, investigations. F.B. 1333, pp. 1-32. 1923.
 varieties, importance. Y.B., 1919, pp. 249-250. 1920; Y.B. Sep. 813, pp. 249-250. 1920.
 Clear Lake Reservoir, bird reservation establishment, 1911. An. Rpts., 1911, p. 122. 1912; Sec. A.R., 1911, p. 120. 1911; Y.B., 1911, p. 120. 1912.
 climate—
  correspondence to Guatemalan elevations. D.B. 743, pp. 20, 32. 1919.
  population, industries, value, and transportation facilities. O.E.S. Bul. 237, pp. 9-14. 1911.
  rainfall, humidity and temperature records. B.P.I. Bul. 192, pp. 19-20, 32, 38, 40. 1911.

California—Continued.
 climatic—
  conditions in relation to fruit-fly, discussion. J.A.R., vol. 3, pp. 324-328. 1915.
  conditions, unfavorable to citrus scab. D.B. 1118, p. 19. 1923.
 climatology. Alexander G. McAdie. W.B. Bul. L., pp. 270. 1903.
 closed season for shorebirds and woodcock. Y.B., 1914, p. 293. 1915; Y.B. Sep. 642, p. 293. 1915.
 club wheat growing. F.B. 1303, pp. 3, 4. 1923.
 Coachella Valley, physiography, soils, and vegetation. J.A.R., vol. 28, pp. 723, 725-727, 763. 1924.
 coast—
  freedom from yellow fever, cause. F. B. 547, p. 13. 1913.
  kelp beds. Rpt. 100, pp. 33-49. 1915.
 codling moth on pears, life history and control. S. W. Foster. Ent. Bul. 97, Pt. II, pp. 13-51. 1911.
 Colusa County—
  irrigation system, history and management. O.E.S. Bul. 207, pp. 59-64. 1909.
  See also California, soil survey of Marysville area; Woodland area.
 Contra Costa County—
  pears, spraying experiments. Ent. Bul. 97, Pt. II, pp. 33-49. 1911; Ent. Bul. 97, pp. 41-49. 1913.
  See also California, San Francisco Bay region.
 convict road-work, laws. D.B. 414, pp. 195-196. 1916.
 cooperative—
  experiment vineyards, location, and work. B.P.I. Bul. 172, pp. 28-29. 1910.
  organizations, statistics, details, and laws. D.B. 547, pp. 9, 12, 14, 32, 36, 38-39, 41-43, 67. 1917.
 corn—
  breeding, tests. B.P.I. Bul. 218, pp. 20, 24-30, 65, 66. 1912.
  production—
   1868-1906, acreage and value. Stat. Bul. 56, pp. 8-27, 37. 1907.
   1868-1915 and prices. D.B. 515, p. 15. 1917.
   movements, consumption, and prices. D.B. 696, pp. 15, 16, 21, 28, 30, 33, 36, 38, 41, 45. 1918.
 Corona district, climatic conditions and citrus fruits. D.B. 821, pp. 1-3. 1920.
 cotton—
  boll weevil quarantine. Ent. Bul. 114, p. 165. 1912.
  growers' cooperative work, oil mill and ginnery. Y.B., 1912, pp. 446-447. 1913; Y.B. Sep. 605, pp. 446-447. 1913.
  growing conditions, progress. D.B. 742, pp. 5-11, 15-16, 21, 24-27. 1919.
  production—
   1913. B.P.I. Cir. 132, p. 12. 1913.
   1916 and 1917. D.B. 733, pp. 5, 7-8. 1918.
   1919. An. Rpts., 1919, p. 152. 1920; B.P.I. Chief Rpt. 1919, p. 16. 1919.
   1921. Y.B., 1921, p. 372. 1922; Y.B. Sep. 877, p. 372. 1922.
   and yield. D.B. 896, pp. 3-4. 1920.
   extension. O. F. Cook. D.B. 533, pp. 16. 1917.
   one-variety communities. D.B. 1111, pp. 38, 42, 43, 45. 1922.
   one-variety movement. Off. Rec., vol. 4, No. 31, p. 3. 1925.
   varieties. J.A.R., vol. 1, p. 95. 1913.
 court decisions on nonresident license laws. Biol. Bul. 19, p. 49. 1904.
 creameries cooperative. Y.B., 1922, p. 387. 1923; Y.B. Sep. 879, p. 92. 1923.
 credits, farm-mortgage loans, costs and sources. D.B. 384, pp. 2, 3, 6, 8, 9, 10, 11, 14. 1916.
 crop—
  conditions—
   1912-1914. F.B. 598, p. 14. 1914; F.B. 611, p. 11. 1914; F.B. 620, p. 8. 1914; F.B. 645, p. 10. 1914.
   April, 1914. F.B. 590, p. 10. 1914.
   May, 1914, tables. F.B. 598, pp. 14, 21. 1914.
   June 1, 1914. F.B. 604, p. 8. 1914.
   Oct. 1, 1914, estimates. F.B. 629, p. 12. 1914.

INDEX TO PUBLICATIONS, 1901–1925   341

California—Continued.
crop—continued.
  conditions—continued.
    Nov. 1, 1914, with comparisons. F.B. 641, p. 6. 1914.
    Mar. 1, 1915, with comparisons. F.B. 665, p. 5. 1915.
    April 1, 1915, with comparisons. F.B. 672, p. 7. 1915.
  injury caused by cucumber beetles, 1907 and 1908. Ent. Bul. 82, pp. 71–75. 1912.
  losses from rodents. Y.B., 1917, p. 226. 1918; Y.B. Sep. 724, p. 4. 1918.
  production pledge by farm bureau, and reply of Secretary of Agriculture. News L., vol. 5, No. 32, p. 4. 1918.
  requirements, irrigation experiments. O.E.S. Bul. 177, pp. 51–60. 1907.
crow roosts, localities and numbers of birds. Y.B. 1915, p. 91. 1916; Y.B. Sep. 659, p. 91. 1916.
currant industry. News L., vol. 6, No. 27, p. 4. 1919.
dairy products, improvement, scoring contests. F.B. 499, pp. 16–18. 1912.
dairying opportunities. Y.B., 1906, pp. 426–428. 1907.
dams, typical, description, details. O.E.S. Bul. 249, Pt. II, pp. 13–20, 41–45. 1912.
date—
  culture, alkali conditions. B.P.I. Bul. 53, pp. 31, 42, 47–70, 101–114, 122–125. 1904.
  gardens, work. An. Rpts., 1908, p. 297. 1909; B.P.I. Chief Rpt., 1908, p. 25. 1908.
Davis Experiment Farm, irrigation studies and experiments. O.E.S. Cir. 108, pp. 14, 15, 22, 23–25, 36–37. 1911.
Death Valley, description, date-growing possibilities. B.P.I. Bul. 53, pp. 122–123. 1904.
deer herds in forests. Off. Rec., vol. 2, No. 46, p. 1. 1923.
Delta—
  Creamery Company, a type of cooperation. D.B. 547, p. 43. 1917.
  Experiment Farm, work, 1912. B.P.I. Cir. 127, pp. 3–13; B.P.I. Cir. 127, pp. 3–13. 1913.
  region, potato-shipping territory and methods. F.B. 1317, pp. 19, 20–21, 23. 1923.
demurrage provisions and regulations. D.B. 191, pp. 3, 13, 14, 16, 25. 1915.
dewberry growing, varieties and methods. F.B. 728, pp. 10, 16, 17, 18. 1916.
District, national forests, law enforcement. C. V. Brereton and C. L. Hill. For. [Misc.], "Law enforcement * * *," pp. 107. 1920.
drainage—
  association, organization, personnel, and purpose. O.E.S. Bul. 207, pp. 17–19. 1909.
  in the Fresno district, supplemental report. G. C. Elliott. O.E.S. Cir. 57, pp. 5. 1904
  surveys, location, and kind of land, 1911. An. Rpts., 1911, p. 708. 1912; O.E.S. Chief Rpt., 1911, p. 26. 1911.
  work against mosquitoes, value of reclaimed land. Ent. Bul. 88, pp. 44–47, 54. 1910.
dried-fruit insects, control. William B. Parker. D.B. 235, pp. 15. 1915.
drug laws. Chem. Bul. 98, pp. 32–36. 1906; Chem. Bul. 98, rev., Pt. I, pp. 42–51. 1909.
dry—
  farming—
    in the Great Basin. Carl S. Scofield. B.P.I. Bul. 103, pp. 43. 1907.
    methods and results, Modesto-Turlock area. Soils Sur. Adv. Sh., 1908, pp. 63–65. 1909; Soils F.O. 1908, pp. 1287–1289. 1911.
  land, olive culture, areas adapted. B.P.I. Bul. 192, pp. 31–33, 36, 37, 40, 42. 1911.
duck sickness, reports. D.B. 672, p. 5. 1918.
Durango cotton growing. D.B. 60, p. 10. 1914. durra, introduction and growing, 1913. Y.B. 1913, pp. 223–224. 1914; Y.B. Sep. 625, pp. 223–224. 1914.
early history. D.B. 903, pp. 1–7. 1921.
early settlement, historical notes. See Soil Surveys for various counties and areas.
East Park Reservation for birds, report, 1915. An. Rpts., 1915, p. 241. 1916; Biol. Chief Rpt., 1915, p. 9. 1915.

California—Continued.
Egyptian cotton experiments, 1908. B.P.I. Cir. 29, pp. 3, 9. 1909.
Egyptian cotton growing, acreage, yields, and cost. B.P.I. Cir. 123, pp. 21–28. 1913.
emmer—
  and spelt growing, experiments. D.B. 1197, pp. 44–45. 1924.
  growing experiments and yields. F.B. 466, pp. 12, 13. 1911.
English sparrows, spread. An. Rpts., 1908, pp. 121, 577. 1909; Biol. Chief Rpt. 1908, p. 9. 1908.
eucalyptus—
  planting, experiments. An. Rpts., 1910, pp. 389, 409. 1911; For. A.R., 1910, pp. 29, 49. 1910.
  utilization. H. S. Betts and C. Stowell Smith. For. Cir. 179, pp. 30. 1910.
evaporation of soil moisture—
  experiments. O.E.S. Bul. 248, pp. 11–15, 29, 33, 50, 52, 60–67, 72, 73. 1912.
  with mulches of different depths. Y.B. 1908, pp. 467–468. 1909; Y.B. Sep. 491, pp. 467–468. 1909.
Experiment Station—
  work and expenditures—
    1906. O.E.S. Rpt., 1906, pp. 84–87. 1907.
    1907. O.E.S. An Rpt., 1907, pp. 77–79. 1908.
    1908. O.E.S. An. Rpt., 1908, pp. 71–73. 1909.
    1909. O.E.S. An. Rpt., 1909, pp. 80–82. 1910.
    1910. O.E.S. An. Rpt., 1910, pp. 63, 102–106. 1911.
    1911. O.E.S. An. Rpt., 1911, pp. 78–81. 1912.
    1912. O.E.S. An. Rpt., 1912, pp. 80–83. 1913.
    1913. Work and Exp., 1913, pp. 20, 33–34. 1915.
    1914. Work and Exp., 1914, pp. 67–71. 1915.
    1915. S.R.S. Rpt., 1915, Pt. I, pp. 72–77. 1917.
    1916. S.R.S. Rpt., 1916, Pt. I, pp. 68–74. 1918.
    1917. S.R.S. Rpt., 1917, Pt. I, pp. 68–73. 1918.
    1918. Work and Exp., 1918, pp. 28, 31, 33, 35, 37, 38, 40, 42, 47, 49, 50, 53, 56, 63, 65, 70–80. 1920.
extension work—
  funds allotment, and county-agent work. S.R.S. Doc. 40, pp. 4, 5, 9, 14, 23, 25, 28. 1918.
  in agriculture and home economics—
    1915. S.R.S. Rpt., 1915, Pt. II, pp. 176–179. 1917.
    1916. S.R.S. Rpt., 1916, Pt. II, pp. 178–183. 1917.
    1917. S.R.S. Rpt., 1917, Pt. II, pp. 188–192. 1919.
  statistics. D.C. 306, pp. 3, 5, 9, 14, 20, 21. 1924.
fairs, number, kind, location, dates. Stat. Bul. 102, pp. 13, 14, 17–18. 1913.
farm—
  animals, statistics. Stat. Bul. 64, p. 143. 1908.
  family, food, fuel, and housing, value, details. D.B. 410, pp. 7–35. 1916.
  leases, provisions. D.B. 650, pp 11, 19. 1918.
  practice in growing sugar beets, three districts. T. H. Summers and others. D.B. 760, pp. 48. 1919.
  settlement and rural development. F.B. 1388, pp. 26–28. 1924.
  values—
    changes, 1900–1905. Stat. Bul. 43, pp. 11–17, 30–46. 1906.
    income, and tenancy classification. D.B. 1221, pp. 74–76. 1924.
farmers' institutes—
  history. O.E.S. Bul. 174, pp. 20–21. 1906.
  laws. O.E.S. Bul. 135, rev., p. 10. 1903.
  legislation. O.E.S. Bul. 241, p. 9. 1911.
  work—
    1904. O.E.S. An. Rpt., 1904, p. 633. 1905.
    1906. O.E.S. An. Rpt., 1906, p. 322. 1907.
    1907. O.E.S. An. Rpt., 1907, pp. 318–319. 1908; O.E.S. Bul. 199, p. 21. 1908.
    1908. O.E.S. An. Rpt., 1908, pp. 305–306. 1909.
    1909. O.E.S. An. Rpt., 1909, p. 341. 1910.
    1910. O.E.S. An. Rpt., 1910, p. 401. 1911.
    1911. O.E.S. An. Rpt., 1911, pp. 50, 368. 1912.
    1912. O.E.S. An. Rpt., 1912, p. 361. 1913.

California—Continued.
    fertilization of citrus fruits. Hawaii Bul. 9, p. 17. 1905.
    fertilizer—
        legislation. Chem. Bul. 90, pp. 230-232. 1905
        manufacture from phosphate rock. Soils Bul. 69, pp. 47-48. 1910.
    field work of Plant Industry, December, 1924. M.C. 30, pp. 3-11. 1925.
    fig(s)—
        culture and history, 1710-1900. Y.B., 1900, pp. 79-106. 1901; Y.B. Sep. 196, pp. 79-106. 1901.
        drying method. F.B. 1031, pp. 43-44. 1919.
    fire laws and penalties. M.C. 7, p. 18. 1923.
    food—
        laws—
            1903. Chem. Bul. 83, pp. 19-23. 1904.
            1905. Chem. Bul. 69, rev., Pt. I, pp. 52-74. 1905.
            enforcement officials. Chem. Cir. 16, rev., pp. 5-6. 1908.
            legislation, 1907. Chem. Bul. 112, Pt. I, pp. 14-22. 1908.
        production conference, attendance, work and production program. News L., vol. 5, No. 41, pp. 4-5, 6. 1918.
    foot-and-mouth disease—
        control work. B.A.I. Rpt., 1924, pp. 1-2. 1924; B.A.I.S.R.A. 203, pp. 22-23. 1924; B.A.I.S.R.A. 203, pp. 37-38. 1924; B.A.I. S.R.A. 204, pp. 43-44. 1924.
        outbreak. Off. Rec., vol. 3, No. 11, p. 3. 1924; Off. Rec., vol. 3, No. 12, p. 6. 1924; Off. Rec. vol. 3, No. 15, p. 3. 1924; Off. Rec., vol. 3, No. 19, p. 4. 1924; Off. Rec., vol. 3, No. 24, p. 2. 1924; Off. Rec., vol. 3, No. 29, p. 3. 1924.
        quarantine regulations. B.A.I.O. 287, amdt. 2, p. 1. 1924; amdt. 3, pp. 2. 1924; amdt. 7, p. 2. 1924; amdt. 8, p. 1. 1924.
    forage plants, introduction and experiments. Y.B., 1908, pp. 251, 259, 260. 1909; Y.B. Sep. 478, pp. 251, 259, 260. 1909.
    forest(s)—
        area, 1918. Y.B., 1918, p. 717. 1919; Y.B. Sep. 795, p. 53. 1919.
        fires—
            1911-1920. S. B. Show and E. I. Kotok. D.C. 243, pp. 80. 1923.
            control at McCloud. A. W. Cooper and P. D. Kelleter. For. Cir. 79, pp. 16. 1907.
            statistics. For. Bul. 117, pp. 26-27. 1912.
        incense cedar, stands and losses from dry rot. D.B. 871, pp. 1-8. 1920.
        legislation, 1907. Y.B., 1907, p. 575. 1908; Y.B. Sep. 470, p. 15. 1908.
        light burning. F. E. Olmstead. For. [Misc.], "Light burning * * *," pp. 4. 1911.
        location, area, composition, and amount of timber. M.C. 7, pp. 1-7. 1923.
        planting, needs, acreage, and condition. Y.B., 1909, p. 343. 1910; Y.B. Sep. 517, p. 343. 1910.
        problems and needs. Sec. Cir. 183, pp. 30-31. 1921.
        protection by light burning, example. D. B. 1294, pp. 47-61. 1924.
        regions, description, areas, and resources. D.C. 185, pp. 4-8. 1921.
        reserves. See Forests, National.
        tree diseases. E. P. Meinecke. For. [Misc.], "Forest tree diseases * * *," pp. 63. 1914.
        use for recreation. Off. Rec., vol. 3, No. 9, p. 5. 1924.
    forestry laws—
        1921, summary. D.C. 239, pp. 4-5. 1922.
        State. Jeannie S. Peyton. For. Law Leaf, 25, pp. 23. 1921; For. Misc. S-29, pp. 23. 1921.
    fowl ticks distribution. F.B. 1070, pp. 3, 4. 1919.
    Fresno—
        County—
            drainage, experiment methods and results. O.E.S. Bul. 217, pp. 12-32. 1909.
            See also California, Middle San Joaquin Valley.
        district—
            ground water, fluctuation, composition, and use for irrigation. Soils Bul. 42, pp. 26-33. 1907.
            hardpan, description. Soils Bul. 42, pp. 13-14. 1907.
            soils, classification, description, history. Soils Bul. 42, pp. 7-13. 1907.

California—Continued.
    Fresno—continued.
        Experimental Vineyard—
            currant grapes, growing. D.B. 856, pp. 7-15, 16. 1920.
            soil analysis. D.B. 349, p. 5. 1916.
        reclamation of white-ash alkali lands. W. W. Mackie. Soils Bul. 42, pp. 47. 1907.
        frost, damage prevention. Off. Rec., vol. 1, No. 1, p. 10. 1922.
        fruit(s)—
            agency, organization and history. D.B. 1237, pp. 12-13. 1924.
            and nuts—
                1920-1922, production and value, Y.B., 1922, p. 747. 1923; Y.B. Sep. 884, p. 747. 1923.
                1921, production and prices. Y.B. 1921, p. 634. 1922; Y.B. Sep. 869, p. 54. 1922.
                1923. Y.B., 1923, p. 743. 1924; Y.B. Sep. 900, p. 743. 1924.
            dried, 1909-1916, production. F.B. 903, p. 44. 1917.
            grades used in canning. D.B. 1084, p. 9. 1922.
        Growers Exchange—
            a typical cooperative organization. D.B. 547, pp. 41-42. 1917.
            cooperation in citrus improvement. Y.B. 1919, pp. 249, 251, 265-275. 1920; Y.B. Sep. 813, pp. 249, 251, 265-275. 1920.
            organization and work. D.B. 1261, pp. 1-3. 1924.
            organization, incorporation, and by-laws. D.B. 1237, pp. 13-31, 50-64. 1924.
            organization, value in marketing fruit. B.P.I. Bul. 123, pp. 13. 1908.
        growing—
            irrigation practices. E.J. Wickson. O.E.S. Bul. 108, pp. 54. 1902.
            relation of birds. F.E.L.Beal. Y.B., 1904, pp. 241-254. 1905; Y.B. Sep. 344, pp. 13. 1905.
        handling—
            and shipping. An. Rpts., 1910, pp. 344-347, 348-349. 1911; B.P.I. Chief Rpt., 1910, pp. 74-77, 78-79. 1910.
            improved methods. An. Rpts., 1912, pp. 132-133. 1913; Sec. A.R., 1912, pp. 132-133. 1912; Y.B., 1912, pp. 132-133. 1913.
        industry—
            relation of birds, Pt. I. F.E.L. Beal. Biol. Bul. 30, p. 100. 1907.
            statistics. Edwin S. Holmes, jr. Stat. Bul. 23, p. 11. 1901.
        injury by the mealy plum-aphid. D.B. 774, pp. 1, 2, 9-10, 15. 1919.
        investigations. An. Rpts., 1908, pp. 363-364, 365-366. 1909; B.P.I. Chief Rpt., 1908, pp. 91-92, 93-94. 1908.
        precooling methods and plants. Y.B., 1910, pp. 443-448. 1911. Y.B. Sep. 550, pp. 443-448. 1911.
        shipments, 1909. Y.B., 1909, p. 365. 1910; Y.B. Sep., 520, p. 365. 1910.
        tree yields, experimental studies. J.A.R., vol. 12, pp. 251-279. 1918.
    fumigation—
        experiments with hydrocyanic-acid gas. R.S. Woglum and C. C. McDonnell. Ent. Bul. 90, pp. 113. 1912.
        investigations. R. S. Woglum. Ent. Bul. 79, p. 73. 1909.
        of citrus orchards, experiments. An. Rpts., 1908, p. 554. 1909; Ent. A.R., 1908, p. 32. 1908.
    funds for cooperative extension work, sources. S.R.S. Doc. 40, pp. 4, 5, 8, 14. 1917.
    fur animals, laws—
        1915. F.B. 706, pp. 3-4. 1916.
        1916 F.B. 783, pp. 5, 27. 1916.
        1917. F.B. 911, pp. 7, 31. 1917.
        1918. F.B. 1022, pp. 7, 30. 1918.
        1919. F.B. 1079, pp. 10, 31. 1919.
        1920. F.B. 1165, pp. 4-5, 25-30. 1920.
        1921. F.B. 1238, pp. 7, 31. 1921.
        1922. F.B. 1293, p. 5. 1922.
        1923-24. F.B. 1387, pp. 7-8. 1923.
        1924-25. F.B. 1445, p. 6. 1924.
        1925-26. F.B. 1469, pp. 8-9. 1925.

INDEX TO PUBLICATIONS, 1901-1925   343

California—Continued.
  Gage Canal—
    duty of water. O.E.S. Bul. 104, pp. 61-146. 1902.
    irrigation, 1901. W. Irving. O.E.S. Bul. 119, pp. 146-159. 1902.
  game—
    and bird—
      officials and organizations and publications. Biol. Cir. 65, pp. 2, 11, 14. 1908.
      preserves, private, conditions, and area. Biol. Cir. 72, pp. 1, 6, 7, 10. 1910.
      reservations, details and summary. Biol. Cir. 87, pp. 4, 6, 8, 9, 10, 15, 16. 1912.
    laws—
      1902. F.B. 160, pp. 12, 31, 41, 54, 56. 1902.
      1903. F.B. 180, pp. 9, 22, 32, 44, 46, 48, 53. 1903.
      1904. F.B. 207, pp. 17, 32, 38, 55, 56. 60. 1904.
      1905. F.B. 230, pp. 9, 15, 29, 37, 42. 1905.
      1906. F.B. 265, pp. 8, 14, 29, 36, 42. 1906.
      1907. F.B. 308, pp. 6, 12, 27, 35, 41. 1907.
      1908. F.B. 336, pp. 14, 30, 39, 44, 49. 1908.
      1909. F.B. 376, pp. 11-12, 16, 19, 33, 39, 42, 46. 1909.
      1910. F.B. 418, pp. 12, 26, 32, 40. 1910.
      1911. F.B. 470, pp. 9, 17, 31, 37, 41, 46. 1911.
      1912. F.B. 510, pp. 12, 25-26, 27, 33, 37, 39, 42. 1912.
      1913. D.B. 22, pp. 11, 20, 24, 39, 45, 48, 52. 1913, D.B. 22, rev., pp. 11, 19, 20, 21, 24, 39, 44, 45, 48, 52. 1913.
      1914. F.B. 628, pp. 4, 10, 11, 12, 13, 15, 28-29, 30, 36, 37, 40, 46. 1914.
      1915. F.B. 692, pp. 2, 4, 5, 8, 25, 40, 46, 50, 51, 57. 1915.
      1916. F.B. 774, pp. 23, 38, 45, 48, 50, 57. 1916.
      1917. F.B. 910, pp. 12-13, 47, 49-50. 1917.
      1918. F.B. 1010, pp. 10, 45, 61. 1918.
      1919. F.B. 1077, pp. 11, 49, 52, 72, 73. 1919.
      1920. F.B. 1138, pp. 12-13. 1920.
      1921. F.B. 1235, pp. 14-15, 55. 1921.
      1922. F.B. 1288, pp. 10, 52, 67. 1922.
      1923-24. F.B. 1375, pp. 2, 12, 48. 1923.
      1924-25. F.B. 1444, pp. 7-8, 36. 1924.
      1925-26. F.B. 1466, pp. 13-14, 44. 1925.
    protection. See Game protection, officials.
  Glenn County, irrigation systems, history, and management. O.E.S. Bul. 207, pp. 59-64, 74, 98. 1909.
  grain—
    production and value. F.B. 1240, p. 2. 1924.
    supervision districts, counties. Mkts. S.R.A. 14, pp. 32, 33. 1916.
  Grand Island, reclamation. O.E.S. Doc. 1136, p. 404. 1908.
  grape(s)—
    characteristics and composition of juice. J.A.R., vol. 23, pp. 48, 51-52. 1923.
    growing. Sec. [Misc.], Spec. "Geography * * * world's agriculture," p. 85. 1917.
    insects at Fresno. Off. Rec., vol. 2, No. 14, p. 3. 1923.
    phylloxera. W. M. Davidson and R. L. Nougaret. D.B. 903, pp. 128. 1921.
    planting in different periods, by counties. D.B. 903, p. 13. 1921.
    varieties testing. D.B. 209, pp. 1-157. 1915.
  grapefruit improvement, methods. News. L, vol. 6, No. 17, p. 12. 1918.
  grasshopper eradication work, 1915. Y.B., 1915, pp. 268, 271-272. 1916; Y.B. Sep. 674, pp. 268, 271-272. 1916.
  Great Valley, location and description. D.B. 54, pp. 53-54. 1914.
  greenhouse thrips, occurrence. Ent. Cir. 151, pp. 2, 8. 1912.
  ground squirrels, C. Hart Merriam. Biol. Cir. 76, pp. 15. 1910.
  ground squirrel—
    pest and law for suppression. Sec. A.R., 1909, pp. 118-119. 1909; Y.B., 1909, pp. 118-119. 1910.
    work by Biological Survey and Marine Hospital Service. An. Rpts., 1909, p. 535. 1910; Biol. Chief Rpt., 1909, p. 7. 1909.
    See also Squirrel, California ground.

California—Continued.
  Hawaiian market, branch at San Francisco. Y.B., 1915, pp. 144-145. 1916; Y.B. Sep. 663, pp. 144-145. 1916.
  hay crops, 1868-1906, acreage, production, and value. Stat. Bul. 63, pp. 6-25, 34. 1908.
  hedges, use of saltbushes. B.P.I. Cir. 69, pp. 4-5. 1910.
  hemp—
    growing, history, irrigation, and soils. Y.B., 1913, pp. 293, 294, 306, 307, 315, 323. 1914; Y.B. Sep. 628, pp. 293, 294, 306, 307, 315, 323. 1914.
    production. B.P.I. Cir. 57. p. 4. 1910.
  highway—
    construction, cost, and mileage. Y.B., 1914, pp. 214, 221, 222, 223. 1914; Y.B. Sep. 638, pp. 214, 221, 223. 1914.
    system, report of study. Newell D. Darlington and others. Rds. [Misc.], "Report of study * * *, 1920," rev., 1921, pp. 171. 1922.
  Honey Lake area, irrigation. Soils F.O., 1915, pp. 2305-2311, 2314. 1919; Soil Sur. Adv. Sh., 1915, pp. 55-61, 64. 1917; O.E.S. Bul. 100, p. 71. 1901.
  hops—
    conditions influencing yield. B.P.I. Cir. 56, pp. 12. 1910.
    oils, comparison with hop oils from other sources. J.A.R., vol. 2, pp. 117-147, 157. 1914.
  horned larks, food compared to that of other larks. Biol. Bul. 23, pp. 30-32. 1905.
  humidity and temperature, record for one week. Y.B., 1907, p. 359. 1908; Y.B. Sep. 453, p. 359. 1908.
  Huntington Lake siphon spillway, description. D.B. 831, pp. 16, 32-35. 1920.
  hydrocyanic-acid gas fumigation. R. S. Woglum and C. M. McDonnell. Ent. Bul. 90, pp. 81. 1911.
  Imperial Valley—
    adaptability of Durango cotton. News L., vol. 3, No. 25, p. 7. 1916.
    alfalfa caterpillar, investigations, control methods. Ent. Cir. 133, pp. 1-14. 1911.
    community production of Durango cotton. Argyle McLachlan. D.B. 324, pp. 16. 1915.
    district, muskmelons, marketing and distribution. D.B. 401, pp. 2-22. 1916.
    Durango cotton growing. B.P.I. Cir. 111, pp. 11-22. 1913; B.P.I. Cir. 121, pp. 3-12. 1913.
    irrigation system. An. Rpts., 1907, p. 706, 1908; O.E.S. Bul. 158, pp. 175-194. 1905.
    resemblance to Palestine. B.P.I. Bul. 274, pp. 40-41. 1913.
    See also California, soil survey of Brawley area.
  Indio, experiments on date palm for minimum temperature of growth. J.A.R., vol. 31, pp. 402-407. 1925.
  interior Valley region, description, adaptability to date growing. B.P.I. Bul. 53, pp. 123-125. 1904.
  introduction of Angora goats. B.A.I. Bul. 27, pp. 20-21. 1906.
  Iron Canyon project, Red Bluff area, description, 1912. Soil Sur. Adv. Sh., 1910, p. 17. 1912; Soils F.O., 1910, p. 1613. 1912.
  irrigation—
    F. W. Roeding. O.E.S. Bul. 237, pp. 62. 1911.
    by windmill at Stockton, management. F.B. 394, pp. 41-44. 1910.
    cooperative investigations, second progress report. Frank Adams. O.E.S. Cir. 108, pp. 39. 1911.
    deep-well pumping plants. Y.B., 1907, pp. 418-421. 1908; Y.B. Sep. 458, pp. 418-421. 1908.
    development, history. O.E.S. Bul. 237, pp. 33-38. 1911.
    distribution and use of water in Modesto and Turlock districts. Frank Adams. O.E.S. Bul. 158, pp. 93-139. 1906.
    districts and their statutory relations. D.B. 1177, pp. 4, 5, 10-19, 26-31, 41-46. 1923.
    drainage, and alkali conditions in Anaheim County. Soil Sur. Adv. Sh., 1916, pp. 72-77. 1919; Soils F.O., 1916, pp. 2338-2342. 1921.
    evaporation losses, experiments. O.E.S. Bul. 177, pp. 10-51. 1907.

California—Continued.
  irrigation—continued.
    from San Joaquin River, report by Frank Soulé. O.E.S. Bul. 100, pp. 215-258. 1901.
    investigations—
      1904, cooperative progress, report. O.E.S. Cir. 59. 1904.
      1907. An. Rpts., 1907, pp. 706-707. 1908; O.E.S. Chief Rpt., 1907, pp. 62-63. 1907.
      1908. An. Rpts., 1908, pp. 734-735. 1909; O.E.S., Dir. Rpt., 1908, pp. 20-21, 1908.
      1910. O.E.S. An. Rpt., 1910, pp. 37-38. 1911.
      1911. O.E.S. An. Rpt., 1911, pp. 33-34. 1912; Y.B., 1911, pp. 311, 319. 1912: Y.B. Sep. 570, pp. 311, 319. 1912.
    on Cache Creek, report by J. M. Wilson. O.E.S. Bul. 100, pp. 155-191. 1901.
    report. Elwood Mead and others. O.E.S. Bul. 100, pp. 411. 1901.
    laws, needs, discussion. O.E.S. Cir. 108, pp. 7-12. 1911.
    methods, alfalfa, grain, and orchard fruits. Y.B., 1909, pp. 297, 302-303, 304, 307. 1910. Y.B. Sep. 514, pp. 297, 302-303, 304, 307. 1910;
    of citrus fruits. Hawaii Bul. 9, p. 15. 1905.
    present state of development. O.E.S. Cir. 108. pp. 38-39. 1911.
    problems—
      in Salinas Valley. Charles D. Marx. O.E.S. Bul. 100, pp. 193-213. 1901.
      of Honey Lake Basin, report by William E. Smythe. O.E.S. Bul. 100, pp. 71-113. 1901.
    reservoirs, dams, details, cost. O.E.S. Bul. 249, Pt. I, pp. 24, 26, 29, 34, 36, 42, 52, 54, 57, 59, 62, 63-65, 81-84, 88, 92. 1912.
    resources and their utilization. Frank Adams. O.E.S. Bul. 254, pp. 95. 1913.
    Santa Clara Valley. O.E.S. Bul. 158, pp. 2. 1905.
    State aid. D.B. 1257, pp. 14-17. 1924.
    systems on—
      San Joaquin River. O.E.S. Bul. 100, p. 215. 1901.
      Stony Creek. O.E.S. Bul. 133, pp. 151-164. 1903.
    use of underground water at Pomona. C. E. Taft. O.E.S. Bul. 236, pp. 99, 1911.
    water supply systems on typical enterprises. O.E.S. Bul. 229, pp. 11-37. 1910.
  jack-rabbit extermination campaign. Y.B. 1917, p. 232. 1918; Y.B. Sep. 724, p. 10. 1918.
  kaoliang varieties, testing. B.P.I. Bul. 253, pp. 35, 36, 37, 40. 1913.
  Kearney—
    farm at Fresno, equipment. O.E.S. An. Rpt., 1910, pp. 63, 102. 1911.
    Park Experiment Station, pumping, studies. J.A.R., vol. 11, pp. 339-357. 1917.
  La Jolla, studies of kelp growth. Rpt. 100, pp. 33, 42-46. 1915.
  Lake Tahoe, water meter testing, experiments. J.A.R., vol. 2, pp. 82-83. 1914.
  lands, irrigation map. Off. Rec., vol. 1, No. 25, p. 5. 1922.
  lard supply, wholesale and retail, Aug. 31, 1917, tables. Sec. Cir. 97, pp. 14-32. 1918.
  law(s)—
    adverse to private game preserves. Biol. Cir. 72, pp. 9-10. 1910.
    cattle tick extermination. D.C. 184, pp. 13-14. 1921.
    dog control, digest. F.B. 935, pp. 11-12. 1918; F.B. 1268, p. 11. 1922.
    food, 1907. Chem. Bul. 112, Pt. I, pp. 14-22. 1908.
    for turpentine sale. D.B. 898, pp. 39-40. 1920.
    foulbrood of bees. Ent. Bul. 61, pp. 184-186. 1906.
    governing composition and sale of insecticides. Chem. Bul. 76, pp. 57-58. 1903.
    nursery stock, interstate shipment, digest. F.H.B.S.R.A. 57, pp. 113, 114, 115. 1919; Ent. Cir. 75, rev., p. 2. 1909.
    relating to dried fruit. F.B. 903, p. 60. 1917.
    restricting fruit and plant introductions. Ent. Bul. 84, p. 38. 1909.
    sale of certified milk. D.B. 1, p. 10. 1913.
    workmen's compensation. D.B. 440, p. 6. 1917.

California—Continued.
  lead-cable borer. H. E. Burke and tohers. D.B. 1107, pp. 56. 1922.
  leaf miner, studies and laboratory work. D.B. 438, pp. 3, 4, 8-9, 10, 11, 12, 14. 1916.
  legislation—
    protecting birds. Biol. Bul. 12, Rev., pp. 15-16, 19, 23, 35, 36, 38, 45, 48, 52, 54, 79-80, 136. 1902.
    relative to tuberculosis. B.A.I. Bul. 28, p. 12. 1901.
  legumes for green manures, testing. An. Rpts., 1909, p. 367. 1910; B.P.I. Chief Rpt., 1909, p. 115. 1909.
  lemon(s)—
    and oranges, shipments to other States. Stat. Bul. 35, pp. 22-24. 1905.
    curing, forced, preliminary study. Arthur F. Sievers and Rodney H. True. B.P.I. Bul. 232, pp. 38. 1912.
    curing, humidity studies. D.B. 494, pp. 1-4, 10. 1917.
    industry—
      beginning and increase. D.B. 993, pp. 1-2. 1922.
      importance, acreage. D.B. 813, pp. 1-3. 1920.
      location and extent. Y.B., 1907, pp. 344-345, 346-349, 357. 1908; Y.B. Sep. 453, pp. 344-349, 357. 1908.
    shipments and marketing. Y.B., 1907, pp. 346-350. 1908; Y.B. Sep. 453, pp. 346-350. 1908.
    soils, analyses relation to mottle leaf. J.A.R., vol. 6, No. 19, pp. 735-736. 1916.
  lettuce—
    downy mildew. D. G. Milbrath. J.A.R., vol. 23, pp. 989-994. 1923.
    growing. News L., vol. 6, No. 42, p. 16. 1919.
  life zones—
    and crop belts. Y.B., 1901, p. 108. 1902.
    work. An. Rpts., 1908, p. 579. 1909; Biol. Chief Rpt., 1908, p. 11. 1908.
  lily culture, improvement. Y.B., 1907, pp. 143-144. 1908; Y.B. Sep. 441, pp. 143-144. 1908.
  livestock—
    admission, sanitary requirements. B.A.I. [Misc.], "State sanitary requirements in," * * * p. 5. 1915; B.A.I. Doc. A-36, p. 6. 1920.
    associations. Y.B., 1920, p. 516. 1921. Y.B. Sep. 866, p. 516. 1921.
    production from reports of stockmen. Rpt. 110, pp. 5-27, 31, 44-50, 55-58. 1916.
  lobelia occurrence and danger to livestock. D.B. 1240, pp. 2, 13. 1924.
  Loomis, Smyrna fig orchard, set by E. W. Maslin. B.P.I. Doc. 438, p. 2. 1909.
  Los Angeles—
    County. See California, soil survey of central southern area.
    River, water rights. O.E.S. Doc. 455, "A study of water rights on the Los Angeles River, California," p. 25. 1902.
  Lower, cotton quarantine for bollworm control. F.H.B.S.R.A. 36, pp. 2-3. 1917.
  lumber cut—
    1918, by mills, by woods, and lath and shingles. D.B. 845, pp. 6-10, 13, 16, 20, 23, 24, 27, 31, 32, 35, 40, 42-47. 1920.
    1920, 1870-1920, value, and kinds. D.B. 1119, pp. 27, 30-35, 43-61. 1923.
  Madera area, description, location, and agricultural conditions. Soil Sur. Adv. Sh., 1910, pp. 7-17. 1911; Soils F.O., 1910, pp. 1717-1729. 1912.
  Marin County. See California, soil survey of San Francisco Bay region.
  marketing activities and organization. Mkts. Doc. 3, p. 2. 1916.
  Marsh grapefruit, introduction, history, and bud variation, studies. D.B. 697, pp. 112. 1918.
  Marysville area—
    location, description, climate, and crops. Soil Sur. Adv. Sh., 1909, pp. 5-20. 1911; Soils F.O. 1909, pp. 1689-1704. 1912.
    revision, soils of the Sutter Basin. Soils Cir. 79, pp. 10. 1913.
  meadow larks, food habits. Y.B. 1912, p. 280. 1913; Y.B. Sep. 590, p. 280. 1913.

California—Continued.
  mealybug outbreaks, effect of Argentine ant. D.B. 647, pp. 31-34. 1918.
  Mediterranean fruit fly, quarantine regulations. Ent. Cir. 160, pp. 1, 2, 7, 17. 1912.
  Mendocino County. See California, soil survey of Ukiah area.
  Merced County. See California, soil survey of Modesto-Turlock area.
  middle San Joaquin Valley, population and cities. Soil Sur. Adv. Sh., 1916, pp. 13-14. 1919; Soils F.O., 1916, pp. 2427-2428. 1921.
  milk supply and laws. B.A.I. Bul. 46, pp. 26, 34, 40, 47-51, 180-201. 1903.
  milo growing under irrigation. F.B. 1147, p. 7. 1920.
  Modesto-Turlock—
    district subsoil water, field records. Soils Bul. 93, pp. 37-39. 1913.
    irrigation districts, water distribution and use. O.E.S. Bul. 158, pp. 93-136. 1905.
  mohair production, 1909, quality weight. F.B. 573, pp. 1, 7. 1914.
  mortality among waterfowl, nvestigations. D.B. 217, pp. 1, 3, 6, 7. 1915.
  Mount Whitney power canal, siphon spillways, use. D.B. 831, pp. 16, 35. 1920.
  mountain meadows, seeding to redtop and timothy. B.P.I. Bul. 117, p. 13. 1907.
  Napa County—
    center of phylloxera infestation. D.B. 903, pp. 6, 7, 9. 1921.
    See also California, soil survey of San Francisco Bay region.
  Napa, Mount George Farm Center building, details. F.B. 1192, pp. 5, 6, 7, 9. 1921.
  National Forest—
    location, description, and area. D.C. 185, p. 13. 1921.
    map and directions to tourists and campers. For. Map Fold., "Map of California * * *." 1915.
  national forests—
    ground squirrels, extermination. An. Rpts. 1914, p. 100. 1914; Biol. Chief Rpt., 1914, p. 2. 1914.
    handbook for campers. D.C. 185, pp. 48. 1921.
    location and area, July 1, 1908. For. [Misc.], "Location * * * latest proclamation * * * July * * *," p. 1. 1908.
    location, date and area, Jan. 13, 1913. For. [Misc.] "Use book, 1913," pp. 84-85, 88. 1913.
    road building since 1912. Y.B., 1916, p. 525. 1917; Y.B. Sep. 696, p. 5. 1917.
  navel orange(s)—
    handling, relation to decay; season 1910-11. A. V. Stubenrauch. B.P.I. Doc. 676, pp. 7. 1911.
    industry, history, development. Sec. A.R., 1921, pp. 19-20. 1921.
  northeastern, forage conditions and problems. David Griffiths. B.P.I. Bul. 38, pp. 52. 1903.
  northern, irrigation zones, agricultural and irrigated areas, water sources. O.E.S. Bul. 254, pp. 11-31, 42-44. 1913.
  nut growing, acreage. Sec., [Misc.], Spec. "Geography * * * world's agriculture," p. 90. 1917.
  oak, injury by California oak worm. F.B. 1076, pp. 2, 3, 4. 1920.
  oat(s)—
    crops, 1868-1906, acreage, production, and value. Stat. Bul. 58, pp. 6-25, 35. 1907.
    growing, varietal experiments. D.B. 823, pp. 58-59, 60, 67. 1920.
  occurrence—
    and distribution of Argentine ant. Ent. Bul. 122, pp. 15-16. 1913.
    of broad-bean weevil. Ent. Bul. 96, Pt. V, pp. 64-65. 1912.
  olive(s)—
    grove, abandoned, description. B.P.I. Bul. 192, pp. 17-27. 1911.
    growing, acreage. Sec., [Misc.], Spec. "Geography * * * world's agriculture," pp. 89, 90. 1917.
    growing regions, description, and acreage planted. F.B. 1249, pp. 5, 6-9. 1922.
    industry, 1897. Chem. Bul. 77, p. 9. 1905.

California—Continued.
  olive(s)—continued.
    oil manufacture, methods and cost. Chem. Bul. 77, pp. 11-13, 59, 62. 1905.
    ripening and pickling, chemical study. R. W. Hilts and R. S. Hollingshead. D.B. 803, pp. 24. 1920.
  onions, production, varieties, and distribution. D.B. 1325, pp. 6-7, 28-29. 1925.
  Orange County. See California, soil survey of central southern area.
  orange(s)—
    crop estimate, 1918. News L., vol. 6, No. 27, p. 24. 1919.
    groves—
      distribution of Argentine ant. D.B. 647, p. 8. 1918.
      humus in mulched basins, studies. J.A.R., vol. 12, pp. 505-518. 1918.
    industry, development. F.B. 1447, pp. 1-5. 1925.
    injuries by katydids. J.R. Horton and C. E. Pemberton. D.B. 256, pp. 24. 1915.
    injury by thrips. D.B. 616, pp. 5-6 1918;. Ent. T. B. 12, Pt. VII, pp. 119-120. 1909.
    insects, control work. An. Rpts., 1912, pp. 78-79. 1913; Sec. A.R., 1912, pp. 78-79. 1912; Y.B. 1912, pp. 78-79. 1913.
    packing and shipping work, 1907. An. Rpts,. 1907, pp. 289-291. 1908.
    production and value, 1915-1921. Y.B. 1921, p. 633. 1922; Y.B. Sep. 869, p. 53. 1922.
    soils analyses, relation to mottle leaf. J.A.R., vol. 6, No. 19, pp. 727-731. 1916.
  orchard(s)—
    districts, citrus and deciduous, description. B.P.I. Bul. 190, pp. 8-10. 1910.
    fumigation with hydrocyanic-acid gas, 1908. Y.B. 1908, p. 108. 1909.
    furrow irrigation, studies on water distribution. R. H. Loughridge. O.E.S. Bul. 203, pp. 63. 1908.
    green-manure crops. Roland McKee. B.P.I. Bul. 190, pp. 40. 1910.
    irrigation. Samuel Fortier. F.B. 404, pp. 36. 1910.
  Orland—
    irrigation experiments, details. O.E.S. Bul. 207, pp. 74-98. 1909.
    project reservoirs, spillways, description. D.B. 831, pp. 10, 16, 31. 1920.
  ostrich industry. B.A.I. An. Rpt., 1909, p. 233. 1911; B.A.I. Cir. 172, p. 233. 1911.
  Pajaro Valley—
    apple losses from internal browning. J.A.R. vol. 24, pp. 165, 169, 172. 1923.
    apple powdery mildew, control. W. S. Ballard and W. H. Volck. D.B. 120, pp. 26. 1914.
    climatic conditions relation to spraying. D.B. 120, pp. 3-5. 1914.
    irrigation, water supply and drainage. Soil Sur. Adv. Sh., 1908, pp. 20-25. 1910; Soils F.O. 1908, pp. 1366-1371. 1911.
  Palm Canyon, grove of native palms bearing fruit. B.P.I. Bul. 53, pp. 111-112, 119. 1904.
  Palm Springs, description, soil, climate, and olive culture. B.P.I. Bul. 192, pp. 17-27. 1911.
  partridge rearing experiments. Y.B. 1909, p. 255. 1910; Y.B. Sep. 510, p. 255. 1910.
  Pasadena area soils, nitrification studies. J.A.R., vol. 7, pp. 59-63. 1916.
  pasture land on farms. D.B. 626, pp. 15, 19, 20, 21. 1918.
  peach—
    borer. Dudley Moulton. Ent. Bul. 97, Pt. IV, pp. 65-89. 1911.
    carload shipments from various stations, 1914. D.B. 298, p. 19. 1915.
    growing, production, districts, and varieties. D.B. 806, pp. 4, 5, 7, 8, 9, 32-34. 1919.
    industry, season, and shipments, 1914. D.B. 298, pp. 3, 4, 5, 7, 10. 1916.
    shipping, forecast. News L. vol. 6, No. 52, p. 16. 1919.
    varieties, names and ripening dates. F.B. 918, p. 6. 1918.
  pear(s)—
    growing locations, and quality of fruit. D.B. 822, pp. 15-16. 1920; D.B. 1072, pp. 3, 5-9. 1922.

California—Continued.
 pear(s)—continued.
  leaf-worm, occurrence, study, and control. D.B. 438, pp. 1-2, 9-13, 16, 17, 19-20. 1916.
  ripening and storage, investigations. J.A.R., vol. 19, pp. 473-500. 1920.
  thrips, distribution, injuries. Ent. Cir. 131, pp. 1-24. 1911.
 peat lands, reclamation, utilization. B.P.I. Cir. 23, pp. 3-14. 1909.
 pecan rosette, occurrence. J.A.R., vol. 3, p. 149. 1914.
 Peruvian alfalfa, growing, experiments and location. D.C. 93, pp. 3-4, 7-8. 1920.
 pheasant raising, and results. F.B. 390, p. 16. 1910.
 phylloxera spread and distribution. D.B. 903, pp. 7-15, 122, 126. 1921.
 pig-club work—
  1915. Y.B. 1915, p. 179. 1916; Y.B. Sep. 667, p. 179. 1916.
  1921, progress and results. D.C. 152, pp. 20-21. 1921.
 pine—
  forests, rôle of fire. S. B. Show and E. I. Kotok. D.B. 1294, pp. 80. 1924.
  region, historic notes on fires. D.C. 358, pp. 1-3. 1925.
 pink bollworm control, scouting record, 1917-1922. F.H.B., S.R.A. 74, p. 8. 1923.
 pistache nut growing. B.P.I. C.P. and B.I. Cir. 1, pp. 1, 2. 1916.
 Placer County. See California, soil survey of Marysville area.
 plant terminal inspection points, regulation. F.H.B., S.R.A. 20, pp. 77-79. 1915; F.H.B., S.R.A. 23, p. 99. 1916; F.H.B., S.R.A. 73, p. 133. 1923.
 plum growing for prunes. F.B. 1372, pp. 2, 4-8, 13-14, 16, 18, 20-25, 28, 40, 45-49, 57, 58. 1924.
 pocket gophers, occurrence and description. N.A. Fauna 39, pp. 9, 23-28, 46-57, 59, 63-70, 73, 77, 115, 116, 122-125. 1915.
 Polytechnic School, San Luis Obispo, establishment and course. O.E.S. Cir. 83, p. 22. 1909; O.E.S. Cir. 106, p. 22. 1911.
 Pomona, pumping plants, mechanical tests. O.E.S. Cir. 108, pp. 18-21. 1911.
 pop corn, production and value, 1909. F.B. 554, pp. 6-7. 1913.
 poppy, description, cultivation, and characteristics. F.B. 1171, pp. 49-50, 82. 1921.
 potash salts and other salines in the Great Basin Region. D.B. 61, pp. 96. 1914.
 potato(es)—
  crops—
   1868-1906, acreage, production, and value. Stat. Bul. 62, pp. 8-27, 37. 1908.
   1909, by counties. F.B. 1064, p. 5. 1919.
   under irrigation, acreage, production, and practices. F.B. 953, pp. 3, 4, 5, 9-20. 1918.
  wilt occurrence. D.B. 64, p. 11. 1914.
 precipitation, climatic records, tables. D.B. 61, pp. 71-73. 1914.
 production of raisins and dried grapes. News L., vol 2, No. 50, p. 5. 1915.
 Prunus spp., wild. J.A.R., vol. 1, pp. 147-149, 152, 166-172. 1913.
 pumping plants, mechanical tests. G. N. Le Conte and C. E. Tait. O.E.S. Bul. 181, pp. 72. 1907.
 quarantine area—
  cattle fever—
   Nov. 1, 1911. B.A.I.O. 183, rule 1, rev. 8, p. 2. 1911.
   September 1, 1913. B.A.I.O. 199, rule 1, rev. 11, pp. 1-2. 1913.
  sheep scabies—
   May 1, 1913. B.A.I.O. 195, rule 3, rev. 2, p. 1. 1913.
   April, 1914. B.A.I.O. 208, p. 1. 1914.
   July 1, 1914. B.A.I.O. 212, rule 3, rev. 4, p. 1. 1914.
   April 15, 1918. B.A.I.O. 257, pp. 2. 1918.
   counties included B.A.I.O. 272, rule 3, rev. 6, pp. 1, 2. 1921.
   release, Feb. 1, 1913. B.A.I.O. 146, amdt. 14, pp. 2 1913.
   release, October 15, 1915. B.A.I.O. 212, amdt. 2, p. 1. 1915.

California—Continued.
 quarantine area—continued.
  sheep scabies—continued.
   release, December 1, 1916. B.A.I.O. 212, amdt. 3, p. 1. 1916.
  Texas fever—
   Dec. 6, 1909. B.A.I.O. 166, pp. 1-2. 1909.
   Apr. 1, 1910. B.A.I.O. 168, rule 1, rev. 6, pp. 1-2. 1910.
   March 25, 1912. B.A.I.O. 187, rule 1, rev. 9, pp. 1-2, 11. 1912.
   March 1, 1913. B.A.I.O. 194, rule 1, rev. 10, pp. 1-2. 1913.
   February 16, 1914. B.A.I.O. 207, rule 1, rev. 12, pp. 1-2. 1914.
   March 1, 1915. B.A.I.O. 235, rule 1, rev. 13; pp. 1-2, 9. 1915.
   December 1, 1915. B.A.I.O. 241; pp. 1-2. 1915.
   release, March 1, 1913. B.A.I.O. 194, rule 1, rev. 10, p. 12. 1913.
   release, September 15, 1916. B.A.I.O. 241, Amdt. 3, pp. 1, 4. 1916.
   history. B.A.I. An. Rpt., 1909, pp. 284-285. 1911; B.A.I. Cir. 174, pp. 284-285. 1911.
 rainfall, map and table. B.P.I. Bul. 188, pp. 34, 47-51. 1910.
 raisin—
  belt, climatic condition. D.B. 349, p. 11. 1916.
  industry, origin, growth, grapes used. D.B. 349, pp. 15. 1916.
 range crane-flies. C. M. Packard and B. G. Thompson. D.C. 172, pp. 8. 1921.
 ranges, filled lakes, location, and description. D.B. 54, p. 54. 1914.
 reclamation projects, location, scope. O.E.S. Bul. 237, pp. 41-43. 1911.
 Redding, smelter investigations. Chem. Bul. 113, pp. 12-13. 1908; Chem. Bul. 113, rev., pp. 14-15. 1910.
 reforestation, choice of sites, methods and species. D.B. 475, pp. 28, 29, 37, 38, 39, 49, 60-61, 63. 1917.
 resemblance to Palestine conformation and climate. B.P.I.Bul. 180, pp. 8-13. 1910.
 reservoirs, types and description. F.B. 828, pp. 18-19, 23, 26, 34-36. 1917.
 revenue from fur animals. D.C. 135, p. 6. 1920.
 rice—
  acreage. Sec. [Misc.], Spec. "Geography * * * world's agriculture," pp. 46, 47. 1918.
  corn, use of name for shallu sorghum. B.P.I. Cir. 50, p. 4. 1910.
  culture. Charles E. Chambliss and E. L. Adams. F.B. 688, pp. 20. 1915.
  damages by wild fowl. An. Rpts. 1919, pp. 286-287. 1920; Biol. Chief Rpt., 1919, pp. 12-13. 1919.
  growing—
   Charles E. Chambliss. F.B. 1141, pp. 22. 1920.
   experiments. An. Rpts., 1908, pp. 330, 332. 1910; B.P.I. Chief Rpt., 1908, pp. 58, 60. 1909.
  farm, experiments. An. Rpts., 1913, p. 119. 1914; B.P.I. Chief Rpt., 1913, p. 15. 1913.
  history. D.B. 1155, pp. 1-3. 1923.
  in Sacramento Valley. Jenkin W. Jones. F.B. 1240, pp. 27. 1924.
  in Sacramento Valley, preliminary report. Charles E. Chambliss. B.P.I. Cir. 97, pp. 10. 1912.
  progress, 1923. Y.B., 1922, pp. 517, 518, 567. 1923; Y.B. Sep. 891, pp. 517, 518, 567. 1923.
  sections, location, climate, and soils. F.B 1141, pp. 4-6. 1920.
  straighthead occurrence, and other diseases. F.B. 1212, pp. 4, 9. 1921.
  varieties, tests, and descriptions of leading varieties. D.B. 1155, pp. 29-47. 1923.
 rivers—
  as waterways, fare and freight rates. Stat. Bul. 89, pp. 15, 17, 78-79. 1911.
  location, tributaries, importance. O.E.S. Bul. 237, pp. 15-26. 1911.
 Riverside—
  area soils, nitrification studies. J.A.R., vol. 7, pp. 63-67. 1916.
  Citrus Experiment Station, soil nitrogen studies. J.A.R., vol. 9, pp. 184-248. 1917.

California—Continued.
  Riverside—continued.
    duty of water under Gage Canal. W. Irving. O.E.S. Bul. 104, pp. 137-146. 1902.
    experiments with soil-moisture columns. D.B. 1221, pp. 2-21. 1924.
    soils, effect of lime, experiments. J.A.R., vol. 8, pp. 25-27. 1917.
  Riverside County—
    land for national monument. Off. Rec., vol. 1, No. 7, p. 2. 1922.
    See also California, soil survey of central southern area.
  road(s)—
    bond-built, amount of bonds, rate. D.B. 136, pp. 34, 38, 62, 80, 85. 1915.
    building, rock-test, results. D.B. 670, p. 3. 1918; D.B. 370, pp. 14-16. 1916; D.B. 1132, pp. 4, 51. 1923.
    conditions, mileage, costs and bonds. D.B. 389, pp. 2, 3, 4, 5, 6, 7, 9-12, I, II, XXXI, LXIV. 1917.
    materials, tests. Rds. Bul. 44, pp. 33-35. 1912.
    mileage and expenditures—
      1904. Rds. Cir. 69, pp. 3. 1907.
      1909. Rds. Bul. 41, pp. 13, 40, 42, 47-48. 1912. Jan. 1, 1915. Sec. Cir. 52, pp. 2, 4, 6. 1915. 1916. Sec. Cir. 74, pp. 4, 5, 7, 8. 1917.
    national forest, work by department, 1913-1914. D.B 284, pp. 55, 56, 57. 1915.
    projects approved, 1917, 1918, 1919. An. Rpts., 1919, pp. 401, 403, 405, 407. 1920; Rds. Chief Rpt., 1919, pp. 11, 13, 15, 17. 1919.
  rose aphid, life cycle studies. D.B. 90, pp. 5-8, 9. 1914.
  rye crops, 1868-1906, acreage, production, and value. Stat. Bul. 60, pp. 6-25, 31. 1908.
  Sacramento and San Joaquin Valleys, rice growing. F.B. 688, pp. 1-20. 1915.
  Sacramento Valley—
    description and agricultural conditions [Colusa area]. Soil Sur. Adv. Sh., 1907, pp. 5-20. 1909; Soils F.O., 1907, pp. 928-942. 1909.
    irrigation. Samuel Fortier and others. O.E.S. Bul. 207, pp. 99. 1909.
    location, description, climate, and crops. D.B. 1172, pp. 1-5. 1923.
    red spider on hops. William B. Parker. Ent. Bul. 117, pp. 41. 1913.
    rice growing, preliminary report. Charles E. Chambliss. B.P.I. Cir. 97, pp. 10. 1912.
    southwestern part. See California, soil survey of Woodland area.
    studies on water capacities of soils. J.A.R., vol. 13, pp. 1-36. 1918.
    See also California, soil survey of Marysville area.
  salt deposits, occurrence, and composition. Soils Bul. 94, pp. 11, 91-94. 1913.
  San Bernardino Valley, studies of subterranean water supply. O.E.S. Bul. 119, p. 103. 1910.
  San Gabriel watershed, chaparral, composition. For. Bul. 85, p. 37. 1911.
  San Jacinto River, problem of water storage. O.E.S. Bul. 100, p. 353. 1912.
  San Joaquin County—
    potato diseases. W. A. Orton. B.P.I. Cir. 23, pp. 14. 1909.
    See also California, soil survey of San Francisco Bay region.
  San Joaquin River, irrigation. O.E.S. Bul. 100, p. 215. 1912.
  San Joaquin Valley—
    area, description, climate, and soils. O.E.S. Bul. 239, pp. 9-20. 1911.
    cotton growing. Wofford B. Camp. D.C. 164, pp. 22. 1921.
    drainage of irrigated lands. Samuel Fortier and Victor M. Cone. O.E.S. Bul. 217, pp. 58. 1909.
    future development, study. O.E.S. Bul. 239, pp. 60-62. 1911.
    irrigation. Victor M. Cone. O.E.S. Bul. 239, pp. 62. 1911.
    occurrence of coccidioidal granuloma in man. J.A.R., vol. 14, p. 533. 1918.
  San Jose scale, introduction and spread. Ent. Bul. 62, pp. 10, 15, 21. 1906.
  sand-dune reclamation, Golden Gate Park. D.B. 9, pp. 12-15. 1913.

California—Continued.
  sanitary requirements for livestock admission—
    1911. B.A.I. [Misc.] "State sanitary requirements * * *," p. 4. 1911.
    1917. B.A.I. Doc. A.-28, p. 5. 1917.
    1924. M.C. 14, pp. 5-7. 1924.
  Santa Clara Valley—
    codling moth life history. Ent. Bul. 115, Pt. III, pp. 113-181. 1913.
    fruit growing conditions. Ent. Bul. 97, Pt. IV, p. 67. 1911; Ent. Bul. 97, p. 67. 1913.
    grape growing, changes. D.B. 903, p. 14. 1921.
    pear thrips, work. Ent. Bul. 80, Pt. IV., pp. 55-63. 1909.
    thrips, outbreaks and injuries. D.B. 173, pp. 7-11. 1915.
  scale, abundance affected by Argentine ant. D.B., 647, pp. 34-36, 38. 1918.
  school(s)—
    agricultural work. O.E.S. Cir. 106, rev., pp. 18, 26. 1912.
    garden work, methods, courses. O.E.S. Bul. 252, pp. 34-53. 1912.
  Searles Lake, potash deposits—
    1913, value. Y.B., 1912, pp. 527, 532-533. 1913; Y.B. Sep. 611, pp. 527, 532-533. 1913.
    1916. Y.B., 1916, pp. 307-309. 1917; Y.B., Sep. 717, pp. 7-9. 1917.
    capacity and composition. D.C. 61, p. 5. 1919.
  sections suited to prickly pear growing. F.B. 483, p. 7. 1912.
  seed-growing industry. Y.B., 1917, pp. 503, 507, 520, 530-534. 1918; Y.B., Sep. 757, pp. 9, 13, 26, 36-40. 1918.
  Sequoia National Forest, seed-sowing, results. For. Bul. 98, p. 48. 1911.
  Shasta County, smelter location, and effects on surrounding vegetation. Chem. Bul. 89, pp. pp. 7-8. 1905.
  Shasta National Forest, maps. D.C. 243, pp. 54, 56, 57. 1923.
  sheep industry, management and importance. Y.B., 1923, pp. 256-259. 1924; Y.B., Sep. 894, pp. 256-259. 1924.
  shipments of fruits and vegetables, and index to station shipments. D.B. 667, pp. 6-13, 16-18. 1918.
  Sierra forests, cutting, results. Duncan Dunning. D.B. 1176, pp. 27. 1923.
  Sitka spruce stand, 1918, and cut, 1915-1918. D.B. 1060, pp. 4, 5. 1922.
  Smyrna fig growing. B.P.I. Doc. 537, rev., pp. 1-7. 1912.
  soil survey around—
    Fresno. Thomas H. Means and J. Garnett Holmes. Soils F.O., Sep., 1900, pp. 51. 1902; Soils F.O., 1900, pp. 333-384. 1901.
    Imperial. Thos. H. Means and J. Garnett Holmes. Soils Cir. 9, pp. 20. 1902; Soils F.O., Sep., 1901, pp. 587-606. 1903; Soils F.O., 1901, pp. 587-606. 1902.
  soil survey of—
    Alameda County. See Livermore and San Jose areas.
    Anaheim area. E. C. Eckmann and others. Soil Sur. Adv. Sh., 1916, pp. 79. 1919; Soils F.O., 1916, pp. 2271-2345. 1921.
    Bakersfield area. Macy H. Lapham and Charles A. Jensen. Soil Sur. Adv. Sh., 1904, pp. 32. 1905; Soils F.O., 1904, pp. 1089-1114. 1905.
    Big Valley area. E. B. Watson and Stanley W. Cosby. Soil Sur. Adv. Sh., 1920, pp. 1005-1032. 1924; Soils F.O., 1920, pp. 1005-1032. 1925.
    Brawley area. A. E. Kocher and others. Soil Sur. Ad. Sh., 1920, pp. 641-716. 1923; Soils F.O., 1920, pp. 641-716. 1925.
    Butte County. See Colusa and Red Bluff areas.
    Butte Valley, Siskiyou County. W. W. Mackie. Soil Sur. Adv. Sh., 1907, pp. 18. 1909; Soils F.O., 1907, pp. 1001-1014. 1909.
    central southern area, reconnaissance. J. E. Dunn and others. Soil Sur. Adv. Sh., 1917, pp. 136. 1921; Soils F.O., 1917, pp. 2405-2534. 1923.

California—Continued.
  soil survey of—continued.
    Colusa area. Macy H. Lapham and others. Soil Sur. Adv. Sh., 1907, pp. 50. 1909; Soils F.O., 1907, pp. 927-972. 1909.
    Colusa area. See Woodland, Marysville, and Colusa areas.
    Contra Costa County. See Livermore area.
    El Centro area. A. T. Strahorn and others. Soil Sur. Adv. Sh., 1918, pp. 59. 1922; Soils F.O., 1918, pp. 1633-1687. 1924.
    Eldorado County. See Sacramento area.
    Eureka area. E. B. Watson, and others. Soil Sur. Adv. Sh., 1921, pp. 851-881. 1925.
    Fresno area. Thomas H. Means and J. Garnett Holmes. Soils F. O., Sep., 1900, pp. 333-384. 1901; Soils F.O., 1900, pp. 333-384. 1901.
    Fresno area. A. T. Strahorn and others. Soil Sur. Adv. Sh., 1912, pp. 82. 1914; Soils F.O., 1912, pp. 2089-2166. 1915.
    Fresno County. See Fresno and Hanford areas.
    Glenn County. See Colusa area.
    Grass Valley area. E. B. Watson and J. B. Hammon. Soil Sur. Adv. Sh., 1918, pp. 40. 1921; Soils F.O., 1918, pp. 1689-1724. 1924.
    Hanford area. Macy H. Lapham and W. H. Heileman. Soils F.O. Sep., 1901, pp. 447-480. 1903; Soils F.O., 1901, pp. 447-480. 1902.
    Healdsburg area. E. B. Watson and others. Soil Sur. Adv. Sh., 1915, pp. 59. 1917; Soils F.O., 1915, pp. 2199-2253. 1919.
    Honey Lake area. J. E. Guernsey and others. Soil Sur. Adv. Sh., 1915, pp. 64. 1917; Soils F.O., 1915, pp. 2255-2314. 1919.
    Humboldt County. See Eureka area.
    Imperial area. J. Garnett Holmes and others. Soil Sur. Adv. Sh. 1903, pp. 34. 1904; Soils F.O., 1903, pp. 1219-1248. 1904.
    Imperial County. See Brawley, El Centro, and Imperial and Palo Verde areas.
    Indio area. J. Garnett Holmes and others. Soil Sur. Adv. Sh., 1903, pp. 14. 1904; Soils F.O., 1903, pp. 1249-1262. 1904.
    Kern County. See Bakersfield area, Lancaster area.
    Kings County. See Hanford area.
    Lassen County. See Honey Lake area and Big Valley area.
    Livermore area. H. L. Westover and Cornelius Van Duyne. Soil Sur. Adv. Sh., 1910, pp. 64. 1911; Soils F.O., 1910, pp. 1657-1716. 1912.
    Los Angeles area. Louis Mesmer. Soil Sur. Adv. Sh., 1903, pp. 48. 1904; Soils F. O., 1903, pp. 1263-1306. 1904.
    Los Angeles area. J. W. Nelson and others. Soil Sur. Adv. Sh., 1916, pp. 78. 1919; Soils F.O. 1916, pp. 2347-2420. 1921.
    Los Angeles County. See Anaheim, Los Angeles, Pasadena, San Bernardino, San Fernando Valley, San Gabriel, Lancaster, and Ventura areas.
    Lower Salinas Valley. Macy H. Lapham and W. H. Heileman. Soils F.O., 1901, pp. 481-519. 1902; Soils F.O. Sep., pp. 481-519. 1903.
    Lower San Joaquin Valley, reconnaissance. J. W. Nelson and others. Soil Sur. Adv. Sh., 1915, pp. 157. 1918; Soils F. O., 1915, pp. 2583-2733. 1919.
    Madera area. A. T. Strahorn and others. Soil Sur. Adv. Sh., 1910, pp. 43. 1911; Soils F. O., 1910, pp. 1717-1753. 1912.
    Madera County. See Madera area.
    Marysville area. A. T. Strahorn and others. Soil Sur. Adv. Sh., 1909, pp. 56. 1911; Soils F. O., 1909, pp. 1689-1740. 1912.
    Mendocino County. See Ukiah and Willits areas.
    Merced area. E. B. Watson and others. Soil Sur. Adv. Sh., 1914, pp. 70. 1916; Soils F. O., 1914, pp. 2785-2850. 1919.
    Merced County. See Merced area.
    Middle San Joaquin Valley reconnaissance. L. C. Holmes and others. Soil Sur. Adv. Sh., 1916, pp. 115. 1919; Soils F. O., 1916, pp. 2421-2529. 1921.
    Modesto-Turlock area. A. T. Sweet and others. Soil Sur. Adv. Sh., 1908, pp. 70. 1909; Soils F. O., 1908, pp. 1229-1294. 1911.

California—Continued.
  soil survey of—continued.
    Modoc County. See Big Valley area.
    Modoc County. See Klamath Reclamation Project area, Oregon.
    Monterey County. See Lower Salinas Valley area; Pajaro area.
    Nevada County. See Grass Valley area.
    Orange County. See Anaheim, Los Angeles, and Santa Ana areas.
    Pajaro Valley. W. W. Mackie and others. Soil Sur. Adv. Sh., 1908, pp. 46. 1910; Soils F. O., 1908, pp. 1331-1372. 1911.
    Pasadena area. E. C. Eckmann and C. J. Zinn. Soil Sur. Adv. Sh., 1915, pp. 56. 1917; Soils F. O., 1915, pp. 2315-2366. 1919.
    Placer County. See Marysville area, Sacramento area.
    Portersville area. A. T. Strahorn and others. Soil Sur. Adv. Sh., 1908, pp. 40. 1909; Soils F. O., 1908, pp. 1295-1330. 1911.
    Red Bluff area. L. C. Holmes and E. C. Eckmann. Soil Sur. Adv. Sh., 1910, pp. 60. 1912; Soils F. O., 1910, pp. 1601-1656. 1912.
    Redding area. Macy H. Lapham and L. C. Holmes. Soil Sur. Adv. Sh., 1907, pp. 31. 1908; Soils F. O., 1907, pp. 973-999. 1909.
    Riverside area. J. W. Nelson and others. Soil Sur. Adv. Sh., 1915, pp. 88. 1917; Soils F. O., 1915, pp. 2367-2450. 1919.
    Riverside County. See Indio, Riverside, and San Bernardino and Palo Verde areas.
    Sacramento area. Macy H. Lapham and others. Soil Sur. Adv. Sh., 1904, pp. 43. 1905; Soils F.O., 1904, pp. 1049-1087. 1905.
    Sacramento County. See Marysville area; Sacramento area.
    Sacramento Valley, reconnaissance. L. C. Holmes and J. W. Nelson. Soil Sur. Adv. Sh., 1913, pp. 148. 1915; Soils F. O., 1913, pp. 2297-2438. 1916.
    San Bernardino County. See Anaheim, Pasadena, Riverside, San Bernardino, San Gabriel, and Victorville areas.
    San Bernardino Valley. J. Garnett Holmes and others. Soil Sur. Adv. Sh., 1904, pp. 41. 1905; Soils F. O., 1904, pp. 1115-1151. 1905.
    San Diego region, reconnaissance. L. C. Holmes and R. L. Pendleton. Soil Sur. Adv. Sh., 1915, pp. 77. 1918; Soils F. O., 1915, pp. 2509-2581. 1919.
    San Fernando Valley area. L. C. Holmes and others. Soil Sur. Adv. Sh., 1915, pp. 61. 1917; Soils F. O., 1915, pp. 2451-2507. 1919.
    San Francisco Bay region, reconnaissance. L. C. Holmes and J. W. Nelson. Soil Sur. Adv. Sh., 1914, pp. 112. 1917; Soils F. O., 1914, pp. 2679-2784. 1919.
    San Gabriel area. J. Garnett Holmes and Louis Mesmer. Soils F.O. Sep., 1901, pp. 27. 1903; Soils F.O., 1901, pp. 559-586. 1902.
    San José area. Macy H. Lapham. Soil Sur. Adv. Sh., 1903, pp. 39. 1904; Soils F. O., 1903, pp. 1183-1217. 1904.
    San Joaquin County. See Modesto-Turlock and Stockton areas.
    San Luis Obispo County. See Santa Maria area.
    Santa Ana area. J. Garnett Holmes. Soils F.O., Sep., 1900 pp. 27. 1902; Soils F.O., 1900, pp. 385-412. 1901.
    Santa Barbara County. See Santa Maria area.
    Santa Clara County. See San José area.
    Santa Cruz County. See Pajaro Valley area.
    Santa Maria area. E. B. Watson and Alfred Smith. Soil Sur. Adv. Sh., 1916, pp. 48. 1919; Soils F. O., 1916, pp. 2531-2574. 1921.
    Shasta County. See Redding area.
    Shasta Valley area. E. B. Watson and others. Soil Sur. Adv. Sh., 1919, pp. 99-152. 1923; Soils F. O., 1919, pp. 99-152. 1925.
    Siskiyou County. See Klamath reclamation project area, Oregon; Butte Valley area, California; Shasta Valley area, California.
    Sonoma County. See Healdsburg area.
    Stanislaus County. See Modesto-Turlock area.

INDEX TO PUBLICATIONS, 1901-1925

California—Continued.
soil survey of—continued.
Stockton area. Macy H. Lapham and W. W. Mackie. Soil Sur. Adv. Sh., 1905, pp. 39. 1906; Soils F. O., 1905, pp. 997-1031. 1907.
Sutter County. *See* Marysville area; Sacramento area.
Tehama County. *See* Colusa and Red Bluff area.
Tulare County. *See* Fresno area; Porterville area.
Ukiah area. E. B. Watson and R. L. Pendleton. Soil Sur. Adv. Sh., 1914, pp. 53. 1916. Soils F.O., 1914, pp. 2629-2677. 1919.
upper San Joaquin Valley, reconnaissance. J. W. Nelson and others. Soil Sur. Adv. Sh., 1917, pp. 116. 1921; Soils F.O., 1917, pp. 2535-2644. 1923.
Ventura area. J. Garnett Holmes and Louis Mesmer. Soils F.O., 1901, pp. 521-557. 1902. Soils F.O., Sep. 1901, pp. 521-557. 1903.
Ventura area. J. W. Nelson and others. Soil Sur. Adv. Sh., 1917, pp. 87. 1920; Soils F.O., 1917, pp. 2321-2403. 1923.
Ventura County. *See* Ventura area.
Victorville area. A. E. Kocher and Stanley W. Cosby. Soil Sur. Adv. Sh., 1921, pp. 623-672. 1924.
Willits area. Walter C. Dean. Soil Sur. Adv. Sh., 1918, pp. 32. 1920; Soils F.O., 1918, pp. 1725-1752. 1924.
Woodland area. C. W. Mann and others. Soil Sur. Adv. Sh., 1909, pp. 57. 1911; Soils F.O., 1909, pp. 1635-1687. 1912.
Yolo County. *See* Woodland area.
Yuba County. *See* Marysville area.
soil(s)—
adaptability to rice growing. F.B.688, pp. 4-5. 1915.
analyses for boron as boric acid. J.A.R., vol. 13, pp. 453, 454. 1918.
analyses for nitrogen in humus. J.A.R., vol. 5, No. 20, pp. 910, 912-915. 1916.
and alkali surveys. Soils Bul. 35, pp. 71-76, 84-96, 124-130, 136-138. 1906.
extracts, studies on effect of season and crops. J.A.R., vol. 12, pp. 318-363. 1918.
for citrous fruits, investigations. J.A.R., vol. 2, pp. 101-113. 1914.
heterogeneity, studies. J.A.R. vol. 19, pp. 309-311. 1920.
moisture-distribution studies. D.B. 1221, pp. 4, 12, 21. 1924.
moisture equivalents and hygroscopic coefficients. J.A.R., vol. 6, No. 21, pp. 836. 1916.
nitrate production studies. J.A.R. vol. 7, pp. 55-72. 1916.
nitrification, experimental studies. J.A.R., vol. 7, pp. 417-436. 1916.
studies, experiment station. Soils Bul. 35, pp. 29-45. 1906.
utilization work. An. Rpts., 1908, pp. 520-521. 1909; Soils Chief Rpt., 1908, pp. 24-25. 1908.
Solano County—
pears, spraying experiments. Ent. Bul. 97. Pt. II, pp. 49-51. 1911; Ent. Bul. 97, pp. 49-51 1913.
See also California, soil survey of San Francisco Bay region.
Sonoma County, poultry industry, map. Sec. [Misc.], Spec. "Geography * * * world's agriculture", p. 147. 1917.
Sonoma Creek district, phylloxera source. D.B. 903, pp. 4, 7, 10. 1921.
sorghum—
grain, acreage, etc., 1922. Y.B., 1922, pp. 528, 529. 1923; Y.B. Sep. 891, pp. 52s, 529. 1923.
growing for forage under irrigation. F.B. 1158; p. 8. 1920.
southeastern, Egyptian cotton. B.P.I. Bul. 128, pp. 28-62. 1908.
southern—
area, frost data. Soil Sur. Adv. Sh., 1917, pp. 18-23. 1921; Soils F.O., 1917, pp. 2418-2421. 1923.
climate in chaparral regions. For. Bul. 85, pp. 13-14. 1911.
development of manufactures, aid to cotton farming. B.P.I. Cir. 132, p. 12. 1913.
farms, value. F.B. 1385, p. 4. 1923.

California—Continued.
southern—continued.
fruit exchanges, organization and plans. D.B. 1237, pp. 11-13, 49-50. 1924.
irrigation zones. O.E.S. Bul. 254, pp. 31-44. 1913.
problems of water storage on torrential streams as typified by Sweetwater and San Jacinto Rivers. James D. Schuyler. O.E.S. Bul. 100, pp. 353-395. 1901.
regulations governing fumigators. F.B. 1321, p. 57. 1923.
southwestern coast, historical data. For. Bul. 85, pp. 10-11. 1911.
spinach, growing and car-lot shipments. F.B. 1189, p. 3. 1921.
spotted-fever tick occurrence. Ent. Bul. 105, pp. 1-16. 1911.
stallions, number, classes, and legislation controlling. Y.B., 1916, pp. 290, 291, 293. 1917; Y.B. Sep. 692, pp. 2-3, 5, 8. 1917.
standard containers. F.B. 1434, p. 17. 1924.
Stanislaus National Forest, larkspur-eradication cost. F.B. 826, pp. 4-13. 1917.
Stockton—
high school, agriculture extension plan. O.E.S. An. Rpt., 1910, pp. 377-378. 1911.
windmill irrigation, data. F.B. 866, pp. 34-37. 1917.
strawberry shipments—
1914. D.B. 237, pp. 6-7. 1915.
1915. F.B. 1028, p. 6. 1919.
substations for demonstration farm work, 1909. O.E.S. An. Rpt., 1909, pp. 57, 80. 1910.
subtropical fruits—
and nuts, condition Sept. 1, 1911, 1912, 1913. F.B. 558, p. 14. 1913.
production, 1913, estimate. F.B. 570, pp. 21-22. 1913.
Sudan grass, growing experiments. B.P.I. Cir. 125, p. 13. 1913.
sugar-beet—
acreage and yield, 1899, 1909-1917. D.B. 760, pp. 3, 6. 1919.
experiments—
1903. Chem. Bul. 78, pp. 25-28, 35-36. 1903.
1904. Chem. Bul. 85, p. 22. 1905.
1905. Chem. Bul. 96, pp. 24-27. 1905.
growing, details. Rpt. 90, pp. 42-44. 1909.
mills, and sugar production, 1916-1917. D.B. 721, pp. 1-5, 34. 1918.
nematode infestation, surveys. F.B. 1248, p. 3. 1922.
sugar-pine and yellow-pine region, description and timber. D.B. 440, pp. 1-4. 1917.
sugar production. See [Misc.], Spec. "Geography * * * world's agriculture," pp. 71, 72. 1917.
Summerland, kelp-potash plant, study of kelp. D.B. 1191, p. 1. 1923.
Summit, precipitation records, 1871-1922. J.A.R., vol. 30, p. 604. 1925.
Sutter County—
irrigation conditions. O.E.S. Bul. 207, pp. 64-74. 1909.
See California, soil survey of Marysville area.
Sweetwater Dam, siphon spillway, description. D.B. 831, pp. 16, 37. 1920.
Tahoe Forest—
area reduction. News L., vol. 6, No. 52, p. 2. 1919.
land exchange, bill. Off. Rec., vol. 1, No. 9, p. 8. 1922.
Tamalpais Center building, cost, equipment, and uses. D.B. 825, pp. 22-25. 1920.
tanbark oak. Willis Linn Jepson. For. Bul. 75, pp. 32. 1911.
tanning industry, development. For. Bul. 75, pp. 5-6. 1911.
temperature conditions, relation to date growing. B.P.I. Bul. 53, pp. 61-70. 1904.
terminal inspection points. F.H.B.S.R.A. 78, p. 21. 1924.
termites, occurrence and damage. D.B. 333, pp. 12, 15, 16, 18, 26. 1916.
Texas-fever quarantine. *See* California, quarantine areas.
Throop College, siphon spillways, studies. D.B. 831, pp. 19, 20, 21. 1920.

California—Continued.
    thermal belts, description. F.B. 104, rev., p. 11. 1910.
    timber—
        conditions, stand, cut. Rpt. 114, pp. 11, 13, 16, 25, 26, 48, 64, 91. 1917.
        treating, cost. F.B. 744, p. 26. 1916.
    tomato(es)—
        growing as a truck crop, shipments, and varieties. F.B. 1338, pp. 1, 2, 4. 1923.
        production, and value of shipments. D.B. 1099, p. 2. 1922.
        shipments, 1914. D.B. 290, pp. 7-8. 1915.
        shipping sections. F.B. 1291, p. 3. 1922.
    Trinity National Forest, seed sowing, results. For. Bul. 98, pp. 48-50. 1911.
    trough valleys, Mojave Desert, and tributaries, description. D.B. 54, pp. 38-46. 1914.
    trucking industry, acreage and crops. Y.B., 1916, pp. 445, 449, 450, 455-465. 1917; Y.B. Sep. 702, pp. 11, 15, 16, 21-31. 1917.
    Tulare County—
        development of citrus fruit industry. B.P.I. Bul. 123, pp. 11. 1908.
        See also California, soil survey of Middle San Joaquin Valley; Portersville area.
    Tule River Basin, irrigation. A. F. Chandler. O.E.S. Bul. 119, pp. 159-189. 1902.
    Tujunga watershed, chaparral, composition. For. Bul. 85, p. 36. 1911.
    Turlock—
        and Modesto irrigation districts. Frank Adams. O.E.S. Bul. 158, pp. 93-139. 1905.
        district, muskmelons, marketing and distribution. D.B. 401, pp. 29-31. 1916.
    turpentining experiments on western yellow pine. For. Bul. 116, pp. 16-18, 22, 23. 1912.
    Ukiah area soils, nitrification studies. J.A.R., vol. 7, pp. 67-72. 1916.
    University, teachers' courses. O.E.S. Cir. 118, pp. 8-9. 1913.
    University Farm at Davis, cooperative irrigation experiments, 1909-1912. S. H. Beckett. D.B. 10, pp. 21. 1913.
    vetch growing for green manure. B.P.I. Chief Rpt., 1921, p. 26. 1921.
    vine disease, distribution and magnitude. B.P.I. Bul. 172, pp. 9-10. 1910.
    vineyards—
        injury by little-leaf disease. J.A.R., vol. 8, pp. 381, 382-389. 1917.
        planting, historical notes. D.B. 903, pp. 4-7. 122. 1921.
    viticulture, investigations, experiments. B.P.I. Bul. 172, pp. 1-86. 1910.
    wage rates, farm labor, 1851-1865. Stat. Bul. 99, pp. 19, 29-43, 68-70. 1912.
    walnut aphides. W. M. Davidson. D.B. 100, pp. 48. 1914.
    walnut growing and yield. B.P.I. Bul. 254, pp. 11, 12, 15, 23, 24, 60, 61, 75, 84-85, 87-88. 1913.
    water—
        appropriation from Kings River, report by C. E. Grunsky. O.E.S. Bul. 100, pp. 259-325. 1901.
        laws. O.E.S. Bul. 158, p. 66. 1905; O.E.S. Bul. 237, pp. 38-41. 1911.
        measurement experiments, Calexico and Lake Tahoe. J.A.R., vol. 2, pp. 77-79, 82-83. 1914.
        resources, uses, and value. O.E.S. Bul. 237, pp. 14-28. 1911.
        rights, laws, and officials. D.B. 913, pp. 2, 3. 1920.
        rights on the Los Angeles River, study. Edward M. Boggs. O.E.S. Bul. 100, pp. 327-351. 1901.
        supply, records, by counties. Soils Bul. 92, pp. 35-37. 1913.
    weather conditions—
        and forest fires. S. B. Show and E. I. Kotok. D.C., 354, pp. 22. 1925.
        and sorghum growth. J.A.R. vol. 13, pp. 136-146. 1918.
    wet and dry seasons. Alexander G. McAdie. Y.B. 1902, pp. 187-204. 1903; Y.B. Sep. 271, pp. 187-204. 1903.
    wheat—
        acreage and varieties. D.B. 1074, p. 206. 1922.
        crop, acreage, production, and value. Stat. Bul. 57, pp. 6-25, 35. 1907; Stat. Bul. 57, rev., pp. 6-25, 35, 39. 1908.

California—Continued.
    wheat—continued.
        crop improvement. Henry F. Blanchard. B.P.I. Bul. 178, pp. 37. 1910.
        downy mildew, occurrence. D.C. 186, p. 3. 1921.
        environment studies. J.A.R. vol. 1, pp. 275-291. 1914.
        growing for environment experiments (and other States). Chem. Bul. 128, pp. 1-18. 1910.
        growing importance. F.B. 1301, p. 3. 1923.
        production—
            1881 to 1920 by 10-year periods. D.B. 1173, p. 2. 1923.
            1921 by periods. Y.B. 1921, pp. 89, 90, 91, 94, 95, 96. 1922; Y.B. Sep. 873, pp. 89, 90, 91, 94-96. 1922.
        two adaptable varieties, Chull and Fretes. B.P.I. Bul. 178, pp. 24-29. 1910.
        use as name for shallu sorghum, description. B.P.I. Cir. 50, pp. 3-10. 1910.
        varietal experiments, Marquis and other. D.B. 400, pp. 33-34. 1916.
        yields and prices, 1868-1915. D.B. 514, p. 15. 1917.
    white pine, importance and stand. D.C. 226, pp. 6-7. 1922.
    windbreaks for orchard protection. F.B. 788, p. 13. 1917.
    wines, labeling. F.I.D. 122, p. 1. 1910.
    wool—
        handling method. Y.B. 1914, pp. 330. 1915; Y.B. Sep. 645, p. 330. 1915.
        regulations, special. Mkts. S.R.A. 50, pp. 5-7. 1919.
    yellow-pine area, annual cut, stumpage. D.B. 1003, pp. 4-6, 12-13. 1921.
    Yolo County—
        irrigation conditions, under consolidated water system. O.E.S. Bul. 207, pp. 32-59. 1909.
        See also California, soil survey of Woodland area.
    Yuba River, features and water rights, report by Marsden Manson. O.E.S. Bul. 100, pp. 115-154. 1901.
    Yuma Experiment Farm—
        climate and crop conditions. W.I.A. Cir. 12, pp. 2-8. 1916.
        work, 1915. W.I.A. Cir. 12, pp. 1-27. 1916; Yuma Reclamation Project, description, climate, and crops. D.C. 75, pp. 3-24. 1920.
    Zygadenus sp. occurrence and distribution. 1012, p. 3. 1922.
Caligonus spp., description. Rpt., 108, pp. 33, 38. 1915.
Caliphora erythrocephala. See Blow-fly.
Caliroa—
    synonymy. Ent. T.B. 20, Pt. II, p. 100. 1911.
    amygdalina. See Slug, peach and plum.
Calisaya bark examination; standard alkaloid content. Chem. Bul. 80, p. 21. 1904.
Calking, materials for window and door frames. F.B. 1194, p. 17. 1921.
CALL, L. E.: "Losses of organic matter in making brown and black alfalfa." With others. J.A.R. vol. 18, pp. 299-304. 1919.
Call ducks, descriptions and characters. F.B. 697, p. 8. 1915.
Calla lily, soft rot. C. O. Townsend. B.P.I. Bul. 60, pp. 44. 1904.
Calla palustris. See Arum, water.
CALLANDER, W. F.; "Wheat situation." With others. Y.B. 1923, pp. 95-150. 1924.
Callards, use as potherb. O.E.S. Bul. 245, p. 29. 1912.
Calliandra haematocephala, importation and description. No. 36023, B.P.I. Inv. 36, p. 39. 1915.
Calliandra tergemina importation and description. No. 55790, B.P.I. Inv. 72, p. 35. 1924.
Callicarpa—
    giraldiana, importation and description. No. 44076, B.P.I. Inv. 50, p. 24. 1922; No. 55078, B.P.I. Inv. 71, p. 20. 1923.
    spp., importations. Nos. 47651, 47652, 47838, B.P.I. Inv. 59, pp. 42, 66. 1922.
Callidium—
    antennatum—
        host selection. J.A.R., vol. 22, pp. 194-220. 1921.
        See also Pine borer, black-horned.

INDEX TO PUBLICATIONS, 1901-1925   351

Callidium—Continued.
  janthinum, host selection. J.A.R., vol. 22, pp. 203-220. 1921.
Calliephialtes—
  comstockii, description. J.A.R., vol. 1, p. 214. 1913.
  messor—
    description. J.A.R., vol. 1, pp. 213-214. 1913.
    introduction into California against codling moth. Y.B., 1907, p. 443. 1908; Y.B., Sep. 460, p. 443. 1908.
    parasitic enemy of codling moth, introduction into the United States. Ent. Bul. 91, pp.38-39. 1911.
  pusio, description. J.A.R., vol. 1, p. 214. 1913.
  sp., parasite of codling moth, description, and life history. J.A.R., vol. 1, pp. 211-238. 1913.
Calligonum spp.—
  importations and description. Nos. 36536-36540. B.P.I. Inv. 37, p. 29. 1916.
  useful as sand binders. B.P.I. Bul. 180, pp. 35-36. 1910.
Calliopsis, description, cultivation, and characteristics. F.B. 195, p. 23. 1904; F.B. 1171, pp. 40, 79. 1921.
Callipepla spp. See Quail.
Calliphora—
  dux. See Sheep-maggot fly.
  erythrocephala—
    description and habits. F.B. 459, p. 6. 1911.
    See also Fly, blue-bottle.
Calliphorinae, larvae, description and occurrence in food. Ent. T. B. 22, pp. 20-22. 1912.
Callipterina, genera, description and key. D.B. 826, pp. 6, 25-30. 1920.
Callipterini, subtribes and genera, description and key. D.B. 826, pp. 6, 21-37. 1920.
Callipterus trifolii. See Clover aphid, yellow.
Callirhoe spp.—
  food plants of boll weevil. D.B. 231, p. 3. 1915.
  See also Mallow.
Callistemon—
  rigidus, importation and description. No. 47549, B.P.I. Inv. 59, p. 30. 1922.
  speciosus. See Bottle-brush.
Callistephus hortensis. See Aster.
Callitris—
  cupressiformis—
    importation and description. No. 47151, B.P.I. Inv. 58, pp. 7, 32-33. 1922; No. 47550, B.P.I. Inv. 59, p. 30. 1922.
    See also Pine, Oyster Bay.
  robusta, importation and description. No. 48983, B.P.I. Inv. 61, p. 62. 1922.
  spp., importation and description. Nos. 51282-51283, B.P.I. Inv. 64, p. 84. 1923.
  whytei, importation and description. No. 52807, B.P.I. Inv. 66, pp. 2, 79. 1923; No. 55602, B.P.I. Inv. 72, pp. 3, 9-10. 1924.
Callivance. See Cowpeas.
Callorhinus alascanus. See Seals, Pribilof fur.
Callospermophilus—
  destruction by coyotes. Biol. Bul. 20, p. 13. 1905.
  sp. See Squirrel, ground.
Calmoun. See Laurel, mountain.
Calobra, seeds and tubers, importation and description. Nos. 34491, 34492. B.P.I. Inv. 33, p. 24. 1915.
Calocoris rapidus. See Cotton, leaf-bug.
Calomel—
  and bismuth tablets, misbranding. Chem. N.J. 3019. 1914.
  pills, adulteration and misbranding. Chem N.J. 3049. 1914.
  tablets, adulteration and misbranding. Chem N. J. 1843, pp. 5. 1912.
  use in treatment of worms in dogs, effects. J.A.R., vol. 12, p. 399. 1918.
Calophaca wolgarica, importation and description. No. 40156, B.P.I. Inv. 42, pp. 75-76. 1918.
Calophyllum—
  calaba, description and uses. D.B. 354, p. 86. 1916.
  inophyllum—
    importation and description. No. 34125, B.P.I. Inv. 32, p. 13. 1914; No. 51218, B.P.I. Inv. 64, p. 77. 1923.
    See also Laurel, Alexandrian.

Calophyllum—Continued.
  spp., as stock for mangosteen. B.P.I. Bul. 202, p. 27. 1911.
Calorie(s)—
  calculation method. Chem. Bul. 120, p. 10. 1909.
  definition of term and use in study of energy value of food. F.B. 346, p. 12. 1909.
  estimating in weights of various foods. F.B. 1313, pp. 8, 9, 11, 12, 13, 17-18. 1923.
  measure of food values, computation for different foods. F.B. 1228, pp. 7-8, 10, 12, 14, 15, 17, 21-22, 27. 1921.
Calorimeter—
  bomb—
    hydrothermal equivalent. B.A.I. Bul. 124, pp. 7-22. 1910.
    use, investigations. J. August Fries. B.A.I. Bul. 94, pp. 39. 1907.
  Bunsen's ice, use in heat determination in wood, description. For. Bul. 110, pp. 8-10. 1912.
  calibration, method, results. For. Bul. 110, pp. 19-28. 1912.
  construction, description. Y.B., 1910, pp. 308-313. 1911; Y.B. Sep. 539, pp. 308-313. 1911.
  description and use. F.B. 142, p. 13. 1902; O.E.S. Bul. 175, pp. 13-15, 32-35. 1907; B.A.I. Bul. 124, pp. 31-32. 1910.
  experiments—
    1904, review by Secretary. Rpt. 79, p. 88. 1904.
    with cattle. J.A.R., vol. 3, pp. 435-489. 1915.
    with cheese digestion. B.A.I. Cir. 166, pp. 9, 13. 1911.
  microrespiration—
    invention and use. O.E.S. Chief Rpt., 1912, p. 30. 1912; An. Rpts., 1912, p. 844. 1913.
    value for nutrition studies. An. Rpts., 1913, p. 283. 1914; O.E.S. Chief Rpt., 1913, p. 13. 1913.
  principle and construction details. J.A.R., vol. 5, No. 8, pp. 301-304. 1915.
  respiration—
    W. O. Atwater and F. G. Benedict. Y.B., 1904, pp. 205-220. 1905; Y.B. Sep. 342, pp. 205-220. 1905.
    application to study of vegetable physiology. C. F. Langworthy and R. D. Milner. O.E.S. Cir. 116, pp. 3. 1912.
    banana ripening, study. Y.B., 1912, pp. 293-308. 1913; Y.B. Sep. 592, pp. 293-308. 1913.
    description and construction details. Y.B. 1911, pp. 494-503. 1912; Y.B. Sep. 586, pp. 494-503. 1912.
    development since 1897 and studies. An. Rpts., 1912, p. 222. 1913; Sec. A.R., 1912, p. 222. 1912; Y.B., 1912, p. 222. 1913.
    experiments—
      and their results. C. F. Langworthy and R. D. Milner. Y.B., 1910, pp. 307-318. 1911; Y.B. Sep. 539, pp. 307-318. 1911.
      in feed utilization, methods. B.A.I. Bul. 128, pp. 23-60, 92-189, 231-241. 1911.
      with bicycle riders. O.E.S. Bul. 208, pp. 19-27. 1909.
    improved, for use in experiments with man. J.A.R., vol. 5, pp. 299-348. 1915.
    installation in department. O.E.S. An. Rpt., 1908, p. 32. 1909.
    red clover hay, available energy, investigations. Henry Prentiss Armsby and J. August Fries. B.A.I. Bul. 101, pp. 61. 1908.
    small, construction, work, and tests. J.A.R., vol. 6, No. 18, pp. 703-720. 1916.
    use in—
      animal nutrition investigations. B.A.I. An. Rpt., 1906, pp. 265-271. 1908.
      milk-production experiments. D.B. 1281, pp. 7-8. 1924.
      nutrition investigations. O.E.S. An. Rpt., 1910, pp. 454, 455, 456. 1911.
      use in vegetable-physiology studies. Y.B. 1911, pp. 491-504. 1912; Y.B. Sep. 586, pp. 491-504. 1912.
    use—
      in studies of cattle fattening. J.A.R., vol. 11, pp. 451-472. 1917.
      with cows in experiments in energy distribution. D.B. 1281, pp. 7-8, 20-22. 1924.

Calorimetry—
  bomb, methods and standards. J. August Fries. B.A.I. Bul. 124, pp. 32. 1910.
  direct and indirect, comparison in cattle investigations. Max Kriss. J.A.R., vol. 30, pp. 393–406. 1925.
Calosoma—
  alternans, insect enemy of grass worm. D.B. 192, p. 7. 1915.
  angulatum, description, distribution, food habits, etc. D.B. 417, pp. 17, 74–75. 1917.
  aurocinctum, description and distribution. D.B. 417, p. 122. 1917.
  auropunctatum, description, distribution, and food habits. D.B. 417, pp. 18, 20, 107–111. 1917.
  beetles—
    American species north of Mexico, and others. D.B. 417, pp. 1–124. 1917.
    enemy of army worm. Ent. Bul. 66, Pt. V, p. 64. 1910.
    field colonies, record of two. Ent. Bul. 101, pp. 77–78. 1911.
    importation from Europe and Japan. Ent. Bul. 101, pp. 8–12. 1911.
    in New England. A. F. Burgess and C. W. Collins. D.B. 251, pp. 40. 1915.
    parasites, life history. J.A.R., vol. 18, pp. 483–498. 1920.
    rearing and shipping methods. D.B. 417, pp. 13–16. 1917.
  calidum—
    description, distribution, and food habits. D.B. 417, pp. 18, 19, 98–105. 1917.
    enemy of army worm F.B. 731, pp. 3, 9. 1916.
  cancellatum, description, distribution, and food habits. D.B. 417, pp. 18, 19, 111–113. 1917.
  classification, and characters of adults and larvae. D.B. 417, pp. 16–20. 1917.
  chinense, description, distribution, and food habits. D.B. 417, pp. 18, 114–119. 1917.
  dietzii, description and distribution. D.B. 417, pp. 122–123. 1917.
  discors, description, and distribution. D.B. 417, pp. 18, 119. 1917.
  externum, description, distribution, and food habits. D.B. 417, pp. 17, 20, 21–25. 1917.
  frigidum, description, distribution, and food habits. D.B. 417, pp. 8, 10, 17, 19, 44–54. 1917.
  genus—
    A.F. Burgess and C. W. Collins. D.B. 417, pp. 124. 1917.
    history and characters. D.B. 417, pp. 3–4. 1917.
  haydeni, description, distribution, food, and habits. D.B. 417, pp. 17, 20, 94–97. 1917.
  inquisitor—
    description, distribution, and food habits. D.B. 417, pp. 17, 19, 54–62. 1917.
    introduction into the United States, studies, causes, and progress. Ent. Bul. 91, pp. 47–84. 1911.
  larvae, climbing habits. D.B. 417, pp. 9–10. 1917.
  latipenne, description, and distribution. D.B. 417, pp. 18, 121–122. 1917.
  lugubre, description, distribution, food, and habits. D.B. 417, pp. 17, 20, 79–86. 1917.
  luxatum, description and distribution. D.B. 417, pp. 18, 120–121. 1917.
  macrum, description and distribution. D.B. 417, pp. 17, 25. 1917.
  maximowicza, description and distribution. D.B. 417, p. 123. 1917.
  moniliatum, description and distribution. D.B. 417, p. 114. 1917.
  morrisonii, description and distribution. D.B. 417, pp. 18, 106. 1917.
  obsoletum, description, distribution, and food habits. D.B. 417, pp. 17, 19, 87–90. 1917.
  palmeri, description. D.B. 417, pp. 17, 86. 1917.
  parviceps, description. D.B. 417, pp. 17, 79. 1917.
  perigrinator, description, distribution, and food habits. D.B. 417, pp. 7, 17, 20, 75–78. 1917.
  prominens, description, distribution, etc. D.B. 417, pp. 78–79. 1917.
  protractum, description and distribution. D.B. 417, pp. 17, 26. 1917.
  reticulatum, description, distribution, and food habits. D.B. 417, pp. 5, 10, 17, 20, 67–24. 1917.
  sayi—
    description, distribution, food, and habits. D.B. 417, pp. 17, 62–64. 1917.

Calosoma—Continued.
  sayi—continued.
    destruction of semitropical army worm. Ent. Bul. 66, Pt. V. p. 64. 1909; Ent. Bul. 66, p. 64. 1910.
  scrutator—
    description, distribution, and food habits. D.B. 417, pp. 6, 8, 10, 17, 19, 20–38. 1917.
    enemy of tent caterpillars. F.B. 662, p. 8. 1915.
  semilaeve, description, distribution, and food habits. D.B. 417, pp. 7, 10, 17, 19, 90–93. 1917.
  simplex, description and distribution. D.B. 417, pp. 17, 93. 1917.
  splendidum, description and distribution. D.B. 417, pp. 123–124. 1917.
  spp.—
    destruction by crows. D.B. 621, pp. 16–17, 58. 1918.
    destruction of cutworms. Ent. Bul. 67, p. 98. 1907.
    introduction to control gipsy moths, results. Y.B., 1911, pp. 463–465. 1912; Y.B. Sep. 583, pp. 463–465. 1912.
    native and imported, description and comparison. Y.B., 1911, pp. 463–465. 1912; Y.B. Sep. 583, pp. 463–465. 1912.
    natural enemies. D.B. 417, pp. 10–13. 1917.
    seasonal history, generations, food habits, and limits. D.B. 417, pp. 4–9. 1917.
  sycophanta—
    beneficial beetle, introduction. An. Rpts., 1908, pp. 536–537. 1909; Ent. A.R., 1908, pp. 14–15. 1908.
    colonies, liberation in Maine. Ent. Bul. 101, pp. 71–75, 88–89. 1911.
    colonization and importations, 1906–1914. D.B. 251, pp. 19–20, 21–39. 1915.
    description, distribution, and food habits. D.B. 417, pp. 5, 6, 7, 9, 17, 19, 64–67. 1917.
    description, life history, and comparison with other species. Y.B., 1911, pp. 463–465. 1912; Y.B., Sep. 583, pp. 463–465. 1912.
    economic importance. D.B. 251, pp. 39–40. 1915.
    enemy of—
      New Mexico range caterpillar. D.B. 443, p. 9. 1916.
      satin moth. D.C. 167, p. 15. 1921.
    feeding experiments and habits. Ent. Bul. 101, pp. 32–41, 52–57. 1911.
    history, behavior, and colonization in New England. Ent. Bul. 101, pp. 94. 1911.
    importation and rearing, 1909. An. Rpts., 1909, pp. 497–498. 1910; Ent. A.R., 1909, pp. 11–12. 1909.
    life history, habits, feeding methods, vitality, and natural enemies. D.B. 251, pp. 7–19. 1915.
    moth parasite, introduction into the United States, studies, causes, progress, etc. Ent. Bul. 91, pp. 47–84. 1911.
    natural enemies, studies. Ent. Bul. 101, pp. 70–71. 1911.
    occurrence in various countries, early history, and hosts. D.B. 251, p. 3. 1915.
    parasitic enemy of gipsy and brown-tail moths. F.B. 564, pp. 6, 11. 1914.
    parasitic attack on gipsy moth, establishment in New England. D.B. 204, pp. 7, 11–12. 1915.
    predatory habits, spread. An. Rpts., 1910, pp 116, 516. 1911; Ent. A.R., 1910. p. 2. 1910; Sec. A.R., 1910, p. 116. 1910; Y.B., 1910, p. 115. 1911.
    usefulness against gipsy and brown-tail moths, and description, introduction from Europe, 1905–1910. D.B. 251, pp. 1–2, 19–20. 1915.
  tepidum, description and distribution. D.B. 417, pp. 18, 106–107. 1917.
  triste, description and distribution. D.B. 417, pp. 17, 86–87. 1917.
  tristoides, description and distribution. D.B. 417, pp. 17, 97. 1917.
  wilcoxi, description, distribution, and food habits. D.B. 417, pp. 8, 17, 19, 38–44. 1917.
  wilkesii, description and distribution. D.B. 417, pp. 18, 120. 1917.
Calotermes marginipennis, damage in Southwestern States. D.B. 333, p. 15. 1916.
Calotropis procera, importation No. 54451. B.P.I. Inv. 69, p. 11. 1923.

Calpurnia aurea, importation. No. 42829, B.P.I. Inv. 47, p. 72. 1920.
Calsinsky Bay Reservation, Alaska, transfer of livestock. Alaska A.R., 1908, p. 19. 1909.
Caltha palustris, distribution. N.A. Fauna 21, p. 21. 1901.
Calumpit, importation and description. No. 36016. B.P.I. Inv. 36, p. 38. 1915.
Calvatia—
  gigantea. See Giant puffball.
  spp.—
    description. D.B. 175, pp. 49-50. 1915.
    occurrence in formation of fairy rings. J.A.R., vol. 11, pp. 194, 199-217, 223, 227-234, 239. 1917.
CALVERT, E. B.: "The Weather Bureau." With Henry E. Williams. W.B. [Misc.], "The Weather Bureau," pp. 55. 1923.
CALVIN, H. W.: "Objects of women's institutes." O.E.S. Bul. 238, pp. 63-64. 1911.
CALVIN, J. W.: "Nutrient requirements of growing chicks: Nutritive deficiencies of corn." With others. J.A.R., vol. 22, pp. 139-149. 1921.
CALVIN, M. V., report of Georgia Experiment Station—
  1909. O.E.S. An. Rpt., 1909, pp. 92-94. 1910.
  1910. O.E.S. An. Rpt., 1910, pp. 121-122. 1911.
  1911. O.E.S. An. Rpt., 1911, pp. 93-95. 1912.
  1912. O.E.S. An. Rpt., pp. 98-100. 1913.
Calving—
  control of season to prevent screw-worm injury. F.B. 857, p. 10. 1917.
  diseases following. B.A.I. [Misc.], "Diseases of cattle," rev., pp. 210-242. 1908; B.A.I. [Misc.], "Diseases of cattle," rev., pp. 216-251. 1912.
  effects of age and rations of mother, studies. S.R.S. Rpt., 1916, Pt. I, pp. 39, 167. 1918.
  fall, for dairy cows, advantages. F.B. 1446, p. 14. 1925.
  season, relation to production and income from dairy cows. D.B. 1071, pp. 1-10. 1922.
  symptoms, obstacles, and general principles of treatment. B.A.I. [Misc.], "Diseases of cattle," rev., pp. 174-204. 1912; B.A.I. [Misc.], "Diseases of cattle," rev., pp. 170-198. 1908; B.A.I. [Misc.], "Diseases of cattle," rev., pp. 173-213. 1923.
Calycanthaceae, importation and description. No. 41429, B.P.I. Inv. 45, p. 28. 1918.
Calycanthus occidentalis, importation. No. 43946, B.P.I. Inv. 49, p. 102. 1921.
Calydorea speciosa, importations and descriptions. Nos. 30074-30075, B.P.I. Bul. 233, pp. 56-57. 1912; No. 36134, B.P.I. Inv. 36, p. 58. 1915; No. 46385, B.P.I. Inv. 56, p. 14. 1922.
Calypte spp. See Hummingbird.
Calyptrocalyx spicatus, importation and description. No. 45957, B.P.I. Inv. 54, p. 49. 1922.
Calyx—
  lobes, arrangement in cotton plants. B.P.I. Bul. 222, pp. 16-18. 1911.
  spray—
    apple orchards, formula. D.B. 518, p. 37. 1917.
    for codling moth. F.B. 1326, pp. 20, 24. 1924.
Camachile—
  hedge or windbreak. Guam Bul. 2, p. 17. 1922; Guam Bul. 4, p. 26. 1922; O.E.S. An. Rpt., 1910, p. 509. 1911.
  use as permanent fence in Guam. Guam Cir. 2, p. 7. 1921.
Camas, death. See Death camas; Lobelia; Zygadenus.
Cambium—
  curculio, *Conotrachelus anaglypticus*. Fred E. Brooks and R. T. Cotton. J.A.R., vol. 28, pp. 377-386. 1924.
  description and functions. F.B. 1178, pp. 4-5. 1920.
  importance in tree surgery. Y.B., 1913, pp. 165-166. 1914; Y.B. Sep. 622, pp. 165-166. 1914.
  miner(s)—
    cause of pith-ray flecks. For. Cir. 215, pp. 5, 6. 1913.
    two new. J.A.R., vol. 10, pp. 313-318. 1917.
Cambridge, Mass., milk supply, statistics, officials, and prices. B.A.I. Bul. 46, pp. 30, 90, 188. 1903.
Cambuca—
  description of tree and fruit. D.B. 445, p. 30. 1917.

Cambuca—Continued.
  importation, description, and uses. No. 37829, B.P.I. Inv. 39, p. 50. 1917.
Cambuhy da India, importation and description. No. 37830, B.P.I. Inv. 39, pp. 11, 50-51. 1917.
Camden, N. J., milk supply, statistics, officials, and prices. B.A.I. Bul. 46, pp. 30, 115. 1903.
Camel(s)—
  Algerian. B.P.I. Bul. 80, p. 89. 1905.
  government importation. Charles C. Carrol. B.A.I. Cir. 53, pp. 19. 1904.
  milk, use in cheese making, note. B.A.I. Bul. 105, p. 29. 1908; B.A.I. Bul. 146, p. 32. 1911.
  numbers, world countries. Y.B., 1914, pp. 612-615. 1915; Y.B., Sep. 656, pp. 612-615. 1915.
  statistics—
    1906. Y.B., Sep. 436, pp. 636. 1907; Y.B. 1906, pp. 636. 1907.
    1907. Y.B., 1907, pp. 701-703. 1908; Y.B. Sep. 465, pp. 703. 1908.
    1910, world countries. Y.B., 1910, pp. 618-620. 1911; Y. B. Sep. 553, pp. 618-620. 1911.
    1911, different countries. Y.B., 1911, pp. 623-625. 1912; Y.B., Sep. 588, pp. 623-625. 1912.
    1912, different countries. Y.B., 1912, pp. 670-672. 1913; Y. B., Sep. 615, pp. 670-672. 1913.
    graphic showing of average numbers for world. Stat. Bul. 78, p. 50. 1910.
  surra disease, chronic type. B.A.I. An. Rpt., 1909, p. 88. 1911; B.A.I. Cir. 169, p. 88. 1911.
  thorn importation, description, and uses. No. 30662, B.P.I. Bul. 242, p. 29. 1912.
Camellia—
  attacked by *Glomerella* sp. and *Colletotrichum* sp., studies. B.P.I. Bul. 252, pp. 53-54. 1913.
  importation and uses. No. 43923, B.P.I. Inv. 49, p. 96. 1921.
  injury by tea scale. Ent. T. B. 16, Pt. V, p. 78. 1912.
Camera, use in national forests. D.C. 138, pp. 3, 43, 50. 1920.
CAMERON, A. D., "Soil survey of—
  Coffee County, Alabama." With Lewis A. Hurst. Soil Sur. Adv. Sh., 1909, pp. 51. 1911. Soils F.O., 1909, pp. 801-847. 1912.
  Dale County, Alabama." With others. Soils F.O. 1910, pp. 605-629. 1912; Soil Sur. Adv. Sh., 1910; pp. 39. 1911.
CAMERON, F. K.—
  "Calcium sulphate in aqueous solutions: A contribution to the study of alkali deposits." With James M. Bell. Soils Bul. 33, pp. 71. 1906.
  "Investigations in soil fertility." With Milton Whitney. Soils Bul. 23, pp. 48. 1904.
  "Moisture content and physical condition of soils." With F. E. Gallagher. Soils Bul. 50, pp. 70. 1908.
  "Pacific kelp beds as a source of potassium salts." Rpt. 100, pp. 9-32. 1915.
  "Possible sources of potash in the United States." Y.B., 1912, pp. 523-536. 1913; Y.B. Sep. 611, pp. 523-536. 1913.
  "Solution studies of salts occurring in alkali soils." With others. Soils Bul. 18, pp. 89. 1901.
  "Some mutual relations between alkali soils and vegetation." With Thomas H. Kearney. Rpt. 71, pp. 78. 1902.
  "The action of water and aqueous solutions upon soil carbonates." With James M. Bell. Soils Bul. 49, pp. 64. 1907.
  "The action of water and aqueous solutions upon soil phosphates." With James M. Bell. Soils Bul. 41, pp. 58. 1907.
  "The chemistry of the soil as related to crop production." With Milton Whitney. Soils Bul. 22, pp. 71. 1903.
  "The mineral constituents of the soil solution." With James M. Bell. Soils Bul. 30, pp. 70. 1905.
Cameron clay, South Texas, distribution, description, and uses. Soil Sur. Adv. Sh., 1909, pp. 76-78. 1910; Soils F.O. 1909, pp. 1100-1102. 1912.
CAMMACK, F. R.—
  "How to make cottage cheese on the farm." With K. J. Matheson. F.B. 850, pp. 15. 1917.
  "Neufchâtel and cream cheese: Farm manufacture and use." With K. J. Matheson. F.B. 960, pp. 35. 1918.

CAMMACK, F. R.—Continued.
"The manufacture of Neufchâtel and cream cheese in the factory." With K. J. Matheson. Bul. 669, pp. 28. 1918.
Cammock. *See* Yarrow.
Camnula pellucida—
description and habits. F.B. 1140, p. 5. 1920.
See also Locust, yellow-winged.
Camoensia maxima—
importation and description. No. 40391, B.P.I. Inv. 43, pp. 7, 11-13. 1918; No. 45608, B.P.I. Inv. 53, pp. 9, 68. 1922.
seed importations, 1909, and description. B.P.I. Bul. 162, p. 60. 1909.
Camomile—
German, culture and handling as drug plant. F.B. 663, p. 18. 1915; F.B. 663, p. 16, rev., 1920.
Roman, culture and handling as drug plant. F.B. 633, p. 18. 1915.
scentless, description of seed, appearance in red clover seed. F.B. 260, p. 18. 1906; F.B. 42.8 p. 7, 27, 28. 1911.
CAMP, W. B.—
"Cotton culture in the San Joaquin Valley in California." D.C. 164, pp. 22. 1921.
"Production of Acala cotton in the San Joaquin Valley, California." D.C. 357, pp. 24. 1925.
CAMP, W. R.: "A study of cotton market conditions in North Carolina, with a view to their improvement." With O. J. McConnell. D.B. 476, pp. 19. 1917.
Camp(s)—
boys' and girls' clubs, typical program. D.C. 312, pp. 38-39. 1924.
cookery, directions and recipes. D.C. 4, pp. 60-62. 1919; D.C. 138, pp. 63-66. 1920.
equipment, convict camps, clothing, supplies, description, and cost. D.B. 414, pp. 145-157. 1916.
fires—
For [Misc.], "Camp fires," pp. 4. 1915.
dangers, and precautions to insure safety. M.C. 7, pp. 12, 16-17. 1923.
forest camping, regualtions and suggestions. D.C. 185, pp. 24-27. 1921.
logging, movable and stationary, description and cost. D.B. 711, pp. 11-15. 1918.
lumber, types, conditions, and costs. D.B. 440, pp. 8-10. 1917.
military, insect control. Sec. Cir. 61, pp. 24. 1916.
rat control, suggestions. F.B. 896, pp. 8, 11. 1917.
rations, canning directions. F.B. 839, pp. 28-29, 31. 1917.
recreation, national forests. For. [Misc.], "Recreation uses * * * forests," pp. 7-8, 21-22, 36. 1918.
sanitation, rules. For. [Misc.], "Vacation days * * * Colorado * * *," p. 54. 1919.
sanitation, suggestions. For. [Misc.], "First-aid manual * * *," pp. 95-98. 1917.
site and buildings, experimental convict road camp. D.B. 583, pp. 7-15. 1918.
week, recreational program. Off. Rec., vol. 4, No. 35, p. 6. 1925.
women and girls, demonstration work. Off. Rec., vol. 2, No. 27, p. 3. 1923.
Camp Vail, opening and purpose. Off. Rec., vol. 1, No. 27, p. 5. 1922.
Campanula—
colorata, importation. No. 42615, B.P.I. Inv. 47, p. 38. 1920.
description, varieties and climatic adaptations. F.B. 1381, pp. 37-38. 1924.
growing. F.B. 195, p. 23. 1904.
rotundifolia, susceptibility to *Puccinia triticina*. J.A.R., vol. 22, pp. 152-172. 1921.
CAMPBELL, F. L.: "Studies on nonarsenical stomach-poison insecticides." With William Moore. J.A.R., vol. 28, pp. 395-402. 1924.
CAMPBELL, G. R.: "Effect of composition on the palatability of ice cream." With Owen E. Williams. D.B. 1161, pp. 8. 1923.
CAMPBELL, H. C.—
"Biochemic reaction and the bacterial count of milk." B.A.I. An. Rpt., 1911, pp. 195-224. 1913.

CAMPBELL, H. C.—Continued.
"Comparison of the bacterial count of milk with the sediment or dirt test." D.B. 361, pp. 7. 1916.
"Leucocytes in milk: Methods of determination and the effect of heat upon their number." B.A.I. Bul. 117, pp. 19. 1909.
"Tubercle bacilli in market milk in Philadelphia." B.A.I. An. Rpt., 1909, pp. 163-177. 1911.
CAMPBELL, R. E.—
"Nicotine dust for control of truck-crop insects." F.B. 1282, pp. 24. 1922.
"Nicotine sulphate in a dust carrier against truck-crop insects." D.C. 154, pp. 15. 1921.
"The broad-bean weevil." D.B. 807, pp. 23. 1920.
CAMPBELL, W. G.—
"Report of acting chemist"—
1922. An. Rpts., 1922, pp. 251-288. 1923; Chem. Chief Rpt., 1922, pp. 38. 1922.
1923. An. Rpts., 1923, pp. 345-372. 1924; Chem. Chief Rpt., 1923, pp. 28. 1923.
CAMPBELL, WILLIAM, report of Virginia's fruit exchange, Charlestown, W. Va. Rpt. 98, pp. 256-261. 1913.
Campbell system of desiccating milk. Y.B., 1912, pp. 343-344. 1913; Y.B. Sep. 595, pp. 343-344. 1913.
Campeachy wood. *See* Logwood.
Campeche—
henequen industry. D.B. 1278, p. 19. 1924.
Porto Rico, occurrence, description, and uses. D.B. 354, pp. 33, 77. 1916.
Campephilus principalis. *See* Woodpecker, ivory-billed.
Campers—
aid in protecting forests. D.C. 138, pp. 5, 53, 78. 1920.
California national forests, handbook for. D.C. 185, pp. 48. 1921.
cause of forest fires, and prevention rules. Y.B., 1910, pp. 415, 419. 1911; Y.B. Sep. 548, pp. 415, 419. 1911.
fires in California forests, data for 1911-1920. D.C. 243, pp. 20-25, 70-71. 1923.
food and cooking equipment, lists. D.C. 4, pp. 55-59. 1919.
forest, fire regulations. Off. Rec., vol. 3, No. 12, p. 4. 1924.
outfit, clothing, and food, suggestions. D.C. 138, pp. 58-63. 1920.
responsibility for forest fires, 1915. News L., vol. 3, No. 38, p. 2. 1916; M. C. 19, pp. 6-7. 1924.
rules for protection of national forests. D.C. 100, pp. 2, 23. 1921.
Camphor—
adulteration and misbranding. Chem. N.J. 221, pp. 2. 1910.
adulteration and misbranding "Cedar of Lebanon and camphor." I. and F. Bd. N.J., 25, pp. 2. 1913.
American, price per pound, 1902-1909. Y.B., 1910, p. 452. 1911; Y.B. Sep. 551, p. 452. 1911.
as promising tropical crop, remarks. Y.B., 1901, p. 356. 1902.
balls, use as repellant against striped cucumber beetle. Ent. Cir. 31, rev., p. 7. 1909.
compound misbranding "Extra refined Chinese Ta Na." I. and F. Bd. N.J. 24, pp. 2. 1913.
determination. H. C. Fuller. Chem. Cir. 77, p. 1. 1911.
determination by hydroxylamin method. Chem. Bul. 162, pp. 208-209. 1913.
distillation, methods, retorts, and description of product. Y.B., 1910, pp. 450, 456-458. 1911; Y.B. Sep. 551, pp. 450, 456-458. 1911.
effect on clothes moths and carpet beetles, tests. D.B. 707, pp. 21, 30-31. 1918.
establishment of industry. Sec. [Misc.], "Program of work * * * 1915," pp. 99-100. 1914.
experiments, in Texas. O.E.S. Bul. 222, p. 31. 1910.
extraction, method discovery. Y.B. 1908, p. 157. 1909.
flea remedy, domestic animals. Ent. Bul. 30, pp. 94-95. 1901.

Camphor—Continued.
  gum imports, 1914, quantity, value, and source.
    D.B. 296, p. 48. 1915.
  identification in black sage oil. B.P.I. Bul. 235,
    pp. 14–21. 1912.
  imports—
    1899–1909. Y.B. 1910, p. 450. 1911; Y.B.Sep.
      551, p. 450. 1911.
    1904–1908, 1851–1908. Y.B. 1908, pp. 756, 783–
      784. 1909; Y.B. Sep. 498, pp. 756, 783–784.
      1909.
    1907–1909, quantity and value, by countries
      from which consigned. Stat. Bul. 82, p. 64.
      1910.
    1908–1910, quantity and value, by countries
      from which consigned. Stat. Bul. 90, p. 68.
      1911.
    1911–1913 and 1852–1913. Y.B. 1913, pp. 495–513.
      1914; Y.B. Sep. 631, pp. 495–513. 1914.
    1913–1915, 1852–1915. Y.B., 1915, pp. 542, 561.
      1916; Y.B. Sep. 685, pp. 542–561. 1916.
    1922–1924. Y.B., 1924, p. 1067. 1925.
    and experimental cultivation. Y.B., 1905, pp.
      537–538. 1906; Y.B. Sep. 401, p. 2. 1906.
  industry—
    establishment. An. Rpts. 1907, p. 57, 304, 305.
      1908; Sec. A.R., 1907, p. 55. 1907; Rpt. 85,
      p. 41, 1907; Y.B. 1907, p. 56, 1908.
    Formosa. Off. Rec., vol. 3, No. 22, p. 5. 1924.
  manufacture with use of turpentine, experiments.
    D.B. 229, p. 8. 1915.
  material, machine for harvesting, development
    and description. D.C. 78, pp. 3–8. 1920.
  misbranding. Chem. N.J. 1428, p. 1. 1912.
  oil, fly repellant formula and experiments. D.B.
    131, pp. 19–20, 24. 1914.
  plant sources, commercial uses. B.P.I. Bul. 235,
    pp. 10–13, 20–21, 28–29, 34–37. 1912.
  production, investigations. Rpt. 83, p. 40. 1906.
  refining processes. Y.B. 1910, pp. 458–459. 1911;
    Y.B. Sep. 551, pp. 458–459. 1911.
  root(s)—
    infestation with *Tylenchus penetrans*. J.A.R.
      vol. 11, pp. 27, 30, 32. 1917.
    system and growth, description. Y.B., 1910,
      p. 454, 1911; Y.B. Sep. 551, p. 454. 1911.
  scale—
    control in 1923. Work and Exp., 1923, p. 50.
      1925.
    discussion. F.H.B.S.R.A. 76, p. 118. 1923.
    outbreaks in 1921. D.B. 1103, pp. 31–32. 1922.
  seed—
    description, quantity per acre, and planting
      method. Y.B., 1910, p. 453. 1911; Y.B.Sep.
      551, p. 453. 1911.
    planting rate and method. J.A.R. vol. 17, No.
      5, p. 223. 1919.
  seedlings, growth from pulped seeds. J.A.R.,
    vol. 17, pp. 235–236. 1919.
  sources, and effect on wheat plants. Soils Bul.
    47, pp. 36, 39. 1907.
  spirits, adulteration and misbranding. Chem.
    N.J. 550, p. 2. 1910; Chem. N.J. 3859–3863. 1915.
  synthetic, making from gum turpentine. D.B.
    898, p. 6. 1920.
  thrips—
    W. W. Yothers and A. C. Mason. D.B. 1225,
      pp. 30. 1924.
    control. Ent. A.R., 1921, p. 22. 1921.
  tree(s)—
    cultivation in the United States. S. C. Hood
      and R. H. True. Y.B., 1910, pp. 449–460.
      1911; Y.B.Sep. 551, pp. 449–460. 1911.
    culture and handling as drug plant, yield.
      F.B. 663, pp. 18–19. 1915.
    description and regions suited to. F.B. 1208,
      p. 14. 1922.
    description and use on streets, and regions
      adapted to. D.B. 816, pp. 20, 21. 1920.
    Florida drug gardens. Y.B., 1907, p. 56. 1908.
    growing—
      and uses, harvesting, marketing, and prices.
        F.B. 663, rev., pp. 22–24. 1920.
      Florida, Putnam County, details. Soil
        Sur. Adv. Sh. 1914, pp. 12–13. 1916; Soils
        F.O. 1914, pp. 1004–1005. 1919.
      in Guam. Guam A.R., 1917, p. 43. 1918.
      in Hawaii, progress, 1916. Hawaii A.R., 1916,
        p. 21. 1917.
      progress, 1917. Y.B., 1917, pp. 171–172. 1918;
        Y.B. Sep. 734, pp. 5–6. 1918.

Camphor—Continued.
  tree(s)—continued.
    growing—continued.
      progress in Florida. 1918. An. Rpts., 1918,
        pp. 163–164. 1919; B.P.I. Chief Rpt., 1918,
        pp. 29–30. 1918.
    historical notes. Y.B., 1910, p. 449. 1911;
      Y.B. Sep. 551, p. 449. 1911.
    importation and description. No. 44705.
      B.P.I. Inv. 51, pp. 51–52. 1922.
    injury by—
      red spiders. D.B. 1035, pp. 2, 3. 1922.
      sapsuckers. Biol. Bul. 39, pp. 38, 39. 1911.
    introduction—
      and use as ornamental. Y.B., 1910, pp. 451–
        452. 1911; Y.B. Sep. 551, pp. 451–452.
        1911.
      into Guam, and growing experiments. Guam
        A.R., 1911, p. 18. 1912.
    machine for trimming. G. A. Russell. D.C.
      78, pp. 8. 1920.
    planting, seed rate, and method. J.A.R., vol.
      17, p. 223. 1919.
    propagation. Y.B., 1910, p. 453. 1911; Y.B.
      Sep. 551, p. 453. 1911.
    source of camphor and borneol, studies. B.P.I.
      Bul. 235, pp. 10–11. 1912.
    yield of camphor per acre. Y.B., 1910, pp. 459–
      460. 1911; Y.B. Sep. 551, pp. 459–460. 1911.
  use—
    against mosquitoes. Sec. Cir. 61, p. 16. 1916.
    as denaturant for alcohol. F.B. 429, p. 9. 1911.
    as repellent to moths, Porto Rico. P.R. Cir.
      17, p. 20. 1918.
    in control of carpet beetles. F.B. 1346, p. 10.
      1923.
    in moth control. F.B. 1353, p. 16. 1923.
Camphorated flake compound, extra refined, misbranding. I. and F. Bd. N.J. 23, pp. 2. 1913.
Camping—
  grounds—
    Cascade National Forest. D.C. 104, pp. 3–5, 7,
      9, 13, 16. 1920.
    Colorado—
      forests. For. [Misc.]. "Vacation days * * *
        Colorado," pp. 4–47. 1919.
      Holy Cross Forest. D.C. 29, p. 9. 1919.
      National Forest. D.C. 31, p. 5. 1919.
      Pike National Forest. D.C. 41, pp. 4–7.
        1919.
      San Isabel National Forest. D.C. 5, pp. 6–9.
        1919.
      Sopris National Forest. D.C. 6, pp. 3–5.
        1919.
    Oregon national forests. D.C. 4, pp. 4–51.
      1919.
    White Mountain National Forest. D.C. 100,
      pp. 11–12. 1921.
  outfit and food supplies, Colorado forests. For.
    [Misc.], "Vacation days * * * Colorado
    * * *," pp. 55–57. 1919.
  regulations in Pisgah National Game Preserve.
    D.C. 161, pp. 5–6, 7–8. 1921.
  summer, development by roads. Y.B., 1916, pp.
    523–524, 525. 1917; Y.B. Sep. 696, pp. 3–4, 5.
    1917.
  vacation in national forests. For. [Misc.], "Battlement National Forests," p. 4. 1919; For.
    [Misc.], "Uncompahgre National Forests," pp.
    6–7. 1919.
Campion seed, description. F.B. 428, pp. 7, 19, 20.
  1911; F.B. 260, p. 20. 1906.
Campomanesia fenzliana—
  importation and description. No. 44086, B.P.I.
    Inv. 50, p. 26. 1922.
  See also Guabiroba.
Camponotus pennsylvanicus—
  enemy of *Pemphigus acerifolii*. Ent. T.B. 24, p.
    11. 1912.
  See also Ant, black carpenter.
Camptobrochis brevis, enemy of walnut aphid. D.B.
  100, p. 36. 1914.
Camptolaimus labradorius. *See* Duck, Labrador.
Campulosis spp., description, distribution, and uses.
  D.B. 772, pp. 17, 185, 186. 1920.
Campylorhyncus brunneicapillus. *See* Wren, cactus.
Campylotropis macrocarpa, importation and description. No. 43679, B.P.I. Inv. 49, p. 61. 1921.
Canachites canadensis osgoodi. *See* Grouse, spruce,
  Alaska.

Canada—
  agricultural—
    education, progress, 1907. O.E.S. An. Rpt., 1907, pp. 247–248. 1908.
    instruction for adults. O.E.S. Bul. 155, pp. 23–65. 1905.
    statistics, 1910–1920. D.B. 987, pp. 16–18. 1921.
  animal(s)—
    diseases, 1911. B.A.I. An. Rpt., 1911, pp. 290–291. 1913.
    exported, inspection and testing regulation. B.A.I. S. An. 65, p. 74. 1912.
    imported, inspection and declaration. B.A.I.O. 281, p. 9. 1923.
    imported, tuberculin-test regulations. B.A.I.O. 264, amdt. 1, p. 1. 1919.
    recognized breeds. B.A.I.O. 175, p. 5. 1910; B.A.I.O. 175, amdt. 4, p. 1. 1911.
  antelope, number and distribution. D.B. 1346, pp. 60–61. 1925.
  apple growing, acreage and production. Sec. [Misc.], Spec. "Geography * * * world's agriculture," pp. 77, 82. 1917.
  bee diseases, study. D.C. 287, p. 11. 1923.
  beet-sugar industry, factories, statistics. B.P.I. Bul. 260, pp. 23, 73. 1912.
  birds of Keewatin. N.A. Fauna 22, pp. 75–131. 1902.
  bird protection, officials. See Bird protection, officials.
  bovine tuberculosis among purebred cattle. B.A.I. [Misc.], "Diseases of cattle," rev., p. 400. 1904.
  butter—
    exports, increase. Rpt. 67, pp. 22–23. 1901.
    industry and trade. D.C. 70, pp. 7, 10. 1919.
  cabbage-worm ravages, losses. F.B. 766, p. 5. 1916.
  canning factories, use o tomato waste. D.B. 632, pp. 1–3. 1917.
  cattle—
    and milk cows, number. Sec. [Misc.], Spec. "Geography * * * world's agriculture," p. 126. 1917.
    and sheep exports. Rpt. 109, pp. 71, 72, 219. 1916.
    inspection regulation. B.A.I.O. 266, amdt. 1, pp. 2. 1919; B.A.I.O. 266, amdt. 6, pp. 2. 1921.
    tuberculin-test, requirement, modification. B.A.I.O. 182, p. 1. 1911.
  cement factories, potash content and loss. D.B. 572, p. 7. 1917.
  cereal and other crops, acreage and production, 1910–11. Stat. Cir. 28, pp. 4–5. 1912
  cheese—
    cold curing. B.A.I. Bul. 85, pp. 11, 12, 16–20, 22. 1906.
    production and trade. D.C. 71, pp. 6, 9, 11–13. 1919.
  cold storage act. Chem. Bul. 115, pp. 114–117. 1908.
  corn borer distribution. F.B. 1294, pp. 3–4. 1922.
  cotton entry under pink bollworm quarantine. F.H.B. S.R.A. 77, pp. 135–136. 1924.
  dairy statistics, 1871–1921. B.A.I.A. Doc 37, pp. 47–49. 1922.
  dairymen's associations. B.A.I. Cir. 162, p. 17. 1910.
  dairymen's associations and milk commissions. B.A.I. Cir. 204, pp. 21, 22. 1912.
  education, agricultural. O.E.S. An. Rpt., 1907, pp. 247–248. 1908.
  experiment station establishment. O.E.S. An. Rpt., 1911, p. 66. 1912.
  experimental farms—
    soil studies, in dry land regions. B.P.I. Bul. 130, pp. 17–42. 1808.
    work. O.E.S. An. Rpt., 1910, pp. 85–86. 1911.
  farm—
    land values, 1914–1918. News L., vol. 6, No. 38, p. 9. 1919.
    wages, 1917–18. News L., vol. 6, No. 38, p. 15. 1919.
    water supply, pollution. F.B. 549, p. 6. 1913.
  farmers' institute work. O.E.S. Bul. 213, pp. 10–16, 67–68. 1909.
  fisheries, progress. Y.B., 1913, p. 197. 1914; Y.B. Sep. 623, p. 197. 1914.

Canada—Continued.
  flax acreage and production of seed. Sec. [Misc.], Spec. "Geography * * * world's agriculture," p. 57. 1917.
  flaxseed, production and exports. Y.B., 1922, pp. 533–535. 1923; Y.B. Sep. 891, pp. 533–535. 1923.
  flour shipments to Germany. Off. Rec., vol. 2, No. 45, p. 3. 1923.
  food laws—
    1902. Chem. Bul. 69, Pt. II, pp. 120–128. 1902.
    1905. Chem. Bul. 69, rev., Pt. II, pp. 120–129. 1905.
    1908. Chem. Bul. 121, pp. 9–12. 1909.
  forest(s)—
    condition and management. For. Cir. 140, p. 28. 1908.
    resources. For. Bul. 83, pp. 16–18. 1910.
  freight rates, reduction. Off. Rec., vol. 3, No. 4, p. 5. 1924.
  fruit(s)—
    and vegetables, quarantine restrictions. F.H.B. 2, Nos. 5–6, pp. 1, 5. 1923.
    area and production, 1900, 1910. D.B. 483, p. 8. 1917.
    districts as defined by American Pomological Society. B.P.I. Bul. 151, pp. 10–13. 1909.
    imports and exports, 1909–1913. D.B. 483, pp. 8–9. 1917.
  fur animals, laws—
    1915. F.B. 706, pp. 20–24. 1916.
    1916. F.B. 783, pp. 2–3, 21–25. 1916.
    1917. F.B. 911, pp. 25–30. 1917.
    1918. F.B. 1022, pp. 4, 25–29. 1918.
    1919. F.B. 1079, pp. 7, 26–30. 1919.
    1920. F.B. 1165, pp. 4–5, 25–30. 1920.
    1921. F.B. 1238, pp. 25–30. 1921.
    1922. F.B. 1293, pp. 22–27. 1922.
    1923–24. F.B. 1387, pp. 26–31. 1923.
    1924–25. F.B. 1445, pp. 4, 18–22. 1924.
    1925–26. F.B. 1469, pp. 5, 23–27. 1925.
  game laws—
    1902. F.B. 160, pp. 25–26, 35, 43, 46, 52, 54, 56. 1902.
    1903. F.B. 180, pp. 16–17, 30, 34–35, 39–40, 44, 46, 56. 1903.
    1904. F.B. 207, pp. 11, 26–27, 37, 40–41, 45, 46–47, 52, 63. 1904.
    1905. F.B. 230, pp. 13, 25–26, 33–34, 39–40, 47–48. 1905.
    1906. F.B. 265, pp. 10, 23–25, 32–33, 39, 48–49. 1906.
    1907. F.B. 308, pp. 9, 22–24, 31, 37, 47. 1907.
    1908. F.B. 336, pp. 10–11, 24–27, 35–36, 42, 45–46, 54–55. 1908.
    1909. F.B. 376, pp. 11, 15, 18, 29, 32, 36–37, 41, 44. 1909.
    1910. F.B. 418, pp. 7, 9, 22–25, 29–30, 34, 37, 45–46. 1910.
    1911. F.B. 470, pp. 14, 27–29, 34–35, 39–40, 42, 45, 51–52. 1911.
    1912. F.B. 510, pp. 4, 9, 10, 22–25, 30–31, 32, 33, 35–36, 37, 38–39, 40, 41, 47–48. 1912.
    1913. D.B. 22, pp. 17–18, 34–36, 42–43, 47, 50, 58–59. 1913.
    1914. F.B. 628, pp. 6–7, 26. 1914.
    1915. F.B. 692, pp. 6, 17, 36–38, 43–44, 48–49, 53, 62–63. 1915.
    1916. F.B. 774, pp. 11–12, 33–36, 42–43, 47–48, 53, 61–62. 1916.
    1917. F.B. 910, pp. 40–46, 56–57. 1917.
    1918. F.B. 1010, pp. 38–44, 50, 53–58, 59–60, 65–68. 1918.
    1919. F.B. 1077, pp. 41–47, 61–62, 65–68, 77–80. 1919.
    1920. F.B. 1138, pp. 4, 5, 7, 44–52, 59–61, 76–82. 1920.
    1921. F.B. 1235, pp. 46–54. 1921.
    1922. F.B. 1288, pp. 43–51, 59–63, 63–65, 65–71, 72–78. 1922.
    1923–24. F.B. 1375, pp. 41–47. 1923.
    1924–25. F.B. 1444, pp. 30, 38. 1924.
    1925–26. F.B. 1466, pp. 37–38, 46. 1925.
  game officials. See Game officials.
  Grain—
    Act, provisions. D.B. 937, pp. 3, 5. 1921.
    marketing methods, comparison with United States. D.B. 937, pp. 1–21. 1921.
    production increase, 1918 over 1917. News L., vol. 6, No. 25, p. 7. 1919.

Canada—Continued.
  hay acreage, map. Sec. [Misc.], Spec. "Geography * * * world's agriculture," p. 108. 1917.
  hog(s) feeding experiments. B.A.I. Bul. 47, pp. 206-228. 1904.
  hogs, numbers. Sec. [Misc.], Spec. "Geography * * * world's agriculture," pp. 130, 131, 134. 1917.
  horse-radish webworm, occurrence. D.B. 966, pp. 1, 5, 8. 1921.
  hunting and shipping, game licenses, details. F.B. 692, pp. 55, 62-63. 1915.
  imports, meats and meat products, order. B.A.I.S.R.A. 97, p. 55. 1915.
  interstate shipments of cattle, decision. Sol. Cir. 44, pp. 7. 1911.
  introduction of bovine tuberculosis. B.A.I. Bul. 32, p. 14. 1901.
  jack-pine stands, measurement tables, lumber cut. D.B. 820, pp. 12, 24, 43, 44-45. 1920.
  Keewatin Province—
    batrachians, list. N.A. Fauna 22, pp. 133, 134. 1902.
    birds, list. N.A. Fauna 22, pp. 75-131. 1902.
    mammals, list. N.A. Fauna 22, pp. 39-73. 1902.
  laws—
    nursery stock shipment. Ent. Cir. 75, rev., p. 9. 1909; S.R.A. 57, pp. 114, 115. 1919.
    on fruit and plant introduction. Ent. Bul. 84, p. 34. 1909.
    legislation, cold-storage. Chem. Bul. 115, pp. 114-117. 1908.
  livestock—
    certification regulation. B.A.I.O. 278, pp. 5, 6. 1922.
    farm value, 1918. News L., vol. 6, No. 38, p. 2. 1919.
    importations into United States, regulations. B.A.I.O. 266, pp. 13-17. 1919.
    increase, 1914-1918. News L., vol. 6, No. 25, p. 6. 1919.
    numbers of cattle and horses. Y.B. 1917, pp. 430, 432. 1918; Y.B. Sep. 741, pp. 8, 10. 1918.
    shipments to, certificates required. B.A.I.S.R.A. 182, p. 76. 1922.
    statistics—
      1905. Stat. Bul. 39, pp. 77-78. 1905.
      numbers of cattle, sheep, and hogs. Rpt. 109, pp. 28, 35, 47, 50, 58, 62, 199, 212. 1916.
    lumber competition with United States. Rpt. 114, p. 52. 1917.
  maple—
    sirup and sugar industry. Chem. Bul. 134, pp. 98-100. 1910.
    sirup, investigations, tabulation of results. Chem. Bul. 134, pp. 46-49, 75-76. 1910.
    sugar analysis, results, tables. D.B. 466, pp. 24-26, 35-37. 1917.
  meat—
    consumption. Rpt. 109, pp. 128, 130, 132, 133, 271-273. 1916.
    exported to, certificates. B.A.I.S.R.A. 198, p. 87. 1923.
    exports, statistics (and meat animals). Rpt. 109, pp. 15, 71-90, 92, 93, 219, 229. 1916.
    imports. Off. Rec., vol. 2, No. 39, p. 5. 1923.
    inspection regulations, use of preservatives and dyes. B.A.I.S.A. 58, p. 11. 1912.
    shipments, certificates. B.A.I.S.A. 76, p. 74. 1913.
  Megantic Club game preserve, acreage. Biol. Cir. 72, p. 5. 1910.
  migratory bird treaty—
    1918. Y.B., 1918, pp. 307, 308. 1919; Y.B. Sep. 785, pp. 7, 8. 1919.
    regulations under. F.B. 1077, pp. 77-80. 1919; F.B. 1235, pp. 73-79. 1921; F.B. 1288, pp. 72-78. 1922; F.B. 1375, pp. 64-69. 1923.
  Northwest Territory—
    and Wyoming, irrigation laws. O.E.S. Bul. 96, p. 11. 1901.
    irrigation laws. O.E.S. Bul. 96, pp. 11-46. 1901.
  oat acreage, production and yield, maps. Sec. [Misc.], Spec. "Geography * * * world's agriculture," pp. 36, 39. 1917.
  oat crop, production, prices. F.B. 581, pp. 17-18. 1914.

Canada—Continued.
  Ontario, law on community centers. F.B. 1192, pp. 37-38. 1921.
  pig-feeding experiment for production of prime bacon. B.A.I. An. Rpt., 1903, pp. 307-308. 1904; B.A.I. Cir. 63, pp. 307-308. 1904.
  plum curculio, occurrence and distribution. Ent. Bul. 103, pp. 23, 24-25. 1912.
  pork packing, statistics. B.A.I. Bul. 47, pp. 284-285. 1904.
  potatoes—
    production, 1909-1913, 1921-1923. Stat. Bul. 10, p. 19. 1925.
    quarantine for powdery scab, necessity studies, by Agriculture Department. News L., vol. 1, No. 16, p. 3. 1913.
    regulations. F.H.B.S.R.A. 14, p. 10. 1915; F.H.B.S.R.A. 34, pp. 145-148. 1916; F.H.B.S.R.A. 74, p. 43. 1923.
  provinces—
    forest fires, statistics. For. Bul. 117, pp. 38-39. 1912.
    wheat increase, forecast for 1950. Y.B., 1909, p. 272. 1910; Y.B. Sep. 511, p. 272. 1910.
  quarantine regulations. B.A.I. An. Rpt., 1907, p. 28. 1909.
  record books of pure-bred animals, regulations. B.A.I.O. 186, amdt. 2, p. 1. 1912.
  return of American nursery stock. F.H.B.S.R.A. 3, p. 19. 1914.
  road building, rock tests, results. D.B. 1132, p. 45. 1923; D.B. 670, p. 23. 1918; D.B. 370, pp. 99-100. 1916.
  San Jose scale, occurrence. Ent. Bul. 62, p. 33. 1906.
  Saskatchewan, wheat raising, cost per bushel. News L., vol. 1, No. 41, p. 3. 1914.
  sheep—
    dipping and quarantine regulations. B.A.I.O. 142, amdt. 7, pp. 2. 1909.
    importations into U.S., inspection regulations. B.A.I.O. 209, amdt. 7, p. 1. 1917.
    imported for breeding purposes, quarantine regulations. B.A.I.O. 142, amdt. 3, pp. 2. 1908.
    numbers, 1891-1917. Y.B., 1917, p. 403. 1918; Y.B. Sep. 751, p. 5. 1918.
  sorgo growing. B.P.I. Bul. 175, p. 35. 1910.
  source of pulp-wood supplies. D.B. 1241, pp. 24-25. 1924.
  sugar industry, 1902-1914. D.B. 473, pp. 25-26. 1917.
  sweet gale. See Sweet fern.
  tariff law, prohibiting plumage importation. F.B. 1235, p. 79. 1921; F.B. 1375, p. 69. 1923.
  trade with United States. D.B. 296, pp. 6-46. 1915.
  tuberculous carcasses, disposition, legal provisions. B.A.I.S.A. 72, p. 30. 1913.
  wheat—
    acreage, production, and trade, 1909-1917, war conditions. Y.B., 1917, pp. 463, 467, 470, 475, 477. 1918; Y.B. Sep. 752, pp. 5, 9, 12, 17, 19. 1918.
    acreage, production, and yield. Sec. [Misc.], Spec. "Geography * * * world's agriculture," p. 24. 1917.
    and flour, area, production and exports, in specified years. Stat. Cir. 19, pp. 4-5. 1911.
    area decrease, 1924. Off. Rec., vol. 3, No. 22, p. 3. 1924.
    production competition and the tariff. Sec. [Misc.], "The wheat situation," pp. 24-32. 1923.
    production, exports. Y.B., 1923, pp. 113-118. 1924.
  Yukon Territory, fauna in Ogilvie range and Macmillan River regions. N.A. Fauna 30, pp. 45-92. 1909.
Canadensis. See Water-weed.
Canadian—
  animals, admission for exhibition purposes, orders. B.A.I. An. Rpt., 1911, pp. 335, 342. 1913.
  cattle, French, importations, Oct. 1 to Dec. 31, 1911, certificates. B.A.I. [Misc.], "Animals imported * * *," p. 5. 1912.
  life zone, Texas. N.A. Fauna 25, p. 38. 1905.

Canadian—Continued.
National Records—
animal registration, regulation. B.A.I. O., 175, amdt. 1, p. 1. 1910; B.A.I. O. 175, amdt. 5, p. 1. 1911.
Percheron horses, certification. B.A.I. O. 186, amdt. 1, p. 1. 1912.
tea. *See* Wintergreen.
zone—
Athabaska-Mackenzie region. N.A. Fauna 27, pp. 52–53. 1908.
New Mexico, physical features, climate, fauna, and flora. N.A. Fauna 35, pp. 46–49. 1913.
Oregon, characteristic vegetation. J.A.R., vol. 3, pp. 95, 96. 1914.
Canal(s)—
and reservoirs, spillways. A. T. Mitchelson. D.B. 831, pp. 40. 1920.
banks, grasses for binding, South Dakota. B.P.I. Cir. 115, pp. 23–31. 1915.
concrete-lined—
capacity measurements, various States. D.B. 126, pp. 38–47. 1915.
care in operation and maintenance. D.B. 126, pp. 85–86. 1915.
construction methods and cost. D.B. 126, pp. 61–84. 1915.
drainage, directions, size, location, protection, and construction. D.B. 190, pp. 4–5, 10, 13–15, 24–25. 1915.
employees, duties, irrigation systems. O.E.S. Bul. 229, pp. 1–99. 1910.
injury by ground squirrels. Biol. Cir. 76, p. 7. 1910.
irrigation—
building, and distribution of water. O.E.S. Bul. 105, pp. 16–21. 1901.
California, Yolo County, history, development, and management. O.E.S. Bul. 207, pp. 32–59. 1909.
Colorado water rights, comparison. D.B. 1026, pp. 13–19. 1922.
concrete lining. Samuel Fortier. D.B. 126, pp. 86. 1914.
gate structures. Fred C. Scobey. D.B. 115, pp. 61. 1914.
Idaho, seepage investigations. D.B. 329, pp. 47–52. 1916.
Idaho, volume of water used, and crop areas. D.B. 339, pp. 43–46. 1916.
Montana, quantity of water. O.E.S. Bul. 172, pp. 25, 28, 69–88. 1906.
Nebraska, Scottsbluff County, data. Soil Sur. Adv. Sh., 1913, pp. 38–41. 1916; Soils F.O., 1913, pp. 2092–2095. 1916.
of rice. F.B. 673, p. 4. 1915.
seepage losses, measurements, and control. O.E.S. Cir. 108, pp. 27–29. 1911.
South Dakota. O.E.S. Bul. 210, pp. 32–33. 1909.
water-flow measurement, use of current meters. J.A.R., vol. 5, No. 6, pp. 217–232. 1915.
water rights, ownership, contracts. F.B. 864, pp. 6–8. 1917.
Wyoming, location, ensuing development. O.E.S. Bul. 205, pp. 27–45. 1909.
lined, grades and alignment. D.B. 126, pp. 50–51. 1915.
linings—
methods, descriptions, and cost. O.E.S. An. Rpt., 1907, pp. 372–380. 1908; O.E.S. An. Rpt., 1908, pp. 374–375. 1909.
prevention of seepage losses, experiments. O.E.S. Cir. 108, p. 28. 1911.
locks, use of greenheart in construction. For. Cir. 211, p. 6. 1913.
Oregon, description and seepage losses. O.E.S. Cir. 67, pp. 16–29. 1906.
reservoir—
Louisiana wet lands. D.B. 652, pp. 24, 27–28, 32, 35, 42–45. 1918.
southern Louisiana drainage districts. D.B. 71, pp. 25, 30, 35, 39, 43, 47, 50, 55, 64. 1914.
systems—
Colorado, Cache la Poudre Valley, description. D.B. 1026, pp. 26–51. 1922.
Louisiana, reclamation of wet prairie lands. O.E.S. An. Rpt., 1909, pp. 434–435. 1910.
unlined, water losses from seepage, measurements. D.B. 126, pp. 2–37. 1915.

Canal(s)—Continued.
water—
losses—
1907, prevention. O.E.S. An. Rpt., 1907, pp. 359–386. 1908.
1908, causes and control methods. O.E.S. An. Rpt., 1908, pp. 371–379. 1909.
rights, and distribution methods. D.B. 913, pp. 9–14. 1920.
Canal Zone—
agricultural possibilities. Hugh H. Bennett and Wm. A. Taylor. 95, Rpt. pp. 49. 1912.
Biological Survey, organization and work, 1911. An. Rpts., 1911, pp. 120, 540. 1912; Biol. Chief Rpt., 1911, p. 10. 1911; Y.B., 1911, p. 118. 1912.
black-fly infestation. D.B. 885; pp. 4–12, 14, 20–21, 47, 52–52. 1920.
fruit insects, control work. An. Rpts., 1922, p. 312. 1923; Ent. A.R., 1922, p. 14. 1922.
hemp growing, experiment. Off. Rec., vol. 4, No. 49, pp. 1–2. 1925.
reconnoissance soil survey. Hugh H. Bennett. Rpt. 95, pp. 38. 1912.
termites—
biological notes. J.A.R., vol. 26, pp. 279–302. 1923.
damage prevention. Thomas E. Snyder and James Zetek. D.B. 1232, pp. 26. 1924.
yellow-fever control through antimosquito measures. Ent. Bul. 78, pp. 21–23. 1909.
Canangium odoratum. *See* Ilang-ilang.
Canarium—
indicum—
importation and description. No. 40827, B.P.I. Inv. 43, p. 87. 1918.
See also Almond, Java.
luzonicum—
importation and description. No. 47205, B.P.I. Inv. 58, p. 39. 1922.
See also Pili nut tree.
nut(s),—
description, histology, and identification key. Chem. Bul. 160, pp. 34–35, 37. 1912.
milk, use as infant food. F.B. 332, pp 10, 20. 1908.
rufum, importation and description. No. 52399, B.P.I. Inv. 66, p. 21. 1923.
spp., importation(s) and description(s). Nos. 40926, 41001, B.P.I. Inv. 44, pp. 15, 29. 1918; Nos. 43450, 43601, 43959–43960, P.B.I. Inv. 49, pp. 10, 25, 50, 104. 1921; Nos. 44100, 44101, B.P.I. Inv. 50, p. 28. 1922; Nos. 48554, 48981, B.P.I. Inv. 61, pp. 2, 21, 61. 1922; Nos. 51425, 51766, 51805, 51812, B.P.I. Inv. 65, pp. 16, 46, 52, 53. 1923.
Canarsia hammondi—
control and life history. F.B. 1270, p. 50. 1922.
See also Leaf-skeletonizer, apple.
Canary(ies)—
Belgian, description. F.B. 770, pp. 5–6. 1916.
breeding, directions. F.B. 770, pp. 14–16. 1916.
cages, description and care. F.B. 770, pp. 7–9, 14–16. 1916.
care and management. Alexander Wetmore. F.B. 770, p. 20. 1916; F.B. 1327, pp. 22. 1923
characteristics, varieties, and price. Y.B., 1906, pp. 172–174. 1907; Y.B. Sep. 414, pp. 172–174. 1907.
crested, description. F.B. 770, p. 7. 1916.
diseases, treatment. F.B. 770, pp. 19–20. 1916.
feeding directions. F.B. 770, pp. 10, 12–14. 1916; F.B. 1327, pp. 9–10, 12–13. 1923.
feet and bill, care of. F.B. 770, p. 18. 1916.
importations—
1908–1913. An. Rpts., 1913, p. 230. 1914; Biol. Chief Rpt., 1913, p. 8. 1913.
1910. An. Rpts., 1910, p. 555. 1911; Biol. Chief Rpt., 1910, p. 9. 1910.
1923. An. Rpts., 1923, p. 459. 1923; Biol. Chief Rpt., 1923, p. 41. 1923.
lizard, description. F.B. 770, p. 6. 1916.
mites, description and control. F.B. 770, p. 17. 1916.
Scotch fancy, description. F.B. 770, p. 6. 1916.
sex and age, determination. F.B. 770, pp. 16–17. 1916.
trimming of claws, precautions. F.B. 1327, p. 17. 1923.

INDEX TO PUBLICATIONS, 1901-1925   359

Canary(ies)—Continued.
  tuberculosis, investigations. An. Rpts., 1907, p. 218. 1908; B.A.I. An. Rpt., 1907, p. 40. 1909.
  varieties, description. F.B. 770, pp. 5-7. 1916.
  wild, description and history. F.B. 770, p. 4. 1916.
  worms, remedies. F.B. 770, p. 20. 1916.
Canary grass—
  analytical key and description of seedlings. D.B. 461, pp. 7, 18. 1917.
  description. D.B. 772, pp. 203-204. 1920; D.B. 1433, pp. 13, 18. 1925.
  importations and descriptions. Nos. 44696, 44697, B.P.I. Inv. 51, p. 50. 1922.
  injurious in rice fields, control. F.B. 1141, p. 21. 1920.
  occurrence and control in rice fields. F.B. 1240, p. 25. 1924.
  reed, description, habits, and use. F.B. 1433, pp. 15-17. 1925.
  rice pest, control. F.B. 688; p. 19. 1915.
  tribe, key to genera, and descriptions. D.B. 772, pp. 17, 199-204. 1920.
Canary Islands, cochineal industry, importance. Ent. Bul. 113, p. 9. 1912.
Canavali—
  obtusifolium, importation, and description, No. 41816. B.P.I. Inv. 46, p. 24. 1919; No. 44753, B.P.I. Inv. 51, p. 60. 1922; No. 52400, B.P.I. Inv. 66, p. 21. 1923.
  spp.—
    importation(s) and description(s). No. 32058, B.P.I. Bul. 261, p. 23. 1912; Nos. 43059, 43826, 43331, 43380, B.P.I. Inv. 48, pp. 15, 39, 45, 48. 1921; Nos. 43497-43499, 43771, B.P.I. Inv. 49, pp. 37, 75. 1921; Nos. 48443, 48600, B.P.I. Inv. 61, pp. 9, 27. 1922; Nos. 50739, 51281, B.P.I. Inv. 64, pp. 21, 83. 1923; Nos. 52855, 52861, B.P.I. Inv. 67, pp. 6, 7. 1923;
    See also Bean, canavalia.
  value as cover crops, and growth habits. P.R. Bul. 19, pp. 12-14. 1916.
Canavalia ensiformis—
  growing in manganiferous soils. Hawaii. Bul. 26, p. 24. 1912.
  See also Bean, sword; Bean, jack.
Canbanambi, description, and importation. No. 33965. B.P.I. Inv. 31, pp. 7, 71. 1914.
CANCE, A. E.—
  "Marketing cabbage." With George B. Fiske. D.B. 1242, pp. 60. 1924.
  "Marketing onions." With George B. Fiske. D.B. 1325, pp. 71. 1925.
Canceling inks, investigations, methods. E.E. Ewell. Chem. Cir. 12, pp. 6. 1903.
Cancer—
  cattle, description, and treatment. B.A.I. [Misc], "Diseases of cattle," rev., pp. 316-317. 1908; B.A.I. Misc.], "Diseases of cattle," rev., pp. 327-328. 1912; B.A.I. Misc.], "Diseases of cattle," rev., pp. 315-316. 1923.
  cure—
    Cancerine, misbranding. Chem. N.J. 427, pp. 2. 1910.
    Dr. Johnson's mild combination treatment, misbranding. Chem. N.J. 1058, pp. 10. 1911.
    investigations, 1917. An. Rpts., 1917, pp. 212, 218. 1917; Chem. Chief Rpt., 1917, pp. 14, 20. 1917.
    misbranding. Chem. N.J. 507, pp. 2. 1910; Chem. N.J. 635, p. 1. 1910.
    Mixer's cancer and scrofula syrup, misbranding. Chem. N.J. 797, pp. 2. 1911.
  human, resemblance to crown-gall disease. An. Rpts., 1916, p. 140. 1917; B.P.I. Chief Rpt., 1916, p. 4. 1916.
  remedy, Graham's, misbranding. Chem. N.J. 4119, pp. 176-180. 1916.
  similarity to crown gall of plants, studies. J.A.R. vol. 8, pp. 165-186. 1917; B.P.I. Bul. 213, pp. 162-166. 1911.
  treatment, Dr. Johnson's mild combination, misbranding. Chem. N.J. 266, p. 9. 1910.
Cancerine—
  Dr. Johnson's mild combination treatment, misbranding. Chem. N.J. 1058. pp. 10. 1911.
  tablets, misbranding. Chem. N.J. 266, pp. 9. 1910.

Cancerol, misbranding. Chem. N.J. 606, pp. 2. 1910.
Candelillo, Venezuela, difference from Porto Rico variety. J.A.R., vol. 2, pp. 231-232. 1914.
Candied—
  cranberries, preparation methods, and uses. News L., vol. 3, No. 21, p. 8. 1915.
  dasheen, recipe. B.P.I. Doc. 1110, p. 10. 1914.
  fruits, preparation and use. Y.B., 1912, pp. 508, 510, 511, 513, 520. 1913; Y.B. Sep. 610, pp. 508, 510, 511, 513, 520. 1913.
  honey, preparation and sale. Ent. Bul. 75, p. 14. 1911; Ent. Bul. 75, Pt. I, p. 14. 1907.
Candleberry—
  tree, Porto Rico, description and uses. D.B. 354, p. 80. 1916.
  See also Bayberry.
Candlenut—
  oil, description and source. D.B. 769, p. 32. 1919.
  tree, importation and description. B.P.I. Inv. 66, pp. 27, 71. 1923.
  See also Kukui nut.
Candler—
  egg, portable-electric, construction materials, and cost. D.C. 25, pp. 9-11. 1919.
  homemade, directions. F.B. 1378, p. 13. 1924; F.B. 830, p. 5. 1917.
Candles—
  use, danger of farm fires. F.B. 904, p. 7. 1918.
  use for lighting. Thrift Leaf. 9, p. 3. 1919.
  wax, removal of stains, from testiles. F.B. 861, p. 12. 1917.
Candletree—
  description and value. B.P.I. Bul. 223, p. 39. 1911.
  importation and description. No. 41722, B.P.I. Inv. 46, p. 15. 1919.
Candlewood, Porto Rico, occurrence, description, and uses. D.B. 354, pp. 28, 77. 1916.
Candling—
  crews, accuracy of work and factors affecting. D.B. 702, pp. 14-18. 1918.
  egg(s)—
    M. E. Pennington, and others. D.B. 565, pp. 20. 1918.
    and preservation methods. B.A.I. A.H. G25; pp. 2-3. 1918.
    commercial efficiency. M. K. Jenkins and C. A. Bengtson. D.B. 702, pp. 22. 1918.
    demonstrations, value to poultry industry. Y.B., 1912, p. 347. 1913; Y.B. Sep. 596, p. 347. 1913.
    directions. D.B. 565, pp. 5-6. 1918; D.C. 15, pp. 7-8. 1919; F.B. 1109, pp. 6-7. 1920. F.B. 1378, pp. 12-16. 1924; F.B. 517, pp. 14-15. 1912.
    importance, methods, and devices. D.C. 25, pp. 2, 4-11. 1919.
    process. Y.B., 1910, pp. 463-464. 1911; Y.B. Sep. 552, pp. 463-464. 1911.
    rules in Kentucky. News L., vol. 6, No. 47, p. 9. 1919.
Candollea graminifolia, importation and description. No. 44324. B.P.I. Inv. 50, p. 58. 1922; No. 51755, B.P.I. Inv. 50, p. 58. 1923.
Candy—
  adulteration and misbranding. See Indexes, Notices of Judgment, in bound volumes and in separates published as supplements to Chemistry Service and Regulatory Announcements.
  bantams, adulteration. Chem. N.J. 2118, p. .1 1913.
  chocolate, adulteration and misbranding. See Indexes, Notices of Judgment, in bound volumes and in separates published as supplements to Chemistry Service and Regulatory Announcements.
  cigars, adulteration. Chem. N.J. 2172, p. 1. 1913.
  coating for fruit pastes, recipe. F.B. 1033, pp. 11-12. 1919.
  eggs, peaches, and pears, adulteration, alleged. Chem. N.J. 1642, pp. 5. 1912.
  fruit paste, use. F.B. 1033, p. 11. 1919.
  fumigation with hydrocyanic acid, danger. D.B. 1307, p. 6. 1924.
  Glossine, misbranding, "Crown glossine." Chem. N.J. 972, p. 1. 1911.
  honey recipes. F.B. 653, p. 26. 1915.

Candy—Continued.
  laws, State, fiscal year 1907. Chem. Bul. 112, Pt. II, pp. 75, 116, 130, 136, 145. 1908.
  making, lessons for first-year classes, and correlative studies. D.B. 540, pp. 29, 31. 1917.
  manufacture, chemical investigations. An. Rpts., 1914, pp. 171-172. 1914; Chem. Chief Rpt., 1914, pp. 7-8. 1914.
  mixed, labels misleading; opinion 82. Chem. S.R.A. 8, p. 82. 1914.
  nut—
    microscopic examination methods. Chem. Bul. 160, p. 6. 1912.
    value as food. F.B. 332, pp. 12, 23. 1908.
  peanut, directions for making. F.B. 356, p. 32. 1909; F.B. 431, p. 31. 1911.
  poisonous colors, States prohibiting by law. Chem. Bul. 147, pp. 41-42. 1912.
  purity standards. Chem. Bul. 69, rev., Pts. I-IX, pp. 17, 171, 187, 212, 305, 442, 443, 446, 455, 596, 631, 666, 690. 1905-1906; Sec. Cir. 136, p. 11. 1919.
  sticks and bars, weight regulation. Chem. S.R.A. 28, p. 36. 1923.
Candytuft—
  description, cultivation, and characteristics. F.B. 195, p. 24. 1904; F.B. 1171, pp. 58, 79. 1921.
  occurrence on dodder in Texas. B.P.I. Bul. 226, p. 83. 1912.
Cane—
  ash. See Ash, white.
  blight—
    currant—
      comparison with blackrot of apple. J.A.R., vol. 28, pp. 596-597. 1924.
      description and cause. J.A.R., vol. 27, pp. 837-838, 841-843. 1924.
      occurrence on other hosts. Neil E. Stevens and Anna E. Jenkins. J.A.R., vol. 27, pp. 827-844. 1924.
      occurrence on raspberry. F.B. 887, p. 35. 1917.
  borer—
    grape, description, habits, and control. F.B. 1220, pp. 38-39. 1921.
    raspberry insect. F.B. 887, p. 35. 1917.
  canker, occurrence on rose in Texas, description. B.P.I. Bul. 226, p. 88. 1912.
  fields, Porto Rico, birds, frequenting, list. D.B. 326, p. 5. 1916.
  fly, West Indian, description. Sec. [Misc.], "A manual of insects * * *," p. 198. 1917.
  for seed, dormant and sprouted, hot-water treatment. P.A. Yoder. D.C. 337, pp. 3. 1925.
  gall-maker, grape, description, habits, and injury to grapevines. F.B. 1220, p. 39. 1921.
  girdler, grape, habits and control. F.B. 1220, p. 39. 1921.
  growing and variety testing, Umatilla experiment farm, 1912. B.P.I. Cir. 129, pp. 26, 27. 1913.
  Japanese—
    culture and uses, experiments. S.R.S. Rpt., 1916, Pt. I, pp. 91-92. 1918.
    description, planting methods. F.B. 457, pp. 8-11. 1911.
    forage crop for cotton States. F.B. 1125, rev., pp. 26-27. 1920.
    forage value. O.E.S. An. Rpt., 1911, p. 93. 1912.
    growing in—
      Guam. Guam A.R., 1921, p. 10. 1923.
      Hawaii. Hawaii A.R., 1921, p. 30. 1922.
      Hawaii, comparison with sorghum varieties. Hawaii A.R., 1915, pp. 41-42. 1916.
      Porto Rico, and value for cattle feed. P.R. Bul. 29, p. 11. 1922.
    immunity to red-spot of sorghum. F.B. 1158, p. 29. 1920.
    silage value in South. D.B. 827, p. 43. 1921.
    treatment with spray fertilizers, experiments. Hawaii A.R., 1918, p. 50. 1919.
    use and value for forage, studies. F.B. 457, pp. 8-11. 1911.
    yield and cost per acre. O.E.S. An. Rpt., 1910, p. 120. 1911.

Cane—Continued.
  juice—
    analyses. Chem. Bul. 93, pp. 66-74. 1905.
    clarifying, carbonation process, study, Louisiana. An. Rpts., 1912, p. 100. 1913; Sec. A.R., 1912, p. 100. 1912; Y.B., 1912, p. 100. 1913.
    sirup production from 1,000 gallons. D.C. 149, p. 14. 1920.
  kinds in Southern States. D.B. 1329, p. 1. 1925.
  mosaic, hosts wild and cultivated, studies and tests. J.A.R., vol. 24, pp. 247-262. 1923.
  native bamboo of South, commercial use. D.B. 1329, p. 23. 1925.
  Planters Union, Hilo, Hawaii, work, 1914. Hawaii A.R., 1914, pp. 60-61. 1915.
  ribbon, growing, in Texas, Titus County. Soil Sur. Adv. Sh., 1909, pp. 9, 21, 26. 1912; Soils F.O., 1909, pp. 1009, 1021, 1026. 1912.
  sirup. See Sirup.
  sorghum. See Sorghum.
  sugar. See Sugar cane.
  term for sweet sorghum. F.B. 1158, p. 7. 1920.
  tops—
    plowing under for control of moth borer. D.B. 746, pp. 58-60. 1919.
    production and feed value. D.B. 1318, p. 2. 1925.
  Uba—
    distribution of cuttings in Hawaii, and description. Hawaii A.R., 1920, pp. 26, 62. 1921.
    growing in Hawaii. Hawaii A.R., 1923, p. 6. 1924.
  varieties—
    North India type, immunity to mosaic disease. J.A.R., vol. 24, pp. 255-256. 1923.
    susceptibility to mosaic disease, tests. J.A.R., vol. 24, pp. 255-256. 1923.
  See also Sorgo.
Cane and Rice Belt Irrigation Company, canal, rice irrigation, details. O.E.S. Bul. 222, p. 42. 1910.
Canelo importation and description. Nos. 35986, 35987. B.P.I. Inv. 36, pp. 33-34. 1915; No. 42869, B.P.I. Inv. 47, p. 76. 1920; No. 51797, B.P.I. Inv. 65, pp. 1, 51. 1923.
Canes—
  loganberry, training methods. F.B. 998, pp. 11-15. 1918.
  walking, "Staffs of Moses," made from Abelia corymbosa. B.P.I. Inv. 31, No. 33315, p. 13. 1914.
Canestrinia spp.—
  description and habits. Rpt. 108, pp. 118, 119. 1915.
  parasites of the slender seed-corn ground beetle. Ent. Bul. 85, p. 27. 1911.
Canestrinidae, classification and description. Rpt. 108, pp. 18, 118-119. 1915.
Canidae. See Foxes; Wolves.
Canidiella curculionis, parasite of the alfalfa weevil, description. Ent. Bul. 112, p. 38. 1912.
Canihua, importation and description. No. 41335, B.P.I. Inv. 45, p. 16. 1918.
Canis—
  albus. See Wolf, northern.
  estor—
    food habits. Biol. Bul. 20, p. 8. 1905.
    See also Coyote, San Juan; Coyote, desert.
  latrans, injury to livestock. Biol. Bul. 20, pp. 8. 11. 1905.
  lestes. See Coyote, mountain.
  mesomelas, hindrance to sheep and ostrich farming. Biol. Bul. 20, p. 23. 1905.
  microdon, food habits. Biol. Bul. 20, p. 8. 1905.
  nubilus. See Wolf, timber.
  occidentalis. See Wolf, gray.
Canker(s)—
  apple—
    bitter-rot, source of infection. J.A.R., vol. 4. pp. 60-61, 64. 1915.
    blister, cause and control. Work and Exp., 1921, p. 57. 1923.
    blotch—
      location and date of appearance. J.A.R., vol. 25, pp. 404-405, 413. 1923.

Canker(s)—Continued.
  apple—continued.
    blotch—continued.
      origin and control. Max W. Gardner.
        J.A.R., vol. 25, pp. 405-418. 1923.
      cause and control. S.R.S. Rpt., 1915, Pt. I,
        pp. 150, 166. 1916.
      description and source. F.B. 283, p. 9. 1907.
      growth and reproduction, studies. J.A.R.,
        vol. 5, No. 16, pp. 713-769. 1916.
      Illinois, source of bitter-rot infection. J.A.R.,
        vol. 4, pp. 61-64. 1915.
      treatment. F.B. 243, p. 19. 1906.
    bitter-rot, description and control. F.B. 938,
      pp. 6-9, 11. 1918.
    brown, of roses, control measures. J.A.R., vol.
      15, pp. 598-599. 1918.
    cacao, description and cause. J.A.R., vol. 25,
      pp. 267-284. 1923; P.R. An. Rpt., 1914, p. 30.
      1915.
    chicken, treatment. F.B. 528, p. 11. 1913.
    citrus. See Citrus canker.
    dry-rot of sugar beets. B. L. Richards. J.A.R.,
      vol. 22, pp. 47-52. 1921.
    ear, rabbit disease, description and control.
      F.B. 1090, pp. 31-32. 1920.
    flax, injury to crop. D.B. 398, p. 35. 1916; F.B.
      1328, p. 7. 1924.
    foot of horse, causes, symptoms and treatment.
      B.A.I. [Misc.], "Diseases of the horse," pp. 392-
      394, 444-446. 1911.
    foot of sheep. See Foot rot.
    pigeon, description and control. F.B. 684, pp.
      13-14. 1915.
    pine, caused by Cronartium sp., description.
      D.B. 658, pp. 17, 21, 22. 1918.
    poplar—
      and willows, caused by Cytospora chrysosperma.
        J.A.R., vol. 13, pp. 331-345. 1918.
      importation from Europe, description, distri-
        bution, control studies. News L., vol. 4,
        No. 21, pp. 3-4. 1916.
    poultry, treatment. Hawaii A.R., 1919, p. 55.
      1920.
    powdery-scab, absence in United States, cause.
      J.A.R., vol. 7, pp. 225, 252. 1916.
    resistance—
      by kumquat and its hybrids. J.A.R., vol. 23,
        pp. 232, 236. 1923.
      relation of acidity of fruit. J.A.R., vol. 6, No. 2,
        pp. 86-88. 1916.
    resistant citrus hybrids and hedge plants. B.P.I.
      Chief Rpt., 921, p. 20. 1921.
    rose—
      caused by Coniothyrium fuckelii. J.A.R., vol.
        15, pp. 593-594. 1918.
      control. F.B. 750, p. 34. 1916.
    sore, mouth, pigs', prevention and control.
      D.R.P. 1, pp. 22-23. 1915; F.B. 566, p. 10. 1913.
    source of bitter-rot infection. D.B. 684, pp. 17-18,
      23. 1918.
    stem, study on potato in 1923. Work and Exp.,
      1923, p. 45. 1925.
Cankerworm(s)—
  apple—
    control. F.B. 908, pp. 57, 61, 80. 1918; S.R.S.
      Syl. 23, p. 11. 1916.
    description, habits, and control. F.B. 492, pp.
      17-20. 1912.
    description, habits, injuries, and control. F.B.
      1270, pp. 33-37. 1923.
    destruction by—
      birds. Biol. Bul. 15, pp. 23-24. 1901.
      blackbirds. Y.B., 1908, p. 345. 1909; Y.B.
        Sep. 486, p. 345. 1909.
      Brewer's blackbird. Biol. Bul. 34, p. 60. 1910.
    exterminator, composition, method of analysis,
      remarks. Chem. Bul. 68, pp. 54-55. 1902.
    fall—
      banding trees. O.E.S. Bul. 99, p. 160. 1908.
      description, habits and control. F.B. 1169,
        pp. 36-37. 1921; Ent. Bul. 68, pp. 17-22.
        1902.
    life history, habits, and control. B. A. Porter
      and C. H. Alden. D.B. 1238, pp. 38. 1924.
    parasites, description. D.B. 1238, pp. 30-31.
      1924.
    spring—
      A. L. Quaintance. Ent. Bul. 68, Pt. II, pp.
        17-22. 1907.

Cankerworm(s)—Continued.
  spring—continued.
    on apples, spraying, periods. B.P.I. Bul. 144,
      p. 22. 1909.
    description, habits, and control. F.B. 1169,
      pp. 36-37. 1921; Ent. Bul. 68, Pt. II, pp.
      17-22. 1907.
Canna—
  edible—
    experiments in Hawaii. Hawaii A.R., 1924,
      pp. 11, 14-16. 1925.
    fertilizer tests in Hawaii. Hawaii A.R., 1920,
      pp. 27-28. 1921.
    food value, substitute for Irish potato. Hawaii
      A.R., 1916, pp. 10, 12, 25, 41. 1917.
    growing in—
      Guam, 1920. Guam A.R., 1920, p. 32. 1921.
      Guam, 1921. Guam A.R., 1921, p. 18. 1923.
      Hawaii, 1917, methods, and food yield.
        Hawaii A.R., 1917, pp. 48, 50. 1918.
      Hawaii, 1918. Hawaii A.R., 1918, pp. 11, 48,
        49, 54. 1919.
      Hawaii, 1919. Hawaii A.R., 1919, pp. 47, 67,
        71. 1920.
      Hawaii, 1921. Hawaii A.R., 1921, pp. 26, 63.
        1922.
    importation and description. No. 46313,
      B.P.I. Inv. 56, pp. 1, 7. 1922; No. 46821,
      B.P.I. Inv. 57, pp. 7, 39. 1922; No. 53944,
      B.P.I. Inv. 68, p. 11. 1923.
    in Hawaii. H. L. Chung and J. C. Ripperton.
      Hawaii Bul. 54, pp. 16. 1924.
    potato substitute, growing. Hawaii A.R.,
      1918, p. 347. 1919; S.R.S. Rpt., 1918, p. 13.
      1918.
    starch source. Hawaii A.R., 1922, p. 17. 1924.
  edulis—
    importation, and description. No. 41321,
      B.P.I. Inv. 45, p. 11. 1918.
    See also Arrowroot; Canna, edible.
  importations and descriptions. No. 36928, B.P.I.
    Inv. 37, p. 84. 1916; No. 38119, B.P.I. Inv. 39,
    p. 90. 1917; Nos. 41100, 41118, 41187, B.P.I. Inv.
    44, pp. 6, 37, 38, 49. 1918; Nos. 50740, 50741,
    51347, B.P.I. Inv. 64, pp. 21, 28. 1923; No.
    54437, B.P.I. Inv. 69, p. 8. 1923.
  indica, host of Bacterium cannae. J.A.R., vol. 21,
    No. 3, pp. 143-152. 1921.
  leaf-blight, occurrence and description, Texas.
    B.P.I. Bul. 226, p. 83. 1912.
  leaf-roller, caterpillar, description, life history.
    Ent. Bul. 54, pp. 54-58. 1905.
  tuber distribution by Hawaii Experiment Sta-
    tion. 1917. Hawaii A.R. 1917, p. 52. 1918.
  variety tests and uses in Hawaii. Hawaii A.R.,
    1920, pp. 14, 27. 1921.
Cannabis—
  culture and handling as drug plant, yield, and
    price. F.B. 663, p. 19. 1915; F.B. 663, rev.,
    pp. 24-25. 1920.
  growing in the South, requirements. Y.B., 1917,
    p. 171. 1918; Y. B. Sep. 734, p. 5. 1918.
  indica—
    danger in use. F.B. 393, pp. 5-6, 13. 1910.
    preparations, amendment to regulation 28.
      F.I.D. 112, p. 3. 1910.
    See also Hemp, Indian.
  sativa, importation and description. No. 34291,
    B.P.I. Inv. 32, p. 31. 1914.
  See also Hemp.
  testing by animal experimentation. Chem. Bul.
    122, p. 104. 1909.
  use for narcotic. Y.B., 1913, pp. 288-289, 345.
    1914. Y.B. Sep. 628, pp. 288-289, 345. 1914.
Canned—
  apple(s)—
    juice, analysis. Chem. Bul. 118, pp. 12, 14.
      1908.
    misbranding (underweight). N.J. 64. Chem.
      N.J. 64-65, pp. 1-2. 1909.
  apricots, misbranding (short weight). Chem.
    N.J. 112-116, pp. 6-7. 1909; Chem. N.J. 186,
    pp. 3. 1910; Chem. N.J. 330, p. 1. 1910.
  beans, adulteration. Chem. N.J. 4193, 4194, 4197,
    pp. 305, 306, 309. 1916.
  blueberries, misbranding (short weight). Chem.
    N.J. 442, pp. 2. 1910; Chem. N.J. 488, pp. 2,
    1910.
  Camembert cheese. B.A.I. An. Rpt., 1907, p.
    341. 1909; B.A.I. Cir. 145. 1909.

Canned—Continued.
cherries, misbranding. Chem. N.J. 69–81, pp. 6–8. 1909; Chem. N.J. 178, pp. 3. 1910.
corn, misbranding (underweight). Chem. N.J. 58–63, pp. 10–12. 1909; Chem. N.J. 123–133, pp. 5–6; 8–10. 1910; Chem. N.J. 342, p. 1. 1910; Chem. N.J. 422, p. 1. 1910; Chem. N. J. 440, p. 1 .1910; Chem. N.J. 511, pp. 2. 1910.
fish, misbranding. Chem. N.J. 365, p 1. 1910.
foods—
 adulteration, use of water, brine, sirup, and sauce. Chem. F.I.D. 144, p. 1. 1912. Chem. F.I.D. 144, p. 1. 1912.
 control work. News L., vol. 7, No. 12, p. 7. 1919.
 cost, comparison with fresh products. D.B. 196, p. 15. 1915.
 examination before using, directions. M.C. 25, p. 1. 1924.
 investigations by Chemistry Bureau, 1912. An. Rpts., 1912, pp. 555, 556, 571, 584. 1913; Chem. Chief Rpt., 1912, pp. 5–6, 21, 34. 1912.
 laws and standards. Chem. Bul. 69, rev., Pts. I–IX, pp. 162, 171, 195, 210, 212, 236, 276, 420, 423, 443, 455, 471, 596, 632, 675, 690, 699, 722. 1905.
 liquid content. Off. Rec., vol. 3, No. 25, p. 5. 1924.
 occurrence of tin salts. Chem. Cir. 79, pp. 1–6. 1911.
 precautions for campers. D.C. 4, p. 62. 1919.
 storage. F.B. 1211, pp. 12, 30, 39–48. 1921.
 use of sugar. F.I.D. 66, pp. 1–2. 1907.
fruit(s)—
 description and composition. Chem. Bul. 66, rev., pp. 84–95. 1905.
 preserves and jellies, Maria Parloa. F.B. 203, pp. 30. 1905.
goods—
 adulteration Chem. N.J. 3222, 3229. 1914; Chem. N.J. 13351. 1925.
 care in the home. Thrift Leaf. 13, p. 4. 1919.
 foreign trade practices, manufacture and exportation of alcoholic beverages. H. W. Wiley. Chem. Bul. 102, pp. 45. 1906.
 fruits and vegetables, judging score. S.R.S. Doc. 22, rev., p. 8. 1919.
 injury by freezing, caution. News L., vol. 5, No. 33, p. 5. 1918.
 keeping in the home, directions. F.B. 1374, p. 11. 1923.
 laws—
  1906, by States. Chem. Bul. 69, rev., Pt. VIII, pp. 675, 699. 1906.
  1908, by States. Chem. Bul. 121, pp. 27, 71. 1909.
  1908, for Canada. Chem. Bul. 121, pp. 9–12. 1909.
 manufacture and exportation, foreign trade practices. H. W. Wiley. Chem. Bul. 102, pp. 45. 1906.
 marketing by home and club canners, sales before canning, standardization. News L., vol. 5, No. 39, p. 7. 1918.
 molding causes. S.R.S. Doc. 33, p. 3. 1917.
 net weight, statement. Chem. S.R.A. 17, p. 37. 1916.
 requirements in quality. Y.B., 1916, pp. 238, 239, 247. 1917; Y.B. Sep. 705, pp. 2, 3, 11. 1917.
 retention of laxative properties. News L., vol. 4, No. 16, p. 2. 1916.
 selling, legal requirements. News L., vol. 4, No. 43, p. 6. 1917.
 slack filling, control. An. Rpts., 1918, pp. 205, 206. 1919; Chem. Chief Rpt., 1918, pp. 5, 6. 1918.
 statement of weight—opinion 73. Chem.S.R.A. 8, pp. 633–634. 1914.
 storage for home use. F.B. 375, p. 36. 1909.
 tin determination—
  method. Herman Schreiber and W. C. Taber. Chem. Cir. 67, pp. 9. 1911.
  result and comments. Chem. Bul. 152, pp. 214–217. 1912.
 transportation, competition. Y.B., 1907, p. 294. 1908; Y.B. Sep. 449, p. 294. 1908.
 unlabeled, ruling. Chem., S.R.A. 18, p. 47. 1916.

Canned—Continued.
 meat(s)—
  examination for whale meat. An. Rpts., 1911, p. 460. 1912; Chem. Chief Rpt., 1911, p. 46. 1911.
  exports, 1890–1906. Stat. Bul. 55, pp. 8, 10, 11, 20–22, 26–29. 1907.
  value and usefulness. Y.B. 1911, p. 389. 1912; Y.B. Sep. 577, p. 389. 1912.
 olives, bacteriological study. Stewart A. Koser. J.A.R., vol. 20, pp. 375–379. 1920.
 oysters—
  adulteration and misbranding. Chem. N.J. 2583, pp. 2. 1913; Chem. N.J. 2584, pp. 2. 1913.
  and clams, weight-determination method. Chem S.R.A. 14, p. 12. 1915.
  statement of contents—opinion 88. Chem. S.R.A. 9, p. 688. 1914.
 peaches, misbranding. N.J. 34–35, Chem. N.J. 28–35, pp. 10–13. 1908; Chem. N.J. 186, pp. 3. 1910.
 peas—
  adulteration. Chem. N.J. 3528, 3530, 3531. 1915.
  examination. Chem. Bul. 122, pp. 58–61. 1909.
  misbranding. Chem. N.J. 165, pp. 1–2. 1910; Chem. N. J. 542, pp. 2. 1910; Chem. N. J. 70, pp. 3–4. 1909; Chem. N.J. 90, pp. 17–19. 1909.
  swelling, prevention. F.B., 225, p. 32. 1905.
 pineapple misbranding (short weight). Chem. N.J. 436, p. 1. 1910.
 products—
  marketing. S.R.S. Doc. 17, pp. 5–6. 1915.
  sale restrictions. F.B., 839, pp. 11–12. 1917.
  standardizing and marketing. S.R.S. Doc. 17, p. 5. 1915.
 salmon—
  adulteration. Chem. N.J. 3077, p. 293. 1914.
  misbranding. Chem. N.J. 1651, pp. 2. 1912; Chem. N.J. 1818, pp. 2. 1912.
  supply in the United States. Sec. Cir. 98, pp. 13. 1918.
 sweet potatoes—
  adulteration. Chem. N.J. 3467, p. 704. 1915.
  demand for. Sec. [Misc.] Spec. "Sweet-potato growing * * *," p. 1. 1915.
 tomatoes—
  adulteration and misbranding. Chem. N.J. 77, pp. 16–17. 1909; Chem. N.J. 85, pp. 7–8. 1909; Chem. N.J. 251, pp. 2. 1910; Chem. N.J. 369, p. 1. 1910; Chem. N.J. 518, pp. 2. 1910.
  adulteration and misbranding. Chem. N.J. 555, pp. 3. 1910; Chem. N. J. 671, p. 1. 1910; Chem. N. J. 875, pp. 2. 1911.
 use of term in food preservation. Chem. Bul. 151, p. 28. 1912.
 vegetables—
  analysis, methods. Chem. Bul. 107, pp. 60–63. 1907.
  recipes for cooking and food value. U. S. Food Leaf. 9, pp. 2–3. 1917.
  recipes, preparation for table use. Caroline L. Hunt. S.R.S. Doc. 31, pp. 4. 1916.
  standards and grades. F.I.D. 173, pp. 2. 1918.
Canner(s)—
 operation, rules. S.R.S. Doc. 33, p. 2. 1917.
 provisions for supply of peas, methods employed. F.B., 1255, pp. 5–6. 1922.
 seed peas for. D.N. Shoemaker. F.B. 1253, pp. 16. 1922.
 steam pressure—
  description, cost, and use method. S.R.S. Doc. 80, pp. 6–7. 1918; S.R.S. Doc. 80, rev., 6–7. 1919.
  use in canning pork. F.B. 1186, pp. 28–29. 1921.
  use in home canning of meats and sea foods. Franz P. Lund. S.R.S. Doc. 80, pp. 28. 1918; S.R.S. Doc. 80, rev., pp. 30. 1919.
 tomato supplies, methods of securing. F.B., 1233, pp. 6–7. 1921.
 types—
  description and operation. F.B., 1211, pp. 15–21. 1921.
  hot-water, water-seal, and steam pressure. F.B., 853, pp. 9–10, 12–13. 1917.

INDEX TO PUBLICATIONS, 1901-1925   363

Canner(s)—Continued.
  water-bath, description and operation. F.B. 1211, pp. 15-16, 19. 1921.
Cannery(ies)—
  cane-sirup, arrangement and equipment. D.C. 149, pp. 11-12. 1920.
  community, establishment, 1918. S.R.S. Rpt., 1918, pp. 50, 52, 100. 1919.
  equipment, purchasing, suggestion. Y.B., 1916, pp. 241-242. 1917. Y.B. Sep. 705, pp. 5-6. 1917.
  farm, equipment. F.B. 426, pp. 13-19. 1910.
  fish—
    in Alaska, central part, source of fertilizer material. Soil Sur. Adv. Sh., 1914, pp. 94, 172. 1915; Soils F.O., 1914, pp. 128, 206. 1919.
    in Alaska, Kenai Peninsula. Soil Sur. Adv. Sh., 1916, pp. 110, 126, 142. 1918; Soils F.O., 1916, pp. 142, 158, 174. 1921.
    waste utilization as fertilizer. F.B. 320, pp. 6-7. 1908.
  fruit and vegetable—
    cooperative, business essentials. W. H. Kerr. Y.B., 1916, pp. 237-249. 1917; Y.B. Sep. 705, pp. 13. 1917.
    inspection. F. B. Linton and others. D.B. 1084, pp. 38. 1922.
    location, importance of supplies and labor. Y.B., 1916, pp. 238-240. 1917; Y.B. Sep. 705, pp. 2-4. 1917.
    operations, financing directions. Y.B., 1916, pp. 240-241. 1917; Y.B. Sep. 705, pp. 4-5. 1917.
    output, annual, in California, Healdsburg area. Soils F.O., 1915, pp. 2212, 2252. 1919; Soil Sur. Adv. Sh., 1915, pp. 18, 58. 1917.
  pears, handling for. D.B. 1072, pp. 12-13. 1922.
  plant and equipment, purchasing, suggestions. Y.B., 1916, pp. 42-1242. 1917; Y.B. Sep. 705, pp. 5-6. 1917.
  refuse from peas, use for forage. M. A. Crosby. B.P.I. Cir. 45, pp. 12. 1910.
  sardine, capacity. D.B. 908, pp. 116-117. 1921.
  seed sold to seed merchants. Y.B. 1909, p. 280. 1910; Y.B. Sep. 512, p. 280. 1910.
  side lines, fresh fruit shipping and evaporating. Y.B., 1916, p. 246. 1917; Y.B. Sep. 705, p. 10, 1917.
  tomato—
    grades. Off. Rec., vol. 3, p. 3. 1924.
    growing for. F.B. 435, pp. 8-12. 1911.
    output, 1918-1920. D.B. 1099, p. 2. 1922.
  waste—
    fertilizer value, Alaska, Kenai Peninsula region. Soil Sur. Adv. Sh., 1916, pp. 116-117. 1919; Soils F.O., 1916, pp. 148-149. 1921.
    products, utilization in manufacture of alcohol. F.B. 268, pp. 35-36. 1906.
    sugar corn, source of alcohol. F.B. 429, p. 15. 1911.
    use in manufacture of alcohol, cost. Chem. Bul. 130, p. 27. 1910.
  work in Maryland, Frederick County. Soil Sur. Adv. Sh., 1919, pp. 10, 71. 1922; Soils F.O., 1919, pp. 650, 711. 1925.
  See also Canning factory.
Canning—
  Mary E. Creswell and Ola Powell. B.P.I. Bul. No. 631, rev. pp. 6. 1915.
  American, adoption abroad. News L., vol. 7, No. 10, p. 15. 1919.
  apples, cull and windfall, and use of by-products. O. H. Benson. S.R.S. Doc. 15, pp. 3. 1915.
  artificial preservatives, usefulness and danger. News L., vol. 3, No. 5, p. 7. 1915.
  asparagus, directions. F.B. 829, pp. 16-18. 1917.
  blackberries, methods. F.B. 998, pp. 20-21. 1918.
  cane sirup, cooperative. J.K. Dale. D.C. 149, pp. 19. 1920.
  center, establishment in Michigan. News L., vol. 6, No. 39, p. 10. 1919.
  cheese practices. F.B. 210, pp. 28-29. 1904.
  club(s)—
    booths in market houses. News L., vol. 6, No. 41, p. 15. 1919.
    boys' and girls', home, instructions. George F. Farrell. S.R.S. Doc. 59, pp. 6. 1917.
    champions, 1913. News L., vol. 1, No. 20, p. 1. 1913.

Canning—Continued.
  club(s)—continued.
    enrollment and work, 1914. An. Rpts., 1914, pp. 120, 122. 1914; B.P.I. Chief Rpts., 1914, pp. 20, 22. 1914.
    girls—
      demonstration work, 1912. O. B. Martin and I. W. Hill. B.P.I. Doc. 865, pp. 8. 1913.
      demonstration work. I. W. Hill and O. B. Martin. B.P.I. Doc. 870, pp. 8. 1913.
      directions for pepper growing and uses. F.C. D.W.S. Cir. 1, pp. 1-8. 1915.
      enrollment, scope, and work, in Southern States. News L., vol. 3, No. 26, pp. 1-2. 1916.
      Mississippi, yield, cost, and profit, 1913. News L., vol. 1, No. 40, p. 3. 1914.
      profits per member, 1915. News L., vol. 3, No. 26, pp. 1-2. 1916.
      work, 1911. An. Rpts., 1911, pp. 77-78. 1912; Sec. A.R., 1911, pp. 75-76. 1911; Y.B., 1911, pp. 75-76. 1912.
      work, 1912. An. Rpts., 1912, pp. 444-445. 1913; B.P.I. Chief Rpts., 1912, pp. 64-65. 1912.
      work, 1915, county records. News L., vol. 3, No. 26, pp. 1-2. 1916.
      work in New Jersey. News L., vol. 1, No. 31, pp. 3-4. 1914.
    home—
      demonstrations, suggestions and instructions. O.H. Benson. S.R.S. [Misc.], "Suggestions and instructions * * *," pp. 2. 1915.
      instructions to save fruit and vegetable waste. O. H. Benson. S.R.S. Doc. 17, pp. 6. 1915.
      preparation for demonstrations. O. H. Benson. S.R.S. Doc. 47, pp. 2. 1917.
    in South—
      home canning of fruits and vegetables. F.B. 853, pp. 42. 1917.
      progress and results. Y.B., 1916, pp. 251-266. 1917; Y.B. Sep. 710, pp. 1-16.
    members, gardening instructions for. S.R.S. Doc. 92, pp. 1-16. 1919.
    mother-daughter, organization, programs, and results. O. H. Benson. S.R.S. Doc. 20, pp. 6. 1917.
    North and West—
      demonstrations and results. D.C. 152, pp. 24-26. 1921.
      enrollment and work, 1920. D.C. 192, pp. 15-16. 1921; S.R.S. Dir. Rpt., 1921, p. 50. 1921.
    number, membership, and results, 1921. D.C. 255, pp. 15, 18. 1923.
    organization and work. Y.B., 1915, p. 272. 1916; Y.B. Sep. 675, p. 272. 1916.
    products—
      markets. Lewis B. Flohr. Mkts. Doc. 5, pp. 8. 1917.
      marketing, notable example. Y.B., 1916, pp. 260-261. 1917; Y.B. Sep. 710, pp. 10-11. 1917.
    progress, Kentucky and Virginia. Y.B., 1915, pp. 234, 245. 1916; Y.B. Sep. 672, pp. 234, 245. 1916.
    requirements. B.P.I. Doc. 883, p. 8. 1913.
    results and profit. An. Rpts., 1916, pp. 316, 324. 1917; S.R.S. Rpt., 1916, pp. 20, 28. 1916.
    school, demonstration work, program. F.B. 521, pp. 29-31. 1913.
    Southern States, county records. S.R.S. Doc. 28, pp. 1-4. 1915.
    uniforms, directions for making. D.C. 2, pp. 8-12. 1919.
    work—
      in Louisiana, 1918. News L., vol. 6, No. 37, p. 6. 1919.
      in South. An. Rpts., 1917, pp. 340-342. 1917; S.R.S. Dir. Rpt., 1917, pp. 18-20. 1917.
      of girls and women. S.R.S. [Misc.], "Cooperative extension work in agriculture and home economics * * *, 1919," pp. 17, 28-29. 1921.
      tomato growing in North and West. B.P.I. Doc. 883, pp. 1-10. 1913.
    See also Girls' clubs.
  cold-pack method, introduction by club workers. D.C. 152, pp. 25, 26. 1921.

36167°—32——24

Canning—Continued.
  cooperative, studies. Food Thrift Ser., No. 2, pp. 6–7. 1917.
  cooperative work, survey. An. Rpts., 1915, pp. 369–370. 1915; Mkts. Chief Rpt., 1915, pp. 7–8. 1915.
  corn on and off the cob, directions. News L., vol. 1, No. 50, pp. 2–3. 1914.
  crops—
    growing in—
      Delaware, Kent County. Soil Sur. Adv. Sh., 1918, pp. 9, 10, 16–29. 1920; Soils F.O., 1918, pp. 49, 50, 56–69. 1924.
      Maryland, Carroll County. Soil Sur. Adv. Sh., 1919, pp. 11, 22–31. 1922; Soils F.O., 1919, pp. 613, 624–633. 1925.
    investigations. B.P.I. Chief Rpt., 1921, pp. 7–8. 1921.
    soils, Virginia, location. D.B. 46, pp. 5, 13, 17. 1913.
  demonstrations—
    for teachers in France. News L., vol. 6, No. 44, p. 3. 1919.
    North and West. News L., vol. 6, No. 24, p. 5. 1919.
    suggestions and information. O. H. Benson. S.R.S. Doc. 7, pp. 2. 1916.
  difficulties, causes and prevention. S.R.S. Doc. 33, pp. 1–4. 1917.
  directions—
    for club members. S.R.S. Doc. 22, pp. 1–9. 1916.
    without sugar. F.B. 839, p. 15. 1917.
  equipment—
    cane sirup. D.B. 1370, pp. 60–61. 1925.
    for home work. S.R.S. Doc. 17, p. 6. 1915; S.R.S. Doc. 18, pp. 2–3. 1915; F.B. 853, pp. 8–13. 1917.
  experiments with beet sugar and with cane sugar. Rpt. 90, pp. 72–74. 1909.
  extension—
    and demonstration work, 1918. S.R.S. Rpt., 1918, pp. 50–53, 93. 1919.
    work in 1923. D.C. 349, pp. 24–25. 1925.
  factory—
    modern equipment, and methods. D.B. 196, pp. 1–10. 1915; Chem. Bul. 151, pp. 16–23. 1912.
  refuse—
    spread of corn borer. F.B. 1294, p. 35. 1922.
    value in feeding cattle. Rpt. 115, pp. 25–26. 1916.
    See also Canneries.
  farm, as source of food. D.B. 410, p. 28. 1916.
  figs—
    Gulf States, development of industry. F.B. 342, p. 21. 1909.
    practices and directions. F.B. 1031, pp. 39–42. 1919.
  food(s)—
    commercial, methods. A. W. Bitting. D.B. 196, pp. 79. 1915; Chem. Bul. 151, pp. 77. 1912.
    early history, and introduction into America. Sec. Cir. 126, p. 4. 1919; Chem. Bul. 151, pp. 7–11. 1912.
    for winter use, estimate of requirements. Mkts. Doc. 6, pp. 2–3. 1917.
    purpose. F.B. 1211, pp. 3–4. 1921.
    studies, Chemistry Bureau. Sec. AR., 1912, pp. 52, 206. 1912; An. Rpts., 1912, pp. 52, 206. 1913; Y.B., 1912, pp. 52, 206. 1913.
  fruits—
    and vegetable(s)—
      at home. S.R.S. Doc. 17, pp. 1–6. 1915; F.B. 1082, p. 14. 1920; D.C. 66, pp. 28–29, 36. 1920; B.P.I. Doc. 631 rev. pp. 1–6. 1915; F.B. 1211, pp. 51. 1921.
      at home. Mary E. Creswell and Ola Powell. F.B. 853, pp. 42. 1917.
    cheap outfit. F.B. 259, pp. 30–32. 1906.
    home demonstration work in South. S.R.S. Rpt., 1921, p. 33. 1921.
    home demonstration work, results. D.C. 285, p. 17. 1923.
    hot-water process, methods, table. B.P.I. Doc. 631, rev. p. 6. 1915.
    temperature changes in container, study. C. A. Magoon and C. W. Culpepper. D.B. 956, pp. 55. 1921.
  garden surplus, suggestions. S.R.S. Doc. 48, pp. 3, 4. 1917.

Canning—Continued.
  general instructions for club members. S.R.S. Doc. 22, pp. 1–6. 1915.
  girls' club, 1911, results and profits. F.B. 521, pp. 35–36 1917.
  glass, directions. B.P.I. Doc. 631, rev., pp. 4–6. 1915; F.B. 853, pp. 13–23. 1917; F.B. 1211, pp. 29–30. 1921; S.R.S. Doc. 22, rev., pp. 7–8. 1919.
  grapes, directions. F.B. 859, pp. 17–18. 1917.
  heat-testing methods, apparatus, and experiments. D.B. 956, pp. 6–17. 1921.
  home—
    and club, suggestions. F.B. 521, pp. 25–26. 1913.
    demonstration work, 1918. S.R.S. Rpt., 1918, pp. 52, 93, 99–100. 1919.
    equipment. S.R.S. Doc. 17, p. 6. 1915.
    instructions. O. H. Benson. S.R.S. Doc. 18, pp. 6. 1915.
    instructions, follow up work for girls' clubs. S.R.S. Doc. 12, pp. 1–6. 1917.
    of meats and sea foods, with steam-pressure canner. Franz P. Lund. S.R.S. Doc. 80, pp. 28. 1918; S.R.S. Doc. 80, rev., pp. 30. 1919.
    one-period cold-pack method. O. H. Benson. F.B. 839, pp. 39. 1917.
    support of family. News L., vol. 6, No. 32, p. 12. 1919.
    time-tables for fruits and vegetables. M.C. 24, pp. 4. 1921.
    uses, cost, and profits. Chem. Bul. 151, pp. 31–32. 1912.
    work, results of home demonstration. D.C. 141, p. 16. 1920.
  improved method. F.B. 262, pp. 18–19. 1906.
  in tin preparations and various steps. B.P.I. Doc. 631, rev. pp. 1–3, 6. 1915.
  industry—
    acreage of truck supply and location of factories. Y.B., 1916, pp. 451–452. 1917; Y.B. Sep. 702, pp. 17–18. 1917.
    extent in United States, seasons, products, etc., by states, tables. Chem. Bul. 151, pp. 33–36. 1912.
    growth, 1887–1907. F.B. 334, p. 14. 1908.
  in—
    California, Healdsburg area, output. Soil Sur. Adv. Sh., 1915, p. 18. 1917; Soils F.O., 1915, p. 2212. 1919.
    Maryland, Easton area. Soil Sur. Adv. Sh., 1907, pp. 12, 13. 1909; Soils F.O., 1907, pp. 124, 129. 1909.
    New York, Chatauqua County. Soil Sur. Adv. Sh., 1914, pp. 15, 25, 35, 37. 1916; Soils F.O., 1914, pp. 281, 290–302, 314. 1919.
    New York, Wayne County, notes. Soil Sur. Adv. Sh., 1919, pp. 282–284, 300, 309, 318. 1923; Soils F.O., 1919, pp. 282, 283–284, 300, 309, 318. 1925.
    Oregon, Yamhill County, value and importance. Soil Sur. Adv. Sh., 1917, pp. 13, 16–17. 1920; Soils F.O., 1917, pp. 2267, 2270–2271. 1923.
    Texas, Camp County. Soil Sur. Adv. Sh., 1908, p. 10. 1910; Soils F.O., 1908, pp. 958. 1911.
    Virginia, Montgomery County. Soil Sur. Adv. Sh., 1907, pp. 9, 17, 35. 1908; Soils F.O., 1907, pp. 204, 205, 219. 1909.
  terms, definitions. B.A.I. An. Rpt., 1907, pp. 281–284. 1909.
  investigations. 1908. An. Rpts., 1908, pp. 84, 461–462. 1909; Chem. Chief Rpt., 1908, pp. 17–18. 1908; Sec. A.R., 1908, p. 82. 1908.
  laboratory, experiments with fruit, 1912, 1913, equipment and methods. D.B. 196, pp. 19–21. 1915.
  leaks, testing for. F.B. 1186, p. 34. 1921.
  lessons, outlines for first-year classes, and correlative studies. D.B. 540, pp. 9, 10–11. 1917.
  maple sirup. Chem. Bul. 134, p. 58. 1910.
  materials, preparation, can filling, air exhaustion sealing, and cooling. D.B. 196, pp. 6–10. 1915.
  meats—
    and sea foods, recipes. S.R.S. Doc. 80, pp. 13, 28. 1918; S.R.S. Doc. 80, rev., pp. 13–30. 1919.
    commercial methods. C. N. McBryde. Y.B., 1911, pp. 383–390. 1912; Y.B. Sep. 577, pp. 383–390. 1912.

Canning—Continued.
 meats—continued.
  demonstration work, results. D.C. 285, p. 17. 1923.
  methods, study, disposal of defective cans. B.A.I. An. Rpt., 1907, pp. 279-296. 1909.
  selection and preparation of material of packing-house methods. Chem. Bul. 13, Pt. X, pp. 1375-1393. 1902.
 methods and processes. D.B. 196, pp. 6-10. 1915.
 milk, factories, cost. Y.B., 1912, p. 339. 1913; Y.B. Sep. 595, p. 339. 1913.
 muscadine grapes. F.B. 1454, pp. 14-15, 20. 1925.
 mushrooms, methods. B.P.I. Bul. 85, p. 11. 1905; F.B. 853, pp. 23-24. 1917.
 outdoor equipment, arrangement. F.B. 1211, p. 18. 1921.
 outfit(s)—
  for canning peaches on the farm, description. F.B. 426, pp. 8-19. 1910.
  home and commercial, description, and cost. F.B. 521, pp. 19-22. 1913.
  kinds and description. F.B. 839, pp. 6-8. 1917.
  operation, rules. S.R.S. Doc. 33, p. 2. 1917.
  operation, water bath and steam-pressure. F.B. 1211, pp. 19-21. 1921.
 oysters industry, details. Y.B., 1910, pp. 372-373. 1911; Y.B. Sep. 544, pp. 372-373. 1911.
 peaches—
  on the farm. H. P. Gould and W. F. Fletcher. F.B. 426, pp. 26. 1910.
  varieties, cost and profits. O.E.S. Am. Rpt., 1906, p. 430. 1907.
 peas—
  based on factory inspection and experimental data. A. W. Bitting. Chem. Bul. 125, pp. 32. 1909.
  beginning of industry, time and place. F.B. 1253, p. 4. 1922.
  factory operations. Chem. Bul. 125, pp. 11-27. 1901.
  industry, importance and geographical distribution. F.B. 1255, pp. 3-5. 1922.
  production of crop. Chester J. Hunn. F.B. 1255, pp. 24. 1922.
  swelling, prevention method. F.B. 225, p. 32. 1905.
 peppers, methods. S.R.S. Doc. 39, pp. 3-4. 1917; D.C. 160, pp. 5-6. 1921.
 pineapple—
  Hawaii, progress of industry, cost. Y.B., 1915, pp. 137, 144. 1916; Y.B. Sep. 663, pp. 137, 144. 1916.
  industry in Porto Rico and Hawaii, comparison. Hawaii A.R. 1915, pp. 62-64. 1916.
  Porto Rico, possibilities. P.R. Bul. 8, p. 36. 1909.
 plants, New Jersey, Millville area. Soil Sur. Adv. Sh., 1917, p. 10. 1921: Soils F.O., 1917, p. 198. 1923.
 pork and pork products, directions and recipes. F.B. 1186, pp. 28-44. 1921.
 potatoes, method. F.B. 295, pp. 17-18. 1907.
 powder, boric-acid, experiments. Ruth B. Edmonson and others. D.C. 237, pp. 12. 1922.
 preliminary operation: Scalding, precooking, and chilling. C. A. Magoon and C. W. Culpepper. D.B. 1265, pp. 48. 1924.
 preparation—
  and methods, for glass. B.P.I. Doc. No. 631, rev., pp. 4-5, 6. 1915.
  and methods, for tin. B.P.I. Doc. No. 631, rev., pp. 1-3, 6. 1915.
  equipment, and methods. F.B. 839, pp. 3-11, 15-29. 1917; F.B. 1211, pp. 24-25. 1921.
  preserving, pickling. Mary E. Creswell and Ola Powell. S.R.S. Doc. 22, pp. 16. 1916.
 pressure, vacuum, and temperature relations. C. A. Magoon and C. W. Culpepper. D.B. 1022, pp. 52. 1922.
 prevention of swelling of canned peas. F.B. 225, p. 32. 1905.
 raspberries, methods. F.B. 887, p. 43. 1917.
 salmon, details. D.B. 150, pp. 9-12, 13-16. 1915.
 salmon, regulations. Chem. Bul. 69 rev., Pts. VI, VIII, pp. 505-509, 664. 1906.
 seasons, various products, different States. D.B. 196, pp. 16-19. 1915.

Canning—Continued.
 sirup—
  cooperative association, organization and operation. D.C. 149, pp. 9-17. 1920.
  density table. News L., vol. 3, No. 51, p. 5. 1916.
  details and cost, in cooperative canning. D.C. 149, pp. 16, 17-19. 1920.
  operation. W. L. Owen. D.B. 1370, pp. 58-60. 1925.
  principles and temperatures. D.B. 1370, pp. 58-60. 1925.
  formulas. News L., vol. 4, No. 1, p. 6. 1916.
 soldering equipment and work. S.R.S. Doc. 11, pp. 2-3. 1916.
 sorghum sirup, directions. F.B. 477, pp. 29-30. 1912.
 sorgo sirup, directions. F.B. 1389, p. 20. 1924.
 soups, and meats; home club work. George E. Farrell. S.R.S. Doc. 9, pp. 4. 1915.
 strawberries, directions. F.B. 1026, p. 37. 1919; F.B. 1027, p. 26. 1919; F.B. 1028, pp. 46-47. 1919.
 strawberries, varieties adaptable. F.B. 1043, p. 20. 1919.
 sweet corn, relative merits of varieties. C. W. Culpepper and C. A. Magoon. J.A.R., vol. 28, pp. 403-443. 1924.
 sweet potatoes, varieties adaptable. D.B. 1041, pp. 6-13. 1922; F.B. 295, p. 27. 1907; F.B. 520, p. 11. 1912.
 tables useful to canner. F.B. 521, p. 26. 1913; S.R.S. Doc. 22, p. 6. 1915; F.B. 853, pp. 27-28. 1917.
 terms, definitions. F.B. 521, pp. 23-24. 1913.
 tin—
  club work, boys' and girls', directions. O. H. Benson and George E. Farrell. S.R.S. Doc. 97, pp. 8. 1919.
  directions. B.P.I. Doc. 631, rev., pp. 1-3, 6. 1915; F.B. 853, pp. 23-28. 1917.
  preparations, methods, brining, seasoning. S.R.S. Doc. 22, rev., pp. 2-7. 1919.
 tomatoes—
  at home and in club work. J. F. Breazeale and O. H. Benson. F.B. 521, pp. 36. 1913.
  distribution of industry and source of supply. F.B. 1233, pp. 2, 4-7. 1921.
  use of beet sugar and cane sugar., comparison. F.B. 329, pp. 30-32. 1908.
  value in food preservation. F.B. 839, pp. 3-4. 1917.
 vegetable(s)—
  acreage, 1915, with comparisons. News L., vol. 2, No. 48, p. 5. 1915.
  directions and references. D.B. 123, pp. 65-68, 77-78. 1916.
  home. J. F. Breazeale. F.B. 359, pp. 16. 1910.
  hot-water process. B.P.I. Doc. 631, rev., p. 6. 1915.
  methods, studies. O.E.S. Bul. 245, pp. 81-86. 1912.
  Wisconsin, Jefferson county, details. Soil Sur. Adv. Sh., 1912, pp. 14, 24, 30, 38, 52. 1914; Soils F.O., 1912, pp. 1564, 1574, 1580, 1588, 1602. 1915.
 waste products utilization. An. Rpts., 1919, p. 160. 1920; B.P.I. Chief Rpt., 1919, p. 24. 1919.
 with canning powder, summary of experiments. D.C. 237, pp. 7-9, 11-12. 1922.
 without sugar, methods and value. News L., vol. 4, No. 47, p. 8. 1917; News L., vol. 5, No. 50, p. 8. 1918.
 work of—
  girls and women in Southern States, 1917. S.R.S. Rpt., 1917, Pt. II, pp. 24, 32-36. 1919.
  girls' clubs, 1921. D. C. 248, pp. 25-26. 1922.
  model mother-daughter club in Kansas. S.R.S. Doc. 20, p. 6. 1917.
CANNON, M. A.: "List by titles of publications of the United States Department of Agriculture from 1840 to June, 1901, inclusive." With R. B. Handy. Pub. Bul. 6, pp. 216. 1902.
Cannon-ball tree, similarity to chaulmoogra tree. D.B. 1057, p. 22. 1922.
Cannula—
 use for bloating of—
  cattle. B.A.I. Misc.], "Diseases of cattle," rev., pp. 26, 52. 1912.
  sheep. F.B. 1155, p. 28. 1921.

366   UNITED STATES DEPARTMENT OF AGRICULTURE

Canoe(s)—
  trips, in national forests. For. [Misc.], "A vacation * * * Superior * * *," pp. 4-8. 1919.
  utilization of birch in manufacture. D.B. 12, pp. 24-25, 28-29. 1913.
Canoewood. See Poplar, tulip; Tulip tree.
Canotia—
  description, range, and occurrence on Pacific slope. For. [Misc.], "Forest trees for Pacific * * *," pp. 380-382. 1908.
  holacantha, description, range, and occurrence, Pacific slope. For. [Misc.], "Forest trees for Pacific * * *," pp. 380-383. 1908.
Cans—
  breakage in canning, causes. News L., vol. 3, No. 46, p. 2. 1916.
  butter, lacquer as rust-preventative measure. B.A.I. Chief Rpt., 1912, p. 39. 1912; An. Rpts., 1912, p. 335. 1914.
  cane sirup—
    and canning equipment. D.B. 1370, pp. 60-61. 1925.
    description and use. D.C. 149, pp. 12, 17, 18. 1920.
  cap-and-hole—
    description and use. S.R.S. Doc. 97, pp. 3-7. 1919.
    packing, fluxing, capping, and sealing. F.B. 1211, pp. 35-36. 1921.
  cream, cleaning directions. B.A.I. Cir. 188, p. 299. 1912; B.A.I. An. Rpt., 1910, p. 299. 1912.
  exhausting before sealing. F.B. 1211, p. 33. 1921.
  frozen egg, capacity. D.B. 663, p. 20. 1918.
  fruits and vegetables, product from one bushel. S.R.S. Doc. 97, p. 7. 1919.
  glass, use in canning meats in farm homes, and methods. S.R.S. Doc. 80, pp. 12-13. 1918; S.R.S. Doc. 80, rev., pp. 12-13. 1919.
  marking "No. ½." Opinion 64, Chem. S.R.A. 7, p. 527. 1914.
  meat—
    defective, bacteriological examination. B.A.I. An. Rpt., 1907, pp. 292-296. 1909.
    sealing under vacuum. Y.B., 1911, pp. 386-387. 1912; Y.B. Sep. 577, pp. 386-387. 1912.
    treatment after filling and sealing. Y.B., 1911, pp. 387-388. 1912; Y.B. Sep. 577, pp. 387-388. 1912.
  metal, use in ice manufacture. F.B. 475, pp. 11-12. 1911.
  milk—
    cleaning methods. B.A.I. Cir. 184, pp. 38-40. 1912.
    sterilization in farm dairy. F.B. 748, pp. 5-7. 1916.
    types and efficiency. D.B. 744, pp. 21-24, 25-28. 1919.
    use in farm dairies, description. F.B. 541, p. 21. 1913.
    washers for milk plant. D.B. 890, pp. 31-32. 1920.
    washing, directions. D.B. 973, p. 25. 1923.
  peach, description and cost. F.B. 426, pp. 17-19. 1910.
  rim-seal, description and use. S.R.S. Doc. 97, pp. 2-3. 1919.
  sanitary filling, exhausting, sealing, and processing. F.B. 1211, pp. 31-34. 1921.
  sardine, description, sizes, and types. D.B. 908, pp. 11-12, 103-105. 1921.
  sealing during processing, temperature, importance. D.B. 1022, pp. 21, 28, 29, 32, 34, 40, 49. 1922.
  sweet-potato, pack of 1920. D.B. 1041, p. 1. 1922.
  tin—
    capping in home canning. S.R.S. Doc. 97, pp. 5-6. 1919.
    making by machinery. Y.B., 1911, p. 384. 1912; Y.B. Sep. 577, p. 384. 1912.
    sizes, capping, and tipping. S.R.S. Doc. 11, pp. 1, 3. 1916; S.R.S. Doc. 97, pp. 2-7. 1919.
  standard contents, different vegetables and fruits. S.R.S. Doc. 22, pp. 3-4, 5. 1915.
  use for canning—
    kinds, sizes, and use methods. F.B. 839, pp. 34-39. 1917.
    meats at home, and directions. S.R.S. Doc. 80, pp. 9-12. 1918; S.R.S., Doc. 80, rev., pp. 9-12. 1919.

Cans—Continued.
  tomato varieties, description. F.B. 521, pp. 11-12, 26. 1913.
  use for food, materials, description, and size. D.B. 196, pp. 10-11. 1915.
  weight and number per bushel of various fruits and vegetables. S.R.S. Doc. 18, p. 5. 1915.
Cantala. See Manila maguey.
Cantaloupe(s)—
  acreage in—
    1909, map. Sec. [Misc.], Spec. "Geography * * * world's agriculture," p. 99. 1917; Y.B., 1915, p. 377. 1916; Y.B. Sep. 681, p. 377. 1916.
    1919, maps. Y.B., 1921, p. 460. 1922; Y.B., Sep. 878, p. 54. 1922.
    1924, yield and shipments. Y.B., 1924, pp. 693-694. 1925.
  California, composition and maturity. E.N. Chace and others. D.B. 1250, pp. 27. 1924.
  car-lot shipments, monthly by States, 1918-1923. S.B. 7, pp. 14-16. 1925.
  car-lot unloads, comparison with shipments, 12 markets, 1918-1923. S.B. 7, p. 107. 1925.
  commercial gradings, packing, and shipping. F.B. 707, pp. 1-23. 1916.
  cost of production per acre. Y.B., 1921, p. 829. 1922; Y.B. Sep. 876, p. 26. 1922.
  crates, types used in different localities, suggested sizes. F.B. 1196, p. 25. 1921.
  damage by root knot. F.B. 648, pp. 8, 9. 1915.
  demand, increase. F.B. 707, p. 3. 1916.
  destruction by melon fly, Hawaii. D.B. 491, pp. 9-13. 1917.
  freight rates—
    1913 and 1923. Y.B., 1923, p. 1170. 1924; Y.B. Sep. 906, p. 1170. 1924.
    per crate to eastern markets. F.B. 707, p. 4. 1916.
  grading methods. F.B. 707, pp. 11-12. 1916.
  growing—
    acreage and States. Y.B., 1916, pp. 445, 446, 449. 1917; Y.B. Sep. 702, pp. 11, 12, 15. 1917.
    and yield, in Florida, Ocala area. Soil Sur. Adv. Sh., 1912, pp. 15, 28, 33. 1913; Soils F.O. 1912, pp. 679-680, 692, 697. 1915.
    and yield on Norfolk sand, methods. Soils Cir. 44, pp. 12, 17. 1911.
    in—
      Arizona, speculative nature of industry. D.B. 654, pp. 3, 41-42. 1918.
      Arkansas, Howard County. Soil Sur. Adv. Sh., 1917, pp. 9, 22, 26, 36, 40. 1919; Soils F.O., 1917; pp. 1359, 1372, 1376, 1386, 1390. 1923.
      California, Imperial Valley. Soil Sur. Adv. Sh., 1920, pp. 651, 668-681, 695-698. 1923; Soils F.O., 1920, pp. 651, 668-681, 695-698. 1925.
      California, Modesto-Turlock area, acreage, varieties, and yield. Soil Sur. Adv. Sh., 1908, p. 8. 1911; Soils F.O., 1908, p. 1276. 1911.
      Colorado, labor distribution and cost. D.B. 917, pp. 8, 9, 10, 12, 45. 1921.
      Colorado, success and place in rotations. B.P.I. Bul. 260, pp. 53, 54, 56. 1912.
      Georgia, Colquitt County, acreage, cost, and yields. Soil Sur. Adv. Sh., 1914, pp. 11, 16-17. 1915; Soils F.O., 1914, pp. 967, 972-973. 1919.
      Georgia, Dougherty County. Soil Sur. Adv. Sh. 1912, pp. 12, 28. 1913; Soils F.O., 1912, pp. 580, 596. 1915.
      Georgia, Mitchell County. Soil Sur. Adv. Sh., 1920, p. 36. 1922; Soils F.O., 1920, p. 36. 1925.
      Georgia, Troup County, profit per acre. Soil Sur. Adv. Sh., 1912, p. 10. 1913; Soils F.O., 1912, p. 638. 1915.
      Georgia, Turner County. Soil Sur. Adv. Sh., 1915, p. 10. 1916; Soils F.O., 1915, p. 664. 1919.
      Guam, cultural directions. Guam Cir. 2, p. 10. 1921.
      Iowa, Louisa County. Soil Sur. Adv. Sh., 1918, pp. 14, 15, 43. 1921; Soils F.O., 1918; pp. 1028, 1029, 1057. 1924.
      Iowa, Muscatine County. Soil Sur. Adv. Sh. 1914, pp. 16-17, 37-47. 1916; Soils F.O., 1914, pp. 1837, 1857-1864. 1919.

INDEX TO PUBLICATIONS, 1901-1925 367

Cantaloupe(s)—Continued.
growing—continued.
in—continued.
Maryland, Anne Arundel County, varieties. Soil Sur. Adv. Sh., 1909, pp. 15, 24, 28, 33, 35. 1910; Soils F.O., 1909, pp. 281, 290, 294, 299, 301. 1912.
Nevada. D.C. 352, pp. 13-14. 1925.
North Carolina, Scotland County, fertilizers, yield. Soil Sur. Adv. Sh., 1909, pp. 13-15. 1911; Soils F.O., 1909, pp. 429-431. 1912.
South Carolina, Barnwell County, soils and yields. Soil Sur. Adv. Sh., 1912, pp. 14, 22, 26, 30, 32. 1914; Soils F.O., 1912, pp. 420, 428, 432, 436, 438. 1915.
Tennessee, Coffee County, fertilizers. Soil Sur. Adv. Sh., 1908, p. 13. 1910; Soils F.O. 1908, pp. 997. 1911.
Virginia trucking districts. D.B. 1005, pp. 4, 22, 25, 37-43, 70. 1922.
on New Jersey soils. D.B. 677, pp. 30, 38, 52, 61-74. 1918.
on Norfolk fine sand, forcing for early market. Soils Cir. 23, pp. 13, 14. 1911.
with crimson clover. F.B. 559, p. 12. 1913.
handling—
and transportation. A. W. McKay and others. F.B. 1145, pp. 23. 1921.
to prevent bruising and decay. F.B. 1145, pp. 4-6. 1921.
harvesting—
and marketing in Colorado. D.B. 917, pp. 38, 42. 1921.
and preparing for shipment, experiments, 1916, 1917. Mkts. Doc. 9, pp. 1-11. 1918.
injury by—
flea-beetle. D.B. 436, p. 5. 1917.
melon fly. D.B. 643, pp. 8-20. 1918.
melon fly, Hawaii. Y.B., 1917, p. 190. 1918; Y.B. Sep. 731, p. 8. 1918.
rabbits. Y.B., 1907, p. 332. 1908; Y.B. Sep. 452, p. 332. 1908.
inspection of shipments, practices. F.B. 707, pp. 15-16. 1916.
irrigation, Colorado. O.E.S. Bul. 158, pp. 614-622. 1905.
leaf-blight resistance, development. Y.B., 1908, p. 464. 1909; Y.B., Sep. 494, p. 464. 1909.
loading—
effect on refrigeration, studies and investigation. Mkts. Doc. 10, pp. 1, 4, 5. 1918.
into refrigerator cars, promptness, importance. F.B. 1145, pp. 6-7. 1921.
louse. See Melon, aphid.
market(s)—
handling carload lots. Y.B., 1911, pp. 170, 171. 1912; Y.B. Sep. 558, pp. 170, 171. 1912.
season, discussion. F.B. 707, p. 3. 1916.
shipments, 1917-1921, by States. Y.B. 1921, p. 654. 1922; Y.B. Sep. 869, p. 74. 1922.
statistics, 1919 and 1920. D.B. 982, pp. 218-219, 229-230, 243-250, 254, 264. 1921.
marketing—
Y.B., 1923, p. 753. 1923; Y.B. Sep. 900, p. 753. 1924.
brand marks and labels. F.B. 707, pp. 21-23. 1916.
by parcel post, suggestions. F.B. 703, p. 14. 1916.
community packing houses, management. F.B. 707, pp. 18-19. 1916.
green, injury to trade. F.B. 707, p. 2. 1916.
in the larger cities, with car-lot supply, 1914. Wells A. Sherman and others. D.B. 315, pp. 20. 1915.
need of improved methods, suggestions. F.B. 707, pp. 16-18. 1916.
maturity test. Sec. A.R., 1925, pp. 73-74. 1925.
netting, development, indications of maturity. F.B. 707, p. 5. 1916.
packing—
directions. F.B. 1145, pp. 5-6. 1921.
for market, methods. F.B. 707, pp. 12-14, 21. 1916.
standardization of containers. D.B. 315, pp. 7-9. 1915.
picking—
and handling for market. F.B. 707, pp. 5-9. 1916.

Cantaloupe(s)—Continued.
picking—continued.
for long distance shipping. F.B. 1145, p. 4. 1921.
sack, description. F.B. 707, p. 6. 1916.
"pink meats," production. F.B. 707, p. 7. 1916.
production in United States, 1916, 1917, by States. Mkts. Doc. 9, p. 3. 1918.
refrigeration in transit. F.B. 1145, pp. 9-20. 1921.
retarding refrigeration by separate wrapping. Mkts. Doc. 10, pp. 1, 16. 1918.
ripening, indications. D.B. 1250, pp. 15-19. 1924.
"Rocky Ford," use of name. F.I.D. 115, pp. 1-2. 1910.
seed—
harvesting. D.B. 917, p. 38. 1921.
planting depth, dates and rate. D.B. 917, pp. 20, 21. 1921.
starch content as indication of maturity. D.B. 1250, pp. 8-11. 1924.
shipments—
1905-1914 from Imperial Valley. F.B. 707, p. 3. 1916.
1914. D.B. 315, pp. 15-19. 1915.
1916 by States, and by stations. D.B. 667, pp. 10, 107-109. 1918.
1917-1922. Y.B., 1922, pp. 773, 774, 776. 1923; Y.B. Sep. 884, pp. 773, 774, 776. 1923.
1920-1923, in carloads, by States. S.B. 8, pp. 24-28. 1925.
shipping—
investigations. F.B. 1145, pp. 3, 23. 1921.
methods. F.B. 707, pp. 9-11. 1916.
spraying for control of bacterial wilt. J.A.R., vol. 6, No. 11, pp. 432, 433. 1916.
transportation, long distance. F.B. 1145, pp. 3-4. 1921.
varieties, wilt infection, percentage. J.A.R., vol. 6, No. 11, pp. 426-429. 1916.
water requirements. J.A.R., vol. 3, pp. 40, 41, 52, 59. 1914.
western—
handling. George L. Fischer and Arthur E. Nelson. Mkts. Doc. 9, pp. 11. 1918.
loading and transporting. A. W. McKay. Mkts. Doc. 10, pp. 16. 1918.
wrapping for refrigerator-car shipment. Mkts. Doc. 9, pp. 8-11. 1918.
wrapping, objections. F.B. 1145, pp. 7-9. 1921.
See also Melons; Muskmelons.
Cantharellus—
cibarius. See Chanterelle.
spp., description. D.B. 175, pp. 13-14. 1915.
Cantharidae, enemies of boll weevil, list. Ent. Bul. 100, p. 41. 1912.
Cantharides—
Russian, adulteration and misbranding. Chem. N.J. 3272, p. 452. 1914.
substitute, description. Chem. S.R.A. 21, p. 69. 1918.
Cantharis reticulata, description. D.B. 967, p. 5. 1921.
Canton, Ohio, milk supply, statistics, officials, prices, and laws. B.A.I. Bul. 46, pp. 36, 140-141. 1903.
CANTRELL, L., "Soil survey of—
Baldwin County, Alabama." With others. Soil Sur. Adv. Sh., 1909. pp. 74. 1911; Soils F.O., 1909, pp. 705-774. 1912.
Buffalo County, Wisconsin." With others. Soil Sur. Adv. Sh., 1913, pp. 50. 1915; Soils F.O., 1913, pp. 1441-1486. 1916.
Chesterfield County, South Carolina." With others. Soil Sur. Adv. Sh., 1914, pp. 45. 1915; Soils F.O., 1914, pp. 655-695. 1919.
Chilton County, Alabama." With W. E. Wilkinson. Soil Sur. Adv. Sh., 1911, pp. 36. 1913; Soils F.O., 1911, pp. 689-720. 1914.
Clarke County, Alabama." With others. Soil Sur. Adv. Sh., 1912, pp. 31. 1913; Soils F.O., 1912, pp. 725-751. 1915.
Conecuh County, Alabama." With others. Soil Sur. Adv. Sh., 1912, pp. 48. 1914; Soils F.O., 1912, pp. 753-796. 1915.
Mobile County, Alabama." With others. Soil Sur. Adv. Sh., 1911, pp. 42. 1912; Soils F.O., 1911, pp. 859-896. 1914.

CANTRELL, L.: "Soil survey of—Continued.
Orangeburg County, South Carolina." With others. Soil Sur. Adv. Sh., 1913, pp. 39. 1915; Soils F.O., 1913, pp. 267-301. 1916.
Tuscaloosa County, Alabama." With others. Soil Sur. Adv. Sh., 1911, pp. 74. 1912; Soils F.O., 1911, pp. 933-1002. 1914.
Washington County, Texas." With others. Soil Sur. Adv. Sh., 1913, pp. 31. 1915; Soils F.O., 1913, pp. 1045-1071. 1916.

Canvas—
tobacco beds, for prevention of flea-beetle. Ent. Cir. 123, p. 4. 1910.
use by farmers. Off. Rec., vol. 3, No. 40, p. 6. 1924.
use for hay caps, durability. F.B. 977, pp. 3, 5, 6. 1918.
waterproofing and fireproofing. Off. Rec., vol. 3, No. 40, p. 6. 1924.
See Duck, cotton.

Canvasback—
breeding—
grounds, food habits, and occurrence in Arkansas. Biol. Bul. 38, p. 21. 1911.
range, winter, fall and spring migration. Biol. Bul. 26, p. 43. 1906.
occurrence in—
Athabaska-Mackenzie region. N.A. Fauna 27, p. 284. 1908.
Pribilof Islands. N.A. Fauna 46, p. 47. 1923.

Canyon Canal Company, work and location, in Idaho. O.E.S. Bul. 216, pp. 51-53. 1909.

Caoba. See Mahogany.

Caoutchouc—
importation and description. No. 42367, B.P.I. Inv. 46, p. 84. 1919.
substitute, *Dyera costulata*, importation. No. 31362, B.P.I. Bul. 242, p. 88. 1912.
See also Rubber.

Cape-gooseberry. See Cherry, ground.

Cape-jasmine—
importation, description and classification. No. 30498, B.P.I. Bul. 242, pp. 14-15. 1912.
sooty mold, occurrence and description, Texas. B.P.I. Bul. 226, p. 62. 1912.

Cape-jessamine—
food plant of white fly. Ent. Bul. 102, p. 10. 1912.
See also Cape-jasmine; Jasmine.

Cape-marigold, description, cultivation and characteristics. F.B. 1171, p. 58. 1921.

Cape Cod sand dunes, reclamation. J. M. Westgate. B.P.I. Bul. 65, pp. 38. 1904.

Cape Colony, contagious diseases of animals, 1906. B.A.I. An. Rpt., 1906, p. 329. 1908.

Capers—
sauce, recipe. F.B. 526, p. 20. 1913; F.B. 1324, p. 8. 1923.
use as condiments. D.B. 123, p. 35. 1916.
use as food. O.E.S. Bul. 245, p. 49. 1912.
See also Spices.

"Capi-cura", Bradbury's, misbranding. Chem. N.J. 906, p. 1. 1911.

Capicola, curing for destruction of trichinae. D.B. 880, pp. 26-29. 1920.

Capillarity in soils—
of plains, discussion. Soils Bul. 93, pp. 31-32. 1913.
variations. Y.B., 1910, p. 171. 1911; Y.B. Sep. 526, p. 171. 1911.

Capillary(ies)—
movement of soil moisture. Walter W. McLaughlin. D.B. 835, pp. 70. 1920.
soil, moisture movement, relation to freezing. J.A.R., vol. 24, pp. 427-432. 1923.
studies and filtration of clay from soil solutions. Lyman J. Briggs and Macy H. Lapham. Soils Bul. 19, p. 40. 1902.
tubes, movement of liquids. Soils Bul. 52, p. 53. 1908.

Capim angolinka, importation and description, No. 38892. B.P.I. Inv. 40, pp. 5, 44. 1917.

Capital—
farm. See Farm capital.
Issues Committee, aid of Roads Bureau in bond issues. An. Rpts., 1918, pp. 40, 374, 388, 399. 1919; Rds. Chief Rpt., 1918, pp. 2, 16, 17. 1918; Sec. A.R., 1918, p. 40. 1918.
relation to rural organization Y.B. 1913, pp. 252-253. 1914; Y.B. Sep. 626, pp. 252-253. 1914.

Capital—Continued.
requirement for purchasing association. Y.B. 1919, pp. 387-388. 1920; Y.B. Sep. 819, pp. 387-388. 1920.
working, distribution on farms, efficiency test. F.M. Cir. 3, pp. 37-38. 1919.

Caponizing—
advantages. F.B. 1040, p. 24. 1919.
details, instruments, care and marketing of capons. F.B. 849, pp. 1-15. 1917.
losses from, failures. F.B. 452, pp. 11-12. 1911.
object, advisability, and breeds adaptable. S.R.S. Doc. 79, pp. 1-3. 1918.
turkeys, value in fattening. F.B. 791, p. 22. 1917.

Capons—
and caponizing. S.R.S. Doc. 79, pp. 4. 1918.
and caponizing. Rob. R. Slocum. B.A.I. Cir. 107, p. 10. 1907; F.B. 849, p. 15. 1917.
care and feeding. F.B. 849, pp. 11-13. 1917.
description, characteristics. F.B. 452, pp. 5-6. 1911.
feeding, fattening, killing, and dressing. S.R.S. Doc. 79, pp. 3-4. 1918.
killing and dressing for markets, directions. F.B. 452, pp. 13-16. 1911; F.B. 849, pp. 13-14. 1917.
market value. O.E.S.F.I.L. 10, pp. 15-16. 1909.
preparation for market. S.R.S. Syl. 17, pp. 11, 12. 1916.
production, Hawaii, and prices. Hawaii A.R., 1921, p. 35. 1922.
profits, and locality of best demand. F.B. 849, p. 15. 1917.
raising, recommendations. F.B. 1508, p. 25. 1923.
utility, discussion. S.R.S. Syl. 17, p. 11. 1915.

Capparis—
citrifolia, importation, description, source. No. 34165. B.P.I. Inv. 32, p. 18. 1914.
micracantha, importations and description. No. 43243, B.P.I. Inv. 48, p. 33. 1921; No. 51191, B.P.I. Inv. 64, p. 70. 1923.
olacifolia, importation and description. No. 47653, B.P.I. Inv. 59, p. 42. 1922.

CAPPER, Senator, bill—
for marketing credits. Off. Rec., vol. 1, No. 22, p. 1. 1922.
on seed registration. Off. Rec., vol. 1, No. 32, p. 1. 1922.
to extend Farm Loan Board. Off. Rec., vol. 1, No. 20, p. 2. 1922.

Capper—
bill, relation to control of forest lands. For. A.R., 1921, p. 1. 1921.
Volstead Act—
date, text, and discussion. D.B. 1106, pp. 43-47. 1922.
purpose and results. An. Rpts., 1923, p. 39. 1923; Sec. A.R., 1923, p. 39. 1923.

Capra—
aegagrus—
ancestor of Angora goat. B.A.I. Bul. 27, pp. 11-12. 1906.
description. B.A.I. An. Rpt., 1900, p. 283. 1901; B.A.I. Bul. 27, p. 12. 1901.
falconeri—
ancestor of Angora goat. B.A.I. Bul. 27, p. 12. 1906.
description. B.A.I. An. Rpt., 1900, p. 283. 1901; B.A.I. Bul. 27, p. 12. 1901.
hircus, ancestor of common goat. B.A.I. Bul. 27, p. 12. 1906.

Capric acid, relation to flavor of Roquefort cheese. J.A.R., vol. 2, No. 1, pp. 4-9, 13. 1914.

Caprification—
action of the Blastophagas. B.P.I. Doc. 537, rev., p. 1. 1912.
directions and results. Y.B., 1900, pp. 90-93. 1901; Y.B. Sep. 196, pp. 90-93. 1901.
experiments. B.P.I. Chief Rpt., 1909, p. 22 1909. An. Rpts., 1909, p. 274. 1910.
Smyrna fig, definition and description of process. B.P.I. Doc. 438, pp. 1-2. 1909.
time, methods, and cost. D.B. 732, pp. 16-22. 1918.
work in Southern States. B.P.I. Chief Rpt., 1918, p. 29. 1918; An. Rpts., 1918, p. 163. 1919.

INDEX TO PUBLICATIONS, 1901-1925   369

Caprifigs—
cooperative distribution and culture. Walter T. Swingle. B.P.I. Doc. 537, rev., pp. 7. 1912.
description and use. F.B. 1031, p. 35. 1919.
distribution—
1911. B.P.I. Chief Rpt., 1911, p. 21. 1911; An. Rpts., 1911, p. 269. 1912.
among fig growers. B.P.I. Chief Rpt., 1912, p. 22. 1912; An. Rpts., 1912, pp. 402. 1913.
of new varieties, by department. B.P.I. Doc. 438, pp. 1-6. 1909.
establishment, in California, sources, and uses. D.B. 732, pp. 9-10, 15-21. 1918.
importation and use of cuttings, number of crops. Y.B., 1900, pp. 80-82, 89, 96-98. 1901; Y.B. Sep. 196, pp. 80-82, 89, 96-98. 1901.
introduction—
and use. Y.B., 1900, pp. 80-82. 1901; Y.B. Sep. 196, pp. 80-82. 1901.
necessity of growing Smyrna figs. An. Rpts., 1907, p. 281. 1908.
Mamme, preservation over winter. D.B. 732, p. 31. 1918.
orchards, cooperative, necessity and advantages. D.B. 732, p. 21. 1918.
preserving over winter. An. Rpts., 1913, p. 112. 1914; B.P.I. Chief Rpt., 1913, p. 8. 1913.
seeds, production and uses. D.B. 732, pp. 15-17. 1918.
varieties—
description. D.B. 732, pp. 38-39. 1918.
introduction and use in Smyrna fig culture. An. Rpts., 1919, pp. 144-145. 1920; B.P.I. Chief Rpt. 1919, pp. 8-9. 1919.
Caprifoliaceae, family characters. For. [Misc.] "Forest trees for Pacific * * *," p. 433. 1908.
injury by sapsuckers. Biol. Bul. 39, pp. 50, 89. 1911.
Caprimulgidae, hosts of Manson's eye-worm. B.A.I. Bul. 60, p. 48. 1904.
Capriola—
dactylon. See Bermuda grass.
incompleta, importation and description. No. 46567, B.P.I. Inv. 56, p. 27. 1922.
spp., description, distribution, and uses. D.B. 772, pp. 17, 175, 177-179. 1920.
Caproic acid, relation to flavor of Roquefort cheese. J.A.R., vol. 2, pp. 4-9, 13. 1914.
Caprylic acid, relation to flavor of Roquefort cheese. J.A.R., vol. 2, pp. 4-9, 13. 1914.
Capsaicin, examination. An. Rpts., 1919, p. 228. 1920; Chem. Chief Rpt., 1919, p. 18. 1919.
Capsella bursa pastoris, infection with Cystopus J.A.R., vol. 5, No. 2, p. 63. 1915.
See also Bursa bursa-pastoris.
Capsicum—
adulterant of ginger extract. Chem. N.J. 1453, pp. 2. 1912.
annuum—
host of Bacterium exitiosum. J.A.R., vol. 21, No. 2, pp. 123-156. 1921.
See also Paprika; Pepper, red.
Chinese variety, description. No. 38788, B.P.I. Inv. 40, p. 29. 1917.
detection in ginger extracts, method. Chem. Bul. 152, p. 145. 1912; Chem. Cir. 90, p. 13-14. 1912.
fruits, peculiarities, under microscopic examination. Y.B., 1907, p. 382. 1908; Y.B. Sep. 455, p. 382. 1908.
use in—
adulteration of Jamaica ginger essence. Chem. N.J. 2378, pp. 2. 1913.
soft drinks. Y.B., 1918, pp. 120, 121. 1919; Y.B. Sep. 774, pp. 8, 9. 1919.
varieties, importations and description. Nos. 36774-36777, B.P.I. Inv. 37, p. 63. 1916.
Capsidae. See Leaf-bug.
Capstan, stump puller, description. F.B. 974, pp. 18-19. 1918.
Capsule(s)—
administration to cattle, directions. B.A.I. [Misc.], "Diseases of cattle," rev., p. 10. 1912.
Cerrodanie," misbranding. Chem. N.J. 1025, p. 1. 1911.
Heymanns, method of bovo-vaccination. B.A.I. An. Rpt., 1910, pp. 341-342. 1912; B.A.I. Cir. 190, pp. 341-342. 1912.

Capuli—
importation and description. No. 41328, B.P.I. Inv. 45, pp. 5, 14-15. 1918; No. 44885, B.P.I. Inv. 51, pp. 7, 84. 1922.
See also Cereza.
Capulin, importations and description. No. 50604, B.P.I. Inv. 63, pp. 5, 84. 1923; No. 51393, B.P.I. Inv. 65, pp. 1, 12. 1923; Nos. 52579, 52614, 52720, B.P.I. Inv. 66, pp. 4, 44, 51, 65. 1923; Nos. 55764-55765, B.P.I. Inv. 72, pp. 4, 31-32. 1924.
Car(s)—
animal, importations from Canada, and cleaning, B.A.I.O. 281, p. 12. 1923.
box—
Great Lakes regions, carrying capacity, 1890-1908. Stat. Bul. 81, pp. 66-67. 1910.
lining, for transportation of potatoes, directions. Mkts. Doc. 17, pp. 5-14. 1918.
builders, aid by laboratory war work. News L., vol. 6, No. 47, p. 5. 1919.
capacity loads. News L., vol. 4, No. 52, p. 3. 1917.
cattle—
interstate, cleaning and disinfecting. B.A.I.O. 263, pp. 15-16. 1919.
placarding, marking, and billing in disease, rules. B.A.I.O. 292, pp. 8, 15-16. 1925.
cleaning—
and disinfection, placard removal. B.A.I. S.R.A. 88, p. 115. 1914.
disinfecting and reporting inspectors' duties. B.A.I.S.R.A. 120, p. 43. 1917; B.A.I.S.R.A. 88, p. 115. 1914.
construction—
quantity of various woods used. D.B. 605, pp. 8-17. 1918.
use of black walnut. D.B. 909, p. 72. 1921.
use of wood in Arkansas. For. Bul. 106, p. 17. 1912.
delays at shipping points, faults of shippers. News L., vol. 5, No. 10, p. 1. 1917.
demonstration, egg and poultry, work. Y.B., 1914, pp. 363-380. 1915; Y.B. Sep. 647, pp. 363-380. 1915.
demurrage provisions, exceptions. D.B. 191, pp. 5-10. 1915.
detention for storage purposes, evils of system. D.B. 191, pp. 20, 21, 22. 1915.
disinfection—
after—
hide shipments, requirements of railroads. News L., vol. 5, No. 25, pp. 4-5. 1918.
occupancy by diseased hogs, regulations. B.A.I.O. 263, pp. 26-27. 1919.
occupancy by diseased sheep, regulations. B.A.I.O. 263, p. 23. 1919.
and cleaning regulations. B.A.I.O. 259, p. 17. 1918.
and placarding for animal products. Joint Order 2, pp. 7-11. 1917.
boats and vehicles, general provisions. B.A.I.O. 245, pp. 3-6, 14-15, 19, 23, 26. 1916; B.A.I.O. 263, pp. 3-4. 1919; B.A.I.O. 292, pp. 3-6, 17, 21. 1925; F.H.B. Quar. 52, reg. 11, p. 12. 1912.
foot-and-mouth quarantine regulations, May, 1915. B.A.I.O. 238, p. 11. 1915; B.A.I.O. 238, amdt. 7, p. 5. 1915.
for—
boll weevil. F.H.B. S.R.A. 49, pp. 15-16. 1918.
foot-and-mouth disease, solution formula. B.A.I.O. 229, amdt. 6, pp. 2. 1914.
livestock moving, rules. B.A.I.O. 292, pp. 3, 13-14, 17, 21, 24, 27. 1925.
sheep disease. B.A.I.O. 263, p. 23. 1919.
general provisions. B.A.I.O. 245, pp. 3-6, 14-15, 23, 26. 1916.
in Texas-border quarantine. An. Rpts., 1918, p. 28. 1918; Sec. A.R., 1918, p. 28. 1918.
quarantine service from Mexico. An. Rpts., 1918, p. 28. 1919; Sec. A.R., 1918, p. 28. 1918.
regulations. B.A.I.O. 263, pp. 26-27. 1919.
transportation of hides and skins. Joint Order 1, pp. 6-7. 1916.
egg, loading directions. D.C. 55, pp. 16. 1919.
for live poultry, transportation, construction and care. F.B. 1377, pp. 12-13. 1924.

Car(s)—Continued.
freight—
aid of capacity loading in reduction of car shortage. News L., vol. 5, No. 11, p. 5. 1917.
disinfection for insect control. F.H.B. S.R.A. 59, p. 3. 1919.
efficiency, comparison with lake boats. Stat. Bul. 81, pp. 68-69. 1910.
inspection and fumigation at Mexican border. F.H.B., S.R.A. 71, p. 107. 1922.
loading problems for vegetables, fruit, etc. News L., vol. 5, No. 27, p. 1. 1918.
frost-proof, need for potato shipping. News L., vol. 7, No. 18, p. 6. 1919.
fumigation, Texas. Off. Rec., vol. 2, No. 28, p. 3. 1923.
heating, use in shipping perishables. An. Rpts., 1919, p. 439. 1920; Mkts. Chief Rpt., 1919, p. 13. 1919.
infected, regulation of movement. B.A.I.S.R.A. 87, pp. 101-102. 1914.
insulated, heating for transportation of potatoes. Mkts. Doc. 17, pp. 15, 20, 24, 25. 1918.
lining—
and loading, for protection of potatoes from cold. F.B. 1091, p. 27. 1920.
for protection of potatoes from cold, and loading. Mkts. Doc. 17, p. 23. 1918.
livestock, disinfection, State regulations. B.A.I. Cir. A.-28, pp. 3, 8, 23, 24, 25, 29, 39. 1917; B.A.I.O. 266, p. 17. 1919.
loading with—
apples. F.B. 1080, pp. 38-40. 1919.
cabbage, methods. F.B. 1423, pp. 10-12. 1924.
grapes, directions. D.B. 861, pp. 12-13. 1920; Mkts. Doc. 14, pp. 4-7. 1918.
hay, method and unfair practices. D.B. 979, pp. 4-11, 22-24. 1921; D.B. 977, pp. 21-22, 25-27. 1921.
potatoes, methods. F.B. 753, pp. 26-29. 1916; Sec. Cir. 93, pp. 36-37. 1918.
strawberries, methods, bracing methods and necessity. F.B. 979, pp. 25, 27. 1918.
loads, forest products, estimation. F.B. 715, pp. 35-36. 1916.
lots. See Shipments.
manufacture from basswood and other woods. D.B. 1007, p. 46. 1922.
overloading in shipment of northwestern apples. Mkts. Doc. 13, pp. 1-23. 1918.
placarding and marking for scabies-infected cattle. B.A.I.O. 263, pp. 17-18. 1919.
potato loading, protection against freezing, principals, estimates, and methods. F.B. 1091, pp. 3-14. 1920.
poultry, capacity. Rpt. 98, p. 130. 1913.
precooling plants, description and use. Y.B., 1910, pp. 443-445. 1911; Y.B. Sep. 550, pp. 443-445. 1911.
produce, lining and insulating for protection from cold. F.B. 1091, pp. 16-22. 1920; Mkts. Doc. 17, pp. 16-22. 1918.
prompt loading and unloading, for demurrage control. News L., vol. 2, No. 38, p. 2. 1915.
railroad—
for logging inclines. D.B. 711, pp. 222-223. 1918.
manufacture from wood and substitutes. Rpt. 117, pp. 43-46, 71. 1917.
refrigerator—
basket-bunker construction, advantages. F.B. 1145, pp. 12-15, 20. 1921.
construction, comparison of types for efficiency. D.B. 17, pp. 18-26. 1912.
description, and use in shipping poultry. Y.B., 1912, pp. 291-292. 1913; Y.B. Sep. 591, pp. 291-292. 1913.
for poultry. Chem. Cir. 64, pp. 22-24. 1910.
handling and cooling perishables, investigations. An. Rpts. 1917, pp. 156-158. 1918; B.P.I. Chief Rpt., 1917, pp. 26-28. 1917.
ice consumption. D.B. 1353, p. 26. 1925.
investigations and improvement by Markets Bureau. An. Rpts., 1918, p. 463. 1919; Mkts. Chief Rpt., 1918, p. 13. 1918.
open bulkhead type, loading with grapes. Mkts. Doc. 14, p. 7. 1918.
owned by large packers. Rpt. 113, p. 44. 1916.

Car(s)—Continued.
refrigerator—continued.
precooling methods, California. Y.B., 1910, pp. 443-445. 1911; Y.B. Sep. 550, pp. 443-445. 1911.
short-type, efficiency of. R. G. Hill and others. D.B. 1353, pp. 28. 1925.
use in shipping perishables. An. Rpts., 1919, p. 439. 1920; Mkts. Chief Rpt., 1919, p. 13. 1919.
with and without heaters, preparation and methods. F.B. 1091, pp. 22-26. 1920.
shortage—
aid of farmers in reduction, methods. News L., Vol. 5, No. 11, p. 5. 1917.
for wheat shipments, 1914, studies. F.B. 611, pp. 23-26. 1914.
stock—
cleaning and disinfecting. An. Rpts., 1916, p. 109. 1917; B.A.I. Chief Rpt., 1916, p. 43. 1916; B.A.I.S.R.A. 90, p. 144. 1914.
disinfection regulations. B.A.I.S.R.A. 90, p. 144. 1914.
supply—
for transportation service, increase. Rds. Chief Rpt., 1921, p. 1. 1921.
relation to marketing wheat crop, 1914, studies. F.B. 611, pp. 23-26. 1914.
sweet-potato, routing and diverting. D.B. 1206, pp. 33-34. 1924.
tank—
capacity and outage, calculation formulas. D.B. 898, pp. 17-27. 1920.
for turpentine, loading and unloading, and painting. D.B. 898, pp. 14-17. 1920.
timber, western yellow pine, strength tests, methods, and comparisons. D.B. 497, pp. 1-11. 1917.
types suitable for new potatoes. F.B. 1050, pp. 16-17. 1919.
use for scabies-infected cattle, disinfection regulations. B.A.I.O. 263, p. 20. 1919.
wool exhibit, work in Western States. Y.B., 1916, p. 236. 1917. Y.B. Sep 709, p. 10. 1917.
Carabao in—
Guam, description, uses. Guam A.R., 1912, pp. 12-13. 1913.
Guam pasturing on Paspalum grass. Guam Bul. 1, p. 40. 1921.
Guam, use as work stock, pasture requirements. Guam A.R., 1918, pp. 10, 17, 38. 1919.
Philippine Islands, protection against rinderpest. B.A.I. [Misc.], "Diseases of cattle," rev., p. 395. 1912.
Philippine Islands, numbers, map. Sec. [Misc.], Spec. "Geography * * * world's agriculture," p. 129. 1917.
Carabidae—
destruction by crows. D.B. 621, pp. 16-18, 42, 43, 58. 1918.
enemies of gipsy and brown-tail moths. Ent. Bul. 101, p. 7. 1911.
See also Ground beetle.
Carabids—
destruction by starlings. D.B. 868, pp. 18-19, 39, 42, 60. 1921.
enemy of green June beetle. D.B. 891, pp. 35-36. 1922.
occurrence in Pribilof Islands, Alaska. N.A. Fauna 46, Pt. II., pp. 151-153. 1923.
Caracas cocoa, labeling. F.I.D. 114, pp. 2. 1910.
Caracul. See Karakul.
Caradrina—
exigua, injury to cabbage in Hawaii. Ent. Bul. 109, Pt. III, pp. 32-33. 1912.
exigua. See also Army worm, beet.
reclusa, tobacco, in Hawaii, life history. Hawaii Bul. 34, pp. 6-8. 1914.
Caragana—
adaptability for shelter-belt planting. D.B. 1113, pp. 13, 15. 1923.
arborescens, growing in Alaska. Alaska A.R., 1910, p. 26. 1911.
arborescens. See also Pea-tree, Siberian.
description and uses in the Great Plains. F.B. 1312, pp. 10, 21. 1923.

Caragana—Continued.
  spp., importations and descriptions. Nos. 29960-29962, 30153, B.P.I. Bul. 233, pp. 9, 45, 63. 1912; No. 36746, B.P.I. Inv. 37, p. 60. 1916; Nos. 40157, 40158, B.P.I. Inv. 42, p. 76. 1918; Nos. 41479, 41480, B.P.I. Inv. 45, pp. 6, 36. 1918; Nos. 42186, 42187, 42282, 42312, B.P.I. Inv. 46, pp. 63, 64, 72, 76. 1919; Nos. 43831, 43936, B.P.I. Inv. 49, pp. 84, 101. 1921; Nos. 48016, 48017, B.P.I. Inv. 60, p. 28. 1922; Nos. 52451-52452, 52629, 52690-52700, B.P.I. Inv. 66, pp. 5, 28, 53, 60-62. 1923.
Carambola—
  cultivation in Hawaii. Hawaii A.R., 1907, p. 55. 1908.
  description, Hawaii orchard. Hawaii A.R., 1907, p. 55. 1908.
  growing, Guam, description and use. Guam A.R., 1911, p. 21. 1912.
  importations and description. Nos. 55651-55652, B.P.I. Inv. 72, pp. 2, 15. 1924.
  infestation with Mediterranean fruit fly in Hawaii. D.B. 536, pp. 24, 25. 1918.
Caramel—
  detection in—
    foods and drinks. Chem. Bul. 107, pp. 101, 199. 1907.
    fruits and fruit products, Amthor test. Chem. Bul. 66, rev., p. 28. 1905.
    tinctures and ginger extracts. Chem. Bul. 162, p. 91. 1913.
  labeling, decision. F.I.D. 81. Chem. F.I.D. 80-81, pp. 2-3. 1907.
  use in vinegar adulteration. Chem. N.J. 1252, pp. 2. 1912.
Caramelization, nature of change. O.E.S. Bul. 200, p. 69. 1908.
Carapa guianensis. See Andiroba; Crabwood tree.
Carassius auratus. See Goldfish.
Caraunda, importation and description. No. 41506, B.P.I. Inv. 45, p. 41. 1918.
Caraway—
  culture and handling as drug plant, yield and price. F.B. 663, p. 20. 1915.
  drying directions. D.C. 3, p. 16. 1919.
  growing and uses, harvesting, marketing, and prices. F.B. 663, rev., pp. 25-26. 1920.
  seed—
    adulteration with ergot. Chem. S.R.A. 18, p. 43. 1916.
    source of perfumery, notes. B.P.I. Bul. 195, pp. 12, 30, 40, 42, 44. 1910.
    use as food flavoring. O.E.S. Bul. 245, p. 68. 1912.
  See also Spices.
Carbenia benedicta. See Thistle, blessed.
Carbide, calcium. See Calcium carbide.
Carbilineum, use in prevention of insect damage to chestnut poles. Ent. Bul. 94, Pt. I, pp. 9-11. 1910.
Carbohydrate(s)—
  action of enzymes of Penicillium and Aspergillus molds. B.A.I. Bul. 120, pp. 26-33. 1910.
  and starches, raw, digestibility. C. F. Langworthy and Alice Thompson Merrill. D.B. 1213, p. 16. 1924.
  chemistry of, in alcohol manufacture. Chem. Bul. 130, pp. 18-24. 1910.
  composition. O.E.S. Bul. 20, p. 13. 1908.
  cost per pound in feeds, determination. D.B. 637, pp. 14-18. 1918.
  daily variation in leaves of corn and sorghums Edwin C. Miller. J.A.R., vol. 27, pp. 785-808. 1924.
  determination methods in grain analyses. Chem. Bul. 120, p. 7. 1909.
  effect on quality and fermentation of alfalfa silage. J.A.R., vol. 15, pp. 584-590. 1918.
  enzymes, characteristics and powers. Chem. Bul. 130, pp. 32-33. 1910.
  feeds, protein deficiency per pound in specified nutritive ratios. D.B. 637, p. 4. 1918.
  fermentation in milk, studies. D.B. 782, pp. 12-17, 36, 38. 1919.
  fermenting bacteria, importance in soil. B.P.I. Cir. 113, pp. 5-6. 1913.
  in—
    feeding stuffs, classes, description. F.B. 346, p. 7. 1909.
    kelp. J.A.R., vol. 4, pp. 47-50. 1915.

Carbohydrate(s)—Continued.
  in—continued.
    milk, proportion, uses, and digestibility, etc. F.B. 363, pp. 11, 22-23, 25, 27-28, 30, 34-35, 42. 1909.
    plants, changes during hardening. J.A.R., vol. 15, pp. 95-97. 1918.
    plants, relations in photoperiodism. J.A.R., vol. 27, pp. 149-152. 1924.
    rice plant, study. Hawaii Bul. 21, pp. 43-48. 1910.
    soils, description, studies. Soils Bul. 74, pp. 28-31. 1910; Soils Bul. 88, pp. 21-24, 36, 38. 1913.
    spinach, production, healthy and blighted plants. J.A.R., vol. 15, pp. 381-384. 1918.
    sugar-beet-top silage. J.A.R., vol. 20, pp. 538-540. 1921.
    sweet corn. J.A.R., vol. 20, pp. 795-805. 1921.
  sweet potatoes—
    changes during growth. J.A.R., vol. 12, pp. 9-17. 1918.
    changes during storage. J.A.R., vol 3, pp. 331-342. 1915.
    effect of *Rhizopus tritici.* J.A.R., vol. 21, pp. 627-635. 1921.
  insoluble, of apple, study. Chem. Bul. 94, pp. 67-89. 1905.
  investigations, program for 1915. Sec. [Misc.], "Program of work * * * 1915," pp. 200-201. 1914.
  laboratory, studies of sugars. Chem. Chief Rpt., 1921, pp. 22-24. 1921.
  metabolism—
    in green sweet corn during storage. J.A.R., vol. 17, pp. 137-152. 1919.
    sweet potato, effect of oxygen pressures. J.A.R., vol. 14, pp. 273-284. 1918.
  necessity in development of pigments. J.A.R., vol. 30, p. 1018. 1925.
  sources in feed. D.B. 1151, p. 40. 1923.
  transformations in sweet potatoes. J.A.R., vol. 5, No. 13, pp. 543-560. 1915.
  use in animal body. F.B. 362, p. 16. 1909.
Carbola, misbranding. N.J. 781, 782. I. and F. Bd. S.R.A. 42, pp. 988, 989. 1923.
Carbolic—
  acid—
    coefficients of chlorine antiseptics. J.A.R., vol. 20, pp. 100-102. 1920.
    composition and use as disinfectant for stables. F.B. 480, p. 11. 1912.
    crude, use as disinfectant, disadvantages. F.B. 926, pp. 9-10. 1918.
    disinfectant—
      for chicken houses. F.B. 1337, pp. 3, 15. 1923.
      for hog yards. B.A.I. An. Rpt., 1907, p. 244. 1909; B.A.I. Cir. 144, p. 244. 1909.
      in poultry-disease control. F.B. 530, p. 7. 1913.
    effect on—
      eggs of *Ascaris* spp. J.A.R., vol. 27, pp. 170, 172, 173, 174. 1924.
      virus of European foulbrood. D.B. 810, pp. 24-25. 1920.
      virus of tobacco mosaic. J.A.R., vol. 13, pp. 624-627, 636. 1918.
    emulsion—
      formula and use. F.B. 908, pp. 35-36. 1918; F.B. 856, p. 8. 1917; P.R. Bul. 10, p. 28. 1911.
      formula and use against ants. P.R. Cir. 17, pp. 10-11. 1918; Guam Bul. 2, p. 20. 1922.
      use against root maggots, formula. Ent. Cir. 63, p. 2. 1905.
    fly repellent, use, dangers, and effects. D.B. 131, pp. 9, 10, 12-13, 18, 22, 23, 24. 1914.
    for contagious abortion of cattle. F.B. 549, pp. 20-21. 1913.
    forms, uses as disinfectant, advantages and disadvantages. F.B. 345, pp. 8-9. 1909.
    gasoline mixture, use in lice control on fowls. F.B. 801, p. 25. 1917.
    injuries to vitality of seed. For. Bul. 98, p. 39. 1911.
    poisoning of cattle, treatment. B.A.I. [Misc.], "Diseases of cattle," rev., p. 61. 1908; rev., p. 63. 1912.

Carbolic—Continued.
  acid—continued.
    solution, use in foot diseases of sheep. B.A.I. Bul. 63, pp. 30, 31, 36, 37, 38. 1905.
    use—
      against flea bites. D.B. 248, p. 31. 1915; F.B. 897, p. 15. 1917.
      against mange. D.C. 338, pp. 7, 10. 1925.
      as disinfectant. B.A.I. [Misc.], "Diseases of cattle," rev., p. 362. 1908; B. A. I. [Misc.], "Diseases of cattle, rev., p. 376. 1912; F.B. 926, pp. 6-7, 9-10. 1918.
      as fungicide, Porto Rico. P. R. Cir. 17, p. 26. 1918.
      as stable disinfectant, formula and use method. F.B. 954, p. 8. 1918.
      in control of beet wireworms, experiments. Ent. Bul. 123, pp. 52, 53. 1914.
      in eradication of Canada thistle. F.B. 1002, p. 9. 1918.
      in fly control. Sec. Cir. 61, p. 6. 1916.
      in treatment of bee diseases. Ent. Bul. 98, pp. 21, 22, 23, 40. 1912.
      in treatment of corn seed before planting. Ent. Bul. 85, pp. 24, 25. 1911.
      in water for poultry. Y.B. 1911, p. 181. 1912; Y.B. Sep. 559, p. 181. 1912.
      value as disinfectant. B.A.I. [Misc.], "Diseases of cattle," rev., p. 364. 1923.
    wash as insecticide. Ent. Cir. 32, rev., p. 6. 1907.
  emulsion, failure to control cabbage maggot. Ent. Bul. 67, p. 14. 1905.
  insecticide, Fuller's adulteration and misbranding, Insect. N.J. 213. I. and F. Bd. S.R.A. 14, pp. 171-173. 1916.
Carbolineum—
  tests as wood preservative. D.B. 145, pp. 9-20. 1915.
  use as timber preservative. For. Bul. 84, pp. 19, 20, 21, 23, 27. 1911.
  use in—
    control of fowl ticks, method, and cost. F.B. 1070, pp. 9-14. 1919.
    mistletoe eradication. B.P.I. Bul. 166, pp. 27, 33. 1910.
    painting fence-post butts. For. Cir. 117, pp. 6, 14. 1907.
    treatment of borer injury to trees. F.B. 1154, p. 11. 1920.
  value as wood preservative. F.B. 744, p. 9. 1916.
"Carbolo" dip for sheep, permit. B.A.I. S.A. 44, p. 86. 1910.
Carbon—
  absorption by the roots of plants. J.F. Breazeale. J.A.R., vol. 26, pp. 303-311. 1923.
  assimilation, condition of plant nutrition. Y.B. 1901, p. 174. 1902; Y.B. Sep. 225, p. 174. 1902.
  balance with nitrogen in cow's ration in milk production. D.B. 1281, p. 15. 1924.
  bisulphide—
    apple fumigation. Ent. Bul. 84, pp. 26-27. 1909.
    as an insecticide. W. E. Hinds. F.B. 145, pp. 28. 1902.
    bot control; An. Rpts., 1919, pp. 131, 503. 1920; B.A.I. Chief Rpt, 1919, p. 59. 1919; I. and F. Bd. A.R., 1919, p. 5. 1919.
    comparison with carbon tetrachloride as fumigant. Ent. Bul. 96, Pt. IV. pp. 53-57. 1911.
    control of—
      agricultural ant. Ent. Cir. 148, pp. 6-7. 1912.
      carpet beetle. F.B. 626, p. 4. 1914.
      crawfish, 1911, directions. Y.B. 1911, pp. 323-324. 1912; Y.B. Sep. 571, pp. 323-324. 1912
      grain moths and weevils. Hawaii Bul. 27, p. 20. 1912.
      leopard moth borer. F.B. 708, pp. 8-9. 1916.
      parsley stalk weevil. Ent. Bul. 82, Pt. II, p. 19. 1909.
      pink corn worm. D.B. 363, pp. 16-18. 1916.
      potato-tuber moth, rate, and danger. F.B. 557, pp. 4-5, 6. 1913.
      rice weevil, experiments. O.E.S. An. Rpt., 1911, p. 69. 1912.
      rodents, cost per acre. An. Rpts., 1913, p. 224. 1914; Biol. Chief Rpt., 1913, p. 2. 1913

Carbon—Continued.
  bisulphide—continued.
    control of—continued.
      root-knot. B.P.I. Bul. 217, pp. 49-50, 51, 53, 74. 1911.
      roundheaded apple-tree borer. F.B. 675, p 14. 1915.
      white ants. F.B. 759, pp. 18-19. 1916
      white grubs in lawns. F.B. 543, p. 20. 1913.
    danger in treatment of peach-tree borer. Ent. Bul. 97, Pt. IV, p. 87. 1911.
    destruction of—
      pocket gophers. Biol. Cir. 52, rev., p. 4. 1908.
      prairie dogs, directions, cautions. Biol. Cir. 32, rev., pp. 1-3. 1902.
    effect on—
      catalytic power of soils. Soils Bul. 86, pp. 19-20. 1912.
      soil fertility. O.E.S. Bul. 194, pp. 15-18. 1907.
    fumigation—
      danger. Ent. Bul. 30, pp. 78-82. 1902.
      for cigarette beetle. Hawaii Bul. 34, pp. 19-20. 1914.
      of cotton seed, for boll-weevil destruction. F.B. 344, pp. 36-38. 1909; F.B. 500, p. 13. 1912.
      of cowpeas for insect control. F.B. 1148, p. 23. 1920.
      of cured and manufactured tobaccos. Y.B. 1910, pp. 292, 296. 1911; Y.B. Sep. 537, pp. 292, 296. 1911.
      of fig moth. Ent. Bul. 104, pp. 32-33, 36. 1911.
      of grain borers, experiments. Ent. Bul. 96, Pt. III, pp. 37-38, 42-45. 1911.
      of mushroom houses, directions. F.B. 789, p. 5. 1917.
      of prairie dogs. Y.B., 1908, p. 427. 1909; Y.B. Sep. 491, p. 427. 1909.
      of rodents. F.B. 932, pp. 10, 18. 1918.
    handling and storing, precautions. F.B. 799, pp. 6-7. 1917.
    price, comparison with that of carbon tetrachloride. Ent. Bul. 96, Pt. IV, p. 56. 1911.
    properties, liquid and vapor. F.B. 799, pp. 4-15. 1917.
    relation to soil organisms and plant growth. J.A.R., vol. 6, No. 1, pp. 1-20. 1916.
    toxicity for insects, comparison with benzene. J.A.R., vol 9, pp. 374-380. 1917.
    treatment for California peach borer. Ent. Bul. 97, p. 87. 1913.
    use against—
      ants, precautions. F.B. 740, p. 12. 1916.
      borers in rustic timbers. Y.B., 1910, p. 350. 1911; Y.B. Sep. 542, p. 350. 1911.
      crabs in Guam. Guam Bul. 2, p. 22. 1922.
      grain moths. F.B. 415, p. 10. 1910.
      ground squirrels. Biol. Cir. 76, p. 14. 1910; F.B. 484, pp. 19-20. 1912.
      household pests. F.B. 1180, pp. 27, 29. 1921.
      insects attacking stored grain. Ent. Cir. 142, p. 5. 1911; F.B. 313, p. 26. 1907; F.B. 424, pp. 42-43. 1910.
      insects in stored products. 1908. An. Rpts., 1908, p. 558. 1909; Ent. A.R., 1908, p. 36. 1908.
      leopard moth and other borers. Ent. Cir. 109, pp. 6-7. 1909.
      prairie dogs. F.B. 227, p. 22. 1905.
      rats. F.B. 1302, p. 7. 1923.
      root maggots. Ent. Cir. 63, p. 5. 1905.
    use and value in control of potato tuber moth. D.B. 427, pp. 50, 51. 1917.
    use and value in seed corn storage. News L., vol. 5, No. 8, p. 4. 1917.
    use as anthelmintic, experiments. B.A.I. Bul. 153, pp. 12, 16-17. 1912.
    use in—
      destroying mound-building prairie ants. F.B. 353, pp. 16-17. 1909.
      destruction of mammals, formula. Biol. Cir. 82, p. 6. 1911.
      fumigation against roaches, methods and rate, danger. F.B. 658, pp. 13-14. 1915.
      fumigation of bee pests. Work and Exp., 1914, pp. 222-223. 1915.

INDEX TO PUBLICATIONS, 1901-1925 373

Carbon—Continued.
bisulphide—continued.
use in—continued.
fumigation of mills and warehouses. Ent. Cir. 112, p. 21. 1910.
lumber preservation. Ent. Bul. 58, Pt. V, p. 84. 1909.
protection of structural timbers. Ent. Bul. 58, p. 84. 1910.
vapor—
properties, effects, and diffusion. F.B. 799, pp. 5-6, 8-10. 1917.
use as insecticide. F.B. 127, pp. 29-30. 1901.
weed destruction. O.E.S. An. Rpt., 1909, p. 24. 1910.
See also Carbon disulphide.
black—
absorption of toxic-soil compounds, experiments. Soils Bul. 75, p. 30. 1911.
effect on soil extracts, plant-culture experiments. Soils Bul. 56, pp. 27-28. 1909.
use in—
adulteration of candy. Chem. N.J. 1645, pp. 2. 1912.
preparation of pure distilled water. Soils Bul. 70, p. 24. 1910.
bleaching—
by-product of kelp industry. An. Rpts., 1919, pp. 243, 244. 1920; Soils Chief Rpt., 1919, pp. 9, 10. 1919.
of castor oil. D.B. 867, pp. 22, 28-30. 1920.
decolorizing—
treatment of cane sirup. D.B. 1370, pp. 38-39. 1925.
use in sugar-cane juice clarification. D.B. 921, p. 14. 1920.
dichloride, anthelmintic use. J.A.R., vol. 30, p. 949. 1925.
dioxide—
absorption by soils. Soils Bul. 51, pp. 27-29. 1908.
action in cheese fermentation. B.A.I. Bul. 151, pp. 13, 26-31. 1912.
action on milk, experiments. F.B. 320, pp. 29-30. 1908.
collection in fruit-respiration experiments. Chem. Bul. 142, pp. 11-12. 1911.
concentrations, effect on ripening of apples. J.A.R., vol. 27, pp. 31-34. 1923.
content—
effect on water requirement of crop plants. B.P.I. Bul. 285, pp. 65-66, 89. 1913.
of barn air. Mary F. Hendry and Alice Johnson. J.A.R., vol. 20, pp. 405-408. 1920.
determination in—
baking powder. Chem. Bul. 107, pp. 169-175. 1912.
seed respiration, methods and devices. J.A.R., vol. 23, pp. 101-109. 1923.
soils. Chem. Bul. 122, p. 121. 1909; Chem. Bul. 132, pp. 30-32. 1910; Chem. Bul. 152, pp. 56-59. 1912.
effect on—
apple scald. J.A.R., vol. 16, pp. 202-203. 1919.
availability of potassium. J.A.R., vol. 20, p. 618. 1921.
concentration of soil solution. J.A.R., vol. 12, pp. 384-385. 1918.
germination of seed. J.A.R., vol. 5, No. 25, pp. 1169-1170. 1916.
plant growth. Work and Exp., 1914, p. 229. 1915.
sodium and calcium salts. J.A.R., vol. 10, pp. 558-560. 1917.
soil solutions. J.A.R., vol. 12, pp. 334-335. 1918.
elimination from body, amount, discussion. O.E.S. Bul. 175, pp. 156-162. 1907.
escape from soils in decomposition of manures. J.A.R., vol. 11, pp. 679-683, 688-689. 1917.
evolution—
by peaches, effect of picking. Chem. Bul. 142, pp. 29-32. 1911.
in silage fermentation. J.A.R., vol. 8, pp. 372-374, 378. 1917.
excretion during muscular and mental work. O.E.S. Bul. 208, pp. 32, 96. 1909.
in barn air. J.A.R., vol. 20, pp. 405-408. 1920.

Carbon—Continued.
dioxide—continued.
influence on alcohol test of milk. D.B. 202, pp. 17-18. 1915.
presence in stored calcium arsenate, investigations. D.B. 1115, pp. 4-23. 1922.
production—
by farm animals. J.A.R., vol. 21, pp. 351-362. 1921.
by respiration of storage-rot fungi. J.A.R., vol. 21, pp. 211-226. 1921.
by *Rhizopus tritici*. J.A.R., vol. 21, pp. 627-635. 1921.
effect of calcium sulphate. J.A.R., vol. 19, pp. 51-53. 1920.
in respiration of apple seeds. J.A.R., vol. 23, pp. 117-129. 1923.
relation to—
apple scald. F.B. 1380, p. 8. 1923; J.A.R., vol. 18, pp. 213-216. 1919.
soil reaction as measured by hydrogen electrode. J.A.R., vol. 12, pp. 139-148. 1918.
respiration, measurement. J.A.R., vol. 12, pp. 688-689. 1918.
solubility in water and aqueous solutions. Soils Bul. 49, pp. 8-20. 1907.
solutions, solubility of—
calcium carbonate. Soils Bul. 49, pp. 39-43. 1907.
magnesium carbonate. Soils Bul. 49, pp. 61-63. 1907.
study in relation to health of animals. Work and Exp., 1923, pp. 89, 90-91. 1925.
use in—
bottled soft drinks. Y.B., 1918, pp. 119, 121. 1919; Y.B. Sep. 774, pp. 7, 9. 1919.
forcing plants. S.R.S. Rpt. 1916, Pt. I, pp. 47, 268. 1918.
fruit preservation, experiments. J.A.R., vol. 5, No. 3, pp. 104, 105. 1915.
mold prevention in apple juice. Chem. Bul. 118, pp. 18-19, 23. 1908.
processing Japanese persimmons. Chem. Bul. 141, pp. 8, 9, 12-24, 30. 1911.
value of pure yeast and yeast and starch compounds. Chem. Bul. 116, pp. 25-28. 1908.
disulphide—
as an insecticide. W. E. Hinds. F.B. 799, pp. 21. 1917.
bitumen determination, methods. D.B. 949, pp. 38-40. 1921; Rds. Bul. 38, pp. 27-29. 1911.
control of—
apple-tree borers, tests. D.B. 847, pp. 36-37. 1920.
bean weevils. F.B. 856, p. 27. 1917; J.A.R., vol. 28, pp. 347-355. 1924.
broad-bean weevil. D.B. 807, pp. 16-17. 1920.
carpet beetle. F.B. 1346, p. 12. 1923.
grain insects. F.B. 885, pp. 9-10. 1917.
insects on pecans. F.B. 1364, pp. 35-36, 38. 1924.
peach-tree borer, experiments. D.B. 796, pp. 3, 22. 1919.
pecan weevils. F.B. 843, p. 16. 1917.
of pink bollworm, experiments. D.B. 918, pp. 48-50, 55. 1921.
worms in chestnuts, use warning. News L., vol. 5, No. 9, p. 6. 1917.
effect on nitrogen-fixing and nitrifying organisms. J.A.R., vol. 15, pp. 601-614. 1918.
emulsions of, for destroying Japanese beetle larvae. D.B. 1332, pp. 13-15. 1925.
fumigation—
for control of melon aphis. F.B., 914, p. 15. 1918.
of grain for moth control. F.B. 1156, pp. 17, 19. 1920.
of tobacco for control of beetle. F.B. 846, p. 21. 1917.
nature—
and cost, requirements for corn fumigation. F.B. 1029, pp. 26-29. 1919.
and use against borers and ants. F.B. 1169, p. 14. 1921.
sweet-potato fumigation, precautions. F.B. 1020, p. 20. 1919.

Carbon—Continued.
  disulphide—continued.
    use against—
      corn weevil. News L., vol. 6, No. 38, pp. 10, 11. 1919.
      injurious insects. D.C. 35, pp. 6, 20, 30–31. 1919.
      insects in dried products. D.B. 1335, p. 29. 1925.
      white grubs. F.B. 940, p. 26. 1918.
      woolly apple aphid, experiments. D.B. 730, pp. 29–35, 39. 1918.
    use as fumigant against—
      ants. F.B. 856, p. 19. 1917.
      insects. P.R. Cir. 17, pp. 20–21. 1918.
    use in—
      crayfish control, methods. F.B. 890, p. 7. 1917.
      fumigating seed. F.B. 884, p. 15. 1917.
      fumigating vegetable seed. F.B. 1390, p. 14. 1924.
      fumigation of beans and peas. F.B. 983, pp. 22–23. 1918.
      fumigation of infested grains. F.B. 1260, p. 47. 1922.
      fumigation of insects. F.B. 1362, p. 20. 1924.
      June beetle control, cost and caution. D.B. 891, pp. 39–40, 48. 1922.
      moth control. F.B. 1353, pp. 21–23. 1923.
      soil disinfection. F.B. 1306, pp. 22, 23. 1923.
      sweet-potato fumigation. F.B. 856, p. 64. 1917.
      tobacco fumigation, methods and danger. D.B. 737, pp. 62-64. 1919.
      weevil control, value. F.B. 1275, pp. 26–28. 1923.
  fixed, determination in road materials. D.B. 314, pp. 30–32. 1915. D.B. 949, p. 44. 1921.
  monoxide, fumigation effects. D.B. 893, p. 13. 1920.
  residue of straw gas, use as fuel and as fertilizer. D.B. 1203, p. 7. 1923.
  selective absorption, examples. Soils Bul. 52, pp. 27–28. 1908.
  tetrachloride—
    administration to human beings as anthelmintic. J.A.R. vol. 23, pp. 185–188. 1923.
    anthelmintic efficiency in treatment of foxes. J.A.R. vol. 28, pp. 331–337. 1924.
    anthelmintic tests. M. C. Hall and J. E. Shillinger. J.A.R. vol. 23, pp. 163–192. 1923.
    bitumen determination. D.B. 949, p. 40. 1921.
    comparison with carbon bisulphide as fumigant. Ent. Bul. 96, Pt. IV, pp. 53–57. 1911.
    composition and cost. Ent. Bul. 96, Pt. IV, pp. 53, 56. 1911.
    determination of bitumen insoluble in. Rds. Bul. 38, pp. 31–32. 1911.
    dosage for fowls and domestic animals. J.A.R. vol. 23, pp. 163–184. 1923.
    for the removal of parasitic worms, especially hookworms. Maurice C. Hall. J.A.R. vol. 21, No. 2, pp. 157–175. 1921.
    fumigation, advantages and disadvantages. F.B. 1260, p. 47. 1922.
    internal tolerance by animals. J.A.R. vol. 30, p. 950. 1925.
    use against—
      dog parasites. D.C. 338, pp. 18, 21–22. 1925.
      hookworms. B.A.I. Chief Rpt., 1924, p. 39. 1924.
      insects in dried products. D.B. 1335, p. 29. 1925.
    use as fumigant against insect pests. P.R. Cir. 17, p. 21. 1918.
    use in control of—
      carpet beetles. F.B. 1346, p. 12. 1923.
      parasites. B.A.I. Chief Rpt., 1923, p. 52. 1923; An. Rpts., 1923, pp. 42, 250. 1924; Sec. A.R., 1923, p. 42. 1923.
      peach-tree borer, experiments. D.B. 796, pp. 3, 22. 1919.
      roundworms in sheep. F.B. 1330, pp. 41, 44, 47, 48, 49. 1923.
    use in—
      fumigation of beans and peas. F.B. 983, p. 23. 1918.

Carbon—Continued.
  tetrachloride—continued.
    use in—continued.
      moth control. F.B. 1353, p. 23. 1923.
      weevil control, cost, value, and warning. F.B. 1275, pp. 28–30. 1923.
  trichloride—
    as an anthelmintic and its solubility as a factor in anthelmintic efficiency. Maurice C. Hall and Eloise B. Cram. J.A.R. vol. 30, pp. 949–953. 1925.
    failure as worm destroyer. J.A.R. vol. 30, pp. 949–953. 1925.
  use as clarifying agents. D.B. 1025, pp. 6–9. 1922; F.B. 1424, pp. 16–17. 1924.
Carbonate(s)—
  absorption by plants from nutrient solutions. J.A.R. vol. 26, pp. 307–310. 1923.
  alkaline, in soils. J.A.R. vol. 27, pp. 683–687. 1924.
  copper. See Copper carbonate.
  determination in soils. Chem. Bul. 132, pp. 30–32. 1910.
  effect on nitric nitrogen in the soil. J.A.R., vol. 16, p. 126. 1919.
  in soils, effect on salts, determinations by electrical bridge. Soils Bul. 61, p. 15. 1910.
  lakes, Nebraska, potash source. Y.B., 1916, pp. 306–307. 1917; Y.B. Sep. 717, pp. 6–7. 1917.
  of lime. See Lime, carbonate.
  ponds, Nebraska, potash deposits. Y.B., 1912, p. 527. 1913; Y.B. Sep. 611, 527. 1913.
  soil—
    action of water and aqueous solutions. Frank K. Cameron and Francis E. Gallagher. Soils Bul. 49, pp. 64. 1907.
    conversion and recovery from soils. J.A.R., vol. 6, No. 22, pp. 858–866. 1916.
    decomposition. J.A.R., vol. 3, pp. 79–80. 1914.
Carbonated—
  apple juice—
    experiments. Chem. Bul. 118, pp. 17–19. 1908.
    time and method. F.B. 1264, pp. 43–44. 1922.
  milk, value as healthy drink. F.B. 320, pp. 29–30. 1908.
  waters, labeling, opinion. Chem. S.R.A. 2, pp. 24–25. 1914.
Carbonero tree, importation. No. 52304, B.P.I. Inv. 65, p. 88. 1923.
Carbonic acid—
  determination in water, modified method. Chem. Bul. 152, p. 82. 1912.
  effect on the calcium arsenates. J.A.R., vol. 13, pp. 288–289. 1918.
  gas—
    preparation, school exercises, test. O.E.S. Bul. 195, p. 11. 1908.
    sprayers, description. Y.B., 1908, p. 283. 1909; Y.B. Sep. 480, p. 283. 1909.
    use in control of forest fires. For. Bul. 113, p. 18. 1912.
  use in determination of sulphur compounds in dry lime sulphur. J.A.R., vol. 25, pp. 325–327, 330–332, 334, 335. 1923.
Carbuncle(s)—
  anthrax—
    cattle and man, description. B.A.I. [Misc.], "Diseases of cattle," rev., pp. 443, 446. 1908; rev., pp. 460–464. 1912.
    description. F.B. 784, pp. 6–7. 1917.
  causes and treatment. For. [Misc.], "First-aid manual * * *," pp. 88–90. 1917.
Carbureters, farm engine, discussion. F.B. 277, pp. 31–36. 1907.
Carcass(es)—
  animal, inspection. Y.B., 1916, p. 85. 1917; Y.B. Sep. 714, p. 9. 1917.
  anthrax infected, disposal to prevent spread of disease. B.A.I. An. Rpt., 1909, pp. 218, 227–228. 1911; F.B. 439, pp. 6, 15–16. 1911; B.A.I. Bul. 137, pp. 16–17. 1911.
  blackleg-diseased, importance of prompt disposal. News L., vol. 3, No. 5, p. 6. 1915.
  condemned under meat-inspection law, causes. Y.B., 1915, pp. 167, 169. 1916; Y.B. Sep. 666, pp. 167, 169. 1916.
  diseased—
    disposal. B.A.I.O. 150, pp. 15–21, 30. 1908; F.B. 190, p. 32. 1904.

INDEX TO PUBLICATIONS, 1901–1925 375

Carcass(es)—Continued.
diseased—continued.
financial loss, disposition, suggestion. B.A.I. An. Rpt., 1910, p. 246. 1912; B.A.I. Cir. 185, p. 246. 1912.
hog, burning. Y.B., 1919, pp. 201, 204. 1920; Y.B. Sep. 798, pp. 201, 204. 1920.
farm-slaughtered, inspection regulations. B.A.I.O. 211, Amdt. 14, p. 1. 1922.
grazing animals, disposition and methods, Reg. G-25. For. [Misc.], "Use book," 1921. pp. 67–68. 1922.
held for *Cysticercus bovis*, disposition. B.A.I. S.R.A. 198, p. 87. 1923.
infected, disposal method. F.B. 666, pp. 13, 14. 1915.
marking after inspection. B.A.I.O. 211, amdt. 8, p. 1. 1919.
meat animals—
cutting methods, variations. D.C. 300, p. 2. 1924.
diseased, disposal under Regulation 15. B.A.I. An. Rpt., 1907, pp. 368–373. 1909.
judging, block records, etc., method. B.A.I. Bul. 61, pp. 116–119. 1904.
inflation before inspection, prohibition. B.A.I. S.A. 57, p. 3. 1912.
special branding. B.A.I.S.R.A. 112, p. 70. 1916.
tapeworm infested, disposition of, regulation. B.A.I.O. 150, amdt. 3, pp. 2. 1912.
tuberculous, hog feeding, cause of infection. B.A.I. An. Rpt., 1907, pp. 225–228. 1909; B.A.I. Cir. 144, pp. 225–228. 1909; B.A.I. Cir. 201, pp. 18–20. 1912.
Carceag, sheep, cause and transmission. B.A.I. An. Rpt., 1910, p. 493. 1912; B.A.I. Cir. 194, p. 493. 1912; Rpt. 108, p. 62. 1915.
Carcinoma. *See* Cancer.
CARD, L. E.: "The utilization of lactose by the chicken." With T. S. Hamilton. J.A.R., vol. 27, pp. 597–604. 1924.
Cardamon—
oil, source of camphor and borneol. B.P.I. Bul. 235, p. 12. 1912.
seed—
adulteration, opinion 281. Chem. S.R.A. 23, p. 99. 1918.
importation, notice to importers. Opinion 71. Chem. S.R.A. 7, p. 529. 1914.
source of perfumery. B.P.I. Bul. 195, p. 12. 1910.
use as food flavoring. O.E.S. Bul. 245, pp. 55, 68. 1912.
Cardenche, characteristics under cultures. D.B. 31, pp. 17, 19, 20. 1913.
Cardiaca vulgaris. See Motherwort.
CARDIFF, I. D., report of Washington Experiment Station, work and expenditures—
1913. O.E.S. An. Rpt., 1913, pp. 85–86. 1915.
1914. O.E.S. An. Rpt., 1914, pp. 237–241. 1915.
1915. S.R.S. An. Rpt., 1915, Pt. I., pp. 267–272. 1916.
1916. S.R.S. An. Rpt., 1916, Pt. I., pp. 276–281. 1918.
Cardinal—
banding returns, 1920 to 1923. D.B. 1268, pp. 44–45. 1924.
description and food habits. F.B. 755, pp. 13–14. 1916.
distribution, habits, economic value. Biol. Bul. 32, pp. 5–27. 1908.
enemy of codling moth. Y.B., 1911, p. 241. 1912; Y.B. Sep. 564, p. 241. 1912.
food habits and occurrence in Arkansas. Biol. Bul. 38, p. 67. 1911.
killing for millinery collectors. Biol. Bul. 32, p. 6. 1908.
trapping for cage bird. Biol. Bul. 32, pp. 6–7. 1908.
use as pets in Cuba, value. Biol. Bul. 32, p. 7. 1908.
See also Grosbeak, cardinal; Redbird.
Cardiol, compound essence, alleged misbranding. Chem. N.J. 697, pp. 11. 1911.
Cardiophorus spp., description. Ent. Bul. 123, pp. 12–13. 1914.
Cardiospermum—
halicacabum. See Balloon vine.
hirsutum, importation and description. No. 44001, B.P.I. Inv. 50, p. 15. 1922.

Cardiospermum—Continued.
spp., importations. Nos. 51915–51916, B.P.I. Inv. 65, p. 67. 1923.
Cardol content, cashew nut. Chem. Bul. 160, p. 32. 1912.
CARDON, P. V.—
"Cereal investigations at the Nephi Substation." D.B.30, pp. 50. 1913.
"Custom ginning as a factor in cotton seed deterioration." With D. A. Saunders. D.B. 288, pp. 8. 1915.
"Experiments with single stalk cotton culture in Louisiana, Arkansas, and North Carolina." D.B. 526, pp. 31. 1918.
"Nurse planting select cotton seed." D.B. 668, pp. 12. 1918.
"Tillage and rotation experiments at Nephi, Utah." D.B. 157, pp. 45. 1915.
Cardona. *See* Tuna.
Cardoon, cultural directions and use. F.B. 255, p. 28. 1906; F.B. 937, p. 32. 1918.
Card(s)—
college and station, franking. D.C. 251, p. 37. 1925.
index, paper specifications. Rpt. 89, pp. 45–46. 1909.
score, for dairy cow and dairy bull. D.B. 434, pp. 7–8. 1916.
Carduus spp. *See* Thistle.
Carex—
exsiccata. See Sedge, tall swamp.
frankii. See Sedge, Frank's.
fuirenoides, occurrence in Guam. Guam A.R., 1913, p. 16. 1914.
geyeri. See Elk Grass.
illota. See Sedge, sheep.
spp.—
growth on native pastures, studies. D.B. 1170, pp. 28–33, 36–38. 1923.
value and association in Meadows, Wyoming. J.A.R. vol. 6, No. 19, pp. 751–753. 1916.
See also Sedges.
Carey Act—
lands, Wyoming, terms to settlers. O.E.S. Bul. 205, pp. 30–60. 1909.
projects, Colorado irrigation. O.E.S. Bul. 218, p. 27. 1910; D.B. 913, pp. 11–12. 1920; D.B. 1257, pp. 6–7. 1924.
text, operation, and projects in various States. O.E.S. An. Rpt., 1910, pp. 461–488. 1911; Sec. Cir. 124, pp. 1–14. 1919.
CAREY, N. L.: "Sitka spruce: Its uses, growth, and management." D.B. 1060, pp. 38. 1922.
Careya australis, importation and description. No. 42464, B.P.I. Inv. 47, p. 18. 1920.
Cariacus spp. *See* Deer.
Cariamidae, hosts of Manson's eye worm. B.A.I. Bul. 60, p. 47. 1904.
Carib grass, description and value for cotton States. F.B. 1125, rev., p. 13. 1920.
Carib potato. *See* Acom.
Caribbean Sea, weather code for observers. W.B. [Misc.], "Weather code for West Indian * * *," pp. 32. 1917.
Caribidae, usefulness as insect destroyers. Biol. Bul. 15, p. 10. 1901.
Caribou—
and reindeer. C. C. Georgeson. B.A.I. Cir. 55, pp. 377–390. 1904.
barren ground, Yukon Territory, description, and occurrence. N.A. Fauna 30, pp. 49–51. 1909.
breeding experts in Alaska, distribution, economic importance. D.B. 50, pp. 22–25, 26, 30. 1914.
in Alaska—
crossbreeding with reindeer. An. Rpts., 1922, p. 357. 1922; Biol. Chief Rpt., 1922, p. 27. 1922.
distribution, habits, and danger of extinction. Y.B., 1907, pp. 473–474. 1908; Y.B. Sep. 462, pp. 473–474. 1908.
distribution, numbers, and conditions. D.C. 88, pp. 5–7. 1920; D.C. 168, pp. 8–9. 1921; D.C. 260, pp. 3. 1923.
east central, occurrence and habits. N.A. Fauna 30, pp. 13–18. 1909.
habitat, conditions, and protection. Sec. [Misc.], "Report of the Governor * * * 1915," pp. 2, 3, 9, 16–17. 1916.

Caribou—Continued.
  in Alaska—continued.
    investigations, 1924. Biol. Chief Rpt., 1924, p. 25. 1924.
    killing, regulation 5. Biol. Cir. 89, p. 2. 1912.
    protection, regulations, August, 1914. Biol. S.R.A., pp. 2. 1914.
    protection regulations, 1918. Biol. S.R.A. 22, pp. 2, 3. 1918.
    weight. D.B. 1089, pp. 3, 12. 1922.
    increase in Alaska. Biol. Doc. 110, pp. 4–5. 1919; D. C. 225, p. 4. 1922.
    interbreeding with reindeer. D.B. 1089, pp. 3, 40. 1922.
  number—
    Alaska. Off. Rec., vol. 4, No. 52, p. 4. 1925.
    forests. Off. Rec. vol. 2, No. 46, p. 1. 1923.
  occurrence—
    in Athabaska–Mackenzie region. N.A. Fauna 27, pp. 135–143. 1908.
    on Queen Charlotte Islands. N.A. Fauna 21, pp. 26–28. 1901.
  Osborn, Yukon Territory, description, habits, and occurrence. N.A. Fauna 30, pp. 74–77. 1909.
  penalty for hunting in Montana and Idaho. For. [Misc.], "Trespass on national * * *," pp. 23, 24, 25. 1922.
  protection, Alaska regulations. Biol. S.R.A. 5, p. 1. 1915; Biol. S.R.A. 10, pp. 2. 1916; Biol. S.R.A. 28, pp. 1–3. 1919; Biol. Doc. 105, pp. 3, 8, 9, 10, 13. 1917.
  range and habits. N.A. Fauna 22, pp. 21, 40–43. 1902; Biol. Bul. 36, pp. 16–17. 1910.
  Stone's, range and habits. N.A. Fauna 21, pp. 61–62. 1901.
Caribou National Forest Reserve, lands included by law. Sol. [Misc.], "Laws applicable * * * agriculture," Sup. 2, pp. 37–38. 1915.
See also Reindeer.
Carica—
  candamarcensis, description and uses, importation. No. 43294, B.P.I. Inv. 48, p. 40. 1921.
  chrysopetala. See Higacho.
  papaya. See also Papaya; Pawpaw.
  quercifolia—
    cultivation in Hawaii. Hawaii A.R., 1907, pp. 55–56. 1908.
    importation and description. No. 41298, B.P.I. inv. 44, p. 60. 1918.
  spp., importations and description. Nos. 46623, 46761, 46782, 46943, 46944, 46945, B.P.I. Inv. 57, pp. 5, 13, 29, 33, 49. 1922; Nos. 47492, 47524, 47562, 47563, 47586, P.B.I. Inv. 59, pp. 21, 26, 31, 36. 1922; Nos. 52309, 52574, 52620, 52716, 52721, 52810, B.P.I. Inv. 66, pp. 4, 8, 42, 52, 64, 66, 80. 1923; No. 54529, B.P.I. Inv. 69, pp. 4, 22. 1923.
  wild, importance as grafting stock or for hybridizing. B.P.I. Cir. 119, pp. 12–13. 1913.
Cariniana pyriformis. See Mahogany, Colombian.
Carissa—
  arduina—
    distrubution in Hawaii. Hawaii A.R., 1911, p. 41. 1912.
    growing in Hawaii, value for fruit and as hedge plant. Hawaii A.R., 1910, p. 38. 1911.
    infestation with Mediterranean fruit fly in Hawaii. D.B. 536, pp. 24, 26. 1918.
    See Amatungula.
  carandas. See Karanda; Plum, Natal.
  ovata, importation, description, and source. No. 34153, P.B.I. Inv. 32, p. 16. 1914.
CARLETON, M. A.—
  "A grain for the semiarid regions." F.B., 139, pp. 16. 1901.
  "A new wheat industry for the semi-arid West." B.P.I. Cir. 18, pp. 8. 1901.
  "Barley culture in the Northern Great Plains." B.P.I. Cir. 5, pp. 12. 1908.
  explorations for securing rare seeds and plants. B.P.I. Cir. 100, pp. 18. 1912.
  "Hard wheats winning their way." Y.B. 1914, pp. 391–420. 1915; Y.B. Sep. 649, pp. 391–420. 1915.
  "Investigations of rust." B.P.I. Bul. 63, pp. 32, 1904.
  "Lessons from the grain rust epidemic of 1904." F.B. 219, pp. 24. 1905.

CARLETON, M. A.—Continued.
  "Macaroni wheats." B.P.I. Bul. 3, pp. 62. 1901.
  "Successful wheat growing in semiarid districts." Y.B., 1900, pp. 529–542. 1901; Y.B. Sep. 195, pp. 529–542. 1901.
  "Ten years' experience with the Swedish select oat." B.P.I. Bul. 182, pp. 47. 1910.
  "The future wheat supply of the United States." Y.B., 1909, pp. 259–272. 1910; Y.B. Sep. 511, pp. 259–272. 1910.
  "The commercial status of durum wheat." With Joseph S. Chamberlain. B.P.I. Bul. 70, pp. 70. 1904.
  "The preparation of seed grain for spring planting." F.B. 584, pp. 6–7. 1914.
  "Winter emmer." F.B. 466, pp. 24. 1911.
CARLISLE, W. W.: "River gages in the upper Mississippi valley." W.B. Bul. 31, pp. 222–224. 1902.
Carload(s)—
  as unit in marketing produce. Y.B., 1911, pp. 165–167. 1912; Y.B. Sep. 558, pp. 165–167. 1912.
  grain, capacity and weight. Rpt. 98, p. 66. 1913.
  livestock, prorating schedule. Off. Rec., vol. 2, Nos. 32, 33, p. 5. 1923.
  oranges, average number of boxes, and weight. D.B. 63, p. 9. 1914.
  potato, commercial unit, measurement. F.B. 1317, pp. 4, 18. 1923.
  shipments—
    advantages in distribution of vegetable products. Y.B., 1912, pp. 356, 358, 362. 1913; Y.B. Sep. 597, pp. 356, 358, 362. 1913.
    economy to producers. Rpt. 98, pp. 28–31. 1913.
    of southern potatoes, 1917, 1918. F.B. 1050, p. 3. 1919.
    weight of various commodities. Y.B., 1921, p. 791. 1922; Y.B. Sep. 871, p. 22. 1922.
  See also Shipments.
Carludovica palmata. See Panama straw.
CARLYLE, W. L.—
  report of Idaho Experiment Station—
    1909. O.E.S. An. Rpt., 1909, pp. 98–100. 1910.
    1910. O.E.S. An. Rpt., 1910, pp. 127–130. 1911.
    1911. O.E.S. An. Rpt., 1911, pp. 99–102. 1913.
    1912. O.E.S. An.Rpt., 1912, pp. 106–108. 1913.
    1913. O.E.S. Ap. Rpt., 1913, pp. 43–44. 1915.
    1914. O.E.S. An. Rpt., 1914, pp. 96–98. 1915.
  report of Oklahoma Experiment Station, work and expenditures—
    1915. S.R.S. An. Rpt., 1915, Pt. I, pp. 218–221. 1916.
    1916. S.R.S. An. Rpt., 1916, Pt. I, pp. 223–227. 1918.
    1917. S.R.S. An. Rpt., 1917, Pt. I, pp. 218–222. 1918.
CARMICHAEL, W. J.: "Inheritance of syndactylism, black, and dilution in swine." With J. A. Detlefsen. J.A.R., vol. 20, pp. 595–604. 1921.
Carmichaelia flagelliformis, importation and description. No. 40159, B.P.I. Inv. 42, p. 77. 1918.
Carmine indigo. See Indigo disulphoacid.
Carmon (horse) pedigree and record. B.A.I. Cir. 137, pp. 107–110, 128. 1908; B.A.I. An. Rpt., 1907, pp. 60, 107–110, 128. 1909; D.C. 153, pp. 5, 6, 9, 16–20. 1921.
Carnation(s)—
  bud rot, spread by mites. F.B. 1362, pp. 29–30. 1924.
  bursting, cause and prevention. F.B. 360, pp. 7–9. 1909.
  crown-gall inoculation from daisy. B.P.I. 213, p. 45. 1911.
  diseases, Texas, occurrence and description. B.P.I. Bul. 226, p. 83. 1912.
  fertilizer experiments, New Hampshire experiment station. O.E.S. An. Rpt., 1912, p. 161. 1913.
  fertilizer studies, Illinois. Work and Exp., 1914, p. 101. 1915.
  growing—
    fertilizers. S.R.S. Rpt., 1915, Pt. I, p. 108. 1917.
    in California, Los Angeles area. Soil Sur. Adv. Sh., 1916, pp. 20–21, 52, 70. 1919; Soils F.O., 1916, pp. 2362, 2394, 2412. 1921.
  injury by Pediculoides dianthophilus. Rpt. 108, p. 106. 1915.
  mite control. F.B. 1362, pp. 29–30. 1924.

Carnation(s)—Continued.
  pink, description and cultivation. F.B. 1171, p. 61. 1921.
  soil preparation. Y.B., 1902, pp. 561-562. 1903; Y.B. Sep. 290, pp. 561-562. 1903.
  spraying for red-spider control. Ent. Bul. 117, p. 35. 1913.
  stigmonose, caused by insect punctures. D.B. 1102, pp. 13, 15. 1922.
  treatment for thrips and mite control. F.B. 1362, pp. 27, 29-30. 1924.
Carnegie foundation, request of agricultural colleges for participation in fund. O.E.S. Bul. 196, pp. 17, 35. 1907.
Carnegie Institution, grants for research with respiration calorimeter. O.E.S. An. Rpt., 1905, p. 25. 1906.
Carnivora—
  feed energy, availability, studies. B.A.I. Bul. 142, pp. 26-28. 1912.
  occurrence in Alabama. N.A. Fauna 45, pp. 29-43. 1921.
  See also Animals, carnivorous.
Carnoy's fluid, formula. J.A.R., vol. 7, p. 104. 1915.
Caroa, importation and description. No. 32260, B.P.I. Bul. 261, pp. 48-49. 1912; No. 37794, B.P.I. Inv. 39, pp. 8, 43. 1917.
Carob—
  description, introduction into California. An. Rpts., 1910, p. 356. 1911; B.P.I. Chief Rpt., 1910, p. 86. 1910.
  description, value for forage, and yield per acre. B.P.I. Bul. 180, pp. 27-28. 1910.
  distribution, feeding value and composition. D.B. 1194, pp. 3, 5, 16-17. 1923.
  growing in Hawaii, and uses. Hawaii A.R., 1921, p. 20. 1922.
  importations and description. Nos. 30914-30920, 30968, B.P.I. Bul. 242, pp. 10, 52, 59. 1912; Nos. 35230, 35238-35242, 35244-35246, B.P.I. Inv. 35, pp. 25, 26. 1915; No. 42632, B.P.I. Inv. 47, p. 41. 1920; No. 45924, B.P.I. Inv. 54, p. 42. 1922; Nos. 54452-54453, B.P.I. Inv. 69, p. 11. 1923; Nos. 54964-54966, B.P.I. Inv. 70, pp. 4, 34. 1923; Nos. 54977-54978, 55448-55450, 55464, B.P.I. Inv. 71, pp. 9, 44, 45. 1923; No. 55727, B.P.I. Inv. 72, p. 25. 1924.
  occurrence in Algeria. B.P.I. Bul. 80, p. 84. 1905.
  seed, importation for grafting stock. No. 39559, B.P.I. Inv. 41, p. 40. 1917.
  testing, Yuma Experiment Farm, 1912. B.P.I. Cir. 126, p. 25. 1913.
  value as desert plant and ornamental shade tree. B.P.I. Bul. 53, p. 115. 1904.
  See also St. John's bread.
Carobades spp., description. Rpt. 108, pp. 95, 98. 1915.
Carolene, adulteration. See *Indexes, Notices of Judgment, in bound volumes, and in separate pamphlets published as supplements to Chemistry Service and Regulatory Announcements.*
Carolina—
  cotton conditions, review since 1865. D.B. 146, pp. 9-13. 1914.
  North and South, tobacco districts. Stat. Cir. 18, pp. 14-15. 1909.
  North and South. See also North Carolina; South Carolina.
  rice growing, acreage. Sec. [Misc.], Spec. "Geography * * * world's agriculture," p. 47. 1917.
Carotin—
  absorption bands, relation to position of xanthophyll bands. J.A.R., vol. 30, pp. 259-261. 1925.
  determination by means of the spectrophotometer and colorimeter. F. M. Schertz. J.A.R., vol. 26, pp. 383-400. 1923.
  determination methods, comparison. J.A.R., vol. 26, pp. 397-399. 1923.
  physical and chemical properties and the preparation of pure pigment. F. M. Schertz. J.A.R., vol. 30, pp. 469-474. 1925.
  spectral transmittancy with helium and mercury light. J.A.R., vol. 26, pp. 387-394. 1923.
Carottes, Perique tobacco, preparation. B.P.I. Bul. 143, p. 50. 1909.

Carp—
  habits injurious to duck feeding grounds. D.B. 936, p. 18. 1921.
  use in water cress ponds. Ent. Bul. 66, Pt. II, pp. 15, 20. 1907.
CARPENTER, C. W.—
  "Bean spot disease." Hawaii Ext. Bul. 8, p. 4. 1918.
  "Methods of combating garden pests." Hawaii Ext. Bul. 4, p. 16. 1917.
  "Potato diseases in Hawaii and their control." Hawaii Bul. 45, p. 42. 1920.
  report of Hawaii Experiment Station, plant pathology division—
    1916. Hawaii A.R., 1916, pp. 25-26. 1917.
    1917. Hawaii A.R., 1917, pp. 33-42. 1918.
    1918. Hawaii A.R., 1918, pp. 35-45. 1919.
    1919. Hawaii A.R., 1919, pp. 49-54. 1920.
    1920. Hawaii A.R., 1920, pp. 37-40. 1921.
  "Some potato tuber-rots caused by species of Fusarium." J.A.R., vol. 5, No. 5, pp. 183-209. 1915.
  "Wilt diseases of okra, and the Verticillium wilt problem." J.A.R., vol. 12, pp. 529-546. 1918.
CARPENTER, E. J., "Soil survey of—
  Benton County, Oregon." With E. F. Torgerson. Soil Sur. Adv. Sh., 1920, pp. 1431-1474. 1924; Soils F.O., 1920, pp. 1431-1474. 1925.
  Bowie County, Texas." With others. Soil Sur. Adv. Sh., 1918, p. 62. 1921; Soils F.O., 1918, pp. 715-772. 1924.
  Middle Gila Valley area, Arizona." With others. Soil Sur. Adv. Sh., 1917, p. 37. 1920; Soils F.O., 1917, pp. 2087-2119. 1923.
  Multnomah County, Oregon." With C. V. Ruzek. Soil Sur. Adv. Sh., 1919, pp. 47-98. 1922; Soils F.O., 1919, pp. 47-98. 1925.
  the Benson area, Arizona." With W. S. Bransford. Soil Sur. Adv. Sh., 1921, pp. 247-280. 1924.
  the Brawley area, California." With others. Soil Sur. Adv. Sh., 1920, pp. 76. 1923; Soils F.O., 1920, pp. 641-716. 1925.
  the Middle Gila Valley area, Arizona." With others. Soil Sur. Adv. Sh., 1917, p. 37. 1920; Soils F.O., 1917, pp. 2087-2119. 1923.
  the San Simon area, Arizona." With W. S. Bransford. Soil Sur. Adv. Sh., 1921, pp. 583-622. 1924.
  the Ventura area, California." With others. Soil Sur. Adv. Sh., 1917, pp. 87. 1920; Soils F.O. 1917, pp. 2321-2403. 1923.
  the Winslow area, Arizona." With others. Soil Sur. Adv. Sh., 1921, pp. 155-188. 1924.
  Yamhill County, Oregon." With others. Soil Sur. Adv. Sh., 1917, pp. 66. 1920; Soils F.O., 1917, pp. 2259-2320. 1923.
CARPENTER, L. G.—
  "Conservation of our natural resources." O.E.S. Bul. 228, pp. 32-34. 1910.
  "Relation of experiment stations to popular instruction." O.E.S. Bul. 212, pp. 116-117, 119. 1909.
  report of Colorado Experiment Station—
    1906. O.E.S. An. Rpt., 1906, pp. 87-88. 1907.
    1907. O.E.S. An. Rpt., 1907, pp. 79-81. 1908.
    work and expenditures, 1908. O.E.S. An. Rpt. 1908, pp. 73-75. 1909.
    work and expenditures, 1909. O.E.S. An. Rpt. 1909, pp. 82-85. 1910.
CARPENTER, R. C.: "Mechanical work and efficiency of bicyclers." O.E.S. Bul. 98, pp. 57-67. 1901.
CARPENTER, T. M.: "The influence of muscular and mental work on metabolism and the efficiency of the human body as a machine." With Francis G. Benedict. O.E.S. Bul. 208, pp. 100. 1919.
Carpenter worm—
  description, habits, and control. F.B. 1169, pp. 69-70. 1921.
  injury to oaks. Ent. Bul. 58, Pt. V, p. 61. 1909.
  injury to trees. Ent. Cir. 126, p. 2. 1910.
Carpenter's grass. See Yarrow.
Carpet—
  beetle(s)—
    and their control. E. A. Back. F.B. 1346, pp. 14. 1923.
    black, description and habits. F.B. 1260, p. 38. 1922.

Carpet—Continued.
  beetle(s)—continued.
    control, directions. F.B. 1180, pp. 27-28. 1921.
    control, tests of various substances. D.B. 707, pp. 29-35. 1918.
    eradication by use of hydrocyanic-acid gas. F.B. 699, pp. 1-8. 1916.
    or "Buffalo moth." L. O. Howard. F.B. 626, pp. 4. 1914.
    See also Buffalo moth.
  bug destroyer, analysis. Chem. Bul. 76, p. 56. 1903.
  grass—
    C.V. Piper and Lyman Carrier. F.B. 1130, pp. 12. 1920.
    analytical key and description of seedling. D.B. 461, pp. 6, 9-10. 1917.
    as fire guard. Off. Rec., vol. 3, No. 48, p. 3. 1924.
    description. D.B. 772, p. 224. 1920.
    description and value for cotton States. F.B. 1125, rev., pp. 8-9. 1920.
    distribution. Y.B. 1923, p. 387. 1924; Y.B. Sep. 895, p. 387. 1924.
    distribution, description, value for pasture. F.B. 1254, pp. 15-18. 1922.
    establishment and carrying capacity. F.B. 1130, pp. 7-10. 1920.
    growing, Hawaii, habits and value. Hawaii Bul. 36, pp. 17-18, 39. 1915.
    growing in mixtures with other grasses. F.B. 1130, pp. 10-11. 1920.
    seed, ripening, harvesting, and demand. F.B. 1130, pp. 11-12. 1920.
    use—
      as forage crop in cotton region, description. F.B. 509, pp. 8-9. 1912.
      on lawns in South. F.B. 494, pp. 33-34. 1912.
      on sandy soils. Soils Bul. 75, p. 18. 1911.
    value, description, and history. F.B. 1130, pp. 3-6. 1920.
    value on southern pastures, injuries and protection. D.B. 827, pp. 22, 25, 27, 28, 33, 34. 1921.
Carpet-of-snow, description, cultivation, and characteristics. F.B. 1171, pp. 72-74, 79. 1921.
Carpet(s)—
  Axminister, and rugs, description. F.B. 1219, pp. 22-23. 1921.
  beaters—
    bamboo, suggestion. D.B. 1329, p. 18. 1925.
    description and use. F.B. 1180, p. 7. 1921.
  Brussels, grades, description, and use. F.B. 1219, pp. 20-21. 1921.
  cleaning, resizing, mending, and storing. F.B. 1219, pp. 28-32 1921.
  ingrain, description and use. F.B. 1219, pp. 19-20. 1921.
  injury by carpet beetle. F.B. 626, pp. 1, 3. 1914; F.B. 1346, pp. 2, 3. 1923.
  rag and rugs, home-made and factory-made, description and use. F.B. 1219, pp. 24-25. 1921.
  relation to utilization of lumber in building. M.C. 39, p. 57. 1925.
  selection for house. Y.B., 1914, p. 353. 1915; Y.B. Sep. 646, p. 353. 1915.
  storing, directions. F.B. 1219, p. 31. 1921.
  sweepers—
    description and care. F.B. 1180, pp. 7, 9. 1921.
    manufacture, utilization of sycamore. D.B. 884, pp. 9, 10, 16, 24. 1920.
  types, and care of. F.B. 1219, pp. 19-35. 1921.
  Wilton, description and use. F.B. 1219, pp. 21-22. 1921.
  See also Rugs.
Carpinus—
  spp., injury by sapsuckers. Biol. Bul. 39, p. 31. 1911.
  virginiana. See Ironwood.
Carpocapsa pomonella—
  attack on walnut. Ent. Bul. 80, Pt. V, p. 69. 1910.
  control, life history. F.B. 1270, p. 37. 1922.
  See also Codling moth.
Carpodacus purpureus. See Finch, purple.
Carpodacus, sale as reedbirds. Biol. Bul. 12, rev., p. 26. 1902.

Carpoglyphus spp., description and habits. Rpt. 108, pp. 113, 117. 1915.
Carpophilus—
  dimidiatus. See Corn-sap beetle.
  hemipterus. See Dried-fruit beetle.
  humeralis, enemy to corn, similar to sap-beetle. F.B. 1260, p. 41. 1922.
Carpopogon capitatum, description and characteristics. B.P.I. Bul. 179, pp. 12-13. 1910.
Carpopogon niveum. See Bean, Lyon.
CARR, E. G.: "A survey of beekeeping in North Carolina." D.B. 489, pp. 16. 1916.
CARR, M. E.—
  "A preliminary report on the Volusia soils, their problems and management." Soils Bul. 60, pp. 22. 1909.
  "Soil survey of—
    Berkeley County, South Carolina." With others. Soil Sur. Adv. Sh., 1916, pp. 42. 1918; Soils F.O., 1916, pp. 483-520. 1921.
    Dougherty County, Georgia." With others. Soil Sur. Adv. Sh., 1912, pp. 63. 1913; Soils F.O., 1912, pp. 573-631. 1915.
    Fairfield County, South Carolina." With others. Soil Sur. Adv. Sh., 1911, pp. 37. 1913; Soils F.O., 1911, pp. 479-511. 1914.
    Georgetown County, South Carolina." With others. Soil Sur. Adv. Sh., 1911, pp. 54. 1912; Soils F.O., 1911, pp. 513-562. 1914.
    Jasper County, Georgia." With David R. Long. Soil Sur. Adv. Sh., 1916, pp. 43. 1918; Soils F.O., 1916, pp. 647-685. 1921.
    Jefferson County, New York." With others. Soil Sur. Adv. Sh., 1911, pp. 83. 1913; Soils F.O., 1911, pp. 95-173. 1914.
    Livingston County, New York." With others. Soil Sur. Adv. Sh., 1908, pp. 91; Soils F.O., 1908, pp. 71-157. 1911.
    Madison County, New York." With others. Soil Sur. Adv. Sh., 1906, pp. 51. 1907; Soils F.O., 1906, pp. 119-165. 1908.
    Monroe County, New York." With others. Soil Sur. Adv. Sh., 1910, pp. 53. 1911; Soils F.O., 1910, pp. 43-91. 1912.
    Oneida County, New York." With others. Soil Sur. Adv. Sh., 1913, pp. 59. 1915; Soils F.O., 1913, pp. 39-93. 1916.
    Ontario County, New York." With others. Soil Sur. Adv. Sh., 1910, pp. 55. 1911; Soils F.O., 1910, pp. 92-143. 1912.
    Rapides Parish, Louisiana." With others. Soil Sur. Adv. Sh., 1916, pp. 43. 1918; Soils F.O., 1916, pp. 1121-1159. 1921.
    the Fort Payne area, Alabama." With Grove B. Jones. Soil Sur. Adv. Sh., 1903, pp. 17. 1904; Soils F.O., 1903, pp. 355-371. 1904.
    the Waycross area, Georgia." With W. E. Tharp. Soil Sur. Adv. Sh., 1906, pp. 35. 1907; Soils F.O., 1906, pp. 303-333. 1908.
    Washington County, Georgia." With others. Soil Sur. Adv. Sh., 1915, pp. 39. 1916; Soils F.O., 1915, pp. 683-717. 1919.
    Washington County, New York." With others. Soil Sur. Adv. Sh., 1909, pp. 59. 1911; Soils F.O., 1909, pp. 105-159. 1912.
CARR, R. H.—
  "Accumulation of aluminum and iron compounds in corn plants, and its probable relation to root-rots." With G. N. Hoffer. J.A.R., vol. 23, pp. 801-824. 1923.
  "Green feed versus antiseptics as a preventive of intestinal disorders of growing chicks." With others. J.A.R., vol. 20, pp. 869-873. 1921.
  "Meat scraps versus soybean proteins as a supplement to corn for growing chicks." With others. J.A.R., vol. 18, pp. 391-398. 1920.
CARRERO, J. O.—
  "Absorption of nutrients as affected by the number of roots supplied with the nutrient." With P. L. Gile. J.A.R., vol. 9, pp. 73-95. 1917.
  "Ash composition of upland rice at various stages of growth." With P. L. Gile. J.A.R., vol. 5, No. 9, pp. 357-364. 1915.
  "Assimilation of colloidal iron by rice." With P. L. Gile. J.A.R., vol. 3, pp. 205-210. 1914.
  "Assimilation of iron by rice from certain nutrient solutions." With P. L. Gile. J.A.R., vol. 7, pp. 503-528. 1916.

CARRERO, J. O.—Continued.
"Assimilation of nitrogen, phosphorus, and potassium by corn when nutrient salts are confined to different roots." With P. L. Gile. J.A.R., vol. 21, pp. 545-573. 1921.
"Cause of lime-induced chlorosis and availability or iron in the soil." With P. L. Gile. J.A.R., vol. 20, pp. 33-62. 1920.
"Efficiencies of phosphatic fertilizers as affected by liming and by the length of time the phosphates remained in Porto Rican soils." With P. L. Gile. J.A.R., vol. 25, pp. 171-194. 1923.
"Immobility of iron in the plant." With P. L. Gile. J.A.R., vol. 7, pp. 83-87. 1916.
"Influence of some nitrogenous fertilizers on the development of chlorosis in rice." With L. G. Willis. J.A.R., vol. 24, pp. 621-640. 1923.
report of chemist and assistant chemist, Porto Rico Experiment Station—
1914. With P. L. Gile. P.R. An. Rpt., 1914, pp. 13-16. 1915.
1915. With P. L. Gile. P.R. An. Rpt., 1915, pp. 13-24. 1916.
1916. With P. L. Gile. P.R. An. Rpt., 1916, pp. 10-17. 1918.
1917. With P. L. Gile. P.R. An. Rpt., 1917, pp. 9-20. 1918.
1918. P.R. An. Rpt., 1918, pp. 17-18. 1920.
1919. With L. G. Willis. P.R. An. Rpt., 1919, pp. 14-16. 1920.
1920. With L. G. Willis. P.R. An. Rpt., 1920, pp. 13-15. 1921.
1921. With L. G. Willis. P.R., An. Rpt., 1921, pp. 7-9. 1922.
1922. With L. G. Willis. P.R. An. Rpt., 1922, pp. 3-4. 1923.
1923. P.R. An. Rpt., 1923, pp. 3-4. 1924.
"The bat guanos of Porto Rico, and their fertilizing value." With P. L. Gile. P.R. Bul. 25, pp. 66. 1918.
"The chemical composition of American grapes grown in the Central and Eastern States." With others. D.B. 452, pp. 20. 1916.
CARRIER, LYMAN—
"A profitable tenant dairy farm." F.B. 280, pp. 16. 1907.
"Carpet grass." With C. V. Piper. F.B. 1130, pp. 12. 1920.
"Cost of filling silos." F.B. 292, pp. 15. 1907.
"Growing hay in the South for market." With others. F.B. 677, pp. 22. 1915.
"Hog pastures for the Southern States." With F. G. Ashbrook. F.B. 951, pp. 20. 1918.
"Italian ryegrass." D.C. 44, pp. 2. 1919.
"Lespedeza as a forage crop." F.B. 1143, pp. 15. 1920.
"Meadows for the Northern States." With C. V. Piper. F.B. 1170, pp. 13. 1920.
"Our forage resources." With others. Y.B. 1923, pp. 311-414. 1924; Y.B. Sep. 895, pp. 311-414. 1924.
"Permanent pastures for the Cotton Belt." Sec. Special, "Permanent pastures * * *," pp. 4. 1914.
"Perennial rye-grass (*Lolium perenne*)." D.C. 42, pp. 2. 1919.
"Redtop." D.C. 43, pp. 2. 1919.
"The grazing industry of the bluegrass region." D.B. 397, pp. 18. 1916.
"The identification of grasses by their vegetative characters." D.B. 461, pp. 30. 1917.
Carrier pigeons. *See* Pigeons, homing.
Carrington—
clay loam of Eastern United States and uses. Jay A. Bonsteel. Soils Cir. 58, pp. 11. 1912.
loam—
areas, uses, and crop yields. Y.B., 1911, pp. 226-228, 235. 1912; Y.B. Sep. 563, pp. 226-228, 235. 1912.
of Eastern United States and uses. Jay A. Bonsteel. Soils Cir. 34, pp. 15. 1911.
silt loam—
description, location, and adaptations. Soils Cir. 57, pp. 1-10. 1912; Soils Cir. 34, pp. 1-15. 1911.
description and tests with slag fertilizer. D.B. 143, pp. 9, 10. 1914.
eastern United States, uses. Jay A. Bonsteel. Soils Cir. 57, pp. 10. 1912.
Carrion, removal by crows. D.B. 621, pp. 40-43, 67. 1918.

Carissa spp., importations and descriptions. Nos. 31840-31841, B.P.I. Bul. 248, pp. 8, 54. 1912; No. 34364, B.P.I. Inv. 33, pp. 5, 12. 1915; Nos. 41504-41506, B.P.I. Inv. 45, p. 41. 1918; No. 43772, B.P.I. Inv. 49, p. 75. 1921.
CARROL, O. C.: "The Government's importation of camels. A historical sketch." B.A.I. Cir. 53, pp. 19. 1904.
CARROLL, D. J.: "The personnel of the station force." W.B. Bul. 31, pp. 35-41. 1902.
CARROLL, W. P.: "A simple method of detecting sulphured barley and oats." B.P.I. Cir. 40, pp. 8. 1909.
Carrot(s)—
adaptability to acid soils. D.B. 6, p. 9. 1913.
beetle, destruction by crows. D.B. 621, pp. 15, 58. 1918.
blight, new organism in 1923. Work and Exp., 1923, p. 40. 1925.
canning—
directions. F.B. 359, p. 14. 1910; F.B. 839, pp. 18, 29. 1917; F.B. 853, pp. 19, 27. 1917.
inspection instructions. D.B. 1084, pp. 31-32. 1922.
carotin content, separation and purification, methods. J.A.R. vol. 30, pp. 471-474. 1925.
Chinese, importation, and description. No. 38786. B.P.I. Inv. 40, pp. 6, 28. 1917.
composition and food value, comparison with other foods. D.B. 503, pp. 3, 5, 6, 9-10. 1917.
cultural directions. F.B. 937, pp. 16, 19, 23, 32. 1918; F.B. 309, p. 14. 1907; F.B. 934, pp. 29-30. 1918; F.B. 1044, p. 24. 1919; S.R.S. Doc. 49, p. 5. 1917.
digestion experiment. O.E.S. Bul. 159, pp. 177, 178. 1905.
disease, Texas, occurrence and description. B.P.I. Bul. 226, p. 39. 1912.
dried, cooking recipe. F.B. 841, pp. 26-27. 1917.
drying, directions. F.B. 841, p. 20. 1917; F.B. 984, p. 50. 1918; D.C. 3, p. 12. 1919; D.B. 1335, p. 36. 1925.
fertilizers, tests. Soils Bul. 67, p. 72. 1910.
food use, composition. F.B. 295, pp. 33, 36-37. 1907; D.B. 123, pp. 32, 33. 1916; D.B. 975, p. 6 1921.
freezing points. D.B. 1133, pp. 6, 7, 8. 1923.
growing—
early and for winter use. F.B. 818, p 43. 1917.
in Alaska—
1918. Alaska A.R. 1918, pp. 26, 51, 67, 91, 93. 1920.
1919, varieties. Alaska A.R. 1919, pp. 22, 52, 76. 1920.
1920. Alaska A.R. 1920, pp. 32, 64-66. 1922.
1921. Alaska A.R. 1921, pp. 8, 21, 29, 44. 1923.
in Guam, directions. Guam Bul. 2, pp. 12, 34. 1922; Guam Cir. 2, p. 10. 1921.
in Hawaii, 1919, as feed. Hawaii A.R. 1919, pp. 47-48. 1920.
in Nevada, for home garden. B.P.I. Cir. 110, p. 22. 1913.
in Porto Rico, 1920. P.R. An. Rpt. 1290, p. 22. 1921.
methods, and varieties. F.B. 647, p. 13. 1915; F.B. 936, p. 39. 1918.
home garden, cultural hints. F.B. 255, p. 29. 1906.
insect pests, list. Sec. [Misc.], "A manual of insects * * *," p. 51. 1917.
planting, directions for club members. D.C. 48, p. 8. 1919.
processing, directions and time table. F.B. 1211, pp. 44, 49. 1921.
relation to *Mucor racemosus*. J.A.R., vol. 30, p. 968. 1925.
rot, caused by *Bacillus carotovorus*, experiments. J.A.R., vol. 6, No. 15, pp. 564-566. 1916.
seed—
germination temperatures. J.A.R., vol. 23, pp. 296-298, 322, 330. 1923
growing, localities, acreage, yield, production, and consumption. Y.B., 1918, pp. 206, 206, 207. 1919; Y.B. Sep. 775, pp. 8, 14, 15. 1919.
quantity per acre. F.B. 309, p. 15. 1907.
saving directions. F.B. 884, pp. 13, 14. 1917; F.B., 1390, pp. 11-12. 1924.

Carrot(s)—Continued.
  shipments by States, and by stations, 1916. D.B 667, pp. 11, 166–167. 1918.
  source of pure carotin. J.A.R., vol. 26, p. 393. 1923.
  storage for home use. F.B. 879, p. 17. 1917.
  tops, use as potherb, danger. O.E.S. Bul. 245, p. 29. 1912.
  use as food. O.E.S. Bul. 245, pp. 46, 48. 1912.
  value as horse feed. F.B. 384, p. 12. 1910.
  water consumption per ton. Y.B., 1910, p. 172. 1911; Y.B. Sep. 526, p. 172. 1911.
  weevil, same as Australian tomato weevil. D.C. 282, p. 5. 1923.
  wild—
    aphid, injury to apples. F.B. 804, p. 18. 1917.
    description and nutritive value as a forage crop. F.B. 425, pp. 10, 12. 1910; F.B. 669, p. 29. 1915.
    seed, description. F.B. 260, pp. 16–17. 1906; F.B. 428, pp. 5, 20. 1911.
  yields and water relations. D.B. 1340, pp. 17, 45. 1925.

CARRUTH, F. E.—
  "Comparative toxicity of cottonseed products." With W. A. Withers. J.A.R., vol. 14, pp. 425–452. 1918.
  "Gossypol, the toxic substance in cottonseed." With W. A. Withers. J.A.R., vol. 12, pp. 83–102. 1918.
  "Gossypol, the toxic substance in cottonseed meal." With W. A. Withers. J.A.R., vol. 5, No. 7, pp. 261–288. 1915.

CARSNER, EUBANKS—
  "Angular leafspot of cucumber: Dissemination, overwintering, and control." J.A.R., vol. 15, pp. 201–220. 1918.
  "Obtaining beet leafhoppers nonvirulent as to curly-top." With C. F. Stahl. J.A.R., vol. 14, pp. 393–394. 1918.
  "Studies on curly-top disease of the sugar beet." With C. F. Stahl. J.A.R., vol. 28, pp. 297–320. 1924.

Carsolium dip, adulteration and misbranding. N.J. 184. I. and F. Bd. S.R.A. 11, pp. 58–59. 1915.

CARSON, W. E: "Soil survey of Grundy County, Iowa." With E. Malcolm Jones. Soil Sur. Adv. Sh., 1921, pp. 23. 1925; Soils F.O., 1921, pp. 1039–1061. 1926.

Carson National Forest, N. Mex., map. For. Maps, "Carson National * * *." 1925.

CARTER, E. E.: "Methods of increasing forest productivity." For. Cir. 172, pp. 16. 1909.

CARTER, E. G.—
  "Influence of barnyard manure and water upon the bacterial activities of the soil." With J. E. Greaves. J.A.R., vol. 6, No. 23, pp. 889–926. 1916.
  "Influence of salts on the nitric-nitrogen accumulation in the soil." With others. J.A.R., vol. 16, pp. 107–135. 1919.

CARTER, W. T., Jr.—
  "Reconnoissance soil survey of—
    northwest Texas." With others. Soil Sur. Adv. Sh., 1919, pp. 75. 1922; Soils F.O., 1919, pp. 1099–1173. 1925.
    Panhandle region, Texas," With others. Soil Sur. Adv. Sh., 1910, pp. 59. 1911; Soils F.O. 1910, pp. 961–1015. 1912.
  "Soil survey of—
    Baltimore County, Maryland." With others. Soil Sur. Adv. Sh., 1917, pp. 42. 1919; Soils F.O., 1917, pp. 271–308. 1923.
    Barnwell County, South Carolina." With others. Soil Sur. Adv. Sh., 1912, pp. 49. 1914; Soils F.O., 1912, pp. 411–455. 1915.
    Bell County, Texas." With H. G. Lewis and H. W. Hawker. Soil Sur. Adv. Sh., 1916, pp. 46. 1918; Soils F.O., 1916, pp. 1239–1280. 1921.
    Bowie County, Texas." With others. Soil Sur. Adv. Sh., 1918, pp. 62. 1921; Soils F.O., 1918, pp. 715–772. 1924.
    Bryan County, Oklahoma." With A. L. Patrick. Soil Sur. Adv. Sh., 1914, pp. 52. 1915; Soils F.O., 1914, pp. 2165–2212. 1919.

CARTER, W. T., Jr.—Continued.
  "Soil survey of—continued.
    Central Gulf Coast area, Texas." With others. Soils F.O., 1910, pp. 859–929. 1912; Soil Sur. Adv. Sh., 1910, pp. 75. 1911.
    Dallas County, Texas." With others. Soil Sur. Adv. Sh., 1920, pp. 1213–1254. 1924; Soils F.O., 1920, pp. 1213–1254. 1925.
    Denton County, Texas." With M. W. Beck. Soil Sur. Adv. Sh., 1918, p. 58. 1922; Soils F.O., 1918, pp. 773–830. 1924.
    Fairfax and Alexandria Counties, Virginia." With C. K. Yingling, Jr. Soil Sur. Adv. Sh., 1915, pp. 43. 1917; Soils F.O., 1915, pp. 299–337. 1919.
    Fort Valley area, Georgia." With Willian G. Smith. Soil Sur. Adv. Sh., 1903, pp. 14. 1904; Soils F.O., 1903, pp. 317–330. 1904.
    Howard County, Arkansas." With others. Soil Sur. Adv. Sh., 1917, pp. 48. 1919; Soils F.O., 1917, pp. 1355–1398. 1923.
    Howard County, Maryland." With J.P.D. Hull. Soil Sur. Adv. Sh., 1916, pp. 34. 1917; Soils F.O., 1916, pp. 279–308. 1921
    Jefferson County, Texas." With others. Soil Sur. Adv. Sh., 1913, pp. 47. 1915; Soils F.O., 1913, pp. 1001–1043. 1916.
    Lehigh County, Pennsylvania." With J. A. Kerr. Soil Sur. Adv. Sh., 1912, pp. 53 1914; Soils F.O., 1912, pp. 109–153. 1915.
    M'Neil area, Mississippi." With William G. Smith. Soil Sur. Adv. Sh., 1903, pp. 14. 1904. Soils F.O., 1903, pp. 405–418. 1904.
    Mississippi County, Arkansas." With others. Soil Sur. Adv. Sh., 1914, pp. 42. 1916; Soils F.O., 1914, pp. 1325–1362. 1919.
    Montgomery County, Maryland." With J. P. D. Hull. Soil Sur. Adv. Sh., 1914, pp. 39. 1916; Soils F.O., 1914, pp. 393–427. 1919.
    Prairie County, Arkansas." With others. Soil Sur. Adv. Sh., 1906, pp. 36. 1907; Soils F.O., 1906, pp. 629–660. 1908.
    Red River County, Texas." With others. Soil Sur. Adv. Sh., 1919, pp. 153–206. 1923; Soils F.O., 1919, p. 153–206. 1925.
    Reno County, Kansas." With others. Soil Sur. Adv. Sh., 1911, pp. 72. 1913; Soils F.O., 1911, pp. 1991–2058. 1914.
    Riley County, Kansas." With Howard C. Smith. Soil Sur. Adv. Sh., 1906, pp. 35. 1908; Soils F.O., 1906, pp. 911–914. 1908.
    Smedes area, Mississippi." With William G. Smith. Soil Sur. Adv. Sh., 1902, pp. 24. 1903; Soils F.O., 1902, pp. 325–348. 1903.

CARTER, WALTER: "The effect of low temperature on *Bruchus obtectus* Say, an insect affecting seed." J.A.R., vol. 31, pp. 165–182. 1925.

Carthamus tinctorius. See Safflower.

Carton(s)—
  dressed poultry, different shapes and sizes. Y.B. 1912, pp. 289–290. 1913; Y.B. Sep. 591, pp. 289–290. 1913.
  dried fruit, description, experiments for insect control. D.B. 235, pp. 8–14, 15. 1915.
  egg, cost, value in marketing special products. F.B. 405, p. 20. 1910.
  insect-proof, for cereals, discussion. An. Rpts., 1914, p. 195. 1914; Ent. A.R., 1914, p. 13. 1914.
  packing, for cottage cheese. F.B. 850, pp. 11, 13. 1917.
  paper, for control of insects in stored products. An. Rpts., 1915, p. 228. 1916; Ent. A.R., 1915, p. 18. 1915.
  sardine, standard grade. D.B. 908, p. 117. 1921.
  sealed paper, use in cereal protection from insect attack. William B. Parker. D.B. 15, pp. 8. 1913.
  sealing for protection of contents from insects. D.B. 235, pp. 11–13, 15. 1915.
  wrapping and sealing machine, description and cost. D.B. 235, pp. 13–14, 15. 1915.

Carts, use in orchard fumigation. Ent. Bul. 90, pp. 22–24. 1912.

CARTWRIGHT, W. B.—
  "Biology of the lotus borer." With George G. Ainslie. D.B. 1076, pp. 14. 1922.
  "Biology of the smartweed borer, *Pyrausta ainsliei* Heinrich." With George G. Ainslie. J.A.R., vol. 20, pp. 837–844. 1921.

Carum ajowan, oil, source of thymol. D.B. 372, p. 10. 1916.
Carum carvi. See Caraway.
Carvacrol, production from wild bergamot. B.P.I. Bul. 195, p. 39. 1910.
CARVER, G. W.—
report of Tuskegee Agricultural Experiment Station—
1909. O.E.S. An. Rpt., 1909, p. 73. 1910.
1910. O.E.S. An. Rpt., 1910, pp. 93-94. 1911.
1911. O.E.S. An. Rpt., 1911, pp. 71-72. 1912.
1912. O.E.S. An. Rpt., 1912, pp. 70-71. 1913.
1913. O.E.S. An. Rpt., 1913, pp. 29-30. 1915.
1914. O.E.S. An. Rpt., 1914, p. 59. 1915.
"Tuskegee Normal and Industrial Institute and Experiment Station." O.E.S. Bul. 123, pp. 55-58. 1903.
CARVER, T. N.—
"How to use farm credit." F.B. 593, pp. 14. 1914.
"Taking pains." F.B. 629, pp. 15-17. 1914.
"The organization of a rural community." Y.B., 1914, pp. 89-138. 1915; Y.B. Sep. 632, pp. 58. 1915.
"The organization of rural interest." Y.B., 1913, pp. 239-258. 1914; Y.B. Sep. 626, pp. 239-258. 1914.
Carvone, determination in spearmint oil. Chem. Cir. 92, p. 2. 1912.
CARY, AUSTIN: "Practical forestry on a spruce tract in Maine." For. Cir. 131, pp. 15. 1907.
CARY, C. A.: "Relation between the diet, the composition of the blood, and the secretion of milk of dairy cows." With Edward B. Meigs. J.A.R., vol. 29, pp. 603-624. 1924.
CARY, MERRITT—
"A biological exploration of the Athabaska-Mackenzie region. N.A. Fauna 27, pp. 11. 1908.
"A biological survey of Colorado." N.A. Fauna 33, pp. 256. 1911.
"Life zone investigations in Wyoming." N.A. Fauna 42, pp. 95. 1917.
CARY, N.: "Sitka spruce: Its uses, growth, and management." D.B. 1060, pp. 38. 1922.
Carya illinoensis. See Pecan.
CARYL, R. E.—
"Bud selection as related to quality of crop in the Washington navel orange." With others. J.A.R., vol. 28, pp. 521-526. 1924.
"Bud selection as related to quantity production in the Washington navel orange." With others. J.A.R., vol. 26, pp. 319-322. 1923.
"Citrus fruit growing in the Southwest." With others. F.B. 1447, pp. 42. 1925.
"Pruning citrus trees in the Southwest." With others. F.B. 1333, pp. 32. 1923.
Caryoborus gonagra, destruction of kiawe bean. Hawaii A.R. 1912, pp. 24-25. 1913.
Caryocar sp., importation and description. No. 47587, B.P.I. Inv. 59, p. 36. 1922.
Caryocar villosum. See Piquia.
Caryophyllus malaccensis. See Ohia; Rose-apple.
Caryophyllus sp., importation and description. No. 34309, B.P.I. Inv. 32, pp. 33-34. 1914.
Caryopteris incana, importation and description. No. 40713, B.P.I. Inv. 43, p. 70. 1918.
Caryota mitis, importation and description. No. 51128, B.P.I. Inv. 64, p. 61. 1923.
Caryota spp., importations and description. Nos. 51709-51710, B.P.I. Inv. 65, p. 39. 1923.
Casaba(s)—
growing, directions for club members in Southwest. D.C. 48, p. 11. 1919.
growing directions, Yuma Experiment Farm. D.C. 75, pp. 50-51. 1920.
shipments by States and by stations, 1916. D.B. 667, pp. 10, 110. 1918.
Cascade Mountains, natural features. D.C. 103, pp. 5-26, 1920; D.C. 138, pp. 19, 21, 27, 33, 42. 1920; For. Cir. 173, pp. 4-5. 1911.
Cascade National Forest—
description [Misc.], "An ideal vacation * * *," pp. 5-8. 1923.
description and recreational uses. D.C. 4, pp. 7-9. 1919; D.C. 104, pp. 28. 1920.
map. For. Map. 1925, mileage table and road logs. D.C.. 104 pp. 22-31. 1920.
Cascades, northern, avalanches, and forest cover. Thornton T. Munger. For. Cir. 173, p. 12. 1911.

Cascara—
compound with wild lemon and castor oil, misbranding, N.J. 32. Chem. N.J. 28-35, pp. 7-8. 1908.
culture and handling as drug plant, yield and price. F.B. 663, p. 21. 1915; F.B. 663, rev., p. 26. 1920.
sagrada—
description, range, and occurrence. For. [Misc.], "Forest trees for Pacific * * *," pp. 404-407. 1908.
experimental work, Arlington testing garden. An. Rpts., 1909, p. 280. 1910; B.P.I. Chief Rpt., 1909, p. 28. 1909.
injury to trees by sapsuckers. Biol. Bul. 39, pp. 46, 84. 1911.
names, range, description, bark, prices, and uses. B.P.I. Bul. 139, pp. 38-40. 1909.
trees destroyed, and quantity consumed annually. B.P.I. Bul. 139, p. 40. 1909.
Case-bearer—
cherry, description. Sec. [Misc.], "A manual of insects * * *," p. 175. 1917.
cigar—
description, habits, injuries, and control. F.B. 1270. p. 52. 1923.
on pecan, description, life history, and control. F.B. 843, pp. 23-25. 1917.
pecan leaf. John B. Gill. D.B. 571, pp. 28. 1917; D.B. 1303, pp. 12. 1925.
pecan nut, description, life history, and control. F.B. 843, pp. 3-9. 1917; D.B. 1303, pp. 3-4, 11. 1925.
pistol, description, habits, injuries, and control. F.B. 1270, pp. 52-54. 1923.
Casehardening, wood—
causes. D.B. 552, p. 11. 1917.
in kiln drying, causes and remedies. D.B. 1136, pp. 24-25, 29-30. 1923.
Casein—
adhesive, strength and solubility tests. D.B. 661, pp. 30-31. 1918.
agar, preparation and use as media for milk bacteria. B.A.I. An. Rpt., 1911, pp. 225-229, 230. 1913.
ammonification in soils, investigations. Hawaii Bul. 39. pp. 6-17. 1915.
buttermilk—
factors influencing quality. D.B 661, pp. 17-22. 1918.
use and value in paper making. An. Rpts., 1917, p. 85. 1917; B.A.I. Chief Rpt., 1917, p. 19. 1917.
yield, cost, equipment requirements. D.B. 661, pp. 8-17. 1918.
calcium, composition as affected by acids, alkali, heat, and rennet. O.E.S. Bul. 166, pp. 14-15, 16, 17. 1906.
Canada, exports, 1911-1921. B.A.I. Doc. A-37, p. 48. 1922.
chemical changes in milk pasteurization, coagulation methods, and table. B.A.I. Bul. 166, pp. 13-15. 1913.
content—
cheese curd, effect on whey separation. B.A.I. Bul. 122, p. 55. 1910.
milk at different lactation stages. B.A.I. Bul. 155, pp. 42-45. 1913.
milk in breed experiments. B.A.I. Bul. 156, pp. 15-17. 1913.
decomposition, chemistry of. J.A.R., vol. 30, pp. 275-279. 1925.
decomposition in soils, effect of bacterial action. Hawaii Bul. 39, pp. 7-17, 18, 24-25. 1915.
determination in—
cow's milk, official method. Chem. Bul. 81, pp. 91-92. 1904.
milk. Association of Official Agricultural Chemists, report, 1903. Chem. Bul 81, pp. 91-93. 1904.
digestion by protease of *Penicillium camberti.* B.A.I. Bul. 120, p. 44. 1910.
dried, manufacture and uses. B.A.I. An. Rpt., 1910, pp. 304-305. 1912; B.A.I. Bul. 55, p. 38. 1903; B.A.I. Cir. 188, pp. 304-305. 1912.
effect on growing chicks. J.A.R., vol. 22, pp. 139-149. 1921.
excess in milk dangerous to young calves. B.A.I. [Misc.], "Diseases of cattle," rev., p. 254. 1908.

Casein—Continued.
  feeding to infants, studies, 1914. Work and Exp., 1914, p. 175. 1915.
  high-grade, requirements, fat content. D.B.661, pp. 26–28. 1918.
  hydrolysis—
    by tryptic enzymes, effect of saccharine on. Rpt. 94, pp. 113–116. 1911.
    effect of time of digestion. J.A.R., vol. 12, pp. 1–7. 1918.
  manufacture—
    commercial importance to creameries. D.B. 661, pp. 1–2. 1918.
    from buttermilk or skim milk. Arnold O. Dahlberg. D.B. 661, pp. 32. 1918.
  markets and prices. D.B. 661, pp. 31–32. 1918.
  media for bacterial examination of milk. B.A.I. An. Rpt., 1911, pp. 225–235. 1913.
  milk, relation to cheese yield. O.E.S. Bul. 166, pp. 18–20. 1906.
  New Zealand, exports, 1915–1919. B.A.I. Doc. A.-37, p. 59. 1922.
  precipitation, new method. B.A.I. Bul. 162, p. 17. 1913.
  preparation for spray spreaders. D.B. 1252, p. 20. 1924.
  production and importation, 1899–1920. B.A.I. Doc. A.-37, p. 37. 1922.
  quality determination, methods. D.B. 661, pp. 28–31. 1918.
  quantitative tests, simple. F.B. 425, pp. 20–24. 1910.
  skim-milk, manufacturing methods, and comparisons. D.B. 661, pp. 22–26, 27. 1918.
  spray formula. F.B. 1120, p. 13. 1920.
  starch, analysis experiments, effect of time of digestion. J.A.R., vol. 12, pp. 2–6. 1918.
  use as spreader—
    for brown rot control, preparation. F.B. 1410, pp. 11–12. 1924.
    in sprays. F.B. 1326, p. 16. 1924.
Caseous lymphadenitis, meat inspection regulation. B.A.I.O. 211, Amdt. 5, pp. 3. 1918.
Cash, E. K.: "A list of fungi (Ustilaginales and Uredinales) prepared for exchange." With others. D.C.195, pp. 50. 1922.
Cash, L. C.: "Stewart's disease of corn." With Frederick V. Rand. J.A.R., vol. 21, pp. 263–264. 1921.
Cash—
  records, farm business, forms and examples. Y.B., 1917, pp. 155–159. 1918; Y.B. Sep. 735, pp. 5–9. 1918.
  requirements for buying farm products. Y.B. 1909, p. 163. 1910; Y.B. Sep. 502, p. 163. 1910.
Cashaw. See Mesquite.
Cashew—
  Cuban, composition, chemical. Chem. Bul. 87, p. 28. 1904.
  description and uses. D.B. 445, pp. 22–23, 25. 1917.
  importations and descriptions. Nos. 30212, 30303, B.P.I. Bul. 233, pp. 67, 74. 1912; Nos. 30742, 31312–31313, B.P.I. Bul. 242, pp. 36, 84. 1912; Nos. 31392, 31751, B.P.I. Bul. 248, pp. 13, 44. 1912; No. 37027, B.P.I. Inv. 38, pp. 7, 28. 1917; No. 43949, B.P.I. Inv. 49, p. 102. 1921; No. 45915, B.P.I. Inv. 54, p. 10. 1922; Nos. 49827, 50118, B.P.I. Inv. 63, pp. 9, 37. 1923; No. 51249, B.P.I. Inv. 64, p. 80. 1923; No. 51699, B.P.I. Inv. 65, p. 37. 1923.
  injury by red-banded thrips. Ent. Bul. 99, Pt. II, p. 25. 1912.
  nut(s)—
    composition. Hawaii A.R., 1914, pp. 65, 68. 1915.
    description, histology, and identification key. Chem. Bul. 160, pp. 32–34, 37. 1912.
    detection in mixtures and pastes of other nuts. An. Rpts., 1910, p. 464. 1911; Chem. Chief Rpt., 1910, p. 40. 1910.
    ether extract, report by B. H. Smith and Edmund Clark. Chem. Bul. 137, pp. 137–138. 1911.
    poisonous qualities when raw. F.B. 332, p. 10. 1908.
Casimiroa—
  edulis. See Sapote, white.
  sp., importation and description. No. 47957, B.P.I. Inv. 60, pp. 3, 20. 1922.
  tetrameria. See Matasano.

Casings—
  meat, inspection notice. B.A.I.S.R.A. 101 p. 103. 1915; B.A.I.S.R.A. 77, p. 82. 1913.
  sausage, regulation. B.A.I.S.R.A. 183, p. 80. 1922; B.A.I.O. 211, rev., amdt. 3, pp. 2–3. 1925.
Caskets, utilization of—
  black walnut, demand. D.B. 909, pp. 71, 88. 1921.
  lumber in Arkansas. For. Bul. 106, p. 19. 1912.
Cassareep, use as food relish. O.E.S. Bul. 245, p. 68. 1912.
Cassava—
  S. M. Tracy. F.B. 167, pp. 31. 1903.
  analysis methods. Chem. Bul. 106, pp. 6–8, 12–14. 1907; P.R. An. Rpt., 1912, p. 22. 1913.
  composition, as source of alcohol. F.B. 429, p. 19. 1911.
  cultivation in Hawaii. Hawaii A.R., 1924, p. 12. 1925; O.E.S. Bul. 170, p. 23. 1906.
  description, food uses and value. D.B. 468, pp. 23, 28. 1917.
  desiccation. Chem. Bul. 130, p. 101. 1910.
  distribution of cuttings in Hawaii, variety tests. Hawaii A.R., 1920, pp. 26, 27. 1921.
  dwarf, importation and description. No. 31933, B.P.I. Bul. 248, p. 64. 1912.
  flour and bread, analyses and characteristics. D.B. 701, pp. 4–9. 1918.
  growing—
    and use. F.B. 167, pp. 1–32. 1933.
    and yield, in Georgia, Tift County. Soil Sur. Adv. Sh., 1909, p. 9. 1910; Soils F.O., 1909, p. 607. 1912.
    experiments, Mississippi and Florida. Chem. Bul. 106, pp. 14–27. 1907.
    in cotton States, value. F.B. 1125, rev., pp. 50–51. 1920.
    in Guam—
      directions. Guam A.R., 1921, p. 17. 1923; Guam. Bul. 2, pp. 12, 34–36. 1922; Guam Cir. 2, p. 10. 1921.
      varieties, yields, and uses. Guam A.R., 1920, pp. 31–32. 1921.
    in Hawaii—
      for hog feed. Hawaii Bul. 48, pp. 31, 33. 1923.
      for starch, demonstration work. Hawaii A.R., 1915, p. 17. 1916.
      methods. Hawaii A.R., 1918, pp. 48–49. 1919; Hawaii A.R., 1921, pp. 26, 62, 63. 1922; Hawaii A.R., 1922, p. 8. 1924.
      variety tests, value as root crop. Hawaii A.R., 1919, pp. 39, 45, 71. 1920.
    in Porto Rico. P.R. An. Rpt., 1919, p. 33. 1920.
  "hogging down," in Hawaii. Hawaii A.R., 1920, p. 71. 1921.
  hydrocyanic acid—
    and starch contents, researches. Charles C. Moore. Chem. Bul. 106, pp. 30. 1907.
    content studies, Hawaii. Hawaii A.R., 1916, pp. 10, 24. 1917.
  importations and description. Nos. 38357, 38861, 38947–38968, B.P.I. Inv. 40, pp. 6, 37, 38, 50–51. 1917. Nos. 47902–47910, 47290–48301, B.P.I. Inv. 60, pp. 13, 68. 1922, Nos. 48614–48623, 48924–48974, B.P.I. Inv. 61, pp. 5, 23, 60. 1922; Nos. 49265, 49267, 49351–49356, 49358–49359, B.P.I. Inv. 62, pp. 17, 18, 29. 1923; Nos. 49838, 50080, 50388, B.P.I. Inv. 63, pp. 4, 10, 33, 65. 1923; Nos. 50837, 51126, B.P.I. Inv. 64, pp. 29, 60. 1923; Nos. 51358–51360, B.P.I. Inv. 65, pp. 4, 7. 1923.
  imports, 1922–1924. Y.B., 1924, p. 1065. 1925.
  insect pests, danger of importation. See.[Misc.] "A manual of insects * * *," p. 51. 1917.
  meal preparation, demands, and uses. Chem. Bul. 106, pp. 28–30. 1907.
  origin, description, yield and value as source of alcohol. Chem. Bul. 130, p. 100. 1910.
  pedigreed varieties grown, Mississippi, and Florida, 1904, 1905. Chem. Bul. 106, pp. 14–27. 1907.
  planting—
    and propagation, Guam experiments. Guam A.R., 1922, p. 13. 1924.
    directions. F.B. 1125, rev., pp. 50–51. 1920.
  preparation for food use. D.B. 123, p. 28. 1916.
  propagation by seed for forage. An. Rpts., 1909 p. 333. 1910; B.P.I. Chief Rpt. 1 09, p. 81. 1909,

INDEX TO PUBLICATIONS, 1901–1925 383

Cassava—Continued.
  roots, size and forms. Chem. Bul. 106, pp. 25–26. 1907.
  starch, microscopical examinations. Chem. Bul. 130, p. 137. 1910.
  starch source, growing in Guam. Guam A.R., 1917, p. 42. 1918.
  sweet, growth and composition on calcareous and noncalcareous soils, experiments, methods. P.R. Bul. 16, pp. 14, 26–29, 33–45. 1914.
  sweet, importations and description. Nos. 41103, 41121, 41122, B.P.I. Inv. 44, pp. 6, 38, 40. 1918; No. 41320, B.P.I. Inv. 45, pp. 5, 11. 1918.
  use—
    as food. O.E.S. Bul. 245, p. 42. 1912.
    as forage crop in cotton region, description. F.B. 509, p. 36. 1912.
    in manufacture of denatured alcohol. Chem. Bul. 130, pp. 30, 99–103. 1910.
  varietal tests in Hawaii. Hawaii A.R., 1920, pp. 14, 27, 60–61. 1921.
  varieties—
    development, work. An. Rpts., 1908, p. 382. 1909; B.P.I. Chief Rpt., 1908, p. 110. 1908.
    growing experiments in Hawaii, 1917. Hawaii A.R., 1917, pp. 51–52. 1918.
    list. Chem. Cir. 106, pp. 9–11. 1912.
Casserole cookery, description and recipes. F.B. 391, pp. 30–31. 1910.
Cassia—
  auriculata, description, distribution, uses, and introduction. B.P.I. Bul. 205, p. 22. 1910.
  brewsteri tomentella, importation and description. No. 37137, B.P.I. Inv. 38, pp. 42–43. 1917.
  chamaecrista. See Tamarindillo; Partridge pea.
  determination in flavoring extracts. Chem. Bul. 137, p. 75. 1911.
  extract, adulteration and misbranding. Chem. N.J. 2241, p. 4. 1913.
  fistula, importation. No. 32316, B.P.I. Bul. 261, p. 55. 1912.
  grandis, importation and description. No. 36714, B.P.I. Inv. 37, p. 56. 1916.
  grandis. See Cauandonga tree.
  imports, 1912–1914, quantity, value, and sources, D.B. 296, p. 39. 1915.
  imports, 1918, statistics. Y.B., 1918, p. 731. 1919.
  laevigata, importation and description. No. 39640, B.P.I. Inv. 41, p. 53. 1917; No. 55599, B.P.I. Inv. 72, p. 9. 1924.
  marilandica. See Senna, American.
  oil, adulteration and misbranding. See Indexes, notice of judgment.
  oil for protection against mosquitoes. Ent. Bul. 88, p. 13. 1907.
  siamea, importations and description. No. 42363, B.P.I. Inv. 46, p. 83. 1919; No. 54463, B.P.I. Inv. 69, p. 13. 1923.
  spp., importations and descriptions. Nos. 42429, 42830, 42831, B.P.I. Inv. 47, pp. 12, 72. 1920; Nos. 43416, 43648–43650, 43773, B.P.I. Inv. 49, pp. 14, 56, 75. 1921; Nos. 44071, 44123, B.P.I. Inv. 50, pp. 23, 31. 1922; Nos. 47352, 47353, 47594, 47654, 47655, B.P.I. Inv. 59, pp. 10, 37, 42. 1922; Nos. 47974, 47990, 48082, 48241, B.P.I. Inv. 60, pp. 23, 25, 40, 59. 1922; Nos. 48444–48446, 48595, 48601, 48602, 48613, B.P.I. Inv. 61, pp. 9, 22, 28. 1922; Nos. 49961, 49989–49991, 50601, B.P.I. Inv. 63, pp. 24, 27, 83. 1923; Nos. 50654–50655, 50744, 51061, 51219–51220, B.P.I. Inv. 64, pp. 8, 21, 49, 77. 1923; Nos. 51573, 51632, 51813, 51917–51919, B.P.I. Inv. 65, pp. 28, 34, 53, 67. 1923; Nos. 52353, 52401, 52599, 52797, B.P.I. Inv. 66, pp. 5, 14, 22, 48, 76. 1923; Nos. 53570, 53613, 53851, B.P.I. Inv. 67, pp. 63, 69, 92. 1923; Nos. 54036–54037, 54322, B.P.I. Inv. 68, pp. 20–21, 51. 1923; Nos. 54706, 54923–54924, B.P.I. Inv. 70, pp. 2, 10, 30. 1923; Nos. 54984, 55025–55026, 55049, B.P.I. Inv. 71, pp. 2, 10, 13, 17. 1923.
  spp., Porto Rico, description and uses. D.B. 354, pp. 73–74. 1916.
  tomentosa, importation and description. No. 44910, B.P.I. Inv. 51, p. 89. 1922.
Cassida pallidula. See Eggplant tortoise beetle.
CASSIDY, T. P.—
  "Cotton boll weevil control by the use of poison." With B. R. Coad. D.B. 875, pp. 31. 1920.
  "Dusting for the cotton boll weevil." With B. R. Coad. D.C. 274, pp. 3. 1923.

CASSIDY, T. P.—Continued.
  "Some rules for poisoning the cotton boll weevil." With B. R. Coad. D.C. 162, pp. 4. 1921.
Cassie—
  perfume plant, occurrence and uses. B.D. 9, pp. 28, 30, 31, 32, 33. 1913.
  source of aromatic oil. B.P.I. Bul. 195, pp. 8, 11, 18, 21. 1910.
Cassin vireo. See Vireo.
Cassina, use as tea. An. Rpts., 1923, p. 348. 1923; Chem. Rpt., 1923, p. 4. 1923; Sec. A.R. 1924, p. 69. 1924.
Cassinia leptophylla, importation and description. No. 40567. B.P.I. Inv. 43, p. 47. 1918.
Castalia flava. See Waterlily, banana.
Castanea—
  dentata, host of Hyperplatys maculatus. J.A.R., vol. 22, pp. 217–219. 1921.
  dentata, host of Xylotrechus colonus. J.A.R., vol. 22, pp. 195–198. 1921.
  mollissima. See Chestnut, Chinese.
  spp., importations and description. Nos. 46780, 46822–46831, B.P.I. Inv. 57, pp. 32, 40–41. 1922; Nos. 52387, 52436, B.P.I. Inv. 66, pp. 2, 19, 25. 1923.
  spp., injury by sapsuckers. Biol. Bul. 39, pp. 33, 73–74. 1911.
  susceptibility to chestnut bark disease. F.B. 467, p. 5. 1911.
  vesca, injury by Rhizina inflata. J.A.R., vol. 4, p. 93. 1915.
  See also Chestnuts.
Castanopsis—
  argentea; importation and description. No. 52533, B.P.I. Inv. 66, p. 38. 1923.
  chrysophylla. See Chinquapin, California.
  spp., importation and description. Nos. 44449, 44663, B.P.I. Inv. 51, pp. 10, 13, 39. 1922.
  spp. See also Chinquapin.
Castanospermum australe. See Chestnut, Moreton Bay.
CASTEEL, D. B.—
  "The behavior of the honey bee in pollen collecting." Ent. Bul. 121, pp. 36. 1912.
  "The manipulation of the wax scales of the honey bee." Ent. Cir. 161, pp. 13. 1912.
Castilla nicoyensis, importation and description. No. 42386, B.P.I. Inv. 47, p. 9. 1920.
Castilla nicoyensis. See also Rubber tree, Central American.
Castilleia miniata. See Pink, monutain Indian.
Castilleja miniata host of alternate form of Peridermium filamentosum. J.A.R., vol. 5, No. 17, pp. 781–785. 1916.
Castilleja, spread of pine blister-rust. J.A.R., vol. 5, No. 17, pp. 781–785. 1916.
Castilloa, borer, description. Sec. [Misc.], "A manual of insects * * *," p. 163. 1917.
Castle Peak, Colorado, fire lookout, view. D.C. 29, p. 9. 1919.
Castner Substation, Hawaii, forage-crop studies and experiments, 1917. Hawaii A.R., 1917, pp. 52–55. 1918.
CASTOR, THOMAS: "The regional lymph glands of food-producing animals." With John S. Buckley. B.A.I. Cir. 192, pp. 10. 1912.
Castor—
  bean(s)—
    bacterial wilt. Erwin F. Smith and G. H. Godfrey. J.A.R., vol. 21, pp. 255–262. 1921.
    crop, history. J.A.R., vol. 23, pp. 679–680. 1923.
    decortication, heating, pressing, for castor oil. D.B. 867, pp. 9–31. 1920.
    description, characteristics, and use as ornamental. F.B. 1171, pp. 22–23, 79. 1921.
    disease, Texas, occurrence and description. B.P.I. Bul. 226, p. 84. 1912.
    enemies, insects and diseases. J.A.R., vol. 23 p. 680. 1923.
    experimental tests, Yuma Experiment Farm, 1916. W.I.A. Cir. 20, p. 25. 1918.
    exports and imports, 1910–1919, discussion and tables. D.B. 867, pp. 3–7. 1920.
    gray mold. George H. Godfrey. J.A.R., vol. 23, pp. 679–716. 1923.
    growing—
      and injury by wilt disease and cutworms. An. Rpts., 1918, pp. 143–145, 158. 1919; B.P.I. Chief Rpt., 1918, pp. 9–11, 24. 1918.

Castor—Continued.
bean(s)—continued.
growing—continued.
and uses, harvesting and handling F.B. 663,. rev., pp. 26-28. 1920.
directions. F.B. 195, p. 25. 1904.
importations and description. Nos. 33408-33417, B.P.I. Inv. 31, pp. 5, 20. 1914; Nos. 41482, 41661-41664, B.P.I. Inv. 45, pp. 36, 58. 1918; Nos. 45882-45584, B.P.I. Inv. 54, p. 34. 1922; Nos. 46307, 46333, 46441, B.P.I. Inv. 56, pp. 6, 10, 17. 1922; Nos. 50030-50031, 50083-50084, 50271-50277, 50643, B.P I. Inv. 63, pp. 30, 34, 49, 89. 1923; Nos 50904-50906, 51236-51238, B.P.I. Inv. 64, pp. 32, 79. 1923; Nos. 51375-51376, 51453-61454, 51532-51534, 52212-52213, B.P.I. Inv. 65, pp. 9, 18, 24, 35, 79. 1923; No. 56027, B.P.I. Inv. 73, p. 31. 1924.
imports, 1910 and 1914, quantity and source. D.B. 296, p. 38. 1915.
imports, 1922-1924. Y.B., 1924, p. 1063. 1925.
insect pests, control. Vir. Is. A.R., 1920, p. 33. 9121.
insecticidal value, tests. D.B. 1201, pp. 9, 16, 47. 1924.
inspection and valuation. D.B. 867, pp. 7-9. 1920.
poisonous quality. D.B. 867, p. 2. 1920.
pomace, treatment. D.B. 867, p. 26. 1920.
properties. D.B. 867, pp. 2, 27. 1920.
seed, composition. J.A.R., vol. 5, No. 25, p. 1162. 1916.
seed, treatment for control of gray mold. J.A.R., vol. 23, No. 9, pp. 711-712. 1923.
spineless, importation, and description. No. 39425, B.P.I. Inv. 41, p. 27. 1917.
spraying and dusting for control of gray mold. J.A.R., vol. 23, pp. 707-711. 1923.
transpiration, effect of Bordeaux mixture. J.A.R., vol. 7, pp. 533-535. 1916.
See also Castor oil plant; Ricinus communis.
oil—
acidity, causes. D.B. 867, pp. 2-3, 27. 1920.
adulteration and misbranding. Chem. N.J. 1606, pp. 2. 1912.
American, comparison with imported product. D.B. 867, p. 34. 1920.
analyses. D.B. 867, pp. 27, 31-34. 1920.
aromatized, saccharine content. Chem. S.R.A. 13, p. 6. 1915.
effect on fat and milk production of cows. J.A.R., vol. 19, p. 124. 1920.
extraction and refining. D.B. 867, pp. 23-31. 1920.
industry—
Charles M. Daugherty. Y.B., 1904, pp. 287-298. 1905; Y.B. Sep. 347, pp. 287-298. 1905.
J. H. Shrader. D.B. 867, pp. 40. 1920.
manufacture details and apparatus. D.B. 867, pp. 9-13. 1920.
manufacture for aviation motors. News L., vol. 6, No. 5, p. 12. 1918.
medicinal use, preparation. D.B. 867, p. 40. 1920.
mixing with mineral oils, difficulty. D.B. 867, p. 36. 1920.
pills compound, with cascara and wild lemon, misbranding. Chem. N.J. 32, Chem. N.J. 28-35, pp. 7-8. 1908.
plant(s)—
as deterrent to mosquitoes, discussion. Ent. Bul. 88, pp. 23-25. 1910.
description and characteristics. D.B. 867, pp. 1-2. 1920.
growing and yields, Virgin Islands. Vir. Is. A.R., 1920, pp. 19-20. 1921.
use in study of tumor growth. J.A.R. vol. 8, pp. 172-174, 177-182. 1917.
source. D.B. 867, pp. 1-2. 1920.
use—
and demand for airplanes, contracts. D.B. 769, pp. 28-29. 1919.
as chicken remedy. F.B. 1040, pp. 26, 27. 1919.
as denaturant for alcohol. F.B. 429, p. 9. 1911.
in hog-disease control. News L., vol. 3, No. 26, p. 4. 1916.

Castor—Continued.
oil—continued.
use—continued.
in treatment of worms in dogs, effects. J.A.R., vol. 12, p. 399. 1918.
on hopperdozer. F.B. 737, pp. 6-7. 1916.
vehicle for worm destroyers. J.A.R., vol. 30, p. 951. 1925.
Castor canadensis. See Beaver.
Castor strongylus—
castoris, n. sp., nematode from beaver, description. J.A.R., vol. 30, pp. 680-681. 1925.
castoris, n. sp. See also Nematode, beaver.
n. gen., description. J.A.R., vol. 30, p. 679. 1925.
Castration—
Angora goats, directions. F.B. 573, pp. 15-16. 1914; F.B. 1203, pp. 20-21. 1921.
calf, directions. F.B. 811, p. 17. 1917; F.B. 1073, p. 21. 1919; F.B. 1395, pp. 27-28. 1925; F.B. 1416, p. 8. 1924.
calf, season and precautions. Sec. [Misc.] Spec., "Feeding and care * * *," p. 4. 1914.
cattle—
and dehorning. Frank W. Farley. F.B. 949, pp. 14. 1918.
directions, instruments and after treatment. F.B. 949, pp. 10-14. 1922.
purposes, and directions for performing. B.A.I. [Misc.], "Diseases of cattle," rev., pp. 300-302. 1908; rev., pp. 310-313. 1912; rev., pp. 299-301. 1923.
goat, time, method, and treatment. F.B. 920, p. 30. 1918.
hogs. S. S. Buckley. F.B. 1357, pp. 8. 1923.
hogs, age, suggestions. B.A.I. Bul. 47, pp. 61-62. 1904; F.B. 205, p. 32. 1904.
importance with livestock. M.C. 12, p. 10. 1924.
kids, precautions. D.B. 749, p. 24. 1919; F.B. 137, p. 37. 1901.
lambs—
and docking. G. H. Bedell and E. W. Baker. F.B. 1134, pp. 14. 1920.
benefits, and method of operating. F.B. 1134, pp. 9-11. 1920.
time and method. D.B. 573, pp. 13-14. 1917; D.B. 20, pp. 29-30. 1913; F.B. 840, p. 16. 1917.
pigs, directions. F.B. 874, p. 23. 1917.
reindeer, directions. D.B. 1089, pp. 8, 47-48. 1922.
stallions, directions, conditions favorable and unfavorable. B.A.I. [Misc.], "Diseases of the horse," pp. 147-151. 1911.
wounds, hog, infection with tuberculosis. B.A.I. An. Rpt., 1907, p. 230. 1909; B.A.I. Cir. 144, p. 230. 1909.
young pigs. Frank G. Ashbrook. F.B. 780, pp. 6. 1916.
Casuarina—
cunninghamiana, importations. Nos. 44532, 44909, B.P.I. Inv. 51, pp. 9, 20, 89. 1922.
glauca. See Belar.
importation and description. No. 37119, B.P.I. Inv. 38, pp. 9, 39. 1917.
injury by mangrove borer. J.A.R., vol. 16, pp. 155-164. 1919.
spp., importations and description. Nos. 46881-46883, B.P.I. Inv. 57, p. 46. 1922; No. 47973, 48026, 48155, B.P.I. Inv. 60, pp. 4, 23, 30, 49. 1922.
sumatrana, importation and description. No. 45659, B.P.I. Inv. 53, pp. 10, 73. 1922; No. 54705, B.P.I. Inv. 70, pp. 2, 10. 1923.
torulosa, importation. No. 49854, B.P.I. Inv. 63, p. 12. 1923.
Cat(s)—
breed recognition, record books. B.A.I.O. 206, p. 4. 1913; B.A.I.O. 288, p. 5. 1924; B.A.I.O. 186, p. 5. 1912.
caffein elimination, experiments. Chem. Bul. 157, pp. 20, 21. 1912.
civet, occurrence in Colorado, description. N.A. Fauna 33, pp. 192-193. 1911.
civet, occurrence in Texas, occurrence, habits food. N.A. Fauna 25, pp. 182-184. 1905.
control as bird enemies. F.B. 912, p. 4. 1918.
enemies of house birds, control methods. F.B. 609, p. 15. 1914.
enemies of wild ducks. D.B. 936, p. 18. 1921.

INDEX TO PUBLICATIONS, 1901–1925 385

Cat(s)—Continued.
  feeding experiments with immature veal. J.A.R., vol. 5, No. 15, pp. 669, 670, 703–708. 1916.
  feeding with gossypol, experiment and results. J.A.R., vol. 28, pp. 191–196. 1924.
  flea infestation, control. F.B. 683, pp. 10–11, 14. 1915; D.B. 248, pp. 24, 26. 1915.
  flea, injurious to cats and dogs, description, habits, and control method. F.B. 897, pp. 8–9, 10–11. 1917.
  fondness for *Actinidia polygama.* B.P.I. Cir. 116, p. 8. 1913.
  glanders inoculation effects. B.A.I. Doc. A–13, pp. 4–5. 1917.
  imported, breeds, certification regulations. B.A.I.O. 175, p. 5. 1910.
  injurious habits. Y.B., 1908, pp. 189–190. 1909; Y.B. Sep. 474, pp. 189–190. 1909.
  inoculation with tubercle bacilli. B.A.I. An. Rpt., 1906, pp. 123–154. 1908.
  laws controlling introduction and possession. F.B. 910, p. 7. 1917.
  mange, sarcoptic, transmission to man and dogs. D.C. 338, p. 6. 1925.
  quarantine regulations. B.A.I.O. 259, p. 11. 1918.
  rabies, symptoms and course of disease. F.B. 449, pp. 10–11. 1911.
  record book and publishers. B.A.I.O. 278, p. 5. 1922.
  tolerance of strychnine and lethal dose. D.B. 1023, p. 3. 1921.
  trapping directions. Y.B., 1919, p. 456. 1920; Y.B. Sep. 823, p. 456. 1920.
  value in control of rats and mice. F.B. 896, p. 18. 1917.
  worms, control by carobn tetrachlorids, tests, J.A.R., vol. 23, pp. 171–172. 1923.
  worms, treatment with various remedies, effects. J.A.R. vol. 12, pp. 416–417, 443. 1918.
Catabolism. See Katabolism.
Catabrosa spp., description, distribution, and uses. D.B. 772, pp. 10, 47, 51. 1920.
Catalase—
  determination in eggs, method and results. Chem. Cir. 104, pp. 3–4, 5–7. 1912.
  discovery, and function in soils. Soils Bul. 86, pp. 9–11. 1912.
  hydrogen-ion concentration, and growth in the potato wart disease. Freeman Weiss and R. B. Harvey. J.A.R., vol. 21, pp. 589–592. 1921.
  in chicken fat. Chem. Cir. 103, pp. 6–8. 1912.
  in milk and butter, investigations. J.A.R., vol. 11, pp. 446, 447. 1917.
  in seeds, relation to age, dryness, and vitality, studies. J.A.R., vol. 15, pp. 139–161. 1918.
  new enzym of general occurrence, with special reference to the tobacco plant. Oscar Loew. Rpt. 68, pp. 47. 1901.
  of soils. D. W. May and P. L. Gile. P.R. Cir. 9, pp. 13. 1909.
  tests of cream, buttermilk, and milk. B.A.I. Cir. 189, pp. 312, 314–315, 325. 1912; B.A.I. An. Rpt., 1910, pp. 312–315, 325. 1912.
Catalasometer, description and use. B.A.I. An. Rpt., 1911, p. 198. 1913.
Catalogue(s)—
  botanical literature, in Washington libraries, description. Alice C. Atwood. B.P.I. Cir. 87, pp. 7. 1911.
  coccidae recently described, Pt. IV. E. R. Sasscer. Ent. T.B. 16, Pt. VI, pp. 83–97. 1912.
  coccidae recently described, index. E. R. Sasscer. Ent. T.B. 16, Pt. VII, pp. 99–116. 1913.
  descriptive, Virginia, soils, area surveyed, 1901–1909. D.B. 46, pp. 21. 1913.
  forestry publications in department library. Lib. Bul. 76, pp. 302. 1912.
  index, medical and veterinary zoology. Ch. Wardell Stiles and Albert Hassall. B.A.I. Bul. 39, Pt. I–XXXVI, pp. 2766. 1902–11.
  road model exhibit. Rds. Bul. 36, pp. 20. 1911.
Cataloguing work of library. See Librarian, Annual Report.
Catalpa—
  adaptability to Great Plains. F.B. 1312, p. 13. 1923.

Catalpa—
  bungei, importations and descriptions. No. 44664, B.P.I. Inv. 51, pp. 9, 39. 1922; No. 52909, B.P.I. Inv. 67, pp. 5, 12. 1923; No. 53989, B.P.I. Inv. 68, pp. 2, 16. 1923.
  characters. F.B. 468, p. 42. 1911.
  description and key. D.C. 223, pp. 6, 10. 1922.
  dusting from airplane for control of catalpa sphinx. D.B. 1204, p. 1. 1924.
  growth rate. For. Bul. 36, pp. 189, 193. 1910.
  hardy—
    characteristics, uses, and propagation. For. Cir. 161, pp. 13, 16, 23, 24, 28, 48. 1909.
    commercial plantations and diseases. William L. Hall and Hermann von Schrenk. For. Bul. 37, pp. 58. 1902.
    description. For. Cir. 82, pp. 8. 1907.
    growth, spacing, planting methods, and products. Y.B. 1911, pp. 259, 260, 267. 1912; Y.B. Sep. 566, pp. 259, 260, 267. 1912.
    habits, uses, cost, and yield of plantations, Nebraska. For. Cir. 45, pp. 15–17. 1906.
    planting directions, uses. For. Cir. 99, p. 12. 1907; D.B. 153, pp. 13, 17, 22, 33, 35. 1915.
    use for farm planting. F.B. 228, pp. 12–13. 1905.
    use on home grounds. F.B. 185, p. 17. 1904.
    value of products, cost of making plantation. For. Cir. 81, pp. 8–11, 32. 1907.
  importations and description. Nos. 38254, 38419, B.P.I. Inv. 39, pp. 7, 108, 128. 1917; Nos. 55931, 56084, B.P.I. Inv. 73, pp. 3, 18, 36. 1924.
  insects injurious. F.B. 1169, p. 95. 1921; Sec. [Misc.], "A manual of insects * * *," pp. 51–52. 1917.
  leaf-blight, occurrence and description, Texas. B.P.I. Bul. 226, p. 62. 1912.
  soft heart-rot, cause, description, and prevention. B.P.I. Bul. 149, pp. 47–48. 1909.
  sphinx—
    L. O. Howard and F. H. Chittenden. Ent. Cir. 96, pp. 7. 1907.
    control by dusting from airplane. D.B. 1204, p. 1. 1924.
    life history, description, and control. F.B. 705, p. 10. 1916; F.B. 1169, pp. 33–34. 1921.
    nicotine poisoning, studies. J.A.R., vol. 7, pp. 93, 97, 104. 1916.
    parasites, description and protection. Ent. Cir. 96, pp. 5, 6. 1907; F.B. 705, pp. 5, 9. 1916.
  spp.—
    honey sources, Hawaii. Ent. Bul. 75, p. 48. 1911; Ent. Bul. 75, Pt. V, p. 48. 1909.
    injury by catalpa sphinx. Ent. Cir. 96, p. 1. 1907; F.B. 705, pp. 1, 6–9. 1916.
    injury by sapsuckers. Biol. Bul. 39, pp. 50, 89. 1911.
  use in forest planting. For. Bul. 65, pp. 17, 18, 24, 25–26, 27. 1905.
  value as ornamental for Plains region. F.B. 888, p. 14. 1917.
  value for posts, method of planting, care and returns. F.B. 325, p. 18. 1908; For. Cir. 154, pp. 20–24. 1908.
  wood, comparison with ash wood and osage orange. D.B. 523, p. 16. 1917.
Catalysis, soil, studies. M. X. Sullivan and F. R. Reid. Soils Bul. 86, pp. 31. 1912.
Catalyst, ammonia, development. An. Rpts. 1923, pp. 500–501. 1924; Fix. Nit. Lab. A.R. 1923, pp. 6–7. 1923.
Catamount. See Wildcat.
Cataract—
  cattle, causes, symptoms, and treatment. B.A.I. [Misc], "Diseases of cattle," rev., p. 360. 1912; rev., p. 348. 1923.
  horse, result of ophthalmia. B.A.I. Misc.], "Diseases of the horse," rev., p. 272. 1911.
  horse, result of ophthalmia. B.A.I. [Misc.], "Diseases of the horse," rev., p. 272. 1911.
Cataracts, Colorado, Sopris National Forest. D.C. 6, pp. 9–10. 1919.
Cataria. See Catnip.
Catarrh—
  and hay fever remedy, misbranding. Chem. N.J. 323, p. 1. 1910.
  cattle, causes, symptoms, and treatment, B.A.I. [Misc.], "Diseases of cattle," rev., pp. 31–33, 34–35. 474–477. 1912; rev., pp. 92–93. 1923.

Catarrh—Continued.
  contagious, of fowls. See Roup.
  contagious, of poultry, description, cause, symptoms, and treatment. F.B. 957, pp. 6-9. 1918.
  cure, Bunsen's, misbranding. Chem., S.R.A. Sup. 19, pp. 656-657. 1916.
  cure, (Hall's) misbranding. Chem. N.J. 1182, pp. 2. 1911.
  gastro-intestinal, cattle, causes, symptoms, and treatment. B.A.I. Cir. 68, rev., pp. 8-10. 1908-1909; B.A.I. Misc.], "Diseases of cattle," rev., pp. 31-35. 1912.
  malignant, of cattle, cause, symptoms, and treatment. B.A.I. [Misc.], "Diseases of cattle," rev., pp. 456-459. 1908; rev., pp. 474-477. 1912: rev. 469-472. 1923.
  nasal—
    chronic of horses, symptoms, and treatment. B.A.I. [Misc.], "Diseases of the horse," rev., pp. 108-110. 1903; rev., pp. 108-110, 1907; rev., pp. 108-110,1911; rev., pp. 99-101. 1925.
    sheep, cause, symptoms, and treatment. F.B. 1155, p. 25. 1921.
  poultry, cause, symptoms, and treatment. F.B. 530, pp. 9-12. 1913.
  remedies, habit-forming danger. F.B. 393, pp. 10-12. 1910.
  remedy, misbranding. Chem. N.J. 3965, pp. 588-589. 1915.
  simple, cattle, symptoms, and treatment. B.A.I. [Misc.], "Diseases of cattle," rev., pp. 91-92. 1912.
  tablets, Stuart's, misbranding. Chem. N.J. 718, pp. 2. 1911.
Catarrhal fever, sheep. See Hemorrhagic septicemia.
Catastoma circumcissum, description. D.B. 175, pp. 50-51. 1915.
Catastoma sp., formation of fairy rings. J.A.R., vol. 11, pp. 194, 199, 202, 233. 1917.
Catbird—
  abundance in eastern United States. D.B. 1165, pp. 22, 23. 1923.
  description, range and habits. F.B. 513, p. 11. 1913; F.B. 630, pp. 7-8. 1915; Biol. Bul. 15, p. 29. 1901.
  food habits, and occurrence in Arkansas. Biol. Bul. 38, p. 84. 1911.
  food habits, good and bad. Y.B., 1907, p. 169. 1908; Y.B. Sep. 443, p. 169. 1908.
  protection by law. Biol. Bul. 12, rev., pp. 38, 39, 40, 41. 1902.
Catch—
  basins, tile lines, loss of head. D.B. 854, pp. 49-50. 1920.
  crop(s)—
    citrus fruit grove. F.B. 238, p. 16. 1905.
    flax. D.B. 883, p. 3. 1920.
    sweetclover, growing in Corn Belt. F.B. 1005, pp. 5-7, 13-14, 25. 1919.
    use. F.B. 981, pp. 13-16, 37. 1918.
    use of legumes. Guam Bul. 4, p. 4. 1922.
    use of Sudan grass. D.B. 981, pp. 23-24. 1921.
    value on small farms. F.B. 325, pp. 16, 18, 29. 1908.
Catchfly, night-flowering, seed description. F.B. 428, pp. 7, 19, 20, 24, 25. 1911; F.B. 1411, p. 12. 1924; F.B. 260, p. 20. 1906.
Catechu—
  importations and description. No. 38991, B.P.I. Inv. 40, p. 54. 1917; No. 45954, B.P.I. Inv. 54, p. 49. 1922.
  use in chicken diseases. F.B. 1337, pp. 10, 13. 1923.
Caterpillar(s)—
  apple-tree tent. See Tent caterpillar, apple-tree.
  beet, striped. H. O. Marsh. Ent. Bul. 127, Pt. II, pp. 13-18. 1913.
  bird enemies, Southeastern States. F.B. 755, pp. 6-36. 1916.
  cholera, gipsy moth disease. Ent. Bul. 87, pp. 70-71. 1910.
  control by—
    birds. F.B. 630, pp. 2-27. 1915.
    hand picking, value in greenhouses. Ent. Bul. 125, p. 11. 1913.
    plant insecticides. D.B. 1201, pp. 5, 6, 10, 21-53. 1924.
    poison, spray formulas for trees. D.B. 480, pp. 7-13. 1917.

Caterpillar(s)—Continued.
  control by—continued.
    tree banding. D.B. 899, p. 14. 1920.
  damage to crops. Biol. Bul. 15, p. 10. 1901.
  description, habits, injuries, and control. F.B. 1270, pp. 39-42. 1923.
  destruction by—
    crows. D.B. 621, pp. 22-23, 42, 43, 60, 82. 1918.
    starlings. D.B. 868, pp. 22-23, 39, 41, 44, 65. 1921.
    thrushes. Y.B. 1913, pp. 138, 139. 1914; Y.B. Sep. 620, pp. 138, 139. 1914.
    vireos. D.B. 1355, pp. 1, 2, 3, 4, 7, 10, 14, 15, 16, 18, 19, 22, 24, 25, 26, 27, 31. 1925.
  detection in stomach of bird. Biol. Bul. 15, p. 13. 1901.
  disease, description and fatalities. F.B. 1094; pp. 9-10. 1920.
  Florida fern. F. H. Chittenden. Ent. Bul. 125, pp. 11. 1913.
  garden, striped, description, habits, enemies, and control. Ent. Bul. 66, pp. 28-32. 1910.
  green—
    control in Hawaii. Hawaii A.R., 1921, p. 24. 1922.
    control on avocado trees. Hawaii Bul. 51, p. 15. 1924.
    description and control on acid lime. Hawaii Bul. 49, pp. 11-12. 1923.
    injury to avocado, and control. Hawaii Bul. 25, pp. 23, 24-26. 1911.
  hog, grape enemy, description and control. F.B. 1220, pp. 34, 35. 1921.
  hunter, enemy of gipsy moth. Ent. Bul. 67, p. 25. 1907.
  injuries to cotton and control. F.B. 890, pp. 15-16. 1917; Ent. Bul. 50, pp. 105-107. 1905.
  insect enemies, description, and habits. Ent. Cir. 133, pp. 7-9. 1911.
  leaf-eating, description, and injuries to cotton. Ent. Bul. 57, pp. 33-37. 1906.
  leaf-feeding, control by winter spraying. News L., vol. 3, No. 10, pp. 1, 4. 1915.
  leaf-rolling, description, history, and control methods. Ent. Cir. 145, p. 10. 1912.
  leaf-rolling. See also Leaf-roller.
  maple. See Maple worm.
  nicotine poisoning, studies. J.A.R., vol. 7, pp. 93, 95, 97, 104, 112. 1916.
  parasites, description. D.B. 443, pp. 8-9. 1916.
  puss—
    and effects of its sting on man. F. C. Bishopp. D.C. 288, pp. 14. 1923.
    bacterial disease. D.C. 288, p. 12. 1923.
    parasites, description and habits. D.C. 288, pp. 13-14. 1923.
  ravages in Massachusetts, and control methods. Ent. Bul. 87, pp. 30-31. 1910.
  saddleback, similarity to roseslug caterpillar. Ent. Bul. 124, pp. 5, 6, 9. 1913.
  salt-marsh—
    description, injuries to cotton, and natural enemies. Ent. Bul. 57, pp. 33-35. 1906.
    injuries to cotton, and control. F. B. 890, p. 15. 1917.
    life history. Ent. Bul. 44, pp. 80-84. 1904.
    tobacco injury, control. Ent. Bul. 67, p. 109. 1907.
  shade-tree, description, habits, and control. F.B 1169, pp. 35-36, 46-49. 1921.
  spines, poisonous effects on human skin. D.C. 288, pp. 1, 11-12. 1923.
  "woolly bear," injury to orange and other plants. P.R. An. Rpt., 1914, p. 34. 1915.
  yellow and black, injury to catalpa trees, description, control methods. News L., vol. 3, No. 46, p. 4. 1916.
  yellow-bear, biological and economic studies. Ent. Bul. 82, Pt. V, pp. 59-66. 1910.
"Caterpillars, false"—
  destruction of forest trees. Y.B., 1907, p. 153. 1908; Y.B. Sep. 442, p. 153. 1908.
  name for immature sawflies. F.B. 1252, pp. 3-4. 1922.
CATES, H. R.—
  "Farm practice in the cultivation of corn." D.B. 320, pp. 67. 1916.
  "Farm practice in the cultivation of cotton." D.B. 511, pp. 62. 1917.

CATES, H. R.—Continued.
"Methods of controlling or eradicating the wild oat in the hard spring wheat area." F.B. 833, pp. 16. 1917.
"The weed problem in American agriculture." Y.B., 1917, pp. 205-215. 1918; Y.B. Sep. 732, pp. 13. 1918.

CATES, J. S.—
"A method of eradicating Johnson grass." With W. J. Spillman. F.B. 279, pp. 16. 1907.
"Some outstanding factors in profitable farming." Y.B., 1915, pp. 113-120. 1916; Y.B. Sep. 661, pp. 113-120. 1916.
"The eradication of quack grass." F.B. 464, pp. 11. 1911.
"The Mangum terrace in its relation to efficient farm management." B.P.I. Cir. 94, pp. 11. 1912.
"The weed factor in the cultivation of corn." With H. R. Cox. B.P.I. Bul. 257, pp. 35. 1912.
"The wild onion." With H. R. Cox. B.P.I. Doc. 416, pp. 6. 1908.

Catha edulis. See Khat.
Catharista urubu. See Vulture, black.
Cathartes aura—
protection afforded by law. Biol. Bul. 12, rev., p. 32. 1902.
See Vulture, turkey; Buzzard.

Cathartus
advena—
injury to tobacco. D.B. 737, p. 29. 1919.
See also Grain beetle, foreign.
cassiae, enemy of boll weevil. Ent. Bul. 100, pp. 12, 41, 68. 1912.

Catherpes conspersus. See Wren, canyon.
Cathestecum spp., description, distribution, and uses. D.B. 772, pp. 17, 194-196. 1920.

Catjang—
botanical history and specific names. B.P.I. Bul. 229, pp. 11-12. 1912.
buff, value for South. F.B. 1148, p. 10. 1920.
hybrids with cowpea, superiority. Y.B., 1908, p. 254. 1909; Y.B. Sep. 478, p. 254. 1909.
importation and description. No. 45302, B.P.I. Inv. 53, p. 23. 1922; No. 52229, B.P.I. Inv. 65, p. 80. 1923.
occurrence, description, and uses. B.P.I. Cir. 124, pp. 31. 1913.
origin, characteristics, and uses. F.B. 1148, pp. 3, 10. 1920.
varieties, habits of growth, descriptions. B.P.I. Bul. 229, pp. 79-141. 1912.

CATLIN, C. N.: "The autotoxic curve as means of classifying soils and studying their colloidal properties." With C. N. Catlin. J.A.R., vol. 26, pp. 11-13. 1923.

Catmint, description of seed, appearance in red clover seed. F.B. 260, p. 19. 1906.

Catnip—
culture and handling as drug plant, yield, and price. B.P.I. Bul. 219, p. 24. 1911; F.B. 663, p. 21. 1915.
drug use, with price, description, and range. F.B. 188, pp. 31-32. 1904.
growing and uses, harvesting, marketing, and prices. F.B. 663, rev., p. 28. 1920.
oil, bait for bobcats and mountain lions. An. Rpts., 1923, p. 425. 1924; Biol. Chief Rpt., 1923, p. 7. 1923.
seeds, description. F.B. 428, pp. 7, 27. 1911.

Catolaccus—
hunteri, boll-weevil parasite. D.B. 231, p. 31. 1915.
incertus, a parasite of *Apion griseum*. Ent. Bul. 64, p. 30. 1911; Ent. Bul. 64, Pt. IV, p. 30. 1908.
incertus, boll weevil parasite. D.B. 231, p. 31. 1915.

Catoptrophorus spp. See Willet.
Catorama impressifrons, injury to tobacco. D.B. 737, p. 30. 1919.
Catorama tabaci. See Tobacco beetle, larger.
Catrup. See Catnip.
Cat's-ear, description, occurrence as weed and control, Eastern Puget Sound Basin, Washington. Soil Sur. Adv. Sh., 1909, p. 38. 1911; Soils F.O., 1909, p. 1550. 1912.
Cat's-ear seeds, description. F.B. 428, pp. 27, 28. 1911.

Catsclaw, description, range, and occurrence on Pacific slope. For. [Misc.], "Forest trees for Pacific * * *," pp. 369-371. 1908.
Catsclaw, rust, occurrence, and description, Texas. B.P.I. Bul. 226, p. 63. 1912.

Catsup—
adulteration. Chem. N.J. 670, p. 1. 1910; Chem. N.J. 838, p. 1. 1911; Chem. N.J. 1269, p. 1. 1912.
misbranding (benzoate of soda). Chem. N.J. 111, pp. 2. 1909.
muscadine grape. F.B. 1454, p. 16. 1925.
regulations. Chem. Bul. 69, rev., Pts. I-IX, pp. 171, 180, 216, 437, 456, 488, 490, 589, 596, 632, 667, 690, 723. 1905-1906.
spiced, adulteration. Chem. N.J. 805, pp. 2. 1911.

tomato—
adulteration and misbranding. Chem. N.J. 388, p. 2. 1910; Chem. N.J. 599, p. 2. 1910; Chem. N.J. 604, p. 1. 1910; Chem. N.J. 622, p. 1. 1910; Chem. N.J. 1034, p. 1. 1911; Chem. N.J. 1271, p. 1. 1912.
analyses. D.B. 581, pp. 5-6. 1917.
laws, State, for 1907. Chem. Bul. 112, Pt. II, pp. 40, 130. 1908.
See also Ketchup.

Cattail—
billbug, description, life history and injury to corn. F.B. 1003, pp. 16-17. 1919.
host of mealy plum aphis. D.B. 774, pp. 9, 10, 16. 1919.
occurrence and control in rice fields. F.B. 1240, p. 23. 1924.
occurrence in fresh water bogs, Washington. Soils F.O. 1909, p. 1540. 1912; Soil Sur. Adv. Sh. 1909, p. 28. 1911.

Cattalo, cross between bison and beef cattle. B.A.I. An. Rpt., 1910, p. 192. 1912.

Cattle—
Aberdeen-Angus—
beef breed, description, origin, and best lines. F.B. 612, rev., pp. 14-17, 19-21. 1921.
characteristics. J.A.R., vol. 15, pp. 4, 10. 1918.
description, pedigreed bulls. F.B. 612, pp. 11-13. 1915.
distribution. Y.B., 1921, p. 242. 1922; Y.B. Sep. 874, p. 242. 1922.
herds, accredited, list No. 3. D.C. 142, pp. 4-5. 1920.
herds tested and accredited, lists. D.C. 54, pp. 3-6. 1919; D.C. 144, pp. 3-6. 1920.
score card. B.A.I. Bul. 76, p. 11. 1905.
use in beef production experiments. B.A.I. Bul. 131, p. 12. 1911.
abortion, and granular venereal disease. W. L. Williams. D.B. 106, pp. 57. 1914.
abortion. See also Abortion.
Abyssinia, description modifications. B.A.I. An. Rpt., 1910, p. 213. 1912.

accredited—
and once-tested, number, by breeds. B.A.I. Doc. A-37, p. 18. 1922.

herd—
plan in tuberculosis eradication. J. A. Kiernan. Y.B., 1918, pp. 215-220. 1919; Y.B. Sep. 782, pp. 8. 1919.
list No. 2. 1919. D.C. 54, pp. 96. 1919.
lists, plan. An. Rpts., 1919, pp. 77, 93, 117, 1920; B.A.I. Chief Rpt., 1919, pp. 5, 21, 45. 1919.

acreage required for pasture on mountain farms. F.B. 981, pp. 21, 31. 1918.
adaptability for logged-off pastures. F.B. 462, pp. 18-19. 1911.
admission, State sanitary requirements. B.A.I. [Misc.], rev., "State sanitary requirements," * * * pp. 23. 1911; B.A.I. Doc. A-28, pp. 44. 1917.
age, determining by the teeth. George W. Pope. F.B. 1066, pp. 4. 1919.

Alaska—
breeds. Alaska A.R., 1923, pp. 23-25. 1925.
wintering in Washington after eruption of Mount Katmai. Alaska A.R., 1912, pp. 38-42, 72. 1913.

Alderney—
importations—
April 1-June 30, 1911, names of animals and importers. B.A.I. [Misc.], "Animals imported, * * *," pp. 3-4. 1911.

Cattle—Continued.
Alderney—continued.
importations—continued.
1912, names of animals and importers. B.A.I. [Misc.], "Animals imported, * * *," pp. 3-4. 1913.
1913. B.A.I. [Misc.], "Animals imported, * * *," pp. 3-5. 1914.
pedigree record book, certification. B.A.I.O. 136, Amdt. 11, p. 1. 1909.
alfalfa ration for fattening, discussion. B.A.I. Cir. 86, pp. 258-261. 1905.
Algauer, origin and ancestry. B.A.I. An. Rpt., 1910, p. 222. 1912.
Algerian, origin, and characteristics. B.A.I. An. Rpt., 1910, pp. 192, 212. 1912.
American—
blood parasite, *Trypanosoma americanum*. Howard Crawley. B.A.I. Bul. 145, pp. 39. 1912.
foreign restrictions. B.A.I. An Rpt., 1906, p. 69. 1908; B.A.I. Cir. 125, p. 9. 1908.
principal types, origin and classification. B.A.I. An. Rpt., 1910, pp. 227-228, 232-233. 1912.
Angus—
description, value. B.A.I. Bul. 34, pp. 17-18. 1902.
prices in U. S., table. B.A.I. Bul. 41, p. 11. 1902.
Texas, crossbreeding with buffalo. N.A. Fauna 25, p. 70. 1905.
animal parasites. B.A.I. [Misc.], "Diseases of cattle," rev., pp. 495-516. 1908; rev., pp. 518-541. 1912.
anthrax—
diseases. D. E. Salmon and Theobald Smith. B.A.I. Cir. 71, pp. 10. 1905.
treatment, tests of simultaneous method. D.B. 340, pp. 13, 14, 15. 1915.
treatment with anthrax-globulin. J.A.R., vol. 8, p. 45. 1917.
Argentine—
breeds and feeding methods. Y.B., 1913, pp. 357-358. 1914; Y.B. Sep. 629, pp. 357-358. 1914.
breeds, comparison. B.A.I. Bul. 48, pp. 53-54. 1903.
prices, 1913. Y.B., 1913, p. 354. 1914; Y.B. Sep. 629, p. 354. 1914.
Asiatic, ancestors of European breeds. B.A.I. An. Rpt., 1910, p. 213. 1912.
Ayrshire—
breeding in Guam, adaptability. Guam A.R., 1913, pp. 7-11. 1914.
characteristics. J.A.R., vol. 15, No. 1, pp. 4, 10. 1918.
color inheritance, studies. J.A.R., vol. 6, No. 4, pp. 141-147. 1916.
herds, tested and accredited, lists. D.C. 54, pp. 6-9. 1919.
importations—
April 1-June 30, 1911, names of animals and importers. B.A.I. [Misc.], "Animals imported * * *," pp. 4-5. 1911.
Oct. 1-Dec. 31, 1911, certificates. B.A.I. [Misc.], "Animals imported * * *," pp. 3-4, 1912.
1912, names of animals and importers. B.A.I. [Misc.], "Animals imported * * * ," pp. 4-10. 1913.
1913. B. A. I. [Misc.], "Animals imported * * * ," pp. 5-7. 1914.
origin, characteristics—
scale of points and milk production. F.B. 1443, pp. 8-13. 1925.
score cards, and record producers. F.B. 893, pp. 7-12. 1917.
F.B. 1443, pp. 4-5. 1925.
purebred, number and distribution by States. F.B. 1443, pp. 4-5. 1925.
back sprain, cause and treatment. B. A. I. [Misc.], "Diseases of cattle," rev., p. 267. 1908; rev., p. 276. 1912.
bacterial dysentery, discovery of cause. An. Rpts., 1914, p. 87. 1914; B.A.I. Chief Rpt., 1914, p. 31. 1914.
barn for beef raising. F.B. 1350, pp. 1-17. 1923.
barn, with horse and sheep equipment, plans and cost. F.B. 810, pp. 13-15. 1917.
basal katabolism. Henry Prentiss Armsby and others. J.A.R., vol. 13, pp. 43-57. 1918.

Cattle—Continued.
beef—
American breeds, with remarks on pedigrees. George M. Rommel. B.A.I. Bul. 34, pp. 34. 1920.
and dairy—
choice for farms. M. C. 32, pp. 24, 35-36. 1924.
conformation. Andrew M. Soule. F.B. 143, pp. 44. 1902.
and dual-purpose, points and score card. B.A.I. Bul. 76, pp. 10-16. 1905.
barns. E. W. Sheets and M. A. R. Kelley. F.B. 1350, pp. 17. 1923.
breeders organizations. B.A.I. Bul. 34, p. 34. 1901.
breeding—
and extension in South. B.A.I. Chief Rpt., 1919, pp. 8-10. 1919; An. Rpts., 1919, pp. 80-82. 1920.
feeding, and extension work. B.A.I. Chief Rpt., 1920, pp. 5-7. 1920.
for milking qualities, work. B.A.I. Chief Rpt., 1924, p. 7. 1924.
breeds—
W. F. Ward. F.B. 612, pp. 26. 1915.
description. B.A.I. Bul. 34, pp. 13-22. 1902.
suitable for fattening. F.B. 1416, p. 3. 1924.
used in bluegrass grazing. D.B. 397, p. 5. 1916.
care and feeding, school studies. D.B. 521, pp. 43-44. 1917.
classification at county fairs. F.B. 822, pp. 8-9. 1917.
club demonstrations, 1921. D.C. 248, p. 34. 1922.
conformation, and dairy cattle. Andrew M. Soule. F.B. 143, pp. 44. 1902.
cost of 100 pounds gain, by States. Y.B., 1921, pp. 836-839. 1922; Y.B. Sep. 876, pp. 33-36. 1922.
Cotton Belt States, numbers, 1900-1917. Y.B. 1917, p. 328. 1918; Y.B. Sep. 749, p. 4. 1918.
crosses with dairy breeds, inheritance studies. John W. Gowen. J.A.R., vol. 15, No. 1, pp. 1-58. 1918.
decrease, 1906-1908. B.A.I. An. Rpt., 1908, pp. 393, 405. 1910.
description of breeds. B.A.I. Bul. 34, pp. 13-22. 1904.
early marketing, tendency. F.B. 811, p. 3. 1917.
eastern Pennsylvania, income, relation to labor income from farm. D.B. 341, pp. 47-48. 1916.
extension work. B.A.I. Chief Rpt., 1915, pp. 8-9. 1915; An. Rpts., 1915, pp. 84-85. 1916.
farming, advantages of system. Y.B. 1908, pp. 361-362. 1909; Y.B. Sep. 487, pp. 361-362. 1909.
fattening—
cost, feed and labor requirements. Y.B., 1921, pp. 269-275, 836-839. 1922; Y.B. Sep. 874, pp. 269-275. 1922; Y.B. Sep. 876, pp. 33-36. 1922.
for market. F.B. 162, p. 23. 1903; F.B. 320, pp. 25-28. 1908.
studies, Missouri Experiment Station. O.E.S. An. Rpt., 1908, p. 345. 1909.
summary of experiments, and financial statements. D.B. 628, pp. 27-37. 1918.
feed expense, to various ages. B.A.I. Bul. 131, pp. 19-23. 1911.
feed value of velvet beans, and mixtures, experiments. F.B. 1276, pp. 24-25. 1922.
feeding—
and handling experiments, Alabama and Mississippi. Y.B., 1917, pp. 331-332. 1918; Y.B. Sep. 749, pp. 7-8. 1918.
directions. M.C. 12, pp. 15-20. 1924.
for manure production. F.B. 312, p. 8. 1907.
grade cows while raising calves, experiments. E. W. Sheets and R. H. Tuckwiller. D.B. 1024, pp. 17. 1922.
in Alabama, experiments and results. Dan T. Gray and W. F. Ward. B.A.I. Bul. 159, pp. 56. 1912.
in Iowa, Palo Alto County. Soil Sur. Adv. Sh., 1918, pp. 14, 22, 28. 1921. Soils F.O., 1918, pp. 1142, 1150, 1156. 1924.

Cattle—Continued.
 beef—continued.
  feeding—continued.
   in Iowa, Polk County. Soil Sur. Adv. Sh., 1918, pp. 14, 31-64. 1921; Soils F.O., 1918, pp. 1174, 1191-1224. 1924.
   in South. F.B. 522, pp. 11-17. 1913.
   labor-saving methods. Sec. Cir., 122, pp. 11-12. 1918.
   long versus short feeding, experiments. F.B. 374, pp. 17-19. 1909.
   pea-vine silage. B.P.I. Cir. 45, p. 8. 1910.
   silage, methods, and rations. F.B. 556, pp. 19-23. 1913; F.B. 578, pp. 19-23. 1914.
   sunflower silage, experiments and results. D.B. 1045, pp. 26-27. 1922.
   with alfalfa hay. F.B. 1229, pp. 12-13. 1921.
   with cottonseed meal. W. F. Ward. F.B. 655, pp. 8. 1915.
  hardy type, need for Alaska. Alaska. A. R. 1914, pp. 33-34. 1915.
  herd management on farms. F.B. 1073, pp. 5-8. 1919.
  ideal type. B.A.I. Bul. 34, pp. 11-13. 1902.
  improvement in meat quality and quantity. D.B. 905, pp. 57-59. 1920.
  in South, former conditions. Y.B.; 1917, pp. 328-329. 1918; Y.B. Sep. 749, pp. 4-5. 1918.
  increase and decrease, causes, studies. F.B. 560, pp. 25-26. 1913.
  industry—
   decline in eastern Pennsylvania, factors influencing. D.B. 341, p. 10. 1916.
   growth in the South. F. W. Farley. Y.B., 1917, pp. 327-340. 1918; Y.B. Sep. 749, pp. 16. 1918.
   movement westward. Y.B., 1921, pp. 232-239. 1922; Y.B.Sep. 874, pp. 232-239. 1922.
   Northwest, decrease, causes. D.B. 25, pp. 50-51. 1913.
  judging. E. H. Thompson. F.B. 1068. pp. 23. 1919.
  marketing, methods, seasonal movements, and prices. Y.B. 1921, pp. 277-312. 1922; Y.B. Sep. 874, pp. 277-312. 1922.
  milking quality, improvement. Y.B., 1921, p. 28. 1922; Y.B. Sep. 875, p. 28. 1922.
  number—
   and value, Jan. 1, 1918, with comparisons, and increase methods. Sec. Cir. 103, pp. 15-16. 1918.
   and value, Jan. 1, 1920, graph and map. Y.B. 1921, pp. 470, 476. 1922; Y.B. Sep. 878, pp. 64, 70. 1922.
   decrease in United States and Argentina. Y.B., 1913, pp. 260, 261. 1914; Y.B. Sep. 627, pp. 260, 261. 1914.
   on farms and outlook for 1924. M.C. 23, pp. 17-18. 1924.
   slaughtered, 1909. F.B. 1055, p. 4. 1919.
   other than milk cows, number, value, distribution, marketing, and estimates. F.B. 575, pp. 2, 3-10, 11-12, 22-23, 34. 1914.
  prices—
   1910-1920. D.B. 982, pp. 7, 8. 1921.
   1921. Y.B., 1921, pp. 292-305, 692-695, 734. 1922; Y.B. Sep. 874, pp. 292-305. 1922; Y.B. Sep. 870, pp. 18-21, 60. 1922.
   farm, city, and export, comparison. Stat. Bul. 101, pp. 70-71. 1913.
  production—
   cost for yearling, table. News L., vol. 3, No. 52, pp. 1-2. 1916.
   in Iowa, Clay County. Soil Sur. Adv. Sh., 1916; pp. 13-14, 23, 27, 34. 1918; Soils F.O., 1916, pp. 1838, 1841, 1849-1869. 1921.
   in range area. Virgil V. Parr. F.B. 1395, pp. 46. 1925.
   on farms, studies. An. Rpts., 1918, p. 494. 1919; Farm M. Chief Rpt., 1918, p. 4. 1918.
   work of experiment stations, results. O.E.S. An. Rpt., 1922, pp. 56-58. 1924.
   work of field agents, 1917. News L., vol. 5, No. 21, p. 1. 1917.
   profit increase, methods. News L., vol. 6, No. 40, p. 6. 1919.
  purebred—
   market in Mexico. D. E. Salmon. B.A.I. Bul. 41, pp. 28. 1902.

Cattle—Continued.
 beef—continued.
  purebred—continued.
   numbers on farms. Y.B. 1921, pp. 239-244, 473. 1922; Y.B. Sep. 874, pp. 239-244. 1922; Y.B. Sep. 878, p. 72. 1922.
   qualities necessary to all breeds. B.A.I. Bul. 34, p. 14. 1901.
   raising on farms. F. W. Farley. F.B. 1073, pp. 23. 1919.
   rations for using farm wastes. F.B. 873, p. 8. 1917.
   ratios to population in different regions. Y.B., 1923, p. 325. 1924; Y.B. Sep. 895, p. 325. 1924.
   receipts at stockyards, 1921. Y.B., 1921, pp. 698-699, 715, 735. 1922; Y.B. Sep. 870, pp. 24-25, 41, 61. 1922.
   sales in Southern States, 1903-1917. Y.B., 1917, pp. 337-339. 1918; Y.B. Sep. 749, pp. 13-15. 1918.
   shrinkage in weight in transit. W. F. Ward. D.B. 25, pp. 78. 1913.
   slaughter under Federal inspection, 1917 and 1918. Sec. Cir. 123, p. 8. 1918.
   standard breeds, and disqualifications. F.B. 612, rev., pp. 19-21. 1921.
   type, characters. B.A.I. Bul. 34, pp 11-13. 1901.
   winter feeding, school lesson. D.B. 258, pp. 14, 15. 1915.
   wintering and fattening in North Carolina. W. F. Ward and others. D.B. 628. pp. 53. 1918.
   wintering experiments in Appalachian region. News. L., vol. 4, No. 6, p. 3. 1916.
   See also Beef.
  bites from dogs, treatment. B.A.I. [Misc.], "Diseases of cattle," rev., p. 397. 1908.
  bites from snakes, symptoms and treatment. B.A.I. [Misc.], "Diseases of cattle," rev., pp. 16, 69. 1912.
  blackleg—
   cause, symptoms, treatment, and prevention. B.A.I. [Misc.], "Diseases of cattle," rev., pp. 459-464. 1923; rev., pp. 447-451. 1908; rev. pp. 465-469. 1912.
   control by vaccination. W.I.A.Cir. 27, p. 12. 1919.
   diagnosis, differences from other diseases. B.A.I. [Misc.], "Diseases of cattle," rev., pp. 443, 449, 461. 1916.
   vaccine, doses distributed by Agriculture Department, 1917. News L., vol. 5, No. 26, p. 4. 1918.
  bladder neck palsy, cause, treatment. B.A.I. [Misc.]. "Diseases of cattle," rev., pp. 127-128, 1908; rev., pp. 128-130. 1912; rev., p. 130. 1923.
  bleeding [blood-letting] instruments, directions. B.A.I. [Misc.], "Diseases of cattle," rev. pp. 290-291, 303. 1908.
  bloat. See Bloat.
  blood—
   diseases, causes, symptoms, and treatment. B.A.I. [Misc.], "Diseases of cattle," rev., pp. 71-85. 1912.
   parasites, causes of different diseases. B.A.I. [Misc.], "Diseases of cattle," rev., p. 516. 1908; rev., p. 541. 1912; rev. p. 530. 1923.
   poisoning, causes, symptoms and treatment. B.A.I. [Misc.], "Diseases of cattle," rev., pp. 387-389. 1908; rev., pp. 403-405. 1912.
   vessels, diseases and injuries, treatment. B.A.I. [Misc.], "Diseases of cattle," rev., pp. 70-83. 1908; rev., pp. 71-85. 1912; rev., pp. 83-86. 1923.
  bloodsuckers, treatment. B.A.I. [Misc.], "Diseases of cattle," rev., p. 505. 1908; rev., p. 529. 1912.
  bloody urine, causes, symptoms, and treatment. B.A.I. [Misc.], "Diseases of cattle," rev., pp 117-119. 1908.
  boils, causes, symptoms, and treatment. B.A.I. [Misc.], "Diseases of cattle," rev., p. 328. 1908; rev., pp. 340-341. 1921; rev., pp. 328-329. 1923.
  bones, diseases and accidents, treatment. B.A.I. [Misc.], "Diseases of cattle," rev., pp. 261-284. 1908; rev., pp. 269-294. 1912; rev., pp. 264-288. 1923.

Cattle—Continued.
botflies. *See* Botflies.
bowel and stomach diseases, symptoms and treatment. A. J. Murray. B.A.I. Cir. 68, pp. 10. 1905; B.A.I. Cir. 68, rev. pp. 14. 1908-09.
bowel diseases, causes, symptoms, and treatment, B.A.I. [Misc.], "Diseases of cattle," rev., pp. 36-45. 1909; pp. 36-46. 1912.
Brahman—
Virgil V. Parr. F.B. 1361, pp. 21. 1923.
advantages for Cotton Belt. Y. B., 1921, pp. 254-255. 1922. Y.B., Sep. 874, pp. 254-255. 1922.
and their crossbreeds, characteristics. F.B. 612, rev., pp. 28-31. 1921.
Borden importation, history. B.A.I. An. Rpt., 1909, pp. 82-84. 1911; B.A.I. Cir. 169, pp. 82-84. 1911.
breeds, in Texas, description. F.B. 1361, pp. 4-11. 1923.
description, characteristics, tick immunity. F. B. 612, pp. 21-23. 1915.
importation, surra discovery and eradication. B.A.I. An. Rpt., 1909, pp. 81-98. 1911; B.A.I. Cir. 169, pp. 81-98. 1911.
immunity to ticks. Ent. Bul. 106, p. 44. 1912.
brain diseases, causes, symptoms and treatment. B.A.I. [Misc.], "Diseases of cattle," rev., pp. 101-105, 110. 1908; rev., pp. 103-107, 112. 1912; rev., pp. 103-107, 112. 1923.
breed—
definitions. B.A.I. Bul. 34, p. 13. 1901.
lack of influence on shrinkage in transit. D.B. 25, pp. 31-32. 1913.
selection, considerations. F.B. 1443, pp. 6-7. 1925.
selection for Alaska. Alaska Bul. 5, pp. 1-2. 1924.
breeders associations—
articles and by-laws. F.B. 504, pp. 14-16. 1912.
in Denmark. B.A.I. Bul. 129, p. 40. 1911.
See also Directory, agricultural organizations.
breeding—
American improvement. B.A.I. Bul. 34, pp. 10-11. 1901.
and care, Alaska, 1916, Kodiak Experiment Station. Alaska A.R. 1916, pp. 12-15, 58-61. 1918.
and care, Alaska 1917. Alaska A.R. 1917, pp. 31, 77-79. 1919.
and dairy, inspection certificates. B.A.I.O. 266, Amdt. 1, pp. 2. 1919.
characteristics and score card for beef. F.B. 1068, pp. 10-12, 17-19. 1919.
cooperative bull associations. F.B. 993, pp. 1-35. 1918.
feeding on cottonseed products, rations. F.B. 1179, p. 11. 1920.
for beef, experiments in South. Y.B. 1913, pp. 269-272. 1914; Y. B. Sep. 627, pp. 269-272. 1914.
for improvement of stock, New Mexico range. D. B. 588, pp. 20-23, 30. 1917.
history. B. A. I. Bul. 34, pp. 7-11. 1902.
history and classification of breeds. B. A. I. An. Rpt., 1910, pp. 214-233. 1912.
importations—
Jan. 1 to Mar. 31, 1911, breeds, kind, registry number and importer. B.A.I. [Misc.], "Animals imported * * *," pp. 1-12. 1911.
July 1 to Sept. 30, 1911, breeds, kinds, registry number, imports, B.A.I. [Misc.], "Animals imported * * *," pp. 1-8. 1911.
Oct. 1 to Dec. 31, 1911 certificates. B.A.I. [Misc.], "Animals imported * * *," pp. 1-6. 1912.
1912, breeds, kind, registry number, importer. B.A.I. [Misc.], "Animals imported * * *," pp. 1-27. 1913.
1913. B.A.I. [Misc.], "Animals imported * * *." pp. 1-32. 1914.
imported, tuberculin test in Great Britain. B.A.I. An. Rpt., 1906, p. 23. 1908.
in—
Alaska, number, and variety. Alaska A.R., 1911, pp. 30-32, 61-63. 1912..
Argentina, 1903, prices. B.A.I Bul. 48, pp. 14-18, 20, 24, 25, 26-32. 1903.

Cattle—Continued.
breeding—continued.
in—continued.
Argentina, 1908. B.A.I. An. Rpt., 1908, pp. 319-329. 1910.
Guam, 1913, methods, and breeds. Guam A.R., 1913, pp. 7-11. 1914.
Guam, 1914. Guam A.R., 1914, pp. 22-25. 1915.
Guam, 1920. Guam A.R., 1920, pp. 7-9. 1921.
Minnesota and South Dakota. An. Rpts., 1909, pp. 245-246. 1910; B.A.I. Chief Rpt., 1909, pp. 55-56. 1909.
Porto Rico, 1911, progress. P.R. An. Rpt., 1911, pp. 41-42. 1912.
Porto Rico, 1912. P.R. An. Rpt., 1912, p. 40. 1913; O.E.S. An. Rpt., 1912, p. 194. 1913.
Porto Rico, 1913, progress. P.R. An. Rpt., 1913, pp. 30-31. 1914.
South, suggestions. Y.B., 1913, pp. 269, 272. 1914; Y.B. Sep. 627, pp. 269, 272. 1914.
West Virginia, Point Pleasant area. Soil Sur. Adv. Sh., 1910, pp. 14, 32. 1911; Soils F.O., 1910, pp. 1086, 1104. 1912.
influence of livestock shows. B.A.I. An. Rpt., 1908, pp. 345-356. 1910.
kinds to export to Mexico. B.A.I. Bul. 41, pp. 13-14. 1902.
methods, Argentina and United States. Y. B., 1914, pp. 385-386, 388-390. 1915; Y.B. Sep., 648, pp. 385-386, 388-390. 1915.
Minnesota Experiment Station. B.A.I. An. Rpt., 1909, pp. 64-65. 1911.
per cent of females, 1900-1910. F.B. 575, p. 23. 1914.
record forms for use of hardsman. J.A.R., vol. 15, p. 6. 1918.
selection for ranges. F.B. 1395, pp. 21-24. 1925.
suggestions for introduction into Mexico. B.A.I. Bul. 41, pp. 12-13. 1902.
breeds—
adapted to South. F.B. 580, pp. 15-20. 1914.
and breeding, books. F.B. 612, p. 23. 1915.
and types, school studies. S.R.S. Doc. 58 pp. 2, 4-5. 1917.
best for baby beef. B.A.I. An. Rpt., 1907, pp. 186-188. 1909.
books of record, list. B.A.I.O. 278, pp. 3, 6. 1922; B.A.I.O. 288, pp. 3, 5, 6. 1924.
certification regulations. B.A.I.O. 293, pp. 1-3, 5-6. 1925.
certified to June 30, 1909. B.A.I. An. Rpt., 1909, pp. 321, 324. 1911.
characteristics. J.A.R., vol. 15, p. 4. 1918.
dairy and beef, conformation, comparison. D.B. 434, pp. 4-5. 1916.
distribution. Y.B. 1921, pp. 242-244. 1922; Y.B. Sep. 874, pp. 242-244. 1922.
dual-purpose, description. F.B. 612, rev., pp. 21-31. 1921.
for baby beef production, and type of cows. F.B. 811, pp. 7-9. 1917.
herds tested and accredited, by States, lists. D.C. 54, pp. 3-91. 1919.
improvement, aid by southern bankers. News L., vol. 4, No. 1, p. 5. 1916.
in America, classification. B.A.I. An. Rpt., 1910, pp. 232-233. 1912.
in Porto Rico, description and selection. P.R. Bul. 29, pp. 5-8. 1922.
modern, origin and classification. B.A.I. An. Rpt., 1910, pp. 212-214, 228-233. 1912.
most susceptible to tuberculosis. B.A.I. Bul. 32, p. 14. 1901.
percentage in United States in 1920. Y.B., 1922, pp. 324-325. 1923; Y.B. Sep. 879, pp. 37-39. 1923.
brisket disease, studies. George H. Glover and L. E. Newsom. J.A.R., vol. 15, pp. 409-414. 1918.
British, returns from testing with tuberculosis. B.A.I. Bul. 32, pp. 12-13. 1901.
Brown Swiss—
accredited herds, list No. 3. D.C. 142, pp. 6-7. 1920.
ancestry. B.A.I. An. Rpt., 1910, p. 221. 1912.
description—
characteristics, score cards and records. F.B. 893, pp. 12-16. 1917.

Cattle—Continued.
 Brown Swiss—Continued.
  description—continued.
   value. B.A.I. Bul. 34, p. 21. 1902.
   herds tested and accredited, lists. D.C. 54, pp. 9-10. 1919; D.C. 144, p. 7. 1920.
   origin, characteristics, scale of points, and milk production. F.B. 1443, pp. 13-17. 1925.
   purebred, number and distribution, by States. F.B. 1443, pp. 4-5. 1925.
   score card. B.A.I. Bul. 76, p. 13. 1905.
 browsing, effect on aspen reproduction. D.B. 741, pp. 9-10, 15-16, 25-28. 1919.
 Cadzow, characteristics. B.A.I. An. Rpt., 1910, pp. 158-159. 1912.
 calculi, bacterial, factors causing. B.A.I. [Misc.], "Diseases of cattle," rev., pp. 131, 133. 1908.
 calorimetry, comparison of direct and indirect. Max Kriss. J.A.R., vol. 30, pp. 393-406. 1925.
 Canadian—
  importations, tuberculin-test requirements. B.A.I.O. 171, p. 1. 1910.
  inspection, regulations. B.A.I.O. 266, amdt. 6, pp. 2. 1921.
  production and value. Stat. Bul. 39, pp. 77-78. 1905.
 casting, instructions. F.B. 638, p. 5. 1915.
 castration, purposes, and directions for performing. B.A.I. [Misc.], "Diseases of cattle," rev., pp. 310-313. 1912; rev., pp. 299-301. 1923; F.B. 949, pp. 10-14. 1922.
 catarrh, malignant, causes, symptoms, and treatment. B.A.I. [Misc.], "Diseases of cattle," rev., pp. 456-459. 1908; rev., pp. 474-476. 1912.
 character of early introductions into America. B.A.I. Bul. 34, pp. 7-8. 1901.
 characteristics for meat. Off. Rec., vol. 3, No. 49, p. 5. 1924.
 Charolais, origin and ancestry. B.A.I. An. Rpt., 1910, p. 225. 1912.
 choking, symptoms and treatment. B.A.I. [Misc.], "Diseases of cattle," rev., pp. 22-24, 292, 302. 1912.
 Cholmogory, origin and ancestry. B.A.I. An. Rpt., 1910, pp. 221, 223. 1912.
 chrondroma, description and treatment. B.A.I. [Misc.], "Diseases of cattle," rev., p. 314-315. 1904.
 cicuta feeding, experiments in Colorado. D.B. 69, pp. 13-15, 19-20, 21, 22, 23, 24. 1914.
 circulatory system, blood and pulse, description. B.A.I. [Misc.], "Diseases of cattle," rev., pp. 73-77. 1923.
 classification at county fairs. F.B. 822, pp. 8-9. 1917.
 club, community, formation and value in South. B.A.I. Doc. A-4, rev., pp. 4, 6, 7. 1917.
 club, Jersey. American breeds registered, 1900-1921. B.A.I. Doc. A-37, p. 15. 1922.
 coast fever, cause and transmission. B.A.I. An. Rpt., 1910, p. 493. 1912; B.A.I. Cir. 194, p. 493. 1912.
 coccidioidal granuloma, occurrence. L. T. Giltner. J.A.R., vol. 14, pp. 533-542. 1918.
 concussion of brain, causes and treatment. B.A.I. [Misc.], "Diseases of cattle," rev., p. 107. 1912.
 condemnations for meat use. An. Rpts., 1910, p. 244. 1911; B.A.I. Chief Rpt., 1910, p. 50. 1910.
 condemnation under inspection, causes, 1907-1924. Y.B., 1924, p. 964. 1925.
 condemned, reimbursement of owners, discussion. Y.B., 1910, pp. 232, 234, 240-241. 1911; Y.B. Sep. 532, pp. 232, 234, 240-241. 1911.
 condition(s)—
  April 1, 1915, losses from disease, expense. F.B. 672, pp. 16-19. 1915.
  in British Isles. B.A.I. Bul. 77, pp. 10-14. 1905.
  in California before campaign for cattle-tick eradication. B.A.I. An. Rpt., 1909, pp. 283-285. 1911; B.A.I. Cir. 174, pp. 283-285. 1911.
  in Porto Rico, 1907. P. R. An. Rpt., 1907, pp. 14-15. 1908.
 conformation in relation to milk production. John W. Gowen. J.A.R., vol. 30, pp. 865-869. 1925.
 congestion of brain, causes and treatment. B.A.I. [Misc.], "Diseases of cattle," rev., p. 106. 1912.

Cattle—Continued.
 congestion of spinal cord, symptoms and treatment. B.A.I. [Misc.], "Diseases of cattle," rev., p. 110. 1912.
 constipation, remedies. B.A.I. [Misc.], "Diseases of cattle," rev., pp. 26, 27, 33, 38-39. 1904.
 contagious abortion—
  Adolph Eichhorn and George M. Potter. F.B. 790, pp. 12. 1917.
  bacterial studies. B.A.I. [Misc.], "Diseases of cattle," rev., p. 166. 1908.
  bacterium, occurrence in milk. B.A.I. Cir. 198, pp. 3. 1912.
  carbolic acid as remedy. F.B. 549, pp. 20-21. 1913.
 contagious diseases in foreign countries. 1904. B.A.I. An. Rpt., 1904, pp. 461-463. 1905.
 coralline calculi, description. B.A.I. [Misc.], "Diseases of cattle," rev., p. 134. 1904.
 corn, on foot, treatment. B.A.I. [Misc.], "Diseases of cattle," rev., p. 335. 1904; rev., p. 348. 1912.
 cornstalk disease in Kansas and Iowa. B.A.I. An. Rpt., 1904, pp. 67, 73, 74. 1905.
 crossbreeding—
  inheritance of characters, studies. John W. Gowen. J.A.R., vol. 15, pp. 1-58. 1918.
  with yak. Alaska A.R., 1920, pp. 3, 47. 1922.
  with yak, 1923. Alaska A.R., 1923, pp. 25, 26. 1925.
 cysts, classification, description and treatment. B.A.I. [Misc.], "Diseases of cattle," rev., pp. 308-309, 317-319. 1904; rev., pp. 319-320. 1912.
 cysts, parasitic, description. B.A.I. "Diseases of cattle," rev., pp. 317, 509, 510, 513-514. 1908; rev., p. 317. 1904; rev., p. 329. 1912.
 dairy—
  and beef, conformation. Andrew M. Soule. F.B. 143, pp. 44. 1902.
  and beef, crossbred herd, pedigrees and descriptions. J.A.R., vol. 15, pp. 5-52. 1918.
  and breeding, testing for export. B.A.I.O. 264, amdt. 2, p. 1. 1921.
  and breeding, tuberculin test requirements. B.A.I.O. 139, amdt. 1, reg. 4, p. 1. 1914.
  breeders' associations. B.A.I. Cir. 162, p. 31. 1910.
  breeding directions, records and gestation tables. F.B. 1414, pp. 9-11. 1924.
  breeds—
   Amer B. Nystrom. F.B. 1443, pp. 32. 1925.
   H. P. Davis. F.B. 893, pp. 35. 1917.
   milk yields and fat percentage, records. J.A.R. vol. 14, pp. 69-96. 1918.
   scale of points for judging. Henry E. Alvord. B.A.I. Cir. 48, pp. 14. 1904.
  care and feeding, school studies. D.B. 521, pp. 42-43. 1917.
  care in Alaska. Alaska A.R., 1907, pp. 62-65, 68. 1903.
  conformation. F.B. 143, pp. 1-44. 1902.
  cost and profits, Minnesota, financial statement. Stat. Bul. 88, pp. 69-84. 1911.
  feed—
   requirements, daily and annual. Y.B., 1907. pp. 392, 394. 1908; Y.B. Sep. 456, pp. 392, 394. 1908.
   "sugarota" misbranding. Chem. N.J. 810, pp. 2. 1911.
   value of prickly pear. B.P.I. Bul. 124, pp. 26-28. 1908.
  feeding—
   and feed crops. Y.B., 1922, pp. 331-335. 1923; Y.B. Sep. 879, pp. 42-45. 1923.
   directions. M.C. 12, pp. 20-25. 1923; rev., 1925.
   in Porto Rico. P.R. Bul. 29, pp. 11-12. 1922.
   methods, Huntley Experiment Farm. D.C. 275, pp. 26-27. 1923; D.C. 330, pp. 21-26. 1925.
   silage, methods. F.B. 578, pp. 14-17. 1914.
   sunflower silage, experiments and results. D.B. 1045, pp. 23-26. 1922.
   with reference to mineral metabolism, vitamins needed. O.E.S. An. Rpt., 1922, pp. 83-86. 1924.
  forest grazing, benefits. Y.B., 1914, pp. 81-82. 1915; Y.B. Sep. 633, pp. 81-82. 1915.

Cattle—Continued.
dairy—continued.
grading up by inbreeding. An. Rpts., 1916, p. 99. 1917; B.A.I. Chief Rpt., 1916, p. 33. 1916.
health requirements, testing, certified milk production. B.A.I. Bul. 104, pp. 11, 16, 34, 40. 1908; D.B. 1, pp. 2, 14, 27, 28–29. 1913.
industry, trend in United States and other countries. T. R. Pirtle. D.C. 7, pp. 19. 1919.
inspection. Y.B. 1922, p. 339. 1923; Y.B. Sep. 879, p. 49. 1923.
milk flow, relation to age, logarithmic equations. J.A.R., vol. 3, pp. 411, 417–420. 1915.
of Europe. B.A.I. Bul. 77, pp. 40–70. 1905.
pasturing experiments, Huntley Experiment Farm. D.C. 275, pp. 21–24. 1923.
purebred, number and breeds—
Jan. 1, 1920, map. Y.B. 1921, p. 478. 1922; Y.B. Sep. 878, p. 72. 1922.
1922, value. Y.B., 1922, pp. 284, 324–331. 1923; Y.B. Sep. 879, pp. 4, 37–42. 1923.
ratio to population in different regions. Y.B., 1923, p. 323. 1924; Y.B. Sep. 895, p. 323. 1924.
rations for using farm wastes. F.B. 873, pp. 9–10. 1917.
relation of cost to other costs in milk production. D.B. 1101, pp. 10–11. 1922.
shipments to France. News L., vol. 6, No. 47, pp. 1, 11. 1919.
show and sales-association requirements. Y.B., 1918, pp. 164–165. 1919; Y.B. Sep. 765, pp. 14–15. 1919.
show, treatment in foot-and-mouth outbreak, 1914. D.C. 325, pp. 5–8. 1924.
silage use, rations. F.B. 556, pp. 13, 14–17. 1913.
sorghum, green, feeding value. F.B. 246, p. 30. 1906.
testing for merit, and registration. Y.B., 1922, p. 329. 1923; Y.B. Sep.879, p. 42. 1923.
tuberculin testing, Maryland, Virginia, and District of Columbia, 1914. An. Rpts., 1917. p. 83. 1914; B.A.I. Chief Rpt., 1914, p. 27. 1914.
world's supply, decrease in foreign countries. Sec. Cir. 85, p. 23. 1918.
See also Cows, dairy.
damage to forest. Y.B. 1901, pp. 474, 475. 1902.
Danish, origin and ancestry. B.A.I. An. Rpt., 1910, p. 224. 1912.
deaths annually from fever ticks. B.A.I. [Misc.,] "The story of * * * tick," pp. 3, 13, 14, 17, 18. 1917.
deaths from impaction of stomach caused by beach grass. Alaska A.R., 1909, pp. 26, 64. 1910.
decrease, 1899–1909. An. Rpts., 1914, p. 6. 1914; Sec. A.R., 1914, p. 8. 1914.
dehorning—
and castrating—
Frank W. Farley. F.B. 949, pp. 14. 1918; revised by W. H. Black. F.B. 949, pp. 14. 1922.
directions. F.B. 350, pp. 1–14. 1909; B.A. I. An. Rpt., 1907, pp. 297–306. 1909; B.A.I. [Misc.], "Diseases of cattle," rev., p. 289. 1909; rev., pp. 298–300. 1912; rev., pp. 292–293. 1923.
purposes. F.B. 949, pp. ii, 2. 1922.
Devon—
accredited herds, list No. 3. D.C. 142, p. 7. 1920.
crossing with Piney Woods cows, results. D.B. 827, p. 10. 1921.
description. B.A.I. Bul. 34, pp. 19–20. 1901.
description and uses. F.B. 612, pp. 19–21. 1915.
dual-purpose breed, description and qualities. F.B. 612, rev., pp. 26–28. 1921.
herds once-tested, by States. D.C. 144, p. 8. 1920.
score card. B.A.I. Bul. 76, p. 13. 1905.
digestion—
studies, changes in feed residues. P. V. Ewing and L. W. Wright. J.A.R., vol. 13, pp. 639–646. 1918.
sunflower silage, experiment, with sheep. Ray E. Neidig. With others. J.A.R., vol. 20, pp. 881–888. 1921.

Cattle—Continued.
digestive organs, diseases. B.A.I. [Misc.], "Diseases of cattle," rev., pp. 14–50. 1912.
dipping—
and spraying for scab, details and directions. F.B. 1017, pp. 15–22. 1919.
and spraying for ticks, effect. F.B. 639, pp. 2–3. 1914.
authorized use of "kil-tick." B.A.I.S.R.A. 116, p. 118. 1917.
destruction of ticks, construction of vats. H. W. Graybill and W. P. Ellenberger. B.A.I. Cir. 207, pp. 20. 1912; B.A.I. Cir. 183, pp. 15. 1911.
directions. B.A.I. [Misc.], "Diseases of cattle," rev., pp. 502–507, 527–528. 1912.
effects, methods, number of applications. B.A.I. An. Rpt., 1910, pp. 267–284. 1912; B.A.I. Bul. 144, p. 65. 1912.
for—
fever ticks. B.A.I. Bul. 78, pp. 31–32. 1905.
interstate transportation. An. Rpts., 1916, p. 107. 1917; B.A.I. Chief Rpt., 1916, p. 41. 1916.
lice. An. Rpts., 1916, pp. 128–129. 1917; B.A.I. Chief Rpt., 1916, pp. 62–63. 1916.
lice and mange. B.A.I. [Misc.], "Diseases of cattle," rev., pp. 512, 514. 1923.
lice, details and directions. F.B. 909, pp. 10–14. 1918.
scab, directions, and dipping plants. F.B. 1017, pp. 16–29. 1919.
Texas fever, regulations. B.A.I.O. 187, rule 1, rev. 9, pp. 10–11, 12. 1912.
tick control, vats and dips. F.B. 1057, pp. 12–17, 21–32. 1919.
tick eradication. B.A.I. [Misc.], "Diseases of cattle," rev., pp. 405–406. 1908; B.A.I.O. 210, pp. 11–14. 1914; B.A.I. Bul. 79, pp. 64–65, 73–77. 1905; F.B. 378, pp. 21–24. 1909; F.B. 49 , pp. 25–36. 1912; F.B. 603, pp. 8–12. 1914.
ticks, necessity of systematic work. S.R.S. Syl. 22, pp. 6–7. 1916.
ticks, opposition and progress. An. Rpts., 1922, p. 137. 1923; B.A.I. Chief Rpt., 1922, p. 39. 1922.
in arsenical solution, for Texas fever. B.A.I.O. 187, rule 1, rev. 9, pp. 10–11, 12. 1912.
in March, for tick control. News L., vol. 6, No. 33, p. 14. 1919.
in Porto Rico, for tick extermination. P.R. An. Rpt., 1917, pp. 31–33. 1918.
increases of milk production. News L., vol. 7, No. 1, p. 5. 1919.
number dipped, number of vats, and workers, May, 1918. News L., vol. 5, No. 52, p. 10. 1918.
plants, location and construction, details. F.B. 1017, pp. 22–29. 1919; F.B. 152, pp. 13–24. 1902.
season and intervals. B.A.I. An. Rpt., 1909, p. 289. 1911; B.A.I. Cir. 174., p. 289. 1911.
Texas fever, arsenical solution, preparation and use. B.A.I.O. 168, rule 1, rev. 6, p. 10. 1910.
vat, specifications and materials for concrete construction. F.B. 498, pp. 37–42. 1912.
work in—
Mississippi. News L., vol. 4, No. 10, p. 4. 1916.
Texas, July, 1919. News L., vol. 7, No. 5, p. 3. 1919.
various States, tick control. News L., vol. 6, No. 41, p. 9. 1919.
dips—
application method and frequency of application. B.A.I. An. Rpt., 1910, pp. 281–283. 1912; B.A.I. Bul. 144, pp. 62–64. 1912.
arsenic solution—
remedy for cattle ticks. B. H. Ransom and H. W. Graybill. B.A.I. Bul. 144, pp. 65. 1912.
value in cattle dipping for ticks. B.A.I. Cir. 187, p. 261. 1912; B.A.I. An. Rpt., 1910, pp. 261, 267–284. 1912.
arsenical—
Robert M. Chapin. F.B. 603, pp. 16. 1914.
effects on skin and hair. B.A.I. An. Rpt., 1910, pp. 270–274. 1912; B.A.I. Bul. 144, pp. 47–49. 1912.

INDEX TO PUBLICATIONS, 1901–1925 393

Cattle—Continued.
dips—continued.
arsenical—continued.
experiments and results. B.A.I. Bul. 167, pp. 16–27. 1913.
formula and directions for use. B.A.I.O. 178, p. 10. 1911; B.A.I.O. 183, rule 1, rev. 8, pp. 9–10. 1911.
permitted. B.A.I.S.R.A. 213, p. 8. 1925.
use in control of chicken mites, method and warning. F.B. 801, pp. 7–8. 1917.
changes in degree of oxidation. Robert M. Chapin. D.B. 259, pp. 12. 1915.
diluting for baths, replenishing, strength corrections. F.B. 603, pp. 8–12. 1914; F.B. 1057. pp. 27–31. 1919.
for lice eradication, formulas and preparation. F.B. 909, pp. 14–17. 1918.
for scabies. B.A.I.O. 245, pp. 18–19. 1916; B.A.I.O. 273, rev., p. 18. 1923.
formulas—
and directions for use. F.B. 378, pp. 21–24. 1909; F.B. 498, pp. 26, 27, 30. 1912; F.B. 603, pp. 4–8. 1914; F.B. 909, pp. 14–17; 1918; F.B. 1017, pp. 18–22. 1919; F.B. 1057, pp. 21–32. 1919.
homemade, cautions. B.A.I.S.R.A. 82, pp. 28–29. 1914.
use. B.A.I.O. 263, Amdt. 1, p. 1. 1919; B.A.I.S.R.A. 119, p. 36. 1917.
lime-sulphur, standardization. D.B. 163, p. 7. 1915; D.B. 451, p. 15. 1916.
manufacture, methods. F.B. 603, pp. 5–8. 1914.
official, list. B.A.I.S.A. 48, p. 26. 1911.
preparation and use. B.A.I. An. Rpt., 1909, pp. 291–293. 1911; B.A.I. Cir. 174, pp. 291–293. 1911.
regulations. B.A.I.O. 210, Amdt. 4, pp. 2. 1915.
substances used in preparation, description. F.B. 603, pp. 1–4. 1914.
use in control of horn flies. Ent. Cir. 115, pp. 9–12. 1910.
disease(s)—
affecting quality of milk. B.A.I. Cir. 114, pp. 12–18. 1907.
and conditions, effects on milk supply. B.A.I. An. Rpt., 1907, pp. 145–159. 1909.
and parasites, investigations and control work. B.A.I. An. Rpt., 1911, pp. 10, 44, 45, 50–53, 57, 59, 62, 76, 79–82. 1913.
caused by protozoan parasites. B.A.I. An. Rpt., 1910, pp. 465–466, 474–479, 488, 492, 493. 1912; B.A.I. Cir. 194, pp. 465, 466, 474, 477–479, 488, 492, 493. 1912.
causes and control, studies. Work and Exp., 1919, pp. 80–84. 1921.
conditions in the Cotton Belt. F.B. 1379, p. 2. 1923.
control on range. D.B. 1031, pp. 74–75. 1922.
dairy records as means of detection. B.A.I. Bul. 75, pp. 9–17. 1905.
description and control work. Y.B., 1919, pp. 70, 71, 72, 73, 74, 76, 77, 78. 1920; Y.B. Sep. 802, pp. 70–78. 1920.
effect on milk supply. B.A.I. An. Rpt., 1907, pp. 145–159. 1909.
eradication slaughter. B.A.I. Chief Rpt., 1924, pp. 21, 29. 1924.
granular venereal, and abortion W. L. Williams. D.B. 106, p. 57. 1914.
heart, blood vessels, and lymphatics. B.A.I. [Misc.], "Diseases of cattle," rev., pp. 73–86. 1923.
in Guam, investigations, 1915. Guam A.R., 1915, pp. 25–33. 1916.
in range area. F.B. 1395, p. 43. 1925.
infectious. B.A.I. [Misc.], "Diseases of cattle," rev., pp. 358–501. 1923.
investigations, quarantine, dippings. An. Rpts. 1913, pp. 311, 347–348, 351–355, 381, 382, 384–387. 1913; B.A.I. Chief Rpt., 1912, pp. 15, 51–52, 55–59, 85, 86, 88–91. 1912.
mistaken for Texas fever. B.A.I. Bul. 78, pp. 28–29. 1905.
murrain or Texas fever. Y.B., 1913, pp. 263, 268. 1914; Y.B., Sep. 627, pp. 263, 268. 1914.
nervous system. B.A.I. [Misc.], "Diseases of cattle," rev., pp. 101–112. 1923.

Cattle—Continued.
disease(s)—continued.
of stomach and bowels. A. J. Murray. B.A.I. Cir. 68, rev , pp. 14. 1904.
parasitic, distribution and importance. B.A.I. An. Rpt., 1910, pp. 419–463. 1912; B.A.I. Cir. 193, pp 419–463. 1912.
prevalent in the South, conditions. F.B. 1379, p. 2. 1923.
produced by moldy corn. B.A.I. An. Rpt., 1907, p. 260. 1909.
similar to foot-and-mouth disease, diagnosis. F.B. 666, pp. 11–13. 1915.
special report on. Leonard Pearson and others. B.A.I. [Misc.], "Diseases of cattle," rev., pp. 533. 1904; rev., pp. 551. 1908; rev., pp. 576. 1912; rev., pp. 563. 1923.
spread by dogs. D.B. 260, pp. 5–11, 14, 18, 22, 23, 24. 1915.
statistics. Y.B., 1924, pp. 895–897. 1925.
work in Alaska. Alaska A.R., 1916, pp. 13–14, 59–60. 1918.
See also Texas fever; Tuberculosis; Scab.
diseased carcasses, inspection and disposal. B.A.I.O. 211, Amdt. 4, pp. 2–4. 1917.
diseased, exportation, law. Sol. [Misc.], "The 28-hour law and * * *," pp. 9–12. 1915.
disinfection—
for scabies. B.A.I. Bul. 40, pp. 11–23. 1902.
for ticks. B.A.I. Bul. 79, pp. 20–27. 1905.
use and value in abortion control. F.B. 790, pp. 10–11. 1917.
domestic, ancestry. B.A.I. An. Rpt., 1910, pp. 156–161, 187–239. 1912.
drifting, grazing-trespass decision in case of Thomas Shannon. For. [Misc.], "Instructions * * * grazing * * *," (Feb., 1909), pp. 6. 1909.
drought-stricken, transfer from Texas to other States. An. Rpts., 1918, p. 77. 1919; B.A.I. Chief Rpt., 1918, p. 7. 1918.
droves, gain and loss, relations. D.C. 307, pp. 5, 8, 10. 1924.
dual-purpose breeds, description, origin. F.B. 612, pp. 14–23. 1915.
dual-purpose, care, feed. News L., vol. 7, No. 18, pp. 1, 6. 1919.
Dutch, origin and ancestry. B.A.I. An. Rpt., 1910, p. 223. 1912.
Dutch Belted—
herds, once-tested, by States. D.C. 144, p. 8. 1920.
herds tested and accredited, lists. D.C. 54, p. 10. 1919.
milk analyses. Chem. Bul. 132, p. 129. 1910.
origin, characteristics, scale of points, and milk production. F.B. 1443, pp. 17–19. 1925.
dysentery, chronic bacterial—
cause, symptoms, and treatment. B.A.I. [Misc.], "Diseases of cattle," rev., pp. 491–493. 1908; rev., pp. 513–515. 1912.
symptoms. An. Rpts., 1908, p. 239. 1909; B.A.I. An. Rpt., 1908, pp. 32, 234–236. 1910; B.A.I. Chief Rpt., 1908, p. 25. 1908; B.A.I. Cir. 156, pp. 1–3. 1910.
ear—
diseases, symptoms and treatment. B.A.I. [Misc.], "Diseases of cattle," rev., pp. 354–356. 1904; rev., pp. 367–370. 1912; rev., pp. 355–357. 1923.
fungus growths, treatment. B.A.I. [Misc.], "Diseases of cattle," rev., p. 354. 1909; rev., p. 368. 1912.
tick, treatment. B.A.I. [Misc.], "Diseases of cattle," rev., p. 505. 1908.
early importations to America. B.A.I. An. Rpt., 1910, pp. 227–228. 1912.
emaciation, studies. B.A.I. Chief Rpt., 1924, pp. 32–33. 1924.
emigrant's, movement interstate. B.A.I. 292, p. 26. 1925.
estimates, 1911–1923. M.C. 6, p. 19. 1923.
European, principal types, origin, description. B.A.I. An. Rpt., 1910, pp. 216–227, 231–232. 1912.
exhibition in quarantined area. B.A.I.O. 292, p. 13. 1925.
exhibition, tuberculin test, waiving. B.A.I. An. Rpt., 1907, pp. 457, 458, 459. 1908.

Cattle—Continued.
  exports—
    1850-1918, number and value. D.C. 7, p. 5. 1919.
    1895-1913. Rpt. 109, pp. 70, 224, 226-228. 1916.
    1901-1924. Y.B., 1924, pp. 1041, 1074. 1925.
    and imports, Federal inspection law. Chem. Bul. 69, Pt. I, pp. 2-7. 1902.
    associations, cooperation, in Denmark. D.B. 1266, pp. 54-56. 1924.
    distribution. Rpt. 67, pp. 14-15. 1901.
    from nine countries, surplus production. Rpt. 109, pp. 70-71, 216-229. 1916.
    from Philadelphia. Stat. Bul. 38, pp. 61-62. 1905.
    prohibitions of imports. Y.B., 1906, p. 251. 1907; Y.B. Sep. 421, p. 251. 1907
    shipping regulations. B.A.I.O. 264, pp. 5, 8, 13, 14, 19, 21. 1919.
    to Mexico. B.A.I. Bul. 41, pp. 6-7. 1902.
    transportation regulations. B.A.I.O. No. 139, pp. 18. 1906.
    tuberculin test. B.A.I.O. 264, amdt. 1, p. 1. 1923.
  extension work in 1923. D.C. 347, pp. 1-3, 14. 1925.
  extinct species, relation to ancestry of domestic cattle. B.A.I. An. Rpt., 1910, pp. 156-158, 192-212. 1912.
  extravasation cysts, description and treatment. B.A.I. [Misc.], "Diseases of cattle," rev., pp. 317-318. 1904; rev., 329-330. 1912; rev., pp. 317-318. 1923.
  eye diseases, causes, symptoms, and treatment. B.A.I. [Misc.], "Diseases of cattle," rev., pp. 352-366. 1912; rev., pp. 340-354. 1923; B.A.I. Chief Rpt., 1918, p. 45. 1918; An. Rpts., 1918, p. 115. 1919.
  face bone, fracture, treatment. B.A.I. [Misc.], "Diseases of cattle," rev., pp. 274-275. 1904; rev., pp. 283-284. 1912; rev., pp. 277-278. 1923.
  fairs, value, premiums, and rules for judging, Denmark. B.A.I. Bul. 129, pp. 21-25, 33-36. 1911.
  farcy, description and symptoms. Y.B., 1919, pp. 73, 75. 1920; Y.B. Sep. 802, pp. 73, 75. 1920.
  fat—
    characteristics and score card. F.B. 1068, pp. 8, 13-16. 1919.
    shrinkage in transit small. News L., vol. 6, No. 37, p. 4. 1919.
  fattening—
    alfalfa, pastures in Argentina. Y.B., 1914, p. 385. 1915; Y.B. Sep. 648, p. 385. 1915.
    and wintering, Southern States. An. Rpts., 1916, pp. 76-77. 1917; B.A.I. Chief Rpt. 1916, pp. 10-11. 1916.
    calorimeter studies. J.A.R., vol. 11, pp. 451-472. 1917.
    cost, per 100 pounds of gain. D.B. 762, pp. 6-7, 13, 21, 29. 1919.
    cottonseed products, suggested rations. F.B. 1179, pp. 2, 9-10. 1920.
    early and late, comparison. B.A.I. Bul. 159, pp. 48-56. 1912.
    for market. F.B. 320, pp. 25-28. 1908.
    for profit, age, experiments. F.B. 320, p. 25. 1908.
    in Alabama. Dan T. Gray and W. F. Ward. D.B. 110, pp. 41. 1914.
    on grass in Appalachian region. D.B. 1251, pp. 1-2. 1924.
    on pasture. B.A.I. Bul. 131, pp. 37-47. 1911.
    operating expenses, and profits. F.B. 1218, pp. 27-31. 1921.
    period, methods, and suggestions. F.B. 588, pp. 13-17. 1914.
    season most profitable. F.B. 320, pp. 26, 27. 1912.
    use of alfalfa. B.A.I. An. Rpt., 1904, pp. 258-261. 1905.
  feed(s)—
    acidity determination. Chem. Bul. 122, pp. 160-163. 1909.
    adulteration and misbranding (white clipped oats). Chem. N.J. 1809, p. 1. 1912; Chem. N.J. 809, p. 2. 1911; Chem. N.J. 1141, p. 1. 1911; Chem. N.J. 2847, p. 2. 1914; Chem. N.J. 3515, p. 1. 1915.

Cattle—Continued.
  feed(s)—continued.
    Alaska, production, purchase, and cost. Alaska A.R., 1911, p. 31. 1912.
    analysis. Chem. Bul. 67, pp. 44-51. 1902; Chem. Bul. 73, pp. 146-154. 1903; J.A.R. vol. 3, No. 6, pp. 437-438. 1915.
    analysis methods in smelter-waste investigations. Chem. Bul. 113, rev., p. 61. 1910.
    cost of gain of hundred pounds of weight. B.A.I. Bul. 159, pp. 15-17, 28-29, 44-45, 53-54. 1912.
    daily amount per head. B.A.I. Bul. 131, pp. 30, 36, 38, 46. 1911.
    digestibility in milk-production experiments. D.B. 1281, pp. 13-14. 1924.
    dry, danger of producing calculi. B.A.I. [Misc.], "Diseases of cattle," rev., pp. 129-133. 1908; rev., pp. 131-133. 1912.
    effect on composition of urine. B.A.I. [Misc.], "Diseases of cattle," rev., p. 113. 1908.
    energy, availability, studies. B.A.I. Bul. 142, pp. 20-22. 1912.
    experiments in South, comparisons. F.B. 522, pp. 11-17. 1913.
    for emergency, chopped soapweed, on southwestern ranges. C. L. Forsling. D.B. 745, pp. 20. 1919.
    in Porto Rico, grasses available. P.R. Bul. 29, pp. 10-11. 1922.
    investigations, program for 1915. Sec. [Misc.], "Program of work * * * 1915," pp. 187-188. 1914.
    mixtures, qualities, and results. S.R.S. Rpt., 1915, Pt. I, pp. 42, 43, 44, 147, 161, 163, 164, 165, 176, 189, 229, 246, 278. 1917.
    prices, 1919. D.B. 762, pp. 5, 6-7, 10, 13, 18, 27. 1919.
    prices, beef-production experiments, Alabama. B.A.I. Bul. 131, pp. 13, 27, 41. 1911.
    protein and energy value, requirements. F.B. 346, pp. 16-20. 1909.
    requirements, daily gains, in beef-production experiments. B.A.I. Bul. 103, pp. 14-19, 24-25. 1908.
    requirements for maintenance, growth, and fattening. D.B. 459, pp. 14-17. 1916; D.B. 1296, pp. 42-47. 1925.
    use and value of sugar-cane by-products. D.B. 486, pp. 43-45. 1917.
    use of fish scrap, experiments. D.B. 2, pp. 36-39. 1913.
    utilization, influence of type and age. Henry Prentiss Armsby and J. August Fries. B.A.I. Bul. 128, pp. 245. 1911.
    value of cassava. F.B. 167, pp. 24-27. 1903.
    value of soy bean. News L., vol. 4, No. 23, p. 4. 1917.
  feeder—
    decrease in supply, causes, and demand. F.B. 588, pp. 2-3. 1914.
    characteristics and score card for beef. F.B. 1068, pp. 9-10, 13-16. 1919.
    freight rates, Texas to eastern points. News L., vol. 6, No. 5, p. 14. 1918.
    management on hog and beef farm. F.B. 1463, pp. 20-21. 1925.
    supply, purchase and selection in the Corn Belt. F.B. 1382, pp. 1-5. 1924.
    See also Feeders.
  feeding—
    alfalfa hay and starch, experiments. J.A.R., vol. 15, pp. 269-286. 1918.
    and breeding, studies and experiments. Work and Exp., 1919, pp. 71-79. 1921.
    and handling while fattening. D.B. 761, pp. 3, 10. 1919. D.B. 777, pp. 4, 9, 13, 17. 1919.
    and selling, cooperative, in South, studies. News L., vol. 2, No. 42, p. 3. 1915.
    brewers', distillers', and canners' by-products. Rpt. 112, pp. 25-26. 1916.
    cactus, value. Rpt., 112, p. 22. 1916.
    comparisons of materials, experiments. Y.B., 1913, pp. 266-267, 272-282. 1914; Y.B. Sep. 627, pp. 266-267, 272-282. 1914.
    contract system. Off. Rec., vol. 2, No. 38, p. 3. 1923.
    cooperative sales and prices. News L., vol. 3, No. 51, pp. 6-7. 1916.
    Corn Belt farm, value of sweet-clover pasture. F.B. 1005, pp. 18, 21. 1919.

Cattle—Continued.
 feeding—continued.
  corn-stover silage, value. J.A.R., vol. 12, pp. 589–591. 1918.
  cottonseed-corn silage, experiments in Mississippi, 1915–1916. News L., vol. 4, No. 8, pp. 7, 8. 1916.
  daily gains for different ages. B.A.I. An. Rpt., 1905, pp. 204–206. 1907.
  death camas, experiments, symptoms, and results. D.B. 1012, pp. 5, 9. 1922.
  demonstrations, Georgia, Alabama, and Mississippi. Y.B. 1917, pp. 333–335. 1918; Y.B. Sep. 749, pp. 9–11. 1918.
  economic, in the Corn Belt. J. S. Cotton and W. F. Ward. F.B. 588, pp. 19. 1914.
  energy values of red-clover hay and corn meal. J.A.R., vol. 7, pp. 379–389. 1916.
  experiments—
   1913. Work and Exp., 1913, pp. 26, 47, 58, 61, 88. 1915.
   1916, results. S.R.S. Rpt., 1916, Pt. I, pp. 62, 66, 73, 91, 94, 113, 118, 164, 170, 175, 198, 210, 236, 256, 265, 274. 1918.
   1917. An. Rpts., 1917, pp. 74, 78, 91, 128. 1918; B.A.I. Chief Rpt., 1917, pp. 8, 12, 25, 62. 1917.
   1918. An. Rpts., 1918, pp. 80–81, 82, 83, 132. 1919; B.A.I. Chief Rpt., 1918, pp. 10–11, 12, 13, 62. 1918.
   1919. An. Rpts., 1919, pp. 80–81, 82, 100. 1920. B.A.I. Chief Rpt., 1919, pp. 8–9, 10, 28. 1919.
   Alabama. B.A.I. Bul. 103, pp. 1–28. 1908.
   with prickly pear. B.A.I. Bul. 106, pp. 138. 1908.
   with Zygadenus. D.B. 125, pp. 8, 9, 10, 29, 34, 35. 1915.
  finishing for market. Y.B., 1913, pp. 272–275. 1914; Y.B. Sep. 627, pp. 272–275. 1914.
  for exhibition, methods and champions. F.B. 486, pp. 5–12. 1912.
  for meat production. Henry Prentiss Armsby. B.A.I. Bul. 108, pp. 89. 1908.
  gains and losses on different winter rations, experiments. D.B. 870, pp. 8–10, 11–12, 13–14, 16–20. 1920.
  grain sorghums and rations suggested. F.B. 724, pp. 5, 8–13. 1916.
  grain sorghums, value. Y. B., 1913, pp. 224, 237. 1914; Y.B. Sep. 625, pp. 224, 237. 1914.
  Great Plains region, experiments, 1914–1915. News L., vol. 3, No. 21, pp. 5, 8. 1915.
  heat production, measurement and analysis. J.A.R., vol. 7, p. 384. 1916.
  hominy feed and maize meal, energy values. Henry Prentiss Armsby and J. August Fries. J.A.R., vol. 10, pp. 599–613. 1917.
  importance and value of manure. F.B. 522, p. 17. 1913.
  in—
   Alaska. 1909. Alaska A.R. 1908, pp. 19, 61–62, 65. 1909.
   Alaska, 1911, methods, feed quantity. Alaska A.R. 1911, pp. 62–63. 1912.
   Europe, with sheep and hog feeding. Willard John Kennedy. B.A.I. Bul. 7, pp. 98. 1905.
   Germany. B.P.I. Bul. 260, pp. 34, 39, 42. 1912.
   Indiana, White County. Soil Sur. Adv. Sh. 1915, pp. 13, 23, 32. 1917; Soils F.O. 1915, p. 1457. 1919.
   Iowa, Montgomery County. Soil Sur. Adv. Sh. 1917, pp. 10, 12, 19, 23. 1919; Soils F.O. 1917, pp. 1730, 1732, 1739, 1743. 1923.
   Iowa, Ringold County. Soil Sur. Adv. Sh. 1916; pp. 10, 17–27. 1918; Soils F.O., 1916, pp. 1910, 1917–1927. 1921.
   Iowa, Woodbury County, notes. Soil Sur. Adv. Sh. 1920, pp. 764, 769–783. 1923; Soils F.O. 1920; pp. 764, 769–783. 1925.
   Kansas, Riley County. Soil Sur. Adv. Sh. 1906, pp. 13–14. 1908; Soils F.O. 1906, pp. 919–920. 1908.
   Missouri, Chariton County. Soil Sur. Adv. Sh., 1918, p. 10. 1921; Soils F.O., 1918, p. 1282. 1924.
   Missouri, Pettis County. Soil Sur. Adv. Sh., 1914, pp. 12, 19. 1916; Soils F.O. 1914, pp. 2064, 2071. 1919.

Cattle—Continued.
 feeding—continued.
  in—continued.
   Nebraska, North Platte Reclamation Project. D.C. 289, pp. 7–8. 1924.
   Nebraska, Sheridan County. Soil Sur. Adv. Sh. 1918, pp. 13, 22–58. 1921; Soils F.O., 1918, pp. 1449, 1548–1494. 1924.
   Nebraska, Wayne County. Soil Sur. Adv. Sh. 1917, pp. 16. 17, 27, 33, 35, 42, 46. 1919; Soils F.O. 1917, pp. 1968–1969, 1979, 1985, 1987, 1994, 1998. 1923.
   South, profitable. F.B. 259, pp. 27–28. 1906.
  influence of livestock shows B.A.I. An. Rpt., 1908, pp. 345–356. 1910.
  jack beans. B.P.I. Cir. 110, pp. 31–32. 1913.
  larkspur, experiments. D.B. 365, pp. 29–52, 59. 1916.
  legumes, value in Guam. Guam Bul. 4, p. 9. 1922.
  methods. D.C. 330, pp. 25–26. 1925.
  methods, Europe. B.A.I., Bul. 77, pp. 17–39. 1905.
  on—
   aphid-infested clover, effects. D.B. 276, pp. 7–8. 1915.
   high-priced land, suggestions. F.B. 588, pp. 12–13. 1914.
   millet hay. F.B. 793, p. 20. 1917.
   pasture in South. Y.B., 1913, pp. 278–282. 1914; Y.B. Sep. 627, pp. 278–282. 1914.
   prickly pear. B.A.I. Bul. 91, pp. 123. 1906.
   ranges in Southwest. D.B. 588, pp. 20–21, 23–27, 30, 31. 1917.
   soft corn. D.C. 333, pp. 2–3. 1924.
   Sudan-grass hay. F.B. 1126, p. 21. 1920.
   sugar-cane and its by-products. Rpt. 112, pp. 22–23, 26–27. 1916.
  or grazing under tuberculosis quarantine. B.A.I.O. 210, amdt. 1, p. 2. 1914.
  profitable, lecture syllabus. Frederick B. Mumford. O.E.S. F.I.L. 4, pp. 21. 1905.
  profits, influence of wrong selling time. F.B. 704, p. 37. 1916.
  ration, Alaska. Alaska A.R., 1919, p. 57. 1920.
  rice bran, suggestions. F.B. 412, pp. 18–19. 1910.
  Siberian alfalfas and clovers. B.P.I. Bul. 150, pp. 9, 11, 13, 14, 15, 23, 1909.
  silage and cottonseed meal, results. F.B. 1179, pp. 9–10. 1920.
  soapweed, amount and effects. D.B. 745, pp. 11–13, 18–19.1919.
  station(s)—
   at Waycross, Ga. B.A.I.O. 271, amdt. 1, p. 2. 1921.
   for noninfected animals. B.A.I.O. 251, p. 7. 1916.
   in quarantined areas, regulations. B.A.I.O. 183, rule 1, rev. 8, p. 9. 1911.
   on railroads. B.A.I.O. 285, pp. 4–5. 1923.
  steers in the sugar-cane belt. D.B. 1318, pp. 3–13. 1925.
  studies of passage of food residues through steers. J.A.R., vol. 10, pp. 55–63. 1917.
  stuffs, net energy values. Henry Prentiss Armsby and J. August Fries. J.A.R., vol. 3, pp. 435–491. 1915.
  sugar-beet pulp. Rpt. 90, pp. 26, 29, 30, 31, 37, 38, 39, 40. 1905.
  tests with velvet beans. News L., vol. 5, No. 21, pp. 2–3. 1917.
  use and value of dasheens. Y.B., 1916, p. 206. 1917; Y.B. Sep. 689, p. 8. 1917.
  use of beet molasses. Y.B., 1908, p. 448. 1909; Y.B. Sep. 493, p. 448. 1909.
  use of silage. F.B. 556, pp. 13, 14–17. 1913.
  value of—
   green sorghum. F.B. 246, p. 30. 1906.
   milo. F.B. 322, p. 20. 1908.
   oil meals. Rpt. 112, pp. 17–21. 1916.
   sugar beet by-products. Rpt. 86, pp. 20, 44, 5, 58. 1908.
  watering, interstate transportation, regulations. B.A.I.O. 210, pp. 28–29. 1914.
  whole grain. F.B. 296, pp. 21–23. 1907.
  with—
   barium salts, experiments. B.P.I. Bul. 246, pp. 18–25, 31. 1912.
   buckwheat. F.B. 1062, p. 18. 1919.
   fish meal, experiments and results. D.B. 378, pp. 4, 5, 7, 8. 1916.

Cattle—Continued.
 feeding—continued.
  with—continued.
   Para grass, tests. Guam Bul. 1, pp. 23-24, 26. 1921.
   sneezeweed, experiments and results. D.B. 947, pp. 10, 15-17, 26, 30-31. 1921.
 fever—
  control by eradication of ticks. Y.B., 1922, p. 312. 1923; Y.B. Sep. 879, p. 51. 1923.
  quarantine. See Cattle quarantine.
  spread, prevention order, Dec. 1, 1917. B.A.I.O. 255, pp. 9. 1917.
  Texas or southern. D. E. Salmon and Theobald Smith. B.A.I. Cir. 69, pp. 13. 1905.
  tick. See Tick, cattle fever.
  See also Tick fever, cattle.
 Flamande, origin and ancestry. B.A.I. An. Rpt., 1910, p. 225. 1912.
 flesh, color variation with age. B.A.I. An. Rpt., 1905, p. 190. 1907.
 flies, control studies. Work and Exp., 1919, p. 68. 1921.
 flukes, liver and lungs, description, symptoms and treatment. B.A.I. [Misc.], "Diseases of cattle," rev., pp. 512-513. 1908.
 food(s)—
  analysis, methods. Chem. Bul. 107, pp. 57-58. 1907.
  and grains extraction, sugar determination, comparison of alcohol and sodium carbonate digestions. A. Hugh Bryan and others. Chem. Cir. 71, pp. 14. 1911.
  condimental and medicinal. F.B. 144, pp. 22-24. 1901.
  materials, injury by smelter wastes, methods of analysis. Chem. Bul. 113, pp. 38-39. 1908.
  methyl pentosan, occurrence. Chem. Bul. 132, pp. 173-175. 1910.
  requirements, daily rations. F.B. 325, p. 16. 1908.
 foot—
  and mouth disease—
   D. E. Salmon. Y.B., 1902, pp. 643-658. 1903; Y.B. Sep. 295, pp. 15. 1903.
   history, cause, symptoms, and treatment. B.A.I. [Misc.], "Diseases of cattle," rev., pp. 395-403. 1912; F.B. 666, pp. 1-16. 1915.
   warning to owners. D. E. Salmon. B.A.I. Cir. 38, pp. 3. 1902.
   See also Foot-and-mouth disease.
  deformities, treatment. B.A.I. [Misc.], "Diseases of cattle," rev., p. 350. 1912; rev., p. 338. 1923.
  diseases. M. R. Trumbower. B.A.I. [Misc.], "Diseases of cattle," rev., pp. 335-339. 1904; rev., pp. 347-351. 1912; rev., pp. 335-339. 1923.
  rot, nature, and cause. B.A.I. An. Rpt., 1904, pp. 101-102. 1905.
 for immediate slaughter, interstate shipment. B.A.I.O. 210, amdt. 1, p. 3. 1914.
 foreign countries, statistics, 1900. B.A.I. Bul. 55, pp. 75-88. 1903.
 foreign, tuberculin test, regulations, consistence. B.A.I. Bul. 32, pp. 20-22. 1901.
 forest reserves, grazing in 1901. Y.B., 1901, p. 339. 1902; Y.B. Sep. 241, p. 339. 1902.
 fractures, kinds, symptoms, and treatment. B.A.I. [Misc.], "Diseases of cattle," rev., pp. 276-288. 1912.
 France, number, 1840-1920. B.A.I. Doc. A-37, p. 51. 1922.
 freedom from sneezeweed poisoning. B.A.I. Doc. A-9, p. 2. 1916.
 freeing from Texas fever ticks. B.A.I. Bul. 78, pp. 30-32, 35-38. 1905.
 freeing herds from tuberculosis, number freed. News L., vol. 5, No. 48, p. 7. 1918.
 freight rates—
  1923. Y.B., 1923, pp. 1173, 1174, 1175. 1924; Y.B., Sep. 906, pp. 1173, 1174, 1175. 1924.
  Pacific Coast States, 1910. Stat. Bul. 89, pp. 63, 65. 1911.
 from Great Britain, quarantine period, regulation. B.A.I.O. 142, amdt. 6, p. 1. 1909.
 from tuberculosis-free herds, certificates. B.A.I.O. 266, amdt. 1, p. 1. 1919.
 gains—
  daily for different ages. B.A.I. An. Rpt., 1905, pp. 204-206. 1907.

Cattle—Continued.
 gains—continued.
  in grazing experiment, Great Plains. D.B. 1170, pp. 12-15. 1923.
  in grazing experiments at field station near Mandan, N. Dak. D.B. 1301, pp. 73-74. 1925.
 Galloway—
  adaptability to Alaska conditions, characteristics. Alaska A.R., 1909, pp. 26, 63. 1910.
  Alaska, increase, sale of surplus stock, and care, Alaska A.R., 1913, pp. 22-23, 59. 1914.
  Alaska, kinds, numbers, and condition, 1915. Alaska A.R., 1915, p. 79. 1916.
  beef breed, description, origin, and best lines. F.B. 612, rev., pp. 17-19, 19-21. 1921.
  breeding experiments in Alaska. Alaska A.R., 1907, pp. 8-11, 59-60. 1908.
  breeding in Alaska, adaptability. Alaska A.R., 1911, pp. 30-32, 61-63. 1912.
  crossbreeding with Holsteins in Alaska. Alaska A.R., 1918, pp. 20, 89-90. 1920.
  dairy work in Alaska, 1915. Alaska A.R., 1915, p. 80. 1916.
  description and value. B.A.I. Bul. 34, pp. 18-19. 1902.
  description, pedigreed bulls, and families. F.B. 612, pp. 13-14. 1915.
  herds tested and accredited, lists. D.C. 54, p. 10. 1919.
  Kodiak station, testing for tuberculosis, results. Alaska Bul. 5, pp. 7-8. 1924.
  prices in United States, table. B.A.I. Bul. 41, p. 12. 1902.
  probable ancestry. B.A.I. An. Rpt., 1910, pp. 158, 161. 1912.
  progress of herd in Alaska. Alaska A.R., 1917, pp. 77-79. 1919.
  purchase for Alaska breeding station. Alaska A.R., 1912, pp. 43-44, 75. 1913.
  return from Washington to Kodiak, conditions. Alaska A.R., 1914, pp. 40-41, 67-68, 74. 1915.
  selection for Alaska, and characteristics. Alaska Bul. 5, pp. 1-2. 1924.
 Gaul types and origin. B.A.I. An. Rpt., 1910, p. 220. 1912.
 generative organs, diseases. B.A.I. [Misc.], "Diseases of cattle," rev., pp. 147-213. 1923.
 gid occurrence. B.A.I. Bul. 125, Pt. I, pp. 30-33, 37, 40. 1910.
 grade—
  comparison with scrub cattle. F.B. 1073, p. 10. 1919.
  improvement, result of Texas fever eradication. B.A.I. Cir. 196, pp. 3-4. 1912.
  tuberculosis-free, certification. News L., vol. 6, No. 25, p. 2. 1919.
 grazing—
  adaptability of forest ranges. D.B. 791, pp. 29-32, 41-44, 52, 53. 1919.
  bluegrass region, cost and returns. D.B. 397, pp. 9-11. 1916.
  costs. Off. Rec., vol. 4, No. 1, p. 5. 1925.
  experiments at Mandan, North Dakota. D.B. 1337, p. 17. 1925.
 in—
  forests, injury to pine seedlings. D.B. 1105, pp. 127-128. 1923.
  Gulf Coast region. F.B. 986, pp. 11, 25, 26. 1918.
  Idaho, in proposed forest-reserve region. For. Bul. 67, pp. 47, 49, 55. 1905.
  Louisiana forests, injuries. For. Bul. 114, pp. 13, 27. 1912.
  national forests, administrative act, Supreme Court decision. Sol. Cir. 54, pp. 1-9. 1911.
  national forests, permits fees. For [Misc.], "The use book * * *," rev., pp. 31, 32, 38, 42, 53, 54. 1921.
  Nebraska, Box Butte County. Soil Sur. Adv. Sh., 1916, pp. 11, 21, 23, 26, 28, 29, 31. 1918; Soils F.O., 1916; pp. 2047, 2057, 2059, 2062, 2064, 2065, 2067. 1921.
  New Mexico national forests. D.C. 240, pp. 7, 11, 13, 15, 16, 18, 19, 21. 1922.
  Wyoming. N.A. Fauna 42, pp. 10, 37. 1918.
 industry in West Virginia, Clarksburg area, Soil Sur. Adv. Sh. 1910, pp. 11, 25, 31. 1912; Soils F.O. 1910, pp. 1055-1058, 1069, 1075. 1912.
 injury to wood lots. News L., vol. 3, No. 47, p. 2. 1916.

Cattle—Continued.
grazing—continued.
lands, location. Y.B., 1908, p. 232. 1909; Y.B. Sep. 477, p. 232. 1909.
losses and their causes. D.B. 1001, pp. 32-33. 1922.
on cut-over pine lands, profit. D.B. 1061, pp. 49-50. 1922.
on Great Plains native pastures, methods and results. D.B. 1170, pp. 1-46. 1923.
Great Plains region, value of alfalfa as good. B.A.I. Cir. 86, pp. 26. 1905.
growth and feed requirements. B.A.I. Bul. 128, pp. 88-91. 1911.
growth and reproduction, effects of certain rations. J.A.R., vol. 10, pp. 175-198. 1917.
grubs, control. F.B. 1073, p. 22. 1919.
Guernsey—
advanced-register, effect of age and development on butter-fat production. R.R. Graves and M. H. Frohman. D.B. 1352, pp. 24. 1925.
characteristics. J.A.R., vol. 15, pp. 4, 11. 1918.
description, characteristics, origin, records, and score cards. F.B. 893, pp. 17-23. 1917.
herds tested and accredited. D.C. 54, pp. 11-21. 1919.
importations, April 1-June 30, 1911, names of animals and importers. B.A.I. [Misc.], "Animals imported * * *," pp. 6-11. 1911.
importations, Oct. 1 to Dec. 31, 1911, certificates. B.A.I. [Misc.], "Animals imported * * *," p. 5. 1912.
importations, 1912, names of animals and importers. B.A.I. [Misc.], "Animals imported * * *," pp. 11-19. 1913.
origin and ancestry. B.A.I. An. Rpt., 1910, p. 227. 1912.
origin and characteristics. P.R. Bul. 29, p. 6. 1922.
origin, characteristics, scale of points and milk production. F.B. 1443, pp. 20-24. 1925.
purebred, number and distribution, by States. F.B. 1443, pp. 4-5. 1925.
See also Cattle, dairy; Cows, dairy.
handling after dipping. B.A.I. An. Rpt., 1910, pp. 283-284. 1912; B.A.I. Bul. 144, pp. 64-65. 1912.
handling and transfer to increase meat supply. Y.B., 1917, p. 33. 1918.
hardy, crossing experiments with Yak, discussion. Alaska A.R., 1915, pp. 17, 81. 1916.
heart conditions at high altitudes, weight. J.A.R., vol. 15, pp. 409-411. 1918.
heart, diseases description and diagnosis. B.A.I. [Misc.], "Diseases of cattle," rev. pp. 77-83. 1923; rev., pp. 71-85. 1912.
hemorrhagic septicemia, infectious nature, and mortality. F.B. 1018, pp. 2, 4. 1918.
herd(s)—
accredited, number increase. An. Rpts., 1922, pp. 99, 139-140. 1923; B.A.I. Chief Rpt., 1922, pp. 1, 41-42. 1922.
accrediting, methods and rules. Y.B. 1918, pp. 215-217. 1919; Y.B. Sep. 782, pp. 3-5. 1919.
in Alaska, Kodiak station, breeds, conditions. Alaska A.R., 1919, pp. 16, 17, 60. 1920.
Kodiak Experiment Station, Alaska, description. Alaska A.R., 1916, pp. 12-13, 58-61. 1918.
Kodiak Experiment Station, Alaska, history. Alaska Bul. 5, pp. 2-3. 1924.
Hereford—
beef breed, description, origin, and best lines. F.B. 612, pp. 6-10. 1915; F.B. 612, rev., pp. 9-14, 19-21. 1921.
distribution. Y.B. 1921, p. 242. 1922; Y.B. Sep. 874, p. 242. 1922.
herds tested and accredited, lists. D.C. 54, pp. 21-26. 1919; D.C. 142, pp. 14-17. 1920.
importation from Brazil. Y.B., 1913, p. 361. 1914; Y.B. Sep. 629, p. 361. 1914.
importations, Oct. 1, to Dec. 31, 1911, certificates. B.A.I. [Misc.], "Animals imported * * *," p. 5. 1912.
importations, 1912, names of animals and importers. B.A.I. [Misc.], "Animals imported * * *," p. 19. 1913.

Cattle—Continued.
Hereford—continued.
importations, 1913. B.A.I. [Misc.], "Animals imported * * *," p. 19. 1914.
prices and demand in England, 1918. Y.B., 1918, p. 289. 1919; Y.B. Sep. 773, p. 3. 1919.
prices in Argentina. B.A.I. Bul. 48, pp. 16, 17, 18, 20, 26, 30-31. 1903.
prices in U. S., table. B.A.I. Bul. 41, pp. 11-12. 1902.
hernia, dangers, treatment. B.A.I. [Misc.], "Diseases of cattle," rev., pp. 40, 41. 1908.
hides—
exports, 1912, by countries. F.B. 615, pp. 19, 20. 1914.
for hair rugs, experiments with Galloways, Alaska. O.E.S. [Misc.], "Organization and work of the Office of Experiment Stations," p. 11. 1909.
imports, 1909-1914, sources of supply. F.B. 615, pp. 17-19, 20-22. 1914.
production, foreign trade, supply, and consumption. Y.B., 1917, pp. 433-444. 1918; Y.B. Sep. 741, pp. 11-22. 1918.
salting, curing, folding, and tagging. F.B. 1055, pp. 30-39. 1919.
high prices, effect on Mexico as market. B.A.I. Bul. 41, p. 8. 1902.
Highland. John Roberts. B.A.I. An. Rpt., 1904, pp. 227-241. 1905; B.A.I. Cir. 88, p. 15. 1904.
Highland, origin and ancestry. B.A.I. An. Rpt., 1910, p. 226. 1912.
historical allusions and early illustrations. B.A.I. An. Rpt., 1910, pp. 198-201, 209, 225. 1912.
Holstein—
breeding, North Dakota, 1911. B.A.I. An. Rpt., 1911, p. 20. 1913.
breeding, North Dakota, 1910. An. Rpts., 1910, p. 214. 1911; B.A.I. Chief Rpt., 1910, p. 20. 1910.
breeding, North Dakota, 1912. B.A.I. Chief Rpt., 1912, p. 24. 1912; An. Rpts., 1912, p. 320. 1913.
cooperative breeding. B.A.I. An. Rpt., 1909, p. 65. 1911.
crossbreeding with Galloways in Alaska. Alaska A.R., 1918, pp. 20, 89-90. 1920.
origin and characteristics. P.R. Bul. 29, p. 7. 1922; B.A.I. An. Rpt., 1910, p. 223. 1912.
sales, Argentina. B.A.I. Bul. 48, pp. 16, 18, 20. 1903.
superiority for milk and veal in Wisconsin, Waukesha County. Soil Sur. Adv. Sh., 1910, p. 12. 1912; Soils F.O., 1910, p. 1180. 1912.
Holstein-Friesian—
Association of America. B.A.I. Doc. A-37, p. 15. 1922.
characteristics. J.A.R., vol. 15, pp. 4, 11-12. 1918.
continuation of breeding circuit in North Dakota. News L., vol. 5, No. 23, p. 7. 1918.
herds tested and accredited, lists. D.C. 54, pp. 27-49. 1919; D.C. 142, pp. 17-29. 1920; D.C. 143, pp. 20-60. 1920.
importations, 1913. B.A.I. [Misc.], "Animals imported * * * 1913," p. 20. 1914.
origin, description, characteristics, score cards, and records. F.B. 893, pp. 23-29. 1917; F.B. 1443, pp. 24-28. 1925.
Soldiers' Home, D. C., accredited herd. Y.B., 1918, p. 219. 1919; Y.B. Sep. 782, p. 7. 1919.
Honduras, diseases and conditions. B.A.I. Chief Rpt., 1910, pp. 61-63. 1910; An. Rpts., 1910, pp. 255-257. 1911; B.A.I. An. Rpts., 1910, pp. 289-290, 293, 294. 1912.
hookworm. See Hookworm.
horn and color inheritance. D.B. 905, pp. 30-31. 1920.
hornless, origin, discussion. B.A.I. An. Rpt., 1910, pp. 210-212. 1912.
hornless. See Cattle, polled.
hosts of spotted-fever tick. Ent. Bul. 105, pp. 28, 30, 33. 1911.
housing and care, discussion. Y.B., 1902, pp. 148-149. 1903.
immunization against—
tuberculosis. B.A.I. Bul. 38, pp. 53-71. 1906.

Cattle—Continued.
　immunization against—continued.
　　tuberculosis by use of bovovaccine. O.E.S. An. Rpt., 1911, p. 79. 1912.
　　Texas fever. B.A.I. Bul. 78, p. 39–42. 1905.
　imported—
　　breeds, certification regulations. B.A.I.O. 175, pp. 3–4, 5. 1910.
　　inspection and quarantine regulations—
　　　1907. B.A.I.O. 142, p. 21. 1907.
　　　1911. B.A.I.O. 180, p. 26. 1911; B.A.I. An. Rpt., 1911, pp. 84–88. 1913; B.A.I. Cir. 213, pp. 84–88. 1913.
　　　1914. B.A.I.O. 209, p. 23. 1914.
　　　1919. B.A.I.O. 266, pp. 5–8, 14–15, 19–20. 1919.
　　regulations providing for tuberculin test. B.A.I. Bul. 32, p. 7. 1901.
　　tuberculin test. D. E. Salmon. B.A.I. Bul. 32, pp. 22. 1901.
　　tuberculous, danger of contagion. B.A.I. Bul. 32, pp. 8–15. 1901.
　imports—
　　1851–1908. Stat. Bul. 74, p. 20. 1910.
　　1900–1921, number and value. B.A.I. Doc. A–37, p. 14. 1922.
　　1907–1909, number and value, by countries from which consigned. Stat. Bul. 82, p. 19. 1910; Stat. Bul. 90, p. 20. 1911.
　　1922–1924. Y.B., 1924, p. 1058. 1925.
　　and exports, 1915–1917 and 1852–1917. Y.B. 1918, pp. 627, 635, 644, 654, 660. 1919; Y.B. Sep. 794, pp. 3, 11, 20, 30, 36. 1919.
　　by Great Britain. B.A.I. An. Rpt., 1901, p. 606. 1902.
　　by various countries, statistics. Rpt. 109, pp. 231–260. 1916.
　　exports, and prices. Y.B., 1901, pp. 772–775. 1902.
　　for slaughter, regulations. B.A.I.O. 259, p. 13. 1918.
　　from—
　　　Canada and Mexico, 1880–1918. D.C. 7, p. 5. 1919.
　　　Canada, tuberculin test order. B.A.I.O. 172, p. 1. 1910.
　　　Great Britain and Canada, testing for tuberculosis. B.A.I. An. Rpt., 1908, p. 161. 1910.
　improvement in tick eradicated sections of South, price increase. B.A.I. Doc. A–4, rev., pp. 2–4, 7. 1917.
　in—
　　Alaska, experiments. Alaska A.R., 1906, pp. 18–22, 51. 1907.
　　Argentina, number. B.A.I. Doc. A–37, p. 43. 1922; F.B. 581, pp. 31–32. 1914; Y.B., 1914, p. 381. 1915; Y.B. Sep. 648, p. 381. 1915.
　　Australia, production. Stat. Bul. 39, p. 73. 1905.
　　Austria, numbers, 1910 and 1920, and requirements. D.B. 1234, pp. 61–63. 1924.
　　Brazil, breeds and diseases, inspection. Y.B. 1913, pp. 360–361. 1914; Y.B. Sep. 629, pp. 360–361. 1914.
　　Canal Zone, tick infestation, control methods. Rpt. 95, pp. 18, 45. 1912.
　　Guam—
　　　breeding and feeding. Guam A.R., 1921, pp. 1–2. 1923.
　　　immunity from diseases. Guam A.R., 1912, p. 11. 1913.
　　　introduction, breeding, feeding. Guam A.R. 1918, pp. 11–18. 1919.
　　　uses, weights, improvement, etc., studies and experiments. Guam A.R., 1912, pp. 8–12, 15, 17–19. 1913.
　　Hungary, statistics, pre-war and 1921. D.B. 1234, pp. 31, 32–34. 1924.
　　India, numbers, 1894–1918. B.A.I. Doc. A–37, p. 54. 1922.
　　Italy, numbers, 1881–1918. B.A.I. Doc. A–37, p. 54. 1922.
　　Norway, numbers, 1845–1919. B.A.I. Doc. A–37, p. 59. 1922.
　　Philippines, protection against rinderpest. B.A.I. [Misc.], "Diseases of cattle," rev., p. 395. 1912.
　　Porto Rico, origin, quality improvement, production increase. P.R. An. Rpt., 1921, pp. 2–3. 1922.

Cattle—Continued.
　in—continued.
　　Porto Rico, quarantine for Texas fever. B.A.I. O. 251, amdt. 2, p. 1. 1917.
　　Roumania, numbers, 1884–1919. B.A.I. Doc. A–37, p. 60. 1922.
　　Russia and U. S., comparative tables. Stat. Bul. 42, pp. 65–67, 97. 1906.
　　Russia, numbers, 1860–1916. B.A.I. Doc. A–37, p. 60. 1922.
　　South Africa, 1895–1904. Stat. Bul. 39, pp. 92–93. 1905.
　　South America, breeds, conditions, and demands. Y.B., 1919, pp. 372–380. 1920; Y.B., Sep. 818, pp. 372. 380. 1920.
　　South America. production. Stat. Bul. 39, pp. 65, 76, 86, 94. 1905.
　　Switzerland, numbers, 1866–1920. B.A.I. Doc. A–37, p. 63. 1922.
　　Texas, number and value, 1907. O.E.S. Bul. 222, p. 13. 1910.
　　Texas, slaughter for disease. Off. Rec. vol. 3, No. 42, p. 1. 1924.
　　western South Dakota, numbers, 1905, 1909. Soil Sur. Adv. Sh., 1909, p. 67. 1911; Soils F.O., 1909, p. 1463. 1912.
　increase in France. News L., vol. 6, No. 52, p. 3. 1919.
　Indian. See Cattle, Brahman.
　industry—
　　benefits from tick eradication in South, statements. B.A.I. Doc. A–4, rev., pp. 7–26. 1917.
　　growth and extension. Y.B., 1921, pp. 232–239. 1922; Y.B. Sep. 874, pp. 232–239. 1922.
　　in—
　　　Argentina, condition. F.B. 581, pp. 32–34. 1914.
　　　Hawaii, progress, 1915. Hawaii A.R., 1915, pp. 53–54. 1916.
　　　Iowa, Jasper County. Soil Sur. Adv. Sh., 1921; p. 1135. 1925.
　　　Northern Great Plains, history. D.B. 1244, pp. 2–3. 1924.
　　　Porto Rico, progress. S.R.S. Rpt., 1923, p. 37. 1923; An. Rpts., 1323, p. 589. 1924.
　　　South, losses by tick infestation. Y.B., 1910, pp. 229–230. 1911; Y.B. Sep. 531, pp. 229–230. 1911; Ent. Bul. 72, p. 11. 1907.
　　　West Virginia, Preston County. Soil Sur. Adv. Sh., 1912, pp. 12, 42. 1914; Soils F.O., 1912, pp. 1212, 1242. 1915.
　　increase since removal of cattle-tick quarantine. B.A.I. [Misc.], "Cattle-tick eradication," pp. 3–4. 1914.
　　injury by ticks. B.A.I. [Misc.] "The tick primer,"], pp. 4. 1915.
　　of South, effect of tick eradication. B.A.I. [Misc.], "Progress * * * tick eradication," pp. 26. 1914.
　　relation to fertility. Y.B., 1921, p. 228. 1923; Y.B. Sep. 874, p. 228. 1922.
　　situation. Y.B., 1923, p. 5. 1924.
　　status in the Piney Wood section, number, value. D.B. 827, pp. 6–13, 19–20. 1921.
　infectious abortion history, cause, symptoms, and treatment. B.A.I. An. Rpt., 1911, pp. 147–183. 1913; B.A.I. Cir. 216, pp. 147–183. 1913.
　inferior classes imposed upon Mexico. B.A.I. Bul. 41, p. 7. 1902.
　infestation by ticks, injuries. Rpt. 108, pp. 15, 58, 59, 60, 61, 62, 66, 67, 68–82. 1915.
　infestation with—
　　large American fluke. B.A.I. Cir. 193, pp. 432–436. 1912; B.A.I. An. Rpt., 1910, pp. 432–436. 1912.
　　tapeworm. B.A.I. An. Rpt., 1911, pp. 101, 103, 113, 117. 1913; B.A.I. Cir. 214, pp. 101, 103, 113, 117. 1913.
　injury(ies)—
　　by arsenic from smelters. Chem. Bul. 113, pp. 29–31, 57. 1910.
　　by cattle-fever ticks. B.A.I. [Misc.], "Cattle ticks worse than wound," pp. 3–14, 16, 7–18. 1917.
　　by fly larvae. Ent. T.B. 22, pp. 10, 11. 1912.
　　to aspen growth. D.B. 1291, pp. 17–18. 1925.
　　to Utah juniper in Arizona. For. Cir. 197, p. 10. 1912.
　　to white pine, control method. D.B. 13, p. 62. 1914.

Cattle—Continued.
 inoculation—
  against anthrax. B.A.I. [Misc.], "Diseases of cattle," rev., p. 463. 1912.
  with Heymann's capsules, experiments. B.A.I. Cir. 190, pp. 341-342. 1912; B.A.I. An. Rpt., 1910, pp. 341-342. 1912.
  with tubercle bacilli. B.A.I. An. Rpt., 1906, pp. 119-143. 1908.
 inspection—
  and dipping, 1914, results. B.A.I. Chief Rpt., 1914, pp. 17, 18, 22-23. 1914; An. Rpts., 1914, pp. 73, 74, 78-79. 1914.
  and quarantine for Texas fever, and scabies. Sec. A.R., 1911, pp. 47-48. 1911; Y.B., 1911, pp. 47-48. 1912; An. Rpts., 1911, pp. 1912.
  and quarantine regulations. B.A.I.O. 259, pp. 22. 1918.
  and tuberculin testing for interstate movement. B.A.I. Chief Rpt., 1915, p. 37. 1915; An. Rpts., p. 113. 1916.
  ante-mortem and post-mortem, 1910. An. Rpts., 1910, pp. 43, 243. 1911; B.A.I. Chief Rpt., 1910, p. 49. 1910; Sec. A.R., 1910, p. 43. 1910; Y.B., 1910, p 42. 1911.
  Federal laws. Chem. Bul. 69, rev., Pt. I, pp. 2-7. 1905.
  for communicable diseases, shipments from stockyards. B.A.I.O. 263, p. 19. 1919.
 interstate movement—
  regulations, 1919, not for immediate slaughter. B.A.I.O. 263, pp. 10-12. 1919.
  regulations, 1923. B.A.I.O. 273, rev., pp. 7-13, 15-16, 26, 27. 1923.
  regulations, 1924. B.A.I. Chief Rpt., 1924, pp. 29-30, 1924.
 interstate—
  shipment, regulations, 1919, for immediate slaughter. B.A.I.O. 263, pp. 7-9. 1919.
  shipments, transportation via Canada. Sol. Cir. 44, pp. 7. 1911.
  transportation, feeding stations in quarantined area. B.A.I.O. 151, Amdt. 5, pp. 2. 1908.
 introduction into—
  Porto Rico, improvement. P.R. An. Rpt,. 1910, pp. 42-43. 1911.
  United States. Y.B. 1922, pp. 301, 302. 1923; Y.B. Sep. 897, pp. 17, 18. 1923.
  Western Hemisphere. B.A.I. Bul. 34, p. 7. 1901.
 Japanese, blood studies. B.A.I. Bul. 119, pp. 22-24, 26. 1909.
 jaundice, symptoms and treatment. B.A.I. [Misc.], "Diseases of cattle," rev., pp. 46-47. 1912.
 Jersey—
  characteristics. J.A.R. vol 15, No. 1, pp. 4, 12-13. 1918.
  herds tested and accredited, lists. D.C. 54, pp. 50-74. 1919; D.C. 142, pp. 29-39. 1920; D.C. 143, pp. 60-98. 1920.
 importations—
  April 1-June 30, 1911, names of animals and importers. B.A.I. [Misc.], "Cattle importations * * *," pp. 11-15. 1911.
  Oct. 1 to Dec. 31, 1911, certificates. B.A.I. [Misc.], "Cattle importations * * *," p. 5. 1912.
  1912, names of animals and importers. B.A.I. [Misc.], "Cattle importations * * *," pp. 19-25. 1913.
  1913. B.A.I. [Misc.] "Cattle importations * * *," pp. 20-29. 1914.
 origin and characteristics. P.R. Bul. 29, pp. 5-6. 1922; F.B. 893, pp. 29-34. 1917; F.B. 1443, pp. 28-32. 1925.
 purebred, number and distribution, by States. F.B. 1443, pp. 4-5. 1925.
 register-of-merit, effect of age and development on butter-fat production. R. R. Graves and M. H. Fohrman. D.B. 1352, pp. 24. 1925.
 See also Cattle, dairy; Cows, dairy.
 joints, inspection for tuberculosis. B.A.I.S.R.A 110, p. 51. 1916.
 judging—
  at fairs, Denmark, method and score cards. B.A.I. Bul. 129, pp. 23-25. 1911.
  classes, and points in each. F.B. 1068, pp. 5-12. 1919.

Cattle—Continued.
 judging—continued.
  procedure. F.B. 1068, p. 19. 1919; F.B. 143, pp. 10-35. 1907.
  score card at agricultural colleges. B.A.I. Bul. 61, pp. 40-81. 1904.
 Jutland, origin and development. B.A.I. Bul. 129, pp. 7-8, 9, 29. 1911.
 keratitis, control. An. Rpts., 1918, p. 131. 1919; B.A.I. Chief Rpt., 1918, p. 61. 1918.
 Kerry and Dexter, Record Association herdbook, certification, Jan. 6, 1909. B.A.I.O. 136, amdt. 6, p. 1. 1909.
 Kerry, origin and ancestry. B.A.I. An. Rpt., 1910, pp. 226, 227. 1912.
 kidney, anatomy, description, and uses. B.A.I. [Misc.], "Diseases of cattle," rev., pp. 114-115, 145. 1912.
 killing and dressing. F.B. 183, pp. 7-14. 1903.
 larkspur poisoning, symptoms. F.B. 531, pp. 10-13. 1913.
 lice—
  control by dipping. B.A.I. Bul. 40, p. 13. 1902.
  eradication. Marion Imes. F.B. 909, pp. 27. 1918.
  species, description and treatment. B.A.I. [Misc.], "Diseases of cattle," rev., pp. 524-526. 1912.
  treatment and control. An. Rpts., 1917, p. 118. 1918; B.A.I. Chief Rpt., 1917, p. 52. 1917.
 lightweight, use for beef and effect on food situation. News L., vol. 6, No. 6, p. 7. 1918.
 Limousine, origin and ancestry. B.A.I. An. Rpt., 1910, p. 225. 1912.
 lip-and-leg ulceration, interstate transportation, regulation. B.A.I. [Misc.], "Notice regarding * * * cattle * * *," p. 1. 1911.
 live weight, gains or losses in calorimeter. B.A.I. Bul. 128, pp. 145-147, 174-175. 1911.
 liver—
  diseases, causes, symptoms, and treatment. B.A.I. [Misc.], "Diseases of cattle," rev., pp. 46-47. 1912.
  microscopic anatomy. B.A.I. [Misc.], "Diseases of cattle," rev., pp. 51-52. 1908.
  rot, disease caused by flukes. Guam A.R., 1915, pp. 30-32. 1916.
 loans and their value to investors. Charles S. Cole. Y.B., 1918, pp. 101-108. 1919; Y.B. Sep. 764, pp. 10. 1919.
 loco-feeding experiments. B.A.I. Bul. 112, pp. 47-49, 56-63, 92-95. 1909.
 loco poisoning, symptoms and treatment. B.A.I. Bul. 112, pp. 75-112. 1909; B.P.I. Bul. 121, pp. 28-29. 1908; F.B. 380, pp. 11, 13-14. 1909; F.B. 1054, pp. 14, 16-17. 1914.
 locoed, blood examination. B.A.I. Bul. 112, pp. 95-96. 1909.
 locoed, symptoms, and remedies. B.P.I. Bul. 121, pp. 28-29. 1908.
 loss(es)—
  1890-1924. Y.B., 1924, p. 839. 1925.
  1913, and condition, April, 1914. F.B. 590, pp. 7, 15. 1914.
  and value before and after Texas fever eradication. B.A.I. Cir. 196, pp. 2-3. 1912.
  by larkspur poisoning, prevention. F.B. 988, pp. 12, 14-15. 1918.
 from—
  cattle ticks B.A.I. [Misc.], "How to get * * * last tick," rev., pp. 3, 17-18. 1922; F.B. 498, pp. 6-10. 1912.
  diseased breeding stock. B.A.I. Bul. 32, pp. 15-16. 1901.
  larkspur poisoning, prevention methods. F.B. 826, pp. 1-23. 1917.
  poisonous plants on ranges. D.B. 1031, p. 76. 1922.
  ticks in California. B.A.I. An. Rpt., 1909, pp. 285-286. 1911; B.A.I. Cir. 174, pp. 285-286. 1911.
  tuberculosis, 1917-1919. Y.B., 1919, pp. 279-282. 1920; Y.B. Sep. 810, pp. 279-282. 1920.
  tuberculosis, 1923. Y.B., 1922, p. 340. 1923; Y.B. Sep. 879, pp. 49-59. 1923.
 in Alaska, causes and treatment. Alaska A.R. 1908, pp. 18, 63. 1909.
 on ranges, prevention. D.B. 588, pp. 23-28, 31. 1917; D.B. 1031, pp. 65-77. 1922.

Cattle—Continued.
louse, *Solenopotes capillatus*. F. C. Bishopp. J.A.R., vol. 21, No. 11, pp. 797–801. 1921.
lungs, infection with tuberculosis, description. B.A.I. An. Rpt., 1908, p. 114. 1910.
maintenance—
  capacity of land per acre, Tennessee, studies. O.E.S. An. Rpt., 1912, p. 206. 1913.
  emergency rations, cost. D.B. 745, p. 11. 1919.
  requirement, estimation. J.A.R., vol. 13, pp. 49–50. 1918; B.A.I. Bul. 143, pp. 39–47. 1912.
  requirement, influence of plane of nutrition. F.B. Mumford and others. J.A.R., vol. 22, pp. 115–121. 1921.
management, adjustment necessary in drought conditions. D.B. 1031, pp. 41–53. 1922.
management on the range, control, salting, and handling. D.B. 790, pp. 30–48. 1919.
mange, eradication. An. Rpts., 1912, pp. 45, 165–166. 1913; Sec. A.R., 1912, pp. 45, 165–166. 1912. Y.B., 1912, pp. 45, 165–166. 1913.
mange, quarantine and treatment. An. Rpts., 1908, pp. 221, 254. 1909; B.A.I. Chief Rpt., 1908, pp. 7, 40. 1908.
manure, production, composition, and quality. F.B. 192, pp. 7–14. 1904.
markets—
  and abattoirs in Europe. B.A.I. An. Rpt. 1901, p. 279. 1902.
  prices, 1906. B.A.I. An. Rpt., 1906, pp. 311–312. 1908.
  prices, 1908, and range 1897–1908, Chicago. B.A.I. An. Rpt., 1908, p. 395. 1910.
  relation to feed supplies. Rpt., 112, pp. 8–9. 1916.
  statistics, prices, receipts, slaughter, 1910–1920. D.B. 982, pp. 2–21, 25–39. 1921.
marketing—
  1900–1918. Y.B. 1918, p. 704. 1919; Y.B. Sep. 795, p. 40. 1919.
  bibliography. M. C. 35, p. 25. 1925.
  investigations. Y.B. 1914, pp. 28–29. 1915.
  locally, distribution and itemized accounts. Rpt., 113, pp. 72–98. 1916.
  methods, by States and by sections. Rpt., 113, pp. 9, 12, 15, 21, 23. 1916; Rpt., 98, pp. 105–117. 1913.
  Pacific Coast States, numbers, rates, methods. Stat. Bul. 89, pp. 19–26, 58, 59, 61, 63, 65, 91–94. 1911.
  shrinkage in shipping. F.B. 588, p. 19. 1914.
marking and branding, directions. F.B. 1395, p. 28. 1925.
marking for shipment, methods. F.B. 718, pp. 9, 10. 1916; F.B. 1292, pp. 8, 15. 1923.
mature, cottonseed meal feeding, experiments, rations. F.B. 655, pp. 5–7, 8. 1915.
measles. See Measles.
measurement, determination of surface area. Albert G. Hogan and Charles I. Skouby. J.A.R., vol. 25, pp. 419–430. 1923.
meat yields, per 100 lbs. D.C. 241, pp. 10–12. 1924.
medicines, administration, direction. B.A.I. [Misc.], "Diseases of cattle," rev., pp. 9–13, 532–534. 1912.
metabolism, studies, 1914. Work and Exp., 1914, p. 203. 1915.
Mexican tick-infested, admission, law extract, 1911. B.A.I.O. 281, p. 18. 1923.
milk and beef yield, combination. News L., vol. 6, No. 43, p. 3. 1919.
milk fever, successful treatment. B.A.I. Cir. 45, pp. 1–13. 1904.
Minnesota, farms, type, and kind. Stat. Bul. 88, pp. 14–15. 1911.
mites, form and life history. F.B. 152, pp. 9–10. 1902.
mixed, labor and feed requirements on farms in southwestern Minnesota. D.B. 1271, pp. 55–58. 1924.
monthly ratio of births and slaughter. D.C. 241, pp. 7, 8, 9. 1922.
mouth diseases, causes, symptoms and treatment. B.A.I. [Misc.], "Diseases of cattle," rev., pp. 16–19. 1912.
muscular activity, effects on metabolism. J.A.R., vol. 3, pp. 453–469. 1915.
mycotic stomatitis. John R. Mohler. B.A.I. Cir. 51, pp. 6. 1904; D. C. 322, p. 7. 1924.

Cattle—Continued.
neat—
  importation prohibition, suspension, regulations. Sol. [Misc.], "Laws applicable * * *," Sup., 2 pp. 17–18. 1915.
  numbers in U. S., 1900. B.A.I. Bul. 55, pp. 10–13. 1903.
  use of term. Off. Rec., vol. 4, No. 17, p. 4. 1925.
nematodes, occurrence and description. B.A.I. Cir. 116, pp. 1–4. 1907.
nematodes, parasitic in alimentary tract. B.A.I. Bul. 127, pp. 1–124. 1911.
nervous system, diseases, causes, symptoms and treatment. B.A.I. [Misc.], "Diseases of cattle," rev., pp. 101–112. 1912; pp. 101–112. 1923.
New England, acreage per head. F.B. 337, p. 19. 1908.
noninfected—
  exhibition in quarantined area. B.A.I.O. 263, pp. 14–15. 1919.
  feeding stations. B.A.I.O. 263, pp. 13. 1919; B.A.I.O. 269, pp. 6–7. 1920; B.A.I.O. 271, rule 1, rev., 19, p. 7. 1920; B.A.I.O. 290, pp. 4–5. 1924.
  Texas stockyards, permit. B.A.I.S.R.A. 181, p. 63. 1922.
  with Texas fever, feeding stations, list and locations. B.A.I.O. 187, rule 1, rev., 9, p. 10. 1912; B.A.I.O. 235, rule 1, rev., 13, pp. 8–9. 1915; B.A.I.O. 262, pp. 12–13. 1918.
Normandy, origin and ancestry. B.A.I. An. Rpt., 1910, p. 224. 1912; B.A.I. An. Rpt., 1910, p. 224. 1912.
nonquarantined area, shipment to quarantined area fairs, restrictions. B.A.I.O. 248, pp. 2. 1916.
numbers—
  1840–1916, by geographic divisions. Rpt., 109, pp. 209–211. 1916.
  1850–1924. D.C. 241, pp. 2–3. 1924; Stat. Bul. 64, pp. 53–66, 95–145. 1908.
  1900–1914, causes of decline. Y.B. 1917, p. 427. 1918; Y.B. Sep. 741, p. 5. 1918.
  and kinds on 160-acre hog farm in Indiana. F.B. 1463, pp. 2, 10. 1925.
  and location under supervision for tuberculosis. Y.B., 1919, pp. 286–287. 1920; Y.B. Sep. 810, pp. 286–287. 1920.
  changes in European countries since 1914. Y.B., 1919, pp. 409–423. 1920; Y.B. Sep. 821, pp. 409–423. 1920.
  grazing in national forests, 1916. An. Rpts., 1916, pp. 18, 170. 1917; For. A.R., 1916, p. 16. 1916; Sec. A.R., 1916, p. 20. 1916.
  grazing in national forests, and fees. 1920, 1921. For. A.R., 1921, pp. 23, 24. 1921.
  in foreign countries. Y.B., 1917, pp. 428–430. 1918; Y.B. Sep. 741, pp. 6–8. 1918.
  in world countries—
    1907. Stat. Bul. 55, pp. 42–45. 1907.
    1910. Stat. Bul. 78, p. 45. 1910.
    1914. Y.B., 1914, p. 422. 1915; Y.B. Sep. 650, p. 422. 1915; D.C. 7, p. 3. 1919.
    1916, graphs and tables. Y.B., 1916, pp. 550, 659–662. 1917; Y.B. Sep. 713, p. 20. 1917; Y.B. Sep. 721, pp. 1–4. 1917.
    1918. Y.B., 1918, 587–591. 1919; Y.B. Sep. 793, pp. 3–7. 1919.
    1919. Y.B., 1919, pp. 644–648. 1920; Y.B. Sep. 828, pp. 644–648. 1920.
    1921. Y.B., 1921, pp. 230, 675–680. 1922; Y.B. Sep. 874, p. 230. 1922; Y.B. Sep. 870, pp. 1–6. 1922.
    1922. Y.B., 1922, pp. 795–801. 1923; Y.B. Sep. 888, pp. 795–801. 1923.
  before and after the war. Sec. Cir. 142, pp. 23, 24. 1919.
  comparison. Rpt. 109, pp. 38–43, 67. 1916; D.C. 7, pp. 8–17. 1919.
  increase in South 1880–1920. Y.B., 1921, p. 338. 1922; Y.B. Sep. 877, p. 338. 1922.
  increase since 1914. An. Rpts., 1918, pp. 6, 8. 1918; Sec. A.R., 1918, pp. 6, 8. 1918.
  on farms—
    1910. Stat. Bul. 78, p. 13. 1910.
    1915, estimates by States, with comparisons. F.B. 651, p. 17. 1915.
    1918, with comparisons, and increase methods. Sec. Cir. 103, p. 15–16. 1918.

INDEX TO PUBLICATIONS, 1901–1925   401

Cattle—Continued.
numbers—continued.
on farms—continued.
1920, map. Y.B., 1921, p. 475. 1922; Y.B. Sep. 878, p. 69. 1922.
southwestern Minnesota. D.B. 1271, pp. 12–13. 1924.
on western ranges, changes since 1910, causes, discussion. Rpt. 110, pp. 6–13, 51, 55, 59, 62, 67, 72, 76, 81, 86, 89, 90, 93, 94. 1916.
per car, received at different markets, 1916. Rpt. 113, p. 33. 1916.
prices, marketing, 1923. Y.B., 1923, pp. 879–944. 1924; Y.B. Sep. 902, pp. 879–944. 1924.
proportion to population, 1900–1919. Y.B., 1918, p. 290. 1919; Y.B. Sep. 773, p. 4. 1919.
value, distribution, and marketing, estimates. F.B. 575, pp. 2, 3–10, 11–12, 22–23, 34. 1914.
oak poisoning. C. Dwight Marsh and others. B.A.I. Doc. A-32, pp. 3. 1918.
oak-poisoning symptoms and autopsy findings. D.B. 767, pp. 2–3, 5, 7, 30–33. 1919.
occurrence of liver flukes of sheep. B.A.I. Cir. 193, p. 431. 1912; B.A.I. An. Rpt., 1910, p. 431. 1912.
ophthalmia. M. R. Trumbower. B.A.I. Doc. A-14, pp. 2. 1917; B.A.I. Cir. 65, pp. 2. 1905.
osteomalacia, or creeps. V.T. Atkinson. B.A.I. Cir. 66, pp. 2. 1905
owners, responsibility in tuberculosis eradication. Y.B., 1919, pp. 277–278, 282–283, 287–288. 1920; Y.B. Sep. 810, pp. 277–278, 282–283, 287–288. 1920.
palates, hard, digestibility. C. F. Langworthy and A. D. Holmes. J.A.R. vol. 6, No. 17, pp. 641–648. 1916.
parasites—
common in the Cotton Belt, list. F.B. 1379, p. 2. 1923.
control. B.A.I. [Misc.], "Diseases of cattle," rev., pp. 502–531. 1923.
control on ranges. D.B. 1031, p. 75. 1922.
distribution and importance. B.A.I. An. Rpt., 1910, pp. 419–463. 1912; B.A.I. Cir. 193, pp. 419–463. 1912.
occurrence in range area. F.B. 1395, pp. 42–43. 1925.
parasitic diseases, distribution and importance. B.A.I. Cir. 193, pp. 419–463. 1912; B.A.I. An. Rpt., 1910, pp. 419–463. 1912.
pasture—
area required per head. B.A.I. Bul. 131, pp. 17–18, 26. 1911.
cost, summary and conclusions, three years' work. D.B. 628, pp. 17–19. 1918.
gains and losses, influence of winter feeding. D.B. 870, pp. 10–11, 12–13, 14. 1920.
meadow fescue, use and value. F.B. 361, pp. 12–13. 1909.
rotation for control of ticks. F.B. 1057, pp. 17–21. 1919.
pasturing—
carrying capacity of ranges in Southwest. D.B. 588, pp. 8, 12–20, 29–30. 1917.
cost and gains. Stat. Bul. 73, p. 64. 1909.
in grain fields, with hogs to follow. F.B. 704, p. 36. 1916.
on—
alfalfa. F.B. 1021, p. 29. 1919; F.B. 1229, pp. 17–18. 1921.
cowpeas. F.B. 1153, p. 18. 1920.
oats and Sudan grass, experiments. D.C. 209, pp. 36–38. 1922.
Paspalum grass. Guam Bul. 1, pp. 38, 40–41. 1921.
standing cornstalks, danger. News L., vol. 1, No. 12, p. 2. 1913.
pedigree record books. B.A.I. An. Rpt., 1906, pp. 354, 359, 360. 1908; B.A.I. An. Rpt., 1909, p. 324. 1911.
pedigreed. See Cattle, registered.
peritoneum diseases, causes, symptoms and treatment. B.A.I. [Misc.], "Diseases of cattle," rev., pp. 47–49. 1908.
Piney Woods, size and quality, and improvements. D.B. 827, pp. 8–13, 19–20. 1921.
piroplasmosis, transmission by ticks. Ent. Bul. 72, p. 57. 1907.
plague. See Rinderpest.
pleuropneumonia. See Pleuropneumonia.

Cattle—Continued.
points for judging for beef. F.B. 1068, pp. 5, 6, 13–16. 1919.
poisoning—
and poisons. V.T. Atkinson. B.A.I. [Misc.], "Diseases of cattle," rev., pp. 51–72. 1923.
by—
Astragalus tetrapterus. D.C. 81, pp. 3, 5–6. 1920.
Bikukulla spp., experiments. J.A.R., vol. 23, pp. 76–77. 1923.
cockleburs, symptoms and results. D.B. 1274, pp. 11, 12–18. 1924.
cottonseed, symptoms. J.A.R., vol. 5, No. 11, p. 489. 1915.
death camas, symptoms. D.B. 125, pp. 7, 29, 44. 1915; D.B. 1240, pp. 3, 6, 7, 8, 10. 1924; F.B. 1273, pp. 4, 11. 1922.
Johnson grass. B.P.I. Bul. 90, pp. 31, 32. 1906.
larkspur, symptoms and treatment. D.B. 575, p. 12. 1918; F.B. 988, pp. 10–11, 12–14. 1918.
lupines. D.B. 405, pp. 3, 14, 20. 1916.
milkweed, experiments, results. D.B. 800, pp. 8, 9, 15–17, 31, 35, 36. 1920; D.B. 969, p. 16. 1921; D.B. 1212, pp. 4, 6–13. 1924.
oak leaves. D.B. 767, pp. 1–36. 1919.
plants on the range, symptoms and prevention. D.B. 1245, pp. 5, 6, 8–12, 15–30. 1924.
prussic acid in Sudan grass, instances. F.B. 1126, pp. 18–19. 1920.
smelter fumes, symptoms, and post-mortem notes. B.A.I. An. Rpt., 1908, pp. 246, 253–257. 1910.
stagger grass, experimental feeding. D.B. 710, pp. 5–7. 1918.
undissolved arsenic in dips. B.A.I. Bul. 167, pp. 5, 25–26. 1913.
white snakeroot, experiment. J.A.R., vol. 11, pp. 700–702, 706, 708, 710, 712. 1917.
on range, prevention methods. F.B. 720, pp. 1–11. 1916.
poisonous plants on ranges, description, remedies. B.P.I. [Misc.], "Principal poisonous plants * * *," pp. 2–3, 6–13. 1914.
polled character, inheritance in crossbreeding, discussion. J.A.R., vol. 15, pp. 45–48. 1918.
Polled Angus, sales, Argentina. B.A.I. Bul. 48, pp. 16, 17, 18, 20. 1903.
Polled Durham—
description and value. B.A.I. Bul. 34, p. 21. 1902.
origin, description, pedigreed bulls. F.B. 612, pp. 5–6. 1915.
prices in U. S. B.A.I. Bul. 41, p. 12. 1902.
Polled Hereford, description. B.A.I. Bul. 34, pp. 21–22. 1902; F.B. 612, p. 10. 1915.
pooling by ranchmen. Off. Rec. vol. 2, No. 43, p. 3. 1923.
Porto Rico, diseases and conditions. An. Rpts., 1908, pp. 237–238. 1909; B.A.I. Chief Rpt., 1908, pp. 23–24. 1908.
position of lying or standing in relation to metabolism. D.B. 1281, pp. 30–32. 1924.
powders, formulas. B.A.I. [Misc.], "Diseases of cattle," rev., pp. 27, 31, 37, 338. 1912.
prehistoric of Europe. B.A.I. An. Rpt., 1910, pp. 216–218. 1912.
prices—
1892–1908. Y.B., 1908, pp. 725–728. 1909; Y.B. Sep. 498, pp. 725–728. 1909.
1907 and 1910. California and Oregon. Stat. Bul. 89, pp. 57–59. 1911.
1909, discussion. Sec. A.R. 1909, pp. 24–26, 30. 1909; Y.B., 1909, pp. 24–26, 30. 1910.
1911 and 1900–1911, Chicago. B.A.I. An. Rpt., 1911, pp. 270–271. 1913.
1913 advance, causes. Y.B., 1913, pp. 261–262, 268. 1914; Y.B. Sep. 627, pp. 261–262, 268. 1914.
1921. Y.B., 1921, pp. 292–305, 692–695, 734. 1922; Y.B. Sep. 874, pp. 292–305. 1922; Y.B. Sep. 870, pp. 18–21, 60. 1922.
1925. Sec. A.R., 1925, p. 9. 1925.
comparison with beef and veal prices. Rpt. 109, pp. 143–154, 159–160, 279–301. 1916.
comparison with hogs and lambs. Y.B., 1922, p. 242. 1923; Y.B. Sep. 882, p. 242. 1923.

Cattle—Continued.
prices—continued.
farm and market. Y.B., 1924, pp. 850, 851–864. 1925.
prize, feeding. O.E.S. An. Rpt., 1910, pp. 361–362. 1911.
production—
and feeding in Iowa, Clay County. Soil Sur. Adv. Sh., 1916, pp. 10, 13, 23, 30, 34, 35. 1918; Soils F.O., 1916, pp. 1838–1839, 1841–1842, 1851, 1858, 1862, 1863. 1921.
and value, Canada. Stat. Bul. 39, pp. 77–78. 1905.
cost of gains. B.A.I. Bul. 131, pp. 15–17, 20–22, 41. 1911.
cost under western range conditions, 1915. Rpt. 110, pp. 26–43, 48–49. 1916.
in Australia. Stat. Bul. 39, p. 73. 1905.
in Australia, and New Zealand. Y.B., 1914, pp. 422, 423. 1915; Y.B. Sep. 650, pp. 422, 423. 1915.
increase on southwestern ranges. James T. Jardine and L. C. Hurtt. D.B. 588, pp. 32. 1917.
on cut-over pine lands of South. F. W. Farley and S. W. Greene. D.B. 827, pp. 51. 1921.
outlook. Sec. A.R., 1925, pp. 1, 3, 8, 9, 42, 46, 68. 1925.
South American countries. Stat. Bul. 39, pp. 65, 76, 86, 94. 1905.
study in 1923. Work and Exp., 1923, p. 58. 1925.
protection—
during cold waves. Y.B., 1909, p. 397. 1910; Y.B. Sep. 522, p. 397. 1910.
from—
flies by repellents, experiments. D.B. 131, pp. 6, 8–21. 1914; Ent. Cir. 115, pp. 7–13. 1910.
larkspur poisoning. D.B. 365, pp. 82–84, 85. 1916.
surra infection, method. B.A.I. An. Rpt., 1909, pp. 91–93. 1911; B.A.I. Cir. 169, pp. 91–93. 1911.
tick infestation, action of arsenical dips. H. W. Graybill. B.A.I. Bul. 167, pp. 27. 1913.
protein requirement, studies. B.A.I. Bul. 143, pp. 89–94. 1912.
purchase for feed utilization. News L., vol. 7, No. 18, p. 5. 1919.
purchase by wholesale packers, 1909, 1914. Rpt. 113, pp. 44–45. 1916.
purebred—
absence from South, and ticks as cause. B.A.I. Doc. A-4, rev., p. 18. 1917.
for beef, Mexico as market. D. E. Salmon. B.A.I. Bul. 41, pp. 28. 1902.
beef, number in West, by States. F.B. 1395, p. 39. 1925.
breeds and records, Guernsey Bailiwick herdbook. B.A.I.O. 278, amdt. 13, p. 1. 1923.
business in South, and public sales. Y.B., 1917, pp. 335–339. 1918; Y.B. Sep. 749, pp. 11–15. 1918.
certifications, 1909. B.A.I. An. Rpt., 1909, pp. 348, 351. 1911.
dairy, number and distribution, by breeds. F.B. 1443, pp. 4–5. 1925.
for project farms, cost. News L., vol. 7, No. 1, p. 8. 1919.
foreign books of record, recognized breeds. B.A.I.O. 175, pp. 3–4, 5. 1911.
high prices, effect upon sales in Mexico. B.A.I., Bul. 41, p. 8. 1902.
imports from 1885 to 1920, by breeds. B.A.I. Doc. A-37, p. 11. 1922.
in United States, Argentina as market, preliminary report. D. E. Salmon. B.A.I. Cir. 37, pp. 4. 1902.
increase since tick quarantine removal. News L., vol. 1, No. 45, p. 2. 1914.
losses from tick fever in Southern States. B.A.I. [Misc.], "Diseases of cattle," rev., p. 490. 1912.
marketing in Argentina. B.A.I. Cir. 37, pp. 1–14. 1902.
number affected with tuberculosis. News L., vol. 6, No. 11, p. 1. 1918.
percentage, 1900. B.A.I. Bul. 55, p. 13. 1903.

Cattle—Continued.
purebred—continued.
prices in United States. B.A.I. Bul. 41, pp. 9–12. 1902.
record books. B.A.I. An. Rpt., 1910, pp. 550, 552. 1912.
regulations governing admission to Mexico. B.A.I. Bul. 41, p. 14. 1902.
rules for tuberculosis. B.A.I. Doc. A-33, pp. 2. 1918.
stock, influence on sales. News L., vol. 6, No. 30, p. 15. 1919.
susceptibility to tuberculosis. B.A.I. [Misc.], "Diseases of cattle," rev., pp. 416–417. 1912.
tuberculosis testing and certification. News L., vol. 6, No. 36, p. 14. 1919.
tuberculous, menace to interests of breeders. B.A.I. Bul. 32, pp. 15–16. 1901.
quarantine—
act, violation decision. Sol. Cir. 50, pp. 7. 1911.
for cattle fever—
area, interstate movement, regulation amendment. B.A.I.O. 143, amdt. 7, pp. 2. 1913.
area(s), Nov. 1, 1911, in different States. B.A.I.O. 183, rule 1, rev. 8, pp. 11. 1911.
areas, Sept. 1, 1917, amendments. B.A.I.O. 251, amdt. 3, pp. 2. 1917.
areas, Dec. 10, 1922. B.A.I.O. 279, pp. 7. 1922.
Arkansas counties. B.A.I.O. 271, amdt. 1, pp. 2. 1921.
establishment in Mississippi and Texas. B.A.I.O. 279, amdt. 1, p. 1. 1923.
in Georgia, Taylor County. B.A.I.O. 271, amdt. 2, p. 1. 1921.
regulations, amendments, 1906. B.A.I An Rpt., 1906, pp. 339–346, 348, 349, 351, 361, 376, 385, 388, 392. 1908.
releases. B.A.I.O. 235, amdt. 2, pp. 3. 1915.
for foot-and-mouth disease—
Nov. 1908, Pennsylvania and New York. B.A.I.O. 156. 1908.
January, 1915. B.A.I.O. 231, pp. 12. 1915; B.A.I.O. 231, amdts. 1–4, pp. 4. 1915.
February, and March 1915. B.A.I.O. 234, pp 11. 1915; B.A.I.O. 234, amdt. 1–2, pp. 5. 1915.
February 1915. B.A.I.O. 232, pp. 13. 1915; B.A.I.O. 232, amdts. 1–4. 1915.
May, 1915. B.A.I.O. 238, pp. 13. 1915; B.A.I.O. 238, amdt. 1–4, pp. 4. 1915.
June, 1915. B.A.I.O. 238, amdts. 5–8, pp. 4. 1915.
July, 1915. B.A.I.O. 238, amdts. 9–12. 1915.
August, 1915. B.A.I.O. 238, amdts. 13–19. 1915.
September, 1915. B.A.I.O. 238, amdts. 20–26, pp. 2. 1915.
October, 1915. B.A.I.O. 238, amdts. 27–33, pp. 2. 1915.
November, 1915. B.A.I.O. 238, amdts. 34–38. 1915.
December, 1915. B.A.I.O. 238, amdts. 39–41, pp. 3. 1915.
January, 1916. B.A.I.O. 238, amdts. 42–45, pp. 2. 1916.
February, 1916. B.A.I.O. 238, amdts. 46–48, pp. 2. 1916.
March, 1916. B.A.I.O. 238, amdts. 49–50, pp. 2. 1916.
for scabies—
area release in Texas. B.A.I.O. 167, amdt. 5, p. 1. 1913.
interstate movement, regulations. B.A.I.O. 143, pp. 5–7, 11–16, 23–28. 1907.
Montana and Nebraska, amendment. B.A.I.O. 167, amdt. 1, p. 1. 1910.
order. B.A.I.O. 213, rule 2, rev., 5, pp. 2. 1914.
regulations, 1909. B.A.I. An. Rpt., 1909, p. 361. 1911.
release for Kansas, and parts of South Dakota, Nebraska and Texas. B.A.I.O. 167, amdt. 4, pp. 2. 1912.
release in Texas. B.A.I.O. 197, amdt. 1, rule 2, rev. 4, p. 1. 1913.
release of certain counties, Kansas and New Mexico. B.A.I.O. 152, amdt. 1, rule 2, rev. 2, pp. 2. 1909.

INDEX TO PUBLICATIONS, 1901–1925   403

Cattle—Continued.
  quarantine—continued.
    for scabies—continued.
      release of Kansas counties, Trego, Sheridan, and Thomas. B.A.I.O. 152, amdt. 2, p. 1. 1909.
      release of Oklahoma and Texas. B.A.I.O. 197, amdt. 2, pp. 2. 1914.
      release of parts of Montana, Wyoming, and Texas. B.A.I.O. 197, amdt. 3, pp. 2. 1914.
      release, Texas counties. B.A.I.O. 213, amdt. 3, 3, p. 1. 1916.
      revocation. B.A.I.O. 258, p. 1. 1918.
    or splenetic, southern, or Texas, 'ever, map to indicate area. B.A.I. [Misc.], "Map to indicate area * * *," map. 1911.
    for Texas fever—
      areas, March 15, 1911 B.A.I.O. 178, pp. 11. 1911
      areas, March 25, 1912. B.A.I.O. 187, rule 1, rev. 9, pp. 1–8, 11–12. 1912.
      areas, Dec. 1, 1915. B.A.I.O. 241, pp. 10. 1915.
      areas, December, 1919, and regulations B.A. I.O. 269, pp. 8. 1919.
      areas, Dec. 1, 1920. B.A.I.O. 271, rule 1, rev. 19, pp. 8. 1920.
      Arkansas and Florida. B.A.I.O. 262, amdt. 5, p. 1. 1919.
      establishment in several States. B.A.I.O. 199, rule 1, rev. 11, pp. 13. 1913; B.A.I.O 207, rule 1, rev. 12, pp. 13. 1914.
      general provisions, open season. B.A.I.O. 187, rule 1, rev. 9, pp. 9, 11–12. 1912.
      Georgia. B.A.I.O. 255, amdt. 1, p. 1. 1917.
      Louisiana, Vernon Parish. B.A.I.O. 262, amdt. 6, p. 1. 1919.
    for tuberculosis—
      Illinois order. B.A.I.O. 217, p. 1. 1914.
      release, Illinois counties. B.A.I.O. 247, p. 1. 1916.
    law, opinion of—
      Judge Grubb, Ala., March, 1910. Sol. Cir. 34, pp. 7. 1910.
      Judge Walter Evans. Sol. Cir. 13, pp. 7. 1909.
      North Carolina, Brunswick County. B.A.I.O. 262, A–3, p. 1. 1919.
      North Carolina, Columbus County. B.A.I.O. 262, A–4, p. 1. 1919.
      regulations, 1909. B.A.I. An. Rpt., 1909, pp. 352, 354–358, 361–379, 384–390. 1911.
      regulations for exhibition at certain fairs. B.A. I.O. 252, pp. 2. 1917.
      violations, convictions in Virginia. B.A.I S.A. 40, p. 54. 1910.
    quarantined—
      area, interstate movement, open season. B.A. I.O. 194, rule 1, rev. 10, pp. 10–11. 1913.
      open season, provisions. B.A.I.O. 166, pp. 8–9. 1909.
  rabies—
    causes, symptoms, diagnosis and treatment. B.A.I. [Misc.], "Diseases of cattle," rev., pp. 394–395. 1908; rev., pp. 410–414. 1912; rev., pp. 402–406. 1923.
    danger in milk supply. B.A.I. An. Rpt., 1907, p. 154. 1909.
    symptoms and course of disease. F.B. 449, p. 10. 1911.
  raising—
    and feeding in—
      Alaska. O.E.S. An. Rpt., 1911, pp. 19–20, 73. 1912.
      Iowa, Cedar County. Soil Sur. Adv. Sh., 1919, p. 11. 1921; Soils F.O., 1919, p. 1433. 1925.
      Iowa, Page County. Soils Sur. Adv. Sh., 1921, p. 355. 1924.
    and pasturage, Louisiana, La Salle Parish. Soils Sur. Adv. Sh., 1918, p. 10. 1920; Soil F.O., 1918, p. 682. 1924.
    at St. Croix Experiment Station, 1921. S.R.S. [Misc.], "Report of Virgin Islands Agricultural Experiment Station, 1921," pp 10–11. 1922.
    cost. F.B. 588, pp. 3–5. 1914; Rpt. 111, pp. 27–29. 1916.
    decline, causes. Y.B., 1913, p. 259. 1914; Y.B. Sep. 627, p. 259. 1914.
    extent of industry. News L., vol. 6, No. 50, p. 13. 1919.

Cattle—Continued.
  raising—continued.
    in Alabama—
      Clay County. Soil Sur. Adv. Sh., 1915, pp. 10, 22, 23, 40. 1916; Soils F.O., 1915, pp. 832, 845, 862. 1919.
      cost. B.A.I. Bul. 131, pp. pp. 9–23. 1911.
      Wilcox County. Soil Sur. Adv. Sh., 1916, pp. 11, 32–34, 41–68. 1918; Soils F.O., 1916, pp. 945, 966–1001. 1921.
    in Alaska—
      1908, results of experiments. Alaska A.R. 1908, pp. 19–20, 61–64, 65. 1909.
      1921. Alaska A.R., 1921, pp. 2, 23, 45–46. 1923; S.R.S. An. Rpt., 1921, pp. 2, 17–18. 1921.
      1922. Alaska A.R. 1922, pp. 7–9. 1923.
      conditions. Alaska Cir. 1, pp. 18–20, 28. 1916; B.P.I. Bul. 82, pp. 23–24. 1905.
      crossbreeding, and disease control. Alaska A.R. 1918, pp. 19–20, 89–90. 1920.
      effects of eruption of Mount Katmai. Alaska A.R., 1912, pp. 38–43, 67–72, 74–76, 77. 1913.
      experiments, feed, and feeding methods. Alaska A.R., 1913, pp. 22–23, 59, 73–74. 1914.
      Kenai Peninsula region. Soil Sur. Adv. Sh., 1916, pp. 70, 78, 106–110, 141. 1919; Soils, F. O., 1916, pp. 139–141. 1921.
      Kodiak Experiment Station, 1910, management. Alaska A.R., 1910, pp. 41, 63–64. 1911.
      Kodiak Experiment Station, 1915, kinds, number, and condition. Alaska A.R., 1915, p. 22. 1916.
      possibilities and conditions. Soil Sur. Adv. Sh., 1914, pp. 80, 88–91, 103, 155, 166–167, 184, 186. 1915; Soils F. O., 1914, pp. 114, 122–125, 137, 189, 200–201, 218, 220. 1919.
    in Algeria. B.P.I. Bul. 80, p. 88. 1905.
    in Argentina, breeds, grazing and feeding, selling methods, and prices. D.C. 228, pp. 4–6, 8, 10–11, 12. 1922.
    in Arizona, southern part, acreage and income. D.B. 654, pp. 3, 32–33. 1918.
    bluegrass region, 1840–1910. D.B. 482, pp. 6, 7. 1917.
    in Brazil, breeds, injury by cattle tick. D.C. 228, pp. 25–28. 1922.
    in California—
      Eureka area. Soil Sur. Adv. Sh., 1921, p. 855. 1925.
      upper San Joaquin Valley. Soil Sur. Adv. Sh., 1917, p. 30. 1921; Soils F. O., 1917, p. 2558. 1923.
    in Chile, kinds, and importations from United States. D.C. 228, p. 35. 1922.
    in Florida—
      Flagler County. Soil Sur. Adv. Sh., 1918, pp. 10, 11, 18, 24, 40. 1922; Soils F. O., 1918, pp. 540, 541, 548, 554, 570. 1924.
      Orange County. Soil Sur. Adv. Sh., 1919, p. 5. 1922; Soils F. O., 1919, p. 951. 1925.
    in Georgia—
      Brooks County, and cost of feeding. D.B. 648, pp. 10, 56. 1918.
      Mitchell County. Soil Sur. Adv. Sh., 1920, pp. 4, 6, 7. 1922; Soils F. O., 1920, pp. 4, 6, 7. 1925.
      Wilkes County. Soil Sur. Adv. Sh., 1915, pp. 9–10. 1916; Soils F. O., 1915, pp. 723–724. 1919.
    in Great Plains. F.B. 1395, p. 3. 1925.
    in Hawaii. Hawaii A.R., 1912, pp. 79, 80–82, 85–86. 1913.
    in Indiana, Hendricks County. Soil Sur. Adv. Sh., 1913, p. 11. 1915; Soils F. O., 1913, p. 1413. 1916.
    in Iowa—
      Boone County, Soil Sur. Adv. Sh., 1920, pp. 141, 149–165. 1923; Soils F. O., 1920, pp. 141, 149–165. 1925.
      Clinton County. Soil Sur. Adv. Sh., 1915, pp. 16, 18–19, 31, 34. 1917; Soils F.O., 1915, pp. 1656, 1657 1660–1661, 1705. 1919.
      Dallas County. Soil Sur. Adv. Sh., 1920, pp. 1160, 1170–1178, 1183, 1189. 1924; Soils F. O., 1920, pp. 1160, 1170–1178, 1183, 1189. 1925.

Cattle—Continued.
raising—continued.
in Iowa—continued.
Dubuque County. Soil Sur. Adv. Sh., 1920, pp. 350, 356, 369. 1923; Soils F. O., 1920, pp. 350, 356, 369. 1925.
Fayette county. Soil Sur. Adv. Sh., 1919, pp. 9, 11, 13, 14. 40. 1922. Soils F. O., 1919, pp. 1463, 1465, 1467, 1468, 1494. 1925.
Louisa County, breeds. Soil Sur. Adv. Sh., 1918, p. 12. 1921; Soils F. O. 1918, p. 1026. 1923.
Madison County. Soil Sur. Adv. Sh., 1918, pp. 13, 23, 26, 28, 36, 37. 1921; Soils F. O., 1918. pp 1073, 1083, 1086, 1088, 1096, 1097. 1924.
Mahaska County. Soil Sur. Adv. Sh., 1919, pp. 13-14, 28, 36. 1922; Soils F. O., 1919, pp. 1551-1552, 1561, 1566. 1925.
Wayne County. Soil Sur. Adv. Sh., 1918, pp. 10, 19. 1920; Soils F.O., 1918, pp. 1234, 1243. 1924.
in Kentucky, Rockcastle County, profits. Soil Sur. Adv. Sh., 1910, pp. 13-14. 1911; Soils F.O., 1910, pp. 1025-1026. 1912.
in Louisiana—
Rapides Parish. Soil Sur. Adv. Sh., 1916, pp. 12-13, 42. 1918; Soils, F.O., 1916, pp. 1128, 1155. 1921.
Sabine Parish. Soil Sur. Adv. Sh., 1919, pp. 12, 13. 1922; Soils F.O., 1919, pp. 1048, 1049. 1925.
in Maryland—
Charles County. Soil Sur. Adv. Sh., 1918, pp. 11, 12, 29, 32, 46. 1922; Soils F.O., 1918, pp. 83, 84, 101, 118. 1924.
Frederick County. Soil Sur. Adv. Sh., 1919, pp. 9, 10-11, 28, 36, 39, 40, 48, 56, 57. 1922; Soils F.O., 1919, pp. 649, 650-651, 666, 670, 671, 676, 679, 688, 702. 1925.
in Minnesota, Stevens County. Soil Sur. Adv. Sh., 1919, pp. 10, 12, 13, 21, 23, 29, 31. 1922; Soils F.O., 1919, pp. 1382, 1384, 1385, 1393, 1395, 1401, 1403. 1925.
in Mississippi—
Amite County. Soil Sur. Adv. Sh., 1917, pp. 11, 19, 28, 32, 33, 37. 1919; Soils F.O., 1917, pp. 839, 847, 856, 860, 861, 865. 1923.
George County. Soil Sur. Adv. Sh., 1922, p. 38. 1925.
Hinds County. Soil Sur. Adv. Sh., 1916, pp. 12, 13, 24, 34, 39. 1918; Soils F.O., 1916, pp. 1012-1015, 1023-1040. 1921.
Newton County. Soil Sur. Adv. Sh., 1916, pp. 11, 20, 27-41. 1918; Soil, F.O., 1916, pp. 1085, 1087, 1093, 1094, 1099-1118. 1921.
in Missouri—
Buchanan County, important industry. Soil Sur. Adv. Sh., 1915, pp. 10, 11, 24. 1917; Soils F.O., 1915, pp. 1814, 1815, 1828. 1919.
Ozark region. D.B. 941, pp. 28-29. 1921.
Ripley County. Soil Sur. Adv. Sh., 1915, pp. 13, 24, 27, 34. 1917; Soils F.O., 1915, pp. 1894, 1896, 1897, 1899. 1908.
in Nebraska—
Grand Island area. Soil Sur. Adv. Sh., 1903, pp. 944-945. 1904; Soils F.O., 1903, pp. 944-945. 1904.
Howard County. Soil Sur. Adv. Sh., 1920, pp. 971, 982-989, 1000. 1924; Soils F.O., 1920, pp. 971, 982-989, 1000. 1925.
Jefferson County. Soil Sur. Adv. Sh., 1921, p. 1450. 1925.
Madison County. Soil Sur. Adv. Sh., 1920. pp. 209, 217-245. 1923; Soils F.O., 1920, pp. 209, 217-245. 1925.
Morrill County. Soil Sur. Adv. Sh., 1917, pp. 14, 25-65. 1920; Soils F.O., 1917, pp. 1862, 1873-1913. 1923.
Pawnee County. Soil Sur. Adv. Sh., 1920. pp. 1324, 1334-1347. 1924; Soils F.O., 1920, pp. 1324, 1334-1347. 1925.
Perkins County. Soil Sur. Adv. Sh., 1921, pp. 888, 892. 1924.
in North Dakota, McHenry County. Soil Sur. Adv. Sh., 1921, p. 944. 1925.
in Oklahoma, Payne County. Soils F.O., 1916, pp. 2010, 2011, 2018-2039. 1921; Soil Sur. Adv. Sh., 1916, pp. 10-11, 18-39. 1918.

Cattle—Continued.
raising—continued.
in Pennsylvania, Greene County. Soil Sur. Adv. Sh., 1921, pp. 1256-1257. 1925.
in Porto Rico, injury to cattle by ticks. P.R. An. Rpt., 1914, p. 10. 1915.
in semiarid West, remarks. O.E.S. Bul. 179, p. 83. 1907.
in South, cost and conditions affecting. Y.B. 1913, pp. 269-282. 1914; Y.B. Sep. 627, pp. 269, 282. 1914; F.B. 580, pp. 5-14. 1914.
in Texas—
northwestern part. Soil Sur. Adv. Sh., 1919, pp. 12, 13, 14, 15, 16-17, 19, 20, 34, 35, 36, 39, 74. 1922. Soils F.O., 1919, pp. 1106, 1113, 1114-1115, 1139, 1145, 1147, 1148 1152, 1163, 1172. 1925.
San Saba County. Soils F.O., 1916, pp. 1321, 1324-1326. 1921; Soil Sur. Adv. Sh., 1916, pp. 14-17. 1917.
south-central, conditions, 1910. Soil Sur. Adv. Sh., 1913, pp. 35-36. 1915; Soils F.O., 1913, pp. 1101-1102. 1916.
south, decline. B.P.I. Cir. 14, p. 4. 1908.
southwest, prices. Soil Sur. Adv. Sh., 1911. p. 27. 1912; Soils F.O., 1911, p. 1195. 1914.
in Uruguay, description, breeds, tick fever, and prices. D.C 228, pp. 14-19, 20, 21. 1922.
in Virginia, Pittsylvania County. Soil Sur. Adv. Sh., 1918, p. 11. 1922; Soils F.O., 1918, p. 127. 1924.
in Washington, Wenatchee area. Soil Sur. Adv. Sh., 1918, pp. 10, 14, 15, 17. 1922; Soils F.O., 1918, pp. 1550, 1554, 1555, 1557. 1924.
in West Virginia, Spencer area. Soils F.O., 1909, pp. 1182, 1201. 1912; Soil Sur. Adv. Sh., 1909, pp. 12, 31. 1910.
in Wisconsin, Jackson County. Soil Sur. Adv. Sh., 1918, pp. 9, 11, 12, 17, 20, 33, 42. 1922; Soils F.O., 1918, pp. 945, 947, 948, 953, 956, 969, 978. 1923.
lectures, syllabus. O.E.S. Cir. 100, pp. 13-18, 34-39. 1911.
ranch, open-range management, increased expense. D.B. 1001. 31-32. 1922.
range—
area per head, map. F.B. 1395, p. 20. 1925.
calf-crop increase, and improvement in grade. D.B. 588, pp. 20-23, 30. 1917.
cost-of-production studies. Off. Rec., vol. 3, No. 1, p. 4. 1924.
danger from tuberculosis. B.A.I. Bul. 32, pp. 16-20. 1901.
dehorning. F.B. 350, pp. 11-13. 1909; B.A.I. An. Rpt., 1907, pp. 300-304. 1909.
diseases, control difficulties. D.B. 1001, p. 33. 1922.
handling methods. F.B. 1395, pp. 26-37. 1925.
increase in production in future, possibilities. Rpt., 110, pp. 13-26. 1916.
industry development. Y.B., 1921, pp. 235-238 1922; Y.B. Sep. 874, pp. 235-238 1922.
management during drought. James T. Jardine and Clarence L. Forsling. D.B. 1031- pp. 84. 1922.
marketing, investigations. An. Rpts., 1923, p. 677. 1924; Pack. and S. A. Rpt., 1923, p. 21. 1923.
production as supplemental farming in Provo area, methods and prices. D.B. 582, pp. 30-32, 35. 1918.
relation of water supply to food. F.B. 592. p. 3. 1914.
starvation prevention. F.B. 1428, pp. 5-17. 1925.
tuberculosis, foreign countries, statistics B.A.I. Bul. 32, pp. 16-20. 1901.
values, comparison with grain-fed cattle. An. Rpts., 1923, p. 5. 1924; Sec. A. R., 1923, p. 5. 1923.
winter protection. F.B. 1395, pp. 14-15. 1925.
ranges. See Ranges, cattle.
ratio to population and to slaughter. Y.B., 1921, pp. 318-320. 1922; Y.B. Sep. 874, pp. 318-320. 1922.
ration(s)—
containing cotton seed products. F.B. 1179, pp. 11-12. 1923.
digestibility, relation to fatness of animal. J.A.R. vol. 11, pp. 451-472. 1917.

INDEX TO PUBLICATIONS, 1901–1925   405

Cattle—Continued.
 ration(s)—continued.
  for wintering. F.B. 724, pp. 6, 12. Rpt. 112, pp. 13, 14–15, 22. 1916.
  in winter, later effect on pasture gains. D.B. 870, pp. 1–20. 1920.
  restricted balance, effect on growth and reproduction. J.A.R. vol. 10, pp. 175–198. 1917.
  standard, preparation. B.A.I. Bul. 106, pp. 12–14. 1908.
 receipts—
  and shipments—
   1904. B.A.I. An. Rpt., 1904, pp. 524–552. 1905; Stat. Bul. 38, p. 31. 1905.
   1906, at stock centers. B.A.I. An. Rpt., 1906, pp. 320, 322. 1908.
   1913, at trade centers. Rpt. 98, pp. 287, 307–312. 1913.
   at stockyards, December, 1917 and 1918. Y.B. 1918, pp. 394–397. 1919; Y.B. Sep. 788, pp. 18–21. 1919.
 reckoning of surface area, study in 1923. Work and Exp., 1923, p. 57. 1925.
 red water—
  cause, symptoms, and treatment. B.A.I. [Misc.], "Diseases of cattle," rev., pp. 117–119. 1904. See also Cattle fever.
 Red Danish, origin, and development by breeding. B.A.I. Bul. 129, pp. 9–10. 1911.
 Red Poll—
  description and value. B.A.I. Bul. 34, pp. 20–21. 1902.
  description, pedigreed bulls and families. F.B. 612, pp. 16–19. 1915.
  dual-purpose breed, description, origin, and lines. F.B. 612, rev., pp. 24–26. 1921.
  herds—
   accredited, list No. 3. D.C. 142, p. 40. 1920.
   once-tested, by States. D.C., 144, pp. 16–18. 1920.
   tested and accredited, lists. D.C. 54, pp. 75–77. 1919.
  importations, Oct. 1 to Dec. 31, 1911, certificates. B.A.I. [Misc.], "Animals imported * * *" p. 6. 1912.
  prices in U. S. B.A.I. Bul. 41, p. 12. 1902.
  score card. B.A.I. Bul. 76, p. 16. 1905.
 registered—
  breeds, numbers, 1904. B.A.I. An. Rpt., 1904, p. 515. 1905.
  by breeding associations, number. B.A.I. A-37, pp. 14–15. 1922.
  importations, April 1–June 30, 1911, breeds. B.A.I. [Misc.], "Cattle importations * * *" pp. 15. 1911.
  in United States, 1908. B.A.I. An. Rpt., 1908, p. 408. 1910.
  purebred, on farms, and per cent of total purebreds in each State, January 1, 1920. D.C. 241, pp. 5–7. 1922.
 registry associations. Y.B., 1920, p. 510. 1921; Y.B. Sep. 866, p. 510. 1921.
 removal from drought areas, 1919. Y.B., 1919, pp. 399, 401, 403. 1920; Y.B. Sep. 820, pp. 399, 401, 403. 1920.
 requirements for 1919–1920, for beef production. Sec. Cir. 125, pp. 17–18. 1919.
 respiratory organs, diseases noncontagious. William Herbert Lowe. B.A.I. [Misc.], "Diseases of cattle," rev., pp. 85–98. 1908; pp. 86–100. 1912; pp. 87–100. 1923.
 restraint devices. F.B. 350, pp. 7, 12, 13. 1909; B.A.I. An. Rpt., 1907, pp. 297, 301–303. 1909.
 retesting for tuberculosis. News L., vol. 6, No. 52, p. 4. 1919.
 Rhodesian fever, cause and transmission. B.A.I. Cir. 194, p. 493. 1912; B.A.I. An. Rpt., 1910, p. 493. 1912.
 Roman, origin, description, and spread into northern Europe. B.A.I. An. Rpt., 1910, pp. 219–220, 225. 1912.
 roundworms, treatment. Ch. Wardell Stiles. B.A.I. Bul. 35, pp. 7–14. 1902.
 sale(s)—
  cooperative, feeding methods, and prices. News L., vol. 3, No. 51, pp. 6–7. 1916.
  cooperative, South Carolina. F.B. 809, p. 9. 1917.
  or feed and care. B.A.I.O. 281, p. 6. 1923.

Cattle—Continued.
 sanitary requirements. B.A.I. Doc. A-36, p. 67. 1920.
 scab. See Scab, cattle.
 scabies—
  Richard W. Hickman. B.A.I. Bul. 40, p. 23. 1902; F.B. 152, p. 23. 1902.
  dips for, preparation and application. B.A.I. [Misc.], "Instructions concerning preparation * * *," p. 16. 1907.
  infected, movement for immediate slaughter. B.A.I.O. 263, pp. 16–17. 1919.
  See also Scab; Scabies.
 school lesson on breeds. D.B. 258, p. 21. 1915.
 scrub—
  comparison with grade cattle. F.B. 1073, p. 10. 1919; B.A.I. Bul. 103, pp. 19–28. 1908.
  elimination by bull associations. News L., vol. 6, No. 35, p. 16. 1919.
  feeding, comparison with better grades. Y.B., 1913, pp. 270, 280. 1914; Y.B. Sep. 627, pp. 270, 280. 1914.
  selecting for slaughter, health indications. F.B. 1415, p. 1. 1924.
 selection for baby beef, care and suggestions. F.B. 588, pp. 16–17. 1914.
 selling, suggestions to feeders. F.B. 588, p. 6. 1914.
 septicemia, symptoms, diagnosis, and control. D.B. 674, pp. 1, 5, 7–9. 1918.
 sex, relation to breed of parents. J.A.R., vol. 153, p. 9. 1918.
 "Shinneried." See Cattle, oak-poisoning.
 shipment(s)—
  by emigrants, quarantine regulations for Texas fever. B.A.I.S.A. 68, p. 112. 1912.
  for exhibition at fairs in quarantined area, regulations. B.A.I.O. 240, pp. 2. 1915; B.A.I.O. 268, pp. 2. 1919; B.A.I.O. 261, pp. 2. 1918.
  for exhibition at fairs, order. B.A.I.O. 277, pp. 2. 1922.
  freight costs. F.B. 1382, p. 17. 1924.
  from quarantined areas, 1922. An. Rpts., 1922, p. 138. 1923; B.A.I. Chief Rpt., 1922, p. 40. 1922.
  interstate, regulations, tuberculosis prevention. B.A.I.O. 263, amdt. 3, pp. 1–4. 1920.
  reports, December 19, 1918. Y.B., 1918, pp. 384–387. 1919; Y.B. Sep. 788, pp. 8–11. 1919.
  selling in transit. Y.B., 1909, p. 164. 1910; Y.B. Sep. 502, p. 164. 1910.
  Texas fever districts, sanitary regulations of Agriculture Department. F.B. 569, pp. 22–24. 1914.
  tracing, work of Markets Office, 1915. An. Rpts., 1915, p. 385. 1916; Mkts. Chief Rpt., 1915, p. 23. 1915.
 shipping—
  out of drought area. News L., vol. 7, No. 5, p. 2. 1919.
  points for noninfected cattle along quarantine line. B.A.I.S.A. 60, p. 27. 1912.
  to centralized markets, itemized accounts, selected lots. Rpt. 113, pp. 68–71. 1916.
 ships, Argentina to Europe, freight charges, discussion. Stat. Bul. 39, pp. 66–67. 1905.
 Shorthorn(s)—
  Australian, family pedigrees. B.A.I. Dairy [Misc.], "Worlds dairy congress, 1923," pp. 1401–1404. 1924.
  beef breed, description, origin, and best lines F.B. 612, rev., pp. 4–9, 19–21. 1921.
  breeding—
   at Minnesota Station. An. Rpts., 1908, p. 261. 1909; B.A.I. Chief Rpt., 1908, p. 47. 1908.
   experiments, Kansas. An. Rpts., 1916, pp. 77–78. 1917; B.A.I. Chief Rpt., 1916, pp. 11–12. 1916.
   in Great Britain, desirability. O.E.S. Bul. 196, p. 45. 1907.
  Celtic, probable ancestry. B.A.I. An. Rpt., 1910, pp. 156, 161. 1912.
  character and reputation in Argentina. B.A.I. Bul. 48, pp. 24–25. 1903.
  description and value. B.A.I. Bul. 34, pp. 14–15. 1902.
  description, strains, pedigreed bulls, etc. F.B. 612, pp. 2–5, 16. 1915.

Cattle—Continued.
　Shorthorns—continued.
　　distribution. Y.B., 1921, p. 243. 1922; Y.B. Sep. 874, p. 243. 1922.
　　herds tested and accredited, lists. D.C. 54, pp. 77–91. 1919.
　　importations—
　　　April 1–June 30, 1911, names of animals and importers. B.A.I. [Misc.], "Animals imported * * *, 1911," p. 15. 1911.
　　　1912, names of animals and importers. B.A.I. [Misc.], "Animals imported * * *, 1912;" pp. 25–27. 1913.
　　　1913. B.A.I. [Misc.], "Animals imported * * *, 1913," pp. 30–32. 1914.
　　　Brazil, note. Y.B., 1913, p. 361. 1914; Y.B. Sep. 629, p. 361. 1914.
　　introduction into Alaska. Alaska A.R., 1920, pp. 1, 10, 47, 50. 1922.
　　milking—
　　　breeding. B.A.I. An. Rpt., 1909, p. 64. 1911.
　　　breeding at Minnesota Station. An. Rpts., 1908, p. 261. 1909; B.A.I. Chief Rpt., 1908, p. 47. 1908.
　　　dual-purpose breed, records, and lines. F.B. 612, rev., pp. 22–24. 1921.
　　　prices in Argentina. B.A.I. Bul. 48, pp. 15–16, 17, 18, 20, 24, 25, 26–31. 1903.
　　　prices in United States, table. B.A.I. Bul. 41, pp. 9–11. 1902.
　　　two-line pedigree samples. J.A.R., vol. 31, pp. 379–380. 1925.
　　shrinkage in transit, three years' work, summary. D.B. 25, pp. 71–78. 1913.
　　size of herd, relation to size of silo. F.B. 855, pp. 7–9. 1917.
　　skin diseases, description, and treatment. B.A.I. [Misc.], "Diseases of cattle," rev., pp. 320–334, 1908; rev., pp. 332–346. 1912; rev., pp. 320–334, 1923.
　　skinning, directions for farmers. F.B. 1055, pp. 12–22. 1919.
　　slaughter—
　　　1907–1918, and number condemned for tuberculosis. F.B. 1069, p. 9. 1919.
　　　and indemnity in tuberculosis control. B.A.I. Chief Rpt., 1925, p. 25. 1925.
　　　at principal places, 1884–1914, numbers. Rpt. 109, p. 307. 1916.
　　　consumption, and export, 1909, weight. B.A.I. An. Rpt., 1911, pp. 254–256. 1913.
　　　for tuberculosis, and indemnity allowed, 1923, by States. An. Rpts., 1923, pp. 235–236. 1924; B.A.I. Chief Rpt., 1923, pp. 37–38. 1923.
　　Smithfield, composition, record. B.A.I. An. Rpt., 1905, pp. 170–173. 1907.
　　sore feet, Hawaii, cause and prevention. Hawaii A.R., 1915, pp. 53–54. 1916.
　　southern—
　　　improvement methods. B.A.I. [Misc.], "Progress * * * tick eradication," pp. 2–7. 1914.
　　　quarantine, regulations, joint order, Treasury and Agriculture Departments. B.A.I. O. 209, amdt. 9, pp. 4. 1917.
　　　Texas fever organism, persistence. E. C. Schroeder and W. E. Cotton. B.A.I. An. Rpt., 1905, pp. 71–78. 1907.
　　　unloading for rest, feed, and water, regulation. B.A.I.O. 245, pp. 8–9, 12–13. 1916; B.A.I. O. 263, p. 9. 1919.
　　Spain, numbers, 1865–1920. B.A.I., Doc. A–37, p. 61. 1922.
　　splenetic fever. See Splenetic fever; Texas fever.
　　sprains, kinds, symptoms, and treatment. B.A.I. [Misc.], "Diseases of cattle," rev., pp. 265–267. 1908; rev., pp. 274–276. 1912.
　　spraying for tick extermination, directions. F.B. 378, pp. 19–21, 24–26. 1909; F.B. 498, pp. 25, 32, 35–36. 1912.
　　stables, disinfection, value in control of abortion. News L., vol. 2, No. 41, pp. 6–7. 1915.
　　statistics—
　　　1867–1907. Y.B., 1906, pp. 651–653. 1907; Y.B. Sep. 436, pp. 651–653. 1907.
　　　foot-and-mouth disease outbreak in 1902. Y.B., 1902, pp. 656–658. 1903.

Cattle—Continued.
　statistics—continued.
　　numbers, value, imports and exports—
　　　1907. Y.B., 1907, pp. 698–701, 713–715, 736, 747. 1908; Y.B., Sep. 465, pp. 698–701, 713–715, 736, 747. 1908.
　　　1908. Y.B., 1908, pp. 725–728, 752, 763, 777. 1909; Y.B. Sep. 498, pp. 725–728, 752, 763, 777. 1909.
　　　1910. Y.B., 1910, pp. 615–618, 629–631, 653, 665, 675. 1911; Y.B. Sep. 553, pp. 615–618, 629–631, 653, 665, 675. 1911; Y.B. Sep. 554, pp. 653, 665, 675. 1911.
　　　1911–1913. Y.B., 1913, pp. 455–458, 463–466, 493, 501. 1914; Y.B. Sep. 631, pp. 455–458, 463, 466, 493, 501. 1914.
　　　1913–1915. Y.B., 1915, pp. 507–510, 518–521, 540, 548, 556, 565, 571. 1916; Y.B. Sep. 684, 1915, pp. 507–510, 518–521. 1916; Y.B. Sep. 685, pp. 540, 548, 556, 565–571. 1916.
　　　1916. Y.B., 1916, pp. 670–673, 707, 715, 723, 732, 738. 1917; Y.B. Sep. 721, pp. 12–15. 1917; Y.B. Sep. 722, pp. 1, 9, 17, 26, 32. 1917.
　　　1917. Y.B., 1917, pp. 709–713, 721–724, 759, 768, 789, 794. 1918; Y.B. Sep. 761, pp. 3–7, 15–18. 1918; Y.B. Sep. 762, pp. 3, 12, 33, 38. 1918.
　　　1918. Y.B., 1918, pp. 601–605. 1919; Y.B. Sep. 793, pp. 17–21. 1919.
　　　1919. Y.B., 1919, pp. 657–661, 682, 691, 700, 710, 716. 1920; Y.B. Sep. 828, pp. 657–661. 1920; Y.B. Sep. 829, pp. 682, 691, 700, 710, 716. 1920.
　　　1920. Y.B., 1920, pp. 30–35. 1921; Y.B. Sep. 863, pp. 30–35. 1921.
　　　1921. Y.B., 1921, pp. 690–700, 737, 743, 750, 757, 764. 1922; Y.B. Sep. 867, pp. 16–26. 1922; Y.B. Sep. 867, pp. 1, 7, 14, 21, 28. 1922.
　　　1922. Y.B. 1922, pp. 818–841, 949, 955, 962, 969, 977. 1923; Y.B. Sep. 888, pp. 818–841. 1923; Y.B. Sep. 880, pp. 949, 955, 962, 969, 977. 1923.
　　　1924. Y.B., 1924, pp. 837, 865, 867–868, 895–897, 961, 964, 968, 971–972, 986–990, 1041, 1055, 1058, 1074, 1077, 1078, 1088, 1091, 1113, 1153, 1157. 1925.
　　on Belle Fourche Reclamation Farm, South Dakota. D.C. 60, pp. 6, 7. 1919.
　steers. See Steers.
　sterility, causes, and prevention. B.A.I. [Misc.], "Diseases of cattle," rev., pp. 145–149. 1908; rev., pp. 147–149. 1904; rev., pp. 151–152. 1912; rev., pp. 151–152. 1923.
　stock, winter feeding, Provo area, feeds, and labor requirements. D.B. 582, pp. 33–36. 1918.
　stocker, feeding experiments with cottonseed meal, 1907–1910. F.B. 655, pp. 4–5. 1915.
　stomach—
　　and intestinal worms. B.A.I. Bul. 127, pp. 1–124. 1911.
　　diseases—
　　　causes, symptoms, and treatment. B.A.I. [Misc.], "Diseases of cattle," rev., pp. 24–36. 1912.
　　　symptoms and treatment. A. J. Murray. B.A.I. Cir. 68, pp. 10. 1905.
　　　worms, treatment, remedies and their administration. B.A.I. [Misc.], "Diseases of cattle," rev., pp. 529–534. 1912.
　　stone in bladder, symptoms and treatment. B.A.I. [Misc.], "Diseases of cattle," rev., pp. 514, 515. 1908; rev., pp. 139–141. 1909; rev., pp. 142–144. 1912; rev., pp. 142–144. 1923.
　　subcutaneous injections, precautions. B.A.I. [Misc.], "Diseases of cattle," rev., pp. 12–13. 1904; rev., p. 13. 1912; rev., p. 11. 1923.
　　supply, South America and other countries. Y.B., 1913, pp. 362–363. 1914; Y.B. Sep. 629, pp. 362–363. 1914.
　　surface area, measurement and calculation. J.A.R., vol. 25, p. 426. 1923.
　　surgical operations, directions. B.A.I. [Misc.], "Diseases of cattle," rev., pp. 289–302. 1923; rev., pp. 295–314. 1912.
　　susceptibility, to—
　　　anthrax, dangers of swampy ground. F.B. 784, pp. 6, 7–9. 1917.
　　　blackleg, age, sex, class, and condition. B.A.I. Cir. 31, rev., pp. 3–6. 1907; rev., pp. 3–6. 1911; rev., pp. 3–6. 1915.

INDEX TO PUBLICATIONS, 1901–1925   407

Cattle—Continued.
 susceptibility to—continued.
  rabies. B.A.I. An. Rpt., 1909, p. 202. 1911; F.B. 449, pp. 6, 10. 1911.
  Texas fever, immunization, methods. F.B. 569, pp. 19–22. 1914.
 Sussex, description and value. B.A.I. Bul. 34, p. 20. 1901; B.A.I. Bul. 76, p. 16. 1905.
 tagging—
  after tuberculin test. B.A.I. An. Rpt., 1907, p. 39. 1909.
  necessity in eradication of contagious diseases. B.A.I. [Misc.], "Diseases of cattle," rev., p. 391. 1912.
  shipped for slaughter, aid in locating disease centers. B.A.I. An. Rpt., 1907, p. 214. 1909.
 tariff provision. F.B. 575, p. 15. 1914.
 teeth, relation to age. F.B. 1066, pp. 1–4. 1919.
 testing—
  for abortion disease, agglutination method. J.A.R., vol. 9, pp. 11–16. 1917.
  for tuberculosis, 1921, indemnity fund. Y.B., 1921, p. 45. 1922; Y.B. Sep. 875, p. 45. 1922.
  for tuberculosis, directions. B.A.I. S.R.A. 113, pp. 85–86. 1916; O.E.S. Bul. 212, pp. 101–104. 1909.
  tuberculin results, Maryland, Virginia, and D. C. An. Rpts., 1917, p. 103. 1918; B.A.I. Chief Rpt., 1917, p. 37. 1917.
 Texas fever. See Texas fever.
 Thelemarken, Norway, origin and ancestry. B.A.I. An. Rpt., 1910, p. 224. 1912.
 threadworms, description, causes, and control. News L., vol. 3, No. 38, pp. 1–2. 1916.
 throwing, directions. B.A.I. [Misc.], "Diseases of cattle," rev., pp. 290–291. 1923; rev., pp. 296–297, 314. 1912; F.B. 949, p. 11. 1922.
 tick. See Tick, cattle.
 tick fever. See Tick fever, cattle.
 tick-infested—
  admission from Mexico into Texas, regulation. B.A.I. O. 179, pp. 2. 1911.
  from free areas, regulations. B.A.I. O. 263, p. 14. 1919.
  importation regulations. Joint Order 3, pp. 4. 1918.
 transportation—
  Argentina, description of cars. Y.B. 1913, p. 357. 1914; Y.B. Sep. 629, p. 357. 1914.
  charges. Rpt., 98, pp. 111–112. 1913.
  from drought-stricken regions of Texas. An. Rpts., 1918, pp. 354–355. 1919; S.R.S. Rpt., 1918, pp. 20–21. 1918.
  rates. Y.B. 1907, p. 731. 1908; Y.B. Sep. 465, p. 731. 1908.
  See also Twenty-eight hour law.
 treatment—
  after dehorning. B.A.I. An. Rpt., 1907, p. 299. 1909; F.B. 350, p. 10. 1909.
  at market, effect on shrinkage. D.B. 25, pp. 9. 10, 52–53. 1913.
  for contagious diseases, and progress of eradication. Y.B. 1915, pp. 160–169. 1916; Y.B. Sep. 666, pp. 160–169. 1916.
  for insect infestation, publications, list. F.B. 909, p. 27. 1918.
 tubercular—
  animals exposed, experiments. B.A.I. Cir. 83, pp. 1–22. 1905.
  cooperative indemnity to owners for those killed. News L., vol. 6, No. 11, p. 1. 1918.
  shipping regulations. News L., vol. 6, No. 48, pp. 1–2. 1919.
 tuberculin—
  reacting, meat inspection form. B.A.I.S.R.A. 197, p. 78. 1923.
  test(s)—
   1893–1908, results, by States. B.A.I. An. Rpt., 1908, p. 100. 1910.
   discussion. Y.B. 1901, pp. 581–592. 1902.
   interstate, and in various States and cities. An. Rpts., 1910, pp. 251–253. 1911; B.A.I. Chief Rpt., 1910, pp. 57–59. 1910.
   reliability. Off. Rec., vol. 4, No. 31, pp. 1–2. 1925.
   report of International Commission. B.A.I. Cir. 175, pp. 10, 12, 20–21. 1911.
  testing—
   in the District of Columbia, results. Y.B. 1910, pp. 232–233, 237–239. 1911; Y.B. Sep. 532, pp. 232–233, 237–239. 1911.

Cattle—Continued.
 tuberculin—continued.
  testing—continued.
   methods, and numbers tested. D.C. 249, pp. 5–25. 1922; F.B. 1069, pp. 15–18, 30. 1919.
 tuberculosis-free—
  accredited herds, testing regulations. D.C. 142, pp. 50–51. 1920.
  herds. B.A.I. Chief Rpt., 1924, pp. 27–28. 1924.
  See also Tuberculosis, cattle.
 tuberculous—
  appraisement regulations. B.A.I.O. 260, pp. 5. 1918; B.A.I.O. 267, pp. 4. 1919.
  appraisement, regulations of District of Columbia. Y.B. 1910, p. 241. 1911; Y.B. Sep. 532, p. 241. 1911.
  as source of disease in hogs. Y.B. 1909, pp. 229–230. 1910; Y.B. Sep. 508, pp. 229–230. 1910.
  bacilli, elimination from bodies, natural method. B.A.I. Cir. 143, pp. 187–189. 1909; B.A.I. An. Rpt., 1907, pp. 58, 187–189. 1909.
  blood, tests for tubercle bacilli. E. C. Schroeder and W. E. Cotton. B.A.I. Bul. 116, pp. 23. 1909.
  danger from products. A. D. Melvin. B.A.I. [Misc.], "Danger from products * * *," pp. 4. 1908.
  destruction discussion. O.E.S. Bul. 212, pp. 101–104. 1909.
  destruction, mortgages and other liens, regulation. B.A.I., O. 260, p. 3. 1918.
  exclusion from national forests, Montana. An. Rpts., 1913, p. 170. 1914; For. A. R., 1913, p. 36. 1913.
  indemnity suggestions. B.A.I. An. Rpt., 1907, pp. 159, 205. 1909; F.B. 351, p. 7. 1909.
  interstate movement, regulations. B.A.I.O. 263, amdt. 3, pp. 4. 1920; B.A.I.O. 273, pp. 2. 1923; B.A.I.O. 210, amdt. 1, pp. 1–2. 1914.
  loss to dairymen, economical standpoint. Y.B. 1908, pp. 224–225. 1909; Y.B. Sep. 476, pp. 224–225. 1909.
  slaughter, postmortem inspection, and use of flesh. Y.B., 1910, pp. 232, 235, 1911; Y.B. Sept. 532, pp. 232, 235. 1911.
  some facts about. E. C. Schroeder. Y.B. 1908, pp. 217–226. 1909; Y.B. Sep. 476, pp. 217–226. 1909.
  traffic in. Off. Rec., vol. 4, No. 35, p. 8. 1925.
  transmission of tubercle bacilli. E. C. Schroeder and W. E. Cotton. B.A.I. Bul. 99, pp. 24. 1907.
  transportation interstate, prohibition. B.A.I. [Misc.], "Notice regarding interstate movement of cattle * * *," p. 1. 1907.
  warning to buyers. News L., vol. 6, No. 40, p. 3. 1919.
 tumors, classification, description, and treatment. B.A.I. [Misc.], "Diseases of cattle," rev., pp. 304–319. 1908; rev., pp. 315–331. 1912; rev. pp. 303–319. 1923.
 type(s)—
  and age, influence on feed utilization. Henry Prentiss Armsby and J. August Fries. B.A.I. Bul. 128, pp. 245. 1911.
  and breed, school studies. D.B. 521, pp. 37–38. 1917.
  combination impossibility. News L., vol. 5, No. 52, p. 5. 1918.
  preferences among breeders. News L., vol. 5, No. 34, p. 7. 1918.
 ulcerative vulvitis, nature and cause of disease. B.A.I. An. Rpt., 1904, pp. 99–100. 1905.
 under supervision for tuberculosis, number and location. Y.B. 1919, pp. 286–287. 1920; Y.B. Sep. 810, pp. 286–287. 1920.
 United Kingdom, number, 1875–1920. B.A.I Doc. A.–37, p. 66. 1922.
 unloading for rest, feed, etc., regulations. B.A.I.O. 210, pp. 10, 28–29. 1914.
 urinary calculi, causes, description, various forms and situations. B.A.I. [Misc.], "Diseases of cattle," rev., pp. 130–146. 1912
 urine, composition and conditions, relation to feed. B.A.I. [Misc.], "Diseases of cattle," rev., pp. 114–116. 1923.

Cattle—Continued.
  use in production of anthrax serum. D.B. 340, pp. 5, 6. 1915.
  use of the term in English food laws. Chem. Bul. 143, p. 8. 1911.
  vaccination—
    against anthrax and blackleg. B.A.I. [Misc.], "Diseases of cattle," rev., pp. 456, 463. 1923.
    control of infectious abortion, experiments. J.A.R. vol. 28, pp. 609-620. 1924.
    for anthrax. B.A.I. An. Rpt., 1909, pp. 225, 227. 1911; F.B. 439, pp. 13,15. 1911.
    for blackleg, directions and precautions. B.A.I. Cir. 23, rev., pp. 5-8. 1908.
    methods, Von Bohring's and Pearson's. B.A.I. An. Rpt., 1910, pp. 332-335. 1912; B.A.I. Cir. 190, pp. 332-335. 1912.
    tuberculosis. E. C. Schroeder and others. B.A.I. An. Rpt., 1910, pp. 327-343. 1912; B.A.I. Cir. 190, pp. 17. 1912.
  value, comparison with hogs and sheep. Y.B., 1921, p. 228. 1922; Y.B. Sep. 874, p. 228. 1922.
  value, depreciation, cost in milk production, Louisiana. D.B. 955, pp. 10, 11. 1921.
  vesicular stomatitis. D.B. 662, pp. 1-11. 1918.
  viscera edible, and blood, average yield. D.B. 1138. pp. 21-22. 1923.
  warbles, treatment. B.A.I. [Misc.] "Diseases of cattle," rev., pp. 509-511. 1923.
  water blisters, skin, cause, symptoms, and treatment. B.A.I. [Misc.], "Diseases of cattle," rev., p. 340, 1912; rev., p. 328. 1923.
  water requirements, daily. F.B. 592, pp. 2-3. 1914; F.B. 1448, p. 7. 1925.
  weighing in grazing experiment, method. D.B. 1170, pp. 11-12. 1923.
  weight increase, result of Texas-fever eradication. B.A.I. Cir. 196, p. 3. 1912.
  weight on various scales, comparison, table. D.B. 25, pp. 4-5. 1913.
  Welsh black. John Roberts. B.A.I. An. Rpt., 1905, pp. 161-180. 1906; B.A.I. Cir. 104, pp. 20. 1907.
  Welsh, origin and ancestry. B.A.I. An. Rpt., 1910, p. 226. 1912.
  winter feeding—
    cost per head and per hundredweight. B.A.I. Bul. 131, pp. 16-17, 33-35. 1911.
    experiments. O.E.S. An. Rpt., 1922, pp. 56-57. 1924.
    in South, recommendations. D.B.827, pp. 43-46. 1921.
  wintering—
    Alaska. Alaska A.R., 1908, pp. 61-62. 1909.
    experiments. S.R.S. Rpt., 1917, Pt. I, pp. 25, 102, 132, 169, 210, 257, 284. 1918.
    on bluegrass pasture, and rate of grazing. D.B. 397, pp. 3-4, 5-7, 9-11, 14-15. 1916.
    suggestions. F.B. 704, pp. 34-35. 1916.
    value of corn-stover silage. News L., vol. 4, No. 50, p. 1. 1917.
  worms—
    control by carbon tetrachloride, test. J.A.R., vol. 23, pp. 182-184. 1923.
    remedies, preparation and administration. B.A.I. [Misc.], "Diseases of cattle," rev., pp. 508-509. 1908; rev., pp. 521-522, 532-536, 539. 1912.
    reatment. B.A.I.[Misc.], "Diseases of cattle," rev., pp. 529-534. 1912; rev., pp. 521, 525, 527, 529, 530. 1923.
zebu—
  book of record. B.A.I.O. 278, amdt. 4, p. 1. 1924.
  breeding experiments, Porto Rico. O.E.S. An. Rpt., 1910, p. 29. 1911.
  classification, origin, characteristics. and crosses. B.A.I. An. Rpt., 1910, pp. 191, 209, 210, 212, 215, 228. 1912.
  crossing with—
    native cattle, Porto Rico, 1913. P.R. An. Rpt., 1913, pp. 30-31. 1914.
    Shorthorn and Hereford cattle. P.R. An. Rpt., 1912, p. 40. 1913.
  description, characteristics. B.A.I. An. Rpt., 1909, pp. 84-85. 1911; B.A.I. Cir. 169, pp. 84-85. 1911.
  importation, surra discovery and eradication. B.A.I. An Rpt., 1909, pp. 81-98. 1911; B.A.I. Cir. 169, pp. 81-98. 1911.

Cattle—Continued.
  zebu—continued.
    sarcocystis, occurrence. B.A.I. Cir. 194, p. 497. 1912; B.A.I. An. Rpt., 1910, p. 497. 1912.
    shipments, infection with surra, inspection. B.A.I. An. Rpt., 1911, pp. 90-92. 1913; B.A.I. Cir. 213, pp. 90, 92. 1913.
    strain, Brazilian cattle. Y.B., 1913, p. 361 1914; Y.B. Sep. 629, p. 361. 1914.
  See also Cattle, Brahman.
  See also Bulls; Calves; Cows; Livestock; Steers; Stockers.
Cattlemen—
  loans, needs and practices. Y.B., 1921, pp. 275-277. 1922; Y.B. Sep. 874, pp. 275-277. 1922.
  national forests, distribution of blackleg vaccine by department. News L., vol. 2, No. 22, pp. 1-2. 1915.
Catwort. See Catnip.
Cauandonga tree, importation, description, varieties, and uses. Nos. 33781, 33782, B.P.I. Inv. 31, p. 53. 1914.
CAUDELL, A. N.: "An index to circulars 1 to 100 of the Bureau of Entomology." With Rolla P. Currie. Ent. Cir. 100. pp. 49. 1911.
Cauliflower—
  acreage. Y.B., 1924, p. 695. 1925.
  alternaria leaf spot and brown rot. J. L. Weimer. J.A.R., vol. 29, pp. 421-441. 1924.
  black rot, study in 1923. Work and Exp., 1923, p. 40. 1925.
  blackleg, description, distribution, and control methods. F.B. 488, pp. 21-24. 1912.
  canning directions. D.B. 1084, p. 32. 1922; F.B. 359, p. 14. 1910; S.R.S. Doc. 12, p. 6. 1917.
  composition and preparation for table. D.B. 123, pp. 5, 17, 35, 57. 1916.
  crates, types used in different localities. F.B. 1196, p. 26. 1921.
  cultural directions, and varieties. F.B. 934, p. 30. 1918; F.B. 936, p. 39. 1918; F. B. 937, pp. 16, 19, 23, 32. 1918; F.B. 1044, p. 32. 1919; S.R.S. Doc. 49, p. 5. 1917.
  disease(s), control methods. F.B. 488, pp. 9-12. 1912.
  disease of potatoes. See Wart disease.
  disinfection of seed and seed beds, necessity, methods. F.B. 488, pp. 7, 9-11. 1912.
  drying, directions. D.C. 3, pp. 11-12. 1919; F.B. 841, p. 22. 1917; F.B. 984, p. 51. 1918.
  freezing point. D.B. 1133, pp. 6, 7, 8. 1923.
  growing—
    acreage and States, 1910. Y.B., 1916, pp. 449, 457. 1917; Y.B. Sep. 702, pp. 15, 23. 1917.
    and blanching, directions. S.R.S. Syl. 27, p. 12. 1917.
    directions, Yuma Experiment Farm. D.C. 75, p. 51. 1920.
    in—
      Alaska, 1908. Alaska A.R., 1908, pp. 31, 42. 1909.
      Alaska, 1921. Alaska A.R., 1921, pp. 9, 22, 30, 44. 1923.
      Virginia trucking districts. D.B. 1005, pp. 4, 13, 42. 1922.
    methods and varieties. F.B. 647, pp. 13-14, 27. 1915.
  home garden, cultural hints. F.B. 255, p. 29. 1906.
  injury by webworm. Ent. Bul. 109, Pt. III, pp. 27, 30. 1912.
  insect pests, list. Sec. [Misc.], "A manual of * * * insects * * *," pp. 48-50. 1917.
  marketing by parcel post, preparation. F.B. 703, pp. 15-16. 1916.
  marketing methods. Rpt. 98, pp. 162, 235. 1913.
  planting directions for club members. D.C. 48, p. 8. 1919.
  plants, inoculation with spot disease, experiments. B.P.I. Bul. 225, pp. 7-9. 1911.
  ring-spot, description, cause, and control. F.B. 925, rev., pp. 29-30. 1921.
  seed—
    beds, care and preparation, methods. F.B. 488, pp. 10-11. 1912.
    disinfection, necessity and methods. F.B. 488, pp. 7, 9-10. 1912.
    growing and saving, directions. F.B.1390, p. 9. 1924.

Cauliflower—Continued.
shipments by States, and by stations, 1916. D.B. 667, pp. 12, 177–178. 1918.
special truck crop of Long Island. Y.B., 1907, p. 427. 1908; Y.B. Sep. 459, p. 427. 1908.
spot disease—
Lucia McCulloch. B.P.I. Bul. 225, pp. 15. 1911.
description, distribution, and control methods. F.B. 488, p. 30. 1912; F.B. 925, pp. 27–28. 1918; F.B. 925, rev., pp. 27–28. 1921.
spraying calendar. S.R.S. Doc. 52, p. 7. 1917.
use—
as potherb. O.E.S. Bul. 245, pp. 29, 30. 1912.
in study of tumor growths. J.A.R., vol. 8, pp. 171–172, 181–183. 1917.
with cheese in food. F.B. 487, p. 33. 1912.
Caulophilus latinasus, characters, description, and synonomy. J.A.R. vol. 20, pp. 608–610. 1921.
Caulophilus sp. *See* Grain weevil, broadnecked.
Causation and correlation. Sewall Wright. J.A.R. vol. 20, pp. 557–585. 1921.
Caustic—
use in—
dehorning calves. B.A.I. An. Rpt., 1907, pp. 305–306. 1909; F.B. 350, pp. 13–14. 1909; F.B. 777, p. 14. 1917; F.B. 949, pp. 4–5. 1918; F.B. 949, rev., pp. 2–4. 1922.
refining corn oil, methods, results, and costs. D.B. 1010, pp. 2–5, 16–17, 18. 1922.
washes for borers in fruit trees, formulas. F.B. 908, pp. 46–49. 1918.
washes, lye and soda preparation, for orchard sprays. Y.B., 1908, p. 280. 1909; Y.B Sep. 480, p. 280. 1909.
Cautleya lutea, importation and description. No. 42625, B P.I. Inv. 47, pp. 39–40. 1920; No. 47656, B.P.I. Inv. 59, p. 43. 1922.
Cavalry horses. *See* Horses, army.
Cavan, importation and description. No. 42861, B.P.I. Inv. 47, p. 76. 1920.
CAVE, R. A., "State legislation regulating the standing of stallions and jacks for public service." B.A.I. An. Rpt., 1908, pp. 335–344. 1910.
Caves—
bat guano. description. P.R. An. Rpt., 1914, p. 10. 1916.
mushroom growing. B.P.I. Bul. 85, pp. 10,11, 33, 37, 48. 1905.
of the Winds, Colorado, San Isabel National Forest. D.C. 5, p. 15. 1919.
Oregon, Siskiyou National Forest. For. [Misc.], "The Oregon * * *," folder. 1924.
Porto Rican, guano-containing, name, owner, location, and tonnage of each. P.R. Bul. 25, pp. 64–65. 1918.
Cavia genus, history, description F.B. 525, pp. 3–5. 1931.
Caviar, adulteration and misbranding. Chem. N.J. 12780. 1925; Chem. N.J. 12904. 1925; Chem. N J.12927. 1925; Chem. N.J. 12981. 1925; Chem. N.J. 13527. 1925; Chem. N.J. 13557. 1925.
Caviar, use of term, Chem. Bureau opinion. Chem. S.R.A. 3, p. 112. 1914.
Cavies, wild and domestic, description, history. F.B. 525, pp. 4–5. 1913.
Cavies. *See also* Guinea pigs.
Cayman Islands, coconut bud-rot investigations. B.P.I. Bul. 228, pp. 11, 15–16. 1912.
Ceanothus—
americanus. *See* Tea, New Jersey.
arboreus. *See* Myrtle, tree.
hybridus, importation. Nos. 44419, 44420, B.P.I. Inv. 50, p. 70. 1922
pubescens, occurrence in Colorado, description. N.A. Fauna 33, p. 239. 1911.
spinosus. *See* Lilac.
spp. occurrence in chaparral, undesirable qualities. For. Bul. 85, pp. 9, 11, 30–31, 41. 1911.
spp., value as goat browse. D.B. 749, p. 3. 1919.
thrysiflorus. *See* Myrtle, blue.
Cebadilla, powder, use as insecticide, Porto Rico. P.R. Cir. 17, p. 16. 1918.
Cebil, tannin source. For. Cir. 202, p. 9. 1912.
Cebrio bicolor. *See* Wireworm, collared.
Cecidomyia coccidarum, parasite of common red spider. Ent. Cir. 104, p. 6. 1909; Ent. Bul. 117, p. 19. 1913.
Cecidomyiidae, enemies of the spring grain aphid. Ent. Bul. 110, pp. 133–134. 1912.

Cecil—
clay, constituents, water-soluble. Soils Bul. 22, pp. 31–33. 1903.
clay, soils of the eastern United States and their use. VI. Jay A. Bonsteel. Soils Cir. 28, pp. 16. 1911.
sandy loam—
constituents, water-soluble. Soils Bul. 22, pp. 29–30. 1903.
eastern United States, uses. V. Jay A. Bonsteel. Soils Cir. 27, pp. 19. 1911.
silt loam, South Carolina, manurial requirements. F. D. Gardner and F. E. Bonsteel. Soils Cir. 16, pp. 7. 1905.
soils, Piedmont Plateau, southern, area, description, and uses. Soils Bul. 78, pp. 76–79 1911.
Cecomonas spp., description and occurrence. B.A.I. Cir. 194, p. 481. 1912; B.A.I. An. Rpt., 1910, p. 481. 1912.
Cecropia—
adenopus, importation and description. No.45508. B.P.I. Inv. 53, p. 44. 1922.
palmata—
importation, and description. No. 43964, B.P.I. Inv. 49, p. 106. 1921.
See also Trumpet tree; Yaruma.
Cecum worm—
cause of blackhead, description, habit, and control. F.B. 1337 pp. 18, 31–32. 1923.
chickens, control methods. J.A.R., vol. 12, pp. 419, 425, 429, 439. 1918.
Cedars—
adaptability to Great Plains. F.B. 1312, pp. 18–19. 1923.
Alaska price. Off. Rec., vol. 2, No. 35, p. 1. 1923.
apple—
cause, life history, and injury to orchard fruits. F.B. 492, pp. 33–35. 1912.
causing apple rust, a biennial on red cedar. Y.B., 1907, p. 578. 1908; Y.B. Sep. 467, p. 578. 1908.
danger to fruit orchards. F.B. 1312, p. 18. 1923; For. Cir. 154, pp. 16, 19. 1908; For. Cir. 161, p. 38. 1909.
occurrence and description, Texas. B.P.I. Bul. 226, p. 63. 1912.
See also Cedar rust.
bark borer, western, description and habits. Y.B., 1910, pp. 352–353. 1911; Y.B. Sep. 542, pp. 352–353. 1911.
bird, protection by law. Biol. Bul. 12, rev., p. 39. 1902.
bird. *See also* Waxwing, cedar.
blocks, use in street paving. For. Cir. 141, p. 6. 1908.
borer, description, life history, and control. Y.B. 1910, pp. 351–352, 358. 1911; Y.B. Sep. 542, pp. 351–352, 358. 1911.
boxwood, substitute for. Off. Rec., vol. 2, No. 35, p. 3. 1923.
characters. F.B. 468, p. 40. 1911.
characters, species on Pacific slope. For. [Misc.], "Forest trees for Pacific * * *," pp. 148–158, 167–175. 1908.
chests—
as protectors against moth damage. E. A. Back and Frank Rabak. D.B. 1051, pp. 14. 1922.
value in moth control. Ent. A.R., 1921, pp. 5–6. 1921; F.B. 1353, pp. 23–26. 1923.
value, investigations. An. Rpts., 1923, p. 397. 1924; Ent. A.R., 1923, p. 17. 1923.
chips—
adulteration and misbranding. I. and F. Bd. N.J. 25, pp. 2. 1913.
effect on clothes moths and carpet beetles, tests. D.B. 707, pp. 22, 31. 1918.
compound, adulteration and misbranding, N. Judg. 167, 181. I and F. Bd. S.R.A. 10, pp. 35–36, 49–51. 1915.
consumption in Arkansas, amount, value. For. Bul. 106, pp. 7, 11, 16, 19, 31, 38. 1912.
cut in U. S., 1905. For. Cir. 52, pp. 5, 14. 1906.
description. M.C. 31, p. 6. 1925.
destruction for control of apple rust, law. Virginia. Soil Sur. Adv. Sh., 1914, p. 18. 1916; Soils F.O., 1914, p. 442. 1919.
diseases, Texas, occurrence and description. B.P.I. Bul. 226, pp. 63–64, 112. 1912.

Cedars—Continued.
  distribution and uses. N.A. Fauna 21, pp. 11, 12, 21. 1901; For. Bul. 95, pp. 11-40. 1911.
  East African—
    importation and description. No. 39185, B.P.I. Inv. 40, pp. 7, 89. 1917; No. 55484, B.P.I. Inv. 71, p. 48. 1923.
    new variety, description. B.P.I. Bul. 208, pp. 14-15. 1911.
  eradication for protection of orchards from rust. An. Rpts., 1913, p. 107. 1914; B.P.I. Chief Rpt. 1913, p. 8. 1913.
  freedom from gipsy moth injury. D.B. 204, p. 15. 1915.
  giant, occurrence, Washington, and soil requirements. Soils F.O., 1909, pp. 1547, 1549. 1912; Soil Sur. Adv. Sh., 1909, pp. 35, 37. 1911.
  growth rate—
    and average life of poles. For. Bul. 78, p. 30. 1909; For. Bul. 36, rev., pp. 190, 194. 1910.
    in different regions. F.B. 1177, rev., p. 24. 1920.
  heartwood borer, description, life history, and habits. Y.B., 1909, pp. 409-410. 1910; Y.B. Sep. 523, pp. 409-410. 1910.
  incense—
    J. Alfred Mitchell. D.B. 604, pp. 40. 1918.
    age relation to dry-rot infection. D.B. 871, pp. 24-37, 48, 53-55. 1920.
    available supply range, occurrence, estimated stand, stumpage value, 1915. D.B. 604, pp. 9-10. 1918.
    California, occurrence in sugar pine-yellow pine forests. For. Bul. 69, pp. 11-14. 1906.
    characteristics and description of species. D.B. 680, pp. 27-32. 1918.
    decay by dry rot and other diseases. D.B. 871, pp. 13-20. 1920.
    description, range, and occurrence on Pacific slope. For. [Misc.], "Forest trees for Pacific * * *," pp. 148-153. 1908.
    dry-rot. J. S. Boyce. D.B. 871, pp. 58. 1920.
    economic importance, occurrence, and value. D.B. 604, pp. 1-2. 1918; For. Sil. Leaf. 9, p. 4. 1907.
    enemies. D.B. 604, pp. 29-31. 1918.
    forest types, associated species, and average stand. D.B. 604, pp. 27-28. 1918.
    injury by—
      fire, frost, lightning, and pruning. D.B. 871, pp. 37-49. 1920.
      fungus growths. For. [Misc.], "Forest tree diseases * * *," pp. 13, 23, 27, 31, 35-37, 46. 1914.
    pencil manufacture, California industry. An. Rpts., 1914, p. 161. 1914; For. A.R., 1914, p. 33. 1914.
    range, geographical and altitudinal. D.B. 604, 20-21. 1918.
    rust, description, cause, and injury to trees. For. [Misc.], "Forest tree diseases * * *." pp. 35-37. 1914.
    scaling and marking for control of dry-rot. D.B. 871, pp. 51-55. 1920.
    stand in western forests, value, and losses by dry rot. D.B. 871, pp. 1-8, 51. 1920.
    susceptibility to *Polyporus amarus*. D. B. 275, pp. 5, 13, 21. 1916.
    use in making cigar boxes, study. An. Rpts., 1910, pp. 416, 427. 1911; For. A.R., 1910, pp. 56, 67. 1910.
    value when sound. D.B. 275, pp. 5, 22. 1916.
    volume tables. D.B. 604, pp. 37-40. 1918.
    wood characteristics, strength, shrinkage, and durability. D.B. 604, pp. 10-12. 1918.
  Indian. See Ironwood.
  injuries by heartwood borer. Y.B., 1909, pp. 409-410. 1910; Y.B. Sep. 523, pp. 409-410. 1910.
  insect pests, list. Sec. [Misc.], "A manual * * * insects * * *," pp. 52, 94, 139-140. 1917.
  lumber production and value by States—
    1905. For. Bul. 74, p. 20. 1907.
    1913, species and range. D.B. 232, pp. 19-20, 30-31. 1915.
    1916, mills reporting. D.B. 673, pp. 26-27. 1918.
    1918, by States, D.B. 845, pp. 31, 44. 1920.
    1919. D.B. 768, pp. 27-28, 38, 41. 1919.
    1920. D.B. 1119, p. 50. 1923.

Cedars—Continued.
  Mexican. See Cedrela.
  mountain, other names, history, characteristics, occurrence, habits, and age. D.B. 207, pp. 23-25. 1915.
  mountain red, other names, history, characteristics, occurrence, habits, and age. D B. 207, pp. 18-20. 1915.
  nursery blight. Glenn G. Hahn and others. J.A.R., vol. 10, pp. 533-540. 1917.
  oil, use against mosquitoes. Sec. Cir. 61, p. 16. 1916.
  pencil, drying schedule. D.B. 1136, p. 41. 1923.
  pole production, 1906. For. Cir. 129, p. 12. 1907.
  poles, consumption, 1915. D.B. 519, pp. 1, 2, 3. 1917.
  Port Orford—
    description, range, and occurrence, Pacific slope. For. [Misc.], "Forest trees for Pacific * * *," pp. 171-175. 1908.
    importance in airplane construction. D.B. 1128, pp. 3, 4, 13. 1923.
    pole test. D.B. 67, p. 28. 1914.
    range, occurrence, and requirements For. Silv. Leaf. 2, pp. 3. 1907.
    posts cut, 1906. For. Cir. 129, p. 14. 1907.
    preservative treatment, results. F.B. 744, p. 28. 1916.
    production, 1899-1914, and estimates, 1915. D.B. 506, pp. 13-15, 24. 1917.
    quantity used in manufacture of wooden products. D.B. 605, pp. 11, 12. 1918.
    railroad ties, number and value, consumption, 1905, 1906. For. Cir. 124, pp. 4-5. 1907
  red—
    adaptability for shelter-belt planting. D.B. 1113, p. 11. 1923.
    Alaska, conditions. For. Bul. 81, p. 14. 1910.
    aroma, result of volatile-oil content. D.B. 1051, p. 4. 1922.
    blight injury to seedlings. D.B. 44, pp. 19, 21. 1913.
    characteristics, uses, propagation, and rate of growth. For. Bul. 66, pp. 18-20, 29, 30, 34. 1905; For. Cir. 161, pp. 14, 22, 23, 24, 28, 38-39. 1909.
    commercial range, characteristics, and reproduction. For. Cir. 102, pp. 7-12. 1907.
    danger to apple and pear orchards. For. Bul. 86, p. 99. 1911.
    description. For. Cir. 73, pp. 4. 1907.
    description and key. D.C. 223, pp. 4, 8. 1922.
    description, uses, and planting details. F.B. 888, pp. 12, 13, 19. 1917.
    destruction by birds. Biol. Bul. 15, p. 88. 1901.
    distribution, description, and uses. D.B. 1051, pp. 2-4. 1922.
    effect on moths. D.B. 1201, p. 40. 1924.
    eradication, for control of apple rust, 1915. S.R.S. Rpt., 1915, Pt. I, pp. 54, 266, 274. 1917.
    eradication for control of apple rust, 1921. Work and Exp., 1921, pp. 56-57. 1923.
    growing for Christmas trees. F.B. 1453, pp. 34-36. 1925.
    notes. Charles Mohr. For. Bul. 31, pp. 37. 1901.
    occurrence and reproduction, Nebraska. For. Bul. 66, pp. 18-19, 29. 1905.
    planting—
      in Nebraska. M.C. 16, p. 7. 1925.
      in sand hills. M.C. 16, p. 7. 1925.
      suggestions and plans. For. Cir. 99, p. 13. 1907; For. Cir. 106, pp. 13-19. 1907.
    production for pencil wood. L. L. White. For. Cir. 102, pp. 19. 1907.
    protection against moth damage, experiments. E. A. Back and Frank Rabak. D.B. 1051, pp. 14. 1922.
    Rocky Mountain, description, range, occurrence, Pacific slope. For. [Misc.], "Forest trees for Pacific * * *," pp. 178-181. 1908.
    source of borneol. B.P.I. Bul. 235, p. 11. 1912.
    spread of apple rust through "cedar apple." For. Cir. 154, p. 16. 1908.
    use for forest planting. For. Bul. 65, pp. 31, 34, 37. 1905.
  See also Juniper.
  reproduction of forest burns, studies. J.A.R., vol. 11, pp. 13, 14, 21, 22. 1917.

INDEX TO PUBLICATIONS, 1901-1925 411

Cedars—Continued.
  Rocky Mountain red, description, range, and occurrence on Pacific slope. For. [Misc.], "Forest trees for Pacific * * *," pp. 178-181. 1908.
  rust—
    damage to apple orchards, spread by cedar trees. An. Rpts., 1916, p. 141. 1917; B.P.I. Chief Rpt., 1916, p. 5. 1916.
    danger to apple orchards. B.P.I. Chief Rpt., 1910, p. 54. 1910; Sec. A.R., 1910, p. 54. 1910; An. Rpts., 1910, pp. 12, 282. 1911; Y.B. 1910, p. 54. 1911.
    injury to apple, life history, infection period, and control. F.B. 492, pp. 31-35. 1912.
    new species of Gymnosporangium from Japan. J.A.R. vol. 1, pp. 353-356. 1914.
    occurrence and description, Texas. B.P.I. Bul. 226, p. 63. 1912.
    on apple, spread by means of "cedar apple." For. Cir. 154, p. 16. 1908.
  seed distribution by crows. D.B. 621, pp. 54, 69. 1918.
  Spanish. See Cedrela.
  spray, adulteration and misbranding, Insect. N.Judg. 203. I. and F. Bd., S.R.A. 14, pp. 158-160. 1916.
  stinking, characters, species on Pacific slope. For. [Misc.], "Forest trees for Pacific * * *," pp. 190-193. 1908.
  stumpage value, 1907. For. Cir. 122, p. 38. 1907.
  stumps, blasting and burning, cost, diameter, and number per acre. B.P.I. Bul. 239, pp. 22, 41, 42, 43, 44, 45, 60. 1912.
  tests for mechanical properties, results. D.B. 556, pp. 33, 42-43. 1917; D.B. 676, pp. 28-29. 1919.
  timber, exports, 1922-1924. Y.B., 1924, pp. 1048, 1049. 1925.
  timber, fungi infecting. D.B. 1262, p. 4. 1924.
  trees—
    destruction for control of apple rust. O.E.S. An. Rpt., 1911, p. 220. 1912.
    destruction for protection of apple orchards, law in West Virginia, Jefferson, Morgan, and Berkeley Counties. Soil Sur. Adv. Sh., 1916, p. 20. 1918; Soils F.O., 1916, p. 1494. 1921.
    injury by sapsuckers. Biol. Bul., 39, pp. 4, 13. 1917.
    use for beehives, effect on wax moth. Off. Rec., vol. 2, No. 43, p. 5. 1923.
  use for—
    shingles. For. Cir. 166, p. 20. 1909.
    windbreaks. F.B. 788, pp. 4, 13. 1917.
  varieties, grading rules. D.C. 64, pp. 38-39. 1920.
  waxwing. See Waxwing, cedar.
  western, stumpage estimate. For. Cir. 166, p. 10. 1909.
  western red—
    description, occurrence, and habits. D.B. 680, pp. 33-39. 1918; For. Bul. 98, p. 56. 1911.
    description, range, and occurrence, on Pacific slope. For. [Misc.], "Forest trees for Pacific * * *," pp. 153-158. 1908.
    tests for telephone poles. D.B. 67, pp. 1, 2, 3, 11, 12, 15-19, 22, 25-27. 1914.
    See also Arborvitae.
  white—
    control in cranberry fields. F.B. 1401, p. 15. 1924.
    description and key. D.C. 223, pp. 4, 8. 1922.
    southern, strength tests for cross-arms. For. Cir. 204, pp. 3-4, 6-8, 15. 1912.
    value as windbreak. For. Bul. 86, pp. 32, 96, 98, 99. 1911.
    whitening, occurrence and description, Texas. B.P.I. Bul. 226, pp. 63-64. 1912.
    woods, resistance to termites. Ent. Bul. 94, Pt. II, pp. 80, 81. 1915.
  yellow, occurrence, habits, management. For. Silv. Leaf. 12, pp. 1-4. 1907.
Cedar Rapids, Iowa, milk supply, statistics, officials, and prices. B.A.I. Bul. 46, pp. 34, 75-76. 1903.
Cedrela, identification key and description. D.B. 1050, pp. 3, 7-8. 1922.
Cedrela odorata. See Cedro.
Cedro, importation and description. No. 43417, B.P.I. Inv. 49, p. 14. 1921.

Cedro, Porto Rico, occurrence, description and uses D.B. 354, pp. 29, 31, 48, 78. 1916.
Cedron, importation and description. No. 43482, B.P.I. Inv. 49, p. 33. 1921.
Cedrus atlantica, importation and description. No. 50313, B.P.I. Inv. 63, p. 54. 1923.
Ceiba—
  pentandra—
    occurrence in Guam. Guam A.R., 1913, p. 22.
    See also Kapok. 1914.
    Porto Rico, description and uses, silk-cotton product. D.B. 354, pp. 34, 84. 1916.
Ceilings, cleaning directions. F.B. 1180, pp. 11-12. 1921.
Celandine, habitat, range, description, uses, collection, and prices. B.P.I. Bul 219, p. 11. 1911.
Celastraceae, characteristics. For. [Misc.], "Forest trees for Pacific * * *," p. 380. 1908.
Celastrus—
  angulatus. See Bittersweet, Chinese.
  scandens, infestation with Euonymus scale. Ent. Cir 114, p. 2. 1909.
  scandens. See also Bittersweet, false.
  spp., importations and descriptions. Nos. 40568-40569. B.P.I. Inv. 43, p. 47. 1918.
Celatoria diabrotica—
  parasitic on corn rootworms. D.B. 5, p. 9. 1913; D.B. 8, p. 6. 1913.
  parasitic on cucumber beetle. Ent. Bul. 82, Pt. VI, pp 72, 75. 1910; Ent. Cir. 31, rev., p. 4. 1909.
Celeriac—
  composition and food value, comparison with other foods. D.B. 503, pp. 3, 5, 6, 9. 1917.
  cultural hints. F.B. 937, p. 33. 1918.
  food use, composition. F.B. 295, pp. 33, 35-36. 1907; F.B. 1269, p. 4. 1922; O.E.S. Bul. 245, pp. 46-47. 1912.
  food value and cooking directions. D.B. 123, pp. 32-33. 1916.
  growing, Alaska. Alaska A.R., 1912, p. 21. 1913.
  home garden, cultural hints. F.B. 255, p. 29. 1906.
Celery—
  W. R. Beattie. F.B. 282, pp. 38. 1907.
  acreage—
    and production 1917-1920, and localities where grown. F.B. 1269, pp. 3-4. 1922
    in 1909. Sec. [Misc.] Spec. "Geography * * * world's agriculture," p. 99. 1917.
    on farms, census 1909, by States, map. Y.B., 1915, p. 376. 1916; Y.B. Sep. 681, p. 376. 1916.
    yield, and prices. Y.B., 1924, pp. 695, 696. 1925.
  and sarsaparilla compound, misbranding. Chem. N.J. 3961 1915.
  blackheart, cause. F.B. 1269, p. 17. 1922.
  blanching and trenching for home use, directions. S.R.S. Syl. 27, p. 12. 1917.
  blanching, methods, materials, and cost. F.B. 148, p. 20-24. 1902; F.B. 282, pp. 23-28. 1907; F.B. 1269, pp. 20-22. 1922
  blight—
    control studies. Work and Exp., 1919, pp. 61-62. 1921.
    description and control. F.B 1269, pp. 16-19. 1922.
    car-lot shipments monthly by States, 1918-1923. S.B. 7, pp. 16-18. 1925.
  caterpillar—
    description, life history, remedies and bibliography. Ent. Bul. 82, Pt. II, pp. 20-24. 1909; Ent. Bul. 82, pp. 20-24. 1912.
    injuries caused by, and control. F.B. 856, p. 41. 1917.
  climatic and soil requirements. F.B. 282, pp. 9-17. 1907.
  Cola, adulteration and misbranding (soft drink). Chem N J. 326, pp. 5. 1910.
  cold-storage tests. News L., vol. 5, No. 9, pp. 4-5. 1917.
  copper injury in spraying, prevention. News L., vol. 1, No. 39, pp. 3-4. 1914.
  crates and boxes, types used in different localities. F.B. 1196, pp. 26-27. 1921.
  cultivation, methods and tools. F.B. 1269, pp. 15-16. 1922.

36167°—32——27

Celery—Continued.
  cultural directions. F.B. 133, pp. 7-18. 1901;
    F.B. 934, pp. 30-31. 1918; F.B. 936, pp. 39-40.
    1918; F.B. 937, pp. 16, 19, 23, 33-34. 1918; F.B.
    1044, p. 34. 1919; S.R.S. Doc. 49, p. 5. 1917.
  culture. W. R. Beattie. F.B. 148, pp. 31. 1902.
  damage by root knot. F.B. 648, pp. 8, 9. 1915.
  decay percentage in precooled and non-precooled.
    D.B. 601, pp. 25-27, 28. 1917.
  decay, *Sclerotinia minor* as cause, with lettuce
    and other crops. Ivan C. Jagger. J.A.R.,
    vol. 20, pp. 331-334. 1920.
  disease(s)—
    and transportation survey. B.P.I. Chief Rpt.,
      1925, p. 11. 1925.
    caused by *Septoria petroselini apii*, control.
      Hawaii A.R., 1916, p. 42. 1917.
    description and control. F.B. 1269, pp. 16-19.
      1922.
    occurring under market, storage, and transit
      conditions. B.P.I. [Misc.], "Handbook of
      the * * *," pp. 31-32. 1919.
    treatment. F.B. 282, pp. 21-22. 1915.
  dried, cooking recipe. F.B. 841, p. 27. 1917.
  drying, directions. D.B. 1335, p. 36. 1925; D.C.
    3, p. 12. 1919; F.B. 841, p. 21. 1917; F.B. 984,
    p. 56. 1918.
  dusting, for disease control, experiments. F.B.
    1269, p. 19. 1922.
  early blight, effect on nitrogen constituents of
    plant. J.A.R., vol. 31, pp. 289-291. 1925.
  effect of disease on nitrogen constituents, experi-
    mental results, discussion, and summary.
    J.A.R., vol 31, pp. 295-300. 1925.
  farming, muck lands, Indiana and Michigan.
    F.B. 761, pp. 5, 6, 7, 8, 9, 14, 15, 16, 17, 18. 1916.
  fertilizer(s)—
    and moisture requirements, Jacksonville, Fla.
      Soil Sur., Adv. Sh., 1910, p. 12. 1911; Soils
      F.O., 1910, p. 590. 1912.
    composition, application methods, and quanti-
      ties. F.B. 1269, p. 5. 1922.
    tests. Soils Bul. 67, p. 72. 1910.
  Florida, handling and precooling. D.B. 601,
    pp. 1-2, 18-27, 28. 1917.
  food of shoal-water ducks. D.B. 862, pp. 7, 13,
    35, 44, 50. 1920.
  food uses. F.B. 1269, p. 4. 1922.
  French, description, introduction. B.P.I. Bul.
    205, p. 13. 1911.
  growing—
    W. R. Beattie. F.B. 1269, pp. 32. 1922.
    acreage and States, 1910. Y.B., 1916, pp. 449,
      450, 458. 1917; Y.B. Sep. 702, pp. 15, 16, 24.
      1917.
    and handling as truck crop. Y.B., 1907, p.
      432. 1908; Y.B. Sep. 459, p. 432. 1908.
    costs and returns. F.B., 1269, pp. 30-31.
      1922.
    directions. Soils Cir. 19, pp. 15-18. 1909.
    for truck, Nevada. B.P.I. Cir. 113, pp. 20-21.
      1913.
    in—
      Alaska, Kenai Peninsula region. Soil Sur.
        Adv. Sh., 1916, pp. 71, 86. 1919; Soils F.O.,
        1916, pp. 102, 103, 118. 1921.
      central Alaska. Soil Sur. Adv. Sh., 1914,
        p. 160. 1915; Soils F.O., 1914, p. 194.
        1919.
      Florida, Hillsborough County, importance
        of industry. Soil Sur. Adv. Sh., 1916,
        pp. 11, 13-15. 1918; Soils F.O., 1916, pp.
        755, 757-759. 1921.
      Florida, increase of industry. D.B. 601, pp.
        1-2. 1917.
      Georgia. Soils Cir. 21, pp. 4-7. 1910; Soils
        Cir. 19, pp. 15, 18. 1909.
      Indiana, Elkhart County. Soil Sur. Adv.
        Sh., 1914, pp. 10, 25. 1916; Soils F.O.,
        1914, pp. 1576, 1591. 1919.
      muck soils, Ohio, reconnaissance. Soil Sur.
        Adv. Sh., 1912, p. 128. 1915; Soils F.O.,
        1912, p. 1366. 1915.
      muck soils, value, cost and profit, plants per
        acre. Soils Cir. 65, pp. 9-10. 1912.
      New York, Livingston County. Soil Sur.,
        Adv. Sh., 1908, p. 86. 1910; Soils F.O.,
        1908, pp. 151-152. 1911.
      New York, Wayne County. Soil Sur. Adv.
        Sh., 1919, pp. 284, 344. 1923; Soils F.O.,
        1919, pp. 284, 344. 1925.

Celery—Continued
  growing—continued.
    in—continued.
      Ohio, Portage County, varieties and yields.
        Soil Sur. Adv. Sh., 1914, pp. 11-12, 13, 42.
        1916; Soils F.O., 1914, pp. 1512, 1513, 1514.
        1919.
      Pennsylvania, Erie County. Soil Sur. Adv.
        Sh., 1910, p. 18. 1911; Soils F.O., 1910.
        p. 158. 1912.
      Wisconsin, Milwaukee County. Soil Sur.
        Adv. Sh., 1916, pp. 11, 30. 1918; Soils F.O.,
        1916, pp. 1785, 1794. 1921.
    labor requirements in planting and harvesting.
      F.B. 1269, pp. 11-12, 24. 1922.
    methods, varieties. F.B. 647, p. 14. 1915.
    soils adapted to. F.B. 1269, p. 4. 1922.
    without irrigation. F.B. 1269, p. 15. 1922.
  handling investigations and experiments, 1915.
    D.B. 601, pp. 1-2, 18-28. 1917.
  harvesting, packing, and shipping. F.B. 1269
    pp. 22-24. 1922.
  infestation with corn borer. Y.B. 1920, pp. 86,
    91, 95-96. 1921; Y.B. Sep. 831, pp. 86, 91, 95-96.
    1921.
  insect(s)—
    and diseases attacking. F.B. 856, pp. 39-41.
      1917.
    pests. F.B. 282, pp. 22-23. 1907; Sec. [Misc.],
      "A manual * * * insects * * *," pp.
      52-53. 1917.
  irrigation—
    methods and principles. F.B. 1269, pp. 13-15.
      1922.
    requirement in humid region. Y.B., 1911, pp.
      313, 316, 319. 1912; Y.B. Sep. 570, pp. 313,
      316, 319. 1912.
  leaf-miner, control methods. Ent. Bul. 82, Pt.
    II, p. 13. 1911.
  leaf spot, bacterial disease. Ivan C. Jagger.
    J.A.R., vol. 21, pp. 185-188. 1921.
  looper, description, and control. F.B. 856, p. 41.
    1917.
  market statistics, 1919 and 1920. D.B. 982, p. 231.
    1921.
  marketing—
    bibliography. M.C. 35, p. 42. 1925.
    methods, 1913. Rpt. 98, pp. 162, 181, 234.
      1913.
    methods, 1923. Y.B., 1923, p. 754. 1924; Y.B.
      Sep. 900, p. 754. 1924.
  nitrogen constituents in plants in health and dis-
    ease. G. H. Coons and L. J. Klotz. J.A.R..
    vol. 31, pp. 287-300. 1925.
  pithiness, causes, study. F.B. 169, pp. 9-10.
    1903.
  planting methods. F.B. 1269, pp. 11-13. 1922;
    D.C. 48, p. 8. 1919.
  plants—
    growing for home garden. F.B. 1269, pp. 6-10.
      1922.
    quantity per acre. F.B. 148, p. 16. 1902.
  preparation for market. F.B. 1269, pp. 28-30.
    1922.
  prices, variations, 1907-1915. F.B. 761, pp. 19, 20.
    1916.
  resistance to alkali. Soils Bul. 35, p. 41. 1906.
  root. See Celeriac.
  rotting in storage experimental studies. D.B.
    579, pp. 1-26. 1917.
  seed—
    adulteration and misbranding. See *Indexes,
      Notices of Judgment, in bound volumes, and
      in separates published as supplements to Chem-
      istry Service and Regulatory Announcements.*
    germination after treatment for Septoria blight.
      J.A.R., vol. 21, p. 371. 1921.
    germination temperatures. J.A.R., vol. 23, pp.
      296, 297, 302, 303, 323-327. 1923.
    importation, notice to importers, opinion 71.
      Chem. S.R.A. 7, p. 529. 1914.
    planting directions. F.B. 1269, pp. 6-7. 1922.
    production, localities, acreage, yield, and con-
      sumption. Y.B., 1918, pp. 200, 206, 207.
      1919; Y.B. Sep. 775, pp. 8, 14, 15. 1919.
    production methods. F.B. 1269, pp. 31-32.
      1922.
    requirements per acre. F.B. 1269, pp. 6-7.
      1922.
    saving directions. F.B. 884, p. 11. 1917; F.B.
      1390, p. 9. 1924.

Celery—Continued.
　seed—continued.
　　standards, opinion 162. Chem. S.R.A. 16, p. 30. 1916.
　　treatment for control of Septoria blight. Webster S. Krout. J.A.R., vol. 21, pp. 369–372. 1921.
　setting and planting distances. F.B. 1269, pp. 10–11. 1922.
　shipments by States—
　　1916. and by stations. D.B. 667, pp. 12, 178–180. 1918.
　　1917, 1922. Y.B., 1922, pp. 771, 774. 1923; Y.B. Sep. 884, pp. 771, 774. 1923.
　　1919–1921. Y.B., 1921, p. 652. 1922; Y.B. Sep. 869, p. 72. 1922.
　shipping, color changes, etc., tests. D.B. 1353, pp. 22–25. 1925.
　shipping, use of short-type refrigerator car. D.B. 1353, pp. 1–28. 1925.
　soils adapted and fertilizer requirements. D.B. 355, p. 82. 1916.
　spraying—
　　calendar. S.R.S., Doc. 52, p. 7. 1917.
　　danger of poisoning, data. D.B. 1027, p. 24. 1922.
　　for control of diseases. F.B. 1269, pp. 17–19. 1922.
　　for yellow-bear caterpillar, experiments and results. Ent. Bul. 82, Pt. V. pp. 63–66. 1910.
　　good and bad methods. News L., vol. 2, No. 52, p. 1. 1915.
　storage—
　　cellars and trenches. F.B. 133, pp. 15–18. 1901.
　　experiments. H. C. Thompson. D.B. 579, pp. 26. 1917.
　　experiments, percentage of decay. D.B. 601, pp. 23–27, 28. 1917.
　　for home use. F.B. 879, pp. 18–20. 1917.
　　methods and management. F.B. 1269, pp. 25–27. 1922.
　testing for copper after spraying with Bordeaux mixture. D.B. 785, pp. 7–8. 1919.
　transplanting directions. F.B. 1269, pp. 8–9. 1922.
　turnip-rooted, use as food. O.E.S. Bul. 245, pp. 46–47. 1912.
　value of total crop and value per 1,000 bunches, graded. D.B. 579, pp. 1, 15, 24, 25. 1917.
　varieties and characters required. F.B. 1269, p. 31. 1922.
　Vesce, misbranding. Chem. N.J. 2565. pp. 2 1913.
　wild—
　　description, habits, and forage value. Biol. Cir. 81, pp. 7–11. 1911; D.B. 545, pp. 44–45, 58, 60. 1917.
　　duck-food value. D.B. 936, p. 14. 1921; D.B. 720, pp. 6, 17. 1918; Biol. Cir. 81, pp. 1–2. 1911; D.B. 465, pp. 9–13. 1917.
　　enemies. Biol. Cir. 81, pp. 17–18. 1911.
　　importation and description. No. 35920, B.P.I. Inv. 36, p. 26. 1915.
　　transplanting, time, method, suitable places. Biol. Cir. 81, pp. 10–11. 1911.
　See also *Apium graveolens*.
Cell, definition in anatomy and physiology. Ent. T.B. 18, pp. 85–87. 1910.
Cell, reproductive, function in animal breeding. D.B. 905, pp. 2–4. 1920.
Cellar(s)—
　airing, directions. Y.B., 1919, p. 449. 1920; Y.B. Sep. 824, p. 449. 1920.
　apple storage, relation to scald development. J.A.R., vol. 16, pp. 209–212. 1919.
　bee, construction, arrangement, and maintenance. F.B. 1014, pp. 7–17. 1918.
　cold, celery storage. F.B. 1269, p. 27. 1922.
　damp, causes and prevention. Y.B., 1919, pp. 427–449. 1920; Y.B. Sep. 824, pp. 427–449. 1920.
　drainage with tiles, directions. Y.B., 1919, pp. 434–436. 1920; Y.B. Sep. 824, pp. 434–436. 1920.
　dry, securing. George M. Warren. Y.B., 1919, pp. 425–449. 1920; Y.B. Sep. 824, pp. 425–449. 1920.
　home, sanitary requirements. F.B. 375, pp. 27–28. 1909.
　incubator, requirements. F.B. 1363, pp. 9–11. 1923.

Cellar(s)—Continued.
　potato—
　　disinfection. B.P.I. Cir. 110, p. 14. 1913.
　　storage, description, types, and costs. F.B. 847, pp. 12–19, 24–25, 26. 1917.
　root, Alaska, construction methods. Alaska A.R., 1912, pp. 37, 58. 1913.
　root storage. F.B. 305, p. 21. 1907.
　storage, types, in dwellings and outdoors. F.B., 879, pp. 4–13. 1917; F.B. 1374, p. 4. 1923.
　sweet potato storage, description. F.B. 520, pp. 8–9. 1912; F.B. 324, p. 29, 30. 1908; F.B. 970, pp. 25–26. 1918; F.B. 1442, p. 20. 1925.
　wall(s) and floor, use of oil-mixed concrete. Rds. Bul. 46, pp. 14–15. 1912.
　walls, directions for building and waterproofing. Y.B., 1919, pp. 428–449. 1920; Y.B. Sep. 824, pp. 428–449. 1920.
　wintering bees in. E. F. Phillips and George S. Demuth. F.B. 1014, pp. 24. 1918.
Cellular structures, evolution. O. F. Cook and Walter T. Swingle. B.P.I. Bul. 81, pp. 26. 1905.
Cellulitis, suppurative, cattle and sheep, cause and treatment. B.A.I. Bul. 63, p. 32. 1905.
Cellulose—
　as energy source for nitrogen fixation. B.P.I. Cir. 131, pp. 25–34. 1913.
　characteristics, rotation, and formula. Chem. Bul. 130, p. 23. 1910.
　destruction—
　　bacteria and molds, importance in agriculture. B.P.I. Cir. 113, pp. 5–6. 1913.
　　by bacteria and filamentous fungi. I. G. McBeth and F. M. Scales. B.P.I. Bul. 266, pp. 52. 1913.
　effect on nitrates of soil. J.A.R. vol. 2, pp. 109, 112. 1914.
　fermentation—
　　importance of bacteria in soil, species. B.P.I. Cir. 113, pp. 5–6. 1913.
　　studies, methods and culture media. B.P.I. Bul. 266, pp. 25–28. 1913.
　isolation, technique. B.P.I. Cir. 118, pp. 29–31. 1913.
　nitrate, "dope," treatment with castor oil, improvement. D.B. 867, p. 39. 1920.
　percentage in linters and uses. D.C. 175, p. 8. 1921.
　products of corn, uses and values. Sec. Cir. 91, p. 16. 1918.
　use as doping for airplane cloth, tests. D.B. 882, pp. 38–47. 1920.
　zacaton, determination, comparison with cotton and poplar pulp. D.B. 309, pp. 18–20. 1915.
Celosia plumosa, description, cultivation and characteristics. F.B. 1171, pp. 28–29, 80. 1921.
Celtis—
　australis, importation. No. 52285, B.P.I. Inv. 65, p. 84. 1923.
　occidentalis—
　　host of *Cyllene pictus*. J.A.R., vol. 22, pp. 198–203. 1921.
　　host of *Molorchus bimaculatus*. J.A.R., vol. 22, pp. 212–213. 1921.
　See Hackberry.
　reticulata. See Palo blanco.
　spp.—
　　importations and description. Nos. 48662, 48663, B.P.I. Inv. 61, pp. 32–33. 1922.
　　injury by sapsuckers. Biol. Bul. 39, pp. 36, 76. 1911.
Cement(s)—
　alkali-proofing work. S.R.S. Rpt., 1917, Pt. I, pp. 32, 284. 1918.
　asphalt, penetration, test, effect of variations in conditions. J.A.R., vol. 5, No. 17, pp. 805–818. 1916.
　clinker, by-product of potash salts production. Y.B., 1912, p. 529. 1913; Y.B. Sep. 611, p. 529 1913.
　concrete—
　　as ditch lining, tests and cost. F.B. 317, p. 11. 1908.
　　irrigation canal lining, efficiency and cost. O.E.S. An. Rpt., 1908, p. 375. 1909.
　　oil-mixed. Logan Waller Page. Rds. Bul. 46, pp. 28. 1912.
　　road, details and cost. D.B. 234, p. 2. 1915.

Cement(s)—Continued.
concrete—continued.
use in road binding, experiment and cost. Rds. Cir. 92, pp. 21-23, 28. 1910.
use on road at Chevy Chase, Maryland, management, experiment. Rds. Cir. 99, pp. 15-18. 1913.
consumption in United States, 1895-1915. Rpt. 117, pp. 16, 18, 27. 1917.
content of potash and loss, table. D.B. 572, pp. 3-11. 1917.
destruction by alkali, preventive measures. O.E.S. An. Rpt., 1910, pp. 179, 497. 1911; F.B. 353, pp. 20-21. 1909.
"hydraulic," materials manufacture. F.B. 235, p. 3. 1915.
industry—
potash—
recovery. D.B. 1226, p. 2. 1924; D.C. 61, p. 5. 1919.
recovery of by-product. Albert R. Merz and C. R. Wagner. D.B. 572, pp. 23. 1917.
injury by alkali, study, 1914. Work and Exp., 1914, p. 251. 1915.
kinds, description, and requirements for concrete posts. F.B. 403, pp. 7-8, 23. 1910.
manufacture, South Dakota. O.E.S. Bul. 210, p. 8. 1909.
materials in cubic foot, mixing, care. F.B. 592, pp. 26-27. 1914.
mortar, preparation and use for farm purposes. Philip L. Wormeley, jr. F.B. 235, pp. 32. 1905.
oil-mixed, material, formula, mixing methods. D.B. 230, pp. 6-9. 1915.
pipe for small irrigating systems and other purposes. F.B. 317, pp. 12-15. 1908.
plaster, rendering impervious. B.A.I. An. Rpt., 1909, p. 251. 1911; B.A.I. Cir. 173, p. 251. 1911.
Portland—
and natural, value. F.B. 235, pp. 3-4. 1905.
composition, comparison with feldspar-lime clinker. Soils Cir. 71, pp. 8-10. 1912.
description, and value for concrete, and storing directions. F.B. 1279, pp. 1-2. 1922.
examination, and trial mixtures. Rds. Cir. 92, pp. 21-22. 1910.
for concrete floors. F.B. 1413, pp. 14-15. 1924.
growth of industry, 1903-1913. D.B. 230, p. 1. 1915.
requirements for road pavements. D.B. 249, p. 4. 1915.
specifications and tests. D.B. 555, pp. 25-27, 50-51. 1917; D.B. 704, pp. 20-21, 37-38. 1918; D.B. 704, pp. 20-21, 37-38. 1918; D.B. 949, pp. 17-28. 1921; D.B. 1216, pp. 27-35. 1924.
studies. Chem. Bul. 92, p. 8. 1905.
posts, reenforcement with bamboo. D.B. 1329, p. 18. 1925.
preparation for feeding floors. F.B. 481, pp. 9-11. 1912.
prices, comparison with other building materials. Rpt. 117, pp. 12-14, 28, 29. 1917.
production and cooperage demand for containers. Rpt. 117, p. 61. 1917.
rubber, formula for making. B.A.I. Bul. 151, p. 14. 1912.
silos, construction, directions. F.B. 405, pp. 21-32. 1910.
steel protection, discussion. Rds. Bul. 35, pp. 34-35. 1909.
tests and analyses. J.A.R., vol. 24, pp. 480-482. 1923.
tile, deterioration, causes, study. Work and Exp., 1914, p. 137. 1915.
tile, economy in use. O.E.S. An. Rpt., 1911, pp. 24, 188. 1912.
tire, use of castor oil. D.B. 867, p. 37. 1920.
troughs, building, caution. F.B. 592, p. 23. 1914.
use in—
bridges and culverts. D.B. 220, pp. 20-21. 1915.
construction of city milk plants. D.B. 849, pp. 10, 11, 12. 1920.
filling tree cavities, directions and precautions. F.B. 1178, pp. 17-19, 27. 1920.
improvement of water supply, western range lands. F.B. 592, pp. 26-27. 1914.
making beehives and stands, Porto Rico. P.R. An. Rpt., 1912, p. 38. 1913.

Cement(s)—Continued.
use in—continued.
making fence posts. F.B. 384, pp. 29-32. 1910.
rat-proof construction. Biol. Bul. 33, pp. 10, 36, 37, 38. 1909.
road building. D.B. 347, pp. 15-22. 1916; D.B. 1077, p. 3. 1922; Rds. Cir. 94, pp. 33-47, 51-52. 1911; Rds. Cir. 98, pp. 17, 19-20, 26, 37, 40. 1912.
tree surgery, and precautions against defects. Y.B., 1913, pp. 175-178. 1914; Y.B. Sep. 622, pp. 175-178. 1914.
vats for sheep dipping, construction. F.B. 713, pp. 35-36. 1916.
water resistance, use of soap solution instead of water. O.E.S. An. Rpt., 1910, p. 179. 1911.
Cementation test of road materials. Chem. Bul. 85, pp. 6-14. 1904.
Cementing—
power of rock dust. Rds. Bul. 37, pp. 24, 26. 1911; Chem. Bul. 92, pp. 6-7. 1905.
power, road materials. Logan Waller Page and Allerton S. Cushman. Chem. Bul. 85, pp. 24. 1904.
value, measure for road material. Rds. Bul. 28, p. 14. 1907.
value of rocks for road building, importance. D.B. 348, pp. 11, 13, 14, 16, 19, 21-24. 1916; Rds. Bul. 44, pp. 17-23, 26. 1912.
Cemeteries—
attraction for birds. D.B. 715, p. 11. 1918.
improvement by work of women's organizations. D.B. 719, p. 12. 1918.
infestation by termites. D.B. 333, p. 16. 1916.
rural, planning. F.B. 1441, pp. 37-38. 1925; F.B. 1325, pp. 9-11, 17. 1923.
use as bird refuges. F.B. 1239, pp. 12-13. 1921.
Cenchrus—
biflorus, importation and description. No. 41894, B.P.I. Inv. 46, pp. 5, 30. 1919.
carolinianus. See Bur grass.
echinatus, occurrence in Guam. Guam A.R., 1913, p. 16. 1914.
echinatus. See also Sand bur.
spp., description, distribution, and uses. D.B. 772, pp. 19, 247, 249, 250. 1920.
Cenocoelius populator, parasite of apple tree borer. D.B. 847, p. 29. 1920; Ent. Cir. 32, rev., p. 5. 1907; F.B. 675, p. 11. 1915.
Census—
agricultural—
1909, quinquennial, provision. An. Rpts., 1909, p. 666. 1916; Stat. Chief Rpt., 1909, p. 14. 1909.
1920, statistics. Y.B., 1922, pp. 1003-1009. 1923; Y.B. Sep. 887, pp. 1003-1009. 1923.
1925, value. Off. Rec., vol. 4, No. 26, p. 5. 1925.
at outbreak of war. S.R.S. Doc. 88, pp. 14-15. 1918.
antelope, results. D.B. 1346, pp. 22-64. 1925.
bird—
instructions for taking. Biol. Doc. 103, pp. 3. 1916.
preliminary, United States. Wells W. Cooke. D.B. 187, pp. 11. 1915.
purpose and methods. May Thacher Cooke. D.C. 261, pp. 4. 1923.
second annual report. Wells W. Cooke. D.B. 396. pp. 20. 1916.
data, 1910, farm property and crops. Y.B., 1914, pp. 641-650. 1915; Y.B. Sep. 656, pp. 641-650. 1915.
data on land values, accuracy, discussion. D.B. 1224, pp. 3, 10-13. 1924.
of irrigation, details of statistics collected. O.E.S. Cir. 108, p. 37. 1911.
statistics, use in graphic summary of agriculture, explanation. Y.B., 1915, pp. 329, 330. 1916; Y.B. Sep. 681, pp. 329, 330. 1916.
Centaurea—
benedicta. See Thistle, blessed.
cyanus, susceptibility to Puccinia triticina. J.A.R., vol. 22, pp. 152-172. 1921.
picris. See Knapweed, Russian.
solstitialis. See Thistle, star.
spp—
description, cultivation and characteristics. F.B. 1171, pp. 28, 71. 1921.

Centaurea—Continued.
spp—continued.
importations and descriptions. Nos. 53910–53911, 54331, B.P.I. Inv. 68, pp. 7, 52. 1923.
Centella asiatica, occurrence in Guam. Guam A.R., 1913, p. 15. 1914
Center Market, D. C.—
administration, 1923 and improvements. An. Rpts. 1923, pp. 175, 178. 1924; B.A.E. Chief Rpt., 1923, pp. 45–48. 1923.
administration, 1924. B.A.E. Chief Rpt. 1924, pp. 39–40. 1924.
appraisement. Off. Rec., vol. 1, No. 10, p. 4. 1922.
cold storage warehouse tariff, terms, and conditions. B.A.E. [Misc.], "Warehouse tariff and terms * * *," pp. 7. 1922.
cost to Government. Off. Rec., vol. 2, No. 30, p. 5. 1923.
history and description. Off. Rec., vol. 1, No. 19, p. 2. 1922.
improvement under department control. Off. Rec., vol. 1, No. 35, p. 1. 1922.
rat extermination. Off. Rec., vol. 3, No. 29, p. 5. 1924.
receipts for rentals, storage, and other charges. An. Rpts., 1923, p. 510. 1924; Accts. Chief Rpt., 1923, p. 4. 1923.
Centeter cinerea, parasite of the Japanese beetle. An. Rpts., 1923, p. 382. 1924; Ent. A.R., 1923, p. 2, 1923.
Centipede(s)—
description and treatment of bite. Sec. Cir. 61, p. 21. 1916.
house. C. L. Marlatt. F.B. 627, pp. 4. 1914; Ent. Cir. 48, pp. 4. 1902.
house, enemy of flies. F.B. 459, p. 15. 1911; F.B. 679, p. 11. 1915; F.B. 851, p. 11. 1917.
occurrence in Pribilof Islands, Alaska, descriptions. N.A. Fauna 46, Pt. II., pp. 240–244. 1923.
Centistes americana, parasite of *Coccinella repanda*. Ent. Bul. 93, p. 45. 1911.
Centotheca latifolia, occurrence in Guam. Guam A.R., 1913, pp. 15, 16. 1914.
Central forest, area and stand. For. Cir. 166, pp. 5, 6. 1909.
Central America—
coffee production, 1906–1910. Stat. Bul. 79, pp. 10, 11. 40. 1912.
forest resources. For. Bul. 82, pp. 64–66. 1910.
fruit production and exports. D.B. 483, p. 9. 1917.
indications of ancient agriculture. An. Rpts., 1909, p. 307. 1910; B.P.I., Chief Rpt., 1909, p. 55. 1909.
rice rats, descriptions. N.A. Fauna 43, pp. 32–98. 1918.
rubber sources, exhaustion. An. Rpts., 1923, p. 283. 1924; B.P.I. Chief Rpt., 1923, p. 29. 1923.
soil studies, 1919. Soils Chief Rpt., 1919, p. 5. 1919; An. Rpts., 1919, p. 239. 1920.
terraces, evidence of prehistoric agriculture. B.P.I. Bul. 145, pp. 17–18, 21. 1909.
rubber tree, culture. O. F. Cook. B.P.I. Bul. 49, pp. 86. 1903.
vegetation affected by agriculture. O. F. Cook. B.P.I. Bul. 145, p. 30. 1909.
Central Atlantic States, farm motor truck operation. L. M. Church. D.B. 1254, pp. 28. 1924.
Central States—
alfalfa growing, special instructions. F.B. 339, pp. 44–45. 1908.
corn breeding work, variety tests. B.P.I. Chief Rpt., 1912, p. 50. 1912; An. Rpts., 1912, p. 430. 1913.
forest planting, needs and conditions. Y.B., 1909, pp. 340–342. 1910; Y.B. Sep. 517, pp. 340–342. 1910.
road mileage and revenues. D.B. 389, pp. 16–32, 34–36, 41. 1917.
soils, area and crops adaptable. Y.B. 1911, pp. 224–229. 1912; Y.B. Sep. 563, pp. 224–229. 1912.
Centranthera grandiflora, importation and description. No. 47658, B.P.I. Inv. 59, p. 43. 1922.
Centrifugal force, use in clarification of apple juice. F.B. 1264, pp. 29, 37–38. 1922.
Centrocercus urophasianus. See Grouse, sage.
Centrosema pubescens. See Conchita peluda.

Centurus spp.—
injury to telephone poles. Biol. Bul. 39, pp. 1–11. 1911.
See also Woodpecker.
Century plant, blight, occurrence and description, Texas. B.P.I. Bul. 226, pp. 84, 110, 112. 1912.
Ceophloeus pileatus. See Woodpecker, pileated.
Cephaelis—
ipecacuanha, adulteration regulations, F. I. D. 199. Chem. S.R.A. 19, p. 52. 1917.
sp., importation and description. No. 45730. B.P.I. Inv. 54, p. 12. 1922.
Cephalanthus occidentalis—
injury by sapsuckers. Biol. Bul. 39, p. 50. 1911.
See also Button bush.
Cephalocereus laguginosus, importation and description. No. 44454. B.P.I. Inv. 51, pp. 10, 14. 1922.
Cephalophus. See Antelope.
Cephalosporium—
acremonium, description, growth, and life cycle. J.A.R., vol. 27, pp. 189–194. 1924.
sacchari, fungus of seed corn, description and habits. J.A.R., vol. 23, pp. 500–502, 507–518, 519. 1923.
sp., occurrence on coffee. P.R. Bul. 17, pp. 12, 27. 1915.
Cephalotaxus drupacea sinensis, importations and description. Nos. 40017–40018. B.P.I. Inv. 42, p. 52. 1918.
Cephalothecium roseum—
cause of fruit rot, temperature studies. J.A.R., vol. 8, pp. 145, 153, 158, 159, 162. 1917.
cause of pink rot of apple. F.B. 1160, p. 16. 1920.
vitality tests under low temperatures. J.A.R., vol. 5, No. 14, pp. 652, 654, 655. 1916.
Cephus—
cinctus, number and development of eggs. D.B. 841, pp. 9–11. 1920.
North American, key to species. D.B. 841, p. 22. 1920.
occidentalis. See Sawfly, grass-stem, western.
pygmaeus, occurrence, description, and habits. D.B. 841, pp. 26–27. 1920.
Cepphus mandti. See Guillemot, Mandt's.
Ceralfa feed, misbranding. Chem. N.J. 1847, p. 1. 1913.
Cerambycid beetles, host-selection principle. F.C. Craighead. J.A.R., vol. 22, pp. 189–220. 1921.
Cerambycidae—
classification and description. Ent. T.B. 20, Pt. V, pp. 153–154. 1912; Rpt. 107, pp. 3–8. 1915.
North American, classification and biology, contributions. F. C. Craighead. Rpt. 107, pp. 24. 1915.
spp. See Borers, roundheaded.
Cerambycobius—
cushmani, parasitic on coffee-bean weevil. Ent. Bul. 64, p. 63. 1911; Ent. Bul. 64, Pt. VII, p. 63. 1909.
cyaniceps, boll-weevil parasite. D.B. 231, p. 31. 1915; Ent. Bul. 100, pp. 11, 12, 31, 42–45, 50–51, 54–68, 73–80. 1912.
Cerambycoid larvae, preliminary synopsis. Ent. T.B. 20, Pt. V, pp. 149–155. 1912.
Cerasus—
demissa. See Chokecherry.
spp., synonyms for *Prunus* spp. D.B. 179, pp. 21, 23, 24, 42, 61, 62, 64, 65. 1915.
Cerataphidini, genera, description and key. D.B. 826, pp. 9, 86–87. 1920.
Ceratitis capitata. See Fruit fly, Mediterranean; Peach maggot.
Ceratixodes, occurrence on sea birds. Ent. Bul. 72, p. 54. 1907.
Ceratoma trifurcata. See Bean flea beetle.
Ceratomia catalpae—
description, habits and control. F.B. 1169, pp. 33–34. 1921.
See Catalpa sphinx.
Ceratonia siliqua. See St. John's bread; Carob.
Ceratophyllum demersum. See Coontail.
Ceratophyllus anisus. See Rat flea.
Ceratopogon—
eriophorus, destruction of grosella pest in Cuba. Ent. Bul. 67, 117. 1907.
spp. occurrence, description, and habits. Ent. Bul. 64, pp. 23–28. 1911; Ent. Bul. 64, Pt. III, pp. 23–28. 1907.

Ceratospora spp., diagnosis, synonymy and bibliography. B.A.I. Bul. 60, pp. 30-31. 1904.
Ceratostoma piliferum. See Fungi, sap-stain.
Ceratostomella—
  pilifera, injury to jack pines. D.B. 212, p. 8. 1915.
  spp. and description. D.B. 1037, pp. 7-9. 1922.
  spp., penetration into wood, studies. J.A.R. vol. 26, pp. 220, 223-224, 225-227. 1923.
Cercadium torreyanum. See Acacia, green-bark.
Cercidiphyllum japonicum, importation and description. No. 42067. B.P.I. Inv. 46, p. 53. 1919.
Cercidium viride, importation and description. No. 45910. B.P.I. Inv. 54, p. 39. 1922.
Cercis—
  canadensis, immunity to *Molorchus bimaculatus.* J.A.R., vol. 22, pp. 212-213. 1921.
  occidentalis See Judas tree; Redbud.
Cercocarpus spp.—
  injury by sapsuckers. Biol. Bul. 39, pp. 40, 80. 1911.
  See also Mahogany.
Cercocephala elegans, parasite of broad-nosed grain weevil. D.B. 1085, p. 8. 1922.
Cercolabes novae. See Porcupine.
Cercospora—
  apii, cause of early blight in celery and effect. experiments. J.A.R. vol. 31, pp. 289-292. 1925.
  beticola—
    cause of leaf-spot of beet, control. An. Rpts., 1909, p. 308. 1910; B. P. I, Chief Rpt., 1909; p. 56. 1909; B.P.I. Cir. 121, pp. 13-17. 1913. F.B. 618, pp. 1, 4-7. 1914.
    forms, over-wintering and desiccation, effects. J.A.R. vol. 6, No. 1, pp. 21-60. 1916.
    growth, factors influencing. J.A.R. vol. 5, No. 22, pp. 1029-1037. 1916.
    infection, relation of stomatal movement. Venus W. Pool and M. B. McKay. J.A.R. vol. 5, No. 22, pp. 1011-1038. 1916.
    relation of climatic conditions. Venus W. Pool and M. B. McKay. J.A.R. vol. 6, No. 1, pp. 21-60. 1916.
    summer infection cycles. J.A.R. vol. 6, No. 1, pp. 36-58. 1916.
    See also Leaf spot, sugar beet.
  coffeicola—
    cause of disease in coffee. P.R. An. Rpt. 1913, p. 29. 1914.
    See Coffee-berry spot.
  concors. See Leaf-blotch.
  cruenta, cause of cowpea disease. B.P.I. Bul. 229, p. 25. 1912.
  fusca—
    description, occurrence on pecans, and control. F.B. 1129, pp. 10-11. 1920.
    See also Leaf spot, brown.
  gossypium, cause of leaf-spot of cotton. F.B. 1187, p. 30. 1921.
  personata—
    cause of peanut disease, description and control. F.B. 421, pp. 37-38. 1911.
    conidia, spread by insects, record of examination. J.A.R. vol. 5, No. 19, pp. 899-900. 1916.
    See also Leaf spot, peanut.
  sacchari, sugar-cane fungus, study, Hawaii. O.E.S. An. Rpt., 1912, p. 105. 1913.
  spp., cause of leaf-spot disease in Guam. Guam A.R., 1917, pp. 47, 54, 56, 57. 1918.
Cercosporella spp. occurrence in Texas, and description. B.P.I. Bul. 226, pp. 74, 95. 1912.
Cereal(s)—
  acreage and production, 1918, comparison with previous years. An. Rpts., 1918, pp. 5, 7. 1919; Y.B., 1918, pp. 12, 14. 1919; Sec. A. R., 1918, pp. 5, 7. 1918.
  adapted to dry farming. F.B. 329, p. 11. 1908.
  adulteration and misbranding, N.J. 105. Chem. N.J. 102-110, pp. 7-9. 1909.
  alcohol source, Germany, comparison with potatoes. D.B. 182, pp. 4, 13, 17. 1915.
  Algerian, cultivation. D.B. 80, pp. 73-76. 1914.
  alkali resistance. F.B. 446, pp. 26-28, 32. 1911. F.B. 446, rev., pp. 13, 25-27. 1920.
  analysis method, report of referees committee. Chem. Cir. 90, pp. 11-12. 1912. Chem. Bul. 152, pp. 102, 189-190. 1912.

Cereal(s)—Continued.
  and forage crops—
    billbug control. A. F. Satterthwaite. F.B. 1003, pp. 23. 1919.
    grasshopper control in relation to. W.R. Walton. F.B. 747, pp. 20. 1916.
    wireworm injury. J. A. Hyslop. F.B. 725, pp. 12. 1916.
  and forage insects, papers, Pts. I-VIII. F. M. Webster and others. Ent. Bul. 85, pp. 162. 1911.
  average sowings per acre, Europe and United States. Chas. M. Daugherty. F.B. 672, pp. 9-11. 1915.
  black stem-rust, occurrence. B.P.I. Chief Rpt., 1921, p. 39. 1921.
  blight or scab, investigations. B.P.I. Chief Rpt., 1921, pp. 34-35. 1921.
  breakfast—
    comparison of cost. F.B. 249, pp. 27-28. 1906.
    cooking, effect on digestibility. F.B. 316, pp. 17-19. 1908.
    use and value for children, cooking recipes. F.B. 717, pp. 14, 15-16. 1916.
    use with cheese in food. F.B. 487, p. 30. 1912.
  breeding—
    relation to grain marketing. Sec. A.R., 1921, pp. 21-22. 1921.
    work—
      experiment stations, 1910. O.E.S. An. Rpt., 1910, pp. 80, 170, 211, 212, 215. 1911.
      experiment stations, 1911. Sec. A.R., 1911, pp. 132, 133. 1912; Sec. A.R., 1911, pp. 132, 133. 1911; Y.B., 1911, pp. 132, 133. 1912.
  bridging hosts of *Puccinia graminis,* experiments. J.A.R., vol. 15, pp. 228-241. 1918.
  classification and value as food. Y.B., 1922, pp. 469, 471. 1923; Y.B. Sep. 891, pp. 469, 471. 1923.
  composition—
    and analyses. F.B. 389, pp. 8, 11, 16. 1910.
    deficiency in lime. F.B. 329, p. 23. 1908.
  consumption—
    by farm families. F.B. 1082, pp. 11, 19. 1920.
    in selected countries, 1902-1911. Y.B., 1918, pp. 684-685. 1919; Y.B. Sep. 795, pp. 20-21. 1919.
    in selected countries, 1909-1913, 1914-1918. Y.B., 1919, pp. 564-567. 1920; Y.B. Sep. 826, pp. 564-567. 1920.
  cooking—
    fireless cooker, directions. F.B. 771, pp. 11-12, 13. 1916; F.B. 1171, rev., pp. 11-12, 13. 1918; O.E.S. Syl. 15, p. 6. 1914; U.S. Food Leaf. 13, p. 4. 1918.
    lesson outlines for first year and correlative studies. D.B. 540, pp. 36, 37, 38. 1917.
    with milk, directions. U.S. Food Leaf. 11, p. 3. 1918.
    with water and salt, proportions used. F.B. 1202, p. 56. 1921.
  crop(s)—
    acreage and production, graphic summary, maps. Y.B. 1915, pp. 348, 349, 352-359. 1916; Y.B. Sep. 681, pp. 348, 349, 352-359. 1916.
    amount and value, 1909, estimate. An. Rpts., 1910, pp. 16, 17. 1911; Sec. A.R., 1910, pp. 16, 17. 1910; Rpt. 93, p. 13. 1911; Y.B., 1910, pp. 16, 17. 1911.
    and forage, grasshopper control. W. R. Walton. F.B. 747, pp. 20. 1916.
    and forage, wireworms attacking. J. A. Hyslop. D.B. 156, pp. 34. 1915.
    forecast, general, and by States, September, 1913. F.B. 558, pp. 7-12, 15-16. 1913.
    foreign conditions—
      1910. Stat. Cir. 25, pp. 4-7, 9-11, 13. 1911.
      1911. Stat. Cir. 24, pp. 3, 5, 6, 8, 12, 13, 14. 1911.
      1912. Stat. Cir. 28, pp. 5, 7, 8, 9, 11, 12, 13, 14, 15, 16. 1912.
    in Algeria and Bulgaria, statistics. Stat. Cir. 26, p. 12. 1912.
    in Russia, average, comparison with U.S. Stat. Bul. 42, pp. 11-15. 1917.

Cereal(s)—Continued.
  crops—continued.
    foreign conditions—continued.
      in Texas Panhandle. John F. Ross. F.B. 738, pp. 16. 1916.
    insects—
      information for farmers. F. M. Webster. Y.B., 1908, pp. 367-388. 1909; Y.B. Sep. 488, pp. 21. 1909.
      injurious, 1907. Y.B., 1907, pp. 542-543. 1908; Y.B. Sep. 472, pp. 542-543. 1908.
      injurious, 1908. Y.B., 1908, pp. 568-570. 1909; Y.B. Sep. 499, pp. 568-570. 1909.
      injurious, publications list. F.B. 875, pp. 10-12. 1917; F.B. 1086, pp. 10-11. 1920.
      parasites, value. Ent. Bul. 67, pp. 94-100. 1907.
    production in—
      Idaho. F.B. 769, pp. 16-23. 1916.
      Russia, by governments and provinces. Edward T. Peters. Stat. Bul. 84, pp. 99. 1911.
    smut, annual loss. F.B. 250, pp. 4-13. 1906.
    spraying for protection against range caterpillar. D.B. 443, p. 12. 1916.
    statistics—
      1915. Y.B., 1915, pp. 410-453, 479-487. 1916; Y.B. Sep. 682, pp. 410-453, 479-487. 1916.
      1919. Y.B., 1919, pp. 509-567. 1920; Y.B. Sep. 826, pp. 509-567. 1920.
    total production, 1907, remarks by Secretary. An. Rpts., 1907, pp. 18-19. 1908; Y.B., 1907, p. 18. 1908; Sec. A.R., 1907, p. 16. 1907; Rpt. 85, pp. 10-11. 1907.
    webworms and their control. Geo. G. Ainslee. F.B. 1258, pp. 16. 1922.
  cultivation, origin and discussion. B.P.I. Bul. 180, pp. 49-50. 1910.
  cutworm injury and control. F.B. 739, pp. 1-3. 1916.
  damage by carpet beetles. F.B. 1346, pp. 4, 5. 1923.
  demonstration work among negroes. D.C. 355, p. 9. 1925.
  description and food-value comparisons D.B. 975, pp. 8-9, 26-30. 1921.
  detection in stomach of bird. Biol. Bul. 15, p. 14. 1901.
  digestibility. O.E.S. Bul. 200, pp. 29-30. 1908.
  diseases—
    and the national food supply. Harry B. Humphrey. Y.B., 1917, pp. 481-495. 1918; Y.B. Sep. 755, pp. 16. 1918.
    caused by *Tylenchus tritici*. R. W. Leukel. J.A.R., vol. 27, pp. 925-956. 1924.
    control experiments in Texas. B.P.I. Bul. 283, pp. 68-69. 1913.
    flag smut and take-all, investigation. F.H.B. S.R.A. 63, pp. 66-67. 1919.
    in Texas, occurrence and description. B.P.I. Bul. 226, pp. 46-47. 1912.
    treatment by dry heat. J.A.R., vol. 18, pp. 379-390. 1920.
  drying, necessity, and method. D.B. 15, p. 6. 1913.
  edible, production, average yields, 1909-1913, comparisons. F.B. 563, p. 4. 1913.
  environment influence, studies by Chemistry Bureau. An. Rpts., 1909, pp. 416-419. 1910; Chem. Chief Rpt., 1909, pp. 6-9. 1909.
  equal value with all other farm crops. News L., vol. 6, No. 29, p. 5. 1919.
  experiments—
    Akron (Colo) field station—
      George A. McMurdo. D.B. 402, pp. 33. 1916.
      in the 15-year period, 1908-1922, inclusive. Franklin A. Coffman. D.B. 1287, pp. 63. 1925.
    as field crop at field station near Mandan, N. Dak. D.B. 1301, pp. 68-70. 1925.
    Belle Fourche Experiment Farm, Newell, S. Dak. John H. Martin. D.B. 1039, pp. 72 1922.
    Cheyenne Experiment Farm, Wyoming. Jenkin W. Jones. D.B. 430, pp. 40. 1916.
    field station near Mandan, N. Dak. D.B. 1301, pp. 68-70. 1925.
    on dry land, Belle Fourche Experiment Farm, 1908-1919. D.B. 1039, pp. 13-45. 1922.
    on irrigated land, Belle Fourche Experiment Farm. D.B. 1039, pp. 45-69, 71, 72. 1922.

Cereal(s)—Continued.
  experiments—continued.
    Texas Panhandle. John F. Ross and A. H. Leidigh. B.P.I. Bul. 283, pp. 79. 1913.
    Williston Station. F. Ray Babcock. D.B. 270, pp. 36. 1915.
  exports—
    1910-1919. Y.B., 1919, pp. 11-12, 15. 1920.
    countries prohibiting. F.B. 665, p. 8. 1915.
    from Argentina. Y.B., 1915, pp. 284-286. 1916; Y.B. Sep. 677, pp. 284-286. 1916.
  fall planting, 1917. An. Rpts., 1917, pp. 27-28 1918; Sec. A.R., 1917, pp. 29-30. 1917.
  feeding value, as calculated from chemical analyses. Joseph S. Chamberlain. Chem. Bul. 120, pp. 64. 1909.
  fertilizing with fish waste, formula. F.B. 320, p. 8. 1908.
  food(s)—
    composition and cooking. O.E.S. Bul. 200, pp. 12, 28-29, 74-78. 1908.
    economies, waste prevention. F.B. 817, pp. 17-21. 1917.
    Japanese, composition. O.E.S. Bul. 159, pp. 39, 42. 1905.
    place in diet. F.B. 817, pp. 1-23. 1917.
    preparation, course for movable schools of agriculture. Margaret J. Mitchell. O.E.S. Bul. 200, pp. 78. 1908.
    products, ergot in, information 25. Chem. S.R.A. 11, p. 751. 1915.
    supply of average family for a week, and place in menu. F.B. 1228, pp. 12-14, 19. 1921.
    value, and charts showing per cent of constituents supplied. F.B. 1383, pp. 6-7, 24-27. 1924; F.B. 1228, pp. 6, 14, 22. 1921.
  foreign countries, acreage and conditions—
    1907-1911. Stat. Cir. 29, pp. 3-15. 1912.
    July, 1911. Stat. Cir. 21, pp. 5, 7, 9, 11, 13, 14. 1911; Stat. Cir. 23, pp. 7-14. 1911.
  Fusarium blight. Dimitr Atanasoff. J.A.R., vol. 20, pp. 1-32. 1920.
  Fusarium species causing disease. J.A.R., vol. 2, pp. 261, 276. 1914.
  germination forcing. George T. Harrington. J.A.R., vol. 23, pp. 79-100. 1923.
  grasses—
    and forage crops, leafhoppers affecting. Herbert Osborn. Ent. Bul. 108, pp. 123. 1912.
    value for cotton States. F.B. 1125, rev., p. 23. 1920.
  growing—
    and disease investigations, 1924. B.P.I. Chief Rpt., 1924, pp. 15-21. 1924.
    and disease investigations, 1925. B.P.I. Chief Rpt., 1925, pp. 13-15. 1915.
    exclusive, cause of failure in semiarid regions. Y.B., 1912, pp. 463-464. 1913; Y.B. Sep. 606, pp. 463-464. 1913.
  experiments at Chico, California. Victor H. Florell. D.B. 1172, pp. 34. 1923.
  experiments at San Antonio, Texas. B.P.I. Cir. 34, pp. 10-11. 1909.
  experiments in Maryland and Virginia. T. R. Stanton. D.B. 336, pp. 52. 1916.
  in—
    Alaska, 1913. O.E.S. Chief Rpt., 1913, pp. 6-7. 1913; An Rpts., 1913, pp. 276-277. 1914.
    California, Pasadena area. Soil Sur. Adv. Sh., 1915, pp. 11, 15, 34, 38. 1917; Soils F.O., 1915, pp. 2321, 2325, 2344, 2358. 1919.
    Great Britain, war conditions. Sec. [Misc.], "Report of Agricultural Commission to Europe," pp. 68-89. 1919.
    Great Plains region, publications. D.B. 402, p. 35. 1916; D.B. 297, p. 43. 1915; D.B. 878, p. 48. 1920.
    Hawaii. Hawaii A.R., 1914, pp. 18, 37. 1915.
    Montana, at Judith Basin Substation. N. C. Donaldson. D.B. 398, pp. 42. 1916
    New York, Wayne County. Soil Sur. Adv. Sh., 1919, pp. 281-283, 300-339. 1923; Soils F.O. 1919, pp. 281-283, 300-339. 1925.
    Northern Great Plains. D.B. 1244, p. 13. 1924.
    Oregon, Willamette Valley, comparisons. D.B. 705, pp. 13-14. 1918.
    South Dakota experiments. Manley Champlin D.B. 39, pp. 37. 1914.

Cereal(s)—Continued.
  growing—continued.
    in—continued.
      South Dakota, experiments methods and results. D.B. 297, pp. 10-38. 1915.
      Southern Great Plains, list. F.B. 738, p. 16. 1916.
      Washington, Franklin County. Soil Sur. Adv. Sh., 1914, p. 22. 1917; Soils F.O., 1914, p. 2548. 1919.
  Hillis Golden, adulteration and misbranding. Chem. N.J. 3345. 1915.
  holdings, October 1, 1918, food survey reports. News L., vol. 6, No. 14, pp. 2-3. 1918.
  hybridization experiments at Dickinson substation. D.B. 33, pp. 41-42, 44. 1914.
  immune to root-knot. B.P.I. Bul. 217, p. 21. 1911.
  immunity to *Thielavia basicola*. J.A.R., vol. 7, p. 295. 1916.
  importations, descriptive notes, and numbers. B.P.I. Inv. 39, pp. 5-6. 1917.
  imports, and exports, European countries, tables. Stat. Bul. 69, pp. 8-63. 1908.
  in—
    Alaska, fertilizer experiments. Alaska A.R. 1910, pp. 49-50. 1911.
    Palestine, varieties, and value for arid lands. B.P.I. Bul. 180, pp. 32-33. 1910.
    Poland, decrease of crops. Off. Rec. vol. 3, No. 43, p. 3. 1924.
  sausage, possible source of contamination. B.A.I. An. Rpt. 1911, p. 69. 1913.
  infestation, causes, place, and time. D.B. 15, pp. 2-6, 8. 1913.
  influence of environment. Y.B., 1901, p. 801. 1902.
  injury by Angoumois grain moth, losses. F.B. 1156, pp. 5, 7-15. 1920.
  inoculation with—
    fungi, experiments with leaf and seed. J.A.R., vol. 1, pp. 476-481. 1914.
    wheat stripe rust, results. J.A.R., vol. 25, pp. 367-371. 1923.
  insect(s)—
    contents and index to papers in Bulletin 85. Ent. Bul. 85 (Pt. IX), pp. 147-162. 1911.
    control studies, program for 1915. Sec. [Misc.], "Program of work * * * 1915," pp. 222-226. 1914.
    injurious to growing stems. Ent. Bul. 42, pp. 7-62. 1903.
  investigations—
    Belle Fourche Experiment Farm. Cecil Salmon. D.B. 297, pp. 43. 1915.
    Nephi substation. P. V. Cardon. D.B. 30, pp. 50. 1913.
    program of work, 1915. Sec. [Misc.], "Program of work * * * 1915," pp. 112-117. 1914.
  Job's-tears, edible form, importation. No. 45767, B.P.I. Inv. 54, p. 17. 1922.
  kinds, and food material supplied. F.B. 817, p. 5. 1917.
  left-over, recooking. F.B. 817, pp. 19-20. 1917.
  losses from smuts and rusts. Y.B. 1917, pp. 481, 483, 489. 1918; Y.B. Sep. 755, pp. 2, 4, 10. 1918.
  meal-and-flour bread, analyses, and characteristics. D.B. 701, pp. 4-9. 1918.
  Mexican, importation, description and uses. No. 46310, B.P.I. Inv. 56, pp. 1, 6. 1922.
  minor, seeding rates, and dates. D.B. 1039, pp. 36-41. 1922.
  misbranding—
    as to quality and digestive properties. N.J. 96. Chem. N.J. 94-99, pp. 3-4. 1909.
    "Figprune," Chem. N.J. 975, pp. 2. 1911.
  mixed, growing. B.P.I. Bul. 274, p. 25. 1913.
  mixture with sausage, instructions. B.A.I.S.A. 71, p. 17. 1913.
  nursery experiments at—
    Belle Fourche Experiment Farm, nature and methods of work. D.B. 1039, pp. 12-13. 1922.
    Dickinson substation 1908-1913. D.B. 33, pp. 38-42, 44. 1914.
  physiological studies—
    III. The occurrence of polypeptides and amino acids in the ungerminated maize kernel. S. L. Jodidi. J.A.R., vol. 30, pp. 587-592. 1925.

Cereal(s)—Continued.
  physiological studies—continued.
    IV. The occurrence of polypeptides and amino acids in the ungerminated rye kernel. S.L. Jodidi and J. G. Wangler. J.A.R., vol. 30, pp. 989-994. 1925.
  planting for hay. Y.B. 1906, p. 234. 1907; Y.B. Sep. 419, p. 234. 1907.
  preparation and cooking. D.B. 975, pp. 8-9, 26-30. 1921; O.E.S. Bul. 200, pp. 30-31. 1908.
  prepared, food value, and economy in choice. F.B. 817, pp. 5-6, 14-15. 1917.
  primitive characteristics. B.P.I. Bul. 180, pp. 39-40. 1910.
  production—
    1907, and value. Y.B., 1907, p. 18. 1908.
    1908. Y.B., 1908, pp. 10-13. 1909.
    1911. An. Rpts., 1911, p. 19. 1912; Sec. A.R., 1911, p. 17. 1911; Y.B., 1911, p. 17. 1912.
    1914. Y.B., 1914, p. 12. 1915.
    1916, 1917, discussion by Secretary. An. Rpts., 1914, pp. 3, 32. 1917; Sec. A.R., 1917, pp. 5, 34. 1917; Y.B., 1917, p. 9. 1918.
    1917, increase. Sec. Cir. 84, pp. 4-6. 1918.
    1918, increase. Sec. Cir. 133, p. 6. 1919.
    1921, in tons per farmer. Y.B., 1921, p. 408. 1922; Y.B., Sep. 878, p. 2. 1922.
    in Hawaii, 1917, kinds, profitableness. Hawaii A. R., 1917, p. 31. 1918.
    in New Jersey, Camden County, acreage and value. Soil Sur. Adv. Sh., 1915, p. 10. 1917; Soils F. O., 1915, p. 160. 1919.
    of Europe. Frank R. Rutter. Stat. Bul. 68, p. 100. 1908.
  See also *specific grains*.
  products—
    acidity measurement, simple method. Victor Birckner. J.A.R., vol. 18, pp. 33-49. 1919.
    adulteration. Chem. Bul. 100, pp. 18-19. 1906.
    analysis methods. Chem. Bul. 122, pp. 53-58. 1909; Chem. Bul. 152, pp. 101-114. 1912.
    coffee substitute. F.B. 249, pp. 33-34. 1906.
    insects attacking. D.B. 15, p. 2. 1913.
    report of associate referee, and recommendations. Chem. Bul. 162, pp. 121-124, 163. 1913.
    storage and care in the home. F.B. 1374, pp. 10-11. 1923.
  protection from insect attack, use of sealed paper carton. William B. Parker. D.B. 15, pp. 8. 1913.
  protein, comparison with soy-bean and peanut proteins. D.B. 717, pp. 5-12. 1918.
  pure strains, seed production. An. Rpts., 1910, p. 311. 1911; B.P.I. Chief Rpt., 1910, p. 40. 1910.
  region, Argentina, description and conditions of farming. Y.B., 1915, pp. 282-283, 286-288. 1916; Y.B. Sep. 677, pp. 282-283, 286-288. 1916.
  requirement for—
    1919, farm family, acreage. F.B. 1015, pp. 4, 10, 15. 1919.
    1919-1920, and available stocks. Sec. Cir. 125, pp. 10-11. 1919.
  resistance to alkali salts, table. Soils Bul. 35, pp. 42, 50, 55, 123. 1906.
  root systems, discussion. F.B. 233, pp. 6-8. 1905.
  rotation crops. B.P.I. Chief Rpt., 1910, p. 40. 1910; Sec. A.R., 1910, p. 65. 1910; An. Rpts., 1910, pp. 65, 310. 1911; Y.B., 1910, p. 65. 1911.
  Russian, impurities in exports. Stat. Bul. 65, pp. 15-20. 1908.
  rusts—
    description, causes, and control. Y.B., 1917, pp. 75, 484-486, 688-694. 1918; Y.B. Sep. 755, pp. 5-7, 11-15. 1918.
    resistance, evidences and authorities cited. D.B. 629, pp. 5-8. 1918.
    resistant, breeding. Sec. A.R., 1910, p. 67. 1910; Rpt. 93, p. 50. 1911; An. Rpts., 1910, p. 67. 1911; Y.B., 1910, p. 67. 1911.
    and smuts investigations, 1917. An. Rpts., 1917, pp. 134-136. 1918; B.P.I. Chief Rpt., 1917, pp. 4-6. 1917.
    investigations. B.P.I. Bul. 63, pp. 1-32. 1904.
  seed(s)—
    importations, 1909. B.P.I. Bul. 162, p. 9. 1909.
    ripening, forcing method. J.A.R., vol. 23, pp. 93-94. 1923.
    supply for the United States. Y.B., 1917, pp. 504-509. 1918; Y.B. Sep. 757, pp. 10-15. 1918.

Cereal(s)—Continued.
  seed(s)—continued.
    treatment—
      by dry heat. D. Atenasoff and A. G. Johnson. J.A.R., vol. 18, pp. 379-390. 1920.
      for prevention of smuts. Y.B., 1917, pp. 31, 75, 487-490. 1918; Y.B. Sep. 755, pp. 8-11. 1918.
      use as food, studies. O.E.S. Bul. 245, pp. 59-60. 1912.
      value comparisons. D.B. 981, pp. 51-52. 1921.
    seeding rates. F.B. 1202, p. 52. 1921.
    seedtime and harvest dates. Stat. Bul. 85, pp. 15-88, 108-110, 112-131. 1912.
    smuts—
      and control measures. Y.B., 1917, pp. 31, 75, 483, 486-490. 1918; Y.B. Sep. 755, pp. 4, 7-11. 1918.
      and disinfection of seed grain. Harry B. Humphrey and Alden A. Potter. F.B. 939, pp. 28. 1918.
      causes and control. An. Rpts., 1920, pp. 206-208. 1921.
      control by treatment of seed. Sec. Cir. 142, p. 14. 1919.
      spreads, and controls. S.R.S.Rpt., 1917, Pt. I, pp. 43, 154, 211, 270. 1918.
    soils adapted, studies. D.B. 355, p. 83. 1916.
    solubility, absorption of water, gruel, nutritive value. F.B. 249, pp. 24-26. 1906.
    specific gravity determination method, with wheat. C. H. Bailey and L. M. Thomas. B.P.I. Cir. 99, p. 7, 1912.
    spring, growing at eastern Oregon dry-farming substation, experiments. David E. Stephens. D.B. 498, pp. 38. 1917.
    spring-planted, acreage discussion for 1918. Sec. Cir. 75, p. 11. 1917.
    starches digestibility, experiments, comparison with potato and arrowroot starches. O.E.S. Bul. 202, pp. 1-42. 1908.
    statistics—
      acreage and yield, 1914-1917, exports, 1918. Sec. Cir. 125, pp. 5, 6, 8. 1919.
      acreage production and exports, 1910-1921, and consumption. Y.B., 1921, pp. 71, 72, 74, 580. 1922; Y.B. Sep. 868, p. 74. 1922; Y.B. Sep. 875, pp. 71, 72, 74. 1922.
      foreign countries, 1908-1912, and 1894-1912. Stat. Cir. 45, pp. 1-18. 1913.
    stem rust, studies and experiments. J.A.R., vol. 10, pp. 429-496. 1917.
    stocks—
      holdings by States, Aug. 31, 1917. Sec. Cir. 99, pp. 3, 5, 7, 8, 14, 15, 18. 1918.
      increase, 1919 over 1918. News L., vol. 6, No. 40, p. 7. 1919.
      on farms, in mills, etc., price, Mar. 15, 1915. F.B. 665, pp. 15-18. 1915.
      on hand December 1, 1918, with comparisons. News L., vol. 6, No. 23, p. 6. 1919.
      stored, insects affecting, list. Ent. Bul. 96, Pt. I, pp. 1-7. 1911.
    stripe rust, Puccinia glumarium, and of grasses. H. B. Humphrey. J.A.R., vol. 29, pp. 209-227. 1924.
    testing, methods, report of Committee on Association American Agricultural Colleges and Experiment Stations, 1905. O.E.S. Bul. 164, pp. 149-151. 1906.
    use—
      as breakfast foods. U. S. Food Leaf. 1, pp. 2-3. 1917.
      as food for children. F.B. 717, rev., pp. 16-18. 1920.
      as vegetables. D.B. 123, p. 45. 1916; O.E.S. Bul. 200, pp. 34-38. 1908.
      in food-cost reduction, varieties and use methods. News L., vol. 4, No. 48, p. 6. 1917.
      in manufacture of denatured alcohol. Chem. Bul. 130, pp. 31, 94-96. 1910.
      in sausage adulteration, ruling. Chem., S.R.A. 18, p. 45. 1916.
      with milk for children, methods. F.B. 717, p. 7. 1916.
    value—
      for food, comparison with bread. F.B. 712, pp. 4, 8. 1916.
      in diet, and week's supply for average family. F.B. 1913, pp. 3, 10-11. 1923.

Cereal(s)—Continued.
  value—continued.
    of crop to farmers, 1918. News L., vol. 6, No. 31, p. 10. 1919.
    West Virginia, Barbour and Upshur Counties. Soil Sur. Adv. Sh., 1917, p. 11. 1919; Soils F.O., 1917, p. 999. 1923.
  varietal tests at—
    Dickinson substation, nature and scope, methods. D.B. 33, pp. 9, 12-38, 43-44. 1914.
    Nephi substation; methods. D.B. 30, pp. 11-48. 1913.
  varieties, uses as supplement for wheat. Sec. Cir. 75, p. 4. 1917.
  wild—
    biological significance. B.P.I. Bul. 274, pp. 9-10. 1913.
    prototypes, Palestine, studies and explorations. B.P.I. Bul. 180, pp. 36-49. 1910.
  winter—
    for Southern States, seed distribution. An. Rpts., 1914, p. 113. 1914; B.P.I. Chief Rpt. 1914, p. 13. 1914.
    freezing point of sap and leaves. J.A.R., vol. 13, pp. 500-504. 1918.
    pasture crops. F.B. 147, pp. 12-14. 1902.
    seeding, dry farming, time, rate, depth, etc., experiments. D.B. 157, pp. 21-31. 1915.
  work—
    Alaska Experiment Stations. O.E.S. An. Rpt., 1908, pp. 17, 66. 1909.
    extension, 1908. Rpt. 87, pp. 25-26. 1908.
    progress by Bureau of Plant Industry. Rpt., 83, pp. 31-32. 1906.
  yield—
    and quality, improvement, results of dietary studies. O.E.S. An. Rpt., 1905, pp. 228-230. 1906.
    in Kansas, Riley County. Soil Sur. Adv. Sh., 1906, pp. 11-12. 1908; Soils F.O., 1906, p. 919. 1908.
    in Minnesota, Blue Earth County, 1899. Soil Sur. Adv. Sh., 1906, p. 13. 1907; Soils F.O., 1906, p. 821. 1908.
    leading varieties in Montana, comparison. D.B. 398, p. 39. 1916.
    in Wyoming, acreage and value. O.E.S. Bul. 205, p. 23. 1909.
    per acre by countries (Europe). Soils Bul. 57, pp. 13-27. 1909.
  See also Buckwheat; Corn; Grain; Oats; Rice; Rye; Sorghum; Wheat.
Cerebilla—
  description. Guam Bul. 4, pp. 25, 29. 1922.
  growing in Guam, directions. Guam Bul. 2, pp. 12, 29. 1922.
Cerebrospinal meningitis. See Meningitis, cerebrospinal.
Cerealin, use in beer making, analyses of worts and beers. D.B. 498, pp. 7, 8, 12-16. 1917.
Cerelose, use in meat curing experiments. D.B. 928, pp. 4-28. 1920.
Cerepa, importation and description, No. 36101. B.P.I. Inv. 36, p. 52. 1915.
Ceresa bubalus, control and life history. F.B. 1270, p. 68. 1922.
Ceretoma, injury to cowpeas, investigations. Ent. A.R., 1915, p. 12. 1915; An. Rpts., 1915, p. 222. 1916.
Cereus—
  night-blooming, importation. No. 46721, B.P.I. Inv. 57, pp. 8, 25. 1922.
  occurrence in Colorado, description. N.A. Fauna 33, pp. 239-240. 1911.
  quisco. See Quisco.
  spp. See Cacti.
  triangularis. See Pitaya.
Cereza, importation and description. No. 43425, B.P.I. Inv. 49, pp. 7, 16-18. 1921.
Ceriman, description, propagation, cultivation. Y.B., 1905, pp. 450-451. 1906; Y.B. Sep. 394, pp. 450-451. 1906.
Cerondonta—
  dorsalis, parasites. D.B. 432, pp. 15-16. 1916.
  dorsalis. See also Leaf miner, spike-horned.
  femoralis, history, distribution, life history, habits, and control. J.A.R., vol. 9, pp. 17-25. 1917.
  femoralis. See also Wheat sheath, miner.
Ceropegia thorncroftii, importation and description. No. 37217, B.P.I. Inv. 38, pp. 46-47. 1917.

Ceroplastes floridensis. See Scale, Florida wax.
Cerotoma—
  denticornis, injury to vegetables in Porto Rico, description. D.B. 192, pp. 5, 10. 1915.
  trifurcata. See Bean leaf beetle.
Cerozylon andicola. See Palm, wax.
Certhia familiaris americana. See Creeper, brown.
Certificate(s)—
  cotton, under cotton futures act, regulations and costs. Sec. Cir. 137, pp. 13–19, 23–26. 1919.
  food inspection. Sec. Cir. 144, p. 8. 1919.
  foods and drugs, regulations. Y.B., 1907, pp. 322–323. 1908; Y.B. Sep. 451, pp. 322–323. 1908.
  foreign, pork and pork products, imports. B.A.I.O. 211, Amdt. 1, p. 2. 1918.
  grain inspection, forms. Mkts. S.R.A. 15, pp. 4–6. 1916; Mkts. S.R.A. 47, pp. 8, 10, 12. 1919.
  inspection, Regulation 7. Sec. Cir. 160, pp. 3–4. 1922.
  meat—
    and meat products. B.A.I.S.R.A. 186, pp. 115–116. 1922.
    exports for personal use, waiving. B.A.I.O. 211, amdt. 10, p. 1. 1919.
    inspection, directions. B.A.I.S.R.A. 132, p. 27. 1918.
  produce inspection, samples. Y.B., 1919, pp. 328, 329, 330. 1920; Y.B. Sep. 811, pp. 328, 329, 330. 1920.
Certification—
  butter, cheese, and eggs, and inspection, regulations. B.A.E. S.R.A. 79, pp. 6. 1923.
  food colors from coal tar. M.C.52, pp. 12. 1925.
  fruits, vegetables, and other products, regulations. B.A.E. S.R.A. 85, pp. 6. 1924.
  purebred animals, regulations. B.A.I.O. 186, pp. 6. 1912.
  purebred livestock, supervision by department. B.A.I. An. Rpt., 1907, p. 349. 1909.
Cervidae—
  distinction from Bovidae, characteristics. B.A.I. An. Rpt., 1910, p. 189. 1912.
  importance and utility. F.B. 330, pp. 5–6. 1908.
  See also Deer.
Cervulus, description and habits. Biol. Bul. 36, p. 24. 1910.
Cervus—
  spp., range and value. Biol. Bul. 36, pp. 19–20, 21–22, 23. 1910.
  spp. See also Elk.
  unicolor, deer species. Biol. Bul. 36, p. 23. 1910.
Ceryle alcyon alcyon. See Kingfisher, belted.
Cesspools—
  farm, description and objections. F.B. 270, p. 22. 1906; Y.B. 1916, pp. 360–361. 1917; Y.B. Sep. 712, pp. 14–15. 1917.
  sewage disposal, methods, description. F.B. 1227, pp. 26–28. 1922.
Cestode—
  adult (*Diplogonoporus grandis*) of man which may possibly occur in returning American troops. Ch. Wardell Stiles and Louise Tayler. B.A.I. Bul. 35, pp. 43–47. 1902.
  group, Multiceps genus, history and synonomy. B.A.I. Bul. 125, Pt. I, pp. 1–68. 1910.
  larval (*Sparganum mansoni*) of man which may possibly occur in returning American troops. Ch. Wardell Stiles and Louise Tayler. B.A.I. Bul. 35, pp. 47–56. 1902.
Cestrum parqui, importation. No. 47401, B.P.I. Inv. 59, p. 15. 1922.
Ceuthophilus spp. See Crickets.
Ceuthospora lunata, cause of black rot of cranberries. F.B. 1081, pp. 15–16. 1920.
Ceylon—
  coconut bud-rot, prevalence. B.P.I. Bul. 226, p. 19. 1912.
  coffee production, exports, 1889–1910. Stat. Bul. 79, p. 95. 1912.
CHACE, E. M.—
  "By-products from citrus fruits." D.C. 232, pp. 13. 1922.
  "Chemical composition of some tropical fruits and their products: I. A study of Cuban fruits. II. The composition of fresh and canned pineapples." With others. Chem. Bul. 87, pp. 38. 1904.

CHACE, E. M.—Continued.
  "Foods and food adulterants: Preserved meats." With others. Chem. Bul. 13, Pt. X, pp. 1375–1517. 1902.
  "Inheritance of composition in fruit through vegetative propagation." With others. D.B. 1255, pp. 19. 1924.
  "Italian lemons and their by products." With G. Harold Powell. B.P.I. Bul. 160, pp. 57. 1909.
  "Relation between the composition of California cantaloupes and their commercial maturity." With others. D.B. 1250, pp. 27. 1924.
  report as associate referee on flavoring extracts. Chem. Bul. 132, pp. 97–109. 1910; Chem. Bul 137, pp. 64–76. 1911.
  "Some changes in the composition of California avocados during growth." With C. G. Church. D.B. 1073, pp. 22. 1922.
  "The composition of California lemons." With others. D.B. 993, pp. 18. 1922.
  "The occurrence of pinene in lemon oil." Chem. Cir. 46, pp. 24. 1909.
  "The manufacture of flavoring extracts." Y.B., 1908, pp. 333–342. 1909; Y.B. Sep. 485, pp. 333–342. 1909.
Chachacoma, importation and description. No. 41326, B.P.I. Inv. 45, p. 14. 1918.
Chachalacas, description and acclimatization. Off. Rec., vol. 4, No. 36, p. 2. 1925.
Chaenomeles—
  cathayensis. See Quince, Chinese.
  sp., importation and description. No. 55655, B.P.I. Inv. 72, p. 15. 1924.
Chaetochloa—
  glauca. See Pigeon-grass.
  italica—
    drought-resistant forage crop. B.P.I. Bul. 196, pp. 9, 10, 24–29. 1910.
    See Millet, foxtail.
  nigrirostris, description, importation. No. 43239, B.P.I. Inv. 48, p. 32. 1921.
  spp.—
    distribution, description, and feed value. D.B. 201, pp. 18–19. 1915; D.B. 772, pp. 19, 241, 242–245. 1920.
    importations and descriptions. Nos. 50689–50690, 51070–51072, B.P.I. Inv. 64, pp. 14, 51, 69, 87. 1923.
    See also Foxtail.
Chaetochlorops spp., parasites of nut curculio. D.B. 1066, pp. 7, 11. 1922.
Chaetocnema—
  apircaria, injury to sweetpotatoes in Porto Rico. D.B. 192, pp. 6, 11. 1915.
  ectypa. See Flea-beetle, desert corn.
Chartogaedia monticola, enemy of cutworms, Hawaii. Hawaii Bul. 27, p. 9. 1912; Hawaii Bul. 34, p. 8. 1914.
Chaetopsis aenea. See Fly, onion.
Chaetomella sp. from Idaho soil. J.A.R., vol. 13, pp. 79, 81. 1918.
Chaetospermum—
  glutinosum—
    susceptibility to citrus canker. J.A.R., vol. 15, pp. 662, 664, 665. 1919.
  See also Tabog.
Chaetura spp. See Swift.
CHAFFEE, F. E.: "Self-service in the retailing of food products." With McFall Kerbey. D.B. 1044, p. 52. 1922.
CHAFFEE, F. P.—
  "How to make the synopsis instructive to the public." W. B. Bul. 31, pp. 137–142. 1902.
  "Meteorology in the public schools; how much should be attempted; methods of teaching." W.B. Bul. 31, pp. 85–90. 1902.
Chaffinch, protection by law. Biol. Bul. 12, rev., p. 42. 1902.
Chain drag. See Cultivator, chain.
Chain-stores growth and systems. D.B. 1317, pp. 10–14. 1925.
Chairs, manufacture—
  from basswood and other woods. D.B. 1007, p. 50. 1922.
  use of black walnut. D.B. 909, p. 72. 1921.
  use of lumber in Arkansas. For. Bul. 106, p. 17. 1912.
Chaitophorina, genera, description and key. D.B. 826, pp. 7, 33–35. 1920.

Chaitophorus—
   maculatus, same as *Callipterus trifolii.* Ent. T. B. 25, Pt. II, p. 17. 1914.
   negundinis. See Boxelder aphid.
Chalcas exotica—
   immunity to citrus canker. J.A.R., vol. 15, pp. 662, 665. 1919.
   See also Jessamine, orange.
Chalcid fly—
   alfalfa and clover enemy. F.B. 339, p. 41. 1908; F.B. 636, pp. 3-5. 1914.
   alfalfa-seed—
      control. F.B. 1283, p. 34. 1922.
      control work, 1916. Ent. A.R., 1916, pp. 13-14. 1916; An. Rpts. 1916, pp. 225-226. 1917.
      parasite, *Habrocytus medicaginis*, life history. Theodore D. Urbahns. J.A.R., vol. 7, pp. 147-154. 1916.
   apple-seed—
      importation in infested seed. F.H.B. S.R.A. 32, pp. 122-124. 1916.
      Syntomaspis druparum, life history. R. A. Cushman. J.A.R., vol. 7, pp. 487-502. 1916.
   cabbage-worm, description and value. F.B. 766, pp. 9, 13. 1916.
   clover-seed. See Clover-seed chalcid fly.
   control methods. D.B. 812, pp. 14-17. 1920.
   dispersion means. D.B. 812, pp. 6-7. 1920.
   enemy of black scale, notes on introduction. Y.B., 1900, pp. 274, 275. 1901.
   grape-seed, injuries to grapes, and control. Ent. Bul. 116, Pt. II, pp. 27-28. 1912.
   infestation of alfalfa seed pods, Yuma Experiment Farm, 1915. W.I.A. Cir. 12, p. 10. 1916.
   oak-worm parasites, description. F.B. 1076, p. 10. 1920.
   parasites, description. D.B. 812, pp. 17-19. 1920.
Chalcidid—
   apple-seed, injuries to apple and forest trees. Ent. T.B. 20, Pt. VI, pp. 158-159. 1913.
   injurious to forest-tree seeds. Ent.T.B. 20, Pt. VI, pp. 157-163. 1913.
   injury to conifer seed. D.B. 95, pp. 4-5. 1914.
Chalcididae—
   enemies of boll weevil. Ent. Bul. 100, pp. 41, 49. 1912.
   usefulness as insect destroyers. Biol. Bul. 15, p. 10. 1901.
Chalcidoid parasites, descriptions. Ent. T.B. 19, Pt. II, pp. 13-24. 1910.
Chalcidoidea, list and classification, with their hosts. Hawaii A.R., 1912, pp. 28-29. 1913.
Chalcis—
   callipus, description. Ent. T.B. 19, Pt. II, p. 20. 1910.
   coloradensis,—
      description. Ent. T.B. 19, Pt. II, p. 16. 1910.
      parasitic on sarcophagids. J.A.R. vol. 2, p. 442. 1914.
   fiskei, description. Ent. T.B. 19, Pt. II, pp. 16-17. 1910.
   flavipes, description. Ent. T.B. 19, Pt. II, p. 18. 1910.
   flavipes, parasite of gipsy moth, introduction. Ent. A.R., 1911, p. 11. 1911; An. Rpts., 1911, p. 501. 1912.
   fly—
      clover and alfalfa seed. Theodore D. Urbahns. D.B. 812, pp. 20. 1920.
      on clover-seed, some preliminary notes. E. S. G. Titus. Ent. Bul. 44, pp. 77-80. 1904.
      See also Chalcid fly.
   ovata—
      enemy of alfalfa caterpillar. D.B. 124, p. 21. 1914.
      parasite of New Mexico range caterpillar. Ent. Bul. 85, p. 88. 1911.
   spp., beneficial parasite in Guam. Guam A.R. 1911, pp. 27, 29. 1912.
   spp., key and descriptions. Ent. T.B. 19, Pt. II, pp. 13-20. 1910.
Chalcodermus aeneus—
   carrier of boll weevil parasites. Ent. Bul. 100, pp. 45, 48, 77, 89. 1912.
   See also Cowpea-pod weevil.
Chalcophora—
   spp., larval structure, distribution, habits, and host trees. D.B. 437, pp. 5, 6. 1917.

Chalcophora—Continued.
   virginiensis. See Pine heartwood borer.
Chalcophorella spp., larval structure, distribution, habits, and host trees. D.B. 437, pp. 5, 6. 1917.
Chalepus—
   dorsalis, description, habits and control. F.B. 1169, pp. 43-44. 1921.
   sp. See also May beetle.
Chalk, composition and use in agriculture: F.B. 1921, p. 5. 1918.
Chamaecistus procumbens, distribution. N.A. Fauna 21, p. 21. 1901.
Chamaecrista diphylla. See Mani cimarrona.
Chamaecyparis—
   spp.—
      cedar nursery-blight infection. J.A.R. vol. 10, p. 588. 1917.
      characteristics, comparison with *Cupressus* spp. For. Serv. Inv. No. 2, pp. 7-8. 1913.
      spp., Japanese timber tree, importations. Nos. 35298, 35299. B.P.I.Inv. 35, pp. 34, 35. 1915.
      See also Cedar; Cypress.
   thyoides, injury by sapsuckers. Biol. Bul. 39, p. 27. 1911.
Chamaedorea—
   sp. importation and description. No. 46783. B.P.I. Inv. 57, p. 33. 1922.
   sp. See also Pacayito; Palm, Pacaya.
   tepejilote, palm, food use, No. 41705. B.P.I. Inv. 46, pp. 6, 12. 1919.
Chamaelirium—
   habitat, range, description, collection, prices, and uses of roots. B.P.I. Bul, 107, p. 17. 1907.
   luteum, use as substitute for unicorn root. Chem. S.R.A. 20, pp. 59-60. 1917.
Chamaenerion angustifolium. See Fireweed.
Chamaluco, growing in Porto Rico, yield, and disease affecting. P.R. An. Rpt., 1914, pp. 36-41. 1916.
CHAMBERLAIN, J. S.—
   "The commercial status of durum wheat." With Mark Alfred Carleton. B.P.I. Bul. 70, pp. 70. 1904.
   "The feeding value of cereals, as calculated from chemical analyses." Chem. Bul. 120, pp. 64. 1909.
CHAMBERLIN, F. S.—
   "Life-history studies of the tobacco flea-beetle in the southern cigar-wrapper district." With others. J.A.R. vol. 29, pp. 575-584. 1924.
   "The tobacco flea-beetle in the southern cigar-wrapper district." With J. N. Tenhet. F.B. 1352, pp. 10. 1923.
CHAMBERLIN, R. V.: "Chilopoda of the Pribilof Islands, Alaska." N.A. Fauna 46, Pt. II., pp. 240-244. 1923.
CHAMBERLIN, T. R.—
   "Introduction of parasites of the alfalfa weevil into the United States." D.C. 301, pp. 9. 1924.
   "Spraying for alfalfa weevil." With others. F.B 1185, pp. 20. 1920.
   "The alfalfa weevil and methods of controlling it." With others. F.B. 741, pp. 16. 1916.
CHAMBERS, C. L.—
   "Boys' agricultural club work in the Southern States." With I. W. Hill. D.C. 38, pp. 22. 1919.
   "Methods and results of cooperative extension work." With H. W. Gilbertson. D.C. 347, pp. 38. 1925.
   "Relation of land income to land value." D.B. 1224, pp. 132. 1924.
CHAMBLIN, T. H. B., pioneer organizer of citrus fruit growers, California. Y.B. 1910, p. 403. 1911; Y.B. Sep. 546, p. 403. 1911.
CHAMBLISS, C. E.—
   "A preliminary report on rice growing in the Sacramento Valley." B.P.I. Cir. 97, pp. 10. 1912.
   "Experiments in rice production in southwestern Louisiana." With J. Mitchell Jenkins. D.B. 1356, pp. 32. 1925.
   "Oats, barley, rye, rice, grain sorghums, seed flax, and buckwheat." With others. Y.B., 1922, pp. 469-568. 1923; Y.B. Sep. 891, pp. 469-568. 1923.
   "Prairie rice culture." F.B. 1092,pp.26. 1920.
   "Rice growing in California." F.B. 1141, pp. 22. 1920.

CHAMBLISS, C. E.—Continued.
"Some new varieties of rice." With J. Mitchell Jenkins. D.B. 1127, pp. 18. 1923.
"The culture of rice in California." With E. L. Adams. F.B. 688, pp. 20. 1915.
"Wild rice." D.C. 229, pp. 16. 1922.
Chamburo, importation and description. No. 52716, B.P.I. Inv. 66, pp. 4, 64. 1923.
Chamois, gid occurrence. B.A.I. Bul. 125, Pt. I. pp. 30–33, 35, 39. 1910.
Chamomile—
 adulteration with daisy flowers. D.B. 795, p. 2. 1919.
 See also Camomile.
Champac, importation and description. No. 32043. B.P.I. Bul. 261, p. 22. 1912; No. 36090, B.P.I. Inv. 36, p. 51. 1915; No. 37881, B.P.I. Inv. 39, p. 62. 1917.
Champagne—
 adulteration and misbranding. See Indexes to Chemistry Notices of Judgment.
 imports, 1907–1909, quantity and value by countries from which consigned. Stat. Bul. 82, p. 46. 1910.
 laws, California. Chem. Bul. 69, Pt. I, rev., p. 72, 1905.
Champlain log scale. F.B. 1117, p. 18. 1920.
CHAMPLIN, MANLEY: "Experiments with wheat, oats, and barley in South Dakota." D.B. 39, pp. 37. 1913.
Chanal tree, seed importation, 1909, and description. B.P.I. Bul. 162, p. 31. 1909.
Chanar, importation and description. No. 33970, B.P.I. Inv. 31, pp. 7, 71. 1914.
Chancres, farcy, description. B.A.I. Doc. A-13, p. 6. 1917.
CHANDLER, A. C.: "Control of fluke diseases by destruction of the intermediate host." J.A.R., vol. 20, pp. 193–208. 1920.
CHANDLER. A. F.: "Duty of water in Tule River Basin, California." O.E.S. Bul. 119, pp. 159–189. 1902.
CHANEY, J. B.: "Sales methods and policies of a growers' national marketing agency." With Asher Hobson. D.B. 1109, pp. 36. 1923.
Changa—
 control work, Porto Rico. P.R. An. Rpt., 1914, pp. 31–32. 1915; P.R. Cir. 17, pp. 5, 9. 1918.
 in Porto Rico. O. W. Barrett. P.R. Bul. 2; pp. 19. 1903; also Spanish edition.
 injurious to sugar cane and tobacco. P.R. An. Rpt., 1907, pp. 10, 17. 1908.
 See also Cricket, mole.
Changli walnut. See Walnut, Chinese.
Chanliognathus spp., boll weevil enemies. Ent. Bul. 114, p. 137. 1912.
Channel Islands, cattle breeds, origin and ancestry. B.A.I. An. Rpt., 1910, p. 227. 1912.
Chanterelle, description and value as edible mushroom. D.B. 175, p. 14. 1915; F.B. 796, pp. 7–8. 1917.
Chaparral—
 California, studies in dwarf forests. Fred G. Plummer. For. Bul. 85, pp. 48. 1911.
 cock. See Road runner.
 composition, density, and value of different species. For. Bul. 85, pp. 23–37. 1911.
 eradication by goat grazing. John H. Hatton. For. Serv. Inv. No. 2, pp. 25–28. 1913.
 indicator of land value and possibilities. J.A.R., vol. 28, pp. 115, 119, 120, 125, 126. 1924.
 mock, description, composition. For. Bul. 85, pp. 9–10. 1911.
 northern California, composition, and eradication methods. For. Serv. Inv. No. 2, pp. 25–26. 1913.
 relation to water supply. For. Bul. 85, pp. 14–22. 1911.
CHAPIN, E. A.—
 "Food habits of the vireos, a family of insectivorous birds." D.B. 1355, pp. 44. 1925.
 "New nematodes from North American mammals." J.A.R., vol. 30, pp. 677–681. 1925.
 "Review of the nematode genera Syngamus Sieb. and Cyathostoma E. Blanch." J.A.R., vol. 30, pp. 557–570. 1925.
CHAPIN, R. M.—
 "A field test for lime-sulphur dipping baths." D.B. 163, pp. 7. 1915.
 "Arsenical cattle dips." F.B. 603, pp. 16. 1914.

CHAPIN, R, M.—Continued.
 "Cattle-fever ticks and methods of eradication." With W. P. Ellenberger. F.B. 1057, pp. 32. 1919.
 "Chemical and physical methods for the control of saponified cresol solutions." D.B. 1308, pp. 24. 1924.
 "Laboratory and field assay of arsenical dipping fluids." D.B. 76, pp. 17. 1914.
 "Studies of changes in the degree of oxidation of arsenic in arsenical dipping baths." D.B. 259, pp. 12. 1915.
 "The analysis of coal-tar creosote and cresylic acid sheep dips." B.A.I. Bul. 107, pp. 35. 1908.
 "The chemical composition of lime-sulphur animal dips." D.B. 451, pp. 16. 1916.
 "The determination of nicotin in nicotin solutions and tobacco extracts." B.A.I. Bul. 133, pp. 22. 1911.
 "The dimethyl sulphate test of creosote oils and creosote dips; a substitute for the sulphonation test." B.A.I. Cir. 167, pp. 7. 1911.
 "The reduction of arsenic acid to arsenious acid by thiosulphuric acid." J.A.R., vol. 1, pp. 515–517. 1914.
CHAPLINE, W. R.—
 "Land utilization for crops, pasture, and forest." With others. Y.B., 1923, pp. 415–506. 1924; Y.B., Sep. 896, pp. 415–506. 1924.
 "Production of goats on far western ranges." D.B. 749, pp. 35. 1919.
CHAPMAN, C. S.: "A working plan for forest lands in Berkeley County, South Carolina." For. Bul. 56, pp. 62. 1905.
CHAPMAN, H. H.: "Norway pine in the Lake States." With Theodore S. Woolsey, jr. D.B. 139, pp. 42. 1914.
CHAPMAN, R. N.: "Observations on the life history of Agrilus bilineatus." J.A.R., vol. 3, pp. 283–294. 1915.
Chappelear's Bronchini, misbranding. Chem. N.J. 13364. 1925.
Charadriidae—
 occurrence on Laysan Island, number and description. Biol. Bul. 42, p. 21. 1912.
 See also Plovers.
Charadrius semipalmatus, occurrence in Pribilof Islands. N.A. Fauna 46, p. 79. 1923.
Charbon. See Anthrax.
Charcoal—
 by-product of—
  kelp industry, value. An. Rpts., 1919, pp. 242, 243. 1920; Soils Chief Rpt., 1919, pp. 8, 9. 1919.
  lumber industry, remarks. M.C. 39, p. 46. 1925.
  yellow-pine distillation, description. D.B. 1003, p. 35. 1921.
 chestnut, burning in pits. F.B. 582, p. 23. 1914.
 exports and imports, 1883–1908. Stat. Bul. 51, pp. 17, 23. 1909.
 filter, use. F.B. 1448, pp. 9–10. 1925.
 hardwoods, consumption and price, various industries. For. Serv. Inv. No 2, pp. 44–45. 1913.
 heat evolved on wetting with various liquids. Soils Bul. 52, pp. 57–58. 1908.
 imports, 1907–1909, quantity and value, by countries from which consigned. Stat. Bul. 82, p. 62. 1910.
 influence on acid determinations. Chem. Bul. 90, pp. 206–207, 208. 1905.
 manufacture from—
  Douglas fir, value. For. Bul. 88, p. 74. 1911.
  greenheart. For. Cir. 211, pp. 7, 9. 1913.
  lodgepole pine, methods, cost and price. D.B. 234, pp. 20–21. 1915.
  pine. For. Bul. 99, pp. 31, 33, 73, 79, 82, 93. 1911.
  willow, use and cost. D.B. 316, p. 31. 1915.
 mixture, use in control of worms in hogs, formula. F.B. 566, pp. 9, 14. 1913.
 packing material for seeds and nuts D.C. 323, pp. 3, 4, 5, 6. 1924.
 presence in soil. Soils Bul. 90, p. 15. 1912.
 production—
  1906. For. Cir. 121, pp. 4, 6–7. 1907.
  1909. D.B. 753, p. 8. 1919.
  methods, and cost. D.B. 753, pp. 22–24. 1919.
  Porto Rico, forest depletion. D.B. 354, pp. 21, 39, 44–45, 48, 55. 1916.

Charcoal—Continued.
  qualities and uses. Chem. Cir. 36, p. 24. 1907.
  rot, description, cause and control. F.B. 714, pp. 24-25. 1916.
  rot of sweet potato, cause, description and spread. J.A.R., vol. 15, pp. 351-352. 1918.
  soil treatment for damping-off control, tests. D.B. 453, pp. 14, 17, 18. 1917.
  use in—
    control of Zygadenus poisoning of sheep. D.B. 125, p. 38. 1915.
    packing seeds for shipment. B.P.I. Bul. 202, p. 35. 1911.
    tobacco curing. B.P.I. Bul. 241, pp. 16-18, 25. 1912.
  use of—
    cherry wood, Japan. Inv. No. 29921, B.P.I. Bul. 233, p. 41. 1912.
    white willow. B.P.I. Bul. 139, p. 13. 1909.
  yield per cord—
    from certain hardwoods. D.B. 129, pp. 8-9, 15-16. 1914; D.B. 508, pp. 7-8. 1917; For. Cir. 114, pp. 3, 4. 1907.
    of pine wood. For. Cir. 114, p. 6. 1906.
Chard—
  Chinese, importation and description. No. 36773, B.P.I. Inv. 37, p. 63. 1916.
  culture and uses. F.B. 934, p. 31. 1918; F.B. 937, p. 34. 1918.
  growing in Guam, directions. Guam Bul. 2, pp. 12, 24-25. 1922.
  leaf-spot, treatment. F.B. 1371, p. 12. 1924.
  spraying calendar. S.R.S. Doc. 52, p. 7. 1917.
  Swiss—
    canned, misbranding. Opinion 290. Chem., S.R.A. 23, p. 102. 1918.
    cultural directions. D.C. 48, p. 8. 1919; F.B. 1044, p. 33. 1919; F.B. 818, p. 41. 1917.
    drying, directions. F.B. 841, p. 21. 1917.
    growing—
      directions and variety recommended for home garden. F.B. 936, p. 41. 1918.
      for salad, Alaska. Alaska A.R., 1912, p. 21. 1913.
      in Alaska, description and value. Alaska A.R., 1911, pp. 26-27, 45. 1912.
      in Guam, cultural directions. Guam Cir. 2, p. 15. 1921.
    injury by spotted beet webworm. Ent. Bul. 127, Pt. I, pp. 4-5, 6. 1913.
Charge tickets, fruit-shipping business, use and forms. D.B. 590, pp. 4, 31. 1918.
Charitonnetta albeola. See Bufflehead.
Charity, work of women's organizations. D.B. 719, pp. 14, 15. 1918.
CHARLES, V. K.—
  "A fungus disease of hemp." With Anna E. Jenkins. J.A.R., vol. 3, pp. 81-84. 1914.
  "Mushrooms and other common fungi." With Flora W. Patterson. D.B. 175, pp. 64. 1915.
  "Pineapple rot caused by *Thielaviopsis paradoxa.*" With others. B.P.I. Bul. 171, Pt. II, pp. 15-35. 1910.
  "Some common edible and poisonous mushrooms." With Flora W. Patterson. F.B. 796, pp. 24. 1917.
  "Some fungous diseases of economic importance: I. Miscellaneous diseases. II. Pineapple rot caused by *Thielaviopsis paradora.*" With others. B.P.I. Bul. 171, pp. 41. 1910.
Charleston, S. C.—
  milk supply, details and statistics. B.A.I. Bul. 70, pp. 6-7, 26-27. 1905; B.A.I. Bul. 46, pp. 32, 154. 1903.
  trade center for farm products, statistics. Rpt. 98, pp. 288, 323. 1913.
Charleston grass. See St. Augustine grass.
Charlock—
  as substitute for mustard, investigations. An. Rpts., 1910, pp. 451, 473. 1911; Chem. Chief Rpt., 1910, pp. 37, 49. 1910; F.I.D. 137, p. 1. 1911.
  chloral hydrate test. Chem. Bul. 162, pp. 94-95. 1913.
  oil, food value and digestion experiments. D.B. 687, pp. 15-17. 1918.
  seed—
    description. F.B. 428, pp. 20, 21. 1911; F.B. 515, p. 26. 1912.

Charlock—Continued.
  seed—continued.
    detection in mustard seed. An. Rpts., 1913, p. 197. 1914; Chem. Chief Rpt., 1913, p. 7. 1913.
  See also Mustard, wild.
Chart(s)—
  collection for school work, suggestion. F.B. 606, p. 18. 1914.
  computation, for estimating grain in bins. M.C. 41, pp. 2-7. 1925.
  cotton price, variations. Mkts. S.R.A. 9, pp. 101-104. 1916.
  food, description and uses. D.B. 975, pp. 36-37. 1921; F.B. 1228, pp. 4, 27. 1921; F.B. 1383, pp. 7-33. 1924.
  labor requirements of crops, construction and interpretation. D.B. 1181, pp. 5-6, 52-53. 1924.
  ocean meteorological, preparation and value. An. Rpts., 1912, pp. 283-284. 1913; W. B. Chief Rpt., 1912, pp. 25-26. 1912.
  wall, use by extension workers for planning work. D.C. 107, rev., pp. 12-13. 1924.
  Weather Bureau, preparation and issue. An. Rpts., 1910, pp. 181-182. 1911; W. B. Chief Rpt., 1910, pp. 23-24. 1910.
  work, use in county extension work. D.C. 107, p. 13. 1920.
Charters, standard clubs. S.R.S. Rpt., 1918, pp. 97-98. 1919.
CHASE, AGNES: "Directions for preparing herbarium specimens of grasses." With A. S. Hitchcock. B.P.I. Doc. 442, pp. 4. 1909.
Chat—
  long-tailed—
    breeding range and migratory routes. Biol. Bul. 18, pp. 120-123. 1904.
    food habits. D.B. 107, pp. 41-42. 1914.
    protection by law. Biol. Bul. 12, rev., pp. 38, 40. 1902.
  yellow-breasted—
    breeding range and migratory routes. Biol. Bul. 18, pp. 120-123. 1904.
    habits and food, occurrence in Arkansas. Biol. Bul. 38, p. 82. 1911.
CHATFIELD, CHARLOTTE: "Home baking." F.B. 1450, pp. 14. 1925.
Chattanooga, Tenn., milk supply, details and statistics. B.A.I. Bul. 70, pp. 6-7, 40. 1905.
Chauffeurs' licenses, laws and amounts, 1916. Sec. Cir. 59, pp. 8-15. 1916.
Chaulelasmus streperus. See Gadwall.
Chauliognathus—
  pennsylvanicus, enemy of—
    corn stalk-borer. Ent. Cir. 116, p. 7. 1910; F.B. 1025, p. 10. 1919.
    plum curculio. Ent. Bul. 103, p. 154. 1912.
  spp., enemy of boll weevil. Ent. Bul. 100, pp. 41, 68. 1912.
  See also Soldier beetles.
Chaulmoogra—
  oil—
    chemistry of. D.B. 1057, pp. 7-8. 1922.
    growing tree in Canal Zone. B.P.I. Chief Rpt., 1924, p. 29. 1924.
    history and use. D.B. 1057, pp. 3-6. 1922.
    sources, researches and substitutes. B.P.I. Inv. 65, pp. 4, 8, 36, 47. 1923.
    use in treatment of leprosy. D.B. 1057, pp. 1-3, 5, 6, 25. 1922.
  tree—
    and related species. Joseph F. Rock. D.B. 1057, pp. 29. 1922.
    importations and description. No. 52803, B.P.I. Inv. 66, pp. 4, 78. 1923; No. 53844, B.P.I. Inv. 67, pp. 2, 90. 1923.
    planting and culture, requirements. D.B. 1057, pp. 25-26. 1922.
Chaya, importation and description. No. 46862, B.P.I. Inv. 57, pp. 7, 43. 1922.
Chayota edulis, importation, and description. No. 30462, B.P.I. Bul. 242, pp. 9, 11. 1912.
  spp. See Chayote.
Chayote—
  as promising tropical crop. Y.B., 1901, p. 357. 1902.
  culture and uses. L. G. Hoover. D.C. 286, p. 11. 1923.
  description and use, possibilities in Louisiana. B.P.I. Cir. 130, p. 13. 1913.

Chayote—Continued.
  growing—
    directions for club members in Southwest. D.C. 48, p. 11. 1919.
    in Florida. An. Rpts., 1920, p. 186. 1921.
    in Guam, directions. Guam. Bul. 2, pp. 12, 36. 1922.
  seed distribution. An. Rpts., 1919, p. 159. 1920; B.P.I. Chief Rpt., 1919, p. 23. 1919.
  importations and description. Nos. 41092–41096, 41135–41140, B.P.I. Inv. 44, pp. 7, 37, 42. 1918; Nos. 41573, 41621, 41625–41628, B.P.I. Inv. 45, pp. 26, 49, 55. 1918; Nos. 41794–41801, 32168–42172, B.P.I. Inv. 46, pp. 22, 59. 1919; Nos. 43393–43401, 43422, 43477, 43546–43547, 43552, 43565–43584, B.P.I. Inv. 49, pp. 6, 7, 15, 31 40,, 41, 45, 47. 1921; Nos. 45350, 45540–45546, 45664, B.P.I. Inv. 53, pp. 6, 29, 50, 74. 1922; No. 45756, B.P.I. Inv. 54, p. 16. 1922; Nos. 50682, 51056, B.P.I. Inv. 64, pp. 12, 48. 1923; Nos. 51421–51422, 51704, B.P.I. Inv. 65, pp. 5, 15, 38. 1923; Nos. 52467, 52804, B.P.I. Inv. 66, pp. 31, 78–79. 1923; Nos. 54517–54519, B.P.I. Inv. 69, p. 20. 1923.
  new winter vegetable from the South. David Fairchild. F.S. and P.I. [Misc.], "The chayote. A new * * *," pp. 2. 1908.
  perennial ornamental vine. F.S. and P.I. [Misc.], "The chayote perennial * * *," pp. 8. 1921.
  testing, description and uses. Y.B. 1916, pp. 142–143. 1917; Y.B. Sep. 687, pp. 8–9. 1917.
  valuable new southern vegetable. F.S. and P.I. [Misc.], "The chayote, a valuable * * *," pp. 4. 1923.
  vegetable of tropics. O. F. Cook. Bot. Bul. 28, pp. 31. 1901.
Che—
  fruit, importation and description. No. 34493, B.P.I. Inv. 33, pp. 7, 25. 1915.
  tree, importation and description. No. 35258, B.P.I. Inv. 35, pp 8, 29. 1915.
Cheat—
  classification and description. D.B. 772, pp. 25, 26. 1920.
  control in—
    alfalfa fields. D.C. 110, p. 11. 1920; F.B. 495, p. 33. 1912.
    rice fields. D.B. 1155, p. 55. 1923.
  destruction of seed by burial in earth. B.P.I. Bul. 83, p. 13. 1905.
  growing in oat fields, use as hay. F.B. 1119, p. 18. 1920.
  habits and use. F.B. 1433, pp. 21–22. 1925.
  occurrence and control—
    in rice fields. F.B. 1240, p. 26. 1924.
    in wheat fields. F.B. 885, p. 11. 1917.
    on Umatilla project. D.C. 342, p. 7. 1925.
  seed, description. F.B. 361, p. 15. 1909; F.B. 428, pp. 9, 18, 23. 1911.
  soft, description, habits, and forage value. D.B. 545, pp. 24–25, 58, 59. 1917.
  varieties, injuries to fescue meadows. F.B. 361, pp. 15–16. 1909.
  See also Chess; Brome grass.
Check boxes, use in irrigation in Idaho. F.B. 399, pp. 13, 14. 1910.
Checkerberry. See Squaw vine; Wintergreen.
Checkers, misbranding. Chem. N.J. 4343, pp. 488–491. 1916.
Checking—
  injury to felled pine. D.B. 1140, p. 4. 1923.
  land, for irrigation, sugar-beet districts, methods and cost. D.B. 760, pp. 26–27. 1919.
  wood, causes. D.B. 552, p. 11. 1917.
  wood, in kiln drying. D.B. 1136, p. 25. 1923.
Checkrower, use in planting corn. F.B. 414, p. 23. 1910; S.R.S. Syl. 21, p. 9. 1916.
Checkrowing cotton, advantages of practice. F.B. 344, p. 27. 1909.
Cheese—
  acids, effect of early storage. B.A.I. Bul. 123, pp. 18–20. 1910.
  acids, formation by different organisms. J.A.R., vol. 2, No. 3, pp. 197–204. 1914.
  acidity—
    determination, report by Alfred W. Bosworth. Chem. Bul. 105, pp. 110–112. 1907.
    problems, study and experiments. B.A.I. Bul. 115, pp. 18–21. 1909.

Cheese—Continued.
  acidity—continued.
    testing. F.B. 1191, p. 10. 1921.
  adulteration and misbranding. See Indexes to Chemistry Notices of Judgment.
  adulteration detection. Chem. Bul. 100, pp. 23, 25. 1906.
  Alemtejo, description, process and analysis. B.A.I. Bul. 105, pp. 7, 56. 1908; B.A.I. Bul. 146, pp. 7, 62. 1911.
  Altenburg, description. B.A.I. Bul. 105, p. 7. 1908; B.A.I. Bul. 146, p. 7. 1911.
  Ambert, description. B.A.I. Bul. 105, p. 7. 1908; B.A.I. Bul. 146, p. 7. 1911.
  American—
    cold curing. C. F. Doane. B.A.I. Bul. 85, pp. 68. 1906.
    cold-storage season, 1916–1917, review. D.B. 709, pp. 20–22. 1918.
    comparison with European, studies. News L., vol. 2, No. 10, pp. 2–3. 1914.
    description and food value. F.B. 1191, p. 2. 1921.
    food value. D.C. 26, p. 11. 1919.
    food-value comparisons. D.B. 975, pp. 6, 7, 8, 22. 1921. B.A.I. Doc. A–21, pp. 2. 1917.
    making on farm. C. N. Gere. F.B. 1191, pp. 19. 1921.
    making, problems. B.A.I. Bul. 85, pp. 10–11. 1906.
    manufacture in South. An. Rpts., 1922, p. 115. 1923; B.A.I. Chief Rpt., 1922, p. 17. 1922.
    moisture, objections by English consumer. News L., vol. 3, No. 34, p. 3. 1916.
  ammonia determination method, report of referees committee. Chem. Cir. 90, pp. 7–8. 1912; Chem. Bul. 152, pp. 86, 185–187. 1912.
  analyses, and sources of data. B.A.I. Bul. 105, pp. 56–62. 1908; B.A.I. Bul. 146, pp. 62–74. 1911; Chem. Bul. 116, pp. 59–60. 1908; Chem. Bul. 152, pp. 185–187. 1912; D.B. 608, pp. 71–76. 1918.
  Ancien Imperial, description. B.A.I. Bul. 105, p. 7. 1908; B.A.I. Bul. 146, p. 7. 1911.
  and other meat substitutes in the diet. C. F. Langworthy. Y.B., 1910, pp. 359–370. 1911; Y.B., Sep. 543, pp. 359–370. 1911.
  and potatoes, scalloped, recipe. U.S. Food Leaf. 10, p. 3. 1917.
  Appenzell, description. B.A.I. Bul. 105, p. 7. 1908; B.A.I. Bul. 146, p. 7. 1911.
  Argentina, production and consumption, 1903–1919, imports and exports, 1870–1920. B.A.I. Doc. A–37, p. 44. 1922.
  associations, organization. Off. Rec., vol. 2, No. 37, p. 6. 1923.
  Australia, production, 1908–1919, and exports, 1901–1920. B.A.I. Doc. A–37, pp. 45, 46. 1922.
  Backstein, description and analysis. B.A.I. Bul. 107, pp. 7, 56. 1908; B.A.I. Bul. 146, pp. 8, 62. 1911.
  bacteria—
    and molds, control. B.A.I. Bul. 71, pp. 27–29. 1905.
    control methods. B.A.I. Bul. 71, pp. 27–29. 1905.
    danger. B.A.I. Bul. 165, p. 11. 1913.
    direct action. B.A.I. Bul. 62, pp. 15–17. 1904.
    flavor producing, studies. B.A.I. Bul. 71, pp. 22–24. 1905.
    laboratory studies. An. Rpts., 1912, pp. 338–339. 1913; B.A.I. Chief Rpt., 1912, pp. 42–43. 1912.
    making, relation. O.E.S. Bul. 166, pp. 33–36. 1906.
    microscopic study. G. J. Hucker. J.A.R., vol. 22, pp. 93–100. 1921.
    rate of growth. B.A.I. Bul. 150, pp. 21–25. 1912.
    ripening studies. B.A.I. Bul. 71, pp. 22–24, 27. 1905.
  bacteriology. B.A.I. An. Rpt., 1904, p. 34. 1905.
  Banbury, description. B.A.I. Bul. 105, p. 8. 1908; B.A.I. Bul. 146, p. 8. 1911.
  Battlemat, description, process, and analysis. B.A.I. Bul. 105, pp. 8, 56. 1908; B.A.I. Bul. 146, pp. 8, 62. 1911.
  Bauden, description and process. B.A.I. Bul. 105, p. 8. 1908; B.A.I. Bul. 146, p. 8. 1911.

INDEX TO PUBLICATIONS, 1901–1925   425

Cheese—Continued.
  Belgian cooked, description and process. B.A.I. Bul. 105, pp. 8, 16. 1908; B.A.I. Bul. 146, pp. 8, 17. 1911.
  Bellelay, description, process and analysis. B.A.I. Bul. 105, pp. 8-9, 56. 1908; B.A.I. Bul. 146, pp. 8-9, 62. 1911.
  Bergquara, description. B.A.I. Bul. 105, p. 9. 1908; B.A.I. Bul. 146, p. 9. 1911.
  bill-of-fare making, studies, examples. F.B. 487, pp. 17-19. 1912.
  Blue, names, description, and localities where made. B.A.I. 105, p. 9. 1908; B.A.I. Bul. 146, p. 9. 1911.
  Bondon, description, process and analysis. B.A.I. Bul. 105, pp. 36, 56. 1908; B.A.I. Bul. 146, pp. 40, 62. 1911.
  Boudanne, description and process. B.A.I. Bul. 105, p. 9. 1908; B.A.I. Bul. 146, p. 9. 1911.
  box, description and process. B.A.I. Bul. 105, pp. 9-10. 1908; B.A.I. Bul. 146, pp. 9-10. 1911.
  boxes, statement of contents, opinion 79. Chem. S.R.A. 8, p. 635. 1914.
  Bra, description and process. B.A.I. Bul. 105, p. 10. 1908; B.A.I. Bul. 146; p. 10. 1911.
  brand, description and process. B.A.I. Bul. 105, p. 10. 1908; B.A.I.Bul. 146, p. 10. 1911.
  brands. Chem. Bul. 69, rev., Pts. I–IX, pp. 56-57, 79, 274-275, 426, 499, 521, 590, 632, 658. 1905-1906.
  brick, description, process and analysis. B.A.I. Bul. 105, pp. 10, 56. 1908; B.A.I. Bul. 146, pp. 10-11, 62. 1911.
  brickbat, description, process and analysis. B.A.I. Bul. 105, pp. 10, 62. 1908; B.A.I. Bul. 146, pp. 11, 68. 1911.
  Brie—
    American and French types. B.A.I. Bul. 71, pp. 9-10, 12. 1905.
    description, process and analysis. B.A.I. Bul. 105, pp. 11, 56. 1908; B.A.I. Bul. 146, pp. 11, 62. 1911; F.B. 487, p. 11. 1912.
    discussion. B.A.I. An. Rpt., 1907, pp. 90-93. 1909.
  Brie-Camembert, class, discussion. B.A.I. An. Rpt., 1905, pp. 81-94. 1907.
  Brinsen, description, process, and analysis. B.A.I. Bul. 105, pp. 11, 56. 1908; B.A.I. Bul. 146, pp. 12, 62. 1911.
  Broccio, description. B.A.I. Bul. 105, p. 11. 1908; B.A.I. Bul. 146, p. 12. 1911.
  Burgundy, description, and analysis. B.A.I. Bul. 105, pp. 12, 56. 1908; B.A.I. Bul. 146, pp. 12, 62. 1911.
  buttermilk, directions for making. D.B. 576, pp. 12-13. 1917.
  by-product, whey butter, value. B.A.I. Cir. 161, pp. 1-7. 1910.
  Caciocavallo, description, process and analysis. B.A.I. Bul. 105, pp. 12, 56. 1908; B.A.I. Bul. 146, pp. 12-13, 62. 1911.
  Caerphilly, description, process and analysis. B.A.I. Bul. 105, pp. 12, 56. 1908; B.A.I. Bul. 146, pp. 13, 62. 1911.
  Cambridge, description, process and analysis. B.A.I. Bul. 105, pp. 12, 56. 1908; B.A.I. Bul. 146, pp. 13, 62. 1911.
  Camembert—
    American, manufacture. F.B. 296, pp. 31-32. 1907.
    analyses, standard of milk used. B.A.I. Bul. 115, pp. 15-17. 1909.
    canned. B.A.I. An. Rpt., 1907, p. 341. 1909; B.A.I. Cir. 145, p. 341. 1909.
    care and testing, directions and cautions. Charles Thom. B.A.I. An. Rpt., 1907, pp. 339-343. 1909; B.A.I. Cir. 145, p. 5. 1909.
    chemical changes in ripening, table. B.A.I. Bul. 71, p. 25. 1905.
    cooking and canning for market. B.A.I. Bul. 115, p. 51. 1909.
    description, different brands and flavors. B.A.I. An. Rpt., 1907, pp. 339-340, 342. 1909; B.A.I. Cir. 145, pp. 339-340, 342. 1909.
    description, process, and analysis. B.A.I. Bul. 146, pp. 13-14, 62. 1911.
    directions for making. Theodore W. Issajeff. B.A.I. Bul. 98, pp. 21. 1907.

Cheese—Continued.
  Camembert—continued.
    experiments. An. Rpts., 1908, pp. 275-276. 1909; B.A.I. Chief Rpt., 1908, pp. 61-62. 1908.
    industry, origin, and development. D.B. 1171, pp. 1-2. 1923.
    making in United States. F.B. 225, pp. 31, 32. 1905; F.B. 384, pp. 24-29. 1910.
    making on the farm. B.A.I. Bul. 115, pp. 51-53. 1909.
    manufacture. Kenneth J. Matheson and S. A. Hall. D.B. 1171, pp. 28. 1923.
    market conditions. B.A.I. Bul. 71, p. 12. 1905.
    mold, cultural studies. B.A.I. Bul. 118, pp. 47-49, 50-56. 1910.
    mold cultures, studies, experiments. B.A.I. Bul. 71, pp. 17-22. 1905.
    nitrogenous constituents. B.A.I. Bul. 109, pp. 11-21. 1908.
    origin, description. F.B. 487, p. 11 1912.
    problems in the United States. Charles Thom. B.A.I. Bul. 115, pp. 54. 1909.
    ripening—
      equipment, agents and conditions. B.A.I. Bul. 115, pp. 27-49. 1909; B.A.I. Bul. 71, pp. 15-16, 24-26. 1905.
      methods, bacteria. B.A.I. Bul. 71, pp. 15-26, 28. 1905.
      problems. B.A.I. Bul. 82, pp. 5-6, 23-24. 1906.
      process. B.A.I. An. Rpt., 1907, pp. 339-340. 1909; B.A.I. Cir. 145, pp. 339-340. 1909; D. B. 1171, pp. 18-23. 1923.
      proteolytic changes. Arthur W. Dox. B.A.I. Bul. 109, pp. 24. 1908.
    soft type in United States. H. W. Conn and others. B.A.I. Bul. 71, pp. 29. 1905.
    special mold, experimental work. B.A.I. Bul. 120, pp. 35-65. 1910.
    true type, description. B.A.I. Bul. 71, p. 13. 1905.
  Canada, production, imports, and exports, 1871-1920. B.A.I. Doc. A-37, pp. 47-48. 1922.
  canning. F. B. 210, pp. 28-29. 1904.
  Canquillote, description and process. B.A.I. Bul. 105, p. 13. 1908; B.A.I. Bul. 146, p. 14. 1911.
  Cantal, description, process and analysis. B.A.I. Bul. 105, pp. 13, 56. 1908; B.A.I. Bul. 146, pp. 14, 62. 1911.
  care after manufacture. O.E.S. Bul. 166, pp. 48-50. 1906.
  care in the home, method. F.B. 487, p. 11. 1912.
  Castle, description. B.A.I. Bul. 105, p. 47. 1908; B.A.I. Bul. 146, p. 52. 1911.
  Champoleon, description. B.A.I. Bul. 105, p. 13. 1908; B.A.I. Bul. 146, p. 14. 1911.
  Chaource, description. B.A.I. Bul. 105, p. 14. 1908; B.A.I. Bul. 146, p. 14. 1911.
  Chaschol de Chaschosis, description. B.A.I. Bul. 105, p. 14. 1908; B.A.I. Bul. 146, p. 15. 1911.
  Cheddar—
    American, food value and cost, comparison to other kinds. B.A.I. Cir. 166, pp. 8-9, 21. 1911.
    bacteria, groups, numbers, descriptions. B.A.I. Bul. 150, pp. 31-48. 1912.
    bacteria, relation to flavors. Lore A. Rogers. B.A.I. Bul. 62, pp. 38. 1904.
    bacteriology. E. G. Hastings and others. B.A.I. Bul. 150, pp. 52. 1912.
    condition of milk, determination tests, comparison. E. G. Hastings and Alice C. Evans. B.A.I. Cir. 210, pp. 6. 1913.
    description and food value. F.B. 1207, pp. 27, 33. 1921.
    description, process, and analysis. B.A.I. Bul. 146, pp. 15-16, 63. 1911; B.A.I. Bul. 105, pp. 14-15. 1908.
    ester formation. J.A.R., vol. 2, pp. 204-205. 1914.
    experiments, Wisconsin Agricultural Experiment Station. B.A.I. An. Rpt., 1908, pp. 72-73. 1910.
    factors in ripening. J.A.R., vol. 2, p. 193. 1914.
    flavor, bacteria concerned in production of. Alice C. Evans and others. J.A.R., vol. 2, pp. 167-192. 1914.

Cheese—Continued.
  Cheddar—continued.
    making, experimental studies. Work and Exp., 1914, p. 172. 1915.
    making, preliminary steps. O.E.S. Bul. 166, pp. 36-40. 1906.
    manufacture from pasteurized milk. J. L. Sammis and A. T. Bruhn. B.A.I. Bul. 165, pp. 95. 1913.
    organisms, groups and varieties. J.A.R., vol. 2, pp. 177-179, 195. 1914.
    origin, description, and characteristics. F.B. 487, pp. 8-9. 1912.
    preservation by canning. News L., vol. 2, No. 36, p. 8. 1915.
    prices in New York, 1851-1920. B.A.I. Doc. A-37, p. 54. 1922.
    quantity in storage, by months, 1915-1921. B.A.I. Doc. A-37, p. 35. 1922.
    relation of bacteria to flavors. Lore A. Rogers. B.A.I. Bul. 62, pp. 38. 1904.
    ripening, action of certain bacteria, study. E. B. Hart and others. J.A.R., vol. 2, pp. 193-216. 1914.
    ripening streptococci. J.A.R., vol. 13, pp. 246-249. 1918.
    type, influence of lactic acid on quality. C. F. Doane. B.A.I. Bul. 123, pp. 20. 1910.
    type, manufacture from pasteurized milk. J. L. Sammis and A. T. Bruhn. B.A.I. Bul. 165, pp. 95. 1913.
    value as meat substitute. Sec. Cir. 85, p. 17. 1918.
  chemical analysis. B.A.I. Bul. 49, pp. 82-85. 1903.
  chemical changes, causes. B.A.I. Bul. 62, pp. 9-15. 1904.
  Cheshire, description, process, and analysis. B.A.I. Bul. 105, pp. 15, 58. 1908; B.A.I. Bul. 146, pp. 16, 64. 1911.
  Cheshire-Stilton, description and process. B.A.I. Bul. 105, p. 15. 1908; B.A.I. Bul. 146, p. 17. 1911.
  Chiavari, description. B.A.I. Bul. 105, p. 15. 1908; B.A.I. Bul. 146, p. 16. 1911.
  classification and description. D.B. 772, pp. 25, 26. 1920.
  coating with paraffin, experiments. F.B. 190, pp. 17-20. 1904.
  cold curing. S. M. Babcock and others. B.A.I. Bul. 49, pp. 88. 1903.
  cold storage—
    data. Y.B., 1922, pp. 368, 369. 1923; Y.B. Sep. 879, p. 75. 1923.
    data from warehousemen. Chem. Bul. 115, p. 17. 1908.
    experiments. F.B. 267, pp. 31-33. 1906.
    experiments 1903-1904. Clarence B. Lane. B.A.I. Bul. 83, pp. 26. 1906.
    holdings, 1915-1924. S.B. 4, pp. 10-11. 1925.
    holdings, 1917-1923. S.B. 1, pp. 9-11. 1923; D.B. 776, pp. 14-18. 1919.
  color—
    proportion, requirements of different dealers. B.A.I. Bul 165, pp. 46, 47-48. 1913.
    use and precautions. F.B. 1191, pp. 5-6. 1921.
  coloring, decision 51. F.I.D., 49-53, p. 2. 1907.
  combinations with fruits, vegetables, cereals, eggs. F.B. 930, pp. 27-31. 1918.
  Commission, description. B.A.I. Bul. 105, p. 16. 1908; B.A.I. Bul. 146, p. 17. 1911.
  composition—
    comparison with other foods, table. F.B. 487, pp. 12-14. 1912; B.A.I. Bul. 150, p. 9. 1912; D.B. 471, pp. 6, 7, 9, 10. 1917.
    digestibility and food value. F.B. 363, pp. 9, 27, 28, 34, 37-38, 44. 1909.
    consumption, world countries. B.A.I. Doc. A-37, p. 6. 1922; D.C. 71, p. 20. 1919; Y.B., 1922, p. 289. 1923; Y.B. Sep. 879, p. 9. 1923.
  cooked, description and process. B.A.I. Bul. 105, p. 16. 1908; B.A.I. Bul. 146, p. 17. 1911.
  Cotherstone, description and analysis. B.A.I. Bul. 105, pp. 16, 58. 1908; B.A.I. Bul. 146, pp. 17, 64. 1911.
  cottage—
    advertising methods, demonstration, and distribution. D.C. 1, pp. 9-13. 1919.
    an inexpensive meat substitute. Dairy [Misc.], "Cottage cheese * * *," p. 1. 1917.

Cheese—Continued.
  cottage—continued.
    an old dish, rediscovery. Herbert P. Davis. Y.B. 1918, pp. 269-276. 1919; Y.B. Sep. 787, pp. 10. 1919.
    cold storage, directions. D.C. 1, p. 13. 1919.
    cost of manufacture, markets, and prices. D.B. 576, pp. 13-16. 1917.
    defects in flavor and texture, control. F.B. 430, pp. 10-11. 1911.
    description and process. B.A.I. Bul. 105, p. 16. 1908; B.A.I. Bul. 146, p. 17. 1911; F.B. 487, pp. 11, 19-20. 1912.
    description, food value, and cost. F.B. 1207, pp. 22, 27. 1921.
    directions for making. Sec. Cir. 109, rev., p. 2. 1918; B.A.I. Doc., A-17, pp. 3. 1917; F.B. 1207, p. 27. 1921; F.B. 850, pp. 4-5. 1917; Food Thrift Ser. 5, p. 7. 1917.
    dishes. Sec. Cir. 109, pp. 19. 1918.
    equipment for making. B.A.I. Doc., A-19, p. 2. 1917; F.B. 850, pp. 12-13. 1917.
    establishment of market days in cities. News L., vol. 6, No. 3, p. 7. 1918.
    food value—
      and ways of serving. B.A.I. Doc., A-18, pp. 1-2. 1917; B.A.I. Doc., A-31, p. 1. 1917; Food Thrift Ser. 5, pp. 2-3. 1917; Sec. Cir. 85, pp. 19-22. 1918.
      chart. F.B. 1383, p. 18. 1924; D.B. 975, pp. 6, 7, 8, 21. 1921.
    French, manufacturing method. F.B. 487, p. 20. 1912.
    inexpensive meat substitute. B.A.I. Doc., A-24, p. 1. 1917.
    making—
      and use, increase, campaign by Dairy Division, Agricultural Department. News L., vol. 5, No. 38, p. 1. 1918.
      and using in the home. Kenneth J. Matheson and Jessie M. Hoover. F.B. 1451, pp. 14. 1925.
      on the farm. K. J. Matheson and F. R. Cammack. F.B. 850, pp. 15. 1917.
    manufacture—
      data. O.E.S. Bul. 166, pp. 54-56. 1906.
      in creameries and milk plants. B.A.I. Doc., A-19, pp. 4. 1917.
      in creameries, and milk plants. Arnold O. Dahlberg. D.B. 576, pp. 16. 1917.
    marketing—
      by parcel post, advantages. News L., vol. 5, No. 9, p. 5. 1917.
      methods. F.B. 850, pp. 11-12. 1917.
      suggestions. Delos L. James. D.C. 1, pp. 14. 1919.
    packages, retail and wholesale types. D.C. 1, pp. 3-9. 1919.
    packing and marketing. B.A.I. Doc., A-19, p. 4. 1917.
    palatability. Y.B., 1918, pp. 269, 272, 274, 275. 1919; Y.B. Sep. 787, pp. 3, 4, 6, 7. 1919.
    preparation, composition and food value. F.B. 363, pp. 9, 37, 38. 1909.
    production for food conservation. An. Rpts., 1918, pp. 75, 89-90. 1919; B.A.I. Chief Rpt., 1918, pp. 5, 19-20. 1918.
    profits in dairy industry. Y.B., 1918, pp. 155, 166. 1919; Y.B. Sep. 765, pp. 15, 16. 1919.
    quality and its requisites. F.B. 850, pp. 3-4. 1917.
    school lesson. D.B. 763, pp. 22-23. 1919.
    storage and use. F.B. 1451, p. 4. 1925.
    use as meat substitute, recipes. B.A.I. Doc., A-18, pp. 2. 1917; Food Thrift Ser. 4, pp. 1-2. 1917; U.S. Food Leaf. 8, p. 4. 1917; Y.B., 1918, pp. 271, 272, 274. 1919; Y.B. Sep. 787, pp. 3, 4, 6. 1919.
    uses in the diet. F.B. 413, p. 18. 1910.
    value and cost, comparison with other kinds. B.A.I. Cir. 166, p. 21. 1911.
    yield from skim milk, and from buttermilk. D.B. 576, pp. 10, 12. 1917.
  Coulommiers, description and analysis. B.A.I. Bul. 105, pp. 16, 58. 1908; B.A.I. Bul. 146, pp. 18, 64. 1911.
  covering with cheesecloth. F.B. 1191, pp. 14-15. 1921.

INDEX TO PUBLICATIONS, 1901–1925   427

Cheese—Continued.
cream—
and Neufchatel, farm manufacture and use. K. J. Matheson and F. R. Cammack. F.B. 960, pp. 35. 1918.
and Neufchatel, manufacture in factories. K. J. Matheson and F. R. Cammack. D.B. 669, pp. 28. 1918.
description, process and analysis. B.A.I. Bul. 105, pp. 16, 58. 1908; B.A.I. Bul. 146, pp. 18, 64. 1911.
uses in diet, and recipes for salads. F.B. 960, pp. 24–35. 1918.
Creuse, description and process. B.A.I. Bul. 105, p. 17. 1908; B.A.I. Bul. 146, p. 18. 1911.
Cristalinna, description, note. B.A.I. Bul. 105, p. 17. 1908; B.A.I. Bul. 146, p. 18. 1911.
curd, description of process. B.A.I. Bul. 98, pp. 12–15. 1907; B.A.I. Bul. 165, pp. 48–50. 1913; O.E.S. Bul. 166, pp. 40–48. 1906.
curd-and-whey, description. F.B. 487, p. 19. 1912.
curds, moisture content, factors controlling, investigations. J. L. Sammis and others. B.A.I. Bul. 122, pp. 61. 1910.
curing—
and paraffining. F.B. 1191, pp. 16–17. 1921.
at low temperatures, advantages. B.A.I. Bul. 49, p. 10. 1903.
conditions and requirements. F.B. 1191, p. 17. 1921.
experiments—
results. F.B. 144, pp. 27–30. 1901.
to determine moisture content factors. B.A.I. Bul. 122, pp. 1–61. 1910.
in cold storage. F.B. 186, pp. 30–32. 1904.
process. F.B. 144, pp. 27–30. 1901.
score card. B.A.I. Bul. 49, p. 10. 1903.
cutter, description. F.B. 960, pp. 22–23. 1918.
cutting, size of cubes, effects on moisture in curd. B.A.I. Bul. 122, pp. 23–25. 1910.
Damen, description, note. B.A.I. Bul., 105, p. 17. 1908; B.A.I. Bul., 146, p. 18. 1911.
Danish export, description, process and analysis. B.A.I. Bul. 105, pp. 17, 58. 1908; B.A.I. Bul. 146, pp. 19, 64. 1911; F.B. 486, p. 19. 1912.
defects, description, remedies. B.A.I. Bul. 98, pp. 18–20. 1907.
definitions and standards. F.I.D. 181, pp. 3. 1921.
Derbyshire, description, process and analysis. B.A.I. Bul. 105, pp. 17, 58, 59, 62. 1908; B.A.I. Bul. 146, pp. 19, 64, 65, 68. 1911.
Devonshire, description, method of manufacture. F.B. 487, pp. 11, 20. 1912.
Devonshire cream, description and process. B.A.I. Bul. 105, p. 18. 1908; B.A.I. Bul. 146, p. 19. 1911.
diet, economical uses. C. F. Langworthy and Caroline L. Hunt. F.B. 487, pp. 40. 1912.
dietary value, discussion. B.A.I. Cir. 166, pp. 19–22. 1911.
digestibility—
experiments. C. F. Doane. B.A.I. Cir. 166, pp. 22. 1911.
study and experiments. F.B. 487, pp. 15–16. 1912; F.B. 1207, pp. 27, 33. 1921.
dishes, uses as meat, preparation. F.B. 487, pp. 21–38. 1912.
Dorset, description and analysis. B.A.I. Bul. 105, pp. 18, 58. 1908; B.A.I. Bul. 146, pp. 19, 64. 1911.
double-cream, description and process. B.A.I. Bul. 105, pp. 16–17. 1908; B.A.I. Bul. 146, p. 18. 1911.
dressing, directions. F.B. 1191, pp. 15–16. 1921.
dry, description and process. B.A.I. Bul. 105, p. 18. 1908; B.A.I. Bul. 146, p. 20. 1911.
Duel, description. B.A.I. Bul. 105, p. 18. 1908; B.A.I. Bul. 146, p. 20. 1911.
Dunlop, description and analysis. B.A.I. Bul. 105, pp. 18, 58. 1908; B.A.I. Bul. 146, pp. 20, 64. 1911.
Dutch, manufacture. O.E.S. Bul. 166, pp. 54–56. 1906.
Ebbing, description and process. B.A.I. Bul. 105, p. 19. 1908; B.A.I. Bul. 146, p. 21. 1911.
economic importance, annual production in United States, value, investment. F.B. 487, pp. 5–6. 1912.

Cheese—Continued.
Edam—
description, process, and analysis. B.A.I. Bul 146, pp. 20–21, 64. 1911; F.B. 487, pp. 10–11. 1912.
manufacture from ropy milk. F.B. 348, p. 18. 1909.
Emmental—
description, process and analysis. B.A.I. Bul. 105, pp. 19–21, 58. 1908; B.A.I. Bul. 146, pp. 21–23, 64. 1911.
gases, study. William Mansfield Clark. B.A.I. Bul. 151, pp. 32. 1912.
starters, use of *Bacillus bulgaricus*. C. F. Doane and E. E. Eldredge. D.B. 148, pp. 16. 1915.
Engadine, description and analysis. B.A.I. Bul. 105, pp. 21, 58. 1908; B.A.I. Bul. 146, pp. 23, 64. 1911.
English dairy, description. B.A.I. Bul. 105, p. 21. 1908; B.A.I. Bul. 146, p. 23. 1911; F.B. 487, p. 9. 1912.
Epoisse, description. B.A.I. Bul. 105, p. 21. 1908; B.A.I. Bul. 146, p. 23. 1911.
Ervy, description. B.A.I. Bul. 105, p. 21. 1908; B.A.I. Bul. 146, p. 23. 1911.
examination, bacteriological methods. B.A.I. Bul. 150, pp. 11–13. 1912.
exports—
1790–1792, 1920. Y.B., 1922, pp. 302, 392. 1923 Y.B. Sep. 879, pp. 18, 97. 1923.
1901–1924. Y.B., 1924, pp. 1041, 1074. 1925.
and imports—
1906–1910, 1907–1911, and 1851–1911. Y.B., 1911, pp. 637, 656, 668, 679, 683. 1912; Y.B. Sep. 588, pp. 637, 656, 668, 679, 683 1912.
1910–1918. Sec. Cir. 123, p. 12. 1918.
1914–1919. Sec. Cir. 142, p. 21. 1919.
1919. D.C. 71, pp. 10–11. 1919.
decrease, cause. Rpt. 67, p. 27. 1901.
statistics. Y.B., 1921, pp. 737, 743, 750, 764. 1922; Y.B. Sep. 867, pp. 1, 7, 14, 28. 1922.
factory(ies)—
cleanliness, necessity. O.E.S. Bul. 166, p. 25. 1906.
cooperative, earliest and largest in world. D.B. 984, p. 46. 1921.
equipment. B.A.I. Bul. 115, pp. 10–15. 1909.
cooperative numbers, location, work. D.B. 547, pp. 6–8, 12, 30–32, 49–51, 54–56. 1917; Y.B., 1913, pp. 246–247. 1914; Y.B. Sep. 626, pp. 246–247. 1914.
establishment and success in Southern States. Y.B., 1917, pp. 150–152. 1918; Y.B. Sep. 737, pp. 6–8. 1918.
extension work. An. Rpts., 1918, p. 92. 1919; B.A.I. Chief Rpt., 1918, p. 22. 1918.
increase, manufacture of cottage cheese. News L., vol. 5, No. 28, p. 3. 1918.
introduction and work, 1923. An. Rpts., 1923, p. 212. 1924; B.A.I. Chief Rpt., 1923, p. 14. 1923.
location and number, 1914. Farm M. [Misc.], "Geography * * * world's agriculture," pp. 119, 120. 1917.
made, production increase, 1909–1914. News L., vol. 4, No. 37, p. 6. 1917.
management and products. B.A.I. Bul. 55, pp. 38–39. 1903.
number in—
1914, by States, map. Y.B., 1915, pp. 330, 396. 1916; Y.B. Sep. 681, pp. 330, 396. 1916.
South and increase, 1917. News L., vol. 5, No. 22, p. 6. 1917.
Wisconsin, Door County. Soil Sur. Adv. Sh. 1916, p. 12. 1918; Soils F.O., 1916, p. 1746. 1921.
Wisconsin, Wood County, 1910, 1913. Soil Sur. Adv. Sh., 1915, pp. 12, 50. 1917; Soils F.O., 1915, pp. 1544, 1582. 1919.
production, 1870–1910. D.B. 177, p. 8. 1915.
statistics, 1900. B.A.I. Bul. 55, pp. 27–29, 38–39, 60–61. 1903.
farm—
description and process. B.A.I. Bul. 105, p. 21. 1908; B.A.I. Bul. 146, p. 23. 1911.
production and sales, 1900. B.A.I. Bul. 55, pp. 26–27. 1903.

36167°—32——28

Cheese—Continued.
  fat—
    and oil content. D.B. 769, p. 38. 1919.
    content of raw milk and pasteurized-milk products. B.A.I. Bul. 165, pp. 74-75. 1913.
    determination methods. Chem. Bul. 81, pp. 27-28. 1904; Chem. Bul. 105, p. 109. 1907.
  field, tax law, Federal. Chem. Bul. 69, Pt. I, pp. 22-25. 1904.
  "filled"—
    definitions and laws. Chem. Bul. 69, rev., Pts. I-IX, pp. 22-25, 152, 212, 449, 453, 474, 499, 701. 1905.
    description and process. B.A.I. Bul. 105, p. 21. 1908; B.A.I. Bul. 146, p. 23. 1911.
    making, injurious to cheese industry. D.C. 71, p. 11. 1919.
    production and exportation, 1897-1912. B.A.I. Doc. A-37, p. 35. 1922.
  flavor(s)—
    causes. F.B. 487, p. 12. 1912.
    effect of milk pasteurized at different temperatures. B.A.I. Bul. 165, p. 27. 1913.
  flora, variation in Cheddar cheese. J.A.R. vol. 2, p. 179. 1914.
  Flower, description. B.A.I. Bul. 105, p. 22. 1908; B.A.I. Bul. 146, p. 24. 1911.
  fly, control. O.E.S. An. Rpt., 1922, p. 54. 1924.
  fondue, recipe, nutritive value. Y.B. 1910, p. 3.9. 1911; Y.B. Sep. 543, p. 369. 1911; F.B. 817, p. 18. 1917.
  food standard. Sec. Cir. 136, pp. 5-6. 1919.
  food-value comparisons. D.B. 975, pp. 6-8, 21-22. 1921; D.B. 908, p. 5. 1921.
  Formagelle, description. B.A.I. Bul. 105, p. 22. 1908; B.A.I. Bul. 146, p. 24. 1911.
  France, imports and exports, 1850-1920. B.A.I. Doc. A-37, pp. 51-52. 1922.
  fungi in ripening, Camembert and Roquefort. Charles Thom. B.A.I. Bul. 82, pp. 39. 1906.
  Gaiskasli, description and process. B.A.I. Bul. 105, p. 24. 1908; B.A.I. Bul. 146, p. 26. 1911.
  Gammelost—
    description, process and analysis. B.A.I. Bul. 105, pp. 22, 58. 1908; B.A.I. Bul. 146, pp. 24, 64. 1911.
    moldy character. B.A.I. Bul. 71, p. 19. 1905.
  gases, analysis method. B.A.I. Bul. 151, pp. 11-18. 1912.
  Gautrais, description. B.A.I. Bul. 105, p. 22. 1908; B.A.I. Bul. 146, p. 24. 1911.
  Gavot, description. B.A.I. Bul. 105, p. 22. 1908; B.A.I. Bul. 146, p. 24. 1911.
  Geheimrath, description. B.A.I. Bul. 105, p. 22. 1908; B.A.I. Bul. 146, p. 25. 1911.
  Germany, production, imports and exports, 1897-1920. B.A.I. Doc. A-37, p. 53. 1922.
  Gerome, description and process. B.A.I. Bul. 105, p. 23. 1908; B.A.I. Bul. 146, p. 25. 1911.
  Gervais, description, process, and analysis. B.A.I. Bul. 105, pp. 23, 58. 1908; B.A.I. Bul. 146, pp. 25, 64. 1911.
  Gex, description, process and analysis. B.A.I. Bul. 105, pp. 23, 59. 1908; B.A.I. Bul. 146, pp. 25, 65. 1911.
  Gislev, description and analysis. B.A.I. Bul. 105, pp. 24, 59. 1908. B.A.I. Bul. 146, pp. 26, 65. 1911.
  Gloucester, description and analysis. B.A.I. Bul. 105, pp. 18, 59. 1908; B.A.I. Bul. 146, pp. 19, 65. 1911.
  Glumse, description. B.A.I. Bul. 105, p. 24. 1908; B.A.I. Bul. 146, p. 26. 1911.
  goat, varieties, manufacture and value. B.A.I. Bul. 68, pp. 25-26. 1905.
  goat's-milk, description, names, process, and analyses. B.A.I. Bul. 68, pp. 25-26. 1905; B.A.I. Bul. 105, pp. 24, 59. 1908; B.A.I. Bul. 146, pp. 26, 65. 1911; F.B. 920, pp. 6-7. 1918.
  Gorgonzola, description, process and analyses. B.A.I. Bul. 105, pp. 24, 49, 59. 1908; B.A.I. Bul. 146, pp. 26, 55, 65. 1911; B.A.I. An. Rpt., 1905, pp. 88-100. 1907; F.B. 487, p. 10. 1912.
  Gouda, description, process and analysis. B.A.I. Bul. 105, pp. 25, 59. 1908; B.A.I. Bul. 146, pp. 27, 65. 1911.
  Gournay, description. B.A.I. Bul. 105, p. 25. 1908; B.A.I. Bul. 146, p. 27. 1911.
  Goya, description and process. B.A.I. Bul. 105, p. 25. 1908; B.A.I. Bul. 146, p. 27. 1911.

Cheese—Continued.
  grades, adoption by Association. Off. Rec. vol. 2, No. 46, p. 2. 1923.
  granular curd, description and process. B.A.I. Bul. 105, p. 25. 1908; B.A.I. Bul. 146, p. 28. 1911.
  Gray, description and process. B.A.I. Bul. 105, p. 25-26. 1908; B.A.I. Bul. 146, p. 28. 1911.
  Gruyere, description, process, amount of manufacture, and analysis. B.A.I. Bul. 105, pp. 26, 59. 1908; B.A.I. Bul. 146, pp. 28, 65. 1911.
  Gussing, description. B.A.I. Bul. 105, p. 26. 1908; B.A.I. Bul. 146, p. 28. 1911.
  hand, description, process, and names. B.A.I. Bul. 105, p. 26. 1908; B.A.I. Bul. 146, p. 28. 1911; F.B. 486, pp. 18-19. 1912.
  Harz hand, description and analysis. B.A.I. Bul. 105, pp. 26, 59. 1908; B.A.I. Bul. 146, pp. 29, 65. 1911.
  Hay, description and process. B.A.I. Bul. 105, pp. 26-27. 1908; B.A.I. Bul. 146, p. 29. 1911.
  Herve, description and analysis. B.A.I. Bul. 105, pp. 31, 59. 1908; B.A.I. Bul. 146, pp. 34, 65. 1911.
  high-acid, storage experiments, tables. B.A.I. Bul. 123, pp. 6-10. 1910.
  Hohenheim, description and process. B.A.I. Bul. 105, pp. 9, 27. 1908; B.A.I. Bul. 146, pp. 10, 29. 1911.
  Holstein—
    health, description and process. B.A.I. Bul. 105, p. 27. 1908; B.A.I. Bul. 146, p. 29. 1911.
    skim milk, description and process. B.A.I. Bul. 105, p. 27. 1908; B.A.I. Bul. 146, p. 30. 1911.
  home care, directions. F.B. 1374, p. 7. 1923.
  homemade, varieties, description, and methods of manufacture. F.B. 487, pp. 11, 19-21. 1912; F.B. 927, p. 21. 1918.
  hoops, description and use. F.B. 1191, pp. 13-15. 1921.
  hop, description and process. B.A.I. Bul. 105, p. 27. 1908; B.A.I. Bul. 146, p. 30. 1911.
  Ilha, description and analysis. B.A.I. Bul. 105, pp. 28, 59. 1908; B.A.I. Bul. 146, pp. 30, 65. 1911.
  imports—
    1901-1914. D.B. 608, pp. 1-3. 1918.
    1901-1924. Y.B., 1924, pp. 1058, 1075. 1925; 1907-1909, amount and value, by countries from which consigned. Stat. Bul. 82, p. 21. 1910.
    1908-1910, quantity and value, by countries from which consigned. Stat. Bul. 90, p. 22. 1911.
    by countries, 1909-1911. Stat. Bul. 95, p. 22. 1912.
    and exports, by countries, 1913-1920. B.A.I. Doc. A-37, pp. 33, 41-42. 1922.
    in Sweden, production, 1890-1919, imports and exports, 1861-1920. B.A.I. Doc. A-37, pp. 62-63. 1922.
  Incanestrato, description, process, and analysis. B.A.I. Bul. 105, pp. 28, 59. 1908; B.A.I. Bul. 146, pp. 30, 65. 1911.
  industry in—
    Oregon, cooperative association. Y.B. 1916, pp. 145-157. 1917; Y.B. Sep. 699, pp. 1-13. 1917.
    United States and other countries, trend. T. R. Pirtle. D. C. 71, pp. 24. 1919.
  infestation, dipterous larvae or maggots. Ent T.B. 22, pp. 11, 16, 17, 35. 1912
  influence of size and form on shrinkage. B.A.I. Bul. 49, pp. 28-33. 1903.
  inoculation with—
    Camembert mold. B.A.I. Bul. 115, p. 26. 1909.
    molds for ripening and flavor. B.A.I. Bul. 71, pp. 18-22, 27-29. 1905.
  inspection and certification, regulations. B.A.E., S.R.A. 79, pp. 6. 1923.
  inspection, handbook. C. W. Fryhofer and Roy C. Potts. D.C. 157, pp. 16. 1923.
  international trade, 1901-1906. B.A.I. An. Rpt., 1906, pp. 56-58. 1908; Y. B., 1906, p. 647. 1907; Y.B. Sep. 436, p. 647. 1907.
  Isigny—
    description and origin. B.A.I. Bul. 105, p. 28. 1908; B.A.I. Bul. 146, p. 30. 1911.
    similarity to Camembert and Brie. B.A.I. Bul. 71, p. 12. 1905.

INDEX TO PUBLICATIONS, 1901-1925 — 429

Cheese—Continued.
- Jack, origin, description and process. B.A.I. Bul. 146, p. 31. 1911.
- Jochberg, description. B.A.I. Bul. 105, p. 28. 1908; B.A.I. Bul. 146, p. 31. 1911.
- Josephine, description. B.A.I. Bul. 105, p. 28. 1908. B.A.I. Bul. 146, p. 31. 1911.
- Kajmak, description, process, and analysis. B.A.I. Bul. 105, pp. 28, 59. 1908; B.A.I. Bul. 146, pp. 31, 65. 1911.
- Kascaval, description and analysis. B.A.I. Bul. 105, pp. 28, 59. 1908; B.A.I. Bul. 146, pp. 31, 65. 1911.
- Katschkawalj, description, process, and analysis. B.A.I. Bul. 105, pp. 28, 59. 1908; B.A.I. Bul. 146, pp. 31, 65. 1911.
- kinds, descriptions, and food value. F.B. 1207, pp. 27-29. 1921.
- Kjarsgaard, description. B.A.I. Bul. 105, p. 28. 1908; B.A.I. Bul. 146, p. 31. 1911.
- Kloster, description. B.A.I. Bul. 105, p. 29. 1908; B.A.I. Bul. 146, p. 32. 1911.
- knives, description. B.A.I. Bul. 122, p. 24. 1910.
- Koppen, description and process. B.A.I. Bul. 105, p. 29. 1908; B.A.I. Bul. 146, p. 32. 1911.
- Krutt, description, process and analysis. B.A.I. Bul. 105, pp. 29, 59. 1908; B.A.I. Bul. 146, pp. 32, 65. 1911.
- Kuhbach, description. B.A.I. Bul. 105, p. 29. 1908; B.A.I. Bul. 146, p. 32. 1911.
- labeling. Opinion 70. Chem. S.R.A. 7, p. 529. 1914.
- lactic acid forms, analysis tables, and discussion. J.A.R., vol 2, pp. 206-213. 1914.
- Laguiole, description, process, and analysis. B.A.I. Bul. 105, pp. 29, 60. 1908; B.A.I. Bul. 146, pp. 32, 66. 1911.
- Lancashire, description and process. B.A.I. Bul. 105, pp. 29-30. 1908; B.A.I. Bul. 146, p. 33. 1911.
- Langres, description and process. B.A.I. Bul. 105, p. 30. 1908; B.A.I. Bul. 146, p.33. 1911.
- Lapland, description. B.A.I Bul. 105, p. 30. 1908; B.A.I. Bul. 146, p. 33. 1911.
- Latticini, description. B.A.I. Bul. 105, p. 30. 1908; B.A.I. Bul. 146, p. 33. 1911.
- laws—
  - Federal and State. Chem. Bul. 69, rev., Pts. I-IX, pp. 22-728. 1905-1906.
  - See also Dairy products, laws; Food laws.
- leather—
  - description and process. B.A.I. Bul. 105, p. 30. 1908; B.A.I. Bul. 146, p. 33. 1911.
  - directions for making. F.B. 486, p. 19. 1912.
- Leicester, description, process and analysis. B.A.I. Bul. 105, pp. 18, 30, 60. 1908; B.A.I. Bul. 146, pp. 19, 34, 66. 1911.
- Leyden, description, process and analysis. B.A.I.Bul.105, pp. 31, 60. 1908; B.A.I. Bul. 146, pp. 34, 66. 1911.
- Limburg, description, process, and analysis. B.A.I. Bul. 105, pp. 31, 59. 1908; B.A.I. Bul. 146, pp. 34, 66. 1911.
- Limburger—
  - American and European types, market demand. B.A.I. Bul. 71, pp. 8, 9. 1905.
  - misbranding. Chem. N. J. 1899, p. 1. 1913.
- Liptan, description. B.A.I. Bul. 105, p. 31. 1908; B.A.I. Bul. 146, p. 35. 1911.
- Livarot, description, process and analysis. B.A.I. Bul. 105, pp. 32, 60. 1908; B.A.I. Bul. 146, pp. 35, 66. 1911.
- Lorraine, description. B.A.I. Bul. 105, p. 32. 1908; B.A.I. Bul. 146, p. 35. 1911.
- Luneberg, description and process. B.A.I. Bul. 105, p. 32. 1908; B.A.I. Bul. 146, p. 35. 1911.
- Maconnais, description. B.A.I. Bul. 105, p. 32. 1908; B.A.I. Bul. 146, p. 36. 1911.
- Macqueline, description and process. B.A.I. Bul. 105, p. 32. 1908; B.A.I. Bul. 146, p. 36. 1911.
- Maikase, description. B.A.I. Bul. 105, p. 33. 1908; B.A.I. Bul. 146, p. 36. 1911.
- Mainz hand, description, process and analysis. B.A.I. Bul. 105, pp. 33, 60. 1908; B.A.I. Bul. 146, pp. 36, 66. 1911.
- making—
  - acid development and measurement. F.B. 381, pp. 30-32. 1909.

Cheese—Continued.
- making—continued.
  - adaptability of various sections, factors governing. News L., vol. 4, No. 23, p. 3. 1917.
  - apparatus and materials, list. O.E.S. Bul. 166, pp. 62-63. 1906..
  - at Grove City creamery, kinds and amount, 1920. D.C. 139, p. 5. 1920.
  - bacteria and enzyms. O.E.S. Bul. 166, pp. 33-36. 1906.
  - climatic factor, discussion. B.A.I. Bul. 115, pp. 39-44. 1909.
  - coagulation of milk, effect of glass and metals. F.B. 353, pp. 17-18. 1909.
  - conditions favorable. Y.B., 1917, p. 149. 1918. Y.B. Sep. 737, p. 5. 1918; F.B. 1191, p. 4; 1921.
  - costs and returns, cooperative association, Oregon. Y.B., 1916, p. 157. 1917; Y.B. Sep. 699, p. 13. 1917.
  - course in movable schools of agriculture. L. L. Van Slyke. O.E.S. Bul. 166, pp. 63. 1906.
  - data, tables. B.A.I. Bul. 85, pp. 35, 39, 42-63. 1906.
  - details—
    - manufacture of Camembert cheese. B.A.I. Bul. 115, pp. 22-27. 1909.
    - summary. F.B. 1191, pp. 17-18. 1921.
  - development of industry. Y.B. 1922, pp. 302, 307-311. 1923; Y.B. Sep. 879, pp. 18, 22-25. 1923.
  - directions. Alaska A.R. 1907, pp. 71-72. 1908; F.B. 487, pp. 7-8. 1912.
  - equipment, for farm home, description and use. F.B. 927, p. 21. 1918.
  - experiments in determining moisture content. B.A.I. Bul. 122, pp. 1-61. 1910.
  - extension and increase of factories. An. Rpts., 1919, pp. 95, 99. 1920. B.A.I. Chief Rpt., 1919, pp. 23, 27. 1919.
  - hand-stirred process, time required. F.B. 1191, p. 3. 1921.
  - Honduras. B.A.I. An. Rpt. 1910, p. 292. 1912.
  - in South, methods and profitableness. News L., vol. 3, No. 27, pp. 1-2, 3. 1916.
  - in Wisconsin, Iowa County. Soil Sur. Adv. Sh., 1910, pp. 9-10, 19, 27. 1912; Soils F.O., 1910, pp. 1151-1152, 1161, 1169. 1912.
  - in Wisconsin, Jackson County. Soil Sur. Adv. Sh., 1918, pp. 9, 12. 1922; Soils F.O., 1918, pp. 945, 948. 1924.
  - milk testing, Babcock and other methods. O.E.S.Bul. 166, pp. 26-32. 1906.
  - new process, directions, results of two-years' trial. B.A.I. Bul 165, pp. 45-75. 1913.
  - on farm. Henry E. Alvord. F. B.166, pp. 16. 1903.
  - on reclamation projects, advantages and increase. Y.B. 1916, p. 191. 1917; Y.B. Sep. 690, p. 15. 1917.
  - practice at Kenai Station, Alaska. Alaska A. R., 1907, pp. 71-73. 1908.
  - promising industry for mountain farms. F.B. 905, pp. 8-9, 18, 25. 1918.
  - rooms, equipment, Camembert cheese. F.B. 384, pp. 24-28. 1910.
  - studies and experiments, 1910. O.E.S. An. Rpt., 1910, pp. 83, 113, 263. 1911.
  - studies and experiments, 1917, Wisconsin. O.E. S. An. Rpt., 1912, pp. 227-228. 1913.
  - studies and experiments, 1925. Dairy Chief Rpt., 1925, pp. 3-4. 1925.
  - use of starter in milk. B.A.I. Bul. 123, p. 18. 1910; F.B. 317, pp. 27-28. 1908; F.B. 469, pp. 17-18. 1911.
  - utensils, description. B.A.I. Bul. 98, pp. 7-10. 1907.
- Malakoff, description. B.A.I. Bul. 105, p. 33. 1908; B.A.I. Bul. 146, p. 36. 1911.
- management—
  - and storage, work of Department. B.A.I. An. Rpt., 1905, pp. 57-59. 1907.
  - in factory, Neufchatel and cream cheese, details. K. J. Matheson and F. R. Cammack. D.B. 669, pp. 28. 1918.
  - investigation and extension. An. Rpts., 1916, pp. 93, 94-95. 1917; B.A.I. Chief Rpt., 1916, pp. 27, 28-29. 1916.

Cheese—Continued.
 management—continued.
  on farm, equipment and cost. F.B. 960, pp. 4, 11, 12, 13, 15–17, 18–23. 1918.
  studies. B.A.I. Chief Rpt., 1924, pp. 12, 14. 1924.
 manufacturing and marketing, federated cooperative association. Hector Macpherson and W. H. Kerr. Y.B., 1916, pp. 145–157. 1917; Y.B., Sep. 699, 1916, pp. 13. 1917.
 Manur, description and process. B.A.I. Bul. 105, p. 33. 1908; B.A.I. Bul. 146, p. 36. 1911; F.B. 486, p. 19. 1912.
 Marquee, description. B.A.I. Bul. 105, p. 33. 1908; B.A.I. Bul. 146, p. 36. 1911.
 market statistics, prices, imports, and exports, 1910–1920. D.B. 982, pp. 147–151. 1921.
 marketing—
  bibliography. M.C. 35, p. 29. 1925.
  by cooperative association, business practice, costs. Y.B., 1916, pp. 151–157. 1917; Y.B., Sep. 699, pp. 7–13. 1917.
  by parcel post, varieties, styles and packages. F.B. 930, pp. 9–10, 12. 1918.
  investigations, 1916. Mkts. Chief Rpt., 1916, p. 16. 1916; An. Rpts., 1916, p. 400. 1917.
  investigations, 1922. Y.B., 1922, pp. 356, 363. 1923; Y.B. Sep. 879, pp. 64, 70. 1923.
  systems for American Cheddar and domestic Swiss. Rpt. 98, pp. 38–42. 1913.
 Markisch hand, description and process. B.A.I. Bul. 105, p. 33. 1908; B.A.I. Bul. 146, p. 36. 1911.
 Maroilles, description, process, and analysis. B.A.I. Bul. 105, pp. 33, 60. 1908; B.A.I. Bul. 146, pp. 37, 66. 1911.
 Mascarpone, description, process, and analysis. B.A.I. Bul. 105, pp. 34, 60. 1908; B.A.I. Bul. 146, pp. 37, 66. 1911.
 Mecklenburg, description and process. B.A.I. Bul. 105, p. 34. 1908; B.A.I. Bul. 146, p. 37. 1911.
 Mignot, description. B.A.I. Bul. 105, p. 34. 1908; B.A.I. Bul. 146, p. 37. 1911.
 milk treated with calcium chloride and hydrochloric acid, quality, comparison. B.A.I. Bul. 165, pp. 16–17. 1913.
 misbranding. See *Indexes to Chemistry Notices of Judgment.*
 mites—
  cause of loss. B.A.I. An. Rpt., 1905, p. 97. 1907.
  description and habits. Rpt. 108, pp. 18, 109–118. 1915.
  habits, economic importance and description. Ent. T.B. 13, pp. 1–34. 1906.
 moisture content. B.A.I. Bul. 49, p. 83. 1903.
 molding equipment. F.B. 960, pp. 11–13. 1918.
 molds—
  Camembert and Roquefort, description and characteristics. B.A.I. Bul. 82, pp. 31–38. 1906.
  cultural studies. B.A.I. Bul. 118, pp. 34–36, 47–49, 50, 68. 1910.
  relation to ripening, studies. B.A.I. Bul. 71, pp. 17–22, 27. 1905.
 Mont Cenis, description and process. B.A.I. Bul. 105, p. 35. 1908; B.A.I. Bul. 146, p. 38. 1911.
 Mont d'Or, description, process, and analysis. B.A.I. Bul. 105, pp. 35, 60. 1908; B.A.I. Bul. 146, pp. 38, 66. 1911.
 Montasio, description and process. B.A.I. Bul. 105, p. 34. 1908; B.A.I. Bul. 146, pp. 37–38. 1911.
 Montavoner, description. B.A.I. Bul. 105, p. 34. 1908; B.A.I. Bul. 146, p. 38. 1911.
 Monthlery, description and process. B.A.I. Bul. 105, p. 35. 1908; B.A.I. Bul. 146, p. 39. 1911.
 Mozarinelli, description. B.A.I. Bul. 105, p. 35. 1908; B.A.I. Bul. 146, p. 39. 1911.
 Munster, description, process, and analysis. B.A.I. Bul. 105, pp. 35–36, 60. 1908; B.A.I. Bul. 146, pp. 39, 66. 1911.
 Mysost, description and directions for making. F.B. 486, pp. 23–24. 1912.
 Mysost, description, process, and analysis. B.A.I. Bul. 105, pp. 36, 60. 1908; B.A.I. Bul. 146, pp. 39–40, 66. 1911.

Cheese—Continued.
 Nessel, description. B.A.I. Bul. 105, p. 36. 1908; B.A.I. Bul. 146, p. 40. 1911.
 Netherlands, production and consumption, 1916–1920, imports and exports, 1850–1920. B.A.I. Doc. A–37, pp. 56–58. 1922.
 Neufchatel—
  adulteration and misbranding. Chem. N.J. 344, p. 1. 1910.
  American and European types. B.A.I. Bul. 71, p. 10. 1905.
  and cream, farm manufacture and use. K. J. Matheson and F. R. Cammack. F.B. 960, pp. 35. 1918.
  cream, adulteration and misbranding. Chem. N.J. 344, p. 1. 1910.
  description, process, and analysis. B.A.I. Bul. 105, pp. 36, 60. 1908; B.A.I. Bul. 146, pp. 40, 66. 1911; F.B. 435, pp. 21–24. 1911.
  manufacture in cheese factories. K. J. Matheson and F. R. Cammack. D.B. 669, pp. 28. 1918.
  manufacture methods, foreign and American. F.B. 435, pp. 21–24. 1911.
  misbranding. Chem. N.J. 562, p. 1. 1910; Chem. N.J. 566, p. 1. 1910; Chem. N.J. 576, pp. 2. 1910.
  origin, description, composition. F.B. 487, p. 9. 1912.
  other name for cream cheese. F.B. 1027, p. 27. 1921.
  uses in diet, and recipes for salads. F.B. 960, pp. 24–35. 1918.
 new milk, description. B.A.I. Bul. 105, p. 37. 1908; B.A.I. Bul. 146, p. 40. 1911.
 New Zealand, exports 1866–1921. B.A.I. Doc. A–37, p. 59. 1922.
 Nieheim, description and process. B.A.I. Bul. 105, p. 36. 1908; B.A.I. Bul. 146, p. 40. 1911.
 Nissler, caused by gas fermentation. D.B. 148, pp. 5, 6. 1915.
 nitrogenous bodies, separation. Chem. Bul. 81, pp. 90–93. 1904; Chem. Bul. 99, pp. 125–128. 1906; Chem. Bul. 105, pp. 86–88. 1907.
 nutritive value and cost, comparison with other foods, table. F.B. 487, pp. 14–15. 1912.
 Olivet, description, process and analysis. B.A.I. Bul. 105, p. 37. 1908; B.A.I. Bul. 146, p. 41. 1911.
 Olmutzer Quargel, description, process, and analysis. B.A.I Bul. 105, pp. 37, 60. 1908; B.A.I. Bul. 146, pp. 41, 66. 1911.
 organisms, groups and varieties in Cheddar cheese. J.A.R., vol. 2, pp. 177–179, 195. 1914.
 package form, 292 (amend. to item 193, Chem. S.R.A., 18). Chem. S.R.A., 23, p. 102. 1918.
 Paglia, description and process. B.A.I. Bul. 105, p. 38. 1908; B.A.I Bul. 146, p. 41. 1911.
 Pago, description. B.A.I. Bul. 105, p. 38. 1908; B.A.I. Bul. 146, p. 42. 1911.
 paraffining, methods and results. C. F. Doane. B.A.I. Cir. 181, pp. 16. 1911.
 Paris Exposition, 1900. Y.B., 1900, pp. 615, 621, 622. 1901.
 Parmesan—
  description and use as flavoring. B.A.I. Cir. 166, p. 20. 1911.
  description, process, and analysis. B.A.I. Bul. 105, pp. 38, 60. 1908; B.A.I. Bul. 146, pp. 42, 66. 1911.
  origin, description. F.B. 487, p. 10. 1912.
 pasteurized-milk—
  bacterial flora. J.A.R., vol. 2, pp. 182–184, 195. 1914.
  comparison with other cheese, demand, cost. B.A.I. Bul. 165, pp. 52–53, 75–90. 1913.
  flavor production, experiments. J.A.R., vol. 2, pp. 188–190. 1914.
 Pecorino, description, process, and analysis. B.A.I. Bul. 105, pp. 39, 60. 1908; B.A.I Bul. 146, pp. 42, 66. 1911.
 per capita production, 1870–1910. D.B. 177, pp. 6–8. 1915.
 permeability to gases, study. B.A.I. Bul. 151, pp. 20–24. 1912.
 Petit Suisse, description, process, and analysis. B.A.I. Bul. 105, pp. 36, 60. 1908; B.A.I. Bul. 146, pp. 40, 66. 1911.

Cheese—Continued.
 Pfister, description and process. B.A.I. Bul. 105, p. 39. 1908; B.A.I Bul. 146, p. 43. 1911.
 Philadelphia cream, description and process. B.A.I. Bul. 105, pp. 16–17, 39. 1908; B.A.I Bul. 146, pp. 18, 43. 1911.
 pineapple, description, process, and analysis. B.A.I. Bul. 105, pp. 39, 60. 1908; B.A.I. Bul. 146, pp. 43, 66. 1911.
 Port du Salut, description, process, and analysis. B.A.I. Bul. 105, pp. 40, 60. 1908; B.A.I. Bul. 146, pp. 44, 66. 1911.
 Porto Rican varieties. B.A.I. Bul. 105, pp. 41–42. 1908; B.A.I. Bul. 146, pp. 46–47. 1911.
 potato, description and process. B.A.I. Bul. 105, pp. 40–41. 1908; B.A.I. Bul. 146, p. 45. 1911.
 potted, description and analysis. B.A.I. Bul. 105, pp. 41, 61. 1908; B.A.I. Bul. 146, pp. 45, 67. 1911; F.B. 487, p. 10. 1912.
 Prattigau, description and process. B.A.I. Bul. 105, p. 41. 1908; B.A.I. Bul. 146, p. 45. 1911.
 press, automatic, description. F.B. 329, pp. 28–29. 1908.
 pressing, paraffining, curing, branding. B.A.I. Bul. 165, pp. 50–51. 1913.
 "Pressler," caused by gas fermentation. D.B. 148, pp. 5, 6. 1915.
 pressure, effect on moisture content of curd. B.A.I. Bul. 122, pp. 41–45. 1910.
 Prestost, description and process. B.A.I. Bul. 105, p. 41. 1908; B.A.I. Bul. 146, p. 45. 1911.
 prices—
  1910–1924. Y.B., 1924, p. 891. 1925.
  basis, fixing methods, and seasonal variations. Y.B., 1922, pp. 379–386. 1923; Y.B. Sep. 879, pp. 84–91. 1923.
  trend, 1850–1919. D.C. 71, p. 20. 1919.
  wholesale, during Civil War and World War periods. D.B. 999, pp. 15, 32. 1921.
 prints. F.B. 162, pp. 28–31. 1903.
 production—
  1900. B.A.I. Bul. 55, pp. 38–39, 41–44. 1903.
  1909–1919. Sec. Cir. 142, p. 18. 1919.
  and consumption, Southern States. F.B. 349, pp. 11–12, 14, 16, 29. 1909; B.A.I. An. Rpt., 1907, pp. 312–313, 315, 317, 330. 1909.
  and marketing, 1923. Y.B., 1923, pp. 923–927. Y.B. Sep. 902, pp. 923–927. 1924.
  annual, 1924. Off. Rec., vol. 3, No. 7, p. 5. 1924.
  by kinds, 1916–1920, and total 1849–1920. B.A.I. Doc. A–37, pp. 31, 32. 1922.
  farms and factories. Y.B., 1922, pp. 292, 293, 296, 307–309, 311. 1923; Y.B. Sep. 879, pp. 11, 12, 15, 22–24, 25. 1923.
  in factories in 1921, map. Y.B., 1921, p. 482. 1922; Y.B. Sep. 878, p. 76. 1922.
  in Kentucky bluegrass region. D.B. 548, p. 5. 1917.
  in North Central States. Y.B., 1906, p. 416. 1907; Y.B. Sep. 432, p. 416. 1907.
  increase in West, 1917. News L., vol. 5, No. 23, p. 4. 1918.
  increase since 1870, by 10-year periods. D.B. 177, pp. 1–8. 1915.
  on farms, 1919, by States. B.A.I. Doc. A–37, p. 27. 1922.
  possibilities, 1916. An. Rpts., 1916, pp. 21–22. 1917; Sec. A.R., 1916, pp. 23–24. 1916.
  United States and foreign countries. D.C. 71, pp. 4–7. 1919.
  work for increase of food supply. An. Rpts., 1917, pp. 68, 85, 87. 1918; B.A.I. Chief Rpt. 1917, pp. 2, 19, 21. 1917.
 proteolytic compounds, methods for estimating, report of referee, 1902. Chem. Bul. 73, pp. 87–97. 1903.
 Providence, description. B.A.I. Bul. 105, p. 41. 1908; B.A.I. Bul. 146, p. 45. 1911.
 Pultost, description and process. B.A.I. Bul. 105, p. 41. 1908; B.A.I. Bul. 146, p. 45. 1911. F.B. 486, p. 19. 1912.
 purity standards. Sec. Cir. 136, pp. 5–6. 1919.
 quality—
  effect of temperature, experiments. B.A.I. Bul. 49, p. 36. 1903; B.A.I. Bul. 83, pp. 22–23. 1906.
  from raw and pasteurized milk, comparisons, yield. B.A.I. Bul. 165, pp. 20–21, 26, 41, 53–75. 1913.

Cheese—Continued.
 quality—continued.
  methods of judging, score card. O.E.S. Bul. 166, pp. 50–54. 1906.
  relation to demand and price. Y.B., 1922, p. 372. 1923; Y.B. Sep. 879, p. 78. 1923.
  standardization, work of inspectors. Y.B., 1916, pp. 153–154. 1917; Y.B. Sep. 699, pp. 9–10. 1917.
 Rabacal, description and analysis. B.A.I. Bul 105, pp. 42, 61. 1908; B.A.I. Bul. 146. pp. 47, 67. 1911.
 Raden, description. B.A.I. Bul. 105, p. 42. 1908; B.A.I. Bul. 146, p. 47. 1911.
 Rangiport, description. B.A.I. Bul. 105, p. 42. 1908; B.A.I. Bul. 146, p. 47. 1911.
 Rayon, description and process. B.A.I. Bul. 105, p. 42. 1908. B.A.I. Bul. 146, p. 47. 1911.
 Rebbiola, description, process and analysis. B.A.I. Bul. 105, pp. 43, 61. 1908; B.A.I. Bul. 146, pp. 47, 67. 1911.
 Reblochon, description, process and analysis. B.A.I. Bul. 105, pp. 43, 61. 1908; B.A.I. Bul. 146, pp. 47, 67. 1911.
 recipes, salad, combinations and miscellaneous. F.B. 960, pp. 24–35. 1918.
 Riessngebirge, description and process. B.A.I. Bul. 105, p. 43. 1908; B.A.I. Bul. 146, p. 48. 1911.
 Rinnen, description and process. B.A.I. Bul. 105, p. 43. 1908; B.A.I. Bul. 146, p. 48. 1911.
 ripening—
  acids formed by different organisms. J.A.R., vol. 2, pp. 197–204. 1914.
  bacteriology studies. B.A.I. Bul. 71, pp. 22–24, 27. 1905; J.A.R., vol. 2, pp. 194–195. 1914.
  biological problems. B.A.I. Bul. 150, pp. 10–11. 1912
  effect of acid. B.A.I. Bul. 150, pp. 18–21. 1912.
  importance of types of organisms present. B.A.I. Dairy [Misc.]. "World's dairy congress, 1923," pp. 303–305. 1924.
  lactic fermentation and development of taste and flavor. B.A.I. Dairy [Misc.], "World's dairy congress, 1923," pp. 330–336. 1924.
  process. B.A.I. Bul. 49, pp. 82–83. 1903; B.A.I. Bul. 98, pp. 17–18. 1907.
  streptococci, study. Alice C. Evans. J.A.R. vol. 13, pp. 235–252. 1918.
 roll, description. B.A.I. Bul. 105, p. 43. 1908; B.A.I. Bul. 146, p. 48. 1911.
 Rollot, description. B.A.I. Bul. 105, p. 44. 1908; B.A.I. Bul. 146, p. 48. 1911.
 Romadour, description and analysis. B.A.I. Bul. 105, pp. 44, 61. 1908; B.A.I. Bul. 146, pp. 48, 67. 1911.
 Roquefort—
  bacterial flora. Alice C. Evans. J.A.R., vol. 13, pp. 225–233. 1918.
  composition and characteristics. D.B. 970, pp. 1–2, 3–6, 27. 1921.
  curing equipment and its use. D.B. 970, pp. 18–20. 1921.
  description, process and analysis. B.A.I. Bul. 105, pp. 44, 61. 1908; B.A.I. Bul. 146, pp. 48, 67. 1911.
  early history and value. D.B. 970, pp. 1–2. 1921.
  fat, composition. James N. Currie. J.A.R., vol. 2, pp. 429–434. 1914.
  fatty acids, comparison with cow's milk. J.A.R. vol. 2, pp. 430–431. 1914.
  flavor, studies. James N. Currie. J.A.R. vol. 2, pp. 1–14. 1914.
  imported, source of supply, yield per sheep. D.B. 970, pp. 1–3, 27, 28. 1921.
  losses in curing. D.B. 970, pp. 23–24, 24–25. 1921.
  manufacture—
   from cows' and goats' milk. B.A.I. Chief Rpt., 1924, p. 12. 1924.
   from cows' milk. K. J. Matheson. D.B. 970, pp. 28. 1921.
   statistics, 1904. J.A.R. vol. 2, p. 429. 1914.
  manufacturing cost, marketing. D.B. 970, pp. 25–26, 28. 1921.
  misbranding. Chem. N.J. 341, p. 1. 1910.
  mold cultures, studies. B.A.I. Bul. 71, pp. 18–22. 1905; B.A.I. Bul. 71, pp. 18–22. 1910; J.A.R. Vol. 2, pp. 9–13. 1914.

Cheese—Continued.
  Roquefort—continued.
    origin, and description. F.B. 487, p. 10. 1912.
    possibilities for American industry. D.B. 970, pp. 26–27, 28. 1921.
    preservation, use of tin foil. D.B. 970, pp. 24–25, 28. 1921.
    ripening—
      and curing, equipment and methods. D.B. 970, pp. 17–24, 28. 1921.
      discussion. B.A.I. Bul. 82, pp. 28–29. 1906; D.B. 970, pp. 20–23, 28. 1921.
      process. B.A.I. An. Rpt., 1905, pp. 103–104. 1905.
      studies, Storrs Experiment Station, Conn. O.E.S. An. Rpt., 1912, p. 90. 1913.
    use of goat and sheep milk. B.A.I. Bul. 68, p. 25. 1905.
    volatile acids, studies. J.A.R. vol. 2, pp. 3–9. 1914.
    water content, tables. D.B. 970, pp. 11–17. 1921.
    yield per 100 pounds of milk. D.B. 970, p. 28. 1921.
  Russia, exports 1860–1917. B.A.I. Doc. A–37, p. 61. 1922.
  Saanen, description and process. B.A.I. Bul. 105, p. 45. 1908; B.A.I.Bul. 146, p. 49. 1911.
  Sage, description and process. B.A.I. Bul. 105, p. 45. 1908; B.A.I. Bul. 146, p. 50. 1911.
  sago, description and use as flavoring. B.A.I. Cir. 166, p. 20. 1911.
  sago, sap, description, process and analysis. B.A.I. Bul. 105, pp. 46, 61. 1908; B.A.I. Bul. 146, pp. 50–51, 67. 1911; F.B. 486, p. 20. 1912.
  Saloio, description. B.A.I. Bul. 105, p. 45. 1908; B.A.I. Bul. 146, p. 50. 1911.
  salting directions. B.A.I. Bul. 115, pp. 24–25. 1909; B.A.I. Bul. 165, p. 50. 1913.
  Sassenage, description, and process. B.A.I. Bul. 105, p. 46. 1908; B.A.I. Bul. 146, p. 51. 1911.
  sauce, recipe. B.A.I. Doc. A.–18, p. 2. 1917.
  Scanno, description. B.A.I. Bul. 105, p. 46. 1908; B.A.I. Bul. 146, p. 51. 1911.
  Scarmorze, description. B.A.I. Bul. 105, p. 46. 1908; B.A.I. Bul. 146, p. 51. 1911
  Schamser, description. B.A.I. Bul. 105, p. 46. 1908; B.A.I. Bul. 146, p. 51. 1911.
  Schottengsied, description. B.A.I. Bul. 105, p. 47. 1908; B.A.I. Bul. 146, p. 52. 1911.
  Schwarzenberg, description and process, B.A.I. Bul. 105, p. 47. 1908; B.A.I. Bul. 146, p. 52. 1911.
  score card, use in cold-storage experiments. B.A.I. Bul. 83, p. 9. 1906.
  selling to dealers, suggestions. B.A.I. Bul. 165, p. 51. 1913.
  Senecterre, description. B.A.I. Bul. 105, p. 47. 1908; B.A.I. Bul. 146, p. 52. 1911.
  Septmoncel, description, process and analysis. B.A.I. Bul. 105, pp. 47, 61. 1908; B.A.I. Bul. 146, pp. 52, 67. 1911.
  Serra da estrella, description, process and analysis. B.A.I. Bul. 105, pp. 47, 67. 1908; B.A.I. Bul. 146, pp. 52, 67. 1911.
  shrinkage—
    as affected by age at which paraffined. B.A.I. Cir. 181, pp. 8–10. 1911.
    at different periods, and conditions. B.A.I. Bul. 165, pp. 62–69. 1913.
    effect of curing at different temperatures, experiments. B.A.I. Bul. 49, pp. 15–36. 1903.
    in cold storage. B.A.I. Bul. 83, pp. 11–13, 23–25. 1906.
  Silesian, description and process. B.A.I. Bul. 105, p. 48. 1908; B.A.I. Bul. 146, p. 53. 1911.
  Siraz, description and process. B.A.I. Bul. 105, p. 48. 1908; B.A.I. Bul. 146, p. 53. 1911.
  skim-milk, adulteration. Chem. N.J. 4244. 1916.
  Slipcote, description and process. B.A.I. Bul. 105, p. 48. 1908; B.A.I. Bul. 146; p. 53. 1911.
  small, for family use, description. F.B. 487, pp. 6, 11. 1912.
  "soaked curd," decision. F.I.D. 97, pp. 1–2. 1908.
  soft—
    American types, markets, false labeling. B.A.I. Bul. 71, pp. 8–12. 1905.
    Camembert and Roquefort, studies. B.A.I. Chief Rpt., 1910, pp. 46–47. 1910. An. Rpts., 1910, pp. 240–241. 1911.

Cheese—Continued.
  soft—continued.
    Camembert type in the United States. H. W. Conn and others. B.A.I. Bul. 71, pp. 29. 1905.
    directions for making, and apparatus. F.B. 486, pp. 14–24. 1912.
    importations and market demands. B.A.I. Bul. 71, pp. 8–9. 1905.
    infection with tubercle bacilli, prevention. B.A.I. Chief Rpt., 1918, pp. 60–61. 1918; An. Rpts., 1918, pp. 130–131. 1919.
    studies in Europe. Charles Thom. B.A.I. An. Rpt., 1905, pp. 79–109. 1907.
    varieties, study and experiments. B.A.I. An. Rpt., 1910, pp. 59–60. 1912.
  soft-cream, ripening streptococci. J.A.R., vol. 13, pp. 249–250. 1918.
  South Africa, exports, 1913–1919. B.A.I. Doc. A.–37, p. 61. 1922.
  southern manufacturing possibilities and profits, experiments in North Carolina. News L., vol. 3, No. 27, pp. 1–2, 3. 1916.
  soy-bean, preparation and food value. Y.B., 1917, p. 109. 1918; Y.B., Sep. 740, p. 11. 1918.
  Spalen, description and process. B.A.I. Bul. 105, p. 48. 1908; B.A.I. Bul. 146, p. 53. 1911.
  Spitz, description. B.A.I. Bul. 105, p. 48. 1908; B.A.I. Bul. 146, p. 54. 1911.
  standards—
    1905. Chem. Bul. 69, rev., Pts. I–IX, pp. 14, 108, 152, 170, 183, 274, 305, 559, 589, 596, 632, 667, 690. 1905–1906.
    by States. B.A.I. Doc. A–8, pp. 2–3. 1916.
  starters—
    experiments with Cheddar cheese. J.A.R., vol. 2, pp. 186–190, 191. 1914.
    use of Bacillus bulgaricus in Swiss or emmental cheese making. C. F. Doane and E. E. Eldredge. D.B. 148, pp. 16. 1915.
  statistics—
    exports and imports—
      1909–1917. Y.B. 1918, p. 611. 1919; Y.B. Sep. 793, p. 27. 1919.
      1911–1913 and 1852–1913. Y.B., 1913, pp. 493, 501, 508, 510. 1914; Y.B. Sep. 631, pp. 493, 501, 508, 510. 1914.
      1913–1915 and 1852–1915. Y.B., 1915, pp. 527, 540, 548, 556, 558. 1916; Y.B. Sep. 684, p. 527. 1916; Y.B. Sep. 685, pp. 540, 548, 556, 558. 1916.
      1916. Y.B., 1916, pp. 707, 715, 725. 1917; Y.B. Sep. 722, pp. 1, 9, 19. 1917.
      1919. Y.B., 1919, pp. 666–667, 682, 691, 700, 702, 716. 1920; Y.B. Sep. 828, pp. 666–667. 1920; Y.B. Sep. 829, pp. 682, 691, 700, 702, 716. 1920.
    production and consumption. Sec. Cir. 85, pp. 3, 5, 7, 8. 1918.
    international trade, 1905–1909, imports and exports 1906–1910, and 1851–1910. Y.B., 1910, pp. 634, 653, 665, 675, 679. 1911; Y.B. Sep. 553, pp. 634, 653, 665, 675, 679. 1911; Y.B. Sep. 554, pp. 665, 675, 679. 1911.
    prices, receipts, imports and exports, 1922. Y.B., 1922, pp. 853–857, 949, 955, 962, 965, 977, 1923; Y.B. Sep. 888, pp. 853–857. 1923; Y.B. Sep. 880, pp. 949, 955, 962, 965, 977. 1923.
    production, prices, exports and imports, 1921. Y.B. 1921, pp. 705–707, 737, 743, 750, 764. 1922; Y.B. Sep. 870, pp. 31–33. 1922; Y.B. Sep. 867, pp. 1, 7, 14, 28. 1922.
  Steppes, description and process. B.A.I. Bul. 105, p. 49. 1908; B.A.I. Bul. 146, p. 54. 1911.
  Stilton, description, process and analysis. B.A.I. Bul. 105, pp. 49, 61. 1908; B.A.I. Bul. 146, pp. 54, 67. 1911; B.A.I. An. Rpt., 1905, pp. 95–98. 1907.
  stocks (not retail), July 1, 1918. News L., vol. 6, No. 6, p. 6. 1918.
  storage, factors influencing loss of weight. B.A.I. Bul. 83, pp. 12–14. 1906.
  Stracchino, description, process and analysis. B.A.I. Bul. 105, pp. 49, 58. 1908; B.A.I. Bul. 146, pp. 55, 64. 1911.
  Styria, description. B.A.I. Bul. 105, p. 49. 1908; B.A.I. Bul. 146, p. 55. 1911.
  substitutes. Chem. Bul. 69, rev., Pts. I–IX, pp. 352, 356, 368, 423, 475, 580, 626. 1905–1906.
  supply of family for a week, and place in menu. F.B. 1228, pp. 11–12, 19. 1921.

INDEX TO PUBLICATIONS, 1901–1925 — 433

Cheese—Continued.
  sweet curd, description and process. B.A.I. Bul. 105, p. 50. 1908; B.A.I. Bul. 146, p. 55. 1911.
  Swiss—
    description, process and analysis. B.A.I. Bul. 105, p. 50. 1908; B.A.I. Bul. 146, p. 55. 1911.
    domestic, prices on Chicago market, 1900–1920. B.A.I. Doc. A-37, p. 34. 1922.
    experimental studies. B.A.I. An. Rpts., 1913, p. 82. 1914; B.A.I. Chief Rpt., 1913, p. 12. 1913.
    factory at Grove City, and quality of product. D.C. 139, pp. 5–6. 1920.
    gases, study. B.A.I. Bul. 151, pp. 1–32. 1912.
    gassy, fermentation. F.B. 237, pp. 29–32. 1905.
    investigations, in Minnesota. Albert Lea. B.A.I., An. Rpt , 1908, p. 74. 1910.
    manufacture, new developments. K. J. Matheson. B.A.I. Dairy [Misc.], "World's dairy congress, 1923," pp. 290–300. 1924.
    manufacture studies, 1922. An. Rpts., 1922, pp. 115, 116, 118, 121. 1923; B.A.I. Chief Rpt., 1922, pp. 17, 18, 20, 23. 1922.
    manufacture studies, 1923. An. Rpts., 1923, p. 217. 1924; B.A.I. Chief Rpt., 1923, p. 19. 1923.
    origin and description. F.B. 487, p. 10. 1912.
    starters, use of *Bacillus bulgaricus.* C. F. Doane and E. E. Eldredge. D.B. 148, pp. 16. 1915.
    use of "starters," experiments. An. Rpts., 1910, p. 239. 1911; B.A.I. Chief Rpt., 1910, p. 45. 1910.
    See also Cheese, Emmental.
  Switzerland, production and consumption, 1911–1918, imports and exports, 1885–1920. B.A.I. Doc. A-37, pp. 64–65. 1922.
  Tafi, description. B.A.I. Bul. 105, p. 50. 1908; B.A.I. Bul. 146, p. 55. 1911.
  Tamie, description and process. B.A.I. Bul. 105, p. 50. 1908; B.A.I. Bul. 146, p. 55. 1911.
  tariff rates, 1789–1922. Y.B., 1922, pp. 389–390. 1923; Y.B. Sep. 879, pp. 94–95. 1923.
  testing for tubercle bacilli. B.A.I., An. Rpt., 1909, pp. 188–189. 1911.
  Texel, description. B.A.I. Bul. 105, p. 50. 1908; B.A.I. Bul. 146, p. 56. 1911.
  Thenay, description, process and analysis. B.A.I. Bul. 105, pp. 50, 62. 1908; B.A.I. Bul. 146, pp. 56, 68. 1911.
  Tignard, description. B.A.I. Bul. 105, p. 50. 1908; B.A.I. Bul. 146, p. 56. 1911.
  Tilsit, description and process. B.A.I. Bul. 105, p. 51. 1908; B.A.I. Bul. 146, p. 56. 1911.
  Topfen, description, process and analysis. B.A.I. Bul. 105, pp. 16, 62. 1908; B.A.I. Bul. 146, pp. 17, 68. 1911.
  Toppen, description. B.A.I. Bul. 105, p. 51. 1908; B.A.I. Bul. 146, p. 56. 1911.
  trade, international—
    1901–1910. Stat. Bul. 103, pp. 10–11. 1913.
    1919. D.C. 71, pp. 8–21. 1919.
  Trappist, description, process, and analysis. B.A.I. Bul. 105, pp. 51, 62. 1908; B.A.I. Bul. 146, pp. 56, 68. 1911.
  Travnik, description and process. B.A.I. Bul. 105, p. 51. 1908; B.A.I. Bul. 146, p. 57. 1911.
  Troyes, description and analysis. B.A.I. Bul. 105, pp. 52, 62. 1908; B.A.I. Bul. 146, pp. 57, 68. 1911.
  Trouville, description and process. B.A.I. Bul. 105, p. 52. 1908; B.A.I. Bul. 146, p. 57. 1911.
  tubercle bacilli—
    infection experiments. An. Rpts., 1919, p. 135. 1920; B.A.I. Cir. 153, pp. 35–36. 1910; B.A.I. Chief Rpt., 1919, p. 63. 1919.
    occurrence. B.A.I. Cir. 143, pp. 189–193. 1909; B.A.I. An. Rpt., 1907, pp. 151–152, 189–193. 1909.
    viability. B.A.I. An. Rpt., 1909, pp. 187–191. 1911.
  tuberculous milk, effect on guinea pigs. B.A.I. Bul. 165, p. 11. 1913.
  Tworog, description and process. B.A.I. Bul. 105, p. 52. 1908; B.A.I. Bul. 146, p. 58. 1911.
  United Kingdom, imports and exports, 1850–1920. B.A.I. Doc. A-37, p. 68. 1922.

Cheese—Continued.
  Uri, description. B.A.I. Bul. 105, p. 52. 1908 B.A.I. Bul. 146, p. 58. 1911.
  use—
    as food in European countries. B.A.I. Cir. 166, pp. 19–20. 1911.
    as food, value. F.B. 487, pp. 11–12. 1912.
    with rice. F.B. 1195, pp. 12, 18. 1921.
  Vacherin, description, process, and analysis. B.A.I. Bul. 105, pp. 52, 62. 1908; B.A.I. Bul. 146, pp. 58, 68. 1911.
  value as meat substitute, recipes, digestibility. Y.B., 1910, pp. 360, 366–370. 1911; Y.B. Sep. 543, pp. 360, 366–370. 1911.
  varieties—
    descriptions, and analyses. C. F. Doane and H. W. Lawson. B.A.I. Bul. 146, pp. 78. 1911; B.A.I. Bul. 105, pp. 72. 1908; D.B. 608, pp. 80. 1918.
    labeling ruling. Chem. S.R.A. 18, pp. 46–47. 1916.
    made in France from goat and sheep milk. B.A.I. Bul. 68, p. 25. 1905.
    use in American homes. F.B. 487, pp. 8–11. 1912.
  vat, description and use. F.B. 1191, p. 5. 1921.
  vegetable, from soy beans, use in Japan. D.B. 439, p. 5, 1916.
  Vendome, description, process, and analysis. B.A.I. Bul. 105, pp. 52, 62. 1908; B.A.I. Bul. 146, pp. 56, 58. 1911.
  Villiers, description. B.A.I. Bul. 105, p. 52. 1908; B.A.I. Bul. 146, p. 58. 1911.
  Viterbo, description, process, and analysis. B.A.I. Bul. 105, pp. 39, 62. 1908; B.A.I. Bul. 149, pp. 43, 68. 1911.
  Void, description and process. B.A.I. Bul. 105, p. 53. 1908; B.A.I. Bul. 146, p. 58. 1911.
  warehouse handling and protection. Y.B. 1922, p. 356. 1923; Y.B. Sep. 879, p. 64. 1923.
  water extract, partial analysis, scheme. Chem. Bul. 152, p. 187. 1912.
  Weissiak, description. B.A.I. Bul. 105, p. 53. 1908; B.A.I. Bul. 146, p. 59. 1911.
  Wensleydale, description, process, and analysis. B.A.I. Bul. 105, pp. 53, 62. 1908; B.A.I. Bul. 146, pp. 59, 68. 1911.
  West Friesian, description. B.A.I. Bul. 105, p. 53. 1908; B.A.I. Bul. 146, p. 59. 1911.
  western, manufacturing cost, factory prices. News L , vol. 3, No. 33, p. 1. 1916.
  Westphalia sour milk, description. B.A.I. Bul. 105, p. 53. 1908; B.A.I. Bul. 146, p. 59. 1911.
  white, description. B.A.I. Bul. 105, p. 54. 1908; B.A.I. Bul. 146, p. 60. 1911.
  wholesale prices, U. S., 1902–1906. Y.B., 1906, p. 655. 1907; Y.B. Sep. 436, p. 655. 1907.
  with mushrooms, cooking recipe. F.B. 796, p. 21. 1917.
  with rice or macaroni, recipe. F.B. 712, p. 23. 1916.
  yield, dependent on constituents of milk. O.E.S. Bul. 166, pp. 17–23. 1906.
  yield per hundred pounds of milk. B.A.I. Doc. A-19, p. 4. 1917; D.B. 669, p. 12. 1918; F.B. 1191, p. 4. 1921.
  Ziegel, description and process. B.A.I. Bul. 105, p. 54. 1908; B.A.I. Bul. 146, p. 60. 1911.
  Ziger, description, process, and analysis. B.A.I. Bul. 105, pp. 54–55, 62. 1908; B.A.I. Bul. 146, pp. 60–61, 68. 1911; B.A.I. Bul. 486, p. 23. 1912.
Cheesecloth covering—
  for cucumber plants. D.C. 35, pp. 13, 14, 15, 16, 17. 1919.
  over tobacco seed bed, advantages. F.B. 1425, pp. 5–6. 1924.
Cheiloneurus diaspidinarum, parasitic on oyster-shell scale. Ent. Cir. 121, p. 6. 1910.
Cheilosia alaskensis, injuries to hemlock. Biol. Bul. 39, p. 64. 1911.
Cheiranthodendraceae, injury by sapsuckers. Biol. Bul. 39, pp. 47, 85. 1911.
Chelan National Forest, location, description, and camping privileges. D.C. 91, pp. 1–15. 1920; For. Map Fold. 1913.
Cheletia spp., description and habits. Rpt. 108, pp. 27, 28. 1915.
Cheletoides spp., description and habits. Rpt. pp. 27, 28. 1915.
Cheletopsis spp., description and habits. Rpt. 108, pp. 27, 28. 1915.

434   UNITED STATES DEPARTMENT OF AGRICULTURE

Chelidon erythrogaster. See Swallow, barn.
Chelidonium majus. See Celandine.
Chelinidea vittigera, description, injuries to cactus, and control. Ent. Bul. 113, pp. 17-20. 1912.
Chelone glabra. See Balmony.
Chelonia mydas. See Turtle, green.
Chelonus—
  blackburni, parasitic—
    enemy of tobacco splitworm. D.B. 59, p. 7. 1914; Hawaii Bul. 34, p. 10. 1914.
    growth on *Hymenia fascialis.* Ent. Bul. 109, Pt. I, p. 7. 1911.
  insularis, parasitic attack on grass worm, description. D. B. 192, p. 7. 1915.
  laticinctus, parasitic attack on cactus insect, *Melitara dentata.* Ent. Bul. 113, p. 28. 1912.
  texanus, parasitic attack on fall army worm. F.B. 752, p. 10. 1916.
Chelsea, Mass., milk supply, statistics, officials, and prices. B.A.I. Bul. 46, pp. 36, 94. 1903.
Chelymorpha cassidea, description, distribution, habits, and development. J.A.R., vol. 27, pp. 43-48. 1923.
Chemical(s)—
  adulterated. Chem. Bul. 80, pp. 1-47. 1904.
  analysis, unification of terms, report of committee on Association of Agricultural Colleges and Experiment Stations, discussion. O.E.S. Bul. 184, pp. 128-130. 1907.
  bindweed eradication, objections. F.B. 368, p. 18. 1909.
  cause of gummosis in citrus trees. J.A.R., vol, 24, pp. 226-227. 1923.
  composition of plants, influence of environment. Y.B. 1901, pp. 299-318. 1902.
  corn oil refining, cost. D.B. 1010, pp. 18-20, 21. 1922.
  cyanide fumigation, requirements. F.B. 1321, pp. 9-11. 1923.
  determinations in compounds, methods. An. Rpts., 1918, pp. 222-223. 1919; Chem. Chief Rpt., 1918, pp. 22-23. 1918.
  dyes, and preservative, regulations governing use. B.A.I.O. 137, amdt. 6, pp. 2. 1906.
  effects on virus of mosaic disease of tobacco. J.A.R. vol. 13, pp. 619-637. 1918.
  effect on wheat nematodes, in galls and without. D.B. 842, pp. 24-27. 1920.
  extinguishers, use, control of farm fires. F.B. 904, pp. 13-15. 1918.
  fumigation, standard quality. F.B. 923, pp. 10-12. 1918.
  high boiling point, toxicity to insect eggs. J.A.R., vol. 12, pp. 580-586. 1918.
  hydrocyanic-acid gas, requirements and formula. F.B. 880, pp. 6-9. 1917.
  meat-inspection regulations. B.A.I.O. 150, p. 31. 1908; B.A.I.S.A. 40, p. 52. 1910.
  methods, wood utilization. F. P. Veitch. Chem. Cir. 36, pp. 47. 1907.
  preservatives, use for apple juice, unnecessary, and law prohibition. F.B. 1264, p. 5. 1922.
  reagents—
    examination rejection. An. Rpts., 1911, pp. 437-438. 1912; Chem. Chief Rpt., 1911, pp. 23-24. 1911.
    purity, labels. Chem. Bul. 80, pp. 14-16. 1904.
    testing. Chem. [Misc.], "The testing of chemical * * *," pp. 5. 1905; Chem. Bul. 105, pp. 181-188. 1907.
  soil, testing in forest soils. D.B. 1059, pp. 129-135. 1922.
  stimulants in animal tissues. O.E.S. An. Rpt., 1908, p. 353. 1909.
  studies, barleys and malts, American. J. A. Le Clerc and Robert Wahl. Chem. Bul. 124, pp. 75. 1909.
  studies of some forest products. William H. King. Y.B., 1902, pp. 321-332. 1903.
  study, kafir kernel. George L. Bidwell. D.B. 634, pp. 6. 1918.
  terms, definitions. Chem. Bul. 164, p. 57. 1913.
  testing for volatility, and toxicity to insects. J.A.R., vol. 10, pp. 365-371. 1917.
  use for—
    American foulbrood. D.B. 809, pp. 31-32. 40, 41. 1920.
    removing stumps, worthlessness. F.B. 974, p. 29. 1918.

Chemical(s)—Continued.
  use in—
    burning stumps. B.P.I. Cir. 25, p. 12. 1909.
    control of quackgrass and other weeds. F.B. 1307, pp. 23-24. 1923.
    destruction of—
      stumps, unsuccessful. B.P.I. Bul. 239, p. 46. 1912.
      weeds. F.B. 124, pp. 19-21. 1901; F.B. 360, pp. 16-17. 1909; F.B. 1294, pp. 41-43. 1923.
    eradication of—
      barberry. D.C. 332, pp. 1-4. 1925; Sec. A.R. 1924, p. 66. 1924.
      poisonous plants. F.B. 720, p. 3. 1916.
    fly control. D.B. 408, pp. 5-17. 1916; F.B. 1408, pp. 11-13. 1924.
    in pulp making, strength, comparisons. D.B. 72, pp. 5-25. 1914.
    removal of stains from textiles. F.B. 861, pp. 5-8. 1917.
    soil disinfection. J.A.R., vol. 31, pp. 308-321, 329-358. 1925.
    weed extermination, restricted usefulness. Y.B., 1917, p. 213. 1918; Y. B. Sep. 732, p. 11. 1918.
    use on fowl ticks. News L., vol. 7, No. 11, p. 3. 1919.
    varieties, use in sap-stain prevention in lumber, experiments, cost. For. Cir. 192, pp. 10-14. 1911.
Chemical Corporation, Federal, control of Muscle Shoals. Off. Rec., vol. 1, No. 51, p. 3. 1922.
Chemist(s)—
  Association, Official Agricultural—
    convention proceedings—
      1900. Chem. Bul. 62; pp. 163. 1901.
      1901. Chem. Bul. 67, pp. 184. 1902.
      1902. Chem. Bul. 73, pp. 187. 1903.
      1903. Chem. Cir. 13, pp. 14. 1904; Chem. Bul. 81, pp. 252. 1904.
      1904. Chem. Bul. 90, pp. 254. 1905; Chem. Cir. 20, pp. 19. 1915.
      1905. Chem. Bul. 99, pp. 211. 1906; Chem. Cir. 26, pp. 16. 1906.
      1906. Chem. Bul. 105, pp. 213. 1907; Chem. Cir. 32, pp. 14. 1907.
      1907. Chem. Cir. 38, pp. 14. 1908; Chem. Bul. 116, pp. 143.
      1908. Chem. Bul. 122, pp. 248. 1909; Chem. Cir. 43, pp. 16. 1909.
      1909. Chem. Bul. 132, pp. 217. 1910; Chem. Cir. 52, pp. 32. 1910.
      1910. Chem. Bul. 137, pp. 211. 1911; Chem. Bul. 66, pp. 27. 1911.
    extracts from proceedings—
      1911. Chem. Cir. 90, pp. 19. 1912.
      1912. Chem. Cir. 108, pp. 18. 1912.
    cooperative work, 1906, fats and oils. L. M. Tolman. Chem. Cir. 27, pp. 6. 1906.
    methods of analysis. J. K. Haywood and others. Chem. Bul. 107, pp. 230. 1907.
    provisional methods of food analysis, Nov., 1901. H. W. Wiley and W. D. Bigelow. Chem. Bul. 65, pp. 169. 1902.
    titer test, cooperative work, 1904. Chem. Cir. 22, pp. 16. 1905.
  Hawaii Experiment Station report—
    1909. W. P. Kelley. Hawaii A. R., 1909, pp. 58-65. 1910.
    1910. W. P. Kelley. Hawaii A.R., 1910, pp. 41-50. 1911.
    1911. W. P. Kelley. Hawaii A.R., 1911, pp. 43-53. 1912.
    1912. William McGeorge. Hawaii A.R., 1912, pp. 51-63. 1913.
    1913. W. P. Kelley. Hawaii A.R., 1913, pp. 29-34. 1914.
    1914. W. P. Kelley. Hawaii A.R., 1914, pp. 25-28. 1915.
  International Association, Leather Trades, report on meeting, 1901. W. H. Krug. Chem. Bul. 67, pp. 147-149. 1902.
  nomenclature for analyses, preliminary report on. Chem. [Misc.], "Preliminary report on unification * * *," pp. 16. 1905.
  Porto Rico Experiment Station, report—
    1911. P. L. Gile. P.R. An. Rpt., 1911, pp. 15-23. 1912.
    1920. L. G. Willis and J. O. Carrero. P.R. An. Rpt., 1920, pp. 13-15. 1921.

Chemist(s)—Continued.
  report. See Chemistry Bureau, report of chief.
  State Highway, and Engineers, methods, recommendations. D.B. 949, pp. 98. 1921.
  Swiss, Analytical, Society, recommendations of coal-tar colors in foods. Chem. Bul. 147, pp. 43, 75–146. 1912.
Chemistry—
  agricultural—
    investigations by Chemistry Bureau. D.C. 137, pp. 19–21. 1922; Work and Exp. 1919, pp. 29–31. 1921.
    researches. Chem. Chief Rpt., 1922, pp. 2–7. 1922; An. Rpts., 1922, pp. 252–257. 1923.
    studies by experiment stations. Work and Exp. 1918, pp. 12, 29–30. 1920.
    studies, effects on farming. An. Rpts., 1908, pp. 168–170. 1909; Sec. A.R. 1908, pp. 167–169. 1908; Y. B. 1908, pp. 168–170. 1909.
    work, 1896–1908. Rpt. 87, pp. 87–88. 1908.
  analysis—
    methods. O. E. S. Bul. 159, p. 38. 1905.
    methods, recommendations. Chem. Bul. 99, pp. 151–158, 170–172. 1906.
    of Mexican plant, *Tecoma mollis* H.B.K. L. F. Kebler and A. Seidell. Chem. Cir. 24, pp. 6. 1905.
    applications to agriculture, exercises. K. L. Hatch. O.E.S. Bul. 195, pp. 22. 1908.
  cotton-plant—
    glands and histology. J.A.R., vol. 13, pp. 419–436. 1918.
    studies of upland cotton. J.A.R., vol. 13, pp. 345–352. 1918.
  discoveries, aid to agriculture. Sec. A.R., 1925, pp. 71–74, 75–76. 1925.
  fumigation, hydrocyanic-acid gas. Ent. Bul. 90, Pt. III, pp. 91–105. 1911; Ent. Bul. 90, pp. 91–105. 1912.
  laws applicable, appropriations, 1915. Sol. [Misc.], "Laws applicable * * *," Sup. 3, pp. 38–40. 1915.
  of steam-heated soils. Oswald Schreiner and Elbert C. Lathrop. Soils Bul. 89, pp. 37. 1912.
  physiological, animal and vegetable, work, 1909. Chem. Chief Rpt., 1909, pp. 6–10, 60. 1909; An. Rpts., 1909, pp. 416–420, 470. 1910; Chem. Cir. 14, pp. 14–15. 1908.
  publications, list. Chem. [Misc.], "Publications of Bureau * * *," pp. 7. 1901; rev., pp. 7. 1902; rev., pp. 7. 1903.
  research work on food products. Sec. A.R., 1916, pp. 37–38. 1916; An. Rpts., 1916, pp. 35–36. 1917.
  Service and Regulatory Announcements 1–22, index. Chem. S.R.A., Index, 1918, pp. 34. 1918.
  soil, relation to crop production. Milton Whitney and F. K. Cameron. Soils Bul. 22, pp. 71. 1903.
  soil, variations in soil composition. W. O. Robinson and others. D.B. 551, pp. 16. 1917.
  sweet-clover silage in comparison with alfalfa silage. C. O. Swanson and E. L. Tague. J.A.R., vol. 15, pp. 113–132. 1918.
  teaching in American agricultural colleges, address by W. A. Withers. Chem. Bul. 137, pp. 91–97. 1911.
  unification of terms for analyses, preliminary report. Chem. [Misc.], "Preliminary report on unification * * *," pp. 16. 1905.
Chemistry Bureau—
  aid in food conservation work, and war foods. An. Rpts., 1917, pp. 30–31, 35. 1918; Sec. A.R., 1917, pp. 32–33, 37. 1917.
  aid to housekeepers. Y.B., 1913, p. 146. 1914; Y.B. Sep. 621, p. 146. 1914.
  appropriations—
    1910 disbursements. Accts. Chief Rpt., 1910, pp. 8–9, 53. 1910; An. Rpts., 1910, pp. 570–571, 615. 1911.
    1911 disbursements. Accts. Chief Rpt., 1911, pp. 12–13, 18. 1911; An. Rpts., 1911, pp. 558–559, 564. 1912.
    1912 disbursements. Accts. Chief Rpt., 1912, pp. 13, 26, 32. 1912; An. Rpts., 1912, pp. 689, 702, 708. 1913.
    1915. Sol. [Misc.], "Laws applicable * * *," Sup. 2, pp. 68–7. 1915.

Chemistry Bureau—Continued.
  appropriations—continued.
    1916. Sol. [Misc.], "Laws applicable * * *," Sup. 4, pp., 48–51. 1917.
  collaboration with other departments. Chem. Chief Rpt., 1918, pp. 23–24. 1918; An. Rpts., 1918, pp. 223–224. 1919; D.C. 137, pp. 21–22. 1922.
  cooperation with other departments, and with States. An. Rpts., 1917, pp. 207, 209–210. 1917; Chem. Chief Rpt., 1917, pp. 9, 11–12. 1917
  development work, office, scope, and value. D.C. 137, p. 23. 1922.
  exhibit at Pan American Exposition, Buffalo, 1901. E. E. Ewell and others. Chem. Bul. 63, pp. 29. 1901.
  field regulatory service, officials and locations. D.C. 137, p. 4. 1922.
  food officials—
    1904. Chem. Cir. 16, p. 2. 1904.
    1905. Chem. Cir. 16, rev., pp. 2–3. 1905.
    July 1, 1911. Chem. Cir. 16, rev., pp. 2–3. 1911.
  food work, results on food products. An. Rpts., 1916, pp. 33–34, 35–36. 1917; Sec. A.R., 1916, pp. 35–36, 37–38. 1916; Y.B., 1916, pp. 46–51. 1917.
  force, growth, 1881–1908. An. Rpts., 1908, p. 775. 1909; Appt. Clerk A.R., 1908, p. 7. 1909.
  formaldehyde determination, method for foods. Chem. Bul. 90, pp. 50–51. 1905.
  fraud-order work. News L. vol. 6, No. 40, p. 16. 1919.
  instructions to officials, analysts and inspectors. Chem. [Misc.], "Food and drug manual," pp. 155. 1920.
  laboratories, officials in charge. D.C. 137, p. 3. 1922.
  laws relating to, Aug. 28, 1912–Mar. 1, 1913. Sol. [Misc.], "Laws applicable * * *," Supp. 1, pp. 36–38. 1913.
  library report. See Library, annual reports.
  limitation of investigations. Chem. Cir. 14, p. 1. 1908.
  lithium determination methods. Chem. Bul. 153, pp. 17, 31. 1912.
  methods of determining arsenic in papers and fabrics. Chem. Bul. 86, pp. 25–27. 1904.
  Miscellaneous Division, organization and duties. Chem. Cir. 14, pp. 9–11. 1908.
  motion picture films, list. D.C. 233, p. 13. 1922; D.C. 114, p. 21. 1920.
  naval stores act, enforcement. Off. Rec., vol. 2, No. 17, p. 2. 1923.
  organization—
    1904. Chem. Cir. 14, pp. 15. 1904.
    1905. Y.B., 1905, p. 565. 1906; Y.B. Sep. 405, p. 565. 1906.
    1906. Chem. Cir. 14, pp., 18. rev., 1906.
    1907. Y.B., 1907, p. 501. 1908; Y.B. Sep. 464, p. 501. 1908; Pub. Cir. 1, pp. 19–23. 1907; Chem. Cir. 14, rev., pp. 23. 1907.
    1908. Y.B., 1908, p. 494. 1908; Y.B. Sep. 497, p. 494. 1908; Chem. Cir. 14, pp. 27. 1908.
    1909. Pub. Cir. 1, pp. 23–28. 1909.
    1910. Chem. Cir. 14, pp. 29. 1910.
    1912. Pub. Cir. 1, rev., pp. 26–33. 1912.
    1913. Pub. [Misc.], "Organization of the Department * * *," pp. 16–19. 1913.
  program of work, 1915. Sec. [Misc.], "Program of work * * *, 1915," pp. 179–205. 1914.
  1920. D.C. 137, pp. 23. 1920
  and establishment. Sol. [Misc.], A * * * "statutory history," p. 13. 1916.
  growth since 1881, and status, 1909. An. Rpts., 1909, pp. 797–798, 808. 1910; Appt. Clerk A.R., 1909, pp. 9–10, 20. 1909.
  preparation of data for enforcement of laws. Chem. Cir. 16, rev., p. 2. 1908.
  publications, issuance and value. D.C. 137, p. 23. 1922.
  regulations for packing canned foods. F.B. 1211, pp. 31–32. 1921.
  regulatory work, 1922. D.C. 137, pp. 6–18. 1922.
  reorganization, 1914. An. Rpts., 1914, pp. 165–166. 1914; Chem. Chief Rpt., 1914, pp. 1–2. 1914.
  report of chief—
    1901. H. W. Wiley. Chem. Chief Rpt., 1901, pp. 95–111. 1901.

Chemistry Bureau—Continued.
report of chief—continued
   1902. H. W. Wiley. Chem. Chief Rpt., 1902, pp. 137-154. 1902.
   1903. H. W. Wiley. An. Rpts., 1903, pp. 171-197. 1903; Chem. Chief Rpt., 1903, pp. 27. 1903.
   1904. H. W. Wiley. An. Rpts., 1904, pp. 207-240. 1904; Chem. Chief Rpt., 1904, pp. 34. 1904.
   1905. H. W. Wiley. An. Rpts., 1905, pp. 495-523. 1906.
   1906. H. W. Wiley. An. Rpts., 1906, pp. 307-331. 1907; Chem. Chief Rpt., 1906, pp. 25. 1906.
   1907. H. W. Wiley. An. Rpt., 1907, pp. 381-409. 1908; Chem. Chief Rpt., 1907, pp. 31. 1907.
   1908. H. W. Wiley. An. Rpts., 1908, pp. 449-498. 1909; Chem. Chief Rpt., 1908, pp. 54. 1908.
   1909. H. W. Wiley. An. Rpts., 1909, pp. 415-471. 1910; Chem. Chief Rpt., 1909, pp. 61. 1909.
   1910. H. W. Wiley. An. Rpts., 1910, pp. 429-491. 1911; Chem. Chief Rpt., 1910, pp. 67. 1910.
   1911. H. W. Wiley. An. Rpts., 1911, pp. 419-473. 1912; Chem. Chief Rpt., 1911, pp. 59. 1911.
   1912. R. E. Doolittle, acting chemist. An. Rpts., 1912, pp. 555-604. 1913; Chem. Chief Rpt., 1912, pp. 54. 1912.
   1913. Carl L. Alsberg. An. Rpts., 1913, pp. 191-199. 1914; Chem. Chief Rpt., 1913, pp. 9. 1913.
   1914. Carl L. Alsberg. An. Rpts., 1914, pp. 165-174. 1914; Chem. Chief Rpt., 1914 pp. 10. 1914.
   1915. Carl L. Alsberg. An. Rpts., 1915, pp. 191-200. 1916; Chem. Chief Rpt., 1915, pp. 10. 1915.
   1916. Car' L. Alsberg. An. Rpts., 1916, pp. 191-204. 1917; Chem. Chief Rpt., 1916, pp. 14. 1916.
   1917. Carl L. Alsberg. An. Rpts., 1917, pp. 199-218. 1918; Chem. Chief Rpt., 1917, pp. 20. 1917.
   1918. Carl L. Alsberg. An. Rpts., 1918, pp. 201-224. 1919; Chem. Chief Rpt., 1918, pp. 24. 1918.
   1919. Carl L. Alsberg. An. Rpts., 1919, pp. 211-234. 1920; Chem. Chief Rpt., 1919, pp. 24. 1919.
   1920. Carl L. Alsberg. An. Rpts., 1920, pp. 255-284. 1921; Chem. Chief Rpt., 1920, pp. 30. 1920.
   1921. Carl L. Alsberg. Chem. Chief Rpt., 1921, pp. 48. 1921.
   1922. W. G. Campbell, acting chief. An. Rpts., 1922, pp. 251-288. 1923; Chem. Chief Rpt., 1922, pp. 38. 1922.
   1923. W. G. Campbell, acting chief. An. Rpts., 1923, pp. 345-372. 1924; Chem. Chief Rpt., 1923, pp. 28. 1923.
   1924. C. A. Browne. Chem. Chief Rpt., 1924, pp. 26. 1924.
   1925. C. A. Browne. Chem. Chief Rpt., 1925, pp. 23. 1925.
research work with food and drugs. D.C. 137, pp. 18-21. 1922.
sardine investigations. D.B. 908, p. 6. 1921.
studies on fruit ripening, cooperation of Experiment Stations Office. Y.B. 1911, pp. 492, 493. 1912; Y.B. Sep. 586, pp. 492, 493. 1912.
units charged with enforcement of food and drugs law, duties. Chem. [Misc.] "Food and drug manual," pp. 21-24. 1920.
waste prevention work. Off. Rec., vol. 3, No. 4, p. 2. 1924.
work on naval stores. Off. Rec., vol. 4, No. 19, p. 6. 1925.
See also Agriculture, workers.
Chemlali, Algerian name for olive. B.P.I. Bul. 180, p. 19. 1910.
Chen spp. See Goose.
CHENEY, W. W., importation of Angora goats. B.A.I. Bul. 27, p. 19. 1906.
Chenopodium—
   acuminatum, importation. No. 44570, B.P.I. Inv. 51, p. 26. 1922.

Chenopodium—Continued.
album—
   description. D.B. 1345, pp. 18-19. 1925.
   description and importation. No. 51214, B.P.I. Inv. 64, pp. 4, 76. 1923; No. 53898, B.P.I. Inv. 68, p. 5. 1923.
   See also Lamb's quarters.
anthelmintic, comparison with carbon tetrachloride. J.A.R., vol. 23, pp. 163, 168, 177, 179, 187. 1923.
anthelminticum. See Wormseed, American.
   efficacy as an anthelmintic. J.A.R., vol. 21, No. 2, pp. 169-170. 1921.
humile. See Goosefoot.
oil—
   chemical investigation. E. K. Nelson. Chem. Cir. 73, pp. 10. 1911; Chem. Cir. 109, pp. 8. 1913.
   toxic action. An. Rpts., 1916, p. 195. 1917; Chem. Chief Rpt., 1916, p. 5. 1916.
   use—
      against dog worms. D.C. 338, p. 18. 1925.
      as anthelmintic, tests on various animals. J.A.R., vol. 12, pp. 429-439. 1918.
      in control of hookworms in sheep. F.B. 1330. pp. 46-47. 1923.
      vehicle for worm destroyer. J.A.R., vol. 30, p. 951. 1925.
quinoa. See Quinoa.
source of wormseed oil. Chem. Cir. 73, p. 1. 1911.
spp.—
   description. D.B. 1345, pp. 18-21. 1925.
   importations and descriptions. Nos. 37969-37970, B.P.I. Inv. 39, p. 73. 1917; Nos. 41335, 41340, B.P.I. Inv. 45, pp. 5, 16, 18. 1918; Nos. 45524, 45536, 45610, B.P.I. Inv. 53, pp. 47, 49, 68. 1922; Nos 45721-45723, 45857, B.P.I. Inv. 54, pp. 4, 10, 31. 1922; Nos. 46308-46309, 46311, B.P.I. Inv. 56, pp. 1, 6, 7. 1922; Nos. 46632, 46653, 46658, 46713, 46896, B.P.I. Inv. 57, pp. 7, 14, 17, 23, 48. 1922.
use as pig vermifuge. F.B. 1244, p. 24. 1923.
Chenstohow, wine, misbranding. Chem. N.J. 3220. 1914.
Cherimoya—
   cultivation in Hawaii. Hawaii A.R., 1907, pp. 54-55. 1908.
   fungous attack by Gloeosporium rufomaculans, studies. B.P.I. Bul. 252, p. 17. 1913.
   importations and descriptions. Nos. 29350, 29514, 30377, B.P.I. Bul. 233, pp. 13, 28, 82. 1912; Nos. 32298-32301, B.P.I. Bul. 261, pp. 9, 53. 1912; No. 33184, B.P.I. Bul. 282, pp. 79-80. 1913; No. 35283, B.P.I. Inv. 35, pp. 32-33. 1915; Nos. 37118, 37221, B.P.I. Inv. 38, pp. 39, 47. 1917; Nos. 39352, 39359, B.P.I. Inv. 41, pp. 14, 17. 1917; No. 39834, B.P.I. Inv. 42, p. 24. 1918; Nos. 40554, 40779, B.P.I. Inv. 43, pp. 45, 80. 1918; Nos. 41805-41807, B.P.I. Inv. 46, p. 23. 1919; No. 42811, B.P.I. Inv. 47, p. 69. 1920; No. 43293, B.P.I. Inv. 48, p. 40. 1921; Nos. 43485, 43763, 43927, B.P.I. Inv. 49, pp. 34, 74, 96. 1921; No. 44251, B.P.I. Inv. 50, p. 48. 1922; Nos. 44568, 44811, B.P.I. Inv. 51, pp. 26, 77. 1922; No. 45576, B.P.I. Inv. 53, p. 61. 1922; No. 53594, B.P.I. Inv. 67, p. 67. 1923.
   introduction into Guam, experiments. Guam A.R., 1913, p. 19. 1914.
See also Anona.
Chermes—
   alni. See Prociphigus tessellata.
   cooleyi, control by spraying. J.A.R., vol. 10, p. 102. 1917.
   cooleyi. See also Gall aphid, Sitka spruce.
   pinicorticis, injury to pine bark, similarity to blister rust. B.P.I. Cir. 129, p. 10. 1913.
CHERNOFF, L. W.: "Chemistry of the cotton plant, with special reference to upland cotton." With others. J.A.R., vol. 13, pp. 345-352. 1918.
Cheroots, internal-revenue rates. Y.B., 1919, p. 171. 1920; Y.B. Sep. 805, p. 171. 1920.
Cherry(ies)—
   adulteration. Chem. N.J. 2817. 1914.
   Alternaria rot. F.B. 1435, pp. 1-2, 11. 1924.
   aphid, control. F.B. 908, p. 91. 1918.
   aphid, distribution, habits, and history. F.B. 804, pp. 22-25. 1917; F.B. 1128, pp. 20-24, 47-48. 1920.
   Asiatic variety, introduction. B.P.I. Bul. 176, p. 21. 1910.

Cherry(ies)—Continued.
  autumn-blooming, description. No. 41566, B.P.I. Inv. 45, p. 47. 1918.
  balsam, misbranding. Dr. Kennedy's. Chem. N.J., 1234, pp. 3. 1912.
  Barbados, cultivation in Porto Rico. Porto Rico A.R., 1907, p. 23. 1908.
  beetle, description. Sec. [Misc.], "A manual * * * insects" * * *, p. 174. 1917.
  beetle, green, description. Sec. [Misc.], "A manual * * * insects * * *," p. 172. 1917.
  bird—
    description, distribution, and varieties. D.B. 179, pp. 60-64. 1915.
    importation and description. No. 36723, B.P.I. Inv. 37, p. 57. 1916.
    Japanese, importation and description. No. 40067, B.P.I. Inv. 42, p. 64. 1918.
    leaf-beetle attacks. D.B. 352, p. 2. 1916.
    Manchurian, importation. No. 45683, B.P.I. Inv. 53, p. 78. 1922.
  bitter, description, range, occurrence on Pacific slope. For. [Misc.], "Forest trees * * * Pacific * * *," pp. 354-356. 1908.
  black—
    aphid, description and history. F.B. 804, pp. 22-24. 1917.
    description, range, habits, uses, propagation, and planting directions. For. Cir. 94, pp. 1-3. 1907.
    from Peru, stock for sweet cherry. No. 36371, B.P.I. Inv. 37, pp. 8, 19. 1916.
    injury from gipsy moth. D.B. 204, p. 15. 1915.
    black-knot, use by plum curculio. Ent. Bul. 103, pp. 33, 37-38. 1912.
  blue-mold rot. F.B. 1435, pp. 3-5. 1924.
  borer, description. Sec. [Misc.], "A manual of insects * * *," p. 177. 1917.
  botanical classification and relationships. D.B. 359, p. 2. 1916.
  boxes, varying sizes used. F.B. 1196, p. 28. 1921.
  brandy, adulteration and misbranding. Chem. N.J. 2731, pp. 3-4, 5. 1914.
  brown-rot, control in Pacific Northwest. D. F. Fisher and Charles Brooks. F.B. 1410, pp. 13. 1924.
  brown-rot, Pacific Northwest, and prunes. Charles Brooks and D. F. Fisher. D.B. 368, pp. 10. 1916.
  budding with rosetted peach buds, results. J.A.R., vol. 24, pp. 312-313. 1923.
  bud-rot, caused by *Fusarium gemmiperda*. J.A.R., vol. 26, p. 507. 1923.
  bug, description. Sec. [Misc.], "A manual of * * * insects * * *," p. 172. 1917.
  bush, importations and descriptions. No. 28945, B.P.I. Bul. 227, pp. 7, 18. 1911; Nos. 36086, 36109, 36111, B.P.I. Inv. 36, pp. 7, 50, 54. 1915; Nos. 55608, 55781, B.P.I. Inv. 72, pp. 10 34. 1924.
  bush, study as jelly-making fruit. B.P.I. Chief Rpt., 1924, p. 9. 1924.
  bushel weights, Federal and State. Y.B., 1918, p. 723. 1919; Y.B. Sep. 795, p. 59. 1919.
  by-products, utilization. Frank Rabak. D.B. 350, pp. 24. 1916.
  canned, adulteration. See *Indexes to Notices of Judgment, in bound volumes and in separates published as supplements to Chemistry Service and Regulatory Announcements*.
  canning—
    directions. F.B. 839, pp. 19-20, 30. 1917.
    inspection instructions. D.B. 1084, pp. 23-24. 1922.
    methods, effect of various sirups. D.B. 196, pp. 37-40. 1915.
    seasons. Chem. Bul. 151, pp. 34, 38. 1912.
  Capulin, introduction. Off. Rec., vol. 4, No. 34, p. 2. 1925.
  care and handling, effect on markets. News L., vol. 3, No. 39, pp. 2-3. 1916.
  case-bearer—
    description. Sec. [Misc.], "A manual * * * insects * * *," p. 175. 1917.
    distribution, description, history, and control. Ent. Bul. 80, Pt. II, pp. 33-34. 1909; Ent. Bul. 80, pp. 33-34. 1912.
    characters. F.B. 468, p. 41. 1911.

Cherry(ies)—Continued.
  characters and varieties on Pacific slope. For. [Misc.], "Forest trees for Pacific * * *," pp. 354-361. 1908.
  Chinese—
    adaptability for California. News L., vol. 3, No. 32, p. 2. 1916.
    early, introduction and value. Y.B., 1915, p. 217. 1916; Y.B. Sep. 671, p. 217. 1916.
    importations and descriptions. Nos. 36107, 36108, B.P.I. Inv. 36, p. 53. 1915; No. 54757, B.P.I. Inv. 70, p. 16. 1923.
    testing, propagation, and value. Y.B., 1916, pp. 141-142. 1917; Y.B. Sep. 687, pp. 7-8. 1917.
  chocolate-covered, adulteration and misbranding. Chem. N.J. 12797. 1925.
  commercial importance, growing and packing. D.B. 350, pp. 2-3. 1916.
  composition, analytical data. Chem. Bul. 66, rev., pp. 41, 44, 45. 1905.
  consumption in Arkansas, amount, value. For. Bul. 106, pp. 7, 11, 16, 22, 32, 38. 1912.
  cooling, effect on resistance to wounding, tests. D.B. 830, pp. 2, 4, 6. 1920.
  cordial, adulteration and misbranding. Chem. N.J. 1851, pp. 2. 1913; Chem. N.J. 1877, pp. 2. 1913.
  creme de menthe, misbranding. Chem. N.J. 1432, pp. 2. 1912; Chem. N.J. 1672, pp. 2-3. 1912.
  cultivation in Alaska. Alaska A.R., 1907, p. 35. 1908.
  damage from rots, effect of temperature. J.A.R., vol. 22, pp. 451-452. 1921.
  description and key. D.C. 223, pp. 5, 9. 1922.
  destruction by—
    leaf beetle. D.B. 352, pp. 3-6. 1916.
    starlings. D.B. 868, pp. 26-28, 39, 44. 1921.
    tanagers. Biol. Bul. 30, pp. 23-25. 1907.
  disease(s)—
    bacterial, cause and control. S.R.S. Rpt., 1916, Pt. I, p. 78. 1918.
    prevention by spraying. F.B. 435, pp. 14, 15. 1911; F.B. 776, p. 24. 1916.
    treatment by use of fungicides. F.B. 243, p. 22. 1906.
  dried—
    adulteration. Chem. N.J. 1333, p. 1. 1912; Chem. N.J. 2369, p. 1. 1913.
    and candied, production and uses. Y.B., 1912, pp. 511, 520. 1913; Y.B. Sep. 610, pp. 511, 520. 1913.
    cooking recipes. F.B. 841, p. 28. 1917.
  drought-resistant, introduction from Asia. An. Rpts., 1910, p. 78. 1911; Sec. A.R., 1910, p. 78. 1910; Y.B., 1910, p. 77. 1911.
  drying, directions. D.B. 1141, p. 50. 1923; D.B. 1335, p. 34. 1925; D.C. 3, p. 21. 1919; F.B. 841, p. 24. 1917; F.B. 984, p. 44. 1918.
  Duke, growth habit and pruning directions, and varieties. F.B. 776, pp. 21-22, 30, 34. 1916.
  Duke, list. B.P.I. Bul. 151, p. 27. 1909.
  English Morello, characteristics. F.B. 776, pp. 29, 31. 1916.
  evaporating by artificial heat, details. F.B. 903, p. 35. 1917.
  flowering, importations and descriptions. Nos. 39743-39798, 39820-39826, 39902, 40190, B.P.I. Inv. 42, pp. 8, 19, 22, 35, 88. 1918; Nos. 41817-41870, B.P.I. Inv. 46, pp. 7, 25-26. 1919; Nos. 44296-44311, B.P.I. Inv. 50, pp. 55-56. 1922; Nos. 45248, 45684, B.P.I. Inv. 53, pp. 9, 18, 73, 78. 1922; No. 45709, B.P.I. Inv. 54, p. 8. 1922; Nos. 47132-47145, B.P.I. Inv. 58, pp. 7, 28-31. 1922; No. 47567, B.P.I. Inv. 59, p. 32. 1922.
  food value, analysis and comparison with other fruits. F.B. 685, p. 21. 1915.
  freezing points. D.B. 1133, pp. 3, 4, 5, 7. 1923.
  French, infestation with Mediterranean fruit fly in Hawaii. D.B. 536, pp. 24, 36. 1918.
  fruit—
    fly. F. H. Chittenden. Ent. Bul. 44, pp. 70-75. 1904.
    rot control by spraying. D.B. 368, pp. 9-10. 1916.
  sawfly—
    description, life history, and control. Ent. Bul. 116, pt. 3, pp. 73-79. 1913.
    parasites. Ent. Bul. 116, Pt. III, p. 78. 1913.

Cherry(ies)—Continued.
  fruiting season and use as bird food. F.B. 844, pp. 11, 13, 14, 15. 1917.
  growing—
    east of the Rocky Mountains. H. P. Gould. F.B. 776, pp. 37. 1916.
    for home use, planting season, distance. F.B. 1001, pp. 4, 5, 8, 19. 1919.
    in Alaska—
      1914, failure to set fruit. Alaska A.R., 1914, p. 16. 1915.
      1915, experiments. Alaska A.R., 1915, pp. 11–12, 31, 37. 1916.
    in—
      California, Healdsburg area, details. Soil Sur. Adv. Sh., 1915, p. 13. 1917; Soils F.O., 1915, p. 2207. 1919.
      California, San Francisco Bay region. Soil Sur. Adv. Sh., 1914, p. 21. 1917; Soils F.O., 1914, p. 2693. 1919.
      Colorado, Uncompaghre Valley area, varieties and value. Soil Sur. Adv. Sh., 1910, p. 20. 1912; Soils F.O., 1910, p. 1458. 1912.
      Idaho, Nez Perce and Lewis Counties. Soil Sur. Adv. Sh., 1917, pp. 14, 15, 25–31. 1920; Soils F.O., 1917, pp. 2130, 2131, 2141–2147. 1923.
      Idaho, Twin Falls area. Soil Sur. Adv. Sh., 1921, p. 1386. 1925.
      Montana, Bitterroot Valley area, varieties and diseases. Soil Sur. Adv. Sh., 1914; pp. 13, 29, 30, 38, 68. 1917; Soils F.O., 1914, pp. 2471, 2487, 2488, 2496, 2526. 1919.
      New Mexico, middle Rio Grande Valley, varieties. Soil Sur. Adv. Sh., 1912, p. 13. 1914; Soils F.O., 1912, p. 1971. 1915.
      Ohio, Sandusky County. Soil Sur. Adv. Sh., 1917, pp. 10, 53. 1920; Soils F.O., 1917, pp. 1084, 1127. 1923.
      Oregon, Umatilla Experiment Farm, variety tests. W.I.A. Cir. 26, p. 25. 1919.
      Oregon, Yamhill County. Soil Sur. Adv. Sh., 1917, pp. 15, 26, 27, 31, 32. 1920; Soils F.O., 1917, pp. 2269, 2280, 2281, 2285, 2286. 1923.
      Utah, Cache Valley area, varieties and yield. Soil Sur. Adv. Sh., 1913, p. 18. 1915; Soils F.O., 1914, p. 2112. 1916.
      Washington, Benton County. Soil Sur. Adv. Sh., 1916, pp. 13, 53. 1919; Soils F.O., 1916, pp. 2211, 2251. 1921.
      Washington, Wenatchee area. Soil Sur. Adv. Sh., 1918, pp. 12–20, 44, 49, 72. 1922; Soils F.O., 1918, pp. 1552–1560, 1584, 1589, 1612. 1924.
      West Virginia, Tennessee, and Kentucky. D.B. 1189, pp. 54–55. 1923.
      Wisconsin, Door County. Soil Sur. Adv. Sh., 1916, pp. 12, 14–17, 25, 26. 1918; Soils F.O., 1916, pp. 1748–1751, 1759, 1760. 1921.
    number of trees and acreage. Sec. [Misc.] Spec. "Geography * * * world's agriculture, pp. 78, 81. 1917.
  Guatemalan. See Cereza.
  gummosis study, resistant varieties. Work and Exp., 1914, p. 195. 1915.
  handling, necessity of prompt action. D.B. 331, pp. 10–12, 13. 1916.
  hardy, importations from Siberia. Nos. 32224–32226, B.P.I. Bul. 261, pp. 43–44. 1912.
  hardy varieties, tests, Huntley, Montana. W.I.A. Cir.-2, p. 20. 1915.
  heart and bigarreau, list. B.P.I. Bul. 151, p. 26. 1909.
  Himalayan, importations and description. Nos. 47766, 47767, B.P.I. Inv. 59, pp. 8, 57. 1922.
  hollyleaf—
    description, range, and occurrence on Pacific slope. For. [Misc.], "Forest trees for Pacific * * *," pp. 359–361. 1908.
    occurrence in chaparral, valuable qualities. For. Bul. 85, pp. 11, 33, 36, 37. 1911.
  hybrids, importation from Russia. Nos. 33657–33665, B.P.I. Inv. 31, pp. 6, 41–42. 1914.

Cherry(ies)—Continued.
  importations and description. Nos. 30316–30318, 30362, 30363, B.P.I. Bul. 233, pp. 75, 76, 80–81. 1912; Nos. 37642, 37645, 37646, B.P.I. Inv. 38, pp. 90, 91, 92. 1917; Nos. 37680, 37686–37688, 38157, 38206–38207, 38637, B.P.I. Inv. 39, pp. 18, 19, 96, 103, 155. 1917; Nos. 38684, 38761, 38856, 39121, 39175, B.P.I. Inv. 40, pp. 10, 25, 37, 78, 87. 1917; Nos. 42439, 42576, 42581–42584, B.P.I. Inv. 47, pp. 13, 30, 31. 1920; Nos. 43740, 43866, 43869, B.P.I. Inv. 49, pp. 71, 88, 89. 1921; Nos. 44538, 44539, B.P.I. Inv. 51, pp. 20, 21. 1922; Nos. 46432, 46533, 46534, B.P.I. Inv. 56, pp. 17, 24. 1922; Nos. 53415–53426, 53442, B.P.I. Inv. 67, p. 49. 1923; Nos. 55417, 55476, 55498, 55500, B.P.I. Inv. 71, pp. 2, 41, 47, 51. 1923; Nos. 55822, 55940, B.P.I. Inv. 73, pp. 6, 19. 1924.
  Indian, injury to trees by sapsuckers. Biol. Bul. 39, p. 46. 1911.
  infestation with Mediterranean fruit fly. Ent. Cir. 160, pp. 5–13. 1912.
  injury by—
    birds, prevention. F.B. 776, pp. 24–25. 1916.
    Laspeyresia molesta. J.A.R., vol. 7, pp. 375, 378. 1916.
    lesser peach borer. Ent. Bul. 68, Pt. IV, pp. 32, 33. 1907.
    oriental peach moth. J.A.R. vol. 13, pp. 62, 63. 1918.
    pear thrips. D.B. 173, pp. 13, 18. 1915.
    pith-ray flecks. For. Cir. 215, p. 10. 1913.
    plum curculio. Ent. Bul. 103, p. 36. 1912.
    sawfly. Ent. Bul. 116, Pt. III, pp. 74, 77. 1913.
  insect(s)—
    description and control. F.B. 908, pp. 91–93. 1918; F.B. 776, p. 24. 1916.
    pests, descriptions and list. Sec. [Misc.], "A manual * * * insects * * *," pp. 17, 20, 21, 109, 110, 113, 115, 172–180. 1917.
  introduction—
    description, and value. B.P.I. [Misc.], "New plant introductions, 1917–1918," pp. 60, 61, 62, 63–65, 66. 1917.
    from Asia. An. Rpts., 1910, pp. 78, 356. 1911; B.P.I. Chief Rpt., 1910, p. 86. 1910; Sec. A.R., 1910, p. 78. 1910; Y.B., 1910, p. 77. 1911.
  jam adulteration. Chem. N.J. 1235, pp. 3. 1912.
  Japanese—
    gift of city of Tokyo to President's wife. Sec. A.R., 1912, p. 77. 1912; An. Rpts., 1912, p. 77. 1913; Y.B., 1912, p. 77. 1913.
    importation and description. No. 40620, B.P.I. Inv. 43, p. 57. 1918; No. 40620, B.P.I. Inv. 43, p. 57. 1918.
    insect infestation and destruction. An. Rpts., 1910, p. 542. 1911; Ent. A.R., 1910, p. 38. 1910.
    introduction. An. Rpts., 1916, p. 150. 1917; B.P.I. Chief Rpt., 1916, p. 14. 1916.
    varieties, introduction, and description. B.P.I. Bul. 205, pp. 9, 30–31. 1911.
  jelly with pectin, directions. D.C. 254, p. 7. 1923.
  juice—
    extraction, sterilization, etc., experiments. D.B. 241, pp. 14, 19. 1915.
    products, commercial, obtainable. D.B. 350, pp. 22–24. 1916.
  Kurgan, importation and description. Nos. 32224–32226, B.P.I. Bul. 261, pp. 43–44. 1912.
  labor requirements. D.B. 1181, pp. 7, 48, 61, 1924.
  Lambert, origin, description. Y.B., 1907, pp. 307–309. 1908; Y.B. Sep. 450, pp. 307–309. 1908.
  leaf-beetle—
    control. F.B. 908, p. 93. 1918.
    development studies, Pennsylvania, 1915. D.B. 352, pp. 13–18. 1916.
    life history and control. J.A.R., vol. 5, No. 20, pp. 943–950. 1916.
    importance as enemy of cherries. R. A. Cushman and Dwight Isely. D.B. 352, pp. 28. 1916.

Cherry(ies)—Continued.
  leaf spot—
    control. John W. Roberts and Leslie Pierce. F.B.1053, pp. 8. 1919.
    experiments. B.P.I. Cir. 27, pp. 12-15. 1909.
    studies in 1923. Work and Exp., 1923, p. 39. 1925.
  leaves, poisonous to cattle. B.A.I. [Misc.], "Diseases of cattle," rev. p. 69. 1923.
  maggot, description. Ent. T.B. 22, p. 33. 1912.
  maraschino, adulteration and misbranding. See Indexes to Chemistry Notices of Judgment.
  Marasque description, and country of origin. Chem. N.J. 1664, p. 4. 1912.
  marketing—
    bibliography. M. C. 35, p. 39. 1925.
    by parcel post, suggestions. D.B. 688, pp. 1-2, 15-17. 1918; F.B. 703, p. 14. 1916.
    decay causes, studies. D.B. 331, pp. 6-7. 1916.
    methods. Rpt. 98, pp. 59, 177, 181, 195, 200. 1913.
  Mazzard, immunity to gummosis. O.E.S. An. Rpt., 1912, p. 187. 1913.
  Montmorency, characteristics. F.B. 776, pp. 18, 29, 30-31. 1916.
  Morell, list. B.P.I. Bul. 151, p. 27. 1909.
  Napoleon—
    characteristics. F.B. 776, pp. 32-33. 1916.
    sweet variety, use for maraschino cherries. D.B. 350, pp. 2-3. 1916.
  of Brazil. See Grumixama.
  oil—
    extraction method, yield and characteristics. D.B. 350, pp. 5-20. 1916.
    from kernel, digestion experiments. D.B. 781, pp. 6-8. 1919.
  orange(s)—
    African, genus allied to citrus. J.A.R., vol. 1, pp. 419-436. 1914.
    African, susceptibility to citrus canker. J.A.R., vol. 19, p. 343. 1920.
    See also Citropsis.
  orchards—
    sites. F.B. 776, pp. 12-13, 16-23. 1916.
    tillage and fertilizers. F.B. 776, pp. 14-15. 1916.
    treatment for thrips, experiments. Ent. Cir. 141, p. 19. 1911.
  origin and cultivation O.E.S. Bul. 178, pp. 80-82. 1907.
  packing season. D.B. 196, p. 17. 1915.
  picking and handling. F.B. 776, pp. 25-29. 1916.
  pin, description, distribution, and varieties. D.B. 179, pp. 60-64. 1915.
  plum, description and importation. No. 43306, B.P.I. Inv. 48, p. 42. 1921.
  pits, commercial products. D.B. 350, pp. 4-22. 1916.
  planting, season and directions, distances. F.B. 776, pp. 7, 9-11. 1916.
  preservation, characteristics, and results of treatment. D.B. 606, pp. 20, 25, 28, 34. 1918.
  preserves, directions. F.B. 853, p. 22-36. 1917; F.B. 1211, pp. 40, 49. 1921; S.R.S. Doc. 12, p. 4. 1917.
  production and value, leading States, 1909. Y.B., 1914, p. 645. 1915; Y.B. Sep. 656, p. 645. 1915.
  punch. See Punch.
  red—
    occurrence in Colorado, description. N.A. Fauna 33, p. 236. 1911.
    sour, use in canning and packing, varieties. D.B. 350, pp. 2, 3. 1916.
  resistance to wounding, effect of temperature. Lon A. Hawkins and Charles E. Sands. D.B. 830, pp. 6. 1920.
  Richmond, characteristics. F.B. 776, pp. 29, 30. 1916.
  sand—
    description, distribution, and hybrids. D.B. 179, pp. 65-70. 1915.
    growing, Great Plains area. F.B. 727, p. 34. 1916.
    host plant for striped peach worm. D.B. 599, pp. 1, 3. 1918.
    pollen viability test. J.A.R., vol. 17, p. 114. 1919.
    stock for hardy fruits, Northern Great Plains. D.C. 58, pp. 7, 8. 1919.

Cherry(ies)—Continued.
  Sargents', importation and description(s). No. 38761, B.P.I. Inv. 40, pp. 7, 25. 1917; Nos. 40622, 46023, B.P.I. Inv. 34, pp. 57-58. 1918.
  sawfly leaf-miner, life history, habits, and control. J.A.R., vol. 5, 12, pp. 519-528. 1915.
  Schmidt, characteristics. F.B. 776, pp. 19, 20, 29, 32. 1916.
  shipments—
    by States, and by stations, 1916. D.B. 667, pp. 6, 71-72. 1918.
    in carloads, by States, 1920-1923. S.B. 8, pp. 28-30. 1925.
  shipping from Willamette Valley, experiments. D.B. 331, pp. 1-4, 4-13. 1916.
  shot hole, cause and control. S.R.S. Rpt., 1916, Pt. I, p. 289. 1918.
  sour, pruning directions, and varieties. F.B. 776, pp. 17-19, 30-31. 1916.
  Spanish, characteristics. F.B. 776, p. 33. 1916.
  spraying—
    danger of poisoning, data. D.B. 1027, p. 22. 1922.
    for brown rot. D.B. 368, pp. 9-10. 1916.
    for control of insects and diseases, methods, schedule, and spray. News L., vol. 4, No. 39, p 6. 1917.
    for leaf beetle, experiments. D.B. 352, pp. 19-24. 1916.
    for leaf spot, directions. F.B. 1053, pp. 5-8. 1919.
    for plum curculio. Ent. Bul. 103, pp. 215-218. 1912.
    for sawfly control. Ent. Bul. 116, Pt. III, p. 79. 1913.
  spraying to prevent rots in transportation, experiments. J.A.R., vol. 22, pp. 467-471, 475, 476. 1922.
  study in 1923. Work and Exp., 1923, p. 35. 1925.
  Surinam—
    growing, experiments. F.B. 169, pp. 23-24. 1903.
    host of Mediterranean fruit fly in Bermuda. D.B. 161, pp. 3-4. 1914.
    infestation with Mediterranean fruit fly in Hawaii. D.B. 536, pp. 17, 24, 36. 1918.
    susceptibility to grape crown-gall. B.P.I. Bul. 183, pp. 23, 24. 1910.
  sweet—
    brown rot, temperature experiments. J.A.R., vol. 22, pp. 451-452. 1922.
    immunity from leaf beetle attack. D.B. 352, p. 2. 1916.
    importations. Nos. 54642, 54650, B.P.I. Inv. 69, pp. 31, 33. 1923.
    pruning directions, and varieties. F.B. 776, pp. 19-21, 32-33. 1916.
  syrup misbranding. Chem. N.J. 372, p. 1. 1910.
  Tartarian, characteristics. F.B. 776, p. 32. 1916.
  tests for mechanical properties, results. D.B. 556, pp. 29, 38-39. 1917.
  trees—
    importation and description from Japan, Inventory No. 29921. B.P.I. Bul. 233, p. 41. 1912.
    injury by—
      pear borer. D.B. 887, pp. 2, 3. 1920.
      sapsuckers. Biol. Bul. 39, pp. 42, 43, 46, 52, 81. 1911.
      smelter fumes. Chem. Bul. 89, p. 18. 1905.
    northern forests, characteristics, and volume. D.B. 285, pp. 6-13, 21-28. 1915.
    propagation method and stocks. F.B. 776, pp. 5-6. 1916.
    pruning directions. F.B. 776, pp. 12-13, 16-23. 1916.
    pruning experiments and results, Oregon. W.I.A. Cir. 1, p. 14. 1915.
    stocks. F.B. 776, p. 6. 1916.
    young, grades selection. F.B. 776, pp. 6-7. 1916.
  varietal tests—
    at field station near Mandan, N. Dak. D.B. 1301, p. 21. 1925.
    Nevada, Newlands Farm. D.C. 352, p. 14. 1925.
  varieties—
    adaptability to Alaska. Alaska A.R., 1911, p. 13. 1912.

Cherry(ies)—Continued.
varieties—continued.
adaptability to Nevada. D.C. 136, p. 16. 1920; B.P.I. Cir. 118, p. 26. 1913.
comments. F.B. 776, pp. 29-34. 1916; F.B. 1001, pp. 29, 32-39. 1919.
description. B.P.I. Bul. 207, p. 66. 1911; B.P.I. Bul. 208, pp. 36, 38. 1911.
for Great Plains area. F.B. 727, pp. 33-34. 1916.
importations and description. Nos. 40997, 40998, 40999, B.P.I. Inv. 44, p. 29. 1918; No. 43304-43309, B.P.I. Inv. 48, pp. 42-43. 1921.
recommendation for various fruit districts. B.P.I. Bul. 151, pp. 26-27. 1909.
suited to sandy lands, Columbia River Valley. B.P.I Cir. 60, p. 15. 1910.
testing—
in Texas. D.B. 162, p. 18. 1915.
Umatilla Experiment Farm, 1912. B.P.I. Cir. 129, pp. 25, 26. 1913.
use in attracting birds. Y.B., 1909, pp. 186-192, 195. 1910; Y.B. Sep. 504, pp. 186-192, 195. 1910.
Washington, southwestern part. Soil Sur. Adv. Sh., 1911, p. 30. 1913; Soils F.O., 1911, p. 2120. 1914.
weevils, description. Sec. [Misc.], "A manual * * * insects * * *," p. 174. 1917.
western choke, description, range, and occurrence on Pacific slope. For. [Misc.], "Forest trees for Pacific * * *," pp. 356-358. 1908.
wild—
and pepsin, tonic, adulteration and misbranding. Chem. N.J. 2877. 1914.
black. See Cherry, wild.
bracer, adulteration and misbranding. Chem. N.J. 2732, p. 1. 1914.
compound, adulteration and misbranding. Chem. N.J. 4047. 1916.
cordial adulteration. Chem. N.J. 2347, pp. 2. 1913.
destruction by birds. Biol. Bul. 15, p. 74. 1901.
flavor, soda water, adulteration and misbranding. Chem. N.J. 1040, p. 1. 1911.
fruit compound, adulteration and misbranding. Chem. N.J. 3334. 1915.
fruiting season, and use as bird food. F.B. 912, pp. 11, 13, 14. 1918.
host of tent caterpillar. F.B. 1239, p. 6. 1921.
importations and description. Nos. 39911, 39918. B.P.I. Inv. 42, pp. 5, 37, 39. 1918.
injury by leaf beetle. J.A.R., vol. 5, No. 20, pp. 943, 944. 1916.
names, range, description, bark, prices, and uses. B.P.I. Bul. 139, pp. 30-31. 1909.
pepsin, misbranding. Chem. N.J. 3231. 1914.
phosphate, adulteration. Chem. N.J. 2115, p. 1. 1913.
poisoning of sheep, experiments. D.B. 575, pp. 17-18. 1918; D.B. 1245, pp. 13, 34. 1924; B.A.I. Rpt., 1924, p. 37. 1924.
product, adulteration and misbranding. Chem. N.J. 2304, pp. 2. 1913.
sheep poisoning, cause and control. F.B. 536, pp. 3-4. 1913.
tests for shrinkage, hardness. D.B. 676, p. 17. 1919.
varieties, use as food for birds. Biol. Bul. 30, pp. 11, 26, 92. 1907.
Wyoming, distribution and growth. N.A. Fauna 42, p. 72. 1917.
Windsor, characteristics. F.B. 776, pp. 20, 21, 29, 32. 1916.
wine, adulteration and misbranding. Chem. N.J. 4086. 1916.
winter spraying with nitrate of soda solutions. J.A.R. vol. 1, p. 442. 1914.
wood quantity used in manufacture of wooden products. D.B. 605, p. 13. 1918.
Cherry-wood. See Cramp bark tree.
Chert—
origin, classification, mineral constituents, and value. Rds. Bul. 37, pp. 13, 14-23, 26. 1911.
soils, adaptation to peach growing, West Virginia. D.B. 29, pp. 4-5. 1913.
value in road building, and results of test. D.B. 370, pp. 8, 13-100. 1916; Rds. Bul. 44, p. 30. 1912.

Chervil, description and use. D.B. 503, p. 15. 1917; F.B. 937, p. 34. 1918.
Chervil, home garden, cultural hints. F.B. 255, p. 30. 1906.
Chesapeake Bay and Tennessee River Traffic. Frank Andrews. Y.B., 1907, pp. 289-304. 1908; Y.B. Sep. 449, pp. 289-304. 1908.
Cheshire County Council, investigations of tuberculosis. B.A.I. Bul. 32, pp. 12-13. 1901.
Chess—
analytical key and description of seedlings. D.B. 461, pp. 7, 16, 19. 1917.
description, distribution, spread, and products injured. F.B. 660, p. 27. 1915.
destruction of seed by burial in earth. B.P.I. Bul. 83, p. 13. 1905.
seed, adulterant, use and description. F.B. 382, pp. 12, 20. 1909.
See also Cheat; Brome grass.
CHESNUT, V. K.—
"Chemical examination of 'chufa' the tubers of Cyperus esculentus Linne." J.A.R., vol. 26, pp. 69-75. 1923.
"Examination of authentic grape juices for methyl anthranilate." With F. B. Power. J.A.R., vol. 23, pp. 47-53. 1923.
report on pepsin determination in liquids. Chem. Bul. 162, pp. 210-213. 1913.
"Some poisonous plants of the northern stock ranges." Y.B., 1900, pp. 305-324. 1901; Y.B. Sep. 206, pp. 305-324. 1901.
"The stock poisoning plants of Montana: A preliminary report." With E. V. Wilcox. Bot. Bul. 26, pp. 150. 1901.
Chester, Pa., milk supply, statistics, officials, and prices. B.A.I. Bul. 46, pp. 38, 150. 1903.
Chester loam, "Soils of the eastern United States and their use—XXX." Jay A. Bonsteel. Soils Cir. 55, pp. 10. 1912.
Chestnut(s)—
absorption of creosote, tests. For. Cir. 200, p. 6. 1912.
adulteration. See Indexes, Notices of Judgment, in bound volumes and in separates published as supplements to Chemistry Service and Regulatory Announcements.
Appalachian region, insects injurious, manner of attack. Ent. Bul. 37, p. 24. 1902.
bark—
agar, formula and use. J.A.R., vol. 3, pp. 496-523. 1915.
disease—
cause and description. B.P.I. Bul. 149, p. 22. 1909; F.B. 467, pp. 6-10. 1911.
cause, spread, distribution, injury, and control studies. News L., vol. 3, No. 33, p. 3. 1916.
control. Haven Metcalf and J. Franklin Collins. F.B. 467, pp. 24. 1911.
control, studies. An. Rpts., 1910, p. 55. 1911; Y.B., 1910, p. 55. 1911; Sec. A. R. 1910, p. 55. 1910; Rpt. 93, p. 40. 1911.
description, treatment. Y.B. 1907, pp. 489-490. 1908; Y.B. Sep. 463, pp. 489-490. 1908.
eradication work, eastern United States, 1911. An. Rpts., 1911, pp. 54, 263-264. 1912; B.P.I. Chief Rpt., 1911, pp. 15-16. 1912; Sec. A.R., 1911, p. 52. 1911; Y.B. 1911, p. 52. 1912.
extent and importance, spread and prevention. For. [Misc.], "Forest tree diseases * * *," pp. 1-8. 1914.
fungus, description, symptoms and spread. F.B. 467, pp. 6-10. 1911.
hearing, report. F.H.B.S.R.A. 16, p. 39. 1915.
history, distribution, cause, symptoms. Y.B. 1912, pp. 363-372. 1913; Y.B. Sep. 598, pp. 363-372. 1913; B.P.I. Bul. 141, Pt. V, pp. 45-54. 1909.
immunity of Japanese chestnut. B.P.I. Bul. 121, pp. 55-56. 1908.
investigation, 1908. B.P.I. Chief Rpt., 1908, p. 20. 1908; An. Rpts., 1908, p. 292. 1919.
map showing distribution in eastern United States. F.B. 467, p. 6. 1911.
prevalence in China and Japan. Y.B., 1915, p. 223. 1916; Y.B. Sep. 671, p. 223. 1916.
quarantine, legal considerations and practical methods. F.B. 467, pp. 10-14. 1911.

Chestnut(s)—Continued.
  bark—continued.
    disease—continued.
      quarantine, proposed, notice of hearing. F.H.B.S.R.A. 15, p. 25. 1915.
      relations of insect injury. An. Rpts., 1912, p. 632. 1913; Ent. A.R., 1912, p. 20. 1912.
      spread by birds, studies. An. Rpts., 1912, pp. 663–664. 1913; Biol. Chief Rpt., 1912. pp. 7–8. 1912.
      transmission, and control, studies. An. Rpts., 1914, pp. 105, 106. 1914; B. P. I. Chief Rpt., 1914, pp. 5, 6. 1914.
      See also *Endothia parasitica;* Chestnut blight.
    bending tests. For. Bul. 70, pp. 49–51, 104, 107, 110. 1906.
    blight—
      effect on timber. Off. Rec., vol. 4, No. 41, p. 5. 1925.
      fungus—
        and its near relatives, cultural characters. B.P.I. Cir. 131, p. 3–18. 1913.
        birds as carriers. J.A.R., vol. 2, pp. 405–422. 1914.
        dissemination of ascospores by air and wind. J.A.R., vol. 3, pp. 493–526. 1915.
        historical review. J.A.R., vol. 2, pp. 405–407. 1914.
        longevity of pycnospores in the soil. F. D. Heald and M. W. Gardner. J.A.R., vol., 2, pp. 67–75. 1914.
        organism spread by insects. J.A.R., vol. 5, No. 19, p. 898. 1916.
        resistant, importation. Off. Rec. ,vol. 2, No. 30, p. 2. 1923.
        spore-trap experiments, details. J.A.R., vol. 3, pp. 496–523. 1915.
        spread, and resistant species. An. Rpts., 1923, pp. 278–279. 1924; B.P.I. Chief Rpt., 1923, pp. 24–25. 1923.
        See also *Endotha parasitica:* Chestnut-bark disease.
    Boone, history, description, and bearing record. Y.B., 1913, pp. 122–124. 1914; Y.B. Sep. 618, pp. 122–124. 1914.
    borer—
      description and control. F.B. 1169, pp. 61–63. 1921.
      other than two-lined, injuries to timbers. Ent. Cir. 24, rev., p. 5. 1909.
      telephone-pole, description, distribution, and damage. Ent. Bul. 94, Pt. I, pp. 1–8. 1910.
      two-lined—
        connection with chestnut-bark disease. F.B. 467, p. 10. 1911.
        description, life history, and prevention. Ent. Cir. 24, rev., pp. 1–7. 1909; F.B. 1169. pp. 61–63. 1921; J.A.R., vol. 3, pp. 283–294, 1915; Y.B., 1909, pp. 401–403. 1910; Y.B. Sep. 523, pp. 401–403. 1910.
        injury to trees. F.B. 1335, p. 9. 1923.
        parasite. Ent. Cir. 24, rev., p. 5. 1909.
    breeding to produce early-bearing variety. Y.B. 1913, pp. 122–124. 1914; Y.B. Sep. 618, pp. 122–124. 1914.
    bushel weights, Federal and State. Y.B., 1918, p. 723. 1919; Y.B., Sep. 795, p. 59. 1919.
    butt-rot caused by *Polyporus pilotae.* D.B. 89, p. 2. 1914.
    canker, studies. D.B. 380, pp.–82. 1917.
    characters and description. F.B. 468, p. 41. 1911.
    Chinese—
      immunity to bark disease. An. Rpts., 1916, p. 150. 1917; B.P.I. Chief Rpt., 1916, p. 14. 1916.
      importations and descriptions. No. 34517, B.P.I. Inv. 33, p. 29. 1915; No. 35891, B.P.I. Inv. 36, pp. 6, 21. 1915; No. 43832, B.P.I. Inv. 49, p. 84. 1921; Nos. 44448, 44449, B.P.I. Inv. 51, pp. 10, 13. 1922; No. 45670, B.P.I. Inv. 53, pp. 8, 75. 1922.
      testing, resistance to bark disease. Y. B. 1916, pp. 140–141. 1917; Y.B. Sep. 687, pp. 6–7. 1917.
    composition, food value, and uses. F.B. 332, pp. 12, 13, 16, 17, 21. 1908.
    compression tests, tables. For. Bul. 70, pp. 35–38. 1906.

Chestnut(s)—Continued.
    crossties, cost per year for maintenance. For. Bul. 118, p. 46. 1912.
    crown-gall inoculation from daisy. B.P.I. Bul. 213, pp. 44, 50. 1911.
    dead and dying, utilization as timber. Y.B., 1912, pp. 367, 372. 1913; Y.B. Sep. 598, pp. 367, 372. 1913.
    death due to *Armillaria mellea.* D.B. 89, pp. 1–9. 1914.
    description and distribution. For. Cir. 71, pp. 4. 1907.
    description and key. D.C. 223, pp. 5, 9. 1922.
    destruction by insects. Ent. Bul. 58, pp. 60–61, 64. 1910.
    diseased, treatment directions. F.B. 467, pp. 18–20. 1911.
    diseases caused by fungi. B.P.I. Bul. 149, pp. 22, 37, 39–40, 57. 1909.
    distillation, yields of alcohol and acetic acid. D.B. 129, pp. 7–16. 1914.
    farm planting on fence lines. F.B. 228, pp. 13–14. 1905.
    flour and bread, analyses and characteristics. D.B. 701, pp. 4–9. 1918.
    fumigation against worms, methods. News L., vol. 6, No. 14, p. 5. 1918.
    giant, Japanese variety, use in breeding early variety. Y.B., 1913, p. 122. 1914; Y.B. Sep. 618, p. 122. 1914.
    growth in Illinois. For. Cir. 81, rev., pp. 20, 21. 1910.
    growth rate, various localities. D.B. 89, pp. 2–4. 1914; F.B. 1177, rev., p. 24. 1920.
    hybrids, description, value as disease-resistant types. B.P.I. Bul. 205, pp. 9, 28. 1911.
    importations and description. No. 36666, B.P.I. Inv. 37, pp. 6, 47. 1916; Nos. 37547, 37548, B.P.I. Inv. 38, p. 72. 1917; Nos. 37799–37800, 38182, B.P.I. Inv. 39, pp. 7, 44, 101. 1917; Nos. 39965, 40035–40036, 40209, B.P.I. Inv. 42, pp. 7, 44, 57, 96. 1918; Nos. 41357–41360, 41462, B.P.I. Inv. 45, pp. 7, 19, 33. 1918; Nos. 44197, 44198, B.P.I. Inv. 50, p. 41. 1922; Nos. 45255–45256, 45329–45342, 45358, 45507, B.P.I. Inv. 53, pp. 19, 27–28, 32, 44. 1922; Nos. 45863–45866, B.P.I. Inv. 54, p. 32. 1922; Nos. 45858–45862, 45947–45949. B.P.I. Inv. 54, pp. 2, 31, 46. 1922; Nos. 47330–47348, B.P.I. Inv. 58, pp. 8, 52. 1922; Nos. 55654, 55811, B.P.I. Inv. 72, pp. 15, 37. 1924; Nos. 55872, 55930, 55983–55984, 56080–56083, 56118–56119, 56128–56129, B.P.I. Inv. 73, pp. 2, 4, 7, 18, 25, 35–36, 39, 40. 1924.
    in North Carolina, destruction by *Armillaria mellea.* D.B. 89, pp. 7–9. 1914.
    in southern Maryland. Raphael Zon. For. Bul. 53, pp. 31. 1904.
    insect(s)—
      injurious. F.B. 1169, p. 95. 1921.
      investigations. An. Rpts., 1913, p. 217. 1914; Ent. A.R., 1913, p. 9. 1913.
      pests, list. Sec. [Misc.], "A manual * * * insects * * *," pp. 53–54. 1917.
    introductions, description, and nativity. B.P.I. [Misc.], "New plant introductions, 1917–18," pp. 22–23. 1917.
    Japanese—
      immunity to bark disease. Haven Metcalf. B.P.I. Bul. 121, Pt. VI, pp. 55–56. 1908.
      importations and description. Nos. 45255, 45256, 45507, B.P.I. Inv. 53, pp. 19, 44. 1922.
    Kingsland, growing in California, description. F.B. 332, p. 10. 1908.
    Korean, importation. No. 35917, B.P.I. Inv. 36, p. 25. 1915.
    logging—
      and sawing for lumber, cost. F.B. 582, p. 15. 1914.
      on cove lands, directions. For. Cir. 118, pp. 11–13. 1907.
      on ridge lands for sprout reproduction. For. Cir. 118, pp. 14–15. 1907.
    losses from chestnut-bark disease. F.B. 467, pp. 5–6, 23. 1911.
    lumber—
      production and value—
        1905, by States. For. Bul. 74, p. 25. 1907.
        1906, by States. For. Cir. 122, p. 21. 1907.
        1913, species and range. D.B. 232, pp. 17, 31–32. 1915.

Chestnut(s)—Continued.
  lumber—continued.
    production and value—continued.
      1916, by States, mills reporting. D.B. 673, p. 24. 1918.
      1917, by States. D.B. 768, pp. 25, 38, 42. 1919.
      1918, by States. D.B. 845, pp. 27–28, 45. 1920.
      1920. D.B. 1119, p. 43. 1923; Y.B., 1922, p. 925. 1923.
    production in Connecticut, uses, value, and yield. For. Bul. 96, pp. 15–16, 17, 18, 19, 39–40. 1912.
    value, costs, grading, and uses. F.B. 582, pp. 7–9, 12–16. 1914.
  Moreton Bay—
    description and use as food. B.P.I. Bul. 261, pp. 26–27. 1912.
    importation. No. 45504, B.P.I. Inv. 53, p. 42. 1922.
  new varieties, description and value. News L., vol. 5, No. 24, p. 3. 1918.
  nursery stock—
    quarantine exemption. F.H.B.S.R.A. 19, p. 57. 1915.
    spread of disease, necessity of inspection. F.B. 467, pp. 9, 17–18, 20, 24. 1911; Y.B. 1912, pp. 369, 371. 1913; Y.B. Sep. 598, pp. 369, 371. 1913.
  orchardists, advice to. Y.B., 1912, p. 371. 1913; Y.B. Sep. 598, p. 371. 1913; F.B. 467, pp. 20–22. 1911.
  planting, inadvisability on account of bight disease. D.B. 153, p. 34. 1915.
  pocketed rot caused by *Polyporus pilotae*. J.A.R., vol. 1, pp. 117–119, 128. 1913.
  pole(s)—
    consumption, 1915. D.B. 519, pp. 1, 2, 3. 1917.
    preservation, progress. Howard F. Weiss. For. Cir. 147, pp. 14. 1908.
    production, 1906. For. Cir. 129, p. 12. 1907.
    seasoning. For. Cir. 147, pp. 6–9. 1908.
    telephone and telegraph, damage by wood-boring insects. Thomas E. Snyder. Ent. Bul. 94, Pt. I, pp. 12. 1910.
    use on telephone line, conditions after five and eight years. For. Cir. 198, pp. 1–13. 1912.
    preservation, characteristics, and results of treatment. D.B. 606, pp. 20, 22, 25, 28, 31. 1918.
    preservative treatment, results. F.B. 744, pp. 25, 28. 1916.
    production, 1899–1914, and estimates, 1915. D.B. 506, pp. 13–15, 23. 1917.
  products—
    manufacturing and marketing. F.B. 582, p. 6. 1914.
    relative value of trees of different sizes, costs of cutting. F.B. 582, pp. 7–9. 1914.
  quantity used in manufacture of wooden products. D.B. 605, p. 10. 1918.
  railroad ties, number and value, consumption, 1905, 1906. For. Cir. 124, pp. 4–5. 1907.
  range, cultivation, and uses. For. Cir. 71, pp. 1–4. 1907.
  resistant—
    importation and description. No. 40508. B.P.I. Inv. 43, p. 37. 1918.
    strains, use in control of bark disease. Y.B. 1915, p. 223. 1916; Y.B. Sep. 671, p. 223. 1916.
    varieties, production. An. Rpts., 1917, p. 142. 1917; B.P.I. Chief Rpt., 1917, p. 12. 1917.
  rot, piped, description, and preventive measures. B.P.I. Bul. 149, pp. 39–40, 76. 1909.
  rots caused by different fungi. J.A.R., vol. 5, No. 10, p. 424. 1915.
  shearing tests, tables. For. Bul. 70, pp. 60–61. 1906.
  soils in Virginia, location. D.B. 46, p. 7. 1913.
  spacing in forest planting, and seed per acre. F.B. 1177, rev., p. 22. 1920.
  sprouting capacity, management of sprouts. Y.B. 1910, p. 166. 1911; Y.B. Sep. 525, p. 166, 1911.
  stumpage value, 1906. For. Cir. 122, p. 37. 1907.
  susceptibility to twig blight of chestnut oak. J.A.R., vol. 1, pp. 339, 341. 1914.

Chestnut(s)—Continued.
  Tahiti, importation, and description. B.P.I. Bul. 248, p. 11. 1912; No. 38135, B.P.I. Inv. 39, p. 91. 1917.
  tanbark, quantity, and price. For. Cir. 119, p. 5. 1907.
  tanning extract, consumption, quantity, and value, 1906. For. Cir. 119, pp. 3, 6–8. 1907.
  telephone poles, injury by borer. Ent. Bul. 67, p. 38. 1907.
  tests for mechanical properties, results. D.B. 556, pp. 29, 39. 1917; D.B. 676, p. 17. 1919.
  timber—
    dead, utilization studies. An. Rpts., 1913, pp. 108, 189. 1914; B.P.I. Chief Rpt., 1913, p. 4. 1913; For. A.R., 1913, p. 55. 1913.
    uses when killed by bark disease. J. C. Nellis. F.B. 582, pp. 24. 1914.
    worm, habits and damages to living trees. Ent. Bul. 58, Pt. V, pp. 60, 64. 1909; Ent. Cir. 126, pp. 1–2. 1910.
  trees—
    injury by—
      sapsuckers. Biol. Bul. 30, pp. 33, 73–74. 1911.
      two-lined borers. Y.B. 1909, pp. 401, 402. 1910; Y.B. Sep. 523, pp. 401, 402. 1910.
      gipsy moth. D.B. 204, p. 15. 1915.
    planting directions. For. Cir. 195, p. 13. 1912.
    treatment for bark disease. Y.B. 1912, pp. 370–371. 1913; Y.B. Sep. 598, pp. 370–371. 1913.
  use as food. F.B. 332, pp. 16, 21. 1908.
  use for tanning. Chem. Bul. 90, pp. 193, 194, 195. 1905.
  varieties—
    recommendations for various fruit districts. B.P.I. Bul. 151, p. 53. 1909.
    resistant to bark disease, possibility of breeding. Y.B., 1912, pp. 368–369. 1913; Y.B., Sep. 598, pp. 368–369. 1913.
    susceptible to bark disease. F.B. 467, p. 5. 1911.
  volume tables, growth rate. For. Bul. 36, pp. 128–129, 189, 193. 1910.
  water, use as food. F.B. 332, pp. 9–10. 1908; B.P.I. Bul. 204, p. 55. 1911.
  weevil and other nut-feeding species. F. H. Chittenden. Ent. Bul. 44; pp. 24–39. 1904.
  weevil, description. Sec. [Misc.], "A manual * * * insects * * *," p. 53. 1917; Ent. Cir. 99, pp. 1–12. 1908.
  weight per cord, and equivalent in coal. D.B. 718, p. 59. 1918.
  weight, uses, volume tables, and freight rates. F.B. 715, pp. 4, 6, 7, 8, 9, 10, 11, 18, 21, 22, 34, 35. 1916.
  wood, demand for tanning purposes. Y.B. 1918, p. 320. 1919; Y.B. Sep. 779, p. 6. 1919; For. Cir. 166, p. 22. 1909.
  wormy, prevention by fumigation. News L., vol. 5, No. 9, p. 6. 1917.
  See also *Castanea dentata*.
Chests, red cedar—
  use as protectors against moth damage. E. A. Back and Frank Rabak. D.B. 1051, pp. 14. 1922.
  use for control of cedar moths, directions. D.B. 707, pp. 21, 31. 1918; F.B. 1346, p. 11. 1923.
"Chevon," name for goat meat. Off. Rec., vol. 3, No. 38, p. 3. 1924.
Chevret. See Cheese, goats'-milk.
Chevrotin. See Cheese, goats'-milk.
Chewing gum, misbranding. Chem. N.J. 1078, pp. 2. 1911; Chem. N.J., 1939, pp. 5. 1913; Chem. N.J. 2352, pp. 2. 1913; Chem. N.J. 2951, pp. 1. 1914.
Chewink. See Towhee.
Chey choy, California seaweed, exports to Hawaii, for use by Chinese. O.E.S. An. Rpt., 1906, p. 76. 1907.
Cheyenne Experiment Farm, history, topography, soils, vegetation, and climate. D.B. 430, pp. 2–8, 38. 1916; O.E.S. Cir. 92, pp. 7–40. 1910.
Cheyletidae, classification, description, and habits. Rpt. 108, pp. 19, 26–30. 1915.
Cheyletiella spp., description and habits. Rpt. 108, pp. 22, 23, 30. 1915.
Cheyletus spp., description and habits. Rpt. 108, pp. 27, 28. 1915.

INDEX TO PUBLICATIONS, 1901-1925   443

Chia, importations and descriptions. No. 38048, B.P.I. Inv. 39, p. 82. 1917; No. 46645, B.P.I. Inv. 57, p. 16. 1922; No. 47126, B.P.I. Inv. 58, p. 28. 1922.
Chianti wine, adulteration and misbranding. Chem. N.J. 4192. 1916.
Chica, drink made from fruit of *Lithrea caustica.* Nos. 33697-33698, B.P.I. Inv. 31, p. 44. 1914.
Chicago—
butter receipts and shipments, 1870-1911. D.B. 177, pp. 15-16. 1915; Stat. Bul. 93, pp. 52-60. 1913.
cantaloupe marketing, 1914. D.B. 315, pp. 3-4. 1915.
dairy market center. Y.B., 1222, p. 300. 1923; Y.B. Sep. 879, p. 17. 1923.
eggs, receipts by months, 1903-1911, tables. Stat. Bul. 93, pp. 56, 63, 69-77, 80. 1913.
Federal meat inspection, report of committee, 1906. B.A.I. An. Rpt., 1906, pp. 406-442. 1908.
trade center for farm products, statistics. Rpt. 98, pp. 287-290. 1913.
International Livestock Exposition, entries, 1900-1908. B.A.I. An. Rpt., 1908, pp. 346-351. 1910.
livestock—
market reports, Apr. 1, 1919. Y.B., 1919, pp. 389-390. 1919; Y.B. Sep. 788, pp. 13-14. 1919.
prices 1894-1907. B.A.I. An. Rpt., 1907, pp. 377, 378, 379, 380. 1909.
prices, 1911, and average, 1900-1911. B.A.I. An. Rpt., 1911, pp. 270-273. 1913.
lumber retail trade, costs. Rpt. 116, pp. 19-21, 25, 26, 27, 67, 71-73. 1918.
market—
for grain wheat, 1920-21, tables. D.B. 1083, pp. 15-27, 38-44, 53-58. 1922.
prices, seeds, 1920-1923, tables. S.B. 2, pp. 22-62. 1924.
station, lines of work. Y.B., 1919, p. 96. 1920; Y.B. Sep. 797, p. 96. 1920.
statistics for—
dairy products, 1918-1920. D.B. 982, pp. 142, 144, 145, 148, 149, 153. 1921.
fruits and vegetables, 1919 and 1920. D.B. 982, pp. 224, 225, 243, 251-256, 258, 260, 262-264. 1921.
grain, 1910-1921. D.B. 982, pp. 155, 157, 159, 160, 174, 175, 177, 178, 187, 189, 197, 199, 201. 1921.
hay and feed, 1910-1921. D.B. 982, pp. 205, 208, 209, 213-215. 1921.
livestock and meats, 1910-1920. D.B. 982, pp. 2-3, 6-9, 14, 25-28, 38-40, 42, 44, 49, 57, 62-64, 69-70, 74, 78, 91-102, 107, 110, 126. 1921.
meat-packing industry—
control of trade. Y.B., 1919, pp. 239-248. 1920; Y.B. Sep. 809, pp. 239-248. 1920.
development, early inspection. B.A.I. An. Rpt., 1906, pp. 66-68. 1908; B.A.I. Cir. 125, pp. 6-8. 1908.
milk adulteration cases, B.A.I. N.J. 132. Chem. N.J. Nos. 123-133, pp. 14-15. 1910.
milk supply. F.B. 366, p. 22. 1909; B.A.I. Bul. 138, pp. 7-30. 1911; B.A.I. Bul. 46, pp. 62-66, 177, 188. 1903.
milk supply, laws. B.A.I. Bul. 46, p. 177. 1903.
potato market, methods. F.B. 1317, pp. 28-29. 1923.
prices of horsehair. S.B. 5, p. 68. 1925.
stockyards—
character and sources of supply. Y.B., 1919, p. 239. 1920; Y.B. Sep. 809, p. 239. 1920.
description, traffic handling and charges. Y.B., 1908, pp. 236-238. 1909; Y.B. Sep. 477, pp. 236-238. 1909.
foot-and-mouth outbreak, and control measures. D.C. 325, pp. 3-8. 1924.
wheat grading and prices, 1858-1914. Y.B., 1914, pp. 394-395. 1915; Y.B. Sep. 649, pp. 394-395. 1915.
wheat market, prices and freight rates. Y.B., 1921, pp. 92, 135, 136, 145, 146. 1922; Y.B. Sep. 873, pp. 92, 135, 136, 145, 146. 1922.
Chicago, Burlington & Quincy Railroad Company, cases under 28-hour law, Nos. 3636, 3637. Sol. Cir. 63, pp. 5. 1912; Sol. Cir. 64, pp. 3. 1912.
Chicago Livestock Exchange, cooperation with Federal supervisors. Y.B., 1919, p. 249. 1920; Y.B. Sep. 809, p. 245. 1920.

Chicago, Milwaukee & Puget Sound Railway, hydraulic fills, details and cost. O.E.S. Bul. 249, pt. 1, pp. 77-80. 1912.
Chicago, Rock Island & Pacific Railway Company, fines for violation of 28-hour law. News L., vol. 1, No. 36, p. 1. 1914.
Chicago University, experiments with benzoate of sodium in food. Rpt. 88, pp. 293-563. 1909.
Chicawanpa tea, misbranding. See *Indexes, Notices of Judgment, in bound volumes and in separates published as supplements to Chemistry Service and Regulatory Announcements.*
Chick beetles, detection in stomach of birds. Biol. Bul. 15, pp. 13-14. 1901.
Chick-pea(s)—
growing on Yuma Experiment Farm. D.C. 75, p. 51. 1920.
importation by Bureau of Plant Industry, yield. B.P.I. Bul. 223, p. 31. 1911.
importations and descriptions. No. 31308, B.P.I. Bul. 242, p. 83. 1912; Nos. 37714-37717, B.P.I. Inv. 39, p. 26. 1917; Nos. 42454, 42456-42462, 42530, 42531, 42761-42764, 42892-42894, B.P.I. Inv. 47, pp. 16, 17, 25, 60, 79. 1920; Nos. 43273-43280, B.P.I. Inv. 48, pp. 6-7, 37. 1921.
protection by hydrocyanic-acid gas fumigation. J.A.R., vol. 28, pp. 649-660. 1924.
seed-production tests, Yuma Experiment Farm, 1916. W.I.A. Cir. 20, p. 38. 1918.
varieties, forage-crop experiments in Texas. B.P.I. Cir. 106, p. 25. 1913.
Chickadee—
black-capped—
description, range, and food habits. F.B. 630, p. 5. 1915.
food and food habits, in relation to fruit growing. Y.B., 1900, p. 295. 1901.
Carolina—
description and food habits. F.B. 755, pp. 24-26. 1916.
useful food habits, and occurrence in Arkansas. Biol. Bul. 38, p. 89. 1911.
chestnut-sided, food habits. Biol. Bul. 30, p. 70. 1907.
description, range, and habits. F.B. 513, p. 9. 1913.
enemies of—
boll weevil. Biol. Cir. 64, p. 4. 1908.
codling moth. Y.B. 1911, p. 242. 1912; Y.B. Sep. 564, p. 242. 1912.
food habits. Biol. Bul. 15, p. 42. 1901; Ent. Bul. 119, p. 15. 1913.
Hudsonian in Alaska. N.A. Fauna 30, pp. 43, 64, 91. 1909.
long-tailed, food habits. D.B. 107, pp. 42-43. 1914.
protection by law. Biol. Bul. 12, rev., pp. 38, 40. 1902.
range and habits. N.A. Fauna 21, pp. 50, 80. 1901; N.A. Fauna 22, pp. 128-129. 1902; N.A. Fauna 24, p. 80. 1904.
varieties, Athabaska-Mackenzie region. N.A. Fauna 27, pp. 485-489. 1908.
Chickaree, occurrence in Colorado, description. N.A. Fauna 33, pp. 69-71. 1911.
Chickaree. *See also* Squirrel, red.
Chickasaw pea. *See* Bean, Mung.
Chicken—
adulteration. Chem. N.J. 31, 67. 1914.
boned, misbranding. Chem. N.J. 12815. 1925.
broth with rice, canning directions. F.B. 839, pp. 25, 31. 1917; S.R.S. Doc. 9, p. 3. 1915.
canned, directions. Chem. Bul. 13, Pt. X, p. 1392. 1902.
canning at home, recipes. S.R.S. Doc. 80, rev., pp. 21-24. 1919.
cold-storage—
appearance after different periods. Y.B., 1907, pp. 202-206. 1908; Y.B. Sep. 468, pp. 202-206. 1908.
bacteriological and chemical investigations. Chem. Bul. 115, pp. 102-104. 1908.
conditions, study, Chemistry Bureau. Sec. A.R., 1909, p. 102. 1909; Y.B., 1909, p. 102. 1910.
investigations. An. Rpts., 1908, pp. 485-487. 1909; Chem. Chief Rpt., 1908, pp. 42-43. 1908.
organoleptic tests. Chem. Bul. 115, pp. 44-50, 99-100. 1908.
studies results. Y.B., 1917, pp. 368-369. 1918; Y.B. Sep. 745, pp. 9-10. 1918.

36167°—32——29

Chicken—Continued.
cooking directions. D.C. 36, pp. 10–13. 1919.
creole, recipe. D.C. 160, p. 10. 1921; F.B. 771, rev., p. 11. 1918.
dishes, recipes. D.C. 36, pp. 11–13. 1919.
drawn and undrawn, marketing. Chem. Cir. 70, pp. 18–19. 1911.
fat—
description and uses. D.B. 769, p. 40. 1919.
digestion experiments. D.B. 507, pp. 4–6. 1917.
effect of low temperatures. Chem. Cir. 64, pp. 7, 11–12, 40. 1910.
hydrolysis by means of lipase. Chem. Cir. 103, pp. 4–5. 1912.
studies. M. E. Pennington and J. S. Hepburn. Chem. Cir. 75, pp. 11. 1911; Chem. Cir. 103, pp. 12. 1912.
value. Food Thrift Ser. 5, p. 4. 1917.
flesh, analysis studies. Chem. Cir. 64, pp. 8–11, 12–13, 40–42. 1910.
fresh and cold-storage, bacteriological examination. Chem. Bul. 115, pp. 77–79. 1908.
fresh, appearance of flesh and fat. Y.B., 1907, pp. 202–206. 1908; Y.B. Sep. 468, pp. 202–206. 1908.
fricasseed, canning recipe. S.R.S. Doc. 80, p. 22. 1918.
fried (spring frier), canning recipe. S.R.S. Doc. 80, pp. 21–22. 1918.
frozen—
chemical and histological data. Chem. Cir. 64, pp. 6–11. 1910.
examination for lipase in fat. Chem. Cir. 75, pp. 5, 6, 7, 11. 1911.
thawing, directions. Chem. Cir. 64, p. 32. 1910.
gumbo—
canning directions. S.R.S. Doc. 9, p. 4. 1915; S.R.S. Doc. 80, p. 23. 1918; F.B. 839, pp. 25, 31. 1917.
recipe. F.B. 232, rev., pp. 8–9. 1918.
meat, cold-storage, analysis. Chem. Bul. 122, pp. 42–50. 1909.
meat, composition and food value. D.B. 467, pp. 20, 22, 23, 24. 1916.
recipes, for cooking and canning. S.R.S. Doc. 80, rev., pp. 21–24. 1919.
soup, canning recipe. S.R.S. Doc. 80, pp. 22–23. 1918.
soup stock, canning recipe. S.R.S. Doc. 9, p. 3. 1915; F.B. 839, pp. 25, 31. 1917.
spaghetti, canning recipe. S.R.S. Doc. 80, pp. 23–24. 1918.
Chicken(s)—
advantage of early hatching. News L., vol. 5, No. 23, pp. 1, 2. 1918.
air allowance in roosting houses. F.B. 227, p. 29. 1905.
alimentary tract, lactase occurrence. T.S. Hamilton and H. H. Mitchell. J.A.R., vol. 27, pp. 605–608. 1924.
American class, breeds and varieties, description. F.B. 806, pp. 1–19. 1917.; F.B. 1347, pp. 3–18. 1923.
American, tapeworms. B.A.I. Cir. 85, pp. 1–18. 1905; B.A.I. An. Rpt., 1904, pp. 268–285. 1905.
anatomy studies. Chem. Cir. 61, rev., pp. 4, 11. 1915; Chem. Cir. 61, pp. 8–11. 1910.
Ancona, description, varieties, and value. P.R. Cir. 19, pp. 8–9. 1921.
and their diseases in Hawaii. T. F. Sedgwick. Hawaii Bul. 1, pp. 23. 1901.
apoplectiform septicemia. Victor A. Norgaard and John R. Mohler. B.A.I. Bul. 36, pp. 24. 1902.
appliances, homemade, for poultry-club members. B.A.I.A.H., G–27, p. 7. 1918.
Asiatic breeds, description and uses. F.B. 1052, pp. 6–14. 1919.
bacteriology of cold-stored and fresh, methods of study. Chem. Bul. 115, pp. 40–44, 51–57, 75–78. 1908.
bad bleeding, evidences and results. Chem. Cir. 61, pp. 6–7. 1910.
bantams. See Bantams.
Barred Plymouth Rocks, egg production and winter cycle. J.A.R., vol. 12, pp. 547, 562–568. 1918.
Blue Andalusian, description, weights. F.B. 898, pp. 20–22. 1917.

Chicken(s)—Continued.
Brahma, varieties, description, and uses. F.B. 1052, pp. 6–8. 1919.
breed(s)—
and market classes, food value. D.B. 467, pp. 2–3. 1916.
and varieties, American, descriptions, and mating. F.B. 806, pp. 5–18. 1917.
at Petaluma, California. B.A.I. An. Rpt., 1904, p. 320. 1905.
classification. F.B. 287, p. 5. 1907; F.B. 287, rev., pp. 4–6. 1921; F.B. 1040, pp. 3–7. 1919.
description and suggestions for Porto Rico farmers. P.R. Cir. 19, pp. 4–20. 1921.
egg producing and general-purpose. P.R. Cir. 19, pp. 4–16. 1921.
establishment. Y.B., 1921, p. 28. 1922; Y.B. Sep. 875, p. 28. 1922.
general-purpose, characteristics. F.B. 806, pp. 3–5. 1917.
in New York exhibit, 1921. Off. Rec., vol. 1, No. 5, p. 3. 1922.
laying capacity, discussion. O.E.S.F.I.L. 10, pp. 4–6. 1909.
selection for capons. F.B. 849, p. 4. 1917; F.B. 452, p. 6. 1911.
selection for various purposes. B.A.I. Cir. 206, pp. 1–2. 1912; S.R.S. Syl. 17, pp. 1–2. 1915.
breeding—
directions. F.B. 1040, pp. 8–9. 1919.
experiments in Alaska. D.B. 50, pp. 12, 13, 17, 19, 20, 21, 30. 1914.
stock, selection and care. S.R.S. Doc. 67, pp. 1–3. 1917.
stock, selection and care. Rob R. Slocum. F. B. 1116, pp. 10. 1920.
broilers. See Broilers.
brood(s)—
at Petaluma, California. B.A.I. An. Rpt., 1904. p. 320. 1905.
coop building. S.R.S. Doc. 70, pp. 1–2. 1918.
brooders. See Brooders.
Buckeye, description. D.B. 806, p. 18. 1917.
bug, Mexican, description, habits, and control. Y.B., 1912, p. 394. 1913; Y.B. Sep. 600, p. 394. 1913.
bumblefoot, treatment. F.B. 1040, p. 27. 1919.
Campine, description, varieties, and value. P.R. Cir. 19, pp. 7–8. 1921.
caponizing—
details, instruments, care and uses of fowls. F.B. 849, pp. 1–15. 1917.
directions, apparatus. B.A.I. Cir. 104, pp. 2–7. 1907.
care, feed, management, prevention of diseases and insects. F.B. 305, pp. 28–32. 1907.
chart for male fowl. F.B. 1052, p. 4. 1919.
chart giving various points for judging. F.B. 806, p. 4. 1917.
cholera, investigations. B.A.I. An. Rpt., 1907, p. 46. 1909.
Cochin, description, eggs, and weight. F.B. 1052, pp. 9–11. 1919.
Cochin, varieties, description, and uses. F.B. 1052, pp. 9–11. 1919; F.B. 1251, pp. 8, 17–19. 1921.
conformation, relation to utility qualities. B.A.I. An. Rpt., 1908, pp. 360–361. 1910.
consideration in poultry-production scheme, reasons. News L., vol. 5, No. 47, p. 15. 1918.
continental class, characteristics. F.B. 898, pp. 6, 24–25. 1917.
control of alfalfa caterpillars. D.B. 124, p. 28. 1914.
control of grasshoppers. F.B. 637, p. 4. 1915.
Cornish, varieties, description, and uses. F.B. 1052, pp. 21–23. 1919.
Crèvecoeur, varieties, description, and uses. F.B. 1052, pp. 28–29. 1919.
crossing, prevention. News L., vol. 7, No. 16, p. 8. 1919.
culling for eggs and market. Rob R. Slocum. F.B. 1112, pp. 8. 1920.
culling the flock. B.A.I.A.H. G–31, pp. 1–4 1918.
danger in cicadas. News L., vol. 6, No. 46, p. 14. 1919.
dangers from disease. B.A.I. An. Rpt., 1905, pp. 260–266. 1907.
dead of tuberculosis, post-mortem appearance. F.B. 1200, pp. 7–8. 1921.

INDEX TO PUBLICATIONS, 1901–1925   445

Chicken(s)—Continued.
   death from—
      chigger injury. D.B. 986, p. 12. 1921.
      eating rose-chafer. News L., vol. 3, No. 43, p. 1. 1916.
   destruction of—
      cattle ticks. Ent. Bul. 72, pp. 37, 39. 1907.
      plum curculio. Ent. Bul. 103, pp. 154, 158. 1912.
   digestion experiments. B.A.I. Bul. 56, pp. 1–112. 1904.
   dip, lice control, formula. News L., vol. 6, No. 50, p. 16. 1919.
   diphtheria, relation of *Bacillus necrosis*. B.A.I. An. Rpt., 1904, p. 107. 1905.
   disease(s)—
      alphabetical list. F.B. 957, p. 48. 1918.
      and parasites, control work, Guam, 1915. Guam A.R., 1915, pp. 34–41. 1916.
      bad habits and insect pests, remedies. B.A.I. An. Rpt., 1905, pp. 260–266. 1907; F.B. 287, pp. 42–48. 1907; F.B. 287, rev., pp. 34–38. 1921.
      cause, symptoms, prevention and control. F.B. 1114, pp. 3–8. 1920; F.B 1337, pp. 1–41. 1923.
      caused by protozoa, and insects transmitting them. B.A.I. An. Rpt., 1910, pp. 470–471, 488, 496. 1912; B.A.I. Cir. 194, pp. 470–471, 488, 496. 1912.
      common. S.R.S. Doc. 56, pp. 7. 1917.
      common. D. M. Green. F.B. 1114, pp. 8. 1920.
      control. B.A.I. Cir. 206, p. 5. 1912; F.B. 528, pp. 11–12. 1913.
      control, and common remedies. F.B. 528, pp. 11–12. 1913.
      description, remedies. F.B. 287, pp. 42–47. 1907.
      Guam, studies, and control methods. Guam A.R., 1913, pp. 12–14. 1914.
      Hawaii. T. F. Sedgwick. Hawaii Bul. 1, pp. 23. 1901.
      infections, studies, and control methods. F.B. 530, pp. 26–32. 1913.
      prevention and treatment. F.B. 305, pp. 30–32. 1907; Y.B., 1911, pp. 177–192. 1912; Y.B. Sep. 559, pp. 177–192. 1912.
      produced by moldy corn. B.A.I. An. Rpt., 1907, p. 260. 1909.
      resembling tuberculosis, distinctive features. F.B. 1200, pp. 8–9. 1921.
      spread, methods and prevention. Y.B., 1911, pp. 184–189. 1912; Y.B. Sep. 559, pp. 184–189. 1912.
      treatment. F.B. 1040, pp. 26–27. 1919.
   Dominique, description. F.B. 806, pp. 15–16. 1917.
   Dorking, description, eggs, and weight. F.B. 1052, pp. 14–15. 1919.
   dressing, cleaning, and cooking, methods and recipes. S.R.S. Doc. 91, pp. 10–13. 1919; D.C. 36, pp. 10–13. 1919.
   dry-picked, chemical studies. Chem. Cir. 64, pp. 12–13, 41–42. 1910.
   dwarf-egg production, relation to age and other factors. J.A.R., vol. 6, pp. 1007–1015. 1916.
   early, hatching experiments in Wisconsin. News L., vol. 4, No. 11, p. 7. 1916.
   eating alfalfa weevil. D.B. 107, pp. 57–58. 1914.
   effect of—
      feeding thyroid. J.A.R. vol. 29, pp. 284–287. 1924.
      hellebore, experiments. D.B. 245, p. 20. 1915.
   egg—
      breeds, characteristics. F.B. 898, pp. 3–5. 1917; F.B. 1040, p. 6. 1919.
      production, measurement of winter cycle. J.A.R., vol. 5, pp. 429–437. 1915.
   enemies of—
      asparagus beetles. F.B. 837, p. 9. 1917.
      mole crickets. P.R. Bul. 23, p. 19. 1918.
      termites. J.A.R., vol. 26, pp. 287, 294. 1923.
      white grubs. F.B. 835, rev., p. 16. 1920.
   English breeds, description and uses. F.B. 1052, pp. 14–25. 1919.
   epithelioma, contagious, control. S.R.S. Rpt., 1916, Pt. I, pp. 42, 184. 1918.
   eye worm, Manson's (*Oxyspirura mansoni*) and nematodes parasitic in the eyes of birds. B. H. Ransom. B.A.I. Bul. 60, p. 72. 1904.

Chicken(s)—Continued.
   farm prices, May 1, 1914. News L., vol. 1, No. 43 p. 3. 1914.
   fattening—
      for market. B.A.I. An. Rpt., 1905, pp. 254–256. 1907.
      methods, cost, and rations, D.B. 21, pp. 1–55. 1914; O.E.S.F.I.L. 10, pp. 14–16. 1909.
      pen and crate, and feeds used. F.B. 287, rev., p. 29. 1921.
   Favorelles, description and characteristics. F.B. 1052, pp. 30–31. 1919.
   feed—
      buying, cooperation of egg circles. F.B. 656, p. 2. 1915.
      grain and seed adaptable, experiments in Hawaii, 1917. Hawaii A.R., 1917, pp. 30–31. 1918.
      lactose utilization. T. S. Hamilton and L. E. Card. J.A.R., vol. 27, pp. 597–604. 1924.
      misbranding, "alfacorn." Chem. N.J. 404, p. 1. 1910.
      mixtures. F.B. 357, pp. 14, 15, 16, 32, 33. 1909.
      sprouted oats, preparation. F.B. 1105, p. 7. 1920.
      time required to pass through intestinal tract. B. F. Kaupp and J. E. Ivey. J.A.R., vol. 23, pp. 721–725. 1923.
      use and value of—
         fish scrap. D.B. 2, pp. 36, 37. 1913.
         vegetables. News L., vol. 6, No. 1, p. 12. 1918.
   feeding—
      and care, investigations by experiment stations. Work and Exp., 1918, pp. 24, 40–41, 51. 1920.
      and housing in winter. S.R.S. Doc. 61, pp. 1–4. 1917.
      cottonseed products, experiments and results. J.A.R., vol. 14, pp. 438–442, 450. 1918.
      directions. F.B. 528, p. 10. 1913; F.B. 1331, pp. 12–16. 1923; M.C. 12, pp. 32–35. 1924; S.R.S. Syl. 17, pp. 8–9, 10, 13–15. 1916; Y.B., 1919, pp. 313–314. 1920; Y.B. Sep. 800, pp. 313–314. 1920.
      experiments. B.A.I. An. Rpt., 1907, pp. 356–357. 1909; B.A.I. Bul. 56, pp. 75–77. 1904; B.A.I. Bul. 140, pp. 31–46, 55–60. 1911; D.B. 657, pp. 5–7, 12. 1918; S.R.S. Rpt. 1915, pp. 45, 86, 141, 206. 1917.
      grain sorghums, value. Y.B., 1913, pp. 224, 237. 1914; Y.B. Sep. 625, pp. 224, 237. 1914.
      Hawaii, cost, and price of eggs. Hawaii A.R., 1915, p. 55. 1916.
      hints. B.A.I. Cir. 206, p. 3. 1912.
      in yards and on range, comparisons. D.B. 561, pp. 16–18. 1917.
      infected screenings, objections. D.B. 734, p. 15. 1918.
      methods—
         and essentials in diet. F.B. 1105, pp. 5–7. 1920.
         grains suitable. F.B. 562, pp. 7–8. 1913.
         suggestions as to exercise, forms of food necessary. O.E.S.F.I.L. 10, pp. 9–12, 14. 1909.
         yield of eggs, value, and cost. D.B. 561, pp. 3–6, 16–18. 1917.
      on beet-leaf beetles. D.B. 892, pp. 18, 22. 1920.
      on grasshoppers. News L., vol. 6, No. 47, p. 4. 1919.
      pigeon peas. Hawaii Bul. 46, pp. 4, 20. 1921.
      Porto Rico. P.R. Cir. 19, pp. 21–22. 1921.
      systems and methods. F.B. 287, pp. 20–27. 1907.
      varied ration. News L., vol. 6, No. 49, p. 3. 1919.
   flea, southern. *See* Flea, poultry.
   flocks, large and small, effect on egg production. B.A.I. Bul. 110, Pt. I, pp. 58–63. 1909.
   French breeds, description and uses. F.B. 1052, pp. 25–31. 1919.
   Frizzle, description and characteristics. F.B. 1221, pp. 26–27. 1921.
   gains in weight. D.B. 657, pp. 3–5, 12. 1918.
   Game, varieties, description, and characteristics. F.B. 1221, pp. 16–21. 1921.
   gapeworm—
      infection, artificial, experiments. D.B. 939, pp. 3–7. 1921.

Chicken(s)—Continued.
　gapeworm—continued.
　　investigations, 1917. An. Rpts., 1917, pp. 122–123. 1917; B.A.I. Chief Rpt., 1917, pp. 56–57. 1917.
　general-purpose breeds—
　　comparison with Leghorns. D.B. 561, pp. 19–20, 28, 32, 41, 42. 1917.
　　description. F.B. 1040, p. 5. 1919.
　grain consumption per head during fattening. B.A.I. Bul. 140, pp. 46–47. 1911.
　grasshoppers, control. F.B. 691, rev., pp. 17–18, 19. 1920.
　grit and mineral matter. F.B. 225, pp. 26, 27. 1905.
　growing in confinement, experiments. C. A. Herrick and others. J.A.R., vol. 25, pp. 451–456. 1923.
　growth, postnatal. J.A.R., vol. 29, pp. 363–397. 1924.
　grub-eating habits. F.B. 543, pp. 14, 16. 1913.
　grubworm control. F.B. 940, pp. 15–23. 1918.
　Hamburg, varieties, description and characteristics. F.B. 1221, pp. 9–16. 1921.
　hatching—
　　and brooding, school lessons. D.B. 464, pp. 18–19, 20–21. 1916.
　　effect of blasting. Off. Rec., vol. 3, No. 34, p. 5. 1924.
　　time and methods. News L., vol. 4, No. 28, p. 1. 1917.
　　time of year. F.B. 585, p. 4. 1914.
　head diseases, treatment. Y.B. 1911, pp. 189–191. 1912; Y.B. Sep. 559, pp. 189–191. 1912.
　health—
　　indications in droppings. F.B. 287 rev., pp. 20, 35. 1921.
　　relation to heat and moisture. Work and Exp., 1923, pp. 91, 93–94. 1925.
　Houdan, description, eggs, and weight. F.B. 1052, pp. 25–28. 1919.
　house(s)—
　　and fixtures, hints. B.A.I. Cir. 206, p. 3. 1912.
　　and inclosures. F.B. 287, pp. 6–18. 1907; F.B. 287 rev., pp. 6–14. 1921; B.A.I. An. Rpt., 1905, pp. 216–227. 1907.
　　and runs, for bantams, type and description. F.B. 1251, pp. 6–7. 1921.
　　breeding places for fleas. D.B. 248, p. 8. 1915.
　　cleaning with air-slaked lime. Y.B. 1911, pp. 180, 184–185. 1912; Y.B. Sep. 559, pp. 180, 184–185. 1912.
　　cleanliness. F.B. 1110, p. 9. 1920; F.B. 1111, p. 4. 1920.
　　colony, description, and advantages. O.E.S. F.I.L. 10, pp. 7–8. 1909.
　　construction. F.B. 287 rev., pp. 9–13. 1921.
　　construction. Alfred R. Lee. F.B. 1413, p. 28. 1924.
　　curtain-front, materials required. F.B. 357, pp. 29–30. 1909.
　　disinfection. F.B. 357, pp. 34–36. 1909; F.B. 683, p. 14. 1915; F.B. 1200, pp. 9–10. 1921.
　　floor space per hen, size of flocks, etc., experiments. B.A.I. An. Rpt., 1907, pp. 64, 66, 355–357. 1909.
　　for large and small flocks. F.B. 1113, pp. 4–6. 1920.
　　fumigation for control of mites. D.B. 1228, pp. 2, 4. 1924.
　　infestation with mites, causes and prevention. D.B. 553, pp. 10, 11, 13. 1917.
　　location and construction, methods. B.A.I. An. Rpt., 1905, pp. 216–227. 1907; D.C. 19, pp. 1–8. 1919; O.E.S. F.I.L. 10, pp. 6–9. 1909.
　　mite infested, treatment, sprays, dips. F.B. 801, pp. 6–8, 26. 1917.
　　painting and spraying with insecticides. D.B. 888, pp. 4, 8. 1920.
　　"Pioneer" description and advantages. F.B. 357, pp. 21–31. 1909.
　　plans for back yards, with directions for building. F.B. 1331, pp. 4–11. 1923.
　　requirements for growing chicks, cleaning. News L., vol. 4, No. 50, pp. 1, 2. 1917.
　　requirements, ventilation and space. Y.B. 1919, p. 312. 1920; Y.B. Sep. 800, p. 6. 1920.
　　tick infestation. Ent. Bul. 72, p. 42. 1907.

Chicken(s)—Continued.
　house(s)—continued.
　　tick-proof, description, cost. Ent. Cir. 170, pp. 13–14. 1913.
　　treatment for mites. Rpt. 108, pp. 64, 78, 132. 1915.
　housing—
　　conditions, relations to egg production. B.A.I. Bul. 110, Pt. I, pp. 58–63. 1909; B.A.I. Bul. 110, Pt. II, pp. 112–122, 156. 1911.
　　feeding, and care. B.A.I. Cir. 208, pp. 4–7. 1913.
　importance of hatching before May 1. News L., vol. 4, No. 31, p. 1. 1917.
　in Guam, breeding and feeding experiments—
　　1912. Guam A.R., 1912, pp. 21–22. 1913.
　　1923. Guam A.R. 1923, pp. 3–4. 1925.
　incubation—
　　and brooding, artificial and natural, rules. F.B. 281, pp. 24–28. 1907; F.B. 528, pp. 8–9. 1913; F.B. 528, rev., p. 8. 1915.
　　methods, comparison of results. F.B. 353, pp. 10–12. 1909.
　infection with—
　　fowl typhoid, studies and post mortem findings. J.A.R., vol. 28, pp. 76–77. 1924.
　　nematodes by earthworms. S.R.S. Rpt., 1915, Pt. I, p. 122. 1917.
　injury by—
　　bedbugs and Mexican chicken bugs. Y.B. 1912, p. 394. 1913; Y.B. Sep. 600, p. 394. 1913.
　　lice, and prevention methods. Y.B. 1912, p. 396. 1913; Y.B. Sep. 600, p. 396. 1913.
　　ticks. F.B. 1070, p. 5. 1919.
　　turkey gnats. Y.B. 1912, pp. 385–386. 1913; Y.B. Sep. 600, pp. 385–386. 1913.
　inoculation with *Bacillus necrophorous*, experiments. B.A.I. Bul. 67, p. 26. 1905.
　insects—
　　and diseases, control measures. B.A.I. Cir. 206, pp. 4–5. 1912.
　　and weed destroyers. News L., vol. 5, No. 50, p. 6. 1918.
　　pests, precautions, O.E.S. F.I.L. 10., pp. 17–18. 1909; F.R. 308, pp. 30–32. 1907.
　　remedies, tests. I. and F. Bd., S.R.A. 48, pp. 1125–1126. 1924.
　intestinal—
　　diseases, cause and prevention. Y.B. 1911, pp. 187, 188, 189, 191–192. 1912; Y.B. Sep. 559, pp. 187, 188, 189, 191–192. 1912.
　　worms description and control. F.B. 1337, pp. 30–34. 1923.
　Java, description. F.B. 806, pp. 14–15. 1917.
　keeping—
　　at home, methods and kind of fence suitable. News L., vol. 6, No. 9, p. 8. 1918.
　　common sense directions. Rob R. Slocum. Y.B. 1918, pp. 307–317. 1920; Y.B. Sep. 800, pp. 11. 1920.
　　quality as affected by bad bleeding. Chem. Cir. 61, pp. 5–8. 1910.
　killing—
　　and bleeding for market. Chem. Cir. 61, pp. 7–15. 1910.
　　picking and preparing for market. Chem. Cir. 61, rev., pp. 2–4. 1915; F.B. 287, rev., pp. 30–31. 1921; F.B. 1105, pp. 7–8. 1920; O.E.S. F. I. L. 10, p. 17. 1909.
　La Flèche, description and characteristics. F.B. 1052, pp. 29–30. 1919.
　Langshan, varieties, description, and uses. F.B. 1052, pp. 12–14. 1919.
　Leghorn—
　　Brown, breeding in Guam, adaptability. Guam A. R., 1913, pp. 12–14. 1914.
　　comparison with general-purpose breeds. D.B. 561, pp. 19–20, 28, 32, 41, 42. 1917.
　　description, varieties, and value. P.R. Cir. 19, pp. 5–6. 1917; F.B. 898, pp. 6–15. 1917.
　　objections. B.A.I. Bul. 140, pp. 11, 12, 49. 1911.
　　superiority as egg producers. News L., vol. 4, No. 50, pp. 4–5. 1917.
　loss in weight due to killing and chilling. D.B. 657, pp. 7–8. 1918.
　losses from caponizing. F.B. 849, p. 10. 1917.

Chicken(s)—Continued.
    lice—
        and mite control. F.B. 1040, p. 25. 1919; F.B. 1331, pp. 16–17. 1923; S.R.S. Syl. 17, p. 16. 1915.
        control experiments. D.B. 888, pp. 2–9. 1920.
        mites, and cleanliness. J. W. Kinghorne and D. M. Green. F.B. 1110, pp. 10. 1920.
        use of sodium fluoride for control. News L., vol. 4, No. 39, p. 9. 1917.
    louse powders, labeling, opinions. I. and F. Bd. S.R.A. 1, pp. 2–5. 1914; I. and F. Bd. S.R.A. 3, pp. 32, 33. 1914.
    Malay varieties, description and characteristics. F.B. 1221, pp. 22–24. 1921.
    management—
        for digestion experiments. B.A.I. Bul. 56, pp. 26–27. 1904.
        for flea control. D.B. 248, p. 24. 1915.
        practices. F.B. 287, rev., pp. 1–39. 1921; F.B. 562, pp. 5–10, 12 1913; B.A.I. An. Rpt., 1905, pp. 213–266. 1907.
    manure, in fattening, relation to grain fed. D.B. 21, pp. 27–28. 1914.
    market—
        cold-storage, chemical studies, selection of material. Chem. Bul. 115, pp. 61–62. 1908.
        examination for gapeworm infection. D.B. 939, pp. 1–3. 1921.
        grades and quotations. F.B. 1377, pp. 6–8. 1924.
    marketing—
        discarded fowls, suggestions. F.B. 1112, p. 8. 1920.
        killing and dressing, directions. F.B. 353, pp. 13–14. 1909.
        methods. F.B. 1377, pp. 1–30. 1924.
        time, methods. F.B. 562, pp. 11, 12. 1913.
    mature, care of. F.B. 1105, p. 8. 1920.
    meat breeds—
        Asiatic, English, and French classes. F.B. 1052, p. 5. 1919.
        description. F.B. 1040, p. 7. 1919.
        weight, and other characteristics. F.B. 1052, pp. 5–31. 1919.
    Mediterranean class, characteristics. F.B. 898, pp. 6–23. 1917.
    milk feeding. B.A.I. Bul. 140, pp. 14, 19, 32, 33, 39, 44. 1911.
    Minorca, description, varieties, and value. P.R. Cir. 19, pp. 10–11. 1921; F.B. 898, pp. 15–19. 1917.
    mites—
        and lice—
            Nathan Banks. Ent. Cir. 92, pp. 8. 1907.
            prevention. S.R.S. Doc. 71, pp. 1–4, 1918.
            combating. F.B. 190, pp. 6–8. 1904.
        common, description, life history, control. F.B. 801, pp. 3–10. 1917.
        control. Ent. Cir. 170, p. 12. 1913; F.B. 190 pp. 6–8. 1904; F.B. 287, rev., p. 37. 1921; F.B. 355, pp. 23–24. 1909; F.B. 528, p. 11. 1913; F.B. 1040, p. 25. 1919; F.B. 1331, p. 17. 1923; S.R.S. Syl. 17, p. 16. 1915.
        control, experiments and results. W. M. Davidson. D.B. 1228, pp. 11. 1925.
        description, habits, remedies, and preventives. Ent. Cir. 92, pp. 1–3. 1907.
        life history—
            and habits. H. P. Wood. D.B. 553, pp. 15. 1917.
            transmission. Y.B., 1905, p. 146. 1906; Y.B. sep. 374, p. 146. 1906.
        spraying. O.E.S. F. I. L. 10, p. 18. 1909.
        treatment. F.B. 287, p. 48. 1907; F.B. 1337, pp. 35–38. 1923.
    nematode parasite in crop. B.A.I. Cir. 64, pp. 1–3. 1904.
    number and value in United States and foreign countries. Y.B., 1924, pp. 393, 991–992. 1925.
    number in 1909. D.B. 467, p. 2. 1916.
    on range, care and feeding. F.B. 357, p. 17. 1909.
    Oregon, new strain of heavy layers. S.R.S. Rpt., 1917, Pt. I, p. 228. 1918.
    origin from pheasant of Asiatic jungle. F.B. 390, p. 11. 1910.
    ornamental breeds and varieties. Rob R. Slocum. F.B. 1221, pp. 28. 1921.
    Orpington, varieties, description, and uses. F.B. 1052, pp. 17–21. 1919.

Chicken(s)—Continued.
    packing, and head wrapping. D. C. 52, pp. 1–10. 1919.
    parasite—
        Ascaridia lineata in the United States. Benjamin Schwartz. J.A.R., vol. 30, pp. 763–772. 1925.
        Gongylonema ingluvicola in crop. Brayton H. Ransom. B.A.I. Cir. 64, pp. 3. 1904.
    picking, directions—
        Bureau of Agricultural Economics. M.C. 42, pp. 14. 1925.
        points for poultry packers. Chem. Folder "Points for poultry packers," No. 3. 1918.
    plucking, directions and description of hook for holding. F.B. 353, pp. 13, 14. 1909.
    Plymouth Rock—
        T. F. McGrew. B.A.I. Bul. 29, pp. 32. 1901.
        ancestry. F.B. 262, p. 27. 1906.
        Barred, breeding in Guam, adaptability. Guam A.R., 1913, pp. 12–14. 1914.
        Barred, egg production, variation. B.A.I. Bul. 110, Pt. I, pp. 24–49. 1909.
        description, varieties, and value. P.R. Cir. 19, pp. 12–13. 1921.
        origin, description, mating, and judging. F.B. 806, pp. 5–11. 1917.
        value for fattening. B.A.I. Bul. 140., pp. 11, 12. 1911.
    poisoning with—
        benzene fumes. J.A.R., vol. 9, p. 371. 1917.
        cockleburs, symptoms and results. D.B. 1274, pp. 11, 15–18. 1924.
        corn cockle. An. Rpts., 1907, p. 223. 1908; B.A.I. An. Rpt., 1907, p. 46. 1909.
        rose chafers. F.B. 721, pp. 3–4. 1916.
    Polish, varieties, description, and characteristics. F.B. 1221, pp. 5–9. 1921.
    Porto Rico, upbreeding with selected stock. P.R. Cir. 19, pp. 4–20. 1921.
    pox—
        cause, symptoms and treatment. F.B. 530, pp. 15–16. 1913; F.B. 1114, p. 6. 1920; D.C. 20, p. 6. 1919.
        control by vaccination. S.R.S. Rpt., 1915, Pt. I, pp. 57, 180. 1917.
        description and control. F.B. 287, rev., p. 35. 1921.
        prevention and control. Hawaii A.R., 1919, pp. 54–55. 1920.
        treatment. Y.B., 1911, p. 191. 1912; B.A.I. Cir. 206, p. 5. 1912; F.B. 528, p. 11. 1913; F.B. 1040, p. 26. 1919; Y.B. Sep. 559, p. 191. 1912.
        turkeys, symptoms and control. F.B. 791, p. 25. 1917; F.B. 1409, p. 21. 1924.
        See also Diphtheria, fowl; Sorehead.
    preparation for killing. Chem. Cir. 61, p. 6. 1910.
    prices—
        in 1909–1921. Y.B., 1921, p. 709. 1922; Y.B. Sep. 870, p. 35. 1922.
        on farms, 1913 and 1914. Y.B., 1914, p. 630. 1915; Y.B. Sep. 656, p. 630. 1915.
        on farms, 1924. Y.B., 1924, pp. 997, 1175. 1925.
    production—
        and marketing. O. E. S. F. I. L. 10, pp. 1–20. 1909.
        in 1923, 1924. Off. Rec., vol. 4, No. 10, p. 3. 1925.
    protection—
        against tuberculosis. F.B. 1200, pp. 9–11. 1921.
        from ticks. Y.B. 1910, p. 222. 1911; Y.B. Sep. 531, p. 222. 1911.
    purebred, advantages. F.B. 1111, pp. 3–4. 1920.
    quarantine coops, management. F.B. 1070, p. 14. 1919.
    raising—
        and care. F.B. 287, pp. 1–48. 1907.
        by artificial processes. F.B. 357, pp. 8–19. 1909.
        by boys and girls. News L., vol. 6, No. 35, p. 10. 1919.
        by natural processes, directions. F.B. 357, pp. 6–8. 1909.
        care, feeds, and feeding methods. News L., vol. 3, No. 35, pp. 3–4. 1916.
        discussion. B.A.I. An. Rpt., 1905, pp. 240–251. 1907.

Chicken(s)—Continued.
  raising—continued,
    hatching, feeding, and care. F.B 287, rev., pp. 21-28. 1921; B.A.I. Cir 206, pp. 1-50. 1912; B.A.I. Cir. 82, pp. 1-3. 1905.
    in—
      Alaska, experiments and results. Alaska A.R. 1912, pp. 27-28. 1913.
      back yard, directions and list of publications. Lib. Leaf. 1, pp. 1-4. 1918.
      Guam, progress. Guam A.R., 1921, pp. 5-7. 1923.
      Nevada, Newlands Farm. D.C. 352, pp. 25-26. 1925.
      rules. News L., vol. 6, No. 47, p. 16. 1919.
    school-garden work, experiments in Pennsylvania. O.E.S. Bul. 252, p. 9. 1912.
    with hens, directions. F.B. 624, pp. 1-5. 1914.
    records in 1835, 1851, and 1867. B.A.I. Bul. 110, Pt. I, pp. 56-57. 1909.
  Red Cap, description and characteristics. F.B. 1052, p. 16. 1919.
  reproduction physiology, studies. XV. Dwarf eggs. Raymond Pearl and Maymie R. Curtis. J.A.R., vol. 6, No. 25, pp. 977-1042. 1916.
  requirements for farm family, and acreage for feed. F.B. 1015, pp. 13, 14, 15. 1919.
  Rhode Island Red—
    description and varieties. P.R. Cir. 19, p. 14. 1921.
    origin, description, and judging. F.B. 806, pp. 17-18. 1917.
    winter cycle of egg production. H. D. Goodale. J.A.R., vol. 12, pp. 547-574. 1918.
  roosts, construction for control of ticks. Y.B., 1910, p. 222. 1911; Y.B. Sep. 531, p. 222. 1911.
  rose-comb bantams, breeds, varieties, and descriptions. F.B. 1251, pp. 8, 14-15. 1921.
  rotation with vegetable garden and corn patch. F.B. 1345, pp. 22-23. 1923.
  selection—
    and preparation for exhibition. J. W. Kinghorne. F.B. 1115, pp. 11. 1920.
    and purchase for back yard flock, and space required. F.B. 1331, pp. 2-4. 1923.
    for uniformity. News L., vol. 5, No. 47, p. 9. 1919.
    of breeders, points and suggestions. P.R. Cir. 19, pp. 18-20. 1921.
  selling gradually to avoid market glutting. News L., vol. 5, No. 38, p. 8. 1918.
  septicemic, pathological histology. B.A.I. Bul. 36, pp. 13-15. 1902.
  serum, action on cells of various animals, literature. J.A.R, vol. 27, pp. 709-711, 715. 1924.
  sex ratio, relation to antecedent egg production. M. A. Jull. J.A.R., vol. 28, pp. 199-224. 1924.
  shipping for exhibition, directions. F.B. 1115, pp. 9-10. 1920.
  single-comb White Leghorn, postnatal growth of body, systems, and organs. Homer B. Latimer. J.A.R., vol. 29, pp. 363-397. 1924.
  Spanish, description. F.B. 898, pp. 19-20. 1917.
  spring—
    fattening rations, composition and results. D.B. 1052, pp. 7, 10, 12-17, 18-22. 1922.
    fried, canning directions. F.B. 839, pp. 27-28, 30, 31. 1917.
  standard varieties—
    American class. Rob. R. Slocum. F.B. 1347, pp. 18. 1923; F.B. 806, pp. 19. 1917.
    Asiatic, English, and French classes. Rob R. Slocum. F.B. 1052, pp. 32. 1919.
    Bantam breeds. Rob R. Slocum. F.B. 1251, pp. 24. 1921.
    Mediterranean and Continental classes. Rob R. Slocum. F.B. 898, pp. 26. 1917.
    Ornamental breeds. Rob R. Slocum. F.B. 1221, pp. 28. 1921.
  statistics, prices—
    1909-1910. Y.B., 1910, p. 643. 1911; Y.B. Sep. 553, p. 643. 1911.
    1913-1915, and exports. Y.B., 1915, pp. 528, 548. 1916; Y.B. Sep. 684, p. 528. 1916; Y.B. Sep. 685, p. 548. 1916.
    1916 by States. Y.B., 1916, p. 682. 1917; Y.B. Sep. 721, p. 24. 1917.
    1924. Y.B., 1924, pp. 991-992, 997, 1175. 1925.
  stock selection, importance. F.B. 562, p. 7. 1913.
  Sultan, description. F.B. 246, pp. 15-16. 1906.

Chicken(s)—Continued.
  Sultan, description and characteristics. F.B. 1221, pp. 24-26. 1921.
  Sumatra varieties, description and characteristics. F.B. 1221, p. 22. 1921.
  supply in France. News L., vol. 6, No. 52, p. 3. 1919.
  Sussex, varieties, description, and uses. F.B. 1052, pp. 23-25. 1919.
  tapeworms and nematodes, study in Kansas. Work and Exp., 1914, p. 113. 1915.
  testing for—
    Bacterium pullorum infection. D.B. 517, pp. 1-15. 1917.
    tuberculosis. F.B. 1200, p. 9. 1921.
  tick infestation, and results. Ent. Cir. 170, pp. 4-5. 1913.
  tick. See also Tick, chicken; Tick, fowl.
  transmission of blackhead infection. B.A.I. Cir. 119, pp. 7, 9. 1907.
  treatment for—
    lice. D.B. 888, pp. 2-9. 1920.
    lice and mites. F.B. 1110, pp. 3-9. 1920.
    tick infestation. Ent. Cir. 170, pp. 9-14. 1913.
    tuberculosis, cause, symptoms, and prevention. F.B. 1200, pp. 1-11. 1921.
  tuberculous, experiments with flesh and eggs. B.A.I. An. Rpt., 1908, pp. 167-170. 1910.
  tumors, frequency of occurence. Maymie R. Curtis. J.A.R., vol. 5, No. 9, pp. 379-404. 1915.
  use in control of grain bugs. D.B. 779, p. 32. 1919.
  usefulness in eating earwigs. D.B. 566, p. 7. 1917.
  value of straw litter and green feed. News L., vol. 5, No. 35, p. 7. 1918.
  vitamin requirements in feed, sources of supply. O.E.S. An. Rpt., 1922, pp. 81-82. 1924.
  washing to improve plumage, directions. F.B. 1115, pp. 6-9. 1920.
  waste in use of "squab chickens" broilers or fryers. News L., vol. 5, No. 24, p. 6. 1918.
  white-comb disease, observations, and control. J.A.R., vol. 15, pp. 415-418. 1918.
  White Leghorn, growth effect of grain rations, experiments. J.A.R., vol. 16, pp. 305-312. 1919.
  worms, control by carbon tetrachloride, tests. J.A.R., vol. 23, pp. 164-167. 1923.
  worms, description, symptoms, and control. Guam A.R., 1915, pp. 38-41. 1916.
  Wyandotte—
    American breed. B.A.I. Bul. 31, pp. 1-30. 1901.
    ancestry. F.B. 262, p. 27. 1906.
    description and varieties. P.R. Cir. 19, pp. 15-16. 1921.
    egg production, monthly. J.A.R., vol. 12, pp. 562-568. 1918.
    origin, description, and judging. F.B. 806, pp. 11-14. 1917.
    white, egg production, variation. B.A.I. Bul. 110, Pt. I, p. 49. 1909.
  yards, disinfection. F.B. 1200, pp. 9-10. 1921.
  yards, treatment. F.B. 1331, pp. 11-12. 1923.
  young—
    care of, brooding and feeding. F.B. 1108, pp. 3-8. 1920.
    feeding—
      and care. S.R.S. Syl. 17, pp. 7, 8-9. 1916.
      meat scraps versus soybeans as protein source, A. G. Philips and others. J.A.R., vol. 18. pp. 391-398. 1920.
  See also Bantams; Chicks; Fowls; Hens; Poultry.
"Chicken corn,"—
  description and distribution. D.B. 981, p. 12. 1921.
  sorghum, variety, description and distribution. D.B. 981, p. 12. 1921.
  use of name for shallu sorghum. B.P.I. Cir. 50, p. 4. 1910.
Chickenberry. See Squaw vine; Wintergreen.
Chicks—
  baby—
    care. Alfred R. Lee. F.B. 1108, pp. 8. 1920.
    care and feeding. B.A.I. A.H.G.-30, pp.-2. 1919.
    treatment. D.C. 14, pp. 3-7. 1919.
  brooder, disease causes and prevention. Y. B. 1911, pp. 187-189. 1912; Y.B. Sep. 559, pp. 187-189. 1912.

INDEX TO PUBLICATIONS, 1901-1925 449

Chicks—Continued.
brooding. See Brooding.
care—
  and feeding. D.C. 14, pp. 3-7. 1919; S.R.S. Doc. 69, pp.1-4. 1918.
  at hatching time. F.B. 1108, pp. 3-4. 1920.
  during warm weather, work of boy's and girls' clubs. S.R.S. Doc. 77, pp.-3. 1918.
day-old—
  mail shipment authorized. News L., vol. 5, No. 35, p. 8. 1918.
  price, and cost of raising. D.B. 1236, p. 29. 1924.
  selling, increase in industry. B.A.I. An. Rpt., 1911, pp. 248, 249. 1913.
deaths in eggshell, caused by molds and bacteria. Y.B., 1911, pp. 188, 189. 1912; Y.B. Sep. 559, pp. 188, 189. 1912.
early hatching. B.A.I A.H.G.-28, pp. 8. 1918.
feed(s)—
  and feeding methods. News L., vol. 3, No. 35, p. 4. 1916.
  formulas. S.R.S. Doc. 69, pp. 2-4. 1917.
  grain and mash, formulas, and feeding methods. S.R.S. Doc 77, pp. 1-2. 1918.
  misbranding. See Indexes, notices of judgment in bound volumes and in separates published as supplements to Chemistry Service and Regulatory Announcements.
  requirements, studies. Work and Exp., 1919, p. 71. 1921.
feeding—
  and care. F.B. 287, pp. 31-34. 1907; F.B. 287, rev. pp. 26-28. 1921; S.R.S. Syl. 17, pp. 7, 8-9. 1916.
  directions. D.C. 14, pp. 5-7. 1919; F.B. 355, p. 28. 9109; F.B. 528, p. 10. 1913; F.B. 624, pp. 12-14. 1914; M. C. 12, p. 34. 1924; S.R.S. Syl., 17, pp. 8-9. 1915.
  experiments in Guam. Guam A.R. 1919, pp. 9, 19-20. 1921.
  first time, frequency, and feeds suitable. News L., vol. 5, No. 36, p. 4. 1918.
  in confinement, experiments. J.A.R., vol. 25, pp. 452-454. 1923.
  on grain rations, experiments. J.A.R., vol. 16, pp. 305-312. 1919.
  value of sour milk, experiments. Work and Exp., 1914. pp. 41, 79, 80, 165. 1915.
green feed versus antiseptics as preventive of intestinal disorders. A. G. Phillips and others. J.A.R. vol. 20, pp. 869-873. 1921.
growing—
  management. D.C. 17, pp. 5. 1919.
  management. J. W. Kinghorne. F.B. 1111, pp. 8. 1920.
  nutritive requirements, deficiencies of corn. F. E. Mussehl and others. J.A.R. vol. 22, pp. 139-149. 1921.
growth essentials. F.B. 1111, pp. 3-6. 1920.
guinea, brooding, natural and artificial. F.B. 1391, pp. 9-10. 1924.
hatcheries, business and requirements. Y.B. 1924, pp. 413-415. 1925.
hatching—
  and raising in back yards. F.B. 1331, pp. 17-18, 21. 1923.
  brooding, feeding, and care. F.B. 889, p. 20, 1917; F.B. 1040, pp. 10-13. 1919; Y.B. 1919, pp. 314-316. 1920; Y.B. Sep. 800, pp. 8-10. 1920.
  directions. F.B. 287,pp. 28-31. 1907; F.B. 287, rev. pp. 22-24. 1921.
  natural and artificial. S.R.S. Syl. 17, pp. 5-6. 1915.
  record, farm. B.A.I. A.H. G.-28, p. 7. 1919.
incubation and brooding. F.B. 355, pp. 25-27. 1909; O. E. S. F. I. L. 10, pp. 12-14. 1909.
infectious diseases, studies, and control methods. F.B. 530, pp. 26-32. 1913.
intestinal disorders, green feed versus antiseptics as preventive. J.A.R. vol. 20, pp. 869-873. 1921.
marking, time, method, marks. F.B. 562, pp. 11, 12. 1913.
mineral elements in bodies at different periods. J.A.R. vol. 14, pp. 130, 133. 1918.
protection from gapeworms. D.B. 939, pp. 11-12, 13. 1921.

Chicks—Continued.
raising by—
  artificial process. B.A.I. Bul. 90, pp. 18-23. 1906.
  hens, treatment for mites. News L. vol. 4, No. 40, p. 9. 1917.
rearing with hens. S.R.S. Doc. 69, pp. 1-2. 1918; F.B. 1376, pp. 1-6. 1924.
sex, relation to shape and weight of eggs. M. A. Jull and J. P. Quinn. J.A.R. vol. 29; pp. 195-201. 1924.
toe-marking. F.B. 624, p. 3. 1914; F.B. 1108, p. 4. 1920.
viability and growth, relation to specific gravity of eggs. J.A.R. vol. 23, pp. 719-720. 1923.
weight, relationship to weight of eggs according to sex. M. A. Jull and J. P. Quinn. J.A.R. vol. 31, pp. 223-226. 1925.
white diarrhea, studies. B.A.I. An. Rpt. 1908, p. 39. 1910; B.A.I. Cir. 128, p. 7. 1908; Work and Exp., 1913, pp. 26, 37. 1915.
young, causes of death. F.B. 309, p. 27. 1907.
young, rearing and care. F.B. 237, pp. 23-25. 1905; F.B. 357, pp. 13-17. 1909; B.A.I. Bul. 90, pp. 16-23. 1906.
See also Chickens.
Chickweed—
characters. News L., vol. 2, No. 40, p. 2. 1915.
description, distribution, spread, and products injured. F.B. 660, p. 27. 1915.
description of seeds, appearance in red clover seed. F.B. 260, pp. 20-21. 1906.
destruction by birds. Biol. Bul. 15, pp. 26, 27. 1901.
seed, adulterant of redtop seed, description. D.B. 692, p. 22. 1918.
seed, description. B.P.I. Bul. 84, p. 32. 1905; F.B. 428, pp. 7, 24, 25. 1911.
use as manure for tobacco crop. F.B. 1250, p. 45. 1922.
Chicle—
imports—
  1899-1908. Stat. Bul. 51, p. 24. 1909.
  1907-1909, quantity and value by countries from which consigned. Stat. Bul. 82, p. 64. 1910.
  1908-1910, quantity and value, by countries from which consigned. Stat. Bul. 90, p. 68. 1911.
  1911-1913. Y.B. 1913, p. 495. 1914; Y.B. Sep. 631, p. 495. 1914.
  1913-1915. Y.B. 1915, p. 542. 1916; Y.B. Sep. 685, p. 542. 1916.
  1914, quantity, value and source, and reexports. D.B. 296, pp. 48, 49-50. 1915.
  1916. Y.B. 1916, p. 709. 1917; Y.B., Sep. 722, p. 3. 1917.
production in Hawaii. An. Rpts., 1912, p. 834. 1913; O.E.S. Chief Rpt., 1912, p. 20. 1912.
yield from Euphobia lorifolia, latex-bearing tree, Hawaii. O.E.S. An. Rpt., 1912, pp. 20, 103. 1913.
Chico. See Greasewood.
Chico Plant Introduction Station, location, soil, and climate. D.B. 1172, pp 6-9, 33. 1923.
Chicory—
adulteration and misbranding. Chem. N.J. 1928, pp. 2. 1912; Chem. N.J. 2058, p. 1. 1913.
and coffee compound, adulteration and misbranding. Chem. N.J. 714, pp. 2. 1911.
control and eradication as a weed. Albert A. Hansen. D.C. 108, pp. 4. 1920.
cultural directions and use. F.B. 937, pp. 34-35. 1918.
description and uses, and spreading methods. D.C. 108, pp. 2-3. 1920.
detection in coffee extract. Chem. Bul. 107, p. 154. 1907.
granulated, adulteration. Chem. N.J. 3169. 1914.
home garden, cultural hints. F.B. 255, p. 30. 1906.
root imports—
  1906-1910. Y.B., 1910, p. 656. 1911; Y.B. Sep. 553, p. 656. 1911.
  1910-1914, sources of supply. D.B. 296, p. 31. 1915.
  1911-1913, coffee substitute. Y.B., 1913, p. 495. 1914; Y.B. Sept. 631, p. 495. 1914.
  1913-1915. Y.B., 1915, p. 542. 1916; Y.B. Sep. 685, p. 542. 1916.

Chicory—Continued.
use as—
coffee—
adulterant. Chem. N.J. 1647, p. 1. 1912.
adulterant, production, and imports. Stat. Bul. 79, pp. 126–123. 1912.
adulterant, testing, directions. D.B. 123, p. 53. 1916.
salad and potherb. O.E.S. Bul. 245, pp. 24, 28. 1912.
wild, seed, description. F.B. 260, p. 17. 1906; F.B. 428, pp. 5, 21, 22. 1911.
Chief clerk, Department of Agriculture, duties. Y.B., 1908, p. 491. 1909; Y.B. Sep. 497, p. 491. 1909.
Chigger(s)—
biology and control studies. H. E. Ewing. D.B. 986, pp. 19. 1921.
bites, counter-irritants. News L., vol. 2, No. 43, p. 3. 1915.
bites, palliatives. D.B. 986, p. 18. 1921.
breeding places, destruction. D.B. 986, pp. 15–17. 1921.
chicken pests, description, other names, and control treatment. F.B. 801, p. 11. 1917.
control as pest of poultry. F.B. 1110, pp. 8–9. 1920.
control methods and treatment of bites. D.B. 986, pp. 13–18. 1921.
description and occurrence. D.C. 338, p. 10. 1925; Sec. Cir. 61, p. 22. 1916; D.B. 986, pp.1–5. 1921.
hosts, natural, studies. D.B. 986, pp. 5–7. 1921.
injury to fowls, description, and control treatment. F.B. 957, p. 44. 1918.
injury to man, nature and methods of attack. D.B. 986, pp. 7–13. 1921.
Japanese, parasite of field mice, and disease transmission. D. B. 986, pp. 6, 12. 1921.
North American, distribution and nomenclature. H. E. Ewing. J.A.R., vol. 26, pp. 401–403. 1923.
or harvest mites. F. H. Chittenden. Ent. Cir. 77, pp. 6. 1906; F.B. 671, pp. 7. 1915.
poultry, habits, and control. D.C. 16, pp. 5, 7–8. 1919; F.B. 1337, p. 38. 1923.
See also Mites, harvest; Chigoe.
Chigoe—
description and control as camp pest. Sec. Cir. 61, p. 20. 1916.
habits. F.B. 683, p. 2. 1915.
spread by dogs. D.B. 260, p. 24. 1915.
See also Chigger.
Chilacayote, importation and description. No. 54700, B.P.I. Inv. 70, pp. 1, 10. 1923.
CHILCOTT, E. C.—
"A study of cultivation methods and crop rotations, for the Great Plains area." B.P.I. Bul. 187, p. 78. 1910.
"Barley in the Great Plains area: Relation of cultural methods to production." With others. D. B. 222, pp. 32. 1915.
"Corn in the Great Plains area: Relation of cultural methods to production." With others. D.B. 219, pp. 31. 1915.
"Corn, milo, and kafir in the Southern Great Plains area: Relation of cultural methods to production." With others. D.B. 242, pp. 20. 1915.
"Crop production in the Great Plains area: Relation of cultural methods to yields." With others. D. B. 268, pp. 28. 1915.
"Growing winter wheat on the Great Plains." With John S. Cole. F.B. 895, pp. 12. 1917.
"Dry land farming in the Great Plains area." Y.B., 1907, pp. 451–468. 1908; Y.B. Sep. 461, pp. 451–468. 1908.
"Oats in the Great Plains Area: Relation of cultural methods to production." With others. D. B. 218, pp. 42. 1915.
"Some misconceptions concerning dry farming." Y.B., 1911, pp. 247–256. 1912; Y.B. Sep. 565, pp. 247–256. 1912.
"Some soil problems for practical farmers." Y.B., 1903, pp. 441–452. 1904; Y.B. Sep. 306, pp. 441–452. 1904.
"Spring wheat in the Great Plains area: Relation of cultural methods to production." With others. D.B. 214, pp. 43. 1915.

CHILCOTT, E. C.—Continued.
"Subsoiling, deep tilling, and soil dynamiting in the Great Plains." With J. S. Cole. J.A.R., vol. 14, pp. 481–521. 1918.
"Storage of water in soil and its utilization by spring wheat." With O. R. Mathews. D.B. 1139, pp. 28. 1923.
"Use of water by spring wheat on the Great Plains." With others. D.B. 1004, pp. 34. 1923.
"Winter wheat in the Great Plains area." With others. D.B. 595, pp. 36. 1917.
Child—
feeding, studies. F.B. 717, pp. 1–20. 1916.
labor, constitutional amendment. Off. Rec., vol. 1, No. 31, p. 3. 1922.
survey, Boston, methods and scope. News L., vol. 6, No. 42, p. 15. 1919.
welfare, work of extension specialist in Minnesota. News L., vol. 6, No. 24, p. 6. 1919.
See also Children; Infants.
Children—
average weight, different standards. O.E.S. Bul. 223, p. 65. 1910.
care and—
education, publications lists. Rpt. 103, pp. 80–81, 37–98. 1915; Rpt. 104, pp. 80–81, 97–98. 1915; Rpt. 105, pp. 68, 85–86. 1915; Rpt. 106, pp. 71, 88–89. 1915.
feeding, home demonstration work. S.R.S. An. Rpt., 1921, pp. 45–46. 1921.
clothing, suitability. F.B. 1089, pp. 6, 7, 13, 14. 1920.
diet—
bills of fare suggested, and food groups. F.B. 717, pp. 1–20. 1916.
importance of milk. D.C. 129, pp. 1–4. 1920 Sec. Cir. 85, p. 9. 1918.
questions for mothers to ask. F.B. 717, pp. 19–20. 1916.
dietary—
requirements, and importance of wholesome food. O.E.S. Cir. 110, pp. 14, 24–25, 30. 1911.
studies and standards. O.E.S. Bul. 223, pp. 11–14, 64–75, 87–98. 1910
effects of Coca Cola, testimony. Chem. N.J. 1455, pp. 22, 23, 26, 30, 31, 39, 49. 1912.
farm—
education, discussion by farm women, Y.B., 1914, pp. 315–316. 1915; Y.B. Sep. 644, pp. 315–316. 1915.
numbers and conditions. D.C. 148, pp. 13–14, 19–21. 1920.
usefulness in caring for livestock. Sec. Cir. 122, pp. 4–5. 1918.
feeding—
and care, home demonstration work, results. D.C. 141, pp. 17, 18, 23, 24. 1920; D.C. 285, p. 9. 1923.
use of oils. D.B. 1033, pp. 3, 4, 5. 1922.
food—
directions and recipes. U. S. Food Leaf. 7, pp. 1–4. 1917.
habits, teaching. News L., vol. 6, No. 46, p. 4. 1919.
milk, necessity and value. U. S. Food Leaf. 11, pp. 1–4. 1918.
recipes. News L., vol. 3, No. 33, p. 4. 1916 News L., vol. 7, No. 15, pp. 11–12. 1919.
requirements, comparison with men. Y.B., 1907, p. 365. 1908; Y.B. Sep. 454, p. 365. 1908.
studies. F.B. 712, pp. 1–27. 1916.
Hawaii, work in home gardens. Hawaii A.R., 1919, pp. 38–39, 73. 1920.
home education and rearing, needs, and publications suggested. Rpt. 105, pp. 29–34, 68, 85–86. 1915.
infection with foot-and-mouth disease from milk. B.A.I. [Misc.], "Diseases of cattle," rev., p. 396. 1912.
injury by Argentine ants. D.B. 377, pp. 5–6. 1916.
milk-feeding demonstrations. D.C. 139, pp. 13–14. 1920.
need of milk in diet. D.C. 129, pp. 2, 4. 1920.
poisoning by barium carbonate, danger. D.B. 915, pp. 2, 9. 1920.

INDEX TO PUBLICATIONS, 1901-1925   451

Children—Continued.
  southern, story of the cattle fever tick. B.A.I. [Misc.], "The story of the cattle fever tick," rev., pp. 31. 1922.
  susceptibility to bovine tuberculosis. B.A.I. An. Rpt., 1909, pp. 194, 196, 198. 1911.
  thrift in the home, teaching methods. Thrift Leaf. 19, pp. 1-4. 1919.
  use of sugar in food, amount, and method. F.B. 535, pp. 30-31. 1913.
  wages, on southern plantations. D.B. 1269, p. 26. 1924.
  weight, records kept in schools. D.C. 250, p. 12. 1923.
  work in marketing surplus vegetables. Mkts. Doc. 6, p. 6. 1917.
  young, food for. Caroline L. Hunt. F.B. 717, pp. 20. 1916; F.B. 717, rev., pp. 22. 1920.
  See also Child; Infants.
Children's—
  clubs, needs in farm sections, discussion. Rpt. 105, pp. 35-36. 1915.
  clubs, organization publications. Rpt. 103, pp. 79-80, 90-91. 1915; Rpt. 104, pp. 79-80, 90-91. 1915; Rpt. 105, pp. 67-68, 78-79. 1915; Rpt. 106, pp. 70-71, 81. 1915.
  garden work, types. Susan B. Sipe. O.E.S. Bul. 252, pp. 56. 1912.
Children's Bureau, Department of Labor, cooperation of home workers. S.R.S. Rpt., 1918, p. 94. 1919.
Chile—
  agricultural statistics, 1910-1920. D. B. 987, pp. 18-20. 1921.
  area, description, and agricultural resources. D.C. 228, pp. 33-35. 1922.
  cattle, number and distribution. Sec. [Misc.] Spec., "Geography * * * world's agriculture," p. 128. 1917.
  coffee imports. Stat. Bul. 79, p. 35. 1912.
  corn acreage, map. Sec. [Misc.] Spec., "Geography * * * world's agriculture," p. 34. 1917.
  fruits and vegetables, quarantine restrictions. F.H.B. Quar. 56, p. 5. 1923.
  fruit(s), area, production, exports, and imports, 1909-1913. D.B. 483, pp. 13-14. 1917.
  grape acreage and production. Sec. [Misc.] Spec., "Geography * * * world's agriculture," pp. 84, 88. 1917.
  hemp growing and uses. Y.B.,1913, pp. 291, 301. 1914; Y.B. Sep. 628, pp. 291, 301. 1914.
  livestock statistics, numbers of cattle, sheep, and hogs. Rpt. 109, pp. 28, 35, 47, 50, 58, 62, 199, 212. 1916.
  nitrate beds, source of nitrogen fertilizer. Y.B., 1919, p. 116. 1920; Y.B. Sep. 803, p. 116. 1920.
  nitrate deposits, use and extent. Y.B., 1917, p. 140. 1918; Y.B. Sep. 729, p. 4. 1918.
  pepper. See Pepper, cayenne.
  potatoes, production, 1909-1913, 1921-1923. S.B. 10, p. 20. 1925.
  saltpeter. See Sodium nitrate.
Chili—
  Mexican—
    culture and improvement. S.R.S. Rpt., 1916, Pt. I, p. 196. 1918.
    growing. New Mexico Experiment Station. O.E.S. An. Rpt., 1912, p. 165. 1913.
  sauce—
    analyses. D.B. 581, pp. 7-8. 1917.
    from sound and unsound tomatoes, comparison. Chem. Cir. 68, p. 9. 1911.
    recipes. F.B. 521, p. 14. 1913.
    use as flavoring. F.B. 391, p. 38. 1910.
    use as food. O.E.S. Bul. 245, p. 88. 1912.
  wheat acreage, map. Sec. [Misc.] Spec., "Geography * * * world's agriculture," p. 25. 1918.
Chilian clover. See Alfalfa.
"Chilitos," cacti fruit, description. B.P.I. Bul. 262, p. 17. 1912.
Chill and fever tonic, misbranding. Chem. N.J. 4150, p. 1. 1916.
Chilled meat. See Cold storage.
Chilling—
  influence in stimulating growth of plants. J.A.R., vol. 20, pp. 151-160. 1920.
  market poultry for shipment. Y.B., 1912, pp. 288-289, 291-292. 1913; Y.B. Sep. 591, pp. 288-289, 291-292. 1913.

Chilling—Continued.
  room, use and value to poultry packers. News L., vol. 6, No. 20, p. 7. 1918.
  tomatoes. H. C. Diehl. D.C. 315, pp. 6. 1924.
Chilo plejadellus—
  damages and control. F.B. 1092, p. 24. 1920.
  See also Rice stalk-borer.
Chilocorus—
  bivulnerus—
    destruction of scurfy scale. F.B. 723, p. 9. 1916.
    enemy of tea scale. Ent. T. B. 16, Pt. V, p. 79. 1912.
  nigritus, beneficial insect, importation. Ent. Bul. 120, p. 52. 1913.
  similis, natural enemy of San Jose scale. Y.B., 1901, p 97. 1902.
  similis. See also Ladybird, Asiatic.
Chilomenes sexmaculatus, beneficial insect, importation. Ent.Bul. 120, p. 52. 1913.
Chilopods, Pribilof Islands. Ralph V. Chamberlin. N.A. Fauna 46, Pt. II., pp. 240-244. 1923.
Chilopsis linearis—
  injury by sapsuckers. Biol.Bul. 39, p. 50. 1911.
  See also Willow, desert.
Chimaphila. See Pipsissewa.
Chimneys—
  building, suggestions, caution. F.B. 126, pp. 24-25. 1901.
  cleaning and repairing. F.B. 1230, p. 15. 1921.
  construction (and fireplaces). A. M. Daniels. F.B. 1230, pp. 28. 1921.
  defective, relation to rural fires. News L., vol. 6, No. 37, p. 13. 1919.
  faults of construction, and requirements. F.B. 1230, pp. 3-15. 1921.
  flues, shapes and sizes for residences. F.B. 1194, pp. 4-5. 1921.
  inspection on farm. News L., vol. 6, No. 37, p. 13. 1919.
  ventilating, description and operation. F.B. 1194, p. 27. 1921.
Chin fly, horse, enemy. Hawaii A.R., 1907, p. 47. 1908.
China—
  agricultural—
    education, progress 1910. O.E.S. An. Rpt., 1910, pp. 327-328. 1911.
    experiment work, 1908. O.E.S. An. Rpt., 1908, p. 60. 1909.
    production, comparison with United States. Y B., 1921, p. 407, 408. 1922; Y.B. Sep. 878, pp. 1, 2. 1922.
  anthrax disease, spread by hides. B.A.I. An. Rpt., 1909, p. 219. 1911; F.B. 439, p. 7. 1911.
  aster stem-rot, occurrence and description, Texas B.P.I. Bul. 226, p. 84. 1912.
  bean. See Cowpea.
  camphor industry and method of manufacture. Y.B., 1910, pp. 450-451. 1911; Y.B. Sep. 551, pp. 450-451. 1911.
  clay, absorbing power and composition. Chem. Bul. 92, pp. 18, 20. 1905.
  corn, historical accounts from ancient Chinese books. B.P.I. Bul. 161, pp. 20-24. 1909.
  corn, Indian, new type. G. N. Collins. B.P.I. Bul. 161, pp. 30. 1909.
  cotton—
    production. Atl. Am. Agr. Ad. Sh., Pt. V, sec. A, pp. 6, 7. 1919; Sec. [Mis.] Spec., "Geography * * * world's agriculture," pp. 51, 52. 1917; Y.B., 1921, p. 327. 1922; Y.B. Sep. 877, p. 327. 1922.
    waste, use in packing, prohibition suggested. F.H.B.S.R.A. 46, p. 137. 1918.
  distribution of—
    Citrus ichangensis. J.A.R., vol. 1, pp. 4-6. 1913.
    Endothia parasitica, specimens. D.B. 380. pp. 54-58, 76. 1917.
  eastern, similarity of climate to eastern United States. News L., vol. 2, No. 50, p. 6. 1915.
  experiment stations, establishment. O.E.S. An. Rpt., 1910, pp. 86, 87. 1911.
  explorations—
    map of region and routes traveled by Frank N. Meyer. Y.B., 1915, pp. 206-207. 1916; Y.B. Sep. 671, pp. 206-207. 1916.
    agricultural. Y.B., 1902, pp. 164-169. 1903; Y.B. Sep. 261, pp. 164-169. 1903.

452 UNITED STATES DEPARTMENT OF AGRICULTURE

China—Continued.
   forests, condition and management. For. Cir. 140, pp. 27-28. 1908.
   fruit imports, kinds, quantity, origin, and value. D.C. 146, pp. 7-9, 25-27. 1920.
   fruit industry, production and exports. D.C. 146, pp. 4-7. 1920.
   grain sorghums, kaoliang group, value and uses. Y.B., 1913, pp. 222-223. 1914; Y.B. Sep. 625, pp. 222-223. 1914.
   grain standards of America, use. Off. Rec., vol.3, No. 4, p. 3. 1924.
   grass. See Ramie.
   hemp growing, history, varieties, description, and uses. Y.B., 1913, pp. 288, 294, 295-298. 1914; Y.B. Sep. 628, pp. 288, 294, 295-298. 1914.
   importation of peach and quince trees. News L., vol. 2, No. 50, p. 3. 1915.
   language and customs, experience of explorer. Y.B., 1915, pp. 208-209. 1916; Y.B. Sep. 671, pp. 208-209. 1916.
   markets for American fruits. C. W. Moomaw and M. L. Franklin. D.C. 146, pp. 27. 1920.
   plant exploration. Frank N. Meyer. Y.B., 1915, pp. 205-224. 1916; Y.B. Sep. 671, pp. 205-224. 1916.
   promising new crops, vegetables. Y.B., 1915, pp. 211-218, 221-223. 1916; Y.B. Sep. 671, pp. 211-218, 221-223. 1916.
   rice—
      crop, importance. F.B. 1195, p. 3. 1921.
      exports to United States. D.B. 323, pp. 2, 3. 1915.
      production. Y.B., 1922, pp. 513, 514. 1923; Y.B. Sep. 891, pp. 513, 514. 1923.
   roses, use for cut flowers. F.B. 750, pp. 13, 14. 1916.
   San Jose scale—
      explorations. Y.B., 1902, pp. 164-169. 1903.
      résumé of search for native home. Ent. Bul. 37, p. 65. 1902.
      similarity in climate to parts of United States. Y.B., 1915, pp. 205-206. 1916; Y.B. Sep. 671, pp. 205-206. 1916.
   sorghum varieties. B.P.I. Bul. 175, pp. 23-25. 1910.
   sorghums, grain, production and uses. Y.B. 1922, pp. 525, 527. 1923; Y.B. Sep. 891, pp. 525, 527. 1923.
   southwestern, occurrence of Citrus ichangensis. J.A.R., vol. 1, pp. 4-6. 1913.
   soy beans—
      production uses, and preparation. Y.B., 1917, pp. 101-102, 106-110. 1918; Y.B. Sep. 740, pp. 3-4, 8-12. 1918.
      sauce manufacture. D.B. 1152, pp. 1, 2, 18-19, 1923.
   taros and dasheens, description and uses. B.P.I. Bul. 164, pp. 11, 27, 31. 1910.
   terracing method. Y.B., 1913, p. 220. 1914; Y.B. Sep. 624, p. 220. 1914.
   trade with United States. D.B. 296, pp. 8, 16-47. 1915.
   tree—
      diseases, Texas, occurrence and description. B.P.I. Bul. 226, pp. 80, 81, 110, 112. 1912.
      host plant of white fly. Ent. Bul. 120, p. 43. 1913.
      See also Chinaberry.
   use of—
      American cotton goods. Y.B., 1901, p. 201. 1902.
      the bamboo. D.B. 1329, pp. 15-16. 1925.
   wheat flour, imports from Russia, 1903-1905. Stat. Bul. 66, p. 86. 1908.
   wheat production. Y.B. 1921, p. 81. 1922; Y.B. Sep. 873, p. 81. 1922.
   wild, planting on the plains. For. Bul. 65, pp. 31, 37, 39. 1905.
   wild. See Chinaberry.
   wood-oil investigations, 1909. B.P.I. Chief Rpt., 1909, p. 198. 1909; An. Rpts., 1909, p. 360. 1910.
Chinaberry—
   description and regions suited to. F.B. 1208, p. 15. 1922; D.B. 816, pp. 18, 19, 21. 1920.
   description, uses, occurrence in Kansas. For. Cir. 161, p. 49. 1909.
   deterrent to mosquitoes. Ent. Bul. 88, p. 25. 1910.

Chinaberry—Continued.
   insect pest. Sec. [Misc.], "A manual * * * insects * * * ," p. 54. 1917.
   insecticidal value, tests. D.B. 1201, pp. 8, 15, 16, 43. 1924.
   occurrence of coffee-bean weevil and parasites in berries. Ent. Bul. 64, pp. 63-64, 1911; Ent. Bul. 64, Pt. VII, pp. 63-64. 1909.
   Porto Rico, description and uses. D.B. 354, p. 78. 1916.
   susceptibility to citrus canker. J.A.R. vol. 19, p. 341. 1920.
Chinaroot, name for Dioscorea. B.P.I. Bul. 189, p. 25. 1910.
Chinaware—
   cleaning directions. F.B. 1180, p. 16. 1921.
   paints, method of firing. Chem. Cir. 93, p. 2. 1912.
Chinch, common name for bedbug, characteristics and control studies. F.B. 754, p. 2. 1916.
Chinch. See also Bedbugs.
Chinch bug(s)—
   F. M. Webster. Ent. Bul. 69, pp. 95. 1907.
   and its control. J. R. Horton and A. F. Satterthwait. F.B. 1223, pp. 35. 1922.
   attack, reaction of certain grasses. W. P. Hayes and C. O. Johnston. J.A.R., vol. 31, pp. 575-583. 1925.
   bionomics. Philip Luginbill. D.B. 1016, pp. 14. 1922.
   bird enemies. Ent. Bul. 69, pp. 58-59. 1907.
   bird enemies, Southeastern States. F.B. 755, pp. 4, 8, 10, 12, 37. 1916.
   burning. F.B. 1223, pp. 26-27, 32. 1922.
   conditions favoring outbreaks and winter survival. F.B. 1223, p. 12. 1922.
   control—
      by climate, diseases, and insect enemies. F.B. 1223, pp. 12-15. 1922.
      by climatic conditions. F.B. 657, pp. 11-13. 1915.
      cooperation necessity. F.B. 1223, pp. 33-35. 1922.
      furrow method. F.B. 793, p. 27. 1917.
      in grain fields. F.B. 704, pp. 31-32. 1916.
      in Sudan grass. F.B. 1126, rev., p. 21. 1925.
      measures equipment and seasonal campaign. F.B. 1223, pp. 15-33. 1922.
      methods. Ent. [Misc.], "Chinch bugs," pp. 4. 1918; Ent. Bul. 95, Pt. III, pp. 36-50, 51. 1911; Ent. Bul. 107, pp. 46-54. 1911; O.E.S. An. Rpt., 1910, p. 144. 1911; S.R.S. Syl. 11, rev., p. 17. 1918.
      natural enemies, and remedial measures. F.B. 657, pp. 9-28. 1915.
      studies in Kansas. Work and Exp., 1914, pp. 113, 114. 1915.
      use of fungus. Ent. Bul. 107, pp. 1-58. 1911; Ent. Cir. 113, pp. 13-14, 26. 1909.
   damage to wheat. Y.B. 1921, pp. 108, 109. 1922; Y.B. Sep. 873, pp. 108, 109. 1922.
   dead, fungus, experiments and studies. Ent. Bul. 95, Pt. III, pp. 46-49. 1911.
   description, life history, habits and control. F.B. 657, pp. 28. 1915; F.B. 835, rev., pp. 6-8. 1920; F.B. 1223, pp. 5-12. 1922; Ent. Cir. 113, pp. 1-27. 1909.
   destruction by bobwhite. Biol. Bul. 21, pp. 42-43. 1905.
   destruction—
      by rain. Ent. Cir. 113, pp. 11-13. 1909.
      remedies, methods. Ent. Bul. 69, pp. 60-72. 1907.
   destructive habits, food plants. Ent. Bul. 69, pp. 28-31. 1907.
   diseases, history and control work. Ent. Bul. 107, pp. 1-58. 1911.
   distribution—
      generations, migrations. Ent. Bul. 95, pt. 3, pp. 23-26, 50-51. 1911.
      habits, preventives, and remedies. F.B. 132, pp. 5-13. 1901.
      in United States, and map. F.B. 1223, pp. 4-5. 1922.
   egg parasites. S.R.S. Rpt., 1915, Pt. I, p. 122. 1917.
   European habits. Ent. Bul. 69, pp. 84-87. 1907.

INDEX TO PUBLICATIONS, 1901-1925   453

Chinch bug(s)—Continued.
 false—
  control measures. F. B. Milliken. F.B. 762, pp. 4. 1916.
  description, and injuries to cotton, control. Ent. Bul. 57, pp. 29-31. 1906.
  enemy to sugar beets, control. D.B. 721, pp. 14, 48. 1918; D.B. 995, p. 49. 1921; D.B. 1152, p. 17. 1920.
  life history and habits. J.A.R. vol. 13, pp. 571-578. 1918.
 fungus, experiments and studies. Ent. Bul. 69, pp. 44-58. 1907; Ent. Bul. 95, Pt. III, pp. 49-50. 1907.
 hibernating habits. F.B. 657, pp. 5-6, 15-16, 28. 1915; Y.B., 1908, pp. 369, 374-375. 1909; Y.B. Sep. 488, pp. 369, 374-375. 1909.
 injury to—
  barley. F.B. 443, p. 45. 1911.
  cotton. Ent. Bul. 86, p. 93. 1910.
  Sudan grass, control methods. F.B. 605, pp. 18, 20. 1914; F.B. 1126, pp. 26-27. 1920.
  wheat and corn, 1864. News L., vol. 2, No. 40, p. 7. 1915.
  wheat, Missouri, Bates County. Soil Sur. Adv. Sh., 1908, p. 9. 1910; Soils F. O., 1908, p. 1097. 1911.
 insect enemies. Ent. Bul. 69, p. 60. 1907; Ent. Cir. 113, p. 11. 1909.
 investigations west of the Mississippi River. Ent. Bul. 95, Pt. III, pp. 23-52. 1911.
 life history, habits, and description. D.B. 1016, pp. 3-13. 1922; Ent. Bul. 69, pp. 21-28. 1907.
 losses from. Ent. Bul. 69, pp. 33-36. 1907.
 natural checks and enemies. Ent. Bul. 69, pp. 36-60. 1907.
 outbreaks—
  in 1921. D.B. 1103, pp. 11-15. 1922.
  since 1783, and damages to grain. F.B. 1223, pp. 3-4. 1922.
 parasite. D.B. 1016, p. 14. 1922.
 prevention of sorghum injury. F.B. 1158, pp. 30-31. 1920.
 spraying for control. Ent. [Misc.], "Chinch bugs," p. 4. 1918.
 territory infested. Ent. Bul. 69, pp. 33-36. 1907.
 trapping to save corn, methods. Ent. [Misc.] "Chinch bugs," pp. 2-4. 1918.
 treatment, experiments. O.E.S. An. Rpt., 1905, p. 270. 1906.
 true and false. Ent. Bul. 69, pp. 1-95. 1907.
Chincha—
 genus, characters, subdivisions. N.A. Fauna 22, pp. 20-21. 1901.
 (Mephitis) revision of genus. Arthur H. Howell. N.A. Fauna 20, pp. 62. 1901.
 spp. See Skunk.
 subgenus, characters. N.A. Fauna 20, p. 22. 1901.
Chinese—
 bean. See Cowpea.
 cabbage—
  cultural directions. F.B. 934, p. 29. 1918; F.B. 937, pp. 31-32. 1918.
  importation and description. No. 34216, B.P.I. Inv. 32, p. 25. 1914.
 colza, substitute for mustard seeds. J.A.R., vol. 20, pp. 117-136. 1920.
 incubators. B.A.I. An. Rpt., 1900, p. 247. 1901.
 nutrition investigations at California Station. O.E.S. Bul. 107. 1901.
 nuts, description, use as food. F.B. 332, p. 9. 1908.
 plants, introduction into United States. News L., vol. 3, No. 29, p. 5. 1916.
 scale. See San Jose scale.
 trees, introduction, description, and value. News L., vol. 2, No. 51, p. 5. 1915.
 use of ginseng. F.B. 1184, pp. 12, 13-15. 1921.
 velvet bean, description. S.R.S. Doc. 44, p. 3. 1917.
 wood-oil tree. David Fairchild. B.P.I. Cir. 108, pp. 7. 1913.
CHING, K. A.:
 report of Hawaii Experiment Station, Chemical Division—
  1919. With Maxwell O. Johnson. Hawaii A.R., 1919, pp. 40-44. 1920.
  1930. With Wallace Macfarlane. Hawaii A.R., 1920, pp. 32-37. 1921.

Chingma, importation and description. No. 39361. B.P.I. Inv. 41, pp. 6, 17. 1917.
Chinkapin—
 chestnut hybrid, origin and testing. Y.B., 1916, p. 141. 1917; Y.B., Sep. 687, p. 7. 1917.
 See also Chinquapin; Chestnut.
Chinolin preparation as quinine substitute. Chem. Bul. 80, pp. 30-31. 1904.
Chinook winds—
 E. J. Glass. W.B. Bul. 31, pp. 41-43. 1902.
 description. Y.B., 1911, p. 346. 1912; For. Bul. 117, p. 15. 1912; For. Bul. 86, pp. 9, 67. 1911; Y. B., Sep. 573, p. 346. 1912.
Chinquapin—
 characters and species on Pacific slope. For. [Misc.], "Forest trees for Pacific * * *," pp. 272-276. 1908.
 Chinese, disease-resistant, importation. No. 45949. B.P.I. Inv. 54, pp. 2, 47. 1922.
 crossbreeding with Japanese chestnuts, experiments. News L., vol. 3, No. 33, p. 3. 1916.
 description and key. D.C. 223, pp. 5, 9. 1922.
 injury by sapsuckers. Biol. Bul. 39, pp. 33, 74. 1911.
 liability to chestnut-bark disease. B.P.I. Bul. 141, p. 47. 1909.
 pocketed rot caused by Polyporus pilotae. J.A.R., vol. 1, pp. 116-117, 128. 1913.
 tests for mechanical properties, results. D.B. 556, pp. 29, 39. 1917; D.B. 676, p. 17. 1919.
 water. See Lotus, yellow.
 western, description, range, and occurrence on Pacific slope. For. [Misc.], "Forest trees for Pacific * * *," pp. 273-276. 1908.
 See also Chinkapin; Chestnut.
Chion, belted, pecan enemy, description and control. F.B. 843, p. 42. 1917.
Chionanthus virginica. See Fringe tree.
Chionaspis—
 citri. See Scale, white.
 furfura, control, and life history. F.B. 1270, pp. 65-66. 1922.
 furfura. See also Scale, scurfy.
Chip budding, directions. F.B. 700, pp. 16-17. 1916.
Chip process, Ransom, for control of curculio. Ent. Bul. 103, p. 168. 1912.
Chipmunk(s)—
 as tick hosts. F.B. 484, pp. 20-21. 1912.
 Colorado, occurrence in Colorado, description. N.A. Fauna 33, pp. 76-77. 1911.
 control in—
  forest nurseries. D.B. 479, pp. 76, 77, 78. 1917.
  national forests. D.B. 475, pp. 50. 1917.
 description, and control. F.B. 335, p. 9. 1908.
 destruction methods. Biol. Cir. 82, p. 7. 1911.
 gray-footed, Texas, distribution, habits. N.A. Fauna 25, p. 81. 1905.
 gray-headed, Yukon Territory. N.A. Fauna 30, p. 77. 1909.
 habits, and occurrence. F.B. 484, pp. 20-21. 1912.
 Hopi, occurrence in Colorado, description. N. A. Fauna 33, pp. 74-76. 1911.
 injurious habits. Y.B., 1908, p. 193. 1909; Y.B. Sep. 474, p. 193. 1909.
 injury to crops. F.B. 484, p. 22. 1912.
 least, occurrence in Colorado, description. N.A. Fauna 33, pp. 77-78. 1911.
 Los Animas, occurrence in Colorado, description. N.A. Fauna 33, pp. 73-74. 1911.
 occurrence in—
  Alabama, description and habits. N.A. Fauna 45, pp. 62-63. 1921.
  Athabaska-Mackenzie region. N.A. Fauna 27, pp. 167-169. 1908.
  Wyoming. N.A. Fauna 42, pp. 19, 20, 22, 24, 25, 42-43. 1917.
 poison formula. For. Bul. 98, p. 37. 1911.
 range and habits. N.A. Fauna 22, pp. 45-46. 1902.
 sagebrush, description and control. F.B. 335, pp. 9-10. 1908.
 San Luis, occurrence in Colorado, description. N.A. Fauna 33, pp. 78-79. 1911.
 Say, occurrence in Colorado, description. N.A. Fauna 33, pp. 71-73. 1911.
 seed-eating habits, prevention of forest extension For. Bul. 79, p. 35. 1910.

Chipmunk(s)—Continued.
  spread of yellow pine seed. D.B. 418, p. 7. 1917.
  susceptibility to spotted fever. Ent. Bul. 105, p. 34. 1911.
  Utah, occurrence in Colorado and description. N.A. Fauna 33, pp. 80–81. 1911.
  value against green June beetles. D.B. 891, p. 36. 1912.
  Wasatch, occurrence in Colorado, description. N.A. Fauna 33, pp. 79–80. 1911.
  white-bellied, occurrence in Montana. Biol. Cir. 82, pp. 12–13. 1911.
  yellow-bellied, occurrence in Montana, host of fever ticks. Biol. Cir. 82, p. 12. 1911.
Chipping—
  double, effects on yields of turpentine and rosin. A. W. Schorger and R. L. Pettigrew. D.B. 567, pp. 9. 1917.
  height, effect on oleoresin production. Eloise Gerry. J.A.R. vol. 30, pp. 81–93. 1925.
  light, relation to commercial yield of naval stores. Charles H. Herty. For. Bul. 90, pp. 36. 1911.
  pine trees, for rosin and turpentine, methods and costs. D.B. 567, pp. 2–6, 8. 1917; D.B. 898, pp. 6–23. 1920.
  turpentining, discussion of results. J.A.R., vol. 30, pp. 91–92. 1925.
Chirimorinon, importation and description. No. 54682. B.P.I. Inv. 70, pp. 1, 6. 1923.
Chiropachys colon, parasitic on barkbeetles. F.B. 763, p. 6. 1916.
Chiroptera, order, occurrence in Alabama, description and habits. N.A. Fauna 45, pp. 23–29. 1921.
Chiseling, California sugar-beet districts, methods. D.B. 760, pp. 14–15. 1919.
Chi-tse flower, Chinese name for Cape jasmine. B.P.I. Bul. 242, p. 15. 1912.
Chitin, use in testing insecticide penetration. J.A.R., vol. 13, pp. 530–534. 1918.
Chittembark. See *Cascara sagrada*.
CHITTENDEN, A. K.—
  "Forest conditions of northern New Hampshire." For. Bul. 55, pp. 100. 1905.
  "The red gum." For. Bul. 58, pp. 7–39. 1905.
CHITTENDEN, F. H.—
  "A brief account of the principal insect enemies of the sugar beet." Ent. Bul. 43, n. s.; pp. 71. 1903.
  "A list of insects affecting stored cereals: The Mexican grain beetle: The Siamese grain beetle." Ent. Bul. 96, Pt. I, pp. 1–18. 1911.
  "A little-known cutworm." Ent. Bul. 109, Pt. IV, pp. 47–51. 1912.
  "An injurious North American species of Apion, with notes on related forms." Ent. Bul. 64, Pt. IV, pp. 29–32. 1908.
  appendix to paper on the *Hymenia fasciales*. Ent. Bul. 109, Pt. I, pp. 12–15. 1911.
  "Carbon tetrachloride as a substitute for carbon bisulphid in fumigation against insects." With C. H. Popenoe. Ent. Bul. 96, Pt. IV, pp. 53–57. 1911.
  "Control of diseases and insect enemies of the home vegetable garden." With W. A. Orton. F.B. 856, pp. 72. 1917.
  "Control of the Mediterranean flour moth by hydrocyanic-acid gas fumigation." Ent. Cir. 112, pp. 22. 1910.
  "Control of the melon aphis." F.B. 914, pp. 16. 1918.
  "Control of the onion thrips." F.B. 1007, pp. 16. 1919.
  "Harlequin cabbage bug and its control." F.B. 1061, pp. 16. 1920.
  "Harvest mites, or 'chiggers'." Ent. Cir. 77, pp. 6. 1906; F.B. 671, pp. 7. 1915.
  "How to increase the potato crop by spraying." With W. A. Orton. F.B. 868, pp. 22. 1917.
  "Increasing the potato crop by spraying." With W. A. Orton. F.B. 1349, pp. 22. 1923.
  "Insects and the weather during the season of 1900." Ent. Bul. 30, pp. 63–75. 1901.
  "Insects injurious to the basket willow." For. Bul. 46, pp. 63–100. 1904.
  "Insects injurious to the loco weeds." Ent. Bul. 64, Pt. V, pp. 33–42. 1908.
  "Insects injurious to the onion crop." Y.B., 1912, pp. 319–334. 1913; Y.B. Sep. 594, pp. 319–334. 1913.

CHITTENDEN, F. H.—Continued,
  "Investigation of insects affecting stored products." Ent. [Misc.], "Investigation of insects * * *," p. 1. 1909.
  "Investigation of insects injurious to truck crops." Ent. [Misc.], "Investigation of * * *," p. 1. 1915.
  "Miscellaneous notes on truck-crop insects." Ent. Bul. 66, Pt. VII, pp. 93–97. 1909.
  "Notes on the cucumber beetles." Ent. Bul. 82, pp. 67–75. 1912; Ent. Bul. 82, Pt. VI, pp. 67–75. 1910.
  "Notes on various truck-crop insects." Ent. Bul. 82, pp. 85–93. 1912; Ent. Bul. 82, Pt. VII, pp. 85–93. 1911.
  "Root-maggots and how to control them." Ent. Cir. 63, pp. 7. 1905.
  "Some insects injurious to vegetable crops." Ent. Bul. 33, pp. 117. 1902.
  "Some insects injurious to the violet, rose, and other ornamental plants." Ent. Bul. 27, pp. 114. 1901.
  "Sugar." With others. Y.B. 1923, pp. 151–228. 1924; Y.B., pp. 98. 1924.
  "Suggestions for the treatment of the common elm-tree borer." Ent. [Misc.], "Suggestion for the * * *," p. 1. 1909.
  "The abutilon moth." Ent. Bul. 126, pp. 10. 1913.
  "The Argus tortoise beetle." J.A.R., vol. 27, pp. 43–52. 1923.
  "The asparagus beetles." Ent. Cir. 102, pp. 21. 1908.
  "The asparagus beetles and their control." F.B. 837, pp. 15. 1917.
  "The asparagus miner." Ent. Cir. 135, pp. 5. 1911.
  "The asparagus miner. Notes on the asparagus beetles." Ent. Bul. 66, Pt. I. pp. 10. 1907.
  "The Australian tomato weevil introduced in the South." D.C. 282, pp. 8. 1923.
  "The bagworm." With L. O. Howard. Ent. Cir. 97, pp. 10. 1908.
  "The bagworm, an injurious shade-tree insect." With L. O. Howard. F.B. 701, pp. 12. 1916.
  "The bean ladybird." With H. O. Marsh. D.B. 843, pp. 20. 1920.
  "The bean ladybird and its control." F.B. 1074, pp. 7. 1919.
  "The beet leaf-beetle." With H. O. Marsh. D.B. 892, pp. 24. 1920.
  "The beet leaf-beetle and its control." F.B. 1193, pp. 8. 1921.
  "The broad-bean weevil." With Wm. B. Parker. Ent. Bul. 96, Pt. V, pp. 59–82. 1912.
  "The broad-nosed grain weevil. The long-headed flour beetle." Ent. Bul. 96, Pt. II, pp. 19–28. 1911.
  "The cabbage hair-worm." Ent. Cir. 62, pp. 6. 1905.
  "The catalpa sphinx." With L. O. Howard. Ent. Cir. 96, pp. 7. 1907; F.B. 705, pp. 10. 1916.
  "The celery caterpillar." Ent. Bul. 82, pp. 20–24. 1912.
  "The cherry fruit fly." Ent. Bul. 44, pp. 70–75. 1904.
  "The Colorado potato beetle." Ent. Cir. 87, pp. 15. 1907.
  "The common cabbage worm." F.B. 766, pp. 16. 1916.
  "The common red spider." Ent. Cir. 104, pp. 11. 1909.
  "The corn rootworms." Ent. Cir. 59, pp. 8. 1905.
  "The cowpea weevil." Ent. Bul. 96, Pt. VI, pp. 83–94. 1912.
  "The cranberry spanworm. The striped garden caterpillar." Ent. Bul. 66, Pt. III, pp. 21–32. 1907.
  "The destructive green pea louse." Ent. Cir. 43, pp. 8. 1901.
  "The European horse-radish webworm." D.B. 966, pp. 10. 1921.
  "The fall army worm and variegated cutworm." Ent. Bul. 29, pp. 64. 1901.
  "The fig moth." Ent. Bul. 104, pp. 40. 1911.
  "The Florida fern caterpillar." Ent. Bul. 125, pp. 11. 1913.

INDEX TO PUBLICATIONS, 1901-1925   455

CHITTENDEN, F. H.—Continued.
"The green June beetle." With D. E. Fink. D.B. 891, pp. 52. 1922.
"The green-striped maple worm." With L. O. Howard. Ent. Cir. 110, pp. 7. 1909.
"The harlequin cabbage bug." Ent. Cir. 103, pp. 10. 1908.
"The hop flea-beetle." Ent. Bul. 66, Pt. VI, pp. 71-92. 1909.
"The horse-radish flea-beetle: Its life history and distribution." With Neale F. Howard. D.B. 535, pp. 16. 1917.
"The imported cabbage webworm." With H. O. Marsh. Ent. Bul. 109, Pt. III, pp. 23-45. 1912.
"The imported cabbage worm." Ent. Bul. 60, pp. 8. 1905.
"The larger appple tree borers." Ent.Cir. 32, 3d rev., pp. 11. 1907.
"The larger canna leaf-roller." Ent. Cir. 145, pp. 10. 1912.
"The leopard moth." With L. O. Howard. Ent. Cir. 109, pp. 8. 1909.
"The leopard moth: A dangerous imported insect enemy of shade trees." With L. O. Howard. F.B. 708, pp. 12. 1916.
"The lesser grain-borer. The larger grain-borer." Ent. Bul. 96, Pt. III, pp. 29-52. 1911.
"The Lima-bean pod-borer." Ent. Bul. 82, pp. 25-28. 1912.
"The melon aphis." Ent. Cir. 80, pp. 16. 1906.
"The nut weevils." Ent. Cir. 99, pp. 15. 1908; Y.B. 1904, pp. 299-310. 1905; Y.B. Sep. 348 pp. 299-310. 1905.
"The oak pruner." Ent. Cir. 130, pp. 7. 1910.
"The parsley stalk-weevil." Ent. Bul. 82, pp. 14-19. 1912.
"The parsnip leaf-miner." Ent. Bul. 82, pp. 9-13. 1912.
"The pink corn worm: An insect destructive to corn in the crib." D.B. 363, pp. 20. 1916.
"The potato-tuber moth." Ent. Cir. 162, pp. 5. 1912; F.B. 557, pp. 7. 1913.
"The principal injurious insects in 1902." Y.B. 1902, pp. 726-733. 1903; Y.B. Sep. 299, pp. 726-733. 1903.
"The principal injurious insects of 1903." Y.B. 1903, pp. 563-566. 1904. Y.B. Sep. 335, pp. 563-566. 1904.
"The principal injurious insects of 1904." Y.B. 1904, pp. 600-605. 1905. Y.B. Sep. 368, pp. 600-605. 1905.
"The principal insect enemies of the sugar beet." Rpt. 74, pp. 157-221. 1903.
"The red-banded leaf-roller." D.B. 914, pp. 14. 1920.
"The red-necked raspberry cane-borer." F.B. 1286, pp. 5. 1922.
"The rice moth." D.B. 783, pp. 15. 1919.
"The rose chafer." With A. L. Quaintance. F.B. 721, pp. 8. 1916.
"The rose slugs." Ent. Cir. 105, pp. 12. 1908.
"The rose-slug caterpillar." Ent. Bul. 124, pp. 9. 1913.
"The semitropical army worm. With H. M. Russell. Ent. Bul. 66, Pt. V., pp. 53-70. 1909.
"The southern beet webworm." Ent. Bul. 109, Pt. II, pp. 17-22. 1911.
"The spotted beet webworm." Ent. Bul. 127, Pt. I, pp. 11. 1913.
"The squash-vine borer." F.B. 668, pp. 6. 1915.
"The striped cucumber beetle and how to control it." F.B. 1322, pp. 16. 1923.
"The striped cucumber beetle and its control." F.B. 1038, pp. 20. 1919.
"The striped garden caterpillar." Ent. Bul. 66, Pt. III, pp. 28-32. 1910.
"The sweet-potato weevil and its control." F.B. 1020, pp. 24. 1919.
"The yellow-necked flea-beetle." Ent. Bul. 82, pp. 29-32. 1912.
"The violet rove-beetle." D.B. 264, pp. 4. 1915.
"The western cabbage flea-beetle." With H. O. Marsh. D.B. 902, pp. 21. 1920.
"Water cress sowbug and water cress leaf beetle." Ent. Bul. 66, pp. 11-20. 1910.

CHITTENDEN, R. H.—
"Absorption and distribution of copper when coppered vegetables are eaten." Rpt. 97, pp. 431-448. 1913.

CHITTENDEN, R. H.—Continued,
"An experimental study of the influence of sodium benzoate on the nutrition and health of man." Rpt. 88, pp. 9-292. 1909.
"Report of referee board on saccharin." With others. Rpt. 94, pp. 7-8. 1911.
Chitterlings, food value. D.B. 1138, pp. 40-41. 1923.
CHITTICK, J. R., recommendation as referee on saccharine products. Chem. Bul. 162, p. 59. 1913.
Chiva, description and injuries, Porto Rico. P.R. An. Rpt., 1914, p. 34. 1915.
Chive(s)—
Chinese variety, description. No. 38787, B.P.I. Inv. 40, p. 29. 1917.
cultural hints. F.B. 255, p. 30. 1906; F.B. 937, p. 35. 1918.
onion species, use for food. O.E.S. Bul. 245, p. 35. 1912.
Chlaenius aestivus, rejected by birds. Biol. Bul. 15, p. 47. 1901.
Chlamydospores of *Phytophthora* spp., measurement and germination. J.A.R., vol. 8, pp. 255-258, 268, 269. 1917.
Chloral hydrate—
consumption in United States. F.B. 393, p. 3. 1910.
danger in use. F.B. 393, pp. 5-6, 9-10. 1910.
derivatives and preparations, amendment to Regulation 28. F.I.D. 112, p. 3. 1910.
use as poison against Argentine ants. D.B. 647, pp. 60-71. 1918; D.B. 928, p. 19. 1918.
use in poisoned sirup for control of ants. D.B. 965 pp. 20-21, 26-27. 1921.
Chloramin, detection in milk and cream. Philip Rupp. D.B. 1114, pp. 5. 1922.
"Chloramin T.," value as disinfectant. J.A.R., vol. 20, pp. 85-110. 1920.
"Chlorazine." *See* Chloramin T.
Chlorate powder, use in blasting stumps, directions for handling. Ent. Bul. 239, pp. 14-16. 1912.
Chloride(s)—
content of tissue fluids of indicator plants, Utah. J. Arthur Harris and others. J.A.R., vol. 27, pp. 893-924. 1924.
dry zinc, use in crosstie treatment. For. Bul. 126, p. 11. 1913.
effect(s)—
in irrigation waters. Y.B., 1902, pp. 288-289. 1903.
on—
growth and oxidation, experiments. Soils Bul. 56, p. 40. 1909.
"nitric" nitrogen of the soil. J.A.R., vol. 16, pp. 119-122. 1919.
plant growth in black alkali soil. J.A.R., vol. 24, pp. 329, 330, 335. 1923.
in—
alkali soils, relation to nitrification. B.P.I. Bul. 211, pp. 21-22. 1911.
chemical reagents. Chem. Bul. 105, pp. 182-187. 1907.
presence in chemical reagents, methods for detecting. Chem. Bul. 80, pp. 18-19. 1904.
relation to sand-drown disease of tobacco. J.A.R., vol. 23, pp. 27-40. 1923.
use in potato-wart control. J.A.R., vol. 31, pp. 308-321. 1925.
See also Lime chloride; Mercuric chloride; Sodium chloride; Zinc chloride.
Chloridea—
obsoleta—
enemy of alfalfa caterpillar. F.B. 1094, p. 9. 1920.
injury to hairy vetch, and control. D.B. 876, pp. 31-32. 1920.
See also Bollworm; Corn earworm; Tomato fruitworm.
virescens. *See* Tobacco budworms.
Chlorideae genera, key, and descriptions of grasses. D.B. 772, pp. 16-17, 171-199. 1920.
Chlorine—
determination in—
plant ash, method. D.B. 600, p. 25. 1917.
rice, method and results. Hawaii A.R., 1912, pp. 13, 66-73. 1913.
water, modified method. Chem. Bul. 152, p. 81. 1912.

Chlorine—Continued.
  disinfectants, germicidal value, investigations.
    F. W. Tilley. J.A.R., vol. 20, pp. 85-110. 1920.
  disinfection of sewage, experiments, cost. B.P.I.
    Bul. 115, pp. 21-31, 43-44. 1907.
  electrolytic bleaching solution for cotton, formula
    and use. D.B. 366, pp. 8-9. 1916.
  estimation of presence of iodine in. Chem. Cir.
    65, pp. 2-3. 1910.
  food value in plant growth, question. Y.B., 1901,
    p. 166. 1902.
  germicidal action in water. J.A.R., vol. 26, p.
    375. 1923.
  germicide, use in milk, study. J. W. Read and
    Harrison Hale. J.A.R., vol. 30, pp. 889-892.
    1925.
  relation to plant growth. Y.B., 1901, p. 166.
    1902; Y.B. Sep. 225, p. 166. 1902.
  use in—
    adulteration of benzaldehyde oil. Chem. N.J.
      2377, pp. 2. 1913.
    disinfecting sewage. An. Rpts., 1907, p. 287.
      1908.
    fumigating rats. Biol. Bul. 33, p. 49. 1901.
  See also Antiseptics; Disinfectants; Sterilization.
Chlorippe spp., description, habits, and control.
  F.B. 1169, pp. 49-50. 1921.
Chloris—
  gayana, forage-crop experiments in Texas. B.P.I.
    Cir. 106, pp. 25, 27. 1913.
  gayana. See also Rhodes grass.
  paraguaiensis. See Rhodes grass, Australian.
  spp., distribution, description, and feed value.
    D.B. 201, p. 19. 1915; D.B. 772, pp. 17, 187, 189,
    190. 1920.
  spp., grass, importations and description. Nos.
    41759-41761, 41896-41898, B.P.I. Inv. 46, pp. 6,
    19, 30. 1919.
  virgata. See Rhodes grass, Australian.
Chlorite, composition and description. Rds. Bul.
  37, pp. 21-22, 26, 27. 1911.
Chlorochroa sayi. See Grain bug.
Chloroenas inornata exsul. See Pigeon, blue.
Chloroform—
  adulteration and misbranding. See Indexes,
    Notices of Judgment, in bound volumes and in
    separates published as supplements to Chemistry
    Service and Regulatory Announcements.
  boiling point, effect of carbon tetrachloride.
    J.A.R., vol. 21, pp. 542-544. 1921.
  danger in use. F.B. 393, pp. 4-6, 13. 1910.
  determination, method, study. Chem. Chief
    Rpt., 1912, p. 25. 1912; An. Rpts., 1912, p. 575.
    1913.
  effect on virus of tobacco mosaic disease. J.A.R.,
    vol. 6, No. 17, pp. 659-662, 671. 1916.
  efficacy as an anthelmintic. J.A.R., vol. 21, No.
    2, pp. 168-170. 1921.
  killing tobacco leaves, effect on curing. D.B. 79,
    pp. 2, 34-36. 1914.
  liniment, adulteration, and misbranding. See
    Indexes, Notices of Judgment, in bound volumes
    and in separates published as supplements to
    Chemistry Service and Regulatory Announce-
    ments.
  preparations containing, amendment to Regula-
    tion 28. F.I.D. 112, p. 3. 1910.
  solubility and tolerance internally by animals.
    J.A.R., vol. 30, p. 950. 1925.
  use against screw worms in—
    animals. F.B. 857, p. 12. 1917.
    sheep, and lung worms. F.B. 1330, pp. 15, 16,
      51. 1923.
  use as—
    anthelmintic and comparison with thymol.
      J.A.R., vol. 12, pp. 402-405, 425. 1918.
    antiseptic in silage studies. J.A.R., vol. 10,
      pp. 77, 78-82. 1917.
    milk preservative, effect on acidity. B.A.I.
      Bul. 150, pp. 25, 26. 1912.
  use in—
    cheese-ripening experiments. J.A.R., vol. 2,
      pp. 205, 208, 209, 214. 1914.
    forcing plants. F.B. 320, pp. 23-25. 1908.
"Chloroleum," spray, test, results. Ent. Bul. 67,
  p. 91. 1907.
Chloronaphtholeum—
  analysis. Chem. Bul. 68, p. 58. 1902.
  disinfectant, misbranding. N.J. 115; I. and
    F.Bd. S.R.A. 6, pp. 85-86. 1914.

Chloronaphtholeum—Continued.
  soil treatment, coffee root disease, experiments.
    P.R. Bul. 17, p. 18. 1915.
Chlorophora—
  excelsa, importation and description. No.
    47497, B.P.I. Inv. 59, p. 22. 1922.
  tinctoria. See Mora.
Chlorophyll—
  destruction by carbonate of lime in soil. P.R.
    Bul. 11, pp. 6-7. 1911.
  dominant lethal mutation in maize. J. H.
    Kempton. J.A.R., vol. 29, pp. 307-309. 1924.
  extraction from spinach, experiments and method.
    O.E.S. Bul. 245, p. 20. 1912.
  function in plants. B.P.I. Cir. 113, p. 6. 1913.
  mineral content, studies. J.A.R., vol. 9, pp. 157-
    159. 1917.
  need of calcium and magnesium. J.A.R., vol. 6,
    No. 16, pp. 590-591. 1916.
Chloropicrin, fumigation experiments, effects on
  insects and seeds. D.B. 893, pp. 9-12. 1920.
Chlorosis—
  cause and prevention. D.B. 1038, pp. 2-6. 1922;
    Y.B., 1901, p. 160. 1902; Y.B. Sep. 225, p. 60.
    1902.
  caused by magnesium deficiency. An. Rpts.,
    1922, p. 188. 1923; B.P.I. Chief Rpt., 1922, p. 28.
    1922.
  citrus—
    fruit disease in California, Portersville area,
      cause and prevention. Soil Sur. Adv. Sh.,
      1908, p. 17. 1909. Soils F.O., 1908, p. 1307.
      1911.
    groves, relation to soil bacteria. An. Rpts.,
      1914, p. 108. 1914; B.P.I. Chief Rpt., 1914, p
      8. 1914.
    plants, causes, investigations. J.A.R., vol. 2,
      pp. 101-113. 1914.
  control by spraying with copperas. S.R.S. Rpt.,
    1915, Pt. I, p. 191. 1917.
  control work and experiments. P.R. An. Rpt.,
    1914, pp. 14-16. 1915.
  definition, and names P.R. Bul. 11, p. 5. 1911.
  effect of light. P. R. Bul. 11, pp. 42-43. 1911.
  fruit trees, symptoms, resistant varieties, testing.
    D. B. 162, pp. 3, 6, 21-24. 1915.
  infections, description, and studies. D.B. 1038,
    pp 6-13. 1922.
  lime-induced—
    and availability of iron in soil, cause. P. L.
      Gile and J. O. Carrero. J.A.R., vol. 20, pp.
      33-62. 1920.
    investigations and experiments. P.R. Bul. 11,
      pp. 29-45. 1911.
  occurrence on beans, in Texas, and description.
    B.P.I. Bul. 226, p. 37. 1912.
  pineapple—
    and rice, relation to iron in soil. J.A.R., vol. 3,
      p. 205. 1914.
    cause and control. D.B. 6, p. 12. 1913; Ha-
      waii A.R., 1916, pp. 9, 23-24. 1917.
    cause and control. M. O. Johnson. Hawaii
      Bul. 52, pp. 38. 1924.
    relation of calcareous soils. P. L. Gile. P.R.
      Bul. 11, pp. 45. 1911.
  plants—
    cause, and treatment with iron salts. J.A.R.,
      vol. 7, pp. 84-85. 1916.
    treatment with lime and other salts, experi-
      ments. P.R. Bul. 11, pp. 32-34. 1911.
  rice—
    cause, studies. J.A.R., vol. 7, pp. 503-528. 1916;
      O.E.S. An. Rpt., 1911, pp. 26-27, 190. 1913.
    investigations. P.R. An. Rpt., 1920, pp. 13-14.
      1921.
    relation to nitrogenous fertilizers. L. G. Willis
      and J. O. Carrero. J.A.R., vol. 24, pp. 621-
      640. 1923.
  sheep, cause, symptoms, and treatment. F.B.
    1155, pp. 19-20. 1921.
  sugar-cane, study and control, 1917. P.R. An.
    Rpt., 1917, pp. 10-20. 1918.
  tobacco—
    description. D.B. 1256, p. 42. 1924.
    types, from various causes, comparisons.
      J.A.R., vol. 23, pp. 35-36. 1923.
  treatment with iron compounds. P.R. Bul. 11,
    p. 30. 1911.
Chlorostilbon naugoei, occurrence in Porto Rico and
  food habits. D.B. 326, pp. 70-71. 1916.

Choanephora cucurbitarum, cause of squash disease. Frederick A. Wolf. J.A.R., vol. 8, pp. 319-328. 1917.

Chochomeco—
growing in Guam, directions. Guam Bul. 2, p. 31. 1922.
See Bean, Patani.

Chocolate—
adulteration and misbranding. See *Indexes, Notices of Judgment, in bound volumes and in separates published as supplements to Chemistry Service and Regulatory Announcements.*
adulteration, laws, State. Chem. Bul. 69, rev., Pt. III, p. 252. 1902.
analysis methods and results, report by referee. Chem. Bul. 152, pp. 159-163. 1912.
and cocoa, comparison of composition. F.B. 332, p. 19. 1908.
beans, adulteration and misbranding. Chem. N.J. 2528, pp. 2. 1913.
coatings—
 shellac and other gums. F.I.D. 119, p. 1. 1910.
 varnishes, determination. Chem. Bul. 132, pp. 58-60. 1910.
cream pie, recipe and directions. F.B. 1136, p. 35. 1920.
cremolin, adulteration and misbranding. Chem. N.J. 989, pp. 2. 1911; Chem. S.R.A. 3, pp. 166-167. 1914.
definitions and standards. F.I.D. 165, p. 1. 1916.
food value, chart. D.B. 975, pp. 16, 34. 1921; F.B. 1383, p. 32. 1924.
icing paste, adulteration and misbranding. Chem. N.J. 4670. 1917.
imports—
 1851-1908. Y.B., 1908, p. 773 1909; Y.B. Sep. 498, p. 773. 1909.
 1907-1909, quantity and value, by countries from which consigned. Stat. Bul. 82, pp. 35-36. 1910.
 1908-1910, quantity and value by countries from which consigned. Stat. Bul. 90, p. 38. 1911.
and exports—
 1907-1911 and imports, 1851-1911. Y.B. 1911, pp. 659, 670, 683-684. 1912; Y.B. Sep. 588, pp. 659, 670, 683-684. 1912.
 1911-1913, and imports, 1852-1913. Y.B. 1913, pp. 494, 502, 510. 1914; Y.B. Sep. 631, pp. 494, 502, 510. 1914.
injury by rice moth. D.B. 783, pp. 2, 6, 7. 1919.
laws and standards. Chem. Bul. 69, rev., Pts. I-IX, pp. 19, 171, 191, 252, 306, 456, 546, 632, 667, 690. 1905.
nut, attack by *Glomerella* sp., and *Colletotrichum* sp., studies. B.P.I. Bul. 252, pp. 55-56. 1913.
paste, adulteration and misbranding. Chem. N.J. 3040, pp. 269-270. 1914.
preparations, adulteration, detection by use of microscope. Y.B., 1907, p. 382. 1908; Y.B. Sep. 455, p. 382. 1908.
products, adulteration and misbranding. Chem. N.J. 12866. 1925.
purity standards. Sec. Cir. 136, p. 18. 1919.
recipe for potato cake. Sec. Cir. 106, p. 5. 1918.
soluble, misbranding. Chem. N.J. 2348, pp. 2. 1913.
stains, removal from textiles. F.B. 861, p. 12. 1917.
sweet, misbranding. Chem. N.J. 2317, p. 1. 1913.
trade with foreign countries, exports and imports. D.B. 296, p. 31. 1915.
tree. See Cacao.
use as beverage. O.E.S. Bul. 245, pp. 69, 70. 1912.
"Chocolate corn," use of name for sorghum, description. B.P.I. Cir. 50, pp. 10-12. 1910.

Chocolates—
Italian, alleged misbranding. Chem. N.J. 2238, pp. 2. 1913.
labeling, regulations. F.I.D. 37, pp. 1-2. 1906; F.I.D. 136, pp. 2. 1911.

Choctawhatchee National Forest, turpentine orchards, continuous yield. For. Bul. 90, p. 30. 1911.

Chokeberry—
black, importation and description. No. 37594, B.P.I. Inv. 38, pp. 80-81. 1917.
fruiting season and use as bird food. F.B. 844, pp. 11, 13. 1917; F.B. 912, pp. 11, 13. 1918.

Chokecherry—
adaptability for shelter-belt planting. D.B. 1113, pp. 10, 15. 1923.
adaptation to Great Plains. F.B. 1312, p. 13. 1923.
aphid, small, habits and control. F.B. 1128, pp. 24, 47-48. 1920.
grain aphid, description, habits, and control. F.B. 1128, pp. 23, 47-48. 1920.
infestation with California peach borer. Ent. Bul. 97, Pt. IV, p. 67. 1911.
injury to wood by sapsuckers. Biol. Bul. 39, p. 81. 1911.
leaves, poisonous to stock. For. A.R., 1909, p. 27. 1909; An. Rpts., 1909, p. 395. 1910.
occurrence in—
 Colorado, description. N.A. Fauna 33, p. 236. 1911.
 Wyoming, distribution nd growth. N.A. Fauna 42, p. 72. 1917.
western, description, range, and occurrence, on Pacific slope. For. [Misc.], "Forest trees for Pacific * * *," pp. 356-358. 1908.

Choking—
cattle, by soapweed feed, prevention. D.B. 745, pp. 12, 19. 1919.
cattle, symptoms and treatment. B.A.I. [Misc.], "Diseases of cattle," rev., pp. 22-24, 302. 1912.
hog, cause, symptoms, and treatment. F.B. 1244, p. 8. 1923.
sheep, cause, symptoms, and treatment. F.B. 1155, pp. 27-28. 1921.

Cholera—
bacillus in hog, variety like *Typhosus bacillus*. B.A.I. An. Rpt., 1901; p. 566. 1902.
chicken—
 cause, symptoms, and treatment. F.B. 1337, pp. 14-15. 1923; F.B. 287, p. 44. 1907.
 investigations. B.A.I. An. Rpt., 1907, p. 46. 1909.
 prevalence in Guam, 1915. Guam A. R., 1915, p. 36. 1916.
 same as septicemia of fowls. D.B. 674, pp. 1, 2. 1918.
dissemination, relation of house fly, evidence. Ent. Bul. 78, p. 27. 1909.
fowl—
 poultry disease, description, cause, symptoms, and treatment. F.B. 957, pp. 15-16. 1918.
 same as septicemia of fowls. D.B. 674, pp. 1, 2. 1918.
 serum production, experiments, 1914. Work and Exp., 1914, p. 207. 1915.
 similarity to swine plague. An. Rpts., 1907, p. 224. 1908.
 studies. S.R.S. Rpt., 1917. Pt. I, pp. 54, 121, 238. 1918.
See also Septicemia, hemorrhagic.
germs, longevity in soil. J.A.R., vol. 5, No. 20, pp. 928, 929, 931. 1916.
gipsy-moth disease. Ent. Bul. 87, pp. 70-71. 1910.
hog—
 M. Dorset. F.B. 379, pp. 23. 1909.
 alleged cures, warning. News L., vol. 1, No. 43, p. 4. 1914.
 and swine plague, prevention, regulations. B.A.I.O. 273, rev., pp. 23-25. 1923.
 bacillus—
  found in poultry. B.A.I. An. Rpt., 1907, p. 47. 1909.
  resembling *Bacillus typhosus*. B.A.I. An. Rpt., 1901, p. 566. 1902.
 bacteriology. F.B. 384, pp. 6-7. 1917.
 blood serum, production and tests. Y.B. 1908. pp. 325-328. 1909; Y.B. Sep., 484, pp. 325-328, 1909.
 care and protection for garbage-fed hogs, treatment. Sec. Cir. 80, pp. 7-8. 1917.
 cause(s)—
  and prevention. M. Dorset. Y.B., 1908. pp. 321-332. 1909; Y.B. Sep. 484, pp. 11. 1909.
  experimental tests, results, 1906. Rpt. 83, pp. 22-23. 1906.
 losses, March 31, 1912, to March 31, 1913, control methods. O.E.S. F.I.L. 16, pp. 3-4. 1914.
 symptoms and control. D.B. 646, pp. 22-24, 1918; F B. 379, pp. 1-23, 1909; F.B. 874, pp. 28-29, 33. 1917.

Cholera—Continued.
  hog—continued.
  characteristics, recapitulation. B.A.I. An. Rpt., 1904, pp. 145–146. 1905.
  contagion. B.A.I. Bul. 72, pp. 9–10. 1905; B.A.I. An. Rpt., 1904, pp. 141–145. 1905.
  contagiousness at different stages of the disease. J.A.R., vol. 13, pp. 115–120, 131. 1918.
  control—
    F.B. 1437, p. 28. 1925.
    O. B. Hess. Y.B., 1918, pp. 191–194. 1919; Y. B. Sep. 777, pp. 6. 1919.
    aid to farmers by Extension Office, North and West. News L., vol. 4, No. 49, p. 8. 1917.
    and investigations, 1917. An. Rpts., 1917, pp. 69–70, 112–115. 1917; B.A.I. Chief Rpt., 1917, pp. 3–4, 46–49. 1917.
    by organization on irrigation project. Y.B. 1915, p. 272. 1916; Y.B. Sep. 675, p. 272. 1916.
    by serum immunization. B.A.I. An. Rpt. 1908, pp. 219–224. 1910.
    by vaccination. News L., vol. 6, No. 31, p. 12. 1919.
    by vaccine. D.C. 342, p. 7. 1925.
    cooperative work, 1914. News L., vol. 1, No. 49, pp. 1–2. 1914.
    division, report of work. An. Rpts., 1922, pp. 143–144. 1923; B.A.I. Chief Rpt., 1922, pp. 45–46. 1922.
    experiments in various States, 1912, 1913, 1914. News L., vol. 2, No. 40, p. 1. 1915.
    experiments, proposed work. B.A.I.S.A. 74, p. 61. 1913.
    importance of community cooperation. News L., vol. 3, No. 15, p. 3. 1915.
    in irrigation communities, need of cooperation. Y.B., 1916, p. 188. 1917; Y.B. Sep. 690, p. 12. 1917.
    in Louisiana. News L., vol. 6, No. 47, p. 13. 1919.
    method F.B. 560, p. 24. 1913; Hawaii Bul. 48, p. 23. 1923.
    method in Corn Belt. F.B. 614, p. 16. 1914.
    method, instruments loaned and advice given by county agents. News L., vol. 5, No. 13, pp. 3–4. 1917.
    practical points. T. P. White. Y.B., 1919, pp. 197–204. 1920; Y.B. Sep. 798, pp. 197–204. 1920.
    progress. Y.B., 1921, p. 46. 1922; Y.B. Sep. 875, p. 46. 1922.
    suggestions. F.B. 566, p. 10. 1913; F.B. 985, p. 38. 1918.
    supervision of inoculated hogs. B.A.I.O. 245, amdt. 1, p. 1. 1917.
    with discussion of results of field experiments, A. D. Melvin and M. Dorset. D.B. 584. pp. 18. 1917.
    work, 1925. B.A.I. Chief Rpt., 1925, pp. 28–30, 36–37. 1925.
    work, by States. B.A.I.S.R.A. 120, p. 41. 1917.
    work of County agents. S.R.S. Doc. 88 pp. 21–22. 1918.
  cultural-filtration experiments. B.A.I. Bul. 113, pp. 1–31. 1909.
  danger from feeding garbage. F.B. 1133, p. 19. 1920.
  decrease—
    by use of serum. Off. Rec. vol. 3, No. 31, p. 5. 1924.
    in swine marketed, 1914–1919. Y.B., 1919, pp. 198–199. 1920; Y.B. Sep. 798, pp. 198–199. 1920.
    under use of serum. An. Rpts., 1915, p. 11. 1916; Sec. A. R., 1915, p. 13. 1915.
    under work of veterinarians. O. B. Hess. Y.B., 1918, pp. 191–194. 1919; Y.B. Sep. 777, pp. 6. 1919.
  differentiation from hemorrhagic septicemia. D.B. 674, pp. 6, 7–8. 1918.
  disease, symptoms, characteristics. B.A.I. Bul. 72, pp. 2–13. 1905.
  distribution of serum and information recommended. News L., vol. 3, No. 23, p. 2. 1916.
  epidemics and losses, 1886–1887, 1894–1897, 1911–1914. F.B. 590, pp. 2–3, 5–6. 1914.

Cholera—Continued.
  hog—continued.
  eradication—
    plan for use of State authorities. B.A.I. An. Rpt., 1908, pp. 223–224. 1910.
    value to agriculture. Y.B., 1916, pp. 65–66. 1917; Y.B. Sep. 698, pp. 3–4. 1917.
    work, in Kentucky, Christian County, results. Y.B., 1915, p. 233. 1916; Y.B. Sep. 672, p. 233. 1916.
    work of department. F.B. 558, pp. 4–5. 1913.
  etiology—
    M. Dorset and others. B.A.I. Bul. 72, pp. 102. 1905; B.A.I. An. Rpt., 1904, pp. 138–158. 1905.
    new facts concerning. E. A. DeSchweinitz and M. Dorset. B.A.I. Cir. 72, pp. 6. 1905.
  experimental work with vaccine. B.A.I. An. Rpt., 1908, pp. 45–46. 1910.
  experiments with pure cultures. B.A.I. An. Rpt., 1904, pp. 146–150. 1905.
  exposure experiments. O.E.S. An. Rpt., 1922, pp. 71–72. 1924.
  fake remedies. Y.B., 1919, pp. 202–204. 1920; Y.B. Sep. 798, pp. 202–204. 1920.
  field work, inspectors, directory. B.A.I.S.R.A. 128, p. 137. 1918.
  form not caused by hog-cholera bacillus. E. A. De Schweinitz and M. Dorset. B.A.I. Cir. 41, pp. 4. 1903.
  history, losses, and control directions. F.B. 558, pp. 4–6. 1913.
  immunity—
    experiments with salt solution. O.E.S. An. Rpt., 1911, p. 105. 1912.
    in hogs which have recovered. B.A.I. Bul. 72, pp. 10–12. 1905.
    production, further experiments. M. Dorset and others. B.A.I. Bul. 102, pp. 1–96. 1908.
  immunization. B.A.I. Cir. 43, pp. 3. 1904.
  infection—
    sources, investigations M. Dorset and others. J.A.R., vol. 13, pp. 101–131. 1918.
    spread methods. F.B. 384, pp. 14–15, 32. 1917
    ways. F.B. 379, pp. 6–8. 1909.
  inoculation methods and time for brood sows. News L., vol. 4, No. 48, p. 8. 1917.
  inspection reports. B.A.I.S.R.A. 120, pp. 40–41. 1917.
  investigations—
    1906. An. Rpts., 1906, pp. 143–145. 1907; B.A.I. An. Rpt., 1906, pp. 32–34. 1908; B.A.I. Chief Rpt., 1906, pp. 25–27. 1906.
    1914. Work and Exp., 1914, pp. 55, 65–66, 136, 144. 1915.
    serum tests, 1910. An. Rpts., 1910, pp. 50, 270–271. 1911; B.A.I. Chief Rpt., 1910, pp. 76–77. 1910; Sec. A.R., 1910, p. 50. 1910; Y.B., 1910, p. 50. 1911.
  law for, control studies. Sol. [Misc.], Sup. 2, "Laws applicable * * * agriculture," p. 25. 1915.
  legislation. B.A.I. Bul. 28, pp. 54, 106, 107, 108, 110. 1901.
  losses, 1850–1920, and control work. Y.B. 1919, pp. 76, 78. 1920; Y.B. Sep. 802, pp. 76, 78. 1920.
  losses, 1923–1924. Off. Rec., vol. 3, No. 29, p. 3. 1924.
  lower death rate. News L., vol. 6, No. 33, p. 14. 1919.
  meat-inspection—
    regulations. B.A.I.S.A. 79, p. 100. 1913.
    rules, amendment. B.A.I. An. Rpt., 1907, p. 368. 1909.
    various foreign countries. B.A.I.S.A. 73, pp. 42–43. 1913.
  Nebraska, North Platte project, decrease since 1916. W.I.A. Cir. 27, p. 12. 1919.
  necrobacillosis relation. B.A.I. An. Rpt., 1904, p. 106. 1905.
  occurrence in Guam. Guam A.R., 1923, pp. 1–2. 1925.
  outbreaks—
    and control in South Dakota. News L., vol. 5, No. 13, p. 5. 1917.
    and control work, North Platte reclamation. D.R.P. Cir. 1, pp. 13–22. 1915.

Cholera—Continued.
  hog—continued.
    outbreaks—continued.
      on North Platte Reclamation Project, control methods, cost, and savings. News L., vol. 3, No. 15, p. 3. 1915.
      possibility of transmittal by garbage. News L., vol. 5, No. 34, pp. 1-2. 1918.
      prevalence and fatality, comparison with other hog diseases. News L., vol. 1, No. 27, pp. 2-3. 1914.
    prevention—
      and treatment. F.B. 379, pp. 18-22. 1909.
      and treatment. M. Dorset and O. B. Hess. F.B. 834, pp. 32. 1917.
      by isolation and vaccination of sick animal. D.B. 646, p. 24. 1918.
      by use of blood serum, methods and tests. Y.B., 1908, pp. 324-331. 1909; Y.B. Sep. 484, pp. 324-331. 1909; B.A.I. An. Rpt., 1908, pp. 177-217. 1910.
      by use of serum, field tests, 1907. B.A.I. An. Rpt., 1908, pp. 177-217. 1910.
      experiment, vaccination, and breeding. B.A.I. An. Rpt., 1907, pp. 50-51. 1909.
      methods. Sec. [Misc.] Spec., "How southern farmers may get a start in pig raising," p. 3. 1914.
      of spread regulations, 1907. B.A.I. An. Rpt., 1907, p. 432. 1909.
      treatment. B.A.I. Bul. 47, pp. 64-66. 1904.
    quarantine regulations. B.A.I.O., 143, pp. 21-22. 1907.
    ravages, 1923. Off. Rec. vol. 2, No. 46, p. 3. 1923.
    reduction in North Carolina. News L., vol. 7, No. 18, p. 8. 1919.
    regulations to prevent spread. B.A.I. An. Rpt. 1905, p. 328. 1907.
    relation of wallows. Sec. Cir. 30, p. 6. 1909.
    remedy—
      confusion with anti-hog cholera serum, warning. News L., vol. 2, No. 24, p. 4. 1915.
      misrepresentations by manufacturers, warning by Agriculture Department. News L., vol. 2, No. 24, p. 4. 1915.
    serum—
      and virus production, October, 1922. B.A.I. S.R.A. 187, p. 133. 1922.
      distribution, Minnesota Experiment Station, 1912. O.E.S. An. Rpt., 1912, pp. 62, 142. 1913.
      experiments in Southern States, summary. News L., vol. 2, No. 9, p. 3. 1914.
      for prevention, work of Animal Industry Bureau. Sec. A.R., 1910, p. 50. 1910; Rpt. 93, p. 37. 1911; Y.B., 1910, p. 50. 1911.
      preparation by department, and method. News L., vol. 3, No. 46, pp. 1-2. 1916.
      preparation in Hungary. Adolph Eichhorn. B.A.I. An. Rpt., 1910, pp. 401-403. 1912.
      preparation, study and experiments, 1916. S.R.S. Rpt., 1916, Pt. I, pp. 52, 64, 67, 113, 169, 183, 213, 224. 1918.
      production and control work. See B.A.I. S.R.A. for each month.
      production, clear and sterilized. M. Dorset and others. J.A.R., vol. 6, No. 9, pp. 333-338. 1916.
      production method, use and cost. B.A.I. Bul. 102, pp. 10-12, 18-20. 1908; F.B. 379, pp. 20-23. 1909.
      production, Missouri plant, establishment. Work and Exp., 1914, p. 145. 1915.
      production, tests, tables. B.A.I. Bul. 102, pp. 18-81. 1908.
      purity and potency, test regulations. B.A.I. S.R.A. 136, pp. 64-65. 1918.
      test for purity and potency. B.A.I.S.R.A. 134, pp. 47-49. 1918.
      tests, tables. B.A.I. Bul. 102, pp. 28-81. 1908.
      use. B.A.I. [Misc.], "How to use anti-hog-cholera serum," pp. 5. 1914.
      use, directions and precautions. F.B. 590, pp. 3-7. 1914.
      use in hog-cholera control, methods. D.B. 646, p. 24. 1918.

Cholera—Continued.
  hog—continued.
    serum—continued.
      use methods. B.A.I. Doc. A-5, pp. 5. 1914.
      value as preventive. An. Rpts., 1911, pp. 11, 51-52. 1912; Sec. A.R., 1911, pp. 9, 49-50. 1911; Y.B., 1911, pp. 9, 49-50. 1912.
    spread—
      by insanitary slaughterhouses. B.A.I. An. Rpt., 1908, p. 87. 1910; B.A.I. Cir. 154, p. 5. 1910.
      by insects. An. Rpts., 1919, pp. 125-126. 1920; B.A.I. Chief Rpt., 1919, pp. 53-54. 1919.
      methods, 1916. Y.B., 1916, p. 473. 1917; Y.B. Sep. 694, p. 7. 1917.
      methods, 1918. An. Rpts., 1918, pp. 119-120. 1919; B.A.I. Chief Rpt., 1918, pp. 49-50. 1918.
      methods, 1919. Y.B., 1919, pp. 199, 200, 203. 1920; Y.B. Sep. 798, pp. 199, 200, 203. 1920.
      prevention by vaccination of feeding hogs. News L., vol 6, No. 9, p. 14. 1918.
      prevention, inoculation methods. B.A.I.O. 245, amdt. 3, pp. 2. 1918.
      prevention, regulations. B.A.I.O. 210, pp. 25-26. 1914; B.A.I.O. 263, pp. 25-27. 1919; B.A.I.O. 273, pp. 27-29. 1921; rev. pp. 22-23. 1923. B.A.I.O. 292, pp. 22-24. 1925.
      sources of infection. D.R.P. Cir. 1, pp. 17-21. 1915.
    statistics—
      1912-1915. An. Rpts., 1916, p. 71. 1917. B.A.I. Chief Rpt., 1916, p. 5. 1916.
      in various States, 1912, 1913, and 1914. An. Rpts., 1915, pp. 128-130. 1916; B.A.I. Chief Rpt., 1915, pp. 52-54. 1915.
      of losses and results of control work, 1912-1915. D.B. 584, pp. 8-13. 1917.
      study, recommendation for meat inspectors. Sec. Cir. 58, p. 8. 1916.
    symptoms—
      and post-mortem appearance. F.B. 834, pp. 7-11. 1917.
      lesions and prevention. F.B. 1244, pp. 2-4. 1923.
    tonic, misbranding. See Indexes, Notices of Judgment, in bound volumes and in separates published as supplements to Chemistry Service and Regulatory Announcements.
    transmission—
      by infected pigs, methods. J.A.R., vol. 13, pp. 102-115. 1918.
      by lice, studies. Work and Exp., 1919, p. 81. 1921.
      methods, studies. An. Rpts., 1917, pp. 113-115. 1918; B.A.I. Chief Rpt., 1917, pp. 47-49. 1917.
    vaccination—
      experiments, 1903-1906. B.A.I. Bul. 102, pp. 7, 12, 27-81. 1908.
      methods, comparative safety. Y.B., 1908, pp. 328-330. 1909; Y.B., Sep. 484, pp. 328-330. 1909.
      serum and simultaneous methods, tests, 1907. B.A.I. An. Rpt., 1908; pp. 177-217, 220-221. 1910.
    vaccine—
      and serum tests. Sec. Cir. 27, pp. 1-2. 1908.
      plan for distributing, experimental work. B.A.I. Chief Rpt., 1908, pp. 8, 37-38. 1908; An. Rpts., 1908, pp. 34-35, 222, 251-252. 1909. Sec. A.R., 1908, pp. 32-33. 1908.
      treatment, results. Y.B. 1908, pp. 34-35. 1909.
    virus—
      and anti-hog-cholera serum, requirements. B.A.I., S.R.A. 122, pp. 58-76. 1917.
      and serum preparation, control work. An. Rpts., 1918, p. 129. 1919; B.A.I. Chief Rpt., 1918, p. 59. 1918.
      and serum regulations. B.A.I.O. 276, amdt. 1, pp. 2. 1923.
  infantum—
    cause. F.B. 413, p. 5. 1910.
    transmission by house flies. F.B. 412, p. 11. 1910.

Cholera—Continued.
   like disease of poultry, cause, symptoms, and treatment. F.B. 530, pp. 7-9. 1913; F.B. 957, pp. 16-17. 1918; F.B. 1337, pp. 15-16. 1923.
   mixture "Sun," adulteration and misbranding. Chem. N.J. 1063, pp. 2. 1911.
   morbus, causes and treatment. For. [Misc.], "First-aid manual for * * *," pp. 81-82. 1917.
   pheasant, cause and treatment and disposal of dead birds. F.B. 390, p. 38. 1910.
   pig, prevention methods. F.B. 566, p. 14. 1913.
   pigeon, treatment. F.B. 205, pp. 37-38. 1904.
   poultry disease, cause, symptoms and treatment. F.B. 530, pp. 7-9. 1913.
   transmission by house flies. F.B. 412, p. 11. 1910.
Cholerae suis bacillus, discovery, experiments and results. Y.B., 1908, pp. 321-325. 1909; Y.B. Sep. 484, pp. 321-325. 1909.
Cholesterins, presence in poultry excrement, experiments. B.A.I. Bul. 56, pp. 86-87. 1904.
Cholesterol, determination in fats. Chem. Bul. 13, Pt. X, p. 1423. 1902.
Choline—
   composition. Chem. Bul. 123, p. 6. 1909.
   formation, effects on wheat seedlings. Soils Bul. 47, pp. 22, 24, 38. 1907.
   occurrence in soils, description. Soils Bul. 88, pp. 17, 18. 1912.
   soil constituent, wheat-growing tests, table. Soils Bul. 87, pp. 48-49. 1912.
Cholla. *See* Cactus; Prickly pears.
Cholomyia inaequipes, parasitic on plum curculio. Ent. Bul. 103, pp. 150-151. 1912.
Chondestes grammacus. *See* Sparrow, lark.
Chondroma, occurrence in cattle and treatment. B.A.I. [Misc.], "Diseases of cattle," rev., p. 326. 1912.
Choppers, feed, machines, use in preparing desert plants for feed. D.B. 728, pp. 4-6, 22. 1918.
Chopping, cotton, time, and crew. D.B. 896, p. 33. 1920.
Chops, mutton, cooking recipes. F.B. 1172, pp. 26-27. 1920.
Chops, pork, canning directions. F.B. 1186, p. 39. 1921.
Chordeiles spp. *See* Nighthawk.
Chorioptes—
   bovis bovis, harmfulness, cause of tail mange of cattle. F.B. 1017, pp. 3, 14. 1919.
   spp., description and habits. Rpt. 108, pp. 130, 131. 1915.
   symbiotes var. *bovis*, localization and control. B.A.I. Bul. 40, p. 8. 1902.
Chorisia—
   insignis, importation and description. No. 38330. B.P.I. Inv. 39, p. 117. 1917; Nos. 43465, 43561, B.P.I. Inv. 49, pp. 28-29, 44. 1921.
   speciosa, importation and description. No. 54551, B.P.I. Inv. 69, pp. 4, 25. 1923.
   speciosa. *See also* Samuu.
Chorizagrotis auxiliaris—
   life history. R. A. Cooley. J.A.R., vol. 6, No. 23, pp. 871-881. 1916.
   See also Cutworm, army.
Chorizema—
   cordatum, importation and description. No. 44831. B.P.I. Inv. 51, p. 75. 1922.
   ilicifolium, importation and description. Nos. 47186-47187, B.P.I. Inv. 58, pp. 8, 36. 1922.
Chorophilus, northern, range, and habits. N.A. Fauna, 22, pp. 134. 1902.
Chortoglyphus spp., description and habits. Rpt. 108, pp. 113, 115. 1915.
Chortophila hyocyami. *See* Leaf miner, spinach.
Chosen—
   cotton production. Atl. Am. Agr. Adv. Sh., Pt. V, Sec. A, p. 7. 1919.
   potatoes, production, 1909-1913, 1921-1923. S.B. 10, p. 20. 1925.
   See also Korea.
Chou moellier. *See* Cabbage, marrow.
Choudrotus microstomus, range, and habits. N.A. Fauna 22, p. 134. 1902.
Chowchow—
   recipes. F.B. 521, p. 15. 1913.
   use as food. O.E.S. Bul. 245, p. 88. 1912.

Chowder(s)—
   clam, canning recipe. S.R.S. Doc. 80, p. 28. 1918.
   corn, recipe. News L., vol. 3, No. 2, pp. 3-4. 1915.
   description and recipes. F.B. 712, pp. 20-21. 1916.
   fish—
      canning recipe. S.R.S. Doc. 80, pp. 25-26. 1918.
      or vegetables, directions for making. F.B. 1359, p. 16. 1923.
      preparation for canning. S.R.S. Doc. 80, rev., p. 27. 1919.
      use of milk. F.B. 413, p. 17. 1910; F.B. 1207, p. 30. 1921.
   vegetable, recipe. U.S. Food Leaf. 9, p. 3. 1917; F.B. 871, pp. 9-10. 1917.
Chremylus rubiginosus, parasitic enemy of broad-bean weevil. Ent. Bul. 96, Pt. V, p. 72. 1912.
Christ-thorn tree, Palestine, value as stock for fruit, alkaline soils. B.P.I. Bul. 180, pp. 13-14. 1910.
CHRISTENSEN, C. L.: "Agricultural cooperation in Denmark." D.B. 1266, pp. 88. 1924.
CHRISTIE, A. W.: "Effect of variation in moisture content on the water-extractable matter of soils." With J. C. Martin. J.A.R. vol. 18, pp. 139-143. 1919.
CHRISTIE, G. I.—
   "American system of agricultural extension—Methods and equipment." O.E.S. Bul. 231, pp. 73-78. 1910.
   "Educational contests in agriculture and home economics." O.E.S. Bul. 255, pp. 47. 1913.
   "Finding labor to harvest the food crops." Sec. Cir. 115, pp. 8. 1918.
   "Report of committee on farm life studies." Sec. Cir. 139, pp. 8. 1919.
   report of committee on farm organization. Sec. Cir. 135, pp. 3-4. 1919.
   "Report of committee on land economics of Farm Management Office." Sec. Cir. 138, pp. 8. 1919.
   report on Indiana extension work in agriculture and home economics—
      1915. O.E.S. An. Rpt., 1915, Pt. II, pp. 19-206. 1916.
      1916. O.E.S. An. Rpt., 1916, Pt. II, pp. 205-215. 1917.
      1917. O.E.S. An. Rpt., 1917, Pt. II, pp. 214-222. 1919.
   "Supplying the farm labor need." With Clarence Du Bose. Sec. [Misc.] "Supplying farm labor * * *," pp. 8. 1918.
CHRISTIE, J. R.: "*Agamermis decaudata:* A nema parasite of grasshoppers and other insects." With N. A. Cobb and G. Steiner. J.A.R. vol. 23, pp. 921-926. 1923.
Christmas—
   berry—
      description, range, and occurrence, on Pacific slope. For. [Misc.], "Forest trees for Pacific * * *," pp. 349-351. 1908.
      occurrence in chaparral, valuable qualities. For. Bul. 85, pp. 11, 33, 36, 37. 1911.
   gifts of canned fruits and vegetables, buying. News L., vol. 7, No. 5, p. 7. 1919.
   greens, quarantine regulations. An. Rpts., 1915, p. 360. 1916; F.H.B. An. Rpt., 1915, p. 10. 1915. F.H.B.S.R.A. 18, pp. 51, 52. 1915.
   trees—
      and greens, quarantine regulations. F.H.B. Quar. 4, pp. 1, 2. 1912.
      Canadian, quarantine against, notice, July 1, 1924. F.H.B. Quar. 57, pp. 2. 1924.
      growing directions. F.B. 1453, pp. 34-36. 1925.
      importation restrictions. Off. Rec., vol. 2, No. 52, p. 5. 1923.
      inspection for gipsy moth, results. F.H.B. S.R.A. 29, pp. 76-77. 1916.
      quarantine notice. F.H.B.S.R.A. 18, pp. 51-52. 1915; F.H.B.S.R.A. 79; pp. 65-67. 1924; F.H.B.S.R.A. 78, p. 22. 1924; Off. Rec., vol. No. 29, p. 3. 1924.
      selection suggestions. News L., vol. 7, No. 17, p. 4. 1919.
CHRISTOPHER, W. N.: "Spores in the upper air." With others. J.A.R., vol. 24, pp. 599-606. 1923.

INDEX TO PUBLICATIONS, 1901–1925 461

"Christophers," erection for control of erosion. An. Rpts., 1914, p. 169. 1914; D.B. 180, p. 14. 1915; Soils Chief Rpt., 1914, p. 5. 1914.
CHRISTY, H. W., earliest canner of tomatoes, 1847. D.B. 196, p. 66. 1915.
Chromaphis juglandicola. See Walnut aphid, European.
Chromate poisoning. See Lead chromate, poisoning.
Chromates, effect on crown gall, studies. B.P.I. Bul. 255, pp. 22–23. 1912.
Chrome—
  alum, use as poison against Argentine ants. D.B. 647, pp. 60–71. 1918.
  green, testing methods. Chem. Bul. 109, pp. 26–27. 1908.
  tannage, waxed and unwaxed, effect on wear of leather. D.B. 1168, pp. 4, 8, 18, 19, 23. 1923.
  tanning solution, formula. D.C. 230, pp. 14–16. 1922.
Chromic acid, rust prevention. Rds. Bul. 35, pp. 14, 34. 1909.
Chromium—
  determination from various fir ashes. D.B. 600, pp. 3, 16. 1917.
  occurrence in soils. D.B. 122, pp. 3, 12–14, 27. 1914.
Chromogen—
  occurrence in Hawaiian Dioscorea. B.P.I. Bul. 264, p. 8. 1912.
  physical and chemical properties. B.P.I. Bul. 264, pp. 9–13. 1912.
  purpling, of a Hawaiian Dioscorea. Harley Harris Bartlett. B.P.I. Bul. 264, pp. 19. 1912.
Chromosome—
  combination, effect on growth and development of plants and animals. J.A.R., vol. 12, pp. 658–664. 1918.
  theory, sex determination. J.A.R., vol. 30, pp. 894–896. 1925
Chrosperma muscaetoxicum. See Amianthium; Stagger grass.
Cryptochaetum icerya, enemy of cottony cushion scale. D.B. 134, p. 21. 1914.
Cryptorhynchus argula, description by Thomas Say, same as *Conotrachelus nenuphar.* Ent. Bul. 103, pp. 14, 17. 1912.
Chrysalidocarpus lucubensis, importation and description. No. 51711, B.P.I. Inv. 65, p. 39. 1923.
Chrysanthemum—
  aphid control. F.B. 1311, p. 16. 1923.
  aphid, life history, control. F.B. 1306, pp. 13–15. 1923.
  cinerariaefolium—
    characteristics and chemical analyses. D.B. 824, pp. 27–28, 33, 48–57. 1920.
    manganese occurrence. J.A.R., vol. 11, pp. 77–82. 1917.
    See also Pyrethrum; Dalmatian flowers.
  description, varieties, and soil adaptations. F.B. 1381, pp. 33–36. 1924.
  disease caused by *Botrytis cinerea,* description. B.P.I. Bul. 171, p. 12. 1910.
  diseases, Texas, occurrence and description. B.P.I. Bul. 226, p. 84. 1912.
  for the home. B. Y. Morrison. F.B. 1311, pp. 17. 1923.
  frutescens. See Daisy, Paris.
  gall fly, control. News L., vol. 6, No. 49, p. 4. 1919.
  grafting on wormwood in China. Y.B. Sep. 671, 1915, p. 218. 1916; Y.B. 1915, p. 218. 1916.
  growing—
    experiments with daylight of different lengths. J.A.R., vol. 23, pp. 876, 883. 1923.
    in Alaska. Alaska A.R., 1918, p. 52. 1920.
  hybrid, production. An. Rpts., 1909, p. 357. 1910; B.P.I. Chief Rpt., 1909, p. 105. 1909.
  importations and descriptions. Nos. 40511–40513, 40542–40548, 40627–40644, 40753–40754, B.P.I. Inv. 43, pp. 8, 37, 42, 58, 76. 1918.
  indicum, importation and description. No. 44287, B.P.I. Inv. 50, p. 53. 1922.
  insects, description, and control. Charles A. Weigel. F.B. 1306, pp. 36. 1923.
  leucanthemum—
    adulterant of pyrethrum, analyses. D.B. 795, pp. 1–12. 1919; D.B. 824, pp. 18, 19, 20, 33, 35, 40, 65, 82. 1920.
    See also Daisy, oxeye.

Chrysanthemum—Continued.
  marschalii, importation, use for insect powder. No. 31227. B.P.I. Bul. 242, p. 74. 1912.
  midge—
    C. A. Weigel and H. L. Sanford. D.B. 833, pp. 23. 1920.
    description, life history, and control. F.B. 1306, pp. 3–6, 35. 1923; F.B. 833, pp. 1–3. 1920.
  nema, *Aphelenchus ritezemabosi.* description. J.A.R., vol. 28, pp. 1061–1062. 1924.
  origin and popularity. F.B. 1311, pp. 1–2. 1923.
  pests, description, habits, and control. F.B. 1362, pp. 31–35. 1924.
  powder, destruction of mosquitoes in Mexico. Ent. Bul. 67, pp. 123–124. 1907.
  production, suggestions. Off. Rec., vol. 4, No. 50, p. 2. 1925.
  "ringing" experiments and results. F.B. 316. pp. 10, 11. 1908.
  seed, growing. F.B. 1311, p. 11. 1923.
  seedlings, care. F.B. 1311, p. 11. 1923.
  soil. composts, feeding, liquid manures. Y.B., 1902, pp. 562–566. 1903.
  spp—
    crown gall inoculation from Paris daisy and other plants. B.P.I. Bul. 213, pp. 25–29, 53, 54, 55, 58, 60, 75, 78, 80, 85, 90, 94, 95, 101. 1911.
    use in making insect powder. D.B. 824, pp. 1–10. 1920.
  summer, description, cultivation, and characteristics. F.B. 1171, pp. 42–43, 80. 1921.
  varieties affected by midge. D.B. 833, p. 4. 1920.
Chryseida inopinota, parasitic on huisache girdler. D.B. 184, p. 8. 1915.
Chrysobothris—
  femorata. See Apple-tree borer, flat-headed
  octocola. See Mesquite borer.
  spp.—
    control, life history. F.B. 1270, pp. 73–75. 1922.
    larval structure, distribution, habits, and host trees. D.B. 437, pp. 4, 5, 6. 1917.
Chrysocharis—
  livida, parasite of coffee leaf miner. P.R. An. Rpt., 1914, p. 33. 1915.
  parksi, parasite of *Cerodonta dorsalis.* D.B. 431, p. 16. 1916.
  spp., parasite of corn-leaf miner. J.A.R., vol. 2, p. 28. 1914.
  spp. parasites of serpentine leaf-miner. J.A.R.. vol. 1, pp. 79–80. 1913.
Chrysolite. See Olivine.
Chrysolophus amherstiae. See Pheasant, Lady Amherst.
Chrysomphalus—
  aonidum. See Scale, Florida red.
  aurantii—
    insect enemy of citrus fruits, description. Ent. Bul. 90, Pt. I, pp. 9–10. 1911.
    See also Scale, red.
  biformis, control on orchids. Ent. A.R., 1921, p. 23. 1921.
  citrinus—
    insect enemy of citrus fruits, description. Ent. Bul. 90, Pt. I, p. 10. 1911.
    See also Scale, yellow.
  dictyospermi—
    citrus pest in Spain, Italy, and Sicily. Ent. Bul. 120, pp. 50, 52. 1913.
    life history and control. D.B. 134, pp. 15–17, 24–25. 1914.
  ficus. See Scale, red, Florida.
  obscurus—
    description, habits, and control. F.B. 1169, p. 79. 1921.
    See also Scale, obscure.
  tenebricosus, description, habits and control. F.B. 1169, pp. 78–79. 1921.
Chrysomyia macellaria—
  fly causing screw worm infection. B.A.I. [Misc.] "Diseases of cattle," rev., p. 521. 1912.
  See also Fly, screw-worm.
Chrysopa—
  californica, enemy of—
    bean thrips. Ent. Bul. 118, p. 41. 1912.
    citrophilus mealybug. D.B. 1040, p. 19. 1922.
    walnut aphids. D.B. 100. pp. 36–37. 1914.

Chrysopa—Continued.
 lateralis, enemy of avocado red-spider. D.B. 1035, p. 9. 1922.
 nigricornis, enemy of terrapin scale. D.B. 351, p. 63. 1916.
 oculata—
  enemy of—
   plum curculio. Ent. Bul. 103, pp. 152–153. 1912.
   spring grain aphid. Ent. Bul. 110, pp. 132–133. 1912.
   wheat thrips. J.A.R., vol. 4, p. 223. 1915.
   larvae, destruction of cigar case-bearer. Ent. Bul. 80, Pt. II, p. 41. 1909.
  See Fly, lacewing.
 quadripunctata, enemy of red spider. Ent. Cir. 172, p. 16. 1913.
 rufilabris, enemy of—
  common red-spider. Ent. Cir. 104, p. 6. 1909.
  pink bollworm. D.B. 918, p. 47. 1921.
 spp.—
  enemies of codling moth. Ent. Bul. 115, Pt. I, p. 74. 1912.
  enemies of *Pemphigus acerifolii*. Ent. T.B. 24, p. 11. 1912.
  enemies of red spider. Ent. Bul. 117, p. 19. 1913.
  See also Lacewings.
Chrysophana spp., larval structure, distribution, habits, and host trees. D.B. 437, pp. 3, 6, 7. 1917.
Chrysophlyctis endobiotica, cause of potato wart disease. B.P.I.C.T. and F.C.D. Cir. 6, pp. 6–7. 1919; B.P.I. Bul. 245, p. 18. 1912; B.P.I. Cir. 52, pp. 6–7. 1910; D.C. 32, p. 4. 1919; J.A.R., vol. 21, pp. 589–592. 1921.
Chrysophlyctis endobiotica. *See also* Potato wart.
Chrysophyllum—
 cainito—
  description. Nos. 42525–42527, B.P.I. Inv. 47, p. 25. 1920.
  See also Star apple.
  importation and description. No. 32079, B.P.I. Bul. 261, p. 25. 1912; No. 41648, B.P.I. Inv. p. 57. 1918.
 lucumifolium, importation and description. No. 43454, B.P.I. Inv. 49, p. 26. 1921.
 spp., hosts of Mediterranean fruit fly in Hawaii. D.B. 536, pp. 24, 27. 1918.
 spp., Porto Rico, description and uses. D.B. 354, p. 92. 1916.
Chrysopogon—
 aciculatus, importation and description. No. 37367, B.P.I. Inv. 38, p. 75. 1917; No. 50355, B.P.I. Inv. 63, p. 60. 1923.
 montanus, importation and description. No. 41899, B.P.I. Inv. 46, p. 31. 1919.
Chrysops discalis. *See* Deer fly.
Chrysothamnus spp. *See* Rabbit brush.
Chubbuck, Levi: "Possible agricultural development in Alaska." D.B. 50, pp. 31. 1914.
Chuck-Will's-widow—
 breeding area in Arkansas, and food habits. Biol. Bul. 38, pp. 49–50. 1911.
 description and food habits. F.B. 755, pp. 32–33. 1916.
 occurrence in Porto Rico, and food habits. D.B. 326, p. 69. 1916.
 See also Nighthawk.
Chufa—
 beverage, preparation and use in Spain. J.A.R. vol. 26, No. 2, pp. 69–70. 1923.
 billbug, infestation and spread. F.B. 1003, pp. 14, 21, 22. 1919.
 description—
  and use in pig feeding. B.A.I. An. Rpt., 1903, p. 289. 1904; B.A.I. Cir. 63, p. 289. 1904; F.B. 411, pp. 24–25. 1910.
  distribution, and propagation, as wild-duck food. D.B. 58, pp. 8–11. 1914.
 food for ducks, description, distribution, value and propagation. D.B. 465, pp. 28–31. 1917.
 food plant of curlew bug. Ent. Bul. 95, Pt. IV, pp. 55, 58, 60. 1912.
 growing as forage crop for hogs. F.B. 951, pp. 16–17. 1918; F.B. 985, pp. 7, 9, 10, 18, 27. 1918; F.B. 411, pp. 39–40. 1910.
 growing for hogs in Cotton States. F.B. 1125, rev., p. 49. 1920.

Chufa—Continued.
 growing in Arizona, Yuma, Experiment Farm, yields. W.I.A. Cir. 25, p. 31. 1919.
 hog grazing. B.A.I. Bul. 47, pp. 156–158. 1904.
 importation and description. No. 43578, B.P.I. Inv. 49, pp. 9, 46. 1921; No. 52899, B.P.I. Inv. 67, pp. 9, 46. 1923.
 oil acids. J.A.R., vol. 26, pp. 78–82. 1923.
 oil, chemical constituents. Walter F. Baughman and George S. Jamieson. J.A.R., vol. 26, pp. 77–82. 1923.
 tubers, analysis methods and results. J.A.R., vol. 26, pp. 71–74. 1923.
 tubers, chemical examination. Frederick B. Power and Victor K. Chesnut. J.A.R., vol. 26, pp. 69–75. 1923.
 use(s) as—
  food. F.B. 332, p. 10. 1908.
  food and feed. D.B. 503, p. 15. 1917.
  forage crop in cotton region. F.B. 509, pp. 34–35. 1912.
  value as duck food. D.B. 58, p. 8. 1914.
Chultunes, description and use. Off. Rec., vol. 1, No. 20, p. 3. 1922.
Chung, H. L.—
 "Edible canna in Hawaii." With J. C. Ripperton. Hawaii Bul. 54, pp. 16. 1924.
 report of Agronomy Division, Hawaii Experiment Station—
  1919. Hawaii A. R., 1919, pp. 44–49. 1920.
  1920. With Wallace Macfarlane. Hawaii A. R., 1920, pp. 26–32. 1921.
  1921. Hawaii A.R., 1921, pp. 26–35. 1922.
  1922. Hawaii A.R., 1922, pp. 8–12. 1924.
  1923. Hawaii A.R., 1923, pp. 6–7. 1924.
  1924. Hawaii A.R., 1924, pp. 10–14. 1925.
 "The sweet potato in Hawaii." Hawaii Bul. 50, pp. 20. 1923.
Chupak, importation and description. No. 44683. P.B.I. Inv. 51, p. 47. 1922.
Chuquiraga insignis, importation and description. No. 53179. B.P.I. Inv. 67, p. 34. 1923.
"Influence of environment on composition of sweet corn. 1905–1908." With M. N. Straughn. Chem. Bul 127, pp. 69. 1909.
Church, C. G.—
 "Inheritance of composition in fruit through vegetative propagation." With others. D.B. 1255, pp. 19. 1924.
 "Maple sugar: Composition methods of analysis, effect of environment." With others. D.B. 466, pp. 46. 1917.
 "Relation between the composition of California cantaloupes and their commercial maturity." With others. D.B. 1250, pp. 27. 1924.
 "Some changes in the composition of California avocados during growth." With E. M. Chace. D.B. 1073, pp. 22. 1922.
 "The composition of California lemons." With others. D.B. 993, pp. 18. 1922.
 "The composition of the Chinese jujube." D. B. 1215, pp. 24–29. 1924.
 "The influence of environment on the composition of sweet corn, 1905–1908." With M. N. Straughn. Chem. Bul. 127, pp. 69. 1909.
Church, L. M.—
 "A study in the cost of producing milk on four dairy farms located in Wisconsin, Michigan, Pennsylvania, and North Carolina." With others. D.B. 501, pp. 35. 1917.
 "An economic study of the farm tractor in the Corn Belt." With Arnold P. Yerkes. F.B. 719. pp. 24. 1916.
 "Corn Belt farmers' experience with motor trucks." With H. R. Tolley. D.B. 931, pp. 34. 1921.
 "Cost of harvesting wheat by different methods." With Arnold P. Yerkes. D.B. 627, pp. 22. 1918.
 "Experience of eastern farmers with motor trucks." With H.. R. Tolley. D.B. 910, pp. 37. 1920.
 "Farm motor-truck operation in the New England and Central Atlantic States." D.B. 1254, p. 28. 1924.
 "Motor trucks on Corn Belt farms." With H. R. Tolley. F.B. 1314, pp. 18. 1923.
 "Motor trucks on eastern farms." With H. R. Tolley. F.B. 1201, pp. 23. 1921.

INDEX TO PUBLICATIONS, 1901-1925 463

CHURCH, L. M.—Continued.
"The farm tractor in the Dakotas." With Arnold P. Yerkes. F.B. 1035, pp. 32. 1919.
"The gas tractor in eastern farming." With Arnold P. Yerkes. F.B. 1004, pp. 32. 1918.
"The standard day's work in central Illinois." With H. R. Tolley. D.B. 814, pp. 32. 1920.
"Tractor experience in Illinois." With Arnold P. Yerkes. F.B. 963, pp. 30. 1918.
"Tractors on southern farms." With H. R. Tolley. F.B. 1278, pp. 26. 1922.
"The manufacture and sale of farm equipment in 1920." With H. R. Tolley. D.C. 212, pp. 11. 1922.

CHURCH, MARGARET B.: "Soy and related fermentations." D.B. 1152, pp. 27. 1923.

Church(es)—
distance from farm homes, reports. D.C. 148, p. 12. 1920.
maintenance in national forests, regulations. Sol. [Misc.], "Forestry laws * * *," p. 12. 1916.
membership, relation to living costs and standards. D.B. 1214, pp. 32–33, 35. 1924.
needs of farm women. Rpt., 103, pp. 41–42. 1915.

Churn(s)—
barrel, description and care of. S.R.S. Syl. 19, pp. 3–4, 6–7. 1916.
barrel, use in farm butter making, methods. F.B. 541, p. 24. 1913.
farm, kinds, care and use methods. News L., vol. 4, No. 10, p. 4. 1916.
use for mixing broken eggs. D.B. 663, pp. 17–19. 1918.
various kinds, care, use. F.B. 241, pp. 24–25. 1905.

Churning—
butter, washing, salting, printing, and wrapping. S.R.S. Syl. 19, pp. 4–8. 1916.
cream, temperature and other factors affecting. F.B. 876, rev., pp. 7–11, 14–16. 1924.
description, object, methods, factors affecting. F.B. 541, pp. 13–16. 1913.
difficulties, causes. F.B. 876, pp. 18–19. 1917.
process, details and summary. F.B. 876, pp. 10–14, 22–23. 1917.

Chusca Mountains, New Mexico, location, description, and climate. N.A. Fauna 35, pp. 60–61. 1913.

Chusquea quila, importation and description. No. 42388. B.P.I. Inv. 47, pp. 6, 10. 1920; No. 43269, B.P.I. Inv. 48, p. 36. 1921.

Chute(s)—
cattle, for dehorning, plans and use. F.B. 949, pp. 8–10, 12, 13. 1922.
cattle, in dipping plants, description and use. F.B. 909, pp. 18–21. 1918.
construction for abattoirs and packing houses. B.A.I. An. Rpt., 1909, p. 262. 1911; B.A.I. Cir. 173, p. 262. 1911.
dehorning, plans and methods of uses. F.B. 949, pp. 8–9. 1918.
log hauling, construction, methods and costs. D.B. 440, pp. 35, 37–38. 1917.
use in apple packing houses. F.B. 1204, p. 29. 1921.

Chutney—
pepper relish, B.S., recipe. D.C. 160, pp. 7–8. 1921; S.R.S. Doc. 39, p. 5. 1917.
recipe. F.C.D.W.S. Cir. 1, pp. 4–5. 1915.
use as food. O.E.S. Bul. 245, p. 88. 1912.

Cibotium—
menziesii, description and uses. Hawaii Bul. 53, pp. 2, 3, 10, 11. 1924.
spp. *See* Tree fern.

Cicada(s)—
appearance, various States, 1919, prediction. Sec. Cir. 127, pp. 2–3. 1919.
broods, distribution and appearance. Sec. Cir. 127, pp. 5–10. 1919.
destruction by—
birds and domestic animals. Ent. Bul. 71, pp. 13, 104, 115, 128, 138. 1907.
crows. D.B. 621, pp. 23, 61. 1918.
emergence, 1919. News L., vol. 6, No. 44, p. 8. 1919.
feed for chickens, danger. News L., vol. 6, No. 46, p. 14. 1919.
feeding habits of adults. Ent. Bul. 37, p. 90. 1902.
history, injuries, and descriptions. News L., vol. 6, No. 32, p. 5. 1919.

Cicada(s)—Continued.
infestation for 1919. News L., vol. 6, No. 27, pp. 16–18. 1919.
occurrence, distribution and injuries, 1919. Sec. Cir. 127, pp. 3–10. 1919.
periodical—
C. L. Marlatt. Ent. Bul. 71, pp. 181. 1907; Ent. Cir. 89, pp. 4. 1907.
broods, new nomenclature for. C. L. Marlatt. Ent. Cir. 45, p. 8. 1902.
description, habits, injuries, and control. F.B. 1270, pp. 68–70. 1922.
feeding habits of adults. Ent. Bul. 37, pp. 90–94. 1902.
in—
1902. W. D. Hunter. Ent. Cir. 44, pp. 4. 1902.
1906. Ent. Bul. 67, pp. 34, 38, 43. 1907.
1906. C. L. Marlatt. Ent. Cir. 74, pp. 5. 1906.
1911. C. L. Marlatt. Ent. Cir. 132, pp. 6. 1911.
1914. C. L. Marlatt. Ent. [Misc.], "The periodical cicada * * *," pp. 3. 1914.
1919, description, habits, injuries, and control. Sec. Cir. 127, pp. 2–4, 8–10. 1919.
injuries, overestimation. Sec. Cir. 127, pp. 4–5. 1919.
parasites. Ent. Bul. 71, pp. 129–138. 1907.
repellents. Ent. Cir. 132, pp. 5–6. 1911.
13-year brood XXIII, range. Ent. Cir. 132, pp. 3–5. 1911.
17-year brood II, range. Ent. Cir. 132, pp. 1–3. 1911.
See also Locusts, 17–year.
rosae, same as *Empoa rosae*. D.B. 805, p. 20. 1919.
septendecim Linn. *See* Cicada, periodical.
spp., destruction by sarcophagids. J.A.R., vol. 2, p. 437. 1914.
See also Locust.

Cicadula 6-notata. *See* Leaf hopper, six-spotted.

Cicer arietinum—
forage-crop experiments in Texas. B.P.I. Cir. 106, p. 25. 1913.
importations and description. Nos. 42454, 42456–42462, 42530–42531, 42761–42764, 42892–42894, B.P.I. Inv. 47, pp. 16, 17, 25, 60, 79. 1920.
See also Chickpea.

Cichorium intybus. *See* Chicory.

Cicindela imperfecta, enemy of the alfalfa weevil. Ent. Bul. 112, p. 31. 1912.

Cicindelidae. *See* Tiger beetle.

Cicitrange, susceptibility to citrus canker. J.A.R., vol. 14, p. 350. 1918.

Ciconiidae, hosts of eye parasite. B.A.I. Bul. 60, p. 45. 1904.

Cicuta—
(waterhemlock) as poisonous plant. C.D. Marsh and others. B.A.I. Doc., A-15, p. 4. 1917.
common names, list. D.B. 69, pp. 5–6. 1914; B.A.I. Doc., A-15, p. 1. 1917.
danger to human beings and animals from poisoning, and control. News L., vol. 4, No. 46, p. 3. 1917.
description—
and identification methods. B.A.I. Doc. A-15, pp. 1–2. 1917.
animals poisoned, symptoms, remedy. B.P.I. [Misc.], "Principal poisonous plants * * *," pp. 12–13. 1914.
occidentalis—
development in marshy land. J.A.R., vol. 6, No. 19, p. 753. 1916.
See also Waterhemlock.
poisoning—
control methods. D.B. 69, pp. 23–24. 1914.
danger to human beings and animals, and symptoms. B.A.I. Doc. A-15, pp. 2, 3. 1917.
various animals, list. D.B. 69, pp. 20–21, 22, 24. 1914.
spp.—
description and poisonous properties, and control. D.B. 1245, pp. 22–23, 33, 35. 1924.
history, description, distribution, poisonous nature, experiments. D.B. 69, pp. 1–4, 6–7, 9–24. 1914.
poisonous—
properties. Y.B. 1908, p. 427. 1909; Y.B. Sep. 491, p. 427. 1909.

Cicuta—Continued.
 spp.—continued.
  poisonous—continued.
   to stock, description, distribution, and injury. D.B. 575, pp. 13–14. 1918.
  uses, dangers, experiments. D.B. 69, pp. 6–24. 1914.
Cicutoxin—
 origin, use against rodents. Y.B. 1908, p. 427. 1909; Y.B. Sep. 491, p. 427. 1909.
 poison compound from water hemlock. Y.B. 1900, p. 313. 1901; Work and Exp., 1914, p. 158. 1915.
Cider—
 acidity, testing method. Y.B. 1914, p. 235. 1915; Y.B. Sep. 639, p. 235. 1915.
 address before Association of official Agricultural chemists. Chem. Bul. 67, p. 84. 1902.
 adulteration. See *Indexes, Notices of Judgment, in bound volumes and in separates published as supplements to Chemistry Serrice and Regulatory Announcements.*
 alcohol content before and after fermentation. Chem. Cir. 48, p. 6. 1910.
 analyses—
  changes during cold storage. Chem. Cir. 48, pp. 5–12. 1910.
  comparison of apple and peach. Chem. Cir. 51, p. 5. 1910.
  results. Chem. Bul. 129, pp. 9, 18. 1909.
  and apples, chemical composition. Wm. B. Alwood and others. Chem. Bul. 88, pp. 46. 1904.
 apple—
  adulteration and misbranding. Chem. N.J. 1569, pp. 2. 1912; Chem. N.J. 1880, p. 1. 1913; Chem. N.J. 2656, p. 1. 1914; Chem. N.J. 2889, p. 2. 1914.
  analyses, comparison with peach. Chem. Cir. 51, p. 5. 1910.
  cold storage. H. C. Gore. Chem. Cir. 48, pp. 13. 1910.
  concentrated, manufacturing method, shipping studies. News L., vol. 2, No. 12, pp. 3–4. 1914.
  flavor, adulteration and misbranding. Chem. N.J. 1538, pp. 2. 1912.
  keeping sweet, method. Off. Rec., vol. 2, No. 35, p. 5. 1923.
  reduction to apple sirup, method. News L., vol. 3, No. 3, p. 8. 1915.
  unfermented, farm manufacture. F.B. 1264, pp. 56. 1922.
 artificial, blackberry and cherry, misbranding. Chem. N.J. 3766, p. 321. 1915.
 boiled, adulteration. Chem. N.J. 2919, p. 146. 1914.
 boiled, misbranding. Chem. N.J. 2589, p. 1. 1913.
 canning recipe. S.R.S. Doc. 15, p. 2. 1915.
 color by pomace repressing, methods. F.B. 1264, pp. 24–25. 1922.
 composition as determined by dominant fermentation with pure yeasts. Chem. Bul. 88, pp. 20–46. 1904.
 concentrated, and apple sirup from waste apples. H. C. Gore. Y.B., 1914, pp. 227–244. 1915; Y.B. Sep. 639, pp. 227–244. 1915.
 concentration by freezing, outfit, method, and cost. Y.B., 1914, pp. 238–244. 1915; Y.B. Sep. 639, pp. 238–244. 1915.
 concentration by freezing, equipment. Y.B., 1914, pp. 239–241. 1915; Y.B. Sep. 639, pp. 239–241. 1915.
 eucalypt, distribution, description. For. Bul. 87, pp. 15, 19–20. 1911.
 exports, 1879–1908. Stat. Bul. 75, p. 37. 1910.
 fermentation, control. Chem. Bul. 88, pp. 38–40. 1904.
 fermented, products, opinion. Chem. S.R.A. 4, p. 205. 1914.
 grape, adulteration and misbranding. Chem. N.J. 2615, pp. 3. 1913.
 hard, alcohol production. F.B. 269, pp. 18. 1906.
 imports, 1907–1909, amount and value. Stat. Bul. 82, p. 34. 1910.
 imports and exports, 1906–1910. Y.B. 1910, pp. 655, 667. 1911; Y.B. Sep. 553, pp. 655, 667. 1911.

Cider—Continued.
 keeping quality when concentrated. News L., vol. 7, No. 6, p. 3. 1919.
 laws, State—
  1905. Chem. Bul. 69, rev., Pt. IV, p. 352. 1905.
  1907. Chem. Bul. 112, Pt. II, p. 95. 1908.
  Texas, 1907. Chem. Bul. 112, Pt. II, p. 95. 1908.
  Virginia, 1906. Chem. Bul. 104, p. 53. 1906.
 making—
  England, France, and Germany, comparison with American work. William B. Alwood. Chem. Bul. 71, pp. 114. 1903.
  experiments, farm conditions. Chem. Bul. 129, pp. 5–20. 1909.
 manufacture and sale, Federal regulations. F.B. 1264, pp. 53–56. 1922.
 manufactured from low grade apples. F.B. 73, pp. 20–22. 1903.
 misbranding. Chem. N.J. 5–11, pp. 2–3. 1908.
 peach, fermentation and analyses. Chem. Cir. 51, pp. 3–5. 1910.
 preparation and cooling. Chem. Cir. 48, pp. 2–3. 1910.
 press, use in crushing grapes. F.B. 1454, pp. 2, 3, 6, 7, 16, 20. 1925.
 residues, utilization for food and stock feed. D.B. 1166, pp. 1–40. 1923.
 sodium benzoate determination. Chem. Bul. 132, p. 148. 1910.
 standards and laws. Chem. Bul. 69, Rev., Pt. I–IX, pp. 108, 180, 212, 215, 216, 352, 442, 589, 596, 632, 650, 651. 1905–1906.
 sweet so-called, adulteration. Chem. N.J. 1769, pp. 2. 1912.
 unfermented apple juice. Chem. Bul. 118, pp. 1–23. 1908.
 use in making apple butter. F.B. 900, pp. 3–5. 1917.
 vinegar—
  adulteration and misbranding. Chem. N.J. 187, pp. 3. 1910; Chem. N.J. 232, pp. 2. 1910; Chem. N.J. 985, pp. 2. 1911.
  composition and process of making. F.B. 233, pp. 28–32. 1905.
  misbranding. Chem. N.J. 593, p. 1. 1910.
  suggestions. F.B. 233, pp. 28–32. 1905.
Cido adulteration and misbranding. See *Indexes, Notices of Judgment, in bound volumes, and in separates published as supplements to Chemistry Service and Regulatory Announcements*.
CIESLAR, ADOLF, studies on seed storage for reforestation. J.A.R., vol. 22, pp. 479, 480. 1922.
Cigar(s)—
 boxing, practices. D.B. 109, p. 2. 1914.
 case-bearer—
  distribution, description, history, and control. Ent. Bul. 80, Pt. II, pp. 33–44. 1909; Ent. Bul. 80, pp. 33–44. 1912.
  on pecan, description, life history, and control. F.B. 843, pp. 23–25. 1917.
  parasites, description. Ent. Bul. 80, p. 41. 1912.
 filler and wrapper tobaccos, notes. Y.B., 1900, pp. 158, 159, 163. 1901.
 finishing at factory, processes. D.B. 109, pp. 1–6. 1914.
 imports, 1860, 1868, 1908. B.P.I. Bul. 244, p. 21. 1912.
 internal revenue rates, and increase of production. Y.B., 1919, p. 171. 1920; Y.B. Sep. 805, p. 171. 1920.
 leaf tobacco—
  localities where grown, and uses. Y.B., 1922, pp. 408, 417, 421, 422. 1923; Y.B. Sep. 885, pp. 408, 417, 421, 422. 1923.
  production, districts, yield per acre. B.P.I. Bul. 244, pp. 21–26. 1912.
  production in Pennsylvania. William Frear and E. K. Hibshman. F.B. 416, pp. 24. 1910.
 making, paste used, relation to molds. D.B. 109, pp. 3, 5–6. 1914.
 manufacture—
  conditions causing molds. D.B. 109, pp. 1–6. 1914.
  development, districts and types. B.P.I. Bul. 244, pp. 26–28. 1912.
  molds and their prevention. R. H. True. D.B. 109, pp. 8. 1914.

INDEX TO PUBLICATIONS, 1901–1925   465

Cigar(s)—Continued.
  paste used, sterilization. D.B. 109, pp. 6–8. 1914.
  tobacco. *See* Tobacco.
  wrapper—
    composition before and after curing. D.B. 79, pp. 9–17. 1914.
    Sumatra tobacco shade-grown in Connecticut. Y.B., 1902, pp. 71–74. 1903.
    treatment at factory, cause of molds on cigars. D.B. 109, pp. 1–6. 1914.
Cigarette(s)—
  beetle—
    damage prevention. G. A. Runner. F.B. 846, pp. 23. 1917.
    description and remedies. Hawaii Bul. 16, pp. 14–16. 1905.
    Hawaii, description, and control. Hawaii Bul. 34, pp. 18–20. 1914.
    hydrocyanic acid gas as remedy. Ent. Bul. 54, pp. 68–70. 1905.
    injuries, 1901. Ent. Bul. 38, pp. 94–96. 1902.
    injuries to cured tobaccos, losses, and control. Y.B., 1910, pp. 281–282, 291–292. 1911; Y.B. Sep. 537, pp. 281–282, 291–292. 1911.
    treatment with Röntgen ray, new form of tube. J.A.R., vol. 6, No. 11, pp. 383–388. 1916.
    See also Tobacco beetle.
  internal revenue rates. Y.B., 1919, p. 171. 1920; Y.B. Sep. 805, p. 171. 1920.
  manufacture and use, increase, and amounts. Y.B., 1919, pp. 165–166, 174. 1920; Y.B. Sep. 805, pp. 165–166, 174. 1920.
  tobacco types used, source of supply, and exports. Y.B., 1922, pp. 408–450. 1923; Y.B. Sep. 885, pp. 408–450. 1923.
Ciliata, description, occurrence, and effects possibly beneficial. B.A.I. An. Rpt., 1910, p. 498. 1912; B.A.I. Cir. 194, p. 498. 1912.
Ciliates, development, in culture solutions, protozoa studies. J.A.R., vol. 4, pp. 520–526, 528–530, 534–540, 544–552, 554, 556. 1915.
Cilliba spp., description and habits. Rpt. 108, pp. 88, 89. 1915.
Cimarron River irrigation, Kansas. O.E.S. Bul. 211, pp. 9, 12, 21–22. 1909.
Cimbex americana, description, habits, and control. F.B. 1169, pp. 51–52. 1921.
Cimex lectularius. See Bedbug.
Cinchona—
  alkaloids, identification method. An. Rpts., 1919, p. 227. 1920; Chem. Chief Rpt., 1919, p. 17. 1919.
  analysis methods. Chem. Bul. 132, pp. 194–195. 1910; Chem. Bul. 116, p. 86. 1908; Chem. Bul. 105, pp. 129, 134–136. 1907.
  as promising tropical crop, remarks. Y.B., 1901, p. 357. 1902.
  bark—
    analysis, methods, modifications, A. O. A. C., 1908. Chem. Cir. 43, pp. 5–6. 1909; Chem. Bul. 107, rev., p. 259. 1907.
    imports—
      1855–1908. Stat. Bul. 51, p. 23. 1909.
      1907–1909, quantity and value, by countries from which consigned. Stat. Bul. 82, p. 63. 1910.
      1908–1910, quantity and value, by countries from which consigned. Stat. Bul. 90, p. 66. 1911.
      1911–1913. Y.B., 1913, p. 495. 1914; Y.B. Sep. 631, p. 495. 1914.
      1913–1915. Y.B., 1915, p. 542. 1916; Y.B. Sep. 685, p. 542. 1916.
      1914, quantity, value, and source. D.B. 296, p. 48. 1915.
    labeling. Chem. S.R.A. 21, p. 69. 1918.
    methods of determination of alkaloid, 1907. Chem. Cir. 38, p. 6. 1908.
  bitters—
    labeling. Chem. S.R.A. 14, p. 13. 1915.
    misbranding, "cocainized" pepsin. Chem. N.J. 735, pp. 2. 1911.
  importations and descriptions. Nos. 38042–38043, B.P.I. Inv. 39, p. 81. 1917.
  insect pests, list. Sec. [Misc.], "A manual * * * insects * * *," p. 55. 1917.
  tincture, adulteration and misbranding. Chem. N.J. 13396. 1925.
  See also Quinine.

Cincinnati—
  grain market, 1920–1921, tables. D.B. 1083, pp. 36–42, 51–58. 1922.
  hay market, methods, demands, grading, inspection. Rpt. 98, pp. 97–99. 1913.
  market—
    station, lines of work. Y.B., 1919, p. 96. 1920; Y.B. Sep. 797, p. 96. 1920.
  statistics for—
    fruits and vegetables, 1919 and 1920. D.B. 982, pp. 224, 225, 247, 252, 254, 255, 257, 259, 261–264. 1921.
    livestock, 1910–1920. D.B. 982, pp. 20, 55, 88. 1921.
  milk—
    adulteration cases, N.J. 125. Chem. N.J. Nos. 123–133, pp. 4–5. 1910.
    supply, statistics, officials, prices. B.A.I. Bul. 46, pp. 28, 137. 1903.
  potato market, preferences. F.B. 1317, p. 30. 1923.
  tobacco market and trade center. B.P.I. Bul. 268, pp. 37, 39–41, 44, 45, 46, 53, 61, 62. 1913.
  trade center for farm products, statistics. Rpt. 98, pp. 287–290. 1913.
Cinders—
  danger of farm fires, and warnings. F.B. 904, pp. 8–9. 1918.
  requirements for concrete. F.B. 1279, p. 5. 1922.
  soil in forest of Southwest, description. D.B. 1105, p. 85. 1923.
  use in concrete work. F.B. 235, p. 8. 1905.
Cineol—
  chief constituent of eucalyptus oil. B.P.I. Bul. 195, p. 39. 1910.
  plant sources, commercial uses. B.P.I. Bul. 235, pp. 10–13, 20, 27, 34. 1912.
Cinerea group of wood rats. N.A. Fauna 31, pp. 95–107. 1910.
Cinna latifolia. See Reed grass, slender.
Cinna spp., description, distribution, and uses. D.B. 772, pp. 14, 133–134. 1920.
Cinnamic acid—
  detection in tomato ketchup. Chem. Bul. 122, pp. 77–78. 1909.
  origin, effect on lupine and wheat plants. Soils Bul. 47, pp. 33, 39, 42. 1907.
Cinnamomum—
  camphora—
    injury by sapsuckers. Biol. Bul. 39, p. 39. 1911.
    See also Camphor trees.
  zeylanicum. See Cinnamon.
  determination in flavoring extracts. Chem. Bul. 137, p. 75. 1911.
  essence, adulteration. Chem. N.J. 2552, pp. 1, 2. 1913; Chem. N.J. 3881, pp. 470–471. 1915.
  extract—
    adulteration and misbranding. Chem. N.J. 1217, pp. 4. 1912.
    imitation, labeling. Chem. S.R.A. 3, p. 114. 1914.
  fungous attack by *Glomerella cingulata*, studies. B.P.I. Bul. 252, p. 18. 1913.
  oil, adulteration and misbranding. Chem. N.J. 3288. 1914.
  use as food flavoring. O.E.S. Bul. 245, p. 68. 1912.
  vine, growing, experiments with daylight of different lengths. J.A.R. vol. 23, pp. 893–894. 1923.
Cinnamonwood. *See* Sassafras.
Cinquefoil—
  seeds, description. F.B. 428, pp. 7, 25, 26. 1911.
  shrubby, occurrence in Colorado, description. N.A. Fauna 33, p. 233. 1911.
  Wyoming, distribution and growth. N.A. Fauna 42, pp. 7, 71. 1917.
Cinyra spp., larval structure, distribution, habits, and host trees. D.B. 43, pp. 5, 7. 1917.
Cipolletti weir notches, formulas. J.A.R., vol. 5, No. 23, pp. 1053–1054, 1073–1081, 1091–1106. 1916.
CIPOLLINA, ANGELO, experiments concerning tuberculosis. B.A.I. Bul. 52, Pt. II, pp. 77–78, 80, 98. 1905.
Circenella sp., pasteurization experiments. J.A.R., vol. 6, No. 4, pp. 155, 159, 161. 1916.
Circinnus circinatus nummularius. See Alfalfa, Egyptian.

Circles, area in square feet, table. For. Bul. 36, p. 203. 1910.
Circuligo sp., fungous attack by *Glomerella cingulata*. studies. B.P.I. Bul. 252, p. 30. 1913.
Circus hudsonius. See Hawk, marsh.
Cironballi, white and yellow, description, use as substitutes for greenheart. For. Cir. 211, p. 11, 1913.
Cirphis unipuncta—
corn enemy in Hawaii. Hawaii Bul. 27, p. 8. 1912.
life history studies. J.A.R. vol. 6, No. 21, pp. 799–812. 1916.
parasitizing experiments, effect on feeding habits. J.A.R. vol. 6, No. 12, pp. 455–458. 1916.
See also Army worm.
Cirrospilus flavoviridis—
parasitic on *Cerodonta dorsalis*. D.B. 432, p. 15. 1916.
parasitic on corn-leaf miner. J.A.R. vol. 2, p. 28. 1914.
parasitic on serpentine leaf-miner. J.A.R., vol. 1, pp. 81, 82. 1913.
Cirsium spp. *See* Thistle.
Ciruelillo, importations and description. Nos. 35946, 35947. B.P.I. Inv. 36, p. 29. 1915.
Cisco—
classification. F.I.D. 105, p. 2. 1909.
cold storage holdings, 1918, by months. D.B. 792, pp. 33–35. 1919.
Cissolopha beecheyi. See Jay, Beechey's.
Cissus—
capensis, value as ornamental vine. Inv. No. 29408, B.P.I. Bul. 233, pp. 8, 18. 1912.
spp., importations and description. Nos. 49871, 50474, B.P.I. Inv. 63, pp. 2, 4, 15, 71. 1923.
striata importation and descriptions. Nos. 35926, 35927, B.P.I. Inv. 36, p. 27. 1915.
Cisterns—
breeding places for mosquitoes, treatment for control. P.R.Cir. 14, pp. 9, 10, 13–17, 18, 19. 1912.
capacity reckoning. F.B. 1448, p. 8. 1925.
construction, and size for farm home. Y.B., 1914, pp. 145–147. 1915; Y.B. Sep. 634, pp. 145–147. 1915.
description, uses, size, capacity, and conditions surrounding. F.B. 941, pp. 11–17. 1918.
farm home, description, materials, and methods. D.B. 57, pp. 2–6. 1914.
kinds, advantages and drawbacks. F.B. 1448, pp. 7–9. 1925.
masonry, and seasoning. F.B. 1448, p. 8. 1925.
protection from—
mosquitoes. P.R. Cir. 20, pp. 5, 7, 9, 10. 1921.
pollution. Y.B., 1907, p. 407. 1907; Y.B. Sep. 457, p. 407. 1908.
types in use for water supplies on farms, relation to pollution. B.P.I. Bul. 154, pp. 15–16. 1909.
water, of essentials of potability. F.B. 1448, p. 7. 1925.
waterproofing—
methods, formula. D.B. 230, p. 13. 1915.
use of oil-mixed concrete. Rds. Bul. 46, p. 16. 1912.
wooden, objections. F.B. 1448, p. 8. 1925.
Cistothorus palustris. See Wren, marsh, long-billed.
Cistus spp., importations and description. Nos. 48665, 48666. B.P.I. Inv. 61, pp. 33–34. 1922.
Citellus spp. *See* Squirrels, ground.
Citharexylum—
barbinerve, wood used for guitars, importation. No. 42533, B.P.I. Inv. 47, p. 26. 1920.
Citharexylum—
fruiticosum. See Pendula.
quadrangulare, importation and description. No. 43651, B.P.I. Inv. 49, p. 56. 1921.
sp., importation and description. No. 41327, B.P.I. Inv. 45, p. 14. 1918.
Cities—
as markets for country produce. Y.B., 1919, pp. 110–111. 1920; Y.B. Sep. 797, pp. 110–111. 1920.
duty in relation to farm labor. News L., vol. 5, No. 35, p. 3. 1918.
leading, location, State identification map. Y.B., 1915, p. 337. 1916; Y.B. Sep. 681, p. 337. 1916.
market surveys and studies. An. Rpts., 1916, pp. 392–393. 1917; Mkts. Chief Rpt., 1916, pp. 8–9. 1916.

Cities—Continued.
milk supply, duties of producers, dealers, and consumers. F.B. 366, pp. 20–28. 1909.
rat control, methods. Y.B. 1917, pp. 244–247. 1918; Y.B. Sep. 725, pp. 12–15. 1918.
responsibility in aiding farm labor. Sec. Cir. 112, pp. 6–8. 1918.
supplied with vegetables by market gardens, 1900, 1910. Y.B., 1916, p. 451. 1917; Y.B. Sep. 702, p. 17. 1917.
thermograph records of daily temperature curves. J.A.R., vol. 18, pp. 501, 505. 1920.
work on gipsy moth control, cost, area, and per capita. Y.B., 1916, pp. 225–226. 1917; Y.B., Sep. 706, pp. 9–10. 1917.
Citizenship, development by club work. D.C. 66, pp. 37–38. 1920.
Citradia, susceptibility to citrus canker. J.A.R., vol. 14, p. 349. 1918.
Citral, determination in lemon extracts. An. Rpts., 1909, p. 456. 1910; Chem. Bul. 132, pp. 102–108. 1910; Chem. Bul. 122, pp. 32–35, 229. 1909; Chem. Chief Rpt., 1909, p. 46. 1909.
Citrandarin—
citrus-canker organism overwintering in bark. J.A.R., vol. 14, pp. 523–524. 1918.
susceptibility to citrus canker. J.A.R., vol. 14, p. 350. 1918; J.A.R., vol. 19, pp. 355–358. 1920.
Citrange(s)—
breeding work. An. Rpts., 1908, p. 298. 1909; B.P.I. Chief Rpt., 1908, p. 26. 1908.
citrus-canker organism overwintering in bark. J.A.R., vol. 14, pp. 523–524. 1918.
Colman, description and characteristics. B.P.I. Doc. 333, pp. 1–3. 1907.
distribution—
and value. An. Rpts., 1912, p. 403. 1913; B.P.I. Chief Rpt., 1912, p. 23. 1912.
in cold regions, conditions. Walter T. Swingle. B.P.I. Doc. 435, p. 2. 1909.
in warm regions, conditions. Walker T. Swingle. B.P.I. Doc. 434, pp. 2. 1909.
Etonia or flowering, hybrid of orange and trifoliata B.P.I. Bul. 227, p. 41. 1911.
growing in Texas, San Antonio Experiment Farm. D.C. 209, p. 36. 1922.
hardy orange hybrid, origin and character. J.A.R., vol. 23, pp. 229, 230. 1923.
Morton, origin, description, and uses. B.P.I. Doc. 334, p. 14. 1907; Y.B., 1905, pp. 276–278. 1906.
new citrus fruit. B.P.I. Doc. 332, pp. 2. 1907.
origin, and value as a lemon substitute. B.P.I. Cir. 116, pp. 5–6. 1913.
origin, description, and hardiness. B.P.I. Chief Rpt., 1909, p. 24. 1909; An. Rpts., 1909, p. 276. 1910.
rush, value for Texas. D.B. 162, p. 19. 1915.
rustic, description, use as hedge plant. B.P.I. Doc. 335, pp. 1–3. 1907.
rustic, distribution in 1907. Herbert J. Webber. B.P.I. Doc. 273, pp. 5. 1907.
Savage. B.P.I. Doc. 336, pp. 3. 1907.
seedling, distribution by Department of Agriculture. Walker T. Swingle. B.P.I. Doc. 436, p. 1. 1909.
susceptibility to citrus canker. J.A.R., vol. 14, pp. 348–349. 1918; J.A.R., vol. 19, pp. 354, 358. 1920.
use in citrous hybrids. J.A.R., vol. 23, pp. 230–235. 1923.
varieties—
importations and description. Nos. 32249–32255, B.P.I. Bul. 261, p. 47. 1912.
origin and description. Y.B., 1906, pp. 329–337. 1907; Y.B. Sep. 427, pp. 329–337. 1907.
Citrangedin, susceptibility to citrus canker. J.A.R., vol. 19, pp. 355, 358. 1920.
Citrangequat—
description and uses. B.P.I. Chief Rpt., 1921, p. 19. 1921.
origin and characteristics of fruits and trees. J.A.R., vol. 23, pp. 230–235. 1923.
resistance to citrus canker. J.A.R., vol. 14, pp. 350, 353. 1918.
susceptibility to citrus canker. J.A.R., vol. 19, pp. 356, 358. 1920.
use as stock for Satsuma oranges. J.A.R., vol. 23, pp. 232–233. 1923.

INDEX TO PUBLICATIONS, 1901–1925 467

Citranguma—
  resistance to citrus canker. J.A.R., vol. 14, pp. 350, 353. 1918.
  susceptibility to citrus canker. J.A.R., vol. 19, pp. 356, 358. 1920.
Citrate solution report of referee. Chem. Bul. 105, pp. 157–161. 1907.
Citrate. *See also* Ammonium citrate; Ferric citrate; Lime citrate.
Citreae tribe, fruits, susceptibility to citrus canker. J.A.R., vol. 19, pp. 341–348. 1920.
Citric acid—
  determination—
    David S. Pratt. Chem. Cir. 88, pp.7. 1912.
    fruits and fruit products, method. Chem. Bul. 66, rev., p. 17. 1905.
    ketchup, method. Chem. Cir. 78, pp. 8–9. 1911.
    studies. Chem. Bul. 162, pp. 60–77. 1913.
  from cull lemons, value as by-product. D.B. 1237, p. 37. 1924.
  in grapefruit. J.A.R., vol. 20, pp. 359–372. 1920.
  manufacture from citrus fruits. An. Rpts., 1919, pp. 223–224. 1920; Chem. Chief Rpt., 1919, pp. 13–14. 1919.
  preparation methods, apparatus. D.C. 232, pp. 7, 8. 1922; Hawaii Bul. 49, p. 16. 1923.
  presence in—
    soils, effect on Azotobacter content. J.A.R., vol. 24, p. 296. 1923.
    tobacco, effect on nicotine content. B.P.I. Bul. 141, pp. 11–16. 1909.
  solutions, solubility of carbon dioxide. Soils Bul. 49, p. 11. 1907.
  tests, study, historical notes. Chem. Cir. 88, pp. 1–4. 1912.
Citromyces sp. in corn meal. J.A.R., vol. 22, pp.187–188. 1921.
Citron—
  candied, labeling. F.I.D. 143, p. 1. 1912.
  cultivation and use. F.B. 937, p. 35. 1918.
  description, drying, and use. Y.B. 1912, p. 513. 1913; Y.B. Sep. 610, p. 513. 1913.
  imitation, preparation and use. Y.B. 1912, p. 513. 1913; Y.B. Sep. 610, p. 513. 1913.
  immunity to wither tip. J.A.R., vol. 30, pp. 630, 634–635. 1925.
  importations and descriptions. No. 31651, B.P.I. Bul. 248, p. 34. 1912; No. 39940, B.P.I. Inv. 42, pp. 8, 41. 1918; No. 40675, B.P.I. Inv. 43, p. 64. 1918; Nos. 44088, 44137, 44138, 44372, 44373, B.P.I. Inv. 50, pp. 26, 34, 64. 1922.
  juice from Italy, exports 1898–1908. B.P.I. Bul. 160, pp. 17–19.
  melon, importation. No. 45512. B.P.I. Inv. 53, p. 45. 1922.
  melon, planting, directions for club members. D.C. 48, p. 8. 1919.
  sour, importation, and description. No. 31981. B.P.I. Bul. 261, p. 14. 1912.
  susceptibility to citrus canker. J.A.R., vol. 14, pp. 344, 348, 353. 1918; J.A.R. vol. 19, pp. 349, 353, 361. 1920.
  varieties, recommendations for various fruit districts. B.P.I. Bul. 151, p. 56. 1909.
  vegetable garden, cultural hints. F.B. 255, p. 31. 1906.
Citronella—
  grass, importations and description. Nos. 33786, 33787, B.P.I. Inv. 31, pp. 54–55. 1914.
  oil—
    attraction of melon fly, use in trapping. D.B. 491, p. 53. 1917.
    fly repellent, formulas and experiments. D.B. 131, pp. 18–19, 24. 1914.
    for protection against mosquitoes. Ent. Bul. 88, p. 13. 1910; Sec. Cir. 61, p. 16. 1916.
    use in treatment of corn seed before planting. Ent. Bul. 85, pp. 24–25. 1911.
Citropsis—
  African genus allied to citrus. Walter T. Swingle and Maude Kellerman. J.A.R., vol. 1, pp. 419–436. 1914.
  grafting on Citrus species. J.A.R., vol. 1, p. 435. 1914.
  spp.—
    comparison with Eremocitrus. J.A.R., vol. 2. p. 87. 1914.
    description. J.A.R., vol. 1, pp. 420–436. 1914.
    hybridization experiments. J.A.R., vol. 1, p. 435. 1914.

Citropsis—Continued.
  technical description and type species. J.A.R., vol. 1, pp. 421–422. 1914.
  See also Cherry oranges.
Citrullus—
  colocynthis—
    medicinal plant of Palestine, value. B.P.I. Bul. 180, p. 35. 1910.
    See also Colocynth.
  vulgaris—
    importation and description. No. 42716. B.P.I. Inv. 47, p. 55. 1920.
    promising variety from South Africa. B.P.I. Bul. 176, pp. 7–8, 27–28. 1910.
    See also Watermelon.
Citrumelo, susceptibility to citrus canker. J.A.R., vol. 14, p. 349. 1918.
Citrumshu, susceptibility to citrus canker. J.A.R., vol. 19, pp. 355, 358. 1920.
Citrus—
  allied African genus Citropsis. Walter T. Swingle and Maude Kellerman. J.A.R., vol. 1, pp. 419–436. 1914.
  aphids, insect enemies' relations with Argentine ant. D.B. 647, pp. 48–52. 1918.
  aurantifolia. *See* Lime, acid.
  aurantium—
    effect of temperature on susceptibility to *Cladosporium citri*. J.A.R., vol. 21, pp. 243–253. 1921.
    injury by sapsuckers. Biol. Bul. 39, p. 52. 1911.
    sinensis. *See* Orange, sweet.
    See also Orange, bitter.
  australasica—
    crosses with *Citrus aurantium*, new varieties, description. B.P.I. Bul. 208, p. 34. 1911.
    See also Lime, finger.
  bark borer, description. Sec. [Misc.], "A manual * * * insects * * *," p. 56. 1917.
  bark wounds, relation to gum formation. J.A.R., vol. 24, pp. 223–226. 1923.
  bitter principles. D.B. 1323, p. 3. 1925.
  black fly—
    control, natural and artificial. D.B. 885, pp. 45–46. 1920.
    danger of spread to Florida, discussion. D.B. 885, pp. 9, 47–51. 1920.
    depredations in Cuba. P. R. An. Rpt., 1918, p. 17. 1920.
    host plants, list. D.B. 885, pp. 16–18. 1920.
    life history, habits, and technical description. D.B. 885, pp. 22–24. 1920.
    publications, list. D.B. 885, pp. 53–55. 1920.
    quarantine—
      F.H.B. An. Rpt., 1921, pp. 8, 15, 17. 1921.
      inspection. Y.B., 1924, pp. 1204–1205. 1925.
      notice, and regulations. F.H.B. Quar. 49, p. 4. 1921.
      on Cuban railroads and yards, letter of Secretary Wallace. F.H.B.S.R.A. 72, pp. 80–81. 1922.
      order. F.H.B.S.R.A. 74, p. 55. 1923.
    black spot, interception on fruit imports. F.H.B. An. Letter No. 36, pp. 3, 10, 31. 1923.
  blast, bacteria disease, cause, distribution and importance. J.A.R., vol. 9, pp. 1–8. 1917.
  blue fly. *See* Citrus black fly.
  breeding—
    and protection. B.P.I. Chief Rpt., 1924, pp. 3–5. 1924.
    utilization of *Eremocitrus glauca*. J.A.R., vol. 2, pp. 97, 99. 1914.
    work, new fruits, and type. An. Rpts., 1912, p. 408. 1913; B.P.I. Chief Rpt., 1912, p. 23. 1912.
  bud—
    selection for propagation. F.B. 1447, pp. 13–15. 1925.
    variation, a new feature. Tyozaburo Tanaka. D.C. 206, p. 9. 1922.
    variations, progeny tests and performance records. J.A.R., vol. 28, pp. 522–525. 1924.
    wood securing and distribution, cooperative work. Y.B., 1919, pp. 255–275. 1920; Y.B. Sep. 813, pp. 255–275. 1920.
    wood, selection for propagation. F.B. 1343, pp. 17–18. 1923.
  California, control of common mealybug on. Arthur D. Borden. F.B. 1309, p. 11. 1923.

Citrus—Continued.
  canker—
    cause, description, spread and control. J.A.R., vol. 6, No. 2, pp. 69–99. 1916.
    cause, *Pseudomonas citri* [preliminary report]. Clara H. Hasse. J.A.R., vol. 4, pp. 97–100. 1915.
    control—
      appropriation. Off. Rec., vol. 1, No. 28, p. 1. 1922.
      cost. Y.B., 1921, p. 42. 1922; Y.B. Sep. 875, p. 42. 1922.
      work in Florida. Hawaii A.R., 1915, p. 69. 1916.
    description, spread, and need of drastic control. Y.B., 1916, pp. 269–272. 1917; Y.B. Sep. 711, pp. 3–6. 1917.
    destruction by certain soil bacteria. J.A.R., vol. 19, pp. 220–221, 223. 1920.
    disinfection, work, inspectors, apparatus, and ground. Y.B., 1916, p. 270. 1917; Y.B. Sep. 711, p. 4. 1917.
    effect of temperature and humidity. J.A.R., vol. 20, pp. 447–506. 1920.
    eradication—
      appropriation. Sol. [Misc.], "Laws applicable * * *," 3d Sup., p. 25. 1915.
      cooperative work. K. F. Kellerman. Y.B., 1916, pp. 267–272. 1917; Y.B. Sep. 711, p. 6. 1917.
      success of campaign in Gulf States. News L., vol. 5, No. 47, p. 12. 1918.
      the only remedy. J.A.R., vol. 6, No. 2, p. 96. 1916.
    fungus causing, dissemination. J.A.R., vol. 8, pp. 460–461, 471. 1917.
    infection, decline in the soil, experiments. J.A.R., vol. 19, pp. 207–223. 1920.
    injuries in Gulf States, infectious nature, and eradication studies and work. News L., vol. 5, No. 47, p. 10. 1918.
    inoculation into rutaceous plants, experiments. J.A.R., vol. 15, pp. 661–663. 1919.
    interception on fruit imports. F.H.B. An. Letter No. 36, pp. 3, 31, 34, 36. 1923.
    organism, behavior in the soil. H. Atherton Lee. J.A.R., vol. 19, pp. 189–206. 1920.
    organism overwintering in bark of citrus hybrids. J.A.R., vol. 14, pp. 523–524. 1918.
    quarantine—
      1916. F.H.B.S.R.A. 39, 43–44, 46. 1917.
      1917. An. Rpts., 1917, pp. 417–418, 429, 430. 1918; F.H.B.An. Rpt., 1917, pp. 3–4, 15, 16, 1917.
      1921. F.H.B. An. Rpt., 1921, p. 9. 1921.
      notice No. 20, with regulations. F.H.B.S. R.A. 42, pp. 79–83. 1917.
      regulations, necessity. J.A.R., vol. 6, No. 2, p. 95. 1916.
    resistance—
      by kumquat and its hybrids. J.A.R., vol. 23, pp. 232, 236. 1923.
      of *Citrus* spp. and hybrids. J.A.R., vol. 14, pp. 337–358. 1918.
  soil contamination, studies. S.R.S. Rpt., 1916, Pt. I, pp. 50, 91. 1918.
  susceptibility, relative—
    of different species and hybrids of the genus Citrus, including the wild relatives. George L. Peltier and William J. Frederich. J.A.R., vol. 19, pp. 339–362. 1920.
    of different species and hybrids of the genus Citrus, including the wild relatives, further studies. George L. Peltier and William J. Frederich. J.A.R., vol. 28, pp. 227–239. 1924.
    of rutaceous plants, further data. J.A.R., vol. 15, pp. 661–666. 1919.
  cavaleriei, probably *Citrus ichangensis*, description. J.A.R., vol. 1, p. 11. 1913.
  chlorosis—
    causes, investigations. J.A.R., vol. 2, pp. 101–113. 1916.
    relation to soil bacterial. An Rpts., 1914, p. 108. 1914; B.P.I. Chief Rpt., 1914, p. 8. 1914.
  coloring and ripening. An. Rpts., 1922, pp. 178–179. 1923; B.P.I. Chief Rpt., 1922, pp. 18–19. 1922

Citrus—Continued.
  creations, new, Department of Agricultural Walter T. Swingle and Herbert J. Webber. Y.B., 1904, pp. 221–240. 1905; Y.B. Sep. 343, pp. 20. 1905.
  damage, rats, and control. Biol. Chief Rpt., 1924, p. 13. 1924.
  decumana—
    changes during storage. J.A.R., vol. 20, pp. 357–373. 1920.
    See also Pomelos.
  definitions and standards for grapefruit and oranges. F.I.D. 182, p. 1. 1921.
  development of *Pseudomonas citri*, influence of temperature and humidity. J.A.R., vol. 20, pp. 471–497. 1920.
  diseases—
    control, investigation. B.P.I. Chief Rpt., 1917, pp. 6, 7, 9–10. 1917; An. Rpts., 1917, pp. 136, 137, 139–140. 1918.
    Quarantine Notice No. 19. F.H.B.S.R.A. 11, p. 89. 1915.
    study in 1923. Work and Exp., 1923, pp. 39–40. 1925.
  exchanges, cooperative work in the Gulf States. F.B. 1343, pp. 3, 4. 1923.
  fertilization experiments in Porto Rico. C. F. Kinman. P.R. Bul. 18, pp. 33. 1915; p. 34. (Spanish Edition) 1917.
  fertilizer(s) —
    and scale control experiments. Vir. Is. A.R., 1924, p. 13. 1925.
    uses. F.B. 1122, pp. 31–34. 1920.
  frost-injured, treatment. F.B. 1122, pp. 41–42. 1920; F.B. 1343, pp. 36–37. 1923.
  fruit(s)—
    acid lime in Hawaii. Hawaii. Bul. 49, pp. 20. 1923.
    acidity, relation to canker resistance. J.A.R., vol. 6, No. 2, pp. 86–88. 1916.
    acreage, 1910, by kinds and by States, map. Y.B., 1915, p. 386. 1916; Y.B., Sep. 681, p. 386. 1916.
    acreage, 1919, map. Y.B., 1921, p. 468. 1922. Y.B., Sep. 878, p. 62. 1922.
    adaptability to various Gulf States. F.B. 538, pp. 13–15. 1913.
    Algerian, care and handling. B.P.I. Bul. 80, p. 68. 1905.
    American, shipments to Australasia. D.C. 145, pp. 5, 12. 1921.
    and hybrids, susceptibility to *Cladosporium citri*. G. L. Peltier and W. J. Frederick. J.A.R., vol. 24, pp. 955–959. 1923.
    Arizona industry. F.B. 1447, pp. 5–6. 1925.
    blue mold—
      occurrence in handling. B.P.I. Bul. 123, pp. 21–23. 1908; F.B. 696, pp. 2, 3, 6, 12, 16. 1915.
      rot prevention, results of borax treatment. J.A.R., vol. 28, pp. 961–968. 1924.
    borax as a disinfectant. William R. Barger and Lon A. Hawkins. J.A.R., vol. 30, pp. 189–192. 1925.
    boxes, types used in California and Florida. F.B. 1196, p. 28. 1921.
    Brazil, other than the navel orange. D.B. 445, pp. 15–17. 1917.
    breeding investigations. An. Rpts., 1920, pp. 181–182. 1921.
    bud selection. An. Rpts., 1917, pp. 140–141. 1918; B.P.I. Chief Rpt., 1917, pp. 10–11. 1917.
    by-products. E. M. Chace. D.C. 232, p. 13. 1922.
    by-products laboratory establishment and work. Chem. Chief Rpt., 1921, pp. 5, 25. 1921.
    by-products utilization studies, 1911. Chem. Chief Rpt., 1911, p. 26. 1911; An. Rpts. 1911, p. 440. 1912.
    canker-resistant breeding. An. Rpts., 1917, pp. 139–140. 1918; B.P.I. Chief Rpt., 1917, pp. 9–10. 1917.
    canning directions for home club. S.R.S. Doc. 17, p. 1. 1915.
    canning to save waste, directions. S.R.S. Doc. 17, p. 1. 1915.
    coloring with ethylene gas. Off. Rec. vol. 3, No. 3, p. 5. 1924.

Citrus—Continued.
fruit(s)—continued.
cooperative associations, California, success. Y.B. 1912, p. 444. 1913; Y.B. Sep. 605, p. 444. 1913.
cooperative marketing agency, organization, and development. A. W. McKay and W. Mackenzie; D.B. 1237, pp. 68. 1924.
crop, California, marketing and handling B.P.I. Bul. 123, pp. 11–20. 1908.
cull, utilization. An. Rpts., 1923, pp. 53, 348. 1924; Sec. A.R., 1923, p. 53. 1923; Chem. Chief Rpt., 1923, p. 4. 1923.
culture in—
California, methods. B.P.I. Bul. 123, pp. 11–12. 1914.
southern Texas. F.B. 374, pp. 7–11. 1909.
the Gulf States. E. D. Vosbury and T. Ralph Robinson. F.B. 1343, pp. 42. 1923.
decay—
causes in handling and prevention. F.B. 696, pp. 2–4, 6–15. 1915.
in ocean transportation. D.B. 1290, pp. 11–12, 13–16. 1924.
in transit, investigations, results. An. Rpts., 1905, pp. 135–136. 1906; B.P.I. Chief Rpt., 1905, pp. 135–136. 1905.
diseases—
and insects, remedies, treatment. Hawaii Bul. 9, pp. 22–27. 1905.
in Texas, occurrence and description. B.P.I. Bul. 226, p. 27. 1912.
withertip and others, caused by *Colletotrichum gloeosporioides*. P. H. Rolfs. B.P.I. Bul. 52, pp. 22. 1904.
disinfectant, borax as. William R. Barger and Lon A. Hawkins. J.A.R., vol. 30, pp. 189–192. 1925.
drying before packing, importance. D.B. 63, pp. 28–29. 1914.
experiments in Hawaii. Hawaii A.R., 1924, p. 6. 1925.
exports to China from Japan and United States. D.C. 146, pp. 8, 12, 17, 24, 1920.
fertilizers. F.B. 238, pp. 17–22. 1906.
fertilizers and control of diseases, etc., studies, California. Work and Exp., 1914, pp. 69–70. 1915.
Florida, handling and shipping. B.P.I. Chief Rpt., 1911, pp. 79–80. 1911; An. Rpts., 1911, pp. 327–328. 1912.
frost injuries, temperatures injurious. F.B. 1096, pp. 40–42. 1920.
frozen. F.I.D. 150, p. 1. 1913.
fruit-fly larvae, development, mortality. J.A.R., vol. 3, pp. 315–323. 1915.
grades. B.P.I. Bul. 123, pp. 17–18. 1908.
grading relation to insect injury and to spraying. D.B. 645, pp. 4–15. 1918.
grafting, budding. F.B. 238, pp. 33–34, 42–48. 1906.
green, coloring. F.I.D. 133, p. 1. 1911.
green, coloring, prohibition. An. Rpts., 1912, p. 245. 1913; Sec. A.R., 1912, p. 245. 1912; Y.B., 1912, p. 245. 1913.
growing in—
Arizona, Yuma Experiment Farm. W.I.A. Cir. 25, pp. 39–40. 1919; D.C. 75, p. 45. 1920.
California, Anaheim County. Soil Sur. Adv. Sh., 1916, pp. 13, 14, 16, 17. 1919; Soils F.O., 1916, pp. 2279–2285, 2294–2327. 1921.
California and Florida, relation to Mediterranean fruit fly. J.A.R., vol. 3, pp. 324–328, 329. 1915.
California, central-southern area. Soil Sur. Adv. Sh., 1917, pp. 25–27, 43, 49–122. 1921; Soils F.O., 1917, pp. 2423–2425, 2441, 2447–2520. 1923.
California, Middle San Joaquin Valley. Soils F.O., 1916, pp. 2445–2447, 2466–2479, 2494, 2519. 1921; Soil Sur. Adv. Sh., 1916, pp. 31–33, 52–65, 80, 105. 1919.
California, Pasadena area, yields. Soil Sur. Adv. Sh., 1915, pp. 11–13, 34, 52. 1917; Soils F.O., 1915, pp. 2321–2323, 2344, 2362. 1919.

Citrus—Continued.
fruit(s)—continued.
growing in—continued.
California, Riverside area, methods, varieties, and cost. Soil Sur. Adv. Sh., 1915, pp. 10–13, 53, 63, 64. 1917; Soils F.O., 1915, pp. 2372–2375, 2415, 2425, 2426. 1919.
California, San Joaquin Valley. Soil Sur. Adv. Sh., 1915, pp. 26, 48, 72. 1918; Soils F.O., 1915, pp. 2602, 2622, 2642, 2648. 1919.
California, Upper San Joaquin Valley. Soil Sur. Adv. Sh., 1917, pp. 26–27. 1921; Soils F.O., 1917, pp. 2554–2555. 1923.
Florida, Flagler County. Soil Sur. Adv. Sh., 1918, pp. 9, 10, 18, 25, 27, 30, 40. 1922; Soils F.O., 1918, pp. 539, 541, 548, 555, 557, 560, 570. 1924.
Florida, Fort Lauderdale area. Soil Sur. Adv. Sh., 1915, pp. 12, 13, 14, 45, 50, 51. 1915; Soils F.O., 1915, pp. 758, 759, 760, 791, 796, 797. 1919.
Florida, Hernando County. Soil Sur. Adv. Sh., 1914, pp. 10–11, 14, 16. 1915; Soils F.O., 1914, pp. 1050–1051, 1054–1063. 1919.
Florida, Hillsborough County. Soil Sur. Adv. Sh., 1916, pp. 10–11, 14–16, 21–31. 1918; Soils F.O., 1916, pp. 753, 756–759, 764–775. 1921.
Florida, Ocala area, history. Soil Sur. Adv. Sh., 1912, pp. 12–13, 17–18, 43, 44, 49. 1913; Soils F.O., 1912, pp. 676–677, 681–682, 707, 708, 713. 1915.
Florida, Orange County. Soil Sur. Adv. Sh., 1919, pp. 3, 5, 6, 7, 14, 25. 1922; Soils F.O., 1919, pp. 949, 951, 952, 953, 960, 971. 1925.
Florida, Pinellas County. Soil Sur. Adv. Sh., 1913, pp. 10–11, 18, 19. 1914. Soils F.O., 1913, pp. 724–725, 732, 733. 1916.
Florida, Putnam County, history. Soil Sur. Adv. Sh., 1914, pp. 10–12, 20–45. 1916; Soils F.O., 1914, pp. 1002–1004, 1012–1037. 1919.
Florida, St. Johns County. Soil Sur. Adv. Sh., 1917, pp. 9–10, 11, 24. 1920; Soils F.O., 1917, pp. 669–670, 671, 684. 1923.
Guam, 1911, varieties introduced and insects affecting. Guam A.R., 1911, pp. 16, 21–22, 30. 1912.
Guam, 1923 experiments. Guam A.R., 1923, pp. 10–11. 1925.
Gulf States. E. D. Vosbury. F.B. 1122, pp. 46. 1920.
Gulf States. P. H. Rolfs. F.B. 238, pp. 48. 1906.
Hawaii, 1919, possibilities. Hawaii A.R., 1919, p. 40. 1920.
Porto Rico, conditions and requirements. P.R. An. Rpt., 1918, pp. 6–7, 15, 16. 1920.
Porto Rico, fertilization, and disease control. P.R. An. Rpt., 1914, pp. 18, 30. 1915.
Porto Rico, insects, diseases, windbreaks, and cover crops. P. R. An. Rpt., 1920, pp. 23–26. 1921.
Southwest. A. D. Shamel and others. F.B. 1447, pp. 42. 1925.
Texas, experiment. O.E.S. Bul. 222, p 50. 1910.
Texas, variety testing. D.B. 162, pp. 18–19. 1915.
handling—
and shipping in Florida. An. Rpts., 1910, pp. 347–348. 1911; B.P.I. Chief Rpt., 1910, pp. 77–78. 1910.
and shipping in Gulf States. H. J. Ramsey. F.B. 696, pp. 28. 1915.
Florida, methods, injuries. D.B. 63, pp. 4–12, 25–47. 1914.
methods, improvement. D.B. 1237, p. 40. 1924.
harvesting and marketing. F.B. 1122, p. 42. 1920; F.B. 1343, pp. 37–38. 1923; F.B. 1447, pp. 40–42. 1925.
harvesting and shipping experiments, Porto Rico. P.R. An. Rpt., 1912, pp. 23–25. 1913.

Citrus—Continued.
　fruit(s)—continued.
　　Hawaiian—
　　　composition. Hawaii Bul. 47, p. 14. 1923.
　　　injury from Mediterranean fruit fly, and injury description. D.B. 640, pp. 21-24. 1918.
　　hybridizing for resistance to cold and drought. B.P.I. Cir. 116, pp. 5-7. 1913.
　　immature, artificial coloring, studies. An. Rpts., 1916, p. 34. 1917; Sec. A.R., 1916, p. 36. 1916.
　　importation. Nos. 35690-35700. B.P.I. Inv. 36, pp. 7, 11-13. 1915.
　　importation regulations. F.H.B.S.R.A. 59, p. 15. 1919.
　　improvement—
　　　bud variation in Marsh grapefruit, studies. A. D. Shamel and others. D.B. 697, pp. 112. 1918.
　　　bud variation in Washington navel orange, A. D. Shamel and others. D.B. 623, pp. 146. 1918.
　　　bud variations in Lisbon lemon, study. A. D. Shamel and others. D.B. 815, pp. 70. 1920.
　　　by use of tree performance records. A. D. Shamel. F.B. 794, pp. 16. 1917.
　　　study of bud variation in the Washington naval orange. A. D. Shamel, L. B. Scott, C. S. Pomeroy, and C. L. Dyer. D.B. 813, pp. 88. 1920.
　　　through bud selection, study. A. D. Shamel. B.P.I. Cir. 77, pp. 19. 1911.
　　in—
　　　California, important commercial varieties. D.B. 624, p. 1. 1918.
　　　Cuba, study. Chem. Bul. 87, pp. 9-30. 1904
　　　Hawaii. J. E. Higgins. Hawaii Bul. 9, pp. 31. 1905.
　　　Hawaii, composition. Hawaii A.R., 1914, pp. 64, 66. 1915.
　　　Hawaii, injury by Mediterranean fruit fly. Hawaii A.R., 1916, p. 19. 1917; D.B. 640, pp. 21-24. 1918.
　　　Hawaii, varieties, description, insect control. Hawaii A.R., 1910, pp. 25-26. 1911.
　　　India, description, varieties and conditions. Ent. Bul. 120, pp. 47-48. 1913.
　　　Porto Rico, production cost, rots, etc., studies P.R. An. Rpt., 1921, pp. 26-27. 1922.
　　industry—
　　　California, organization, extent, and value. B.P.I. Bul. 123, pp. 9 20. 1908; Y.B., 1910, pp. 396, 403-405. 1911; Y.B. Sep. 546, pp. 396, 403-405. 1911.
　　　Mediterranean countries. D.B. 134, pp. 28-34. 1914.
　　infestation with—
　　　Mediterranean fruit fly. Ent. Cir. 160, pp. 3-13. 1912.
　　　white fly, comparative preference. Ent. Bul. 120, p. 41. 1913.
　　injury by—
　　　fumigation, conditions influencing. D.B. 907, pp. 1-43. 1920.
　　　insect pests. F.B. 933, p. 4. 1918.
　　　spraying. D.B. 616, pp. 37-38. 1918.
　　　injury from white flies. Ent. Cir. 168, p. 3. 1913.
　　insects—
　　　control studies, program for 1915. Sec. [Misc.]. "Program of work * * * 1915," pp. 239-240. 1914.
　　　control work, 1910. An. Rpts., 1910, pp. 534-536. 1911; Ent. A.R., 1910, pp. 30-32. 1910.
　　　description, distribution, and control by fumigation. Ent. Bul. 79, pp. 1-73. 1909.
　　　enemies. Ent. Bul. 90, Pt. I, pp. 7-10. 1911.
　　　enemies, description, and control. Ent. Bul. 90, pp. 7-10, 53-64, 86-87, 89-90. 1912.
　　　in Mediterranean countries. H. J. Quayle. D.B. 134, pp. 35. 1914.
　　　injurious. Ent. Bul. 99, Pt. II, pp. 17-29. 1912.
　　　injurious, 1908. Y.B. 1908, p. 577. 1909; Y.B. Sep. 499, p. 577. 1909.
　　　injurious, and combating methods. W. V. Tower. P.R. Bul. 10, pp. 35. 1911; rev. (Spanish Edition) pp. 36. 1912.

Citrus—Continued.
　fruit(s)—continued.
　　insects—continued.
　　　injurious, investigations. An. Rpts., 1913, pp. 219-220. 1914; Ent. A.R., 1913, pp. 11-12. 1913.
　　　losses, prevention by fumigation and natural control. Ent. Bul. 76, pp. 59-65. 1908.
　　　pests, Porto Rico. P.R. An. Rpt., 1907, pp. 31-32, 38. 1908.
　　　similar to Mediterranean fruit fly. D.B. 134, p. 11. 1914.
　　　studies by Entomology Bureau. Sec. A.R., 1909, pp. 112-113. 1909; Rpt. 91, p. 78. 1909; Y.B. 1909, pp. 112-113. 1910.
　　introduction from China, possible use as stock. B.P.I. Bul. 204, p. 45. 1911.
　　investigations. B.P.I. Chief Rpt., 1921, pp. 11-14. 1921.
　　irrigation and production, Pomona Valley, Calif., cost and profits. O.E.S. Bul. 236, pp. 90-94. 1911; rev., pp. 78-79, 86-94. 1912.
　　irrigation—
　　　California, quantity of water required. Y.B., 1909, p. 307. 1910; Y.B. Sep. 514, p. 307. 1910.
　　　methods, value, cost, Pomona Valley, Calif. O.E.S. Bul. 236, pp. 78-79. 1911.
　　market statistics, 1919 and 1920. D.B. 982, pp. 231, 267. 1921.
　　marketing—
　　　bibliography. M.C. 35, p. 39. 1925.
　　　cooperative agencies, methods and expense. A. W. McKay and W. MacKenzie Stevens. D.B. 1261, pp. 35. 1924.
　　　methods. Rpt. 98, pp. 55-58, 169-171, 175-179, 184-187, 208-211. 1913.
　　　promptly to control rots. D.C. 293, pp. 7, 9. 1923.
　　marmalade, making, directions. F.B. 853, p 30. 1917.
　　mealy bug control, California. F.B. 862, pp. 1-16. 1917.
　　Mexican, routes additional. F.H.B.S.R.A. 73, p. 129. 1923.
　　mites, Florida, control work. F.B. 933, pp. 3, 16, 21-23, 29-30. 1918.
　　new—
　　　genus, hardy, drought-resistant, from Australia. J.A.R., vol. 2, pp. 85-100. 1914.
　　　hardy genus from Australia. J.A.R., vol. 2, pp. 85-100. 1914.
　　　peeling machine, description and use methods. D.B. 399, pp. 13-19. 1916.
　　　the citrange. B.P.I. Doc. 332, pp. 2. 1907.
　　nutrition, relation of bacterial changes in soil nitrogen. J.A.R., vol. 2, pp. 101-113. 1914.
　　organization of growers. Y.B. 1909, p. 367. 1910; Y.B. Sep. 520, p. 367. 1910.
　　packages, marking under net-weight amendment. Opinion 62. Chem. S.R.A. 7, p. 527. 1914.
　　perfume extraction, methods and possibilities. B.P.I. Bul. 195, pp. 21-22, 42. 1910.
　　picking and packing. M. J. Iorns. P.R. Cir. 8, pp. 18. 1909.
　　picking, method of keeping performance record. Y.B., 1919, pp. 262-265. 1920; Y.B. Sep. 813, pp. 262-265. 1920.
　　plant quarantine act, notice No. 28, and regulations. F.H.B.S.R.A. 43, p. 104. 1917.
　　Porto Rico—
　　　Cuba, and Florida, insects, effect on marketing. Hawaii A.R., 1915, pp. 65-70. 1916.
　　　culture fertilizers, and insect pests. P.R. An. Rpt., 1911, pp. 12, 24, 34. 1912
　　　culture, insect-pests, and diseases. O.E.S. Bul. 171, pp. 24-30. 1906.
　　　production, varieties, and shipping. P.R. An. Rpt., 1910, pp. 25-26. 1911.
　　production—
　　　and per capita, 1899, 1909, 1915, report of Secretary. News L., vol. 4, No. 23, p. 1. 1917.
　　　in Pomona Valley, Calif., yield, price, return per acre, etc., 1906-1911. O.E.S. Bul. 236 rev., pp. 92-94. 1912.
　　　in United States, 1909. D.B. 483, pp. 2, 4. 1917.
　　　value and prices, 1915-1922. Y.B. 1922, pp. 745-747. 1923; Y.B. Sep. 884, pp. 745-747. 1923.

Citrus—Continued.
  fruit(s)—continued.
    propagation investigations. Hawaii A.R., 1909, pp. 47–50. 1910.
    protection against frost, methods and cost. Y.B. 1920, pp. 187–189. 1921; Y.B. Sep. 838, pp. 187–189. 1921.
    protection from cold. Y.B. 1909, pp. 357–364, 394–396. 1910; Y.B. Sep. 522, pp. 357–364. 1910; Y.B. Sep. 519, pp. 394–396. 1910.
    publications, list. D.B. 494, p. 11. 1917.
    quarantine—
      extension, studies. F.H.B.S.R.A. 71, pp. 106–107. 1922.
      for canker, 1917. An. Rpts., 1917, pp. 417–418, 429, 430. 1918; F.H.B. An. Rpt., 1917, pp. 3–4, 15, 16. 1917.
      for canker. F.H.B. An. Rpt., 1921, p. 9. 1921.
      No. 20, with regulations. F.H.B., S.R.A. 42, pp. 79–83. 1917.
      No. 28, summary. F.H.B.,S.R.A. 71, pp. 176, 178. 1922.
    refrigeration—
      Florida. D.B. 63, pp. 9–11. 1914.
    precooling and cold storage. F.B. 696, pp. 24–28. 1915.
    ripening by sweating. An. Rpts., 1910. pp. 437, 535. 1911; Chem. Chief Rpt., 1910, pp. 13, 31. 1910.
    scale insect and mite enemies. Y.B. 1900, pp. 247–290. 1901; Y.B. Sep. 207, pp. 247–290. 1901.
    seed bed preparation, sowing and cultivation. F.B. 238, pp. 38–39. 1906.
    shipments—
      by States, and by stations, 1916. D.B. 667, pp. 8, 94–98. 1918.
      from Mexico in bond through United States, regulations. F.H.B.,S.R.A. 72, pp. 94–96. 1922.
    shipping, car service. B.P.I. Bul. 123, pp. 18–20. 1908.
    spraying, Porto Rico, formulas and directions. Porto Rico Cir. 17, pp. 11–12, 14–16. 1918.
    statistics, 1924. Y.B., 1924, pp. 674–676, 1043, 1077. 1925.
    stem-end rot, prevention, Florida. B.P.I. Chief Rpt., 1923, p. 16. 1923; An. Rpts., 1923, pp. 42, 270. 1924; Sec. A.R., 1923, p. 42. 1923.
    studies at Florida experiment station, 1914. Work and Exp., 1914., p. 47. 1915.
    study of industry in Porto Rico. P.R. An. Rpt., 1921, pp. 26–27. 1922.
    susceptibility to Mediterranean fruit fly. J.A.R., vol. 3, pp. 311–331. 1915.
    sweated, determination tests. News L., vol. 4, No. 15, p. 2. 1916.
    tear stain. John R. Winston. D.B. 924, pp. 12. 1921.
    transportation from Porto Rico. R. G. Hill and Lon A. Hawkins. D.B. 1290, pp. 20. 1934.
    tree performance, records making and use. F.B. 794, pp. 5–13. 1917.
    tumor disease, study. B.P.I. Chief Rpt., 1910, p. 11. 1910; Sec. A.R., 1910, p. 53. 1910; Rpt. 93, p. 40. 1911; An. Rpts., 1910, pp. 53, 281. 1911; Y.B. 1910, p. 53. 1911.
    unripe, immature, or colored, tests under food and drugs act. News L., vol. 3, No. 15, pp. 5, 6. 1915.
    utilization methods. News L., vol. 3, No. 22, p. 4. 1916.
    varieties—
      adaptability to groves in Gulf States. F.B. 538, pp. 1–15. 1913.
      classification tables. F.B. 538, pp. 12–15. 1913.
      for the Gulf States, descriptions and value. F.B. 1122, pp. 15–20. 1920.
      recommendations for various fruit districts. B.P.I. Bul. 151, pp. 56–58. 1909.
      various countries, condition, 1914–1915, estimates. F.B. 629, pp. 12–14. 1914.
    windbreaks, plants adaptable, Porto Rico. An. Rpts., 1907, p. 685. 1908.
    work of department in Florida, experiments. D.B. 63, pp. 13–14, 19–46. 1914.

Citrus—Continued.
  fruit(s)—continued.
    world acreage and production, by countries. Sec. [Misc.] Spec., "Geography * * * world's agriculture," pp. 88–91. 1917.
  fumigation cost in California. F.B. 1321, pp. 53–55. 1923.
  fumigation, gas concentration and length of exposure effects. D.B. 907, pp. 28–29. 1920.
  genus, wild relatives, susceptibility to citrus canker. J.A.R., vol. 14, pp. 340–344. 1918.
  grafting stock, value of *Citrus ichangensis*. J.A.R., vol. 1, pp. 1, 13. 1913.
  grandis. See Grapefruit.
  grove(s)—
    Argentine ant in. J. R. Horton. D.B. 647, pp. 47. 1918.
    catch crops, management. F.B. 542, p. 7. 1913.
    in—
      Florida, wooly white fly. W. W. Yothers. F.B. 1011, pp. 14. 1919.
      Gulf States, culture, fertilization, and frost protection. P. H. Rolfs. F.B. 542, p. 20. 1913.
      Gulf States, sites, soils, and varieties. P. H. Rolfs. F.B. 538., p. 15. 1913.
      Porto Rico, birds frequenting, list. D.B. 326, p. 7. 1916.
    injury by excess of ammonia in fertilizer. F.B. 542, p. 11. 1913.
    insect control work. Sec. A.R., 1911, pp. 110–111. 1911; Y.B., 1911, pp. 110–111. 1912. An. Rpts., 1911, pp. 112–113. 1912.
    irrigation systems in Florida, description and cost. D.B. 462, pp. 38–46. 1917.
    locality and site selection, protection and soils. F.B. 1122, pp. 7–11. 1920.
    management, planting, pruning, and cultivation. F.B. 1122, pp. 23–42. 1920; F. B. 1343, pp. 19–37. 1923.
    plowsole formation, relation to soil colloids. J.A.R., vol. 15, pp. 505–519. 1918.
    protection from frost. F.B. 1343, pp. 31–33. 1923; F.B. 1122, pp. 36–38. 1920; F.B. 542, pp. 12–17. 1913.
    rejuvenation, directions. F.B. 1343, pp. 33–36. 1923.
    setting, preparation of land, etc. F.B. 542, p. 7. 1913.
    site, selection. F.B. 238, pp. 9–11. 1906.
    sites, soils and varieties in the Gulf States. P. H. Rolfs. F.B. 538, pp. 15. 1913.
    soils, Porto Rico, analyses. P.R. An. Rpt., 1910, pp. 21–22. 1911.
    spraying with mineral-oil emulsions. J.A.R., vol. 31, pp. 59–65. 1925.
  growers, interest in bud selection. Off. Rec., vol. 1, No. 38, p. 2. 1922.
  growing, cost and profits. F.B. 1122, pp. 43–44. 1920.
  growing, nursery methods. F.B. 1122, p. 23. 1920.
  growth, influence of temperature. J.A.R., vol. 20, pp. 459–471. 1920.
  gum, nature and origin, relations to wounds, chemicals, etc. J.A.R., vol. 24, pp. 223–230. 1923.
  gummosis. Howard S. Fawcett. J.A.R., vol. 24, pp. 191–236. 1923.
  hardy, new species from China and Assam. J.A.R., vol. 1, pp. 1–14. 1913.
  histrix, description, and comparison with *Citrus ichangensis.* J.A.R. vol. 1, p. 10. 1913.
  hybrids—
    new; citrangequat and limequats. Walter T. Swingle and T. R. Robinson. J.A.R., vol. 23, pp. 229–238. 1923.
    susceptibility to citrus canker. J. A. R. vol. 19, pp. 354–359. 1920.
    susceptibility to scab. J.A.R. vol. 30, p. 1090. 1925.
    value for the Gulf States. F.B. 1122, p. 20. 1920.
  ichangensis—
    description, technical and detailed. J.A.R., vol. 1, pp. 2–4, 6–10. 1913.
    hardy species from southwestern China and Assam. Walter T. Swingle. J.A.R. vol. 1, pp. 1–14. 1913.

Citrus—Continued.
  ichangensis—continued.
    latipes, description and distribution. J.A.R., vol. 1, pp. 11-13. 1913.
    technical description. J.A.R. vol. 1, pp. 2-4. 1913.
  improvement—
    bud variation in Valencia orange. D.B. 624, pp. 1-120. 1918.
    through bud selection. An. Rpts., 1922, p. 179. 1923. B.P.I. Chief Rpt., 1922, p. 19. 1922.
  industry—
    in California—
      1916. An. Rpts., 1916, pp. 26-27. 1917; Sec. A.R., 1916, pp. 28-29. 1916.
    organization and operation, discussion. Sec. [Misc.], "Organization * * * market service * * *," pp. 2-12. 1913.
    Gulf States, history. F.B. 1343, pp. 1-5. 1923.
    injury by scab. D.B. 1118, pp. 1-2. 1923.
    Porto Rico, 1913, development. An. Rpts., 1913, p. 278. 1914; O.E.S. Chief Rpt., 1913, p. 8. 1913.
    Porto Rico, 1922. P.R. An. Rpt., 1922, p. 15. 1923.
    Texas, status. B.P.I. Doc. 457, pp. 3-4, 7. 1909.
  inoculations with gum-forming organisms. J.A.R. vol. 24, pp. 198-210, 211-213, 214-218, 221-222. 1923.
  insect(s)—
    California and Florida, investigations. Ent. A.R., 1919, pp. 14-15. 1919; An. Rpts., 1919, pp. 260-261. 1920.
    control by—
      fumigation. R. S. Woglum. F.B. 1321, pp. 59. 1923.
      fumigation, details and cost. F.B. 923, pp. 28-30. 1918.
      spraying in Florida. W. W. Yothers. D.B. 645, pp. 19. 1918.
    pests, control. An. Rpts., 1918, pp. 245-247, 249. 1919; Ent. A.R., 1918, pp. 13-15, 17. 1918.
    pests, list and descriptions. Sec. [Misc.], "A manual of insects * * *," pp. 55-60, 113-118. 1917.
    publications, list. F.B. 933, p. 39. 1918.
  investigations. An. Rpts., 1923, pp. 269-271. 1924; B.P.I. Chief Rpt., 1923, pp. 15-17. 1923.
  japonica—
    comparison with Eremocitrus. J.A.R., vol. 2, p. 87. 1914.
    See also Kumquats.
  jellies, making directions. D.B. 1323, p. 15. 1925.
  kinds and varieties in Southwest. F.B. 1447, pp. 6-12. 1925.
  knot—
    caused by *Sphaeropsis tumefaciens*. Florence Hedges and L. S. Tenny. B.P.I. Bul. 247, pp. 74. 1912.
    description, development and results. B.P.I. Bul. 247, pp. 10-11. 1912.
    eradication by pruning. B.P.I. Bul. 247, pp. 68, 69. 1912.
    fungus, description, culture, and inoculation experiments. B.P.I. Bul. 247, pp. 13-69. 1912.
    fungus, temperature relations. B.P.I. Bul. 247, pp. 36-39. 1912.
    investigations and control work. An. Rpts., 1912, p. 395. 1913; B.P.I. Chief Rpt., 1912, p. 15. 1912.
  land, preparation for planting. F.B. 1447, p. 19. 1925.
  latipes, a subspecies of *Citrus ichangensis*. J.A.R., vol. 1, p. 13. 1913.
  leaves—
    cankers, holding over, sources of disease. J.A.R., vol. 19, pp. 193, 205. 1920.
    chemical changes caused by citrus canker. J.A.R., vol. 6, No. 2, pp. 88-94. 1916.
    composition during mottling. J.A.R., vol. 9, pp. 157-166. 1917.
    normal and mottled, composition. W. P. Kelley and A. B. Cummins. J.A.R., vol. 20, pp. 161-191. 1921.
  limonia. *See* Lemon.
  marketing cooperative. Sec. A.R., 1924, pp. 44-45. 1924.

Citrus—Continued.
  mealybugs—
    control. S.R.S. An. Rpt., 1916, Pt. I, pp. 71-72. 1918.
    description and control, natural and artificial. Ent. Bul. 90, pp. 10, 63-64. 1912.
    enemies in Louisiana. D.B. 647, pp. 22, 23. 1918.
    hymenopterous parasite, description. D.B. 647, p. 23. 1918.
    in Florida, natural control. A. T. Speare. D.B. 1117, pp. 19. 1922.
    life history and control, Mediterranean countries. D.B. 134, pp. 21-22. 1914.
    natural control in European countries. Ent. Bul. 120, p. 51. 1913.
    spread, relation of Argentine ants. D.B. 965, pp. 2-4, 35. 1921.
  medica—
    importations and description. Nos. 40674-40676. B.P.I. Inv. 43, pp. 64-65. 1918.
    See Citron.
  melanose, control. John R. Winston and John J. Bowman. D.C. 259, pp. 8. 1923.
  mite enemies, spraying in Florida. D.B. 645, pp. 1-19. 1918.
  mottle-leaf, relation to mulched-basin irrigation system. Lyman J. Briggs and others. D.B. 499, p. 31. 1917.
  new and hybrids. F.B. 1343, pp. 15-16. 1923.
  nobilis. *See* Mandarins; Tangerines.
  nursery-stock—
    and fruit quarantine orders. F.H.B.S.R.A. 74, pp. 53, 54. 1923.
    quarantine. An. Rpts., 1915, pp. 353, 360. 1916. F.H.B. An. Rpt., 1915, pp. 3, 10. 1915.
  oils and by-products. An. Rpts., 1910, p. 437. 1911; Chem. Chief Rpt., 1910, p. 13. 1910.
  orchards—
    ant control on marginal trees. D.B. 965, pp. 37-38. 1921.
    cover crops, Porto Rico, suggestions. P.R. Bul. 19, pp. 25-26. 1916.
    cultivation practices. F.B. 1447, pp. 26-27. 1925.
    fertilization. Hawaii Bul. 9, pp. 16-17. 1905.
    frost injury, danger and protection. F.B. 1447, pp. 17, 37-39. 1925.
    fumigation. F.B. 923, pp. 1-31. 1918.
    gas dosage calculating, schedule, directions. Ent. Bul. 90, pp. 27-28, 34-37, 51-60, 88-90. 1912.
    heated, comparison with unheated, in results. D.B. 821, pp. 10-27. 1920.
    in California—
      Argentine ant control. R. S. Woglum and A. D. Borden. D.B. 965, pp. 43. 1921.
      extent, character. Ent. Bul. 90, pp. 6-7. 1912.
      green-manure crops. B.P.I. Bul. 190, pp. 1-40. 1910.
    in Gulf States, culture, fertilization, and frost protection. F.B. 542, pp. 1-20. 1913.
    in Hawaii, varieties of fruits. Hawaii A.R., 1911, pp. 38-39. 1912.
    injury by—
      Argentine ants. F.B. 740, p. 6. 1916.
      pocket gophers. An. Rpts., 1923, p. 429. 1924. Biol. Chief Rpt., 1923, p. 11. 1923.
    intercropping practices. F.B. 1447, p. 25. 1925.
    location, planting and development. F.B. 1447, pp. 17-40. 1925.
    organic mulching, experiments and results. D.B. 499, pp. 4-6, 14-28. 1917.
    planting—
      and irrigation methods, cost and returns, in California Portersville area. Soil Sur. Adv. Sh., 1908, pp. 14-18. 1911; Soils F.O., 1908, pp. 1304-1308. 1911.
      cultivation and pruning. F.B. 1447, pp. 18-40. 1925.
    protection from—
      Argentine ant, experiments and cost. D.B. 1040, pp. 8-11, 18, 20. 1922.
      frost. F.B. 1122, pp. 36-38. 1920.
    renewing. F.B. 1447, pp. 32-34. 1925.
    setting and cultivating. F.B. 238, pp. 8-10, 14-17. 1905.

Citrus—Continued.
orchards—continued.
spray schedule for diseases and insects. D.C. 259, pp. 5-7. 1923.
spraying for control of mealybugs. D.B. 1040, pp. 13-15, 16, 18. 1922.
pectin, extraction, directions. D.C. 254, pp. 3-5, 10. 1923.
pests, list, and description of injury to trees and fruit. D.B. 645, pp. 2-4. 1918.
plants—
fumigation with hydrocyanic acid, conditions influencing injury. R. S. Woglum. D.B. 907; pp. 43. 1920.
imported, protection from insects, devices. D.C. 299, pp. 2-9. 1924.
imports, diseases and insects, detection. An. Rpts., 1915, p. 358. 1916; F.H.B. An. Rpt., 1915, p. 8. 1915.
introduction, quarantine procedure to safeguard Walter T. Swingle and others. D.C. 299, pp. 15. 1924.
nutrition, relation of soil nitrogen transformation and distribution. I. G. McBeth. J.A.R. vol. 9, pp. 183-353. 1917.
pollen, type, shape of grains. Chem. Bul. 110, p. 74. 1908.
process for using culls, remarks. Sec. A. Rpt., 1924, p. 69. 1924.
productions, Department of Agriculture. Herbert J. Webber. Y.B. 1906, pp. 329-346. 1907; Y.B. Sep. 427, pp. 329-346. 1907.
promising new species from southwest China and Assam. J.A.R. vol. 1, pp. 1-14. 1913.
propagation—
and disease investigations. B.P.I. Chief Rpt., 1925, pp. 2-4. 1925.
bud selection importance. J.A.R. vol. 26, pp. 319-322. 1923.
in the Gulf States. F.B. 1343, pp. 16-19. 1923.
pruning for control of melanose. D.C. 259, pp. 2-3. 1923.
red spider, distribution, and spraying with sulphur. Ent. Bul. 79, p. 14. 1909.
regions, temperature in relation to fruit fly, discussion. J.A.R. vol. 3, pp. 324-328, 329. 1915.
root(s)—
cankers holding over, sources of disease. J.A.R. vol. 19, pp. 204, 205. 1920.
injury by nematode, *Tylenchulus semipenetrans*. J.A.R. vol. 2, pp. 218-228. 1914.
nematode(s)—
N. A. Cobb. J.A.R. vol. 2, pp. 217-230. 1914.
transference by irrigation and nursery stock. J.A.R. vol. 2, pp. 222, 225, 229. 1914.
rooting, use of solar propagating frame. Walter T. Swingle and others. D.C. 310, pp. 14. 1924.
rot, stem-end, commercial control. John R. Winston and others. D.C. 293, pp. 10. 1923.
scab—
attack on rutaceous plants, relative susceptibility of plants. John R. Winston and others. J.A.R. vol. 30, pp. 1087-1093. 1923.
cause and control. P.R. An. Rpt. 1920, pp. 24-25. 1921.
cause and control. John R. Winston. D.B. 1118, pp. 39. 1923.
cause and results. Guam A.R., 1917, p. 48, 1918.
cause, description, and control. John R. Winston. D.C. 215, pp. 8. 1922.
Cladosporium citri, some relations of temperature to growth and infection. H. S. Fawcett. J.A.R. vol. 21, pp. 243-253. 1921.
control—
John R. Winston. D.C. 215, pp. 8. 1922.
in Porto Rico. Off. Rec., vol. 2, No. 15, p. 2. 1923; P. R. An. Rpt., 1922, pp. 13-14. 1923.
occurrence, cause and description. D.C. 215, pp. 3-4. 1922.
outbreaks, remarks. J.A.R. vol. 30, pp. 1087-1088. 1925.
relation to environmental factors. J.A.R. vol. 28, pp. 241-254. 1924.
spraying season and effects of Bordeaux-oil emulsion. D.B. 1178, pp. 3, 11, 13, 18. 1923.
susceptibility of citrus fruits and hybrids. J.A.R. vol. 24, pp. 955-959. 1923.

Citrus—Continued.
scab—continued.
temperature relations. J.A.R. vol. 21, pp. 243-253. 1921.
scale insects, classification and characteristics. F.B. 172, pp. 18-36. 1903.
scale, parasites in European countries. Ent. Bul. 120, pp. 50-51. 1913.
seedlings—
in water cultures, response to salts and organic extracts. J.A.R. vol. 18, pp. 267-274. 1919.
seed bed preparation, time of sowing and cultivation. F.B. 539, pp. 6-7. 1913.
transplanting, time, and method. F.B. 539, pp. 7-8. 1913.
seeds, selection, care, and sowing. F.B. 238, pp. 37-40. 1906.
seeds, sprouting and growing in soil infected with citrus canker. J.A.R. vol. 19, pp. 200-202. 1920.
shipments—
car-lot. Y.B., 1924, p. 674. 1925.
from California, 1910-1922, number and value, 1923. D.B. 1261, p. 3. 1924.
from California, 1920-1924. F.B. 1447, p. 5. 1925.
soils—
California, effect of lime, experiments. J.A.R., vol. 8, pp. 22-28. 1917.
effects of decomposing organic matter, studies. J.A.R. vol. 9, pp. 255-268. 1917.
fertilizer experiments. J.A.R., vol. 7, pp. 418-433. 1916.
spp.—
Africa, importation and description. No. 55624, B.P.I. Inv. 72, p. 12. 1924.
and varieties, resistance to *Pythiacystis citrophthora*, experiments. J.A.R., vol. 24, pp. 207-210, 231. 1923.
Australian, resemblance to Eremocitrus. J.A.R., vol. 2, pp. 87, 96. 1914.
budding and grafting with Eremocitrus. J.A.R., vol. 2, pp. 97-98. 1914.
grafting with Citropsis, expectation. J.A.R., vol. 1, p. 435. 1914.
importations and description. Nos. 36942-36954, 36971, 36975, 37084, 37461, 37623, B.P.I. Inv. 38, pp. 7, 11-13, 16, 17, 35, 61, 88. 1917; Nos. 37724, 37748-37793, 37803-37804, 37840-37845, 38101-38102, 38293, 38335, 38502-38508, B.P.I. Inv. 39, pp. 10, 27, 33-44, 45, 53, 87, 114, 118, 139. 1917; Nos. 38929-38942, B.P.I. Inv. 40, pp. 48-49. 1917; Nos. 39579-39581, B.P.I. Inv. 41, pp. 44-45. 1917; Nos. 41386-41388, B.P.I. Inv. 45, p. 21. 1918; Nos. 41711, 41713-41719, 41955-41959, B.P.I. Inv. 46, pp. 12, 13-15, 38-39. 1919; Nos. 43961-43963, B.P.I. Inv. 49, pp. 105-106. 1921; Nos. 44087-44089, 44136-44140, 44372-44374, B.P.I. Inv. 50, pp. 26, 33, 34, 64. 1922; Nos. 45249, 45311-45315, 45534, B.P.I. Inv. 53, pp. 5, 18, 24, 48. 1922; Nos. 45930-45939, 45941, 45945, 45951, B.P.I. Inv. 54, pp. 43-45, 46, 47. 1922; Nos. 46646, 46732, 46733, B.P.I. Inv. 57, pp. 8, 16, 26. 1922; Nos. 47919, 47931, 47976, 48283, B.P.I. Inv. 60, pp. 2, 3, 14, 16, 24, 67. 1922; Nos. 48763, 49010, B.P.I. Inv. 61, pp. 44, 66. 1922; Nos. 49851, 50219-50220, 50326, B.P.I. Inv. 63, p. 12. 1923; Nos. 50967, 51215, B.P.I. Inv. 64, pp. 37, 76. 1923; Nos. 55030, 55414-55416, B.P.I. Inv. 71, pp. 14, 40. 1923; Nos. 55832-55833, 55925, 56058-56059, 56069, B.P.I. Inv. 73, pp. 8, 18, 32, 34. 1924.
resistance to citrus canker. J.A.R., vol. 14, pp. 344-348. 1918.
similar to *Citrus ichangensis*. J.A.R., vol. 1, p. 10. 1913.
susceptibility to citrus canker. J.A.R., vol. 19, pp. 349-353. 1920.
spray schedule, materials, enemy and directions. F.B. 1122, pp. 38-39. 1920.
spraying—
against camphor scale in 1923. Work and Exp., 1923, p. 50. 1925.
cost and returns. F.B. 674, pp. 14-15. 1915.
experiments with Bordeaux-oil emulsion. D.B. 1178, pp. 1-24. 1923.

Citrus—Continued.
spraying—continued.
for canker, ineffectiveness. J.A.R., vol. 6, No. 2, pp. 95-96. 1916.
for control of melanose, experiments. D.C. 259, pp. 3-5. 1923.
for scab, experiments and directions. D.B. 1118, pp. 27-34. 1923.
standardization, methods and value. F.B. 1447, pp. 9-10. 1925.
stocks, desirable kinds. F.B. 1122, pp. 20-21. 1920.
strains, origin, isolation, and comparative value. Y.B., 1919, pp. 253-261. 1920; Y.B., Sep. 813, pp. 253-261. 1920.
study in 1923. Work and Exp., 1923, p. 35. 1925.
susceptibility to—
citrus canker. George L. Peltier and William J. Frederich. J.A.R., vol. 28, pp. 227-239. 1924.
wither tip from parasitic fungus Gloeosporium. Harry R. Fulton. J.A.R., vol. 30, pp. 629-635. 1925.
thrips—
control—
by lime-sulphur spraying. News L., vol. 5, No. 45, p. 8. 1918.
by spraying, experiments. D.B. 616, pp. 29-40. 1918.
California and Arizona. J. R. Horton. F.B. 674, pp. 15. 1915.
work. An. Rpts., 1923, p. 398. 1924; Ent. A.R., 1923, p. 18. 1923.
destruction by spiders. D.B. 616, p. 27. 1918.
dissemination method. D.B. 616, pp. 7-8. 1918.
distribution, life history, habits, and control. D.B. 616, pp. 1-42. 1918.
effect on fruit. Ent. Bul. 79, p. 11. 1909.
injuries to oranges in California and Arizona and control methods. News L., vol. 5, No. 45, p. 8. 1918.
insect enemies and natural control. D.B. 616, pp. 25-27. 1918.
Porto Rico, injury to fruits. P.R. An. Rpt., 1919, pp. 24-25. 1920.
spraying, directions, suggestions, and cost. F.B. 674, pp. 6-15. 1915.
See also Thrips.
tonnage in Florida. Off. Rec., vol. 3, No. 32, p. 2. 1924.
top-working and bridge grafting, inarching. F.B. 1122, p. 40. 1920.
trees—
and fruits, wither-tip and other diseases, caused by Co etotrichum g oesporioides. P. H. Rolfs. B.P.I. Bul. 52, pp. 22. 1904.
cultivation methods, green manure, mulching. F.B. 1122, pp. 28-31. 1920.
damage by nematodes. Y.B. 1914, pp. 468, 470. 1915; Y.B. Sep. 652, pp. 468, 470. 1915.
disease, mottle leaf, relation to soil conditions. Lyman J. Briggs and others. J.A.R., vol. 6, No. 19, pp. 721-740. 1916.
effect of fumigation, various causes of injury. F.B. 923, pp. 21-28. 1918.
fertilizers—
effect on quality of fruit. P.R. An. Rpt. 1920, pp. 24, 27. 1921.
relation to die-back and frenching. S.R.S. Rpt., 1916, Pt. I, p. 90. 1918.
frost-injured, treatment. F.B. 1122, pp. 41-42. 1920.
frost injury, danger point under different conditions. F.B. 542, p. 15. 1913.
fumigation—
R. S. Woglum. F.B. 923, pp. 31. 1918.
California. Ent. Bul. 90, pp. 1-81. 1912.
demonstration in Spain. Ent. Bul. 120, pp. 16, 52-53. 1913.
for scale. Off. Rec., vol. 2, No. 52, p. 6. 1923.
grafting, methods and directions. F.B. 542, pp. 18-20. 1913.
infection by woolly white fly, order of susceptibility. F.B. 1101, p. 5. 1919.
injury by fumigation and responsibility for. F.B. 1321, pp. 39-49, 53, 56-57. 1923.

Citrus—Continued.
trees—continued.
knot caused by *Sphaeropsis tumefaciens.* Florence Hedges and L. S. Tenny. B.P.I. Bul. 247, pp. 74. 1912.
measurement for fumigation tents. Ent. Bul. 76, pp. 30-35, 39-40. 1908.
mites—
and insects, Florida, spraying for control. W. W. Yothers. F.B. 933, pp. 30. 1918.
and scale insects. C. L. Marlatt. F.B. 172, pp. 1903.
notes on gassing. Y.B., 1900, pp. 257, 258. 1901.
planting directions. F.B. 1122, pp. 24-27. 1920.
propagation—
in Gulf States. P. H. Rolfs. F.B. 539, pp. 16. 1913.
methods. F.B. 1447, pp. 13-17. 1925; F.B. 238, pp. 33-48. 1906.
methods for Gulf States. F.B. 1122, pp. 20-23. 1920.
protection from Argentine ants, methods. D.B. 965, pp. 9-38. 1921.
pruning—
directions. F.B. 1122, pp. 27-28, 34-35. 1920; F.B. 542, pp. 7-8. 1913.
in the Southwest. A. D. Shamel and others. F.B. 1333, pp. 32. 1923.
records, keeping. F.B. 1919, pp. 261-265. 1920; Y.B. Sep. 813, pp. 261-265. 1920.
scale insect and mite enemies. C. L. Marlatt. Y.B., 1900, pp. 247-290. 1901; Y.B. Sep. 207, pp. 247-290. 1901.
spraying—
for ant control. D.B. 965, pp. 16-17. 1921.
for thrips, directions, suggestions, and cost. F.B. 674, pp. 6-15. 1915.
for woolly white fly. F.B. 1011, pp. 10-12. 1919.
scheme, costs and results. D.B. 645, pp. 15-18. 1918.
to control insect and mite enemies in Florida, reasons. W. W. Yothers. D.B. 645, pp. 19. 1918.
with fungous infection for control of white fly. Ent. Bul. 102, pp. 47-70. 1912.
stem-end rot, study of fungus causing. An. Rpts., 1912, p. 99. 1913; Sec. A.R., 1912, p. 99. 1912; Y.B., 1912, p. 99. 1913.
stock, suitable for different sections. F.B. 238, pp. 35-42. 1906.
top-working for improvement. F.B. 794, pp. 12-13. 1917.
transplanting from nursery. F.B. 1447, p. 17. 1925.
trifoliata—
inoculation with citrus knot fungus. B.P.I. Bul. 247, pp. 44-49, 62, 66. 1912.
seedlings, distribution by department, conditions. B.P.I. Doc. 437, p. 1. 1909.
seedlings, distribution, description of flower. B.P.I. Doc. 435, p. 1. 1909.
stock for citrus fruits, value. F.B. 374, p. 9. 1909.
suitability for citrus groves in Louisiana and Mississippi. F.B. 539, p. 3. 1913.
varieties—
growing in solutions of sodium and calcium, experiments. J.A.R. vol. 24, pp. 753-757. 1923.
improvement, cooperation. A. D. Shamel. Y.B., 1919, pp. 249-275. 1920; Y.B. Sep. 813, pp. 249-275. 1920.
susceptibility to attack by *Gloeosporium limetticolum* (Clausen). Harry R. Fulton. J.A.R., vol. 30, pp. 629-635. 1925.
waste fruit, use in making pectin. D.B. 1323, pp. 120. 1925.
white fly—
control—
by Argentine ants. F.B. 928, pp. 9-10. 1918.
by fungus-spore spraying. O.E.S. An. Rpt., 1911, p. 92. 1912.
by spraying with water and spore mixture. Ent. Bul. 102, pp. 47-70. 1912.
methods in Florida. Ent. Bul. 120, pp. 12-13. 1913.

INDEX TO PUBLICATIONS, 1901–1925   475

Citrus—Continued.
white fly—continued.
control—continued.
on trees. F.B. 1321, p. 51. 1923.
work, 1908. An. Rpts., 1908, pp. 548–550. 1909; Ent. A.R., 1908, pp. 26–28. 1908.
description, life history, and food plants. Ent. Bul. 120, pp. 9–12, 28–33. 1913.
distribution. Ent. Bul. 120, pp. 15, 16. 1913.
enemies—
parasitic and predatory. Ent. Bul. 102, pp. 8–9. 1912.
search for in India and the Orient, report. Russel S. Woglum. Ent. Bul. 120, pp. 58, 1913.
fumigation in Florida. Ent. Bul. 76, pp. 1–73. 1908.
fumigation, preparations, equipment, and dosage. Ent. Cir. 111, pp. 1–12. 1909.
in India, conditions, life history and development. Ent. Bul. 120, pp. 22, 28–33. 1913.
injury(ies)—
in Florida. A. W. Morrill and E. A. Back. Ent. Bul. 92, pp. 109. 1911.
in Florida, and control. F.B. 933, pp. 3–4, 16–21, 30. 1918.
to vegetables in Porto Rico. D.B. 192, pp. 3–4, 11. 1915.
interception on plant imports. F.H.B. An. Letter No. 36, pp. 5, 9, 11, 27, 35. 1923.
introduction, danger, descriptions. Sec. [Misc.], "A manual * * * insects * * *," pp. 5, 7, 34, 56, 58, 109, 132, 139, 155, 159, 207. 1917.
life history, habits, and control. Ent. Cir. 168, pp. 1–8. 1913.
losses and prevention. Ent. Bul. 76, p. 59. 1908.
natural control in Florida. Ent. Bul. 102, pp. 1–78. 1912.
occurrence, and descriptions. J.A.R., vol. 6, No. 12, pp. 459–472. 1916.
parasites, discovery and attempted importations. Ent. Bul. 120, pp. 21, 26–27, 34, 37–38. 1913.
probable native home in southeastern Asia. Ent. Bul. 120, pp. 44–46. 1913.
relation to Argentine ant. D.B. 647, pp. 38–42. 1918.
species, history, habits, distribution, injury, food plants, etc. Ent. Bul. 92, pp. 10–85. 1911.
spiny, origin, technical description, and importance. J.A.R., vol. 6, No. 12, pp. 463–465. 1916.
studies for southern rural schools. D.B. 305, p. 48. 1915.
temperature and humidity, effects on development. Ent. Bul. 120, pp. 29–33. 1913.
winter fumigation, preparation. A. W. Morrill and W. W. Yothers. Ent. Cir. 111, pp. 12. 1909.
woolly, injury to fruits, description, control methods. P. R. Bul. 10, p. 11. 1911.
wither-tip—
and other diseases of trees and fruit, caused by *Colletotrichum gloesporioides*. P. H. Rolfs. B.P.I. Bul. 52, pp. 20. 1904.
comparison with lime wither-tip. J.A.R., vol. 30, p. 629. 1925.
City—
buildings, injury by termites. D.B. 333, p. 13. 1916.
garbage, feeding to hogs. Sec. Cir. 84, p. 14. 1918.
garden, type and location, and preparation of soil. F.B. 1044, pp. 4–11. 1919.
influence on farming. J. H. Arnold and Frank Montgomery. D.B. 678, pp. 24. 1918.
lots, vacant, improvement by boys' and girls' clubs. Y.B., 1915, p. 152. 1916; Y.B. Sep. 664, p. 152. 1916.
market(s)—
for farm products vs. home market. Y.B., 1917, pp. 322–323. 1918; Y.B. Sep, 736, pp. 4–5. 1918.
news service. An. Rpts., 1918, pp. 479–480. 1919. Mkts. Chief Rpt., 1918, pp. 29–30. 1918.

City—Continued.
market(s)—continued.
preferences and fancy products. Y.B., 1918, pp. 280, 282. 1919; Y.B. Sep. 768, pp. 6, 8. 1919.
public retail. Y.B., 1914, pp. 167–184. 1915; Y.B. Sep. 636, pp. 167–184. 1915.
supplies of late potatoes, sources, and handling methods. F.B. 1317, pp. 28–32. 1923.
Reporting Service Work, 1919, location of offices. An. Rpts., 1919, pp. 450–451. 1920; Mkts. Chief Rpt., 1919, pp. 24–25. 1919.
marketing—
and distribution of foodstuffs, studies, 1919. Mkts. Chief Rpt., 1918, pp. 8–9. 1918. An. Rpts., 1918, pp. 458–459. 1919.
and distribution of foodstuffs, studies. 1919. An. Rpts., 1919, pp. 430–431. 1920; Mkts. Chief Rpt., 1919, pp. 4–5. 1919.
and distribution. study, Markets Office. Mkts. Doc. 1, pp. 5–7. 1915.
conditions, 1914. An. Rpts., 1914, pp. 323–324. 1914. Mkts. Chief Rpt., 1914, pp. 7–8. 1914.
conditions, 1915. An. Rpt., 1915, p. 378. 1916; Mkts. Chief Rpt., 1915, p. 16. 1915.
milk supply, survey in milk campaign. D.C. 250, pp. 3–5. 1923.
population, 1910. Atl. Am. Agr., Pt. IX, sec. 1, pp. 3, 4, 5. 1919.
source of farm labor, objections to farms. Y.B., 1918, pp. 347–348. 1919; Y.B. Sep. 789, pp. 3–4. 1919.
yards, poultry keeping objections. F.B. 1331, p. 2. 1913.
Civet cat—
occurrence, habits, etc., in Texas. N.A. Fauna 25, pp. 182–184. 1905.
See also Skunk.
Civil Service—
act regarding "member of a family," construction by Attorney General. Appt. Clerk A.R., 1910, p. 24. 1910; An. Rpts., 1910, p. 916. 1911.
and Agriculture Department, veterinary examination regulations. Sec. Cir. 128, pp. 11. 1919.
examination, aiding others to pass. Mem. 304. Adv. Com. F. and B. M. [Misc.], "Administrative Regulations," Amdt. 5, pp. 4–5, 1920.
regulations concerning employees, Department of Agriculture. An. Rpts., 1908, pp. 771–790. 1909; Appt. Clerk A.R., 1908, pp. 18–22. 1908.
regulations governing promotions in department. An. Rpts., 1909, pp. 811–813, 815. 1910; Appt. Clerk A.R., 1909, pp. 23–25, 27. 1919.
removal of employees. Sol. [Misc.], "The national forest manual," p. 27. 1916.
retirement act, amendment. Off. Rec., vol. 3, No. 15, p. 2. 1924.
rules, political activity, discussion. For. [Misc.], "Field program," Jan., 1911, pp. 93–95. 1911.
rules regarding reinstatement. B.A.I.S.R.A. 198, p. 91. 1923.
Civil War—
effect on—
cotton growing. Y.B., 1921, pp. 331–334. 1922; Y.B. Sep. 877, pp. 331–334. 1922.
prices. D.B. 999, pp. 1–4, 12–16, 23–35. 1921.
southern farming. Y.B., 1913, pp. 263–264. 1914; Y.B. Sep. 627, pp. 263–264. 1914
relation to cotton growing. Atl. Am. Agr., Pt. V, sec. A, p. 21. 1919.
Claassen Brothers, farm, experiments in wheat fertilizing. J.A.R., vol. 23, p. 55. 1923.
Clabber—
composition, use as food and in cooking. F.B. 363, pp. 40–41. 1909.
food value and uses. F.B. 1359, p. 14. 1932.
Cladium—
effusum. *See* Saw grass.
spp., occurrence in Guam. Guam A.R., 1913, p. 16. 1914.
Cladonia rangiferina. *See* Reindeer moss.
Cladosporium—
carpophilum—
cause of peach scab. F.B. 1435, p. 14. 1924.
seasonal, development conidia production, viability, longevity, and dissemination. D.B. 395, pp. 32–40, 62. 1917.

36167°—32——31

Cladosporium—Continued.
  carpohilum—continued.
    spore-germination, studies and tests. D.B 395, pp. 18–21, 35–36. 1917.
    See also Scab, peach.
  citri—
    cause of citrus scab, spread by insects. Guam A.R., 1917, p. 48. 1918.
    cause of citrus tree scab. O.E.S. An. Rpt., 1911, p. 92. 1912.
    temperature relations. J.A.R., vol. 21, pp. 243–253. 1921.
    See also Citrus scab.
  fungus, parasite of Aschersonias. Ent. Bul. 102, pp. 25, 27–28. 1912.
  gramineum, study and inoculation experiments with grains. J.A.R., vol. 1, pp. 476–490. 1914.
  herbarum citricolum, cause of citrus scaly bark. O.E.S. An. Rpt., 1911, p. 91. 1913.
  sp.—
    cause of disease of citrus. P.R. An. Rpt., 1913, p. 29. 1914.
  occurrence in—
    moldy butter. J.A.R., vol. 3, No. 4, pp. 302, 309. 1915.
    Texas, and description. B.P.I. Bul. 226, pp. 28, 47. 1912.
    on pitted grapefruit. J.A.R., vol. 22, p. 277. 1921.
    potato diseases. B.P.I. Bul. 245, p. 16. 1912.
    relation to tomato leaf mold. J.A.R., vol. 31, pp. 523–526. 1925.
    responsibility for hop blackening. Ent. Bul. 111, p. 22. 1913.
Claims—
  animals and property destroyed in contagious-disease control, allowance regulations. B.A.I.O. 237, pp. 6–7. 1915.
  Court, cases decided, 1909. Sol. A.R., 1909, p. 41. 1909; An. Rpts., 1909, p. 775. 1910.
  filing methods, for rejected produce. D.B. 267, p. 8. 1915.
  forest lands, regulations. For. [Misc.], "Use book," 1908, pp. 26–36. 1908.
  land, national forests—
    adjustment. An. Rpts., 1912, pp. 33, 65–66, 256. 1913; Sec. A.R., 1912, pp. 33, 65–66, 256. 1912; Y.B., 1912, pp. 33, 65–66, 256. 1913.
    administration by Solicitor, 1913. An. Rpts., 1913, pp. 310–311, 314–317. 1914; Sol. A.R., 1913, pp. 12–13, 16–19. 1913.
    character, location, quantity, and status. An. Rpts., 1911, pp. 784–786, 889–974. 1912; Sol. A.R., 1911, pp. 28–30, 133–191. 1911.
    character, location, quantity, and status. An. Rpts., 1912, pp. 902–903, 1013–1059. 1913; Sol. A.R., 1912, pp. 18–19, 129–175. 1912.
    examination, settlement. For. [Misc.], "Use book," 1913, pp. 60–61. 1913.
    homestead and mining, 1913. An. Rpts., 1913, pp. 136–144. 1914; For. A.R., 1913, pp. 2–10. 1913.
    homestead and mining, 1914. An. Rpts., 1914, pp. 130–132. 1914; For. A.R., 1914, pp. 2–4. 1914.
    litigation. An. Rpts., 1908, p. 415. 1909; For. A.R., 1908, p. 11. 1909.
    procedure by Solicitor, 1910. Sol. A.R., 1910, pp. 86–89. 1910; An. Rpts., 1910, pp. 366–369, 420, 874–877. 1910; For. A.R., 1910, pp. 6–9, 60. 1910.
    regulations. For. [Misc.], "Use book," rev. 5, pp. 140–143. 1915.
    reports and settlement, 1910. An. Rpts., 1910, pp. 366–369, 420. 1911; For. A.R., 1910, pp. 6–9, 60. 1910.
  laws applicable. Sol. [Misc.], "Laws applicable * * *," 2nd Sup., p. 111. 1915.
  livestock loss and damage in transit. Rpt. 113, pp. 34–35. 1916.
  order by Secretary of Agriculture and Secretary of Interior. Sol. [Misc.], "The national forest manual," pp. 31–34. 1916.
  placer or lode, outline for report of examining officers. For. [Misc.], "Placer or lode claim," pp. 1–2. 1908.
Clams—
  adulteration. See *Indexes, Notices of Judgment, in bound volumes and in separates published as supplements to Chemistry Service and Regulatory Announcements.*

Clams—Continued.
  bacteria content, comparison with oysters. Chem. Bul. 136, p. 17. 1911.
  broth, canning recipe. S.R.S. Doc. 80, p. 27. 1918.
  canned—
    misbranding. Chem. N.J. 13190. 1925.
    weight determination method. Chem. S.R.A. 14, p. 12. 1915.
    weights required. Chem. S.R.A. 1, pp. 1–2. 1914.
  canning recipe. S.R.S. Doc. 80, p. 27. 1918; S.R.S. Doc. 80, rev., pp. 29–30. 1919.
  chowder, canning recipe. S.R.S. Doc. 80, p. 28. 1918.
  interstate transportation, Amendment 5, to quarantine regulations, opinion 217. Chem. S.R.A., 20, pp. 60–61. 1918.
  little neck, misbranding. Chem. N.J. 1273, p. 1. 1912.
  preparation and shipment regulations. F.I.D. 110, pp. 1–2. 1909.
  production and value. Y.B. 1910. p. 371. 1911; Y.B. Sep. 544, p. 371. 1911.
  shells, composition and use in agriculture. F.B. 921, p. 5. 1918.
  See also Shellfish.
Clangula—
  clangula americana. See Golden-eye.
  hyemalis. See Old-squaw.
CLAPP, E. H.—
  "Cutting timber on the national forests and providing for a future supply." With Raphael Zon. Y.B., 1907, pp. 277–288. 1908; Y.B. Sep. 466, pp. 277–288. 1908.
  "Forest experiment stations." Sec. Cir. 183, pp. 134. 1921.
  "How the United States can meet its present and future pulpwood requirements." With Charles W. Boyce. D.B. 1241, pp. 100. 1924.
  "Timber depletion, lumber prices, lumber exports, and concentration of timber ownership." For. [Misc.], "Timber depletion * * *," pp. 71. 1920.
  "Timber: Mine or crop?" With others. Y.B. 1922. pp. 83–180. 1923. Y.B. Sep. 886, pp. 83–180. 1923.
Claret wine misbranding. Chem. N.J. 2088, pp. 2. 1913.
Clarification—
  apple juice—
    use of cream separator. Chem. Bul. 118, pp. 15–17. 1908.
    various methods. F.B. 1264, pp. 29–31, 37–38, 53. 1922.
  methods in sugar determination, comparison. J.A.R., vol. 28, pp. 481–483. 1924.
  sirup making. Chem. Bul. 93, pp. 56–57. 1905.
  unfermented fruit juices, studies. Joseph S. Caldwell. D.B. 1025, pp. 30. 1922.
Clarifier, machine for removing dirt from milk. D.B. 890, p. 7. 1920.
CLARK, C. C.—
  "Government crop reports: Their value, scope, and preparation." Stat. Cir. 17, pp. 16. 1908.
  report of acting chief, Bureau of Statistics. 1907. An. Rpts., 1907, pp. 629–644. 1908; Stat. Chief Rpt., 1907, pp. 20. 1907.
  report of acting chief, Bureau of Statistics. 1908. An. Rpts., 1908, pp. 703–712. 1909; Stat. Chief Rpt., 1908, pp. 12. 1908.
CLARK, C. F.—
  "Development of tubers in the potato." D.B. 958, pp. 27. 1921.
  "Potato culture under irrigation." With others. F.B. 953, pp. 24. 1918.
  "Preliminary report on sugar production from maize." B.P.I. Cir. 111, pp. 3–9. 1913.
  "Size of potato sets: Comparisons of whole and cut seed." With others. D.B. 1248, pp. 44. 1924.
  "Sterilities of wild and cultivated potatoes with reference to breeding from seed." With A. B. Stout. D.B. 1195, pp. 32. 1924.
CLARK, C. H.—
  "Experiments with flax on breaking." D.B. 883, pp. 29. 1920.
  "Seed-flax production." F.B. 785, pp. 20. 1917.

CLARK, EDMUND—
"Constants of the ether extracts of the cashew nut." With B. H. Smith. Chem. Bul. 137. pp. 137-138. 1911.
report on baking powders. Chem. Bul. 137, pp. 86-87. 1911.
"The estimation of minute amounts of arsenic in foods." With A. G. Woodman. Chem. Cir. 99, pp. 7. 1912.

CLARK, E. D.—
"Shipping fish three thousand miles to market." Y.B. 1915, pp. 155-158. 1916; Y.B. Sep. 665, pp. 155-158. 1916.
"Shrimp: Handling, transportation, and uses." With Leslie MacNaughton. D.B. 538, pp. 8. 1917.
"The commercial freezing and storing of fish." With Lloyd H. Almy. D.B. 635, pp. 9. 1918.

CLARK, J. A.—
"Australian wheat varieties on the Pacific Coast." With others. D.B. 877, pp. 25. 1920.
"Cereal experiments at Dickinson, N. Dak." D.B. 33, pp. 44. 1914.
"Classification of American wheat varieties." With others. D.B. 1074, pp. 238. 1922.
"Durum wheat." With Cecil Salmon. F.B. 534, pp. 16. 1913.
"Experiments with durum wheat." With Carleton R. Ball. D.B. 618, pp. 64. 1918.
"Experiments with Marquis wheat." With Carleton R. Ball. D.B. 400, pp. 40. 1916.
"Growing hard spring wheat." With Carleton R. Ball. F.B. 678, pp. 16. 1915.
"Improvement of Ghirka spring wheat in yield and quality." D.B. 450, pp. 20. 1916.
"Improvement of Kubanka durum wheat by pure-line selection." With others. D.B. 1192. pp. 13. 1923.
"Kanred wheat." With S. C. Salmon. D.C. 194, pp. 13. 1921.
"Kota wheat." With L. R. Waldron. D.C. 280, pp. 16. 1923.
"Marquis wheat." With Carleton R. Ball. F.B. 732, pp. 8. 1916.
"Milling and baking experiments with American wheat varieties." With J. H. Shollenberger. D.B. 1183, pp. 93. 1924.
"Segregation and correlated inheritance in crosses between Kota and hard federation wheats for rust and drought resistance." J.A.R., vol. 29, pp. 1-47. 1924.
"The club wheats." With John H. Martin. F.B. 1303, pp. 18. 1923.
"The common white wheats." With others. F.B. 1301, pp. 42. 1923.
"The durum wheats." With John H. Martin. F.B. 1304, pp. 16. 1923.
"The hard red spring wheats." With John H. Martin. F.B. 1281, pp. 28. 1922.
"The hard red winter wheats." With John H. Martin. F.B. 1280, pp. 10. 1922.
"Varietal experiments with hard red winter wheats in dry areas of the western United States." With John H. Martin. D.B. 1276, pp. 48. 1925.
"Varietal experiments with spring wheat on the northern Great Plains." With others. D.B. 878, pp. 48. 1920.
"Varieties of hard spring wheat." With Carleton R. Ball. F.B. 680, pp. 20. 1915.

CLARK, J. A.—
Report of Librarian—
1901. An. Rpts., 1901, pp. 171-173. 1901; Lib. A.R., 1901, pp. 3. 1901.
1902. An. Rpts., 1902, pp. 235-239. 1903; Lib. A.R., 1902, pp. 5. 1902.
1903. An. Rpts., 1903, pp. 455-459. 1903; Lib. A.R., 1903, pp. 5. 1903.
1904. An. Rpts., 1904, pp. 413-417. 1904; Lib. A.R., 1904, pp. 5. 1904.
1905. An. Rpts., 1905, pp. 419-422. 1905; Lib. A.R., 1905, pp. 4. 1905.
1906. An. Rpts., 1906, pp. 553-556. 1907; Lib. A.R., 1906, pp. 8. 1906.

CLARK, J. M.: "Potato culture near Greeley, Colorado." Y.B., 1904, pp. 311-322. 1905; Y.B. Sep. 349, pp. 311-322. 1905.

CLARK, V. L.: "Use of two indirect methods for the determination of the hygroscopic coefficients of soils." With F. J. Alway. J.A.R., vol. 7, pp. 345-359. 1916.

CLARK, W. B.—
general review of the beet-sugar industry in the United States. B.P.I. Bul. 260, pp. 15-30. 1912.
"The control of tomato leaf-spot." With F. J. Pritchard." B.P.I.C.T. and F.C.D. Cir. 4, pp. 4. 1918.

CLARK, W. E.—
Report of Governor of Alaska on game laws—
1910. Biol. Cir. 77, pp. 8. 1911.
1911. Biol. Cir. 85, pp. 12. 1912.
1912. Biol. Cir. 90, pp. 14. 1913.

CLARK, W. M.—
"A humidity regulator." B.A.I. Cir. 211, pp. 6. 1913.
"A substitute for litmus for use in milk cultures." With Herbert A. Lubs. J.A.R., vol. 10, pp. 105-111. 1917.
"A study of the gases of emmental cheese." B.A.I. Bul. 151, pp. 32. 1912.

CLARKE, I. D.—
"Home tanning." With others. D.C. 230, pp. 22. 1922.
"Home tanning of leather and small fur skins." With others. F.B. 1334, pp. 29. 1923.
"Wearing qualities of shoe leathers." With others. D.B. 1168, pp. 25. 1923.

CLARKE, J. D., remarks on evolution of the Clarke-McNary bill. M.C 39, pp. 72-73. 1925.

CLARKE, W. T.—
"Irrigations systems on Stony Creek, Calif." With C. W. Landis. O.E.S. Bul. 133; pp. 151-164. 1903.
"Relations of state directors and local managers." O.E.S. Bul. 251, pp. 56-57. 1912.

Clarkia, description, cultivation, and characteristics. F.B. 1171, pp. 32, 80. 1921.
Clarksville silt loam, soils of eastern United States and their use. Jay A. Bonsteel. Soils Cir. 30, pp. 15. 1911.
Class government, relation to United States. Sec. Cir. 130, p. 17. 1919; Sec. Cir. 133, p. 15. 1919.
Classification—
act, application to field service. Off. Rec., vol. 3, No. 14, p. 5. 1924.
act, relation to compensation. Off. Rec., vol. 3, No. 9, p. 1. 1924.
Board, functions. Off. Rec., vol. 3, No. 21. p. 2. 1924.
extension work accounts. D.C. 251, pp. 47-51. 1925.
livestock exhibits at county fairs. F.B. 822, pp. 8-12. 1917.
work personnel. An. Rpts., 1923, p. 81. 1924; Sec. A.R., 1923, p. 81. 1923.

Classifiers—
cotton, regulations. Sec. Cir. 143 pp. 18-23. 1919.
license issuance and revocation, conditions. News L., vol. 4, No. 3, p. 2. 1916.

Clastersporium—
diffusum, description, synonym of *Cercospora fusca*. J.A.R., vol. 1, pp. 317-318. 1914.
spp., occurrence on plants, Texas, and description. B.P.I. Bul. 226, p. 76. 1912.

Clastoptera obtusa, enemy of mistletoe of western yellow pine. D.B. 1112, p. 34. 1922.
Clathrocystis roseo-persicina, reference. Chem. Bul. 133, p. 40. 1911.
Claudopus nidulans, description. D.B. 175, pp. 26-27. 1915.

Clausena lansium—
susceptibility to citrus canker. J.A.R., vol. 15, pp. 662, 664, 665. 1919.
See also Wampee.

Clavaria pistillaris, description. D.B. 175, p. 46. 1915.

Clavariaceae—
classification, key to genera, and description of species. D.B. 175, p. 46. 1915.
See also Coral fungi.

Claviceps—
paspali, cause of forage poisoning. S.R.S. Rpt. 1915, Pt. I, pp. 58, 160. 1917.
paspali, life history and poisonous properties. J.A.R., vol. 7, pp. 401-406. 1916.
purpurea. *See* Ergot.

Clavicorns, insects affecting cereals. Ent. Bul. 96, pt. 1, p. 3. 1911.

Clavija ornata, importation and description. No. 34122, B.P.I. Inv. 32, p. 12. 1914.

CLAWSON, A. B.—
"Astragalus tetrapterus, a new poisonous plant of Utah and Nevada." With C. Dwight Marsh. D.C. 81, pp. 7. 1920.
"Cicuta (waterhemlock) as a poisonous plant." With others. B.A.I. Doc. A.-15, pp. 4. 1917.
"Cicuta, or water hemlock." With others. D.B. 69, pp. 27. 1914.
"Cockleburs (species of Xanthium) as poisonous plants." With others. D. B. 1274, pp. 24. 1924.
"Daubentonia longifolia (coffee bean), a poisonous plant." With C. Dwight Marsh. J.A.R., vol. 20, pp. 507–514. 1920.
"Eupatorium urticaefolium as a poisonous plant." With C. Dwight March. J.A.R., vol. 11, pp. 699–716. 1917.
"Greasewood as a poisonous plant." With others. D.C. 279, pp. 4. 1923.
"Larkspur, or poison weed." With others. F.B. 531, pp. 15. 1913; F.B. 988, pp. 15. 1918.
"Larkspur poisoning of livestock." With others. D.B. 365, pp. 91. 1916.
"Livestock poisoning by cocklebur." With others. D.C. 283, pp. 4. 1923.
"Lupines as poisonous plants." With others. D.B. 405, pp. 45. 1916.
"Notes on larkspur eradication on stock ranges." With C. Dwight Marsh. B.A.I. Doc. A–34, pp. 6. 1918.
"Oak-leaf poisoning of domestic animals." With others. D. B. 769, pp. 36. 1919.
"Poisonous properties of the whorled milkweeds Asclepias pumila and A. verticillata var. geyeri." With C. Dwight Marsh. D.B. 942, pp. 14. 1921.
"Stagger grass (Chrosperma muscaetoxicum) as a poisonous plant." With others. D.B. 710, pp. 15. 1918.
"The death camas species, Zygadenus paniculatus and Z. elegans, as poisonous plants." With C. Dwight Marsh. D.B. 1012, pp. 25. 1922.
"The meadow death camas (Zygadenus venenosus) as a poisonous plant." With C. Dwight Marsh. D.B. 1240, pp. 14. 1924.
"The Mexican whorled milkweed (Asclepias mexicana) as a poisonous plant." With C. Dwight Marsh. D.B. 969, pp. 16. 1921.
"The stock-poisoning death camas." With C. Dwight Marsh. F.B. 1273, pp. 11. 1922.
"The whorled milkweed (Asclepias galioides) as a poisonous plant." With others. D.B. 800, pp. 40. 1920.
"The wooly-pod milkweed (Asclepias eriocarpa) as a poisonous plant." With C. Dwight Marsh. D.B. 1212, pp. 14. 1924.
"Western sneezeweed (Helenium hoopesii) as a poisonous plant." With others. D.B. 947, pp. 46. 1921.
"White snakeroot or richweed as a stock-poisoning plant." With C. Dwight Marsh. B.A.I. Doc. A–26, pp. 7. 1918.
"Wooly-pod milkweed, a dangerous stock-poisoning plant." With C.D. Marsh. D.C. 272, pp. 4. 1923.
"Zygadenus, or death camas." With others. D.B. 125, pp. 46. 1915.

Clay(s)—
absorption power. Chem. Bul. 92, pp. 16–22. 1905.
building material, consumption in United States, 1895–1915. Rpt. 117, pp. 16–18, 27. 1917.
Cecil, soils of the eastern United States and their use—VI. Jay A. Bonsteel. Soils Cir. 28, pp. 16. 1911.
chemical composition, comparison of colors. Soils Bul. 97, pp. 22–23. 1911.
colloidal—
investigations. D.B. 1193, pp. 3–7. 1924.
report on, as emulsifiers for mineral oils used in spraying citrus groves. W. W. Yothers and John R. Winston. J.A.R., vol. 31, pp. 59–65. 1925.
filtration from soil solutions, and capillary studies. Lyman J. Briggs and Macy H. Lapham. Soils Bul. 19, pp. 40. 1902.
formation, colloid theory. Chem. Bul. 92, pp. 12–16, 22. 1905.
loads per mile in construction of sand clay roads. F.B. 311, p. 13. 1907.

Clay(s)—Continued.
loam soils—
glacial and loessial province, description and uses. Soils Bul. 78, pp. 117–118. 1911.
suitable for grass, location in different States. F.B. 494, p. 20. 1912.
modeling, use in determining wilting coefficient. B.P.I. Bul. 230, p. 14. 1912.
moisture—
movement, relation to temperature, studies. J.A.R. vol. 5, No. 4, pp. 145–147, 157, 166–168. 1915.
relations. Rds. Bul. 28, p. 8. 1907.
origin, physical properties. F.B. 311, pp. 6–7. 1907.
puddled, use for reservoir lining. O.E.S. Bul. 249, pt. I, p. 61. 1912.
puddling for use in earth-fill dams, methods. O.E.S. Bul. 249, Pt. I, pp. 18, 25, 26. 1912.
red, Porto Rican, description, experiments, requirements. P. R. Bul. 14, pp. 5–19, 22–23. 1914.
road-building value. D.B. 724, p. 2. 1919.
roads. See Roads.
sand, road experiments, Kansas, 1908, cost and results. Rds. Cir. 90, pp. 15–19. 1909.
soil(s)—
adaptability to lawns, analyses, etc., grasses suitable. Soils Bul. 75, pp. 14–16. 1911.
condition with salts on dried blood. J.A.R. vol. 13, pp. 216–222. 1918.
groups, coastal plains, description, uses. Soils Bul. 78, pp. 93–96. 1911.
lack of oxygen and excess of water. Y.B., 1901, pp. 158–159. 1902.
Limestone Valley and Uplands, area and uses. Soils Bul. 78, pp. 178–179. 1911.
management, drainage, crops, and fertilizers. D.B. 355, pp. 71–74. 1916.
Piedmont Plateau, area, description, and uses. Soils Bul. 78, pp. 78, 90. 1911.
Porto Rico, composition, table. P. R. Bul. 13, pp. 14–19. 1913.
river flood plains, description, area and uses. Soils Bul. 78, pp. 244–250. 1911.
suitable for grass, location in different States. F.B. 494, p. 20. 1912.
uncultivated, soluble salts. J.A.R., vol. 10, pp. 341–342. 1917.
unsuited to hydraulic fill construction. O.E.S. Bul. 249, Pt. I, p. 69. 1912.
useful properties. Allerton S. Cushman. Chem. Cir. 17, pp. 12. 1904.
vitrified, pipes for culverts, dimensions, weight, and cost. Rds. Bul. 45, pp. 9–10. 1913.
white china, absorption power, composition. Chem. Bul. 92, pp. 18, 20. 1905.
with sand, use in road preservation, experiments, cost. Rds. Cir. 94, pp. 54–55. 1911.
See also Soils.
CLAYTON, H. D., speech on migratory bird law provisions. D.C. 182, pp. 1–3. 1921.
Clayton Act—
amendment to United States antitrust laws. D.B. 547, pp. 77–78. 1917.
antitrust, sec. 6, provisions, and application to farmers' associations. D.B. 541, pp. 3–5. 1918.
restraint of trade, provisions and court decisions. D.B. 1106, pp. 37–39, 40–41. 1922.
Clayton gas. See Sulphur dioxide.
Clayweed. See Coltsfoot.
Cleaners—
electrolytic, description and principle of method. D.B. 449, pp. 3–4. 1916.
thrasher, care and repair. F.B. 1036, p. 9. 1919.
Cleaning—
closet, for farm home utensils, description and use. F.B. 927, pp. 31–32. 1918.
floor coverings, equipment, methods. F.B. 1219, pp. 27–30, 34–35. 1921.
garden plot after the tomato crop, directions. D.C. 27, p. 15. 1919.
house,—
floors, walls, woodwork, glass, etc., hints. Thrift Leaf. No. 4, pp. 1–4. 1919.
helps and methods. Sarah J. MacLeod. F.B. 1180, pp. 31. 1921.
milking machines. L. H. Burgwald. J.A.R. vol. 31, pp. 191–195. 1925.

Cleaning—Continued.
  seed, directions. F.B. 1232, pp. 6-7. 1921.
  special, means of saving materials and money. Thrift Leaf. 8, pp. 4. 1919.
  utensil, various minor kinds, for farm home, description and use methods. F.B. 927, p. 32. 1918.
Cleanliness—
  importance in—
    care of growing chicks. D.C. 17, p. 4. 1919.
    feeding calves. Sec. [Misc.] Spec., "Feeding and care * * *," pp. 3-4. 1914.
    poultry club work. D.C. 16, p. 8. 1919.
  in poultry keeping, principles. Y.B., 1911, pp. 177-192. 1912; Y.B. Sep. 559, pp. 177-192. 1912.
Clear Lake Reservoir bird reservation, establishment. An. Rpts., 1911, p. 542. 1912; Biol. Chief Rpt., 1911, p. 12. 1911.
Clearing—
  brush land, value of elk, goats, and deer. F.B. 330, pp. 10, 16. 1908.
  forest land, in Washington, Stevens County, cost. Soil Sur. Adv. Sh., 1913, p. 26. 1915; Soils F.O., 1913, p. 2184. 1916.
  forest trails, directions. For. [Misc.], 0-6, pp. 24-25. 1915.
  land. Earl D. Strait. F.B. 974, pp. 30. 1918.
  land—
    after drainage, costliness, need of cooperation. Y.B., 1918, pp. 140-144. 1919; Y.B. Sep. 781, pp. 6-10. 1919.
    Angora goat. use and value. F.B. 573, pp. 2, 4, 6. 1914.
    cause of soil blowing. Soils Bul. 68, pp. 168-171. 1911.
    contracts on leased farms. D.B. 650, p. 15. 1918.
    cost—
      in California, Ukiah area. Soil Sur. Adv. Sh., 1914, p. 18. 1916; Soils F.O., 1914, p. 2642. 1919.
      in Florida, Putnam County. Soil Sur. Adv. Sh., 1914, p. 39. 1916; Soils F.O., 1914, p. 1031. 1919.
      in Great Lakes States. D.B. 1295, pp. 6-10. 1925.
      in New Mexico. O.E.S. Bul. 215, p. 38. 1909.
      in Southwest Texas, reconnoissance. Soil Sur. Adv. Sh., 1911, p. 40. 1912; Soils F.O., 1911, p. 1208. 1914.
      in Washington. O.E.S. Bul. 214, pp. 58-59. 1909.
      per acre, Texas. O.E.S. Bul. 222, pp. 83-84. 1910.
    directions in coffee planting. P.R. Cir. 15, pp. 13-16. 1912.
    for—
      alfalfa irrigation, cost, implements. F.B. 373, pp. 10-12. 1909.
      citrus groves, suggestions. F.B. 542, p. 5. 1913.
      control of spotted fever ticks. Ent. Bul. 105, pp. 18, 44. 1911.
      irrigated orchards, methods and cost. F.B. 404, pp. 9-10. 1910.
      irrigation and grading, costs. F.B. 864, pp. 16-17, 20-21. 1917.
      olive planting in northern Africa. B.P.I. Bul. 125, pp. 21-22. 1908.
      orchards, cost. D.B. 29, pp. 6-7. 1913.
      pecan planting, cost. B.P.I. Cir. 112, p. 5. 1913.
    in Alaska—
      Kenai Peninsula region. Soil Sur. Adv. Sh., 1916, pp. 111-113. 1919; Soils F.O., 1916, pp. 143-145. 1921.
      labor requirements. Alaska A.R., 1919, pp. 46, 65. 1920.
      methods and cost. Alaska A.R., 1909, pp. 17-19. 1910; Alaska A.R., 1914, pp. 29, 35, 51, 55. 1915; Alaska Bul. 1, pp. 8-10. 1902; Alaska Cir. 1, pp. 10, 26. 1916; Soil Sur. Adv. Sh., 1914, pp. 92, 168. 1915; Soils F.O., 1914, pp. 126-127, 202-203. 1919.
    in Georgia, Colquitt county, methods and cost. Soil Sur. Adv. Sh., 1914, pp. 10, 37. 1915; Soils F.O., 1914, p. 966. 1919.
    in Hawaii—
      1912. Hawaii A.R., 1912, pp. 79, 86. 1913.
      1915, methods and costs, experiments. Hawaii A.R., 1915, p. 48. 1916.

Clearing—Continued.
  land—continued.
    in Maine Caribou area, method and cost. Soil Sur. Adv. Sh., p. 14. 1910; Soils F.O., 1908, p. 44. 1911.
    in western Washington—
      cost and methods. Harry Thompson. B.P.I. Bul. 239, pp. 60. 1912.
      stumping practices. D.B. 1236, pp. 5-8, 22. 1924.
    of stumps, on cut-over lands, methods and cost. D.B. 425, pp. 13, 21, 23. 1916.
    rate per annum in Lakes region. D.B. 1295, p. 29. 1925.
    use of—
      goats. B.A.I. An. Rpt., 1900, pp. 298-308. 1901; B.A.I. An. Rpt., 1901, pp. 459-464. 1902; B.A.I. Bul. 27, pp. 41-46. 1901; F.B. 137, pp. 12-17. 1901; F.B. 150, p. 7. 1902.
      pyrotol. Off. Rec. vol. 3, No. 36, p. 3. 1924.
      T. N. T. Work and Exp., 1919, p. 84. 1921.
    logged-off land, and utilization, studies. B.P.I. Bul. 259, p. 55. 1912.
    muck land, cost in Indiana and Michigan. F.B. 761, p. 22. 1916.
    new land. Franklin Williams, jr. F.B. 150, pp. 24. 1902.
    new land, Gulf Coast region, methods and cost. Soils Cir. 43, pp. 8-9. 1911.
    rights of way to logging railroads. D.B. 711, pp. 184-185. 1918.
    sandy—
      jack-pine lands. F.B. 323, pp. 8-9, 24. 1908.
      land and seeding to crops. B.P.I. Cir. 60, pp. 11-13. 1910.
    swamp lands, cost and cooperation. News L., vol. 6, No. 41, pp. 6-7. 1919.
Clearo, temperance drink, misbranding. Chem. N.J. 1500, p. 1. 1912.
Cleavers, seeds, description. F.B. 428, pp. 27, 28. 1911; F.B. 515, p. 26. 1912.
Clematis—
  diseases, stem-rot and leaf-spot, cause and control. J.A.R., vol. 4, pp. 331-342. 1915.
  flammula, probable aecial host of *Puccinia triticina*. J. A. R., vol. 22; pp. 153-172. 1921.
  grewiaeflora, importation and description No. 55677, B.P.I. Inv. 72, pp. 3, 17. 1924.
  heracleafolia importation and description. No. 35127, B.P.I. Inv. 34, p. 44. 1915.
  importations and description. No. 37640, B.P.I. Inv. 38, p. 90. 1917; Nos. 38818, 39007, 39027, B.P.I. Inv. 40, pp. 32, 56, 60. 1917; Nos. 40569, 40570, 40704, 40844, B.P.I. Inv. 43, pp. 8, 47, 69, 90. 1918; Nos. 42686-42688, B.P.I. Inv. 47, pp. 7, 52. 1920; No. 47659, B.P.I. Inv. 59, p. 43. 1922; Nos. 48265, 48307. B.P.I. Inv. 60, pp. 63, 69. 1922; Nos. 49809, 49810, 49934-49938, 50336-50337, 50391, B.P.I. Inv. 63, pp. 7, 22, 58, 61. 1923; Nos. 52337, 52630-52631, 52676, B.P.I. Inv. 66, pp. 5, 12, 53, 58. 1923; Nos. 52934, 53040-53043, 53096, 53137-53141, 53650-53665, B.P.I. Inv. 67, pp. 3, 16, 23, 27, 31, 73-74. 1923.
  injury by sulphur spray and dusting. J.A.R., vol. 4, pp. 337-338. 1915.
  integrifolia, importation, and description. No. 32239, B.P.I. Bul. 261, p. 46. 1912.
  montana, Chinese variety, importation, description. No. 35178, B.P.I. Inv. 35, p. 18. 1915.
  rot disease, control. S.R.S. Rpt., 1916, Pt. I, p. 206. 1918.
  spp., resistance to teliospores of *Puccinia triticina*. J.A.R., vol., 22, pp. 155-172. 1921.
  tangutica, importation, description. No. 43833. B.P.I. Inv. 49, p. 84. 1921.
  vitalba, probable aecial host of *Puccinia triticina*. J. A. R., vol. 22, pp. 153-172. 1921.
CLEMENT, C. E.—
  "City milk plants: Construction and arrangement." With Ernest Kelly. D.B. 849, pp. 35. 1920.
  "Effect of various factors on the creaming ability of market milk." With others. D.B. 1344, pp. 24. 1925.
  "Milk plant equipment". With Ernest Kelly. D. B. 890, pp. 42. 1920.
  "Milk plant operation." D.B. 973, pp. 46. 1923.
  "Producers' cooperative milk-distributing plants." With others. D.B. 1095, pp. 44. 1922.

CLEMENT, C. E.—Continued.
"The market milk business of Detroit, Mich., in 1915." With Gustav P. Warber. D.B. 639, pp. 28. 1918.
CLEMENTS, F. E.: "The life history of lodgepole burn forests." For. Bul. 79, pp. 55. 1910.
CLEMENT, G. E.—
"Control of the gipsy moth by forest management." With Willis Munro. D.B. 484, pp. 54. 1917.
"Some timely suggestions for the owners of woodlots in New England." With F. H. Mosher. Ent. [Misc.], "Some timely suggestions * * *," pp. 8. 1917.
"The gypsy moth in woods." D.B. 484, Pt. I, pp. 1-16. 1917.
CLEMMER, P. W.—
"The four essential factors in the production of milk of low bacterial content." With others. D.B. 642, pp. 61. 1918.
"The significance of the colon count in raw milk." With S. Henry Ayers. D.B. 739, pp. 35. 1918.
"The sporogenes test as an index of the contamination of milk." With S. Henry Ayers. D.B. 940, pp. 20. 1921.
Clemson College, study of cotton farms. Off. Rec., vol. 2, No. 35, p. 3. 1923.
Cleome sp., importation and description. No. 44818, B.P.I. Inv. 51, p. 73. 1922.
Cleome spinosa, description, cultivation, and characteristics. F.B. 1171, pp. 31, 83. 1921.
Cleonus quadrilineatus—
insect enemy of white loco weed. F.B. 380, p. 16. 1909.
insect injurious to loco weed. B.A.I. Bul. 112, p. 107. 1909.
See also Loco, weevil, four-lined.
Cleora pampinaria. *See* Cranberry spanworm.
Clerical—
mechanical service, grades and compensation. Off. Rec., vol. 2, No. 13, pp. 6-7. 1923.
service, grades and compensation. Off. Rec. vol. 2, No. 13, pp. 5-6. 1923.
Cleridae—
enemies of boll weevil, list. Ent. Bul. 100, pp. 12, 41. 1912.
spp. beneficial in control of powder post beetle. F.B. 778, p. 17. 1917.
Clerks, civil service classification. Off. Rec., vol. 3, No. 44, p. 4. 1924.
Clerks, detail to Civil Service Commission, forbidden. Sol. [Misc.], "Laws applicable * * * Agriculture." 3rd Sup., p. 57. 1915.
Clerodendrum—
cyrtophyllum, importation and description. No. 43021, B.P.I. Inv. 48, p. 10. 1921.
indicum, importation and description. No. 43652, B.P.I. Inv. 49, p. 56. 1921; No. 47660, B.P.I. Inv. 59, p. 43. 1922.
infortunatum, importation and description. No. 53571, B.P.I. Inv. 67, p. 63. 1923.
Clerus formicarius, destruction of beetles. Ent. Bul. 83, Pt. I, p. 26. 1909.
Clethra—
barbinervis, importation and description. No. 40066, B.P.I. Inv. 42, pp. 63-64. 1918.
barbinervis. *See also* Alder, white.
honey source, value. Ent. Bul. 75, pp. 92, 93, 94. 1911.
CLEVELAND, TREADWELL, Jr.—
"A primer of conservation." For. Cir. 157, pp. 24. 1908.
"The status of forestry in the United States." For. Cir. 167, pp. 39. 1909.
"What forestry has done." For. Cir. 140, pp. 31. 1908.
Cleveland—
market station, lines of work. Y.B., 1919, pp. 96, 101. 1920; Y.B. Sep. 797, pp. 96, 101. 1920.
market statistics for livestock, 1910-1920. D.B. 982, pp. 21 56, 89. 1921.
milk supply, statistics, officials, prices. B.A.I. Bul. 46, pp. 28, 137. 1903.
potato market, preferences. F.B. 1317, p. 30. 1923.
trade center for farm products, statistics. Rpt. 98, pp. 287-290, 294, 308, 316, 332, 335, 344, 350, 355, 370, 375, 384. 1913.

Cleveland National Forest, California—
description, area, timber stand. D.C. 185, p. 21. 1921.
map. For. Maps. 1924.
map and directions to tourists and campers. For. Map Fold. 1915.
CLEVENGER, C. B.: "Soil survey of Jackson County, Wisconsin." With others. Soil Sur. Adv. Sh., 1918, pp. 44. 1922; Soils F.O., 1918, pp. 941-980. 1924.
CLEVENGER, J. F.: "Studies in mustard seeds and substitutes: I. Chinese Colza (*Brassica campestris chinoleifera* Viehoever)." With others. J.A.R., vol. 20, pp. 117-140. 1920.
Clewbug. *See* Curlew bug.
Clianthus puniceus. *See* Parrott's-bill.
Click, beetles—
description and habits, parents of corn-and-cotton wireworm. F.B. 733, pp. 2, 4, 5. 1916.
relation to wireworms. F. B. 725, p. 2. 1916.
Cliff dwellings—
ruins, description, illustrations, and books. M.C. 5, pp. 18. 1923.
Tonto National Forest, Arizona. D.C. 318, p. 17. 1924.
Climacteris leucophoea. *See* Creeper, white-throated.
Climate—
adaptation to apple growing. F.B. 1360, pp. 5-6. 1924.
and man. W. M. Wilson. W.B. Bul. 104, pp. 104-107. 1902.
and plant growth in certain vegetative associations. Arthur W. Sampson. D.B. 700, pp. 72. 1918.
and rainfall, Western Oregon. O.E.S. Bul. 226, pp. 12, 15, 18, 19-27, 34-37. 1910.
and soil—
effect on forest types of central Rocky Mountains. Carlos G. Bates. D.B. 1233, pp. 152. 1924.
influence on composition of sugar beet, 1901. Harvey W. Wiley. Chem. Bul. 74, pp. 42. 1903.
of Philippine Islands. Y.B., 1901, p. 519. 1902.
and thought. E. C. Easton. W.B. Bul. 31, pp. 111-115. 1902.
and vegetation. Charles E. Linney. W.B. Bul. 31, pp. 98-104. 1902.
Angora goat requirements. B.A.I. Bul. 27, pp. 63-64. 1901.
barley-growing requirements. F.B. 1464, pp. 2-3. 1925.
cause of farm abandonment. Rpt. 70, pp. 8-10. 1901.
changes, so-called, in the semiarid West. Richard H. Sullivan. Y.B., 1908, pp. 289-300. 1909; Y.B. Sep. 481, pp. 289-300. 1909.
chaparral regions, Southern California. For. Bul. 85, pp. 13-14. 1911.
charts of U. S. W.B. [Misc.], "Climatic charts of U. S.," pp. 53. 1904.
coastal plain records and discussion. B.P.I. Bul. 194, pp. 11-16. 1911.
conditions making semiarid regions, description. B.P.I. [Misc.], "Field instructions, Texas and Oklahoma," pp. 1-3. 1913.
contributory causes of forest fires. For. Bul. 117, pp. 12-22. 1912.
Cotton Belt. Atl. Am. Agr., Pt. V, sec. A., pp. 9-10. 1919.
cotton-growing sections, general conditions. D.B. 896, p. 5. 1920.
cypress requirements. D.B. 272, pp. 34, 64, 65, 66. 1915.
description and record for various States, counties, and areas. *See* Soil Surveys.
determination by tree growth. Off. Rec., vol. 3, No. 42, p. 5. 1924.
dry, effect on soil fertility. Y.B., 1907, pp. 454-455. 1908; Y.B. Sep. 461, pp. 454-455. 1908.
dry farm areas of the far West, data. D.B. 1173, pp. 7-11. 1923.
eastern part of United States, notes from 23 stations. D.B. 823, p. 7. 1920.
effect on—
beet-sugar industry. Rpt. 80, pp. 97-100, 168-170. 1905.

INDEX TO PUBLICATIONS, 1901–1925   481

Climate—Continued.
 effect on—continued.
  composition of potato tubers, skins, and sprouts. J.A.R., vol. 20, pp. 632–634. 1921.
  composition of wheat. Chem. Bul. 128, pp. 8–9, 14–15, 18. 1910.
  hydrocyanic-acid content of sorghum. J.A.R., vol. 6, No. 7, pp. 261–272. 1916.
  labor demand in wheat harvest. D.B. 1230, pp. 14–21. 1924.
  Minnesota farm products, 1902–1907. Stat. Bul. 73, pp. 12–14. 1909.
  fur of animals. B.A.I. Bul. 27, pp. 13–14. 1906.
  potato growing. D.B. 47, pp. 5, 12. 1913.
  properties of the soil, experiments. J.A.R., vol. 25, pp. 13–30. 1923.
  ripening of sweet corn. J.A.R. vol. 20, pp. 795–805. 1921.
  stable-fly control. F.B. 1097, pp. 13–14. 1920.
  tobacco quality. Y.B., 1922, pp. 398, 419–420. 1923; Y.B. Sep. 885, pp. 398, 419–420. 1923.
 factor in forest fires. D.C. 243, pp. 33–37, 74. 1923.
 forest, by national subregions. J.A.R., vol. 30; p. 698. 1925.
 forest-denuded portion of Upper Lake region. Willis L. Moore. Y.B., 1902, pp. 125–132. 1903; Y.B. Sep. 269, pp. 125–132. 1903.
 frost and the growing season. Wm. Gardner Reed. Atl. Am. Agr. Adv. Sh., Pt. II, sec. 1, pp. 29–40. 1920.
 goat raising requirements. B.A.I. An. Rpt., 1904, pp. 327–328. 1905.
 influence on—
  Angora-goat raising. B.A.I. Bul. 27, pp. 63–64. 1906.
  animal life. R. H. Dean. W.B. Bul. 31, pp. 107–110. 1902.
  boll-weevil control. Ent. Bul. 114, pp. 120–132. 1912.
  corn production and yield. Y.B., 1921, pp. 103, 181–183. 1922; Y.B. Sep. 873, p. 103. 1922; Y.B. Sep. 872, pp. 181–183. 1922.
  sugar-beet production, discussion. D.B. 995, pp. 10–13. 1921.
  tolerance of shade by trees. For. Bul. 92, p. 14. 1911.
  wheat characteristics, studies. J.A.R., vol. 1, pp. 275–291. 1914.
  yield of crops. Soils Bul. 22, pp. 47–50. 1903.
 lily growing, Madonna lily. D.B. 1331, p. 11. 1925.
 limitations of arid land uses. D.B. 1001, p. 4. 1922.
 man's influence, insignificance. Y.B. 1908, pp. 290–292. 1909; Y.B. Sep. 481, pp. 290–292. 1909.
 of—
  Alaska—
   conditions, 1911. Alaska A.R., 1911, pp. 33–34, 46–47, 55–59, 65, 76–84. 1912.
   conditions, 1912, and records. Alaska A.R., 1912, pp. 29, 34, 46–47, 57–58, 72–74, 89–96. 1913.
   conditions, 1916. Alaska A.R., 1916, pp. 38–40, 53–54, 81–91. 1918.
   conditions, 1917, in various locations. Alaska A.R., 1917, pp. 5, 34–35, 59–61, 72, 90–96. 1919.
   conditions, 1918, at the experiment stations, and weather reports, 1918. Alaska A.R., 1918, pp. 7, 10, 13, 17, 33, 55, 71, 85, 93–104. 1920.
   description. Alaska Cir. 1, rev., pp. 2–4. 1923; Alaska Cir. 1, pp. 5–8. 1916; For Bul. 81, pp. 12–13. 1910; Alaska Bul. 2, pp. 9–14. 1905.
   notes and tables. Alaska A.R., 1908, pp. 8, 32, 48, 59, 72–80. 1909.
   relation to reindeer grazing. D.B. 1089, p. 27. 1922.
   southern, comparison with Washington, D. C. D.B. 50, pp. 4, 29–30. 1914.
   southern, influence on desirability of locality for homes. B.P.I. Bul. 82; pp. 26–27. 1905.
   weather conditions, 1921. Alaska A.R., 1921, pp. 7, 16, 23, 33, 44, 49–58. 1923.
   weather reports, 1922. Alaska A.R., 1922, pp. 16–25. 1923.

Climate—Continued.
 of—continued.
  Algeria, temperature of several regions. B.P.I. Bul. 80, pp. 18–29. 1905.
  Argentina. Rpt., 75, pp. 10–16. 1903.
  Arizona—
   and California, rainfall, temperature, and humidity. B.P.I. Bul. 192, pp. 11, 19–20, 32, 36, 38. 1911.
   Louisiana and Texas comparisons, relations to boll weevil. J.A.R., vol. 1, pp. 94–95. 1913.
   various water-sheds. O.E.S. Bul. 235, pp. 15–17. 1911.
   Yuma reclamation project, records, 1910–1918. D.C. 75, pp. 10–13. 1920.
  Athabaska-Mackenzie region. N.A. Fauna 27, pp. 16–49. 1908.
  Baltimore, diurnal periodicities. Oliver L. Fassig. W.B. [Misc.], "Proceedings, third convention * * *," pp. 113–132. 1904.
  Belle Fourche Experiment Farm—
   1908–1919. D.B. 1039, pp. 5–11. 1922.
   1916. W.I.A. Cir. 14, pp. 3–4. 1917.
  bluegrass region, description. D.B. 482, pp. 8–9. 1917.
  Colorado—
   Akron Field Station, discussion. D.B. 1304, pp. 2–9. 1925.
   description. O.E.S. Bul. 218, pp. 9–12. 1910.
   sugar-beet districts. D.B. 917, pp. 4–6. 1921.
   Cotton Belt, variations. Y.B., 1921, pp. 341–343. 1922; Y.B. Sep. 877, pp. 341–343. 1922.
  Egypt, Nile Valley, relation to date growing. D.B. 271, pp. 2–16. 1915.
  Florida, comparison with other eucalyptus-growing countries and States. For. Bul. 87, pp. 8–11. 1911.
  Great Basin. D.B. 1340, p. 6. 1925.
  Great Lake States, remarks. D.B. 1295, p. 10. 1925.
  Great Plains—
   area. D.B. 268, pp. 3–5. 1915.
   area, general condition and data. D.B. 595, pp. 3–7. 1917.
   semiarid region. B.P.I. Bul. 215, pp. 10–17. 1911.
  Guam, relation to production. Guam Bul. 3, pp. 1–2. 1922.
  Guam, weather observations, 1921. Guam A.R., 1921, pp. 41–43. 1923.
  Guatemala, distinct zones, and relations, to avocado growing. D.B. 743, pp. 6–8, 26–32. 1919.
  Idaho, Payette Valley, relation to apple growing. D.B. 636, pp. 7–8. 1918.
  Idaho, weather conditions, 1910–1913. D.B. 339, pp. 6–9. 1916.
  Kansas sand-hills. For. Bul. 121, pp. 11–15. 1913.
  Kansas, western, and adjacent regions. For. Cir. 161, pp. 8–10. 1909.
  Middle West, factor in road building. Rds. Cir. 91, pp. 13–14. 1910.
  Missouri, Ozark region, rainfall and drought. D.B. 941, pp. 8–11. 1921.
  Montana, Huntley Experiment Farm—
   1911, 1912. B.P.I. Cir. 121, pp. 21–22. 1913.
   1911–1915. W.I.A. Cir. 8, pp. 2–3. 1916.
   1915. W. I. A. Cir. 2, pp. 2–3. 1915.
   1916. W.I.A. Cir. 15, pp. 2–3. 1917.
   1925. D.C. 330, pp. 2–3. 1925.
  Nebraska—
   North Platte Reclamation Project. D.C. 173, pp. 5–6. 1921.
   sand-hills. For. Bul. 121, pp. 11–15. 1913.
   Scottsbluff Experiment Farm, 1911, 1912. B.P.I. Cir. 116, pp. 11–13. 1913.
   Scottsbluff, Experiment Farm, 1911–1915. W.I.A. Cir. 11, pp. 1–3. 1916.
  Nevada—
   Newlands Reclamation Project. D.C. 80, pp. 5–8. 1920.
   Newlands, weather conditions. D.C. 136, pp. 5–7. 1920.
   Truckee-Carson Experiment Farm. B.P.I. Bul. 157, pp. 9–10. 1909.

Climate—Continued.
of—continued.
Nevada—Continued.
Truckee-Carson Experiment Farm, 1906–1912. B.P.I. Cir. 122, pp. 15–16. 1913.
Truckee-Carson Experiment Farm, 1914. W.I.A. Cir. 3, pp. 1–3. 1915.
Truckee-Carson, Experiment Farm, 1906–1915. W.I.A. Cir. 13, pp. 2–4. 1916.
New Mexico. O.E.S. Bul. 215, pp. 9–10. 1909.
Northern Great Plains, records. D.B. 883, pp. 5–7. 1920; D.B. 1244, pp. 3–10. 1924; D.B. 1301, pp. 2–5. 1925; D.C. 58, pp. 3–4. 1919.
Ohio, relation to tobacco growing. Soils Bul. 29, pp. 8–10. 1905.
Oklahoma—
precipitation, humidity, wind, temperature, and evaporation. D.B. 1175, pp. 3–12, 13. 1923.
Woodward Field Station, 1908–1918. D.B. 836, pp. 3–10. 1920.
Woodward Field Station, 1923. D.B. 1175, pp. 3–12. 1923.
Oregon—
temperature variations. O.E.S. Bul. 209, pp. 9–12. 1909.
Umatilla Experiment Farm. W.I.A. Cir. 1, pp. 2–3. 1915.
Umatilla Reclamation Project, conditions, 1912–1918. D.C. 110, pp. 6–8. 1920.
Wallowa National Forest, various elevations. J.A.R., vol. 3, pp. 98–100. 1914.
Ozark region, description. B.P.I. Bul. 275, pp. 16–20. 1913.
Sahara Desert, Souf region. B.P.I. Bul. 86, pp. 13–16. 1905.
San Francisco. Alexander G. McAdie. W.B. Bul. 44, pp. 33. 1913.
South Dakota, Belle Fourche, records, 1908–1915. W.I.A. Cir. 9, pp. 2–4. 1916.
southern cities, Savannah, Jacksonville, Charleston, and Wilmington. Soils Cir. 19, pp. 2–5. 1909.
southwestern Louisiana, April 1 to June 16, 14-year interval. D.B. 1356, p. 13. 1925.
Texas—
irrigated district, description and studies. D.B. 665, pp. 19–20, 23. 1918.
Panhandle region, description and record. F.B. 738, pp. 4–7. 1916.
rainfall, temperature, and frost data. O.E.S. Bul. 222, pp. 8–10. 1910.
San Antonio, rainfall, temperature, wind, and frost, 1907–1920. D.C. 209, pp. 4–7. 1922.
San Antonio region. B.P.I. Cir. 34, pp. 4–6. 1909; B.P.I. Cir. 120, pp. 8–10. 1913; D.C. 73, pp. 5–7. 1920.
southern part. B.P.I. Cir. 14, p. 5–6. 1908.
United States, comparison with localities in Old World. Y.B., 1908, pp. 247–248. 1909; Y.B. Sep. 478, pp. 247–248. 1909.
Utah, Tooele Valley, description. J.A.R., vol. 1, pp. 369–370. 1914.
Washington, about Puget Sound. O.E.S. Bul. 214, p. 16. 1909.
western basin and coast areas, notes from 7 stations. D.B. 823, p. 53. 1920.
western United States, notes from thirteen stations. D.B. 823, p. 37. 1920.
western Washington, description. D.B. 1236, p. 4. 1924.
Wyoming—
description. O.E.S. Bul. 205, pp. 10–11. 1909; N.A. Fauna 42, pp. 9–12. 1917.
Sheridan, field report. D.B. 1306, pp. 2–4, 30. 1925.
Yuma Reclamation Project, records, 1910–1915. W.I.A. Cir. 12, pp. 2–4. 1916.
phenomena, causes. Y.B., 1908, pp. 290–291. 1909; Y.B. Sep. 481, pp. 290'–291. 1909.
physical basis and controlling factors. Willis L. Moore. W.B. Bul. 34, pp. 19. 1904.
precipitation and humidity records. J. B. Kincer. Atl. Am. Agr. Adv. Sh., Pt. II, sec. A, pp. 48. 1922.
prune growing region of Pacific coast. F.B. 1372, pp. 6, 8, 10, 15–18. 1924.
rainfall and temperature, sugar-beet areas, California. D.B. 760, 6–7. 1919.

Climate—Continued.
ramie, requirements. B.P.I. Cir. 103, pp. 3–4. 1912.
record(s)—
and relation to crop yields, Akron Field Station, 1908–1923. D.B. 1304, pp. 2–6. 1925.
for South Dakota. D.B. 297, pp. 4–10. 1915.
for southwestern Minnesota. D.B. 1271, p. 4. 1924.
frost and the growing season. William Gardner Reed. Atl. Am. Agr. Adv. Sh., Pt. II, sec. 1, pp. 12. 1918.
of Virgin Islands, 1919–1923. Vir. Is. A.R., 1923, pp. 5–7. 1924.
regions classified by growing conditions of plants. F.B. 1381, pp. 74–83. 1924.
relation(s)—
of differences to crop yields. Soils Bul. 26, pp. 205. 1905.
of forests. F.B. 358, pp. 29–40. 1909; For. Cir. 161, p. 10. 1909.
to—
boll-weevil control. Ent. Bul. 100, pp. 14–20, 32–35, 36, 39, 86–89. 1912.
citrus-fruit insects. D.B. 134, pp. 34–35. 1914.
crop production. Soils Bul. 22, pp. 47–50. 1903.
crop selection. Y.B. 1921, p. 100. 1922; Y.B. Sep. 873, p. 100. 1922.
crops. Cleveland Abbe. W.B. Bul. 36, pp. 386. 1905.
development of alfalfa weevil. J.A.R., vol. 30, pp. 485–489. 1925.
forest fires. For. Bul. 117, pp. 12–22. 1912.
Gulf Stream. Off. Rec., vol. 1, No. 47, p. 2. 1922.
Hessian fly. F.B. 640, pp. 11–14. 1915.
insecticides, discussion. Ent. Bul. 60, p. 93. 1906.
parasites of boll weevil. Ent. Bul. 100, pp. 61–66. 1912.
perfumery industry. B.P.I. Bul. 195, pp. 11, 12–14, 29, 47–48. 1910.
pine forests reproduction. D.B. 1105, pp. 22–29, 136. 1923.
plant life. B.P.I. Bul. 135, pp. 22–27. 1908.
quality of Bartlett pears. D.B. 1072, pp. 5–10. 1922.
rubber leaf disease. D.B. 1286, p. 13. 1924.
sheep husbandry. Y.B., 1914, pp. 320, 321–322. 1915; Y.B. Sep. 645, pp. 320, 321–322. 1915.
sheep raising. Everett L. Johnson. J.A.R., vol. 29, pp. 491–500. 1924.
soil characteristics and utilization. Soils Bul. 55, pp. 27–28, 31–34. 1909.
spread of potato diseases. J.A.R., vol. 30, pp. 521–522. 1925.
spread of San Jose scale. Ent. Bul. 62, p. 33. 1906.
success in cheese making. B.A.I. Bul. 115, pp. 39–44. 1909.
sugar-beet growing, temperature, moisture, and light. D.B. 721, pp. 10–12. 1918.
sugar-beet industry. B.P.I. Bul. 260, pp. 16–18. 1912.
water requirements of plants. J.A.R., vol. 3, pp. 5–8. 1914.
wheat growing and rotations. Y.B. 1921 pp. 81, 97. 1922; Y.B. Sep. 873, pp. 81, 97. 1922.
requirements—
for growing sugar beets. F.B. 392, pp. 10–11. 1910.
in citrus fruit production. F.B. 538, pp. 7–8. 1913.
of Sudan grass. F.B. 605, pp. 5–6. 1914; F.B. 1126, rev., pp. 4–6. 1925.
sorghum belt of Great Plains. D.B. 1260, pp. 2–6. 1924.
suitability for—
milk goats. B.A.I. Bul. 68, pp. 13–14. 1905.
tea growing. B.P.I. Bul. 234, pp. 11–12. 1912.
temperature, and rainfall, South Dakota. O.E.S. Bul. 210, pp. 9–10. 1909.
tropical, effect on viability of vegetable seed. P.R. Bul. 30, pp. 5, 7, 8, 26. 1916.
walnut-growing areas, France and United States. B.P.I. Bul, 254, pp. 21–22. 1913.

INDEX TO PUBLICATIONS, 1901–1925 483

Climate—Continued.
See also *Soil Surveys of various States.*
Climatic—
characteristic, various plants, plant-growth experiments, comparisons. D.B. 700, pp. 27–41, 69–71. 1918.
conditions—
adaptations of millet and sorgo. D.B. 291, pp. 3–4. 1916.
effect on codling moth. Ent. Bul. 115, Pt. I, pp. 66–70. 1912.
effect on scale insects. Ent. Bul. 90, Pt. I, pp. 76–77. 1911.
effects on fumigation. Ent. Bul. 90, Pt. I, pp. 68–72. 1911.
endurance by Grimm alfalfa, comparisons. B.P.I. Bul. 209, pp. 13–17. 1911.
flax growing. F.B. 274, pp. 10–12. 1907.
in potato-growing States, 1919. D.B. 1188, pp. 9–10. 1924.
in San Antonio region, Texas. B.P.I. Bul. 237, pp. 8–10. 1912.
influence on sugar beet growing. F.B. 568, pp. 2–4. 1914.
on the Truckee-Carson Project. F. B. Headley. B.P.I. Cir. 114, pp. 25–30. 1913.
relation to *Cercospora beticola.* Venus W. Pool and M. B. McKay. J.A.R., vol. 6, No. 1, pp. 21–60. 1916.
relation to rust epidemics, 1893, 1894, 1895. B.P.I. Bul. 216, p. 60. 1911.
seasonal variations, influence on alfalfa seed production. F.B. 495, p. 8. 1912.
Texas Panhandle. B.P.I. Bul. 283, pp. 14–22. 1913.
Umatilla Experiment Farm, 1912. B.P.I. Cir. 129, p. 22. 1913.
Yuma Experiment Farm, 1916. W.I.A. Cir. 20, pp. 4–7. 1918.
factor(s)—
effect on water requirement of crop plants, experiments. B.P.I. Bul. 285, pp. 58–66. 1913.
influence on alfalfa seed production. F.B. 495, p. 8. 1912.
records, District of Columbia, 1904–1914; rainfall and temperature. D.B. 336, pp. 4–6. 1916.
requirements, Douglas fir. For. Cir. 175, p. 6. 1911.
Climatological data, summaries by sections of United States. W.B. Bul. W, vol. I, sec. 1–57. 1912; vol. II, sec. 58–106. 1912.
Climatology—
a manual for observers. Frank Hagar Bigelow. W.B. Misc., "A manual for observers * * *," pp. 106. 1909.
California. Alexander G. McAdie. W.B. Bul. L, pp. 270. 1903.
Florida, relation to crops. A. J. Mitchell. W.B. Bul. 31, pp. 208–211. 1902.
importance and relation to work of Division of Soils. Y.B., 1901, p. 51. 1902.
Maryland, studies. O. L. Fassig. W.B. Bul. 31, pp. 200–202. 1902.
medical, synopsis of course of lectures, senior class, Medical Department, University of Texas. I. M. Cline. W.B. Bul. 31, pp. 110–111. 1902.
Porto Rico. W. H. Alexander. W.B. [Misc.], "Proceedings, third convention * * *," pp. 239–246. 1904.
studies with reference to crops. C. F. von Herrmann. W.B. Bul. 31, pp. 198–200. 1902.
tables for dividing by 12, 24, 28, 29, 31, 56, 58, 60, 62, 672, 696, 720, 744, 8,760, and percentage tables for divisors 8.0 to 16.5, incl. W.B. [Misc.], "Tables for dividing * * *," pp. 28. 1918.
United States. Alfred Judson Henry. W.B. Bul. Q, pp. 1012. 1906.
work of Weather Bureau. *See* Weather Bureau, Chief, Reports.
Climax sugar, alleged adulteration and misbranding. Chem. N.J. 723, pp. 4. 1911.
CLINE, I. M.—
address on irregularities in frost and temperature in neighboring localities. W.B. [Misc.], "Proceedings, third convention * * *," pp. 250–253. 1904.
"Synopsis of course of lectures in medical climatology to the senior class, Medical Department, University of Texas." W.B. Bul. 31, pp. 110–111. 1902.

CLINE, L. E.: "Work of the Newlands Reclamation Project Experiment Farm in 1922 and 1923." With others. D.C. 352, pp. 27. 1923.
CLINE, MCGARVEY—
"Properties and uses of Douglas fir: Pt. I. Mechanical properties. Pt. II. Commercial uses." With J. B. Knapp. For. Bul. 88, pp. 75. 1911.
"Strength tests for structural timbers." For. Cir. 189, pp. 8. 1912.
"Tests of structural timbers." With A. L. Heim. For. Bul. 108, pp. 123. 1912.
Clinkers, cause and prevention in home furnace. F.B. 1194, pp. 12–13. 1921.
Clinostomum, classification and description. B.A.I. Bul. 35, p. 21. 1902.
CLINTON, L. A., report of Experiment Station, Storrs, Connecticut—
1909. O.E.S. An. Rpt., 1909, pp. 87–88. 1910.
1910. O.E.S. An. Rpt., 1910, pp. 112–114. 1911.
1911. O.E.S. An. Rpt., 1911, pp. 87–88. 1912.
Clinton, Iowa, milk supply, statistics, officials, price. B.A.I. Bul. 46, pp. 40, 76. 1903.
Clippers—
dehorning, description. F.B. 949, p. 7. 1922.
orange, description and use. D.B. 63, p. 5. 1914.
Clipping—
horses, directions. F.B. 1419, pp. 12–13. 1924.
See also Shearing.
Clippings, filing system. D.C. 107, pp. 11–12. 1920.
Clitocybe—
illudens. See Mushroom, Jack-o'-lantern.
parasitica. See Mushroom, honey.
spp.—
cause of root rot of grapevine, nomenclature and distribution. J.A.R., vol. 30, pp. 352–358. 1925.
description. D.B. 175, pp. 14–16. 1915.
tabescens, cause of grapevine root rot in Missouri. Arthur S. Rhoads. J.A.R., vol. 30, pp. 341–364. 1925.
Clitoria ternatea, importations and description. Inv. No. 30081, B.P.I. Bul. 233, p. 57. 1912. No. 53988, B.P.I. Inv. 68, p. 15. 1923.
Clivicola riparia. See Swallow, bank.
Clivina impressifrons—
injurious to seed-corn after planting. An. Rpts., 1908, p. 546. 1909; Ent. A.R., 1908, p. 24. 1908.
See also Ground-beetle, slender seed-corn.
Clocks, manufacture from bass-wood and other woods. D.B. 1007, p. 50. 1922.
Clods, crushing with float, in growing sugar beets. D.B. 693, p. 21. 1918.
Clonorchis—
occurrence and description. J.A.R., vol. 20, pp. 193–195. 1920.
spp., spread by dogs. D.B. 260, p. 23. 1915.
CLOSE, C. P.—
"Extension work with fruits, vegetables, and ornamentals, 1923." With others. D.C. 346, pp. 16. 1925.
"Growing seeds for the home garden." S.R.S. Doc. 87, pp. 8. 1918.
"Homemade fruit-butters." F.B. 900, pp. 7. 1917.
"How to grow vegetables in the home garden." S.R.S. Doc. 49, pp. 12. 1918.
"Insects and diseases of vegetables and how to combat them." S.R.S. Doc. 52, pp. 10. 1917.
"Permanent fruit and vegetable gardens." With W. R. Beattie. F.B. 1242, pp. 23. 1921.
"Plan and tools for the home garden." S.R.S. Doc. 84, pp. 6. 1918.
"Seed and plants for the home garden, four persons." S.R.S. Doc. 46, pp. 2. 1917.
"Vegetables to grow and how to grow them." S.R.S. Doc. 49, pp. 7. 1917.
Closed seasons—
effort to protect game. Biol. Bul. 28, p. 88. 1907.
game birds, legislation, 1917. F.B. 910, p. 5. 1917.
migratory birds. F.B. 910, pp. 61–64. 1917.
new game laws in 1915. News L., vol. 3, No. 9, p. 7. 1915.
Closet(s)—
built-in, planning for house. Y.B., 1914, p. 349. 1915; Y.B. Sep. 646, p. 349. 1915.
chemical and liquefying, description and use. Y.B., 1916, pp. 356–359. 1917; Y.B. Sep. 712, pp. 10–13. 1917.

Closet(s)—Continued.
  chemical, description. F.B. 1227, pp. 18-22. 1922.
  earth, conveniences. F.B. 270, pp. 21-22. 1906.
  farm home, cleaning utensils, description and use methods. F.B. 927, pp. 31-32. 1918.
  farm kitchens, description, location. F.B. 607, pp. 18-19. 1914.
  liquefying, description. F.B. 1227, pp. 22-24. 1922.
  red cedar, use as protection against moth damage. D.B. 1051, p. 3. 1922.
Closner canals, irrigation system, details. O.E.S. Bul. 222, p. 57. 1910.
Closterocerus—
  spp., parasites of corn-leaf miner. J.A.R., vol. 2, pp. 27-28. 1914.
  utahensis, parasite of serpentine leaf-miner. J.A.R., vol. 1, pp. 81-82. 1913.
Clostridium—
  chauvoei, cause of blackleg, description and spread. F.B. 1355, pp. 2-3. 1923.
  spp., nitrogen-fixing ability. Y.B., 1910, pp. 214, 218. 1911; Y.B. Sep. 530, pp. 214, 218. 1911.
Cloth—
  moth-proof treatment. An. Rpts., 1923, pp. 396-397. 1924; Ent. A.R., 1923, pp. 16-17. 1923.
  waterproofing for use as hay caps. F.B. 977, p. 3. 1918.
Clothes—
  buying, hints. Thrift Leaf, No. 3, pp. 1-4. 1919.
  driers and sprinklers. F.B. 1099, p. 10. 1920.
  made over, home-demonstration. News L., vol. 6, No. 25, pp. 9-10. 1919.
  moth(s)—
    and their control. E. A. Back. F.B. 1353, pp. 29. 1923.
    case-making, habits, description, and injuries. F.B. 659, pp. 3-4. 1915.
    cold-storage experiments. J.A.R. vol. 5, No. 15, p. 657. 1916.
    control—
      by carbon disulphide. F.B. 799, pp. 19-20. 1917.
      by red-cedar chests, experiments. D.B. 1051, pp. 1-14. 1922.
      tests of various substances. D.B. 707, pp. 16-29. 1918.
    eradication by use of hydrocyanic-acid gas. F.B. 699, pp. 1-8. 1916.
    fumigation, directions and precautions. Ent. Cir. 163, pp. 1-8. 1912.
    habits and control. Ent. A.R., 1921, p. 5. 1921.
    remedies, list and specific directions. F.B. 1353, pp. 12-27. 1923.
    repellents. Off. Rec., vol. 3, No. 51, p. 3. 1924.
    southern, habits, description, and injuries. F.B. 659, pp. 4-5. 1915.
    true. C. L. Marlatt. F.B. 659, pp. 8. 1915.
  props, bamboo for. D.B. 1329, p. 18. 1925.
  See also Clothing; Garments.
Clothespins, types for home laundering. F.B. 1099, p. 10. 1920.
CLOTHIER, G. L.—
  "Advice for forest planters in Oklahoma and adjacent regions." For. Bul. 65, pp. 46. 1905.
  "Forest planting and farm management." F.B. 228, pp. 22. 1905; Y.B., 1904, pp. 255-270. 1905; Y.B. Sep. 345, pp. 255-270. 1905.
  "Reclamation of flood-damaged lands in the Kansas River Valley by forest planting." For. Cir. 27, pp. 5. 1904.
CLOTHIER, R. W.—
  "A system of pasturing alfalfa in Salt River Valley, Ariz." Sec. Cir. 54, pp. 4. 1915.
  "Farm organization in the irrigated valleys of southern Arizona." D.B. 654, pp. 59. 1918.
Clothing—
  and other textiles, stain removal. Harold L. Lang and Anna H. Whittelsey. F.B. 861, pp. 35. 1917.
  campers' needs. D.C. 138, p. 58. 1920.
  care in buying, Home Economics Office advice. News L., vol. 6, No. 30, p. 11. 1919.
  care of, cleaning, brushing, pressing, and mending. F.B. 1089, pp. 20-32. 1920; Thrift Leaf. No. 7, pp. 1-4. 1919.

Clothing—Continued.
  club(s)—
    demonstrations. D.C. 312, pp. 12-14. 1924
    for North and West, demonstrations and results, 1919. D.C. 152, pp. 26-28. 1921.
    for North and West, enrollment and work, 1920. D.C. 192, pp. 18-20. 1921; S.R.S. Dir. Rpt., 1921, p. 51. 1921.
    number, membership, and results in 1921. D.C. 255, pp. 15, 18-20. 1923.
  colored, washing directions. F.B. 1099, p. 22. 1920.
  conservation work. S.R.S. Rpt., 1918, pp. 56, 93-94, 100. 1919.
  convict, cost at experimental road camp, in Georgia, Fulton County. D.B. 583, pp. 24-25. 1918.
  demonstration work, 1922. An. Rpts., 1922, pp. 446, 451. 1923.
  demonstration work, details and results. D.C. 178, pp. 7-10. 1921; D.C. 248, p. 28. 1922; D.C. 285, pp. 9-12. 1923.
  dry cleaning, directions. F.B. 1099, p. 24. 1920.
  durability studies by Home Economics Office. News L., vol. 5, No. 22, p. 7. 1917.
  expenditures, proportion of income, sources of supply. Thrift Leaf. No. 3, pp. 1-4. 1919.
  family budget, management. F.B. 1089, pp. 4-8. 1920.
  farm families, per cent of total cost. D.B. 1214, pp. 9, 10, 11-12, 21, 24-25. 1924.
  forest camping requirements. D.C. 185, pp. 21-22. 1921.
  home demonstrations, results. An. Rpts., 1923, pp. 602-603. 1924; S.R.S. Rpt., 1923, pp. 50-51. 1923.
  infected, laundering directions. F.B. 1099, pp. 22-23. 1920.
  injury by silverfish. F.B. 902, pp. 3-4. 1917.
  making and—
    care of, work of farm women. D.C. 148, pp. 8, 19. 1920.
    designing work. Off. Rec., vol. 4, No. 40, p. 6. 1925.
    remodeling, home demonstration work—
      1919. D.C. 141, pp. 19-20, 23. 1920; S.R.S. [Misc.] "Cooperative extension work in agriculture and home economics * * *, 1919," pp. 20, 29. 1921.
      1920. S.R.S. [Misc.] "Report on cooperative extension work in agriculture and home economics, 1920," p. 9. 1922.
      1921. S.R.S. [Misc.] "Cooperative extension work, 1921," p. 12. 1923.
      1922. S.R.S. [Misc.], "Cooperative extension work * * * 1922," p. 7. 1924.
  material, design and colors, requisites for suitability. F.B. 1089, pp. 12-20. 1920.
  mending—
    and care, lessons for first-year and correlative studies. D.B. 540, pp. 16, 22, 26, 28, 41, 42, 43, 55. 1917.
    equipment. F.B. 1089, pp. 31-32. 1920.
  preparation for storage in red-cedar chests or closets. D.B. 1051, pp. 11-14. 1922.
  prices, 1914, 1918. News L., vol. 6, No. 38, p. 15. 1919.
  selection and care. Laura I. Baldt. F.B. 1089, pp. 32. 1920.
  stain removal. F.B. 861, pp. 1-35. 1917.
  storage, directions. F.B. 1089, pp. 29-31. 1920.
  white cotton and linen, washing, directions. F.B. 1099, pp. 15-19. 1920.
  woolen, washing and pressing directions. F.B. 1099, pp. 20-22, 23-24. 1920.
  See also Clothes; Garments.
CLOUD, W. S.: "Instructions for aerological observers." With others. W.B. [Misc.], "Instructions for aerological * * *," pp. 115. 1921.
Cloud(s)—
  bursts. Edward L. Wells. Y.B., 1906, pp. 325-328. 1907; Y.B. Sep. 426, pp. 325-328. 1907.
  classification—
    for guidance of observers. W.B. [Misc.], "Classification of clouds," pp. 27. 1911.
    of forms according to international system. W.B. [Misc.], "Cloud forms according to * * *," pp. 22. 1924.

INDEX TO PUBLICATIONS, 1901-1925 485

Cloud(s)—Continued.
form and description. W.B. [Misc.], "Description of cloud * * *"; chart. 1914.
formation and relation to rain. Y.B., 1900, p. 109. 1901.
weather indications, proverbs regarding. Y.B., 1912, p. 381. 1913; Y.B. Sep. 599, p. 381. 1913.
Clove(s)—
adulteration. Chem. N.J. 529, p. 1. 1910.
amboyna, powdered, adulteration. Chem. N.J. 754, pp. 2. 1911.
determination in flavoring extracts. Chem. Bul. 137, p. 75. 1911.
extract, adulteration. Chem. N.J. 3416, pp. 647-648. 1915.
imports, 1922-1924. Y.B., 1924, p. 1034. 1925.
misbranding. Chem. N.J. 1204, p. 1. 1912.
oil adulteration and misbranding. Chem. N.J. 2476, pp. 2. 1913.
origin and uses. D.B. 123, pp. 34, 51. 1916.
powdered—
adulteration and misbranding. Chem. N.J. 888, p. 1. 1911.
effectiveness against dog flea. D.B. 888, p. 11. 1920.
tannin determination. Chem. Bul. 107, p. 164. 1907.
use as food. O.E.S. Bul. 245, pp. 49, 56, 68. 1912.
varieties, description. B.P.I. Bul. 208, pp. 23, 31, 63. 1911.
wild, fungous parasite, *Glomerella cingulata*, studies. B.P.I. Bul. 252, p. 48. 1913.
See also Spices.
Clover(s)—
Abyssinian, importation. Inv. Nos. 29392-29403, B.P.I. Bul. 233, pp. 8, 18. 1912.
acreage—
and importance. Y.B. 1923, pp. 347-348. 1924; Y.B. Sep. 895, pp. 347-348. 1924.
in 1909, by States, maps. Y.B., 1915, pp. 363, 366. 1916; Y.B. Sep. 681, pp. 363, 366. 1916.
in 1917, seed used, and seed supply for 1918. News L., vol. 5, No. 25, p. 2. 1918.
in 1919, maps. Y.B., 1921, pp. 449, 452. 1922; Y.B. Sep. 878, pp. 43, 46. 1922.
increase, needs and suggestions. News L., vol. 5, No. 25, pp. 1-2. 1918.
adaptation to soils in Louisiana, Iberia Parish. Soil Sur. Adv. Sh., 1911, p. 19. 1912; Soils F.O., 1911, pp. 1143-1144. 1914.
alkali—
resistance. F.B. 446, pp. 24-25. 1911.
tolerance. F.B. 446, rev., pp. 12, 13, 15, 16, 23. 1920.
alsike—
A. J. Pieters. F.B. 1151, p. 25. 1920.
adaptability of lowlands, hay value for dairy cattle. News L., vol. 4, No. 41, p. 3. 1917.
cause of disease in livestock. F.B. 1151, p. 23. 1920.
cause of trifoliosis in livestock. An. Rpts., 1909, p. 231. 1910; B.A.I. Chief Rpt., 1909, p. 41. 1909.
characteristics and value as honey sources. F.B. 1215, p. 8. 1922.
description—
and value for cotton States. F.B. 1125, rev., pp. 32-33. 1920.
comparison with red clover. F.B. 455, p. 36. 1911.
forage value in Pacific Northwest. F.B. 271, pp. 17-18. 1906.
growing in—
North, mixture with other seed. S.R.S. Syl. 25, p. 11. 1917.
South. S.R.S. Syl. 24, p. 12. 1917.
history and botanical characters, and adaptation. F.B. 1151, pp. 3-5, 18-19. 1920.
honey source, value. Ent. Bul. 75, Pt. VII, pp. 90, 92. 1909.
mixtures, and companion crops. F.B. 1151, pp. 6-18. 1920.
pasture value. F.B. 1151, pp. 16-18. 1920.
poisoning, and cautions. News L., vol. 6, No. 40, pp. 5-6. 1919.
second crop. F.B. 1151, p. 21. 1920.
seed—
adulteration, description, and detection. F.B. 382, pp. 8-10, 17. 1909; F.B. 428, pp. 6, 35. 1911.

Clover(s)—Continued.
alsike—continued.
seed—continued.
description. F.B. 1151, pp. 6-7, 22. 1920.
production, areas, yields, and harvesting. F.B. 1151, pp. 23-25. 1920.
sample test. F.B. 1232, pp. 27, 28. 1921.
supply source, and price. Y.B., 1917, pp. 518-519. 1918; Y.B. Sep. 757, pp. 24-25. 1918.
yield per acre. B.P.I. Cir. 28, p. 6. 1909.
seeding methods and rate, alone and in mixtures. F.B. 1151, pp. 6-8, 11-12, 15, 18. 1920.
soil and moisture requirements. F.B. 1151, p. 5. 1920.
tolerance on clover-sick land. F.B. 1339, pp. 4, 32. 1923.
use as forage crop in cotton region. F.B. 509, p. 25. 1912.
use—
as hay, composition and value. F.B. 1151, pp. 9-11, 17. 1920.
as pasture plant for logged-off land in Oregon and Washington, seed rate. F.B. 462, p. 13. 1911.
in grain growing. F.B. 704, p. 20. 1916.
value for cotton States. F.B. 1125, rev., pp. 32-33. 1920.
volunteer crop, habits. F.B. 1151, pp. 21-22. 1920.
analysis. J.A.R., vol. 11, p. 684. 1917.
and—
alfalfa seed, imported, low-grade. Edgar Brown and Mamie L. Crosby. B.P.I. Bul. 111, Pt. III, pp. 18. 1907.
grain farm, plan, rotations, and possible returns. F.B. 370, pp. 15-17. 1909.
grass seed, quantity per acre. F.B. 337, pp. 8, 9, 10, 12, 13, 14. 1908.
timothy—
seed, prices, 1896-1908. Y.B., 1908, pp. 664-665. 1909; Y.B. Sep. 498, pp. 664-665. 1909.
seeding methods. F.B. 472, pp. 22-23, 24, 25. 1911.
sowing, season. Y.B., 1907, p. 389. 1908; Y.B. Sep. 456, p. 389. 1908.
yields and water requirement in Oregon D.B. 1340, p. 47. 1925.
anthracnose—
control. S.R.S. Rpt., 1916, Pt. I, p. 254. 1918.
resistant, development. Y.B., 1908, p. 464. 1909; Y.B. Sep. 494, p. 464. 1909.
aphid—
control on alsike clover. F.B. 1151, pp. 22-23. 1920.
description and life history. J.A.R., vol. 3, pp. 431-433. 1915.
distribution, description, history, and injuries to apples. F.B. 804, pp. 15-16, 19. 1917.
injury to apple, description and control. F.B. 1128, pp. 12, 38-47. 1920.
long-beaked, description, habits. J.A.R., vol. 3, No. 5, pp. 431-433. 1915.
short-beaked, description, habits. J.A.R., vol. 3, No. 5, p. 433. 1915.
two, description and life history. J.A.R., vol. 3, pp. 431-433. 1915.
yellow, distribution, description, life history. Ent. T.B. 25, Pt. II, pp. 17-40. 1914.
bacterial leafspot. L. R. Jones and others. J.A.R., vol. 25, pp. 471-490. 1923.
berseem, introduction. Y.B., 1902, pp. 33-34. 1903.
bloat of cattle, study. S.R.S. Rpt., 1917, Pt. I, pp. 52, 126. 1918.
breeding, pollination studies. An. Rpts., 1916, p. 144. 1917; B.P.I. Chief Rpt., 1916, p. 8. 1916.
bunching attachment to mower, description. F.B. 323, p. 20. 1908.
bur—
Charles V. Piper and Roland McKee. F.B. 693, p. 15. 1915.
and Bermuda grass, mixture for pastures in Alabama, Butler County. Soil Sur. Adv. Sh., 1907, p. 11. 1909; Soils F.O., 1907, p. 443. 1909.
and white, for winter grazing in the South. Sec. [Misc.] Spec. "Permanent pastures for the Cotton Belt." p. 3. 1914.

Clover(s)—Continued.
bur—continued.
aphid—
description, habits and injuries to young cotton. Ent. Bul. 57, pp. 26-29. 1906.
injuries to apple blossoms. F.B. 804, p. 18. 1917.
work on loco weeds. Ent. Bul. 64, Pt. V, p. 40. 1908.
bacteria, inoculation methods. F.B. 693, pp. 6-7. 1915.
climatic and soil requirements. F.B. 693, pp. 3-4. 1915.
description, value as cover crop, varieties. F.B. 693, pp. 1-3. 1915; S.R.S. Syl. 34, p. 19. 1918.
destruction as means of chalcid fly control. F.B. 636, p. 9. 1914.
growing in—
Guam. Guam A.R., 1920, p. 29. 1921; Guam Bul. 4, pp. 27, 29. 1922.
Hawaii, experiments, and studies. Hawaii A.R., 1917, pp. 45-46. 1918.
South, use as pasture. S.R.S. Syl. 24, p. 13. 1917.
hay crop, value. F.B. 693, p. 10. 1915.
importations and description. Nos. 44558, 44559, B.P.I. Inv. 51, p. 24. 1922; No. 48522, B.P.I. Inv. 61, p. 19. 1922.
necessity and methods of inoculation in South. News L., vol. 3, No. 14, p. 7. 1915.
nodules used to inoculate soil for button clover. F.B. 730, p. 6. 1916.
objections. F.B. 693, p. 14. 1915.
pasture, management and value. F.B. 693, pp. 8-9. 1915.
pollination method. B.P.I. Bul. 267, pp. 24-25. 1913.
range seeding experiments. B.P.I. Bul. 177, p. 13. 1910.
relationship to alfalfa and Melilotus, description. F.B. 532, pp. 13-15. 1913.
rotation with other crops, schedule. News L., vol. 3, No. 14, p. 7. 1915.
seed—
adulterant, use and description. F.B. 382, pp. 8, 18. 1909.
as by-products from wool waste. B.P.I. Bul. 267, p. 13. 1913.
description. F.B. 428; pp. 5, 6. 1911.
germination. F.B. 693, pp. 5-6. 1915.
growing and harvesting methods. F.B. 532, pp. 17-18. 1913; F.B. 693, pp. 11-13. 1915.
injury by clover-seed chalcid fly. F.B. 693, p. 14. 1915.
planting, harvesting, and yield per acre. B.P.I. Bul. 267, pp. 12-17. 1913.
rate of seeding per acre. B.P.I. Bul. 190, p. 19. 1910.
weight, and quantity to sow per acre. An. Rpts., 1909, p. 324. 1910; B.P.I. Chief Rpt. 1909, p. 72. 1909.
weight, per bushel. B.P.I. Bul. 267, p. 17. 1913.
seeding time, method, and rate. B.P.I. Bul. 267, pp. 10-11, 13-14. 1913; F.B. 693, pp. 4-5. 1915.
similarity to button clover. F.B. 730, p. 2. 1916.
soil and moisture requirements. B.P.I. Bul. 267, pp. 8-9. 1913.
soil-improvement crop for Southern States. F.B. 986, p. 14. 1918.
southern, growing methods. F.B. 532, pp. 13-18. 1913.
spotted—
occurrence, value, characteristics, yield and varieties. B.P.I. Bul. 267, pp. 7-12, 13, 17-19, 22, 23, 25, 32-33, 37. 1913.
value for forage and winter cover crop for South. News L., vol. 3, No. 14, p. 7. 1915.
study by use of F.B. 693. E. A. Miller. S.R.S. [Misc.], "How teachers may use * * *," pp. 2. 1916.
toothed, occurrence, value, characteristics, yield and varieties. B.P.I. Bul. 267, pp. 7-12, 13, 16-19, 22-25, 33-37. 1913.
use—
and value. F.B. 532, pp. 15-18. 1913.
as forage crop in cotton region. F.B. 509, p. 26. 1912.

Clover(s)—Continued.
bur—continued.
use—continued.
as green-manure crop, California orchards. B.P.I. Bul. 190, pp. 19-20. 1910.
value—
as soil-improving crop for Cotton Belt, use method. F.B. 1250, pp. 37-38, 45. 1922.
as winter cover crop, Southern States. An. Rpts., 1909, pp. 322, 323, 324. 1910. B.P.I. Chief Rpt. 1909, pp. 70, 71, 72. 1909.
in southern pastures. B.A.I. Bul. 131, pp. 20, 23, 37. 1911.
uses, and botanical classification. B.P.I. Bul. 267, pp. 1-38. 1913.
varieties, characteristics, and value. Y.B. 1908, pp. 259-260. 1909; Y.B. Sep. 478, pp. 259-260. 1909.
volunteer crops, management. F.B. 693, pp. 7-8. 1915.
winter pasture. F.B. 411, p. 25. 1910.
button—
Roland McKee. F.B. 730, pp. 11. 1916.
characteristics, yield, varieties. B.P.I. Bul. 267, pp. 10, 11, 16-19, 22-24, 26-28, 37. 1913.
seed growing—
harvesting, yield, and longevity. F.B. 730, pp. 7-9. 1916.
yield per acre, and longevity. F.B. 730, pp. 7, 8-9. 1916.
value as pasturage, hay, and green manure. F.B. 730, pp. 4-6. 1916.
California bur, description. F.B. 693, p. 2. 1915.
Carolina, rust, occurrence in Texas. B.P.I. Bul. 226, p. 92. 1912.
catch—
sandy lands, prevention by winds. F.B. 323, pp. 15-16. 1908.
securing by mulches. An. Rpts., 1910, p. 328. 1911; B.P.I. Chief Rpt., 1910, p. 58. 1910.
chalcid fly, parasites, life history, observations. J.A.R., vol. 16, pp. 165-174. 1919.
control in cranberry fields. F.B. 1401, p. 11. 1924.
crimson—
adaptability to acid soils. D.B. 5, p. 10. 1913.
as green manure, experiments. F.B. 278, p. 22. 1907.
comparison with red clover. F.B. 455, p. 36. 1911.
cover crop, use. F.B. 579, p. 10. 1914.
cultural methods, quantity of seed per acre, hay cutting. F.B. 312, p. 10. 1907.
danger to livestock. F.B. 579, p. 5. 1914.
description—
and value as legume, studies. S.R.S. Syl. 34, p. 16. 1918.
growth, habits, and value for cotton States. F.B. 1125, rev., pp. 33-34. 1920.
effect on corn yield in cropping system. F.B. 1121, pp. 12-13. 1920.
effect on milk, comparison of green with dry. J.A.R., vol. 6, No. 4, pp. 175-176. 1916.
fertilizer value, comparison with barnyard manure. News L., vol. 5, No. 28, p. 3. 1918.
fertilizers suitable. F.B. 550, pp. 6-8. 1913.
green manure, use. F.B. 245, pp. 13-14. 1906.
growing—
L. W. Kephart. F.B. 1142, pp. 20. 1920.
as forage crop for hogs. F.B. 951, pp. 12-13. 1918.
for seed. J. M. Westgate. F.B. 1411, pp. 12. 1924.
in North Carolina, Union County, methods. Soil Sur. Adv. Sh., 1914, p. 11. 1916; Soils F.O., 1914, p. 595. 1919.
in North, seeding rate, and uses. S.R.S. Syl. 25, p. 15. 1917.
in rotation with corn on acid soils, management. D.B. 6, pp. 11-12. 1913.
in South, seed quantity, and uses. S.R.S. Syl. 24, p. 13. 1917.
relation to use of fertilizers. F.B. 398, pp. 6-7. 1910.
the crop. J. M. Westgate. F.B. 550, pp. 15. 1913.
harvesting time, Southeastern States. News L., vol. 6, No. 40, p. 5. 1919.
history and distribution. F.B. 550, p. 3. 1913.

Clover(s)—Continued.
  crimson—continued.
    in intertilled crops. F.B. 550, pp. 10–12. 1913.
    increase under demonstration work. Y.B. 1915, p. 231. 1916; Y.B. Sep. 672, p. 231. 1916.
    inoculation—
      field test and results. F.B. 315, p. 18. 1908.
      of soil, methods, experiments. F.B. 550, p. 8. 1913.
    late sowing. News L., vol. 7, No. 10, pp. 12–13. 1919.
    mixture for hay. F.B. 550, p. 9. 1913.
    mixture with other crops. F.B. 550, pp. 13–15. 1913.
    pasture, danger. B.P.I. Bul. 111, Pt. IV, p. 13, 1907.
    pasture, use. F.B. 579, pp. 6–7. 1914.
    pasturing in fall. F.B. 1142, p. 20. 1920.
    requirements, soils, fertilizers and inoculation. F.B. 1142, pp. 8–13. 1920.
    root system. F.B. 233, p. 9. 1905.
    rotation with corn, experiment in North Carolina. F.B. 398, p. 7. 1910.
    securing a stand, management. F.B. 550, pp. 5–9. 1913.
    seed—
      adulteration, losses to farmers. Y.B., 1915, pp. 313–314, 1916; Y.B. Sep. 679, pp. 313–314. 1916.
      bed, preparation. F.B. 550, p. 6. 1913; F.B. 1142, pp. 10–11. 1920.
      catalase content, studies. J.A.R., vol. 15, pp. 143–145. 1918.
      demand, value, hulling. News L., vol. 5, No. 35, pp. 1–2. 1918.
      description and choice. F.B. 1142, pp. 16–17. 1920.
      gathering device, description and use. News L., vol. 2, No. 21, pp. 1–2. 1914.
      harvesting methods, equipment. F.B. 646, pp. 2–10. 1915.
      importation, 1910–1915. News L., vol. 3, No. 2, p. 4. 1915.
      impure, warning to farmers. News L., vol. 3, No. 2, p. 4. 1915.
      occurrence of weed seed. F.B. 1142, p. 16. 1920.
      production. J. M. Westgate. F.B. 646, pp. 13. 1915; F.B. 1411, pp. 12. 1924.
      production, commercial, methods, equipment. F.B. 646, pp. 8–11, 12–13. 1915.
      production for local use, methods. F.B. 646, pp. 2, 10–11. 1915.
      quantity per acre. F.B. 312, p. 10. 1907.
      quantity per acre in mixtures for cover crops. F.B. 472, pp. 10–11, 16. 1911.
      sowing, amount to acre. F.B. 550, p. 9. 1913.
      testing directions. F.B. 428, pp. 36–37. 1911.
      unhulled, weight and quality. F.B. 1142, pp. 16–17. 1920.
    seeding, rate and methods. F.B. 1142, pp. 13–15. 1920.
    soil-improvement crop for Southern States. F.B. 986, p. 15. 1918.
    soil improver. F.B. 579, pp. 5–9. 1914.
    sowing, suggestions. D.B. 6, p. 11. 1913.
    stem-rot disease, symptoms, and prevention. F.B. 1142, pp. 13, 20. 1920.
    use—
      and value as green-manure crop. F.B. 1250, pp. 35–36. 1922.
      and value in soil improvement, coastal plain sections. F.B. 924, pp. 9–10, 18. 1918.
      as forage crop in cotton region. F.B. 509, pp. 25–26. 1912.
      as green manure. F.B. 356, p. 10. 1909.
      as green manure for Norfolk fine sand. Soils Cir. 23, pp. 5–6, 11, 15. 1911.
      as green manure in barley growing. F.B. 427, p. 6. 1910.
      as temporary pasture in South, and hay. D.B. 827, pp. 30, 36. 1921.
      in improvement of Norfolk fine sandy loam. Soils Cir. 22, p. 9. 1911.
      in soil improvement. F.B. 981, p. 15. 1918.
      utilization. J. M. Westgate. F.B. 579, p. 10. 1914.
    value as cover and green manure crop, seeding. F.B. 472, pp. 10–11, 16, 25. 1911.

Clover(s)—Continued.
  crimson—continued,
    varietal names. F.B. 550, p. 3. 1913.
    winter pasture. F.B. 411, p. 25. 1910.
  crop rotation in potato growing, importance. F.B. 365, pp. 14–15. 1909.
  cross-pollinating, experiments and results. B.P.I. Bul. 167, p. 29. 1910.
  crown-gall inoculation from daisy. B.P.I. Bul. 213, p. 37. 1911.
  culture for control of leaf weevil. D.B. 922, p. 18. 1920.
  cutting for—
    control of clover-flower midge. F.B. 971, pp. 10–12. 1918.
    hay, time, standards. Y.B., 1924, pp. 330–362. 1925.
  damage by root curculio, protection. Ent. Bul. 85, Pt. III, pp. 29–38. 1910.
  Darling, importation No. 49124, and value. B.P.I. Inv. 62, pp. 2, 4. 1923.
  definition under seed-importation act. Sec. Cir. 42, p. 3. 1913; B.P.I.S.R.A. 1, p. 1. 1914.
  disease-resistant, distribution. O.E.S. An. Rpt., 1911, p. 202. 1912.
  disease-resistant, selection. F.B. 296, pp. 9–10. 1907.
  dry-land growing, experiments. D.C. 339, p. 28. 1925.
  early cutting for control of pea aphid. News L., vol. 3, No. 5, p. 8. 1915.
  effect—
    as fertilizer on succeeding crops, experiments. O.E.S. An. Rpt., 1912, p. 197. 1913.
    of salicylic aldehyde in soil. D.B. 108, pp. 6–7. 1914.
    on farm yields and profits in Oregon, Willamette Valley. D.B. 625, pp. 4–6. 1918.
  "Eureka," other name for sachaline, origin, description, warning. News L., vol. 3, No. 51, p. 6. 1916.
  Everlasting, German name for Grimm alfalfa. B.P.I. Bul. 209, p. 9. 1911.
  failure. A. J. Pieters. F.B. 1365, pp. 25. 1924.
  fall seeding for South. News L., vol. 5, No. 52, p. 5. 1918.
  farming on sandy jack-pine lands of the North. C. Beaman Smith. F.B. 323, p. 24. 1908.
  fertilization, use of bumblebees, Philippines. An. Rpts., 1908, p. 539. 1909; Ent. A.R., 1908, p. 17. 1908.
  fertilizer—
    constitutents removed from soil. F.B. 437, p. 15. 1911.
    land plaster on gypsum. B.P.I. Cir. 28, pp. 9–10. 1909.
    of sulphur, experiments. J.A.R., vol. 5, No. 6, pp. 237, 239–241, 250. 1915.
    requirements, comparison with other crops. D.B. 721, p. 26. 1918.
    tests. Soils Bul. 67, pp. 47–48. 1910.
  fertilizing constituents, comparison with other legumes. F.B. 1153, p. 22. 1920.
  flower midge—
    control. C. W. Creel and L. P. Rockwood. F.B. 971, pp. 12. 1918.
    control—
      in the Pacific Northwest. C. W. Creel and L. P. Rockwood. F.B. 942, pp. 12. 1918.
      methods. F.B. 405, p. 10. 1910; F.B. 942, pp. 10–12. 1918.
    description—
      and control methods. F.B. 455, pp. 38–39. 1911.
      habits, and injury to clover seed. F.B. 942, pp. 4–10. 1918; F.B. 1339, pp. 26–27. 1923.
      injury to seed crop. F.B. 323, p. 19. 1908.
      life history. F.B. 971, pp. 4–9. 1918; Ent. Cir. 69, pp. 3–7. 1906.
    for top-dressing, use of lime, in Ohio, 1912–1916. D.B. 716, p. 25. 1918.
  forage—
    crop experiments in Texas. B.P.I. Cir. 106, p. 21. 1913.
    for hogs, value. B.P.I. Bul. 111, Pt. IV, pp. 12–13. 1907; F.B. 331, pp. 12–13. 1908.
    green, as manure, effect on seed germination. J.A.R., vol. 5, No. 25, pp. 1161–1176. 1916.

Clover(s)—Continued.
 growing—
  conditions essential. F.B. 451, pp. 7-9. 1911.
  demonstration work, use of lime, results. Y.B., 1915, pp. 231, 242. 1916; Y.B., Sep. 672, pp. 231, 242. 1916.
  in Alaska—
   1913, experiments, varieties. Alaska A.R., 1913, pp. 22, 31-32, 36, 43, 57-58. 1914.
   1917, experiments. Alaska A.R., 1917, pp. 29, 39, 66-67. 1919.
   1918, Rampart Station. Alaska A.R., 1918, pp. 12, 37. 1920.
   1920. Alaska A.R., 1920, pp. 24, 44, 56. 1922.
   1921, varieties. Alaska A.R., 1921, pp. 20, 36. 1923.
  in Hawaii—
   1915. Hawaii A.R., 1915, pp. 40-41. 1916.
   1916, experiments and yields. Hawaii A.R., 1916, pp. 28, 40. 1917.
  in Idaho, Twin Falls area. Soil Sur. Adv. Sh., 1921, pp. 1372-1373, 1380, 1383. 1925.
  in Indiana—
   Clinton County. D.B. 1258, pp. 11-18. 1924.
   Warren County. Soil Sur. Adv. Sh., 1914, pp. 9, 11-12, 17. 1916; Soils F.O., 1914, pp. 1599, 1601-1602, 1607. 1919.
  in Iowa—
   Greene County. Soil Sur. Adv. Sh., 1921, pp. 284, 293-299. 1924.
   Page County. Soil Sur. Adv. Sh., 1921, p. 354. 1924.
  in Kentucky, Garrard County. Soil Sur. Adv. Sh., 1921, pp. 513, 515, 527-543. 1924.
  in Missouri—
   Barry County. Soil Sur. Adv. Sh., 1916, pp. 13, 14, 15, 30-43. 1918; Soils F.O., 1916, pp. 1940, 1941, 1942, 1956-1969. 1921.
   Buchanan County, methods and yields. Soil Sur. Adv. Sh., 1915, pp. 12, 15, 24, 27, 41. 1917; Soils F.O., 1915, pp. 1816, 1819, 1828, 1830-1831, 1847. 1919.
   Cape Girardeau County, yield. Soil Sur. Adv. Sh., 1910, pp. 18-19. 1912; Soils F.O., 1910, pp. 1230-1231. 1912.
   Cole County. Soil Sur. Adv. Sh., 1920, pp. 1505, 1514-1527. 1922; Soils F.O., 1920; pp. 1505, 1514-1527. 1925.
   Grundy County. Soil Sur. Adv. Sh., 1914, pp. 13, 20. 1916; Soils F.O., 1914, pp. 1983, 1990. 1919.
   Lincoln County. Soil Sur. Adv. Sh., 1917, pp. 11, 12, 18-36. 1920; Soils F.O., 1917, pp. 1489, 1490, 1496-1514. 1923.
   Mississippi County. Soil Sur. Adv. Sh., 1921, pp. 559, 569-581. 1924.
   Pettis County. Soil Sur. Adv. Sh., 1914, pp. 11, 21, 25. 1916; Soils F.O., 1914, pp. 2063, 2073, 2077. 1919.
   Ralls County, yields of hay and seed. Soil Sur. Adv. Sh., 1913, pp. 11-12. 1914; Soils F.O., 1913, pp. 1821-1822. 1916.
   St. Francois County. Soil Sur. Adv. Sh., 1918, pp. 11, 19, 24, 26. 1921; Soils F.O., 1918, pp. 1339, 1347, 1352, 1354. 1924.
  in Nebraska, seeding time, rate, and method. B.P.I. Cir. 80, pp. 9-13. 1911.
  in New York—
   Jefferson County, for hay. Soil Sur. Adv. Sh., 1911, pp. 27, 31. 1913; Soils F.O., 1911, pp. 116, 121. 1914.
   Oneida County, increase since 1900. Soil Sur. Adv. Sh., 1913, p. 10. 1915; Soils F.O., 1913, p. 44. 1916.
  in northern Great Plains, experiments. D.B. 1244, p. 43. 1924.
  in Oregon—
   Multnomah County. Soil Sur. Adv. Sh., 1919, pp. 67-94. 1922; Soils F.O., 1919, pp. 67-94. 1925.
   Willamette Valley, areas, effects on crops. D.B. 705, pp. 12, 16-18, 21-23. 1918.
   Yamhill County. Soil Sur. Adv. Sh., 1917, pp. 12, 14, 38-62. 1920; Soils F.O., 1917, pp. 2266, 2268, 2292-2316. 1923.
  in Porto Rico, experiments. O.E.S. An. Rpt., 1912, p. 44. 1913.

Clover(s)—Continued.
 growing—continued.
  in Washington, Western Puget Sound Basin, yield. Soil Sur. Adv. Sh., 1910, pp. 32, 37, 53, 54, 59, 63, 91, 103. 1912; Soils F.O., 1910, pp. 1516, 1521, 1537, 1538, 1543, 1547, 1575, 1587. 1912.
  on—
   abandoned lands of New York, methods, suggestions. B.P.I. Cir. 66, pp. 7-8. 1910.
   acid soils. D.B. 600, p. 15. 1917.
   sandy jack-pine lands continuously. F.B. 323, pp. 21-22. 1908.
   Sassafras soils, yield and value as manure. D.B. 159, pp. 19, 27, 29, 30, 36. 1915.
 growth—
  and composition, effect of sulphur fertilizers. J.A.R., vol. 5, No. 1, pp. 11-13, 15. 1916.
  effect of—
   carbon bisulphide in acid soils and sand. J.A.R., vol. 5, No. 1, pp. 11-13, 15. 1916.
   sulphur and sulphate, experiments. J.A.R., vol. 5, No. 16, pp. 771, 775-779. 1916.
  habits of different varieties, value for cotton States. F.B. 1125, rev., pp. 32-34. 1920.
 handling for seed. F.B. 323, pp. 18-21. 1908.
 harvesting for seed. B.P.I. Cir. 28, pp. 10-12. 1909.
 hay—
  plants, characteristics. F.B. 1170, pp. 12-13. 1920.
  worm, description, control methods. F.B. 455, p. 39. 1911.
  See also Hay, clover.
 "heaving out," remedy. Soils Cir. 33, p. 7. 1911.
 history, uses, and varieties. F.B. 1142, pp. 3-6. 1920.
 hog pasture, value. D.B. 68, pp. 12, 17, 18, 19. 1914.
 honey source(s)—
  dates of blooming periods. D.B. 685, pp. 39-40, 48-49, 52, 53. 1918.
  in North Carolina. D.B. 489, pp. 10, 11-12. 1916.
  value. Ent. Bul. 75, pp. 90, 92, 94, 95. 1911.
 hop, seeds, description. F.B. 428, pp. 25, 26. 1911.
 hop, value as forage crop for hogs. F.B. 951, p. 11. 1918.
 hosts of *Gibberella saubinetii*. J.A.R. vol. 20; p. 16. 1920.
 Hubam, growing in Hawaii. Hawaii A.R., 1922, p. 11. 1924.
 hybrid, development. Y.B., 1907, p. 146. 1908, Y.B. Sep. 441, p. 146. 1908.
 importations and description. Nos. 29392-29405, 29950-29955, 30100, 30102, 30109, B. P.I. Bul. 233, pp. 18, 44, 59. 1912; Nos. 31043-31057, B.P.I. Bul. 242, pp. 63-64. 1912; Nos. 32207-32215, 32222, B.P.I. Bul. 261, pp. 41-42, 43. 1912; Nos. 35265-35279, 35419, 35424, B.P.I. Inv. 35, pp. 8, 30, 44. 1915; Nos. 37681, 37937-37939, 38189-38190, 38579. B.P.I. Inv. 39, pp. 6, 18, 69, 102, 150. 1917; No. 47321, B.P.I. Inv. 58, pp. 9, 50. 1922; Nos. 51073, 51212, B.P.I. Inv. 64, pp. 51, 75. 1923; Nos. 53007, 53449-53450, 53541, 53552-53554, B.P.I. Inv. 67, pp. 20, 50, 59, 60. 1923; Nos. 53912-53914, 53985, 54032, B.P.I. Inv. 68, pp. 2, 8, 15, 20. 1923; Nos. 54456, 54467, 54488, 54492-54493, B.P.I. Inv. 69, pp. 12, 13, 15, 16. 1923; Nos. 54979, 54980, 54993-54994, 54999, 55002, 55368, 55396-55398, B.P.I. Inv. 71, pp. 9, 11, 12, 13, 36, 39. 1923.
 in rotation, effect on soil. Y.B., 1908, pp. 412, 419. 1909; Y.B. Sep. 490, pp. 412, 419. 1909.
 injury by—
  fungi. F.B. 1365, pp. 20-21. 1924.
  leaf hopper, field control treatment. F.B. 737, pp. 2, 5-8. 1916.
  leaf weevil. D.B. 922, pp. 6, 7, 9, 12, 13, 14. 1920, lesser clover-leaf weevil and curculio. Ent. Bul. 85, pp. 1, 3, 5-6, 9, 12, 36. 1911.
  stem borer. D.B. 889, pp. 4-5, 10-11. 1920.
  vanillin, pot tests. D.B. 164, p. 2. 1915.
 inoculation—
  methods on sandy jack-pine lands. F.B. 323 pp. 14-15. 1908.
  requirements. F.B. 704, p. 20. 1916.

INDEX TO PUBLICATIONS, 1901–1925   489

Clover(s)—Continued.
  inoculation—continued.
    use of cultures on clover soil, direction. D.B. 705, p. 23. 1918.
  insect—
    enemies, description and control. F.B. 1339, pp. 24–28. 1923.
    pests, list. Sec. [Misc.], "A manual * * * insects * * *," pp. 60–61. 1917.
  Italian red, seed testing. Off. Rec. vol. 2, No. 52, p. 4. 1923.
  Japan—
    growing studies. Work and Exp., 1919, p. 48. 1921.
    harvesting for seed, method, time, and yield. F.B. 441, pp. 15–16. 1911.
    or lespedeza. A. D. McNair and W. R. Mercier F.B. 441, pp. 19. 1911.
    soil-improvement crop for Southern States. F.B. 986, pp. 16–17. 1918.
    use in Southern pastures. B.A.I. Bul. 131, pp. 12, 17, 37. 1911.
    use on southern farms. An. Rpts., 1919, p. 327. 1911; B.P.I. Chief Rpt., 1910, p. 57. 1910.
    value in soil improvement. F.B. 981, pp. 15–20, 31. 1918.
    See also Lespedeza.
  labor requirements. D.B. 1181 pp. 7, 23–24, 61. 1924.
  Ladino—
    value for irrigated lands. B.P.I. Chief Rpt., 1921, p. 27. 1921.
    See also Clover, white giant.
  leaf hopper—
    control in Central States. Edmund H. Gibson. F.B. 737, pp. 8. 1916.
    description, life history, control. Ent. Bul. 108, pp. 17–18, 48, 49, 103–106. 1912.
  leaf-miner, history, description. J.A.R., vol. 1, pp. 59–88. 1913.
  leaf spots, description and cause. News L., vol. 6, No. 50, p. 13. 1919.
  leaf weevil—
    D. G. Tower and F. A. Fenton. D.B. 922, pp. 18. 1920.
    destruction by starlings. D.B. 868, pp. 16–17, 42, 62, 63. 1921.
    lesser. F. M. Webster. Ent. Bul. 85, Pt. I, pp. 12. 1909.
    parasites. Ent. Bul. 85, Pt. I, p. 11. 1909.
    reproduction habits. Y.B., 1908, p. 373. 1909; Y.B. Sep. 488, p. 373. 1909.
  Mammoth—
    description and uses. F.B. 1339, pp. 23–24, 32. 1923.
    for sandy jack-pine lands. F.B. 323, pp. 11, 13, 23. 1908.
    value in dairy farming, seeding in grasses. F.B. 337, p. 8. 1908.
  management in Corn Belt rotations. Y.B., 1911, p. 335. 1912; Y.B. Sep. 572, p. 335. 1912.
  marsh. See Buck bean.
  Mexican—
    description, and value as legume, studies. S.R.S., Syl. 34, p. 22. 1918.
    grazing capacity, growth in mixtures. F.B. 1125, rev., p. 48. 1920.
    habits of growth, value as hay and forage. F.B. 300, pp. 5–7. 1907; F.B. 455, p. 37. 1911.
    pasture value in the South, and hay. D.B. 827, pp. 30, 36. 1921.
    use as fertilizer. F.B. 1250, p. 44. 1922.
    use as forage crop in cotton region, description and value. F.B. 509, pp. 33–34. 1912; F.B. 1125, rev., p. 48. 1920.
  midge, injury to clover seed in Oregon. F.B. 615, p. 16. 1914.
  mite—
    F. M. Webster. Ent. Cir. 158, pp. 5. 1912.
    description and control. Rpt. 108, pp. 33, 34–35. 1915.
    description, habits, injuries, and control. F.B. 1270, pp. 60–61. 1923.
  mixture with timothy, cutting date, graph. D.C. 183, p. 33. 1922.
  Montana, Huntley experiment farm, planting experiments, 1916. W.I.A. Cir. 15, pp. 20–21. 1917.
  northernmost limit. B.P.I. Bul. 150, p. 10. 1909.

Clover(s)—Continued.
  Orel, origin, description, advantages, experiments. B.P.I. Bul. 95, pp. 1–45. 1906
  Palermo, importation and description. No. 47597, B.P.I. Inv. 59, p. 37. 1922.
  pasturing—
    and clipping first crop. B.P.I. Cir. 28, pp. 8–9. 1909.
    first crop, value in seed production. F.B. 323, pp. 18–19. 1908.
    per cent of hay production. News L., vol. 6, No. 30, p. 13. 1919.
  Perm red, description, value in Russia. B.P.I. Bul. 150, pp. 21–22. 1909.
  Persian, description and uses. B.P.I. Bul. 150, p. 24. 1909.
  pin. See Alfilaria.
  production—
    cost per acre. Stat. Bul. 73, pp. 29–30. 1909.
    in Ohio, Stark County. Soil Sur. Adv. Sh., 1913, p. 11. 1915; Soils F.O., 1913, p. 1349. 1916.
    in various States, 1909, acreage, yield. F.B. 502, pp. 7–8. 1912.
  protection against stem-borer, methods. D.B. 889, pp. 21–23. 1920.
  protein content, variations in seed, and forage value. F.B. 320, pp. 14–15, 26, 28. 1908.
  red—
    J. M. Westgate and F. H. Hillman. F. B. 455, pp. 48. 1911.
    and—
      alfalfa, leaf-spot caused by the fungi *Pseudopeziza medicaginis* and *Pseudopeziza trifolii*, respectively. Fred Reuel Jones. D.B. 759, pp. 38. 1919.
      alsike, comparative hardness of seeds. F.B. 676, p. 5. 1915.
      alsike, seeding. News L., vol. 6, No. 31, pp. 3–4. 1919.
      white, use on mountain meadows. B.P.I. Bul. 117, p. 12. 1907.
    area decrease, 1897–1914, causes and losses. News L., vol. 3, No. 32, p. 4. 1916.
    as green manure, experiments. F.B. 278, p. 15. 1907.
    attack of clover root-borer, method and effect. Ent. Cir. 119, pp. 3–4. 1910.
    breeding for disease resistance. An. Rpts., 1910, pp. 84–85. 1911; Sec. A.R., 1910, pp. 84–85. 1910; Y.B., 1910, p. 84. 1911.
    characteristics and value as honey source. F.B. 1215, pp. 8–9. 1922.
    comparison with other clovers, studies. F.B. 455, pp. 35–37. 1911.
    content of fertilizer materials per acre. F.B. 1064, p. 9. 1919.
    cross-pollination and self-pollination, discussion. D.B. 289, pp. 2–4, 11. 1915.
    culture—
      A. J. Pieters and W. R. Walton. F.B. 1339, pp. 33. 1923.
      Oregon and Washington, western slope. B.P.I. Bul. 94, pp. 14–17. 1906.
    description, and value as legume, experiments. S.R.S., Syl. 34, pp. 15–16. 1918.
    disease-resistant strain, successful breeding, Tennessee. O.E.S. An. Rpt., 1908, p. 171. 1909.
    early cutting for flower-midge control. News L., vol. 3, No. 41, p. 4. 1916.
    effect and value as land fertilizer. F.B. 455, pp. 26–27. 1911.
    fall care. News L., vol. 7, No. 10, p. 13. 1919.
    feeding value, comparison with other forage crops. F.B. 455, pp. 25–26. 1911.
    flower, structure and development. D.B. 289, pp. 5–10. 1915.
    fungus diseases, description, and control. methods. F.B. 455, pp. 40–41. 1911.
    germination in culture solutions of varying reaction. J.A.R., vol. 19, pp. 88–92, 93. 1920.
    giant, importation, description and yield. B.P.I. Inv. 31, No. 33736, pp. 6, 49. 1914.
    green manure, effect on soils. J.A.R., vol. 9. pp. 190–194. 1917.

Clover(s)—Continued.
  red—continued.
    growing—
      as forage crop for hogs. F.B. 951, p. 12. 1918.
      in North, seeding rate and methods. S.R.S. Syl. 25, pp. 8-10. 1917.
      in soil cultures in greenhouses, experiments. J.A.R., vol. 25, pp. 15-17. 1923.
      in South, seed quantity and yields. S.R.S. Syl. 24, p. 12. 1917.
    growth—
      effect of mineral phosphates, analyses. J.A.R. vol. 6, No. 13, pp. 493, 496-503, 506, 507. 1916.
      habits, and value for cotton States. F.B. 1125, rev., p. 32. 1920.
      results of potassium salts, experiments. J.A.R., vol. 15, pp. 487-492. 1918.
    hairiness, objections. B.P.I. Bul. 150, pp. 21-22. 1909.
    harvesting, stacking, etc., time, methods. F.B. 455, pp. 21-23. 1911.
    hay, analysis. B.A.I. Bul. 101, p. 8. 1908.
    history, distribution, and characteristics in Russia. B.P.I. Bul. 150, p. 21. 1909.
    history, distribution, description, and adaptability. F.B. 455, pp. 6-9, 11-12. 1911.
    hog forage, and value. B.P.I. Bul. 111, Pt. IV, p. 12. 1907.
    importations and description. Nos. 37406-37460, B.P.I. Inv. 38, pp. 58-61. 1917; Nos. 44105-44107, B.P.I. Inv. 50, pp. 29-30. 1922; Nos. 54707-54708, 54739, B.P.I. Inv. 70, pp. 11, 15. 1923.
    injury—
      clover-flower midge. F.B. 942, p. 4. 1918.
      pea aphid. D.B. 276, pp. 6-7. 1915.
    inoculation—
      field tests and results. F.B. 315, pp. 15, 18, 19. 1908.
      methods. F.B. 455, pp. 18-19. 1911.
    insect enemies, description, control methods. F.B. 455, pp. 37-39. 1911.
    irrigation experiments in—
      Idaho. D.B. 1340, p. 31. 1925.
      Oregon. O.E.S. Cir. 78, pp. 21-23. 1908.
    Italian, seed, testing. Off. Rec., vol. 2, No. 52, p. 4. 1923.
    mixture(s) with—
      alsike and timothy, seeding rates. F.B. 1151, pp. 11-13. 1920.
      other clovers and grasses. F.B. 455, p. 26. 1911.
    new type. Charles J. Brand. B.P.I. Bul. 95, pp. 48. 1906.
    new varieties, description. B.P.I. Bul. 208, pp. 23, 79-80. 1911.
    nodule bacteria cultures, effect on milk. J.A.R. vol. 20, p. 550. 1921.
    planting on poor land in South. F.B. 326, p. 14. 1908.
    pollination studies. J. M. Westgate and others. D.B. 289, pp. 31. 1915.
    pollinizing machine. D.B. 289, pp. 20-26. 1915.
    production, various sections of United States. F.B. 455, pp. 46-47. 1911.
    quantity of seed per acre. F.B. 326, p. 14. 1908.
    resistant variety, development, Tennessee Experiment Station. Soils F.O., 1908, p. 1032. 1911; Soil Sur. Adv. Sh., 1908, p. 18. 1910.
    root-knot, description. B.P.I. Cir. 91, pp. 10, 11. 1912.
    root system. F.B. 233, p. 9. 1905.
    Russian—
      description. B.P.I. Bul. 150, pp. 21-23. 1909.
      importation. No. 44906, B.P.I. Inv. 51, p. 88. 1922.
    seed—
      A. J. Pieters. F.B. 123, pp. 12. 1901.
      adulteration. Sec. Cir. 35, pp. 1-6. 1911.
      adulteration. James Wilson. Sec. Cir. 14, pp. 2. 1905; Sec. Cir. 18, p. 1. 1906.
      adulteration and misbranding. B.T. Galloway. Sec. Cir. 39, pp. 7. 1912.
      adulteration and misbranding, results of analyses. Sec. Cir. 26, p. 1. 1907; Sec. Cir. 28, p. 2. 1909; Sec. Cir. 31, pp. 1-4. 1910.

Clover(s)—Continued.
  red—continued.
    seed—continued.
      adulteration and testing directions. F.B. 428, pp. 5, 33-34. 1911.
      adulteration, description and detection. F.B. 382, pp. 7-8, 16-17. 1909.
      adulterants. Y.B., 1915, p. 314. 1916; Y.B. Sep. 679, p. 314. 1916.
      and alfalfa, separation from buckhorn seeds, improved method. Harry B. Shaw. B.P.I. Cir. 2, pp. 12. 1908.
      and its impurities. Edgar Brown and F. H. Hillman. F.B. 260, pp. 24. 1906.
      bed of winter barley. F.B. 1464, pp. 9, 15. 1925.
      causes of destruction. Sec. A.R., 1925, pp. 60-61. 1925.
      choice, germination test, and sources. F.B. 1339, pp. 4-6. 1923.
      description, impurities and germination. F.B. 1339, pp. 3-6. 1923.
      high grade, analyses. B.P.I. Bul. 111, Pt. III, p. 16. 1907.
      imported and domestic, testing. B.P.I. Chief Rpt., 1921, p. 27. 1921.
      information for purchasers. A. J. Pieters. F.B. 123, pp. 12. 1901.
      insects affecting production. F. M. Webster. Ent. Cir. 69, pp. 9. 1906.
      low-grade, anayses. B.P.I. Bul. 111, Pt. III, pp. 6-15. 1907.
      prices, 1907-1918, effect of the war. Y.B., 1918, p. 211. 1919; Y.B., Sep. 775, p. 19 1919.
      production, ideal conditions, harvesting and hulling. F.B. 1339, pp. 19-23. 1923.
      production, insects affecting. F. M. Webster. Ent. Cir. 69, pp. 9. 1906.
      production, pollination studies. J. M. Westgate and others. D.B. 289, pp. 31. 1915.
      production, report for 1925. Sec. A. R., 1925, pp. 60-61. 1925.
      quantity per acre for orchard cover crop. F.B. 491, p. 18. 1912.
      scarifying machine. S.R.S. Rpt., 1915, Pt. I, p. 120. 1917.
      selection, characteristics. F.B. 455, pp. 9-11. 1911.
      separation from buckhorn seeds, improved method. Harry B. Shaw. B.P.I. Cir. 2, pp. 12. 1908.
      shortage, 1919. News L., vol. 6, No. 27, p. 24. 1919.
      studies. J.A.R. vol. 6, No. 20, pp. 762-795. 1916.
      testing. B.P.I. Chief Rpt., 1921, p. 27. 1921.
      testing by department, 1909. Sec. Cir. 31, p. 1. 1910.
      yield per acre. B.P.I. Cir. 28, p. 6. 1909.
      yield per acre, crop value and benefit to land. F.B. 405, pp. 9, 13. 1910.
    seeding—
      methods, time, quantity. F.B. 455, pp. 12, 13-16, 18. 1911.
      quality of hay. F.B. 1125 rev. p. 32. 1920.
      time, method, and rate. News L., vol. 3, No. 32, p. 5. 1916.
    selected seed. B.P.I. Bul. 176, p. 21. 1910.
    self-sterility, discussion. D.B. 289, pp. 2-4. 1915.
    stand, means of securing. B.P.I. Cir. 28, pp. 5-7. 1909.
    supply sources and harvesting methods. Y.B., 1917, pp. 517-518. 1918; Y.B. Sep. 757, pp. 23-24. 1918.
    treatment, experiments. F.B. 455, pp. 19-21 1911.
    use—
      and value in soil improvement, coastal plain section. F.B. 924, pp. 12, 18. 1918.
      as forage crop in cotton region. F.B. 509, pp. 24-25. 1912.
      as pasture plant for logged-off land in Oregon and Washington. F.B. 462, p. 13. 1911. 4.
    usefulness in dairy feeding. Y.B., 1922, p. 33. 1923; Y.B., Sep. 879, p. 43. 1923.
    value—
      as legume, fertilizer content. F.B. 1250, pp. 34-35. 1922.
      in farming. F.B. 981, pp. 8, 14, 20. 1918.

INDEX TO PUBLICATIONS, 1901–1925   491

Clover(s)—Continued.
 red—continued.
  varieties—
   American and foreign. F.B. 1339, pp. 23–24. 1923.
   description, adaptability. F.B. 455, pp. 34–35. 1911.
   white and alsike, cultivation in Alaska. Alaska A.R., 1907, p. 28. 1908.
  region—
   beekeeping. E. F. Phillips and George S. Demuth. F.B. 1215, pp. 27. 1922.
   geographical boundaries and seasonal variations. F.B. 1215, pp. 4–5, 10. 1922.
   relation to acidity of soil. F.B. 237, pp. 5–7. 1905.
  reseeding, methods. F.B. 502, p. 10. 1912.
  resistant to anthracnose, development and distribution. O.E.S. An. Rpt., 1912, p. 205. 1913.
  root borer—
   F. M. Webster. Ent. Cir. 67, pp. 5. 1905; Ent. Cir. 119, pp. 5. 1910.
   control. F.B. 405, p. 10. 1910.
   description and control. F.B. 1339, pp. 24–25. 1923.
   hibernating habits. Y.B., 1908, p. 378. 1909; Y.B. Sep. 488, p. 378. 1909.
   injury to—
    alfalfa and control. F.B. 1283, p. 34. 1922.
    plants. F.B. 1365, p. 20. 1924.
    red clover, description, and control methods. F.B. 455, pp. 37–38. 1911.
  root curculio—
   V. L. Wildermuth. Ent. Bul. 85, pp. 29–38. 1910; rev., pp. 29–38. 1911.
   alfalfa attacked by. F.M. Webster. F.B. 649, pp. 8. 1915.
   control on alfalfa, work 1915. An. Rpts., 1915, p. 222. 1916; Ent. A.R., 1915, p. 12. 1915.
   description, life history, and control. F.B. 649, pp. 1–8. 1915.
   destruction by starlings. D.B. 868, pp. 17–18. 1921.
   injury to alfalfa. F.B. 1283, p. 34. 1922.
  root, injury by curculio. F.B. 649, pp. 2–5. 1915.
  root nodules, description. Y.B., 1910, p. 215. 1911; Y.B. Sep. 530, p. 215. 1911.
  rotation with—
   grain. F.B. 704, pp. 13–16. 1916.
   sugar beets, Michigan and Ohio. D.B. 748, pp. 8–9. 1919.
  rotting in stack, effect on quality and yield of seed. F.B. 676, pp. 6–8. 1915.
  saving for seed. News L., vol. 6, No. 44, p. 6. 1919.
  school lesson. D.B. 258, p. 4. 1915.
  seed—
   acreage and condition, September 15, 1914, 1915. News L., vol. 3, No. 8, p. 6. 1915.
   adulterant, imported. News L., vol. 1, No. 5, p. 1. 1913.
   adulteration. F.B. 428, pp. 5–6, 33–37. 1911.
   adulteration with Canada thistle. F.B. 1002, pp. 7–8. 1918.
   alsike, imported adulterant. News L., vol. 1, No. 5, p. 1. 1913.
   and grain farm, plan, possibilities, and profits. F.B. 370, pp. 13–15. 1909.
   and livestock farming, benefit to land. F.B. 405, p. 13. 1910.
   and timothy, prices 1912–1917, exports and imports. Y.B., 1917, pp. 669, 766, 773. 1918; Y.B. Sep. 760, p. 17. 1918; Y.B. Sep. 762, pp. 10, 17. 1918.
   bed preparation on light sandy land. F.B. 323, p. 10. 1908.
   bushel weights, Federal and state. Y.B., 1918, p. 723. 1919; Y.B. Sep. 795, p. 59. 1919.
   buying directions. F.B. 704, pp. 30–31. 1916.
   chalcid fly—
    control methods. F.B. 405, p. 10. 1910; F.B. 636, pp. 1–3. 1914; F.B. 1339, pp. 25–26. 1923.
    description, life history, distribution. Ent. Cir. 69, pp. 7–9. 1906; F.B. 455, p. 38. 1911; F.B. 636, pp. 1–3. 1914; F.B. 1339, pp. 25–26. 1923.
    hibernating habits. Y.B., 1908, p. 375. 1909; Y.B. Sep. 488, p. 375. 1909.

Clover(s)—Continued.
 seed—continued.
  chalcid fly—continued.
   injury to bur clover seed. F.B. 693, p. 14. 1915.
   parasite, *Tetrastichus bruchophagi*, description. J.A.R., vol. 8, pp. 277–282. 1917.
  chalcis fly—
   Theodore D. Urbahns. D.B. 812, pp. 20. 1920.
   some preliminary notes. E. S. G. Titus. Ent. Bul. 44, pp. 77–80. 1904.
  commercial adulteration, description, and necessity of recognizing. F.B. 353, pp. 5–7, 1909.
  conditions in Europe. News L., vol. 6, No. 25, pp. 1–2. 1919.
  conservation by good preparation of land. Sec. Cir. 142, p. 16. 1919.
  cooperative, cleaning. News. L., vol. 1, No. 31, p. 4. 1914.
  crimson—
   gathering device, homemade, description, use method. News L., vol. 2, No. 12, pp. 1–2. 1914.
   germination testing, importance. News L., vol. 4, No. 3, p. 3. 1916.
   impure, importation, 1915. News L., vol. 3, No. 5, p. 2. 1915.
  crop injury by midge. F.B. 323, p. 19. 1908.
  dodder-infested, examination, and cleaning. F.B. 1161, pp. 9, 12–13. 1921.
  experiments, detailed description. B.P.I. Bul. 95, pp. 22–41. 1906.
  exports—
   and imports, 1906. B.P.I. Bul. 111, pp. 18–19. 1907; Pt. III, pp. 5–6. 1917.
   for 1925. Y.B., 1925, p. 1045. 1925.
   statistics. Y.B., 1921, p. 748. 1922; Y.B. Sep. 867, p. 12. 1922.
  foreign study. Sec. A.R., 1924, p. 78. 1924.
  handling and harvesting. F.B. 323, pp. 18–21. 1908.
  hard, occurrence and significance. F.B. 676, pp. 1–3. 1915.
  hard, treatment in hulling. George T. Harrington. F.B. 676, pp. 8. 1915.
  harvesting machine development. An. Rpts., 1915, p. 152. 1916; B.P.I. Chief Rpt., 1915, p. 10. 1915.
  impermeability, studies. J.A.R., vol. 6, No. 20, pp. 761–796. 1916.
  importations—
   Nos. 49884, 49888, B.P.I. Inv. 63, p. 17. 1923.
   from Chile F.B. 428, p. 5. 1911.
   imported, low-grade. Edgar Brown and Mamie L. Crosby. P.B.I. Bul. 111, Pt. III, pp. 18. 1907; B.P.I. Bul. 111, pp. 27–30. 1907.
  imports—
   1907–1909, quantity and value, by countries from which consigned. Stat. Bul. 82, p. 54. 1910.
   1908–1910, quantity and value, by countries from which consigned. Stat. Bul. 90, p. 58. 1911.
   1925, by kinds. Y.B., 1924, pp. 1064, 1096. 1925.
  injury by clover-flower midge, and protection. F.B. 971, pp. 4, 10–12. 1918.
  insects injurious, control. F.B. 405, p. 10. 1910.
  iron and manganese content. J.A.R., vol. 23, p. 397. 1923.
  labeling with origin. Y.B., 1919, p. 344. 1920; Y.B. Sep. 815, p. 344. 1920.
  low-grade, imported. Edgar Brown and Mamie L. Crosby. B.P.I. Bul. 111, pp. 17–30. 1907.
  market statistics, prices and receipts, 1910–1921. D.B. 982, pp. 213, 215. 1921.
  prices—
   1896–1908. Y.B., 1908, pp. 664–665. 1909; Y.B. Sep. 498, pp. 664–665. 1909.
   1900–1915. Y.B., 1916, p. 467. 1916; Y.B. Sep. 683, p. 467. 1916.
   1912–1917, exports and imports. Y.B., 1917, pp. 669, 773, 776. 1918; Y.B. Sep. 760, p. 17. 1918; Y. B. Sep. 762, pp. 10, 17. 1918.
   doubling, 1916 to 1918. News L., vol. 6, No. 24, p. 7. 1919.

36167°—32——32

Clover(s)—Continued.
  seed—continued.
    prices—continued.
      exports and imports. Y.B., 1913, pp. 420, 499, 506.1914; Y.B. Sep. 630, p. 420. 1914; Y.B. Sep. 631, pp. 499, 506. 1914.
      wholesale, principal cities, 1903–1907. Y.B., 1907, pp. 695–696. 1908; Y.B. Sep. 465, pp. 695–696. 1908.
    production—
      and prices, 1912–1913, by States, comparison. F.B. 563, p. 14. 1913.
      decrease, 1918, comparison with 1917, estimates. News L., vol. 6, No. 3, p. 7. 1918.
      Huntley Experiment Farm, 1918. D.C. 86, pp. 15–16. 1920.
      improvement to soil. B.P.I. Cir. 28, pp. 12–14. 1909.
      in Northwest. F.B. 405, pp. 9–13. 1910.
      in Oregon, injury by midge. F.B. 615, p. 16. 1914.
      in Washington, Oregon, and Idaho, methods, and profits. D.B. 625, p. 11. 1918.
      insects affecting. Ent. A.R., 1917, p. 13. 1917; An. Rpts., 1917, p. 239. 1918.
      labor and material requirements. Y.B., 1921, p. 816. 1922; Y.B. Sep. 876, p. 13. 1922.
      methods and profits. D.B. 625, p. 11. 1918.
      Oregon, Willamette Valley. D.B. 705, pp. 12–13, 20. 1918.
      Oregon, Willamette Valley. Byron Hunter. B.P.I. Cir. 28, pp. 15. 1909.
      study. An. Rpts., 1908, p. 383. 1909; B.P.I. Chief Rpt., 1908, p. 111. 1908.
      test with varieties, Huntley Experiment Farm. W.I.A. Cir. 22, pp. 17–18. 1918.
      yield and price, 1913–1914. F.B. 641, p. 31. 1914.
    purity and germination tests, necessity, methods. News L., vol. 5, No. 34, p. 8. 1918.
    quality and yield, effect of rotting clover in stack. F.B. 676, pp. 6–8. 1915.
    quantity per acre—
      for lawns. F.B. 494, pp. 31, 38. 1912.
      irrigated lands. B.P.I. Doc. 452, p. 3. 1909.
      on pasture and hay lands. F.B. 337, pp. 8, 9, 10, 12, 13, 14, 16, 18, 22. 1908.
      practice. B.P.I. Cir. 80, pp. 11, 13. 1911; F.B. 147, pp. 26, 27. 1902; F.B. 325, pp. 10–11. 1908; F.B. 337, pp. 8, 9, 10, 12, 13, 14. 1908; F.B. 405, pp. 11, 12. 1910.
      when sown for seed. F.B. 323, p. 13. 1908.
    red—
      home-grown, comparison with imported. News L., vol. 3, No. 34, p. 4. 1916.
      production and harvesting. F.B. 455, pp. 30–34. 1911.
      production, pollination studies. J. M. Westgate and others. D.B. 289, pp. 31. 1915.
      requirements for good crop. F.B. 1365, pp. 16–19. 1924.
    saving. News L., vol. 6, No. 44, p. 6. 1919.
    scratching machines. B.P.I. Bul. 150, p. 24. 1909.
    selection for protein content, variation in color. F.B. 320, pp. 14–15. 1908.
    source indicated by presence of weed seeds. F.B. 260, p. 24. 1906.
    statistics—
      1905. Y.B., 1905, pp. 729–730. 1906; Y.B. Sep. 404, pp. 729–730. 1906.
      1906. Y.B., 1906, p. 630. 1907; Y.B. Sep. 436, p. 630. 1907.
      1918, acreage, yield. Y.B., 1918, pp. 527–529, 633, 641. 1919; Y.B. Sep. 792, pp. 23–25. 1919; Y.B. Sep. 794, pp. 9, 17. 1919.
      1919, acreage, production, and value. Y.B., 1919, pp. 586–588. 1920; Y.B. Sep. 827, pp. 586–588. 1920.
      1920. Y.B. Sep. 862, pp. 26–27. 1921; Y.B., 1920, pp. 634–635. 1921.
      1921, production, prices, exports. Y.B., 1921, pp. 605–606, 748. 1922; Y.B. Sep. 867, p. 12. 1922; Y.B. Sep. 869, pp. 25–26. 1922.
      1922, acreage, production, and price. Y.B., 1922, pp. 698–704. 1923; Y.B. Sep. 884, pp. 698–704. 1923.
    graphic showing of average production. Stat. Bul. 78, p. 36. 1910.
    receipts and shipments at trade centers. Rpt. 98, p. 315. 1913.

Clover(s)—Continued.
  seed—continued.
    stripper, homemade, description and use method. News L., vol. 4, No. 41, p. 4. 1917.
    studies. J.A.R., vol. 6, No. 20, pp. 762–795. 1916.
    supply. F.B. 1232, pp. 5, 15, 16. 1921; Y.B., 1917, pp. 517–521. 1918; Y.B. Sep. 757, pp. 23–27. 1918.
    sweet, cutting and threshing methods. News L., vol. 4, No. 50, p. 4. 1917.
    testing directions. F.B. 428, pp. 33–37. 1911.
    trade with foreign countries, exports and imports. D.B. 296, p. 38. 1915.
    treatment for honey dew. B.P.I. Cir. 28, p. 12. 1909.
    treatment, studies. Work and Exp., 1919, p. 48. 1921.
    value. Off. Rec., vol. 4, No. 7, 3. 1925.
    wholesale prices, 1896–1909. Y.B., 1909, pp. 505–506. 1910; Y.B. Sep. 524, pp. 505–506. 1910.
    yields on sandy jack-pine lands, value. F.B. 323, pp. 10–11, 18–19. 1908.
  seeders, description. B.P.I. Cir. 22, pp. 9, 13–14. 1909.
  seeding—
    harvesting, yields. F.B. 454, pp. 14–15. 1911.
    on clay soils, methods and directions. D.B. 705, pp. 21–23. 1918.
    rates. F.B. 1202, p. 52. 1921.
    suggestions, rate reduction, lime usage. News L., vol. 5, No. 25, p. 2. 1918.
    with nurse crop, Washington, Oregon, and Idaho, methods and results. D.B. 625, pp. 6–8. 1918.
    with or without cover crop, inoculation, harvesting. F.B. 323, pp. 11–21. 1908.
    with timothy, in Iowa, Buena Vista County. Soil Sur. Adv. Sh., 1917, p. 15. 1919; Soils F.O., 1917, p. 1605. 1923.
  Shaftal, description, origin, and use. F.B. 455, p. 36. 1911.
  Siberia and eastern Russia. B.P.I. Bul. 150, pp. 21–25. 1909.
  sick land, use of lime for remedy. Soils Cir. 33, p. 7. 1911.
  sickness—
    control by fertilizer treatment. News L. vol. 4, No. 19, p. 1. 1916.
    description, distribution, and control methods. F.B. 455, pp. 41–44. 1911.
    prevalence in Volusia soils, causes. Soils Bul. 60, p. 15. 1909.
  silage—
    examination for acidity. J.A.R., vol. 14, pp. 403–407. 1918.
    use, method, value. F.B. 556, p. 5. 1913.
  sour. See Melilot.
  southern bur, description. F.B. 693, p. 2. 1915.
  spotted bur—
    description. F.B. 693, p. 2. 1915.
    sowing and inoculation method in South. News L., vol. 4, No. 1, p. 6. 1916.
    value for cover crop in South. News L., vol. 4, No. 1, p. 6. 1916.
  stand, securing on jack-pine sandy lands, directions. F.B. 323, pp. 11–15. 1908.
  statistics, 1924. Y.B., 1924, pp. 1045, 1064, 1096. 1925.
  stem-borer—
    as an alfalfa pest. V. L. Wildermuth and F. H. Gates. D.B. 889, pp. 25. 1920.
    food plants, list. D.B. 889, pp. 3–4. 1920.
    parasites. D.B. 889, pp. 19–21. 1920.
    study in 1923. Work and Exp., 1923, p. 30. 1925.
  subterranean, importation. No. 55707, B.P.I. Inv. 72, pp. 2, 21–22. 1924.
  susceptibility to crown-gall. B.P.I. Cir. 76, pp. 5–6. 1911.
  sweet. See Sweet clover; Melilot; Melilotus.
  tests, 1909. B.P.I. Chief Rpt., 1909, p. 25. 1909; An. Rpts., 1909, p. 277. 1910.
  toothed bur, seed collection in wool-cleaning mills. F.B. 693, p. 12. 1915.
  top dressing with land plaster, good results. B.P.I. Cir. 22, pp. 3–5. 1909.
  treatment—
    for eradication of dodder. F.B. 1161, pp. 13–19. 1921.

Clover(s)—Continued.
treatment—continued.
with sulphur, effects. J.A.R., vol. 11, pp. 94, 95-99. 1917.
use as—
orchard cover crop. F.B. 917, p. 20. 1918.
pasture plant for logged-off land in Oregon and Washington, seed rate. F.B. 462, pp. 13-14. 1911.
silage. F.B. 578, p. 5. 1914.
use in—
Corn Belt rotations. Y.B., 1911, pp. 328-333, 335, 336. 1912; Y.B. Sep. 572, pp. 328-333, 335, 336. 1912.
crop rotation for commercial bean growing. F.B. 425, p. 6. 1910.
crop rotation for summer-fallow elimination. D.B. 625, pp. 1-2. 1918.
fertilizing soil for potato growing. F.B. 386, p. 5. 1910.
rotations, methods. F.B. 455, pp. 44-46. 1911.
use on old orchards, seeding rate. S.R.S. Syl. 31, p. 10. 1918.
use with timothy—
and wheat in acidity experiments. Chem. Bul. 145, pp. 16-17. 1912.
for hay. F.B. 1170, pp. 3, 5, 8. 1920.
value—
as cover crop for orchards. S.R.S. Syl. 25, p. 6. 1916.
in soil improvement. F.B. 981, pp. 8, 14, 15, 20, 31. 1918.
varieties—
causing trifoliosis in livestock. An. Rpts., 1909, p. 231. 1910; B.A.I. Chief Rpt., 1909, p. 41. 1909.
characteristics as food for bee. F.B. 1215, pp. 6-9. 1922.
for mixture with carpet grass. F.B. 1130, p. 10. 1920.
growing as forage, Hawaii. Hawaii Bul. 36, pp. 29-30, 39. 1915.
studies and experiments. An. Rpts., 1907, pp. 279-280. 1908.
suitability for pasture crop in Pacific Northwest. F.B. 599, pp. 11, 12, 13, 17, 18, 19-20, 26. 1914.
use as forage crop in cotton region. F.B. 509, pp. 24-27. 1912.
use as legume in grain growing. F.B. 704, p. 20. 1916.
value as pasture in Louisiana, East Feliciana Parish. Soil Sur. Adv. Sh., 1912, p. 14. 1913; Soils F.O., 1912, p. 978. 1915.
water requirements. J.A.R., vol. 3, pp. 29-30, 32-33, 35, 36, 50, 52, 59. 1914.
weevil, description. Sec. [Misc.], "A manual * * * insects * * *," pp. 60-61. 1917.
white—
and alsike, use and value in reseeding experiments. D.B. 4, pp. 7-8, 11, 14, 16, 23, 25, 26, 32. 1913.
characteristics and value as honey source. F.B. 1215, pp. 6-8. 1922.
comparison with red clover. F.B. 455, p. 35. 1911.
distribution. Y.B., 1923, p. 380. 1924; Y.B. Sep. 895, p. 380. 1924.
giant, comparison with red clover. F.B. 455, p. 36. 1911.
honey source, value. Ent. Bul. 75, Pt. VII, pp. 90, 92, 94, 95. 1909.
seed testing directions. F.B. 428, pp. 35-36. 1911.
use—
as pasture plant for logged-off land in Oregon and Washington. F.B. 462, pp. 13-14. 1911.
on bluegrass lawns. Soils Bul. 75, p. 16. 1911.
on lawns. F.B. 494, pp. 29, 30, 31, 32, 38, 39. 1912.
wilting coefficient determinations. B.P.I. Bul. 230, pp. 26, 31, 37, 45. 1912.
with rape, seed quantity per acre. B.P.I. Cir 28, pp. 5-6. 1909.
worm—
control in alfalfa. News L., vol. 6, No. 41, p. 7. 1919.

Clover(s)—Continued.
worm—continued.
green—
biological studies. Chas. C. Hill. D.B. 1336, pp. 20. 1925.
control, in alfalfa fields. Charles C. Hill. F.B. 982, pp. 7. 1918.
distribution, description, life history, and control. F.B. 982, pp. 3-7. 1918.
host plants. D.B. 1336, p. 3. 1925.
life history, habits, remedial treatment. Ent. Bul. 30, pp. 45-50. 1901.
warning for 1920. News L., vol. 7, No. 7, pp. 1-2. 1919.
See also *Plathypena scabra*.
and use as sod crop in North Dakota. D.B. 991, pp. 3, 4, 17, 19. 1921.
yield(s)—
in fertilizer tests, Oregon, Umatilla Experiment Farm, 1912, 1915, 1916. W.I.A. Cir. 17, p. 11. 1917.
under different volumes of water, Idaho. D.B. 339, pp. 11, 12, 22, 23, 30, 33, 40. 1916.
under irrigation, Oregon. O.E.S. Bul. 226, pp. 41, 42, 47-50, 51, 53. 1910.
zigzag, use in securing hybrid clover. Y.B. 1907, p. 146. 1908; Y.B. Sep. 441, p. 146. 1908.
See also Hay.
CLOWES, F. A., report of Hawaii substations' superintendent—
1912. Hawaii A.R., 1912, pp. 83-87. 1913.
1913. Hawaii A.R., 1913, pp. 50-53. 1914.
for Hilo and Glenwood, 1914. Hawaii A.R., 1914, pp. 57-61. 1915
for Glenwood, 1915. Hawaii A.R., 1915, pp. 51-57. 1916.
Club(s)—
age of members, increase in average. D.C. 255, pp. 13-14. 1923.
agents, cooperative supervision of girls' canning clubs. News L., vol. 3, No. 26, p. 1. 1916.
agricultural—
boys' and girls'. O.E.S. Cir. 99, pp. 6-7. 1910.
boys' and girls'. F. W. Howe. F.B. 385, pp. 23. 1910.
directory. Off. Rec., vol. 3, No. 49, p. 4. 1924.
for children, organization publications. Rpt., 103, pp. 79-80, 90-91. 1915; Rpt., 104, pp. 79-80, 90-91. 1915; Rpt., 105, pp. 67-68, 78-79. 1915; Rpt., 106, pp. 70-71, 81. 1915.
See also Boys' clubs; Girls' clubs.
baby-beef—
organization, progress, and membership. Y.B. 1917, p. 335. 1918; Y.B. Sep. 749, p. 11. 1918; News L., vol. 3, No. 48, p. 4. 1916.
profits, 1915. News L. vol. 4, No. 8, p. 4. 1916.
boys' agricultural—
Dick J. Crosby. Y.B., 1904, pp. 489-496. 1905; Y.B. Sep. 362, pp. 489-496. 1905.
work in Southern States. I. W. Hill and G. W. Chambers. D.C. 38, pp. 22. 1919.
and girls'. See Boys' and girls' clubs.
calf, pig, and poultry, work, 1919. An. Rpts., 1919, pp. 82, 83, 89. 1920; B.A.I. Chief Rpts., 1919, pp. 10, 11, 17. 1919.
corn, Southern States, enrollment and work. Sec. A.R., 1909, p. 89. 1909; Rpt., 91, p. 62. 1909; Y.B. 1909, p. 89. 1910.
corn, to all members. [Circular letter.] B.P.I. [Misc.], "To all members * * *," pp. 8. 1913.
successful work, 1910. An. Rpts., 1910, p. 82-83, 338. 1911; B.P.I. Chief Rpt., 1910, p. 68. 1910; Sec. A.R., 1910, pp. 82-83. 1910; Y.B., 1910, p. 82. 1911.
canning—
gardening instructions for. D.C. 27, pp. 1-16. 1919.
home, demonstrations, suggestions and instructions. O. H. Benson. S.R.S. [Misc.], "Suggestions and instructions * * *," pp. 2. 1915.
in South, fruits and vegetables. F.B. 853, pp. 1-42. 1917.
mother-daughter, organization, programs, and results. S.R.S. Doc. 20, pp. 1-6. 1917.
requirements. B.P.I. Doc. 883, p. 8. 1913.
southern records. News L., vol. 5, No. 44, p. 15. 1919.

494 UNITED STATES DEPARTMENT OF AGRICULTURE

Club(s)—Continued.
canning—continued.
suggestions to leaders. O. H. Benson. S.R.S. Doc. 7, pp. 2. 1915.
champions, boys' and girls' clubs, special courses offered in agricultural colleges. News L., vol. 6, No. 6, p. 8. 1918.
community—
buildings, erection, upkeep, and control. F.B. 1192, pp. 4-5, 11, 14. 1921.
organization and county work, Kentucky. Y.B., 1915, pp. 225, 228-229, 234. 1916; Y.B. Sep. 672, pp. 225, 228-229, 234. 1916.
cotton, organization, exhibits. D.B. 294, pp. 14-15. 1915.
demonstration work, object and results. D.C. 152, pp. 3, 9-30. 1921.
enrollment, relation to work, cost, and economic conditions. D.C. 192, pp. 6-8. 1921.
farmers, use of community buildings. F.B. 1274, pp. 15, 16, 19-20, 28. 1922.
4-H—
boys' and girls', work, 1923. I. W. Hill and Gertrude L. Warren. D.C. 348, pp. 47. 1925.
funds expended, amount and source, 1912-1922. D.C. 255, p. 1. 1923.
garden—
Guam, rules for members. Guam Cir. 2, pp. 2, 3. 1921.
instructions for. D.C. 27, pp. 16. 1919.
girls—
canning for customers. News L., vol. 6, No. 43, p. 15. 1919.
enrollment and work. An. Rpts., 1919, pp. 372-374, 383-384. 1920; S.R.S. Dir. Rpt., 1919, pp. 20-22, 31-32. 1919.
sewing, four years' course. S.R.S. Doc. 83, pp. 16. 1918.
See also Boys' and Girls' clubs.
groups, standardization. D.C. 66, pp. 12-14. 1920.
Guam, summary, and score cards used. Guam A.R., 1921, p. 38. 1923.
handicraft, farm and home. S.R.S. Doc. 26, pp. 3. 1915.
health, organization, in Iowa. News L., vol. 6, No. 44, p. 9. 1919.
home, for negroes, success. News L., vol. 7, No. 5, p. 15. 1919.
home garden. Glen Briggs. Guam Cir. 2, pp. Cir. 2, pp. 15. 1921.
lamb and wool marketing, Tennessee. F.B. 809, pp. 7-8. 1917.
leaders—
activities in Northern and Western States, summary. D.C. 192, pp. 9-10, 35. 1921.
Massachusetts counties. News L., vol. 6, No. 34, p. 9. 1919.
number and work. D.C. 66, pp. 6-7, 11. 1920
local organization, work of community leaders. 1919. D.C. 152, p. 7. 1921.
marketing, increase in South. News L., vol. 7, No. 5, p. 15. 1919.
markets, establishment by women and girls in South. D.C. 248, p. 29. 1922.
member—
benefits from club work. D.C. 152, pp. 30-33. 1921.
directions for canning, preserving and pickling foods. S.R.S. Doc. 22, pp. 15. 1916.
directions for growing acre of potatoes. F.B. 1190, pp. 3-28. 1921.
gardening instructions. D.C. 27, pp. 16. 1919.
home garden. Glen Briggs. Guam Cir. 2, pp. 15. 1921.
use of earnings. News L., vol. 6, No. 46, p. 12. 1919.
membership increases since 1912. D.C. 66, pp. 19-20. 1920.
negro—
boys and girls, activities. D.C. 355, pp. 18-21. 1925.
boys, enrollment and products. D.C. 190, p. 16. 1921.
women and girls' membership and results. D.C. 190, p. 15. 1921.
number of members completing work, increase. D.C. 255, p. 14. 1923.

Club(s)—Continued.
organization and county work, Virginia. Y.B., 1915, pp. 239, 240, 243, 245, 246. 1916; Y.B.Sep. 672, pp. 239-246. 1916.
pig—
and poultry, value in development of stock raising. An. Rpts., 1916, pp. 18, 37. 1917; B.A.I. Chief Rpt., 1916, p. 21. 1916; Sec. A.R., 1916, p. 20. 1916.
and the swine industry. J. D. McVean. Y.B., 1917, pp. 371-384. 1918; Y.B. Sep. 753, pp. 16. 1918.
means of increasing pork productions. Sec. Cir., 84, pp. 14-16. 1918.
poultry—
girls' and boys', daily record book. B.A.I. [Misc.], "Girls' and boys' * * * ." [Blank forms.] 1922.
girls', organization. Harry M. Lamon. B.A.I. Cir. 208, pp. 11. 1913.
instructions for selection and preparation of exhibition fowls. F.B. 1115, pp. 3-11. 1920.
local leaders, suggestions. George E. Farrell. S.R.S. Doc. 53, pp. 7. 1917.
use of products. D.C. 36, pp. 14. 1919.
rabbit, boys' and girls', value of work to the industry. F.B. 1090, p. 34. 1920.
rural school, organization by teachers, suggestions. D.B. 132, pp. 2-5. 1915.
seed-growing, cooperative, organization by boys and girls for supplying committee. S.R.S. Doc. 87, pp. 3-4. 1918.
tomato, organization. D.B. 392, pp. 16-17. 1916.
U. S. D. A., directory. Off. Rec., vol. 1, No. 44, p. 6. 1922.
women's—
desirability in rural sections. Rpt. 103, pp. 27-31. 1915; Rpt. 105, pp. 37, 39, 42, 43, 44, 45, 50, 53, 58, 65. 1915.
home demonstration work in South. An. Rpts., 1917, pp. 341-342. 1918; S.R.S. Dir. Rpt., 1917, pp. 19-20. 1917.
number in United States and counties. D.B. 719, pp. 2, 4-5. 1918.
work—
addition to farm bureau program. D. C. 30, pp. 20-21. 1919.
advantages to country boys. News L., vol. 6, No. 44, pp. 10. 1919.
agricultural influence on rural life. News L., vol. 3, No. 51, pp. 4-5. 1916.
benefit to community. D.C. 152, pp. 33-34. 1921.
boys' and girls'—
canned vegetables, recipes. S.R.S. Doc. 31, pp. 1-4. 1916.
corn. [Blank form.] S.R.S. [Misc.], "Boys' and girls' club work. Corn." 1915.
development of business ability. News L., vol. 4, No. 18, p. 3. 1916.
in 1922. Ivan L. Hobson and Gertrude L. Warren. D.C. 312, pp. 52. 1924.
in North and West, organization and results. George E. Farrell and Ivan L. Hobson. D.C. 152, pp. 35. 1921.
in Northern and Western States, 1920. George E. Farrell. D.C. 192, pp. 36. 1921.
in Philippines. News L., vol. 6, No. 43, p. 16. 1919.
in South, examples. News L., vol. 6, No. 13, pp. 1-2. 1918.
object and organization. D.C. 152, pp. 3, 4-9. 1921.
progress. Y.B., 1921, pp. 37, 38. 1922; Y.B. Sep. 875, pp. 37, 38. 1922.
relation to agricultural extension. News L., vol. 3, No. 7, p. 7. 1915.
scope and growth. S.R.S. Doc. 40, rev., pp. 27-28. 1919.
suggestions and advice. S.R.S. Doc. 48, pp. 4. 1917.
tinning, capping, and soldering cans. O. H. Benson. S.R.S. Doc. 11, pp. 4. 1916.
tomato growing. W. R. Beattie. S.R.S. Doc. 98, pp. 14. 1919.
cooperative financing plans, developments. D.C. 152, p. 35. 1921.
effect on rural isolation. News L., vol. 6, No. 37, p. 6. 1919.

INDEX TO PUBLICATIONS, 1901–1925 . 495

Club(s)—Continued.
work—continued.
effect on scholarship of members. Y.B., 1915, pp. 174–176, 240. 1916; Y.B., Sep. 667, pp. 174–176. 1916; Y.B. Sep. 672, p. 240. 1916.
importance to boys and girls, remarks of Secretary Meredith. D.C. 152, p. 2. 1921.
in North and West, funds, amount and sources, 1911–1921. D.C. 192, pp. 34–35. 1921.
in North and West, projects and enrollment, summary. S.R.S. Rpt., 1918, p. 101. 1919.
in South and North, origin, development, and growth. S.R.S. Rpt., 1915, Pt. II, pp. 30–36, 159–162. 1917.
included in farm bureau work. S.R.S. Doc. 89, pp. 20–21. 1919.
potato growing in North and West. William Stuart. B.P.I. Doc. 884, pp. 10. 1913.
relation to the rural home. D.C. 192, pp. 13–21. 1921.
summary and details. An. Rpts., 1922, pp. 440, 447–448. 1923.
values in personal and community conditions. D.C. 66, pp. 33–38. 1920.
"Club" disease, reindeer foot, similarity to sheep foot-rot, cause. B.A.I. Bul. 63, pp. 11, 26. 1905.
Clubfoot. See Clubroot.
Clubhouses, women's, use as community centers. D.B. 719, p. 13. 1918.
Clubroot—
difference from root knot. F.B. 648, p. 2. 1915.
effect of soil temperature and soil moisture. J.A.R., vol. 28, pp. 549–562. 1924.
similarity to root knot. F.B. 1345, p. 3. 1923.
turnips, injuries and control. F.B. 856, pp. 39, 70. 1917.
Clupea spp. *See* Sardines.
Clusia grandiflora, importations and description. No. 54306, B.P.I. Inv. 68, p. 49. 1923.
Clyde loam, soils of the eastern United States and their use—XV. Jay A. Bonsteel. Soils Cir. 37, pp. 16. 1911.
Clyde soils series. J. A. Bonsteel. D.B. 141, pp. 60. 1914.
Clydesdale Association, American, studbook issues. F.B. 619, p. 12. 1914.
Clytus, red-headed, description, and injuries to timber. Y.B., 1910, p. 354. 1911; Y.B., Sep. 542, p. 354. 1911.
Cnemidocoptes spp., description and habits. Rpt. 108, pp. 130, 132–133. 1915.
Cnemidophorus tigris. See Lizard, whip-tail.
Cnicus benedictus. See Thistle, blessed.
Cnidocampa flavescens. See Moth, oriental.
COAD, B. R.—
"Boll-weevil problem." With W. D. Hunter. F.B. 1262, pp. 31. 1922; F.B. 1329, pp. 30. 1923.
"Chemical changes in calcium arsenate during storage." With others. D.B. 1115, pp. 28. 1922.
"Collection of weevils and infested squares as a means of control of the cotton-boll weevil in the Mississippi Delta." With T. F. McGehee. D.B. 564, pp. 51. 1917.
"Cotton boll-weevil control by the use of poison." With T. P. Cassidy. D.B. 875, pp. 31. 1920.
"Cotton boll-weevil control in the Mississippi Delta, with special reference to square picking and weevil picking." D.B. 382, pp. 12. 1916.
"Cotton-dusting machinery." With others. F.B. 1319, pp. 20. 1923.
"Dispersion of the boll-weevil in 1920." With R. W. Moreland. D.C. 163, pp. 2. 1920.
"Dispersion of the boll-weevil in 1921." With others. D.C. 210, pp. 3. 1922.
"Dusting cotton from airplanes." With others. D.B. 1204, pp. 40. 1924.
"Dusting for the cotton-boll weevil." With T. P. Cassidy. D.C. 274, pp. 3. 1923.
"Dusting machinery for cotton-boll weevil control." With Elmer Johnson. F.B. 1098, pp. 31. 1920.
"Feeding habits of the boll weevil on plants other than cotton." J.A.R., vol. 2, pp. 235–245. 1914.
"Insect injury to cotton seedlings." With R. W. Howe. J.A.R., vol. 6, No. 3, pp. 129–140. 1916.
"Killing boll weevils with poison dust." Y.B., 1920, pp. 241–252. 1921; Y.B. Sep. 842, pp. 241–252. 1921.

COAD, B. R.—Continued.
"Recent experimental work on poisoning cotton-boll weevils." D.B. 731, pp. 15. 1918.
"Recent studies of the Mexican cotton-boll weevil." D.B. 231, pp. 34. 1915.
"Relation of the Arizona wild-cotton weevil to cotton planting in the arid West." D.B. 233, pp. 12. 1915.
"Some rules for poisoning the cotton-boll weevil." With T. P. Cassidy. D.C. 162, pp. 4. 1921.
"Studies on the biology of the Arizona wild-cotton weevil." D.B. 344, pp. 23. 1916.
"The distribution of the boll weevil in 1919." Ent. [Misc.], "The distribution of * * *." pp. 2. 1920.
Coagulation process, details. Chem. Bul. 123, p. 23. 1909.
Coal—
ashes, sifted, value in garden soil. F.B. 818, p. 15. 1917.
composition and destructive distillation. D.B. 1036, pp. 7–11. 1922.
conservation by use of wood for fuel. D.B. 753, pp. 2–6, 38. 1919.
discovery and development, in Pennsylvania, southeastern, reconnoissance. Soil Sur. Adv. Sh., 1912, p. 12. 1914; Soils F. O., 1912, p. 252. 1915.
distillation, ammonium sulphate production. D.B. 37, pp. 4–5. 1913.
dust, injury to trees. Off. Rec., vol. 3, No. 14, p. 5. 1924.
emergency bill. Off. Rec., vol. 1, No. 39, p. 2. 1922.
fields, western Pennsylvania, location and extent. Soils F.O., 1909, pp. 211–212. 1912; Soil Sur. Adv. Sh., 1909, pp. 11–12. 1911.
fuel energy per pound, and losses. D.B. 459, p. 8. 1916.
fuel value, comparison with different woods. D.B. 718, p. 59. 1918.
heating equivalent of various woods, comparison. D.B. 481, p. 36. 1917; Sec. Cir. 79, pp. 4–5. 1917.
lands, Alaska, agricultural entries. Off. Rec., vol. 1, No. 4, p. 2. 1922.
lands, national forests, laws and decisions. Sol. [Misc.], "The national forest manual," pp. 66–68. 1916; Sol. [Misc.], "The national forest manual," pp. 42–44. 1913.
mining, Washington, 1907. O.E.S. Bul. 214, p. 15. 1909.
oil—
poisoning, cattle, treatment. B.A.I. [Misc.], "Diseases of cattle," rev., p. 61. 1904; rev., pp. 62–63. 1912.
use in control of mushroom disease, not satisfactory. D.B. 127, pp. 14, 21. 1914.
presence in soil. Soils Bul. 90, pp. 16–18. 1912.
regions, southwestern Pennsylvania, agriculture. H. J. Wilder. Y.B., 1909, pp. 321–332. 1910; Y.B. Sep. 516, pp. 321–332. 1910.
removal, injury to surface soils. Y.B., 1909, p. 324. 1910; Y.B. Sep. 516, p. 324. 1910.
resources of Alaska, Kenai Peninsula region, and prices. Soil Sur. Adv. Sh., 1916, pp. 45, 51, 142. 1919; Soils F.O., 1916, pp. 77, 83, 174. 1921.
source of ammonia. Y.B., 1919, p. 116. 1920; Y.B. Sep. 803, p. 116. 1920.
statistics, waste of human life and fuel. For. Cir. 157, p. 8. 1908.
tar—
barriers, use in destruction of chinch bugs. Ent. Bul. 95, Pt. III, pp. 37–38, 51. 1911.
colors—
adulteration. Chem. N.J. 13482. 1925.
adulteration and misbranding. See *Indexes to bound volumes of Chemistry Notices of Judgment.*
dyeing tests. Chem. Bul. 66, rev., pp. 24–26, 27. 1905.
identification. Chem. Bul. 122, pp. 230–233. 1909.
mixtures containing, certification. F.I.D. 159, p. 1. 1916.
compound, adulteration and misbranding. Insect. N.J. 884, 890; I. and F. Bd. S.R.A. 46, pp. 1096, 1101. 1923.
creosote and cresylic acid—
analysis for sheep dips. Robert M. Chapin. B.A.I. Bul. 107, pp. 35. 1908.

Coal—Continued.
  tar—continued.
    creosote and cresylic acid—continued.
      dips for control of hog lice and mange. F.B. 1085, p. 20. 1920.
      dips, improvement. B.A.I. Chief Rpt., 1908, p. 36. 1908; An. Rpts., 1908, p. 250. 1909.
      dips manufacture—Opinion 44. I. and F. Bd. S.R.A. 11, pp. 53–54. 1915.
      dips, testing directions. B.A.I.S.A. 47, p. 14. 1911.
      dips, use for cattle-lice eradication. F.B. 909, pp. 16–17. 1918.
      fractional distillation. Arthur L. Dean and Ernest Bateman. For. Cir. 80, pp. 31. 1907.
      use against roundworms. B.A.I. Bul. 35, pp. 7–9. 1902.
      use in drenching cattle, directions. B.A.I. [Misc.], "Diseases of cattle," rev., p. 533. 1912.
    dead. See Creosote.
    derivatives, drug habit. Chem. Bul. 126, pp. 18–19, 35–37, 40, 42, 43, 44, 45, 74, 78–79, 83. 1909.
    dips, analysis method. B.A.I. An. Rpt., 1908, p. 45. 1910.
    dips for cattle mange, experiments. B.A.I. An. Rpt., 1909, p 57. 1911.
    disinfectant, label. Insect. N.J.26. I. and F.Bd. S.R.A. 2, p. 28. 1914.
    dressing for tree wounds. For. Cir. 161, p. 23. 1909.
    dye(s)—
      "batch" and "mixture," definition. F.I.D. 106, p. 1. 1909.
      samples, forwarding. Chem. S.R.A. 17, p. 41. 1916.
      use in adulteration of egg noodles. Chem. N.J. 1181, p. 1. 1911.
      use in food, decision. F.I.D. 180, p. 1. 1919.
    emulsified, use as disinfectant, various forms. F.B. 926, p. 10. 1918.
    headache mixtures, harmfulness, caution. F.B. 377, pp. 3–16. 1909.
    hydrocarbons, bacteriological work, results. B.A.I. Chief Rpt., 1908, p. 37. 1908; An. Rpts. 1908, p. 252. 1909.
    oils, detection in turpentine. Chem. Bul. 135, pp. 17, 19, 29. 1911.
    pitch and oil, use in tree-banding material, cost. D.B. 899, pp. 6, 7. 1920.
    preparations, effectiveness against chicken lice and dog fleas. D.B. 888, pp. 2, 3, 13, 14, 15. 1920.
    products, use—
      as insecticides, Porto Rico. P.R. Cir. 17, pp. 17–18. 1918.
      in control of hen mites. F.B. 889, pp. 19–20. 1917.
    source of creosote. For. Cir. 206, pp. 11–23, 35.. 1912.
    spreading, methods and machines. Y.B. 1907, pp. 261–262. 1908; Y.B. Sep. 448, pp. 261–262. 1908.
    use—
      against chinch bugs. Ent. Bul. 69, pp. 65–68. 1907.
      as dust preventive. Y.B., 1907, pp. 261–263. 1908; Y.B. Sep. 448, pp. 261–263. 1908.
      as paint in blight eradication. News. L., vol. 3, No. 17, p. 4. 1915.
      on roads, results. Rds. Cir. 99, pp. 37, 40, 44. 1913.
      on seed corn as deterrent for crows. F.B. 1102, p. 16. 1920.
    washes, use in control of pear borer. D.B. 887, p. 8. 1920.
    See also Tar.
  tests and development possibilities, in Alaska, Matanuska. Soil Sur. Adv. Sh., 1914, p. 97. 1915; Soils F.O., 1914, p. 131. 1919.
  use—
    as fuel in frost protection. F.B. 104, rev., pp. 19, 20, 24. 1910.
    in fires for orchard protection. Y.B., 1909, p. 359. 1910; Y.B. Sep. 519, p. 359. 1910.
    in firing orchards. F.B. 401, pp. 8, 20, 21. 1910.
COALEY, GEORGE W.: "The road material resources of Minnesota." Rds. Bul. 40, pp. 24. 1911.

Coast—
  fever. See Rhodesian fever.
  lands, injury by grazing and timber cutting. Soils Bul. 68, p. 77. 1911.
  pine belt, Alabama, location and description. N.A. Fauna 45, pp. 8–9. 1921.
Coastal plain—
  Alabama, location and description. N.A. Fauna 45, pp. 9–10. 1921.
  area, farming, labor on Georgia farms. L.A. Reynoldson. D.B. 1292, Pp. 28. 1925.
  pasture and hay crops, recommendations. D.B. 827, p. 31. 1921.
  province, soils, description and use. D.B. 46, pp. 1, 10–13. 1913.
  region, description, location and advantages. B.P.I. Bul. 194, pp. 8–19. 1911.
  soils, areas and uses, crop yields. Y.B., 1911, pp. 231–235. 1912; Y.B. Sep. 563, pp. 231–235. 1912.
  soils, characteristics, comparison with Piedmont soil. Soil Bul. 55, pp. 23–30. 1909.
COATES, C. E.: "Clarification by sulphur dioxide and lime." With W. G. Taggart. D.B. 1370, pp. 28–32. 1925.
Coatings—
  inside for metallic food containers. B.A.I. An. Rpt., 1909, pp. 269–270. 1911.
  preservative, for steel and iron. Rds. Bul. 35, pp. 15–34. 1909.
Cobalt—
  arsenide, use on Jimson weed to control hornworm moth. Ent. Cir. 123, p. 16. 1910.
  chloride, use in transpiration studies. D.B. 1059, pp. 164–165. 1922.
  occurrence in soils and plants, and its possible function as a vital factor. J. S. McHargue. J.A.R., vol. 30, pp. 193–196. 1925.
  solution, use in poisoning tobacco hornworm moths. F.B. 343, pp. 19–20. 1909.
Cobalti-nitrite method for estimation of potassium. Chem. Bul. 152, pp. 42–50. 1912.
COBB, F. E.—
  "Development of cooperative shelter-belt demonstrations on the northern Great Plains." With Robert Wilson. D.B. 1113, pp. 28. 1923.
  "Tree planting in the Great Plains region." With F. R. Johnson. F.B. 1312, pp. 33.
COBB, N. A.—
  "A new parasitic nema found infesting cotton and potatoes." J.A.R., vol. 11, pp. 27–33. 1917.
  "Agamermis decaudata, a nema parasite of grasshoppers and other insects." With G. Steiner and J. R. Christie. J.A.R., vol. 23, pp. 921–926. 1923.
  "Citrus-root nematode." J.A.R., vol. 2, pp. 217–230. 1914.
  "Estimating the nema population of the soil." Agr. Tech. Cir. 1, pp. 48. 1918.
  "Nematodes and their relationships." Y.B., 1914, pp. 457–490. 1915; Y.B. Sep. 652, pp. 457–490. 1915.
  nematodes as cause of waterfowl mortality, discussion. D.B. 217, pp. 5–6. 1915.
  "Memorandum of information concerning official cotton grades." B.P.I., Doc. 720, pp. 3. 1912.
  "Tests of waste, tensile strength, and bleaching qualities of the different grades of cotton as standardized by the United States Government." D.B. 62, pp. 8. 1914.
  "The pharynx and alimentary canal of the hookworm larva Necator americanus." J.A.R., vol. 25, pp. 359–362. 1923.
  "Tylenchus similis, the cause of a root disease of sugar cane and banana." J.A.R., vol. 4, No. 6, pp. 561–568. 1915.
  "United States official cotton grades." B.P.I., Cir. 109, pp. 3–6. 1913.
COBB, W. B.—
  "Soil survey of—
    Beaufort County, N. C." With others. Soil Sur. Adv. Sh., 1917, pp. 40. 1919; Soils F.O., 1917, pp. 409–442. 1923.
    Bottineau County, N. Dak." With others. Soil Sur. Adv. Sh., 1915, pp. 54. 1917; Soils F.O., 1915, pp. 2129–2178. 1921.
    Caldwell County, N. C." With S. F. Davidson. Soil Sur. Adv. Sh., 1917, pp. 29. 1919; Soils F.O., 1917, pp. 443–467. 1923.
    Frederick County, Va." With J.B.R. Dickey. Soil Sur. Adv. Sh., 1914, pp. 48. 1916; Soils F.O., 1914, pp. 429–472. 1919.

COBB, W. B.—Continued.
"Soil survey of—Continued.
Hempstead County, Ark." With Arthur E. Taylor. Soil Sur. Adv. Sh., 1916, pp. 53. 1918; Soils F.O., 1916, pp. 1189-1237. 1921.
Hoke County, N. C." With others. Soil Sur. Adv. Sh., 1918, pp. 32. 1921; Soils F.O., 1918, pp. 193-220. 1924.
Jefferson County, Ark." With others. Soil Sur. Adv. Sh., 1915, pp. 39. 1916: Soils F.O., 1915, pp. 1163, 1197. 1921.
Kershaw County, S. C." With others. Soil Sur. Adv. Sh., 1919, pp. 71. 1922; Soils F.O., 1919, pp. 763-829. 1925.
Lancaster County, Pa." With others. Soil Sur. Adv. Sh., 1914, pp. 70. 1916; Soils F.O., 1914, pp. 327-292. 1919.
Payne County, Okla." With H. W. Hawker. Soil Sur. Adv. Sh., 1916, pp. 39. 1919; Soils F.O., 1916, pp. 2005-2039. 1921.
Putnam County, Fla." With others. Soil Sur. Adv. Sh., 1914, pp. 52. 1916; Soils F.O., 1914, pp. 997-1044. 1919.
Tyrrell County, N. C." With W. A. Davis. Soil Sur. Adv. Sh., 1920, pp. 839-858. 1924; Soils F.O., 1920; pp. 839-858. 1925.
Walworth County, Wis." With others. Soil F.O., 1920; pp. 1381-1430. 1925.

Cobblestone(s)—
gutters, description, cost, and specifications. D.B. 724, pp. 20-21, 23, 78. 1919.
paving for reservoir embankment. O.E.S., Bul. 249, Pt. I, p. 53. 1912.
use in building reservoirs. F.B. 828, pp. 34-36. 1917.

COBBS, J. L., JR.—
report of Publications Chief for 1922. An. Rpts., 1922, pp. 377-394. 1923; Pub. A.R., 1922, pp. 18. 1922.
"The open road through the Nation's forest." Y.B., 1919, pp. 177-188. 1920; Y.B. Sep. 806, pp. 177-188, 1920.

COBEY, W. W.—
"Tobacco breeding." With A. D. Shamel. B.P.I., Bul. 96, pp. 71. 1907.
"Varieties of tobacco seed distributed in 1905-1906, with cultural directions." With A. D. Shamel. B.P.I., Bul. 91, pp. 40. 1906.

Cobnut—
insect pests, list. Sec. [Misc.], "A manual * * * insects * * *," pp. 133-135. 1917.
See also Hazelnut.

Cobs, corn. See Corncobs.

Cobwell, oil extraction process, description. D.B. 927, p. 18, 23. 1921.

Coca—
alkaloid test, colors similar to belladonna. Chem. Bul. 150, pp. 36-38. 1912.
as promising tropical crop, remarks. Y.B. 1901, p. 357. 1902.
"bola," danger in use. F.B. 393, p. 15. 1910.

Cola—
adulteration and misbranding, decision, Supreme Court. Sol. Cir. 86, pp. 14. 1916.
adulteration and misbranding. See Indexes, Notices of Judgment, in bound volumes and in separates published as supplements to Chemistry Service and Regulatory Announcements.
adulteration, decision adverse to Government. An. Rpts., 1911, p. 771. 1912; Sol. A.R., 1911, p. 15. 1911.
condemnation and forfeiture, decision. Sol. Cir. 80. pp. 1-9. 1914.
manufacture and use, harmfulness, testimony. Chem. N. J. 1455, pp. 15-57. 1912.
cream, adulteration and misbranding. Chem. N.J. 741, pp. 2. 1911; Chem. N.J. 742, pp. 3. 1911.
imports and exports, 1907-1911, and imports, 1851-1911. Y.B., 1911, pp. 658, 670, 683-684. 1912; Y.B. Sep. 588, pp. 658, 670, 683-684. 1912.
leaves—
adulteration and misbranding. Chem. N.J. 1674, pp. 4. 1912.
analysis methods. Chem. Bul. 107, rev., p. 259. 1912.
assaying, results. Chem. Bul. 122, pp. 134-135, 136. 1909.
products, danger in use, effects, F.B. 393, pp. 6-8. 1910.

Coca—Continued.
leaves—continued.
use in Coca Cola. Chem. N.J. 1455, pp. 35, 36, 39-40. 1912.
wine, adulteration and misbranding. Chem. N.J. 3019. 1914.
Treasury Decision 33456, purpose, opinion. Chem. S.R.A. 2, p. 24. 1914.
wine, adulteration and misbranding. Chem. N.J. 1843, p. 4. 1912; Chem. N.J. 204, pp. 2. 1910; Chem. N.J. 2833. 1914.
"Cocacalisaya" misbranding. Chem. N.J. 1219, pp. 2. 1912.

Cocaine—
addict, case from catarrh remedy. F.B. 393, pp. 11-12. 1910.
coca, and derivatives, T. D. 33456, revocation. Chem. [Misc.], "Food and drug manual," p. 82. 1920.
consumption in United States. F.B. 393, p. 3. 1910.
danger in use. F.B. 393, 6-8, 9, 10-12, 13. 1910.
dangerous use, investigations. An. Rpts., 1910, pp. 442, 444. 1911; Chem. Chief Rpt., 1910, pp. 18, 10. 1910.
derivatives and preparations, amendment to Regulation 28. F.I.D. 112, p. 3. 1910.
determination in soft drinks. Chem. Bul. 162, pp. 205, 206-207, 208. 1913.
exports, opinion (and cocaine preparation). Chem. S.R.A. 4, p. 206. 1914.
hydrochloride, misbranding. Chem. N.J. 5-11, p. 8. 1908.
identification methods, chemical, physiological, and microscopic. Chem. Bul. 150, pp. 42-43. 1912.
in soft drinks. Chem. N.J. 326, pp. 5. 1910; Chem. N.J. 309, p. 1. 1910; Chem. N.J. 310, p. 1. 1910; Chem. N.J. 466, p. 1. 1910.
ingredient of asthma cure. Chem. N.J. 1077, pp. 3. 1911.
misbranding. Chem. N.J. 646, p. 1. 1910.
reactions obtained with different reagents. Chem. Bul. 122, pp. 99-100. 1909.
sale, legislation by States. Chem. Bul. 98, pp. 30-196. 1906; Chem. Bul. 98, rev., Pt. I, pp. 25-333. 1909.
separation and indentification of small quantities. Chem. Bul. 150, pp. 41-43. 1912.
Treasury Decision 33456, purpose. Chem. S.R.A. 2, p. 24. 1914.
use in—
adulteration of soda water syrup cola. Chem. N.J. 1031, p. 1. 1911.
soft drinks, danger. An. Rpts., 1909, p. 435. 1910; Chem. Chief Rpt., 1909, p. 25. 1909.
tobacco-habit cures. F.B. 393, p. 15. 1910.
use without branding, prosecution. Sol. A.R., 1911, p. 17. 1911; An. Rpts., 1911, p. 773. 1912.

Coccidae—
catalogue of recently described—
J. G. Sanders. Ent. T.B. 12, Pt. I, pp. 1-18. 1906.
II. J. G. Sanders. Ent. T.B. 16, Pt. III, pp. 33-60. 1909.
III. E. R. Sasscer. Ent. T.B. 16, Pt. IV, pp. 61-74. 1911.
IV. E. R. Sasscer. Ent. T.B. 16, Pt. VI, pp. 83-97. 1912.
catalogues, index. E. R. Sasscer. Ent. T.B. 16, P. VII, pp. 99-116. 1913.
introduction and descriptions. Sec. [Misc.], "A manual * * * insects * * *," pp. 7, 9-11, 23-222, 1917.
national collection. C. L. Marlatt. Ent. T.B. 16, Pt. I, pp. 1-10. 1908.
of Ohio, partial list. Ent. Bul. 37, p-109. 1902.

Coccidia—
cause of poultry disease, description. F.B. 530, pp. 22-23, 27. 1913.
description, occurrence, and diseases caused thereby. B.A.I. An. Rpt., 1910, pp. 485-488. 1912; B.A.I. Cir. 194, pp. 485-488. 1912.
hepatic, of rabbits, correct name. B.A.I. Bul. 35, p. 18. 1902.
infection of eggs, cause of chick diseases. Y.B. 1911, pp. 187, 191-192. 1912; Y.B. Sep. 559, pp. 187, 191-192. 1912.
new genus, designation Eimeriella. Ch. Wardell Stiles. B.A.I. Bul. 35, pp. 18-19. 1902.

Coccidioides immites, cause of coccidioidal granuloma, life history. J.A.R., vol. 14, pp. 534–540. 1918.

Coccidiosis—
and aspergillosis, chick diseases, distinction. B.A.I. An. Rpt. 1908, p. 39. 1910.
in—
birds and poultry. B.A.I. Cir. 128, pp. 4–7. 1908.
cattle, prevalence, Argentina. Y.B., 1913, p. 359. 1914.
dogs, cause and treatment. D.C. 338, p. 28. 1925.
poultry, cause, symptoms, and treatment. F.B. 530, pp. 22–24. 1913; F.B. 957, pp. 23–24. 1918; Hawaii A.R., 1922, p. 12. 1924.
rabbits, cause, and control. F.B. 496, p. 16. 1912; F.B. 1090, p. 31. 1920.
wild ducks, control. An. Rpts., 1909, p. 541. 1910; Biol. Chief Rpt., 1909, p. 13. 1909.
intestinal, of young pheasants, symptoms and treatment. F.B. 390, pp. 36–37. 1910.

Coccidium—
oviforme, cause of disease in rabbits and other small mammals. B.A.I. An. Rpt., 1910, p. 488. 1912; B.A.I. Cir. 194, p. 488. 1912.
tenellum, cause of poultry disease. B.A.I. Chief Rpt., 1908, p. 31. 1908; An. Rpts., 1908, p. 245. 1909.
tenellum, cause of white diarrhea in chicks. B.A.I. An. Rpt., 1907, p. 356. 1909; B.A.I. Cir. 128, p. 2. 1912; F.B. 390, p. 36. 1910.
zurni, cause of red diarrhea of cattle. B.A.I. Cir. 194, p. 488. 1912; B.A.I. An. Rpt., 1910, p. 488. 1912.

Coccids, transportation by Argentine ant. D.B. 647, pp. 45–48. 1918.

Coccinella—
9-notata—
enemy of alfalfa weevil. Ent. Bul. 112, p. 31. 1912.
See also Ladybird, nine-spotted.
repanda, destruction by parasite *Centistes americana.* Ent. Bul. 93, p. 45. 1911.
spp., control of plant lice, Hawaii. Hawaii Bul. 27, p. 10. 1912.
spp. See also Ladybird.
transversoguttata, beneficial ladybird, enemy of bean ladybird. F.B. 1074, p. 5. 1919.

Coccinellidae—
breeding and immature stages, Hawaii A.R., 1912, pp. 31–33. 1913.
scale-feeding predatory, insects which affect usefulness. Ent. Bul. 37, p. 84. 1902.
See also Ladybirds.

Coccolobis—
diversifolia, importation and description. No. 44455. B.P.I. Inv. 51, p. 14. 1922.
sp., importation, description, and uses. No. 50683, B.P.I. Inv. 64, pp. 2, 13. 1923.

Coccomyces—
hiemalis, cause of cherry leaf-spot. F.B. 1053, p. 5. 1919.
spp. from stone fruits, inoculation experiments. G. W. Keitt. J.A.R., vol. 13. pp. 539–569. 1918.

Coccophagus—
flavoscutellum, resemblance to *Coccophagus lecanii.* Ent. Bul. 67, p. 52. 1907.
gossyparia, parasite of European elm scale. D.B. 1223, p. 12. 1924.
lecanii, parasite of cottony maple scale. Ent. Bul. 67, pp. 48–49. 1907.
spp., parasites of grape scale, rearing. Ent. Bul. Pt. VII, pp. 119, 120. 1912.
spp., parasites of terrapin scale. D.B. 351, pp. 65–66. 1916.

Coccothraustes vespertina. See Grosbeak, evening.

Coccus—
acuminatus. See Scale, mango shield.
bacterial forms in Cheddar cheese. B.A.I. Bul. 150, pp. 40–48. 1912; J.A.R., vol. 2, pp. 187–188. 1914.
elongatus. See Scale, pigeon-pea.
groups, classification and constancy of reaction. J.A.R., vol. 2, pp. 171–174, 196. 1914.
hesperidum L. See Scale, soft brown.
organism, description. Chem. Bul. 133, pp. 48–52. 1911.

Coccyzus spp. See Cuckoo.

Cochetopa National Forest, vacation trip. For. [Misc.], "Vacation trips in the Cochetopa * * *," pp. 14. 1919.

Cochineal—
analyses, methods, availability of pure product. Chem. Bul. 80, pp. 10–12. 1904.
cactus, importation, description and use. No. 41377, B.P.I. Inv. 45, p. 20. 1918.
cottony insect on cactus plants, description, natural enemies, and control. Ent. Bul. 113, pp. 23–24, 46, 47. 1912.
detection in fruits and fruit products, method. Chem. Bul. 66, rev., p. 28. 1905; Chem. Bul. 107, p. 200. 1907.
imports—
1903–1907. Y.B. 1907, p. 736. 1908; Y.B. Sep. 465, p. 736. 1908.
1906. Y.B., 1910, p. 653. 1911; Y.B. Sep. 553, p. 653. 1911.
industry, value and exports. Ent. Bul. 113, pp. 9, 23–24. 1912.
insects, history, uses, and parasites. Ent. Bul. 113, pp. 9, 23–24, 46, 47. 1912.
prickly pear, climatic adaptation and limitations. F.B. 1072, pp. 5, 6, 23. 1920.

Cochlearius zeledoni. See Boatbill, zeledon.

Cochliomyia macellaris—
description, habits and control on sheep. F.B. 1150, pp. 15–16. 1920.
See also Screw worm.

Cochlospermum gossypium. See Gum, Indian.

COCHRAN, C. B.: "Action of sodium bisulphite reagent on certain coal-tar colors." Chem. Bul. 116, pp. 21–22. 1908.

COCHRANE, D. C.: "Relative utilization of energy in milk production and body increase of dairy cows." With others. D.B. 1281, pp. 26. 1924.

Cochylis, grape, description. Sec. [Misc.], "A manual * * * insects * * *," pp. 129–130. 1917.

Cock, chart giving names of various sections. F.B. 898, p. 2. 1917.

"Cock eggs." See Eggs, dwarf.

Cockchafer, injurious to roots, description. Sec. [Misc.], "A manual * * * insects * * *," p. 104. 1917.

Cockchafer. See also May beetle.

Cockerels—
canning, methods. News L., vol. 5, No. 15, p. 5. 1917.
care, and separation from flock. News L., vol. 4, No. 50, p. 2. 1917.
separation from pullets or caponization recommendation. S.R.S. Doc 77, p. 3. 1918.
feeding for market. F.B., 357 pp. 19–20. 1909, B.A.I. Bul. 90, p. 25. 1906.

Cockerline and Howard farm, Oregon, irrigation experiments, 1908, 1909. O.E.S. Bul. 226, pp. 52–56. 1910.

Cockfoot. See Celandine.

Cocking, hay, cost, and expense of hand loading. F.B. 977, p. 16. 1918.

Cockle seed—
description, comparison with wheat galls. Sec. Cir. 114, pp. 2, 3. 1918.
description, similarity to eelworm disease. F.B. 1041, pp. 5, 6. 1919.
presence in wheat feeds and by-products. F.B. 334, p. 19. 1908.
distinction from other impurities in wheat. D.B. 734, p. 7. 1918.

Cocklebur(s)—
danger to livestock. B.A.I. Chief Rpt., 1924, p. 37. 1924.
description—
Albert A. Hansen. D.C. 109, pp. 6. 1920.
and poisonous effects on stock. D.B. 1245, pp. 27–28. 1924.
distribution, spread, and products injured. F.B. 660, p. 27. 1915.
diseases, Texas, occurrence and description. B.P.I. Bul. 226, pp. 91–92. 1912.
poisoning of—
hogs, symptoms, lesions, and treatment. F.B. 1244, pp. 17, 18. 1923.
livestock. C. Dwight Marsh and others. D.C. 283, pp. 4. 1923.
poisonous plants. C. Dwight Marsh, Glenwood C. Roe and A. B. Clawson. D.B. 1274, pp. 24. 1924.

INDEX TO PUBLICATIONS, 1901-1925   499

Cocklebur(s)—Continued.
   spiny, description. D.C. 109, p. 3. 1920.
Cockroach(es)—
   C. L. Marlatt. Ent. Cir. 51, pp. 15. 1902; F.B. 658, pp. 15. 1915.
   control methods. Sec. Cir. 61, pp. 7-8. 1916.
   enemy of Argentine ant. Ent. Bul. 122, pp. 72-73. 1913.
   eradication by use of hydrocyanic-acid gas. F.B. 699, pp. 1-8. 1916.
   exterminator, Hooker's, composition. Chem. Bul. 76, pp. 47-48. 1903.
   injury to acid lime and control. Hawaii Bul. 49. p. 11. 1923.
   occurrence in Pribilof Islands, Alaska. N.A. Fauna 46, Pt. II, p. 140. 1923.
   See also Roaches.
Cockscomb—
   description, cultivation, and characteristics. F.B. 1171, pp. 43-44, 80. 1921.
   feather, description, cultivation, and characteristics. F.B. 1171, pp. 28-29, 80. 1921.
Cocksfoot grass. See Orchard grass.
Coco. See Dasheen; Yautia
Coco palm, *Acrocomia* sp., importation, description and uses. No. 34417, B.P.I. Inv. 33, p. 17. 1915.
Cocoa—
   adulteration. Chem. Bul. 100, pp. 19-20. 1906.
   adulteration and misbranding. See *Indexes, Notices of Judgments, in bound volumes and in separates published as supplements to Chemistry Service and Regulatory Announcements.*
   alkali-treated, labeling regulations. Chem. S.R.A. 28, p. 38. 1923.
   alkali treatment, effect. Eugene Bloomberg. D.B. 666, pp. 20. 1918.
   analysis methods. Chem. Bul. 107, rev., pp. 254-257. 1912; Chem. Bul. 132, pp. 135-138. 1910; Chem. Cir. 43, p. 13. 1909; Chem. Bul. 116, p. 11. 1908; Chem. Bul. 152, pp. 159-163. 1912.
   and chocolate, value and use as food. Y.B., 1902, p. 404. 1903.
   and cocoa products report, Association of Agricultural Chemists, 1907. Chem. Bul. 116, p. 11. 1908.
   beans, imports, 1922-1924. Y.B., 1924, p. 1061. 1925.
   butter—
      digestion experiments, details and results. D.B. 505, pp. 15-18. 1917.
      imports, 1910-1914, discussion. D.B. 296, p. 34. 1915.
      manufacture and use. F.B. 332, p. 20. 1908.
      substitutes, F.I.D. 61. Chem. F.I.D. 60-64, p. 2. 1907.
      See also Cacao butter.
   "Caracas," labeling. F.I.D. 114, pp. 2. 1910.
   definitions—
      and standards. Chem. [Misc.], "Food definitions and standards * * *," p. 9. 1903.
      and standards for enforcement of food and drugs act. F.I D. 191, pp. 2. 1923.
   dust, use in making cheap chocolate. Chem. S.R.A. 4, pp. 205-206. 1914.
   ether extract, determination. Chem. Bul. 137, pp. 85-86. 1911.
   exports, 1851-1908. Stat. Bul. 75, p. 37. 1910.
   imports—
      1901-1924. Y.B., 1924, p. 1075. 1925.
      1907-1909, quantity and value, by countries from which consigned. Stat. Bul. 82, pp. 34-36. 1910.
      1908-1910, quantity and value, by countries from which consigned. Stat. Bul. 90, pp. 37-38. 1911.
      1912-1914. Y.B., 1914, pp. 653, 674. 1915; Y.B. Sep. 657, pp. 653, 674. 1915.
      1913-1915. Y.B. 1915, pp. 542, 555, 558, 573. 1916; Y.B. Sep. 685, pp. 542, 555, 558, 573. 1916.
      and exports—
         1903-1907. Y.B., 1907, pp. 738, 749. 1908; Y.B. Sep. 465, pp. 738, 749. 1908.
         1906-1910, and imports, 1851-1911. Y.B., 1910, pp. 655, 667, 679. 1911; Y.B. Sep. 553, pp. 655, 667, 679. 1911.
         1908-1912, and imports, 1851-1912. Y.B., 1912, pp. 715, 728, 741-742. 1913; Y.B. Sep. 615, pp. 715, 728, 741-742. 1913.

Cocoa—Continued.
   imports—continued.
      and exports—continued.
         1911-1913, and imports, 1852-1913. Y.B., 1913, pp. 494, 502, 510. 1914; Y.B. Sep. 631, pp. 494, 502, 510. 1914.
         1916. Y.B., 1916, pp. 709, 716, 725, 740. 1917; Y.B. Sep. 722, pp. 3, 10, 19, 34. 1917.
         1917. Y.B., 1917, pp. 761, 767, 776, 780, 796. 1918; Y.B. Sep. 762, pp. 5, 13, 20, 24, 40. 1918.
         1919-1921. Y.B., 1922, pp. 2, 950, 956, 961, 965, 979. 1923; Y.B. Sep. 880, pp. 950, 956, 961, 965, 979. 1923.
   injury by rice moth. D.B., 783, pp. 1, 2. 1919.
   labeling regulations. Chem. F.I.D. 38, pp. 2. 1906; Chem. F.I.D. 136, pp. 2. 1911.
   leaves—
      analysis. Chem. Bul. 116, pp. 83, 85, 87. 1908.
      methods of determination of alkaloid. Chem. Cir. 38, p. 7. 1908.
   milk—
      Croft's Swiss, adulteration and misbranding. Chem. N.J. 3615. 1915.
      Swiss, adulteration and misbranding. Chem. N.J. 3661. 1915.
      misbranding. Chem. N.J. 1839, pp. 2. 1913.
      powdered, adulteration and misbranding. Chem. N.J. 1588, pp. 2. 1912.
      preparations, adulteration, detection by use of the microscope. Y.B., 1907, p. 382. 1908; Y.B. Sep. 455, p. 382. 1908.
   products—
      adulteration by use of varnish. An. Rpts., 1909, p. 452. 1910; Chem. Chief Rpt., 1909, p. 42. 1909.
      analysis. Chem. Bul. 122, pp. 80-82. 1909.
      laws and standards. Chem. Bul. 69, rev., Pts. I-IX, pp. 19, 171, 190, 191, 306, 456, 546, 560, 632, 667, 690, 730. 1905-6.
      starch determination. Chem. Bul. 122, pp. 214-215. 1909.
   purity standards. Sec. Cir. 136, pp. 18-19. 1919.
   report by associate referee. Chem. Bul. 137, pp. 98-105, 118. 1911; Chem. Bul. 162, pp. 130-135. 1913.
   shells, calf feeding, as milk substitute. F.B. 381, p. 19. 1909.
   stains; removal from textiles. F.B. 861, p. 12. 1917.
   trade with foreign countries, exports and imports. D.B. 296, p. 31. 1915.
   treated and untreated, analyses, tables. D.B. 666, pp. 5-17. 1918.
   use as beverage. O.E.S. Bul. 245, pp. 69, 70. 1912.
   use with milk for children, recipe. F.B. 717, p. 8. 1916.
Cocoloba, quantity used in manufacture of wooden products. D.B. 605, p. 17. 1918.
Cocoloba spp., Porto Rico, description and uses. D.B. 354, p. 68. 1916.
Cocolobis spp., importations. Nos. 44114, 44267, B.P.I. Inv. 50, pp. 30, 50. 1922.
Coconino—
   Forest, mistletoe studies. D.B. 1112, pp. 4-29. 1922.
   National Forest—
      (Ariz.), map. For. Maps. 1924.
      pine reproduction, studies. D.B. 1105, pp. 1-144. 1923.
Coconut(s)—
   as promising tropical crop, remarks. Y.B., 1901, p. 358. 1902; Y.B. Sep. 242, p. 358. 1902.
   beetle, description. Sec. [Misc.], "A manual * * * insects * * *," p. 160. 1917.
   bud rot, history and cause. John R. Johnston. B.P.I. Bul. 228, pp. 175. 1912.
   butter, milk and cream, manufacture and use. F.B. 332, pp. 19-20, 22. 1908.
   by-products, copra cake and meal. Rpt. 112, pp. 19, 20. 1916.
   dried, preparation and uses. Y.B., 1912, pp. 515-516, 520. 1913; Y.B. Sep. 610, pp. 515-516, 520. 1913.
   fat, analytical data. Chem. Bul. 77, pp. 23, 24, 43. 1905.
   feed for—
      hogs and chickens, 1919. Guam A.R., 1919, p. 9, 15, 19-20. 1921.

Coconut(s)—Continued.
feed for—continued.
hogs and chickens, Guam, experiments, 1920. Guam A.R., 1920, pp. 10, 14-15. 1921.
hogs and chicks, 1918. Guam A.R., 1918, pp. 19, 21, 22, 26. 1919.
milk cows. Guam A.R., 1919, p. 13. 1921.
germination and planting. Guam A.R., 1918, p. 58. 1919.
germination tests. Hawaii A.R., 1921, p. 19. 1922.
growing in—
Guam—
1916. Guam A.R., 1916, p. 38. 1917.
1917, improvement, experiments. Guam A.R., 1917, pp. 39-40. 1918.
1918, and survey of industry. Guam A.R., 1918, pp. 52-58. 1919.
1919, and manufacture of copra. Guam A.R., 1919, pp. 41-43. 1921.
1920, culture, diseases, copra industry. Guam A.R., 1920, pp. 57-64. 1921.
1921, cover crops and fertilizers. Guam A.R., 1921, p. 26. 1923.
1922, experiments with fertilizers and cover crops. Guam A.R., 1922, pp. 17-18. 1924.
Porto Rico—
1913, value of exports, and fertilizer experiments. P.R. An. Rpt., 1913, pp. 9, 19-20. 1914.
1914, fertilizers, yields, and insect pests. P.R. An. Rpt., 1914, pp. 25-26, 44, 45. 1916.
1916, fertilization, studies. P.R. An. Rpt., 1919. P.R. An. Rpt., 1919, pp. 9, 21. 1920.
1916, fertilization, studies. P.R. An. Rpt., 1916, pp. 18-19. 1918.
1919. P.R. An. Rpt., 1919, pp. 9, 21. 1920.
1922. P.R. An. Rpt., 1922, p. 8. 1923.
Hawaiian—
composition. Hawaii A.R., 1914, pp. 65, 68. 1915.
quarantine regulations. F.H.B., Quar. No. 13, rev., pp. 1-3. 1917.
hog feeding, experiments, Guam. Guam A.R., 1917, p. 12. 1918.
imports—
1903-1904, number and sources. B.P.I. Bul. 228, pp. 160, 163. 1912.
1907-1909, value, by countries from which consigned. Stat. Bul. 82, p. 49. 1910.
1908-1910, value, by countries from which consigned. Stat. Bul. 90, p. 50. 1911.
1921, statistics. Y.B., 1921, p. 741. 1922; Y.B. Sep. 867, p. 5. 1922.
since 1905, value and source. D.B. 296, p. 36, 1915.
injury by sugar-cane borer in Hawaii. Ent. Bul. 93, pp. 36, 37. 1911.
insect(s)—
enemy, *Aleurodicus cocois.* Ent. T.B. 12, Pt. V, p. 92. 1907.
enemy, *Strategus quadrifoveatus,* control work. P.R. An. Rpt., 1917, p. 34. 1918.
likely to be imported. Sec. [Misc.], "A manual * * * insects * * *," pp. 109, 159-163; 1917.
labeling, opinion. Chem. S.R.A. 2, p. 23. 1914.
meal—
decomposition in soils, effect of bacterial action. Hawaii Bul. 39, p. 21. 1915.
feed for horses. F.B. 1030, p. 13. 1919; B.A.I. Cir. 168, pp. 1-2. 1911.
nutritive value as dairy feed, analysis. F.B. 743, p. 16. 1916.
mealy bug, control by ladybugs, experiment, Guam An. Rpts., 1909, p. 700. 1019; O.E.S. Dir. Rpt., 1909, p. 22. 1909.
meat, imports, 1907-1909, quantity and value, by countries from which consigned. Stat. Bul. 82, p. 49. 1910.
oil—
analysis, table. Chem. Bul. 77, p. 44. 1903.
digestion experiments, details and results. D.B. 505, pp. 10-13. 1917.
extraction methods and yields in Guam. Guam A.R., 1918, p. 57. 1919.
imports, 1907-1909, quantity and value, by countries from which consigned. Stat. Bul. 82, p. 51. 1910.

Coconut(s)—Continued.
oil—continued.
imports, 1907-1914, increase, quantity and sources. D.B. 296, p. 34. 1915.
imports, 1908-1910, quantity and value, by countries from which consigned. Stat. Bul. 90, p. 54. 1911.
imports, 1916. Y.B., 1916, p. 712. 1917; Y.B. Sep. 722, p. 6. 1917.
imports, 1922-1924. Y.B., 1924, p. 1063. 1925.
in mints, opinion 81. Chem. S.R.A. 8, p. 635. 1914.
preparation, uses, and value. D.B. 469, pp. 13-14. 1916.
production, 1912, 1917, uses. D.B. 769, pp. 19-22. 1919.
plantations, Guam, destruction by cattle and insects. O.E.S. An. Rpt., 1907, pp. 406-407. 1908.
press cake—
in Porto Rico, 1910. P.R. An. Rpt., 1910, p. 11. 1911.
nutritive value. An. Rpts., 1919, p. 220. 1920; Chem. Chief Rpt., 1919, p. 10. 1919.
with corn, feeding experiments. J.A.R., vol. 24, pp. 973-974. 1923.
production—
and exports of various countries, 1886-1907. B.P.I. Bul. 228, pp. 161, 163. 1912.
i- Porto Rico, 1910. P.R. An. Rpt., 1910, p. 11. 1911.
products—
adulteration. Chem. N.J. 2389, p. 1. 1913; Chem. N.J. 2924, 2929. 1914.
imports, 1924. Y.B., 1924, p. 1062. 1925.
imports and value, 1903, 1904. B.P.I. Bul. 228, pp. 159-160, 163. 1912.
shredded, adulteration and misbranding. Chem. N.J. 2413, pp. 3. 1913; Chem. N.J. 2531, p. 1. 1913; Chem. N.J. 2564, p. 1. 1913; Chem. N.J. 1766, pp. 2. 1912.
use as—
food holder for attracting birds. F.B. 912, p. 7. 1918.
hog feed, Guam. S.R.S. An. Rpt., 1916, pp. 51-52. 1917.
Coconut palm—
bearing age, number of nuts on tree, and varieties. Guam A.R., 1919, pp. 56-57. 1919.
bud-rot—
John R. Johnston. B.P.I. Cir. 36, pp. 5. 1909.
cause, study. An. Rpts., 1910, pp. 53, 281. 1911; B.P.I. Chief Rpt., 1910, p. 11. 1910; Sec. A.R., 1910, p. 53. 1910; Y.B., 1910, p. 53. 1911; J.A.R., vol. 25, pp. 267-284. 1923.
characteristic odor. B.P.I. Bul. 228, pp. 10, 15, 17, 19, 20, 25, 26, 51, 148-151, 155, 161. 1912.
control experiments. B.P.I. Bul. 228, pp 54-63. 1912.
description and cause. J.A.R., vol. 25, No. 6, pp. 267-284. 1923.
description, comparison with other diseases. B.P.I. Cir. 36, pp. 1-5. 1909.
general distribution. B.P.I. Bul. 228, pp. 11-21. 1912.
infection experiments with various plants. J.A.R., vol. 25, No. 6, pp. 268-271. 1923.
infection studies and inoculations, bacterial and fungous. B.P.I. Bul. 228, pp. 38-54, 163. 1912.
investigations, and control measures. An Rpts., 1907, p. 263. 1908.
organism, growth products. B.P.I. Bul. 228, pp. 92-101. 1912.
prevention and control experiments. B.P.I. Bul. 228, pp. 54-63. 1912.
relation to typhoid germ. Sec. A.R., 1911. p. 54. 1911; Y.B., 1911, p. 54. 1912; An. Rpts., 1911, p. 56. 1912.
Burica, importation and description. No. 39356, B.P.I. Inv. 41, pp. 7, 16. 1917.
cultivation in Porto Rico. P.R. An. Rpt., 1907, p. 25. 1908.
cultural possibilities. An. Rpts., 1910, p. 295. 1911; B.P.I. Chief Rpt., 1910, p. 25. 1910.
cultures, bud-rot, experiments, laboratory and greenhouse. B.P.I. Bul. 228, pp. 63-136. 1912.
cylinders, use for growth of *Bacillus coli,* experiments. B.P.I. Bul. 228, pp. 117-118, 122, 123. 1912.

Coconut palm—Continued.
  description, use—
    and forest conditions. D.B. 354, pp. 34-35, 66. 1916.
    as street tree, and regions adapted to. D.B. 816, p. 39. 1920; F.B. 1208, p. 34. 1922.
  destruction by disease in West Indies. B.P.I. Bul. 228, pp. 16, 19, 23, 26, 27-29. 1912.
  disease(s)—
    and insects. Guam A.R., 1920, pp. 61-62. 1921.
    comparison with bud-rot. B.P.I. Cir. 36, pp. 3-4. 1909.
    control, recommendations. B.P.I. Bul. 228, p. 163. 1912.
    in Cuba, investigations, report. Ent. Bul. 38, p. 20. 1902.
    in Guam, report. Guam A.R., 1917, pp. 48-49, 59. 1918.
    Porto Rico, investigations and experiments with fertilizers. P.R. An. Rpt., 1912, pp. 32-33. 1913.
  fertilizers, experiments in Porto Rico. P.R. An. Rpt., 1913, pp. 19-20. 1914; P.R. An. Rpt. 1921, pp. 12-13. 1922.
  groves, cover crops, Porto Rico. P.R. Bul. 19, pp. 26-28. 1916.
  inoculation, bacterial and fungous, experiments. B.P.I. Bul. 228, pp. 38-48, 163. 1912.
  insect enemies, Guam, and their control. Guam A.R., 1911, p. 27. 1912.
  losses from bud-rot in the Philippines. J.A.R., vol. 25, pp. 267, 283. 1913.
  pests, diseases and insects investigations. Guam A.R., 1918, pp. 53-54. 1919.
  Pondoland, importation and description. No. 41484, B.P.I. Inv. 45, pp. 7, 37. 1918.
  red-ring disease, spread by termites. D.B. 1232, pp. 12, 13-16, 19-20. 1924.
  root-disease, description of symptoms, etc. B.P.I. Bul. 228, pp. 25, 26, 32, 33, 148, 150, 161. 1912.
  scale insect, ravages in Guam, control suggestions. O.E.S. An. Rpt., 1907, p. 412. 1908.
  seedlings, inoculation with *Bacillus coli*, experiments. B.P.I. Bul. 228, pp. 126-135, 136. 1912.
  spraying experiments. B.P.I. Bul. 228, pp. 61-63. 1912.
  structure and arrangement of parts. B.P.I. Bul. 228, pp. 36-38. 1912.
  uses and value. Guam A.R., 1911, p. 22. 1912.
  value as honey plant, Porto Rico. P.R. Bul. 15, p. 12. 1914.
  varieties, importation and description. Nos. 38428-38434, B.P.I. Inv. 39, p. 130. 1917.
Cocoons—
  codling moth, description. Ent. Bul. 41, pp. 35-50. 1903.
  silkworm—
    mulberry, preparation for the market. Ent. Bul. 39, pp. 26-28. 1903.
    purchase by department. Ent. A.R., 1908, p. 41. 1908; An. Rpts., 1908, p. 563. 1909.
Cocos—
  coronata. See Palm, Nicuri.
  gaertneri, same as *Butia bouneti*. No. 43116. B.P.I. Inv. 48, p. 18. 1921.
  nucifera. See Coconut palm.
  yatay. See Yatay.
Cocyra cephalonica. See Rice, moth.
Cod-liver oil—
  and other oils and fats, digestibility. Harry J. Deuel, jr., and Arthur D. Holmes. D.B. 1033, pp. 15. 1922.
  calf feeding, as substitute for butter fat. F.B. 381, p. 19. 1909.
  digestibility experiments. D.B. 1033, pp. 3-5. 1922.
  fish by-product. Chem. Bul. 133, p. 25. 1911.
  investigations. An. Rpts., 1906, pp. 318-319. 1907.
  misbranding. See *Indexes, Notices of Judgment, in bound volumes and in separates published as supplements to Chemistry Service and Regulatory Announcements*.
  replacement of sunshine. Off. Rec., vol. 4, No. 42, p. 5. 1925.
  use in cattle feed. B.A.I. Dairy [Misc.], "World's dairy congress," 1923, pp. 1048, 1064. 1924.

CODE, W. H.—
  "Irrigation in the Salt River Valley." O.E.S. Bul. 104, pp. 83-125. 1902.
  "Irrigation investigations in the Salt River Valley for 1901." O.E.S. Bul. 119, pp. 51-87. 1902.
Code, operation, in highway cost keeping, details of use. D.B. 660, pp. 16-23. 1918.
Codein—
  danger in use. F.B. 393, pp. 5-6. 1910.
  determination in headache mixtures. Chem. Bul. 152, pp. 239-240. 1912.
  estimation in headache mixtures, methods. Chem. Bul. 162, pp. 193, 195, 196, 198, 199. 1913.
  sulphate tablets, adulteration. See *Indexes to Notices of Judgment, in bound volumes and in separates published of supplements to Chemistry Service and Regulatory Announcements*.
Codfish—
  chowder, recipe. F.B. 712, p. 20. 1916.
  classifying, handling, and curing, methods. Chem. Bul. 133, pp. 12-20. 1911.
  cold storage holdings, 1918, by months, and other fish. D.B. 792, pp. 35-37. 1919.
  cooking with salt pork, recipe. F.B. 391, pp. 36-37. 1910.
  curing, factory experiments. Chem. Bul. 133, pp. 25-33. 1911.
  digestibility, experiment. O.E.S. Bul. 159, pp. 148-149, 151. 1905.
  fishing, classes and methods. Chem. Bul. 133, pp. 6-12. 1911.
  food, value, chart. D.B. 975, p. 24. 1921; F.B. 1383, p. 32. 1924.
  misbranding. See *Indexes, Notices of Judgment, in bound volumes and in separates published as supplements to Chemistry Service and Regulatory Announcements*.
  Newfoundland, use of refuse for fertilizer. D.B. 2, p. 16. 1913.
  preparation for market, with other salt fish. A. W. Bitting. Chem. Bul. 133, pp. 63. 1911.
  prime Italian, adulteration and misbranding. Chem. N.J. 778, p. 1. 1911.
  reddened, bacteriology study. Chem. Bul. 133, pp. 40-61. 1911.
  spoilage, investigation by Chemistry Bureau, 1910. An. Rpts., 1910, pp. 103, 435. 1911; Sec. A.R., 1910, p. 103. 1910; Chem. Chief Rpt., 1910, p. 11. 1910; Y.B., 1910, p. 102. 1911.
  strips, misbranding. Chem. N.J. 506, pp. 2. 1910.
Codling moth(s)—
  C. B. Simpson. Ent. Bul. 41, pp. 105. 1903.
  and apple—
    diseases in the Ozarks, spraying. W. M. Scott and A. L. Quaintance. F.B. 283, pp. 42. 1907.
    injury, 1918. News L., vol. 6, No. 35, p. 13. 1919.
    scab control. C. L. Marlatt and W. A. Orton. F.B. 247, pp. 23. 1906.
  apple injury, 1918. News L., vol. 6, No. 35, p. 13. 1919.
  arsenicals, application. Ent. Bul. 37, pp. 100-101. 1902.
  band records—
    on apple and pear trees. California, 1909 and 1910. Ent. Bul. 97, pp. 28-31. 1913.
    studies, 1915, 1916. D.B. 932, pp. 40-45, 78-82, 109. 1921.
    studies, 1924. D.B. 1235, pp. 20-21, 35-37, 53-54, 72-73. 1924.
  banding as remedy, cost and method. Ent. Bul. 41, pp. 88-92. 1903.
  bud enemies. W. L. McAtee. Y.B., 1911, pp. 237-246. 1912; Y.B. Sep. 564, pp. 237-246. 1912.
  climatic conditions governing. Ent. Bul. 115, Pt. 1, pp. 66-70. 1912.
  control—
    F.B. 908, pp. 50-52, 77-78, 85. 1918.
    C. B. Simpson. F.B. 171, pp. 24. 1903.
    banding and spraying trees, suggestions. Ent. Bul. 30 pp. 58-63. 1901.
    by dust mixture. S.R.S. Rpt., 1916, Pt. I, p. 200. 1918.
    by lime-sulphur and arsenate of lead. F.B. 435, p. 15. 1911.
    by spraying. D.C. 267, p. 14. 1923; Work and Exp., 1914, p. 227. 1915.
    by spraying, experiments in Maine. D.B. 252, p. 49. 1915.

Codling moth(s)—Continued.
control—continued.
  cost. Y.B., 1921, p. 41. 1922; Y.B. Sep. 875, p. 41. 1922.
  experiments, 1905. O.E.S. An. Rpt., 1905, pp. 261-264. 1906.
  experiments, 1919. S.R.S. Rpt., 1917, Pt. I, pp. 32, 145, 190, 224. 1918.
  in apple orchards. D.B. 851, pp. 25-26. 1920.
  in arid regions. Ent. Bul. 67, pp. 55-77. 1907.
  in orchards. S.R.S. Syl. 23, p. 11. 1916.
  in the Pacific Northwest. E.J. Newcomer and others. F.B. 1326, pp. 27. 1924.
  in Washington, Benton County. Soil Sur. Adv. Sh., 1916, p. 16. 1919; Soils F.O., 1916, p. 2214. 1919.
  on apple and walnut. O.E.S. An. Rpt., 1922, p. 47. 1924.
  on walnuts. D.C. 154, p. 13. 1921.
  one-spray method, experiments. Ent. Bul. 80, Pt. VII, pp. 113-146. 1910; Ent. Bul. 80, pp. 113-146. 1912; Ent. Bul. 115, Pt. II, pp. 87-112. 1912.
  Pecos Valley, New Mexico. A. L. Quaintance. D.B. 88, pp. 8. 1914.
  studies. Work and Exp., 1919, p. 67. 1921.
  with homemade arsenate of lime. News L., vol. 5, No. 14, p. 3. 1917.
damage. D.C. 342, p. 7. 1925.
damage to apple trees and method of control. Y.B., 1901, p. 604. 1902.
description—
  distribution, food habits, injuries. Ent. Bul. 41, pp. 9-57. 1903.
  habits, injuries, and control. F.B. 1270, pp. 3-7. 1923.
  life history, and control. F.B. 492, pp. 8-11. 1912.
destruction by birds. Biol. Bul. 30, pp. 78, 79. 1907; Biol. Bul. 34, pp. 17, 69. 1910; F.B. 506, p. 23, 26. 1912.
distribution, life history, remedies. F.B. 247, pp. 5-9. 1906.
effect of—
  seasonal variations, studies, 1909, 1910, 1911. Ent. Bul. 115, Pt. I, pp. 70-73. 1912.
  nicotine sulphate as ovicide and larvicide. N. E. McIndoo and others. D.B. 938, pp. 19. 1921.
enemies—
  insect. Ent. Bul. 80, p. 110. 1912.
  natural, insects, parasitic and predacious. Ent. Bul. 115, Pt. III, pp. 160-161. 1913.
  predacious and parasitic, description. D.B. 932, pp. 82-83. 1921.
  remedies. Ent. Bul. 41, pp. 57-97. 1903.
entrance into apples, method, investigations. D.B. 88, pp. 5-6. 1914.
eradication, cost and necessity. Sec. A.R., 1921, p. 37. 1921.
experiments, methods and uses. Ent. Bul. 67, pp. 53-55. 1907.
first generation, studies. D.B. 252, pp. 8-23, 33-44. 1915.
flight trials. D.B. 932, pp. 87-89. 1921.
foreign bird enemies. Y.B., 1911, pp. 244-245. 1912; Y.B. Sep. 564, pp. 244-245. 1912.
in—
  Colorado, life history studies. E. H. Siegler and H. K. Plank. D.B. 932, pp. 119. 1921.
  Idaho, investigation, 1900. Ent. Bul. 30, p. 51. 1901.
  Ozarks, experiments and investigations, 1907, 1908. Ent. Bul. 80, Pt. I, pp. 1-32. 1909; Ent. Bul. 80, pp. 1-32. 1912.
  Pacific Northwest. F.B. 153, pp. 8, 12, 14, 25. 1902.
injury to—
  apple, life history, and treatment. F.B. 283, pp. 23-32. 1907.
  apples, Yakima Valley, Wash., control by spraying. D.B. 614, p. 7. 1918.
  pear trees and control. F.B. 482, p. 21. 1912.
insect enemies. Ent. Bul. 80, Pt. VI, p. 110. 1910.
interception in plant imports. F.H.B. An. Letter No. 36, pp. 1, 33. 1923.
investigations, in—
  Idaho, 1900. Ent. Bul. 30, pp. 51-63. 1901.
  New Hampshire, 1909. O.E.S. An. Rpt., 1909, p. 147. 1910.

Codling moth(s)—Continued.
investigations, in—continued.
  New Mexico, results. O.E.S. An. Rpt., 1908, p. 138. 1909.
  the Northwest during 1901, report. C. B. Simpson. Ent. Bul. 35, pp. 29. 1902.
larvae—
  cannibalism, studies. D.B. 189, p. 45. 1915.
  destruction by birds. Y.B. 1911, pp. 238-244. 1912; Y.B. Sep. 564, pp. 238-244. 1912.
  wintering, Yakima Valley of Washington. D.B. 1235, pp. 6-7, 22-23, 38-39, 58-61, 71-72. 1924.
  larval instars, studies. Ent. Bul. 115, Pt. I, pp. 76-83. 1912.
life history—
  1913, 1914, comparison. D.B. 252, pp. 46-49. 1915.
  and control on pears in California. S. W. Foster. Ent. Bul. 97, Pt. II, pp. 13-51. 1911.
  and injuries to apple crop. Y.B. 1911, pp. 237-238. 1912; Y.B. Sep. 564, pp. 237-238. 1912.
  enemies, and preventive measures. Ent. Bul. 30, pp. 51-63. 1901.
  in California, Santa Clara Valley. Ent. Bul. 115, Pt. III, pp. 113-181. 1913.
  in Maine. E.H. Siegler and F. L. Simanton. D.B. 252, pp. 50. 1915.
  in Pecos Valley, New Mexico. A. L. Quaintance and E. W. Geyer. D.B. 429, pp. 90. 1917.
  in Yakima Valley of Washington. E. J. Newcomer and W. D. Whitcomb. D.B. 1235, pp. 77. 1924.
  red ant enemy. Ent. Bul. 67, p. 38. 1907.
  studies—
    E. H. Siegler and H. K. Plank. D.B. 932, pp. 119. 1921.
    1913, 1914, methods. D.B. 252, pp. 3-46. 1915.
    in Michigan. A. G. Hammar. Ent. Bul. 115, pt. I, pp. 86. 1912.
    Northwestern Pennsylvania, 1907, 1908, 1909. Ent. Bul. 80, Pt. VI, pp. 71-111. 1910; Ent. Bul. 80, pp. 71-111. 1912.
life stages, definitions. D.B. 1235, p. 4. 1924.
natural enemies. Ent. Bul. 80, Pt. I, pp. 29-30. 1909; D.B. 189, pp. 46-49. 1915.
nut-feeding habits. Ent. Bul. 80, Pt. V, pp. 67-70. 1910; Ent. Bul. 80, pp. 67-70. 1912.
or apple worm. A. L. Quaintance. Y.B., 1907, pp. 435-450. 1908; Y.B. Sep. 460. pp. 435-450. 1908.
parasite(s)—
  and other natural enemies. Y.B., 1907, p. 443. 1908; Y.B. Sep. 460, p. 443. 1908.
  Calliephialtes sp. R. A. Cushman. J.A.R., vol. 1, pp. 211-238. 1913.
  description and life history. J.A.R., vol. 1, pp. 211-238. 1913.
  discussion. D.B. 1235, pp. 72, 76. 1924; Ent. Bul. 115, Pt. III, pp. 160-161. 1913.
seasonal history, studies. D.B. 932, 9-82, 112-114. 1921; D.B. 1235, pp. 6-20, 22-35, 37-53, 55-58, 1924; Ent. Bul. 80, Pt. VI, pp. 103-109. 1910; Ent. Bul. 115, Pt. I, pp. 3-66. 1912.
similarity to oriental peach moth. J.A.R., vol. 13, p. 64. 1918.
spraying—
  as only control remedy. News L., vol. 5, No. 15, p. 8. 1917.
  Colorado orchards for control. D.B. 500, pp. 28-30. 1917.
  demonstration 1906-7. Y.B., 1907, p. 448. Y.B. Sep. 460, p. 448. 1908.
  demonstration. A. L. Quaintance and others. Ent. Bul. 68, Pt. VII, pp. 69-76. 1908.
  directions. B.P.I. Bul. 144, p. 22. 1909; Y.B., 1908, p. 272. 1909; Y.B. Sep. 480, p. 272. 1909.
  early and late, relative value. Ent. Bul. 67, pp. 57-68. 1907.
  experiments—
    and results. An. Rpts., 1909, p. 511. 1910; Ent. A.R., 1909, p. 25. 1909; B.P.I. Cir. 54, pp. 9, 11. 1910; D.B. 959, pp. 3-16, 25-30. 1921; Ent. Bul. 80, pp. 63-65, 113-146. 1912. Santa Clara Valley, California. Ent. Bul. 115, Pt. III, pp. 171-180. 1913.
  schedules. D.B. 959, pp. 5, 8, 12, 26, 30-34. 1921.

Codling moth(s)—Continued.
spraying—continued.
tests with various insecticides. D.B. 278, pp. 7–9, 17–19, 27–34. 1915.
with lead arsenate. B.P.I. Cir. 118, pp. 27–28. 1913.
spring brood—
emergence, oviposition, life period. D.B., 252, pp. 6–8, 30–33. 1915.
of pupae, and moths, seasonal studies. Ent. Bul. 115, Pt. III, pp. 114, 119, 122, 143, 147. 1913.
studies and investigations, scope, methods. D.B. 189, pp. 2–3, 4, 11, 13, 21, 28, 32, 37–38. 1915.
studies, definition of terms. Ent. Bul. 115, Pt. I, pp. 2–3. 1912.
studies in central Appalachian region. F. E. Brooks and E. B. Blakeslee. D.B. 189, pp. 49. 1915.
terms and definitions. D.B. 252, p. 2. 1915.
trap, construction and use. D.B. 959, pp. 35–38. 1921.
trapping experiments, results. D.B. 959, pp. 16, 17–20, 22–25. 1921.
walnut infestation in California. Ent. Bul. 80, Pt. V, pp. 67, 68, 69. 1910; Ent. Bul. 80, pp. 67, 68, 69. 1912.
See also Apple worm.
Codling worm, parasite, reproduction and seasonal history. J.A.R., vol. 1, pp. 216–235. 1913.
COE, H. S.:—
"Red-clover seed production: Pollination studies." With others. D.B. 289, pp. 31. 1915.
"Sweet clover: growing the crop." F.B. 797, pp. 35. 1917.
"Sweet clover; Harvesting and thrashing the seed crop." F.B. 836, pp. 28. 1917.
"Sweet-clover seed." With J. N. Martin. D.B. 844, pp. 39. 1920.
"Sweet clover: Utilization." F.B. 820, pp. 32. 1917.
"Velvet beans." With S. M. Tracy. F.B. 962, pp. 39. 1918.
COE, M. R.: "Determination of starch content in the presence of interfering polysaccharids." With George Pelham Walton. J.A.R., vol. 23, pp. 995–1006. 1923.
Coelococcus amicarum. See Palm, ivory-nut.
Coelophora spp., description and life history. Hawaii A.R., 1912, pp. 31–32. 1913.
Coenurus—
cerebralis—
cause of gid, description, and life history. D.B. 260, pp. 9–11. 1915.
infection of meat animals, inspection regulations. B.A.I. An. Rpt., 1907, p. 372. 1909.
See also Multiceps multiceps; Gid.
group importance to helminthologists. B.A.I. Bul. 125, Pt. I, p. 5. 1910.
COERPER, F. M.: "Bacterial blight of soy bean." J.A.R., vol. 18, pp. 179–194. 1919.
Coe's cough balsam, misbranding. Chem. N.J. 3815. 1915.
Coeur d'Alene National Forest, Idaho, map. For. Maps. 1925.
Coffea—
amara, importation and description. No. 39353, B.P.I. Inv. 41, p. 15. 1917.
arabica. See Coffee tree.
bengalensis, importation and description. No. 47661, B.P.I. Inv. 59, p. 43. 1922.
spp. See Coffee.
Coffee—
adulterants—
detection. Chem. Bul. 107, pp. 152, 154, 155. 1907.
exhibit at Buffalo Exposition. Chem. Bul. 63, p. 10. 1901.
adulteration—
and misbranding. See Indexes, Notices of Judgment, in bound volumes and in separates published as supplements to Chemistry Service and Regulatory Announcements.
with lead chromate. Chem. N.J. 50, pp. 2. 1909.
analysis methods. Chem. Bul. 107, pp. 152–155. 1909; Chem. Bul. 152, pp. 163–167. 1912; Chem. Cir. 43, p. 13. 1909.
and chicory compound, adulteration and misbranding. Chem. N.J. 714, pp. 2. 1911.

Coffee—Continued.
and tea, report. Chem. Bul. 90, pp. 38–45. 1905.
bean—
Daubentonia longifolia, poisonous plant, sheet feeding experiments. C. Dwight Marsh and A. B. Clawson. J.A.R., vol. 20, pp. 507–513. 1920.
weevil—
breeding records. E. S. Tucker. Ent. Bul. 64, Pt. VII, pp. 61–64. 1909.
description and habits. F.B. 1260, p. 9. 1922.
description, injury to corn ears, Hawaii. Hawaii Bul. 27, pp. 15, 17. 1912.
occurrence on castor bean. J.A.R., vol. 23, p. 687. 1923.
parasite, breeding in chinaberries. Ent. Bul. 64, Pt. VII, p. 63. 1909; Ent. Bul. 64, p. 63. 1911.
beetle, description. Sec. [Misc.], "A manual * * * insects * * *," p. 62. 1917.
berries, variations. B.P.I. Bul. 256, p. 82. 1913.
berry spot, description, cause and control. P.R. Bul. 17, pp. 21–27, 29. 1915.
black—
analysis for caffeine content. Chem. N.J. 1455, pp. 35, 41, 42, 50. 1912.
root disease, description and control. P.R. Bul. 17, pp. 16–21. 1915.
bond forfeiture. Chem. N.J. 1017, p. 1. 1911.
borer, red, description. See [Misc.], "A manual * * * insects * * *," p. 62. 1917.
Budapest essence, misbranding. Chem. N.J. 2787. 1914.
caffein-free, importation, No. 39353, description. B.P.I. Inv. 41, p. 15. 1917.
caffetannic acid, estimation, methods and results. Chem. Bul. 122, pp. 78–79, 82–83. 1909.
camp cooking directions. D. C. 4, p. 61. 1919.
chaff and screenings, adulterants of coffee. Chem. S.R.A. 18, p. 44. 1916.
cherries, size for different varieties, and production per tree. P.R. Bul. 30, pp. 3, 10. 1924.
coloring and essences, labeling. Chem. S.R.A. 13, p. 5. 1915.
Columnaris—
description and origin, growing in Porto Rico. P.R. An. Rpt., 1914, p. 23. 1915.
growing in Porto Rico, hillside lands testing. P.R. Bul. 21, pp. 7–8. 1917.
compounds—
laws. Chem. Bul. 69, rev., Pts. I–IX, pp. 170, 276, 306, 434, 456, 618, 632, 731. 1905–6.
misbranding. Chem. N.J. 2180, pp. 2. 1913; Chem. N.J. 3897, p. 1. 1915.
consumption in—
world, 1907, 1908, 1909–1910. Chem. N.J. 1455, p. 44. 1912.
United States and foreign countries. Stat. Bul. 79, pp. 102–118. 1912.
countries producing. Off. Rec. vol. 3, No. 35, p. 5. 1924.
cream feathering, factors influencing. L.H. Burgwald. J.A.R., vol. 26, pp. 541–546. 1923.
culture, shade. O.F. Cook. Bot. Bul. 25, pp. 79. 1901.
Digesto, misbranding. Chem. N.J. 4, pp. 3. 1908.
diseases—
Guam. Guam A.R., 1917, p. 49. 1918.
Hawaii, and their control. Hawaii A.R., 1918. pp. 43–43. 1919.
India, identity with disease in Porto Rico. J.A.R., vol. 2, p. 231. 1914.
Porto Rico, in 1910, control methods. P.R. An. Rpt., 1910, pp. 35, 36, 37–38. 1911. O.E.S. Dir. Rpt., 1910, p. 24. 1910; An. Rpts., 1910, p. 754. 1911.
1912 investigations. P.R. An. Rpt., 1912, p. 31. 1913.
1913, study and control. P.R. An. Rpt., 1913, p. 29. 1914.
Dutch East Indies, labeling, decision. F.I.D. 82, pp. 2. 1907.
essence, misbranding. Chem. N.J. 1189, pp. 2. 1911.
ether extract, determination. Chem. Bul. 137, pp. 85–86. 1911.

Coffee—Continued.
　exports—
　　1901–1908. Stat. Bul. 75, pp. 8, 37–38. 1910.
　　1921, statistics. Y.B., 1921, pp. 744, 749. 1922; Y.B. Sep. 867, pp. 8, 13. 1922.
　　1924. Y.B., 1924, pp. 1043, 1073. 1925.
　　and imports, various countries. Stat. Bul. 79, pp. 102–118. 1912.
　　from Porto Rico, 1910. P.R. An. Rpt., 1910, pp. 8–9. 1911.
　extract analysis. Chem. Bul. 107, p. 154. 1907.
　fermentation—
　　preparation for market. P.R. An. Rpt., 1907, pp. 52–55. 1908.
　　purposes, methods. P.R. An. Rpt., 1907, pp. 52–55. 1908.
　fertilizer tests, in Porto Rico, 1913. P.R. An. Rpt., 1913, pp. 22–23. 1914; P.R. An. Rpt., 1921, p. 12. 1922.
　food standard. Sec. Cir. 136, p. 18. 1919.
　fruit fly infestation, investigations, Hawaii. Hawaii A.R., 1914, p. 22. 1915.
　fungus—
　　diseases in Porto Rico. G. L. Fawcett. P.R. Bul. 17, pp. 29. 1915; P.R. Bul. 17, pp. 31. 1916.
　　parasite, *Glomerella cingulata*, studies. B.P.I. Bul. 252, pp. 27–28. 1913.
　glazed. F.I.D. 80, Chem. F.I.D. 80–81, pp. 1–2. 1907.
　Government purchase and control in Brazil. Stat. Bul. 79, pp. 23–29. 1912.
　green, statement of contents placed on bags—opinion 86. Chem. S.R.A. 9, p. 687. 1914.
　grove, renovation, experiments in Porto Rico. P.R. An. Rpt., 1910, p. 38. 1911.
　growing—
　　bees as pollenizing agents, value. P.R. Bul. 15, p. 20. 1914.
　　effect of shade. Rpt. 73, p. 15. 1902.
　grafting experiments. Stat. Bul. 79, p. 5. 1912.
　　in Brazil, soils used. Off. Rec., vol. 3, No. 19, p. 7. 1924.
　　in Guam—
　　　1911, varieties and insects affecting. Guam A.R., 1911, pp. 22, 27, 28. 1912.
　　　1917, shade and windbreaks. Guam A.R., 1917, p. 41. 1918.
　　　1918. Guam A.R., 1918, p. 59. 1919.
　　　1919. Guam A.R., 1919, p. 44. 1921.
　　　1920. Guam A.R., 1920, p. 57. 1921.
　　in Hawaii, conditions of industry, culture, by-products. Hawaii A.R., 1919, pp. 31–37. 1920.
　　in Porto Rico—
　　　1910. Sec. A.R., 1910, p. 147. 1910; Rpt. 93, p. 91. 1911; An. Rpts., 1910, p. 147. 1911; Y.B., 1910, p. 145. 1911.
　　　1912, progress, varieties, and seed tests. P.R. An. Rpt., 1912, pp. 7, 928–29. 1913.
　　　1914, fertilizers, diseases, and insect pests. P.R. An. Rpt., 1914, pp. 23–25, 28–29, 32–34. 1915.
　　　1916, problems, renovation crops. P.R. An. Rpt., 1916, pp. 6–7, 21–22. 1918.
　　　1917, disease control and fertilization. P.R. An. Rpt., 1917, pp. 24–26. 1918.
　　　1918, conditions, varieties, and disease control. P.R. An. Rpt., 1918, pp. 7–8, 11–12. 1920.
　　　1919, conditions, variety tests, and shade. P.R. An. Rpt., 1919, pp. 6, 9, 19–20. 1920.
　　　1920, difficulties and improved methods. P.R. An. Rpt., 1920, pp. 11, 16. 1921.
　　　1922, fertilizer test. P.R. An. Rpt., 1922, p. 8. 1923.
　　improvement of methods. Work and Exp., 1914, p. 204. 1915.
　　in Venezuela, spacing, and shading. P.R. An. Rpt., 1913, p. 24. 1914.
　Guadeloupe, growing in Porto Rico, hillside lands, testing. P.R. Bul. 21, pp. 8, 10–13. 1917.
　handling in Guatemala. Off. Rec., vol. 2, No. 22, p. 3. 1923.
　Hawaiian—
　　fruit fly infestation and parasitism, 1916. J.A.R. vol. 12, pp. 105, 106. 1918.
　　injury from Mediterranean fruit fly attacks, and parasite control. D.B. 640, pp. 19–21. 1918.
　history, origin, early use. Stat. Bul. 79, pp. 5–8. 1912.

Coffee—Continued.
　host of Mediterranean fruit fly, in Hawaii. D.B. 536, pp. 13, 15, 19, 24, 34–36. 1918.
　imitation, regulation. F.I.D. 50, Chem. F.I.D. 49–53, p. 2. 1907.
　importation(s)—
　　and description. Nos. 49962–49963, 50141–50142, 50625–50633, B.P.I. Inv. 63, pp. 24, 39–40, 87–88. 1923; Nos. 51431, 51480–51482, 51490, 51828–51829, B.P.I. Inv. 65, pp. 16, 20, 21, 55. 1923; Nos. 53454–53462, B.P.I. Inv. 67, pp. 50–52. 1923; Nos. 54863–54864, 54800, B.P.I. Inv. 70, pp. 6–7, 22. 1923; No. 55042, B.P.I. Inv. 71, p. 16. 1923.
　　damaged or adulterated. F.I.D. 108, p. 1. 1909.
　imports—
　　1901–1924. Y.B., 1924, pp. 1061, 1075. 1925.
　　1907–1909, quantity and value, by countries from which consigned. Stat. Bul. 82, p. 36. 1910.
　　1908–1910, quantity and value, by countries from which consigned. Stat. Bul. 90, p. 39. 1911.
　　1912. Stat. Bul. 79, pp. 22, 31, 40, 42, 44, 47, 52, 53, 54–55, 56, 59–60, 62, 63, 64, 65, 66, 67, 70, 71, 72–73, 74–75, 78–81, 81–84, 102. 1912.
　　1917–1919, 1910–1919. Y.B., 1920, pp. 5, 42. 1921; Y.B. Sep. 864, pp. 5, 42. 1921.
　　1921, statistics. Y.B., 1921 pp. 739, 749, 757, 766. 1922; Y.B. Sep. 867, pp. 3, 13, 21, 30. 1922.
　adulteration and misbranding. Y.B., 1910, p. 210. 1911; Y.B. Sep. 529, p. 210. 1911.
　and consumption, leading countries. Atl., Am. Agr. Adv. Sh. No. 4, Pt. V, p. 94. 1918.
　and export(s)—
　　1908. Y.B., 1908, pp. 754, 765, 773. 1909; Y.B. Sep. 498, pp. 754, 765, 773. 1909.
　　1919–1921, and 1852–1921. Y.B., 1922, pp. 951, 956, 961, 965, 979. 1923; Y.B. Sep. 880, pp. 951, 961, 965, 979. 1923.
　　duties, various countries. Stat. Bul. 79, pp. 120–125. 1912.
　　by world countries, 1909–1920. Y.B., 1921, p. 669. 1922; Y.B. Sep. 869, p. 89. 1922.
　improvement by grafting two varieties, experiments. Stat. Bul. 79, p. 5. 1912.
　industry in—
　　Hawaii, introduction and growth. Y.B., 1901, p. 513. 1902.
　　Porto Rico—
　　　1909. O.E.S. An. Rpt., 1909, pp. 26, 177. 1910.
　　　condition. J. W. van Leenhoff. P.R. Cir. 2, pp. 2. 1904.
　　　experiments. An. Rpts., 1908, p. 137. 1909; Sec. A.R., 1908, p. 135. 1908.
　　　exports and value. P.R. An. Rpt., 1913, pp. 8, 22–23, 29. 1914.
　injury from insects, Porto Rico, control studies. P.R. An. Rpt., 1910, pp. 32, 37–38. 1911.
　insects—
　　and diseases, control work. P.R. An. Rpt., 1913, pp. 23, 29. 1914.
　　injurious, and their control. P.R. An. Rpt., 1912, pp. 34–35. 1913.
　　injurious, list. Sec. [Misc.], "A manual * * * insects * * *," pp. 61–64. 1917.
　inspection, seizures. An. Rpts., 1908, p. 460. 1909; Chem. Chief Rpt., 1908, p. 16. 1908.
　investigations in Porto Rico, 1911. O.E.S. An. Rpt., 1911, pp. 24, 25, 188–189. 1912.
　Java and Sumatra, labeling ruling. Chem. S.R.A. 18, p. 44. 1916.
　"Java," use of term, hearing. News L., vol. 2, No. 41, p. 8. 1915.
　labeling, modification of F.I.D. 82, denied. Opinion 152. Chem. S.R.A. 16, p. 27. 1916.
　lands, Porto Rico, profitable and unprofitable. T. V. McClelland. P.R. Bul. 21, pp. 13. 1917; P.R. Bul. 21, pp. 15 (Spanish edition). 1919.
　laws, State—
　　1907. Chem. Bul. 112, Pt. II, pp. 96, 130. 1908.
　　1908. Chem. Bul. 121, p. 28. 1909.
　leaf diseases, control experiments, Porto Rico. P.R. An. Rpt., 1921, p. 12. 1922.
　leaf-miner, life history and control. P.R. An. Rpt., 1914, pp. 32–33. 1915.
　leaf-spot—
　　eradication methods and progress. P.R. Bul 28, p. 8–10. 1921.

Coffee—Continued.
 leaf-spot—continued.
  (*Stilbelia flavida*) in Porto Rico. T. B. McClelland. Also Spanish edition. P.R. Bul. 28, pp. 12. 1921.
 leaf-weevil, description and habits. P.R. An. Rpt., 1914, pp. 42–43. 1916.
 misbranding. Chem. N.J. 49. 1909; Chem. N.J. 55. 1909; Chem. N.J. 13444. 1925.
 mocha, labeling. F.I.D. 91, pp. 3. 1908.
 names used in various countries. Stat. Bul. 79, pp. 5–6. 1912.
 new variety, description. B.P.I. Bul. 208, pp. 63, 76. 1911.
 nursery, location, preparation, beds, drainage, and general directions. P.R. Cir. 15, pp. 10–13. 1912.
 nutritive value. Y.B., 1902, p. 404. 1903; Y.B. Sep. 20, p. 404. 1903.
 plantation(s)—
  condition at beginning and during leaf-spot eradication. P.R. Bul. 28, pp. 8–10. 1921.
  cost for three years and returns, per acre. P.R. Cir. 15, pp. 25–26. 1912.
  Porto Rico, birds frequenting, list. D.B. 326, pp. 6–7. 1916.
  Stilbella-infected, location, description, reinfection experiments. P.R. Bul. 28, pp. 5–10. 1921.
 planting—
  and breeding, Porto Rico, 1910. O.E.S. An. Rpt., 1910, pp. 28, 230. 1911.
  experiments in Porto Rico. P.R. An. Rpt., 1910, p. 38. 1911.
  in Porto Rico. J. W. van Leenhoff. P.R. Cir. 5, pp. 14. 1904.
  in Porto Rico, suggestions. T. B. McClelland. Also Spanish edition. P.R. Cir. 15, pp. 26. 1912.
  preparation of land. P.R. Cir. 15, pp. 13–19. 1912.
 plants—
  cultivation and care after setting in grove. P.R. Cir. 15, pp. 19–22. 1912.
  transferring from nursery to permanent grove. P.R. Cir. 15, pp. 16–19. 1912.
 pollenization, assistance by beekeeping. An. Rpts., 1909, p. 699. 1910; O.E.S. Dir. Rpt., 1909, p. 21. 1909.
 Porto Rican, flavor. P.R. An. Rpt., 1916, p. 6. 1918.
 Porto Rico—
  culture, drying experiments, insects and diseases. P.R. An. Rpt., 1911, pp. 11–12, 28–30, 37. 1912.
  description, and uses. D.B. 354, p. 97. 1916.
  experiments—
   1906. P.R. An. Rpt., 1906, pp. 11–12. 1907.
   1907, yield, expenses, diseases, and insect pests. P.R. An. Rpt., 1907, pp. 10, 39–40.
  fungous disease, *Pellicularia koleroga*. J.A.R., vol. 2, pp. 231–233. 1914.
  production and exports, increase, 1920. P.R. An. Rpt., 1920, p. 11. 1921.
  report—
   1908. P.R. An. Rpt., 1908, pp. 33–34. 1909.
   1909. P.R. An. Rpt., 1909, pp. 32–34. 1910.
   of specialist. O.E.S. Bul. 171, pp. 42–47. 1906.
  shipments, to United States. Stat. Bul. 37, p. 44. 1905.
 prices—
  1910. An. Rpts., 1910, pp. 23, 25. 1911; Sec. A.R., 1910, pp. 23, 25. 1910; Rpt. 93, pp. 19, 20. 1911; Y.B., 1910, pp. 23, 25. 1911.
  New York market, 1902–1911. Stat. Bul. 79, pp. 118–119. 1912.
  wholesale. Y.B., 1924, p. 832. 1925.
 production—
  and trade, 1905–1909, imports and exports, 1906–1910. Y.B., 1910, pp. 606–608, 655, 667, 679. 1911; Y.B. Sep. 553, pp. 606–608, 655, 667, 679. 1911.
  area, and cultivation methods. Stat. Bul. 79, pp. 8–9. 1912.
  exports and imports, annual and average, by countries. Stat. Cir. 31, pp. 25–27, 29, 30. 1912.

Coffee—Continued.
 production—continued.
  prices, imports and exports, 1911. Y.B., 1911, pp. 610–614, 659, 670, 683–684. 1912; Y.B. Sep. 587, pp. 610–614. Y.B. Sep. 588, pp. 659, 670, 683–684. 1912.
  prices, imports and exports, 1912. Y.B., 1912, pp. 657–660, 715, 728, 741–742. 1913; Y.B. Sep. 615, pp. 657–660, 715, 728, 741–742. 1913.
  trade, and consumption, by countries. Harry C. Graham. Stat. Bul. 79, pp. 134. 1912.
  world countries, 1910–1914. Y.B., 1916, p. 547. 1917; Y.B. Sep. 713, p. 17. 1917.
 propagation by budding and grafting. Hawaii A.R., 1919, p. 34. 1920.
 pulp, by-products, uses and value. Hawaii A. R., 1919, pp. 34–37. 1920.
 purity standards. Sec. Cir. 136, p. 18. 1919.
 raw, roasted, exports from United States, by countries, 1907–1911. Stat. Bul. 79, pp. 76–78. 1912.
 recommendation of committee. Chem. Bul. 162, p. 164. 1913.
 report—
  C. D. Howard. Chem. Bul. 105, pp. 41–45. 1907.
  by associate referee. Chem. Bul. 137, pp. 105–108. 1911.
  of specialist, Porto Rico Experiment Station. O.E.S. An. Rpt., 1904, pp. 406–410. 1905.
 Robusta, testing and comparison with Porto Rico coffee. P.R. An. Rpt., 1920, p. 16. 1921.
 root diseases, description and control work. P.R. Bul. 17, pp. 15–21, 29. 1915.
 screenings, definition, designation. F.I.D. 108, p. 1. 1909.
 seed—
  germination tests, Porto Rico. P.R. An. Rpt., 1911, p. 29. 1912.
  selection, preparation, and planting, directions. P.R. Cir. 15, pp. 9–10. 1912.
 seedlings, handling in Porto Rico, recommendations. P.R. Bul. 22, pp. 10–11. 1917.
 shading. P.R. An. Rpt., 1913, pp. 22, 24. 1914.
 stains, removal from textiles. F.B. 861, p. 13. 1917.
 standards. Chem. Bul. 69, rev., Pts. I–IX, pp. 108, 170, 191, 212, 306, 443, 456, 546, 560, 596, 632, 667, 690. 1905–6.
 statistics—
  1906. Y.B., 1906, p. 624. 1907; Y.B. Sep. 436, p. 624. 1907.
  1924. Y.B., 1924, pp. 831–832, 1043, 1061, 1073, 1075. 1925.
  acreage, production, value, prices, exports and imports. Y.B., 1910, pp. 606–608, 655, 667, 679. 1911; Y.B. Sep. 554, pp. 606–608, 655, 667, 679. 1911.
  exports, imports, and prices—
   1909–1919. Y.B., 1921, pp. 84–85. 1921; Y.B. Sep. 862, pp. 84–85. 1921.
   1915. Y.B., 1915, pp. 503, 542, 549, 558, 564, 573. 1916; Y.B. Sep. 683, p. 503. 1916; Y.B. Sep. 685, pp. 542, 549, 558, 564, 573. 1916.
   1916. Y.B., 1916, pp. 652–653, 709, 716, 722, 725, 731, 740. 1917; Y.B. Sep. 720, pp. 42–43. 1917; Y.B. Sep. 722, pp. 3, 10, 16, 19, 25, 34. 1917.
   1917. Y.B., 1917, pp. 702–703, 761, 769, 780, 796. 1918; Y.B. Sep. 760, pp. 50–51. 1918; Y.B. Sep. 762, pp. 5, 13, 24, 40. 1918.
   1918. Y.B., 1918, pp. 579–581, 629, 643, 647, 651, 662. 1919; Y.B. Sep. 792, pp. 75–77. 1919; Y.B. Sep. 794, pp. 5, 13, 19, 23, 27, 38. 1919.
   1919. Y.B., 1919, pp. 639–640, 684, 692, 702–703, 719. 1920; Y.B. Sep. 827, pp. 639–640. 1920; Y.B. Sep. 829, pp. 684, 692, 702–703, 719. 1920.
  graphic showing of average production, world. Stat. Bul. 78, p. 67. 1910.
  imports and exports. Y.B., 1914, pp. 606–607, 653, 660, 669, 685. 1915; Y.B. Sep. 655, pp. 606–607. 1915; Y.B. Sep. 657, pp. 653, 660, 669, 685. 1915.
  international trade, prices, imports and exports. Y.B. 1913, pp. 450–451, 494, 502, 512. 1914; Y.B. Sep. 630, pp. 450–451. 1914; Y.B. Sep. 631, pp. 494–502, 512. 1914.

Coffee—Continued.
  statistics—continued.
    world's production and trade. Stat. Bul. 79, pp. 9-103. 1912.
  substitute—
    adulteration and misbranding (shacokauphy.) Chem. N.J. 2139, pp. 2. 1913.
    and adulterants, imports and sources. Stat. Bul. 79, pp. 126-130. 1912.
    by chicory root. D.C. 108, p. 3. 1920.
    cereal, table discussion. F.B. 249, pp. 33-34. 1906.
    chufa tubers. J.A.R., vol. 26, p. 69. 1923.
    imports, 1907-1909, quantity and value, by countries from which consigned. Stat. Bul. 82, p. 37. 1910.
    roasted seeds of jack beans. D.C. 92, p. 10. 1920.
    use of soy beans. Y.B., 1917, p. 108. 1918; Y.B. Sep. 740, p. 10. 1918; D.C. 120, p. 1. 1920.
  tariff rates, various countries. Stat. Bul. 79, pp. 120-125. 1912.
  testing for chicory adulteration. D.B. 123, p. 53. 1916.
  thread-blight, description and control. P.R. Bul. 17, pp. 8-11, 29. 1915.
  trade, international—
    1901-1910. Stat. Bul. 103, pp. 12-13. 1913.
    1902-1906. Y.B., 1907, pp. 690, 738, 749. 1908; Y.B. Sep. 465, pp. 690, 738, 749. 1908.
    1909-1921. Y.B., 1922, p. 790. 1923; Y.B. Sep. 884, p. 790. 1923.
    1923. Y.B., 1923, pp. 874-875. 1924; Y.B. Sep. 901, pp. 874-875. 1924.
  trade regulations, Brazil with other countries. Stat. Bul. 79, pp. 23-25. 1912.
  transplanting, effect of different methods. T.B. McClelland. P.R. Bul. 22, pp. 11, 1917.
  tree(s)—
    characters. F.B. 468, p. 42. 1911.
    description and key. D.C. 223, pp. 7, 10. 1922.
    dimorphic branches, studies. B.P.I. Bul. 198, pp. 34-38, 49, 54, 55. 1911.
    injury by leaf-spot disease in Porto Rico. P.R. Bul. 28, p. 4. 1921.
    Kentucky, susceptibility to attacks of red spider. Ent. Cir. 104, pp. 4, 5-6. 1909.
    planting in forestry. For. Bul. 65, pp. 17, 18, 30, 37, 39. 1905.
    Porto Rico, planting, pruning, care, etc., experiments. P.R. An. Rpt., 1910, p. 40. 1911.
    propagation methods. B.P.I. Bul. 198, pp. 35-37. 1911.
    range, habits of growth, care and uses. For. Cir. 91, pp. 1-4. 1907.
  value as honey plant and use of bees in pollenizing. P.R. Cir. 13, pp. 5, 27. 1911.
  varieties—
    growing, Porto Rico, progress. An. Rpts., 1915, p. 305. 1916; O.E.S. Chief Rpt., 1915, p. 11. 1915.
    grown in Porto Rico, and coffee shade. P.R. An. Rpt., 1916, pp. 21-22. 1918.
    importations and description. Nos. 31976, 32160-32162, 32295, 32359, B.P.I. Bul. 261, pp. 13, 35, 52, 59. 1912.
    in Porto Rico. T.B. McClelland. P.R. Bul. 30, pp. 27. 1924.
    in Porto Rico, experiments. O.E.S. An. Rpt., 1911, pp. 24, 189. 1912.
    testing on hillsides, Porto Rico. P.R. Bul. 21, pp. 4-8. 1917.
    testing in Porto Rico. P.R. An. Rpt., 1913, p. 22. 1914.
  weevils, injury to crop. P.R. An. Rpt., 1912, p. 35. 1913.
  world—
    acreage and production, exports and imports. Sec. [Misc.] Spec. "Geography * * * world's agriculture," pp. 93-96. 1917.
    countries, exports and imports. Y.B., 1921, p. 669. 1922; Y.B. Sep. 869, p. 89. 1922.
    production and trade. Stat. Bul. 79, pp. 9-103. 1912.
Coffee bean—
  description and poisonous effects on stock. D.B. 1245, pp. 15-16. 1924.
  poisonous plant in Southern States. D.C. 82, p. 1. 1920.
  See also *Daubentonia longifolia.*

COFFEY, G. N.—
  "A study of the soils of the United States." Soils Bul. 85, pp. 114. 1912.
  "Reconnaissance soil survey of—
    Ohio." With others. Soil Sur. Adv. Sh. 1912, pp. 134. 1915; Soils F.O., 1912, pp. 1245-1372. 1915.
    south Texas." With others. Soil Sur. Adv. Sh., 1909, pp. 105. 1910; Soils F.O. 1909, pp. 1029-1129. 1912.
    the Central Gulf Coast area, Texas." With others. Soil Sur. Adv. Sh., 1910, pp. 76. 1911; Soils F.O., 1910, pp. 859-929. 1912.
    the Panhandle region, Texas." With William T. Carter. Soil Sur. Adv. Sh., 1910, pp. 59. 1911; Soils F.O., 1910, pp. 961-1015. 1912.
    western South Dakota." With others. Soil Sur. Adv. Sh., 1909, pp. 80. 1911; Soils F.O. 1909, pp. 1401-1476. 1912.
  "Soil survey of—
    Cary area, North Carolina." With W. Edward Hearn. Soils L. O. Sep., 1901, pp. 5. Soils F.O., 1901, pp. 311-315. 1902.
    McLean County, Ill." With others. Soil Sur. Adv. Sh., 1903, pp. 21. 1904; Soils F.O. 1903, pp. 777-797. 1904.
    the Craven area, North Carolina." With William G. Smith. Soil Sur. Adv. Sh., 1903, pp. 26. 1904; Soils F.O., 1903, pp. 253-278. 1904.
    Trumbull County, Ohio." With others. Soil Sur. Adv. Sh., 1914, pp. 53. 1916; Soils F.O., 1914, pp. 1455-1503. 1919.
    Western Kansas. With others. Soil. Sur. Adv. Sh., 1910, pp. 104. 1912; Soils F.O., 1910, pp. 1345-1442. 1912.
Coffins—
  manufacture, black walnut, use. D.B. 909, pp. 71, 88. 1921.
  manufacture from basswood and other woods. D.B. 1007, p. 48. 1922.
  use of lumber in Arkansas. For. Bul. 106, p. 19. 1912.
COFFMAN, F. A.—
  "A study of variability of the Burt oat." With others. J.A.R., vol. 30, pp. 1-64. 1925.
  "Experiments with cereals at Akron (Colo.) field station, 1908-1922." D.B. 1287, pp. 63. 1925.
  "Variation in the Kherson oat at Akron, Colo." With T. R. Stanton. J.A.R., vol. 30, pp. 1063-1082. 1925.
COFFMAN, W. B.: "Comparative transpiration of corn and the sorghums." With Edwin C. Miller. J.A.R., vol. 13, pp. 579-604. 1918.
Cognac—
  adulteration and misbranding. See *Indexes, Chemistry Notices of Judgment.*
  brandy, misbranding, investigations. An. Rpts., 1910, p. 457. 1911; Chem. Chief. Rpt., 1910, p. 33. 1910.
COHN, H. I.: "Soil survey of—
  Faulkner County, Ark." With E. B. Deeter. Soil Sur. Adv. Sh., 1917, pp. 35. 1919; Soils F.O., 1917, pp. 1323-1353. 1923.
  Knox County, Mo." With H. H. Krusekopf. Soil Sur. Adv. Sh., 1917, pp. 32. 1921; Soils F.O., 1917, pp. 1455-1482. 1923.
  Texas County, Mo.". With others. Soil Sur. Adv. Sh., 1917, pp. 37. 1919; Soils F.O., 1917, pp. 1523-1555. 1923.
Cohosh—
  black, habitat, range, description, collection, prices and uses of roots. B.P.I. Bul. 107, p. 35. 1907.
  blue, adulteration and misbranding. See *Indexes, Notices of Judgment, in bound volumes, and in separates published as supplements to Chemistry Service and Regulatory Announcements.*
  blue, habitat, range, description, collection, prices and uses of roots. B.P.I. Bul. 107, p. 37. 1907.
Cohune—
  nut, importation and uses. No. 50527. B.P.I. Inv. 63, pp. 76-77. 1923.
  palm, importation and description. No. 54017. B.P.I. Inv. 68, p. 19. 1923.
Coihue, Chilean tree, description and uses. No. 34381, B.P.I. Inv. 33, p. 13. 1915.
COIT, H. L., definition of "certified milk." D.B. 1, p. 3. 1913.

INDEX TO PUBLICATIONS, 1901–1925

Coix—
lacryma-jobi—
occurrence in Guam. Guam A.R., 1913, p. 16. 1914.
seeds, uses. Off. Rec., vol. 1, No. 22, p. 3. 1922.
See also Job's tears; Ma-yuen.
spp., description, distribution and uses. D.B. 772, pp. 22, 287–288. 1920.
spp., importations and description. Nos. 47324, 47325, 47326, B.P.I. Inv. 58, pp. 9, 51. 1922.

Coke—
burning, injury to vegetation. Y.B., 1909, pp. 323, 330. 1910; Y.B. Sep. 516, pp. 323, 330. 1910.
by-products production, number and location of ovens. D.B. 37, p. 5. 1913.
ovens, ammonium sulphate recovery. Y.B., 1919, p. 116. 1920; Y.B. Sep. 803, p. 116. 1920.
product of coal distillation. D.B. 1036, p. 7. 1922.
"Coke Extract," misbranding. Chem. N.J. 236, pp. 2. 1910; Chem. N.J. 309, p. 1. 1910.
COKER, D.R.: Report on agricultural situation in England and France. Sec. [Misc.], "Report of agricultural * * *," pp. 80–82. 1919.

Cola—
acuminata. See Kola nut.
beverages examinations, results. Chem. Chief Rpt., 1908, pp. 11, 19. 1908; An. Rpts., 1908, pp. 455, 463. 1909.
celery, adulteration and misbranding (soft drink). Chem. N.J. 326, pp. 5. 1910.
nitida, importation and description. No. 54307, B.P.I. Inv. 68, p. 49. 1923.
nuts, use in Coca Cola. Chem. N.J. 1455, pp. 35, 36, 39–40. 1912.
queen syrup "Red Seal," adulteration and misbranding. Chem. N.J. 785, pp. 2. 1911.
soda water syrup, adulteration and misbranding. Chem. N.J. 1031, p. 1. 1911.
syrup, adulteration and misbranding. Chem. N.J. 731, pp. 2. 1911.

Colaptes spp.—
injury to telephone poles. Biol. Bul. 39, p. 11. 1911.
status as game birds. Biol. Bul. 12, rev., p. 24. 1902.
See also Flicker.

Colaspis, grapevine, similarity to grape root-worm, description. Ent. Bul. 89, p. 18. 1910.

Colchicum—
corm, and seed analysis methods. Chem. Bul. 107, rev., p. 259. 1907; Chem. Bul. 116, pp. 83, 85, 87. 1908; Chem. Bul. 132, pp. 195–196. 1910.
methods of determination of alkaloid. Chem. Cir. 38, p. 7. 1908.
seed tincture, adulteration and misbranding. Chem. N.J. 13396. 1925.

COLCORD, MABEL—
"List of publications of the Bureau of Entomology." Ent. Cir. 76, pp. 21. 1906; Ent. Cir. 76, pp. 32, rev. 1910.
report as librarian, Bureau of Entomology, 1911. An. Rpts., 1911, pp. 673–674. 1912; Lib. A.R., 1911, pp. 19–20. 1911.

Cold—
box, for farm home, description. F.B. 927, p. 18. 1918.
cure misbranding-Dr. Pusheck's cold push treatment No. 12. Chem. N.J. 2117, p. 1. 1913.
curing, cheese—
S. M. Babcock and others. B.A.I. Bul. 49, pp. 88. 1903.
American. C. F. Doane. B.A.I. Bul. 85, pp. 68. 1906.
effect on—
bacterial count of milk. D.B. 744, pp. 4–5. 1919.
canned foods. D.B. 196, pp. 14–15. 1915.
certain fungi and bacteria, experiments. J.A.R., vol. 5, No. 14, pp. 651–655. 1916.
gas engine. F.B. 1013, pp. 12–15. 1919.
influence in stimulating growth of plants. Frederick V. Coville. J.A.R., vol. 20, pp. 151–160. 1920.
injury to canned foods. Chem. Bul. 151, pp. 30–31. 1912.
necessity to plants during rest period. J.A.R., vol. 23, p. 913. 1923.

Cold—Continued.
pack, canning method, description. S.R.S. Doc. 18, p. 2. 1915.
resistance of—
date palm. B.P.I. Bul. 53, pp. 59–60, 61. 1904.
variegated alfalfas. B.P.I. Bul. 169, pp. 19, 21, 23–29, 49–51, 56. 1910.
winter grains, relation to sap density. J.A.R., vol. 13, pp. 497–506. 1918.
storage—
above freezing, changes in fresh beef. Ralph Hoagland and others. D.B. 433, pp. 100. 1917.
and prices. George K. Holmes. Stat. Bul. 101, pp. 116. 1913.
apple supply, 1916–1919. D.B. 935, p. 19. 1921.
apples. G. Harold Powell and S. H. Fulton. B.P.I. Bul. 48, pp. 6. 1903.
available space, and distribution. News L., vol. 6, No. 24, p. 13. 1919.
business features, warehouse reports. George K. Holmes. Stat. Bul. 93, pp. 86. 1913.
butter, relation to fishy flavor. B.A.I. Cir. 146, pp. 6, 11–12, 19. 1909.
Canada, laws, importance. Chem. Bul. 115, pp. 114–117. 1908.
changes, June 1, 1918. News L., vol. 5, No. 52, pp. 10–11. 1918.
cheese, experiments, 1903–4. Clarence B. Lane. B.A.I. Bul. 83, pp. 26. 1906.
chickens, changes taking place. Y.B., 1907, pp. 197–206. 1908; Y.B. Sep. 468, pp. 197–206. 1908.
commercial. F.B. 375, pp. 26–27. 1909.
control method against moths. F.B. 659, p. 8. 1915.
control of melon fly, experiments. D.B. 491, pp. 49–51. 1917.
cooperative reports on holdings, and value. News L., vol. 4, No. 52, p. 5. 1917.
costs. An. Rpts., 1911, pp. 30–31. 1912; Sec. A.R., 1911, pp. 28–29. 1911; Y.B., 1911, pp. 28–29. 1912.
curing cheese. F.B. 186, pp. 30–32. 1904.
data, methods of securing. D.B. 709, pp. 8–9. 1918.
definitions. D.B. 709, p. 10. 1918.
development and increase in storage space. Y.B., 1917 pp. 363–364. 1918; Y.B. Sep. 745, pp. 3–4. 1918.
economic results, length of time, cost and effects. An. Rpts., 1911, pp. 25–34. 1912; Sec. A.R., 1911, pp. 23–32. 1911; Y.B., 1911, pp. 23–32. 1912.
effect on—
cheese. F.B. 267, pp. 31–32. 1906.
eggs, quail, and chickens. H. W. Wiley and others. Chem. Bul. 115, pp. 117. 1908.
meats, studies. News L., vol. 2, No. 48, p. 7. 1915.
Mediterranean fruit fly. D.B. 640, p. 36. 1918; J.A.R., vol. 5, No. 15, pp. 657–666. 1916; J.A.R., vol. 6, No. 7, pp. 251–260. 1916.
milk, with salt. B.A.I. Bul. 162, pp. 27–32. 1913.
prices. An. Rpts., 1911, pp. 31–33, 648. 1912; Sec. A.R., 1911, pp. 29–31. 1911; Stat. Chief Rpt., 1911, p. 12. 1912; Y.B., 1911, pp. 29–31. 1912.
evaporimeter. Milo M. Hastings. B.A.I. Cir. 149, pp. 8. 1909.
experiments with fresh beef. D.B. 433, pp. 29–95. 1917.
farm and dairy, ice box, construction and cost, details. F.B. 353, pp. 29–31. 1909.
for cowpeas as preventive of weevil. J. W. T. Duvel. Ent. Bul. 54, pp. 49–54. 1905.
game, laws, decisions. Biol. Bul. 28, p. 90. 1907.
holdings—
February 1, 1919. News L., vol. 6, No. 30, p. 13. 1919.
October, 1924. S.B. 4, pp. 32. 1925.
monthly reports. An. Rpts., 1917, p. 462. 1918; Mkts. Chief Rpt. 1917, p. 32. 1917.
houses, value. An. Rpts., 1917, p. 438. 1918; Mkts. Chief Rpt., 1917, p. 8. 1917.
humidity control, discussion. B.A.I. Cir. 149, pp. 1–3. 1909.

Cold—Continued.
　storage—continued.
　　hygienic value in preservation of food. D.B. 433, p. 1. 1917.
　　in Alaska, natural facilities. D.B. 1089, p. 16. 1922.
　　information furnished by warehousemen. Chem. Bul. 115, pp. 11-24. 1908.
　　insecticidal effect on bean weevils. A. O. Larson and Perez Simmons. J.A.R., vol. 27, pp. 99-105. 1923.
　　laws—
　　　discussion by F. G. Urner. Stat. Bul. 101, pp. 24-25. 1913.
　　　opinions. Chem. Bul. 115, pp. 108-117. 1908.
　　length of time for various products, receipts and deliveries. Stat. Bul. 93, pp. 12-37. 1913.
　　need at docks and on ships. Rpt. 67, pp. 31-32.
　　of animal products, data furnished by warehousemen. Chem. Bul. 115, pp. 14-17. 1908.
　　of apple(s)—
　　　cider. H. C. Gore. Chem. Cir. 48, pp. 13. 1910.
　　　decrease, and comparisons. News L., vol. 2, No. 46, p. 2. 1915.
　　　effects of rot fungi. J.A.R., vol. 8, pp. 151-153. 1917.
　　　effects on keeping qualities. F.B. 334, p. 17. 1908.
　　　holdings, Jan. 1, 1915, estimates and market conditions. F.B. 651, pp. 10-12. 1915.
　　　internal-browning, investigations. D.B. 1104, pp. 1-24. 1922.
　　　per cent of apple crop, holdings by months. D.B. 302, pp. 14-16, 21. 1915.
　　　ripening and respiration. Chem. Bul. 94, pp. 31-40. 1905.
　　　value in disease control. F.B. 1160, pp. 2-24. 1920.
　　　ventilation, relation to scald. J.A.R., vol. 16, pp. 212-213. 1919.
　　of beef—
　　　changes above freezing. Ralph Hoagland and others. D.B. 433, pp. 100. 1917.
　　　commercial practices and systems. D.B. 433, pp. 2-5. 1917.
　　of butter—
　　　distribution, rates, margins, and methods. D.B. 456, pp. 28-30, 37. 1917.
　　　eggs, and cheese, shortage, January 1, 1919. News L., vol. 6, No. 26, p. 6. 1919.
　　of cheese—
　　　experiments. F.B. 267, pp. 31-32. 1906.
　　　experiments, 1903-1904. Clarence B. Lane. B.A.I. Bul. 83, pp. 26. 1906.
　　of chickens, changes taking place. Mary E. Pennington. Y.B., 1907, pp. 197-206. 1908; Y.B. Sep. 468, pp. 197-206. 1908.
　　of citrus fruits. F.B. 696, pp. 27-28. 1915.
　　of cottage cheese, directions. D.C. 1, p. 13. 1919.
　　of cowpeas, for control of insects. F.B. 1148, p. 24. 1920.
　　of eggs—
　　　commercial preservation. M. K. Jenkins. D.B. 775, pp. 36. 1919.
　　　effects. B.A.I. Cir. 140, pp. 25-27. 1909.
　　　function and need. F.B. 1378, pp. 4-5, 26. 1924.
　　　preserving. F.B. 287, rev., p. 33. 1921.
　　　preserving, method and results on supply. D.B. 471, p. 23. 1917.
　　　quail, and chickens, effects, preliminary study. H. W. Wiley and others. Chem. Bul. 115, pp. 117. 1908.
　　of farm produce on steamships, Hawaii. Y.B., 1915, p. 141. 1916; Y.B. Sep. 663, p. 141. 1916.
　　of fish, packing, reglazing, and storage period. D.B. 635, pp. 5-7, 8, 9. 1918.
　　of foods—
　　　data. An. Rpts., 1919, pp. 222, 431, 439, 453. 1920; Chem. Chief. Rpt., 1919, p. 12. 1919; Mkts. Chief Rpt., 1919, pp. 5, 13, 27. 1919.
　　　products, data from warehousemen. Chem. Bul. 115, pp. 1-24. 1908.
　　　protection, bill. Off. Rec., vol. 1, No. 14, p. 2. 1922.

Cold—Continued.
　storage—continued.
　　of fruits—
　　　data from warehousemen. Chem. Bul. 115, pp. 18-19, 22-23. 1908.
　　　experimental results. F.B. 193, pp. 15-20. 1904.
　　　function. D.B. 587, p. 3. 1917.
　　　juices, effects on different fruits. D.B. 241, pp. 7-8, 10, 13, 15, 17, 19. 1915.
　　　methods. F.B. 193, pp. 15-20. 1904.
　　　use in China, methods and costs. D.C. 146, pp. 4, 13. 1920.
　　　vegetables and flowers, temperature importance. D.B. 1133, pp. 1-3. 1923.
　　of grapes, factors governing, studies. D.B. 35, pp. 1-31. 1913.
　　of meat(s)—
　　　and poultry, studies. O.E.S. An. Rpt., 1909, pp. 370, 375, 381. 1910.
　　　Argentina, requirements. B.A.I. Bul. 48, p. 56-57. 1903.
　　　changes. An. Rpts., 1916, pp. 125-127. 1917; B.A.I. Chief Rpt., 1916, pp. 59-61. 1916.
　　　holdings Jan. 1, 1919. News L., vol. 6, No. 41, p. 8. 1919.
　　　investigations, 1915. An. Rpts., 1915, pp. 123-124. 1916; B.A.I. Chief Rpt., 1915, pp. 47-48. 1915.
　　　investigations, historical résumé. D.B. 433, pp. 5-7. 1917.
　　of milk—
　　　and butter. F.B. 241, pp. 5, 11, 30. 1905.
　　　requirements in city milk plants. D.B. 849, pp. 12, 20, 24, 25, 26, 32. 1920.
　　of oysters, temperature studies. Chem. Bul. 136, p. 28. 1911.
　　of peaches and pears. G. Harold Powell and S. H. Fulton. B.P.I. Bul. 40, pp. 28. 1903.
　　of peaches, effect on composition. Chem. Bul. 97, pp. 26-27. 1905.
　　of pears in Pacific Coast States. D.B. 1072, pp. 13-16. 1922.
　　of poultry—
　　　and eggs, study. Chem. Cir. 64, pp. 1-42. 1910.
　　　discussion. D.B. 467, pp. 13-16. 1916.
　　of small fruits. S. H. Fulton. B.P.I. Bul. 108, pp. 28. 1907.
　　of strawberries, methods for large and small quantities. F.B. 1026, pp. 39-40. 1919; F.B. 1027, pp. 27-28. 1919; F.B. 1028, pp. 49-50. 1919.
　　of sweet potatoes, composition. J.A.R., vol. 3, pp. 337-338. 1915.
　　of tobacco, for control of tobacco beetle. F.B. 846, pp. 15-16. 1917.
　　or open, for hops, experiments. D.B. 282, pp. 1-19. 1915.
　　periods and temperatures, discussion. Y.B., 1907, pp. 198-199. 1908; Y.B. Sep. 468, pp. 198-199. 1908.
　　plants for fruit cooling. Y.B., 1905, pp. 358-359. 1906; Y.B., Sep. 387, pp. 358-359. 1906.
　　preliminary studies, and inception of the work. Chem. Bul. 115, pp. 25-107. 1908.
　　products, investigation, methods of procuring reports. Stat. Bul. 93, pp. 9-10. 1913.
　　relation to commercial apple culture. G. Harold Powell. Y.B., 1903, pp. 225-238. 1904; Y.B. Sep. 317, pp. 225-238. 1904.
　　reports—
　　　for season, 1917-1918. John O. Bell. D.B. 776, pp. 44. 1919.
　　　of commercial organizations. D.B. 709, pp. 4-6. 1918.
　　　of Markets Bureau, 1914-1917. D.B. 709, pp. 7-43. 1918.
　　　of warehouses. Stat. Bul. 93, pp. 1-86. 1913.
　　rooms, milk refrigeration, construction and location. D.B. 98, pp. 22-23. 1914.
　　service in conservation of foodstuffs. I. C. Franklin. Y.B., 1917, pp. 363-370. 1918; Y.B. Sep. 745, pp. 11. 1918.
　　space—
　　　by States, 1921. Y.B., 1921, p. 793. 1922; Y.B., Sep. 871, p. 2. 1922.
　　　by States, and by cities. S.B. 1, pp. 3-7. 1923.

Cold—Continued.
　storage—continued.
　　space—continued.
　　　for butter and eggs, Markets Bureau surveys. News L., vol. 5, No. 44, p. 5. 1918.
　　　renting facilities, desirability in markets. Y.B., 1914, p. 177. 1915; Y.B., Sep. 636, p. 177. 1915.
　　　statistics, 1924. Y.B., 1924, pp. 884, 890, 921, 974. 1925.
　　　temperatures, effect on Mediterranean fruit fly. D.B. 536, pp. 56, 58, 79, 108–109. 1918.
　　　temporary, at producing points. Y.B., 1917, pp. 365–366. 1918; Y.B. Sep. 745, pp. 5–6. 1918.
　　　time limitations in certain States. An. Rpts., 1911, p. 28. 1912; Sec. A.R., 1911, p. 26, 1911; Y.B., 1911, p. 26. 1912.
　　　time limits and costs. Y.B., 1917, pp. 367–368. 1918; Y.B. Sep. 745, pp. 7–9. 1918.
　　　total refrigerated space, 1922. Y.B., 1922, pp. 1018–1019. 1923; Y.B. Sep. 887, pp. 1018–1019. 1923.
　　　tropical fruits, Hawaii experiments. Hawaii A.R., 1914, p. 23. 1915.
　　use and value in—
　　　fish preservation. News L., vol. 2, No. 43, p. 2. 1915.
　　　preservation of strawberry by-products. News L., vol. 2, No. 42, p. 1. 1915.
　　　tobacco-beetle control. D.B. 737, pp. 37–42, 69. 1919.
　　use in control of—
　　　bean and pea weevils. F.B. 983, p. 24. 1918.
　　　cedar moths. F.B. 1346, p. 11. 1923.
　　　insects, history. J.A.R., vol. 5, No. 15, pp. 657–659. 1916.
　　　moths. F.B. 1353, pp. 17–19. 1923.
　　value—
　　　for control of apple diseases. F.B. 1160, pp. 2–24. 1920.
　　　in the conservation of foodstuffs. I. C. Franklin. Y.B., 1917, pp. 363–370. 1918; Y.B. Sep. 745, pp. 11. 1918.
　　warehouse—
　　　reports, compilation and distribution. D.B. 709, pp. 10–14. 1918.
　　　tariff, terms, and conditions at Center Market, Washington, D. C., B.A.E. [Misc.], "Warehouse tariff and terms * * *," pp. 7. 1922.
　　warehousing of dairy products. Y.B., 1922, pp. 367–371. 1923; Y.B. Sep. 879, pp. 74–77. 1923.
　　with special reference to peaches. G. H. Powell and S. H. Fulton. B.P.I. Bul. 40, pp. 28. 1903.
　　See also Precooling; Refrigeration; Storage.
　water, canning method, description. S.R.S. Doc. 18, p. 1. 1915.
　wave(s)—
　　1917, details, and results of warning by Weather Bureau. An. Rpts., 1917, p. 50. 1918: W.B. Chief Rpt., 1917, p. 4. 1917.
　　and frost in United States. E. B. Garriott. W.B. Bul. P, pp. 22. 1906.
　　protection of fruits and special crops. Y.B., 1909, pp. 393–396. 1910; Y.B. Sep. 522, pp. 393–396. 1910.
　　warnings—
　　　use by farmers. Y.B., 1909, pp. 390–397. 1910; Y.B. Sep. 522, pp. 390–397. 1910.
　　　value of products saved. An. Rpts., 1923, pp. 104, 108. 1924. W.B. Chief Rpt., 1923, pp. 2, 6. 1923.
Cold compound, misbranding. See Indexes, Notices of Judgment, in bound volumes and in separates published as supplements to Chemistry Service and Regulatory Announcements.
Cold, in head, treatment. For. [Misc.], "First-aid manual * * *," pp. 83–84. 1917.
Cold Springs bird reservation, work, 1911. An. Rpts., 1911, p. 544. 1912: Biol. Chief Rpt., 1911, p. 14. 1911.
Coldframes—
　construction, and care. D.B. 527, pp. 19–21. 1917; F.B. 255, p. 15. 1906; F.B. 254, p. 13. 1906; F.B. 1171, pp. 18–19. 1921.
　home garden, description and methods of use. F.B. 936, pp. 18, 21. 1918.
　small gardens. F.B. 1044, p. 15. 1919.

Coldframes—Continued.
　sweet-potato, directions. F.B. 999, pp. 9–10. 1919.
　tomato, description and uses. B.P.I. Doc. 883, pp. 1–3. 1913; F.B. 1338, pp. 7–8. 1923; F.B. 645, pp. 1–5. 1915.
　use(s)—
　　and materials. D.B. 392, p. 10. 1916.
　　for early plants. F.B. 937, p. 14. 1918.
　　for hardening plants. F.B. 818, p. 12. 1917; F.B. 934, pp. 11, 12–13. 1918.
　　in blueberry culture, location and shading. D.B. 974, pp. 11, 12. 1921.
COLE, C. S.: "Cattle loans and their value to investors." Y.B., 1918, pp. 101–108. 1919; Y.B. Sep. 764, pp. 10. 1919.
COLE, J. S.—
　"Barley in the Great Plains area: Relation of cultural methods to production." With others. D.B. 222, pp. 32. 1915.
　"Corn in the Great Plains area: Relation of cultural methods to production." With others. D.B. 219, pp. 31. 1915.
　"Crop production in the Great Plains area: Relation of cultural methods to yields." With others. D.B. 268, pp. 28. 1915.
　"Crop rotation and cultural methods at Edgeley, North Dakota." D.B. 991, pp. 24. 1921.
　"Growing winter wheat on the Great Plains." With E. C. Chilcott. F.B. 895, pp. 12. 1917.
　"Methods of winter-wheat production at the Fort Hays branch station." With A. L. Hallstead. D.B. 1094, pp. 31. 1922.
　"Oats in the Great Plains area: Relation of cultural methods to production." With others. D.B. 218, pp. 42. 1915.
　"Spring wheat in the Great Plains area: Relation of cultural methods to production." With others. D.B. 214, pp. 43. 1915.
　"Subsoiling, deep tilling and soil dynamiting in the Great Plains." With E. C. Chilcott. J.A.R., vol. 14, pp. 481–521. 1918.
　"Use of water by spring wheat on the Great Plains." With others. D.B. 1004, pp. 34. 1923.
　"Winter wheat in the Great Plains area: Relation of cultural methods to production." With others. D.B. 595, pp. 36. 1917.
COLE, L. J.: "The effect of feeding thyroid on the plumage of the fowl." With D. H. Reid J.A.R., vol. 29, pp. 285–287. 1924.
COLE, S. B. "Soil survey of Jasper County, Iowa," With others. Soil Sur. Adv. Sh., 1921, pp. 42. 1925.
Coleanthus spp., description, distribution, and uses. D.B. 772, pp. 14, 132–133. 1920.
COLEMAN, D. A.—
　"Experimental milling and baking." With others. D.B. 1187, pp. 54. 1924.
　"Nematode galls as a factor in the marketing and milling of wheat." With S. A. Regan. D.B. 734, pp. 16. 1918.
　"Separation of soil Protozoa." With others. J.A.R., vol. 5, No. 3, pp. 137–140. 1915.
　"Tables for converting crude protein and ash content to a uniform moisture base." With J. H. Shollenberger. M.C. 28, pp. 30. 1924.
Colemanite—
　calcined, use in—
　　control of fly larvae in horse manure, tests. D.B. 118, pp. 17–21, 24, 25. 1914.
　　treating manure for boron investigations. J.A.R., vol. 5, No. 19, pp. 878, 888. 1916.
　effect on wheat grain and straw. J.A.R., vol. 10, pp. 591–595. 1917.
　use on manure as larvicide, rate, and effects on crops. J.A.R., vol. 13, pp. 451–470. 1918.
Coleophora—
caryaefoliella. See Pecan cigar case-bearer.
fletcherella, control, life history. F.B. 1270, p. 52. 1922.
fletcherella. See also Cigar case-bearer.
malivorella, control and life history. F.B. 1270, pp. 52–54. 1922.
Coleoptera—
　destruction by—
　　birds. Biol. Bul. 15, pp. 8, 20, 23, 24, 34. 1901.
　　flycatchers, lists. Biol. Bul. 44, pp. 10, 16, 21, 26, 37, 40, 43, 47, 51, 54, 57, 59, 62, 66. 1912.
　enemies of boll weevil, list. Ent. Bul. 100, pp. 40–41. 1912.

510 UNITED STATES DEPARTMENT OF AGRICULTURE

Coleoptera—Continued.
    injury to Porto Rican crops. D.B. 192, pp. 5-6. 1915.
    lists. Ent. Bul. 113, pp. 42-44, 45, 47, 49, 51, 52. 1912.
    of the Pribilof Islands, Alaska. N.A. Fauna 46, Pt. II., pp. 150-157. 1923.
Coleosporium vernoniae, occurrence in Texas, and description. B.P.I. Bul. 226, p. 95. 1912.
Coleraine, Mass., apple orchards, development. D.B. 140, pp. 34-35. 1915.
Coleus—
    barbatus, importation and description. No. 51239. B.P.I. Inv. 64, pp. 5, 79. 1923.
    rotundifolius, importation and description. No. 51768. B.P.I. Inv. 65, pp. 4, 46. 1923; No. 54321, B.P.I. Inv. 68, pp. 2, 51. 1923.
Colewort, use as potherb. O.E.S. Bul. 245, p. 29. 1912.
Colibacillosis tetraonidarum. See Quail disease.
Colic—
    causes and treatment. For. [Misc.], "First-aid manual * * *," p. 82. 1917.
    in cattle, causes, symptoms and treatment. B.A.I. [Misc.], "Diseases of cattle" rev., pp. 33-34. 1904; rev., pp. 33-34. 1912; B.A.I. Cir. 68, rev. p. 10. 1908.
    in horse, various kinds, symptoms and treatment. B.A.I. [Misc.], "Diseases of the horse," rev., p. 50-61. 1903; pp. 50-61. 1907; pp. 50-61. 1911.
    in sheep, causes and symptoms and treatment. F.B. 1155, pp. 29-30. 1921.
    remedy, misbranding—"Sabine's blackberry soothing drops." N.J. Chem. 933, p. 2. 1911.
    renal in cattle, cause by stone in the kidney. B.A.I. [Misc.], "Diseases of cattle," rev., p. 139. 1912.
    See also Bloat.
Colicroot, name for Dioscorea. B.P.I. Bul. 189, p. 25. 1910.
Coliguay, importation and description. No. 41299. B.P.I. Inv. 44, p. 60. 1918.
Colinus virginianus. See Bobwhite.
COLL, M. W.: "Sheep-killing dogs." F.B. 1268, pp. 29. 1922.
Collar rot, of—
    apple, cause, studies. Work and Exp., 1914, pp. 152, 202. 1915.
    tomato. F. K. Prichard and W. S. Porte. J.A.R., vol. 21, pp. 179-184. 1921.
Collard(s)—
    adaptability for fall and winter gardens, sowing directions. News L., vol. 4, No. 4, p. 3. 1916.
    cultural directions. F.B. 934, p. 31. 1918; F.B. 1044, p. 32. 1906.
    cultural hints and use. F.B. 937, pp. 16, 19, 23, 36. 1918; F.B. 255, p. 31. 1906.
    growing directions. F.B. 936, p. 40. 1918.
    growing in Guam, directions. Guam Bul. 2, pp. 12, 36. 1922.
    growing, methods. F.B. 647, pp. 14-15. 1915.
    injury by webworm. Ent. Bul. 109, Pt. III, pp. 24, 26, 30. 1912.
    insect pests, list. Sec. [Misc.], "A manual * * * insects * * *," pp. 48-50. 1917.
    seed saving, directions. F.B. 884, p. 10, 1917; F.B. 1390, p. 8. 1924.
    use and value as winter garden crop. News L., vol. 5, No. 20, p. 5. 1917.
Collecting case for botanical specimens, directions for making. B.P.I. Cir. 126, pp. 28-30. 1913.
College Park, Md., cereal experiments. D.B. 336, pp. 7, 8, 9-11, 13-16, 18-52. 1916.
College(s)—
    acts and amendments making land grants, text. D.C. 251, pp. 1-6. 1925.
    agricultural—
        1908, discussion by Secretary. Rpt., 87, pp. 65-66. 1908.
        admission, requirements, and expenses. Y.B. 1900, p. 674. 1901.
        aid to cooperative work. D.B. 547, pp. 60-61. 1917.
        American Association, organization and work. An. Rpts., 1923, pp. 554, 565-566. 1924; S.R.S. Rpt., 1923, pp. 2, 13-14. 1923.
        and experiment stations—
            American and foreign, organization lists. O.E.S. Bul. 1111, pp. 1-30. 1902.

College(s)—Continued.
    agricultural—continued.
        and experiment stations—continued.
            association, address by Secretary D. F. Houston. Sec. Cir. 147, pp. 1-11. 1919.
            association, constitution. O.E.S. Bul. 164, pp. 11-14. 1906.
            association, constitution as amended at the Seventeenth Annual Convention of the Association, 1903. O.E.S. Cir. 56, pp. 4. 1903.
            association, convention, proceedings, 1900. O.E.S. Bul. 99, pp. 198. 1901.
            association, convention, proceedings, 1901. O.E.S. Bul. 115, pp. 134. 1902.
            association, convention, proceedings, 1902. O.E.S. Bul. 123, pp. 144. 1903.
            association, convention, proceedings, 1903. O.E.S. Bul. 142, pp. 196. 1904.
            association, convention, proceedings, 1904. O.E.S. Bul. 153, pp. 138. 1905.
            association, convention, proceedings, 1905. O.E.S. Bul. 164, pp. 189. 1906.
            association, convention, proceedings, 1906. O.E.S. Bul. 184, pp. 132. 1907.
            association, convention, proceedings, 1907. O. E. S. Bul. 196, pp. 114. 1907.
            association, convention, proceedings, 1908. O. E. S. Bul. 212, pp. 122. 1909.
            association, convention, proceedings, 1909. O. E. S. Bul. 228, pp. 124. 1910.
            association, educational work, 1905. O.E.S. An Rpt., 1905, pp. 324-325. 1906.
            association, educational work, 1909. O.E.S. An. Rpt., 1909, pp. 268-272. 1910.
            association, educational work, 1910. O.E.S. An. Rpt., 1910, pp. 331-338. 1911.
            association, educational work, 1911. O.E.S. An. Rpt., 1911, pp. 293-301. 1912.
            association, educational work, 1912. O.E.S An. Rpt., 1912, pp. 294-300. 1913.
            association, officers, 1905, and standing committees. O.E.S. Bul. 164, pp. 7-8. 1906; O.E.S. An. Rpt., 1905, pp. 21, 187-196. 1906.
            association, officers, 1907. Y.B., 1907, p. 510. 1908; Y.B. Sep. 464, p. 510. 1908.
            association, officers, 1908. Y.B., 1908, p. 503. 1909; Y.B. Sep. 497, p. 503. 1909; O.E.S. Bul. 212, pp. 7, 11-13. 1909.
            association, officers, 1909, and constitution. O.E.S. Bul. 228, pp. 7-8, 11-14. 1910.
            association, officers, 1910. O.E.S. Bul. 224, pp. 6-5. 1910.
            association, officers, 1911. O.E.S. Bul. 233, p. 6. 1911.
            association, officers, 1912. O.E.S. Bul. 253, p. 6. 1913.
            association, organization and constitution, 1907. O.E.S. Bul. 196, pp. 7-13. 1907.
            association, organization and work. O.E.S. Cir. 83, pp. 5-6. 1909; O.E.S. Cir. 106, pp. 5-6. 1911; O.E.S. Cir. 106, rev., pp. 7-8. 1912.
            directory. Sec. [Misc.] "List of workers * * *," Pt. II, pp. 88. 1917.
            Federal legislation, 1901. O.E.S. An. Rpt., 1901, pp. 224-238. 1902.
            Federal legislation, 1904. O.E.S. An. Rpt., 1904, pp. 236-255. 1905.
            Federal legislation, 1909. O.E.S. Cir. 68, rev., pp. 21. 1909.
            Federal legislation, 1911. O.E.S. Cir. 111, pp. 24. 1911.
            Federal legislation, 1915. S.R.S. [Misc.], "Federal legislation, regulation, ruling * * *," rev. to Oct. 15, 1915. 1916.
            Federal legislation, 1917. S.R.S. [Misc.], "Federal legislation, regulations, and rulings * * *," rev. to July 15, 1917, pp. 1-21. 1917.
            organization lists, 1901. O.E.S. Bul. 111, pp. 130. 1902.
            organization lists, 1902. O.E.S. Bul. 122, pp. 96. 1903.
            organization lists, 1903. O.E.S. Bul. 137, pp. 100. 1903.
            organization lists, 1904. O.E.S. Bul. 151, pp. 92. 1904.

INDEX TO PUBLICATIONS, 1901-1925   511

College(s)—Continued.
  agricultural—continued.
    and experiment stations—continued.
      organization lists, 1905. O.E.S. Bul. 161, pp. 95. 1905.
      organization lists, 1906, O.E.S. Bul. 176, pp. 100. 1907.
      organization lists, 1907. O.E.S. Bul. 197, pp. 108. 1908.
      organization lists, 1908. O.E.S. Bul. 206, pp. 114. 1909.
      organization lists, 1909. O.E.S. Bul. 224, pp. 95. 1910.
      organization lists, 1910. O.E.S. Bul. 233, pp. 100. 1911.
      organization lists, 1911. O.E.S. Bul. 247, pp. 103. 1912.
      organization lists, 1912. O.E.S. Bul. 253, pp. 114. 1913.
      rural engineering, report of committee. O.E.S. Cir. 53, pp. 10. 1903.
    and mechanic arts—
      exhibit at Louisiana Purchase Exposition, St. Louis, Mo., 1904, description. W.H. Beal. O.E.S. Doc. 710, pp. 23. 1905.
      problems, address by E. B. Voorhees, president of association. O.E.S. Bul. 153, pp. 33-42. 1905.
    and mechanical—
      address list, July 1, 1915. S.R.S. Doc. 5, pp. 2. 1915; rev., pp. 2. 1917.
      for colored race, Greensboro, N. C., addition of improvements. O.E.S. An. Rpt., 1907, p. 284. 1908.
      relation to State. O.E.S. Bul. 99, p. 183. 1901.
      States maintaining. O.E.S. Cir. 106, p. 10. 1911.
    and other institutions having course in agriculture—
      1901. Y.B., 1901, p. 615. 1902.
      1905. Y. B., 1905, p. 568. 1906; Y.B. Sep. 405, p. 568. 1906.
      1906. Y.B., 1906, p. 458. 1907; Y.B. Sep. 435, p. 458. 1907.
      1907. Y.B., 1907, pp. 505-506. 1908; Y.B. Sep. 464, pp. 505-506. 1908.
    and schools—
      number in United States, increase. O.E.S. Bul. 238, pp. 7-8. 1911.
      relation of Experiment Stations Office. O.E.S. Chief Rpt., 1907, p. 12. 1907.
      relations of O.E.S. An. Rpts., 1908, pp. 719-721. 1909; O.E.S. Dir. Rpt., 1908, pp. 5-7. 1908.
    appropriations, buildings and work—
      1905. O.E.S. An. Rpt., 1905, pp. 325-331. 1906.
      1906. O.E.S. An. Rpt., 1906, pp. 250-252. 1907.
      1907. O.E.S. An. Rpt., 1907, pp. 259-285. 1908.
      1908. O.E.S. An. Rpt., 1908, pp. 255-272. 1909.
      1912. O.E.S. An. Rpt., 1912, pp. 310-329. 1913.
    character of work, 1907. O.E.S. An. Rpt., 1907, pp. 274-285. 1908.
    cooperation—
      in farm management work. Sec. Cir. 132, p. 8. 1919; Sec. Cir. 135, pp. 11-12. 1919.
      with Office of Experiment Stations. An. Rpts., 1914, pp. 256-257. 1914; O.E.S. Chief Rpt., 1914, pp. 2-3. 1914.
    courses—
      of study and boards of instruction. O.E.S. Bul. 88, p. 9. 1901; O.E.S. An. Rpt., 1904, pp. 591-599. 1905.
      study grouping. O.E.S. Cir. 115, pp. 14-18. 1912.
    depositories for public documents, provision. O.E.S. [Misc.], "Federal legislation, regulations, and rulings affecting agricultural colleges and experiment stations," rev., to July 1, 1914, p. 8. 1914, rev., to Dec. 21, 1914, p. 8. 1915.
    directory—
      1911. Y.B., 1911, pp. 515-517. 1912; Y.B. Sep. 588, pp. 515-517. 1912.

College(s)—Continued.
  agricultural—continued.
    directory—continued.
      1912. Y.B., 1912, pp. 542-544. 1913; Y.B. Sep. 615, pp. 542-544. 1913.
      1914. Y.B., 1914, pp. 505-507. 1915.
      1917. Y.B., 1917. pp. 591-593. 1918.
    education, general drift. O.E.S. Bul. 99, p. 103. 1901.
    effect of peace on research work. Work and Exp. 1919., pp. 8-9. 1921.
    endowments. S.R.S., [Misc.], "Federal legislation, regulations, and rulings * * *," rev. to July 15, 1917, pp. 4-7. 1917.
    equipment, buildings and courses. O.E.S. Cir. 83, pp. 10-19. 1909; O.E.S. Cir. 106, pp. 10-20. 1911; rev., pp. 12-24. 1912.
    establishment—
      and development. News L., vol. 1, No. 37, pp. 1-2. 1914.
      time extension (act of 1866.) S.R.S. [Misc.], "Federal legislation, regulations, and rulings * * *," rev. to July 15, 1917, p. 4. 1917.
    extension work—
      1906-7. O.E.S. Cir. 75, pp. 16. 1907.
      1911, and teaching by correspondence. O.E.S. An. Rpt., 1911, pp. 345-346, 357-363. 1912.
      1912. O.E.S. An. Rpt., 1912, pp. 349-353. 1913.
      1913, teaching methods, publications, income source. D.B. 83, pp. 8-10, 34-41. 1914.
      organization in States. S.R.S. Doc. 40, rev., p. 3. 1919.
      various States. O.E.S. Cir. 98, p. 6. 1910.
      Federal legislation, affecting. O.E.S. Cir. 111, rev., pp. 26. 1912; O.E.S. Cir. 111, pp. 24. 1911; O.E.S. Cir. 68, rev., pp. 21. 1908; rev., pp. 21. 1909; O.E.S. [Misc.], "Federal legislation, regulations, and rulings affecting agricultural colleges and experiment stations," rev. to July 1, 1914, pp. 28. 1914; O.E.S. [Misc.], "Federal legislation, regulations, and rulings affecting agricultural colleges and experiment stations," pp. 31. 1915.
    for—
      colored students, statistics, 1912. O.E.S. An. Rpt., 1912, pp. 252-253. 1913.
      white students, statistics, 1912. O.E.S. An. Rpt., 1912, pp. 246-251. 1913.
    growth—
      1908, statistics, assistance to education. An. Rpts., 1908, pp. 133, 178. 1909; Sec. A.R., 1908, pp. 131, 176. 1909.
      1910. An. Rpts., 1910, pp. 142-143. 1911; Sec. A.R., 1910, pp. 142-143. 1910; Rpt. 93, p. 89. 1911; Y.B., 1910, pp. 141-142. 1911.
      in United States. O.E.S. Cir. 97, rev., pp. 2-4. 1912.
    influence at International Livestock Exposition. O.E.S. An. Rpt., 1907, pp. 279-281. 1908.
    instruction in agronomy. R. C. True and D. J. Crosby. O.E.S. Bul. 127, pp. 85. 1903.
    libraries. O.E.S. Bul. 115, pp. 25-27. 1902.
    list—
      of workers. See Agriculture, workers list.
      scope, equipment and courses. O.E.S. [Misc.], "The American system * * *," pp. 8-16. 1904.
    military—
      discipline study and application. O.E.S. Bul. 212, pp. 77-87. 1909.
      instruction, committee report. O.E.S. Bul. 99, p. 85. 1901.
      need of aid from States. W. A. Henry. O.E.S. Bul. 184, pp. 95-97. 1907.
    not receiving Federal aid, list. O.E.S. Cir. 106, rev., p. 30. 1912.
    number, endowment, teachers and students. News L., vol. 4, No. 11, p. 4. 1916.
    operations in 1907. O.E.S. An. Rpt., 1907, pp. 259-260, 281-285. 1908.
    organization for extension work. O.E.S. An. Rpt., 1912, pp. 49-50. 1913.
    progress—
      1904. O.E.S. An. Rpt., 1904, pp. 581-616. 1905.
      1908, in various States. Y.B., 1908, pp. 132-134. 1909.

College(s)—Continued.
  agricultural—continued.
    progress—continued.
      1909. Y.B., 1909, pp. 135–138. 1910; Sec. A.R. 1909, pp. 135–138. 1910.
      1910, appropriations, new buildings, O.E.S. An. Rpt., 1910, pp. 349–365. 1911.
      1911, appropriations, new buildings, and work. O.E.S. An. Rpt., 1911, pp. 48, 318–326. 1912.
      1912, cooperation of department. An. Rpts., 1912, pp. 824–826. 1913; O.E.S. Chief Rpt., 1912, pp. 10–12. 1912.
    receiving aid from Federal Government. O.E.S. Cir. 97, pp. 2–3. 1910.
    relation(s)—
      of county agents. News L., vol. 2, No. 39, p. 2. 1915.
      of department. An. Rpts., 1906, p. 87. 1907; Rpt. 83, p. 81. 1906; Sec. A.R., 1906, p. 90. 1906.
      of Farmers' Institute. O.E.S. Bul., 213, pp. 37–40. 1909.
      to department library. An. Rpts., 1912, pp. 810–812. 1913; Lib. A.R., 1912, pp. 14–16. 1912.
      to farmers' institutes. O.E.S. Bul. 110, p. 33. 1902.
      to farmers' institutes. O.E.S. Bul. 256, pp. 24–25. 1913.
      to Office of Experiment Stations, 1906. An. Rpts., 1906, pp. 562–565. 1907; O.E.S. Dir. Rpt., 1906, pp. 10–13. 1906.
      to Office of Experiment Stations, 1910. Work, 1910, and plans for 1911–12. An. Rpts., 1910, pp. 740–742. 1911; O.E.S. Dir. Rpt., 1910, pp. 10–12. 1910.
      to Office of Experiment Stations, 1913. An. Rpts., 1912, pp. 272–273. 1914; O.E.S. Dir. Rpt., 1913, pp. 2–3. 1913.
    service to farmers in solving rural problems, papers and discussion. O.E.S. Bul. 228, pp. 94–99. 1910.
    services value to Nation. Sec. Cir. 147, pp. 8–11. 1919.
    Southern States, list. D.B. 132, p. 28. 1915.
    special and short courses. D. J. Crosby. O.E.S. Bul. 139, pp. 59. 1903.
    State—
      and experiment stations, list of workers, 1923–1924. M.C. 17, pp. 103. 1924.
      appropriations and private gifts, 1909. O.E.S. An. Rpt., 1909, pp. 292–293. 1910.
      legislation, 1911. An. Rpts., 1911, pp. 689–691. 1912; O.E.S. Dir. Rpt., 1911, pp. 7–9. 1911.
      statistics—
        1897–1908. Y.B., 1908, p. 177. 1909.
        1908. O.E.S. An. Rpt., 1908, pp. 191–215. 1909.
        1909. O.E.S. An. Rpt., 1909, pp. 211–250. 1910.
        1910. M. T. Spethmann. O.E.S. An. Rpt., 1910, pp. 271–314. 1911.
        1911. O.E.S. An. Rpt., 1911, pp. 231–233, 235–259. 1912.
        1912. O.E.S. An. Rpt., 1912, pp. 237–261. 1913.
    teacher-training work. O.E.S. An. Rpt., 1907, pp. 274–278. 1908.
    United States. O.E.S. Cir. 97, pp. 15. 1910.
    use of experiment station funds. D.C. 251, p. 27. 1925.
    with training courses for teachers. Y.B., 1907, pp. 208–212. 1908; Y.B. Sep. 445, pp. 208–212. 1908.
    work in training teachers of agriculture for secondary schools. O.E.S. Cir. 118, pp. 29. 1913.
    workers, list. *See* Agriculture, workers, list.
  American—
    administrative methods. P. H. Mell. O.E.S. Bul. 212, pp. 68–72. 1909.
    agricultural chemistry, teaching. Chem. Bul. 137, pp. 91–97. 1911.
    relations of Office of Experiment Stations. O.E.S. An. Rpt., 1908, pp. 235–238. 1909.
  and station—
    exhibit, St. Louis Exposition, remarks. O.E.S. Bul. 153, pp. 25–27. 1905.

College(s)—Continued.
  and station—continued.
    work, better preparation of men. L.H. Bailey. O.E.S. Bul. 228, pp. 25–32. 1910.
    courses—
      demand by club boys and girls. D.C. 152, p. 32. 1921.
      discussion. O.E.S. An. Rpt., 1911, pp. 296–298, 303. 1912.
      place of home economics. O.E.S. Bul. 184, pp. 91–95. 1907.
      reorganization in various agricultural colleges. O.E.S. An. Rpt., 1908, pp. 259–262. 1909.
    disbursements for agriculture and mechanic arts, 1890–1914. News L., vol. 1, No. 20, p. 2. 1913.
    educational and investigational work. Sec. [Misc.], "Report * * * agricultural commission * * *," pp. 6–7. 1919.
    extension—
      and short courses—
        for farmers, 1909. O.E.S. An. Rpt., 1909, pp. 302–304, 334. 1910.
      in agriculture, various States. O.E.S. An. Rpt., 1910, pp. 358–360, 389. 1911.
      in agriculture, 1910. O.E.S. Bul. 231, pp. 86. 1910.
      in agriculture, various phases. O.E.S. Cir. 106, rev., pp. 22–24. 1912.
      work, agricultural, 1907. O.E.S. An. Rpt., 1907, pp. 312–313. 1908.
      work of farmers' institutes. O.E.S. An. Rpt., 1907, pp. 312–313. 1908.
    four-years' course in agriculture. O.E.S. Cir. 69, p. 36. 1906.
    franking privilege, rulings. D.C. 251, pp. 35–37. 1925.
    industrial, organization. O.E.S. Bul. 247, pp. 20, 31, 64, 67. 1912.
    instruction in—
      agriculture, list. O.E.S. [Misc.], "Institutions in the United States * * *," pp. 10. 1908.
      dairy work, list. B.A.I. Cir. 204, pp. 7–15. 1912.
    land grant—
      address of Secretary Jardine. Off. Rec., vol. 4, No. 47, pp. 1, 3. 1925.
      and agricultural experiment stations, statistics—
        1900. O.E.S. Bul. 97, pp. 37. 1901.
        1901. O.E.S. Bul. 114, pp. 39. 1902.
        1902. O.E.S. Bul. 128, pp. 38. 1903.
        1904. O.E.S. An. Rpt., 1904, pp. 203–235. 1904.
        1904. M. T. Spethmann. O.E.S. Cir. 61, pp. 9. 1905.
        1905. O.E.S. An. Rpt., 1905, pp. 153–186. 1906.
        1905. O.E.S. Cir. 64, pp. 9. 1906.
        1906. O.E.S. An. Rpt., 1907, pp. 177–212. 1907.
      and Bureau of Education. L. A. Kalbach. O.E.S. Bul. 184, pp. 59–61. 1907.
      and public schools. A. C. True. O.E.S. Bul. 164, pp. 124–126. 1906.
      and universities, statistics. O.E.S. An. Rpt., 1914.
      association—
        Secretary Meredith. Sec. Cir. 153, pp. 13. 1920.
        cooperation of States Relations Service. S.R.S. Dir. Rpt., 1921, p. 12. 1921.
        officers. M.C. 4, Pt. II, p. iii. 1923.
        officers, 1921–1922, list. S.R.S., [Misc.], "List of workers in subjects pertaining to agriculture * * *." Pt. II, p. 111. 1922.
        officers and committees, 1922. M.C. 4, p. iii. 1923.
      bibliographical report. Off. Rec., vol. 4, No. 24, p. 5. 1925.
      degrees. L. H. Bailey. O.E.S. Bul. 164, pp. 92–102. 1906.
      degrees for undergraduates. O.E.S. Bul. 153, pp. 101–106. 1905.
      development of engineering education. W. E. Stone. O.E.S. Bul. 196, pp. 55–60. 1907.
      directory. Farm. M. [Misc.], "Directory of American agricultural organizations, 1920," pp. 58–60. 1920.
      discipline. W. O. Thompson, discussion. O.E.S. Bul. 164, pp. 106–116. 1906.
      documents, depositories. D. C. 251, p. 13. 1925.

College(s)—Continued.
  land grant—continued.
    Education Bureau rulings. S.R.S., [Misc.], "Federal legislation, regulations, and rulings * * *," rev. to July 15, 1917, pp. 12-14. 1917.
    endowment acts, text. D.C. 251, pp. 1-3, 4-5. 1925.
    entrance requirements. J. L. Snyder, and discussion. O.E.S. Bul. 228, pp. 65-71. 1910.
    field and functions. A. B. Storms. O.E.S. Bul. 164, pp. 67-71. 1906.
    for Negroes, conference. Off. Rec. vol. 3, No. 12, p. 6. 1924.
    function—
      in promoting agricultural education in secondary schools. E. A. Burnett. O.E.S. Bul. 228, pp. 87-94. 1910.
      in promoting collegiate instruction outside of course. H. J. Waters. O.E.S. Bul. 228, pp. 80-86. 1910.
      scope and organization. A. B. Storms, and discussion. O.E.S. Bul. 228, pp. 51-65. 1910.
    general drift of education. J. K. Patterson. O.E.S. Bul. 99, pp. 99-102. 1901.
    instruction in elementary subjects. O.E.S. Bul. 153, pp. 79-91. 1902.
    legislation by Congress. D.C. 251, rev. pp. 56. 1925.
    military instruction. J. W. Heston. O.E.S. Bul. 123, pp. 73-75. 1903.
    military training, law, and rulings. S.R.S., [Misc.], "Federal legislation, regulations, and rulings * * *," rev. to July 15, 1917, pp. 7-12. 1917.
    number, value, teachers, and graduates. O.E.S. Cir. 106, pp. 11-12. 1911.
    organization of teaching force. J. L. Snyder. O.E.S. Bul. 184, pp. 88-90. 1907.
    public documents, printing, binding and distribution. S.R.S., [Misc.], "Federal legislation, regulations, and rulings * * *," rev. to July 15, 1917, p. 12. 1917.
    relation to—
      mechanical industries. A. B. Storms. O.E.S. Bul. 184, pp. 97-101. 1907.
      public schools systems. D. B. Purinton. O.E.S. Bul. 184, pp. 81-84. 1907.
      the State Universities. W. J. Kerr. O.E.S. Bul. 164, pp. 119-124. 1906.
    rulings of—
      Education Bureau. D. C. 251, pp. 6-9. 1925.
      War Department. D.C. 251, pp. 11-13. 1925.
    securing State support, discussion. O.E.S. Bul. 196, pp. 67-72. 1907.
    separate, status. O.E.S. Bul. 228, pp. 43-44. 1910.
    statistics—
      1900-1901. O.E.S. Bul. 97, pp. 7-8, 10-25. 1901; O.E.S. Bul. 114, pp. 7-8, 10-27. 1902.
      1903. O.E.S. An. Rpt., 1903, pp. 221-253. 1904.
      1904. O.E.S. An. Rpt. 1904, pp. 29, 206-223. 1905.
      1905. O.E.S. An. Rpt., 1905, pp. 18-20. 1906.
      1907. O.E.S. An. Rpt., 1907, pp. 199-236. 1908.
    teaching force selection and retention, discussion. O.E.S. Bul. 196, pp. 72-77. 1907.
    See also Colleges, agricultural, and experiment stations.
  men, work in harvest fields, effect on tone of work. D.B. 1020, pp. 19-20. 1922.
  negro, cooperative work of States Relations Service. An. Rpts., 1922, p. 419. 1923; S.R.S. Rpt., 1922, p. 7. 1922.
  of agriculture and mechanic arts and experiment stations, exhibits at Louisiana Purchase Exposition. O.E.S. An. Rpt., 1904. pp. 692-694. 1905.
  relation of agricultural extension specialists. News L., vol. 3, No. 7, p. 7. 1915.
  salaries paid to professors and heads. Sec. A.R., 1921, p. 54. 1921.
  State agricultural—
    and experiment stations, list of workers, 1924-1925. Mary A. Agnew. M. C. 34, pp. 96. 1925.

College(s)—Continued.
  State agricultural—continued.
    organization, officials, and work, 1917-18. Sec. [Misc.] "List of workers * * *," Pt. II, pp. 89. 1918.
    relations with Agriculture Department. D.C. 203, pp. 3-4. 1921.
    students, military status, War Department decision. News L., vol. 6, No. 3, p. 4. 1918.
    veterinary—
      accredited, list. 1912. B.A.I. Cir. 150, pp. 1-2. 1913; Sec. Cir. 128, pp. 10-11. 1919.
      attendance by employees of B.A.I., prohibition. B.A.I. S. A. 54, p. 74. 1911.
      attendance decrease. News L, vol. 6, No. 27, p. 15. 1919.
      entrance requirements, study courses and recommendations. B.A.I. Cir. 133, pp. 5-9. 1912.
      gain in students. Off. Rec., vol. 4, No. 12, p. 3. 1925.
      number, graduates. B.A.I. Chief Rpt., 1924, pp. 4-5. 1924.
      report and recommendations. B.A.I. Cir. 133, pp. 13. 1908.
    work section, Association of Agricultural Colleges and Experiment Stations, report. O.E.S. Bul. 99, p. 99. 1901; O.E.S. Bul. 115, p. 67. 1902.
    See also Schools.
Colletotrichum—
  circinans, onion smudge, causal organism of, J.A.R., vol. 20, pp. 685-722. 1921; J.A.R., vol. 29, pp. 508-513. 1924.
  circinans. See also Smudge, onion.
  falcatum—
    cause of red rot of sugarcane. D.B. 486, p. 32. 1917.
    description and control methods. Vir. Is. Bul. 2, p. 23. 1921.
    See also Red-rot, stem, sugar-cane.
  fructus, similarity to C. circinans. J.A.R., vol. 20, pp. 693-694. 1921.
  gloeosporioides—
    cause of—
      plant anthracnose, distribution and description. D.B. 52, pp. 1-3, 14. 1913.
      wither-tip and other diseases of citrus. P. H. Rolfs. B.P.I. Bul. 52, pp. 20. 1904.
      wither-tip fungus of citrus. O.E.S. An. Rpt., 1911, p. 91. 1912.
    infection experiments with mango trees. D.B. 52, pp. 3-4. 1914.
    injury to mango blossoms. D.B. 542, pp. 1-2, 18. 1917.
    relation to wither-tip tear-stain of citrus. D.B. 924, pp. 1-3, 5-11. 1921.
    source of wither-tip. J.A.R., vol. 30, p. 629. 1925.
    variations in. O. F. Burger. J.A.R., vol. 20, pp. 723-736. 1921.
  higginscanum, cause of turnip leafspot, description. J.A.R., vol. 10, pp. 157-162. 1917.
  lagenarium—
    cause of anthracnose of muskmelon. D.C. 217, p. 1. 1922.
    cause of anthracnose of watermelon. F.B. 821, p. 7. 1917; D.C. 90, pp. 9-11. 1920; F.B. 1277, p. 9. 1922.
    description, relation to hosts. D.B. 727, pp. 12-58. 1918.
    See also Anthracnose, cucurbits.
  leafspot of turnips. B. B. Higgins. J.A.R., vol. 10, pp. 157-162. 1917.
  lindemuthianum—
    cause of anthracnose of beans. Guam A.R. 1917, p. 47. 1919.
    vitality tests under low temperature. J.A.R., vol. 5, No. 14, pp. 654, 655. 1916.
  spp.—
    cause of wilting of cereal plants. J.A.R., vol. 20, p. 7. 1920.
    on different hosts, studies. B.P.I. Bul. 252, pp. 19-24, 31, 35, 46, 53-55. 1913.
    on pitted grapefruit. J.A.R., vol. 22, p. 277. 1921.
    isolation from diseased potato vines. J.A.R., vol. 20, pp. 280-281. 1920.
    See also Anthracnose; Fruit-rot; Leaf-spot; Wither-tip.
  trifolii. See Anthracnose, clover.

COLLETT, C. E., "Soil survey of—
Fillmore County, Nebraska." With others. Soil Sur. Adv. Sh. 1916, pp. 24. 1918; Soils F.O., 1916, pp. 2121–2140. 1921.
Kimball County, Nebraska." With others. Soil Sur. Adv. Sh. 1916, pp. 28. 1917; Soils F.O. 1916, pp. 2179–2202. 1921.

COLLEY, R. H.—
"A biometric comparison of the urediniospores of *Cronartium ribicola* and *Cronartium occidentale*." J.A.R., vol. 30, pp. 283–291. 1925.
"Diagnosing white-pine blister rust from its mycelium." J.A.R. Vol. 11, pp. 281–286. 1917.
"Discovery of internal telia produced by a species of Cronartium." J.A.R. vol. 8, pp. 329–332. 1917.
"Parasitism, morphology and cytology of *Cronartium ribicola*." J.A.R., vol. 15, pp. 619–660. 1919.

COLLIER, G. A.—
"Business methods of marketing hay." F.B. 1265, pp. 25. 1922.
"Hay." With others. Y.B. 1924, pp. 285–376. 1925.
"Inspection and grading of hay." With H. B. McClure. D.B. 980, pp. 16. 1921.
"Marketing hay at country points." With H. B. McClure. D.B. 977, pp. 28. 1921.
"Marketing hay through terminal markets." With H. B. McClure. D.B. 979, pp. 52. 1921.
"The weighing of market hay." With H. B. McClure. D.B. 978, pp. 30. 1921.

COLLINGE, W. E., "Eradication of black-currant gall-mite." Ent. Bul. 67, pp. 119–122. 1907.

COLLINGWOOD, G. H., "Farm-forestry extension, early development, and status, 1923." D.C. 345, pp. 15. 1925.

COLLINS, A. B.: "Irrigation near Garden City, Kans., 1904." With A. E. Wright. O.E.S. Bul. 158, pp. 585–594. 1905.

COLLINS, C. W.—
"Disperson of gypsy-moth larvae by the wind." D.B. 273, pp. 23. 1915.
"Gipsy-moth tree banding material: How to make, use, and apply it." With Clifford E. Hood. D.B. 899, pp. 18. 1920.
"Life history of *Eubiomyia calosomae*, a tachined parasite of Calosoma beetles." With Clifford E. Hood. J.A.R., vol. 18, pp. 483–498. 1920.
"The Calosoma beetle (*Calosoma sycophanta*) in New England." With A. F. Burgess. D.B. 251, pp. 40. 1915.
"The genus Calosoma." With A. F. Burgess. D.B. 417, pp. 124. 1917.
"The value of predaceous beetles in destroying insect pests." With A. F. Burgess. Y.B., 1911, pp. 453–466. 1912; Y.B. Sep. 583, pp. 453–466. 1912.

COLLINS, G. N.—
"A drought-resisting adaptation in seedlings of Hopi maize." J.A.R., vol. 1, pp. 293–302. 1914.
"A more accurate method of comparing first generation maize hybrids with their parents." J.A.R., vol. 3, pp. 85–91. 1914.
"A new type of Indian corn from China." B.P.I. Bul. 161, pp. 30. 1909.
"A teosinte-maize hybrid." With J. H. Kempton. J.A.R., vol. 19, pp. 1–38. 1920.
"A variety of maize with silks maturing before the tassels." B.P.I. Cir. 107, pp. 8. 1913.
"An improved method of artificial pollination of corn." With J. H. Kempton. B.P.I. Cir. 89, pp. 7. 1912.
"Breeding sweet corn resistant to the corn earworm." With J. H. Kempton. J.A.R., vol. 11, pp. 549–572. 1917.
"Correlated characters in breeding maize." J.A.R., vol. 6, No. 12, pp. 435–454. 1916.
"Effects of cross-pollination on the size of seed in maize." With J. H. Kempton. B.P.I. Cir. 124, pp. 9–15. 1913.
"Heredity of a maize variation." B.P.I. Bul. 272, pp. 23. 1913.
"Hybrids of *Zea ramosa* and *Zea tunicata*." J.A.R., vol. 9, pp. 383–396. 1917.
"Increased yields of corn from hybrid seed." Y.B., 1910, pp. 319–328. 1911; Y.B. Sep. 540, pp. 319–328. 1911.

COLLINS, G. N.—Continued.
"Inheritance of waxy endosperm in hybrids with sweet corn." With J. H. Kempton. B.P.I. Cir. 120, pp. 21–27. 1913.
"Measurement of linkage value." J.A.R., vol. 27, pp. 881–891. 1924.
"Mosaic coherence of characters in seeds of maize." B.P.I. Cir. 132, pp. 19–21. 1913.
"New-place effect in maize." J.A.R., vol. 12, pp. 231–243. 1918.
"Seeds of commercial salt bushes." Bot. Bul. 27, pp. 28. 1901.
"Structure of the maize ear as indicated in Zea-Euchlaena hybrids." J.A.R., vol. 17, pp. 127–135. 1919.
"The avocado, a salad fruit from the Tropics." B.P.I. Bul. 77, pp. 52. 1905.
"The importance of broad breeding in corn." B.P.I. Bul. 141, Pt. IV, pp. 33–44. 1909.
"The mango in Porto Rico." B.P.I. Bul. 28, pp. 36. 1903.
"The possibilities of bananas for making industrial alcohol." Chem. Bul. 130, pp. 104–105. 1910.
"The South African pipe calabash." With David Fairchild. B.P.I. Cir. 41, pp. 9. 1909.
"The value of first-generation hybrids in corn." B.P.I. Bul. 191, pp. 45. 1910.

COLLINS, J. F.—
"Practical tree surgery." Y.B., 1913, pp. 163–190. 1914; Y.B.Sep. 622, pp. 163–190. 1914.
"The control of the chestnut bark disease." With Haven Metcalf. F.B. 467, pp. 24. 1911.
"The present status of the chestnut bark disease." With Haven Metcalf. B.P.I. Bul. 141, Pt. V, pp. 45–54. 1909.
"Tree surgery." F.B. 1178, pp. 32. 1920.

COLLINS, J. H.—
"Methods of wholesale distribution of fruits and vegetables on large markets." With others. D.B. 267, pp. 28. 1915.
"Motor transportation for rural districts." D.B. 770, pp. 32. 1919.
"Outlets and methods of sale for shippers of fruits and vegetables." With others. D.B. 266, pp. 28. 1915.

COLLINS, W. D.—
"Determination of lithium." With W. W. Skinner. Chem. Bul. 153, pp. 38. 1912.
"The presence of arsenic in hops." With W. W. Stockberger. F.B. 568, pp. 7. 1917.

Collins garden, irrigation system, details. O.E.S. Bul. 222, p. 60. 1910.

Colocasia spp., importations and descriptions. Nos. 29482–29483, 29518–29520, 29840, 30271–30273, 30416–30419, B.P.I. Bul. 233, pp. 25, 38, 72, 85. 1912; No. 34314, B.P.I. Inv. 32, p. 34. 1914; Nos. 36593–36595, 36677, B.P.I. Inv. 37, pp. 35, 49. 1916; Nos. 42020, 42021, B.P.I. Inv. 46, p. 43. 1919; Nos. 42450, 42802, B.P.I. Inv. 47, pp. 15, 66. 1920; Nos. 49824, 49826, 50583, B.P.I. Inv. 63, pp. 8, 9, 80. 1923; Nos. 51387, 51419, 51896, B.P.I. Inv. 65, pp. 10, 15, 65. 1923.

Collodion—
manufacture, use of alcohol, quantity and formula. Chem. Bul. 130, pp. 139, 141. 1910.
use in control of bursitis of horses. News L., vol. 3, No. 2, p. 5. 1915.

Colloidal—
arsenate of lead, preparation and properties. F. J. Brinley. J.A.R., vol. 26, pp. 373–374. 1923.
clays. *See* Clays.
material, estimation in soils by adsorption. P. L. Gile and others. D.B. 1193, pp. 42. 1924.
substances, use with oils in emulsions, methods. D.B. 1217, pp. 3–4. 1924.
theory, rock decomposition and clay formation. Chem. Bul. 92, pp. 12–16, 22. 1905.

Colloids—
disperse, in bituminous road materials, ultramiscropic examination. J.A.R., vol. 17, pp. 167–176. 1919.
inorganic, suspension, determination method. J.A.R., vol. 15, pp. 510–517. 1918.
soil—
binding power, factors influencing. Howard E. Middleton. J.A.R., vol. 28, pp. 499–513. 1924.
chemical composition. W. O. Robinson and R. S. Holmes. D.B. 1311, pp. 42. 1924.

Colloids—Continued.
  soil—continued.
    comparison with noncolloids, description. D.B. 1122, p. 3. 1922.
    determination methods. An. Rpts., 1923, pp. 43, 376–377. 1924; Sec. A.R., 1923, p. 43. 1923; Soils Chief Rpt., 1923, pp. 4–5. 1923.
    heat of wetting. M. S. Anderson. J.A.R., vol. 28, pp. 927–935. 1924.
    in Hawaiian soils. Hawaii A.R., 1915, p. 36. 1916.
    microscropic estimation. William H. Fry. J.A.R., vol. 24, pp. 879–883. 1923.
    nature, absorption data. D.B. 1122, pp. 13–16. 1922.
    relation to plowsole in citrus groves, southern California. Charles A. Jensen. J.A.R., vol. 15, pp. 505–519. 1918.
    separation methods. D.B. 1122, pp. 5–6. 1922.
    studies in Arizona. Work and Exp., 1923, p. 20. 1925.
    study by means of auxotaxic curve. J.A.R., vol. 26, pp. 11–13. 1923.
Collops—
  bipunctatus, enemy of—
    alfalfa weevil. Ent. Bul. 112, p. 31. 1912.
    grain bug. D.B. 799, p. 31. 1919.
  vittatus, enemy of alfalfa weevil. D.B. 124, p. 26. 1914.
Collybia spp., description. D.B. 175, pp. 17–19. 1915.
Colocasia—
  antiquorum esculentum. See Taro.
  esculenta. See Elephant's-ear.
  origin of name, discussion. B.P.I. Bul. 164, pp. 31, 32. 1910.
  spp. storage-rots studies, inoculations. J.A.R., vol. 6, No. 15, pp. 549–571. 1916.
  See also Dasheen.
Colocynth—
  alkaloidal reaction, comparison with strychnin. Chem. Bul. 150, pp. 37, 39. 1912.
  apples, powdered, adulteration and misbranding. See Indexes, Chemistry Notices of Judgment in bound volumes and separates of Chemistry Service and Regulatory Announcements.
Colombia—
  coffee production, exports. Stat. Bul. 79, pp. 10, 32–33. 1912.
  livestock statistics, numbers of cattle, sheep, and hogs. Rpt. 109, pp. 29, 35, 47, 50, 58, 62, 199, 212. 1916.
Colombian berry—
  description. Y.B., 1921, p. 26. 1922; Y.B. Sep. 875, p. 26. 1922.
  importations. Nos. 48751–48752. B.P.I. Inv. 61, pp. 4, 42–43. 1922; Nos. 54401, 51706, 51764, B.P.I. Inv. 65, pp. 1, 13, 39, 46. 1923.
Colombo, American, habitat, range, description, collection, prices and uses of roots. B.P.I. Bul. 107, p. 53. 1907.
Colomo. See Yautia.
Colon—
  aerogenes organisms, introduction into milk during milking. D.B. 739, pp. 12–19. 1918.
  bacilli—
    determination in ice cream, methods and results. D.B. 303, pp. 3, 15–21. 1915.
    heat resistance measurement and experiments. J.A.R., vol. 3, pp. 402–406. 1915.
    in canned ripe olives. J.A.R., vol. 20, pp. 377–379. 1920.
    presence, test of efficiency of pasteurization. J.A.R., vol. 3, pp. 407–408, 409. 1915.
    survival of pasteurization. D.B. 342, pp. 12–13. 1916.
    survival of pasteurization, discussion. S. Henry Ayers and W. T. Johnson, jr. J.A.R., vol. 3, pp. 401–410. 1915.
  count in raw milk, significance. S. Henry Ayers and Paul W. Clemmer. D.B. 739, pp. 35. 1918.
Colonche, manufacture, use, injurious effects. B.P.I. Bul. 116, p. 27. 1907.
Colonists, corn growing and uses in early days. Y.B., 1918, pp. 123, 132–133. 1919; Y.B. Sep. 776, pp. 3, 12–13. 1919.
Colony(ies), agricultural—
  establishment by various organizations. Stat. Bul. 94, pp. 37–38, 76. 1912.
  relation to agriculture. Y.B., 1914, pp. 260–261. 1915; Y.B. Sep. 641, pp. 260–261. 1915.

Colony house, for chickens. F.B. 287, rev., pp. 7–8. 1921.
Colophony. See Rosin.
Colopitila spp., synonyms. Ent. T.B. 20, Pt. II, pp. 105–106. 1911.
Color(s)—
  adulterants used in insect powder, notes and list. D.B. 824, pp. 17–20. 1920.
  adulteration and misbranding. Chem. N.J. 12497. 1924.
  aleurone—
    in corn, correlation with endosperm texture. D.B. 754, pp. 65–97. 1919.
    inheritance in maize varieties and hybrids. D.B. 754, pp. 30–35. 1919.
  analysis—
    reagents used, list, description, and studies. D.B. 448, pp. 2–4. 1917.
    work, New York laboratory. An. Rpts., 1909, p. 459. 1910, Chem. Chief Rpt., 1909, p. 49. 1909.
  aniline. See Colors, coal-tar.
  artificial—
    detection by dyeing wool. Chem. Bul. 107, pp. 190–191. 1907.
    effect on digestion and health. Chem. Bul. 84, Pt. II, pp. 479–759. 1906; Chem. Bul. 84, Pt. V, p. 206. 1908.
    in smoked fish—Opinion 97. Chem. S.R.A. 10, p. 743. 1914.
    use in alimentary pastes. Chem. S.R.A. 14, p. 10. 1915.
  atmospheric, cause. Y.B., 1915, p. 322. 1916; Y.B. Sep. 680, p. 322. 1916.
  butter—
    addition to cream, directions. F.B. 876, pp. 13, 22. 1917.
    inspection rules. D.C. 236, pp. 2–3. 1922.
    simple standard. S. Henry Ayres. B.A.I. Cir. 200, pp. 3. 1912.
  certified, use. F.I.D. 117, p. 1. 1910.
  characters—
    inheritance in crossbred cattle. J.A.R., vol. 15, pp. 22–24. 1918.
    relations in cotton reproduction. B.P.I. Bul. 256, pp. 53–54. 1913.
  cheese, use and precautions. F.B. 1191, pp. 5–6. 1921.
  China, application to porcelain crucibles by use of rubber stamps. Chem. Cir. 93, p. 2. 1912.
  classification according to chemical composition and suitability. Chem. Bul. 147, pp. 64–66. 1912.
  coal-tar—
    accepted for certification. F.I.D. 184, p. 1. 1922.
    action of sodium bisulphite reagent. Chem. Bul. 116, pp. 21–22. 1908.
    adulteration. Chem. N.J. 13482. 1925.
    analysis methods for certification. Chem. Bul. 147, pp. 184–225. 1912.
    certification, F. I. D. 159. Chem. S.R.A. 16, p. 26. 1916.
    detection—
      by extraction with solvents. Chem. Bul. 107, p. 192. 1907.
      in fruits and fruit products, methods. Chem. Bul. 66, rev., pp. 24–27. 1905.
    determination method. B.A.I. An. Rpt., 1911, p. 67. 1913.
    discovery, 1740–1891. Chem. Bul. 147, p. 19. 1912.
    effect on human beings, experiments. Chem. Bul. 147, pp. 70–71. 1912.
    for food, certification. M.C. 52, pp. 12. 1925.
    harmfulness, investigations. Chem. Bul. 147, pp. 51–56. 1912.
    identification methods. Chem. Cir. 63, pp. 8–18, 21–31, 36–46, 63. 1911; Chem. Bul. 122, pp. 200–233. 1909.
    in mixtures, method for separation. T. M. Price. B.A.I. Cir. 180, pp. 7. 1911.
    index to tabulated data. Chem. Bul. 147, pp. 148–152. 1912.
    mixtures containing, certification. F.I.D. 159, p. 1. 1916.
    permitted by—
      F. I. D. 76, discussion, analyses. Chem. Bul. 147, pp. 10–12, 161–210, 210–225. 1912.

Color(s)—Continued.
  coal-tar—continued.
    permitted by—continued.
      meat inspection regulations, list. B.A.I. Cir. 180, p. 1. 1911.
      proportions and in certain foods. Chem. Bul. 147, pp. 26–27. 1912.
      separation method. B.A.I. Cir. 180, pp. 1–7. 1911.
      sodium bisulphite reagent. Chem. Bul. 116, p. 21. 1908.
    solubility, extraction, and tables. Chem. Cir. 35, pp. 4–14, 17–26. 1907.
    use in food products. Bernard C. Hesse. Chem. Bul. 147, pp. 228. 1912.
    combinations, planting flowers and flowering shrubs. F.B. 1087, pp. 56–58. 1920.
    connection with food stuffs. Chem. Bul. 81, pp. 13–17. 1904.
    cotton—
      factor in grading. D.C. 278, pp. 5, 8–9. 1924.
      standards and factors influencing. F.B. 802, pp. 9–10. 1917.
    determination—
      maple-sap sirup. Chem. Bul. 134, p. 15. 1910.
      recommendation of referee. Chem. Cir. 38, p. 8. 1908.
    extraction—
      method, Sostegni and Carpentieri. Chem. Cir. 63, pp. 4–5. 1911.
      with immiscible solvents, method and table. Chem. Cir. 63, pp. 3, 21–35. 1911.
    flour and bread, American wheats, comparisons. D.B. 557, pp. 14–18. 1917.
    for cake, misbranding. Chem. N.J. 1057 p. 2. 1911.
    fruit, extraction with amyl-alcohol and with ether. Chem. Bul. 107, pp. 192–193. 1907.
    fruit, indication of maturity. L. L. Corbett. Y.B. 1916, pp. 99–106. 1917; Y.B. Sep. 686, pp. 8. 1917.
    heredity, Phlox drummondii. J.A.R., vol. 4, pp. 293–302. 1915.
    hog inheritance, studies and conclusions. J.A.R., vol., 23, pp. 552–574. 1923
    honey, importance in grading. D.C. 364, pp. 1–2. 1925.
    horse, indications. F.B. 779, p. 6. 1917.
    identification methods and results Chem. Bul. 122, pp. 38–42. 1909.
    in food—
      analytical scheme for preliminary identification. Chem. Cir. 63, pp. 63–69. 1911.
      determination and classification, work, 1910. An. Rpts., 1910, pp. 434–435, 471. 1911; Chem. Chief Rpt., 1910, pp. 10–11, 47. 1910.
      discussion. F.I.D. 164, p. 1. 1916.
      dyes, subsidiary, quantitative separation and determination. Walter E. Mathewson. Chem. Cir. 113, pp. 4. 1913.
      extraction tests, recommendations. Chem. Bul. 116, pp. 9. 1908.
      foreign laws. Chem. Bul. 147, pp. 37–40. 1912.
      green, table numbers. Chem. Bul. 147, pp. 17, 19–20, 46. 1912.
      identification. H. M. Loomis. Chem. Cir. 63, pp. 69. 1911.
      identification, report by referee. Chem. Bul. 152, pp. 122–124. 1912.
      illegitimate uses. Chem. Bul. 147, pp. 23–25. 1912.
      investigation, 1908. An. Rpts., 1908, pp. 455–456, 465. 1909; Chem. Chief Rpt., 1908, pp. 11–12, 21. 1908.
      permitted, addition to list. B.A.I.S.R.A. 186, p. 114. 1922.
      permitted, suitability of shades. Chem. Bul. 147, pp. 28–30. 1912.
      products, report of associate referee H. M. Loomis. Chem. Bul. 132, pp. 55–58. 1910.
      prohibition by food inspection decision. An. Rpts., 1912, p. 245. 1913; Sec. A.R., 1912, p. 245. 1912; Y.B. 1912, p. 245. 1913.
      purposes and requirements. Chem. Bul. 147, pp. 23–34. 1912.
      shades allowed. F.I.D. 180, p. 1. 1919.
      State prohibitions. Chem. Bul. 147, pp. 41–42. 1912.
      use, State laws, 1908. Chem. Bul. 121, pp. 26, 36, 48. 1909.

Color(s)—Continued.
  in food—continued.
    work of Chemistry Bureau, 1918. An. Rpts., 1918, p. 206. 1919; Chem. Chief Rpt., 1918. p. 6. 1918.
    in wine, cooperative work. Chem. Bul. 132, pp. 79–83. 1910.
    industries, recommendations to department. Chem. Bul. 147, pp. 47–51, 177. 1912.
    influence on flies. D.B. 131, pp. 5–6. 1914.
    inheritance—
      by animals, discussion. D.B. 905, pp. 16–23, 30–33. 1920.
      in swine. J.A.R., vol. 20, pp. 595–604. 1921.
      studies with animals and insects, review. J.A.R. vol 6, pp. 141–142. 1916.
    investigations by Chemistry Bureau. D.C. 137, p. 22. 1920.
    manufacturer, coal-tar colors, recommendations. Chem. Bul. 147, p. 177. 1912.
    maple-sap sirup, determination method, tabulation and discussion. Chem. Bul. 134, pp. 15, 20–49, 59. 1910.
    meat wrappers, regulation. B.A.I. S. A. 58, p. 10. 1912.
    mixed, detection, methods. Chem. Cir. 63, p. 6. 1911.
    natural, solubility and tables. Chem. Cir. 35, pp. 14–16, 26–30. 1907.
    oil-soluble, on market in 1907, and opinions concerning. Chem. Bul. 147, pp. 159–161. 1912.
    plants, nature and origin. J.A.R. vol. 4, pp. 294–296, 301. 1915.
    reactions—
      dyed wool fiber. Chem Cir. 63, pp. 3, 36–48. 1911.
      with concentrated sulphuric acid. Chem. Cir. 63, pp. 4, 49–61. 1911.
    relation to feeding in canaries. F.B. 770, pp. 12–14. 1916.
    report—
      Association of Agricultural Chemists, 1907. Chem. Bul. 116, pp. 9–10. 1908.
      by associate referee. Chem Bul. 137, pp. 52–56. 1911; Chem. Bul. 162, pp. 53–59, 159. 1913.
      on solubility, extractions. H. M. Loomis. Chem. Cir. 35, pp. 51. 1907.
    requirements in grading apples. D.B. 935 pp. 10, 18. 1921.
    seed, inheritance in certain grain sorghum crosses. J.A.R. vol. 27, pp. 53–64. 1923.
    sex limited, in Ayrshire cattle, studies. J.A.R. vol. 6, no. 4, pp. 141–147. 1916.
    solubility testing, method and table. Chem. Cir. 63, pp. 3, 8–20. 1911.
    solution, standard, preparation in oxygen testing method. J.A.R., vol. 25, p. 136. 1923.
    standards—
      cotton, preparation and distribution. An. Rpts., 1916, pp. 412–413. 1917; Mkts. Chief Rpt., 1916, pp. 28–29. 1916.
      for cotton yarns. D.B. 366, p. 12. 1916.
      suitability to wearers. F.B. 1089, pp. 15–16. 1920.
    tests in alkaloidal reactions. Chem. Bul. 150, pp. 36–40, 43. 1912.
    tests, marking porcelain crucibles. Chem. Cir. 93, p. 3. 1912.
    "trees," construction. An. Rpts., 1910, p. 434. 1911; Chem. Chief Rpt., 1910, p. 10. 1916.
    use as food adulterants, laws. Chem. Bul. 69, rev., Pts. I–IX, pp. 76–732. 1905–1906.
    use in meats, investigations. B.A.I. Chief Rpt. 1911, p. 54. 1911; An. Rpts., 1911, p. 244. 1912.
    variations in plants, disease symptoms, and causes. F.B. 430, p. 6. 1911.
    vegetable(s)—
      analysis, methods, modifications, A.O.A.C., 1908. Chem. Cir. 43, p. 13. 1909.
      determination. Chem. Bul. 107, p. 199. 1907
      indication of maturity. L. C. Corbett. Y.B., 1916, pp. 99–106. 1917; Y.B. Sep. 686, pp. 8. 1917.
    water, stains, removal from textiles. F.B. 861, p. 28. 1917.
    woods—
      changes, causes and indications. D.B. 1128, pp. 14–17. 1923.
      relation to strength and soundness. For. Bul. 108, p. 35. 1912.

Color(s)—Continued.
 See also Dyes; Dyeing; Pigments.
Colorado—
 agricultural extension work, statistics. D.C. 253, pp. 3, 4, 7, 10–11, 17, 18. 1923.
 Akron—
  alfalfa, experiments on frequent cutting. D.B. 228, pp. 1–4. 1915.
  corn varieties, testing. D.B. 307, pp. 16–17, 19. 1915.
  crop rotation experiments, notes. B.P.I. Bul. 187, pp. 1–78. 1910.
  Experiment Station, transpiration studies. J.A.R., vol. 7, pp. 155–212. 1916.
 Field Station—
  barley growing, cost and yields. D.B. 222, pp. 23, 29. 1915.
  cereal experiments. George A. McMurdo. D.B. 402, pp. 33. 1916.
  corn growing, methods, cost, and yield. D.B. 219, pp. 22–23, 27–31. 1915.
  crop rotation and cultural methods, 1909–1923, inclusive. J. F. Brandon. D.B. 1304, pp. 27. 1925.
  experiments in plowing stubble. D.B. 253, pp. 1–15. 1915.
  experiments with cereals. 1908–1922, inclusive. Franklin A. Coffman. D.B. 1287, pp. 63. 1925.
  oat growing, cost and yields. D.B. 218, pp. 28–30, 40, 41. 1915.
  wheat-growing experiment and yield. D.B. 878, pp. 30–32. 1920.
  wheat growing, methods, yields, and cost. D.B. 595, pp. 21–22, 33. 1917.
  precipitation, 1905–1914, monthly, discussion. D.B. 253, pp. 2–4. 1915.
  rainfall, run-off, and water loss, records. B.P.I. Bul. 201, pp. 28–38. 1911.
  transpiration studies. J.A.R., vol. 5, No. 14, pp. 583–650. 1916.
 alfalfa—
  acreage in 1919. F.B. 1283, p. 3. 1922.
  growing experiments with hardy varieties. F.B. 5^{14}, pp. 13–18. 1912.
  hay-mak^{i}ng practices. F.B. 943, pp. 27–28. 1918.
 alkali studies. J.A.R., vol. 10, pp. 336–351. 1917.
 alsike clover growing. F.B. 1151, pp. 10, 21, 22. 1920.
 antelope in, number and distribution. D.B. 1346, pp. 27–30. 1925.
 apiary inspection. Ent. Cir. 138, p. 5. 1911.
 apple growing, areas, production, and varieties. D.B. 485, pp. 6, 33–34, 44–47. 1917.
 appropriations for—
  agricultural college work. O.E.S. An. Rpt., 1912, p. 310. 1913.
  agricultural schools. O.E.S. An. Rpt., 1911, p. 327. 1912.
  experiment station work, 1912. O.E.S. An. Rpt., 1912, p. 54. 1913.
 Arapaho National Forests, description. For. [Misc.], "Vacation days in Colorado's * * *," pp. 9–11. 1919.
 Arkansas Valley—
  farm practice, climate, irrigation, soil. B.P.I. Bul. 260, pp. 49–60. 1912.
  water rights, acquirement. J. S. Greene. O.E.S. Bul. 140, pp. 83. 1903.
 aspen stands, condition and insect injury. F.B. 1154, pp. 5–6. 1920.
 associations, fruit and truck growers' reports and by-laws. Rpt. 98, pp. 202–206, 262–266, 275–277. 1913.
 barberry occurrence and eradication work. D.C. 188, pp. 15–18, 21–24. 1921.
 barley crops, 1880–1906, acreage, production, and value. Stat. Bul. 59, pp. 13–26, 34. 1907.
 Battlement National Forest, vacation uses. For. [Misc.], "Vacation days in the Battlement * * *," pp. 13. 1919.
 bean ladybird, occurrence and seasonal history. D.B. 843, pp. 5, 7–14, 18, 21–24. 1920.
 bears, description and characters. N.A. Fauna 41, pp. 19, 37, 38–40, 60. 1918.
 bee disease, occurrence. Ent. Cir. 138, p. 5. 1911.
 bees and honey statistics. D.B. 685, pp. 7, 10, 13, 15, 17, 18, 19, 22, 24, 26, 29, 31. 1918; D.B. 325, pp. 2, 4, 6, 9–12. 1915.

Colorado—Continued.
 beet leaf beetle, occurrence and injuries. D.B. 892, pp. 6–7, 8. 1920.
 beet sugar—
  factories—
   location and capacity, 1907. Rpt. 86, pp. 39–43, 71. 1908.
   location and use of by-products. Rpt. 90, pp. 29–30. 1909.
   report, 1906. Rpt. 84, pp. 56–65. 1907.
   statistics. B.P.I. Bul. 260, pp. 15, 19, 20, 21, 29, 30, 49–60, 69, 72. 1912.
   water supply. F.B. 392, pp. 41–42. 1910.
  industry, progress—
   1900. Rpt. 69, pp. 42–45, 63–64, 105–106. 1901.
   1903. [Misc.] "Progress * * * beet-sugar industry * * * 1903," pp. 14–22, 128–134. 1904.
   1908. Rpt. 90, pp. 6, 29–30, 44–45, 52, 61–62. 1909.
   1909. Rpt. 92, pp. 25–29. 1910.
  production, 1912–1917. Sec. Cir. 86, p. 17. 1918.
 beetle, destruction by grosbeaks. Y.B., 1907, p. 173. 1908; Y.B. Sep. 443, p. 173. 1908.
 biological survey. Merritt Cary. N.A. Fauna 33, pp. 256. 1911.
 bird protection. See Game protection.
 Black Hills beetle outbreak and successful control. Ent. Bul. 58, Pt. V, pp. 76–78. 1909; Ent. Bul. 58, pp. 76–78. 1910.
 blackleg outbreak, control methods. News L., vol. 2, No. 40, p. 5. 1915.
 bounty laws, 1907. Y.B. 1907, p. 561. 1908; Y.B. Sep. 473, p. 561. 1908.
 broomcorn, acreage and production. F.B. 958, pp. 4, 5, 19. 1918.
 cabbage flea-beetle, occurrence and injuries to crops. D.B. 902, pp. 4, 5, 6, 7. 1920.
 cabbage production, acreage, yield, and shipments. D.B. 1242, pp. 9, 14–31, 36, 47, 50–52. 1924.
 Cache la Poudre River, water diversions, 1916, 1917. D.B. 1026, pp. 19–23. 1922.
 Cache la Poudre Valley, farm irrigation of various crops. D.B. 1026, pp. 51–68, 83–84. 1922.
 canals, seepage measurements. D.B. 126, pp. 8–11. 1915.
 cantaloupe shipments, 1914. D.B. 315, pp. 17, 18. 1915.
 cement factories, potash content and loss. D.B. 572, p. 4. 1917.
 climatic conditions, rainfall and temperature. D.B. 253, pp. 2–4. 1915; D.B. 726, pp. 7–8. 1918.
 Cochetopa National Forest—
  lambing inclosures, description. For. Bul. 97, pp. 10–22. 1911.
  vacation trips. For. [Misc.], "Vacation trips in the Cochetopa * * *," pp. 14. 1919.
 colleges agricultural—
  and experiment station, list of workers. M.C. 4, Pt. II, pp. 7–8. 1923; M.C. 17, pp. 7–8. 1924.
  organization. O.E.S. Bul. 247, pp. 14–15. 1912.
 convict road work, laws. D.B. 414, pp. 196–197. 1916.
 cooperative—
  associations laws. Off. Rec., vol. 2, No. 46, p. 1. 1923.
  organizations, statistics, and laws. D.B. 547, pp. 12, 14, 27, 68. 1917.
 corn—
  club demonstrations, seed improvement, exhibits. D.C. 152, pp. 11–12. 1921.
  crops, 1880–1906, acreage, production, and value. Stat. Bul. 56, pp. 14–27, 35. 1907.
  production, movements, consumption, and prices. D.B. 696, pp. 15, 16, 21, 28, 30, 33, 36, 38, 41, 45. 1918.
  yields and prices, 1880–1915. D.B. 515, p. 13. 1917.
 credits, farm-mortgage loans, costs and sources. D.B. 384, pp. 2, 3, 6, 8, 10. 1916.
 dairying, a promising industry. Y.B., 1912, pp. 465, 470. 1913; Y.B. Sep. 606, pp. 465, 470. 1913.
 demurrage provisions, and regulations. D.B. 191, pp. 3, 12, 13, 16, 25. 1915.

Colorado—Continued.
Denver creameries, experiments with limed dairy
products. D.B. 524, pp. 8-14. 1917.
Desert—
location and description, El Centro area, California. Soil Sur. Adv. Sh., 1918, pp. 5-6.
1922; Soils F. O., 1918, pp. 1633-1634. 1924.
See also Salton Basin.
dewberry growing, varieties and methods. F.B.
728, pp. 2, 3, 12, 16. 1916.
district, muskmelons, marketing and distribution.
D.B. 401, pp. 31-38. 1916.
drainage—
investigations, 1908. An. Rpts., 1908, pp. 142,
738. 1909; O.E.S. Dir. Rpt., 1908, p. 24. 1908;
Sec. A.R., 1908, p. 140. 1909; Y.B., 1908, p.
142. 1909.
irrigated lands, progress and difficulties. O.E.S.
An. Rpt., 1910, p. 493. 1911.
surveys and construction, 1912. An. Rpts.,
1912, pp. 842, 843. 1913; O.E.S. Dir. Rpt.,
1912, pp. 28, 29. 1912.
surveys, location and kind of land. 1911.
An. Rpts., 1911, p. 708, 1912; O.E.S. Dir.
Rpt., 1911, p. 26. 1911.
work, details of machinery and cost. D.B.
300, pp. 12-13. 1916.
drug laws. Chem. Bul. 98, pp. 37-39. 1906;
Chem. Bul. 98, rev., Pt. I, pp. 52-57. 1909.
dry farming—
for new settlers. F.B. 329, pp. 13-14. 1908.
practices. O.E.S. Bul. 218, pp. 39-40. 1910.
stations, work. Sec. A.R., 1912, p. 125. 1912;
An. Rpts., 1912, p. 125. 1913; Y.B. 1912, p.
125. 1913.
dry-land agriculture. B.P.I. Cir. 10, pp. 4-6.
1908.
Durango National Forest—
description. For. [Misc.], "Vacation days in
Colorado's * * *," pp. 40-42. 1919.
larkspur eradication cost. F.B. 826, pp. 10-11,
13, 14, 16. 1917.
Eads, irrigation experiments. O.E.S. Cir. 92,
p. 6. 1910.
early settlement, historical notes. See Soil surveys for various counties and areas.
eastern—
agricultural land as indicated by plant formations. B.P.I. Bul. 201, pp. 24-60. 1911.
forest planting on semi-arid plains, suggestions.
For. Cir. 99, pp. 1-15. 1907.
fungus fairy rings, effect on vegetation. J.A.R.,
vol. 11, pp. 191-246. 1917.
nonagricultural land, as indicated by plant
formations. B.P.I. Bul. 201, pp. 60-62. 1911.
plants as soil indicators, studies. B.P.I. Bul.
201, pp. 19-62. 1911.
plowing small-grain stubble, effect of different
times. O. J. Grace. D.B. 253, pp. 15. 1915.
windmill irrigation, data. F.B. 866, pp. 32-34.
1917.
emmer and spelt, growing experiments. D.B.
1197, pp. 32-33. 1924.
Estes Park, forests, and fires of various dates,
results. For. Bul. 79, pp. 7-29. 1910.
evaporation studies, Denver Irrigation Field
Laboratory. J.A.R., vol. 10, pp. 209-262. 1917.
Experiment Station—
cooperative irrigation work. An. Rpts., 1923,
p. 482. 1924; Rds. Chief Rpt., 1923, p. 20.
1923.
sugar-beet experiments—
1901. Chem. Bul. 78, pp. 29-31, 36-37. 1903.
1903. Chem. Bul. 95, pp. 22-25. 1905.
work, 1906. L. G. Carpenter. O.E.S. An.
Rpt., 1906, pp. 87-88. 1907.
work, 1907. L. G. Carpenter. O.E.S. An.
Rpt., 1907, pp. 79-81. 1908.
work and expenditures—
1908, report. L. G. Carpenter. O.E.S. An.
Rpt., 1908, pp. 73-75. 1909.
1909, report. L. G. Carpenter. O.E.S. An.
Rpt., 1909, pp. 82-85. 1910.
1910, report. C. P. Gillette. O. E. S. An.
Rpt., 1910, pp. 106-109. 1911.
1911, report. C. P. Gillette. O.E.S. An.
Rpt., 1911, pp. 81-84. 1912.
1912, report. C. P. Gillette. O.E.S. An.
Rpt., 1912, pp. 83-86. 1913.

Colorado—Continued.
Experiment Station—Continued.
work and expenditures—continued.
1913. Work and Exp., 1913, pp. 20, 35-36.
1915.
1914. Work and Exp., 1914, pp. 72-75. 1915.
1915, report. C. P. Gillette. S.R.S. Rpt.,
1915, Pt. I, pp. 78-81. 1917.
1916, report. C. P. Gillette. S.R.S. Rpt.,
1916, Pt. I, pp. 74-80. 1918.
1917, report. C. P. Gillette. S.R.S. Rpt.,
1917, Pt. I, pp. 73-77. 1918.
extension work—
funds allotment, and county-agent work.
S.R.S. Doc. 40, pp. 4, 5, 9, 14, 23, 25, 28. 1918.
in agriculture and home economics—
1915. Charles A. Lory. S.R.S. Rpt., 1915,
Pt. II, pp. 179-183. 1917.
1916, report. H. T. French. S.R.S. Rpt.,
1916, Pt. II, pp. 183-187. 1917.
1917, report. S.R.S. Rpt., 1917, Pt. II, pp.
193-197. 1919.
statistics. D.C. 306, pp. 3, 5, 9, 14, 20, 21. 1924.
fairs, number, kind, location, and dates. Stat.
Bul. 102, pp. 13, 14, 18-19. 1913.
farm—
animals, statistics, 1878-1907. Stat. Bul. 64,
p. 135. 1908.
conditions, letters from women. Rpt. 103, pp.
15, 21, 35, 39, 51-52, 76. 1915; Rpt. 104, pp.
21, 29, 34, 42, 51, 54, 63, 69, 72, 74, 78. 1915;
Rpt. 105, pp. 19, 33, 56. 1915; Rpt. 106, pp.
15, 19, 37. 1915.
leases, provisions. D.B. 650, pp. 5, 6, 8, 10, 11,
12, 20, 28. 1918.
practice in crop growing, in sugar beet districts.
S. B. Nuckols and T. H. Summers. D.B.
917, pp. 52. 1921.
values—
changes, 1900-1905. Stat. Bul. 43, pp. 11-17,
30-46. 1906.
income, and tenancy classification. D.B.
1224, pp. 76-78. 1924.
farmers' institutes—
1904, report. O.E.S. An. Rpt., 1904, p. 634. 1905.
1906, report. O.E.S. An. Rpt., 1906, p. 323. 1907.
1907, report. O.E.S. Bul. 199, p. 21. 1908.
1908, report. O.E.S. An. Rpt., 1908, p. 306.
1909.
1909, report. O.E.S. An. Rpt., 1909, p. 342.
1910.
1910, report. O.E.S. An. Rpt., 1910, p. 402.
1911.
1911, report. O.E.S. An. Rpt., 1911, p. 368.
1912.
1912, report. O.E.S. An. Rpt., 1912, pp. 361-
362. 1913.
history. O.E.S. Bul. 174, p. 22. 1906.
laws. O.E.S. Bul. 135, rev., p. 10. 1903.
legislation. O.E.S. Bul. 241, p. 9. 1911.
fauna and flora, study of life zones. N.A. Fauna
33, pp. 12-51. 1911.
Field Station, subsoiling and deep tilling, experiments. J.A.R., vol. 14, pp. 495-496, 506-511.
1918.
field work of Plant Industry, December, 1924.
M.C. 30, pp. 11-13. 1925.
food—
laws, 1905. Chem. Bul. 69, Pt. I, pp. 75-84.
1902.
laws, 1907. Chem. Bul. 112, Pt. I, pp. 23-29.
1908.
legislation, 1904, and officials. Chem. Cir. 16,
pp. 5, 22, 27. 1904.
legislation, 1907. Chem. Bul. 112, Pt. I, pp.
23-29. 1908.
forage crops for pigs. F.B. 334, pp. 21-22. 1908.
forest(s)—
and climate, studies. J.A.R. vol. 24, pp. 102,
103, 164. 1923.
area, 1918. Y.B. 1918, p. 717 1919; Sep.
795, 53. 1919.
attraction of tourists. Off. Rec., vol. 1, No. 7,
p. 3. 1922.
fires, 1924. Off. Rec., vol. 3, No. 29, p. 3. 1924.
fires, statistics. For. Bul. 117, p. 27. 1912.
insect investigation, Pikes Peak Forest Reserve,
report. Ent. Bul. 56, pp. 9-22. 1905.
planting in North Platte and South Platte
Valleys. For. Cir. 109, pp. 1-20. 1907.

Colorado—Continued.
forest(s)—continued.
reserves. See Forests, national.
roads, cost and approval. Off. Rec., vol. 1, No. 26, p. 3. 1922.
trees, species adaptable, and planting details. F.B. 888, pp. 5-15, 19. 1917.
vacation uses. For. [Misc.], "Vacation days in Colorado * * *," pp. 60. 1919.
Forest Experiment Station, forest types, studies. D.B. 1233, pp. 7-25. 1924.
Forest Reserves, irrigation canals, right of way, decision. Sol. Cir. 69, pp. 1-5. 1913.
forestry laws. Jeannie S. Peyton. For. Law Leaf. 21, pp. 9. 1917.
Fort Collins—
climate records, 1887-1917. D.B. 1026, pp. 3-5. 1922.
extension conference, personnel and work. D.C. 308, pp. 2-3. 1924.
hydraulic laboratory, equipment and methods. J.A.R. vol. 5, No. 23, pp. 1053-1059. 1916.
laboratory, flume tests. D.B. 1110, pp. 1-14. 1922.
Fort Morgan district, crop enterprise records and farm practice studies. B.D. 917, pp. 1-52. 1921.
fruit growing, equipment and capital required, 40-acre farm. O.E.S. Bul. 218, pp. 44-48. 1910.
funds for cooperative extension work, sources. S.R.S. Doc. 40, pp. 4, 5, 8, 14. 1917.
fur animals, laws—
1915. F.B. 706, p. 4. 1916.
1916. F.B. 783, pp. 5, 27. 1916.
1917. F.B. 911, pp. 7, 31. 1917.
1918. F.B. 1022, pp. 7, 30. 1918.
1919. F.B. 1079, pp. 10, 31. 1919.
1920. F.B. 1165, p. 8. 1920.
1921. F.B. 1238, pp. 7, 31. 1921.
1922. F.B. 1293, p. 5. 1922.
1923-24. F.B. 1387, p. 8. 1923.
1924-25. F.B. 1445, p. 6. 1924.
1925-26. F.B. 1469, p. 9. 1925.
game laws—
1902. F.B. 160, pp. 12, 31, 41, 56. 1902.
1903. F.B. 180, pp. 9, 22, 32, 37, 44, 46, 48, 53. 1903.
1904. F.B. 207, pp. 1, 32, 38, 46, 49, 60. 1904.
1905. F.B. 230, pp. 9, 15, 30, 37, 42. 1905.
1906. F.B. 265, pp. 29, 36, 42. 1906.
1907. F.B. 308, pp. 6, 12, 27, 35, 41. 1907.
1908. F.B. 336, pp. 14, 30, 39, 44-49. 1908.
1909. F.B. 376, pp. 6, 12, 19, 33, 39, 42, 46. 1909.
1910. F.B. 418, pp. 12, 26, 32, 35, 40. 1910.
1911. F.B. 470, pp. 10, 17, 31, 37, 41, 46. 1911.
1912. F.B. 510, pp. 12, 25-26, 27, 32, 33, 37, 40, 42. 1912.
1913. D.B. 22, pp. 11, 18-21, 24, 39, 45, 48, 52. 1913.
1914. F.B. 628, pp. 10, 11, 15, 28-29, 30, 35, 36, 37, 40, 46. 1914.
1915. F.B. 692, pp. 9, 26, 40, 46, 50, 51, 57. 1915.
1916. F.B. 774, pp. 23, 38, 45, 48, 50, 57. 1916.
1917. F.B. 910, pp. 13, 47, 50. 1917.
1918. F.B. 1010, pp. 11, 45, 61, 70. 1918.
1919. F.B. 1077, pp. 12, 49, 52, 72, 73. 1919.
1920. F.B. 1138, p. 13. 1920.
1921. F.B. 1235, pp. 15, 55. 1921.
1922. F.B. 1288, pp. 11, 52, 66, 67. 1922.
1923-24. F.B. 1375, pp. 8, 13. 1923.
1924-25. F.B. 1444, pp. 8, 36. 1924.
1925-26. F.B. 1466, pp. 14, 44. 1925.
agency for enforcement. Biol. Bul. 12, rev., p. 65. 1902.
relating to domesticated deer. F.B. 330, p. 19. 1908.
game protection. See Game protection.
grain—
sorghums, acreage annually. Y.B., 1922, pp. 528, 529. 1923; Y.B. Sep. 891, pp. 528, 529. 1923.
supervision district and headquarters. Mkts. S.R.A. 14, p. 32. 1916.
Grand Junction—
orchard spraying experiments. D.B. 938, pp. 16-17. 1921.
women's rest room, establishment and cost. Y.B., 1917, pp. 218, 221, 223. 1918; Y.B. Sep. 726, pp. 4, 7, 9. 1918.

Colorado—Continued.
Grand River, spillway rolling dams, description. D.B. 831, pp. 14-15. 1920.
Grand Valley—
codling moth, life history. E. H. Siegler and H. K. Plank. D.B. 932, pp. 119. 1921.
codling moth control, experiments and suggestions. E. H. Siegler and H. K. Plank. D.B. 959, pp. 38. 1921.
location, description, topography, and climate. D.B. 932, pp. 2-3, 4. 1921; D.B. 959, pp. 2-3. 1921.
topography, soils, climate, and distance from apple market. D.B. 500, pp. 5-8. 1917.
grass, description and value for cotton States. F.B. 1125, rev., p. 23. 1920.
grass, use as forage crop in cotton region, description. F.B. 509, p. 18. 1912.
Greeley—
area, sugar-beet growing, farm practices. D.B. 726, pp. 1-60. 1918.
district, crop enterprise records and farm practices, studies. D.B. 917, pp. 1-52. 1921.
potato shipping territory and methods. F.B. 1317, pp. 19, 20, 23. 1923.
school garden work, methods and courses. O.E.S. Bul. 252, pp. 25-28. 1912.
Gunnison National Forest, description. For. [Misc.], "Vacation days in Colorado * * *," pp. 29-31. 1919.
hay crops, 1880-1906, acreage, production, and value. Stat. Bul. 63, pp. 12-25, 33. 1908.
hay, shrinkage in stack, experiment. D.B. 873, p. 5. 1920.
haymaking methods, and costs. D.B. 578, pp. 6, 29-31, 37. 1918.
herds, once-tested, list No. 3, supplement 1. D.C. 143, p. 20. 1920.
Holy Cross National Forest—
description. For. [Misc.], "Vacation days in Colorado * * *," pp. 17-18. 1919.
vacation uses. D. C. 29, pp. 1-15. 1919.
horse-breeding station, Fort Collins, establishment and work. D.C. 153, pp. 3, 4-5. 1921.
horse-radish webworm, studies and control experiments. Ent. Bul. 109, Pt. VII, pp. 71-76. 1913.
Hugo, loco-weed experiments. B.A.I. Bul. 112, pp. 43-90. 1909.
hunting laws. Biol. Bul. 19, pp. 13, 18, 19, 26, 29, 64. 1904.
injuries to sugar beets by yellow-bear caterpillar, notes and experiments. Ent. Bul. 82, pp. 60-66. 1912.
insecticide and fungicide laws—
1916. I. and F. Bd. S.R.A. 13, pp. 106-107. 1916.
1918. I. and F. Bd. S.R.A. 21, pp. 435-437. 1918.
insects injurious. Ent. Bul. 38, pp. 35-38. 1902.
irrigated lands, drainage investigations, and progress. O.E.S. An. Rpt., 1910, pp. 51-52, 493. 1911.
irrigation—
C. W. Beach and P. J. Preston. O.E.S. Bul. 218, pp. 48. 1910.
by windmill, cost and returns, tables. F.B. 394, pp. 39-41. 1910.
canals, water rights, comparisons. D.B. 1026, pp. 13-19. 1922.
districts and their statutory relations. D.B. 1177, pp. 4, 5, 10-18, 26-28, 29, 30, 44, 45, 46. 1923.
districts, organization, and value. O.E.S. Bul. 218, pp. 29-30. 1910.
from Big Thompson River. John E. Field. O.E.S. Bul. 118, pp. 75. 1902.
in Arkansas valley. O.E.S. Bul. 119, p. 287. 1902.
in Grand Valley. O.E.S. Bul. 119, p. 265. 1902.
investigations, 1912. O.E.S. An. Rpt., 1912, pp. 24-25. 1913.
legislation. O.E.S. An. Rpt., 1909, pp. 399, 403, 408, 410, 413. 1910.
near Rocky Ford, 1904. A. E. Wright. O.E.S. Bul. 158, pp. 609-623. 1905.
private enterprises. O.E.S. Bul. 218, pp. 23-27. 1910.

Colorado—Continued.
irrigation—continued.
projects under the Carey Act. Sec. Cir. 124, pp. 6, 8. 1919.
pumping plants (with Nebraska and Kansas). O. V. P. Stout. O.E.S. Bul. 158, pp. 595-608. 1905.
reservoirs, details, and cost. O.E.S. Bul 249, Pt. I, pp. 19, 20, 23, 39, 44, 45, 46, 51, 52, 53, 55, 91, 95. 1912.
State laws. D.B. 1257, pp. 15, 18. 1924.
sugar beets, water supply methods and cost. F.B. 392, pp. 41-42. 1910.
Uncompahgre Valley area. Soil Sur. Adv. Sh., 1910, pp. 22-25. 1912; Soils F.O., 1910, pp. 1460-1463. 1912.
under Carey Act. O.E.S. An. Rpt., 1910, pp. 479-482. 1911.
water rights. O.E.S. Bul. 168, pp. 8-19. 1906.
water supply systems. O.E.S. Bul. 229, pp. 37-48. 1910.
lamb feeding B.A.I. An. Rpt., 1901, p. 275. 1902.
lard supply, wholesale and retail, Aug. 31, 1917, tables. Sec. Cir. 97, pp. 14-32. 1918.
Larimer County, sugar beets growing, practices. D.B. 726, pp. 1-60. 1918.
law(s)—
contagious diseases of domestic animals, control. B.A.I. Bul. 54, pp. 8-13. 1902-1903.
for turpentine sale. D.B. 898, p. 40. 1920.
foulbrood of bees. Ent. Bul. 61, pp. 186-188. 1906.
nursery stock shipments, interstate. Ent. Cir. 75, rev., p. 2. 1908; F.H.B.S.R.A. 57, pp. 113-115. 1919.
on dogs, digest. F.B. 935, p. 12. 1918; F.B. 1268, p. 12. 1922.
protecting ptarmigan. Biol. Bul. 24, p. 47. 1905.
restricting fruit and plant introduction. Ent. Bul. 84, p. 38. 1909.
Leadville National Forest, description. For. [Misc.], "Vacation days in Colorado's national forests," pp. 19-20. 1919.
legislation—
on forestry, table of acts. For. Law Leaf. 21, p. 9. 1917.
protecting birds. Biol. Bul. 12, rev., pp. 23, 30, 38, 47, 48, 51, 80, 81, 136. 1902.
relative to tuberculosis. B.A.I. Bul. 28, p. 12. 1901.
legumes, wild, number and distribution. B.P.I. Cir. 31, p. 5 1909.
livestock—
admission, sanitary requirements. B.A.I. Doc. A-28, p. 6. 1917; B.A.I.Doc. A-36, pp. 7-8. 1920; B.A.I. [Misc.], "State sanitary requirements * * *," pp. 5-6. 1915; M.C. 14, pp. 7-8. 1924.
associations. Y.B., 1920, pp. 516-517. 1921; Y.B. Sep. 866, pp. 516-517. 1921.
production from reports of stockmen. Rpt. 110, pp. 5-27, 31-32, 46-47, 59-62. 1916.
loco-plant feeding experiment at Woodland Park. B.A.I. Bul. 112, pp. 56, 71-72, 90. 1909.
loco-weed bounty law. B.A.I. Bul. 112, pp. 25, 113. 1909.
lodgepole-pine conditions. D.B. 154, pp. 1-35. 1915.
lumber—
cut, 1920, 1870-1920, value, and kinds. D.B. 1119, pp. 27, 30-35, 44, 47, 54, 56, 58. 1923.
production, 1918, by mills, by woods, and lath and shingles. D.B. 845, pp. 6-10, 14, 16, 23, 24, 38, 42-47. 1920.
marketing activities and organization. Mkts. Doc. 3, p. 2. 1916.
meteorological data, May-October, 1903. Chem. Bul. 95, p. 24. 1905.
milk supply of cities. B.A.I. Bul. 46, pp. 26, 34, 40, 51-53, 180. 1903.
mining industry, timber consumption, 1911, durability, and value. D.B. 77, pp. 11-34. 1914.
Montezuma National Forest, description. For. [Misc.], "Vacation days in Colorado * * *," pp. 38-40. 1919.
Morgan County, sugar beets, growing practices. D.B. 726, pp. 1-60. 1918.

Colorado—Continued.
National Forest—
description. For. [Misc.], "Vacation days in Colorado * * *," pp. 11-13. 1919.
map. For. Map. 1924.
national forests—
directory. O.E.S. Bul. 218, p. 8. 1910.
location, date and area, Jan. 13, 1913. For. [Misc.], "The use book, 1913," pp. 85, 88. 1913.
road building since 1912. Y.B., 1916, pp. 525, 526. 1917; Y.B. Sep. 696, pp. 5, 6. 1919.
native plants, water requirements. J.A.R., vol. 3, pp. 43-46, 60. 1914.
North Platte watershed, timber-cutting restrictions. Y.B., 1914, p. 65. 1915; Y.B. Sep. 633, p. 65. 1915.
northern, irrigation. Robert G. Hemphill. D.B. 1026, pp. 85. 1922.
oats—
acreage, production, and value, 1866-1906. Stat. Bul 58, pp. 13-25, 33. 1907.
largest yield, 1916. News L., vol. 5, No. 21, p. 7. 1917.
tests, Sixty-day Kherson, and other varieties. F.B. 395, p. 24. 1910.
object-lesson road construction, details, and cost. Rds. Chief Rpt., 1911, p. 14. 1911; An. Rpts., 1911, p. 724. 1912.
onions, production and shipment. D.B. 1325, pp. 10-11. 1925.
orchard-protection work, 1909. Y.B., 1909, pp. 361-362. 1910; Y.B. Sep. 519, pp. 361-362. 1910.
Otero County, sugar-beet growing, practices. D.B. 726, pp. 1-60. 1918.
pasture land on farms. D.B. 626, pp. 15, 21-22. 1918.
peach(es)—
carload shipments from various stations, 1914. D.B. 298, p. 10. 1915.
growing, production districts, and varieties. D.B. 806, pp. 4, 5, 7, 8, 9, 29. 1919.
industry, season, and shipments, 1914. D.B. 298, pp. 4, 5, 7, 10. 1916.
shipping season and area of production. D.B. 298, pp. 4, 5, 6, 10. 1915.
varieties, names, and ripening dates. F.B. 918, p. 6. 1918.
pear growing, distribution, and varieties. D.B. 822, p. 13. 1920.
pear orchards, spraying. Ent. Bul. 67, pp. 87-93. 1907.
physical and climatic conditions, transportation, and industries. O.E.S. Bul. 218, pp. 5-12. 1910.
pig-club work. News L., vol. 6, No. 47, p. 11. 1919.
Pike National Forest—
description. For. [Misc.], "Vacation days in Colorado * * *," pp. 21-24. 1919.
mountain playground. D.C. 41, pp. 1-17. 1919.
plants—
barium, occurrence. B.P.I. Bul. 246, pp. 39-41. 1912.
water requirements, studies. J.A.R., vol. 3, pp. 1-64. 1914.
plum curculio, occurrence, and distribution. Ent. Bul. 103, pp. 22, 24. 1912.
pocket gophers, occurrence, and description. N.A. Fauna 39, pp. 9, 23-28, 75, 76, 101, 105, 106, 108, 111, 112. 1915.
poisonous plants, investigations. An. Rpts., 1912, p. 411. 1913; B.P.I. Chief Rpt., 1912, p. 31. 1912.
potato(es)—
beetle. See Potato beetle.
crops 1880-1906, acreage, production, and value. Stat. Bul. 62, pp. 14-27, 35. 1908.
culture near Greeley. J. Max Clark. Y.B., 1904, pp. 311-322. 1905; Y.B. Sep. 349, pp. 311-322. 1905.
diseases, occurrence. D.B. 64, pp. 11, 12, 32. 1913.
production and yield, 1909, in five leading counties. F.B. 1064, p. 4. 1919.
storage, typical storage houses, plans, and cost. F.B. 847, pp. 5, 8, 12, 16, 17, 24. 1917.

Colorado—Continued.
potato(es)—continued.
under irrigation, acreage, production, and practices. F.B. 953, pp. 4, 5, 9-21. 1918.
public control of irrigation. Y.B., 1901, p. 681. 1902.
pumping plants. O.E.S. Bul. 158, pp. 595-603, 616-617. 1905.
quarantine for—
cattle scabies—
establishment and area. B.A.I.O. 197, rule 2, rev. 4, pp. 1, 2. 1913.
removal. B.A.I.O. 213, amdt. 1, p. 1. 1914.
sheep scabies—
April, 1914. B.A.I.O. 208, p. 1. 1914.
May 1, 1913. B.A.I.O. 195, rule 3, rev. 2, pp. 1-2. 1913.
areas, July 1, 1914. B.A.I.O. 212, rule 3, rev. 4, p. 1. 1914.
release. B.A.I.O. 212, amdt. 3, p. 1. 1916.
rainfall—
1908-1914. D.B. 291, pp. 3-4. 1916.
average. Y.B., 1918, p. 434. 1919; Y.B. Sep. 771, p. 4. 1919.
map and table. B.P.I. Bul. 188, pp. 35, 51-52. 1910.
range, lambing in coyote-proof enclosures, experiments. F.B. 97, pp. 10-28. 1911.
reforestation, choice of sites, methods, and species. D.B. 475, pp. 19, 37, 39, 40, 57-58, 63. 1917.
reservoirs—
timber dams, construction details. O.E.S. Bul. 249, Pt. II, pp. 26, 30. 1912.
water losses, discharges, types. F.B. 828, pp. 7, 13, 31. 1917.
revenue from fur animals, possibilities. D.C. 135, p. 10. 1920.
Rio Grande National Forest, description. For. [Misc.], "Vacation days in Colorado * * *," pp. 43-45. 1919.
road (s)—
bond-built, amount of bonds, and rate. D.B. 136, pp. 36, 38, 85. 1915.
building rock tests, 1916 and 1917. D.B. 670, p. 3. 1918.
building rock tests, results. D.B. 1132, pp. 5, 51. 1923.
conditions, mileage, costs, and bonds. D.B. 389, pp. 2, 3, 4, 5, 6, 7, 12-14. III, XXXII. 1917.
laws and mileage. Y.B., 1914, pp. 214, 222. 1915; Y.B. Sep. 638, pp. 214, 222. 1915.
materials, tests. Rds. Bul. 44, p. 35. 1912.
mileage and expenditures—
1904. Rds. Cir. 65, pp. 3. 1906.
1909. Rds. Bul. 41, pp. 14, 40, 42, 48-49. 1912.
Jan. 1, 1915. Sec. Cir. 52, pp. 2, 4, 6. 1915.
1916. Sec. Cir. 74, pp. 4, 5, 7, 8. 1917.
national forest, work by Department, 1913-1914. D.B. 284, pp. 54, 55, 56, 57. 1915.
projects approved 1918, 1919. An. Rpts., 1919, pp. 401, 403, 405, 407. 1920; Rds. Chief Rpt., 1919, pp. 11, 13, 15, 17. 1919.
tests of rock used, results. D.B. 370, p. 17. 1916.
Rocky Ford—
climatic conditions. temperature and humidity. J.A.R., vol. 6, No. 1, pp. 26-35. 1916.
district, crop enterprise records and farm practice studies. D.B. 917, pp. 1-52. 1921.
irrigation, 1904. A. E. Wright. O.E.S. Bul. 158, pp. 609-623. 1905.
sugar-beet laboratory. B.P.I. Bul. 260, p. 13. 1912.
yellow-bear caterpillar, notes and experiments. Ent. Bul. 82, Pt. V, pp. 60-64. 1910.
Routt National Forest, description. For. [Misc.], "Vacation days in Colorado * * *," pp. 7-9. 1919.
rubber plant. See Pingue.
rye crops, 1880-1906, acreage, production, and value. Stat. Bul. 60, pp. 12-25, 33. 1908.
San Isabel National Forest—
description. For. [Misc.], "Vacation days in Colorado's * * *," pp. 36-38. 1919.
playgrounds. D.C. 5, pp. 1-19. 1919.
San Jose scale, occurrence. Ent. Bul. 62, p. 21. 1906.

Colorado—Continued.
San Juan National Forest, description. For. [Misc.], "Vacation days in Colorado's * * *," pp. 46-47. 1919.
San Luis Valley, soils. Macy Lapham. Soils Cir. 52, pp. 26. 1912.
scabies in cattle, spread prevention. B.A.I.O. 167, rule 2, rev. 3, pp. 1-2. 1910.
schools, agricultural, work. O.E.S. Cir. 106, rev., pp. 24, 26, 28. 1912.
semiarid, climate and winds. B.P.I. Bul. 215, pp. 12, 13, 15, 17. 1911.
sheep quarantine, removal. B.A.I.O. 146, amdt. 7, rule 3, rev. 1, pp. 2. 1910.
shipments of fruits and vegetables, and index to station shipments. D.B. 667, pp. 6-13. 18. 1918.
soil survey of—
Bent County. See Lower Arkansas Valley area.
Conejos County. See San Luis Valley.
Costilla County. See San Luis Valley.
Delta County. See Uncompahgre Valley.
Grand Junction area. J. Garnett Holmes and Thomas D. Rice. Soil Sur. Adv. Sh., 1905, pp. 30. 1906; Soils F.O. 1905, pp. 949-974. 1907.
Greeley area. J. Garnett Holmes and N. P. Neill. Soil Sur. Adv. Sh. 1904, pp. 47. 1905; Soils F.O. 1904, pp. 951-993. 1905.
Larimer County. See Greeley area.
lower Arkansas Valley. Macy H. Lapham and others. Soil Sur. Adv. Sh. 1902, pp. 48. 1903; Soils F.O. 1902, pp. 729-776. 1903.
Mesa County. See Grand Junction area.
Montrose County. See Uncompahgre Valley.
Otera County. See Lower Arkansas Valley.
Ouray County. See Uncompahgre Valley.
Powers County. See Lower Arkansas Valley.
Rio Grande County. See San Luis Valley
Saguache County. See San Luis Valley.
San Luis Valley. J. Garnett Holmes. Soil Sur. Adv. Sh., 1903, pp. 25. 1904; Soils F.O., 1903, pp. 1009-1119. 1904.
Uncompahgre Valley. J. W. Nelson and Lawrence A. Kolbe. Soil Sur. Adv. Sh., 1910, pp. 51. 1912; Soils F.O., 1910, pp. 1443-1489. 1912.
Weld County. See Greeley area.
soils—
and alkali surveys. Soils Bul. 35, pp. 105, 115, 132. 1906.
description and analyses. O.E.S. Bul. 218, pp. 12-14. 1910.
types and manure requirements. B.P.I. Bul. 260, pp. 52, 57. 1912.
use in beet inoculation experiments. J.A.R., vol. 4, pp. 154-159. 1915.
Sopris National Forest—
description. For. [Misc.], "Vacation days in Colorado * * *," pp. 27-29. 1919.
vacation use. D.C. 6, pp. 1-15. 1919.
sorghums, growing for grain and forage. F.B 1158, p. 3. 1920.
southeastern, description, soil, and climatic conditions. D.B. 836, pp. 2-10. 1920.
spotted-fever tick, occurrence. Ent. Bul. 105, p. 16. 1911.
State Bee Keepers' Association, comb-honey grading rules. F.B. 397, pp. 35-36. 1910.
State Board of Forestry, duties. For. Law Leaf, 21, pp. 2-3. 1917.
strawberry shipments, 1914. D.B. 237, p. 7. 1915; F.B. 1028, p. 6. 1919.
substations for demonstration farm work, 1909. O.E.S. An. Rpt., 1909, pp. 57, 83. 1910.
sugar production. Sec. [Misc.], Spec. "Geography * * * world's agriculture," pp. 71, 72. 1917.
sugar beet(s)—
acreage yields, and receipts. D.B. 726, pp. 5-6. 1918.
districts, farm practices in growing field crops Samuel B. Nuckols and Thomas H. Summers. D.B. 917, pp. 52. 1921.
districts, soil and climate. D.B. 917, pp. 3-6 1921.
experiments. Chem. Bul. 96, pp. 27-29. 1905

Colorado—Continued.
sugar beet(s)—continued.
growing, farm practice for three districts, 1914-1915. L. A. Moorhouse and others. D.B. 726, pp. 60. 1918.
industry—
condition in 1904. Rpt., 80, pp. 45-54, 104-110. 1905.
history. O.E.S. Bul. 218, pp. 33-34. 1910.
injury by beet leaf-beetle. D.B. 892, pp. 5-6. 1920.
mills, and sugar production, 1916-1917. D.B. 721, pp. 2-5, 34. 1918.
nematode infestation, surveys. F.B. 1248, p. 3. 1922.
seed growing. F.B. 1152, pp. 3-21. 1920.
webworm, studies. Ent. Bul. 109, Pt. VI, pp. 57-70. 1912.
Swedish Select oat, experiments and results. B.P.I. Bul. 182, pp. 18, 21-22. 1910.
sweet-clover production. F.B. 485, pp. 36-37. 1912.
termites, occurrence and damage. D.B. 333, pp. 12, 26. 1916.
tree-stock supplies. F.B. 1312, p. 32. 1923.
truck-crop insect investigations, 1910. An. Rpts., 1910, p. 533. 1911; Ent. A.R., 1910, p. 29. 1910.
truck insects control work, 1911. An. Rpts, 1911, p. 519. 1912; Ent. A.R., 1911, p. 29. 1911.
trucking industry, acreage and crops. Y.B., 1916, pp. 446, 447, 455-465. 1917; Y.B. Sep. 702, pp. 12, 13, 21-31. 1917.
turpentining experiments, on piñon and western yellow pine. For. Bul. 116, pp. 18-21, 22. 1912.
Uncompahgre—
National Forest, Ouray Mountains, vacation. For. [Misc.], "The Ouray Mountains * * *," pp. 14. 1919.
project, size and capacity. Y.B., 1908, p. 177. 1909.
Valley, subsoil water field records. Soils Bul. 93, pp. 34-37. 1913.
wage rates, farm labor, 1866-1909. Stat. Bul. 99, pp. 29-43, 68-70. 1912.
Wagon Wheel Gap—
Experiment Station, Weather Bureau, and Forest Service. An. Rpts., 1911, p. 171, 1912; W. B. Chief Rpt., 1911, p. 21. 1911.
vapor pressure tables. D.B. 1059, pp. 175-197. 1922.
walnuts, occurrence. B.P.I. Bul. 254, p. 17. 1913.
water—
laws, notes. O.E.S. An. Rpt., 1908, p. 360. 1909.
resources, for irrigation in Cache la Poudre Valley. D.B. 1026, pp. 6-10. 1922.
rights, laws, and officials. D.B. 913, pp. 3, 4-5. 1920.
supply, record of sources by counties. Soils Bul. 92, pp. 38-40. 1913.
Weld County, sugar-beet growing, practices. D.B. 726, pp. 1-60. 1918.
western, cost of apple production. S. M. Thomson and G. H. Miller. D.B. 500, pp. 44. 1917.
wheat—
acreage and varieties. D.B. 1074, p. 209. 1922.
crops, acreage, production, and value. Stat. Bul. 57, pp. 12-25, 34. 1907; Stat. Bul. 57, rev., pp. 12-25, 34, 39. 1908.
production periods. Y.B. 1921, pp. 92, 96. 1922; Y.B. Sep. 873, pp. 92, 96. 1922.
varietal experiments, Marquis and other. D.B. 400, pp. 18-19. 1916.
winter growing. F.B. 895, p. 8. 1917.
yields—
and prices, 1880-1915. D.B. 514, p. 13. 1917.
variation with rainfall. B.P.I. Bul. 188, pp. 26, 29. 1910.
White River National Forest—
description. For. [Misc.], "Vacation days in Colorado * * *," pp. 13-15. 1919.
tree seeds, sowing, results For. Bul. 98, pp. 47-48. 1911.
windmill irrigation, cost. O.E.S. An. Rpt., 1908, p. 391. 1909.
wool-handling method. Y.B., 1914, p. 330. 1915; Y.B. Sep. 645, p. 330. 1915.
Wyoming, interstate relations to water rights of North Platte River. O.E.S. Bul. 157, pp. 65-77. 1905.

Colorado—Continued.
yellow pine, area, annual cut, stumpage. D.B. 1003, pp. 12, 13. 1921.
Zygadenus elegans, distribution. D.B. 1012, p. 16. 1922.
See also Great Plains area.
Colorado Canal Co., Texas canal, rice irrigation, details. O.E.S. Bul. 222, pp. 45-46. 1910.
Colorado Plateau, basins and ponds, description. D.B. 54, pp. 54-55. 1914.
Colorado River—
and tributaries, western Texas. O.E.S. Bul. 158, pp. 325-329. 1905.
region, Egyptian cotton growing. B.P.I. Bul. 128, pp. 28-62. 1908; B.P.I. Cir. 29, pp. 1-22. 1909.
soil removal, gorges, depth cut. Y.B., 1913, p. 213. 1914; Y.B. Sep. 624, p. 213. 1914.
Texas, description, drainage area, and tributaries. O.E.S. Bul. 222, pp. 21-23. 1910.
water, analyses, purity comparison to Saharan waters. B.P.I. Bul. 53, pp. 105-106. 1904.
Colorado River Valley—
description and date growing possibilities. B.P.I. Bul. 53, pp. 129-133. 1904.
value of Peruvian alfalfa, growth throughout winter. B.P.I. Bul. 46 118, p. 8. 1907.
Colorado Springs—
milk supply, statistics, officials, prices, and ordinances. B.A.I. Bul. 46, pp. 40, 53. 1903.
water supply, Pike National Forest, lands reserved. Sol. [Misc.], "Laws applicable * * *," 2d. Supp., pp. 54-57. 1915.
Coloration—
lemons, hastening. F. E. Denny. J.A.R., vol. 27, pp. 757-769. 1924.
seed coat of cowpeas. J.A.R., vol. 2, pp. 33-56. 1914.
Colored—
farmers, Georgia, Sumter County, tenure conditions and incomes. D.B. 492, pp. 13, 15, 17, 19, 20, 25, 28, 30, 32, 34, 63, 64. 1917.
students, agricultural colleges—
organization. O.E.S. Bul. 253, pp. 8, 9, 17, 18, 20, 35, 37, 39, 48, 50, 63, 69, 77, 81, 85, 89. 1913.
statistics, 1911. O.E.S. An. Rpt., 1911, pp. 250-251. 1913.
statistics, 1912. O.E.S. An. Rpt., 1912, pp. 252-253. 1913.
Colorimeter(s)—
description and use. Soils Bul. 31, pp. 22-29. 1906.
use in determining carotin. J.A.R., vol. 26, pp. 395-397. 1923.
use in quantitative determination of xanthophyll. J.A.R., vol. 30, pp. 253, 254-261. 1925.
Coloring—
artificial, detection in food products. Chem. Bul. 100, pp. 45-48. 1906.
butter, directions. S.R.S. Syl. 19, p. 4. 1916.
coffee, labeling. Chem. S.R.A. 13, p. 5. 1915.
experimental work. Chem. Chief Rpt., 1925, pp. 9-11. 1925.
extract, use of flowers in manufacture. O.E.S. Bul. 245, p. 50. 1912.
foods and foodstuffs, use of dyes. F.I.D. 77, pp. 1-6. 1907.
green citrus fruits. F.I.D. 133, p. 1. 1911.
hair, misbranding, "Eau sublime." Chem. N.J. 434, pp. 2. 1910.
in milk, determination. D.B. 1, p. 34. 1913.
lemons, method. Y.B., 1907, p. 358. 1908; Y.B. Sep. 453, p. 358. 1908.
matter—
chemical, discussion. Chem. Bul. 90, pp. 25-26. 1905.
confectionery, adulteration and misbranding. Chem. N.J. 2860. 1914.
detection—
and determination, methods. Chem. Bul. 107, pp. 190-200. 1907.
in canned meat, method. Chem. Bul. 13, Pt. X, pp. 1410-1411. 1902.
in chopped meats. Chem. Bul. 13, Pt. X, pp. 1410-1411. 1902.
in flavoring extracts, methods. Chem. Bul. 137, pp. 71-72. 1911.
foods. Chem. Bul. 65, p. 111. 1902.
foods, effect on health, experiments. An. Rpts., 1903, pp. 172-178. 1903.

INDEX TO PUBLICATIONS, 1901–1925 523

Coloring—Continued.
matter—continued.
foodstuffs, detection, methods. W. G. Berry. Chem. Cir. 25, pp. 40. 1905.
foreign, detection in fruits and fruit products, method. Chem. Bul. 66, rev., pp. 23–29. 1905.
fruit products, detection, discussion. Chem. Bul. 66, rev., pp. 23–29, 36–37. 1905.
in synthetic foods, regulations. F.I.D. 29, p. 3. 1905.
laws, European countries, affecting American exports. Chem. Bul. 61, pp. 7–39. 1901.
mineral, use in shellac. Chem. Cir. 91, pp. 1–4. 1912.
oleomargarine, shipments, instructions. B.A.I. S.A. 71, p. 17. 1913.
organic, classification and characteristics, tables. Chem. Bul. 107, pp. 194–198. 1907.
use as preservative in foodstuffs in the United Kingdom, committee report. Chem. Bul. 143, pp. 14–16. 1911.
Satsuma oranges in Alabama. R. C. Wright. D.B. 1159, p. 23. 1923.
sausages, regulation. B.A.I.S.A. 40, p. 52. 1910.
soft drinks, composition. Y.B., 1918, pp. 119–120. 1919; Y.B. Sep. 774, pp. 7–8. 1919.
substances—
identification methods, experiments, and tests. D.B. 448, pp. 35–55. 1917.
separation and purification, methods. D.B. 448, pp. 8–34. 1917.
tomatoes, relation to temperature. D.C. 315, pp. 2–5. 1924.
use in—
cheese making. B.A.I. Bul. 105, pp. 14, 18, 27, 32, 34, 38, 40, 45, 46. 1908; B.A.I. Bul. 146, pp. 15, 20, 29, 35, 37, 43, 44–50, 51. 1911.
grape paste. F.B. 1033, p. 10. 1919.
Colostrum—
abortion infection. J.A.R., vol. 9, p. 14. 1917.
chemical composition, study in 1923. Work and Exp., 1923, p. 65. 1925.
dangers in use. B.A.I. An. Rpt., 1907, p. 158. 1909.
effect on catalase production. B.A.I. An. Rpt., 1911, p. 211. 1913.
feeding to calves, study in 1923. Work and Exp., 1923, p. 57. 1925.
mares', need by foal. F.B. 803, p. 16. 1917; F.B. 803, rev., p. 14. 1923.
nature, and value for new-born calves. F.B. 777, pp. 3–4. 1917.
relation to alcohol test of milk. D.B. 202, pp. 4–5. 1915.
Colpidium colpoda, presence in soils. J.A.R., vol. 4, pp. 518, 527, 533, 541, 543, 556. 1915.
Colpoda cucullus, occurrence in Porto Rican soils. P.R. An. Rpt., 1912, p. 14. 1913.
Colt(s)—
breaking and training. V. G. Stambaugh. F.B. 667, pp. 16. 1915; F.B. 1368, pp. 21. 1923.
breeding time and care. F.B. 704, pp. 37–38. 1916.
care and feeding. F.B. 803, pp. 19–21. 1917.
fall, production and care. News L., vol. 6, No. 17, p. 11. 1918.
feeding—
directions. M.C. 12, pp. 14–15. 1924.
necessity in breeding good animals. B.A.I. An. Rpt., 1906, pp. 259–260. 1908; B.A.I. Cir. 124, p. 14. 1908.
growth, feed and care, second and third years. News L., vol. 5, No. 14, p. 6. 1917.
hoofs, care. B.A.I. (Misc.), "Diseases of the horse," rev., p. 565. 1903; rev., p. 565. 1907; rev., p. 572. 1911.
horse and mule, number on farms, Jan. 1, 1920, maps. Y.B., 1921, p. 471. 1922; Y.B. Sep. 878, p. 65. 1922.
hunter horse, feeding and management. B.A.I. An. Rpt., 1904, pp. 220–222. 1905.
navel ill, prevention. News L., vol. 1, No. 25, pp. 3–4. 1914.
numbers obtained and purchased in remount breeding. Y.B., 1917, pp. 350–353. 1918; Y.B. Sep. 754, pp. 12–15. 1918.
orphaned, raising by hand, methods, feeds, and care. News L., vol. 5, No. 12, pp. 4–5. 1917.
purchase by War Department, 1915, conditions and price. News L., vol. 2, No. 38, p. 8. 1915.

Colt(s)—Continued.
raising—
experiments, Beltsville, Md. An. Rpts., 1915, p. 88. 1916; B.A.I. Chief Rpt., 1915, p. 12. 1915.
on farms, profit to farmers. F.B. 1298, pp. 8–9. 1922.
profit and loss. D.B. 560, pp. 12–13. 1917.
shows, value in rural communities and methods of conducting. News L., vol. 3, No. 47, pp. 1–2. 1916.
See also Horses.
Coltsfoot, habitat, range, description, uses, collection, and prices. B.P.I. Bul. 219, p. 42. 1911.
Colubrina—
asiatica, importation and description. No. 46641, B.P.I. Inv. 57, p. 15. 1922.
ferruginosa. See Greenheart, West Indian.
Columba fasciata, game bird, status. Biol. Bul. 12, rev., p. 22. 1902.
Columba sp. See Doves; Pigeons.
Columbia, S. C., milk supply, details and statistics. B.A.I. Bul. 70, pp. 6–7, 27. 1905.
Columbia lowlands, irrigation projects, description. O.E.S. Bul. 214, pp. 49–54. 1909.
Columbia Basin—
dry farming for better wheat yields. Byron Hunter. F.B. 1047, pp. 24. 1919.
irrigation projects, ditches, and canals. O.E.S. Bul. 214, pp. 24–58. 1909.
rainfall requirements. B.P.I. Bul. 188, pp. 24–25. 1910.
soils, agricultural history, and cropping systems. F.B. 294, pp. 1–32. 1907.
uplands, farm practice. Byron Hunter. F.B. 294, pp. 32. 1907.
Columbia National Forest—
in Washington. For. [Misc.], "Columbia National * * *," folder. 1922.
in Washington—
burn, young growth, description. D.B. 1200, pp. 18–22. 1924.
map. For. Maps. 1924.
map and directions to hunters and campers. For. Map Fold. 1913.
Columbia River—
discovery, importance, and weather study. Edward A. Beals. W.B. [Misc.], "Proceedings, third convention * * *," pp. 109–113. 1904.
log scaling and grading rules, and logging costs. D.B. 711, pp. 19–20, 26–27. 1918.
navigation and water power. O.E.S. Bul. 214, pp. 11, 12–13. 1909.
Oregon, drainage measurement. O.E.S. Bul. 209, p. 17. 1909.
soil removal, gorges, depth cut. Y.B., 1913, p. 213. 1914; Y.B. Sep. 624, p. 213. 1914.
towing logs, rates. D.B. 711, p. 248. 1918.
Columbia River Valley—
description and climate. B.P.I. Cir. 60, pp. 3–6. 1910.
irrigation systems. News L., vol. 7, No. 18, p. 4. 1919.
sandy soils, settlers, suggestions to. Byron Hunter and S. O. Jayne. B.P.I. Cir. 60, pp. 23. 1910.
winds. J.A.R., vol. 30, p. 602. 1925.
Columbia University—
credits for work in agriculture. O.E.S. An. Rpt., 1907, pp. 283–284. 1908.
experiments on sodium benzoate in food. Rpt. 88, pp. 567–767. 1909.
Columbine—
brand compound, fruit jellies, adulteration and misbranding. Chem. N.J., 811, pp. 2. 1911.
description. F.B. 1381, p. 36. 1924.
hybrid, importation and description. No. 45558, B.P.I. Inv. 53, p. 54. 1922.
leaf anthracnose, occurrence and description, Texas. B.P.I. Bul. 226, p. 85. 1912.
Columbus, Ga., trade center for farm products, statistics. Rpt. 98, pp. 288, 323. 1913.
Columbus, Ohio, milk supply, statistics, officials, prices, and laws. B.A.I. Bul. 46, pp. 28, 139. 1903.
Colutea—
istria, importation and description. No. 38210, B.P.I. Inv. 39, p. 104. 1917.
media. See Senna, bladder.

36167°—32——34

Colutea—Continued.
  sp., importation and description. No. 36747. B.P.I. Inv. 37, p. 60. 1916.
Colville River Valley, irrigation projects and description. O.E.S. Bul. 214, pp. 44–45. 1909.
Colymbus spp. See Grebe.
Comanche Ditch Company, irrigation system, details. O.E.S. Bul. 222, p. 61. 1910.
Comandra—
  plants, host of pine-rust fungus, description and control. D.B. 247, pp. 2, 4, 5, 10–13, 16–19. 1915.
  umbellata—
    host of *Peridermium pyriforme*. J.A.R., vol. 5, No. 7, p. 289. 1915.
    parasitism. J.A.R., vol. 5, No. 3, pp. 133–135. 1915.
Comarum palustre. See Marsh-locks, purple.
Comb—
  building, particulars. F.B. 447, pp. 15–17. 1911.
  foundation, use in comb-honey production, description and methods. F.B. 563, pp. 17–18. 1912.
  honey. See Honey.
  uses, and characteristics. F.B. 1198, pp. 7–9. 1921.
  See also Honeycomb.
Combines—
  use in wheat harvesting, acreage, and costs. D.B. 627, pp. 18–21. 1918.
  See Harvester thresher.
Combretaceae, injury by sapsuckers. Biol. Bul. 39, pp. 47, 86. 1911.
Combretum spp., importations and descriptions. Nos. 47991, 48242–48244, B.P.I. Inv. 60, pp. 25, 59, 60. 1922; Nos. 48809–48812, B.P.I. Inv. 61, pp. 50–51. 1922; Nos. 49964, 49994, 50144–50146, B.P.I. Inv. 63, pp. 25, 27, 40. 1923; No. 55626, B.P.I. Inv. 72, p. 13. 1924.
Combustion—
  discussion of certain features. F.B. 277, pp. 18, 26, 27. 1907.
  organic substances, heats, tables. B.A.I. Bul. 94, pp. 10–18. 1907.
Combutum sundiacum, opium habit cure, investigations. B.P.I. Chief Rpt., 1908, p. 32. 1908; An. Rpts., 1908, p. 304. 1909.
Comejen—
  Porto Rico, habits and control. P.R. An. Rpt., 1914, pp. 43–44. 1916.
  See also Ants, white.
Comfrey—
  growing, effect on soil. B.P.I. Cir. 47, p. 9. 1910.
  habitat, range, description, collection, prices and uses of roots. B.P.I. Bul. 107, p. 57. 1907.
  prickly—
    crop yield, comparison with Kafir corn, cowpeas, and clover. B.P.I. Cir. 47, pp. 7–8. 1910.
    forage crop. H. N. Vinall. B.P.I. Cir. 47, pp. 9. 1910.
    propagation, culture, and yield. B.P.I. Cir. 47, pp. 4–6, 7. 1910.
Commelina—
  nudiflora—
    occurrence in Guam. Guam A.R. 1913, pp. 17, 22. 1914.
    See also Honohono.
  obliqua, importation and description. No. 47662. B.P.I. Inv. 59, p. 43. 1922.
Commerce—
  Boards of Trade in United States, list. Y.B. 1902, p. 752. 1903.
  terms, definitions. Stat. Bul. 35, pp. 5–6. 1905.
  See also Trade.
Commerce Department—
  cooperation in cotton reports. Off. Rec., vol. 1, No. 23, p. 2. 1922.
  cooperation in forest saving and improvement. M.C. 39, pp. 8–9. 1925.
  jurisdiction over aquatic fur bearers. D.C. 168, pp. 5, 6, 10. 1921.
Commercial Club, Grove City, relation to dairy work. Y.B., 1918, pp. 156–157. 1919; Y.B. Sep. 765, pp. 6–7. 1919.
Commiphora sp., importation. No. 48451, B.P.I. Inv. 61, p. 10. 1922.
Commission—
  and buying systems in marketing truck produce. Y.B. 1900, p. 447. 1901.

Commission—Continued.
  business, control, State laws. An. Rpts., 1915, p. 369. 1916; Mkts. Chief Rpt., 1915, p. 7. 1915.
  charges, arbitration. Off. Rec., vol. 2, No. 4, p. 4. 1923.
  charges at stockyards. Off. Rec., vol. 2, No. 11, p. 1. 1923.
  dealer(s)—
    in farm products, methods. Y.B., 1909, pp. 162, 168. 1910; Y.B. Sep. 502, pp. 162, 168. 1910.
    relations to farmers. Rpt., 98, pp. 11–12. 1913.
  house(s)—
    accounting system. An. Rpts., 1917, p. 434. 1918; Mkts. Chief Rpt., 1917, p. 4. 1917.
    business practice, investigations. An. Rpts., 1916, p. 390. 1917; Mkts. Chief Rpt., 1916, p. 4. 1916.
    loans to marketing associations. Y.B., 1914, p. 203. 1915; Y.B. Sep. 637, p. 203. 1915.
  merchant(s)—
    aid in selling farm produce to consumers. D.B. 266, pp. 15, 16–17. 1915.
    cooperation with farmer. Y.B., 1917, pp. 321–325. 1918; Y.B. Sep. 736, pp. 1–7. 1918.
    sales of farm produce, methods. D.B. 267, pp. 17–19. 1915.
  rates—
    Baltimore market, hearing. Off. Rec., vol. 1, No. 27, p. 3. 1922.
    paid by mills for lumber sales. Rpt. 115, pp. 38–41, 91–93. 1917.
    reduction by arbitration. Off. Rec., vol. 2, Nos. 32, 33, pp. 1, 5. 1923.
Commission(s)—
  Agricultural, to Europe, report. W. O. Thompson and others. Sec. [Misc.], "Report of Agricultural * * *," pp. 89. 1919.
  game, appointment, powers, and duties. R. W. Williams, jr. Biol. Bul. 28, pp. 285. 1907.
  game, for Alaska game regulation, recommendation. D.C. 88, pp. 14–15. 1920.
  on meat inspection report on condemnation of meat. B.A.I. An. Rpt., 1910, p. 13. 1912.
Commissioners—
  District of Columbia, order for suppression of tuberculosis in cattle, text. Y.B., 1910, pp. 239–242. 1911; Y.B. Sep. 532, pp. 239–242. 1911.
  food and dairy, South Dakota, rulings, 1907. Chem. Bul. 112, Pt. II, pp. 77–82. 1908.
  game, State, 1905, recommendations. Biol. Cir. 47, pp. 12. 1905.
Committee(s)—
  department, personnel. Pub. Cir. 1, rev., p. 48. 1912.
  on farm management, organization and cost of production studies, report. Sec. Cir. 132, pp. 15. 1919.
Commodity councils, department, composition and work. Y.B., 1922, pp. 15–17. 1923; Y.B. Sep. 883, pp. 15–17. 1923.
Commons, rural, beautification. F.B. 1441, pp. 34–35. 1925.
Community—
  activities—
    and cooperative work projects, results. D.C. 314, pp. 38–39. 1924.
    fairs, etc., investigations. An. Rpts., 1917, pp. 451–452. 1918; Mkts. Chief Rpt., 1917, pp. 21–22. 1917.
  associations, articles of incorporation, constitutions, and by-laws. F.B. 1192, pp. 16–28. 1921.
  bird refuges. W.L. McAtee. F.B. 1239, pp. 13. 1921.
  breeding, encouragement by bull associations. F.B. 993, pp. 7–8. 1918.
  buildings—
    rural, in the United States. W. C. Nason and C. W. Thompson. D.B. 825, pp. 36. 1920.
    rural, organization. W. C. Nason. F.B. 1192, pp. 42. 1921.
    rural, plans for. W. C. Nason and C. J. Gilpin. F.B. 1173, pp. 38. 1921.
    State laws governing. F.B. 1192, pp. 28–39. 1921.
    See also Buildings.
  canning kitchens, numbers and work. D.C. 66, pp. 29–30. 1920.
  centers, rural, beautification. F.B. 1441, pp. 34–35, 40–41, 42–43, 44–45. 1925.

Community—Continued.
  clubs, women's, organization in South, 1916-1917. News L., vol. 5, No. 21, p. 4. 1917.
  committees in farm-bureau work. S.R.S. Doc. 54, pp. 5-7. 1917.
  dairy work, Iowa. An. Rpts., 1915, p. 96. 1916; B.A.I. Chief Rpt., 1915, p. 20. 1915.
  dairying experiment. R. R. Welch. Y.B., 1916, pp. 209-216. 1917; Y.B. Sep. 707, pp. 8. 1917.
  development and forestry. Samuel T. Dana. D.B. 638, pp. 33. 1918.
  drainage construction with tile. John R. Haswell. Y.B., 1919, pp. 79-93. 1920; Y.B. Sep. 822, pp. 79-93. 1920.
  enterprises, relation to home demonstration work. D.C. 285, p. 19. 1923.
  fair. J. Sterling Moran. F.B. 870, pp. 12. 1917.
  farming, early types. Y.B., 1913, pp. 239-242. 1914; Y.B. Sep. 626, pp. 239-242. 1914.
  fruit-drying plants, size and type of evaporation. D.B. 1141, pp. 7-8. 1923.
  life, country, promotion by women's organizations. D.B. 719, pp. 10-15. 1918.
  organization—
    for milk campaign, groups. D.C. 250, pp. 5-6, 36. 1923.
    in Grove City, Pennsylvania, result of dairying. Y.B., 1918, pp. 165-168. 1919; Y.B. Sep. 765, pp. 15-18. 1919.
  packing houses for boxed apples, construction and lighting. F.B. 1204, pp. 3-12. 1921.
  poultry improvement through breeding associations. J. W. Kinghorne. Y. B., 1918, pp. 109-114. 1919; Y.B. Sep. 778, pp. 8. 1919.
  programs, development by county agent. D.C. 106, pp. 7-9. 1920; D.C. 179, pp. 19-22. 1921.
  service, by mail. Off. Rec., vol. 4, No. 15, p. 6. 1925.
  spirit, revival, and need of "common home." F.B. 1274, pp. 2-3. 1922.
  work—
    agricultural development. B.P.I. Cir. 116, pp. 8-9. 1913.
    extension results, 1921. Coop. Ext. work, 1921, p. 6. 1923.
    farm-bureau development. S.R.S. Doc. 89, pp. 6, 10-11, 13-16, 18-20. 1919.
    importance to farm women. D.C. 148, pp. 17, 22-23. 1920.
    in agricultural education. Y.B., 1912, pp. 480-481. 1913; Y.B. Sep. 607, pp. 480-481. 1913.
    in cotton growing, advantages. D.B. 533, pp. 11-14. 1917.
Compensation—
  act, amendment. Off. Rec., vol. 1, No. 24, p. 2. 1922.
  act, provision for injured employees. S.R.A. B.A.I. 187, pp. 135-136. 1922.
  commission, statement for employees. Off. Rec., vol. 4, No. 48, p. 4. 1925.
  employees', instructions. Off. Rec., vol. 4, No. 49, p. 4. 1925.
  laws relating to employees, 1916. Sol. [Misc.], "Laws applicable * * *," Sup. 4, pp. 100-111. 1917.
  rates, classification act. Off. Rec., vol. 3, No. 9, p. 1. 1924.
Complement fixation—
  diagnosis of dourine. F.B. 1146, pp. 3, 10-11. 1920; J.A.R., vol. 1, pp. 99-107. 1913.
  diagnosis, use in testing bovine tuberculosis. J.A.R., vol. 8, pp. 1-20. 1917.
  dourine, antigen preparation, method. J.A.R., vol. 14, pp. 574-576. 1918.
  test—
    for glanders. B.A.I. An. Rpt., 1911, pp. 11, 53. 1913.
    germ-free filtrates as antigens. Wm. S. Gochenour. J.A.R., vol. 19, pp. 513-515. 1920.
    glanders, diagnosis. B.A.I. Cir. 191, pp. 364-369. 1912. B.A.I. An. Rpt., 1910, pp. 364-369. 1912; B.A.I. Doc., A-13, p. 10. 1917.
    glanders, number of cases, 1914. An. Rpts., 1914, p. 87. 1914; B.A.I. Chief Rpt., 1914, p. 31. 1914.
    horses vaccinated against glanders. D.B. 70, pp. 9, 13. 1914.
    improved method. An. Rpts., 1918, p. 115. 1919; B.A.I. Chief Rpt., 1918, p. 45. 1918.

Complement fixation—Continued.
  test—continued.
    infectious abortion of cattle. B.A.I. An. Rpt., 1911, pp. 169-175. 1913; B.A.I. Cir. 216, pp. 169-175. 1913.
    multiple pipette holder for serum. J.A.R., vol. 15, pp. 615-618. 1918.
    of serum for dourine. J.A.R., vol. 26, p. 498. 1923.
    use in standardization of anthrax serum. J.A.R., vol. 8, pp. 52-55. 1917.
Compost(s)—
  experiments with sulphur, rock phosphate, soil, manure, etc. J.A.R., vol. 8, pp. 329-345. 1919.
  for carnations. Y.B., 1902, p. 561. 1903.
  for lettuce bed. F.B. 1418, p. 11. 1924.
  for tomatoes, remarks. Y.B., 1902, pp. 566-567. 1903.
  formula for making, and value for nurseries. D.B. 479, p. 80. 1917.
  heap—
    directions for making. F.B. 905, p. 20. 1918; S.R.S. Doc. 30, pp. 4-5. 1916; S.R.S. Syl. 27, pp. 8-9. 1917.
    making, value as fertilizer. B.P.I. Doc. 631, pp. 3-4. 1911.
    preparation, application, and value. B.P.I. Doc. 692, pp. 4-5. 1911.
    use for barnyard refuse. News L., vol. 7, No. 15, p. 9. 1919.
    value for vegetable gardens. F.B. 936, p. 23. 1918.
  lime content and value. F.B. 921, p. 21. 1918.
  making—
    directions. Y.B., 1917, pp. 283-284. 1918; Y.B. Sep. 733, pp. 3-4. 1918.
    pile for vegetable garden. D.C. 48, p. 4. 1919.
  manure-sulphur, effect on potassium of greensand. A. G. McCall and A. M. Smith. J.A.R., vol. 19, pp. 239-256. 1920.
  materials, chemical composition. News L., vol. 3, No. 44, p. 4. 1916.
  mixing. Y.B., 1916, p. 379. 1917; Y.B. Sep. 716, p. 5. 1917.
  muck, for upland soils. F.B. 366, p. 6. 1909.
  mushroom, preparation. B.P.I. Bul. 85, pp. 33-36. 1905.
  peat, preparation. Alfred P. Dachnowski. D.C. 252, pp. 12. 1922.
  pile, home garden, contents and value. S.R.S. Doc. 49, pp. 4-5. 1918.
  responsibility for dissemination of cabbage diseases. F.B. 488, pp. 8, 10. 1912.
  sterilizing for use in mushroom beds. Ent. Cir. 155, pp. 2-3. 1912.
  use for destruction of weed seed. F.B. 1002, p. 15. 1918.
  use of peat material. D.B. 802, p. 25. 1919.
  value in cotton growing experiments, Alabama. O.E.S. An. Rpt., 1912, p. 70. 1913.
  value, use and making the heap. B.P.I. Doc. 355, rev., pp. 1-5. 1910.
Composting—
  barnyard manure, directions, Coffee County, Alabama. Soil Sur. Adv. Sh., 1909, p. 26. 1911; Soils F.O., 1909, p. 822. 1912.
  fish waste, directions. F.B. 320, p. 7. 1908.
  peat, with other substances. D.C. 252, pp. 6-12. 1922.
Compound(s)—
  food, laws. See Foods.
  labeling. B.A.I.S.A. 67, p. 98. 1912.
  use of word in drug products. F.I.D. 63. 1907.
Compressed air sprayers—
  description. Y.B., 1908, p. 283. 1909; Y.B. Sep. 480, p. 283. 1909.
  for small and large operations. F.B. 908, pp. 62, 65. 1918.
Compresses—
  cotton, methods, density bagging and tare allowance. Sec. Cir. 88, pp. 28-30. 1918.
  gin, description and use. F.B. 764, pp. 16-18. 1916.
  use in baling hay. F.B. 1049, pp. 12-13. 1919.
Compressing—
  cotton—
    and recompressing. Y.B., 1921, pp. 374, 390. 1922; Y.B. Sep. 877, pp. 374-390. 1922.
    effect on strength of yarn. D.B. 1135, pp. 7, 8, 11, 12, 13, 18. 1923.

Compressing—Continued.
  machines, ammonia, installation, and operation. D.B. 98, pp. 30-34. 1914.
  Pima cotton, faults and effects on bales, correction. D.B. 1184, pp. 17-22, 24, 25. 1923.
Compression—
  cotton, improved methods, necessity. Y.B., 1912, pp. 456-458. 1913; Y. B. Sep. 605, pp. 456-458. 1913
  tests—
    rock, various States. D.B. 1132, pp. 46-52. 1923.
    timber, directions. For. Cir. 38, rev., pp. 22-23. 1909.
    wood, determination. D.B. 556, pp. 16-17. 1917.
Compsilura—
  concinnata—
    beneficial parasite. News L., vol. 6, No. 52, p. 5. 1919.
    enemy of brown-tail and gipsy moths, increase. An. Rpts., 1911, p. 500. 1912; Ent. A.R., 1911, p. 10. 1911.
    enemy of gipsy moth and range caterpillar. An. Rpts., 1915, pp. 213-220. 1916; Ent. A.R., 1915, pp. 3, 10. 1915.
    enemy of satin moth. D.C. 167, p. 15. 1921.
    gipsy moth parasite, establishment in New England. D.B. 204, pp. 6-7, 9-10, 12. 1915.
    imported tachinid, parasite of gipsy and brown-tail moths, study. Julian J. Culver. D.B. 766, pp. 27. 1919.
    increase. An. Rpts., 1913, p. 210. 1914; Ent. A.R., 1913, p. 2. 1913.
    introduction, value as parasite. An. Rpts., 1919, p. 265. 1920; Ent. A.R., 1919, p. 19. 1919.
    life history, distribution, spread. D.B. 766, pp. 3-23. 1919.
    notes on. Ent. T.B. 12, Pt. VI, p. 102. 1908.
    parasite of gipsy and brown-tail moths. Ent. Bul. 91, pp. 218-225. 1911; F.B. 564, p. 6. 1914.
    parasite of gipsy moth introduction and establishment. Ent. T.B. 19, Pt. III, p. 28. 1911.
    spp., enemies of gipsy and brown-tail caterpillars. An. Rpts., 1910, pp. 116, 516. 1911; Ent. A.R., 1910, p. 12. 1910; Sec. A.R., 1910, p. 116. 1910; Y.B., 1910, p. 115. 1911.
Compsomyia macellaria. See Screw worm.
Compsothlypis americana—
  See Warbler, parula.
  ramalinae, occurrence in Arkansas, and useful food habits. Biol. Bul. 38, p. 77. 1911.
Comptonia peregrina. See Sweet fern.
CONALLY, E. L.: "The refrigeration of dressed poultry in transit." With others. D.B. 17, pp. 35. 1913.
Conbretum spp., importations. Nos. 48447-48450, 48809-48812, B.P.I. Inv. 61, pp. 9-10, 50-51. 1922.
Concealing-tank system, refrigeration, description, and operation. D.B. 98, pp. 47-48. 1914.
Concentrates—
  comparison with coarse feeds in cattle feeding. J.A.R. vol. 3, pp. 477-481. 1915.
  definition, and protein content. M.C. 12, pp. 39-40. 1924.
  feed for horses, description, use, and feed value. F.B. 1030, pp. 11-16. 1919.
  nutritive value in dairy feed, analysis. F.B. 743, pp. 12-16. 1916.
  proteins, mixtures with corn, nutritive value. J.A.R., vol. 24, pp. 971-978. 1923.
  steer fattening in the South, comparison. W. F. Ward and others. D.B. 761, pp. 16. 1919.
  steer fattening, meals and grains. F.B. 1218, pp. 20-25. 1921.
  use in stock feeding. F.B. 704, p. 34. 1916.
Concerts, use of community buildings. F.B. 1274, pp. 14, 16, 20-21, 26, 28, 32. 1922.
Conchaspis angraeci, insect pest of fig, introduction. An. Rpts., 1911, p. 522. 1912; Ent. A.R., 1911, p. 32. 1911.
Conchita peluda, wild legume, value as cover crop, Porto Rico. P.R. Bul. 19, p. 24. 1916.
Conchuela—
  life history, distribution, habits, destructiveness, and control. Ent. Bul. 86, pp. 23-73. 1910.
  Mexican, in western Texas, 1905. A. W. Morrill. Ent. Bul. 64, Pt. I, pp. 14. 1907

Conchuela—Continued.
  Mexican, parasites. Ent. Bul. 64, Pt. I, pp. 9-11. 1905; Ent. Bul. 64, pp. 9-11. 1911.
Concord grape, soda water flavor, adulteration and misbranding. Chem. N.J. 12979. 1925; Chem. N.J. 13554. 1925.
"Concreta butterol," misbranding. Chem. N.J. 343, pp. 2. 1910.
Concrete—
  absorption and other tests for roads work. D.B. 1216, pp. 25-27. 1924.
  aggregate for, analysis and tests for road material D.B. 1216, pp. 11-12, 13-23. 1924.
  alkali effects on. D.B. 126, pp. 51-53. 1915.
  and cement mortar. Philip L. Wormeley, jr. F.B. 235, pp. 32. 1905.
  and concrete roads, expansion and contraction. A. T. Goldbeck and F. H. Jackson, jr. D.B. 532, pp. 31. 1917.
  arches, bridge building, types. Rds. Bul. 43, pp. 16-17. 1912.
  ball test experiments. An. Rpts., 1923, p. 473. 1924; Rds. Chief Rpt., 1923, p. 11. 1923.
  blocks—
    oil-mixed cement, use in building. Rds. Bul. 46, p. 17. 1912.
    use of oil-mixed concrete, methods, formula D.B. 230, pp. 13-14. 1915.
  building(s)—
    blocks. F.B. 235, pp. 25-26. 1905.
    on farm, directions for making. O.E.S.F.I.L. 8, p. 14. 1907.
  canal lining, construction methods and cost. D.B. 126, pp. 61-84. 1915.
  cellar for storage of vegetables. F.B. 879, pp. 10-12. 1917.
  cement—
    irrigation canal lining, efficiency and cost. O.E.S. An. Rpt., 1908, p. 375. 1909.
    lime, as ditch-lining test, cost. F.B. 317, p. 11. 1908.
    oil mixed. Logan Waller Page. Rds. Bul. 46, pp. 28. 1912.
    use in road binding, experiment. Rds. Cir. 92, pp. 21-23, 28. 1910; Rds. Cir. 94, pp. 33-47, 51-52 1911.
  channels, various States, description and value. D.B. 194, pp. 19-20, 28-32, 47-48, 62-63. 1915.
  clay, value in building reservoir dams. O.E.S. Bul. 249, Pt. I, pp. 17, 24. 1912.
  consistency, effect of quantity of water used. F.B. 1279, pp. 8-9. 1922.
  construction on the livestock farm. F.B. 481, pp. 32. 1912.
  culverts, types, description. Rds. Bul. 43, pp. 12-16. 1912.
  dipping vat, construction, specifications, and directions. F.B. 498, pp. 37-42. 1912.
  ditch lining, effectiveness in prevention of water losses, experiments. O.E.S. An. Rpt., 1907, p. 371. 1908.
  drain tile, injury by decomposition products of soils. G. R. B. Elliott. J.A.R., vol. 24, pp. 471-500. 1923.
  expansion and contraction. D.B. 126, pp. 53-57, 85. 1915.
  farm mixing and use. An. Rpts., 1923, p. 486. 1924; Rds. Chief Rpt., 1923, p. 24. 1923.
  fence posts—
    construction. F.B. 403, pp. 31. 1910.
    making on the farm. F.B. 384, pp. 29-32. 1910.
    manufacturing methods, reinforcement, etc., experiments. D.B. 321, pp. 25-26, 27. 1916.
    test. F.B. 235, pp. 27-31. 1905.
    use, directions for making. O.E.S.F.I.L. 8, p. 16. 1907.
  floors—
    cost. F.B. 481, p. 20. 1912.
    curing, management. F.B. 481, pp. 17-18. 1912.
    for milk houses, directions for construction. F.B. 1214, p. 4. 1921.
    for culverts and short-span bridges, specifications, typical. Rds. Bul. 45, pp. 35-38. 1913.
  for stable construction, advantages. Y.B., 1909, p. 238. 1910; Y.B. Sep. 50°, p. 238. 1910.
  forms, uses, description, cleaning methods. F.B. 461, pp. 21-23. 1911.

INDEX TO PUBLICATIONS, 1901-1925   527

Concrete—Continued.
  formula, manufacturing methods. F.B. 461, pp. 9-23. 1911.
  foundation—
    for fences on fox ranches. D.B. 1151, pp. 16-17. 1923.
    for piling lumber. D.B. 510, pp. 17-20. 1917.
    road, directions, construction, and cost. D.B. 724, pp. 65-76, 85-86. 1919.
    use in lumber piling. D.B. 552, p. 19. 1917.
  gutter construction, cost, and specifications. D.B. 724, pp. 22, 24, 79-81. 1919.
  injury by fire, and prevention methods. F.B. 1279, pp. 25-26. 1922.
  lining—
    canals, economy, discussion. D.B. 126, pp. 48-49. 1915.
    for reservoirs, typical illustrations. O.E.S. Bul. 249, Pt. I, pp. 63-66. 1912.
    irrigation canals, application. Samuel Fortier. D.B. 126, pp. 86. 1914.
    joints, importance in construction. D.B. 126, pp. 51-61. 1914.
  manufacture and storing for roads work. D.B. 1216, pp. 23-25. 1924.
  masonry, specifications, for road building, Massachusetts. F.B. 338, pp. 29-30. 1908.
  materials—
    and methods of mixing and deposition. F.B. 235, pp. 8-11. 1905.
    mixing and proportions, directions. F.B. 403, pp. 6-8, 21-25. 1910.
    selection. F.B. 461, pp. 5-9. 1911.
    testing for road building. D.B. 1216, pp. 13-14, 14-16, 19-20, 26. 1924.
  mixer—
    for road paving, type, description and capacity. D.B. 249, pp. 20-21. 1915.
    homemade, description. F.B. 384, pp. 30-31. 1910.
  mixing—
    equipment, and methods. F.B. 461, pp. 12-18. 1911.
    for—
      road paving, handling materials, and methods. D.B. 249, pp. 21-23. 1915.
      silo foundation and floor. B.A.I. Cir. 136, p. 4. 1909.
  oil-cement, advantages, investigations by Public Roads Office, 1910. An. Rpts., 1910, pp. 157, 700-794. 1911; Rds. Chief Rpt., 1910, pp. 28-29. 1910; Sec. A.R., 1910, p. 157; Rpt. 93, p. 98. 1911; Y.B., 1910, p. 155. 1911.
  oil-mixed—
    alkali resistance. D.B. 126, pp. 52-53. 1915
    cement, use and patent for mixing. An Rpts., 1911, p. 151. 1912; Sec. A.R., 1911, p. 149. 1911; Y.B., 1911, p. 149. 1912.
    discovery and introduction by Roads Office. D.B. 230, p. 2. 1915.
    investigations and tests. An. Rpts., 1911, pp. 739-741. 1912; Rds. Chief Rpt., 1911, pp. 29-31. 1911.
    physical tests. Rds. Bul. 46, pp. 19-27. 1912.
    Portland cement. Logan Waller Page. D.B. 230, pp. 26. 1915.
    service tests in public buildings. Rds. Bul. 46, p. 9. 1912.
    uses and proportions. D.B. 230, pp. 9-15. 1915.
  painting, preparation for. F.B. 1452, p. 22. 1925.
  pavement—
    construction, general specifications for contract. D.B. 249, pp. 29-34. 1915.
    cracking, causes, and control. News L., vol. 5, No. 20, p. 6. 1917.
  paving—
    for embankment slope. O.E.S. Bul. 249, Pt. I, pp. 54-55. 1912.
    order and progress of work. D.B. 249, pp. 19-20, 29. 1915.
  pipe, use—
    for irrigation in Pomona Valley, Calif., methods and cost. O.E.S. Bul. 236, rev., pp. 56-60. 1912.
    in irrigation. F. W. Stanley and Samuel Fortier. D.B. 906, pp. 54. 1921.
    in irrigation, composition, methods of laying, and cost. O.E.S. Bul. 236, pp. 56-60. 1911.
    placing methods and protection. F.B. 461, pp. 18-21. 1911.

Concrete—Continued.
  plain, for farm use. T. A. H. Miller. F.B. 1279, pp. 27. 1922.
  Portland cement, pavements for country roads. Charles H. Moorefield and James T. Voshell. D.B. 249, pp. 34. 1915.
  posts, reenforcement. F.B. 403, pp. 17-21, 31. 1910.
  preparation and use for farm purposes. F.B. 235, pp. 2-31. 1905.
  protection from freezing, and heating methods. F.B. 1279, pp. 21-23. 1922.
  quantity(ies)—
    determination, measuring methods. F.B. 461, pp. 10-12. 1911.
    required for 1 cubic yard. Rds. Bul. 46, p. 12. 1912.
  reinforced—
    expansion and contraction measurements. D.B. 532, pp. 10-12. 1917.
    strength tests. J.A.R. vol. 11, pp. 505-520. 1917.
    use in culverts and bridges. Rds. Bul. 43, pp. 12-13, 15, 17. 1912.
  reinforcement, culverts and short-span bridges, requirements. Rds. Bul. 45, pp. 13-17, 38. 1913.
  roads. See Roads.
  septic tank for sewage disposal in rural homes, plan. F.B. 527, pp. 20-22. 1913.
  silos, coating with coal-tar mixture. News L. vol. 1, No. 7, p. 4. 1913.
  silos, description, cost and durability. F.B. 855, pp. 4, 5, 11-32. 1917.
  specification forms, tests and sampling methods. D.B. 555, pp. 27, 37, 51. 1917.
  surface finish, and methods of securing. F.B. 1279, pp. 24-25. 1922.
  testing and sampling. D.B. 1216, pp. 20-26. 1924.
  tests—
    large-sized reinforced-concrete slabs. J.A.R. vol. 6, pp. 205-234. 1916.
    of expansion and contraction, laboratory work. D.B. 532, pp. 2-12. 1917.
  use—
    and character. D.B. 230, pp. 1-2. 1915.
    and value in irrigation canal gates. D.B. 115, p. 2. 1914.
    for—
      bridges and culverts, formula. D.B. 220 pp. 20-21. 1915.
      cellar for potato storage, description and cost. F.B. 847, p. 25. 1917.
      floors of cow stalls. An. Rpts., 1916, p. 99. 1917; B.A.I. Chief Rpt., 1916, p. 33. 1916.
      highway bridges, culverts and arches, studies. Rds. Bul. 39, pp. 12-19. 1911.
      milk cooling tanks, efficiency and construction details. D.B. 744, pp. 6-17. 1919.
      silos. Work and Exp., 1919, p. 84. 1921.
    in—
      cistern construction, mixture, directions. Y.B. 1914, p. 146. 1915; Y.B. Sep. 634, p. 146. 1915.
      concrete silos, material, preparation methods. F.B. 589, pp. 20-24. 1914.
      construction of city milk plants. D.B. 849, pp. 10, 11, 12, 35. 1920.
      construction of dipping vats for cattle. F.B. 909, pp. 22-26. 1918.
      construction of lemon sweat rooms, advantages. B.P.I. Bul. 232, pp. 18-19, 33, 34, 38. 1912.
      dipping vats, specifications and directions. F.B. 1085, pp. 25, 28. 1920.
      irrigation ditches, directions and cost. F.B. 404, pp. 16-17. 1910.
      irrigation structures, pipes. O.E.S. Cir. 108, p. 22. 1911.
      protection of buildings against white ants. F.B. 759, pp. 12, 13, 14, 16. 1916.
      reservoirs, formulas and directions. F.B. 828, pp. 29, 31-34. 1917.
      warehouse construction, formula. D.B. 801, pp. 18, 19, 21, 29-30, 35-37. 1919.
    on the farm. F.B. 461, pp. 23. 1911.
    varieties, use in road experiments, reports. D.B. 257, pp. 25-29, 34-37, notes. 1915; Rds. Cir. 99, pp. 11-21, 31, 32, 44. 1913.

Concrete—Continued.
  vats for cattle dipping, specifications. B.A.I. Cir. 207, pp. 13–18. 1912; F.B. 1057, pp. 14–17. 1919.
  water-tight—
    formula and directions. Y.B., 1919, pp. 441–445. 1920; Y.B. Sep. 824, pp. 441–445. 1920.
    methods of securing. F.B. 1279, pp. 26–27. 1922.
  work, school exercises. D.B. 527, pp. 37–38. 1917; F.B. 638, p. 11. 1915.
  work, sewer for houses, description. F.B. 1227, p. 41. 1922.
Condalia lineata. See Piquillin.
Condensed milk. See Milk, condensed.
Condenser—
  coil for water-spray dry kiln, installation. D.B. 894, pp. 44–45. 1920.
  use in pumps. O.E.S. Bul. 243, p. 33. 1911.
Condenseries, milk quality determination, experiments. D.B. 944, pp. 9–13. 1921.
Condiments—
  analysis methods (other than spices), report of referees' committee. Chem. Cir. 90, p. 10. 1912; Chem. Bul. 152, pp. 118, 119, 188. 1912.
  analysis, unification of terms for reporting, recommendations, discussion. O.E.S. Bul. 184, pp. 129–130. 1907.
  definitions and standards—
    for spices and flavoring extracts. F.I.D. 186, p. 1. 1922.
    in foods. Chem. [Misc.], "Food definitions and standards," pp. 5–8. 1903.
  food standards. Sec. Cir. 136, pp. 11–18. 1919.
  imports, value, and nature of adulterations. Y.B., 1910, pp. 210–211. 1911; Y.B. Sep. 529, pp. 210–211. 1911.
  in feeds and condition powders. F.B. 233, p. 21. 1905.
  in food and food accessories, flavorings and beverages. D.B. 123, pp. 33, 50–54. 1916.
  in vegetable food accessories, studies. O.E.S. Bul. 245, pp. 69–70. 1912.
  investigations by Chemistry Bureau, 1913. An. Rpts., 1913, pp. 196–197. 1914; Chem. Chief Rpt., 1913, pp. 6–7. 1913.
  laws, State, fiscal year 1907. Chem. Bul. 112, Pt. I, pp. 118–119. 1908; Chem. Bul. 112, Pt. II, pp. 102, 131. 1908.
  nutritive value. Y.B., 1902, p. 404. 1903; Y.B. Sep. 280, p. 404. 1903.
  others than spices, analysis methods. Chem. Bul. 107, pp. 167–168. 1907; Chem. Bul. 105, pp. 39–41. 1907; Chem. Bul 152, pp. 118–122. 1912.
  other than vinegars and salt, definitions and standards. F.I.D. 172, pp. 4. 1918; Chem. S.R.A. 22 pp. 81–85. 1918.
  purity standards. Sec. Cir. 136, 11–18. 1919.
  report of associate referee, and recommendations. Chem. Bul. 162, pp. 124–129, 163–164. 1913.
  roots used. F.B. 295, pp. 41–42. 1907; D.B. 503, pp. 15–17. 1917.
  standards. Chem. [Misc., "Standards of purity * * *," pp. 3–5. 1905.
  standards, other than vinegar and salt. F.I.D. 172, pp. 4. 1918.
  use in—
    soft drinks. Y.B., 1918, pp. 120–121. 1919; Y.B. Sep. 774, pp. 8–9. 1919.
    stock feeds, formulas. F.B. 1030, p. 21. 1919.
  See also Spices.
Condition powders—
  and condimental feeds. F.B. 233, p. 21. 1905.
  for stock formulas. F.B. 430, p. 8. 1911.
  formulas and use. M.C. 12, p. 7. 1924.
  hog, formula. F.B. 379, p. 19. 1909.
  See also Stock powders.
Condor, growing in Guam, cultural directions. Guam Cir. 2, p. 10. 1921.
Condor. See also Kondot.
CONDRA, G. E.: "Soil survey of—
  Dawson County, Nebr." With others. Soil Sur. Adv. Sh., 1922, pp. 391–438. 1925.
  Jefferson County, Nebr." With others. Soil Sur Adv. Sh., 1921, pp. 1443–1485. 1925.
  Nance County, Nebr." With others. Soil Sur. Adv. Sh., 1922, pp. 46. 1925.
Conduits, construction, use of Douglas fir. For. Bul. 88, pp. 68–69. 1911.

Condylura—
  cristata. See Mole, star-nosed.
  spp., description. N.A. Fauna 38, pp. 83–91. 1915.
CONE, V. M.—
  "A new irrigation weir." J.A.R., vol. 5, No. 25, pp. 1127–1143. 1916.
  "Construction and use of farm weirs." F.B. 813, pp. 19. 1917.
  "Drainage of irrigated lands in the San Joaquin Valley, California." With Samuel Fortier. O.E.S. Bul. 217, pp. 58. 1909.
  "Flow through submerged rectangular orifices with modified contractions." J.A.R., vol. 9, pp. 97–114. 1917.
  "Flow through weir notches with thin edges and full contractions. J.A.R., vol. 5, No. 23, pp. 1051–1113. 1916.
  "Irrigation in the San Joaquin Valley, California." O.E.S. Bul. 239, pp. 62. 1911.
  "The Venturi flume." J.A.R., vol. 9, pp. 115–129. 1917.
CONE, W. R.: "Soil survey of Clinton County, N.Y." With E.T. Maxon. Soil Sur. Adv. Sh. 1914, pp. 37. 1916; Soils F.O. 1914, pp. 237–269. 1919.
Cone(s)—
  balsam fir, description, and ripening of seeds. D.B. 327, pp. 19, 22, 23, 26, 27, 28, 29, 31, 33, 36, 37, 40, 42. 1916.
  beetle(s)—
    conditions requiring control, and remedy. D.B. 243, pp. 11–12. 1915.
    damage, comparison with squirrel damage to pines. D.B. 243, pp. 6–8. 1915.
    description and habits. D.B. 243, pp. 1–2. 1915.
    injury to sugar pine and western yellow pine. John M. Miller. D.B. 243, p. 12. 1915.
  collection—
    and drying for seed extraction. D.B. 475, pp. 3–17. 1917; For. Bul. 76, pp. 7–9. 1909.
    in forest, methods and cost. For. Bul. 98, pp. 16–19. 1911.
  damage, character, and cause. Bul. 95, pp. 2–5. 1914.
  drying for seed extraction, methods. D.B. 475, pp. 6–12. 1917.
  hemlock, description. D.B. 152, pp. 18–19. 1915.
  length, relation to seed size and germinating vigor. D.B. 210, pp. 10, 13, 14–15. 1915.
  moth, spruce, description. Sec. [Misc.], "A manual of insects * * *," p. 80. 1917.
  pine—
    beetle-infested, burning as means of control. D.B. 243, pp. 11–12. 1915.
    collection and examination, semiarid region, Nebraska. For. Bul. 66, pp. 14–18. 1905.
    collection for seed, methods, and cost. Y.B. 1912, pp. 435–437, 439–442. 1913; Y.B. Sep. 604, pp. 435–442. 1913.
    gathering and treatment for seed collection. F.B. 1453, pp. 9–16. 1925.
    injury by mistletoe. D.B. 1112, p. 27. 1922.
    lodgepole, opening, factors affecting. For. Bul. 79, pp. 31–34, 51. 1910.
    white varieties, descriptions. D.B. 460, pp. 6, 8, 11, 14, 17, 20, 22, 25. 1917.
    yellow varieties, descriptions. D.B. 460, pp. 27, 31, 34, 37, 40, 44. 1917.
  rust, injury to longleaf pines, control studies. D.B. 1061, p. 48. 1922.
  seed yield—
    of different species. D.B. 475, pp. 17–18. 1917.
    per bushel. For. Bul. 98, p. 23. 1911.
  shaker for extracting seeds, description. For. Bul. 98, pp. 21–22. 1911.
  Sitka spruce, description. D.B. 1060, pp. 11–12. 1922.
  spruce, description, and ripening of seeds. D.B. 327, pp. 3, 8, 12, 15, 16. 1916.
  storing, handling, drying, and extracting seed. For. Cir. 208, pp. 1–18. 1912.
Coneflower—
  description—
    cultivation and characteristics. F.B. 1171, pp. 44–45, 82. 1921.
    habits and forage value. D.B. 545, pp. 52–53, 58, 60. 1917.
  See also Rudbeckia.

INDEX TO PUBLICATIONS, 1901-1925   529

Conepatus, spp. *See* Skunk.
Conepia spp., importations and description. Nos. 53929, 54050. B.P.I. Inv. 68, pp. 11, 23. 1923.
Coney, Athabaska-Mackenzie region, catching methods. N.A. Fauna 27, pp. 508-509. 1908.
Confection(s)—
   adulteration. "Kazoo mints." Chem. N.J. 2639, p. 1. 1914.
   chocolate-coated, adulteration. Chem. N.J. 12964. 1925.
   coating with shellac and other gums. F.I.D. 119, p. 1. 1910.
   fruit and nut, recipe. F.B. 712, pp. 24, 25. 1916.
   jujube, directions for making. D.B. 1215, pp. 19-22. 1924.
   misbranding sugar butter for icings. Chem. N.J. 2588, pp. 2. 1913.
   nut, description. F.B. 332, p. 20. 1908.
   pop corn, recipes. F.B. 553, p. 13. 1913.
   sugar butter, adulteration and misbranding. Chem. N.J. 2573, pp. 2. 1913.
Confectioners'—
   Association, National, recommendations of food colors. Chem. Bul. 147, pp. 30-34, 45. 1912.
   brown glaze, adulteration. Chem. N.J. 964, p. 1. 1911.
   list, colors as basis for rule of dosage. Chem. Bul. 147, pp. 153-158. 1912.
   sugar, stocks reported. Sec. Cir. 96, pp. 15, 22, 25, 26, 32, 34, 46. 1918.
Confectionery—
   adulteration—
      court decision. An. Rpts., 1917, p. 400. 1917; Sol. A.R., 1917, p. 20. 1917.
      examinations, 1911. An. Rpts., 1911, pp. 427, 431, 459. 1912; Chem. Chief Rpt., 1911, pp. 13, 17, 45. 1911.
      with talc. Sol. Cir. 82, pp. 5. 1915.
      with talc, decision. An. Rpts., 1915, pp. 338-339. 1916; Sol. A.R., 1915, pp. 12-13. 1915.
      with talc, decision. Sol. Cir. 82, pp. 5. 1915.
      See also *Indexes, Notices of Judgment, in bound volumes and in separates published as supplements to Chemistry Service and Regulatory Announcements.*
   coloring, prohibitions by State laws. Chem. Bul. 147, p. 42. 1912.
   "count" goods. Opinion 153. Chem. S.R.A. 16, pp. 27-28. 1916.
   food, meaning, food and drugs act, regulation 9. Sec. Cir. 21, rev., p. 7. 1922.
   laws, State—
      1906. Chem. Bul. 69, pp. 44-618. 1905-06; Chem. Bul. 104, p. 40. 1906.
      1907. Chem. Bul. 112, Pt. I, pp. 12, 15, 24, 46, 56, 98, 103, 139, 147, 152. 1908; Chem. Bul. 112, Pt. II, pp. 7, 23, 51, 64, 83, 96, 106, 122. 1908.
      1908. Chem. Bul. 121, pp. 27, 61, 69, 79. 1909.
   laws. *See also* Foods, laws.
   trade, hearing by Chemistry Bureau. News L., vol. 3, No. 9, p. 1. 1915.
   use and value of sugar. F.B. 535, pp. 27-29. 1913.
   use of shellac, danger to children. Chem. Cir. 91, p. 2. 1912.
   varnishes, determination. Chem. Bul. 132, pp. 58-60. 1910.
   See also Candy.
Conferences—
   extension work among negroes. D.C. 190, pp. 9-11. 1921.
   work of Solicitor for various bureaus. Sol. A.R., 1919, p. 3. 1919; An. Rpts., 1919, p. 471. 1920.
Congaree soils, Virginia, description, uses, and location. D.B. 46, pp. 16, 19, 20. 1913.
CONGER, N. B.: "Forecasts on street cars." W.B. Bul. 31, pp. 206-208. 1902.
Conglutin, determination, experiments. J.A.R., vol. 11, p. 66. 1917.
Congo red, use in culture media. B.P.I. Cir. 130, pp. 15-17. 1913.
Congress—
   Agricultural Mechanics, International, Liége, Belgium, 1905. O.E.S. An. Rpt., 1905, pp. 217-219, 309-312. 1906.
   International, of Agriculture and Agricultural Education. O.E.S. An. Rpt., 1905, pp. 305-321. 1906.

Congress (U. S.)—
   communications by Government employees, Executive order, April, 1912. B.A.I.S.A. 60, p. 35. 1912.
   discussion of agricultural needs. Sec. A.R., 1924, p. 25. 1924.
   gipsy-moth investigation, appropriations. Ent. Bul. 87, pp. 28, 38, 41, 42. 1910.
   influencing by means of public funds, text. D.C. 251, pp. 43-44. 1925.
   members, publications quota. An. Rpts., 1911, p. 126. 1912; Sec. A.R., 1911, p. 124. 1911; Y.B., 1911, p. 124. 1912.
   power to create national forests, Supreme Court decision, sustaining. Sol. Cir. 52, pp. 7. 1911.
Congressional—
   distribution—
      of publications, work, 1919. An. Rpts., 1919, p. 320. 1920; Pub. A.R., 1919, p. 18. 1919.
      of seed. An. Rpts., 1914, p. 128. 1914; B.P.I. Chief Rpt., 1914, p. 28. 1914.
      seed and plant. B.P.I. Cir. 100, pp. 5-16. 1912.
   publications, agricultural, 1908. An. Rpts., 1908, pp. 649-650. 1909; Pub. A.R., 1908, pp. 27-28. 1908.
   Record, reading, and distribution, Publications Division. An. Rpts., 1911, p. 623. 1912; A.R. 1911, p. 13. 1911.
   seed distribution—
      1907. B.P.I. Chief Rpt., 1907, p. 86. 1907.
      1918. An. Rpts., 1918, p. 164. 1919; B.P.I. Rpt., 1918, p. 30. 1918.
      change of method recommended by Agriculture Secretary. News L., vol. 1, No. 17, pp. 1-2. 1913.
   work, Publications Division. An. Rpts., 1916, pp. 270, 272, 273. 1917; Ed. A.R., 1916, pp. 14, 16, 17. 1916.
Conidia—
   Choanephora cucurbitarum, development. J.A.R., vol. 8, pp. 319-328. 1917.
   overwintering, relation of climate, and fruit varieties. D.B. 395, pp. 43-46, 63. 1917.
   Philippine downy mildew, production and spread. J.A.R., vol. 23, No. 4, pp. 239-278. 1923.
   Phytophthora, measurement and germination J.A.R., vo .8, pp. 243-255, 267, 269. 1917.
   production by *Gibberella saubinetii*. James G. Dickson and Helen Johann. J.A.R., vol. 19, pp. 235-237. 1920.
   Sclerospora graminicola, nocturnal production. William H. Weston, jr. J.A.R., vol. 27, pp. 771-784. 1924.
Conies. *See* Pikas.
Coniferae, Pacific slope, description and ranges. For. [Misc.], "Forest trees for Pacific * * *," pp. 19-190. 1908.
Coniferous—
   forests of United States, some principal insect enemies. A. D. Hopkins. Y.B., 1902, pp. 265-282. 1903; Y.B. Sep. 268, pp. 265-282. 1903.
   pollen, type, shape of grains. Chem. Bul. 110, p. 75. 1908.
   seedlings, damping-off, treatment. Perley Spaulding. B.P.I. Cir. 4, pp. 8. 1908.
   timbers, destruction by dry rot, annual losses. B.P.I. Bul. 214, pp. 8, 28, 30. 1911.
   trees—
      diseases, studies. An. Rpts., 1908, p. 293. 1909; B.P.I. Chief Rpt., 1908, p. 21. 1908.
      insect injuries to wood. Ent. Cir. 127, pp. 1-2. 1910.
      key to species. F.B. 468, pp. 39-40. 1911.
      quarantine, covering. An. Rpts., 1916, pp. 372, 374, 383, 384. 1917; F.H.B. An. Rpt., 1916, pp. 2, 4, 13, 14. 1916.
      young, packing and shipping directions. For. Cir. 55, pp. 1-2. 1907.
   wood fiber, sources. Rpt. 89, p. 27. 1909.
Conifers—
   adaptability to Northeastern and Lake States. For. Cir. 195, p. 9. 1912.
   adaptation to—
      Great Plains, lists and description. F.B. 1312, pp. 5, 15-19. 1923.
      Plains region, uses and planting details. F.B. 888, pp. 9-10, 12, 13, 16, 19. 1917.

Conifers—Continued.
  adapted for planting in Eastern States. Y.B., 1909, p. 336. 1910; Y.B. Sep. 517, p. 336. 1910.
  additions to shelter belts on the northern Great Plains. D.L.A. Cir. 5, pp. 7. 1919.
  association with—
    aspen. D.B. 1291, pp. 14, 18, 23–24, 26–28, 31, 36. 1925.
    shortleaf pine in natural stands. D.B. 244, pp. 4–5. 1915.
  blight caused by drought. D.B. 44, pp. 2–11, 20. 1913.
  borers, descriptions and lists. Sec. [Misc.], "A manual of insects * * *," pp. 64, 65, 66–70, 73–75. 1917.
  chlorosis, corrected by spraying with ferrous sulphate. Clarence F. Korstian and others. J.A.R., vol. 21, pp. 153–171. 1921.
  creosote injection, resistance of various kinds. C. H. Teesdale. D.B. 101, pp. 43. 1914.
  damping off. See Damping off.
  description, and key to common kinds. D.C. 223, pp. 3–4. 1922.
  destruction by beetles, South and West. An. Rpts., 1912, pp. 76–77, 148–149. 1913; Sec. A.R., 1912, pp. 76–77, 148–149. 1912; Y.B., 1912, pp. 76–77, 148–149. 1913.
  diseases—
    1908. Y.B., 1908, p. 537. 1909.
    caused by mistletoe infection. D.B. 360, pp. 8–25. 1916.
  distillation experiments. An. Rpts., 1912, p. 546. 1913; For. Bul., 1912, p. 88. 1912.
  distribution, Kansas and Nebraska, growth habits. For. Bul. 66, pp. 12–23, 33–34. 1905.
  drought resistance. J.A.R., vol. 24, pp. 131, 145–160. 1923.
  eastern, volume tables. For. [Misc.], "Volume tables * * *," Pt. II, pp. 146. 1925.
  estimating lumber cut. F.B. 1210, pp. 33–34. 1921.
  experimental plantations. D.B. 1264, pp. 13–39. 1925.
  field planting, methods to prevent snow mold. J.A.R., vol. 24, p. 746. 1923.
  foliage eaten by grouse. Biol. Bul. 24, pp. 34, 39, 40, 41, 42, 43, 44, 48, 51. 1905.
  frost rings, formation, and pathological anatomy. A. S. Rhoads. D.B. 1131, pp. 16. 1923.
  fungi destroying, two new species. J.A.R., vol. 2, pp. 163–164, 166. 1914.
  fungous diseases, causes, and descriptions. For. [Misc.], "Forest tree diseases * * *," pp. 33–58. 1914.
  genera and key to species. D.B. 680, p. 44. 1918.
  growing—
    and planting Northeastern States. C. R. Pettis. For. Bul. 76, pp. 36. 1909.
    and planting on the farm. C. R. Tillotson. F.B. 1453, pp. 38. 1925.
    for forest planting. Y.B., 1905, pp. 186–190 1906; Y.B. Sep. 376, pp. 186–190. 1906.
    season, note. D.B. 1233, pp. 26–27. 1924.
  growth—
    and uses, Illinois. For. Cir. 81, rev., pp 21, 22. 1910.
    in aspen zone, tables. D.B. 1291, pp. 26–28, 31. 1925.
  heat resistance comparison of species. J.A.R., vol. 24, pp. 152–154. 1923.
  hypertrophied lenticels and their relation to moisture and aeration. Glenn G. Hahn and others. J.A.R., vol. 20, pp. 253–266. 1920.
  identification handbook. For [Misc.], "Guidebook * * *," pp. 79. 1917.
  injury(ies) by—
    bagworms. F.B. 1169, p. 32. 1921.
    insects, description. Y.B., 1905, pp. 252–255. 1906.
  inoculation—
    of stems with damping-off fungi. Annie Rathbun-Gravatt. J.A.R., vol. 30, pp. 327–339. 1925.
    with fungi causing seedling diseases, experiments. J.A.R., vol. 15, pp. 526–530, 531–548. 1918.
  insect—
    depredations, Europe and North America. Y.B., 1907, pp. 149–163. 1908; Y. B. Sep. 442, pp. 149–163. 1908.

Conifers—Continued.
  insect—continued.
    injuries. Ent. Bul. 58, Pt. V, pp. 58, 59, 62, 63. 1909.
    pests, lists. Sec. [Misc.], "A manual of insects * * *," pp. 64–84. 1917.
  key to common kinds. D.B. 863, pp. 38–39. 1920.
  midges, description. Sec. Misc.], "A manual of insects * * *," pp. 72, 78, 81, 84. 1917.
  miscellaneous, of Rocky Mountain region. George B. Sudworth. D.B. 680, pp. 45. 1918.
  mistletoe—
    infection. B.P.I. Bul. 166, pp. 10, 23. 1910.
    injury in the Northwest. James R. Weir. D.B. 360, pp. 39. 1916.
  native to Northern Great Plains, and introduced species. D.B. 1113, pp. 10–11, 14. 1923.
  needle-blight on seedlings. D.B. 44, pp. 15–16. 1913.
  nursery—
    planting and care. For. Bul. 76, pp. 12–22. 1909.
    stock, blights. Carl Hartley. D.B. 44, pp. 21. 1913.
    stock, snow molding, control. C. F. Korstian. J.A.R., vol. 24, pp. 741–748. 1923.
  Pacific coast, insect damage to cones and seeds. John M. Miller. D.B. 95, pp. 7. 1914.
  penetration by creosote, relation to wood structure. D.B. 101, pp. 9–18. 1914.
  planting and care. For. Cir. 154, pp. 15–17. 1908.
  planting—
    and care in cooperative shelter-belts. D.L.A. Cir. 6, p. 3. 1919.
    at field station near Mandan, N. Dak. D.B. 1301, pp. 10–11. 1925.
    directions. D.L.A. Cir. 5, pp. 4–6. 1919; For. Cir. 161, pp. 13–14. 1909; For. [Misc.], S–18, pp. 3, 4–7. 1916.
    sand hills of Nebraska and Kansas, methods. For. Bul. 121, pp. 39–43. 1913.
  red rot, control. S.R.S. Rpt., 1916, Pt. I, pp. 49, 269. 1918.
  reproduction, on ranges, relation of sheep grazing. D.B. 738, pp. 7–25. 1918.
  resin, ducts, relation to preservative treatment. For. Bul. 118, p. 21. 1912.
  root rot, damping-off fungi as cause. D.B. 934, pp. 70–73. 1921.
  rots, from two new fungi, description. J.A.R., vol. 2, pp. 163–164, 166. 1914.
  seasoning rate. For. Bul. 118, pp. 9–17. 1912.
  seed(s)—
    amount required per 48 square feet. For. Bul. 76, p. 34. 1909.
    and cone destruction by insects, investigations. Ent. A.R., 1912, p. 20. 1912; An. Rpt., 1912, p. 632. 1913.
    collection, drying, and storing, directions. For. Bul. 76, pp. 6–12. 1909.
    collection, extraction and cleaning. D.B. 475, pp. 3–17. 1917.
    extracting and cleaning. For. Cir. 208, pp. 5–23. 1912.
    injuries by chalcid flies. Ent. T. B. 20, Pt. VI, pp. 158–162. 1913.
    number per pound and average germination. For. Bul. 76, p. 35. 1909.
    planting, and protection in seed bed. For. Bul. 76, pp. 18–20. 1909.
    price and cost of collecting. For. Bul. 76, p. 35. 1909.
    production, injury by mistletoe infection. D.B. 360, pp. 30–31. 1916.
    storage. C. R. Tillotson. J.A.R., vol. 22, pp. 479–510. 1921.
    storage, results of various conditions. J.A.R., vol. 22, pp. 479–510. 1922.
  seeding in chaparral forests. For. Bul. 85, pp. 43, 45. 1911.
  seedling(s)—
    blight, control. An. Rpts., 1911, p. 54. 1912; Sec. A.R., 1911, p. 52. 1911; Y.B., 1911, p. 52. 1912.
    diseases, description, and causes. D.B. 44, pp. 1–21. 1913; J.A.R., vol. 15, pp. 521–558. 1918.
    diseases. See also Damping off.
  shade tolerance, comparison of species. J.A.R., vol. 24, pp. 156–160. 1923.

INDEX TO PUBLICATIONS, 1901–1925   531

Conifers—Continued.
  silvicultural management. D.B. 1291, pp. 36–41. 1925.
  sowing and planting, national forests. An. Rpts., 1912, pp. 506–508, [510, 513. 1913; For. A.R., 1912, pp. 48–50, 52, 55. 1912.
  studies for southern rural schools. D.B. 305, pp. 21, 22, 27, 35. 1915.
  stumpage estimates. For. Cir. 166, pp. 8–10. 1909.
  suitability for shelter belts. D.L.A., Cir. 5, pp. 1–2, 1919.
  susceptibility to—
    damping-off. D.B. 934, pp. 19–22. 1921.
    stem girdle disease. D.B. 44, p. 18. 1913.
  testing for shrinkage, hardness, and weight. D.B. 676, pp. 28–35. 1919.
  timber, indicator of land value and possibilities. J.A.R., vol. 28, pp. 116, 120, 123–126. 1924.
  transpiration tests and sap density, studies. J.A.R., vol. 24, pp. 106–145. 1923.
  transplanting, directions. F.B. 1256, p. 31. 1922; For. Bul. 154, pp. 16, 17. 1908; For. Bul. 76, pp. 20–22. 1909; For. Cir. 61, pp. 1, 30. 1907.
  tyloses, occurrence. J.A.R., vol. 1, pp. 458–462. 1914.
  value as windbreaks. For. Bul. 86, pp. 32, 34, 70, 88–89, 95, 97, 98, 99. 1911; F.B. 1405, pp. 12–13, 15. 1924.
  volume table. F.B. 715, p. 23. 1916.
  water requirements. J.A.R., vol. 24, pp. 114, 124, 126. 1923.
  wilting coefficient, tests and studies in forests. D.B. 1059, pp. 80–100. 1922.
  winterkilling resistance, comparison of species. J.A.R., vol. 24, pp. 154–160. 1923.
  wood structure, gross and microscopic. D.B. 101, pp. 1–4. 1914.
  young—
    applications for, instructions to cooperators. D.L.A. Cir. 5, p. 6. 1919.
    mistletoe effects. J.A.R., vol. 12, pp. 715–718. 1918.
Coniophora—
  cerebella, cause of decay in timber, studies. D.B. 1053, pp. 3, 11, 26, 27, 37. 1922.
  cerebella, infestation of lumber in storage. D.B. 510, pp. 34, 35. 1917.
  olivaceae, injury to jack pine, description. D.B. 212, p. 8. 1915.
Coniothicium, description. Chem. Bul. 133, p. 41. 1911.
Coniothyrium—
  caryogenum, cause of kernel spot of pecans, description. J.A.R., vol. 1, pp. 330–334, 338. 1914.
  diplodiella, similarity to Schizoparme straminea. J.A.R., vol. 23, pp. 751–752. 1923.
  fuckelii, occurrence on rose, Texas, and description. B.P.I. Bul. 226, p. 88. 1912.
  olivaceum, occurrence on magnolia, Texas. B.P.I. Bul. 226, p. 71. 1912.
  pirinum, inoculation experiments with apple leaves. J.A.R., vol. 2, pp. 57–65. 1914.
  sp., parasitic on brown fungus of the white fly. Ent. Bul. 102, p. 32. 1912.
Conisporium gecevi, cause of cob rot of corn. J.A.R., vol. 23, p. 498. 1923.
Conium—
  description and similarity to Cicuta. D.B. 69, pp. 4–5. 1914.
  growing and uses, harvesting, marketing and prices. F.B. 663, rev., p. 29. 1920.
  maculatum. See Poison hemlock.
Conjunctivitis—
  cattle—
    simple and infectious catarrhal. B.A.I. [Misc.], "Diseases of cattle," rev., pp. 344–345. 1923.
    simple and infectious, symptoms and treatment. B.A.I. [Misc.] "Diseases of cattle," rev., pp. 356–357. 1912.
    simple and specific. B.A.I. Doc. A–14, pp. 1–2. 1917.
  See also Ophthalmia.
  sheep, cause and control. F.B. 1155, pp. 24–25. 1921.
Conkey's "Dip and disinfectant," "Noxicide," and "Fly knocker," misbranding. I. and F. Bd. N.J. 19, p. 3. 1913.
CONN, H. J.: "Taxonomic study of two important soil ammonifiers." J.A.R., vol. 16, pp. 333–350. 1919.

CONN, H. W.: "The Camembert type of soft cheese in the United States." With others. B.A.I. Bul. 71, pp. 29. 1905.
CONN, J. H.: "Accounting records for sampling apples by weight." With A. V. Swarthout. D.B. 1006, pp. 13. 1921.
Connecticut—
  Agricultural College, teachers' courses. O.E.S. Cir. 118, p. 9. 1913.
  agricultural colleges and experiment stations, organization—
    1905. O.E.S. Bul. 161, pp. 15–16. 1905.
    1907. O.E.S. Bul. 176, pp. 16–17. 1907.
    1908. O.E.S. Bul. 197, pp. 17–18. 1908.
    1910. O.E.S. Bul. 224, pp. 14–15. 1910.
  See also agriculture, workers * * * list.
  apple growing, areas, and varieties, and production. D.B. 485, pp. 7, 15, 44–47. 1917.
  apple production, 1899 and 1909, comparison with other States. D.B. 140, pp. 35–37. 1915.
  appropriations for agricultural education. O.E.S. An. Rpt., 1910, p. 352. 1911.
  Arbor Day work. D.C. 265, pp. 3–4. 1923.
  barley crops, 1866–1906, acreage, production and value. Stat. Bul. 59, pp. 7–19, 28. 1907.
  bee and honey statistics, 1914–1915. D.B. 325, pp. 9, 10, 11, 12. 1915; D.B. 685, pp. 6–31. 1918.
  bee diseases, occurrence. Ent. Cir. 138, p. 5. 1911.
  Bethel, community building, description, cost, and uses. F.B. 1274, pp. 25–27. 1922.
  bird protection. See Bird protection.
  Bolton community house, description, and plans. F.B. 1173, p. 13. 1921.
  bounty laws, 1907. Y.B. 1907, p. 561. 1908; Y.B. Sep. 473, p. 561. 1908.
  buckwheat crops, 1866–1906, acreage, production, and value. Stat. Bul. 61, pp. 5–17, 19. 1908.
  closed season for shorebirds and woodcock. Y.B., 1914, pp. 292, 293. 1915; Y.B. Sep. 642, pp. 292, 293. 1915.
  convict road work, laws. D.B. 414, p. 197. 1916.
  cooperative organizations, statistics, and laws. D.B. 547, pp. 12, 14, 18. 1917.
  corn—
    crops, 1866–1906, acreage, production, and value. Stat. Bul. 56, pp. 7–27, 29. 1907.
    growing, practices and farm conditions in Hartford County. D.B. 320, pp. 35–37. 1916.
    hybrids, first-generation, experiments. B.P.I. Bul. 191, pp. 18–20. 1910.
    production, movements, consumption, and prices. D.B. 696, pp. 14, 16, 27, 30, 33, 36, 38, 40, 45. 1918.
    yields and prices, 1866–1915. D.B. 515, p. 5. 1917.
  credits, farm-mortgage loans, costs and sources. D.B. 384, pp. 2, 3, 4, 7, 10. 1916.
  crop planting and harvesting dates. Stat. Bul. 85, pp. 18, 53, 74, 103. 1912.
  crow roosts, location and numbers of birds. Y.B. 1915, p. 91. 1916; Y.B. Sep. 659, p. 91. 1916.
  dairy—
    farms, cropping systems. F.B. 337, pp. 17–19. 1908.
    farms, milk production cost, data. D.B. 501, pp. 19–20, 26, 32–33. 1917.
    herds, records. F.B. 384, pp. 16–18. 1910.
  demurrage, provisions and regulations. D.B. 191, pp. 3, 25. 1915.
  drainage work for mosquito eradication. Ent. Bul. 88, p. 42. 1910.
  drug laws. Chem. Bul. 98, pp. 40–42. 1906; Chem. Bul. 98, rev., Pt. I, pp. 58–63. 1909.
  early settlement, historical notes. See Soil surveys for various counties and areas.
  enrollment in campaign for "Better sires." News L., vol. 7, No. 5, p. 14. 1919.
  experiment stations—
    organization. O.E.S. Bul. 247, p. 16. 1912.
    wheat testing. F.B. 616, p. 12. 1914.
    work—
      1906. O.E.S. An. Rpt., 1906, pp. 88–91. 1907.
      1907. O.E.S. An. Rpt., 1907, pp. 82–85. 1908.
    work and expenditures—
      1908. O.E.S. An. Rpt., 1908, pp. 75–78. 1909.
      1909. O.E.S. An. Rpt. 1909, pp. 85–88. 1910.
      1910. O.E.S. An. Rpt., 1910, pp. 72, 73, 109–114. 1911.

Connecticut—Continued.
  experiment stations—continued.
    work and experiments—continued.
      1911. O.E.S. An. Rpt., 1911, pp. 84–88. 1912.
      1912. O.E.S. An. Rpt., 1912, pp. 86–92. 1913.
      1915. S.R.S. Rpt., 1915, Pt. I, pp. 81–87. 1917.
      1916. S.R.S. Rpt., 1916, Pt. I, pp. 80–85. 1918.
      1917. S.R.S. Rpt., 1917, Pt. I, pp. 77–83. 1918.
      1918. Work and Exp., 1918, pp. 33, 38, 42, 56, 70–80. 1920.
      See also Connecticut agricultural colleges and experiment stations.
    extension work—
      funds allotment, and county-agent work. S.R.S. Doc. 40, rev., pp. 4, 5, 9, 14, 23, 25, 28. 1918.
      in agriculture and home economics, 1915, report. H. J. Baker. S.R.S. Rpt., 1915, Pt. II, pp. 183–187. 1917.
      in agriculture and home economics, 1916, report. H. J. Baker. S.R.S. Rpt., 1916, Pt. II, pp. 187–192. 1917.
      in agriculture and home economics, 1917, report. H. J. Baker. S.R.S. Rpt., 1917, Pt. II, pp. 198–202. 1919.
      statistics. D.C. 253, pp. 3, 4, 7, 10–11, 17, 18. 1923; D.C. 306, pp. 3, 5, 9, 14, 20–21. 1924.
    fairs, number, kind, location, and dates. Stat. Bul. 102, pp. 13, 14, 19–20. 1913.
    farm—
      animals, statistics, 1867–1907. Stat. Bul. 64, p. 100. 1908.
      conditions, letters from women, citations. Rpt. 103, pp. 28, 31, 37, 56, 62, 75. 1915; Rpt. 104, pp. 9, 15, 23, 31, 36, 43, 71, 75. 1915; Rpt. 105, pp. 24, 37, 48. 1915; Rpt. 106, pp. 25, 59, 64. 1915.
      values, changes, 1900–1905. Stat. Bul. 43, pp. 11–17, 29–46. 1906.
    farmers'—
      cooperative exchange, scope. News L. vol. 6, No. 42, p. 16. 1919.
      experience with motor trucks. D.B. 910, pp. 1–37. 1920.
    farmers' institute(s)—
      history. O.E.S. Bul. 174, pp. 22–24. 1906.
      laws. O.E.S. Bul. 135, rev., pp. 10–11. 1903; O.E.S. Bul. 241, p. 10. 1911.
      work—
        1904. O.E.S. An. Rpt., 1904, pp. 634–635. 1905.
        1906. O.E.S. An. Rpt., 1906, p. 324. 1907.
        1907. O.E.S. Bul. 199, p. 21. 1908; O.E.S. An. Rpt., 1907, pp. 319–321. 1908.
        1908. O.E.S. An. Rpt., 1908, p. 307. 1909.
        1909. O.E.S. An. Rpt., 1909, p. 342. 1910.
        1910. O.E.S. An. Rpt., 1910, p.402. 1911.
        1911. O.E.S. An. Rpt., 1911, p. 369. 1912.
        1912. O.E.S. An. Rpt., 1912, p. 362. 1913.
    fertilizer-control laws. Soils Bul. 58, pp. 17–19. 1910.
    fertilizer prices, 1919, by counties. D.C. 57, pp. 5, 7. 1919.
    field work of Plant Industry, December, 1924. M. C. 30, p. 13. 1925.
    food laws—
      1902. Chem. Bul. 69, Pt. I, pp. 85–98. 1902.
      1903. Chem. Bul. 83, Pt. I, pp. 26–29. 1904.
      1905. Chem. Bul. 69, Pt. I, pp. 85–98. 1905.
      1907. Chem. Bul. 112, Pt. I, pp. 30–33, 152–155. 1908.
      1908. enforcement. Chem. Cir. 16, rev., p. 7. 1908.
    forest(s)—
      conditions. For. Bul. 96, pp. 10–14. 1912.
      fires, statistics. For. Bul. 117, p. 27. 1912.
      legislation, 1907. Y.B. 1907, p. 575. 1908; Y.B. Sep. 470, p. 15. 1908.
      planting, State work. Y.B. 1909, pp. 336. 1910; Y.B. Sep. 517, pp. 336. 1910.
      resources, topography, climate, and soil. For. Bul. 96, pp. 10–11. 1912.
    forestry laws—
      1921, summary. D.C. 239, pp. 5–6. 1922.
      parallel classification. For. Law Leaf. 18, pp. 12. 1916.

Connecticut—Continued.
  funds for cooperative extension work, sources. S. R. S. Doc. 40, pp. 4, 5, 8, 14. 1917.
  fur animals, laws—
    1915. F.B. 706, p. 4. 1916.
    1916. F.B. 783, pp. 5–6, 27. 1916.
    1917. F.B. 911, pp. 7–8, 31. 1917.
    1918. F.B. 1022, pp. 7, 30. 1918.
    1919. F.B. 1079, pp. 4, 10, 31. 1919.
    1920. F.B. 1165, p. 9. 1920.
    1921. F.B. 1238, pp. 8, 31. 1921.
    1922. F.B. 1293, pp. 5–6. 1922.
    1923–24. F.B. 1387, p. 8. 1923.
    1924–25. F.B. 1445, pp. 6–7. 1924.
    1925–26. F.B. 1469, p. 9. 1925.
  game laws—
    1902. F.B. 160, pp. 12, 31, 54, 56. 1902.
    1903. F.B. 180, pp. 9, 22, 32, 44, 46, 53. 1903.
    1904. F.B. 207, pp. 17, 32, 60. 1904.
    1905. F.B. 230, pp. 17, 32, 60. 1905.
    1906. F.B. 265, pp. 8, 14, 29, 37, 42. 1906.
    1907. F.B. 308, pp. 6, 12, 27, 35, 41. 1907.
    1908. F.B. 336, pp. 14, 30, 39, 44, 49. 1908.
    1909. F.B. 376, pp. 6, 12, 16, 19, 33, 39, 42, 46. 1909.
    1910. F.B. 418, pp. 13, 26, 32, 35, 40. 1910.
    1911. F.B. 470, pp. 10, 17, 31, 37, 41, 46. 1911.
    1912. F.B. 510, pp. 12, 25–26, 27, 33, 37, 39, 41, 42. 1912.
    1913. D.B. 22, pp. 11, 20, 24, 39, 45, 48, 52. 1913; D.B. 22, rev., pp. 11, 19, 24, 39, 45, 48, 52. 1913.
    1914. F.B. 628, pp. 10 11, 12, 16, 28–29, 30, 37, 40, 44, 45, 46. 1914.
    1915. F.B. 692, pp. 9, 26, 40, 46, 50, 51, 57. 1915.
    1916. F.B. 774, pp. 23, 38, 45, 48, 50, 57. 1916.
    1917. F.B. 910, pp. 14, 47, 50. 1917.
    1918. F.B. 1010, pp. 11, 45, 61. 1918.
    1919. F.B. 1077, pp. 13, 49, 52, 72, 73. 1919.
    1920. F.B. 1138, p. 14. 1920.
    1921. F.B. 1235, pp. 16, 55. 1921.
    1922. F.B. 1288, pp. 12, 52, 67. 1922.
    1923–24. F.B. 1375, pp. 13–14, 49. 1923.
    1924–25. F.B. 1444, pp. 8–9, 36. 1924.
    1925–26. F.B. 1466, pp. 14–15, 44. 1925.
  game protection. See Game protection.
  Gilead community house, description and plans. F.B. 1173, pp. 10, 11. 1921.
  gipsy moth and brown-tail moth work—
    1910. An. Rpts., 1910, pp. 512–513. 1911; Ent. A. R., 1910, pp. 8–9. 1910.
    1911. An. Rpts., 1911, pp. 497–498. 1912; Ent. A. R., 1911, pp. 7–8. 1911.
    1922. F.B. 1335, pp. 25, 27. 1923.
  gipsy moth control, work, 1909, and results. An. Rpts., 1909, p. 494. 1910; Ent. Bul. 87, pp. 41, 45–46, 47, 56–57. 1910; Ent. A. R., 1909, p. 8. 1909.
  Goshen Poultry Club, demonstration work. D.C. 152, p. 22. 1921.
  grain supervision districts, counties. Mkts. S.R.A. 14, p. 1. 1916.
  hardwoods, second-growth. Earl H. Frothingham. For. Bul. 96, pp. 70. 1912.
  hauling, overloading of trucks. Off. Rec., vol. 1, No. 10, p. 3. 1922.
  hay crops, 1866–1906, acreage, production, and value. Stat. Bul. 63, pp. 5–25, 27. 1908.
  herds, lists of tested and accredited. D.C. 54, pp. 11, 27, 50. 1919. D.C. 142, pp. 7, 17, 30, 47–49. 1920; D.C. 143, pp. 3, 6, 20, 61. 1920; D.C. 144, p. 19. 1920.
  highway—
    department, establishment and work. Y.B. 1914, pp. 214, 217–218, 222. 1915; Y.B. Sep. 638, pp. 214, 217–218, 222. 1915.
    system, transportation problems, study. An. Rpts., 1923, pp. 467–468. 1924; Rds. Chief Rpt. 1923, pp. 5–6. 1923.
    tonnage studies. Off. Rec., vol. 2, No. 52, p. 3. 1923.
  insecticide and fungicide law, new. I. and F.Bd. S.R.A. 21, p. 437. 1918.
  lard supply, wholesale and retail, Aug. 31, 1917, tables. Sec. Cir. 97, pp. 13–31. 1918.
  law(s)—
    against Sunday shooting. Biol. Bul. 12, rev., p. 63. 1902.

INDEX TO PUBLICATIONS, 1901–1925   533

Connecticut—Continued.
 laws(s)—continued.
  dog control, digest. F.B. 935, p. 12. 1918;
   F.B. 1268, p. 12. 1922.
  nursery stock interstate shipment. Ent. Cir.
   75, rev., p. 2. 1909; F.H.B.S.R.A. 57, pp. 113,
   114. 1919.
 legislation—
  protecting birds. Biol. Bul. 12, rev., pp. 15,
   18, 19, 33, 34, 35, 36, 37, 43, 46, 47, 48, 81–82,
   134–136. 1902.
  relative to tuberculosis. B.A.I. Bul. 28, p. 13.
   1901.
 leopard moth, introduction and damage. F.B.
  708, pp. 3, 4. 1916.
 livestock admission, sanitary requirements.
  B.A.I. Doc. A–28, p. 6. 1917; B.A.I. Doc. A–36,
  p. 8. 1920; M.C. 14, pp. 8–9. 1924.
 livestock association. Y.B. 1920, p. 517. 1921;
  Y.B. Sep. 866, p. 517. 1921.
 lumber cut—
  1918, by mills, by woods, and lath and shingles.
   D.B. 845, pp. 6–10, 14, 16, 21, 28, 42–47. 1920
  1920, 1870–1920, value and kinds, D.B. 1119,
   pp. 27, 30–35, 48, 56, 58. 1923.
 maple sugar and sirup production. F.B. 516,
  pp. 44–46. 1912.
 marketing activities and organization. Mkts.
  Doc. 3, p. 2. 1916.
 meat inspection, report. Sec. Cir. 58, pp. 2–4.
  1916.
 meteorological data. Chem. Bul. 127, pp. 19,
  34, 44, 53. 1909.
 Middletown, experiments on cheese digestibility.
  B.A.I. Cir. 166, pp. 9–15. 1911.
 milk production, investigations, canvasses and
  summaries. B.A.I. Bul. 164, pp. 28–29, 42, 45,
  46, 47, 48, 49, 50, 51, 52, 53, 55. 1913.
 milk supply and laws. B.A.I. Bul. 46, pp. 26, 30,
  34, 53–56. 1903.
 mineral waters, analyses. Chem. Bul. 139, pp.
  96–105. 1911.
 moth control—
  State work, area infested. F.B. 564, p. 22. 1914.
  use of *Calosoma sycophanta*, 1914. D.B. 251,
   p. 39. 1915.
 nutrition investigation, respiration and calorimeter.
  An. Rpts., 1907, pp. 690–691. 1907.
 oat crops, 1866–1906, acreage, production, and
  value. Stat. Bul. 58, pp. 5–25, 27. 1907.
 partridge rearing experiments. Y.B., 1909, pp.
  255–256. 1910. Y.B. Sep. 510, pp. 255–256.
  1910.
 pasture land on farms. D.B. 626, pp. 14, 23. 1918.
 peach(es)—
  carload shipments from various stations, 1914.
   D.B. 298, p. 10. 1915.
  growing, production, districts, and varieties.
   D.B. 806, pp. 4, 5, 7, 8, 9, 12. 1919.
  industry, season, and shipments, 1914. D.B.
   298, pp. 4, 5, 10. 1916.
  shipping season and area of production. D.B.
   298, pp. 4, 5, 6, 10. 1915.
  varieties, names and ripening dates. F.B. 918,
   p. 7. 1918.
 pear growing, distribution, and varieties. D.B.
  822, p. 6. 1920.
 potato crops, 1866–1906, acreage, production, and
  value. Stat. Bul. 62, pp. 7–27, 29. 1908.
 public roads, mileage and expenditures, 1904.
  Rds. Cir. 86, pp. 2. 1907.
 quarantine for—
  brown-tail and gipsy moths, Aug. 1, 1914.
   F.H.B.S.R.A. 6, p. 48. 1914; F.H.B. Quar.
   45, pp. 2, 3. 1920.
  foot-and-mouth disease—
   Nov. 16, 1914. B.A.I.O. 229, amdt. 7, p. 1.
    1914.
   Jan., 1915. B.A.I.O. 231, p. 2. 1915; B.A.I.O.
    231, amdt. 2, p. 1. 1915.
   February 1, 1915. B.A.I.O. 232, p. 1. 1915.
   Feb. 17, 1915. B.A.I.O. 234, p. 3. 1915.
   Mar. 8, 1915. B.A.I.O. 236, pp. 1, 3. 1915.
   May 1, 1915. B.A.I.O. 238, p. 3. 1915.
   May 24, 1915. B.A.I.O. 238, amdt. 3, p. 1.
    1915.
   modification, July 19, 1915. B.A.I.O. 238,
    amdt. 11, pp. 1, 3, 4. 1915.
 raw rock phosphate, field experiments, and results.
  D.B. 699, pp. 28–29. 1918.

Connecticut—Continued.
 road(s)—
  bond-built, amount of bonds and rate. D.B.
   136, pp. 13, 34, 49, 85. 1915.
  building rock tests, 1916 and 1917. D.B. 670,
   pp. 4, 24. 1918.
  building rock tests, results. D.B. 370, pp.
   17–18. 1916; D.B. 1132, pp. 5, 46, 51. 1923.
  discussion and statistics. D.B. 388, pp. 21–24,
   40–42, 70–74. 1917.
  materials, tests. Rds. Bul. 44, p. 36. 1912.
  mileage and expenditures—
   1909. Rds. Bul. 41, pp. 14–15, 40, 42, 49–50.
    1912.
   (to) Jan. 1, 1915. Sec. Cir. 52, pp. 2, 4, 6.
    1915. Sec. Cir. 74, pp. 4, 5, 7, 8. 1917.
  projects approved, 1918, 1919. An. Rpts.,
   1919, pp. 401, 403, 405, 407. 1920; Rds. Chief
   Rpt., 1919, pp. 11, 13, 15, 17. 1919.
 rye crops, 1866–1906, acreage, production, and
  value. Stat. Bul. 60, pp. 5–25, 27. 1908.
 San Jose scale, occurrence. Ent. Bul. 62, p. 21.
  1906.
 School of Horticulture, Hartford, school-garden
  work. O.E.S., Bul. 160, pp. 19–21. 1905.
 sheep club, demonstrations and results. D.C.
  152, p. 19. 1912.
 shipments of fruits and vegetables, and index to
  station shipments. D.B. 667, pp. 6–13, 18.
  1918.
 soil survey of—
  Connecticut Valley. Elmer O. Fippin. Soil
   Sur. Adv. Sh., 1903, pp. 27. 1904; Soils
   F.O., pp. 39–61. 1904.
  Hartford County. *See* Connecticut Valley.
  New London County. W. E. McLendon.
   Soil Sur. Adv. Sh., 1912, pp. 29. 1913; Soils
   F.O., 1912, pp. 31–55. 1915.
  Tolland County. *See* Connecticut Valley.
  Windham County. W. E. McLendon. Soil
   Sur. Adv. Sh., 1911, pp. 29. 1912; Soils F.O.,
   1911, pp. 69–93. 1914.
 soils, with reference to apples and peaches.
  Henry J. Wilder. D.B. 140, pp. 73. 1915.
 southeastern, soil characteristics. D.B. 140, pp.
  16–18. 1915.
 standard containers. F.B., 1434, p. 17. 1924.
 State legislation, for forest-fire protection, enactment,
  text. For. Cir. 205, p. 11. 1912.
 Storrs Experiment Station—
  cheese studies and experiments. An. Rpts.,
   1910, pp. 240–241. 1911; B.A.I. Chief Rpt.,
   1910, pp. 46–47. 1910.
  work and expenditures, 1910. O.E.S. An.
   Rpt., 1910, pp. 72, 112–114. 1911.
 strawberry shipments, 1914. D.B. 237, p. 7,
  1915; F.B. 1028, p. 6. 1919.
 timber tax. Y.B., 1914, pp. 440, 441. 1915;
  Y.B. Sep. 651, pp. 440, 441. 1915.
 tobacco—
  acreage and production. Farm M. [Misc.],
   "Geography * * * world's agriculture,"
   pp. 61, 62, 63. 1917.
  fields, fertilizing value of hairy vetch. T. R.
   Robinson. B.P.I. Cir. 15, pp. 5. 1908.
  grades, establishment. Off. Rec., vol. 2, No.
   39, p. 8. 1923.
  growing—
   and handling, work of 1907. An. Rpts., 1907,
    pp. 270–271. 1907.
   historical notes, and present conditions.
    Y.B., 1922, pp. 401–405, 407–409, 413, 414,
    417. 1923; Y.B. Sep. 885, pp. 401–405, 407–
    409, 413, 414, 417. 1923.
   methods, 1912. B.P.I. Bul. 244, pp. 17, 18,
    22, 23, 99. 1912.
   rank, 1914–1918. Y.B., 1919, p. 154. 1920;
    Y.B. Sep. 805, p. 154. 1920.
   production of cigar type. B.P.I. Cir. 48, pp.
    5–6. 1910.
  shade-grown, remarks of Secretary. An. Rpts.,
   1905, p. LXXXIII. 1906.
  trucking industry, acreage and crops, notes.
   Y.B., 1916, pp. 451, 455–465. 1917; Y.B. Sep.
   702, pp. 17, 21–31. 1917.
  wage rates, farm labor, 1850–1855, and 1866–1909.
   Stat. Bul. 99, pp. 12, 29–43, 68–70. 1912.
  water supply, records, by counties. Soils Bul. 92,
   pp. 40–41. 1913.
  weight variations. Sec. Cir. 95, p. 4. 1918.

Connecticut—Continued.
wheat—
acreage and varieties. D.B. 1074, p. 209. 1922.
crops, acreage, production and value. Stat. Bul. 57, pp. 5–25, 27. 1907; Stat. Bul. 57, rev., pp. 5–25, 27, 36. 1908.
varieties grown. F.B. 1166, p. 16, 1921.
yields and prices, 1866–1900. D.B. 514, p. 5. 1917.
Connecticut River, water-power development. For. Cir. 168, pp. 17–20. 1909.
Connecticut Valley—
onions, distribution. D.B. 1325, pp. 29–30. 1925.
soil characteristics. D.B. 140, pp. 21–24. 1915.
tobacco, cigar-wrapper, production under shade. J. B. Stewart. B.P.I. Bul. 138, pp. 31. 1908.
tobacco investigations. An. Rpts., 1908, pp. 49–51, 341–344. 1909; B.P.I. Chief Rpt., 1908, pp. 69–72. 1909.
CONNELL, J. H.: "The Farmers' Institute with relation to the agricultural journals." O.E.S. Bul. 213, pp. 59–62. 1909.
CONNELY, E. L.: "The refrigeration of dressed poultry in transit." With others. D.B, 17, pp. 35. 1913.
CONNER, A. B.: "The best two sweet sorghums for forage." F.B. 458, pp. 23. 1911.
CONNER, S. D.—
"Natural carbonates of calcium and magnesium in relation to * * * acid soils." With H. A. Noyes. J.A.R., vol. 18, pp. 119–125. 1919.
"Nitrates, nitrification, and bacterial contents of five typical acid soils as affected by lime, fertilizers, crops, and moisture. J.A.R., vol. 16, pp. 27–42. 1919.
"Soil acidity as affected by moisture conditions of the soil." J.A.R., vol. 15, pp. 321–329. 1918.
"The management of Decatur County soils. [Indiana]." With A. T. Wiancko. Soils F.O., 1919; pp. 1307–1318. 1925; Soil Sur. Adv. Sh., 1919, Pt. II, pp. 21–22. 1922.
CONNOR, L. G.: Farm management and farm profits on irrigated land in the Provo area. (Utah Lake Valley.)" D.B. 582, pp. 40. 1918.
Conocarpus erecta, injury by sapsuckers. Biol. Bul. 39, p. 47. 1911.
CONOLLY, H. M.:—
"Illustrated lecture on orchard management." With E. J. Glasson. S.R.S. Syl. 23, pp. 15. 1916.
"Illustrated lecture on practical improvement of farm grounds." With F. L. Mulford. S.R.S. Syl. 28, pp. 13. 1917.
"Illustrated lecture on renovating the neglected apple orchard." S.R.S. Syl. 31, pp. 16. 1918.
"Illustrated lecture on sweet potatoes; culture and storage." S.R.S. Syl. 26, pp. 22. 1917.
"Illustrated lecture on the city and suburban vegetable garden." S.R.S. Syl. 33, pp. 20. 1918.
"Illustrated lecture on the farm vegetable garden." With H. C. Thompson. S.R.S. Syl. 27, pp. 15. 1917.
"The city and suburban vegetable garden." F.B. 936, pp. 52. 1918.
Conophthorus spp. See Cone beetles.
Conospermum taxifolium, importation and description. No. 40040, B.P.I. Inv. 42, p. 58. 1918.
Conotrachelus—
affinis. See Curculio, hickory-nut.
anaglypticus—
distribution, description, life history, and control. J.A.R., vol. 28, pp. 377–386. 1924.
See also Curculio, cambium.
gibbosus synonym of C. nenuphar. Ent. Bul. 103, p. 14. 1912.
juglandis. See Curculio, butternut.
nenuphar—
control. Ent. Cir. 120, pp. 1–7. 1910.
control and life history. F.B. 1270, pp. 7–10. 1922.
synonymy, common names, and history. Ent. Bul. 103, pp. 13–27. 1912.
See also Curculio, plum.
retentus. See Curculio, black-walnut.
spp., fumigation experiments. D.B. 186, pp. 4–5. 1915.
infestation with boll weevil parasites. Ent. Bul. 100, pp. 45, 48, 53, 54, 64, 65, 77–78. 1912.
variegatus, synonym of Conotrachelus nenuphar. Ent. Bul. 103, p. 14. 1912.

CONOVER, J. A.: "How to build a stave silo." With B. H. Rawl. B.A.I. Cir. 136, pp. 18. 1909.
CONREY, GUY: "Soil survey of—
Columbia County, Wis." With others. Soil Sur. Adv. Sh., 1911, pp. 61. 1913; Soils F.O., 1911, pp. 1365–1421. 1914.
Dane County, Wis." With others. Soil Sur. Adv. Sh., 1913, pp. 78. 1915; Soils F.O., 1913, pp. 1487–1560. 1916.
Fond du Lac County, Wis." With others. Soil Sur. Adv. Sh., 1911, pp. 43. 1913; Soils F.O., 1911, pp. 1423–1461. 1914.
Rock County, Wis." With others. Soil Sur. Adv. Sh., 1917, pp. 51. 1920; Soils F.O., 1917, pp. 1183–1229. 1923.
Sandusky County, Ohio." With others. Soil Sur. Adv. Sh., 1917, pp. 64. 1920; Soils F.O., 1917, pp. 1079–1138. 1923.
Wood County, Wis." With others. Soils F.O., 1915, pp. 1537–1588. 1919; Soils Sur. Adv. Sh., 1915, pp. 51. 1917.
Conservation—
antelope, work of organizations and States. D.B. 1346, pp. 8–64. 1925.
commission, California, irrigation work, 1911. O.E.S. An. Rpt., 1911, pp. 33–34. 1913.
Crater National Forest, resources. Findley Burns. For. Bul. 100, pp. 20. 1911.
fats and oils. News L., vol. 6, No. 32, p. 14. 1919.
fertilizer materials from minor sources. C. C. Fletcher. Y.B. 1917, pp. 283–288. 1918; Y.B. Sep. 733, pp. 8. 1918.
food—
extension work, 1918, report. S.R.S. Rpt., 1918, pp. 17–18, 52, 54–56, 91–92, 99–101. 1919.
necessity of continuation. An. Rpts., 1918, p. 9. 1919; Sec. A.R., 1918, p. 9. 1918.
products, appointment of committee by Secretary, and membership. News L., vol. 4, No. 52, p. 2. 1917.
publications, 1918. An. Rpts., 1918, pp. 291–293. 1919; Pub. A.R., 1918, pp. 11–13. 1918.
foodstuffs, service of cold storage. I. C. Franklin. Y.B. 1917, pp. 363–370. 1918; Y.B. Sep. 745, pp. 11. 1918.
land resources of the United States. For. Cir. 159, pp. 1–15. 1909.
movement in forest use. Y.B. 1908, p. 547. 1909; For. Cir. 167, pp. 3–4. 1909.
National Committee, appointment by President, letter, June 8, 1908. For. Cir. 157, pp. 21–24. 1908.
of natural resources—
Gifford Pinchot. F.B. 327, pp. 12. 1908.
L. G. Carpenter. O.E.S. Bul. 228, pp. 32–34. 1910.
declaration of governors. F.B. 340, pp. 7. 1908.
primer. Treadwell Cleveland, jr. For. Cir. 157, pp. 24. 1908.
of phosphate deposits, necessity and importance. Soils Bul. 69, pp. 7, 48. 1910.
problems, relation of iron production. Rds. Bul. 35, p. 7. 1909.
soil, address of President Taft before National Conservation Congress, 1911. Sec. Cir. 38, pp. 8. 1911.
soil resources. F.B. 342, pp. 5–10. 1909.
storage-warehouse, history, value, and methods, D.B. 277, pp. 3–7. 1915.
Conserve(s)—
Damson plum, recipe. News L., vol. 5, No. 1, p. 3. 1917.
fig, recipe and directions. F.B. 1031, p. 42. 1919.
Muscadine grapes, directions for making. F.B. 859, pp. 19, 22. 1917; F.B. 1454, p. 16. 1925.
red, adulteration and misbranding. See Indexes, Notices of Judgment, in bound volumes and in separates published as supplements to Chemistry Service and Regulatory Announcements.
Constipation—
causes and treatment. For. [Misc.], "First-aid manual * * *," pp. 82–83. 1917.
in—
calf, causes and treatment. F.B. 1135, pp. 11–12. 1920.
calf, treatment. B.A.I. [Misc.], "Diseases of cattle," rev., p. 258. 1912; B.A.I. [Misc.], "Diseases of cattle," rev., p. 253. 1923.

Constipation—Continued.
in—continued.
cattle, remedies. B.A.I. [Misc.], "Diseases of cattle," rev., pp. 26, 27, 33, 38–39, 258. 1912; B.A.I. Cir. 68, rev., pp. 3, 9, 14. 1909.
goat, use of Epsom salts,or castor oil for control. F.B. 920, p. 36. 1918.
ostriches, remedy. B.A.I. An. Rpt., 1909, p. 236. 1911; B.A.I. Cir. 172, p. 236. 1911.
sheep, cause, symptoms and treatment. F.B. 1155, p. 30. 1921.
Construction—
work, Forest Service, laws. Sol. [Misc.], "Laws applicable * * * Agriculture," pp. 27–28, 30. 1916.
See also Building.
Consumers—
cooperation, assistance to farmers. Rpt. 98, p. 32. 1913.
packages, butter, kinds and description. D.B. 456, pp. 8–13, 36. 1917.
Consumption—
cure(s)—
fraudulent claims, warnings. News L., vol. 2, No. 38, p. 6. 1915.
investigation, 1910. An. Rpts., 1910, p. 443 1911; Chem. Chief Rpt., 1910, p. 19. 1910.
investigation, 1911. Chem. Chief Rpt., 1911, p. 25, 1911; An. Rpts., 1918, p. 439. 1912.
misbranding. See also Indexes, Notices of Judgment, in bound volumes and in separates published as supplements to Chemistry Service and Regulatory announcements.
narcotic, danger. F.B. 393, pp. 13–14. 1910.
See also Tuberculosis.
Consumptive's weed. See Yerba santa.
Contact—
insecticides. See Insecticides.
officers, change. Off. Rec., vol. 3, No. 34, p. 4. 1924.
process, sulphuric acid manufacture. D.B. 283, pp. 2–3, 15–26. 1915.
Contagion—
comparison with infection, discussion. B.A.I. [Misc.], "Diseases of cattle," rev., pp. 361–362, 1923.
from foreign cattle, protection—
1901. Y.B., 1901, p. 624. 1902.
1907. Y.B., 1907, p. 514. 1908; Y.B. Sep. 464, p. 514. 1908.
provisions against, 1908. Y.B., 1908, p. 507. 1909; Y.B., Sep. 497, p. 507. 1909.
Contagious diseases—
animal(s)—
changes in State laws. Y.B., 1902, p. 714. 1903.
control—
1905. An. Rpts., 1905, pp. 37–39. 1906; B.A.I. Chief Rpt., 1905, pp. 37–39. 1907.
1906. An. Rpts., 1906, pp. 135–137. 1907; B.A.I. Chief Rpt., 1906, pp. 17–19. 1906; Rpt. 83, p. 19. 1906.
1907. An. Rpts., 1907, pp. 30–31. 1908; Y.B., 1907, pp. 29–30. 1908; Sec. A.R., 1907, pp. 28–29. 1907; Rpt. 85, pp. 19–20. 1907.
1908. An. Rpts., 1908, pp. 32–35, 224, 231–234, 1909; B.A.I. Chief Rpt., 1908, pp. 10, 16–19. 1910. Rpt. 87, pp. 18–20. 1908; Sec. A.R., 1908, pp. 30–33. 1908; Y. B.,1908, pp. 32–35. 1909.
relation of Federal Government. D. E. Salmon. Y.B., 1903, pp. 491–506. 1904; Y.B. Sep. 303, pp. 491–506. 1904.
eradication progress. John R. Mohler. Y.B., 1919, pp. 69–78. 1920; Y.B. Sep. 802, pp. 69–78. 1920.
in foreign countries, 1911. B.A.I. An. Rpt., 1911, pp. 288–300. 1913.
suppression and exclusion, examples. B.A.I. An. Rpt., 1911, pp. 89–92. 1913; B.A.I. Cir. 213, pp. 89–92. 1913.
suppression, law violation, cases. An. Rpts., 1908, p. 802. 1908; Sol. A.R., 1908, p. 14. 1908.
livestock, quarantine law enforcement. An. Rpts., 1912, pp. 249–250. 1913; Sec. A.R., 1912, pp. 249–250. 1912; Y.B., 1912, pp. 249–250. 1913.
See also Cattle diseases; Horse diseases; Infectious diseases; Inoculation.

Contagious pleuro-pneumonia of cattle, history, causes, description and treatment. B.A.I. [Misc.], "Diseases of cattle," rev., pp. 379–392. 1912.
Containers—
animal products, disinfection order, with other articles. B.A.I.O. 256, p. 4. 1917.
butter, styles and preparation. D.B. 456, pp. 3–8, 36. 1917.
canning—
fruits and vegetables, temperature changes, factors affecting, study. C. A. Magoon and C. W. Culpepper. D.B. 956, pp. 55. 1921.
testing for pressure temperature, vacuum. D.B. 1022, pp. 6–9. 1922.
types, description. F.B. 853, pp. 11–12. 1917.
cantaloupe, need of standardization. D.B. 315, pp. 7–9. 1915.
citrus fruits, sizes, and numbers packed in. F.B. 696, pp. 8–9, 18–21. 1915.
corn, for use in Guam, description. Guam Cir. 3, pp. 6–7. 1922.
cranberry, importance of ventilation. D.B. 714, pp. 12–13. 1918.
egg—
description and use. F.B. 1378, pp. 19–22. 1924.
for use in shipping by parcel post. F.B. 830, pp. 7–9, 13, 15, 16. 1917.
precautions. D.C. 55, pp. 2, 16. 1919.
empty, returning to shippers, agreements. F.B. 830, pp. 13, 15, 16. 1917.
farm products, expense sharing on tenant farms. D.B. 650, p. 18. 1918.
filling methods. F.B. 1196, pp. 12–13. 1921.
food—
and drugs, law requirements. News L., vol. 6, No. 40, pp. 10–11. 1919.
choice for different foods. F.B. 1374, p. 5. 1923.
investigations by Chemistry Bureau. An. Rpts., 1919, p. 230. 1920; Chem. Chief Rpt., 1919, p. 20. 1919.
for—
apple juice, kinds and description. F.B. 1264, pp. 38–43, 52, 53. 1922.
canned goods, handling and sealing. F.B. 839, pp. 33–39. 1917.
canning, types, description, and use methods. F.B. 839, pp. 10–11, 33–39. 1917.
strawberries, standardization by Congressional enactment, and State laws. F.B. 979, pp. 20–21, 26. 1918.
fruit, quantity declaration. Chem. S.R.A. 13, p. 3. 1915.
home canning, glass or tin, handling. S.R.S. Doc. 18, pp. 3–4. 1915.
kinds, description and adaptability for strawberry shipping by parcel post. D.B. 688, pp. 6–8, 9–10. 1918.
meat and meat products, labeling regulations. B.A.I.O. 211, pp. 41–48. 1914
metal, effect of fats and oils. B.A.I. An. Rpt., 1910, pp. 91–92. 1912; B.A.I. An. Rpt., 1909, pp. 265–282. 1911.
milk and cream, regulation requirements. D.C. 53, p. 21. 1919.
parcel-post, cost and treatment, relation to profit. F.B. 922, pp. 19–20. 1918.
potato—
comparisons. F.B. 1316, pp. 14–15, 17, 20, 25. 1923.
requirements, customs in various sections. F.B. 753, pp. 23–26. 1916.
types used in Southern States. F.B. 1205, p. 25. 1921.
seed—
Guam, tests of efficiency. Guam Bul. 2, pp. 5–8. 1922.
shipping, improvement. News L., vol. 6, No. 47, p. 5. 1919.
standard—
act—
of August 31, 1916, rules and regulations of the Secretary of Agriculture. Sec. Cir. 76, pp. 8. 1917.
enforcement, 1919, by solicitor. An. Rpts., 1919, p. 494. 1920; Sol. A. R., 1919, p. 26. 1919.

Containers—Continued.
   standard—continued.
      act—continued.
         enforcement, 1922. An. Rpts., 1922, p. 510. 1923; Mkts. Chief Rpt., 1922, p. 6. 1922.
         Federal, already in force. F.B. 1196, pp. 6-7. 1921.
         for fruits and vegetables. F.P. Downing. F.B. 1196, pp. 34. 1921.
         law, enforcement by Markets Bureau. An. Rpts., 1918, pp. 486-487. 1919; Mkts. Chief Rpts., 1918, pp. 36-37. 1918.
         use regulations, opinion 226. Chem. S.R.A., 20, pp. 64-65. 1918.
      standardization—
         need and progress. F.B. 1196, pp. 3-5, 8-10, 34. 1921.
         study and legislation. An. Rpts., 1916, p. 390. 1917; Mkts. Chief Rpt., 1916, p. 6. 1916.
      sweet-potato, description and uses. D.B. 1206, pp. 22-26. 1924.
      tests by laboratory, value. D.C. 231, pp. 13-16. 1922.
      use in—
         canning food materials, sizes. Chem. Bul. 151, pp. 24-26. 1912.
         shipping eggs by parcel post. F.B. 594, pp. 5-8, 12, 17-18, 20. 1914.
         turpentining, kinds, descriptions, and number to acre. D.B. 1064, pp. 34-35, 38, 39. 1922.
         variations, causes. F.B. 1196, pp. 3-5. 1921.
      water-proof, etc., studies, Chemistry Bureau. An. Rpts., 1918, p. 216. 1919; Chem. Chief Rpt. 1918, p. 16. 1918.
      wood, for explosives, improvement by Forest Service. An. Rpts., 1914, p. 163. 1914; For. A. R. 1914, p. 35. 1914.
      wooden, manufacture from Sitka spruce. D.B. 1060, p. 6. 1922.
      See also Cans.
Contamination, sewage, of oysters, effects and remedies. Y.B., 1910, pp. 375-378. 1911; Y.B. Sep. 544, pp. 375-378. 1911.
Contarinia—
   sorghicola. *See* Sorghum midge.
   tritici. *See* Wheat midge.
CONTER, F. E.: "Sisal cultivation in Hawaii." Hawaii Bul. 4, pp. 31. 1903.
Contests, milk, for improvement of market milk. An. Rpts., 1916, pp. 96, 98. 1917; B.A.I. Chief Rpt., 1916, pp. 30, 32. 1916.
Contouring. *See* Terracing.
Contract(s)—
   associations, suggested forms and changes. D.B. 1106, pp. 72-74. 1922.
   beet growers and sugar factories, form. Rpt. 98, p. 152. 1913.
   cooperative associations, nature, characteristics, and requirements. D.B. 1106, pp. 23-30. 1922.
   department bureaus, work of solicitor—
      1915. An. Rpts., 1915, p. 345. 1915; Sol. A. R., 1915, p. 19. 1915.
      1917. An. Rpts., 1917, p. 408. 1918; Sol. A. R. 1917, p. 28. 1917.
   farm, between landlords and tenants. Y.B., 1923, pp. 582-589. 1924; Y.B. Sep. 897, pp. 582-589. 1924.
   farm lease. L. C. Gray and Howard A. Turner. F.B. 1164, pp. 36. 1920.
   fruit and truck growers, forms, samples. Rpt. 98, pp. 199, 230, 256. 1913.
   Government, investigations of materials by Chemistry Bureau. An. Rpts., 1907, pp. 393-394. 1908.
   grain exports, forms, advantages and disadvantages. B.P.I. Cir. 55, pp. 26-27. 1910.
   laboratory, organization and duties. Chem. Cir. 14, pp. 10-11. 1908.
   landlord-tenant on farms, variations. Y.B. 1923, p. 591. 1924; Y.B. Sep. 897, p. 591. 1924.
   lease, kinds, and fundamental principles. F.B. 1164, pp. 2, 4-6, 28-33. 1920.
   lease, used in renting farms on shares. E. V. Wilcox. D.B. 650, pp. 36. 1918.
   logging, form. For. Cir. 131, p. 11. 1907.
   markets, designations by Secretary. Off. Rec., vol., 1, No. 7, p. 4. 1922.
   nature and characteristics, phases in cooperative associations. D.B. 1106, rev., pp. 22-29, 70-72. 1923.

Contract(s)—Continued.
   regulations. Adv. Com. F. and B.M. [Misc.], "Fiscal regulations * * *," pp. 26-27. 1927.
   road building, regulation 8. Sec. Cir. 161, pp. 4-5. 1922.
   road, regulations. Sec. Cir. 65, p. 9. 1917.
   seed growing, disadvantages to farmers, and peculiarities. Y.B., 1909, pp. 278-280, 283. 1910; Y.B. Sep. 512, pp. 278-280, 283. 1910.
   "specific performance," meaning of term and court rulings. D.B. 1106, pp. 49-50. 1922.
   stockyard to be furnished to Secretary and others. Sec. Cir. 156, p. 7. 1922.
   sugar-beet(s) growing—
      and handling, description, rates. D.B. 995, pp. 51-54. 1921.
      labor. D.B. 721, pp. 42-43, 50-53. 1918.
   supplies—
      examination by Chemistry Bureau. An. Rpts. 1908, pp. 451-452, 479. 1909; Chem. Chief Rpt., 1908, pp. 7-8, 35. 1908.
      testing by Chemistry Bureau. An. Rpts., 1911, pp. 83-84. 1912; Sec. A. R., 1911, pp. 81-82. 1911; Y.B. 1911, pp. 81-82. 1912.
   timber-sale, sample. F.B. 715, pp. 42-44. 1916.
   tree surgery, suggestions. Y.B., 1913, pp. 188-189. 1914; Y.B. Sep. 622, pp. 188-189. 1914.
   water, influence on waste. O.E.S. An. Rpt., 1907, pp. 383-385. 1908.
Conuco, destructive land clearing method, West Indies. D.B. 354, pp. 13-14, 28, 29, 45, 55. 1916.
Conuropsis carolinensis. *See* Paroquet, Carolina.
Conurus chloropterus. *See* Paroquet, Santo Domingo.
Conveniences—
   and comforts, in farmer's homes. W. R. Beattie. Y.B. 1909, pp. 345-356. 1910; Y. B. Sep. 518, pp. 345-356. 1910.
   farm home—
      Elmina T. Wilson. F.B. 270, pp. 48. 1906.
      help of engineer. Y.B., 1915, pp. 108-111. 1916; Y.B. Sep. 660, pp. 108-111. 1916.
   requirements for employees in abattoirs. B.A.I. An. Rpt., 1909, pp. 254-255. 1911; B.A.I. Cir. 173, pp. 254-255. 1911.
   sanitary, for house, selection, suggestions. Y.B. 1914, pp. 347-349. 1915; Y.B. Sep. 646, pp. 347-349. 1915.
CONVERSE, H. T.: "Values of various new feeds for dairy cows." With others. D.B. 1272, pp. 16. 1924.
Converse Flats Nursery, practices, shading, and mulching. D.B. 479, pp. 35, 37, 43, 44, 49, 56, 63, 69, 75. 1917.
Conversion tables, report of committee, 1903. Chem. Bul. 81, pp. 220-221. 1904.
Conveyor(s)—
   grain, threshing machines, care and repair. F.B. 1036, p. 8. 1919.
   gravity, use in apple-packing houses, details of use. F.B. 1204, pp. 25-28. 1921.
Convict(s)—
   benefits from road and other open-air work. D.B. 414, pp. 12-14. 1916.
   camp(s)—
      experimental, site, buildings, food, clothing, and discipline. D.B. 583, pp. 1-64. 1918.
      for road work, quarters and structures, description and cost. D.B. 414, pp. 127-145. 1916.
      sanitation, garbage disposal, equipment. D.B. 414, pp. 89-115. 1916.
   dietary, details, and cost, experimental road camp. D.B. 583, pp. 29-36. 1918.
   employment on roads, discipline and control systems. D.B. 414, pp. 54-65. 1916.
   labor—
      efficiency and economy, comparison with free labor. D.B. 414, pp. 17-29. 1916.
      for road work. J. E. Pennybacker. D.B. 414, pp. 218. 1916.
      Georgia, system. D.B. 583, pp. 4-6. 1918.
      in road construction, studies. An. Rpts., 1916, pp. 335-336. 1917; Rds. Chief Rpt., 1916, pp. 7-8. 1916.
      on roads, laws of Georgia and Virginia, 1908. Y.B., 1909, pp. 590, 596. 1909.
      records, cost accounts, and blank forms. D.B. 414, pp. 34-53. 1916.
      road building. Rds. Bul. 21, p. 90. 1901.

INDEX TO PUBLICATIONS, 1901–1925 537

Convict(s)—Continued.
  labor—continued.
    road building, in Southern States. J. A. Holmes. Y.B., 1901, pp. 319–332. 1902; Y.B. Sep. 240, pp. 14. 1902.
    systems, descriptions, and States practicing. D.B. 414, pp. 3–5. 1916.
    use—
      in road building. Y.B., 1914, pp. 214, 215, 216. 1915; Y.B. Sep. 638, pp. 214, 215, 216. 1915.
      in road work, studies, 1915. Sec. [Misc.]. "Program of work * * * 1915," p. 264. 1914.
    on roads, State laws, digest, various States. D.B. 414, pp. 193–218. 1916.
    on roads, States employing. Y.B., 1910, p. 273. 1911; Y.B. Sep. 535, p. 273. 1911.
    utilization studies, and systems, various States. D.B. 414, pp. 1–6. 1916.
    maintenance costs, summary, experimental camp. D.B. 583, pp. 56–57. 1918.
    medical attention, cost at experimental camp. D.B. 583, pp. 36–38, 42–43. 1918.
    number employed in various work, 1885, 1903–1904, 1914–1915. D.B. 414, pp. 9–11. 1916.
    occupation, classification before arrest, table. D.B. 414, pp. 12–13. 1916.
    road—
      camp, experimental, Fulton County, Ga., report. H. S. Fairbank and others. D.B. 583, pp. 64. 1918.
      camps, rations, description, care, and cost, various States. D.B. 414, pp. 157–190. 1916.
      work, benefits to public. D.B. 414, pp. 13–14. 1916.
    State or county, designation, management, and operation. D.B. 414, pp. 29–34. 1916.
    water supplies, quality and quantity. D.B. 414, pp. 69–89. 1916.
Convoluta spp., life history, relation to light and darkness. J.A.R., vol. 23, p. 872. 1923.
Convolvulus—
  cneorum, importation and description. No. 40573. B.P.I. Inv. 43, p. 48. 1918.
  floridus, importation and description. No. 32153, B.P.I. Bul. 261, p. 33. 1912.
  mauritanicus, importation and description. No. 51098, B.P.I. Inv. 64, p. 55. 1923.
  scammonia. See Scammony.
  scoparius, importation and description. No. 32154, B.P.I. Bul. 261, p. 33. 1912.
  spp., injurious effects on crops, distribution, and characteristics. F.B. 368, pp. 5–10. 1909.
  spp. See also Bindweed.
  white-rust, occurrence, Texas. B.P.I. Bul. 226, p. 92. 1912.
Convulsions—
  hog, cause, symptoms, and treatment. F.B. 1244, p. 21. 1923.
  See also Spasms.
Cony, rock, occurrence in Colorado and description. N.A. Fauna 33, pp. 151–152. 1911.
"Cony-furs," origin. F.B. 1090, p. 30. 1920.
Cooburn, importation and description. No. 38710, B.P.I. Inv. 40, p. 15. 1917.
Cook, F. C.—
  "A comparison of beef and yeast extracts of known origin." Chem. Cir. 62, pp. 7. 1910.
  "A preliminary study of the effects of cold storage on eggs, quail, and chickens." With others. Chem. Bul. 115, pp. 117. 1908.
  "Absorption of copper from the soil by potato plants." J.A.R., vol. 22, pp. 281–287. 1921.
  "Boron: Its absorption and distribution in plants and its effect on growth." J.A.R., vol. 5, pp. 877–890. 1916.
  "Boron: Its effect on crops and its distribution in plants and soil in different parts of United States." With J. B. Wilson. J.A.R., vol. 13, pp. 451–470. 1918.
  "Bouillon cubes: Their contents and food value compared with meat extracts and homemade preparations of meat." D.B. 27, pp. 7. 1913.
  "Chemical, physical, and insecticidal properties of arsenicals." With N. E. McIndoo. D.B. 1147, pp. 58. 1923.
  "Composition of tubers, skins, and sprouts of three varieties of potatoes." J.A.R., vol. 20, pp. 623–635. 1921.

Cook, F. C.—Continued.
  "Effect of three annual applications of boron on wheat." With J. B. Wilson. J.A.R., vol. 10, pp. 591–597. 1917.
  "Experiments during 1915 in the destruction of fly larvae in horse manure." With R. H. Hutchison. D.B. 408, pp. 20. 1916.
  "Experiments in the destruction of fly larvae in horse manure." With others. D.B. 118, pp. 26. 1914.
  "Fumigation against grain weevils with various volatile organic compounds." With others. D.B. 1313, pp. 40. 1925.
  "Further experiments in the destruction of fly larvae in horse manure." With others. D.B. 245, pp. 22. 1915.
  "Meat extracts and similar preparations, including studies of the methods of analysis employed." With W. D. Bigelow. Chem. Bul. 114, pp. 56. 1908.
  "Metabolism of organic and inorganic phosphorus: A feeding experiment using phytin and sodium phosphates." Chem. Bul. 123, pp. 63. 1909.
  "Pickering sprays." D.B. 866, pp. 47. 1920.
  "Separation of meat proteids." Chem. Bul. 116, pp. 44–51. 1907.
  "Study of storage eggs. Chem. Cir. 64, pp. 13–14. 1910.
  "The influence of copper sprays on the yield and composition of Irish potato tubers." D.B. 1146, pp. 27. 1923.
Cook, L. B.—
  "Milk and cream contests." With others. D.B. 356, pp. 24. 1916.
  "The four essential factors in the production of milk of low bacterial content." With others. D.B. 642, pp. 61. 1918.
Cook, O. F.—
  "A new ornamental palmetto in southern Texas." B.P.I. Cir. 113, pp. 11–14. 1913.
  "A new system of cotton culture." B.P.I. Cir. 115, pp. 15–22. 1913.
  "A new system of cotton culture and its application." F.B. 601, pp. 12. 1914.
  "A study of diversity in Egyptian cotton." With others. B.P.I. Bul. 156, pp. 60. 1909.
  "Acromania, or 'crazy-top,' a growth disorder of cotton." J.A.R., vol. 28, pp. 803–828. 1924.
  "Agricultural history and utility of the cultivated aroids." B.P.I. Bul. 164, pp. 31–37. 1910.
  "Agriculture in the tropical islands of the United States." Y.B., 1901, pp. 349–368. 1902; Y. B. Sep. 242, pp. 349–368. 1902.
  "An enemy of the cotton boll weevil." Rpt. 78, pp. 7. 1904.
  "Arrangement of parts in the cotton plant." With Rowland M. Meade. B.P.I. Bul. 222, pp. 26. 1911.
  "Boll-weevil cotton in Texas." D.B. 1153, pp. 20. 1923.
  "Brachysm, a hereditary deformity of cotton and other plants." J.A.R., vol. 3, pp. 387–400. 1915.
  "Change of vegetation on the south Texas prairies." B.P.I. Cir. 14, pp. 7. 1908.
  "Community cotton production." With R. D. Martin. F.B. 1384, pp. 21. 1924.
  "Community production of Egyptian cotton in the United States." With others. D.B. 332, pp. 30. 1916.
  "Cotton as a crop for the Yuma Reclamation Project." With others. B.P.I. Doc. 1009, pp. 6. 1913.
  "Cotton culture in Guatemala." Y.B., 1904, pp. 475–488. 1905; Y.B. Sep. 361, pp. 475–488. 1905.
  "Cotton farming in the Southwest." B.P.I. Cir. 132, pp. 9–18. 1913.
  "Cotton improvement on a community basis." Y.B., 1911, pp. 397–410. 1912; Y.B. Sep. 579, pp. 397–410. 1912.
  "Cotton improvement under weevil conditions." F.B. 501, pp. 22. 1912; rev., pp. 22. 1920.
  "Cotton problems in Louisiana." B.P.I. Cir. 130, pp. 3–14. 1913.
  "Cotton selection on the farm by the characters of the stalks, leaves and bolls." B.P.I. Cir. 66, pp. 23. 1910.

Cook, O. F.—Continued.
"Culture of Pima and upland cotton in Arizona." With R. D. Martin. F.B. 1432, pp. 14. 1924.
"Danger in judging cotton varieties by lint percentages. B.P.I. Cir. 11, pp. 16. 1908.
"Dimorphic branches in tropical crop plants: Cotton, coffee, cacao, the Central American rubber tree, and the banana." B.P.I. Bul. 198, pp. 64. 1911.
"Dimorphic leaves of cotton and allied plants in relation to heredity." B.P.I. Bul. 221, pp. 59. 1911.
"Durango cotton in the Imperial Valley." B.P.I. Cir. 111, pp. 11–22. 1913.
"Evolution of cellular structures." With Walter T. Swingle. B.P.I. Bul. 81, pp. 26. 1905.
explorations for securing rare seeds and plants. B.P.I. Cir. 100, p. 18. 1912.
"Extension of cotton production in California." D.B. 533, pp. 16. 1917.
"Factors affecting the production of long-staple cotton." B.P.I. Cir. 123, pp. 3–9. 1913.
"Heredity and cotton breeding." B.P.I. Bul. 256, pp. 113. 1913.
"Hindi cotton in Egypt." B.P.I. Bul. 210, pp. 58. 1911.
"Improvement of the cotton crop by selection." B.P.I. Doc. 633, pp. 3–7. 1911; B.P.I. Doc. 1802, pp. 3–6. 1919.
"Improvements in cotton production." D.C. 200, pp. 12. 1921.
"Leaf-cut, or tomosis, a disorder of cotton seedlings." B.P.I. Cir. 120, pp. 29–34. 1913.
"Local adjustment of cotton varieties." B.P.I. Bul. 159, pp. 75. 1909.
"Methods and causes of evolution." B.P.I. Bul. 136, pp. 35. 1908.
"Morphology of cotton branches." B.P.I. Cir. 109, pp. 11–16. 1913.
"Mutative reversions in cotton." B.P.I. Cir. 53, pp. 18. 1910.
"One-variety cotton communities." D.B. 1111, pp. 50. 1922.
"Orgin of the Hindi cotton." B.P.I. Cir. 42, pp. 12. 1909.
"Principal commercial types (cotton)." Atl. Am. Agr. Pt. V, Sec. A, p. 5. 1919.
"Production of American Egyptian cotton." With others. D.B. 742, pp. 30. 1919.
"Reappearance of a primitive character in cotton hybrids." B.P.I. Cir. 18. pp. 11. 1908.
"Relation of drought to weevil resistance in cotton." B.P.I. Bul. 220, pp. 30. 1911.
"Report on the habits of the kelep, or Guatemalan cotton-boll-weevil ant." Ent. Bul. 49, pp. 15. 1904.
"Results of cotton experiments in 1911." B.P.I. Cir. 96, pp. 21. 1912.
"Single-stalk cotton culture." B.P.I. Doc. 1130, pp. 11. 1914.
"Suppressed and intensified characters in cotton hybrids." B.P.I. Bul. 147, pp. 27. 1909.
"The abortion of fruiting branches in cotton." B.P.I. Cir. 118, pp. 11–16. 1913.
"The culture of the Central American rubber tree." B.P.I. Bul. 49, pp. 86. 1903.
"The improvement of cotton seed by selection." B.P.I. Doc. 716, pp. 3–7. 1912.
"The improvement of the cotton crop by selection." B.P.I. Doc. 813, pp. 3–7. 1913; B.P.I. [Misc.], "Distribution of cotton seed in 1914," pp. 3–7. 1914.
"The relation of cotton buying to cotton growing." D.B. 60. pp. 21. 1914.
"The social organization and breeding habits of the cotton-protecting kelep of Guatemala." Ent. T. B. 10, pp. 55. 1905.
"The superiority of line breeding over narrow breeding." B.P.I. Bul. 146, pp. 45. 1909.
"Vegetation affected by agriculture in Central America." B.P.I. Bul. 145, pp. 30. 1909.
"Weevil resisting adaptations of the cotton plant." B.P.I. Bul. 88, pp. 87. 1906.
"Wild wheat in Palestine." B.P.I. Bul. 274, pp. 56. 1913.

Cook, W. C.: "The distribution of the alfalfa weevil (*Phytomonus posticus* Gyll.), a study in physical ecology." J.A.R., vol. 30, pp. 479–491. 1925.

Cook Inlet-Susitna region, Alaska, reconnaissance survey. Soil Sur. Adv. Sh., 1914, pp. 13–104. 1915; Soils F. O., 1914, pp. 47–138. 1919.

Cooke, M. T.—
"Report on bird censuses in the United States, 1916 to 1920." D.B. 1165, pp. 36. 1923.
"Spread of the European starling in North America." D.C. 336, pp. 8. 1925.
"The purpose of bird censuses and how to take them." D.C. 261, pp. 4. 1923.

Cooke, W. W.—
"Bird migration." D.B. 185, pp. 47. 1915.
"Distribution and migration of North American ducks, geese, and swans." Biol. Bul. 26, pp. 90. 1906.
"Distribution and migration of North American gulls and their allies." D.B. 292, pp. 72. 1915.
"Distribution and migration of North American herons and their allies." Biol. Bul. 45, pp. 70. 1913.
"Distribution and migration of North American rails and their allies." D.B. 128, pp. 50. 1914.
"Distribution and migration of North American shorebirds." Biol. Bul. 35, pp. 100. 1910.
"Distribution and migration of North American warblers." Biol. Bul. 18, pp. 142. 1904.
"Distribution of the American egrets." Biol. Cir. 84, pp. 5. 1911.
"Our shorebirds and their future." Y.B., 1914, pp. 275–294. 1915; Y.B. Sep. 642, pp. 275–294. 1915.
"Preliminary census of birds of the United States." D.B. 187, pp. 11. 1915.
"Second annual report of bird counts in the United States, with discussion of results." D.B. 396, pp. 20. 1916.
"Some new facts about the migration of birds." Y.B., 1903, pp. 371–386. 1904; Y.B. Sep. 322, pp. 371–386. 1904.
"The migratory movements of birds in relation to the weather." Y.B., 1910, pp. 379–390. 1911; Y.B. Sep. 545, pp. 379–390. 1911.

Cooker(s)—
aluminum, pressure, description and uses. F.B. 839, p. 8. 1917.
fireless—
construction. O.E.S. Bul. 200, p. 33. 1908.
construction and use. F.B. 296, pp. 16–19. 1907.
construction and use and specia. recipes. U.S. Food Leaf. 13, pp. 1–4. 1918.
homemade—
and their use. F.B 771, pp. 16. 1916; rev., pp. 16. 1918.
description and manufacturing directions. F.B. 927, pp. 4–7. 1918.
description and use methods. Food Thrift Ser., 4, pp. 6–7. 1917.
illustrated lecture on. [Mrs.] K. C. Davis and Angeline Wood. O.E.S.F.I.L. 15, pp. 15 1914.
teaching by use of F.B. 771. F. E. Heald. S.R.S. [Misc.], "How teachers may use * * *," pp. 2. 1917.
materials for making, details and precautions. U. S. Food Leaf. 13, pp. 1–3. 1918.
principle and advantages. F.B. 771, pp. 1–2. 1916.
recipes for cereals, soups, and vegetables. F.B. 771, pp. 11–16. 1916; F.B. 771, rev., pp. 11–15. 1918.
studies. O.E.S. An. Rpt. 1909, pp. 379–380. 1910.
use for cooling foods. Thrift Leaf. 14, p. 3. 1919.
use in cooking chickens. S.R.S. Doc. 91, pp. 12–13. 1919.
vacuum, use in grain fermentation. Chem. Bul. 130, pp. 45–46. 1910.

Cookery, camp, directions. D.C. 138, pp. 63–66. 1920.

Cookies—
directions for making and baking. F.B. 1136, pp. 37–40. 1920; F.B. 1450, p. 14. 1925.
oatmeal, recipe without sugar. News L., vol. 7, No. 15, p. 14. 1919.
potato, recipe. Sec. Cir. 106, p. 5. 1918.
recipes with—
honey. F.B. 653, pp. 21–22. 1915.
wheat-flour substitutes. F.B. 955, p. 19. 1918.

INDEX TO PUBLICATIONS, 1901-1925 539

Cooking—
  American, teaching foreign women. News L., vol. 6, No. 45, p 15. 1919.
  asparagus, directions. F.B. 1242, p. 7. 1921.
  baking in the home. F.B. 1136, pp. 1-40. 1920.
  bamboo recipes. D.B. 1329, p. 21. 1925.
  beans and other vegetables, dried, tests. F.B. 342, pp. 29-30. 1909.
  beans and peas, directions. U. S. Food Leaf. 14, pp. 2-4. 1918.
  breakfast cereals, directions. F.B. 817, pp. 15-16, 19. 1917.
  camp, equipment directions and recipes. D. C. 4, pp. 58-62. 1919.
  cereal(s)—
    breakfast foods. F.B. 316, pp. 17-19. 1908.
    foods course for movable schools of agriculture. O.E.S. Bul. 200, pp. 1-78. 1908.
    with water and salt, proportions used. F.B. 1202, p. 56. 1921.
  clubs, North and West, demonstrations and results. D.C. 152, pp. 28-30. 1921.
  clubs, North and West, enrollment and work. S.R.S. An. Rpt., 1921, p. 51. 1921.
  conditions, variations in production of sulphite pulp from spruce, effects. S. E. Lunak. D.B. 620, pp. 24. 1918.
  cottonseed—
    effect on toxic principle. J.A.R., vol. 12, pp. 86, 99-100. 1918.
    meal, effect on toxicity. J.A.R., vol. 26, pp. 9-10. 1923.
  dasheens—
    directions and recipes. F.B. 1396, pp. 25-34. 1924; B.P.I. Cir. 127, pp. 34-36. 1913; Y.B., 1916, pp. 203-206. 1917; Y.B. Sep. 689, pp. 203-206. 1917.
    shoots, directions. D.C. 125, p. 6. 1920.
  dehydrated foods. Off. Rec., vol. 3, No. 14, p. 4. 1924.
  dried fruits and vegetables, recipes. F.B. 841, pp. 26-29. 1917; F.B. 916, p. 11. 1917.
  effect on—
    milk food value. F.B. 1359, p. 5. 1923.
    sweet potatoes, and methods. D.B. 468, p. 20. 1917.
  eggs, methods, and combinations in use. D.B. 471, pp. 12-15. 1917.
  electric appliances for. Y.B., 1919, pp. 227, 234-238. 1920; Y.B. Sep. 799, pp. 227, 234-238. 1920.
  experimental, for war needs, studies by Markets Bureau and Food Administration. News L., vol. 5, No. 46, p. 11. 1918.
  farmers' institute work for girls, outline. O.E.S. Cir. 99, pp. 38-40. 1910.
  fish—
    directions and recipes. U. S. Food Leaf. 17, pp. 3-4. 1918.
    importance as addition to diet. Y.B. 1913, pp. 205-206. 1914; Y.B. Sep. 623, pp. 205-206. 1914.
  food, temperature determination, studies. An. Rpts., 1922, p. 455. 1923; S.R.S. An. Rpt., 1922, p. 43. 1922.
  for threshers, cooperative agreement among farm women. News L., vol. 6, No. 6, p. 8. 1918.
  fruit pastes, directions. F.B. 1033, p. 8. 1919.
  fuel, thrift in use of. Thrift Leaf. 11, pp. 4. 1919.
  garbage—
    for control of hog-cholera infection. News L., vol. 5, No. 34, pp. 1-2. 1918.
    methods and value, comparison of cooked and raw garbage. Sec. Cir. 80, pp. 6-7. 1917.
  guinea fowl, suggestions. F.B. 234, p. 19. 1905.
  ham, directions. F.B. 479, p. 22. 1912.
  hominy, recipes. U. S. Food Leaf. 19, pp. 1-4. 1918.
  influence on flavor of meat, fish, or vegetables, note. News L., vol. 4, No. 43, p. 1. 1917.
  Japanese methods. O.E.S. Bul. 159, pp. 45-46. 1905.
  jujubes, recipes. D.B. 1215, pp. 20-22. 1924.
  lamb and mutton, recipes and directions. F.B. 1324, pp. 6-13. 1923.
  length, influence on pulp quality and value. D.B. 343, pp. 11-14. 1916.
  lessons by scoutmasters. News L., vol. 6, No. 51, p. 6. 1919.

Cooking—Continued.
  lessons, course in vegetable cooking. D.B. 123, pp. 1-78. 1916.
  meat(s)—
    economical methods in the home. F.B. 391, pp. 1-43. 1910; F.B. 162, pp. 9-10. 1903; F.B. 193, pp. 29-31. 1904.
    effect on digestion, studies, University of Illinois. H. S. Grindley and others. O.E.S. Bul. 193, pp. 100. 1907.
    effect on vitamin content. D.B. 1138, pp. 32-35. 1923.
    influence on nutritive value. H. S. Grindley and A. D. Emmett. O.E.S. Bul. 162, pp. 230. 1905.
    losses, experiments—
      1898-1900. H. S. Grindley and others. O.E.S. Bul. 102, pp. 64. 1901.
      1900-1903. H. S. Grindley and Timothy Mojonnier. O.E.S. Bul. 141, pp. 95. 1904.
    prevention of tapeworm infection. B.A.I. An. Rpt., 1911, pp. 101, 102, 116. 1913; B.A.I. Cir. 214, pp. 101, 102, 116. 1913.
    See also Meat, cooking.
  milk—
    dishes, directions. F.B. 1359, pp. 15-18. 1923.
    effect on food value. F.B. 363, pp. 23-25, 43. 1909.
    use and value. F.B. 1207, pp. 29-31. 1921.
  mushrooms, recipes. D.B. 175, pp. 58-64. 1915; F.B. 796, pp. 19-23. 1917.
  muskrat, directions. F.B. 396, pp. 21-24. 1910; F.B. 869, p. 11. 1917.
  mutton—
    and lamb recipes. F.B. 1172, pp. 20-32. 1920.
    methods and recipes. F.B. 526, pp. 15-32. 1913.
  national forest campers, methods. D.C. 185, pp. 27-31. 1921.
  okra, recipes and directions. F.B. 232, rev., pp. 8-9. 1918; F.B. 232, pp. 11-12. 1905.
  oysters, experiments and results. Chem. Bul. 136, pp. 37-39. 1911.
  peanut—
    butter recipes. D.C. 128, pp. 14-16. 1920.
    flour, recipes. Sec. Cir. 110, pp. 1-4. 1918.
    potatoes. F.B. 295, pp. 13-17. 1907.
  poultry, methods and effects on nutritive value. D.B. 467, pp. 18-19, 28. 1916; F.B. 182, pp. 20-23. 1903.
  problems, relation of laboratory work. Y.B., 1913, pp. 157-158. 1914; Y.B. Sep. 621, pp. 157-158. 1914.
  publications relating to food preparation. Rpt 104, pp. 87-88, 93. 1915.
  rabbits, recipes and directions. F.B 1090, pp. 22-27. 1920.
  recipes for—
    campers. D.C. 138, pp. 65-66. 1920.
    use with fireless cooker. F.B. 771, pp. 11-16. 1916; F.B. 771, rev., pp. 11-15. 1918.
  relation to nutrition. O.E.S. An. Rpt., 1909, pp. 374-377. 1910.
  rice, methods and directions. F.B. 1195, pp. 9-20. 1921; U. S. Food Leaf. 18, pp. 1-4. 1918.
  shrimp, directions. D.B. 538, pp. 2-4. 1917
  slow, discussion. F.B 391, pp. 28-31. 1910.
  snails, for use as food, directions. Y.B., 1914, pp. 500-501. 1915; Y.B. Sep. 653, pp. 500-501. 1915.
  starches, digestibility effects. Edna D. May. O E.S. Bul. 202, pp. 42. 1908
  suggestions for foods rich in protein. F.B. 825, pp. 12-18. 1917.
  sulphite pulp, temperature variations, experiments and results. D.B. 620, pp. 19-21. 1917
  sweet potatoes, recipes. Hawaii Bul. 50, pp. 16-18. 1923; F.B. 419, pp. 22-24. 1910.
  taros, recipes. D.B. 1247, pp. 12-14. 1924.
  thermometers, uses. Y.B., 1914, pp. 164, 166. 1915; Y.B. Sep. 635, pp. 164, 166. 1915.
  threshing, problem in cooperative work. Y B., 1918, pp. 256-257. 1919; Y.B. Sep. 772, pp. 12-13. 1919.
  tomatoes, recipes. F.B. 521, pp 13-18. 1913.
  use and—
    substitution of one fat for another, in recipes. News L., vol. 4, No. 2, p. 4. 1916.
    value of sugar. F.B. 535, pp. 27-29. 1913.
  utensils—
    aluminum, cleaning methods, and scouring materials. News L., vol. 4, No. 17, p. 4. 1916.

540 UNITED STATES DEPARTMENT OF AGRICULTURE

Cooking—Continued.
　utensils—continued.
　　for school course in cooking vegetables, list. D.B. 123, pp. 57, 77-78. 1916.
　　galvanized, danger from zinc. News L., vol. 6, No. 3, p. 3. 1918.
　　materials, care, and grouping for use. Thrift Leaf. 10, pp. 2-4. 1919.
　　selection. Y.B., 1914, pp. 358-359. 1915; Y.B. Sep. 646, pp. 358-359. 1915
　vegetables—
　　directions, time-table and recipes U. S. Food Leaf. 16, pp. 2-4. 1918.
　　dried, tests. F.B. 342, pp. 29-30. 1909.
　　fermented or salted, for table use. F.B. 881, pp. 12-15. 1917.
　　methods, combinations, utensils, etc., studies. O.E.S. Bul. 245, pp. 71-76. 1912.
　yams, directions. D B. 1167, pp. 13-14. 1923.
　zacaton, for extracting fiber, method. D.B. 309, pp. 12-13, 21-23. 1915
Cookstove drier(s)—
　construction details. F.B. 841, pp. 15-16. 1917; F.B. 984, pp. 22-27. 1918; D.C. 2, pp. 3-7. 1919.
　for farm home, description and use method. F.B. 927, pp. 30- 1. 1918.
COOLEDGE, L. H.: "Agglutination test for presence of *Bacterium abortus* in milk." J.A.R., vol. 5, No. 19, pp. 871-875. 1916.
Coolers—
　iceless, for hogs, description and value. News L., vol. 6, No. 48, p. 6. 1919.
　milk—
　　cleaning in milk plants. D.B. 973, pp. 26-28. 1923
　　types, description, importance of low temperatures F.B. 976, pp. 6-8. 1918.
　　use in pasteurization. B.A.I. Cir. 184, pp. 28-32. 1912; D.B. 890, pp. 18-20. 1920.
COOLEY, A. C., report of New Mexico, extension work in agriculture and home economics—
　1915. S.R.S. An. Rpt., 1915, Pt. II, pp. 265-269. 1916.
　1916. S.R.S. An. Rpt., 1916, Pt. II, pp. 293-297. 1917.
　1917. S.R.S. An. Rpt., 1917, Pt. II, pp. 297-301. 1919.
COOLEY, F. S.—
　"Character of the State director's annual report." O E.S. Bul. 256, pp. 77-79. 1913.
　report of Montana extension work in agriculture and home economics—
　1915. S.R.S. An. Rpt., 1915, Pt. II, pp. 245-249. 1917.
　1916. S.R.S. An. Rpt., 1916, Pt. II, pp. 268-273. 1917.
　1917. S.R.S. An. Rpt., 1917, Pt. II, pp. 271-277. 1919.
COOLEY, G. W.: "The road material resources of Minnesota." Rds. Bul. 40, pp. 24. 1911.
COOLEY, J. S.—
　"Apple scald." With others. J.A.R., vol. 16, pp. 195-217. 1919.
　"Apple scald and its control." With others. F.B. 1380, pp. 17. 1923.
　"Diseases of apples in storage." With others. F.B. 1160, pp. 24. 1920.
　"Effect of temperature, aeration, and humidity on Jonathan-spot and scald of apples in storage." With Charles Brooks. J.A.R., vol. 11, pp. 289-318. 1917.
　"Nature and control of apple scald." With others. J.A.R., vol. 18, pp. 211-240. 1919.
　"Oiled paper and other oiled materials in the control of scald on barrel apples." With Charles Brooks. J.A.R., vol. 29, pp. 129-135. 1924.
　"Oiled wrappers, oils, and waxes in the control of apple scald." With others. J.A.R., vol. 26, pp. 513-536. 1923.
　"Temperature relations of apple-rot fungi." With Charles Brooks. J.A.R., vol. 8, pp. 139-163. 1917.
　"Temperature relations of stone fruit fungi." With Charles Brooks. J.A.R., vol. 22, pp. 451-465. 1921.
COOLEY, R. A.: "Observations on the life history of the army cutworm, *Chorizagrotis auxiliaris*." J.A.R. vol. 6, No. 23, pp. 871-881. 1916.

COOLIDGE, President—
　address on—
　　economy. Off. Rec., vol. 4, No. 26, pp. 1, 7. 1925.
　　forest thrift. M.C. 39, pp. 2-5. 1925.
　proclamation—
　　for Fire Protection Week. Off. Rec., vol. 4, No. 39, p. 2. 1925.
　　on forest protection. Off. Rec., vol. 3, No. 15, p. 1. 1924.
　speech on budget. Off. Rec., vol. 3, No. 30, pp. 1-2, 5. 1924.
Cooling—
　effect on milk. D.B. 1344, pp. 9-11. 1925.
　food, inexpensive ways. Thrift Leaf. 14, pp. 1-4. 1919.
　milk—
　　and cream on the farm. J. A. Gamble. F.B. 976, pp. 16. 1918.
　　and storing and shipping it at low temperatures. James A. Gamble and John T. Bowen. D.B. 744, pp. 28. 1919.
　　by outside air, cost. D.B. 420. pp. 23-26. 1916.
　　directions. D.B. 973, p. 7. 1923.
　　principles. D.B. 744, pp. 1-4. 1919.
　　requirements for production of good milk. B.A.I. An. Rpt., 1909, pp. 127, 129. 1911. B.A.I. Cir. 170, pp. 127, 129. 1911.
　　pasteurized hot-bottled milk by forced air. S. Henry Ayers and others. D.B. 420, pp. 38. 1916.
COONS, G. H.—
　"Factors involved in the growth and the pycnidium formation of *Plenodomus fuscomaculans*." J.A.R. vol. 5, No. 16, pp. 713-769. 1916.
　"The nitrogen constituents of celery plants in health and disease." With L. J. Klotz. J.A.R., vol. 31, pp. 287-300. 1925.
Coons—
　young, identification key. Biol. Cir. 69, p. 2. 1909.
　See also Raccoon.
Coontail, food of—
　mallard ducks. D.B. 720, pp. 5, 20. 1918.
　shoal-water ducks. D.B. 862, pp. 5, 11, 14, 42, 52. 1920.
　wild ducks, description, distribution, and propagation. D.B. 205, pp. 24-25. 1915.
Coop(s)—
　bamboo, for chickens. D.B. 1329, p. 18. 1925.
　brood—
　　and appliances. D. M. Green. F.B. 1107, pp. 8. 1920.
　　cleaning and care. S.R.S. Doc. 69, pp. 1-2. 1917.
　　construction and care. F.B. 1376, pp. 3-6. 1924.
　　construction, school exercise. D.B. 527, pp. 30-32. 1917.
　　description. F.B. 624, pp. 4-5. 1914.
　　for hen and chicks, building. D.C. 13, pp. 3-5. 1919; S.R.S. Doc. 70, pp. 2. 1918.
　chick, arrangement and care. D.C. 17, pp. 3-4. 1919; F.B. 1111, pp. 3-4. 1920.
　chicken—
　　directions for making. F.B. 1107, pp. 3-4. 1920.
　　for feeding. B.A.I. An. Rpt., 1905, p. 247. 1907.
　　varieties, use methods, and care. News L., vol. 5, No. 35, pp. 6-7. 1918.
　construction from boxes. F.B. 1111, p. 4. 1920.
　hens and chicks, description. B.A.I. Bul. 90, p. 17. 1906; F.B. 287, rev., pp. 23-24. 1921.
　homemade, construction for various purposes. B.A.I. AH, G-27, pp. 1-6. 1918.
　poultry for shipping. F.B. 1377, pp. 10-11. 1924.
　rearing, for young pheasants. F.B. 390, p. 29. 1910.
　shipping, for exhibition poultry. D.C. 13, pp. 5-6. 1919; F.B. 1107, pp. 5-6. 1920.
COOPER, A. W.—
　"Sugar pine and western yellow pine in California." For. Bul. 69, pp. 42. 1906.
　"The control of forest fires at McCloud, Calif." With P. D. Kelleter. For. Cir. 79, pp. 16. 1907.

INDEX TO PUBLICATIONS, 1901-1925 541

Cooper, H. P.—
"Soil survey of—
Blair County, Pa." With others. Soil Sur. Adv. Sh., 1915, pp. 48. 1917; Soils F. O., 1915, pp. 197-240. 1919.
Clearfield County, Pa." With others. Soil Sur. Adv. Sh., 1916, pp. 32. 1919; Soils F.O., 1916, pp. 251-278. 1921.

Cooper, M. O.—
"A study in the cost of producing milk on four dairy farms located in Wisconsin, Michigan, Pennsylvania, and North Carolina." With others. D.B. 501, pp. 35. 1917.
"Human food from an acre of staple farm products." With W. J. Spillman. F.B. 877, pp. 11. 1917.
"Methods and costs of growing beef cattle in the Corn Belt States." With others. Rpt. 111, pp. 64. 1916.
"The cost of raising a dairy cow." With C. Morris Bennett. D.B. 49, pp. 23. 1914.

Cooper, M. R.—
"Cost of keeping farm horses and cost of horse labor." D.B. 560, pp. 22. 1917.
"Cost of producing field crops, 1923." With C. R. Hawley. D.C. 340, pp. 28. 1925.
"Cost of producing wheat." With R. S. Washburn. D.B. 943, pp. 5-9. 1921.
"Cost of using horses on Corn-Belt farms." With J. O. Williams. F.B. 1298, pp. 16. 1922.
"Hay." With others. Y.B., 1924, pp. 285-376. 1925; Y.B. Sep. 916, pp. 285-376. 1925.
"The cost of producing cotton." (842 records, 1918.) With L. A. Moorhouse. D.B. 896, pp. 59. 1920.

Cooper, R. E.: "Suitability of longleaf pine for paper pulp." With Henry E. Surface. D.B. 72, pp. 26. 1914.

Cooper, T. P.—
"Farm management, organization of research and teaching." With others. B.P.I. Bul. 236, pp. 96. 1912.
report of—
North Dakota Experiment Station, work and expenditures—
1914. O.E.S. An. Rpt., 1914, pp. 183-186. 1915.
1915. S.R.S. An. Rpt., 1915, Pt. I., pp. 207-212. 1916.
1916. S.R.S. An. Rpt., 1916, Pt. I. pp. 212-216. 1918.
1917. S.R.S. An Rpt., 1917, Pt. I., pp. 207-212. 1918.
North Dakota, extension work in agriculture home economics—
1915. S.R.S. An. Rpt., 1915, Pt. II., pp. 276-280. 1916.
1916. S.R.S. An. Rpt., 1916, Pt. II., pp. 306-311. 1917.
1917. S.R.S. An. Rpt., 1917, Pt. II., pp. 311-316. 1919.
"The cost of producing Minnesota farm products, 1902-1907." With Edward C. Parker. Stat. Bul. 73, pp. 69. 1909.
"The cost of producing Minnesota dairy products 1904-1909." Stat. Bul. 88, pp. 84. 1911.

Cooper Ornithological Club of California, services in protecting birds. Biol. Bul. 12, rev., pp. 19, 65. 1902.

Cooperage—
basswood barrel heads, production and value, 1906-1919. D.B. 1007, pp. 26-27. 1922.
chestnut, specifications, various uses. F.B. 582, pp. 18-20. 1914.
manufacture—
and demand, barrels and substitutes. Rpt. 117, pp. 56-61, 72. 1917.
from pine. For. Bul. 99, pp. 23, 35, 48, 58, 64. 1911.
from waste lumber, suggestion. Y.B., 1910, p. 262. 1911; Y.B. Sep. 534, p. 262. 1911.
slack—
consumption of elm wood, amount and cost. D.B. 683, pp. 16-18, 36, 40, 41, 45. 1918.
jack pine, utilization. D.B. 820, p. 25. 1920.
manufacture, utilization of sycamore. D.B. 884, pp. 9, 10, 14, 24, 29-30. 1920.
pine stock, production and value, 1906. For. Cir. 123, pp. 4-7. 1907.

Cooperage—Continued.
slack—continued.
stock production, 1906, in United States, woods used. For. Bul. 77, pp. 53-58. 1908; For. Cir. 121, pp. 1-7. 1907; For. Cir. 123, pp. 8. 1907.
stock, production 1907, in United States. Y.B. 1908, p. 551. 1909.
willow stock production and use. D.B. 316, p. 30. 1915.
woods used with amount and value of each variety. For. Cir. 123, pp. 3-4. 1907.
stock—
exports, 1909-1923. Y.B., 1924, p. 1024. 1925.
hardwood trees most valuable for. F.B. 1123, p. 4. 1921.
production—
1906, woods used. For. Cir. 129, p. 11. 1907.
1907, woods used, and value. For. Cir. 166, pp. 14, 21-22. 1909.
tight and slack, in 1918. Franklin H. Smith and Albert H. Pierson. For. [Misc.], "Tight and slack * * *," pp. 15. 1919.
specifications and grades. F.B. 715, pp. 5-6. 1916.
tight, production, 1906 and 1907. Y.B., 1908, p. 556. 1909.
tight, production United States, 1906. For. Bul. 77, pp. 59-68. 1908; For. Cir. 125, pp. 12. 1907.
wood used in 1905. For. Cir. 52, pp. 1-8. 1906; For. Bul. 74, pp. 36-43. 1907.
use of—
Douglas fir. For. Bul. 88, p. 68. 1911.
tanbark oak. For. Bul. 75, p. 31. 1911.
woods in demand by manufacturers. Y.B., 1914, p. 450. 1915; Y.B. Sep. 651, p. 450. 1915.

Cooperating creameries, operation of accounting system. D.B. 559, pp. 12-22. 1917.

Cooperation—
advantages—
in marketing. M.C 32, pp. 79-94. 1924.
suggestions by farm women. Y.B., 1914, pp. 314, 317-318. 1915; Y.B. Sep. 644, pp. 314, 317-318. 1915.
agencies assisting. D.B. 547, pp. 59-61. 1917.
agricultural—
and commercial, address by Agriculture Secretary. News L., vol. 4, No. 9, pp. 1-4. 1916.
associations, kinds and distribution. Y.B., 1923, pp. 35-38. 1924.
division report. B.A.E. Chief Rpt., 1924, pp. 42-44. 1924.
history, success and failure, discussion. B.A.E. Chief Rpt., 1923, pp. 50-51. 1923; An. Rpts., 1923, pp. 37-40, 180-181. 1924; Sec. A. R., 1923, pp. 37-40. 1923.
in Alaska. Alaska A.R., 1923, pp. 17-21. 1925.
in Denmark. Chris L. Christensen. D.B. 1266, pp. 88. 1924.
in European countries. Sec. [Misc.], "Report * * * agricultural commission * * *," pp. 23, 45. 1919.
in Russia, study. Off. Rec., vol. 1, No. 32, p. 8. 1922.
projects and phases, investigations. B.A.E. Chief Rpt., 1923, pp. 49-52. 1923; An. Rpts., 1923, pp. 179-182. 1924.
reading list. Chastina Gardner. M.C. 11, pp. 55. 1923.
various aspects, discussion, papers. O.E.S. Bul. 256, pp. 28-66. 1913.
work in Hawaii. Hawaii A.R., 1919, pp. 8-9. 1920.
agriculture and transportation, studies. O.E.S. Cir. 112, pp. 1-14. 1911.
Agriculture Department with States and with other departments. Y.B., 1917, pp. 14, 19-23, 26, 41-43, 48-51. 1918.
Alaska stations, 1919, with settlers. Alaska A.R., 1919, pp. 7, 53, 78. 1920.
apple packing, studies. News L., vol. 4, No. 51, pp. 4-5. 1917.
associations and farmers' exchanges. D.C. 37, p. 15. 1919.
between farmers and commission merchants, important benefits therefrom. News L., vol. 5, No. 39, p. 4. 1918.

Cooperation—Continued.
  breeders of fur animals, importance. Y.B., 1916,
    pp. 505-506. 1917; Y.B. Sep. 693, pp. 17-18.
    1917.
  bull associations, object and number. F.B. 1412,
    pp. 14-15. 1924.
  butter shipping, advantages. D.B. 456, p. 15.
    1917.
  buying—
    and selling—
      associations, home demonstration work.
        D.C. 141, p. 22. 1920.
      home-demonstration work, 1918. S.R.S, Rpt.,
        1918, p. 92. 1919.
    supplies, result of organization work. Y.B.,
      1915, pp. 234, 245. 1916; Y.B. Sep. 672, pp.
      234, 245. 1916.
  cane-syrup canning, production of uniform qual-
    ity. J. K. Dale. D.C. 149, pp. 19. 1920.
  cheese making and marketing, typical association.
    Hector Macpherson and W. H. Kerr. Y.B.
    1916, pp. 145-153. 1917; Y.B. Sep. 699, pp. 13.
    1917.
  Chemistry Bureau—
    with other bureaus. An. Rpts., 1919, pp. 212,
      219, 221, 222, 228, 233-234. 1920; Chem. Chief
      Rpt., 1919, pp. 2, 9, 11, 12, 18, 23. 1919.
    with States and cities, in Food and Drugs act
      enforcement. D.C. 137, p. 15. 1922.
  citrus, bud wood, selection and distribution.
    Y.B., 1919, pp. 265-275. 1920; Y.B. Sep. 813,
    pp. 265-275. 1920.
  citrus canker, eradication. K. F. Kellerman.
    Y.B., 1916, pp. 267-272. 1917; Y.B. Sep. 711,
    pp. 6. 1917.
  club work, with schools and business organiza-
    tions. D.C. 66, pp. 10-12. 1920.
  cold-storage preservation of strawberries. News
    L., vol. 2, No. 42, p. 1. 1915.
  community—
    development by club work. D.C. 66, p. 37.
      1920.
    in breeding dairy cattle, importance. F.B. 893,
      p. 4. 1917.
    necessity in hog cholera control. News L., vol.
      3, No. 15, p. 3. 1915.
    results in W. Va. News L., vol. 6, No. 43, p. 9.
      1919.
    value in control of corn-root aphid. F.B. 891,
      pp. 11-12. 1917.
  conifer shelter belts, planting and care, instruc-
    tions. D.L.A. Cir. 6, pp. 3. 1919.
  control of ground squirrels, prairie dogs, and jack
    rabbits. W. B. Bell. Y.B., 1917, pp. 225-233.
    1918; Y.B. Sep. 724, pp. 11. 1918.
  cotton—
    breeding. An. Rpts., 1908, pp. 335-336. 1909;
      B.P.I. Chief Rpt., 1908, pp. 63-64. 1908.
    growers, in warehousing cotton, need and sug-
      gestions. Y.B., 1918, pp. 404-406. 1919;
      Y.B. Sep. 763, pp. 8-10. 1919.
    growers, successful examples and needs. Y.B.,
      1912, pp. 443-448. 1913; Y.B., Sep. 605, pp.
      443-448. 1913.
    growing in Salt River Valley. D.B. 332, pp.
      15, 27-28. 1916.
    growing in Southwest. D.B. 742, pp. 1-2, 11,
      13-15, 17, 25-27. 1919.
    handling and marketing, 1915. An. Rpts., 1915,
      pp. 380-382. 1916; Mkts. Chief Rpt., 1915,
      pp. 18-20. 1915.
    improvement, necessity, and value. Y.B.,
      1911, pp. 397-410. 1912; Y.B. Sep. 579, pp.
      397-410. 1912.
    planting, advantages of community action.
      F.B. 501, rev., pp. 10-12. 1920.
    production and marketing, Imperial Valley.
      D.B 324, pp. 1-16. 1915.
  crop—
    disposal, value and necessity. B.P.I. Cir. 118,
      pp. 5-6, 9. 1913.
    Estimates Bureau with States in statistical
      work. An. Rpts., 1919, pp. 328-329. 1920;
      Crop Est. Chief Rpt., 1919, pp. 4-5. 1919.
  dairy marketing associations. Y.B., 1922, pp.
    386-389. 1923; Y.B. Sep. 879, pp. 91-94. 1923.
  dairymen's, in testing, feed, buying and breeding.
    F. B. 504, pp. 12-16. 1912.
  demonstration work, origin and development.
    D.C. 141, pp. 3-5. 1920.

Cooperation—Continued.
  department with—
    State experiment stations. An. Rpts., 1922,
      pp. 417, 423-424. 1923; S.R.S. Rpt., 1922,
      pp. 5, 11-12. 1922.
    western irrigation work, South Dakota. W.I.A.
      Cir. 9, pp. 1-2. 1916.
  development, address. Off. Rec., vol. 3, No. 13
    p. 4. 1924.
  drainage work, necessity and advantages. F.B.
    805, pp. 30-31. 1917.
  employees, value. B.A.I.S.R.A. 145, pp. 47-49.
    1919.
  eradication of contagious diseases, necessity.
    Y.B., 1915, pp. 163, 170. 1916; Y. B. Sep 666,
    pp. 163, 170. 1916.
  experiment station work. Work and Exp., 1919,
    pp. 17-18. 1921.
  experiment stations in publication work.
    S.R.S. Rpt., 1916, Pt. I, p. 102. 1918.
  extension work—
    1920-21, statistics and text of act. D.C. 140,
      pp. 1-18. 1920.
    1925, report of chief. Ext. Dir. Rpt., 1925,
      pp. 120. 1925.
    in agriculture and home economics—
      1917, report. S.R.S. Rpt., 1917, Pt. II, pp.
        416. 1919.
      1918, report. S.R.S. Rpt., 1918, Pt. II, pp.
        158. 1919.
    legislation, regulations and rulings affecting.
      D.C. 251, pp. 32-49. 1923.
    methods and results, 1922. H. W. Hochbaum.
      D. C. 316, pp. 40. 1924.
  farm—
    associations, localities. Off. Rec., vol. 3, No.
      19, p. 3. 1924.
    buying and selling, work of county agents
      News L., vol. 6, No. 21, p. 9. 1918.
    labor supply, methods and instances. Sec.
      Cir. 112, pp. 5-8. 1918.
  Farm Management Office, in extension work
    An. Rpts, 1920, pp. 574-575. 1921.
  farmers—
    and city people. News L., vol. 6, No. 22, p.
      11. 1919.
    associations, encouragement. Y.B., 1919,
      pp. 44-45. 1920.
    business organizations, development and
      present status. R. H. Elsworth. D.B.
      1302, pp. 76. 1924.
    development, objects, etc., 1896-1908. Rpt.
      87, pp. 99-100. 1908.
    in—
      business undertakings. Y.B., 1913, pp. 243-
        254. 1914; Y.B. Sep. 626, pp. 243-254. 1914.
      Hawaii. Hawaii Bul. 1, pp. 6-7. 1917;
        Hawaii Ext. Bul. 2, pp. 5-7. 1917.
    insect control. F.B. 1156, pp. 2, 20. 1920.
    marketing forest products. Y.B., 1914,
      pp. 447, 448, 450. 1915; Y.B. Sep. 651,
      pp. 447, 448, 450. 1915.
    necessity. An. Rpts., 1913, pp. 24-25. 1914;
      Sec. A.R., 1913, pp. 22-23. 1913; Y.B., 1913.,
      pp. 30-31. 1914.
    objects and results. Y.B., 1908, pp. 184-186.
      1909.
    with Agriculture Department, necessity in
      grain increase, 1918. News L., vol. 5, No. 2,
      p. 3. 1917.
    with Experiment Stations, Alaska. Alaska
      A.R., 1920, p. 47. 1922.
  Federal—
    and State—
      assistance to farmers. Sec. Cir. 133, pp. 3-4.
        1919.
      bill. Off. Rec., vol. 1, No. 3, p. 1. 1922.
    for moth control methods. D.B. 204, pp.
      31-32. 1915.
    influence on future foot-and-mouth control.
      News L., vol. 3, No. 36, pp. 3-4. 1916.
    in southern farming. S.R.S. Doc. 82, p. 5.
      1918.
  fibers growing for twine in Philippine Islands.
    D.B. 930, pp. 9-18. 1920.
  fire fighting, railroads, private owners and Forest
    Service. Y.B., 1910, pp. 418-419, 420-421.
    1911; Y.B. Sep. 548, pp. 418-419, 420-421 1911.

INDEX TO PUBLICATIONS, 1901–1925 543

Cooperation—Continued.
forest—
protection—
1921, Forest Service with States and owners. For. A.R., 1921, pp. 3, 16–18. 1921. 1922. Sec. A.R., 1922, pp. 29, 30, 32. 1922; An. Rpts., 1922, pp. 29, 30, 32. 1923; Y.B., 1922, pp. 35, 36, 39. 1923; Y.B. Sep. 883, pp. 35, 36, 39. 1923.
renewal, development and protection. Sec. Cir. 134, pp. 11–13. 1919.
Forest Service—
and livestock associations. An. Rpts., 1919, p. 193. 1920; For. A.R., 1919, p. 17. 1919.
with private owners. For. [Misc.], "The use book," rev. 5, pp. 151–152. 1915; For. Cir. 203, pp. 5–8. 1912.
with States, in forest fire protection, agreements For. Cir. 205, pp. 6–8, 13–14. 1912.
fruit—
growers, methods. F.B. 522, pp. 21–24. 1913.
growers of Eastern States. Y.B., 1910, pp. 391, 406. 1911; Y.B. Sep. 546, pp. 391, 406. 1911.
handling and marketing. G. Harold Powell. Y.B., 1910, pp. 391–406. 1911; Y.B. Sep. 546, pp. 391–406. 1911.
good roads, desirability of State work. An. Rpts., 1914, pp. 31–32. 1914; Sec. A.R., 1914, pp. 33–34. 1914.
Government agencies in drought relief work. Y.B., 1919, pp. 392, 404–405. 1920; Y.B. Sep. 820, pp. 392, 404–405. 1920.
grain—
companies, patronage dividends. John R. Humphrey and W. H. Kerr. D.B. 371, pp. 11. 1916.
elevator companies, organization. J. M. Mehl and O. B. Jesness. D.B. 860, pp. 40. 1920.
harvesting, methods. News L., vol. 6, No. 27, pp. 3–4. 1919.
home and school, in home projects. D.B. 346, pp. 3, 5, 20. 1916.
importance and value to dairy industry. News L., vol. 4, No. 4, p. 4. 1916.
improvement of citrus varieties. A. D. Shamel. Y.B., 1919, pp. 249–275. 1920; Y.B. Sep. 813, pp. 249–275. 1920.
in—
blister-rust control, necessity and benefits. D.C. 177, pp. 18–19, 20. 1921.
department work. Off.Rec., vol. 2, No. 23, pp. 1–2. 1923.
food and drug control, Federal and State. Chem. [Misc.], "The food and drug manual," pp. 75–77. 1920.
growing peas for canning, importance. F.B. 1255, pp. 2, 5–6. 1922.
household labor, importance in rural communities. Y.B., 1914, p. 135. 1915; Y.B. Sep. 632, p. 49. 1915.
irrigation communities. Y.B., 1909, pp. 205–206. 1910; Y.B. Sep. 505, pp. 205–206. 1910.
marketing—
and purchasing, work of markets office. An. Rpts., 1915, pp. 364–389. 1916; Mkts. Chief Rpt., 1915, pp. 2–27. 1915.
benefits, requirements and reports of associations. Rpt. 98, pp. 17, 19, 26, 27, 54, 72, 120, 132, 162, 166–284. 1913.
regulation of products and prices. Y.B., 1912, pp. 355–362. 1913; Y.B. Sep. 597, pp. 355–362. 1913.
production and marketing, discussion. News L., vol. 1, No. 24, pp. 1–3. 1914.
rodent control, necessity. Y.B., 1916, p. 398. 1917; Y.B. Sep. 708, p. 18. 1917.
weed control essential to success. Y.B., 1917, p. 215. 1918; Y.B. Sep. 732, p. 13. 1918.
interdepartmental committee, on crop estimates work. An. Rpts., 1914, p. 242. 1914; Stat. Chief Rpt., 1914, p. 10. 1914.
investigations by Markets Bureau. An. Rpts., 1922, pp. 538–540. 1923; Mkts. Chief Rpt., 1922, pp. 34–36. 1922.
laws relating to, and digest for States. D.B. 547. pp. 61–78. 1917.
livestock shipping associations—
S. W. Doty and L. D. Hall. F.B. 718, pp. 16. 1916.
by-laws. F.B. 1294, pp. 20–26. 1923.

Cooperation—Continued.
livestock shipping associations—continued.
organization and management. F.B. 1292, pp. 28. 1923.
Louisiana, buying and selling agencies. News L., vol. 6, No. 29, p. 6. 1919.
lumber industry, need in preventing waste. M.C. 39, p. 43. 1925.
marketing—
aid by intermediate credit banks. Y.B., 1924, p. 235. 1925.
associations, sweet-potato growers. D.B. 1206, pp. 39–41. 1924.
cabbage, associations and methods. D.B. 1242, pp. 16–18. 1924.
citrus fruit, methods and expense. A. W. McKay and W. Mackenzie Stevens. D.B. 1261, pp. 35. 1924.
cotton, advantages. D.B. 1111, pp. 22–24. 1922; Sec. Cir. 88, pp. 26–27. 1918.
cranberries. F.B. 1402, pp. 26–30. 1924.
eggs and poultry. F.B. 517, p. 15. 1912.
grain. J. M. Mehl. D.B. 937, pp. 21. 1921.
grapes. D.B. 861, pp. 19–20. 1920.
hogs. Y.B., 1922, pp. 237–241, 265–267. 1923; Y.B., Sep. 882, pp. 237–241, 265–267. 1923.
timber. F.B. 120, pp. 57–59. 1921.
See also Marketing, cooperative.
Markets Bureau—
and livestock industry. Y.B., 1919, pp. 245–248. 1920; Y.B. Sep. 809, pp. 245–248. 1920.
with States in marketing work. An. Rpts., 1919, pp. 436–437. 1920; Mkts. Chief Rpt., 1919, pp. 10–11. 1919.
meat inspectors with local authorities, regulations. B.A.I.O. 211, p. 55. 1914.
milk campaigns. D.C. 250, pp. 1–5, 36. 1923.
milk-distributing plants, establishment, equipment, and management. D.B. 1095, pp. 2–44. 1922.
motor-truck route operation. H. S. Yohe. F.B. 1032, pp. 24. 1919.
mouse control. F.B. 1397, p. 14. 1924.
necessity—
among farmers. An. Rpts., 1914, pp. 114, 116. 1914; B.P.I. Chief Rpt., 1914, pp. 14, 16. 1914.
for agricultural success. M.C. 3, pp. 4–5. 1923.
for better utilization of lumber in building. M.C. 39, pp. 55–56. 1925.
for caterpillar control in alfalfa. F.B. 1094, p. 16. 1920.
in chinch-bug control. F.B. 1223, pp. 33–35. 1922.
in growing and marketing Egyptian cotton. News L., vol. 3, No. 29, pp. 5, 6. 1916.
through organization to secure savings. M.C. 39, p. 52 1925.
need in—
irrigation, farming communities. Y.B., 1916, pp. 179–194. 1917; Y.B. Sep. 690, pp. 3–18. 1917.
lumber industry. Rpt. 114, pp. 60–63, 72, 74, 76, 78, 79. 1917.
rat control and eradication. Y.B., 1917, pp. 238–247. 1918; Y.B. Sep. 725, pp. 8, 12, 15. 1918.
of the farmer with his agent. Y.B., 1917, pp. 321–325. 1918; Y.B. Sep. 736, pp. 1–7. 1918.
official agencies, emergency work. An. Rpts., 1918, pp. 10–12. 1919; Sec. A.R., 1918, pp. 10–12. 1918.
organization methods, application to Cotton States. Y.B., 1912, pp. 447–448. 1913; Y.B. Sep. 605, pp. 447–448. 1913.
parents and teachers in home projects for school credit. D.B. 385, pp. 7–9. 1916.
policies between Federal and State food and drug officials. Chem. [Misc.], "The policies of cooperation * * *," pp. 5. 1915.
predatory animal control, cost. Off. Rec. vol. 2, No. 1. p. 1. 1923.
principles—
and basis of representation. Y.B., 1917, p. 392. 1918; Y.B. Sep. 738, p. 10. 1918.
in rural organization. Y.B., 1913, pp. 254–258. 1914; Y.B. Sep. 626, pp. 254–258. 1914.
production and marketing, studies, program for 1915. Sec. [Misc.], "Program of work * * *, 1915," pp. 273–274. 1914.
progress and benefits, remarks by Secretary. Sec. A.R., 1925, pp. 17–20. 1925.

Cooperation—Continued.
  purchasing, possibilities and limitations. Y.B., 1919, pp. 382-385. 1920; Y.B. Sep. 819, pp. 382-385. 1920.
  raisin growers. D.B. 349, p. 4. 1916.
  relations in agricultural development. Address by Secretary Meredith. Sec. Cir. 153, pp. 13. 1920.
  report, Farmers' Institute Workers, meeting, 1907. O.E.S. Bul. 199, pp. 35-36. 1908.
  report of coordinator. Off. Rec., vol. 3, No. 36. p. 4. 1924.
  representative States, and types of business. D.B. 547, pp. 37-49. 1917.
  road building—
    agreements, regulations. Sec. Cir. 65, p. 17. 1917.
    in national forests. Y.B., 1919, p. 182. 1920; Y.B. Sep. 806, p. 182. 1920.
    in National Forests, regulations. Sec. Cir. 65, pp. 13-19. 1916.
  rodent control, importance. F.B. 932, pp. 22-23. 1918.
  rural activities, encouragement by Department. Y.B., 1915, p. 272. 1916; Y.B. Sep. 675, p. 272. 1916.
  Russian movement. Off. Rec., vol. 3, No. 52, p. 5. 1924.
  selling by farm women, methods, fees, and profits. News L., vol. 4, No. 41, p. 7. 1917.
  selling farm products and buying supplies. Y.B., 1914, pp. 102-112. 1915; Y.B. Sep. 632, pp. 16-26. 1915.
  sheep-shearing work, New Zealand. Y.B., 1914, pp. 333-334. 1915; Y.B. Sep. 645, pp. 333-334. 1915.
  shelter-belt—
    demonstrations, area covered, description. D.B. 1113, pp. 1-5. 1923.
    planting, requirements. D.L.A. Cir. 5, pp. 2-3. 1919.
  shipping—
    hogs, Arkansas and Louisiana. News L., vol. 6, No. 41, p. 10. 1919.
    livestock, accounts method. D.B. 1150, pp. 1-52. 1923.
    produce to market, and competition. Y.B., 1918, pp. 279-280. 1919; Y.B. Sep. 768, pp. 5-6. 1919.
  silo filling. F.B. 578, p. 12. 1914.
  Soils Bureau—
    with other bureaus and departments. An. Rpts., 1919, pp. 238-239, 240. 1920; Soils Chief Rpt., 1919, pp. 4-5, 6. 1919.
    with States and with other offices. An. Rpts., 1918, pp. 225, 228-229. 1919; Soils Chief Rpt., 1918, pp. 1, 4-5. 1918.
  State—
    and Federal in disease eradication, State law. C. J. Marshall. Sec. [Misc.] "Proceedings * * * conference * * * foot-and-mouth disease," pp. 29-37, 96. 1916.
    and Federal, in drafting forestry laws. Sec. Cir. 148, pp. 9-10, 11. 1919
    in reports on crops and livestock. Y.B., 1919, p. 41. 1920.
  States Relations Service with other divisions. An. Rpts., 1919, pp. 377-379, 386. 1920; S.R.S. Rpt., 1919, pp. 25-27, 34. 1919.
  status and results of county agent work, Northern and Western States, 1920. W. A. Lloyd. D.C. 179, pp. 36. 1921.
  sugar-cane industry. D.B. 1370, pp. 73-75. 1925.
  swamp-land reclamation, methods and benefits. News L., vol. 5, No. 2, p. 5 1917.
  sweet-potato selling, Florida. News L., vol. 6, No. 41, p. 10. 1919.
  threshing—
    and silo filling, in Ohio. News L., vol. 6, No. 29, p. 6. 1919.
    saving in labor. Y.B., 1918, pp. 248-250. 1919; Y.B. Sep. 772, pp. 4-6. 1919.
  timber marketing. F.B. 715, pp. 45-47. 1916.
  tobacco breeding work. An. Rpts., 1908, pp. 343-344. 1909; B.P.I. Chief Rpt., 1908, pp. 71-72. 1908.
  tobacco farmers. B.P.I. Bul. 268, pp. 19, 45, 47, 55, 58-61. 1913.
  towns and farms, result. News L. vol. 6, No. 47, p. 13. 1919.

Cooperation—Continued.
  value in—
    clearing land after drainage. Y.B. 1918, pp. 142-144. 1919; Y.B. Sep. 781, pp. 8-10. 1919.
    farmers' insurance protection. Y.B. 1916, pp. 428, 429, 430. 1917; Y.B. Sep. 697, pp. 8, 9, 10. 1917.
    prevention of cotton-seed mixture. D.C. 205, p. 12. 1922.
    pure-bred cattle sales, methods. News L., vol. 1, No. 33, p. 2. 1914.
    water right, in stock companies. D.B. 913, pp. 9-10, 12. 1920.
    with farmers' and State organizations, results. Y.B. 1911, pp. 292-294. 1912; Y.B. Sep. 568, pp. 292-294. 1912.
    wood-lot owners, necessity for control of gipsy moth. D.B. 484, Pt I, pp. 15-16. 1917.
    wool marketing. News L. vol. 6, No. 52, p. 12. 1919.
  work of Economics Bureau—
    1924. B.A.E. Chief Rpt., 1924, pp. 42-44. 1924.
    1925. B.A.E. Chief Rpt., 1925, pp. 48-50. 1925.
Cooperative—
  agricultural—
    extension, work. Sec. Cir. 47, pp. 12. 1915; S.R.S. Doc. 40, pp. 1-31. 1917; rev. pp. 1-35, 1918.
    extension work, 1921 summary and details. S.R.S. An. Rpt., 1921, pp. 4-6, 26-55. 1921.
    work, Alaska Experiment Stations, 1917. Alaska A.R., 1917, pp. 33-34, 84-86. 1919.
  associations—
    agricultural and horticultural State, proposed law, text. Mkts. S.R.A. 20, pp. 8. 1917.
    agricultural for purchases, and sales. O.E.S. Bul. 256, pp. 42-51. 1913.
    among farmers. Y.B. 1914, pp. 26-27, 41-42. 1915; D.B. 266, pp. 7-9. 1915; D.B. 547, pp. 11-37. 1917.
    cheese making and marketing. Hector McPherson and W. H. Kerr. Y.B. 1916, pp. 145-157. 1917; Y.B. Sep. 699, pp. 13. 1917.
    cotton growers. D.B. 742, p. 15. 1919.
    farmers, fruit growers, etc., methods, advantages, discussion. Sec. [Misc.] "Organization * * * in market service * * *," pp. 2-13. 1913.
    fruit growers, methods. F.B. 522, pp. 21-24. 1913.
    funds and business practices. D.B. 547, pp. 50-59. 1917.
    growers, dealers, etc., advantages and requirements. Y.B. 1912, pp. 355-362. 1913; Y.B. Sep. 597, pp. 355-362. 1913.
    Hawaii, encouragement and progress. Y.B. 1915, pp. 136-139. 1916; Y.B. Sep. 663, pp. 136-139. 1916.
    in Minnesota, work, 1914. Work and Exp., 1914. p. 141. 1915.
    legal phases. L. S. Hulbert. D.B. 1106, pp. 74. 1922.
    manager, requirements for success. Y.B. 1910, p. 396. 1911; Y.B. Sep. 546, p. 396. 1911.
    marketing—
      and financing. Y.B. 1914, pp. 185-210. 1915; Y.B. Sep. 637, pp. 185-210. 1915.
      and handling strawberries, functions and methods. D.B. 477, pp. 3-8. 1917.
      benefits to farmers. Y.B. 1922, pp. 9, 12. 1923; Y.B. Sep. 883, pp. 9, 12. 1923.
      reports and by-laws. Rpt. 98, pp. 166-284. 1913.
    meat animals, shipments, losses. Y.B. 1922, pp. 838-841, 882-884, 903-905. 1923; Y.B. Sep. 888, pp. 838-841, 882-884, 903-905. 1923.
    non-stock agricultural and horticultural, proposed law, text. Mkts. S.R.A. 20, pp. 8. 1917.
    number, States, and ownership. Off. Rec., vol. 3, No. 2, p. 6. 1924.
    objects, methods, and profits. F.B. 522, pp. 22-24. 1913.
  organization—
    aid of county agent. S.R.S. Rpt., 1918, p. 86. 1919.

INDEX TO PUBLICATIONS, 1901–1925 545

Cooperative—Continued.
associations—continued.
  organization—continued.
    by-laws, and incorporation. Y.B. 1917, pp. 388–393. 1918; Y.B. Sep. 738, pp. 6–11. 1918.
    patronage dividends. An. Rpts., 1923, pp. 662–663. 1924; Pack. and S. Ad. Rpt., 1923, pp. 6–7. 1923.
    principles, organization, types, and difficulties. Y.B. 1910, pp. 393–402. 1911; Y.B. Sep. 546, pp. 393–402. 1911.
    purchasing, organization, and operation. Y.B. 1919, pp. 381–390. 1920; Y.B. Sep. 819, pp. 381–390. 1920.
    rural-credit, description, scope, discussion by Secretary. News L., vol. 2, No. 20, p. 3, 1914.
    State laws, discussion. D.C. 149, p. 10. 1920.
    value in growing and handling apples. D.B. 302, pp. 4, 20–21, 22. 1915.
    value to farmers. Sec. Cir. 146, p. 10. 1919.
    work of county agents, 1919, results. D.C. 106, pp. 17, 18. 1920.
  bull associations. Joel G. Winkjer. Y.B. 1916, pp. 311–319. 1917; Y.B. Sep. 718, pp. 9. 1917; F.B. 993, pp. 35. 1918.
  business, farm bureaus. S.R.S. Doc. 88, pp. 11–12. 1918.
  buying—
    and marketing. An. Rpts., 1916, pp. 385, 387. 1917. Mkts. Chief Rpt., 1916, pp. 1, 3. 1916.
    objects. Y.B. 1915, pp. 74–76. 1916; Y.B. Sep. 658, pp. 74–76. 1916.
    of farm supplies. C. E. Bassett. Y.B. 1915, pp. 73–82. 1916; Y.B. Sep. 658, pp. 73–82. 1916.
  canneries, fruit and vegetable, business essentials. W. H. Kerr. Y.B., 1916, pp. 237–249. 1917; Y.B. Sep. 705, pp. 13. 1917.
  community, work in food production and conservation. S.R.S. Doc. 73, pp. 10–11. 1918.
  cotton breeding plan. B.P.I. Cir. 92, p. 10. 1912.
  creamery, egg handling. S.R.S. Syl. 17, pp. 19–20. 1915.
  credit associations—
    importance. An. Rpts., 1914, p. 29. 1914; Sec. A.R., 1914, p. 31. 1914.
    permanent articles of agreement among farmers. F.B. 654, pp. 9–14. 1915.
    suggestions for act providing for. Mkts. S.R.A. 30, pp. 9. 1918.
  date garden, Tempe, Arizona, work, and varieties B.P.I. Bul. 53, pp. 19, 21, 31, 35, 37, 42–43, 47, 100, 110, 127, 128. 1904.
  demonstration work—
    Alaska, 1916. Alaska A.R., 1916, pp. 15, 52, 66–68. 1918.
    farmers' field instructions, western Texas and Oklahoma. B.P.I. [Misc.], "Field Instructions * * *," pp. 15. 1913.
    farmers', organization, objects. Y.B., 1909, pp. 153–160. 1910; Y.B. Sep. 501, pp. 153–160. 1910.
    in the South, mission. Seaman A. Knapp. Sec. Cir. 33, pp. 8. 1910.
    increase of State aid. An. Rpts., 1913, pp. 126–127. 1914; B.P.I. Chief Rpt., 1913, pp. 22–23. 1913.
    on southern farms, plan, scope, and results. F.B. 319, pp. 1–32. 1908.
    origin, organization, and scope. F.B. 319, p.p 6–8. 1908.
    with southern farmers. S. A. Knapp. F.B. 319, pp. 22. 1908.
  experiments, Hawaii Experiment Station, methods. Hawaii A.R., 1910, pp. 10–11, 63–64. 1911.
  extension work. See Extension work.
  farm work, county agents, methods and results. An. Rpts., 1912, pp. 143–144. 1913; Sec. A.R., 1912, pp. 143–144. 1912; Y.B., 1912, pp. 143–144. 1913.
  farming, studies and experiments by Agriculture Department, farmers, and colleges. News L., vol. 3, No. 46, pp. 1, 3. 1916.

Cooperative—Continued.
fruit—
  associations, accounting system. G. A. Nahstoll and W. H. Kerr. D.B. 225, pp. 25. 1915.
  exchange, establishment, Porto Rico. P.R. An. Rpt., 1913, p. 8. 1914.
grazing, beef cattle, on reclamation projects. News L., vol. 4, No. 12, p. 5. 1916.
irrigation investigations in California, progress report. S. Fortier. O.E.S. Cir. 59, pp. 23. 1904.
laundry, farmers' successful operation, Minnesota. News L., vol. 1, No. 39, p. 3. 1914.
livestock shipping—
  advantages for South. F.B. 809, pp. 5–9. 1917.
  associations, consignments and costs. Rpt. 113, pp. 9–14, 23–26. 1916.
loan associations, benefits to farmers. An. Rpts., 1918, pp. 44–45. 1919; Sec. A.R., 1918, pp. 44–45. 1918.
marketing. See Marketing, cooperative.
movement, trend. Off. Rec., vol. 3, No. 27, pp. 1–2, 5. 1924.
organization(s)—
  business methods. W. H. Kerr and G. A. Nahstoll. D.B. 178, pp. 24. 1915.
  by-laws. C. E. Bassett and O. B. Jesness. D.B. 541, pp. 23. 1918.
  farmers in United States. D.B. 547, pp. 82. 1917.
  membership fee and capital. Y.B., 1912, pp. 358–360. 1913; Y.B. Sep. 597, pp. 358–360. 1913.
  officers, employees, meetings, and bond requirements. D.B. 178, pp. 6–9. 1915.
  potato handling. F.B. 753, pp. 7, 18–22. 1916.
  purchasing and marketing, work of Markets Office. Mkts. Doc. 1, p. 2. 1915.
  rural laundry, successful. C. H. Hanson. Y.B., 1915, pp. 189–194. 1916; Y.B. Sep. 668, pp. 189–194. 1916.
selling—
  associations for farmers, and results. Y.B., 1909, pp. 169, 172. 1910; Y.B. Sep. 502, pp. 169, 172. 1910.
  of farm products. and direct selling. Rpt. 106, pp. 62–64. 1915.
  potato growers. F.B. 407, pp. 23–24. 1910.
Sheep and Wool Growers, meeting. Off. Rec., vol. 1, No. 9, p. 3. 1922.
shelter belts, Northern Great Plains, care of. D.L.A. Cir. 4, pp. 7. 1919.
stores—
  accounting methods. News L., vol. 4, No. 10, p. 7. 1916.
  benefits and business methods. News L., vol. 4, No. 17, p. 1. 1916.
  business practice and accounts. J. A. Bexell and W. H. Kerr. D.B. 381, pp. 56. 1916.
  conditions for success and causes of failure. D.B. 394, pp. 26–29. 1916.
  office equipment and office methods. D.B. 381, pp. 53–55. 1916.
  operating expenses. D.B. 394, pp. 21–26. 1916.
  organization—
    membership and officials. D.B. 394, pp. 6–9. 1916.
    methods, bookkeeping blanks, and explanation of terms. D.B. 381, pp. 56. 1916.
  rural community, discussion. Y.B., 1914, pp. 109–112. 1915; Y.B. Sep. 632, pp. 23–26. 1915.
  typical, in the United States, survey. J. A. Bexell and others. D.B. 394, pp. 32. 1916.
studies of mountain snowfall, and evaporation. Y.B., 1910, p. 407. 1911; Y.B. Sep. 547, p. 407. 1911.
Union, farmers' position in agricultural organization. Y.B., 1913, p. 242. 1914; Y.B. Sep. 626, p. 242. 1914.
work—
  in Hawaii, 1918. Hawaii A. R., 1918, pp. 6, 9, 26–35. 1919.
  in Porto Rico, progress. P.R. An. Rpt., 1914, pp. 7, 12. 1916.
  Plant Industry Bureau, with farmers and others. An. Rpts., 1908, pp. 68–69. 1909; Sec. A.R., 1908, pp. 66–67. 1908.

Cooperators, studies in farming and farm experiments, number and scope of work. News L., vol. 3, No. 46, pp. 1, 3. 1916.
Cooperia bisonis—
a new nematode from the buffalo. Eloise B. Cram. J.A.R., vol. 30, pp. 571-573. 1925.
See also Nematode, buffalo.
Coordination, Government work, value. Off. Rec., vol. 3, No. 30, p. 5. 1924.
Coordinators, area, and Federal Business Associations, directory. B.A.I.S.R.A. 203, pp. 35-36. 1924.
Coot—
American, occurrence in—
Athabaska-Mackenzie region. N.A. Fauna 27, p. 315. 1908.
Nebraska. D.B. 794, pp. 29-30. 1920.
Porto Rico, and food habits. D.B. 326, pp. 34-35. 1916.
migration record from birds banded in Utah. D.B. 1145, p. 14. 1923.
occurrence, breeding range and food habits. Biol. Bul. 38, pp. 28-29. 1911; N.A. Fauna 22, p. 93. 1902.
protection, closed season, proposed amendment. Biol. S.R.A. 14, p. 2. 1917.
range—
and migration. D.B. 128, pp. 43-47. 1914.
occurrence, and names. M.C. 13, pp. 45-47. 1923.
COOTER, J. E.: "Soil survey of Yamhill County, Oreg." With others. Soil Sur. Adv. Sh., 1917, pp. 66. 1920; Soils F.O., 1917, pp. 2259-2320. 1923.
Cootie. See Louse.
Copaiba—
adulteration, discussion. Chem. Bul. 122, p. 95. 1909.
imports, improvement under inspection laws. Y.B., 1910, p. 212. 1911; Y.B. Sep. 529, p. 212. 1911.
Copaiva spp., importations and description. Nos. 48245, 48246. B.P.I. Inv. 60, p. 60. 1922.
Copal—
gum imports, 1851-1868, 1899-1908. Stat. Bul. 51, p. 25. 1909.
importations and description. No. 42375, B.P.I. Inv. 46, p. 85. 1919; No. 45577, B.P.I. Inv. 53, p. 61. 1922; No. 47559, B.P.I. Inv. 59, p. 30. 1922.
imports—
1907-1909 (with courie and dammar), quantity and value, by countries from which consigned. Stat. Bul. 82, pp. 64-65. 1910.
1908-1910, quantity and value, by countries from which consigned. Stat. Bul. 90, p. 68. 1911.
1911-1913. Y.B., 1913, p. 495. 1914; Y.B. Sep. 631, p. 495. 1914.
1913-1915. Y.B., 1915. p. 543. 1916; Y.B. Sep. 685, p. 543. 1916.
1916. Y.B., 1916, p. 709. 1917; Y.B. Sep. 722, p. 3. 1917.
Copeland transpiration recorder, description. J.A.R., vol. 5, No. 3, p. 121. 1915.
Copenhagen—
Laboratory for Agricultural Research, dairy cows, feeding. B.A.I. Bul. 139, pp. 36-37. 1911.
rat extermination society. Biol. Bul. 33, pp. 52-53. 1909.
Copepods, food of sea herring, description and effect on fish. D.B. 908, pp. 17-18, 22-23. 1921.
Copernicia cerifera. See Palm, wax.
Copestylum marginatum, description, injury to cactus. Ent. Bul. 113, pp. 37-38. 1912.
Copigue—
importation and description. No. 35235, B.P.I. Inv. 35, p. 25. 1915.
See also Bellflower, Chilean: Copihue.
Copihue—
importation and description. No. 55372, B.P.I. Inv. 71, p. 37. 1923.
See also Bellflower, Chilean; Copigue.
COPLEY, EDWARD, invention of heating device for orchard protection. Y.B., 1909, p. 359. 1910; Y.B. Sep. 519, p. 359. 1910.
Coppa, curing for destruction of trichinae. D.B. 880, pp. 29-30. 1920.

Copper—
absorption—
and distribution when coppered vegetables are eaten. Russell H. Chittenden. Rpt. 97, pp. 431-448. 1913.
from soil by potato plants. F.C. Cook. J.A.R., vol. 22, pp. 281-287. 1921.
acetate—
basic, solution. B.P.I. Bul. 155, p. 13. 1909.
neutral, preparation, use against black-rot of grape. B.P.I. Cir. 65, pp. 5-14. 1910.
poison formed by vinegar in copper vessel. F.B. 1438, p. 14. 1924.
aceto-arsenite. See Paris green.
adherence to plants in spraying. D.B. 866, pp. 17-21, 25, 27, 32-36, 40-42. 1920.
ammonium carbonate, effect on leaves of cauliflower. J.A.R. vol. 8, pp. 171-172. 1917.
arsenate, composition. D.B. 1147, p. 13. 1923.
arsenic content, determination method. Chem. Cir. 102, p. 10. 1912.
arsenite—
adhesive, spraying experiments, analysis of mixture. Ent. Bul. 66, pp. 65, 66, 67, 68. 1910; Pt. V, pp. 65, 66, 67, 68. 1909.
use against potato beetle, various methods. Ent. Bul. 82, p. 6. 1912; Pt. I, p. 6. 1909.
use as coloring matter. Chem. Cir. 91, p. 1. 1912.
as an algicide and disinfectant in water supplies. George T. Moore and Karl F. Kellerman. B.P.I. Bul. 76, pp. 55. 1905.
barium arsenate, mixture, composition. D.B. 1147, p. 13. 1923.
borate mixture, formula. B.P.I. Bul. 155, p. 12. 1909.
carbonate—
ammoniacal, formula and use. P. R. Cir. 17, pp. 27-28. 1918; F.B. 750, p. 35. 1916.
ammoniacal, preparation and use against black-rot of grape. B.P.I. Cir. 65, pp. 5-14. 1910.
analysis, methods. Chem. Bul. 73, pp. 162-163. 1903; Chem. Bul. 76, p. 45. 1903; Chem. Bul. 107, p. 30. 1907.
fungicide use. Off. Rec., vol. 4, No. 45, p. 6. 1925.
success against wheat smut. Work and Exp., 1923, pp. 42-43. 1925.
treatment of seed for bunt prevention. D.B. 1210, pp. 17, 18. 1924.
cleaning directions. F.B. 1180, p. 18. 1921.
compounds—
effects on crops, studies. S.R.S. Rpt., 1916, Pt. I, pp. 47, 62. 1918.
foods containing, effects on health and metabolism of man. John H. Long. Rpt. 97, pp. 209-430. 1913.
fungicides. F.B. 243, pp. 5-14. 1906.
use in—
killing trees. J.A.R., vol. 31, pp. 271-273. 1925.
potato-wart control. J.A.R., vol. 31, pp. 308-321. 1925.
content of potato plants and tubers, sprayed and unsprayed. D.B. 1146, pp. 19-21. 1923.
effect on—
flavor of butter. B.A.I. Bul. 162, pp. 48-50. 1913.
water bacteria. Karl F. Kellerman and T. D. Beckwith. B.P.I. Bul. 100, Pt. VII, pp. 57-71. 1907.
estimation in fat, method. B.A.I. An. Rpt., 1909, p. 273. 1911.
fungicides, cause of apple russeting, experiments. B.P.I. Cir. 58, pp. 3, 9-15, 18. 1910.
hydroxide, absorption of acids in solution. Soils Bul. 52, p. 31. 1908.
in celery, danger lessened. News L., vol. 1, No. 39, pp. 3-4. 1914.
in smelter wastes, injuries to vegetation. Chem. Bul. 113, rev., pp. 32-35. 1910.
iron preservation, experiments. Rds. Bul. 35, p. 22. 1909.
lime dust, use on cranberries. Off. Rec., vol. 4, No. 51, p. 6. 1925.
mining, in Alaska, Prince William Sound region. Soil Sur. Adv. Sh., 1916, p. 141. 1919; Soils F.O., 1916, p. 173. 1919.

INDEX TO PUBLICATIONS, 1901–1925 547

Copper—Continued.
  mining, injury to vegetation. Y.B., 1913, p. 211. 1914; Y.B. Sep. 624, p. 211. 1914.
  mixture, spray for black rot of grape. B.P.I. Bul. 155, p. 12. 1909.
  occurrence in—
    soils. D.B. 122, pp. 3, 12–13, 14, 27. 1914.
    soils, plants, and animals, and its possible function as a vital factor. J.S. McHargue. J.A.R. vol. 30, pp. 193–196. 1925.
  penetration in treated wood, determination by visual method. For. Bul. 190, p. 5. 1911.
  poisoning, cattle, treatment. B.A.I. [Misc.], "Diseases of cattle," rev., p. 58. 1904; rev., pp. 59–60. 1912.
  reduction of cuprous oxide to, table. Chem. [Misc.], "Table for reduction * * *," pp. 2. 1905.
  salts—
    injury to roots and seeds in sandy soils. D.B. 169, pp. 3, 23–26, 27–28, 29. 1915.
    use in greening foods. F.I.D. 92, pp. 2. 1908; F.I.D. 148, pp. 2. 1912.
    use in greening vegetables, regulations. F.I.D. 102, p. 1. 1908; F.I.D. 149, p. 1. 1912.
  smelting process, chemical properties of resulting fumes. Chem. Bul. 89, pp. 8–9. 1905.
  solution(s)—
    composition. Chem. Bul. 68, pp. 31, 32. 1902.
    formula, for use in testing sprays. D.B. 785, p. 2. 1919.
    Hammonds, analysis. Chem. Bul. 68, p. 31. 1902.
  spraying, amount remaining on fruits and vegetables. D.B. 1027, pp. 48, 49. 1922.
  sprays—
    comparison of Bordeaux and Pickering, experiments. D.B. 866, pp. 8–42. 1920.
    effect on—
      potato sprouts, skins, and tubers. J.A.R., vol. 20, pp. 625–634. 1921.
      the yield and composition of Irish potato tubers. F. C. Cook. D.B. 1146, pp. 27. 1923.
    testing. J. R. Winston and H. R. Fulton. D.B. 785, pp. 9. 1919.
  sulphate—
    analysis. Chem. Bul. 68, p. 32. 1902.
    and lime, use on damping-off of coniferous seedlings. B.P.I. Cir. 4, p. 6. 1908.
    as preservatives of cactus solution, experiments. D.B. 160, pp. 13–14. 1915.
    control of—
      beet wireworms, experiments. Ent. Bul. 123, pp. 52, 58. 1914.
      damping-off in conifer seed beds. D.B. 934, pp. 24–25, 27. 1921.
      fly larvae in horse manure, tests. D.B. 118, pp. 11, 12. 1914.
      ginseng diseases. B.P.I. Bul. 250, p. 16. 1912.
      mushroom disease. D.B. 127, pp. 14, 15. 1914.
      potato powdery scab. J.A.R., vol. 7, pp. 229–233. 1916.
      sheep parasites. F.B. 1330, pp. 22, 41, 47. 1923.
      sorghum head smut, experiments. J.A.R., vol. 2, pp. 349, 355–357. 1914.
      tapeworms and other parasites. F.B. 1330, pp. 22, 35, 39–41, 42, 47. 1923.
      tapeworms in sheep. An. Rpts., 1919, p. 131. 1920; B.A.I. Chief Rpt., 1919, p. 59. 1919.
    disinfection of potato cellar. B.P.I. Cir. 110, p. 14. 1913.
    disinfection of sewage, experiments, methods, and cost. B.P.I. Bul. 115, pp. 9–21. 1907.
    effect on—
      Bacterium lachrymans. J.A.R., vol. 5, No. 11, pp. 474–476. 1915.
      cucurbit anthracnose. D.B. 727, pp. 19, 60. 1918.
      germination of podblight spores. J.A.R., vol. 11, pp. 496–500. 1917.
      mold infestation of wheat. J.A.R., vol. 21, No. 2, pp. 106–119. 1921.
      wheat seed, experiments. J.A.R., vol. 19, pp. 375, 379, 381, 382–383. 1920.
    grain treatment, for smut, directions. F.B. 939, pp. 20–21. 1918.

Copper—Continued.
  sulphate—continued.
    in food, prohibition. An. Rpts., 1912, pp. 244; 245. 1913; Sec. A. R., 1912, pp. 244, 245. 1912. Y.B., 1912, pp. 244, 245. 1913.
    paste formula, for use on watermelon stems. F.B. 1277, pp. 25–27. 1922.
    penetration into soils. J.A.R., vol. 31, p. 353. 1925.
    soil treatment—
      coffee root diseases, experiments. P.R. Bul. 17, p. 20. 1915.
      for damping-off control, tests. D.B. 453, pp. 12–18, 19, 21, 26, 28, 29, 31. 1917.
    solution—
      for fence posts, not recommended. For. Cir. 117, p. 6. 1907.
      formula. B.P.I. Bul. 155, p. 13. 1909.
      use against stomach worms in cattle. B.A.I. [Misc.], "Diseases of cattle," rev., p. 533. 1912; rev., p. 509. 1908.
      use against stomach worms in goats, formula. F.B. 920, pp. 34–35. 1918.
      use against stomach worms in sheep, dosage. D.C. 47, pp. 4–5. 1919.
    sprays, studies of efficiency. D.B. 866, pp. 7–8. 1920.
    stock solution, directions for making. D.B. 866, pp. 7, 42–43. 1920; F.B. 1349, p. 22. 1923.
    toxicity to potato plants. J.A.R., vol. 22, pp. 281–287. 1921.
    treatment of—
      coconut bud-rot, experiment. B.P.I. Bul. 228, pp. 56–57. 1912.
      pecan rosette, experiments. J.A.R., vol. 3, pp. 162, 172. 1914.
      wheat seed for bunt. D.B. 1210, pp. 5, 13–14, 15, 16, 17, 18. 1924.
    use against—
      bunt in wheat. Y.B., 1921, p. 110. 1922; Y.B. Sep. 873, p. 110. 1922.
      mosquitoes, unsatisfactory. Ent. Bul. 88, p. 73. 1910.
      smut in grains. F.B. 704, pp. 29, 30. 1916.
      watermelon rot. News L., vol. 6, No. 47, p. 2. 1919.
      weeds. F.B. 424, p. 24. 1910.
      wheat smut. Work and Exp., 1923, p. 43. 1925.
      wireworms and tapeworms. B.A.I. Bul. 35, pp. 9–11. 1902.
    use as—
      algicide, experiments, and value. An. Rpts., 1905, pp. 89–90. 1906; B.P.I. Chief Rpt., 1905, pp. 89–90. 1905.
      anthelmintic, effects. J.A.R. vol. 12, pp. 406–409. 1918.
      food preservative in the United Kingdom, committee report. Chem. Bul. 143, pp. 14–16. 1911.
      fungicide. P.R. Cir. 17, p. 27. 1918.
      poison against Argentine ants. D.B. 647, pp. 60–71. 1918.
    use for prevention of ergot in grain. B.A.I. [Misc.], "Diseases of cattle," rev., p. 168. 1904.
    use in—
      connection with filtration. B.P.I. Bul. 100, Pt. VII, pp. 17–19. 1907.
      foods, reference to Referee Board. Rpt. 91, p. 30. 1909; Sec. A.R., 1909, p. 38. 1909; Y.B. 1909, p. 38. 1910.
      mosquito control. An. Rpts. 1904, p. 92. 1904.
      spraying troublesome weeds. F.B. 360, p. 16. 1909.
      treatment of foot-rot of sheep. B.A.I. Bul. 63, p. 38. 1905.
      treatment of grain smuts. F.B. 507, pp. 18–19, 31–32. 1912.
      treatment of seed wheat against bunt, methods, and rate. News L., vol. 4, No. 37, pp. 5, 11. 1917.
      tree pruning. News L., vol. 3, No. 27, pp. 1, 4. 1916.
      water purification. An. Rpts., 1912, p. 139. 1913; Sec. A. R., 1912, p. 139. 1912; Y.B., 1912, p. 139. 1913.
    wheat bunt treatment, formula. D.B. 30, pp. 44–48, 50. 1913.

Copper—Continued.
    sulphate—continued.
        use on little-leaf disease of vines, results. J.A.R,, vol. 8, p. 395. 1917.
        water purification. An. Rpts., 1907, p. 287. 1908.
        watermelon rot, prevention. News L., vol. 6, No. 46, p. 5. 1919.
        wheat-seed treatment, studies. D.B. 1239, pp. 18-21. 1924.
        sulphide mixtures, formulas, experiments, and results on apples. B.P.I. Cir. 58, pp. 7-8, 11, 16, 18. 1910.
        test, meat extracts. J.A.R., vol. 17, pp. 16-17. 1919.
        tipping, use in sealing cans. S.R.S. Doc. 97, p. 5. 1919.
        toxic action, study in 1923. Work and Exp., 1923, p. 48. 1925.
        use in lightning protection, equipment. F.B. 842, pp. 5-10, 18, 24-26. 1917.
Copper Center Experiment Station, Alaska—
    closing, 1909. Alaska A. R., 1909, p. 23. 1910.
    report, 1902. F. E. Rader and J. W. Neal. O.E.S. An. Rpt., 1902, pp. 262-270. 1902.
    report, 1904. J. W. Neal. O.E.S. An. Rpt., 1904, pp. 310-312. 1905.
    report, 1905. C. C. Georgeson. O.E.S. An. Rpt., 1905, p. 47. 1905.
    report, 1906. J.W. Neal. Alaska A. R., 1906, pp. 15-16, 35-43. 1907.
    report, 1907. C. W. H. Heideman. Alaska A. R., 1907, pp. 26-29, 49-59. 1908.
    report, 1908. C. W. H. Heideman. Alaska A. R., 1908, pp. 17, 48-58. 1909.
    report, 1911. L. A. Jones. Alaska A. R., 1911, pp. 65-66. 1912.
    temporary closing and transfer to Bureau of Education. O.E.S. An. Rpt., 1909, pp. 18, 74. 1910.
Copper Valley, Alaska, agricultural development. Alaska A. R., 1907, pp. 18-19. 1908.
Copperas—
    antidote to cottonseed poisoning, experiments. An. Rpts., 1914, p. 60. 1914; B.A.I. Chief Rpt., 1914, p. 4. 1914.
    solution, use—
        against weeds. F. B. 424, pp. 23-24. 1910.
        in control of beet wireworms, experiments. Ent. Bul. 123, pp. 52, 58. 1914.
    spray—
        to control bad effects of manganese soils. Hawaii A. R., 1918, pp. 45, 49-51. 1919.
        use on alfalfa and cane as fertilizer, experiments. Hawaii A. R., 1918, pp. 49-51. 1919.
    use as—
        antidote for cottonseed poisoning, experiments. An. Rpts., 1915, p. 86. 1916; B.A.I. Chief Rpt., 1915, p. 10. 1915.
        spray for weed control in oat field, formula, rate and method. F.B. 892, pp. 16-17. 1917.
        spray for weeds. O.E.S. An. Rpt., 1908, p. 149. 1908.
    use in—
        pheasant diseases. F.B. 390, pp. 36, 38. 1910.
        prevention of cottonseed poisoning. S.R.S. Rpt., 1915, Pt. I, p. 132. 1917.
        water for chickens. Y.B., 1911, p. 181. 1912; Y.B. Sep. 559, p. 181. 1912.
    See also Iron Sulphate.
Copperhead, occurrence in Texas. N.A. Fauna 25, p. 45. 1905.
Copperized oil, tests as wood preservative. D.B. 145, pp. 9-20. 1915.
Coppice—
    birch, management. For. Cir. 163, pp. 23, 29. 1909.
    growth—
        pignut hickory, management. For. Silv. Leaf. 48, pp. 3, 4. 1909.
        relation to gipsy-moth control. Ent. Cir. 164, pp. 10, 12, 16. 1913.
        wound protection for prevention of disease. B.P.I. Bul. 149, pp. 37, 40. 1909.
    hickory, growing. For. Bul. 80, pp. 28, 31, 60. 1910; For. Silv. Leaf. 49, p. 4. 1909.
    shortleaf pine reproduction. D.B. 24, pp. 20-28. 1915.
    system, forest reproduction, management. Y.B., 1910, pp. 158-161. 1911; Y.B. Sep. 525, pp. 158-161. 1911; F.B. 358, pp. 9-12. 1909.
    See also Sprout, forest.

Coppicing, effect on roots of osage orange hedges. For. Bul. 86, p. 36. 1911.
Copra—
    clubs, Guam—
        enrollment and work, 1920. Guam A.R., 1920, pp. 71, 72-73. 1921.
        results of work. Guam A.R., 1921, pp. 37, 39. 1923.
    crushing industry, study of value of products. An. Rpts., 1918, p. 218. 1919; Chem. Chief Rpt., 1918, p. 18. 1918.
    exports from Guam, 1900-1920, statistics. Guam A.R., 1920, p. 62. 1921.
    imports—
        1907-1909, quantity and value, by countries from which consigned. Stat. Bul. 82, p. 49. 1910.
        1908-1910, quantity and value, by countries from which consigned. Stat. Bul. 90, p. 52. 1911.
        1912-1914, amount and source. D.B. 296, p. 36. 1915.
        1922-1924. Y.B., 1924, p. 1063. 1925.
    industry in Guam—
        1908, source and returns. O.E.S. An. Rpt., 1908, pp. 29, 30. 1909.
        1911, importance, growth, and value. Guam A.R., 1911, pp. 7, 22, 26. 1912.
        1917, importance. Guam A.R., 1917, pp. 39, 59. 1918.
        1918, details, drying methods, and cost. Guam A.R., 1918, pp. 55-58. 1919.
        1919, regulations and details. Guam A.R., 1919, pp. 8, 41-43. 1921.
        1920, score card and requisites for good copra. Guam A.R., 1920, pp. 62-64, 65-66. 1921.
    meal—
        feed for livestock, experiments in Guam. S.R.S. Rpt., 1921, pp. 3, 23. 1921; Guam A.R., 1921, pp. 2, 4. 1923.
        value as feed stuff, composition. Rpt. 112, pp. 19, 20. 1916.
        nutritive value. An. Rpts., 1919, p. 220. 1920; Chem. Chief Rpt., 1919, p. 10. 1919.
    preparation and use. Y.B., 1912, pp. 515-516, 520. 1913; Y.B. Sep. 610, pp. 515-516, 520. 1913.
    shipments—
        from Tutuila to United States, 1906-1908. Stat. Bul. 76, p. 18. 1909.
        to the United States, 1909-1912. Stat. Bul. 95, pp. 20, 56. 1912.
Coprinus—
    atramintarius, relation to citrus gummosis. J.A.R., vol. 24, pp. 222, 232. 1923.
    spp., description. D.B. 175, pp. 35-36. 1915.
    spp. See also Mushrooms.
Coprotheres pomarinus, occurrence in Pribilof Islands. N.A. Fauna 46, p. 29. 1923.
Coptocycla bicolor. See Tortoise beetles.
Coptocyda signifera, injury to sweet-potato in Porto Rico. D.B. 192, pp. 6, 11. 1915.
COQUILLETT, D. W.—
    "A classification of the mosquitoes of North and middle America." Ent. T.B. 11, pp. 31. 1906.
    discovery of value of hydrocyanic-acid gas for plants. Ent. Bul. 90, pp. 1-2. 1912.
Coral bean, importation and description. Nos. 38117, 38650, B.P.I Inv. 39, pp. 90, 158. 1917; No. 51809, B.P.I. Inv. 65, p. 52. 1923.
Coral deposits, use as lime on soils. F.B. 921, p. 5. 1918.
Coral tree, importation and description. No. 42486, B.P.I. Inv. 47, p. 18. 1920.
Coralberry—
    fruiting season and use as bird food. F.B. 844, pp. 12, 13. 1917.
    See also Snowberry.
Coralline rock, road-surfacing experiments. D.B. 407, pp. 35-38, 45-47. 1916.
Coralroot. See Crawley-root.
CORBETT, L. C.—
    "A successful method of marketing vegetable products." Y.B., 1912, pp. 353-362. 1913; Y.B. Sep. 597, pp. 353-362. 1913.
    "Annual flowering plants." F.B. 195, pp. 48. 1904.
    "Beans." F.B. 289, pp. 28. 1907.

INDEX TO PUBLICATIONS, 1901–1925 549

CORBETT, L. C.—Continued.
"Beautifying the home grounds." F.B. 185, pp. 24. 1904.
"Cabbage." F.B. 433, pp. 23. 1911.
"Color as an indication of picking maturity of fruits and vegetables." Y.B., 1916, pp. 99–106. 1917; Y.B. Sep. 686, pp. 8. 1917.
"Cranberry culture." F.B. 176, pp. 20. 1903.
"Cucumbers." F.B. 254, pp. 32. 1906.
"Growing annual flowering plants." With F. L. Mulford. F.B. 1171, pp. 38. 1921.
"Ice houses." F.B. 475, pp. 20. 1911.
"Lawn soils and lawns." With others. F.B. 494, pp. 48. 1912.
"Plants as a factor in home adornment." Y.B., 1902, pp. 501–518. 1903; Y.B. Sep. 284, pp. 501–518. 1903.
"Potato outlook." F.B. 558, pp. 3–4. 1913.
"Pruning." F.B. 181, pp. 40. 1903.
"Raspberries." F.B. 213, pp. 38. 1905.
"Strawberries." F.B. 198, pp. 24. 1904.
"Suggestions to potato growers on irrigated lands." B.P.I. Cir. 90, pp. 6. 1912.
"The home fruit garden." F.B., 154, pp. 20. 1902; Y.B., 1901, pp. 431–446. 1902; Y.B. Sep. 246, pp. 431–446. 1902.
"The lawn." F.B. 248, pp. 20. 1906.
"The potato as a truck crop." F.B. 407, pp. 24. 1910.
"The propagation of plants." F.B. 157, pp. 24. 1902.
"The school garden." B.P.I. Doc. 140, pp. 6. 1905; F.B. 218, pp. 40. 1905.
"Tomato growing as club work in the North and West." B.P.I. Doc. 883, pp. 10. 1913.
"Tomatoes." F.B. 220, pp. 32. 1905.
"Truck farming in the Atlantic Coast States." Y.B., 1907, pp. 425–434. 1908; Y.B. Sep. 459, pp. 425–434. 1908.
Corchorus capsularis. See Jute.
Corcyra cephalonica. See Rice moth.
Cord measure, firewood. For. Bul. 36, p. 58. 1910.
Cordeauxia edulis. See Yeheb nut.
CORDER, G.: "Size of potato sets: Comparisons of whole and cut seed." With others. D.B. 1248, pp. 44. 1924.
Cordia—
  alba, ornamental, importation and description. No. 40988, B.P.I. Inv. 44, p. 26. 1918.
  blancoi. See Anonang.
  holstii, importation and description. No. 51551, B.P.I. Inv. 65, p. 25. 1923.
  myxa—
    importation, description, and source. No. 34251, B.P.I. Inv. 32, pp. 26–27. 1914.
    See also Sebesten.
  sebestena, importation and description. No. 36091, B.P.I. Inv. 36, p. 51. 1915.
  spp., importations and descriptions. Nos. 37121, 37274, B.P.I. Inv. 38, pp. 40, 48. 1917; Nos. 51101, 51118, B.P.I. Inv. 64, pp. 2, 55, 59. 1923.
Cordial—
  apricot, adulteration and misbranding. Chem. N.J. 1684, pp. 2. 1912; Chem. N.J. 1577, p. 1. 1912; Chem. N.J. 1767, pp. 2. 1912; Chem. N.J. 2735, pp. 2–3. 1914.
  banana, adulteration and misbranding. Chem. N.J. 1523, p. 1. 1912; Chem. N.J. 3884, p. 1. 1915.
  benzaldehyde, determination. Chem. Bul. 152, pp. 192–195. 1912.
  blackberry—
    adulteration and misbranding. Chem. N.J. 612, pp. 2. 1910; Chem. N.J. 926, pp. 2. 1911; Chem. N.J. 1430, pp. 2. 1912; Chem. N.J. 1667, pp. 2. 1912; Chem. N.J. 2061, pp. 2. 1913; Chem. N.J. 2221, pp. 2. 1913; Chem. N.J. 2137, pp. 2. 1913; Chem. N. J. 2193, p. 1. 1913; Chem. N.J. 3366, p. 1. 1915.
    standard and declaration. Chem. S.R.A. 14, p. 13. 1915.
  cherry, adulteration and misbranding. Chem. N.J. 1851, pp. 2. 1913.
  diarrhoea, Mansfield, misbranding. Chem. N.J. 4147. 1916.
  Kola, misbranding. Chem. N.J. 909, p. 2. 1911.
  labeling. F.I.D. 125, p. 1. 1910.
  panna, misbranding. Chem. N.J. 2737, pp. 1–2. 1914.

Cordial—Continued.
  peach and cherry, adulteration and misbranding. Chem. N.J. 1877, pp. 2. 1913.
  peach-flavored, adulteration and misbranding. Chem. N.J. 1755, pp. 2. 1912.
  "Vino Vito" misbranding. Chem. N.J. 1215, pp. 2. 1912.
  wild cherry, adulteration and misbranding. Chem. N.J. 1921, p. 1. 1913.
CORDLEY, A.B.—
  "How can agricultural colleges best serve farmers in solving rural problems?" O.E.S. Bul. 228, pp. 97–99. 1910.
  report of Oregon Experiment Station, work and expenditures—
    1914. O.E.S. An. Rpt., 1914, pp. 194–199. 1915.
    1915. S.R.S. An. Rpt., 1915, Pt. I., pp. 222–227. 1916.
    1916. S.R.S. An. Rpt., 1916, Pt. I., pp. 227–233. 1918.
    1917. S.R.S. An. Rpt., 1917, Pt. I., pp. 222–229. 1918.
Corduroy (material) freshening methods. Thrift Leaf., 8, p. 3. 1919.
Corduroy roads—
  construction for forest trails, different methods. For. [Misc.], 0–6, pp. 31–33. 1915.
  mountain, use, remarks. Y.B. 1900, p. 196. 1901.
Cordwood—
  chestnut, different sizes. F.B. 582, p. 22. 1914.
  consumption, 1880. Rpt. 117, pp. 61–62, 72. 1917.
  consumption, annual, and value of different trees. D.B. 153, pp. 2, 24, 25, 28, 30, 31, 32. 1915.
  estimation, standing timber. F.B. 715, p. 26. 1916.
  grading, and lengths, weight per cubic foot, and care of. F.B. 715, pp. 4, 11, 16, 48. 1916.
  making and piling, methods. Sec. Cir. 79, p. 5. 1917.
  measuring, grading, estimating, and protection. F.B. 1210, pp. 16, 23, 36, 60. 1921.
  mesquite, protection from borers. F. C. Craighead and George Hofer. F.B. 1197, pp. 12. 1921.
  pine, production and use for pulpwood or fuelwood. D.B. 1061, pp. 14, 15. 1922.
  production in Connecticut, varieties, cost, stumpage value, and yield per acre. For. Bul. 96, pp. 19, 23–24, 29, 38–39, 63–64. 1912.
  slash pine, production and yields. F.B. 1256, pp. 15, 16, 17, 38, 39, 40. 1922.
  standing, estimation methods. D.B. 753, p. 10. 1919.
  use and value—
    in coal saving. News L., vol. 5, No. 9, p. 2. 1917.
    of cottonwood. D.B. 24, pp. 9–10, 45, 46–47. 1913.
    various trees, value. For. Cir. 81, rev., pp. 8, 12, 13, 15, 17, 18. 1910.
    volume determination in Utah juniper, tables. For. Cir. 197, pp. 12–17. 1912.
Cordyceps clavulata, fungous disease of terrapin scale. Ent. Bul. 67, p. 38. 1907.
Cordyline—
  indivisa, importation and description. No. 34724. B.P.I. Inv. 33, p. 52. 1915.
  terminalis. See Ti.
Cordylobia anthropophaga, parasitic fly, spread by dogs. D.B. 260, p. 24. 1915.
Core drill, use in rock testing. Rds. Bul. 44, pp. 12, 13. 1912.
Core rot, apple and pear, control in Washington, Benton County. Soils F.O., 1916, p. 2214. 1921; Soil Sur. Adv. Sh. 1916, p. 16. 1919.
Coreidae. See Squash-bug.
Coreopsis spp., description, cultivation, and characteristics F.B. 1171, pp. 40, 79. 1921.
Coriander—
  Bombay or Indian, importation. Chem. S.R.A. 23, p. 98. 1918.
  culture and handling as drug plant, yield, and price. F.B. 663, pp. 21–22. 1915.
  drying and use. D.C. 3, p. 16. 1919.
  growing and uses, harvesting, marketing, and prices. F.B. 663, rev., pp. 29–30. 1920.
  oil, adulteration. Chem. N.J. 2475, p. 1. 1913.

Coriander—Continued.
seed—
adulteration. Chem. N.J. 4644. 1917; Chem. N.J. 12706. 1925.
importation, notice to importers. Opinion 71. Chem. S.R.A. 7, p. 529. 1914.
source of perfumery. B.P.I. Bul. 195, pp. 12, 40, 42, 44. 1910.
use as food flavoring. O.E.S. Bul. 245, pp. 55, 68. 1912.
Coriaria—
myrtifolia—
adulterant of marjoram. Chem. S.R.A. 18, p. 43. 1916.
adulterant of sumac. Chem. Bul. 117, p. 7. 1908.
sinaca, importation and description. No. 40706, B.P.I. Inv. 43, p. 69. 1918.
thymifolia, importation. No. 42817, B.P.I. Inv. 47, p. 70. 1920.
Corinth grapes. See Grape, currant.
Cork—
disease, apple, description, and control experiments. J.A.R., vol. 12, pp. 131–134, 135. 1918.
formation in sweet potato. J.A.R., vol. 21, pp. 637–647. 1921.
granulated, use and value as packing for grapes, comparison with redwood sawdust. D.B. 35, pp. 6–9. 1913.
ground, use discontinued for packing grapes. An. Rpts., 1911, pp. 324, 325. 1912; B.P.I. Chief Rpt., 1911, pp. 76, 77. 1911.
ground, use in packing mangoes for shipping. P. R. An. Rpt., 1919, p. 17. 1920.
imports—
1851–1908. Stat. Bul. 51, p. 23. 1909.
1908–1910, value by countries from which consigned. Stat. Bul. 90. p. 67. 1911.
1911–1913. Y.B., 1913, p. 495. 1914; Y.B.Sep. 631, p. 495. 1914.
1913–1915. Y.B., 1915, pp. 542, 555. 1916; Y.B. Sep. 685, pp. 542, 555. 1916.
1922–1924. Y.B., 1924, p. 1068. 1925.
legs, origin of name, and materials used in manufacture. D.B. 316, p. 32. 1915.
New Zealand, importation and description. No. 46749. B.P.I. Inv. 57, pp. 9, 28. 1922.
spot, apple, description and cause. F.B. 1160, pp. 8–9. 1920.
substitute, use of Cuban wood. No. 38854. B.P.I. Inv. 40, p. 36. 1917.
use in storage-house insulation. F.B. 852, p. 22. 1917.
Corking machine, use in manufacture of grape juice, description. F.B. 644, p. 7. 1915.
Corkwood tree, introduction. Off. Rec., vol. 2, No. 30. p. 2. 1923.
Corm—
dasheen, description, forcing, and uses. B.P.I. Cir. 127, pp: 28, 29, 34–36. 1913
disease of gladioli, caused by Bacterium marginatum. J.A.R., vol. 29, pp. 159–177. 1924.
Cormorant—
double-crested—
description and habits. Biol. Bul. 38, pp. 15–16. 1911.
migration record from bird banded in Utah. D.B. 1145, p. 13. 1923.
occurrence in Athabaska-Mackenzie region. N.A. Fauna 27, p. 274. 1908.
range, and habits. N.A. Fauna 22, pp. 81–82. 1902.
occurrence in Pribilof Islands, food habits. N.A. Fauna 46, pp. 40–42. 1923.
pelagic, range and habits. N.A. Fauna 21, pp. 39, 73. 1901.
protection, exception from. Biol. Bul. 12, rev., pp. 42, 44. 1902.
range and habits. N.A. Fauna 24, pp. 54–55. 1904.
red-faced, food of nestlings. Y.B., 1900, p. 434. 1901.
Corn—
absorption of nitrogen by roots, experiments. J.A.R., vol. 9, pp. 76–77. 1917.
acidity—
degree, studies and tables. D.B. 102, pp. 6–11, 35–44, 45. 1914.

Corn—Continued.
acidity—continued.
determination(s)—
as test of soundness. D.B. 215, p. 1. 1915
improved apparatus for making. H. S. Besley and G. H. Baston. Sec. Cir. 68, pp. 4. 1916.
methods and apparatus. B.P.I. Bul. 199, pp. 7–12, 18–25. 1910.
relation to vegetative vigor. Annie May Hurd. J.A.R., vol. 25 pp. 457–469. 1923.
acre value in—
food. F.B. 877, pp. 4, 6. 1917.
Kansas and Oklahoma, 1904–1913. Y.B., 1913, pp. 233, 235, 236. 1914; Y.B., Sep. 625, pp. 233, 235, 236. 1914.
acreage—
1909–1919. Y.B., 1923, p. 136. 1924.
1918, and acreage and production since 1909, Southern States. S.R.S. Doc. 96, pp. 11, 12. 1919.
and distribution, world countries. Sec. Cir. 91, pp. 3–4. 1918.
and farmers growing it for grain. Y.B. 1921, pp. 161–163. 1922; Y. B. Sep. 872, pp. 161–163. 1922.
and production—
1909 and estimate 1915, by States, maps. Y.B., 1915, pp. 348, 349. 1916; Y.B., Sep. 681, pp. 348, 349. 1916.
1909–1919, in Southern States. D.C. 85, p. 15. 1920.
1914–1919. An. Rpts., 1919, pp. 4, 6, 7. 1920; Sec. A. R., 1919, pp. 6, 8, 9. 1919.
1917, and acreage, 1918. Sec. Cir. 103, pp. 12–13. 1918.
Georgia, Brooks County, 1879–1909, 1892–1914. Soil Sur. Adv. Sh., 1916, pp. 10, 11–12, 13. 1918; Soils F.O., 1916, pp. 594, 595–596, 597. 1919.
Iowa, Delaware County. Soil Sur. Adv. Sh., 1922, pp. 6, 8, 16, 18, 22, 29. 1925.
Nebraska, Nance County. Soil Sur. Adv. Sh., 1922, pp. 230–231. 1925.
North Carolina, Cumberland County. Soil Sur. Adv. Sh., 1922, pp. 114. 1925.
North Carolina, Haywood County. Soil Sur. Adv. Sh., 1922, pp. 207, 208, 209. 1925.
South Carolina, Lexington County. Soil Sur. Adv. Sh., 1922, pp. 157, 158. 1925.
world countries, 1910–1914. Y.B., 1916, pp. 533, 538. 1917; Y.B., Sep. 713, pp. 3, 8. 1917.
and value—
Kansas and Oklahoma, comparison with grain sorghum. F.B., 686, pp.11–15. 1915.
Southern States, 1900– 1909, comparison with oats and wheat. F.B. 436, p. 5. 1911.
and yield—
1917, with comparisons and suggestions for 1918. News L., vol. 5, No. 30, p. 4. 1918.
by countries. Y.B., 1924, p. 604. 1925.
in North Dakota, McHenry County. Soil Sur. Adv. Sh., 1921, pp. 934, 935, 936, 940, 941. 1925.
increase in semiarid regions. F.B. 773, p. 24. 1916.
per farm, twenty-one regions, United States. D.B. 320, p. 10. 1916.
by countries, Europe, 1885, 1895, 1905. Stat. Bul. 68, pp. 16–17. 1908.
cut for fodder in 1919, map. Y.B., 1921, p. 436. 1922; Y.B., Sep. 878, p. 30. 1922.
expansion and reduction. Off. Rec., vol. 3, No. 17, pp. 1, 5. 1924.
for grain in 1919, map. Y.B., 1921, p. 435. 1922; Y.B., Sep. 878, p. 29. 1922.
graphic showing. Y.B., 1921, p. 103. 1922; Y.B., Sep. 873, p. 103. 1922.
growing and harvesting, southwestern Minnesota D.B. 1271, pp. 8, 11, 17–24. 1924.
grown by Indians in colonial days. Y.B., 1918, pp. 123, 128. 1919; Y.B. Sep. 776, pp. 3, 8. 1919.
in South, comparison with cotton. Y.B., 1921, p. 337. 1922; Y.B. Sep. 877, p. 337. 1922.
in Texas. O.E.S. Bul. 222, pp. 13, 29. 1910.
increase, 1924. Off. Rec., vol. 3, No. 13, p. 1. 1924.

Corn—Continued.
  acreage—continued.
    production and—
      exports, trend. Y.B., 1923, p. 445. 1924;
        Y. B. Sep. 896, p. 445. 1924.
      foreign trade. Sec. A.R., 1925, pp. 2-3, 102-104. 1925.
      value, 1913, estimate. F.B. 570, pp. 6, 8, 16, 17, 18, 19, 24. 1913; F.B. 645, p. 24. 1914.
      value, 1914, estimate, and comparison. F.B. 611, pp. 3, 4, 26, 37. 1914.
    relation to number of horses in use. F.B. 1093, p. 20. 1920.
    required for—
      family and farm supply. F.B. 1015, pp. 10, 15. 1919.
      sow with pigs. Y.B., 1907, p. 396. 1908; Y.B. Sep. 456, p. 396. 1908.
    under irrigation in Colorado, Cache la Poudre Valley, 1916, 1917. D.B. 1026, p. 43. 1922.
  yield—
    and variety tests, Nevada, Truckee-Carson project. W.I.A. Cir. 3, pp. 4, 7-8. 1915.
    cost and value per farm, by States. D.C. 340, pp. 5-11. 1925.
    prices and marketing. 1923. Y.B., 1923, pp. 662-679. 1924; Y.B. Sep. 899, pp. 662-679. 1924.
    production, and price, 1866-1920, graph. F.B. 1289, p. 27. 1923.
  adaptability to—
    acid soils. D.B. 6, p. 8. 1913.
    Cecil clay. Soils Cir. 28, pp. 8-9. 1911.
    Cecil sandy loam. Soils Cir. 27, pp. 12-13. 1911.
    Houston clay and Houston black clay. Soils Cir. 49, p. 8. 1911; Soils Cir. 50, p. 9. 1912.
    Norfolk sandy loam. Soils Cir. 45, p. 8. 1911.
    Orangeburg fine sandy loam and yield. Soils Cir. 46, pp. 13-14, 19. 1911.
    Penn loam, eastern United States. Soils Cir. 56, pp. 6, 7. 1912.
    Trinity clay. Soils Cir. 42, pp. 5, 10, 12. 1911.
    Volusia loam, eastern United States, yield. Soils Cir. 60, pp. 4, 9. 1912.
    Wabash clay soil. Soils Cir. 41, pp. 10, 11, 13, 15. 1911.
    Wabash silt loam. Soils Cir. 40, pp. 8, 10. 1911.
    western Kansas. Soil Sur. Adv. Sh., 1910, p. 94. 1912; Soils F.O. 1910, p. 1432. 1912.
  adulterant in buckwheat flour. Chem. N.J. 60, pp. 5-6. 1909.
  advantages as a crop. Off. Rec., vol. 4, No. 27, p. 2. 1925.
  aid of hogs in harvesting. News L., vol. 6, No. 8, pp. 2, 4. 1918.
  alcohol—
    making, experimental run. Chem. Bul. 130, p. 66. 1910.
    manufacture, value. F.B. 268, pp. 18-20. 1906.
    yield and cost per gallon and fermentation methods. F.B. 429, pp. 16-17, 23-27. 1911.
  American, superiority, and preference in Europe. B.P.I. Cir. 55, pp. 27, 37. 1910.
  alternation of early and late rows, planting methods. News L., vol. 4, No. 25, p. 3. 1916.
  analysis—
    as source of alcohol. F.B. 429, p. 16. 1911.
    comparison with grain-sorghum varieties. F.B. 724, p. 4. 1916.
    comparison with oats and other grains. F.B. 420, pp. 16, 18. 1910.
    of grains and seedlings. J.A.R., vol. 5, No. 11, pp. 456-457. 1915.
    twenty-one varieties from different localities. B.P.I. Bul. 161, p. 15. 1909.
  and—
    alfalfa—
      horse feed, misbranding. Chem. N.J. 322, p. 1. 1910.
      pasturing with hogs, Huntley project, experiments, 1911-1913. B.P.I. [Misc.], "The work of the Huntley * * *, 1913," pp. 6-8. 1914.
    beans, misbranding. Chem. N.J. 39. 1909.
    cob meal, use in calf feeding. D.B. 631, pp. 1-29. 1918.
    concentrates, protein mixtures, nutritive value. J.A.R., vol. 24, pp. 971-978. 1923.

Corn—Continued.
  and—continued.
    corn products, food value. Charles D. Woods. F.B. 298, pp. 40. 1907.
    cotton, liability to injury by hot-weather waves. Y.B., 1900, p. 325. 1901.
    cowpeas—
      grazing for steers. C. F. Langworthy. F.B. 124, pp. 27. 1901.
      growing in wide-spaced rows, experiments. D.C. 209, pp. 25-26. 1922.
    hog ratios, 1910-1922. Y.B., 1922, p. 905. 1923; Y.B. Sep. 888, p. 905. 1923.
    legume-hay ration for steers. F.B. 1382, pp. 7-8. 1924.
    rape, hogging-off, Huntley Experiment Farm. D.C. 86, pp. 20-21. 1920.
    soy beans—
      hog feed, value. B.P.I. Bul. 111, Pt. IV, p. 16. 1907.
      silage, feed value. F.B. 514, pp. 22-23. 1912.
    tomato—
      canning recipe. News L., vol. 3, No. 4, p. 6. 1915.
      combinations, canning directions. F.B. 839, p. 19. 1917.
  aphid—
    root, food plants, description. Ent. T.B. 12, Pt. VIII. pp. 123-144. 1909.
    transmission of mosaic disease. J.A.R., vol. 19, pp. 520-521. 1920.
  area—
    and production, by world countries, 1907-1911. Stat. Cir. 29, pp. 3-4. 1912.
    in various sections, 1879-1919. Y.B., 1922, pp. 562, 563. 1922; Y.B. Sep. 891, pp. 562, 563. 1922.
    of surplus. Stat. Bul. 38, p. 30. 1905.
    production, and exports, in various countries. Stat. Cir. 19, pp. 6, 11. 1911.
  Argentina—
    area, production, exports, and prices, 1906-1913. Stat. Cir. 47, pp. 4-6. 1913.
    cultivation, harvesting, yield and use. Rpt. 75, pp. 16-32. 1903.
    exportation, shipping facilities and proposed improvements. Rpt. 75, pp. 32-48. 1903.
    exports. Off. Rec., vol. 4, No. 17, p. 3. 1925.
    moisture content. Y.B., 1915, p. 290. 1916; Y.B. Sep. 677, p. 290. 1916.
    statistics, 1891-1912. Stat. Cir. 30, pp. 8, 11. 1912.
  Argentine—
    importation and description. No. 55976. B.P.I. Inv. 73, p. 24. 1924.
    infestation with weevils, examination and control. An. Rpts., 1914, pp. 195-196. 1914; Ent. A.R., 1914, pp. 13-14. 1914.
    production, and exports. Y.B., 1921, pp. 205-207. 1922; Y.B. Sep. 872, pp. 205-207. 1922.
    quality, chemical composition, etc. F.B. 581, pp. 10-12. 1914.
    as rotation crop, directions, and effects on land. Y.B., 1908, pp. 414, 418. 1909; Y.B. Sep. 490, pp. 414, 418. 1909.
  ash determination. B.P.I. Bul. 199, pp. 25-26. 1910.
  Asiatic quarantine, regulations. An. Rpts., 1917, pp. 417, 429-430. 1918; F.H.B. An. Rpt., 1917, pp. 3, 15-16. 1917.
  assimilation of nitrogen, phosphorus, and potassium when nutrient salts are confined to different roots. P. L. Gile and J. O. Carrero. J.A.R., vol. 21, pp. 545-573. 1921.
  bacterial blight, symptoms, and control by crop rotation. F.B. 856, p. 43. 1917.
  billbug(s)—
    control methods. F.B. 259, pp. 20-21. 1906.
    description, life history, destructiveness, and control. F.B. 1003, pp. 9-10, 21. 1919.
    habits. Y.B., 1908, p. 384. 1909; Y.B. Sep. 488, p. 384. 1909.
    injuries to crop. Work and Exp., 1914, p. 180. 1915.
  binder. See Binder, corn.
  biological examination. B.P.I. Bul. 199, pp. 16-18. 1910.
  bionomic investigations. An. Rpts., 1908, pp. 334-335. 1908; B.P.I. Chief Rpt., 1908, pp. 62-63. 1908.

Corn—Continued.
  bitter, importation. No. 44564, B.P.I. Inv. 51, pp. 7, 25. 1922.
  black-bundle disease. Charles S. Reddy and James R. Holbert. J.A.R., vol. 27, pp. 177–206. 1924.
  black weevil, school lesson. D.B. 258, p. 11. 1915.
  black Mexican, crossing with other varieties. B.P.I. Bul. 184, pp. 16–17. 1910.
  blade(s)—
    monostichous arrangement in new type from China. B.P.I. Bul. 161, pp. 8, 11, 24. 1909.
    stripping. F.B. 313, p. 8. 1907.
  blue, experiments in cross-pollination, results. Y.B., 1906, p. 282. 1907; Y.B. Sep. 423, p. 282. 1907.
  Bolivia, importations and description. Nos. 33448–33457, B.P.I. Inv. 31, pp. 5, 23–24. 1914.
  bollworm control by plowing and cultivation. F.B. 872, pp. 9–10. 1917.
  Boone, hybrids, brachytic characters. D.B. 925, pp. 10–11, 14–23. 1921.
  borer—
    bird enemies. Biol. Chief Rpt., 1921, p. 14. 1921.
    broomcorn infestation. Off. Rec., vol. 2, No. 16, p. 5. 1923.
    control—
      in Guam. Guam Bul. 2, p. 38. 1922; Guam A.R., 1917, pp. 20, 59. 1918.
      work, 1921. Ent. A.R., 1921, pp. 1–2. 1921.
      work, 1922. An. Rpts., 1922, pp. 608–609. 1923; F.H.B. An. Rpt., 1922, pp. 6–7. 1922; Y.B., 1922, p. 33. 1923; Y.B. Sep. 883, p. 33. 1923.
      work, 1924. Ent. A.R., 1924, p. 9. 1924.
    damage, 1919. News L., vol. 6, No. 52, p. 7. 1919.
    European—
      and its American allies, description. J.A.R., vol. 18, pp. 171–178. 1919.
      bibliography. J. S. Wade. M. C. 46, pp. 20. 1925.
      comparison with corn earworm. Geo. W. Barber. J.A.R. vol. 27, pp. 65–70. 1923.
      control, studies. Work and Exp., 1919, p. 19. 1921.
      corn crop menace. D. J. Caffrey. F.B. 1046, pp. 28. 1919.
      description and control. D. J. Caffrey and L. H. Worthley. F.B. 1294, pp. 45. 1922.
      feeding habits in corn stubble. F.B. 1046, pp. 19–21. 1919.
      habits and control. Guam Cir. 3, pp. 12–13. 1922.
      in American corn. W. R. Walton. Y.B., 1920, pp. 85–104. 1921; Y.B. Sep. 831, pp. 85, 104. 1921.
      infestation of various States. Notice of hearing. F.H.B., S.R.A. 71, pp. 102, 140–147. 1922.
      injury to corn, control suggestions. F.B. 1310, p. 7. 1923.
      introduction, habits, and control. An. Rpts., 1918, pp. 237–238, 248. 1919; Ent. A.R., 1918, pp. 5–6, 16. 1918.
      introduction, spread, and control. An. Rpts., 1919, pp. 512–517, 529. 1920; F.H.B. An. Rpt., 1919, pp. 8–13, 25. 1919.
      lepidopterous larvae resembling. William O. Ellis. J.A.R. vol. 30, pp. 777–792. 1925.
      outbreaks in 1921. D.B. 1103, pp. 28–30. 1922.
      parasites. F.B. 1294, pp. 26–27. 1922.
      parasites, description and habits. F.B. 1046, pp. 21–22. 1919.
      quarantine, Oct. 1, 1918. F.H.B. Quar. 36, p. 1. 1918.
      quarantine, Apr. 11, 1919. F.H.B., S.R.A. 62, pp. 57, 60. 1919.
      quarantine, Feb. 21, 1920; F.H.B. Quar. 41, pp. 4. 1920.
      quarantine, May 1, 1922. F.H.B., Quar. 43, rev. pp. 7. 1922.
      quarantine, Nov. 16, 1922. F.H.B. Quar. 43, amdts. 1, 3, pp. 2. 1922.
      quarantine revision, May 1, 1924. F.H.B., Quar. 43, rev., pp. 7. 1924.

Corn—Continued.
  borer—continued.
    European—Continued.
      quarantine, May 24, 1923. F.H.B., S.R.A. 75, pp. 86–88. 1923.
      quarantine, Oct. 1, 1923. F.H.B., S.R.A. 76, pp. 107–109. 1923.
      quarantine, Oct.–Nov., 1923. F.H.B., S.R.A. 77, pp. 152–156, 170, 172. 1924.
      quarantine 43, and revisions, July, 1922. F.H.B., S.R.A. 73, pp. 118–120. 1923.
      quarantine enforcement, 1920. F.H.B. An. Rpt., 1920, pp. 12–14, 24, 26, 28, 29. 1920.
      quarantine enforcement, 1923. F.H.B. An. Rpt., 1923, pp. 5–6, 32, 35. 1923; An. Rpts., 1923, pp. 619–620, 646, 649. 1924.
      quarantine enforcement, 1924. F.H.B. An. Rpt., 1924, pp. 5–6. 1924.
      quarantine, details, and penalties, Mar. 29, 1920. F.H.B.Quar. Notice 43, pp. 5. 1920.
      quarantine in Massachusetts for control. F.H.B., S.R.A., 56, pp. 92–93. 1918.
      quarantine restrictions, on Canadian products. F.H.B., S.R.A. 71, pp. 102, 147–150, 174. 1922.
      quarantine revision, May 1, 1924. F.H.B., S.R.A. 79, pp. 52–57. 1924.
      quarantine revision, instruction to postmasters. F.H.B., S.R.A. 72, pp. 91–92. 1922.
      transportation forbidden by law. F.B. 1046, p. 23. 1919.
    in broomcorn. Off. Rec., vol. 2, No. 16, p. 5. 1923.
    in Guam, description and habits. Guam A.R., 1920, pp. 39–40. 1921.
    increase in Ohio. Off. Rec., vol. 2, No. 45, p. 3. 1923.
    infestation in 1920. An. Rpts., 1920, pp. 28–29. 1921; Sec. A.R. 1920, pp. 28–29. 1920.
    infested material, destruction. F.B. 1294, p. 40. 1922.
    injuries—
      and area infested. Y.B. 1921, p. 187. 1922; Y.B. Sep. 872, p. 187. 1922.
      and control studies. Y.B. 1921, p. 187. 1922; Y.B. Sep. 872, p. 187. 1922.
    interception in imports. F.H.B., S.R.A. 77, Sup., pp. 177, 203, 206. 1924.
    interception in plant product imports. F.H.B., An. Letter No. 36, pp. 1, 18, 25. 1923.
    lepidopterous larvae resembling. William O. Ellis. J.A.R., vol. 30, pp. 777–792. 1925.
    origin, distribution, life history, habits, and spread. Y.B. 1920, pp. 85–98. 1921; Y.B. Sep. 831, pp. 85–98. 1921.
    parasite introduction. Off. Rec., vol. 2, No. 48, p. 6. 1923.
    quarantine—
      Mar. 1, 1919. F.H.B., S.R.A. 61, p. 31. 1919.
      Oct. 23, 1920. F.H.B., Quar. 43, amdt. 4, p. 1. 1920.
      Nov. 23, 1920. F.H.B., Quar. 43, Amdt. 5, p. 1. 1923.
      Jan. 15, 1921. F.H.B., Quar. 43, Amdt. 6, p. 1. 1921.
      Nov. 15, 1921. F.H.B., Quar. 43, rev., pp. 6. 1921.
      Apr. 1, 1923. F.H.B.S.R.A. 74, pp. 26–27, 52, 55. 1923.
      Nov. 30, 1923. F.H.B. Quar. 41, rev., amdt. 2, pp. 2. 1923.
      Apr. 23, 1924. F.H.B. Quar. 43, rev., pp. 7. 1924.
      increase of area, New York. F.H.B. Quar. 43, amdt. 1, p. 1. 1920.
      modification, broomcorn permits. F.H.B. Quar. 41, amdt. 1, p. 1. 1923.
      restrictions, 1924. F.H.B.S.R.A. 78, pp. 15, 28, 31. 1924.
    spread prevention, appropriation. News L., vol. 6, No. 31, p. 8. 1919.
  boron, absorption and distribution, studies. J.A.R., vol. 5, No. 19, pp. 884, 886, 887. 1916.
  botanical description. D.B. 772, pp. 283, 285–287. 1920.
  botany studies, topics, exercises, and references. D.B. 653, pp. 7–8. 1918.

INDEX TO PUBLICATIONS, 1901–1925 553

Corn—Continued.
 brachytic—
  hybrids with teosinte, heredity studies. J.A.R., vol. 27, pp. 577–594. 1924.
  variation. J. H. Kempton. D.B. 925, pp. 28. 1921.
 bran, adulteration. Chem. N.J. 1071, p. 1. 1911.
 bread. See Bread, corn.
 Breeders'—
  Association, Illinois, organization, object and work. Y.B., 1907, pp. 235–236. 1908; Y.B. Sep. 446, pp. 235–236. 1908.
  cooperative work, directions. C. H. Kyle. B.P.I. Doc. 564, pp. 10. 1910.
 breeding—
  advantages to farmer. F.B. 1175, p. 5. 1920.
  and selection, demonstration, and extension. An. Rpts., 1907, pp. 274–276. 1908.
  broad, importance. G. N. Collins. B.P.I. Bul. 141, Pt. IV, pp. 33–44. 1909.
  brachytic variation, investigations. D.B. 925, pp. 1–28. 1921.
  correlated characters, study. J.A.R., vol. 6, No. 12, pp. 435–454. 1916.
  details, directions. Y.B., 1905, pp. 388–391. 1906; Y.B. Sep. 398, pp. 388–391. 1906.
  earlier strains production, New Hampshire station. O.E.S. An. Rpt., 1912, p. 160. 1913.
  effects in ten generations on composition and form. F.B. 366, pp. 10–13. 1909.
  experiments and results. B.P.I. Cir. 107, pp. 6–11. 1913; F.B. 317, p. 21. 1908; F.B. 267, pp. 5–10. 1906.
  experiments, effects of selection on yield. D.B. 1209, pp. 2–10, 14–18. 1924.
  for disease resistance. F.B. 1176, p. 20. 1920.
  in Hawaii. Hawaii A.R., 1921, pp. 3, 29. 1922.
  investigations. O.E.S. An. Rpt., 1910, pp. 80, 136, 211, 212, 215, 220, 244. 1911.
  method(s)—
   C. G. Hopkins. O.E.S. Bul. 123, pp. 91–98. 1903.
   Indian and Chinese hybrids. An. Rpts., 1915, pp. 148–149. 1916; B.P.I. Chief Rpt., 1915, pp. 6–7. 1915.
  outline. F.B. 229, pp. 10–16. 1905.
  progress. C. P. Hartley. Y.B., 1909, pp. 309–320. 1910; Y.B. Sep. 515, pp. 309–320. 1910.
  testing. An. Rpts., 1910, p. 315. 1911; B.P.I. Chief Rpt., 1910, p. 45. 1910.
  new hybrids, 1911. An. Rpts., 1911, pp. 274–275, 293. 1912; B.P.I. Chief Rpt., 1911, pp. 26–27, 45. 1911.
  pioneer work. Y.B., 1909, pp. 309–310. 1910; Y.B. Sep. 515, pp. 309–310. 1910.
  plat, development. Y.B., 1906, pp. 288–289. 1907; Y.B. Sep. 423, pp. 288–289. 1907.
  pollination, improved method. B.P.I. Cir. 89, pp. 1–7. 1912.
  present method, development and dangers. B.P.I. Bul. 141, Pt. IV, pp. 34–36. 1909.
  protein content, and xenia, studies in Connecticut. Work and Exp., 1914, p. 76. 1915.
  school exercise. F.B. 409, pp. 26–27. 1910.
  selection effects, statistical study. J.A.R., vol. 11, pp. 105–146. 1917.
  soil, and selection of seed. F.B. 229, pp. 12–15. 1905.
  special composition. F.B. 210, pp. 11–13. 1904.
  studies. An. Rpts., 1908, pp. 335, 339. 1909; B.P.I. Chief Rpt., 1908, pp. 63, 67. 1908; Work and Exp., 1919, pp. 45–46. 1921.
  sweet varieties resistant to ear worm. J.A.R., vol. 11, pp. 549–572. 1917.
  to improve shuck protection. D.B. 708, p. 15. 1918.
  varieties—
   and disease. B.P.I. Chief Rpt., 1924, pp. 18–19. 1924.
   resistant to ear worm. J.A.R., vol. 11, pp. 549–572. 1917.
  work at the experiment stations. J. I. Schulte. Y.B., 1906, pp. 279–294. 1907; Y.B. Sep. 423, pp. 279–294. 1907.
  work, in Porto Rico. P.R. An. Rpt., 1922, pp. 9, 11. 1923.
 brining and salting, and preparation for table. F.B. 881, pp. 10, 11, 13–14. 1917.
 brown Egyptian. See Sorghum, grain.

Corn—Continued.
 brown spot, with suggestions for its control. W. H. Tisdale. F.B. 1124, pp. 9. 1920.
 bud worm—
  control. F.B. 1149, pp. 9–10. 1920.
 injury—
  caused by larger cornstalk borer. F.B. 634, p. 2. 1914; F.B. 1025, p. 5. 1919.
  resemblance to that of lesser borer. D.B. 539, p. 1. 1917.
  See also Webworm, cornroot.
 bushel weight, Federal and State. Y.B., 1918, p. 724. 1919; Y.B. Sep. 795, p. 60. 1919; S.R.S. Syl. 21, p. 22. 1916.
 by-products—
  in milling, composition and energy values. J.A.R., vol. 10, pp. 599–602. 1917.
  list. Sec. Cir. 91, p. 16. 1918.
  value as feed for pigs. B.A.I. Bul. 47, pp. 107–114. 1904.
 Canadian varieties, hardiness, importations, and descriptions. Nos. 43117, 43118, B.P.I. Inv. 48, pp. 7, 19. 1921.
 canned—
  adulteration and misbranding. See Indexes, Notices of Judgment, in bound volumes and in separates published as supplements to Chemistry Service and Regulatory Announcements.
  flat sour and spoilage, cause and prevention. S.R.S. Doc. 33, p. 1. 1917.
  food-value comparisons, chart. D.B. 975, p. 16. 1921.
  "Maine style," labeling regulations. Chem. S.R.A. 28, pp. 38–39. 1923.
  misbranding. Chem. N.J. 38, pp. 2. 1909; Chem. N.J. 52–53. 1909.
 production—
  1905–1922. Y.B., 1922, pp. 761–762. 1923; Y.B. Sep. 884, pp. 761–762. 1923.
  1923. Y.B., 1923, p. 754, 1924; Y.B. Sep. 900, p. 754. 1924.
 canning—
  directions. D.B. 1084, p. 32. 1922; F.B. 359, pp. 11–12. 1910; F.B. 839, pp. 16–17, 29, 32. 1917; F.B. 853, pp. 20, 27, 28. 1917; S.R.S. Doc. 17, p. 3. 1915.
  pressure, vacuum, and heat, studies. D.B. 1022, pp. 31–37. 1922.
  quality, tests. J.A.R., vol. 28, pp. 431–433. 1924.
  with tomatoes, and beans, directions. S.R.S. Doc. 12, p. 5. 1917.
 cargoes, investigations, Europe, 1906, 1907, 1908, details and tables. B.P.I. Cir. 55, pp. 5–19. 1910.
 carrying qualities in exports, factors influencing. E.G. Boerner. D.B. 764, pp. 99. 1919.
 characters—
  correlation. J. H. Kempton. J.A.R., vol. 28, pp. 1095–1102. 1924.
  judging, and marking score cards, directions. P.R. Cir. 18, pp. 10–19. 1920.
 charges at stockyards, hearing. Off. Rec. vol. 2, No. 1, p. 3. 1923.
 chemical—
  changes during growth of plant. F.B. 578, p. 4. 1914.
  composition in Kentucky, Shelby County. Soil Sur. Adv. Sh., 1916, p. 55. 1919; Soils F.O., 1916, p. 1465. 1921.
 chicken. See "Chicken corn."
 Chinese—
  historical accounts. B.P.I. Bul. 161, pp. 20–24. 1909.
  hybrids—
   value in dry, windy climate. An. Rpts., 1910, p. 291. 1911; B.P.I. Chief Rpt., 1910, p. 21. 1910.
   with Mexican varieties, studies. J.A.R., vol. 4, pp. 392–399. 1915.
  importations and description. Nos. 29448–29450, 29908, B.P.I. Bul. 233, pp. 21, 40. 1912; No. 44204, B.P.I. Inv. 50, p. 42. 1922.
  possibilities in Southwest. An. Rpts., 1913, p. 118. 1914; B.P.I. Chief Rpt., 1913, p. 14. 1913.
  type, varietal characteristics. B.P.I. Bul. 161, pp. 8–12, 13–16. 1909.
  water requirement, studies and results. J.A.R., vol. 6, No. 13, pp. 479, 480, 483. 1916.

Corn—Continued.
Chinese—Continued.
waxy varieties, hybrids, brachytic characters. D.B. 925, pp. 2-7, 24-26. 1921.
chop—
adulteration and misbranding. Chem. N.J. 540, p. 1. 1910; Chem. N.J. 2512, pp. 2. 1913; Chem. N.J. 3183, p. 1. 1914; Chem. N.J. 3185, p. 1. 1914; Chem. N.J. 3014, p. 1. 1914; Chem. N.J. 3076, p. 1. 1914.
use in fattening calves in Alabama, experiments. B.A.I. Bul. 147, pp. 28, 30, 32, 34, 35, 36, 39. 1912.
chowder, recipe. F.B. 712, p. 21. 1916.
chromosome number, comparison with related plants. J.A.R., vol. 28, pp. 673-682. 1924.
class studies of structure, germination, and importance of crop. F.B. 409. pp. 5-12. 1910.
club(s)—
acreage unit and rules. D.C. 38, pp. 7-8. 1919.
All-Star, requirements, and badges. S.R.S. Doc. 27, pp. 9-10. 1915; S.R.S. Doc. 29, p. 4. 1915.
boys'—
Alabama, winning of prize trophy, 1913. News L., vol. 1, No. 40, p. 3. 1914.
combination with crop rotations, methods and studies. News L., vol. 1, No. 15, p. 1. 1913.
demonstration work in 1910, results. S. A. Knapp and O. B. Martin. B.P.I. Doc. 647, pp. 7. 1911.
demonstration work in 1911, results. Bradford Knapp and O. B. Martin. B.P.I. Doc. 741, pp. 7. 1912.
demonstration work, 1912. O. B. Martin and I. W. Hill. B.P.I. Doc. 865, pp 8. 1913.
demonstration work, 1913. Bradford Knapp and O. B. Martin. B.P.I. Doc. 644, rev., pp. 12. 1913.
economic value. B.P.I. Cir. 104, pp. 3-4. 1912.
enrollment, and benefits, 1921. Coop. Ext. work, 1921, p. 7. 1923.
features. F.B. 422, pp. 16-18. 1910.
organization and instructions. O. H. Benson. B.P.I. Doc. 803, pp. 14. 1913.
organization and results in demonstration work. Y.B., 1909, p. 158. 1910; Y.B. Sep. 501, p. 158. 1910.
organization and work, rules, awards and exhibits. B.P.I. Doc. 644, pp. 1-7. 1911.
prizes and premiums, award rules. B.P.I. Doc. 644, rev., pp. 4-6, 8-10. 1913.
Southern States, results, 1917. S.R.S. Rpt., 1917, Pt. II, p. 31. 1919.
to all members [circular letter]. B.P.I. [Misc.], "To all members * * *," pp. 8. 1913.
work, 1910, in the South. An. Rpts., 1910, pp. 82-83, 338. 1911; Sec. A.R., 1910, pp. 82-83. 1910; B.P.I. Chief Rpt., 1910, p. 68. 1910; Y.B., 1910, p. 82. 1911.
work, 1911. An. Rpts., 1911, p. 77. 1912; Sec. A.R., 1911, p. 75. 1911; Y.B., 1911, p. 75. 1912.
work, 1912. An. Rpts., 1912, pp. 442, 444. 1913; B.P.I. Chief Rpt., 1912, pp. 62, 64. 1912.
work, 1913, yield in various States. An. Rpts., 1913, p. 126. 1914; B.P.I. Chief Rpt., 1913, p. 22. 1913.
work and results. S.R.S. Rept. 1920, pp. 2-3, 12, 18-19. 1922.
breakfast food, 4-H brand, description and use. News L., vol. 5, No. 8, p. 8. 1917.
champions, records. S.R.S. Doc. 29, p. 1. 1915.
contests, objects, premium list recommended. B.P.I. Cir. 104, pp. 4-5. 1912.
county program, type. D.C. 312, p. 35. 1924.
demonstrations. D.C. 248, p. 33. 1922.
enrollment and work, 1923. D.C. 348, pp. 18-20. 1925.
experience meeting of members in Tennessee. News L., vol. 5, No. 10, p. 3. 1917.
for North and West, enrollment and demonstrations. D.C. 192, pp. 29-30. 1921.

Corn—Continued.
club(s)—continued.
in Guam, 1920, enrollment and work, 1920. Guam A. R., 1920, pp. 71-72. 1921.
in Guam, 1921, results of work. Guam A.R., 1921, pp. 36, 39. 1923.
labor records, various States. D.B. 385, pp. 26-27. 1916.
North and West, acreage, yields, and demonstrations, 1919. D.C. 152, pp. 10-12. 1921.
North and West, enrollment and work. S.R.S. An. Rpt., 1921, p. 49. 1921.
northern and southern. News L., vol. 6, No. 40, p. 10. 1919.
number, membership, and results, 1921. D.C. 255, pp. 15, 21-22. 1923.
number of members, champions. An. Rpts., 1914, pp. 120, 121-122. 1914; B.P.I. Chief Rpt., 1914, pp. 20, 21-22. 1914.
objects. B.P.I. Doc. 803, pp. 2-4. 1913.
organization and work. Y.B., 1915, pp. 272. 1916; Y.B. Sep. 675, pp. 272. 1916.
prizes, and rules of award. S.R.S. Doc. 27, Ext. S., pp. 5-8. 1915.
seed corn, growing. News L., vol. 6, No. 43, p. 12. 1919.
work—
boys' and girls' [blank form]. S.R.S. [Misc.], "Boys' and girls' club work. Corn." 1915.
during the war. D.C. 66, pp. 22-23, 33. 1920.
in Virginia, Culpeper County. Y.B., 1915, pp. 239, 240. 1916; Y.B. Sep. 672, pp. 239, 240. 1916.
special contests. O. H. Benson. B.P.I. Cir. 104, pp. 15. 1912.
See also Boys' clubs; Girls' clubs.
coating with tar to deter kangaroo rats. Y.B. 1916, p. 387. 1917; Y. B. Sep. 708, p. 7. 1917.
color(s)—
and condition, effect on oil yield and character. D.B. 904, pp. 15-16. 1920.
discussion, and heredity studies. B.P.I. Bul. 272, pp. 7-9, 10-22. 1913.
inheritance studies. D.B. 754, pp. 30-97. 1919.
local preferences. F.B. 565, p. 4. 1914.
commercial—
grades. J. W. T. Duvel. D.B. 168, pp. 11. 1915.
grading and classification, regulations of departments. News L., vol. 2, No. 52, p. 3. 1915.
grading. Carl S. Scofield. B.P.I. Bul. 41, pp. 24. 1903.
handling, effect on quality, studies. B.P.I. Chief Rpt., 1910, p. 38. 1910; An. Rpts., 1910, p. 308. 1911.
comparison with—
barley in fattening hogs. D.C. 275, p. 17. 1923.
grain sorghums. Y.B., 1922, pp. 525-530, 531. 1923; Y.B. Sep. 891, pp. 525-530, 531. 1923; D.B. 1129, pp. 3-4. 1922.
other grains in feeding value. F.B. 466, pp. 17-18. 1911.
sunflowers for silage. R. H. Shaw and P. A. Wright. J.A.R., vol. 20, pp. 787-793. 1921.
composition—
and comparison with other cereals. F.B. 565, pp. 3-4. 1914.
at different periods of growth, studies. Work and Exp., 1914, pp. 104-105. 1915.
chemical, effect of breeding. F.B. 366, pp. 10-11. 1909.
comparison with grain sorghums. F.B. 724, pp. 3-5. 1916.
content of nitrogen, phosphorus, and potassium. Soil Sur. Adv. Sh., 1921, p. 959. 1924.
weight, size, yield, etc., breeding studies. J.A.R., vol. 11, pp. 105-146. 1917.
congress, Maryland, success and value in rural education. Y.B., 1910, p. 186. 1911; Y.B. Sep. 527, p. 186. 1911.
connate seeds, description. B.P.I. Bul. 278, pp. 12-13, 16. 1913.
conserving from weevils in the Gulf Coast States. E. A. Back. F.B. 1029, pp. 36. 1919.
consumption—
in selected countries, 1902-1911. Y.B., 1918, p. 684. 1919; Y.B. Sep. 795, p. 20. 1919.

INDEX TO PUBLICATIONS, 1901-1925   555

Corn—Continued.
  consumption—continued.
    in world countries, 1909-1918. Y.B. 1921, p. 580. 1922; Y.B. Sep. 868, p. 74. 1922.
    on farms. D.B. 696, pp. 11, 16, 19-22. 1918.
  content of—
    manganese, and occurrence. J.A.R., vol. 5, No. 8, p. 353. 1915.
    phosphorus. J.A.R., vol. 4, p. 465. 1915.
  contest(s)—
    fall, methods and subjects. B.P.I. Cir. 104, pp. 6-9. 1912.
    Indiana. News L., vol. 3, No. 46, p. 4. 1916; News L., vol. 6, No. 45, p. 11. 1919.
    requirements, farmers' institutes for young people. O.E.S. Cir. 99, p. 28. 1910.
  continuous selection for ear type, effects. H. S. Garrison and Frederick D. Richey. D.B. 1341, pp. 11. 1925.
  cooking, effects and products. F.B. 298, pp. 15-21. 1907.
  correlations with hogs. Sewall Wright. D.B. 1300, pp. 59. 1925.
  cost—
    of growing, relation to yield on cotton farms. D.B. 659, pp. 36-37. 1918.
    of nutrients, compared with other foods, table. F.B. 298, p. 32. 1907.
    of production—
      and requirements in labor and material. Y.B. 1921, pp. 808, 817-818. 1922; Y.B. Sep. 876, pp. 5, 14-15. 1922.
      Minnesota. Stat. Bul. 48, pp. 40, 41, 42, 43, 83. 1906.
      variation, trend and estimating methods. Y.B. 1921, pp. 188-194. 1922; Y.B. Sep. 872, pp. 188-194. 1922.
    per kilogram of constituents. B.A.I. Bul. 56, p. 69. 1904.
  Cotton States, cultural methods and implements. Y.B., 1905, pp. 207-210. 1906.
  cracked, misbranding. Chem. N.J. 1254, p. 1. 1912.
  crinkly, hybrids with teosinte, heredity studies. J.A.R., vol. 27, pp. 539-566. 1924.
  crop(s)—
    C. E. Leighty and others. Y.B. 1921, pp. 161-226. 1922; Y.B. Sep. 872, pp. 161-226. 1922.
    S. A. Knapp. B.P.I. [Misc.], "The corn crop," pp. 8. 1911.
    1905, surplus. Stat. Chief Rpt., 1905, p. 415. 1906.
    1909, and price. Sec. A. R., 1909, p. 10. 1909; Y.B., 1909, p. 10. 1910.
    1914, uses, estimate. News L., vol. 3, No. 1, p. 4. 1915.
    1917, by States, comparison with 1916. News L., vol. 5, No. 18, p. 2. 1917.
    1917, use and value in European war, as world food. Y.B., 1918, pp. 135-136. 1919; Y.B., Sep. 776, pp. 15-16. 1919.
    1918, saving by seed-corn campaigns. S.R.S. Doc. 88, pp. 22-23. 1918.
    1921, 1922, 1923, and prices 1923. An. Rpts., 1923, pp. 2, 3. 1924; Sec. A.R., 1923, pp. 2; 3. 1923.
    1924, use. Off. Rec., vol. 4, No. 2, pp. 2, 3. 1925.
    American, disposal statistics. D.B. 696, pp. 9-11. 1918.
    animal and insect enemies, and control methods. F.B. 773, pp. 20-21. 1916.
    amount and value, 1910, estimate. An. Rpts., 1910, pp. 10-11. 1911; Sec. A.R., 1910, pp. 10-11. 1910; Rpt. 93, p. 8. 1911; Y.B., 1910, pp. 10-11. 1911.
    amount and value, 1911, estimate. An. Rpts., 1911, p. 15. 1912; Sec. A.R., 1911, p. 13. 1911; Y.B., 1911, p. 13. 1912.
    Argentina, 1923. Off. Rec., vol. 3, No. 19, p. 3. 1924.
    Argentina, export statistics. Rpt. 75, pp. 23-24, 1903.
    average for 1900-1909. F.B. 420, p. 7. 1910.
    conditions in Texas, San Antonio region, 1919-1920. D.C. 209, pp. 7, 8. 1922.
    demonstration work, Southern States. An. Rpts., 1910, p. 337. 1911; B.P.I. Chief Rpt., 1910, p. 67. 1910.

Corn—Continued.
  crop(s)—continued.
    development in Montana. Off. Rec., vol. 2, No. 43, p. 6. 1923.
    distribution, fluctuation, etc., source of data. D.B. 1300, pp. 1-11. 1925.
    dry farming methods, experiments. Y.B., 1907, pp. 457-458. 1908; Y.B. Sep. 461, pp. 457-458. 1908.
    effects of fertilizing with raw ground rock phosphate. D.B. 699, pp. 32-109. 1918.
    estimate for 1919. Y.B. 1919, p. 11. 1920.
    feeding to livestock, profit to farmers. Sec. A.R., 1921, p. 13. 1921.
    field instructions and cultivation. B.P.I. Doc. 523, rev., pp. 8. 1911.
    handling—
      directions for southern farmers. B.P.I. Doc. 632, pp. 1-3. 1910.
      methods. Y.B., 1921, pp. 178-181. 1922; Y.B. Sep. 872, pp. 178-181. 1922.
    importance and—
      commercial varieties. F.B. 1176, p. 3. 1920.
      production in Illinois. Off. Rec., vol. 3, No. 17, p. 6. 1924.
      value in crop rotation for hogging-down system, use method. F.B. 614, pp. 11-13, 16. 1914.
    improvement—
      instructions for Farmers' Cooperative Demonstration work. B.P.I. Doc. 523, pp. 6-8. 1909.
      through demonstration. An. Rpts., 1911, pp. 311-312. 1912; B.P.I. Chief Rpt., 1911, pp. 63-64. 1911.
    in North and West, county agent work. D.C. 37, pp. 9-10. 1919.
    influence of rainfall. Soils Bul. 57, pp. 47-48. 1909.
    labor—
      day's work for implements, horses, and men. D.B. 412, pp. 2, 8-10. 1916.
      required, schedule. Y.B., 1911, pp. 282-283. 1912; Y.B. Sep. 567, pp. 282-283. 1912.
    management—
      in Kentucky and West Virginia. J. H. Arnold. F.B. 546, pp. 7. 1913.
      to prevent weevil damage. F.B. 915, pp. 5-7. 1918.
    methods for improvement on southern farms. B.P.I. Doc. 485, p. 1. 1909.
    principal countries, 1906-1910. Stat. Cir. 28, pp. 8, 13, 14, 15, 16. 1912.
    protection against European corn borer, methods. F.B. 1046, p. 22. 1919.
    relation to hog production. Y.B., 1922, pp. 209-214. 1923; Y.B. Sep. 882, pp. 209-214. 1923.
    Southern States. Bradford Knapp. B.P.I. Doc. 730, pp. 12. 1912.
    United States, 1866-1906. Stat. Bul. 56, pp. 37. 1907.
    utilization—
      investigations. An. Rpts., 1908, p. 340. 1909; B.P.I., Chief Rpt., 1908, p. 68. 1908.
      methods, and by-products. Sec. Cir. 91, pp. 13-16. 1918.
    value increased by "hogging off." D.R.P. Cir. 1, pp. 2, 9. 1915.
    visible supply, yields, prices, exports, values and freight rates. Y.B., 1902, pp. 700-768. 1902.
    world, distribution, and prices. F.B. 581, pp. 1-12. 1914.
  cross-pollination—
    effects on size of seed, studies. B.P.I. Cir. 124, pp. 9-15. 1913.
    yield, effects of inbreeding, experiments. B.P.I. Bul. 243, pp. 19-26, 46-47. 1912.
  crossbreeding. C. P. Hartley and others. B.P.I. Bul. 218, pp. 72. 1912.
  crossbreeding, studies. Work and Exp., 1919, p. 35. 1921.
  crosses—
    and parent varieties, yield, and comparison. B.P.I. Bul. 218, pp. 12-20, 32-42, 50-67. 1912.
    of self-fertilized lines, productiveness of successive generations. F. D. Richey and L. S. Mayer. D.B. 1354, pp. 19. 1925.

36167°—32——36

Corn—Continued.
crossing—
effects on—
size of seed, studies and experiments. B.P.I. Cir. 124, pp. 9–15. 1913.
yield. Work and Exp., 1919, p. 235. 1915.
experiments, irrigation, etc., in Porto Rico. P.R. An. Rpt., 1921, pp. 14–15. 1922.
for increased yield. B.P.I. Chief Rpt., 1910, p. 21. 1910; Sec. A.R., 1910, p. 59. 1910, Rpt. 93, p. 43, 1911; An. Rpts., 1910, p. 59, 291. 1911; Y.B., 1910, pp. 57–58. 1911.
varieties, increased yield. An. Rpts., 1909, p. 302. 1910; B.P.I. Chief Rpt., 1909, p. 50. 1909.
cultivation—
C. P. Hartley. F.B. 414, pp. 32. 1910; Y.B., 1303, pp. 175–192. 1904; Y.B. Sep. 310, pp. 175–192. 1904.
benefits. News L., vol. 4, No. 42, p. 3. 1917.
days' work. D.B. 3, p. 26. 1913.
depth and frequency, importance. F.B. 414, pp. 25–28. 1910.
directions and implements. S.R.S. Syl. 21, pp. 11–13. 1916.
early, importance. F.B. 414, p. 25. 1910.
farm practice. H. R. Cates. D.B. 320, pp. 67. 1916.
methods and implements. B.P.I. Doc. 344, pp. 5–7. 1908; F.B., 1149, pp. 14–18. 1920; F.B. 414, pp. 15–32. 1910; Guam Cir. 3, pp. 4–5. 1922.
of crop, advantages of kernel-spaced planting. F.B. 400, p. 12. 1910.
on New Jersey farms. F.B. 472, p. 17. 1911.
on semiarid lands, time and methods. F.B. 773, pp. 16–18. 1916.
school studies, topics and exercises. D.B. 653, p. 6. 1918; F.B. 409, pp. 21–25. 1910.
time, methods and implements. F.B. 537, pp. 16–18. 1913; F.B. 729, pp. 13–16. 1916.
varieties, seed breeding and judging, discussion. O.E.S. An. Rpt., 1904, pp. 23–24. 1905.
weed factor. J. S. Cates and H. R. Cox. B.P.I. Bul. 257, pp. 35. 1912.
yield per acre, diversification farm, Alabama. F.B. 310, pp. 12, 17, 20. 1907.
cultivators. See Cultivators, corn.
comparison of various implements. F.B. 317, pp. 18–20. 1908.
fertilizers, cultivation, seeding and harvesting. F.B. 472, pp. 14–18. 1911.
hay farm. F.B. 312, p. 11. 1907.
relation to production in Great Plains area. E. C. Chilcott and others. D.B. 219, pp. 31. 1915.
to control stalk-beetle. D.B. 1267, p. 32. 1924.
culture—
Central America, diverse systems. B.P.I. Bul. 145, pp. 8–11. 1909.
demonstration work. F.B. 319, pp. 15–16. 1908.
experiment station work—
1904. O.E.S. An. Rpt., 1904, pp. 493–544. 1905.
1905. Y.B. 1905, pp. 408–411. 1906; Y.B. Sep. 392, pp. 408–411. 1906.
in farmers' demonstration work. F.B. 319, pp. 15–17. 1908.
in Southeastern States, teaching by use of F.B. 729. E. A. Miller. S.R.S. [Misc.], "How teachers may use F.B. 729," pp. 2. 1916.
Oregon and Washington, western slope. B.P.I. Bul. 94, pp. 29–30. 1906.
progress since 1897. An. Rpts. 1912, pp. 127–128. 1913; Sec. A.R., 1912, pp. 127–128. 1912; Y.B. 1912, pp. 127–128. 1913.
the old and the new. H. Howard Biggar. Y.B., 1918, pp. 123–136. 1919; Y.B. Sep. 776, pp. 16. 1919.
Williamson method—
modified, use in Scotland County, North Carolina. Soil Sur. Adv. Sh. 1909, pp. 11, 1911; Soils F.O. 1909, pp. 427, 435. 1912.
practice. F.B. 281, pp. 13–16. 1907.
cutters, hand, and horse-power. F.B. 313, pp. 11–12. 1907.
cutting—
and shocking—
comparison with husking from standing stalks. F.B. 313, p. 9. 1907.

Corn—Continued.
cutting—continued.
and shocking—continued.
date, graph. D.C. 183, p. 30. 1922.
in South, use of machinery. News L., vol. 6, No. 5, p. 6. 1918.
by hand, method and cost. F.B. 303, p. 5–6. 1907.
comparison of harvesters. F.B. 992, pp. 14–16. 1918.
for silage—
and packing. F.B. 578, pp. 7–12. 1914.
date, graph. D.C. 183, p. 29. 1922.
methods. Y.B. 1921, pp. 178–181. 1922; Y.B. Sep. 872, pp. 178–181. 1922.
saving labor by use of machinery. F.B. 989, p. 13. 1918.
shocking, and husking. S.R.S. Syl. 21, pp. 16–18. 1916.
time and methods. F.B. 313, pp. 10–14. 1907.
time for silage. News L., vol. 7, No. 9, p. 8. 1919.
damage by—
borer. News L., vol. 6, No. 52, p. 7. 1919.
broad-nosed grain weevil. D.B. 1085, pp. 1, 2, 3. 1922.
brown spot, description. F.B. 1124, pp. 4–6. 1920.
chinch bug, historical notes. F.B. 1223, pp. 3–4. 1922.
cotton bollworm, remarks. Ent. Bul. 50, pp. 21–23, 74–76, 78–79. 1905.
moisture, annual loss. An. Rpts., 1911, p. 69. 1912; Sec. A.R., 1911, p. 67. 1911; Y.B. 1911, p. 67. 1912.
moth borer of sugar-cane. D.B. 746, p. 7. 1919.
rats. Biol. Bul. 33, pp. 19–20. 1909.
weevils, investigations, field, storage and laboratory. D.B. 708, pp. 2–8. 1918.
damaged kernels, types. D.B. 168, pp. 6–8. 1915.
danger from chinch bugs, and control. F.B. 704, pp. 31–32. 1916.
date of seeding, experiments in different States. D.B. 1014, pp. 1–11. 1922.
day—
observance in schools, scope, and programs. F.B. 617, pp. 8–15. 1914.
school studies, program, invitation to parents. D.B. 653, pp. 11–17. 1918.
deep planting, adaptation of drought-resistant varieties. J.A.R., vol. 1, pp. 296–300. 1914.
degerminating—
methods and advantages. D.B. 904, pp. 1–8. 1920.
process, details. Y.B., 1916, pp. 174–176. 1917; Y.B. Sep. 691, pp. 16–18. 1917.
demonstration work. An. Rpts., 1912, p. 443. 1913; B.P.I. Chief Rpt., 1912, p. 63. 1912.
dent—
dry-land experiments, Huntley Project, yields, etc., 1913–1919. D.C. 204, pp. 12–14, 16–17. 1921.
relation of endosperm to root rotting. Off. Rec., vol. 1, No. 23, p. 5. 1922.
tests of starchy and horny seed, yields. D.B. 1062, pp. 5–7. 1922.
varieties, description and adaptations. D.B. 307, pp. 3–6. 1915.
destruction by—
army worm at different instars. J.A.R., vol. 6, pp. 802–804. 1916.
chinch bugs. Ent. Cir. 113, pp. 8–9. 1909; F.B. 657, pp. 7, 8, 9. 1915.
crows. Y.B., 1915, pp. 96, 97. 1916; Y.B. Sep. 659, pp. 96, 97. 1916.
ground beetle. Ent. Bul. 85, Pt. II, pp. 20–24. 1911.
weevils, methods and extent of damage. F.B. 1029, pp. 3–4, 15, 17, 21–22. 1919.
worms, early records, and control work. Y.B., 1913, pp. 78–79. 1914; Y.B. Sep. 616, pp. 78–79. 1914.
deterioration—
examination methods. B.P.I. Bul. 199, pp. 12–31. 1910.
in storage. J. W. T. Duvel. B.P.I. Cir. 43, pp. 12. 1909.
in storage, studies, 1919. Work and Exp. 1919, p. 29. 1921.

Corn—Continued.
  deterioration—continued.
    in storage, studies, danger of moisture; An. Rpts., 1912, p. 419. 1913; B.P.I. Chief Rpt., 1912, p. 39. 1912.
    influence on pellagra. O. F. Black and C. L. Alsberg. B.P.I. Bul. 199, pp. 36. 1910.
    development, soil-temperature relation. J.A.R., vol. 23, pp. 849-850. 1923.
    digestibility, experiments with poultry. B.A.I. Bul. 56, pp. 44-50, 59-62, 63-64. 1904.
  disease(s)
    1905. Y.B., 1905, p. 608. 1906; Y.B. Sep. 405, p. 608. 1906.
    1907. Y.B., 1907, p. 585. 1908; Y.B. Sep. 467, p. 585. 1908.
    and insect pests, school studies, topics, exercises, and references. D.B. 653, pp. 6-7. 1918.
    caused by *Sclerospora maydis*, quarantine notice 21. F.H.B.,S.R.A. 14, pp. 9-10. 1915.
    causes and control, studies. An. Rpts., 1923, p. 260. 1924; B.P.I. Chief Rpt., 1923, p. 6. 1923.
    control by seed selection. F.B. 1176, pp. 9-20. 1920.
    control studies. Y.B., 1921, pp. 185-186. 1922; Y.B. Sep. 872, pp. 185-186. 1922; Work and Exp., 1919, p. 61. 1921.
    effect on vigor and grain yield of plant. James R. Holbert and others. J.A.R., vol. 23, pp. 583-630. 1923.
    from fungi, study in 1923. Work and Exp., 1923, pp. 43-44. 1925.
    hearing. F.H.B.,S.R.A. 26, pp. 35-36. 1916.
    in Guam, report. Guam A.R., 1917, pp. 51, 59. 1918.
    in Texas, occurrence and description. B.P.I. Bul. 226, p. 46. 1912.
    injuries, effect on yield. Y.B., 1921, pp. 185-186. 1922; Y.B. Sep. 872, pp. 185-186. 1922.
    investigations. An. Rpts., 1920, pp. 198-199. 1921.
    losses. Y.B., 1917, pp. 483, 484. 1918; Y.B. Sep. 755, pp. 4, 5. 1918.
    notice of hearing. F.H.B.,S.R.A. 26, pp. 35-36. 1916.
    of Orient, studies. News L., vol. 5, No. 51, p. 8. 1918.
    plants and seeds, quarantine regulations. F.H.B.,S.R.A. 39, p. 43. 1917.
    quarantine of corn and related plants. F.H.B., Quar. 24, amdt. 2, p. 1. 1917.
    diseased, burning to prevent spread of infection. J.A.R., vol. 16, p. 152. 1919.
  distillation, experimental. Chem. Bul. 130, p. 66. 1910.
  distribution of world production and exports. D.B. 696, pp. 7-8. 1918.
  downy mildew, cause and control. B.P.I. Chief Rpt., 1921, p. 36. 1921.
  dried, cooking recipe. F.B. 841, p. 27. 1917.
  drought resistance—
    comparison with sorghums. F.B. 1158, p. 5. 1920.
    Hopi maize. J.A.R., vol. 1, pp. 293-302. 1914.
  dry farming in Nebraska, yields. D.C. 289, pp. 28, 29. 1924.
  dry-house and crib-stored, yield, comparison. B.P.I. Cir. 95, p. 12. 1912.
  dry-land—
    growing, experiments and yields. D.C. 339, p. 28. 1925.
    rotation at Huntley farm. D.C. 330, p. 17. 1925.
  dry rot—
    cause of diseases of animals, experiments. B.A.I. An. Rpt., 1907, pp. 260-261, 275. 1909.
    description, damage, and control. F.B. 334, p. 11. 1908.
  drying racks for seed corn, construction from fence wire, methods. News L., vol. 2, No. 8, pp. 1-2. 1914.
  dwarfing, inheritance. J.H. Kempton. J.A.R., vol. 25, pp. 297-322. 1923.
  ear—
    adulteration. See *Indexes, Notices of Judgment,* in bound volumes and in separates published as supplements to *Chemistry Service and Regulatory Announcements.*

Corn—Continued.
  ear—continued.
    albinistic, progeny, description. B.P.I. Bul. 272, pp. 10-21. 1913.
    and shelled, bushel. F.B. 313, p. 28. 1907.
    classification based on starchiness. D.B. 1062, pp. 1-2. 1922.
    form and height, effect of breeding. F.B. 366, pp. 11-13. 1909.
    in seed selection. Y.B., 1902, p. 545. 1903.
    infection, relation to endosperm character. D.B. 1062, pp. 2-4. 1922.
    infestation, relation to shuck characters. D.B. 708, pp. 2-8. 1918.
    insects affecting. Ent. Bul. 82, Pt. VII, p. 90. 1911.
    protection by long shucks. F.B. 915, pp. 4-6. 1918.
    relation to seed selection. Y.B., 1902, pp. 545-547. 1903.
    rots—
      fungi causing. J.A.R., vol. 23, pp. 585, 604. 1923.
      nature of injury, study in 1923. Work and Exp., 1923, p. 44. 1925.
      stalk rot, and root rot, control. James R. Holbert and George N. Hoffer. F.B. 1176, pp. 24. 1920.
    shapes, and desirable characteristics. P.R. Cir. 18, pp. 5, 9-10. 1920.
    shuck protection. C.H. Kyle. D.B. 708, pp. 16. 1918.
    weevil, control in Louisiana, Webster Parish, by planting long-husked variety. Soil Sur. Adv. Sh., 1914, p. 10. 1916; Soils F.O., 1914, p. 1244. 1919.
    weight, comparison to various parts, tables. Chem. Bul. 127, pp. 16-19. 1909.
    weight, size, number and position, breeding studies. J.A.R., vol. 11, pp. 114-144, 145-146. 1917; F.B. 366, pp. 11-13. 1909
  worms—
    attacking, Hawaii. Hawaii Bul. 27, pp. 14-17. 1912.
    comparison with European corn borer. J.A.R., vol. 27, pp. 65-70. 1923.
    control, 1916. S.R.S. Rpt., 1916, Pt. I, p. 124. 1918.
    control by variety in Louisiana, Webster Parish. Soil Sur. Adv. Sh., 1914, p. 10. 1916; Soils F.O., 1914, p. 1244. 1919.
    control in vetch fields. F.B. 1206, pp. 14-18. 1921.
    control studies. Work and Exp., 1914, pp. 116-117. 1915.
    damage, control by shuck extension. D.B. 708, pp. 9-10. 1918.
    description, and control. F.B. 856, p. 42. 1917.
    description, life history, and control. F.B. 1206, pp. 5-13. 1921.
    distribution, and damage, in North and South. F.B. 1310, p. 1. 1923.
    distribution and injuries to crop. Y.B., 1921, pp. 186-187. 1922; Y.B. Sep. 872, pp. 186-187. 1922.
    enemies. F.B. 1206, p. 13. 1921.
    enemy of vetch. Philip Luginbill and A. H. Beyer. F.B. 1206, pp. 19. 1921.
    increase of weevil damage. F.B. 1029, pp. 21-22. 1919.
    injury to artichokes in Louisiana. D.B. 703, p. 4. 1918.
    injury to corn, control studies. Y.B., 1921, pp. 186-187. 1922. Y.B. Sep. 872, pp. 186-187. 1922.
    injuries to various crops. F.B. 1310, pp. 1-3. 1923.
    on tomatoes, control. F.B. 1431, p. 21. 1924.
    or bollworm. F. C. Bishopp. F.B. 872, pp. 16. 1917.
    outbreaks in 1917. An. Rpts., 1917, pp. 238-239. 1918; Ent. A.R., 1917, pp. 12-13. 1917.
    outbreaks in 1921. D.B. 1103, pp. 4, 5-9. 1922.
    ravages on corn, and control. W. J. Phillips and Kenneth M. King. F.B. 1310, pp. 18. 1923.

Corn—Continued.
 ear—continued.
  worms—continued.
   resistant varieties, breeding J.A.R., vol. 11, pp. 549-572. 1917.
   spread of peanut leaf spot. J.A.R., vol. 5, No. 19, pp. 898, 899, 902. 1916.
   See also Bollworm.
  yields, comparison of varieties. D.B. 1062, p. 5. 1922.
 early planting to control roughheaded stalkborer. F.B. 875, p. 9. 1917.
 effect of—
  leguminous plants on growth. F.B. 326, pp. 10-12, 21. 1908.
  manganese, experiments at Arlington farm, 1907-1912, 1913-1915. D.B. 441, pp. 2, 3-4, 6-11. 1916.
  manganese sulphate. D.B. 42, p. 22. 1914.
  salicylic aldehyde in solution cultures and soil table. D.B. 108, pp. 3-4, 6. 1914
 effect on—
  lard. B.A.I. Bul. 47, pp. 224-226. 1904.
  water extract of soils. J.A.R. vol. 20, pp. 663-667. 1921.
 egg-producing value, comparison with wheat. B.A.I. Bul. 56, p. 76. 1904.
 Egyptian—
  introduction in 1874. Y.B., 1922, p. 527. 1923; Y.B. Sep. 891, p. 527. 1923.
  leaf miner, spikehorned, occurrence. D.B. 432, p. 4. 1916.
 emergency crop, overflowed lands. B.P.I. Doc. 756, p. 3. 1912.
 endosperm character, relation to root rotting. John F. Trost. D.B. 1062, pp. 7. 1922.
 ensiling, losses of nitrogen and other elements. R. H. Shaw and others. D.B. 953, pp. 16. 1921.
 environment, chemical studies. Y.B., 1908, p. 562. 1909.
 equivalent of 100 pounds gain in pork. Y.B., 1922, pp. 225-227. 1923; Y.B. Sep. 882, pp. 225-227. 1923.
 Esperanza, use in cross breeding, characters. J.A.R., vol. 6, No. 12, pp. 439-451. 1916.
 estimates, 1910-1922. M.C. 6, p. 6. 1923.
 evolutionary significance of abnormalities, studies. B.P.I. Bul. 278, pp. 14-15. 1913.
 examination methods, and conditions. B.P.I. Bul. 199, pp. 12-31. 1910.
 exhibition, selection of ears. F.B. 409, pp. 20-21. 1910.
 exhibits for schools, and selection methods. F.B. 617, pp. 14-15. 1914.
 experimental work, culture, and breeding. Sec. A.R., 1909, p. 71. 1909; Rpt., 91, p. 51. 1909; Y.B., 1909, p. 71. 1910.
 experiments—
  at Cheyenne farm, varieties, and uses. D.B. 430, pp. 37-38. 1916.
  at Mandan, North Dakota. D.B. 1337, p. 15. 1925.
  at San Antonio Experiment Farm, 1917, varietal tests, row spacing, and yields. W.I.A. Cir. 21, pp. 14-16. 1918.
  in—
   Colorado, Akron Field Station. D.B. 1304, pp. 17-19. 1925.
   Hawaii. Hawaii A.R., 1924, p. 11. 1925.
   Montana, Huntley Farm. D.C. 330, pp. 10-12, 21-22, 27-31. 1925.
   Nevada, Newlands Farm. D.C. 352, p. 10. 1925.
  yield on unfertilized soils. Soils Bul. 22, pp. 52-53. 1903.
 exporting countries, production and percentages exported 1898-1907. B.P.I. Cir. 55, pp. 34-35. 1910.
 export(s)—
  1850-1914, and foreign trade, discussion. D.B. 296, pp. 25-26. 1915.
  1901-1924. Y.B., 1924, pp. 1044, 1074. 1925.
  American, in Europe. John D. Shanahan and others. B.P.I. Cir. 55, pp. 42. 1910.
  and imports—
   1904-1908, world countries. Y.B., 1909, p. 442. 1910; Y.B. Sep. 524, p. 442. 1910.
   1906-1910. Y.B., 1910, pp. 659, 669. 1911; Y.B. Sep. 554, pp. 659, 669. 1911.

Corn—Continued.
 export(s)—continued.
  carrying qualities, factors influencing. E. G. Boerner. D.B. 764, pp. 99. 1919.
  comparison with wheat. Y.B., 1921, p. 80. 1922; Y.B. Sep. 873, p. 80. 1922.
  conditions, factors affecting. B.P.I. Cir. 55, pp. 19-22. 1910.
  destination and value. Rpt. 67, pp. 13-14. 1901.
  from—
   Atlantic and Gulf ports, 1884-1905. Stat. Bul. 38, pp. 34, 36-37. 1905.
   producing countries, 1907-1911. Stat. Cir. 26, pp. 3-5. 1912.
  graphs and statistics. Y.B. 1921, pp. 203-206, 746, 751, 781. 1922; Y.B. Sep. 872, pp. 203-206. 1922; Y.B. Sep. 867, pp. 10, 15. 1922; Y.B. Sep. 871, p. 12. 1922.
  increase, 1916-1917, responsibility for price increase. News L., vol. 5, No. 4, p. 8. 1917.
  total and per capita, 1851-1908. Stat. Bul. 75, pp. 6, 13, 43. 1910.
 Exposition, National—
  1911. O.E.S. An. Rpt., 1911, p. 310. 1913.
  Columbia, S. C., holding of exposition school for prize winners of boys' and girls' clubs. B.P.I. Doc. 865, p. 8. 1913.
 extension program for Western States, report of subcommittee. D.C. 335, pp. 9-11, 13. 1924.
 fallowing experiments, San Antonio, Texas, methods and yields. D.B. 151, pp. 2-5, 10. 1914.
 farm—
  Delaware, soil improvement, method and results. F.B. 924, pp. 23-24. 1918.
  supplies and movements, March 1, 1914. F.B. 584, pp. 3, 13. 1914.
  Virginia, soil improvement, methods and results. F.B. 924, pp. 19-20. 1918.
 fat—
  blended, digestibility experiments. D.B. 1033, pp. 11, 13, 14. 1922.
  determination. B.P.I. Bul. 199, pp. 26-27. 1910.
 feed—
  comparison with barley, experiments. Truckee-Carson project, 1917. W.I.A. Cir. 23, pp. 23-24. 1918.
  for cattle in Argentina. B.A.I. Bul. 48, pp. 32-33. 1903.
  for fattening cattle, use with hay. F.B. 320, p. 26. 1908.
  for hogs—
   and chickens, experiments. Guam A.R., 1920, pp. 10, 14-15. 1921.
   comparison with barley and oats. Y.B., 1922, pp. 485, 499. 1923; Y.B. Sep. 891, pp. 485, 499. 1923.
   supplementary feed. F.B. 411, pp. 13-36. 1910.
  for sows and pigs, comparison with barley. D.C. 147, pp. 15-16. 1921.
  meal, definition 288. Chem. S.R.A. 23, p. 101. 1918.
  value—
   and cost, comparison of shock and silage. D.B., 1024, pp. 7-16. 1922.
   comparison with cottonseed meal. F.B. 1179, p. 8. 1923.
   comparison with wheat. Off. Rec., vol. 2, No. 36, p. 4. 1923.
   for dairy cows. Y.B., 1922, p. 334. 1923; Y.B. Sep. 879, p. 44. 1923.
   white versus yellow, studies by experiment stations, results. Work and Exp., 1921, pp. 82-83. 1923.
 feeding—
  green, effect on flavor and odor of milk. D.B. 1190, pp. 12. 1923.
  to hogs, study in 1923. Work and Exp., 1923, p. 59. 1925.
  to livestock. Y.B., 1921, p. 13. 1922; Y.B., Sep. 875, p. 13. 1922.
  value for hogs, comparison with other grains. B.A.I. Bul. 47, pp. 97-108. 1904.
 fertility, removal from soil. S.R.S. Doc. 30, p. 4. 1916.
 fertilization, experiments. B.P.I. Bul. 146, pp. 33-35. 1909.

Corn—Continued.
fertilizers—
borax, experiments in 1920, results. D.B. 1126, pp. 10-11, 13-14, 20, 26, 28. 1923.
constituents, removed from soil. F.B. 437, p. 15. 1911.
experiments and results. Soils Bul. 64, pp. 1-31. 1910; Work and Exp., 1915, p. 206. 1917.
formulas and directions. F.B. 1149, pp. 5-9. 1920; F.B. 729, pp. 3-8. 1916.
requirements and composition of various brands. Soils Bul. 58, pp. 19, 23, 25, 31, 34. 1910.
requirements, comparison with other crops. D.B. 721, p. 26. 1918; F.B. 310, pp. 13, 17, 20. 1907.
study in 1923. Work and Exp., 1923, p. 27. 1925.
tests. Chem. Bul. 152, pp. 19, 21, 23. 1912.
festivals, value in increasing corn use, methods. News L., vol. 5, No. 15, p. 4. 1917.
financial outlook, 1924. Off. Rec., vol. 3, No. 47, p. 3. 1924.
first-generation Cross No. 182 productiveness, comparison with other corn, experiments. B.P.I. Doc. 589, pp. 1-3. 1911.
flakes, honey crisps, misbranding. Chem. N.J. 2575, pp. 2. 1913.
flea beetle, description, injuries, and control methods. News L., vol. 4, No. 46, p. 4. 1917.
flint—
and dent varieties, comparison. News L., vol. 4, No. 22, p. 6. 1917.
varieties, description, and adaptations. D. B. 307, p. 7. 1915.
varieties, value. F.B. 225, pp. 8, 9. 1905.
floral abnormalities. B.P.I. Bul. 278, pp. 18. 1913.
flour adulteration. Chem. N.J. 396, p. 1. 1910; Chem. N.J. 2579, p. 1. 1913.
flower, fertilization, relation to development of silk. J.A.R., vol. 18, pp. 255-266. 1919.
fodder. See Fodder, corn.
food(s)—
digestibility. F.B. 298, pp. 23-26. 1907.
dishes, recipes. News L., vol. 5, No. 15, p. 4. 1917.
for man. F.B. 281, pp. 18-22. 1907.
of shoal water ducks. D.B. 862; pp. 6, 19, 24, 33, 40, 50. 1920.
preparation, Indian methods. Y.B., 1918, pp. 130-131. 1919; Y.B., Sep. 776, pp. 10-11. 1919.
products, stocks in United States, Aug. 31, 1917. Sec. Cir. 99, pp. 6-9. 1918.
reserve, use, methods and value. News L., vol. 4, No. 50, p. 6. 1917.
uses, forms and value. Sec. Cir. 91, pp. 15-16. 1918; F.B. 1236, pp. 1-27. 1923.
value, comparison with wheat, use recipes. News L., vol. 5, No. 18, p. 7. 1917.
for ensilage, early planting. News L., vol. 6, No. 34, p. 13. 1919.
forage—
crop, value, comparison to clover, cowpeas, or sorghum. F.B. 313, p. 8. 1907.
value in Pacific Northwest. F.B. 271, pp. 29-30. 1906.
forecast, general and by States, September, 1913, price. F.B. 558, pp. 9, 15. 1913.
foreign, importation restrictions, July 21, 1921. F.H.B.Quar. 41, rev., p. 3. 1921.
freight rates—
1904-1905, changes, effect upon ports. Stat. Bul. 38, pp. 32-33. 1905.
1906-1910, 1876-1910. Y.B., 1910, pp. 647, 649. 1911; Y.B. Sep. 553, pp. 647, 649. 1911.
1911. Y.B., 1911, pp. 650, 652. 1912; Y.B. Sep. 588, pp. 650, 652. 1912.
1912. Y.B., 1912, pp. 704, 706, 708-709. 1913; Y.B. Sep. 615, pp. 704, 706, 708-709. 1913.
1913, ocean and railroad. F.B. 581, pp. 8-9. 1914.
1915, Argentina. Y.B., 1915, p. 295. 1916; Y.B. Sep. 677, p. 295. 1916.
1923. Y.B., 1923, p. 1168. 1924. Y.B. Sep. 906, p. 1168. 1924.
"frenching," control, in—
Georgia, Gordon County. Soil Sur. Adv. Sh., 1913, p. 68. 1914; Soils F.O., 1913, p. 398. 1916.

Corn—Continued.
"frenching" control, in—continued.
North Carolina, Rowan County. Soil Sur. Adv. Sh., 1914, p. 12. 1919; Soils F.O., 1914, p. 501. 1919.
frost-proof, production possibilities, and experiments. News L., vol. 4, No. 37, p. 10. 1917.
frosted—
harvesting and use. D.C. 333, pp. 1-8. 1924.
silage value. F.B. 309, p. 19. 1907.
use for silage, method. News L., vol. 3, No. 6, pp. 1-2. 1915.
frozen, shelling and marketing. News L., vol. 5, No. 25, p. 3. 1918.
fumigated—
absorption of hydrocyanic acid. D.B. 1149, p. 12. 1923.
method and cost. F.B. 1029, pp. 5, 24-29. 1919.
with carbon disulphide, for insect control. F.B. 799, p. 11. 1917.
fumigatorium, construction, directions. F.B. 1029, pp. 29-31, 36. 1919.
fungus disease caused by *Physoderma zeae-maydis*. J.A.R., vol. 16, pp. 137-154. 1919.
futures trading, 1921-1924. S.B. 6, pp. 6-15. 1924.
futures trading—
1922-1924, report. Gr. Fut. Ad. A.R. 1924, pp. 18-74. 1924.
1924-1925. Gr. Fut. Ad. A.R. 1925, pp. 17, 19, 22-29. 1925.
germinated, supplement to alfalfa silage, experiments. J.A.R., vol. 10, pp. 279-292. 1917.
germination—
and growth, effect of alkali salts, studies. J.A.R., vol. 5, No. 1, pp. 13, 23, 31-35, 39, 41, 51. 1915.
conditions necessary. B.P.I. Cir. 55, pp. 20-21. 1910.
growth and development, effect of date of seeding. E. B. Brown and H. S. Garrison. D.B. 1014, pp. 11. 1922.
in culture solutions of varying reaction. J.A.R., vol. 19, pp. 88-92, 93. 1920.
of different varieties at different depths. J.A.R., vol. 1, pp. 296-298. 1914.
tests. O.E.S.F.I.L. 5, rev., pp. 21-22. 1912.
germs—
buying and shipping. D.B. 904, p. 13. 1920.
expelling oil, method and machines used. D.B. 904, pp. 8-11. 1920.
grades—
and terms. Mkts., S.R.A. 18, pp. 1-3, 4-5. 1917.
commercial, promulgation by department. News L., vol. 1, No. 24, pp. 3-4. 1914.
establishment. An. Rpts., 1915, p. 156. 1916; B.P.I. Chief Rpt., 1915, p. 14. 1915.
hearing announcement. News L., vol. 1, No. 9, p. 2. 1913.
inspection, imports, and exports, opinions. Mkts. S.R.A. 15, pp. 9-16. 1916.
official. News L., vol. 3. No. 5, pp. 1-2. 1915.
grading—
1921. Y.B., 1921, pp. 195-199. 1922; Y.B. Sep. 872, pp. 195-199. 1922.
color determination. D.B. 168, pp. 9-11. 1915.
demonstrations. News L., vol. 6, No. 31, p. 8. 1919.
influence of moisture content. D.B. 102, p. 35. 1914.
prices, in Argentina. Rpt. 75, pp. 40-41. 1903.
rules and regulations. Bul. 168, pp. 11. 1915.
suggestions. B.P.I. Cir. 55, p. 41. 1910.
table for calculating percentages. D.B. 516, pp. 1-21. 1916.
grazing crop for hogs. F.B. 985, pp. 7, 9, 10, 17, 27. 1918.
green—
cooking recipes. F.B. 1236, pp. 23-25. 1923.
feed, effect on milk flavor and odor, experiments. D.B. 1190, pp. 10-12. 1923.
mailing restrictions on account of Japanese beetle. F.H.B.S.R.A. 62, p. 59. 1919.
pudding, recipe. U. S. Food Leaf. 16, p. 4. 1918.
quarantine in New Jersey for Japanese-beetle control, regulations. F.H.B.S.R.A. 56, pp. 91-92. 1918.
shipments by States and by stations, 1916. D.B. 667, pp. 13, 189-190. 1918.

560   UNITED STATES DEPARTMENT OF AGRICULTURE

Corn—Continued.
 green—continued.
  use as food, composition. F.B. 29%, pp. 34-37. 1907.
  See also Corn, sweet.
 grinding—
  at home, uses, and value. News L., vol. 4, No. 50, p. 6. 1917.
  for hogs. F.B. 276, p. 25. 1907; F.B. 479, pp. 11-12. 1912.
  for meal, processes and results. F.B. 1236, pp. 7-9. 1923.
 Gromwell, seed description. F.B. 428, pp. 21, 22. 1911.
 ground—
  disked, suitability for wheat in Great Plains. News L., vol. 2, No. 51, p. 7. 1915.
  value in fattening cattle and hogs following cattle. F.B. 320, pp. 27-28. 1908.
 growers, southern, advice of department. News L., vol. 3, No. 5, pp. 1-2. 1915.
 growing—
  C. P. Hartley. F.B. 199, pp. 31. 1904.
  acreage, tillage, fertilizers, and yields, twenty-one regions, United States. D.B. 320, pp. 4, 8. 1916.
  adaptation and selection of varieties. An. Rpts., 1916, p. 146. 1917; B.P.I. Chief Rpt., 1916, p. 10. 1916.
  and feeding experiments at Belle Fourche farm. D.C. 339, pp. 15-16, 28, 32-33, 35-36, 46-48. 1925.
  and fertilization experiments. S.R.S. Rpt., 1917, Pt. I, pp. 19-20, 93, 104, 165, 184, 209, 263. 1918.
  and uses, old and new methods. Y.B., 1918, pp. 123-136. 1919; Y.B., Sep. 776, pp. 1-16. 1919.
  and yield—
   Alabama, Madison County. Soil Sur. Adv. Sh., 1911, pp. 10-11, 18-40. 1913; Soils F.O., 1911, pp. 798-799, 806-828. 1914.
   central prairie States, Marshall silt loam. Soils Cir. 32, pp. 10-11, 14. 1911.
   Florida, Ocala area. Soil Sur. Adv. Sh., 1912, pp. 14, 32, 48. 1913; Soils F.O., 1912, pp. 678, 696, 712. 1915.
   in Kansas, Reno County. Soil Sur. Adv. Sh., 1911, pp. 14, 29-67. 1913.; Soils F.O., 1911, pp. 2000, 2015-2057. 1914.
   Massachusetts, Plymouth County. Soil Sur. Adv. Sh., 1911, pp. 24, 25, 33, 34. 1912; Soils F.O., 1911, pp. 50, 51, 59, 60. 1914.
   Missouri, Platte County. Soil Sur. Adv. Sh., 1911, pp. 10-11, 19, 21, 22, 25. 1912; Soils F.O., 1911, pp. 1706-1707, 1715, 1716, 1718, 1721. 1914.
   New York, Jefferson County. Soil Sur. Adv. Sh., 1911, pp. 16, 33-76. 1913; Soils F.O., 1911, pp. 106, 133-173. 1914.
   North Carolina, Richmond County. Soil Sur. Adv. Sh., 1911, pp. 10, 20, 23-45. 1912; Soils F.O., 1911, pp. 392-393, 402, 405-430. 1914.
   on Chester loam. Soils Cir. 55, p. 7. 1912.
   on Dekalb silt loam. Soils Cir. 38, p. 12. 1911.
   on Knox silt loam, central prairie States. Soils Cir. 33, pp. 10-11. 1911.
   Meadow soil. Soils Cir. 68, pp. 12, 13, 14, 15, 16, 17, 18. 1912.
   Porters loam. Soils Cir. 39, p. 12. 1911.
   southwest Texas. Soil Sur. Adv. Sh., 1911, pp. 29, 53-104, 106. 1912; Soils F.O., 1911, pp. 1197, 1221-1274, 1278. 1914.
   West Virginia, Clarksburg area. Soil Sur. Adv. Sh., 1910, pp. 11, 19, 25, 28, 29, 31. 1912; Soils F.O., 1910, pp. 1055, 1063, 1069, 1072, 1073, 1075. 1912.
   West Virginia, Morgantown area. Soil Sur. Adv. Sh. 1911, pp. 10, 28, 30, 37, 39. 1912; Soils F.O., 1911, pp. 1332, 1350, 1352, 1359, 1361. 1914.
   western South Dakota. F.B. 1163, pp. 6-9, 11-12, 14. 1920.
  areas, extension. F.B. 227, pp. 9-10. 1905.
  areas, groups. D.B. 320, pp. 5-6. 1916.
  as forage crop for hogs. F.B. 951, p. 9. 1918.
  at Scottsbluff Experiment Farm, 1916. W.I.A. Cir. 18, pp. 15-16. 1918.

Corn—Continued.
 growing—continued.
  boys' demonstration work in corn clubs, 1910, results. B.P.I. Doc. 647, pp. 1-7. 1911.
  breeding, utilization and acclimatization. B.P.I. Chief Rpt., 1921, p. 4. 1921.
  climatic advantages. Y.B., 1921, pp. 103, 106. 1922; Y.B., Sep. 873, pp. 103, 106. 1922.
  clubs, boys', organization, work. F.B. 385, pp. 1-23. 1910.
  club demonstrations. D.C. 312, p. 16. 1924.
  contest—
   in Indiana, conditions and medal awards. News L., vol. 5, No. 49, p. 8. 1918.
   rules, and blanks, and score card. O.E.S. Bul. 255, pp. 9-12. 1913.
  cost—
   and profit. Y.B., 1911, pp. 325-327. 1912; Y.B. Sep. 572, pp. 325-327. 1912.
   of various operations, Great Plains area. D.B. 219, pp.10-12. 1915.
   per acre, labor, cost of harvesting, study in Ohio. Work and Exp., 1914, p. 188. 1915.
  date of various operations in North Dakota. D.B. 757, pp. 25-26. 1919.
  day's work in New York and Illinois, comparison. D.B. 814, p. 31. 1920.
  demonstration work—
   1910. F.B. 422, pp. 13-16. 1910.
   Kentucky and Virginia. Y.B., 1915, pp. 230, 239-240. 1916; Y.B. Sep. 672, pp. 230, 239-240. 1916.
  demonstrations and club work, 1922. Coop. Ext. Work, 1922, p. 3. 1924.
  development, historical notes. Y.B., 1921, pp. 171-175. 1922; Y.B. Sep. 872, pp. 171-175. 1922.
  dry farming, substitute for fallow. F.B. 749, pp. 6, 22. 1916.
  early history in America and primitive customs. Y.B., 1918, pp. 123-130, 131-132. 1919; Y.B. Sep. 776, pp. 3-10, 11-12. 1919.
  elements removed from soil and air by acre crop. J.A.R., vol. 27, pp. 856-858. 1924.
  environmental factors. Y.B., 1921, pp. 181-187, 223. 1922; Y.B. Sep. 872, pp. 181-187, 223. 1922.
  experiments—
   San Antonio, Texas, varieties and yield. B.P.I. Cir. 34, p. 11. 1909.
   with nitrogen fertilizers, notes and tables. D.B. 1180, pp. 11, 12, 20-38. 1923.
  fertilizer requirements for different soils, methods, and table. F.B. 398, pp. 19-21. 1910.
  for canning. Y.B., 1916, p. 452. 1917; Y.B. Sep. 702, p. 18. 1917.
  for grain, not for cornstalks, varietal studies. News L., vol. 4, No. 37, pp. 9-10. 1917.
  for silage—
   Huntley Experiment Farm, yields. D.C. 275, p. 11. 1923.
   in Idaho, Kootenai County. Soil Sur. Adv. Sh., 1919, pp. 10, 22-30. 1923; Soils F.O., 1919, pp. 10, 22-30. 1925.
   in Montana, Huntley Experiment Farm. D.C. 86, p. 14. 1920.
   in New York, Schoharie County. Soil Sur Adv. Sh., 1915, pp. 9, 16, 26, 28. 1917. Soils F.O., 1915, pp. 129, 136, 146, 148. 1919;
  hand and machine labor, comparison, time and cost. Stat. Bul. 94, pp. 60, 63. 1912.
  improvement, varieties, and demonstration work. B.P.I. Chief Rpt., 1913, pp. 13, 14, 22. 1913; An. Rpts., 1913, pp. 117, 118, 126. 1914.
  in Alabama—
   Barbour County. Soil Sur. Adv. Sh., 1914, pp. 11, 20-45. 1917; Soils F.O., 1914, pp. 1076, 1077, 1086-1113. 1919.
   Bullock County, yields. Soil Sur. Adv. Sh., 1913, pp. 11, 45, 47, 48. 1915; Soils F.O., 1913, pp. 753, 787, 789, 790. 1916.
   Chilton County, yields. Soil Sur. Adv. Sh., 1911, pp. 9, 17-29. 1913; Soils F.O., 1911, pp. 693, 701-713. 1914.
   Choctaw County. Soil Sur. Adv. Sh., 1921, pp. 980, 982. 1925.
   Clarke County, acreage and yield. Soil Sur. Adv. Sh., 1912, pp. 9, 23, 26, 28. 1913; Soils F.O., 1912, pp. 729, 743, 746, 748. 1915.

Corn—Continued.
growing—continued.
 in Alabama—continued.
  Clay County, acreage, methods and yields. Soil Sur. Adv. Sh., 1915, pp. 9, 11, 21-39. 1916; Soils F.O., 1915, pp. 831, 833, 841, 543-855. 1919.
  Cleburne County. Soil Sur. Adv. Sh., 1918, pp. 10, 18-35. 1915; Soils F.O., 1913, pp. 798, 806-823. 1916.
  Conecuh County, methods and yields. Soil Sur. Adv. Sh., 1912, pp. 11, 24, 26, 28, 30, 32, 33, 34, 35, 37 1914; Soils F.O., 1912, pp. 759, 772, 774, 776, 778, 780-783, 785. 1915.
  Covington County, methods and yields. Soil Sur. Adv. Sh., 1912, pp. 10-11, 17-33. 1914; Soils F.O., 1912, pp. 802-803, 809-825. 1915.
  Crenshaw County. Soil Sur. Adv. Sh., 1921, pp. 379-405. 1924.
  Elmore County. Soil Sur. Adv. Sh., 1911, pp. 17, 22-47. 1913; Soils F.O., 1911, pp. 733, 738-763. 1914.
  Escambia County. Soil Sur. Adv. Sh., 1913, pp. 11-12, 24-46. 1915; Soils F.O., 1913, pp. 833-834, 846-868. 1916.
  Fayette County. Soil Sur. Adv. Sh., 1917, pp. 9, 16-38. 1920; Soils F.O , 1916, pp. 703, 710-732. 1923.
  Geneva County. Soil Sur. Adv. Sh., 1920, pp. 291, 293, 301-314. 1924; Soils F.O., 1920, pp. 291, 293, 301-314. 1925.
  Houston County. Soil Sur. Adv. Sh., 1920, pp. 319, 326-342. 1923; Soils F.O., 1920, pp. 319, 326-342. 1925.
  Jackson County, yields. Soil Sur. Adv. Sh., 1911, pp. 9, 17-30. 1912; Soils F.O., 1911, pp. 769, 777-790. 1914.
  labor saving by use of machinery. F.B. 1121, p. 24. 1920.
  Lawrence County, acreage, methods, and yields. Soil Sur. Adv. Sh., 1914, pp. 12, 19-47 1916; Soils F.O., 1914, pp. 1162, 1169-1197. 1919.
  Limestone County, acreage, methods, and yields. Soil Sur. Adv. Sh., 1914, pp. 11, 20-36. 1916; Soils F.O., 1914, pp. 1121, 1123, 1132-1150. 1919.
  Loundes County. Soil Sur. Adv. Sh., 1916, pp. 10, 11, 23-65. 1918; Soils F.O., 1916, pp. 792-793, 796, 807-846. 1921.
  Madison County, yields. Soil Sur. Adv. Sh., 1911, pp. 10-11, 18-40. 1913; Soils F.O., 1911, pp. 798-799, 806-828. 1914.
  Marengo County. Soil Sur. Adv. Sh., 1920, pp. 561, 570-593. 1923; Soils F.O., 1920, pp. 561, 570-593. 1925.
  Marshall County, acreage and yields. Soil Sur. Adv. Sh., 1911, pp. 10, 17-29. 1913; Soils F.O., 1911, pp. 836, 843-855. 1914.
  Mobile County. Soil Sur. Adv. Sh., 1911, pp. 15, 21, 27. 1912; Soils F.O., 1911, pp. 869, 875, 881. 1914.
  Monroe County. Soil Sur. Adv. Sh., 1916, pp. 11, 12, 21-51. 1919; Soils F.O., 1916, pp. 857-858, 867-897. 1921.
  Morgan County. Soil Sur. Adv. Sh., 1918, pp. 10-15, 20-43. 1921; Soils F.O., 1918, pp. 578-583, 588-611. 1924.
  Pickens County. Soil Sur. Adv. Sh., 1916, pp. 10, 12, 18-39. 1917; Soils F.O., 1916, pp. 905-908, 914-935. 1921.
  Randolph County, methods and yields. Soil Sur. Adv. Sh., 1911, pp. 10, 12, 19-38. 1912. Soils F.O., 1911, pp. 902, 904, 911-930. 1914.
  Russell County. Soil Sur. Adv. Sh., 1913, pp. 10-11, 23, 26, 35, 36, 48. 1915; Soils F.O., 1913, pp. 880-881, 893, 896, 905, 906, 918. 1916.
  St. Clair County. Soil Sur. Adv. Sh., 1917, pp. 10, 12, 18-43. 1920; Soils F.O., 1917, pp. 796, 798, 804-829. 1923.
  Shelby County. Soil Sur. Adv. Sh., 1917, pp. 11, 12, 24-56. 1920; Soils F.O., 1917, pp. 741, 742, 754-786. 1923.
  Tuscaloosa County, methods, yields, and soils. Soil Sur. Adv. Sh., 1911, pp. 12, 27-69. 1912; Soils F.O., 1911, pp. 940, 955-997. 1914.

Corn—Continued.
growing—continued.
 in Alabama—continued.
  Walker County, acreage and yields. Soil Sur. Adv. Sh., 1915; pp. 9, 16, 21, 23, 26, 27. 1916; Soils F.O., 1915, pp. 869, 876, 883, 887, 889. 1919.
  Washington County. Soil Sur. Adv. Sh., 1915, pp. 12-13, 21-46. 1917; Soils F.O., 1915, pp. 898-899, 913, 917, 923, 926, 931-935. 1919.
  Wilcox County. Soil Sur. Adv. Sh., 1916, pp. 10, 14, 22-66. 1918; Soils F.O., 1916, pp. 943, 944, 948, 956-1000. 1921.
 in Argentina, location, methods, and varieties. Y.B., 1915, pp. 282, 288-291. 1916; Y.B. Sep. 677, pp. 282, 288-291. 1916.
 in Arkansas—
  Ashley County, methods and yields. Soil Sur. Adv. Sh., 1913, pp. 12, 20, 24. 1914; Soils F.O., 1913, pp. 1192, 1200, 1204. 1916.
  Columbia County, acreage, methods, and yields. Soil Sur. Adv. Sh., 1914, pp. 9, 16, 19-23, 26, 28, 30, 34. 1916; Soils F.O., 1914, pp. 1367, 1374-1394. 1919.
  Craighead County. Soil Sur. Adv. Sh., 1916, pp. 10, 11, 17-29. 1917; Soils F.O., 1916, pp. 1166, 1173-1187. 1921.
  Drew County. Soil Sur. Adv. Sh., 1917, pp. 10-11, 21-47. 1919; Soils F.O., 1917, pp. 1284-1285, 1295-1321. 1923.
  Faulkner County. Soil Sur. Adv. Sh., 1917, pp. 9, 12, 16-33. 1919; Soils F.O., 1917, pp. 1327, 1330, 1334-1351. 1923.
  Hempstead County. Soil Sur. Adv. Sh., 1916, pp. 9, 12, 19-50. 1918; Soils F.O., 1916, pp. 1193, 1203-1235. 1921.
  Howard County. Soil Sur. Adv. Sh., 1917, pp. 9, 19-46. 1919; Soils F.O., 1917, pp. 1359, 1369-1396. 1923.
  Jefferson County, 1909, acreage, production, and yield. Soil Sur. Adv. Sh., 1915, pn. 10-11, 38. 1916; Soils F.O., 1915, pp. 1169, 1184, 1187, 1193. 1919.
  Lonoke County. Soil Sur. Adv. Sh., 1921, pp. 1283-1284. 1924.
  Mississippi County, acreage, methods, and yields. Soil Sur. Adv. Sh., 1914, pp. 10-11, 18, 21, 24, 29, 37. 1916; Soils F.O., 1914, pp. 1330, 1336-1359. 1919.
  Perry County. Soil Sur. Adv. Sh., 1923, pp. 497-499, 501, 508-532, 536. 1923.
  place in crop rotations. F.B. 1000, pp. 5-18. 1918.
  Pope County. Soil Sur. Adv. Sh., 1913, pp. 11, 23-35. 1915; Soils F.O., 1913, pp. 1227, 1239-1251. 1916.
  Yell County, acreage, methods, nd yield. Soil Sur. Adv. Sh., 1915, pp. 10, 11, 20-37. 1917; Soils F.O., 1915, pp. 1203, 1212, 1217, 1234. 1919.
 in Asia and Africa. Stat. Cir. 26, p. 5. 1912.
 in Brazil, yields, and harvesting. D.C. 228, p. 24. 1922.
 in California—
  San Diego region. Soil Sur. Adv. Sh., 1915, pp. 14, 64. 1917; Soils F.O., 1915, pp. 2518, 2568. 1919.
  San Joaquin Valley. Soil Sur. Adv. Sh., 1915, pp. 121, 127, 145. 1918; Soils F.O., 1915, pp. 2695, 2703, 2721. 1919.
 in central Kansas, labor and practices. D.B., 1296, pp. 30-37. 1925.
 in central Northwest. Y.B., 1921, p. 105. 1922; Y.B. Sep. 873, p. 105. 1922.
 in Colorado, experiments. D.B. 1287, pp. 52-56. 1925.
 in Connecticut—
  New London County. Soil Sur. Adv. Sh., 1912, pp. 13, 20, 24. 1913; Soils F.O., 1912, pp. 39, 46, 50. 1915.
  Windham County. Soil Sur. Adv. Sh., 1911, pp. 12, 18, 20, 25. 1912; Soils F.O., 1911, pp. 76, 82, 84, 89. 1914.
 in Cotton States, cultural methods and implements. Y.B., 1905, pp. 207-210. 1906; Y.B. Sep. 377, pp. 207-210. 1906.

562   UNITED STATES DEPARTMENT OF AGRICULTURE

Corn—Continued.
  growing—continued.
    in Delaware—
      Kent County. Soil Sur. Adv. Sh., 1918, pp. 8–11, 16–27. 1920; Soils F.O., 1918, pp. 48–51, 56–67. 1924.
      New Castle County. Soil Sur. Adv. Sh., 1915, pp. 10, 12, 19–32. 1917; Soils F.O., 1915, pp. 274, 275, 284, 285, 289, 291. 1919.
      Sussex County. Soil Sur. Adv. Sh., 1920, pp. 1535, 1538, 1545–1561. 1924; Soils F.O., 1920, pp. 1535, 1538, 1545–1561. 1925.
    in eastern United States, acreage and value. Y.B., 1915, p. 331. 1916; Y.B. Sep. 681, p. 331. 1916.
    in Florida—
      Bradford County, Soil Sur. Adv. Sh., 1913, pp. 11, 20, 21, 22, 28. 1914; Soils F.O., 1913, pp. 649, 658, 659, 660, 666. 1916.
      Duval County. Soil Sur. Adv. Sh., 1921, pp. 25, 27, 33–43. 1923.
      Flagler County. Soil Sur. Adv. Sh., 1918, pp. 10, 12–13, 18–20, 24–34, 39. 1922; Soils F.O., 1918, pp. 540, 542–543, 548–550, 554–564, 569. 1924.
      Gadsden County. Soil Sur. Adv. Sh., 1903, p. 352. 1904; Soils F.O., 1903, p. 352. 1904.
      Hernando County. Soils F.O., 1914, pp. 1049, 1054–1062. 1919; Soil Sur. Adv. Sh., 1914, pp. 9, 14–22. 1915.
      Hillsborough County. Soils F.O., 1916, pp. 753–756, 764–777. 1921; Soil Sur. Adv. Sh., 1916, pp. 9–12, 20–33. 1918.
      Orange County. Soil Sur. Adv. Sh., 1919, pp. 5, 6, 7, 13, 25. 1922; Soils F.O., 1919, pp. 951, 952, 953, 959, 971. 1925.
      Putnam County, methods and yields. Soil Sur. Adv. Sh., 1914, pp. 14, 21, 26, 40. 1916; Soils F.O., 1914, pp. 1006, 1013, 1032. 1919.
      St. Johns County. Soil Sur. Adv. Sh., 1917, pp. 9, 10, 11, 14, 18–31. 1920; Soils F.O., 1917, pp. 669, 670, 671, 674, 678–691. 1923.
    in Georgia—
      Brooks County, methods, yields, cost, and profits. D.B. 648, pp. 22, 29, 37, 38, 46, 47, 50, 52–53. 1918.
      Brooks County. Soils F.O., 1916, pp. 593–595, 597, 607–621. 1921; Soil Sur. Adv. Sh., 1916, pp. 10–12, 13, 23. 1918.
      Burke County. Soil Sur. Adv. Sh., 1917, pp. 9, 10, 11, 17–27. 1919; Soils F.O., 1917, pp. 543, 544, 545, 551–556. 1923.
      Butts and Henry Counties. Soil Sur. Adv. Sh., 1919, pp. 10, 11, 13, 18–27. 1922; Soils F.O., 1919, pp. 836, 837, 839, 845–854. 1925.
      Carroll County. Soil Sur. Adv. Sh., 1921, pp. 134, 140–153. 1924.
      Chatham County, yields. Soil Sur. Adv. Sh., 1911, pp. 16, 20, 23–28. 1912; Soils F.O., 1911, pp. 574, 578, 581–586. 1914.
      Chattooga County, varieties. Soil Sur. Adv. Sh., 1912, pp. 13–14, 34–53. 1913; Soils F.O., 1912, pp. 525–527, 540–569. 1915.
      Clay County, acreage and yields. Soil Sur. Adv. Sh., 1914, pp. 10, 15, 17, 19, 24–31, 34–37. 1916; Soils F.O., 1914, pp. 923, 924, 929–954. 1919.
      Colquitt County, acreage, methods, and yields. Soil Sur. Adv. Sh., 1914, pp. 12, 14, 27. 1915; Soils F.O., 1914, pp. 968, 970–971. 1919.
      Columbia County, yields. Soil Sur. Adv. Sh., 1911, pp. 11, 14, 21–45. 1912; Soils F.O., 1911, pp. 651–654, 661–685. 1914.
      Coweta and Fayette Counties. Soil Sur. Adv. Sh., 1920, pp. 7, 9–11, 16–31. 1922; Soils F.O., 1919, pp. 861, 863–865, 870–886. 1925.
      Crisp County. Soil Sur. Adv. Sh., 1916, pp. 9, 10, 15, 17, 19. 1917; Soils F.O., 1916, pp. 631, 637–641. 1921.
      Dekalb County, methods and yields. Soil Sur. Adv. Sh., 1914, pp. 9, 14, 15, 16, 21, 23, 25. 1915; Soils F.O., 1914, pp. 799, 804–813. 1919.
      Dougherty County, acreage and yields. Soil Sur. Adv. Sh., 1912, pp. 11–13, 25–48, 56. 1913; Soils F.O., 1912, pp. 579–581, 593–616, 624. 1915.

Corn—Continued.
  growing—continued.
    in Georgia—continued.
      Early County. Soil Sur. Adv. Sh., 1918, pp. 9, 11, 16–41. 1921; Soils F.O., 1918, pp. 423, 425, 430–455. 1924.
      Floyd County. Soil Sur. Adv. Sh., 1917, pp. 11–14, 20–69. 1921; Soils F.O., 1917, pp. 571–574, 580–629. 1923.
      Glynn County, yields and methods. Soil Sur. Adv. Sh., 1911, pp. 10, 17, 18, 19, 22–45. 1912; Soils F.O., 1911, pp. 598, 605, 606, 607, 610–633. 1914.
      Gordon County. Soil Sur. Adv. Sh., 1913, pp. 13–14, 22–64. 1914; Soils F.O., 1913, pp. 343–344, 352–394. 1916.
      Habersham County. Soil Sur. Adv. Sh., 1913, pp. 10–12, 24–47. 1915; Soils F.O., 1913, pp. 406–408, 420–443. 1916.
      Jackson County, methods, varieties, and yields. Soil Sur. Adv. Sh., 1914, pp. 10–11, 16, 18, 19, 21, 23, 24, 26. 1915; Soils F.O., 1914, pp. 734–735, 740–748. 1919.
      Jasper County. Soil Sur. Adv. Sh., 1916, pp. 11, 19, 23, 28, 31, 35–41. 1918; Soils F.O., 1916, pp. 653, 661, 665, 670, 673, 677–683. 1919.
      Jeff Davis County. Soil Sur. Adv. Sh., 1913, pp. 10, 16–31. 1914; Soils F.O., 1913, pp. 450, 456–471. 1916.
      Jones County. Soil Sur. Adv. Sh., 1913, pp. 11–12, 22–41. 1915; Soils F.O., 1913, pp. 481–482, 492–511. 1916.
      Laurens County, acreage, production, and yield. Soil Sur. Adv. Sh., 1915, pp. 13, 40. 1916; Soils F.O., 1915, pp. 629, 631, 656. 1919.
      Lowndes County. Soil Sur. Adv. Sh., 1917, pp. 11, 17, 22–33. 1920; Soils F.O., 1917, pp. 639, 645, 650–661. 1923.
      Madison County. Soil Sur. Adv. Sh., 1918, pp. 9–10, 12, 17–31. 1921; Soils F.O., 1918, pp. 463–464, 466, 471–485. 1924.
      Meriwether County. Soil Sur. Adv. Sh., 1916, pp. 9, 10, 15–29. 1917; Soils F.O., 1916, pp. 691, 692, 697–711. 1921.
      Miller County, methods and yields. Soil Sur. Adv. Sh., 1913, pp. 11, 18–26. 1914; Soils F.O., 1913, pp. 521, 528–536. 1916.
      Mitchell County. Soil Sur. Adv. Sh., 1920, pp. 4, 5, 7, 8, 13, 17–25, 33, 36. 1922; Soils F.O., 1920, pp. 4, 5, 7, 8, 13, 17–25, 33, 36. 1925.
      Monroe County. Soil Sur. Adv. Sh., 1920, pp. 9, 10, 11, 18–34. 1922; Soils F.O., 1920, pp. 75, 76, 77, 84–100. 1925.
      Oconee, Morgan, Greene, and Putnam Counties. Soil Sur. Adv. Sh., 1919, pp. 13–14, 16, 23–57. 1922; Soils F.O., 1919, pp. 897–898, 900, 907–943. 1925.
      Pierce County. Soil Sur. Adv. Sh., 1918, pp. 9, 14–21, 25. 1920; Soils F.O., 1918, pp. 491, 496–503, 507. 1924.
      Polk County, acreage, varieties and yields. Soil Sur. Adv. Sh., 1914, pp. 9–10, 17, 18, 21, 25, 28, 31, 34–45. 1916; Soils F.O., 1914, pp. 757–758, 764–793. 1919.
      Pulaski County. Soil Sur. Adv. Sh., 1918, pp. 8, 10, 14–22. 1920; Soils F.O., 1918, pp. 516, 518, 523–533. 1924.
      Rabun County. Soil Sur. Adv. Sh., 1920, pp. 1196–1197, 1203–1211. 1924; Soils F.O., 1920, pp. 1196–1197, 1203–1211. 1925.
      Richmond County. Soil Sur. Adv. Sh., 1916, pp. 10, 11, 16–36. 1917; Soils F.O., 1916, pp. 720, 721, 724–744. 1921.
      Rockdale County. Soil Sur. Adv. Sh., 1920, pp. 540, 542, 548–553. 1923; Soils F.O., 1920, pp. 540, 542, 548–553. 1925.
      Screven County. Soil Sur. Adv. Sh., 1920, pp. 1627, 1635–1655. 1924; Soils F.O., 1920, pp. 1627, 1635–1655. 1925.
      Stewart County. Soil Sur. Adv. Sh., 1913, pp. 12–14, 22–41, 49–60. 1915; Soils F.O., 1913, pp. 552–554, 562–581, 589–590. 1916.
      Sumter County, acreage, importance, and yields. D.B. 1034, pp. 12, 13, 16–17, 18, 20, 22. 1922.
      Sumter County, methods. Soil Sur. Adv. Sh., 1910, pp. 13, 25. 1911; Soils F.O., 1910, pp. 509, 521. 1912.

INDEX TO PUBLICATIONS, 1901–1925   563

Corn—Continued.
growing—continued.
  in Georgia—continued.
    Tattnall County, methods and yields. Soil Sur. Adv. Sh., 1914, pp. 11–12, 17, 21, 24, 25, 27, 33, 47. 1915; Soils F.O., 1914, pp. 823, 824, 829–850. 1919.
    Terrell County, methods, acreage, and yields. Soil Sur. Adv. Sh., 1914, pp. 11–12, 21–58. 1915; Soils F.O., 1914, pp. 867–868, 877–914. 1919.
    Troup County, varieties. Soil Sur. Adv. Sh., 1912, pp. 9, 17, 23. 1913; Soils F.O., 1912, pp. 638–641, 647–649. 1918.
    Turner County, acreage and yields. Soil Sur. Adv. Sh., 1915, pp. 9, 16, 19, 24. 1916; Soils F.O., 1915, pp. 663–664, 665, 678. 1919.
    Washington County, acreage and yields. Soil Sur. Adv. Sh., 1915, pp. 10, 11, 13, 21–33. 1916; Soils F. O.,1915, pp. 687, 688, 690, 701, 703, 715, 716. 1919.
    Wilkes County, acreage, methods and yields. Soil Sur. Adv. Sh., 1915, pp. 9, 11, 17–33. 1916; Soils F.O., 1915, pp. 723, 725. 1919.
  in Great Plains—
    area, cultural practices and yields. D.B. 268, pp. 16–19 1915; B.P.I. Bul. 187, p. 58. 1910.
    tests of varieties. D.B. 307, pp. 20. 1915.
  in Guam—
    W. J. Green. Guam Cir. 3, pp. 13. 1922.
    1919. Guam A.R., 1919, pp. 6, 31–32. 1921.
    breeding experiments. Guam A.R., 1917, pp. 20–21. 1918.
    breeding work and insect pests. Guam A.R., 1920, pp. 35–40. 1921.
    directions. Guam Bul. 2, pp. 12, 37. 1922; Guam Cir. 2, p. 10. 1921.
    improvement experiments, 1915. Guam A.R. 1915, pp. 16–18. 1916.
    rotation experiments. Guam A.R., 1923, p. 10. 1925.
  in Hawaii—
    1910, insects injurious. Hawaii A.R., 1910, pp. 21–22, 23. 1911.
    1911, experiments. Hawaii A.R., 1911, pp. 15, 63. 1912.
    1915. Hawaii A.R., 1915, p. 39. 1916.
    1919. Hawaii A.R., 1919, pp. 14, 39, 44–45, 62, 70. 1920.
    breeding, selection, and variety tests. Hawaii A.R., 1921, pp. 3, 29, 62, 64. 1922.
    cooperative and demonstration work. Hawaii A.R., 1918, pp. 29, 31, 46. 1919.
    for hog feed. Hawaii Bul. 48, pp. 31, 34. 1923.
    injury by leaf hopper. Hawaii A.R., 1916, p. 31. 1917.
  in Idaho, Latah County. Soil Sur. Adv. Sh., 1915, pp. 11, 19. 1917; Soils F.O., 1915, pp. 2185, 2193. 1919.
  in Illinois, McLean County. Soil Sur. Adv. Sh., 1903, pp. 787, 791, 792, 795. 1904; Soils F.O. 1903, pp. 787, 791, 792, 795. 1904.
  in Illinois, Will County, methods, yields. Soil Sur. Adv. Sh., 1912, pp. 9–10, 17, 19, 20, 26, 28, 30. 1914; Soils F.O., pp. 1525–1526, 1533, 1534, 1536, 1542, 1544, 1546. 1915.
  in Indiana—
    Adams County. Soil Sur. Adv. Sh., 1921, pp. 4, 5, 12–18. 1923.
    Benton County. Soil Sur. Adv. Sh., 1916, pp. 8, 9, 10, 14. 1917; Soils F.O., 1916, pp. 1682–1684, 1688–1692. 1921.
    Boone County, acreage, and yields. Soil Sur. Adv. Sh., 1912, pp. 10, 20, 27, 34, 37. 1914; Soils F.O., 1912, pp. 1414, 1424, 1431, 1438, 1441. 1915.
    Clinton County, acreage, methods, and yields. Soil Sur. Adv. Sh., 1914, pp. 8, 10, 16, 21, 23, 1915; Soils F.O., 1914, pp. 1634, 1642–1653. 1919.
    Clinton County, marketing. D.B., 1258, pp. 11–18. 1924.
    Decatur County. Soil Sur. Adv. Sh., 1919, pp. 4, 5, 11–31. 1922; Soils F.O., 1919, pp. 1289, 1290, 1297–1318. 1925.
    Delaware County. Soil Sur. Adv. Sh., 1913, pp. 9–11, 28. 1915; Soils F.O., 1913, pp. 1383–1385, 1402. 1916.

Corn—Continued
growing—continued.
  in Indiana—continued.
    Elkhart County, acreage and yield. Soil Sur. Adv. Sh., 1914, pp. 8, 13, 15, 16, 18, 19, 22, 23. 1916; Soils F.O., 1914, pp. 1574, 1579–1589. 1919.
    Grant County. Soil Sur. Adv. Sh., 1915, pp. 9–10, 14–15, 21, 28, 32. 1917; Soils F.O., 1915, pp. 1357–1358, 1362–1363, 1369, 1376, 1380. 1919.
    Hamilton County, methods and yields. Soil Sur. Adv. Sh., 1912, pp. 10–11, 21, 24, 26, 31. 1914; Soils F.O., 1912, pp. 1450–1451, 1461, 1464, 1466, 1471. 1915.
    Hendricks County. Soil Sur. Adv. Sh., 1913, pp. 10, 19–37. 1915; Soils F.O., 1913, pp. 1412, 1421–1439. 1916.
    Lake County. Soil Sur. Adv. Sh., 1917, pp. 11, 14, 21–43, 46. 1921; Soils F.O., 1917, pp. 1145, 1148, 1155–1177, 1180. 1923.
    Montgomery County, yields. Soil Sur. Adv. Sh., 1912, pp. 14, 16–23. 1914; Soils F.O., 1912, pp. 1482, 1484–1491. 1915.
    Porter County. Soil Sur. Adv. Sh., 1916, pp. 11, 12, 14, 21–43. 1919; Soils F.O., 1916, pp. 1701–1704, 1711–1733. 1921.
    Starke County, acreage, methods, and yields. Soil Sur. Adv. Sh., 1915, pp. 10, 11, 14, 22–36. 1917; Soils F.O., 1915, pp. 1391, 1394, 1405, 1406, 1413, 1421. 1919.
    Tipton County, methods, yields. Soil Sur. Adv. Sh., 1912, pp. 14, 22, 25, 26, 28, 29. 1914; Soils F.O., 1912, pp. 1502, 1510, 1513, 1514, 1516, 1517. 1915.
    Warren County, acreage, methods, and yields. Soil Sur. Adv. Sh., 1914, pp. 9, 10, 11, 17, 20, 22, 24, 26, 29, 31. 1916; Soils F.O., 1914, pp. 1599–1601, 1607–1622. 1919.
    Wells County, acreage, methods, and yields. Soil Sur. Adv. Sh., 1915, pp. 8, 11, 17, 21, 25. 1917; Soils F.O., 1915, pp. 1426, 1429, 1435, 1443, 1446. 1919.
    White County, acreage, methods, and yields. Soil Sur. Adv. Sh., 1915, pp. 11, 14, 21–40. 1917; Soils F.O., 1915, pp. 1455, 1458–1459, 1466, 1467. 1919.
  in Iowa—
    Adair County. Soil Sur. Adv. Sh., 1919, pp. 9, 11, 16–20, 23, 24. 1921; Soils F.O. 1919, pp. 1408–1409, 1411, 1416–1420, 1423, 1424. 1925.
    Benton County. Soil Sur. Adv. Sh., 1921, pp. 1225, 1227, 1228. 1925.
    Blackhawk County. Soil Sur. Adv. Sh., 1917, pp. 11, 20–41. 1919; Soils F.O., 1917, pp. 1563, 1573–1594. 1923.
    Boone County. Soil Sur. Adv. Sh., 1920, pp. 139, 143, 149–165. 1923; Soils F.O., 1920, pp. 139, 143, 149–165. 1925.
    Bremer County, acreage, yield, and soil adaptability. Soil Sur. Adv. Sh., 1913, pp. 8, 9, 15–19, 27–37. 1914; Soils F.O., 1913, pp. 1692, 1693, 1699–1703, 1730–1741. 1916.
    Buena Vista County. Soil Sur. Adv. Sh., 1917, pp. 11, 14, 22–34. 1919; Soils F.O., 1917, pp. 1601, 1604, 1612–1624. 1923.
    Cedar County. Soil Sur. Adv. Sh., 1919, pp. 10, 11, 12. 1921; Soils F.O., 1919, pp. 1432, 1433, 1434. 1925.
    Clay County. Soil Sur. Adv. Sh., 1916, pp. 10, 11, 21–41. 1918; Soils F.O., 1916, pp. 1839, 1849–1869. 1921.
    Clinton County, methods and yields. Soil Sur. Adv. Sh., 1915, pp. 13–16, 30–63. 1917; Soils F.O., 1915, pp. 1656, 1657, 1658, 1676, 1682, 1688. 1919.
    Dallas County. Soil Sur. Adv. Sh., 1920, pp. 1158–1159, 1161, 1170–1189. 1924; Soils F.O., 1920, pp. 1158–1159, 1161, 1170–1189. 1925.
    Delaware County. Soil Sur. Adv. Sh., 1922, pp. 6, 8, 9. 1925.
    Des Moines County. Soil Sur. Adv. Sh., 1921, pp. 1097–1098. 1925.
    Dickinson County. Soil Sur. Adv. Sh., 1920, pp. 602, 603, 613–636. 1923; Soils F.O. 1920, pp. 602, 603, 613–636. 1925.

Corn—Continued.
growing—continued.
in Iowa—continued.
Dubuque County. Soil Sur. Adv. Sh., 1920, pp. 348, 349, 354-369. 1923; Soils F.O., 1920, pp. 348, 349, 354-369. 1925.
Emmet County. Soil Sur. Adv. Sh., 1920, pp. 413, 414, 418, 426-439. 1923; Soils F.O., 1920, pp. 413, 414, 418, 426-439. 1925.
Fayette County. Soil Sur. Adv. Sh., 1919, pp. 11, 12, 15, 23-40. 1922; Soils F.O., 1919, pp. 1465, 1466, 1469, 1477-1494. 1925.
Greene County. Soil Sur. Adv. Sh., 1921, pp. 284, 285, 293-302. 1924.
Grundy County. Soil Sur. Adv. Sh., 1921, pp. 1043, 1044, 1046. 1925.
Hamilton County. Soil Sur. Adv. Sh., 1917, pp. 9, 10, 12, 17-28. 1920; Soils F.O., 1917, pp. 1633, 1634, 1636, 1641-1652. 1923.
Hardin County. Soil Sur. Adv. Sh., 1920, pp. 723, 724, 736-755. 1923; Soils F.O., 1920, pp. 723, 724, 736-755. 1925.
Henry County. Soil Sur. Adv. Sh., 1917, pp. 9, 10-11, 19-31. 1919; Soils F.O., 1917, pp. 1659, 1660-1661, 1669-1681. 1923.
Jasper County. Soil Sur. Adv. Sh., 1921, pp. 1132-1133. 1925.
Jefferson County. Soil Sur. Adv. Sh., 1922, pp. 311, 314, 316. 1925.
Johnson County. Soil Sur. Adv. Sh., 1919, pp. 11, 13, 25-39. 1922; Soils F.O., 1919, pp. 1501, 1503, 1515-1539. 1925.
Lee County, methods and yields. Soil Sur. Adv. Sh., 1914, pp. 12, 18-34. 1916; Soils F.O., 1915, pp. 1916, 1918, 1924-1940. 1919.
Linn County. Soil Sur. Adv. Sh., 1917, pp. 11, 14, 15, 23-40. 1920; Soils F.O., 1917, pp. 1691, 1694, 1695, 1703-1719. 1923.
Louisa County. Soil Sur. Adv. Sh., 1918, pp. 11, 13, 15, 24-45. 1921; Soils F.O., 1918, pp. 1025, 1027, 1029, 1038-1059. 1924.
Madison County. Soil Sur. Adv. Sh., 1918, pp. 10, 11, 12, 23-27. 1921; Soils F.O., 1918, pp. 1070, 1071, 1072, 1082-1096. 1924.
Mahaska County. Soil Sur. Adv. Sh., 1919, pp. 12-16, 23-39. 1922; Soils F.O., 1919, pp. 1549-1554, 1561-1577. 1925.
Marshall County. Soil Sur. Adv. Sh., 1918, pp. 10, 21-34. 1921; Soils F.O., 1918, pp. 1106, 1117-1131. 1924.
Mills County. Soil Sur. Adv. Sh., 1920, pp. 107-110, 113, 119, 124, 126-134. 1923; Soils F.O., 1920, pp. 108-110, 113, 119, 124, 126-134. 1925.
Mitchell County. Soil Sur. Adv. Sh., 1916, pp. 8, 9, 11, 22, 25. 1918; Soils F.O., 1916, pp. 1878, 1879, 1890-1902. 1921.
Montgomery County. Soil Sur. Adv. Sh., 1917, pp. 9-10, 13, 19-27. 1919; Soils F.O., 1917, pp. 1728-1729, 1733, 1739-1747. 1923.
Muscatine County, acreage and yields. Soil Sur. Adv. Sh., 1914, pp. 13, 15, 27, 29, 30, 33, 37-58. 1916; Soils F.O., 1914, pp. 1832-1835, 1847-1878. 1919.
O'Brien County. Soil Sur. Adv. Sh., 1921, pp. 216-218, 220, 228-245. 1924.
Page County. Soil Sur. Adv. Sh., 1921, pp. 353, 356, 357. 1924.
Palo Alto County. Soil Sur. Adv. Sh., 1918, pp. 10, 11, 12, 15, 20-23. 1921. Soils F.O., 1918, pp. 1138, 1139, 1140, 1143, 1148-1161. 1924.
Polk County. Soil Sur. Adv. Sh., 1918, pp. 11, 15, 25-62. 1921; Soils F.O., 1918, pp. 1171, 1175, 1185-1222. 1924.
Pottawattamie County, acreage, methods, and yields. Soil Sur. Adv. Sh., 1914, pp. 9-11, 17, 19, 21, 23, 25, 26, 27. 1916; Soils F.O., 1914, pp. 1889-1891, 1897-1908. 1919.
Ringgold County. Soil Sur. Adv. Sh., 1916, pp. 9, 10, 11-12, 17, 19, 20, 24, 25. 1918; Soils F.O., 1916, pp. 1909-1912, 1917-1927. 1921.
Scott County. Soil Sur. Adv. Sh., 1915, pp. 10, 11, 13, 21, 23, 25, 32, 37, 38, 39. 1917; Soils F.O., 1915, pp. 1713, 1715, 1723, 1731, 1734, 1743. 1919.
Sioux County, acreage, methods, and yields. Soil Sur. Adv. Sh., 1915, pp. 11, 12, 16, 22, 23, 25, 29, 32, 34. 1917; Soils F.O., 1915, pp. 1754, 1757-1758, 1764, 1765. 1919.

Corn—Continued.
growing—continued.
in Iowa—continued.
Van Buren County, acreage and yields. Soil Sur. Adv. Sh., 1915, pp. 10, 17, 19, 21, 24-30. 1917; Soils F.O., 1915, pp. 1786, 1787, 1793, 1795, 1805, 1807. 1919.
Wapello County. Soil Sur. Adv. Sh., 1917, pp. 10, 12-14, 20-42. 1919; Soils F.O., 1917, pp. 1756, 1758-1760, 1766-1788. 1923.
Wayne County. Soil Sur. Adv. Sh., 1918, pp. 9, 11, 12, 16-23. 1920; Soils F.O., 1918, pp. 1233, 1236, 1240-1247. 1924.
Webster County, acreage, methods, and yields. Soil Sur. Adv. Sh., 1914, pp. 12, 23, 25, 27. 1916; Soils F.O., 1914, pp. 1790-1792, 1803-1822. 1919.
Winnebago County. Soil Sur. Adv. Sh., 1918, pp. 9-10, 12, 16-29. 1921; Soils F.O., 1918, pp. 1253, 1254, 1256, 1260-1268. 1924.
Woodbury County. Soil Sur. Adv. Sh., 1920, pp. 763, 769-783. 1923; Soils F.O., 1920, pp. 763, 769-783. 1925.
Worth County. Soil Sur. Adv. Sh., 1922, pp. 274-275, 284-300. 1925.
Wright County. Soil Sur. Adv. Sh., 1919, pp. 13, 15 25-39, 1922; Soils F.O., 1919, pp. 1587, 1590-1591, 1603-1605. 1925.
in Italy, varieties and uses. Stat. Cir. 46, p. 12. 1913.
in Kansas—
and Oklahoma, decrease. Y.B., 1913, pp. 226, 227, 231-236. 1914; Y.B. Sep. 625, pp. 226, 227, 231-236. 1914.
Cherokee County, methods and yields. Soil Sur. Adv. Sh., 1912, pp. 11, 19-22, 25-37. 1914; Soils F.O. 1912, pp. 1791, 1799-1802, 1805-1817. 1915.
Cowley County. Soil Sur. Adv. Sh., 1915, pp. 9-13, 22-44. 1917; Soils F.O., 1915, pp. 1926, 1938, 1943, 1962. 1919.
Greenwood County practices, varieties. Soil Sur. Adv. Sh., 1912, pp. 12-13, 21-33. 1914; Soils F.O., 1912, pp. 1830-1831, 1839-1851. 1915.
Jewell County. Soil Sur. Adv. Sh., 1912, pp. 12-13, 18-41. 1914; Soils F.O., 1912, pp. 1860-1861. 1915.
Leavenworth County. Soil Sur. Adv. Sh., 1919, pp. 213, 218, 229-268. 1923; Soils F.O. 1919, pp. 213, 218, 229-268. 1925.
Montgomery County. Soil Sur. Adv. Sh., 1913, pp. 10, 19, 24-35. 1915; Soils F.O., 1913, pp. 1898, 1907, 1912-1923. 1916.
Parsons area. Soil Sur. Adv. Sh., 1903, p. 893. 1904; Soils F.O., 1903 p. 893. 1904.
Reno County, yields. Soil Sur. Adv. Sh., 1911, pp. 14, 29-67. 1913; Soils F.O., 1911, pp. 2000, 2015-2053. 1914.
Shawnee County, methods, and yields. Soil Sur. Adv. Sh., 1911, pp. 11-12, 22-39. 1913; Soils F.O., 1911, pp. 2055-2066, 2076-2093. 1914.
Wichita. Soil Sur. Adv. Sh., 1902, pp. 639-640, 641. 1903. Soils F.O., 1902, pp. 639-640, 641. 1903.
in Kentucky—
Christian County, methods, and yields. Soil Sur. Adv. Sh., 1912, pp. 14, 20-33. 1914; Soils F.O., 1912, pp. 1158, 1164-1177. 1915.
Garrard County. Soil Sur. Adv. Sh., 1921, pp. 513, 515, 527-543. 1924.
Jessamine County, acreage and yields. Soil Sur. Adv. Sh., 1915, pp. 8, 13, 14. 1916; Soils F.O., 1915, pp. 1270, 1275, 1279, 1282. 1919.
Logan County. Soil Sur. Adv. Sh., 1919, pp. 9-10, 20-38, 55. 1922; Soils F.O., 1919, pp. 1205-1203, 1216-1234, 1251. 1925.
McCracken County. Soil Sur. Adv. Sh., 1905, p. 17. 1906; Soils F.O., 1905, p. 691. 1907.
Madison County. Soil Sur. Adv. Sh., 1905, p. 20. 1903; Soils F.O., 1905, p. 674. 1907.
Muhlenberg County. Soil Sur. Adv. Sh., 1920, pp. 942-943, 949-958, 964. 1924; Soils F.O., 1920, pp. 942-943, 949-958, 964. 1925.
Scott County. Soil Sur. Adv. Sh., 1903, pp. 7, 10, 12, 15. 1904; Soils F.O., 1903, pp. 624, 626, 628, 629. 1904.

INDEX TO PUBLICATIONS, 1901–1925   565

Corn—Continued.
growing—continued.
  in Kentucky—continued.
    Shelby County. Soil Sur. Adv. Sh., 1916, pp. 12, 15–16, 36–52. 1919; Soils F.O., 1916, pp. 1422, 1424, 1425, 1426, 1446–1462. 1921.
  in Louisiana—
    Concordia Parish, varieties. Soil Sur. Adv. Sh., 1910, pp. 12–13. 1911; Soils F.O., 1910, pp. 834–835. 1912.
    East Feliciana Parish, acreage, yield, and method. Soil Sur. Adv. Sh., 1912, p. 12. 1913; Soils F.O., 1912, p. 976. 1915.
    Iberia Parish, varieties and yields. Soil Sur. Adv. Sh., 1911, pp. 15–16, 34, 37, 39, 41. 1912; Soils F.O., 1911, pp. 1139–1140, 1158, 1161, 1163, 1165. 1914.
    Lafayette Parish, acreage and yields. Soil Sur. Adv. Sh., 1915; pp. 10–11, 19, 21, 24, 25, 27, 28, 30. 1916; Soils F.O., 1915, pp. 1056–1057, 1061, 1065, 1077. 1919.
    La Salle Parish. Soil Sur. Adv. Sh., 1918, pp. 9, 12, 18–40. 1920; Soils F.O., 1918, pp. 681, 684, 690–712. 1924.
    Lincoln Parish. Soils F.O., 1909, pp. 927, 937, 943, 948. 1912; Soil Sur. Adv. Sh., 1909, pp. 13, 23, 27, 32. 1911.
    on hill farms, labor requirements. D.B., 961, pp. 3–4, 5–10, 15–18. 1921.
    Ouachita Parish. Soil Sur. Adv. Sh., 1903, p. 438. 1904; Soils F.O., 1903, p. 438. 1904.
    Rapides Parish. Soil Sur. Adv. Sh., 1916, pp. 9, 10, 16, 22–30. 1918; Soils F.O., 1916, pp. 1125, 1126, 1132, 1138–1155. 1919.
    Sabine Parish. Soil Sur. Adv. Sh., 1919, pp. 11, 12, 14, 24–59. 1922; Soils F.O., 1919, pp. 1047, 1048, 1050, 1060–1095. 1925.
    St. Martin's Parish. Soil Sur. Adv. Sh., 1917, pp. 9–11, 16, 20–29. 1919; Soils F.O., 1917, pp. 941–943, 948, 952–963. 1923.
    Washington Parish. Soil Sur. Adv. Sh. 1922, pp. 351, 353. 1925.
    Webster Parish, acreage, varieties, and yields. Soil Sur. Adv. Sh., 1914, pp. 9–10, 18–32, 37. 1916; Soils F.O., 1914, pp. 1243, 1244, 1252–1271. 1919.
  in Maine, Cumberland County, 1880–1910. Soil Sur. Adv. Sh., 1915, pp. 16–17, 18. 1917; Soils F.O., 1915, pp. 49, 51, 52. 1919.
  in Maryland—
    Allegany County. Soil Sur. Adv. Sh., 1921, p. 1068. 1925.
    Baltimore County. Soil Sur. Adv. Sh., 1917, pp. 8, 9, 11, 19–41. 1919; Soils F.O., 1919, pp. 274, 275, 277, 285–308. 1923.
    Carroll County. Soil Sur. Adv. Sh., 1919, pp. 10, 13, 18–36. 1922; Soils F.O., 1919, pp. 612, 615, 620–638. 1925.
    Charles County. Soil Sur. Adv. Sh., 1918; pp. 7, 8–9, 14, 20–41, 46. 1922; Soils F.O., 1918, pp. 79, 80–81, 86, 92–113, 118. 1924.
    Frederick County. Soil Sur. Adv. Sh., 1919, pp. 9–14, 26–49, 54–75, 79. 1922; Soils F.O., 1919, pp. 649–654, 666–689, 694–715, 719. 1925.
    Howard County. Soil Sur. Adv. Sh., 1916, pp. 9, 11, 18–30. 1917; Soils F.O., 1916, pp. 283, 292–306. 1921.
    Montgomery County, acreage, methods, and yields. Soil Sur. Adv. Sh., 1914, pp. 9, 11, 17, 19, 21, 24, 26, 28, 30, 31, 32, 35, 37, 1916; Soils F.O., 1914, pp. 397, 399, 405–425. 1919.
    Somerset County. Soils Sur. Adv. Sh., 1920, pp. 1291–1292, 1301–1314. 1924; Soils F.O., 1920, pp. 1291–1292, 1301–1314. 1925.
    Washington County. Soil Sur. Adv. Sh., 1917, pp. 10–11, 15, 20–45. 1919; Soils F.O., 1917, pp. 314–315, 318, 324–348. 1923.
    Wicomico County. Soil Sur. Adv. Sh., 1921, pp. 1016, 1017, 1018. 1925; Soils F.O. 1921; pp. 1016, 1017, 1018. 1926.
  in Massachusetts—
    Norfolk, Bristol, and Barnstable Counties. Soil Sur. Adv. Sh., 1920, pp. 1047, 1049, 1063–1109. 1924; Soils F.O., 1920, pp. 1047, 1049, 1063–1109. 1925.
    Plymouth County, methods and yields. Soil Sur. Adv. Sh., 1911, pp. 24, 25, 33, 34. 1912; Soils F.O., 1911, pp. 50, 51, 59, 60. 1914.

Corn—Continued.
growing—continued.
  in Michigan—
    Calhoun County. Soil Sur. Adv. Sh., 1916, pp. 11, 25–51. 1919; Soils F.O., 1916, pp. 1635, 1641, 1642, 1649–1675. 1921.
    Genesee County, methods and yields. Soil Sur. Adv. Sh., 1912, pp. 9, 15–32. 1914; Soils F.O., 1912, pp. 1377, 1383–1400. 1915.
    St. Joseph County. Soil Sur. Adv. Sh., 1921, pp. 53, 54, 60–67. 1923.
  in Minnesota—
    Anoka County. Soil Sur. Adv. Sh., 1916, pp. 9, 10, 17–25. 1918; Soils F.O., 1916, pp. 1811, 1812, 1819–1831. 1921.
    Rice County. Soil Sur. Adv. Sh., 1909, pp. 11, 13, 15, 24, 25, 26, 27, 29, 30, 32, 34, 35. 1911; Soils F.O. 1909, pp. 1275, 1277, 1279, 1288, 1289, 1290, 1291, 1293, 1294, 1296, 1298, 1299. 1912.
    Stevens County. Soil Sur. Adv. Sh., 1919, pp. 10, 13, 21–31. 1922; Soils F.O., 1919, pp. 1382, 1385, 1393–1403. 1925.
  in Mississippi—
    Alcorn County. Soil Sur. Adv. Sh., 1921, pp. 677, 678, 679. 1924.
    Amite County. Soil Sur. Adv. Sh., 1917, pp. 9, 10, 19–36. 1919; Soils F.O. 1917, pp. 837, 838, 847–865. 1923.
    Chickasaw County. Soil Sur. Adv. Sh., 1915, pp. 9, 10, 18–34. 1917; Soils F.O., 1915, pp. 943, 944, 952–970. 1919.
    Choctaw County. Soil Sur. Adv. Sh., 1920, pp. 255–256, 266–283. 1923; Soils F.O., 1920, pp. 255–256, 266–283. 1925.
    Clarke County, acreage and yields. Soil Sur. Adv. Sh., 1914, pp. 9, 10, 17, 27, 35. 1915; Soils F.O., 1914, pp. 1206, 1211–1231. 1919.
    Clay County. Soil Sur. Adv. Sh., 1909, pp. 11, 12, 19, 21, 25, 30, 33, 35, 37. 1911; Soils F.O., 1909, pp. 855, 856, 863, 865, 869, 874, 877, 879, 881. 1912.
    Coahoma County, acreage, methods, and yields. Soil Sur. Adv. Sh., 1915, pp. 10, 16, 17, 20, 21, 23, 24, 26. 1916; Soils F.O., 1915, pp. 978, 984, 985, 991. 1919.
    Covington County. Soil Sur. Adv. Sh., 1917, pp. 10, 19–37. 1919; Soils F.O., 1917, pp. 872–873, 882–899. 1923.
    Forrest County. Soil Sur. Adv. Sh., 1911 pp. 12, 19, 20, 23, 33. 1912; Soils F.O., 1911, pp. 1010, 1017, 1018, 1021, 1031. 1914.
    George County. Soil Sur. Adv. Sh., 1922, pp. 36, 37. 1925.
    Grenada County, acreage and yields. Soil Sur. Adv. Sh., 1915, pp. 9, 15, 21, 25, 26, 27. 1917; Soils F.O., 1915, pp. 1003, 1004, 1015, 1020, 1025. 1919.
    Hinds County. Soil Sur. Adv. Sh., 1916, pp. 11, 13, 20–40. 1918; Soils F.O., 1916, pp. 1012–1015, 1022–1042. 1921.
    Jefferson Davis County, acreage and yields. Soil Sur. Adv. Sh., 1915, pp. 8, 16, 18–25. 1916; Soils F.O., 1915, pp. 1030–1031, 1038, 1048. 1919.
    Jones County. Soil Sur. Adv. Sh., 1913, pp. 10, 14, 20, 31. 1915; Soils F.O., 1913, pp. 926, 930, 936, 947. 1916.
    Lafayette County, methods and yields. Soil Sur. Adv. Sh., 1912, pp. 9, 17, 18, 20, 21, 25. 1914; Soils F.O., 1912, pp. 835, 843, 844, 846, 847, 851. 1915.
    Lamar County. Soil Sur. Adv. Sh., 1919, pp. 10, 11, 15, 23–37. 1922; Soils F.O., 1919, pp. 978, 979, 983, 991–1005. 1925.
    Lauderdale County, methods and yields. Soil Sur. Adv. Sh., 1910, pp. 13, 30, 32, 39, 40, 45, 52. 1912; Soils F.O., 1910, pp. 741, 758, 761, 767, 768, 773, 780. 1912.
    Lee County. Soil Sur. Adv. Sh., 1916, pp. 9, 11, 12. 1918; Soils F.O., 1916, pp. 1049, 1051, 1057–1079. 1921.
    Lincoln County, acreage and yields. Soil Sur. Adv. Sh., 1912, pp. 9, 11, 16, 17, 19, 22, 23. 1913; Soils F.O., 1912, pp. 859, 861, 866, 867, 869, 872, 878. 1915.
    Lowndes County, methods and yields. Soil Sur. Adv. Sh., 1911, pp. 13, 24–44. 1913; Soils F.O., 1911, pp. 1091, 1102–1122. 1914.

Corn—Continued.
growing—continued.
in Mississippi—continued.
Madison County. Soil Sur. Adv. Sh., 1917, pp. 9, 10, 17-34. 1920; Soils F.O., 1917, pp. 907, 908, 915-930. 1923.
Newton County. Soil Sur. Adv. Sh., 1916, pp. 8, 9, 17-41. 1918; Soils F.O., 1916, pp. 1084-1086, 1093-1118. 1921.
Pearl River County. Soil Sur. Adv. Sh., 1928, pp. 11, 18-30, 35. 1920; Soils F.O., 1918, pp. 621, 628-640, 645. 1924.
Pike County. Soil Sur. Adv. Sh., 1918, pp. 9, 10, 14, 17-30. 1921; Soils F.O., 1918, pp. 653, 654, 658, 661-675. 1924.
Simpson County. Soil Sur. Adv. Sh., 1919, pp. 11, 20-31. 1921; Soils F.O., 1919; pp. 1017, 1026-1037. 1925.
Smith County. Soil Sur. Adv. Sh., 1920, pp. 449-453, 457, 460-491. 1923; Soils F.O., 1920, pp. 449-453, 457, 460-491. 1925.
Warren County, methods and yields. Soil Sur. Adv. Sh., 1912, pp. 14, 25, 28, 33, 40. 1914; Soils F.O., 1912, pp. 890, 901, 904, 909, 916. 1915.
Wayne County, yields. Soil Sur. Adv. Sh., 1911, pp. 15, 19-31. 1913; Soils F.O., 1911, pp. 1061, 1065-1067. 1914.
Wilkinson County. Soil Sur. Adv. Sh., 1913, pp. 11-12, 46, 51. 1915; Soils F.O., 1913, pp. 959-960, 994, 999. 1916.
Winston County, yield importance. Soil Sur. Adv. Sh., 1912, pp. 16-17. 1913; Soils F.O., 1912, pp. 936-937. 1915.
in Missouri—
Andrew County, 1921. Soil Sur. Adv. Sh., 1921, pp. 821, 822, 823-824. 1925.
Atchison County. Soil Sur. Adv. Sh., 1909, pp. 10, 11, 20, 24, 26, 27, 29, 32. 1910; Soils F.O., 1909, pp. 1310, 1311, 1320, 1324, 1326, 1327, 1329, 1332. 1912.
Barry County. Soil Sur. Adv. Sh., 1916, pp. 11-15, 24-43. 1918; Soils F.O., 1916, pp. 1939-1943, 1950-1969. 1921.
Barton County, methods and yields. Soil Sur. Adv. Sh., 1912, pp. 9, 19, 20, 23. 1914; Soils F.O., 1912, pp. 1613, 1623, 1624, 1627. 1915.
Bates County, methods. Soil Sur. Adv. Sh., 1908, pp. 10-11. 1910; Soils F.O., 1908, pp. 1098-1099. 1911.
Buchanan County, acreage, methods, varieties and yields. Soil Sur. Adv. Sh., 1915, pp. 9, 12, 14, 24, 32-35, 41-43. 1917; Soils F.O., 1915, pp. 1816, 1817, 1818, 1828, 1836, 1837, 1845, 1847. 1919.
Caldwell County. Soil Sur. Adv. Sh., 1921, pp. 327, 336-347. 1924.
Callaway County. Soil Sur. Adv. Sh., 1916, pp. 9, 10, 20-36. 1919; Soils F.O., 1916, pp. 1976, 1986-2002. 1921.
Cape Girardeau County, acreage and yield. Soil Sur. Adv. Sh., 1910, pp. 17-18, 30-42. 1912; Soils F.O., 1910, pp. 1229-1230, 1242-1254. 1912.
Carroll County, varieties and yield. Soil Sur. Adv. Sh., 1912, pp. 10-11, 19, 20, 22, 25, 26, 28, 29. 1914; Soils F.O., 1912, pp. 1538-1639, 1647, 1648, 1650, 1653, 1654, 1656, 1657. 1915.
Cass County, varieties, methods, and yields. Soil Sur. Adv. Sh., 1912, pp. 11, 21, 24, 27. 1914; Soils F.O., 1912, pp. 1669, 1679, 1682, 1685. 1915.
Cedar County. Soil Sur. Adv. Sh., 1909, pp. 17, 18, 21, 22, 24, 25, 30. 1911; Soils F.O., 1909, pp. 1349, 1350, 1353, 1354, 1356, 1357, 1362. 1912.
Chariton County. Soil Sur. Adv. Sh., 1918, pp. 8, 16-33. 1921; Soils F.O., 1918, pp. 1280, 1287-1305. 1924.
Cole County. Soil Sur. Adv. Sh., 1920, pp. 1505, 1514-1527. 1924; Soils F.O., 1920, pp. 1505, 1514-1527. 1925.
Cooper County. Soil Sur. Adv. Sh., 1909, pp. 18, 20, 26, 27, 28, 31, 34. 1911; Soils F.O., 1909, pp. 1380, 1382, 1388, 1389, 1390, 1393, 1396. 1912.
DeKalb County, acreage and yield. Soil Sur. Adv. Sh., 1914, pp. 9, 16, 23. 1916; Soils F.O., 1914, pp. 2009, 2016-2024. 1919

Corn—Continued.
growing—continued.
in Missouri—continued.
Dunklin County, acreage, methods and yields. Soil Sur. Adv. Sh., 1914, pp. 16-17, 27, 29, 30, 34, 35, 37, 40, 41. 1916; Soils F.O., 1914, pp. 2104-2105, 2115-2133. 1919.
Franklin County, methods, varieties, and yields. Soil Sur. Adv. Sh., 1911, pp. 10-11, 17-31. 1913; Soils F.O., 1911, pp. 1608-1609, 1615-1629. 1914.
1913; Soils F.O., 1911, pp. 1608-1609, 1615-1629. 1914.
Greene County. Soil Sur. Adv. Sh., 1913, pp. 10-11, 23, 25, 28. 1915; Soils F.O., 1913, pp. 1728-1729, 1741, 1743, 1746. 1916.
Grundy County, acreage, methods, and yields. Soil Sur. Adv. Sh., 1914, pp. 10-12, 20, 23, 26, 28, 32. 1916; Soils F.O., 1914, pp. 1980-1982, 1990-2002. 1919.
Harrison County, acreage, methods, and yields. Soil Sur. Adv. Sh., 1914, pp. 9, 18, 22-33. 1915; Soils F.O., 1914, pp. 1947, 1956-1971. 1919.
Johnson County, methods, acreage, varieties, and yields. Soil Sur. Adv. Sh., 1914, pp. 9, 18, 19, 20. 1916; Soils F.O., 1914, pp. 2031, 2040-2052. 1919.
Knox County. Soil Sur. Adv. Sh., 1917, pp. 8, 18-30. 1921; Soils F.O., 1917, pp. 1458, 1468-1480. 1923.
Laclede County, acreage, methods, and yield. Soil Sur. Adv. Sh., 1911, pp. 10, 13, 22-44. 1912; Soils F.O., 1911, pp. 1640, 1643, 1652-1674. 1914.
Lafayette County. Soil Sur. Adv. Sh., 1920, pp. 817, 823-837. 1923; Soils F.O., 1920, pp. 817, 823-837. 1925.
Lincoln County. Soil Sur. Adv. Sh., 1917, pp. 10-13, 18-41. 1920; Soils F.O., 1917, pp. 1488-1489, 1491, 1496-1521. 1923.
Macon County, varieties and yields. Soil Sur. Adv. Sh., 1911, pp. 11, 20, 24. 1913; Soils F.O., 1911, pp. 1683, 1692, 1696. 1914.
Miller County, varieties and yields. Soil Sur. Adv. Sh., 1912, pp. 10-11, 16-25. 1914; Soils F.O., 1912, pp. 1692-1693, 1698-1707. 1915.
Mississippi County. Soil Sur. Adv. Sh., 1921, pp. 555-557, 566-581. 1924.
Newton County, acreage, methods, and yields. Soil Sur. Adv. Sh., 1915, pp. 11, 15, 16, 29, 33, 38. 1917; Soils F.O., 1915, pp. 1857, 1859, 1862-1863. 1919.
Nodaway County. Soil Sur. Adv. Sh., 1913, pp. 9-10, 13, 17-29. 1915; Soils F.O., 1913, pp. 1761-1762, 1765, 1769-1781. 1916.
Ozark region, acreage, production, and yield. D.B. 941, pp. 18, 19, 23-24, 42-51. 1921.
Perry County. Soil Sur. Adv. Sh., 1913, pp. 10, 24, 26, 28. 1915. Soils F.O., 1913, pp. 1790, 1804, 1806, 1808. 1916.
Pettis County, acreage, methods, and yields. Soil Sur. Adv. Sh., 1914, pp. 9-10, 19, 21, 23, 25, 31, 34, 36, 37, 38, 39. 1916; Soils F.O., 1914, pp. 2061, 2071-2092. 1919.
Pike County, methods, varieties, and yields. Soil Sur. Adv. Sh., 1912, pp. 11-12, 15, 25, 29, 31, 34, 36, 38. 1914; Soils F.O., 1912, pp. 1717-1718, 1721, 1731, 1735, 1737, 1740, 1742, 1744. 1915.
Platte County, yields. Soil Sur. Adv. Sh. 1911, pp. 10-11, 19-25. 1912; Soils F.O., 1911, pp. 1706-1707, 1715-1721. 1914.
Ralls County. Soil Sur. Adv. Sh., 1913, pp. 10-11, 24, 30, 35, 40. 1914. Soils F.O., 1913, pp. 1820-1821, 1834, 1840, 1845, 1850. 1916.
Reynolds County. Soil Sur. Adv. Sh., 1918, pp. 10, 18-28. 1921; Soils F.O., 1918, pp. 1312, 1320-1330. 1924.
Ripley County, acreage and yields. Soil Sur. Adv. Sh., 1915, pp. 11, 20-35. 1917; Soils F.O., 1915, pp. 1894-1895, 1904, 1918. 1919.
St. Francois County. Soil Sur. Adv. Sh., 1918, pp. 10, 19, 24, 26, 31. 1921; Soils F.O., 1918, pp. 1338, 1347, 1352, 1354, 1359. 1924.
St. Louis County. Soil Sur. Adv. Sh., 1919, pp. 523-524, 541-560. 1923; Soils F.O., 1919, pp. 523-524, 541-560. 1925.

Corn—Continued.
growing—continued.
  in Missouri—continued.
    Shelby County. Soil Sur. Adv. Sh., 1903, p. 888. 1904; Soils F.O., 1903, p. 888. 1904.
    Stoddard County, acreage and yields. Soil Sur. Adv. Sh., 1912, pp. 14, 15–16, 17, 23, 28. 1914; Soils F.O., 1912, pp. 1760, 1761–1762, 1763, 1769, 1774. 1915.
    Texas County. Soil Sur. Adv. Sh., 1917, pp. 10, 20–36. 1919; Soils F.O., 1919, pp. 1528, 1538–1554. 1923.
  in Montana, Huntley Experiment Station, and uses. D.C. 147, pp. 9–10, 15, 22–23. 1921.
  in Nebraska—
    Antelope County. Soil Sur. Adv. Sh., 1921, pp. 762, 763–764, 768, 769. 1924.
    Banner County. Soil Sur. Adv. Sh., 1919, pp. 12, 13, 29–40, 49–55. 1921; Soils F. O., 1919, pp. 1624, 1625, 1641–1652, 1661–1667. 1925.
    Boone County. Soil Sur. Adv. Sh., 1921, pp. 1175, 1176, 1181. 1925.
    Box Butte County. Soil Sur. Adv. Sh., 1916, pp. 11, 12, 13, 21–26, 31. 1918; Soils F.O., 1916, pp. 2047, 2048, 2057–2069. 1921.
    Cass County. Soil Sur. Adv. Sh., 1913, pp. 10, 11, 22–39. 1914; Soils F.O., 1913, pp. 1930, 1931, 1942–1959. 1916.
    Chase County. Soil Sur. Adv. Sh., 1917, pp. 13, 20, 27–60. 1919; Soils F.O., 1917, pp. 1799, 1806, 1813–1846. 1923.
    Cheyenne County. Soil Sur. Adv. Sh., 1918, pp. 11, 14, 21–36. 1920; Soils F.O., 1918, pp. 1411, 1414, 1421–1436. 1924.
    Dakota County. Soil Sur. Adv. Sh., 1919, pp. 11, 12, 23–39. 1921; Soils F.O., 1919, pp. 1681, 1682, 1693–1709. 1925.
    Dawes County. Soil Sur. Adv. Sh., 1915, pp. 12, 20, 22, 28, 30, 31, 33, 35, 36, 38. 1917; Soils F.O., 1915, pp. 1970, 1972, 1979, 1986. 1919.
    Dawson County. Soil Sur. Adv. Sh., 1922, pp. 396–397. 1925.
    Deuel County. Soil Sur. Adv. Sh., 1921, pp. 714, 715, 719. 1924.
    Dodge County. Soil Sur. Adv. Sh., 1916, pp. 10–12, 22–51. 1918; Soils F.O., 1916, pp. 2077, 2078, 2088–2118. 1921.
    Douglas County. Soil Sur. Adv. Sh., 1913, pp. 11, 12, 24–25. 1915; Soils F.O., 1913, pp. 1972, 1984, 1996–2007. 1916.
    Fillmore County. Soil Sur. Adv. Sh., 1916, pp. 9, 18–23. 1918; Soils F.O., 1916, pp. 2125, 2128, 2134–2140. 1921.
    Gage County, acreage, methods, and yields. Soil Sur. Adv. Sh., 1914, pp. 11, 22, 25, 29, 33, 35, 36, 37, 39, 40. 1916; Soils F.O., 1914, pp. 2329, 2340–2358. 1919.
    Grand Island area. Soil Sur. Adv. Sh., 1903, pp. 933, 935, 937, 938, 942. 1904; Soils F.O., 1903, pp. 933, 935, 937, 938, 942. 1904.
    Hall County. Soil Sur. Adv. Sh., 1916, pp. 9, 11, 17–39. 1918; Soils F.O., 1916, pp. 2145–2148, 2153–2176. 1921.
    Howard County. Soil Sur. Adv. Sh., 1920, pp. 969, 979–1000. 1924; Soils F.O., 1920, pp. 969, 979–1000. 1925.
    Irrigation experiments. D.B. 133, pp. 11–12, 14. 1914.
    Jefferson County. Soil Sur. Adv. Sh., 1921, pp. 1448, 1451–1452, 1478. 1925.
    Johnson County. Soil Sur. Adv. Sh., 1920, pp. 1259, 1260, 1270–1284. 1924; Soils F.O., 1920, pp. 1259, 1260, 1270–1284. 1925.
    Kimball County. Soil Sur. Adv. Sh., 1916, pp. 10, 21, 24. 1917; Soils F.O., 1916, pp. 2184, 2195, 2198. 1921.
    Madison County. Soil Sur. Adv. Sh., 1920, pp. 206, 217–245. 1923; Soils F.O., 1920, pp. 206, 217–245. 1925.
    Morrill County. Soil Sur. Adv. Sh., 1917, pp. 12–13, 15, 28–58. 1920; Soils F.O., 1917, pp. 1860–1861, 1863, 1876–1906. 1923.
    Nemaha County, acreage, methods, and yields. Soil Sur. Adv. Sh., 1914, pp. 10–11, 21, 23, 24, 26, 28, 29, 32–35. 1916; Soils F.O., 1914, pp. 2294, 2305–2319. 1919.

Corn—Continued.
growing—continued.
  in Nebraska—continued.
    North Platte Reclamation Project, statistics. D.C. 173, pp. 8, 9. 1921.
    Otoe County, methods and yields. Soil Sur. Adv. Sh., 1912, pp. 9, 10, 11–12, 16, 21–25. 1913; Soils F.O., 1912, pp. 1897, 1898, 1899–1900, 1904, 1909–1913. 1915.
    Pawnee County. Soil Sur. Adv. Sh., 1920, pp. 1322–1323, 1332–1347. 1924; Soils F.O., 1920, pp. 1322–1323, 1332–1347. 1925.
    Perkins County. Soil Sur. Adv. Sh., 1921, p. 890. 1925.
    Phelps County. Soil Sur. Adv. Sh., 1917, pp. 10, 11, 15. 1919; Soils F.O., 1917, pp. 1924, 1925, 1929. 1923.
    Polk County, acreage, and yields. Soil Sur. Adv. Sh., 1915, pp. 9, 11, 16, 20, 24, 27. 1917; Soils F.O., 1915, pp. 2005, 2007, 2012, 2016, 2019, 2022. 1919.
    Redwillow County. Soil Sur. Adv. Sh., 1919, pp. 12, 13, 18, 26–45. 1921; Soils F.O. 1919, pp. 1720, 1721, 1734–1753. 1925.
    Richardson County. Soil Sur. Adv. Sh., 1915, pp. 10, 11, 21–32. 1917; Soils F.O., 1915, pp. 2032–2033, 2043, 2047, 2051, 2054, 2057. 1919.
    Saunders County. Soil Sur. Adv. Sh., 1913, pp. 11, 12, 21–49. 1915; Soils F.O., 1913, pp. 2017, 2018, 2027–2055. 1916.
    Scottsbluff Experiment Farm, experiments. D.C. 173, pp. 24–28, 32–34. 1921; D.C. 289, pp. 26–27. 1924.
    Scottsbluff, variety tests, yields and uses. W.I.A. Cir. 27, pp. 8, 9, 24–26. 1919.
    Seward County, acreage, methods, and yields. Soil Sur. Adv. Sh., 1914, pp. 9, 10, 20, 23, 25, 32, 35, 38. 1916; Soils F.O., 1914, pp. 2258, 2268–2284. 1919.
    Sheridan County. Soil Sur. Adv. Sh., 1918, pp. 11, 12, 25–47, 50, 54. 1921; Soils F.O., 1918, pp. 1447, 1448, 1461–1483, 1486, 1490. 1924.
    Sioux County. Soil Sur. Adv. Sh., 1919, pp. 10, 25–38. 1922; Soils F.O., 1919, pp. 1767, 1777–1794. 1925.
    Stanton area. Soil Sur. Adv. Sh. 1903, pp. 953, 954, 956, 958, 959, 961. 1904; Soils F.O., 1903, pp. 953, 954, 956, 958, 959, 961. 1904.
    Thurston County, acreage, methods, and yields. Soil Sur. Adv. Sh., 1914, pp. 10, 11, 23, 26, 27, 29, 32, 34, 36, 39, 41. 1916. Soils F.O., 1914, pp. 2218, 2219, 2231–2249. 1919.
    Washington County, acreage and yields. Soil Sur. Adv. Sh., 1915, pp. 11, 12, 16, 23–36. 1917; Soils F.O., 1915, pp. 2066, 2070, 2077, 2078, 2081, 2083, 2086, 2088. 1919.
    Wayne County. Soil Sur. Adv. Sh., 1917, pp. 11–13, 26–46. 1919; Soils F.O., 1917, pp. 1963–1965, 1979–1999. 1923.
    western part, yields. Soils Sur. Adv. Sh., 1911, pp. 27, 47, 51, 55, 61, 78, 89, 104, 114, 115. 1913; Soils F.O., 1911, pp. 1895, 1915, 1919, 1923, 1929, 1946, 1957, 1972, 1982, 1983. 1914.
    yields for 1913. B.P.I. Doc. 1081, pp. 7, 13. 1914.
  in Nevada, Truckee-Carson Experiment Farm, experiments. W.I.A. Cir. 13, pp. 7–9. 1916.
  in New Hampshire, Nashua area. Soil Sur. Adv. Sh., 1909, pp. 12, 25. 1910; Soils F.O. 1909, pp. 82, 95. 1912.
  in New Jersey—
    Belvidere area. Soil Sur. Adv. Sh., 1917, pp. 12–15, 25–67. 1920; Soils F.O., 1917, pp. 132–135, 145–187. 1923.
    Bernardsville area. Soil Sur. Adv. Sh., 1919, pp. 416, 418, 429–460. 1923; Soils F.O., 1919, pp. 416, 418, 429–460. 1925.
    Chatsworth area. Soil Sur. Adv. Sh., 1919, pp. 475–477, 488, 498–501, 505. 1923; Soils F.O., 1919, pp. 475–477, 488, 498–501, 505. 1925.
    Millville area. Soil Sur. Adv. Sh., 1917, pp. 13, 16, 17, 27–43. 1921; Soils F.O., 1917, pp. 201, 204, 205, 215–231. 1923.
    Sussex County. Soil Sur. Adv. Sh., 1911, pp. 24, 29, 37, 41, 42, 43, 46. 1913; Soils F.O., 1911, pp. 348, 353, 361, 365, 366, 367, 370. 1914.

Corn—Continued.
 growing—continued.
  in New York—
   Chautauqua County, acreage, methods, and yields. Soil Sur. Adv. Sh., 1914, pp. 14, 25, 27, 30, 33, 35, 37, 40, 44, 46, 47. 1916; Soils F.O., 1914, pp. 280, 290-316. 1919.
   Chenango County. Soil Sur. Adv. Sh., 1918, pp. 9, 17-33. 1920; Soils F.O., 1918, pp. 15, 23-39. 1924.
   Clinton County. Soil Sur. Adv. Sh., 1914, pp. 9, 10, 19, 28. 1916; Soils F.O., 1914, pp. 241, 242, 251, 260. 1919.
   Cortland County. Soil Sur. Adv. Sh., 1916, pp. 9, 16, 18, 21, 22, 23, 24. 1917; Soils F.O., 1916, pp. 199, 206-214. 1921.
   Jefferson County, methods and yields, silage and grain, notes. Soil Sur. Adv. Sh. 1911, pp. 16, 33-76. 1913; Soils F.O., 1911, pp. 106, 125-166. 1914.
   Monroe County. Soil Sur. Adv. Sh., 1910, pp. 13, 23, 24, 30, 31, 33, 34, 36, 38. 1912; Soils F.O., 1910, pp. 51, 61, 62, 68, 69, 71, 72, 74, 76. 1912.
   Oneida County. Soil Sur. Adv. Sh., 1913, pp. 9, 17-50. 1915; Soils F.O., 1913, pp. 43, 51-84. 1916.
   Ontario County, yield. Soil Sur. Adv. Sh., 1910, p. 12. 1912; Soils F.O., 1910, p. 100. 1912.
   Orange County, acreage, and yields. Soil Sur. Adv. Sh., 1912, pp. 15, 25-53. 1914; Soils F.O., 1912, pp. 67, 77-105. 1915.
   Oswego County. Soil Sur. Adv. Sh., 1917, pp. 10, 11, 12, 19-38. 1919; Soils F.O., 1917, pp. 52, 53, 61-80. 1923.
   Saratoga County. Soil Sur. Adv. Sh., 1917, pp. 9, 10, 16-38. 1919; Soils F.O., 1917, pp. 91, 92, 98-120. 1923.
   Schoharie County. Soil Sur. Adv. Sh., 1915, pp. 9, 20, 27, 28, 32. 1917; Soils F.O., 1915, pp. 129, 140, 147, 148, 152. 1919.
   Tompkins County. Soil Sur. Adv. Sh., 1920, pp. 1574. 1924. Soils F.O., 1920, pp. 1574. 1925.
   Washington County. Soil Sur. Adv. Sh., 1909, pp. 20, 22, 32, 36, 52. 1911; Soils F.O., 1909, pp. 120, 122, 132, 136, 152. 1912.
   Wayne County. Soil Sur. Adv. Sh., 1919, pp. 280-283, 300-344. 1923; Soils F.O., 1919, pp. 280-283, 300-344. 1925.
   White Plains area. Soil Sur. Adv. Sh., 1919, pp. 22-28, 43. 1922; Soils F.O., 1919, pp. 584-590, 605. 1925.
   Yates County. Soil Sur. Adv. Sh., 1916, pp. 8-9, 11, 16-32. 1918; Soils F.O., 1916; pp. 222, 230-247. 1921.
  in North Carolina—
   Alleghany County, acreage and yields. Soil Sur. Adv. Sh., 1915, pp. 9, 10, 17, 19, 21, 23, 24. 1917; Soils F.O., 1915, pp. 344, 346-347, 351, 355, 357, 358. 1919.
   Anson County. Soil Sur. Adv. Sh., 1915, pp. 13, 14, 18, 30, 59. 1917; Soils F.O., 1915, pp. 369, 370, 374, 386, 415. 1919.
   Ashe County, acreage and yields. Soil Sur. Adv. Sh., 1912, pp. 9, 17, 18, 20, 24, 27, 30. 1914; Soils F.O., 1912, pp. 345, 353, 354, 356, 360, 363, 366. 1915.
   Asheville area. Soil Sur. Adv. Sh., 1903, pp. 286, 294, 296. 1904; Soils F.O., 1903, pp. 286, 294, 296. 1904.
   Beaufort County. Soil Sur. Adv. Sh., 1917, pp. 11, 12, 13, 20-38. 1919; Soils F.O., 1917, pp. 415, 416, 417, 424-442. 1923.
   Bertie County. Soil Sur. Adv. Sh., 1918, pp. 9, 10, 11, 16-33. 1920; Soils F.O., 1918, pp. 167, 168, 169, 174-189. 1924.
   Bladen County, acreage and yields. Soil Sur. Adv. Sh., 1914, pp. 9, 10, 14-34. 1915; Soils F.O., 1914, pp. 627, 628, 633-652. 1919.
   Buncombe County. Soil Sur. Adv. Sh., 1920, pp. 789, 791, 796-811. 1923; Soils F.O., 1920, pp. 789, 791, 796-811. 1925.
   Caldwell County. Soil Sur. Adv. Sh., 1917, pp. 9, 10, 17-27. 1919; Soils F. O., 1917, pp. 447, 448, 455-465. 1923.
   Catawba County, area. D.B. 1070, pp. 8, 9, 11-12. 1922.

Corn—Continued.
 growing—continued.
  in North Carolina—continued.
   Cherokee County. Soil Sur. Adv. Sh., 1921, p. 309. 1924.
   Cleveland County. Soil Sur. Adv. Sh., 1916, pp. 9, 10, 18-34. 1919; Soils F.O., 1916, pp. 314, 322-339. 1921.
   Columbus County. Soil Sur. Adv. Sh., 1915, pp. 9, 19, 22, 29, 30, 31, 35, 36. 1917; Soils F.O., 1915, pp. 426, 427, 428, 429, 430, 448, 449, 460. 1919.
   Cumberland County. Soil Sur. Adv. Sh., 1922, p. 114. 1925.
   Davidson County, acreage, methods, and yields. Soil Sur. Adv. Sh., 1915, pp. 9, 17-38. 1917; Soils F.O., 1915, pp. 464, 465, 474, 476, 494. 1919.
   Durham County. Soil Sur. Adv. Sh., 1920, pp. 1353-1356, 1360-1378. 1924; Soils F.O., 1920, pp. 1353-1356, 1360-1378. 1925.
   Forsyth County. Soil Sur. Adv. Sh., 1913, pp. 10, 14-26. 1914; Soils F.O., 1913, pp. 182, 186-198. 1916.
   Guilford County. Soil Sur. Adv. Sh., 1920, pp. 171, 172, 181-197. 1923; Soils F.O., 1920, pp. 171, 172, 181-197. 1925.
   Halifax County. Soil Sur. Adv. Sh., 1916, pp. 9-12, 18-45. 1918; Soils F.O., 1916, pp. 346, 347, 356-383. 1921.
   Harnett County. Soil Sur. Adv. Sh., 1916, pp. 9, 10, 11, 17-26, 32, 33, 35. 1917; Soils F.O., 1916, pp. 391-393, 398-417. 1921.
   Hertford County. Soil Sur. Adv. Sh., 1916, pp. 10, 11, 13, 19, 23, 24, 25, 26, 27, 30, 31, 32. 1917; Soils F.O., 1916, pp. 426-430, 435-447. 1921.
   Hoke County. Soil Sur. Adv. Sh., 1918, pp. 11, 16-28. 1921; Soils F.O., 1918, pp. 199, 204-216. 1924.
   Johnston County, yields. Soil Sur. Adv. Sh., 1911, pp. 9-46. 1913; Soils F.O., 1911, pp. 435-472. 1914.
   Lincoln County, acreage and yields. Soil Sur. Adv. Sh., 1914, pp. 9, 17, 18, 19, 21-32. 1916; Soils F.O., 1914, pp. 563, 567, 571-586. 1919.
   Moore County. Soil Sur. Adv. Sh., 1919, pp. 9, 10, 23-43. 1922; Soils F.O., 1919, pp. 727, 728, 741-753. 1925.
   Onslow County. Soil Sur. Adv. Sh., 1921, pp. 103, 104, 110-124. 1923.
   Orange County. Soil Sur. Adv. Sh., 1918, p. 10. 1921; Soils F.O., 1918, p. 226. 1924.
   Pender County. Soil Sur. Adv. Sh., 1912, pp. 10, 20-40. 1914; Soils F.O., 1912, pp. 374, 384-404. 1915.
   Randolph County. Soil Sur. Adv. Sh., 1913, pp. 10, 15-32. 1915; Soils F.O., 1913, pp. 206, 211-228. 1916.
   Richmond County, yields. Soil Sur. Adv. Sh., 1911, pp. 10, 20-45. 1912; Soils F.O., 1911, pp. 392, 402-427. 1914.
   Rowan County, methods, and yields. Soil Sur. Adv. Sh., 1914; pp. 10, 11, 18-44. 1915; Soils F.O., 1914, 478-480, 486-512. 1919.
   Stanly County. Soil Sur. Adv. Sh., 1916, pp. 9-11, 16-29. 1918; Soils F.O., 1916, pp. 457-459, 464-479. 1921.
   Tyrrell County. Soil Sur. Adv. Sh., 1920, pp. 842-844, 847-857. 1924; Soils F.O., 1920, pp. 842-844, 847-857. 1925.
   Union County, methods, and yields. Soil Sur. Adv. Sh., 1914, pp. 11, 18-22, 27-36. 1916 Soils F.O., 1914, pp. 593-595, 602-620. 1919.
   Vance County. Soil Sur. Adv. Sh., 1918, pp. 8, 9, 13-29. 1921; Soils F.O., 1918, pp. 268, 269, 273-288. 1924.
   Wake County, acreage, methods, and yields. Soil Sur. Adv. Sh., 1914, pp. 9, 10, 18-27, 30-44. 1916; Soils F.O., 1914, pp. 520, 522, 524, 550-556. 1919.
   Wayne County, acreage and production. Soil Sur. Adv. Sh., 1915, p. 9. 1916; Soils F.O., 1915, pp. 501, 521, 524, 530. 1919.
   Wilkes County. Soil Sur. Adv. Sh., 1918, pp. 9-11, 16-37. 1921; Soils F.O., 1918, pp. 297-299, 304-325. 1924.
  in North-Central States, Miami clay loam. Soils Cir. 31, pp. 10-11. 1911.

Corn—Continued.
growing—continued.
in North Dakota—
acreage, 1891–1916. D.B. 757, pp. 1, 6, 7. 1919.
Barnes County, promising varieties. Soil Sur. Adv. Sh., 1912, pp. 13, 19, 21. 1914; Soils F.O., 1912, pp. 1929, 1935, 1937. 1915.
Bottineau County. Soil Sur. Adv. Sh., 1915, pp. 13, 22, 26. 1917; Soils F.O., 1915, pp. 2137, 2146, 2148, 2161, 2165. 1919.
Dickey County, acreage increase, varieties and yields. Soil Sur. Adv. Sh., 1914, pp. 12, 13, 21–49. 1916; Soils F.O., 1914, pp. 2419, 2427–2459. 1919.
Lamoure County, methods, varieties, and yields. Soil Sur. Adv. Sh., 1914, pp. 11, 13–14, 15, 22, 24, 29, 36, 44. 1917; Soils F.O., 1914, pp. 2369, 2380–2401. 1919.
Sargent County. Soil Sur. Adv. Sh., 1917, pp. 11, 13, 19–35. 1920; Soils F.O., 1917, pp. 2009, 2011, 2017–2033. 1923.
Traill County. Soil Sur. Adv. Sh., 1918, pp. 11, 14, 24–44. 1920; Soils F.O., 1918, pp. 1367, 1370, 1380–1400. 1924.
yields, 1891–1916, and factors affecting. D.B. 757, pp. 27–33. 1919.
in northern Great Plains for fodder and silage. D.B. 1244, pp. 18–20, 23–24, 47. 1924.
in Northwest Texas. Soil Sur. Adv. Sh., 1919, pp. 13, 20, 32, 37, 43, 49, 53, 67–74. 1922; Soils F.O., 1919, pp. 1111–1118, 1130, 1135, 1141, 1147, 1151, 1165–1172. 1925.
in Ohio—
Auglaize County. Soil Sur. Adv. Sh., 1909, pp. 11, 12, 17, 19, 21. 1910; Soils F.O., 1909, pp. 1137, 1138, 1143, 1145, 1147. 1912.
Geauga County, acreage, and yield. Soil Sur. Adv. Sh., 1914, pp. 11, 19, 21, 22. 1916; Soils F.O., 1915, pp. 1298, 1299. 1919.
Hamilton County, acreage, varieties and yields. Soil Sur. Adv. Sh., 1915, pp. 10, 14, 21–37. 1917; Soils F.O., 1915, pp. 1322, 1332, 1333, 1335, 1340, 1350. 1919.
Mahoning County. Soil Sur. Adv. Sh., 1917, pp. 9–10, 19–38. 1919; Soils F.O., 1917, pp. 1045–1047, 1055–1075. 1923.
Marion County. Soil Sur. Adv. Sh., 1916, pp. 9, 10, 11, 18–34. 1918; Soils F.O., 1916, pp. 1553–1557, 1563–1580. 1921.
Miami County. Soil Sur. Adv. Sh., 1916, pp. 9, 20, 24–47. 1918; Soils F.O., 1916, pp. 1587, 1595–1626. 1921.
Paulding County, acreage, methods, and yields. Soil Sur. Adv. Sh., 1914, pp. 11, 13, 17, 19, 21, 22, 23, 24, 26, 27. 1915; Soils F.O., 1914, pp. 1551, 1557–1567. 1919.
Portage County. Soil Sur. Adv. Sh., 1914, pp. 20, 23, 31. 1916; Soils F.O., 1914, pp. 1511, 1518–1535. 1919.
reconnaissance. Soil Sur. Adv. Sh., 1912, pp. 35, 41, 54, 90, 111. 1915; Soils F.O., 1912, pp. 1273, 1279, 1292, 1328, 1349. 1915.
Sandusky County. Soil Sur. Adv. Sh., 1917, pp. 9, 10, 19–62. 1920; Soils F.O., 1917, pp. 1083, 1084, 1093–1138. 1923.
Trumbull County. Soil Sur. Adv. Sh., 1914, pp. 10, 20–50. 1916; Soils F.O., 1914, pp. 1460, 1470–1500. 1919.
in Oklahoma—
Bryan County, yields. Soil Sur. Adv. Sh., 1914, pp. 11, 13, 14, 21–48. 1915; Soils F.O., 1914, pp. 2171, 2173, 2174, 2181–2209. 1919.
Canadian County, notes. Soil Sur. Adv. Sh., 1917, pp. 10–11, 15, 21–57. 1919; Soils F.O., 1917, pp. 1404–1405, 1409–1410, 1415–1451. 1923.
Kay County. Soil Sur. Adv. Sh., 1915, pp. 10, 12–13, 22–38. 1917; Soils F.O., 1915, pp. 2098, 2099, 2100–2101, 2110, 2114, 2125, 2127. 1919.
Muskogee County. Soil Sur. Adv. Sh., 1913, pp. 8, 13, 17, 21–39. 1915; Soils F.O., 1913, pp. 1856, 1861, 1865, 1869–1887. 1916.
Payne County. Soil Sur. Adv. Sh., 1916, pp. 9, 11, 20–38. 1919; Soils F.O., 1916, pp. 2009, 2011, 2018–2039. 1921.

Corn—Continued.
growing—continued.
in Oklahoma—continued.
Roger Mills County, yields. Soil Sur. Adv. Sh., 1914, pp. 11, 17, 23, 24, 26, 27. 1916; Soils F.O., 1914, pp. 2143–2145, 2149–2161. 1919.
in Oregon—
Benton County. Soil Sur. Adv. Sh., 1920, pp. 1436–1438, 1450–1471. 1924; Soils F.O., 1920, pp. 1436–1438, 1450–1471. 1925.
Josephine County. Soil Sur. Adv. Sh., 1919, pp. 354–357, 380–404. 1923; Soils F.O., 1919, pp. 354–357, 380–404. 1925.
Multnomah County. Soil Sur. Adv. Sh., 1919, pp. 51, 52, 67–94. 1922; Soils F.O., 1919, pp. 51, 52, 67–94. 1925.
Washington County. Soil Sur. Adv. Sh., 1919, pp. 35–41. 1923; Soils F.O., 1919, pp. 1835–1841. 1925.
Yamhill County. Soil Sur. Adv. Sh., 1917; pp. 34–60. 1920; Soils F.O., 1917; pp. 2288–2314. 1923.
in Pennsylvania—
Berks County. Soil Sur. Adv. Sh., 1909, pp. 13, 23, 27, 29, 33. 1911; Soils F.O., 1909, pp. 169, 179, 183, 185, 189. 1912.
Blair County, acreage and yields. Soil Sur. Adv. Sh., 1915, pp. 10, 27, 29, 32, 37, 40, 41. 1917; Soils F.O., 1915, pp. 202–203. 1919.
Bradford County, methods, and yields. Soil Sur. Adv. Sh., 1911, pp. 13, 22, 24, 27, 33, 35, 36, 37. 1913; Soils F.O., 1911, pp. 239, 248, 250, 253, 259, 261, 262, 263. 1914.
Cambria County, methods and yields. Soil Sur. Adv. Sh., 1915, pp. 12–13, 19, 21, 23, 26. 1917; Soils F.O., 1915, pp. 245, 246, 247, 248–249, 255. 1919.
Clearfield County. Soil Sur. Adv. Sh., 1916, pp. 11–12, 25, 26. 1919; Soils F.O., 1916, pp. 257, 261, 267–276. 1921.
Greene County. Soil Sur. Adv. Sh., 1921, pp. 1257, 1258–1259. 1925.
Lancaster County. Soil Sur. Adv. Sh., 1914, pp. 10, 11, 21–61. 1916; Soils F.O. 1914, pp. 332, 333, 337, 345–387. 1919.
Lehigh County. Soil Sur. Adv. Sh., 1912, pp. 15, 25–50. 1914; Soils F.O., 1912, pp. 115, 125–150. 1915.
Mercer County. Soil Sur. Adv. Sh., 1917, pp. 9, 19–28, 31–34. 1919; Soils F.O., 1917, pp. 239, 249–258, 261–264. 1923.
northeastern part, yield. Soil Sur. Adv. Sh., 1911, pp. 30, 31, 40–57. 1913; Soils F.O., 1911, pp. 294, 295, 304–321. 1914.
south-central. Soil Sur. Adv. Sh., 1910, pp. 32–59, 68, 69. 1912; Soils F.O., 1910, pp. 220–247, 256, 257. 1912.
southeastern part. Soil Sur. Adv. Sh., 1912, pp. 19, 33–95. 1914; Soils F.O., 1912, pp. 259, 273–335. 1915.
York County, practices and yield. Soil Sur. Adv. Sh., 1912, pp. 13–14. 1914; Soils F.O., 1912, pp. 163–164. 1915.
in Porto Rico, varieties, breeding, and seed selection. P.R. An. Rpt., 1919, pp. 10, 26, 30, 31, 33. 1920.
in South Carolina—
Anderson County. Soil Sur. Adv. Sh., 1909, pp. 11, 12, 19, 21. 1911; Soils F.O., 1909, pp. 455, 456, 463, 465. 1912.
Bamberg County. Soil Sur. Adv. Sh., 1913, pp. 12, 13, 14, 22–32. 1914; Soils F.O., 1913, pp. 238, 239, 240, 248–258. 1916.
Barnwell County. Soil Sur. Adv. Sh., 1912, pp. 9–10, 20–39. 1914; Soils F.O., 1912, pp. 415–416, 426–445. 1915.
Berkeley County. Soil Sur. Adv. Sh., 1916, pp. 12, 14, 20–38. 1918; Soils F.O., 1916, pp. 489, 490, 492, 498–517. 1921.
Chester County. Soil Sur. Adv. Sh. 1912, pp. 10, 12, 22–38. 1913; Soils F.O., 1912, pp. 462, 464, 474–490. 1915.
Chesterfield County, acreage and yields. Soil Sur. Adv. Sh., 1914, pp. 9, 10, 17, 19, 21, 24, 34, 35. 1915; Soils F.O., 1914, pp. 659, 660, 665–691. 1919.

Corn—Continued.
 growing—continued.
  in South Carolina—continued.
   Dorchester County, acreage, methods, varieties, and yields. Soil Sur. Adv. Sh., 1915, pp. 10, 17–29, 32. 1917; Soils F.O., 1915, p. 550. 1919.
   Florence County, acreage, soils, and yields. Soil Sur. Adv. Sh., 1914, pp. 8, 9, 23, 26, 31. 1916; Soils F.O., 1914, pp. 700–702, 705–724. 1919.
   Georgetown County. Soil Sur. Adv. Sh., 1911, p. 27. 1912; Soils F.O., 1911, p. 535. 1914.
   Greenville County. Soil Sur. Adv. Sh., 1921, pp. 193, 194, 201–210. 1924.
   Hampton County, acreage, methods, and yields. Soil Sur. Adv. Sh., 1915, pp. 9, 10, 11, 17–29. 1917; Soils F.O., 1915, pp. 591, 592, 593–594. 1919.
   Horry County. Soil Sur. Adv. Sh., 1918, pp. 9–15, 20–46. 1920; Soils F.O., 1918, pp. 333–339, 344–370. 1924.
   Kershaw County. Soil Sur. Adv. Sh., 1919, pp. 12, 13, 16, 26–68. 1922; Soils F.O., 1919, pp. 770, 771, 774, 784–826. 1925.
   Marlboro County. Soil Sur. Adv. Sh., 1917, pp. 11, 12, 15, 24–68. 1919; Soils F.O., 1917, pp. 475, 476, 479, 488–532. 1923.
   Newberry County. Soil Sur. Adv. Sh., 1918, pp. 10–13, 19–42. 1921; Soils F.O., 1918, pp. 382–385, 391–414. 1924.
   Orangeburg County. Soil Sur. Adv. Sh. 1913, pp. 11, 20–27. 1915; Soils F.O., 1913, pp. 273, 282–289. 1916.
   Richland County. Soil Sur. Adv. Sh., 1916, pp. 13, 14, 26–67. 1918; Soils F.O., 1916, pp. 529–530, 542–585. 1921.
   Spartanburg County. Soil Sur. Adv. Sh., 1921, pp. 414, 417. 1924.
   Union County. Soil Sur. Adv. Sh., 1913, pp. 11, 19–33. 1914; Soils F.O., 1913, pp. 309, 317–331. 1916.
  in South Dakota—
   acreage, production, and yield. D.C. 60, pp. 5–6, 10, 12. 1919.
   Beadle County. Soil Sur. Adv. Sh., 1920, pp. 1479, 1480, 1481. 1924; Soils F.O., 1920, pp. 1479, 1480, 1481. 1925.
   McCook County. Soil Sur. Adv. Sh., 1921, pp. 455, 460–470. 1924.
   Union County. Soil Sur. Adv. Sh., 1921, pp. 478–479, 487–505. 1924.
   western part, and crops for 1904, and 1909. Soil Sur. Adv. Sh., 1909, pp. 68, 69. 1911; Soils F.O., 1909, pp. 1464, 1465. 1912.
  in Southeastern States—
   C. H. Kyle. F.B. 1149, pp. 19. 1920.
   directions and implements. F.B. 729, pp. 1–20. 1916.
  in southern Great Plains, methods, cost, and yield. D.B. 242, pp. 8–11, 19. 1915.
  in Tennessee—
   Henry County. Soil Sur. Adv. Sh., 1922, pp. 82–83. 1925.
   Jackson County. Soil Sur. Adv. Sh., 1913, pp. 8, 15–26. 1915; Soils F.O., 1913, pp. 1272, 1279–1290. 1916.
   Meigs County. Soil Sur. Adv. Sh., 1919, pp. 10, 17–30. 1921; Soils F.O., 1919, pp. 1258, 1265–1278. 1925.
   Putnam County. Soil Sur. Adv. Sh., 1912, pp. 9, 15–29. 1914; Soils F.O., 1912, pp. 1103, 1109–1123. 1915.
   Shelby County. Soil Sur. Adv. Sh., 1916, pp. 9, 11, 22–36. 1919; Soils F.O., 1916, pp. 1383, 1385, 1396–1411. 1921.
   Sumner County. Soil Sur. Adv. Sh., 1909, pp. 11, 17, 19, 25. 1910; Soils F.O., 1909, pp. 1155, 1161, 1163, 1169. 1912.
  in Texas—
   Archer County. Soil Sur. Adv. Sh., 1912, pp. 12–13, 27–51. 1914; Soils F.O., 1912, pp. 1014–1015, 1029–1053. 1915.
   Bell County. Soil Sur. Adv. Sh., 1916, pp. 10, 11, 13, 21–45. 1918; Soils F.O., 1916, pp. 1244, 1245, 1247, 1255–1279. 1919.
   Bowie County. Soil Sur. Adv. Sh., 1918, pp. 10, 12, 13, 18–58. 1921; Soils F.O., 1918, pp. 720, 722, 723, 728–768. 1924.

Corn—Continued.
 growing—continued.
  in Texas—continued.
   Brazos County. Soil Sur. Adv. Sh., 1914, pp. 12–13, 22–52. 1916; Soils F.O., 1914, pp. 1282–1283, 1292–1322. 1919.
   Dallas County. Soil Sur. Adv. Sh., 1920, pp. 1218–1219, 1228–1252. 1924; Soils F.O., 1920, pp. 1218–1219, 1228–1252. 1925.
   Denton County. Soil Sur. Adv. Sh., 1918, pp. 7, 8, 12–14, 27–49, 54. 1922; Soils F.O., 1918, pp. 779, 780, 784–786, 799–821, 826–827. 1924.
   Eastland County. Soil Sur. Adv. Sh., 1916, pp. 10, 12, 19–35. 1917; Soils F.O., 1916, pp. 1285, 1288, 1295–1311. 1921.
   Erath County. Soil Sur. Adv. Sh., 1920, pp. 375–377, 388–406. 1923; Soils F.O., 1920, pp. 375–377, 388–406. 1925.
   experiments in 1919 and 1920, variety tests. D.C. 209, pp. 19–26. 1922.
   Freestone County. Soil Sur. Adv. Sh., 1918, pp. 12–14, 26–57. 1921; Soils F.O., 1918, pp. 838–839, 852–883. 1924.
   Grayson County. Soil Sur. Adv. Sh., 1909, pp. 12, 17, 19, 21, 23, 24, 26, 27, 31, 32, 33, 34. 1910; Soils F.O., 1909, pp. 958, 963, 965, 967, 969, 970, 972, 973, 977, 978, 979, 980. 1912.
   Harrison County. Soils Sur. Adv. Sh., 1912, pp. 10–11, 21–42. 1913; Soils F.O., 1912, pp. 1060–1061, 1071–1092. 1915.
   Jefferson County. Soil Sur. Adv. Sh., 1913, pp. 12, 21, 24, 26, 28. 1915; Soils F.O., 1913, pp. 1008, 1017, 1020, 1022, 1024. 1916.
   Lubbock County. Soil Sur. Adv. Sh., 1917, pp. 10, 19, 25. 1920; Soils F.O., 1917, pp. 970, 979, 985. 1923.
   Red River County. Soils Sur. Adv. Sh., 1919, pp. 160–161, 169–200. 1923; Soils F.O., 1919, pp. 160, 161, 169–200. 1925.
   San Antonio Experiment Station, experiments. W.I.A. Cir. 16, pp. 12–14. 1917; D.C. 73, pp. 17–19. 1920.
   San Saba County. Soil Sur. Adv. Sh., 1916, pp. 12, 29, 41, 43, 50–62. 1917; Soils F.O., 1916, pp. 1321, 1322, 1339–1375. 1921.
   Smith County, acreage, methods, and yields. Soil Sur. Adv. Sh., 1915, pp. 12, 14, 16–17, 23–47. 1917; Soils F.O., 1915, pp. 1086, 1090–1091, 1108. 1919.
   south-central, methods and yields. Soil Sur. Adv. Sh., 1913, pp. 32–39, 55–58, 67–88, 93–103. 1915; Soils F.O., 1913, pp. 1098–1105, 1121–1124, 1133–1154, 1159–1169. 1916.
   southern part, yield. Soil Sur. Adv. Sh., 1909, pp. 52, 55, 71, 79, 93. 1910; Soils F.O., 1909, pp. 1076, 1079, 1086, 1095, 1109. 1912.
   southwest part, yields. Soil Sur. Adv. Sh., 1911, pp. 29, 53–106. 1912; Soils F.O., 1911, pp. 1197, 1221–1274. 1914.
   Tarrant County. Soil Sur. Adv. Sh., 1920, pp. 865–869, 877–902. 1924; Soils F.O., 1920, pp. 865–869, 877–902. 1925.
   Washington County. Soil Sur. Adv. Sh., 1913, pp. 10, 17, 20–29. 1915; Soils F.O., 1913, pp. 1050, 1057, 1060–1069. 1916.
  in Utah, dry lands, experiments. F.B. 883, pp. 20–21. 1917.
  in various sections, care, and yields. News L., vol. 4, No. 38, pp. 4–5. 1917.
  in various States, acreage and relative importance. F.B. 1289, pp. 3, 5, 13, 18, 20, 22–30. 1923.
  in Vermont, Windsor County. Soil Sur. Adv. Sh., 1916, pp. 9, 16, 18, 19, 21. 1919; Soils F.O., 1916, pp. 179, 186–191. 1921.
  in Virgin Islands—
   cross-breeding. Vir. Is. A.R., 1920, pp. 15–16. 1921.
   experiments. Vir. Is. A.R. 1919, pp. 12–13. 1920.
  in Virginia—
   Accomac and Northampton Counties. Soil Sur. Adv. Sh., 1917, pp. 19, 20, 29, 31, 38, 44, 46. 1920; Soils F.O., 1917, pp. 365, 366, 375, 377, 384, 390, 392. 1923.

INDEX TO PUBLICATIONS, 1901–1925 571

Corn—Continued.
growing—continued.
in Virginia—continued.
Fairfax and Alexandria Counties, acreage and yields. Soil Sur. Adv. Sh., 1915, pp. 10, 11, 19-40. 1917; Soils F.O., 1915, pp. 304-305, 306-307, 313, 315, 318, 324, 326. 1919.
Frederick County, acreage, methods, and yields. Soil Sur. Adv. Sh., 1914, pp. 12-13, 27, 29, 30, 32, 34, 36, 37, 39, 42, 43, 46. 1916; Soils F.O., 1914, pp. 436, 451-470. 1919.
Pittsylvania County. Soil Sur. Adv. Sh., 1918, pp. 8, 10-13, 20, 21, 24, 27-44. 1922; Soils F.O., 1918, pp. 126, 128-129, 135-161. 1924.
trucking districts, notes. D.B. 1005, pp. 13-17, 23-26, 40-42, 54-66. 1922.
in Washington—
Benton County. Soil Sur. Adv. Sh., 1916, pp. 12, 17, 41, 53-61. 1919; Soils F.O., 1916, pp. 2210, 2215, 2239, 2251-2259. 1921.
Wenatchee area. Soil Sur. Adv. Sh., 1918, pp. 14-20, 46, 52-58, 84. 1922; Soils F.O., 1918, pp. 1550-1556, 1582, 1588-1594, 1620. 1924.
in West Virginia—
Barbour and Upshur Counties. Soil Sur. Adv. Sh., 1917, p. 12. 1919; Soils F.O., 1917, p. 1000. 1923.
Boone County. Soil Sur. Adv. Sh., 1913, pp. 9, 14-23. 1915; Soils F.O., 1913, pp. 1299, 1304-1313. 1916.
Braxton and Clay Counties. Soil Sur. Adv. Sh., 1918, pp. 10-12, 21-36. 1920; Soils F.O., 1918, pp. 890-892, 901-916. 1924.
Fayette County. Soil Sur. Adv. Sh., 1919, pp. 11, 18-27. 1921; Soils F.O., 1919, pp. 1181, 1188-1197. 1925.
Huntington area, methods, and yields. Soil Sur. Adv. Sh., 1911, pp. 12, 14, 22-42. 1912; Soils F.O., 1911, pp. 1294, 1296, 1304-1324. 1914.
Jefferson, Berkeley, and Morgan Counties. Soil Sur. Adv. Sh., 1916, pp. 15, 18-19, 31-72. 1918; Soils F.O., 1916, pp. 1489, 1492-1493, 1505-1546. 1918.
Kanawha County. Soil Sur. Adv. Sh., 1912, pp. 9, 10, 15-27. 1914; Soils F.O., 1912, pp. 1183, 1184, 1189-1201. 1915.
Lewis and Gilmer Counties, acreage, and yields. Soil Sur. Adv. Sh., 1915, pp. 11, 22-32. 1917; Soils F.O., 1915, pp. 1243, 1244, 1254, 1258. 1919.
Logan and Mingo Counties, acreage, yield, and varieties. Soil Sur. Adv. Sh., 1913, pp. 9, 19, 21, 25, 27. 1915; Soils F.O., 1913, pp. 1321, 1331, 1333, 1337, 1339. 1916.
McDowell and Wyoming Counties, acreage and yields. Soil Sur. Adv. Sh., 1914, pp. 9, 10, 19-30. 1916; Soils F.O., 1914, pp. 1432, 1441-1452. 1919.
Morgantown area, yields. Soil Sur. Adv. Sh., 1911, pp. 10, 21, 28, 30, 37, 39. 1912; Soils F.O., 1911, pp. 1332, 1343, 1350, 1352, 1359, 1361. 1914.
Nicholas County. Soil Sur. Adv. Sh., 1920, pp. 7, 14-28. 1922; Soils F.O., 1920, pp. 45, 52-66. 1925.
Preston County. Soil Sur. Adv. Sh., 1912, pp. 13, 15, 24, 32, 34, 38, 39. 1914; Soils F.O., 1912, pp. 1213, 1215, 1224, 1232, 1234, 1238, 1239. 1915.
Raleigh County. Soil Sur. Adv. Sh., 1914, pp. 11, 16-30. 1916; Soils F.O., 1914, pp. 1403, 1409-1412, 1416-1422. 1919.
Spencer area. Soil Sur. Adv. Sh., 1909, pp. 11, 18, 19, 21, 23, 26, 27, 30. 1910; Soils F.O., 1909, pp. 1181, 1188, 1189, 1191, 1193, 1196, 1197, 1200. 1912.
Tucker County. Soil Sur. Adv. Sh., 1921, pp. 1334-1335, 1338. 1925.
Webster County. Soil Sur. Adv. Sh., 1918, pp. 10, 12, 16-21. 1920; Soils F.O., 1918, pp. 926, 928, 933-939. 1924.
in Wisconsin—
Adams County. Soil Sur. Adv. Sh., 1920, pp. 1124, 1131-1146. 1924; Soils F.O., 1920, pp. 1124, 1131-1146. 1925.
Buffalo County. Soil Sur. Adv. Sh., 1913, pp. 11, 20-47. 1915; Soils F.O., 1913, pp. 1447, 1456-1483. 1916.

Corn—Continued.
growing—continued.
in Wisconsin—continued.
Columbia County, yields. Soil Sur. Adv. Sh., 1911, pp. 9-10, 22-54. 1913; Soils F.O., 1911, pp. 1369-1370, 1382-1414. 1914.
Dane County. Soil Sur. Adv. Sh., 1913, pp. 12, 26-70. 1915; Soils F.O., 1913, pp. 1494, 1508-1552. 1916.
Fond du Lac County, yields. Soil Sur. Adv. Sh., 1911, pp. 10, 18-39. 1913; Soils F.O., 1911, pp. 1428, 1436-1457. 1914.
Jackson County. Soil Sur. Adv. Sh., 1918, pp. 9-12, 17-43, 44. 1922; Soils F.O., 1918, pp. 945-948, 953-979, 980. 1924.
Jefferson County. Soil Sur. Adv. Sh., 1912, pp. 10, 12-13, 24-54. 1914; Soils F.O., 1912, pp. 1560, 1562-1563, 1574-1604. 1915.
Juneau County, yields. Soil Sur. Adv. Sh., 1911, pp. 11, 22-44. 1913; Soils F.O., 1911, pp. 1469, 1480-1502. 1914.
Kenosha and Racine Counties. Soil Sur. Adv. Sh., 1919, pp. 6, 7, 10, 21-54. 1922; Soils F.O., 1919, pp. 1325, 1326, 1328, 1339-1373. 1925.
Kewaunee County. Soil Sur. Adv. Sh., 1911, p. 12. 1913; Soils F.O., 1911, p. 1520. 1914.
La Crosse County, yields. Soil Sur. Adv. Sh., 1911, pp. 10, 18, 22-38. 1913; Soils F.O. 1911, pp. 1566, 1574, 1578-1594. 1914.
Milwaukee County. Soil Sur. Adv. Sh., 1916, pp. 10, 18-29. 1918; Soils F.O., 1916, pp. 1784, 1791-1803. 1921.
north-central, north part. Soil Sur. Adv. Sh., 1914, pp. 20, 21, 35, 39, 43, 58, 60, 67, 68. 1916; Soils F.O., 1914, pp. 1670, 1671, 1685, 1689, 1693, 1708, 1710, 1717, 1718. 1919.
north-central, south part. Soil Sur. Adv. Sh., 1915, pp. 16, 35, 64. 1917; Soils F.O., 1915, pp. 1596, 1615, 1644. 1919.
northeastern part. Soil Sur. Adv. Sh., Recon. 1913, pp. 19, 22, 43-90. 1915; Soils F.O., 1913, pp. 1575, 1578, 1599-1646. 1916.
Outagamie County. Soil Sur. Adv. Sh., 1918, pp. 9, 10, 18-30. 1921; Soils F. O., 1918, pp. 985, 986, 994-1006. 1924.
Portage County. Soil Sur. Adv. Sh., 1915, pp. 10, 11, 19, 22, 24, 26, 27, 32, 33, 34, 40. 1917; Soils .O., 1915, pp. 1494, 1508, 1510, 1517. 1919.
possibilities claimed. D.B. 1295, pp. 63-64. 1925.
Rock County. Soil Sur. Adv. Sh., 1917, pp. 9, 19-47. 1920; Soils F.O., 1917, pp. 1187, 1197-1225. 1923.
Viroqua area. Soil Sur. Adv. Sh., 1903, pp. 12, 14, 15. 1904; Soils F.O., 1903, pp. 806, 808, 813. 1904.
Walworth County. Soil Sur. Adv. Sh., 1920, pp. 1385-1386, 1399-1422. 1924; Soils F.O., 1920, pp. 1385-1386, 1399-1422. 1925.
Waukesha County, yield. Soil Sur. Adv. Sh., 1910, pp. 14, 22, 24, 26, 27, 30, 32, 35, 37, 43. 1912; Soils F.O., 1910, pp. 1182, 1190, 1192, 1194, 1195, 1198, 1200, 1203. 1913.
Waupaca County. Soil Sur. Adv. Sh., 1917, pp. 9, 10, 13, 20-41. 1920; Soils F.O., 1917, pp. 1235, 1236, 1239, 1246-1267. 1923.
Waushara County. Soil Sur. Adv. Sh., 1909, pp. 18, 19, 23, 24, 25, 26, 27, 28, 29. 1911; Soils F.O., 1909, pp. 1216, 1217, 1221, 1222, 1223, 1224, 1225, 1226, 1227. 1912.
Wood County. Soil Sur. Adv. Sh., 1915, pp. 10, 11. 1917; Soils F.O., 1915, pp. 1541-1543, 1553, 1582. 1919.
in world countries, acreage, maps, and discussion. Sec. [Misc.], Spec. " Geography * * * world's agriculture," pp. 29-34. 1917.
in Wyoming—
experiments. D.B. 1306, pp. 7, 11, 12, 13, 29-30. 1925.
southeast part, experiments. D.B. 1315, pp. 12-14. 1925.
in Wyoming-Nebraska, Fort Laramie area. Soil Sur. Adv. Sh., 1917, pp. 11, 12, 14, 24, 31, 37. 1921; Soils F.O., 1917, pp. 2047, 2048, 2050-2051, 2060, 2067, 2073. 1923.
increased yield from use of crimson-clover cover crop, experiment. F.B. 398, p. 7. 1910.

36167°—32——37

Corn—Continued.
    growing—continued.
        information, sources. F.B. 546, p. 7. 1913.
        labor and materials, requirements in various States. D.B. 385, pp. 21–23. 1916; D.B. 1000, pp. 5–8. 1921.
        methods for an acre. C. P. Hartley. F.B. 537, pp. 21. 1913.
        moisture, heat, and fertility requirements. News L., vol. 4, No. 23, pp. 1, 3. 1917.
        needs and management. F.B. 704, pp. 10–11. 1916.
        new-place, effect on crop. J.A.R., vol. 12, pp. 231–243. 1918.
        on—
            acid land in rotation with crimson clover, advantages and management. D.B. 6, pp. 11–12. 1913.
            alkali land, experiments, Nevada. D.C. 136, pp. 16–17. 1920.
            Clyde soils, yields. D.B. 141, pp. 20, 23, 26, 29, 31, 33, 36, 40, 42, 45. 1914.
            cotton farm. F.B. 364, pp. 14–15. 1909.
            fallow ground, results and comparison. D.B. 1310, p. 7. 1925.
            infested soils, effect on vigor and grain yield. J.A.R., vol. 23, pp. 587, 590, 591, 599, 600, 608–615, 620. 1923.
            manganiferous soils, observations and experiments. Hawaii Bul. 26, pp. 23, 26, 32, 34. 1912.
            Memphis silt loam. Soils Cir. 35, p. 12. 1911.
            Miami soils, yields. D.B. 142, pp. 19, 21, 22, 24, 29, 34, 38, 39, 47, 53, 54. 1914.
            Norfolk fine sandy loam, yield. Soils Cir. 22, pp. 10, 12. 1911.
            sassafras soils, yields. D.B. 159, pp. 19, 25, 27, 29–30, 33, 35, 41. 1915.
            Truckee-Carson project, methods, and yield. B.P.I. Cir. 78, p. 13. 1911.
            Yuma Experiment Farm, 1912, and variety adapted. B.P.I. Cir. 126, p. 21. 1913.
        operations, day's work. D.B. 3, pp. 20, 26, 35–37. 1913.
        project, suggestion and references. S.R.S. Doc. 73, p. 5. 1917.
        publications, list. F.B. 729, p. 20. 1916.
        relation to—
            livestock industry. Y.B., 1918, pp. 132–134. 1919; Y.B. Sep. 776, pp. 12–14. 1919.
            potato growing in United States. D.B. 47, pp. 5, 12. 1913.
        seed germination studies. An. Rpts., 1918, pp. 146–147. 1919; B.P.I. Chief Rpt., 1918, pp. 12–13. 1918.
        situation and outlook. Y.B., 1921, pp. 219–226. 1922; Y.B. Sep. 872, pp. 219–226. 1922.
        sod lands unfavorable. F.B. 875, pp. 8, 9, 10. 1917.
        soil moisture, importance and methods of obtaining. News L., vol. 4, No. 24, pp. 1, 2. 1917.
        specifications in large-scale farm contract. D.C. 351, p. 29. 1925.
        statistics of day's work for several operations. Y.B., 1922, pp. 1055–1058. 1923; Y.B. Sep. 890, pp. 1055–1058. 1923.
        studies by experiment stations, results. S.R.S. [Misc.], "Experiment station work," pp. 39, 42–43. 1923.
        studies in different sections. An. Rpts., 1912, pp. 429–430. 1913; B.P.I. Chief Rpt., 1912, pp. 49–50. 1912.
        translocation of mineral constituents, experiments. J.A.R., vol. 5, No. 11, pp. 455–457. 1915.
        under—
            droughty conditions. C. P. Hartley and L. L. Zook. F.B. 773, pp. 24. 1916.
            irrigation, conditions and limitations. F.B. 773, pp. 18–20. 1916.
            irrigation, yields and rotation. D.C. 339, pp. 15–16. 1925.
        value of early planting. News L., vol. 4, No. 26, p. 4. 1917.
        variety tests, Nevada. B.P.I. Cir. 122, p. 20. 1913.
        Williamson method, testing, Russell County, Alabama. Soil Sur. Adv. Sh., 1913, p. 11. 1915; Soils F.O., 1913, p. 881. 1916.

Corn—Continued.
    growing—continued.
        with—
            cowpeas, experiments. W.I.A. Cir. 5, p. 15. 1915.
            cowpeas for hay or ilage. F.B. 1148, p. 18. 1920.
            cowpeas, spacing experiments and yields. D.C. 73, pp. 20–22. 1920.
            crimson clover, management, increase in yield. F.B. 550, pp. 10–11. 1913.
            potatoes in intensive farming. F.B. 325, p. 22. 1908.
            soy beans, methods. F.B. 931, pp. 7–11. 1918.
        work of county agents, North and West. S.R.S. Rpt., 1918, pp. 81–82. 1919.
    growth—
        and production, effects of mutilation of seeds. E. B. Brown. D.B. 1011, pp. 14. 1922.
        effect of—
            barium and strontium compounds. J.A.R., vol. 16, pp. 191–193. 1919.
            carbon bisulphide in different soils. J.A.R., vol. 6, No. 1, pp. 2, 6–11, 13–14, 16. 1916.
            manures treated with borax and colemanite. J.A.R., vol. 13, pp. 458, 459, 461, 462, 463. 1918.
            street sweepings, comparison with manure. Soils Cir. 66, pp. 5, 6. 1912.
            temperatures, minimum, optimum, and maximum. J.A.R., vol. 13, p. 133. 1918.
    handling and inspection in market and transit. Mkts. S.R.A. 17, pp. 30–33. 1916.
    harrowing, advantages. F.B. 981, pp. 28, 31, 33. 1918.
    harvest, percentage of maturing crops. News L., vol. 6, No. 21, p. 10. 1918.
    harvester(s)—
        description, cost and efficiency. F.B. 303, pp. 8–10. 1907.
        use in harvesting sweet-clover seed. F.B. 836, pp. 16–17. 1917.
        platform, use, difficulties and gain over hand methods in cutting corn for fodder or silage. F.B. 992, pp. 12–14. 1918.
        use methods, capacity, labor requirement. F.B. 556, p. 5. 1913.
    harvesting—
        and storing—
            C. P. Hartley. F.B. 313, pp. 32. 1907.
            methods. S.R.S. Syl. 21, pp. 15–22. 1916.
        by animals, advantages. News L., vol. 4, No. 18, p. 4. 1916.
        by hogging down. News L., vol. 7, No. 12, p. 3. 1919.
        day's work. D.B. 3, pp. 35–37. 1913.
        for silage, methods, and machinery. F.B. 556, pp. 5–6. 1913.
        machinery. C. J. Bintheo. F.B. 303, pp. 32. 1907; O.E.S. Bul. 173, pp. 48. 1907.
        methods—
            1921. Y.B. 1921, pp. 178–181. 1922; Y.B. Sep. 872, pp. 178–181. 1922.
            for control of brown-spot disease. F.B. 1124, p. 9. 1920.
            percentages, by States. Y.B., 1918, p. 675. 1919; Y.B. Sep. 795, p. 11.
            relation to soil fertility. F.B. 313, p. 27. 1907.
        sorting, cleaning, and storing, to reduce weevil waste. F.B. 915, pp. 6–7. 1918.
        storing, fumigating, and marketing, advice to Southern growers. News L., vol. 3, No. 5, pp. 1–2. 1915.
        use of horses and tractors on Corn Belt farms. F.B. 1295, p. 11. 1923.
        wasteful methods. Rpt. 112, p. 15. 1916.
        with—
            hogs, sheep, and cattle, methods and profits. F.B. 1008, pp. 3, 8–10, 14. 1918.
            mechanical picker, crew requirement and day's work. News L., vol. 6, No. 6, p. 9. 1918.
            sheep, Belle Fourche Experiment Farm, 1916. W.I.A. Cir. 14, pp. 18–19. 1917.
    hauling—
        by wagon or truck, cost. Y.B., 1919, p. 746, 1920, Y.B. Sep. 830, p. 746. 1920.

Corn—Continued.
  hauling—continued.
    by wagon or truck, loads, mileage and cost. Y.B., 1918, p. 712. 1919; Y.B. Sep. 795, p. 48. 1919.
    cost per ton per mile. Y.B., 1921, p. 791. 1922; Y.B. Sep. 871, p. 22. 1922.
    from farms to shipping points. D.B. 696, pp. 20–22. 1918; Stat. Bul. 49, pp. 19–30, 36. 1907.
  head smut, occurrence. J.A.R., vol. 2, pp. 339–372. 1914; D.B. 1284, p. 8. 1925.
  heating in cribs, control by salting. News L., vol. 5, No. 25, p. 3. 1918.
  hills, distance between. F.B. 360, pp. 5–7. 1909.
  hog—
    feed, influence on bacon. B.A.I. Bul. 47, pp. 215–216, 219. 1904.
    feeding, supplements. F.B. 316, pp. 25–30. 1908.
    feeding, unfavorable conditions, causes. O.E.S. An. Rpt., 1908, p. 346. 1909.
    pasture, value. D.B. 68, pp. 8, 13, 15, 20, 24. 1914.
  "hogging down"—
    experiments, 1912–1915. D.B. 488, pp. 19–24, 25. 1917.
    in rotation experiments, gains. W.I.A. Cir. 24, pp. 15–16. 1918.
    method of fattening hogs, advantages. B.P.I. Bul. 111, pp. 49–50. 1907; F.B. 329, p. 21. 1908; F.B. 331, pp. 22–24. 1908; F.B. 339, pp. 32–33, 46–48. 1925; F.B. 614, pp. 11–13, 16. 1914.
    net returns, experiments. W.I.A. Cir. 4, pp. 7–8. 1915.
    on irrigation projects. W.I.A. Cir. 2, p. 9. 1915.
    results, Belle Fourche Experiment Farm. D.C., 60, pp. 21–22, 28–29. 1919.
    Scottsbluff Experiment Farm, 1913. B.P.I. Doc. 1081, pp. 10–11. 1914.
  hogging off—
    experiments. D.C. 147, pp. 22–23. 1921.
    Huntley Experiment Farm. D.C. 275, pp. 15–17. 1923.
    Huntley Experiment Farm, 1912–1920, 1916–1920. D.C. 204, pp. 21–22. 1921; D.C. 86, pp. 19–20, 23. 1920.
    on irrigated land, results in pork production. D.B. 752, pp. 26–29, 36–37. 1919.
  holdings—
    June 1, 1918. News L., vol. 5, No. 51, p. 11. 1918.
    October 1, 1918, food survey estimates, with comparisons. News L., vol. 6, No. 14, p. 2. 1918.
  Hopi—
    hybrids, brachytic characters. D.B. 925, pp. 23–26. 1921.
    use in heredity studies. B.P.I. Bul. 272, pp. 17–20. 1913.
  hulled, preparation and food value, comparison with white bread. F.B. 360, pp. 31–32. 1909.
  "husared," preparation, Indian method. Y.B., 1918, p. 131. 1919; Y.B. Sep. 776, p. 11. 1919.
  husk development, advantage. Off. Rec., vol. 4, No. 29, p. 5. 1925.
  huskers and shredders, description and value. News L., vol. 4, No. 9, p. 7. 1916.
  husking—
    and jerking, date and graph. D.C. 183, p. 31. 1922.
    day's work, with and without mechanical picker. D.B. 814, pp. 17–19. 1920.
    devices, description. F.B. 303, pp. 26–29. 1907.
    from shocks and from standing stalks. F.B. 313, pp. 17–20. 1907.
    in field for control of insects. F.B. 799, p. 11. 1917.
    methods and time. News L., vol. 4, No. 9, p. 6. 1916.
    saving labor by machinery. F.B. 989, p. 14. 1918.

Corn—Continued.
  husking—continued.
    value in South. News L., vol. 5, No. 5, p. 8. 1917.
  hybrid(s)—
    breeding work, 1911. An. Rpts., 1911, pp. 274–275, 293. 1912; B.P.I. Chief Rpt., 1911, pp. 26–27, 45. 1911.
    changes under new environment, experiments. J.A.R. vol. 12, pp. 232–242. 1918.
    characteristics of seeds. B.P.I. Cir. 132, pp. 19–21. 1913.
    Chinese and other varieties, description, and characters. B.P.I. Bul. 161, pp. 16–19. 1909.
    comparison with parents, new method. J.A.R., vol. 3, pp. 85–91. 1914.
    continuous production, directions. B.P.I. Bul. 141, Pt. IV, p. 40. 1909.
    correlation characters, studies. J.A.R., vol. 6, No. 12, pp. 439–451. 1916.
    crossing experiments. B.P.I. Bul. 191, pp. 20–28. 1910.
    Dent and Chinese, water-requirement studies. J.A.R., vol. 6, No. 13, pp. 479, 480, 483. 1916.
    endosperm, waxy, studies. D.B. 754, pp. 3–95. 1919.
    first generation, production and extension. B.P.I. Bul. 191, pp. 31–34. 1910.
    first-generation, value. G. N. Collins. B.P.I. Bul. 191, p. 45. 1910.
    first generation, yields under experiments. Y.B. 1910, pp. 322–323. 1911; Y.B. Sep. 540, pp. 322–323. 1911.
    increased yields. Sec. A.R., 1910, p. 59. 1910; B.P.I. Chief Rpt., 1910, p. 21. 1910; Rpt. 93, p, 43. 1911; An. Rpts., 1910, pp. 59, 291. 1911; Y.B., 1910, p. 58. 1911.
    northern and southern varieties, results. Y.B., 1910, p. 323. 1911; Y.B. Sep. 540, p. 323. 1911.
    seed, increased yields. G. N. Collins. Y.B., 1910, pp. 319–328. 1911; Y.B. Sep. 540, pp. 319–328. 1911.
    seed, production methods. B.P.I. Bul. 191, pp. 37–39. 1910.
    testing for yield. An. Rpts., 1912, p. 408. 1913; B.P.I. Chief Rpt., 1912, p. 28. 1912.
    testing methods. B.P.I. Bul. 191, pp. 35–37. 1910.
    value of first-generation. G. N. Collins. B.P.I. Bul. 191, pp. 45. 1910.
    water requirements, studies. J.A.R., vol. 4, pp. 392–399, 401. 1915.
    with teosinte, heredity studies. J.A.R., vol. 27, pp. 537–596. 1924; J.A.R., vol. 17, pp. 127–133. 1919.
    white and yellow, heredity studies. B.P.I. Bul. 272, pp. 10–21. 1913.
    yield increase. B.P.I. Bul. 141, Pt. IV, pp. 38–39. 1909.
    Zea ramosa and *Zea tunicata*. J.A.R., vol. 9, pp. 383–396. 1917.
  hybridization—
    description of parents, by generations and groups. D.B. 971, pp. 3–13. 1921.
    directions. Y.B., 1910, p. 323. 1911; Y.B. Sep. 540, p. 323. 1911.
    discussions and conclusions. D.B. 971, pp. 13–20. 1921.
    results. B.P.I. Bul. 165, pp. 42–43, 52–53. 1909.
  importance—
    as a ration for stock. B.A.I. Bul. 47, pp. 12–14. 1904.
    as food and stock feed. B.P.I. Doc. 730, pp. 1–2. 1912.
    as forage crop. Y.B., 1923, p. 327. 1924; Y.B. Sep. 895, p. 327. 1924.
    in United States, value and uses. Y.B., 1921, pp. 161–165. 1922; Y.B. Sep. 872, pp. 161–165. 1922.
    of thorough and early cultivation. News L., vol. 5, No. 44, p. 3. 1918.

Corn—Continued.
  importations—
    and description. Nos. 34120–34121, 34214–34216,
      B.P.I. Inv. 32, pp. 12, 24. 1914; Nos. 35998,
      36120, 36185–36195, 36197-36209, 36211-36253,
      B.P.I. Inv. 36, pp. 5, 36, 56, 65, 66. 1915; Nos.
      36976, 36996, 37219, 37387, B.P.I. Inv. 38, pp.
      17, 20, 47, 55. 1917; Nos. 37897, 37909, 37965-
      37967, 37972, 38544–38546, 38589–38591, 38593,
      38595–38598, B.P.I. Inv. 39, pp. 6, 64, 66, 73,
      74, 145, 151, 152. 1917; Nos. 39958–39963, 40259–
      40279, 40369, B.P.I. Inv. 42, pp. 43, 100, 111.
      1918; Nos. 43787, 43789, 43790, B.P.I. Inv. 49,
      p. 77. 1921; Nos. 45734–45745, 45753–45755,
      45757–45765, 45785–45788, 45806–45808, 45815,
      45852–45856, 45903, 45913, B.P.I. Inv. 54, pp.
      13, 15, 20, 24, 25, 31, 38, 40. 1922; Nos. 46595-
      46607, 46653, B. P.I. Inv. 57, pp. 12, 17. 1922;
      Nos. 47109–47114, 47117, 47202, 47316, 47317,
      47327, 47328, B.P.I. Inv. 58, pp. 7, 25, 26, 39,
      49, 51. 1922; Nos. 47943–47945, B.P.I. Inv. 60,
      p. 18. 1922; Nos. 48794, 48795, 48827–48832,
      48876–48921, B.P.I. Inv. 61, pp. 4, 48, 53, 58–59.
      1922; Nos. 49334, 49390–49397, 44468, 49605,
      49707, 49786, B.P.I. Inv. 62, pp. 27, 34, 41,
      58, 73, 85. 1923; Nos. 49883, 49974, 50044–50050,
      50067, 50284–50286, 50358, B.P.I. Inv. 63, pp.
      16, 26, 31, 32, 50, 61. 1923; Nos. 50947–50956,
      51244, 51287, 51350, 51356, B.P.I. Inv. 64, pp.
      36, 79, 85, 88, 89. 1923; Nos. 51458–51460, 51778,
      52238–52254, B.P.I. Inv. 65, pp. 18, 48, 80–81.
      1923; Nos. 52616, 52718–52719, B.P.I. Inv. 66,
      pp. 51, 65. 1923; Nos. 52911, 53217, 53595–53606,
      B.P.I. Inv. 67, pp. 2, 12, 41, 67–68. 1923;
      Nos. 54317–54318, 54383–54384, 54410, B.P.I.
      Inv. 68, pp. 50, 56, 59. 1923; Nos. 55045,
      55047, 55048, B.P.I. Inv. 71, pp. 16, 17. 1923.
    from Japan and Manchuria, quarantine regulations. F.H.B. Quar. 24, amdt. 1, pp. 5. 1917.
    from Orient, regulations, instructions to postmasters. F.H.B.S.R.A. 30, pp. 86–87. 1916.
    regulations. F.H.B.S.R.A. 59, pp. 14–15. 1919; F.H.B. Quar. 41, p. 1. 1921.
    quarantine regulations and instructions to postmasters. F.H.B.S.R.A. 29, pp. 74, 81. 1916.
    restrictions under Plant Quarantine No. 24. F. H. B., S.R.A. 38, pp. 28, 34. 1917; F.H.B.S.R.A. 40, p. 50. 1917.
  imports—
    1901–1924. Y.B., 1924, p. 1075. 1925.
    1902–1904. Stat. Bul. 35, p. 50. 1905.
    1907–1909, quantity and value, by countries from which consigned. Stat. Bul. 82, p. 43. 1910.
    1921 statistics. Y.B., 1921, pp. 205, 740, 753. 1922; Y.B. Sep. 872, p. 205. 1922; Y.B. Sep. 867, pp. 4, 17. 1922.
    and exports—
      July 1, 1914, to April 30, 1915. News L., vol. 2, No. 52, p. 7. 1915.
      1919–1921 and 1852–1921. Y.B., 1922, pp. 952, 958, 963, 965, 973. 1923; Y.B. Sep. 880, pp. 952, 958, 963, 965, 973. 1923.
    for world countries, 1911–1920. Y.B. 1921, p. 519. 1922; Y.B. Sep. 868, p. 13. 1922.
    from Argentina. Y.B., 1915, p. 281. 1916; Y.B. Sep. 677, p. 281. 1916.
    into principal foreign countries, 1906–1910. Stat. Cir. 26, pp. 5–9. 1912.
    of Netherlands. Stat. Bul. 72, p. 8. 1909.
  improvement—
    breeding methods, progress. C. P. Hartley. Y.B., 1909, pp. 309–320. 1910; Y.B., Sep. 515, pp. 309–320. 1910.
    by seed selection. Y.B., 1907, pp. 227–228. 1908; Y.B. Sep. 446, pp. 227–228. 1908; B.P.I. Doc. 386, pp. 4–8. 1908; B.P.I. Doc. 747, pp.4–8. 1912.
    by seed selection. C. P. Hartley. Y.B., 1902, pp. 539–552. 1903; Y.B. Sep. 287, pp. 539–552. 1903.
    from Illinois Experiment Station. Y.B., 1902, p. 95. 1903.
    requisites. F.B. 414, p. 4. 1910.
    work, time of commencing. F.B. 537, pp. 7–8. 1913.
  in Great Plains area, relation of cultural methods to production. E. C. Chilcott and others. D.B. 219, pp. 31. 1915.

Corn—Continued.
  inbreeding—
    detrimental effects. Y.B., 1905, pp. 388–391. 1906; Y.B. Sep. 389, pp. 388–391. 1906.
    disadvantages. B.P.I. Bul. 141, pp. 33–44. 1909.
    effect on vigor of plants. J.A.R. vol. 23, pp. 583–584. 1923.
    experiments and results. O.E.S. An. Rpt., 1911, p. 148. 1912.
    prevention. F.B. 267, pp. 5–10. 1906.
  increase of—
    acreage and yields, needs and methods. Sec. Cir. 91, pp. 7–9. 1918.
    yield from hybrid seed. G. N. Collins. Y.B., 1910, pp. 319–328. 1911; Y.B. Sep. 540, pp. 319–328. 1911.
  Indian—
    and Egyptian, irrigation experiments, 1910–1911, yield, and value. D.B. 10, pp. 13–17. 1913.
    disease. See *Sclerospora maydis*.
    fermentation for distilling. Chem. Bul. 102, p. 12. 1906.
    in Algeria. B.P.I. Bul. 80, p. 77. 1905.
    in Argentina, production and export. Frank W. Bicknell. Rpt. 75, pp. 48. 1903.
    new type from China. G. N. Collins. B.P.I. Bul. 161, pp. 30. 1909.
    origin and composition. F.B. 559, pp. 1–2. 1913.
    origin, and uses in colonial times. F.B. 565, p. 2. 1914.
    quarantine No. 41, regulations. F.H.B. S.R.A. 71, pp. 172, 178. 1922.
    use in the home. F.B. 559, pp. 1–5. 1913.
    value and use as food. Y.B. 1902, p. 400. 1903. See also Maize.
  infestation with—
    Angoumois grain moth, and losses. F.B. 1156, pp. 5, 7, 9, 11–13. 1920.
    European corn borer. W. R. Walton. Y.B., 1920, pp. 85–104. 1921; Y.B. Sep. 831, pp. 85–104. 1921.
    red spiders. Ent. Cir. 172, pp. 7, 18. 1913.
  injury by—
    army worm. Ent. Bul. 67, p. 102. 1907.
    billbug. Ent. Bul. 95, Pt. II, pp. 11–22. 1911; F.B. 1003, pp. 4–17. 1919.
    birds. F.B. 755, pp. 18, 19, 20, 23. 1916.
    blotch miner, description. J.A.R., vol. 2, pp. 18–19. 1914.
    borers, character and extent of losses. F.B. 1294, pp. 6–16. 1922.
    coffee-bean weevil. Ent. Bul. 64, Pt. VII, pp. 61–63. 1909.
    cucumber beetles. Ent. Bul. 82, pp. 72, 74, 77. 1912; Ent. Bul. 82, Pt. VI, pp. 72, 74, 77. 1910.
    curlew bug. Ent. Bul. 95, Pt. IV, pp. 54–57, 61–63, 64–69. 1912.
    cutworms, description and prevention methods. F.B. 739, pp. 1–3. 1916; Ent. Bul. 109, pp. 47–48. 1912.
    ear worm in 1921, table. D.B. 1103, p. 9. 1922.
    European corn borer, description. F.B. 1046, pp. 8–12. 1919.
    fall army worm. News L., vol. 2, No. 50, pp. 1, 3. 1915.
    flea-beetle. D.B. 436, pp. 5, 21. 1917.
    frost in ten principal corn States. Sec. Cir. 84, p. 5. 1918.
    fungus, *Fusarium moniliforme*. J.A.R., vol. 28, pp. 909, 910, 918. 1924.
    green June beetle. D.B. 891, pp. 13, 16. 1920.
    larger stalk-borer. F.B. 634, pp. 2–4. 1914; F.B. 1025, pp. 3–6. 1919.
    leaf hopper in Hawaii, 1917, and control studies. Hawaii A. R., 1917, p. 51. 1918.
    lesser stalk borer. D.B. 539, pp. 5, 7, 8, 17, 18. 1917.
    Physoderma disease, localities and factors. J.A.R., vol. 16, pp. 138–142. 1919.
    red-banded leaf roller. D.B. 914, pp. 6, 7, 9, 10. 1920.
    rice weevil, control, studies. S.R.S. Rpt., 1916, Pt. I, pp. 55, 133. 1918.
    root-aphid. Ent. Bul. 85, Pt. VI, pp. 104–105, 107. 1910.

INDEX TO PUBLICATIONS, 1901–1925 575

Corn—Continued.
  injury by—continued.
    rough-headed stalk beetle, method. F.B. 875, pp. 4–5. 1917.
    silver-striped webworm. J.A.R., vol. 24, p. 417. 1923.
    southern corn rootworm. D.B. 5, pp. 3–5, 10. 1913.
    stalk beetle. D.B. 1267, pp. 1, 2, 24, 26. 1924
    stalk borer. Ent. Cir. 116, pp. 2–3. 1910.
    starlings. D.B. 868, pp. 31–34. 1921.
    striped sod webworm. J.A.R., vol. 24, pp. 400, 401, 407. 1923.
    termites, control. D.B. 333, pp. 20–22, 32. 1916.
    tobacco wireworms. D.B. 78, pp. 4, 28. 1914.
    western corn rootworm. D.B. 8, pp. 3–5, 6, 7–8. 1913.
    white grubs. F.B. 940, pp. 3, 4–5. 1918.
    wireworms. D.B. 156, pp, 3, 5, 6, 7, 10–12, 16–24 30–32. 1915; F.B.733, pp. 1–3. 1916.
    woodchucks. N.A. Fauna 37, p. 13. 1915.
  injury for silage by too early cutting. News L., vol. 6, No. 8, p. 5. 1918.
  inoculation with rots, experiments and results. J.A.R., vol. 27, pp. 961–963. 1924.
  insect(s)—
    and diseases attacking. F.B. 856, pp. 41–43. 1917.
    control, experiments. S.R.S. Rpt., 1917, Pt. I, pp. 33, 56, 110, 145. 1918; F.B. 1029, pp. 5–36. 1919.
    enemies—
      and rotations to control. Y.B., 1911, pp. 202–209. 1912; Y.B. Sep. 561, pp. 202–209. 1912.
      losses. Y.B., 1921, pp. 186–187. 1922; Y.B. Sep. 872, pp. 186–187. 1922.
    notes. Ent. Bul. 60, pp. 52–58. 1906.
    injurious—
      D. T. Fullaway. Hawaii Bul. 27, pp. 20. 1912.
      other than ear worm. F.B. 1310, p. 7. 1923.
    pests—
      Guam, description, habits, and control. Guam A.R. 1911, pp. 27–28. 1912; Guam Cir. 3, pp. 12–13. 1922.
      list. Sec. [Misc.], "A manual of insects * * *," pp. 84–85. 1917.
      Virgin Islands, control. Vir. Is. An. Rpt., 1920, pp. 30–31. 1921.
      study in 1923. Work and Exp., 1923, pp. 48–49. 1925.
  inspection—
    Argentina. Rpt., 75, pp. 39–40. 1903.
    certificates, changes, violations of law. Mkts., S.R.A. 56, p. 6. 1919.
    requirements, applicability, opinion. Mkts.. S.R.A. 18, pp. 10–11. 1917.
    inspectors, license requirements. News L., vol. 4, No. 12, pp. 6–7. 1916.
  intercropping for soil improvement. F.B. 986, pp. 19, 28. 1918.
  international trade. B.P.I. Cir. 55, p. 35. 1910.
  intertillage, discussion of purpose. D.B. 320, pp. 3–4. 1916.
  intertilled crops and practices. D.B. 1292, pp. 17, 20, 25. 1925.
  inversion of seeds on the ear, studies. B.P.I. Bul. 278, pp. 10–11, 15. 1913.
  investigations—
    by experiment stations. Work and Exp., 1918, pp. 16, 32, 33, 47. 1920.
    culture, breeding, and seed growing. An. Rpts., 1912, pp. 428–431. 1913; B.P.I. Chief Rpt., 1912, pp. 48–51. 1912.
    program of work, 1915. Sec. [Misc.], "Program of work * * * 1915", pp 116–117. 1914.
  invoicing-law, violations. Mkts., S.R.A. 40, p. 2. 1918.
  irrigated—
    and unirrigated, yields. O.E.S. Bul. 209, p. 66. 1909.
    crop, Yakima Valley, Washington. O.E.S. Bul. 188, p. 61. 1907.
    rotations, yields, culture, and varieties. W.I.A. Cir. 2, pp. 6, 8–9, 15, 18–19. 1915.
  irrigation—
    experiments, California. O.E.S. Cir. 108, pp. 15, 17. 1911.
    with pumped water, cost, yield, per acre. O.E.S. Bul. 158, pp. 313–314. 1905.

Corn—Continued.
  jerking and storing unhusked, advantages and disadvantages. F.B. 313, p. 17. 1907.
  judging—
    contests and prizes. O.E.S. An. Rpt., 1909, pp. 279–280, 322. 1910.
    school lesson. D.B. 258, p. 16. 1915; F.B. 409, p. 13. 1910.
  Kafir. See Kafir.
  kernel—
    chemical composition, changing by breeding, study. Y.B. 1906, pp. 285–288. 1907; Y.B. Sep. 423, pp. 285–288. 1907.
    influence of irrigation water and manure. J. E. Greaves and D. H. Nelson. J.A.R., vol. 31, pp. 183–189. 1925.
    length, relation to yield, study. C. C. Cunningham. J.A.R., vol. 21, pp. 427–438. 1921.
    rows, association with productiveness and deleterious characters. Curtis H. Kyle and Hugo F. Stoneberg. J.A.R., vol. 31, pp. 83–99. 1925.
    starchiness, relation to diseases of root. D.B. 1062, pp. 4–5. 1922.
    structure, size, shape, and color of different kinds. P.R. Cir. 18, pp. 4–9, 12–13. 1920.
  labeling. Opinion 69. Chem. S.R.A. 7, pp. 528–529. 1914.
  labor—
    and seed requirements on farms in southwestern Minnesota. D.B. 1271, pp. 17–24. 1924.
    conflict with alfalfa, and management. F.B. 1021, pp. 8–12. 1919.
    income, relation to crop area, studies in eastern Pennsylvania. D.B. 341, pp. 34–35. 1916.
    requirements—
      and field practice in Georgia. D.C. 83, pp. 19, 20. 1920; F.M. Cir. 3, pp. 26, 28, 30. 1919.
      in Arkansas. D.B. 1181, pp. 7, 23–24, 61. 1924.
  land—
    clearing of pests by alfalfa. F.B. 704, pp. 19–20. 1916.
    disked, adaptability for barley in Great Plains area, experiments. News L., vol. 2, No. 44, p. 7. 1915.
    keeping free of weeds for wheat. News L., vol. 6, No. 5, p. 11. 1918.
    plowing, preparation, planting, and care. B.P.I. Doc. 730, pp. 4–7, 12. 1912.
    preparation—
      drainage, plowing, and humus. F.B. 729, pp. 1–3. 1916.
      of seed bed, methods in twenty-one regions, United States. D.B. 320, pp. 11–18. 1916.
      Southeastern States. F.B. 1149, pp. 3–5. 1920.
  large and small stalks, yield comparisons. News L., vol. 4, No. 37, pp. 9–10. 1917.
  leaf—
    and sheath, studies. J.A.R., vol. 6, No. 9, pp. 326–329. 1916.
    and stalk juices, comparative acidities. J.A.R., vol. 25, pp. 462–464. 1923.
    aphid, destruction by larvae of lacewing fly. J.A.R., vol. 6, No. 14, pp. 517, 519–522. 1916.
    aphid, food plants, descriptions and bibliography. Ent. T.B. 12, Pt. VIII, pp. 144–156. 1909.
    aphis and root aphis. F. M. Webster. Ent. Cir. 86, pp. 3. 1907.
    area, effect on water requirement. B.P.I. Bul. 285, pp. 67–68, 89. 1913.
    beetle, southern. E. O. G. Kelly. D.B. 221, pp. 11. 1915.
    blotch miner—
      injury to corn in Porto Rico. D.B. 192, p. 10. 1915.
      life history, description, and control. J.A.R., vol. 2, pp. 15–32. 1914.
    fodder, habits and injuries in Guam. Guam A.R., 1920, p. 39. 1921.
    miner, spike-horned, occurrence. D.B. 432, pp. 2, 3, 4. 1916.
    temperature, studies. J.A.R., vol. 26, pp. 18, 22–37. 1923.
  Leaming Yellow Dent, description, ear origin, and studies. D.B. 971, pp. 1–18. 1921.

Corn—Continued.
  leaves—
    carbohydrate—
      content. J.A.R., vol. 27, pp. 790-806. 1924.
      daily variation. Edwin C. Miller. J.A.R., vol. 27, pp. 785-808. 1924.
    dwarfing, changes. J.A.R., vol. 25, pp. 316-319. 1923.
    water and dry matter, daily variation. J.A.R., vol. 10, pp. 11-46. 1917.
    legal weight, relation to grain standards, opinion. Mkts. S.R.A. 13, p. 4. 1916.
    lepidopterous borers, descriptions. J.A.R., vol. 30, pp. 777-792. 1925.
    lessons for—
      rural elementary schools. C. H. Lane. D.B. 653, pp. 19. 1918.
      school. Dick J. Crosby and F. W. Howe. F.B. 409, pp. 29. 1910.
    level-planted and listed. F.B. 233, p. 8. 1905.
    liming limitation. Work and Exp., 1923, p. 44. 1925.
    loans on warehouse certificates. Off.Rec. vol. 4, No. 48, p. 3. 1925.
    losses—
      and causes, 1909-1921. Y.B., 1922, p. 575. 1923; Y.B. Sep. 881, p. 575. 1923.
      by crows, investigations. D.B. 621, pp. 42, 43, 44-47, 67, 84. 1918.
      causes and extent, 1909-1920. D.B. 1043, pp. 6, 8, 10. 1922; Y.B. 1921, p. 514. 1922; Y.B. Sep. 878, p. 8. 1922.
      in shock, saving by silo. News L., vol. 5, No. 46, p. 11. 1918.
    machinery for cutting. H. R. Tolley. F.B. 992, pp. 16. 1918.
    mailing, restrictions on account of borer quarantine. F.H.B.S.R.A. 61, pp. 34-35. 1919.
    Maltese, importation and description. No. 34733, B.P.I. Inv. 34, p. 9. 1915.
    market(s)—
      primary. Stat. Bul. 38, p. 31. 1905.
      statistics, prices, supply, exports and imports. 1910-1920. D.B. 982, pp. 174-186. 1921.
    marketable, percent of 1918 crop. News L., vol. 6, No. 38, p. 13. 1919.
    marketing—
      bibliography. M.C. 35, pp. 19-20. 1925.
      exports, imports, and freight rates. Y.B. 1921, pp. 195-208. 1922; Y.B. Sep. 872, pp. 195-208. 1922.
      in form of hogs. Y.B., 1922, pp. 182, 188, 229. 1923; Y.B. Sep. 882, pp. 182, 188, 229. 1923.
      monthly—
        1913-1918. Y.B., 1918, p. 674. 1919; Y.B. Sep. 795, p. 10. 1919.
        1914-1922, by farmers. M.C. 6, p. 23. 1925.
      per cent of total crop in 1919, map. Y.B. 1921, p. 437. 1922; Y.B. Sep. 878, p. 31. 1922.
    maturity, relation to silking. J.A.R., vol. 11, pp. 567-568. 1917.
    meal—
      acid producers. J.A.R., vol. 22, pp. 181-188. 1921.
      acidity—
        measurement. simple methods. J.A.R., vol. 18, pp. 36-37, 41-45. 1919.
        tests. B.P.I. Bul. 199, p. 21. 1910.
      adulteration. Chem. N.J. 884, pp. 2. 1911; Chem. N.J. 1198, p. 1. 1911; Chem. N.J. 1536, p. 1. 1912; Chem. N.J. 2189, p. 1. 1913.
      as a food, and ways of using it. F. C. Langworthy and Caroline L. Hunt. F.B. 565, pp. 24. 1914.
      as partial substitute for wheat in bread. S.R.S. Doc. 64, pp. 3, 4, 9, 10. 1917.
      biscuits, muffins, dodgers, and other quick breads, recipes. F.B. 1136, pp. 23, 25-26, 28, 29, 30, 31. 1920.
      bread—
        analyses and characteristics. D.B. 701, pp. 4-9. 1918.
        cakes, and puddings. F.B. 565, pp. 14-24. 1914.
        recipe. F.B. 807, p. 21. 1917; F.B. 817, pp. 12-13. 1917.
      bushel weights, in States. Y.B., 1918, p. 724. 1919; Y.B. Sep. 795, p. 60. 1919.
      calf-feeding mixtures. F.B. 381, pp. 20-21. 1909.

Corn—Continued.
  meal—continued.
    calorific value and digestion coefficients, comparisons. J.A.R., vol. 7, pp. 305, 310-318. 1916.
    commercial stocks, Sept. 1, 1918, with comparisons. News L., vol. 6, No. 10, p. 13. 1918.
    composition—
      and cost, comparison with balanced ration and other prepared cereals. F.B. 559, pp. 3-4. 1913.
      and digestibility. J.A.R., vol. 7, pp. 380-382. 1916.
      and energy value. B.A.I. Bul. 74, pp. 1-64. 1905.
      and its influence on the keeping qualities. D.B. 215, pp. 1-31. 1915.
      and maintenance value, calorimeter experiments. B.A.I. An. Rpt., 1906, pp. 275-279. 1908.
      table. F.B. 298, p. 17. 1907.
    consumption in South, enonomic importance as food. D.B. 215, pp. 2-3. 1915.
    cooking methods and recipes. F.B. 559, pp. 4-5. 1913.
    cooking methods, investigations, summary. F.B. 565, pp. 8-9. 1914.
    degerminated, roller-ground and bolted, analyses. D.B. 215, pp. 11-13, 16-20. 1915.
    energy values. J.A.R., vol. 7, pp. 379-387. 1916.
    exports, 1851-1908. Stat. Bul. 75, p. 45. 1910.
    feed for cattle, energy value, notes and tables. J.A.R., vol. 3, pp. 438-484. 1915.
    feed for pigs. B.A.I. Bul. 47, pp. 106-107. 1904.
    feeding to cows, results. D.B. 1272, p. 5, 7. 1924.
    flask for media, and formula. J.A.R., vol. 1, p. 254. 1913.
    flora. Charles Thom and Edwin LeFevre. J.A.R., vol. 22, pp. 179-188. 1921.
    food-value comparisons, chart. D.B. 975, p. 28. 1921; Food Thrift Ser., 1, p. 3. 1917.
    grinding methods, old and new. F.B. 565, pp. 5-6. 1914.
    holdings, October 1, 1918, food survey estimates, with comparisons. News L., vol. 6, No. 14, pp. 2-3. 1918.
    keeping qualities, comparison of stone-ground and roller-ground. News L., vol. 3, No. 2, p. 4. 1915.
    laws—
      and standards. Chem. Bul. 69, rev., Pts. I-IX, pp. 15, 99, 100, 184, 392-395, 440, 443, 578, 579, 604, 605, 608, 734. 1905-6.
      State, 1906. Chem. Bul. 104, pp. 30-31, 34, 52. 1906.
      State, 1907. Chem. Bul. 112, Pt. I, pp. 10, 50. 1908.
    light bread, recipe and directions. F.B. 1136, p. 15. 1920.
    manufacture in West, processes. D.B. 215, pp. 3-5. 1915.
    misbranding. Hazel Green Mills. Chem. N.J. 1342, pp. 5. 1912.
    mush, directions for making, with and without other foods. F.B. 565, pp. 7-8, 9-13. 1914.
    nitrogen determination, methods. Chem. Bul. 116, pp. 38-41. 1908.
    nutrients and food value. F.B. 565, pp. 3-4, 5. 1914.
    old and new process, comparison, special use. F.B. 559, pp. 2-3. 1913.
    preparation—
      and cooking, directions and recipes. F.B. 1236, pp. 7-17. 1923.
      for culture medium. B.P.I. Cir. 131, p. 13. 1913.
    production value, results of calorimeter experiments. B.A.I. An. Rpt., 1906, pp. 281-282. 1908.
    products, composition and comparison with other cereals. F.B. 565, pp. 3-4.
    recipes. F.B. 559, pp. 4-5. 1913; Sec. Cir. 117, p. 3. 1918.
    relation to balanced ration. F.B. 565, pp. 7-8. 1914.
    spoilage, causes, studies. D.B. 215, pp. 1-2. 15. 1915.

INDEX TO PUBLICATIONS, 1901–1925 577

Corn—Continued.
  meal—continued.
    standard bushel weight, various localities. Chem. Bul. 69, rev., Pts. I–IX, pp. 99, 440, 578, 604, 608, 734. 1905–6.
    stocks, March 1, 1918, 1919. News L., vol. 6, No. 36, p. 7. 1919.
    stone-ground and roller-milled, keeping qualities, comparison. News L., vol. 3, No. 2, p. 4. 1915.
    undegerminated, bolted, analyses. D.B. 215, pp. 10–11. 1915.
    use—
      and importance in South Carolina. D.B. 215, p. 3. 1915.
      as food. C. F. Langworthy and Caroline L. Hunt. F.B. 565, pp. 24. 1914.
      for cattle feed, energy values. J.A.R., bol. 10, pp. 599–613. 1917.
      in bread making, recipes. F.B. 565, pp. 1–24. 1914; F.B. 955, pp. 9, 12, 14–20. 1918.
      in fattening poultry. D.B. 21, pp. 6, 7, 8, 11. 13. 1914.
      in wheatless meals, method and suggestions. Food Thrift Ser. 5, p. 1. 1917.
      to save wheat, recipes. Sec. Cir. 117, p. 3. 1918.
    value as food, recipes for breads. U.S. Food Leaf. 2, pp. 1–4. 1917.
    whole-kernel, stone-ground, keeping quality, comparison with degerminated roller-ground, storage experiments. D.B. 215, pp. 22–30. 1915.
    with meat or fish, recipes. F.B. 565, pp. 11, 12, 13–14. 1914.
    yellow, composition. J.A.R., vol. 30, p. 587. 1925.
  meanings of word in different countries. Stat. Bul. 68, p. 13. 1908.
  Mexican—
    description, and hybridization experiments. D.B. 971, pp. 2–18. 1921.
    entry, restriction. An. Rpts., 1920, pp. 622, 640. 1921; F.H.B. An. Rpt., 1920, pp. 10, 29. 1920.
    importation and description. No. 46314, B.P.I. Inv. 56, p. 7. 1922.
    Quarantine No. 42, with regulations, summary. F.H.B.S.R.A. 71, pp. 177, 178. 1922.
  micro-organisms, tests. B.P.I. Bul. 199, p. 31. 1910.
  mildew in Philippines, description, cause, and results. J.A.R. vol. 19, pp. 97–122. 1920.
  milling—
    methods, old process and new process, degermination. F.B. 565, pp. 5–6. 1914.
    products, description, uses, and composition. D.B. 215, pp. 5–15. 1915.
  misbranding, underweight. N.J. 39. Chem. N.J. 39–42, pp. 1–3. 1909.
  Missouri crops, and yield, per acre, 1914. D.B. 633, pp. 2, 3, 5–6. 1918.
  mixture with—
    cottonseed meal, comparison with other feeds. D.B. 761, pp. 1–16. 1919.
    soy beans for pasture or silage. F.B. 973, p. 18. 1918.
    tomato, processing, directions. F.B. 1211, pp. 48, 50. 1921.
  moist, temperature changes in storage. J.A.R. vol. 12, pp. 690–691. 1918.
  moisture-content—
    determination, methods. D.B. 168, pp. 5–6. 1915.
    effect on cargoes. B.P.I. Cir. 55, pp. 19, 21–22. 1910.
    influence on grading. D.B. 102, p. 35. 1914.
    requirements. Atl. Am. Agr. Adv. Sh., Pt. II, sec. A, p. 40. 1922; F.B. 414, p. 11. 1910.
    shipping studies. News L., vol. 1, No. 10, p. 4. 1913.
    tests in various States. B.P.I. Doc. 865, p. 6. 1913.
    value basis. D.B. 374, pp. 2–3, 5, 7–8, 30–32. 1916.
  moldy—
    diseases of animals and fowls, experiments. B.A.I. An. Rpt., 1907, pp. 260–261, 275. 1909.
    ears, causes, studies. J.A.R., vol. 23, pp. 495–523. 1923.

Corn—Continued.
  moldy—continued.
    relation to pellagra. B.P.I. Bul. 270, p. 41. 1913.
  mosaic disease. E. W. Brandes. J.A.R., vol. 19, pp. 517–522. 1920.
  mountain, importations and description. Nos. 39803–39807, 39895, 39936–39939, B.P.I. Inv. 42, pp. 6, 20, 33, 41. 1918; Nos. 40653, 40654, B.P.I. Inv. 43, pp. 6, 61. 1918.
  mule feed, experiments and results. News L., vol. I, No. 38, p. 4. 1914.
  need of nitrates from soil at various depths. B.P.I. Bul. 173, pp. 17–18, 28. 1910.
  90-day, value as August feed for hogs. News L., vol. 5, No. 24, p. 5. 1918.
  nitrogen absorption, comparison with kafir. J.A.R., vol. 24, pp. 50–51. 1923.
  nodes, discoloration, relation to rootrots. J.A.R., vol. 23, pp. 801–802. 1923.
  normal inflorescence, studies. B.P.I. Bul. 278, pp. 7–8. 1913.
  nutritive—
    deficiencies for growing chicks. J.A.R., vol. 22, pp. 139–149. 1921.
    value as dairy feed, analysis. F.B. 743, p. 17. 1916.
  ocean—
    freight rates, to Liverpool and to Cork "for orders," from three U. S. ports, 1886–1906. Stat. Bul. 67, pp. 9, 11. 1907.
    transportation conditions, and factors affecting. B.P.I. Cir. 55, pp. 19–26. 1910.
  occurrence of seeds in tassel. B.P.I Bul. 278, p. 12. 1913.
  oil—
    action on different metals, experiments. B.A.I. An. Rpt., 1909, pp. 275–276, 281. 1911.
    adulteration and misbranding. Chem. N.J. 11475. 1923.
    benzol extraction of corn germ and oil cake. D.B. 1054, pp. 8–9. 1922.
    bleaching, experiments and results. D.B. 1010, pp. 5–10, 17. 1922.
    cake, feeding value and use. D.B. 904, p. 12. 1920.
    character and composition, review of previous investigations. D.B. 1054, pp. 2–16. 1922.
    chemical properties, and utilization. D.B. 904, pp. 13–14. 1920.
    composition, uses, and value. D.B. 469, p. 14. 1916.
    crude—
      color and appearance in bottles. D.B. 1054, pp. 10–11, 16. 1922.
      filtering, buying and selling. D.B. 904, pp. 11–12. 1920.
      preparation of edible oil. A. F. Sievers and J. H. Shrader. D.B. 1010, pp. 25. 1922.
    description, manufacture, uses, and exports. D.B. 769, pp. 23–25. 1919.
    expelling from germs, method, and machines used. D.B. 904, pp. 8–11. 1920.
    extraction, food value, and digestion experiments. D.B. 687, pp. 3–6. 1918.
    extraction methods, comparison. A. F. Sievers. D.B. 1054, pp. 20. 1922.
    food use and value. Sec. Cir. 91, p. 16. 1918.
    manufacture and uses. F.B. 298, p. 14. 1907.
    obtained by expeller and benzol extraction methods, comparison. A. F. Sievers. D.B. 1054, pp. 20. 1922.
    physical and chemical constants. D.B. 1054, pp. 6–7. 1922.
    production—
      and utilization in the United States. A. F. Sievers. D.B. 904, pp. 23. 1920.
      details. Y.B., 1916, pp. 173–176. 1917; Y.B. Sep. 691, pp. 15–18. 1917.
      operation in different mills, comparison. D.B. 904, p. 16. 1920.
      quality and uses. F.B. 565, p. 6. 1914.
    refining—
      cost of chemicals and oil loss, fuel, and labor. D.B. 1010, pp. 18–21. 1922.
      for food use. D.B. 904, pp. 20–22. 1920.
      losses and conditions. D.B. 1054, pp. 11–14, 16. 1922.
    sardine packing and tests. D.B. 908, pp. 66–68, 119. 1921.

Corn—Continued.
oil—continued.
statistical study. J.A.R. vol. 11, pp. 106–113, 145. 1917.
use in mosquito eradication, experiments. Ent. Bul. 88, p. 74. 1910.
old, stocks on—
farms, Nov. 1, 1917, comparison with 1916. News L., vol. 5, No. 18, p. 1. 1917.
hand, November 1, 1919. News L., vol. 7, No. 17, p. 8. 1919.
oriental, quarantine, modification. Y.B., 1917, p. 70. 1918.
origin, and value to early colonists in America. Y.B., 1918, pp. 123–125. 1919; Y.B. Sep. 776, pp. 3–5. 1919.
packing season. D.B. 196, p. 17. 1915.
papago, importation and description. No. 42642, B.P.I. Inv. 47, pp. 5, 43. 1920.
pasture—
advantages in semiarid regions. F.B. 773, p. 23. 1916.
experiments. D.C. 339, pp. 32–33, 35–36, 46–48. 1925.
for hogs, experiments. D.B. 1143, pp. 3, 4, 6, 8, 11, 13, 15, 17, 20. 1923; D.C. 204, p. 19. 1921.
for lambs, experiments. D.C. 339, pp. 35–36. 1925.
for sheep, Belle Fourche Experiment Farm. D.C. 60, pp. 22–23. 1919.
pentosan content of various parts of plant. J.A.R., vol. 23, pp. 657–659. 1923.
Peruvian, growing experiments with daylight of different lengths. J.A.R., vol. 23, p. 874. 1923.
pest(s)—
corn-silk fly, Porto Rico, study. P.R. An. Rpt., 1917, p. 33. 1918.
Virgin Islands, control. Vir. Is. A.R., 1919, p. 13. 1920.
phenol reaction. B.P.I. Bul. 199, pp. 27–30. 1910.
Philippine downy mildew, conidia, production and spread. J.A.R., vol. 23, pp. 239–278. 1923.
Physoderma disease, history, cause, spread, and control. J.A.R., vol. 16, pp. 137–154. 1919.
pickers, descriptions, objections, and advantages. F.B. 303, pp. 23–24, 32. 1907; O.E.S. Bul. 173, pp. 31–35.
picking machines, advantages and disadvantages, discussion. F.B. 313, p. 21. 1907.
pickling, directions. F.B. 1159, p. 17. 1920.
Pipitillo, importation from Mexico. No. 46314, B.P.I. Inv. 56, p. 7. 1922.
pistillate spikelet, development and fertilization. J.A.R., vol. 18, pp. 255–266. 1919.
plant(s)—
accumulations of iron and aluminum. B.P.I. Chief Rpt., 1921, pp. 33–34. 1921.
aluminum and iron compounds, accumulation, relation to rootrots. G. N. Hoffer and R. H. Carr. J.A.R., vol. 23, pp. 801–824. 1923.
composition. W. L. Latshaw and E. C. Miller. J.A.R., vol. 27, pp. 845–860. 1924.
habits, peculiar. B.P.I. Bul. 191, p. 8. 1910.
pentosans, distribution at various stages of growth. J. H. Ver Hulst and others. J.A.R., vol. 23, pp. 655–663. 1923.
per acre, distribution and number. F.B. 1149, pp. 12–13. 1920.
rootrot, symptoms. J.A.R., vol. 23, pp. 807–809. 1923.
vigor and yield, effect of diseases. James R. Holbert and others. J.A.R., vol. 23, pp. 583–630. 1923.
planters—
cost per acre and per day, relation to service, table. D.B. 338, pp. 13–14. 1916.
descriptions. D.B. 320, pp. 19, 20, 21. 1916.
planting—
and cultivating, use of horses and tractors, on Corn-Belt farms. F.B. 1295, p. 8. 1923.
and harvesting, average date, by States. Y.B. 1910, pp. 491, 493. 1911; Stat. Bul. 85, pp. 15–28, 114–118. 1912.
and yield, experiments at San Antonio farm. W.I.A. Cir. 10, pp. 11–13. 1916.
checking method, advantages. F.B. 400, pp. 5, 6. 1910.

Corn—Continued.
planting—continued.
date(s)—
by States, 1922. Y.B., 1922, p. 989. 1923; Y.B. Sep. 887, p. 989. 1923.
in various regions. Y.B., 1921, pp. 183, 184, 775. 1922; Y.B. Sep. 872, pp. 183, 184. 1922; Y. B. Sep. 871, p. 6. 1922.
relation to development of seedling blight. J.A.R. vol. 23, pp. 866–867. 1923.
relation to injury by European corn borer. F.B. 1046, p. 26. 1919.
day's work with checkrower or drill. D. B. 3, p. 20. 1913; D.B. 814, pp. 11–12. 1920.
distance between rows and hills, various sections. F.B. 360, pp. 5–7. 1909; F.B. 414, pp. 23–24. 1910.
drilling, advantages. F.B. 400, pp. 5, 6. 1910.
early, for borer control. News L., vol. 6, No. 42, p. 7. 1919.
early, for wireworm control. F.B. 733, p. 6. 1916.
experiments, adjusting yields for soil heterogeneity. J.A.R., vol. 27, pp. 83–90. 1923.
for rootworm control, studies. F.B. 950, pp. 9–10. 1918.
for silage. News L., vol. 6, No. 32, p. 8. 1919.
harvesting, and storing, Argentina. Y.B., 1915, pp. 288–290. 1916; Y.B. Sep. 677, pp. 288–290. 1916.
in relation to disease. Work and Exp., 1923, p. 44. 1925.
in Texas, date, rate, and soil preparation. B.P.I. Bul. 283, pp. 63–64. 1913.
in Virginia and soil improvement. News L., vol. 5, No. 29, p. 8. 1918.
intentions and outlook for 1924. M. C. 23, pp. 2, 4, 15–16. 1924.
kernel-spaced, checking, advantages, tests, and tables. F.B. 400, pp. 6–13. 1910.
methods—
and implements. D.B. 320, pp. 18–22. 1916; F.B. 537, pp. 14–15. 1913; S.R.S. Syl. 21, pp. 8–10. 1916.
to control borer. F.B. 1294, pp. 36–43. 1922.
old methods, disadvantages. F.B. 400, pp. 5, 7. 1910.
on semiarid lands, time and methods. F.B. 773, pp. 12–16. 1916.
primitive methods and tools. Y.B., 1918, pp. 127–129. 1919; Y.B. Sep. 776, pp. 7–9. 1919.
profitable method. C. P. Hartley. F.B. 400, pp. 14. 1910.
saving in work by use of larger teams and implements. F.B. 989, p. 10. 1918.
tested seed, aid in testing. News L., vol. 5, No. 38, p. 4. 1918.
time—
Indian traditional rule. Stat. Bul. 85, p. 117. 1912.
influence on ear-worm control. F.B. 1310, pp. 13–14. 1923.
methods and implements. F.B. 414, pp. 19–24. 1910; F.B. 729, pp. 8–13. 1916; F.B. 1149, pp. 9–14. 1920.
plowing in drought. F.B. 257, p. 30. 1906.
podded, description. J.A.R., vol. 9, pp. 383–385. 1917.
pollination—
artificial, improved method. G. N. Collins and J. H. Kempton. B.P.I. Cir. 89, pp. 7. 1912.
for production of hybrids, directions. YB., 1910, p. 323. 1911; Y.B. Sep. 540, p. 323. 1911.
polyembryony, studies. B.P.I. Bul. 278, pp. 13–14. 1913.
preparation for table. O.E.S. Bul. 200, pp. 34–35. 1908.
preservation as silage. B.A.I. Doc. A-23, pp. 1–2. 1917.
price(s)—
at principal markets. Y.B., 1921, pp. 514–515. 1922; Y.B. Sep. 868, pp. 8–9. 1922.
at stock yards. Off. Rec., vol. 1, No. 48, p. 3. 1922.
comparison with hog prices, 1910–1914 and 1918. Y.B., 1918, p. 698. 1919; Y.B. Sep. 795, p. 14. 1919.

Corn—Continued.
  price(s)—continued.
    conditions affecting. News L., vol. 5, No. 4, p. 8. 1917.
    decrease. Sec. A.R., 1921, pp. 9, 11. 1921.
    during war period, with comparison. Y.B., 1921, pp. 215–217. 1922; Y.B. Sep. 872, pp. 215–217. 1922.
    effect on meat production and prices. Sec. A.R., 1909, pp. 21–23. 1909; Rpt. 91, pp. 15–17. 1909; Y.B., 1909., pp 21–23. 1910.
    farm and market. Y.B., 1924, pp. 611–615. 1925.
    farm and wholesale, comparisons in different States. D.B. 999, p. 18. 1921.
    geographical phases. L. B. Zapoleon. D.B. 696, pp. 53. 1918.
    in Illinois and Iowa. News L., vol. 6, No. 47, p. 11. 1919.
    in terms of beef. Y.B., 1921, p. 296. 1922; Y.B., Sep. 874, p. 296. 1922.
    London, 1902–1908. B.P.I. Cir. 55, pp. 28–32. 1910.
    on farms and in mills, Mar. 1, 1915, by States. F.B. 665, p. 16. 1915.
    regional differences, movement and trade routes. D.B. 696, pp. 3–6. 1918.
    regulation by grades, and fluctuations. Y.B., 1921, pp. 195–199, 212–215. 1922; Y.B. Sep. 872, pp. 195–199, 212–215. 1922.
    returned through winter-fed cattle. Y.B., 1921, pp. 273–275. 1922; Y.B. Sep. 874, pp. 273–275. 1922.
    variations. News L., vol. 6, No. 47, p. 7. 1919.
    wholesale, during Civil War and World War periods. D.B. 999, pp. 13, 25. 1921.
  processing, directions and time table. F.B. 1211, pp. 44–45, 48, 49. 1921.
  production—
    1885–1920, and hogs packed following year. Y.B., 1922, pp. 210–211. 1923; Y.B. Sep. 882, pp. 210–211. 1923.
    1908. Y.B., 1908, pp. 10, 599. 1909.
    1914, exports, and prices, 1915. An. Rpts., 1915, pp. 3, 4, 5. 1916; Sec. A.R., 1915, pp. 5, 6, 7. 1915.
    1909, 1915, map. Sec. Cir. 84, p. 10. 1918.
    1917. News L., vol. 5, No. 35, p. 6. 1918.
    1918. Sec. Cir. 125, pp. 4, 6. 1919.
    1919, ratio to 1911–1920, map. Y.B., 1921, p. 437. 1922; Y.B. Sep. 878, p. 31. 1922.
    1920. An. Rpts., 1920, pp. 3. 1921; Sec. A.R., 1920, p. 3. 1920.
    and portion fed. Y.B., 1923, pp. 334–335. 1924; Y.B. Sep. 895, pp. 334–335. 1924.
  and value—
    1908. An. Rpts., 1908, pp 10–11. 1909; Sec. A.R., 1908, pp. 8–9. 1908.
    1912. An. Rpts., 1912, p. 12. 1913; Sec. A.R., 1912, p. 12. 1912; Y.B., 1912, p. 12. 1913.
    1917, comparison with cotton. News L., vol. 5, No. 35, p. 6. 1918.
    and yield, 1913. An. Rpts., 1913, pp. 54, 56, 59. 1914; Sec. A. R., 1913, pp. 52, 54, 57. 1913; Y.B., 1913, pp. 66, 69, 72. 1914.
    area by States and counties. News L., vol. 4, No. 39, p. 3. 1917.
    at various dates, 1839–1919. Y.B., 1921, pp. 171–173. 1922; Y.B. Sep. 872, pp. 171–173. 1922.
    average per acre for United States. F.B. 414, p. 3. 1910.
    by corn-club boys, by States. B.P.I. Doc. 865, p. 2. 1913.
  cost(s)—
    1915. S.R.S. Rpt., 1915, Pt. I, p. 161. 1917. 1923. D.C. 340, pp. 4, 5–9. 1925.
    and farm prices, geographic differences. D.B. 696, pp. 25–30. 1918.
    labor and material requirements. Y.B., 1921, pp. 808, 817–818. 1922; Y.B. Sep. 876, pp. 5, 14–15. 1922.
    Minnesota. Y.B., 1910, p. 324. 1911; Y.B. Sep. 540, p. 324. 1911.
    Nebraska and Kansas. B.P.I. Bul. 130, pp. 47–49. 1908.
    per acre. Stat. Bul. 73, pp. 31–36, 40–41, 67. 1909.

Corn—Continued.
  price(s)—continued.
    cost(s)—continued.
      per bushel, 1909. An. Rpts., 1911, p. 642. 1912; Stat. Chief Rpt., 1911, p. 6. 1911.
      reports. Off. Rec., vol. 2, No. 37, p. 2. 1923.
    distribution, map. D.B. 320, p. 3. 1916.
    Eastern States, need of increase, discussion. D.B. 341, p. 32, 1916.
    European countries, tables, 1883–1906. Stat. Bul. 68, pp. 51–97. 1908.
    exports, and domestic value, 1868–1907, diagram. B.P.I. Cir. 55, pp. 32–33. 1910.
    extension work, 1920. S.R.S. Rpt., 1920, pp. 2–3, 12, 14, 18. 1922.
    for fodder, Truckee-Carson project, variety tests. 1917. W.I.A. Cir. 23, pp. 9–10. 1918.
    forage, use and importance. Y.B. 1923, pp. 343–344, 1924; Y.B. Sep. 895, pp. 343–344. 1924.
    illustrated lecture. C. P. Hartley and H. B. Hendrick. S.R.S. Syl. 21, pp. 24. 1916.
    imports and exports, annual and average, by countries. Stat. Cir. 31, pp. 9–11, 29, 30. 1912.
  in—
    1916, in comparison with 1912–1916. News L., vol. 4, No. 37, p. 2. 1917.
    comparison with cotton, 1839–1909. Atl. Am. Agr. Adv. Sh., Pt. V, Sec. A, p. 23. 1919.
    Cotton States, 1909–1915. Sec. Cir. 56, p. 4. 1916.
    Hawaii, 1917, varieties, yield, price, and cost per acre. Hawaii A.R., 1917, p. 30. 1918.
    Indiana, Montgomery County. Soil Sur. Adv. Sh., 1912, p. 10. 1914; Soils F. O., 1912, p. 1478. 1915.
    Michigan, Lenawee County, 1860–1910. D.B. 694, p. 5. 1918.
    Missouri, Barton County, use and methods. Soil Sur. Adv. Sh., 1912, p. 9. 1914; Soils F.O., 1912, p. 1613. 1915.
    Ohio, Stark County. Soil Sur. Adv. Sh., 1913, p. 11. 1915; Soils F.O. 1913, p. 1349. 1916.
    Russia, area, yields, and comparisons, 1901–1910. Stat. Bul. 84, pp. 8–98. 1911.
    Southern States, importance in safe farming. S.R.S. Doc. 96, p. 7. 1919.
    Southern States, suggestions for 1918. S.R.S. Doc. 82, p. 4. 1918.
    Tennessee, Robertson County, 1899, 1909, 1910. Soil Sur. Adv. Sh., 1912, pp. 9, 10. 1914; Soils F.O., 1912, pp. 1131, 1132. 1915.
    United States, 1902–1904. Stat. Bul. 38, p. 30. 1905.
    United States, acre yields, and variations. Y.B., 1921, pp. 168–171. 1922; Y.B. Sep. 872, pp. 168–171. 1922.
    United States and foreign countries, 1901–1920. D.B. 982, pp. 183–185. 1921.
    world, and fluctuations. Y.B., 1921, pp. 166–168. 1922; Y.B. Sep. 872, pp. 166–168. 1922.
  increase in South, 1917, and demand increase. News L., vol. 5, No. 27, pp. 1, 2. 1918.
  limitations, natural in Great Plains. D.B. 307, pp. 1–3. 1915.
  on southern farms, importance. D.C. 85, p. 10. 1920.
  per acre, variations since 1866. An. Rpts., 1910, p. 710. 1911; Stat. Chief Rpt., 1910, p. 20. 1910.
  per capita and yield per acre, map. Y.B., 1921, p. 432. 1922; Y.B. Sep. 878, p. 26. 1922.
  surveys for various school communities, school studies. D.B. 653, p. 9. 1918.
  value per farm, comparison with cotton and wheat. D.C. 85, p. 6. 1920.
  various States, acreage, yield, and value. F.B. 448, pp. 13–15. 1911.
  work of county agents, 1917, 1918, 1919. S.R.S. Rpt., 1919, pp. 27–28. 1919; An. Rpts., 1919, pp. 379–380. 1920.
  world countries, 1904–1908. Y.B., 1909, pp. 433–434. 1910; Y.B. Sep. 524, pp. 433–434. 1910.
  world statistics, by countries. Sec. [Misc.], Spec. "Geography * * * world's agriculture," pp. 29–33. 1917.

Corn—Continued.
  price(s)—continued.
    yield, and prices, 1913, estimates and comparisons, by States. F.B. 563, pp. 2, 3, 4, 9. 1913.
    yield and prices, 1914, with comparisons, by States. F.B. 641, p. 25. 1914.
  productiveness—
    and seed-ear characters, relation, statistical study. Frederick D. Richey and J. G. Willier. D.B. 1321, pp. 20. 1925.
    association with number of kernel rows and deleterious characters. Curtis H. Kyle and Hugo F. Stoneberg. J.A.R., vol. 31, pp. 83–99. 1925.
    comparisons, studies and experiments. C. P. Hartley. B.P.I. Doc. 589, pp. 4. 1911.
    increase. F.B. 317, pp. 17–21. 1908.
    of successive generations of self-fertilized lines and of crosses between them. Frederick D. Richey and L. S. Mayer. D.B. 1354, pp. 19. 1925.
    relation between parent lines and crosses. D.B. 1354, pp. 9–10, 17. 1925.
  products—
    analysis. Chem. Bul. 108, pp. 28–31. 1908.
    composition, with wheat flour, comparison. F.B. 298, p. 13. 1907.
    feeding stuffs, composition. Chem. Bul. 108, pp. 28–31. 1908.
    food value. Chas. D. Woods. F.B. 298, pp. 40. 1907.
  protection—
    against weevils by shucks. News L., vol. 6, No. 7, p. 3. 1918.
    by windbreaks. For. Bul. 86, pp. 41, 53, 66–67. 1911.
    from cotton bollworm, injuries. Ent. Bul. 50, pp. 133. 1905.
    from crows. F.B. 1102, pp. 15–17. 1920.
    from insects, mice and rats. S.R.S. Syl. 21, p. 21. 1916.
    of seed in planting. F.B. 405, pp. 5–8. 1910.
  proteids, composition, A.O.A.C. Rpt. 1903. Chem. Bul. 81, p. 102. 1904.
  protein supplements for fattening hogs, Huntley Experiment Farm. D.C. 204, p. 23. 1921.
  Pueblo varieties, drought resistance, studies. J.A.R., vol. 1, pp. 293–302. 1914.
  purchasing power—
    1867–1920, 1909–1921 and 1867–1920. D.B. 999, pp. 21, 57, 60, 63, 67. 1921.
    1921. Y.B., 1921, pp. 215, 220–222. 1922; Y.B. Sep. 872, pp. 215, 220–222. 1922.
    per acre, 1899, 1909, and 1910. An. Rpts., 1911, pp. 654–656. 1912; Stat. Chief Rpt., 1911, pp. 18–20. 1911.
    per acre, 1899, 1909, 1910, and 1911. An. Rpts., 1912, pp. 795–798. 1913; Stat. Chief Rpt., 1912, pp. 17–20. 1912.
  purpling, symptom of black bundle disease. J.A.R., vol. 27, pp. 177, 178, 179, 183–187. 1924.
  quarantine—
    Hawaii. F.H.B. Quar. 51, p. 2. 1921.
    regulations. An. Rpts., 1915, pp. 353–360. 1916; F. H. B. An. Rpt., 1915, pp. 3, 10. 1915; F.H.B., S.R.A. 74, pp. 54, 55. 1923.
  rack, description, and use in harvesting corn. F.B. 556, p. 6. 1913.
  ramose—
    ear variation, description and studies. D.B. 971, pp. 1–18. 1921.
    hybrids with teosinte, heredity studies. J.A.R., vol. 27, pp. 539–566. 1924.
  ration(s)—
    effect on cattle growth, reproduction, and milk. J.A.R., vol. 10, pp. 176–196. 1917.
    for farm animals. News L., vol. 7, No. 7, p. 3. 1919.
    for hogs on pasture. F.B. 951, pp. 5–6. 1918.
  receipts—
    and shipments, United States markets, Dec. 1916–April, 1917. Mkts.S.R.A. 23, pp. 47. 1917.
    at interior cities, 1889–1904. Stat. Bul. 38, p. 32, 1905.
  record card in contest work. O.E.S. Cir. 99, pp. 28–30. 1910.

Corn—Continued.
  region—
    livestock industry. Stat. Bul. 38, pp. 30–31. 1905.
    weather service, daily bulletins. An. Rpts., 1916, p. 57. 1917; W. B. Chief Rpt., 1916, p. 9. 1916.
  Reid's Yellow Dent, origination, history. Y.B., 1907, p. 231. 1908; Y.B. Sep. 466, p. 231. 1908.
  relation to—
    growing of oats in Corn Belt. D.B. 1343, pp. 1–31. 1925.
    nitrogen content and bacterial activity of soil. J.A.R., vol. 9, pp. 306, 311–313, 315–320, 325–326, 329–336. 1917.
    pellagra, studies, 1909. O.F.S. An. Rpt., 1909, pp. 383–384. 1910.
    sheep production. F.B. 840, p. 5. 1917.
  requirement for production of pound of pork. Off. Rec. vol. 2, No. 41, p. 5. 1923.
  resistant strains, development. O.E.S. An. Rpt., 1922, pp. 26–27. 1924.
  Rhynchophora, attacking while in storage. J.A.R, vol. 20, pp. 605–614. 1921.
  root, anchorage and extent. J. R. Holbert. J.A.R., vol. 27, No. 2, pp. 71–78. 1923.
  root aphid—
    and attendant ant. Ent. Bul. 60, pp. 29–39. 1906.
    and corn leaf-aphis. F. M. Webster. Ent. Cir. 86, pp. 3. 1907.
    control measures. F.B. 704, p. 32. 1916; S.R.S. Rpt., 1915, Pt. I, pp. 49, 108. 1917.
    control methods. J. J. Davis. F.B. 891, pp. 12. 1917.
    description, distribution, and harmfulness to plants. F.B. 891, pp. 3–5. 1917.
    description, life history, and control. F.B. 835, rev. pp. 20–22. 1920.
    detection and control. F.B. 835, pp. 18–21. 1917.
    distribution, history, food plants, and prevention. Ent. Bul. 85, Pt. VI, pp. 97–118. 1910.
    enemy of southern field crops. Y.B., 1911, pp. 203, 204, 206. 1912; Y.B. Sep. 561, pp. 203, 204, 206. 1912.
    experimental work in the South. Ent. Bul. 85, Pt. VI, pp. 100–102. 1910.
    history, destructiveness, and control methods. F.B. 891, pp. 9–12. 1917.
    injury(ies)—
      and control. F.B. 856, p. 41. 1917.
      and habits. F.B. 891, pp. 4–8. 1917.
      in white-grub district, and control methods. News L., vol. 5, No. 38, p. 4. 1918.
      to cotton, description, and control. F.B. 890, p. 22. 1917.
    relations with cornfield ants. F.B. 891, pp. 8–9. 1917.
    remedy, experiments. O.E.S. An. Rpt., 1905, p. 277. 1906.
    studies in various localities. Ent. Bul. 85, Pt. VI, pp. 97, 99–102. 1910.
    uncultivated food plants, list. Ent. Bul. 85, pp. 102–104. 1911.
  root(s) distribution at silking time. F.B. 414, p. 26. 1910.
  root-louse, control methods. F.B. 259, pp. 20–21. 1906.
  roots, nitrogen absorption, experiments. J.A.R., vol. 9, pp. 76–77, 88. 1917.
  root rot—
    caused by *Gibberella saubinetii*, relation to crop successions. J.A.R., vol. 27, pp. 861–880. 1924.
    relation to wheat scab. J.A.R., vol. 14, pp. 611–612. 1918.
    studies. T. F. Manns and C. E. Phillips. J.A.R., vol. 27, pp. 957–964. 1924.
  root, rotting relation to character of endosperm. J. F. Trost. D.B. 1062, pp. 7. 1922.
  root systems—
    anchorage and extent. J. R. Holbert and Benjamin Koehler. J.A.R., vol. 27, pp. 71–78. 1923.
    and leaf area, comparison with the sorghums. J.A.R., vol. 6, No. 9, pp. 311–332. 1916.
    depth of soil requirements. B.P.I. Doc. 503, rev., pp. 3–4. 1913.

INDEX TO PUBLICATIONS, 1901–1925   581

Corn—Continued.
  root systems—continued.
    growth, depth, and weight, studies. J.A.R., vol. 6, No. 9, pp. 318–325. 1916.
    studies. F.B. 233, pp. 6–8. 1905.
  root worm(s)—
    F. H. Chittenden. Ent. Cir. 59, pp. 8. 1905.
    injury to corn, control studies. Y.B., 1921, p. 187. 1922; Y.B. Sep. 872, p. 187. 1922.
    injury to cotton. J.A.R., vol. 6, No. 3, p. 134. 1916.
    investigations. An. Rpts., 1919, p. 248. 1920; Ent. A.R., 1919, p. 2. 1919.
    southern control, farm practices. Philip Luginbill. F.B. 950, pp. 12. 1918.
    southern larval form of Diabrotica duodecimapunctata. D.B. 5, p. 1. 1913.
    western, injuries to corn crop, control work. Y.B., 1913, pp. 83, 84. 1914; Y.B. Sep. 616, pp. 83, 84. 1914.
  rot(s)—
    caused by parasitic internal fungi, investigations. J.A.R., vol. 23, pp. 495–522. 1923.
    causes, descriptions, and symptoms. F.B. 1176, pp. 5–9. 1920.
    control. James R. Holbert and George N. Hoffer. F.B. 1176, pp. 24. 1920.
    investigations. Y.B., 1921, p. 27. 1922; Y.B. Sep. 875, p. 27. 1922.
    loss from. F.B. 1176, pp. 3–4. 1920.
    of stalk, root, and ear, symptoms and causes. B.P.I. Chief Rpt., 1921, p. 33. 1921.
    root and stalk, cause, and effect on vigor and yield of corn. J.A.R., vol. 23, pp. 586–587, 591. 1923.
    symptoms at various stages of growth. F.B. 1176, pp. 6–9. 1920.
  rotation(s)—
    experiments, San Antonio Experiment Farm, yield, for 1909–1915. W.I.A. Cir. 10, pp. 4, 5, 7, 8. 1916.
    grain farming. F.B. 704, pp. 13, 14, 15, 16, 17. 1916.
    on hog farm in Indiana. F.B. 1463, pp. 4–10. 1925.
    with—
      alfalfa and cowpeas in Alabama. F.B. 310, p. 7. 1907.
      crimson clover, benefit. F.B. 1142, p. 6. 1920.
      other crops. Stat. Bul. 48, pp. 13, 15, 17, 19. 1906; Y.B., 1911, pp. 327–334. 1912; Y.B. Sep. 572, pp. 327–334. 1912.
      rice for weed control. D.B. 1356, p. 31. 1925.
      rice in California. D.B. 1155, pp. 55–56. 1923.
  salted—
    cooking directions. F.B. 881, pp. 13–14. 1917.
    preparation for table use, recipes. F.B. 881, pp. 13–14. 1917.
  sampling device, patent applied for. An. Rpts., 1915, p. 157. 1916; B.P.I. Chief Rpt., 1915, p. 15. 1915.
  sap beetle, description and habits, and related species. F.B. 1260, pp. 40–41. 1922.
  school lesson(s)—
    C. H. Lane. F.B. 617, pp. 15. 1914.
    on cultivation. D.B. 258, p. 33. 1915; D.B. 653, pp. 10–11. 1918.
  score card for school use. D.B. 132, p. 34. 1915.
  seed—
    acidity studies, and table. D.B. 102, p. 6–9. 1914.
    bed, preparation—
      in Great Plains area. D.B. 219, pp. 9–10, 31. 1915.
      in Kentucky and West Virginia. F.B. 546, p. 5. 1913.
      instructions. B.P.I. Doc. 344, p. 5. 1908; Guam Cir. 3, pp. 1–2. 1922; S.R.S. Syl. 21, pp. 3–6. 1916.
    ear characters and productiveness, relations, statistical study. Frederick D. Richey and J. G. Willier. D.B. 1321, pp. 20. 1925.
    iron and manganese content. J.A.R., vol. 23, p. 398. 1923.
    maggot, outbreaks in 1921. D.B. 1103, pp. 39–42. 1922.
    mosaic, coherence of characters. B.P.I. Cir. 132, pp. 19–21. 1913.

Corn—Continued.
  seed—continued.
    mosaic transmission, experiments. J.A.R., vol. 24, p. 261. 1923.
    (for) seed—
      C. P. Hartley. F.B. 415, pp. 12. 1910.
      adaptation to new locality. F.B. 244, pp. 7–8. 1906.
      and cotton-seed selection on southern farms. Bradford Knapp. B.P.I. Doc. 747, pp. 8. 1912.
      and hog farm, successful. W. J. Spillman. F.B. 272, pp. 16. 1906.
      and related plants, quarantine restrictions. F.H.B. Quar. 37, rev., p. 13. 1923.
      better. C. P. Hartley. F.B. 1175, pp. 14. 1920.
      better, Farmers' Bulletin 1175, use by teachers. F. A. Merrill. D.C. 156, pp. 6. 1921.
      breeding by general farmer, advantages. Y.B., 1909, pp. 319–320. 1910; Y.B. Sep. 515, pp. 319–320. 1910.
      buying—
        advisability. Y.B., 1902, pp. 548–551. 1903.
        and judging. F.B. 225, pp. 9, 10. 1905.
      care—
        and storage. News L., vol. 5, No. 5, p. 4. 1917.
        and tests. News L., vol. 6, No. 24, p. 7. 1919.
        drying house, description and use. B.P.I. Cir. 95, pp. 10–12. 1912.
        judging, and testing, school studies. D.B. 521, pp. 22–23. 1917.
        methods and cost. B.P.I. Cir. 95, pp. 10–13. 1912.
      coating with oil to repel insects, experiments. Ent. Bul. 85, Pt. II, pp. 24–27. 1910.
      community testing, cost. News L, vol. 6, No. 34, p. 6. 1919.
      composition and effect of green manures. J.A.R., vol. 5, No. 25, pp. 1162, 1165. 1916.
      dehulled, starchless or without endosperm, experiment. D.B. 1011, pp. 4–8. 1922.
      demand and supply, discussion. F.B. 1175, p. 3. 1920.
      destruction by beetle, after planting, investigations. An. Rpts., 1908, p. 546. 1909; Ent. A.R., 1908, p. 24. 1908.
      distribution and sale—
        at cost by Agriculture Department, agents in charge. News L., vol. 5, No. 45, p. 4. 1918.
        to farmers, methods. News L., vol. 5, No. 44, p. 5. 1918.
      drying and storing. F.B. 244, pp. 5–7. 1906.
      drying and storing, Porto Rico, directions. P.R. Cir. 18, pp. 21–22. 1920.
      drying rack, construction and use, school exercise. D.B. 527, pp. 17–18. 1917.
      ear characters, relation to yield. F.B. 419, pp. 10–15. 1910.
      ear, selection. F.B. 229, pp. 10, 15, 22. 1905.
      early selection in field, importance. B.P.I. Cir. 95, pp. 8–10. 1912.
      environment changes, experiments, various States. J.A.R., vol. 12, pp. 231–243. 1918.
      fall selection for increased yield in 1919, methods and precautions. News L., vol. 6, No. 1, pp. 3, 11, 12, 16. 1918.
      fertile, importance of selection and early gathering. B.P.I. Cir. 95, pp. 4–10, 13. 1912.
      for 1918, supply to farmers in Texas, by Agriculture Department. News L., vol. 5, No. 23, p. 7. 1918.
      fungi, internal. Thomas F. Manns and J. F. Adams. J.A.R., vol. 23, pp. 495–524. 1923.
      gathering, storing, and testing. B.P.I. Doc. 747, pp. 5–8. 1912.
      germination—
        J. W. T. Duvel. F.B. 253, pp. 16. 1906.
        detection of disease. F.B. 1176, pp. 13–19. 1920.
        imperfect, causes. F.B. 244, pp. 5–7. 1906.
        testing. B.P.I. [Misc.], "Testing seed corn * * *," p. 1. 1907; B.P.I. Doc. 386, p. 8. 1908; B.P.I. Cir. 95, pp. 9–10, 13. 1912; F.B. 229, pp. 19–22. 1905; F.B. 1175, pp. 11–13. 1920.

Corn—Continued.
 (for) seed—continued.
  good—
   production. C. P. Hartley. F.B. 229, pp. 24. 1905.
   qualities required, and selection methods. News L., vol. 6, No. 3, p. 8. 1918.
   requirements. F.B. 415, pp. 6–7. 1910; F.B. 1175, pp. 5–6. 1920.
  grading—
   and shelling. F.B. 415, p. 11. 1910; News L., vol. 2, No. 19, p. 3. 1914; News L., vol. 5, No. 22, p. 4. 1917.
   length and size. F.B. 229, pp. 11–23. 1905.
  growing—
   by corn clubs. News L., vol. 6, No. 43, p. 12. 1919.
   Nebraska. F.B. 325, pp. 23, 29. 1908.
  hand shelling, advantages and methods. News L., vol. 5, No. 18, pp. 3, 4, 6–7. 1917.
  harvesting. F.B. 229, pp. 21, 22. 1905.
  hybrid, increased yields. G. N. Collins. Y.B., 1910, pp. 319–328. 1911; Y.B. Sep. 540, pp. 319–328. 1911.
  improvement—
   C. P. Hartley. F.B., 1175, pp. 14. 1920.
   importance. F.B. 414, pp. 4–5. 1910.
   infection, determination methods. J.A.R., vol. 27, p. 194. 1924; J.A.R., vol. 27, pp. 959–960. 1924; J.A.R., vol. 25, pp. 520–522. 1923.
  infertile, causes, loss from using, and control methods. B.P.I. Cir. 95, pp. 4–13. 1912.
  inoculation with *Cephalosporium acremonium*, experiments. J.A.R., vol. 27, No. 4, pp. 194–202. 1924.
  labels, 4–H brand. S.R.S. Doc. 25, p. 1. 1915.
  liberal planting. News L., vol. 6, No. 39, p. 12. 1919.
  loan to farmers, 1919–1923. Off. Rec. vol. 2, No. 43, p. 6. 1923.
  marketing methods. Rpt. 98, 138–139. 1913.
  mosaic, coherence of characters. B.P.I. Cir. 132, pp. 19–21. 1913.
  mutilation, effect on growth and productiveness. E. B. Brown. D.B. 1011, pp. 14. 1922.
  needs for 1918. News L., vol. 5, No. 14, p. 5. 1917.
  northern, varieties adaptable, supply-shortage danger, studies. News L., vol. 3, No. 29, pp. 1, 2. 1916.
  obtaining for breeding experiments. D.B. 1354, pp. 2, 10–11. 1925.
  pedigreed, yield. O.E.S. An. Rpt., 1908, p. 122. 1909.
  planting, ear-to-row method and field chart. P.R. Cir. 18, pp. 20–21. 1920.
  preparation before planting. News L., vol. 6, No. 35, p. 7. 1919.
  preservation and shelling for planting. S.R.S. Syl. 21, pp. 7–8. 1916.
  price, conditions governing, statement of Agriculture Secretary. News L., vol. 5, No. 33, p. 1. 1918.
  price obtained by boys' corn club. News L., vol. 3, No. 25, p. 6. 1916.
  production, selection, and care. F.B. 229, pp. 24. 1905.
  productivity and visibility studies. B.P.I. Chief Rpt. 1917, pp. 31–32. 1917; An. Rpts., 1917, pp. 161–162. 1917.
  protection from burrowing animals. F.B. 405, p. 8. 1910.
  purchase for farmers. An. Rpts., 1917, p. 21. 1918; Sec. A.R., 1917, p. 23. 1917; Y.B., 1917, pp. 32–33. 1918.
  purity, selection, and breeding. F.B. 773, pp. 22–23. 1916.
  qualities required and selection method. News L., vol. 6, No. 3, p. 8. 1918.
  quantity per acre for grain or silage. F.B. 472, p. 16. 1911.
  requirements and testing methods. S.R.S. Syl. 21, pp. 6–8. 1916.
  saving—
   additional supply for 1918, reasons. News L., vol. 5, No. 11, p. 5. 1917.
   at ripening time. News L., vol. 6, No. 1, pp. 3, 11, 12, 16. 1918.
   for 1918. News L., vol. 5, No. 12, p. 2. 1917.

Corn—Continued.
 (for) seed—continued.
  school studies, lesson 3, topics, exercises, and references. D.B. 653, pp. 3–4. 1918.
  selection—
   advice. News L., vol. 4, No. 37, pp. 9–10. 1917.
   and breeding for purity. F.B. 773, pp. 22–23. 1916.
   and care. B.P.I. Doc. 344, p. 6. 1908; D.B. 281, pp. 26–28. 1915; F.B. 193, pp. 20–26 1904; S.R.S. Syl. 21, pp. 13–15. 1916.
   and directions in Indiana, Hamilton County. Soil Sur. Adv. Sh., 1912, p. 10. 1914; Soils F.O., 1912, pp. 1450–1451. 1915.
   and improvement. An. Rpts., 1912, p. 128. 1913; Sec. A.R., 1912, p. 128. 1912; Y.B., 1912, p. 128. 1913.
   and increased crop production, 1921. Coop. Ext. Work, 1921, p. 7. 1923.
   and planting suggestions. News L., vol. 5, No. 5, pp. 1, 2. 1917.
   and storage for 1918, methods. News L., vol. 5, No. 4, pp. 4, 6. 1917.
   and storing, Indian practices. Y.B., 1918, pp. 129–130, 132. 1919; Y.B. Sep. 776, pp. 9–10, 12. 1919.
   and testing. S.R.S. Rpt., 1918, p. 27. 1918; An. Rpts., 1918, p. 361. 1919; B.P.I. Doc. 730, pp. 4–5. 1912; F.B. 981, p. 35. 1918.
   as means for control of disease. D.C. 329, pp. 17–19. 1924.
   drying and storage. B.P.I. Doc. 564, pp. 1–2. 1910.
   effects on yield. D.B. 1209, pp. 2–10, 14–18. 1924.
   for control of rot diseases. F.B. 1176, pp. 9–20. 1920.
   for improvement of crops. Y.B., 1907, pp. 227–228. 1908; Y.B. Sep. 446, pp. 227–228. 1908; F.B. 319, p. 16. 1908.
   for increasing production. Sec. Cir. 91, pp. 9–11. 1918.
   improvement. C. P. Hartley. Y.B., 1902, pp. 539–552. 1903; Y.B. Sep. 287, pp. 539–552. 1903.
   in Guam, and preparing for exhibits. Guam Cir. 3, pp. 7–8. 1922.
   in Porto Rico. H. C. Henricksen. P.R. Cir. 18, pp. 22. 1920.
   influence on crop yield. News L., vol. 5, No. 4, p. 2. 1917.
   methods and value. B.P.I. Cir. 104, pp. 6–9. 1912; F.B. 704, pp. 26–28. 1916.
   preparation for planting. F.B. 537, pp. 8–9. 1913.
   relation of ears. Y.B., 1902, pp. 545–547. 1903.
   school exercise. F.B. 409, pp. 12–13. 1910; D.B. 258, p. 3. 1915.
   scoring and testing. Guam Cir. 3, pp. 7–12. 1922.
   southern farms. Bradford Knapp. B.P.I. Doc. 747, pp. 8. 1912.
   southern farms. S. A. Knapp. B.P.I. Doc. 485, pp. 8. 1909; B.P.I. Doc. 485 (b), pp. 8. 1909.
   testing and saving, 1918. News L., vol. 5, No. 25, p. 1. 1918.
   time, methods, and conditions governing. News L., vol. 2, No. 6, pp. 2–3. 1914.
   to improve shuck protection. D.B. 708, p. 15. 1918.
   varieties, adaptability to West Virginia. F.B. 546, p. 6. 1913.
   work of county agents in Iowa, 1916. S.R.S. Doc. 60, pp. 19–20. 1917.
  shelling—
   and grading. F.B. 415, p. 12. 1910; F.B. 1176, pp. 19–20. 1920.
   by hand, methods and advantages. News L., vol. 5, No. 18, pp. 3, 4, 6–7. 1917.
   directions. F.B. 1175, pp. 13–14. 1920.
  shortage supply, result of county-agent work S.R.S. Doc. 88, pp. 22–23. 1918.

Corn—Continued.
(for) seed—continued.
situation—
C. P. Hartley. B.P.I. Cir. 95, pp. 13. 1912.
1918, in various States. News L., vol. 5, No. 25, p. 3. 1918.
slender ground beetle—
F. M. Webster. Ent. Cir. 78, pp. 6. 1906.
W. J. Phillips. Ent. Bul. 85, Pt. II, pp. 13-28. 1909.
smut destruction. Chem. Bul. 90, p. 106. 1905.
soaking before planting, Indian customs. Y.B., 1918, p. 126. 1919; Y.B. Sep. 776, p. 6. 1919.
spacing in hill for increase of yield. Y.B., 1909, p. 320. 1910; Y. B. Sep. 515, p. 320. 1910.
storage in air-tight enclosures, and use of bisulphide. News L., vol. 5, No. 8, p. 4. 1917.
storing and selling. F.B. 1232, pp. 9, 11. 1921.
supply, 1919. News L., vol. 6, No. 27, p. 20. 1919.
supply for the United States. Y.B., 1917, pp. 508-509. 1918; Y.B. Sep. 757, pp. 14-15. 1918.
tarring as protection from ground squirrels. Biol. Cir. 76, p. 14. 1910.
tested, production and sale by Minnesota farm bureau. News L., vol. 3, No. 29, p. 3. 1916.
tester, description and use methods. News L., vol. 5, No. 30, p. 8. 1918.
testing—
by check ears. Y.B., 1909, p. 312. 1910; Y.B. Sep. 515, p. 312. 1910.
directions. F.B. 428, p. 47. 1911.
in Indiana. News L., vol. 6, No. 34, p. 6. 1919.
in schools, methods. F. W. Howe. O.E.S. Cir. 96, pp. 7. 1910.
in South Dakota. News L., vol. 6, No. 29, p. 15. 1919.
methods, primitive. Y.B., 1918, pp. 126-127. 1919; Y.B. Sep. 776, pp. 6-7. 1919; F.B. 415, p. 11. 1910.
necessity and methods. C. P. Hartley. News L., vol. 5, No. 34, p. 3. 1918.
use of sand tray. F.B. 704, pp. 26-28. 1916.
with rag-doll tester. G. J. Burt and others. F.B. 948, pp. 7. 1918.
treatment—
after gathering, drying and storing. F.B. 1175, pp. 9-11. 1920.
and care. F.B. 1175, pp. 9-13. 1920.
for control of downy mildew. J.A.R., vol. 24, No. 10, pp. 853-860. 1923.
for prevention of wireworms. D.B. 156, pp. 30-32. 1915.
use of fencing wire for storage racks. News L., vol. 2, No. 8, pp. 1-2. 1914.
war emergency, sale to farmers by Agriculture Department, method. Sec. Cir. 105, pp. 3. 1918.
seeding—
and harvest dates, graphic summary. Y.B., 1917, pp. 564-567. 1918; Y.B. Sep. 758, pp. 30-33. 1918.
and stand, Great Plains area. D.B. 219, p. 8. 1915.
time, graph. D.C. 183, p. 28. 1922.
seedling(s)—
blight development, influence of soil temperature and moisture. J. G. Dickson. J.A.R., vol. 22, pp. 837-870. 1923.
blight, symptoms. J.A.R., vol. 23, pp. 839-840. 1923.
growth in culture solutions of varying reaction. J.A.R., vol. 19, pp. 73, 81-85, 87, 92. 1920.
nitrogen absorption, comparison with kafir. J.A.R., vol. 24, pp. 50-51. 1923.
selection—
continuous improvement. B.P.I. Bul. 141, Pt. IV, pp. 41-42. 1909.
from plants, advantages. F.B. 419, p. 13. 1910.
work in Guam, and results. Guam A.R., 1920, pp. 36-39. 1921.
self-fertilization, effect on vigor of plants. J.A.R., vol. 23, pp. 583-584. 1923.

Corn—Continued.
self-fertilized lines and crosses, comparison of successive generations. D.B. 1354, pp. 2-10. 1925.
self-pollination, prevention. B.P.I. Cir. 107, p. 3. 1913.
semiarid regions, yields. F.B. 773, pp. 7-8. 1916.
shading experiments in Louisiana. B.P.I. Bul. 279, pp. 19-20, 24, 25, 28. 1913.
shape of ear, relation to yield. News L., vol. 1, No. 27, p. 4. 1914.
"sheeping-down," practices. Y.B., 1923, pp. 260-261. 1924; Y.B. Sep. 894, pp. 260-261. 1924.
shelled—
grades and standards. Y.B., 1918, p. 673. 1919; Y.B. Sep. 795, p. 9. 1919.
grain standards act, applicability, opinions. Mkts. S.R.A. 13, pp. 1-4, 6-7. 1916.
loads, increase in shipping, regulations, warnings. News L., vol. 6, No. 1, p. 9. 1918.
notice to shippers regarding loading of cars. Sec. [Misc.], "Notice to shippers * * *." p. 1. 1918; rev., p. 1. 1919.
proportion of grain to cob, breeding experiments. Y.B., 1902, pp. 542-543. 1903.
regulation 7, notice to shippers. Mkts., S.R.A. 18, pp. 17-18. 1917.
shipments, reports of grain inspectors at markets and elevators. Mkts. S.R.A. 37, pp. 2, 3, 4-39, 66-73. 1918.
shipping requirements. News L., vol. 4, No. 23, p. 4. 1917.
shrinkage in cars, during transit. J. W. T. Duvel and Laurel Duval. D.B. 48, pp. 21. 1913.
standards—
1918. Y.B., 1918, p. 673. 1919; Y.B. Sep. 795, p. 9. 1919.
and sales, regulations. News L., vol. 4, No. 14, pp. 2-3. 1916.
official. Mkts. [Misc.], "Handbook of official grain * * *," pp. 18-47. 1918; B.A.E. [Misc.], "Handbook of grain * * *," pp. 1-58, rev. 1922; rev., pp. 1-74, rev. 1924; Mkts. S.R.A. 11, pp. 2-11. 1916; Mkts. S.R.A. 33, pp. 23-27, 30. 1918.
tabulated. Y.B., 1918, p. 344. 1919; Y.B. Sep. 766, p. 12. 1919.
shipments, cooperative, Mississippi. Y.B., 1919, p. 211. 1920; Y.B. Sep. 808, p. 211. 1920.
shippers, to report on shipments. Mkts. S.R.A. 26, p. 25. 1917.
shocking—
by hand and by machines. F.B. 303, pp. 6, 19-22. 1907.
day's work. D.B. 814, pp. 14-17. 1920.
shredding—
cost. F.B. 303, p. 31. 1907.
use of machines. S.R.S. Syl. 21, p. 19. 1916.
shrinkage—
estimates. F.B. 313, p. 28. 1907.
in cars, during transit. D.B. 48, pp. 1-21. 1913.
in cribs. S.R.S Syl. 21, p. 22. 1916.
in drying, moisture content. News L., vol. 5, No. 25, p. 3. 1918.
in storage. D.B. 558, p. 28. 1917; F.B. 149, pp. 12-14. 1902; Y.B., 1921, pp. 202-203. 1922; Y.B. Sep. 872, pp. 202-203. 1922.
in storage. J. W. T. Duvel and Laurel Duval. B.P.I. Cir. 81, pp. 11. 1911.
relation of temperature. D.B. 48, pp. 16-19. 1913.
shucking—
cost, relation to length of shucks. D.B. 708, pp. 14-15. 1918.
for weevil control and saving storage. F.B. 1029, pp. 20, 23, 24, 28. 1919.
methods. F.B. 313, pp. 17-20. 1907.
shucks—
prevention of weevil attack by close fit. D.B. 1085, p. 3. 1922.
protection for ear. C. H. Kyle. D.B. 708, pp. 16. 1918.
protection of grain from weevil damage. F.B. 915, pp. 5-6. 1918.
relation to mold and discoloration. D.B. 708, pp. 11-12. 1918.

Corn—Continued.
shucks—continued.
weaving profits. Off. Rec., vol. 2, No. 48, p. 3. 1923.
silage—
analyses. J.A.R., vol. 6, No. 14, p. 532. 1916.
and stalks, caution in feeding to dairy cows. D.B. 1, p. 26. 1913; B.A.I. Bul. 104, p. 11. 1908.
bacteriological examination. J.A.R., vol. 21, pp. 775-787. 1921.
comparison with beet-top silage, analyses. F.B. 1095, p. 11. 1919.
comparison with sorghum for dairy cows. An. Rpts., 1916, p. 99. 1917; B.A.I. Chief Rpt., 1916, p. 33. 1916.
composition, comparison with pea vines. B.P.I. Cir. 45, p. 7. 1910.
digestibility when fed singly or in combinations. J.A.R., vol. 13, pp. 611-618. 1918.
examination for acidity. J.A.R., vol. 14, pp. 399-401. 1918.
experiments. D.B., 1097, pp. 5-15. 1922.
fermentation, microorganisms and enzymes. J.A.R., vol. 8, pp. 361-380. 1917.
for dairy cows. F.B. 320, pp. 28-29. 1908.
growing, yield, harvesting, and packing. F.B. 578, pp. 2-4, 5-12. 1914.
losses of nitrogen and other elements during ensiling. R. H. Shaw and others. D.B. 953, pp. 16. 1921.
production cost, studies. An. Rpts., 1916, p. 417. 1917; Farm M. Chief Rpt., 1916, p. 3. 1916.
steer fattening, comparison with other feeds. D.B. 762, pp. 4-16. 1919.
testing, Belle Fourche, South Dakota. W.I.A. Cir. 24, p. 28. 1918.
use—
advantages. Sec. Cir. 91, pp. 11-12. 1918.
and value for cattle feed, comparison with cottonseed hulls. F.B. 580, pp. 10-11, 20. 1914.
variety, growing, harvesting, etc. F.B. 556, pp. 2-4. 1913.
value in—
dairy herd feeding. O.E.S. An. Rpt., 1911, pp. 65, 225. 1913.
South. D.B. 827, p. 42. 1921.
with sorghum and cowpeas. F.B. 334, p. 10. 1908.
yields—
Belle Fourche Experiment Farm. D.C. 60, p. 25. 1919.
comparison with sunflowers. D.B. 1045, p. 18. 1922.
in dry-land experiments, North Dakota. D.B. 1293, p. 6. 1925.
per acre, in New York, Oneida County. Soil Sur. Adv. Sh., 1913, pp. 17-50. 1951. Soils F. O., 1913, pp. 51-84. 1916.
silk development and fertilization. J.A.R., vol. 18, pp. 255-266. 1919.
silo, degree of ripeness necessary for best results. F.B. 313, p. 7. 1907.
single-ear and prolific types, description and varieties. D.B. 1157, pp. 1-4, 5. 1923.
sirup, uses as sugar substitute. News L., vol. 5, No. 51, p. 3. 1918.
sirup. See also Glucose.
situation for 1918. Sec. Cir. 91, pp. 17. 1918.
size of seed, effects of cross-pollination, studies. B.P.I. Cir. 124, pp. 9-15. 1913.
smut—
control possibilities. J.A.R., vol. 30, pp. 163, 170-172. 1925; F.B. 419, p. 16. 1910.
description, habits, control methods, etc. F.B. 507, pp. 9, 11, 13, 14, 15, 28, 30, 31, 32. 1912; F.B. 856, pp. 43. 1917; F.B. 939, pp. 3-4. 1918.
losses, causes, and control. Y.B. 1921, p. 185. 1922; Y.B. Sep. 872, p. 185. 1922.
protein content. F.B. 320, p. 16. 1908.
resistance, relation to number of kernel rows. J.A.R., vol. 31, pp. 94-97. 1925.
spore germination, influence of temperature. Edith S. Jones. J.A.R., vol. 24, pp. 593-597. 1923.
See also *Ustilago zeae*.

Corn—Continued.
soaking for hogs, comparison with grinding. F.B. 479, pp. 11-12. 1912.
soft—
handling and use. Frederick D. Richey. D.C. 333, pp. 8. 1924.
loss prevention. News L., vol. 5, No. 25, p. 3. 1918.
market demand, use, method, and farm-feeding importance. News L., vol. 5, No. 26, pp. 1-2. 1918.
saving by salting, examples. News L., vol. 5, No. 24, p. 5. 1918.
saving on farms, methods and importance. News L., vol. 5, No. 32, p. 5. 1918.
shipping dangers. News L., vol. 5, No. 18, p. 6. 1917.
soil(s)—
adapted, and water and fertilizer requirements. D.B. 355, pp. 80-81. 1916.
Atlantic and Gulf coastal plains. Soils Bul. 78, pp. 20, 26-55, 59-68. 1911.
fertilizers. Milton Whitney. Soils Bul. 64, pp. 31. 1910.
requirements. S.R.S. Syl. 21, pp. 2-3. 1916.
requirements, moisture, drainage, breaking, and humus. F.B. 1149, pp. 3-5. 1920.
soundness determination, acidity as factor. H. J. Besley and G. H. Baston. D.B. 102, pp. 45. 1914.
South American, growing in United States. Off. Rec., vol. 3, No. 24, p. 5. 1924.
southern—
farms, cultural notes. B.P.I. Doc. 555, pp. 1-2. 1910.
weevil waste, reduction method. C. H. Kyle. F.B. 915, pp. 8. 1918.
spacing, effect on yield, tests. D.B. 1157, pp. 4-8. 1923; W.I.A. Cir. 4, p. 14. 1915.
spacing, number of plants per acre. F.B. 729, pp. 11-12. 1916.
spikelets, abnormal, studies. B.P.I. Bul. 278, pp. 8-10, 15-16. 1913.
spoilage, causes, studies. D.B. 215, pp. 1-2, 15. 1915.
spoiled, relation to pellagra, study. Chem. Chief Rpt. 1912, p. 35. 1912; An. Rpts., 1912, p. 585. 1913.
spraying calendar. S.R.S. Doc. 52, p. 7. 1917.
stalk-borer—
control. Vir. Is. A.R., 1920, p. 31. 1921.
injuries in Massachusetts, and proposed quarantine. F.H.B.S.R.A. 48, p. 2. 1918.
injury to corn, warning to corn growers. F.B. 1310, p. 7. 1923.
injury to rice. F.B. 1086, p. 9. 1920.
larger—
George G. Ainslie. Ent. Cir. 116, pp. 8. 1910; F.B. 634, pp. 8. 1914; F.B. 1025, pp. 12. 1919.
larval characters and distribution. J.A.R., vol. 6, No. 16, pp. 621-626. 1916.
responsibility for wind damage to corn, control methods. News L., vol. 2, No. 27, pp. 1-2. 1915.
stages, description. F.B. 1025, pp. 6-7. 1919.
lesser—
Philip Luginbill and George G. Ainslie. D.B. 539, pp. 27. 1917.
rearing methods. D.B. 539, p. 23. 1917.
synonymy and systematic history. D.B. 539, pp. 3-4. 1917.
southern, study. An. Rpts., 1923, p. 395. 1924; Ent. A.R., 1923, p. 15. 1923.
stand—
and yield, relation to quality of seeds. B.P.I. Cir. 95, p. 12. 1912.
losses, causes, and prevention. F.B. 1149, pp. 13-14. 1920.
perfect, experiments in different States. F.B. 405, pp. 5-8. 1910.
standard(s)—
definition of terms used. News L., vol. 4, No. 6, pp. 2, 3. 1916.
establishment by Agriculture Secretary, summary. News L., vol. 5, No. 38, p. 2. 1918.
grades. An. Rpts., 1914, pp. 108-109. 1914; B.P.I. Chief Rpt., 1914, pp. 8-9. 1914.
necessity and demand. An. Rpts., 1913, pp. 23-24, 48, 60. 1914; Sec. A.R., 1913, pp. 21-22, 46, 58. 1913; Y.B., 1913, pp. 29, 59, 73. 1914.

INDEX TO PUBLICATIONS, 1901-1925 — 585

Corn—Continued.
standard(s)—continued.
 official. Mkts. S.R.A. 35, p. 12. 1918.
 points. O.E.S. Cir. 99, pp. 30-32. 1910.
 studies and experiments by Agriculture Department. News L., vol. 1, No. 16, p. 2. 1913.
statistics—
 1900, world's crop, acreage, yield, value, and prices. Y.B., 1900, pp. 753-762. 1901.
 1901. Y.B., 1901, pp. 697-705. 1902.
 1904-1917, acreage, production, and value. Sec. Cir. 91, pp. 5, 14. 1918.
 1905. Y.B., 1905, pp. 656-663. 1906; Y.B. Sep. 404, pp. 656-663. 1906.
 1906. Y.B., 1906, pp. 542-549. 1907; Y.B. Sep. 436, pp. 542-549. 1907.
 1907, acreage, yield, value, exports and imports. Y.B., 1907, pp. 608, 615, 742, 751. 1908; Y.B. Sep. 465, pp. 608, 615, 742, 751. 1908.
 1908. Y.B., 1908, pp. 597-605, 758, 767. 1909; Y.B. Sep. 498, pp. 597-605. 1909.
 1910, 1915, 1916, 1917. Sec. Cir. 84, pp. 4, 5, 6, 8, 10. 1918.
 1910-1922, acreage, exports, and production. An. Rpts., 1922, pp. 53, 54, 56. 1923; Sec. A.R., 1922, pp. 53, 54, 56. 1922.
 1911, acreage, production, value, imports, and exports. Y.B., 1911, pp. 519-527, 663, 672, 681. 1912; Y.B. Sep. 587, pp. 519-527. 1912; Y.B. Sep. 588, pp. 663-672, 681. 1912.
 1912, acreage, production, value, imports, and exports. Y.B., 1912, pp. 557-565, 720, 731. 1913; Y.B. Sep. 614, pp. 557-565. 1913; Y.B. Sep. 615, pp. 720, 731. 1913.
 1913, acreage, production, yield, value, exports, and imports. Y.B., 1913, pp. 369-375, 497, 504. 1914; Y.B. Sep. 630, pp. 369-379. 1914; Y.B. Sep. 631, pp. 497, 504. 1914.
 1914, acreage, production, imports, and exports. Y.B., 1914, pp. 511-518, 645, 655, 662. 1915; Y.B. Sep. 654, pp. 511-518. 1915; Y.B. Sep. 656, p. 645. 1915; Y.B. Sep. 657, pp. 655, 662. 1915.
 1915, acreage, production, yield, prices, exports, and imports. Y.B., 1915, pp. 410-417, 544, 551, 568. 1916; Y.B. Sep. 682, pp. 410-417. 1916; Y.B. Sep. 685, pp. 544, 551, 568. 1916.
 1916, acreage, production, yield, prices, exports, and imports. Y.B., 1916, pp. 561-567, 711, 718, 735. 1917; Y.B. Sep. 719, pp. 1-7. 1917; Y.B. Sep. 722, pp. 5, 12, 29. 1917.
 1917, acreage, production, yield, prices, exports, and imports. Y.B., 1917, pp. 605-611, 763, 771, 791. 1918; Y.B. Sep. 759, pp. 1-7. 1918; Y.B. Sep. 762, pp. 7, 15, 35. 1918.
 1918, acreage, production, yield, prices, exports, and imports. Y.B., 1918, pp. 449-457. 1919; Y.B. Sep. 791, pp. 3-11. 1919; Y.B. Sep. 795, pp. 8-12. 1919; Y.B. Sep. 794, pp. 7, 15, 21, 33. 1919.
 1919, acreage, production, prices, exports, and imports. Y.B., 1919, pp. 509-517, 565, 566. 1920; Y.B. Sep. 826, pp. 509-517, 565, 566. 1920; Y.B. Sep. 829, pp. 686, 694, 701, 713. 1920.
 1920, acreage production. Y.B., 1920, pp. 3-14. 1921; Y.B. Sep. 861, pp. 3-14. 1921.
 1923, acreage, production, and exports, 1910-1923. An. Rpts., 1923, pp. 90-92. 1924; Sec. A.R., 1923, pp. 90, 91, 92. 1923.
 1924. Y.B., 1924, pp. 601-615, 1044, 1074, 1075, 1135-1137, 1140. 1925.
 distribution, consumption, yields, and prices. D.B. 696, pp. 11, 14-16, 20-21, 28-30, 33, 36, 40-41. 1918.
 for Hungary, pre-war and 1921-22. D.B. 1234, pp. 19-22, 42. 1924.
 for Russia, Egypt, and British India. Stat. Cir. 44, pp. 14-16, 18. 1913.
 for Yugoslavia. D.B. 1234, pp. 95-96, 99, 102, 104-109. 1924.
 foreign countries, 1908-1912, and 1894-1911. Stat. Cir. 45, pp. 3-5. 1913.
 graphic showing of average production, United States. Stat. Bul. 78, p. 17. 1910.
 receipts and shipments at trade centers. Rpt. 98, pp. 288, 315-321. 1913.
stature, changes in dwarfing. J.A.R., vol. 25, pp. 299-311. 1923.

Corn—Continued.
Stewart's disease. Frederick V. Rand and Lillian C. Cash. J.A.R., vol. 21, pp. 263-264. 1921.
stocks on hand—
 August 31, 1917. Sec. Cir. 99, pp. 3-6. 1918.
 March 1, 1918, 1919. News L., vol. 6, No. 36, p. 7. 1919.
 April 1, 1918. News L., vol. 5, No. 42, p. 2. 1918.
 survey and visible supply, 1918, with comparisons. News L., vol. 6, No. 1, p. 9. 1918.
storage—
 and shrinkage. Y.B., 1921, pp. 202-203. 1922; Y.B. Sep. 872, pp. 202-203. 1922.
 Argentina, methods. Y.B., 1915, pp. 289-290. 1916, Y.B. Sep. 677, pp. 289-290. 1916.
 carbohydrate metabolism. J.A.R., vol. 17, pp. 137-152. 1919.
 deterioration in. J. W. T. Duvel. B.P.I. Cir. 43, pp. 12. 1909.
 space required, shelled, shucked, and unshucked. F.B. 1029, pp. 23, 27. 1919.
stored—
 destruction by pink corn-worm. D.B. 363, pp. 20. 1916.
 injury by Mexican grain beetle. Ent. Bul. 96, Pt. I, p. 8. 1911.
 insect pests. F.B. 1269, pp. 3-41. 1922.
 protection from insects, mice, rats, and swallows. F.B. 313, p. 26. 1907.
 shrinkage in cribs. F.B. 317, pp. 22-26. 1908.
storing—
 for control of dampness and weevils, Guam. O.E.S. An. Rpt., 1910, pp. 507-509. 1911.
 in caches. Y.B., 1918, pp. 130, 132. 1919; Y.B. Sep. 776, pp. 10, 12. 1919.
 in husks, cause of increased damage by worms. D.B. 363, pp. 3, 15. 1916.
 in husks in South, and value in weevil resistance. News L., vol. 5, No. 36, p. 7. 1918.
 methods. F.B. 313; pp. 17, 22-27. 1907. S.R.S. Syl. 21, pp. 20-21. 1916.
stover—
 cattle feeding, comparison with other feeds. D.B. 762, pp. 17-32. 1919.
 production in United States, uses, value, and waste. F.B. 873, pp. 5-7. 1917; Rpt., 112, pp. 13-16. 1916.
 shredding and storing. F.B. 313, p. 22. 1907.
 shredding for winter roughage. Stat. Bul. 48, pp. 78-80. 1906.
 silage, fermentation studies. J.A.R., vol. 12, pp. 589-600. 1918.
 substitute for, in feeds. M.C. 12, p. 36. 1924.
 value as cattle feed, comparison with other feeds. F.B. 580, pp. 11-12. 1914.
 value with grain for wintering cattle. News L., vol. 4, No. 50, p. 1. 1917.
 wasting on farms, control methods. News L., vol. 3, No. 49, pp. 1-2. 1916.
 winter feed for cattle in South. D.B. 827, p. 34. 1921.
See also Fodder.
stowage—
 effect on carrying quality. D.B. 764, pp. 6, 7, 26, 45, 49, 54, 60, 69, 78, 90. 1919.
 in ships, injuries, and suggestions for improving conditions. B.P.I. Cir. 55, pp. 23-26, 39. 1910.
straight ration, dangers for hogs. F.B. 874, p. 32. 1917.
strains—
 acclimatization. An. Rpts., 1910, p. 314. 1911. B.P.I. Chief Rpt., 1910, p. 44, 1910.
 higher yield, methods of producing. C. P. Hartley. Y.B. 1909, pp. 309-320. 1910; Y.B. Sep. 515, pp. 309-320. 1910.
 purity, importance of preservation. Y.B. 1910, pp. 323, 328. 1911; Y.B. Sep. 540, pp. 323, 328. 1911.
structure—
 composition, and use in bread making. F.B. 389, pp. 15, 16. 1910.
 of ear as indicated in Zea-Euchlaena hybrids. J.A.R. vol. 17, pp. 127-135. 1919.
stubble burning to control corn borer. Ent. Cir. 116, p. 8. 1910; F.B. 1294, pp. 39-40. 1922.
study, publications useful. F.B. 409, pp. 27-29. 1910.

Corn—Continued.
  subsoiling, effects on yields, experiments. J.A.R., vol. 14, pp. 488–499, 503. 1918.
  substitute(s)—
    crops to avoid chinch bug. F.B. 1223, p. 30. 1922.
    feeding value for hogs, and comparative cost. News L., vol. 5, No. 7, pp. 8–9. 1917.
    for, in feed. M.C. 12, p. 36. 1924.
    for oats in ration for horses, experiments. F.B. 425, pp. 18, 19. 1910.
  suckers, removal, effect on yield. Work and Exp., 1914, p. 180. 1915.
  sugar—
    canned, adulteration. Chem. S.R.A. sup. 3, p. 162. 1915.
    cannery wastes as source of alcohol. F.B. 429, p. 15. 1911.
    flakes, misbranding. Chem. N.J. 1042, pp. 2. 1911.
    misbranding. Chem. N.J. 1903, p. 1. 1913.
    stalks, use in manufacture of alcohol, and cost. Chem. Bul. 130, p. 27. 1910.
    See also Corn, sweet.
  suitability for hogging-off, time. F.B. 599, pp. 8, 13, 15, 24. 1914.
  supplement for chicken feed, meat scraps versus soybean proteins. J.A.R., vol. 18, pp. 391–398. 1920.
  supply, 1911–12, world countries. Stat. Cir. 26, pp. 3–9. 1912.
  supply, May, 1919. News L., vol. 6, No. 45, p. 7. 1919.
  surplus, disposition to control prices. Y.B. 1921, pp. 223, 224. 1922; Y.B. Sep. 872, pp. 223, 224. 1922.
  surplus production areas. Y.B. 1921, pp. 199–201. 1922; Y.B. Sep. 872, pp. 199–201. 1922.
  sweet—
    acreage—
      yield. Y.B. 1924, pp. 696, 697. 1925.
      1909. Sec. [Misc.], Spec., "Geography * * * world's agriculture," p. 99. 1917.
      1919, map. Y.B. 1921, p. 462. 1922; Y.B. Sep. 878, p. 56. 1922.
      on farms, census 1909, by States, map. Y.B. 1915, p. 378. 1916. Y.B. Sep. 681, p. 378. 1916.
    analyses, tables. Chem. Bul. 127, pp. 16–21, 29–36, 38–57, 62. 1909.
    canned, misbranding. Chem. N.J. 13564. 1925.
    canning—
      early history of industry. D.B. 196, pp. 57–59. 1915.
      experiments in testing temperature changes. D.B. 956, pp. 29–33, 47. 1921.
      methods and demonstrations. News L., vol. 4, No. 50, p. 2. 1917.
      seasons and methods. Chem. Bul. 151, pp. 34, 47–50. 1912.
    chemical composition, nail test. Charles O. Appleman. J.A.R. vol. 21, pp. 817–820. 1921.
    composition, influence of environment, 1905–1908. M. N. Straughn and C. G. Church. Chem. Bul. 127, pp. 69. 1909.
    cost of production per acre. Y.B., 1921, p. 829. 1922; Y.B., Sep. 876, p. 26. 1922.
    crossing experiments. Y.B., 1906, pp. 283–284. 907; Y.B. Sep. 423, pp. 283–284. 1907.
    cultural directions and varieties. F.B. 934, p. 32. 1918; F.B. 937, pp. 16, 19, 23, 36–37. 1918; F.B. 1044, pp. 36–37. 1919; S.R.S. Doc. 49, pp. 2, 3, 5. 1917.
    cut from cob, canning methods. News L. vol. 3, No. 51, p. 8. 1916.
    destruction by gipsy moth, danger. Ent. Bul. 87, p. 14. 1910.
    distribution of corn borer. News L., vol. 6, No. 33, p. 14. 1919.
    drying directions. D.B. 1335, pp. 36–37. 1925; D.C. 3, pp. 12–13. 1919; F.B. 841, p. 17. 1917; F.B. 984, pp. 54–55. 1918.
    ear-worm-resistant, seed development. News L., vol. 6, No. 23, p. 6. 1919.
    environment, influence on composition, 1905–1908. M. N. Straughn and C. G. Church. Chem. Bul. 127, pp. 69. 1909.
    fertilizers, tests. Soils Bul. 67, pp. 66–67. 1910.
    freezing points. D.B. 1133, pp. 6, 7, 8. 1923.

Corn—Continued.
  sweet—continued.
    growing—
      directions and varieties recommended for home gardens. F.B. 936, p. 41. 1918.
      experiments in Alaska. Alaska A.R., 1911, p. 68. 1912.
      for canning in Iowa, Blackhawk County. Soil Sur. Adv. Sh., 1917, pp. 12, 26, 31. 1919; Soils F.O., 1917, pp. 1562, 1576, 1581. 1923.
      for seed in South. F.B. 222, pp. 9–11. 1905.
      for seed, influence of location. B.P.I. Bul. 184, pp. 14–16. 1910.
      in California, Los Angeles area. Soil Sur. Adv. Sh., 1916, pp. 14, 34–62. 1919; Soils F.O., 1916, pp. 2356, 2376–2404. 1921.
      in Guam, 1916, experiments. Guam A.R., 1916, p. 35. 1917.
      in Hawaii, injury by leaf hopper and control experiments. Hawaii A.R., 1917, p. 51. 1918.
      in Iowa, Cedar County. Soil Sur. Adv. Sh., 1919, pp. 10–11. 1921; Soils F.O., 1919, pp. 1432–1433. 1925.
      in Iowa, Delaware County. Soil Sur. Adv. Sh., 1922, p. 6. 1925.
      in Iowa, Polk County. Soil Sur. Adv. Sh., 1918, pp. 13, 25, 31, 34, 48, 58, 62. 1921; Soils F.O., 1918, pp. 1173, 1185, 1191, 1194, 1208, 1218, 1222. 1924.
      in Maryland, Frederick County. Soil Sur. Adv. Sh., 1919, pp. 9–10, 37, 41–49, 58, 73, 79. 1922; Soils F.O., 1919, pp. 649–650, 677, 682–689, 698, 713, 719. 1925.
      in Nebraska, Gage County, yields, and uses. Soil Sur. Adv. Sh., 1914, pp. 13–14. 1916; Soils F.O., 1914, pp. 2331–2332. 1919.
      in Nebraska, Washington County. Soil Sur. Adv. Sh., 1915, pp. 13–14. 1917; Soils F.O., 1915, pp. 2067–2068. 1919.
      in Nevada, varieties for home gardens. B.P.I. Cir. 110, p. 22. 1913.
      in Porto Rico. P.R. An. Rpt., 1920, p. 22. 1921.
      methods and varieties. F.B. 647, p. 15. 1915.
      stock seed, method. B.P.I. Bul. 184, pp. 22–24. 1910.
    home garden, cultural hints. F.B. 255, p. 31. 1906.
    hybridization experiments, Porto Rico. P.R. An. Rpt., 1921, pp. 18–19. 1922.
    hybrids—
      waxy endosperm, inheritance. B.P.I. Cir. 120, pp. 21–27. 1913.
      yield. Y.B., 1910, pp. 326–327. 1911; Y.B. Sep. 540, pp. 326–327. 1911.
    loss of sugar after picking. J.A.R., vol. 17, pp. 276–278. 1919.
    maturity testing, new method. An. Rpts., 1917, pp. 153–154. 1918; B.P.I. Chief Rpt., 1917, pp. 23–24. 1917.
    movement regulations, quarentine of Japanese beetle. F.H.B. Quar. 36, pp. 2. 1918.
  Papago—
    new strain valuable for Southwest. S.R.S. Rpt., 1915, Pt. I, pp. 32, 66. 1917.
    value for silage. S.R.S. Rpt., 1917, Pt. I, pp. 20, 61. 1918.
  planting, directions for club members. D.C. 48, p. 8. 1919.
  pollen, collection by bees. Ent. Bul. 121, pp. 11–12. 1912.
  Porto Rican variety. P.R. An. Rpt., 1914, p. 25. 1915.
  production—
    influence of first-generation hybrids. B.P.I. Bul. 191, pp. 34–35. 1910.
    of seed. B.P.I. Bul. 184, pp. 1–39. 1910.
  quality in relation to temperature. Neil E. Stevens and C. H. Higgins. J.A.R., vol. 17, pp. 275–284. 1919.
  quarantine in New Jersey, for Japanese-beetle control. News L., vol. 6, No. 11, p. 5. 1918.
  resistant to the corn earworm. An. Rpts., 1918, p. 139. 1919; B.P.I. Chief Rpt., 1918, p. 5. 1918.

Corn—Continued.
   sweet—continued.
      ripeness, effect on sugar content, taste test and chemical analysis, comparison. Chem. Bul. 127, p. 22. 1909.
      ripening, changes in chemical composition. J.A.R., vol. 21, pp. 817–820. 1921.
      ripening processes, evaluation of climatic efficiency for. Charles O. Appleman and S. V. Eaton. J.A.R., vol. 20, pp. 795–805. 1921.
      saving for seed, care necessary in husking and storing. News L., vol. 6, No. 6, p. 10. 1918.
      seed—
         eastern-grown compared with western-grown. B.P.I. Bul. 184, pp. 14–16. 1910.
         growing in South. F.B. 222, pp. 9–11. 1905.
         growing, localities, acreage, yield, production, and consumption. Y.B., 1918, pp. 202, 206, 207. 1919; Y.B. Sep. 775, pp. 10, 14, 15. 1919.
         saving. F.B. 884, pp. 5–6. 1917; F.B. 1390, p. 4. 1924.
         supply. Y.B., 1917, p. 532. 1918; Y.B. Sep. 757, p. 38. 1918.
         trials for effects of climate and soil. B.P.I. Chief Rpt., 1909, p. 93. 1909; An. Rpts. 1909, p. 345. 1910.
      starch variations. B.P.I. Bul. 256, p. 36. 1913.
      storage—
         carbohydrate metabolism. J.A.R., vol. 17, pp. 137–152. 1919.
         effect on sugar content. Chem. Bul. 127, p. 12. 1909.
      strain resistant to corn worm. B.P.I. Chief Rpt., 1917, p. 24. 1917; An. Rpts., 1917, p. 154. 1918.
      studies. B.P.I. Chief Rpt., 1905, p. 192. 1905.
      sugar content—
         effect of environment, investigations. Rpt. 83, pp. 52–53. 1906.
         effect of storage and of ripeness. Chem. Bul. 127, pp. 12, 22. 1909.
         relation of rainfall, discussion. Chem. Bul. 127, pp. 25, 59–67. 1909.
      sugar loss after gathering. Chem. Bul. 127, p. 13. 1909.
      susceptibility to corn borer. F.B. 1294, p. 38. 1922.
      testing with thumb nail for ripening stage. J.A.R., vol. 21, No. 11, pp. 817–818. 1921.
      variety(ies)—
         and growing tests, Yuma Experiment Farm, 1916. W.I.A. Cir. 20, p. 39. 1918.
         Crosby and Stowell Evergreen, analytical data. Chem. Bul. 127, pp. 26, 38, 47, 57. 1909.
         for canning, relative merits. C. W. Culpepper and C. A. Magoon. J.A.R., vol. 28, pp. 403–443. 1924.
         for continuous succession. F.B. 329, p. 14. 1908.
         immunization to corn earworm. F.B. 856, p. 42. 1917.
         suited to Yuma Experiment Farm. D.C. 75, p. 51. 1920.
         tests in Nevada, Newlands Experiment Farm, 1919. D.C. 136, p. 14. 1920.
         tests, Newlands Experiment Farm, 1918. D.C. 80, p. 15. 1920.
      See also Corn, green.
   syrup, compound, molasses adulteration and misbranding. Chem. N.J. 270, pp. 5. 1910.
   tarring, to prevent depredations of rodents. F.B. 932, p. 9. 1918.
   tassels, sterility, occurrence in proterogynous variety. B.P.I. Cir. 107, pp. 7, 11. 1913.
   temperature in transit, recording methods, and relation to shrinkage. D.B. 48, pp. 2, 16–19. 1912.
   teosinte hybrid, description. J.A.R., vol. 19, pp. 1–38. 1920.
   testing—
      clubs, organization. An. Rpts., 1911, p. 293. 1912; B.P.I. Chief Rpt., 1911, p. 49. 1911.
      ear to row, use in breeding. Y.B., 1909, pp. 310, 313. 1910; Y.B. Sep. 515, pp. 310, 313. 1910.
      for moisture, directions. B.P.I. Cir. 72, rev., p. 11. 1914.
      in school. F.B. 409, pp. 14–20. 1910.

Corn—Continued.
   testing—continued.
      per cent of growers testing, germination and replanting. Y.B., 1918, p. 674. 1919; Y.B. Sep. 795, p. 10. 1919.
      publications. D.B. 307, p. 20. 1915.
   tests at—
      field station near Mandan, N. Dak. D.B. 1301, pp. 54–55, 63–64. 1925.
      Nephi substation. B.P.I. Cir. 61, p. 34. 1910.
   thinning, directions and implements. S.R.S. Syl. 21, p. 10. 1916.
   tillage—
      dry farming. Y.B., 1911, p. 254. 1912; Y.B. Sep. 565, p. 254. 1912.
      experiments for weed control, 1905–1911, results. B.P.I. Bul. 257, pp. 12–24. 1912.
      practices, cost, and yield, various regions, United States, table. D.B. 320, pp. 4–5, 8–10. 1916.
   tolerance of salt solutions in alkali soils. B.P.I. Bul. 113, pp. 9, 13, 14, 20. 1907.
   ton, weight equivalent in bushels. Y.B., 1907, p. 390. 1908; Y.B. Sep. 456, p. 390. 1908.
   topping—
      effect on yield of grain. O.E.S. Bul. 173, p. 7. 1907.
      when desirable. F.B. 313, p. 8. 1907.
   tops, acidity, relation to vegetative vigor. J.A.R., vol. 25, pp. 458–462, 466. 1923.
   toxicity, determination methods. B.P.I. Bul. 199, pp. 30–31. 1910.
   trade, international—
      1901–1910. Stat. Bul. 103, pp. 14–15. 1913.
      1909–1921. Y.B., 1922, p. 580. 1923; Y.B. Sep. 881, p. 580. 1923.
   transpiration—
      comparison with the sorghums. J.A.R., vol. 13, pp. 579–604. 1918.
      studies, Akron, Colorado. J.A.R., vol. 7, pp. 158–165, 169–183, 191–202, 206. 1916.
   transportation—
      by ocean, requirements. Rpt. 75, pp. 42–48. 1903.
      shrinkage of shelled grain, study. D.B. 48, pp. 1–21. 1913.
   treatment—
      in storage to control weevils. F.B. 1029, pp. 24–36. 1919.
      to control billbugs. F.B. 1003, pp. 21, 22–23. 1919.
   tribe, key to genera, and descriptions. D.B. 772, pp. 22, 280–288. 1920.
   types—
      productivity, influence of spacing. E. B. Brown and H. S. Garrison. D.B. 1157, pp. 11. 1923.
      with respect to height, inheritance studies. J.A.R. vol. 25, pp. 297, 299–311. 1923.
      yields under spacing experiments. D.B. 1157, pp. 8–10. 1923.
   typical, composition. Chem. Bul. 130, p. 96. 1910.
   unground, use for calf feed. B.A.I. Chief Rpt., 1905, p. 203. 1907.
   U. S. Selection No. 120, productiveness, comparison with other corn, experiments. B.P.I. Doc. 589, pp. 1–3. 1911.
   uprooting, force required, studies. J.A.R., vol. 27, pp. 72–73. 1923.
   use(s)—
      and food value while new. News L., vol. 5, No. 5, p. 7. 1917.
      and value—
         as support for velvet beans. S.R.S. Doc. 44, p. 4. 1917.
         as wheat supplement. Sec. Cir. 75, p. 4. 1917.
         comparison with other crops. Y.B., 1921, pp. 80, 163–165. 1922; Y.B. Sep. 872, pp. 80, 163–165. 1922.
         for silage, growing methods, and yield. News L., vol. 1, No. 44, pp. 2–3. 1914.
      as—
         breadstuff and as vegetable. D.B., 123, pp. 45–46. 1916.
         feed for milch goats. B.A.I. Bul. 68, p. 36. 1905.
         food, studies. O.E.S. Bul. 245, pp. 59–60. 1912.

Corn—Continued.
　use(s)—continued.
　　as—continued.
　　　horse feed. F.B. 1030, p. 12. 1919.
　　　sheep feed. D.B. 20, p. 43. 1913.
　　　silage. Y.B., 1918, p. 134. 1919; Y.B. Sep. 776, p. 14. 1919.
　　　trap crop for bollworms. F.B. 212, p. 32. 1905; F.B. 872, pp. 12-13. 1917.
　　　for poultry feed, cost and value, comparison with oats. News L., vol. 6, No. 3, p. 3. 1918.
　　in—
　　　beer making, analyses of worts and beers. D.B. 493, pp. 6, 12-16, 21. 1917.
　　　cattle feeding. Y.B., 1913, p. 275. 1914; Y.B. Sep. 627, p. 275. 1914.
　　　hogging-off on irrigated lands, yield and value per bushel. News L., vol. 3, No. 15, pp. 2, 3. 1915.
　　　lamb feeding, metabolism studies. J.A.R. vol. 4, pp. 459-473. 1915.
　　　manufacture of alcohol, and cost per gallon of alcohol. Chem. Bul. 130, pp. 31, 89, 95, 96. 1910.
　　　place of wheat. Food Thrift Ser. 5, p. 2. 1917.
　　　place of wheat, cost and value, comparisons. News L., vol. 4, No. 45, p. 8. 1917.
　　　steer fattening, value, and percentage used in Corn Belt. F.B. 1218, p. 23. 1921.
　　　sugar making. Off. Rec., vol. 3, No. 23, p. 6. 1924.
　　　towns and on farms, statistics. Y.B., 1918, p. 676. 1919; Y.B. Sep. 795, p. 12. 1919.
　　　in wheat saving. News L., vol. 5, No. 33, p. 3. 1918.
　　　yeast manufacture. Chem. Bul. 102, p. 16. 1906.
　　with—
　　　cheese, recipes. F.B. 487, pp. 25, 26. 1912; News L., vol. 4, No. 46, p. 8. 1917.
　　　flour as breadstuff, recipes. News L., vol. 4, No. 37, pp. 10-11. 1917.
　　　lespedeza, etc., as farm crop. F.B. 441, pp. 11-14. 1911.
　value—
　　and position in American agriculture. Y.B., 1922, pp. 470, 561, 562. 1923; Y.B. Sep. 891, pp. 470, 561, 562. 1923.
　　as silage plant. J.A.R., vol. 6, p. 527. 1916.
　　as silage, semiarid region. Y.B., 1912, p. 467. 1913; Y.B. Sep. 606, p. 467. 1913.
　　for emergency forage crop. Sec. Cir. 36, p. 3. 1911.
　　for food and stock feed, need for increased acreage. News L., vol. 4, No. 37, p. 2. 1917.
　　for hogs. F.B., 1437, pp. 1-2. 1925.
　　in pig feeding, comparison with corn substitutes. B.A.I. An. Rpt., 1903, pp. 269-273. 1904; B.A.I. Cir. 63, pp. 269-273. 1904.
　　of careful shocking, and methods. News L., vol. 6, No. 1, p. 8. 1918.
　　of crops, 1920, 1921, 1922. Off. Rec., vol. 2, No. 50, p. 5. 1923.
　　of crops, comparison with wheat. Y.B., 1921, p. 80. 1922; Y.B. Sep. 873, p. 80. 1922.
　　on dry-matter basis. B.P.I. Cir. 55, pp. 39-42. 1910.
　　per cent of crop value, 1910-1914. News L., vol. 6, No. 28, p. 16. 1919.
　variation, heredity. B.P.I. Bul. 272, p. 23. 1913.
　varietal experiments in Texas, name, kind, source, and yield. B.P.I. Bul. 283, pp. 31-32, 60-63, 79. 1913.
　varieties—
　　adaptable to short season, Wisconsin, Marinette County. Soil Sur. Adv. Sh., 1909, pp. 20, 25. 1911; Soils F.O., 1909, pp. 1248, 1253. 1912.
　　adaptation experiments. B.P.I. Bul. 260, p. 44. 1912.
　　breeding and development. Y.B., 107, pp. 226, 230, 231. 1908; Y.B. Sep. 466, pp. 226, 230, 231. 1908.
　　breeding experiments, and diseases. An. Rpts., 1920, pp. 165-167. 1921.
　　chemical analyses. B.P.I. Bul. 161, p. 15. 1909.

Corn—Continued.
　varieties—continued.
　　choice for crossing. Y.B. 1910, p. 325. 1911; Y.B. Sep. 540, p. 325. 1911.
　　cross and yield, effects of selection. Frederick D. Richey. D.B. 1209, pp. 20. 1924.
　　description. B.P.I. Bul. 208, pp. 23, 48-49, 56. 1911; B.P.I. Bul. 207, pp. 47, 52. 1911.
　　experiments, Nevada. B.P.I. Bul. 157, pp. 26-27. 1909.
　　for distribution in Texas, Oklahoma, and Louisiana. B.P.I. [Misc.], "Corn varieties for distribution * * *," pp. 12. 1914.
　　for silage experiments. W.I.A. Cir. 22, p. 20. 1918.
　　Government experiments in Argentina. Rpt. 75, pp. 25-32. 1903.
　　growing, water requirement studies and results. J.A.R., vol. 6, No. 13, pp. 478-480, 483. 1916.
　　grown by American Indians and later variations. Y.B., 1918, pp. 125, 135. 1919; Y.B. Sep. 776, pp. 5, 15. 1919.
　　importations and descriptions. Nos. 35229, 35588, 35617, B.P.I. Inv. 35, pp. 25, 57, 60. 1915; Nos. 36267-36269, 36667-36669, 36699, 36710-36712, 36889-36890, B.P.I. Inv. 37, pp. 8, 10, 47, 51, 54, 78. 1916; Nos. 38690, 38691, 38789-38792, 39158-39162, 39228-39260, B.P.I. Inv. 40, pp. 5, 11, 29, 84, 94. 1917; Nos. 47592, 47598-47601, 47625-47628, B.P.I. Inv. 59, pp. 36, 37, 39. 1922.
　　imported by Bureau of Plant Industry. B.P.I. Bul. 223, pp. 32, 35, 37-38. 1911.
　　in Argentina, description. Y.B., 1915, pp. 290-291. 1916; Y.B. Sep. 677, pp. 290-291. 1916.
　　in Philippines, effects of downy mildew infection. J.A.R., vol. 23, pp. 254-262. 1923.
　　in Philippines, seed treatment for downy mildew. J.A.R., vol. 24, pp. 855-858. 1923.
　　introduction. B.P.I. Bul. 176, pp. 10, 12-13, 20, 30. 1910.
　　investigations. An. Rpts., 1908, pp. 334, 338-340. 1909; B.P.I. Chief Rpt., 1908, pp. 62, 66-68. 1908.
　　on the Great Plains, tests. L. L. Zook. D.B., 307, pp. 20. 1915.
　　percentage of white, yellow, and mixed, 1917, 1918. Y.B., 1918, p. 672. 1919; Y.B. Sep. 795, p. 8. 1919.
　　profitable, studies. An. Rpts. 1917, p. 144. 1918; B.P.I. Chief Rpt., 1917, p. 14. 1917.
　　resistant to smut, experiments. J.A.R., vol. 30, p. 172. 1925.
　　school studies, lesson 1, topics, and exercises. D.B. 653, pp. 1-2. 1918.
　　selection and adaptation for semiarid regions, studies. F.B. 773, pp. 21-22. 1916.
　　selection, influences governing. F.B. 537, pp. 5-7. 1913.
　　suited to Missouri. O.E.S. An. Rpt., 1911, p. 143. 1912.
　　susceptibility to mosaic disease. J.A.R., vol. 19, p. 518. 1920; J.A.R., vol. 24, pp. 256-259. 1923.
　　testing—
　　　and yield, Nebraska. B.P.I. Cir. 116, pp. 14, 15, 16. 1913.
　　　Delaware Experiment Station, 1912. O.E.S. An. Rpt., 1912, p. 93. 1913.
　　　for productiveness. F.B. 317, pp. 17-18. 1908.
　　tests in—
　　　in Hawaii. Hawaii A.R., 1920, pp. 13-14, 26-27, 28-29, 56-60. 1921.
　　　Montana, Huntley Experiment Farm. D.C. 86, p. 15. 1920; D.C. 204, p. 12. 1921; W.I.A. Cir. 8, pp. 20-21. 1916; W.I.A. Cir. 15, pp. 21-23. 1917.
　　　Nebraska, Scottsbluff Reclamation Project. D.C. 173, p. 25. 1921; W.I.A. Cir. 6, pp. 13-14. 1915.
　　　Nevada, Newlands Experiment Farm, 1918. D.C. 80, p. 10. 1920; D.C. 267, pp. 10-11. 1923.
　　　Nevada, Truckee-Carson Farm. W.I.A. Cir. 19, p. 10. 1918; W.I.A. Cir. 23, pp. 8-9. 1918.

Corn—Continued.
varieties—continued.
tests in—continued.
Oregon, Umatilla Experiment Farm. D.C. 110, pp. 12-13, 14-15. 1920; D.C. 342, p. 20. 1925; W.I.A. Cir. 17, pp. 32-35. 1917.
South Dakota, Belle Fourche Experiment Farm. W.I.A. Cir. 4, pp. 13-14. 1915; W.I.A. Cir. 9, pp. 22-23. 1916; W.I.A. Cir. 14, pp. 24-25. 1917; W.I.A. Cir. 24, pp. 27-28. 1918.
Texas, San Antonio Experiment Farm. D.C. 73, pp. 18-20. 1920; W.I.A. Cir. 10, pp. 9-13. 1916.
tests on Great Plains. L. L. Zook. D.B. 307, pp. 20. 1915.
waste of kernels, and total annual waste. News L., vol. 6, No. 6, p. 11. 1918.
water—
consumption per ton. Y.B. 1910, p. 172. 1911. Y. B. Sep. 526, p. 172. 1911.
requirement—
in Colorado, 1911, experiments. B.P.I. Bul. 284, pp. 25-26, 37, 47, 48. 1913.
of different varieties. J.A.R., vol. 3, pp. 17-20, 50, 53, 55, 56, 59. 1914; J.A.R., vol. 6, No. 13, pp. 473-484. 1916.
Waxy Chinese, use in crossbreeding, characters. J.A.R., vol. 6, No. 12, pp. 439-451. 1916.
waxy endosperm, inheritance. D.B. 754, pp. 1-99. 1919.
weevil(s)—
attacking in storage four important species. R. T. Cotton. J.A.R., vol. 20, pp. 605-614. 1921.
black, destruction of stored corn. An. Rpts., 1918, p. 248. 1919; Ent. A.R. 1918, p. 16. 1918.
black, school lesson. D.B. 258, p. 11. 1915.
control—
by fumigation. News L., vol. 6, No. 38, pp. 10-11. 1919.
by long husk. Off. Rec., vol. 4, No. 29, p. 5. 1925.
by use of carbon bisulphide, Louisiana, Lincoln Parish. Soils F.O. 1909, p. 927. 1912; Soil Sur. Adv. Sh. 1909, p. 11. 1910.
in ear, discussion. F.B. 313, p. 17. 1907.
in Porto Rico. P. R. Cir. 18, p. 22. 1920.
in the Gulf States. F.B. 1029, pp. 1-36. 1919.
damage investigations, field, storage, and laboratory. D. B. 708, pp. 2-8. 1918.
destruction in bin. F.B. 415, pp. 10, 11. 1910.
infested, disposal to reduce loss. F.B. 915, pp. 6-7. 1918.
infested ears, shelling for seed, and fumigation for weevil control. News L., vol. 6, No. 3, p. 1. 1918.
loss reduction, methods. F.B. 915, pp. 1-8. 1918.
proof, suitability for South. News L., vol. 5, No. 36, p. 7. 1918.
weight(s)—
conversion into percentages. D.B. 574, pp. 1-22. 1917.
per bushel, different grades. Y.B. 1918, p. 344. 1919; Y.B. Sep. 766, p. 12. 1919.
per bushel, testing. D.B. 472, pp. 4, 5, 6, 7. 1916.
Whelchel's dent, origin and history. Y.B. 1907, p. 230. 1908; Y.B. Sep. 466, p. 230. 1908.
white—
and yellow, production. News L., vol. 6, No. 33, p. 3. 1919.
blast, cause, description, and control. J.A.R., vol. 24, pp. 643, 712-718. 1923.
dent, breeding methods, adaptation, description. B.P.I. [Misc.], "Corn varieties * * *," pp. 1, 3-5, 9-12. 1914.
dent, inheritance studies. B.P.I. Bul. 272, pp. 17-20. 1913.
sale by club boys. News L., vol. 7, No. 16, p. 5. 1919.
yellow, and mixed, grade classification, and moisture content. D.B. 168, p. 1. 1915.
White Egyptian. See Sorghum, grain.
wholesale prices—
1896-1909. Y.B. 1909, p. 441. 1910; Y.B. Sep. 524, p. 441. 1910.

Corn—Continued.
wholesale prices—continued.
in leading markets. Y.B. 1900, pp. 760, 761. 1901.
wholesomeness as human food. F.B. 298, pp. 26-28. 1907.
wind-resistant, adaptation to semiarid regions. B.P.I. Bul. 161, p. 12. 1909.
wireworms, description, life history, and control. F.B. 725, pp. 5-6, 8-10. 1916.
with alfalfa, use in fattening lambs. F.B. 504, pp. 8-9. 1912.
world acreage and production, by countries. Y.B., 1922, pp. 569-570. 1923; Y.B. Sep. 881, pp. 569-570. 1923.
world exports and imports, 1909-1920. Y.B., 1921, p. 519. 1922; Y.B. Sep. 868, p. 13. 1922.
worm, pink—
description and habits. F.B. 1260, pp. 16-17. 1922.
egg and larva, comparison with other species. D.B. 363, pp. 4, 6, 13, 15. 1916.
injury to corn, and increase of weevil damage. F.B. 1029, p. 22. 1919.
insect destructive to corn in the crib. F. H. Chittenden. D.B. 363, pp. 20. 1916.
outbreaks, 1914, 1915. D.B. 363, pp. 6-11. 1916.
yellow dent—
breeding experiments and yield per acre. Y.B., 1908, p. 54. 1909.
use in heredity studies. B.P.I. Bul. 272, pp. 9-17. 1913.
yellow, source of vitamin A. O.E.S. An. Rpt., 1922, pp. 81, 82, 83. 1924.
yield(s)—
after cowpeas. F.B. 318, p. 24. 1908; F.B. 1153, p. 22. 1920.
after crimson clover, Virginia experiments. F.B. 1121, pp. 12-13. 1920.
after deep tillage. J.A.R., vol. 14, pp. 506-516. 1918.
and exports from producing countries, 1907 to 1911. Stat. Cir. 26, pp. 3-5. 1912.
and prices per acre by States, 1866-1915. D.B. 515, pp. 16. 1917.
and value per acre and price, 1917-1921. Y.B., 1921, p. 512. 1922; Y.B. Sep 868, p. 6. 1922.
and value per acre, Oregon, Willamette Valley farms. D.B. 705, p. 13. 1918.
and water relations. D.B. 1340, pp. 15, 17, 43, 48. 1925.
as influenced by diseases. James R. Holbert and others. J.A.R., vol. 23, pp. 583-630. 1923.
at Akron Field Station, 1909-1923. D.B. 1304, pp. 17-19. 1925.
average, and possibility of improving. S.R.S. Syl. 21, pp. 1-2. 1916.
benefit of cattle keeping. F.B. 704, p. 33. 1916.
by States, 1909-1924. Y.B., 1924, p. 603. 1925.
changes since 1876. Y.B., 1919, pp. 19, 22, 23. 1920.
club-boy plantings. Off. Rec., vol. 2, No. 48, p. 5. 1923.
clubs, comparison with States, North and West. D.C. 152, p. 12. 1921.
cost, prices, Shenandoah Valley, farm. F.B. 432, pp. 20-21. 1911.
decrease caused by black bundle disease. J.A.R., vol. 27, pp. 178, 179, 194-202. 1924.
determination, methods. F.B. 537, pp. 20-21. 1913.
effect of—
crossing self-fertilized lines. D.B. 1354, pp. 6-10, 11-17. 1925.
rots of ear, stalk, and root, on seed corn. J.A.R., vol. 23, pp. 583-630. 1923.
windbreaks. F.B. 788, pp. 5, 10-11. 1917; F.B. 1405, pp. 9, 10-11. 1924.
fall-irrigated plats, South Dakota, 1914, 1915, 1916. D.B. 546, pp. 6-7. 1917.
for silage. F.B. 578, pp. 3-4. 1914.
from high-yielding breeding rows. Y.B., 1909, p. 318. 1910; Y.B. Sep. 515, p. 318. 1910.
from manure fertilizer, experiments. D.C. 342, pp. 17-19. 1925.
from starchy and horny ears, disease-free seed. D.B. 1062, pp. 5-7. 1922.
improvement studies, Plant Industry Bureau. News L., vol. 2, No. 5, pp. 1-2. 1914.

Corn—Continued.
yield(s)—continued.
in—
1917, and 1918, and increase, by States. News L., vol. 5, No. 18, p. 2. 1917.
Alabama, Jackson County. Soil Sur. Adv. Sh., 1911, pp. 17, 30. 1912; Soils F.O., 1911, pp. 777-790. 1914.
boys' club work, 1913. B.P.I. Chief Rpt., 1913, p. 22. 1913; An. Rpts. 1913, p. 126. 1914.
Colorado from fall-plowed and spring-plowed stubble, 1909-1914. D.B. 253, p. 6. 1915.
dry-land experiments, North Dakota. D.B. 1293, pp. 7-12, 17-20. 1925.
Indiana, Grant County, 1880-1914. Soil Sur. Adv. Sh., 1915, pp. 9-10. 1917; Soils F.O., 1915, pp. 1357-1358. 1919.
Mississippi, Jefferson Davis County, boys' contest. Soil Sur. Adv. Sh., 1915, p. 16. 1916. Soils F.O., 1915, p. 1038. 1919.
Missouri, Cooper County, for past 10 years. Soil Sur. Adv. Sh., 1909, pp. 18-20. 1911; Soils F.O., 1909, pp. 1380-1382. 1912.
Pennsylvania, Chester County, and selected farms. F.B. 978, pp. 3-4. 1918.
Philippines. Off. Rec., vol. 4, No. 38, p. 3. 1925.
rotations, experiments. W.I.A. Cir. 22, pp. 10, 11, 12. 1918.
semiarid regions, 1913, 1915. F.B. 773, pp. 7-8. 1916.
South, under demonstration work, 1915. S.R.S. Chief Rpt., 1915, Pt. II, pp. 27, 29. 1917.
Southern States, increase, 1909-1911. Y.B. 1911, pp. 289-291. 1912; Y.B. Sep. 568, pp. 289-291. 1912.
specified countries, and prices. Rpt. 109, pp. 165-168, 301-303. 1916.
Texas, rotation and tillage experiments. B.P.I. Cir. 120, pp. 10-13. 1913.
Texas, San Antonio, comparison with other grains. F.B. 965, pp. 3-4. 1918.
increase—
by seed selection, suggestions. F.B. 415, pp. 1-12. 1910.
due to velvet beans. F.B. 962, pp. 23-24, 25, 26. 1918.
from use of fertilizers. Soils Bul. 64, pp. 24-30. 1910.
since 1890. Y.B. 1921, p. 175. 1922; Y.B. Sep. 872, p. 175. 1922.
of European countries, 1886-1905. Stat. Bul. 68, pp. 20, 21. 1908.
on Carrington silt loam and Carrington clay loam. Soils Cir. 57, p. 7. 1912; Soils Cir. 58, p. 7. 1912.
on important American soils. Y.B. 1911, pp. 225-236. 1912; Y.B. Sep. 563, pp. 225-236. 1912.
on reclamation projects, and value of supplementary feed. D.B. 752, pp. 6, 8-15. 1919.
per acre—
and receipts. D.B. 1338, pp. 4-5. 1925.
by States, 1867-1906. Soils Bul. 57, pp. 44-57. 1909.
comparison with milo, at San Antonio Experiment Farm, 1909-1914. D.B. 188, pp. 1-2. 1915.
in Maryland tenant farms, 5-year periods, 1890-1909. F.B. 437, p. 13. 1911.
in Nebraska, 1867-1906, table. Soils Bul. 57, p. 12. 1909.
in Ohio, Palmer Township, 1912-1916. D.B. 716, pp. 39-40. 1918.
increase since 1908. An. Rpts., 1919, pp. 12, 15. 1920; Sec. A.R., 1919, pp. 14, 17. 1919.
relation to acreage. News L., vol. 3, No. 40, pp. 3-4. 1916; Y.B., 1915, p. 150. 1916; Y.B., Sep. 664, p. 150. 1916.
relation to—
cost of production. Farm M. Cir. 3, p. 12. 1919.
cultural factors, discussion. D.B. 320, p. 8. 1916.
distance between hills. F.B. 360, p. 6. 1909.
ear characters. F.B. 419, pp. 10-15. 1910.
method of planting, tests, and tables. F.B. 400, pp. 8-13. 1910.

Corn—Continued.
yield(s)—continued.
relation to—continued.
precipitation. J. Warren Smith. Y.B., 1903, pp. 215-224. 1904; Y.B. Sep. 302, pp. 215-224. 1904.
production cost. D.B. 651, pp. 3, 12, 13, 14, 16-17. 1918.
rainfall and soil productivity. B.P.I. Bul. 257, pp. 26-28. 1912.
soil bacteria tests on rotation plots. J.A.R., vol. 5, No. 18, pp. 857-860, 864, 866, 868. 1916.
rotation experiments, Missouri experiment station. 1912. O.E.S. An. Rpt., 1912, p. 63, 1913.
subsoiling experiments. B.P.I. Cir. 114, pp. 11-12. 1913.
tidal-marsh reclamations. O.E.S. Bul. 240, pp. 27, 43, 44, 51. 1911.
under—
intensive farming, Alabama. F.B. 519, p. 9. 1913.
irrigation in Oregon. O.E.S. Bul. 226, pp. 39, 40, 42, 45, 50, 54, 61. 1910.
rotation and tillage experiments. D.C. 209, pp. 9-15. 1922.
various cropping schemes. B.P.I. Bul. 236, pp. 19, 26, 31-33, 36. 1912; F.B. 405, pp. 5-8. 1910.
varying water supply. Y.B., 1910, p. 174. 1911; Y.B. Sep. 526, p. 174. 1911.
Williamson method, Alabama, Coffee County. Soil Sur. Adv. Sh., 1909, pp. 12, 20, 44. 1911; Soils F.O., 1909, pp. 808, 816, 840. 1912.
variations, studies. J.A.R., vol. 19, pp. 296-299. 1920.
with and without cultivation, tables and discussion. B.P.I. Bul. 257, pp. 12, 18-32. 1912.
young ears, use for pickles. O.E.S. Bul. 245, p. 88. 1912.
See also Cereals; Crops; Grain; Maize; Zea mays.
Corn Belt—
alfalfa growing. J. A. Drake and others. F.B. 1021, pp. 32. 1919.
beef production. W. H. Black. F.B. 1218, pp. 34. 1921.
cattle feeding, economical. J. S. Cotton and W. F. Ward. F.B. 588, pp. 19. 1914.
farm(s)—
accounting, demonstration work. News L., vol. 6, No. 29, p. 7. 1919.
changes effected by tractors. L. A. Reynoldson and H. R. Tolley. F.B. 1296, pp. 12. 1922.
horses, cost. M. R. Cooper and J. O. Williams. F.B. 1298, pp. 16. 1922.
labor saving by hogging-down crops. J. A. Drake. F.B. 614, pp. 16. 1914.
leases, provisions. D.B. 650, pp. 3, 4-5. 1918.
management problems, investigations. An. Rpts., 1918, p. 498. 1919; Farm M. Chief Rpt., 1918, p. 8. 1918.
power cost and utilization of tractors. H. R. Tolley and L. A. Reynoldson. D.B. 997, pp. 61. 1921.
tractor—
cost. L. A. Reynoldson and H. R. Tolley. F.B. 1297, pp. 15. 1923.
economic study. Arnold P. Yerkes and L. M. Church. F.B. 719, pp. 24. 1916.
ownership. L. A. Reynoldson and H. R. Tolley. F.B. 1299, pp. 10. 1922.
use of tractors and horses. L. A. Reynoldson and H. R. Tolley. F.B. 1295, pp. 14. 1923.
farming types and crops adaptable. F.B. 1289, pp. 22-30. 1923.
feeder cattle from ranges. F.B. 1395, p. 9. 1925.
forage production. Y.B., 1923, p. 328. 1924. Y.B. Sep. 895, p. 328. 1924.
frosts, autumnal. News L., vol. 1, No. 8, p. 2. 1913.
grain farming—
bulletins. Carl Vrooman. Sec. [Misc.] "Grain farming in * * *," pp. 48.1918.
with livestock as a sideline. Carl Vrooman. F.B. 704, pp. 48. 1916.
hog industry development, 1812-1920. Y.B., 1922, pp. 187-192. 1923; Y.B. Sep. 882, pp. 187-192. 1923.
Indiana, size of farms, comparison in three counties. D.B. 1258, p. 10. 1924.

INDEX TO PUBLICATIONS, 1901–1925   591

Corn Belt—Continued.
labor distribution, graph. D.C. 183, p. 8. 1922.
land tenure status. Off. Rec., vol. 3, No. 12, p. 1. 1924.
location—
  acreage, and farm lands, 1910, map. Y.B., 1915, p. 335. 1916; Y.B. Sep. 681, p. 335. 1916.
  area, and crop combinations. Y.B., 1921, pp. 175–178. 1922; Y.B. Sep. 872, pp. 175–178. 1922.
  corn growing and yield. Y.B., 1911, pp. 325–327. 1912; Y.B. Sep. 572, pp. 325–327. 1912.
Meat Producers' Association. Y.B., 1907, p. 514. 1908; Y.B. Sep., 464, p. 514. 1908.
problems, studies. An. Rpts., 1917, p. 479. 1918; Sec. A.R., 1917, p. 7. 1917.
rotations. C. B. Smith. Y.B., 1911, pp. 325–336. 1912; Y.B. Sep. 572, pp. 325–336. 1912.
small farms. J. A. Warren. F.B. 325, pp. 29. 1908.
steer fattening. William H. Black. F.B. 1382, pp. 18. 1924.
sweet clover, growing. J. A. Drake and J. C. Rundles. F.B. 1005, pp. 28. 1919.
thrashing ring. J. C. Rundles. Y.B., 1918, pp. 247–268. 1919; Y.B. Sep. 772, pp. 24. 1919.
tractor(s)—
  choosing for farm. L. A. Reynoldson and H. R. Tolley. F.B. 1300, pp. 13. 1922.
  on farms; relation to use of horses. F.B. 1093, pp. 1–26. 1920.
  use in Illinois. Arnold P. Yerkes and L. M. Church. F.B. 963, pp. 1–30. 1918.
States, profits in livestock growing. News L., vol. 3, No. 52, pp. 1–2. 1916.
Corn cockle—
injury to wheat, caution to farmers. News L., vol. 3, No. 23, pp. 2–3. 1916.
milling tests, comparison with wheat, rye, kinghead and vetch. D.B. 328, p. 10. 1915.
poisoning chickens. An. Rpts., 1907, p. 223. 1908; B.A.I. An. Rpt., 1907, p. 46. 1909.
screenings, analyses, and danger in use. D.B. 328, pp. 22–23. 1915.
seed, description and adulteration of vetch seed. F.B. 428, pp. 19, 20. 1911; F.B. 515, p. 26. 1912.
seed, occurrence in wheat, and effect on flour. D.B. 328, pp. 6–7, 12–13, 15–18. 1915.
use in fly larval destruction in manure, experiments. D.B. 245, pp. 13, 20. 1915.
wheat adulterant, milling and baking tests. D.B. 328, pp. 24. 1915.
See also Cockle.
Corn wheat. *See* Wheat, Polish.
Cornaceae—
characters. For. [Misc.], "Forest trees for Pacific * * *," p. 412. 1908.
injury by sapsuckers. Biol. Bul. 39, pp. 48, 86. 1911.
Corncob(s)—
adulterant of stock feed. Chem. N.J. 66, pp. 1–3. 1909.
color, importance to manufacturers of white-corn goods. Y.B., 1902, p. 547. 1903.
measurement, directions. P. R. Cir. 18, p. 16. 1920.
patents for uses. Sec. A.R., 1924; p. 69. 1924.
processed, feed value. J.A.R., vol. 27, p. 251. 1924.
testing for moisture, directions. B.P.I. Cir. 72, rev., p. 12. 1914.
uses and value. News L., vol. 6, No. 36, p. 14. 1919.
uses in—
  furfural. Y.B., 1924, p. 71. 1925.
  making acids. Work and Exp., 1919, p. 30. 1921.
  manufacture of adhesive gum, cellulose, and glucose. News L., vol. 6, No. 13, p. 3. 1918.
  utilization and products. Off. Rec., vol. 2, No. 34, p. 6. 1923.
Corncribs—
Argentina, description. Y.B., 1915, pp. 289–290. 1916; Y.B. Sep. 677, pp. 289–290. 1916.
description. F.B. 313, pp. 24–26. 1907.
fumigation for control of pink corn worm. D.B. 363, pp. 16–18. 1916.
galvanized iron, description and construction. F.B. 1029, pp. 34–35. 1919.

Corncribs—Continued.
infestation with pink corn worm, and fumigation. D.B. 363, pp. 6–11, 15–18. 1916.
protection against rodents and other enemies. Sec. Cir. 91, p. 13. 1918; S.R.S. Syl. 21, p. 21. 1916.
rat proof and weevil proof, description and cost. F.B. 896, pp. 7, 9. 1917; F.B. 1029, pp. 31–35. 1919.
Cornea, ulceration, in cattle, control. An. Rpts., 1918, p. 131. 1919; B.A.I. Chief Rpt., 1918, p. 61. 1918.
Corneitis, cattle—
causes, symptoms and treatment. B.A.I. [Misc.], "Diseases of cattle," rev., pp. 357–359. 1912; rev., pp. 347–348. 1923.
See also Keratitis.
Cornel—
Bentham's, importation. No. 42287, B.P.I. Inv. 46, pp. 8, 73. 1919.
Florida. *See* Dogwood.
importation and description. No. 44589, B.P.I. Inv. 51, p. 29. 1922.
injury by sapsuckers. Biol. Bul. 39, p. 48. 1911.
Cornelian tree, American. *See* Dogwood.
Cornell University—
arrangements with Columbia University for credits in agricultural work. O.E.S. An. Rpt., 1907, pp. 283–284. 1908.
bird count, results, 1915. D.B. 396, pp. 13–15. 1916.
teachers' courses. O.E.S. Cir. 118, p. 20. 1913.
water meters, testing experiments. J.A.R., vol. 2, pp. 78, 79–80. 1914.
Cornell University Agricultural College, course. O.E.S. Cir. 83, p. 13. 1909.
Cornell University Experiment Station—
work and expenditures—
  1909. O.E.S. An. Rpt., 1909, pp. 156–160. 1910.
  1910. O.E.S. An. Rpt., 1910. pp. 72, 202–206. 1911; O.E.S. Doc. 1387, pp. 72, 202–206. 1911.
  1916. S.R.S. Rpt., 1916, Pt. I, pp. 199–203. 1918.
work in liming soils. F.B. 1365, p. 9. 1924.
"Corners", grain, prevention. Off. Rec., vol. 3, No. 8, p. 2. 1924.
Cornfield pea. *See* Cowpea.
Cornfields—
injury by white grubs. F.B. 543, pp. 6, 11, 17. 1913.
overflowed, value of replanting, time, etc. News L., vol. 4, No. 38, p. 8. 1917.
pea. *See* Cowpea.
presence of white-fungus disease of chinch bugs. Ent. Bul. 107, p. 11, 13, 18–20. 1911.
soils, sampling for moisture content and hygroscopic coefficient. J.A.R., vol. 14, No. 11, pp. 456, 457, 468, 469, 479. 1918.
Cornflower—
description, cultivation, and characteristics. F.B. 1171, pp. 32–33, 80. 1921.
seeds, description. F.B. 428, pp. 27, 28. 1911.
Cornifrons elautalis, description, and injury to cactus. Ent. Bul. 113, p. 35. 1912.
Cornroot webworm, description, habits, and control. F.B. 1258, pp. 8–10. 1922.
Cornsalad—
cultural directions and use. F.B. 937, p. 36. 1918; F.B. 255, p. 31. 1906.
oil, adulteration and misbranding. Chem. N.J. 11465. 1923.
seeds, description. F.B. 428, pp. 27, 28. 1911.
Cornstalk(s)—
analysis in sugar production experiments. B.P.I. Cir. 111, pp. 4, 5–6. 1913.
annual production. Y.B., 1910, p. 330. 1911; Y.B. Sep. 547, p. 330. 1911.
barrenness, remedy. Y.B., 1902, p. 548. 1903.
beetle, rough-headed—
  W. J. Phillips and Henry Fox. D. B. 1267, pp. 34. 1924.
  in Southern States, and control. W. J. Phillips and Henry Fox. F.B. 875, pp. 12. 1917.
borer, parasite. Ent. Cir. 116, p. 7. 1910.
burning for borer control. News. L., vol. 6, No. 31, p. 8. 1919.
destruction on sugar-cane plantations. D.B. 746, p. 53. 1919.

Cornstalk(s)—Continued.
disease—
of cattle distinction from hemorrhagic septicemia. B.A.I. [Misc.], "Diseases of cattle," rev., p. 408. 1912.
relation to enzymes in corn stalks. T. M. Price. B.A.I. Cir. 84, pp. 10. 1905; B.A.I. Chief Rpt., 1904, pp. 66-75. 1905.
distillate, test for prussic acid. B.A.I. An. Rpt., 1904, p. 67. 1905.
extract—
feed for dairy cattle, experiments. An. Rpts., 1912, p. 341. 1913; B.A.I. Chief Rpt., 1912, p. 45. 1912.
value, testing as feeding stuff. Y.B., 1910, pp. 330-331. 1911; Y.B. Sep. 541, pp. 330-331. 1911.
in fields, value for beef cattle pasturage. F.B. 1218, p. 6. 1921.
injurious to cattle. B.A.I. [Misc.], "Diseases of cattle," rev., p. 66. 1923.
juice composition, and comparison with sorghum and sugar cane. B.P.I. Cir. 111, pp. 7-9. 1913.
metal content, detection. J.A.R., vol. 23, p. 809. 1923.
pulp, paper-making experiments. An. Rpts., 1912, p. 417. 1913; B.P.I. Chief Rpt., 1912, p. 37. 1912.
sirup manufacture, experiments, results. O.E.S. An. Rpt., 1922, p. 77. 1924.
stock-food extracts and paper, tests. An. Rpts., 1914, pp. 111-112. 1914; B.P.I. Chief Rpt., 1914, pp. 11-12. 1914.
use—
and value in paper making, experiments. B.P.I. Cir. 82, pp. 8-10. 1911; P.P.I. Cir. 1, pp. 5-7. 1916; Chem. Cir. 41, pp. 11, 19. 1908.
as forage. Y.B. 1901, p. 701. 1902.
in manufacture of alcohol. Chem. Bul. 130, pp. 27, 88, 94. 1910.
in protection of orchard trees against rodents. Y.B. 1907, p. 341. 1908; Y.B. Sep. 452, p. 341. 1908.
value for stock feed, use method. F.B. 704, p. 37. 1916.
Cornstarch—
addition to canned corn, opinion. Chem. S.R.A. 1, p. 3. 1914.
cooking recipes. F.B. 817, p. 20. 1917.
juice, sugar determination, picric-acid method, changes. J.A.R., vol. 28, pp. 479-488. 1924.
manufacture, uses and digestibility experiments. F.B. 298, pp. 14, 16, 20. 1907.
microscopical examinations. Chem. Bul. 130, p. 136. 1910.
Cornus—
asperifolia, injury by sapsuckers. Biol. Bul. 39, p. 48. 1911.
canadensis, distribution. N.A. Fauna 21; p. 56. 1901.
canadensis. See also Bunchberry.
florida. See Dogwood.
macrophylla, importation and description. No. 40808, B.P.I. Inv. 43, pp. 84-85. 1918.
spp., importations and description. Nos. 36741, 36742, B.P.I. Inv. 37, p. 59. 1916; Nos. 42597, 42757, B.P.I. Inv. 47, pp. 7, 34, 60. 1920.
Coronaria floscuculi, susceptibility to Puccinia triticina. J.A.R., vol. 22, pp. 152-172. 1921.
Coronas, sun and moon, weather indications, proverbs. Y.B. 1912, pp. 377-378. 1913; Y.B. Sep. 599, pp. 377-378. 1913.
Coronilla varia, importation and description. No. 53607, B.P.I. Inv. 67, p. 68. 1923.
Corozo—
nut, description and importation. No. 43374, B.P.I. Inv. 48, p. 47. 1921.
palm, importation and description. No. 43484, B.P.I. Inv. 49, p. 34. 1921.
Corporation(s)—
dissolution, laws and regulations governing. D.B. 1106, pp. 22-23. 1922.
laws, State, note. Y.B. 1914, p. 191. 1915; Y.B. Sep. 637, p. 191. 1915.
rural telephone companies, kinds, organization, constitution, and by-laws. F.B. 1245, pp. 8-16. 1923.
See also Associations.

Corrals—
Angora-goat, fencing methods. F.B. 1203, p. 20. 1921.
cattle ranch, equipment and requirements. F.B. 1395, pp. 15-17. 1925.
dipping, for cattle. F.B. 1017, p. 25. 1919; F.B. 909, p. 18. 1918.
reindeer, description. D.B. 1089, pp. 41-44. 1922; sheep, disinfection. F.B. 1330, pp. 9-10, 13. 1923. F.B. 1150, pp. 10, 13. 1920; F.B. 798, p. 25. 1917.
Correlation(s)—
and causation. Sewall Wright. J.A.R., vol. 20, pp. 557-585. 1921.
plant breeding, studies, theories, and classification. J.A.R., vol. 6, No. 12, pp. 435-438, 447-450. 1916.
Correspondence course(s)—
agricultural colleges, discussion. O.E.S. An. Rpt., 1912, p. 297. 1913.
agriculture training schools, scope and institutions furnishing. D.B. 7, pp. 8-12. 1913.
in agriculture. O.E.S. Bul. 110, p. 50. 1902.
in agriculture, Arkansas. O.E.S. An. Rpt., 1912, p. 322. 1913.
Correspondents—
climate and crop, number required. R.G. Allen. W.B. Bul. 31, pp. 195-196. 1902.
crop, work. An. Rpts., 1913, pp. 256-260. 1914; Stat. Chief Rpt., 1913, pp. 2-4. 1913.
voluntary, Statistics Bureau, special lists. An. Rpts., 1912, pp. 782-783. 1913; Stat. Chief Rpt., 1912, pp. 4-5. 1912.
Corrosion—
fence wire. Allerton S. Cushman. F.B. 239, pp. 32. 1905.
iron—
Allerton S. Cushman. Rds. Bul. 30, pp. 35, 1907.
and steel, test fences and paints. Sec. A.R., 1908, p. 147. 1908; An. Rpts., 1908, pp. 149, 764. 1909; Rds. Chief Rpt., 1908, p. 24. 1908; Rpt. 87, p. 73. 1908.
causes and discussion. Rds. Bul. 35, pp. 8-15. 1909.
Corrosive sublimate—
composition, and use as disinfectant of stables. F.B. 480, pp. 10, 14. 1912.
disinfection of potato cellars. B.P.I. Cir. 110, p. 14. 1913.
formula and use method. F.B. 856, p. 8. 1917.
formula for use in control of potato pests. Hawaii Bul. 45, p. 9. 1920.
injury to ginseng in rust control. B.P.I. Bul. 250, p. 32. 1917.
potato-seed disinfection. F.B. 1064, p. 18. 1919.
preparation and use as disinfectant, objections. F.B. 345, p. 11. 1908.
seed potatoes, treatment, directions. F.B. 1332, p. 11. 1923; F.B. 1367, pp. 6-8. 1924; F.B. 1202, p. 60. 1921; F.B. 953, p. 6. 1918; F.B. 1190, pp. 11, 12. 1921.
treatment of seed for bunt prevention. D.B. 1210, pp. 4, 15. 1924.
use against—
bed bugs. F.B. 1180, p. 27. 1921.
rodents, objections. Y.B., 1908, p. 426. 1909; Y.B. Sep. 491, p. 426. 1909.
use as—
Argentine ant repellent. Ent. Bul. 122, pp. 80-81. 1913.
disinfectant after abortion. B.A.I. [Misc.], "Diseases of cattle," rev., pp. 173-174. 1912.
disinfectant in pear-blight control, caution. News L., vol. 3, No. 17, p. 3. 1915.
disinfectant, precaution. B.A.I. [Misc.], "Diseases of cattle," rev., p. 364. 1923.
fungicide. F.B. 243, p. 18. 1906.
fungicide in Porto Rico. P.R. Cir. 17, p. 26. 1918.
use in—
bands for ant control, preparation and use. D.B. 965, pp. 15-16. 1921.
control of—
potato scab, cost. F.B. 316, p. 12. 1908; F.B. 407, p. 13. 1910.
Rhizoctonia of potatoes. S.R.S. Rpt., 1915, Pt. I, p. 257. 1917.
silver scurf of potato. B.P.I. Cir. 127, pp. 21-23. 1913.

Corrosive sublimate—Continued.
   use in—continued.
      control of—continued.
         sweet-potato rot, method. News L., vol. 3, No. 34, p. 4. 1916.
         tree pruning. News L., vol. 3, No. 27, pp. 1, 4. 1916.
         wood preservation. For. Cir. 186, p. 1. 1911.
      use on—
         seed potatoes for scab control. F.B. 856, pp. 8, 58. 1917.
         tree bands against Argentine ants. D.B. 647, pp. 65. 1918.
   See also Mercuric chloride.
Corson, G. E.: "Soil survey of Polk County, Iowa." With others. Soil Sur. Adv. Sh., 1918, pp. 67. 1921; Soils F.O. 1918, pp. 1165–1227. 1924.
Cortaderia spp., description. D.B. 772, p. 63. 1920.
Corthylus columbianus. See Ambrosia beetle.
Corticium—
   salmonicolor, cause of citrus disease, Guam. Guam A.R. 1917, p. 48. 1918.
   spp., cause of—
      fungus disease of Cacao. P.R. An. Rpt., 1914, p. 29. 1915.
      injuries to jack pine, description. D.B. 212, p. 8. 1915.
      potato rosette. B.P.I. Bul. 245, p. 17. 1912.
   vagum—
      cause of—
         conifer seedling disease, studies. J.A.R., vol. 15, pp. 522, 530–537. 1918.
         damping off in pine. J.A.R., vol. 30, pp. 335–336. 1925.
         disease in beets. J.A.R., vol. 4, pp. 136, 139, 165. 1915.
         dry-rot canker of sugar beets. J.A.R., vol. 22, pp. 47–52. 1921.
         greenhouse studies on temperature relations. J.A.R., vol. 23, pp. 761, 768. 1923.
         growth in pure culture, temperature studies. J.A.R., vol. 25, pp. 442–447. 1923.
         occurrence, description, habits, and control. D.B. 934, pp. 2, 4, 6–7, 27–34, 60, 63, 65–73, 79, 85–90. 1921.
      pathogenicity on—
         pea and bean, relation to soil temperature. J.A.R., vol. 25, pp. 431–450. 1923.
         potato as affected by soil temperature. B. L. Richards. J.A.R., vol. 21, pp. 459–482. 1921.
         potato, relation to soil temperature. B. L. Richards. J.A.R., vol. 23, pp. 761–770. 1923.
   See also Rhizoctonia.
Cortinarius spp. description, and edible and poisonous qualities. D.B. 175, pp. 30–31. 1915; F.B. 796, p. 11. 1917.
Corvallis, Oregon, Experiment Station, irrigation experiments, 1907–1909. O.E.S. Bul. 226, pp. 38–43. 1910.
Corvidae, hosts of eye parasites. B.A.I. Bul. 60, p. 49. 1904.
Corvus—
   americanus. See Crow.
   corax sinuatus. See Raven.
   spp., forms in United States. D.B. 621, pp. 3–4. 1918.
Cory, V. L.: "Cooperative grain investigations at McPherson, Kansas, 1904–1909." B.P.I. Bul. 240, pp. 22. 1912.
Corylus—
   avellana, importation and description. No. 34266, B.P.I. Inv. 32, p. 29. 1914.
   ferox, importation and description. No. 39106, B.P.I. Inv. 40, pp. 7, 75. 1917.
   spp.—
      distribution. N.A. Fauna 22, p. 12. 1902.
      importation and description. No. 34590, B.P.I. Inv. 33, pp. 5, 36. 1915.
   See also Hazelnut; Filbert.
Corymbites—
   inflatus, injuries to wheat. Ent. Bul. 95, Pt. V, p. 74. 1912.
   spp., description, life history, and control. D.B. 156, pp. 9–16. 1915.
   spp. See also Wireworms.

Coryneum—
   beijerinckii, cause of pustular spot. F.B. 1435, p. 10. 1924.
   berynkii, relation to citrus gummosis. J.A.R., vol. 24, pp. 221, 222, 232. 1923.
   foliicolum, inoculation experiments with apple leaves. J.A.R., vol. 2, pp. 58, 63–65. 1914.
Corynocarpus laevigata. See Karaka.
Corynorhinus macrotis. See Bat, Le Conte big-eared.
Corypha—
   sp., growing in Porto Rico, description. P.R. An. Rpt., 1917, p. 24. 1918.
   umbraculifera. See Palm, Talipot.
Corythaica monacha, injury to eggplants in Porto Rico. D.B. 192, pp. 4, 10, 11. 1915.
Corythuca—
   ciliata, description, habits, and control. F.B. 1169, pp. 74–75. 1921.
   gossypii, injury to vegetables in Porto Rico. D.B. 192, pp. 4, 11. 1915.
Coryza, symptoms, result of use of antipyrin. Chem. Bul. 126, pp. 73, 77–78. 1909.
Cosby, S. W.: "Soil survey of the—
   Big Valley, Calif." With E. B. Watson. Soil Sur. Adv. Sh., 1920, pp. 1005–1032. 1924; Soils F.O., 1920, pp. 1005–1032. 1925.
   Brawley area, California." With others. Soil Sur. Adv. Sh., 1920, pp. 76. 1923; Soils F.O., 1920, pp. 641–716. 1925.
   Eureka area, California." With others. Soil Sur. Adv. Sh., 1921, pp. 31. 1925.
   Victorville area, California." With A. E. Kocher. Soil Sur. Adv. Sh., 1921, pp. 50. 1924.
Coslet process of phosphorizing steel. Rds. Bul. 35, p. 35. 1909.
Cosmetics—
   adulteration and misbranding. Chem. N.J. 82, pp. 7. 1909; Chem. N.J. 2731, pp. 10. 1914.
   Berry's freckle ointment, misbranding. Chem. N.J. 1376, pp. 2. 1912.
   Freckeleater, misbranding. Chem. N.J. 2443, pp. 2. 1913.
   Freckeless, misbranding. Chem. N.J. 3540. 1915.
   Kintho beauty cream, misbranding. Chem. N.J. 1379, pp. 2. 1912.
   Mme. Yale's skinfood, misbranding. Chem. N.J. 82, pp. 7. 1909.
   peroxide cream, misbranding. Chem. N.J. 840, pp. 2. 1911.
Cosmophila—
   erosa. See Moth, Abutilon.
   sabulifera, enemy of hibiscus. Hawaii A.R., 1907, p. 46. 1908.
Cosmopolites sordidus. See Banana root-borer.
Cosmos—
   description, characteristics, cultivation, and use. F.B. 1171, pp. 23–24, 80. 1921.
   exposures, long-day and short-day, experiments and results. J.A.R., vol. 27, pp. 129–135, 136. 1924.
   growing, experiments with daylight of different lengths. J.A.R., vol. 23, pp. 875, 879, 883, 887, 899, 901, 902, 909. 1923.
   growing in Alaska. Alaska A.R., 1918, p. 53. 1920.
   importation and description. No. 37884, B.P.I. Inv. 39, p. 62. 1917.
Cossid, pecan enemy, description and control. F.B. 843, pp. 35–37. 1917.
Cossula magnifica. See Hickory cossid; Oak cossid.
Cossus cossus. See Moth, goat.
Cost(s)—
   accounting—
      farmers. C. E. Ladd and James S. Ball. F.B. 572, rev., pp. 23. 1920.
   farming studies, program, 1915. Sec. [Misc.], "Program of work * * * 1915," p. 127. 1914.
   importance to farmers. Y.B., 1919, pp. 485–488. 1920; Y.B. Sep. 825, pp. 485–488. 1920.
   investigations, Farm Management Office. An. Rpts., 1919, p. 466. 1920; Farm M. Chief Rpt., 1919, p. 4. 1919.
   See also Accounting.

Cost(s)—Continued.
accounts, farm—
business, usefulness. Y.B., 1917, pp. 164-167. 1918; Y.B. Sep. 735, pp. 14-17. 1918.
daily work, form of records, opening and closing. F.B. 572, rev., pp. 4-20. 1920.
crop production studies. News L., vol. 6, No. 46, pp. 1, 10. 1919.
elements, labor, materials, plant and general expenses. D.B. 660, pp. 2-9. 1918.
keeping—
fixed charges. D.B. 660, p. 9. 1918.
for highway work. D.B. 660, Pt. II, pp. 13-41. 1918.
importance in small lumber operations. D.B. 718, pp. 3-4. 1918.
principles, cost elements and charges. D.B. 660, Pt. I, pp. 1-12. 1918.
logging, in Douglas fir region. D.B. 711, pp. 25-27, 47-55, 94-115, 130-134, 139, 153-154, 169-175, 184, 190-194, 200-203, 210-217, 220, 225, 237-238, 251, 253-256. 1918.
of living—
collection data. O.E.S. An. Rpt., 1909, p. 388. 1910.
prices and wages, statistics. Y.B., 1924, p. 1182. 1925.
study by Bureau of Statistics. An. Rpts., 1912, pp. 94-95. 1913; Sec. A.R., 1912, pp. 94-95. 1912; Y.B., 1912, pp. 94-95. 1913.
of Production Division, report. B.A.E. Chief Rpt., 1924, pp. 9-10. 1924.
production—
data testing, method. H. R. Tolley and S. W. Mendum. D.C. 307, pp. 13. 1924.
of farm products, studies. An. Rpts., 1922, pp. 548-553. 1923; Farm M. Chief Rpt., 1922, pp. 4-9. 1922.
studies, input as related to output. H. R. Tolley and others. D.B. 1277, pp. 44. 1924.
studies, procedure, report of committee. Sec. Cir. 132, pp. 9-15. 1919.
records, farm business, usefulness. Y.B., 1917, pp. 162-163. 1918; Y.B. Sep. 735, pp. 12-13. 1918.
studies and data, value to farmers. B.A.E. Chief Rpt., 1923, pp. 10-13. 1923; An. Rpts., 1923, pp. 26-27, 140-143. 1924; Sec. A.R., 1923, pp. 26-27. 1923.
studies, farm production and organization, uses and methods. F. W. Peck. D.B. 994, pp. 47. 1921.
sugar beets, production. D.B. 726, pp. 45-55. 1918.
wheat production. M. R. Cooper and R. S. Washburn. D.B. 943, pp. 59. 1921.
yarding logs. D.B. 711, pp. 94-115, 130-134, 139, 153-154. 1918.
See also Assessments.
Costa Rica—
avocado varieties. B.P.I. Bul. 77, pp. 25-26. 1905.
coffee production, exports. Stat. Bul. 79, pp. 10, 42-43. 1912.
sugar industry, 1902-1914. D.B. 473, p. 27. 1917.
COSTENOBLE, H. L. V.: "Report of Guam Experiment Station, for 1907." O.E.S. An. Rpt., 1907, pp. 405-414. 1908.
Costia, spp., description and injury to fishes. B.A.I. An. Rpt. 1910, p. 482. 1912; B.A.I. Cir. 192, p. 482. 1912.
Costus speciosus. See Flag, spiral.
Cotinis nutida. See June beetle, green.
Cotinus—
americanus, injury by sapsuckers. Biol. Bul. 39, p. 45. 1911.
cotinus. See Smoke-tree.
Coto bark, adulteration, detection. Chem. Bul. 122, p. 138. 1909.
Cotoneaster—
leaf blister mite, occurrence. F.B. 722, p. 4. 1916.
simonsi, importation and description. B.P.I. Inv. 34, p. 44. 1915.

Cotoneaster—Continued.
spp., importations and descriptions. Nos. 29963-29971, 30292, B.P.I. Bul. 233, pp. 9, 45, 73. 1912; Nos. 35179-35183, B.P.I. Inv. 35, p. 18. 1915; Nos. 35928-35932, B.P.I. Inv. 36, p. 28. 1915; Nos. 36738-36740, B.P.I. Inv. 37, p. 59. 1916; Nos. 37596-37598, B.P.I. Inv. 38, pp. 81-82. 1917; Nos. 38149-38151, B.P.I. Inv. 39, pp. 94-95. 1917; Nos. 38760, 39008. B.P.I. Inv. 40, pp. 7, 24, 57. 1917; Nos. 40162-40175, B.P.I. Inv. 42, pp. 8, 78-83. 1918; Nos. 40574-40579, 40730, 40734-40735, B.P.I. Inv. 43, pp. 8, 48, 73. 1918; Nos. 43680-43682, 43757, 43758, 43835, 43836, 43938, B.P.I. Inv. 49, pp. 61, 73, 84, 101. 1921; Nos. 43989-43995, 44078-44084, 44386, 44387, 44421, 44422, B.P.I. Inv. 50, pp. 8, 13, 25, 65, 70. 1922; Nos. 45705-45707, 45728, B.P.I. Inv. 54, pp. 7, 12. 1922; Nos. 47663-47665, B.P.I. Inv. 59, p. 44. 1922; Nos. 51493, 51843, B.P.I. Inv. 65, pp. 2, 21, 57. 1923; Nos. 52632-52639, 52677, B.P.I. Inv. 66, pp. 54, 59. 1923; Nos. 52935, 53468-53469, 53666-53695, B.P.I. Inv. 67, pp. 3, 16, 52, 75-78. 1923; Nos. 54075-54076, B.P.I. Inv. 68, p. 27. 1923; Nos. 55080-55086, B.P.I. Inv. 71, pp. 20-21. 1923.
zabeli, importation and description. No. 49032, B.P.I. Inv. 61, p. 70. 1922.
Cotot Stock Farm, Guam, area purchase. Guam A.R. 1914, p. 27. 1915.
Cottages, farm laborers', plans, with grounds. Y.B., 1918, pp. 352-356. 1919; Y.B. Sep. 789, pp. 8-12. 1919.
Cottea—
pappophorides, distribution, description, and feed value. D.B. 201, p. 20. 1915.
spp., description, distribution, and uses. D.B. 772, pp. 9, 81, 83, 84. 1920.
COTTON, J. S.—
"Economic cattle feeding in the Corn Belt." With W. F. Ward. F.B. 588, pp. 19. 1914.
"Hay." With others. Y.B., 1924, pp. 285-376. 1925.
"Hints to settlers on the Sun River Project, Montana." With W. A. Remington. B.P.I. Doc. 462, pp. 7. 1909.
"Improvement of pastures in eastern New York and the New England States." B.P.I. Cir. 49, pp. 10. 1910.
"Methods and costs of growing beef cattle in the Corn Belt States." With others. Rpt. 111, pp. 64. 1916.
"Our forage resources." With others. Y.B., 1923, pp. 311-414. 1924; Y.B. Sep. 895, pp. 311-414. 1924.
"Range management." Y.B., 1905, pp. 225-238. 1907; Y.B. Sep. 419, pp. 225-238. 1907.
"Range management in the State of Washington." B.P.I. Bul. 75, pp. 28. 1905.
"The economical winter feeding of beef cows in the Corn Belt." With Edmund H. Thompson. D.B. 615, pp. 16. 1917.
"The improvement of mountain meadows." B.P.I. Bul. 127, pp. 29. 1908.
"The sheep industry." With others. Y.B., 1923, pp. 229-310. 1924; Y.B. Sep. 894, pp. 229-310. 1924.
COTTON, R. T.—
"'Aplastomorpha vandineri,' Tucker, an important parasite of Sitophilus oryza." J.A.R., vol. 23, pp. 549-556. 1923.
"Broad-nosed grain weevil." D.B. 1085, pp. 10. 1922.
"Effect of fumigation upon heating of grain caused by insects." With E. A. Back. J.A.R., vol. 28, pp. 1103-1116. 1924.
"Effective use of hydrocyanic-acid gas in the protection of chick-peas warehoused in 240-pound sacks." With E. A. Back. J.A.R., vol. 28, pp. 649-660. 1924.
"Four Rhynchophora attacking corn in storage." J.A.R., vol. 20, pp. 605-614. 1921.
"Fumigation against grain weevils with various volatile organic compounds." With others. D.B. 1313, pp. 40. 1925.

COTTOON, R. T.—Continued.
"Notes on the biology of the cadelle, *Tenebroides mauritanicus* Linné." J.A.R., vol. 26, pp. 61-68. 1923.
"Relative resistance of the rice weevil and the granary weevil to high and low temperatures." With E. A. Back. J.A.R., vol. 28, pp. 1043-1044. 1924.
"Rice weevil (Catandra), *Sitophilus oryza*." J.A.R., vol. 20, pp. 409-422. 1920.
"Stored-grain pests." With E. A. Back. F.B. 1260, pp. 47. 1922.
"Tamarind pod-borer, *Sitophilus linearis* (Herbst.)." J.A.R., vol. 20, pp. 439-446. 1920.
"The cambium curculio *Conotrachelus anaglypticus*." With Fred E. Brooke. J.A.R., vol. 28, pp. 377-386. 1924.

COTTON, W. E.—
"Danger of infection with tuberculosis by different kinds of exposure." With E. C. Schroeder. B.A.I. Cir. 83, pp. 22. 1905.
"Experiments with milk artificially infected with tubercle bacilli." With E. C. Schroeder. B.A.I. Bul. 86, pp. 19. 1906.
"Some facts about abortion disease." With E. C. Schroeder. J.A.R., vol. 9, pp. 9-16. 1917.
"Tests concerning tubercle bacilli in the circulating blood." With E. C. Schroeder. B.A.I. Bul. 116, pp. 23. 1909.
"The bacillus of infectious abortion found in milk." With E. C. Schroeder. B.A.I. An. Rpt., 1911, pp. 139-146. 1913; B.A.I. Cir. 216, pp. 139-146. 1913.
"The danger from tubercle bacilli in the environment of tuberculous cattle." With E. C. Schroeder. B.A.I. Bul. 99, pp. 24. 1907.
"The persistence of tubercle bacilli in tissues of animals after injection." With E. C. Schroeder. B.A.I. Bul. 52, Pt. III, pp. 115-125. 1905.
"The relation of tuberculous lesions to the mode of infection." With E. C. Schroeder. B.A.I. Bul. 93, pp. 19. 1906.
"The vaccination of cattle against tuberculosis." With others. B.A.I. An. Rpt., 1910, pp. 327-343. 1912; B.A.I. Cir. 190, pp. 17. 1912.
"Tubercle bacilli in butter: Their occurrence, vitality, and significance." With E. C. Schroeder. B.A.I. Cir. 127, pp. 23. 1908.

Cotton—
absorbent—
power of selective adsorption. J.A.R., vol. 1, p. 181. 1913.
use as milk filter. News L., vol. 6, No. 32, p. 8. 1919.
absorption of potash from potassium chloride solutions. Soils Bul. 52, pp. 30-31. 1908.
Acala—
characteristics of type and origin. D.C. 357, pp. 2-4. 1925.
description and value. F.B. 501, rev., p. 18. 1920.
extension. B.P.I. Chief Rpt., 1921, p. 22. 1921.
growing in the San Joaquin Valley, California. Wofford B. Camp. D.C. 357, pp. 24. 1925.
origin and description. An. Rpts., 1918, p. 138. 1919; B.P.I. Chief Rpt., 1918, p. 4. 1918.
resemblance to Hindi cotton. B.P.I. Cir. 42, pp. 6-7. 1909.
spacing experiments in southern California. H. G. McKeever. J.A.R., vol. 28, pp. 1081-1093. 1924.
upland, comparisons with others. J.A.R., vol. 27, pp. 277-320. 1924.
acclimatization and adaption. B.P.I. Bul. 198, pp. 26, 27-29. 1911.
acreage—
1899-1902, by States. Stat. Bul. 34, p. 60. 1905.
1921, decrease. Y.B., 1921, p. 13. 1922; Y.B. Sep. 875, p. 13. 1922.
and condition, July 1, 1914, forecast, table. F.B. 611, pp. 6-7. 1914.
and production—
1899, 1909, and 1914. An. Rpts., 1914, p. 5. 1914; Sec. A.R., 1914, p. 7. 1914.
1909-1917, increase. S.R.S. Rpt., 1917, Pt.II, p. 26. 1919.
1909-1919. D.C. 85, p. 15. 1920; S.R.S. Doc. 96, pp. 9, 11, 12. 1919.
1914-1918. An. Rpts., 1918, p. 7. 1919; Sec. A.R., 1918, p. 7. 1918.

Cotton—Continued.
acreage—continued.
and production—continued.
1919, maps. Y.B., 1921, p. 434. 1922; Y.B. Sep. 878, p. 28. 1922.
in North Carolina, Cumberland County. Soil Sur. Adv. Sh., 1922, pp. 114, 117. 1925.
in South Carolina, Lexington County. Soil Sur. Adv. Sh., 1922, pp. 157, 158, 160, 161. 1925.
and yield—
1913, by States. F.B. 598, p. 13. 1914.
May, 1914. F.B. 598, pp. 13, 21. 1914.
1914-1918, and exports, 1918. Sec. Cir. 125, pp. 5, 6, 8. 1919.
by countries. Y.B., 1924, p. 751. 1925.
per farm. D.B. 320, p. 11. 1916.
British India, 1911. Stat. Cir. 26, p. 11. 1912.
in South, 1914, increase over 1913. News L., vol. 2, No. 27, p. 2. 1915.
increase—
advice to southern farmers. Sec. Cir. 103, pp. 17-18. 1918.
and decreases, 1879-1915, graphs. Atl. Am. Agr. Adv. Sh., Pt. V, sec. A, pp. 22-23. 1919.
per farm and yields per acre, in Cotton Belt. Atl. Am. Agr. Adv. Sh., Pt. V, Sec. A, p. 15. 1919.
production and—
exports, trend. Y.B., 1923, p. 446. 1924; Y.B. Sep. 896, p. 446. 1924.
value, 1900. Y.B., 1900, p. 811. 1901.
value, 1913, estimate. F.B. 570, pp. 6-7, 8, 16, 18, 19, 30. 1913; F.B. 645, p. 36. 1914.
report, June 2, 1905. Stat. [Misc.], "Cotton acreage report," p. 1. 1905.
world countries, maps. Atl. Am. Agr. Adv. Sh., Pt. V, Sec. A, pp. 6-7, 9, 11. 1919.
yield—
and prices, 1914, estimates, with comparisons, by States. F.B. 620, pp. 3-4, 15, 34, 35-39. 1914.
cost, and value. D.C. 340, pp. 25-27. 1925.
prices, and marketing, 1923. Y.B., 1923, pp. 796-815. 1324; Y.B. Sep. 901, pp. 796-815. 1924.
acromania or "crazy-top." O. F. Cook. J.A.R., vol. 28, pp. 803-828. 1924.
adaptability to—
Cecil sandy loam. Soils Cir. 27, p. 13. 1911.
Houston clay soils. Soils Cir. 49, pp. 6, 7-8. 1911.
new and special conditions. D.C. 200, pp. 6-10. 1921.
Orangeburg fine sandy loam, yield. Soils Cir. 46, pp. 10-12, 13, 18. 1911.
Trinity clay. Soils Cir. 42, pp. 5, 9, 12. 1911.
Wabash clay soil. Soils Cir. 41, pp. 12, 13, 15. 1911.
Yuma Reclamation Project. B.P.I. Cir. 124, pp. 6, 7, 8. 1913.
adjustment to locality, increased yields, and other effects. B.P.I. Bul. 159, pp. 30-35. 1909.
adulteration with sand, judgment of quality by department, opinions. Mkts. S.R.A. 5, pp. 72-73. 1915.
agricultural development in Southwest. B.P.I. Cir. 132, pp. 10-12. 1913.
alkali resistance. F.B. 446, p. 28. 1911; F.B. 446, rev., pp. 12-14, 27. 1920.
Allen, comparison with Durango cotton. B.P.I. Cir. 111, p. 17. 1913.
American—
care, comparison with foreign cotton. F.B. 1465, pp. 24-27. 1925.
consumed by foreign countries, 1901-1904. Stat. Bul. 34, pp. 67-68. 1905.
crop, deterioration, causes and prevention. Y.B. 1921, pp. 401-404. 1922; Y.B. Sep. 877, pp. 401-404. 1922.
future demand. Y.B., 1901, pp. 193-206. 1902.
universal standards at markets. Y.B., 1923, pp. 32-33. 1924.
universal standards, establishment. B.A.E. Chief Rpt., 1923, pp. 18-19. 1923; An. Rpts., 1923, pp. 35, 148-149. 1924; Sec. A.R., 1923, p. 35. 1923.

Cotton—Continued.
American-Egyptian—
fiber length and quality. Y.B., 1921, p. 372. 1922; Y.B. Sep. 877, p. 372. 1922.
grade standardization establishment, statement by Markets Bureau. News L., vol. 5, No. 48, p. 3. 1918.
irrigated Southwest, ginning reports and prices, 1917-1918. News L., vol. 6, No. 9, p. 4. 1918.
long-staple, production, Arizona and California, acreage, 1920. D.B. 1018, p. 1. 1922.
marketing. News L., vol. 6, No. 47, p. 15. 1919.
Pima variety, acreage, Salt River Valley, 1920. D.B. 1018, p. 1. 1922.
production. C. S. Scofield and others. D.B. 742, pp. 30. 1919.
production in Southwest, 1918. News L., vol. 5, No. 48, p. 3. 1918.
standards. Mkts. S.R.A. 41, pp. 1-3, 6. 1919.
tests of strength, twist, etc., in airplane cloth. D.B. 882, pp. 10-15, 17-24, 28-38, 41-47. 1920.
and cotton wrappings, importation into United States, rules and regulations, February 24, 1923. F.H.B. [Misc.], "Rules and regulations * * *," pp. 8. 1923.
angular leaf spot, dissemination. J.A.R., vol. 8, pp. 457-475. 1917.
annual consumption by mills in United States and Canada. D.B. 121, p. 19. 1914.
annual estimates, 1900-1920, statistics. An. Rpts., 1920, pp. 422. 1921.
anthracnose—
control, 1915. S.R.S. Rpt., 1915, Pt. I, p. 240. 1917.
control, 1916. S.R.S. Rpt., 1916, Pt. I, pp. 49, 132, 246. 1918.
control methods. W. W. Gilbert. F.B. 555, pp. 8. 1913.
description and control. B.P.I. Doc. 331, p. 1. 1907; F.B. 517, pp. 6-8. 1912; F.B. 1187, pp. 14-16. 1921.
nature and control. Y.B., 1921, pp. 356-357. 1922; Y.B. Sep. 877, pp. 356-357. 1920.
transmission in seed, study. O.E.S. An. Rpt., 1909, p. 181. 1910.
aphid—
control methods. D.C. 75, p. 21. 1920; F.B. 848, pp. 33-34. 1917; F. B. 1329, p. 20. 1923.
control, relation to boll-weevil control. F.B. 344, p. 39. 1909; F.B. 512, p. 39. 1912.
description, injuries and control. F.B. 890, p. 7. 1917.
enemy of southern field crops. Y.B., 1911, p. 203. 1912; Y.B. Sep. 561, p. 203. 1912.
occurrence in St. Croix, and natural, enemies. Vir. Is. Bul. 1, p. 14. 1921.
Yuma Project, injuries and control in 1919-20. D.C. 221, p. 12. 1922.
appeals, regulations. Sec. Cir. 94, pp. 26-29. 1918; Sec. Cir. 143, pp. 25-28. 1919.
area—
and position in American agriculture. Y.B., 1922, pp. 470, 562, 563, 564. 1923; Y.B. Sep. 891, pp. 470, 562, 563, 564. 1923.
and production, Russia, 1906-1910. Stat. Cir. 39, pp. 12-15. 1912.
British India, 1909-1911. Stat. Cir. 24, p. 15. 1911.
restriction urged by Agriculture Department. News L., vol. 2, No. 11, p. 4. 1914.
Argentine, production study. Off. Rec. vol. 3, No. 34, p. 3. 1924.
Arizona-Egyptian—
grades and grading, advantages. D.B. 311, pp. 7-8, 9-11. 1915.
growing in Guam, yields. An. Rpts., 1915, p. 306. 1916; O.E.S. Dir. Rpt., 1915, p. 12. 1915.
of the Salt River Valley, handling and marketing. J. G. Martin. D.B. 311, pp. 16. 1915.
spinning tests, comparison, sea-island and Sakellaridis, Egyptian. Fred Taylor and William S. Dean. D.B. 359, pp. 21. 1916.
standardization work, 1915. An. Rpts., 1915, pp. 381-382. 1916; Mkts. Chief Rpt., 1915, pp. 19-20. 1915.
staple lengths, groups and names. D.B. 311, pp. 9-10. 1915.

Cotton—Continued.
as crop for Yuma Reclamation Project. Carl S. Scofield and others. B.P.I. Doc. 1009, pp. 6. 1913.
as money crop, injury by boll weevil. B.A.I. Cir. 187, pp. 262-263. 1912; B.A.I. An. Rpt., 1910, pp. 262-263. 1912.
Asiatic, description. Atl. Am. Agr. Adv. Sh., Pt V, sec. A., p. 5. 1919; Y.B., 1921, p. 330. 1922; Y.B. Sep. 877, p. 330. 1922.
associations—
cotton standards. Off. Rec., vol. 2, No. 37, p. 5. 1923.
Farmers' cooperative, number and business. D.B. 1302, pp. 4-5, 8-11, 14-16, 18-21, 25-27, 29, 33-35, 38-39, 63, 76. 1924.
attack of Mexican boll weevil. F.B. 189, pp. 25-26. 1904.
attractiveness for insects. F.B. 890, pp. 3-4. 1917.
bacterial—
blight, cause, description, and control. F.B. 787, pp. 32-34. 1916; F.B. 1187, pp. 17-21. 1921.
disease in St. Croix, description and control. Vir. Is. Bul. 1, pp. 10, 11. 1921.
baled—
fumigation, method and apparatus. F.H.B. S.R.A. 21, pp. 82-85. 1915.
infestation by pink bollworm. Ent. [Misc.], "The pink bollworm," pp. 3-4. 1914.
moisture content. An. Rpts., 1912, p. 415. 1913; B.P.I. Chief Rpt., 1912, p. 35. 1912.
bales—
careless handling, effect on prices. F.B. 764, pp. 23-26, 27. 1917.
compression at gin, note. News L., vol. 4, No. 14, p. 4. 1916.
fumigation for control of pink bollworm. An. Rpts., 1915, p. 193. 1916; Chem. Chief Rpt., 1915, p. 3. 1915.
"plated," causes, and injuries to better grade cottons. F.B. 764, rev., pp. 21-22. 1917.
types and sizes, gin-compressed and plated. F.B. 1465, pp. 18-21. 1925.
types, description. D.B. 1135, pp. 2-3. 1923.
"bally" and "gathered," marketing methods, comparison. D.B. 36, pp. 31-35. 1913.
batting, use as tree banding for insect traps. F.B. 908, p. 57. 1918; F.B. 1169, p. 17. 1921; F.B. 1270, p. 85. 1923.
benders, origin of name, and misuse. D.B. 733, p. 5. 1918; F.B. 802, p. 17. 1917.
big-boll—
adaptation and improvement. An. Rpts., 1910, p. 292. 1911; B.P.I. Chief Rpt., 1910, p. 22. 1910.
Mexican varieties, study. An. Rpts., 1909, p. 303. 1910; B.P.I. Chief Rpt., 1909, p. 51. 1909.
bionomic investigations. An. Rpts., 1908, pp. 332-334. 1909; B.P.I. Chief Rpt., 1908, pp. 60-62. 1908.
black-arm, danger to Egyptian cotton. B.P.I. Cir. 29, p. 17. 1909.
Black Land, per cent of all crops. D.B. 1068, p. 19. 1922.
bleached and dyed, spinning and mill tests. D.B. 990, pp. 2, 5-6, 8-10. 1921.
bleaching—
agents, description and use. D.B. 366, pp. 8-9, 10. 1916.
comparison of long staple grades. D.B. 359, pp. 11-14. 1916.
dyeing, and mercerizing, tests after fumigation. D.B. 366, pp. 8-12. 1916.
in grade testing. D.B. 990, pp. 7, 8-9. 1921.
raw, and yarns. D.B. 366, pp. 8-10. 1916.
blister mite in Hawaii and Porto Rico, quarantine against. F.H.B. Quar. 47, pp. 4. 1920.
blue-cotton disease, description and control. F.B. 787, p. 40. 1916.
boll(s)—
abortion, causes. B.P.I. Cir. 118, pp. 11-16. 1913.
and squares, boll-weevil mortality, factors causing. Ent. Bul. 74, pp. 33-35, 73. 1907.
carpels, supernumerary. B.P.I. Cir. 111, pp. 25-28. 1913.

INDEX TO PUBLICATIONS, 1901–1925   597

Cotton—Continued.
boll(s)—continued.
cutworm, description, injuries, and control. Ent. Bul. 27, pp. 64–71. 1901; Ent. Bul. 57, pp. 42–44. 1906; F.B. 890, pp. 19–20. 1917.
desirable characters. B.P.I. Cir. 66, pp. 13–15. 1910; F.B. 314, pp. 12, 14, 16, 18–20. 1908.
destruction for control of pink bollworm. D.B. 918, pp. 53–54. 1921.
development on vegetative branches. B.P.I. Cir. 118, pp. 12, 14. 1913.
Diplodia rot, cause, description, and control. F.B. 1187, p. 32. 1921.
Egyptian and hybrid varieties, description. B.P.I. Bul. 156, pp. 11, 15, 19–20, 22, 44–45. 1909.
4-lock, relation to petal spot. J.A.R. vol. 27, pp. 508–510. 1924.
growth in different varieties. J.A.R. vol. 25, pp. 203–206. 1923.
immature, or frostbitten, value. D.B. 733, p. 3. 1918.
infestation with Mediterranean fruit fly in Hawaii. D.B. 536, pp. 24, 37, 69. 1918.
injury by pink bollworm. D.B. 918, pp. 22–24, 27. 1921.
insects injurious, other than boll weevil. Ent. Bul. 57, pp. 40–58. 1906.
plant bugs injurious. A. W. Morrill. Ent. Bul. 86, pp. 110. 1910.
proliferation caused by injury. D.B. 918, p. 24. 1921.
rots, cause, description, and control. F.B. 1187, p. 32. 1921; Vir. Is. Bul. 1, p. 11. 1921.
shedding—
and development, comparisons. J.A.R., vol. 28, pp. 943–952. 1924.
and water relations. D.B. 1018, pp. 11–14, 22. 1922.
description, cause, and control. F.B. 1187, pp. 21–23. 1921.
studies, Alabama and Arizona. O.E.S. An. Rpt., 1912, p. 68. 1913.
under summer irrigation in Arizona. J.A.R., vol. 23, pp. 939–943, 946. 1923.
signs of weevil emergence or destruction by ants. Ent. Bul. 74, p. 25. 1907.
time between flowering and shedding. D.B. 1018, pp. 15, 22. 1922.
varieties, measurements, locks to the pound, table. B.P.I. Bul. 163, p. 22. 1910.
weevil—
enemy. O.F. Cook. Rpt. 78, pp. 7. 1904.
in Texas. O.F. Cook. D.B. 1153, pp. 20. 1923.
parasites, studies. W. Dwight Pierce. Ent. Bul. 73, pp. 63. 1908.
See also Boll weevil.
bollworm. See Bollworm.
bolly—
description. Atl. Am. Agr. Adv. Sh., Pt. V, Sec. A, p. 26. 1919. Y.B. 1921, p. 381. 1922; Y.B. Sep. 877, p. 381. 1922.
testing for waste and strength. An. Rpts. 1919, p. 446. 1920; Mkts. Chief Rpt., 1919, p. 20. 1919.
value. D.B. 733, p. 3. 1918.
borax fertilizer experiments in 1920, results. D. B. 1126, pp. 15–17, 22–25, 26, 27, 28. 1923.
borers, description and list. Sec. [Misc.], "A manual of insects * * *," p. 90. 1917.
botany lessons. D.B. 294, pp. 4–5. 1915; M.C. 43, pp. 14–15. 1925.
Boykin, storm proof, origination. Y.B. 1907, p. 232. 1908; Y.B. Sep. 446, p. 232. 1908.
brachysm, hereditary deformity, characteristics. J.A.R. vol. 3, pp. 387–400. 1915.
branches—
characters for selection. B.P.I. Cir. 66, pp. 12–13. 1910.
control by new method of thinning. B.P.I. Cir. 115, pp. 15–22. 1913.
control methods, conditions governing and effects. F.B. 601, pp. 1–12. 1914.
fruiting and vegetative, distinction and substitution. B.P.I. Bul. 249, pp. 12–15, 16–22, 27. 1912.
morphology. B.P.I. Cir. 109, pp. 11–16. 1913.
types, habits, and zones. B.P.I. Bul. 249, pp. 8–11. 1912.

Cotton—Continued.
branching—
habits—
effects of late planting on Egyptian cotton. B.P.I. Bul. 249, pp. 25–26, 28. 1912.
discussion. B.P.I. Cir. 109, pp. 12–16. 1913.
importance, effects of growth conditions. B.P.I. Bul. 156, pp. 28–32, 36–37. 1909.
Brazilian—
bollworm damage, 1917, information from American Vice-Consul. F.H.B.S.R.A. 50, pp. 28–29. 1918.
industry. Off. Rec. vol. 4, No. 27, p. 6. 1925.
breeding—
Alabama Experiment Station. S.R.S. Rpt., 1916, Pt. I, p. 54. 1918.
and acclimatization. B.P.I. Chief Rpt., 1909, pp. 51–54. 1909; An. Rpts., 1909, pp. 303–306. 1910.
and growth disorders. J.A.R., vol. 28, p. 824. 1924.
and heredity. O.F. Cook. B.P.I. Bul. 256, pp. 113. 1913.
and preservation of improved varieties. B.P.I. Bul. 256, pp. 50–53. 1913.
characters of Holdon-Pima hybrid. D.B. 1164, pp. 27–50. 1923.
experiments—
1911. B.P.I. Cir. 96, pp. 1–21. 1912.
in Del Rio, Texas. B.P.I. Bul. 147, pp. 19–23. 1909.
in Mississippi, fertilizing, etc. O.E.S. An. Rpt., 1911, pp. 137–138. 1912.
in selective fertilization. J.A.R., vol. 27, pp. 329–340. 1924.
for wilt resistance. B.P.I. Cir. 92, pp. 8–19. 1912; F.B. 333, pp. 14–15. 1908; F.B. 525, pp. 13–21. 1914.
improvement, 1907. An. Rpts. 1907, pp. 50–51, 269–270, 1908; Sec. A.R. 1907, pp. 48–49, 1907; Rpt. 85, pp. 36–37, 1907; Y.B. 1907, pp. 49–50. 1908.
investigations, aid to farmers. News L., vol. 1, No. 22, pp. 1–2. 1914.
long-staple varieties. F.B. 501, pp. 16–18. 1912.
methods, effect on diversity of varieties. B.P.I. Bul. 156, pp. 25–27. 1909.
principles. F.B. 625, p. 16. 1914.
progeny-row method, directions. B.P.I. Cir. 92, pp. 13–19. 1912.
reversions, mutative. B.P.I. Cir. 53, pp. 1–18. 1910.
study on the farm, remarks. B.P.I. Bul. 256, pp. 7–8. 1913.
suppression and intensification of characters, study. B.P.I. Bul. 147, pp. 1–27. 1909.
Texas, private donation to Experiment Station, 1912. O.E.S. An. Rpt., 1912, pp. 56, 208. 1913.
British India—
area, 1915, with comparisons, estimates. F.B. 629, p. 11. 1914.
statistics, 1894–1912. Stat. Cir. 36, pp. 8–9. 1912.
buds, positions and homologies. B.P.I. Cir. 109, pp. 11–15. 1913.
bugs, brown, description, life history, habits, and natural enemies. Ent. Bul. 86, pp. 75–78. 1910.
bugs, various names, injuries and control. F.B. 890, p. 21. 1917.
buying—
and selling, New England terms. Mkts. S.R.A. 4, pp. 36–38. 1915.
relation to cotton growing. O. F. Cook. D.B. 60, pp. 21. 1914.
by-products, production and feed use. Y.B., 1923, pp. 357–358. 1924; Y.B. Sep. 895, pp. 357–358. 1924.
Cambodia, importation and description. No. 34289, B. P. I. Inv. 32, p. 30. 1914.
Caravonica—
comparison with Peruvian cotton, value. Hawaii A.R., 1912, pp. 14, 75. 1913.
importation and description. No. 42806, B.P.I. Inv. 47, p. 67. 1920.
in Hawaii—
characteristics and yield. O.E.S. An. Rpt., 1911, pp. 21, 97. 1913; Hawaii A.R., 1911, pp. 57, 59. 1912.

Cotton—Continued.
  Caravonica—Continued.
    in Hawaii—continued.
      growing and yield. An. Rpts., 1914, p. 263. 1914; O.E.S. Chief Rpt., 1914, p. 9. 1914.
      perennial culture. An. Rpts., 1912, pp. 104, 219. 1913; Sec. A.R., 1912, pp. 104, 219. 1912; Y.B., 1912, pp. 104, 219. 1913.
      perennial habit, pruning, propagation. O.E.S. An. Rpt., 1910, pp. 23, 124. 1911.
      yields for four years, Hawaii. Work and Exp. 1914, p. 95. 1915.
  card waste, percentage in varieties of long-staple cottons. D.B. 121, p. 7. 1914.
  cargoes, loading for ocean transportation. Stat. Bul. 67, pp. 38–40. 1907.
  caterpillar—
    aid in spreading boll weevil. Ent. Cir. 146, p. 2. 1912.
    in Porto Rico, parasite as remedy. O.E.S. Bul. 171, pp. 11, 23. 1906.
    or cotton worm. W. D. Hunter. Ent. Cir. 153, pp. 10. 1912.
  cellulose content, comparison with poplar pulp and Zacaton. D.B. 309, pp. 18–20. 1915.
  Central American, acclimatization in Texas. B.P.I. Bul. 156, p. 26. 1909.
  characteristics, classification. F.B. 802, pp. 12–13. 1917.
  characters—
    control by heredity, studies and experiments. F.B. 314, pp. 10–23. 1908.
    definitions. D.B. 1164, pp. 7–11. 1923.
    of fruiting and vegetative branches, comparison. B.P.I. Bul. 256, pp. 37–38. 1913.
    specialized. B.P.I. Bul. 256, p. 11. 1913.
  check-rowing, advantages. F.B. 344, p. 27. 1909.
  chemical tests after fumigation and bleaching. D.B. 366, pp. 7–12. 1916.
  Chinese, importation and description. No. 46717, B.P.I. Inv. 57, p. 24. 1922.
  chopping-out date, graph. D.C. 183, p. 38. 1922.
  claims—
    forms of papers to be used. Mkts. S.R.A. 4, pp. 25–30. 1915.
    immunity of department, opinion. Mkts. S.R.A. 5, p. 67. 1915.
  classes—
    licenses, regulations. Off. Rec., vol. 2, No. 31, p. 3. 1923.
    relative values. F.B. 802, pp. 22–25. 1917.
    untenderable on future contract. F.B. 802, pp. 26–28. 1917.
  classification—
    Arthur W. Palmer. D.C. 278, pp. 35. 1924.
    and class certificates, regulations and costs. Sec. Cir. 159, pp. 8–23. 1922.
    and grading. D. E. Earle and W. S. Dean. F.B. 591, pp. 22. 1914.
    by length of fiber, differences in markets. D.B. 733, pp. 4–5. 1918.
    regulations. Sec. Cir. 94, pp. 24–26. 1918; Sec. Cir. 143, pp. 23–25. 1919; Sec. Cir. 159, p. 5. 1922.
    under cotton futures act, regulations. Sec. Cir. 137, pp. 11–13, 19–26. 1919.
    use and value of class cards. D.B. 476, p. 17. 1917.
  classifiers and weighers, licensed, regulations. Mkts. S.R.A. 27, pp. 25–31. 1917; B.A.E., S.R.A. 71, pp. 22–30. 1922; Sec. Cir. 94, pp. 20–24. 1918; Sec. Cir. 143, pp. 18–23. 1919.
  classing—
    in field, advantages. D.B. 1111, pp. 26–28. 1922.
    in field, experiments. An. Rpts., 1923, p. 266. 1924; B.P.I. Chief Rpt., 1923, p. 12. 1923.
    room and office near warehouse, details. D.B. 801, pp. 59–60. 1919.
  cleaning method in St. Croix. Vir. Is. Bul. 1, p. 10. 1921.
  cloth, grades used for hay caps and durability. F.B. 977, pp. 3, 5, 6, 8. 1918.
  club(s)—
    boys'—
      organization and cooperative work. B.P.I. Doc. 644, rev., p. 2. 1913.
      Southern States, results, 1917. S.R.S. Rpt., 1917, Pt. II, p. 31. 1919.

Cotton—Continued.
  club(s)—continued.
    demonstrations. D.C. 248, p. 33. 1922.
    enrollment and work, 1923. D.C. 348, pp. 20–21. 1925.
    Louisiana, college award. News L., vol. 6, No. 34, p. 10. 1919.
    yields and value, 1915. News L., vol. 4, No. 8, p. 3. 1916.
  club-leaf, disease in China. B.P.I. Chief Rpt., 1921, p. 23. 1921.
  cluster varieties, characteristics, etc. J.A.R., vol. 3, pp. 387, 398–399. 1915; B.P.I. Bul. 256, pp. 70, 95. 1913.
  Colonial, supplementary to the American crop. F.B. 581, pp. 40–43. 1914.
  color, standards and factors influencing. F.B. 802, pp. 10–12. 1917.
  color tinges and stains, determination, working types. Mkts. S.R.A. 2, p. 15. 1915.
  Columbia—
    description and seed distribution by Department. News L., vol. 4, No. 20, p. 3. 1916.
    description and tests. B.P.I. Doc. 535, pp. 7–10. 1910.
    experiments and results. B.P.I. Doc. 535, pp. 7–10. 1910.
    long-staple variety, origin, description, and distribution of seed. B.P.I. Doc. 716, pp. 8–10. 1912.
    origin and comparison with Durango cotton. B.P.I. Cir. 111, pp. 12, 13–16. 1913.
    origin, description, and value. B.P.I. Doc. 813, pp. 10–11. 1913; B.P.I. Doc. 1163, pp. 10–11. 1915; F.B. 501, rev., pp. 16. 1920; B.P.I. Doc. 633, pp. 8–11. 1911.
    spinning tests, comparison with other long-staple varieties. D.B. 121, pp. 5–15. 1914.
    utilization. An. Rpts., 1910, p. 293. 1911; B.P.I. Chief Rpt., 1910, p. 23. 1910.
  comber waste, percentage in long-staple varieties. D.B. 121, pp. 9–15. 1914.
  combination with hogs in Georgia. News L., vol. 5, No. 33, p. 5. 1918.
  community(ies)—
    organization and progress. D.B. 1111, pp. 22–26, 30–33. 1922.
    production, and marketing. D.B. 324, pp. 1–16. 1915.
    variety, choice of, discussion. F.B. 1384, pp. 14–15. 1924.
  comparison—
    of North Carolina market prices. D.B. 476, pp. 6–9. 1917.
    with other crops, values, 1910–1918. S.R.S. Doc. 96, pp. 4–5. 1919.
  complaints, filing, time extension, suggestions for exchanges. Mkts. S.R.A. 5, pp. 70–71. 1915.
  compress, connection with warehouse, desirability. Y.B. 1918, p. 406. 1919; Y.B. Sep. 763, p. 10. 1919.
  compressed—
    freight rates by rail. Y.B., 1902, p. 850. 1903.
    rates to foreign countries. Mkts. S.R.A. 9, pp. 99–100. 1916.
    to different densities, spinning tests. William R. Meadows and William G. Blair. D.B. 1135, pp. 19. 1923.
  compressing and bagging—
    effect on strength of yarn. D.B. 1135, pp. 7, 8, 11, 12, 13, 18. 1923.
    method improvement. Sec. Cir. 88, pp. 28–30. 1918.
  condition(s)—
    July 25, 1904–1914, estimates, comparisons. F.B. 615, p. 13. 1914.
    May 25, 1914. F.B. 604, p. 22. 1914.
    foreign countries, letter of Secretary of Agriculture. Mkts. S.R.A. 9, pp. 100–101. 1916.
    statistical review. D.B. 146, pp. 1–2. 1914.
  conference—
    committee appointment and report. F.B. 620, pp. 12–13. 1914.
    establishment of cotton-free-zone for Texas. F.H.B.S.R.A. 42, p. 86. 1917.
    Texas growers and Agriculture Department officials. News L., vol. 5, No. 1, p. 6. 1917.
    Washington, D. C., Aug. 24–25, 1914, proceedings. F.B. 620, pp. 8–15. 1914.

INDEX TO PUBLICATIONS, 1901–1925 599

Cotton—Continued.
 Congress, International, action on cotton standards. Mkts. S.R.A. 7, pp. 34–35. 1916.
 consumption—
  1896–1921, exports, etc. Y.B., 1921, pp. 391–400. 1922; Y.B. Sep. 877, pp. 391–400. 1922.
  at principal mill points. Stat. Bul. 34, pp. 70–71. 1905.
  decrease in Germany. Off. Rec., vol. 2, No. 51, p. 3. 1923.
  exports, and prices, statement by Secretary. News L., vol. 2, No. 48, pp. 4–5. 1915.
  in the cotton States. J. L. Watkins. Y.B., 1903, pp.463–478. 1904; Y.B. Sep. 308, pp. 463–478. 1904.
  of American products by foreign countries. Stat. Bul. 34, pp. 67–68. 1905.
  situation. Atl. Am. Agr. Adv. Sh., Pt. V, Sec. A, pp. 6, 19, 28. 1919.
  world, 1865–1904. Stat. Bul. 34, pp. 71–101. 1905.
 content of foreign matter, authority to decide, opinion. Mkts. S.R.A. 5, pp. 72–73. 1915.
 contracts—
  forms, Treasury Decision 2216. Mkts. S.R.A. 5, pp. 78–80. 1915.
  relation to cotton futures act. Mkts. S.R.A. 3, pp. 3–4. 1915.
  Secretary's authority, opinion. Mkts. S.R.A. 5, pp. 68–70. 1915.
 control and movement under pink bollworm quarantine. F.H.B. Quar. 52, pp. 7–8. 1923; F.H.B. Quar. 52, amdt. 3, pp. 1–3. 1924; F.H.B. Quar. 52, amdt. 4, pp. 3. 1924.
 cooperative—
  investigations in Imperial Valley, 1915. D.B. 458, pp. 1–2. 1917.
  marketing, business operations. Off. Rec., vol. 3, No. 3, p. 3. 1924.
 cost—
  and value of lint and seed, Texas, Ellis County. D.B. 659, p. 54. 1918.
  of exporting. Stat. Bul. 38, p. 41. 1905.
  of picking and marketing in Louisiana, Concordia Parish. Soil Sur. Adv. Sh., 1910, p. 11. 1911; Soils F.O., 1910, p. 833. 1912.
  of production—
   and labor, material requirements. Y.B., 1921, pp. 809, 819. 1922; Y.B. Sep. 876, pp. 6, 16. 1922.
   in Texas, Ellis County, and other crops. D.B. 659, pp. 46–54. 1918.
   relation to tenure, labor and yield. D.B. 659, pp. 16, 35–37. 1918.
   variations, distribution, and computation. Y.B., 1921, pp. 357–365. 1922; Y.B. Sep. 877, pp. 357–365. 1922.
 council, composition and work. Y.B., 1922, p. 16; 1923. Y.B. Sep. 883, p. 16. 1923.
 countries producing, and production, 1914–1917. Sec. Cir. 88, p. 3. 1918.
 "country damage," loss from. Y.B., 1918, p. 404. 1919; Y.B. Sep. 763, p. 8. 1919.
 Coxe yellow-bloom, origin and characteristics. B.P.I. Bul. 163, pp. 9, 14. 1910.
 crop(s)—
  1899–1900. J. L. Watkins. Stat. Bul. 19, pp. 46. 1901.
  1907, value, cost of transportation. Y.B., 1907, p. 15. 1908.
  1909, and price. Y.B., 1909, p. 10. 1910; Sec. A.R., 1909, p. 10. 1909.
  1916 and 1917, length of lint. W. L. Pryor. D.B. 733, pp. 8. 1918.
  1918, value. News L., vol. 7, No. 1, p. 8. 1919.
  1924, fertilizer. Off. Rec., vol. 3, No. 32, p. 3. 1924.
  amount and value, 1910, estimate. An. Rpts., 1910, p. 11. 1911; Sec. A.R., 1910, p. 11. 1910; Rpt. 93, p. 9. 1911.
  amount and value, 1911, estimate. An. Rpts., 1911, pp. 14, 16. 1912; Sec. A.R., 1911, pp. 12, 14. 1911; Y.B., 1911, pp. 12, 14. 1912.
  boll-weevil damage, estimate. F.B. 344, pp. 6–8. 1909.
  commercial—
   1899–1904, tables, summary and prices. Stat. Bul. 34, pp. 8–11, 60. 1905.
   1900–1901, 1902–03. J. L. Watkins. Stat. Bul. 28, pp. 83. 1904.

Cotton—Continued.
 crop(s)—continued.
  1903–4. J. L. Watkins. Stat. Bul. 34, pp. 101. 1905.
  conditions June 1, 1914. F.B. 604, pp. 3, 5. 1914; F.B. 629, pp. 9–11. 1914.
  conditions in Texas, San Antonio region, 1919, 1920. D.C. 209, pp. 7, 8. 1922.
  cultural directions for farmers' cooperative demonstration work. B.P.I. Doc. 523, pp. 1–6. 1909.
  destruction by rats. N.A. Fauna 25, p. 116. 1905.
  distribution from States and Territories. Stat. Bul. 34, pp. 13–59. 1905.
  early, essential steps in securing. R. J. Redding. F.B. 217, pp. 16. 1905.
  effect of fertilizing with raw rock phosphate. D.B. 699, pp. 51, 74. 1918.
  Egypt, 1900–1911, acreage and yield. Stat. Cir. 28, p. 3. 1912.
  estimates—
   accuracy checked by census returns. An. Rpts., 1916, p. 283. 1917; Crop Est. Chief Rpt., 1916, p. 7. 1916.
   of Crop Estimates Bureau, accuracy. An. Rpts., 1917, pp. 303–304. 1918; Crop Est. Chief Rpt., 1917, pp. 9–10. 1917.
  export points of concentration. Stat. Bul. 38, p. 12–14. 1905.
  field instructions, preparation, spacing, and cultivation. B.P.I. Doc. 523, rev., pp. 1–8. 1911.
  handling and marketing, investigations. B.P.I. Cir. 118, pp. 7, 8. 1913.
  hauling cost. F.B. 505, p. 9. 1912.
  improvement—
   by selection. O. F. Cook. B.P.I. [Misc.], "Distribution of cotton seed in 1914," pp. 3–7. 1914.
   seed selection. B.P.I. Doc. 813, pp. 3–7. 1913.
  losses, extent and causes, 1909–1921. Y.B., 1922, p. 714. 1923; Y.B. Sep. 884, p. 714. 1923.
  outlook, Oct. 1, 1913. F.B. 560, pp. 6–7. 1913.
  prices, exports, values, and seed industry. Y.B., 1902, pp. 815–818. 1903.
  production—
   1921, 1922, and estimates for 1923, and prices. An. Rpts., 1923, pp. 2, 3. 1924; Sec. A.R., 1923, pp. 2, 3. 1923.
   and value. D.B. 277, pp. 2–3. 1915.
   results. S.R.S. Rpt. 1920, pp. 4–5, 14, 18. 1922.
  reports, special work of Statistics Bureau. An. Rpts., 1909, p. 662. 1910; Stat. Chief Rpt., 1909, p. 10. 1909.
  saving by storm warnings. Y.B. 1909, p. 397. 1910. Y.B. Sep. 522, p. 397. 1910.
  season shortening by boll-weevil invasion. F.B. 501, rev., pp. 5–7. 1920.
  Southern States, suggestions for 1918. S.R.S. Doc. 82, p. 5. 1918.
  surplus, commercial movement, exports, prices, etc., Nov. 1, 1914, estimates, with comparisons. F.B. 641, pp. 9–12. 1914.
  United States, 1790–1911. Stat. Cir. 32, pp. 9. 1912.
 crown-gall, inoculation on other plants, experiments. B.P.I. Bul. 213, pp. 54–55. 1911.
 cultivation—
  boll-weevil conditions, recommendations. B.P.I. Doc. 344, pp. 4–5. 1908.
  directions. B.P.I. Doc. 365, pp. 1–3. 1908.
  early and late, Arizona. F.B. 577, pp. 4, 6. 1914.
  farm practice. H. R. Cates. D.B. 511, pp. 62. 1917.
  in boll-weevil infested area. F.B. 344, pp. 23–36. 1909; F.B. 1329, p. 23. 1923.
  instructions. B.P.I. Doc. 344, pp. 1–5. 1908.
  yield, Alabama diversification farm. F.B. 310, p. 13. 1907.
 cultural—
  experiments and weevil-resisting types, San Antonio Experiment Farm. B.P.I. Cir. 13, p. 13. 1908.
  improvements in organized communities. F.B. 1384, pp. 8–9. 1924.

Cotton—Continued.
 cultural—continued.
  methods—
   against weevils. An. Rpts., 1908, pp. 530, 531. 1909; Ent. A.R., 1908, pp. 8, 9. 1908; F.B. 512, pp. 27-29. 1912; F.B. 319, pp. 10-15. 1908.
   and implements. Y.B., 1905, pp. 207-210. 1906; Y.B. Sep. 377, pp. 207-210. 1906.
   for control of bollworm. Ent. Bul. 50, pp. 130-131. 1905.
   for control of red spider. F.B. 735, pp. 9-10, 12. 1916.
   in Louisiana. B.P.I. Cir. 130, pp. 6-8. 1913.
   to control boll shedding. F.B. 1187, p. 23. 1921.
   to control cotton rust. F.B. 1187, p. 25. 1921.
  system—
   against boll weevil. Ent. Bul. 60, pp. 107-111. 1906; Ent. Bul. 74, pp. 18-19, 43-51, 73-76. 1907; Ent. Bul. 100, pp. 30-32, 89-90, 93-96. 1912; Ent. A.R., 1909, pp. 15-16. 1909.
   definition, discussion. Y.B., 1904, pp. 199-201. 1905; Y.B. Sep. 341, pp. 199-201. 1905.
   features. F.B. 422, pp. 8-13. 1910.
 culture—
  and implements. Y.B., 1905, pp. 207-210. 1906.
  bolls set in single-stalk and wide-spaced rows, size and number. D.B. 279, pp. 11-14. 1915.
  extension into arid regions. An. Rpts., 1912, p. 406. 1913; B.P.I. Chief Rpt., 1912, p. 26. 1912.
  farms and demonstration work. An. Rpts., 1907, pp. 339-341. 1908; B.P.I. Chief Rpt., 1907, pp. 91-93. 1907.
  in—
   Guatemala. O. F. Cook. Y.B., 1904, pp. 475-488. 1905; Y.B. Sep. 361, pp. 475-488. 1905.
   the southwestern United States. T. H. Kearney. B.P.I. Doc. 362, pp. 3. 1908.
  new system—
   O. F. Cook. B.P.I. Cir. 115, pp. 15-22. 1913.
   and its application. O. F. Cook. F.B. 601, pp. 12. 1914.
  of single-stalk, in Louisiana, Arkansas, and North Carolina, experiments. P. V. Cardon. D.B. 526, pp. 31. 1918.
  on Indian Reservations in Southwest, cooperative work. An. Rpts., 1910, p. 290. 1911; B.P.I. Chief Rpt., 1910, p. 20. 1910.
  publications, list. D.B. 533, p. 16. 1917.
  single-stalk, at San Antonio. R. M. Meade. D.B. 279, pp. 20. 1915.
  Southwestern, committee, work in Arizona. Y.B., 1915, p. 272. 1916; Y.B. Sep. 675, p. 272. 1916.
  Southwestern, special requirements. B.P.I. Cir. 132, pp. 12-13. 1913.
 cutworm, description, distribution, enemies, and remedies. Ent. Bul. 27, pp. 64-71. 1901.
 Dale, brachysm characteristics. J.A.R., vol. 3, p. 290. 1915.
 Dale Egyptian, origin, description, and changes under American conditions. B.P.I. Bul. 156, pp. 22-24. 1909.
 damage—
  by boll weevil, extent of territory and annual losses. F.B. 512, pp. 6-8. 1912.
  by Mexican conchuela, in Texas, 1905. Ent. Bul. 64, Pt. I, p. 6. 1907.
  by plant bugs, nature and amount. Ent. Bul. 86, pp. 13-23. 1910.
  by root knot. F.B. 648, p. 3. 1915.
 damaged, warehousing management. Y.B., 1918, pp. 420-422. 1919; Y.B. Sep. 763, pp. 14-16. 1919.
 danger of too great acreage. News L., vol. 6, No. 34, p. 4. 1919.
 defects reducing value and making untenderable. F.B. 802, pp. 26-28. 1917.
 definition of—
  term. F.H.B.S.R.A. 24, pp. 3, 12. 1916; F.H.B.S.R.A. 25, p. 17. 1916; F.H.B. Quar. 52, p. 2. 1922.
  untenderable kinds and conditions. Mkts. S.R.A. 2, pp. 13-15. 1915.

Cotton—Continued.
 defoliate, advantages in early maturing varieties. F.B. 314, pp. 21-22. 1908.
 deformities caused by insect injury. J.A.R., vol. 6, No. 3, pp. 136-138. 1916.
 delinting, patent process. Off. Rec., vol. 2, No. 4, p. 3. 1923.
 deliveries in New York, March, 1922, quantity and value. Off. Rec., vol. 1, No. 13, p. 2. 1922.
 Delta blended, spinning tests, comparison with other long-staple varieties. D.B. 121, pp. 5-15 1914.
 demand—
  1916-1917. News L., vol. 5, No. 7, p. 4. 1917.
  for better quality, premiums advanced. Sec. Cir. 88, pp. 21-22. 1918.
  rapid increase, and reasons. Sec. Cir. 32, pp. 1, 2. 1910.
 destruction by—
  boll weevil or by causes other than insect injury, comparative data. Ent. Bul. 74, pp. 64-72, 76. 1907.
  crawfish. Y.B., 1911, pp. 321-322. 1912; Y.B. Sep. 571, pp. 321-322. 1912.
 deterioration—
  causes and control. D.C. 247, pp. 2-6. 1922; F.B. 314, p. 20. 1908.
  through mixed seed. D.B. 146, pp. 5-6, 11-12. 1914.
 determinate growth, effect on boll weevils. D.B. 926, pp. 32-33. 1921.
 Dillon—
  origin, description, and resistant qualities. F.B. 333, pp. 15-16. 1908; B.P.I. Doc. 633, pp. 11-12. 1911.
  wilt-resistant variety, description. B.P.I. Cir. 92, p. 8. 1912; B.P.I. Doc. 535, pp. 11-12. 1910; F.B. 333, pp. 15-16. 1908; F.B. 625, p. 13. 1914; F.B. 1187, p. 6. 1921.
 disease(s)—
  and boll weevil, work of Bureau of Plant Industry. Y.B., 1904, pp. 497-508. 1905.
  and control. W.W. Gilbert. F.B. 1187, pp. 32. 1921.
  and pests in St. Croix, description and control. Vir. Is. Bul. 1, pp. 10-14. 1921.
  control, extension work, 1921. Coop. Ext. Work 1921, p. 8. 1923.
  control of wilt and root-knot. W. A. Orton and W. W. Gilbert. B.P.I. Cir. 92, pp. 19. 1912.
  description and control. Y.B., 1921, pp. 355-357. 1922; Y.B. Sep. 877, pp. 355-357. 1922.
  in Guam, report, 1917. Guam A.R., 1917, p. 50. 1918.
  in Texas, occurrence and description. B.P.I. Bul. 226, pp. 54-57, 111. 1912.
  investigations, 1917, and control demonstrations. An. Rpts., 1917, pp. 132-133, 134. 1918; B.P.I. Chief Rpt., 1917, pp. 2-3, 4. 1917.
  lesson for rural schools. D.B. 294, p. 13. 1915.
  lessons. M.C. 43, pp. 23-24. 1925.
  relation to production, and control measures. Sec. Cir. 88, pp. 12-13. 1918.
  review for the year—
   1901. Y.B., 1901, p. 672. 1902.
   1902. Y.B., 1902, p. 718. 1903.
   1903. Y.B., 1903, p. 555. 1904.
   1904. Y.B., 1904, p. 586. 1905.
   1905. Y.B., 1905, p. 610. 1906.
  Yuma, Arizona. W.I.A. Cir. 25. pp. 13. 1919.
 disinfection—
  directions. F.H.B.S.R.A. 26, pp. 38-40. 1916.
  inspectors' notice, blank. F.H.B.S.R.A. 25, p. 27. 1916.
 distribution and marketing, statement by Secretary. News L., vol. 6, No. 21, p. 5. 1918.
 districts livestock, experiments and demonstrations, 1918. An. Rpts., 1918, pp. 131-133. 1919; B.A.I. Chief Rpt., 1918, pp. 61-63. 1918.
 diversification crops. Off. Rec., vol. 2, No. 26, p. 3. 1923.
 diversity, Texas, comparison. B.P.I. Bul. 159, pp. 16-19, 26-29. 1909.
 Dixie—
  description and origin. F.B. 333, pp. 16-17 1908.

INDEX OF PUBLICATIONS, 1901-1925 601

Cotton—Continued.
  Dixie—Continued.
    root-knot resistant, superiority. News L., vol. 3, No. 12, p. 7. 1915.
    wilt resistance. B.P.I. Cir. 92, p. 9. 1912; F.B. 625, p. 14. 1914; F.B. 1187, p. 6. 1921.
    wilt-resistant variety, origin, description, and distribution of seed. B.P.I. Doc. 716, p. 10. 1912; F.B. 333, pp. 16-17. 1908.
  dominant crop, rotation. Y.B., 1908, p. 358. 1909; Y.B. Sep. 487, p. 358. 1909.
  drought—
    relation to weevil resistance. O. F. Cook. B.P.I. Bul. 220, pp. 30. 1911.
    resistance, importance of early planting. B.P.I. Bul. 220, pp. 10-12. 1911.
  dry-land culture, varieties. B.P.I. Chief Rpt., 1907. pp. 25-36. 1907.
  duck. *See* Duck, cotton.
  Durango—
    characteristics, and comparison with other varieties. B.P.I. Cir. 96, pp. 6-7, 21. 1912; B.P.I. Cir. 111, pp. 12-19. 1913.
    classing by official cotton standards. D.B. 458, pp. 12-13. 1917.
    clean picking, necessity and influence on grades and prices. D.B. 458, pp. 2-4. 1917.
    cluster form, occurrence. J.A.R. vol. 3, p. 391. 1915.
    community production in the Imperial Valley. Argyle McLachlan. D.B. 324, pp. 16. 1915.
    description and value. F B. 501, rev., pp. 17-18. 1920.
    growing in—
      Imperial Valley, California. B.P.I. Cir. 121, pp. 3-12. 1913.
      Virginia, community work. An. Rpts., 1917, p. 156. 1918; B.P.I. Chief Rpt., 1917, p. 26. 1917.
    handling and marketing in Imperial Valley. J.G. Martin and G. C. White. D.B. 458, pp. 23. 1917.
    in the Imperial Valley. O. F. Cook. B.P.I. Cir. 111, pp. 11-12. 1913.
    length and character of staple. D.B. 458, pp. 13-14, 17. 1917.
    long-staple Mexican variety, adaptability to United States, description, and value. F.B. 501, pp. 18, 20. 1912.
    production, 1917 D.B. 733, p. 5. 1918.
    seed, danger of mixture, precautions. B.P.I. Cir. 121, pp. 4-7. 1913.
    single-stalk culture, advantages. B.P.I. Doc. 1130, pp. 6, 7, 11, 12. 1914.
    spinning tests, comparison with other long-staple varieties. D.B. 121, pp. 5-8. 1914.
    testing, Arizona. W.I.A. Cir. 7, pp. 9-12. 1915.
    thinning experiments and branching habits. B.P.I. Cir. 115, pp. 20-21. 1913.
    value for irrigated districts. D.B. 121, p. 2. 1914.
    value for Southern States. An. Rpts., 1915, p. 154. 1916; B.P.I. Chief Rpt., 1915, p. 12. 1915.
    variety, description, characteristics, and origin. B.P.I. Doc. 813, pp. 12-13. 1913.
  dusting—
    for boll weevil—
      B. R. Coad and T. P. Cassidy. D.C. 274, pp. 3. 1923.
      directions, amount, time, and schedule. D.B. 875, pp. 10-16. 1920.
      results in 1918, 1919, and 1920. Y.B., 1920, pp. 243, 250-251, 252. 1921; Y.B. Sep. 842, pp. 243, 250-252. 1921.
    from airplanes. B. R. Coad and others. D.B. 1204, pp. 40. 1924.
    in field for control of boll weevil. F.B. 1098, pp. 12-30. 1920.
    machinery development, selection, and types. F.B. 1319, p. 20. 1923.
    machines, development. Rds. Chief Rpt., 1924, pp. 26-27. 1924.
  dyeing, use of osage orange wood. Y.B., 1915, p. 204. 1916; Y.B. Sep. 670, p. 204 1916.
  earliness, stimulating method, and importance. F.B. 601, pp. 2-3, 12. 1914.

Cotton—Continued.
  early—
    and rapid fruiting, characters. F.B. 314, pp. 7-10, 13-20. 1908.
    breeding to escape boll weevil damage, method. R. L. Bennett. F.B. 314, pp. 28. 1908.
    crop, procuring. F.B. 1329, pp. 19-24. 1923.
    planting—
      advantages. B.P.I. Bul. 156, pp. 31-32. 1909; Ent. Bul. 100, pp. 30, 31, 89, 93, 96. 1912.
      for boll-weevil control. F.B. 319, pp. 11, 12. 1908; F.B. 344, pp. 23-28. 1909; F.B. 501, pp. 11-13. 1912; F.B. 512, pp. 24-29. 1912; F.B. 848, pp. 23-27. 1917; F.B. 1262, pp. 21, 22, 30. 1922; F.B. 1329, p. 21. 1923.
      in dry regions, importance in weevil control. B.P.I. Bul. 220, pp. 10-12. 1911.
    spinning value, comparison with late pickings. D.B. 121, p. 18. 1914.
    types, relation to weevil resistance. B.P.I. Bul. 220, pp. 19-21. 1911.
    varieties—
      studies. F.B. 501, pp. 10-11. 1912.
      use in boll-weevil control. F.B. 1262, pp. 21-22. 1922.
  effect of—
    bollworm on crop in Laguna, Mexico. F.H.B. S.R.A. 56, p. 88. 1918.
    borax in fertilizers, experiments. D.C. 84, pp. 24-32. 1920.
    leguminous plants. F.B. 326, pp. 6-9, 21. 1908.
  Egyptian—
    adaptability to irrigation farming. Y.B., 1911, pp. 374, 380, 401. 1912; Y.B. Sep. 576, pp. 374, 380. 1912; Y.B. Sep. 579, p. 401. 1912.
    alkali resistance in Southwestern States. B.P.I. Cir. 29, p. 18. 1909.
    American varieties, development and value. D.B. 742, pp. 12-13, 20-21, 23. 1919.
    bales, comparison with American. F.B. 764, pp. 21, 24. 1916.
    brachysm, discussion. J.A.R., vol. 3, pp. 388, 389, 400. 1915.
    branch development, sequence. B.P.I. Bul. 249, pp. 11-12. 1912.
    branch formation, control methods. B.P.I. Cir. 96, pp. 16-18, 21. 1912.
    branching habits. B.P.I. Bul. 249, p. 28. 1912; B.P.I. Cir. 115, p. 21. 1913.
    breeding new types. Thomas H. Kearney. B.P.I. Bul. 200, pp. 39. 1910.
    character, supply, production, and consumption. D.B. 742, pp. 3-7. 1919.
    characteristics, relationships, and reversions. B.P.I. Cir. 42, pp. 3, 4, 7, 8-9. 1909.
    chloride content of leaf, comparison with Upland cotton. J.A.R., vol. 28, pp. 695-704. 1924.
    commercial status in United States, prices, importations. B.P.I. Bul. 200, pp. 31-32. 1910.
    community production in United States. C. S. Scofield and others. D.B. 332, pp. 30. 1916.
    comparison with Durango cotton. B.P.I. Cir. 111, p. 18. 1913.
    comparison with upland and hybrid cottons. J.A.R., vol. 27, pp. 277-320. 1924.
    consumption, competition with sea-island. D.B. 146, pp. 2, 4-5, 17, 18. 1914.
    cultural—
      methods, and machinery. B.P.I. Bul. 128, pp. 48-57. 1908.
      requirements, planting, thinning, and irrigating. B.P.I. Doc. 717, pp. 5-7. 1912.
    damage in storage after ginning. D.B. 311, p. 7. 1915.
    description. Atl. Am. Agr., Pt. V, sec. A, p. 5. 1919; D.B. 38, pp. 2-6. 1913; Y.B., 1921, p. 329. 1922; Y.B. Sep. 877, p. 329. 1922.
    deterioration, causes. B.P.I. Bul. 210, pp. 45-48. 1911.
    discovery of new and improved type. News L., vol. 4, No. 28, p. 3. 1917.
    diseases and insect enemies, Arizona. B.P.I. Cir. 29, pp. 16-18. 1908.

Cotton—Continued.
Egyptian—Continued.
diversity—
causes and characteristics. B.P.I. Bul. 156, pp. 9-25. 1909.
causes, study. B.P.I. Chief Rpt., 1909, p. 52. 1909; An. Rpts., 1909, p. 304. 1910.
study. O. F. Cook and others. B.P.I. Bul. 156, pp. 60. 1909.
effect of soil variations. B.P.I. Cir. 112, pp. 17-24. 1913.
enemies, insects, and diseases. D.B. 742, pp. 8, 24-25. 1919.
experimental growing, Imperial Valley. D.B. 324, p. 5. 1915.
experiments—
at Sacaton, Arizona. An. Rpts., 1908, p. 296. 1909; B.P.I. Chief Rpt., 1908, p. 24. 1908.
in 1908. Thomas H. Kearney and William Peterson. B.P.I. Cir. 29, pp. 22. 1909.
fiber from different pickings. B.P.I. Cir. 110, pp. 37-39. 1913.
freight rates from Egypt and from Arizona. D.B. 332, p. 9. 1916.
future possibilities of the industry. D.B. 332, pp. 7-8, 27, 28. 1916.
ginning, precautions, and suitable equipment. Y.B., 1912, pp. 446, 452. 1913; Y.B. Sep. 605, pp. 446, 452. 1913.
grades and colors, establishment, by Secretary Wallace. B.A.E.S.R.A.72, pp. 9-10, 11-12. 1922.
grading. D.B. 332, p. 19. 1916.
growers' organization. Y.B., 1915, p. 272. 1916; Y.B. Sep. 675, p. 272. 1916.
growing in—
Arizona. D.C. 277, pp. 2, 3, 9-16, 39-40. 1923.
Arizona, Middle Gila Valley area. Soil Sur. Adv. Sh., 1917, pp. 12, 14. 1920; Soils F.O., 1917, pp. 2094, 2096. 1923.
California. An. Rpts., 1919, pp. 152-153. 1920; B.P.I. Chief Rpt., 1919, pp. 15-17. 1919; D.B. 533, pp. 2-4, 9, 15. 1917.
Salt River Valley, Arizona. E. W. Hudson. F.B. 577, pp. 8. 1914.
Southwest, suggestions. Carl S. Scofield. B.P.I. Doc. 717, pp. 10. 1912.
United States. D.B. 742, pp. 1-30. 1919.
United States, early attempts. D.B. 332, p. 10 1916.
growing on—
Yuma Experiment Farm, 1912. B.P.I. Cir. 126, pp. 20-21. 1913.
Yuma Reclamation Project and Experiment Farm. D.C. 75, pp. 14-15, 26-31. 1920.
growing, value, and yield, Southwest. An. Rpts., 1914, pp. 108, 115, 117. 1914; B.P.I. Chief Rpt., 1914, pp. 8, 15, 17. 1914.
growth and characteristics. J.A.R., vol. 27, pp. 268-270. 1924.
handling and marketing, Salt River Valley, Arizona. J. G. Martin. D.B. 311, pp. 16. 1915.
historical accounts. B.P.I. Cir. 42, pp. 11-12. 1909.
hybrids—
characters suppressed and intensified. B.P.I. Bul. 147, pp. 12-15, 19. 1909.
with Upland, causes, diversity, and characteristics. B.P.I. Bul. 156, pp. 7, 33-52, 53. 1909.
importation(s)—
and description. No. 37125, B.P.I. Inv. 38, p. 40. 1917.
and restrictions. F.H.B.S.R.A. 53, p. 65. 1918.
imported seed, testing experiments, 1909. B.P.I. Bul. 200, pp. 28-30. 1910.
imports—
1905-1914, and uses of the various kinds. D.B. 332, pp. 4-5. 1916.
and prices, 1908. B.P.I. Cir. 29, pp. 5-6, 21. 1909.
improvement, importance of selection. B.P.I. Bul. 249, p. 16. 1912.
in Arizona, extension. An. Rpts., 1917, pp. 142, 146. 1918; B.P.I. Chief Rpt., 1917, pp. 12, 16. 1917; Y.B., 1917, p. 76. 1918.

Cotton—Continued.
Egyptian—Continued.
in Southwest. An. Rpts., 1908, pp. 44-45, 323. 1908; B.P.I. Chief Rpt., 1908, p. 51. 1908; Rpt. 87, pp. 24-25. 1908.
in Southwestern United States. Thomas H. Kearney and William A. Peterson. B.P.I. Bul. 128, pp. 71. 1908.
industry increase by department work. D.B. 1030, p. 17. 1922.
injury by dampness. D.B. 311, p. 3. 1915.
land preparation in Salt River Valley, Arizona. B.P.I. Cir. 110. pp. 17-20. 1913.
mutation. Thomas H. Kearney. J.A.R., vol. 2, pp. 287-302. 1914.
new types, development. B.P.I. Bul. 200, pp. 9-28. 1910.
new varieties in Arizona, origin and description. J.A.R., vol. 2, pp. 290-295, 300-301. 1914.
picker waste, burning, recommendation. F.H.B.S.R.A. 4, p. 26. 1914.
picking, ginning, and baling, cost. B.P.I. Cir. 123, pp. 25-27. 1913; D.B. 332, pp. 16-17. 1918; F.B. 577, pp. 7-8. 1914.
pink bollworm infestation, warning. News L , vol. 1, No. 39, p. 4. 1914.
production—
1916 and 1917, and length of lint. D.B. 733, pp. 5, 7-8. 1918.
acreage and yield in Egypt, 1900-1911. Stat. Cir. 28, p. 3. 1912.
in America, area, quality, and cost. D.B. 332, pp. 5-6, 22-24. 1916.
in Southwest since 1912. D.B. 1184, p. 2. 1923.
prospects in the United States. B.P.I. Bul. 210, pp. 48-50. 1911.
ratooning, objections to practice. D.B. 742, p. 24. 1919.
relation—
of boll weevil. F.B. 163, p. 14. 1903.
to American varieties. B.P.I. Bul. 153, pp. 8, 52. 1909.
Sakellaridis, tests of strength and twist in airplane cloth. D.B. 882, pp. 10-11, 17-18, 26-40, 42-47. 1920.
seed—
bed preparation. F.B. 577, pp. 3-4. 1914.
infestation by pink bollworm. Ent. [Misc.], "The pink bollworm," pp. 2, 3. 1914.
maintaining pure supply. D.B. 742, pp. 19-21. 1919.
maintenance of supply. D.B. 332, pp. 20-21. 1916.
mixture with Hindi cotton seed. D.B. 332, pp. 9, 11, 12. 1916.
quantity per acre, planting directions. F.B. 577, p. 4. 1914.
selection. Thomas H. Kearney. D.C., 38, pp. 8. 1913.
selection and protection. B.P.I. Doc. 717, pp. 9-10. 1912.
storage, injury by dampness. D.B. 311, p. 3. 1915.
selection by flower characters. B.P.I. Cir. 66. pp. 15-16. 1910.
shedding susceptibility, value as crop, and unadaptability for Teaxs. B.P.I. Cir. 96, pp. 18-20, 21. 1912.
single-stalk culture, advantages. B.P.I. Doc. 1130, pp. 6, 9-11. 1914.
Somerton variety, history, description, and experiments. B.P.I. Bul. 200, pp. 20-24, 32-33. 1910.
Southwest, acreage, yield, and cost of production. B.P.I. Cir. 123, pp. 21-28. 1913.
standardization, necessity. D.B. 332, pp. 9-10. 1916.
staple crop. Y.B., 1902, p. 578. 1903.
sucessful growing in Arizona. An. Rpts., 1911, p. 63. 1912; Sec. A.R., 1911, p. 61. 1911; Y.B., 1911, p. 61. 1912.
tagging, marking, branding, and weighing. D.B. 311, p. 6. 1915.
tillage, thinning, and spacing. D.B. 742, pp. 22-24. 1919; D.B. 332, pp. 24-25. 1916.
tolerance of salt solutions, experiments. B.P.I. Bul. 113, pp. 10, 13, 14, 19. 1907.
type, yield, and value. B.P.I. Doc. 717, pp. 1-3. 1912.

INDEX OF PUBLICATIONS, 1901–1925 603

Cotton—Continued.
Egyptian—Continued.
variation with sun and shade. B.P.I. Bul. 256, p. 89. 1913.
varieties—
and origin. J.A.R., vol. 2, pp. 289–290, 299. 1914.
comparison of Pima and Yuma. D.R.P. Cir. 1, pp. 1–3. 1916.
introduction and testing. Y.B., 1911, p. 422. 1912; Y.B. Sep. 580, p. 422. 1912.
various strains, history, description, and tests. B.P.I. Bul. 200, pp. 24–28, 33–34. 1910.
wilt resistance. F.B. 333, p. 13. 1908.
work in—
Arizona, 1912. An. Rpts., 1913, p. 124. 1914; B.P.I. Chief Rpt., 1913, p. 20. 1913.
Southwest, 1912. An. Rpts., 1912, pp. 406, 437, 448, 449. 1913; B.P.I. Chief Rpt., 1912, pp. 26, 57, 68, 69. 1912.
Yuma variety, breeding experiments and tests. B.P.I. Bul. 200, pp. 15–20, 32–33. 1910.
Yuma variety, origin, history, and description. B.P.I. Bul. 200, pp. 13–20. 1910.
emergency crop, overflowed lands. B.P.I. Doc. 756, pp. 2–3. 1912.
estimates—
1910–1922. M.C. 6, p. 12. 1923.
Crop Estimates Bureau and Census, comparison. An. Rpts., 1919, pp. 330–331. 1920; Crop Est. Chief Rpt., 1919, pp. 6–7. 1919.
European situation in 1919. Sec. [Misc.], "Report of Agricultural * * *," pp. 77, 78, 81–82, 83–86. 1919.
Exchange(s)—
foreign, conferences with department representatives. Mkts. S.R.A. 7, pp. 38–50. 1916.
in United States, list. Y.B., 1902, p. 751. 1903.
suggestions to, opinions by Chief of Markets Division. Mkts. S.R.A. 5, pp. 67–78. 1915.
experiments—
Porto Rico. P.R. An. Rpt., 1907, p. 12. 1908.
San Antonio Experiment Farm, 1917. W.I.A. Cir. 21, pp. 12–14. 1918.
Texas seed selection, rate. B.P.I. Bul. 283, pp. 70–71. 1913.
exports—
1884–1905, from principal ports. Stat. Bul. 38, pp. 15, 18. 1905.
1901–1924. Y.B., 1924, pp. 1043, 1074. 1925.
1902–1904, and values. Stat. Bul. 36, pp. 16, 19, 51–52. 1905.
1910–1914. News L., vol. 3, No. 13, p. 3. 1915.
1911–1914, by countries. F.B. 641, p. 12. 1914.
1916–1923. Y.B., 1923, p. 87. 1924.
1917–1919, 1910–1919. Y.B., 1920, pp. 15, 771. 1921; Y.B. Sep. 864, pp. 13–35. 1921.
1920. An. Rpts., 1920, pp. 9–10. 1921; Sec. A.R., 1920, pp. 9–10. 1920.
1925. Sec. A. R., 1925, p. 105. 1925.
countries-to which consigned. Y. B., 1914, p. 679. 1915; Y.B. Sep. 657, p. 679. 1915.
from—
Galveston, New Orleans, Savannah, and New York, 1884–1905. Stat. Bul. 38, p. 17. 1905.
United States. Stat. Bul. 34, pp. 66–67. 1905.
Virgin Islands, 1909–1915. Vir. Is. Bul. 1, p. 3. 1921.
percentage of production. Atl. Am. Agr. Adv. Sh., Pt. V, Sec. A., p. 28. 1919.
relation to balance of trade. An. Rpts., 1911, p. 21. 1912; Sec. A.R., 1911, p. 19. 1911; Y.B., 1911, p. 19. 1912.
restrictions, removal. News L., vol. 6, No. 18, pp. 17–18. 1918.
statistics and details. Y.B., 1921, pp. 391–400, 745, 749, 751. 1922; Y.B., Sep. 877, pp. 391–400. 1922; Y.B., Sep. 867, pp. 9, 13, 15. 1922.
statistics, comparison, 1913–1916. Mkts.S.R.A. 9, pp. 105–106. 1916.
to various countries, 1914, 1917. News L., vol. 5, No. 7, pp. 3–4. 1917.
total and per capita, 1851–1908. Stat. Bul. 75, pp. 6, 7, 13, 38–39. 1910.
value, percentage to various markets. D.B. 296, pp. 2, 3, 4, 20, 23–24. 1915.
fabric airplane, manufacturing and laboratory tests. Fred Taylor and D. E. Earle. D.B. 882, pp. 48. 1920.

Cotton—Continued.
fallowing experiments, San Antonio, Texas, methods and yields. D.B. 151, pp. 2–5, 10. 1914.
farm(s)—
acreage per mule, efficiency test. F.M. Cir. 3, pp. 15–19. 1919.
atlas. Atl. Am. Agr. Adv. Sh., Pt. V, Sec. A., pp. 28. 1919.
crop readjustments. Off. Rec., vol. 2, No. 50, p. 2. 1923.
diversification of enterprises, and wealth accumulation. D.B. 1068, pp. 46–48. 1922.
hog production. Y.B. 1922, pp. 206–208. 1923; Y.B. Sep. 882, pp. 206–208. 1923.
in Georgia, variations in incomes and in practices. F.B. 1121, pp. 5–8, 22–23, 28–31. 1920.
labor requirements, comparison with other types. D.B. 1034, pp. 38–39. 1922.
management methods. Atl. Am. Agr. Adv. Sh., Pt. V, Sec. A., pp. 11–13. 1919.
negro owners and tenants, number and acreage of farms. Atl. Am. Agr. Adv. Sh., Pt. V, Sec. A., pp. 12, 13. 1919.
of Texas, Ellis County, farm management. study. Rex E. Willard. D.B. 659, pp. 54. 1918.
organization for profitable production. Y.B. 1921, pp. 365–367. 1922; Y.B. Sep. 877, pp. 365–367. 1922.
percentage of other farm products. D.B. 659, pp. 23–24. 1918.
profitable. C. L. Goodrich. F.B. 364, pp. 23. 1909.
rotations with vetch. F.B. 529, pp. 18–19. 1913.
share leases, and general provisions. D.B. 650, pp. 3, 5, 7, 18, 23, 35. 1918.
shifting of tenants, relation to wealth accumulation. D.B. 1068, pp. 48–50. 1922.
size and tenure. D.B. 896, pp. 6–9. 1920.
social conditions, relation to tenure. D.B. 1068, pp. 50–53. 1922.
soil-improvement example. F.B. 986, pp. 26–28. 1918.
supplies for family and farm, production. C. L. Goodrich. F.B. 1015, pp. 16. 1919.
value per acre by States and Territories, 1900–1905. Stat. Bul. 43, pp. 11–14, 15–16, 17, 27, 37. 1906.
Virginia, soil improvement, method and results. F.B. 924, pp. 20–22. 1918.
white tenants and owners, number and acreage. Atl. Am. Agr. Adv. Sh., Pt. V, Sec. A., pp. 12–13. 1919.
farmers, relief—
joint resolution. F.H.B. Misc. "Regulations * * * aid to cotton farmers," p. 1. 1922.
provision, Dec. 28, 1923. F.H.B. [Misc.], "Rules and regulations * * *," amdt. 1, p. 1. 1924.
farming—
cropper system, advantages. Off. Rec., vol. 2, No. 40, p. 3. 1923.
in—
Arkansas, crop systems. F.B. 1000, pp. 5–13. 1918.
Georgia, economic study. D.B. 492, pp. 1–64. 1917.
southern Arizona, acreage, and income. D.B. 654, pp. 3, 38–39. 1918.
Southwest. O. F. Cook. B.P.I. Cir. 132, pp. 9–18. 1913.
Southwestern States, cooperative organizations. An. Rpts., 1914, p. 114. 1914; B.P.I. Chief Rpt., 1914, p. 14. 1914.
size and investment, relations to income. D.B. 659, pp. 25–31, 37. 1918.
with one animal. News L., vol. 7, No. 7, p. 5. 1919.
fertilization, selective. Thomas H. Kearney and George J. Harrison. J.A.R., vol. 27, pp. 329–340. 1924.
fertilizers—
and yields on certain North Carolina soils. J.A.R. vol. 5, No. 13, pp. 578, 580. 1915.

36167°—32——39

Cotton—Continued.
fertilizers—continued.
experiments. F.B. 212, pp. 23-24.1905; Hawaii A.R. 1910, pp. 44-45. 1911; Soils Bul. 62, pp. 1-24. 1909; Work and Exp. 1914, pp. 57, 90. 1915.
for Alabama, Colbert County, formulas and cost. Soil Sur. Adv. Sh., 1908, pp. 11-12. 1909; Soils F.O., 1908, pp. 561-562. 1911.
for Porto Rico. P.R. Cir. 6, p. 14. 1906.
kinds and cost. Y.B. 1921, pp. 348, 361, 362, 363. 1922; Y.B. Sep. 877, pp. 348, 361-363. 1922.
requirements, and composition of various brands. Soils Bul. 58, pp. 30, 34. 1910. S.R.S. Doc. 30, p. 11. 1916.
studies. B.P.I. Chief Rpt. 1921, p. 48. 1921.
use in Scotland County, North Carolina. Soil Sur. Adv. Sh. 1909, pp. 10-11. 1911; Soils F.O. 1909, pp. 426-428. 1912.
fiber(s)—
determination. D.B. 644, pp. 5, 12. 1918.
different pickings of Egyptian cotton. B.P.I. Cir. 110, pp. 37-39. 1913.
effect of cultural methods. F.B. 501, rev., pp. 13-14. 1912.
fungous staining. B.P.I. Cir. 110, pp. 27-28. 1913.
improvement by storage of seed cotton. Y.B. 1912, p. 449. 1913; Y.B. Sep. 605, p. 449. 1913.
improvement studies. D.C. 200, pp. 6-7. 1921.
length and quality for various types. Y.B. 1921, pp. 328-330, 370-372, 380. 1922, Y.B. Sep. 877, pp. 328-330, 370-372, 380. 1922.
long-staple upland, description. B.P.I. Bul. 111, pp. 13-15. 1907.
minimum length in seed selection. F.B. 314, p. 15. 1908.
mixture of long and short, objectionable. B.P.I. Cir. 123, p. 6. 1913.
purity, commercial systems and value. D.C. 200, pp. 11-12. 1921.
salt content. Thomas H. Kearney and C.S. Scofield. J.A.R., vol. 28, pp. 293-295. 1924.
strength, body, uniformity, and smoothness. D.C. 278, pp. 19-20. 1924.
testing—
effect of mercerizing. An. Rpts., 1918, p. 470. 1919; Mkts. Chief Rpt., 1918, p. 20. 1918.
for strength. B.P.I. Cir. 128, pp. 17-19. 1913.
tests in Hawaii. Hawaii A.R., 1911, pp. 61-62. 1912.
unevenness, causes. D.B. 60, pp. 18-19. 1914.
field(s)—
burning trash in winter to control boll weevil. Ent. Cir. 107, p. 2. 1909.
clean-up for control of pink bollworm, cost. F.H.B.S.R.A. 71, pp. 100-101. 1922.
clean-up work adjacent to noncotton zones. F.H.B.S.R.A. 74, pp. 10-14. 1923.
cultivation, for boll-weevil control. F.B. 1262, pp. 24-25, 30. 1922.
fall treatment for boll-weevil control. News L., vol. 5, No. 14, p. 7. 1917.
grazing for control of boll weevil. F.B. 1329, pp. 17-18. 1923.
locating to avoid weevil damage. F.B. 512, pp. 23-24, 46. 1912; F.B. 1329, pp. 18-19. 1923.
location in Texas, by aeroplane. F.H.B.S.R.A. 59, p. 2. 1919.
Louisiana and Texas, pink bollworm control. F.H.B.S.R.A. 78, pp. 3-8. 1924.
pasturing for pink-bollworm control. D.B. 918, p. 54. 1921.
Texas, inspection and cleaning for pink bollworm control. Y.B., 1919, pp. 363-368. 1920; Y.B. Sep. 817, pp. 363-368. 1920.
treatment for bollworm control. F.H.B. An. Rpt., 1924. p. 3. 1924.
fire-insurance schedules, miscellaneous. D.B. 277, pp. 27-28. 1915.
fire protection in warehouses. Y.B. 1918, pp. 408-416. 1919; Y.B. Sep. 763, pp. 12-20. 1919.
Floradora, growing attempts. D.B. 60, p. 9. 1914.

Cotton—Continued.
flower—
and bolls, comparison of Pima with Upland. J.A.R., vol. 28, pp. 941-952. 1924.
bud maggot, description. Sec. [Misc.], "A manual of insects * * *," p. 89. 1917; Vir. Is. Bul. 1, p. 13. 1921.
characters for selection. B.P.I. Cir. 66, pp. 15-16. 1910.
honey source, dates of blooming. D.B. 685, pp. 45, 50-51, 54. 1918.
inclosing in paper to prevent cross-pollination. D.B. 1134, p. 38. 1923.
structure and ontogeny in relation to pollination. D.B. 1134, pp. 12-27, 62. 1923.
flowering—
daily, under summer irrigation in Arizona. J.A.R., vol. 23, pp. 935-939, 946. 1923.
period. B.P.I. Bul. 256, p. 11. 1913.
record in single-stalk culture. D.B. 279, pp. 7-11. 1915.
forecast by States, acreage, and price. September, 1913. F.B. 558, p. 13. 1913.
foreign—
competition and outlook. Stat. Chief Rpt., 1905, p. 414. 1905.
fumigation date, order, and news item regarding. F.H.B.S.R.A. 26, pp. 31-32. 1916.
safeguarding in storage and manufacture. F.H.B.S.R.A. 22, p. 89. 1915.
samples by parcel post, admittance. Off. Rec., vol. 1, No. 50, p. 4. 1922.
wastage disposal, regulations. F.H.B.S.R.A. 37, pp. 8-9. 1917.
"forms," classes, relation of boll weevil mortality, natural conditions. Ent. Bul. 74, pp. 26-35. 1907.
Foster—
description, characteristics, and origin. B.P.I. Doc. 813, pp. 11-12. 1913.
long-staple variety, derivation, description, and value. F.B. 501, pp. 17, 18. 1912; F.B. 501, rev., p. 16. 1920.
origin and comparison with Durango cotton. B.P.I. Cir. 111, pp. 12, 16. 1913.
variety adapted to boll-weevil conditions, description. B.P.I. Doc. 432, pp. 5-6. 1908.
free zones—
enforcement in fight against weevil. Y.B. 1921, pp. 352, 353. 1922; Y.B. Sep. 877, pp. 352, 353. 1922.
Texas, for control of pink bollworm. F.H.B. S.R.A. 62, 99. 50, 51. 1919; F.H.B.S.R.A., 50, pp. 26-27. 1918.
freight rates—
1886-1910, 1881-1910. Y.B., 1910, pp. 650-651. 1911; Y.B. Sep. 553, pp. 650-651. 1911.
1906, and market values. Y.B., 1906, pp. 372-376. 1907; Y.B. Sep. 430, pp. 372-376. 1907.
1907. Y.B., 1907, pp. 731, 732, 735. 1908; Y.B. Sep. 465, pp. 731, 732, 735. 1908.
1908. Y.B., 1908, pp. 746, 748. 1909; Y.B. Sep. 498, pp. 746, 748. 1909.
1911. Y.B., 1911, pp. 653, 654. 1912; Y.B. Sep. 588, pp. 653, 654. 1912.
1912. Y.B., 1912, pp. 707-709. 1913; Y.B. Sep. 605, pp. 707-709. 1913.
1913 and 1923. Y.B., 1923, p. 1171. 1924; Y.B. Sep. 906, p. 1171. 1924.
from farms to Liverpool. Y.B., 1909, pp. 161, 163. 1910; Y.B. Sep. 502, pp. 161, 163. 1910.
from Mexico, imports, prohibition, regulations, July 1, 1917. F.H.B. Quar. 8, amdt. 4, pp. 2. 1917.
fruiting—
branches, abortion, study. An. Rpts., 1913, p. 121. 1914; B.P.I. Chief Rpt., 1913, p. 17. 1913; B.P.I. Cir. 118, pp. 11-16. 1913.
parts, growth. R.D. Martin, W.W. Ballard, and D.M. Simpson. J.A.R., vol. 25, pp. 195-208. 1923.
fumigated, manufacturing tests with hydrocyanic-acid gas. William S. Dean. D.B. 366, pp. 12, 1916.

Cotton—Continued.
fumigation—
before entry, requirements. F.H.B.S.R.A. 74, pp. 37-39. 1923.
for pink bollworm. F.H.B. An. Rpt., 1924, p. 4. 1924.
plants—
licensing. F.H.B.S.R.A. 39, pp. 38-39. 1917.
tests. F.H.B.S.R.A. 49, p. 16. 1918.
fungous parasite, *Glomerella gossypii* and *Colletotrichum gossypii*, studies. B.P.I. Bul. 252, pp. 35-36. 1913.
future markets, domestic and foreign. Y.B., 1921, p. 385. 1922; Y.B. Sep. 877, p. 385. 1922.
futures—
regulation, bills before Congress since 1883, list. Mkts. S.R.A. 5, p. 66. 1915.
act—
address by Solicitor, and opinions of department. Mkts. S.R.A. 5, pp. 51-80. 1915.
administration, 1915. Mkts. Doc. 1, pp. 13-14. 1915.
administration and constitutionality. Sol. [Misc.], "Statutory history * * *," pp. 17, 21, 25. 1916.
administration, Markets Bureau, 1916. Y.B., 1916, p. 16. 1917.
amendment, addition of New Orleans, La. Sec. Cir. 46, amdt. 4, p. 1. 1915.
benefit to farmers. Y.B., 1916, pp. 10, 74. 1917; Y.B. Sep. 698, p. 12. 1917; News L., vol. 4, No. 32, pp. 1-2. 1917.
effect on cotton classification. D.C. 278, pp. 5, 6. 1924.
enactment, and purpose. Y.B., 1914, pp. 33-35. 1915.
enforcement appropriation, text of act. Sol. [Misc.], "Laws applicable * * *," 2d sup., pp. 89-96. 1915.
notice of hearings on proposed rules and regulations. Mkts. [Misc.], "Notice of hearings * * *," pp. 24. 1915.
provisions. Sol. [Misc.], "Laws applicable * * *," 4th sup., pp. 69-79. 1917.
regulations of the Secretary of Agriculture. effective August 1, 1922. Sec. Cir. 159, pp. 40. 1922.
revision, Aug. 1, 1922. B.A.E.S.R.A. 72, pp. 14-15. 1922.
rules and regulations of Secretary of Agriculture, of August 18, 1914. Sec. Cir. 46, pp. 24. 1915.
rules and regulations of Secretary of Agriculture, of August 11, 1916. Sec. Cir. 64, pp. 27. 1916.
regulations of Secretary of Agriculture under section 5 as amended March 4, 1919. Sec. Cir. 137, pp. 26. 1919.
geography of production in United States and foreign countries. Atl. Am. Agr. Adv. Sh., Pt. V, Sec. A, pp. 6-10. 1919.
Gila, origin, characters, and description. J.A.R., vol. 2, pp. 291, 294-295, 300. 1914.
gin, toll in Texas, Camp County. Soil Sur. Adv. Sh., 1908, p. 10. 1910; Soils F.O., 1908, p. 958. 1911.
ginned, prices, comparison with unginned cotton. D.B. 375, pp. 14-16. 1916; F.B. 775, pp. 4-5. 1916.
ginneries, accounting system. A. V. Swarthout and J. A. Bexell. D.B. 985, pp. 42. 1921.
ginning—
G. S. Meloy. F.B. 1465, pp. 29. 1925.
baling, and pressing. Y.B., 1921, pp. 372-376. 1922; Y.B. Sep. 877, pp. 372-376. 1922.
customs. Atl. Am. Agr. Adv. Sh., Pt. V, Sec. A, pp. 24-25. 1919.
facilities, relation to preservation of cotton types. Y.B., 1911, pp. 405-406. 1912; Y.B. Sep. 579, pp. 405-406. 1912.
information for farmers. Fred Taylor and others. F.B. 764, pp. 24. 1916; F.B. 764, rev., pp. 28. 1917.
injury to fiber, control measures. Y.B., 1912, pp. 452-453, 461. 1913; Y.B. Sep. 605, pp. 452-453, 461. 1913.
recommendations and grading suggestions. News L., vol. 5, No. 5, p. 1. 1917.
reports, bills. Off. Rec., vol. 3, No. 5, p. 1. 1924.

Cotton—Continued.
gins—
description of machinery. F.B. 1465, pp. 5-16. 1925.
fires caused by static electricity. D.C. 28, pp. 8. 1919.
grounding to prevent fires. Harry E. Roethe. D.C. 271, pp. 4. 1923.
glands, secretions, microchemical reactions. J.A.R., vol. 13, pp. 425-427. 1918.
goods—
manufacture with use of turpentine. D.B. 229, p. 8. 1915.
production agencies, division of consumer's dollar. Off. Rec., vol. 3, No. 5, p. 3. 1924.
stored, injury by termites. D.B. 333, p. 17. 1916.
grade(s)—
and classifications, explanations by Markets Office. News L., vol. 5, No. 12, pp. 5-6. 1917.
and colors, discussion. B.A.E. S.R.A. 72, pp. 1-3, 6, 10. 1922.
commercial differences. Sec. Cir. 64, pp. 17-18. 1916.
comparison of sea-island with upland and Egyptian. D.B. 146, pp. 17-18. 1914.
determination, regulations. Sec. Cir. 46, amdt. 3, pp. 2. 1915.
disputes, determination by Secretary, opinion. Mkts., S.R.A. 5, p. 74. 1915.
names and factors influencing. F.B. 591, pp. 2, 3-9, 11-12. 1914.
necessity and increased demand. An. Rpts., 1913, pp. 23, 48, 60. 1914; Sec. A.R., 1913, pp. 21, 46, 58. 1913; Y.B., 1913, pp. 28, 59, 73. 1914.
official—
authorization by Congress, description and sale. F.B. 591, pp. 7-9, 11-12. 1914.
memorandum of information. N. A. Cobb. B.P.I. Doc. 720, pp. 3. 1912.
need of universal adoption. Y.B., 1912, p. 455. 1913; Y.B. Sep. 605, p. 455. 1913.
preparation and distribution, 1911. An. Rpts., 1911, pp. 67-68. 1912; Sec. A.R., 1911, pp. 65-66. 1911; Y.B., 1911, pp. 65-66. 1912.
permissive, replaced by official standards. Mkts. S.R.A. 1, pp. 1-3. 1915.
relative value at different markets. F.B. 591, pp. 16-18, 22. 1914.
standard, care and use. B.P.I. Cir. 109, pp. 3-6. 1913; F.B. 591, pp. 9-10, 13-16, 22. 1914.
standardization experiments. D.B. 62, pp. 1-8. 1914.
grading—
advisory committee, personnel. B.P.I. Doc. 720, p. 3. 1912.
and classification. D. E. Earle and W. S. Dean. F.B. 591, pp. 22. 1914.
and official standards. Y.B., 1921, pp. 378-381. 1922; Y.B. Sep. 877, pp. 378-381. 1922; S.R.S. Rpt., 1921, p. 31. 1921.
and standardization, program of work. Sec. [Misc.], "Program of work * * * 1915," pp. 103-104. 1914.
history and objects. F.B. 591, pp. 1-2. 1914.
mill conditions, organizations, speed, and settings. D.B. 62, pp. 3-5. 1914.
growers—
and manufacturers, cooperation, advantages. Y.B., 1911, pp. 397-410. 1912; Y.B. Sep. 579, pp. 397-410. 1912.
associations—
Imperial Valley Longstaple, work of stabilizing cotton. News L., vol. 3, No. 25, p. 7. 1916.
methods suggested for pure cotton seed. D.B. 38, pp. 5-6, 7. 1913.
necessity for growing Egyptian cotton. B.P.I. Doc. 717, pp. 3, 9. 1912.
black land, farm income and net returns on capital. D.B. 1068, pp. 24-30. 1922.
cooperation in cotton storage, need and suggestions. Y.B., 1918, pp. 404-406. 1919; Y.B. Sep. 763, pp. 8-10. 1919.
cooperation in Southwest, associations. D.B. 742, pp. 1-2, 11, 13-15, 17, 25-27. 1919.
cooperation, Salt River Valley, Arizona. D.B. 332, pp. 15-16, 27-28. 1916.

Cotton—Continued.
  growers—continued.
    cooperation, successful examples. Y.B., 1912, pp. 443–448. 1913; Y.B. Sep. 605, pp. 443–448. 1913.
    financing—
      1921. Y.B., 1921, pp. 367–369. 1922; Y. B Sep. 877, pp. 367–369. 1922.
      relation to warehouse. Y.B., 1918, p. 404. 1919; Y.B. Sep. 763, p. 8. 1919.
    hog raising as side line, suggestions. F.B. 411, pp. 5–6, 1910.
    organizations, necessity. D.B. 60, p. 3. 1914.
    Texas, cooperation for pink bollworm extermination. News L., vol. 5, No. 45, p. 14. 1918.
    use of riding plows. S.B. 5, p. 31. 1925.
    warning against short-staple cotton. News L., vol. 3, No. 32, p. 2. 1916.
  growing—
    abandonment in Texas for bollworm control. News L., vol. 5, No. 1, p. 6. 1917.
    advantage of Arizona over Egypt. B.P.I. Bul. 210, p. 52. 1911.
    and marketing in Egypt. B.P.I. Bul. 62, pp. 16–42. 1904.
    and yield—
      in southwest Texas. Soil Sur. Adv. Sh., 1911, pp. 28, 53, 57, 58, 60, 62, 66, 74, 77, 94, 96, 104, 106. 1912; Soils F.O., 1911, pp. 1191, 1221, 1224–1235, 1240–1244, 1248, 1254, 1260, 1262–1266, 1272. 1914.
      on Orangeburg sandy loam. Soils Cir. 47, p. 9. 1911.
      on Susquehanna fine sandy loam. Soils Cir. 51, pp. 8–9. 1912.
    areas—
      boll-weevil spread in 1921. D.B. 1103, pp. 42–43. 1922.
      groups. D.B. 511, pp. 16–17, 62. 1917.
    bur clover as green-manure crop, value and management. F.B. 693, p. 9. 1915.
    cessation would exterminate boll weevil. F.B. 500, p. 7. 1912.
    community—
      action for protection against boll weevil. B.P.I. Cir. 130, pp. 8–9, 14. 1913.
      work for protection of seed supply. B.P.I. Chief Rpt., 1918, p. 12. 1918. An. Rpts., 1918. p. 146. 1919.
    cost factors and variations. D.B. 896, pp. 42–59. 1920.
    cultural practices for Imperial Valley, summary. D.B. 324, p. 11. 1915.
    damage by boll weevil. Y.B. 1917, p. 330. 1918; Y.B. Sep. 749, p. 6. 1918.
    demonstration work. F.B. 422, pp. 1–13. 1910.
    demonstrations and club work, 1922. Coop. Ext.work, 1922, pp. 3–4. 1924.
    directions, western Texas and Oklahoma. B.P.I. [Misc.], "Field instructions, Texas and Oklahoma," p. 11. 1913
    effect of new system on increased yield. News L., vol. 2, No. 18, pp. 2–3. 1914.
    experiments—
      in Hawaii, 1909. An. Rpts. 1909, p. 696. 1910; Hawaii A.R. 1909, pp. 69–75. 1910; O.E.S. Dir. Rpt. 1909, p. 18. 1909.
      in Hawaii, 1913. Hawaii A.R., 1913, p. 38. 1914.
    wilt resistance and water requirements. S.R.S. Rpt. 1917, Pt. I, pp. 39, 55, 71, 93, 157–158, 243. 1918.
    with borax fertilizers. J.A.R., vol. 23, pp. 433–444. 1923.
    with nitrogen fertilizers, notes and tables. D.B. 1180, pp. 11, 12, 20–36. 1923.
    fertilizer requirements for different soils, methods and table. F.B. 398, pp. 17–19. 1910.
    foreign competition and countries. Y.B. 1911, p. 398. 1912; Y.B. Sep. 579, p. 398. 1912.
    hand and machine labor, comparison, time, and cost. Stat. Bul. 94, p. 64. 1912.
    improved methods, application. F.B. 601, p. 2. 1914.
    in Alabama—
      Barbour County. Soil Sur. Adv. Sh., 1914, pp. 10–11, 20–47. 1916; Soils F.O., 1914, pp. 1076–1077, 1086–1113. 1919.

Cotton—Continued.
  growing—continued.
    in Alabama—continued.
      Bullock County, acreage, production, and yield. Soil Sur. Adv. Sh., 1913, pp. 10, 45, 48. 1915; Soils F.O., 1913, pp. 752, 787, 790. 1916.
      Chambers County. Soil Sur. Adv. Sh., 1909, pp. 10, 16, 20, 21. 1911; Soils F.O. 1909, pp. 780, 786, 790, 791. 1912.
      Chilton County, yields. Soil Sur. Adv. Sh., 1911, pp. 10, 19, 29. 1913; Soils F.O. 1911, pp. 694, 703, 713. 1914.
      Clarke County, acreage and yield. Soil Sur. Adv. Sh., 1912, pp. 9, 23, 26, 28. 1913; Soils F.O. 1912, pp. 729, 743, 746, 748. 1915.
      Clay County. Soil Sur. Adv. Sh., 1915, pp. 9, 11, 21–39. 1916; Soils F.O., 1915, pp. 831, 833, 841, 843, 844, 846, 850, 857, 862. 1921.
      Cleburne County, methods, and yields. Soil Sur Adv. Sh., 1913, pp. 10, 18–35. 1915; Soils F.O., 1913, pp. 798–799, 806–823. 1916.
      Coffee County. Soil Sur. Adv. Sh., 1909, pp. 11, 15, 20, 24. 1911; Soils F.O., 1909, pp. 807, 811, 826, 830. 1912.
      Conecuh County, methods and yields. Soil Sur. Adv. Sh., 1912, pp. 10, 24–37. 1914. Soils F.O. 1912, pp. 758–759, 773–794. 1915.
      Covington County, methods and yields. Soil Sur. Adv. Sh., 1912, pp. 10, 17–33. 1914; Soils F.O. 1912, pp. 802, 809–825. 1915.
      Crenshaw County. Soil Sur. Adv. Sh., 1921, pp. 379–400. 1924.
      Elmore County, yield. Soil Sur. Adv. Sh., 1911, pp. 17, 22, 24, 27, 28–47. 1913; Soils F.O., 1911, pp. 733, 738, 744–763. 1914.
      Escambia County, methods and yields. Soil Sur. Adv. Sh., 1913, pp. 10–11, 23–46. 1915; Soils F.O., 1913, pp. 832–833, 845–868. 1916.
      Fayette County. Soil Sur. Adv. Sh., 1917, pp. 9, 16–38. 1920; Soils F.O., 1917, pp. 703–704, 710–732. 1923.
      Fort Payne area. Soil Sur. Adv. Sh., 1903, p. 20. 1904; Soils F.O., 1903, p. 371. 1904.
      Geneva County. Soil Sur. Adv. Sh., 1920, pp. 291, 292, 301–314. 1924; Soils F.O., 1920, pp. 291, 292, 301–314. 1925.
      Hale County. Soil Sur. Adv. Sh., 1909, pp. 10, 14, 15, 19, 21, 23, 25, 28, 29. 1910; Soils F.O., 1909, pp. 682, 686, 687, 691, 693, 695, 697, 700, 701. 1912.
      Houston County. Soil Sur. Adv. Sh., 1920 pp. 319, 326–341. 1923; Soils F.O., 1920, 319, 326–341. 1925.
      Jackson County and yields. Soil Sur. Adv. Sh., 1911, pp. 10, 17–30. 1912; Soils F. O., 1911, pp. 770, 777–790. 1914.
      Lawrence County. Soil Sur. Adv. Sh., 1914, pp. 12, 19–44. 1916; Soils F.O., 1914, pp. 1162, 1169–1197. 1919.
      Limestone County. Soil Sur. Adv. Sh., 1914, pp. 10, 21–36. 1916; Soils F.O., 1914, pp. 1122–1123, 1132–1148. 1919.
      Lowndes County. Soil Sur. Adv. Sh., 1916, pp. 10, 11, 23–64. 1918; Soils F.O., 1916, pp. 792–793, 796, 807–846. 1921.
      Madison County, varieties and yields. Soil Sur. Adv. Sh., 1911, pp. 11, 18–40. 1913; Soils F.O., 1911, pp. 799, 806–828. 1914.
      Marengo County. Soil Sur. Adv. Sh., 1920, pp. 560–561, 570–593. 1923; Soils F. O., 1920, pp. 560–561, 570–593. 1925.
      Marshall County, yields. Soil Sur. Adv. Sh., 1911, pp. 10, 17–29. 1913; Soils F. O., 1911, pp. 836, 843–855. 1914.
      Mobile County, yields. Soil Sur. Adv. Sh., 1911, pp. 14, 21, 27. 1912; Soils F. O., 1911, pp. 868, 875, 881. 1914.
      Monroe County. Soil Sur. Adv. Sh., 1916, pp. 11, 21–44. 1919; Soils F.O., 1916, pp. 857–858, 867–890. 1921.
      Morgan County. Soil Sur. Adv. Sh., 1918, pp. 9–15, 20–43. 1921; Soils F.O., 1918, pp. 577, 578–583, 588–611. 1924.
      Pickens County. Soil Sur. Adv. Sh., 1916, pp. 10, 12, 18–39. 1917; Soils F.O., 1916. pp. 905–908, 914–935. 1921.

Cotton—Continued.
  growing—continued.
    in Alabama—continued.
      Pike County, methods. Soil Sur. Adv. Sh., 1910, pp. 11–13, 14. 1911; Soils F.O., 1910, pp. 646-648, 649. 1912.
      Randolph County, methods and yields. Soil Sur. Adv. Sh., 1911, pp. 10, 11–12, 19–38. 1912; Soils F.O., 1911, pp. 902, 903–904, 911-930. 1914.
      Russell County, methods and yields. Soil Sur. Adv. Sh., 1913, pp. 10, 23–48. 1915; Soils F.O., 1913, pp. 880, 893-918. 1916.
      St. Clair County. Soil Sur. Adv. Sh., 1917, pp. 10, 12, 18–42. 1920; Soils F.O., 1917, pp. 796, 798, 804, 828. 1923.
      Shelby County. Soil Sur. Adv. Sh., 1917, pp. 11, 24–47. 1920; Soils F.O., 1917, pp. 743, 756-776. 1923.
      Tuscaloosa County, methods and yields. Soil Sur. Adv. Sh., 1911, pp. 12, 13, 27–69. 1912; Soils F.O., 1911, pp. 940, 941, 955–997. 1914.
      Walker County, acreage and yields. Soil Sur. Adv. Sh., 1915, pp. 9, 16, 21, 23. 1916; Soils F. O., 1915, pp. 689, 876, 883, 889. 1919.
      Washington County. Soil Sur. Adv. Sh., 1915, pp. 12, 25–29, 30. 1917; Soils F. O., 1915, pp. 898, 911, 915, 916. 1919.
      Wilcox County. Soil Sur. Adv. Sh., 1916, pp. 9–10, 13, 22–66. 1918; Soils F.O., 1916, pp. 943–947, 956-1000. 1921.
    in arid region. An. Rpts., 1917, p. 143. 1918; B.P.I. Chief Rpt., 1917, p. 13. 1917.
    in Arizona—
      acreage, varieties and yields. W.I.A. Cir. 25, pp. 8–9, 10, 14–19. 1919.
      irrigation experiments, 1914. W.I.A. Cir. 7, pp. 9–12. 1915.
      varieties. J.A.R., vol. 1, p. 95. 1913.
      Yuma reclamation project. D.C. 75, pp. 14–16, 26–32. 1920.
    in Arkansas—
      Ashley County, acreage and yields. Soil Sur. Adv. Sh., 1913, pp. 11–12, 20, 24. 1914; Soils F.O., 1913, pp. 1191–1192, 1200, 1204. 1916.
      Columbia County, acreage, methods, and yields. Soil Sur. Adv. Sh., 1914, pp. 9, 16, 19–23, 26, 28. 1916; Soils F.O., 1914, pp. 1367, 1374–1394. 1919.
      cost. F.B. 326, p. 9. 1908.
      Craighead County. Soil Sur. Adv. Sh., 1916, pp. 10, 11, 17–29. 1917; Soils F.O., 1916, pp. 1166, 1173–1187. 1921.
      Drew County. Soil Sur. Adv. Sh., 1917, pp. 9–10, 21–47. 1919; Soils F.O., 1917, pp. 1283–1284, 1295–1321. 1923.
      Faulkner County. Soil Sur. Adv. Sh., 1917, pp. 9, 11–12, 16–33. 1919; Soils F.O., 1917, pp. 1327, 1329–1330, 1334–1351. 1923.
      Hempstead County. Soil Sur. Adv. Sh., 1916, pp. 9, 11–12, 19–50. 1918; Soils F.O., 1916, pp. 1193, 1203–1235. 1921.
      Howard County. Soil Sur. Adv. Sh., 1917, pp. 9, 11, 19–46. 1919; Soils F.O., 1917, pp. 1359, 1361, 1369–1396. 1923.
      Jefferson County, acreage, production and yield. Soil Sur. Adv. Sh., 1915, pp. 10, 38. 1916; Soils F.O., 1915, pp. 1168, 1184, 1187, 1193. 1919.
      Lonoke County. Soil Sur. Adv. Sh., 1921, pp. 1282–1283. 1924.
      Mississippi County, acreage, methods, and yields. Soil Sur. Adv. Sh., 1914, pp. 10, 11, 18, 21, 24, 29, 37. 1916; Soils F.O., 1914, pp. 1330, 1331, 1338, 1341, 1344, 1349, 1357. 1919.
      Perry County. Soil Sur. Adv. Sh., 1923, pp. 497–498, 501, 508–532, 536. 1923.
      Pope County, methods and yields. Soil Sur. Adv. Sh., 1913, pp. 10, 23–35, 45, 49. 1915; Soils F. O., 1913, pp. 1226, 1239–1251, 1255–1265. 1916.
      Yell County. Soil Sur. Adv. Sh., 1915, pp. 10, 11, 20–38. 1917; Soils F.O., 1915, pp. 1203, 1205, 1212, 1214, 1234. 1921.
    in Brazil, locality. Off. Rec., vol. 3, No. 19, p. 7. 1924.

Cotton—Continued.
  growing—continued.
    in California—
      early history and possibilities. D.B. 533, pp. 4–11. 1917.
      El Centro area. Soil Sur. Adv. Sh., 1918, pp. 13, 14, 17, 27–43. 1922; Soils F.O., 1918, pp. 1641, 1642, 1645, 1655–1671. 1924.
      Imperial Valley, Brawley area. Soil Sur. Adv. Sh., 1920, pp. 649–654, 668–683. 1923; Soils F.O., 1920, pp. 649–654, 668–683. 1925.
      Yuma Experiment Farm, and water requirements. W.I.A. Cir. 12, pp. 8–9, 15. 1916.
    in Florida—
      Bradford County. Soil Sur. Adv. Sh., 1913, pp. 11, 20, 21, 22, 28. 1914; Soils F.O., 1913, pp. 649, 658, 659, 660, 666. 1916.
      Orange County. Soil Sur. Adv. Sh., 1919, pp. 5, 13. 1922; Soils F.O., 1919, pp. 951, 959. 1925.
      Putnam County. Soil Sur. Adv. Sh., 1914, pp. 9–10, 15, 24. 1916; Soils F.O., 1914, pp. 1001–1002, 1007, 1016. 1919.
    in foreign countries, increase. F.B. 501, rev., pp. 4–5. 1920.
    in Georgia—
      Brooks County, methods, yields, cost, and profits. D.B. 648, pp. 22, 27, 28, 29, 37, 46, 47, 50, 51. 1918; Soil Sur. Adv. Sh., 1916, pp. 10–11, 13, 24–37. 1918; Soils F. O., 1916, pp. 593–595, 597, 608–621. 1921.
      Bulloch County. Soils F.O., 1910, pp. 456, 459–460, 462, 464. 1912; Soil Sur. Adv. Sh. 1910, pp. 8, 11–12, 14, 16. 1911.
      Burke County. Soil Sur. Adv. Sh., 1917, pp. 9, 10, 12, 17–27. 1919; Soils F.O., 1917, pp. 543, 544, 546, 551–561. 1923.
      Butts and Henry Counties. Soil Sur. Adv. Sh., 1919, pp. 10, 11, 13, 18–27. 1922; Soils F.O., 1919, pp. 836, 837, 839, 844–854. 1925.
      Carroll County. Soil Sur. Adv. Sh., 1921, pp. 133, 140–153. 1924.
      Chatham County, yields. Soil Sur. Adv. Sh., 1911, pp. 8, 16, 19, 21. 1912; Soils F.O., 1911, pp. 566, 574, 577, 579. 1914.
      Chattooga County, varieties. Soil Sur. Adv. Sh., 1912, pp. 11–13, 34–53. 1913; Soils F.O., 1912, pp. 525–527, 540–569. 1915.
      Clay County. Soil Sur. Adv. Sh., 1914, pp. 9, 15, 17, 19, 24–31, 34–37. 1916; Soils F.O., 1914, pp. 923, 929–954. 1919.
      Cobb County. Soil Sur. Adv. Sh., 1901, pp. 326–327; Soils F.O., 1901, pp. 326–327. 1902.
      Colquitt County, acreage, methods, varieties, and yields. Soil Sur. Adv. Sh., 1914, pp. 12–14, 24, 27. 1915; Soils F.O., 1914, pp. 968–970. 1919.
      Columbia County, yield. Soil Sur. Adv. Sh., 1911, pp. 10–13, 21–40. 1912; Soils F.O., 1911, pp. 650–653, 661–680. 1914.
      Covington area. Soils F.O. Sep. 1901, p. 338; 1903; Soils F.O., 1901. p. 338. 1902.
      Coweta and Fayette Counties. Soil Sur. Adv. Sh., 1919, pp. 7, 9–11, 16–29. 1922; Soils F.O., 1919, pp. 861, 863–865, 870–886. 1925.
      Crisp County. Soil Sur. Adv. Sh., 1916, pp. 9, 10, 15, 17, 19. 1917; Soils F.O., 1916, pp. 631, 637–641. 1921.
      Dekalb County, area and yields. Soil Sur. Adv. Sh., 1914, pp. 8–9, 14, 15, 16, 21, 25. 1915; Soils F.O., 1914, pp. 798–799, 804–812. 1919.
      Dougherty County, acreage and yields. Soil Sur. Adv. Sh., 1912, pp. 11–13, 25–48, 56. 1913; Soils F.O., 1912, pp. 579–581, 593–616, 624. 1915.
      Early County. Soil Sur. Adv. Sh., 1918, pp. 9, 11, 16–41. 1921; Soils F.O., 1918, pp. 423, 425, 430–455. 1924.
      Floyd County. Soil Sur. Adv. Sh., 1917, pp. 11–14, 20–69. 1921; Soils F.O., 1917, pp. 570–574, 580–629. 1923.
      Glynn County, yields, Soil Sur. Adv. Sh., 1911, pp. 9, 12, 17, 51. 1912. Soils F.O. 1911, pp. 597, 600, 605, 639. 1914.

Cotton—Continued.
  growing—continued.
    in Georgia—continued.
      Gordon County, methods and varieties. Soil Sur. Adv. Sh., 1913, pp. 13, 22, 29-43, 49, 53, 55, 56, 59, 60, 63, 64. 1914; Soils F.O., 1913, pp. 343, 352, 359-373, 379-399. 1916.
      Habersham County. Soil Sur. Adv. Sh., 1913, pp. 12-13, 24-47. 1915; Soils F.O., 1913, pp. 408-409, 420-443. 1916.
      Jackson County, acreage, methods, and yields. Soil Sur. Adv. Sh., 1914, pp. 9-10, 18, 19, 21, 26. 1915; Soils F.O., 1914, pp. 733-734, 742, 743, 745, 750. 1919.
      Jasper County. Soil Sur. Adv. Sh., 1916, pp. 9, 11, 19, 23, 28, 31, 35, 37, 38, 39, 40. 1918; Soils F.O., 1916, pp. 651, 653, 661-681. 1921.
      Jeff Davis County. Soil Sur. Adv. Sh., 1913, pp. 10, 16-31. 1914; Soils F.O., 1913, pp. 450, 456-471. 1916.
      Jones County. Soil Sur. Adv. Sh., 1913, pp. 10-11, 22-43. 1915; Soils F.O., 1913, pp. 480-481, 492-513. 1916.
      Laurens County, acreage, production, and yield. Soil Sur. Adv. Sh., 1915, pp. 13, 40. 1916; Soils F.O., 1915, pp. 628-629, 656. 1919.
      Lowndes County. Soil Sur. Adv. Sh., 1917, pp. 10, 17, 22-33. 1920; Soils F.O., 1917, pp. 638, 645, 650-661. 1923.
      Madison County. Soil Sur. Adv. Sh., 1918, pp. 9, 11, 17-31. 1921; Soils F.O., 1918, pp. 463, 465, 471-485. 1924.
      Meriwether County. Soil Sur. Adv. Sh., 1916, pp. 9, 10, 15-27. 1917; Soils F.O., 1916, pp. 691, 692, 697-709. 1921.
      Miller County, methods and yields. Soil Sur. Adv. Sh., 1913, pp. 11, 18-26. 1914; Soils F.O., 1913, pp. 521, 528-539. 1916.
      Mitchell County. Soil Sur. Adv. Sh., 1920, pp. 4-5, 7-8, 13, 17-25, 32-36. 1922; Soils F.O., 1920, pp. 4-5, 7-8, 13, 17-25, 32-36. 1925.
      Monroe County. Soil Sur. Adv. Sh., 1920, pp. 9, 10, 11, 18-34. 1922; Soils F.O., 1920, pp. 75, 76, 77, 84-100. 1925.
      Oconee, Morgan, Greene, and Putnam Counties. Soil Sur. Adv. Sh., 1919, pp. 13, 15-16, 23-54. 1922; Soils F.O., 1919, pp. 897, 899-900, 907-943. 1925.
      Pierce County. Soil Sur. Adv. Sh., 1918, pp. 9, 14-21, 25. 1920; Soils F.O., 1918, pp. 491, 496-503, 507. 1924.
      Pike County. Soil Sur. Adv. Sh., 1909, pp. 12-13. 1910; Soils F.O., 1909, pp. 582-583. 1912.
      Polk County, acreage, varieties, and yields. Soil Sur. Adv. Sh., 1914, pp. 9, 17, 18, 21, 25, 28, 31, 34-42. 1916; Soils F.O., 1914, pp. 757, 764-793. 1919.
      Richmond County. Soil Sur. Adv. Sh., 1916, pp. 9, 10. 1917; Soils F.O., 1916, pp. 719, 720. 1919.
      Rockdale County. Soil Sur. Adv. Sh., 1920, pp. 540, 541, 548-550. 1923; Soils F.O., 1920, pp. 540, 541, 548-550. 1925.
      Screven County. Soil Sur. Adv. Sh., 1920, pp. 1627, 1635-1653. 1924; Soils F.O., 1920, pp. 1627, 1635-1653. 1925.
      Stewart County, methods, varieties, and yields. Soil Sur. Adv. Sh., 1913, pp. 10-12, 22-41, 49-61. 1915; Soils F.O., 1913, pp. 550-552, 562-581, 589-601. 1916.
      Sumter County, acreage, and relative importance. D.B. 1034, pp. 11-13, 17-21. 1922.
      Talbot County, acreage and yield. Soil Sur. Adv. Sh., 1913, pp. 10-13, 19-40. 1914; Soils F.O., 1913, pp. 612-642. 1916.
      Tattnall County. Soil Sur. Adv. Sh., 1914, pp. 10-11, 17, 18, 21, 24, 33, 47. 1915; Soils F.O., 1914, pp. 822-823, 824, 829-850. 1919.
      Terrell County, methods, acreage, and yields. Soil Sur. Adv. Sh., 1914, pp. 10-11, 21-56. 1915; Soils F.O., 1914, pp. 866-867, 877-912. 1919.
      Thomas County, methods. Soil Sur. Adv. Sh., 1908, pp. 12-15. 1909; Soils F.O., 1908, pp. 402-404. 1911.
      Troup County, varieties. Soil Sur. Adv. Sh., 1912, pp. 9, 17, 20. 1913; Soils F.O., 1912, pp. 637-638, 645, 647-649. 1915.

Cotton—Continued.
  growing—continued.
    in Georgia—continued.
      Turner County. Soil Sur. Adv. Sh., 1915, pp. 9, 16, 19, 24. 1916; Soils F.O., 1915, pp. 663, 665, 678. 1921.
      Washington County. Soil Sur. Adv. Sh., 1915, pp. 10, 11, 13, 19-34. 1916; Soils F.O., 1915, pp. 687, 688, 689-690, 701, 703, 704, 715-716. 1921.
      Wilkes County. Soil Sur. Adv. Sh., 1915, pp. 9, 10-11, 13, 17-34. 1916; Soils F.O., 1915, pp. 723, 724, 725, 748. 1921.
    in Guam, variety tests, 1921. Guam A.R., 1921, pp. 18-19. 1923.
    in Hawaii—
      bollworm injuries, and value of product. Hawaii A.R., 1912, pp. 13-14, 23-24, 74-75. 1913.
      fertilizers, temperature, varieties, and yields. Hawaii A.R., 1911, pp. 13-14, 51-52, 56-62. 1912.
      pruning. O.E.S. An. Rpt., 1911, pp. 21, 97. 1912.
      varieties, testing and results. O.E.S. An. Rpt., 1912, pp. 19, 102. 1913.
      varieties, yields, etc., studies and experiments. Hawaii A.R. 1910, pp. 13-14, 44-45. 57-63. 1911.
    in Louisiana—
      Lafayette Parish. Soil Sur. Adv. Sh., 1915, pp. 10, 11, 19, 21, 24, 25, 27, 28, 30. 1916; Soils F.O., 1915, pp. 1056, 1057, 1077. 1921.
      La Salle Parish. Soil Sur. Adv. Sh., 1918, pp. 9, 12, 18-40. 1920; Soils F.O., 1918, pp. 681, 684, 690-712. 1924.
      Lincoln Parish. Soil Sur. Adv. Sh., 1909, pp. 10, 19, 21, 25, 27. 1910; Soils F.O., 1909, pp. 926, 935, 937, 941, 943. 1912.
      on hill farms, labor requirements. D.B. 961, pp. 3, 4, 5-10, 11-15. 1921.
      Ouachita Parish. Soil Sur. Adv. Sh., 1903, p. 438. 1904; Soils F.O., 1903, p. 438. 1904.
      Rapides Parish. Soil Sur. Adv. Sh., 1916, pp. 9, 10, 14, 22-39. 1918; Soils F.O., 1916, pp. 1125, 1126, 1139-1155. 1921.
      Sabine Parish. Soil Sur. Adv. Sh., 1919, pp. 11, 12, 14, 24-59. 1922; Soils F.O., 1919, pp. 1047, 1048, 1050, 1060-1095. 1925.
      St. Martin's Parish. Soil Sur. Adv. Sh., 1917, pp. 9-11, 16, 20-29. 1919; Soils F.O., 1917, pp. 941-943, 948, 952-963. 1923.
      Washington Parish. Soil Sur. Adv. Sh., 1922, pp. 350-351, 353. 1925.
      Webster Parish. Soil Sur. Adv. Sh., 1914, pp. 9, 18-32, 37. 1916; Soils F.O., 1914, pp. 1243, 1252-1271. 1919.
    in Mississippi—
      Adams County, early history and development. Soil Sur. Adv. Sh., 1910, pp. 10, 14. 1911; Soils F.O., 1910, pp. 710, 714. 1912.
      Alcorn County. Soil Sur. Adv. Sh., 1921, pp. 678, 679-680. 1924.
      Amite County. Soil Sur. Adv. Sh., 1917, pp. 9, 19-36. 1919; Soils F.O., 1917, pp. 837-838, 847-865. 1923.
      Chickasaw County. Soil Sur. Adv. Sh., 1915, pp. 9, 10, 18-33. 1917; Soils F.O., 1915, pp. 942, 943, 944, 953, 956, 958. 1921.
      Choctaw County. Soil Sur. Adv. Sh., 1920; pp. 254-255, 266-283. 1923; Soils F.O., 1920; pp. 254-255, 266-283. 1925.
      Clarke County. Soil Sur. Adv. Sh., 1914, pp. 9, 10, 27. 1915; Soils F.O., 1914, pp. 1206, 1211-1231. 1919.
      Clay County. Soil Sur. Adv. Sh., 1909, pp. 11, 12, 19, 21, 25, 27, 29, 30, 33, 35, 37, 38, 39. 1911; Soils F.O., 1909, pp. 855, 856, 863, 865, 869, 871, 873, 874, 977, 879, 881, 882, 883. 1912.
      Coahoma County. Soil Sur. Adv. Sh., 1915, pp. 10, 16, 17, 20, 21, 23, 24, 26. 1916; Soils F.O., 1915, pp. 978, 984, 986, 988, 991. 1921.
      Covington County. Soil Sur. Adv. Sh., 1917, pp. 10-11, 19-37. 1919; Soils F.O., 1917, pp. 872-873, 882-899. 1923.
      Forrest County. Soil Sur. Adv. Sh., 1911, pp. 12, 19, 20, 23, 33. 1912; Soils F.O., 1911, pp. 1010, 1017, 1018, 1021, 1031. 1914.
      George County. Soil Sur. Adv. Sh., 1922, p. 37. 1925.

Cotton—Continued.
growing—continued.
in Mississippi—continued.
Grenada County. Soil Sur. Adv. Sh., 1915, pp. 9-10, 15, 21, 26. 1917; Soils F.O., 1915, pp. 1003-1004, 1013, 1015, 1020, 1025. 1921.
Hinds County. Soil Sur. Adv. Sh., 1916, pp. 11, 13, 20-40. 1916; Soils F.O., 1916, pp. 1012-1015, 1022-1042. 1921.
Jefferson Davis County. Soil Sur. Adv. Sh., 1915, pp. 8, 16, 18-25. 1916; Soils F.O., 1915, pp. 1030, 1031, 1033, 1038, 1045, 1048. 1921.
Jones County, acreage, yield, and decrease. Soil Sur. Adv. Sh., 1913, pp. 8-10, 14, 20, 31. 1915; Soils F.O., 1913, pp. 925-927, 931, 937, 947. 1916.
Lafayette County, methods, yields and varieties. Soil. Sur. Adv. Sh., 1912, pp. 9, 17, 18, 20, 21, 25, 27. 1914; Soils F. O.,1912, pp. 835, 843, 844, 846, 847, 851, 853. 1915.
Lamar County. Soil Sur. Adv. Sh., 1919, pp. 10-15, 23-37. 1922; Soils F.O., 1919, pp. 978-983, 991-1005. 1925.
Lauderdale County. Soil Sur. Adv. Sh, 1910, pp. 12, 30, 32, 39, 40, 45, 52. 1912; Soils F.O., 1910, pp. 742, 758, 761, 767, 768, 773, 780. 1912.
Lee County. Soil Sur. Adv. Sh., 1916, pp. 9, 10, 11. 1918; Soils F.O., 1916, pp. 1049, 1051, 1057-1079. 1921.
Lincoln County, decrease on account of boll weevil. Soil Sur. Adv. Sh., 1912, pp. 9, 10-11, 16, 19, 21, 22. 1913; Soils F.O., 1912, pp. 859, 860-861, 866, 869, 871, 872. 1915.
Lowndes County, yields. Soil Sur. Adv. Sh., 1911, pp. 14, 24-44. 1912; Soils F.O., 1911, pp. 1092, 1102-1122. 1914.
Madison County. Soil Sur. Adv. Sh., 1917, pp. 9, 10, 17-34. 1920; Soils F.O., 1917, pp. 907, 908, 909, 916-930. 1923.
Newton County. Soil Sur. Adv. Sh., 1916, pp. 8, 9, 17-41. 1918; Soils F.O., 1916, pp. 1084-1086, 1093-1118. 1921.
Pearl River County. Soil Sur. Adv. Sh., 1918, pp. 11, 18-30, 35. 1920; Soils F.O. 1918, pp. 621, 628-640, 645. 1924.
Pike County. Soil Sur. Adv. Sh., 1918, pp. 9, 10, 14, 17-30. 1921; Soils F.O., 1918, pp. 653, 654, 658, 661-675. 1924.
Simpson County. Soil Sur. Adv. Sh., 1919, pp. 10, 14, 20-31. 1921; Soils F.O., 1919, pp. 1016, 1020, 1026-1037. 1925.
Smith County. Soil Sur. Adv. Sh., 1920, pp. 449-453, 457, 460-491. 1923; Soils F.O., 1920, pp. 449-453, 457, 460-491. 1925.
Warren County, decrease. Soil Sur. Adv. Sh., 1912, pp. 14-16, 28, 32, 33, 43, 48. 1914; Soils F.O., 1912, pp. 888-890, 917, 919, 924. 1915.
Wayne County, yields. Soil Sur. Adv. Sh. 1911, pp. 15, 19-31. 1913; Soils F.O., 1911, pp. 1061, 1065-1067. 1914.
Wilkinson County. Soil Sur. Adv. Sh., 1913, pp. 9-11, 26, 43, 46, 51. 1915; Soils F.O., 1913, pp. 957-959, 974, 991, 994, 999. 1916.
Winston County, methods and importance. Soil Sur. Adv. Sh., 1912, pp. 13-16. 1913; Soils F.O., 1912, pp. 934-936. 1915.
in Missouri—
Dunklin County, acreage, methods, and yields. Soil Sur. Adv. Sh., 1914, pp. 15-16, 27, 29, 30, 34, 40, 43, 46. 1916; Soils F.O., 1914, pp. 2103-2104, 2115-2133. 1919.
Mississippi County. Soils Sur. Adv. Sh., 1921, pp. 558, 566-577. 1924.
Pemiscot County. Soil Sur. Adv. Sh., 1910, pp. 14-15. 1912; Soils F.O., 1910, pp. 1326-1327. 1912.
Ripley County, yields. Soil Sur. Adv. Sh., 1915, pp. 12, 29, 30, 35. 1917; Soils F.O., 1915, pp. 1896, 1913, 1914, 1919. 1919.
Stoddard County, yields. Soil Sur. Adv. Sh., 1912, pp. 14, 16, 17, 28. 1914; Soils F.O., 1912, pp. 1760, 1762, 1763, 1774. 1915.
in North Carolina—
Anson County. Soil Sur. Adv. Sh., 1915, pp. 12, 13, 14, 30-63. 1917; Soils F.O., 1915, pp. 369, 372, 373-374, 375, 385-409. 1921.
Beaufort County. Soil Sur. Adv. Sh., 1917, pp. 11, 12, 13, 20-36. 1919; Soils F.O., 1917, pp. 415, 416, 417, 424-440. 1923.

Cotton—Continued.
growing—continued.
in North Carolina—continued.
Bertie County. Soil Sur. Adv. Sh., 1918, pp. 9, 11, 16-31. 1920; Soils F.O., 1918, pp. 167, 169, 174-189. 1924.
Bladen County. Soil Sur. Adv. Sh., 1914, pp. 9, 10, 14-30. 1915; Soils F.O., 1914, pp. 627, 628, 633-649. 1919.
Caldwell County. Soil Sur. Adv. Sh., 1917, pp. 9, 10, 11, 17, 19. 1919; Soils F.O., 1917, pp. 447, 448, 449, 455, 457. 1923.
Catawba County. D.B. 1070, pp. 8, 9, 13-14. 1922.
Cleveland County. Soil Sur. Adv. Sh., 1916, pp. 9, 10, 18-33. 1919; Soils F.O., 1916, pp. 314, 322-337. 1921.
Columbus County. Soil Sur. Adv. Sh., 1915, pp. 9, 12, 19, 20, 21, 24, 29, 30, 35, 36. 1917; Soils F.O., 1915, pp. 427, 428, 429, 438. 1921.
Cumberland County. Soil Sur. Adv. Sh., 1922, pp. 114, 116. 1925.
Davidson County. Soil Sur. Adv. Sh., 1915, pp. 9, 17-37. 1917; Soils F.O., 1915, pp. 464, 465, 474, 476, 495. 1921.
Durham County. Soil Sur. Adv. Sh., 1920, pp. 1353-1356, 1360-1377. 1924; Soils F.O., 1920, pp. 1353-1356, 1360-1377. 1925.
Guilford County. Soil Sur. Adv. Sh., 1920, pp. 171, 172, 184, 186, 196, 198. 1923; Soils F.O., 1920, pp. 171, 172, 184, 186, 196, 198. 1925.
Halifax County. Soil Sur. Adv. Sh., 1916, pp. 9-12, 18-44. 1918; Soils F.O., 1916, pp. 346, 347, 356-381. 1921.
Harnett County. Soil Sur. Adv. Sh., 1916, pp. 9, 10, 11, 17-26, 32, 33, 35. 1917; Soils F.O., 1916, pp. 391-393, 398-417. 1921.
Hertford County. Soil Sur. Adv. Sh., 1916, pp. 10, 11, 19, 23-32. 1917; Soils F.O., 1916, pp. 426-430, 435-447. 1921.
Hoke County. Soil Sur. Adv. Sh., 1918, pp. 9, 10, 16-28. 1921; Soils F.O., 1918, pp. 197, 198, 204-216. 1924.
Johnston County, yields. Soil Sur. Adv. Sh., 1911, pp. 9-46. 1913; Soils F.O., 1911, pp. 435-472. 1914.
Lincoln County, acreage and yields. Soil Sur. Adv. Sh., 1914, pp. 10, 13, 17, 18, 19, 21-31. 1916; Soils F.O., 1914, pp. 564, 567, 571-585. 1919.
Mecklenberg County. Soil Sur. Adv. Sh. 1910, pp. 10, 11-12. 1912; Soils F.O., 1910, pp. 386, 387-388. 1912.
Moore County. Soil Sur. Adv. Sh., 1919, pp. 9, 10, 23-43. 1922; Soils F.O., 1919, pp. 727, 728, 741-753. 1925.
Onslow County. Soil Sur. Adv. Sh., 1921, pp. 103, 104, 110-124. 1923.
Orange County. Soil Sur. Adv. Sh., 1918, p. 11. 1921; Soils F.O., 1918, p. 227. 1924.
Pender County. Soil Sur. Adv. Sh., 1912, pp. 10, 20-40. 1914; Soils F.O., 1912, pp. 374, 384-404. 1915.
Pitt County. Soil Sur. Adv. Sh., 1909, pp. 10, 19, 21, 23, 25, 26, 27. 1910; Soils F.O., 1909, pp. 394, 403, 405, 407, 409, 410, 411. 1912.
Randolph County. Soil Sur. Adv. Sh., 1913, pp. 10, 15, 17, 20, 21, 24. 1915; Soils F.O., 1913, pp. 206, 221, 223, 226, 227, 230. 1916.
Richmond County, yield. Soil Sur. Adv. Sh., 1911, pp. 10, 11, 20-45. 1912; Soils F.O., 1911, pp. 392, 393, 402-427. 1914.
Rowan County. Soil Sur. Adv. Sh., 1914, pp. 9, 18-34. 1915; Soils F.O., 1914, pp. 477, 480, 486-502. 1919.
Stanly County. Soil Sur. Adv. Sh., 1916, pp. 9-11, 16-29. 1918; Soils F.O., 1916, pp. 457-459, 464-477. 1921.
Tyrrell County. Soil Sur. Adv. Sh., 1920, pp. 842, 847-857. 1924; Soils F.O., 1920, pp. 842, 847-857. 1925.
Union County. Soil Sur. Adv. Sh., 1914, pp. 12, 18-22, 27-34. 1916; Soils F.O., 1914, pp. 593, 594, 600-618. 1919.
Vance County. Soil Sur. Adv. Sh., 1918, pp. 8-9, 13-28. 1921; Soils F.O., 1918, pp. 268-269, 273-288. 1924.

Cotton—Continued.
growing—continued.
in North Carolina—continued.
Wake County. Soil Sur. Adv. Sh., 1914, pp. 8, 9, 18-32, 38-42. 1916; Soils F.O., 1914, pp. 520-523, 529-554. 1919.
Wayne County. Soil Sur. Adv. Sh., 1915, pp. 9, 28, 32, 38. 1916; Soils F.O., 1915, pp. 501, 520, 524, 530. 1919.
in northwest Texas. Soil Sur. Adv. Sh., 1919, pp. 14, 15, 19, 32-74. 1922; Soils F.O., 1919, pp. 1112, 1113-1117, 1130, 1135-1172. 1925.
in Oklahoma—
Bryan County, yields. Soil Sur. Adv. Sh., 1914, pp. 10-11, 14, 21-48. 1915; Soils F.O., 1914, pp. 2170-2171, 2174, 2181-2209. 1919.
Canadian County. Soil Sur. Adv. Sh., 1917, pp. 10, 12, 27-55. 1919; Soils F.O., 1917, pp. 1404, 1406, 1421-1449. 1923.
Muskogee County, acreage and yields. Soil Sur. Adv. Sh., 1913, pp. 8, 13, 17, 21, 23, 28, 31, 33, 36, 39. 1915; Soils F.O., 1913, pp. 1856, 1861, 1865, 1869, 1871, 1876, 1879, 1881, 1884, 1887. 1916.
Payne County. Soil Sur. Adv. Sh., 1916, pp. 9, 11, 21-38. 1919; Soils F.O., 1916, pp. 2009, 2012, 2018-2039. 1921.
Roger Mills County, notes. Soil Sur. Adv. Sh., 1914, pp. 11, 13, 17-25. 1916; Soils F.O., 1914, pp. 2143, 2145, 2149-2157. 1919.
in St. Croix, details. Vir. Is. Bul. 1, pp. 7-10. 1921.
in SanAntonio region, conditions. D.B. 279, pp. 2-3. 1915.
in selected localities of Cotton Belt, statistics. Atl. Am. Agr. Adv. Sh., Pt. V, Sec. A, pp. 12, 13. 1919.
in South as cash crop, demands and method. News L., vol. 5, No. 27, p. 2. 1918.
in South Carolina—
Anderson County. Soil Sur. Adv. Sh., 1909, pp. 11, 12, 19, 21. 1911; Soils F.O., 1909, pp. 455, 456, 463, 465. 1912.
Bamberg County. Soil Sur. Adv. Sh., 1913, pp. 12, 13, 14, 22-32. 1914; Soils F.O., 1913, pp. 238, 239, 240, 248-258. 1916.
Barnwell County. Soil Sur. Adv. Sh., 1912, pp. 9, 20-39, 48. 1914; Soils F. O., 1912, pp. 415, 426-445, 454. 1915.
Berkeley County. Soil Sur. Adv. Sh., 1916, pp. 12, 14, 20-32. 1918; Soils F.O., 1916, pp. 490, 492, 498-513. 1921.
Chester County, methods and yields. Soil Sur. Adv. Sh., 1912, pp. 10, 12, 22, 23, 25, 26, 29, 30, 32, 34, 35, 36, 38. 1913; Soils F.O., 1912, pp. 463-466, 475-493. 1915.
Chesterfield County. Soil Sur. Adv. Sh., 1914, pp. 9-10, 17, 19, 21, 23, 34, 36, 40. 1915; Soils F.O., 1914, pp. 659, 660, 665-690. 1919.
Dorchester County. Soil Sur. Adv. Sh., 1915, pp. 9-10, 17-29, 32. 1917; Soils F.O., 1915, pp. 449-450. 1921.
Fairfield County, acreage and yield. Soil Sur. Adv. Sh., 1911, pp. 11, 12, 13, 15, 16. 1913; Soils F.O., 1911, pp. 485, 486, 487, 489, 490. 1914.
Florence County. Soil Sur. Adv. Sh., 1914, pp. 8, 9, 23, 26, 31. 1916; Soils F.O., 1914, pp. 700-702, 705-723. 1919.
Greenville County. Soil Sur. Adv. Sh., 1921, pp. 193, 201-207. 1924.
Hampton County. Soil Sur. Adv. Sh., 1915, pp. 9, 12, 17-29. 1917; Soils F.O., 1915, p. 591, 592, 593-594. 1921.
Horry County. Soil Sur. Adv. Sh., 1918, pp. 9-15, 20-46. 1920; Soils F.O., 1918, pp. 333-339, 344-370. 1924.
Kershaw County. Soil Sur. Adv. Sh., 1919, pp. 12, 13, 16, 26-68. 1922; Soils F.O., 1919, pp. 770, 771, 774, 784-826. 1925.
Marlboro County. Soil Sur. Adv. Sh., 1917, pp. 11-12, 15, 24-67. 1919; Soils F.O., 1917, pp. 475-476, 479, 488-532. 1923.
Newberry County. Soil Sur. Adv. Sh., 1921, pp. 10-13, 19-42. 1921; Soils F.O., 1918, pp. 382-385, 391-414. 1924.
Orangeburg County, yields. Soil Sur. Adv. Sh., 1913, pp. 11, 19, 21-24, 27. 1915; Soils F.O., 1913, pp. 273, 281, 283-286, 289. 1916.

Cotton—Continued.
growing—continued.
in South Carolina—continued.
Richland County. Soil Sur. Adv. Sh., 1916, pp. 13-14, 26 67. 1918; Soils F.O., 1916, pp. 529-530, 542-583. 1921.
Spartanburg County. Soil Sur. Adv. Sh., 1921, pp. 414, 417. 1924.
Union County, acreage, methods, and yields. Soil Sur. Adv. Sh., 1913, pp. 10-11, 19-21, 28, 30, 33. 1914; Soils F.O., 1913, pp. 308-309. 317-321, 326, 328, 331. 1916.
in Southwest, extension. An. Rpts., 1917, pp. 145-147. 1918; B.P.I Chief Rpt., 1917, pp. 15-17. 1917.
in Tennessee—
Henry County. Soil Sur. Adv. Sh., 1922, p. 84. 1925.
Meigs County. Soil Sur. Adv. Sh., 1919, pp. 11, 19, 21. 1921; Soils F.O., 1919, pp. 1259, 1267, 1269. 1925.
Shelby County. Soil Sur. Adv. Sh., 1916, pp. 9, 11, 22-37. 1919; Soils F.O., 1916, pp. 1383, 1385, 1396-1411. 1919.
in Texas—
Archer County. Soil Sur. Adv. Sh., 1912, pp. 12, 25-51. 1914; Soils F.O., 1912, pp. 1014, 1027-1053. 1915.
Bell County. Soil Sur. Adv. Sh., 1916, pp. 10, 11, 13, 21-44. 1918; Soils F.O., 1916, pp. 1244, 1245, 1247, 1255-1279. 1921.
Bowie County. Soil Sur. Adv. Sh., 1918, pp. 10, 12, 13, 18-58. 1921; Soils F.O., 1918, pp. 720, 722, 723, 728-768. 1924.
Brazos County, acreage, methods, and yields. Soil Sur. Adv. Sh., 1914, pp. 11-12, 24-50. 1916; Soils F.O., 1914, pp. 1281-1282, 1292-1322. 1919.
Central Gulf coast area, extent of industry, 1905-1910. Soil Sur. Adv. Sh., 1910, pp. 63-64. 1911; Soils F.O. 1910, pp. 917-918. 1912.
cost. O.E.S. Bul. 158, p. 350. 1905.
Dallas County. Soil Sur. Adv. Sh., 1920, pp. 1218-1219, 1228-1252. 1924; Soils F.O., 1920, pp. 1218-1219, 1228-1252. 1925.
Denton County. Soil Sur. Adv. Sh., 1918, pp. 7-9, 12-14, 27-49, 53, 54. 1922; Soils F.O., 1918, pp. 779-780, 784-785, 798-820, 825, 826. 1924.
Eastland County, acreage. Soil Sur. Adv. Sh., 1916, pp. 9, 11. 1918; Soils F.O., 1916, pp. 1285, 1288, 1295-1311. 1921.
Erath County. Soil Sur. Adv. Sh., 1920, pp. 375-377, 388-406. 1923; Soils F.O., 1920, pp. 375-377, 388-406. 1925.
experiments in 1920, variety tests. D.C. 209, pp. 15-19. 1922.
Freestone County. Soil Sur. Adv. Sh., 1918, pp. 12-14, 26-57. 1921; Soils F.O., 1918, pp. 838-839, 852-883. 1924.
Grayson County. Soil Sur. Adv. Sh., 1909, pp. 11, 12, 17, 19, 21, 24, 26, 27, 31, 32, 33, 34. 1910; Soils F.O. 1909, pp. 957, 958, 963, 965, 967, 970, 972, 973, 977, 978, 979, 980. 1912.
Harrison County, methods, varieties and cost. Soil Sur. Adv. Sh., 1912, pp. 9-10, 21, 42. 1913; Soils F.O., 1912, pp. 1059-1060, 1070-1097. 1915.
Jefferson County, area, varieties, and yields. Soil Sur. Adv. Sh., 1913, pp. 12-13, 24. 1915; Soils F.O., 1913, pp. 1008-1009, 1020. 1916.
Lubbock County. Soil Sur. Adv. Sh., 1917, pp. 10, 19, 22, 25. 1920; Soils F.O., 1917, pp. 970, 979, 982, 985. 1923.
Morris County. Soil Sur. Adv. Sh., 1909, pp. 10, 16, 17, 19, 21. 1910; Soils F.O., 1909, pp. 990, 996, 997, 999, 1001. 1912.
Panhandle. Off. Rec. vol. 4, No. 29, p. 3. 1925.
quarantined areas. F.H.B.S.R.A. 57, pp. 99-100. 1919.
Red River County. Soil Sur. Adv. Sh., 1919, pp. 158-160, 169-202. 1923; Soils F.O., 1919, pp. 158-160, 169-202. 1925.
San Antonio Experiment Farm, experiments, 1916. W.I.A. Cir. 16, pp. 10-12. 1917.
San Antonio Experiment Farm, experiments, 1919. D.C. 73, pp. 15-16. 1920.

INDEX TO PUBLICATIONS, 1901–1925   611

Cotton—Continued.
  growing—continued.
    in Texas—continued.
      San Saba County. Soil Sur. Adv. Sh., 1916, pp. 11, 12, 29, 41, 43, 50-62. 1917; Soils F.O., 1916, pp. 1321, 1322, 1339-1375. 1921.
      Smith County. Soil Sur. Adv. Sh., 1915, pp. 11, 14, 15-16, 23-47. 1917; Soils F.O., 1915, pp. 1085, 1089-1090, 1119, 1123. 1921.
      south-central part, methods and yields. Soil Sur. Adv. Sh., 1913, pp. 29-38, 55-58, 63-107. 1915; Soils F.O., 1913, pp. 1095-1104, 1121-1124, 1129-1173. 1916.
      southern part. Soil Sur. Adv. Sh., 1909, pp. 52, 55, 58, 71, 79, 92-93. 1910; Soils F.O., 1909, pp. 1076, 1079, 1082, 1095, 1103, 1116-1117. 1912.
      southwestern counties, production, 1909-1918. D.C. 73, pp. 7-8. 1920.
      southwestern part, yields. Soil Sur. Adv. Sh., 1911, pp. 28, 53-106. 1912; Soils F.O., 1911, pp. 1196, 1221-1274. 1914.
      Tarrant County. Soil Sur. Adv. Sh., 1920, pp. 865-869, 877-902. 1924; Soils F.O., 1920, pp. 865-869, 877-902. 1925.
      Taylor County. Soil Sur. Adv. Sh., 1915, pp. 9, 10, 11, 14. 1918; Soils F.O., 1915, pp. 1132, 1133, 1135, 1143, 1153. 1921.
      Washington County, acreage and yields. Soil Sur. Adv. Sh., 1913, pp. 10, 16, 20, 23, 27, 29, 30. 1915; Soils F.O., 1913, pp. 1049, 1052, 1056, 1060, 1062, 1068, 1069. 1916.
    in the San Joaquin Valley in California. Wofford B. Camp. D.C. 164, pp. 22. 1921.
    in tropical America, by Indians. Rpt. 78, pp. 3-7. 1904.
    in various States, acreage and relative importance. F.B. 1289, pp. 3, 5, 15, 18. 1923.
    in Virgin Islands, experiment. Vir. Is. A.R., 1919, p. 11. 1920.
    in world, acreage, production, exports, and imports, by countries. Atl. Am. Agr. Adv. Sh., pp. 50-53. 1918.
    injury by pink bollworm. Y.B., 1919, pp. 355-356. 1920; Y.B. Sep. 817, pp. 355-356. 1920.
    labor—
      and materials, requirements in various States. D.B. 1000, pp. 11-15. 1921.
      operations and implements. D.B. 1292, pp. 4-5, 13-17. 1925.
      requirements, Georgia. D.B. 385, p. 24. 1916.
    lessons for the rural common schools, and references. D.B. 294, pp. 1-16. 1915.
    menace of pink bollworm. Y.B., 1919, pp. 355-368. 1920; Y.B. Sep. 817, pp. 355-368. 1920.
    methods. Atl. Am. Agr. Adv. Sh., Pt. V, Sec. A, pp. 13-15. 1919.
    methods and fertilizers, Thomas County, Georgia. Soil Sur. Adv. Sh., 1908, pp. 12-15, 18, 38, 41. 1909; Soils F.O., 1908, pp. 402-405, 408, 428, 431. 1911.
    methods, number of farms surveyed, and average yield. D.B. 511, pp. 1-62. 1917.
    new system, and its application. F.B. 601, pp. 1-12. 1914.
    new varieties and new systems of growth control. An. Rpts., 1916, pp. 148-150. 1917; B.P.I. Chief Rpt., 1916, pp. 12-14. 1916.
    on—
      black land, tenure status, wealth conditions affecting. D.B. 1068, pp. 37-38. 1922.
      manganiferous soils. Hawaii Bul. 26, p. 25, 27. 1912.
      meadow soil, yield and disadvantages. Soils Cir. 68, pp. 14, 16, 18. 1912.
      Norfolk fine sand, poor yields. Soils Cir. 23, p. 10. 1911.
      Norfolk fine sandy loam, yields. Soils Cir. 22, pp. 8, 10, 12, 13. 1911.
      Orangeburg fine sand, yields and fertilizer requirements. Soils Cir. 48, pp. 9-10. 1911.
      San Antonio Experiment Farm, test of different methods. W.I.A. Cir. 5, pp. 8-10. 1915.
      Yuma Farm experiments, 1916-1919. D.C. 221, pp. 21-22. 1922.
    operations, time and labor requirements. D.B. 896, pp. 17-41. 1920.
    organizations, work in improvement of cotton. Sec. Cir. 88, pp. 26-27. 1918.

Cotton—Continued.
  growing—continued.
    outlook, 1921. Y.B., 1921, pp. 404-406. 1922; Y.B. Sep. 877, pp. 404-406. 1922.
    relation to cotton buying. O. F. Cook. D. B. 60, pp. 21. 1914.
    seed supply and varieties. B.P.I. Chief Rpt., 1921, pp. 21-23. 1921.
    shift in region since 1839. Y.B., 1921, pp. 330-335. 1922; Y.B. Sep. 877, pp. 330-335. 1922.
    statistics of day's work for several operations. Y.B., 1922, pp. 1062-1066. 1923; Y.B. Sep. 890, pp. 1062-1066. 1923.
    tenant system, Yazoo-Mississippi Delta. D.B. 337, pp. 1-18. 1916.
    under—
      boll-weevil conditions, methods. F.B. 422, pp. 8-13. 1910; S.R.S. Doc. 36, pp. 8. 1917.
      irrigation, advantages and needs. Y.B., 1916, pp. 184-186. 1917; Y.B. Sep. 690, pp. 8-10. 1917.
      irrigation, in Arizona. An. Rpts., 1917, pp. 142-143. 1918; B.P.I. Chief Rpt., 1917, pp. 12-13. 1917.
      irrigation in New Mexico. S.R.S. Rpt., 1917, Pt. I, pp. 37, 191. 1918.
    value and output in North Carolina, Craven area. Soil Sur. Adv. Sh., 1903, p. 275. 1904; Soils F.O., 1903, p. 275. 1904.
    value of bur clover as cover crop. F.B. 693, p. 2. 1915.
    with crimson clover, management. F.B. 550, pp. 11-12. 1913.
  growth—
    and development, relation of weather conditions. J. B. Marbury. Y.B., 1904, pp. 141-150. 1905; Y.B. Sep. 338, pp. 141-150. 1905.
    and fruiting, effect of borax in fertilizers. J. J. Skinner and F. E. Allison. J.A.R., vol. 23, pp. 433-444. 1923.
    disorders, forms, investigations. B.P.I. Chief Rpt., 1921, p. 33. 1921.
    irregularities caused by crazy-top and other disease. J.A.R., vol. 28, pp. 813-819. 1924.
  Guam, ratoon crops, yield and varieties. Guam A.R., 1917, pp. 22-25. 1918.
  Guatemalan, weevil-resistant characters. B.P.I. Chief Rpt., 1909, p. 51. 1909; An. Rpts., 1909, p. 303. 1910.
  "Gulf," description and characteristics. F.B. 802, pp. 14-16. 1917.
  "Half-and-half," warning to growers in Arkansas, Oklahoma, and Texas. News L., vol. 2, No. 32, pp. 2-3. 1915.
  handling—
    and ginning, studies and experiments. An. Rpts., 1912, pp. 414-415. 1913; B.P.I. Chief Rpt., 1912, pp. 34-35. 1912.
    and marketing. Y.B., 1921, pp. 370-390. 1922; Y. B. Sep. 877, pp. 370-390. 1922.
    cooperation a necessity in improvement of crop. Y.B., 1911, p. 409. 1912; Y.B. Sep. 579, p. 409. 1912.
    equipment in warehouses, description. D.B. 801, pp. 5-7. 1919.
    in warehouse, sampling and weighing. Y.B., 1918, pp. 416-426. 1919; Y.B. Sep. 763, pp. 20-30. 1919.
    marketing and utilization, studies, Markets Office. Mkts. Doc. 1, pp. 10-13. 1915.
    on farm, need of improvement. Y.B., 1912, pp. 448-450. 1913; Y.B. Sep. 605, pp. 448-450. 1913.
  Hartsville—
    description and seed distribution. B.P.I. Doc. 633, p. 8. 1911.
    harvest, studies by farm-help specialists, and plans. News L., vol. 5, No. 52, p. 10. 1918.
    origin, description, and distribution of seed. B.P.I. Doc. 716, p. 8. 1912.
  hauling—
    by wagon or truck, cost—
      1918. Y.B., 1918, p. 712. 1919; Y.B. Sep. 795, p. 48. 1919.
      1919. Y.B., 1919, p. 746. 1920; Y.B. Sep. 830, p. 746. 1920.
    cost per ton per mile. Y.B., 1921, p. 791. 1922; Y.B. Sep. 871, p. 22. 1922.
    from farm to shipping points, costs. Stat. Bul. 49, pp. 20-22, 37. 1907.

Cotton—Continued.
  hauling—continued.
    good and bad roads, comparison. F.B. 505, pp. 9, 14. 1912.
  Hawaiian—
    and Porto Rican, quarantine, and regulations. F.H.B., S.R.A., 47, pp. 4. 1920; F.H.B.S.R.A. 71, p. 174. 1922.
    importation prohibitions. Henry C. Wallace. F.H.B. [Misc.] "Warning to passengers * * * from Hawaii * * * fruits * * *," pp. 4. 1921.
    insects injurious. Hawaii A.R. 1910, pp. 22, 23. 1911.
    inspection and certification, blanks. F.H.B. S.R.A. 25, pp. 22–26. 1916.
    quarantine—
      for pink bollworm. An. Rpts., 1916, p. 373. 1917; F.H.B. An. Rpt., 1916, p. 3. 1916.
      mailing restrictions. F.H.B.S.R.A. 18, p. 53. 1915.
      regulations. F.H.B. Quar. 23, pp. 4. 1915.
  heating in—
    farm storage, effect on germination. B.P.I. Cir. 123, pp. 13–20. 1913.
    storage, prevention. Y.B., 1912, p. 450. 1913; Y.B. Sep. 605, p. 450. 1913.
  heredity—
    relation of new-place diversities. B.P.I. Bul. 159, pp. 15–16. 1909.
    relation to growth disorders. J.A.R., vol. 28, pp. 822–823. 1924.
    tests. B.P.I. Bul. 159, pp. 20–25. 1909.
    heritable variations in an apparently uniform variety. Thomas H. Kearney. J.A.R., vol. 21, pp. 227–242. 1921.
  Hindi—
    and Egyptian, comparison. B.P.I. Cir. 42, pp. 3–4. 1909.
    characteristics. B.P.I. Bul. 210, pp. 11–18. 1911; B.P.I. Cir. 42, p. 7. 1909.
    contamination of Egyptian cotton. D.B. 742, pp. 5, 8, 12. 1919.
    Egyptian name for undesirable type of cotton. B.P.I. Bul. 210, p. 7. 1911.
    in Egypt. O. F. Cook. B.P.I. Bul. 210, pp. 58. 1911.
    injury to cotton growing in Egypt. D.B. 332, pp. 5, 8, 9, 12. 1916.
    origin. O. F. Cook. B.P.I. Cir. 42, pp. 12. 1909.
    origin probably Egyptian. B.P.I. Cir. 53, pp. 8–10. 1910.
    source of inferior hybrids with Egyptian varieties. B.P.I. Bul. 156, pp. 21–22. 1909.
  history of production in United States, since 1607. Atl. Am. Agr. Adv. Sh., Pt. V, Sec. A, pp. 18–23. 1919.
  holding by farmers to control prices, discussion. Y.B., 1912, p. 451. 1913; Y.B. Sep. 605, p. 451. 1913.
  Holdon, description and origin. B.P.I. Doc. 1163, pp. 12–13. 1915.
  Hopi, earliness and other desirable qualities. B.P.I. Chief Rpt., 1910, p. 22. 1910; An. Rpts., 1910, p. 292. 1911.
  host of Texas root-rot fungus. J.A.R., vol. 30, pp. 475–477. 1925.
  hull(s)—
    fiber, use and value in paper making, experiments. B.P.I. Cir. 82, p. 13. 1911; B.P.I. Cir. 1, pp. 10–11. 1916.
    uses and value. Y.B., 1910, pp. 334–335. 1911; Y.B. Sep. 541, pp. 334–335. 1911.
  hybrids—
    analogy with brachytic varieties. J.A.R., vol. 3, pp. 395–396. 1915.
    character(s)—
      primitive, reappearance. O.F. Cook. B.P.I. Cir. 18, pp. 18. 1908.
      segregation and correlation. D.B. 1164, pp. 1–58. 1923.
      suppressed and intensified. O. F. Cook. B.P.I. Bul. 147, pp. 27. 1909.
      upland-Egyptian, segregation and correlation. Thomas H. Kearney. D.B. 1164, pp. 58. 1923.
    characteristics. B.P.I. Bul. 163, pp. 9, 19, 1910.

Cotton—Continued.
  hybrids—continued.
    danger to Egyptian-cotton breeding. B.P.I. Cir. 29, pp. 15–16, 19. 1909.
    degeneration and improvement. B.P.I. Bul. 147, pp. 14–17. 1909.
    Egyptian-upland—
      characteristics. B.P.I. Cir. 42, pp. 7, 8. 1909; B.P.I. Cir. 132, p. 19. 1913.
      detection. B.P.I. Bul. 156, pp. 35, 48. 1909.
      lint production. B.P.I. Bul. 256, p. 56. 1913.
    first-generation, production, suggestions. B.P.I. Bul. 147, pp. 15–16, 24. 1909; B.P.I. Cir. 96, p] 15–16, 21. 1912.
    growing in St. Croix, experiments and results. Vir. Is. Bul. 1, pp. 5–7. 1921.
    heredity, studies. B.P.I. Bul. 256, pp. 56–64. 1913; J.A.R., vol. 27, pp. 492–511. 1924.
    Hindi—
      and others, characteristics. B.P.I. Cir. 42, pp. 7, 8. 1909.
      characters, coherence, intensification. B.P.I. Bul. 210, pp. 26–36. 1911.
      identification, types, synopsis. B.P.I. Bul. 156, pp. 50–52. 1909.
      intensified, utilization, suggestions. B.P.I. Bul. 147, pp. 15–16, 24. 1909.
    mutative reversions. B.P.I. Cir. 53, pp. 1–18. 1910.
    primitive character, reappearance. O. F. Cook. B.P.I. Cir. 18, pp. 18. 1908.
    production in United States, facts of scientific and practical interest. B.P.I. Cir. 18, pp. 1–11. 1908.
    propagation by cuttings. B.P.I. Bul. 256, p. 64. 1913.
    relation to selective fertilization. J.A.R., vol. 27, pp. 332–335. 1924.
    seed—
      characters. B.P.I. Cir. 18, pp. 5–11. 1908.
      first and second generation, differences. B.P.I. Cir. 18, pp. 5–11. 1908.
    strains, resistance to wilt. F.B. 625, pp. 14–15. 1914.
    study and experiments. An. Rpts., 1909, pp. 304, 305. 1910; B.P.I. Chief Rpt., 1909, pp. 52, 53. 1909.
    tissue fluids, comparison with parent cottons. J.A.R., vol. 27, pp. 283–320. 1924.
    upland-Egyptian, segregation and correlation of characters. Thomas H. Kearney. D.B. 1164, pp. 58. 1923.
    value of first generation. An. Rpts., 1910, pp. 294, 323. 1911; B.P.I. Chief Rpt., 1910, pp. 24, 53. 1910.
    weakness of fiber. Y.B., 1902, p. 381. 1903.
  immunity to tobacco wilt. D.B. 562, pp. 12, 14, 19. 1917.
  Imperial Valley, transportation facilities and rates. D.B. 458, pp. 17–22. 1917.
  importance as cash crop. Sec. Cir. 32, pp. 1–10. 1910.
  importation(s)—
    and description. Nos. 34184–34194, B.P.I. Inv. 32, pp. 21–22. 1914; Nos. 42816, 43003–43006, B.P.I. Inv. 47, pp. 70, 86. 1920; Nos. 44562, 44794, 44797–44799, 44871–44874, B.P.I. Inv. 51, pp. 25, 69, 70, 83. 1922; Nos. 45326, 45600, 45601, 45609, B.P.I. Inv. 53, pp. 26, 66, 68. 1922; Nos. 47364, 47397, B.P.I. Inv. 59, pp. 12, 15. 1922; Nos. 50775–50778, 51010, 51028, B.P.I. Inv. 64, pp. 24, 41, 44. 1923; Nos. 51504–51505, 51944–51950, B.P.I. Inv. 65, pp. 22, 68–69. 1922; Nos. 52384, 52438, 52748, 52812–52815, B.P.I. Inv. 66, pp. 5, 19, 26, 70, 80. 1923; Nos. 54465–54466, 54501, 54508, B.P.I. Inv. 69, pp. 13, 17, 19. 1923; Nos. 55099, 55410, 55451–55453, B.P.I. Inv. 71, pp. 22, 40, 44. 1923.
    and restrictions. F.H.B.S.R.A. 76, p. 131. 1923; F.H.B.S.R.A. 74, pp. 30–39. 1923; F.H.B.S.R.A. 24, pp. 2–11. 1916.
    by parcel post, restrictions. F.H.B.S.R.A. 77, pp. 140–142. 1924.
    entry procedure. F.H.B.S.R.A. 39, pp. 39–40. 1917; F.H.B.S.R.A. 32, p. 124. 1916.
    from—
      Canada, by mail, instruction to postmasters. F.H.B.S.R.A. 72, p. 94. 1922.
      Hawaii, restrictions. F.H.B.S.R.A. 38, pp. 27–28, 33. 1917.

Cotton—Continued.
 importation(s)—continued.
  from—contined
   Mexico, Imperial Valley exemption, Feb. 1. 1916. F.H.B. [Misc.], "Rules and regulations * * *," amdt. 9, p. 1. 1916.
   Mexico prohibition regulations. E. T. Meredith. F.H.B., "Warning to passengers * * * movement from Mexico," pp. 4. 1920.
   Mexico, regulations. F.H.B.S.R.A. 38, pp. 15–22, 34, 35. 1917.
   Mexico, regulations. D. F. Houston. F.H.B. "Rules and regulations * * * cotton * * * Mexico * * *," pp. 14. 1917.
  fumigation regulations. F.H.B.S.R.A. 32, p. 124. 1916.
  in mail, prohibitions. F.H.B.S.R.A. 35, p. 153. 1917. F.H.B.S.R.A. 39, p. 41. 1917.
  inspection. F.H.B.S.R.A. 38, p. 21. 1917.
  into United States, regulations, modification, May 1, 1924. F.H.B. [Misc.], "Rules and regulations * * *," amdt. 1, pp. 2. 1924.
  permits, blank forms, Aug. 1, 1917. F.H.B. [Misc.], "Rules and regulations * * *," pp. 7–14. 1917.
  regulations—
   Jan. 1, 1917. F.H.B. "Rules and regulations * * *," amdt. 7, pp. 2. 1916.
   and quarantine restrictions. An. Rpts., 1919, pp. 522–524. 1920; F.H.B. An. Rpt., 1919, pp. 18–20. 1919.
   and restrictions. F.H.B.S.R.A. 27, p. 54. 1916; F.H.B.S.R.A. 28, pp. 63–64. 1916; F.H.B.S.R.A. 33, pp. 135–137. 1916; F.H.B.S.R.A. 42, pp. 83–98. 1917; F.H.B.S.R.A. 59, pp. 14. 1919; F.H.B.S.R.A. 142, pp. 144–145. 1916.
   modification. C. F. Marvin. F.H.B. [Misc.], "Rules and regulations * * *," amdt. 2, pp. 2. 1924.
   modification. Henry C. Wallace. F.H.B. [Misc.], "Rules and regulations * * *," amdt. 1, pp. 2. 1924.
  rules and regulations—
   Feb. 1, 1916. F.H.B. [Misc.], "Rules and regulations governing * * *," pp. 10. 1916.
   Jan., 1918. F.H.B.S.R.A. 48, pp. 1–16. 1918.
   Feb. 24, 1923. F.H.B. [Misc.], "Rules and regulations governing * * *," pp. 8. 1923.
 imported—
  arrival and shipment, notices. F.H.B.S.R.A. 26, pp. 33–35. 1916.
  bonded period, and disinfection. F.H.B.S.R.A. 30, p. 85. 1916.
  brokers' license to purchase, forms. F.H.B.S.R.A. 22, pp. 87–88. 1915.
  disinfection, charges. F.H.B.S.R.A. 51, p. 46. 1918.
  fumigation and fumigation plants. F.H.B.S.R.A. 50, p. 29. 1918.
  licenses authorizing use. F.H.B.S.R.A. 17, pp. 45–46. 1913; F.H.B.S.R.A. 24, pp. 10–11. 1916.
  permittees' notice of shipment. F.H.B.S.R.A. 23, pp. 98–99. 1916.
  reshipments reporting, instructions. F.H.B.S.R.A. 21, p. 81. 1915.
  short shipments, reporting method. F.H.B.S.R.A. 19, p. 56. 1915.
  transportation, Treasury Decision, 36394. F.H.B.S.R.A. 28, pp. 61–62. 1916.
 imports—
  1790–1911. Stat. Cir. 32, pp. 5–9. 1912.
  1866–1921. Y.B., 1921, pp. 610, 616. 1922; Y.B. Sep. 869, pp. 30, 36. 1922.
  1900–1904. Stat. Bul. 34, pp. 68–69. 1905.
  1902–1904. Stat. Bul. 35, pp. 14, 44. 1905.
  1907–1909, quantity and value, by countries from which consigned. Stat. Bul. 82, p. 37. 1910.
  1907–1914, countries of origin. Y.B., 1914, p. 685. 1915; Y.B., Sep. 657, p. 685. 1915.
  1908–1910, quantity and value, by countries from which consigned. Stat. Bul. 90, pp. 39–40. 1911.
  1922–1924. Y.B., 1924, p. 1061. 1925.

Cotton—Continued.
 imports—continued.
  and exports—
   1919–1921, and 1852–1921. Y.B., 1922, pp. 951, 957, 961, 963, 972, 979. 1923; Y.B., Sep. 880, pp. 951, 957, 961, 963, 972, 979. 1923.
   by foreign countries. Stat. Bul. 34, pp. 80–101. 1905.
  disinfection, charges. F.H.B.S.R.A. 51, p. 46. 1918.
  fumigation, regulation. F.H.B.S.R.A., 38, p. 32. 1917.
  permits, forms of application and permits. F.H.B.S.R.A. 24, pp. 3–6. 1916.
  regulation. F.H.B.S.R.A. 52, p. 58. 1918.
  warning to permittees and licensees. F.H.B.S.R.A. 36, p. 1. 1917.
 improvement—
  adaptable characteristics. D.C. 200, pp. 4–10. 1921.
  by cooperation of one-variety communities. Y.B., 1921, pp. 402–404. 1922; Y.B. Sep. 877, pp. 402–404. 1922.
  by cultural methods. B.P.I. Bul. 220, pp. 13–14. 1911.
  by seed selection. B.P.I. Doc. 386, pp. 1–4, 1908; B.P.I. Doc. 633, pp. 3–7. 1911; B.P.I. Doc. 747, pp. 2–4. 1912; B.P.I. Doc. 1082, pp. 3–6. 1919; Y.B., 1907, p. 228. 1908; Y.B. Sep. 446, p. 228. 1908.
  by seed selection. Herbert J. Webber. Y.B., 1902, pp. 365–386. 1903; Y.B. Sep. 279, pp. 365–386. 1903.
  by seed selection, experiments, St. Croix. Vir. Is. Bul. 1, pp. 4–7, 14. 1921.
  cooperative studies. B.P.I. Cir. 96, pp. 9–10, 21. 1912.
  in production. O. F. Cook. D.C. 200, pp. 12. 1921.
  methods. B.P.I. Bul. 256, pp. 76, 77. 1913.
  on a community basis. O. F. Cook. Y.B. 1911, pp. 397–410. 1912; Y.B. Sep. 579, pp. 397–410. 1912.
  seed selection, early maturing varieties. B.P.I. Chief Rpt., 1907, pp. 21–22. 1907.
  under weevil conditions. O. F. Cook. F.B. 501, pp. 22. 1912; F.B. 501, rev., pp. 22. 1920.
 in—
  Alabama, Choctaw County. Soil Sur. Adv. Sh., 1921, pp. 980, 982, 983. 1925.
  Argentina, yield. Off. Rec., vol. 4, No. 20, p. 3. 1925.
  China, damage by floods. Off. Rec., vol. 3, No. 36, p. 3. 1924.
  Hawaii and Porto Rico, importation restrictions, June 30, 1921. F.H.B.S.R.A. 70, p. 91. 1921.
  Mexico, quarantine, exemption of Lower California. F.H.B. Reg. 6, amdt. 1, p. 1. 1920.
  Oklahoma, comparison with Galveston prices. D.B. 36, pp. 24–26. 1913.
  Russia, acreage increase. Off. Rec., vol. 4, No. 22, p. 3. 1925.
  South, injuries by red spider. D.B. 416, pp. 20–21, 67. 1917.
 increase of production by use of manure. Y.B. 1913, p. 282. 1914; Y.B. Sep. 627, p. 282. 1914.
 India crop, forecast. Off. Rec., vol. 3, No. 2, p. 3. 1924.
 indigenous to America. B.P.I. Cir. 42, pp. 6, 7–8. 1909.
 industry—
  American, studies by foreign governments, 1911. F.B. 501, p. 6. 1912.
  benefit of amended warehouse act. News L., vol. 7, No. 6, p. 1. 1919.
  Brazil, conference. Off. Rec., vol. 1, No. 36, p. 2. 1922.
  in China. Off. Rec., vol. 2, No. 29, p. 3. 1923.
 infestation by—
  pink bollworm. Off. Rec., vol. 4, No. 29, p. 3. 1925.
  Tylenchus penetrans. J.A.R., vol. 11, pp. 27–33. 1917.
 injury(ies)—
  by—
   bean thrips. Ent. Bul. 118, pp. 8, 16, 17, 30. 1912.

Cotton—Continued.
　injury(ies)—continued.
　　by—continued.
　　　corn ear worm. F.B. 1310, pp. 1-2. 1923.
　　　corn root aphid. Ent. Bul. 85, Pt. 6, pp. 108-109. 1910.
　　　cotton bollworm. Ent. Bul. 50, pp. 23-25, 69-70, 71-74, 76-78. 1905.
　　　cotton stainer. Ent. Cir. 149, pp. 3-4. 1912.
　　　cowpea curculio. Ent. Bul. 85, Pt. 8, p. 129. 1910; Ent. Bul. 85, pp. 133, 135, 137. 1911.
　　　insects. J.A.R. vol. 6, No. 3, pp. 129-139. 1916.
　　　insects and weather, 1917. D.B. 733, pp. 2-3. 1918.
　　　insects other than boll weevil. Ent. Bul. 57, pp. 1-63. 1906.
　　　pink bollworm. Ent. [Misc.], "The pink bollworm," pp. 4-5. 1914.
　　　pink bollworm, prevention methods. An. Rpts., 1917, pp. 40-43. 1917; Sec. A.R., 1917, pp. 42-45. 1917; Y.B., 1917, pp. 56-60, 71. 1918.
　　　pink corn worm. D.B. 363, pp. 13, 14, 15. 1916.
　　　red spider. Ent. Cir. 65, p. 1. 1905; Ent. Cir. 150, p. 7. 1912; Ent. Cir. 172, pp. 1-22. 1913; Ent. Cir. 150, 7. 1912; Ent. Cir. 172, pp. 1-22. 1913; F.B. 735, pp. 1-3. 1916.
　　　root aphid. Ent. Bul. 85, p. 97, 108-109. 1911.
　　　serpentine leaf-miner. J.A.R. vol. 1, pp. 71, 75-76. 1913.
　　　southern green plant-bug. D.B. 689, pp. 12, 14. 1918.
　　　wireworms. D.B. 156, pp. 8-9. 1915; F.B. 733, p. 3. 1916.
　　in storing, ginning, sampling, etc., and remedies. Y.B., 1912, pp. 450, 452-453, 454, 458-461. 1913; Y.B. Sep. 605, pp. 450, 452-453, 454, 458-461. 1913.
　inoculation with fungi causing wilt disease. J.A.R., vol. 12, pp. 542-543. 1918.
　insect(s)—
　　Aleyrodidae, infestation. Ent. T.B. 12, Pt. V, p. 92. 1907.
　　and diseases, lessons for rural schools. D.B. 294, pp. 12-13. 1915.
　　control, method, summary. F.B. 890, pp. 26-27. 1917.
　　control work. An. Rpts., 1923, pp. 404-406. 1923; Ent. A.R., 1923, pp. 24-26. 1923.
　　enemies, and rotations to control. Y.B., 1911, pp. 202-209. 1912; Y.B. Sep. 561, pp. 202-209. 1912.
　　habits and control measures. Sec. Cir. 88, pp. 13-17. 1918.
　　in—
　　　Arizona, damages and control methods. D.C. 75, pp. 21-22. 1920.
　　　Georgia, 1906. Ent. Bul. 67, p. 101. 1907.
　　　Hawaii. David T. Fullaway. Hawaii Bul. 18, pp. 27. 1909.
　　　Texas, report. Ent. Bul. 57, pp. 1-63. 1906.
　　injurious—
　　　1907. Y.B., 1907, pp. 541-542. 1908; Y.B. Sep. 472, pp. 541-542. 1908.
　　　1908. Y.B., 1908, pp. 567-568. 1909; Y.B. Sep. 499, pp. 567-568. 1909.
　　　mistaken for bollworm. Ent. Bul. 50, pp. 79-80. 1905.
　　investigations. Ent. A.R., 1925, pp. 24-26. 1925.
　　investigation, program for 1915. Sec. [Misc.], "Program of work * * *, 1915," pp. 228-230. 1914.
　　miscellaneous, in Texas. E. Dwight Sanderson. F.B. 223, pp. 24. 1905.
　　other than boll weevil, control measures. F.B. 512, pp. 36, 39. 1912.
　　pests—
　　　description and control. Y.B., 1921, pp. 349-354. 1922; Y.B. Sep. 877, pp. 349-354. 1922.
　　　in Virgin Islands. Vir. Is. An. Rpt., 1920, pp. 29-30. 1921.
　　　list. Sec. [Misc.], "A manual of insects * * *," pp. 86-91. 1917.
　　publications, list. D.B. 875, pp. 30-31. 1920; F.B. 831, p. 16. 1917.
　　survey in Mexico. F.H.B.S.R.A. 75, p. 58. 1923.

Cotton—Continued.
　insect(s)—continued.
　　useful, importations. Ent. A.R., 1905, pp. 280-283. 1905.
　inspection—
　　and issuance of certificates and permits, regulations. F.H.B. Quar. 52, reg. 10, p. 12. 1922.
　　and samples, regulations. Sec. Cir. 159, pp. 6-8. 1922.
　　certification, regulations. F.H.B. Quar. 52, reg. 7, p. 11. 1922.
　　in field for judging uniformity of fiber. D.B. 60, pp. 16-18. 1914.
　insurance in warehouses, practices, discussion, rates. Y.B. 1918, pp. 423-426. 1919; Y.B. Sep. 763, pp. 27-30. 1919.
　intensive growing in—
　　Alabama, 2-acre farm. F.B. 519, pp. 1-13. 1913.
　　North Carolina, Johnston County, example. Soil Sur. Adv. Sh., 1911, p. 14. 1913; Soils F.O., 1911, p. 440. 1914.
　intercropping for soil improvement. F.B. 986, pp. 19-20, 28. 1918.
　interplanting with grapes and fruit. D.C. 164, pp. 4-5. 1921.
　interstate movement, control regulations. F.H.B. Quar. 52, reg. 6, pp. 10-11. 1922.
　involucral bracts, observations on alteration. B.P.I. Bul. 256, pp. 61, 69, 70, 71, 73. 1913.
　irrigated, spacing experiments in southern California, 1922 and 1923. J.A.R., vol. 28, pp. 1081-1093. 1924.
　irrigation—
　　early and late, Arizona. F.B. 577, pp. 5, 6-7. 1914.
　　investigations, California, Texas. O.E.S. An. Rpt., 1912, pp. 24, 27. 1913.
　　methods, experiments, Yuma Experiment Farm. D.C. 75, pp. 30-31. 1920.
　　San Joaquin Valley, California. D.C. 164, pp. 12-15. 1921.
　Jackson Limbless, wilt-resistance. F.B. 333, pp. 13, 15. 1908.
　Jannovitch—
　　changes, in flowers, bolls, seeds, and lint. B.P.I. Bul. 156, pp. 11-12, 18-22. 1909.
　　Egyptian, notes on introduction and value. Y.B., 1900, p. 144. 1901.
　judging—
　　directions, lessons for rural schools. D.B. 294, pp. 5-8. 1915.
　　varieties by lint percentages, danger. O. F. Cook. B.P.I. Cir. 11, pp. 16. 1908.
　kapok. See Kapok.
　Kekchi—
　　breeding experiments. B.P.I. Bul. 256, pp. 22-26. 1913.
　　flowers, description. B.P.I. Bul. 88, p. 54. 1906.
　　hybrids, characters. B.P.I. Bul. 147, pp. 10-12, 14, 15, 19, 23. 1909.
　　origin. Off. Rec., vol. 1, No. 6, p. 1. 1922.
　　superiority for hybridizing Egyptian varieties. B.P.I. Bul. 156, pp. 48, 49, 50, 53. 1909.
　　upland, superiority for hybridizing Egyptian varieties. B.P.I. Bul. 156, pp. 48, 49, 50, 53. 1909.
　　weevil-resistant characters. B.P.I. Chief Rpt., 1909, p. 51. 1909; An. Rpts., 1909, p. 303. 1910.
　kidney, description and importation. No. 40342, B.P.I. Inv. 42, p. 109. 1918.
　labor requirements—
　　in Arkansas. D.B. 1181, pp. 7-8, 9-12, 61. 1924.
　　in California. D.B. 533, pp. 9-11. 1917.
　　per acre, Georgia farms. D.C. 83, pp. 19, 20. 1920; F.M. Cir. 3, pp. 26, 28, 30. 1919.
　lands, renting systems and profits, studies. News L., vol. 3, No. 15, p. 6. 1915.
　late—
　　crops, responsibility of large plants. F.B. 601, pp. 3-4. 1914.
　　planting—
　　　after winter crops, feasibliity. F.B. 501, pp. 13-14. 1912.
　　　blowing soils and limitations. B.P.I. Bul. 220, pp. 14-16. 1911.

INDEX TO PUBLICATIONS, 1901–1925   615

Cotton—Continued.
  late—continued.
    planting—continued.
      ineffective in boll-weevil control. F.B. 1262, p. 26. 1922.
    laws in New Mexico. F.H.B.S.R.A. 74, pp. 4–6. 1923.
    leaf—
      and stalk, insects injurious. Ent. Bul. 57, pp. 33–40. 1906.
      blight, cause and description. F.B. 1187, p. 30. 1921.
      curl, juvenile, causes, and control methods. B.P.I. Cir. 96, pp. 13–15, 21. 1912.
      desirable characters in seed selection. F.B. 314, pp. 14, 15. 1908.
      forms, varieties, and types. B.P.I. Bul. 221, pp. 17–22. 1911.
    spot—
      angular, distribution and control. Y.B., 1921, p. 357. 1922; Y.B. Sep. 877, p. 357. 1922.
      cause and description. F.B. 1187, p. 30. 1921.
      control studies. Work and Exp., 1919, p. 60. 1921.
    tissue—
      chloride content, comparison of Egyptian and upland. J.A.R., vol. 28, pp. 695–704. 1924.
      fluids, physicochemical constants. J.A.R., vol. 27, pp. 277–280. 1924.
    worm—
      control of boll weevil. Ent. Bul. 74, p. 21. 1907; F.B. 1329, p. 28. 1923.
      control with calcium arsenate. D.B. 875, p. 29. 1920.
      description, injuries, and control. F.B. 890, p. 10. 1917.
      habits and control. Y.B., 1921, p. 354. 1922; Y.B. Sep. 877, p. 354. 1922.
      injury and control, studies. F.B. 1226, pp. 29–30. 1922.
      insect enemies. Ent. Bul. 100, p. 69. 1912.
      relation to boll weevil. F.B., 512, pp. 36–37. 1912; F.B. 848, p. 30. 1917.
  leaves, arrangement on main stalk. B.P.I. Bul. 222, pp. 8–10. 1911.
  lessons for—
    elementary schools. F.A. Merrill. M.C. 43, pp. 27. 1925.
    rural common schools. C.H. Lane. D.B. 294, pp. 16. 1915.
  Lewis, spinning tests, comparison with other long-staple varieties. D.B. 121, pp. 5–15. 1914.
  line breeding, effect on variations. J.A.R., vol. 21, pp. 235–237. 1921.
  lint—
    and seed characters comparisons. J.A.R., vol. 28, pp. 950–952. 1924.
    percentage—
      and lint index, and determination methods. G. S. Meloy. D.B. 644, pp. 12. 1918.
      determination. F.B. 1465, pp. 2–3. 1925.
    See also Lint, cotton.
  lintless, spread in South Atlantic States. B.P.I. Bul. 256, p. 85. 1913.
  loans on warehouse receipts. Sec. A.R., 1924, pp. 32–33. 1924.
  Lone Star—
    description and seed distribution. B.P.I. Doc. 633, pp. 7–8. 1911.
    description, characteristics, and origin. B.P.I. Doc. 716, p. 7. 1912; B.P.I. Doc. 813, pp. 8–9. 1913; B.P.I. Doc. 1163, pp. 8–9. 1915.
    origination and value. An. Rpts., 1918, p. 137. 1919; B.P.I. Chief Rpt., 1918, p. 3. 1918.
    superiority. An. Rpts., 1910, p. 292. 1911; B.P.I. Chief Rpt., 1910, p. 22. 1910.
  long and short staple varieties, yields, and comparison. Work and Exp., 1914, p. 182. 1915.
  long-fiber, marketing. F.B. 501, rev., pp. 19–21. 1920.
  long-short, local name for Meade cotton, description. D.B. 1030, p. 4. 1922.
  long-staple—
    and snort-staple, growing in Georgia, Brooks County, 1910–1915. Soil Sur. Adv. Sh., 1916, pp. 11, 14, 16–18. 1918; Soils F.O., 1916, pp. 595, 598, 600–602. 1919.
    areas of production. D.B. 733, p. 6. 1918.

Cotton—Continued.
  long-staple—continued.
    cultural characteristics. D.B. 121, pp. 17–18. 1914.
    demand. B.P.I. Cir. 130, pp. 10–11. 1913.
    demands, uses, and inadequate production. Y.B., 1911, pp. 400–401. 1912; Y.B. Sep. 579, pp. 400–401. 1912.
    development of new districts. D.B. 60, pp. 8–11. 1914.
    earlier varieties, breeding experiments and profits. F.B. 501, pp. 16–18. 1912.
    earlier varieties, weevil resistance, studies. B.P.I. Bul. 220, pp. 22–24. 1911.
    early varieties, need in weevil conditions. F.B. 501, rev., pp. 3–4. 1920.
    experiments. An. Rpts., 1910, p. 292. 1911; B.P.I. Chief Rpt., 1910, p. 23. 1910.
    fiber length and quality. Y.B., 1921, pp. 329, 371. 1922; Y.B. Sep. 877, pp. 329, 371. 1922.
    grade, staple, and price, comparisons. D.B. 359, pp. 3–4. 1916.
    Growers' Association, work in California. D.B. 324, pp. 10, 13–14. 1915.
    growing—
      in Arizona and California. An. Rpts., 1913, pp. 123–124. 1914; B.P.I. Chief Rpt., 1913, pp. 19–20. 1913.
      in Southwest. An. Rpts., 1914, pp. 114–115. 1914; B.P.I. Chief Rpt., 1914, pp. 14–15. 1914.
      under irrigation, advantages. Y.B., 1916, p. 185. 1917; Y.B., Sep. 690, p. 9. 1917.
    important types, sources. D.B. 742, pp. 2–3. 1919.
    importation, 1916, and increasing demands. D.B. 533, pp. 2–3. 1917.
    improved varieties, productiveness, and increase in demand. B.P.I. Cir. 123, pp. 3–5, 7–8. 1913.
    irrigation experiments. B.P.I. Cir. 96, pp. 7–8, 21. 1912.
    land preparation, planting, and cultivation. B.P.I. Cir. 121, pp. 7–11. 1913.
    market rank of Pima. D. B. 1184, p. 22. 1923.
    marketing and distribution. Atl. Am. Agr. Pt. V, Sec. A., p. 24. 1919.
    northward extension. B.P.I. Cir. 115, p. 22. 1913.
    production factors affecting. B.P.I. Cir. 123, pp. 3–9. 1913.
    special requirements to preserve uniformity of stock. B.P.I. Cir. 123, pp. 5–6. 1913.
    spinning tests. News L., vol. 1, No. 49, p. 4. 1914.
    stabilization, various factors. D.B. 324, pp. 10–16. 1915.
    tensile strength, comparisons. D.B. 359, pp. 7–11. 1916.
    types and sources. D.B. 332, p. 2. 1916.
  upland—
    fibers, description. H. A. Allard. B.P.I. Bul. 111, pp. 13–15. 1907.
    growing. Herbert J. Webber. Y. B., 1903, pp. 121–136. 1904; Y. B. Sep. 314, pp. 121–136. 1904.
    spinning tests. Fred Taylor and Wells A. Sherman. D.B. 121, pp. 20. 1914.
    varieties, comparison with Durango cotton. B.P.I. Cir. 111, pp. 13–18. 1913.
    yields in Georgia, Colquitt County. Soil Sur. Adv. Sh., 1914, pp. 13–14, 24. 1915; Soils F.O., 1914, pp. 969–970, 980. 1919.
  losses—
    by delayed picking. F.B. 1121, pp. 14, 18. 1920.
    caused by—
      boll weevil. F. B. 1329, pp. 2, 4. 1923.
      red spider. F.B. 831, pp. 5–6. 1917.
    causes and extent, 1909–1920. Y.B., 1921, p. 613. 1922; Y.B. Sep. 869, p. 33. 1923.
    causes in Sumter County, Georgia. D.B. 1034, p. 20. 1922.
    from—
      pink bollworm in Mexico. D.B. 918, pp. 28–32. 1921.
      specified causes, in various localities, 1909–1918. D.B. 1043, pp. 7, 9, 11. 1922.
      weather, prevention. News L., vol. 7, No. 7, p. 6. 1919.

Cotton—Continued.
  low grade(s)—
    aid of department. News L., vol. 6, No. 19, p. 4. 1918.
    utilization on Government contracts, studies. News L., vol. 5, No. 46, p. 12. 1918.
  Manila. See Kapok.
  manufactures, changes in style, effect on sea-island cotton. D.B. 146, pp. 6–7. 1914.
  manufacturing in Mississippi, Clarke County. Soil Sur. Adv. Sh., 1914, pp. 7, 40. 1915; Soils F.O., 1914, pp. 1203, 1236. 1919.
  margins, analysis. An. Rpts., 1923, p. 175, 1924; B.A.E. Chief Rpt., 1923, p. 45. 1923.
  market(s)—
    classification and location. Y.B., 1921, pp. 383–385. 1922; Y.B. Sep. 877, pp. 383–385. 1922.
    conditions, North Carolina, improvement study. O. J. McConnell and W. R. Camp. D.B. 476, pp. 19. 1917.
    Ft. Worth, spot cotton. Sec. Cir. 46, amdt. 7, p. 1. 1915.
    future and spot investigations. An. Rpts., 1916, p. 409. 1917; Mkts. Chief Rpt., 1916, p. 25. 1916.
    lists. Mkts. S.R.A. 16, pp. 11–13. 1916.
    news distribution. Y.B., 1920, p. 145. 1921; Y.B. Sep. 834, p. 145. 1921.
    primary, conditions in Oklahoma, studies. Wells A. Sherman and others. D.B. 36, pp. 36. 1913.
    securing for superior fiber, methods, and value. F.B. 501, pp. 19–21, 22. 1912.
    statistics, prices, production, exports, and imports, 1910-1921. D.B. 982, pp. 268–273. 1921.
  marketing—
    and prices. Y.B., 1921, pp. 385–390. 1922; Y.B. Sep. 877, pp. 385–390. 1922.
    bibliography. M.C. 35, pp. 14–16. 1925.
    cooperative organizations, location, number, and business. D.B. 547, pp. 10, 12, 34–39, 49–51. 1917; F.B. 641, pp. 14–16. 1914.
    demands, standardization, and cooperation. Sec. Cir. 88, pp. 20–30. 1918.
    disadvantages of selling in the seed. Charles F. Creswell. D.B. 375, pp. 19. 1916.
    economies, suggestions. D.B. 457, pp. 12–13. 1916.
    influence and value of storage on prices. D.B. 277, pp. 1–3. 1915.
    investigation(s)—
      1925. B.A.E. Chief Rpt., 1925, pp. 16–21. 1925.
      bill. Off. Rec., vol. 1, No. 34, p. 2. 1922.
      North Carolina, methods. D.B. 476, p. 2. 1917.
    losses, necessity for ginning improvements, and compressing importance. News L., vol. 5, No. 38, p. 7. 1918.
    methods. News L., vol. 4, No. 52, pp. 7–8. 1917.
    monthly, by farmers, 1914–1922. M.C. 6, p. 24. 1923.
    plantation system. D.B. 1269, pp. 65–66. 1924.
    prices at various localities, grades and comparisons. D.B. 36, pp. 5–23, 35, 36. 1913.
    relation of warehouse. Y.B., 1918, pp. 400–404. 1919; Y.B. Sep. 763, pp. 4–8. 1919.
    situation, conference, Washington, D. C., Aug. 24–25, 1914. F.B. 620, pp. 8–15. 1914.
    standards, testing. An. Rpts., 1920, pp. 547–551. 1921.
    studies and spinning tests. B.A.E. Chief Rpt., 1924, pp. 14–17. 1924.
    systems. Rpt. 98, pp. 42–45. 1913.
    value of cooperative organization. News L., vol. 5, No. 38, p. 7. 1918.
    work of Agricultural Economics Bureau. An. Rpts., 1923, pp. 148–151. 1923; B.A.E. Chief Rpt., 1923, pp. 18–21. 1923.
  marking and certification, regulations. F.H.B. Quar. 52, reg. 8, p. 11. 1922.
  materials, study. Off. Rec., vol. 4, No. 47, p. 6. 1925.
  Meade—
    adaptability to sea-island conditions, experiments. D.B. 1030, pp. 4–6, 23. 1922.

Cotton—Continued.
  Meade—Continued.
    and sea-island, comparative spinning tests. Wm. R. Meadows and W. G. Blair. D.B. 946, pp. 5. 1921.
    cultivation and production, 1920. D.B. 1030, pp. 11–14. 1922.
    earliness and yield, 1917–1919, experiments and comparisons. D.B. 1030, pp. 9–11. 1922.
    long-staple variety to replace sea-island, description. An. Rpts., 1918, p. 137. 1919; B.P.I. Chief Rpt., 1918, p. 3. 1918.
    origin, description, and value. F.B. 501, rev., p. 17. 1920.
    purity and uniformity, maintenance by seed selection D.B. 1030, pp. 18–20. 1922.
    seed price, growing methods, picking and ginning. D.B. 1030, pp. 15–17, 23. 1922.
    seed, supply problem, selection suggestions. D.B. 1030, pp. 18–20. 1922.
    spacing for yield increase. D.B. 1030, pp. 16–17. 1922.
    spinning tests, comparison with sea-island. Wm. R. Meadows and W. G. Blair. D.B. 946, pp. 5. 1921.
    substitute for sea-island in Georgia and Florida. An. Rpts., 1917, p. 146. 1918; B.P.I. Chief Rpt., 1917, p. 16. 1917.
    upland, comparisons with others. J.A.R., vol. 27, pp. 283–320. 1924.
    upland long-staple variety replacing sea-island. G. S. Meloy and C. B. Doyle. D.B.1030, pp. 24. 1922.
    utilization and extension in Southeastern States. B.P.I. Chief Rpt., 1921, p. 23. 1921.
    yield and price, comparison with sea-island. D.B. 1030, pp. 2–3, 20–22. 1922.
  Mexican—
    baling requirements for wastage prevention. F.H.B.S.R.A. 37, p. 9. 1917.
    big-boll, characteristics. An. Rpts., 1908, p. 333. 1909. B.P.I. Chief Rpt., 1908, p. 61. 1908.
    grown, importation into United States, July 1, 1917. F.H.B.S.R.A. 38, pp. 15–22. 1917.
    quarantine for control of pink bollworm. An. Rpts., 1917, p. 382. 1918; Sol. A.R., 1917, p. 2. 1917.
    supposed immunity from boll weevil. F.B. 216, pp. 22–23. 1905.
    varieties, resemblance to Hindi. B.P.I. Cir. 42, pp. 6–7. 1909.
  mildew, cause and description. F.B. 1187, p. 30. 1921.
  mill(s)—
    gardens of operatives, food production. D.B. 602, pp. 1–12. 1918.
    in United States, 1899–1904, statistics. Stat. Bul. 34, pp. 69–74. 1905.
    rules, Carolina. Mkts. S.R.A. 4, pp. 38–39. 1915.
    southern, screening for bollworm, control regulations. F.H.B., S.R.A. 43, p. 105. 1917.
    Southern States, storage capacity. D.B. 216, pp. 17–19. 1915.
    village, description, cost of houses and gardens. D.B. 602, pp. 2–3. 1918.
  Mit Afifi—
    acclimatization and breeding experiments. An. Rpts., 1910, p. 323. 1911; B.P.I. Chief Rpt., 1910, p. 53. 1910.
    changes in flowers, bolls, seeds, and lint. B.P.I. Bul. 156, pp. 13–22, 24–25. 1909.
    origin and importance, comparison with other varieties. J.A.R. vol. 2, pp. 289–290. 1914.
  moisture requirements. Atlas Am. Agr., Pt. II, sec. A. p. 40. 1922.
  money crop of South, studies. News L., vol. 2, No. 49, pp. 1–2. 1915.
  Moqui, resemblance to Hindi cotton. B. P. I. Cir. 42, p. 6. 1909.
  movements, control under pink bollworm quarantine. F.H.B. Quar. 52, amdt., 1, rev. 2, pp. 2. 1923; amdt. 2, pp. 1–2. 1924.
  mutations. B.P.I. Bul. 256, pp. 12, 13. 1913.
  mutative revisions. O. F. Cook. B.P.I. Cir. 53, pp. 18. 1910.

Cotton—Continued.
  nectaries—
    Frederick J. Tyler. B.P.I. Bul. 131, Pt. V, pp. 45–54. 1908.
    secretory mechanism, description. J.A.R. vol. 13, pp. 433–434. 1918.
  new, early variety. Rpt., 83, p. 38. 1906.
  new, long-staple, early-maturing varieties, descriptions. News L., vol. 4, No. 20, pp. 1, 3. 1916.
  new-place diversity, studies. B.P.I. Bul. 159, pp. 10–16. 1909.
  New Mexico—
    law regulating ginning and baling. F.H.B., S.R.A. 74, pp. 4–6. 1923.
    yield and quality under irrigation. O.E.S. Bul. 215, p. 17. 1909.
  nonproduction relief. Off. Rec., vol. 3, No. 23, p. 2. 1924.
  ocean rates from New York, New Orleans, and Savannah, 1886–1906. Stat. Bul. 67, p. 12. 1907.
  one-variety—
    communities. O. F. Cook. D.B. 1111, pp. 50. 1922.
    communities, improvement. D.C. 200, pp. 10–12. 1921.
    planting, protection by law. Off. Rec., vol. 4, No. 31, p. 3. 1925.
  outlaw—
    agreement between planters and Texas Agriculture Department. F.H.B., S.R.A., 56, pp. 89–90. 1918.
    fields in Texas, discovery by airplanes. News L., vol. 6, No. 30, p. 9. 1919.
  outlook for 1924. M.C. 23, pp. 11–12. 1924.
  packed, definitions of repacked and false packed. Mkts. S.R.A. 2, p. 14. 1915.
  packing—
    for china, glassware, etc., danger of insect introduction, restrictions. News L., vol. 6, No. 9, p. 7. 1918.
    for export. Rpt., 67, pp. 42–44. 1901.
    on imports, destruction. F.H.B., S.R.A. 54, p. 73. 1918.
  Parker, experiments at Del Rio, Texas. B.P.I. Bul. 147, pp. 20–21. 1909.
  pedigree breeding. F.B. 302, p. 30. 1907.
  Peeler varieties, comparison with Durango cotton. B.P.I. Cir. 111, p. 17. 1913.
  "per bale" check on outstanding receipts. Off. Rec., vol. 1, No. 20, p. 4. 1922.
  perennial—
    California, investigations. An. Rpts., 1912, p. 407. 1913; B.P.I. Chief Rpt., 1912, p. 27. 1912.
    growing and propagation, Hawaii, 1910. An. Rpts., 1910, pp. 146, 147, 751. 1911; O.E.S. Dir. Rpt., 1910, p. 21. 1910; Sec. A.R., 1910, pp. 146, 147. 1910; Y.B. 1910, pp. 144, 146. 1911.
    yield per acre in Hawaii. Work and Exp., 1914, p. 95. 1915.
  periodicals, list. M.C. 11, p. 51. 1923.
  Peruvian, comparison with Caravonica cotton, value. Hawaii A.R. 1912, pp. 14, 75. 1913.
  pest, destruction by birds. Biol. Bul. 44, pp. 9, 10, 12, 15, 24, 31, 42, 61, 64. 1912.
  pest, Mexican, conchuela, report. Ent. Bul. 54, pp. 18–34. 1905.
  picking—
    and ginning, San Joaquin Valley, California. D.C. 164, pp. 18–19. 1921.
    and handling, influence on price. News L., vol. 4, No. 9, p. 5. 1916.
    and weighing, time and crews. D.B. 896, pp. 36–38. 1920.
    Arizona, necessity for clean picking. D.B. 311, p. 2. 1915.
    Arizona, value of Indian labor. F.B. 577, p. 8. 1914.
    cost in 1904. Stat. Bul. 34, p. 75–76. 1905.
    cost relation of lint index, comparisons. D.B. 644, pp. 5–8, 12. 1918.
    date, graph. D.C. 183, p. 39. 1922.
    day's work. D.B. 1292, p. 17. 1925.
    for quality and price improvement. News L., vol. 6, No. 7, p. 3. 1918.
    ginning, classing, and marketing in California, San Joaquin Valley. D.C. 357, pp. 19–23. 1925.

Cotton—Continued.
  picking—continued.
    influence of cultural characters. D.C. 200, p. 4. 1921.
    method, in St. Croix, need of improvement. Vir. Is. Bul. 1, pp. 9–10. 1921.
    season, dates for different sections. Stat. Bul. 85, pp. 93–94. 1912.
    value of Indian labor. An. Rpts., 1914, p. 117. 1914; B.P.I. Chief Rpt., 1914, p. 17. 1914.
  Pima—
    adaptation to—
      Arizona and California, and warnings. D.C. 247, p. 1. 1922.
      Salt River Valley, and development period. D.B. 1018, pp. 4–6, 21. 1922.
    boll shedding, under summer irrigation. J.A.R., vol. 23; pp. 939–943, 946. 1923.
    comparison with—
      other cottons. D.B. 1319, pp. 1–2. 1925.
      upland varieties in Arizona. J.A.R., vol. 28, pp. 938–954. 1924.
      Yuma cotton. D.R.P. Cir. 1, pp. 1–3. 1916.
    culture in Arizona (and upland). O. F. Cook and R. D. Martin. F.B. 1432, pp. 14. 1924.
    demand. Off. Rec., vol. 4, No. 15, p. 2. 1925.
    development and tests. D.B. 332, p. 13. 1916; D.B. 742, pp. 13, 20, 21. 1919.
    fiber and seed characters. J.A.R., vol. 21, pp. 231–233. 1921.
    ginning in Arizona. James S. Townsend. D.B. 1319, pp. 12. 1925.
    height of plants and boll shedding, comparison, 1919. D.B. 1018, pp. 11, 22. 1922.
    moisture control, experiments, location and plan. D.B. 1018, pp. 2–4, 21. 1922.
    origin, characters, and description. J.A.R., vol. 2, pp. 291, 292–294, 300. 1914.
    petal spot, inheritance. Thomas H. Kearney J.A.R., vol. 27, pp. 491–512. 1924.
    planting time, tests. D.C. 75, pp. 28–30. 1920.
    purity, future maintenance. D.C. 247, p. 6. 1922.
    self-fertilization and cross-fertilization. Thomas H. Kearney. D.B. 1134, pp. 68. 1923.
    stabilization, recommendations of committee. D.B. 1184, pp. 23–24. 1923.
    summer irrigation. R. D. Martin and H. F. Loomis. J.A.R., vol. 23, pp. 927–946. 1923.
    taproot and lateral roots, count in 1919. D.B. 1018, pp. 8–11, 21–22. 1922.
    terminal bud abortion, noninheritance. Thomas H. Kearney. J.A.R., vol. 28, pp. 1041–1042. 1924.
    uniformity. Thomas H. Kearney. D.C. 247, pp. 6. 1922.
    utilization. Horace H. Willis. D.B. 1184, pp. 27. 1923.
    variety, origin, and development, 1910–1916. D.C. 247, p. 2. 1922.
    water loss and dry-matter production, comparison. D.B. 1018, pp. 10–11. 1922.
    water-stress behavior in Arizona. C. J. King. D.B. 1018, pp. 24. 1922.
    yield under summer irrigation, record. J.A.R., vol. 23, pp. 943–945. 1923.
  Pima-Egyptian—
    comparisons with others. J.A.R., vol. 27, pp. 277–320. 1924.
    growing in California, San Joaquin Valley. D.C. 164, pp. 22. 1921.
    tests in the Salt River Valley, Arizona. T. H. Kearney. D.R.P. Cir. 1, pp. 4. 1916.
  plant(s)—
    arrangement of parts. O. F. Cook and Rowland M. Meade. B.P.I. Bul. 222, pp. 26. 1911.
    bugs, control by hand-picking, directions and cost. Ent. Bul. 86, pp. 68–72, 99. 1910.
    chemical studies with special reference to upland cotton. J.A.R., vol. 13, pp. 345–352. 1918.
    destruction in fall for weevil control. F.B. 501, rev., pp. 6–7, 12. 1920.
    development periods. D.B. 1018, pp. 15–21, 22–23. 1922.
    dimorphic branches, studies. B.P.I. Bul. 198 pp. 13–31, 53, 55. 1911.

Cotton—Continued.
plant(s)—continued.
dimorphic leaves, relation to heredity. O. F. Cook. B.P.I. Bul. 221, pp. 59. 1911.
dried, disposal for insect control. F.B. 890, pp. 24, 27. 1917.
Egyptian and Hindi, census of nectaries. B.P.I. Bul. 210, p. 35. 1911.
fall destruction for control of boll weevil. Ent. Cir. 95, pp. 8. 1907; F.B. 512, pp. 18–23. 1912; F.B. 848, pp. 17–21. 1917.
glands, chemistry and histology, studies. J.A.R., vol. 13, pp. 419–436. 1918.
heredity materials. B.P.I. Bul. 256, pp. 11–13. 1913.
individual, and its progeny, selection tests. F.B. 314, pp. 10–13. 1908.
infested, fall destruction for weevil control. F.B. 1329, p. 17. 1923.
injury by—
calcium arsenate after storage. D.B. 1115, pp. 1–2. 1922.
termites. D.B. 333, pp. 19–20. 1916.
insects affecting, and means of combating them. W. Dwight Pierce. F.B. 890, pp. 28. 1917.
large, responsibility for late crops. F.B. 601, pp. 3–4. 1914.
location of nectaries. Rpt. 78, p. 4. 1904.
odors, observations. Chem. Chief Rpt., 1924, pp. 5–6. 1924.
protection by kelep. Ent. T. B. 10, pp. 50–51. 1905.
school lesson. D.B. 258, p. 7. 1915.
score card for school use. D.B. 132, p. 34. 1915.
size controlled by seed selection. F.B. 314, p. 23. 1908.
small and early, advantages. D.C. 200, p. 5. 1921.
spacing systems, tests in San Antonio region. D.B. 279, pp. 3–4. 1915.
spacing tests for yield. Work and Exp., 1914, pp. 144–145. 1915.
weevil period. B.P.I. Bul. 88, p. 76. 1906.
weevil-resisting adaptations. O. F. Cook. B.P.I. Bul. 88, pp. 87. 1906.
plantation(s)—
location and areas, renting and cropping systems. D.B. 1269, pp. 3, 4, 17, 38, 53–56, 69, 76. 1924.
run-down, building up. D. A. Brodie. F.B. 326, pp. 22. 1908.
planter, lister attachment. Stephen H. Hastings. B.P.I.C.P. and B.I. Cir. 2, pp. 3. 1917.
planting—
and—
harvesting dates, by season and by States. Stat. Bul. 85, pp. 92–100. 1912; Y.B., 1910, pp. 491, 493. 1911.
picking dates, graphic summary. Atl. Am. Agr., Pt. V, sec. A, pp. 10. 1919; Y. B., 1917, pp. 572–575. 1918; Y. B. Sep. 758, pp. 38–41. 1918.
seed distribution. B.P.I. Doc. 535, p. 5. 1910.
spacing in California, San Joaquin Valley. D.C. 164, pp. 7–9. 1921.
arid West, relation to Arizona wild cotton weevil. B. R. Coad. D.B. 233, pp. 12. 1915.
at different dates for weevil control, Texas and South Carolina. W. W. Ballard and D. M. Simpson. D.B. 1320, pp. 44. 1925.
community agreement as to time, etc., value. F.B. 501, pp. 12–14, 22. 1912.
crew and time required. D.B. 896, pp. 30–31. 1920.
dates—
by States, 1921. Y.B., 1921, pp. 775–776. 1922; Y. B. Sep. 871, pp. 6–7. 1922.
by States, 1922. Y.B., 1922, pp. 989–990. 1923; Y.B., Sep. 887, pp. 989–990. 1923.
graphs. D.C. 183, pp. 36–37. 1922.
day's work. D.B. 3, p. 20. 1913.
details, seed bed, and fertilizers. D.B. 294, pp. 10–12. 1915.
dry regions, early and late, limitations, methods. B.P.I. Bul. 220, pp. 10–12, 14–16. 1911.
early and late, comparison. B.P.I. Cir. 34, p. 15. 1909.
growth, weevil attacks, and boll shedding. D.B. 1320, pp. 3–19. 1925.
increase, effect on bollworm spread. Ent. Bul. 50, pp. 30–32. 1905.

Cotton—Continued.
planting—continued.
methods for—
control of boll weevil. F. B. 500, pp. 10, 12. 1912.
raising select seed. D.B. 668, pp. 7–10. 1918
seed bed and fertilizers. M.C. 43, pp. 18–21. 1925.
shallow, to secure early stand. F.B. 314, pp 24–27. 1908.
time, St. Croix, change of law, discussion. Vir. Is. Bul. 1, pp. 8–9. 1921.
plowing, experiments. S.R.S. Rpt., 1917, Pt. I pp. 21, 159, 254. 1918.
poisoning in field for pink bollworm control. D.B. 918, pp. 51–52. 1921.
port(s)—
facilities and export movement on the Atlantic and Gulf coasts. Frank Andrews. Stat. Bul. 38, pp. 80. 1905.
of entry. F.H.B., S.R.A. 39, pp. 37–38. 1917
shipments. Stat. Bul. 38, p. 11. 1905.
press(es)—
and compresses, description and use. F. B 764, pp. 15–18. 1916.
description. Y.B., 1921, pp. 373, 375. 1922; Y.B. Sep. 877, pp. 373, 375. 1922.
pressing and baling, improved methods. Y.B. 1912, pp. 456–458. 1913; Y.B. Sep. 605, pp 456–458. 1913.
prices—
1866–1921. Y.B. 1921, pp. 610, 612–615. 1922; Y.B. Sep. 869, pp. 30, 32–35. 1922.
1920, slump. Y.B., 1921, p. 13. 1922; Y.B Sep. 875, p. 13. 1922.
and quotations. Y.B., 1921, pp. 385–390. 1922· Y.B. Sep. 877, pp. 385–390. 1922.
and values of crops, 1899–1904. Stat. Bul. 34, pp. 60–64. 1905.
changes—
causes, discussion. D.C. 85, pp. 3–5. 1920. in 1920 and 1921. Sec. A.R., 1921, pp. 13, 14. 1921
comparison in North Carolina. D.B. 476. pp. 9–16, 17. 1917.
comparison with costs, wages, and other prices. Y.B., 1921, pp. 363–365. 1922; Y.B. Sep. 879, pp. 363–365. 1922.
control by holding back crop, discussion Y.B., 1912, p. 451. 1913; Y.B. Sep. 605, p. 451. 1913.
determination and variations. Atl. Am. Agr., Pt. V, sec. A, pp. 26–27. 1919.
effect on crop conditions, Texas. W.I.A. Cir. 16, p. 5. 1917.
farm and market. Y.B., 1924, pp. 755–756, 1172. 1925.
farm and wholesale, comparison in different States. D.B. 999, p. 18. 1921.
fluctuation—
1905. Stat. Bul. 34, pp. 64–66. 1905.
and causes, statement of Assistant Secretary Ousley. News L., vol. 5, No. 7, p. 4. 1917.
increase. Off. Rec., vol. 2, No. 50, p. 1. 1923.
influence of warehousing. Y.B., 1918, pp. 400–403. 1919; Y.B. Sep. 763, pp. 4–7. 1919.
investigations, resolutions. Off. Rec., vol. 1, No. 14, p. 1. 1922.
primary market, relation to qualities. Fred Taylor. D.B. 457, pp. 15. 1916.
quotations, grades, etc., hearings in various cities. News L., vol. 6, No. 12, p. 8. 1918.
received by growers. D.B. 733, p. 6. 1918.
relation to—
cost of production. D.B. 896, pp. 45–49. 1920.
future quotations. Mkts. S.R.A. 4, pp. 43–44. 1915.
report by radio to farmers. Off. Rec., vol. 1, No. 12, p. 2. 1922.
variation charts. Mkts. S.R.A. 9, pp. 101–104. 1916.
problems, Louisiana. B.P.I. Cir. 130, pp. 3–14. 1913.
production—
1908. Y.B., 1908, pp. 11, 669. 1909.
1909–1918, and proportion for weevil-free area. D.C. 266, p. 6. 1923.
1909–1918, and yield per acre, by States. D.B. 896, pp. 3–4. 1920.
1914. Y.B., 1914, p. 12. 1915.
1918, appeal, Secretary McAdoo. News L., vol. 5, No. 27, p. 3. 1918.

INDEX TO PUBLICATIONS, 1901-1925   619

Cotton—Continued.
production—continued.
  acreage, prices, and bales ginned, 1910-1913, by States. F.B. 563, p. 5. 1913.
  and—
    acreage, Texas and Louisiana. Y.B., 1904, pp. 196, 197. 1905; Y.B. Sep. 341, pp. 196, 197. 1905.
    prices, 1923, 1924. Off. Rec., vol. 3, No. 50, p. 1. 1924.
    uses in North Carolina, Cabarrus County. Soil Sur. Adv. Sh., 1910, pp. 7, 9, 10. 1911; Soils F.O., 1910, pp. 299, 301, 302. 1912.
    value, 1839-1909. Sec. [Misc.], Spec. "Geography * * * world's agriculture," p. 50. 1918.
    value 1912, comparison with corn crop. An. Rpts., 1912, pp. 13-14. 1913; Sec. A.R., 1912, pp. 13-14. 1912; Y.B., 1912, pp. 13-14. 1913.
    value, 1917, comparison with corn. News L., vol. 5, No. 35, p. 6. 1918.
    value in Georgia, Merriweather County. Soil Sur. Adv. Sh., 1916, p. 9. 1917; Soils F.O., 1916, pp. 690-691. 1919.
    yield, 1913. An. Rpts., 1913, pp. 54, 59. 1914; Sec. A.R., 1913, pp. 52, 57. 1913; Y.B., 1913, pp. 67, 73. 1914.
  area in United States. D.B. 1056, p. 1. 1922.
  boll-weevil—
    conditions, suggestions and plans. Sec. Cir. 32, pp. 3-5. 1910.
    district, demonstration work. Y.B., 1911, pp. 285-289. 1912; Y.B. Sep. 568, pp. 285-289. 1912.
  by countries. Sec. Cir. 32, p. 2. 1910.
  by different systems. Off. Rec., vol. 2, No. 40, p. 3. 1923.
  community. O. F. Cook and R. D. Martin. F.B. 1384, pp. 21. 1924.
  cost(s)—
    L. A. Moorhouse and M. R. Cooper. D.B. 896, pp. 59. 1920.
    1920. An. Rpts., 1920, p. 570. 1921.
    1923. D.C. 340, pp. 25-27. 1925.
    analysis and distribution. D.B. 896, pp. 9-16. 1920.
  defects in economic conditions. F.B. 787, pp. 8-9. 1916.
  distribution. D.B. 1034. pp. 68-72. 1922.
  estimates, 1909-1910. F.B. 641, pp. 12-14. 1914.
  Georgia farms, Sumter County. D.B. 492, pp. 56-64. 1917; D.B. 1034, p. 48. 1922.
  labor and material requirements. Y.B. 1921, pp. 809, 819. 1922.; Y.B. Sep. 876, pp. 6, 16. 1922.
  relation to farm organization. D.B. 1034, pp. 58-72. 1922.
  decrease. Off. Rec., vol. 2, No. 25, p. 2. 1923.
  decrease, responsibility of boll weevil. Ent. Bul. 114, pp. 21-26. 1912.
  disadvantages of mixed varieties. D.B. 1111, pp. 3-6. 1922.
  economics and methods. Atl. Am. Agr. Adv. Sh., Pt. V, Sec. A., pp. 11-17. 1919.
  exports, 1881-1914, quality, consumption, estimates. F.B. 641, pp. 9-12. 1914.
  exports, 1914, and prices, 1915, and crop estimate, 1915. An. Rpts., 1915, pp. 3, 4, 5-7. 1916; Sec. A.R., 1915, pp. 5, 6, 7-9. 1915.
  extension in Southwest, and causes. B.P.I., Cir. 96, pp. 8-9. 1912.
  foreign countries. Atl. Am. Agr. Adv. Sh., Pt. V, Sec. A., pp. 6-7. 1919.
  humid regions, importance of dry weather in weevil control. B.P.I. Bul. 220, pp. 18-19. 1911.
  imports and exports, annual and average, by countries. Stat. Cir. 31, pp. 14-15, 29, 30. 1912.
  improvements. O. F. Cook. D.C. 200, pp. 12. 1921.
  in—
    California, extension. O. F. Cook. D.B. 533, pp. 16. 1917.
    comparison with corn, 1839-1909. Atl. Am. Agr. Adv. Sh., Pt. V, Sec. A., p. 23. 1919.
    East Africa. Off. Rec., vol. 3, No. 36, p. 2. 1924.

Cotton—Continued.
production—continued.
  in—continued.
    Egypt, India, and the United States. Sec. [Misc.] Spec. "Geography * * * world's agriculture," pp. 50-53. 1918.
    Imperial Valley, 1909-1914, in bales. D.B. 324, pp. 1, 6. 1915.
    Mexico, Laguna district. D.B. 918, p. 4. 1921.
    North Carolina, 1914-1915, comparison with consumption. D.B. 476, pp. 5-6. 1917.
    Texas, dry weather as important factor. B.P.I. Bul. 220, pp. 1-30. 1911.
    Texas, eastern and western, changes since 1899. Ent. Cir. 122, pp. 6-8. 1910.
    United States, 1791-1914, maps and graphs. Atl. Am. Agr. Adv. Sh., Pt. V, Sec. A., pp. 16-19. 1919.
    United States and foreign countries. Y.B., 1924, pp. 748, 751-754. 1925.
    United States, soils, climate, and dates of planting. Atl. Am. Agr. Adv. Sh., Pt. V, Sec. A, pp. 8-10. 1919.
  increase methods, shorter time. News L., vol. 1, No. 47, pp. 2-3. 1914.
  India and Uganda. Off. Rec., vol. 3, No. 19, p. 3. 1924.
  methods and profits. Sec. Cir. 32, pp. 5-10. 1910.
  on black land, production cost, 1919. D.B. 1068, p. 23. 1922.
  on weevil-free area, 1920, by States. D.C. 163, p. 2. 1921.
  per acre, discussion of problem. Y.B., 1902, p. 366. 1903.
  per capita and yield per acre. Y.B., 1921, p. 432. 1922; Y.B. Sep. 878, p. 26. 1922.
  per work animal, relation to farm returns. D.B. 651, p. 27. 1918.
  prices, 1925. Sec. A.R. 1925, pp. 3, 6-8, 103, 105. 1925.
  probabilities, 1918, gathering, storing, and marketing suggestions. News L., vol. 5, No. 52, pp. 1-2. 1918.
  proportion of crop, 1921, in weevil-free belt. D.C. 210, p. 2. 1922.
  season shortening, methods, and value. F.B. 501, pp. 7-13, 21. 1912.
  semimonthly reports. Off. Rec., vol. 3, No. 21, p. 2. 1924.
  under boll-weevil conditions, directions and reports. B.P.I. Doc. 619, pp. 8. 1911.
  value per farm, comparison with wheat and corn, 1918. D.C. 85, p. 6. 1920.
  world countries—
    1865-1904. Stat. Bul. 34, pp. 71-101. 1905.
    1904-1908. Y.B., 1909, pp. 507-508. 1910; Y.B. Sep. 524, pp. 507-508. 1910.
    1910-1914, graph. Y.B., 1916, p. 542. 1917; Y.B. Sep. 713, p. 12. 1917.
  yield, and price, 1914, estimates by States. F.B. 651, pp. 12-13. 1915.
products—
  entry into Lower California and Mexico, prohibition. F.H.B.S.R.A. 38, p. 22. 1917.
  fat determination, comparison of petroleum and ethyl ether. Chem. Bul. 137, pp. 155-157. 1911.
  importations from Mexico, restrictions. F.H.B.S.R.A. 38, pp. 21, 34, 35. 1917.
  Mexico, quarantine for pink bollworm. An. Rpts., 1917, pp. 417, 419-420, 429, 430. 1918; F.H.B. An. Rpt., 1917, pp. 3, 5-6, 15, 16. 1917.
  quarantines, enforcement and order. An. Rpts., 1923, pp. 629-630, 647, 650. 1924; F.H.B. An. Rpt., 1923, pp. 15-16, 33, 36. 1923.
proliferation, factor in natural control of Mexican cotton boll weevil. W. E. Hinds. Ent. Bul. 59, pp. 45. 1906.
propagation by cuttings, Hawaii, 1910. An. Rpts., 1910, p. 751. 1911; O.E.S. Dir. Rpt., 1910, p. 21. 1910.
protection from—
  "country damage," by storage warehouses. News L., vol. 2, No. 21, pp. 2-3. 1914.
  fires in gins. D.C. 28, p. 8. 1919.
purchase for preparation of official standards, method. Mkts. S.R.A. 6, pp. 11-12. 1916.

86167°—32——40

Cotton—Continued.
　purchasing power—
　　1882–1920, 1909–1921, and 1876–1920. D.B. 999, pp. 21, 57, 60, 63, 71. 1921.
　per acre, 1899, 1909, 1910, and 1911. Stat. Chief Rpt., 1912, pp. 17–20. 1912; An. Rpts., 1912, pp. 795–798. 1913.
　qualities, relation to primary market prices. Fred Taylor. D.B. 457, pp. 15. 1916.
　quarantine. F.H.B. An. Rpt., 1924. p, 9. 1924.
　quarantine—
　　Egyptian government. F.H.B.S.R.A. 28, pp. 62–63. 1916.
　　enforcement and order. An. Rpts., 1923, pp. 629–630, 650. 1924; F.H.B. An. Rpt., 1923, pp. 15–16, 36. 1923.
　　for pink bollworm. Y.B., 1917, pp. 58–59, 71. 1918.
　　in Hawaii. F.H.B. Quar. 51, p. 2. 1921.
　　regulations. F.H.B. Quar. 52. pp. 13. 1922.
　　restrictions, June 30, 1922. F.H.B. Quar. 37, pp. 50–68. 1922.
　quotations, instructions on various points. Mkts. S.R.A. 4, pp. 41–43. 1915.
　ratooning, possibility under irrigation, and objections to. D.B. 324, pp. 3, 12. 1915.
　rats, Texas, distribution, description, habits, and food. N.A. Fauna 25, pp. 114–118. 1905.
　records, comparisons. D.B. 529, pp. 3–5. 1917.
　red spider—
　　E. S. G. Titus. Ent. Cir. 65, pp. 5. 1905.
　　E. A. McGregor. Ent. Cir. 150, pp. 13. 1912; Ent. Cir. 172, pp. 22. 1913.
　　E. A. McGregor and F. L. McDonough. D.B. 416, pp. 72. 1917.
　　and control. E. A. McGregor. F.B. 735, pp. 12. 1916; F.B. 831, pp. 16. 1917.
　　spraying experiments. O.E.S. An. Rpt., 1911, p. 95. 1912.
　references for use in rural-school studies. D.B. 294, pp. 3, 5, 8, 10, 11, 12, 13, 14. 1915.
　region—
　　forage crops. S. M. Tracy. F.B. 509, pp. 47. 1912.
　　weather service daily bulletins. An. Rpts., 1916, p. 58. 1917; W. B. Chief Rpt., 1916, p. 10. 1916.
　　weather stations. An. Rpts., 1907, p. 161. 1908.
　　work against one-crop system, results. An. Rpts., 1916, p. 318. 1917; S.R.S. Rpt., 1916, p. 22. 1916.
　regulations—
　　amendment. Off. Rec., vol. 4, No. 24, p. 3. 1925.
　　modifications. F.H.B. "Regulations pursuant * * * cotton * * *," amdt. 1, pp. 2. 1924.
　relation of—
　　weather conditions to growth and development. J. B. Marbury. Y.B., 1904, pp. 151–160. 1905; Y.B. Sep. 338, pp. 151–160. 1905.
　　yield to weather conditions in Louisiana. Bradford B. Smith. J.A.R., vol. 30, pp. 1083–1086. 1925.
　report(s)—
　　exchange with Egypt. Off. Rec., vol. 2, No. 3, p. 3. 1923.
　　requirements. Off. Rec., vol. 3, No. 15, p. 2. 1924.
　　semi-monthly. Off. Rec., vol. 3, No. 7, p. 4. 1924.
　reproduction by cuttings and by volunteers, experiments. B.P.I. Cir. 126, pp. 21. 1913.
　requirements—
　　1919, and world balance, surplus and deficit. Sec. Cir. 125, p. 10. 1919.
　　1919–20, and available stocks. Sec. Cir. 125, p. 13. 1919.
　　European allied countries. Sec. [Misc.] "Report agricultural commission * * *." pp. 77, 81–86. 1919.
　　Great Britain. Sec. [Misc.] "Report of the agricultural commission * * *," pp. 77, 81–86. 1919.
　resistance to weevils, relation of drought. O. F. Cook. B.P.I. Bul. 220, pp. 30. 1911.
　restrictions of quarantine regulations. F.H.B. Quar. 52, reg. 2, pp. 2–3. 1922.

Cotton—Continued.
　ripening, forcing by use of fertilizers. F.B. 457, pp. 14–15. 1911.
　River staple in Arizona, comparison with Egyptian varieties. D.B. 311, p. 9. 1914.
　"Rivers," definition. F.B. 802, pp. 17. 1917.
　root bark, description, prices, and uses. B.P.I. Bul. 139, pp. 40–41. 1909.
　root-knot—
　　cause, description, injuries to various crops and plants, control methods. News L., vol. 2, No. 42, pp. 7–8. 1915.
　　control by rotation of crops. F.B. 986, p. 24. 1918.
　　description, cause, and control. B.P.I. Cir. 91, p. 10. 1912; F.B. 1187, pp. 10–14. 1921.
　　losses and description of disease. F.B. 1345, pp. 1–2, 3, 4. 1923.
　　relation to wilt. F.B. 333, pp. 18–20. 1908.
　　resistant varieties, list. News L., vol. 5, No. 15, p. 3. 1917.
　root louse, control. Work and Exp., 1914, p. 211. 1915.
　root-rot—
　　control—
　　　C. L. Shear and George F. Miles. B.P.I. Bul. 102, Pt. V, pp. 39–42. 1907.
　　　by rotation and tillage. D.C. 209, pp. 15, 32–33. 1922; W.I.A. Cir. 16, pp. 9–10. 1917.
　　experiments, San Antonio Experiment Farm. D.C. 73, pp. 15, 32–34. 1920.
　　in Georgia, Sumter County. Soil Sur. Adv. Sh., 1910, p. 12. 1911; Soils F.O., 1910, pp. 508–509. 1912.
　　effect of rotation and tillage, experiments at San Antonio. W.I.A. Cir. 10, pp. 8–9. 1916.
　　fungus, habits. C. J. King. J.A.R., vol. 26, pp. 405–418. 1923.
　　in Arizona. C. J. King. J.A.R., vol. 23, pp. 525–527. 1923.
　　in the San Antonio rotations. C. S. Scofield. J.A.R., vol. 21, No. 3, pp. 117–125. 1921.
　　injuries. Y.B., 1921, p. 356. 1922; Y.B. Sep. 877, p. 356. 1922.
　　spots, variations. J.A.R., vol. 18, pp. 305–310. 1919.
　　spread and control in southwest Texas. Soil Sur. Adv. Sh., 1911, p. 29. 1912; Soils F.O., 1911, pp. 1196–1197. 1914.
　rotation(s)—
　　crops. O.E.S. An. Rpt., 1911, p. 196. 1912.
　　experiments, San Antonio Experiment Farm, and yield, 1909–1915. W.I.A. Cir. 10, pp. 4–9. 1916.
　　2-year, and 3-year, methods and comparisons. F.B. 787, pp. 11–12. 1916.
　　use of rye crop. F.B. 894, p. 7. 1917.
　　with rice in California. D.B. 1155, pp. 56–57. 1923.
　rows, laying and barring off, time and crew. D.B. 896, pp. 26–28, 32–33. 1920.
　rows, spacing, and thinning, studies and experiments. F.B. 601, pp. 3–12. 1914.
　Rublee variety, retaining squares, valuable characteristics. Ent. Bul. 100, pp. 29, 85. 1912.
　rules abroad, call for uniformity. Off. Rec., vol. 4, No. 42, pp. 1, 8. 1925.
　rust—
　　control—
　　　by use of potash in Mississippi, Lee County. Soil Sur. Adv. Sh., 1916, p. 11. 1918; Soils F.O., 1916, p. 1051. 1921.
　　　in Georgia, Thomas County. Soil Sur. Adv. Sh., 1908, pp. 12, 13, 14. 1909; Soils F.O., 1908, pp. 348, 369, 404. 1911.
　　　in North Carolina, Rowan County. Soil Sur. Adv. Sh., 1914, p. 12. 1919; Soils F.O., 1914, p. 501. 1919.
　　description, cause and control. F.B. 1187, pp. 23–25. 1921.
　　symptoms and control. Y.B., 1921, p. 356. 1922; Y. B. Sep. 877, p. 356. 1922.
　Sacaton staple, Arizona, comparison with Egyptian varieties. D.B. 311, p. 9. 1915.
　Sakellaridis Egyptian—
　　comparison with Sacaton staple. D.B. 311, p. 9. 1915.

Cotton—Continued.
　Sakellaridis Egyptian—Continued.
　　introduction, and value. D.B. 146, pp. 3-5, 8. 1914.
　　spinning, tests comparison with different grades of Arizona-Egyptian and sea-island. Fred Taylor and William S. Dean. D.B. 359, pp. 21. 1916.
　sales—
　　contracts, regulations. Mkts. S.R.A. 9, pp. 116-117. 1916.
　　in North Carolina, price comparison. D.B. 476, pp. 9, 17. 1917.
　sample(s)—
　　classification—
　　　preliminary informal, reg. 13. Sec. Cir. 137, amdt. 1, pp. 2. 1919.
　　　regulations. B.A.E.S.R.A. 80, pp. 8-9. 1923.
　　entry from Canada, quarantine order. F.H. B.S.R.A. 78, p. 8. 1924.
　　importation by parcel post, regulations. F.H. B., S.R.A. 73, pp. 129-131. 1923.
　　imported, listing. F.H.B., S.R.A. 44, p. 112. 1918.
　　imports, rules and regulations, Feb. 24, 1923. F.H.B. [Misc.] "Rules and regulations governing * * *," pp. 7-8. 1923.
　　market-condition studies, grade and length comparisons. D.B. 476, pp. 2-5, 17. 1917.
　　preservation by warehousemen. Sec. Cir. 143, amdt. 2, p. 1. 1920.
　　uniformity of staple length. D.B. 62, pp. 5-6, 7. 1914.
　sampling—
　　at gin stands. D.B. 311, p. 4. 1915.
　　injurious practices, need of remedy. Y.B., 1912, pp. 459, 461. 1913; Y.B. Sep. 605, pp. 459, 461. 1913.
　saving by Southern women and children, methods. News L., vol. 6, No. 2, p. 7. 1918.
　school—
　　Georgia State College of Agriculture. O.E.S. Cir. 83, p. 18. 1909; O.E.S. Cir. 106, p. 18. 1911; O.E.S. Cir. 106, rev., p. 22. 1912.
　　lesson on cultivation. D.B. 258, p. 33. 1915.
　　score card, contest work. O.E.S. Cir. 99, pp. 35-38. 1910.
　sea-island—
　　W. A. Orton. F.B. 787, pp. 40. 1916.
　　and—
　　　American Egyptian, acreage, 1918, estimates, with comparisons. News L., vol. 6, No. 8, p. 5. 1918.
　　　Egyptian, acreage and production, 1917, 1918. Y.B., 1918, p. 687. 1919; Y.B. Sep. 795, p. 23. 1919.
　　　Meade, comparative spinning tests. W. R. Meadows and W. G. Blair. D.B. 946, pp. 5. 1921.
　　upland, characteristics. B.P.I. Bul. 163, p. 9. 1910.
　　upland, Mexican boll weevil biology studies. G. D. Smith. D.B. 926, pp. 44. 1921.
　　area, map. D.B. 926, p. 4. 1921.
　　crop, distribution, 1903-04. Stat. Bul. 34, pp. 58-59. 1905.
　　cultivation. F.B. 302, pp. 16-20. 1907.
　　culture, improvement, and diseases. W. A. Orton. F.B. 302, pp. 48. 1907.
　　cultural methods, expensive. D.B. 146, p. 11. 1914.
　　decline in, 1916-1920. D.B. 1030, p. 2. 1922.
　　decreased consumption, causes. D.B. 146, pp. 3-7. 1914.
　　description, length of staple. Atl. Am. Agr. Adv. Sh., Pt. V, sec. A, p. 5. 1919.
　　description, quality, and decrease in quantity. Y.B., 1921, pp. 327, 329, 372, 374. 1922; Y.B. Sep. 877, pp. 327-329. 1922.
　　deterioration of crop, causes and prevention. D.B. 60, pp. 12-14. 1914.
　　diseases, description, cause, and control. F.B. 787, pp. 32-40. 1916; F.B. 302, pp. 41-48. 1907.
　　experimental growing, Porto Rico. P.R. An. Rpt., 1912, p. 11. 1913.
　　experimental planting, Hawaii. Hawaii A.R., 1911, pp. 56, 61, 62. 1912.

Cotton—Continued.
　sea-island—continued.
　　failures in California. D.B. 533, p. 5. 1917.
　　fertilizers. F.B. 302, pp. 20-23. 1907.
　　geographical distribution in United States. F.B. 787, pp. 2-3. 1916.
　　grade establishment by Secretary Houston. B.A.E. S.R.A. 72, pp. 12-14. 1922.
　　growing—
　　　and yield in Florida, Ocala area. Soil Sur. Adv. Sh., 1912, pp. 14, 34. 1913; Soils F.O., 1912, pp. 676, 698. 1915.
　　　in Georgia. Soils Cir. 21, pp. 2-3. 1910.
　　　in St. Croix. Longfield Smith. Vir. Is. Bul. 1, pp. 14. 1921.
　　　in Virgin Islands, yield. Vir. Is. An. Rpt., 1920, pp. 14-15. 1921.
　　methods. Atl. Am. Agr. Adv. Sh., Pt. V, sec. A, p. 14. 1919.
　　handling and grading. F.B. 787, pp. 28-32. 1916.
　　hybridization with tree cotton, Egypt. J.A.R., vol. 2, p. 289. 1914.
　　improvement and disease, South Carolina, Charleston area. Soil Sur. Adv. Sh., 1914, pp. 25-27. 1905; Soils F.O., 1904, pp. 227-229. 1905.
　　in Porto Rico. R. M. Walker. P.R. Cir. 3, pp. 4. 1904.
　　increase of production area, obstacles. F.B. 787, p. 5. 1916.
　　industry, economic conditions. W. R. Meadows. D.B. 146, pp. 18. 1914.
　　introduction and development of industry. Atl. Am. Agr. Adv. Sh., Pt. V, sec. A, pp. 18, 20. 1919.
　　locality, production, and description of staple. D.B. 332, p. 2. 1916.
　　location for growing, factors influencing. F.B. 787, pp. 3-5. 1916.
　　location for growing, factors influencing. F.B. 787, pp. 3-5. 1916.
　　need for substitute. D.B. 1030, pp. 1-2, 23. 1922.
　　origin, description, and improvement methods. F.B. 787, pp. 1-2, 15-17. 1916.
　　perennial habit, Hawaii pruning and propagation. O.E.S. An. Rpt., 1910, pp. 23, 124. 1911.
　　plat experiments and yields, in St. Croix, 1919-20. Vir. Is. Bul. 1, p. 14. 1921.
　　production—
　　　1890-1904. Stat. Bul. 34, p. 59. 1905.
　　　and distribution Stat. Bul. 34, pp. 58-59. 1905.
　　　experiments at St. Croix Experiment Station, 1921. Vir. Is. A.R. 1921, pp. 7-9. 1922.
　　　in Porto Rico, 1910. P.R. An. Rpt., 1910, p. 12. 1911.
　　　in Southern States, 1916 and 1917. D.B. 733, pp. 3, 7-8. 1918.
　　qualities, uniformity, strength, color, and productiveness. F.B. 787, pp. 25-28. 1916.
　　replaced by upland varieties. F.B. 501, rev., p. 17. 1920.
　　reversions to Egyptian type. B.P.I. Cir. 42, p. 9. 1909.
　　rotation system. F.B. 302, pp. 18-20, 45, 47. 1907.
　　seed, selection. F.B. 302, pp. 26-36. 1907.
　　seed separation. F.B. 285, p. 14. 1907.
　　sources, supply, and length of staple. D.B. 742, p. 2. 1919.
　　spinning tests—
　　　comparative. D.B. 359, pp. 1-21. 1916.
　　　comparison with Meade cotton. D.B. 946, pp. 1-5. 1921; D.B. 1030, pp. 20-22, 24. 1922.
　　standards. Mkts. S.R.A. 41, pp. 3-4, 8. 1919.
　　substitute, Georgia and Florida. An. Rpts., 1917, p. 146. 1917; B.P.I. Chief Rpt., 1917, p. 16. 1917.
　　tests of strength, twist, etc., in airplane cloth. D.B. 882, pp. 10-11, 15, 17-18, 25, 39-42, 47. 1920.
　　variations, similarity to Hindi cotton. B.P.I. Cir. 42, p. 8. 1909.
　　wilt-resistant strains. F.B. 333, p. 17. 1908.

Cotton—Continued.
  securing crop on disease-infected soils, methods. News L., vol. 5, No. 15, p. 3. 1917.
  seed—
    admission under pink bollworm quarantine, regulations. F.H.B. Quar. 52, amdt. 3, pp. 3–4. 1924.
    admixture in gins, prevention. B.P.I. Doc. 1163, p. 6. 1915.
    age and difference of crops. B.P.I. Bul. 159, pp. 35–37. 1909.
    analyses and information source. D.B. 948, p. 2. 1921.
    analyzing, importance. D.B. 948, pp. 4–5. 1921.
    and corn seed selection on southern farms. Bradford Knapp. B.P.I. Doc. 747, pp. 8. 1912.
    and ginneries, control of boll weevil. W. D. Hunter. F.B. 209, pp. 32. 1904.
    annual seeding requirements, sources of supply. D.B. 1056, pp. 1, 2–3. 1922.
    bed—
      early preparation for boll-weevil control. F.B. 1262, pp. 21, 30. 1922.
      fall preparation. B.P.I. Doc. 344, pp. 1–2. 1908.
      firmness necessary to insure early stand. F.B. 314, pp. 26, 27. 1908.
      preparation, recommendations. B.P.I. Doc. 344, pp. 1–2. 1908.
    boll-weevil—
      control at ginneries. W. D. Hunter. F.B. 209, pp. 32. 1904.
      danger and destruction. F.B. 209, pp. 12–14. 1904.
      destruction. Ent. Bul. 114, pp. 150, 152–153, 162–163. 1912.
      shelter during hibernation. Ent. Bul. 77, pp. 31–33. 1909; Ent. Cir. 107, p. 4. 1908.
      spread. F.B. 209, pp. 5–6. 1904.
    buying and selling on dry-matter basis. D.B. 374, pp. 6–7, 10–30. 1916.
    cold pressed, misbranding. Chem. N.J. 13776. 1925.
    comparisons. J.A.R., vol. 28, No. 9, pp. 950–952. 1924.
    composition. F.B. 1179, p. 4. 1920.
    composition. Charles F. Creswell and Geo. L. Bidwell. D.B. 948, pp. 221. 1921.
    crop value, 1918–1919. News L., vol. 6, No. 30, p. 12. 1919.
    damaged condition, prevention and care, necessity. D.B. 948, p. 5. 1921.
    developing community supplies. F.B. 1384, pp. 12–14. 1924.
    development in California, San Joaquin Valley. D.C. 357, pp. 5–6. 1925.
    discharge of pink bollworm larvae. Off. Rec., vol. 1, No. 1, p. 7. 1922.
    disease-free, selection for disease control. F.B. 1187, pp. 15, 19. 1921.
    disinfection—
      for pink bollworm control, progress. F.H.B. S.R.A. 74, pp. 2–3. 1923.
      in Louisiana. F.H.B.S.R.A. 76, p. 104. 1923.
    distribution—
      1907. B.P.I. [Misc.], "Distribution of cotton seed in 1914," pp. 22. 1914.
      1909. D. N. Shoemaker. B.P.I. Doc. 432, pp. 16. 1908.
      1910. D. N. Shoemaker. B.P.I. Doc. 535, pp. 13. 1910.
      1911. B.P.I. Doc. 633, pp. 13. 1911.
      1912. B.P.I. Doc. 716, pp. 11. 1912.
      1913. B.P.I. Doc. 813, pp. 15. 1913.
      1914. B.P.I. [Misc.], "Distribution of cotton-seed in 1914," pp. 16. 1914.
      1915. B.P.I. Doc. 1163, pp. 15. 1915.
      1920. B.P.I. Doc. 1802, pp. 7. 1919.
      1921. D.C. 151, pp. 2. 1921.
    early, selection and management. F.B. 314, pp. 17–21. 1908.
    Egyptian—
      and hybrid varieties, description. B.P.I. Bul. 156, pp. 12, 16–17, 46–47. 1909.
      weight and fuzziness, different pickings. B.P.I. Cir. 110, pp. 38–39. 1913.

Cotton—Continued.
  seed—continued.
    examination for gossypol content, methods. J.A.R., vol. 25, No. 7, pp. 287–289. 1923.
    farm storage before ginning, moisture. B.P.I. Cir. 123, pp. 11–20. 1913.
    fertility removal from soil. S.R.S. Doc. 30, p. 4. 1916.
    for planting, separation at gins. F.B. 1465, pp. 1–2. 1925.
    foreign-matter content. D.B. 948, p. 4. 1921.
    fumigation—
      apparatus, description. F.B. 344, pp. 37–38. 1909.
      experiments. D.B. 186, p. 5. 1915.
      for boll-weevil control. F.B. 344, pp. 36–38. 1909; F.B. 500, p. 13. 1912; F.B. 512, pp. 37–39. 1912; F.B. 848, pp. 31–33. 1917.
      for pink bollworm control. D.B. 918, pp. 47–51, 55–56, 57. 1921.
      with carbon disulphide for insect control. F.B. 799, p. 14. 1917.
    fuzz, relation to breeding. B.P.I. Bul. 256, pp. 54–56. 1913.
    germination—
      Eben S. Toole and Pearl L. Drummond. J.A.R., vol. 28, pp. 285–292. 1924.
      effect of green manures. J.A.R., vol. 5, pp. 1161, 1163–1175. 1916.
      effect of heat in soil, bacteria, and fungi. J.A.R., vol. 5, No. 25, pp. 1170–1174. 1916.
      effect of temperatures during storage. B.P.I. Cir. 123, pp. 18–20. 1913.
      temperatures. J.A.R., vol. 23, p. 322. 1923.
      testing, importance. News L., vol. 5, No. 21, p. 8. 1917.
    Hawaiian and Porto Rican, entry restriction. An. Rpts., 1920, pp. 623, 638. 1921; F.H.B. An. Rpt., 1920, pp. 11, 27. 1920.
    heavy, planting advantage. Herbert J. Webber and E. B. Boykin. F.B. 285, pp. 16. 1907.
    holding for 1918 seeding, advice of department. News L., vol. 5, No. 21, p. 3. 1917.
    hybrid character. B.P.I. Cir. 18, pp. 5–11. 1908.
    importance of early saving by cotton growers. News L., vol. 4, No. 20, pp. 1, 3. 1916.
    improved varieties, distribution, preservation, selection, methods. B.P.I. Cir. 96, pp. 10–13, 21. 1912.
    infection with fungus of angular leafspot. J.A.R., vol. 8, No. 12, pp. 462–464. 1917.
    large and heavy, advantages. B.P.I. Cir. 11, pp. 6–8. 1908.
    lint content, prices, inconsistencies. F.B. 775, p. 5. 1916.
    live weevil, efforts to destroy by machinery. F.B. 209, pp. 12–14. 1904.
    losses in weight and oil, from pink bollworm. D.B. 918, pp. 28–31. 1921.
    management in gin. D.B. 1319, p. 9. 1925.
    marketing for planting purposes. J. E. Barr. D.B. 1056, pp. 24. 1922.
    Mesopotamia, importations, and value. Inv. Nos. 29411–29412, B.P.I. Bul. 233, pp. 8, 19. 1912.
    Mexican, quarantine for bollworm control. F.H.B, S.R.A. 36, pp. 1–3. 1917.
    mixed, causes and control methods. News L., vol. 3, No. 4, pp. 7, 8. 1915.
    mixing—
      at gins, methods and extent, tests. D.C. 205, pp. 5–10. 1922.
      cause of deterioration of crop. Y.B., 1921, p. 401. 1922; Y.B. Sep. 877, p. 401. 1922.
      cause of deterioration of sea-island cotton. D.B. 146, pp. 5–6. 1914.
      during ginning process, control studies. D.B. 288, pp. 1–6, 7–8. 1915.
      in gins, control studies. An. Rpts., 1915, p. 157. 1916; B.P.I. Chief Rpt., 1915, p. 15. 1915.
      increased by modern gin equipment. W.W. Ballard and C. B. Doyle. D.C. 205, pp. 12. 1922.
      possibilities, extent, methods, and control. D.B. 288, pp. 2–8. 1915.
    moisture content, relation to weight shrinkage. D.B. 374, pp. 7–8, 9. 1916.

INDEX TO PUBLICATIONS, 1901-1925   623

Cotton—Continued.
  seed—continued.
    naked, propagation. B.P.I. Cir. 66, p. 10. 1910.
    necessity of maintaining purity. D.B. 324, pp. 10, 11. 1915.
    notice to shippers, opinion 261. Chem., S.R.A. 22, p. 88. 1918.
    number in standard sample indication of size. D.B. 644, pp. 10-11, 12. 1918.
    oil and protein content, studies. Work and Exp., 1919, p. 34. 1921.
    picking—
      and care. D.B. 458, pp. 4-5. 1917.
      management in gin. D.B. 1319, pp. 5-6, 9. 1925.
    pink bollworm spread. D.B. 918, p. 35. 1921.
    planting—
      and germination, in single-stalk culture. D.B. 279, p. 4. 1915.
      stocks, selection methods and conditions governing purity. D.B. 1056, pp. 1-2, 3-4. 1922.
    plats for growing, special treatment in boll-weevil sections. F.B. 512, p. 46. 1912.
    plats, isolation. B.P.I. Doc. 813, p. 3. 1913.
    preparation for planting and improvement methods. D.B. 1056, pp. 4-16. 1922.
    pure, development, cooperation with one-variety communities. F.B. 1384, pp. 17-20. 1924.
    pure, importance, and methods of securing. D.B. 288, pp. 7-8. 1915; D.B. 38, pp. 1-2, 4-7. 1913.
    purity—
      and uniformity, preservation. D.B. 533, pp. 13-14. 1917.
      certification, neglect and need. D.B. 1056, pp. 23, 24. 1922.
      maintenance. B.P.I. Doc. 648, pp. 3-4. 1911; D. C. 205, pp. 11-12. 1922.
      necessity in use of superior varieties. D.B. 1111, pp. 1-11, 46-47. 1922.
      problem. B.P.I. Cir. 111, pp. 19-20. 1913.
      requirements and improvement. D.C. 200, pp. 10-11. 1921.
    quantity per acre. F.B. 314, pp. 18-19. 1908.
    quarantine—
      establishment, for pink-bollworm control. D.B. 723, pp. 15-20. 1918.
      restrictions. F.H.B., Quar. 37, rev., p. 13. 1923; F.H.B.S.R.A. 74, p. 53, 56. 1923.
    recleaning—
      grading, and sacking, methods, and machinery. D.B. 1056, pp. 12-16, 24. 1922.
      losses and cost. D.B. 1219, pp. 12-13, 16-18. 1924.
    relation to breeding. B.P.I. Bul. 256, pp. 54-56. 1913.
    sale by weight or measure. D.B. 1056, pp. 22-23, 24. 1922.
    saving by substitution of other crops. News L., vol. 6, No. 26, p. 15. 1919.
    saving for 1918 seeding, advice of department. News L., vol. 5, No. 21, p. 3. 1917.
    select, nurse planting. P. V. Cardon. D.B. 668, pp. 12. 1918.
    selection—
      and breeding. F.B. 333, pp. 14, 23, 24. 1908; M.C. 43, pp. 4-5. 1925.
      and disease control, extension work, 1921. Coop. Ext. Work, 1921, p. 8. 1923.
      and growing, cooperation. Y.B. 1911, pp. 397, 404-407. 1912; Y.B. Sep. 579, pp. 397, 404-407. 1912.
      and separation for planting, method and time. F.B. 764, rev., pp. 3-4. 1917.
      and storing, importance in boll-weevil control. F.B. 319, p. 14. 1908.
      for control of anthracnose. F.B. 517, pp. 7-8. 1912.
      for improvement of crops. B.P.I. Doc. 813, pp. 3-7. 1913; B.P.I. Doc. 633, pp. 3-7. 1911; Y.B. Sep. 446, pp. 227-228. 1908; Y.B. 1907, pp. 227-228. 1908.
      for improvement of varieties. B.P.I. Doc. 716, pp. 3-7. 1912.
      for long staple, advice to growers. News L., vol. 3, No. 32, p. 2. 1916.

Cotton—Continued.
  seed—continued.
    selection—continued.
      for planting. Y.B., 1902, pp. 371-374. 1903.
      for southern farms. S. A. Knapp. B.P.I. Doc. 485, pp. 8. 1909.
      importance for farmer in Cotton Belt. B.P.I. Bul. 159, pp. 9, 63-65. 1909.
      importance in preservation of superior variety. F.B. 501, pp. 18-19. 1912.
      improvement. Herbert J. Webber. Y.B., 1902, pp. 365-386. 1903; Y.B. Sep. 279, pp. 365-386. 1903.
      lesson for rural schools. D.B. 294, pp. 8-9. 1915.
      methods. B.P.I. Bul. 163, p. 10. 1910; B.P.I. Doc. 432, pp. 3-5. 1908; B.P.I. Doc. 1163, pp. 3-6. 1915; B.P.I. Doc. 535, pp. 3-5. 1910.
      raising for sale. B.P.I. Cir. 66, pp. 17-18. 1910.
      southern farms. Bradford Knapp. B.P.I. Doc. 747, pp. 8. 1912.
      to control boll-weevil damage. F.B. 314, pp. 17-21, 27-28. 1908.
      value in crop improvement. B.P.I. [Misc.], "Distribution of cotton seed in 1914," pp. 3-7. 1914.
    selling, necessity for truthful representations. D.B. 1056, pp. 21-23, 24. 1922.
    separating. F.B. 285, p. 9. 1907.
    separating heavy from small, method and test. F.B. 285, pp. 9-16. 1907.
    separation at gin for planting. F.B. 764, pp. 1-3. 1916.
    shallow, planting to secure early stand. F.B. 314, pp. 24-27. 1908.
    storage—
      in sacks or stacks, methods. D.B. 1056, pp. 16-18, 24. 1922.
      injury by dampness. D.B. 311, p. 3. 1915.
      on farm before ginning, advantages. Y.B. 1912, pp. 449-450. 1913; Y.B. Sep. 605, pp. 449-450. 1913.
    supply(ies)—
      method for Texas cotton farms. D.B. 659, p. 38. 1918.
      of Pima variety for Salt River Valley. D.C. 247, pp. 3-4. 1922.
      problem. B.P.I. Chief Rpt., 1921, pp. 21-22. 1921.
      production and distribution to growers. An. Rpts., 1917, pp. 145-146. 1917; B.P.I. Chief Rpt., 1917, pp. 15-16. 1917.
    temperature and moisture under storage conditions. B.P.I. Cir. 123, pp. 13-18. 1913.
    testing directions. B.P.I. Doc. 1163, pp. 3, 6. 1915.
    testing for moisture, directions. B.P.I. Cir. 72, rev., p. 12. 1914.
    transmission of anthracnose. O.E.S. An. Rpt. 1909, p. 181. 1910.
    treatment for—
      boll-weevil control valueless. F.B. 1262, p. 27. 1922.
      control of bacterial blight. F.B. 1187, pp. 19-20. 1921.
      prevention of fungus diseases. Vir. Is. Bul. 1, p. 11. 1921.
      use of corn planter in planting. F.B. 512, p. 27. 1912.
    value as part of cotton crop. An. Rpts., 1912, p. 14. 1913; Sec. A.R., 1912, p. 14. 1912; Y.B., 1912, p. 14. 1913.
    vitality in storage. S.R.S. Rpt., 1915, Pt. I, p. 70. 1917.
    vitality, relation to storage, studies. S.R.S. Rpt. 1916, Pt. I, pp. 31, 64, 66. 1918.
    wastage at cotton mills, control method. News L., vol. 5, No. 10, p. 2. 1917.
    weight of fuzzy and normal seeds, comparison. B.P.I. Bul. 156, p. 47. 1909.
    weights, calculation methods. D.B. 644, pp. 10, 12. 1918.
    whole, value as fertilizer compared with cottonseed meal. E. B. Boykin. F.B. 286, pp. 16. 1907.

Cotton—Continued.
seed—continued.
wilt-resistant—
cooperative studies in South Carolina. News L., vol. 3, No. 18, p. 3. 1915.
methods of securing. F.B. 1187, pp. 7-8. 1921, B.P.I. Cir. 92, p. 12. 1912.
varieties, method of distribution by Department of Agriculture. F.B. 333, p. 24. 1908.
yields under single-stalk growing. D.B. 526, pp. 6-27. 1918.
seedlings—
disease, leaf-cut, or tomosis, cause and control. B.P.I. Cir. 120, pp. 29-34. 1913.
insect injury. J.A.R., vol. 6, No. 3, pp. 129-140. 1916.
leaf-cut disease. An. Rpts., 1913, p. 120. 1914. B.P.I. Chief Rpt., 1913, p. 16. 1913.
tomosis, cause. An. Rpts., 1918, pp. 159-160. 1918; B.P.I. Chief Rpt., 1918, pp. 25-26. 1918.
selection—
and improvement, experiments, Yuma Experiment Farm. D.C. 221, p. 22. 1922.
on farm by characters of stalks, leaves, and bolls. O. F. Cook. B.P.I. Cir. 66, p. 23. 1910.
use of progeny rows. B.P.I. Cir. 66, pp. 11, 18-21. 1910.
self-pollination, methods of securing. B.P.I. Cir. 121, pp. 29-30. 1913.
selling—
in seed—
disadvantages. Charles F. Creswell. D.B. 375, pp. 19. 1916.
losses. Charles F. Creswell. F.B. 775, pp. 8. 1916.
practices. Y.B., 1921, pp. 375-376. 1922; Y.B. Sep. 877, pp. 375-376. 1922.
on cotton exchanges, department regulations. News L., vol. 6, No. 16, p. 1. 1918.
Seppa or sprout, source of weevil infestation. Ent. Bul. 74, p. 18. 1907.
several varieties, heredity in. B.P.I. Bul. 256, pp. 87-88. 1913.
shading experiments in Louisiana. B.P.I. Bul. 279, pp. 17-19, 25, 28. 1913.
shaking in weevil collection, effect on plants. D.B. 564, pp. 12-14, 26, 36, 39, 40. 1917.
shedding, cause. F.B. 344, p. 28. 1909.
sheds, temporary, value and cost. News L., vol. 2, No. 21, pp. 2-3. 1914.
shipment(s)—
by Agriculture Department, regulations. F.H.B. Quar. 52, reg. 12, p. 12. 1922.
foreign countries via the United States. F.H.B.S.R.A. 26, p. 40. 1916.
from Mexico, regulations. F.H.B.S.R.A. 41, pp. 59-60. 1917.
from Texas, south-central, 1908-1912. Soil Sur. Adv. Sh., 1913, pp. 31, 32. 1915; Soils F.O., 1913, pp. 1098, 1099. 1914.
interstate regulations. F.H.B., Quar. 52, reg. 9, pp. 11-12. 1922.
notice. F.H.B.S.R.A. 24, p. 9. 1916.
regulations, Louisiana. F.H.B.S.R.A. 73, p. 101. 1923.
State control, cooperative, parts, etc. F.H.B. Quar. 46, p. 7. 1920.
to Canada under pink bollworm quarantine. F.H.B.S.R.A. 77, pp. 135-136. 1924.
short-fiber, mixture with Durango cotton, prevention. B.P.I. Cir. 121, pp. 4-7. 1913.
short-season varieties, weevil-resisting characteristics. D.C. 200, p. 5. 1921.
short staple, fiber length and quality. Y.B., 1921, pp. 329, 370-371. 1922; Y.B. Sep. 877, pp. 329, 370-371. 1922.
silk, floss of Ceiba tree, uses. D.B. 354, p. 84. 1916.
single-stalk, culture—
O.F. Cook. B.P.I. Doc. 1130, pp. 11. 1914.
and value. B.P.I. Chief Rpt., 1921, p. 23. 1921.
system, development. An. Rpts., 1915, p. 152. 1916; B.P.I. Chief Rpt., 1915, p. 10. 1915.
Sistrunk, description and improvement. B.P.I. Doc. 535, pp. 6-7. 1910.
situation—
A. M. Agelasto and others. Y.B., 1921, pp. 323-406. 1922; Y.B. Sep. 877, pp. 323-406. 1922.

Cotton—Continued.
situation—continued.
1918, and importance of maintaining supply. Sec. Cir. 88, pp. 1-34. 1918.
1925. Sec. A.R., 1925, pp. 3, 6-8, 53-54, 71-72. 1925.
in consequence of European war. An. Rpts., 1915, pp. 5-7. 1916; Sec. A.R., 1915, pp. 7-9. 1915.
small-boll, advantages and disadvantages. F.B. 512, p. 26. 1912.
smooth-seed strain. Off. Rec., vol. 4, No. 23, p. 2. 1925.
soils—
adapted and season required. D.B. 355, p. 81. 1916.
Atlantic and Gulf Coastal Plains. Soils Bul. 78, pp. 26-63. 1911.
fertilizers for. Milton Whitney. Soils Bul. 62, pp. 24. 1909.
Virginia, location. D.B. 46, pp. 12, 15, 16. 1913.
sore-skin, description, cause, and control. F.B. 1187, pp. 25-26. 1921.
sources of supply other than United States. Y.B. 1901, pp. 197-200. 1902.
spacing—
and weevil resistance, publications, list. D.B., 1153, pp. 19-20. 1923.
effect on boll-weevil control. F.B., 1262, pp. 24, 30. 1922; F.B. 319, p. 13. 1908.
species, identification, description of nectaries. B.P.I. Bul. 131, pp. 48-54. 1908.
speculation forbidden to certain officers and employees. Mkts. S.R.A. 3, pp. 1-2. 1915.
spinning tests—
William R. Meadows and William G. Blair. D.B. 1135, pp. 19. 1923.
after fumigation. D.B. 366, pp. 1-7. 1916.
comparison of Meade and sea-island. W. R. Meadows. D.B. 946, pp. 5. 1921.
comparison of Meade and sea-island. D.B. 1030, pp. 20-22, 24. 1922.
New Bedford, Massachusetts, varieties. D.B. 121, pp. 3-6. 1914.
of long-staple varieties. Fred Taylor and Wells A. Sherman. D.B. 121, pp. 20. 1914.
old grades and official cotton standards, comparisons. D.B. 591, pp. 23-24. 1917.
spot markets—
definition and designation. Mkts. S.R.A. 3, p. 6. 1915; Sec. Cir. 46, p. 16. 1915; Sec. Cir. 159, pp. 23-24. 1922.
elimination of Fall River, Massachusetts. Sec. Cir. 46, Amdt. 2, p. 1. 1915.
elimination of Waco, Texas. Sec. Cir. 46, Amdt. 1, p. 1. 1915.
investigation and designation. An. Rpts., 1915, pp. 395-396. 1916; Mkts., Chief Rpt. 1915, pp. 33-34. 1915.
spraying for control of red spider. F.B. 735, pp. 10-12. 1916; F.B. 831, pp. 12-15. 1917.
sprout and volunteer destruction for control of boll weevil. F.B. 512, p. 22. 1912; F.B. 848, p. 21. 1917; F.B. 1262, pp. 19-20. 1922; F.B. 1329, p. 18. 1923.
square(s)—
boll weevil, breeding habits. D.B. 358, pp. 16-20, 22-23, 27-30. 1916.
borer, life history, habits, and parasites. Ent. Bul. 57, pp. 40-42. 1906.
collection and saving for preservation of parasitic insects. Ent. Bul. 100, pp. 86-88, 93-94, 96. 1912.
disposition to preserve boll-weevil parasites. F.B. 512, p. 35. 1912.
hand picking and preservation in cages. F.B. 500, pp. 10, 12. 1912.
hanging, relation to mortality of boll weevil. Ent. Bul. 100, pp. 14-19, 23, 24, 29-31, 91-92, 96. 1912.
infested—
collection as a means of control of boll weevil in Mississippi Delta. B. R. Coad and T. F. McGehee. D.B. 564, pp. 51. 1917.
picking to destroy boll weevil. D.B. 382, pp. 3-5, 10. 1916.
plowing under for control of boll weevil. F.B. 500, pp. 10-11, 14. 1912.
weevil, from Peru. Rpt. 102, p. 12. 1915.

INDEX TO PUBLICATIONS, 1901-1925   625

Cotton—Continued.
 stained—
  delivery, regulations. Mkts. S.R.A. 4, pp. 39-40. 1915.
  marketing. D.B. 457, pp. 10-12. 1916.
  official standards. Mkts. S.R.A. 9, pp. 109-116. 1916.
 stainer—
  control in Virgin Islands. Vir. Is. A.R., 1920, pp. 29-30. 1921.
  description, habits, injuries, and control. F.B. 890, p. 20. 1917; Ent. Bul. 86, pp. 14, 20, 95-98. 1910.
  distribution. W. D. Hunter. Ent. Cir. 149, pp. 5. 1912.
  injurious to cotton. Ent. Bul. 86, pp. 94-98. 1910.
  injury to crops and methods, Yuma Experiment farm, 1916. W.I.A. Cir. 20, pp. 12. 1918.
  St. Andrews, distribution and remedies. Ent. Bul. 38, pp. 106-107. 1902.
 stalk(s)—
  agitation during plowing, for boll-weevil control. F.B. 319, p. 14. 1908.
  and bolls, destruction for pink bollworm control. D.B. 918, pp. 53-54. 1921.
  borer(s)—
   A. C. Morgan. Ent. Bul. 63, Pt. VII, pp. 63-66. 1907.
   injuries to cotton. Ent. Bul. 57, pp. 38-40. 1906.
  cutter—
   description and cost. F.B. 500, pp. 8-9. 1912.
   V-shaped, description and directions for making. F.B. 465, pp. 11-15. 1911.
  cutting and plowing under, for pink-bollworm control. D.B. 918, p. 54. 1921.
  paper making, investigations. An. Rpts., 1917, pp. 154-155. 1917; B.P.I. Chief Rpt., 1917, pp. 24-25. 1917.
  silage value. S.R.S. Rpt., 1917, Pt. I, pp. 26, 159. 1918.
  use and value in paper making, experiments. B.P.I. Cir. 82, p. 14. 1911; P.P.I. Cir. 1, pp. 11-12. 1916; Chem. Cir. 41, pp. 12, 19. 1908.
  stand, early, insuring, directions. F.B. 314, pp. 24-27. 1912.
 standardization—
  experiments, conditions governing. D.B. 62, p. 7. 1914.
  official grades. B.P.I. Cir. 109, pp. 3-6. 1913.
  United States Government tests, of waste, tensile strength, and bleaching qualities of different grades. N. A. Cobb. D.B. 62, pp. 8. 1914.
 standards—
  acceptance at Liverpool. Off. Rec., vol. 4, No. 22, pp. 1, 7. 1925.
  description. Mkts. S.R.A. 41, pp. 16. 1919.
  act—
   effect on cotton classification. D.C. 278, p. 7. 1924.
   main features. Off. Rec., vol. 2, No. 39, p. 2. 1923.
   regulations. B.A.E. S.R.A. 80, pp. 21. 1923; B.A.E. S.R.A. 82, pp. 28. 1924.
  adoption. Atl. Am. Agr. Adv. Sh., Pt. V, sec. A, p. 26. 1919.
  adoption for sale. Off. Rec., vol. 2, No. 37, p. 5. 1923.
  American and Liverpool, comparison. Mkts. S.R.A. 16, pp. 13-15. 1916.
  and classification, authority of department. Mkts. S.R.A. 5, pp. 57, 61, 64, 72-73. 1915.
  and testing investigations, Markets Division. Mkts. Doc. 1, p. 12. 1915.
  authority of department under cotton futures act. Mkts. S.R.A. 5, pp. 57, 61, 64, 72-73. 1915.
  copies, price, distribution, and instructions for ordering. Mkts. S.R.A. 1, pp. 9-10. 1915.
  discussion by Secretary. An. Rpts., 1914, pp. 20-21. 1914; Sec. A.R., 1914, pp. 22-23. 1914.
  distribution by Agriculture Department to county agents. News L., vol. 4, No. 9, p. 8. 1916.

Cotton—Continued.
 standards—continued.
  establishment—
   1915. An. Rpts., 1915, p. 32-33. 1916; Sec. A.R., 1915, pp. 34-35. 1915.
   1923. An. Rpts., 1923, p. 148. 1923; B.A.E. Chief Rpt., 1923, p. 18. 1923.
   and forms. D.C. 278, pp. 5-8, 15, 16, 17. 1924.
   for grade and color, revision. Y.B., 1923, p. 20. 1924; Y.B. Sep. 883, p. 20. 1924.
   forms, preparation, distribution and sales, 1917. An. Rpts., 1917, pp. 464-465, 472. 1918; Mkts. Chief Rpt., 1917, pp. 34-35, 42. 1917.
   importance. Sec. Cir. 88, pp. 23-26. 1918.
   interest of trade. Off. Rec., vol. 2, No. 20, p. 2. 1923.
  investigations and demonstration—
   1915. An. Rpts., 1915, pp. 390-392, 398-400 1916; Mkts. Chief Rpt., 1915, pp. 28-30, 36-38. 1915.
   1919. An. Rpts., 1919, pp. 445, 455. 1920; Mkts. Chief Rpt., 1919, pp. 19, 29. 1919.
  manufacturing tests. W. R. Meadows and W. G. Blair. D.B. 990, pp. 12. 1921.
  necessity. Y.B., 1912, p. 455. 1913; Y.B. Sep. 605, p. 455. 1913.
  official—
   adoption. B.A.E. S.R.A. 80, pp. 17-18. 1923; Mkts. S.R.A. 7, pp. 36-37. 1916; Sec. Cir. 159, pp. 26-28. 1922.
   establishment and promulgation. Mkts. S.R.A. 1, pp. 11. 1915; Mkts. S.R.A. 6, pp. 32. 1916.
   establishment and replacement. B.A.E. S.R.A. 72, pp. 15. 1922.
   importance. Sec. Cir. 88, pp. 23-26. 1918.
   inspection, and markets adopting. Mkts. S.R.A. 16, pp. 8-15. 1916.
   manufacturing tests for grade. William S. Dean and Fred Taylor. D.B. 591, pp. 27. 1917.
   of United States, revision, report of committee for American upland cotton. B.A.E. S.R.A. 72, pp. 3-5. 1922.
   preparation and distribution. An. Rpts., 1916, pp. 410-413. 1917; B.A.E. S.R.A. 72, p. 14. 1922; Mkts. Chief Rpt., 1916, pp. 26-29. 1916.
   prices and increase. News L., vol. 6, No. 3, p. 4. 1918.
   regulations. Sec. Cir. 46, pp. 17-18. 1915; Sec. Cir. 64, pp. 18-20. 1916.
   U. S., comparison with Liverpool. F.B. 802, pp. 25-26. 1917.
  original set, safeguarding. Mkts. S.R.A. 6, p. 4. 1916.
  regulations of warehouse act. Mkts. S.R.A. 27, pp. 32-33. 1917; Sec. Cir. 143, pp. 23-25. 1919.
  request by Japan. Off. Rec., vol. 3, No. 30, p. 4. 1924.
  sets, prices. Mkts. S.R.A. 6, pp. 19-20. 1916.
  staple, need of world standards. Off. Rec., vol. 2, No. 43, p. 5. 1923.
  tinged and stained, preparation and promulgation. Mkts. S.R.A. 9, pp. 109-116. 1916.
  Universal, acceptance. Off. Rec., vol. 3, No. 46, p. 3. 1924.
  upland, tinged and stained, preliminary manufacturing tests. W. R. Meadows and W. G. Blair. D.B. 990, pp. 12. 1921.
  use by Europe. Off. Rec., vol. 3, No. 10, p. 6. 1924.
  use in classifying and grading. F.B. 802, pp. 18-22. 1917.
  vacuum storage, purpose and methods. Mkts. S.R.A. 6, pp. 5-9, 1916.
  world uniformity. News L., vol. 7, No. 12, pp. 1-2. 1919.
 staple(s)—
  classification. F.B. 802, pp. 10-12. 1917.
  definitions of "perished," "immature," and "seven-eighths inch." Mkts. S.R.A. 2, pp. 14-15. 1915.
  length, standards and determination method. D.C. 278, pp. 16-19. 1924.
  lengths of types. Atl. Am. Agr. Adv. Sh., Pt. V, sec. A, p. 5. 1919.
  long and short, mixture objectionable. B.P.I. Cir. 123, p. 6. 1913.

Cotton—Continued.
staple(s)—continued.
  mixing, injury to grade. D.B. 146, pp. 11-12, 15. 1914.
  pulling, methods. Mkts. S.R.A. 41, pp. 13-16. 1919.
  requirements by manufacturers. D.B. 1184, pp. 12-13. 1923.
  standards, and methods of pulling. Mkts. S.R.A. 41, pp. 10-16. 1919.
  various lengths, relative value, comparisons. F.B. 591, pp. 18-21, 22. 1914.
State(s)—
  acreage requirements for farm and family supplies. F.B. 1015, pp. 5-7, 10, 11, 14-16. 1919.
  agricultural products shipped in. F.B. 645, pp. 12-13. 1914.
  control in cooperation with Federal authorities. F.H.B.S.R.A. 72, pp. 53-56. 1922; F.H.B.S.R.A. 75, pp. 67-68. 1923.
  farm tenancy conditions, position of croppers. Y.B., 1916, pp. 323, 328, 335, 341-342. 1917; Y.B. Sep. 715, pp. 3, 8, 15, 21-22. 1917.
  grain and hay production, 1909-1915, statistics. Sec. Cir. 56, p. 4. 1916.
  losses from boll weevil, and map of area infested. F.B. 848, pp. 4-7. 1918.
  principal, in 1905. Stat. Bul. 38, p. 11. 1905.
statistics—
  1790-1911, production, value, exports, imports, and consumption. Stat. Cir. 32, pp. 9. 1912.
  1905. Y.B., 1905, pp. 709-713. 1906; Y.B. Sep. 404, pp. 709-713. 1906.
  1906. Y.B., 1906, pp. 596-605. 1907; Y.B. Sep. 436, pp. 596-605. 1907.
  1907, acreage, yield, value, exports, and imports. Y.B., 1907, pp. 664-672, 739, 749. 1908; Y.B. Sep. 465, pp. 664-672, 739, 749. 1908.
  1908, acreage. Y.B., 1908, pp. 667-678, 755, 765. 1909; Y.B. Sep. 498, pp. 667-678, 755, 765. 1909.
  1910-1923, acreage, production and exports. An. Rpts., 1923, pp. 90, 91, 93. 1924; Sec. A.R., 1923, pp. 90, 91, 93. 1923.
  1914-1917, production, acreage, exports and prices. Sec. Cir. 88, pp. 3-5, 8. 1918.
  1924. Y.B., 1924, pp. 746-765, 1043, 1061, 1074, 1143, 1170, 1172. 1925.
  commercial crop of 1903-04. James L. Watkins. Stat. Bul. 34, pp. 101. 1905.
  extension. Off. Rec., vol. 3, No. 15, p. 2. 1924.
  graphic showing of average production, world. Stat. Bul. 78, p. 62. 1910.
  selected localities in the Cotton Belt. Atl. Am. Agr. Adv. Sh., Pt. V, sec. A, pp. 12, 13. 1919.
  production and yield, 1909-1918, by States. D.B. 896, pp. 3-4. 1920.
  receipts and shipments at trade centers. Rpt. 98, pp. 288, 321-329. 1913.
  sea-island, 1865-1913. D.B. 146, pp. 16-18. 1914.
storage—
  benefits of adequate system. Y.B., 1918, pp. 399-432. 1919; Y.B. Sep. 763, pp. 1-36. 1919.
  care, duties of warehousemen. Sec. Cir. 143. pp. 14-17. 1919.
  importance and value of warehouses. D.B. 277, pp. 1-3. 1915.
  in warehouses, additional insurance credit. B.A.E. S.R.A. 71, p. 6. 1922.
  necessity. D.B. 1184, p. 22. 1923.
  warehouse facilities available in the South. Robert L. Nxon. D.B. 216, pp. 26. 1915.
  stored, keeping qualities. D.B. 277, pp. 4-5. 1915.
studies in baling, classification and lint measurement. An. Rpts., 1908, p. 310. 1909; B.P.I. Chief Rpt., 1908, p. 38. 1909.
superior, utilization difficulties. D.B. 1111, pp. 6-15. 1922.
supply, equal to world's demand, statement of Assistant Secretary Ousley. News L., vol. 5, No. 7, p. 4. 1917.
susceptibility to root-rot organism, *Thielavia basicola*. J.A.R., vol. 7, pp. 293, 298. 1916.
tagging methods for Durango varieties. D.B. 458, pp. 8-9. 1917.
tare practices, need of standardization. Y.B., 1912, pp. 458-460. 1913; Y.B. Sep. 605, pp. 458-460. 1913.

Cotton—Continued.
terms used in descriptions, definition. B.P.I. Bul. 163, pp. 14-18. 1910.
testing, origin of samples tested, methods and results. D.B. 591, pp. 2-13. 1917.
Texas root-rot—
  control. C. L. Shear and George F. Miles. B.P.I. Bul. 102, pp. 8. 1907.
  control by deep plowing and rotations. Y.B., 1907, p. 586. 1908; Y.B. Sep. 467, p. 586. 1908.
  description, cause, and control. F.B. 1187, pp. 25-26. 1921.
  field experiments in 1907. C. L. Shear and George F. Miles. B.P.I. Cir. 9, pp. 7. 1908.
textiles, qualities, use, and testing directions. F.B. 1089, pp. 9, 10, 11, 12. 1920.
thinning—
  early and late, comparison of effects. B.P.I. Doc. 1130, pp. 3-11. 1914.
  for single-stalk culture, methods. D.B. 526, pp. 5, 6, 8, 10-26. 1918.
  methods, effect on plant. D.B. 279, p. 5. 1915.
  relation of time and space to yield. D.B. 279, pp. 18-19. 1915.
tillage, relation to cost, Texas, Ellis County. D.B. 659, pp. 51-52. 1918.
tissue fluids. J. Arthur Harris and others. J.A.R., vol. 27, pp. 267-328. 1924.
topping experiments. O.E.S. An. Rpt., 1911, p. 138. 1913.
trade—
international—
  1901-1910. Stat. Bul. 103, pp. 16-17. 1913.
  1866-1921, by years and by countries. Y.B., 1921, pp. 610, 616. 1922; Y.B. Sep. 869, pp. 30, 36. 1922.
  1909-1921. Y.B., 1922, p. 720. 1923; Y.B. Sep. 884, p. 720. 1923.
  names and regional characteristics. F.B. 802, pp. 14-18. 1917.
  with foreign countries, exports, imports and value. D.B. 296, pp. 2, 3, 4, 20, 23-24. 1915.
transportation charges. Y.B., 1921, p. 390. 1922; Y.B. Sep. 877, p. 390. 1922.
trap rows, unattractive to boll weevil. F.B. 1262, p. 27. 1922.
Trice—
  description and origin. B.P.I. Doc. 1163, pp. 8, 9-10. 1915.
  description, characteristics, and origin. B.P.I. Doc. 813, p. 9. 1913.
Triumph—
  breeding and use. B.P.I. Bul. 256, pp. 51-52. 1913.
  comparison with other varieties, Oklahoma. D.B. 375, pp. 16-18. 1916.
  description and tests. B.P.I. Doc. 535, pp. 5-6. 1910.
  experiments and results. B.P.I. Doc. 535, pp. 5-6. 1910.
  origin and history. Y.B., 1907, p. 232. 1908; Y.B. Sep. 466, p. 232. 1908.
  origin, characteristics, diversity in different localities. B.P.I. Bul. 159, pp. 16-19, 21, 57. 1909.
  variety, deviations from type. B.P.I. Bul. 146, p. 27. 1909.
  variety, value as a short-staple cotton. D.B. 324, pp. 4, 5. 1915.
Trook—
  description and tests. B.P.I. Doc. 535, pp. 10-11. 1910.
  experiments and results. B.P.I. Doc. 535, pp. 10-11, 1910.
true rust, cause and description. F.B. 1187, p. 31. 1921.
Turkestan varieties, seed importations, 1909. B.P.I. Bul. 162, p. 21. 1909.
types—
  description and comparative value. Y.B., 1921, pp. 327-330, 370-372. 1922; Y.B. Sep. 877, pp. 327-330, 370-372. 1922.
  mixtures for nurse planting select seed. D.B. 668, p. 3. 1918.
  of lint, description. Atl. Am. Agr., Pt. V, Sec. A, p. 5. 1919.
resistant to boll weevil, investigations. Rpt., 83, p. 43. 1906.

Cotton—Continued.
   undeliverable, suggestions for exchanges. Mkts., S.R.A. 5, p. 77. 1915.
   unginned—
      prices, comparison with ginned. D.B. 375, pp. 14-16. 1916; F.B. 775, pp. 4-5. 1916.
      selling methods, advantages and disadvantages. D.B. 36, pp. 28-31. 1913.
   uniformity—
      as factor of improvement. D.C. 200, pp. 7-8. 1921.
      importance in seed selection. B.P.I. Cir. 66, pp. 4-5. 1910.
      importance of preserving, precautions. D.B. 60, pp. 3-4. 1914.
      unsuitable for binder twine. Y.B., 1911, p. 193. 1912; Y. B. Sep. 560, p. 193. 1912.
   upland—
      American, classification. D. E. Earle and Fred Taylor. F.B. 802, pp. 28. 1917.
      and Pima, culture in Arizona. O. F. Cook and R. D. Martin. F.B. 1432, pp. 14. 1924.
      and sea-island, Mexican boll weevil, biology studies. George D. Smith. D.B. 926, pp. 44. 1921.
      brachysm, discussion. J.A.R., vol. 3, pp. 390, 393. 1915.
      breeding experiments, and studies. B.P.I. Cir. 96, pp. 3-5, 20-21. 1912.
      chemistry of, studies and results. J.A.R., vol. 13, pp. 345-352. 1918.
      comparison with Egyptian and hybrid cottons. J.A.R., vol. 27, No. 5, pp. 277-320. 1924.
      competition with sea-island cotton. D.B. 146, pp. 5, 8, 13, 14, 17. 1914.
      description. Y.B. 1921, pp. 329-330. 1922; Y.B. Sep. 877, pp. 329-330. 1922.
      description and localities where grown. F.B. 802, p. 14. 1917.
      distribution, and description. F.B. 591, p. 13. 1914.
      grade establishment, by Secretary Wallace. B.A.E., S.R.A. 72, pp. 6-9. 1922.
      groups, description. B.P.I. Bul. 163, pp. 21-23. 1910.
      growing methods. Atl. Am. Agr. Adv. Sh., Pt. V, Sec. A., pp. 13-14. 1919.
      hybridizing not necessary in seed selection. F.B. 314, p. 24. 1908.
      hybrids—
         characters. B.P.I. Bul. 147, pp. 10-12, 14. 1909.
         with Egyptian, causes, diversity, characteristics. B.P.I. Bul. 156, pp. 7, 33-52, 53. 1909.
      long-staple—
         industry, status, 1910. An. Rpts., 1910, p. 293. 1911; B.P.I. Chief Rpt., 1910, p. 23. 1910.
         locality, production, and description of staple. D.B. 332, pp. 2-3. 1916.
         sources of supply, and length of staple. D.B. 742, p. 2. 1919.
         varieties from Mexico. F.B. 501, rev., pp. 17-18. 1920.
      resemblance to Central American types. B.P.I. Bul. 159, p. 20. 1909.
      supposed relationship of Hindi cotton. B.P.I. Cir. 42, pp. 5-6. 1909.
      tinged and stained, manufacturing tests of color standards. W. R. Meadows and W. G. Blair. D.B. 990, pp. 12. 1921.
      tolerance of salt solutions, experiments. B.P.I. Bul. 113, pp. 10, 14, 19. 1907.
      tropical varieties, acclimatization experiments. B.P.I. Cir. 96, pp. 5-6, 20-21. 1912.
      types, description, length of staple, and distribution. Atl. Am. Agr. Adv. Sh., Pt. V, Sec. A., pp. 5, 10. 1919.
      varieties—
         American. Frederick J. Tyler. B.P.I. Bul. 163, pp. 127. 1910.
         comparison with Pima cotton in Arizona. J.A.R., vol. 28, pp. 938-954. 1924.
         list and descriptions alphabetically arranged. B.P.I. Bul. 163, pp. 24-122. 1910.
   use—
      in reclamation of alkali lands in Egypt. Y.B. 1902, pp. 586-587. 1903.

Cotton—Continued.
   use—continued.
      of disease-resistant strains, and crop rotation, for infected soils. News L., vol. 5, No. 15, pp. 3-4. 1917.
      with lespedeza, as farm crop. F.B. 441, pp. 11-14. 1911.
      Valley staple, Arizona, comparison with Egyptian varieties. D.B. 311, p. 9. 1915.
   value—
      as collateral. Y.B., 1918, p. 427. 1919; D.B. 277, p. 5. 1915; Y.B. Sep. 763, p. 31. 1919.
      comparison with other crops. Y.B., 1921, p. 324. 1922; Y.B., Sep. 877, p. 324. 1922.
      comparison with 12 other crops and all crops. D.C. 85, p. 7. 1920.
      on farms, 1910-1921, graph. Y.B. 1921, p. 163. 1922; Y.B. Sep. 872, p. 163. 1922.
      per acre, in purchasing power, 1899 and 1909. An. Rpts., 1910, pp. 720-722. 1911; Stat. Chief Rpt., 1910, pp. 30-32. 1910.
      picking, spinning, yield, exports, imports, and prices, 1900-1901. Y.B., 1901, pp. 750-757. 1902.
      variations, value for breeding stock. B.P.I. Cir. 53, pp. 15, 17. 1910.
   varietal experiments—
      San Antonio Experiment Farm. W.I.A. Cir. 10, pp. 13-14. 1916.
      Yuma Experiment Farm, 1916-1920, yields. D.C. 221, pp. 15-22. 1922.
   varieties—
      adapted to soils in Louisiana, Iberia Parish. Soil Sur. Adv. Sh., 1911, p. 18. 1912; Soils F.O., 1911, p. 1142. 1914.
      African, importations. Nos. 35315-35317, B.P.I. Inv. 35, pp. 9, 37. 1915.
      anthracnose-resistant, list. F.B. 555, p. 8. 1913.
      breeding. B.P.I. Cir. 66, pp. 21-22. 1910.
      commonly grown in staple-producing States. D.B. 733, pp. 7-8. 1918.
      composition, gossypol determinations, results. J.A.R., vol. 25, p. 291. 1923.
      description. B.P.I. Bul. 208, pp. 48, 51. 1911.
      deterioration, causes. B.P.I. Cir. 66, pp. 5-8. 1910; D.B. 60, pp. 3-4, 11-14, 18-19. 1914.
      distributed—
         1913, description and origin. B.P.I. Doc. 813, pp. 8-14. 1913.
         1915, description and characteristics. B.P.I. Doc. 1163, pp. 8-15. 1915.
      early—
         standard, value for boll-weevil sections. F.B. 512, pp. 26-27. 1912.
         use in boll-weevil control, list. F.B. 344, pp. 25-26. 1909.
      for—
         arid Southwest. An. Rpts., 1907, pp. 273-274. 1908.
         spinning tests. William R. Meadows and W. G. Blair. D.B. 1148, pp. 7. 1923.
      foreign, importations, and description. Nos. 30711, 30823, 31114. B.P.I. Bul. 242, pp. 34, 43, 68. 1912.
      from Central America. Off. Rec., vol. 1, No. 20, p. 1. 1922.
      immune to—
         blister mite, need in St. Croix, tests. Vir. Is. Bul. 1, pp. 3, 12. 1921.
         red spider. Ent. Cir. 172, p. 17. 1913.
      importation and descriptions. Nos. 49208, 49346-49349. 49590. B.P.I. Inv. 62, pp. 12, 29, 56. 1923.
      importation, restriction for pink bollworm control. F.H.B.S.R.A. 4, pp. 26-28. 1914.
      improved, origin, description, and seed distribution. B.P.I. Doc. 633, pp. 7-12. 1911.
      improvement—
         1904. An. Rpts., 1904, pp. 82-83. 1904.
         1920. An. Rpts., 1920, pp. 32, 161-165. 1921.
         and protection by community action. Y.B., 1921, pp. 402-404. 1922; Y.B. Sep. 877, pp. 402-404. 1922.
      in—
         Arizona, origin, and characters. J.A.R., vol. 2, pp. 290-295, 300-301. 1914.
         Imperial Valley, comparative value. D.B. 324, pp. 4-6. 1915.

Cotton—Continued.
varieties—continued.
introduction—
and success in Egypt. B.P.I. Bul. 210, p. 11. 1911.
methods. B.P.I. Bul. 159, pp. 40-43. 1909.
lesson for rural schools. D.B. 294, pp. 1-3. 1915.
list and descriptions, alphabetically arranged. B.P.I. Bul. 163, pp. 24-122. 1910.
local adjustment. O. F. Cook. B.P.I. Bul. 159, pp. 75. 1909.
long-staple early, development, and value. F.B. 501, rev., pp. 3-4, 15-17. 1920.
numbers. D.B. 1111, pp. 15-17. 1922.
origination by seed selection. Y.B., 1907, p. 232. 1908; Y.B. Sep. 446, p. 232. 1908.
preserving purity of seed, community work. D.B. 533, pp. 13-14. 1917; D.B. 1111, pp. 19-21. 1922.
renaming. D.B. 1111, pp. 17-19. 1922.
seed distribution, 1912, description. B.P.I. Doc. 716, pp. 7-10. 1912.
selection, fertilizing, insect enemies, etc., school studies. D.B. 521, pp. 27-29. 1917.
study by breeder for characteristics. B.P.I. Cir. 66, pp. 10-11. 1910.
susceptibility to crazy-top and other growth disorders. J.A.R., vol. 28, pp. 821-922. 1924.
susceptible to red-spider injury, list. D.B. 416, pp. 60-61. 1917.
testing—
and breeding work, Yuma Experiment Farm. D.C. 75, pp. 26-32. 1920.
experiments, San Antonio, Tex. D.C. 73, p. 16. 1920.
for yields. S.R.S. Rpt., 1915, Pt. I, pp. 160, 161. 1917.
in Alabama, Abbeville School. O.E.S. Bul. 220, p. 28. 1909.
in different States. B.P.I. Bul. 163, pp. 11-13. 1910.
in Georgia. Work and Exp., 1913, p. 41. 1915.
in Guam. Guam A. R.,1918, pp. 33-34. 1919.
in Hawaii. Hawaii A.R., 1915, p. 44. 1916.
methods. B.P.I. Bul. 159, pp. 37-40. 1909.
San Antonio Experiment Farm. B.P.I. Cir. 120, p. 18. 1913.
Yuma Experiment Farm, 1916, yields. W.I.A. Cir. 20, pp. 14-17. 1918.
uniformity—
necessity for preserving. B.P.I. Cir. 130, pp. 5, 14. 1913; B.P.I. Cir. 132, pp. 12-13. 1913.
preservation by cooperation. Y.B., 1911, pp. 397, 404-407. 1912; Y.B. Sep. 579, pp. 397, 404-407. 1912.
used in spinning tests, description, and conditions. D.B. 1135, pp. 3-5. 1923.
wilt-resistant, originated by breeding. F.B. 1187, pp. 5-7. 1921; B.P.I. Doc. 648, p. 3. 1911.
vegetative branches—
development, relation of spacing systems. D.B. 279, pp. 6-7. 1915.
objections to, and elimination. B.P.I. Doc. 1130, pp. 3-11. 1914.
suppression. D.C. 200, p. 6. 1921.
warehouse(s)—
account forms. D.B. 520, pp. 14-31. 1917.
accounting system, publications. An. Rpts., 1917, p. 434. 1918; Mkts. Chief Rpt., 1917, p. 4. 1917.
accounts system. Roy L. Newton and John R. Humphrey. D.B. 520, pp. 32. 1917.
and storage rooms, screening and care. F.H. B.S.R.A. 22, p. 88. 1915.
cheap, loss in excessive insurance rates. News L., vol. 3, No. 15, p. 8. 1915.
community, value in cotton protection. News L., vol. 3, No. 15, p. 8. 1915.
construction. Robert L. Nixon. D.B. 277, pp 38. 1915.
construction and fire protection. J. M. Workman. D.B. 801, pp. 79. 1919.
correct designing, note. News L., vol. 3, No. 9, p. 6. 1915.
influence on cotton conservation and prices. D.B. 277, pp. 1-3. 1915.

Cotton—Continued.
warehouse(s)—continued.
insurance rates and cost of buildings. D.B. 216, pp. 19-22, 23. 1915.
licenses of May 1, 1922, location. B.A.E., S.R.A., 71, pp. 16-21. 1922.
location, need for better distribution. News L., vol. 2, No. 42, p. 6. 1915.
miscellaneous, regulation 11. Sec. Cir. 94, pp. 30-31. 1918.
notes, issuance recommended by Federal Reserve Board, description and text. F.B. 620, pp. 13-14. 1914.
number and capacity. B.A.E. Chief Rpt., 1923, p. 42. 1923; An. Rpts., 1923, pp. 29, 172. 1924; Sec. A.R., 1923, p. 29. 1923.
receipts under warehouse act. Y.B., 1918, pp. 427-432. 1919; Y.B. Sep. 763, pp. 33-36. 1919.
regulations—
admendments. Sec. Cir. 143, Amdt. 2, p. 1. 1920.
as approved Sept. 15, 1919. Sec. Cir. 143, pp. 41. 1919.
revised, approved June 23, 1922. Sec. Cir. 158, pp. 37. 1922.
under United States warehouse act. Sec. Cir. 94, pp. 43. 1918.
"standard," meaning of term. D.B. 277, p. 7. 1915.
storage facilities available in the South. Robert L. Nixon. D.B. 216, pp. 26. 1915.
system, discussion by Secretary. An. Rpts., 1914, pp. 21-22. 1914; Sec. A.R., 1914, pp. 23-24. 1914.
system, need. Y.B., 1912, pp. 453-455. 1913; Y.B. Sep. 605, pp. 453-455. 1913.
warehousing—
and number of warehouses, by States. Atl. Am. Agr. Adv. Sh., Pt. V, sec. A., p. 25. 1919.
benefits of adequate system. Roy L. Newton and James M. Workman. Y.B., 1918, pp. 399-432. 1919; Y.B. Sep. 763, pp. 36. 1919.
practices. Y.B., 1921, pp. 376-378, 403. 1922; Y.B., Sep. 877, pp. 376-378, 403. 1922.
waste—
and bagging, importation regulations. An. Rpts., 1920, pp. 628-631, 640. 1921.
grade experiments, percentage and value. D.B. 62, pp. 6, 8. 1914.
importations, 1918. An. Rpts., 1918, pp. 439-440. 1919; F.H.B. An. Rpt., 1918, pp. 9-10. 1918.
in manufacture of airplane cloth. D.B. 882. p. 9. 1920.
in spinning, factors influencing. D.B. 121, pp. 7-9, 15-16. 1914.
percentages from fumigated and nonfumigated cotton. D.B. 366, pp. 3-5. 1916.
samples, sales. Off. Rec., vol. 2, No. 15, p. 1. 1923.
shipment, regulations, April 21, 1916. F.H.B., [Misc.], "Rules and regulations * * *," Amdt. 1, p. 1. 1916.
subject to regulations governing cotton importation. F.H.B.S.R.A. 25, pp. 15-17. 1916.
use in packing—
articles imported from China, prohibition, suggestion. F.H.B.S.R.A. 46, p. 137. 1918.
merchandise, warning to Chinese exporters. F.H.B.S.R.A. 51, p. 47. 1918.
See also Waste, Cotton.
water requirements. J.A.R., vol. 3, pp. 16-17, 50, 52, 59. 1914.
Webber, spinning tests, comparison with other long-staple varieties. D.B. 121, pp. 5-15. 1914.
weed eradication, necessity in protection of pure seed. B.P.I. Cir. 111, pp. 20-21. 1913.
weevil(s)—
Arizona wild (cotton), studies on biology. B.R. Coad. D.B. 344, pp. 23. 1916.
description. Sec. [Misc.], "A manual of insects * * *," pp. 87, 91. 1917.
poisoning, materials, machinery, and cost. D.B. 731, pp. 11-15. 1918.
reared in Peru, descriptions. W. Dwight Marsh. Rpt. 102, pp. 16. 1915.
resistance. B.P.I. Bul. 198, pp. 29-31. 1911.

Cotton—Continued.
weevil-resistant—
growth, habits, drought relation. B.P.I. Bul. 220, pp. 16–18, 20. 1911.
study of varieties and breeding investigations. B.P.I. Chief Rpt., 1908, pp. 60–62, 63–66. 1908; An. Rpts., 1908, pp. 332–334, 335–338. 1909.
weighers, licensed, regulation 8. Sec. Cir. 94, pp. 20–24. 1918.
weighing—
equipment, types of scales. Y.B., 1918, pp. 417–420. 1919; Y.B. Sep. 763, pp. 21–24. 1919.
for ginner's certificate. F.B. 764, pp. 3–4. 1916.
importance, variations in weight. Y.B. 1918, pp. 417–420. 1919; Y. B. Sep. 763, pp. 21–24. 1919.
weight(s)—
certificate for farmer. F.B. 1465, pp. 2–4. 1925.
variability, need of laws in cotton States. Y.B., 1912, p. 460. 1913; Y. B. Sep. 605, p. 460. 1913.
wholesale prices in leading U. S. markets, 1900. Y.B., 1900, p. 813. 1901.
wide spacing for control of boll weevil. F.B. 512, p. 27. 1912.
wild—
Arizona, food plant of boll weevil. J.A.R., vol. 2, pp. 237, 241, 245. 1914; J.A.R., vol. 1, pp. 92–93, 95, 96. 1913; D.B. 358, p. 1. 1916.
distribution, habitat, and characteristics. D.B. 233, pp. 3–4. 1915.
susceptibility to boll weevil. D.B. 926, p. 5. 1921.
wilt—
and root knot. W. W. Gilbert. F.B. 625, pp. 21. 1914.
resistant—
use and breeding for disease control. F.B. 625, pp. 7–8, 13–21. 1914.
varieties, origin and names. Y.B., 1908, p. 463. 1909; Y.B. Sep. 494, p. 463. 1909.
See also Wilt.
wireworm—
description and occurrence. F.B. 725, pp. 6–7. 1916.
injuries to southern crops, description and control studies. News L., vol. 3, No. 41, p. 2. 1916.
work, progress since 1897. An. Rpts., 1912, pp. 126–127. 1913; Sec. A.R., 1912, pp. 126–127. 1912; Y.B., 1912, pp. 126–127. 1913.
world—
acreage and production, by countries, 1909–1923. Y.B., 1922, pp. 708–710. 1923; Y.B. Sep. 884, pp. 708–710. 1923.
production, 1900–1921. Y.B., 1922, p. 711. 1923; Y. B. Sep. 884, p. 711. 1923.
production, exports, imports, and consumption, map. Atl. Am. Agr. Adv. Sh., Pt. V, Sec. A, p. 5. 1919.
world's—
crop, per cent of production in cotton States of United States. Sec. Cir. 32, p. 1. 1910.
supply, comparison with other fibers. Y.B., 1913, p. 342. 1914; Y.B. Sep. 628, p. 342. 1914.
worm(s)—
bird enemies, Southeastern States. F.B. 755, pp. 3–37. 1916.
comparison with fall army worm. Sec. Cir. 40, rev., p. 4. 1912.
control in Virgin Islands. Vir. Is. A.R., 1920, p. 29. 1921.
control with lead arsenate. Work and Exp., 1913, p. 29. 1915.
description, injury, and control methods. News L., vol. 2, No. 8, p. 4. 1914.
destruction by bobwhite. Biol. Bul. 21, p. 44. 1905.
detection and control. Vir. Is. Bul. 1, pp. 11–12. 1921.
or cotton caterpillar. W. D. Hunter. Ent. Cir. 153, pp. 10. 1912.
outbreak prior to 1911, and in 1911. Ent. Cir. 153, pp. 1–3. 1912.
relation to boll weevil. Ent. Cir. 153, p. 4. 1912.
See also Bollworm; Army worm.

Cotton—Continued.
wrappings, importation—
into United States, regulations, modification, May 1, 1924. F.H.B. [Misc.], "Rules and regulations * * *," amdt. 1, pp. 2. 1924.
regulations. F.H.B.S.R.A. 33, pp. 134–135. 1916; F.H.B.S.R.A. 37, pp. 10–11. 1917.
regulations, modification. C. F. Marvin. F.H.B. [Misc.], "Rules and regulations * * *," amdt. 2, pp. 2. 1924.
regulations, modification. Henry C. Wallace. F.H.B. [Misc.], "Rules and regulations * * *," amdt. 1, pp. 2. 1924.
rules and regulations. F.H.B. [Misc.], "Rules and regulations * * * importation of cotton * * *," pp. 8. 1923.
yarn(s)—
long-staple, breaking strength, tests. D.B. 121, pp. 16–17. 1914.
tensile strength, experiments. D.B. 62, pp. 6, 8. 1914.
testing in bales of varying densities. D.B. 1135, pp. 7–8, 10–11, 13–15, 17–18. 1923.
yields—
and size of farm, relation to profits and costs. D.B. 492, pp. 54–55, 60. 1917; D.B. 1034, pp. 63–68. 1922.
and value, by States. Y.B., 1921, p. 612. 1922; Y.B. Sep. 869, p. 32. 1922.
at San Antonio. D.B. 1320, pp. 19–29. 1925.
averages, relation of farm conditions and practices. D.B. 511, pp. 12–14, 61. 1917.
by States, 1920. D.B. 896, p. 4. 1920.
by States, 1924. Y.B., 1924, p. 747. 1925.
changes since 1876. Y.B., 1919, pp. 21, 22, 23. 1920.
comparison of Pima and upland varieties. J.A.R., vol. 28, pp. 948–950. 1924.
effect of—
fertilizer. M.C. 32, pp. 28–31. 1924.
velvet beans. F.B. 962, pp. 22, 25, 26. 1918.
factors influencing. J.A.R., vol. 30, pp. 1083–1085. 1925.
in South under demonstration work, 1915. S.R.S. Rpt., 1915, Pt. II, pp. 27, 28. 1917.
increase after cowpeas, experiments. F.B. 318, p. 23. 1908.
on important soils, Southern States. Y.B., 1911, pp. 231, 233, 234. 1912; Y.B. Sep. 563, pp. 231, 233, 234. 1912.
per acre—
1925. D.B. 1338, p. 4. 1925.
according to length of staple. D.B. 733, p. 6. 1918.
and labor requirements. Y.B., 1908, p. 355. 1909; Y.B. Sep. 487, p. 355. 1909.
by countries. Y.B., 1923, p. 468. 1924; Y.B. Sep. 896, p. 468. 1924.
effect on cost of production. D.B. 492, pp. 62–63. 1917.
increase since 1908. An. Rpts., 1919, pp. 14, 15. 1920; Sec. A.R., 1919, pp. 16, 17. 1919.
relation to size of farms in Georgia, Sumter County. D.B. 1034, pp. 50–55. 1922.
relation to—
cost of production. Farm M. Cir. 3, p. 10. 1919.
income on Georgia farms. F.B. 1121, p. 7. 1920.
luxuriance of foliage. B.P.I. Cir. 118, pp. 11–15. 1913.
tenant's labor income and landlord's profits, Yazoo-Mississippi Delta. D.B. 337, pp. 13–18. 1916.
tenure, size of farm, income, and cost. D.B. 659, pp. 16, 26, 34, 35. 1918.
tillage and land prices. D.B. 511, pp. 15–16. 1917.
return on investment, production cost. D.B. 651, pp. 3, 4, 11, 13–14, 15–17. 1918.
St. Croix, causes of low yields. Vir. Is. Bul. 1, p. 10. 1921.
single-stalk and wide-spaced systems. D.B. 279, pp. 14–18. 1915.
Southern States, increase 1909–1911. Y.B., 1911, pp. 289–291. 1912; Y.B. Sep. 568, pp. 289–291. 1912.
subsoiling experiments. B.P.I. Cir. 114, pp. 11–12. 1913.

Cotton—Continued.
　yields—continued.
　　ten-year periods, 1877-1906. Y.B., 1908, p. 180. 1909.
　　Texas, rotation and tillage experiments. B.P.I. Cir. 120, pp. 10-13. 1913.
　　under—
　　　intensive farming, Alabama. F.B. 519, p. 8. 1913.
　　　rotation and tillage experiments, notes. D.C. 209, pp. 9-15. 1922.
　　　tests of various fetilizers. Soils Bul. 62, pp. 10-23. 1909.
　　Yazoo-Mississippi Delta, by counties. D.B. 337, p. 4. 1916.
　young, insects injurious to. Ent. Bul. 57, pp. 7-33. 1906.
　Yuma—
　　comparison with Pima cotton. D.R.P. Cir. 1, pp. 1-3. 1916.
　　description. B.P.I. Doc. 717, p. 3. 1912.
　　development and standardization. D.B. 332, pp. 12-13. 1916.
　　development, value, and acreage. D.B. 742, pp. 12-13, 20, 21. 1919.
　　origin, characters, and description. J.A.R. vol. 2, pp. 291-292, 300. 1914.
　　Yuma Project, acreage, production, yield, and value, 1919-1920, and 1911-1920. D.C. 221, pp. 7, 9, 10. 1922.
Cotton Belt—
　agricultural, divisions and conditions. Y.B. 1905, pp. 198-200. 1906; Y.B. Sep., 377, pp. 198-200. 1906.
　beef-cattle industry. Y.B. 1921, pp. 254-258. 1922; Y.B. Sep. 874, pp. 254-258. 1922.
　beef production. Arthut T. Semple. F.B. 1379, pp. 19. 1923.
　boll weevil, dispersion in 1922. F. F. Bondy and others. D.C. 266, pp. 6. 1923.
　cattle feeding, experiments. An. Rpts. 1923, pp. 204-205. 1924; B.A.I. Chief Rpt., 1923, pp. 6-7. 1923.
　changes in economic conditions, statement of Assistant Secretary Ousley. News L., vol. 5, No. 7, p. 4. 1917.
　cost of cotton production, records of representative farms. D.B. 896, pp. 4-59. 1920.
　cotton—
　　growing, history, 1783-1915, and development. Atl. Am. Agr. Adv. Sh., Pt. V, Sec. A., pp. 18-23. 1919.
　　prices, variations and comparison, various states. D.B. 457, pp. 2-12. 1916.
　　storage facilities. D.B. 216, pp. 13-17. 1915.
　cowpeas. W. J. Morse. Sec. [Misc.] Special, "Cowpeas in the Cotton Belt," pp. 5. 1915.
　crops suitable for market hay. F.B. 677, pp. 6-12. 1915.
　farm-management problems, investigations. An. Rpts., 1918, p. 498. 1919; Farm M. Chief Rpt., 1918, p. 8. 1918.
　farm production, cost. Off. Rec., vol. 3, No. 28, pp. 1, 8. 1924.
　farming—
　　systems, comparison of old and new. Y.B. 1908, pp. 196-199. 1909; Y.B. Sep. 475, pp. 196-199. 1909.
　　systems, soy beans. A. G. Smith. F.B. 931, pp. 23. 1918.
　　types and crops adaptable. F.B. 1289, pp. 12-18. 1923.
　forage crops for. S. M. Tracy. F.B. 1125, rev., pp. 63. 1920.
　forage production. Y.B. 1923, pp. 329-330. 1924; Y.B. Sep. 895, pp. 329-330. 1924.
　hairy vetch. C. V. Piper. Sec. [Misc.] Special, "Hairy vetch in the Cotton Belt," pp. 4. 1914.
　labor distribution and growing season, graphs. D.C. 183, pp. 10-13. 1922.
　land tenure, status. Off. Rec., vol. 3, No. 12, p. 1. 1924.
　location, acreage, and farm lands, 1910, map. Y.B. 1915, p. 335. 1916; Y.B. Sep. 681, p. 335. 1916.
　location, soils, climate, and farm practices. Y.B. 1921 pp. 338-348. 1922; Y.B. Sep. 877, pp. 338-348. 1922.

Cotton Belt—Continued.
　non-cotton zone, Federal aid to farmers. Off. Rec., vol. 1, No. 14, p. 4. 1922.
　oats as winter crop. C. W. Warburton. Sec. [Misc.] Special, "Winter oats in the Cotton Belt," pp. 4. 1914.
　peanut growing. H. C. Thompson. Sec [Misc.] Special. "Peanut growing in the Cotton Belt," pp. 8. 1915; S.R.S. Doc. 45, pp. 8. 1917.
　Permanent pastures. Lyman Carrier. Sec. [Misc.] Special, "Permanent pastures for the Cotton Belt," pp. 4. 1914.
　problems, studies. An. Rpts., 1917, pp. 478-479. 1918; Farm M. Chief Rpt., 1917, pp. 6-7. 1917.
　quotation districts. Off. Rec., vol. 1, No. 6, p. 1. 1922.
　rape as forage crop. C. V. Piper. Sec. [Misc.] Special, "Rape as forage crop," pp. 3. 1914.
　rye growing—
　　Clyde E. Leighty. Sec. [Misc.] Special, "Rye in the Cotton Belt," pp. 4. 1914.
　　adaptability. Y.B., 1918, pp. 174-175. 1919. Y.B. Sep. 769, pp. 8-9, 1919.
　soils and climate. Atl. Am. Agr., Pt. V, Sec. A, pp. 8-10. 1919.
　sorghum for forage. H. N. Vinall. Sec. [Misc.] Special, "Sorghum as forage," pp. 4. 1914.
　soybeans—
　　W. J. Morse. Sec. [Misc.] Special, "Soybeans in the Cotton Belt," pp. 6. 1915; S.R.S. Doc. 43, pp. 7. 1917.
　　in farming systems. A. G. Smith. F.B. 931, pp. 23. 1918.
　States—
　　aid to cotton farmers, joint resolution, and regulations. F.H.B. [Misc.], "Compensation on account of noncotton zones * * *," pp. 2. 1922.
　　cattle numbers, 1900-1917. Y.B. 1917, p. 328. 1918; Y.B. Sep. 749, p. 4. 1918.
　　mules and horses, members. F.B. 1341, p. 1. 1923.
　sweet potatoes, growing. H. C. Thompson. Sec. [Misc.] Spec., "Sweet potato growing in * * *," pp. 8. 1915.
　wheat as a winter crop. Clyde E. Leighty. Sec. [Misc.] Special, "Winter wheat in * * *," pp. 6. 1914.
Cotton-grass, use as fiber. D.B. 802, pp. 20, 33. 1919.
Cotton tree—
　experiments, pruning and yield. Hawaii A.R. 1911, pp. 57-60. 1912.
　hybridization with sea-island cotton, Egypt. J.A.R. vol. 2, p. 289. 1914.
　importations and description. No. 31680, B.P.I. Bul. 248, pp. 8, 35-36. 1912; No. 34665, B.P.I. Inv. 33, pp. 44-45. 1915; Nos. 41291-41294, B.P.I. Inv. 44, p. 59. 1918; No. 42972, B.P.I. Inv. 47, p. 82. 1922; Nos. 47915, 48250, B.P.I. Inv. 60, pp. 13, 60. 1922; No. 52748, B.P.I. Inv. 66, p. 70. 1923.
　See also Kapok.
Cottonseed—
　amount produced and crushed, by States, 1914-1918. D.B. 948, pp. 2-3, 5. 1921.
　and hulls—
　　entry from Mexico, quarantine regulations. Sec. Plant Quar. 8, pp. 2. 1913.
　　Quarantine No. 8, amended, summary. F.H.B.S.R.A. 71, pp. 175, 177. 1922.
　　unmailable in Hawaii, instructions. F.H.B. S.R.A. 3, pp. 20, 21. 1914.
　and products—
　　estimates, 1910-1922. M.C. 6, p. 13. 1923.
　　Hawaiian and Porto Rican, quarantine. F.H.B. Quar. 7, pp. 4. 1920.
　as fertilizer, objections. Soils F.O., 1909, pp. 458, 512, 540. 1912.
　bushel weights by States. Y.B., 1918, p. 724. 1919; Y.B. Sep. 795, p. 60. 1919.
　cake—
　　cold-pressed, comparison with other feeds for steers. D.B. 761, pp. 1-16. 1919.
　　composition. F.B. 1179, p. 4. 1920.
　　feed for—
　　　cattle on pasture. F.B. 1379, p. 15. 1923.
　　　range cattle, amount and cost. D.B. 588, pp. 24-26, 31. 1917.

INDEX TO PUBLICATIONS, 1901–1925 631

Cottonseed—Continued.
cake—continued.
feeding to calves and poor cows on ranges. D.B. 1031, pp. 67, 68, 70, 79. 1922.
meal, and other cottonseed products, importation into United States, regulations June 29, 1917. F.H.B. [Misc.], "Rules and regulations * * * cottonseed * * *," pp. 5. 1920.
misbranding. Chem. N.J. 3386. 1915; Chem. N.J. 4069, 4087. 1916.
use and value for—
cattle feed, cost. F.B. 580, pp. 13, 14, 20. 1914.
pasture feeding, experiments. F.B. 655, pp. 7–8. 1915.
crushing process and products obtained. Y.B., 1921, pp. 376, 399. 1922; Y.B. Sep. 877, pp. 376, 399. 1922.
delinted, weight, size, and appearance. D.B. 129, pp. 7–10. 1924; D.B. 1056, pp. 11–12. 1922.
delinting—
and recleaning for planting purposes. J. E. Barr. D.B. 1219, pp. 20. 1924.
effect on composition of meal. An. Rpts., 1916, p. 201. 1917; Chem. Chief Rpt., 1916, p. 11. 1916.
for nurse planting. D.B. 668, pp. 6–7. 1918.
hulling, crushing, and pressing, details. Y.B., 1916, pp. 163–167. 1917; Y.B. Sep. 691, pp. 5–9. 1917.
methods, and yield of linters. D.C. 175, pp. 3–4. 1921.
practices. Y.B., 1921, pp. 376, 381. 1922; Y.B. Sep. 877, pp. 376, 381. 1922.
demand and supply. Y.B., 1917, pp. 525–526. 1918; Y.B. Sep. 757, pp. 31–32. 1918.
deterioration—
cause and prevention. D.B. 1111, pp. 3–21, 47. 1922.
custom ginning as factor. D.C. 205, pp. 4–6. 1922.
custom ginning as factor. D. A. Saunders and P. V. Cardon. D.B. 288, pp. 8. 1915.
dockage factors. D.B. 1219, pp. 14–15. 1924.
Egyptian—
infested with pink bollworm. An. Rpts., 1914, p. 313. 1914; F.H.B. An. Rpt., 1914, p. 9. 1914.
quarantine against pink bollworm. News L., vol. 1, No. 34, p. 2. 1914.
ether extract of poisonous effects in feed. J.A.R., vol. 12, pp. 83, 86. 1918.
exports, 1895–1914, average quantity, and destination. D.B. 296, p. 38. 1915.
fat, blended, digestibility experiments. D.B. 1033, pp. 11–12, 13, 14. 1922.
feed(s)—
comparison with prickly pears. J.A.R., vol. 4, pp. 411–414, 422–424, 436–450. 1915.
effect on milk, investigations. B.A.I. An. Rpt., 1911, p. 35. 1913.
effect on milk production. An. Rpts., 1913, p. 83. 1914; B.A.I. Chief Rpt., 1913, p. 13. 1913.
experiments with rats, rabbits and pigs. J.A.R., vol. 12, pp. 83–100. 1918.
need to balance emergency roughage. D.B. 728, pp. 16–18, 26. 1918.
prices, feeding value, composition, and effects on cattle. B.A.I. Bul. 131, pp. 13, 27–28, 38–39, 41–42, 44–45. 1911.
use and value for range stock. F.B. 1428, pp. 10–11. 1925.
value, comparison with cowpea hay. B.A.I. Bul. 131, p. 31. 1911.
See also Feed, cottonseed.
feeding—
tests, experiments with gossypol. J.A.R., vol. 28, pp. 173–198. 1924.
to pigs, comparison with polished rice. J.A.R., vol. 5, No. 11, pp. 490–492. 1915.
to work horses and mules, experiments. An. Rpts., 1919, p. 87. 1920; B.A.I. Chief Rpt., 1919, p. 15. 1919.
fertilizer(s), effect on—
corn yield. Soils Bul. 64, pp. 25, 26, 29. 1910.
diseased pecan trees, experiments. D.B. 756, pp. 5–6. 1919.

Cottonseed—Continued.
fertilizer(s), effect on—continued.
potato yield. Soils Bul. 65, pp. 15, 16. 1910.
flour, analysis. J.A.R., vol. 12, p. 99. 1918.
ginning and cleaning. B.P.I. Doc. 386, p. 3. 1908.
growing, special work. An. Rpts., 1905, p. 184. 1905; B.P.I. Chief Rpt., 1905, p. 184. 1906.
handling—
and uses. Y.B., 1921, p. 376, 399–400. 1922; Y.B. Sep. 877, pp. 376, 399–400. 1922.
ginning, systems, suggestions. F.B. 209, pp. 14–31. 1904.
methods. D.C. 247, pp. 2–3. 1922.
hauling from farm to shipping points, costs. Stat. Bul. 49, pp. 1–22. 1907.
hull(s)—
composition. F.B. 1179, p. 4. 1920.
containing salt, labeling. Chem. S.R.A. 17, p. 41. 1916.
fattening value for cattle and cost. F.B. 580, pp. 8, 9, 10, 11, 12, 20. 1914.
fiber, use in manufacture of cellulose. An. Rpts., 1915, p. 384. 1916; Mkts. Chief Rpt., 1915, p. 22. 1915.
ground, labeling. Chem. S.R.A. 21, pp. 70–71. 1918.
misbranding. Chem. N. J. 1656, p. 1. 1912.
potash and phosphoric acid content, fertilizer value. News L., vol. 3, No. 14, p. 6. 1915.
steer fattening, comparison with other feeds. D.B. 762, pp. 4–16. 1919.
use and value as cattle feed in South, experiments and cost. F.B. 522, pp. 11–17. 1913.
value in fattening beef cattle. B.A.I. Bul. 103, pp. 10–28. 1908; B.A.I. Bul. 159, pp. 11, 13, 14, 19–20, 25, 27, 35, 43, 44–46. 1912.
importation(s)—
from Mexico, prohibition regulations, March 6, 1920. F.H.B.S.R.A. 67, pp. 3–14. 1920.
from Mexico, quarantine regulations, notice 8, amdt. 2. F.H.B.S.R.A. 5, p. 30. 1914.
prohibition. F.H.B.S.R.A. 4, pp. 25–26. 1914.
regulations, and blank forms, December 23, 1920. F.H.B.S.R.A. 69, pp. 114–119. 1920.
imports, in 1920–1921. F.H.B. An. Rpt., 1921, pp. 11, 13. 1921.
industry, 1901. Y.B., 1901, pp. 285–298. 1902. Y.B. Sep. 239, pp. 285–298. 1902.
influence of high price on supply. News L., vol. 4, No. 20, pp. 1, 3. 1916.
interstate movement regulations. F.H.B.S.R.A. 75, p. 67. 1923.
kernels—
ether-extracted, feeding experiments. J.A.R., vol. 14, pp. 426–428, 430–450. 1918.
raw, toxicity, feeding experiments with rats. J.A.R., vol. 12, pp. 84–86. 1918.
market statistics, 1921. D.B. 982, p. 269. 1921.
marketing—
and its products. An. Rpts., 1919, p. 444. 1920; Mkts. Chief Rpt., 1919, p. 18. 1919.
and uses. Atl. Am. Agr., Pt. V, sec. A, p. 25. 1919.
systems. Rpt. 98, pp. 46–48. 1913.
time and labor. D.B. 896, pp. 39–40. 1920.
meal(s)—
adulteration and misbranding. Chem. N.J. 179, pp. 3. 1910; Chem. N.J. 1773, pp. 2. 1912.
ammonification and nitrification, comparison with kelps. J.A.R., vol. 4, pp. 23–37. 1915.
analysis, results. Chem. Bul. 108, pp. 20–23. 1908; Rpt. 112, p. 20. 1916.
and alfalfa, use as horse feed. F.B. 1030, pp. 14–15. 1919.
and ammonium sulphate, nitrification in different soils. Chem. Bul. 67, pp. 36–41. 1902.
and cake—
adulteration. See *Indexes to Notices of Judgment, in bound volumes and in separates published as supplements to Chemistry Service and Regulatory Announcements.*
analyses. B.A.I. Bul. 131, p. 28. 1911.
production and disposal, 1917, 1918. D.B. 798, p. 11. 1919.
stocks, 1917. Sec. Cir. 104, pp. 4, 8, 10–12. 1918.
and hulls—
cattle feed, amount, proportion. F.B. 312, p. 8. 1907.

632 UNITED STATES DEPARTMENT OF AGRICULTURE

Cottonseed—Continued.
meal(s)—continued.
and hulls—continued.
cattle feed, value. Y.B., 1913, pp. 267, 271–279. 1914; Y.B. Sep. 627, pp. 267, 271–279. 1914.
salt addition, ruling. Chem. S.R.A. 18, p. 46. 1916.
use in fattening calves in Alabama, experiments. B.A.I. Bul. 147, pp. 9–15, 20–36. 1912.
and linseed, value in steer fattening. F.B. 1218, pp. 20–21, 22, 26–27, 33. 1921.
cake, and mixtures with corn, comparison as feed. D.B. 761, pp. 1–16. 1919.
chicken feeding, precautions. D.B. 561, p. 14. 1917.
comparison with linseed-oil meal, and corn, for cattle feed. News L., vol. 2, No. 39, p. 2. 1915.
comparison with other feeds for fattening steers. D.B. 761, pp. 1–16. 1919.
composition, comparison with soy bean and other. D.B. 439, pp. 14, 15. 1916.
composition, examination. Chem. Bul. 108, pp. 20–23. 1908; F.B. 1179, p. 4. 1920.
containing salt, labeling. Chem. S.R.A. 17, p. 41. 1916.
danger—
in feeding to hogs. F.B. 411, pp. 20–21. 1910.
in feeding to young calves. F.B. 655, pp. 1–2, 8. 1915.
to fattening cattle, precautions. B.A.I. Bul. 159, pp. 12, 31, 43, 52. 1912.
decomposition in soils, effect of bacterial action. Hawaii Bul. 39, pp. 7–12, 20, 21–22. 1915.
description and value as fertilizer. News L., vol. 3, No. 37, p. 4. 1916.
determination in commercial fertilizers. D.B. 97, pp. 1–10, 12. 1914.
double value as cattle feed and manure. News L., vol. 3, No. 37, p. 4. 1916.
effect on bacterial activities and crop production. J.A.R., vol. 5, No. 18, pp. 859, 868. 1916.
effect on firmness of lard. B.A.I. Bul. 47, pp. 226–228. 1904.
effect on milk composition. S.R.S. Rpt., 1916, Pt. I, pp. 93–94. 1918.
exportation to Europe, 1913. F.B. 655, p. 1. 1915.
fat determination, methods and results. Chem. Bul. 152, pp. 198–200. 1912.
fattening value for cattle, and cost. F.B. 580, pp. 8, 9, 10, 11, 12, 20. 1914.
feed—
dangers. D.B. 929, pp. 1, 2, 6, 7, 8. 1920.
for hogs. B.A.I. Bul. 47, pp. 114–129. 1904; F.B. 251, pp. 30–32. 1906; F.B. 411, pp. 20–21. 1910.
for horses. G. A. Bell and J. O. Williams. D.B. 929, pp. 10. 1920.
poisonous effects, study. B.A.I. An. Rpt., 1909, p. 39. 1911.
value and cost, comparison with other feeds. D.B. 1024, pp. 7–16. 1922.
value and price in rations. D.B. 459, pp. 13, 25, 26, 27, 28. 1916.
value for calves. D.B. 631, pp. 1–29. 1918; D.B. 1042, pp. 7–11. 1922.
feeding to—
beef cattle, advice to farmers. News L., vol. 2, No. 11, pp. 2–3. 1914.
cows, results. D.B. 1272, pp. 2–4, 6. 1924.
dairy cattle. F.B. 151, p. 34. 1902; F.B. 320, pp. 28–29. 1908.
hogs, mixture to prevent bad effects. O.E.S. An. Rpt., 1907, p. 90. 1908.
hogs with grain, directions. F.B. 704, pp. 34, 36. 1916; F.B. 809, p. 14. 1917.
livestock, experiments. O.E.S. An. Rpt., 1912, pp. 145, 175, 184, 191, 199, 201, 210. 1913.
poultry, experiments. An. Rpts., 1910, p. 216. 1911; B.A.I. Chief Rpt., 1910, p. 22. 1910. S.R.S. Rpt., 1916, Pt. I, pp. 210, 227. 1918.
steers, effect on pasture gains. D.C. 166, pp. 5, 7, 10. 1921.
steers in Louisiana, experiments. D.B. 1318, pp. 4–7. 1925.

Cottonseed—Continued.
meal(s)—continued.
feeding to—continued.
work stock, experiments. An. Rpts., 1918, pp. 83–84. 1919; B.A.I. Chief Rpt., 1918, pp. 13–14. 1918.
feeding value, cost, etc., comparison with linseed-oil meal. F.B. 655, pp. 1, 6–7. 1915.
fermented, feeding to hogs, experiments. F.B. 384, pp. 9–11. 1910.
fertilizer—
constituents and value per ton. S.R.S. Doc. 30, pp. 7–8, 9, 11. 1916.
for alfalfa, corn, and cotton. F.B. 310, pp. 12, 13, 17, 20. 1907.
for dewberries. F.B. 728, p. 8. 1916.
for oats. F.B. 519, p. 9. 1913.
for tobacco, results. Y.B., 1908, p. 408. 1909; Y.B. Sep. 490, p. 408. 1909.
value and use. Y.B., 1917, pp. 141–142. 1918; Y.B., Sep. 729, pp. 5–6. 1918.
value in pineapple growing. F.B. 140, p. 24. 1906.
for cattle feeding—
W. F. Ward. F.B. 655, pp. 8. 1915.
comparison with other feeds. D.B. 762, pp. 17–32. 1919.
for feeding beef cattle. W. F. Ward. F.B. 655, pp. 8. 1915.
for horses. G. A. Bell and J. O. Williams. D.B. 929, pp. 10. 1920.
injurious effects, investigations. An. Rpts. 1909, p. 223. 1910; B.A.I. Chief Rpt., 1909, p. 33. 1909.
inspection for adulteration and misbranding. News L., vol 6, No. 7, p. 2. 1918.
laboratory investigations. B.A.I. An. Rpt., 1910, p. 89. 1912.
manufacture. Chem. Bul. 103, p. 10. 1908; Y.B., 1921, p. 372. 1922; Y.B. Sep. 877, p. 372. 1922.
mixing with soapweed, cost of rations. D.B. 745, pp. 9, 11. 1919.
moisture determination. Chem. Bul. 116, pp. 36–37. 1908.
nitrification in different soils. Chem. Bul. 67, p. 36, 41. 1902.
nitrifying powers in humid and in arid soils. J.A.R., vol. 7, pp. 50–81. 1916.
nitrogen determintion, methods. Chem. Bul. 116, pp. 38–41. 1908.
nutritive value as dairy feed, analysis. F.B. 743, p. 14. 1916.
pig feeding, experiments. B.A.I. Cir. 63, pp. 275–280. 1904; B.A.I. An. Rpt., 1903, pp. 275–280. 1904.
poisoning of hogs. B.A.I. Bul. 47, pp. 115–119. 1904.
poisonous substance, gossypol. J.A.R., vol. 5, No. 7, pp. 261–288. 1915.
preparation methods, and feeding experiments. J.A.R., vol. 14, pp. 428–449. 1918.
prices—
1921. Y.B., 1921, p. 604. 1922; Y.B. Sep. 869, p. 24. 1922.
1923. Y.B., 1923, pp. 1154, 1155, 1156; Y.B. Sep. 906, pp. 1154, 1155, 1156. 1924.
1924. Y.B., 1924, pp. 767–768. 1925.
production, prices, and value, comparisons with corn and hay. News L., vol. 2, No. 11, pp. 2–3. 1914.
protein concentrate for steer feeding, value and cost. F.B. 1218, pp. 20–21, 22, 26–27, 33. 1921.
qualities and grades. F.B. 1179, pp. 5–6. 1920.
ration for livestock. F.B. 1179, pp. 9–18. 1920.
source of nitrogen for soils. D.B. 355, p. 44. 1916.
status under Food and Drugs act—opinion 85. Chem S.R.A. 8, p. 636. 1914.
steer feeding, digestion studies. J.A.R., vol. 13, pp. 639–646. 1918.
substitute for—
in feeds. M.C. 12, p. 36. 1924.
oats in ration for horses, experiments. F.B. 425, p. 19. 1910.
toxic constituent, study. An. Rpts., 1910, pp. 265–266. 1911; B.A.I. Chief Rpt., 1910, pp. 71–72. 1910.

INDEX TO PUBLICATIONS, 1901–1925 633

Cottonseed—Continued.
 meal(s)—continued.
  toxicity—
   effect of autoclaving. C. T. Dowell and Paul Menaul. J.A.R., vol. 26, pp. 9–10. 1923.
   in feeding pigs, experiments. S.R.S. Rpt., 1916, Pt. I, pp. 51, 93, 133, 209. 1918.
  use—
   and value as cattle feed in South, experiments and cost. F.B. 522, pp. 11–17. 1913.
   and value as hen feed, rations. News L., vol. 4, No. 40, p. 8. 1917.
   and value for breeding herd, and daily ration. F.B. 655, pp. 3–4, 8. 1915.
   as fertilizer, various States. Rpt. 112, p. 18. 1916.
   as fertilizer with phosphoric acid, in Alabama, Morgan County. Soil Sur. Adv. Sh., 1918, pp. 15, 23, 25, 35, 37. 1921; Soils F.O., 1918, pp. 583, 591, 593–603, 605. 1924.
   as human food, experiments. Work and Exp., 1914, p. 222. 1915.
   in fattening calves in Alabama, experiments. B.A.I. Bul. 147, pp. 9–36. 1912.
   in nitrogen manufacture. News L., vol. 3, No. 22, p. 1. 1916.
   restriction as fertilizer in South not supported by Food Administration. News L., vol. 5, No. 36, p. 7. 1918.
   with other feeds, rations for various animals. News L., vol. 2, No. 26, pp. 2–3. 1915.
  uselessness in work against boll weevil. F.B. 163, pp. 13–14. 1903.
  value—
   as feed stuff, exports, and uses. Rpt. 112, pp. 16, 17–19, 20, 21. 1916.
   as fertilizer compared with whole cottonseed. F.B. 286, pp. 1–16. 1907.
   as horse feed. F.B. 222, p. 20. 1905; F.B. 1030, pp. 14–15. 1919.
   comparison with corn. F.B. 655, pp. 4, 8. 1915.
   for chicken feed, use methods. Poultry Leaf., p. 7. 1917.
   in cattle feeding, comparison with other feeds. B.A.I. Bul. 103, pp. 10–28. 1908.
   in cattle feeds. D.B. 870, pp. 9–10, 13. 1920.
   in fattening beef cattle, prices and gains. B.A.I. Bul. 159, pp. 11, 14, 19–20, 25, 27, 35, 43, 44–46. 1912.
   in scratch rations for chickens. D.B. 561, pp. 13–14, 41. 1917.
  wasteful use. F.B. 873, p. 7. 1917.
  weight marking, 299. Chem. S.R.A. 23, p. 105. 1918.
  wheat soils, tests. Soils Bul. 66, pp. 12, 17. 1910.
  with prickly pears, digestibility. B.A.I. Bul. 106, pp. 25–29. 1908.
  yield(s)—
   by States and counties, notes and tables. D.B. 948, pp. 3–4, 6–210. 1921.
   per ton, composition, grades and classes. F.B. 1179, pp. 4–6. 1923.
  See also Cottonseed products.
 mixture with sorghum for stock feeding. F.B. 724, pp. 8, 9, 10, 11, 12, 13, 14. 1916.
 oil(s)—
  action on different metals, experiments. B.A.I. An. Rpt., 1909, pp. 275–276, 280. 1911.
  adulterant of olive oil. Chem. N.J. 997, p. 1. 1911.
  adulteration and misbranding. Chem. N.J. 3281. 1914.
  adulteration of olive oil, inspection. An. Rpts., 1912, p. 582. 1913; Chem. Chief Rpt., 1912, p. 32. 1912.
  and cake, exports, total and per capita, 1851–1908. Stat. Bul. 75, pp. 6, 14, 54. 1910.
  and meal yields by States and counties, tables. D.B. 948, pp. 3–4, 6–210. 1921.
  and protein content, studies. Work and Exp., 1919, p. 34. 1921.
  as adulterant of olive oil, analytical data and tables. Chem. Bul. 77, pp. 15, 16, 17, 20, 21, 23, 25, 27, 28, 31–34, 44, 45. 1905.
  cake, preference and use in Europe. Y.B., 1902, pp. 433–434. 1903.
  cold-pressed, toxicity. J.A.R., vol. 14, pp. 427, 433, 434. 1918.

Cottonseed—Continued.
 oil(s)—continued.
  comparison with peanut oil. F.B. 751, p. 11. 1916.
  content—
   factors affecting, studies. J.A.R., vol. 3, No. 3, pp. 230, 231, 239, 242, 243, 246. 1914.
   improvement. An. Rpts., 1917, p. 139. 1917; B.P.I. Chief Rpt., 1917, p. 9. 1917.
   relation to quantitative variation of gossypol. J.A.R. vol. 25, No. 7, pp. 285–295. 1923.
   studies. Work and Exp., 1919, p. 30. 1921.
  description, uses, and value. D.B. 469, p. 13. 1916.
  detection in—
   fats. Chem. Bul. 13, Pt., X, pp. 1428–1429. 1902.
   lard. L. M. Tolman. Y.B., 1904, pp. 359–362. 1905; Y.B. Sep. 353, pp. 359–362. 1905.
  digestion experiments, details and results. D.B. 505, pp. 5–8. 1917.
  effect—
   as food for pigs. B.A.I., Bul. 47, p. 128. 1904.
   on ticks, comparison with Canada balsam, and cottonseed oil. B.A.I., Bul. 167, pp. 5, 9–15. 1913.
  entry from Mexico, restriction. F.H.B.S.R.A. 41, pp. 61, 62. 1917.
  exports, 1902–1904. Stat. Bul. 36, p. 77. 1905.
  exports and imports—
   1903–1907, 1904–1908, 1851–1908. Y.B., 1908, pp. 677–678, 770, 779–780. 1909; Y.B. Sep. 498, pp. 677–678. 1909.
   1909–1917. Y.B. 1918, p 537. 1919; Y.B. Sep. 792, p. 33. 1919.
   1912–1921. Y.B. 1921, p. 799. 1922; Y.B. Sep. 871, p. 30. 1922.
   1913–1915. Y.B. 1915, pp. 472, 546, 552, 557, 569. 1916; Y.B. Sep. 683, p. 472. 1916; Y.B. Sep. 685, pp. 546, 552, 557, 569. 1916.
   1917. Y.B., 1917, pp. 675, 765, 773, 792. 1918; Y.B. Sep. 760, p. 23. 1918: Y.B. Sep. 762, pp. 9, 17, 36. 1918.
   1919. Y.B., 1919, pp. 595, 688, 696, 701, 714. 1920; Y.B. Sep. 827, p. 595. 1920; Y.B. Sep. 829, pp. 688, 696, 701, 714. 1920.
   changes since 1895. D.B. 296, pp. 33–34. 1915.
   exports, distribution. Rpt. 67, pp. 18–19. 1901.
  flax, castor beans, peanuts, and soybeans, experiments, Yuma Experiment Farm, 1916. W.I.A., Cir. 20, pp. 23–24. 1918.
  food, use and value, comparison with olive oil. News L., vol. 2, No. 13, p. 3. 1914.
  freight rates, 1913 and 1923. Y.B. 1923, p. 1172. 1924; Y.B. Sep. 906, pp. 1172, 1188, 1189. 1924.
  import of Netherlands. Stat. Bul. 72, p. 10. 1909.
  imports, by world countries. Y.B., 1921, pp. 618, 800. 1922; Y.B. Sep. 869, p. 38. 1922; Y.B. Sep. 871, p. 31. 1922.
  injury by bleaching. News L., vol. 6, No. 37, p. 11. 1919.
  international trade, 1907–1911. Y.B. 1912, pp. 624–625. 1913; Y.B. Sep. 614, pp. 624–625. 1913.
  losses in quantity and quality. D.B. 918, pp. 30–31. 1921.
  manufacture and value. Y.B. 1921, pp. 376, 399–400. 1922; Y.B. Sep. 877, pp. 376, 399–400. 1922.
  market statistics. D.B. 982, pp. 269–270. 1921.
  Mexico, quarantine. F.H.B. "Order restricting admission of cottonseed oil * * *," p. 1. 1917.
  mills, boll weevil, control. F.B. 209, pp. 28–30. 1904.
  mills, linters production, 1899–1910, and proportion of crop. D.C. 175, pp. 5–6. 1921.
  misbranded if called "sweet oil," decision. Chem. F.I.D. 139, p. 1. 1912.
  misbranding in olive oil. Chem. N.J. 2581, pp. 2. 1913.
  presence in olive oil, detection. Chem. Bul. 77, pp. 31–34. 1903.
  prices—
   1910–1922. Y.B., 1921, p. 618. 1922; Y.B Sep. 869, p. 38. 1922.
   1924. Y.B., 1924, p. 766. 1925.

Cottonseed—Continued.
 oil(s)—continued.
  prices—continued.
   and trade international, 1923. Y.B., 1923, p. 814. 1924; Y.B. Sep. 901, p. 814. 1924.
  production—
   1912, 1917. News L., vol. 6, No. 37, p. 4. 1919.
   1912, imports and exports, annual and average, by countries. Stat. Cir. 31, pp. 16, 29, 30. 1912.
   1917, pressing and presses, output increase, compounds and substitutes. D.B. 769, pp. 10–16. 1919.
   details. Y.B., 1916, pp. 163–170. 1917; Y.B. Sep. 691, pp. 5–12. 1917.
  products from ton of cottonseed. F.B. 1179, p. 4. 1920.
  refiners, meeting of. News L., vol. 6, No. 2, p. 7. 1918.
  refining methods, details. Y.B., 1916, pp. 167–170. 1917; Y.B. Sep. 691, pp. 9–12. 1917.
  solutions, spectra. J.A.R., vol. 26, p. 337. 1923.
  statistics—
   imports and exports. Y.B., 1914, pp. 578, 657, 664. 1915; Y.B. Sep. 655, p. 578. 1915; Y.B. Sep. 657, pp. 657, 664. 1915.
   prices and trade, international, 1909–1923. Y.B., 1922, p. 722. 1923; Y.B. Sep. 884, p. 722. 1923.
  stearin compounds, labels, regulations. B.A.I.S.A. 76, p. 75. 1913.
  tests for presence in fats. Chem. Bul. 13, Pt. X, pp. 1428–1429. 1902; Chem. Bul. 107, p. 144. 1907.
  trade, international—
   1901–1910. Stat. Bul. 103, pp. 18–19. 1913.
   by countries, 1921. Y.B., 1921, p. 618. 1922; Y.B. Sep. 869, p. 38. 1922.
  use—
   as food, note. O.E.S. Bul. 245, p. 69. 1912.
   in adulteration of olive oil. Chem. N.J. 1570; pp. 2. 1912; Chem. N.J. 2622, p. 1. 1913; Chem. N.J. 2623, p. 1. 1913.
   in fly repellents and formulas. D.B. 131, pp. 14, 16, 18–20, 21, 23, 24. 1914.
   in sardine packing. D.B. 908, pp. 4, 66–68, 119. 1920.
  value on cotton crop. F.B. 286, p. 5. 1907.
  yield per ton of seed. F.B. 1179, p. 4. 1923.
  yield by States and counties, tables. D.B. 948, pp. 3–4, 6–210. 1921.
 poisoning—
  copperas as antidote. B.A.I. Chief Rpt., 1914, p. 4. 1914; An. Rpts., 1914, p. 60. 1914.
  discussion of cause. J.A.R., vol. 14, No. 10. pp. 425–426. 1918.
  feeding experiments. J.A.R., vol. 28, pp. 173–198. 1924.
  in pigs, similarity to beriberi. J.A.R., vol. 5, No. 11, pp. 489–493. 1915.
  of hogs, symptoms, lesions, and treatment. F.B. 1244, pp. 17, 18. 1923.
  study and control work. S.R.S. Rpt., 1915, Pt. I, pp. 57, 132, 205. 1917.
 poisonous constituent, isolation and studies. J.A.R., vol. 26, pp. 233–237, 1923.
 prices—
  1910–1918. Y.B., 1918, p. 536. 1919; Y.B. Sep. 792, p. 32. 1919.
  on farm, 1924. Y.B., 1924, p. 746. 1925.
  variations and comparison with lint cotton. D.B. 375, pp. 6–18. 1916.
 production—
  after weevil and square collections. D.B. 564, pp. 16–18, 26, 37. 1917.
  and prices, 1923. Y.B., 1923, pp. 811–813. 1924; Y.B. Sep. 901, pp. 811–813. 1924.
  and value, leading States, 1909. Y.B., 1914, p. 646. 1915; Y.B. Sep. 656, p. 646. 1915.
  prices, products, and uses. Sec. Cir. 88, pp. 17–20. 1918.
 products—
  comparative toxicity. J.A.R., vol. 14, pp. 425–452. 1918.
  composition, grades, and classes. F.B. 1179, pp. 3–6. 1920.
  cooking in commercial preparation. J.A.R., vol. 14, pp. 428–429. 1918.

Cottonseed—Continued.
 products—continued.
  feed, poisonous effects. F.B. 1179, p. 6. 1920.
  feeding—
   experiments with various animals. J.A.R., vol. 14, pp. 430–450. 1918.
   to livestock. E. W. Sheets and E. H. Thompson. F.B. 1179, pp. 18. 1920; F.B. 1179, rev., pp. 20. 1923.
  fertilizing value, loss to the South. B.A.I. An. Rpt., 1906, p. 247. 1908; B.A.I. Cir. 124, p. 1. 1908.
  from 1 ton of cottonseed, quantities. F.B. 1179, p. 4. 1920.
  importation(s)—
   in mails, prohibition. F.H.B.S.R.A. 35, p. 153. 1917.
   prohibition. F.H.B.S.R.A. 71, p. 177. 1922.
   regulations. D.F. Houston. F.H.B. "Rules and regulations * * * cottonseed * * * products * * *," pp. 5. 1917.
   regulations, and blank forms, Dec. 23, 1920. F.H.B.S.R.A. 69, pp. 114–119. 1920.
   regulations, modification, Aug. 7, 1925. F.H.B. [Misc.], "Rules and regulations * * * cottonseed," p. 1. 1925.
   restrictions. F.H.B.S.R.A. 41, pp. 61–66. 1917; F.H.B.S.R.A. 59, p. 15. 1919.
  infestation by fig moth. Ent. Bul. 104, pp. 17, 19, 21. 1911.
  oil-mill treatment. J.A.R., vol. 14, pp. 426–428. 1918.
  supplement to pasture, feeding value. F.B. 1179, p. 17. 1920.
  use as sheep feed. D.B. 20, p. 44. 1913.
  value and increased demands. Y.B., 1921, pp. 376, 399–400. 1922; Y.B. Sep. 877, pp. 376, 399–400. 1922.
 salad oil, misbranding. Chem. N.J. 3477. 1915; Chem. N.J. 4618. 1916.
 shipment, legal restrictions. F.B. 189, pp. 26–29. 1904.
 statistics, production, and value—
  1918–1922, and prices, 1910–1922. Y.B., 1922, p. 721. 1923; Y.B. Sep. 884, p. 721. 1923.
  1919. Y.B., 1919, pp. 594–595. 1920; Y.B. Sep. 827, pp. 594–595. 1920.
  1921 and exports. Y.B., 1921, pp. 617, 748. 1922; Y.B. Sep. 869, p. 37. 1922; Y.B. Sep. 867, p. 12. 1922.
 toxic substance, gossypol, feeding experiments. J.A.R., vol. 12, pp. 83–102. 1918.
 toxicity—
  relation to gossypol content. Eric W. Schwartze and Carl L. Alsberg. J.A.R., vol. 28, pp. 173–189. 1924.
  studies. J.A.R., vol. 5, No. 7, pp. 261–286. 1915.
 unloading, pneumatic and suction systems. F.B. 209, pp. 15–22. 1904.
 use(s)—
  and value as food. D.B. 123, p. 45. 1916.
  as sheep feed. D.B. 20, p. 44. 1913.
  in fertilizers. D.B. 798, p. 11. 1919.
  with roughage in feeding live stock. F.B. 873, pp. 7–12. 1917.
 value—
  determination on dry-matter basis. D.B. 374, pp. 4–5, 10–30. 1916.
  in cattle feeding, comparison with other feeds. B.A.I. Bul. 103, pp. 10–28. 1908.
  in Cotton States, 1899–1914, 1915, 1916. D.B. 439, pp. 2, 19. 1916.
  to farmer. W. H. Beal. F.B. 124, p. 24. 1901.
Cottontail—
 Acapulco, characters, and distribution. N.A. Fauna 29, p. 242. 1909.
 Alta Mira, characters, and distribution. N.A. Fauna 29, pp. 185–186. 1909.
 Arizona, characters, and distribution. N.A. Fauna 29, pp. 222–225. 1909.
 Aztec, characters and distribution. N.A. Fauna 29, pp. 187–188. 1909.
 Black Hills—
  characters, and distribution. N.A. Fauna 29, pp. 204–207. 1909.
  occurrence in Colorado, description. N.A. Fauna 33, pp. 159–160. 1911.

Cottontail—Continued.
  cedar belt, characters and distribution. N.A. Fauna 29, pp. 229–230. 1909.
  characters and distribution. N.A. Fauna 29, pp. 42–44. 1909; F.B. 484, pp. 40–42. 1912; F.B. 702, pp. 2–3. 1916.
  Chiapas, characters and distribution. N.A. Fauna 29, pp. 189–190. 1909.
  Colima, characters and distribution. N.A. Fauna 29, pp. 243–244. 1909.
  Colorado—
    characters and distribution. N.A. Fauna 29, pp. 231–232. 1909.
    occurrence, and descriptions. N.A. Fauna 33, pp. 159–163. 1911.
  Davis Mountains, character, and description. N.A. Fauna 29, pp. 194–195. 1909.
  description, and habits. F.B. 335, pp. 25–26. 1908; N.A. Fauna 45, pp. 70–71. 1921.
  destruction. An. Rpts., 1922, pp. 340–341. 1923; Biol. Chief Rpt., 1922, pp. 10–11. 1922; D.B. 621, pp. 38–39, 66. 1918.
  eastern, characters, and distribution. N.A. Fauna 29, pp. 159–163, 166–169. 1909.
  Florida, characters, and distribution. N.A. Fauna 29, pp. 164–165. 1909.
  Holzner, characters, and distribution. N.A. Fauna 29, pp. 178–180. 1909.
  injuries to trees and vegetable gardens. N.A. Fauna 29, pp. 11–12. 1909.
  Jalisco, characters, and distribution. N.A. Fauna 29, pp. 180–181. 1909.
  little, characters, and distribution. N.A. Fauna 29, pp. 226–229. 1909.
  Lower California, characters, and distribution. N.A. Fauna 29, pp. 220–221. 1909.
  Manzano Mountain, characters, and distribution. N.A. Fauna 29, pp. 191–193. 1909.
  Mearns, characters, and distribution. N.A. Fauna 29, pp. 169–172. 1909.
  Mexican, characters and distribution. N.A. Fauna 29, pp. 238–239. 1909.
  Mexican Desert, characters and distribution. N.A. Fauna 29, pp. 236–237. 1909.
  Mexican Highlands, characters, and distribution. N.A. Fauna 29, pp. 239–241. 1909.
  Mount Orizaba, characters and distribution. N.A. Fauna 29, pp. 183–185. 1909.
  Nebraska, characters and distribution. N.A. Fauna 29, pp. 172–174. 1909.
  New England, characters and distribution. N.A. Fauna 29, pp. 195–199. 1909.
  New Mexico, characters and distribution. N.A. Fauna 29, pp. 234–236. 1909.
  occurrence in Montana. Biol. Cir. 82, pp. 20–21. 1911.
  Oklahoma, characters and distribution. N.A. Fauna 29, pp. 174–176. 1909.
  plains, occurrence in Colorado, and description. N.A. Fauna 33, pp. 160–161. 1911.
  range and habits. N.A. Fauna 29, pp. 11–12, 15–22. 1909.
  relations to trees and farm crops. F.B. 702, pp. 1–12. 1916.
  Rocky Mountain—
    characters and description. N.A. Fauna 29, pp. 199–211. 1909.
    occurrence in Colorado, and description. N.A. Fauna 33, p. 159. 1911.
  Sacramento Valley, characters and distribution. N.A. Fauna 29, pp. 214–216. 1909.
  San Diego, characters and distribution. N.A. Fauna 29, pp. 218–220. 1909.
  San Joaquin, characters and distribution. N.A. Fauna 29, pp. 216–218. 1909.
  Sinaloa, characters and distribution. N.A. Fauna 29, pp. 225–226. 1909.
  Texas, characters and distribution. N.A. Fauna 29, pp. 176–178. 1909.
  Tres Marias, characters and distribution. N.A. Fauna 29, pp. 244–245. 1909.
  value for food, open season, game laws in various States. News L., vol. 3, No. 29, p. 7. 1916.
  Vera Cruz, characters and distribution. N.A. Fauna 29, pp. 186–187. 1909.
  Washington, characters and distribution. N.A. Fauna 29, pp. 201–204. 1909.
  western, characters and distribution. N.A. Fauna 29, pp. 211–213. 1909.

Cottontail—Continued.
  Wyoming, characters and distribution. N.A. Fauna 29, pp. 232–234. 1909.
  Yucatan, characters and distribution. N.A. Fauna 29, pp. 190–191. 1909.
  See also Hare; Rabbit.
Cottonwood—
  adaptability for shelter-belt planting. D.B. 1113, pp. 8, 9, 10, 15. 1923.
  adaptability to Truckee-Carson project, description. B.P.I. Cir. 78, p. 8. 1911.
  Alaska, use for pulpwood. D.B. 950, pp. 9, 11. 1921.
  black, description, range, and occurrence, Pacific slope. For. [Misc.], "Forest trees for Pacific * * *," pp. 247–251. 1908.
  borer—
    M. F. Milliken. D.B. 424, pp. 7. 1916.
    description, habits, and control. F.B. 1169, pp. 66–68. 1921.
  broad-leaf, occurrence in Colorado, and description. N.A. Fauna 33, p. 225. 1911.
  characteristics—
    occurrence in Kansas and Nebraska. For. Bul. 66, pp. 9, 23, 24, 35–36. 1905.
    uses, propagation, and rate of growth. D.B. 24, pp. 3–6. 1913; For. Cir. 161, pp. 11, 16, 23, 24, 44–45. 1909.
  consumption in Arkansas, amount and value. For. Bul. 106, pp. 7, 9, 14, 15, 16, 18, 19, 20, 21, 32, 38. 1912.
  "cottonless," from staminate trees, securing plants. F.B. 888, pp. 7, 15. 1917.
  crown-gall inoculation from daisy. B.P.I. Bul. 213, p. 52. 1911.
  dagger moth, description, habits, and control. F.B. 1169, pp. 47–48. 1921.
  description. For. Silv. Leaf. 25, pp. 3. 1908; For. Cir. 77, p. 4. 1907; M.C. 31, p. 11. 1925.
  description, use as street tree, and regions adapted to. D.B. 816, pp. 40–41. 1920; F.B. 888, pp. 6–7, 13, 19. 1917.
  diseases, Texas, occurrence and decription. B.P.I. Bul. 226, p. 64. 1912.
  fence posts, creosoting. For. Cir. 117, pp. 7. 1907.
  Fremont, description, range, and occurrence on Pacific slope. For. [Misc.], "Forest trees * * * Pacific * * *," pp. 251–253. 1908.
  galls, relation to sugar-beet root louse, studies. Work and Exp., 1914, pp. 46, 73. 1915.
  growing in Great Plains, uses and value. F.B. 1312, pp. 11–12. 1923.
  growth—
    and uses. For. Cir. 81, rev., pp. 19, 20. 1910.
    habits, spacing, planting, methods, and products. Y.B. 1911, pp. 259, 263, 265, 267. 1912; Y.B. Sep. 566, pp. 259, 263, 265, 267. 1912.
    in different regions, rate. F.B. 1177, rev., p. 24. 1920.
    in Oklahoma and vicinity. For. Bul. 65, pp. 25, 28, 30, 31, 38, 39. 1905.
    under irrigation, western Nebraska. Soil Sur. Adv. Sh., 1911, p. 109. 1913; Soils F.O., 1911, p. 1977. 1914.
  habits, uses, cost and yield, of plantations, Nebraska. For. Cir. 45, pp. 12–14. 1906.
  height, growth per year and value. For. Bul. 86, p. 91. 1911.
  importance and value, studies. D.B. 24, pp. 1–2, 61–62. 1913.
  in Louisiana, stumpage, value and uses. For. Bul. 114, p. 17. 1912.
  in Wyoming, distribution and growth. N.A. Fauna 42, p. 60. 1917.
  infestation with sugar-beet root louse. J.A.R.- vol. 4, pp. 243, 245, 246, 249. 1915.
  injury by—
    borers. F.B. 1154, pp. 5–6. 1920; F.B. 424, pp. 3–4. 1916.
    pith-ray flecks. For. Cir. 215, p. 9. 1913.
    sap-rot of *Fomes applanatus*. B.P.I. Bul. 149, pp. 58–59. 1909.
    sapsuckers. Biol. Bul. 39, pp. 28, 50, 67. 1911.
  insects injurious. F.B. 1169, p. 95. 1921; Sec. [Misc.], "A manual of insects * * *." 1917.

Cottonwood—Continued.
  leaf beetle, description and control. F.B. 1169, pp. 50-51. 1921.
  Lepidoptera as enemy, description. Ent. Bul. 37, p. 108. 1902.
  lumber—
    and fuel value. For. Bul. 86, pp. 77, 78-79. 1911.
    grading rules. For. Bul. 71, pp. 38-41, 52. 1906.
    production and value—
      1905, United States. For. Bul. 74, p. 24. 1907.
      1906, by States. For. Cir. 122, pp. 23-24. 1907.
      1911, by States. D.B. 24, pp. 2-3. 1913.
      1913, species and range. D.B. 232, pp. 22, 30-31. 1915.
      1916, by States and mills reporting. D.B. 673, pp. 30-31. 1918.
      1917, by States. D.B. 768, pp. 31, 38, 43. 1919.
      1918, by States. D.B. 845, pp. 34, 46. 1920.
      1920, by States. D.B. 1119, p. 52. 1923; Y.B. 1922, p. 926. 1923.
    use. D.B. 24, p. 5. 1913.
  narrow-leaf, occurrence in Colorado, and description. N.A. Fauna 33, p. 225. 1911.
  nursery, practices and shading. D.B. 479, pp. 35, 37, 43, 49, 67, 69, 71. 1917.
  occurrence—
    and characteristics. D.B. 24, pp. 10-26. 1913.
    and value in Alaska. Soil Sur. Adv. Sh., 1914, pp. 21, 23, 47, 56, 66, 69, 71. 1915; Soils F.O. 1914, pp. 55, 57, 81, 90, 100, 104, 105. 1919.
    in Colorado and description. N.A. Fauna 33, pp. 225-226. 1911.
  planting—
    in sandhills. M.C. 16, pp. 5, 7. 1925.
    uses, value, and yield. D.B. 153, pp. 9, 15, 16, 18, 19, 22, 23-24, 35. 1915; For. Cir. 99, p. 10. 1907.
  preservative treatment, experiments. D.B. 24, pp. 5-6. 1913.
  production, 1899-1914, and estimates, 1915. D.B. 506, pp. 13-15, 28-29. 1917.
  propagation—
    by seedlings or cuttings, directions. For. Cir. 77, p. 3. 1910.
    from poles, choice of seedless trees. W.I.A. Cir. 12, p. 24. 1916.
    quantity used in manufacture of wooden products. D.B. 605, p. 10. 1918.
    range, habits, growth, and uses. For. Cir. 77, pp. 1-4. 1907.
    reproduction from seed and from sprouts, studies and methods. D.B. 24, pp. 15-18, 26-45. 1913.
  seedlings, wild and nursery-grown, description, comparison, and treatment. D.B. 24, pp. 52-54, 59. 1913.
  smooth-bark, occurrence in Colorado and description. N.A. Fauna 33, pp. 225-226. 1911.
  soil indications, Eastern Puget Sound Basin, Washington. Soils F.O., 1909, pp. 1548, 1549. 1912; Soil Sur. Adv. Sh., 1909, pp. 26, 37. 1911.
  soil, moisture and light requirements. D.B. 24, pp. 12-14. 1913.
  southwestern, occurrence in Colorado and description. N.A. Fauna 33, p. 225. 1911.
  spacing in forest planting. F.B. 1177, rev., p. 22. 1920.
  sprouts, kind and vigor, relation of height of stump, table. D.B. 24, p. 17. 1913.
  stands, pure and mixed, studies. D.B. 24, pp. 18-22, 29, 34-35. 1913.
  stumpage value and logging costs. D.B. 24, pp. 6-10. 1913.
  stumps, blasting and burning, cost, diameter, and number per acre. B.P.I. Bul. 239, pp. 31, 41, 42, 43, 44, 45, 60. 1912.
  swamp. For. Silv. Leaf. 40, pp. 2. 1908.
  tests for mechanical properties and results. D.B. 556, pp. 29, 39. 1917; D.B. 676, p. 17. 1919.
  value—
    for windbreaks, Nevada. Soils F.O., 1909, p. 1486. 1912; Soil Sur. Adv. Sh., 1909, p. 14. 1911.
    for windbreaks, Washington, Quincy area. Soil Sur. Adv. Sh., 1911, p. 37. 1913; Soils F.O., 1911, p. 2259. 1914.

Cottonwood—Continued.
  value—continued.
    propagation methods. B.P.I. Bul. 157, pp. 10, 15, 28, 34. 1909.
    volume table and growth rate. For. Bul. 36, pp. 146, 190, 193, 194. 1910.
    weight, uses, and freight rates. F.B. 715, pp. 4, 6, 34, 35, 36. 1916.
    windbreaks, characteristics and value. For. Bul. 86, pp. 7, 22, 27, 34, 36, 37, 50, 61, 62, 77, 78-79, 91, 94. 1911; F.B. 788, pp. 4, 11, 13, 14. 1917; F.B. 1405, pp. 11, 13, 14. 1924.
  See also Poplar.
Cottony leak, cause on cucumbers, study. Charles Drechsler. J.A.R., vol. 30, pp. 1035-1042. 1925.
Cottony maple scale. See Scale, cottony maple.
COTTRELL, F. G., report of Fixed Nitrogen Research Laboratory—
  Acting Director, 1922. Fix. Nit. Lab. A.R., 1922, pp. 10. 1922; An. Rpts., 1922, pp. 633-642. 1922.
  Director, 1923. Fix. Nit. Lab. A.R., 1923, pp. 12. 1923; An. Rpts., 1923, pp. 495-496. 1923.
  Director, 1924. Fix. Nit. Lab. A.R., 1924, pp. 5. 1924.
Cotula coronopifolia. See Buttercup, seaside.
Coturnicops noveboracensis, occurrence in Arkansas. Biol. Bul. 38, p. 28. 1911.
Coturnix spp. See Quail.
Cotyledons, bean seedling, comparative utilization of mineral constituents when grown in soil and in distilled water. G. Davis Buckner. J.A.R., vol. 20, pp. 875-880. 1921.
COUCH, J. F.—
  "An experimental study of Echinacea therapy." With Leigh T. Giltner. J.A.R., vol. 20, pp. 63-84. 1920.
  "Ascaris sensitization." With others. J.A.R., vol. 28, pp. 577-582. 1924.
  "Greasewood as a poisonous plant." With others. D.C. 279, pp. 4. 1923.
  "The whorled milkweed (Asclepias galioides) as a poisonous plant." With others. D.B. 800, pp. 40. 1920.
  "Western sneezeweed (Helenium hoopesii) as a poisonous plant." With others. D.B. 947, pp. 46. 1921.
Couch grass—
  adulteration and misbranding. See Indexes, Notices of Judgment, in bound volumes and in separates published as supplements to Chemistry Service and Regulatory Announcements.
  blue, growing experiments in Hawaii, 1917. Hawaii A.R., 1917, pp. 49-50. 1918.
  habitat, range, description, collection, prices, and uses of roots. B.P.I. Bul. 107, p. 12. 1907.
  See also Quackgrass.
Couepia polyandra, importation and description. Inv. No. 31637, B.P.I. Bul. 248, p. 31. 1912.
Cougar(s)—
  injurious habits. Y.B., 1908, p. 188. 1909; Y.B. Sep. 474, p. 188. 1909.
  occurrence in—
    Alabama, description and habits. N.A. Fauna 45, pp. 41-42. 1921.
    in Colorado, description. N.A. Fauna 33, pp. 163-165. 1911.
    Rocky Mountain, occurrence in Alberta. N.A. Fauna 27, p. 208. 1908.
  See also Mountain lion.
Cough—
  balsam, Coe's, misbranding. Chem. N.J. 3815. 1915.
  cure, adulteration and misbranding. Chem. N.J., 1912, pp. 4. 1913; Chem. N.J. 2972. 1914.
  cure, "Kickapoo," misbranding. Chem. N.J. 826, pp. 2. 1911.
  drops, Williams' Russian, misbranding. Chem. N.J. 1197, p. 1. 1911.
  lozenges, dangerous ingredients. An. Rpts., 1910, p. 461. 1911; Chem. Chief Rpt., 1910, p. 37. 1910.
  medicine, Father John's, misbranding. Chem. N.J. 3906. 1915.
  remedy(ies)—
    Dr. Higbee's cough, cold, and grip powders, misbranding. Chem. N.J. 962, p. 2. 1911.
    narcotic, danger. F.B. 393, pp. 12-13. 1910.

Cough—Continued.
sirup—
A-I-M, misbranding. Chem. N.J. 4337. 1916.
wild cherry, misbranding. See *Indexes, Notices of Judgment, in bound volumes and in Separates published as supplements to Chemistry Service and Regulatory Announcements.*
COULTER, J. L., report of West Virginia Experiment Station, work and expenditures—
1915. S.R.S. An. Rpt., 1915, Pt. I, pp. 272-277. 1916.
1916. S.R.S. An. Rpt., 1916, Pt. I, pp. 281-286. 1918.
1917. S.R.S. An. Rpt., 1917, Pt. I, pp. 271-276. 1918.
Coulter, implement for turning under heavy stubble. F.B. 1047, p. 6. 1919.
Coumarin—
adulteration and misbranding. Chem. N.J. 4238. 1916.
and vanillin extract, adulteration and misbranding. Chem. N.J. 2853. 1914.
artificial, use as substitute for vanilla extract. Y.B., 1908, p. 337. 1909; Y.B. Sep. 485, p. 337. 1909.
description, injury to grasses, experiments. Soils Bul. 77, pp. 8-11. 1911.
detection, particularly in fictitious vanilla extracts, method for detection of small quantities. H. J. Wichmann. Chem. Cir. 95, pp. 2. 1912.
determination in flavoring extracts, methods. Chem. Bul. 137, pp. 68-71. 1911; Chem. Bul. 132, pp. 98-100. 1910; Chem. Bul. 152, pp.147-149. 1912.
effect on plant growth, experiments. Soils Bul. 77, pp. 11-19, 25-31. 1911.
Coumarouna odorata. See Tonka bean.
Council Bluffs, Iowa, milk supply, statistics, officials, and prices. B.A.I. Bul. 46, pp. 34, 75. 1903.
Councils, commodity and regional, nature and object. An. Rpts., 1922, pp. 13-14. 1923; Sec. A.R., 1922, pp. 13-14. 1922.
Counter board. See Fiber board.
Countercurrent theory of storms, a popular account. Frank H. Bigelow. W.B. [Misc.], "Proceedings, third convention * * *," pp. 79-88. 1904.
Counterfeiting—
Government seal, penalty. B.A.I.S.R.A. 127, p. 123. 1918.
meat-inspection labels, marks, etc., regulations. B.A.I.O. 211, p. 56. 1914; B.A.I.O. 211, rev., p. 47. 1922.
Country—
boys, creed. News L., vol. 1, No. 32, p. 4. 1914.
clubs, women's, demonstration kitchens, establishment and membership. News L., vol. 5, No. 46, p. 14. 1918.
life—
address by W. M. Hays, Assistant Secretary of Agriculture. O.E.S. Bul. 238, pp. 67-68. 1911.
disadvantages which may be removed. Y.B., 1914, pp. 124-127. 1915; Y.B. Sep. 632, pp. 38-41. 1915.
education. Willet M. Hays. O.E.S. Cir. 73, pp. 13, 1907; O.E.S. Cir. 84, pp. 40. 1909.
Federation, organization and principles. O.E.S. An. Rpt., 1911, pp. 310-311. 1913.
leadership school, Cornell University. News L., vol. 1, No. 4, p. 4. 1913.
rural, social, and educational problems, studies. News L., vol. 3, No. 2, p. 7. 1915.
See also Community centers.
County—
agent(s)—
advice to farmers. News L., vol. 6, No. 27, pp. 6-8, 10. 1919.
agricultural work in Northern and Western States, 1915. S.R.S. Doc. 32, pp. 19. 1917.
aid—
in forest planting. D.C. 345, p. 4. 1925.
in livestock production. News L., vol. 6, No. 22, p. 15. 1919.
in securing harvesting help in Kansas, 1918, methods. Sec. Cir. 121, pp. 4-7. 1918.
to farmers. News L., vol. 6, No. 34, pp. 6-7. 1919.
to farmers in South. News L., vol. 4, No. 49, p. 2. 1917.

County—Continued.
agent(s)—continued.
and—
collaborators, Hawaii extension work. Hawaii A.R., 1918, pp. 26-30. 1919.
home demonstration, counties represented, number of agent, and expenditures, 1916. S.R.S. Rpt., 1916, Pt. II, pp. 397-399. 1917.
State, work in boys' and girls' clubs. Y.B., 1915, pp. 272. 1916; Y.B. Sep. 675, pp. 272. 1916.
assistance in marketing and purchasing demonstrations. Y.B., 1919, pp. 205-222. 1920; Y.B. Sep. 808, pp. 205-222. 1920.
club, reports—
comparison with other agencies. D.C. 192, pp. 5-6. 1921.
of club work. D.C. 255, pp. 12-13. 1923.
community friendship, increase. S.R.S. Doc. 60, p. 26. 1917.
conferences. S.R.S. Doc. 88, pp. 12-13. 1918.
cooperation with each other and with State officials, example. News L., vol. 5, No. 52, p. 12. 1918.
cooperative work, methods. S.R.S. Doc. 32, pp. 10-11. 1917.
counties having, by States. D.C. 203, p. 17. 1921.
court decisions in Arkansas. Off. Rec., vol. 4, No. 39, p. 5. 1925.
crop reports, relation to State leaders, colleges. News L., vol. 2, No. 39, p. 2. 1915.
demonstrations of clover growing. F.B. 1365, pp. 10-13. 1924.
distribution, Northern and Western States, 1917-1918. S.R.S. Doc. 88, pp. 3-6. 1918.
diversified work. News L., vol. 7, No. 4, p. 7. 1919.
duties—
and aid to farmers. S.R.S. Doc. 90, pp. 2-3. 1918.
and restrictions. M.C. 3, pp. 12-19. 1923.
cooperative supervision and financing. S.R.S. Doc. 60, pp. 2-5, 9-13. 1917.
in relation to boys' clubs. S.R.S. Doc. 27, p. 4. 1915; S.R.S. Doc. 29, p. 4. 1915.
encouragement by business men. News L., vol. 6, No. 45, p. 14. 1919.
extension, work—
1925. Ext. Dir. Rpt., 1925, pp. 39-46. 1925.
achievements, 1921. S.R.S. Rpt. 1921, pp. 6, 7. 1923.
distribution in States. Sec. Cir. 47, pp. 4-5. 1915.
in South, North, and West. An. Rpts., 1916, pp. 314-316, 321-323. 1917; S.R.S. An. Rpt., 1916, pp. 18-20, 25-27. 1916.
in South, organization and membership. S.R.S. Rpt., 1916, Pt. II, pp. 19-24. 1917.
qualifications, duties and equipment. S.R.S. Doc. 32, pp. 5-7. 1917.
farm demonstration work in South. News L., vol. 3, No. 22, p. 4. 1916.
farm demonstration work, methods, scope, and annual expenditure. News L., vol. 4, No. 20, p. 6. 1916.
field workers, number at work, July 1, 1918, and scope of work. News L., vol. 5, No. 52, pp. 10, 15. 1918.
filing system for offices. H. B. Fuller. S.R.S. Doc. 34, pp. 16. 1918.
for Negro extension work, number, cost, and directory. D.C. 190, pp. 6-9, 21-24. 1921.
force increase under food-production act. News L., vol. 5, No. 3, pp. 1, 4. 1917.
franking privilege. Off. Rec., vol. 2, No. 40, p. 5. 1923.
growing importance and usefulness in farmbureau work. News L., vol. 5, No. 52, pp. 1, 15. 1918.
handbook on farm-bureau organization. L. R. Simons. S.R.S. Doc. 65, pp. 54. 1917.
help to farmers. News L., vol. 7, No. 10, pp. 12-13. 1919.
in North and West—
increase, 1917 to 1918. News L., vol. 6, No. 21, p. 11. 1918.

County—Continued.
　agent(s)—continued.
　　in North and West—continued.
　　　number, work with farmers, etc., 1916. S.R.S. Rpt., 1916, Pt. II, pp. 153–157. 1917.
　　　work development, 1912–20. D.C. 106, pp. 3–4. 1920.
　　increase, Jan. 1,–July 1, 1918. News L., vol. 6, No. 1, pp. 6–7. 1918.
　　instructions by Secretary Wallace. M.C. 3, pp. 10–11. 1923.
　　kinds, and number employed, July 1, 1921. D.C. 203, p. 4. 1921.
　　livestock organizations, farm-improvement work, etc., example in Tennessee. News L., vol. 5, No. 49, p. 5. 1918.
　　need of knowledge of forest conditions. Y.B., 1918, pp. 325–326. 1919; Y.B. Sep. 779, pp. 11–12. 1919.
　　number—
　　　1921. Y.B., 1921, p. 38. 1922; Y.B. Sep. 875, p. 38. 1922.
　　　and expenditures, 1915, by States. S.R.S. Rpt., 1915, Pt. II, p. 351. 1917.
　　　and expenditures, 1919, by States, statistics. S.R.S. Rpt., 1919, pp. 58–59. 1921.
　　　appointed, 1912–1916. S.R.S. Doc. 32, p. 1. 1917.
　　　by States, 1914–1919. S.R.S. [Misc.], "Statistics of cooperative extension work, 1919–20," p. 13. 1920.
　　　by States, 1914–1920. D.C. 140, p. 15. 1920.
　　　in United States. News L., vol. 6, No. 10, p. 1. 1918.
　　　of counties and expenditures, 1920, by States. S.R.S. Rpt., 1920, pp. 48–49. 1922.
　　organization of system. News L., vol. 5, No. 20, p. 12. 1917.
　　origination of work, 1920, and reasons for. D.C. 178, pp. 3–5. 1921.
　　pig-club work. Y.B., 1915, pp. 174–175. 1916; Y.B. Sep. 667, pp. 174–175. 1916.
　　place in extension work plan. S.R.S. Doc. 32, pp. 1–4. 1917.
　　planning by farmers, Northern and Western States. News L., vol. 5, No. 51, p. 10. 1918.
　　prejudice of farmers. News L., vol. 6, No. 24, p. 12. 1919.
　　qualification(s)—
　　　and average week's work. D.C. 106, pp. 5, 19. 1920.
　　　needed, and average week's work. D.C. 106, pp. 5, 19. 1920.
　　　requirements. News L., vol. 5, No. 21, p. 1. 1917.
　　relation to cooperative business enterprises. D.C. 179, pp. 15–16. 1921.
　　responsibilities and obstacles overcome, examples. News L., vol. 6, No. 6, p. 10. 1918.
　　salaries. S.R.S. Doc. 32, p. 5. 1917.
　　scope in South, North, and West. S.R.S. Rpt., 1915, Pt. II, pp. 24–30, 153–159. 1917.
　　status, and—
　　　duties. D.C. 316, pp. 1–15. 1924.
　　　results of work, Northern and Western States, 1920. W. A. Lloyd. D.C. 179, pp. 36. 1921.
　　supervision and appreciation of work. D.C. 347, pp. 2, 3–6. 1925.
　　training, importance and method. S.R.S. Rpt., 1916, Pt. II, p. 157. 1917.
　　use of Florida community building. F.B. 1274, pp. 13–14. 1922.
　　value in Indian Service. Off. Rec., vol. 4, No. 8, p. 5. 1925.
　　value of work to farmers. An. Rpts., 1915, pp. 39–41. 1916; Sec. A.R., 1915, pp. 41–43. 1915.
　　war emergency work, results. S.R.S. Doc. 88, pp. 13–24. 1918.
　　war work record. S.R.S. Rpt., 1918, pp. 27, 45–47, 73, 87. 1919.
　　women, number of counties having, by States. S.R.S. Doc. 40, rev., p. 29. 1919.
　　work—
　　　1915, classified list. S.R.S. Doc. 32, pp. 11–18. 1917.

County—Continued.
　agent(s)—continued.
　　work—continued.
　　　1922 report. An. Rpts., 1922, pp. 440–444. 1923; S. R. S. An. Rpt., 1922, pp. 28–32. 1922.
　　aid to farmers, discussion. Y.B., 1916, pp. 68–70. 1917; Y.B. Sep. 698, pp. 6–8. 1917.
　　and results, 1918. News L., vol. 6, No. 21, pp. 2, 12. 1918.
　　assisted by women's organizations. D.B. 719, pp. 13–14. 1918.
　　by States, 1914, 1915, 1916, 1917. S.R.S Doc. 40, pp. 22–28. 1918.
　　development, 1910–1922. D.C. 244, p. 4. 1922. especially in the South. Sec. Cir. 56, p. 13. 1916.
　　examples and various lines covered. D.C. 244, pp. 25–42. 1922.
　　growth from 1911 to 1921. D.C. 179, pp. 16–19. 1921.
　　in Iowa. News L., vol. 6, No. 43, p. 9. 1919.
　　in Kentucky and Virginia, and results. Y.B., 1915, pp. 227–235, 237–248. 1916; Y.B. Sep. 672, pp. 227–235, 237–248. 1916.
　　in livestock drought relief. Y.B., 1919, pp. 393, 394. 1920; Y.B. Sep. 820, pp. 393, 394. 1920.
　　in North and West, 1919. S.R.S. Rpt., 1919, pp. 24–27. 1921.
　　in North and West, 1921. S.R.S. Rpt., 1921, pp. 5, 39, 40–44. 1921.
　　in South, 1904–1921. D.C. 248, pp. 8–9. 1922.
　　in South, North and West, 1917. An. Rpts., 1917, pp. 338–343, 346–350. 1917; S.R.S. Dir. Rpt., 1917, pp. 16–21, 24–28. 1917.
　　in South, North, and West, 1918. S.R.S. Dir. Rpt., 1918, pp. 18–21, 23, 25–30. 1918, An. Rpts., 1918, pp. 352–355, 357, 359, 360. 1919.
　　in South, North, and West, 1919. S.R.S. An. Rpt., 1919, pp. 15–20, 24–29. 1919; An. Rpts., 1919, pp. 367–372, 376–381. 1920.
　　in Southern States, 1921. S.R.S. Rpt., 1921, pp. 4, 27–31, 36–38. 1921.
　　in various States, records, 1914–1915. S.R.S. Doc. 40, pp. 20–23. 1917.
　　inauguration celebration. D.C. 244, pp. 16–17. 1922.
　　legislation, finances, and supervision. D.C. 179, pp. 9–11. 1921.
　　mapping, charting, and recording, method. L. R. Simons. S.R.S. Doc. 51, pp. 18. 1917.
　　origin and significance. D.C. 179, pp. 1–15. 1921.
　　with negroes in Southern States. S.R.S. An. Rpt., 1921, pp. 36–38. 1921.
　　report 1923. An. Rpt., 1923, pp. 599–601. 1923; S.R.S. An. Rpt., 1923, pp. 47–49. 1923.
　　working method, and appointment. S.R.S. Doc. 60, pp. 13–17, 26. 1917.
　　work in Northern and Western States—
　　　1916. S.R.S. Doc. 60, pp. 26. 1917.
　　　1917–1918. W. A. Lloyd. S.R.S. Doc. 88, pp. 24. 1918.
　　　1917, summary. S.R.S. Rpt., 1917, Pt. II, pp. 166–169. 1919.
　　　1918, W. A. Lloyd. D.C. 37, pp. 16. 1919.
　　　1919, status and results. W. A. Lloyd. D.C. 106, pp. 19. 1920.
　　　1920, status and results. D.C. 179, pp. 36. 1921.
　　　1921. W. A. Lloyd. D.C. 244, pp. 42. 1922.
agricultural experts, plan used in Canada. O.E.S. An. Rpt., 1011, pp. 354–357. 1912.
bureau, farm exchange. News L., vol. 6, No. 40, p. 16. 1919.
estimate, value to extension workers. Y.B., 1919, pp. 40, 41. 1920.
extension—
　organization, relation of farm women. D.C. 178, pp. 4–5. 1921.
　service, difference from farm bureaus. D.C. 244, pp. 5–8. 1922.

INDEX TO PUBLICATIONS, 1901–1925   639

County—Continued.
  farm-life schools, in North Carolina, regulations and income. O.E.S. An. Rpt., 1911, pp. 331–332. 1912.
  officers, views on tick eradication in South. B.A.I. Doc. A-4, rev., pp. 22–26. 1917.
  organization(s)—
    association, State and national. M.C. 3, p. 10. 1923.
    beginning. D.C. 179, pp. 5–9. 1921.
    extension work, farm-bureau plan. L. R. Simons. S.R.S. Doc. 89, pp. 26. 1919.
    for extension work—the farm-bureau plan. L. R. Simons. D.C. 30, pp. 26. 1919.
    into community clubs, work in Kentucky. Y.B., 1915, pp. 227–229. 1916; Y.B. Sep. 672, pp. 227–229. 1916.
    into farm bureaus. S.R.S. Doc. 54, pp. 8–10. 1917.
    methods and development. D.C. 30, pp. 16–19. 1919.
    North and West. An. Rpts., 1919, p. 377. 1920; S.R.S. An. Rpt., 1919, p. 25. 1919.
    of agricultural committees. S.R.S. Doc. 54, pp. 8–11. 1917.
    Southern States, 1918, report. S.R.S. Rpt., 1918, pp. 26–35. 1919.
  roads—
    drainage methods and foundations. E. W. James and others. D.B. 724, pp. 86. 1919.
    model systems designed by Roads Office. An. Rpts., 1912, pp. 869–875. 1913; Rds. Chief Rpt., 1912, pp. 25–31. 1912.
    systems, superintendence, and advice. An. Rpts., 1916, pp. 330, 335, 336. 1917; Rds. Chief Rpts., 1916, pp. 2, 7, 8. 1916.
  unit elevator, plans, methods, and dividend payments. D.B. 371, pp. 3, 8–10. 1916.
Courbaril, importation and description. No. 47559. B.P.I. Inv. 59, p. 30. 1922.
COUREY, GUY: "Soil survey of—
  Fond du Lac County, Wis." With others. Soil Sur. Adv. Sh., 1911, pp. 43. 1913; Soils F.O., 1911, pp. 1423–1461. 1914.
  Waushara County, Wis." With others. Soil Sur. Adv. Sh., 1909, pp. 33. 1911; Soils F.O., 1909, pp. 1203–1231. 1912.
Courlan. See Limpkin.
Couroupita guianensis, importation and description. No. 50475, B.P.I. Inv. 63, p. 71. 1923.
Court(s)—
  decisions—
    of interest to department matters. An. Rpts., 1917, pp. 393–395, 396. 1918; Sol. A. R., 1917, pp. 13–15, 16. 1917.
    on drainage, benefits, citations. D.B. 1207, pp. 11–21. 1924.
    relating to irrigation. D. B. 1340, pp. 35–36. 1925.
  judicial notice of regulations of Department of Agriculture. Sol. Cir. 22, pp. 8. 1909.
Courthouses, rural, planning. F.B. 1441, pp. 39–40. 1925.
Coutarea hexandra, importation and description. No. 36661, B.P.I. Inv. 37, pp. 7, 46. 1916.
Cover(s)—
  basal, of vegetation for grazing in Northern Great Plains. J.A.R., vol. 19, pp. 68–71. 1920.
  cotton bales, importation, regulation (press notice). F.H.B., S.R.A. 33 , pp. 137–138. 1916.
  crop(s)—
    apple orchards. F.B. 491, pp. 16, 17–18, 22. 1912.
    avocado, and intercropping. Hawaii Bul. 25, pp. 17–18. 1911; Hawaii Bul. 51, pp. 10–11. 1924.
    barley, notes. F.B. 427, p. 12. 1910.
    breeding work. An. Rpts. 1908, p. 350. 1909; B.P.I. Chief Rpt., 1908, p. 1. 1909.
    bur clover, value. F. B. 693, p. 9. 1915.
    citrus fruit growing. F.B. 374, p. 10. 1909.
    citrus orchards—
      in California. B.P.I. Bul. 123, p. 11. 1908. D.B. 499, pp. 8–12. 1917.
      in Porto Rico, suggestions. P.R. Bul. 19, pp. 25–26. 1916; P.R. An. Rpt., 1920, pp. 25–26. 1921.
    kinds and value. F.B. 1447, pp. 24–25. 1925.
    coconut grove, Porto Rico. P.R. Bul. 19, pp. 26–28. 1916.

Cover(s)—Continued.
  crops(s)—continued
    coffee plantations. P.R. Cir. 15, p. 20. 1912.
    Columbia River Valley, sandy soils. B.P.I. Cir. 60, pp. 19–20. 1910.
    cotton farms—
      in Texas. D.B. 659, p. 39. 1918.
      suggestions. F.B. 364, p. 21. 1909.
    cultural practice, Porto Rico. P.R. Bul. 19, pp. 30–31. 1916.
    definition, classes and uses. S.R.S. Syl. 24, p. 7. 1917; S.R.S. Syl. 25, p. 8. 1911.
    fig growing, use. F.B. 1031, pp. 16–17. 1919.
    fruit growing, field station near Mandan, N. Dak. D.B. 1301, p. 25. 1925.
    growing—
      in Alabama, Lowndes County. Soi l Sur. Adv. Sh., 1916, pp. 27–47. 1918; Soils F.O., 1916, pp. 809–830. 1921.
      with potatoes, in New Jersey, Chatsworth area. Soil Sur. Adv. Sh., 1919, pp. 478, 1923. 481.
    in Guam—
      legumes used. Guam A. R., 1921, p. 12. 1923.
      testing. Guam A.R., 1918, pp. 29–40, 53, 58. 1919.
      yields. Guam A.R., 1917, pp. 26–27. 1918.
    in Porto Rico, 1921 variety studies. P.R. An. Rpt., 1921, p. 10. 1922.
    in Southern States, Orangeburg sandy loam. Soils Cir. 47, pp. 6–7, 10. 1911.
    injury to pineapples. P.R. Bul. 19, pp. 28–29. 1916.
    kinds and description. F.B. 1250, pp. 22–25. 1922.
    leguminous—
      growing in Guam. Guam A.R., 1920, p. 24. 1921.
      growing in Porto Rico, yield tests. P.R. An. Rpt., 1920, pp. 16, 25–26. 1921.
      increase in South, demonstration work. An. Rpts., 1914, p. 121. 1914; B.P.I. Chief Rpt., 1914, p. 21. 1914.
    New Jersey farms. F.B. 472, pp. 9–11, 16, 17, 23, 30. 1911.
    nonleguminous, use in peach orchard. Y.B., 1902, p. 618. 1903.
    orchards—
      distinction from green manure crops. News L., vol. 7, No. 5, p. 10. 1019.
      Oregon, Umatilla Experiment Farm. W.I.A. Cir. 26, pp. 9–12. 1919.
      practices. D.B. 29, p. 8. 1913; F.B. 1284, p. 11. 1922; F.B. 267, p. 26–27. 1906; S.R.S. Syl. 23, p. 6. 1916.
      use of oats. F.B. 420, p. 23. 1910.
      value of buckwheat. F.B. 1062, pp. 20–21. 1919.
      varieties and seeding directions. S.R.S. Syl. 31, pp. 10–11. 1918.
    peach orchards. F.B. 631, pp. 21–23. 1915; F.B. 917, pp. 20–23. 1918.
    pear orchards. F.B. 482, pp. 11, 15–16. 1912.
    pecan orchards, suggestions. D.B. 1102, p. 12. 1922; D.B. 756, pp. 9–10. 1919.
    pigeon peas, value. Hawaii Bul. 46, pp. 4, 21. 1921.
    Porto Rico—
      C. F. Kinman (also Spanish edition). P.R. Bul. 19, pp. 30. 1918.
      1911, varieties, yield, and value. P.R. An. Rpt., 1911, pp. 25–26. 1912.
      1914, experiments, value of bean varieties. P.R. An. Rpt., 1914, pp. 11, 20–22. 1915. 1916. S.R.S. Rpt., 1916, Pt. I, p. 238. 1918.
    rye value. F.B. 894, pp. 5–6, 1917. 1918; Sec. Cir. 90, p. 30. 1917; Y.B., 1918, pp. 177–178. 1919; Y.B. Sep. 769, pp. 11–12. 1919.
    school lesson. D.B. 258, pp. 2–3. 1915.
    souring, disking. News L., vol. 2, No. 38, pp. 6, 7. 1915.
    sugar-cane growing, experiments, Hawaii. O.E.S. An. Rpt., 1912, pp. 62, 105. 1913.
    time for turning under. News L., vol. 2, No. 37, pp. 7, 8. 1915.
    tobacco and hairy vetch. An. Rpts., 1908, pp. 342, 350. 1908; B.P.I. Chief Rpt., 1908, pp. 70, 78. 1909.
    tobacco fields. F.B. 237, pp. 13–14. 1905.

Cover(s)—Continued.
crops(s)—continued.
use—
and value of crimson clover. F.B. 579, p. 10. 1914.
and value of oats. F.B. 892, p. 9. 1917.
in Northwest, prune growing. F.B. 1372, pp. 45-48. 1924.
in prevention of soil erosion. D.B. 512, p. 4. 1917; F.B. 414, p. 9. 1910.
of legumes, and value. Guam Bul. 4, pp. 3-4. 1922.
value in—
rotation of crops. F.B. 398, pp. 7-8. 1910.
soil improvement. F.B. 986, pp. 20-21. 1918.
value of—
bur clover. B.P.I. Bul. 267, p. 12. 1913.
crimson clover. F.B. 550, p. 3. 1913.
jack bean and sword bean. B.P.I. Cir. 110, pp. 33, 36. 1913.
oats. F.B. 424, p. 12. 1910.
vetch. F.B. 360, p. 29. 1909.
value to soils, in Missouri, St. Louis County. Soil Sur. Adv. Sh., 1919 p. 529. 1923; Soils F.O., 1919, p. 529. 1925.
varieties, studies in Porto Rico. P.R. An. Rpt., 1910, pp. 26-27. 1911.
vineyards. An. Rpts., 1919, p. 141. 1920; B.P.I. Chief Rpt., 1919, p. 5. 1919.
vineyards, relation to grape leaf-hoppers. Ent. Bul. 97, pp. 7-8. 1913.
walnut orchards, California. B.P.I. Bul. 254, p. 85. 1913.
winter—
barley, value. F.B. 518, p. 17. 1912.
in corn growing. F.B. 414, p. 15. 1910.
legumes for the South. News L., vol. 1, No. 4, pp. 3-4. 1913.
relation to use of fertilizers. F.B. 398, pp. 7-8. 1910.
ground, successive types on forest ranges. D.B. 791, pp. 2-54. 1919.
natural, bearing on site for forest nursery. D.B. 479, p. 6. 1917.
papers, specifications. Rpt. 89, p. 50. 1909.
vegetative, maintenance or restoration on forest ranges. D.B. 675, pp. 27-30. 1918.
COVERT, J. R.—
"Dates of sowing and harvesting." Stat. [Misc.], "Dates of sowing * * *," pp. 7. 1911.
"Seedtime and harvest." With others. D.C. 183, pp. 53. 1922.
"Seedtime and harvest; cereals, flax, cotton and tobacco." Stat. Bul. 85, pp. 152. 1912.
"Seedtime and harvest, average dates of planting and harvesting in the United States. Y.B. 1910, pp. 488-494. 1911.
COVERT, R. N.—
"Instructions for the installation and maintenance of Marvin water-stage registers." W.B. Cir. J, pp. 24. 1921.
"Modern methods of protection against lightning." F.B. 842, pp. 32. 1917.
Coverts, game birds, plants desirable. D.B. 715, pp. 4-5. 1918; Y.B., 1909, p. 194. 1910; Y.B., Sep. 504, p. 194. 1910.
COVILLE, F. V.—
"Directions for blueberry culture, 1916." D.B. 334, pp. 16. 1915.
"Directions for blueberry culture, 1921." D.B. 974, pp. 24. 1921.
"Experiments in blueberry culture." B.P.I. Bul. 193, pp. 100. 1910.
"Grazing experiments in a coyote-proof pasture." With James T. Jardine. For. Cir. 156, pp. 32. 1908.
"Grossularia echinella, a spiny-fruited gooseberry from Florida." J.A.R., vol. 28, No. 1, pp. 71-74. 1924.
"The agricultural utilization of acid lands by means of acid-tolerant crops." D.B. 6, pp. 13. 1913.
"The influence of cold in stimulating the growth of plants." J.A.R., vol. 20, pp. 151-160. 1920.
"The revegetation of overgrazed range areas. Preliminary report." With Arthur W. Sampson. For. Cir. 158, pp. 21. 1908.
Covillea tridentata. See Creosote bush.

Covington, Ky., milk supply, statistics, officials, and prices. B.A.I. Bul. 46, pp. 34, 80. 1903.
Cow(s)—
abortion—
bacillus, occurrence and spread on udder. J.A.R., vol. 9, pp. 9-15. 1917.
causes, prevention, and treatment. B.A.I. [Misc.], "Diseases of cattle," rev., pp. 161-170. 1904; rev., pp. 165-174. 1912; F.B. 374, pp. 19 22. 1909.
contagious, treatment, studies. Work and Exp., 1914, pp. 117, 136, 232. 1915.
records. B.A.I. An. Rpt., 1911, pp. 180-181. 1913; B.A.I. Cir. 216, pp. 180-181. 1913.
yeast treatment. F.B. 237, p. 32. 1905.
affected with mycotic stomatitis, appearance and lesions. D.C. 322, pp. 2-4. 1924.
age, influence on composition and properties of milk and milk fat. J.A.R., vol. 11, pp. 645-658. 1917.
age, relation to efficiency of machine milking. D.B. 423, p. 16. 1916.
air requirement. F.B. 1393, pp. 1-2, 14. 1924.
anatomy and conformation, studies. Dairy Chief Rpt., 1925, pp. 8-10. 1925.
annual income or earnings, and relation to maintenance cost. Stat. Bul. 88, pp. 38-41. 1911.
anti-abortion serum, Roberts' test. Sec. Cir. 29, p. 1. 1909.
Ayrshire—
description, characteristics, and records. F.B. 893, pp. 7-12. 1917.
fat in milk in various lactation periods. J.A.R., vol. 11, No. 12, pp. 650-655. 1917.
lactation stage experiments, data. B.A.I. Bul. 155, pp. 25-67, 78-88. 1913.
milk—
analyses. Chem. Bul. 132, pp. 127, 128. 1910.
composition, data in breed experiments, and tables. B.A.I. Bul. 156, pp. 9-26. 1913.
variation in quantity and fat content. Raymond Pearl and John Rice Miner. J.A.R., vol. 17, pp. 285-322. 1919.
yield and fat percentage, records. J.A.R., vol. 14, pp. 72-74, 76, 92-96. 1918.
value at different ages. D.B. 413, pp. 7-9, 10. 1916.
bacteria sources, studies, characteristics. J.A.R., vol. 1, pp. 492-511. 1914.
barn(s)—
construction, and care. F.B. 241, p. 8. 1905.
designs for building. B.A.I. An. Rpt., 1906, pp. 287-300. 1908; B.A.I. Cir. 131, pp. 5-18. 1908.
bedding requirements—
score-card rating. B.A.I. Cir. 199, pp. 11, 14. 1912.
various materials. F.B. 237, pp. 20-21. 1905; J.A.R., vol. 14, p. 189. 1918.
beef—
feeding, cost reduction and methods. News L., vol. 5, No. 16, p. 5. 1917.
feeding cottonseed in rations. F.B. 1179, p. 11. 1923.
grade, feeding experiments while raising calves. E. W. Sheets and R. H. Tuckwiller. D.B. 1024, pp. 17. 1922.
prices, 1910-1914. Rpt. 113, p. 65. 1916.
use of farm by-products for feed, Iowa experiments. News L., vol. 5, No. 28, p. 7. 1918.
weight gains and losses on different feeds. D.B. 1024, pp. 9-13. 1922.
winter—
feed requirements. F.B. 1218, pp. 4-5. 1921.
feeding economical in Corn Belt. J. S. Cotton and Edmund H. Thompson. D.B. 615, pp. 16. 1917.
bladder eversion and rupture. B.A.I. [Misc.], "Diseases of cattle," rev., pp. 214-215. 1908; rev., pp. 220-221. 1912; rev., pp. 218-219. 1923.
breed and individuality, influence on milk. C. H. Eckles and Roscoe H. Shaw. B.A.I. Bul. 156, pp. 27. 1913.
breeding—
after abortion, time lapse. News L., vol. 4, No. 12, p. 4. 1916.
and feeding, in baby-beef production. F.B. 811, p. 13. 1917.

INDEX TO PUBLICATIONS, 1901–1925 — 641

Cow(s)—Continued.
  breeding—continued.
   cottonseed-meal feeding experiments and daily rations. F.B. 655, pp. 3–4. 1915.
   maintenance cost, summary and details. Rpt., 111, pp. 6–7, 20–29, 32–36, 49–50. 1916.
   necessity for extra feeding on ranges. News L., vol. 4, No. 30, pp. 1, 4. 1917.
   selection for ranges. F.B. 1395, pp. 21–23. 1925.
   varying rations and wintering cost. D.B. 615, pp. 4–5, 6–9. 1917.
  Brown Swiss—
   champion butterfat producer. Y.B. 1922, p. 329. 1923.
   dairy records. B.A.I. Bul. 75, pp. 103, 108, 127, 136. 1905.
   description, characteristics, and records. F.B. 893, pp. 12–16. 1917.
   milk and butterfat production, yearly records. News L., vol. 5, No. 28, p. 8. 1918.
  butter production and value. F.B. 541, p. 27. 1913.
  butterfat production, reports of cow-testing associations. News L., vol. 6, No. 3, p. 8. 1918.
  calving—
   care and treatment. Alaska A.R. 1907, pp. 63–64. 1909.
   fat in milk. F.B. 514, pp. 23–24. 1912.
   records from cow-testing association. D.B. 1071, pp. 2–9. 1922.
   season, relation to dairy production and income. J. C. McDowell. D.B. 1071, pp. 1–10. 1922.
  care—
   cleaning and feeding, directions. S.R.S. Syl. 18, pp. 6–9. 1915.
   feed, water, etc., influence on clean milk production. F.B. 602, pp. 6–9. 1914.
   in securing cleanliness in butter-making. F.B. 541, pp. 6–7. 1913.
  census—
   from 1899–1908, inclusive. W. D. Hoard. B.A.I. Bul. 164, pp. 57. 1913.
   Belleville, N. Y., first in United States, 1888. D.B. 984, p. 46. 1921.
   early and later, methods, limitations, and results. B.A.I. Bul. 164, pp. 8–41. 1913.
  chart giving names of different parts. D.B. 434, p. 2. 1916.
  cleaning—
   before milking, directions. F.B. 366, p. 25. 1909.
   extra cost in producing standard milk. B.A.I. An. Rpt., 1909, p. 128. 1911; B.A.I. Cir. 170, p. 128. 1911.
  cleanliness, standards, ordinary and very high. B.A.I. An. Rpt. 1909, pp. 122, 124–126. 1911; B.A.I. Cir. 170, pp. 122, 124–126. 1911.
  cockle, seed, description. F.B. 428, pp. 19, 20. 1911.
  conversion of inedible feeds into edible food. News L., vol. 6, No. 17, p. 3. 1918.
  cost of feed and labor in producing baby beef. Y.B. 1921, p. 268. 1922; Y.B. Sep. 874, p. 268. 1922.
  dairy—
   age, effect on production of butterfat. D.B. 1352, pp. 2–5, 24. 1925.
   age, influence on value. D.B. 413, pp. 1–11. 1916.
   alfalfa ration, discussion. B.A.I. Cir. 86, pp. 257–258. 1905.
   and the weather. F.B. 149, pp. 28–31. 1902.
   average yield of milk, United States and other countries. News L., vol. 7, No. 1, p. 1. 1919.
   balance rations, studies. News L., vol. 4, No. 8, pp. 1–2. 1916.
   breeds—
    milk and butterfat records of champions. F.B. 1202, p. 56. 1921.
    milk yields, and fat percentage records. J.A.R., vol. 14, pp. 69–96. 1918.
    records of milk and butterfat production. F.B. 1443, pp. 12, 16, 19, 23, 28, 32. 1925.
   butterfat—
    production, and income over cost of feed. D.B. 1069, pp. 5–14. 1922.
    production, effect of age and pregnancy. D.B. 1352, pp. 21–24. 1925.

Cow(s)—Continued.
  dairy—continued.
   butterfat—continued.
    records. D.B. 1352, pp. 3, 4–5, 7–18, 19, 20, 21, 23. 1925.
   care and handling, school lesson. D.B. 763. pp. 17–18. 1919.
   cause of prosperity in Mississippi in place of boll-weevil devastation. News L., vol. 5, No. 37, p. 12. 1918.
   champion butterfat producers, by breeds. Y.B., 1922, pp. 328–331. 1923.
   cost of feed and bedding, labor, and buildings. D.B. 501, pp. 4–19. 1917.
   credits other than milk. D.B. 501, pp. 14–16, 18. 1917.
   depreciation rate, calculation method. D.B. 341, pp. 93–95. 1916.
   development, factor in butterfat production. D.B. 1352, pp. 5–20, 24. 1925.
   digestion experiments, prickly pears and other feeds. J.A.R., vol. 4, pp. 418–421, 445–450. 1915.
   discarding and feeding for meat production. Y.B., 1922, pp. 338–339. 1922; Y.B. Sep. 857, pp. 47–49. 1922.
   district survey, blank forms, school studies. D.B. 763, pp. 25, 26. 1919.
   economical producer of animal food. Sec. Cir. 85, pp. 9–10. 1918.
   effects of exposure to weather. F.B. 149, pp. 28–31. 1902.
   efficiency as factor in profits. Y.B., 1922, pp. 319–322. 1923; Y.B. Sep. 879, pp. 33–35. 1923.
   energy utilization and body increase in milk production. J. August Fries and others. D.B. 1281, pp. 36. 1924.
   estimates for 1903. B.A.I. Bul. 55, p. 48. 1903.
   estimation of milk production, methods. B.A.I. Chief Rpt., 1905, pp. 118–120. 1907.
   export regulations. News L., vol. 7, No. 9, p. 7. 1919.
   feed—
    and labor requirements and cost, and products. Y.B., 1921, pp. 833–835. 1922; Y.B. Sep. 876, pp. 30–32. 1922.
    cost per cow per year, various States. D.B. 501, pp. 4, 5–10, 18, 19. 1917.
    effect on milk secretion study by Dairy Division, 1910. B.A.I. An. Rpt. 1910, pp. 57–58. 1912.
    importance of pastures. Sec. Cir. 142, pp. 21–22. 1919.
    preparation for. Off. Rec., vol. 4, No. 32, p. 4. 1925.
    prickly pears, investigations and results. J.A.R., vol. 4, pp. 405–450. 1915.
    requirements. D.B. 923, pp. 5–6. 1921.
    restriction to avoid overfatness. F.B. 743, p. 22. 1916.
    units in different States. Y.B., 1923, p. 412. 1924; Y.B. Sep. 895, p. 412. 1924.
    value of pea silage. F.B. 690, p. 17. 1915.
    value of velvet beans, and mixtures, experiments. F.B. 1276, pp. 25–26. 1922.
   feeding—
    Helmer Rabild and others. F.B. 743, pp. 23. 1916.
    alfalfa. F.B. 339, p. 29. 1908; F.B. 1229, pp. 13–14. 1921.
    and pasturing, cost. News L., vol. 4, No. 2, pp. 1–2. 1916.
    balanced rations, importance. News L., vol. 4, No. 8, pp. 1–2. 1916.
    beet-top silage experiments. F.B. 1095, p. 13. 1919.
    before calving. F.B. 1336, p. 1. 1923.
    cost, relation of butterfat production. Y.B., 1917, pp. 358–359. 1918; Y.B. Sep. 743, pp. 4–5. 1918.
    cottonseed meal and corn silage. F.B. 320, pp. 28–29. 1908.
    cottonseed products, rations, and results. F.B. 1179, pp. 2, 11–12, 16–17. 1920.
    cowpea seed, hay, and silage. F.B. 1153, pp. 10, 16, 19, 20. 1920.
    economy. Sec. Cir. 85, pp. 13–15. 1918.
    effect of cabbage and potatoes on flavor and odor of milk. D.B. 1297, pp. 1–12. 1924.

Cow (s)—Continued.
  dairy—continued.
    feeding—continued.
      experiments in Argentina. B.A.I. Bul. 48, pp. 54-55. 1903.
      experiment, nutrition and growth. Work and Exp., 1922, pp. 66, 67-68. 1924.
      experiments, Scottsbluff Experiment Farm. D.C. 289, pp. 33-35. 1924.
      experiments with velvet beans and other feeds. F.B. 962, pp. 33-35, 38. 1918.
      fish meal, Alaska, Kenai Peninsula region. Soil Sur. Adv. Sh., 1916, p. 110. 1919; Soils F.O. 1916, p. 142. 1921.
      fish meal, experiments and results. D.B. 378, pp. 3, 4, 5, 7, 11, 15, 18. 1916.
      Hawaii, value of honohono. Hawaii A.R., 1915, pp. 17, 51-52. 1916.
      in South. F.B. 349, pp. 17, 34. 1909; B.A.I. An. Rpt., 1907, pp. 318, 335. 1909.
      legumes to save grain. B.A.I. Doc. A-25, p. 1. 1917.
      oats and oat hay. F.B. 420, pp. 20, 22, 24. 1910.
      pea-vine silage, value and objections. B.P.I. Cir. 45, pp. 7-8. 1910.
      peanuts, entire plant. F.B. 356, p. 36. 1909.
      rations. F.B. 384, pp. 15, 17. 1910.
      semi-arid regions, relation to soil improvement. Y.B. 1912, pp. 446, 467-469. 1913; Y.B. Sep. 606, pp. 446, 467-469. 1913.
      silage as substitute for grain. F.B. 222, pp. 31-32. 1905.
      soy-bean meal. S.R.S. Syl. 35. p. 3. 1919.
      soybeans, experiments. F.B. 973, pp. 20-21. 1918; F.B. 372, p. 21. 1909.
      Sudan grass, comparison with alfalfa. J.A.R., vol. 14, p. 178. 1918.
      sugar-beet pulp. D.B. 721, pp. 40-41. 1918; Rpt. 90, pp. 30, 33, 34. 1909.
      teaching by use of F.B. 743. F. E. Heald. S.R.S. [Misc.], "How teachers may use * * *," pp. 2. 1917.
      winter and summer. F.B. 355, pp. 15-17. 1909.
    feedstuffs, energy value, study. F.B. 346, pp. 19, 24-30. 1909.
    freshing season, influence on production and income. J. C. McDowell. D.B. 1071; pp. 10. 1922.
    grades, profit differences. F.B. 162, p. 24. 1903.
    guarding from milk-tainting weeds. News L., vol. 6, No. 36, p. 12. 1919.
    health requirements, testing, etc., certified milk production. D.B. 1, pp. 2, 14, 27, 28-29. 1913; B.A.I. Bul. 104, pp. 11, 16, 34, 40. 1908.
    high-class, comparison with poor-class. B.A.I. An. Rpt., 1907, pp. 325, 331-334. 1909; F.B. 349, pp. 25, 30-33. 1909.
    housing and care, discussion. Y.B., 1902, pp. 148, 149-150. 1903.
    ideal, features. F.B. 143, p. 36. 1902.
    improvement—
      by grading up. D.B. 905, pp. 54-57. 1920.
      by importations and care. Y.B., 1922, p. 307. 1923; Y.B. Sep. 879, p. 22. 1923.
      due to purebred sires. Y.B., 1916, pp. 317-318. 1917; Y.B. Sep. 718, pp. 7-8. 1917.
    in—
      Argentina, number, 1888-1918. B.A.I. Doc. A-37, p. 43. 1922.
      Australia, number, 1788-1920. B.A.I. Doc. A-37, pp. 45-46. 1922.
      Austria, number, 1869-1910. B.A.I. Doc. A-37, p. 46. 1922.
      Brazil, feed, and milking. D.C. 228, p. 30. 1922.
      Canada, and total number of cattle, 1871-1921. B.A.I. Doc. A-37, p. 47. 1922.
      Denmark, and number of other cattle, 1876-1921. B.A.I. Doc. A-37, p. 49. 1922.
      Netherlands, and other cattle, 1851-1920. B.A.I. Doc. A-37, p. 56. 1922.
      Pennsylvania, Chester County, importance and number on farms. D.B. 341, pp. 21-22. 1916.
      Porto Rico, yields. P.R. Bul. 29, pp. 15-18. 1922.

Cow (s)—Continued.
  dairy—continued.
    income—
      from, relation to production. J. C. McDowell. D.B. 1069, pp. 20. 1922.
      records. F.B. 1446, pp. 12-15, 18-19. 1925.
    increase since 1870, by 10-year periods. D.B. 177, pp. 1-6. 1915.
    influence of heredity. F.B. 993, pp. 8-12. 1918.
    judging as subject of instruction in secondary schools. H. P. Barrows and H. P. Davis. D.B. 434, pp. 20. 1916.
    keeping in open sheds, comparison with closed barns. T. E. Woodward and others. D.B. 736, pp. 15. 1918.
    management—
      feeding, etc., on 160-acre hog and dairy farm in Indiana. F.B. 1463, pp. 21-23. 1925.
      suggestions. F.B. 280, pp. 8-9. 1907.
    manure, plant food recoverable from. C. F. Wells and B. A. Dunbar. J.A.R., vol. 30, pp. 985-988. 1925.
    medium for marketing alfalfa and corn crops. News L., vol. 3, No. 33, p. 1. 1916.
    milk—
      and butterfat records, tests at Springfield, Mass. News L., vol. 4, No. 19, p. 1. 1916.
      and butter records, requirements in scoring, Denmark. B.A.I. Bul. 129, p. 24. 1911.
      production, effect of cattle ticks. T. E. Woodward and others. D.B. 147, pp. 22. 1915.
      production in different States. Y.B., 1923, p. 412. 1924; Y.B. Sep. 895, p. 412. 1924.
      yields, effect of calcium and phosphorus in feed. Edward B. Meigs and T. E. Woodward. D.B. 945, pp. 28. 1921.
      yields and fat, correlation, records. J.A.R. vol. 14, pp. 69-96. 1918.
      yields in Alaska. Off. Rec. vol 2, No. 15, p. 5. 1923.
    number—
      1900. B.A.I. Bul. 55, pp. 10-20, 48. 1903.
      1850-1920. Y.B., 1922, pp. 298-301, 315-319. 1923; Y.B. Sep. 879, pp. 16-18, 20, 29-31. 1923.
      and income from 160-acre hog farms in Indiana. F.B. 1463, pp. 15-16. 1925.
      and kind in Wisconsin, Waukesha County. Soil Sur. Adv. Sh., 1910, p. 12. 1912; Soils F.O., 1910, p. 1180. 1912.
      furnishing milk supply of Chicago. B.A.I. Bul. 138, p. 8. 1911.
      furnishing milk supply of Washington, D. C. B.A.I. Bul. 138, p. 31. 1911.
      in world countries, 1908. Y.B., 1908, pp. 711-714. 1909; Y.B. Sep. 498, pp. 711-714. 1909.
      on farms, 1840-1922. B.A.I. Doc. A-37, p. 11. 1922.
      on farms and in towns. Y.B., 1924, p. 357. 1925.
      United States and foreign countries. Sec. [Misc.], Spec. "Geography * * * world's agriculture," pp. 124-126. 1918.
      value, distribution, and estimates. F.B. 575, pp. 2, 8, 12-15, 23, 35. 1914.
    nutrition investigations. An. Rpts., 1921, pp. 23-25. 1921.
    pasturing—
      experiments, Huntley Experiment Farm, 1920. D.C. 204, pp. 26-30. 1921.
      experiments, Huntley Experiment Farm, 1921. D.C. 275, pp. 21-24. 1923.
      experiments, Montana. D.C. 147, pp. 24-27. 1921.
      on alfalfa, Arizona system. Sec. Cir. 54, pp. 1-2. 1915.
      on cowpeas. F.B. 1153, p. 19. 1920.
    per head, relation to labor income. D.B. 341, pp. 76-79. 1916.
    production—
      relation to income. J. C. McDowell. D.B. 1069, pp. 20. 1922.
      selection, breeding, and care. Y.B., 1922, pp. 319-324. 1923; Y.B. Sep. 879, pp. 33-37. 1923.
    profit from different types. F.B. 162, p. 24. 1903.

INDEX TO PUBLICATIONS, 1901–1925   643

Cow(s)—Continued.
 dairy—continued.
  profits to farmers. J. C. McDowell. Y.B., 1920, pp. 401–412. 1921; Y.B. Sep. 853, pp. 401–412. 1921.
  quality as an influence on income. F.B. 1121, pp. 19–20. 1920.
  quality, relation to profit. Y.B., 1913, pp. 105–106. 1914; Y.B. Sep. 617, pp. 105–106. 1914.
  raising, cost. C. M. Bennett and M. O. Cooper. D.B. 49, pp. 23. 1914.
  rations—
   annual requirements. F.B. 370, pp. 28–31. 1909.
   cheapening. F.B. 251, pp. 26–30. 1906.
   computation. B.A.I. Bul. 139, pp. 47, 49. 1911.
   during lactation experiments. B.A.I. Bul. 155, pp. 19–20. 1913.
   in Europe. B.A.I. Bul. 77, pp. 40–70. 1905.
   Minnesota farms. Stat. Bul. 73, p. 38. 1909.
   mixtures with pasture and with roughage. F.B. 743, pp. 5–6, 18–22. 1916.
   relation to composition of milk. J.A.R., vol. 6, No. 4, pp. 167–178. 1916.
   saving by aid of "feeding-schools." D.C. 244, pp. 33–34. 1922.
   standard and experimental. D.B. 945, pp. 2, 10, 11, 13–19, 25. 1921.
   suggestions. Y.B., 1922, p. 334. 1923; Y.B. Sep. 879, p. 44. 1923.
  records, value and importance in economic milk production. C. B. Lane. B.A.I. Cir. 103, pp. 38. 1907; B.A.I. Chief Rpt., 1905, pp. 111–145. 1907.
  relation to population, changes since 1870, by 10-year periods. D.B. 177, pp. 6, 9. 1915.
  requirements for—
   1919–1920. Sec. Cir. 125, p. 17. 1919.
   cleanliness and health. B.A.I. An. Rpts., 1909, pp. 122–123, 124–126. 1911; B.A.I. Cir. 170, pp. 122–123, 124–126. 1911.
  salt requirements. F.B. 743, p. 23. 1916.
  scale of points for judging. Y.B., 1900, p. 737. 1901.
  score card, blank form, school studies. D.B. 763, p. 29. 1919.
  selection, breeding, and feeding for improvement. Y.B., 1917, pp. 357–363. 1918; Y.B. Sep. 743, pp. 1–8. 1918.
  soiling—
   crop requirements. F.B. 190, pp. 8–14. 1904.
   value of prickly comfrey. B.P.I. Cir. 47, p. 6. 1910.
  southern breeds. F.B. 151, pp. 18–22. 1902.
  statistics—
   1906, world. Y.B., 1906, pp. 632–635. 1907; Y.B. Sep. 436, pp. 632–635. 1907.
   1867–1907, by States and by years. Stat. Bul. 64, pp. 39–52, 95–145. 1908.
   1907 number, value, imports, and exports. Y.B., 1907, pp. 698–701, 713–715, 736, 747. 1908; Y.B. Sep. 465, pp. 698–701, 713–715. 1908.
   1911, for different countries. Y.B. 1911, pp. 619–622. 1912; Y.B. Sep. 588, pp. 619–622. 1912.
   1915, numbers and value on farms. Y.B., 1915, pp. 519–521. 1916; Y.B. Sep. 684, pp. 519–521. 1916.
  test at Argentina stock show. B.A.I. Bul. 48, pp. 48–49. 1903.
  testing—
   associations, number, membership, scope, and cost. News L., vol. 4, No. 25, pp. 1–2. 1917.
   by women. News L., vol. 6, No. 17, p. 6. 1918.
   experiments and butterfat production. News L., vol. 5, No. 39, pp. 6–7. 1918.
   tuberculin testing, 1909, work and results. An. Rpts., 1909, pp. 218–219. 1910; B.A.I. Chief Rpt., 1909, pp. 28–29. 1909.
   tuberculous, dangerous source of infection. Y.B., 1908, pp. 218, 223–226. 1909; Y.B. Sep. 476, pp. 218, 223–226. 1909.

Cow(s)—Continued.
 dairy—continued.
  type—
   description. D.B. 434, pp. 4–15. 1916.
   in relation to milk and butter production. H. W. Lawson. F.B. 124, pp. 28–30. 1901.
  udder diseases. Hubert Bunyea. F.B. 1422, pp. 18. 1924.
  United States, records. Clarence B. Lane. B.A.I. Bul. 75, pp. 184. 1905.
  value(s)—
   at various ages. D.B. 413, pp. 1–11. 1916.
   in conversion of enedible feed into edible food. News L., vol. 6, No. 2, p. 5. 1918.
   of home-grown feed. News L., vol. 6, No. 7, p. 8. 1918.
   of various new feeds. T. E. Woodward and others. D.B. 1272, pp. 16. 1924.
  water requirements. F.B. 743, p. 23. 1916.
  worth determination. News L., vol. 6, No. 3, p. 4. 1918.
  yield per cow, 1919, by States. B.A.I. Doc. A–37, p. 27. 1922.
 Devon, dairy records. B.A.I. Bul. 75, pp. 108, 137. 1905.
 dipping for ticks, effect on milk production. D.B. 147, pp. 14–16, 17. 1915; F.B. 639, pp. 2–3. 1915.
 diseases—
  caused by Bacillus necrophorus. B.A.I. Bul. 67, pp. 21, 22, 40. 1905.
  following parturition. B.A.I. [Misc.] "Diseases of cattle," rev., pp. 210–242. 1904; B.A.I. [Misc.] "Diseases of cattle," rev., pp. 216–251. 1912; B.A.I. [Misc.] "Diseases of cattle," rev., pp. 214–246. 1923.
  prevention, importance in dairying. Sec. Cir. 85, p. 24. 1918.
  transmission through milk. O.E.S. An. Rpt., 1905, pp. 281–285. 1916.
  See also Cattle diseases.
 drinking water needs. News L., vol. 4, No. 1, p. 3. 1916.
 dry—
  maintenance feed, value of prickly pears. J.A.R., vol. 4, p. 430. 1915.
  observations on body temperature. Max Kriss. J.A.R., vol. 21, pp. 28. 1928.
 "drying up" period in milk production, experiment. D.B. 1281, pp. 28–30. 1924.
 dual-purpose, feeding, rations for various sections. F.B. 1073, pp. 13–16. 1919.
 ear-tick infested, symptoms and treatment. F.B. 980, pp. 6–8. 1918.
 effect of machine milking. D.B. 423, pp. 15–16. 1916.
 fall freshening, advantages. News L., vol. 3, No. 1, p. 5. 1915.
 feces, source of tuberculous infection, prevalence and dangers. B.A.I. An. Rpt., 1908, pp. 117–120. 1910; B.A.I. Cir. 118, pp. 6–18. 1907.
 feed—
  and—
   labor requirements, southwestern Minnesota. D.B. 1271, pp. 50–58. 1924.
   management. F.B. 242, pp. 9–11. 1906.
   milk production. News L., vol. 7, No. 9, p. 5. 1919.
   pasture requirements per head. Y.B., 1907, pp. 392–395. 1908; Y.B. Sep. 456, pp. 392–395. 1908.
  consumption, annual average. Stat. Bul. 88, pp. 26–27. 1911.
  cost—
   and profits, comparison, cheap and expensive kinds. Stat. Bul. 48, pp. 63–75. 1906.
   relation to yield of milk. Y.B., 1915, pp. 117, 118. 1916; Y.B. Sep. 661, pp. 117, 118. 1916.
  distillery mash, use in Germany. D.B. 182, pp. 2, 16, 22, 25, 28, 30, 33. 1915.
  effects on milk composition and wholesomeness. B.A.I. [Misc.], "Diseases of cattle," rev., pp. 252–255. 1904; rev., pp. 261–263. 1912.
  relation to milk production as factor of economy. F.B. 465, pp. 20–22. 1911.
  requirements for milk production. D.B. 459, pp. 17, 22–28. 1916; Work and Exp., 1919, pp. 11, 78–79. 1921.

Cow(s)—Continued.
feed—continued.
superiority of corn and alfalfa over pastures, studies. News L., vol. 3, No. 18, p. 4. 1915.
varieties and cost. F.B. 522, pp. 18-19. 1913.
vetch hay and silage. F.B. 360, pp. 29-30. 1909.
feeding—
apple by-products, experiments. D.B. 1166, pp. 2, 22-31, 33. 1923.
cornstalk extract, experiments. An. Rpts., 1912, p. 417. 1913; B.P.I. Chief Rpt., 1912, p. 37. 1912.
cost, relation to calving season. D.B. 1071, pp. 2, 5-7, 9. 1922.
experiments—
in study of metabolism. S.R.S. Rpt., 1916, Pt. I, p. 267. 1918.
with alfalfa meal. F.B. 384, pp. 13-14. 1910.
with nonprotein. B.A.I. Bul. 139, pp. 35, 36-37. 1911.
green—
alfalfa and green corn, effect on milk flavor and odor. C. J. Babcock. D.B. 1190, pp. 12. 1923.
in raising beef calves, Alabama. D.B. 73, pp. 5-7. 1914.
rye and green cowpeas, effect on flavor and odor of milk. C. J. Babcock. D.B. 1342, pp. 8. 1925.
mineral requirements for milk production. D.C. 139, p. 11. 1920.
on—
apple pomace. F.B. 186, pp. 21-22. 1904.
cowpea hay. F.B. 318, p. 14. 1908.
pasture, Huntley Experiment Farm, cost. W.I.A. Cir. 8, pp. 15-16. 1916.
Sudan grass hay, comparison with alfalfa. F.B. 1126, p. 21. 1920.
precautions. B.A.I. An. Rpt., 1907, pp. 157-158. 1909.
silage, quantity per cow. B.A.I. Cir. 136, p. 1. 1909.
silage, rations, and methods. F.B. 556, pp. 13, 14-17. 1913.
swill, prohibitions. B.A.I. Bul. 46, pp. 45-165. 1903.
turnips, effect on milk flavor and odor. C. J. Babcock. D.B. 1208, pp. 8. 1923.
vegetabl -ivory meal, digestion experiments. J.A.R., vol. 7, pp. 311-318. 1916.
with drugs to affect milk and fat production. J.A.R., vol. 19, pp. 123-130. 1920.
flank, delivery. B.A.I. [Misc.]. "Diseases of cattle," rev., pp. 204-205. 1904; rev., pp. 209-211. 1912; rev. pp. 207-209. 1923.
foreign countries, statistics, 1900. B.A.I. Bul. 55, pp. 75-88. 1903.
freshening—
and drying. F.B. 355, p. 17. 1909.
See also Calving.
gestation—
diseased conditions and treatment. B.A.I. [Misc.], "Diseases of cattle," rev., pp. 156-170. 1908; rev., pp. 161-164. 1912.
period. F.B. 1167, p. 9. 1920.
table. F.B. 1073, p. 7. 1919; F.B. 1379, p. 8. 1923.
grade, comparison with purebred. D.C. 235, pp. 12, 17. 1922.
grade or purebred, influence on profit, Wisconsin and Illinois dairy farms. D.B. 603, pp. 13-14. 1918.
Guernsey—
champion butterfat producer. Y.B., 1922, p. 330. 1923; Y.B. Sep. 879, p. 330. 1923.
description, characteristics, score cards, and records. F.B. 893, pp. 17-23. 1917.
milk—
analyses. Chem. Bul. 132, pp. 127, 128, 130. 1910.
and butterfat production, yearly records. News L., vol. 5, No. 28, p. 8. 1918.
composition, comparison with other breeds. B.A.I. Bul. 156, pp. 11, 13, 15, 19. 1913.
yield and fat percentage, records. J.A.R., vol. 14, pp. 71, 76, 82-86, 96. 1918.
value at different ages. D.B. 413, pp. 4-6, 10. 1916.

Cow(s)—Continued.
health in open sheds and closed barns, comparison. D.B. 736, p. 12. 1918.
health, relation to sanitary milk. B.A.I. An. Rpt., 1907, p. 173. 1909; B.A.I. Cir. 142, p. 173. 1909.
healthy, importance in milk supply for schools. News L., vol. 7, No. 1, p. 5. 1919.
hides. *See* Hides.
high-grade, demand in Argentina. B.A.I. Bul. 48, p. 35. 1903.
Holstein—
dairy records. B.A.I. Bul. 75, pp. 104, 117-119, 128, 139-149, 165. 1905.
fat in milk in various lactation periods. J.A.R., vol. 11, pp. 650-655. 1917.
feeding tests. D.B. 945, pp. 2-3, 13-14, 21-22. 1921.
lactation stage, experiments, data. B.A.I. Bul. 155, pp. 25-67, 78-88. 1913.
milk—
analyses. Chem. Bul. 132, pp. 128, 129, 130. 1910.
and butterfat production, yearly records. News L., vol. 5, No. 28, p. 8. 1918.
composition, data in breed experiments, and tables. B.A.I. Bul. 156, pp. 9-26. 1913.
origin, description, and characteristics. F.B. 893, pp. 23-29. 1917.
purchase and cost. News L., vol. 6, No. 29, p. 14. 1919.
value at different ages. D.B. 413, pp. 2-4, 10. 1916.
Holstein-Friesian, milk—
mean production and fundamental constants. J.A.R., vol. 16, p. 81. 1919.
yield and fat percentage, records. J.A.R., vol. 14, pp. 72, 76, 87-91, 96. 1918.
hybrids with yak, crossing experiments in Alaska. News L., vol. 2, No. 50, p. 7. 1915.
hygiene and diseases. Hawaii [Misc.], "Production and inspection * * *," pp. 53-98. 1912.
immunization to infectious abortion, experiments. B.A.I. An. Rpt., 1911, pp. 178-181. 1913; B.A.I. Cir. 216, pp. 178-181. 1913.
importance of care in shipping, effect on milk flow. News L , vol. 6, No. 11, pp. 2-3. 1918.
importations, by breeds, 1885-1918, and all breeds. D.C. 7, p. 4. 1919.
improvement to increase farm income. D.B. 425, pp. 15-17, 22. 1917.
in Argentina, selection for milking qualities. B.A.I. Bul. 48, pp. 47-48. 1903.
in Guam, weight, milking capacity, and improvement. Guam A.R. 1912, pp. 8, 10, 11, 12, 15, 18. 1913.
individual—
account, 1913-14, by months, school studies. S.R.S. Doc. 38, p. 10. 1917.
milk variations in composition, and properties. C. H. Eckles and R. H. Shaw. B.A.I. Bul. 157, pp. 27. 1913.
individuality as factor of economic milk production. F.B. 465, pp. 20-22. 1911.
Jersey—
champion butterfat producer. Y.B., 1923, p. 331. 1923; Y.B. Sep. 879, p. 331. 1923.
dairy records. B.A.I. Bul. 75, pp. 104, 120-121, 129-131, 149-164, 166. 1905.
description, characteristics, and records. F.B. 893, pp. 29-34. 1917.
fat in milk in various lactation periods. J.A.R., vol. 11, pp. 650-655. 1917.
lactation stage experiments, data. B.A.I. Bul 155, pp. 25-71, 78-88. 1913.
milk—
analyses. Chem. Bul. 132, pp. 127, 128, 130. 1910.
and butterfat production, yearly records. News L., vol. 5, No. 28, p. 8. 1918.
composition, data in breeding experiments and tables. B.A.I. Bul. 156, pp. 9-26. 1913.
yield and fat percentage, records. J.A.R., vol. 14, pp. 69-71, 76, 77-81, 96. 1918.
value at different ages. D.B. 413, pp. 6-7, 10. 1916.
judging and purchasing, school lesson. D.B. 763, pp. 14-16. 1919.

INDEX TO PUBLICATIONS, 1901–1925   645

Cow(s)—Continued.
 keeping—
  by cotton-mill operatives, costs and returns. D.B. 602, pp. 9–10. 1918.
  cost per year, 1898 and 1908. B.A.I. Cir. 151, pp. 30–31. 1909.
  in Alaska, profits. Alaska A.R., 1911, p. 67. 1912.
  in cities, objections. B.A.I. Bul. 70, pp. 17–18, 23, 26, 28, 29, 32, 34, 35, 36, 38, 39, 40. 1905.
  requirements—
   and cost. D.B. 923, pp. 5–6. 1921.
   and credits, Louisiana. D.B. 955, pp. 4–6, 14. 1921.
   for one year. D.B. 858, pp. 8–9. 1920; D.B. 919, pp. 6–9. 1920.
 lactation stage, effect on milk. B.A.I. Bul. 155, pp. 1–88. 1913.
 maintenance cost, factors and amount. Stat. Bul. 88, pp. 17–25. 26–31. 1911.
 manure—
  ammonifiers in soils. J.A.R., vol. 16, pp. 319–322. 1919.
  plant food recoverable from. C. F. Wells and B. A. Dunbar. J.A.R., vol. 30, pp. 985–988. 1925.
  production per year, composition, amount, and value. S.R.S. Doc. 30, pp. 2–3. 1916.
  use benefits. B.A.I. Cir. 196, p. 4. 1912.
 marsh, use by lake dwellers, origin. B.A.I. An. Rpt., 1910, pp. 206, 207, 212, 213, 217. 1912.
 Massachusetts herds, milk and butterfat analyses, and results. J.A.R., vol. 24, pp. 392–396. 1923.
 milch. See Cows, milk.
 milk—
  and butter production, gains under testing method. F.B. 1446, pp. 4–10. 1925.
  and their care. News L., vol. 2, No. 47, pp. 4–6. 1915.
  at pasture, feeding grain. F.B. 317, pp. 26–27. 1908.
  cost of keeping and value of products. Stat. Bul. 73, pp. 59–63, 69. 1909.
  decrease, because of flies. News L., vol. 5, No. 52, p. 16. 1918.
  feed, management. F.B. 242, pp. 9, 10. 1906.
  feeding—
   cost. Stat. Bul. 73, pp. 59–63, 69. 1909.
   experiments, cost and profits. F.B. 522, pp. 18–19. 1913.
   mangels, experiments. F.B.384, pp. 14–15. 1910.
   successful rations on New York farm. D.B. 32, pp. 6–7. 1913.
   with Sudan grass hay and pasture. D.B. 981, pp. 45–49, 65. 1921.
  fever, appearance of animal after death. F.B. 206, p. 8. 1904.
  fever, symptoms, control methods. News L., vol. 3, No. 31, pp. 1–2. 1916.
  importance and value on farms. News L., vol. 3, No. 3, p. 5. 1915.
  importance of pure water for. F.B. 169, pp. 5–6. 1903.
  in Texas, number and value, 1907. O.E.S. Bul. 222, p. 13. 1910.
  mineral metabolism, studies. S.R.S. Rpt., 1916, Pt. I, pp. 40, 218. 1918.
  number—
   and breeds in New Jersey, Sussex area. Soil Sur. Adv. Sh., 1911, p. 14. 1913; Soils F.O., 1911, p. 338. 1914.
   in 1917, estimates, with comparisons. News L., vol. 5, No. 19, p. 2. 1917.
   in Michigan, Lenawee County, 1860–1910. D.B. 694, p. 5. 1918.
   in United States, per 1000 population. Sec. Cir. 85, p. 7. 1918.
   on farms, Jan. 1, 1915, estimates by States, with comparisons. F.B. 651, p. 16. 1915.
   value and prices. Y.B. 1921, pp. 690–692. 1922; Y.B. Sep. 870, pp. 16–18. 1922.
  prices to farmers, 1912–1915. News L., vol. 2, No. 42, p. 1. 1915.
  production—
   description of 15 herds. D.B. 1101, p. 3. 1922.
   for Omaha market, herd description. D.B. 972, p. 3. 1921.

Cow(s)—Continued.
 milk—continued.
  production—continued.
   losses from stable fly. F.B. 540, p. 10. 1913.
   methods of testing. M.C. 26, pp. 1–2. 1924.
   of 15 herds. D.B. 1101, p. 3. 1922.
   per cow, value. Stat. Bul. 73, pp. 62–63. 1909.
   per day. D.B. 1097, pp. 22–23. 1922.
   relation to hours of labor. D.C. 307, pp. 6–8, 13. 1924.
   world record. Off. Rec., vol. 3, No. 31, p. 6. 1924.
  secretion, relation to diet and blood. C. A. Cary and Edward B. Meigs. J.A.R., vol. 29, pp. 603–624. 1924.
  shorthorns, breeding, work of Bureau of Animal Industry. An. Rpts., 1907, p. 238. 1908.
  silage alone as ration. B.P.I. Bul. 82, p. 20. 1905.
  statistics—
   1867–1907, by States and by years. Stat. Bul. 64, pp. 39–52, 95–145. 1904.
   graphic showing of average number on farms, United States. Stat. Bul. 78, p. 12. 1910.
  See also Milk.
 milking with machine, effect on individual cows. F.B. 366, pp. 19–20. 1909.
 number in—
  Finland, and other cattle 1865–1918. B.A.I. Doc. A–37, p. 50. 1922.
  France, and other animals, 1840–1920. B.A.I. Doc. A–37, p. 51. 1922.
  Germany, and other cattle, 1883–1921. B.A.I. Doc. A–37, p. 52. 1922.
  Hungary, and other cattle. B.A.I. Doc. A–37, p. 54. 1922.
  Japan, 1899–1919. B.A.I. Doc. A–37, p. 55. 1922.
  New Zealand, and other cattle, 1861–1921. B.A.I. Doc. A–37, p. 58. 1922.
  Norway, 1875–1916. B.A.I. Doc. A–37, p. 59. 1922.
  Sweden, and other cattle, 1865–1919. B.A.I. Doc. A–37, p. 62. 1922.
  United Kingdom, numbers, 1875–1920, and milk yield, 1909–1919. B.A.I. Doc. A–37, p. 66. 1922.
  various countries. D.C. 7, pp. 8–17. 1919.
 number to supply farm family with dairy products. F.B. 1015, pp. 11–12, 13, 15. 1919.
 open sheds, comparison with warm barns, experiment at Beltsville farm. News. L., vol. 5, No. 24, p. 4. 1918.
 parts of, diagram showing. F.B. 893, rev., pp. 34–35. 1920.
 pasture—
  acreage under irrigation conditions, Montana. An. Rpts., 1915, p. 150. 1916; B.P.I. Chief Rpt., 1915, p. 8. 1915.
  crops, tests, Belle Fourche Experiment Farm. D.C. 60, pp. 16–18. 1919.
  requirements and cost. D.B. 923, p. 6. 1921.
  space, needs. F.B. 370, pp. 10, 30–31. 1909.
 pasturing—
  experiments and results, Huntley Experiment Farm. D.C. 86, pp. 25–32. 1920.
  on different grasses, experiment. D.C. 339, pp. 37–38. 1925.
  on irrigated meadows, profits per acre. W.I.A. Cir. 22, pp. 16–17. 1918.
  on irrigated pastures, Huntley Experiment Farm. W.I.A. Cir. 8, pp. 13–16. 1916.
  on marsh lands. O.E.S. Bul. 240, pp. 27, 33. 1911.
  tests of mixed grasses. W.I.A. Cir. 24, pp. 21–24. 1918.
  time and caution. News L., vol. 6, No. 40, pp. 4, 12. 1919.
 pharynx and gullet diseases, symptoms and treatment. B.A.I. [Misc.], "Diseases of Cattle," rev., pp. 19–24. 1912.
 Piney Woods, grading-up with purebred bulls. D.B. 827, pp. 10–13, 19–20. 1921.
 Porto Rican, milk-production comparisons. P.R. An. Rpt., 1921, p. 3. 1922.
 postmortem examinations for causes of abortion. D.B. 106, pp. 41–47. 1914.

Cow (s)—Continued.
pregnancy—
signs, duration, and hygienic treatment. B.A.I. [Misc.], "Diseases of cattle," rev., pp. 154-158. 1904; rev., pp. 157-161. 1912; rev., pp. 157-160. 1923.
test, study. An. Rpts., 1914, p. 88. 1914; B.A.I. Chief Rpt., 1914, p. 32. 1914.
pregnant, diseased conditions of generative organs. B.A.I. [Misc.], "Diseases of cattle," rev., pp. 162-165. 1923.
preparation for milking. B.A.I. Bul. 104, pp. 11, 25, 41. 1908; D.B. 1, pp. 14, 16, 26. 1913.
production increase by testing. News L., vol. 6, No. 34, p. 6. 1919.
productive life and annual depreciation. Stat. Bul. 88, pp. 23-25. 1911.
profit and loss, school lesson. D.B. 763, pp. 13-14. 1919.
profit to farmers. J. C. McDowell. Y.B., 1920, pp. 401-412. 1921; Y.B. Sep. 853, pp. 401-412. 1921.
profitable—
and unprofitable, records. F.B. 190, pp. 14-15. 1904; F.B. 334, pp. 25-27. 1908.
milk and butter production, requirements. F.B. 334, p. 27. 1908.
protection from flies. F.B. 225, pp. 19, 21. 1905; F.B. 267, pp. 28-29. 1906.
purebred, official test records. B.A.I. Chief Rpt., 1924, p. 15. 1924.
rabies, course of disease. B.A.I. An. Rpt., 1907, p. 59. 1909.
raising in—
Washington, Wenatchee area. Soil Sur. Adv. Sh., 1918, pp. 15, 17, 21. 1922; Soils F.O., 1918, pp. 1555, 1557, 1561. 1924.
Wisconsin, Jackson County. Soil Sur. Adv. Sh., 1918, p. 10. 1922; Soils F.O., 1918, p. 948. 1924.
range—
culling. F.B. 1428, p. 6. 1925.
sales increase. Off. Rec., vol. 2, No. 45, p. 3. 1923.
supplemental feeding. D.B. 1031, pp. 45-46, 68-71. 1922.
rations—
containing distillery slop. F.B. 410, p. 40. 1910.
nutritive requirements, studies, and experiments. D.B. 615, pp. 11-16. 1917.
standard insufficient for optimum milk yield. D.B. 945, pp. 3-8, 12. 1921.
receipts, relation to labor income, in Michigan, Lenawee County. D.B. 694, pp. 24-25. 1918.
records, importance to owners. Y.B., 1920, pp. 401, 404-408. 1921; Y.B. Sep. 853, pp. 401, 404-408. 1921.
Red Poll, dairy records. B.A.I. Bul. 75, pp. 122, 165. 1905.
salt requirements, note. News L., vol 6, No. 10, p. 7. 1919.
scarcity in Japan, note. O.E.S. Bul. 159, p. 134. 1905.
selection for beef breeding. F.B. 1073, pp. 3-4. 1919.
selling by southern farmers, advice against. B.A.I. S.A. 74, pp. 59-61. 1913.
serum, preparation and titration. J.A.R., vol. 11, pp. 68-69. 1917.
shipping, handling, and care in transit. News L., vol. 5, No. 24, p. 3. 1918.
shortage in Argentina. B.A.I. Bul. 48, p. 35. 1903.
Shorthorn—
dairy records. B.A.I. Bul. 75, pp. 123, 131-133, 165. 1905.
lactation stage, experiments, data. B.A.I. Bul. 155, pp. 25-67, 78-88. 1913.
milk composition, data in breed experiments, tables. B.A.I. Bul. 156, pp. 9-26. 1913.
size, relation to milk production. John W. Gowen. J.A.R., vol. 30, pp. 865-869. 1925.
skeleton, description. B.A.I. [Misc.], "Diseases of cattle," rev., p. 261. 1904; rev., pp. 269-270. 1912.
slacker, weeding out from dairy herds. News L., vol. 5, No. 39, pp. 6-7. 1918.

Cow (s)—Continued.
spaying purposes and directions. B.A.I. [Misc.], "Diseases of cattle," rev., pp. 301-302. 1904; rev., pp. 312-313. 1912.
stable, location, description, and influence on milk production. F.B. 602, pp. 9-11. 1914.
stable requirements for production of good milk. F.B. 366, p. 25. 1909; B.A.I. Cir. 139, pp. 7, 9, 10. 1909; B.A.I. Cir. 199, pp. 11, 13-15, 17. 1912.
stall(s)—
construction materials, studies. An. Rpts., 1916, p. 99. 1917; B.A.I. Chief Rpt., 1916, p. 33. 1916.
improved, demonstration. F.B. 144, pp. 30-32. 1901.
size and arrangement in dairy barn. F.B. 1342, pp. 8-11, 14, 16, 17. 1923.
studies for southern rural schools. D.B. 305, pp. 14-15. 1915.
surgical operation, preparation for. B.A.I. [Misc.], "Diseases of cattle," rev., p. 290. 1923.
Swiss, milk analyses. Chem. Bul. 132, p. 128. 1910.
symptoms of foot-and-mouth disease. F.B. 666, pp. 8-11. 1915.
tagging to locate origin of tuberculosis and centers of infection. B.A.I. An. Rpt., 1908, p. 106. 1910.
teats, diseased conditions. B.A.I. [Misc.], "Diseases of cattle," rev., pp. 240-242. 1904; rev., pp. 247-250, 447. 1912; rev., pp. 243-244, 245. 1923.
temperature, normal. Y.B., 1914, p. 166. 1915; Y.B., Sep. 635, p. 166. 1915.
testers—
duties and methods. News L., vol. 2, No. 41, p. 1. 1915.
duties and qualifications, methods of procedure. B.A.I. An. Rpt., 1909, pp. 103, 107-109, 111, 112. 1911; B.A.I. Cir. 179, pp. 103, 107-109, 111, 112. 1911.
employment of women. News L., vol. 5, No. 49, p. 7. 1918.
women, various States. News L., vol. 6, No. 17, p. 6. 1918.
work, routine, and pay. F.B. 504, p. 12. 1912.
testing—
and dairy records, illustrated lecture. Duncan Stuart. S.R.S. Syl. 30, pp. 10. 1917.
associations—
Helmer Rabild. B.A.I. An. Rpt., 1909, pp. 99-118. 1911; B.A.I. Cir. 179, pp. 99-118. 1911.
aid to success in dairying. Y.B., 1918, pp. 159-160. 1919; Y.B. Sep. 765, pp. 9-10. 1919.
conditions. An. Rpts., 1917, p. 82. 1917; B.A.I. Chief Rpt., 1917, p. 16. 1917.
Denmark, importance, Government aid. B.A.I. Bul. 129, pp. 11, 13, 15, 33, 37. 1911.
description, scope of work, increase. News L., vol. 2, No. 41, p. 1. 1915.
effect on dairy conditions, Iowa. Y.B., 1916, pp. 213, 214. 1917; Y.B. Sep. 707, pp. 5, 6. 1917.
Europe, origin, growth, and results. B.A.I. An. Rpt., 1909, pp. 99-104. 1911; B.A.I. Cir. 179, pp. 99-104. 1911.
membership and work, 1920. S.R.S. Rpt., 1920, pp. 6, 15, 17, 18. 1922.
number. An. Rpts., 1922, pp. 114, 117, 1923; B.A.I. Chief Rpt., 1922, pp. 16, 19, 1922.
number in United States and Europe. News L., vol. 2, No. 41, p. 1. 1915.
number, membership, cows, etc., 1921. S.R.S. Rpt. 1921. p. 10. 1923.
organization. News L., vol. 6, No. 33, p. 10. 1919.
organization, cost, and equipment. F.B. 1446, pp. 15-18. 1925.
origin, number, and work. D.B. 1069, pp. 2-3, 19-20. 1922.
records. B.A.I. Chief Rpt., 1924, p. 11. 1924.
records of production, study. D.B. 1069, pp. 1-14. 1922.

Cow (s)—Continued.
  testing—continued.
    associations—continued.
      records on cow freshening, season. D.B. 1071, pp. 2-9. 1922.
      results in dairy improvement. Y.B., 1917, pp. 357-358, 360-362. 1918; Y.B. Sep. 743, pp. 3-4, 6-8. 1918.
      value and increase. F.B. 504, pp. 10-13. 1912.
      value in dairy industry. Sec. Cir. 142, p. 22. 1919; Y.B., 1916, pp. 32, 33. 1917.
      work. B.A.I. Cir. 135, p. 31. 1908.
      work, 1922. Coop. Ext. Wk. 1922. p. 5. 1924.
    work for increase of dairy products. Sec. Cir. 85, p. 11. 1918.
    benefits to creameries. News L., vol. 6, No. 45, p. 15. 1919.
    extension work. D.C. 347, pp. 28, 29. 1925.
    for milk and butter production, methods and advantages. F.B. 1446, pp. 1-10. 1925.
    handbook. J. C. McDowell. M. C. 26, pp. 22. 1924.
    records, Michigan association, number and profit per cow, 1906, 1913. News L., vol. 2, No. 41, p. 1. 1915.
    value in fixing bull prices. News L., vol. 6, No. 36, p. 9. 1919.
  tick-infested, losses in milk. D.B. 147, pp. 11-14, 18-22. 1915; F.B. 639, pp. 1-3. 1915.
  treatment—
    by milkers. D.B. 1, pp. 17, 27. 1913; B.A.I. Bul. 104, pp. 11, 25, 41. 1908.
    for control of cattle abortion, methods. F.B. 790, p. 12. 1917.
  tuberculin reactors, infectiveness of milk. John R. Mohler. B.A.I. Bul. 44, pp. 93. 1903.
  tuberculous—
    appearance no indication of condition. B.A.I. An. Rpt., 1908, pp. 120-128. 1910.
    appearances deceptive. Y.B., 1908, pp. 219-221, 226. 1909; Y.B. Sep. 476, pp. 219-221, 226. 1909.
    as source of disease in hogs. Y.B., 1909, pp. 229-230. 1910; Y.B. Sep. 508, pp. 229-230. 1910.
    danger. B.A.I. Cir. 127, p. 23. 1908.
    dangerous. E. C. Schroeder. B.A.I. Cir. 118, pp. 19. 1907.
    description, illustrations, physical appearance no test. B.A.I. Cir. 118, pp. 7-13. 1907.
    infection of milk and dairy products with tubercle bacilli. B.A.I. An. Rpt., 1908, pp. 129-132. 1910; B.A.I. Cir. 83, pp. 1-22. 1905.
    relation to public health. B.A.I. An. Rpt., 1908, pp. 109-153. 1910.
    relation to public health. E. C. Schroeder. B.A.I. Cir. 153, pp. 38-45. 1910.
  twisted-wireworm infection from pasture. B.A.I. Cir. 93, pp. 1-7. 1906.
  udder(s)—
    inflammation, causes and control methods. News L., vol, 2 No. 49, p. 7. 1915.
    treatment for bitter milk. Y.B., 1907, p. 189. 1908; Y.B. Sep. 444, p. 189. 1908.
  urine, composition. B.A.I. [Misc.], "Diseases of cattle," rev., p. 112. 1904; rev., p. 114. 1923.
  uterus gravid, description, phenomena. D.B. 106, pp. 22-26. 1914.
  value, cost in milk production. D.B. 1101, pp. 11, 15. 1922.
  value, estimation by yield of milk and cost of maintenance. Stat. Bul. 88 pp. 45-48. 1911.
  water requirements, different conditions. F.B. 592, p. 2. 1914.
  watering times and methods. News L., vol. 6, No. 10, p. 13. 1918.
  weight, relation to feeding prickly pears. J.A.R., vol. 4, pp. 411-412, 432, 437-439. 1915.
  winter breeding, daily rations. News L., vol. 3, No. 49, pp. 1-2. 1916.
  wintering on farm by-products, cost per cow. News L., vol. 5, No. 28 p. 7. 1918.
  womb, diseased conditions before and after calving. B.A.I. [Misc.] "Diseases of cattle," rev., pp. 158, 159-161, 174, 210-222. 1908; rev., pp. 157, 162, 163-164, 177-179. 1912.
  See also Cattle.

"Cow sheds," erection by Argentine ants. D.B. 647, pp. 54-55. 1918.
Cowania mexicana. See Rose cliff.
Cowbane. See Cicuta.
Cowbird—
  Athabaska-Mackenzie region. N.A. Fauna 27, p. 407. 1908.
  enemy of leaf hoppers. Ent. Bul. 108, p. 25. 1912.
  food habits. D.B. 107, pp. 15-16. 1914; Biol. Bul. 15, p. 29. 1901.
  food habits, and occurrence in Arkansas. Biol. Bul. 38, p. 57. 1911.
  injury to song sparrow. Biol. Bul. 15, p. 17. 1901.
  protection and exception from, by law. Biol. Bul. 12, rev., pp. 38, 40, 42. 1902.
Cowhage plant. See Velvet bean.
Cowpea(s)—
  D.C. 119, pp. 3. 1920.
  H. T. Nielsen. F.B. 318, pp. 28. 1908.
  absorption of boron, and distribution studies. J.A.R.,vol. 5, No. 19, pp. 881, 885, 888. 1916.
  acre value in food. F.B. 877, pp. 4, 9. 1917.
  acreage—
    production and portion fed. Y.B., 1923, pp. 360-362. 1924; Y.B. Sep. 895, pp. 360-362. 1924.
    1918, studies. Sec. Cir. 75, p. 12. 1917.
    1923, yield and prices. Y.B., 1923 pp. 793-794; Y.B. Sep. 901, pp. 793-794. 1924.
  adaptability to acid soils and growth habits. D.B. 6, p. 10. 1913.
  African—
    coloration and description. J.A.R., vol. 2, pp. 54-55. 1914.
    importation and description. No. 39143, B.P.I. Inv. 40, p. 82. 1917.
  agency, in potash removal from soils, experiments. J.A.R., vol. 14, pp. 310-312. 1918.
  agricultural varieties and immediately related species. C. V. Piper. B.P.I. Bul. 229, pp. 160. 1912.
  and corn—
    effect upon firmness of lard. B.A.I. Bul. 47, p. 226. 1904.
    grazing for steers. C. F. Langworthy. F.B. 124, pp. 27. 1901.
  and sorghum hay, cultural directions. B.P.I. Doc. 485, p. 3. 1909.
  artificial hybrids. B.P.I. Bul. 229, p. 33-34. 1912.
  as green manure, experiments. F.B. 78, p. 17-19. 1907.
  as rotation crop and green manure for oats. F.B. 436, pp. 15, 17, 18, 31. 1911.
  Ayrshire, habits of growth, description. B.P.I. Bul. 229, p. 97. 1912.
  bacteria, distribution in soils of South. F.B. 326, p. 17. 1908.
  best varieties in order of merit. B.P.I. Bul. 229, pp. 38-42. 1912.
  black, habits of growth, description. B.P.I. Bul. 229, p. 139. 1912; F.B. 318, p. 26. 1908.
  Black Crowder, habits of growth, description. B.P.I. Bul. 229, p. 114. 1912.
  Blackeyed Lady, habits of growth, description. B.P.I. Bul. 229, p. 97. 1912.
  black-seeded, remarks. B.P.I. Bul. 229, p. 16. 1912.
  botanical history. B.P.I. Bul. 229, pp. 10-11. 1912.
  Brabham—
    habits of growth, description. B.P.I Bul. 229, p. 111. 1912.
    new variety, introduction. B.P.I. Chief Rpt., 1908, p. 127. 1908; An. Rpts., 1908, p. 339. 1909.
    origin, characteristics, and value. Y.B., 1908, pp. 254-255. 1909; Y.B. Sep. 478, pp. 254-255. 1909.
    value compared with other varieties. B.P.I. Bul. 229, pp. 18, 38-42. 1912.
  Brown Coffee, habits of growth, description. B.P.I. Bul. 229, p. 95. 1912.
  Brown Crowder, habits of growth, description. B.P.I. Bul. 229, p. 92. 1912.
  Browneye Crowder, habits of growth, description. B.P.I. Bul. 229, p. 88. 1912.
  buff-seeded, variability, tests. B.P.I. Bul. 229, p. 16. 1912.

Cowpea(s)—Continued.
bunching attachment, use with ordinary mower. F.B. 318, p. 19. 1908.
Chinese Black, habits of growth, description. B.P.I. Bul. 229, p. 83. 1912.
Chinese Red, habits of growth, description. B.P.I. Bul. 229, pp. 84, 115. 1912.
Chinese Whippoorwill, habits of growth, description. B.P.I. Bul. 229, p. 84. 1912.
classification by color factors. J.A.R., vol. 2, pp. 41–55. 1914.
Clay Self-feeding, habits of growth, description. B.P.I. Bul. 229, p. 117. 1912.
climate and soil requirements. F.B. 1148, pp. 4–5. 1920.
cold storage as protection from weevil. Ent. Bul. 54, pp. 49–54. 1905.
coloration of seed coats. Albert Mann. J.A.R., vol. 2, pp. 33–56. 1914.
commercial varieties. B.P.I. Bul. 229, pp. 43–44. 1912.
comparison with—
moth bean. Y.B., 1908, p. 253. 1909; Y.B. Sep. 478, p. 253. 1909.
soy beans. F.B. 372, pp. 24–25. 1909; S.R.S. Syl. 35, pp. 13–14. 1919.
cooking directions. D.B. 123, pp. 43, 44, 47. 1916.
cooking methods, recipes. F.B. 559, pp. 10–12. 1913.
Cotton Patch, habits of growth, description. B.P.I. Bul. 229, p. 138. 1912.
cover crop for the avocado. Hawaii Bul. 25, p. 18. 1911.
Cream, habits of growth, description. B.P.I. Bul. 229, p. 100. 1912.
crop, directions for southern farmers. B.P.I. Doc. 632, pp. 3, 4–5. 1910.
crop, planting in corn for late pasture. B.P.I. Doc. 485, p. 2. 1909.
crosses, natural. B.P.I. Bul. 229, pp. 30–33. 1912.
crossing, experiments and results. B.P.I. Bul. 167, pp. 24–25. 1910.
cultivation—
and yield, Alabama, diversification farm. F.B. 310, pp. 13–17. 1907.
harvesting, value, comparison with soy beans. F.B. 309, pp. 15–18. 1907.
in dry-farming localities. F.B. 388, p. 11. 1910.
cultural methods, cutting and curing for hay. F.B. 312, p. 11. 1907.
culture and varieties—
W. J. Morse. F.B. 1148, pp. 26. 1920.
how teachers may use Farmers' Bulletin 1148. F. A. Merrill. D.C. 157, pp. 8. 1921.
curculio. Geo. G. Ainslie. Ent. Bul. 85, Pt. VIII, pp. 129–142. 1910.
cutting and curing for hay. F.B. 1125, rev., p. 39. 1920.
damage by root knot, and resistant varieties. F.B. 648, pp. 2, 15, 16, 17. 1915.
Delaware Red, habits of growth, description. B.P.I. Bul. 229, p. 138. 1912.
description and pollination. B.P.I. Bul. 229, pp. 25–27. 1912.
description and value as legume, studies. S.R.S. Syl. 34, pp. 17–18. 1918.
digestibility—
cost, food value, etc., comparison with balanced ration. F.B. 559, pp. 9–10. 1913.
experiments. O.E.S. Bul. 187, pp. 30–52. 1907.
diseases—
W. A. Orton and Herbert J. Webber. B.P.I. Bul. 17, pp. 38. 1902.
description and control. F.B. 1148, pp. 21–23. 1920.
resistant variety, growing by department. News L., vol. 1, No. 11, p. 2. 1913.
susceptibility and resistance. B.P.I. Bul. 229, p. 25. 1912.
Texas, occurrence and description. B.P.I. Bul. 226, pp. 48–49, 109. 1912.
disinfection, for weevil control. F.B. 1308, p. 12. 1923.
distinction from field pea. F.B. 690, p. 2. 1915.
distribution in United States, outline map. F.B. 1148, p. 5. 1920.
Early Blackeye, habits of growth, description. B.P.I. Bul. 229, pp. 86. 1912.

Cowpea(s)—Continued.
Early Red, habits of growth, description. B.P.I. Bul. 229, p. 126. 1912.
effect of—
manganese, experiments at Arlington Farm, 1907–1912, 1913–1915. D.B. 441, pp. 2, 3–4, 6–11. 1916.
manganese sulphate. D.B. 42, pp. 22–23. 1914.
salicylic aldehyde in nutrient solutions, tables. D.B. 108, p. 4. 1914.
effect on worn-out cotton land. F.B. 326, pp. 8, 10–12. 1908.
feed for—
dairy cows, value. Y.B., 1922, p. 334. 1923; Y.B. Sep. 879, p. 44. 1923.
hogs, experiments. Guam A.R., 1920, p. 10. 1921; F.B. 411, p. 15. 1910.
pigs, compared with corn. B.A.I. Bul. 47, pp. 105–106. 1904.
feeding—
green, effect on odor and flavor of milk. C. J. Babcock. D.B. 1342, pp. 8. 1925.
to poultry, experiments. An. Rpts., 1910, p. 216. 1911; B.A.I. Chief Rpt., 1910, p. 22. 1910.
value—
digestible nutrients, comparisons. F.B. 1153, p. 10. 1920.
for horses, cattle, and poultry. F.B. 318, pp. 14–15. 1908.
fertilizers. F.B. 1148, pp. 11–12. 1920.
field-grown, effect of salicylic aldehydes, tables. D.B. 108, pp. 22–23, 25, 26. 1914.
food, use and value. F.B. 1153, pp. 10–11. 1920.
forage crop for—
lambs. News L., vol. 6, No. 49, p. 4. 1919.
pigs. F.B. 334, pp. 20, 21. 1908.
fumigated, absorption of hydrocyanic acid. D.B. 1149, pp. 12, 14. 1923.
Gallivant, description. B.P.I. Bul. 229, p. 10. 1912.
grazing crop for hogs, experiments. F.B. 411, pp. 26–27. 1910.
green manure, use. F.B. 245, p. 14. 1906.
Groit—
description of seed and plant, and yields. B.P.I. Bul. 229, pp. 85. 1912; F.B. 1148, p. 6, 7, 14. 1920.
origin, characteristics, and value. Y.B., 1908, pp. 256–257. 1909; Y.B. Sep. 478, pp. 256–257. 1909.
value, compared with other varieties. B.P.I. Bul. 229, pp. 38–42. 1912.
growing—
and—
harvesting. S.R.S. Syl. 24, pp. 8–9. 1917.
use in Michigan, Lenawee County. D.B. 694, p. 31. 1918.
value for Cotton States. F.B. 1125, rev., pp. 35–37. 1920.
yield on Orangeburg fine sandy loam. Soils Cir. 46, pp. 14, 19. 1911.
as forage crop for hogs. F.B. 951, pp. 5, 9, 14–15. 1918.
effect of soil sterilization. Hawaii A.R., 1915, p. 38. 1916.
fertilizer requirements. F.B. 398, pp. 23–24. 1910.
for market hay in Cotton Belt. F.B. 677, p. 8. 1915.
in Alabama—
Barbour County. Soil Sur. Adv. Sh., 1914, pp. 13, 21–41. 1916; Soils F.O., 1914, pp. 1079, 1087–1107. 1919.
Limestone County. Soil Sur. Adv. Sh., 1914, pp. 14, 22–28. 1916; Soils F.O., 1914, pp. 1126, 1134–1140. 1919.
Marengo County. Soil Sur. Adv. Sh., 1920, pp. 563, 570–593. 1923; Soils F.O., 1920, pp. 563, 570–593. 1925.
Randolph County, yields. Soil Sur. Adv. Sh., 1911, pp. 13, 19, 21, 32. 1912; Soils F.O., 1911, pp. 905, 911, 913, 924. 1914.
in Arkansas—
Howard County. Soil Sur. Adv. Sh., 1917, pp. 24, 26, 32, 36, 40, 41. 1919; Soils F.O., 1917, pp. 1374, 1376, 1382, 1386, 1390, 1391. 1923.
Jefferson County. Soil Sur. Adv. Sh., 1915, p. 12. 1916; Soils F.O. 1915, p. 1170. 1919.

INDEX TO PUBLICATIONS, 1901-1925   649

Cowpea(s)—Continued.
  growing—continued.
    in Arkansas—continued.
      practices and suggestions. F.B. 1000, pp. 6-7, 9-14, 15-18. 1918.
    in Cotton States, value and uses, and seeding rates. F.B. 1125, rev., pp. 35-37. 1920.
    in Florida—
      Flagler County. Soil Sur. Adv. Sh., 1918, pp. 10, 18, 30. 1922; Soils F.O., 1918, pp. 540, 548, 569. 1924.
      Orange County. Soil Sur. Adv. Sh., 1919, pp. 6, 13, 25. 1922; Soils F.O., 1919, pp. 952, 959, 971. 1925.
    in Georgia—
      Brooks County, methods, yields, cost, and profits. D.B. 648, pp. 22, 23, 37, 39, 48, 54. 1918.
      Chattooga County, varieties. Soil Sur. Adv. Sh., 1912, pp. 15, 36, 38-39, 47, 53. 1913; Soils F.O., 1912, pp. 529, 540, 543, 548-569. 1915.
      Coweta and Fayette Counties. Soil Sur. Adv. Sh., 1919, pp. 8, 9, 16-31. 1922; Soils F.O., 1919, pp. 862, 863, 870-887. 1925.
      Dekalb County. Soil Sur. Adv. Sh., 1914, pp. 10, 15, 16. Soils F.O., 1914, pp. 800, 805, 806. 1919.
      Early County. Soil Sur. Adv. Sh., 1918, pp. 10, 11, 25, 29. 1921; Soils F.O., 1918, pp. 424, 425, 439, 443. 1924.
      Floyd County. Soil Sur. Adv. Sh., 1917, pp. 12-14, 20-68. 1921; Soils F.O., 1917, pp. 572-574, 580-628. 1923.
      Habersham County, methods, varieties and yields. Soil Sur. Adv. Sh., 1913, pp. 14-15, 27, 32, 40, 44, 45, 46. 1915. Soils F.O., 1913; pp.410-411, 423, 428, 436, 440-442. 1916.
      Jasper County. Soil Sur. Adv. Sh., 1916, pp. 9, 12, 19, 23, 28, 31, 37, 40, 41. 1918; Soils F.O., 1916, pp. 651, 654, 661, 665, 669, 673, 679, 682, 683. 1921.
      Laurens County. Soil Sur. Adv. Sh., 1915, pp. 13, 15, 40. 1916; Soils F.O., 1915, pp. 629, 631, 656. 1919.
      Mitchell County. Soil Sur. Adv. Sh. 1920, pp. 6, 9, 15, 17-20, 31, 32, 36. 1922; Soils F.O., 1920, pp. 6, 9, 15, 17-20, 31, 32, 36. 1925.
      Monroe County. Soil Sur. Adv. Sh., 1920, pp. 10, 12, 18, 22, 26, 30, 34. 1922; Soils F.O. 1920; pp. 76, 78,84, 88, 92, 96, 100. 1925.
      Oconee, Morgan, Greene, and Putnam Counties. Soil Sur. Adv. Sh., 1919, pp. 14, 17, 23-57. 1922; Soils F.O., 1919, pp. 898, 901, 907-943. 1925.
      Polk County. Soil Sur. Adv. Sh., 1914; pp. 10, 21, 25-28, 31-44. 1916; Soils F.O., 1914, pp. 758, 769-792. 1919.
      Stewart County, methods, varieties, yields. Soil Sur. Adv. Sh., 1913, pp. 14-15, 22, 25, 27, 32, 34, 49, 60. 1915. Soils F.O., 1913, pp. 554-555, 562, 565, 567, 572, 589, 600. 1916.
      Sumter County, acreage and yield. D.B. 1034, pp. 12, 14, 17. 1922.
      Sumter County, production, value of crop. Soils F.O., 1910, pp. 510-511, 514. 1912. Soil Sur. Adv. Sh. 1910, pp. 14-15, 18. 1911.
      Tatnall County, methods and varieties. Soil Sur. Adv. Sh., 1914, p. 12. 1915; Soils F.O., 1914, p. 824. 1919.
      Terrell County, methods and yields of hay. Soil Sur. Adv. Sh., 1914, pp. 13-14, 23, 26, 28, 29, 31, 34. 1915. Soils F.O., 1914, pp. 869-870, 879, 882, 884, 885, 887, 890. 1919.
      Turner County. Soil Sur. Adv. Sh., 1915, p. 10. 1916; Soils F.O., 1915, p. 664. 1919.
      Washington County. Soil Sur. Adv. Sh., 1915, pp. 10, 12, 23. 1916; Soils F.O., 1915, pp. 688, 690, 701. 1919.
      Wilkes County. Soil Sur. Adv. Sh., 1915, pp. 9, 12, 17-32. 1916; Soils F.O., 1915; pp. 723, 726. 1919.
    in Guam—
      1919. Guam A.R. 1919, pp. 6, 27-28, 34. 1921.
      as cover crop, results. Guam A.R., 1917, pp. 26, 27. 1918.
      cultural directions. Guam Cir. 2, p. 10. 1921.

Cowpea(s)—Continued.
  growing—continued.
    in Guam—continued.
      cultural directions and yields. Guam Bul. 2, pp. 12, 29. 1922; Guam Bul. 4, pp. 7, 10-14, 28. 1922.
      experiments, 1915. Guam A.R. 1915, pp. 20-21, 22. 1916.
      variety tests, and uses. Guam A.R., 1921, pp. 13-14. 1923.
    in Hawaii—
      for hog pasture. Hawaii Bul. 48, pp. 31, 33. 1923.
      varieties, adaptability, harvesting methods and yield. Hawaii Bul. 23, pp. 16-19. 1911.
    in Indiana—
      Elkhart County, yields and value. Soil Sur. Adv. Sh., 1914, pp. 9, 20. 1916; Soils F.O., 1914, pp. 1575, 1586. 1919.
      Starke County, acreage and yields. Soil Sur. Adv. Sh., 1915, pp. 12, 14, 22, 31. 1917; Soils F.O., 1915; pp. 1392, 1394-1395, 1411. 1921.
    in Louisiana—
      Lincoln Parish. Soils F.O. 1909, pp. 928, 935, 937. 1912; Soil Sur. Adv. Sh. 1909, pp. 12, 19, 21. 1910.
      on hill farms, labor requirements. D.B. 961, pp. 4, 23-25. 1921.
      Webster Parish, acreage, varieties, and yields. Soil Sur. Adv. Sh., 1914, pp. 10-11, 18, 31. 1916; Soils F.O., 1914, pp. 1244, 1252-1265. 1919.
    in Maryland, Charles County. Soil Sur. Adv. Sh. 1918, pp. 10, 14, 32, 33. 1922; Soils F.O. 1918; pp. 82, 86, 104, 105. 1924.
    in Mississippi—
      Coahoma County. Soil Sur. Adv. Sh., 1915, pp. 11, 16, 17. 1916. Soils F.O., 1915, pp. 979, 984, 985. 1919.
      Simpson County. Soil Sur. Adv. Sh., 1919, pp. 13, 21-31. 1921; Soils F.O., 1919; pp. 1019, 1027-1037. 1925.
    in Missouri—
      Barton County, use, value, and yields. Soil Sur. Adv. Sh., 1912, pp. 11-12. 1914; Soils F.O., 1912, pp. 1615-1616. 1915.
      Cape Girardeau County, uses. Soil Sur. Adv. Sh., 1910, pp. 20, 32, 33, 43. 1912; Soils F.O. 1910, pp. 1232, 1244, 1245, 1255. 1912.
      Cass County, varieties, methods and yield. Soil Sur. Adv. Sh., 1912, p. 14. 1914; Soils F.O., 1912, p. 1672. 1915.
      Dunklin County. Soil Sur. Adv. Sh. 1914, pp. 17, 30-44. 1916; Soils F.O., 1914, pp. 2105, 2118-2132. 1919.
      Mississippi County. Soil Sur. Adv. Sh. 1921, pp. 557, 566-581. 1924.
      Ozark region, uses. D.B. 941, pp. 18, 25. 1921.
      Pemiscot County, uses and value. Soil Sur. Adv. Sh. 1910, p. 16. 1912; Soils F.O., 1910, p. 1328. 1912.
      Pike County, methods and yields. Soil Sur. Adv. Sh., 1912, pp. 13, 16. 1914; Soils F.O. 1912, pp. 1719, 1722. 1915.
    in North. S.R.S. Syl. 25, p. 12. 1917.
    in North Carolina—
      Bladen County. Soil Sur. Adv. Sh., 1914, pp. 10, 14-23, 31. 1915; Soils F.O. 1914, pp. 628, 632-641, 649. 1919.
      Cleveland County. Soil Sur. Adv. Sh., 1916, pp. 11, 20-34. 1919; Soils F.O., 1916, pp. 315, 324-338. 1921.
      Lincoln County, acreage and hay yields. Soil Sur. Adv. Sh., 1914, pp. 11, 17-31. 1916; Soils F.O., 1914, pp. 565, 571-585. 1919.
      Union County, yields. Soil Sur. Adv. Sh., 1914, pp. 18, 22, 27. 1916. Soils F.O., 1914, pp. 602, 606, 611. 1919.
    in Porto Rico—
      acreage and kinds. P.R. An. Rpt. 1919, pp. 10, 32. 1920.
      value as cover crop, varieties. P.R. Bul. 19, pp. 11-12. 1916.

Cowpea(s)—Continued.
growing—continued.
  in rotation—
    methods. F.B. 1148, pp. 16–17. 1920.
    with rye in apple orchard, advantages and management. D.B. 6, p. 11. 1913.
  in South Carolina—
    Dorchester County, acreage and yields. Soil Sur. Adv. Sh., 1915, pp. 10, 17, 19, 21, 25, 26, 27. 1917; Soils F.O., 1915, pp. 550, 557, 559, 561, 565, 566, 567. 1919.
    Horry County. Soil Sur. Adv. Sh., 1918, pp. 9, 12, 23–44. 1920; Soils F.O., 1918, pp. 333, 336, 347–368. 1924.
    Marlboro County. Soil Sur. Adv. Sh. 1917, pp. 13, 24, 29, 31, 40–41. 1919; Soils F.O., 1917, pp. 477, 488, 493, 495, 504–505. 1923.
    Newberry County. Soil Sur. Adv. Sh., 1918. pp. 10, 12, 13, 19–40. 1921; Soils F.O., 1918, pp. 382, 384, 385, 391–412. 1924.
  in Texas—
    Bowie County. Soil Sur. Adv. Sh. 1918, pp. 10, 13, 21–45. 1921; Soils F.O., 1918, pp. 720, 723, 731–755. 1924.
    Denton County. Soil Sur. Adv. Sh., 1918, pp. 10, 13, 40. 1922; Soils F.O., 1918, pp. 782, 785, 812. 1924.
    Freestone County. Soil Sur. Adv. Sh., 1918, pp. 13, 16, 30–57. 1921; Soils F.O., 1918, pp. 839, 842, 856–883. 1924.
  in Virginia, Pittsylvania County. Soil Sur. Adv. Sh., 1918, pp. 11, 13, 20, 21. 1922; Soils F.O., 1918, pp. 127, 129, 136, 137. 1924.
  labor and implements. D.B. 1292, pp. 7, 25–26. 1925.
  on—
    cotton farm. F.B. 364, p. 17. 1909.
    land for citrus grove. F.B. 542, p. 6. 1913.
    manganiferous soils. Hawaii Bul. 26, pp. 25, 27, 34. 1912.
    Norfolk fine sandy loam, yield. Soils Cir. 22, pp. 8, 9, 10. 1911.
    Orangeburg sandy loam, yield and uses. Soils Cir. 47, p. 10. 1911.
    sandy lands for seed and feed for livestock. F.B. 716, pp. 2, 6–11. 1916.
  operations and day's work. D.B. 1292, pp. 25–26. 1925.
  relation to use of fertilizers. F.B. 398, pp. 6–7. 1910.
  seed to acre, in Missouri, Carroll County. Soil Sur. Adv. Sh., 1912, pp. 12–13. 1914; Soils F.O., 1912, pp. 1640–41. 1915.
  to increase crop yields in South. F.B. 1121, p. 8. 1920.
  with corn, spacing experiments, and yields. D.C. 73, pp. 20–22. 1920.
  with other crops for hay or silage. F.B. 1148, pp. 18–21. 1920.
growth, effect of mineral phosphates, analyses. J.A.R. vol. 6, No. 13, pp. 493, 496, 500–506. 1916.
growth, effect on properties of soil. C. A. LeClair. J.A.R., vol. 5, No. 10, pp. 439–448. 1915.
Guernsey, habits of growth, description. B.P.I. Bul. 229, p. 96. 1912.
habits of growth, description. B.P.I. Bul. 229, p. 138. 1912.
hand picking on small areas. F.B. 1153, p. 5. 1920.
harvesting machinery. F.B. 318, pp. 17–22. 1908.
hay and seed, fertilizers, tests. Soils Bul. 67, pp. 52–54. 1910.
hay. See also Hay.
Hindu. See Catjang.
history—
  in America. B.P.I. Bul. 229, pp. 34–37. 1912.
  introduction into America. W. F. Wight. B.P.I. Bul. 102, Pt. VI, pp. 43–59. 1907.
  origin, groups and varieties. F.B. 1148, pp. 3–4. 1920.
hog feeding, value. B.P.I. Bul., 111, pp. 15–18. 1907; F.B. 331, pp. 14–15. 1908.
hog pasture, with corn. B.A.I. Bul. 47, pp. 162–163. 1907.
Holstein, habits of growth, description. B.P.I. Bul. 229, p. 83. 1912.

Cowpea(s)—Continued.
hybrid, disease-resistant. B.P.I. Chief Rpt., 1913, p. 6. 1913; An. Rpts., 1913, p. 110. 1914.
hybrid, origin, characteristics, and value. Y.B., 1908, pp. 254–257. 1909; Y.B. Sep. 478, pp. 254–257. 1909.
hybrid, resistant, testing in South. B.P.I. Chief Rpt., 1921, p. 27. 1921.
importations and description. Nos. 36078, 36083, 36160–36162, B.P.I. Inv. 36, pp. 49, 50, 60. 1915; Nos. 37104–37111, B.P.I. Inv. 38, p. 38. 1917; Nos. 37743, 37894, 37915, 38110, 38295–38296, 38447–38449, B.P.I. Inv. 39, pp. 32, 63, 66, 88, 115, 132. 1917; Nos. 44218–44221, 44229, 44230, B.P.I. Inv. 50, pp. 43, 44. 1922; Nos. 44464–44468, 44516, 44817, 44880–44882, B.P.I. Inv. 51, pp. 15, 18, 84. 1922; No. 45301, B.P.I. Inv. 53, p. 22. 1922; Nos. 46312, 46327, 46328, 46354, 46371–46373, 46471, 46472, 46499, 46520, 46521, B.P.I. Inv. 56, pp. 7, 9, 11, 12, 19, 22, 23. 1922; Nos. 48791–48793, 48826, B.P.I. Inv. 61, pp. 3, 47–48. 1922; Nos. 50932–50942, B.P.I. Inv. 64, p. 35. 1923; Nos. 52230–52232, B.P.I. Inv. 65, p. 80. 1923; Nos. 52862, 53813, 53824, 53866, B.P.I. Inv. 67, pp. 7, 89, 90, 93. 1923.
infestation—
  by red spider. Ent. Cir. 172, pp. 7, 18. 1913.
  with boll-weevil parasites, value near cotton fields. Ent. Bul. 100, pp. 48, 77, 89. 1912.
injury by—
  Ceretoma larvae. An. Rpts., 1915, p. 222. 1916; Ent. A.R., 1915, p. 12. 1915.
  corn-and-cotton wireworm. F.B. 733, p. 3. 1916.
  cowpea weevil. Ent. Bul. 96, Pt. VI, pp. 83, 86, 89–91. 1912.
  dicyanodiamide. J.A.R., vol. 30, pp. 422–426. 1925.
  lesser corn-stalk borer. D.B. 539, pp. 6, 7, 8, 17, 18. 1917.
  melon fly. D.B. 643, p. 22. 1918.
  melon fly, Hawaii. D.B. 491, p. 14. 1917.
  serpentine leaf-miner. J.A.R., vol. 1, pp. 68, 71, 74. 1913.
  southern green plant-bugs. D.B. 689, pp. 13, 14. 1918.
  sulphur dioxide, experiments. Chem. Bul. 89, p. 12. 1905; Chem. Bul. 113, pp. 11, 13. 1910.
  vanillin, field tests and pot tests. D.B. 164, pp. 2, 4–6, 9. 1915.
  wireworms. D.B. 156, p. 8. 1915.
injury to pecan orchards. D.B. 1102, pp. 2, 7, 12. 1922.
inoculation—
  field tests and results. F.B. 315, pp. 16, 19. 1908.
  with fungi causing wilt disease. J.A.R., vol. 12, p. 543. 1918.
insects—
  control by cold storage. J.A.R., vol. 5, No. 15, p. 658. 1916.
  injurious in Hawaii. Hawaii A.R., 1911, pp. 17–24. 1912.
  pests, lists. Sec. [Misc.], "A manual * * * insects * * *," pp. 36–37, 165. 1917.
Iron—
  cover crop and fertilizer for tobacco. An. Rpts., 1908, p. 345. 1909; B.P.I. Chief Rpt., 1908, p. 73. 1908.
  description of seed and plant, and plant-disease resistance. F.B. 1148; pp. 6, 8, 22. 1920.
  habits of growth, description. B.P.I. Bul. 229, pp. 38–42, 79, 115. 1912.
  resistance to—
    disease. B.P.I. Bul. 229, p. 25. 1912.
    root knot. B.P.I. Bul. 217, pp. 65, 68, 70, 71. 1911.
    root knot and wilt. F.B. 333, pp. 20, 21. 1908.
    variety, description and value. F.B. 318, p. 26. 1912.
labor requirements. D.B. 1181, pp. 8, 26–27, 29. 1924.
Lady, habits of growth, description. B.P.I. Bul. 229, p. 91. 1912.
leaf temperature studies. J.A.R., vol. 26, pp. 20, 21, 25, 27, 30–40. 1923.
Louisiana Wild, habits of growth, description. B.P.I. Bul. 229, p. 95. 1912.
Macassar, from Brazil, coloration. J.A.R., vol. 2, p. 44. 1914.

INDEX TO PUBLICATIONS, 1901–1925

Cowpea(s)—Continued.
  Michigan Favorite, habits of growth and description. B.P.I. Bul. 229, pp. 81–82. 1912.
  mildew. B.P.I. Bul. 229, p. 25. 1912.
  mixtures with soybeans for hay. F.B. 973, p. 18. 1918.
  names used in different regions. F.B. 1148, p. 4. 1920.
  New Era—
    description of seed and plant, and yields. F.B. 1148, pp. 6, 7, 14. 1920.
    habits of growth, description. B.P.I.Bul. 229, p. 103. 1912.
    value compared with other varieties. B.P.I. Bul. 229, pp. 38–42. 1912.
  nutritive value, comparison with meats, and recipes. Food Thrift Ser., No. 4, p. 2. 1917.
  Old World varieties, comparison with American varieties. B.P.I. Bul. 229, p. 30. 1912.
  origin, description, and composition, comparison with beef. F.B. 559, pp. 7–9. 1913.
  Panmure Early Wonder, habits of growth, description. B.P.I. Bul. 229, p. 132. 1912.
  pasture, fattening hogs and steers. F.B. 318, pp. 13, 14. 1908.
  pasture use and value. D.B. 20, p. 41. 1913. F.B. 1153, pp. 17–19. 1920.
  Peerless, habits of growth, description. B.P.I. Bul. 229, p. 127–128. 1912.
  plant, habits of growth. B.P.I. Bul. 229, pp. 19–21. 1912.
  planting—
    and yield experiments at San Antonio farm. W.I.A. Cir. 10, pp. 11–13. 1916.
    for seed production. F.B. 318, pp. 15–17. 1908.
    in corn, recommendations. B.P.I. Doc. 344, pp. 5, 6. 1908.
    instructions. D.C. 119, pp. 1–3. 1920.
    with cotton, effect on bollworm spread. Ent. Bul. 50, pp. 30–32. 1905.
  pod weevil—
    F. H. Chittenden. Ent. Bul. 44, pp. 39–43. 1904.
    description, and injuries to cotton. Ent. Bul. 57, pp. 31–33. 1906.
    destruction of cotton. Ent. Bul. 67, p. 101. 1907; F.B. 890, p. 9. 1917.
    enemy of southern field crops. Y.B., 1911, pp. 204, 208, 209. 1912; Y.B. Sep. 561, pp. 204, 208, 209. 1912.
    infestation with boll-weevil parasites. Ent. Bul. 100, pp. 45, 48, 77, 89. 1912.
  Powell's Early Prolific, habits of growth, description. B.P.I. Bul. 229, p. 94. 1912.
  prices, 1915–1922. Y.B., 1922, p. 756. 1923; Y.B. Sep. 884, p. 756. 1923.
  prices, variations. F.B. 1308, pp. 20–25. 1923.
  production in 1912–1913, by States, comparison. F.B. 563, p. 14. 1913.
  profit in hay and seed, in South. F.B. 326, pp. 13, 21. 1908.
  Purple-podded Clay, habits of growth, description. B.P.I. Bul. 229, pp. 100–101. 1912.
  Ram's-horn Blackeye, habits of growth, description. B.P.I. Bul. 229, p. 133. 1912.
  Red Crowder, habits of growth, description. B.P.I. Bul. 229, p. 91. 1912.
  Red Ripper, habits of growth, description. B.P.I. Bul. 229, p. 89. 1912.
  Red Sport, habits of growth, description. B.P.I. Bul. 229, p. 138. 1912.
  Red Yellowhull, habits of growth, description. B.P.I. Bul. 229, p. 137. 1912.
  root knot—
    H. J. Webber. O.E.S. Bul. 115, pp. 113–115. 1902.
    description, cause, and control. B.P.I. Cir. 91, p. 10. 1912; F.B. 1148, pp. 21–22. 1920; O.E.S. Bul. 115, pp. 113–114. 1902.
    resistant crops. News L., vol. 2, No. 40, p. 6. 1915.
  root nodules, nitrogen-gathering, description. Y.B., 1910, p. 215. 1911; Y.B. Sep. 530, p. 215. 1911.
  rotation with—
    corn and alfalfa. F.B. 310, p. 7. 1907.
    grain. F.B. 704, p. 22. 1916.
  Running Speckled, habits of growth, description. B.P.I. Bul. 229, pp. 127–128. 1912.

Cowpea(s)—Continued.
  saving from weevils. News L., vol. 5, No. 46, p. 11. 1918.
  seed(s)—
    characters of different varieties. B.P.I. Bul. 229, pp. 21–23, 72–75. 1912; F.B. 225, pp. 11–12. 1905.
    coats, coloration. Albert Mann. J.A.R., vol. 2, pp. 33–56. 1914.
    control of insects. F.B. 318, pp. 19–20. 1908.
    demand and sources of supply. Y.B., 1917, p. 523. 1918; Y.B. Sep. 757, p. 29. 1918.
    germination of varieties, after different periods. F.B. 1153, p. 9. 1920.
    germination temperatures. J.A.R., vol. 23, pp. 322, 326, 328, 329. 1923.
    growing, harvesting, threshing, and storing. F.B. 318; pp. 15–22, 27. 1908; F.B. 326, pp. 12–13. 1908.
    harvesting, storage, yields, etc., by States. F.B. 1153, pp. 3–11. 1920.
    insect control. F.B. 1148, pp. 23–25. 1920.
    list of names and notes on pedigreed varieties. B.P.I. Bul. 229, pp. 44–71. 1912.
    marketing. J. E. Barr. F.B. 1308, pp. 27. 1923.
    marketing, sources, and uses. Rpt. 98, p. 140. 1913.
    mixed varieties, discount price. F.B. 1308, pp. 25–26. 1923.
    production on sandy lands, harvesting and uses. F.B. 716, pp. 7–11. 1916.
    quantity per acre. F.B. 309, p. 17. F.B. 318, pp. 11, 12, 13, 16. 1908; F.B. 326, pp. 13, 14. 1908.
    quantity per acre for orchard cover crop. F.B. 491, p. 18. 1912.
    rate of planting, etc. Sec. [Misc.] Spec. "Cowpeas * * * Cotton Belt," pp. 2, 3. 1915.
    storing and fumigating. F.B. 225, pp. 11–12. 1905.
    testing. Pub. [Misc.], "Cowpea seed," p. 1. 1907.
    treatment for control of weevils. Ent. Bul. 96, Pt. VI, p. 92. 1912.
    value as feed for pigs and poultry. F.B. 318, p. 15. 1908.
    varieties, and descriptions. F.B. 1148, pp. 6–7. 1920.
    weight in 100 pounds of pods. F.B. 1153, p. 9. 1920.
  seeding—
    for hay, in Louisiana, Webster Parish. Soil Sur. Adv. Sh., 1914, pp. 10–11. 1916; Soils F.O., 1914, p. 1244. 1919.
    rates. F.B. 1202, p. 52. 1921.
  Self-feeding Clay, habits of growth, description. B.P.I. Bul. 229, p. 138. 1912.
  silage use, method and value. F.B. 556, p. 5. 1913; F.B. 1153, pp. 19–20. 1920.
  silage with corn and sorghum. F.B. 334, p. 10. 1908.
  Sixty-day, habits of growth, description. B.P.I. Bul. 229, p. 94. 1912.
  Small Black Crowder, habits of growth, description. B.P.I. Bul. 229, p. 137. 1912.
  Smallpox, habits of growth and description. B.P.I. Bul. 229, p. 122. 1912.
  soil-improvement—
    crop for Southern States. F.B. 986, pp. 12–13. 1918.
    value, comparisons with other legumes. F.B. 1153, pp. 20–23. 1920.
  sorghum mixtures for hay, growing, directions. F.B. 458, pp. 17–18. 1911.
  sorghum, seed, mixtures, quantity per acre. F.B. 458, p. 18. 1911.
  Southdown, habits of growth and description. B.P.I. Bul. 229, pp. 86–87. 1912.
  southern farms, cultural. B.P.I. Doc. 555, pp. 2, 4. 1910.
  sowing time, rate, methods, and yield tests. F.B. 1148, pp. 13–15. 1920.
  specific names, and history. B.P.I. Bul. 229, pp. 10–11. 1912.
  Speckled Crowder, habits of growth, description. B.P.I. Bul. 229, p. 114. 1912.

Cowpea(s)—Continued.
 statistics—
  1919, production and value. Y.B. 1919, pp. 616–617. 1920; Y.B. Sep. 827, pp. 616–617. 1920.
  1921, acreage, production, prices. Y.B., 1921, pp. 641, 772. 1922; Y.B. Sep. 869, p. 61. 1922; Y.B. Sep. 871, p. 3. 1922.
  1924. Y.B., 1924, pp. 743, 744, 1101, 1113. 1925.
 straw, feeding value. F.B. 1153, pp. 11–12. 1920.
 susceptibility to root knot, and spread of disease in South. F.B. 333, pp. 20, 21. 1908.
 Taylor, habits of growth, description. B.P.I. Bul. 229, pp. 87–88. 1912.
 Taylor, variety, description, and value. F.B. 318, p. 26. 1908.
 testing varieties, methods. B.P.I. Bul. 229, pp. 37–38. 1912.
 thresher and baler, description and use. F.B. 326, pp. 12–13. 1908; F.B. 716, pp. 10–11. 1916.
 Townsend, habits of growth, description. B.P.I. Bul. 229, p. 132. 1912.
 transpiration studies, Akron, Colorado. J.A.R., vol. 7, pp. 158–161, 165, 168–186, 191, 193. 1916.
 Turney's Blackeye, habits of growth, description. B.P.I. Bul. 229, pp. 113–114. 1912.
 type perpetuation, comparison with alfalfa. B.P.I. Bul. 258, pp. 8–9. 1913.
 uncolored, albinoes. J.A.R., vol. 2, pp. 40, 41–43. 1914.
 use—
  and value as soil enricher, and methods. F.B. 1250, pp. 40–41. 1922.
  as—
   companion crop with corn in South. B.P.I. Doc. 730, pp. 8–9. 1912.
   food. O.E.S. Bul. 245, p. 57. 1912.
   forage crop in cotton region, harvesting methods. F.B. 509, pp. 27–29. 1912.
   green manure for Norfolk fine sand. Soils Cir. 23, pp. 5–6, 9, 11, 15. 1911.
   green manure in barley growing. F.B. 427, p. 6. 1910.
   horse feed. F. B. 1030, p. 13. 1919.
   orchard cover crop. F. B. 917, p. 21. 1918.
   silage. F. B. 578, p. 5. 1914.
   temporary pastures for sheep. F. B. 1181, pp. 7, 9, 13, 16. 1921.
  for food, feed, and hay. F. B. 1153, p. 3. 1920.
  for green manure on Susquehanna fine sandy loam. Soils Cir. 51, p. 7. 1912.
  in—
   Corn-Belt rotations. Y.B., 1911, pp. 331–332, 335. 1912; Y.B. Sep. 572, pp. 331–332, 335. 1912.
   grain farming. F.B. 704, p. 22. 1916.
   soil-improvement method in Coffee County, Tennessee. Soil Sur. Adv. Sh., 1908, p. 19; Soils F.O., 1908, p. 1003. 1911.
   the home. F. B. 559, pp. 7–12. 1913.
   treatment of Portsmouth sandy loam. Soils Cir. 17, p. 8. 1905.
  on Missouri farms as legume, methods. D.B. 633, pp. 22–23. 1918.
  on old orchards, seeding rate. S.R.S. Syl. 31, p. 10. 1918.
  with Lespedeza, etc., as farm crop. F.B. 441, pp. 12–14. 1911.
 utilization. W. J. Morse. F.B. 1153, pp. 23. 1920.
 value as—
  cover crop. Guam A.R., 1918, pp. 39, 40. 1919.
  crop and soil renovator. F.B. 422, p. 16. 1910.
  legume in cotton rotations. F.B. 787, p. 10. 1916.
  fertilizer in Louisiana, Iberia Parish. Soil Sur. Adv. Sh., 1911, pp. 19, 39. 1912; Soils F.O., 1911, pp. 1143, 1163. 1914.
  meat substitute. Y.B., 1910, p. 363. 1911; Y.B. Sep. 543, p. 363. 1911.
  soil enricher, Porto Rico, and for forage. P.R. An. Rpt., 1912, pp. 8, 44. 1913.
 value—
  comparison with soy beans and velvet beans. F.B. 1148, pp. 25–26. 1920.
  for emergency forage crop. Sec. Cir. 36, p. 2. 1911.
  for hay in South. D.B. 827, p. 35. 1921.
  for soil improvement. F.B. 981, pp. 16, 24, 25, 29. 1918.

Cowpea(s)—Continued.
 value—continued.
  in—
   pig feeding, as grain or pasture. B.A.I. An. Rpt., 1903, pp. 272, 292–293. 1904; B.A.I. Cir. 63, pp. 272, 292–293. 1904.
   rotation of crops. F.B. 289, pp. 5–6. 1907.
   soil improvement, coastal plain section. F.B. 924, pp. 8–9. 1918.
   soil renovation for corn crops. F.B. 319, pp. 16–17. 1908.
   tobacco rotation, scheme. Y.B., 1908, pp. 411, 413, 416, 419. 1909; Y.B. Sep. 490, pp. 411, 413, 416, 419. 1909.
  of crop in Georgia, Sumter County. Soil Sur. Adv. Sh., 1910, pp. 14–15. 1911; Soils F.O., 1910, pp. 510–511. 1912.
 variability, tests of several varieties. B.P.I. Bul. 229, pp. 15–19. 1912.
 varietal names. B.P.I. Bul. 229, pp. 34–36. 1912.
 varietal studies in Porto Rico. P.R. An. Rpt., 1921, pp. 15–16. 1922.
 variety(ies)—
  adaptation to different purposes. Sec. [Misc.]. Spec., "Cowpeas * * * Cotton Belt," pp. 3, 4. 1915.
  and hybrids, value as forage. Y.B., 1908, pp. 254–257. 1909; Y.B. Sep. 478, pp. 254–257. 1909.
  characteristics. F.B. 318, pp. 24–27, 28. 1908.
  coloration studies. J.A.R., vol. 2, pp. 41–55. 1914.
  description. B.P.I. Bul. 176, pp. 14, 18, 24. 1910; B.P.I. Bul. 207, pp. 23, 39, 71. 1911; B.P.I. Bul. 208, pp. 14, 23, 45, 47, 56. 1911; B.P.I. Bul. 229, pp. 75–143. 1912.
  description of seed and plants, adaptation. F.B. 1148, pp. 6–11. 1920.
  from same source, similarity of habits. B.P.I. Bul. 229, pp. 28–30. 1912.
  germination and weight of seeds. F.B. 1153, p. 9. 1920.
  immune to root knot and wilt. F.B. 625, pp. 10, 11, 12, 13. 1914.
  planting time, etc., Kansas investigations. O.E.S. An. Rpt., 1910, p. 144. 1911.
  planting with sorghum for forage, experiments. B.P.I. Cir. 106, pp. 12–15, 21, 27. 1913.
  resistant to—
   disease. F.B. 1148, pp. 8, 22. 1920.
   root knot. F.B. 1345, p. 24. 1923.
  subject to root knot, dangers to cotton. F.B. 625, pp. 10–11. 1914.
  test(s)—
   1923. An. Rpts., 1923, pp. 261, 264. 1924; B.P.I. Chief Rpt., 1923, pp. 7, 10. 1923.
   forage and seed yields, Yuma Experiment Farm, 1916. W.I.A. Cir. 20, p. 27. 1918.
   in Guam. Guam Bul. 4, pp. 10–14. 1922.
   in Hawaii. Hawaii A.R., 1920, pp. 26–27, 31. 1921.
 Victor, description of seed and plant, and disease resistance. F.B. 1148, pp. 6, 8, 22. 1920.
 vines, decomposition, experiments in soil solutions. Soils Bul. 47, p. 9. 1907.
 Volunteer, habits of growth, description. B.P.I. Bul. 229, p. 115. 1912.
 Warren's Extra Early, habits of growth, description. B.P.I. Bul 229, p. 90. 1912.
 Warren's New Hybrid, habits of growth, description. B.P.I. Bul. 229, p. 88. 1912.
 Watson, habits of growth, description. B.P.I. Bul. 229, pp. 98–99. 1912.
 weevil—
  F. H. Chittenden. Ent. Bul. 96, Pt. VI, pp. 83–94. 1912.
  control methods. F.B. 1148, pp. 23–25. 1920.
  description and control by disulphide fumigation. F.B. 856, pp. 53–54. 1917.
  description, life history, and control. F.B. 983, pp. 14–15, 20–24. 1918.
  food plants. Ent. Bul. 96, Pt. VI, p. 89. 1912.
  infestation and fumigation. J.A.R., vol. 28, pp. 347–356. 1924.
  injury to legumes, and description. F.B. 1275, pp. 4, 9. 1923.
Whippoorwill—
 description of seed and plants, and yields. F.B. 1148, pp. 6, 7, 15. 1920.

INDEX TO PUBLICATIONS, 1901–1925 653

Cowpea(s)—Continued.
Whippoorwill—Continued.
  as trap crop for rootknot, experiments. B.P.I. Bul. 217, p. 62. 1911.
  habits of growth, description. B.P.I. Bul. 229, pp. 88, 92. 1912.
  value compared with other varieties. B.P.I. Bul. 229, pp. 38–42. 1912.
White Giant, habits of growth, description. B.P.I. Bul. 229, p. 140. 1912.
Wight Black Crowder, habits of growth, description. B.P.I. Bul. 229, p. 92. 1912.
Wilcox, habits of growth, description. B.P.I. Bul. 229, pp. 133–134. 1912.
Wild Louisiana, habits of growth, description. B.P.I. Bul. 229, p. 128. 1912.
wild prototype, description. B.P.I. Cir. 124, pp. 29–32. 1913.
with corn for hay, planting directions. F.B. 318, pp. 11–12. 1908.
yield(s)—
  in hay and seed per acre, run-down cotton farm. F.B. 326, p. 13. 1908.
  of seed and hay, of varieties by States. F.B. 1153, pp. 11, 17. 1920.
  on Norfolk fine sandy loam. Y.B., 1911, p. 231. 1912; Y.B. Sep. 563, p. 231. 1912.
Cowpenning, method of fertilizing poor land in Florida, St. Johns County. Soil Sur. Adv. Sh., 1917, pp. 9, 14, 21, 24, 29. 1920; Soils F.O., 1917, pp. 669, 674, 681, 684, 689. 1923.
Cowpox—
  cause, appearance, and treatment. B.A.I. [Misc.], "Diseases of cattle," rev., pp. 237–238, 428–430. 1904; rev., pp. 244–245, 400, 445–447. 1912; rev., pp. 240–241. 1923.
  communicability as compared with smallpox. B.A.I. Bul. 33, pp. 15–16. 1901.
  danger to milk supply. B.A.I. An. Rpt., 1907, p. 153. 1909.
  description, cause, and treatment. F.B. 1422, p. 9. 1924.
  diagnosis, distinction from foot-and-mouth disease. F.B. 666, p. 11. 1915.
  inoculation for foot-and-mouth disease experiments. B.A.I. Cir. 147, pp. 27–28. 1912.
Cowrie gum imports, 1851–1868, 1899–1908. Stat. Bul. 51, p. 25. 1909.
Cowslip—
  distribution. N.A. Fauna 21, p. 13. 1901.
  use as potherb, note. O.E.S. Bul. 245, p. 28. 1912.
Cox, F. C.: "Bouillon cubes; Their content and food value compared with meat extracts and home-made preparations of meat." D.B. 27, pp. 7. 1913.
Cox, H. J.—
  "Frost and temperature conditions in the cranberry marshes of Wisconsin." W.B. Bul. T., pp. 121. 1910.
  "Should verifying change of temperature be smaller and should not terms 'sightly warmer' and 'slightly cooler' be credited?" W.B. Bul. 31, pp. 127–134. 1902.
  "The Weather Bureau and the cranberry industry." Y.B., 1911, pp. 211–222. 1912; Y.B. Sep. 562, pp. 211–222. 1912.
  "Use of Weather Bureau records in court." Y.B., 1903, pp. 303–312. 1904; Y.B. Sep. 307, pp. 303–312. 1904.
  "Weather forecasting in United States." With others. W.B. [Misc.], "Weather forecasting in * * *," pp. 370. 1916.
Cox, H. R.—
  "Controlling Canada thistles." F.B. 545, pp. 14. 1913.
  "Eradication of bindweed or wild morning glory." F.B. 368, pp. 19. 1909.
  "Eradication of ferns from pasture lands in the eastern United States." F.B. 687, pp. 12. 1915.
  "The weed factor in the cultivation of corn." With J. S. Gates. B.P.I. Bul. 257, pp. 35. 1912.
  "The wild onion." With J. S. Gates. B.P.I. Doc. 416, pp. 6. 1908.
  "Weeds: How to control them." F.B. 660, pp. 29. 1915.
  "Wild onion: Methods of eradication." F.B. 610, pp. 8. 1914.

Cox, J. F.: "Soil survey of Lancaster County, Pa." With others. Soil Sur. Adv. Sh., 1914, pp. 70. 1916; Soils F.O., 1914, pp. 327–392. 1919.
Cox, J. H.—
  "A special flask for the rapid determination of water in flour and meal." D. B. 56, pp. 7. 1914.
  "The drying for milling purposes of damp and garlicky wheat." D.B. 455, pp. 11. 1916.
  "United States grades for rye." With others. D.C. 246, pp. 6. 1922.
Cox, W. T.—
  address on—
    forestry patrol. For. [Misc.], "Forest fire protection by the States," pp. 14–17. 1914.
    slash disposal in national forests. For. [Misc.], "Forest fire protection by the States," pp. 61–64. 1914.
  "Reforestration on the national forests." For. Bul. 98, pp. 57. 1911.
  "The forests of the United States: Their use." With others. For. Cir. 171, pp. 25. 1909.
Coyo—
  fruit resembling avocado, description, value, and uses. D.B., 743, pp. 37–41. 1919.
  importations and descriptions. No. 43931, B.P.I. Inv. 49, pp. 6, 96. 1921; Nos. 44682, 44776, B.P.I. Inv. 51, pp. 6, 46, 63. 1922; No. 45354, B.P.I. Inv. 53, pp. 6, 30. 1922; No. 52787, B.P.I. Inv. 66, p. 74. 1923.
Coyote(s)—
  adult and pup, key for identification. Biol. Cir. 69, pp. 2–3. 1909.
  and wolf, bounties paid, key to animals. Vernon Bailey. Biol. Cir. 69, pp. 3. 1909.
  and wolves, destruction, directions. Vernon Bailey. Biol. Cir. 55, pp. 6. 1907.
  as tick hosts. F.B. 484, p. 46. 1912.
  behavior toward fences, sheep pasture. For. Cir. 178, pp. 8, 10. 1910.
  bounties for destruction. Biol. Bul. 20, pp. 22–23. 1905; F.B. 1238, pp. 7–25. 1921.
  breeding habits—
    in Wyoming and Michigan. Biol. Cir. pp. 2, 3–4, 8. 1908.
    location of dens, capture of pups. Biol. Cir. 55, pp. 1–2. 1907.
  control—
    and destruction, methods. Biol. Bul. 20, pp. 18–28. 1905.
    importance to stock owners. Y.B., 1908, p. 112. 1909.
    in Kansas. Biol. Bul. 20, pp. 9–10. 1905.
    on ranges. An. Rpts., 1920, pp. 345–346. 1921.
    work, and number killed. An. Rpts., 1923, pp. 422, 423, 424. 1924; Biol. Chief Rpt., 1923, pp. 4, 5, 6. 1923.
  damage and control. Biol. Chief Rpt., 1924, pp. 2, 5–7. 1904.
  damage to game in Alaska, need of control. D.C. 88, pp. 11–12. 1920.
  depredations on farm animals. Biol. Bul. 20, pp. 14–15. 1905.
  description. Biol. Bul. 20, p. 7. 1905; F.B. 335, p. 27. 1908.
  destruction—
    by trapping, poisoning or hunting, directions. Biol. Bul. 20, pp. 18–22. 1905; Biol. Cir. 55, pp. 1–6. 1907.
    in national forests, 1907. Biol. Cir. 63, pp. 5–7. 1908.
    methods. Biol. Bul. 20, pp. 18–23. 1905; F.B. 226, pp. 15–18. 1905.
  distribution. Biol. Bul. 20, pp. 7–8. 1905.
  drive, method of conducting. Biol. Bul. 20, pp. 21–22. 1905.
  economic relations. David E. Lantz. Biol. Bul. 20, pp. 28. 1905.
  enemy of wild ducks in Utah. D.B. 936, p. 17. 1921.
  extermination by hunters. An. Rpts., 1922, pp. 333–335. 1923; Biol. Chief Rpt., 1922, pp. 3–5. 1922.
  habits—
    beneficial. Biol. Bul. 20, pp. 12–13. 1905; Y.B., 1908, p. 188. 1909; Y.B. Sep. 474, p. 188. 1909.
    food and breeding. Biol. Bul. 20, pp. 10–12, 13–14. 1905.
  hunting and bounty laws, 1919, notes. F.B. 1079, pp. 3–25. 1919.

Coyote(s)—Continued.
injury to—
sheep on Minidoka project, control studies. D.B. 573, pp. 20-21. 1917.
young elk, need of control. Biol. Bul. 40, p. 20. 1911; D. C. 51, p. 17. 1919.
menace to sheep. Y.B., 1923, p. 265. 1924; Y.B., Sep. 894, p. 265. 1924.
mountain, occurrence in Colorado, description. N.A. Fauna 33, p. 172. 1911.
number killed by poison baits. Off. Rec., vol. 2, No. 1, p. 1. 1923.
occurrence in—
Athabaska-Mackenzie region. N.A. Fauna 27, p. 214. 1908.
Montana, host for fever ticks. Biol. Cir. 82, pp. 21-22. 1911.
Texas. N.A. Fauna 25, pp. 174-178. 1905.
plains, occurrence in Colorado, description. N.A. Fauna 33, pp. 172-173. 1911.
poisoning directions. Y.B., 1908, p. 427. 1909; Y.B. Sep. 491, p. 427. 1909.
proof—
fence, maintenance cost, and efficiency. For. Cir. 156, pp. 9, 23. 1908; For. Cir. 178, pp. 6-10. 1910.
inclosures in connection with range lambing grounds. James T. Jardine. For. Bul. 97, pp. 32. 1911.
pasture—
experiment, 1908. James T. Jardine. For. Cir. 160, pp. 40. 1909.
grazing experiments, preliminary report. James T. Jardine. For. Cir. 156, pp. 32. 1908.
Wallowa Forest, transfer to Biological Survey. An. Rpts., 1912, p. 525. 1913; For. A.R., 1912, p. 67. 1912.
relation to—
stock raising in the West. David E. Lantz. F.B. 226, pp. 24. 1905.
the sheep industry. Biol. Bul. 20, pp. 16-18. 1905.
San Juan, occurrence in Colorado, description. N.A. Fauna 33, p. 173. 1911.
service as a scavenger. Biol. Bul. 20, p. 13. 1905.
spread of gid parasite. An. Rpts., 1911, p. 250. 1912; B.A.I. Chief Rpt., 1911, p. 60. 1911.
transmission of cattle tapeworm. B.A.I. [Misc.], "Diseases of cattle," rev., pp. 513-514. 1908.
See also Wolves.
Coyotillo, description and poisonous effects. D.B. 1245, p. 21. 1924.
Crab(s)—
canning methods. Chem. Bul. 151, p. 62. 1912; D.B. 196, p. 71. 1915; S.R.S. Doc. 80, p. 27. 1918; S.R.S. Doc. 80, rev., p. 28. 1919.
control in vegetable gardens, Guam. Guam Bul. 2, p. 22. 1922.
extermination, Porto Rico, poison baits. P.R. Cir. 17, pp. 21, 29. 1918.
land—
control in Florida. Off. Rec., vol. 3, No. 7, p. 3. 1924.
extermination. Off. Rec., vol. 1, No. 48, p. 8. 1922.
meat misbranding. See also Indexes, Notices of judgment, in bound volumes, and in separates published as supplements to Chemistry Service and Regulatory Announcements.
use as fertilizer. D.B. 2, p. 19. 1913.
Crab apple—
Asiatic, importation. No. 49135, B.P.I. Inv. 62, p. 6. 1923.
growing in Alaska. Alaska A.R., 1906, pp. 10-11. 1907.
hybridization experiments in Alaska. Alaska A.R., 1911, pp. 12-13. 1912.
importations and description. Nos. 36601, 36803, B.P.I. Inv. 37, pp. 36, 67. 1916; Nos. 37008, 37584-37586, 37590-37592, 37616, 37617, B.P.I. Inv. 38, pp. 23, 78, 79, 85, 86. 1917; Nos. 39923, 40020, 40206, 40207, B.P.I. Inv. 42, pp. 5, 39, 53, 95-96. 1918; Nos. 40592, 40729, B.P.I. Inv. 43, pp. 51, 73. 1918; No. 42760, B.P.I. Inv. 47, p. 60. 1920; Nos. 43700, 43701, 43757, B.P.I. Inv. 49, pp. 64, 65, 87. 1921; Nos. 44281, 44283, 44423, B.P.I. Inv. 50, pp. 52, 70. 1922; Nos. 54082-54094, 54266-54268, B.P.I. Inv. 68, pp. 27-29, 41. 1923.

Crab apple—Continued.
injury by pith-ray flecks. For. Cir. 215, p. 10. 1913.
misuse of term. Chem. S.R.A. 21, p. 72. 1918.
Oregon—
description, range and occurrence on Pacific slope. For. [Misc.], "Forest trees for Pacific * * * ", p. 342. 1908.
distribution. N.A. Fauna 21, p. 13. 1901.
Siberian, stock for hardy apples, Northern Great Plains. D.C. 58, p. 7. 1919.
varieties—
Alaska. Alaska A.R., 1912, p. 23. 1913.
recommendations for various fruit districts. B.P.I. Bul. 151, p. 22. 1909.
wild, description and uses. B.P.I. Bul. 204, pp. 31-32. 1911.
Crab Orchard concentrated mineral water, misbranding. Chem. N.J. 12844. 1925; Sup. to N.J. 11784.
CRABB, G. A.: "Soil survey of—
Chester County, S. C." With W. E. McLendon. Soil Sur. Adv. Sh., 1912, pp. 41. 1913; Soils F.O., 1912, pp. 457-493. 1915.
Fairfield County, S. C." With others. Soil Sur. Adv. Sh., 1911, pp. 37. 1913; Soils F.O., 1911, pp. 479-511. 1914.
Georgetown County, S. C." With others. Soil Sur. Adv. Sh., 1911, pp. 54. 1912; Soils F.O., 1911, pp. 513-562. 1914.
Jones County, Ga." With others. Soil Sur. Adv. Sh., 1913, pp. 44. 1915; Soils F.O. 1913, pp. 475-514. 1916.
Livingston County, N. Y." With others. Soil Sur. Adv. Sh., 1908, pp. 91. 1910; Soils F.O., 1908, pp. 71-157. 1911.
Monroe County, N. Y." With others. Soil Sur. Adv. Sh., 1910, pp. 53. 1912; Soils F.O., 1910, pp. 43-91. 1912.
Oconee, Morgan, Greene, and Putnam Counties, Ga." With others. Soil Sur. Adv. Sh., 1919, pp. 61. 1922; Soils F.O., 1919, pp. 889-945. 1925.
Orange County, N. Y." With T. M. Morrison. Soil Sur. Adv. Sh., 1912, pp. 56. 1914; Soils F.O., 1912, pp. 57-108. 1915.
Washington County, N. Y." With others. Soil Sur. Adv. Sh., 1909, pp. 59. 1911; Soils F.O., 1909, pp. 105-159. 1912.
Winston County, Miss." With G. B. Hightower. Soil Sur. Adv. Sh., 1912, p. 47. 1914; Soils F.O., 1912, pp. 927-967. 1915.
Crabgrass—
alfalfa enemy, note. F.B. 495, p. 32. 1912.
analytical key and description of seedlings. D.B. 461, pp. 8, 22. 1917.
control in rice fields. D.B. 1155, p. 54. 1923.
description—
and distribution. D.B. 772, p. 217. 1920.
and value for Cotton States. F.B. 1125, rev., p. 17. 1920.
distribution, spread and products injured. F.B. 660, p. 27. 1915.
of seed, appearance in red-clover seed. F.B. 260, p. 23. 1906.
destruction by birds. Biol. Bul. 15, pp. 26, 27, 49-50. 1901.
diseases, Texas, occurrence and description. B.P.I. Bul. 226, p. 50. 1912.
eradication in lawns. D.C. 49, p. 5. 1919.
grazing crop for hogs. F.B. 985, pp. 7, 9, 10, 18. 1918.
growing, in Hawaii, composition and value. Hawaii Bul. 36, pp. 11, 13, 22, 39. 1915.
occurrence and control in rice fields. F.B. 1240, p. 25. 1924.
root-knot resistant crop. News L., vol. 2, No. 40, p. 6. 1915.
seeds, description. F.B. 428, pp. 23-24. 1911.
susceptibility to mosaic disease. D.B. 829, p. 15. 1919.
use as forage crop in cotton region, description. F.B. 509, p. 14. 1912.
use on lawns, objections. F.B. 494, p. 31. 1912.
value for hay in Georgia, Chatham County. Soil Sur. Adv. Sh., 1911, pp. 9, 19, 20, 21, 22, 33. 1912; Soils F.O., 1911, pp. 567, 577, 578, 580, 583. 1914.
See also Syntherisma sanguinalis.

Crabwood tree—
  identification key and description. D.B. 1050, pp. 2, 6–7. 1922.
  importation and description. No. 44711, B.P.I. Inv. 51, p. 53. 1922; No. 51767, B.P.I. Inv. 65, p. 46. 1923.
  See also Andiroba.
Cracca—
  candida, importations and description. No. 39107, B. P. I. Inv. 40, p. 75. 1917; No. 47666, B.P.I. Inv. 59, p. 44. 1922.
  spp., importations and description. Nos. 40894–40895, B.P.I. Inv. 43, p. 97. 1918; Nos. 49995–49996, 50363, B.P.I. Inv. 63, pp. 27, 62. 1923.
  vogelii, importation and use. No. 47215, B.P.I. Inv. 58, p. 41. 1922.
Cracidae, hosts of eye parasites. B.A.I. Bul. 60, p. 46. 1904.
Crackers—
  "Creme wafles," adulteration. Chem. N. J. 808, pp. 2. 1911.
  food value and use. F.B. 817, pp. 13–14, 19. 1917; F.B. 1383, p. 27. 1924.
  Grant's hygienic, alleged misbranding. Chem. N.J. 1265, pp. 3. 1912.
  preparation and nutritive value. F.B. 389, pp. 27, 38, 44. 1910.
  soda, food-value comparisons, chart. D.B. 975, p. 30. 1921.
  "Sunshine Suffolk biscuit" (arrowroot), misbranding. Chem. N. J. 2053, p. 1. 1913.
  use with cheese in food. F.B. 487, pp. 27–28. 1912.
Cracklings, poisoned, for rodents, preparation, directions. D.B. 479, p. 77. 1917.
Cradle—
  wheat, harvest use. Y.B. 1921, pp. 87, 89. 1922; Y.B. Sep. 873, pp. 87, 89. 1922.
  wood pipe, description. D.B. 155, pp. 17–19. 1914.
Craemer's Compound, misbranding. See Indexes, Notices of Judgment, in bound volumes, and in separates, published as supplements to Chemistry Service and Regulatory Announcements.
CRAFT, Q. R.: "Progress of forestry in—
  1904." Y.B., 1904, pp. 588–593. 1905; Y.B. Sep. 372, pp. 588–593. 1905.
  1905." Y.B., 1905, pp. 636–645. 1906; Y.B. Sep. 406, pp. 636–645. 1906.
  1906." Y.B., 1906, pp. 525–533. 1907; Y.B. Sep. 439, pp. 525–533. 1907.
  1907." Y.B., 1907, pp. 565–576. 1908; Y.B. Sep. 470, pp. 1–19. 1908.
CRAIG, A. L.: "The railroads and the wagon roads." Rds. Cir. 37, pp. 4. 1904.
CRAIG, J.: "Cooperation in experimental work between the station and the farmer." O.E.S. Bul. 115, pp. 102–105. 1902.
CRAIG, J. A., report of Oklahoma Experiment Station, work and expenditures, 1909. O.E.S. An. Rpt., 1909, pp. 168–170. 1910.
CRAIG, W. T.—
  "Improved oat varieties for New York and adjacent States." With others. D.C. 353, pp. 15. 1925.
  "The genetic relation between Triticum dicoccum dicoccoides and a similar morphological type produced synthetically." With H. H. Love. J.A.R., vol. 28, pp. 515–520. 1924.
  "The inheritance of pubescent nodes in a cross between two varieties of wheat." With H. H. Love. J.A.R., vol. 28, pp. 841–844. 1924.
CRAIGHEAD, F. C.—
  "Experiments with spray solutions for preventing insect injury to green logs." D.B. 1079, pp. 11. 1922.
  "Hopkins host-selection principles as related to certain Cerambycid beetles." J.A.R., vol. 22, pp. 189–220. 1921.
  "Larvae of the Prioninae. Contributions toward a classification and biology of the North American Cerambycidae." Rpt. 107, pp. 24. 1915.
  "Protection from the locust borer." D.B. 787, pp. 12. 1919.
  "Protection of mesquite cordwood and posts from borers." With George Hofer. F.B. 1197, pp. 12. 1921.
  "Relation between mortality of trees attacked by the spruce budworm (Caecoescia fumiferana, Clem.) and previous growth." J.A.R., vol. 30, pp. 541–555. 1925.

Crakes, range and migration. D.B. 128, pp. 26, 36–37. 1914.
CRAM, E. B.—
  "A new nematode, Cylindropharynx ornata, from the zebra, with keys to related nematodes of the Equidae." J.A.R., vol. 28, pp. 661–672. 1924.
  "A test of raw onions in the diet as a control measure for worms in dogs." With others. J.A.R., vol. 30, pp. 155–159. 1925.
  "Carbon trichloride as an anthelmintic, and the relation of its solubility to anthelmintic efficacy." With Maurice C. Hall. J.A.R., vol. 30, pp. 949–953. 1925.
  "Cooperia bisonis, a new nematode from the buffalo." J.A.R., vol. 30, pp. 571–573. 1925.
  "Some laboratory methods for parasitological investigations." With Maurice C. Hall. J.A.R., vol. 30, pp. 773–876. 1925.
  "The egg-producing capacity of Ascaris lumbricoides." J.A.R., vol. 30, pp. 977–983. 1925.
  "The influence of low temperatures and of disinfectants on the eggs of Ascaris lumbricoides." J.A.R., vol 27, pp. 167–175. 1924.
Crambid, tobacco—
  control experiments. An. Rpts., 1922, p. 319. 1923; Ent. A.R., 1922, p. 21. 1922.
  See also Tobacco stem borer.
Crambus—
  hortuellus. See Cranberry girdler.
  spp. See Sodworms; Webworms.
Cramp-bark tree, names, range, description, bark, prices, and uses. B.P.I. Bul. 139, p. 48. 1909.
Cramproot, name for Dioscorea. B.P.I. Bul. 189, p. 25. 1910.
Cramps—
  remedy, misbranding. Chem. N.J. 903, p. 2. 1911.
  symptoms, and control in young pheasants. F.B. 390, p. 37. 1910.
  See also Spasms.
CRAMPTON, C. A.: "Denatured alcohol and denaturants." Chem. Bul. 130, pp. 76–84, 161–164. 1910.
Cranberry(ies)—
  abnormal growth caused by false-blossom disease. D.B. 444, pp. 2–3. 1916.
  acreage in 1919, map. Y.B. 1921, p. 469. 1922; Y.B. Sep. 878, p. 63. 1922.
  acreage, production, and value, 1923. Y.B., 1923, p. 744. 1924; Y.B., Sep. 900, p. 744. 1924; F.B. 1400, p. 3. 1924.
  adaptability to acid soils. D.B. 6, p. 7. 1913.
  advertising, cost, and effect on sales. D.B. 1109, pp. 3, 14–19. 1923.
  beds, treatment for control of girdler. D.B. 554, pp. 13–19. 1917.
  benzoic acid, occurrence. Chem. Bul. 90, pp. 61–62. 1905.
  bitter rot, cause and control. D.B. 714, pp. 8–9. 1918.
  blackhead fireworm, on the Pacific coast. H. K. Plank. D.B. 1032, pp. 46. 1922.
  blast, description and treatment. B.P.I. Bul. 110; pp. 12–26. 1907.
  blotch-rot, description, cause, and control. F.B. 1081, pp. 9–10. 1920.
  bogs—
    care of. S.R.S. Rpt., 1917, Pt. I, pp. 41, 145. 1918.
    frost and temperature conditions, investigations. Y.B., 1911, pp. 213–219. 1912; Y.B. Sep. 562, pp. 213–219. 1912; F.B. 1096, pp. 10–11, 13. 1920.
    management, features on Pacific coast. D.B. 1032, p. 3. 1922.
    management to control fungi. D.B. 714, p. 7. 1918.
    preparation method and cost, in Plymouth County, Massachusetts. Soil Sur. Adv. Sh., 1911, pp. 17–19. 1912; Soils F.O. 1911, pp. 43–45. 1914.
    protection from gipsy moths. D.B. 1093, pp. 13–19 1922.
    treatment for control of blackhead fireworm. D.B. 1032, pp. 22–37. 1922.
    treatment for control of girdler. D.B. 554, pp. 13–19. 1917.
  botanical relationships and characteristics. F.B. 1400, pp. 4–12. 1924.

Cranberry(ies)—Continued.
  boxes, standards for New Jersey, Massachusetts, and New York. F.B. 1196, p. 29. 1921.
  bruising, causes of loss after harvest. D.B. 714, pp. 2–3, 13. 1918.
  bushel weights, by States. Y.B., 1918, p. 724. 1919; Y.B. Sep. 795, pp. 60, 62. 1919.
  candied, preparation methods and uses. News L., vol. 3, No. 21, p. 8. 1915.
  content of benzoic acid. Chem. Cir. 39, p. 1. 1908.
  costs of production. F.B. 1402, pp. 11–12. 1924.
  crop estimates. F.B. 1402, pp. 27–28. 1924.
  cultivated, false-blossom. C. L. Shear. D.B. 444, pp. 8. 1916.
  culture—
    L. C. Corbett. F.B. 176, pp. 20. 1903.
    fertilizers, etc., study, Massachusetts Experiment Station. O.E.S. An. Rpt., 1912, p. 134. 1913.
    insects injurious. John B. Smith. F.B. 178, pp. 32. 1903.
  description, occurrence in bogs, Eastern Puget Sound Basin, Washington. Soils F.O., 1909, p. 1542. 1912; Soil Sur. Adv. Sh., 1909, p. 30. 1911.
  destruction by girdler. D.B. 554, pp. 3–4, 10. 1917.
  diseases—
    C. L. Shear. B.P.I. Bul. 110, pp. 64. 1907.
    and their control. C. L. Shear. F.B. 1081, pp. 22. 1920.
    control studies, 1917. An. Rpts., 1917, p. 137. 1918; B.P.I. Chief Rpt., 1917, p. 7. 1917.
    fungous. C. L. Shear. F.B. 221, pp. 16. 1905.
    preventive and remedial measures. B.P.I. Bul. 110, pp. 49–53. 1907; F.B. 243, p. 23. 1906.
  distribution, Cook Inlet region, Alaska. N.A. Fauna 21, pp. 21, 56. 1901.
  drying directions. D.B. 960, pp. 3–4, 9–10. 1921; D.B. 1335, p. 34. 1925.
  drying out, cause of loss after harvest. D.B. 714, pp. 3–4. 1918.
  dusting from air. Off. Rec., vol. 4, No. 51, p. 6, 1925.
  endrot. C. L. Shear. J.A.R., vol. 11, pp. 35–42, 524–529. 1917.
  exchange, cooperation with trade. D.B. 1109, pp. 19–20. 1923.
  false-blossom. D.B. 444, pp. 1–8. 1916.
  fields—
    establishing. George M. Darrow, Henry J. Franklin, and O. G. Malde. F.B. 1400, pp. 38. 1924.
    managing. George M. Darrow and others. F.B. 1401, p. 21. 1924.
  foliage, injury by gipsy moth. D.B. 1093, pp. 9–10. 1922.
  forecast by States, September 1913. F.B. 558, p. 18. 1913.
  freezing points. D.B. 1133, pp. 4, 5, 7. 1923.
  frost effects. Y.B., 1911, pp. 219–220. 1912; Y.B., Sep. 562, pp. 219–220. 1912.
  frost protection. F.B. 1401, pp. 3–5. 1924.
  fruits, insects injurious. F.B. 178, pp. 24–30. 1903.
  fruit-worm control experiments, 1908. Y.B., 1908, p. 576. 1909; Y.B., Sep. 499, p. 576. 1909.
  fruit-worm parasite, life history, study. Work and Exp., 1914, p. 132. 1915.
  fungi, control in bogs and in storage and handling. D.B. 714, pp. 6–18. 1918.
  fungi injurious, temperature studies. J.A.R., vol. 11, pp. 521–529. 1917.
  fungous—
    diseases. C. L. Shear. F.B. 221, pp. 16. 1905.
    diseases, control. D.B. 714, pp. 7–18. 1918.
    parasite, *Glomerella cingulata*, studies. B.P.I. Bul. 252, pp. 14, 43. 1913.
  girdler. H. B. Scammell. D.B. 554, pp. 20. 1917.
  grading—
    result of cooperation. D.B. 1109, pp. 3, 12–13. 1923.
    sorting and packing. F.B. 1402, pp. 17–23. 1924.
  growers—
    cooperative marketing. Asher Hobson and J. Burton Chaney. D.B. 1109, pp. 36. 1923.
    forecast service. F.B. 1402, pp. 17–23. 1924.

Cranberry(ies)—Continued.
  growing—
    commercial importance of industry and distribution. F.B. 860, p. 3. 1917.
    cost and drainage requirements. S.R.S. Rpt., 1915, Pt. I, p. 157. 1917.
    in Alaska—
      breeding and testing new varieties. Alaska A.R., 1914, p. 15. 1915.
      experiments. Alaska A.R., 1915, pp. 10, 12, 31. 1916.
    in Massachusetts—
      Norfolk, Bristol, and Barnstable Counties. Soil Sur. Adv. Sh., 1920, pp. 1050, 1053, 1112. 1924; Soils F.O., 1920, pp. 1050, 1053, 1112. 1925.
      Plymouth County, cultural details. Soil Sur. Adv. Sh., 1911, pp. 11, 12, 16–18, 37. 1912; Soils F.O., 1911, pp. 37–38, 42–44, 63. 1914.
    in New Jersey—
      Chatsworth area. Soil Sur. Adv. Sh., 1919, pp. 475, 476, 479–480, 482. 1923; Soils F.O., 1919, pp. 475, 476, 479–480, 482. 1925.
      Millville area. Soil Sur. Adv. Sh., 1917, pp. 14, 15, 20. 1921; Soils F.O., 1917, pp. 202, 203, 208. 1923.
    in Washington, southwestern areas. Soil Sur. Adv. Sh. 1911, pp. 31–32, 126, 135. 1913; Soils F.O., 1911, pp. 2121–2123, 2216, 2225. 1914.
    in Wisconsin—
      Jackson County. Soil Sur. Adv. Sh., 1918, pp. 9–11, 39–40, 44. 1922; Soils F.O., 1918, pp. 945–947, 975–976, 980. 1924.
      Juneau County, methods and cost. Soil Sur. Adv. Sh., 1911, pp. 11, 13, 47. 1913; Soils F.O., 1911, pp. 1469, 1471, 1505. 1914.
      Waupaca County. Soil Sur. Adv. Sh., 1917, p. 12. 1920; Soils F.O., 1917, p. 1238. 1923.
      Wood County. Soil Sur. Adv. Sh., 1915, pp. 11, 45, 48, 50. 1917; Soils F.O., 1915, pp. 1577, 1582. 1919.
    localities, requirements, and sanitary conditions. F.B., 1081, pp. 3–4. 1920; F.B. 1400, p. 2. 1924.
    preparation of bed, sanding, yield, and value. Soils Cir. 65, pp. 11–12. 1912.
  harvesting—
    and handling. Henry J. Franklin and others. F.B. 1402, pp. 30. 1924.
    methods. D.B. 960, pp. 1–2, 7–12. 1921; F.B. 1402, pp. 5–6. 1924.
    season and frosts. F.B. 1402, p. 2. 1924.
  high bush—
    destruction by birds. Biol. Bul. 15, p. 74. 1901.
    substitute for gooseberries and currants. Work and Exp., 1921. p. 51. 1923.
  in Athabaska-Mackenzie region. N.A. Fauna 27, pp. 532–533. 1908.
  industry—
    and the Weather Bureau. Henry J. Cox. Y.B., 1911, pp. 211–222. 1912; Y.B. Sep. 562, pp. 211–222. 1912.
    on the Pacific Coast. D.B. 1032, p. 2. 1922.
  injuries by—
    gipsy moth, studies. D.B. 250, p. 36. 1915; D.B. 1093, pp. 1–19. 1922.
    submergence, factors governing. D.B. 960, pp. 4–5. 1921.
  insect(s)—
    control methods. An. Rpts., 1909, pp. 510–511. 1910; Ent. A.R., 1909, pp. 24–25. 1909.
    flooding for control in 1923. Work and Exp., 1923, p. 50. 1925.
    injurious. F.B. 178, pp. 1–32. 1903.
    problems, suggestions for solving. H. B. Scammell. F.B. 860, pp. 45. 1917.
  inspection and brands of sales companies. F.B. 1402, p. 28. 1924.
  irrigation—
    methods. O.E.S. An. Rpt., 1904, pp. 442–444. 1905.
    use of farm reservoirs. F.B. 828, p. 28. 1917.
  jam, misbranding. N.J., 1406, p. 1. 1912.
  keeping—
    factors. F.B. 1402, p. 18. 1924.
    quality, comparison of green and ripe. D.B. 960, p. 9. 1921.

Cranberry(ies)—Continued.
  labeling regulations. Chem. S.R.A. 28, pp. 36–37. 1923.
  laborers in Massachusetts, numbers, classes, and wages. D.B. 1220, pp. 3, 4, 5, 7, 15–20. 1924.
  losses. F.B. 1402, pp. 1, 11–12. 1924.
  marketing—
    cooperative organizations. F.B. 1402, pp. 26–27. 1924.
    expenses. D.B. 1109, pp. 27–35. 1923.
  marshes, irrigation and drainage in Wisconsin. A. R. Whitson. O.E.S. Bul. 158, pp. 625–642. 1905.
  marshes, Wisconsin, frost and temperature conditions. Henry J. Cox. W.B. Bul. T, pp. 121. 1910.
  packages and packing. F.B. 1402, pp. 19–21. 1924.
  packing and sorting experiments. D.B. 714, pp. 9–17. 1918.
  packing care, importance for marketing. F.B., 1402, pp. 1–2. 1924.
  pests, control studies, 1914. Work and Exp., 1914, p. 177. 1915.
  picking practices. F.B. 1402, pp. 4, 8–10. 1924.
  plants, spread of gipsy moth. F.H.B.S.R.A. 29, p. 76. 1916; F.H.B.S.R.A. 59, p. 3. 1919.
  pooling by selling agency. D.B. 1109, pp. 3, 13–14. 1923.
  production—
    1913–14. F.B. 641, p. 31. 1914.
    acreage, and value, by States. Y.B., 1921, p. 634. 1922; Y.B. Sep. 869, p. 54. 1922.
    and losses from disease. F.B. 1081, pp. 4–5. 1920.
    average, annual, and per acre, three States. Y.B., 1911, pp. 211, 212. 1912; Y.B. Sep. 562, pp. 211, 212. 1912.
    in Wisconsin, Juneau County. Soil Sur. Adv. Sh., 1911, p. 13. 1913; Soils F.O., 1911, p. 1471. 1914.
    7-year average, estimates, by States. F.B. 563, pp. 3, 13. 1913.
  protection from cold. F.B. 104, rev., pp. 19, 26. 1910; Y.B., 1909, p. 394. 1910; Y.B. Sep. 522, p. 394. 1910.
  red-gall, description, cause, and control. F.B. 1081, pp. 11–12. 1920.
  red leaf-spot, description, cause and control. F.B. 1081, pp. 13–14. 1920.
  regions, temperatures, relation to growth of fungi. Neil E. Stevens. J.A.R., vol. 11, pp. 521–529. 1917.
  returns. F.B. 1402, pp. 11–12. 1924.
  risks of industry. F.B. 1402, pp. 1–2, 3, 7, 12–14, 18, 23–25. 1924.
  rootworm. H. B. Scammell. D.B. 263, pp. 8. 1915.
  rots, causes and control. D.B. 714, pp. 6–18. 1918; F.B. 1081, pp. 5–11, 16–17. 1920.
  sauce, adulteration. Chem. N.J. 3875. 1915.
  shipments—
    by States and by stations, 1916. D.B. 667, pp. 9, 100. 1918.
    in carloads, by States, 1920–1923. S.B. 8, p. 37. 1925.
  shipping—
    in the chaff and after cleaning, comparison. D.B. 714, pp. 17–18. 1918.
    time. F.B. 1402, pp. 23–24. 1924.
  smothering as cause of spoilage, importance of ventilation. D.B. 714, pp. 4–5, 12–13. 1918. F.B. 1081, pp. 18–19. 1920.
  spanworm and striped garden caterpillar. F.H. Chittenden. Ent. Bul. 66, Pt. III, pp. 21–32. 1907.
  spoilage—
    after harvest. C. L. Shear and others. D.B, 714, pp. 20. 1918.
    in storage, shipping, and marketing. F.B. 1081, pp. 17–19. 1920.
  spraying—
    danger of poisoning, data. D.B. 1027, pp. 25–26. 1922.
    directions. F.B. 1081, pp. 7, 9, 10, 11, 13, 14, 17, 19–22. 1920.
    experiments in, 1905. C. L. Shear. B.P.I. Bul. 100, pp. 7–12. 1907.
    for fungous diseases, formulas and dates. J.A.R. vol. 11, p. 40. 1917.

Cranberry(ies)—Continued.
  spraying—continued.
    with Pickering sprays and Bordeaux mixture, comparison of results. D.B. 866, pp. 37–42. 1920.
  States where grown commercially. J.A.R. vol. 11, p. 35. 1917.
  stations, frost-warning, location and work. An. Rpts., 1912, pp. 277, 279. 1913; W.B. Chief Rpt., 1912, pp. 19, 21. 1912.
  statistics, acreage, production, and value—
    1918. Y.B., 1918, p. 552. 1919; Y.B. Sep. 792, p. 48. 1919.
    1919. Y.B., 1919, p. 609. 1920; Y.B. Sep. 827, p. 609. 1920.
    1921, 1922. Y.B., 1922, p. 748. 1923; Y.B. Sep. 884, p. 748. 1923.
  storage—
    for home use. F.B. 375, p. 33. 1909.
    houses, temperature effects. F.B. 1402, pp. 15–16, 17. 1924.
  tip-blight, description, cause, and control. F.B. 1081, pp. 10–11. 1920.
  toadbug, injury, history, and control treatment. F.B. 860, pp. 33–35. 1917.
  varieties, range. F.B. 1400, pp. 29–32. 1924.
  warnings, Weather Bureau, work, 1917. An. Rpts., 1917, p. 63. 1918; W.B. Chief Rpt., 1917, p. 17. 1917.
  water-raking, relation to keeping quality. Neil E. Stevens and H. F. Bergman. D.B. 960, pp. 12. 1921.
  weather conditions and marketing. F.B. 1402, pp. 24–25. 1924.
  worms, injuries and control. F.B. 860, pp. 14–18. 1917.
  yield, Massachusetts bog land. O.E.S. Bul. 240, p. 76. 1911.
CRANDALL, W. C.: "The kelp beds from Lower California to Puget Sound." Rpt. 100, pp. 33–49. 1915.
CRANE, A. B.—
  "Irrigation in the artesian basin of South Dakota." O.E.S. Bul. 148, pp. 29–44. 1904.
  "Irrigation in the Black Hills, S. Dak." O.E.S. Bul. 133, pp. 166–177. 1903.
Crane—
  blue. See Heron, great blue.
  food habits, good and bad. Y.B., 1907, p. 174. 1908; Y.B. Sep. 443, p. 174. 1908.
  food of nestlings. Y.B., 1900, p. 433. 1901.
  game bird, status. Biol. Bul. 12, rev., pp. 22, 81. 1902.
  little brown, range, and habits. D.B. 128, pp. 7–9. 1914; N.A. Fauna 21, p. 73. 1901; N.A. Fauna 24, p. 61. 1904; N.A. Fauna 30, pp. 34, 85. 1907; N.A. Fauna 46, p. 62. 1923.
  mice-eating, habits. Biol. Bul. 31, p. 53. 1907.
  occurrence in—
    Alaska. N.A. Fauna 24, pp. 59–61. 1905.
    Arkansas. Biol. Bul. 38, p. 27. 1911.
  protection. Biol. Bul. 12, rev., pp. 38, 40, 42, 43–44, 81. 1902.
  range and migration. D.B. 128, pp. 4–13. 1914; N.A. Fauna 22, p. 92. 1902; M.C. 13, pp. 39–40. 1923.
  sandhill, range and migration. D.B. 128, pp. 10–13. 1914.
  varieties, Athabaska-Mackenzie region. N.A. Fauna 27, pp. 311–313. 1906.
  whooping—
    and others, occurrence in Nebraska. D.B. 794, p. 28. 1920.
    range and migration. D.B. 128, pp. 4–7. 1914.
Crane fly(ies)—
  control. Ent. A.R., 1921, p. 3. 1921.
  description, life history, and control. D.C. 172, pp. 4–8. 1921.
  destruction by crows. D.B. 621, pp. 24, 62. 1918.
  larvae, infection of man, accidental. Ent. Bul. 85, p. 131. 1911.
  occurrence in the Pribilof Islands, Alaska. N.A. Fauna 46, Pt. II, pp. 159–169. 1923.
  range in California. C. M. Packard and B. G. Thompson. D.C. 172, pp. 8, 1921.
  smoky—
    description, life history, enemies, and control. Ent. Bul. 85, Pt. VII, pp. 119–132. 1910.
    parasites. Ent. Bul. 85, p. 128. 1911.
Crane-willow. See Buttonbush.

Craneberry. *See* Cranberry.
Crane's bill—
 downy mildew, occurrence and description, Texas. B.P.I. Bul. 226, pp. 92-93. 1912.
 habitat, range, description, collection, prices, and uses of roots. B.P.I. Bul. 107, p. 44. 1907.
 importation and description No. 36117. B.P.I. Inv. 36, p. 55. 1915; Nos. 36788, 36789, B.P.I. Inv. 37, p. 65. 1916.
Cranial fractures, symptoms, treatment. B.A.I. [Misc.], "Diseases of the horse," p. 310-311. 1903; rev., 310-311. 1907; rev., 310-211. 1911; rev., 335-336. 1923.
Craniolaria annua, importation and description. No. 45549, B.P.I. Inv. 53, p. 51. 1922.
Cranium, cattle, fracture, and treatment. B.A.I. [Misc.], "Diseases of cattle," rev. p. 284. 1912.
Cranium. *See also* Skull.
Crape myrtle—
 diseases, Texas, occurrence and description. B.P.I. Bul. 226, pp. 64-65. 1912.
 importations and description. No. 43582, B.P.I. Inv. 49, p. 47. 1921; No. 44897, B.P.I. Inv. 51, p. 87. 1922; No. 49538, B.P.I. Inv. 62, p. 51. 1923.
Craponius inaequalis—
 infested with boll-weevil parasites. Ent. Bul. 100, pp. 45, 54, 79. 1912.
 See also Curculio, grape.
Crataegus—
 azarolus—
  description, introduction, use as dwarf pear stock. B.P.I. Bul. 205, pp. 7, 15-16. 1911.
  Palestine, as stock for pears, recommendation. B.P.I. Bul. 180, pp. 15-16. 1910.
 brevispina, distribution. N.A. Fauna 21, p. 13. 1901.
 host plant of wooly aphid. Rpt. 101, pp. 9, 10, 15. 1915.
 mexicana, importations and description. Nos. 48507, 48516-48517, 49071, 49074, B.P.I. Inv. 61, pp. 2, 16, 18, 74. 1922.
 pinnatifida—
  graft stock for large fruited haws. B.P.I. Bul. 204, p. 34. 1911.
  See also Hawthorn, Chinese.
 spp.—
  fungous attack by *Gloeosporium fructigenum*, studies. B.P.I. Bul. 252, p. 29. 1913.
  importation and description. Nos. 34135, 34136. B.P.I. Inv. 32, p. 15. 1914; Nos. 49145, 49667, 49738, B.P.I. Inv. 62, pp. 1, 7, 68, 77. 1923.
  injury by—
   pith-ray flecks. For. Cir. 215, p. 10. 1913.
   sapsuckers. Biol. Bul. 39, p. 42. 1911.
   See also Hawthorn.
 stipulosa, importation and description. No. 53755, B.P.I. Inv. 67, p. 86. 1923.
 stipulosa. *See also* Manzanilla.
Crates—
 bamboo, note. D.B. 1329, p. 25. 1925.
 bull-shipping, plan. F.B. 1412, p. 14. 1924.
 cabbage, dimensions and capacity of four types. D.B. 1242, pp. 19, 41. 1924.
 cabbage, types and loading methods. F.B. 1423, pp. 8-10, 11. 1924.
 cantaloupe, types and descriptions. F.B. 707, pp. 9-10. 1916.
 celery, packing, dimensions and capacity. F.B. 1269, pp. 24, 25. 1922.
 celery, standard and other, comparative value, and cost. D.B. 579, pp. 4-24. 1917.
 construction, course at Forest Products Laboratory. Off. Rec. vol. 1, No. 46, p. 2. 1922.
 cranberry, description and use. F.B. 1402, p. 8. 1924.
 hog—
  breeding—
   advantages and use, directions. F.B. 966, pp. 3-4. 1918.
   and shipping, description. Hawaii Bul. 48, p. 13. 1923.
   simple. J. H. Zeller. F.B. 966, pp. 4. 1918.
  construction, directions. D.C. 46, pp. 2. 1919.
  improved form as saving of lumber. M.C. 39, p. 91. 1925.
  lumber use in Arkansas. For. Bul. 106, pp. 13 14. 1912.

Crates—Continued.
 manufacture, use of—
  elm. D.B. 683, pp. 18-20, 39, 41, 42. 1918.
  sycamore. D.B. 884, pp. 9, 10-13, 14. 1920.
 melon packing, size used in Nevada. B.P.I Cir. 113, p. 22. 1913.
 pens, construction. D.B. 1151, pp. 18, 19, 21. 1923.
 pineapple, description. P.R. Bul. 8, p. 33. 1909.
 potato, requirements. News L., vol. 6, No. 52, p. 7. 1919.
 poultry, description. B.A.I. Bul. 140, pp. 9-11. 1911.
 shipping, for sheep. F.B. 810, p. 26. 1917.
 six-basket, strength tests. News L., vol. 6, No. 29, p. 14. 1919.
 standardization need. F.B. 1196, pp. 19-34. 1921.
 strawberry, and carriers, sizes. F.B. 1026, pp. 33-34. 1919; F.B. 1027, p. 23. 1919; F.B. 1028, pp. 37-38. 1919.
 sweet potato, dimensions. D.B. 1206, p. 23. 1924.
 tomatoes, peaches, and berries, quantity declaration. Chem. S.R.A. 13, p. 3. 1915.
Crater Lake—
 Crater National Forest, description and depth. For. Bul. 100, p. 19. 1911.
 National Forest—
  Oreg. and Calif., map. For Maps. 1924.
  Oregon, description and recreational uses. D.C. 4, pp. 9-16. For. [Misc.] "An Ideal vacation * * *," pp. 8-10. 1923.
  resources and their conservation. Findley Burns. For. Bul. 100, pp. 20. 1911.
  timber injury, caused by diseases. For. Bul. 100, p. 12. 1911.
 Oregon, description. D.C. 4, p. 10. 1919; O.E.S. Bul. 209, p. 8. 1909.
Crating—
 and boxing courses, enrollment at Forest Products Laboratory. For. [Misc.], "Enrollment in boxing and crating * * *," pp. 4. 1921; "Boxing and * * *." Folder. 1920.
 cans of sirup, details and costs. D.C. 149, pp. 17, 18. 1920.
 demonstration course, details and cost. M.C. 8, pp. 9-14, 20. 1923.
Cratogeomys spp., characteristics. Y.B. 1909, p. 209. 1910; Y.B. Sep. 506, p. 209. 1910.
Cratogeomys spp. *See also* Gophers.
Cratospila rudibunda, enemy of orange worm Ent. Cir. 160, p. 16. 1912.
Crawfish—
 canned, labeling, opinion 103. Chem. S.R.A. 12, p. 754. 1914.
 control—
  methods and cost. Y.B. 1911, pp. 323-324. 1912; Y.B. Sep. 571, pp. 323-324. 1912.
  Mississippi and Alabama. An. Rpts., 1914, p. 201. 1914; Biol. Chief Rpt., 1914, p. 3. 1914.
  use of carbon bisulphide. An. Rpts., 1912, p. 175. 1913; Sec. A.R., 1912, p. 175. 1912; Y.B. 1912, p. 175. 1913.
 crop destruction. Y.B. 1911, pp. 321-324. 1912; Y.B. Sep. 571, pp. 321-324. 1912.
 destruction by crows. D.B. 621, pp. 26, 62, 89. 1918.
 dried, use and value for poultry food. News L., vol. 3, No. 32, p. 6. 1916.
 food of—
  grebes, notes. D.B. 1196, pp. 3, 9, 12, 21. 1921.
  mallard ducks. D.B. 720, pp. 10, 13, 16. 1918.
 habits, numbers, and value as poultry feed. Y.B. 1911, pp. 322-323. 1912; Y.B. Sep. 571, pp. 322-323. 1912.
 injuries to corn and cotton, studies. Work and Exp., 1919, p. 69. 1921.
 injury to crops, and control measures, studies. An. Rpts., 1911, p. 539,. 1912; Biol. Chief Rpt., 1911, p. 9. 1911.
 labeling, opinion 269. Chem., S.R.A. 22, p. 90. 1918.
 lands, drainage with poles instead of tiles, in South Carolina, Florence County. Soil Sur. Adv. Sh., 1914, p. 33. 1916; Soils F.O., 1914, p. 725. 1919.
 lands reclamation by tile drainage, South Carolina. O.E.S. An. Rpt., 1912, p. 64. 1913.
See also Crayfish.

CRAWFORD, A. C.—
"Barium, a cause of loco-weed disease." B.P.I. Bul. 129, pp. 87. 1908.
"Laboratory work on loco-weed investigations." B.P.I. Bul. 121, Pt. III, pp. 39-40. 1908.
"Mountain laurel, a poisonous plant." B.P.I. Bul. 121, Pt. II, pp. 21-35. 1908.
"The larkspurs as poisonous plants." B.P.I. Bul. 111, Pt. I, pp. 5-12. 1907.
"The poisonous action of Johnson grass." B.P.I. Bul. 90, Pt. IV, pp. 31-34. 1906.
"The supposed relationship of white snakeroot to milksickness or trembles." B.P.I. Bul. 121, Pt. I, pp. 5-20. 1908.
"The use of suprarenal glands in the physiological testing of drug plants." B.P.I. Bul. 112, pp. 32. 1907.

CRAWFORD, C. G.—
"Brush and tank pole treatments." For. Cir. 104, pp. 24. 1907.
"The open-tank method for the treatment of timber." For. Cir. 101, pp. 15. 1907.

CRAWFORD, J. C.: "Descriptions of certain chalcidoid parasites." Ent. T. B. 19, pt. 2, pp. 13-24. 1910.

CRAWLEY, HOWARD—
"Studies on blood and blood parasites." B.A.I. Bul. 119, pp. 31. 1909.
"The protozoan parasites of domesticated animals." B.A.I. Cir. 194, pp. 34. 1912.
"*Trypanosoma americanum*, a common blood parasite of American cattle." B.A.I. Bul. 145, pp. 39. 1912.

Crawley-root, habitat, range, description, collection, prices, and uses of roots. B.P.I. Bul. 107, p. 24. 1907.

Crayfish—
destructiveness, and control measures. An. Rpts., 1911, pp. 11, 119. 1912; Sec. A.R., 1911, pp. 9, 117. 1911; Y.B., 1911, pp. 9, 117. 1912.
injury to cotton, and control. F.B. 890, p. 7. 1917.
See also Crawfish.

Crazy weed. *See* Loco plants.

Cream—
acid test. F.B. 241, pp. 22-24. 1905.
acidity—
determination. B.A.I. Doc. A-7, pp. 32-34. 1916.
for butter production, experiments. Work and Exp., 1914, p. 202. 1915.
influence on butter flavor. L. A. Rogers and C. E. Gray. B.A.I. Bul. 114, pp. 22. 1909.
measure for testing. B.A.I. Cir. 56, p. 200. 1904.
relation to fishy flavor in butter. B.A.I. Cir. 146, pp. 10-12, 20. 1909.
relation to keeping quality of butter. B.A.I. Bul. 148, pp. 8-9. 1912.
addition to milk, effect on cheese yield. O.E.S. Bul. 166, p. 21. 1906.
adulteration—
detection by use of microscope. Y.B. 1907, p. 383. 1908; Y.B. Sep. 455, p. 383. 1908.
See also *Indexes, Notices of Judgment, in bound volumes and in separates published as supplements to Chemistry Service and Regulatory Announcements.*
aging for whipping. D.B. 1075, pp. 13-15. 1922.
analysis and testing methods. D.C. 53, pp. 13-24. 1919; B.A.I. Doc. A-7, p. 36. 1916.
and milk—
chemical testing. Roscoe H. Shaw. B.A.I. Doc. A-7, pp. 38. 1916.
city, practical methods of improving the milk supply. C. B. Lane and Ivan C. Weld. B.A.I. Cir. 117, pp. 28. 1907.
contests. Ernest Kelly. B.A.I. Cir. 205, pp. 28. 1912.
contests. Ernest Kelly and George B. Taylor. D.B. 356, pp. 24. 1916; D.C. 53, pp. 24. 1919.
cooling on the farm. J. A. Gamble. F.B. 976, pp. 16. 1918.
pasteurizing, cost. John T. Bowen. D.B. 85, pp. 12. 1914.
testing, chemical. Roscoe H. Shaw. B.A.I. Doc. A-7, pp. 38. 1916.

Cream—Continued.
bacteria—
causes, prevention. F.B. 309, p. 31. 1907.
content, comparison of raw, pasteurized and reinoculated. B.A.I. Bul. 162, p. 34. 1913.
bacterial count, methods for contests. D.C. 53, pp. 22-24. 1919.
buttermilk, origin, description, and manufacturing method. F.B. 486, p. 20. 1912; F.B. 487, p. 21. 1912.
buying by grade at creameries, price basis. D.B. 690, pp. 4-5. 1918.
buying stations, refrigeration studies. D.B. 98, p. 85. 1914.
calcium sucrate, detection methods. Chem. Bul. 122, pp. 52-53. 1909.
Canadian exports, 1911-1921. B.A.I. Doc. A-37, p. 48. 1922.
care—
after separation. F.B. 251, pp. 16-18. 1906.
and use in the home. F.B. 413, p. 20. 1910; Sec. Cir. 142, p. 23. 1919.
on farm. F.B. 237, pp. 25-26. 1905.
school lesson. D.B. 763, pp. 7-9. 1919.
cause of change in. F.B. 541, pp. 5-6. 1913.
certified scores in contests, comparison with market cream. B.A.I. Cir. 205, pp. 20-22. 1912.
cheese. *See* Cheese.
chemical testing. Roscoe H. Shaw. B.A.I. Doc. A-12, pp. 42. 1917.
clean, production, and directions for handling. F.B. 514, p. 24. 1912.
cleanliness, importance in farm buttermaking. F.B. 541, pp. 6-10, 28. 1913.
clotted, description and food value. F.B. 1207, p. 25. 1921.
clotted, preparation, directions. F.B. 363, p. 39. 1909.
composition and feed value. F.B. 363, pp. 9, 28, 30. 1909; F.B. 1359, pp. 11, 13. 1923.
consumption—
and cost in southern cities. B.A.I. Bul. 70, pp. 7, 11, 12. 1905.
Southern States. F.B. 349, pp. 13, 15. 1909; B.A.I. An. Rpt., 1907, pp. 314, 316. 1909.
contamination with iron from rusty containers. B.A.I. Bul. 162, pp. 50-55. 1913.
contests—
description. News L., vol. 7, No. 11, p. 4. 1919.
value in securing pure milk and cream. News L., vol. 3, No. 33, pp. 2-3. 1916.
coolers, description and management. F.B. 549, pp. 22-24. 1913.
cooling—
details. F.B. 876, pp. 6-7. 1917.
methods, ice requirements and suggestions. News L., vol. 2, No. 23, pp. 1-2. 1915.
on farm. F.B. 623, pp. 2-5. 1915; F.B. 976, p. 16. 1918.
without ice. F.B. 549, pp. 22-24. 1913.
definitions and standards. News L., vol. 6, No. 44, p. 3. 1919.
density under different temperatures, determinations. J.A.R., vol. 3, pp. 253-268. 1914.
Devonshire—
clotted, use in England, description and value. D.B. 469, pp. 9-10. 1916.
origin, description, and manufacturing method. F.B. 487, p. 21. 1912.
digestion experiments. D.B. 507, pp. 11-13. 1917.
double, food-value comparisons, chart. D.B. 975, p. 33. 1921.
evaporated, laws. Chem. Bul. 69, rev., Pts. I-IX, pp. 170, 497, 681, 735. 1905-1906.
exhibitions, competitive (and milk), national and State. B.A.I. Cir. 151, pp. 1-36. 1909.
exhibits and contests, results on milk supplies. B.A.I. Chief Rpt., 1912, p. 34. 1912; An. Rpts., p. 330. 1913.
expansion, studies, with milk. H. W. Bearce. J.A.R., vol. 3, pp. 251-268. 1914.
fat—
content, uses and value. D.B. 469, pp. 9-10. 1916.
percentage, factors affecting. F.B. 479, pp. 22-24. 1912.

Cream—Continued.
fat—continued.
testing by the Babcock method. Ed. H. Webster. B.A.I. Bul. 58, pp. 29. 1904.
feathering in coffee, some factors influencing. L. H. Burgwald. J.A.R., vol. 26, pp. 541–546. 1923.
flavor and odor—
effect of feeding cabbage. D.B. 1297, pp. 6–9. 1924.
effect of feeding turnips. D.B. 1208, pp. 6–7. 1923.
testing. D.C. 53, p. 21. 1919.
food—
standard. Sec. Cir. 136, p. 5. 1919.
value, chart. F.B. 1383, p. 31. 1924.
value, kinds and descriptions. F.B. 1207, pp. 24–25, 33. 1921.
garlic flavor, methods for removal, experiments. F.B. 608, pp. 3, 4. 1914.
gathering, old and new methods. Y.B., 1910, pp. 275–277. 1911; Y.B. Sep. 536, pp. 275–277. 1911.
grades, suggestion. D.B. 585, p. 3. 1917.
grading—
for quality, importance to creameries. B.A.I. Bul. 59, pp. 42–45. 1904. News L., vol. 1, No. 11, pp. 3–4. 1913.
improvement in quality. An. Rpts., 1912, pp. 49, 158. 1913; Sec. A.R., 1912, pp. 49, 158. 1912; Y.B., 1912, pp. 49, 158. 1913.
uses. B. D. White. Y.B. 1910, pp. 275–280. 1911; Y.B. Sep. 536, pp. 275–280. 1911.
handling and churning for farm butter. News L., vol. 4, No. 10, p. 4. 1916.
handling by creameries. B.A.I. An. Rpt., 1910, pp. 298–299. 1912; B.A.I. Cir. 188, pp. 298–299. 1912.
high-testing, advantages, comparison with low-testing. News L., vol. 2, No. 50, p. 5. 1915.
homemade sterilizer, use and value. News L., vol. 4, No. 1, pp. 1, 6. 1916.
homogenized—
and mixtures resembling, use of term. Chem. S.R.A. 17, p. 38. 1916.
value for whipping. D.B. 1075, pp. 10–11, 14–15, 21. 1922.
infection with tubercle bacilli greater than that of milk. B.A.I. An. Rpt., 1908, pp. 131, 151. 1910.
lack of cooling cause of poor butter. News L., vol. 2, No. 23, pp. 1–2. 1915.
legal standards, different States. B.A.I. An. Rpt., 1909, pp. 329–330. 1911.
line, experiments with raw and pasteurized milk. D.B. 240, pp. 23–24, 26–27. 1915.
line, pasteurized milk, effect of cooling by forced air. D.B. 420, pp. 30–31. 1916.
management on the farm. B.A.I. Bul. 59, pp. 17–22. 1904.
marketing—
in the South. Sec. [Misc.] Spec., "Conveniences for handling * * *," pp. 2–3. 1914.
methods. Rpt. 98, pp. 122–123, 219–221. 1913.
meal, use of term, description, and analyses. D. B. 215, pp. 11–13. 1915.
mixing of fresh and cold, objections, note. News L., vol. 5, No. 19, p. 8. 1917.
mixing with coffee, methods affecting curdling, and experiments. J.A.R., vol. 26, pp. 542, 543–545. 1923.
neutralized, experiments with products, analyses. D.B. 524, pp. 1, 8–14. 1917.
of pea soup, preparation and canning directions. F.B. 839, pp. 23, 31. 1917.
of potato soup, preparation, and canning directions. F.B. 839, pp. 24, 31. 1917.
pasteurization—
"flash" process and "holder" process. B.A.I. An. Rpt., 1910, p. 298. 1912; B.A.I. Cir. 188, p. 298. 1912.
for butter making, results. S.R.S. Rpt., 1916, Pt. I, p. 112. 1918; Sec. Cir. 66, p. 4. 1916.
value, cost, and methods. News L., vol. 3, No. 13, p. 7. 1915.
pasteurized—
and unpasteurized, butter bacterial determinations. B.A.I. Bul. 114, pp. 12–15. 1909.
butter qualities, and advantages. B.A.I. Cir. 56, p. 188. 1904.

Cream—Continued.
pasteurized—continued.
food value. F.B. 1207, p. 24. 1921.
value for whipping. D.B. 1075, pp. 8–9, 14, 21. 1922.
pasteurizing—
apparatus, tests. D.B. 85, pp. 6–12. 1914.
cost. D.B. 85, pp. 6–12. 1914.
for butter making, experiments. An. Rpts., 1910, p. 237. 1911; B.A.I. Chief Rpt., 1910, p. 43. 1910.
plant, market, refrigeration, studies. D.B. 98, p. 88. 1914.
powdered, useless for whipping. D.B. 1075, p. 21. 1922.
preparation for—
butter making. F.B. 876, rev., pp. 1–7. 1924.
churning, methods. Sec. Cir. 66, p. 4. 1916.
prices, 1909, comparison of sweet and sour. Y.B., 1910, pp. 277–278. 1911; Y.B. Sep. 536, pp. 277–278. 1911.
production in—
Missouri, Ozark region. D.B. 941, pp. 29–31. 1921.
Tennessee farms. Off. Rec. vol. 3, No. 33, p. 6. 1924.
products, manufacture. An. Rpts., 1922, pp. 120–121. 1923; B.A.I. Chief Rpt., 1922, pp. 22–23. 1922.
purity standards. Sec. Cir. 136, p. 5. 1919.
quality—
and preparation for butter making. F.B. 876, pp. 3–9. 1917.
and ripening. Sec. [Misc.] Spec., "Making farm butter * * *," pp. 1–2. 1914.
requirements for creameries, suggestions. Sec. Cir. 66, pp. 2–3. 1916.
raw, value for whipping. D.B. 1075, pp. 3–7, 14, 21. 1922.
ripeness, determination methods. F.B. 541, pp. 12–13. 1913.
ripening—
bacterial changes. B.A.I. An. Rpt., 1909, p. 180. 1911.
methods. F.B. 541, p. 11. 1913; F.B. 876, pp. 7–8, 22. 1917.
use of starters. D.B. 319, pp. 10–11. 1916; F.B. 317, pp. 27–28. 1908; F.B. 241, pp. 18–24. 1905.
sales comparison with milk. Off. Rec. vol. 2, No. 51, p. 2. 1923.
scoring—
and milk, report. Ivan C. Weld. B.A.I. Cir. 151, pp. 26–29. 1909.
methods and blanks. D.C. 53, pp. 3–6. 1919.
separation methods. B.A.I. Bul. 111, pp. 6–10. 1909; F.B. 876, pp. 3–6. 1917.
separator—
directions for use, care. B.A.I Bul. 55, pp. 33–34. 1903; F.B. 237, p. 25. 1905; F.B. 241, pp. 11–18. 1905.
on western farms. Ed. H. Webster and C. E. Gray. F.B. 201, pp. 24. 1904.
relation to creamery and patron. B.A.I. Bul. 59, pp. 1–47. 1904.
sterilization, importance, note. News L., vol. 5, No. 22, p. 7. 1917.
shipping, experiments. B.A.I. Bul. 59, pp. 32–42. 1904.
stains, removal from textiles. F.B. 861, p. 26. 1917.
standards—
District of Columbia. B.A.I. Bul. 138, p. 36. 1911.
for States. B.A.I. Doc. A–8, pp. 2–3. 1916; Chem. Bul. 69, rev., Pts. I–IX, pp. 14, 108, 153, 170, 182, 212, 357, 589, 597, 633, 681, 735. 1905–6; F.I.D. 178, p. 1. 1919.
study in dairy in 1923. Work and Exp., 1923, p. 65. 1925.
supply daily, per capita, in larger cities. B.A.I. Bul. 46, p. 12. 1903.
sweet—
and pure, production methods. Sec. Cir. 66, p. 3. 1916.
butter free from fishy flavor. B.A.I. Cir. 146, p. 11. 1909.
pasteurized, use in butter-making experiments. B.A.I. Bul. 148, pp. 14–27. 1912.

INDEX TO PUBLICATIONS, 1901–1925   661

Cream—Continued.
  sweet—continued.
    use in butter manufacture. B.A.I. Bul. 114, pp. 18–21. 1909.
    temperatures in farm butter making, control methods. F.B. 541, pp. 9–10, 27. 1913; S.R.S. Syl. 19, p. 3. 1916.
    testing for—
      enzyms. B.A.I. An. Rpt., 1910, pp. 310–322, 325. 1912; B.A.I. Cir. 189, pp. 310–322, 325. 1912.
      fat, directions. B.A.I. Doc. A–7, pp. 16–21. 1916.
    tests, butter making. F.B. 241, pp. 22–24. 1905.
    tests for hypochlorites and chloramins. Philip Rupp. D.B. 1114, pp. 5. 1922.
    tubercle bacilli, occurrence. B.A.I. An. Rpt., 1907, pp. 58, 189–193. 1909; B.A.I. Cir. 143, pp. 189–193. 1909.
    use in salad dressings. D.B. 123, pp. 7, 10, 14, 56. 1916.
    Van Camp's Sterilized, misbranding. Chem. N.J. 1211, p. 1. 1912.
    weight and fat content. News L., vol. 6, No. 24, p. 8. 1919.
    whipped—
      food value and directions for whipping. F.B. 384, pp. 19–22. 1910; F.B. 1207, p. 25. 1921.
      stiffness, comparison method. D.B. 1075, pp. 2–3. 1922.
    whipping—
      directions. F.B. 363, p. 39. 1909.
      quality. C. J. Babcock. D.B. 1075, pp. 22. 1922.
  See also Milk.
Cream nuts, imports, 1907–1909 (with Brazil nuts), quantity and value, by countries from which consigned. Stat. Bul. 82, p. 49. 1910.
Cream of tartar—
  adulteration. Chem. N.J. 2935. 1914.
  in grapes—
    and wine, chemical studies. An. Rpts. 1913, p. 196. 1914; Chem. Chief Rpt., 1913, p. 6. 1913.
    crystallization. J.A.R., vol. 1, pp. 513–514. 1914.
Cream, skin. *See* Cosmetic.
Creamery(ies)—
  accounting records. An. Rpts., 1917, p. 432. 1918; Mkts. Chief Rpt., 1917, p. 2. 1917.
  Agriculture Department experiment. News L., vol. 6, No. 41, pp. 3–4. 1919.
  and milk plants—
    cottage cheese manufacture. B.A.I. Doc. A–19, pp. 4. 1917.
    cottage cheese manufacture. Arnold O. Dahlberg. D.B. 576, pp. 16. 1917.
    fuel, economical use. John T. Bowen. D.B. 747, pp. 47. 1919.
  as markets for cream, suggestions to southern farmers. Sec. [Misc.] Spec., "Marketing butter and cream * * *," pp. 2–3. 1914.
  associations, farmers' cooperative, number, and business. D.B. 1302, pp. 11, 17, 34–37, 49, 54–56. 1924.
  benefits to communities, experiment in South Carolina. News L., vol. 3, No. 29, pp. 1–2. 1916.
  buildings, improvement in community dairying. Y.B. 1916, pp. 215–216. 1917; Y.B. Sep. 707, pp. 7–8. 1917.
  business management and methods, necessity for success. Sec. Cir. 66, pp. 1–2. 1916.
  butter—
    American, normal composition. S. C. Thompson and others. B.A.I. Bul. 149, pp. 31. 1912.
    making methods in Wisconsin and Minnesota. News L., vol. 6, No. 3, p. 5. 1918.
    production of the South. B.A.I. An. Rpt., 1907, p. 309. 1909. F.B. 349, pp. 7–8.
    standardization and influence on butter prices. News L., vol. 4, No. 28, p. 4. 1917.
    water content. Henry E. Alvord. B.A.I. Cir. 39, pp. 4. 1903.
  buying policies and methods. D.B. 690, pp. 3–5. 1918.
  by-products—
    casein supply. An. Rpts., 1918, p. 96. 1919; B.A.I. Chief Rpt., 1918, p. 26. 1918.

Creamery (ies)—Continued.
  by-products—continued.
    cause of hog tuberculosis. B.A.I. Cir. 201, pp. 9, 39, 40. 1912.
    utilization. B.A.I. An. Rpt., 1910, pp. 301–305. 1912; B.A.I. Cir. 188, pp. 301–305. 1912.
  classes, methods of operation, results. An. Rpts., 1907, pp. 251–254. 1908; B.A.I. An. Rpt., 1907, pp. 79–82. 1909.
  cooperation—
    in Denmark, form, management, and size. D.B. 1266, pp. 17–20. 1924.
    necessity in securing lake-and-rail service. News L., vol. 3, No. 3, p. 3. 1915.
  cooperative—
    accounts systems, work of Mkts. Office. News L., vol. 4, No. 21, p. 2. 1916.
    egg handling. B.A.I. Bul. 141, p. 35. 1911; S.R.S. Syl. 17, pp. 19–20. 1915.
    establishment by county agent in Tennessee, benefits to farmers. News L., vol. 6, No. 2, p. 7. 1918.
    in Iowa, Bremer County, importance. Soil Sur. Adv. Sh., 1913, pp. 10, 36. 1914; Soils F.O., 1913, pp. 1694, 1720. 1916.
    in Oregon, Tillamook County. Y.B., 1916, pp. 147–151. 1917; Y.B. Sep. 699, pp. 3–7. 1917.
    need in rural districts, comments. Rpt. 103, pp. 63, 64, 65. 1915.
    numbers, location, work, and members. D.B. 547, pp. 6–8, 12, 30–32, 49–51, 54–56. 1917.
    operation of accounting system. D.B. 559, pp. 12–22. 1917.
    organization, aid of department. Y.B., 1915. p. 272. 1916; Y.B. Sep. 675, p. 272. 1916.
  country, accounting records. John R. Humphrey and G. A. Nahstoll. D.B. 559, pp. 37. 1917.
  egg marketing method. Robert R. Slocum. B.A.I. An. Rpt., 1909, pp. 239–246. 1911; F.B. 445, pp. 12. 1911.
  equipment. B.A.I. Bul. 55, pp. 34–35. 1903.
  establishment in southern Mississippi, and results. Y.B., 1917, pp. 305–310. 1918; Y.B. Sep. 744, pp. 5–10. 1918.
  fuel consumption, comparisons. D.B. 747, pp. 2–6. 1919.
  help to farmers, example. News L., vol. 5, No. 22, p. 7. 1917.
  Hawaii, Glenwood Company, business, summary, 1919. Hawaii A.R., 1919, p. 59. 1920.
  in Grove City, Pa.—
    effect on community. An. Rpts., 1917, pp. 87–88. 1918; B.A.I. Chief Rpt., 1917, pp. 21–22. 1917.
    management and progress. Y.B., 1918, pp. 154–155. 1919; Y.B. Sep. 765, pp. 4–5. 1919.
    progress. An. Rpts., 1922, pp. 116, 118. 1923; B.A.I. Chief Rpt., 1922, pp. 18, 20. 1922.
  in New Hampshire, comparison of records. D.B. 529, p. 3. 1917.
  in Wisconsin and Minnesota, marketing practices. Roy C. Potts. D.B. 690, pp. 15. 1918.
  industry—
    in Wisconsin, Waukesha County. Soil Sur. Adv. Sh., 1910, p. 11. 1912., Soils F.O., 1910, p. 1179. 1912.
  increasing profits by special products and by-products. B.A.I. An. Rpt., 1910, pp. 297–306. 1912; B.A.I. Cir. 188, pp. 297–306. 1912.
  inspection, need. An. Rpts., 1912, p. 334. 1913; B.A.I. Chief Rpt., 1912, p. 38. 1912.
  investigations, assistance of creameries by Department. An. Rpts., 1909, pp. 256–257; B.A.I. Chief Rpt., 1909, pp. 66–76. 1909.
  ledger accounts and classification. George O. Knapp, and others. D.B. 865, pp. 40. 1920.
  location and number, 1914, map. Sec. [Misc.], Spec. "Geography * * * world's agriculture," p. 118. 1917.
  losses from lack of ice. News L., vol. 6, No. 9, p. 10. 1918.
  management—
    and development, various sections. An. Rpts., 1917, pp. 86–88. 1918; B.A.I. Chief Rpt., 1917; pp. 20–22. 1917.
    and side lines. An. Rpts., 1912, pp. 331–334. 1913; B.A.I. Chief Rpt., 1912, pp. 35–38. 1912.
  manager, qualification requirements. Sec. Cir. 66, p. 2. 1916.

Creamery(ies)—Continued.
  marketing practices, factors influencing. D.B. 690, pp. 1-3. 1918.
  milk plants, and dairies, utilization of exhaust steam for heating boiler feed water and wash water. John T. Bowen. B.A.I. Cir. 209, pp. 13. 1913.
  number in—
    1900, by States. B.A.I. Bul. 55, pp. 27-29. 1903.
    1908-1920. B.A.I. Doc., A.-37, p. 25. 1922.
    1914, by States, map. Y.B., 1915, pp. 330, 396. 1916; Y.B. Sep. 681, pp. 330, 396. 1916.
    Washington, 1906. O.E.S. Bul. 214, p. 15. 1909.
    Wisconsin, Wood County, 1910, 1913. Soil Sur. Adv. Sh., 1915, pp. 12, 50. 1917; Soils F.O., 1915, pp. 1544, 1582. 1919.
  operations in Wisconsin, Jackson County. Soil Sur. Adv. Sh., 1918, pp. 12. 1922; Soils F.O., 1918, p. 948. 1924.
  output in Minnesota—
    Goodhue County. Soil Sur. Adv. Sh., 1913, pp. 12, 13. 1915; Soils F.O., 1913, pp. 1666, 1667. 1916.
    Stevens County. Soil Sur. Adv. Sh., 1919, pp. 12, 32. 1922; Soils F.O., 1919, pp. 1384, 1404. 1925.
  patrons—
    herd records, investigations. B.A.I. Cir. 103, pp. 13-16. 1907.
    increased profits, sources. Y.B., 1916, p. 214. 1917; Y.B. Sep. 707, p. 6. 1917.
    payment. F.B. 237, pp. 27-29. 1905.
    relation of farm separator. Ed. H. Webster. B.A.I. Bul. 59, pp. 47. 1904.
  plans, for farm and for city, description. B.A.I. An. Rpt., 1906, pp. 306-308. 1908; B.A.I. Cir. 131, pp. 24-26. 1908.
  products—
    as source of tuberculous infection of hogs. Y.B., 1909, pp. 228-229. 1910; Y.B. Sep. 508, pp. 228-229. 1910.
    prices, 1900. B.A.I. Bul. 55, pp. 32-45. 1903.
  profits, increase by handling special products. S. C. Thompson. B.A.I. Cir. 188, pp. 10. 1912.
  publications, list. Sec. Cir. 66, p. 12. 1916.
  records, method of keeping. B. D. White. B.A.I. Cir. 126, pp. 12. 1908.
  refrigeration methods, studies. D.B. 98, pp. 78-88. 1914.
  rural, system of accounts, and business practices. Mkts. Chief Rpt., 1915, p. 6. 1915; An. Rpts., 1915, p. 368. 1916.
  skim milk and by-products, spread of disease. F.B. 781, pp. 5-7. 1917.
  southern farmers. Sec. [Misc.] Spec. "Shall southern farmers build * * *," pp. 3. 1914.
  spring cleaning and preparation for warm weather. News L., vol. 1, No. 39, p. 3. 1914.
  supervision by Government, suggestion. Rpt. 106, p. 52. 1915.
  supplanting of cotton-growing industry in South, and resultant prosperity. News L., vol. 5, No. 37, p. 12. 1918.
  types, organization and operating methods. D.B. 559, pp. 2-4. 1917.
  use of milk-powder starters. F.B. 522, pp. 19-20. 1913.
  Utah, possibilities and needs for marketing. D.B. 582, p. 37. 1918.
  water heating with exhaust steam. B.A.I. Cir. 209, pp. 1-13. 1913.
  See also Dairying; Dairy products.
Creaming, factors in ability of milk. H. A. Whittaker and others. D.B. 1344, pp. 24. 1925.
Creamthick—
  misbranding. Chem. N.J. 2848. 1914; Chem. N.J. 3497. 1915.
  misbranding, Weeks & Co. v. United States, appeal decision by Rogers, circuit judge. Sol. Cir. 81, pp. 1-12. 1914.
Creashak. See Bearberry.
Creatine—
  determination in beef extract. Chem. Bul. 132, p. 157. 1910.
  distribution in meat extracts. J.A.R., vol. 17, pp. 10, 11. 1919.
  metabolism. O.E.S. An. Rpt., 1909, p. 391. 1910.

Creatine—Continued.
  muscle, effect of autolysis. Ralph Hoagland and R. N. McBride. J.A.R., vol. 6, pp. 535-547. 1916.
  soil constituent, wheat-growing tests, tables. Soils Bul. 87, pp. 41-43. 1912.
  See also Kreatine.
Creatinine—
  autolysis experiments. J.A.R., vol. 6, pp. 537-546. 1916.
  beneficial organic constituent of soils. Oswald Schreiner and others. Soils Bul. 83, pp. 44. 1911.
  changes due to autolysis, experimental studies. J.A.R., vol. 6, pp. 535-547. 1916.
  chemistry, occurrence and properties. Soils Bul. 83, pp. 13-16. 1911.
  determination in—
    beef extract. Chem. Bul. 132, p. 157. 1910.
    poultry excrement. B.A.I. Bul. 56, pp. 82, 84. 1904.
  distribution in meat extracts. J.A.R., vol. 17. pp. 10, 11. 1919.
  effect on crop growth and absorption, study, and methods. Soils Bul. 83, pp. 33-44. 1911.
  estimation and distribution in soils. Soils Bul. 83, pp. 20-22. 1911.
  isolation—
    and identification in soils. Soils Bul. 89, pp. 18-20, 25, 31. 1912.
    from soils, methods. Soils Bul. 83, pp. 11-22. 1911.
  metabolism. O.E.S. An. Rpt., 1909, p. 391. 1910.
  presence in manures. Soils Bul. 83, p. 20. 1911.
  soil constituent, wheat-growing tests, and tables. Soils Bul. 87, pp. 36-41. 1912.
  use in wheat growing, experiments, and tables. Soils Bul. 87, pp. 16-17. 1912.
  See also Kreatinine.
Creciscus spp.—
  distribution and migration. D.B. 128, pp. 33-36. 1914.
  See also Rail.
Credit—
  act, agriculture, aid to farmers, activities. Y.B., 1923, pp. 25-26. 1924.
  agencies, farm, benefits to farmers. D.B. 1048, p. 25. 1922.
  agricultural—
    act, provisions. Off. Rec., vol. 2, No. 38, p. 2. 1923.
    bills. Off. Rec., vol. 1, No. 49, p. 2. 1922.
    conditions, sources, and cost. An. Rpts., 1912, pp. 25-30. 1913; Sec. A.R., 1912, pp. 25-30. 1912; Y.B., 1912, pp. 25-30. 1913.
    development in Denmark. D.B. 1266, pp. 81-87. 1924.
    investigation, Statistics Bureau. An. Rpts., 1913, p. 262. 1914; Stat. Chief Rpt., 1913, p. 6. 1913.
    organizations, papers. O.E.S. Bul. 256, pp. 31-42. 1913.
    See also Loans, farm.
  association(s)—
    agency for rural short-time credit. V. N. Valgren and E. E. Engelbert. D.C. 197, pp. 24. 1921.
    cooperative—
      law for establishment. D.C. 197, pp. 2, 15-24. 1921.
      organization, management, and aid to members. F.B. 654, pp. 10-14. 1915.
      suggestions for act providing for. Mkts., S.R.A. 30, pp. 9. 1918.
    organizations, assistance by department. Y.B. 1915, p. 272. 1916; Y.B. Sep. 675, p. 272. 1916.
    promotion for increase of livestock industry. News L., vol. 2, No. 31, p. 3. 1915.
  cooperative, reading list, index. M.C. 11, p. 49. 1923.
  cotton growers, farms and rates. Y.B., 1921, pp. 367-369. 1922; Y.B. Sep. 877, pp. 367-369. 1922.
  emergency, provision, benefit to farmers. An. Rpts., 1923, p. 12. 1924; Sec. A.R., 1923, p. 12. 1923.
  facilities, for farmers. Off. Rec., vol. 3, No. 3, p. 3. 1924.

INDEX TO PUBLICATIONS, 1901–1925 663

Credit—Continued.
 farm—
  act of 1923, operation. Y.B., 1924, p. 25. 1925.
  bill. Off. Rec. vol. 2, No. 6, p. 1. 1923.
  conditions and legislation needed. Y.B., 1922, pp. 11, 14–15. 1923; Y.B. Sep. 883, pp. 11, 14–15. 1923.
  discussion and action of Congress. Off. Rec., vol. 1, No. 22, p. 1. 1922.
  improvement. Sec. A.R., 1924, pp. 24–26. 1924.
  insurance and taxation. Nils A. Olsen and others. Y.B., 1924, pp. 185–284. 1925; Y.B. Sep. 915, pp. 185–284. 1925.
  needs, discussion. D.B. 999, p. 24. 1921.
  organization—
   committee work and suggested readings. Y.B., 1914, pp. 112–121, 138. 1915; Y.B. Sep. 632, pp. 26–35, 54. 1915.
   description and value. News L., vol. 2, No. 38, pp. 1, 4. 1915.
   plan of operations for use of lender's form. Sec. Cir. 56, pp. 7–10. 1916.
   situation in 1925. Sec. A.R., 1925, pp. 13–14. 1925.
  system, short-time loans. Off. Rec., vol. 1, No. 5, pp. 1–2. 1922.
  use methods. T. N. Carver. F.B. 593, pp. 14, 1914.
  farmers' difficulties. Y.B., 1921, pp. 11, 15. 1922; Y.B. Sep. 875, pp. 11, 15. 1922.
  financing Egyptian cotton growing. D.B. 742. p. 17. 1919.
  for cooperative associations. Off. Rec., vol. 2, No. 36, p. 3. 1923.
  fund to Germany. Off. Rec., vol. 2, No. 2, p. 8. 1923.
  intermediate explanation. Off. Rec., vol. 2, No. 38, pp. 1–2. 1923.
  legislation, class, not demanded by farmers. News L., vol. 1, No. 16, p. 1. 1913.
  methods, cooperative stores, reports. D.B. 394, pp. 12–13. 1916.
  necessity for successful agriculture. Sec. Cir. 50, pp. 7–9. 1915.
  on grain, Russia. Stat. Bul. 65, pp. 12–14. 1908.
  personal—
   improvement by farmers, methods. C. W. Thompson. F.B. 654, pp. 14. 1915.
   need among farmers, organizations, development. An. Rpts., 1918, pp. 43–45. 1919; Y.B., 1918, pp. 60–62. 1919; Sec. A.R., 1918, pp. 43–45. 1918.
  unions, development in State legislation. Sec. [Misc.]. "Remarks of D. F. Houston * * *," pp. 14, 15. 1918.
  plantation, and accounts. D.B. 1269, pp. 60–65. 1924.
  policies in lake region. D.B. 1295, pp. 42–52. 1925.
  primer for farm, purpose. Off. Rec., vol. 2, No. 38, p. 1. 1923.
  principles, in rural organization. Y.B., 1913, pp. 257–258. 1914; Y.B. Sep. 626, pp. 257–258. 1914.
  rate sheet, banker and merchants for farmers' loans. Sec. Cir. 50, pp. 10–13. 1915.
  relations, graduate school. Off. Rec., vol. 2, No. 42, p. 2. 1923.
  rural—
   assistance by farm-loan association and land banks. F.B. 792, pp. 9–11. 1917.
   bills before Congress. Off. Rec., vol. 1, No. 51, p. 1. 1922.
   composite bill, work on. Off. Rec., vol. 2, No. 1, p. 1. 1923.
   discussion by Secretary. An. Rpts., 1913, pp. 25–30. 1914; Sec. A.R., 1913, pp. 23–28. 1913; Y.B., 1913, pp. 31–37. 1914.
   effects of farm-loan act. Y.B., 1916, pp. 11, 73. 1917; Y.B. Sep. 698, p. 11. 1917.
   personal, discussion. D.C. 197, pp. 3–4. 1921.
   special schedule. Stat. [Misc.], "Special rural credit * * *," p. 1. 1915.
  sources for settlers buying farms in undeveloped regions. F.B. 1385, pp. 19–27. 1923.
  unions—
   cooperative, rural community. Y.B., 1914, pp. 114–115, 118. 1915; Y.B. Sep. 632, pp. 28–29, 32. 1915.

Credit—Continued.
 unions—continued.
  cooperative, State laws governing. News L., vol. 5, No. 37, p. 12. 1918.
  cooperative, suggestions for act providing for. Mkts. S.R.A. 30, pp. 9. 1918.
  nature and development, various States, number, membership, and resources. D.C. 197, pp. 5–11. 1921.
  States authorizing by law. News L., vol. 6, No. 36, p. 6. 1919.
 warehouse receipts. Off. Rec., vol. 2, No. 14, pp. 1–2. 1923.
CREECH, G. T.—
 "Bacterium abortus infection of bulls." With others. J.A.R., vol. 17, pp. 239–246. 1919.
 "Studies relating to the immunology of bovine infectious abortion." With J. M. Buck. J.A.R., vol. 28, pp. 607–642. 1924.
CREEL, C. W.—
 "Controlling the clover-flower midge in the Pacific Northwest." With L. P. Rockwood. F.B. 942, pp. 12. 1918.
 "The control of the clover-flower midge." With L. P. Rockwood. F.B. 971, pp. 12. 1918.
CREELMAN, G. C.: "Expert organizers for farmers' clubs, and demonstration work." O.E.S. Bul. 238, pp. 46–51. 1911.
Creep, use in raising lambs. F.B. 840, p. 22. 1917.
Creeper(s)—
 brown—
  description, range, and habits. F.B. 513, p. 10. 1913.
  enemy of codling moth. Y.B., 1911, p. 242. 1912; Y.B. Sep. 564, p. 242. 1912.
  food habits and occurrence in Arkansas. Biol. Bul. 38, p. 88. 1911.
 California, food habits. Biol. Bul. 30, p. 66. 1907.
 carriers of chestnut-blight fungus. J.A.R., vol. 2, pp. 407, 410, 411, 413, 414. 1914.
 honey, Porto Rican, habits and food. D.B. 326, pp. 109–111. 1916.
 injury by sapsuckers. Biol. Bul. 39, p. 22. 1911.
 protection by law. Biol. Bul. 12, rev., p. 40. 1902.
 range, and habits. N.A. Fauna 21, pp. 50, 80. 1901.
 Rocky Mountain, protection by law. Biol. Bul. 12, rev., p. 40. 1902.
 trumpet, family, injury to trees by sapsuckers. Biol. Bul. 39, pp. 50, 89. 1911.
 white-throated, enemy of codling moth. Y.B., 1911, p. 245. 1912; Y.B. Sep. 564, p. 245. 1912.
Creeping Jenny. See Gill-over-the-ground.
Creeps—
 cattle—
  disease. B.A.I. Cir. 66, pp. 1–2. 1905.
  See also Osteomalacia.
 lamb, on farm. F.B. 810, p. 23. 1917.
 or osteomalacia in cattle. V. T. Atkinson. B.A.I. Cir. 66, pp. 2. 1905.
Cremanthodium oblongatum, importation and description. No. 39009, B.P.I. Inv., 40, p. 57. 1917.
Cremastogaster—
 bicolor, enemy of codling moth. Ent. Bul. 80, Pt. I, p. 30. 1909.
 lineolata—
  black ant attendant on Erigeron root-aphid. Ent. Bul. 85, Pt. VI, p. 115. 1910.
  boll-weevil enemy. Ent. Bul. 114, p. 139. 1912; Ent. Bul. 100, pp. 41, 69. 1912.
  enemy of Pemphigus acerifolii. Ent. T. B. 24, p. 11. 1912.
  See also Ant, small black.
Cremastus hymeniae, parasite of Hymenia fascialis. Ent. Bul. 109, pt. 1, p. 7. 1911.
Cremation, use in caterpillar destruction. News L., vol. 2, No. 41, pp. 4–5. 1915.
Creme de cacao, misbranding. Chem. N.J. 1247, p. 1. 1912.
Creme de cassis, misbranding. Chem. N.J. 1247, p. 4. 1912.
Creme de menthe cherries, misbranding. Chem. N.J. 1432, pp. 2. 1912.
Creme de menthe, misbranding. Chem. N.J. 1511, p. 1. 1912; Chem. N.J. 1730, p. 1. 1912.
Creme de violette, adulteration and misbranding. Chem. N.J. 2731, pp. 1–2. 1914.

"Creme wafles"—crackers, adulteration. Chem. N.J. 808, pp. 2. 1911.
Creo-resinate process, wood preservation. For. Bul. 78, p. 17. 1909.
Creola, Albatross, adulteration and misbranding. N.J. 891, I. and F. Bd. S.R.A. 46, p. 1102. 1923.
Creole—
 chicken and sauce, recipes. F.C.D.W.S. Cir. 1, p. 7. 1915.
 stew, recipe for fireless cooker. U. S. Food Leaf. No. 13, p. 4. 1918.
Creolin—
 solution, use for baths for cats and dogs, for flea control. News L., vol. 3, No. 3, p. 5. 1915.
 use—
  as disinfectant. B.A.I. [Misc.], "Diseases of cattle," rev., p. 363. 1904; rev., p. 377. 1912.
  as insecticide. P.R. Cir. 17, p. 17. 1918.
  in control of—
   gapeworm in fowls. S.R.S. Rpt., 1915, Pt. I, pp. 57, 275. 1917.
   sorehead in poultry. P.R. An. Rpt., 1912, p. 42. 1913.
  in—
   destruction of fleas, formula, and method. D.B. 248, p. 23. 1915.
   prevention of insect damage to chestnut poles. Ent. Bul. 94, Pt. I, pp. 9–11. 1910.
Creolin-Pearson, disinfectant, misbranding. N.J. 103, I. and F.Bd. S.R.A. 5, p. 67. 1914.
Creolium, misbranding. N.J. 80, I. and F. Bd. S.R.A. 1, p. 17. 1914.
Creosote(s)—
 absorption—
  and penetration in longleaf pine, tests. D.B. 607, p. 43. 1918.
  by cell walls of wood. Clyde H. Teesdale. For. Cir. 200, pp. 7. 1912.
  measurement, cause of errors. For. Bul. 118, pp. 29–35. 1912.
 adulteration and misbranding. N.J. 868, I. and F.Bd. S.R.A. 45, p. 1081. 1923.
 analysis—
  and grading. Arthur L. Dean and Ernest Bateman. For. Cir. 112, pp. 44. 1908.
  methods. For. Bul. 126, pp. 80–82. 1913; For. Cir. 112, pp. 33–41. 1908; For. Cir. 206, pp. 36–38. 1912.
 and tar mixtures as wood preservatives, analyses and tests. D.B. 607, pp. 3–4, 11–12, 26–43. 1918.
 coal-tar—
  and cresylic acid sheep dips, analysis. Robert M. Chapin. B.A.I. Bul. 107, p. 35. 1908.
  and water-gas-tar, their properties and testing methods. Ernest Bateman. D.B. 1036, pp. 114. 1922.
  dips—
   for sheep tick. F.B. 798, p. 19. 1917.
   improvement. An. Rpts., 1908, p. 250. 1909; B.A.I. Chief Rpt., 1908, p. 36. 1910.
   manufacturers, notice to. I. and F.Bd. S.R.A. 11, pp. 53–54. 1915.
  emulsions, effect on household insects, tests. D.B. 707, pp. 3, 14, 23, 32. 1918.
  expansion coefficient, viscosity, and volatility. D.B. 1936, pp. 52–65. 1922.
  fractional distillation. Arthur L. Dean and Ernest Bateman. For. Cir. 80, pp. 31. 1907.
  misbranding. I. and F.Bd. N.J. 27, p. 1. 1913.
  physical properties, solubility, color and odor, blast and burning points. D.B. 1036, p. 50. 1922.
  properties. For. Cir. 112, pp. 14–21. 1908.
  saponified, use and value in control of fleas. F.B. 897, p. 10. 1917.
  superiority over other preservatives, specifications. D.B. 1036, pp. 103–104. 1922.
  use—
   against roundworms. B.A.I. Bul. 35, pp. 7–9. 1902.
   against white ants in timbers. F.B. 759, pp. 15, 16, 17. 1916.
   as preventive against heart-rot. B.P.I. Bul. 149, pp. 36–37. 1909.
   in drenching cattle, directions. B.A.I. [Misc.], "Diseases of cattle," rev., p. 508. 1908; rev., p. 533. 1912.

Creosote(s)—Continued.
 coal-tar—continued.
  use—continued.
   in preservation of silo staves. News L., vol. 4, No. 9, pp. 4–5. 1916.
   on timbers for control of termites. D.B. 333, pp. 29, 30, 31, 32. 1916.
   value as wood preservative, and application. F.B. 744, pp. 7–9, 13–23. 1916.
 commercial—
  and laboratory, comparison. D.B. 1036, pp. 35–37. 1922.
  classification and description, tables. For. Cir. 206, pp. 23–31. 1912.
  wood protection, studies. Carlile P. Winslow. For. Cir. 206, pp. 38. 1912.
 crude coal-tar, use in gipsy-moth control. Ent. Bul. 87, pp. 19–20. 1910.
 definition of term. For. Cir. 206, pp. 6–7. 1912.
 derivation—
  and use as preservative of wood. For. Bul. 78, pp. 11–13. 1909.
  price, various localities. For. Cir. 117, pp. 7, 12. 1912.
 determination in treated wood, method. For. Bul. 118, p. 27. 1912.
 dip for domestic animals, flea eradication. F.B. 683, pp. 10, 14. 1915.
 distillation method. D.B. 949, pp. 59–61. 1921; For. Cir. 112, pp. 29–33. 1908.
 efficiency, studies by Forest Service. An. Rpts., 1911, p. 409. 1912. For. A.R., 1911, p. 69. 1911.
 emulsion, use in ant control, injurious to germination. Work and Exp., 1919, p. 68. 1921.
 extracted, analysis method and results. For. Cir. 98, pp. 8–16. 1907.
 fence-post treatment. News L., vol. 6, No. 52, p. 9. 1919.
 grades and uses. For. Cir. 112, pp. 41–44. 1908.
 injection of various conifers, relative resistance. C. H. Teesdale. D.B. 101, pp. 43. 1914.
 kinds, description, and derivation. For. Cir. 206, p. 7. 1912.
 manufacture and composition. For. Cir. 98, pp. 2–6. 1907.
 mixtures and properties. For. Cir. 112, pp. 26–29. 1908.
 oil(s)—
  and dips, dimethyl sulphate test; substitute for sulphonation test. Robert M. Chapin. B.A.I. Cir. 167, pp. 7. 1911.
  coal-tar, use in killing wild onions, experiments. F.B. 610, pp. 5–6. 1914.
  dimethyl sulphate test; substitute for sulphonation test. Robert M. Chapin. B.A.I. Cir. 167, pp. 7. 1911.
  emulsion, formula and preparation. F.B. 908, p. 35. 1918.
  Sapokarbolin, misbranding, N.J. 177. I. and F.Bd. S.R.A. 10, pp. 43–47. 1915.
  sampling and analyzing, methods. D.B. 1216, pp. 71–78. 1924.
  stains, removal from textiles. F.B. 861, p. 32. 1917.
  use in—
   borer control. F.B. 1154, p. 11. 1920.
   destruction of tussock moth eggs. F.B. 1169, pp. 12–43. 1921.
   treatment of poles. D.B. 519, p. 4. 1917.
  other than coal-tar, properties. For. Cir. 112, pp. 21–26. 1908.
 painting fence-post butts. For. Cir. 117, pp. 6, 14. 1907.
 penetration—
  of conifers, relation to wood structure. D. B. 101, pp. 9–18. 1914.
  relation to tyloses in wood, experiments. J.A.R. vol. 1, pp. 464–466. 1914.
 production—
  and importation, statistics. For. Cir. 98, pp. 4–5. 1907.
  from tars, manufacturing methods. D.B. 1036, pp. 19–21. 1922.
 properties. D.B. 1036, pp. 47–86. 1922.
 quantity—
  and character in well preserved timbers. Gellert Alleman. For. Cir. 98, pp. 16. 1907.
  and quality, found in two treated piles after long service. E. Bateman. For. Cir. 199, pp. 8. 1912.

Creosote(s)—Continued.
quantity—continued.
used in United States, 1909-1918. D.B. 1036, pp. 21-22. 1922.
sulphonation test, modification. E. Bateman. For. Cir. 191, pp. 7. 1911.
testing apparatus for distilling tars, and methods used. D.B. 1036, pp. 27-34. 1922.
tests as wood preservative. D.B. 145, pp. 9-20. 1915.
tests with conifers, apparatus and methods o applying. D.B. 101, pp. 4-18. 1914.
toxic properties and causes, tests and comparisons. D.B. 1036, pp. 66-72. 1922.
treatment—
for prevention of sap rot, cost and results. B.P.I. Bul. 114, pp. 17-26. 1907.
Forest Service investigations. For. Bul. 84, pp. 8-9, 13-17, 19, 21-22, 23, 24, 27, 28, 34, 36-37. 1911.
of fence posts, experiments, details and cost. For. Cir. 117, pp. 7-13. 1907.
of poles and posts, cost. F.B. 320, p. 31. 1908.
of timber for prevention of dry rot. B.P.I. Bul. 214, pp. 28, 29. 1911.
use against dog parasites. D.C. 338, pp. 7, 10, 11, 13. 1925.
use in—
ant control, method. F.B. 1037, p. 14. 1919.
crosstie treatment. For. Bul. 126, p. 11. 1913; For. Cir. 146, pp. 12-13. 1908; For. Cir. 209, pp. 13-18, 20-24. 1912.
fence-post preservation. D.B. 321, pp. 22-24. 1916; D.C. 75, pp. 76-77. 1920; F.B. 1117, pp. 26-27, 1920; F.B. 387, pp. 9-17, 19. 1910.
moth control, method. F.B. 564, pp. 12, 17. 1914; F.B. 1335, p. 15. 1923.
preservation of mine timber, studies. D.B. 77, pp. 15-18. 1914; For. Bul. 107, pp. 8-11, 24-25. 1912.
preserving shingles. F.B. 387, pp. 18-19. 1910.
preserving timber, methods. For. Cir. 139, pp. 7-11. 1908.
prevention of—
insect damage to chestnut poles. Ent. Bul. 94, Pt. I, pp. 9-11. 1910.
telephone-pole injury by woodpeckers, experiments. Biol. Bul. 39, p. 14. 1911.
sterilizing tree wounds. F.B. 1178, pp. 9, 24. 1920.
treating woods against termites, experiments. D.B. 1231, pp. 2-12. 1924.
treatment of lumber for powder-post beetles. F.B. 778, pp. 18-19. 1917.
tree pruning. News L., vol. 3, No. 27, p. 1. 1916.
wood preservation. D.B. 606, p. 36. 1918; D.B. 1036, pp. 1-6. 1922; D.B. 227, pp. 1-36. 1915; For. Cir. 186, pp. 1-2, 4. 1911.
use on—
silo interiors, cost. News L., vol. 7, No. 7, p. 7. 1919.
wooden paving blocks, character as preservative. For. Cir. 141, pp. 7, 12-14, 22. 1908.
volatility. For. Cir. 112, pp. 8-14. 1908.
volatilization after injection into wood. C.H. Teesdale. For. Cir. 188, pp. 5. 1911.
water-gas-tar—
composition, and derivation. For. Cir. 206, pp. 12-13. 1912.
composition, chemical, physical, and toxic properties, with comparisons. D.B. 1036, pp. 73-76. 1922.
value as wood preservative. F.B. 744, p. 9. 1916.
wood preservation, methods, cost, and results. For. Bul. 118, pp. 26-35, 42-47, 49. 1912; For. Cir. 171, p. 22. 1909; For. Cir. 206, pp. 8-10. 1912.
wood-tar, value as wood preservative. F.B. 744, p. 9. 1916.
Creosote bush—
absorption of alkali salts, analysis of ash. Rpt. 71, pp. 62-64. 1902.
distribution in Texas. N.A. Fauna 25, p. 25. 1905.
indication of non-alkali soil. Y.B., 1909 p. 205. 1910; Y.B. Sep. 505 p. 205. 1910.

Creosoted wood, estimation of moisture. Arthur L. Dean. For. Cir. 134, pp. 7. 1908.
Creosoting—
posts and shingles, effect. S.R.S. Rpt., 1917, Pt. I, pp. 32, 165, 197, 233. 1918.
uses and value in control ot gipsy moth. D.B. 484. Pt. II, p. 49. 1917; D.B. 250, p. 36. 1915.
Crepidodera rufipes, control, and life history. F.B. 1270, p. 32. 1922.
Crepis brevifolia, importation and description. No. 50352, B.P.I. Inv. 63, p. 60. 1923.
Crepis intermedia. See Dandelion, wild.
Crescentia alata. See Calabash tree.
Creseptol adulteration and misbranding. N.J. 855, I. and F. Bd., S.R.A. 45, pp. 1609-1070. 1923; N.J. 1912, I and F. Fd., S.R.A. 47, pp. 11-12 1924.
Cresogent misbranding. N.J. 120, I. and F. Bd. S.R.A. 6, p. 89. 1914.
Cresol—
calcium—
tests as wood preservative. D.B. 145, pp .9-20. 1915.
use as dip for hog lice control. News L., vol. 3, No. 36, pp. 1, 4. 1916.
use in tie preservation. For. Cir. 209, pp. 22, 23. 1912.
composition, and use as a disinfectant. F.B. 480, pp. 11, 14. 1912.
compound solution—
advantages and disadvantages. F.B. 926, pp. 8-9. 1918.
composition and use as insecticide. B.A.I [Misc.], "Diseases of cattle," rev., p. 366. 1923.
disinfectant for foot-and-mouth disease. F.B. 666, p. 14. 1915.
use as disinfectant, regulation. B.A.I.O. 210, amdt. 5, p. 2. 1915.
use as poultry disinfectant. F.B. 1337, p. 3, 13, 15. 1923.
See also Cresolis compositus liquor.
description, precautions in use. F.B. 357, p. 35. 1909.
dilution as car disinfectant. B.A.I.O. 292, p. 5. 1925.
dips—
for sheep ticks. F.B. 798, pp. 19-20. 1917.
manufacture, Opinion 44. I. and F. Bd. S.R.A. 11, pp. 53-54. 1915.
testing directions. B.A.I.S.A. 47, p. 14. 1911.
effect on—
eggs of *Ascaris* spp. J.A.R., vol. 27, pp. 172-174. 1924.
virus of tobacco mosaic disease. J.A.R., vol. 13, pp. 625, 626. 1918.
hog trough disinfection. F.B. 379, p. 18. 1909.
in cattle dip, regulation. B.A.I.O. 263, amdt. 1, p. 1. 1919.
origin, description, and use. F.B. 345, pp. 9-11. 1908.
soap solution, preparation. Y.B. 1911, p. 181. 1912; Y.B. Sep. 559, p. 181. 1912.
solution(s)—
adulteration and misbranding. N.J. 144, I. and F. Bd., S.R.A. 8, pp. 8-9. 1915.
Cooper's compound, permitted disinfestant. B.A.I.S.R.A. 109, p. 45. 1916.
livestock dip, interstate movement, formulas, and specifications. B.A.I.O. 210, amdt. 6, pp. 2. 1916.
preparation, use in control of chicken lice. F.B. 435, p. 21. 1911.
requirements, fundamental, and tests. D.B. 1308, pp. 2-6. 1924.
saponified—
Jacob M. Schaffer. D.B. 855, pp. 5. 1920.
control, chemical and physical methods. Robert M. Chapin. D.B. 1308, pp. 24. 1924.
formula. B.A.I.O. 210, amdt. 5, pp. 1-2. 1915.
standards, and results of examination of samples. D.B. 1308, pp. 21-23. 1924.
use as disinfectant in poultry disease control. F.B. 530, pp. 6-7. 1913; F.B. 957, pp. 5-6. 1918.
spraying tests as insecticides. D.B. 1160, pp. 6, 8, 9. 1923.

Cresol—Continued.
use—
against dog mange. D.C. 338, p. 5. 1925.
as disinfectant. F.B. 926, pp. 7-8. 1918.
in disinfection of stables. F.B. 781, p. 16. 1917; F.B. 954, pp. 8, 10. 1918.
Cresolated distillate, emulsion formula. F.B. 862, p. 7. 1917.
Cresolis compositus liquor—
composition and use as disinfectant. F.B. 480, pp. 11, 14. 1912.
(U. S. P.), germicidal value. C.N. McBryde. B.A.I. Bul. 100, pp. 24. 1907.
preparation and use as disinfectant. F.B. 345, p. 10. 1908; F.B. 357, p. 35. 1909.
use in chicken houses. F.B. 357, pp. 34-36. 1909.
Cresone, adulteration and misbranding. N.J. 879, I. and F. Bd., S.R.A. 46, p. 1092. 1923.
Cress—
cause of cattle poisoning. Work and Exp., 1919. p. 83. 1921.
cultural directions and varieties. F.B. 937, p. 37. 1918.
garden, cultural hints. F.B. 255, p. 32. 1906.
garden, seed saving, directions. F.B. 1930, p. 7. 1924.
growing at Sitka station, Alaska. Alaska A.R., 1910, p. 17. 1911.
penny, description, distribution, spread, and products injured. F.B. 660, p. 28. 1915.
use as salad, note. O.E.S. Bul. 245, p. 22. 1912.
water. See Water cress.
winter, description, distribution, spread, and products injured. F.B. 660, p. 29. 1915.
winter, seed description. F.B. 1411, p. 11. 1924.
CRESWELL, C. F.—
"Composition of cottonseed." With G. E. Bidwell. D.B. 948, pp. 221. 1921.
"Disadvantages of selling cotton in the seed." D.B. 375, pp. 19. 1916.
"Losses from selling cotton in the seed." F.B. 775, pp. 8. 1916.
CRESWELL, M. E.—
"Canning." With Ola Powell. B.P.I. Doc. 631, rev., pp. 6. 1915.
"Canning club and home demonstration work." With O. B. Martin. S.R.S. Doc. 28, pp. 8. 1915.
"Canning, preserving, pickling." With Ola Powell. S.R.S. Doc. 22, rev., pp. 16. 1919.
"Home canning of fruits and vegetables." With Ola Powell. F.B. 853, pp. 42. 1917.
"Peppers." With Ola Powell. F.C.D.W.S. Cir. 1, pp. 8. 1915; S.R.S. Doc. 39, pp. 8. 1917.
"The effect of home demonstration work on the community and the county in the South." With Bradford Knapp. Y.B., 1916, pp. 251-266. 1917; Y.B. Sep. 710, pp. 16. 1917.
Cresylic acid—
and coal-tar creosote sheep dips, analysis. R. M. Chapin. B.A.I. Bul. 107, pp. 35. 1908.
disinfecting power. F.B. 345, p. 9. 1908.
per cent in sheep dips. F.B. 798, pp. 18, 19. 1917.
use in emulsion for tick eradication. An. Rpts., 1908, p. 254. 1909; B.A.I. Chief Rpt., 1908, p. 40. 1910.
use in fly-larvae destruction in manure, experiments. D.B. 245, pp. 11, 20. 1915.
Crete, fruit exports and imports, 1909-1912. D.B. 483, p. 30. 1917.
Crib(s)—
cleaning before refilling. F.B. 1029, pp. 35-36. 1919.
corn. See Corncribs.
grain sorghum, construction. F.B. 1137, p. 22. 1920.
granary, combination, description, capacity, and free plans. News L., vol. 6, No. 9, pp. 6-7. 1918.
rat-proof, construction directions, and cost. F.B. 1029, pp. 31-35. 1919.
Cribbing, horse habit, signs for detection. F.B. 779, p. 3. 1917.
Cricket(s)—
control in greenhouses. F.B. 1362, p. 75. 1924.
control measures, mechanical and cultural. P.R. Bul. 23, pp. 20-24. 1918.
coulee, control—
1918. An. Rpts., 1918, pp. 7, 16. 1919; Ent. A.R., 1918, pp. 7, 16. 1918.

Cricket(s)—Continued.
coulee, control—continued.
work and poison formula, in Idaho. News L., vol. 4, No. 11, p. 7. 1916.
damage to seedlings, Porto Rico, description and habits. P.R. An. Rpt., 1916, pp. 26-27. 1918
destruction by—
crows. D.B. 621, pp. 21. 1918.
starlings. D.B. 868, pp. 20, 21, 22, 42, 64. 1921.
field and tree, control studies. Work and Exp., 1919, pp. 63-64. 1921.
food of skunks. F.B. 587, pp. 7-8. 1914.
injurious to—
cranberries, and control treatment. F.B. 860, pp. 26-27. 1917.
mushrooms. Ent. Cir. 155, p. 9. 1912; F.B. 789, p. 12. 1917.
mole—
bird enemies, Porto Rico. D.B. 326, pp. 9-10. 1916.
control by carbon disulphide. F.B. 799, p. 15. 1917.
control, poison bait formula. Guam. Bul. 2, p. 19. 1922.
descriptions. Sec. [Misc.], "A manual * * * insects * * *," pp. 43, 45, 80, 89, 90, 190, 205, 215. 1917.
in Porto Rico. O.W. Barrett. P.R. Bul. 2, pp. 20 (Spanish edition). 1903.
injurious to—
sugar cane in Hawaii, habits. Ent. Bul. 93, pp. 45-46. 1911.
vegetables in Porto Rico. D.B. 192, p. 4. 1915.
young tobacco plants, North Carolina. Y.B. 1910, p. 293. 1911; Y.B. Sep. 537, p. 293. 1911.
life history and control. P.R. An. Rpt., 1916, p. 25. 1918.
northern, enemy of green June beetle. D.B. 891, pp. 35-36. 1922.
parasites and predacious enemies. P.R. Bul. 23, pp. 16-19. 1918.
ravages in Porto Rico. P.R. An. Rpt., 1907, pp. 10, 17. 1908.
West Indian—
R. H. Van Zwaluwenburg. P.R. Bul. 23, pp. 28. 1918.
classification, synonomy, history and distribution. P.R. Bul. 23, pp. 4-6. 1918.
injuries to sugarcane. Ent. Cir. 165, p. 5. 1912.
pest, Utah, control by California gulls. D.B. 292, p. 2. 1915.
snowy tree—
description and beneficial habits. Ent. Bul. 57, p. 37. 1906.
injurious to cotton, habits and control. F.B. 890, p. 23. 1917.
tree, enemy of the spring grain aphid. Ent. Bul. 110, p. 136. 1912.
Criddle mixture—
for grasshopper control, formula, cost, and use. Y.B. Sep. 674, pp. 266, 268, 272. 1916; F.B. 747, pp. 16-17. 1916; F.B. 835, rev., pp. 15-16. 1920; Y.B. 1915, pp. 266, 268, 272. 1916.
for poisoning insects. Y.B., 1908, p. 378. 1909; Y.B. Sep. 488, p. 378. 1909.
formula. F.B. 908, p. 16. 1918.
improvement by orange or lemon juice, formula. News L., vol. 3, No. 5, p. 3. 1915.
use and value in control of June beetle grubs. D.B. 891, p. 38. 1922.
use for cutworm control, formula. Hawaii Bul. 45, p. 14. 1920; Hawaii Bul. 54, p. 7. 1924.
"Crimps," strawberry disease, cause and control. F.B. 1026, pp. 13, 36. 1919.
Crinodendron patagua. See Patagua.
Crinum spp., use in gardens. F.B. 1381, p. 73. 1924.
Crioceris asparagi. See Asparagus beetle.
Crithidia spp., description and occurrence. B.A.I. An. Rpt., 1910, pp. 481-482. 1912; B.A.I. Cir. 194, pp. 481-482. 1912.
Croakers, cold-storage holdings, 1918, by months. D.B. 792, pp. 38-39. 1919.
Croatia-Slavonia, agricultural conditions. D.B. 1234, p. 108. 1924.

Croatians, settlement in North Carolina, history, habits, etc. Soil Sur. Adv. Sh., 1908, pp. 6–7. 1910; Soils F.O., 1908, pp. 294–295. 1911.
CROCHERON, B. H.: "Community work of rural high school." With Dick J. Crosby. Y.B., 1910, pp. 177–188. 1911; Y.B. Sep. 527, pp. 177–188. 1911.
CROCKER, WILLIAM—
"A new and efficient respirometer for seeds and other small objects: directions for its use." With G. T. Harrington. J.A.R., vol. 23, pp. 101–116. 1923.
"Catalase and oxidase content of seeds in relation to their dormancy, age, vitality, and respiration." With George T. Harrington. J.A.R., vol. 15, pp. 137–174. 1918.
"Resistance of seeds to desiccation." With George T. Harrington. J.A.R., vol. 14, pp. 525–532. 1918.
"Structure, physical characteristics, and composition of the pericarp and integument of Johnson grass seed in relation to its physiology." With George T. Harrington. J.A.R. vol. 23, pp. 193–222. 1923.
Crocus—
bulbs, insects, control. F.B. 1362, pp. 23–25. 1924.
planting depth. D.B. 797, p. 9. 1919.
sativus. See Saffron.
CROMWELL, R. O.—
"Fusarium blight or wilt disease of the soy bean." J.A.R., vol. 8, pp. 421–440. 1917.
"Xylaria rootrot of apple." With Frederick A. Wolf. J.A.R., vol. 9, pp. 269–276. 1917.
CRON, A.B.: "Sorghum experiments on the Great Plains." With others. D.B. 1260, pp. 88. 1924.
Cronartium—
cerebrum, study. J.A.R., vol. 2, pp. 247–250. 1914.
coleosporioides—
alternate form of *Peridermium filamentosum.* J.A.R., vol. 5, No. 17, pp. 781, 783. 1916.
cause of galls and cankers, characteristics. D.B. 658, pp. 17, 21, 22. 1918.
comptoniae, similarity to *Cronartium ribicola.* B.P.I. Cir. 129, p. 15. 1913.
occidentale—
description, distribution, and dissemination. J.A.R. vol. 14, pp. 413–418, 420–422. 1918.
urediniospores, comparison with *C. ribicola.* Reginald H. Colley. J.A.R., vol. 30, pp. 283–291. 1925.
See also Piñon blister rust.
pyriforme—
cause of a disease of pines. George O. Hedgcock and William H. Long. D.B. 247, pp. 20. 1915.
dissemination methods. D.B. 247, pp. 12–13. 1915.
inoculation experiments. D.B. 247, pp. 5–8. 1915.
ribicola—
comparison with *Cronartium occidentale.* J.A.R. vol. 14, pp. 414–415. 1918.
life history, hosts, and parasitism. B.P.I. Bul. 206, pp. 21–26. 1911; J.A.R., vol. 15, pp. 620–621. 1919; J.A.R., vol. 11, pp. 284–286. 1917.
occurrence, distribution, and control methods, in the United States. B.P.I. Bul. 206, pp. 14–15. 1911.
urediniospore(s)—
comparison with *C. occidentale.* Reginald H. Colley. J.A.R. vol. 30, pp. 283–291. 1925.
stage of white-pine blister rust, on currants. F.B. 742, pp. 2, 4, 11. 1916.
See also Blister rust; Rust, currant.
spp., distribution in United States, maps. D.B. 957, pp. 5–11, 13, 14. 1922.
Crook National Forest, Ariz., map. For. Maps. 1925.
Crookedfoot horse, description, cause. B.A.I. [Misc.], "Diseases of the horse," rev., p. 373. 1903; rev., p. 373. 1907; rev., p. 373. 1911; rev., p. 399. 1923.
Crop (of fowl)—
avian, structure and function. B.A.I. Bul. 56, pp. 16–17, 1904.

Crop (of fowl)—Continued.
bound, poultry, cause, symptoms, and treatment. F.B. 287, rev., p. 36. 1921; F.B. 530, pp. 35–36. 1913; F.B. 957, pp. 46–47. 1918.
impaction, in turkey, cause, and control. F.B. 791, p. 26. 1917; F.B., 1409, p. 21. 1924.
poultry, food retention. B.A.I. Bul. 56, pp. 77–78. 1904.
Crop(s)—
abandoned lands of New York, early history. B.P.I., Cir. 64, pp. 5–6. 1910.
acclimatization investigations, aid to farmers. News L., vol. 1, No. 22, pp. 1–2. 1914.
acid—
land. D.B. 6, pp. 7–13. 1913.
soils, use of carbonates of calcium and magnesium. J.A.R., vol. 18, p. 121. 1919.
tolerant, value in utilization of acid lands. Frederick V. Colville. D.B. 6, pp. 13. 1913.
acreage—
1909–1919, by States. Y.B., 1919, pp. 726–727, 1920; Y.B. Sep. 830, pp. 726–727. 1920.
1909–1922. M.C. 6, p. 21. 1923.
1910, by States. D.B. 912, pp. 11, 12. 1920.
1915–1923. Y.B., 1923, p. 84. 1924.
1918, and effect of farm labor. News L., vol. 5, No. 35, p. 3. 1918.
1920. An. Rpts., 1920, p. 5. 1921; Sec. A.R., 1920, p. 5. 1920.
1924, and value. Off. Rec., vol. 3, No. 50, pp. 1, 5. 1924.
aerial photographs. Off. Rec., vol. 3, No. 49, p. 3. 1924.
and production—
1914–1919, and yields, 1919. An. Rpts., 1919, pp. 6–7. 1920; Sec. A.R., 1919, pp. 8–9. 1919; Y.B., 1919, pp. 10–13. 1920.
West Virginia, Point Pleasant area, 1900. Soil Sur. Adv. Sh., 1910, p. 14. 1911; Soils F.O., 1910, p. 1086. 1912.
principal countries of world, graphs. Y.B., 1916, pp. 532, 533, 537–547. 1917; Y.B. Sep. 713, pp. 2, 3, 7–17. 1917.
and value increase. Off. Rec. vol. 2, No. 50, p. 1. 1923.
and yields—
1914–1918, and exports, 1918. Sec. Cir. 125, pp. 3–6, 8. 1919.
1918, comparisons with previous years. Y.B., 1918, pp. 12, 14. 1919; Sec. A.R., 1918, pp. 5, 7. 1918; An. Rpts., 1918, pp. 5, 7. 1919.
average for various products in twenty-one regions, United States. D.B. 320, pp. 10–11. 1916.
in West Virginia, Preston County, 1880, 1890, 1900, 1910. Soil Sur. Adv. Sh., 1912, p. 15. 1914; Soils F.O., 1912, p. 1215. 1915.
in Wisconsin, Jefferson County, census, 1910. Soil Sur. Adv. Sh., 1912, pp. 11–12. 1914; Soils F.O., 1912, pp. 1561–1565. 1915.
in Wisconsin, Marinette County, 1885–1905. Soil Sur. Adv. Sh., 1909, p. 16. 1911; Soils F.O., 1909, p. 1244. 1912.
estimates, measuring instrument. B. A. E. Chief Rpt., 1923, pp. 16–17. 1923; An. Rpts., 1923, pp. 25, 146–147. 1923; Sec. A.R., 1923, p. 25. 1923.
foreign countries. News L., vol. 6, No. 45, p. 8. 1919.
in Georgia, Brooks County, 1880, 1890, 1900, 1910, census. Soil Sur. Adv. Sh., 1916, p.10. 1918; Soils F.O., 1916, p. 594. 1921.
in Southern States, 1918, increase. S.R.S. An. Rpt., 1918, p. 36. 1919.
increase—
1917, 1918. Sec. [Misc.], "The business of agriculture * * *," pp. 5–6, 28–29. 1918.
during war. S.R.S. An. Rpt., 1918, p. 76. 1919.
in 1923. Off. Rec. ,vol. 3, No. 6, p. 3. 1924.
in South. An. Rpts., 1918, p. 354. 1919; S.R.S. An. Rpt., 1918, p. 20. 1918.
production—
and exports, 1923, review statistics. An. Rpts., 1923, pp. 90–93. 1924; Sec. A.R., 1923, pp. 90–93. 1923.
and value in South Carolina, Richland County, 1909. Soil Sur. Adv. Sh., 1916, p. 13. 1918; Soils F.O., 1916, p. 529. 1921.

Crop(s)—Continued.
  acreage—continued.
    production—continued.
      and exports, 1925. Sec. A.R., 1925, pp. 102–105. 1925.
      and value, 1910–1921, 1919–1921. Y.B., 1921, pp. 71–73, 770–772. 1923; Y.B., Sep. 871, pp. 1–2. 1922; Y.B. Sep. 875, pp. 71–73. 1922.
      and value, 1920–1922, summary. Y.B., 1922, pp. 983–985. 1923; Y.B.,Sep. 887, pp. 983–985. 1923.
      and value, 1924. Y.B., 1924, 1101–1107. 1925.
      value and relative importance, by States, graphs and maps. Y.B., 1915, pp. 329, 336, 337, 340, 388. 1916; Y.B. Sep. 681, pp. 329, 336, 337, 340, 388. 1916.
      yield and value—
        1914. F.B. 645, pp. 22–36. 1914.
        Truckee-Carson project. W.I.A. Cir. 23, pp. 6–7. 1918.
  adaptability—
    Mani Island. Hawaii A.R., 1920, pp. 16–17. 1921.
    of Portsmouth sandy loam. Soils Cir. 24, pp. 7–9. 1911.
  adaptation—
    and yield. See Soil surveys for various States, counties, and areas.
    of systems to individual needs, in Arkansas, studies. F.B. 1000, pp. 4–5. 1918.
    relation to soil characters. D.B. 140, pp. 37–47. 1915.
    to alkali of different grades. F.B. 446, rev., pp. 11–13. 1920.
    to Carrington loam, studies. Soils Cir. 34, pp. 9–13. 1911.
    to Clyde loam. Soils Cir. 37, pp. 10–13. 1911.
    to Clyde soils. D.B. 141, p. 48. 1914.
    to Knox silt loam, yields, and rotations. Soils Cir. 33, pp. 10–14. 1911.
    to Miami clay loam. Soils Cir. 31, pp. 10–15. 1911.
    to Miami series of soils. D.B. 142, pp. 51–58. 1914.
    to Norfolk fine sand. Soils Cir. 23, pp. 9–14. 1911.
    to Norfolk sandy loam. Soils Cir. 22, pp. 8–13. 1911.
    to Penn loam, eastern United States. Soils Cir. 56, pp. 6, 7. 1912.
    to soil—
      provinces and series. Soils Bul. 55, pp. 84–205. 1909.
      Pliny's maxims. Soils Bul. 57, pp. 7–8. 1909.
      studies. Y.B., 1906, p. 184. 1907; Y.B. Sep. 415, p. 184. 1907.
    to Volusia loam, eastern United States. Soils Cir. 60, pp. 8–10. 1912.
  adjunct to berries. F.B. 1403, pp. 4, 5. 1924.
  advantages of early planting or sowing. News L., vol. 4, No. 37, p. 2. 1917.
  alkali—
    land, selection. Thomas H. Kearney. F.B. 446, pp. 32. 1911; F.B. 446, rev., pp. 32. 1920.
    resistance, cultivation. Soils Bul. 34, pp. 14–16. 1906.
    resistance, discussion and table. Soils Bul. 35, pp. 21–25, 39–42, 123. 1906.
  and—
    livestock estimates, 1910–1922. M.C. 6, pp. 30. 1923.
    market news, sources for potato growers. F.B. 1317, pp. 8–9, 34. 1923.
    soil data, preliminary, for cooperative study of available plant food. C. C. Moore. Chem. Cir. 11, pp. 9. 1903.
  annual—
    fall irrigation, experiments at Belle Fourche Farm, 1914–1916. W.I.A. Cir. 14, pp. 19–20. 1917.
    Palestine, valuable for United States. B.P.I. Bul. 180, pp. 28–33. 1910.
  areas—
    and yields on owner and tenant farms, Lenawee County, Mich. D.B. 492, pp. 8–9. 1918.
    distribution, relation to tenure conditions, Georgia farms. D.B. 492, pp. 24–27. 1917.

Crop(s)—Continued.
  areas—continued.
    yields, and value, 1914, with comparisons, 1912, 1913, estimates. F.B. 645, pp. 1–7, 22–44. 1914.
  bacterial activities of soil, studies. J.A.R., vol. 9, pp. 293–341. 1917.
  black-walnut timber. F.B. 1459, p. 1. 1925.
  bluegrass region, labor distribution. D.B. 482, pp. 9–10, 11. 1917.
  borax injury, symptoms. D.B. 1126, pp. 26–27. 1923.
  boron, effects and distribution in plants and soil in different parts of the United States. F. C. Cook and J. B. Wilson. J.A.R., vol. 13, pp. 451–470. 1918.
  breadstuffs and their relation to prices. Y.B., 1900, pp. 167–182. 1901.
  breeding investigations. An. Rpts., 1920, pp. 161–183. 1921.
  breeding, investigations program for 1915. Sec. [Misc.], "Program of work * * * 1915," pp. 94–96. 1914.
  Canadian, production, 1914, estimates. F.B. 641, pp. 23–24. 1914.
  cereal and forage, sewing and harvesting dates. Stat. [Misc.], "Dates of sowing * * *," pp. 7. 1911.
  cereal. See also Cereal crops; Specific crops.
  chemistry, investigations, 1924. Chem. Chief Rpt., 1924, pp. 3–4. 1924.
  chief, production, 1914. Y.B., 1914, p. 12. 1915.
  choosing for small vegetable garden. F.B. 818, pp. 8–9. 1917.
  combinations in—
    Corn Belt. Y.B., 1921, p. 176. 1922; Y.B. Sep. 872, p. 176. 1922.
    Cotton Belt. Y.B., 1921, pp. 343–346. 1922; Y.B. Sep. 877, pp. 343–346. 1922.
  comparisons, 1909, 1911–1913, estimates, by States. F.B. 575, pp. 32–33. 1914.
  competing with sugar beets, list and descriptions. D.B. 995, pp. 32–35. 1921.
  composite condition, monthly, 1910–1921. Y.B., 1922, p. 991. 1923; Y.B., Sep. 887, p. 991. 1923.
  conditions—
    Sept. 1, 1913, and 10-year average, by States. F.B. 558, p. 7. 1913.
    June 1, 1914. F.B. 604, pp. 1–8. 1914.
    July 1, 1914, general review, comparison for ten years. F.B. 611, pp. 2–3. 1914.
    Aug. 1, 1914, estimates, by States, tables. F.B. 615, pp. 1–14, 23–33. 1914.
    Sept. 1, 1914, yield, prices, estimate, with comparisons, by States. F.B. 620, pp. 2–7, 22–34. 1914.
    May 1, 1918, statement by Secretary Houston. News L., vol. 5, No. 42; pp. 6–7. 1918.
    July 1, 1919. News L. vol. 6, No. 51, p. 6. 1919.
  and weather, review for—
    1900. Y.B., 1900, p. 696. 1901.
    1901. Y.B., 1901, p. 641. 1902.
    1902. Y.B., 1902, p. 693. 1903.
    1903. Y.B., 1903, p. 526. 1904.
    1904. Y.B., 1904, p. 556. 1905.
    1905. Y.B., 1905, pp. 580–602. 1906; Y.B., Sep. 405, pp. 580–602. 1906.
    1906. Y.B, 1906; pp. 473–491. 1907.
    1907. Y.B., 1907, pp. 524–541. 1908.
  and yields, Belle Fourche, 1913. B.P.I. [Misc.], "Work of Belle Fourche * * *, 1913." p. 5. 1914.
  cotton, corn, and wheat regions, diagrams. F.B. 615, pp. 37–41. 1914.
  discussion. Off. Rec., vol. 3, No. 26, pp. 1–2. 1924.
  Florida and California, Nov. 1, 1914, with comparisons. F.B. 641, p. 6. 1914.
  for production. 1918. Y.B. 1918, pp. 434–435. 1919; Y.B. Sep. 771, pp. 4–5. 1919.
  forecasts and final estimates, 1911, 1912, 1913. An. Rpts., 1914, pp. 240–241. 1914; Stat. Chief Rpt., 1914, pp. 8–9. 1914.
  in Arizona, Yuma Experiment Farm, kind, yield, and value. W.I.A. Cir. 20, pp. 8–10. 1918.
  in Canada, 1914, estimates. F.B. 629, pp. 14–15. 1914.

Crop(s)—Continued.
　conditions—continued.
　　in Florida and California—
　　　1912, 1913, 1914. F.B. 611, p. 11. 1914.
　　　April 1, 1915, with comparisons. F.B. 672, p. 7. 1915.
　　in Montana, Huntley Reclamation Project—
　　　1913, acreage, yield, and farm values. B.P.I. [Misc.], "Work of the Huntley * * *, 1913," p. 3. 1914.
　　　1916, acreage, yield, values. W.I.A. Cir. 15, pp. 3-4. 1917.
　　　1918. D.C. 86, pp. 3-4, 8-18. 1920.
　　in Nebraska, Scottsbluff Experiment Farm, 1915. W.I.A. Cir. 11, pp. 4-5. 1916.
　　in South Dakota, Belle Fourche Experiment Farm—
　　　1915-16, acreage, production, yield, and value. W.I.A. Cir. 14, pp. 5-6. 1917.
　　　1918, acreage, yields and value. D.C. 60, pp. 5-6. 1919.
　judging, advice to crop reporters. News L., vol. 2, No. 49, p. 6. 1915.
　knowledge necessary for economical handling. B.P.I. Cir. 118, pp. 6-7. 1913.
　reports, estimation methods and basis. F.B. 598, pp. 13-14. 1914.
　reports, forecasts and final estimates, discussion. Stat. Cir. 17, rev., pp. 20-26. 1915.
　statistics, official interpretation. An. Rpts., 1911, pp. 639-640. 1912; Stat. Chief Rpt., 1911, pp. 3-4. 1911.
　variations, 1918. News L., vol. 6, No. 24, p. 14. 1919.
　contracts, laws governing and court decisions. O.B. 1106, pp. 23-24. 1922.
　conversion into meat, etc., important function of livestock. Y.B. 1916, pp. 468-469, 474. 1917; Y.B. Sep. 694, pp. 2-3, 8. 1917.
　cooperative work of county agents, 1915. S.R.S. Doc. 32, pp. 12-14, 18-19. 1917.
　cost(s)—
　　and sale prices. Off. Rec. vol. 4, No. 26, p. 3. 1925.
　　factors controlling, on North Dakota farms. D.B. 757, pp. 10-24, 33-35. 1919.
　　of hauling from farms to shipping points. Frank Andrews. Stat. Bul. 49, pp. 63. 1907.
　　of production—
　　　1920. Y.B. 1921, p. 4. 1922; Y.B. Sep. 875, p. 4. 1922.
　　　1921 and marketing, studies. Y.B. 1921, p. 28. 1922; Y.B. Sep. 875, p. 28. 1922.
　　　1922. An. Rpts., 1923, pp. 142-143. 1923; B.A.E. Chief Rpt., 1923, pp. 12-13. 1923.
　　in Minnesota, 1902-1907. Edward C. Parker and Thomas P. Cooper. Stat. Bul. 73, pp. 69. 1909.
　cotton farm, cost and value of production in 1908. F.B. 364, pp. 18-19. 1909.
　cover. See Cover crops.
　crews and machinery, duty in production, various crops. D.B. 528, pp. 11-20. 1917.
　cultivation, time, and methods. News L., vol. 5, No. 38, p. 3. 1918.
　cultural methods—
　　investigations at Edgeley, North Dakota. John S. Cole. D.B. 991, pp. 24. 1921.
　　See Soil surveys for various States, counties, and areas.
　damage—
　　by—
　　　birds. Biol. Chief Rpt., 1921, pp. 13-14. 1921.
　　　field mice. Biol. Bul. 31, pp. 22-24, 30-37. 1907.
　　　wind, control by windbreaks. For. Bul. 86, p. 41. 1911.
　　causes, and percentage in North Dakota. McHenry County. Soil Sur. Adv. Sh., 1921, pp. 932-933. 1925.
　　from weather, in world countries, annual. News L., vol. 1, No. 19, p. 4. 1913.
　data from several regions. D.B. 1338, pp. 4-5. 1925.
　demand for increased production in 1918. Sec. Cir. 103, pp. 3-5. 1918.
　demonstration work—
　　by county agents in South. D.C. 248, pp. 18-20. 1922.

Crop(s)—Continued.
　demonstration work—continued.
　　in Southern States, 1922. D.C. 316, p. 37. 1924.
　　North and West, 1916. S.R.S. Rpt., 1916, Pt. II, p. 156. 1917.
　　results. D.C. 312, pp. 16-20. 1924.
　destruction by—
　　crawfish. Y.B., 1911, pp. 321-324. 1912; Y.B. Sep. 571, pp. 321-324. 1912.
　　rodents. Y.B., 1916, pp. 383, 384, 388, 391, 393. 1917; Y.B. Sep. 708, pp. 3, 4, 8, 11, 13. 1917.
　development by breeding and selection. An. Rpts., 1906, pp. 43-44. 1907; Y.B., 1906, pp. 50-52. 1907; Sec. A.R., 1906, pp. 43-44. 1906; Rpt. 83, pp. 37-38. 1906.
　disease—
　　and insect-resistant. F.B. 259, pp. 15-16. 1906.
　　resistant, development. W. A. Orton. Y.B. 1908, pp. 453-464. 1909; Y.B. Sep. 494, pp. 453-464. 1909.
　disposal—
　　economics. B.P.I. Cir. 118, pp. 3-10. 1913.
　　in irrigated regions, need of cooperation. Y.B., 1916, p. 179. 1917; Y.B. Sep. 690, p. 3. 1917.
　distribution—
　　and value by types of tenure and farming. D.B. 411, pp. 4-5. 1916.
　　need of more uniformity. B.P.I. Cir. 118, pp. 4-6. 1913.
　diversification—
　　and yields, owner and tenant farms. Y.B., 1923, pp. 573-575. 1924; Y.B. Sep. 897, pp. 573-575. 1924.
　　definition and description. News L., vol. 2, No. 41, p. 6. 1915.
　　demonstration work in South. An. Rpts., 1910, pp. 336-337. 1911; B.P.I. Chief Rpt., 1910, pp. 66-67. 1910.
　　essential to sustained productivity. Y.B., 1911, pp. 376-379, 380. 1912; Y.B. Sep. 576, pp. 376-379, 380. 1912.
　　experiments, for successful New York farm. D.B. 32, pp. 7-8, 23. 1913.
　　importance in citrus-fruit region. F.B. 1122, pp. 4-5. 1920; F.B. 1343, pp. 2, 3, 4. 1923.
　　in—
　　　Georgia, Sumter County. D.B. 1034, pp. 46-50. 1922.
　　　South, acreage. Y.B., 1921, pp. 336-338, 366, 367. 1922. Y.B. Sep. 877, pp. 336-338, 366, 367. 1922.
　　　Southern States, result of boll-weevil losses. F.B. 848, p. 7. 1917; Ent. Bul. 114, pp. 26-27. 1912.
　　necessity for cotton growers, studies. News L., vol. 2, No. 49, pp. 1-2. 1915; News L., vol. 3, No. 29, pp. 3-4. 1916.
　　need, in Alabama, Tuscaloosa County. Soil Sur. Adv. Sh., 1911, p. 14. 1912; Soils F.O., 1911, p. 942. 1914.
　　relation to profitable farming, bluegrass region. D.B. 482, pp. 24-25. 1917.
　　sea-island cotton growing, systems and results. F.B. 787, pp. 9-12. 1916.
　　value for control of sugar-cane insects. Ent. Bul. 93, p. 26. 1911.
　diversified, growing in Louisiana, East Feliciana Parish. Soil Sur. Adv. Sh., 1912, pp. 12-17. 1913; Soils F.O., 1912, pp. 976-981. 1915.
　division with croppers and tenants in soy-bean growing. F.B. 931, p. 22. 1918.
　dodder-infested, mowing, grazing, burning, and plowing under. F.B. 1161, pp. 16-19. 1921.
　dry farming, studies. F.B. 329, pp. 11-14. 1908; B.P.I. Bul. 103, pp. 27-31. 1907.
　dry-land—
　　experiments and studies. Sec. A.R., 1909, pp. 65-68. 1909; Y.B., 1909, pp. 65-68. 1910.
　　growing, experiments, and yields. D.C. 339, pp. 26-31. 1925.
　　pasturing with hogs, experiments, and varieties. D.C. 204, pp. 17-20. 1921.
　　water economy. Thos. H. Kearney and H. L. Shantz. Y.B., 1911, pp. 351-362. 1912; Y.B. Sep. 574, pp. 351-362. 1912.
　early planting, importance in irrigation project. B.P.I. Cir. 83, pp. 5-6. 1911.
　economics, various sections, investigations. An. Rpts., 1918, pp. 493-494. 1919; Farm M. Chief Rpt., 1918, pp. 3-4. 1918.

Crop(s)—Continued.
  effect(s)—
    of—
      alkali. Soils B il. 34, pp. 9–10. 1906.
      manganese, experiments at Arlington Farm, 1907–1912, 1913–1915. D.B. 441, pp. 2–4, 6–9. 1916.
    on changes in soil extract. J.A.R., vol. 12, pp. 311–368. 1918.
    on the yields of succeeding crops in the rotation, with special reference to tobacco. W. W. Garner and others. J.A.R., vol. 30, pp. 1095–1132. 1925.
    on water extract of silty clay loam soil. G. R. Stewart and J. C. Martin. J.A.R., vol. 20, pp. 663–667. 1921.
  emergency, Mississippi Valley, overflowed lands. Bradford Knapp. B.P.I. Doc. 756, pp. 8. 1912.
  establishment in cotton region, efforts. Y.B., 1917, pp. 304–305. 1918; Y.B. Sep. 744, pp. 4–5. 1918.
  estimate(s)—
    accuracy studies, object lesson. News L., vol. 2, No. 38, p. 3. 1915.
    aid in prevention of speculation. News L., vol. 2, No. 24, pp. 2–3. 1915.
    bases, methods, and accuracy. Stat. Cir. 17, rev., pp. 8, 17–27. 1915.
    boll-weevil inquiry. Off. Rec., vol. 2, No. 49, p. 6. 1923.
    cooperation in various States, and value. News L., vol. 5, No. 45, p. 7. 1918.
    field reports, issuance. News L., vol. 6, No. 21, p. 10. 1918.
    for—
      1910–1919, summary. Stat. [Misc.], "Crop estimates * * *," pp. 28. 1920.
      1910–1922, and livestock. M.C. 6, pp. 30. 1923.
      1917. Y.B., 1917, pp. 45–46. 1918.
      cranberries. F.B. 1402, pp. 27–28. 1924.
    improvement. Off. Rec., vol. 3, No. 3, p. 5. 1924.
    meaning of term "usual acreage." News L., vol. 4, No. 36, p. 5. 1917.
    pre-war, in Germany. A. E. Taylor. Y.B., 1919, pp. 61–68. 1920; Y.B., Sep. 801, pp. 61–68. 1920.
    rain probabilities as basis. News L., vol. 2, No. 1, p. 2. 1914.
    records in fruit-shipping business, use and forms. D.B. 590, pp. 5, 12, 35. 1918.
    reporting, improvement in organization, suggestions. An. Rpts., 1915, pp. 280–281. 1916; Crop Est. Chief Rpt., 1915, pp. 6–7. 1915.
  estimating—
    for 1925. M.C. 38, pp. 1–24. 1925.
    scope, and methods. News L., vol. 2, No. 23, p. 4. 1915.
    special work, appropriation. News L., vol. 5, No. 41, p. 1. 1918.
  European—
    acre value. Stat. Bul. 68, pp. 23–25. 1908.
    forecasts, 1924. Off. Rec., vol. 3, No. 26, p. 3. 1924.
  evaporation losses in irrigation and water requirements. Samuel Fortier. O.E.S. Bul. 177, pp. 64. 1907.
  experiments, Klamath Marsh Experiment Farm, preliminary report. B.P.I. Cir. 86, pp. 6–9. 1911.
  export movement—
    1905. Pub. [Misc.], "Crop export movement," p. 1. 1905.
    and port facilities on the Atlantic and Gulf coasts. Frank Andrews. Stat. Bul. 38, pp. 80. 1905.
  extension—
    areas. An. Rpts., 1916, pp. 24–26, 147–150. 1917; B.P.I. Chief Rpt., 1916, pp. 11–14. 1917; Sec. A.R., 1916, pp. 26–28. 1916.
    work in North and West, demonstrations. An. Rpts., 1917, pp. 347–348. 1918; S.R.S. An. Rpt., 1917, pp. 25–26. 1917.
  failure of 1898, advance effects. Y.B., 1900, p. 178. 1901.
  fall irrigation, experiments at Scottsbluff Reclamation Project Experiment Farm. Fritz Knorr. D.B. 133, pp. 17. 1914.

Crop(s)—Continued.
  fall-sown, suggestions, with notes on livestock situation, September, 1919. Sec. Cir. 142, pp. 27. 1919.
  feed, consumption on farms. Y.B., 1919, pp. 729–730. 1920; Y.B. Sep. 830, pp. 729–730. 1920.
  feeding to livestock, 1923. Off. Rec., vol. 3, No. 11, p. 1. 1924.
  fertility-rotation experiments in Hawaii. Hawaii A.R., 1920, pp. 32, 34, 64. 1921.
  fertilizers. A. F. Woods and R. E. B. McKenney. Y.B., 1902, pp. 553–572. 1903; Y.B. Sep. 290, pp. 19. 1903.
  fertilizing, farm practice in South Atlantic States, suggestions. F.B. 398, pp. 11–24. 1910.
  fiber, value and acreage. Y.B., 1923, p. 316. 1924; Y.B. Sep. 895, p. 316. 1924.
  field. See Field crops; See also specific crops.
  food, production, increased acreage, and changes. An. Rpts., 1916, pp. 23–31. 1917; Sec. A.R., 1916, pp. 25–33. 1916; Y.B., 1916, pp. 32–38. 1917.
  food, value and acreage. Y.B., 1923, p. 316. 1924; Y.B. Sep. 895, p. 316. 1925.
  for—
    southern farms, corn. S. A. Knapp. B.P.I. Doc. 632, pp. 7. 1910.
    the South, suggestions. B.P.I. Doc. 485, pp. 1–3. 1909.
    wet alkali lands. F.B. 446, rev., p. 17. 1920.
  forage. See Forage crops.
  forecasts—
    considerations. Y.B., 1923, pp. 21–22. 1924.
    importance to producers. Y.B., 1918, pp. 277–278. 1919; Y.B. Sep. 768, pp. 3–4. 1919.
  foreign—
    May, 1911. Charles M. Daugherty. Stat. Cir. 19, pp. 12. 1911.
    June, 1911. Charles M. Daugherty. Stat. Cir. 20, pp. 13. 1911.
    July, 1911. Charles M. Daugherty. Stat. Cir. 21, pp. 15. 1911.
    August, 1911. Charles M. Daugherty. Stat. Cir. 23, pp. 14. 1911.
    September, 1911. Charles M. Daugherty. Stat. Cir. 24, pp. 15. 1911.
    October, 1911. Charles M. Daugherty. Stat. Cir. 25, pp. 16. 1911.
    November, December, 1911. Charles M. Daugherty. Stat. Cir. 26, pp. 16. 1912.
    January, 1912. Charles M. Daugherty. Stat. Cir. 28, pp. 16. 1912.
    March, 1912. (Argentina.) Charles M. Daugherty. Stat. Cir. 30, pp. 12. 1912.
    May–June, 1912. Charles M. Daugherty. Stat. Cir. 37, pp. 19. 1912.
    July, 1912. Charles M. Daugherty. Stat. Cir. 39, pp. 15. 1912.
    March–April, 1913. Charles M. Daugherty. Stat. Cir. 47, pp. 27. 1913.
    conditions and estimates, reports. 1923. B.A. E. Chief Rpt., 1923, p. 5–8. 1923; An. Rpts., 1923, pp. 21, 188. 1924; Sec. A.R., 1923, p. 21. 1923.
    forecasts. Off. Rec., vol. 2, No. 31, p. 3. 1923.
    statistics, handbook. D.B. 987, pp. 1–69. 1921.
    foreign summary, cereals, 1907–1911 and flaxseed, 1908–1910, statistics. Charles M. Daugherty. Stat. Cir. 29, pp. 18. 1912.
  garden—
    and field, experiments in Guam. O.E.S. An. Rpt., 1907, pp. 408–410. 1908.
    cultivation methods and tools. F.B. 937, pp. 24–25. 1918.
    destruction by rabbit in Texas. N.A. Fauna 25, pp. 152. 1905.
    injury by pocket mice in Texas. N.A. Fauna 25, pp. 137, 143. 1905.
  germination and growth, effect of alkali salts in soils. J.A.R., vol. 5, No. 1, pp. 1–53. 1915.
  grazing, for hogs, season and carrying capacity per acre. F.B. 985, pp. 7, 9, 10, 12–24, 25, 27–28. 1918.
  green feed, dairy farms. F.B. 337, pp. 16, 18, 22. 1908.
  green, turning under, feeding, or selling, comparison. F.B. 1250, pp. 15–18. 1922.
  growing—
    between pear trees. F.B. 482, p. 15. 1912.

INDEX TO PUBLICATIONS, 1901–1925   671

Crop(s)—Continued.
   growing—continued.
      demonstrations in South, results. S.R.S. An.
         Rpt., 1921, pp. 4, 30, 37. 1921.
      estimates of acreage condition, and yield. An.
         Rpts., 1916, pp. 279–280. 1917; Crop Est.
         Chief Rpt., 1916, pp. 3–4. 1916.
      estimating costs, methods. D.B. 1000, pp. 3,
         51–53. 1921.
      farming types, description, requirements, and
         possibilities. Y.B., 1908, pp. 353–359. 1909;
         Y.B. Sep. 487, pp. 353–359. 1909.
      in Alaska—
         1919. Alaska A. R., 1919, pp. 10–14, 20–29,
            32–52, 56–60, 68–80. 1920.
         1920, at Kodiak station. Alaska A.R., 1920,
            pp. 59–60. 1922.
      in Arizona, Yuma Reclamation Project Experiment Farm—
         1912. B.P.I. Cir. 126, pp. 19–25. 1913.
         1916. W.I.A. Cir. 20, pp. 13–31. 1918.
         1918. D.C. 75, pp. 15–19, 25–64. 1920.
         varieties, yields, and farm value, 1919–1920,
            1911–1920. D.C. 221, pp. 7–11. 1922.
      in California—
         Pomona Valley. O.E.S. Bul. 236, pp. 14–17.
            1911.
         Yuma Experiment Farm. W.I.A. Cir. 12,
            pp. 8–15. 1916.
      in Chile, kinds. D.C. 228, p. 35. 1922.
      in frames, kinds recommended. F.B. 460,
         pp. 19–25. 1911.
      in Marshall silt loam, yields and rotations.
         Soils Cir. 32, pp. 10–15. 1911.
      in moister portions of Washington, Oregon, and
         Idaho, methods. Lee W. Fluharty. D.B.
         625, pp. 12. 1918.
      in Montana, Huntley Reclamation Project
         Experiment Farm—
         1914, acreage, yields, and values. W.I.A.
            Cir. 2, pp. 3–4. 1915.
         1915, acreage, yield, and value. W.I.A. Cir.
            8, pp. 3–4. 1916.
         1917, acreage, yield, and value. W.I.A. Cir.
            22, pp. 6–7. 1918.
         1922, acreage and yields. D.C. 275, pp. 3–5.
            1923.
         1924, conditions. D.C. 330, p. 3. 1925.
      in Nebraska, North Platte reclamation project—
         1918–19, acreage, yields, and values. D.C.
            173, pp. 7–10. 1921.
         1920–21. D.C. 289, pp. 1–5. 1924.
      in Nebraska, Scottsbluff experiment farm,
         1913, yield. B.P.I. [Misc.], "Work of the
         Scottsbluff * * * 1913," pp. 3–18. 1914.
      in Nevada, Truckee-Carson experiment farm—
         1914, acreage, yields, and values. W.I.A.
            Cir. 3, pp. 3–5. 1915.
         1915, cooperative work. W.I.A. Cir. 13, pp.
            14. 1916.
      in peach orchards. F.B. 632, pp. 18–19. 1915;
         F.B. 917, pp. 39–40. 1918.
      in Pennsylvania, Chester County, importance
         and areas of various kinds. D.B. 341, pp.
         17–18, 20. 1916.
      in southern New Jersey, relation to soils. D.B.
         677, pp. 20–25, 30–32, 38–42, 51–52, 61–65.
         1918.
      periods in different sections. Stat. Bul. 85,
         pp. 131–152. 1912.
      seasons, average number of days without frost,
         maps. Atl. Am. Agr., Adv. Sh. Pt. II,
         sec. 1, pp. 10–12. 1918.
      under glass. B. T. Galloway. Y.B., 1904, pp.
         161–169. 1905; Y.B. Sep. 340, pp. 161–169
         1905.
      with fertilizers containing borax, experiments.
         J.A.R., vol. 23, pp. 433–434. 1923.
      See Soil surveys for various States, counties, and
         areas.
   growth—
      and absorption, effect of creatinine. Soils Bul.
         83, pp. 33–44. 1911.
      effect on physical state of soil. D. R. Hoagland
         and J. C. Martin. J.A.R., vol. 20, 397–404.
         1920.
      relation to day's length, studies. Y.B., 1922,
         p. 26, 1923; Y.B. Sep. 883, p. 26. 1923.
   grub-resistant, planting time, list. News L.,
      vol. 5, No. 48, p. 9. 1918.

Crop(s)—Continued.
   hail insurance. V. N. Valgren. D.B. 912, pp.
      32. 1920.
   handling—
      and standardization. An. Rpts., 1916, pp.
         152–154. 1917; B.P.I. Chief Rpt., 1916, pp.
         16–18. 1916.
      methods, California sugar-beet areas, variations. D.B. 760, pp. 33–36. 1919.
      value of Government crop reports. Sec. Cir.
         152, pp. 3–4. 1920.
   harvested, acreage by States. Y.B., 1923, p. 422.
      1924; Y.B. Sep. 896, p. 422. 1924.
   harvesting—
      dates. Y.B., 1922, p. 988. 1923; Y.B. Sep.
         887, p. 988. 1923.
      duty of city men to help on farms, address of
         Assistant Secretary Ousley. News L., vol.
         5, No. 48, pp. 1, 2. 1918.
      with livestock, experiments. D.C. 339, pp.
         33–36. 1925.
      with livestock for saving farm labor. J. A.
         Drake. F.B. 1008, pp. 16. 1918.
   hauling—
      from farms to shipping points, costs. Frank
         Andrews. S.B. 49, pp. 63. 1907.
      to market, day's work. D.B. 3, pp. 40–42.
         1913.
   hog forage, Kansas and Oklahoma. C. E. Quinn.
      B.P.I. Bul. 111, pp. 31–50. 1907; F. B. 331, pp.
      24. 1908.
   hogging down—
      advantages. F.B., 1922, pp. 182, 205. 1923;
         Y.B. Sep. 882, pp. 182, 205. 1923.
      labor-saving farm system for Corn Belt. J. A.
         Drake. F.B. 614, pp. 16. 1914.
   home gardens, cost and value, suggestions. F.B.
      936, pp. 7–10. 1918.
   horse-power cost per hour and per acre, on Corn-
      Belt farms. F.B. 1298, pp. 13–14. 1922.
   horticultural, tests in Nevada, Newlands experiment farm, 1919. D.C. 136, pp. 13–16. 1920.
   immunity to—
      alkali injury, list. J.A.R., vol. 5, No. 1, pp.
         3, 4. 1915.
      root knot, list. F.B. 333, p. 21. 1908.
      root knot, use in disease control. B.P.I.Bul.
         217, pp. 65–66. 1911.
   important—
      comparison. Y. B., 1921, pp. 79, 163–164, 432.
         1922; Y.B. Sep. 873, p. 79. 1922; Y.B. Sep.
         872, pp. 163–164. 1922; Y. B. Sep. 878, p. 26.
         1922.
      production in various States, 1914, estimates.
         F.B. 645, pp. 5, 45. 1914.
   improvement—
      by breeding and selection. Rpt. 87, p. 29.
         1908; Y.B., 1908, p. 53. 1909.
      fundamentals. Walter T. Swingle. B.P.I.
         Cir. 116, pp. 3–10. 1913.
      importance to durum-wheat industry. F.B.
         534, p. 16. 1913.
      studies by experiment stations, results. Work
         and Exp., 1921, pp. 39–41. 1923.
   improving and increasing. H. J. Patterson.
      O.E.S. Bul. 182, pp. 62–64. 1907.
   in Alabama, diversification farm, cost and yield
      per acre, 1904, 1905, 1906. F.B. 310, pp. 14, 18,
      21. 1907.
   in Alaska—
      possibilities and failures. Alaska Cir. 1, rev.,
         pp. 12–14. 1923.
      report from Tanana Valley. Off. Rec., vol. 1,
         No. 13, p. 2. 1922.
   in Arkansas—
      labor requirements. A. D. McNair. D.B.
         1181, pp. 63. 1924.
      systems, summary, with acreages for various
         soils. F.B. 1000, pp. 5–19. 1918.
      yields per acre, estimates. D.B. 1181, pp. 5–6.
         1924.
   in Austria, statistics, pre-war and 1919–1921.
      D.B. 1234, pp. 47–61. 1924.
   in California—
      Modesto and Turlock districts. O.E.S. Bul.
         158, pp. 116–118. 1905.
      sugar-beet area, acreage and yields per acre.
         D.B. 760, pp. 9–11. 1919.

Crop(s) -Continued.
in Georgia—
Coastal Plain, labor per acre. D.B. 1292, pp. 4-6. 1925.
Sumter County, acreage and yield. D.B. 492, p. 25. 1917; D.B. 1034, pp. 11-21. 1922.
in Great Plains area, cultural practice and yields. D.B. 268, pp. 1-28. 1915.
in Idaho—
irrigation experiments. O.E.S. Cir. 65, pp. 11-15. 1906.
water requirements. D.B. 339, pp. 10-42. 1916.
in Minnesota, changes since 1870. D.B. 1271, pp. 6-8. 1924.
in Mississippi, Bolivar County. O.E.S. Cir. 81, p. 9. 1909.
in Montana—
injury by mammals. F.B. 484, pp. 12-14, 22, 25, 26, 28, 32-34, 37-38, 41-42. 1912.
irrigation. O.E.S. Bul. 172, pp. 48-56, 65-69. 1906.
in North Dakota, yields and factors affecting. D.B. 757, pp. 27-33. 1919.
in Ohio, sales, 1912-1916. D.B. 716, p. 33. 1918.
in Porto Rico—
experiments. O.E.S. Bul. 171, pp. 8-18. 1905.
grown on red-clay soil. P.R. Bul. 14, p. 6. 1914.
in South Carolina, Anderson County, description and value, list. D.B. 651, p. 31. 1918.
in Southern States, acreage, 1916, 1917, and value, 1911-1917. S.R.S. Doc. 82, p. 7. 1918.
in Texas—
1907, acreage and production. O.E.S. Bul. 222, p. 13. 1910.
acreage, needs, and profits on cotton farms. D.B. 659, pp. 40-45. 1918.
destruction by rats. N.A. Fauna 25, pp. 92, 112, 114-118. 1905.
injury by gophers. N.A. Fauna 25, pp. 128, 132. 1905.
production under irrigation and nonirrigation. O.E.S. Bul. 158, pp. 333-334. 1905.
in United States, 1913, estimates and comparison with other years. F.B. 575, pp. 29-33, 40-43. 1914.
in Virgin Islands, experiments and results. Vir. Is. A.R., 1919, pp. 7-16. 1920.
in Washington on logged-off lands, yields and value, 1915-1921. D.B. 1236, pp. 10-12, 13. 1924.
in Western States, extension programs, report of committee. D.C. 335, pp. 7-14. 1924.
in world countries, other than grain, statistics, 1919. Y.B., 1919, pp. 568, 576, 589, 596, 609, 613, 614, 617, 620, 631. 1920; Y.B. Sep. 827, pp. 568, 576, 589, 596, 609, 614, 617, 620, 631. 1920.
in Wyoming, irrigated lands. O.E.S. Bul. 205, pp. 23-27. 1909.
increase in Florida. News L., vol. 6, No. 31, pp. 11-12. 1919.
increase, pledge of seed men, and reply of Assistant Secretary Ousley. News L., vol. 5, No. 52, p. 12. 1918.
increased production per acre, 1896-1908. Rpt. 87, pp. 95-96. 1908.
index, definition. Sec. Cir. 57, p. 2. 1916.
indicator, value of natural vegetation. An. Rpts., 1918, p. 159. 1919; B.P.I. Chief Rpt., 1918, p. 25. 1918.
influence of—
environment, studies, program, 1915. Sec. [Misc.], "Program of work * * *, 1915," pp. 181-182, 184. 1914.
weather conditions. F.B. 560, pp. 16-17. 1913.
injurious effects of acid in soil. D.B. 6, pp. 5-6. 1913.
injury by—
Argentine ants. F.B. 1101, p. 4. 1920.
blister beetles. D.B. 967, p. 3. 1921.
borax in fertilizers. Oswald Schreiner and others. D.C. 84, pp. 35. 1920.
chinch bug. F.B. 1223, p. 4. 1922.
corn borer. F.B. 1294, pp. 4-18, 21. 1922.
ground squirrels, Texas. N.A. Fauna 25, pp. 85, 86. 1905.
leaf hoppers. Ent. Bul. 108, pp. 13-16, 38-41. 1912.

Crop(s)—Continued.
injury by—continued.
lesser corn stalk borer. D.B. 539, pp. 5-8. 1917.
muskrats. F.B. 869, pp. 8-9. 1917.
rabbits. Y.B., 1907, pp. 331-332. 1908; Y.B. Sep. 452, pp. 331-332. 1908.
sapping of windbreaks, effects and remedies. For. Bul. 86, pp. 37-38. 1911.
shading, and remedies in planting windbreaks. For. Bul. 86, pp. 27-32. 1911.
smelter wastes. Chem. Bul. 113, rev., pp. 23, 32-36, 45-57. 1910.
southern corn leaf beetle, list. D.B. 221, pp. 8-9. 1915.
white grubs. F.B. 543, pp. 6, 10, 11, 17, 19. 1913.
woodchucks. N.A. Fauna 37, pp. 12-14. 1915.
insurance—
bureau, concurrent resolution. Off. Rec. vol. 1, No. 15, p. 2. 1922.
commission to investigate, bill. Off. Rec., vol. 1, No. 30, p. 1. 1922.
discussion by Secretary. B.A.E. Chief Rpt., 1923, p. 49. 1923; An. Rpts., 1923, pp. 37, 197. 1924; Sec. A.R., 1923, p. 37. 1923.
feasibility, discussion. Off. Rec., vol. 2, No. 28, pp. 1-2. 1923.
risks, losses, and principles of protection. V. N. Valgren. D.B. 1043, pp. 27. 1922.
intensive and extensive muck lands, requirements. F.B. 761, pp. 4-21. 1916.
interplanted—
for cherry orchards. F.B. 776, pp. 15-16. 1916.
Georgia, Sumter County, acreage, and uses. D.B. 1034, pp 16-17. 1922.
intertilled—
growing for control of wild oats. F.B. 833, pp. 15, 16. 1917.
in orchards, in Washington, Stevens County. Soil Sur. Adv. Sh., 1913, pp. 31-32, 70. 1915; Soils F.O., 1913, pp. 2189-2190, 2228. 1916.
proportion per 100 acres. News L., vol. 4, No. 9, p. 5. 1916.
relative area, influence on crop yield. D. A. Brodie. Sec. Cir. 57, pp. 8. 1916.
seeding to crimson clover, value. F.B. 1142, pp. 6-7, 14. 1920.
use in eradication of Bermuda grass. F.B. 945, p. 10. 1918.
investigations and experiments. An. Rpts., 1914, pp. 112-117. 1914; B.P.I. Chief Rpt., 1914, pp. 12-17. 1914.
irrigated—
cost per acre, Colorado. O.E.S. Bul. 218, pp. 40-44. 1910.
disposal by hog feeding, experiment methods. D.B. 488, pp. 2-3. 1917.
disposal by use of hogs, experiments. James A. Holden. D.B. 488, pp. 25. 1917.
experiments on Belle Fourche project, 1913. B.P.I. [Misc.], "The work of the Belle Fourche * * *, 1913," pp. 5-14. 1914.
farms, utilization by livestock. D.C. 339, pp. 31-33. 1925.
field, rotation experiments, Belle Fourche farm, 1916. W.I.A. Cir. 14, pp. 12-19. 1917.
in Kansas. O.E.S. Bul. 211, pp. 12-13, 22, 24. 1909.
in Kansas, yield and value. O.E.S. Bul. 158, pp. 573-574, 579-583, 593-594. 1905.
in Montana—
Huntley Experiment Farm, 1913. B.P.I. [Misc.], "Work of the Huntley * * * 1913," pp. 4-10. 1914.
Huntley Experiment Farm, 1915. W.I.A. Cir. 8, pp. 5-11. 1916.
yields, 1911 and 1912. B.P.I. Cir. 121, pp. 22-26. 1913.
in Nebraska—
experiments and yields. W.I.A. Cir. 6, pp. 5-19. 1915.
hints to settlers. B.P.I. Doc. 454, pp. 1-4. 1909.
in North Dakota. B.P.I. Doc. 455, pp. 1-4. 1909.
in South Dakota, yield per acre. O.E.S. Bul. 210, pp. 25-27. 1909.
in Washington. O.E.S. Bul. 214, pp. 18-23, 43. 1909.

Crop(s)—Continued.
 irrigated—continued.
  quantity of water used. O.E.S. An. Rpt., 1908, p. 370. 1908.
  rotation(s)—
   1921. B.P.I. Chief Rpt. 1921, pp. 44-45. 1921.
   and yields, South Dakota. W.I.A., Cir. 24, pp. 10-17. 1918.
   experiments and yields, Huntley experiment farm. D.C. 86, pp. 8-12. 1920.
   in Nebraska, Scottsbluff Experiment Farm. W.I.A. Cir. 11, pp. 9-11. 1916.
   in South Dakota, Belle Fourche experiment farm. 1915. W.I.A. Cir. 9, pp. 6-11. 1916.
   in South Dakota. Belle Fourche experiment farm, 1918. D.C. 60, pp. 9-12. 1919.
  soil moisture studies. J.A.R. vol. 10, pp. 117-125, 151. 1917.
  sustaining production, prospects, discussion. Y.B. 1911, pp. 377-380. 1912; Y.B. Sep. 576, pp. 377-380. 1912.
  use of hogs in disposal. James A. Holden. D.B. 488, pp. 25. 1917.
  utilization—
   1919. An. Rpts., 1919, pp. 160-161. 1920; B.P.I. Chief Rpt., 1919, pp. 24-25. 1919.
   for hog pasturing. F. D. Farrell. D.B. 752, pp. 37. 1919.
  value comparison. News L., vol. 6, No. 32, p. 10. 1919.
  variety testing and yields, Scottsbluff, Nebraska. B.P.I. Cir. 116, pp. 14-20. 1913.
  yields—
   effect of alfalfa. C. S. Schofield. D.B. 881, pp. 13. 1920.
   effect of farm manure. J.A.R., vol. 15, pp. 493-503. 1918.
   on Belle Fourche Experiment Farm. D.C. 339, pp. 12-21. 1925.
 irrigation—
  by windmill, value grown on two acres. F.B. 394, p. 36. 1910.
  fall, experiments at Scottsbluff Reclamation Project Experiment Farm. Fritz Knorr. D.B. 133, pp. 17. 1914.
  methods. Samuel Fortier. Y.B. 1909, pp. 293-308. 1910; Y.B. Sep. 514, pp. 293-308. 1910.
  selection and need of rotation. Y.B., 1909, pp. 201-202. 1910; Y.B. Sep. 505, pp. 201-202. 1910.
  water requirements. O.E.S. Bul. 177, p. 64. 1907.
 judging contests for club members in Guam. Guam A.R., 1921, p. 36. 1923.
 labor—
  hours, variation of systems. Y.B., 1913, pp. 99-100. 1914; Y.B. Sep. 617, pp. 99-100. 1914.
  requirements, man and horse. D.B. 582, pp. 18, 22-23. 1918.
 Lake States, cut-over lands, area percentage. D.B. 425, pp. 6-7. 1916.
 lands—
  area extension. Off. Rec., vol. 3, No. 26, p. 5. 1924.
  increase by plowing pastures, 1914-1918. Y.B., 1918, p. 439. 1919; Y.B. Sep. 771, p. 9. 1919.
 organization—
  acreage per mule, etc., efficiency test. Farm M. Cir. 3, pp. 14-19. 1919.
  for profitable production, testing. D.C. 83, pp. 10-14. 1920.
 utilization, and for pasture and forests. L. C. Gray and others. Y.B., 1923, pp. 415-506. 1924; Y.B. Sep. 896, pp. 415-506. 1924.
 leguminous—
  composition, effect of inoculation. F.B. 315, pp. 10-12. 1908.
  for—
   Guam. Glen Briggs. Guam Bul. 4, pp. 29. 1922.
   Hawaii. F. G. Krauss. Hawaii Bul. 23, pp. 31. 1911.
  green-manure, list. F.B. 1250, pp. 33-43. 1922.
  production increase in South, 1909-1918. News L., vol. 5, No. 50, p. 6. 1918.
 liens, conditions, and investigations. An. Rpts., 1912, p. 27. 1913; Sec. A.R., 1912, p. 27. 1912; Y.B., 1912, p. 27. 1913.

Crop(s)—Continued.
 location changes, effects. Y.B., 1908, pp. 458-460. 1909; Y.B. Sep. 494, pp. 458-460. 1909.
 loss(es)—
  annual from specified causes in various localities, 1909-1918. D.B. 1043, pp. 5-12. 1922.
  caused by—
   chinch bugs, outbreaks, historical notes. F.B. 657, pp. 7-9. 1915.
   rodents. Y.B., 1920, pp. 421-426, 430, 433-435. 1921; Y.B. Sep. 855, pp. 421-426, 430, 433-435. 1921.
  from diseases. Off. Rec., vol. 2, No. 5, p. 4. 1923.
  in feeding to poor-grade stock. News L., vol. 3, No. 14, p. 5. 1915.
  or damage during growth, discussion. D.B. 1043, pp. 2-4. 1922.
 major, acreage distribution. F.B. 1289, pp. 4-30. 1923.
 management and soil-fertility maintenance. B.P.I. Bul. 259, pp. 13, 35-36. 1912.
 marketing, cooperation. Sec. A.R., 1909, p. 81. 1909; Rpt., 91, p. 57. 1909; Y.B., 1909, p. 81. 1910.
 materials, use in paper making, experiments. B.P.I. Cir. 82, pp. 7-18. 1911; P. P. I. Cir. 1, pp. 5-14. 1916.
 meter, railway, use. Off. Rec., vol. 4, No. 35, p. 7. 1925.
 methods of applying water. Y.B., 1900, p. 507. 1901.
 minor—
  acreage, graphic summary, 1909, maps. Y.B. 1915, pp. 368-373. 1916; Y.B. Sep. 681, pp. 368-373. 1916.
  production and value, 1917. News L., vol. 5, No. 35, p. 6. 1918.
 miscellaneous—
  fertilizers, tests. Soils Bul. 67, pp. 28-58. 1910.
  forecasts, Oct. 1, 1913. F.B. 560, p. 15. 1913.
  growing in Great Basin, Nephi substation, tests. B.P.I. Cir. 61, pp. 31-34. 1910.
  North and West, work of county agents. D.C. 37, pp. 11-12. 1919.
  small, growing in Missouri, Ozark region. D.B. 941, pp. 18, 25-26. 1921.
 moisture requirements. Atl. Am. Agr., Adv. Sh. Pt. II, sec. A, pp. 37-41. 1922.
 movement—
  and marketing, aid of Agriculture Department. News L., vol. 5, No. 31, pp. 1-2. 1918.
  commercial, study, 1915. An. Rpts., 1915, pp. 371-372. 1916; Mkts. Chief Rpt., 1915, pp. 9-10. 1915.
  from farms, average monthly, 1910-1916. Y.B. 1918, 693. 1919; Y.B. Sep. 795, p. 29. 1919.
 new—
  establishment, and increase of food supply. Y.B., 1916, pp. 36-38. 1917.
  introduction—
   1896-1908. An. Rpts., 1908, pp. 155-157. 1909; Sec. A.R., 1908, pp. 153-155. 1908; Y.B., 1908, pp. 155-157. 1909.
   1916, and value. Y.B., 1916, p. 66. 1917; Y.B. Sep. 698, p. 4. 1917.
   1919, and protection. An. Rpts., 1919, pp. 157-159. 1920; B.P.I. Chief Rpt., 1919, pp. 21-23. 1919.
   from foreign countries. An. Rpts., 1908, pp. 40-45. 1909; Sec. A.R., 1908, pp 38-43. 1908.
 news—
  foreign, improvement. Off. Rec., vol. 2, No. 28, p. 4. 1923.
  telegraphic service to be extended to all States. News L., vol. 1, No. 14, p. 1. 1913.
 noncommercial, estimates by crop reporters. News L., vol. 3, No. 10, p. 8. 1915.
 nonleguminous, use as green manures, experiments with acid soils. J.A.R., vol. 13, pp. 175-187. 1918.
 nutrition and malnutrition studies. An. Rpts., 1919, pp. 165-166, 167. 1920; B.P.I. Chief Rpt., 1919, pp. 29-30, 31. 1919.
 on North Dakota farms, acreage and labor requirements. D.B. 757, pp. 1, 7, 10-11. 1919.
 other than grain, statistics—
  1914. Y.B., 1914, pp. 557-612. 1915; Y.B. Sep. 655, pp. 557-585, 594-612. 1915.

Crop(s)—Continued.
　other than grain, statistics—continued.
　　1915. Y.B., 1915, pp. 454-478, 487-507. 1916; Y.B. Sep. 683, pp. 454-478, 487-507. 1916.
　　1920. Y.B., 1920, pp. 3-93. 1921; Y.B. Sep. 862, pp. 3-93. 1921.
　outlook and purchasing power, 1923. Off. Rec. vol. 2, No. 29, p. 3. 1923.
　pasture and grain, for hogs in the Pacific Northwest. Byron Hunter. F.B. 599, pp. 27. 1914.
　percentage, total receipts, to profits in Michigan, Lenawee County. D.B. 694, pp. 16-17. 1918.
　perishable, movement, telegraphic report to shippers. Y.B., 1915, p. 272. 1916; Y.B. Sep. 675, p. 272. 1916.
　pests—
　　control, county-agent work. S.R.S. Doc. 88, pp. 17-18. 1918.
　　laws, North Carolina and Arizona. O.E.S. An. Rpt., 1910, p. 70. 1911.
　physiology, program of work, 1915. Sec. [Misc.], "Program of work * * * 1915," pp. 94-96. 1914.
　phosphorus requirements, studies. Work and Exp., 1919, p. 50. 1921.
　plant(s)—
　　acclimatization and adaptation, program for 1915. Sec. [Misc.], "Program of work * * * 1915," pp. 98-99. 1914.
　　adaptability to various grades of alkali. F.B. 446, pp. 12-29, 30-32. 1911.
　　alkali and drought-resistant, breeding, studies, program for 1915. Sec. [Misc.], "Program of work * * * 1915," pp. 119-120. 1914.
　　damage by root knot, list and descriptions. F.B. 648, pp. 6-9. 1915.
　　food removal from soil. Y.B., 1908, p. 199. 1909; Y.B. Sep. 475, p. 199. 1909.
　　for paper making. Charles J. Brand. B.P.I. Cir. 82, pp. 19. 1911; P.P.I. Cir. 1, pp. 16. 1916.
　　infestation by nematodes. B.P.I. Cir. 91, pp. 6, 8-11. 1912.
　　leaf temperature observations. Edwin C. Miller and A. R. Saunders. J.A.R., vol. 26, pp. 15-43. 1923.
　　paper making, utilization. Charles J. Brand. Y.B., 1910, pp. 329-340. 1911; Y.B. Sep. 541, pp. 329-340. 1911.
　　transpiration, daily, during growth, and relation to weather. J.A.R., vol. 7, pp. 155-212. 1916.
　water requirement—
　　determination with and without irrigation, experiments. B.P.I. Bul. 285, pp. 84-88, 90-91. 1913.
　　investigations in Great Plains, 1910-1911. B.P.I. Bul. 284, pp. 1-49. 1913.
　planting—
　　and harvesting—
　　　average dates. J. R. Covert. Y.B., 1910, pp. 488-494. 1911.
　　dates, east of meridians 102-104. Stat. Bul. 85, pp. 1-152. 1912.
　　dates, western North Dakota. Soil Sur. Adv. Sh., 1908, p. 31. 1908; Soils F.O., 1908, p. 1179. 1911.
　　plans for 1919. An. Rpts., 1918, pp. 9-10. 1919; Sec. A.R., 1918, pp. 9-10. 1918; Y.B., 1918, pp. 17-19. 1919.
　　viewpoint of growers, effect on supply. Y.B., 1918, p. 278. 1919; Y.B. Sep. 768, p. 4. 1919.
　plowing, planting, cultivating, spraying and harvesting, days work. D.B. 3, pp. 8-42. 1913.
　possibilities in mountain altitudes, studies. S.R.S. Rpt., 1916, Pt. I, p. 78. 1918.
　potash—
　　absorption from soils, effect of lime. J.A.R., vol. 14, pp. 279-316. 1918.
　　content from potash-dressed lands and untreated lands. J.A.R., vol. 15, pp. 74-79. 1918.
　practices, continuation for 1918, importance. Sec. Cir. 75, p. 4. 1917.
　preparation for market, methods, studies. Sec. [Misc.], pp. 11, 12. 1913.

Crop(s)—Continued.
　prices—
　　advance—
　　　1896-1908. Rpt. 87, pp. 74-75. 1908.
　　　effect on yield per acre. News L., vol. 3, No. 40, pp. 3-4. 1916.
　　comparison with other commodities. An. Rpts., 1910, pp. 716-722. 1911; Stat. Chief Rpt., 1910, pp. 26-32. 1910.
　　index numbers—
　　　1908-1921. Y.B., 1922, p. 993. 1923; Y.B. Sep. 887, p. 993. 1923.
　　　1909-1918. Y.B., 1918, p. 701. 1919; Y.B. Sep. 795, p. 701. 1919.
　　reduction, 1920. Y.B., 1921, pp. 4, 8, 12-13. 1922; Y.B. Sep. 875, pp. 4, 8, 12-13. 1922.
　prickly pear. David Griffiths. B.P.I. Bul. 124, pp. 37. 1908.
　principal—
　　acreage—
　　　by States, 1920-1922. Y.B., 1922, p. 986. 1923; Y.B. Sep. 887, p. 986. 1923.
　　　yield, and value, 1899, 1909, 1910 and 1911. An. Rpts., 1912, pp. 792-793. 1913; Stat. Chief Rpt., 1912, pp. 14-15. 1912.
　　combined value per acre, 1866-1922. Y.B., 1922, p. 985. 1923; Y.B. Sep. 887, p. 985. 1923.
　　cost of growing, Nebraska, Otoe County. Soil Sur. Adv. Sh., 1912, p. 16. 1913; Soils F.O., 1912, p. 1904. 1915.
　　East and West, comparisons. Y.B., 1915, pp. 331-332. 1916; Y.B. Sep. 681, pp. 331-332. 1916.
　　index figures 1903-1912, yield per acre. F.B. 558, p. 7. 1913.
　　position, rank, and cropping systems. Y.B., 1922, pp. 470, 560-568. 1923; Y.B., Sep. 891, pp. 470, 560-568. 1923.
　　production—
　　　and value, 1890-1908. Y.B., 1908, p. 182. 1909.
　　　and value, 1909. Sec. A.R., 1909, pp. 10-13. 1909; Y.B., 1909, pp. 10-13. 1910.
　　　and value, 1910. An. Rpts., 1910, pp. 10-16. 1911; Rpt. 93, pp. 8-13. 1911; Sec. A.R., 1910, pp. 10-16. 1910; Y.B., 1910, pp. 10-16. 1911.
　　　and value, 1912. An. Rpts., 1912, pp. 12-19. 1913; Sec. A.R., 1912, pp. 12-19. 1912; Y.B., 1912, pp. 12-19. 1913.
　　　per acre, variations since 1866. Stat. Chief Rpt., 1910, pp. 20-25. 1910; An. Rpts., 1910, pp. 710-715. 1911.
　　statistics—
　　　1866-1915, per capita. Atl. Am. Agr. Adv. Sh. Pt. V, p. 8. 1918.
　　　1899 and 1909. An. Rpts., 1910, p. 717. 1911; Stat. Chief Rpt., 1910, p. 27. 1910; Y.B., 1910, pp. 499-614. 1911; Y.B. Sep. 553, pp. 499-614. 1911.
　　　1911. Y.B., 1911, pp. 519, 618, 656-691. 1912; Y.B. Sep. 587, pp. 519-614. 1912; Y. B. Sep. 588, pp. 656-691. 1912.
　　　1912. Y.B., 1912, pp. 557-654. 1913; Y.B. Sep. 614, pp. 557-654. 1913.
　　　1913. Y.B., 1913, pp. 369-455. 1914; Y.B. Sep. 630, pp. 369-455. 1914.
　　　1914. Y.B., 1914, pp. 511-612. 1915; Y.B. Sep. 654, pp. 511-556, 586-593. 1915; Y.B. Sep. 655, pp. 557-585, 593-612. 1915.
　　　1915. Y.B., 1915, pp. 410-507. 1916; Y.B. Sep. 682, pp. 410-453, 479-487. 1916; Y.B. Sep. 683, pp. 454-478, 487-507. 1916.
　　world production and export trade, 1909-1913. Y.B., 1919, p. 735. 1920; Y.B. Sep. 830, p. 735. 1920.
　production—
　　1909, and States leading in each crop. Y.B., 1914, pp. 645-650. 1915; Y.B. Sep. 656, pp. 645-650. 1915.
　　1913, estimates. F.B. 570, pp. 1-35. 1913.
　　1914, estimates. F.B. 615, pp. 1-41. 1914.
　　1914, in various countries. F.B. 641, p. 23. 1914.
　　1918, by States. News L., vol. 6, No. 23, p. 5. 1919.
　　1919 (and livestock). Sec. Cir. 125, pp. 1-27. 1919.

Crop(s)—Continued.
production—continued.
1920. An. Rpts., 1920, pp. 3, 6-7. 1921; Sec. A.R., 1920, pp. 3, 6-7. 1920.
and—
distribution, studies, Statistics Bureau. An. Rpts., 1910, pp. 700-702. 1911; Stat. Chief Rpt., 1910, pp. 10-12. 1910.
exports, 1915-1925. Sec. A.R., 1925, pp. 102-105. 1925.
outlook, discussion by Secretary in annual report, 1913, summary. News L., vol. 1, No. 19, pp. 3-4. 1913.
population, increase percentages. An. Rpts., 1908, p. 181. 1909; Sec. A.R., 1908, p. 180. 1908.
prices, 1918. News L., vol. 6, No. 28, p. 10. 1919.
value, 1916, comparison with other years. News L., vol. 4, No. 26, p. 1. 1917.
value, 1923, discussion by Secretary. An. Rpts., 1923, pp. 2-4. 1924; Sec. A.R., 1923, pp. 2-4. 1923.
value in Pennsylvania, Cambria County, 1910, statistics. Soil Sur. Adv. Sh., 1915, p. 11. 1917; Soils F.O., 1915, p. 247. 1919.
yield, United States and world. An. Rpts., 1913, pp. 53-56, 59. 1914; Sec. A.R., 1913, pp. 51-54, 57. 1913; Y.B., 1913, pp. 66-69, 72. 1914.
campaigns, 1917-1918, results. S.R.S. Doc. 88, pp. 19-20. 1918.
Canal Zone, extent and use. Rpt. 95, pp. 39-40, 42-43, 46-48. 1912.
cost(s)—
1911-1917. D.B. 757, pp. 34-35. 1919.
calculation, and accounting forms. D.B. 1181, pp. 2, 54-56. 1924.
estimation. Y.B., 1922, p. 559. 1923; Y.B. Sep. 891, p. 559. 1923.
in Colorado, sugar-beet districts. D.B. 917, pp. 42-50. 1921.
in South Carolina, Anderson County, comparison with farm values. D.B. 651, pp. 3, 4, 8-10. 1918.
investigations. An. Rpts., 1911, pp. 128-129. 1912; Sec. A.R., 1911, pp. 128-129. 1911; Y.B., 1911, pp. 128-129. 1912.
per acre and per unit in Georgia, Brooks County. D.B. 648, pp. 47-55. 1918.
per acre in Minnesota. Stat. Bul. 73, pp. 28-51, 67. 1909.
per bushel, study. An. Rpts., 1911, p. 642. 1912; Stat. Chief Rpt., 1911, p. 6. 1911.
relation to land values, table. Stat. Bul. 73, p. 54. 1909.
studies, methods. F. W. Peck. D.B. 994, pp. 47. 1921.
county-agent work, number of farmers and agents reporting, 1916. S.R.S. Doc. 60, pp. 17-18. 1917.
dry-land farming, Huntley project, conditions governing, 1912-1920. D.C. 204, pp. 12-20. 1921.
educational work in Hawaii. Hawaii A.R., 1920, pp. 70-71. 1921.
extension work and results, 1921. S. R. S. Rpt. 1921, pp. 7-9. 1923.
for export, land requirements. Y.B., 1923, pp. 455-456. 1924; Y.B. Sep. 896, pp. 455-456. 1924.
in—
California, San Francisco Bay region, decrease, 1890-1910. Soil Sur. Adv. Sh., 1914, p. 16. 1917; Soils F.O., 1914, pp. 2688-2689. 1919.
eastern Colorado, on lands of different plant types. B.P.I. Bul. 201, pp. 70-82. 1911.
Great Plains area, relation of cultural methods to yields. E. C. Chilcott and others. D B. 268, pp. 28. 1915.
Great Plains, studies and investigations since 1907. D.B. 1004, pp. 1-2. 1923.
Maryland, Charles County, value, by classes, 1919. Soil Sur. Adv. Sh., 1918, pp. 11-12. 1922; Soils F.O., 1918, pp. 83-84. 1924.
North Carolina, Stanly County, acreage, 10-year periods, 1880-1910. Soil Sur. Adv. Sh., 1916, pp. 9-10. 1918; Soils F.O., 1916, pp. 457-458. 1921.

Crop(s)—Continued.
production—continued.
in—continued.
Pennsylvania, Bedford County, 1869-1909. Soil Sur. Adv. Sh., 1911, p. 11. 1913; Soils F.O., 1911, p. 181. 1914.
Virginia, Pittsylvania County, acreage by 10-year periods, 1879-1919. Soil Sur. Adv. Sh., 1918, p. 10. 1922; Soils F.O., 1918, p. 126. 1924.
United States, outlook for October, 1913. F.B. 563, pp. 14. 1913.
increase, campaigns, North and West. S.R.S. Rpt., 1917, Pt. II, p. 169. 1919.
irrigation—
farming, factors of cost and profit. Y.B., 1911, pp. 372-374. 1912; Y.B. Sep. 576, pp. 372-374. 1912.
relation of water. D.B. 1340, pp. 13-19. 1925.
labor and material requirements per acre. Y.B., 1921, pp. 808-832. 1922; Y.B. Sep. 876, pp. 5-29. 1922.
leading five counties in United States, 1909. News L., vol. 3, No. 2, p. 5. 1915.
on—
alkali land on Huntley reclamation project, Montana, experiments. Dan Hansen. D.B. 135, pp. 19. 1914.
fallow land, San Antonio, experiments. C. R. Letteer. D.B. 151, pp. 10. 1914.
per man and per acre, important countries. Y.B., 1918, p. 693. 1919; Y.B. Sep. 795, p. 29. 1919.
pledge of California farm bureau, and reply of Agriculture Secretary. News L., vol. 5, No. 32, p. 4. 1918.
program for 1918, distribution among farmers, method. News L., vol. 5, No. 30, p. 6. 1918.
relation—
of soil chemistry. Milton Whitney and F. K. Cameron. Soils Bul. 22, pp. 71. 1903.
to bacterial activities of soil. J.A.R., vol. 5, No. 18, pp. 855-869. 1916; J.A.R., vol. 6, No. 23, pp. 919-920. 1916.
to seed disinfection. F.B. 419, pp. 15-18. 1910.
to weather. D.B. 999, pp. 6-7. 1921.
soil bacteriology as a factor. Karl F. Kellerman. B.P.I. Cir. 113, pp. 3-10. 1913.
studies—
by extension workers. Ext. Dir. Rpt., 1925; pp. 17-27. 1925.
need in New England. F.B. 1289, p. 11. 1923.
under humid and dry conditions. E. G. Montgomery. B.P.I. Bul. 130, pp. 43-49. 1908.
value per farm, comparisons. D.C. 85, pp. 5-7. 1920.
various kinds, 1915-1923. Y.B., 1923, p. 85. 1924.
yearly variation, diagrams. Y.B., 1918, pp. 690-692. 1919; Y.B. Sep. 795, pp. 26-28. 1919.
yield, quality, and price, 1914, with comparisons, by States, tables. F.B. 641, pp. 25-32. 1914.
profitable for pigs. F.B. 133, pp. 27-29. 1901.
profits in Colorado, distribution of credits. D.B. 917, pp. 50-51. 1921.
projects of county agents, kind and extent. D.C. 106, p. 14. 1920; D.C. 179, pp. 24-26. 1921.
promising new, from China. Y.B., 1915, pp. 211-218, 221-223. 1916; Y.B. Sep. 671, pp. 211-218, 221-223. 1916.
proportion used to pay taxes and interest. An. Rpts., 1923, pp. 7-8. 1924; Sec. A.R., 1923, pp. 7-8. 1923.
protection—
against crows. D.B. 621, pp. 73-80. 1918.
by self insurance and by contract insurance. D.B. 1043, pp. 13-18. 1922.
by windbreaks. F.B. 788, pp. 3-8, 9-11. 1917; For. Bul. 86, pp. 40-43, 52-55, 65-67, 74. 1911.
from—
birds, devices. Y.B., 1907, p. 177. 1908; Y.B. Sep. 443, p. 177. 1908.
crows, methods and practice. F.B. 1102, pp. 15-19. 1920.
rabbits, methods. F.B. 702, p. 10. 1916.
work of Weather Bureau—
1917. An. Rpts., 1917, pp. 62-65. 1918; W.B. Chief Rpt., 1917, pp. 16-19. 1917.

676 UNITED STATES DEPARTMENT OF AGRICULTURE

Crop(s)—Continued.
protection—continued.
work of Weather Bureau—continued.
1918. An. Rpts., 1918, pp. 69–70. 1919; W.B. Chief Rpt., 1918, pp. 13–14. 1918.
1919. An. Rpts., 1919, pp. 66, 67, 70. 1920; W.B. Chief Rpt., 1919, pp. 18, 19, 22. 1919.
pulse shipments by States, and by stations, 1916. D.B. 667, pp. 13, 183–189. 1918.
purchasing power—
1909–1921 and 1867–1920. D.B. 999, pp. 19–22, 56–72. 1921.
per acre, 1899, 1909, 1912, 1913. F.B. 645, pp. 18–21. 1914.
of—
1914. Y.B., 1921, pp. 782–783. 1922; Y.B. Sep. 871, pp. 13–14. 1922.
1922. Y.B., 1922, pp. 994–995. 1923; Y.B. Sep. 887, pp. 994–995. 1923.
quality, effect of irrigation. F.B. 210, pp. 13–15. 1904.
quantities and values, 1908. Rpt. 87, pp. 4–7. 1908.
rank and value, preliminary estimate for 1904, by Secretary. Rpt. 79, pp. 8–9. 1904.
readjustment, aid by forecasts and outlook reports. An. Rpts. 1923, pp. 132–133. 1924; B.A.E. Chief Rpt., 1923, pp. 2–3. 1923.
receipts from crop yields and per animal, relation to labor income in Michigan, Lenawee County. D.B. 694, pp. 22–25. 1918.
record(s)—
for farmers, directions. F.B. 572, rev., pp. 9–12. 1920.
keeping, instructions and blank forms. F.B. 661, pp. 4, 18–19. 1915; F.B. 1139, pp. 7, 30, 31, 36. 1920.
work of Crop Estimates Bureau. Crop Est. Chief Rpt., 1918, pp. 8–9. 1918; An. Rpts., 1918, pp. 312–313. 1919.
refuse, destruction to control corn borer. F.B. 1294, p. 43. 1922.
region, United States, limits. Y.B., 1918, p. 433. 1919; Y.B. Sep. 771, p. 3. 1919.
relations to climates. Cleveland Abbe. W.B. Bul. 36, pp. 386. 1905.
relative importance in livestock production. Y.B., 1923, p. 341. 1924; Y.B. Sep. 895, p. 341. 1924.
reporters—
township, character of men, cooperation in well-records work. Soils Bul. 92, pp. 16–18. 1913.
volunteers, number, and accuracy of cotton and rice reports, 1900–1916. News L. vol. 5, No. 23, p. 3. 1918.
reporting—
appointment of women, suggestion. Rpt. 104, p. 22. 1915.
Board—
personnel, and work. Stat. Cir. 17, pp. 15–17. 1908.
study of. Off. Rec., vol. 3, No. 8, p. 1. 1924.
Bureau of Crop Estimates, review of work. An. Rpts., 1919, pp. 29–31. 1920; Sec. A.R., 1919, pp. 31–33. 1919.
cooperation with States. News L. vol. 6, No. 52, p. 2. 1919.
in Germany, communal system. Y.B., 1919, pp. 61–62, 64–65. 1920; Y.B. Sep. 801, pp. 61–62, 64–65. 1920.
method and scope. Stat. Cir. 17, pp. 11–13. 1908.
new system. Off. Rec., vol. 3, No. 25, p. 5. 1924.
service, origin and methods. Stat. Cir. 17, pp. 11–13. 1908; Stat. Cir. 17, rev., pp. 10–12. 1911.
system, value and improvement, 1896–1908. Rpt., 87, pp. 86–87. 1908.
systems and sources of crop information in foreign countries. F.B. 581, pp. 43–50. 1914.
use of airplane. News L. vol. 7, No. 12, p. 5. 1919; Off. Rec., vol. 2, No. 41, p. 5. 1923.
reports—
June, 1914, date of issuance. F.B. 598, p. 1. 1914.
Nov. 1, 1915, estimates. News L. vol. 3, No. 16, pp. 1–2. 1915.
1918, monthly and special reports. Crop Est. Chief Rpt., 1918, pp. 5–6, 10–13. 1918; An. Rpts., 1918, pp. 309–310, 314–317. 1919.

Crop(s)—Continued.
reports—continued.
advance information, secrecy methods and precautions. News L. vol. 2, No. 24, pp. 2–3. 1915.
and estimates, work, 1923. B.A.E. Chief Rpt., 1923, pp. 16–17. 1923; An. Rpts., 1923, pp. 146–147. 1924.
by commodities. M.C. 6, pp. 26–30. 1923.
California and Florida, table. F.B. 598, p. 14. 1914.
causes of delay. News L. vol. 5, No. 37, pp. 6–7. 1918.
compilation, methods. An. Rpts., 1912, pp. 91–92, 191–194. 1913; Sec. A.R., 1912, pp. 91–92, 191–194. 1912; Y.B. 1912, pp. 91–92, 191–194. 1913.
distribution, methods and promptness. News L. vol. 3, No. 44, p. 4. 1916.
Florida and California, Mar. 1, 1915. F.B. 665, p. 5. 1915.
Government, value, scope, and preparation. Chas. C. Clark. Stat. Cir. 17, pp. 16. 1908; rev., pp. 16. 1911; rev., pp. 27. 1915.
international, utilization of radio. Off. Rec., vol. 1, No. 46, p. 3. 1922.
issuance and scope. An. Rpts., 1909, pp. 662–663. 1910; Stat. Chief Rpt., 1909, pp. 10–11. 1910.
monthly, of the Bureau of Statistics, orders governing the preparation. Stat. [Misc.], "Orders governing the * * *," pp. 8. 1909; rev. 1911.
of intention to plant. Sec. A.R., 1924, p. 28. 1924.
of Statistician. See *under specific crops.*
preparation—
and difficulties. News L. vol. 1, No. 33, p. 2. 1914.
handling, methods. An. Rpts., 1905, pp. 405–412. 1906; Stat. Chief Rpt., 1905, pp. 405–412. 1906.
regulations effective—
1917. Sec. [Misc.], "Regulations governing publication * * *," pp. 5. 1916.
January 1, 1918. D. F. Houston. Sec. [Misc.], "Crop reports * * *," pp. 5. 1918.
January 1, 1919. Sec. [Misc.], "Crop reports * * *," pp. 5. 1919.
January 1, 1920. D. F. Houston. Sec. [Misc.], "Crop reports * * *," pp. 5. 1920.
January 1, 1921. E. T. Meredith. Sec. [Misc.], "Crop reports * * *," pp. 4. 1921.
January 1, 1922. Henry C. Wallace. Sec. [Misc.], "Crop reports, regulations." pp. 4. 1922.
January 1, 1924. M.C. 20, pp. 4. 1923.
January 1, 1925. M.C. 37, pp. 4. 1925.
release. Off. Rec., vol. 3, No. 25, pp. 1, 5. 1924.
special, work of Crop Estimates Bureau. An. Rpts., 1918, pp. 316–317. 1919; Crop Est. Chief Rpt., 1918, pp. 12–13. 1918.
use in service work. Sec. A.R., 1921, p. 35. 1921.
value—
in speculation prevention. News L., vol. 2, No. 24, pp. 2–3. 1915.
to farmer, letter of Secretary. Sec. Cir. 152, pp. 1–7. 1920.
requirements, prospective for 1919–1920. Sec. Cir. 125, pp. 10–16. 1919.
residues, value in soil improvement. F.B. 924, pp. 7–8. 1918; F.B. 986, p. 9. 1918.
resistance to nematodes, use in rotation with strawberries. F.B. 1026, pp. 8–10. 1919; F.B. 1027, pp. 10–11. 1919.
resistance to root knot, list. News L., vol. 2, No. 40, p. 6. 1915.
resistant to alkali—
and dry-land conditions studies. An. Rpts., 1912, pp. 125–126. 1913; Sec. A.R., 1912, pp. 125–126. 1912; Y.B., 1912, pp. 125–126. 1913.
growing in southern Texas. O.E.S. Cir. 103, p. 13. 1911.
review, Nov. 1, 1914, production, yield, quality, and price, estimate. F.B. 641, pp. 1–4. 1914.

INDEX TO PUBLICATIONS, 1901–1925 677

Crop(s)—Continued.
 rodent damages and annual losses caused by them. Y.B., 1917, pp. 226–227. 1918; Y.B. Sep. 724, pp. 4–5. 1918.
 root—
  knot disease, lists of susceptible and immune. F.B. 1187, p. 11. 1921.
  yield tests in Porto Rico. S.R.S. An. Rpt., 1921, pp. 10–11. 1922.
 rotation. *See* Rotation.
 Russian, estimates for 1900. Stat. Cir. 14, pp. 11. 1901.
 safety on mountain slopes. J. Cecil Alter. Y.B., 1912, pp. 309–318. 1913; Y.B. Sep. 593, pp. 309–318. 1913.
 sales from farms, and receipts, by months and by States. Y.B., 1919, pp. 730–733. 1920; Y.B. Sep. 830, pp. 730–733. 1920.
 saving—
  by rodent poisoning. News L., vol. 6, No. 32, p. 13. 1919.
  in Northwest by city and town help, men and women. News L., vol. 5, No. 50, p. 8. 1918.
 school lessons. D.B. 258, pp. 2–11, 16, 20, 33–35. 1915.
 seasonal work, graphic summary—
  1917. Y.B., 1917, pp. 537–589. 1918; Y.B. Sep. 758, pp. 55. 1918.
  1922. D.C. 183, pp. 1–53. 1922.
 seasons in Texas, San Antonio region. B.P.I. Cir. 106, pp. 4–5. 1913.
 seed of lily, production. D.B. 1331, pp. 7–8. 1925.
 selection—
  acreage and management in Missouri, Ozark region. D.B. 941, pp. 17–19, 22–28. 1921.
  for—
   alkali land, influences governing. F.B. 446, pp. 15–18. 1911.
   semiarid region. F.B. 266, pp. 24–27. 1906.
   soils. F.B. 704, p. 4. 1916.
 smothering, prevention by bindweed eradication. F.B. 368, p. 17. 1909.
 soil—
  adaptations, study course. D.B. 355, pp. 80–84. 1916.
  improvement, use in Gulf Coast region. F.B. 986, pp. 9–17. 1918.
  preparation for pear orchard. Y.B., 1900, p. 372. 1901.
 solanaceous, shipments by States, and by stations, 1916. D.B. 667, pp. 10, 120–125. 1918.
 southern, insects injurious. Y.B., 1911, pp. 202–203. 1912; Y.B. Sep. 561, pp. 202–203. 1912.
 sowing and harvesting dates, in Nebraska, Lancaster County. Soil Sur. Adv. Sh., 1906, p. 9. 1908; Soils F.O., 1906, p. 947. 1908.
 special—
  and staple, dependability in Rio Grande district, Texas, studies. D.B. 665, pp. 9–11, 17–18. 1918.
  fertilizers for. A. F. Woods and R. E. B. McKenney. Y.B., 1902, pp. 553–572. 1903; Y.B. Sep. 290, pp. 553–572. 1903.
  need in irrigation farming. Y.B., 1911, pp. 374–376, 380, 382. 1912; Y.B. Sep. 576, pp. 374–376, 380, 382. 1912.
  protection from cold, methods. Y.B., 1909, pp. 393–394. 1910; Y.B. Sep. 522, pp. 393–394. 1910.
  relationship to definite soil types. D.B. 1005, pp. 64–68. 1922.
 spring planting. Sec. Cir. 103, pp. 3–8. 1918.
 standard, discussion. F.B. 704, pp. 9–12. 1916.
 staple—
  increase of production and yield. Y.B., 1918, p. 440, 1919; Y.B. Sep. 771, p. 10. 1919.
  leading States, 1916–1918, values, and comparisons. Y.B., 1918, pp. 669, 671. 1919; Y.B. Sep. 795, pp. 5, 7. 1919.
  production in South, 1909–1917. S.R.S. Rpt., 1917, pt. 2, p. 26. 1919.
  States leading in production, 1918–1920. Y.B., 1920, p. 5. 1921; Y.B. Sep. 865, p. 5. 1921.
  world production and export trade, 1900–1913. Y.B., 1918, p. 671. 1919; Y.B. Sep. 795, p. 7. 1919.
 statistics—
  1900. Y.B. 1900, pp. 753–823. 1901.
  1901. Y.B. 1901, pp. 697–771. 1902.
  1902. Y.B. 1902, pp. 760–831. 1903.

Crop(s)—Continued.
 statistics—continued.
  1903. Y.B., 1903, pp. 586–659. 1904.
  1904. Y.B., 1904, pp. 626–699. 1905.
  1905. Y.B., 1905, pp. 656–732. 1906; Y.B. Sep. 404, pp. 656–732. 1906.
  1906. Y.B., 1906, pp. 542–631. 1907; Y.B. Sep. 436, pp. 542–631. 1907.
  1908. Y.B., 1908, pp. 597–710. 1909; Y.B. Sep. 498, pp. 597–710. 1909.
  1910–1922, acreage, production, and exports. An. Rpts., 1922, pp. 53–57. 1923; Sec. A.R., 1922, pp. 53–57. 1922.
  1914–1921, acreage, production, and exports. Sec. A.R., 1921, pp. 62–66. 1921.
  1920, 1919, and 1914–1918 summary. Y.B., 1920, pp. 3–4. 1921; Y.B. Sep. 865, pp. 3–4. 1921.
  1922, acreage, production and exports. Y.B., 1922 pp. 69–74, 569–794. 1923; Y. B. Sep. 881, pp. 569–665. 1923; Y.B. Sep. 884, pp. 666–794. 1923.
  for—
   Czechoslovakia. D.B. 1234, pp. 71–92. 1924.
   Kentucky, Jefferson County, 1840–1910. D.B. 678, pp. 4–6. 1918.
   United States, graphic showing of average production. Stat. Bul. 78, pp. 16–36. 1910.
   world, graphic showing of average production. Stat. Bul. 78, pp. 54–67. 1910.
  freight rates, and exports, 1903. Y.B. 1903, pp. 676–700. 1904; Y.B. Sep. 334, pp. 120. 1904.
  gathering methods. News L., vol. 6, No. 19, pp. 8–9. 1918.
  other than grain—
   1916. Y.B., 1916, pp. 611–657. 1917; Y.B. Sep. 720, pp. 47. 1917.
   1917. Y.B., 1917, pp. 655–707. 1918; Y.B. Sep. 760, pp. 55. 1918.
   1918. Y.B., 1918, pp. 507–586. 1919; Y.B. Sep. 792, pp. 82. 1919.
   1919. Y.B., 1919, pp. 568–643. 1920; Y.B. Sep. 827, pp. 568–643. 1920.
  summary—
   1918, 1917, and 1912–1916 average. Y.B., 1918, pp. 667–669. 1919; Y.B. Sep. 795, pp. 3–5. 1919.
   1919, 1920, 1921. Y.B., 1921, pp. 770–772. 1922; Y.B. Sep. 871, pp. 1–3. 1922.
   1921–1923. Y.B., 1923, pp. 1137–1145. 1924; Y.B., 1923, Sep. 906, pp. 1137–1145. 1924.
   1924. Y.B., 1924, pp. 1100–1115. 1925.
 substitute for corn and sorghum, avoidance of chinch bugs. F.B. 1223, p. 30, 35. 1922.
 substitutes for cotton. Off. Rec. vol. 2, No. 26, p. 3. 1923.
 succession—
  for hog feeding. F.B. 411, p. 38. 1910.
  in—
   garden, value in checking losses. F.B. 934, pp. 8–9. 1918.
   home vegetable garden. D.C. 48 p. 6. 1919.
   intensive use of home gardens, time for maturity for various vegetables. S.R.S. Doc. 49, pp. 6–7. 1918.
 successive—
  diminished yields, studies, and experiments. Soils Bul. 40, pp. 10–15. 1907.
  vegetable garden. F.B. 818, pp. 22–24. 1917.
 sugar beet, returns. Misc. "Progress * * * beet-sugar industry * * * 1903," pp. 108–112. 1904.
 suitability for—
  silos. News L., vol. 6, No. 35, p. 5. 1919.
  soil improvement. F.B. 704, p. 4. 1916.
 summaries, weekly, distribution to newspapers. News L., vol. 3, No. 1, p. 7. 1915.
 superstitions in regard to moon. News L., vol. 2, No. 39, p. 6. 1915.
 surplus—
  disposition. Off. Rec., vol. 3, No. 3, p. 3. 1924.
  regulation, discussion by Secretary. Sec. A.R. 1925, pp. 14–17. 1925.
 surveys—
  school districts, work of school clubs. D.B. 281, pp. 28–29. 1915.
  southern New Jersey areas. D.B. 677, pp. 16–54. 1918.
 systems for Arkansas. A. D. McNair. F.B. 1000, pp. 24. 1918.

Crop(s)—Continued.
  systems, relation to food and labor requirements.
    F.B. 1,000, pp. 23–24. 1918.
  testing, row and block methods. J.A.R., vol. 11,
    pp. 400–402. 1917.
  tests, Sacaton, Ariz., cooperative testing station.
    C. J. King. D.C. 277, pp. 40. 1923.
  text books and references, for school studies.
    D.B. 521, p. 36. 1917.
  tidal-marsh reclamations. O.E.S. Bul. 240. pp.
    27, 33, 43, 51, 76–77. 1911.
  tillage—
    dry farming. B.P.I. Bul. 103, pp. 27–31. 1907.
    experiments, San Antonio Experiment Farm,
      1917, and yields, 1909–1917. W.I.A. Cir. 21,
      pp. 7–12. 1918.
    methods, cost per acre, and yields. D.B. 268,
      pp. 5–21. 1915.
  tolerance of alkali, in irrigation from wells. F.B.
    1404, p. 2. 1924.
  trap. See Trap crops.
  treatment with sulphur, experiments and results.
    J.A.R., vol. 11, pp. 91–103. 1917.
  tropical, Louisiana, possibilities and relation to
    cotton. B.P.I. Cir. 130, pp. 11–14. 1913.
  truck. See Truck crops.
  Truckee-Carson reclamation project, acreage,
    yield, farm value, etc., 1913. B.P.I. [Misc.],
    "Work of Truckee-Carson * * * 1913,"
    p. 3–4. 1914.
  Umatilla reclamation project—
    acreage, yield and farm values, 1912. B.P.I.
      Cir. 129, pp. 21–32. 1913.
    values per acre, 1914–1921. D.C. 342, p. 2.
      1925.
  uniform grading. Off. Rec., vol. 2, No. 20, p. 7.
    1923.
  use in reclamation of alkali lands in Egypt.
    Y.B., 1902, pp. 580–588. 1903.
  utilization—
    1919. An. Rpts., 1919, pp. 159–161. 1920;
      B.P.I. Chief Rpt., 1919, pp. 23–25. 1919.
    by livestock—
      Belle Fourche experiment farm. D.C. 60,
        pp. 16–24. 1919.
      in Montana, experiments. D.C. 147, pp. 21–
        23. 1921.
      in Texas, experiments. W.I.A. 16, pp. 1, 19–
        22. 1917.
    experiments—
      Huntley Experiment Farm, 1918. D.C.
        86, pp. 18–21. 1920.
      Huntley Experiment Farm, 1921. D.C. 275,
        pp. 15–17. 1923.
      San Antonio Experiment Farm, 1917. W.I.A.
        Cir. 21, pp. 24–27. 1918.
      Scottsbluff Experiment Station. D.C. 289,
        pp. 29–35. 1924.
    for hog pasturing, experiments, 1913–1920.
      D.C. 204, pp. 20–21. 1921.
  value(s)—
    1914, estimates, with comparisons for 1909–1913.
      F.B. 651, pp. 8–9. 1915.
    1919–1923. Y.B., 1923, pp. 1–2. 1924.
    per acre—
      1866–1919, ten crops combined. Y.B., 1919,
        p. 725. 1920; Y.B. Sep. 830, p. 725. 1920.
      1899, 1909, 1910, and 1911. An. Rpts., 1912,
        p. 791. 1913; Stat. Chief Rpt., 1912, p. 13.
        1912.
      1909–1914, by States. F.B. 665, p. 19. 1915.
      1914. F.B. 584, pp. 11, 21–22. 1914.
      total in United States, 1919. Y.B., 1921, p. 433.
        1922; Y.B. Sep. 878, p. 27. 1922.
  varieties—
    adaptability to—
      Alaska. News L., vol. 2, No. 52, p. 8. 1915.
      Belle Fourche irrigation project. B.P.I.
        Cir. 83, p. 6. 1911.
      and cultural tests, Newlands experiment
        farm. D.C. 80, pp. 9–16. 1920.
      in Utah. D.B. 117, pp. 13–18. 1914.
      suitability to Yuma reclamation project.
        B.P.I. Cir. 124, pp. 4–8. 1913.
  vegetable. See Vegetable crops.
  war production in New England. News L., vol.
    6, No. 42, p. 9. 1919.
  warnings, special work, improvement in service.
    An Rpts., 1913, p. 12. 1914; Sec. A.R., 1913,
    p. 10. 1913; Y.B., 1913, p. 15. 1914.

Crop(s)—Continued.
  water requirements—
    rich and poor soils. F.B. 435, pp. 5–6. 1911.
    studies. An. Rpts., 1916, p. 143. 1917; B.P.I.
      Chief Rpt., 1916, p. 7. 1916.
  wet-land, China. Y.B., 1915, pp. 222–223. 1916;
    Y.B. Sep. 671, pp. 222–223. 1916.
  winter forage for the South. Carleton R. Ball.
    F.B. 147, pp. 36. 1902.
  work required per acre, table. F.B. 1139, p. 19.
    1920.
  yields—
    1877–1906, increase. An. Rpts., 1908, pp. 180,
      182. 1909; Sec. A.R., 1908, pp. 179–181. 1908.
    1914, estimates. An. Rpts., 1914, p. 5. 1914;
      Sec. A.R., 1914, p. 7. 1914.
    adjusting for correction of soil heterogeneity.
      J.A.R., vol. 27, pp. 79–90. 1923.
    and—
      cost, Georgia, Brooks County. D.B. 648,
        pp. 16–17, 20–30, 41–55. 1918.
      farm value, 1915, comparison with estimated
        yield and values. D.B. 713, pp. 10–11.
        1918.
      prices encouraging. Off. Rec., vol. 1, No. 52,
        p. 3. 1922.
    bluegrass region, relation of farm type. D.B.
      482, pp. 21–22, 23. 1917.
    by States, 1912 and 1913, comparison. F.B.
      563, pp. 2, 3. 1913.
    changes since 1876. Y.B., 1919, pp. 17–24.
      1920.
    comparison with—
      farm profits, studies. News L., vol. 3, No. 15,
        p. 2. 1915.
      other countries, 1923. Y.B., 1923, pp. 466–
        469. 1924; Y.B. Sep. 896, pp. 466–469.
        1924.
    composite—
      1910–1919, and monthly conditions. Y.B.,
        1919, pp. 728–729. 1920; Y.B. Sep. 830,
        pp. 728–729. 1920.
      1918–1922. Y.B., 1922, p. 991. 1923; Y.B.
        Sep. 887, p. 991. 1923.
    correlations for different years. J.A.R., vol.
      20, pp. 337–356. 1920.
    cotton States, 1909–1915. S.R.S. Rpt., 1915,
      Pt. II, p. 29. 1917.
    decrease by unprofitable acres. Y.B., 1915,
      pp. 149–151. 1916; Y.B. Sep. 664, pp. 149–151.
      1916.
    dependence on weather conditions. Y.B.,
      1920, pp. 181, 199–202. 1921; Y.B. Sep. 838,
      pp. 181, 199–202. 1921.
    effect(s) of—
      crops in rotation. W. W. Garner and others.
        J.A.R., vol. 30, pp. 1095–1132. 1925.
      fall irrigation at Belle Fourche, South Dakota.
        F. D. Farrell and Beyer Aune. D.B. 546,
        pp. 15. 1917.
      phosphate, German and French estimates.
        Y.B., 1919, p. 66. 1920; Y.B. Sep. 801,
        p. 66. 1920.
      tractor use, studies. F.B. 1004, pp. 26–27.
        1918.
      windbreaks. F.B. 1405, pp. 9–11. 1924.
    factors—
      affecting, methods of measuring sunlight
        and moisture. For. Bul. 86, pp. 16–74.
        1911.
      influencing, Oregon, Willamette Valley
        farms. D.B. 705, pp. 14–19. 1918.
    in—
      Missouri, increase by soil management.
        O.E.S. An. Rpt., 1910, pp. 81, 177. 1911.
      Montana, Huntley Experiment Farm, 1916.
        W.I.A. Cir. 15, pp. 6–10. 1917.
      North Central States, 1912–1918, on 185
        farms. D.B. 920, pp. 8, 11, 23, 26, 40, 41, 42.
        1920.
      Ohio, Palmer Township, 1912–1916. D.B.
        716, pp. 39–40. 1918.
    plot tests, relation to field heterogeneity,
      studies. J.A.R., vol. 19, pp. 279–314. 1920.
    relation to labor income, finding crop index.
      F.B. 1139, pp. 22–23. 1920.
    Texas, factors influencing. B.P.I. Cir. 106,
      pp. 6–7. 1913.

Crop(s)—Continued.
  yields—continued.
    in—continued.
      United States and European countries. comparison. An. Rpts., 1907, pp. 663-665, 1908.
    increase—
      by use of green-manure crops. News L. vol. 6, No. 9, pp. 13-14. 1918.
      discussion. B.P.I. Cir. 117, p. 9. 1913.
      due to velvet beans. F.B. 962, pp. 21-26. 1918.
      farm practices, Gulf Coast region. M. A. Crosby. F.B. 986, pp. 28. 1918.
      farm practices, Kentucky and Tennessee. J. H. Arnold. F.B. 981, pp. 38. 1918.
      in foreign countries. An. Rpts., 1919, pp. 16-18. 1920; Sec. A.R., 1919, pp. 18-20. 1919.
      in South, 1909-1916. S.R.S. Rpt., 1916, Pt. II, pp. 21-24. 1917.
      in United States and foreign countries. Sec. Cir., 146, pp. 3-5. 1919.
      method. H. A. Miller. F.B. 924, pp. 24. 1918.
      relation to land requirements. Y.B., 1923, pp. 463-487. 1924; Y.B. Sep. 896, pp. 463-487. 1924.
    influence—
      of relative area in intertilled and other classes of crops. D. A. Brodie. Sec. Cir. 57, pp. 8. 1916.
      on farm success. D.B. 713, pp. 3-5. 1918.
      Minnesota farms, 1902-1907. Stat. Bul. 73, pp. 14-15. 1909.
      owner and tenant farms, Indiana, Illinois and Iowa. D.B. 41, pp. 33-34, 35-36. 1914.
    per acre—
      1866-1875 and 1907-1916, comparison. Y.B. 1916, p. 67. 1917; Y.B. Sep. 698, p. 5. 1917.
      1866-1915, 5-year averages. Atl. Am. Agr. Adv. Sh. Pt. V, p. 9. 1918.
      1903-1912, estimate. F.B. 570, p. 18. 1913.
      and per man, American and foreign, comparison. Y.B., 1919, pp. 24-25. 1920.
      relation to size of farm, labor income, etc., Chester County, Pennsylvania. D.B. 341, pp. 73-76. 1916.
      Southern States, test of efficiency. Farm M. Cir. 3, pp. 9-13. 1919.
      testing for efficiency on Georgia farms. D.C. 83, pp. 7-9, 15. 1920.
    practices to maintain and increase. F.B., 1121, pp. 8-17. 1920.
    reduction by—
      moisture removal of green-manure crops. F.B. 1250, pp. 20-21. 1922.
      weeds. Y.B., 1917, pp. 205-208. 1918; Y.B., Sep. 732, pp. 3, 6. 1918.
    relation—
      of farming system. F.B. 1121, pp. 16-17. 1920.
      of tenure, survey of Chester County, Pennsylvania. D.B. 341, p. 73. 1916.
      to amounts of water-soluble plant food recovered from soils. Soils Bul. 26, pp. 1-205. 1905.
      to farm efficiency and cost production. D.B. 651, pp. 11-17. 1918.
      to labor income. D.B. 529, p. 2. 1917.
      to population and prices, discussion. Rpt. 93, pp. 22-25. 1911; Sec. A.R., 1910, pp. 26-30. 1910; Y.B., 1910, pp. 27-30. 1911.
      to profits, 246 farms, Washington, Oregon, and Idaho. D.B. 625, pp. 2-4. 1918.
      to rainfall. B.P.I. Bul. 188, pp. 23-31. 1910.
      to size of farms and type of farming. D.B. 41, pp. 29-34. 1914.
      to soil productivity and soil composition, study. Milton Whitney. Soils Bul. 57, pp. 127. 1909.
    subsoiling experiments. B.P.I. Cir. 114, pp. 11-12. 1913.
    testing methods, experiments with orchard fruits. J.A.R., vol. 12, pp. 245-283. 1918.
    under irrigation—
      in Oregon, summary 1907-1909. O.E.S. Bul. 226, p. 59. 1910.
      in Washington, Western Puget Sound Basin. Soil Sur. Adv. Sh., 1910, pp. 37-38. 1912; Soils F.O., 1910, pp. 1521-1522. 1912.

Crop(s)—Continued.
  yields—continued.
    under irrigation—continued.
      notes. O.E.S. Bul. 222, pp. 36-76, 85-88. 1910.
      zones, New Mexico, and life zones. Vernon Bailey. N.A. Fauna 35, pp. 100. 1913.
    See also Field crops; Forage crops; Soiling crops; and under specific crops.
Crop and Livestock Estimates Division, work, 1925. B.A.E. Chief Rpt., 1925, pp. 14-16. 1925.
Crop Estimates Bureau—
  appropriations—
    1915. Sol. [Misc.], "Laws applicable * * * agriculture," sup. 3, p. 46. 1915.
    1916. Sol. [Misc.], "Laws applicable * * * agriculture," sup. 4, pp. 58-59. 1917.
  exercise powers and duties of Statistics Bureau. Sol. [Misc.], "Laws applicable * * * Agriculture," sup., 2, p. 79. 1915.
  Markets, and Farm Management, consolidation, discussion. Sec. A.R., 1921, pp. 16-18. 1921.
  merger. Sec. A.R., 1924, p. 23. 1924.
  organization and work, 1916. Sol. [Misc.], "A brief statutory history * * *," p. 14. 1916.
  organization and work, program for 1915. Sec. [Misc.], "Program of work * * * 1915," pp. 253-256. 1914.
  organization, officials, and work. Sec. [Misc.], "List of workers * * *," Pt. I, p. 35. 1918.
  report of chief—
    1915. Leon M. Estabrook. An. Rpts., 1915, pp. 275-281. 1916; Crop Est. Chief. Rpt., 1915, pp. 7. 1915.
    1916. Leon M. Estabrook. An. Rpts., 1916, pp. 277-284. 1917; Crop Est. Chief. Rpt., 1916, pp. 8. 1916.
    1917. Leon M. Estabrook. An. Rpts., 1917, pp. 295-307. 1917; Crop Est. Chief. Rpt., 1917, pp. 13. 1917.
    1918. Leon M. Estabrook. An. Rpts., 1918, pp. 305-318. 1918; Crop Est. Chief. Rpt., 1918, pp. 14. 1918.
    1919. Leon M. Estabrook. An. Rpts., 1919, pp. 325-335. 1920; Crop Est. Chief Rpt., 1919, pp. 11. 1919.
    1920. Leon M. Estabrook. An. Rpts., 1920, pp. 405-426. 1921; Crop Est. Chief. Rpt., 1920, pp. 22. 1920.
  salaries and general expenses, 1915, appropriations. Sol. [Misc.], "Laws applicable * * *," sup. 2, p. 79. 1915.
  scope and work. News L., vol. 7, No. 15, p. 2. 1919.
  statistical data, publications list, 1863-1920. D.C. 150, pp. 64. 1920.
  See also Agricultural Economics Bureau; Statistics Bureau.
Croppers—
  cotton farms, status. Atl. Am. Agr. Adv. Sh., Pt. V, sec. A, p. 12. 1919.
  education and living standards. Y.B., 1923, pp. 576-582. 1924; Y.B. Sep. 897, pp. 576-582. 1924.
  relation to land owners, bluegrass region. D.B. 482, pp. 14-15. 1917.
  share, black land, various employments, and years employed. D.B. 1068, pp. 31-32, 33-34. 1922.
  Southern States, relation to owners. Y.B., 1916, pp. 323, 328, 335, 341-342. 1917; Y.B. Sep. 715, pp. 3, 8, 15, 21-22. 1917.
Cropping—
  biennial—
    comparison with annual, economic studies, San Antonio, Texas. D.B. 151, pp. 9, 10. 1914.
    effect on crops. D.C. 209, p. 14. 1922.
    work at San Antonio Experiment Farm. W.I.A. Cir. 10, p. 8. 1916.
  continuous—
    comparison with—
      rotation in dry farming. D.B. 991, p. 22. 1921.
      summer tillage. B.P.I. Bul. 187, pp. 14-20, 67. 1910.
    corn and cotton, experiments and yields. S.R.S. Rpt., 1916, Pt. I, p. 165. 1918.
    effect on yield of velvet beans, experiments, 1907-1912. F.B. 1276, pp. 19-20. 1922.
  double, importance in farm profits, Rio Grande district. D.B. 665, pp. 6, 7, 13, 23. 1918.

Cropping—Continued.
 effect on soil oxidation. Soils Bul. 73, pp. 44–47. 1910.
 frequency under semiarid conditions. F.B. 266, p. 23. 1906.
 methods, effect on soil conditions. F.B. 1365, pp. 5–6, 24. 1924.
 plan for poultry, various climates. News L., vol. 4, No. 18, p. 3. 1916.
 system(s)—
  and positions of leading crops. Y.B., 1922, pp. 560–568. 1923; Y.B. Sep. 891, pp. 560–568. 1923, and rotations on eighty-acre farms in Indiana. F.B. 1421, pp. 4–6, 7–8, 20–22. 1924.
  change by use of tractors. F.B. 1296, p. 8. 1922.
  Colorado. B.P.I. Bul. 260, pp. 54–56. 1912.
  comparison, testing. B.P.I. Bul. 236, pp. 26–29. 1912.
  discussion. B.P.I. Bul. 259, pp. 17–23, 66–67. 1912.
  effect of change. D.B. 1271, pp. 87–88. 1924.
  for—
   cotton farms. Y.B., 1921, pp. 365–367. 1922; Y.B. Sep. 877, pp. 365–367. 1922.
   dairy farms, comparison of profits. F.B. 517, pp. 11–13. 1912.
   dairy farms in New England. L. G. Dodge. F.B. 337, pp. 24. 1908.
   dairy farms in Washington. F.B. 355, pp. 9–11. 1909.
   livestock, studies by Farm Management Office. B.P.I. Bul. 259, p. 58, 73. 1912.
   moister portions of eastern Washington, Oregon, and northern Idaho. Lee W. Fluharty. D.B. 625, pp. 12. 1918.
   Northern States, including legumes. S.R.S. Syl. 25, pp. 4–6. 1917.
   pasturing hogs, Southern States. F.B. 951, pp. 18–20. 1918.
   South, including legumes. S.R.S. Syl. 24, pp. 3. 1917.
   stock farms. Y.B., 1907, pp. 385–398. 1908; Y.B. Sep. 456, p. 385–398. 1908.
  in—
   Georgia, Brooks County, costs and profits. D.B. 648, pp. 36–41. 1918.
   Michigan, Lenawee County, studies. D.B. 694, pp. 25–28. 1918.
   tobacco growing, relation to root rot. D.B. 765, pp. 1–2. 1919.
   wheat growing. Y.B., 1921, pp. 97–100. 1922; Y.B. Sep. 873, pp. 97–100. 1922.
  including alfalfa, in the Corn Belt. F.B. 1021, pp. 5–8. 1919.
  lack in California, and continuous use for sugar beets. D.B. 760, p. 3. 1919.
  model tenant farm. F.B. 472, pp. 33–34, 37–38. 1911.
  mountain farm, replanning. F.B. 905, pp. 13–19. 1918.
  of—
   central New Jersey, rotations. F.B. 472, pp. 7–30, 33–34, 37, 38. 1911.
   successful farms in eastern Pennsylvania. F.B. 978, pp. 8, 11–24. 1918.
  on—
   abandoned lands of New York, recommendations. B.P.I. Cir. 64, pp. 10–11. 1910.
   southern plantations. D.B. 1269, pp. 53–60. 1924.
  place of Sudan grass. F.B. 1126, p. 9. 1920.
  planning. W. J. Spillman. B.P.I. Bul. 102, Pt. III, pp. 25–31. 1907.
  relation to—
   labor distribution on farm. Y.B., 1911, pp. 270–273. 1912; Y.B. Sep. 567, pp. 270–273. 1912.
   soil bacteria studies. P. L. Gainey and W. M. Gibbs. J.A.R., vol. 6, No. 24, pp. 953–975. 1916.
  returns from various crops, comparison. D.B. 528, pp. 25–29. 1917.
  sandy-land farms, Indiana and Michigan. F.B. 716, pp. 15–21. 1916.
  Texas black lands, suggestions. B. Youngblood. B.P.I. Cir. 84, pp. 21. 1911.
  use in coastal plain section, schedules. F.B. 924, pp. 14–17. 1918.
  value in control of soil blowing. F.B. 421, pp. 8–9. 1910.

Cropping—Continued.
 tobacco lands, systems in different localities. Y.B., 1922, pp. 413–415, 465. 1923; Y.B. Sep. 885, pp. 413–415, 465. 1923.
Croquettes—
 soybean flour as meat substitute, recipe. Sec. Cir. 113, p. 4. 1918.
 vegetable, preparation. D.B. 123, p. 58. 1916.
CROSBY, D. J.—
 "A few good books and bulletins on nature study, school gardening, and elementary agriculture for common schools." O.E.S. Cir. 52, pp. 4. 1903.
 "Agricultural experiment stations in foreign countries." With A. C. True. O.E.S. Bul. 112, p. 276. 1902; rev., 1904.
 "Agriculture in public high schools." Y.B., 1912, pp. 471–482. 1913; Y.B. Sep. 607, pp. 471–482. 1913.
 "Boys' agricultural clubs." Y.B., 1904, pp. 489–496. 1905; Y.B. Sep. 362, pp. 489–496. 1905.
 "Community work of rural high school." With R. H. Crocheron. Y.B., 1910, pp. 117–188. 1911; Y. B. Sep. 527, pp. 117–188. 1911.
 "Courses of study in agriculture in institutes." O.E.S. Bul. 199, p. 40–44. 1908.
 "Exercises in elementary agriculture: Plant production." O.E.S. Bul. 186, pp. 64. 1907.
 "Farmers' institutes in the United States." O.E.S. An. Rpt., 1902, pp. 461–480. 1903.
 "Free publications of the Department of Agriculture classified for the use of teachers." With F. W. Howe. O.E.S. Cir. 94, pp. 35. 1910.
 "Instruction in agronomy at some agricultural colleges." With A. C. True. O.E.S. Bul. 127, pp. 85. 1903.
 "Progress in agricultural education, 1907." O.E.S. An. Rpt., 1907, pp. 237–306. 1908.
 "Progress in agricultural education, 1908." O.E.S. An. Rpt., 1908, pp. 231–288. 1909.
 "Progress in agricultural education, 1909." O.E.S. An. Rpt., 1909, pp. 251–325. 1910.
 "Progress in agricultural education, 1910." O.E.S. An. Rpt., 1910, pp. 315–386. 1911.
 "Progress in agricultural education, 1911." O.E.S. An. Rpt., 1911, pp. 277–341. 1912.
 "School exercises in plant production." F.B. 408, pp. 48. 1910.
 "School lessons on corn." With F. W. Howe. F.B. 409, pp. 29. 1910.
 "Special and short courses in agricultural colleges." O.E.S. Bul. 139, pp. 59. 1903.
 "The American system of agricultural education." With A. C. True. O.E.S. Cir. 83, pp. 27. 1909; O.E.S. Cir. 106, pp. 28. 1911; O.E.S. Cir. 106, rev., pp. 28. 1912; O.E.S. Doc. 706, pp. 21. 1904.
 "The place of the agricultural high school in the system of public education." O.E.S. An. Rpt., 1910, pp. 341–342. 1911.
 "The use of illustrative material in teaching agriculture in rural schools." Y.B., 1905, pp. 257–274. 1906; Y.B. Sep. 382, pp. 18. 1906.
 "Training courses for teachers of agriculture." Y.B., 1907, pp. 207–220. 1908; Y.B. Sep 445, pp. 207–220. 1908.
CROSBY, M. A.—
 "A successful Alabama diversification farm." With others. F.B. 310, pp. 24. 1907.
 "An example of intensive farming in the Cotton Belt." F.B. 519, pp. 13. 1913.
 "Diversified farming in the Cotton Belt: Alabama and Mississippi." Y.B., 1905, pp. 201–207. 1906. Y.B. Sep. 377, pp. 201–207. 1906.
 "Farm practices that increase crop yields in the Gulf Coast region." F.B. 986, pp. 28. 1918.
 "Soils of the prairie regions of Alabama and Mississippi and their use for alfalfa. Pt. II, Alfalfa on the Houston clay: Its culture and management." Rpt. 96, pp. 32–43. 1911.
 "The utilization of pea-cannery refuse for forage." B.P.I. Cir. 45, pp. 12. 1910.
CROSBY, M. L.: "Imported low-grade clover and alfalfa seed." With Edgar Brown. B.P.I. Bul. 111, Pt. III., pp. 17–30. 1907.
CROSS, W. E., report as referee on sugar and molasses. Chem. Bul. 152, pp. 202–207. 1912; Chem. Bul. 162, pp. 182–185. 1913.
Cross arms—
 loblolly pine, preservative treatment. W. F. Sherfesee. For. Cir. 151, pp. 29. 1908.

Cross arms—Continued.
  strength tests. Thomas R. C. Wilson. For. Cir. 204, pp. 15. 1912.
  telephone poles, use of loblolly pine. D.B. 11, p. 12. 1914.
  testing, various materials and methods. For. Cir. 204, pp. 3–8. 1912.
Cross-fertilization—
  adaptations in wild wheat. B.P.I. Bul. 274, pp. 13–19, 51. 1913.
  cotton, frequency in Southwest, causes. B.P.I. Bul. 156, pp. 7, 34–36. 1909.
  principles. B.A.I. An. Rpt. 1910, pp. 179–180. 1912.
  tobacco, directions. O.E.S.F.I.L. 9, p. 6. 1907.
  See also Crossbreeding; Cross-pollination; Hybridization; Hybridizing.
Cross-pollination—
  corn—
    effect on size of hybrid seed. Y.B., 1910, p. 325. 1911; Y.B. Sep. 540, p. 325. 1911.
    studies and experiments. B.P.I. Doc. 589, pp. 1–3. 1911.
  cotton—
    plants selected for seed, prevention. Y.B., 1902, pp. 369–371. 1903.
    prevention methods. B.P.I. Cir. 121, pp. 29–30. 1913.
  cowpea, management. B.P.I. Bul. 229, pp. 33–34. 1912.
  influence on water requirements. J.A.R., vol. 4, pp. 391–402. 1915.
  maize, effects on size of seed, studies. B.P.I. Cir. 124, pp. 9–15. 1913.
  papaya in Hawaii. Hawaii A.R., 1911, pp. 27–30. 1912.
  sweet corn, occurrence and preventive methods. B.P.I. Bul. 184, pp. 16–17. 1910.
  value in flax improvement. D.B. 1092, pp. 14–16, 22. 1922.
  See also Cross-fertilization; Crossbreeding; Hybridization.
Crossbreeding—
  alfalfas, for use in America. B.P.I. Bul. 150, pp. 18, 20, 28. 1909.
  buffalo and Angus cattle, Texas. N.A. Fauna 25, p. 70. 1905.
  corn—
    C. P. Hartley and others. B.P.I. Bul. 218, pp. 72. 1912.
    self-fertilized lines, methods and results. D.B. 1354, pp. 1–19. 1925.
    Virgin Islands. Vir. Is. A.R., 1920, p. 16. 1921.
  coyote and dog. N.A. Fauna 25, p. 176. 1905.
  dogs, experiments. B.A.I. An. Rpt., 1910, pp. 176–179. 1912.
  for renewal of vigor in plant varieties. B.P.I. Bul. 146, pp. 30–31. 1909.
  foxes, experiments. F.B. 328, p. 20. 1908.
  grading up common stock. F.B. 143, pp. 42–44. 1902.
  guinea pigs—
    and inbreeding, effects. Sewall Wright. D.B. 1090, pp. 63. 1922.
    experiments, and description of tables. D.B. 1121, pp. 2–5, 50–53, 57. 1923.
  Karakul sheep in United States, experiments and results. Y.B., 1915, pp. 249, 250, 252, 256–261. 1916; Y.B. Sep. 673, pp. 249, 250, 252, 256–261. 1916.
  livestock, results. D.B. 905, p. 42, 44, 62. 1920.
  plants, description and results. B.P.I. Bul. 165, pp. 1–74. 1909.
  sheep, experiments. News L., vol. 6, No. 52, p. 16. 1919.
  Uruguay cows and American-bred bulls, advantages. D.C. 228, p. 17. 1922.
  use in maintenance of vigor of plants. B.P.I. Bul. 256, pp. 48–50. 1913.
  wheat—
    comparative vigor of hybrids and parents. J.A.R., vol. 22, pp. 53–63. 1921.
    experiments. J.A.R., vol. 29, pp. 1–47. 1924.
  See also Hybridization.
Crossbill—
  food habits, winter and summer. D.B. 1249, pp. 9–14. 1924.
  range and habits. N.A. Fauna 21, pp. 47, 77. 1901; N.A. Fauna 22, p. 118. 1902.
  varieties, Athabaska-Mackenzie region. N.A. Fauna 27, p. 416. 1908.

Crossbill—Continued.
  white-winged—
    occurrence in Pribilof Islands. N.A. Fauna 46, p. 88. 1923.
    range and habits. N.A. Fauna 24, p. 72. 1904.
    Yukon Territory. N.A. Fauna 30, pp. 62, 90. 1909.
Crosses. See Hybrids.
CROSSMAN, S. S.—
  "*Apanteles melanoscelus*, an imported parasite of the gipsy moth." D.B. 1028, pp. 25. 1922.
  "Two imported egg parasites of the gipsy moth, *Anastatus bifasciatus* Fonsc and *Schedius kuvanae* Howard." J.A.R., vol. 30, pp. 643–675. 1925.
Crossocosmia—
  flavoscutellata, gipsy-moth parasite, description and studies. Ent. Bul. 91, pp. 234–235. 1911.
  sericariae, gipsy moth parasite, description and study. Ent. Bul. 91, pp. 232–234. 1911.
Crossoptilon mantchuricum. See Manchurian pheasant.
Crosstie(s)—
  absorption of preservatives by various species. For. Bul. 118, p. 22. 1912.
  chestnut oak, annual cut, in Tennessee. For. Cir. 135, p. 9. 1908.
  consumption, 1905 and 1906, woods used. For. Bul. 77, pp. 49–52. 1908.
  cost and annual expenditures. For. Cir. 35, p. 16. 1905.
  durability and annual cost for various kinds. For. Bul. 118, pp. 43–47. 1912.
  forms, treated timbers, and rail fastenings. Hermann von Schrenk. For. Bul. 50, pp. 70. 1904.
  future supply of timbers, problem, suggestions. For. Cir. 35, p. 17. 1905.
  grades, specifications and prices. F.B. 1210, pp. 13–15, 39. 1921.
  hardwood trees valuable for. F.B. 1110, pp. 8–9. 1920.
  hemlock—
    and tamarack, seasoning and preservatives treatment. W. F. Sherfesee. For. Cir. 132, pp. 31. 1908.
    production and value. D.B. 152, p. 14. 1915.
    western suitability. For. Bul. 115, p. 42. 1913.
  hewed, production, 1907, kinds of wood used, and value. For. Cir. 166, pp. 14, 21. 1909.
  life of, prolongation. Howard F. Weiss. For. Bul. 118, pp. 51. 1912.
  logging railroads, sizes and costs. D.B. 711, pp. 194–196. 1918.
  longleaf pine, production per acre and by age. D.B. 1061, pp. 14, 15, 16. 1922.
  porosity, calculation from density test, results. J.A.R., vol. 2, p. 428. 1914.
  preservation, methods. D.B. 549, pp. 6–8. 1917; For. Bul. 118, pp. 1–51. 1912; For. Bul. 126, pp. 11–18. 1913.
  preservative—
    experiments, individual records. For. Bul. 126, pp. 47–92. 1913.
    processes, list. For. Bul. 126, p. 11. 1913.
  production in eastern Texas from loblolly pine. Raphael Zon. For. Bul. 64, pp. 53. 1905.
  purchase—
    and treatment in 1915. Arthur M. McCreight. D.B. 549, pp. 8. 1917.
    by the steam railroads of the U. S. in 1905. H. M. Hale. For. Cir. 43, pp. 6. 1906.
  railway, experiments. H. B. Eastman. For. Cir. 146, pp. 22. 1908.
  red-oak and hard-maple, preservative treatment, experiments. Francis M. Bond. For. Bul. 126, pp. 92. 1913.
  seasoning in air. D.B. 552, pp. 12–17. 1917.
  specifications, classification, and prices. F.B. 715, p. 10. 1916.
  steam and electric roads, 1907, by kinds, number and cost. Y.B., 1908, p. 554. 1909.
  track tests and plans. For. Cir. 146, pp. 18–22. 1908.
  treated—
    demand. For. Bul. 77, p. 52. 1908.
    strength, experiments and tests. For. Cir. 39, pp. 8–31. 1906.
  western larch, suitability. For. Bul. 122, p. 42. 1913.
  wood, consumption 1904–1915, superiority to other. Rpt., 117, pp. 24–25, 29. 1917.

Crosstie(s)—Continued.
　See also Ties, railroad.
Crosswort. See Boneset.
Crotalaria—
　cunninghamii, importation and description. No. 41571. B.P.I. Inv. 45, pp. 7, 49. 1918.
　growing in manganiferous soils. Hawaii Bul. 26, pp. 25, 32. 1912.
　juncea. See Hemp, Sunn.
　retusa. See Matraca.
　saltiana—
　　growing in Porto Rico, experiments. P.R. An. Rpt., 1917, p. 23. 1918.
　　See also Rattlepod.
　seed, Porto Rican, distribution in United States. P.R. An. Rpt., 1921, pp. 5–6. 1922.
　spp.—
　　growing—
　　　as coffee shade, experiments. Hawaii A.R., 1916, pp. 20, 27. 1917.
　　　in Hawaii. Hawaii A.R., 1915, p. 41. 1916.
　　importations and description. Nos. 36969, 37011, 37065, 37389, B.P.I. Iv. 38, pp. 6, 16, 24, 32, 56. 1917; Nos. 37878, 38140, B.P.I. Inv. 39, pp. 62, 93. 1917; No. 46735, B.P.I. Inv. 57, p. 26. 1922; Nos. 47438, 47439, 47588, 47667, 47668, B.P.I. Inv. 59, pp. 19, 36, 44, 45. 1922; Nos. 50751–50754, 51119, 51207, B.P.I. Inv. 64, pp. 4, 22, 59, 74. 1923; Nos. 51494–51495, 51574, 51633–51634, 51832–51842, 51926–51930, B.P.I. Inv. 65, pp. 6, 21, 28, 34, 55, 67. 1923.
　　injury by legume pod moth. Ent. Bul. 95, Pt. VI, pp. 89, 91. 1912.
　striata, importation and description. No. 52531. B.P.I. Inv. 66, p. 38. 1923.
　usaramoensis, importation and description. No. 45617. B.P.I. Inv. 53, p. 71. 1922.
　value for forage and manure, Porto Rico. P.R. An. Rpt., 1921, p. 3. 1922.
Crotalus spp. See Rattlesnake.
Crotaphytus wislizenii. See Lizard, leopard.
Croton—
　angolensis, importation and description. No. 37741. B.P.I. Inv. 39, p. 31. 1917.
　diseases, Texas, occurrence and description. B.P.I. Bul. 226, p. 93. 1912.
　injury by greenhouse thrips. Ent. Bul. 64, pp. 44, 52. 1911; Ent. Bul. 64, Pt. VI, pp. 44, 52. 1909; Ent. Cir. 151, p. 7. 1912.
　oil plant, importation and description. No. 41879. B.P.I. Inv. 46, pp. 27–28. 1919.
Croton bugs—
　nicotine poisoning studies. J.A.R., vol. 7, pp. 100, 101. 1916.
　See also Roaches.
Croton Dam, Michigan, hydraulic fill, details and cost. O.E.S. Bul. 249, Pt. I, pp. 71, 84–86. 1912.
Crotonic acid, sources in plants. J.A.R., vol. 6, No. 25, p. 1045. 1916.
Crotonyl isothiocyanate, in Chinese colza seed. J.A.R., vol. 20, pp. 127–132. 1920.
Crotophaga ani. See Ani.
Croup—
　horse. See Laryngitis; Pharyngitis.
　remedy, misbranding. Chem. N.J. 1218, pp. 2. 1912; Chem. N.J. 3975, 3985. 1915.
Crouper-bush. See Buttonbush.
Croupous enteritis—
　cattle, symptoms, and treatment. B.A.I. [Misc.], "Diseases of cattle," rev., p. 37. 1912.
　symptoms and treatment. B.A.I. Cir. 68, rev., p. 13. 1908.
Crow(s)—
　agency in dissemination of diseases and seeds. F.B. 1102, p. 11. 1920.
　and its relation to man. E. R. Klanbach. D.B. 621, pp. 93. 1918.
　as scavengers. D.B. 621, pp. 40–43, 67. 1918.
　banded, returns, 1920 to 1923. D.B. 1268, p. 32. 1924.
　blackbird. See Blackbird, crow.
　bounties paid by different States, notes. F.B. 1238, pp. 10–30. 1921.
　carrion, protection by law. Biol. Bul. 12, rev., p. 32. 1902.
　carrion. See also Vulture, black.
　classification and distribution. D.B. 621, pp. 2–4. 1918.
　common, description, range and habits. F.B. 513, p. 20. 1913.

Crow(s)—Continued.
　control—
　　by kingbirds. F.B. 630, p. 23. 1915.
　　experiments. Biol. Chief Rpt., 1921, p. 14. 1921.
　　for protection of crops and poultry. F.B. 1102, pp. 15–20. 1920.
　　measures. D.B. 621, pp. 38, 73–80. 1918; F.B. 755, p. 18. 1916.
　description, range and food habits. F.B. 630, pp. 17–19. 1915; F.B. 755, pp. 17–18. 1916.
　distribution, life history and food habits. F.B. 1102, pp. 4–15. 1920.
　economic status, food habits. F.B. 1102, pp. 7–15. 1920.
　enemies, natural. D.B. 621, pp. 71–73. 1918.
　enemy of Calosoma beetles. D.B. 417, p. 11. 1917; Ent. Bul. 101, pp. 70–71. 1911.
　eye parasite of. B.A.I. Bul. 60, p. 49. 1904.
　food—
　　habits. Biol. Bul. 38, p. 56. 1911; D.B. 621, pp. 10–68, 81–85. 1918; Y.B., 1907, p. 170. 1908; Y.B. Sep. 443, p. 170. 1908.
　　items, monthly percentages. D.B. 621, p. 43. 1918.
　habits, useful and harmful, discussion. F.B. 630, pp. 18–19. 1915; Biol. Bul. 31, p. 50. 1907.
　harmfulness by distribution of poison ivy. Biol. Bul. 15, p. 17. 1901.
　injury to corn seed, prevention. F.B. 1149, p. 13. 1920.
　nestling, food, animal and vegetable. D.B. 621, pp. 55–68. 1918.
　nests, factor in gipsy-moth spread by infested twigs. Ent. Bul. 119, p. 15. 1913.
　Northwest, range and habits. N.A. Fauna 21, p. 47. 1901.
　objections and advantages. Off. Rec., vol. 3, No. 42, p. 6. 1924.
　Porto Rican, occurrence in Porto Rico, habits and food. D.B. 326, p. 94. 1916.
　poultry destruction, prevention methods. F.B. 366, pp. 28–29. 1909.
　protection, exception from. Biol. Bul. 12, rev., pp. 38–42, 43–44. 1902.
　range and habits. N.A. Fauna 22, p. 116. 1902.
　relation to agriculture. E. R. Kalmbach. F.B. 1102, pp. 20. 1920.
　roosting habits. D.B. 621, pp. 6–9. 1918.
　roosts—
　　in various States, with numbers of birds, 1911–12 estimates. Y.B., 1915, pp. 87–96. 1916; Y.B. Sep. 659, pp. 87–96. 1916.
　　Woodridge, D. C., description. Y.B., 1915, pp. 88, 89, 98. 1916; Y.B. Sep. 659, pp. 88, 89, 98. 1916.
　roup, description and results. D.B. 621, pp. 72–73. 1918.
　stomachs, numbers examined and itemized list of contents. D.B. 621, pp. 11, 45, 86–90. 1918.
　usefulness, data. Off. Rec., vol. 2, No. 48, p. 4. 1923.
　varieties, Athabaska-Mackenzie region. N.A. Fauna 27, pp. 403–407. 1908.
Crow poison. See Amianthium.
Crowberry—
　black, distribution. N.A. Fauna 21, pp. 53, 54, 68. 1901; N.A. Fauna 22, p. 17. 1902; N.A. Fauna 24, pp. 20, 44. 1904.
　See also Bearberry.
Crowder, description, use in ditch making. F.B. 373, pp. 33–34. 1909; F.B. 399, p. 8. 1910; F.B. 865, pp. 6, 28, 30. 1917.
Crowfoot grass, description. D.B. 772, pp. 175, 177. 1920.
Crowley—
　Experiment Station, rice production experiments. D.B. 1356, pp. 1–32. 1925; O.E.S. An. Rpt. 1910, p. 152. 1911; O.E.S. Bul. 247, p. 33. 1912.
　silt loam, soils of the eastern United States and their use. Jay A. Bonsteel. Soils Cir. 54, pp. 8. 1912.
Crown gall—
　alfalfa, description and control. F.B. 1283, p. 32. 1922.
　and sarcoma. Erwin F. Smith. B.P.I. Cir. 85, pp. 4. 1911.
　apple—
　　distinction from stem-tumor. J.A.R., vol. 27, pp. 695–698. 1924.

Crown gall—Continued.
  apple—continued.
    tree(s)—
      and hairy root. George G. Hedgcock.
        B.P.I. Bul. 90, Pt. II, pp. 7. 1906.
      and hairy-root, field studies. George G
        Hedgcock. B.P.I. Bul. 186, pp. 108. 1910.
      relation to wrapping of the apple grafts.
        B.P.I. Bul. 100, pp. 13-20. 1907.
  bacteria—
    destruction by saprophytes. B.P.I. Bul. 213.
      p. 167, 168, 169, 175. 1911.
    movement and growth in plants. J.A.R., vol.
      25, pp. 123-131. 1923.
    occurrence in secondary tumors, studies.
      B.P.I. Cir. 85, pp. 2-3. 1911.
    testing. B.P.I. Cir. 76, pp. 4-5. 1911.
  blackberry and raspberry, control. S.R.S. Doc.
    93, p. 6. 1919.
  cause—
    and remedy. Erwin F. Smith and others.
      B.P.I. Bul. 213, pp. 215. 1911.
    investigations and results. B.P.I. Bul. 183.
      pp. 20-22. 1910.
  caused by *Bacterium tumefaciens*, comparison
    with apricot tumor. J.A.R., vol. 26, pp.47, 58
    1923.
  communicability, various methods. B.P.I. Bul.
    183, pp. 22-25, 29. 1910; B.P.I. Bul. 186, pp.
    44-57. 1910.
  control investigations. An. Rpts., 1904, pp.
    93-94. 1904.
  cross-inoculation on fruit trees and shrubs.
    George G. Hedgcock. B.P.I. Bul. 131, Pt. III,
    pp. 21-23. 1908.
  daisy, bacteria, description, staining, and cultural
    characters. B.P.I. Bul. 213, pp. 105-127. 1911.
  development and experiments. B.P.I. Bul. 186,
    pp. 16-30, 71. 1910.
  discovery of causative organism and inoculation
    experiments. B.P.I. Bul. 213, pp. 1-215. 1911.
  distinction from nitrogen-fixing nodules, importance. An. Rpts., 1911, p. 60. 1912; Sec. A.R.,
    1911, p. 56. 1911; Y.B., 1911, p. 58, 1912.
  effect on apple trees, experiments. B.P.I. Bul.
    186, pp. 30-32, 34-41. 1910.
  experiments, methods, and condition, tables.
    B.P.I. Bul. 186, pp. 77-92. 1910.
  forms, description and development. B.P.I. Bul.
    183, pp. 11-14. 1910.
  grape—
    cause, description, and control. F.B. 1220, pp.
      61-62. 1921.
    field studies. George G. Hedgcock. B.P.I.
      Bul. 183, pp. 40. 1910.
  hard and soft, studies. B.P.I. Bul. 255, pp. 20-22.
    1912.
  history, distribution, and description. B.P.I.
    Bul. 186, pp. 11, 12, 13-14. 1910.
  inoculation(s)—
    effect on Bryophyllum. Erwin F. Smith.
      J.A.R., vol. 21, pp. 593-598. 1921.
    experiments with Schizomycetes from various
      plants. B.P.I. Bul. 213, pp. 25-95, 133-139.
      1911.
  losses, various plants. B.P.I. Bul. 213, pp. 183-
    196. 1911.
  neoplastic growth, studies. B.P.I. Bul. 255, pp.
    12-13. 1912.
  occurrence—
    and—
      description, Texas. B.P.I. Bul. 226, pp. 24,
        28, 29. 1912.
      studies. B.P.I. Bul. 255, pp. 13-14. 1912.
    location, and bacterial studies. B.P.I. Bul.
      255, pp. 17-20. 1912.
  of plants: Its cause and remedy. Erwin F. Smith
    and others. B.P.I. Bul. 213, pp. 215. 1911.
  organism—
    relations to its host tissue. A. J. Ricker.
      J.A.R., vol. 25, pp. 119-132. 1923.
    various sources, differences in morphology and
      staining. B.P.I. Bul. 213, pp. 127-132, 140-
      148. 1911.
  peach injuries at San Antonio experiment farm.
    B.P.I. Cir. 34, p. 15. 1909.
  pecan—
    description. F.B. 1129, p. 11. 1920.
    studies and experiments. J.A.R., vol. 1, pp.
      334-335, 337, 338. 1914.

Crown gall—Continued.
  prevalence owing to gopher injuries. Y.B., 1909,
    pp. 213-214. 1910; Y.B. Sep. 506, pp. 213-214.
    1910.
  prevention and control methods. B.P.I. Bul. 183,
    pp. 26-27, 29. 1910; B.P.I. Bul. 186, pp. 58-70.
    1910.
  relation—
    of various forms to each other. B.P.I. Bul. 186,
      p. 15. 1910.
    to hairy-root. B.P.I. Bul. 213, pp. 100-105.
      1910.
  resemblance to human cancer. An. Rpts., 1916,
    p. 140. 1917; B.P.I. Chief Rpt., 1916, p. 4.
    1916.
  resistance—
    due to repeated inoculation, experiments.
      B.P.I. Bul. 213, pp. 177-183. 1911.
    value of Japanese mume. Nos. 45876-45881.
      B.P.I. Inv. 54, pp. 2, 33-34. 1922.
  secondary tumor, comparison of cell structure
    with that of primary tumor. B.P.I. Cir. 85,
    pp. 3-4. 1911.
  similarity to animal cancer, studies. J.A.R., vol.
    8, pp. 165-186. 1917.
  stroma, development and studies. B.P.I. Bul.
    255, pp. 14-15. 1912.
  structure and development. Erwin F. Smith
    and others. B.P.I. Bul. 255, pp. 60. 1912.
  studies—
    Europe and United States, historical data.
      B.P.I. Bul. 213, pp. 13-21. 1911.
    showing changes in plant structures. J.A.R.,
      vol. 6, No. 4, pp. 179-182. 1916.
  sugar beets, field studies. C. O. Townsend.
    D.B. 203, pp. 8. 1915.
  tumor—
    distinction from nitrogen-fixing nodule. B.P.I.
      Cir. 76, pp. 4-5. 1911.
    growth, mechanism of. Erwin F. Smith.
      J.A.R., vol. 8, pp. 165-186. 1917.
    strand—
      description and studies. B.P.I. Cir. 85, p. 3.
        1911.
      development and studies. B.P.I. Bul. 255,
        pp. 15-16, 43, 44, 51. 1912.
    structure and etiology. B.P.I. Bul. 255, p. 16
      1912.
  See also *Bacterium tumefaciens*.
Crown knot. *See* Crown gall.
Crown rot—
  beet, cause and control. An. Rpts., 1908, p. 353.
    1909; B.P.I. Chief Rpt., 1908, p. 81. 1908.
  sugar beets, relation to seedling diseases. J.A.R.,
    vol. 4, pp. 135-168. 1915.
  See also White-rot.
Crown wart of alfalfa caused by *Urophlyctis alfalfae*.
  Fred Reuel Jones and Charles Drechsler. J.A.R.,
  vol. 20, pp. 295-324. 1920.
Crownbeard diseases, Texas, occurrence and description. B.P.I. Bul. 226, pp. 93-94. 1912.
Crowning, alfalfa-sod land, in preparation for sugar
  beets, methods. D.B. 735, pp. 13-14. 1918.
Crownworking, citrus trees, directions. F.B. 542,
  pp. 19-20. 1913.
Croxone, misbranding. Chem. N.J. 4386, pp. 2.
  1916.
Crucibles, marking, porcelain and silica. P. A.
  Yoder. Chem. Cir. 93, pp. 3. 1912.
Crucibulum vulgare, description. D.B. 175, p. 53.
  1915.
Cruciferous diseases, classification, description, and
  control methods. F.B. 488, pp. 12-32. 1912.
Crucifers—
  clubroot disease, effect of soil temperature and soil
    moisture. J.A.R., vol. 28, pp. 549-562. 1924.
  definition of term. F.B. 925, p. 3. 1918; F.B.
    925, rev., p. 3. 1921.
  description, and value compared to legumes,
    studies. S.R.S. Syl. 34, pp. 20-21. 1918.
  destruction by harlequin cabbage bug. F.B.
    1061, pp. 7, 8. 1920.
  diseases, description, spread, and control. F.B.
    925, pp. 1-30. 1918; F.B. 925, rev., pp. 1-30.
    1921; F.B. 1351, pp. 1-29. 1923.
  injury by—
    common cabbage worm. F.B. 766, p. 7. 1916.
    Pemphigus populi transversus. J.A.R., vol. 14,
      pp. 583-585. 1918.

Crucifers—Continued.
  injury by—continued.
    webworm. Ent. Bul. 109, Pt. III, pp. 23, 26. 1912.
  insect pests—
    Hawaii, description, life history, and control. Hawaii A.R., 1914, pp. 43–50. 1915.
    lists. Sec. Misc.], "A manual * * * insects * * *," pp. 48–50, 91. 1917.
Crudrania javanensis, importation and description. No. 40618. B.P.I. Inv. 43, p. 56. 1918.
CRUMB, S. E.: "The tobacco splitworm." With A. C. Morgan. D.B. 59, pp. 7. 1914.
Crumbs—
  bread, color and texture, significance in baking test. D.B. 1187, pp. 24–25. 1924.
  stale bread, recipes for using. F.B. 817, pp. 18–19. 1917.
Crusher—
  grape, homemade, description and use. F.B. 1075, pp. 9, 10. 1919.
  stone, for road building, description and use. F.B. 338, pp. 8–10, 17. 1908.
Crustaceans—
  destruction by crows. D.B. 621, pp. 26, 62. 1918.
  food of—
    grebes. D.B. 1196, pp. 3, 9, 12, 17, 19. 1924.
    mallard ducks. D.B. 720, pp. 10, 13, 16, 24–25. 1918.
Crymophilus fulicarius. See Phalarope, red.
Cryoscopic readings, potato juices, 1919–1922. J.A.R., vol. 26, pp. 244–256. 1923.
Cryphalinae, subfamily, injuries to forest products, description, and habits. Rpt. 99, pp. 1–75. 1915.
Crypsis—
  macroura, description, identity to Epicampes macroura. D.B. 309, p. 5. 1915.
  spp., description, distribution, and uses. D.B, 772, pp. 15, 153–154. 1920.
Cryptobia, spp., description and occurrence. B.A.I. An. Rpt., 1910, pp. 480–481. 1912; B.A.I. Cir. 194, pp. 480–481. 1912.
Cryptoblabes aliena, injurious to—
  crops in Hawaii, description. Hawaii Bul. 27, pp. 16–17. 1912.
  papaya. Hawaii Bul. 32, p. 44. 1914.
Cryptocarya rubra. See Peumo.
Cryptococcus spp., cause of bee disease, discussion. Ent. Bul. 98, pp. 16, 17. 1912.
Cryptoglaux spp. See Owls.
Cryptognatha flavescens, discovery in India and attempted importations. Ent. Bul. 120, pp. 19, 36–37, 38, 40. 1913.
Cryptognatha flavescens, enemy of white fly. Ent. Bul. 102, p. 9. 1912.
Cryptognathidae, description. Rpt. 108, pp. 18, 23. 1915.
Cryptohypnus abbreviatus. See Wireworm, abbreviated.
Cryptolaemus montrouzieri—
  enemy of—
    citrophilus mealybug, distribution. D.B. 1040, pp. 19–20. 1922.
    mealybug, description. Ent. Bul. 93, p. 45. 1911.
    sugar cane mealybug, introduction. An. Rpts., 1912, p. 628. 1913; Ent. A.R., 1912, p. 16. 1912.
  use in control of mealybugs, Porto Rico. P. R. An. Rpt., 1912, p. 37. 1913.
  See also Ladybird.
Cryptolepis elegans, importation and description. No. 47669. B.P.I. Inv. 59, p. 45. 1922.
Cryptolestes pusillus. See Grain beetle, flat.
Cryptomeigenia sp., parasite of May beetles. P.R. An. Rpt., 1912, p. 35. 1913.
Cryptomeria japonica, importations and description. No. 35297, B.P.I. Inv. 35, p. 34. 1915; No. 43837, B.P.I. Inv. 49, p. 85. 1921.
Cryptophlebia illepida, damage to nut trees in Hawaii. Hawaii A.R., 1910, p. 19. 1911.
Cryptorhynchus—
  batatae, injury to sweet potatoes in Porto Rico. D.B. 192, pp. 6, 11. 1915.
  lapathi, description, habits, and control. F.B. 1169, pp. 65–66. 1921.
  mangiferae. See Mango weevil.

Cryptostegia grandiflora—
  importation and description. No. 33405, B.P.I. Inv. 31, p. 19. 1914.
  See also Rubber, Palay.
Cryptotermes brevis. See Termites.
Cryptothrips—
  control studies. Work and Exp., 1919, p. 66 1921.
  floridensis. See Thrips, camphor.
  laureli. See Thrips, bay.
  spp., key and descriptions of new species. Ent. T.B. 23, Pt. I, pp. 19–21. 1912.
Cryptus tejonensis, parasite of Sanninoidea opalescens. Ent. Bul. 97, p. XI. 1913.
"Crystal eggs," adulteration. Chem. N.J., 657, p. 1. 1910.
Crystallization—
  avoidance in jelly-making. F.B. 1454, pp. 8, 9, 10. 1925.
  cream of tartar in the fruit of grapes. J.A.R., vol. I, pp. 513–514. 1914.
  grape jelly, cause and prevention. D.B. 952, p. 12. 1921.
  sirup, prevention by invertase process. H. S. Paine and C. F. Walton, jr. D.B. 1370, pp. 61–68. 1925.
  sorghum sirup, prevention. F.B. 477, pp. 30–31. 1912.
  sorgo sirup, prevention. F.B. 1389, pp. 20–21. 1924.
Crystals—
  formation in—
    cheese by Streptococcus lacticus. J.A.R., vol. 13, p. 239. 1918.
    jellies, prevention, various methods. F.B. 859, pp. 11–12. 1917.
    plants and drugs, measurements. D.B. 679, pp. 1–2. 1918.
    sandy, in ice cream, their separation and identification. Harper F. Zoller and Owen E. Williams. J.A.R., vol. 21, pp. 791–796. 1921.
Ctenocephalus—
  canis—
    occurrence, habits, and remedies. Ent. Cir. 108, pp. 4. 1909.
    See also Flea, dog.
  felis. See Flea, cat.
Ctenosaura teres. See Iguana, black.
Cuatemoya, importations and descriptions. Nos. 44671–44673, 44801, B.P.I. Inv. 51, pp. 8, 41, 70. 1922.
Cuayote, importation and description. No. 25349. B.P.I. Inv. 35, p. 27 1915.
Cuba—
  avocado varieties. B.P.I. Bul. 77, p. 26. 1905.
  black-fly infestation. D.B. 885, pp. 4–5, 6, 14, 47, 51–52. 1920.
  citrus fruits, growing, diseases and insects, control. Hawaii A.R., 1915, p. 68. 1916.
  coconut—
    bud rot investigations. B.P.I. Bul. 228, pp. 11–14, 27–29. 1912; B.P.I. Cir. 36, p. 4. 1909.
    palms diseased, investigations, report. Ent. Bul. 38, p. 20. 1902.
  coffee production and exports. Stat. Bul. 79, pp. 51–53. 1912.
  demand for American pork. Y.B., 1922, pp. 251, 273. 1923; Y.B. Sep. 882, pp. 251, 273. 1923.
  experimental farms, establishment. O.E.S. An. Rpt., 1910, p. 88. 1911.
  farm and forest products, shipments to U.S., 1905–1907. Stat. Bul. 70, pp. 7, 10, 11. 1909.
  fruit—
    exports and imports, 1909–1913. D.B. 483, p. 11. 1917.
    growing, comparison with that of Hawaii. Hawaii A.R., 1915, pp. 58–73. 1916.
  Havana, mosquito work, 1901–1902. Ent. Bul. 88, pp. 92–93. 1910.
  henequen growing. Y.B., 1911, p. 195. 1912; Y.B., Sep. 560, p. 195. 1912.
  honey—
    importation into United States, analysis and composition. Chem. Bul. 154, pp. 7–11, 13–16. 1918.
    shipments to United States. D.B. 685, pp. 33, 34. 1918.

INDEX TO PUBLICATIONS, 1901–1925

Cuba—Continued.
  industries, value of climate and crop and storm warning services of the Weather Bureau. M. W. Hayes. W.B. Bul. 31, pp. 58–60. 1902.
  laws on fruit and plant introduction. Ent. Bul. 84, p. 35. 1909.
  livestock statistics, numbers of cattle, sheep, and hogs. Rpt., 109, pp. 29, 36, 47, 50, 58, 62, 200, 212. 1916.
  mango growing, varieties and descriptions. Hawaii A.R., 1915, p. 73. 1916.
  meat imports, statistics. Rpt. 109, pp. 101–114, 234–235, 249, 259–261. 1916.
  mosaic disease of sugar cane. D.B. 829, pp. 3, 17. 1919.
  nursery stock inspection, officials and seal. F.H.B.S.R.A. 20, p. 61. 1915.
  orange pest, woolly white fly. Ent. Bul. 64, Pt. VIII, pp. 66. 1910.
  pineapple—
    growing, varieties and handling methods. Hawaii A.R., 1915, p. 64. 1916.
    soils, chemical character. P.R. Bul. 11, p. 18. 1911.
  request for survey of tobacco soils in Cuba. An. Rpts., 1907, p. 77. 1908; Rpt. 85, p. 57. 1907; Sec. A.R., 1907, p. 76. 1907; Y.B., 1907, p. 76. 1908.
  roads, tests of rock used, results, and table. D.B. 370, p. 99. 1916.
  sugar—
    industry, 1899–1914, production, yields and exports. D.B. 473, pp. 2, 4, 5, 20–22. 1917.
    production and—
      cane acreage. Sec. [Misc.] Spec. "Geography * * * world's agriculture," pp. 72, 73, 76. 1917.
      exports, discussion. Sec. Cir. 86, pp. 8–10. 1918.
      source of supply for United States. Y.B., 1917, p. 450. 1918; Y.B. Sep. 756, p. 6. 1918.
      shipments to United States. D.B. 66, pp. 3, 17, 18. 1914.
  sugar cane and oranges, injury by insects, control. P.R. An. Rpt., 1910, pp. 33–34. 1911.
  tariff duties, meat animals and packing-house products. Stat. Bul. 39, pp. 46–48. 1905.
  trade with United States. D.B. 296, pp. 5–47. 1915.
  yautias and taros, growing and description. B.P.I. Bul. 164, pp. 17, 19, 26, 32, 33. 1910.
  yellow fever investigations and experimental work. Ent. Bul. 78, p. 20. 1909; F.B. 547, pp. 14–16. 1913.
Cubeb—
  berries adulteration, note. Chem. Bul. 80, p. 13. 1904.
  origin and insecticidal value, tests. D.B. 1201, pp. 6–7, 10–20, 34, 53, 54. 1924.
  pepper, importation and description. No. 34327, B.P.I. Inv., p. 36. 1914.
Cuckoo—
  eye parasites of. B.A.I. Bul. 60, p. 47. 1904.
  Kamchatkan, occurrence in Pribilof Islands. N.A. Fauna 46, p. 86. 1923.
  occurrence—
    in Porto Rico and food habits. D.B. 326, pp. 56–58. 1916.
    usefulness in destroying injurious insects. Biol. Bul. 38, pp. 44–45. 1911.
  protection by law. Biol. Bul. 12, rev., pp. 38, 39, 40, 41, 42. 1902.
  range, description, and food habits. F.B. 630, p. 27. 1915.
  usefulness in destruction of worms in maple trees. Ent. Cir. 110, p. 5. 1909.
  yellow-billed, description, range, and food habits. F.B. 513, p. 25. 1913; F.B. 755, pp. 34–36. 1916.
Cucujidae, enemies of boll weevil, list. Ent. Bul. 100, pp. 12, 41, 68. 1912.
Cuculidae, hosts of eye parasites. B.A.I. Bul. 60, p. 47. 1904.
Cucumber(s)—
  L. C. Corbett. F.B. 254, pp. 32. 1906.
  acreage, and price by States. Y.B., 1924, pp. 697–698. 1925.
  Alaska, growing at Fairbanks Experiment Station. Alaska A.R., 1910, p. 58. 1911.
  and melon diseases, spraying for. W. A. Orton. F.B. 231, pp. 24. 1905.

Cucumber(s)—Continued.
  anthracnose, description, cause, and control. D.B. 727, pp. 1–68. 1918.
  bacterial spot. F. C. Meier and G. K. K. Link. D.C. 234, pp. 5. 1922.
  beetle—
    belted, description, life history, and injury to truck crops. Ent. Bul. 82, Pt. VI, pp. 69–71, 76–82. 1910; D.B. 160, pp. 2–12, 19–20. 1915.
    control by spraying, experiments. Ent. Bul. 82, pp. 81–82. 1912.
    control by use of nicotine dust. F.B. 1282, p. 21. 1922.
    control in greenhouses. F.B. 1320, p. 24. 1923.
    destruction by flycatchers. Biol. Bul. 44, pp. 8, 9, 12, 31, 52, 58, 61, 64. 1912.
    dusting with nicotine sulphate, costs. D.C. 154, pp. 12–13. 1921.
    eastern striped, description. Ent. Bul. 82, Pt. VI, p. 75. 1910.
    enemies, natural. F.B. 1038, pp. 9–10. 1919.
    habits and—
      control. Ent. A.R., 1921, p. 13. 1921.
      treatment. D.C. 35, pp. 15–16. 1919.
    infection, with wilt disease, experiments. D.B. 828, pp. 21–22. 1920.
    injury to vegetables, and control. News L. vol. 6, No. 41, p. 13. 1919.
    painted description. Ent. Bul. 82, Pt. VI, pp. 68–69, 76. 1910.
    relation to wilt bacteria. D.B. 828, pp. 21–25, 43. 1920.
    saddled, description. Ent. Bul. 82, Pt. VI, p. 68. 1910.
    striped—
      F. H. Chittenden. Ent. Cir. 31, rev.; pp. 6 1903.
      and its control. F. H. Chittenden. F.B. 1038, pp. 20. 1919.
      carrier of bacterial wilt, studies. J.A.R., vol. 6, No. 11, pp. 417–434. 1916.
      control. An. Rpts., 1922, p. 316. 1923; Ent. A.R., 1922, p. 18. 1922.
      control on watermelons. F.B. 1394, p. 11. 1924.
      control with nicotine dust. Off. Rec., vol. 1, No. 27, p. 5. 1922.
      damages in Porto Rico. P.R. An. Rpt., 1907, p. 36. 1908.
      description, life history and control. Ent. Cir. 31, rev., pp. 8. 1909.
      dissection experiments. D.B. 828, pp. 23–24, 42. 1920.
      enemies. F.B. 1322, pp. 6–7. 1923.
      injuries and control. F.B. 856, pp. 43–44, 46–47. 1917.
      life history and control. F. H. Chittenden. F.B. 1322, pp. 16. 1923.
      occurrence, injuries, and control. Ent. Bul. 82, Pt. VI, pp. 82–84. 1910.
      remedies and prevention. F.B. 254, pp. 11–12. 1906.
      spread of bacterial silt. J.A.R., vol. 5, No. 6, pp. 257–260. 1915.
      transmission of mosaic disease. D.B. 879, pp. 44–46, 57. 1920.
    twelve-spotted—
      carrier of bacterial wilt, studies. J.A.R., vol. 6, No. 11, pp. 417–434. 1916.
      injuries and control method. F.B. 856, pp. 44–45. 1917.
      injury to corn, cucumbers, etc., confusion with southern corn rootworm. F.B. 950, p. 2. 1918.
      rejection by birds. Biol. Bul. 15, pp. 24, 46. 1901.
      western, description, life history, and injuries. Ent. Bul. 82, Pt. VI, pp. 71–75. 1910.
    varieties, description, history, and injuries. Ent. Bul. 82, pp. 67–84. 1912.
  brining—
    and pickling equipment and supplies. F.B. 1159, pp. 6–9. 1920.
    directions. F.B. 881, p. 10. 1917.
  Chinese. See Marrows.
  cold frames. F.B. 254, pp. 13–17. 1906.
  cost of production per acre. Y.B., 1921, p. 829, 1922; Y.B. Sep. 876, p. 26. 1922.

Cucumber(s)—Continued.
  cottony leak caused by *Pythium aphanidermatum*. Charles Drechsler. J.A.R., vol. 30, pp. 1035–1042. 1925.
  cultural directions, and varieties. F.B. 934, pp. 32–33. 1918; F.B. 937, pp. 16, 19, 23, 37–38. 1918; F.B. 1044, p. 38. 1919; S.R.S. Doc. 49, p. 5. 1917.
  diseases—
    and insect pests, description and control. D.C. 35, pp. 13–18. 1919.
    control—
      by seed treatment and crop rotation. News L., vol. 6, No. 21, p. 12. 1918.
      general recommendations. F.B. 856, pp. 48–49, 63. 1917.
    description. F.B. 231, pp. 5–10. 1905.
    in Guam, causes and results. Guam A.R., 1917, p. 50. 1918.
    insect enemies, treatment. F.B. 254, pp. 9–12, 29–30. 1906.
    investigations,1917. An. Rpts., 1917, p. 133. 1918; B.P.I. Chief Rpt., 1917, p. 3. 1917.
    occurring under market, storage, and transit conditions. B.P.I. [Misc.], "Handbook of the * * *," pp. 33–34. 1919.
  enemies, insects and diseases. F.B. 1320, pp. 23–26. 1923.
  fermentation—
    and preservation methods. News L., vol. 4, No. 47, p. 6. 1917.
    process. F.B. 1159, pp. 5–6. 1920.
  fertilizers, tests. Soils Bul. 67, p. 71. 1910.
  forcing under glass, cultural directions. F.B. 254, pp. 25–28. 1906.
  fungous parasite, *Gloeosporium lagenarium*, studies. B.P.I. Bul. 252, p. 29. 1913.
  graded, improved profits. Off. Rec., vol. 1, No. 30, p. 3. 1922.
  greenhouse—
    harvesting, grading, and packing. F.B. 1320, pp. 26–28. 1923.
    industry, value, location, and growth. F.B. 1320, pp. 1–3. 1923.
    use of bees in pollination of flowers. Ent. Bul. 75, pp. 99–102. 1911.
  growing—
    acreage and States, 1910. Y.B. 1916, pp. 443, 449, 452, 459. 1917; Y.B. Sep. 702, pp. 9, 15, 18, 25. 1917.
    as truck crop. Y.B. 1907, p. 428. 1908; Y.B. Sep. 459, p. 428. 1908.
    directions, and varieties recommended, for home gardens. F.B. 936, pp. 42–43. 1918.
    experiments in—
      Alaska, 1915. Alaska A.R., 1915, pp. 37, 86. 1916.
      Alaska, 1919, greenhouse experiments. Alaska A.R., 1919, p. 29. 1920.
      Alaska, 1921. Alaska A.R., 1921, p. 9. 1923.
      Arizona Yuma Experiment Farm, tests, and yields, 1916. B.P.I.W.I.A. Cir. 20, pp. 38–39. 1918.
      Arizona, Yuma Experiment Farm, varieties and yields. W.I.A. Cir. 25, p. 44. 1919.
      Colorado, farm practices (with other crops). D.B. 917, pp. 11–40. 1921.
      Florida, Orange County. Soil Sur. Adv. Sh., 1919, pp. 5, 7, 25. 1922; Soils F.O., 1919, pp. 951, 953, 971. 1925.
      frames, directions. F.B. 460, pp. 21–23. 1911.
      Guam, 1922. Guam Bul. 2, pp. 12, 38–39. 1922; Guam Cir. 2, p. 10. 1921.
      Guam, fertilizers and spraying, tests. Guam A. R., 1917, pp. 32–33. 1918.
      Guam, insects and their control. Guam A.R., 1914, p. 9. 1915.
      Iowa, Muscatine County, yields and uses. Soil Sur. Adv. Sh., 1914, pp. 18, 34. 1916; Soils F. O., 1914, pp. 1838, 1854. 1919.
      Maryland, Anne Arundel County. Soil Sur. Adv. Sh., 1909. pp. 16, 33. 1910; Soils F.O., 1909, pp. 282, 299. 1912.
      Nevada, for home garden, varieties. B.P.I. Cir. 110, pp. 22–23. 1913.
      open, for early market. F.B. 254, pp. 5–13. 1906.
      South Carolina, Barnwell County. Soil Sur. Adv. Sh., 1912, pp. 14, 26, 30, 32, 38. 1914; Soils F. O., 1912, pp. 420, 432, 436, 438, 444. 1915.

Cucumber(s)—Continued.
  growing—continued.
    experiments in—continued.
      Texas, Corpus Christi area, methods and yield. Soil Sur. Adv. Sh., 1908, pp. 12, 22, 27. 1909; Soils F. O., 1908, pp. 906, 916, 921. 1911.
      Virginia trucking districts. D.B. 1005, pp. 4, 13, 16, 23, 25, 29–42, 64, 65, 70. 1922.
      Wisconsin, Columbia County. Soil Sur. Adv. Sh., 1911, pp. 13, 46. 1913; Soils F.O., 1911, pp. 1373, 1406. 1914.
      Wisconsin, Jackson County. Soil Sur. Adv. Sh., 1918, pp. 11, 12, 17, 22, 23, 34. 1922; Soils F. O., 1918, pp. 947, 948, 950, 958, 959, 970. 1924.
      Wisconsin, northeastern, uses and yields. Soil Sur. Adv. Sh., 1913, pp. 23, 43. 1915; Soils F. O., 1913, pp. 1579, 1599. 1916.
    for—
      pickles. F.B. 1159, p. 4. 1920.
      small gardens, cultural hints. F.B. 818, pp. 39–40. 1917.
    methods and varieties. F.B. 647, pp. 15–16. 1915.
    on New Jersey soils. D.B. 677, pp. 20, 30, 38, 66, 73, 74. 1918.
    on Norfolk fine sand, yield and marketing. Soils Cir. 23, pp. 12–13, 15. 1911.
    under irrigation, cost and yield. O.E.S. Bul. 222, p. 87. 1910.
  handling as factor in disease transmission. D.B. 879, pp. 41–43. 1920.
  hothouse, injuries by fickle midge, remedies. Ent. Bul. 27, pp. 108–111. 1901.
  importations and description. Nos. 35466, 35643, 35644, B.P.I. Inv. 35, pp. 49, 63. 1915; Nos. 40762, 40764, 40783, B. P.I. Inv. 43, pp. 77, 81. 1918; Nos. 50755–50757, 51221–51222, B.P.I. Inv. 64, pp. 23, 77. 1923; Nos. 52868, 53267–53268, 53451, B.P.I. Inv. 67, pp. 8, 45, 50. 1923; Nos. 55767–55768, B.P.I. Inv. 72, p. 32. 1924; Nos. 55828, 55922, 56030, B.P.I. Inv. 73, pp. 7, 17, 31, 1924.
  Indian, importations and description. No. 37700, B.P.I. Inv. 39, pp. 21–22. 1917; No. 40203, B.P.I. Inv. 42, pp. 93–94. 1918.
  injury—
    by—
      melon aphid. F.B. 914, pp. 5–6. 1918.
      melon fly, Hawaii. D.B. 491, pp. 11–13. 1917.
      mosaic disease. D.B. 879, pp. 3–4, 18. 1920.
      mosaic virus, location in plant. D.B. 879, pp. 35–40. 1920.
    in transit by bacterial spot. D.C. 234, p. 4. 1922.
  insect pests—
    control. An. Rpts., 1923, p. 402. 1924; Ent. A.R., 1923, p. 22. 1923.
    list. Sec. [Misc.], "A manual * * * insects * * *," pp. 92–93. 1917.
  insects and diseases attacking. F.B. 856, pp. 43–49. 1917.
  Japanese, use as salad. O.E.S. Bul. 159, p. 46. 1905.
  labor requirements, in Arkansas. D.B. 1181, pp. 8, 38, 61. 1924.
  leaf spot—
    angular—
      description and control. Erwin F. Smith and Mary Katherine Bryan. J.A.R., vol. 5, No. 11, pp. 465–476. 1915.
      dissemination, overwintering, and control. Eubanks Carsner. J.A.R., vol. 15, pp. 201–220. 1918.
    caused by *Stemphylium* sp. George A. Osner. J.A.R., vol. 13, pp. 295–306. 1918.
  louse. See Melon aphid.
  marketing, practices. F.B. 460, pp. 28–29. 1911; Rpt. 98, p. 163. 1913.
  mildew—
    causes. Guam A.R., 1917, p. 50. 1918.
    control. D.C. 154, p. 13. 1921; Guam Bul. 2, p. 39. 1922.
    remedies. F.B. 254, pp. 10, 29. 1906.
  misbranding. See *Indexes, Notices of Judgment, in bound volumes and in separates published as supplements to Chemistry Service and Regulatory Announcements.*

Cucumber(s)—Continued.
mosaic—
disease—
causes and control. B.P.I. Chief Rpt., 1921, p. 32. 1921.
description and treatment. D.C. 35, pp. 13-14. 1919.
in greenhouse, control. S. P. Doolittle. D.C. 321, pp. 6. 1924.
intertransmission with tobacco. J.A.R., vol. 31, pp. 49-52. 1925.
investigations. Off. Rec., vol. 1, No. 51, p. 2. 1922.
pickles, directions for making. F.B. 1438, pp. 5-10. 1924.
pickling—
in barrels. F.B. 1159, pp. 10, 13, 14. 1920.
industry. F.B. 1159, p. 3. 1920.
planting, directions for club members. D.C. 48, p. 8. 1919.
pollination. F.B. 1320, pp. 21-23. 1923.
production in Wisconsin, Columbia County, methods, yield, and value. Soil Sur. Adv. Sh., 1911, pp. 13-14. 1913; Soils F.O., 1911, pp. 1373-1374. 1914.
protection against beetles. F.B. 1038, pp. 11-19. 1919.
root knot—
description. B.P.I. Cir. 91, pp. 11, 14. 1912.
occurrence, Texas, and description. B.P.I. Bul. 226, p. 39. 1912.
scab, description and control studies. F. B. 856, p. 48. 1917.
seed—
extraction method. D.B. 727, pp. 47-49. 1918.
growing, localities, acreage, yield, production, and consumption. Y.B., 1918, pp. 201, 206, 207. 1919; Y.B. Sep. 775, 1918, pp. 9, 14, 15. 1919.
harvesting. D.B. 917, p. 37. 1921.
planting depth, dates, rates, and spacing. D.B. 917, pp. 20, 21. 1921.
saving—
directions. F.B. 884, p. 6. 1917; F.B. 1390, p. 4. 1924.
for greenhouse planting. F.B. 1320, p. 13. 1923.
spread of angular leaf spot disease. J.A.R., vol. 15, pp. 214-216. 1918.
treatment for control of—
angular leaf spot. J.A.R. vol. 15, pp. 218-219. 1918.
bacterial spot, directions. D.C. 234, pp. 4-5. 1922.
seedlings, raising and planting in greenhouse. F.B. 1320, pp. 14-18. 1923.
shipments by States, and by stations, 1916. D.B. 667, pp. 10, 110-112. 1918.
sick soil, protozoa present. J.A.R. vol. 5, No. 11, p. 477. 1915.
sizes, number to make a gallon of pickles. F.B. 1438, p. 16. 1924.
sliced pickle. S.R.S. Doc. 22, p. 14. 1916.
soils—
adapted and fertilizer requirements. D.B. 355, p. 82. 1916.
for greenhouses, selection and treatment. F.B. 1320, pp. 6-13. 1923.
spraying—
calendar. S.R.S. Doc. 52, pp. 7-8. 1917.
danger of poisoning, data. D.B. 1027, p. 25. 1922.
for—
anthracnose. D.B. 727, pp. 59-60. 1918.
control of bacteria wilt. J.A.R. vol. 6, No. 11, pp. 426-434. 1916.
leaf spot caused by Stemphylium. J.A.R., vol. 13, pp. 295-306. 1918.
formulas and directions. F.B. 1038, pp 13-17. 1919.
sprays and spraying, machinery for control of melon aphid. F.B. 914, pp. 10-14. 1918.
stimulating growth to control beetle. F.B. 1038, p. 18. 1919.
tests for shrinkage and hardness. D.B. 676, p. 17. 1919.
uses as food. D.B. 123, pp. 37-38. 1916; O.E.S. Bul. 245, pp. 51-52. 1912.

Cucumber(s)—Continued.
variety(ies)—
adaptability to Truckee-Carson project. B.P.I. Cir. 78, p. 16. 1911.
and seed growing. F.B. 1320, pp. 13-14. 1923.
tests and yields, Yuma Experiment Farm. D.C. 75, pp. 51-52. 1920.
wild—
agent in spread of mosaic disease. B.P.I. Chief Rpt., 1921, p. 32. 1921.
mosaic disease, transmission and overwintering. D.B. 879, pp. 58, 60-62. 1920.
trap—
crop for cucumber beetles. Ent. Cir. 31, rev., p. 6. 1906.
plant for melon fly, Hawaii. Hawaii A.R. 1919, p. 39. 1920.
wilt infection, percentage. J.A.R. vol. 6, No. 11, pp. 426-429. 1916.
wilt. See also Wilt, cucumber.
Cucumber tree—
injury by sapsuckers. Biol. Bul. 39, p. 37. 1911.
quantity used in manufacture of wooden products. D.B. 605, p. 13. 1918.
tests for mechanical properties, results. D.B. 556, pp. 29, 39. 1917.
See also Magnolia; Poplar, tulip; Tulip tree.
Cucumeropsis mannii. See Kiffy.
Cucumis—
anguria, importation and description. No. 46893. B.P.I. Inv. 57, p. 47. 1922.
melo. See Muskmelon.
metuliferus, importation and description. No. 48834. B.P.I. Inv. 61, p. 53. 1922.
sativus. See Cucumber.
spp., importation and description. Nos. 37700, 37920, 38113, 38519, B.P.I. Inv. 39, pp. 21-22, 67, 89, 141. 1917; Nos. 50755-50757, 51102, 51156, 51221-51222, 51256, B.P.I. Inv. 64, pp. 23, 55, 67, 77, 81. 1923; Nos. 51575, 51893, 51931-51937, B.P.I. Inv. 65, pp. 28, 64, 68. 1923.
Cucurbita—
ficifolia. See Alcallota.
pepo. See Pumpkin.
spp., importations and descriptions. Nos. 47378, 47444, 47445, 47531. B.P.I. Inv. 59, pp. 14, 19, 27. 1922.
spp., importations and descriptions. Nos. 41336, 41337, from Peru. B.P.I. Inv. 45, pp. 16-17. 1918.
spp., infection with Stemphylium. J.A.R., vol. 13, pp. 298-299. 1918.
Cucurbitaceae—
plants susceptible to *Thielavia basicola.* J.A.R., vol. 7, pp. 293-294. 1916.
pollen, type and shape of grains. Chem. Bul. 110, p. 75. 1908.
Cucurbits—
anthracnose. M. W. Gardner. D.B. 727, pp. 68. 1918.
disease(s)—
resistant strains, importance. F.B. 231, pp. 10-11. 1905.
and insect pests, treatment and prevention. F.B. 1371, rev., pp. 21-28. 1927.
control in greenhouse. F.B. 231, p. 24. 1905.
injury by—
cucumber beetle. F.B. 1038, pp. 4, 6, 8, 1919.
melon fly. D.B. 643, pp. 17-20. 1918.
melon fly, Hawaii. D.B. 491, pp. 7-13. 1917; Hawaii A.R. 1919, p. 39. 1920.
striped cucumber beetle. Ent. Cir. 31, rev., p. 2. 1906.
inoculation with mosaic virus, experiments. D.B. 879, pp. 30-40. 1920.
insect pests, list. Sec. [Misc.], "A manual * * * insects * * *," pp. 92-93. 1917.
mildews, Guam, report. Guam A.R. 1917, pp. 50, 52, 57-59. 1918.
mosaic—
disease. S. P. Doolittle. D.B. 879, pp. 69. 1920.
infection, trials with infected seed. J.A.R., vol. 31, pp. 2-5. 1925.
overwintering and dissemination. S. P. Doolittle and N. M. Walker. J.A.R., vol. 31, pp. 1-58. 1925.
seed germination temperature. J.A.R., vol. 23, pp. 322, 324, 326-329. 1923.

Cucurbits—Continued.
  seeds, effect on animal metabolism. Benjamin Masurovsky. J.A.R., vol. 21, pp. 523-539. 1921.
  shipments by States, and by station 1916. D.B. 667, pp. 10, 107-120. 1918.
  tissue, penetration by anthracnose. D.B. 727, pp. 24-29. 1918.
  Virgin Islands, experiments. Vir. Is. A.R., 1924, pp. 11-12. 1925.
  water requirements. J.A.R., vol. 3, pp. 40-41, 52, 53, 59. 1914.
  wilt. *See* Wilt, cucurbits.
Cud—
  dropping in sheep, cause and treatment. F.B. 1155, p. 27. 1921.
  loss, cattle, sympton of disease. B.A.I. Cir. 68, rev., p. 5. 1908. [Misc.], "Diseases of cattle" rev., p. 29. 1912.
Cudrania—
  importation and description. No. 44241. B.P.I. Inv. 50, pp. 6, 46. 1922.
  javanensis, importations and description. Nos. 36986, 37015, 37016. B.P.I. Inv. 38, pp. 8, 19, 26. 1917.
  tricuspidata—
    imporation and description. No. 45448. B.P.I. Inv. 53, pp. 36-37. 1922.
  See also Che.
CULBERTSON, HARVEY: "Irrigation investigations in western Texas." O.E.S. Bul. 158, pp. 319-340. 1905.
Culex—
  bisulcatus, occurrence in Porto Rico. P.R. An. Rpt., 1907, p. 38. 1908.
  cubensis, occurrence in Porto Rico. P.R. An. Rpt, 1907, p. 38. 1908.
  pipiens, infestation of houses, Mexico. Ent. Bul. 67, p. 124. 1907.
  quinquefasciatus, distribution and life history. Hawaii A.R., 1912, pp. 17-19. 1913.
  salinarius, occurrence in Porto Rico. P.R. An. Rpt., 1907, p. 38. 1908.
  spp. *See* Mosquitoes.
  toweri, occurrence in Porto Rico. P.R. An. Rpt., 1907, p. 38. 1908.
Culicide, Mimms, use against mosquitoes, formula and cost. Ent. Bul. 88, pp. 33-34. 1910.
CULLEN, J. A.—
  "Analyses of salines of the United States." With others. Soils Bul. 94, pp. 96. 1913.
  "The recovery of potash from alunite." With W. H. Waggaman. D.B. 415, pp. 14. 1916.
Culling—
  foxes, directions. D.B. 1151, pp. 51-52. 1923.
  hens—
    for eggs and market. D.C. 18, pp. 1-8. 1919.
    from flock. Y.B., 1918, pp. 310-311. 1920; Y.B. Sep. 800, pp. 4-5. 1920.
  poultry—
    flock, directions. D.C. 31, pp. 4. 1919.
    studies in 1923. Work and Exp., 1923, p. 63. 1925.
Culls—
  apple, disposition of at packing houses. F.B. 1204, p. 34. 1921.
  farm products, utilization studies. Y.B., 1921, p. 28. 1922; Y.B. Sep. 875, p. 28. 1922.
  orange and lemon, utilization of by-products. D.B. 1237, pp. 34-37, 44. 1924.
  potato—
    as source of industrial alcohol. A. O. Wente and L. M. Tolman. F.B. 410, pp. 40. 1910.
    use for second-crop seed in South, practices. F.B. 1205, pp. 33-36. 1921.
Culm—
  barley, variations, studies. D.B. 137, pp. 12-13, 34-35. 1914.
  disease, bamboo, injury and control. D.B. 1329, pp. 38-39. 1925.
  formation in *Bromus inermis*, rate. L. R. Waldron. J.A.R., vol. 21, pp. 803-816. 1921.
CULPEPPER, C. W.—
  "A study of sweet potato varieties with special reference to their canning quality." With C. A. Magoon. D.B. 1041, pp. 34. 1922.
  "Relation of initial temperature to pressure, vacuum, and temperature changes in the container during canning operations." With C. A. Magoon. D.B. 1022, pp. 52. 1922.

CULPEPPER, C. W.—Continued.
  "Scalding, precooking, and chilling as preliminary canning operations." With C. A. Magoon. D.B. 1265, pp. 48. 1924.
  "Some effects of the blackrot fungus, *Sphaer. psis malorum*, upon the chemical composition of the apple." With others. J.A.R., vol. 7, pp. 17-40. 1916.
  "Studies upon the relative merits of sweet corn varieties for canning purposes and the relation of maturity of corn to the quality of the canned product." With C. A. Magoon. J.A.R. vol. 28, pp. 403-443. 1924.
  "Study of the factors affecting temperature changes in the container during canning of fruits and vegetables." With C. A. Magoon. D.B. 956, pp. 55. 1921.
Cultivation—
  clean—
    for control of harlequin cabbage bug. F.B. 1061, p. 10. 1920.
    for eradication of bindweed. F.B. 368, pp. 11-14. 1909.
  control of—
    Mediterranean fruit fly. D.B. 536, pp. 102-105. 1918.
    orchard pests. Ent. Bul. 68, pp. 12-14, 20, 30. 1909.
  disking value for Rhodes grass. F.B. 1048, pp. 9-10. 1919.
  early and thorough, necessity for southern crops. News L., vol. 5, No. 44, p. 3. 1918.
  effect on—
    alfalfa root growth. D.B. 1087, pp. 3-5, 24. 1922.
    soil moisture, comparison with mulches. J.A.R., vol. 23, pp. 729, 734-737. 1923.
  for control of—
    orange thrips, negative results. Ent. Bul. 99, Pt. I, p. 9. 1911.
    plum curculio. Ent. Bul. 103, pp. 176-178. 1912.
  labor saving by larger teams and implements. F.B. 989, p. 11. 1918.
  late, importance for various cultivated crops in South. News L., vol. 4, No. 49, pp. 1-2. 1917.
  methods, Great Plains area. E. C. Chilcott. B.P.I. Bul. 187, pp. 78. 1910.
  shallow, for control of fall army worm. Sec. Cir. 40, rev., p. 3. 1912.
  use in control of corn root aphid, methods. F.B. 891, pp. 10-11. 1917.
  value in control of—
    cotton bollworm, method and practices. F.B. 872, p. 10. 1917.
    fall army worm. News L., vol. 2, No. 50, p. 3. 1915.
    flea beetle. D.B. 436, pp. 18, 19-21. 1917.
  winter, as means of chalcid-fly control. F.B. 636, p. 7. 1914.
  See also *under crop cultivated*.
Cultivators—
  attachments in cotton culture. F.B. 512, pp. 33-34. 1912.
  chain, description, value in control of boll weevil. Ent. Cir. 122, pp. 8-9. 1910; F.B. 344, pp. 29-32. 1909; F.B. 512, pp. 30-35. 1912.
  corn—
    description and use. D.B. 320, pp. 24-30, 60-65. 1916; F.B. 1149, pp. 14-18. 1920; F.B. 414, pp. 28-32. 1910; F.B. 199, pp. 28-31. 1904; S.R.S. Syl. 21, pp. 12-13. 1916.
    types for use in Southeastern States. F.B. 729, pp. 15-17. 1916.
  cost per acre and per day, relation to service, tables. D.B. 338, pp. 14-15. 1916.
  farm gardens. F.B. 937, pp. 24, 25. 1918.
  manufacture and sale—
    1920, by kinds. D.C. 212, p. 7. 1922.
    1922. Y.B., 1922, pp. 1023-1024. 1923; Y. B. Sep. 887, pp. 1023-1024. 1923.
  two-row, time saving in corn culture. F.B. 1021, pp. 11-12. 1919.
  use in—
    eradication of Canada thistle, description. F.B. 545, pp. 9-12. 1913.
    sorghum growing. F.B. 1158, p. 16. 1920.
    sugar-beet growing. D.B. 721, pp. 35-36. 1918.

Cultural methods—
  cotton production, responsibility for quality improvement. B.P.I. Bul. 220, pp. 13-14. 1911.
  effects on soil temperatures. J.A.R., vol. 5, No. 4, pp. 173-179. 1915.
  for crops in various States, counties, and areas. See Soil Surveys.
Culture, field—
  crops, influence of experiment station work. J. I. Shulte. Y.B., 1905, pp. 407-422. 1906; Y.B. Sep. 392, pp. 407-422. 1906.
  See also Cultivation.
Culture(s) (bacteria)—
  Azotobacter, isolation process. J.A.R. vol. 23, pp. 666-667. 1923.
  media—
    for—
      Penicillium and Aspergillus molds. B.A.I. Bul. 120, pp. 11-15, 20, 37. 1910.
      studies of Penicillium, directions for preparing. B.A.I. Bul. 118, pp. 22-23, 82-87. 1910.
    influence on bacterial counts in milk. B.A.I. Cir. 153, pp. 47-49. 1910.
    preparation and sterilization. Chem. Bul. 130, p. 134. 1910.
  pure—
    for soil inoculation, methods of obtaining, use and cost. D.B. 625, p. 8. 1918.
    mushroom growing, value. F.B. 342, p. 26. 1909.
  solutions, wheat growing, experiments, methods, and tables. Soils Bul. 87, pp. 16-17, 20-25, 26-69. 1912.
CULVER, J. J.: "A study of Compsilura concinnata, an imported tachinid parasite of the gipsy moth and the browntail moth." D.B. 766, pp. 27. 1919.
Culver's root, habitat, description, collection, prices, and uses. B.P.I. Bul. 107, p. 59. 1907.
Culverts—
  and short-span bridges, designing, data. Charles H. Moorefield. Rds. Bul. 45, pp. 39. 1913.
  box, reinforced concrete, data for designing. Rds. Bul. 45, pp. 20-21. 1913.
  concrete, economy and safety, study. An. Rpts., 1910, pp. 155, 782-783. 1911; Rds. Chief Rpt., 1910, pp. 20-21. 1910; Rpt. 93, p. 96. Y.B., 1910, p. 153. 1911; Sec. A.R. 1910, p. 155. 1910.
  construction and capacity, studies. An. Rpts., 1923, pp. 476-477. 1924; Rds. Chief Rpt., 1923, pp. 14-15. 1923.
  corrugated metal, test and inspection. D.B. 1216, pp. 83-84. 1924.
  designing, data. Rds. Bul. 45, pp. 1-39. 1913.
  designs, preparation by Roads Office. Rds. Bul. 43, p. 8. 1912.
  drop-inlet highway, description. F.B. 1234, pp. 35-38. 1922.
  forest trails, construction. For. Misc. 0-6, p. 30. 1915.
  foundations, examination and testing. Rds. Bul. 43, pp. 8-11. 1912.
  highway—
    and bridges. Charles H. Hoyt and William H. Burr. Rds. Bul. 39, pp. 22. 1911; Rds. Bul. 43, pp. 21. 1912.
    construction, materials and cost. An. Rpts., 1912, pp. 868-870. 1913; Rds. Chief Rpt., 1912, pp. 24-26. 1912.
    designs, obtaining from Roads Office. Rds. Bul. 39, p. 8. 1911.
  macadam roads, directions and details. F.B. 338, pp. 15-16, 29, 36-39. 1908.
  metal, test and inspection. D.B. 1216, pp. 83-84. 1924.
  pipe, sampling and testing methods. D.B. 1216, pp. 78-84. 1924.
  reinforced concrete, description and construction methods. D.B. 220, pp. 20, 21. 1915.
  sampling and testing methods. D.B. 1216, pp. 78-84. 1924.
  sheet-iron, requirements. Rds. Bul. 35, p. 16. 1909.
  stone, road building, figures and dimensions. Rds. Bul. 29, pp. 51-54. 1907.
  types, description. Rds. Bul. 43, pp. 12-16. 1912.
  wooden, dangers and costliness. Rds. Bul. 42, pp. 16-18. 1912.

Cumarin—
  origin, effect on wheat plants. Soils Bul. 47, pp. 33, 34, 42, 45. 1913.
  solutions, use in plant culture experiments. Soils Bul. 56, pp. 43-44. 1909.
Cumberland—
  Plateau—
    description and soils. Soils Bul. 96, pp. 51-52. 1913.
    region, description and pomological features. D.B. 1189, pp. 12-13, 74. 1923.
  soils, Virginia, description, uses, and location. D.B. 46, pp. 16, 19, 21. 1913.
  turnpike, construction and cost, historical notes. Y.B., 1910, p. 269. 1911; Y.B. Sep. 535, p. 269. 1911.
Cumin seed—
  adulteration and misbranding. See Indexes, Notices of Judgment, in bound volumes, and in separates published as supplements to Chemistry Service and Regulatory Announcements.
  definition and standard, revised and amended. F.I.D. 195, p. 1. 1924.
  importation and description. No. 33646, B.P.I. Inv. 31, pp. 39-40. 1914.
  See also Spices.
CUMMINS, A. B.: "Composition of normal and mottled citrus leaves." With W. P. Kelley. J.A.R., vol. 20, pp. 161-191. 1920.
Cunaxa spp., description and habits. Rpt. 108, pp. 24, 25. 1915.
Cunettes, canal, construction. D.B. 190, p. 15. 1915.
CUNNINGHAM, C. C.: "Study of the relation of the length of kernel to the yield of corn (Zea mays indentata)." J.A.R., vol. 21, pp. 427-438. 1921.
Cup current meters, behavior under field conditions. J.A.R., vol. 2, pp. 77-83. 1914.
Cupang, importations and description. No. 34094, B.P.I. Inv. 32, p. 9. 1914; No. 35469, B.P.I. Inv. 35, p. 49. 1915; No. 46380, B.P.I. Inv. 56, p. 13. 1922; No. 47948, B.P.I. Inv. 60, p. 18. 1922.
Cupania spp.—
  importation and description. No. 51120, B.P.I. Inv. 64, p. 59. 1923.
  Porto Rico, description and uses. D.B. 354, p. 82. 1916.
Cupboards—
  cellar, directions for making. Y.B., 1909, p. 354. 1910; Y.B. Sep. 518, p. 354. 1910.
  kitchen, location and size. D.C. 189, p. 7. 1921.
  planning for house. Y.B., 1914, p. 349. 1915; Y.B. Sep. 646, p. 349. 1915.
  window, directions for making. Y.B., 1909, p. 353-354. 1910; Y.B. Sep. 518, p. 353-354. 1910.
CUPPER, P. A.: "Irrigation in Oregon." With John H. Lewis. O.E.S. Bul. 209, pp. 67. 1909.
Cuprammonium—
  use as insecticides, results. S.R.S. Rpt., 1917, Pt. I, pp. 38-182. 1918.
  washes, substitute for Bordeaux mixture. Work and Exp., 1918, pp. 21, 36. 1920.
Cupressus spp.—
  injury by sapsuckers. Biol. Bul. 39, pp. 26-27. 1911.
  nursery-blight susceptibility. J.A.R., vol. 10, pp. 534, 538, 539. 1917.
  See also Cypress.
Cuprous oxide—
  calculation, table. Chem. Cir. 82, p. 2. 1911.
  reduction to copper, table for. Chem. [Misc.], "Table for reduction * * *," pp. 2. 1905.
Cupuliferae, family characters. For. [Misc.], "Forest trees for Pacific * * *," p. 272. 1908.
Curacao—
  misbranding. Chem. N.J. 746, p. 1. 1911; Chem. N.J. 1672, p. 4. 1912.
  orange, misbranding. Chem. N.J. 1511, p. 1. 1912; Chem. N.J. 1521, p. 1. 1912.
Curara, toxicity studies. Chem. Bul. 148, pp. 7, 12. 1912.
Curb markets—
  operations and control, essential conditions. D.B. 1002, pp. 1-18. 1921.
  organization and work. S.R.S. An. Rpt., 1918, pp. 17, 51, 91. 1919.

Curbing—
 brick road, materials and construction. D.B. 23, pp. 9-10. 1913; D.B. 246, pp. 9-11, 27, 29, 30. 1915; D.B. 373, pp. 9-10, 31, 33-34. 1916.
 cement, for springs and wells. F.B. 592, pp. 5, 16. 1914.
 concrete-paved roads, description and value. D.B. 249, p. 17. 1915.
 springs, material, and management. F.B. 592, p. 5. 1914.
 well, directions. F.B. 394, p. 10. 1910.
Curculigo recurvata, importation and description. No. 39665, B.P.I. Inv. 41, p. 57. 1917.
Curculio—
 apple, description, habits, injuries, and control. F.B. 1270, pp. 19-20. 1923.
 butternut, description, distribution, life history, and control. D.B. 1066, pp. 2-7, 16. 1922.
 cambium. Fred E. Brooks and R. T. Cotton. J.A.R., vol. 28, pp. 377-386. 1924.
 catchers, description. Ent. Bul. 103, pp. 170-172. 1912.
 clover root—
  V. L. Wildermuth. Ent. Bul. 85, Pt. III, pp. 29-38. 1910.
  description, life history, food plants, and control. F.B. 649, pp. 8. 1915.
  destruction by starlings. D.B. 868, pp. 17, 18. 1921.
  injury to alfalfa. F.B. 1283, p. 34. 1922.
 control—
  in Georgia peach belt. Oliver I. Snapp and others. D.C. 216, pp. 30. 1922.
  on peaches. F.B. 440, pp. 24, 25, 38-40. 1911.
 cowpea. Geo. G. Ainslie. Ent. Bul. 85, Pt. VIII, pp. 129-142. 1910.
 enemy of orange. P.R. An. Rpt., 1907, p. 32. 1908.
 food plants, list. Ent. Bul. 85, Pt. III, pp. 36-37. 1910.
 grape, description, life history, and control. D.B. 730, pp. 1-19. 1918; Ent. Bul. 116, pp. 26-27. 1912; F.B. 284, pp. 16-19, 26-27. 1917; F.B. 1220, pp. 8-9. 1921.
 hickory nut, description, life history, and control. D.B. 1066, pp. 11-14, 16. 1922.
 hispidula, clover enemy, native of Europe. Ent. Bul. 85, Pt. III, pp. 30-31. 1910.
 injury to peaches, control work. Ent. A.R., 1921, p. 7. 1921.
 insectary work, feeding on poisoned foliage. D.B. 1205, pp. 7-11, 14-17. 1924.
 jarring, record of experiment in Georgia, 1910. F.B. 440, pp. 16-17. 1911.
 nenuphar, description, identity to Conotrachelus nenuphar. Ent. Bul. 103, pp. 13-14, 15, 16. 1912.
 nut infesting, distribution and control. D.B. 1066, pp. 2, 8, 12, 16. 1922.
 peach—
  control work. An. Rpts., 1923, pp. 385-386. 1923; Ent. Cir. 120, pp. 1-7. 1910; Ent. A.R., 1923, pp. 5-6. 1923.
  damage in Georgia, 1919-20, result of previous spraying neglect. D.C. 216, pp. 5-6. 1922.
 persicae, synonym for Conotrachelus nenuphar. Ent. Bul. 103, p. 14. 1912.
 plum—
  A. L. Quaintance and E. L. Jenne. Ent. Bul. 103, pp. 250. 1912.
  Fred Johnson and A. A. Girault. Ent. Cir. 73, pp. 10. 1906.
  apple enemy, life history, and control. F.B. 492, pp. 11-16. 1912.
  as peach enemy, control. An. Rpts., 1915, p. 215. 1916; Ent. A.R., 1915, p. 5. 1915.
  control—
   by spraying, demonstration. An. Rpts., 1911, pp. 511-512. 1912; Ent. A.R., 1911, pp. 21-22. 1911.
   on peach trees by dusting and spraying after harvest. O. I. Snapp and C. H. Alden. D.B. 1205, pp. 19. 1924.
   one-spray method. Ent. Bul. 115, Pt. II, pp. 87-112. 1912.
  description, habits, and control methods. Ent. Bul. 103, pp. 39-112. 1912; F.B 440, pp.13-20. 1911; F.B. 1270, pp. 7-10. 1923.
  destruction by flycatchers. Biol. Bul. 44, pp. 24, 45, 64. 1912.

Curculio—Continued.
 plum—continued.
  distribution and progress in various sections. Ent. Bul. 103, pp. 19-26. 1912.
  egg-laying record, table. Ent. Bul. 37, pp. 105-107. 1902.
  injuries to—
   fruit, and control. F.B. 908, pp. 52, 53, 61, 78, 88, 92. 1918.
   peaches, and relation to brown rot. D.C. 216, pp. 6-7. 1922.
  parasite Thersilochus conotracheli, life history. J.A.R., vol. 6, No. 22, pp. 847-856. 1916.
  spraying with arsenicals, and other sprays. Ent. Bul. 103, pp. 178-218. 1912.
 pupation in soil, studies. Ent. Bul. 103, pp. 73-92. 1912.
 quince, control. F.B. 908, pp. 52, 87. 1918.
 rose, description and remedies. Ent. Bul. 27, pp. 98-100. 1901.
 saving of Georgia peach crop of 1921. D.C. 216, pp. 3-4. 1922.
 spraying, experiments and results. F.B. 440, pp. 24, 25. 1911.
 walnut—
  and hickory fruits and shoots. F. E. Brooks. D.B. 1066, pp. 16. 1922.
  description, life history, enemies and control. D.B. 1066, pp. 7-11, 16. 1922.
 See also Curlew bug.
Curcuma longa. See Turmeric.
Curcumin, use in determination of boron. J.A.R., vol. 5, No. 19, p. 879. 1916.
Curd—
 analyses, showing lactic acid as zinc lactate. J.A.R., vol. 2, pp. 207-210. 1914.
 Camembert cheese, setting, cutting, and draining. B.A.I. Bul. 98, pp. 12-14. 1907; D.B. 1171, pp. 7-10. 1923.
 casein, making and management. D.B. 661, pp. 4-8. 1918.
 cheese—
  cutting directions. F.B. 1191, p. 7. 1921.
  heating—
   effects on whey separation. B.A.I. Bul. 122, pp. 14-23. 1910.
   stirring, and testing for firmness and acidity. F.B. 1191, pp. 8-11. 1921.
  moisture content, factors controlling. J. L. Sammis. B.A.I. Bul. 122, pp. 61. 1910.
  straining, salting, and pressing. F.B. 1191, pp. 11-13. 1921.
 cutting, heating, and draining for cottage cheese. D.B. 576, pp. 5-7, 12. 1917.
 draining, cooling, salting, working, and molding. F.B. 960, pp. 7-13, 19, 20. 1918.
 effect of washing, on skim-milk casein. D.B. 661, pp. 19-20, 21-22. 1918.
 green, relation to cured cheese. B.A.I. Bul. 85, p. 67. 1906.
 milk, moisture content, studies. B.A.I. Cir. 210, pp 3-4. 1913.
 stirring, hand rakes and mechanical agitators, comparison. B.A.I. Bul. 122, p. 59. 1910.
 sweet, use in diet, recipes. F.B. 413, p. 19. 1910.
 texture, effect of acid. B.A.I. Bul. 150, p. 18. 1912.
 See also Cheese making.
Curdling—
 milk—
  action of enzyms. F.B. 490, pp. 14-15. 1912.
  effect on distribution of bacteria. B.A.I. Bul. 150, pp. 15-17. 1912.
  sweet, necessity of pepsin for digestion. Y.B., 1907, p. 188. 1908; Y.B. Sep. 444, p. 188. 1908.
Curing—
 alfalfa—
  artificially. H. B. McClure. B.P.I. Cir. 116, pp. 27-31. 1913.
  directions. F.B. 1229, pp. 2, 7-8. 1921.
  methods and effects on feeding value. J.A.R., vol. 18, pp. 299-304. 1919.
 bacon, Danish methods. B.A.I. An. Rpt., 1906, pp. 232-234. 1908.
 beef, directions. F.B. 1415, pp. 19-29. 1924.
 beet seed, directions. Y.B., 1909, p. 182. 1910; Y.B. Sep. 503, p. 182. 1910.
 broomcorn—
  methods. F.B. 768, pp. 10-12. 1916; F.B. 958, pp. 14-16. 1918.

Curing—Continued.
  broomcorn—continued.
    precautions to prevent injury. Rpt. 98, p. 35. 1913.
    rick, shed and kiln drying. D.B. 1019, pp. 7-10. 1922.
  bulbs, directions. D.B. 797, pp. 14-18. 1919.
  cheese—
    American, by the cold method. C. F. Doane. B.A.I. Bul. 85, pp. 68. 1906.
    "cold" and "cool," comparative advantages. B.A.I. Bul. 85, pp. 22-24. 1906.
    directions. F.B. 1191, pp. 16, 17. 1921.
    experiments to determine moisture content factors. B.A.I. Bul. 122, pp. 1-61. 1910.
    from pasteurized milk. B.A.I. Bul. 165, pp. 50-51. 1913.
  cigar leaf tobacco, use of artificial heat. W. W. Garner. B.P.I. Bul. 241, pp. 25. 1912.
  clover for seed. F.B. 323, pp. 20-21. 1908.
  cowpea hay, directions. F.B. 318, p. 10. 1908.
  dates, directions. B.P.I. Bul. 53, pp. 29-30. 1904.
  dried fruits. F.B. 903, pp. 30, 34, 41, 52, 54, 55. 1917.
  figs, methods. D.B. 732, pp. 22-23. 1918.
  fox skins, directions. F.B. 328, pp. 20-21. 1908.
  ginseng, directions. F.B. 551, p. 13. 1913.
  hams, methods. B.A.I. Bul. 132, pp. 8-10. 1911; F.B. 479, pp. 19-22. 1912.
  hay—
    improper methods. F.B. 508, p. 10. 1912.
    methods—
      F.B. 943, pp. 3-8, 11-13, 28, 29. 1918.
      to preserve leafiness and color. D.C. 326, pp. 16-17. 1924.
    practices of labor-wasting and labor-saving. F.B. 987, pp. 8, 12. 1918.
    tedding, cocking and sweating, special devices. F.B. 677, pp. 3-5, 13-16. 1915.
  hemp, methods. B.P.I. Cir. 57, p. 5. 1910.
  hides and skins, directions. F.B. 1055, pp. 29-36, 52. 1919.
  hops, object, theory, and methods. F.B. 304, pp. 19-33. 1907.
  lemons—
    Y.B., 1907, p. 358. 1908; Y.B. Sep. 453, p. 358. 1908.
    forced, as practiced in California, preliminary study. Arthur F. Sievers and Rodney H. True. B.P.I. Bul. 232, pp. 38. 1912.
    humidifier for rooms. A. D. Shamel. D.B. 494, pp. 11. 1917.
    methods. B.P.I. Cir. 26, p. 5, 13-14. 1909.
  meats—
    agents and formulas. F.B. 1186, pp. 15, 16, 17. 1921.
    at home, results of ham and bacon clubs. Y.B., 1917, p. 378. 1918; Y.B. Sep. 753, p. 10. 1918.
    by electricity, special instructions to inspectors. B.A.I.S.A. 56, p. 88. 1911.
    on farm, methods, and formulas. News L., vol. 2, No. 4, pp. 3-4. 1914.
    saltpeter, use and effects. B.A.I. An. Rpt., 1908, pp. 301-314. 1910.
    use of substitutes for sucrose. Ralph Hoagland. D.B. 928, pp. 28. 1920.
  milo, directions. F.B. 1147, p. 14. 1920.
  mutton on the farm, directions, and brine formula. F.B. 1172, pp. 16-19. 1920.
  olives, processes. F.B. 1249, p. 38. 1922.
  onions—
    artificial, value in control of mycelial neck rot. J. C. Walker. J.A.R., vol. 30, pp. 365-373. 1925.
    before storage. F.B. 354, pp. 22-24. 1909; F.B. 1060, p. 17. 1919
  paprika peppers. D.B. 43, pp. 17-19. 1913.
  peanuts, directions. F.B. 356, pp. 20-22, 37. 1909; F.B. 431, pp. 19-22. 1911.
  peas for seed. B.P.I. Bul. 184, p. 32. 1910.
  pigeon pea hay. Hawaii Bul. 46, pp. 10-13. 1921.
  pineapples, directions. P.R. Bul. 8, p. 31. 1909.
  pork—
    at home, work of pig clubs. Y.B., 1915, pp. 185-186. 1916; Y.B. Sep. 667, pp. 185-186. 1916.
    directions and formulas. F.B. 1186, pp. 15-18. 1921.

Curing—Continued.
  pork—continued.
    effects on trichinae. B. H. Ransom and others. D.B. 880, pp. 37. 1920
    products to be eaten without cooking. B.A.I. S.R.A. 128, pp. 131-133. 1918.
  skins of fur animals, directions. Y.B. 1916, pp. 503-505. 1917; Y.B. Sep. 693, pp. 15-17. 1917.
  sorghum hay. F.B. 458, p. 19. 1911.
  soy-bean hay. F.B. 973, pp. 25-26. 1918.
  sweet-corn seed, methods. B.P.I. Bul. 184, pp. 19-21. 1910.
  sweet potatoes, directions. F.B. 970, pp. 22-23, 1918; F.B. 1267, pp. 10-11. 1922; F.B. 1442. p. 17. 1925.
  tea, methods. B.P.I. Bul. 234, pp. 22-31. 1912, tobacco—
    W. W. Garner. F.B. 523, p. 24. 1913.
    air and fire methods. F.B. 343, pp. 23-26. 1909.
    directions, in Georgia—
      Grady County. Soil Sur. Adv. Sh., 1908, p. 25. 1909; Soils F.O., 1908, p. 361. 1911.
      Thomas County. Soil Sur. Adv. Sh., 1908, p. 29. 1909; Soils F.O., 1908, p. 419. 1911.
    effects of temperature and moisture. D.B. 79, pp. 36-39. 1914.
    forcing methods. B.P.I. Bul. 241, pp. 13-15. 1912.
    improved system. An. Rpts., 1911, p. 64. 1912; Sec. A.R., 1911, p. 62. 1911; Y.B., 1911, p. 62. 1912.
    leaf, research studies. W. W. Garner and others. D.B. 79, pp. 40. 1914.
    methods—
      B.P.I. Bul. 244, pp. 29-32. 1912; Soils Bul. 46, pp. 36-38. 1907.
      in North Carolina, Granville County. Soil Sur. Adv. Sh., 1910, pp. 14, 15-16. 1912; Soils F.O., 1910, pp. 349-350, 351-352. 1912.
      in Pennsylvania. F.B. 416, rev., pp. 15-19. 1921.
      of applying heat. B.P.I. Bul. 143, pp. 20-21, 22, 25, 42-44. 1909.
    principles and practical methods. W. W. Garner. B.P.I. Bul. 143, p. 54. 1909.
    relation to grain development and burning quality. J.A.R., vol. 7, pp. 284-286. 1916.
    sheds and methods in Pennsylvania. F.B. 416, pp. 17-21. 1910.
    studies, new process. An. Rpts., 1910, p. 317. 1911; B.P.I. Chief Rpt., 1910, p. 47. 1910.
  vanilla beans, directions. P.R. Bul. 26, pp. 28-30. 1918.
Curlew—
  breeding grounds, Great Plains, description. Y.B. 1917, pp. 198-200. 1918; Y.B. Sep. 723, pp. 4-6. 1918.
  bristle-thighed—
    breeding and migration range. Biol. Bul. 35, p. 77. 1910.
    occurrence on Laysan Island, description. Biol. Bul. 42, p. 21. 1912.
  Eskimo—
    breeding range and migration habits. Biol. Bul. 35, pp. 74-76. 1910.
    distribution, migration habits, and decrease. Y.B., 1914, pp. 286-289. 1915; Y.B. Sep. 642, pp. 286-289. 1915.
    European, occurrence in North America. Biol. Bul. 35, p. 76. 1910.
  Hudsonian, range and habits. Biol. Bul. 35, pp. 72-74. 1910; N.A. Fauna 21, p. 74. 1901; N.A. Fauna 24, p. 64. 1904.
  long billed—
    breeding range and migration habits. Biol. Bul. 35, pp. 71-72. 1910.
    protection need. Y.B. 1914, pp. 284-285. 1915; Y.B. Sep. 642, pp. 284-285. 1915.
    occurrence in Pribilof Islands. N.A. Fauna 46, pp. 77-78. 1923.
  penalty for hunting in Montana and Idaho. For. [Misc.], "Trespass on national * * *," pp. 28, 44. 1922.
  protection by law. Biol. Bul. 12, rev., p. 38. 1901.
  range, occurrence, and names. Biol. Bul. 35, pp. 71-77. 1910; Biol. Bul. 38, p. 32. 1911; M.C. 13, pp. 65-67. 1923; N.A. Fauna 22, p. 100. 1902.

Curlew—Continued.
    stone, distribution. Biol. Bul. 35, p. 100. 1910.
    varieties, Athabaska-Mackenzie region. N.A. Fauna 27, pp. 331-332. 1908.
Curlew bug—
    description, life history, destructiveness, and control. Ent. Bul. 95, pp. 53-71 1912; F.B. 1003, pp. 14-15, 22. 1919.
    natural enemies. Ent. Bul. 95, Pt. IV, p. 71. 1912.
Curly—
    dwarf. See Potato, curly dwarf.
    leaf—
        disease—
            characteristics and control. Ent. Bul. 66, pp. 44-48. 1910.
            sugar beet, relation of leafhoppers. E. D. Ball. Ent. Bul. 66, pp. 33-52. 1910.
        raspberry. See Bluestem.
    top—
        beet—
            H. B. Shaw. B.P.I. Bul. 181, pp. 46. 1910.
            causes and remedies. Rpt. 92, pp. 79-87. 1910.
            injuries at Newlands Irrigation Project. D.C. 352, pp. 2-3. 1925.
            measurement of oxidase in juice. B.P.I. Bul. 238, pp. 33-38. 1912.
            outbreak at Garland, Utah, history. B.P.I. Bul. 181, pp. 18-19. 1910.
            relation to leafhoppers, studies. J.A.R., vol. 14, pp. 393-394. 1918.
        sugar beet(s)—
            biochemical study. H. H. Bunzel. B.P.I. Bul. 277, pp. 28. 1913.
            disease. C. O. Townsend. B.P.I. Bul. 122, pp. 37. 1908.
            disease studies. Eubanks Carsner and C. F. Stahl. J.A.R., vol. 28, pp. 297-320. 1924.
            injury, distribution, and control investigations. D.B. 995, pp. 18, 46-47. 1921.
            investigations. B.P.I. Bul. 122, pp. 1-37. 1908.
            spread and damages caused. D.B. 721, pp. 17, 45-46, 48. 1918.
Currajong shrub, importation and description. No. 33507, B.P.I. Inv. 31, p. 27. 1914.
CURRAN, G. C.: "Spores in the upper air." With others. J.A.R., vol. 24, pp. 599-606. 1923.
Currant(s)—
    adulteration. Chem. N.J. 188, pp. 2. 1910; Chem. N.J. 531, pp. 2. 1910; Chem. N.J. 3838, p. 402. 1915.
    agent in spread of white-pine blister rust. B.P.I. Cir. 129, pp. 10-17. 1913.
    Alaska—
        growing at Sitka station. Alaska A.R. 1910, pp. 23-24. 1911.
        varieties. Alaska A.R., 1914, pp. 12-13. 1915.
    and gooseberries—
        G. M. Darrow, F.B. 1024, pp. 40. 1919.
        culture. S.R.S. Doc. 94, pp. 6. 1919.
    aphids—
        descriptions, habits and control. F.B. 804, pp. 27-31. 1917; F.B. 908, p. 99. 1918; F.B. 1024, p. 19. 1919; F.B. 1128, pp. 28-32, 33, 35, 48. 1920.
        injurious, and to orchard fruits, gooseberries and grapes, control measures. A.L. Quaintance and A. C. Baker. F.B. 1128, pp. 48. 1920.
        variable, description, injuries, and history. F.B. 804, pp. 30-31. 1917.
    Athabaska-Mackenzie region. N.A. Fauna 27, p. 526. 1908.
    Bar-le-Duc, preparation with honey, recipe. News L., vol. 2, No. 37, p. 7. 1915.
    black—
        blister rust—
            danger. D.B. 957, p. 89. 1922.
            spread to pine trees. D.C. 226, pp. 4-5. 1922.
        gall mite eradication. Ent. Bul. 67, pp. 119-122. 1907.
        See also Blister rust; Cronartium ribicola; Rust, currant.
    borer, description and control. F.B. 1024, pp. 19-20. 1919.

Currant(s)—Continued.
    bush(es)—
        blister-rust infection and spread. D.C. 226, pp. 3, 4, 5. 1922.
        destruction for blister-rust control. Off. Rec., vol. 3, No. 17, p. 6. 1924.
        shipment restrictions for blister-rust control. News L., vol. 3, No. 35, p. 3. 1916.
    cane blight fungus, occurrence on other hosts. N. E. Stevens and A. E. Jenkins. J.A.R. vol. 27, pp. 837-844. 1924.
    canning—
        methods, effect of various sirups. D.B. 196, p. 40. 1915.
        seasons. Chem. Bul. 151, p. 34. 1912.
    Chinese, importations and description. No. 36356, B.P.I. Inv. 37, p. 75. 1916; No. 45689, B.P.I. Inv. 53, pp. 10, 79. 1922.
    clearing for rust control. Off. Rec., vol. 4, No. 41, p. 2. 1925.
    cold storage. B.P.I. Bul. 108, pp. 9, 10, 14, 19-23. 1907.
    composition, analytical data. Chem. Bul. 66, rev., pp. 41, 44, 45. 1905.
    cultivation—
        and propagation. O.E.S. Bul. 178, pp. 91-93. 1907.
        in Alaska. Alaska A.R., 1907, pp. 37-38. 1908.
    cultural directions for permanent gardens, and limitations. F.B. 1242, pp. 13-14. 1921.
    culture, relation to white-pine blister rust (with gooseberries.) G. M. Darrow and S. B. Detwiler. F.B. 1398, pp. 38. 1924.
    destruction, for eradication of blister rust. D.B. 957, pp. 84-86, 87-88. 1922.
    Diploma, promising variety, description and origin. Y.B., 1909, p. 378. 1910; Y.B. Sep. 521, p. 378. 1910.
    diseases—
        and gooseberry, control. F.B. 1024, pp. 20-26. 1919; S.R.S. Doc. 94, pp. 5-6. 1919.
        treatment. F.B. 243, p. 23. 1906.
    distribution. N.A. Fauna 21, p. 56. 1901.
    dried—
        adulteration. Chem. N.J. 2341, p. 1. 1913.
        infestation by rice moth. D.B. 783, pp. 9, 10. 1919.
        source of supply, and uses in food. Y.B., 1912, pp. 512, 520. 1913; Y.B. Sep. 610, pp. 512, 520. 1913.
    drying directions. D.C. 3, p. 20. 1919.
    eradication for control of white-pine blister rust. D.B. 1186, pp. 25-26. 1924; Sec. A.R., 1924, p. 65. 1924.
    fall care and winter protection, methods. News L., vol. 3, No. 19, p. 1. 1915.
    felt rust, cause, studies. Work and Exp., 1914, p. 178. 1915.
    fertilizers. F.B. 1024, p. 12. 1919.
    fly description and control. F.B. 1024, p. 20. 1919.
    food value, analysis and comparison with other fruits. F.B. 685, p. 21. 1915.
    freezing points. D.B. 1133, pp. 5, 7. 1923.
    golden, occurrence in Colorado and description. N.A. Fauna 33, p. 232. 1911.
    gooseberry hybrid, importation and description. No. 54507, B.P.I. Inv. 69, pp. 3, 18-19. 1923.
    grape. See Grape, currant.
    Greek—
        invoice notation. Chem. [Misc.], "Food and drug manual," p. 103. 1920.
        jelly labeling, item 220. Chem. S.R.A. 20, pp. 62-63. 1917.
        laws on exportation. Y.B., 1911, p. 434. 1912; Y.B. Sep. 581, p. 434. 1912.
    growing—
        and use. News L., vol. 6, No. 34, p. 7. 1919.
        experiments, California. D.B. 349, p. 10. 1916.
        in Alaska—
            1909. Alaska A.R., 1909, pp. 9, 36-37. 1910.
            1921. Alaska A.R., 1921, pp. 13, 22. 1923.
        Great Plains area. F.B. 727, p. 35. 1916.
        limitations, reasons for. F.B. 1024, pp. 4, 22-25. 1919.
        planting distances and varieties. F.B. 1001, pp. 4, 5, 8, 11, 13, 32-39. 1919.
        under irrigation, Belle Fourche, South Dakota. W.I.A. Cir. 24, p. 31. 1918.

INDEX TO PUBLICATIONS, 1901-1925   693

Currant(s)—Continued.
  host of white-pine blister rust. 1914; D.B. 116,
    pp. 3, 4–6. 1914; D.B. 1186, pp. 4, 23–26. 1924;
    D.C. 177, pp. 5–8, 17, 18. 1921; F.B. 489, pp.
    5–8, 10, 14. 1912; M.C. 40, pp. 1–8. 1925.
  importance in—
    California. News L., vol. 6, No. 27, p. 4. 1919.
    western Europe. D.B. 1186, pp. 9–11, 24. 1924.
  importations and description. Nos. 32227–32230,
    B.P.I. Bul. 261, p. 44. 1912; Nos. 38411–38412,
    B.P.I. Inv. 39, pp. 126–127. 1917; Nos. 39910–
    33920, B.P.I. Inv. 42, pp. 5, 36, 39. 1918; Nos.
    42223–42267, 42318, B.P.I. Inv. 46, pp. 69, 76.
    1919; Nos. 42780–42781, B.P.I. Inv. 47, p. 63.
    1920; Nos. 44347–44349, B.P.I. Inv. 50, p. 61.
    1922; Nos. 44475–44499, 44581–44587, 44638–44648,
    44706, 44707, 44904, B.P.I. Inv. 51, pp. 10, 17,
    27, 37, 52, 88. 1922; Nos. 46958–46962, 46970–
    46972, 47264–47295, B.P.I. Inv. 58, pp. 11, 13,
    46. 1922; Nos. 47409–47415, B.P.I. Inv. 59, p.
    16. 1922; Nos. 52707–52711, B.P.I. Inv. 66, pp.
    62–63. 1923; Nos. 53220–53237, B.P.I. Inv. 67,
    pp. 41–42. 1923; Nos. 53994, B.P.I. Inv. 68,
    pp. 2, 17. 1923; Nos. 54474, 54507, B.P.I. Inv.
    69, pp. 5, 18. 1923; Nos. 54770–54775, 54786–
    54787, 54801, B.P.I. Inv. 70, pp. 17, 20, 22. 1923.
  imports—
    1852–1913. Y.B., 1913, pp. 497, 511. 1914; Y.B.
      Sep. 631, pp. 497, 511. 1914.
    1901–1924. Y.B., 1924, pp. 1061, 1077. 1925.
    1903, 1913, quantity and source. D.B. 296, p.
      43. 1915.
    1907–1909, quantity and value, by countries
      from which consigned. Stat. Bul. 82, p.
      40. 1910.
    1908–1910, quantity and value, by countries
      from which consigned. Stat. Bul. 90, p. 42.
      1911.
    1919–1921, and 1852–1921. Y.B., 1922, pp. 952,
      967. 1923; Y.B. Sep. 880, pp. 952, 967. 1923.
  infestation by fig moth. Ent. Bul. 104, pp. 13,
    14, 17. 1911.
  insects—
    description and control. F.B. 908, pp. 98–99.
      1918.
    injurious, and their control. F.B. 1024, pp.
      18–20, 25–26. 1919.
    pests, lists. Sec. [Misc., "A manual * * *
      insects * * *", pp. 118–121. 1917.
  interplanting and intercropping. F.B. 1024, pp.
    11–12. 1919.
  introduction into England. D.B. 957, pp. 7–10.
    1922.
  jam, misbranding. Chem. N.J. 641, p. 1. 1910.
  jelly, adulteration and misbranding (with apple).
    Chem. N.J. 415, p. 1. 1910; Chem. N.J. 1622,
    pp. 2. 1912.
  juice—
    extraction and sterilization experiments. D.B.
      241, pp. 10–11. 1915.
    misbranding. See Indexes, Notices of Judgment,
      in bound volumes, and in separates, published
      as supplements to Chemistry Service and
      Regulatory Announcements.
  leaves, infection with blister rust, description.
    F.B. 742, pp. 4, 8, 11. 1916; J.A.R., vol. 15, No.
    12, pp. 621, 634–639. 1919.
  marketing by parcel post, suggestions. F.B. 703,
    p. 14. 1916.
  misbranding. Chem. N.J. 356, p. 1. 1910.
  occurrence in Colorado and description. N.A.
    Fauna 33, pp. 231–232. 1911.
  packing season. D.B. 196, p. 17. 1915.
  Physalospora malorum, occurrence. Neil E.
    Stevens. J.A.R., vol. 28, pp. 583–588. 1924.
  planting directions, time, distances, and methods.
    F.B. 1024, pp. 7–10. 1919.
  plants—
    importations, Quarantine No. 7 (T.D. 37179).
      F.H.B.S.R.A. 40, p. 50. 1917.
    mailing restrictions. F.H.B.S.R.A. 40, p. 51.
      1917.
  preserves, misbranding. Chem. N.J. 1081, p. 1.
    1911.
  propagation by means of cuttings. F.B. 1024, pp.
    6–7. 1919.
  pruning directions. F.B. 1024, pp. 13–14. 1919.
  quarantine—
    in white-pine regions. F.B. 1024, p. 25. 1919.

Currant(s)—Continued.
  quarantine—continued.
    See also Blister rust quarantine; Blister rust,
      white pine, quarantine; Gooseberry quaran-
      tine; Ribes quarantine.
  Red Cross, adaptation to Alaska. Alaska A.R.
    1908, pp. 12, 27. 1909.
  red, occurrence in Colorado, and description.
    N.A. Fauna 33, pp. 231–232. 1911.
  relation to white-pine blister rust. F.B. 1239, p.
    6. 1921.
  removal to prevent white-pine blister rust, recom-
    mendation. F.B. 742, p. 15. 1916.
  respiration studies. Chem. Bul. 142, pp. 13, 24,
    25. 1911.
  root aphid, description and life history. Ent. Bul.
    60, pp. 166–170. 1906.
  rust. See Blister rust; Cronartium ribicola; Rust,
    currant.
  shipments by States, and by stations, 1916.
    D.B. 667, pp. 9, 107. 1918.
  Siberian, importations and descriptions. Nos.
    35308, 35309. B.P.I. Inv. 35, p. 36. 1915.
  spraying—
    against scale insects. Ent. Cir. 121, p. 13. 1910;
      F. B. 723, p. 11. 1916.
    to control blister rust. D.B. 957, pp. 86–87.
      1922.
  spread of white-pine blister rust—
    1913. An. Rpts., 1913, p. 108. 1914; B.P.I.
      Chief Rpt., 1913, p. 4. 1913.
    1918. An. Rpts., 1918, pp. 154–155. 1919;
      B.P.I. Chief Rpt., 1918, pp. 20–21. 1918.
  stock, shipments to West, control by cooperation.
    F.H.B.S.R.A. 26, pp. 36–38. 1916.
  strawberry jam, recipe. F.B. 1026, p. 39. 1919;
    F.B. 1027, p. 28. 1919; F.B. 1028, p. 48. 1919.
  varieties—
    adaptability to Alaska. Alaska A.R. 1911, pp.
      14–15, 71. 1912.
    adaptable, soil preparation, planting, fertilizing
      and pruning. S.R.S. Doc. 94, pp. 2–5. 1919.
    and success at field station near Mandan, N.
      Dak. D.B. 1301, p. 22. 1925.
    for northern Great Plains, hardiness. D.C. 58,
      p. 4. 1919.
    in West Virginia and Kentucky. D.B. 1189,
      p. 66. 1923.
    recommendations for various fruit districts.
      B.P.I. Bul. 151, p. 28. 1909.
    resistant to blister rust. D.B. 957, p. 76. 1922.
    tests, at Mandan, N. Dak. D.B. 1337, p. 8.
      1925.
  wild, importations and descriptions. Nos.
    30943–30944, B.P.I. Bul. 242, p. 56. 1912.
  worm, description and control. Ent. T.B. 22, p.
    33. 1912; F.B. 908, p. 99. 1918; F.B. 1024, pp.
    18–19, 26. 1919.
  Wyoming, distribution and growth. N.A.
    Fauna 42, pp. 67–68. 1917.
  yellow, importation and description. No. 46832.
    B.P.I. Inv. 57, p. 41. 1922.
  Zante, historic notes, and use of Panariti grape.
    Y.B. 1911, pp. 433–436. 1912.
  See also Ribes spp.
Current—
  meters, use in irrigation canals, experiments.
    S. T. Harding J.A.R., vol. 5, No. 6, pp
    217–232. 1915.
  wheels, use in lifting water for irrigation. O.E.S.
    Bul. 146, pp. 38. 1904.
CURRIE, J. N.—
  "Aspergillus niger group." With Charles Thorn.
    J.A.R., vol. 7, pp. 1–15. 1916.
  "Composition of Roquefort cheese fat." J.A.R.,
    vol. 2, pp. 429–434. 1914.
  "Flavor of Roquefort cheese." J.A.R., vol. 2, pp.
    1–14. 1914.
CURRIE, R. P.—
  "An index to circulars 1 to 100 of the Bureau of
    Entomology." With Andrew N. Caudell.
    Ent. Cir. 100, pp. 49. 1911.
  "Catalogue of the exhibit of economic entomology
    at the Lewis and Clark Centennial Exposition,
    Portland, Oreg., 1905." Ent. Bul. 53, pp. 127.
    1905.
CURRIER, E. L.: "Farm practice in growing sugar
  beets in the Billings region of Montana." With
  S. B. Nuckols. D.B. 735, pp. 40. 1918.

Curry—
  imports, 1907–1909, value. Stat. Bul. 82, p. 37. 1910.
  India, recipe for making. F.B. 391, pp. 38–39. 1910.
  of—
    mutton, recipe. F.B. 1324, p. 11. 1923.
    veal, recipe for making. F.B. 391, p. 39. 1910.
    powder, use as flavoring. F.B. 391, p. 38. Stat. Bul. 82, p. 37. 1910.
    sauce, recipe. F.B. 1195, p. 14. 1921.
Curtains—
  poultry house. B.A.I. Cir. 208, pp. 4, 6. 1913; F.B. 357, pp. 21–31. 1909; F.B. 1413, p. 9. 1924.
  selection for house. Y.B., 1914, pp. 353–354. 1915; Y.B. Sep. 646, pp. 353–354. 1915.
Curtice, Cooper—
  "Notes on experiments with blackhead of turkeys." B.A.I. Cir. 119, pp. 10. 1907.
  "Progress and prospects of tick eradication." B.A.I. An. Rpt., 1912, pp. 255–265. 1912; B.A.I. Cir. 187, pp. 11. 1912.
  "The effect of the cattle tick upon the milk production of dairy cows." With others. D.B. 147, pp. 22. 1915.
Curtis, E. W.: "Effect on plant growth of sodium salts in the soil." With others. J.A.R., vol. 6, No. 22, pp. 857–868. 1916.
Curtis, M. R.—
  "Frequency of occurrence of tumors in the domestic fowl." J.A.R., vol. 5, No. 9, pp. 397–404. 1915.
  "Relation of simultaneous ovulation to the production of double-yoked eggs." J.A.R., vol. 3, pp. 375–386. 1915.
  "Studies on the physiology of reproduction in the domestic fowl. XV. Dwarf eggs." With Pearl Raymond. J.A.R., vol. 6, No. 25, pp. 977–1042. 1916.
Curtis, R. S.—
  "Eupatorium ageratoides, the cause of trembles." With Frederick A. Wolf. J.A.R., vol. 9, pp. 397–404. 1917.
  "Wintering and fattening beef cattle in North Carolina." With others. D.B. 628, pp. 53. 1918.
  "Wintering and summer fattening of steers in North Carolina." With others. D.B. 954, pp. 18. 1921.
Curtiss, C. F.—
  "Relation of experiment stations to work in instruction, with special reference to its popular phase." O.E.S. Bul. 212, pp. 105–106. 1909.
  report of Iowa Experiment Station, work and expenditures—
    1908. O.E.S. An. Rpt., 1908, pp. 96–98. 1909.
    1909. O.E.S. An. Rpt., 1909, pp. 107–110. 1910.
    1910. O.E.S. An. Rpt., 1910, pp. 138–141. 1911.
    1911. O.E.S. An. Rpt., 1911, pp. 109–112. 1912.
    1912. O.E.S. An. Rpt., 1912, pp. 115–117. 1913.
    1913. O.E.S. An. Rpt., 1913, pp. 46–47. 1915.
    1914. O.E.S. An. Rpt., 1914, pp. 107–111. 1915.
    1915. O.E.S. An. Rpt., 1915, Pt. I., pp. 116–121. 1917.
    1916. O.E.S. An. Rpt., 1916, Pt. I., pp. 116–121. 1918.
    1917. O.E.S. An. Rpt., 1917, Pt. I., pp. 111–117. 1918.
Curuba, importation and description. No. 39383. B.P.I. Inv. 41, p. 22. 1917.
Curujujul. See *Karatas plumieri*.
Curve(s)—
  auxotaxic, means of classifying soils and studying their colloidal properties. A. E. Vinson and C. N. Catlin. J.A.R., vol. 26, pp. 11–13. 1923.
  taper, construction. Frederick S. Baker. J.A.R., vol. 30, pp. 609–624. 1925.
Cuscus grass—
  importation, value, and uses. No. 28331, B.P.I. Bul. 223, p. 12. 1911.
  See also Vetiver.
Cuscuta spp.—
  description, hosts, and economic importance. F.B. 1161, pp. 5–7. 1921.
  See also Dodder.
Cushman, A. S.—
  "A study of rock decomposition under the action of water." Rds. Cir. 38, pp. 10. 1905.
  "Fabricated wire fences." Y.B., 1909, pp. 285–292. 1910; Y.B. Sep. 513, pp. 285–292. 1910.

Cushman, A. S.—Continued.
  "Information in regard to fabricated wire fences and hints to purchasers." Y.B., 1909, pp. 285–292. 1910; Y.B. Sep. 513, pp. 285–292. 1910.
  "The cementing power of road materials." With Logan Waller Page. Chem. Bul. 85, pp. 24. 1904.
  "The corrosion of fence wire." F.B. 239, pp. 31. 1905.
  "The corrosion of iron." Rds. Bul. 30, pp. 35. 1907.
  "The decomposition of the feldspars." With Prevost Hubbard. Rds. Bul. 28, pp. 29. 1907.
  "The effect of water on rock powders." Chem. Bul. 92, pp. 24. 1905.
  "The preservation of iron and steel." Rds. Bul. 35, pp. 40. 1909.
  "The use of feldspathic rocks as fertilizers." B.P.I. Bul. 104, pp. 32. 1907.
  "The useful properties of clays." Chem. Cir. 17, pp. 12. 1904.
Cushman, R. A.—
  "Notes on the peach and plum slug." Ent. Bul. 97, Pt. V, pp. 91–102. 1911.
  "*Syntomaspis druparum*, the apple-seed chalcid." J.A.R., vol. 7, pp. 487–502. 1916.
  "The Calliephialtes parasite of the codling moth." J.A.R., vol. 1, pp. 216–235. 1913.
  "The cherry leaf beetle, a periodically important enemy of cherries." With Dwight Isely. D.B. 352, pp. 28. 1916.
  "The insect enemies of the cotton boll weevil." With others. Ent. Bul. 100, pp. 99. 1912.
  "*Thersilochus conotracheli*, a parasite of the plum curculio." J.A.R., vol. 6, No. 22, pp. 847–856. 1916.
Custard apple—
  caterpillar, description. Sec. [Misc.], "A manual * * * insects * * *," p. 93. 1917.
  importations and description. No. 39887, B.P.I. Inv .42, p. 31. 1918; No. 42792, B.P.I. Inv. 47, p. 65. 1920; No. 45955, B.P.I. Inv. 54, p. 49. 1922; Nos. 49199, 49289, B.P.I. Inv. 62, pp. 1, 11, 21. 1923; Nos. 49980, 50211, B.P.I. Inv. 63, pp. 26, 45. 1923.
  introduction and study. An. Rpts., 1913, p. 128. 1914; B.P.I. Chief Rpt., 1913, p. 24. 1913.
  tortoise-shell, importation and description. No. 44474, B.P.I. Inv. 51, pp. 6, 63. 1922.
  See also Annona.
Custards—
  baked, recipe. F.B. 824, p. 16. 1917.
  boiled, recipe. F.B. 712, p. 25. 1916.
  egg, uses and recipes. S.R.S. Doc. 91, p. 7. 1919.
  milk, use and value. F.B. 1207, p. 31. 1921.
  potato starch recipes. S.R.S. Doc. 16, p. 1. 1915.
  recipes and directions. D.C. 36, p. 7. 1919.
  use—
    and value for children, recipes. F.B. 717, pp. 9, 10. 1916.
    of term. Chem. S.R.A. 13, p. 5. 1915.
Custodial Service, grades and compensation. Off. Rec., vol. 2, No. 13, p. 6. 1923.
Custom work—
  farm—
    by tractors and by horses. D.B. 997, pp. 25, 32. 1921.
    tractors, profit and loss. D.B. 174, pp. 15–17, 34–36. 1915.
  farmers, use of—
    motor trucks. F.B. 1201, p. 14. 1921.
    tractors. F.B. 1299, pp. 5, 9. 1922.
Customs—
  Collector, statements to, in regard to imported foods and drugs. Chem. [Misc.], "Food and drug manual," pp. 121–126. 1920.
  supplies to Government offices, change in regulations. Off. Rec., vol. 1, No. 46, p. 4. 1922.
Cut-grass, rice, description. D.B. 772, pp. 206, 207. 1920.
Cut-over—
  farms management, studies. An. Rpts., 1916, pp. 421, 422, 423. 1917; Farm M. Chief Rpt., 1916, pp. 7–8, 9. 1916.
  lands—
    adaptation for beef cattle. D.B. 8–27, pp. 13–49. 1921.

INDEX TO PUBLICATIONS, 1901–1925   695

Cut-over—Continued.
  lands—continued.
    Mississippi, Forrest County, value for agriculture. Soil Sur. Adv. Sh., 1911, pp. 10, 13. 1912; Soils F.O., 1911, pp. 1008, 1011. 1914.
    reclamation for cultivation. Y.B., 1918, p. 436. 1919; Y.B. Sep. 771, p. 6. 1919.
Cutaneous eruptions, result of use of antipyrin. Chem. Bul. 126, pp. 47–63. 1909.
Cuticura ointment and soap, alleged misbranding. Chem. N.J. 1691, pp. 3. 1912.
Cuts, barbed-wire—
  cattle, treatment. B.A.I. [Misc.], "Diseases of cattle," rev., p. 299. 1908.
  beef, names. F.B. 1068, pp. 5, 7. 1919.
Cutter, silage description. F.B. 578, p. 7. 1914.
Cutter's grass. See Purslane.
Cuttings—
  alfalfa, handling and planting, directions. B.P.I. Bul. 102, p. 34. 1907. B.P.I. Bul. 258, pp. 12, 18. 1913.
  avocado, propagation. Hawaii Bul. 25, p. 15. 1911.
  blueberry, directions for rooting and care. D.B. 334, pp. 8–11. 1915.
  chayote, rooting. D.C. 286, p. 4. 1923.
  chrysanthemums, rooting. F.B. 1311, pp. 9–11. 1923.
  citrus-tree propagation, description and methods. F.B. 539, pp. 10–11. 1913.
  cottonwood—
    description, treatment and cost. D.B. 24, pp. 55–57, 58. 1913.
    planting directions. For. Cir. 77, p. 3. 1910.
  dahlia, preparation and care. F.B. 1370, pp. 7–9. 1923.
  distribution in Hawaii—
    1919. Hawaii A.R. 1919, p. 49. 1920.
    1922. Hawaii A.R., 1922, p. 11. 1924.
  fig—
    and seedlings, distribution by department, terms. B.P.I. Doc. 438, pp. 3–6. 1909.
    distribution by department. B.P.I. Doc. 537, rev., pp. 2, 4. 1912.
    preparation and rooting, directions. D.B. 732, p. 30. 1918; F.B. 342, pp. 22–23. 1909; F.B. 1031, pp. 9–10. 1919.
  fruit, quarantine. F.H.B. Quar. 44, pp. 2. 1920.
  grape, phylloxera spread, possibility. D.B. 903, pp. 8, 120–121. 1921.
  greenhouse, injury by red spider, treatment. Ent. Cir. 104, pp. 1, 3, 7, 9. 1909.
  hardwood trees, setting. F.B. 1123, pp. 9, 10. 1921.
  hibiscus, planting. Hawaii Bul. 29, p. 11. 1914.
  jujubes, use in propagation. D.B. 1215, pp. 12–13. 1924.
  Muscadine grapes, rooting. F.B. 709, pp. 4–6. 1916.
  olive, rooting, directions. F.B. 1249, pp. 16–17. 1922.
  papaya, propagation method. B.P.I. Cir. 119, p. 5. 1913.
  Para grass, propagation. Guam Bul. 1, p. 13. 1921.
  Paspalum planting. Guam Bul. 1, p. 35. 1921.
  persimmon, root and wood, management. F.B. 685, pp. 8–9. 1915.
  preparation for shipment. D.C. 323, pp. 7–8, 9. 1924.
  prickly pear—
    planting directions. F.B. 483, pp. 14–15. 1912; F.B. 1072, pp. 12–13, 22–23. 1920.
    spineless, treatment. B.P.I. Bul. 140, pp. 11–14. 1909.
  propagation of forest trees. For. Cir. 161, p. 16. 1909.
  rooting—
    by means of humidity and high temperature. J.A.R., vol. 23, p. 233. 1923.
    methods, school exercises. F.B. 408, pp. 29–31. 1910.
  saltbush, propagation for hedges. B.P.I. Cir. 69, p. 5. 1910.
  selection and handling. D.C. 310, pp. 2–3. 1924.
  soft, keeping alive over long periods, directions. B.P.I. Cir. 111, pp. 29–31. 1913.
  sugar-cane propagation. D.B. 486, pp. 5, 16–21. 1917.

Cuttings—Continued.
  tomato, rooting experiments, Guam. Guam A.R., 1914, p. 13. 1915.
  tree, heeling in and planting, directions. D.L.A. Cir. 2, pp. 2, 3. 1916; F.B. 423, p. 23. 1910. F.B. 888, p. 15. 1917; F.B. 1312, p. 25. 1923.
  tuna, propagation. B.P.I. Bul. 116, p. 10. 1907.
  use in grape propagation. F.B. 471, pp. 6, 12–13. 1911.
  vanilla, experimental studies. P.R. An. Rpt., 1914, p. 32. 1916.
  willow—
    price, size, selection, and care. D.B. 316, pp. 44–48. 1915; F.B. 622, pp. 9–15. 1914.
    sterilizing for insects and disease. F.B. 622; p. 15. 1914.
Cutworm(s)—
  alfalfa, killing with poisoned-bran mash. News L., vol. 5, No. 14, p. 8. 1917.
  army, life history, observations. R. A. Cooley J.A.R., vol. 6, No. 23, pp. 871–881. 1916.
  bait, sawdust as bran substitute. News L., vol. 6, No. 24, p. 13. 1919.
  castor bean, destruction in Florida. An. Rpts., 1918, p. 145. 1919; B.P.I. Chief Rpt., 1918, p. 11. 1918.
  control—
    D.C. 160, p. 4. 1921; Hawaii Bul. 54, p. 7. 1924; S.R.S. Doc. 52, pp. 5, 7. 1917.
    by—
      growing cowpeas. Y.B., 1908, pp. 411, 416, 419. 1909; Y.B. Sep. 490, pp. 411, 416, 419. 1909.
      poisoned baits, directions. Ent. [Misc.], "Cutworms," pp. 2. 1918; F.B. 704, p. 32. 1916; Guam Bul. 2, p. 19. 1922; Hawaii Bul. 45, pp. 14, 30–31. 1920.
    in cotton fields. Vir. Is. Bul. 1, p. 14. 1921.
    experiments. An. Rpts., 1918, p. 239. 1919; Ent. A.R., 1918, p. 7. 1918.
    in—
      corn and other cereal crops. W. R. Walton and J. W. Davis. F.B. 739, pp. 4. 1916.
      grain fields. F.B. 800, p. 18. 1917.
      greenhouses. F.B. 1362, pp. 28–29, 80. 1924.
      potato fields. F.B. 1349, p. 10. 1923.
      sugar-beet fields. D.B. 721, p. 48. 1918.
      truck in frames, methods. F.B. 460, p. 27. 1911.
    methods, in Porto Rico. P.R. Cir. 17, pp. 5, 9. 1918.
    on corn. F.B. 537, pp. 15–16. 1913; F.B. 856, p. 42. 1917.
  cotton boll, description, injuries, and control. Ent. Bul. 27, pp. 64–71. 1901; Ent. Bul. 57, pp. 42–44. 1906; F.B. 890, pp. 19–20. 1917.
  damage to crops. Biol. Bul. 15, p. 10. 1901.
  description—
    and control on tomatoes. D.C. 40, pp. 3–4. 1919.
    life history and control. F.B. 835, rev., pp. 12–14. 1920.
  destruction by—
    birds. Biol. Bul. 15, p. 62. 1901.
    Calosoma beetles. D.B. 417, pp. 7, 8. 1917.
    Calosoma larvae. Ent. Bul. 67, p. 98. 1907.
    crows. D.B. 621, pp. 22, 61. 1918.
    fungous parasite, studies. A. T. Speare. J.A.R., vol. 18, pp. 399–440. 1920.
    starlings. D.B. 868, pp. 23, 41, 65. 1921.
  detection and control in grain fields. F.B. 835, pp. 11–13. 1917.
  fungus infestation, *Sorosporella uvella*. J.A.R., vol. 8, pp. 189–194. 1917.
  garden, control by hand picking. Ent. [Misc.], "Garden cutworms," p. 4. 1918.
  granulated—
    description, life history, and control. D.B. 703, pp. 7–14. 1918.
    injury to vegetables, cotton, and tobacco. Ent. Bul. 109, Pt. IV, p. 48. 1912.
  grape enemies, habits and control. F.B. 1220, pp. 29–30. 1921.
  greasy, description and remedies. Ent. Bul. 57, pp. 8–9. 1906; Hawaii Bul. 10, pp. 4–5. 1905.
  habits and control. D.B. 479, pp. 73–74. 1917; D.C. 35, pp. 3–4. 1919; F.B. 856, pp. 14–16, 57, 65, 68. 1917.

Cutworm(s)—Continued.
  injuries and control methods, studies. Work and Exp., 1919, pp. 65-66. 1921.
  injury to—
    alfalfa, and control. F.B. 1283, p. 35. 1922.
    artichokes. D.B. 703, p. 5. 918.
    cabbage in Hawaii. Ent. Bul. 109, Pt. III, pp. 32-33. 1912.
    cactus. Ent. Bul. 113, p. 15. 1912.
    chrysanthemums, and control. F.B. 1306, pp. 17-18. 1923.
    corn, control by poison bait and natural enemies. Hawaii Bul. 27, pp. 8-9. 1912.
    cotton—
      control by poisoned bait. F.B. 890, pp. 5-6. 1917.
      description, life history, and parasites. Ent. Bul. 57, pp. 7-11, 42-44. 1906.
      seedlings. J.A.R., vol. 6, No. 3, pp. 131-135, 138. 1916.
    crucifers, Hawaii. Hawaii A.R., 1914, p. 49. 1915.
    lettuce, and control. F.B. 1418, p. 22. 1924.
    onions, and control methods. F.B. 354, p. 35. 1909; Y.B., 1912, pp. 332-333. 1913; Y.B. Sep. 594, pp. 332-333. 1913.
    tobacco, control measures. B.P.I. Bul. 138, p. 12. 1908; Ent. Bul. 67, p. 110. 1907; Ent. Cir. 123, pp. 2-3, 16. 1910; F.B. 1338, p. 22. 1923; Hawaii Bul. 34, pp. 5-8. 1914.
    tomatoes, control method and caution. F.B. 1338, p. 22. 1923; S.R.S. Doc. 95, pp. 3-4. 1919.
    tree seedlings. J.A.R., vol. 30, p. 640. 1925.
  introduction, danger and description. Sec. [Misc.], "A manual * * * insects * * *," pp. 6, 8, 14, 70, 75, 91, 185, 210, 216. 1917.
  life history and control. F.B. 739, pp. 2-3. 1916.
  little-known. F.H. Chittenden. Ent. Bul. 109, Pt. IV, pp. 47-51. 1912.
  natural enemies. J.A.R., vol. 22, pp. 313-314. 1921.
  origin, life history, and control. Y.B., 1908, pp. 378-381. 1909; Y.B. Sep. 488, pp. 378-381. 1909.
  outbreak in Alberta, 1906, control suggestions. Ent. Bul. 67, pp. 125-126. 1907.
  outbreaks in 1921. D.B. 1103, pp. 19-21. 1922.
  pale western (*Porosagrotis orthogonia* Morr.). J. R. Parker and others. J.A.R., vol. 22, pp. 289-322. 1921.
  septicemia. G. F. White. J.A.R. vol. 26, pp. 487-496. 1923.
  shagreened, life history, and injuries to truck and cotton. Ent. Bul. 57, p. 10. 1906.
  sorrel, interception in plant imports. F.H.B. An. Letter No. 36, pp. 1, 18. 1923.
  spotted, description, distribution, enemies and remedies. Ent. Bul. 27, pp. 54-59. 1901.
  study in 1923. Work and Exp., 1923, p. 52. 1925.
  sugar-beet enemies, description and control studies. D.B. 995, pp. 18, 48-49. 1921.
  tobacco—
    control. Ent. Cir. 123, pp. 2-3. 1910.
    remedies. Hawaii Bul. 15, p, 4. 1908.
  travel methods, and control. News L., vol. 4, No. 38, pp. 7-8. 1917.
  variegated—
    and fall army worm. F. H. Chittenden. Ent. Bul. 29, p. 64. 1901.
    description, life history, and control. Ent. Bul. 27, pp. 50-54. 1901; Ent. Bul. 57, pp. 10-11. 1906; F.B. 739, pp. 1-3. 1916; F.B. 1306, pp. 17-18. 1923.
    varieties injurious, 1907. Y.B., 1907, p. 545. 1908; Y.B. Sep. 472, p. 545. 1908.

Cyanamide—
  chemical—
    and biological studies, and some products. K. D. Jacob and others. J.A.R., vol. 28, pp. 37-69. 1924.
    composition and use as fertilizer. D.B. 1180, pp. 3, 7-8, 10-39, 41. 1923.
  effect on microorganisms in soil. F.E. Allison. J.A.R., vol. 28, pp. 1159-1166. 1924.
  fertilizer for sugar cane, comparison with others. P.R. An. Rpt., 1914, p. 24. 1916.
  plant, Muscle shoals, Ala., capacity and work. An. Rpts., 1922, p. 634. 1923; Fix. Nit. Lab. A.R., 1922, p. 2. 1922.
  process of nitrogen fixation—
    1917. Y.B., 1917, p. 145. 1918; Y.B. Sep. 729, p. 9. 1918.
    1923. An. Rpts., 1923, pp. 497-499. 1924; Fix. Nit. Lab A.R., 1923, pp. 3-5. 1923.
  stocks, 1917. Sec. Cir. 104, pp. 4, 9, 10-12. 1918.
  use as fertilizer, disadvantages. Y.B., 1919, pp. 119, 121. 1920; Y.B. Sep. 803, pp. 119, 121. 1920.

Cyamopsis tetragonoloba—
  forage-crop experiments in Texas. B.P.I. Cir. 106, p. 26. 1913.
  See also Guar.

Cyanide(s)—
  appearance, cost, and poisonous nature. F.B. 699, pp. 2, 3, 6-8. 1916.
  character, and amount used in fumigation. F.B. 880, pp. 6-8. 1917.
  chloride estimation methods. Chem. Bul. 80, pp. 18-19. 1907.
  commercial, experiments. Ent. Bul. 90, Pt. III, p. 103. 1911.
  content of sorghum, grown under different conditions. J.A.R., vol. 6, No. 7, pp. 269-271. 1916.
  description—
    analysis and care of. F.B. 923, pp. 10-11. 1918.
    and use in fumigation. D.B. 872, pp. 17, 19, 23. 1920.
  determination in potassium and sodium cyanides. Chem. Bul. 137, pp. 39, 40. 1911.
  dosage requirements for white fly, experiments and table. Ent. Bul. 76, pp. 40-50, 66-68. 1908.
  formation studies. Fix. Nit. Lab. A.R., 1924, p. 2. 1924.
  fumigation—
    relative value of potash and soda. Ent. Cir. 112, pp. 21-22. 1910.
    specifications. F.B. 1321, pp. 9, 11. 1923.
  handling precautions. F.B. 1321, pp. 11, 38, 58. 1923.
  insecticidal value, testing. J.A.R., vol. 28, pp. 396-399. 1924.
  mixtures, labeling. Opinion 38. I. and F. Bd. S.R.A. 7, pp. 93-94. 1915.
  process for nitrogen—
    conversion. Y.B., 1919, pp. 118-119. 1920; Y.B. Sep. 803, pp. 118-119. 1920.
    fixation. An. Rpts., 1922 p. 639. 1923; Fix. Nit. Lab. A.R., 1922, p. 7. 1922.
  purified, adulteration, and misbranding. Insect. N.J. 75, I. and F. Bd. S.R.A. 1, pp. 12-14. 1914.
  recovery from blast furnace gases. Sec. A.R., 1925, p. 71. 1925.
  samples analyses, in fumigation work. Ent. Bul. 90, pp. 92-93, 102-103. 1912.

Cyanidin, glucosid, in maize. J.A.R., vol. 22, pp. 2-4. 1921.
Cyanistes coeruleus. See Titmouse, blue.
Cyanocephalus cyanocephalus. See Jay, pinon.
Cyanocitta spp. See Jay.
Cyanogen chloride, fumigation experiments, effect on insects, seeds and fungi. D.B. 893, pp. 7-9. 1920.

Cyanogenesis—
  in—
    Andropogon, studies. J.A.R., vol. 16, pp. 175-181. 1919.
    grass, study. An. Rpts., 1916, p. 193. 1917; Chem. Chief Rpt., 1916, p. 3. 1916.
    Sudan grass. Paul Menaul and C. T. Dowell. J.A.R., vol. 18, pp. 447-450. 1920.
  See also Hydrocyanic acid.

Cyanosis—
  "blue disease" of calves, description. B.A.I. [Misc.]," "Diseases of cattle," rev., pp. 79, 250. 1904; B.A.I. rev., pp. 81, 258. 1912; rev., pp. 83, 253. 1923.
  symptoms of poisoning by acetanilide and phenacetin. Chem. Bul. 126, pp. 24-25, 80-85. 1909.

Cyanospora albicedrae, occurrence on cedar trees, Texas. B.P.I. Bul. 226, pp. 63-64. 1912.
Cyanuric acid, isolation from soil. Louis E. Wise and E. H. Walters. J.A.R., vol. 10, pp. 85-92. 1917.
Cyathea spp., importation and description. No. 51007, B.P.I. Inv. 64, p. 40. 1923.

INDEX TO PUBLICATIONS, 1901-1925   697

Cyathostoma E. Blanch and Syngamus Sieb., nematode genera, review. Edward A. Chapin. J.A.R., vol. 30, pp. 557-570. 1925.
Cyathus spp., description. D.B. 175, p. 53. 1915.
Cybocephalus nigritulus, enemy of tea scale. Ent. T.B. 16, Pt. V, p. 79. 1912.
Cycadaceae, root nodules, nitrogen-gathering, description. Y.B.,1910, pp. 216-217. 1911; Y.B. Sep. 530, pp. 216-217. 1911.
Cycas—
blight, occurrence and description, Texas. B.P. I. Bul. 226, p. 85. 1912.
circinalis. See Fadan.
starch plant, description and uses. Guam A.R., 1917, pp. 42-43. 1918.
Cyclamen—
culture and protection from mites. J.A.R., vol. 10, pp. 387-389. 1917.
disease caused by *Glomerella rufomaculans*, cultural studies. B.P.I. Bul. 171, pp. 12-13. 1910.
importation and description. No. 50529, B.P.I. Inv. 63, p. 77. 1923.
mite. G. F. Moznette. J.A.R., vol. 10, pp. 373-390. 1917.
Cyclanthera pedata—
importations and description. No. 51004, B.P.I. Inv. 64, pp. 39-40. 1923; Nos. 51390, 51557, B.P.I. Inv. 65, pp. 1, 11, 26. 1923.
See also Caigna.
Cyclas—
formicarius—
injury to sweet potatoes in Porto Rico. D.B. 192, pp. 6, 11. 1915.
See Sweet potato, weevil.
spp., descriptions. J.A.R., vol. 12, pp. 604-607. 1918.
Cyclone—
burner—
description and use. B.A.I. Bul. 35, pp. 15-17. 1902.
use in gipsy-moth control, description. Ent. Bul. 87, p. 18. 1910.
pulping machine, description and cost. D.B. 927, pp. 6-8, 25. 1921.
Cycloneda sanguinea. See Ladybird.
Cyclones—
cause. Y.B., 1908, p. 291. 1909; Y.B. Sep. 481, p. 291. 1909.
description, injury avoidance, and warnings by Weather Bureau. News L., vol. 5, No. 25, p. 8. 1918.
nature and paths. Y.B., 1924, pp. 459-462. 1925.
Cyclorrhapha, suborder of Diptera, in the Pribilof Islands, Alaska. N.A. Fauna 46, Pt. II., pp. 187-224, 225-228. 1923.
Cyclorrhynchus psittaculus. See Anklet, paroquet.
Cydonia—
oblonga, use for arid lands. Inv. No. 30059. B.P.I. Bul. 233, p. 55. 1912.
spp.—
Chinese quince, importation and description. No. 34589, Inv. 33, pp. 5, 36. 1915.
See also Quinces.
Cylinders—
cockle, use in mills for cleaning wheat. D.B. 328, p. 22. 1915.
threshing machine, adjustment and care. F.B. 991, pp. 10-11. 1918; F.B. 1036, pp. 3-5. 1919.
Cylindropuntia—
non-edible, reasons and notes. B.P.I. Bul. 116, pp. 36, 39, 65. 1907.
See also Tuna, juell.
Cylindrosporium—
padi. See Cherry leaf spot.
pomi—
fungus occurring in fruit spot of apples. B.P.I. Cir. 112, pp. 11, 15. 1913.
vitality tests under low temperature. J.A.R., vol. 5, No. 14, pp. 652, 654, 655. 1916.
spp., occurrence on plants, Texas, description. B.P.I. Bul. 226, pp. 25, 32, 57, 58, 66, 69, 71, 81, 110, 111, 112. 1912.
Cyllene—
caryae. See Hickory borer, painted.
crinicornis, host selection. J.A.R., vol. 22, p. 203. 1921.
pictus—
flight period and control. D.B. 1079, pp. 5-10. 1922.
host selection. J.A.R., vol. 22, pp. 193-220. 1921.

Cyllene—Continued.
robiniae—
description, habits, and control. F.B. 1159, pp. 63-65. 1920.
See also Locust borer.
Cymbopetalum penduliflorum. See Ear flower.
Cymbopogon—
citratus. See Lemon grass.
martini. See Rusa-oil grass.
rufus. See Jaragua grass.
spp., importations and description. Nos. 33786-33787, B.P.I. Inv. 31, pp. 54-55. 1914; Nos. 50759, 51340, B.P.I. Inv. 64, pp. 23, 87. 1923.
Cymene, use in photography. An. Rpts., 1919, p. 231. 1920; Chem. Chief Rpt., 1919, p. 21. 1919.
Cymindis marginalis, insect enemy of grass worm. D.B. 192, p. 7. 1915.
Cymlings—
anthracnose, occurrence and description, Texas. B.P.I. Bul. 226, pp. 43, 111. 1912.
susceptibility to squash disease. J.A.R., vol. 8, p. 320. 1917.
Cymopterus, false, indicator value on range. D.B. 791, pp. 33, 37, 43, 44. 1919.
Cynara—
hystrix, importation and description. No. 45240, B.P.I. Inv. 53, p. 15. 1922.
scolymus—
use in curdling milk for cheese. B.A.I. Bul. 105, p. 39. 1908; B.A.I. Bul. 146, p. 43. 1911.
See also Artichoke.
spp., useful as vegetables, arid regions. B.P.I. Bul. 180, p. 35. 1910.
Cynipoidea, list and classification, with their hosts. Hawaii A.R. 1912, pp. 29-30. 1913.
Cynodon dactylon—
occurrence in Guam. Guam A.R. 1913, pp. 15, 16. 1914.
See also Bermuda grass.
Cynoglossum wallachi, importation and description. No. 47670. B.P.I. Inv. 59, p. 45. 1922.
Cynometra cauliflora, importation and description. No. 44895, B.P.I. Inv. 51, p. 86. 1922.
Cynomys—
general characters. N.A. Fauna 40, pp. 10-11. 1916.
spp.—
key and technical descriptions. N.A. Fauna 40, pp. 12-34. 1916.
See also Prairie dog.
Cynosurus—
cristatus. See Dog's-tail grass, crested.
spp., description, distribution and uses. D.B. 772, pp. 9, 67-68. 1920.
Cynoxylon spp., injury by sapsuckers. Biol. Bul. 39, pp. 48, 86. 1911.
Cyperaceae. See Sedges.
Cyperus—
esculentus. See Chufa.
papyrus. See Papyrus.
rotundus. See Nut grass, Japanese.
sexangularis, importations and descriptions. No. 48806. B.P.I. Inv. 61, p. 50. 1922.
Cyphomandra spp—
importations and descriptions. Nos. 42598, 42599, B.P.I. Inv. 47, p. 35. 1920; No. 54552, B.P.I. Inv. 69, p. 25. 1923.
See also Tomato tree.
Cypress—
Alaska, description, range and occurrence on Pacific slope. For. [Misc.], "Forest trees for Pacific * * *," pp. 168-171. 1908.
and juniper trees, Rocky Mountain Region. George B. Sudworth. D.B. 207, pp. 36. 1915.
annual cut, 1909-1913, by States. D.B. 272, pp. 4-5. 1915.
Arizona, other names, history, characteristics, occurrence, and age. D.B. 207, pp. 5-8. 1915.
bald—
borers, description, life history, and damage. Y.B. 1909, pp. 406-408. 1910; Y.B. Sep. 523, pp. 406-408. 1910.
characters. F.B. 468, p. 40. 1911.
description and key. D.C. 223, pp. 3, 8. 1922.
heartwood borer, description and habits. Y.B. 1909, p. 408. 1910; Y.B. Sep. 523, p. 408. 1910.
injury by borers. Y.B. 1909, pp. 406-408. 1910; Y.B. Sep. 523, pp. 406-408. 1910.

Cypress—Continued.
  bald—continued.
    sapwood borer, description, life history, and injuries. Y.B., 1909, pp. 406-417. 1910; Y.B. Sep. 523, pp. 406-417. 1910.
    spacing in forest planting. F.B. 1177, rev., p. 22. 1920.
  bark scale. F.B. Herbert. D.B. 838, pp. 22. 1920.
  characters. F.B. 468, p. 40. 1911.
  class and family relationship. D.B. 207, pp. 3-4. 1915.
  cones and galls, food of shoal-water ducks. D.B. 862, pp. 8, 39, 49. 1920.
  consumption in Arkansas, amount and value. For. Bul. 106, pp. 7, 9, 13, 14, 15, 16, 19, 20, 21, 38. 1912.
  creosoting, results. News L., vol. 6, No. 52, p. 9. 1919.
  description and—
    key. D.C. 223, p. 4. 1922.
    occurrence in forests of South Carolina. For. Bul. 56, pp. 12, 41-42. 1905.
  descriptive notes. M.C. 31, p. 6. 1925.
  destruction by insects. Ent. Bul. 58, p. 63. 1910.
  distribution, physical properties, supply and uses. For. Bul. 95, pp. 40-47. 1911.
  dwarf, description, range and occurrence on Pacific slope. For. [Misc.], "Forest trees for Pacific * * *," pp. 163-165. 1908.
  forests, treatment of virgin stands. D.B. 272, pp. 60-62. 1915.
  generic characteristics. D.B. 207, pp. 4-11. 1915.
  girdled, pinhole injury in the South Atlantic and Gulf States. A. D. Hopkins. Ent. Cir. 82, pp. 4. 1907.
  Gowen, description, range and occurrence on Pacific slope. For. [Misc.], "Forest trees for Pacific * * *," pp. 161-163. 1908.
  grading rules. D.C. 64, p. 36. 1920.
  growing—
    and cost. D.B. 272, pp. 68-69. 1915.
    at Yuma experiment Farm. D.C. 75, pp. 67, 68. 1920.
  growth in different regions, rate. F.B. 1177, p. 24. 1920.
  immunity from injuries due to fires and insects. D.B. 272, pp. 36-38. 1915.
  importance, distribution and growth habits. D.B. 272, pp. 1-3. 1915.
  importations and description. No. 37383, B.P.I. Inv. 38, p. 55. 1917; No. 54918, B.P.I. Inv. 70, pp. 3, 29. 1923.
  industry, decline. For. [Misc.], "Timber depletion * * *," p. 22. 1920.
  injury by—
    pinhole borers. Ent. Bul. 58, Pt. V, p. 63. 1909.
    sapsuckers. Biol. Bul. 39, pp. 26-27, 64-65, 66. 1911.
  insect pests, list. Sec. [Misc.], "A manual * * * insects * * *," p. 94. 1917.
  Lawson, description, range, and occurrence on Pacific slope. For. [Misc.], "Forest trees for Pacific * * *," pp. 171-175. 1908.
  Louisiana—
    areas, conditions, and amount. For. Bul. 114, pp. 15, 17, 19-21. 1912.
    stumpage value. For. Bul. 114, pp. 15, 16. 1912.
  lumber—
    cut, increased percentage, 1906. For. Cir. 129, p. 9. 1907.
    grading rules. For. Bul. 71, pp. 105-109. 1906.
    markets and prices. D.B. 272, pp. 17-18. 1915.
    production and value—
      1899-1914, and estimates, 1915. D.B. 506, pp. 13-15, 21. 1917.
      1906, by States. For. Cir. 122, p. 19. 1907.
      1913, species and range. D.B. 232, pp. 14, 30-31. 1915.
      1916, by States, mills reporting. D.B. 673, pp. 21-22. 1918.
      1917, by States. D.B. 768, pp. 22, 38, 40. 1919.
      1918, by States. D.B. 845, pp. 26-27, 43. 1920.
      1920, by States. D.B. 1119, p. 47. 1923; Y.B. 1922, p. 922. 1923.
  Macnab, description, range, and occurrence on Pacific slope. For. [Misc.], "Forest trees for Pacific * * *," pp. 165-167. 1908.

Cypress—Continued.
  Mlanje, importation by Bureau of Plant Industry and description. B.P.I. Bul. 223, pp. 41-42. 1911.
  Monterey—
    description—
      M.C. 31, p. 6. 1925.
      and injury by cypress bark scale. D.B. 838, pp. 1-2, 8-12. 1920.
      range and occurrence on Pacific slope. For. [Misc.], "Forest trees for Pacific * * *," pp. 158-161. 1908.
    use for windbreak. F.B. 1447, pp. 39, 40. 1925; Hawaii Bul. 25, p. 21. 1911.
  planting, sowing, and cultivation. D.B. 272, pp. 64-69. 1915.
  poles, consumption, 1915. D.B. 519, pp. 1, 2, 3. 1917.
  preservative treatment results. F.B. 744, p. 28. 1916.
  quantity used in manufacture of wooden products. D.B. 605, p. 9. 1918.
  reproduction, seed germination experiments and seedling growth. D.B. 272, pp. 29-34, 64-69. 1915.
  second-growth, increase rate and crop value. D.B. 272, pp. 57-60, 64-65, 70-74. 1915.
  smooth, importation and description. No. 41690, B.P.I. Inv. 46, p. 10. 1919.
  soil requirements and growth habits. For. Bul. 43, rev., p. 44. 1907.
  southern. Wilbur R. Mattoon. D.B. 272, pp. 74. 1915.
  stands, pure and mixed, occurrence, composition, and yields. D.B. 272, pp. 46-49. 1915.
  stumpage—
    estimate, 1909. For. Cir. 166, p. 9. 1909.
    value, 1907. For. Cir. 122, p. 39. 1907.
  summer, description, cultivation, and characteristics. F.B. 1171, pp. 31-32, 80. 1921.
  swamp, leaf blight, occurrence and description. B.P.I. Bul. 226, p. 78. 1912.
  swamps, Louisiana, area, description and value of timber. For. Bul. 114, pp. 13-17. 1912.
  tests for mechanical properties, results. D.B. 556, pp. 33, 43. 1917; D.B. 676, p. 29. 1919.
  use as windbreaks. For. Bul. 86, p. 100. 1911.
  uses. D.B. 272, pp. 10-11. 1915.
  volume table and growth rate. For. Bul. 36, pp. 147, 190, 194. 1910.
  wood, physical and mechanical properties. D.B. 272, pp. 6-10. 1915.
  yellow, description, range, and occurrence on Pacific slope. For. [Misc.], "Forest trees for Pacific * * *," pp. 168-171. 1908.
Cypress Creek, Arkansas, drainage district, location, area, and conditions. D.B. 198, pp. 2-6. 1915.
Cypress vine, growing, experiments with daylight of different lengths. J.A.R., vol. 23, p. 879. 1923.
Cypseloides niger. See Swift, black.
Cyrtogaster occidentalis, parasite of Cerodonta dorsalis. D.B. 432, p. 15. 1916.
Cyrtostachys lakka—
  importation and description. No. 43579, B.P.I. Inv. 49, p. 46. 1921; No. 51870, B.P.I. Inv. 65, p. 60. 1923; No. 55579, B.P.I. Inv. 72, p. 6. 1924.
See also Palm, sealing-wax.
Cystein, soil constituent, wheat-growing tests, table. Soils Bul. 87, pp. 57-58. 1912.
Cysticercosis, human, treatment. B.A.I. Bul. 153, pp. 7-9. 1912.
Cysticercus—
  botryoides, history and synonomy. B.A.I. Bul. 125, Pt. I, p. 68. 1910.
  bovis—
    cause of measles in beef. An. Rpts., 1912, p. 382. 1913; B.A.I. Chief Rpt., 1912, p. 86. 1912.
    See also Tapeworm, cattle.
    carcasses infested, regulation. B.A.I.S.A. 68, 109. 1912; B.A.I.S.A. 69, pp. 2-3. 1913.
  cellulosae—
    conveyance to man by hog meat. B.A.I. An. Rpt., 1910, p. 78. 1912.
    See also Bladderworm.
  in beef, description, occurrence, and location. B.A.I. An Rpt., 1911, pp. 103-111. 1913; B.A.I. Cir. 214, pp. 103-111. 1913.

Cysticercus—Continued.
　ovis—
　　cause of sheep measles, life history and spread. D.B. 260, pp. 11–14. 1915.
　　description, occurrence in sheep. F.B. 1150, pp. 26–27. 1920; J.A.R., vol. 1, pp. 15–58. 1913.
　　identification and classification. An. Rpts., 1913, p. 102. 1914; B.A.I. Chief Rpt., 1913, p. 32. 1913.
　　morphology, location in body, degeneration. J.A.R., vol. 1, pp. 31–43. 1913.
　　See also Measles, sheep.
　spp.—
　　differentiation. J.A.R., vol. 1, pp. 16–20, 31–39, 43–44. 1913.
　　infection, meat animals, inspection regulations. B.A.I. An. Rpt., 1907, p. 372. 1909.
　　spread by dogs, cause of diseases, man and animals. D.B. 260, pp. 11–14, 23. 1915.
　tarandi, cause of measles in reindeer. An. Rpts., 1912, p. 383. 1913; B.A.I. Chief Rpt., 1912, p. 87. 1912.
　tenuicollis—
　　description—
　　　B.A.I. An. Rpt., 1911, p. 113. 1913; B.A.I. Cir. 214, p. 113. 1913.
　　and occurrence in sheep. F.B. 1150, pp. 24–26. 1920.
　　hog parasite, diagnosis. B.A.I. Cir. 201, p. 35. 1912.
　　See also Bladderworm, thin-necked.
Cystine—
　addition to navy beans to increase nutritive value. An. Rpts., 1919, p. 220. 1920; Chem. Chief Rpt., 1919, p. 10. 1919.
　supplement to food. Chem. Chief Rpt., 1921, p. 29. 1921.
Cystophora cristata. See Seal, hooded.
Cystopus candidus, life history and plants infected. J.A.R., vol. 5, No. 2, pp. 62–63. 1915.
Cysts—
　cattle, classification, description, and treatment. B.A.I. [Misc.], "Diseases of cattle," rev., pp. 320, 328–331, 534, 538–539. 1912; rev., pp. 308, 316–319, 330. 1923.
　dermoid and sebaceous. See Wens.
　gas, in hogs, study. B.A.I. An. Rpt., 1907, p. 45. 1909.
　intestinal, hogs, study and description. An. Rpts., 1907, p. 222. 1909; B.A.I. Cir. 201, p. 35. 1912.
　nematode—
　　description and function in spread of pest. F.B. 1248, pp. 7–9, 11–13, 14. 1922.
　　in sugar-beet fields. D.C. 262, pp. 1–5. 1923
　tapeworm—
　　beef, inspection regulations. B.A.I.S.A. 63, pp. 56–57. 1912.
　　cattle, description. B.A.I. [Misc.], "Diseases of cattle," rev., pp. 538–539. 1912; rev., pp. 527–529. 1923.
　　occurrence, inspection, diagnosis, and eradication. B.A.I. An. Rpt., 1911, pp. 108–117. 1913; B.A.I. Cir. 214, pp. 108–117. 1913.
Cyta americana, description and habits. Rpt. 108, pp. 24, 25. 1915.
Cytase—
　excretion by *Penicillium pinophilum*. B.P.I. Cir. 118, pp. 29–31. 1913.
　study of. J.A.R., vol. 30, p. 965. 1925.
Cytasine acid, occurrence in soil, description. Soils Bul. 74, pp. 36–39. 1910.
Cytisus—
　maderensis, importation and description. No. 29641, B. P.I. Bul. 233, p. 34. 1912.
　nigricans elongatus. See Broom, black.
　proliferus. See Escobon.
　spp., importations and descriptions. Nos. 42552, 42572–42574, B.P.I. Inv. 47, pp. 28, 29. 1920.
　stenopetalus. See Gacia.
Cytodites nudus—
　cause of—
　　acarian pneumonia in birds. B.A.I. An. Rpt., 1909, p. 40. 1911.
　　intestinal disease of chickens. An. Rpts., 1909, p. 224. 1910; B.A.I. Chief Rpt., 1909, p. 34. 1909.
　parasite of pheasants. F.B. 390, p. 39. 1910.

Cytoleichus spp., description and habits. Rpt. 108, p. 133. 1915.
Cytosine—
　isolation and identification in soils. Soils Bul. 89, pp. 21, 25. 1912.
　occurrence in soils. Soils Bul. 80, p. 18. 1911.
Cytospora—
　batata, cause of sweet-potato pox, description, spread, and control. J.A.R., vol. 13, pp. 440–443, 447–448. 1918.
　chrysosperma, cause of canker of poplars and willows. J.A.R., vol. 13, pp. 331–345. 1918.
Czapek's—
　culture medium, composition and formula. B.A.I. Bul. 120, p. 37. 1910.
　solution—
　　formula, modification. J.A.R., vol.7, p. 2. 1916.
　　mold growth in presence of salt. J.A.R., vol. 3, p. 307. 1915.
　　use for cultures of *Penicillium roqueforti*, results. J.A.R., vol. 2, pp. 9–13. 1914.
Czechoslovakia—
　agricultural—
　　situation. D.B. 1234, pp. 68–92. 1923.
　　statistics, 1914–1920. D.B. 987, p. 20. 1921.
　bee diseases, survey. D.C. 287, pp. 21–22. 1923.

D-O-D, misbranding. Chem. N.J. 12770. 1925; Chem. N.J. 12855. 1925.
Dabchick. See Grebe, pied-billed.
DACHNOWSKI, A. P.—
　"Preparation of peat composts." D.C. 252, pp. 12. 1922.
　"Quality and value of important types of peat material." D. B. 802, pp. 40. 1919.
　"The chemical examination of various peat materials by means of foodstuff analyses." J.A.R., vol. 29, pp. 69–83. 1924.
Dacinae, distribution. D.B. 491, p. 2. 1917.
Dacnusa n. sp., parasite of *Cerodonta dorsalis*. D.B. 432, p. 16. 1916.
Dacrydium cupressinum. See Rimu.
Dacryodes excelsa. See Candlewood.
Dactylis—
　aschersoniana, importation and description. No. 51183, B.P.I. Inv. 64, p. 69. 1923.
　glomerata—
　　inoculation with *Puccinia graminis*. J.A.R., vol. 15, pp. 243–244. 1918.
　　susceptibility to stem rust, studies. J.A.R., vol. 10, pp. 430–487. 1917.
　　See also Orchard grass.
　spp., description, distribution, and uses. D.B. 772, pp. 11, 64–67. 1920.
Dactyloctenium—
　aegyptiacum, occurrence in Guam. Guam A.R., 1913, p. 16. 1914.
　spp., description, distribution, and uses. D.B. 772, pp. 16, 175–177. 1920.
Dactylopiinae, recently described, catalogue. Ent T.B. 16. Pt. VI, pp. 84–87. 1912.
Dactylopius calceolariae Maskell, identity as mealybug. Harold Morrison. J.A.R., vol. 31, pp. 485–500. 1925.
Dacus—
　cucurbitae—
　　injury to cabbage in Hawaii. Ent. Bul. 109, pt. 3, pp. 32–33. 1912.
　　See also Melon fly.
　ferruginsus. See Mango fruit fly.
　oleae. See Olive fruit fly.
　spp.—
　　hosts and descriptions. Sec. [Misc.], "A manual * * * insects * * *," pp. 34, 38, 58, 60, 93, 100, 117, 118, 126, 132, 142, 145, 147, 156, 167, 171, 217. 1917.
　　larvae, description and occurrence. Ent. T.B. 22, pp. 31–32. 1912.
Daddy longlegs—
　habits and life history. Y.B., 1908, p. 380. 1909; Y.B. Sep. 488, p. 380. 1909.
　See also Crane fly.
Dadhi. See Yogurt.
Daedalea—
　confragosa, spore production. B.P.I. Bul. 214, p. 16. 1911.
　quercina—
　　cause of decay in structural timber, description, and control. B.P.I. Bul. 149, pp. 60, 66. 1909.
　　description. D.B. 175, p. 42. 1915.

Daedalea—Continued.
   spp., infestation of lumber in storage. D.B. 510, pp. 6, 32. 1917.
Daffodils—
   insect pests, list. Sec. [Misc.], "A manual * * * insects * * *," p. 150. 1917.
   varieties of narcissus. D.B. 797, pp. 38–39. 1919.
   See also Narcissus.
Dafila acuta. *See* Pintail.
Dagger moth, cottonwood, description, habits, and control. F.B. 1169, pp. 47–48. 1921.
DAGGETT, A. S.: "Inspection of fruit and vegetable canneries." With others. D.B. 1084, pp. 38. 1922.
DAHLBERG, A O.—
   "Enzyms of milk and butter." J.A.R., vol. 11, pp. 437–450. 1917.
   "The alcohol test as a means of determining quality of milk for condenseries." With H. S. Garner. D.B. 944, pp. 13. 1921.
   "The manufacture of casein from buttermilk or skim milk." D.B. 661, pp. 32. 1918.
   "The manufacture of cottage cheese in creameries and milk plants." D.B. 576, pp. 16. 1917.
   "The origin of some of the streptococci in milk." With L. A. Rogers. J.A.R., vol. 1, pp. 491–511. 1914.
DAHLBERG, R. C.: "Identification of the seeds of species of Agropyron." J.A.R., vol. 3, pp. 275–282. 1914.
Dahlia(s)—
   bulb injury by root louse. Ent. Bul. 85, p. 111. 1911.
   crossing experiments and results. B.P.I. Bul. 167, p. 28. 1910.
   growing—
      experiments with daylight of different lengths. J.A.R., vol. 23, pp. 876, 893. 1923.
      from seed, cultivation, and characteristics. F.B. 1171, pp. 29–30, 80. 1921.
      in Alaska. Alaska A.R., 1918, p. 53. 1920.
   Guatemalan, importation and description. No. 45578, B.P.I. Inv. 53, pp. 7, 61. 1922.
   home. B. Y. Morrison. F.B. 1370, pp. 17. 1923.
   hybrid, production. An. Rpts., 1909, p. 357. 1910; B.P.I. Chief Rpt., 1909, p. 105. 1909.
   importations and descriptions. No. 44819, B.P.I. Inv. 51, p. 73. 1922; Nos. 49326–49328, 49757–49758, B.P.I. Inv. 62, pp. 2, 24, 81. 1923; Nos. 51086–51090, 51345, B.P.I. Inv. 64, pp. 52, 87. 1923.
   injury by corn root aphid. Ent. Bul. 85, Pt. VI, p. 111. 1910.
   new variety, summer-blooming. Y.B., 1907, p. 144. 1908; Y.B. Sep. 441, p. 144. 1908.
   protection for winter. News L., vol. 3, No. 10, p. 2. 1915.
   roots—
      division for plants. F.B. 1370, pp. 10–11. 1923.
      presence of inulin. Chem. Bul. 130, p. 23. 1910.
      storing directions. F.B. 1370, pp. 15–16. 1923.
      seed, planting and care. F.B. 1370, pp. 6–7. 1923.
   spp., importations and descriptions. Nos. 47354, 47552–47555, B.P.I. Inv. 59, pp. 10, 30. 1922.
   tree, importations and descriptions. Nos. 43981, 44406, B.P.I. Inv. 50, pp. 11, 68. 1922.
   wild, Mexican, importation and description. No. 36257, B.P.I. Inv. 36, p. 68. 1915.
DAILY, F. X.: "The prevention of breakage of eggs in transit when shipped in car lots." With others. D.B. 664, pp. 31. 1918.
Dairy(ies)—
   accounts, food consumption and production, Minnesota. Stat. Bul. 88, pp. 64–68. 1911.
   architecture and engineering plans, models, and surveys. An. Rpts., 1916, pp. 99–100. 1917; B.A.I. Chief Rpt., 1916, pp. 33–34. 1916.
   associations—
      livestock breeders, list. Y.B., 1907, pp. 514–516. 1908; Y.B. Sep. 464, pp. 514–516. 1908.
      national—
         and international, list. B.A.I. Cir. 135, pp. 6–16. 1908.
         international and State. B.A.I. Cir. 162, pp. 8–17. 1910.
         international, State, and Canadian. B.A.I. Cir. 204, pp. 15–22. 1912.
         list. Y.B., 1907, p. 514. 1908; Y.B. Sep. 464, p. 514. 1908.
      See also Cow testing associations.

Dairy(ies)—Continued.
   bacteriology. An. Rpts., 1919, p. 97. 1920; B.A.I. Chief Rpt., 1919, p. 25. 1919.
   barn. *See* Barns, dairy.
   belt—
      forage production. Y.B., 1923, p. 328. 1924; Y.B. Sep. 895, p. 328. 1924.
      land values. Off. Rec., vol. 4, No. 11, p. 3. 1925.
   buildings—
      Alaska, description. Alaska A.R., 1908, pp. 19, 58–59. 1909.
      construction and equipment. An. Rpts., 1922, p. 124. 1923; B.A.I. Chief Rpt., 1922, p. 26. 1922.
      cost in milk production. D.B. 1101, pp. 10, 15. 1922.
      designs. Ed. F. Webster. B.A.I. An. Rpt., 1906, pp. 287–308. 1908; B.A.I. Cir. 131, pp. 26. 1908.
      improved, erection in Southern States. B.A.I. An. Rpt., 1907, pp. 69, 82. 1909.
      improvement, result of community work. Y.B., 1918, pp. 163–164. 1919; Y.B. Sep. 765, pp. 13–14. 1919.
      See also Barn; Milk house; Silo; Stable.
   by-products—
      feeding value for pigs. B.A.I. Bul. 47, pp. 135–148. 1904.
      meat from old stock and calves. Y.B., 1922, pp. 284, 338. 1923; Y.B. Sep. 879, pp. 4, 48. 1923.
      relation to spread of tuberculosis. H. L. Russell. O.E.S. Bul. 212, pp. 94–98. 1909.
      supplements to corn for feeding hogs. F.B. 411, pp. 13–15. 1910.
      utilization—
         as food. F.B. 486, pp. 12–24. 1912.
         studies. B.A.I. Chief Rpt., 1924, pp. 14–15. 1924.
      value as pig feed. B.A.I. An. Rpt., 1903, pp. 281–285. 1904; B.A.I. Cir. 63, pp. 281–285. 1904.
   cattle. *See* Cattle, dairy.
   centers, 1919. Y.B., 1922, p. 318. 1923; Y.B. Sep. 879, p. 32. 1923.
   certified, standards and methods. B.A.I. Bul. 104, pp. 10–14, 25–38. 1908; D.B. 1, pp. 13–18, 25–38. 1913.
   cheese making on the farm. F.B. 166, pp. 1–8. 1903.
   cleanliness, experiments. F.B. 273, pp. 27–30. 1906.
   clubs—
      cost and profits, 1915. News L. vol. 4. No. 8, p. 5. 1916.
      demonstration work. D.C. 312, pp. 20–22. 1924.
      North and West, demonstrations and results. D.C. 152, pp. 16–18. 1921; D.C. 192, pp. 21–23. 1921.
   cold storage box, construction and cost, details. F.B. 353, pp. 29–31. 1909.
   combination with ice house. F.B. 475, pp. 16–17. 1911.
   conditions—
      Chicago, 1905–1911. B.A.I. Bul. 138, pp. 27–29. 1911.
      Iowa, Algona, improvement under community dairying. Y.B. 1916, pp. 210, 212, 213–216. 1917; Y.B. Sep. 707, pp. 2, 4, 5–8. 1917.
   contests, value. C. B. Lane. B.A.I. Cir. 151, pp. 23–25. 1909.
   control by milk commissions, contracts. B.A.I. Bul. 104, pp. 9–14. 1908; D.B. 1, pp 3–4. 1913.
   cow. *See* Cows, dairy.
   demonstration farm, Denison, Texas, work, 1912. An. Rpts., 1912, p. 328. 1913; B.A.I. Chief Rpt., 1912, p. 32. 1912.
   disease contamination, precautions required. News L. vol. 2, No. 9, p. 1. 1914.
   economic position in relation to farm. Stat. Bul. 88, pp. 48–52. 1911.
   employees, medical examination and requirements for. B.A.I. Bul. 104, pp. 11–12, 17. 1908; D.B. 1, pp. 7, 36–38. 1913.
   enterprises, organization and management. B.A.I. An. Rpt., 1907, pp. 75–83. 1909.

Dairy(ies)—Continued.
  equipment—
    and machinery, arrangement in city milk plants. D.B. 849, pp. 25–27. 1920.
    and practice, in Alaska, Kenai stations. O.E.S. An. Rpt., 1907, pp. 65–73. 1908.
    depreciation, cost in milk production. D.B. 955, p. 10. 1921; D.B. 1101, pp. 10, 15. 1922.
    for farm butter making and house. F.B. 541, pp. 19–27. 1913; F.B. 876, pp. 20–22. 1917.
    of milk plant. Ernest Kelly and Clarence E. Clement. D.B. 890, pp. 42. 1920.
    prices. F.B. 816, p. 9. 1917.
    requirements and score-card rating. B.A.I. Cir. 139, pp. 7, 8–10. 1909; B.A.I. Cir. 199, pp. 11, 12–17. 1912.
    standardization benefits. B.A.I. Dairy [Misc.], "World's dairy congress, 1923", pp. 1179–1188. 1924.
  establishment in Alaska. Alaska A.R., 1913, p. 23. 1914.
  exhibit, Louisiana Purchase Exposition. B.A.I. An. Rpt., 1904, pp. 413–414. 1905.
  experiment—
    farm, Beltsville, Md., breeding and feeding cows. An. Rpts., 1916, p. 99. 1917; B.A.I. Chief Rpt., 1916, p. 33. 1916.
    stations, work, 1925. Dairy Chief Rpt., 1925, pp. 16–18. 1925.
  expert counsellor, Denmark, duties and pay. B.A.I. Bul. 129, pp. 8, 11–12, 33. 1911.
  extension work in South and West. An. Rpts., 1918, pp. 87–90. 1919; B.A.I. Chief Rpt., 1918, pp. 17–20. 1918.
  farm(s)—
    Annapolis, udder disease among cows, study. J.A.R., vol. 1, pp. 508–510. 1914.
    business analysis, bluegrass region of Kentucky. J. H. Arnold. D.B. 548, pp. 12. 1917.
    comparison, Massachusetts and Wisconsin. Y.B. 1913, pp. 101–105. 1914; Y.B. Sep. 617, pp. 101–105. 1914.
    contests, scoring methods, and details at Pittsburg. B.A.I. Cir. 151, pp. 13–16. 1909.
    cropping systems. F.B. 355, pp. 9–12, 15–16. 1909; Y.B. 1907, pp. 392–395. 1908; Y.B. Sep. 456, pp. 392–395. 1908.
    data collection methods. D.B. 858, pp. 2–4. 1920.
    equipment, cost per cow, per year, certain States. D.B. 501, pp. 4, 12–13, 19. 1917.
    failures, causes. D.B. 548, p. 10. 1917.
    hog production. Y.B. 1922, pp. 208–209. 1923; Y.B. Sep. 882, pp. 208–209. 1923.
    houses. Ernest Kelly and K. E. Parks. F.B. 1214, pp. 14. 1921.
    ice and ice houses. John T. Bowen and Guy M. Lambert. F.B. 623, pp. 24. 1915.
    in—
      Argentina, description, and methods. B.A.I. An. Rpt., 1908, pp. 320–322. 1910.
      Kentucky, Jefferson County, management, expenses, and profits. D.B. 678, pp. 15–17, 24. 1918.
      Missouri, average products, income and labor cost. D.B. 633, pp. 17–18. 1918.
      New England, cropping system. L. G. Dodge. F.B. 337, pp. 24. 1908.
      New England, labor data for different seasons. Y.B., 1911, pp. 275–276. 1917; Y.B. Sep. 567, pp. 275–276. 1912.
      New Jersey, labor hiring. D.B. 1285, pp. 4–6. 1925.
      New Jersey, with truck, rent methods, receipts and expenses. D.B. 411, pp. 14–16. 1916.
      southern New Hampshire areas, capital, receipts and expenses. B.P.I. Cir. 75, pp. 10–13, 15. 1911.
      various sections, relative importance and distribution. D.B. 423, pp. 1–6. 1916.
    income, relation to quality of cows. D.B. 425, pp. 15–17, 22. 1916.
    inspection—
      points and advantages, details. B.A.I. Cir. 139, pp. 6–20. 1909; D.C. 276, pp. 4, 11–26. 1923.
      score cards, directions for use, advantages and results. B.A.I. Cir. 199, pp. 8–24. 1912.

Dairy(ies)—Continued.
  farm(s)—continued.
    labor—
      requirements as influenced by milking machines. Harold N. Humphrey. D.B. 423, pp. 17. 1916.
      used and profits, comparison with fruit farms and general farms. D.B. 582, pp. 18, 20–21. 1918.
    milk production cost in Wisconsin, Michigan, Pennsylvania, and North Carolina. Morton O. Cooper and others. D.B. 501, pp. 35. 1917.
    model, example. W. J. Spillman. F.B. 242, pp. 16. 1906.
    number in 1900. B.A.I. Bul. 55, pp. 9–10. 1903.
    pastures, economic importance. Y.B., 1923, pp. 411–413. 1924; Y.B. Sep. 895, pp. 411–413. 1924.
    plan, feeding system, acreage and number of animals. F.B. 370, pp. 27–33. 1909.
    profitable—
      and unprofitable, comparison. B.P.I. Cir. 128, pp. 3–15. 1913.
      size in Pennsylvania. News L., vol 3, No. 33, p. 3. 1916.
      tenants. Lyman Carrier. F.B. 280, pp. 16. 1907.
    profits. Oscar Erf. B.A.I. Cir. 151, pp. 29–32. 1909.
    renting—
      Howard A. Turner. F.B. 1272, pp. 24. 1922.
      systems in Illinois, length, rate, and conditions of leases. News L., vol. 5, No. 44, p. 7. 1918.
    rotation crops, Gulf coast region. F.B. 986, pp. 25–26. 1918.
    rotations with lespedeza. F.B. 441, pp. 13–14. 1911.
    sanitary, water, buildings, care of cows. News L., vol. 2, No. 47, pp. 4–6. 1915.
    score cards—
      inspection. News L., vol. 6, No. 29, p. 5. 1919.
      sample. F.B. 602, p. 17. 1914.
      scoring. S.R.S. Syl. 18, pp. 14–15. 1915.
    share—
      leasing systems. D.B. 650, pp. 13, 23. 1918.
      rented, in Wisconsin and Illinois, studies, E. A. Boeger. D.B. 603, pp. 15. 1918.
    small, typical in Oregon, acreage, stock, cost and returns. Y.B., 1916, pp. 146–147. 1917; Y.B. Sep. 699, pp. 2–3. 1917.
    steam sterilizer for utensils, construction, cost and use. F.B. 748, pp. 1–11. 1916.
    successful—
      L. G. Dodge. B.P.I. Bul. 102, Pt. II, pp. 19–23. 1907; F.B. 355, pp. 40. 1909.
      analysis and comparisons. D.B. 548, pp. 6–10, 11–12. 1917.
    tenancy systems, study. An. Rpts., 1917, p. 475. 1918; Farm M. Chief Rpt., 1917, p. 3. 1917.
    tenant profitable. Lyman Carrier. F.B. 280, pp. 16. 1907.
    value per acre by States and Territories, 1900–1905. Stat. Bul. 43, pp. 12, 14, 19, 20, 31–32. 1906.
    Washington logged-off lands, development, costs, and profits. D.B. 1236, pp. 8–18, 24, 26–27, 33, 34. 1924.
  farming—
    development and demonstration work. An. Rpts., 1917, pp. 81–84. 1918; B.A.I. Chief Rpt., 1917, pp. 15–18. 1917.
    in—
      Arizona, acreage and income. D.B. 654, pp. 1–2, 26–32, 35, 42–47. 1918.
      eastern United States, extent. D.B. 341, p. 14. 1916.
      Michigan, Ontonagon County, possibilities. Soil Sur. Adv. Sh., 1921, pp. 81, 89, 92. 1923.
      Oregon, Klamath reclamation project, possibilities. Soil Sur. Adv. Sh., 1908, p. 14. 1910; Soils F.O., 1908, pp. 1382. 1911.
    increase causes, and profitableness. News L., vol. 4, No. 23, p. 3. 1917.
    profits from different systems, comparison. F.B. 517, pp. 11–13. 1912.

Dairy(ies)—Continued.
farming—continued.
relation to agricultural distilleries. D.B. 182, pp. 21, 23, 25, 28, 30, 33. 1915.
rotations with vetch. F.B. 529, p. 18. 1913.
types, advantages and requirements. Y.B., 1908, pp. 363-364. 1909; Y.B. Sep. 487, pp. 363-364. 1909.
work of dairy division. B.A.I. Cir. 162, p. 3. 1910; B.A.I. Cir. 204, p. 3. 1912.
feed—
California. B.A.I. Bul. 24, pp. 19-22. 1900.
misbranding. See *Indexes, Notices of Judgment*, *in bound volumes and in separates published as supplements to Chemistry Service and Regulatory Announcements.*
feeding—
and management of calves and young stock. W. K. Brainerd and H. P. Davis. F.B. 1336, pp. 18. 1923.
rations—
S.R.S., Rpt. 1915, Pt. I, pp. 105, 191, 256, 271, 277, 281. 1917.
successful New York farm. D.B. 32, pp. 6-7. 1913.
Sudan-grass hay, digestibility. J.A.R., vol. 14, pp. 178-184. 1918.
food, drug, and feeding stuffs, officials, Federal and state directory. Chem. [Misc.], "Directory of Federal * * *," pp. 10. 1916.
goat—
establishment for condensed milk, equipment. F.B. 920, p. 8. 1918.
possibilities. B.A.I. Bul. 68, pp. 24-25. 1905.
herd(s)—
advantages in dry farming. Y.B., 1912, pp. 464-466. 1913; Y.B., Sep. 606, pp. 464-466. 1913.
breeding up. Y.B., 1921, pp. 409-410. 1921; Y.B. Sep. 853, pp. 409-410. 1921.
building up in South. F.B. 151, pp. 22-27. 1902.
care and feeding, in Alaska, Kenai station. Alaska A. R., 1907, pp. 62-65. 1908.
cooperative tests. O.E.S. Bul. 99, p. 120. 1901.
dangerously tuberculous cows, percentage. B.A.I. Cir. 118, pp. 13-14. 1907.
disease suppression. An. Rpts., 1919, pp. 92-93. 1920; B.A.I. Chief Rpt., 1919, pp. 20-21. 1919.
health requirements, testing, certified milk production. B.A.I., Bul. 104, pp. 11, 16, 34, 40. 1908; D.B. 1, pp. 2, 14, 27, 28-29. 1913.
improvement—
by pure sires. News L., vol. 7, No. 15, p. 1. 1919.
methods of successful dairymen. B.A.I. Bul. 75, pp. 13-19. 1905.
suggestions. D.B. 341, pp. 77-78. 1916.
under cow-testing work. B.A.I., An. Rpt. 1909, pp. 100, 102-1 3, 110. 1911; B.A.I., Cir. 179, pp. 100, 102-103, 110. 1911; F.B. 1446, pp. 4-7. 1925.
in—
Missouri, Ozark region, butter-fat production, and conditions. D.B. 941, pp. 30-31. 1921.
Utah, improvement. Off. Rec., vol. 4, No. 8, p. 6. 1925.
labor, man and horse, cost per hour. Stat. Bul. 88, pp. 17-18. 1911.
losses from contagious abortion and tuberculosis. Y. B., 1915, pp. 166, 168. 1916; Y.B., Sep. 666, pp. 166, 168. 1916.
maintenance, replacement requirements, management, eastern Pennsylvania. D.B. 341, p. 44. 1916.
management. F.B. 280, pp. 8-9. 1907; F.B. 355, pp. 12-20. 1909.
ownership on rented farms. F.B. 1272, pp. 2, 5. 1922.
records—
1899-1908. W. D. Hoard. B.A.I., Bul. 164, pp. 57. 1913.
feed cost and profit. F.B. 384, pp. 16-18. 1910.
requirements and cost in milk production D.B. 923, pp. 5-6, 8-13, 17, 18. 1921.
St. Elizabeth's, tuberculin test. B.A.I. Bul. 44, pp. 6-13. 1903.

Dairy(ies)—Continued.
herd(s)—continued.
saving by use of skim milk for cottage cheese. Y.B., 1918, p. 274. 1919; Y.B., Sep. 787, p. 6. 1919.
size—
in certified dairies. B.A.I. Bul. 104, pp. 23, 24. 1908; D.B. 1, pp. 18-19. 1913.
relation to labor requirements and milking machines. D.B. 423, pp. 7-10. 1916.
testing—
and record work. An. Rpts., 1908, pp. 269-271, 273. 1909; B.A.I. Chief Rpt., 1908, pp. 55-57, 59. 1908.
cooperative. F.B. 504, pp. 10-13. 1912.
tuberculosis—
free, listing by Animal Industry Bureau. News L., vol. 6, No. 7, p. 7. 1918.
testing. Y.B., 1918, pp. 162-163. 1919; Y.B., Sep. 765, pp. 12-13. 1919.
types, comparisons. B.A.I. Bul. 164, pp. 55, 56, 57. 1913.
house(s)—
designs for building. B.A.I. Cir. 131, pp. 22-26. 1908; F.B. 876, pp. 21-22. 1917.
farm, construction and plans. Ernest Kelly and K. E. Parks. F.B. 1214, pp. 14. 1921.
location, description, and equipment. F.B. 689, pp. 1-3. 1915; F.B. 1214, p. 3. 1921.
small, plan. Ernest Kelly and Karl E. Parks. F.B. 689, pp. 4. 1915.
use methods. F.B. 689, p. 4. 1915.
See also Milk houses.
ice—
requirements based on number of cows milked. Y.B., 1910, p. 279. 1911; Y.B., Sep. 536, p. 279. 1911.
saving methods. News L., vol. 6, No. 45, pp. 2-3. 1919.
improvement—
in Idaho. News L., vol. 6, No. 45, p. 14. 1919.
methods, successful New York farm. D.B. 32, pp. 3-10, 23. 1913.
under score-card system. B.A.I. Cir. 199, pp. 22-24. 1912.
industry—
C. W. Larson and others. Y.B., 1922, pp. 281-394. 1923; Y.B., Sep. 879, pp. 98. 1923.
abandoned farms in New York, recommendations. B.P.I. Cir. 64, pp. 11-12. 1910.
adaptability—
comparison of locations. Y.B. 1913, pp. 101-105. 1914; Y.B. Sep. 617, pp. 101-105. 1914.
to irrigation farming. Y.B., 1911, p. 375. 1912; Y.B. Sep. 576, p. 375. 1912.
and dairy markets in Porto Rico, with notes on St. Thomas and Cuba. R. A. Pearson. B.A.I An. Rpt., 1901, pp. 306-397. 1902.
creameries, cheese factories and receipts. Sec. [Misc.]. Spec. "Geography * * * world's agriculture," pp. 118-120. 1917.
early conditions, review. B.A.I. Bul. 164, pp. 7-8. 1913.
extension work, Hawaii. Hawaii A.R., 1921, pp. 5, 43-44, 51, 59. 1922.
improvement—
in South, 1909-1918. News L., vol. 5, No. 50, p. 6. 1918.
since 1893. An. Rpts., 1908, pp. 164-166. 1909; Sec. A.R., 1908, pp. 162-164. 1908; Y.B., 1908, pp. 164-166. 1919.
under demonstration work, Kentucky and Virginia. Y.B., 1915, pp. 232, 242-243. 1916; Y.B. Sep. 672, pp. 232, 242-243. 1916.
in—
Argentina. B.A.I. Bul. 84, pp. 43-55. 1903.
California, San Joaquin Valley. Soil Sur. Adv. Sh., 1915, pp. 27-28. 1918; Soils F.O., 1915, pp. 2603-2604. 1919.
Denmark, history and cooperation. D.B. 1266, pp. 14-15, 17-31. 1924.
Denmark, influence of cattle breeders' associations. B.A.I. Bul. 129, pp. 27-29. 1911.
Grove City, aid of bank in development. D.C. 139, pp. 11-12. 1920.
Hawaii, Glenwood Experiment Farm, 1912. Hawaii A.R., 1912, pp. 85-86. 1913.
Hawaii, progress. Hawaii A.R., 1914, pp. 10, 59-60. 1915.

Dairy(ies)—Continued.
  industry—continued.
    in—continued.
      Honduras. B.A.I. An. Rpt., 1910, pp. 292. 1912.
      Indiana, Lake County. Soil Sur. Adv. Sh., 1917, pp. 12, 15, 22. 1921; Soils F.O., 1917, pp. 1146, 1149, 1156. 1923.
      Missouri, Buchanan County, importance. Soil Sur. Adv. Sh., 1915, pp. 10, 11. 1917; Soils F.O., 1915, pp. 1814, 1815. 1919.
      Ohio, Portage County. Soil Sur. Ad. Sh., 1914, pp. 11, 18, 31. 1916; Soils F.O., 1914, pp. 1511, 1518, 1531. 1919.
      Oregon, profits. O.E.S. Bul. 209, p. 26. 1909.
      the South. B. H. Rawl and others. F.B. 349, pp. 37. 1909.
      the South, conditions. B.A.I. Bul. 70, pp. 9–20. 1905.
    law enforcement. Sol. [Misc.], "Laws applicable * * * Agriculture," Sup. 2, p. 24. 1915.
    leading States, 1900. B.A.I. Bul. 55, pp. 44–45. 1903.
    losses from tuberculosis. B.A.I. Bul. 38, p. 15. 1906.
    Miami soils. D.B. 142, pp. 26, 30, 32, 53, 54, 58. 1914.
    proposed establishment in Alaska, method. Alaska A.R. 1911, pp. 31–32, 53, 63, 67. 1912.
    Sassafras soils, possibilities. D.B. 159, pp. 44, 49. 1915.
    stabilization committee, membership and duties. News L., vol. 6, No. 11, p. 4. 1918.
    value for soil improvement and food products. Y.B., 1916, p. 30. 1917.
  insanitary conditions causing impure milk. B.A.I. Cir. 153, pp. 10–11. 1910.
  inspection—
    and—
      improvement. B.A.I. Bul. 73, p. 8. 1913.
      report, classes in Montclair, N. J. B.A.I. Bul. 46, pp. 118–123. 1903.
    expenditure in 162 cities, studies. News L., vol. 1, No. 15, p. 4. 1913.
    forms for report. B.A.I. Bul. 46, pp. 196–199, 205–210. 1903.
    score-card system. Clarence B. Lane and George M. Whitaker. B.A.I. Cir. 139, pp. 32. 1909.
    score-card system. George M. Whitaker. B.A.I. Cir. 199, pp. 32. 1912.
    score cards and special features. B.A.I. An. Rpt., 1907, pp. 168–177. 1909; B.A.I. Cir. 142, pp. 168–177. 1909.
    southern cities. B.A.I. Bul. 70, pp. 14–16. 1905.
    systematizing. B.A.I. Cir. 139, pp. 26–30. 1909.
    Washington and other cities. B.A.I. Cir. 153, pp. 9–14, 42. 1910.
    institutions offering course. B.A.I. Cir. 162, pp. 18–28. 1910.
    rural schools, Western States. An. Rpts., 1916, p. 98. 1917; B.A.I. Chief Rpt., 1916, p. 32. 1916.
  interests, officials, associations, and educational institutions—
    1901. B.A.I. Cir. 33, pp. 8. 1901.
    1902. B.A.I. Cir. 36, pp. 8. 1902.
    1903. B.A.I. Cir. 40, pp. 11. 1903.
    1904. B.A.I. Cir. 44, pp. 12. 1904.
    1905. B.A.I. Cir. 80, pp. 12. 1905.
    1910. B.A.I. Cir. 162, pp. 31. 1910.
    1912. B.A.I. Cir. 204, pp. 26. 1912.
  investigations—
    experiment stations, 1915, some results. S.R.S. Rpt., 1915, Pt. I, pp. 46–47. 1917.
    Idaho Experiment Station, 1912. O.E.S. An. Rpt., 1912, p. 107. 1913.
    western, locations and scope. News L., vol. 2, No. 40, pp. 4–5. 1915.
    laboratory, Massachusetts College of Agriculture, description. O.E.S. An. Rpt., 1912, p. 312. 1913.
  laws—
    abstracts. B.A.I. Bul. 26, pp. 9–36. 1900.
    Chicago, discussion. B.A.I. Bul. 138, pp. 24–25. 1911.

Dairy(ies)—Continued.
  laws—continued.
    District of Columbia. B.A.I. Bul. 138, pp. 35–38. 1911.
    full texts. B.A.I. Bul. 26, pp. 37–110. 1900.
    State, 1908. Chem. Bul. 121, pp. 16, 17, 51, 61–65. 1909.
  management, methods and standards for certified milk. B.A.I. Bul. 104, pp. 10–14, 23–43. 1908; D.B. 1, pp. 13–18, 25–38. 1913.
  manufactures, work of Dairy Division, B.A.I. B.A.I. Cir. 204, p. 4. 1912.
  marketing information. Mkts. [Misc.], "Dairy marketing information," pp. 8. 1919.
  methods—
    European countries. B.A.I. Bul. 77, pp. 40–70. 1905.
    in Great Britain, Ireland, Denmark, Holland, Channel Islands, France, Austria-Hungary, Germany, and Switzerland. William John Kennedy. B.A.I. Cir. 76, pp. 31. 1905.
    requirements, score-card ratings. B.A.I. Cir. 139, pp. 7, 10–12. 1909.
  milk production, improved methods. C.B. Lane and Karl E. Parks. B.A.I. An. Rpt., 1908, pp. 365–376. 1910; B.A.I. Cir. 158, pp. 12. 1910.
  milking methods. F.B. 190, pp. 15–17. 1904.
  Naval Academy, description and management. Y.B., 1920, pp. 464–469. 1921; Y.B., Sep. 857, pp. 464–469. 1921.
  practice—
    at Kenai Station, Alaska. P.H. Ross. Alaska A.R., 1907, pp. 62–74. 1908.
    regarding open and closed barns. D.B. 736, pp. 1–2. 1918.
  products—
    adulteration, and detection of adulterants. Chem. Bul. 100, pp. 22–26. 1905.
    analysis, methods. Chem. Bul. 81, pp. 25–30. 1904; Chem. Bul. 107, pp. 117–128. 1907; D.B. 524, pp. 3–19. 1917.
    and exports, 1910–1919. Y.B., 1919, pp. 11–12, 14–15, 28. 1920.
    branding for interstate commerce, opinion of Attorney General relating to scope and meaning of act of July 1, 1902, Stat. 632, Pub. 223. Sec. [Misc.], "Opinion of Attorney General * * *," pp. 5. 1903.
    cold-storage warehousing. Y.B., 1922, pp. 367–371. 1923; Y.B. Sep. 879, pp. 74–77. 1923.
    consumption—
      and prices, 50 southern cities, table. B.A.I. An. Rpt., 1907, pp. 315–317. 1909; F.B. 349, pp. 14–16. 1909.
      by farm families. F.B. 1082, pp. 4, 19. 1920.
      by farm families, Southern States. Farm M. Cir. 3, p. 5. 1919.
      in United States. News L., vol. 7, No. 16, p. 5. 1919.
      in world countries. Y.B., 1922, pp. 287–291. 1923; Y.B. Sep. 879, pp. 7–10. 1923.
      on farms, relation to other foods. D.B. 410, pp. 12–13, 15, 16, 20, 26. 1916.
    contribution to farmers' living, various States. D.B. 654, p. 19. 1918.
    control—
      by law, grading and inspection. Y.B., 1922, pp. 337, 371–375. 1923; Y.B. Sep. 879, pp. 47, 77–80. 1923.
      methods in the United Kingdom. Chem. Bul. 143, pp. 18–20, 21–24. 1911.
    cost of production, Minnesota, 1904–1909. Thomas P. Cooper. Stat. Bul. 88, pp. 84. 1911.
    digestibility, studies. O.E.S. An. Rpt., 1909, p. 389. 1910.
    dissemination of disease, methods for prevention. G. L. Magruder and others. B.A.I. Cir. 153, pp. 57. 1910.
    European need, forecast for 1919. News L., vol. 6, No. 26, p. 14. 1919.
    exports—
      1851–1908. Stat. Bul. 75, pp. 24–25. 1910.
      1902–1904. Stat. Bul. 36, pp. 30–32. 1905.
      1904. B.A.I. An. Rpt., 1904, pp. 486–493. 1905.
      1917–1919. Y.B., 1920, p. 12. 1921; Y.B. Sep. 864, p. 12. 1921.
      from foreign countries, increase. Rpt. 67, pp. 21–24. 1901.

Dairy(ies)—Continued.
 products—continued.
  exports—continued.
   increase, 1917. News L., vol. 5, No. 11, p. 5. 1917.
   statistics, 1910-1923. An. Rpts., 1923, p. 92. 1924; Sec A. R., 1923, p. 92. 1923.
  factory, 1919, 1920, by States. B.A.I.A.-37, pp. 23, 24. 1922.
  farm sales, 1900. B.A.I. Bul. 55. pp. 26-27. 1903.
  fat determination methods, report of referees committee. Chem. Bul. 137, pp. 169-170. 1911; Chem. Bul. 152, pp. 101, 188. 1912; Chem. Cir. 90, pp. 10-11. 1912.
  Federal laws, 1905. Chem. Bul. 69, rev., Pt. I, pp. 22-25. 1905.
  feed and energy values per 100 pounds. D.B. 459, p. 13. 1916.
  food value and uses. D.C. 26, pp. 1-12. 1919.
  forecast for 1919. News L., vol. 6, No. 26, p. 14. 1919.
  foreign countries, statistics, 1900. B.A.I. Bul. 55, pp. 75-88. 1903.
  frozen (lacto), preparation and formulas. F.B. 457, pp. 21-23. 1911.
  gain, 1910-1916. News L., vol. 4, No. 31, p. 2. 1917.
  imports—
   1907-1909, amount and value, by countries from which consigned. Stat. Bul. 82, pp. 21-22. 1910.
   1908-1910, amount and value, by countries from which consigned. Stat. Bul. 90, pp. 22-23. 1911.
   and exports, 1852-1913. Y.B., 1913, pp. 467-471, 493, 501, 508, 510. 1914; Y.B. Sep. 361, pp. 467-471, 493, 501, 508, 510. 1914.
   and exports, 1900. B.A.I. Bul. 55, pp. 45-48. 1903.
   and exports, 1910-1918. Sec. Cir. 123, p. 12. 1918.
   and exports, 1914-1916. Y.B., 1916, pp. 707, 715. 1917; Y.B. Sep. 722, pp. 1, 9. 1917.
   and exports, 1917. Y.B., 1917, pp. 759, 768, 775, 794. 1918; Y.B. Sep. 762, pp. 3, 12, 19, 38. 1918.
   and exports, 1918. Y.B., 1918, pp. 627, 635, 642, 653, 654, 660. 1919; Y.B. Sep. 794, pp. 3, 11, 18, 29, 30, 36. 1919.
   and exports, changes since 1914. Sec. Cir. 85, pp. 3-5. 1918.
   and exports, costs. Sec. Cir. 142, pp. 18-23. 1919.
   countries of origin. Y. B., 1914, p. 683. 1915. Y.B. Sep. 657, p. 683. 1915.
  in—
   Germany, production, consumption, imports, and exports. B.A.I. Doc. A-37, pp 52-53. 1922.
   Iowa, Mills County. Soil Sur. Adv. Sh., 1920, pp. 109, 112, 113, 120, 130. 1923; Soils F.O., 1920, pp. 109, 112, 113, 120, 130. 1925.
   southern markets. B.A.I. An. Rpt., 1907, pp. 308-317. 1909; F.B. 349, pp. 7-16. 1905.
   Sweden, 1890-1919. B.A.I. Doc. A-37, p. 62. 1922.
   Texas, Taylor County, 1909. Soil Sur. Adv. Sh., 1915, pp. 10-11, 13. 1918; Soils F.O., 1915, pp. 1132-1133. 1919.
   United Kingdom, 1909-1919, and consumption. B.A.I. Doc. A-37, pp. 66-67. 1922.
  income, relation to labor income, studies in eastern Pennsylvania. D.B. 341, pp. 43-45. 1916.
  increase—
   methods. Sec. Cir. 85, pp. 10-13. 1918.
   need and suggestions, exports and imports. Sec. Cir. 123, pp. 10-12. 1918.
   since 1870, by 10-year periods. D.B. 177, pp. 1-6. 1915.
  infection with tubercle bacilli. B.A.I. Cir. 153, pp. 43-45. 1910; Y.B., 1908, pp. 218-219, 223, 226. 1909; Y.B. Sep. 476, pp. 218-219, 223, 226. 1909.
  inspection—
   and sampling, United Kingdom. Chem. Bul. 143, pp. 21-24. 1911.
   Federal, 1906. Chem. Bul. 104, p. 16. 1906.
   legislation needed. An. Rpts., 1912, pp. 314-317. 1913; B.A.I. Chief Rpt., 1912, pp. 18-21. 1912.

Dairy(ies)—Continued.
 products—continued.
  interstate shipments, legislation needed. B.A.I. An. Rpt., 1910, p. 24. 1912.
  kinds sold, influence on profits, Wisconsin and Illinois. D.B. 603, pp. 12-13. 1918.
  laws—
   State, 1905. Chem. Bul. 69, rev., pp. 22-700. 1905-1906.
   State, 1906. Chem. Bul. 104, pp. 24-26, 33, 37-41, 48-50. 1906.
   State, 1907. Chem. Bul. 112, pp. 19-37, 63-149. 1908.
   See also Food laws.
  market—
   news reports, branch offices, and work. Y.B., 1920, pp. 143-145. 1921; Y.B. Sep. 834, pp. 143-145. 1921.
   statistics, 1910-1920. D.B. 982, pp. 142-154. 1921.
  marketing—
   bibliography. M.C. 35, pp. 28-31. 1925.
   school work. S.R.S. Doc. 72, pp. 6-8. 1917.
   systems. Rpt. 98, pp. 37-42, 119-123, 219-221. 1913.
   work of Markets Division. Mkts. Doc. 1, pp. 10-11. 1915.
  methods for separation and estimation of nitrogen compounds. Chem. Bul. 73, pp. 88-98. 1903.
  neutralization by lime, detection. H. J. Wichmann. D.B. 524, pp. 23. 1917.
  nutrition studies, historical notes. O.E.S. An. Rpt., 1909, p. 366. 1910.
  of Russia, 1901-1917. B.A.I. Doc. A-37, p. 60. 1922.
  oleomargarine pasteurization. B.A.I.S.R.A. 124, pp. 91-92. 1917.
  outlook for 1924, and comparisons with foreign countries. M.C. 23, pp. 19-20. 1924.
  Paris Exposition, 1900. Henry E. Alvord. Y.B., 1900, pp. 599-624. 1901; Y.B. Sep. 199, pp. 599-624. 1901.
  prices—
   and marketing, 1923. Y.B., 1923, pp. 909-927. 1924; Y.B. Sep. 902, pp. 909-927. 1924.
   increase. F.B. 929, p. 13. 1917.
  principal source of farm income. D.B. 177, p. 10. 1915.
  production and consumption. Eugene Merritt. D.B. 177, pp. 19. 1915.
  receipts—
   1909, map and leading States. Atl. Am. Agr. Adv. Sh., Pt. V, p. 120. 1918
   from farm sales in 1919. Y.B., 1921, p. 479. 1922; Y.B. Sep. 878, p. 73. 1922.
   from sale, census, 1909, by States, map. Y.B., 1915, p. 395. 1916; Y.B. Sep. 681, p. 395. 1916.
   from ten farms, Kentucky. D.B. 548, pp. 2-3, 6, 7, 8, 9, 10. 1917.
  report of analysis. Chem. Bul. 73, pp. 37-38. 1903.
  requirements for farm family, cows and feed. F.B. 1015, pp. 11-12, 13, 15. 1919.
  shipping, temperature management. F.B. 125, pp. 11-12. 1901.
  standards—
   by States. B.A.I. Cir. 218, rev., p. 2. 1913.
   Federal and State, 1904. B.A.I. Cir. 49, pp. 2. 1904.
   Federal, State, and Territorial, 1908. B.A.I. An. Rpt., 1907, pp. 409-410. 1909.
   legal, 1909. B.A.I. Cir. 74, rev., pp. 1-2. 1909.
   legal, 1911. B.A.I. An. Rpt., 1909, pp. 329-330. 1911; B.A.I. Cir. 74, rev., pp. 1-2. 1905.
   legal, 1916. B.A.I. Doc. A-8, pp. 3. 1916.
   United States and States, 1904. B.A.I. Cir. 49, pp. 2. 1904.
   United States and States, 1905. B.A.I. Cir. 74, pp. 2. 1905.
  statistics—
   1902. Y.B., 1902, pp. 834-838. 1903.
   1905. Y.B., 1905, pp. 744-745. 1906; Y.B. Sep. 404, pp. 744-745. 1906.
   1908. Y.B., 1908, pp. 742-745, 752, 763, 773, 777, 778. 1909; Y.B. Sep. 498, pp. 742-745, 752, 763, 773, 777, 778. 1909.
   1909-1919. Sec. Cir. 142, pp. 18, 21. 1919.

INDEX TO PUBLICATIONS, 1901–1925   705

Dairy(ies)—Continued.
  products—continued.
    statistics—continued.
      1910. Y.B., 1910, pp. 632–634, 653, 665, 675, 679. 1911; Y.B. Sep. 553, pp. 632–634, 653, 665, 675, 679. 1911; Y.B. Sep. 554, pp. 632–634, 653, 665, 675, 679. 1911.
      1919, by months. B.A.I. Doc. A-37, p. 21. 1922.
      1924. Y.B., 1924, pp. 870–891, 1041, 1058. 1925.
    cost, method of collection. Stat. Bul. 88, pp. 12–14. 1911.
    exports, 1790. Y.B., 1922, p. 302. 1923; Y.B. Sep. 879, p. 18. 1923.
    supply by America. Y.B., 1918, pp. 291, 299. 1919; Y.B. Sep. 773, pp. 5, 13. 1919.
    tariff rates. Y.B., 1922, pp. 389–390. 1923; Y.B. Sep. 879, pp. 94–95. 1923.
    testing for fat, directions and apparatus. B.A.I. Doc. A-7, pp. 3–22. 1916.
    tuberculosis infection—
      carriers. B.A.I. An. Rpt., 1907, pp. 183–199. 1909; B.A.I. Cir. 143, pp. 183–199. 1909.
      frequency and extent. B.A.I. An. Rpt., 1908, pp. 148–151. 1910.
      typhoid bacilli, investigations. An. Rpts., 1908, p. 240. 1901; B.A.I. Chief Rpt., 1908, p. 26. 1908.
    United Kingdom imports, 1918. News L., vol. 7, No. 1, p. 3. 1919.
    utilization, suggestions. Sec. Cir. 85, pp. 15–23. 1918.
    value—
      and uses as food. D.C. 26, pp. 1–12. 1919.
      in Iowa, Cedar County. Soil Sur. Adv. Sh., 1919, p. 11. 1921; Soils F.O., 1919, p. 1433. 1925.
      in New Jersey, Camden area, 1909. Soil Sur. Adv. Sh., 1915, p. 10. 1917; Soils F. O., 1915, p. 160. 1919.
      in Texas, Denton County. Soil Sur. Adv. Sh., 1918, pp. 8, 11–12. 1922; Soils F.O., 1918, pp. 780, 783–784. 1924.
      of livestock on farms. Y.B., 1916, pp. 468–469, 474. 1917; Y.B. Sep. 694, pp. 2–3, 8. 1917.
      receipts from sales, and prices. Y.B., 1922, pp. 282, 305–309, 318, 375–386. 1923; Y.B. Sep. 879, pp. 2, 20–23, 32, 80–91. 1923.
      relation to calving season. D.B. 1071, pp. 3, 9. 1922.
  production, increase under cow-testing method. F.B. 1446, pp. 4–10. 1925.
  projects, Western States, recommendations. D.C. 308, pp. 10–11. 1924.
  rations, computation, and choice of feeding stuffs. D.B. 459, pp. 22–29. 1916.
  records—
    and cow testing, illustrated lecture. Duncan Stuart. S.R.S. Syl. 30, pp. 10. 1917.
    calculation, illustration. S.R.S. Syl. 30, pp. 6–7. 1917.
  regulations—
    District of Columbia. Chem. Bul. 69, pt. II, rev., pp. 116–118. 1905.
    various cities, notes and text of ordinances. B.A.I. Bul. 46, pp. 45–165, 165–187. 1903.
  requirements for production of certified milk. B.A.I. Bul. 104, pp. 10–14, 23–35. 1908.
  sanitation improvement. Y.B., 1922, pp. 335–337. 1923; Y.B. Sep. 879, pp. 45–47. 1923.
  score card—
    form and explanation. B.A.I. An. Rpt., 1909, pp. 120–121. 1911; B.A.I. Cir. 170, pp. 120–121. 1911.
    history, use, and forms. B.A.I. Cir. 199, pp. 8–20, 21, 27, 29. 1912.
  scoring, results in—
    Chicago. B.A.I. Bul. 138, pp. 24, 28. 1911.
    Washington, D. C. B.A.I. Bul. 138, p. 33. 1911.
Shorthorns, development in England, and influence on agriculture. B. A. I. Dairy [Misc.] World's dairy congress," 1923, pp. 1349–1354. 1924.
show(s), national—
  1910, work of agricultural colleges, O.E.S., An. Rpt., 1910, pp. 364–365. 1911.

Dairy(ies)—Continued.
  show(s), national—continued.
    1920, Government exhibit. D.C. 139, pp. 17. 1920.
    and International, 1911. O.E.S. An. Rpt., 1912, p. 307. 1913.
    milk and cream contests. D.B. 1, p. 21. 1913; B.A.I. Bul. 104, p. 38. 1908.
  statistics—
    Henry E. Alvord. B.A.I. Bul. 55, pp. 88. 1903.
    by sections and States, 1900. B.A.I.Bul. 55, pp. 49–74. 1903.
    Denmark, 1866 and 1903, comparison. B.A.I. Bul. 129, p. 28. 1911.
    exhibit. D.C. 139, pp. 14–15. 1920.
    handbook. T. R. Pirtle. B.A.I. Doc. A-37, pp. 72. 1922.
    preparation. An. Rpts., 1922, p. 124. 1923; B.A.I. Chief Rpt., 1922, p. 26. 1922.
  stock, young, feeding—
    and managment. W. K. Brainerd and H. P. Davis. F.B. 777, pp. 20. 1917.
    directions. M.C. 12, pp. 24–25. 1924.
  supplies, wooden utensils, use of ash lumber. D.B. 523, pp. 29–30, 48, 49. 1917.
  survey—
    school studies, scope and value. D.B. 763, pp. 2–3. 1919.
    stable and milk-house conveniences, form, school studies. D.B. 763, p. 25. 1919.
  thermometers, importance of use. Y.B., 1914, pp. 164, 166. 1914; Y.B. Sep. 635, pp. 164, 166. 1914.
  utensils—
    kinds and care. B.A.I. Bul. 104, pp. 12, 26–33. 1908; F.B. 151, pp. 39–41. 1902.
    sterilization by steam. S. Henry Ayers and George B. Taylor. F.B. 748 rev., pp. 16. 1919.
    sterilizer, description and cost of construction. F.B. 353, pp. 27–29. 1909.
  wastes, aromatic bacillus, *Flavobacterium suaveolens* isolation. Lulu Soppeland. J.A.R. vol. 28, pp. 275–276. 1924.
  water heating with exhaust steam. B.A.I. Ch. 209, pp. 1–13. 1913.
  work—
    Alaska, 1915, and proposed work. Alaska A.R., 1915, pp. 22–23, 70, 80, 81. 1916.
    Alaska, Kodiak Experiment Station. Alaska A. R., 1910, p. 42. 1911.
    among girls in Southern States, results. Y.B., 1916, pp. 253, 263. 1917; Y.B. Sep. 710, pp. 3, 13. 1917.
    development, 1896–1908. Rpt. 87, pp. 84–85. 1908.
    Hawaii, Glenwood substation. Hawaii A. R., 1918, p. 51. 1919.
    women's, on farm and records. D.C. 148, pp. 10–11, 20. 1920.
  See also Dairy houses; Milk houses; Milk plants.
Dairy Congress, World, plan of organization and work. Off. Rec., vol. 1, No. 11, pp. 1, 5. 1922.
Dairy congresses, and international federation. B.A.I. Cir. 46, pp. 14. 1903.
Dairy division—
  cooperation in milk and cream contests. D.B. 356, pp. 2–4, 12–15. 1916.
  Experiment Farm, Beltsville, Md., silage investigations. D.B. 953, pp. 5–14. 1921.
  library, report. See Librarian, annual report.
  milk and cream contests, cooperative, lists. B.A.I. Cir. 205, pp. 17–19. 1912.
  organization of Grove City Creamery, operation. D.B. 853, pp. 5–6. 1920.
  scope of work. News L., vol. 2, No. 40, pp. 4–5. 1915.
  supervision of butter supply for Navy. B.A.I. Bul. 149, p. 20. 1912.
  thermocouple, use. Off. Rec. vol. 1, No. 6, p. 5. 1922.
  work—
    of year. See *Animal Industry Bureau, report of chief.*
    outline. Ed H. Webster. B.A.I.[Misc.], "An outline of * * *," pp. 15. 1906.
Dairying—
  advantages to farmer. Sec. Cir. 85, p. 10. 1918.

Dairying—Continued.
associated system. B.A.I. Bul. 55, pp. 29-32. 1903.
at home and abroad. Henry E. Alvord. Y.B., 1902, pp. 145-154. 1903; Y.B. Sep. 260, pp. 145-154. 1903.
cleanliness, methods. F.B. 541, pp. 6-9. 1913.
clubs, number, membership, and results in 1921. D.C. 255, pp. 15, 23-24. 1923.
community—
 development. An. Rpts., 1914, p. 66. 1915; B.A.I. Chief Rpt., 1914, p. 10. 1914.
 experiment. R. R. Welch. Y.B., 1916, pp. 209-216. 1917; Y.B. Sep. 707, pp. 8. 1917.
 upbuilding, example, Grove City, Pennsylvania. Y.B., 1918, pp. 163-164. 1919; Y.B. Sep. 765, pp. 18. 1919.
conditions in European allied countries. Sec. [Misc.], "Report * * * agricultural commission * * *," pp. 17, 27, 69. 1919.
cooperative, Nebraska, Scottsbluff Experiment Farm. W.I.A. Cir. 11, p. 22. 1916.
development—
 in—
  Hawaii. Hawaii A.R., 1913, p. 9. 1914.
  Kentucky bluegrass region, possibilities. D.B. 548, pp. 4-5. 1917.
  United States, and importance as business. Y.B., 1922, pp. 281-289, 297-322. 1923; Y.B. Sep. 879, pp. 1-9, 15-35. 1923.
 near Birmingham, Ala. Soils F.O., 1908, p. 745. 1911; Soil Sur. Adv. Sh., 1908, p. 13. 1911.
 on sandy-land farms, Indiana and Michigan. F.B. 716, pp. 4, 25-26. 1916.
eradication of cattle tick necessary for profit. J. H. McClain. F.B. 639, pp. 4. 1914.
expansion near large cities. Off. Rec. vol. 2, No. 50, p. 2. 1923.
experimental work in Porto Rico. S.R.S. An. Rpt., 1921, p. 21. 1921.
1921, p. 21. 1921.
experiments in Alaska. D.B. 50, pp. 5, 11, 16, 17, 18, 19, 26, 30. 1914.
extension—
 program for the Western States. D.C. 308, pp. 9-13. 1924; D.C. 335, pp. 3-4. 1924.
 South and West. An. Rpts., 1912, pp. 324-326. 1913; B.A.I. Chief Rpt., 1912, pp. 28-30. 1912.
 work, North and West—
  1915. S.R.S. Rpt., 1915, Pt. II, pp. 165-168, 186, 190, 198, 225, 234, 237, 242, 248, 254, 269, 285, 291, 308, 318, 326. 1917.
  1916. S.R.S. Rpt., 1916, Pt. II, pp. 169-170. 1917.
extent of industry. News L., vol. 6, No. 50, p. 13. 1919.
feed and labor costs, and profits. F.B. 929, pp. 11-13. 1918.
growth—
 and profitableness of industry in Argentina. D.C. 228, pp. 10-11. 1922.
 of industry in Chile. D.C. 228, p. 35. 1922.
importance in eastern Pennsylvania, advantages. D.B. 341, pp. 43-47. 1916.
improvement—
 after tick eradication. S.R.S. Syl. 22, pp. 9-11. 1916.
 selection, breeding, and feeding. Y.B., 1917, pp. 357-363. 1918; Y.B. Sep. 743, pp. 8. 1918.
in—
 Alaska, Kenai Station, report for 1907. Alaska A.R., 1907, pp. 25-26, 62-73. 1908.
 Brazil, menace of foot-and-mouth disease. D.C. 228, p. 30. 1922.
 Canal Zone, extent of industry, obstacles. Rpt. 95, pp. 17-18, 45. 1912.
 Colby, Kansas, relation of farm separator. B.A.I. Bul. 59, pp. 47. 1904.
 cotton region, success. Y.B., 1917, pp. 303-310. 1918; Y.B. Sep. 744, pp. 1-10. 1918.
 Europe, situation in 1919. Sec. [Misc.], "Report of Agricultural * * *," pp. 13, 27-28, 48, 50, 54, 56, 57, 58. 1919.
 Missouri, Ozark region, cream production. D.B. 941, pp. 29-32. 1921.
 Montana, irrigated sections, hints. B.P.I. Doc. 462, p. 6. 1909.
 Nebraska, North Platte reclamation project, progress. W.I.A. Cir. 27, p. 11. 1919.

Dairying—Continued.
in—continued.
 Nevada—
  Newlands Farm. D.C. 352, pp. 21-22. 1925.
  Truckee-Carson experiment farm, 1914. W.I.A. Cir. A-3, pp. 4-5. 1915.
 New England. Off. Rec. vol. 4, No. 35, p. 3. 1925.
 New Zealand, report. Off. Rec. vol. 4, No. 20, p. 3. 1925.
 North and West, value of sorghum and silo. News L., vol. 5, No. 36, pp. 6-7. 1918.
 Northwest. News L., vol. 1, No. 14, pp. 3-4. 1913.
 Oregon, conditions, practices and development. Y.B., 1916, pp. 146-148. 1917; Y.B. Sep. 699, pp. 2-4. 1917.
 Pennsylvania, Grove City, building up community. Y.B., 1918, pp. 153-168. 1919; Y.B. Sep. 765, pp. 18. 1919.
 Porto Rico—
  D. W. May. P.R. Bul. 29, pp. 19. 1922.
  introduction and progress. P.R. An. Rpt., 1911, p. 43. 1912.
  milk yield per cow. P.R. An. Rpt., 1921. p. 3. 1922.
  progress, 1912. P.R. An. Rpt., 1912, p. 41. 1913.
  report. P.R. An. Rpt., 1909, pp. 40-41. 1910.
 South, advantages. Sec. [Misc.] Spec., "Advantages of dairying * * *," pp. 4. 1914.
 the South. S. M. Tracy. F.B. 151, pp. 48. 1902.
 Uruguay, practices and profitableness. D.C. 228, p. 19. 1922.
 various States, counties, and areas. See Soil Surveys.
information sources and distribution. D.B. 763, pp. 1-2. 1919.
instruction—
 at social gatherings, results. Y.B., 1916, pp. 211-212. 1917; Y.B. Sep. 707, pp. 3-4. 1917.
 needs of farm women, and publications suggested. Rpt. 104, pp. 73, 83, 91. 1915.
intensive type, methods and labor requirements, studies. D.B. 423, pp. 6-10. 1916.
labor distribution, in Provo area, possibilities. D.B. 582, pp. 27-30. 1918.
lessons for rural schools. Alvin Dille. D.B. 763, pp. 31. 1919.
losses from cattle ticks. D.B. 147, pp. 22. 1915; F.B. 639, pp. 1-4. 1915.
machine milking as a factor. C. B. Lane and W. A. Stocking. B.A.I. Bul. 92, pp. 55. 1907.
methods improvement, Southern States. Y.B., 1917, pp. 150-151. 1918; Y.B. Sep. 737, pp. 6-7. 1918.
milk production, requirements in northwestern Indiana. J. B. Bain and R. J. Posson. D.B. 858, pp. 31. 1920.
on—
 irrigation farms, advantages and need of cooperation. Y.B., 1916, pp. 189-191. 1917; Y.B. Sep. 690, pp. 13-15. 1917.
 reclamation projects, progress. An. Rpts., 1917, p. 151. 1918; B.P.I. Chief Rpt., 1917, p. 21. 1917.
opportunities—
 general. Wm. Hart Dexter. Y.B., 1906, pp. 405-408. 1907; Y.B. Sep. 432, pp. 405-408. 1907.
 in the South. B. H. Rawl. Y.B., 1906, pp. 417-422. 1907; Y.B. Sep. 432, pp. 417-422. 1907.
 New England. George M. Whitaker. Y.B., 1906, pp. 408-412. 1907; Y.B. Sep. 432, pp. 408-412. 1907.
 North-Central States. B. D. White. Y.B., 1906, pp. 412-417. 1907; Y.B. Sep. 432, pp. 412-417. 1907.
 Pacific Coast. E. A. McDonald Y.B., 1906, pp. 429-428. 1907; Y.B. Sep. 432, pp. 422-428. 1907.
practicability in Rio Grande district, Texas. D.B. 665, pp. 12-13. 1918.
profits—
 advantage over beef production. D.B. 1271, p. 99. 1924.
 comparison with sheep industry, New England. F.B. 929, pp. 9-13. 1918.

Dairying—Continued.
  promising industry for Columbia River Valley, with Alfalfa. B.P.I. Cir. 60, pp. 13–14. 1910.
  publications of interest to dairymen—
    1895–1905. Dairy [Misc.], "Publications of interest * * *," pp. 2. 1905.
    1895–1906. Dairy [Misc.], "Publications of interest * * *," pp. 2. 1906.
    1895–1907. Dairy [Misc.], "Publications of interest * * *," pp. 3. 1907.
    1895–1909. Dairy [Misc.], "Publications of interest * * *," pp. 7. 1909.
  receipts per cow, relation to labor income. D.B. 341, pp. 76–79. 1916.
  relation to agriculture in semiarid sections. Y.B., 1912, pp. 463–470. 1913; Y.B. Sep. 606, pp. 463–470. 1913.
  situation—
    1918, and necessity of increased production. Sec. Cir. 85, pp. 25. 1918.
    1925. Sec. A. R., 1925, pp. 11, 49–51. 1925.
  southern—
    and western, development and progress. B.A.I. An. Rpt., 1911, pp. 26–27. 1913.
    conditions. B.A.I. An. Rpt., 1907, pp. 68–70, 329–337. 1909; F.B. 349, pp. 29–37. 1909.
    development, work of Department and States. An. Rpts., 1909, pp. 207, 249–251. 1911; B.A.I. Chief Rpt., 1909, pp. 17, 59–61. 1909.
    improvement, new creameries. An. Rpts, 1915, pp. 95, 97. 1916; B.A.I. Chief Rpt., 1915, pp. 19, 21. 1915.
  studies by experiment stations, results. Work and Exp., 1921, pp. 89–94. 1923.
  study in 1923. Work and Exp. 1923, pp. 63–67. 1925.
  teaching by use of Farmers' Bulletin 602. Alvin Dille. D.C. 67, pp. 6. 1920.
  types, importance of various kinds, survey of Chester County, Pennsylvania. D.B. 341, pp. 46–47. 1916.
  use of paraffin. F.B. 273, pp. 31–32. 1906.
  values of various new feeds. D.B. 1272, pp. 16. 1924.
  ventilation study in 1923. Work and Exp., 1923, pp. 89–96. 1925.
  Volusia loam, eastern United States, extent of industry. Soils Cir. 60, pp. 8, 10, 11, 12. 1912.
  western, development. An. Rpts., 1913, p. 75. 1914; B.A.I. Chief Rpt., 1913, p. 5. 1913.
  winter—
    conditions, methods and profitableness. News L., vol. 3, No. 1, p. 5. 1915.
    Provo area, methods and labor requirement. D.B. 582, pp. 28–29. 1918.
  work in Hawaii, 1919. Hawaii A.R., 1920, pp. 65–67. 1921.
  See also Soil surveys for various counties and areas.
Dairying, Bureau of—
  appropriations and scope. Off. Rec., vol. 3, No. 28, pp. 1–2. 1924.
  establishment. B.A.I. Chief Rpt. 1924, p. 3. 1924; Sec. A. R., 1924, pp. 51–52. 1924.
  report of chief. C. W. Larson. Dairy Chief Rpt., 1925, pp. 18. 1925.
Dairymen—
  advantages of farm separator. B.A.I. Bul. 59, pp. 9–12. 1915.
  agreement for tuberculin testing of dairy herd. B.A.I. An. Rpt., 1907, pp. 212–213.
  aid by milk inspection and use of score cards. D.C. 276, pp. 22–25. 1923.
  benefits—
    from cow-testing associations. F.B. 1446, pp. 4–15, 17–19. 1925.
    of milk contests. D.B. 356, pp. 17–18. 1916.
  cooperation in testing, feed buying and breeding. F.B. 504, pp. 12–16. 1912.
  cooperative ownership of bulls, advantages and profits. News L. vol. 4, No. 41, p. 6. 1917.
  duties in war emergency. Sec. Cir. 85, pp. 22, 23–24. 1918.
  methods, relation to sanitary milk production. B.A.I. An. Rpt. 1907, pp. 162–168; 175. 1909; B.A.I. Cir. 142, pp. 162–168; 175. 1909; F.B. 366, p. 25. 1909.
  permits, blank forms. B.A.I. Bul. 46, pp. 201–203. 1903.
  relations of Health Bureau. J. F. Edwards. B.A.I. Cir. 151, pp. 32–34. 1909.

Dairymen—Continued.
  rules for—
    Boston, Mass. B.A.I. Bul. 46, pp. 181–182. 1903.
    milking, certified milk production. B.A.I. Bul. 104, pp. 11–12, 35, 42 1908; D.B. 1, pp. 16–17, 26–27. 1913.
  share of milk price. An. Rpts., 1910, pp. 20, 24. 1911; Rpt. 93, pp. 16, 20. 1911; Sec. A.R., 1910, pp. 20, 24. 1910; Y.B. 1910, pp. 20, 24. 1911.
  skill in management of herds. D.B. 858, pp. 3–4. 1920.
  value of milk contests. B.A.I. Cir. 205, pp. 22–24. 1912.
  warning against tuberculous cows. News L., vol. 6, No. 40, p. 3. 1919.
Daisy—
  anatomy, inoculation studies and methods. B.P.I. Bul. 255, pp. 23–50. 1912.
  crown-gall bacteria, description, staining, and cultural charcters. B.P.I. Bul. 213, pp. 105–127. 1911.
  diseases, Texas, occurrence and description. B.P.I. Bul. 226, p. 85. 1912.
  dog. See Yarrow.
  flowers, powdered, adulterant of insect powder. R.C. Roark and G.C. Keenan. D.B. 795, rev., pp. 10. 1923.
  inoculation with—
    hairy-root organism. B.P.I. Bul. 213, p. 101. 1911.
    hard gall of apple. B.P.I. Bul. 213, pp. 96–97. 1911.
  morphology and histology. D.B. 795, rev. pp. 5–7. 1923.
  oxeye—
    adulterant of insect powder, analyses. D.B. 824, pp. 18, 19, 20, 33, 35, 40, 65, 82. 1920.
    description, distribution, spread, and products injured. F.B. 660, p. 28. 1915.
    destruction by use of iron sulphate. O.E.S. An. Rpt., 1910, pp. 216, 232. 1911.
    elimination as agent in wireworm control. D.B. 78, pp. 15, 28. 1914.
    introduction into Washington, eastern Puget Sound Basin. Soil Sur. Adv. Sh., 1909, p. 39. 1911; Soils F.O. 1909, p. 1551. 1912.
  seed description—
    F.B. 428, pp. 7, 21, 22. 1911.
    appearance in red clover seed. F.B. 260, p. 18. 1906.
  use—
    in fly-larvae destruction in manure, experiments. D.B. 245, pp. 17, 21. 1915.
    of flowers as adulterant of insect powder. D.B. 795, pp. 1–12. 1919.
  Paris, crown-gall bacteria, discovery and inoculation experiments. B.P.I. Bul. 213, pp. 21–53. 1911.
  tumor, effect of potassium bichromate, studies. B.P.I. Bul. 255, pp. 51–53. 1912.
  yellow, seeds, description. F.B. 428, pp. 27, 28. 1911.
Daisy tree, importation and description. No. 44359. B.P.I. Inv. 50, p. 62. 1922.
Dakota Territory—
  barley crops, 1882–1887, acreage, production, and value. Stat. Bul. 59, pp. 14–16. 1907.
  buckwheat crops, 1882–1887, acreage, production, and value. Stat. Bul. 61, pp. 9–10. 1908.
  corn crops, 1882–1890, acreage, production, and value. Stat. Bul. 56, pp. 15–19. 1907.
  farm animals, statistics, 1867–1901. Stat. Bul. 64, p. 120. 1908.
  grain farm, labor data for different seasons. Y.B. 1911, pp. 278–279. 1912; Y.B. Sep. 567, pp. 278–279. 1912.
  hay crops, 1882–1888, acreage, production, and value. Stat. Bul. 63, pp. 14–16. 1908.
  oats, crops, 1882–1890, acreage, production, and value. Stat. Bul. 58, pp. 13–17. 1907.
  potato crops, 1882–1887, acreage, production and value. Stat. Bul. 62, pp. 15–17. 1908.
  rye crops, 1882–1888, acreage, production, and value. Stat. Bul. 60, pp. 13–16. 1908.
  wheat crops, acreage, production, value. Stat. Bul. 57, pp. 13–17. 1907; Stat. Bul. 57, rev., pp. 13–17. 1908.

Dakotas—
  soils, similarity to Hungarian. Off. Rec., vol. 1, No. 30, p. 1. 1922.
  use of farm tractors. Arnold P. Yerkes and L. M. Church. F.B. 1035, pp. 32. 1919.
  western dry-land grains. Cecil Salmon. B.P.I. Cir. 59, pp. 24. 1910.
  See also North Dakota; South Dakota.
DALE, J. K.—
  "Cooperative cane-sirup canning." D.C. 149, pp. 19. 1920.
  "Sugar-cane juice clarification for sirup manufacture." With C. S. Hudson. D.B. 921, pp. 15. 1920.
Dalea spinosa. See Indigo bush.
Dalhart Field Station, spring wheat production, various methods, 1909–1914, yields and cost. D.B. 214, pp. 34–35, 37–42. 1915.
Dalican titer test, report of cooperative work. Chem. Bul. 81, pp. 65–71. 1904.
Dallas, Tex.—
  milk supply, statistics, officials, and prices. B.A.I. Bul. 46, pp. 38, 157. 1903.
  trade center for farm products, statistics. Rpt. 98. pp, 288, 323. 1913.
DALLEY, F. X.: "The prevention of breakage of eggs in transit when shipped in carlots." With others. D.B. 664, pp. 31. 1918.
Dallis grass—
  description and value for cotton States. F.B. 1125, rev., pp. 10–11. 1920.
  nativity, description, and forage value. F.B. 1254, pp. 35–36. 1922.
  occurrence of seed in Lespedeza seed. F.B. 1143, p. 7. 1920.
  value for hay and winter grazing in South. F.B. 1125, rev., pp. 10–11. 1920.
Dalmatia, agricultural conditions. D.B. 1234, pp. 106–107. 1924.
Dalmatian flowers, comparison with oxeye daisy. D.B. 795, pp. 9, 10. 1919.
Damages—
  drainage to railroads, highways, and lands. D.B. 1207, pp. 44–46, 48–51. 1924.
  liquidated, meaning of corporation term, examples and court decisions. D.B. 1106, pp. 25–28. 1922.
Damiana—
  Compound—
    misbranding. Chem. N.J. 3961. 1915.
    tablets, adulteration and misbranding. Chem. N.J. 1843, pp. 2–3. 1913.
  elixir, adulteration and misbranding. Chem. N.J. 1882, pp. 2. 1913.
  extract, misbranding. Chem. N.J. 345, pp. 2. 1910.
  gin, adulteration and misbranding. Chem. N.J. 245, p. 1. 1910.
  misbranding with saw palmettos. Chem. N.J. 1560, pp. 2. 1912.
  Nerve Invigorator, misbranding. Chem. N.J. 501, p. 1. 1910.
Dammar—
  gum imports, 1851–1908. Stat. Bul. 51, p. 25. 1909.
  varnish, testing. Chem. Bul. 109, rev., p. 17. 1910.
  See also Copal.
Dammara—
  alba, importation and description. B.P.I. Inv. 64, p. 61. 1923; No. 51713, 51815, B.P.I. Inv. 65, pp. 39, 53. 1923.
  australis. See Pine, Kauri.
Dammer, use for irrigation ditches, description. F.B. 399, p. 8. 1910.
Damp—
  proof concrete, mixing. D.B. 126, p. 53. 1915.
  proofing—
    cellars, methods. Y.B. 1919, pp. 431–437. 1920; Y.B. Sep. 824, pp. 431–437. 1920.
    concrete, patent granted for public. An. Rpts., 1913, p. 209. 1913; Sec. A.R., 1912, p. 209, 1912; Y.B., 1912, p. 209. 1913.
Dampers—
  furnace, description and operation. F.B. 1194, pp. 7–9. 1921.
  use in fireplaces. F.B. 1230, pp. 19–20, 27. 1921.

Damping-off—
  cabbage—
    cause and prevention. Y.B. 925, p. 29. 1918; F.B. 925, rev., p. 30. 1921; F.B. 1351, p. 28. 1923.
    description and control methods. F.B. 488, pp. 21–32. 1912.
  causes, general review. D.B. 934, pp. 1–7. 1921.
  celery, prevention. F.B. 1269, p. 17. 1922.
  coniferous seedlings—
    cause. D.B. 44, pp. 1, 17. 1913.
    control. Carl Hartley and Roy G. Pierce. D.B. 453, pp. 32. 1917.
    prevention. D.B. 1059, p.82. 1922.
    treatment. Perley Spaulding. B.P.I. Cir. 4, pp. 8. 1908.
    types and causes. J.A.R., vol. 15, pp. 521–526, 530–550. 1918.
  conifers—
    causes, importance, and control. D.B. 934, pp. 7–27. 1921.
    relative importance of different fungi. D.B. 934, pp. 65–70. 1921.
  control—
    by soil sterilization. Guam A.R., 1920, p. 47. 1921.
    seed boxes. D.C. 35, p. 5. 1919.
  cotton, prevention. B.P.I. Cir. 29, p. 17. 1909.
  damage, treatment and prevention. F.B. 1371, rev., pp. 6–7. 1927.
  forest seedlings, description and control. D.B. 479, pp. 68–71. 1917.
  ginseng—
    history, symptoms, cause and control. B.P.I. Bul. 250, pp. 22–23. 1912.
    seedlings, cause, and control. F.B. 736, pp. 12–14. 1916.
  injuries to young garden plants, soil sterilization as control measure. F.B. 856, p. 23. 1917.
  inoculation of coniferous stems. Annie Rathbun-Gravatt. J.A.R., vol. 30, pp. 327–339. 1925.
  occurrence on plants in Texas, and description. B.P.I. Bul. 226, p. 27. 1912.
  prevention—
    D.C. 40, p. 10. 1919.
    and control, relation of nurseries. D.B. 453, pp. 3–6. 1917.
  seedlings, in forest nurseries. Carl Hartley. D.B. 934, pp. 99. 1921.
  sugar beet, causes and control. D.B. 721, pp. 17, 44. 1918; D.B. 995, pp. 17–18, 45. 1921; J.A.R. vol. 4, pp. 135–168. 1915.
  tobacco, description, cause, and control. D.B. 1256, pp. 7–9. 1924.
  tomato, control. F.B. 1431, p. 21. 1924; S.R.S. Doc. 95, p. 10. 1919.
  use of term, causes, and economic importance. D.B. 453, pp. 1–2, 31. 1917.
  See also Corticium; Fusarium; Phoma; Pythium; Rhizoctonia.
Dampness—
  destructive effects on paper. Y.B., 1908, p. 266. 1909; Y.B. Sep. 479, p. 266. 1909.
  period, wheat, relation to respiration rate. J.A.R., vol 12, pp. 701–703, 709. 1918.
Dams—
  brush, description. F.B. 1234, pp. 18–21. 1922.
  canvas—
    for irrigation ditch. O.E.S. Bul. 226, p. 34. 1910.
    use in irrigation, directions for making. F.B. 392, p. 24. 1910.
  cloth, metal, or wood for irrigation ditches. F.B. 138, pp. 24–26. 1901.
  concrete, description. F.B. 1234, pp. 26–28. 1922.
  construction by beavers, description, and work methods. D.B. 1078, p. 8. 1922.
  crib, log and timber, description. O.E.S. Bul. 249, Pt. II, pp. 13–36. 1912.
  earth—
    description. F.B. 1234, pp. 29–34. 1922.
    fill and hydraulic-fill. Samuel Fortier and F. L. Bixby. O.E.S. Bul. 249, Pt, I., pp. 95. 1912.
    for reclamation of land, description. Y.B., 1916, pp. 131–132. 1917; Y.B. Sep. 688, pp. 25–26. 1917.

INDEX TO PUBLICATIONS, 1901-1925   709

Dams—Continued.
  hydraulic-fill, description, details, and cost. O.E.S. Bul. 249, Pt. I, pp. 67-95. 1912.
  injury by muskrats. F.B. 396, pp. 19-20. 1910; F.B. 869, pp. 9-10. 1917.
  irrigation—
    Algeria, Habra river, structure and cost. B.P.I. Bul. 80, p. 32, 33. 1905.
    devices. F.B. 864, p 27. 1917.
  log, description. F.B. 1234, pp. 22-23. 1922.
  protection from muskrats. F.B. 869, p. 19. 1917.
  loose-rock, description. F.B. 1234, pp. 24-25. 1922.
  loose-straw, description. F.B. 1234, pp. 16-17. 1922.
  reservoir—
    description and construction. F.B. 828, pp. 21-24, 25, 29-31. 1917.
    failures, causes. O.E.S. Bul. 249, Pt. I, 21, 25, 35, 44, 59. 1912.
  rock-fill, construction details. O.E.S. Bul. 249, Pt. II, pp. 37-64. 1912.
  soil-saving—
    description and construction. F.B. 997, pp. 25-27. 1918.
    for gully control. F.B. 1234, 15-38. 1922.
    outlets, description. F.B. 1234, pp. 38-42. 1922.
  stone-masonry, description. F.B. 1234, pp. 52, 26. 1922.
  timber and rock-fill. Samuel Fortier and F. L. Bixby. O.E.S. Bul. 249, Pt. II., pp. 64. 1912.
  types for small streams. F.B. 1430, pp. 12-14. 1925.
  use in prevention of erosion. F.B. 997, pp. 23-27. 1918.
  willow-post, description. F.B. 1234, p. 24. 1922.
  wooden-stake, description. F.B. 1234, pp. 17-18. 1922.
  woven-wire, description. F.B. 1234, pp. 21-22. 1922.
Damson(s)—
  canning directions. S.R.S. Doc. 12, p. 2. 1917.
  plum conserve, receipt. F.B. 853, pp. 31-32. 1917.
  promising varieties. Y.B., 1905, pp. 501-503. 1906; Y.B. Sep. 399, pp. 501-503. 1906.
Dana, S. T.—
  "Extent and importance of the white pine blight." For. [Misc.], "Extent * * * white pine blight." pp. 4. 1908.
  "Farms, forests, and erosions." Y.B., 1916, pp. 107-134. 1917; Y.B. Sep. 688, pp. 28. 1917.
  "Forestry and community development." D.B. 638, pp. 35. 1918.
  "Paper birch in the Northeast." For. Cir. 163, pp. 37. 1909.
  "Putting wood waste to work." Y.B., 1920, pp. 439-462. 1921; Y.B. Sep. 856, pp. 439-462. 1921.
  "What the national forests mean to the water user." For. [Misc.], "What the national forests * * *," pp. 52. 1919.
Dandelion—
  cultural—
    directions for home garden. S.R.S. Doc. 49, p. 5. 1917.
    hints, blanching, and use. F.B. 937, p. 38. 1918.
  culture and handling as drug plant, yield, and price. F.B. 663, p. 22. 1915.
  description, distribution, spread, and products injured. F.B. 660, p. 28. 1915.
  destruction—
    by birds. Biol. Bul. 15, p. 26. 1901.
    in lawns. O.E.S. An. Rpt., 1911, p. 162. 1913.
  drug use, with prices, description, and range. F.B. 188, pp. 13-15. 1904.
  eradication—
    News L., vol. 1, No. 8, p. 4. 1913.
    from lawns, and usefulness. F.B. 186, pp. 18-20. 1904.
  false—
    rust occurrence in Texas. B.P.I. Bul. 226, p. 94. 1912.
    same as cat's-ear. Eastern Puget Sound Basin, Washington. Soil Sur. Adv. Sh., 1909, p. 38. 1911; Soils F.O., 1909, p. 1550. 1912.
    stem nematode, infection. D.B. 1229, pp. 1-8. 1924.
    See also Cat's-ear.

Dandelion—Continued.
  growing and uses, harvesting, marketing and prices. F.B. 663, rev., p. 30. 1920.
  habitat, range, description, collection, prices, and uses of roots. B.P.I. Bul. 107, p. 60. 1907.
  home garden, cultural hints. F.B. 255, p. 33. 1906.
  injury—
    by little-known cutworm. Ent. Bul. 109, pt. 4, p. 48. 1912.
    to timothy fields, control methods. F.B. 502, p. 24. 1912.
  lawn weed, removal. F.B. 186, pp. 18-20. 1904.
  mountain, description, habits, and forage value. D.B. 545, pp. 50-51, 58, 60. 1917.
  planting, directions for club members. D.C. 48, p. 8. 1919.
  root—
    adulterant, Lactuca spicata. Chem. S.R.A. 21, p. 70. 1917.
    adulteration and misbranding. Chem. N.J. 3244. 1914.
  seeds, illustrations and description. B.P.I. Bul. 84, p. 34. 1905.
  tops, use for greens. D.B. 123, p. 15. 1916.
  use as salad and potherb, notes. O.E.S. Bul 245, p. 27. 1912.
  value of leaves for rabbits. F.B. 1090, pp. 17, 18. 1920.
  wild, value as forage plant. F.B. 425, pp. 11,12. 1910.
Dander-off, misbranding. Chem. N.J. 4331. 1916.
Danderine, misbranding (alleged). Chem. N.J. 284, pp. 7. 1910.
Dandruff—
  cattle, causes, symptoms, and treatment. B.A.I. [Misc.], "Diseases of cattle," rev., p. 341. 1912.
  cure, Mrs. Graham's, misbranding, drug product. Chem. N.J. 454, p. 1. 1910.
  sheep, cause and treatment. F.B. 1155, p. 38. 1921.
Danheim, B. L.: "Growing experimental chickens in confinement." With others. J.A.R., vol. 25, pp. 451-456. 1923.
Daniels, A. M.—
  "Chimneys and fireplaces." F.B. 1230, pp. 28. 1921.
  "Electric light and power from small streams." Y.B. 1918, pp. 221-238. 1919; Y.B. Sep. 770, pp. 20. 1919.
  "Electric light and power in the farm home." Y.B., 1919, pp. 223-238. 1920; Y.B. Sep. 799, pp. 223-238. 1920.
  "Lime-sulphur concentrate." With E. H. Siegler. F.B. 1285, pp. 42. 1922.
  "One-register furnaces (pipeless furnaces)." F.B. 1174, pp. 12. 1920.
  "Operating a home heating plant." F.B. 1194, pp. 28. 1921.
  "Power for the farm from small streams." With others. F.B. 1430, pp. 36. 1925.
Danish hog industry. B.A.I. An. Rpt., 1906, pp. 223-246. 1908.
Danish West Indies. See Virgin Islands.
Danthonia—
  americana, description. Agros. Cir. 30, p. 5. 1901.
  epilis, description. Agros. Cir. 30, p. 7. 1901.
  intermedia, description. Agros. Cir. 30, pp. 6-7. 1901.
  setacea. See Wallaby grass.
  spp., description, distribution, and uses. D.B. 772, pp. 13, 118, 120. 1920.
  spicata. See Poverty grass.
  thermale, description. Agros. Cir. 30, pp. 5-6. 1901.
Danube River, description and trade facilities. D.B. 1234, pp. 2-3, 5. 1924.
Danube States, description, surpluses, deficits, and trade routes. D.B. 1234, pp. 2-6. 1924.
Danville, Va.—
  milk supply, details, and statistics. B.A.I. Bul. 70, pp. 6-7, 23-24. 1905.
  Pittsylvania County, tobacco market of world. Soil Sur. Adv. Sh., 1918, p. 8. 1922; Soils F.O., 1918, p. 124. 1924.
  tobacco market and loose-leaf trade center. B.P.I. Bul. 268, pp. 19-22. 1913.

DANZIGER, MILTON: "Suggestions for boys' and girls' exhibits at local, county, and State fairs" S.R.S. Doc. 55, pp. 11. 1917.
Daphne—
blagayana, importation and description. No. 40613, B.P.I. Inv. 43, p. 55. 1918.
caucasica, importation and description. No. 38420, B.P.I. Inv. 39, p. 128. 1917.
tangutica, importation and description. No. 39914, B.P.I. Inv. 42, pp. 6, 37–38. 1918.
Daphnetin, effect on wheat plants. Soils Bul. 47, pp. 35, 38. 1907.
"Dark days," cause, and historical notes. For. Bul. 117, pp. 17–20. 1912.
DARLINGTON, N. D.: "Report of study of California highway system." With others. Rds. [Misc.], "Report of study * * *," 1920, rev., 1921," pp. 171. 1922.
Darluca filum, parasite—
enemy of timothy rust. B.P.I. Bul. 224, p. 13. 1911.
of asparagus rust. B.P.I. Bul. 263, p. 13. 1913.
Darnel—
grass, smut infection. B.P.I. Bul. 152, p. 11. 1909.
seed, description. F.B. 428, pp. 18, 19. 1911; F.B. 515, p. 27. 1912.
DARROW, G. M.—
"Berry culture." S.R.S. Doc. 93, pp. 12. 1919.
"Blackberry culture." F.B. 643, pp. 13. 1915.
"Blackberry growing." F.B. 1399, pp. 18. 1924.
"Cranberry harvesting and handling." With others. F.B. 1402, pp. 30. 1924.
"Culture of the Logan blackberry and related varieties." F.B. 998, pp. 24. 1918.
"Currants and gooseberries." F.B. 1024, pp. 40. 1919.
"Currants and gooseberries: Their culture and relation to white-pine blister rust." With S. B. Detweiler. F.B. 1398, pp. 38. 1924.
"Cytological studies of diploid and polyploid forms in raspberries." With Albert E. Longley. J.A.R., vol. 27, pp. 737–748. 1924.
"Dewberry culture." F.B. 728, pp. 19. 1916.
"Dewberry growing." F.B. 1403, pp. 18. 1924.
"Establishing cranberry fields." With others. F.B. 1400, pp. 38. 1924.
"Everbearing strawberries." F.B. 901, pp. 20. 1917.
"Fruits in West Virginia, Kentucky, and Tennessee." D.B. 1189, pp. 82. 1923.
"Growing fruit for home use." With H. P. Gould. F.B. 1001, pp. 40. 1919.
"Managing cranberry fields." With others. F.B. 1401, pp. 21. 1924.
"Raspberry culture." F.B. 887, pp. 45. 1917.
"Strawberry culture: Eastern United States." F.B. 1028, pp. 51. 1919.
"Strawberry culture in Tennessee, Kentucky, and West Virginia." F.B. 854, pp. 24. 1917.
"Strawberry culture: South Atlantic and Gulf Coast Regions." F.B. 1026, pp. 40. 1919.
"Strawberry culture: Western United States." F.B. 1027, pp. 29. 1919.
"Strawberry varieties in the United States." F.B. 1043, pp. 36. 1919.
"The Van Fleet raspberry: A new hybrid variety. D.C. 320, pp. 15. 1924.
Darso—
growing in Guam, description and yields. Guam Bul. 3, pp. 10, 14. 1922.
varietal experiments in Oklahoma. D.B. 1175, pp. 33–35, 36, 37. 1923.
Dasheen(s)—
acreage and use, increase. An. Rpts., 1920, p. 185. 1921.
blanching, directions. D.C. 125, pp. 2–4. 1920.
cooking—
directions. Y.B., 1916, pp. 203–206. 1917; Y.B. Sep. 689, pp. 5–8. 1917.
recipes. B.P.I. Cir. 127, pp. 34–36. 1913.
crop for wet rice lands, investigations. An. Rpts., 1914, p. 125. 1914; B.P.I. Chief Rpt., 1914, p. 25. 1914.
cultural requirements for the southern United States, from southeastern Texas to eastern South Carolina. F.S. and P.I. [Misc.], "Cultural requirements of * * *," p. 1. 1921.
delicious and nutritious vegetable, recipes. F.S. and P.I. [Misc.], "Recipes for * * *," pp. 6. 1915.

Dasheen(s)—Continued.
description—
B.P.I. [Misc.], "The dasheen," pp. 4. 1918.
and food value, comparison with potato. D.B. 612, pp. 1–2, 11. 1917.
culture, composition, and uses. B.P.I. Bul. 164, pp. 7–17. 1910.
food value, and uses. B.P.I. Cir. 127, pp. 25–36. 1913; D.B. 468, pp. 24–26, 28. 1917.
growing and uses. Robert A. Young. F.B. 1396, pp. 36. 1924.
digestibility. C. F. Langworthy and A. D. Holmes. D.B. 612, pp. 12. 1917.
flour—
and bread, analyses and characteristics. D.B. 701, pp. 4–9. 1918.
preparation and use. Y.B., 1916, p. 205. 1917; Y.B. Sep. 689, p. 7. 1917.
food preparation, recipes. B.P.I. Doc. 1110, pp. 8–11. 1914.
forcing and blanching. Robert A. Young. D.C. 125, pp. 6. 1920.
growing—
and use, experiments, in Florida. An. Rpts., 1913, pp. 129–130. 1914; B.P.I. Chief Rpt., 1913, pp. 25–26. 1913.
experiments, various States, yields. B.P.I. Doc. 1110, pp. 3–4. 1914.
for spinach substitute, Canal Zone. B.P.I. Chief Rpt., 1910, p. 88. 1910; An. Rpts., 1910, p. 358. 1911.
harvesting, storing and shipping. Y.B., 1916, pp. 206–208. 1917; Y.B. Sep. 689, pp. 8–10. 1917.
in Florida, Hernando County, methods and yields. Soil Sur. Adv. Sh., 1914, pp. 10, 17. 1915; Soils F.O., 1914, pp. 1050, 1057. 1919.
in South Carolina, experiment. B.P.I.Bul. 164, p. 28. 1910.
harvesting, grading and storage. B.P.I. Doc. 1110, pp. 7–8. 1914.
importations and description. Nos. 29518, 29840, 30271–30273, 30416–30419, B.P.I. Inv. 29, pp. 29, 38, 72, 85. 1912; Nos. 30743, 30751, 31318–31320, 31329, B.P.I. Inv. 242, pp. 37, 38, 84–85, 86. 1912; No. 34314, B.P.I. Inv. 32, p. 34. 1914; Nos. 36593–36595, B.P.I. Inv. 37, p. 35. 1916; Nos. 36955–36958, 37509–37516, B.P.I. Inv. 38, pp. 14, 68. 1917; No. 42020, B.P.I. Inv. 46, p. 43. 1919; No. 46788, B.P.I. Inv. 57, pp. 34–35. 1922; Nos. 47002, 47003, B.P.I. Inv. 58, pp. 17–18. 1922; No. 47560, B.P.I. Inv. 59, p. 31. 1922; No. 50583, B.P.I. Inv. 63, p. 80. 1923.
leaves, use as green vegetables. F.B. 1396, pp. 32–33. 1924.
maturity, relation to digestibility. D.B. 612, pp. 3–8. 1917.
new—
description. B.P.I. Bul. 207, p. 79. 1911.
vegetable of great value from the South. F.S. and P.I. [Misc.], "The dasheen. A new * * *," pp. 8. 1920.
origin, description and other names. B.P.I. Doc. 1110, pp. 1–3. 1914.
Penang, importance and description. No. 32164, B.P.I. Bul. 261, p. 35. 1912.
preparation and recipes. F.S. and P.I. Cir. 2, pp. 3. 1916.
raw, acridity, antidote. B.P.I. Cir. 127, pp. 27–28. 1913.
recipes for plain cooking. F.S. and P.I. [Misc.], "The dasheen. Recipes * * *," p. 1. 1921.
root(s)—
crop for the South—
O. W. Barrett and O. F. Cook. B.P.I. Bul. 164, pp. 43. 1910.
Robert A. Young. B.P.I. Doc. 1110, pp. 11. 1914.
damage by broad-nosed weevil. D.B. 1085, p. 2. 1922.
knot disease, prevention. Y.B., 1916, pp. 207. 1917; Y.B. Sep. 689, pp. 9. 1917.
rot, control work, 1917. An. Rpts., 1917, p. 134. 1918; B.P.I. Chief Rpt., 1917, p. 4. 1917.
seed, selection and planting. B.P.I. Doc. 1110, pp. 5–6. 1914.
shoots—
cooking, directions. Y.B., 1916, pp. 205–206. 1917; Y.B. Sep. 689, pp. 7–8. 1917.

Dasheen(s)—Continued.
 shoots—continued.
  forcing and blanching. Robert A. Young. B.P.I. [Misc.], "The forcing and blanching * * *," pp. 6. 1914; D.C. 125, pp. 6. 1920.
  handling, storing, and cooking. D.C. 125, pp. 5-6. 1920.
  use as vegetable. F.B. 1396, pp. 33-34. 1924.
  uses as vegetable, directions for cooking. D.C. 125, pp. 1, 6. 1920.
  storage—
   B.P.I. Cir. 127, p. 33. 1913.
   rots, causes, studies and inoculation experiments. J.A.R., vol. 6, No. 15, pp. 549-571. 1916.
  treatment for control of root knot nematodes. F.B. 1345, pp. 21-22. 1923.
 Trinidad—
  description—
   D.B. 1247, p. 9. 1924.
   value, and yield. B.P.I. Bul. 164, p. 28. 1910.
   uses, culture, and food value. Y.B., 1916, pp. 199-208. 1917; Y.B. Sep. 689, pp. 10. 1917.
 use(s)—
  and culture. Robert A. Young. Y.B., 1916, pp. 199-208. 1917; Y.B. Sep. 689, pp. 10. 1917.
  as food, cooking. D.B. 123, p. 27. 1916; O.E.S. Bul. 245, p. 42. 1912.
  cultural requirements, yields, and fertilizer requirements. B.P.I. Doc. 1110, pp. 4-6, 8-11. 1914.
  in bread as substitute for wheat flour. F.B. 955, pp. 10, 14, 17. 1918.
  utilization as crop in Louisiana. B.P.I. Cir. 130, p. 13. 1913.
Dasiphora fruticosa. *See* Cinquefoil, shrubby.
Dasterius elegans, feeding on corn rootworm. D.B. 5, p. 10. 1913; D.B. 8, p. 6. 1913.
Dasylirion spp. *See* Sotol.
Dasyneura—
 leguminicola. *See* Clover flower midge.
 rhodophaga. *See* Rose midge.
 vaccinii. *See* Cranberry tipworms.
Data, use, discussion. W. S. Palmer. W.B. Bul. 31, pp. 178-179. 1902.
Datana—
 apple, control by derris. J.A.R., vol. 17, p. 196. 1919.
 integerrima—
  description, habits, and control. F.B. 1169, pp. 46-47. 1921.
  See also Walnut caterpillar.
 ministra—
  control and life history. F.B. 1270, pp. 42-43. 1922.
  spraying experiments. D.B. 278, pp. 14-15. 1915.
Date(s)—
 adulteration. Chem. N.J. 3391, p. 1. 1915.
 Aglany, description. D.B. 271, p. 17. 1915.
 Al Shielebi, description and value. B.P.I. Bul. 53, p. 40. 1904.
 Algerian, care and handling. B.P.I. Bul. 80, pp. 69-70. 1905.
 American-grown, superior cleanliness. B.P.I. Bul. 53, p. 137. 1904.
 Amhat, description. D.B. 271, pp. 10, 17-18. 1915.
 Amreeyah, yield in Arizona. B.P.I. Bul. 53, pp. 26, 129. 1904.
 Amri, description. D.B. 271, pp. 18-19. 1915.
 as promising tropical crop, remarks. Y.B., 1901, p. 359. 1902.
 Barakawi, occurrence and description. D.B. 271, pp. 14, 15, 19-21. 1915.
 Bartamoda, same as Bentamoda. D.B. 271, p. 22. 1915.
 Bennett, native American seedling, earliness. B.P.I. Bul. 53, pp. 32, 128. 1904.
 Bent Kaballa, description. B.P.I. Bul. 53, p. 37. 1904.
 Bentamoda, description. D.B. 271, pp. 14, 21. 1915.
 Bint Aischa, description. D.B. 271, p. 23. 1915.
 breeding—
  and growing in United States, studies. News L., vol. 4, No. 20, p. 6. 1916.

Date(s)—Continued.
 breeding—continued.
  and new varieties. An. Rpts., 1916, p. 145 1917; B.P.I. Chief Rpt., 1916, p. 9. 1916.
 candied, misbranding. Chem. N.J. 13232. 1925
 Chinese—
  introduction and value as dried fruit. An Rpts., 1907, p. 281. 1908.
  work of introducing. An. Rpts., 1908, p. 301. 1909; B.P.I. Chief Rpt., 1908, p. 29. 1908; Y.B., 1908, p. 41. 1909.
  See also Jujube.
 Coachilla, native American seedling, description. B.P.I. Bul. 53, p. 31. 1904.
 Corragia, description. D.B. 271, p. 23. 1915.
 crop, damages by rats. Biol. Bul. 33, p. 55. 1909.
 culture—
  and—
   ripening, in Southwest. An. Rpts., 1911, pp. 11, 63-64; 270. 1912; B.P.I. Chief Rpt., 1911, p. 22. 1912; Sec. A.R., 1911, pp. 9, 61-62. 1911; Y.B. 1911, pp. 9, 61-62. 1912.
   varieties in Tunis. Thomas H. Kearney. B.P.I. Bul. 92, pp. 110. 1906.
  cost and profits. B.P.I. Bul. 53, pp. 136-138. 1904.
  establishment in Southwest. An. Rpts., 1907, pp. 45, 278. 1908; Rpt. 85, p. 32. 1907; Sec. A.R., 1907, p. 43. 1907; Y.B., 1907, p. 44. 1908.
  increase in Southwest, value of fruit. An. Rpts., 1909, p. 275. 1910; B.P.I. Chief Rpt., 1909, p. 23. 1909.
  investigations. An. Rpts., 1920, pp. 179-181 1921.
  location, limitations. F.B. 1016, p. 16. 1919.
  varieties and ripening, 1912. An. Rpts., 1912, pp. 402, 422, 448. 1913; B.P.I. Chief Rpt., 1912, pp. 22, 42, 68. 1912.
  varieties and ripening, 1913. An. Rpts., 1913, pp. 111-113. 1914; B.P.I. Chief Rpt., 1913, pp. 7, 8. 1913.
 curing with vinegar to remove astringency of skin. B.P.I. Bul. 180, p. 23. 1910.
 Deglet Noor—
  adaptability to southern California. An. Rpts., 1907, p. 276. 1908.
  offshoots, new importation. B.P.I. Chief Rpt., 1921, p. 17. 1921.
  origin, description, and superiority over other varieties. B.P.I. Bul. 53, pp. 33-36. 1904.
  ripening process, discovery. F.B. 1016, p. 3. 1919.
  value, description, and characteristics. B.P.I. Bul. 92, pp. 52-54, 58, 63-65, 104. 1906.
 drying, and uses, source of supply. Y.B., 1912, pp. 507, 514, 519, 520. 1913; Y.B. Sep. 610, 507, 514, 519, 520. 1913.
 Egypt and the Sudan. S. C. Mason. D.B. 271, pp. 40. 1915.
 Egyptian, leading varieties, list and description. D.B. 1125, pp. 14-15. 1923.
 El Medjoul, importation, and description. No. 35161, B.P.I. Inv. 35, pp. 9, 14. 1915.
 essential characters. D.B. 1125, p. 2. 1923.
 Falig, description. D.B. 271, p. 23. 1915.
 flowers, description of male and female. F.B. 1016, pp. 20-21. 1919.
 Fard, description. B.P.I. Bul. 53, p. 38. 1904.
 food value—
  An. Rpts., 1917, p. 147. 1918; B.P.I. Chief Rpt., 1917, p. 17. 1917.
  analysis and comparison with other fruits. F.B. 685, p. 21. 1915.
 garden(s)—
  cooperative, Arizona, California and Texas. An. Rpts., 1908, p. 297. 1909; B.P.I., Chief Rpt., 1908, p. 25. 1908.
  Department of Agriculture. Y.B., 1905, pp. 299-301. 1906; Y.B. Sep. 384, pp. 299-301. 1906.
  establishment. Y. B., 1907, p. 44. 1908.
  irrigation and fertilizing. F.B. 1016, pp. 12-14. 1919.
  Salton Basin, California, establishment. B.P.I. Bul. 53, pp. 110, 122. 1904.
  soil requirements. F.B. 1016, pp. 15-16. 1919.
  sunken, Algeria, description. B.P.I. Bul. 53, pp. 69-70. 1904.

Date(s)—Continued.
  garden(s)—continued.
    Tunis, Jerid oases. B.P.I. Bul. 92, pp. 41–50. 1906.
  Gondelia, description. D.B. 271, p. 24. 1915.
  growing—
    adaptability to irrigation farming. Y.B., 1911, pp. 374, 380. 1912; Y.B. Sep. 576, pp. 374, 380. 1912.
    and ripening, work of Arizona. O.E.S. An. Rpt., 1912, pp. 74, 76. 1913.
    Arizona experiments. W.I.A. Cir. 7, pp. 18–19. 1915.
    expenses and risk. B.P.I. Cir. 129, pp. 4, 5, 6. 1913.
    in California. An. Rpts., 1919, p. 145. 1920; B.P.I. Chief Rpt., 1919, p. 9. 1919.
    in Texas and testing. D.B. 162, pp. 21, 26. 1915.
    offshoots, production and new importations. B.P.I. Chief Rpt., 1921, pp. 16–18. 1921.
    Southwestern States, present status. B.P.I. Cir. 129, pp. 3–7. 1913.
    Yuma Experiment Farm—
      1912. B.P.I. Cir. 126, pp. 21–22. 1913.
      1913. B.P.I. [Misc.], "The work of the Yuma * * * 1913," p. 11. 1914.
      1915, varieties and number. W.I.A. Cir. 12, pp. 15–16. 1916.
      1916, tests. W.I.A. Cir. 20, pp. 32–33. 1918.
      1917. W.I.A. Cir. 25, p. 35. 1919.
      1918. D.C. 75, p. 42. 1920.
  Halawi, description. B.P.I. Bul. 53, p. 38. 1904.
  Hamrawi, occurrence and description. D.B. 271, pp. 14, 25. 1915.
  Hamraya, description and yield. B.P.I. Bul. 53, pp. 26, 37. 1904.
  harvesting methods, notes. D.B. 271, pp. 9, 11, 18, 19, 26, 34. 1915.
  Hayany—
    description. D.B. 223, pp. 22–24. 1915.
    occurrence, description and packing methods. D.B. 271, pp. 25–28. 1915.
  hybrid—
    date palm and Canary Island palm, cold resistance. B.P.I. Bul. 53, pp. 124, 125. 1904.
    desirability for California seacoast. B.P.I. Bul. 53, pp. 97, 124, 125. 1904.
  Ibrimi, same as Barakawi. D.B. 271, p. 14. 1915.
  importation and description. No. 37060, B.P.I. Inv. 38, p. 32. 1917.
  imports—
    1851–1912. Y.B., 1912, pp. 719, 745. 1913; Y.B. Sep. 615, pp. 719, 745. 1913.
    1897–1901, quantity and value. B.P.I. Bul. 53, p. 138. 1904.
    1901–1924. Y.B., 1924, pp. 1061, 1077. 1925.
    1907–1909, quantity and value, by countries from which consigned. Stat. Bul. 82, p. 40. 1910.
  Iteema, description. B.P.I. Bul. 53, p. 37. 1904.
  Jaow Iswod, description. D.B. 271, p. 28. 1915.
  Jaow Obiad, description. D.B. 271, p. 28. 1915.
  Khalas, description. B.P.I. Bul. 53, pp. 36–37. 1904.
  Kobi, description. D.B. 271, p. 28. 1915.
  Kosha, description. D.B. 271, p. 29. 1915.
  Kulma, description. D.B. 271, pp. 14, 29–30. 1915.
  list and descriptions. D.B. 1125, pp. 2–3. 1923.
  Lount No. 6, native American early variety. B.P.I. Bul. 53, pp. 32, 128. 1904.
  Maktum, description. B.P.I. Bul. 53, pp. 39–40. 1904.
  Mazauty, description. B.P.I. Bul. 53, pp. 37–38. 1904.
  Medina Al Shelebi, description. B.P.I. Bul. 53, p. 40. 1904.
  Menakher—
    description and value. B.P.I. Bul. 53, p. 38. 1904; D.B 223, pp. 24–26. 1915.
    importation and description. Nos. 29381, 29922, B.P.I. Bul. 233, pp. 17, 41. 1912.
    value, size, propagation, and characteristics. B.P.I. Bul. 92, pp. 57, 60–63, 106. 1906.
  Mirhage, description. B.P.I. Bul. 53, pp. 39–40. 1904.
  Mozaty, description. B.P.I. Bul. 53, pp. 37–38. 1904.

Date(s)—Continued.
  notes on importance, antiquity, and climatic requirements. J.A.R., vol. 31, pp. 415–416. 1925.
  oasis, accounts and description by modern travelers. D.B. 1125, pp. 6–12. 1923.
  offshoots—
    description, cutting, and propagating. F.B. 1016, pp. 4–9. 1919.
    distribution to planters of date seedlings. B.P.I. Doc. 271, pp. 1–4. 1908.
    packing for importation to United States, prices. B.P.I. Bul. 53, pp. 20–21, 38. 1904.
    propagation, cold frames, California. An. Rpts., 1915, p. 149. 1916; B.P.I. Chief Rpt., 1915, p. 7. 1915.
    weight before and after seasoning. F.B. 1016, pp. 5, 7–8. 1919.
  orchards, Arizona and California, progress. B.P.I. Cir. 100, pp. 19–20. 1912.
  Palestine varieties, description, historical notes and curing. B.P.I. Bul. 180, pp. 22–24. 1910.
  Persian Gulf, and their introduction into America. D. G. Fairchild. B.P.I. 54, pp. 32. 1903.
  pollination, essentials and directions. F.B. 1016, pp. 18–22. 1919.
  prices per box, pound, etc., of choice American-grown varieties. B.P.I. Bul. 53, pp. 34, 129, 136, 138. 1904.
  production and industry. Off. Rec., vol. 3, No. 2, p. 5. 1924.
  propagation. F.B. 1016, pp. 4–9. 1919.
  pudding, recipe. U. S. Food Leaf. No. 15, p. 2. 1918.
  Rhars, description and possibilities. B.P.I. Bul. 53, pp. 30, 32, 50, 132. 1904.
  ripening—
    acetic acid. O.E.S. An. Rpt., 1909, p. 368. 1910.
    artificial—
      B.P.I. Bul. 53, p. 135. 1904.
      method, success. An. Rpts., 1913, p. 111. 1914; B.P.I. Chief Rpt., 1913, p. 7. 1913.
      work of Arizona Experiment Station. O.E.S. An. Rpt., 1911, p. 74. 1912.
      work of department. An. Rpts., 1913, p. 47. 1914; Sec. A.R., 1913, p. 45. 1913; Y.B., 1913, p. 58–59. 1914.
    control studies, Arizona Experiment Station, 1909. O.E.S. An. Rpt., 1909, p. 76. 1910.
    experiments. S.R.S. Rpt., 1915, Pt. I, p. 66. 1917.
    hastening by spraying with acetic acid. An. Rpts., 1910, p. 142. 1911; Sec. A.R., 1910, p. 142. 1910; Y.B., 1910, p. 140. 1911.
    methods, work of Arizona Experiment Station. An. Rpts., 1911, p. 137. 1912; Sec. A.R., 1911, p. 135. 1911; Y.B., 1911, p. 135. 1912.
  Saidy—
    importations under various names. D.B. 1125, pp. 15–25. 1923.
    occurrence and description. D.B. 271, pp. 10, 11, 12, 30–32, 40. 1915.
    of Egypt. S. C. Mason. D.B. 1125, pp. 36. 1923.
    temperature requirements. D.B. 1125, pp. 27–32. 1923.
  Samany, description and synonyms. D.B. 271, pp. 32–33. 1915.
  seed—
    distribution, 1908. An. Rpts., 1908, p. 297 1909; B.P.I. Chief Rpt., 1908, p. 25. 1908.
    planting, results. F.B. 1016, p. 4. 1919.
  seedlings—
    characteristics. B.P.I. Bul. 53, pp. 18–20. 1904.
    origination in Southwest. B.P.I. Cir. 129, pp. 5–6. 1913.
  Seewah, yield in Arizona. B.P.I. Bul. 53, p. 129. 1904.
  shipments by States, and by stations, 1916. D.B. 667, pp. 7, 93. 1918.
  Siwah, description, and yield. D.B. 271, pp. 10, 33–36. 1915.
  statistics, imports—
    1883–1911, Y.B., 1911, pp. 662, 687. 1912; Y.B. Sep. 588, pp. 662, 687. 1912.
    1917. Y.B., 1917, pp. 763, 782. 1918; Y. B. Sep. 762, pp. 7, 26. 1918.

INDEX TO PUBLICATIONS, 1901-1925 — 713

Date(s)—Continued.
  study in 1923. Work and Exp., 1923, p. 35. 1925.
  stuffed, confection as substitute for sugar sweets. U.S. Food Leaf. No. 15, p. 3. 1918.
  Sudan, and Egypt. S. C. Mason. D.B. 271, pp. 40. 1915.
  Sultani, description. D.B. 271, pp. 37-38. 1915; B.P.I. Bul. 53, p. 40. 1904.
  Tafilet, description. B.P.I. Bul. 53, p. 39. 1904.
  tannin content, cause of astringency. Chem. Bul. 141, p. 8. 1911.
  Timjovert, description. B.P.I. Bul. 53, p. 37. 1904.
  Tur, description. B.P.I. Bul. 53, p. 40. 1904.
  types and varieties. B.P.I. Bul. 53, pp. 30-43. 1904.
  unpollinated, peculiarities. B.P.I. Bul. 53, p. 28. 1904.
  value as food. O.E.S. Bul. 245, p. 77. 1912.
  varietal tests, Yuma Experiment Farm in 1911-1920. D.C. 221, p. 28. 1922.
  varieties—
    and—
      date culture in Tunis. T. H. Kearney. B.P.I. Bul. 92, pp. 110. 1906.
      types suitable for culture in United States. B.P.I. Bul. 53, pp. 30-43. 1904.
    characteristics. F.B. 1016, pp. 3, 7, 8, 11, 21, 22. 1919.
    suited to California and Arizona. B.P.I. Cir. 129, p. 4. 1913.
  Wahi—
    description, keeping quality. B.P.I. Bul. 53, p. 39. 1904.
    identity with the Saidy date. D.B. 271, pp. 31-32, 40. 1915.
  Wolfskill, native American seedling, description. B.P.I. Bul. 53, pp. 20, 31, 32, 49, 128. 1904.
  yields of different varieties. B.P.I. Bul. 53, pp. 26, 35, 37, 38, 129, 136. 1904.
Date palm(s)—
  alkali—
    resistance, limitations. B.P.I. Bul. 53, pp. 115-121. 1904.
    tolerance. F.B. 446, rev., pp. 12, 14, 28. 1920.
  and its culture. W. T. Swingle. Y.B., 1900, pp. 453-490. 1901; Y.B. Sep. 218, pp. 453-490. 1901.
  as shelter for other plants. B.P.I. Bul. 53, pp. 43-44, 115. 1904.
  bearing, age, and continuance. B.P.I. Bul. 53, pp. 25, 26, 136. 1904.
  care, and pruning methods. News L., vol. 6, No. 36, p. 11. 1919.
  cultural methods, Tunis, Jerid oases. B.P.I. Bul. 92, pp. 41-55. 1906.
  culture by ancient nations. B.P.I. Bul. 53, p. 17. 1904.
  Deglet Noor, description. D.B. 223, pp. 19-22. 1915.
  description—
    and regions suited to. F.B. 1208, p. 34. 1922.
    history, culture, and handling. B.P.I. Bul. 53, pp. 13-43. 1904.
    use as street tree, and regions adapted to. D.B. 816, p. 39. 1920.
  diseases—
    caused by alkali excess. B.P.I. Bul. 53, pp. 116, 120. 1904.
    Texas, occurrence and description. B.P.I. Bul. 226, pp. 25, 111. 1912.
  flowers, male and female, description. B.P.I. Bul. 53, pp. 27, 29. 1904.
  fruit production, relation to offshoot production. F.B. 1016, pp. 17-18. 1919.
  heat and sunshine requirements. B.P.I. Bul. 53, pp. 58-70. 1904.
  importation(s)—
    1914. An. Rpts., 1914, p. 126. 1914; B.P.I. Chief Rpt., 1914, p. 26. 1914.
    and description. Nos. 32015-32016, 32141-32142, 32327, B.P.I. Bul. 261, pp. 17, 32, 56. 1912; No. 32715, B.P.I. Bul. 282, p. 41. 1913; No. 34213, B. P. I. Inv. 32, p. 24. 1914; Nos. 35161, 35172, 35573, 35574, B.P.I. Inv. 35, pp. 14, 17, 55. 1915; Nos. 36676, 36818-36828, B.P.I. Inv. 37, pp. 6, 48, 69-70. 1916; Nos. 47229, 47302-47303, B.P.I. Inv. 58, pp. 44, 47. 1922.
  infestation with Mediterranean fruit fly. D.B. 536, pp. 24, 45. 1918.

Date palm(s)—Continued.
  inhibitive effect of direct sunlight on growth. Silas C. Mason. J.A.R., vol. 31, pp. 455-468. 1925.
  injury by pocket gophers. An. Rpts., 1923, p. 429. 1924; Biol. Chief Rpt., 1923, p. 11. 1923.
  insects—
    affecting. An. Rpts., 1913, p. 220. 1914; Ent. A.R., 1913, p. 12. 1913.
    enemy, Parlatoria, remedy. Ent. Bul. 37, p. 107. 1902.
    injurious, investigation, 1915. An. Rpts., 1915, pp. 229-230. 1916; Ent. A.R., 1915, pp. 19-20. 1915.
  introduction and work. An. Rpts., 1905, pp. 99-100, 175-176. 1906; B.P.I. Chief Rpt., 1905, pp. 99-100, 175-176. 1905.
  irrigation—
    in nursery and in permanent garden. F.B. 1016, pp. 10, 12-13. 1919.
    water needs and sources. B.P.I. Bul. 53, pp. 44-50. 1904.
  leaf(ves)—
    character—
      recording methods and forms. D.B. 223, pp. 13-28. 1915.
      use in distinguishing cultivated varieties. Silas C. Mason. D.B. 223, pp. 28. 1915.
    growth—
      J.A.R., vol. 31, pp. 447, 455, 457-468. 1925.
      under artificial light. J.A.R., vol. 31, pp. 460-465, 467-468. 1925.
  life history, importance of study. B.P.I. Bul. 53, pp. 139-140. 1904.
  numbers growing in Egypt and Sudan, value. D.B. 271, pp. 2, 11, 31, 39. 1915.
  offshoots—
    description, value, and uses. B.P.I. Bul. 53, pp. 15, 20-22, 25, 41-43. 1904.
    propagation, study. An. Rpts., 1917, pp. 138-139. 1918; B.P.I. Chief Rpt., 1917, pp. 8-9. 1917.
  physiological requirements, climate and soil. An. Rpts., 1918, p. 160. 1919; B.P.I. Chief Rpt., 1918, p. 26. 1918.
  planting distance. B.P.I. Bul. 53, pp. 18, 22, 45. 1904.
  propagation—
    and culture. Bruce Drummond. F.B. 1016, pp. 23. 1919.
    by seed—
      and by offshoots. B.P.I. Bul. 53, pp. 18-25. 1904.
      experiments. B.P.I. 53, p. 20. 1904.
    methods. News L., vol. 6, No. 36, p. 11. 1919.
    planting, cultivation, and yield, Sahara desert. B.P.I. Bul. 86, pp. 19-26. 1905.
  proportion of male to female trees in planting. B.P.I. Bul. 53, p. 23. 1904.
  protection in winter. F.B. 1016, p. 12. 1919.
  pruning, directions. F.B. 1016, p. 17. 1919.
  quarantine—
    for scale insects. An. Rpts., 1917, pp. 428-429. 1918; F.H.B. An. Rpt., 1917, pp. 14-15. 1917.
    for scale insects, domestic. An. Rpts., 1913, p. 343. 1914; F.H.B. An. Rpt., 1913, p. 9. 1913; F.H.B. Quar. No. 6, pp. 3. 1913.
    No. 6, summary. F.H.B.S.R.A. 71, p. 174. 1922.
    regulations. An. Rpts., 1915, p. 360. 1916; F.H.B. An. Rpt., 1915, p. 260. 1916.
  scale—
    red—
      Phoenicococcus marlatti, a technical description. Harold Morrison. J.A.R., vol. 21, pp. 669-676. 1921.
      Phoenicococcus marlatti, a biological study. Arthur D. Borden. J.A.R., vol. 21, pp. 659-668. 1921.
      See also *Phoenicococcus marlatti*.
  structure and growth. J.A.R., vol. 31, pp. 421-430. 1925.
  success in Southwest. Off. Rec., vol. 2, No. 30, p. 2. 1923.
  temperatures—
    interior, experimental study. J.A.R., vol. 31, pp. 431-446. 1925.
    minimum for growth and absence of resting period. Silas C. Mason. J.A.R., vol. 31, pp. 401-414. 1925.

Date palms(s)—Continued.
Texas, south, possibilities of raising. B.P.I. Cir. 14, pp. 5–6. 1908.
thermostasy, partial, of growth center. Silas C. Mason. J.A.R., vol. 31, pp. 415–453. 1925.
Thoory, tree, description. D.B. 223, pp. 26–28. 1915.
utilization in the Southwestern States. Walter T. Swingle. B.P.I. Bul. 53, pp. 155. 1904.
varieties—
and description. D.B. 223, pp. 19–28. 1915.
requisites and description. B.P.I. Bul. 53, pp. 24–25. 1904.
Tunis, description. B.P.I. Bul. 92, pp. 55–106. 1906.
See also *Phoenix dactylifera.*
Tamr, description. D.B. 271, p. 38. 1915.
Zagloul, description. D.B. 271, pp. 38–39. 1915.
Datil National Forest, N. Mex., map. For. Map. 1925.

Datura—
discolor, importation and description. No. 44129, B.P.I. Inv. 50, p. 33. 1922.
fastuosa, importation and description. No. 47671, B.P.I. Inv. 59, p. 45. 1922; Nos. 51602–3, B.P.I. Inv. 65, p. 30. 1923.
leichhardtii, importation and description. No. 54525, B.P.I. Inv. 69, p. 21. 1923; No. 55622, B.P.I. Inv. 72, p. 12. 1924.
metel, importation and description. No. 43774, B.P.I. Inv. 49, p. 75. 1921.
spp.—
importations and descriptions. No. 46634, B.P.I. Inv. 57, p. 14. 1922; Nos. 47311–47314, B.P.I. Inv. 58, pp. 48–49. 1922; No. 51351, B.P.I. Inv. 64, p. 88. 1923; Nos. 52330, 52422–52424, 52584–52585, 52607, 52735, 52790–52793, B.P.I. Inv. 66, pp. 10, 24, 45–46, 50, 68, 75. 1923; Nos. 53919, 54049, B.P.I. Inv. 68, pp. 9, 23. 1923;
resistant to mosaic disease. D.B. 40, pp. 10, 11. 1914.
stramonium—
tobacco hornworm moth decoy. F.B. 343, pp. 19–20. 1909.
See also Jimson weed; Stramonium.
tatula, inoculation with eggplant fungus, experiments. J.A.R., vol. 2, pp. 333–335, 337. 1914.
Daubentonia longifolia—
coffee bean, a poisonous plant. C. Dwight Marsh and A. B. Clawson. J.A.R., vol. 20, pp. 507–514. 1920.
description and poisonous properties. D.C. 82, pp. 1–3. 1920.
sheep-feeding experiments. C. Dwight Marsh and A. B. Clawson. J.A.R., vol. 20, pp. 507–513. 1920.
toxic properties. An. Rpts., 1918, p. 118. 1919; B.A.I. Chief. Rpt., 1918, p. 48. 1918.
See also Coffee bean.

DAUGHERTY, C. M.—
"Average sowings per acre in Europe and America." F.B. 672, pp. 9–11. 1915.
"Crop reporting systems and sources of crop information in foreign countries." F.B. 581, pp. 43–50. 1914.
"Flaxseed production, commerce, and manufacture in the United States." Y.B., 1902, pp. 421–438. 1903; Y.B. Sep. 282, pp. 421–438. 1903.
"Foreign crops, October, 1910." Stat. Cir. 25, pp. 16. 1911.
"Foreign crops, May, 1911." Stat. Cir. 19, pp. 12. 1911.
"Foreign crops, June, 1911." Stat. Cir. 20, pp. 13. 1911.
"Foreign crops, July, 1911." Stat. Cir. 21, pp. 15. 1911.
"Foreign crops, August, 1911." Stat. Cir. 23, pp. 14. 1911.
"Foreign crops, September, 1911." Stat. Cir. 24, pp. 15. 1911.
"Foreign crops, Nov.–Dec. 1911." Stat. Cir. 26, pp. 16. 1912.
"Foreign crops, January, 1912." Stat. Cir. 28, pp. 16. 1912.
"Foreign crops, March, 1912, (Argentina.)" Stat. Cir. 30, pp. 12. 1912.
"Foreign crops, May–June, 1912." Stat. Cir. 37, pp. 19. 1912.

DAUGHERTY, C. M.—Continued.
"Foreign crops, July, 1912." Stat. Cir. 39, pp. 15. 1912.
"Foreign crops, August–September, 1912." Stat. Cir. 40, pp. 24. 1912.
"Foreign crops, October, 1912." Stat. Cir. 41, pp. 24. 1912.
"Foreign crops, November, 1912." Stat. Cir. 42, pp. 20. 1912.
"Foreign crops, December, 1912." Stat. Cir. 44, pp. 18. 1913.
"Foreign crops: January, 1913." Stat. Cir. 45, pp. 18. 1913.
"Foreign crops, February, 1913." Stat. Cir. 46, pp. 20. 1913.
"Foreign crops, March–April, 1913." Stat. Cir. 47, pp. 27. 1913.
"Foreign crops summary: Area and production of cereals, 1907–1911, and of flaxseed, 1908–1910, by countries." Stat. Cir. 29, pp. 18. 1912.
"Outlook for the 1914 foreign wheat crop." F.B. 615, pp. 11–13. 1914.
"The castor-oil industry." Y.B., 1904, pp. 287–298. 1905; Y.B. Sep. 347, pp. 287–298. 1905.
"The cotton-seed industry." Y.B., 1901, pp. 285–298. 1902; Y.B. Sep. 239, pp. 285–298. 1902.
"The industry in oil seeds." Y.B., 1903, pp. 411–426. 1904; Y.B. Sep. 319, pp. 411–426. 1904.
"The world corn crop." F.B. 581, pp. 1–6. 1914.
"The world oats crop." F.B. 581, pp. 12–16. 1914.
"The world wheat acreage in 1915." F.B. 672, pp. 7–9. 1915.
"World crops other than corn and oats." F.B. 581, pp. 18–30. 1914.
"World wheat crop in 1914." F.B. 629, pp. 6–7. 1914.

DAVENPORT, AUDREY: "Influence of reaction on nitrogen-assimilating bacteria." With E. B. Fred. J.A.R., vol. 14, pp. 317–336. 1918.
DAVENPORT, C. B.: "Family performance as a basis for selection in sheep." With E. G. Ritzman. J.A.R., vol. 10, pp. 93–97. 1917.
DAVENPORT, EUGENE—
"Function of land-grant colleges in promoting agricultural education in secondary schools." O.E.S. Bul. 228, pp. 93–94. 1910.
"Relation of the director to the members of the station staff." O.E.S. Bul. 228, pp. 100–105. 1910.
report on Illinois Experiment Station—
1909. O.E.S. An. Rpt., 1909, pp. 100–104. 1910.
1910. O.E.S. An. Rpt., 1910, pp. 130–134. 1911.
1911. O.E.S. An. Rpt., 1911, pp. 102–105. 1912.
1912. O.E.S. An. Rpt., 1912, pp. 109–115. 1913.
1912. O.E.S. An. Rpt., 1912, pp. 109–111. 1913.
1913. Work and Exp., 1913, pp. 44–45. 1915.
1914. Work and Exp., 1914, pp. 98–103. 1915.
"The farmers' institute with relation to the agricultural college." O.E.S. Bul. 213, pp. 37–40. 1909.
Davenport, Iowa, milk supply, statistics, officials, prices, and ordinances. B.A.I. Bul. 46, pp. 34, 74–75. 1903.
Davidia involucrata vilmorimana, importation and description. No. 44127. B.P.I. Inv. 50, p. 32. 1922; No. 52936, B.P.I. Inv. 67, p. 16. 1923.
DAVIDSON, JEHIEL—
"Changes in hydrogen-ion concentration produced by growing seedlings in acid solution." With Edgar T. Wherry. J.A.R., vol. 27, pp. 207–217. 1924.
"Effect of various inorganic nitrogen compounds, applied at different stages of growth, on the yield, composition, and quality of wheat." With J. A. Le Clerc. J.A.R., vol. 23, pp. 55–68. 1923.
DAVIDSON, R. J.: "The chemical composition of apples and cider." With others. Pts. I–II, Chem. Bul. 88, p. 46. 1904.
DAVIDSON, S. F.: "Soil survey of—
Beaufort County, N. C." With others. Soil Sur. Adv. Sh., 1917, p. 40. 1919; Soils F.O., 1917, pp. 409–442. 1923.
Buncombe County, N. C." With others. Soil Sur. Adv. Sh., 1920, pp. 785–812. 1923; Soils F.O., 1920, pp. 785–812. 1925.

DAVIDSON, S. F.: "Soil survey of—Continued.
Caldwell County, N. C." With W. V. Cobb. Soil Sur. Adv. Sh., 1917, p. 29. 1919; Soils F.O., 1917, pp. 443-467. 1923.
Cherokee County, N. C." With others. Soil Sur. Adv. Sh., 1921, pp. 305-322. 1924.
Cumberland County, N. C." With others. Soil Sur. Adv. Sh. 1922, pp. 111-151. 1925.
Durham County, N. C." With others. Soil Sur. Adv. Sh., 1920, pp. 1351-1379. 1924; Soils F.O., 1920, pp. 1351-1379. 1925.
Haywood County, N. C." With others. Soil Sur. Adv. Sh., 1922, pp. 203-224. 1925.
Hoke County, N. C." With others. Soil Sur. Adv. Sh., 1918, pp. 32. 1921; Soils F.O., 1918, pp. 193-220. 1924.
Moore County, N. C." With others. Soil Sur. Adv. Sh., 1919, pp. 44. 1922; Soils F.O., 1919, pp. 723-762. 1925.
Onslow County, N. C." With others. Soil Sur. Adv. Sh., 1921, pp. 101-127. 1923.
Orange County, N. C." With others. Soil Sur. Adv. Sh., 1918, pp. 44. 1921; Soils F.O., 1918, pp. 221-264. 1924.

DAVIDSON, W. M.—
"A further contribution to the study of *Eriosoma pyricola*, the woolly pear aphis." With A. C. Baker. J.A.R., vol. 10, pp. 68-74. 1917.
"Life history and habits of the mealy plum aphis." D.B. 774, pp. 16. 1919.
"Life history of the codling moth in the Santa Clara Valley of California." With P. R. Jones. Ent. Bul. 115, Pt. III, pp. 113-181. 1913.
"Results of experiments with miscellaneous substances against the chicken mite." D.B. 1228, pp. 11. 1924.
"The grape phylloxera in California." With With R. L. Nougaret. D.B. 903, pp. 128. 1921.
"The pear leaf-worm." With others. D.B. 438, pp. 24. 1916.
"Walnut aphides in California." D.B. 100, pp. 48. 1914.
"Woolly pear aphis." With A. C. Baker. J.A.R., vol. 6, No. 10, pp. 351-360. 1916.

Davidsonia pruriens, importation and description. No. 52352. B.P.I. Inv. 66, p. 13. 1923; No. 54785, B.P.I. Inv. 70, p. 20. 1923.

DAVIS, B. J.—
"Factors influencing the change in flavor in storage butter." With others. B.A.I. Bul. 162, pp. 69. 1913.
"Methods of classifying the lactic-acid bacteria." With Lore A. Rogers. B.A.I. Bul. 154, pp. 30. 1912.
"The temperature of pasteurization for butter making." With others. B.A.I. An. Rpt., 1910, pp. 307-326. 1912; B.A.I. Cir. 189, pp. 20. 1912.

DAVIS, H. P.—
"Breeds of dairy cattle." F.B. 893, pp. 35. 1917.
"Feeding and management of dairy calves and young dairy stock." With W. K. Brainerd. F.B. 777, pp. 20. 1917; F.B. 1336, pp. 18. 1923.
"Judging the dairy cow as a subject of instruction in secondary schools." With H. P. Barrows. D.B. 434, pp. 20. 1916.
"The feeding of dairy cows." With others. F.B. 743, pp. 23. 1916.
"The rediscovery of an old dish." Y.B. 1918, pp. 269-276. 1919; Y.B. Sep. 787, pp. 10. 1919.

DAVIS, J. J.—
"*Aphidoletes meridionalis*, an important dipterous enemy of aphids." J.A.R., vol. 6, No. 23, pp. 883-888. 1916.
"Life-history studies of *Cirphis unipuncta*, the true army worm." With A. F. Satterthwait. J.A.R., vol. 6, No. 21, pp. 799-812. 1916.
"The yellow clover aphis." Ent. T.B. 25, Pt. II, pp. 17-40. 1914.
"Biological studies on three species of Aphididae." Ent. T.B. 12, Pt. VIII, pp. 123-168. 1909.
"Common white grubs." F.B. 543, pp. 20. 1913; F.B. 940, pp. 28. 1918.
"Cutworms and their control in corn and other cereal crops." With W. R. Walton. F.B. 739, pp. 4. 1916.

DAVIS, J. J.—Continued.
"Studies on a new species Toxoptera, with an analytical key to the genus and notes on rearing methods." With W. J. Phillips. Ent. T.B. 25, Pt. I, pp. 16. 1912.
"The corn root-aphis and methods of controlling it." F.B. 891, pp. 12. 1918.
"The oat aphis." D.B. 112, pp. 16. 1914.
"The pea aphis with relation to forage crops." D.B. 276, pp. 67. 1915.

DAVIS, K. C.: "Illustrated lecture on the home-made fireless cooker." With Angeline Wood. O.E.S. Syl. 15, pp. 15. 1914.

DAVIS, L. M.: "The dairy industry." With others. Y.B., 1922, pp. 281-394. 1923; Y.B. Sep. 879, pp. 98. 1923.

DAVIS, L. V.: "Soil survey of—
Buena Vista County, Iowa." With H. W. Warner. Soil Sur. Adv. Sh., 1917, pp. 37. 1919; Soils F.O., 1917, pp. 1595-1627. 1923.
Carroll County, Mo." With E. S. Vanatta. Soil Sur. Adv. Sh., 1912, pp. 34. 1914; Soils F.O., 1912, pp. 1633-1662. 1915.
Craighead County, Ark." With E. B. Deeter. Soil Sur. Adv. Sh., 1916, pp. 32. 1917; Soils F.O., 1916, pp. 1161-1188. 1921.
Dawes County, Nebr." With others. Soil Sur. Adv. Sh., 1915, pp. 41. 1917; Soils F.O., 1915, pp. 1963-1999. 1921.
Jefferson Davis County, Miss." With T. M. Bushnell. Soil Sur. Adv. Sh., 1915, pp. 27. 1916; Soils F.O., 1915, pp. 1027-1049. 1921.
Lee County, Iowa." With Martin E. Sar. Soil Sur. Adv. Sh., 1914, pp. 36. 1916; Soils F.O., 1914, pp. 1911-1942. 1919.
Lonoke County, Ark." With others. Soil Sur. Adv. Sh., 1921, pp. 1279-1327. 1925.
Louis County, Iowa." With J. Ambrose Elwell. Soil Sur. Adv. Sh., 1918, pp. 50. 1921; Soils F.O., 1918, pp. 1019-1064. 1924.
Mississippi County, Ark." With others. Soil Sur. Adv. Sh., 1914, pp. 42. 1916; Soils F.O., 1914, pp. 1325-1362. 1919.
Shelby County, Tenn." With others. Soil Sur. Adv. Sh., 1916, pp. 39. 1919; Soils F.O., 1916, pp. 1379-1413. 1921.
Stoddard County, Mo." With others. Soil Sur. Adv. Sh., 1912, pp. 38. 1914; Soils F.O., 1912, pp. 1751-1784. 1915.
Washington County, Nebr." With H. C. Mortlock. Soil Sur. Adv. Sh., 1915, pp. 38. 1917; Soils F.O., 1915, pp. 2059-2092. 1921.
Washington County, Tex." With others. Soil Sur. Adv. Sh., 1913, pp. 31. 1915; Soils F.O., 1913, pp. 1045-1071. 1916.

DAVIS, M. D.: "Soil survey of Morrill County, Nebr." With others. Soil Sur. Adv. Sh., 1917, pp. 69. 1920; Soils F.O., 1917, pp. 1853-1917. 1923.

DAVIS, R. L.—
"Flax-stem anatomy in relation to rotting." D. B. 1185, pp. 27. 1923.
"Frost resistance in flax." D.C. 264, pp. 8. 1923.
"Pedigreed fiber flax." D.B. 1092, pp. 23. 1922.

DAVIS, R. O. E.—
"Atmospheric nitrogen for fertilizers." Y.B., 1919, pp. 115-121. 1920; Y.B. Sep. 803, pp. 115-121. 1920.
"Economic waste from soil erosion." Y.B., 1913, pp. 207-220. 1914; Y.B. Sep. 624, pp. 207-220. 1914.
"Soil erosion in the South." D.B. 180, pp. 33. 1915.
"Sources of American potash." D.C. 61, pp. 7. 1919.
"Sponge spicules in swamp soils." Soils Cir. 67, pp. 4. 1912.
"The effect of soluble salts on the physical properties of soil." Soils Bul. 82, pp. 38. 1911.
"The electrical bridge for the determination of soluble salts in soils." With H. Bryan. Soils Bul. 61, pp. 36. 1910.

DAVIS, W. A.: "Soil survey of—
Buncombe County, N. C." With others. Soil Sur. Adv. Sh., 1920, pp. 785-812. 1923; Soils F.O., 1920, pp. 785-812. 1925.
Cherokee County, N. C." With others. Soil Sur. Adv. Sh., 1921, pp. 305-322. 1924.
Cumberland County, N. C." With others. Soil Sur. Adv. Sh., 1922, pp. 111-151. 1925.

DAVIS, W. A.: "Soil survey of—Continued.
　Durham County, N. C." With others. Soil Sur Adv. Sh., 1920, pp. 1351–1379. 1924; Soils F.O., 1920, pp. 1351–1379. 1925.
　Guilford County, N. C." With others. Soil Sur. Adv. Sh., 1920, pp. 167–199. 1923; Soils F.O., 1920, pp. 167–199. 1925.
　Haywood County, N. C." With others. Soil Sur. Adv. Sh., 1922, pp. 203–224. 1925.
　Moore County, N. C." With others. Soil Sur. Adv. Sh., 1919, pp. 44. 1922; Soils F.O., 1919, pp. 723–762. 1925.
　Tyrrell County, N. C." With W. B. Cobb. Soil Sur. Adv. Sh., 1920, pp. 839–858. 1924; Soils F.O., 1920, pp. 839–858. 1925.
　Vance County, N. C." With S. O. Perkins. Soil Sur. Adv. Sh., 1918, pp. 31. 1921; Soils F.O., 1918, pp. 265–291. 1924.

DAVIS, W. C.—
　"Commercial cuts of meat." D.C. 300, pp. 9. 1924.
　"Market classes and grades of dressed beef." With C. V. Whalin. D.B. 1246, pp. 48. 1924.

"Davis' asthma remedy," note. F.B. 393, pp. 9–10. 1910.

DAVISON, F. R.—
　"Brittle straw and other abnormalities in rye". With others. J.A.R., vol. 28, pp. 169–172. 1924.
　"Some modifications of the picric acid method for sugars." With J. J. Willaman. J.A.R., vol. 28, pp. 479–488. 1924.

DAVY, J. B.: "Stock ranges of northwestern California: Notes on the grasses and forage plants and range conditions." B.P.I. Bul. 12, pp. 81. 1902.

DAWSON, C. F.: "Anthrax, with special reference to the production of immunity." B.A.I. Bul. 137, pp. 47. 1911.

DAWSON, J. R.: "Care and management of dairy bulls." F.B. 1412, pp. 22. 1924.

DAY, D. T., discussion of fuel supply of United States. D.B. 174, pp. 20–21. 1915.

DAY, E. D.: "Digestibility of starch of different sorts as affected by cooking" O.E.S. Bul. 202, pp. 42. 1908.

DAY, E. L.: "Bibliography on the marketing of agricultural products." With others. M.C. 35, pp. 56. 1925.

DAY, L. E.—
　"Embryonal adenosarcoma of the kidney in swine." B.A.I. An. Rpt., 1907, pp. 247–257. 1909.
　"Primary splenomegaly in sheep." B.A.I. An. Rpt., 1910, pp. 415–418. 1912.

DAY, P. C.—
　"Frost data of the United States, and length of the crop-growing season, as determined from the average of the latest and the earliest dates of killing frost." W.B. Bul. V, pp. 5. 1911.
　"Miscellaneous agricultural statistics, 1922." With others. Y.B., 1922, pp. 983–1044. 1923; Y.B. Sep. 887, pp. 983–1044. 1923.
　review of weather conditions, during the year—
　　1908. Y.B., 1908, pp. 516–532. 1909.
　　1909. Y.B., 1909, pp. 419–428. 1910.
　　1910. Y.B., 1910, pp. 479–488. 1911.
　　1911. Y.B., 1911, pp. 507–515. 1912.
　　1912. Y.B., 1912, pp. 546–556. 1913.
　"The winds of the United States and their economic uses." Y.B. ,1911, pp. 337–350. 1912; Y.B. Sep. 573, pp. 337–350. 1912.

Day, length—
　effect on—
　　growth and reproduction in plants. J.A.R., vol. 18, pp. 553–606. 1920.
　　internodal length and leaf dimensions. J.A.R., vol. 28, pp. 453–460. 1924.
　　seedlings of alfalfa varieties and to the possibility of utilizing this as a practical means of identification. R.A. Oakley and H. L. Westover. J.A.R., vol. 21, pp. 599–608. 1921.
　　localization of response in plants. W. W. Garner and H. A. Allard. J.A.R., vol. 31, pp. 555–566. 1925.
　　relation to plants, further studies in photo-periodism. J.A.R., vol. 23, pp. 871–920. 1923.

Dayflower, rust occurrence in Texas. B.P.I. Bul. 226, p. 94. 1912.

Daylight—
　duration, effect on fruiting and flowering of plants. Y.B., 1920, pp. 377–400. 1921; Y.B. Sep. 852, pp. 377–400. 1921.
　length—
　　artificial control, effect on blossoming and on growth. J.A.R., vol. 28, pp. 447–460. 1924.
　　effect on migration and sexual forms of Aphididæ. S. Marcovitch. J.A.R., vol. 27, pp. 513–522. 1924.
　　relation to acidity and carbohydrate content of plants. J.A.R. vol. 27, pp. 119–156. 1924.
　　reduction by use of dark chambers. J.A.R., vol. 23, pp. 871, 873. 1923.
　　relation to growth of crops. Y.B., 1922, p. 26. 1923; Y.B. Sep. 883, p. 26. 1923.
　　saving law, relation to work of Weather Bureau. An. Rpts., 1918, p. 58. 1919; W. B. Chief Rpt., 1918, p. 2. 1918.
　　supplement by use of electric light. J.A.R., vol. 23, pp. 871, 873. 1923.

Day's work—
　normal, for various farm operations. D.B. 3, pp. 44. 1913.
　standard, in central Illinois. H.R. Tolley and L. M. Church. D.B. 814, pp. 32. 1920.

Dayton, Ohio, milk supply, statistics, and prices. B.A.I. Bul. 46, pp. 32, 139. 1903.

Dea tree, from Africa, importation and description. No. 30006, B.P.I. Bul. 233, p. 48. 1912.

Dead animals, disposal, burning or burying for control of screw worms. F.B. 857, pp. 9–10. 1917.

Dead arm, grapevine, description and control. F. B. 1220, pp. 59–60. 1921.

"Dead heart" disease, sugar-cane, cause and result. D.B. 746, pp. 5–6. 1919.

"Dead stuck," insecticide misbranding. I. and F. Bd. N.J. 104, 105, I. and F. Bd. S.R.A. 5, pp. 68–69. 1914.

DEAN, A. L.—
　"The analysis and grading of creosotes." With Ernest Bateman. For. Cir. 112, pp. 44. 1908.
　"The estimation of moisture in creosoted wood." For. Cir. 134, pp. 7. 1908.
　"The fractional distillation of coal-tar creosote." With Ernest Bateman. For. Cir. 80, pp. 31. 1907.

DEAN, H. K.: "The work of the Umatilla Reclamation Project Experiment farm in—
　1918 and 1919." D.C. 110, pp. 24. 1920.
　1920, 1921, 1922." D.C. 342, pp. 24. 1925.

DEAN, R. H.: "Influence of climate on animal life." W.B. Bul. 31, pp. 107–110. 1902.

DEAN, W. C.: "Soil survey of—
　Sioux County, Iowa." With E. H. Smies. Soil Sur. Adv. Sh., 1915, pp. 37. 1917; Soils F.O. 1915, pp. 1747–1779. 1919.
　the—
　　Brawley area, California." With others. Soil Sur. Adv. Sh., 1920, pp. 76. 1923; Soils F.O., 1920, pp. 641–716. 1925.
　　Healdsburg area, California." With others. Soil Sur. Adv. Sh., 1915, pp. 59. 1917; Soils F.O., 1915, pp. 2199–2253. 1921.
　　Upper San Joaquin Valley, Calif.," reconnaissance. With others. Soil Sur. Adv. Sh., 1917, pp. 109. 1921; Soils F.O. 1917, pp. 2535–2644. 1923.
　　Ventura area, California." With others. Soil Sur. Adv. Sh., 1917, pp. 87. 1920; Soils F.O., 1917, pp. 2321–2403. 1923.
　　Willits area, California." Soil Sur. Adv. Sh., 1918, pp. 32. 1920; Soils F.O., 1918, pp. 1725–1752. 1924.

DEAN, W. H.: "The sorghum midge." Ent. Bul. 85, Pt. IV, pp. 39–58. 1910; rev., 1911.

DEAN, W. S.:—
　"Comparative spinning tests of the different grades of Arizona-Egyptian with Sea Island and Sakellaridis Egyptian cottons." With Fred Taylor. D.B. 359, pp. 21. 1916.
　"Manufacturing tests of cotton fumigated with hydrocyanic-acid gas." D.B. 366, pp. 12. 1916.
　"Manufacturing tests of the official cotton standards for grade." With Fred Taylor. D.B. 591, pp. 27. 1917.
　"The classification and grading of cotton." With D. E. Earle. F.B. 591, pp. 23. 1914.

INDEX TO PUBLICATIONS, 1901-1925   717

DEARBORN, NED—
"Bird houses and how to build them." F.B. 609, pp. 19. 1914.
"Fur farming as a side line." Y.B., 1916, pp. 489-506. 1917; Y.B. Sep. 693, pp. 18. 1917.
"How to destroy English sparrows." F.B. 383, pp. 11. 1910.
"Laws relating to fur-bearing animals, 1919." With others. F.B. 1079, pp. 32. 1919.
"Laws relating to fur-bearing animals. 1920." With others. F.B. 1165, pp. 32. 1920.
"Maintenance of the fur supply." D.C. 135, pp. 12. 1920.
"Rabbit growing to supplement the meat supply." Y.B., 1918, pp. 145-152. 1919; Y.B. Sep. 784, pp. 10. 1919.
"Rabbit raising." F.B. 1090, pp. 35. 1920.
"Seed-eating mammals in relation to reforestation." Biol. Cir. 78, pp. 5. 1911.
"Silver fox farming in eastern North America." D.B. 301, pp. 35. 1915.
"The domesticated silver fox." F.B. 795, pp. 32. 1917.
"The English sparrow as a pest." F.B. 493, pp. 24. 1912; F.B. 493, rev., pp. 23. 1917.
"Trapping on the farm." Y.B., 1919, pp. 451-484. 1920; Y.B. Sep. 823, pp. 451-484. 1920.

DEARDORFF, C. E.: "Soil survey of—
Beadle County, S. Dak." With others. Soil Sur. Adv. Sh., 1920, pp. 1475-1499. 1924; Soils F.O., 1920, pp. 1475-1499. 1925.
Buchanan County, Mo." With B. W. Tillman. Soil Sur. Adv. Sh., 1915, pp. 46. 1917; Soils F.O., 1915, pp. 1809-1850. 1919.
Burke County, Ga." With others. Soil Sur. Adv. Sh., 1917, pp. 31. 1919; Soils F.O., 1917, pp. 539-565. 1923.
Butts and Henry Counties, Ga." With others. Soil Sur. Adv. Sh., 1919, pp. 28. 1922; Soils F.O., 1919, pp. 831-854. 1925.
Chariton County, Mo." With others. Soil Sur. Adv. Sh., 1918, pp. 34. 1921; Soils F.O., 1918, pp. 1277-1306. 1924.
Dunklin County, Mo." With others. Soil Sur. Adv. Sh., 1914, pp. 47. 1916; Soils F.O., 1914, pp. 2095-2135. 1919.
Johnson County, Mo." With B. W. Tillman. Soil Sur. Adv. Sh., 1914, pp. 33. 1916; Soils F.O., 1914, pp. 2027-2055. 1919.
McCook County, S. Dak." With others. Soil Sur. Adv. Sh., 1921, pp. 451-471. 1924.
Monroe County, Ga." With others. Soil Sur. Adv. Sh., 1920, pp. 36. 1922; Soils F.O., 1920, pp. 71-102. 1925.
Perry County, Mo." With B. W. Tillman. Soil Sur. Adv. Sh., 1913, pp. 34. 1915; Soils F.O., 1913, pp. 1785-1814. 1916.
Red River County, Tex." With others. Soil Sur. Adv. Sh., 1919, pp. 153-206. 1923; Soils F.O., 1919, pp. 153-206. 1925.
Reynolds County, Mo." With others. Soil Sur. Adv. Sh., 1918, pp. 30. 1921; Soils F.O., 1918, pp. 1307-1332. 1924.
St. Francois County, Mo." With others. Soil Sur. Adv. Sh., 1918, pp. 32. 1921; Soils F.O., 1918, pp. 1333-1360. 1924.
Sioux County, Nebr." With others. Soil Sur. Adv. Sh., 1919, pp. 43. 1922; Soils F.O., 1919, pp. 1757-1799. 1925.

DEARING, CHARLES—
"Home uses for muscadine grapes." F.B. 859, pp. 23. 1917.
"Home utilization of muscadine grapes." F.B. 1454, pp. 27. 1925.
"Muscadine grape paste." F.B. 1033, pp. 15. 1919.
"Muscadine grape sirup." F.B. 758, pp. 11. 1916.
"Muscadine grapes." With George C. Husmann. F.B. 709, pp. 28. 1916.
"The muscadine grapes." With George C. Husmann. B.P.I. Bul. 273, pp. 64. 1913.
"Unfermented grape juice; How to make it in the home." F.B. 1075, pp. 32. 1919.

DE ARMOND, R. W., report on Sitka Experiment Station, Alaska—
1907. Alaska A.R., 1907, pp. 31-41. 1908.
1908. Alaska A.R., 1908, pp. 21-32. 1909.
1909. Alaska A.R., 1909, pp. 32-43. 1910.

DEARSTYNE, R. S.: "Fowl typhoid, its dissemination and control." With B. F. Kaupp. J.A.R. vol. 28, pp. 75-78. 1924.

Death—
camas—
alkaloid zygadenine separation, Wyoming station. O.E.S. An. Rpt., 1912, pp. 64, 230. 1913.
common names. F.B. 1273, pp. 3-4. 1922.
danger to livestock on ranges. O.E.S. An. Rpt., 1922, pp. 117, 119. 1924.
description, distribution, injuries to stock, and control methods. D.B. 125, pp. 1-46. 1915.
fatal to sheep, rarely to other stock. F.B. 720, pp. 1, 6. 1916.
feeding experiments with sheep and cattle. D. B. 1012, pp. 3-15, 17-25. 1922.
meadow, as a poisonous plant. C. Dwight Marsh and A. B. Clawson. D.B. 1240, pp. 14. 1924.
poisoning—
livestock. B.A.I. [Misc.], "Diseases of cattle," rev., p. 65. 1923.
studies. An. Rpts., 1912, p. 411. 1913; B.P.I. Chief Rpt., 1912, p. 31. 1912.
poisonous—
principle, recovery, and anlysis. Work and Exp., 1914, pp. 250-251. 1915.
to sheep, description, distribution, symptoms, and control treatment. D.B. 575, pp. 14-15. 1918.
stock-poisoning, description, injuries, and control. F.B. 1273, pp. 1-11. 1922.
study in Wyoming. O.E.S. An. Rpt., 1911, p. 228. 1913.
varieties, description, symptoms of poisoning, and prevention. D.B. 1245, pp. 4-5, 33-35. 1924.
weed—
growth on alkali soils in Oregon, Klamath area. Soil Sur. Adv. Sh., 1908, pp. 17, 43. 1910; Soils F.O., 1908, pp. 1385, 1411. 1911.
See also Poverty weed.

Death Valley, Calif., description—
and saline deposits. D.B. 61, pp. 44-47, 85, 86. 1914.
date growing, possibilities B.P.I. Bul. 53, pp. 122-123. 1904.

Deathwatch beetle, habits. D.B. 737, p. 7. 1919.

DEBORD, G. G.: "Effect of dehydration upon the bacterial flora of eggs." J.A.R., vol. 31, pp. 155-164. 1925.

Débris—
building, bad effect on lawns. F.B. 494, p. 13. 1912.
organic, fermentation from Psilocybe. Charles Thom and Elbert C. Lathrop. J.A.R., vol. 30, pp. 625-628. 1925.
See also Waste.

Decay—
determinations for standing trees, table of diseases, and trees. D.B. 658, pp. 16-17. 1918.
food products, causes, and examination methods. Y.B., 1911, pp. 298-304. 1912; Y.B. Sep. 569, pp. 298-304. 1912.
fruits and vegetables, caused by Rhizopus nigricans. J.A.R., vol. 26, p. 363. 1923.
potato, causes and description. F.B. 1367, pp. 9-17. 1924.
sweet potatoes, caused by Rhizopus spp. J.A.R., vol. 22, pp. 511-515. 1922.
timber, causes, rate, and control. B.P.I. Bul. 149, pp. 62-66. 1909.
tree, preventive measures. Y.B., 1913, p. 168. 1914; Y.B. Sep. 622, p. 168. 1914.
wood—
causes and prevention. For. Bul. 78, pp. 8-22. 1909.
diagnosis. Ernest E. Hubert. J.A.R., vol. 29, pp. 523-567. 1924.
fungi causing. F.B. 744, pp. 2-4. 1916.
prevention methods. For. Bul. 78, pp. 9-11. 1909.

Decomposition—
detection in food products. B. J. Howard. Y.B., 1911, pp. 297-308. 1912; Y.B. Sep. 569, pp. 297-308. 1912.
fish, indices. D.B. 908, pp. 86-93, 123. 1921.
products of sterile milk, analysis. J.A.R., vol. 2, pp. 197-203. 1914.

Decomposition—Continued.
  protein and amino acids by various groups of microorganisms, contribution to chemistry. Selman A. Waksman and S. Lomanitz. J.A.R., vol. 30, pp. 263-281. 1925.
  soil, effect on concrete drain tile. G. R. B. Elliott. J.A.R., vol. 24, pp. 471-500. 1923.
Decortication—
  castor beans. D.B. 867, pp. 9, 21. 1920.
  grape seeds. D.B. 952, p. 16. 1921.
Decumaria sinensis, importation and description. No. 43839, B.P.I. Inv. 49, p. 85. 1921.
DEDRICK, B. W.: "Grain-dust explosions." With others. D.B. 681, pp. 54. 1918.
Deer—
  abundance in Arizona game preserve. An. Rpts., 1923, p. 443. 1924; Biol. Chief Rpt., 1922, p. 25. 1923.
  Alaska—
    conditions and recommendations, report. D.C. 88, pp. 8-9. 1920.
    description, distribution, habits and protection. Y.B., 1907, p. 478. 1908; Y.B. Sep. 462, p. 478. 1908.
    need of protection. D.C. 168, p. 7. 1921.
    protection—
      by increased bounty for wolves and eagles. Biol. Doc. 110, p. 3. 1919.
      regulation. Biol. Cir. 68, p. 1. 1909; Biol. Cir. 86, p. 1. 1912; Biol. Cir. 90, p. 13. 1913; Biol. Doc. 105, pp. 2-3, 13. 1917; Biol. S.R.A. 5, pp. 1. 1915; Biol. S.R.A. 10, pp. 2. 1916; Biol. S.R.A. 15, p. 1. 1917; Biol. S.R.A. 22, pp. 1-3. 1918.
  Athabaska-Mackenzie region. N.A. Fauna 27, p. 128. 1908.
  commercial importance. Biol. Bul. 36, pp. 14-16. 1910.
  conditions—
    and numbers, 1907. Y.B., 1907, p. 593. 1908; Y.B. Sep. 469, p. 593. 1908.
    past and present. Y.B., 1910, pp. 243, 245, 248, 252, 253. 1911; Y.B. Sep. 533, pp. 243, 245, 248, 252, 253. 1911.
  conservation in Pennsylvania. D.B. 1049, pp. 31, 34, 39. 1922.
  decrease in Alaska, causes and control. Biol. Doc. 110, pp. 3-4. 1919.
  description, distribution and domestication. Biol. Bul. 36, pp. 16-24, 40-51. 1910.
  destruction—
    by eagles. Biol. Bul. 27, pp. 13, 19. 1906.
    by northern timber wolf. Vernon Bailey. Biol. Cir. 58, pp. 2. 1907.
    in Alaska by wolves and bears. D.C. 225, p. 4. 1922.
  domesticated, killing and sale, court decisions, 1907. F.B. 330, pp. 19-20. 1908; F.B. 336, pp. 15-42. 1908; Y.B., 1907, p. 591. 1908; Y.B. Sep. 469, p. 591. 1908.
  family, economic importance. F.B. 330, pp. 5-6. 1908.
  farming, in United States. D. E. Lantz. F.B. 330, pp. 20. 1908.
  fat, digestibility experiments. D.B. 1033, pp. 8-9. 1922.
  handling, directions for hunters. D.C. 138, pp. 71-72. 1920.
  herd in Kaibab Forest. Off. Rec., vol. 3, No. 28, p. 3. 1924.
  host of cattle tick. Ent. Bul. 72, p. 34. 1907; F.B. 484, pp. 45-46. 1912.
  hunting—
    Alaska, regulations. Biol. S.R.A. 59, p. 2. 1924.
    limitations—
      and conditions in different States. D.B. 1049, pp. 15-16. 1922; F.B. 1288, p. 4. 1922.
      in various States, 1910. Biol. Cir. 80, pp. 8, 9. 1911.
    open season on various States. News L., vol. 5, No. 7, p. 9. 1917.
    restrictions, 1913. D.B. 22, pp. 6, 7. 1913.
    with artificial lights in Alaska. Biol. S.R.A. 53, p. 2. 1923.
  Indian. *See* Caribou.
  infestation with liver flukes. B.A.I. An. Rpt., 1910, pp. 435, 436. 1912; B.A.I. Cir. 193, pp. 435, 436. 1912.

Deer—Continued.
  injury by smelter fumes, post-mortem notes. B.A.I. An. Rpt., 1908, p. 257. 1910.
  introduction to Alaskan islands. Off. Rec., vol. 2, No. 30, p. 1. 1923.
  killing—
    on certain islands, Alaska, regulation 4. Biol. Cir. 89, p. 1. 1912.
    records in various States and provinces. D.B. 1049, pp. 3, 19-23, 37, 38. 1922.
  mule—
    gray, Texas, occurrence and habits. N.A. Fauna 25, pp. 65-67. 1905.
    occurrence in—
      Colorado, description. N.A. Fauna 33, pp. 56-58. 1911.
      Montana. Biol. Cir. 82, pp. 9-10. 1911.
  number—
    and distribution on reservations. Biol. Chief Rpt., 1924, pp. 28-29. 1924.
    in national forests. Off. Rec., vol. 2, No. 46, p. 1. 1923.
    killed annually under hunting licenses. News L., vol. 5, No. 7, p. 9. 1917.
  occurrence, Wyoming. N.A. Fauna 42, pp. 33, 34. 1917.
  parks, statistics and historical notes. Biol. Cir. 72, pp. 2-4. 1910.
  penalties for hunting in Montana and Idaho. For. [Misc.], "Trespass on national * * *," pp. 23, 24, 26, 27, 39, 45, 46. 1922.
  raising in United States (and other large animals). David E. Lantz. Biol. Bul. 36, pp. 62. 1910.
  reduction in numbers, means of increase, and value as meat. D.B. 1049, pp. 2-4, 25. 1922.
  restocking depleted areas. D.B. 1049, pp. 36-39. 1922.
  Sitka—
    description, distribution and habits. Y.B., 1907, p. 478. 1908; Y.B. Sep. 462, p. 478. 1908.
    range and habits. N.A. Fauna 21, p. 25. 1901.
  skinning and packing directions for hunters. D.C. 4, pp. 67-69. 1919.
  slaughter—
    for disease. Off. Rec., vol. 3, No. 42, p. 3. 1924.
    in Alaska by cannery men. D.C. 225, p. 2. 1922.
  Sonora, Texas, occurrence and habits. N.A. Fauna 25, p. 64. 1905.
  statistics for—
    1908. Y.B. 1908, p. 581. 1909; Y.B. Sep. 500, p. 581. 1909.
    1909. Biol. Cir. 73, pp. 4-5. 1910.
  surplus, disposal of. Off. Rec., vol. 3, No. 41, p. 3. 1924.
  susceptibility to hemorrhagic septicemia. D.B. 674, p. 2. 1918.
  Texas, destruction and protection. N.A. Fauna 25, pp. 61, 62, 63. 1905.
  transportation, decision in Dieterich case. Biol. Cir. 73, p. 18. 1910.
  tubercle bacilli, cultures and experiments. B.A.I. An. Rpt., 1906, pp. 136, 142, 148-150. 1908.
  value for clearing brush land. F.B. 330, p. 16. 1908.
  Virginia—
    breeding and management. F.B. 330, pp. 13-18. 1908.
    occurrence in Alabama, description and habits. N.A. Fauna 45, pp. 75-76. 1921.
  whitetailed—
    occurrence in—
      Colorado, description. N.A. Fauna 33, pp. 55-56. 1911.
      Montana. Biol. Cir. 82, p. 10. 1911.
      Texas, occurrence, numbers, habits and food. N.A. Fauna 25, pp. 60-64. 1905.
    Wichita National forest. M.C. 36, p. 5. 1925.
    wild, distribution in private preserves and game supply. Biol. Bul. 36, pp. 50-51. 1910; F.B. 330, p. 17. 1908.
  See also Game.
Deer Flat Reservoir, Idaho, outlets, description and details. O.E.S. Bul. 249, Pt. I, pp. 47-49. 1912.
Deerberry. *See* Squaw vine.
Deeringia baccata, importation and description. No. 47672, B.P.I. Inv. 59, p. 45. 1922.
Deerlodge National Forest, timber sale management and methods. D.B. 234, pp. 23-31. 1915.

INDEX TO PUBLICATIONS, 1901-1925 719

Deerweed, occurrence in chaparral, undesirable qualities. For. Bul. 85, pp. 31, 33. 1911.
Deerwood. *See* Ironwood.
Deerwort. *See* Snakeroot, white.
DEETER, E. B.: "Soil survey of—
Columbia County, Ark." With Clarence Lounsbury. Soil Sur. Adv. Sh., 1914, pp. 38. 1916; Soils F.O., 1914, pp. 1363-1396. 1919.
Craighead County, Ark." With L. Vincent Davis. Soil Sur. Adv. Sh., 1916, pp. 32. 1917; Soils F.O., 1916, pp. 1161-1188. 1921.
Faulkner County, Ark." With Henry I. Cohn. Soil Sur. Adv. Sh., 1917, pp. 35. 1919; Soils F. O., 1917, pp. 1323-1353. 1923.
Mercer County, Pa." With others. Soil Sur. Adv. Sh., 1917, pp. 40. 1919; Soils F.O., 1917, pp. 235-270. 1923.
Perry County, Ark." With others. Soil Sur. Adv. Sh., 1920, pp. 493-536. 1923; Soils F.O., 1920, pp. 493-536. 1925.
Pope County, Ark." With Clarence Lounsbury. Soil Sur. Adv. Sh., 1913, pp. 51. 1915; Soils F.O., 1913, pp. 1221-1267. 1916.
Spartanburg County, S. C." With others. Soil Sur. Adv. Sh., 1921, pp. 409-449. 1924.
the Bernardsville area, New Jersey." With others. Soil Sur. Adv. Sh., 1919, pp. 409-478. 1923; Soils F. O., 1919, pp. 409-468. 1925.
the Chatsworth area, New Jersey." With others. Soil Sur. Adv. Sh., 1919, pp. 469-515. 1923; Soils F. O., 1919, pp. 469-515. 1925.
Yell County, Ark." With Clarence Lounsbury. Soil Sur. Adv. Sh., 1915, pp. 41. 1917; Soils F.O., 1915, pp. 1199-1235. 1921.
Defender (horse), pedigree. D.C. 153, pp. 11, 12. 1921.
Deficiency bill, important items. Off. Rec., vol. 2, No. 10, p. 1. 1923.
Definitions—
and standards, committee meeting. Off. Rec., vol. 2, No. 31, p. 5. 1923.
animals for quarantine. B.A.I. 281, pp. 1-2. 1923; B.A.I.O. 282, p. 1. 1923.
cotton warehouses, regulation 1. Sec. Cir. 94, pp. 5-6. 1918.
food-products inspection, regulation 1. Sec. Cir. 160, p. 1. 1922.
Defoliation—
effect on oil content. J.A.R., vol. 3, pp. 232-233. 1914.
experiment for control of apple browning. D.B. 1104, pp. 17-22. 1922.
maple trees by green-striped worm. Ent. Cir. 110, pp. 1, 3-5. 1909.
Defoliators—
forest trees, important, description. Sec. [Misc.], "A manual of insects * * *," pp. 104-108. 1917.
tree pests, habits and description. F.B. 1169, pp. 31-52. 1921.
Deforestation—
cause of destructive floods. Soils Cir. 68, pp. 11, 14. 1912.
hillsides, effect, study, lesson for rural schools. D.B. 863, pp. 12-13. 1920.
Degermination, corn—
details. Y.B., 1916, pp. 174-176. 1917; Y.B. Sep. 691, pp. 16-18. 1917.
methods and advantages. D.B. 904, pp. 1-8. 1920.
Deguelia—
dalbergioides, importation and description. No. 44073, B.P.I. Inv. 50, p. 24. 1922.
spp.—
importation and description. No. 45239. B.P.I. Inv. 53, p. 15. 1922.
See also Derris.
Dehairing hogs, objectionable methods and machinery. B.A.I. An. Rpt., 1911, p. 70. 1913.
Dehorning—
calves, directions. F.B. 811, p. 17. 1917; F.B. 1073, p. 21. 1919; F.B. 1416, p. 8. 1924.
cattle—
advantages, methods, and tools. News L., vol. 5, No. 10, pp. 2-3. 1917.
and castrating—
Frank W. Farley. F.B. 949, pp. 14. 1918.
W. H. Black. F.B. 949, rev., pp. 14. 1922.

Dehorning—Continued.
cattle—continued.
directions—
B.A.I. [Misc.], "Diseases of cattle," rev., pp. 298-300. 1912; rev., pp. 292-293. 1923; B.A.I. An. Rpt., 1907, pp. 297-306. 1909.
Richard W. Hickman. F.B. 350, pp. 14. 1909.
importance. M.C. 12, p. 10. 1924.
reasons and methods. News L., vol. 6, No. 24, p. 13. 1919.
reindeer, experiments. D.B. 1089, p. 47. 1922.
Dehydration—
commercial, fruits and vegetables. P. F. Nichols and others. D.B 1335, pp. 40. 1925.
directions in detail. D.B. 1335, pp. 31-39. 1925.
effect on bacterial flora of eggs. George G. De Bord. J.A.R., vol. 31, pp. 155-164. 1925.
fruits and vegetables, investigations, 1920. An. Rpts., 1920, pp. 277-278. 1921.
improved processes. Sec. A.R., 1924, p. 70. 1924.
relation to agriculture. S. C. Prescott. Sec. Cir. 126, pp. 11. 1919.
table showing details of operation. D.B. 1335, pp. 32-33. 1925.
See also Drying.
Deilephila lineata—
occurrence on purslane. Hawaii Bul. 34, p. 13. 1914.
See also Sphinx, white-lined.
Dekalb—
silt loam, soils of the eastern United States and their use. Jay A. Bonsteel. Soils Cir. 38; pp. 17. 1911.
soils—
description, crops, and treatment in Virginia, Albemarle area. Soils Cir. 53, pp. 14-16. 1912.
southwestern Pennsylvania, area and location. Soil Sur. Adv. Sh., 1909, pp. 12-25. 1911; Soils F.O., 1909, pp. 212-225. 1912.
Delaware—
accredited herds, list No. 3. D.C. 142, pp. 7, 17, 47, 48, 49. 1920.
agricultural—
colleges and experiment stations, organization—
1906. O.E.S. Bul. 176, pp. 18-19. 1907.
1907. O.E.S. Bul. 197, pp. 18-19. 1908.
1910. O.E.S. Bul. 224, pp. 15-16. 1910.
extension work, statistics. D.C. 253, pp. 3, 4, 7, 10-11, 17, 18. 1923.
apple—
growing, areas and varieties, production. D.B. 485, pp. 24, 44-47. 1917.
varieties, phenological records, observers, and details. B.P.I. Bul. 194, pp. 53-87. 1911.
appropriations for experiment station and college farm. O.E.S. An. Rpt., 1911, pp. 55, 91. 1913.
barley crops, 1866-1906, acreage, production and value. Stat. Bul. 59, pp. 7-11, 17-19, 28. 1907.
bee and honey statistics. D.B. 685, pp. 6, 9, 12, 14, 16, 17, 19, 21, 23, 26, 29, 31. 1918.
bench marks, Delaware city marsh lands. O.E.S. Bul. 240, p. 53. 1911.
bird protection. *See* Bird protection, officials.
boys' corn growing work. O.E.S. Bul. 251, p. 16. 1912.
buckwheat crops, 1866-1906, acreage, production, and value. Stat. Bul. 61, pp. 5-17, 19. 1908.
cantaloupe shipments, 1914. D.B. 315, pp. 17, 18. 1915.
closed season for shorebirds and woodcock. Y.B., 1914, pp. 292, 293. 1915; Y.B. Sep. 642, pp. 292, 293. 1915.
convict road work, laws. D.B. 414, p. 197. 1916.
cooperative organizations and statistics. D.B. 547, pp. 12, 15, 40. 1917.
corn—
crops, 1866-1906, acreage, production and value. Stat. Bul. 56, pp. 7-27, 29. 1907.
production, movements, consumption, and prices. D.B. 696, pp. 14, 16, 28, 29, 33, 36, 38, 40, 45. 1918.
yields and prices, 1866-1915. D.B. 515, p. 6. 1917.
credits, farm-mortgage loans, costs and sources. D.B. 384, pp. 2, 3, 5, 7, 10. 1916.

720 UNITED STATES DEPARTMENT OF AGRICULTURE

Delaware—Continued.
  crow roosts, location, and numbers of birds.
    Y.B. 1915, p. 86–87, 91. 1916; Y.B. Sep. 659,
    p. 86–87, 91. 1916.
  dairy laws. B.A.I. Bul. 26, pp. 12, 41. 1900.
  dairying cost. Y.B., 1922, pp. 346, 347, 348. 1923;
    Y.B. Sep. 879, pp. 55, 56, 57. 1923.
  demurrage provisions and regulations. D.B.
    191, p. 25. 1915.
  dog laws, digest. F.B. 935, p. 12. 1918; F.B.
    1268, p. 12. 1922.
  drainage work—
    1910. O.E.S. An. Rpt., 1909, p. 43. 1910.
    1911. An. Rpts., 1911, p. 709. 1912; O.E.S.
      Chief Rpt., 1911, p. 27. 1911.
  drug laws. Chem. Bul. 98, p. 43. 1908; Chem.
    Bul. 98, rev., Pt. I, pp. 64–68. 1909.
  early settlement, historical notes. *See* Soil Surveys *for various counties and areas.*
  Experiment Station, work and expenditures—
    1908. O.E.S. An. Rpt., 1908, pp. 78–80. 1909.
    1909. O.E.S. An. Rpt., 1909, pp. 88–90. 1910.
    1910. O.E.S. An. Rpt., 1910, pp. 114–116. 1911.
    1911. O.E.S. An. Rpt., 1911, pp. 89–91. 1913.
    1912. O.E.S. An. Rpt., 1912, pp. 92–94. 1913.
    1913. Work and Exp., 1913, pp. 38–39. 1915.
    1914. Work and Exp., 1914, pp. 81–84. 1915.
    1915. Work and Exp., 1915, pp. 87–91. 1917.
    1916. Work and Exp., 1916, pp. 86–89. 1918.
    1917. Work and Exp., 1917, pp. 83–86. 1918.
    1918. Work and Exp., pp. 34, 35, 66, 70–80.
      1920.
  extension work—
    funds allotment, and county-agent work.
      S.R.S. Doc. 40, pp. 4, 5, 9, 14, 23, 25, 28. 1918.
    in agriculture and home economics—
      1915. S.R.S. Rpt., 1915, Pt. II, pp. 187–190.
        1917.
      1916. S.R.S. Rpt., 1916, Pt. II, pp. 192–195.
        1917.
      1917. S.R.S. Rpt., 1917, Pt. II, pp. 203–205.
        1919.
    statistics. D.C. 306, pp. 3, 5, 9, 14, 20, 21. 1924.
  fairs, number, kind, location and dates. Stat.
    Bul. 102, pp. 13, 14, 20. 1913.
  farm—
    animals, statistics, 1867–1907. Stat. Bul. 64,
      p. 104. 1908.
    leases, provisions. D.B. 650, pp. 5, 8, 11, 13, 15,
      16, 17, 19, 28. 1918.
    values, changes, 1900–1905. Stat. Bul. 43, pp.
      11–17, 29–46. 1906.
  farmers' experience with motor trucks. D.B. 910,
    pp. 1–37. 1920.
  farmers' institutes—
    history. O.E.S. Bul. 174, p. 24. 1906.
    laws. O.E.S. Bul. 135, rev., pp. 11–12. 1903;
      O.E.S. Bul. 241, pp. 10–11. 1911.
  report—
    1906. O.E.S. An. Rpt., 1906, p. 325. 1907.
    1906. An. Rpts., 1906, p. 325. 1907.
    1907. O.E.S. An. Rpt., 1907, p. 321. 1908.
    1908. O.E.S. An. Rpt., 1908, p. 308. 1909.
    1909. O.E.S. An. Rpt., 1909, p. 343. 1910.
    1910. O.E.S. An. Rpt., 1910., p. 402. 1911.
    1911. O.E.S. An. Rpt., 1911, p. 369. 1913.
    1912. O.E.S. An. Rpt., 1912, p. 362. 1913.
  fertilizer prices, 1919, by counties. D.C. 57, pp.
    5, 7. 1919.
  food laws—
    1905. Chem. Bul. 69, Pt. II, pp. 99–104. 1905.
    1907. Chem. Bul. 112, Pt. I, pp. 34–36. 1908.
  forest—
    fires, statistics. For. Bul. 117, p. 28. 1912.
    management of loblolly pine, with Maryland
      and Virginia. W. D. Sterrett. D.B. 11, p.
      59. 1914.
    planting conditions, 1909. Y.B., 1909, pp. 338–
      339. 1910; Y.B. Sep. 517, pp. 338–339. 1910.
  forestry laws, 1921. D.C. 239, pp. 6–7. 1922.
  fruit industry, 1890–1900, census data. B.P.I.
    Bul. 194, pp. 16–17. 1911.
  funds for cooperative extension work, sources.
    S.R.S. Doc. 40, pp. 4, 5, 8. 14. 1917
  fur animals, laws—
    1915. F.B. 706 pp. 4–5, . 1916.
    1916. F.B. 783, pp. 6, 27. 1916.
    1917. F.B. 911, pp. 8, 31. 1917.
    1918. F.B. 1022, pp. 7–8. 1918.
    1919. F.B. 1079, pp 4, 11. 1919.

Delaware—Continued.
  fur animals, laws—continued.
    1920. F.B. 1165, p. 9. 1920.
    1921. F.B. 1238, pp. 8. 1921.
    1922. F.B. 1293, p. 6. 1922.
    1923–24. F.B. 1387, pp. 8–9. 1923.
    1924–25. F.B. 1445, p. 7. 1924.
    1925–26. F.B. 1469, 9–10. 1925.
  game—
    laws—
      1902. F.B. 160, pp. 12, 31, 41, 45, 56. 1902.
      1903. F.B. 180, pp. 9, 22, 37, 44, 46, 48, 53.
        1903.
      1904. F.B. 207, pp. 17, 32, 42, 50, 60. 1904.
      1905. F.B. 230, pp. 9, 15, 30, 37, 42. 1905.
      1906. F.B. 265, pp. 14, 29, 37, 42. 1906.
      1907. F.B. 308, pp. 6, 12, 27, 35, 42. 1907.
      1908. F.B. 336, pp. 14, 30, 39, 50. 1913.
      1909. F.B. 376, pp. 6, 12, 16, 20, 33, 39, 42,
        46. 1909.
      1910. F.B. 418, pp. 13, 26, 32, 36, 40. 1910.
      1911. F.B. 470, pp. 10, 17, 31, 37, 41. 1911.
      1912. F.B. 510, pp. 10, 12–13, 25–26, 27, 33,
        37. 1912.
      1913. D.B. 22, pp. 11, 20, 24, ,39, 45 48, 52.
        1913.
      1914. F.B. 628, pp. 10, 11, 12, 14,1 6, 28–29, 30,
        36, 37, 40, 45, 46. 1914.
      1915. F.B. 692, pp. 2, 3, 6, 9, 26, 40, 46, 51, 57.
        1915.
      1916. F.B. 774, pp. 23, 38, 45, 51, 57. 1916.
      1917. F.B. 910, pp. 14, 47, 50. 1917.
      1918. F.B. 1010, pp. 7, 12, 45. 1918.
      1919. F.B. 1077, pp. 13, 49, 53, 72, 73. 1919.
      1920. F.B. 1138, pp. 14–15. 1920.
      1921. F.B. 1235, pp. 16. 1921.
      1922. F. B. 1288, pp. 6, 12, 53, 67. 1922.
      1923–24. F.B. 1375, pp. 14, 49. 1923.
      1924–25. F.B. 1444, pp. 9, 36. 1924.
      1925–26. F.B. 1466, pp. 15, 44. 1925.
    protection. *See* Game protection, officials.
  grain acreage, corn, wheat, oats, barley and rye.
    F.B. 786, pp. 3–4. 1917.
  grain supervision district and headquarters.
    Mkts. S.R.A. 14, p. 2. 1916.
  grape shipments, 1916–1919, and destination.
    D.B. 861, pp. 3, 48, 55–61. 1920.
  hay drops, 1866–1906, acreage, production and
    value. Stat. Bul. 63, pp. 5–25, 27. 1908.
  herds—
    lists of tested and accredited. D.C. 54, p. 27.
      1919.
    once-tested, list No. 3, supplement. 1. D.C.
      143, pp. 3, 6, 20, 62. 1920.
  Holstein cows, buying, and cost. News L., vol.
    6, No. 29, p. 14. 1919.
  Kent County, soil improvement on corn farm,
    method and results. F.B. 924, pp. 23–24. 1918.
  lard supply, wholesale and retail, August 31, 1917,
    tables. Sec. Cir. 97, pp. 13–31. 1918.
  laws—
    hunting. Biol. Bul. 19, pp. 11, 12, 19, 26, 32, 56.
      1904.
    nursery stock, interstate shipment, digest.
      Ent. Cir. 75, rev., p. 2. 1909; F.H.B.S.R.A.
      57, pp. 113, 114, 115. 1919.
  legislation protecting birds. Biol. Bul. 12, rev,.
    pp. 18–48, 82–83, 134, 136. 1902.
  livestock—
    admission, sanitary requirements. B.A.I. Doc.
      A–28, p. 7. 1917; B.A.I. Doc. A–36, pp. 8–9.
      1920; M.C. 14, pp. 9–10. 1924.
    associations. Y.B., 1920, p. 517. 1921; Y.B.
      Sep. 866, p. 517. 1921.
  lumber cut, 1870–1920, value, and kinds. D.B.
    1119, pp. 27, 30–35, 56, 58. 1923.
  marketing activities and organization. Mkts.
    Doc. 3, p. 2. 1916.
  marsh-land reclamations, description. O.E.S.
    Bul. 240., pp. 19–34. 1911.
  Meadow soil, area and location. Soils Cir. 68,
    p. 20. 1912.
  milk production, unit requirements. J. B. Bain
    and Ralph P. Hotis. D.B. 1101, pp. 16. 1922
  Norfolk sand, areas, location, and uses. Soils
    Cir. 44, pp. 9, 19. 1911.
  oat crops, 1866–1906, acreage, production, and
    value. Stat. Bul. 58, pp. 5–25, 27. 1907.
  officials, dairy, drug, feeding stuffs, and food.
    See Dairy officials; Drug officials.

Delaware—Continued.
  partridge rearing, experiments. Y.B., 1909, p. 256. 1910; Y.B. Sep. 510, p. 256. 1910.
  pasture land on farms. D.B. 626, pp. 15, 23. 1918.
  peaches, shipping season, and area of production. D.B. 298, pp. 4, 5, 6, 10. 1915; D.B. 806, pp. 4-9, 18-19. 1919.
  pear growing, distribution and varieties. D.B. 822, p. 9. 1920.
  planting and harvesting dates. Stat. Bul. 85, pp. 19, 31. 1912.
  potato crops—
    1866-1906, acreage, production, and value. Stat. Bul. 62, pp. 7-27, 29. 1908.
    early, location and carloads. F.B. 1316, pp. 3, 5. 1923.
  prevalence of anthrax. B.A.I. Bul. 137, pp. 22-23. 1911.
  quarantine area, foot-and-mouth disease—
    establishment. B.A.I.O. 229, amdt. 4, p. 1. 1914.
    January, 1915. B.A.I.O. 231, p. 2. 1915; B.A.I.O. 231, amdt. 2, p. 1. 1915.
    February 1, 1914. B.A.I.O. 232, p. 1. 1914.
    February 17, 1915. B.A.I.O. 234, p. 3. 1915.
    March 8, 1915. B.A.I.O. 236, pp. 1, 3. 1915.
    March 22, 1915, modification. B.A.I.O. 236, amdt. 3, p. 1. 1915.
    May, 1915. B.A.I.O. 238, p. 3. 1915.
  raw rock phosphate, field experiments, and results. D.B. 699, p. 29. 1918.
  roads—
    bond-built, amount of bonds and rate. D.B. 136, pp. 38, 63, 80, 85. 1915.
    building, rock tests—
      1916 and 1917. D.B. 670, p. 4. 1918.
      results, 1922. D.B. 1132, pp. 6, 51. 1923.
      results, tables. D.B. 370, pp. 18-19. 1916.
    construction, object-lesson, details. An. Rpts., 1911, p. 734. 1912; Rds. Chief Rpt., 1911, p. 24. 1911.
    materials, tests. Rds. Bul. 44, pp. 36-37. 1912.
    mileage and expenditures—
      1909. Rds. Bul. 41, pp. 15, 40, 42, 51. 1912.
      1914. D.B. 387, pp. 3-8, 15, III, XXXV, XLIX. 1917.
      Jan. 1, 1915. Sec. Cir. 52, pp. 2, 4, 6. 1915.
      1916. Sec. Cir. 74, pp. 5, 7, 8. 1917.
    projects approved, 1918, 1919. An. Rpts., 1919, pp. 401, 403, 405, 407. 1920; Rds. Chief Rpt., 1919, pp. 11, 13, 15-17. 1919.
    public mileage and expenditures, 1904. Rds. Cir. 81, pp. 2. 1907.
  rye crops, 1866-1892, acreage, production, and value. Stat. Bul. 60, pp. 5-18, 22-25, 27. 1908.
  St. Georges Creek, marsh lands, description and history. O.E.S. Bul. 240, pp. 30-31. 1911.
  San Jose scale, occurrence. Ent. Bul. 62, p. 21. 1906.
  sassafras soils, location and crop adaptations. D.B. 159, pp. 2-52. 1915.
  shipments of fruits and vegetables, and index to station shipments. D.B. 667, pp. 6-13, 19. 1918.
  soil survey of—
    Dover area. F. E. Bonsteel and O. L. Ayrs. Soil Sur. Adv. Sh., 1903, p. 26. 1904; Soils F.O. 1903, pp. 143-164. 1904.
    Kent County—
      J. E. Dunn and others. Soil Sur. Adv. Sh., 1918, pp. 32. 1920; Soils F.O. 1918, pp. 45-72. 1924.
      See also Dover area.
    New Castle County. F. M. Morrison and others. Soil Sur. Adv. Sh., 1915, pp. 34. 1917; Soils F.O. 1915, pp. 269-298. 1919.
    Sussex County. J. M. Snyder and others. Soil Sur. Adv. Sh., 1920, pp. 1531-1565. 1924; Soils F.O. 1920, pp. 1531-1565. 1925.
  spraying experiments for codling moth and plum curculio. Ent. Bul. 115, Pt. II, pp. 98-102. 1912.
  strawberry shipments, 1914, 1915. F.B. 237, p. 7. 1915; F.B. 1028, p. 6. 1919.
  Sussex County, soil improvement on wheat farms, method, results and comparison. F.B. 924, pp. 22-23. 1918.
  sweet-potato scurf, occurrence. J.A.R. vol. 5, No. 21, p. 995. 1916.

Delaware—Continued.
  temperature and rainfall records, 1902-1907. B.P.I. Bul. 194, p. 14. 1911.
  tides, measurements. O.E.S. Bul. 240, p. 19. 1911.
  tomato pulping, statistics. D.B. 927, pp. 3, 4, 24. 1921.
  trucking industry, acreage and crops. Y.B., 1916, pp. 437, 449, 455-465. 1917; Y.B. Sep. 702, pp. 3, 15, 21-31. 1917.
  wage rates, farm labor, 1866-1909. Stat. Bul. 99, pp. 29-43, 68-70. 1912.
  walnut—
    range and estimated stand. D.B. 933, pp. 7, 8, 24. 1921.
    stand and quality. D.B. 909, pp. 9, 10, 16-17, 19, 21. 1921.
  water supply, records, by counties. Soils Bul. 92, p. 41. 1913.
  wheat—
    acreage and varieties. D.B. 1074, p. 209. 1922.
    crops, acreage, production, and value. Stat. Bul. 57, pp. 5-25, 27. 1907; Stat. Bul. 57, rev., pp. 5-25, 27, 36. 1908.
    varieties. F.B. 616, p. 10. 1914.
    yields and prices, 1866-1915. D.B. 505, p. 6. 1917.
  See also Atlantic coastal plains.
Delinter saws, injury to cottonseed. D.B. 1219, pp. 3-4. 1924.
Delinting, cottonseed—
  and use of linters. Y.B., 1921, pp. 376, 381-382. 1922; Y.B. Sep. 877, pp. 376, 381-382. 1922.
  for nurse planting. D.B. 668, pp. 6-7. 1918.
  for planting, methods and plant effect on seed purity, and cost. D.B. 1056, pp. 5-12, 24. 1922.
  methods, and yield of linters. D.C. 175, pp. 3-4. 1921.
De Loach, R. J. H., report on Georgia Experiment Station—
  1913. Work and Exp. 1913, pp. 40-41. 1915.
  1914. Work and Exp. 1914, pp. 87-91. 1915.
Delonix regia. See Poinciana, royal.
Delostoma roseum, importations and descriptions. Nos. 52608-52609. B.P.I. Inv. 66, p. 50. 1923.
Delphinapterus catodon. See Whale, white.
Delphinium—
  ajacis, anatomical studies. D.B. 365, p. 24. 1916.
  barbeyi—
    description and habitat. D.B. 365, pp. 14-15, 20-22. 1916.
    feeding to livestock, experiments. D.B. 365, pp. 29-42, 44, 52-56, 63-71, 74-76. 1916.
  bicolor, description and habitat. D.B. 365, p. 16. 1916.
  cardinale, anatomical studies. D.B. 365, p. 22. 1916.
  consolida, anatomical studies. D.B. 365, p. 24. 1916.
  cucullatum, description and habitat. D.B. 365, p. 15. 1916.
  description and varieties. F.B. 1381, pp. 45-48. 1924.
  geyeri, anatomical studies. D.B. 365, pp. 22-23. 1916.
  glaucum. See Larkspur, tall.
  menziesii—
    description and habitat. D.B. 365, pp. 16, 22. 1916.
    feeding to livestock, experiments. D.B. 365, pp. 42-43, 45-50, 56-58, 67-72, 74-76. 1916.
  recurvatum, anatomical studies. D.B. 365, p. 22. 1916.
  robustum, description and habitat. D.B. 365, p. 15. 1916.
  spp.—
    anatomical studies. D.B. 365, pp. 18-24. 1916.
    concerned in larkspur poisoning. D.B. 365, pp. 14-16. 1916.
    description, cultivation, and characteristics. F.B. 1171, pp. 33-35. 1921.
    investigations. S.R.S. Rpt., 1916, Pt. I, pp. 52, 294. 1918.
    resistance to teliospores of Puccinia triticina. J.A.R., vol. 22, pp. 155-172. 1921.
    See also Larkspurs.
  staphisagria. See Stavesacre.
Delta Experiment Farm, work, 1912. B.P.I. Cir. 127, pp. 3-13. 1913.

Delta, Mississippi. See Mississippi Delta.
Deltocephalus—
  sayi. See Leaf hopper, Says.
  spp., distribution, description, life history, and control. Ent. Bul. 108, pp. 17, 18, 44–47, 72–86. 1912.
Demarara, sugar industry, 1894–1914. D.B. 473, pp. 31–32. 1917.
DEMAREE, J. B.—
  "Diseases of southern pecans." With S. M. McMurran. F.B. 1129, pp. 22. 1920.
  "Kernel spot of the pecan and its cause." D.B. 1102, pp. 15. 1922.
  "Pecan scab with special reference to sources of the early spring infections." J.A.R., vol. 28, pp. 324–328. 1924.
Demijohns, wicker, statement on tags—Opinion 94. Chem. S.R.A. 10, p. 742. 1914.
Demodex—
  folliculorum—
    bovis, as cause of mange, spread and control. F.B. 1017, pp. 3, 14. 1919.
    suis. See Mite, follicle.
  phylloides. See Mite, demodectic mange.
  spp., description and habits. Rpt. 108, pp. 139–140. 1915.
Demodicidae, classification and description. Rpt. 108, pp. 139–140. 1915.
Demonstration(s)—
  agents, influence among farmers. B.P.I. Cir. 117, pp. 19–20. 1913.
  agricultural—
    and extension work, progress in South. Sec. Cir. 56, p. 13. 1919.
    methods, in Porto Rico, 1918. P.R. An. Rpt., 1918, pp. 20, 23. 1920.
  canning, suggestions and information. S.R.S. Doc. 7, pp. 2. 1916.
  car, egg and poultry, work. M. E. Pennington and others. Y.B., 1914, pp. 363–380. 1915; Y.B. Sep. 647, pp. 17. 1915.
  clover growing, by county agents. F.B. 1365, pp. 10–13. 1924.
  club—
    influence, summary, and general results. D.C. 255, pp. 3, 14–27. 1923.
    results in food, clothing and crops. D.C. 312, pp. 8–24. 1924.
  cooperative work—
    county, State, and Government. Sec. Cir. 38, p. 7. 1911.
    in the South, mission. Sec. Cir. 33, pp. 8. 1910.
  cottage cheese making. Y.B., 1918, pp. 270–272. 1919; Y.B. Sep. 787, pp. 4–6. 1919.
  county, work development. D.C. 248, pp. 4–7. 1922.
  courses—
    Forest Products Laboratory. M.C. 8, pp. 20. 1923.
    in wood utilization. M.C. 29, pp. 22. 1924.
  crops, growing, and increased yields. An. Rpts., 1914, pp. 119, 120, 121. 1915; B.P.I. Chief Rpt., 1914, pp. 19, 20, 21. 1914.
  farm(s)—
    description, uses and value to farmers. News L. vol. 2, No. 21, pp, 3–4. 1914.
    different States, 1909. O.E.S. An. Rpt., 1909, pp. 58–60. 1910.
    Great Plains region, supplemental irrigation. An. Rpts., 1909, p. 703. 1910; O.E.S. Dir. Rpt., 1909, p. 25. 1909.
    Hawaii—
      establishment, 1910. Hawaii A.R., 1910, pp. 9–10. 1911.
      establishment, 1911. O.E.S. An. Rpt., 1911, pp. 23, 58, 99. 1913.
      Haleakala. Hawaii A.R., 1919, p. 58. 1920.
      location and work, Hilo and Glenwood. Hawaii A.R., 1911, pp. 8–9. 1912.
      work, 1912. Hawaii A.R., 1912, pp. 8–10, 83–87. 1913.
    irrigation—
      location, and work, 1912. An. Rpts., 1912, p. 839. 1913; O.E.S. Chief Rpt., 1912, p. 25. 1912.
      with small water supplies, 1910. An. Rpts., 1910, p. 151. 1911; O.E.S. An. Rpt., 1910, p. 4. 1911; Rpt. 93, p. 93. 1911; Sec. A.R., 1910, p. 151. 1910; Y.B., 1910, p. 149. 1911.

Demonstration(s)—Continued.
  farm(s)—continued.
    management—
      in the Southern States. An. Rpts., 1919, p. 468. 1920; Farm M. Chief Rpt., 1919, p. 6. 1919.
      North and West. S.R.S. An. Rpt., 1921 pp. 52–55. 1921.
      work in Southern States. An. Rpts., 1918 p. 499. 1919; Farm M. Chief Rpt., 1918, p. 9. 1918.
    railroad, to encourage agriculture. Stat. Bul. 100, pp. 29–30, 43. 1912.
    various States, establishment, 1910. O.E.S. An. Rpt., 1910, pp. 63–66. 1911.
    work—
      of county agents, 1920, and value. D.C. 179, pp. 34–36. 1921.
      See also Extension work.
  farmers' cooperative work—
    S. A. Knapp. Y.B., 1909, pp. 153–160. 1910; Y.B. Sep. 501, pp. 153–160. 1910.
    1908. Y.B., 1908, p. 68. 1909.
    1909. An. Rpts., 1909, pp. 337–340. 1910; B.P.I. Chief Rpt., 1909, pp. 85–88. 1909.
    1910. An. Rpts., 1910, pp. 335–368. 1911; B.P.I. Chief Rpt., 1910, pp. 65–68. 1910.
    1911. An. Rpts., 1911, pp. 76–78, 310–315. 1912; B.P.I. Chief Rpt., 1911, pp. 62–67. 1912; Sec. A.R., 1911, pp. 74–76. 1911; Y.B., 1911, pp. 74–76. 1912.
    1912. An. Rpts., 1912, pp. 390, 442–447. 1913; B.P.I. Chief Rpt., 1912, pp. 10, 62–67. 1912.
    1913. An. Rpts., 1913, pp. 125–128. 1914; B.P.I. Chief Rpt., 1913, pp. 21–24. 1913.
    field instructions, western Texas and Oklahoma. B.P.I. [Misc.], "Field instructions * * * Oklahoma," pp. 15. 1913.
    in South. S. A. Knapp. F.B. 319, pp. 22. 1908.
    origin and development. Y.B., 1911, pp. 153, 285–296. 1912; Y.B. Sep. 556, p. 153. 1912; Y.B. Sep. 568, pp. 285–296. 1912.
    progress in Southern States. O.E.S. An. Rpt. 1912, pp. 303–304. 1913.
  farming, Hawaii, results. An. Rpts., 1918, p. 348. 1919; S.R.S. An. Rpt., 1918, p. 14. 1918.
  fields, value to farmers. O.E.S. An. Rpt., 1908, p. 301. 1909.
  forestry, work, Dakota National Forest. An. Rpts., 1911, p. 381. 1912; For. A.R., 1911, p. 41. 1911.
  garden(s)—
    cooperation with Indian Service. An. Rpts., 1909, pp. 278–279. 1910; B.P.I. Chief Rpt., 1909, pp. 26–27. 1909.
    Sacaton, Arizona, work. An. Rpts., 1908, p. 296. 1909; B.P.I. Chief Rpt., 1908, p. 24. 1908.
  grain-grading methods. An. Rpts., 1919, p. 457. 1920; Mkts. Chief Rpt., 1919, p. 31. 1919.
  home—
    fruition in South. O. B. Martin and Ola Powell. Y.B., 1920, pp. 111–126. 1921; Y.B. Sep. 833, pp. 111–126. 1921.
    work in South—
      effect on community and county. Y.B., 1916, pp. 251–266. 1917; Y.B. Sep. 710, pp. 16. 1917.
      North, and West, 1917. S.R.S. Rpt., 1917 pt. 2, pp. 24, 32–36, 170–171. 1919.
      work, report. An. Rpts., 1922, pp: 439, 445–447. 1923; S.R.S. An. Rpt., 1922, pp. 27, 33–35. 1922.
  household, needs of farm women. Rpt. 105, pp. 37–45, 54–57. 1915.
  marketing and purchasing, in the South. Bradford Knapp. Y.B., 1919, pp. 205–222. 1920; Y.B. Sep. 808, pp. 205–222. 1920.
  meetings, plan. O.E.S. Bul. 225, p. 35. 1910.
  on reclamation projects. An. Rpts., 1922, p. 194. 1923; B.P.I. Chief Rpt., 1922, p. 34. 1922.
  poultry and egg packing car, work, 1916. An. Rpts., 1916, p. 199. 1917; Chem. Chief Rpt., 1916, p. 9. 1916.
  shelter belts in northern Great Plains. Robert Wilson and F. E. Cobb. D.B. 1113, pp. 28. 1923.
  teams, boys' and girls' clubs. D.C. 66, pp. 16–17 1920.

Demonstration(s)—Continued.
 trains, farmers' institutes—
  1908. O.E.S. An. Rpt., 1908, pp. 306-309, 314, 316, 318, 324, 325, 329. 1909.
  1909. O.E.S. An. Rpt., 1909, pp. 331, 332. 1910.
 work—
  against hog cholera. An. Rpts.., 1915, p. 132. 1916; B.A.I. Chief Rpt., 1915, p. 56. 1915.
  agricultural—
   extension, scope and value. O.E.S. Bul. 231, pp. 33-34, 40-41, 56-58, 65-66, 75-76. 1910.
   on reclamation projects. An. Rpts., 1918, pp. 148-150. 1919; B.P.I. Chief Rpt., 1918, pp. 14-16. 1918.
  Americanization, influence on foreign women. News L., vol. 6, No. 24, p. 14. 1919.
  among Negroes, results. D.C. 190, pp. 12-16. 1921.
  boys'—
   and girls', State cooperation. An. Rpts., 1912, pp. 445-446. 1913; B.P.I. Chief Rpt. 1912, pp. 65-66. 1912.
   corn clubs, 1910, results. S. A. Knapp and O. B. Martin. B.P.I. Doc. 647, pp. 7. 1911.
  Chemistry Bureau and States Relations Service. An. Rpts., 1916, pp. 198, 199. 1917; Chem. Chief Rpt., 1916, pp. 8, 9. 1916.
  club—
   summary for North and West. D.C. 192, pp. 12-13. 1921.
   in South, 1918. News L., vol. 6, No. 48, p. 7. 1919.
  cooperation of city women with country women, methods. News L., vol. 2, No. 39, p. 7. 1915.
  cooperative—
   origin, organization and scope. F.B. 319, pp. 6-8. 1908.
   with southern farmers. S. A. Knapp. F.B. 319, pp. 22. 1908.
  county—
   agents in North and West, 1916-1920. S.R.S. An. Rpt., 1921, pp. 42-43. 1921.
   agents on farms and in homes. An. Rpts., 1915, pp. 40-41. 1916; Sec. A.R., 1915, pp. 42-43. 1915.
   agents, results and profits. D.C. 106, pp. 12-13. 1920.
   agents, South, North and West, 1917. An. Rpts., 1917, pp. 338-344, 347-354. 1918; S.R.S. An. Rpt., 1917, pp. 16-22, 25-32. 1917.
   agents, South, North, and West, 1918. An. Rpts., 1918, pp. 354, 360, 366. 1919; S.R.S. An. Rpt., 1918, pp. 20, 26, 32. 1918.
   agents, South, North, and West, 1919. An. Rpts., 1919, pp. 369-374, 377. 1920; S.R.S. An. Rpt., 1919, pp. 17-22, 25. 1919.
   organizations. Y.B., 1915, pp. 225-248. 1916; Y.B. Sep. 672, pp. 225-248. 1916.
  emergency, and extension workers, by classes. S.R.S. Doc. 40, rev., pp. 30-32. 1919.
  endorsement of county agents in Wisconsin. News L., vol. 5, No. 32, p. 3. 1918.
  farmers' cooperative—
   field instructions on fertilizers. S. A. Knapp. B.P.I. Doc. 366, pp. 4. 1908.
   in western Texas and Oklahoma, field instructions. Bradford Knapp. B.P.I. [Misc.], "Field instructions for * * *," pp. 15. 1913.
  inception, scope, usefulness to farmers. News L., vol. 2, No. 21, pp. 3-4. 1914.
  for home improvement. Off. Rec., vol. 1, No. 37, p. 1. 1922.
  for hog cholera control. An. Rpts., 1914, pp. 95, 119, 121. 1914; B.A.I. Chief Rpt., 1914, p. 39. 1914; B.P.I. Chief Rpt., 1914, pp. 19, 21. 1914.
  Guam—
   1919. Guam A.R., 1919, pp. 47-48. 1921.
   1920. Guam A.R., 1920, pp. 65-66. 1921.
   1921. Guam A.R., 1921, pp. 27-30. 1923.
  Hawaii—
   1915, projects and location. Hawaii A.R., 1915, pp. 16, 46-50. 1916.
   1918, report. Hawaii A.R., 1918, pp. 26-31. 1919.

Demonstration(s)—Continued.
 work—continued.
  Hawaii—continued.
   1921, report. Hawaii A.R., 1921, pp. 47-51. 1922.
   1923, report. Hawaii A.R., 1923, pp. 11-16. 1924.
  insular stations. An. Rpts., 1919, pp. 362, 364, 365. 1920; S.R.S. An. Rpt., 1919, pp. 10, 12. 13. 1919.
  object and results. D.C. 152, pp. 3, 9-30. 1921.
  on reclamation projects. An. Rpts., 1917, pp. 150-153. 1918; B.P.I. Chief Rpt., 1917, pp. 20-23. 1917.
  organization and details. An. Rpts., 1916, pp. 313-326. 1917; S.R.S. An. Rpt., 1916, pp. 17-30. 1916.
  Porto Rico, 1917, value to farmers. P.R. An. Rpt., 1917, pp. 7-8, 38-40. 1918.
  sheep husbandry, need. Y.B., 1917, p. 319. 1918; Y.B. Sep. 750, p. 11. 1918.
  southern—
   farms. S. A. Knapp. F.B. 422, pp. 19. 1910.
   States, results. F.B. 406, p. 14. 1910.
  studies in Indiana. News L., vol. 6, No. 50, p. 9. 1919.
  two distinct classes. Y.B., 1919, p. 205. 1920; Y.B. Sep. 808, p. 205. 1920.
  value in improvement of agricultural conditions. Stat. Bul. 94, p. 81. 1912.
  with adults, scope, methods, number of agents, and farmers engaged. News L., vol. 2, No. 33, pp. 1-2. 1915.
  with negro farmers and farm women. S.R.S. An. Rpt., 1921, p. 37. 1921.
 Demonstrator, farm management, duties. D.C. 302, pp. 1-2. 1924.
 Demotophora sp., coffee fungus, occurrence on other plants. P.R. Bul. 17, p. 17. 1915.
 Demurrage—
  bureaus, commissions, and officers, various sections. D.B. 191, pp. 18-20, 23-27. 1915.
  interstate provisions. D.B. 191, pp. 4-5. 1915.
  laws, State codes, special features. D.B. 191, pp. 10-12, 14-17, 24-27. 1915.
  reciprocal laws, different States. D.B. 191, pp. 12-14. 1915.
 DEMUTH, G. S.—
  "Beekeeping in the buckwheat region." With E. F. Phillips. F.B. 1216, pp. 26. 1922.
  "Beekeeping in the clover region." With E. F. Phillips. F.B. 1215, pp. 27. 1922.
  "Beekeeping in the tulip-tree region." With E. F. Phillips. F.B. 1222, pp. 25. 1922.
  "Comb honey." F.B. 503, pp. 47. 1912.
  "Commercial comb-honey production." F.B. 1039, pp. 40. 1919.
  "Heat production of honeybees in winter." With R. D. Milner. D.B. 988, pp. 18. 1921.
  "Outdoor wintering of bees." With E. F. Phillips. F.B. 695, pp. 12. 1915.
  "Swarm control." F.B. 1198, pp. 47. 1921.
  "The preparation of bees for outdoor wintering." With E. F. Phillips. F.B. 1012, pp. 24. 1918.
  "The temperature of the honeybee cluster in winter." With E. F. Phillips. D.B 93, pp. 16. 1914.
  "Wintering bees in cellars." With E. F. Phillips. F.B. 1014, pp. 24. 1918.
 Den, fox, directions for making. D.B. 301, pp. 9-11. 1915.
 Denaturants—
  alcohol—
   formulas and requirements. Chem. Bul. 130, pp. 76-84, 141, 161-164. 1910.
   systems in foreign countries. Chem. Bul. 130, pp. 77-79. 1910.
   uses. F.B. 429, p. 9, 1911.
  olive oil, regulations and examination. An. Rpts., 1910, p. 471. 1911; Chem. Chief Rpt., 1910, p. 47. 1910.
 Denaturing—
  "ad hoc" system. Chem. Bul. 130, p. 82. 1910.
  adulterated food—
   in interstate commerce information 19. Chem. S.R.A. 7, p. 525. 1914.
   or drugs for import, requirements, regulation 30, Sec. Cir. 21, rev., pp. 21-22. 1922.

Denaturing—Continued.
  alcohol—
    materials and apparatus. F.B. 429, p. 9. 1911.
    systems and formulas. Chem. Bul. 130, pp. 76-84, 161-164. 1910.
  food products, amendment to regulation 34, F.I.D. 93. F.I.D. 93-95, p. 1. 1908.
Dende oil. *See* Oil, palm.
Dendragapus spp. See Grouse.
Dendrocalamus—
  giganteus, importation and description. No. 51026, B.P.I. Inv. 64, pp. 3, 43. 1923.
  hamiltonii, importation(s) and description(s). Nos. 38736, 39178, B.P.I. Inv. 40, pp. 22, 87. 1917; No. 43287, B.P.I. Inv. 48, p. 39. 1921.
  latifolius, characteristics. D.B. 1329, p. 36. 1925.
  strictus, characteristics. D.B. 1329, p. 35. 1925.
Dendrocolaptidae, hosts of eye parasite. B.A.I. Bul. 60, p. 48. 1904.
Dendroctonus—
  adjunctus, description, distribution, and synonymy. Ent. T.B. 17, Pt. I, pp. 157-158. 1909.
  approximatus, description, distribution, and synonymy. Ent. T.B. 17, Pt. I, pp. 101-104. 1909.
  arizonicus, description, distribution, and synonymy. Ent. T.B. 17, Pt. I, pp. 95-97. 1909.
  barberi, description, distribution, and synonymy. Ent. T.B. 17, Pt. I, pp. 85-87. 1909.
  borealis, description, distribution, and synonymy. Ent. T. B.17, Pt. I, pp. 133-135. 1909.
  brevicomis, description, distribution, and synonymy. Ent. T.B. 17, Pt. I, pp. 81-85. 1909.
  control work, 1912, West and South. An. Rpts., 1912, pp. 632-635. 1913; Ent. A.R., 1912, pp. 20-23. 1912.
  convexifrons, description, distribution, and synonymy. Ent. T.B. 17, Pt. I, pp. 87-90. 1909.
  engelmanni, description, distribution, and synonymy. Ent. T.B. 17, Pt. I, pp. 130-133. 1909.
  frontalis—
    description, distribution, and synonymy. Ent. T.B. 17, Pt. I, pp. 90-95. 1909.
    See also Pine beetle, southern.
  genus, barkbeetles. A. D. Hopkins. Ent. Bul. 83, Pt. I, pp. 169. 1909.
  jeffreyi, description and distribution. Ent. T.B. 17, Pt. I, pp. 114-116. 1909.
  mexicanus, description, distribution, and synonymy. Ent. T.B. 17, Pt. I, pp. 97-99. 1909.
  micans, description, distribution, and synynomy. Ent. T.B. 17, Pt. I, pp. 143-147. 1909.
  monticolae—
    description, distribution, and synonymy. Ent. T.B. 17, Pt. I, pp. 105-109. 1909.
    injury to lodgepole pine, control work, cost, and expenditure. D.B. 234, p. 47. 1915.
    parasite on *Pinus contorta*. J.A.R., vol. 22, pp. 189-220. 1921.
  murrayanae, description, distribution, and synonymy. Ent. T.B. 17, Pt. I, pp. 140-142. 1909.
  bbesus, description, distribution, and synonymy. Ent. T.B. 17, Pt. I, pp. 135-138. 1909.
  parallelocollis, description, distribution, and synonymy. Ent. T.B. 17, Pt. I, pp. 99-101. 1909.
  piceaperda, description, distribution, and synonymy. Ent. T.B. 17, Pt. I, pp. 126-130. 1909.
  ponderosae, description, distribution, and synonymy. Ent. T.B. 17, Pt. I, pp. 109-114. 1909.
  pseudotsugae—
    description, distribution, and synonymy. Ent. T.B. 17, Pt. I, pp. 121-126. 1909.
    enemy of Douglas fir trees. For. Cir. 175, p. 11. 1911.
  punctatus, description, distribution, and synonymy. Ent. T.B. 17, Pt. I, pp. 142-143. 1909.
  rufipennis, description, distribution and synonymy. Ent. T.B. 17, Pt. I, pp. 138-140. 1909
  simplex, description, distribution, and synonymy. Ent. T.B. 17, Pt. I, pp. 117-121. 1909.
  spp.—
    attacks on conifers injured by mistletoe. D.B. 360, pp. 28, 29. 1916.
    causing death of forest trees. Ent. Bul. 58, Pt. V, pp. 58-60. 1909.
    control—
      methods and examples. Ent. Bul. 58, Pt. V, pp. 73-78. 1909.

Dentroctonus—Continued.
  spp.—continued.
    description and seasonal history. Ent. Bul. 83, Pt. I, pp. 42-169. 1909.
    work, national forests. An. Rpts., 1914, pp. 142, 193. 1914; Ent. A.R., 1914, p. 14. 1914; For. A.R., 1914, p. 14. 1914.
  destruction of western yellow pine. For. Bul. 99, p. 62. 1911; For. Bul. 101, p. 15. 1911.
  injury to pine and spruce. Ent. Bul. 83, Pt. I, pp. 136-146. 1909.
  morphological and physiological characters, synopses. Ent. T.B. 17, Pt. I, pp. 69-79. 1909.
  tenebrans, description, distribution, and synonymy. Ent. T.B. 17, Pt. I, pp. 147-150. 1909.
  valens, description, distribution, and synonymy. Ent. T.B. 17, Pt. I, pp. 151-157. 1909.
Dendrocygna—
  autumnalis. See Duck, tree, black-bellied.
  fulva. *See* Duck, tree, fulvous.
Dendrograph, use in measuring tree growths. D.B. 1059, p. 171. 1922.
Dendroica spp. *See* Warblers.
Dendrolinus pini. See Pine spinner.
Dendropogan usneoides. See Moss, Spanish.
Dendryphantes spp., enemies of leaf hoppers. Ent. Bul. 108, p. 34. 1912.
DENECKE, W. A., Jr.: "Soil survey of Kootenai County, Idaho." With H. G. Lewis. Soil Sur. Adv. Sh., 1919, pp. 45. 1923; Soils F.O., 1919, pp. 1-45. 1925.
Dengue fever, spread by mosquito. Hawaii A.R., 1912, p. 19. 1913.
Denitrification, soil, testing methods and studies. B.P.I. Bul. 211, pp. 11, 22-24, 31-32. 1911.
Denmark—
  agricultural—
    cooperation. Chris L. Christensen. D.B. 1266, pp. 88. 1924.
    extension work, 1912. O.E.S. An. Rpt., 1912, pp. 355-356. 1913.
    high schools for men and women on farms. O.E.S. An. Rpt., 1908, p. 298. 1909.
    statistics, 1911-1920. D.B. 987, pp. 21-22. 1921.
  bacon imports and exports, 1885-1905. B.A.I. An. Rpt., 1906, p. 246. 1908.
  barberry eradication for control of grain rust. D.C. 188, p. 9. 1921.
  Bornholm Islands, open to potato exportation to United States. F.H.B.S.R.A. 12, p. 5. 1915.
  butter—
    exports and management. Rpt. 67, pp. 21-22, 25. 1901.
    making, pasteurization temperature. B.A.I. An. Rpt., 1910, p. 307. 1912; B.A.I. Cir. 189, p. 307. 1912.
    production, increase after cow-testing work. F.B. 504, p. 10. 1912.
    trade, 1866-1918. D.C. 70, pp. 13-14 1919.
  cattle—
    breeders' associations. Frederick Rasmussen. B.A.I. Bul. 129, pp. 40. 1911.
    breeds, origin and ancestry. B.A.I. An. Rpt. 1910, p. 224. 1912.
    number per square mile, maps. Atl. Am. Agr., pp. 121, 123. 1918.
  contagious diseases of animals, 1910. B.A.I. An. Rpt., 1910, pp. 516-517. 1912.
  corn imports, 1906-1910, by countries of origin. Stat. Cir. 26, p. 8. 1912.
  cows and cattle, raising, 1850-1918. D.C. 7, pp. 3, 14. 1919.
  crops and livestock production, 1893-1910. Stat. Cir. 28, pp. 11-12. 1912.
  dairy—
    cows feeding, study by Copenhagen Laboratory B.A.I. Bul. 139, pp. 36-37. 1911.
    interests, influence of foot-and-mouth disease eradication. News L., vol. 3, No. 36, p. 3. 1916.
    laws. B.A.I. An. Rpt., 1907, p. 344. 1909; B.A.I. Cir. 144, p. 344. 1909.
    statistics, 1851-1921. B.A.I. Doc. A-37, pp. 49-50. 1922.
  egg industry and cooperation. D.B. 1266, pp. 46-54. 1924.
  food laws affecting American exports. Chem. Bul. 61, pp. 16-18. 1901.

INDEX TO PUBLICATIONS, 1901-1925

Denmark—Continued.
freedom from barberry bushes, and black rust. D.C. 269, pp. 5–6. 1923.
forest resources. For. Bul. 83, pp. 54–55. 1910.
fruit imports and exports, 1909–1913. D.B. 483, p. 19. 1917.
Funen Island, cattle breeders' associations, bylaws. B.A.I. Bul. 129, pp. 30–32. 1911.
grain production and acreage. Stat. Bul. 68, pp. 61–62. 1908.
grain trade. Stat. Bul. 69, pp. 19–21. 1908.
hay and straw importations into United States, regulation, 1909. B.A.I. An. Rpt., 1909, p. 347. 1911.
hog—
  breeding, practice. J.A.R., vol. 19, pp. 233–234. 1920.
  industry—
    1906. B.A.I. An. Rpt., 1906, pp. 223–246. 1908.
    rivalled by Alabama. News L., vol. 7, No. 5, p. 13. 1919.
  numbers. Sec. [Misc.], Spec. "Geography * * * world's agriculture," pp. 130, 131. 1917.
  tuberculosis, prevalence. B.A.I. An. Rpt., 1907, p. 220. B.A.I. Cir. 144, p. 220. 1909; B.A.I. Cir. 201, p. 11. 1912.
inspection of plants. F.H.B.S.R.A. 11, p. 87. 1915.
introduction of bovine tuberculosis. B.A.I. Bul. 32, p. 13. 1901.
law—
  for pasteurization of milk products. F.B. 781, p. 17. 1917.
  governing sale of arsenical papers, fabrics. Chem. Bul. 86, p. 46. 1904.
  on fruit and plant introduction. Ent. Bul. 84, p. 35. 1909.
livestock statistics, numbers of cattle, sheep, and hogs. Rpt. 109, pp. 29, 36, 47, 50, 62, 200, 212. 1916.
losses from foot-and-mouth disease, comparisons with United States. News L., vol. 3, No. 21, p. 8. 1915.
meat exports and imports, statistics (and meat animals). Rpt. 109, pp. 15, 74, 75, 88, 89, 92, 101–114, 220, 229, 249–250. 1916.
nursery stock inspection. F.H.B.S.R.A. 7, p. 53. 1914; F.H.B.S.R.A. 20, p. 61. 1915; F.H.B.S.R.A. 32, p. 106. 1916.
origin of cow-testing work. B.A.I. An. Rpt., 1909, pp. 99–102. 1911; B.A.I. Cir. 179, pp. 99–102. 1911.
pine shoot moth, outbreaks. D.B. 170, pp. 2, 3. 1915.
pork exports, 1922. Y.B., 1922, pp. 253, 273. 1923; Y.B. Sep. 882, pp. 253, 273. 1923.
potato—
  acreage and production. Atl. Am. Agr. Adv. Sh. Pt. V, p. 70. 1918.
  importations, prohibition. F.H.B., S.R.A. 4, pp. 23–24. 1914.
  production, 1909–1913, 1921–1923. S.B. 10, p. 19. 1925.
progress in agricultural education. O.E.S. An. Rpt., 1907, p. 248. 1908.
publications on agricultural cooperation, list. M.C. 11, p. 52. 1923.
rat extermination, organized work and bounties. Biol. Bul. 33, pp. 52–53. 1909.
root forage acreage. Sec. [Misc.], Spec. "Geography * * * world's agriculture," p. 107. 1917.
sugar industry, 1903–1914. D.B. 473, pp. 56–57. 1917.
tuberculous carcasses, disposition, legal provisions. B.A.I. S. A. 72, p. 29. 1913.
wheat imports, 1885–1905. Stat. Bul. 66, p. 54. 1908.
white pine injury by blister rust, and control measures. D.B. 1186, pp. 12–13, 18. 1924.
DENMEAD, TALBOTT—
"Directory of officials and organizations concerned with the protection of birds and game: 1924." With G. A. Lawyer. D.C. 328, p. 16. 1924.
"Directory of officials and organizations concerned with the protection of birds and game: 1925." With Frank L. Earnshaw. D.C. 360, pp. 12. 1925.

DENNIS, S. J.—
"Management of common storage houses for apples in the Pacific Northwest." With H. J. Ramsey. F.B. 852, pp. 23. 1917.
"The pre-cooling of fruit." With A. V. Stubenrauch. Y.B. 1910, pp. 437–448. 1911; Y.B. Sep. 550, pp. 437–448. 1911.
Dennstaedtia punctilobula. See Fern, hay-scented.
DENNY, F. E.—
"Hastening the coloration of lemons." J.A.R., vol. 27, pp. 757–769. 1924.
"Inheritance of composition in fruit through vegetative propagation." With others. D.B. 1255, pp. 19. 1924.
"Relation between the composition of California cantaloupes and their commercial maturity." With others. D.B. 1250, pp. 27. 1924.
"Dense," meaning of term applied to wood. D.B. 556, pp. 20. 1917.
Density tube for use in snow survey, description. Y.B. 1911, p. 393. 1912; Y.B. Sep. 578, p. 393. 1912.
DENSON, LEE A.: "The double observation as a means of improving forecasts." W.B. Bul. 31, pp. 153–154. 1902.
DENTON, A. A.: "Sorghum sirup manufacture." F.B. 135, pp. 40. 1901.
DENTON, M. C.: "Homemade apple and citrus pectin extracts and their use in jelly making." With others. D.C. 254, pp. 11. 1923.
Denton's healing balsam, misbranding. Chem. N.J. 1464, pp. 2. 1912; Chem. N.J. 1465, pp. 2. 1912.
Denver, Colo.—
market—
  station, lines of work. Y.B., 1919, p. 96. 1920; Y.B. Sep. 797, p. 96. 1920.
  statistics for livestock, 1910–1920. D.B. 982, pp. 20, 55, 87. 1921.
milk supply, statistics, prices, and ordinances. B.A.I. Bul. 46, pp. 26, 51–52, 180. 1903.
seeds, market prices, 1920–1923, tables. S.B. 2, pp. 22–62. 1924.
trade center for farm products, statistics. Rpt., 98, pp. 287–290. 1913.
Deodorants, kinds and description. F.B. 1227, pp. 24–26. 1922.
Deodorizing corn oil, experiments and results. F.B. 1010, pp. 10–14, 17. 1922.
DE ONG, E. RALPH: "Hydrocyanic-acid gas as a soil fumigant." J.A.R., vol. 11, pp. 421–436. 1917.
Department of Agriculture. See Agriculture, Department of.
Departments, Federal, reorganization plan. Off. Rec., vol. 2, No. 9, p. 1. 1923.
Dephlegmation, principle, use in distillation of turpentine for analyses. For. Cir. 152, pp. 6–9. 1908.
Dephlegmators, use in analysis of wood turpentines. For. Bul. 105, pp. 15, 19, 27. 1913.
Depollination, plant, water method. B.P.I. Bul. 167, pp. 18–22. 1910.
Depositories, public document, land-grant colleges. D.C. 251, p. 14. 1923.
Depreciation—
estimation for motor-transportation expense. D.B. 770, p. 12. 1919.
farm tractors, per acre plowed. F.B. 1035, pp. 14, 17, 22. 1919.
Depressaria gossypiella. See Bollworm, pink.
Dequeening, treatment for European foulbrood. F.B. 442, p. 19. 1911.
Deriaophorus spp., description. Rpt., 108, pp. 89–90. 1915.
DERDEN, J. H.: "Soil survey of Jackson County, Tenn." With R. F. Rogers. Soil Sur. Adv. Sh., 1913, pp. 29. 1915; Soils F.O. 1913, pp. 1269–1293. 1916.
Deringa canadensis—
importation and description. No. 39869. B.P.I. Inv. 42. 1918.
See also Mitsuba.
Derivatives labeling, amendment to Regulation 28. F.I.D. 112, pp. 3. 1910.
Dermacentor—
electus, description. B.A.I. Bul. 78, p. 14–15. 1905.

Dermacentor—Continued.
   spp.—
      description and habits. Rpt., 108, pp. 57–63, 67–68. 1915.
      description, life history, habits, and control. Ent. Bul. 106, pp. 158–204. 1912.
      occurrence, description, and life history. Ent. Bul. 72, pp. 49–52. 1908.
      See also Ticks.
Dermal mycosis. *See* Mycosis, dermal.
Dermanyssinae, classification, description, and habits. Rpt. 108, pp. 78–79. 1915.
Dermanyssus gallinae, comparison with tropical fowl mite. D.C. 79, pp. 4–5. 1920.
Dermatitis—
   caused by Pediculoides. Rpt. 108, pp. 106, 107. 1915.
   human, lesions and systemic symptoms. Ent. Cir. 118, p. 19. 1910.
   necrotic—
      sheep, description and treatment. B.A.I. Rpt., 1907. pp. 44. 1909.
      See also Lip-and-leg disease.
   reindeer, cause and control. D.B. 1089, p. 55. 1922.
   schambergi, skin disease caused by jointworm mite. An. Rpts., 1910, p. 530. 1911; Ent. A.R., 1910, p. 26. 1910.
Dermatobia cyaniventris, spread by dogs. D.B. 260, p. 24. 1915.
Dermatoma, corneal, cattle, treatment. B.A.I. [Misc.], "Diseases of cattle," rev., p. 361. 1912.
Dermatophilus penetrans. *See* Chigoe.
Dermestes—
   spp., injury to lead telephone fuses. D.B. 1107, pp. 3–4. 1922.
   vulpinus. *See* Leather beetle.
Derostenus—
   diastatae, parasite of corn leaf miner, description. J.A.R., vol. 2, pp. 26–27. 1914.
   punctiventris, parasite of corn leaf weevil. J.A.R., vol. 2, p. 28. 1914.
   spp., parasites of serpentine leaf miner. J.A.R., vol. 1, pp. 80–81. 1913.
DERR, H. B.—
   "Barley culture in the Southern States." F.B. 427, pp. 16. 1910.
   "Barley: Growing the crop." F.B. 443, pp. 48. 1911.
   "Collection and preservation of plant material for use in the study of agriculture." With C. H. Lane. F.B. 586, pp. 24. 1914.
   "The separation of seed barley by the specific gravity method." B.P.I. Cir. 62, pp. 6. 1910.
   "Winter barley." F.B. 518, pp. 18. 1912.
DERRICK, B. B.: "Soil survey of—
   Bladen County, N. C." With others. Soil Sur. Adv., Sh., 1914, pp. 35. 1915; Soils F.O. 1914, pp. 623–653. 1919.
   Cambria County, Pa." With others. Soil Sur. Adv. Sh., 1915, pp. 32. 1917; Soils F.O., 1915, pp. 241–268. 1919.
   Union County, N. C." With S. O. Perkins. Soil Sur. Adv. Sh., 1914, pp. 38. 1916; Soils F.O., 1914, pp. 589–622. 1919.
   Wake County, N. C." With others. Soil Sur. Adv. Sh., 1914, pp. 45. 1916; Soils F.O., 1914, pp. 517–557. 1919.
   Wayne County, N. C." With others. Soil Sur. Adv. Sh., 1915, pp. 51. 1916; Soils F.O., 1915, pp. 497–543. 1919.
Derris—
   extracts, preparation methods and tests. J.A.R., vol. 17, pp. 180–190. 1919.
   origin and insecticidal value, tests. D.B. 1201, pp. 7, 10–20, 36, 53, 54. 1924.
   powder, use—
      dry and in spray mixture. J.A.R., vol. 17, pp. 192–196. 1919.
      in mite control. D.B. 1228, pp. 5, 9. 1924.
      use as insecticide, investigation. An. Rpts., 1918, p. 235. 1919; Ent. A.R., 1918, p. 3. 1918.
Des Moines, Iowa, milk supply, statistics and prices B.A.I. Bul. 46, pp. 30, 74. 1903.
Deschampsia—
   caespitosa—
      distribution, description, and feed value. D.B. 201, p. 20. 1915.
      forage value, association in meadows. J.A.R., vol. 6, No. 19, pp. 750, 752, 753, 755. 1916.

Deschampsia—Continued.
   caespitosa—continued.
      See also Hair grass, tufted.
   curtifolia, description. Agros. Cir. 30, p. 7. 1901.
   elongata. *See* Hair grass, slender.
Deschutes—
   National Forest—
      description and recreational uses. D.C. 4, pp. 16–19. 1919; For. [Misc.], "An ideal vacation * * *," pp. 10–13. 1923.
      map and directions to tourists and campers. For. Map. 1924; For. Map. Fold. 1915.
   River, Oregon, water-power measurement, and projects. O.E.S., Bul. 209, pp. 19, 34–36. 1909.
DE SCHWEINITZ, E. A.—
   "A chemical examination of various tubercle bacilli." With M. Dorset. B.A.I. Cir. 52, pp. 7. 1904.
   "A form of hog cholera not caused by the hog-cholera bacillus." With M. Dorset. B.A.I. Cir. 41, pp. 4. 1903.
   experiments concerning tuberculosis. B.A.I. Bul. 52, Pt. I, pp. 1–2. 1904.
   "New facts concerning the etiology of hog cholera." With M. Dorset. B.A.I. Cir. 72, pp. 6. 1905.
   "The comparative virulence of human and bovine tubercle bacilli for some large animals." With others. B.A.I. Bul. 52, Pt. II, pp. 31–100. 1905.
Desert—
   basins—
      formation and description. D.B. 61, pp. 37–39, 67. 1914.
      value as potash sources. Y.B. 1912, pp. 530–533. 1913; Y.B. Sep. 611, pp. 530–533. 1913.
      United States, topographic features with reference to potash occurrence. E. E. Free. D.B. 54, pp. 65. 1914.
   Colorado. *See* Salton Basin.
   comparison with Tooele Valley, Utah. J.A.R. vol. 27, p. 918. 1924.
   flood, occurrence and cause. An. Rpts., 1910, p. 173. 1911; W.B. Chief Rpt., 1910, p. 15. 1910.
   land—
      act, purpose and provisions. D.B. 1257, pp. 4–5. 1924.
      area in United States. Y.B., 1918, pp. 435, 439. 1919; Y.B. Sep. 771, pp. 435, 439. 1919.
      definition. D.B. 1001, p. 5. 1922.
      farm implements. B.P.I. Bul. 157, pp. 20–21, 1909.
      national forests, laws and decisions. Sol. [Misc.], "Laws applicable * * * Agriculture," pp. 72–74. 1916.
      reclamation, difficulties. J.A.R., vol. 10, pp. 541–542. 1917.
      United States. For. Cir. 159, pp. 7–8. 1909.
      See also Arid land.
   plants—
      as potash source. Y.B., 1912, p. 526. 1913; Y.B. Sep. 611, p. 526. 1913.
      method of growth favoring drought resistance. B.P.I. Bul. 192, pp. 24–25. 1911.
      salable products. An. Rpts., 1908, p. 301. 1909; B.P.I. Chief Rpt., 1908, p. 29. 1908.
      use as emergency stock feed. E. O. Wooten. D.B. 728, pp. 31. 1918.
      Utah, soil indications and descriptions. J.A.R. vol. 1, pp. 365–417. 1914.
   pavement formation, description and protection against wind. Soils Bul. 68, pp. 31–32. 1911.
   region—
      of United States, native pasture grasses. Y.B. 1900, p. 595. 1901.
      southwestern, natural vegetation, indicator significance. H. L. Shantz and R. L. Piemeisel. J.A.R., vol. 28, pp. 721–802. 1924.
   shrub vegetation. H. L. Shantz. Atl. Am. Agr. Adv. Sh. 6, pp. 7, 21–26, 27. 1924.
   soils—
      fungi distribution. J.A.R. vol. 13, pp. 73–98. 1918.
      occurrence of *Fusarium*—
         radicicola. J.A.R., vol. 6, No. 9, p. 299. 1916.
         trichothecioides. J.A.R., vol. 6, No. 21, pp. 824–825. 1916.
      southwestern, composition and salts. J.A.R. vol. 28, pp. 723, 724–725. 1924.
   surfaces, formation, action of wind. Soils Bul. 68, pp. 37–41, 50–51. 1911.

Desiantha nociva. See Tomato weevil, Australian.
Desiccated milk. See Milk, desiccated.
Desiccation—
  cassava and sweet potatoes. Chem. Bul. 130, p. 101. 1910.
  resistance by seeds. George T. Harrington and William Crocker. J.A.R., vol. 14, pp. 525-532. 1918.
Desiderata, list, 1905. Lib. [Misc.], "List of desiderata," pp. 11. 1905.
Desmia—
  funeralis. See Leaf folder, grape.
  rhinthonalis, synonym for *Hymenia perspectalis.* Ent. Bul. 127, Pt. I, p. 1. 1913.
Desmodium—
  hirtum, growing in shade, experiments. Hawaii A.R., 1916, p. 28. 1917.
  spp.—
    occurrence in Guam. Guam A.R., 1913, p. 17. 1914.
  See also Zarzabacoa.
Desmoris scapalis, infestation with boll weevil parasites. Ent. Bul. 100, pp. 45, 53, 76. 1912.
Desmos chinensis, importation and description. No. 47820, B.P.I. Inv. 59, p. 64. 1922.
Desserts—
  floating island, recipe. F.B. 717, p. 10. 1916.
  milk, suggestions. F.B. 413, p. 19. 1910; F.B. 1207, p. 31. 1921; F.B. 1359, pp. 17-18. 1923.
  recipes, use of honey. F.B. 653, pp. 23-24. 1915.
  rice, recipes. F.B. 1195, p. 19. 1921.
  strawberry varieties most desirable. F.B. 1043, p. 22. 1919.
  sugar substitutes, recipes. News L., vol. 7, No. 15, pp. 13-14. 1919.
  use and value as food for children, description. F.B. 712, pp. 7-8, 9, 10, 25. 1916.
DETLEFSEN, J. A.: "Inheritance of syndactylism, black, and dilution in swine." With W. J. Carmichael. J.A.R., vol. 20, pp. 595-604. 1921.
Detroit—
  market—
    milk business, 1915. Clarence E. Clement and Gustav P. Warber. D.B. 639, pp. 28. 1918.
    station, lines of work. Y.B., 1919, p. 96. 1920; Y.B. Sep. 797, p. 96. 1920.
  milk—
    demands and supply sources. D.B. 639, pp. 2-3, 14-16. 1918.
    supply, statistics, prices and ordinances. B.A.I. Bul. 46, pp. 26, 100. 1903.
  trade center for farm products, statistics. Rpt., 98, pp. 287-290. 1913.
DETWEILER, S. B.: "Currants and gooseberries. Their culture and relation to white-pine blister rust." With George M. Darrow. F.B. 1398, pp 38. 1924.
DEUEL, J.—
  "Digestibility of cod-liver, java-almond, tea-seed and watermelon-seed oils, deer fat, and some blended hydrogenated fats." With Arthur D. Holmes. D.B. 1033, pp. 15. 1922.
  "The digestibility of Tepary beans." J.A.R., vol. 29, pp. 205-208. 1924.
DEUTSCH, F. M.: "Soil survey of Sheridan County, Nebr." With others. Soil Sur. Adv. Sh., 1918, pp. 60. 1921; Soils F.O., 1918, pp. 1441-1496. 1924.
Deutzia—
  longifolia veitchii, importation and description. No. 42691, B.P.I. Inv. 47, pp. 8, 53. 1920.
  schneideriana laxiflora, importation and description. No. 40580, B.P.I. Inv. 43, p. 49. 1918.
  spp., importations and descriptions. Nos. 35184-35185, B.P.I. Inv. 35, pp. 18-19. 1915; Nos. 39906, 40177, B.P.I. Inv. 42, pp. 36, 54, 84. 1918; Nos. 43683, 43840, B.P.I. Inv. 49, pp. 62, 85. 1921; Nos. 49938-49944, 49946, B.P.I. Inv. 63, pp. 22, 23. 1923; Nos. 52640-52642, 52678, B.P.I. Inv. 66, pp. 54, 59. 1923; Nos. 53696-53698, B.P.I. Inv. 67, p. 78. 1923; Nos. 55087, 55088, 55270, B.P.I. Inv. 71, pp. 21, 31. 1923.
Deval abrasion test for rocks, and description of machine. Rds. Bul. 44, pp. 5, 16, 17, 18. 1912.
DEVEREUX, R. E.: "Soil survey of—
  Buncombe County, N.C." With others. Soil Sur. Adv. Sh., 1920, pp. 785-812. 1923; Soils F.O., 1920; pp. 785-812. 1925.
  Durham County, N. C." With others. Soil Sur. Adv. Sh., 1920, pp. 1351-1379. 1924; Soils F.O., 1920, pp. 1351-1379. 1925.

DEVEREUX, R. E.: "Soil survey of—Continued.
  Jasper County, Iowa." With others Soil Sur. Adv. Sh., 1921, pp. 42. 1925.
  Marengo County, Ala." With others. Soil Sur. Adv. Sh., 1920, pp. 555-597. 1923; Soils F.O., 1920, pp. 555-597. 1925.
  Moore County, N. C." With others. Soil Sur. Adv. Sh., 1919, pp. 44. 1922; Soils F.O., 1919, pp. 723-762. 1925.
  Onslow County, N.C." With others. Soil Sur. Adv. Sh., 1921, pp. 101-127. 1925.
  Page County, Iowa." With A. M. O'Neal, jr. Soil Sur. Adv. Sh., 1921, pp. 349-373. 1924.
Devil grass. See Bermuda grass.
Devil's—
  apple. See Jimson weed.
  bones, name for Dioscorea. B.P.I. Bul. 189, p. 25. 1910.
  club distribution. N.A. Fauna 21, pp. 21, 54, 56. 1901; N.A. Fauna 24, p. 14. 1904.
  gut. See Dodder.
  milk. See Celandine.
  paintbrush. See Hawkweed.
  shoestring. See Smartweed, marsh.
Devils River, Texas, description, drainage area, and discharge. O.E.S. Bul. 222, pp. 25-26. 1910.
Devilwood trees, injury by sapsuckers. Biol. Bul. 39, pp. 49, 88. 1911.
Dew—
  plant food removal from growing plants. J. A. LeClerc and J. F. Breazeale. Y.B., 1908, pp. 389-402. 1909; Y.B. Sep. 489, pp. 389-402. 1909.
  point—
    determination table. F.B. 401, p. 17. 1910; Y.B., 1908, p. 441. 1909; Y.B. Sep. 492, p. 441. 1909.
    explanation and method of finding. D.B. 509, pp. 5-7. 1917.
  relation to—
    frost formation, method of finding. Y.B., 1909, p. 391. 1910; Y.B. Sep. 522, p. 391. 1910.
    minimum temperature. Y.B., 1911, p. 219. 1912; Y.B. Sep. 562, p. 219, 1912.
    resistance of Saidy date. D.B. 1125, pp. 32-33. 1923.
  temperature, determination, use of psychrometer. F.B. 1096, pp. 46-47. 1920.
  value in forecasting weather. Peter Wood. W. B. Bul. 31, pp. 152-153. 1902.
  relation to arsenical injury of plants. J.A.R., vol. 26, pp. 192-194. 1923.
Dewberry(ies)—
  acreage—
    1909, by States. F.B. 643, p. 1. 1915; F.B. 887, pp. 4-5. 1917.
    1919, with blackberries. F.B. 1399, pp. 1-2, 3. 1924.
  age and productiveness of plants. News L., vol. 3, No. 47, p. 4. 1916.
  blackrot pycnidia cavities, formation. J.A.R., vol. 23, pp. 745-748. 1923.
  control in cranberry fields. F.B. 1401, p. 11. 1924.
  cultural directions for permanent gardens. F.B. 1242, p. 13. 1921.
  culture. George M. Darrow. F.B. 728, pp. 19. 1916.
  description and history, comparison with blackberries. F.B. 728, pp. 1-2, 17. 1916.
  diseases, Texas, occurrence and description. B.P.I. Bul. 226, p. 33. 1912.
  double-blossom disease, control study. O.E.S. An. Rpt., 1911, pp. 89, 169. 1912.
  drying, directions. F.B. 841, p. 23. 1917.
  fruiting season and use as bird food. F.B. 912, pp. 11, 13, 14. 1918.
  Gardenia, description, locality where grown. F.B. 728, pp. 16, 17. 1916.
  growing—
    George M. Darrow. F.B. 1403, pp. 18. 1924.
    and care. S.R.S. Doc. 93, pp. 6-8. 1919.
    commercially in North Carolina, Richmond County. Soil Sur. Adv. Sh., 1911, pp. 11, 21-22. 1912; Soils F.O., 1911, pp. 395, 403-404. 1914.
  in—
    Great Plains area, varieties. F.B. 727, p. 37. 1916.

Dewberry(ies)—Continued.
  growing—continued.
    in—continued.
      North Carolina, Cumberland County. Soil Sur. Adv. Sh., 1922, p. 115. 1925.
      North Carolina, Moore County. Soil Sur. Adv. Sh., 1919, pp. 9, 10, 11, 35-36. 1922; Soils F.O., 1919, pp. 727, 728, 729, 753-754. 1925.
      Tennessee and Kentucky. D.B. 1189, p. 66. 1293.
      Texas, variety testing. D.B. 162, pp. 14-15, 26. 1915.
    propagation and training. S.R.S. Doc. 93, pp. 7-8. 1919.
  harvesting and handling. F.B. 728, pp. 13-14. 1916.
  history. F.B. 1403, p. 1. 1924.
  importation and description. No. 42639, B.P.I. Inv. 47, p. 42. 1920.
  infection with orange rust, studies. J.A.R., vol. 19, pp. 501-512. 1920; J.A.R., vol. 25, pp. 212, 214, 226, 237. 1923.
  infestation with boll-weevil parasites, value as hedge. Ent. Bul. 100, pp. 51, 64, 90, 95. 1912.
  injury by little-known cutworm. Ent. Bul. 109, Pt. IV, p. 47. 1912.
  Lucretia—
    description. D.B. 1189, p. 66. 1923.
    training systems, and description. F.B. 728, pp. 2, 4, 5, 8, 10, 12, 13, 14. 1916.
  marketing by parcel-post, suggestions. F.B. 703, p. 14. 1916.
  Mayes, description and training. F.B. 728, pp. 6, 16. 1916.
  plantations, yield and duration. F.B. 728, pp. 14-16. 1916.
  Premo, description. F.B. 728, p. 17. 1916.
  shipments by States, and by stations, 1916. D.B. 667, pp. 9, 101. 1918.
  soil acidity indicator, in Indiana, White County. Soil Sur. Adv. Sh., 1915, pp. 31, 37, 41. 1917; Soils F.O., 1915, pp. 1475, 1481. 1919.
  varieties—
    and hybrids. F.B. 728, pp. 2, 16-17. 1916.
    recommendations for various fruit districts. B.P.I. Bul. 151, p. 25. 1909.
    self-sterile and self-fertile, investigations. O.E.S. An. Rpt., 1912, p. 174. 1913.
  See also Blackberries.
DEWEY, G. W.—
  "Potato culture under irrigation." With others. F.B. 953, pp. 24. 1918.
  "Size of potato sets; Comparison of whole and cut seed." With others. D.B. 1248, pp. 44, 1924.
DEWEY, L. H.—
  "A purple-leaved mutation in hemp." B.P.I. Cir. 113, pp. 23-24. 1913.
  "Fibers used for binder twine." Y.B., 1911, pp. 193-200. 1912; Y.B. Sep. 560, pp. 193-200. 1912.
  "Hemp." Y.B., 1913, pp. 283-346. 1914; Y.B. Sep. 628, pp. 283-346. 1914.
  "Hemp-hurds as paper-making material." With Jason L. Merrill. D.B. 404, pp. 26. 1916.
  "Principal commercial plant fibers." Y.B., 1903, pp. 387-398. 1904; Y.B. Sep. 321, pp. 387-398. 1904.
  "Ramie." B.P.I. Cir. 103, pp. 9. 1912.
  "The cultivation of hemp in the United States." B.P.I. Cir. 57, pp. 7. 1910.
  "The hemp industry in the United States." Y.B., 1901, pp. 541-554. 1902; Y.B. Sep. 254, pp. 541-554. 1902.
  "The production and handling of hemp hurds." D.B. 404, pp. 1-6. 1916.
  "The strength of textile plant fibers." With Marie Goodloe. B.P.I. Cir. 128, pp. 17-21. 1913.
DeWitt's Eclectic Cure, misbranding. Chem. N.J. 12538. 1925; Chem. N.J. 12777. 1925; Chem. N.J. 12836. 1925; Chem. N.J. 13269. 1925.
DeWitt's Liver, Blood, and Kidney Remedy, misbranding. Chem. N.J. 13269. 1925.
Dewtry. See Jimson weed.
Dexodes nigripes, notes on. Ent. T.B. 12, Pt. VI, p. 102. 1908.
DEXTER, W. H.: "Opportunities for dairying. I. General." Y.B., 1906, pp. 405-408. 1907; Y.B. Sep. 432, pp. 405-408. 1907.

Dextrin—
  characteristics, rotation, and formula. Chem. Bul. 130, p. 22. 1910.
  determination, fruits and fruit products, method Chem. Bul. 66, rev., pp. 20-21. 1905.
  Hawaiian honeydew, separation. Chem. Bul. 110, pp. 54-55. 1908.
  honey, derivation. Chem. Bul. 110, pp. 47-48. 1908.
Dextrose—
  addition to phosphate fertilizer, effects. J.A.R., vol. 6, No. 13, pp. 502-507. 1916.
  calculation table. Chem. Bul. 107, rev., pp. 243-251. 1912.
  content, tuna. B.P.I. Bul. 116, pp. 36-39. 1907.
  description and composition. D.B. 928, p. 3. 1920; F.B. 535, pp. 9, 11. 1913.
  effect—
    in culture media on growth of Rhizopus spp. J.A.R., vol. 24, pp. 35-38. 1923.
    on growth of Azotobacter, yield, and nitrogen fixation. J.A.R., vol. 34, pp. 267-270. 1923.
  fermentation—
    effect of aeration and rate of fermentation. J.A.R., vol. 23, pp. 669-673. 1923.
    in milk, studies. D.B. 782, pp. 12-16. 1919.
  fruits, percentage and chemical composition. F.B. 429, pp. 11, 21-22. 1911.
  grapefruit. J.A.R., vol. 20, pp. 359-372. 1920.
  polarization, effect of hydrosulphite and rongalite. Chem. Bul. 116, pp. 76-77. 1908.
  use in meat curing experiments. D.B. 928, pp. 6-11, 14-28. 1920.
DEYOE, A. M.: "Soil survey of Boone County, Iowa." With A. M. O'Neal, jr. Soil Sur. Adv. Sh., 1920, pp. 135-166. 1923; Soils F.O., 1920, pp. 135-166. 1925.
DE YOUNG, WILLIAM: "Soil survey of—
  Caldwell County, Mo." With H. V. Jordan. Soil Sur. Adv. Sh., 1921, pp. 323-348. 1924.
  Chariton County, Mo." With others. Soil Sur. Adv. Sh., 1918, pp. 34. 1921; Soils F.O., 1918, pp. 1277-1306. 1924.
  Lafayette County, Mo." With H. V. Jordan. Soil Sur. Adv. Sh., 1920, pp. 813-837. 1923; Soils F.O., 1920, pp. 813-837. 1925.
  Mississippi County, Mo." With Robert Wildermuth. Soil Sur. Adv. Sh., 1921, pp. 551-581. 1924.
  Reynolds County, Mo." With others. Soil Sur. Adv. Sh., 1918, pp. 30. 1921; Soils F.O., 1918, pp. 1307-1332. 1924.
  Smith County, Miss." With W. E. Tharp. Soil Sur. Adv. Sh., 1920, pp. 445-492. 1923; Soils F.O., 1920, pp. 445-492. 1925.
DEYSHER, E. F.: "Nitrogen and other losses during the ensiling of corn." With others. D.B. 953, pp. 16. 1921.
Dhurrin, content of sorghum, relation to climatic factors. J.A.R., vol. 6, No. 7, pp. 268-271. 1916.
Diabase, origin, classification, and mineral constituents. Rds. Bul. 37, pp. 13, 14-23, 26. 1911.
Diabetes mellitus, cattle, occurrence with other diseases. B.A.I. [Misc.], "Diseases of cattle," rev. p. 123. 1912.
Diabetic—
  flour, investigation. An. Rpts., 1910, p. 449. 1911; Chem. Chief Rpt., 1910, p. 25. 1910.
  food, standards. F.I.D. 160, Chem. S.R.A. 16, p. 26. 1916.
Diabetics, use of nuts to avoid starchy foods F.B. 332, pp. 18, 22. 1909.
Diabrotica—
  spp.—
    in Texas, biologic notes. Ent. Bul. 82, pp. 76-84. 1912.
    transmission of mosaic disease. D.B. 879, pp. 44-46, 57. 1920.
  See also Corn rootworm; Cucumber beetle.
  vittata, spread of bacterial wilt of cucurbits. J.A.R., vol. 5, No. 6, pp. 257-260. 1915.
Diacetyl morphine hydrochloride tablets, adulteration and misbranding. Chem. N.J. 13634. 1925.
Diachasma—
  fullawayi—
    biology. J.A.R., vol. 15, pp. 430, 434, 445-448, 455-463. 1918.
    record in Hawaii during 1918. J.A.R., vol. 18, pp. 441, 443-445. 1920.

Diachasma—Continued.
  spp., parasites—
    of—
      fruit fly, introduction and records. J.A.R., vol. 25, pp. 1, 4–7. 1923.
      fruit fly, work in Hawaii, 1916. J.A.R., vol. 12, pp. 104, 106–108. 1918.
      Ceratitis capitata, record, Hawaii, 1917. J.A.R., vol. 14, pp. 606–610. 1918.
      Mediterranean fruit fly, description. D.B. 536, pp. 88–95, 97–99. 1918.
      suppression of *Opius humilis*. J.A.R., vol. 12, pp. 286–292. 1918.
  tryoni—
      biology. J.A.R., vol. 15, pp. 420–438, 455–463. 1918.
      record in Hawaii, during 1918. J.A.R., vol. 18, pp. 441, 443–445. 1920.
Diacrisia virginica. See Caterpillar, yellow-bear.
Diaeretus—
  fuscicornis, enemy of the strawberry root louse, description. J.A.R., vol. 30, p. 449. 1925.
  rapae, parasite of cabbage louse. Hawaii A.R., 1914, p. 48. 1915.
Diagnosis, human diseases, means and methods. For. [Misc.], "First-aid manual * * *," pp. 72–74. 1917.
Dialeurodes spp.—
  classification and description. Ent. T.B. 27, Pt. I, pp. 26–33. 1913.
  description. Ent. T.B. 27, Pt. II, pp. 95–109. 1914.
  origin and occurrence, and host plants. J.A.R., vol. 6, No. 12, pp. 469–470. 1916.
Dialium—
  divaricatum, importation and description. No. 47315, B.P.I. Inv. 58, p. 49. 1922.
  laurinum, importation and description. No. 51770, B.P.I. Inv. 65, p. 47. 1923.
Dialyanthera otoba, importation and description. No. 46790, B.P.I. Inv. 57, p. 35. 1922.
Diamino acid(s)—
  determination in processed fertilizers, methods. D.B. 158, pp. 14, 23. 1914.
  in Georgia velvet bean. J.A.R., vol. 22, p. 15. 1921.
  isolation from soils, description. Soils Bul. 74, pp. 32–36. 1910.
Diamond skin disease. See Erysipelas; Urticaria.
Dianella sp., importation and description. No. 46458. B.P.I. Inv. 56, p. 18. 1922.
Dianthus—
  description, varieties, and climate adaptations. F.B. 1381, pp. 40–42. 1924.
  growing in window garden. B.P.I. Doc. 433, p. 4. 1909.
  spp., description, cultivation, and characteristics. F.B. 1171, pp. 60–64, 82. 1921.
Diaphania hyalinata. See Melon caterpillar.
Diapho, Tucker's, misbranding. Chem. S.R.A. Sup. 19, pp. 640–641. 1916.
Diaporthe—
  batatatis—
    cause of dry rot of sweet potatoes. F.B. 714, pp. 22–23. 1916; F.B. 1059, p. 21. 1919; J.A.R., vol. 1, pp. 251, 254, 271. 1913; J.A.R., vol. 15, pp. 349, 361. 1918; S.R.S. Syl. 26, p. 16. 1917.
    cause of dry rot of sweet potatoes. L. L. Harter and Ethel C. Field. B.P.I. Bul. 281, pp. 38. 1913.
  parasitica—
    cause of chestnut bark disease. B.P.I. Bul. 141, pp. 47–48. 1909.
    perpetuation, infection mode, and dissemination. J.A.R., vol. 11, pp. 489–492. 1917.
    See also Chestnut bark disease; Chestnut blight; *Endothia parasitica*.
  phaseolorum—
    cause of lima-bean podblight. J.A.R., vol. 11, pp. 472–504. 1917.
    morphology, pycnidial and ascogenous stages. J.A.R., vol. 11, pp. 479–485. 1917.
  umbrina, cause of brown canker of roses, description. J.A.R., vol. 15, pp. 596–599. 1918.
Diaprepes—
  famelicus, description. J.A.R., vol. 4, p. 263. 1915.

Diaprepes—Continued.
  spengleri—
    varieties, technical descriptions. J.A.R., vol. 4, pp. 257–263, 264. 1915.
    weevil injurious, to citrus and cane, description and control. P.R.An. Rpt., 1914, p. 35. 1915.
  spp. See Sugar-cane weevil.
  See Orange leaf weevil.
Diaretus fuscicornis, enemy of strawberry root louse. J.A.R., vol. 30, p. 449. 1925.
Diarina spp., description, distribution, and uses. D. B. 772, pp. 10, 51–52, 53. 1920.
Diarrhea—
  after eating oysters, probable cause. Chem. Bul. 156, pp. 42–43. 1912.
  calf—
    caused by abortion bacillus. B.A.I. An. Rpt., 1911, pp. 157–158. 1913; B.A.I. Cir. 216, pp. 157–158. 1913.
    causes, symptoms, treatment. B.A.I. Cir. 68, rev., pp. 10–11. 1909; B.A.I. [Misc.], "Diseases of cattle," pp. 34–35, 259–268, 1912.
    remedies. F.B. 1135, p. 12. 1920.
    simple and contagious. B.A.I. [Misc.], "Diseases of cattle," rev., pp. 254–261. 1923.
  calomel pills for, adulteration and misbranding. Chem. N.J. 3049. 1914.
  cattle causes, symptoms an treatment. B.A.I. Cir. 68, rev. pp. 10–11, 12–13. 1909; B.A.I. [Misc.], "Diseases of cattle," pp. 36–37. 1912.
  cause by house flies. F.B. 412, p. 12. 1910.
  causes and treatment. For [Misc.], "First aid manual * * *," pp. 79–80. 1917.
  chick—
    causes and prevention, and treatment. Y.B., 1911, pp. 186, 187, 191. 1912; Y.B. Sep. 559, pp. 186, 187, 191. 1912.
    remedy. B.A.I. Cir. 206, p. 5. 1912.
    studies. B.A.I. An. Rpt., 1908, p. 39. 1910.
    symptoms and control. F.B. 287, rev., p. 35. 1921.
  Cochin-China, spread and control methods. F.B. 463, p. 11. 1911.
  cordial for, misbranding. Chem. N.J. 4147, pp. 233–235. 1916.
  hens, treatment. B.A.I. Cir. 206, p. 5. 1912; F.B. 528, p. 12. 1913; F.B. 1040, p. 26. 1919.
  infectious—
    cause, discovery of organism. Work and Exp. 1921, p. 100. 1923.
    hog, control. Hawaii Bul. 48, p. 24. 1923.
    occurrence in lambs, cause and treatment. F.B. 1155, p. 13. 1921.
  pigs, causes, symptoms, and treatment. F.B. 1244, p. 8. 1923.
  rabbit, remedy. F.B. 496, p. 15. 1912.
  sheep, cause and treatment. F.B. 1155, p. 30. 1921.
  spread, causes, and control methods. F.B. 463, p. 10. 1911.
  white—
    chicken disease, studies. S.R.S. Rpt., 1917, Pt. I, pp. 54, 81, 143. 1918.
    chickens, cause by coccidia. B.A.I. An. Rpt., 1910, p. 488. 1912; B.A.I. Cir. 194, p. 488. 1912.
  chicks—
    George Byron Morse. B.A.I. Cir. 128, pp. 7. 1908.
    cause, symptoms, and treatment. D.B. 517, pp. 1–2. 1917; F.B. 530, pp. 26–29. 1913; F.B. 957, pp. 18–21. 1918; F.B. 1337, pp. 9–13. 1923.
    testing. S.R.S. An. Rpt., 1915, pp. 84–85, 146. 1917.
  control studies, Connecticut. O.E.S. An. Rpt., 1912, p. 91. 1913.
  poultry, study and testing. S.R.S. Rpt., 1916, Pt. I, pp. 42, 148, 153, 232. 1918.
  young—
    chickens, description and control. Guam A.R., 1915, pp. 34–35. 1916.
    pheasants, cause, symptoms and treatment. F.B. 390, pp. 36–37. 1910.
Diarthronomyia hypogaea. See Chrysanthemum midge.
Diary—
  account book, usefulness to farmer. Y.B., 1917, pp. 155–156. 1918; Y.B. Sep. 735, pp. 5–6. 1918.

Diary—Continued.
  farm accounts, suggestions for keeping. F.B. 782, pp. 3–7. 1917.
  use for farm accounts. E. H. Thomson. F.B. 782, pp. 19. 1917.
Diaspinae, recently described, catalogue. Ent. T.B. 16, Pt. VI, pp. 89–95. 1912.
Diaspis—
  lanatus, injury to mulberry trees. An. Rpts. 1907, p. 455. 1908.
  pentagona—
    control by lime-sulphur spray. Ent. Cir. 52, pp. 2–3, 4. 1903.
    injury to vegetables in Porto Rico. D.B. 192, pp. 4, 10, 11. 1915.
  See also Scale, mulberry.
Diastase—
  determination in distillery mashes. Chem. Bul. 130, p. 72. 1910.
  function in fermentation. Chem. Bul. 130, pp. 32, 43. 1910. F.B. 410, p. 19. 1910.
  in apple pulp, study. J.A.R. vol. 5, No. 3, pp. 108–109. 1915.
Diastasolin, starch inversion, use in calf feeding. F.B. 381, p. 22. 1909.
Diatomaceous earth—
  use in clarification of fruit juices. D.B. 1025, pp. 10–26. 1922.
  See also Earth, infusorial.
Diatraea—
  saccharalis crambidiodes. See Sugar-cane moth borer.
  spp.—
    records. D.B. 746, pp. 10–11. 1919.
    two larval characters and distribution. J.A.R., vol. 6, No. 15, pp. 621–626. 1916.
  zeacolella, food plants. J.A.R., vol. 30, p. 786. 1925.
  zeacolella. See also Corn stalk borer.
Diaulinopsis callichroma, parasite of Cerodonta dorsalis. D.B. 432, p. 15. 1916.
Diaulinus—
  spp., parasites of—
    corn leaf miner. J.A.R., vol. 2, pp. 27, 28. 1914.
    serpentine leaf miner. J.A.R., vol. 1, pp. 78–79. 1913.
  websteri, parasite of Cerodonta dorsalis. D.B. 432, p. 15. 1916.
Dibble, use in—
  setting sweet potato plants. F.B. 324, p. 19. 1908.
  transplanting forest seedlings. D.B. 479, p. 57. 1917.
Dibothriocephalus spp., comparison with Taenia ovis. J.A.R., vol. 1, p. 35. 1913.
Dibrachoides cynastes, parasite of alfalfa weevil, introduction. D.C. 301, pp. 3, 4. 1924.
Dibrachys—
  clisiocampae, parasite of codling moth. D.B. 932, p. 83. 1921.
  nigrocyaneus, parasite of Diprion simile, habits. D.B. 1182, pp. 16–17. 1923.
Dicellostylesjujubifolia, importation and description. No. 47673. B.P.I. Inv. 59, p. 45. 1922.
Dicentra—
  chrysantha. See Bleeding heart, yellow.
  cucullaria, poisonous to cattle. B.P.I. Chief Rpt. 1921, p. 44. 1921.
  thalictrifolia, importation and description. No. 39108. B.P.I. Inv. 40, p. 75. 1917: No. 47674, B.P.I. Inv. 59, p. 45. 1922.
Dicentrine, alkaloid in Bikukulla spp. J.A.R., vol. 23, pp. 71, 72, 73. 1923.
Dicerca—
  prolongata, injury to aspen trees. F.B. 1154, p. 10. 1920.
  spp., larval structure, distribution, habits, and host trees. D.B. 437, pp. 6, 7. 1917.
Dichroa febrifuga, importation, and description. No. 39461. B.P.I. Inv. 41, p. 53. 1917; No. 47675, B.P.I. Inv. 59, p. 45. 1922.
Dichromanassa rufescens. See Egret, reddish.
Dickcissel—
  food habits and distribution. Biol. Bul. 15, pp. 23–24, 45, 62, 89–92. 1901.
  useful food habits, and occurrence in Arkansas. Biol. Bul. 38, p. 68. 1911.
DICKERSON, E. L., "Natural checks of cottony maple scale." Ent. Bul. 67, pp. 48–52. 1907.

DICKEY, J. B. R.—
  "Reconnaissance soil survey of south part of north-central Wisconsin." With others. Soil Sur. Adv. Sh., 1915, pp. 65. 1917; Soils F.O., 1915, pp. 1585–1645. 1919.
  "Soil survey of—
    Bradford County, Fla." With others. Soil Sur. Adv. Sh., 1913, pp. 36. 1914; Soils F.O., 1913, pp. 643–674. 1916.
    Bradford County, Pa." With others. Soil Sur. Adv. Sh., 1911, pp. 41. 1913; Soils F.O., 1911, pp. 231–267. 1914.
    Colquitt County, Ga." With A. T. Sweet. Soil Sur. Adv. Sh., 1914, pp. 39. 1915; Soils F.O., 1914, pp. 961–995. 1919.
    Frederick County, Va." With W. B. Cobb. Soil Sur. Adv. Sh., 1914, pp. 48. 1916; Soils F.O., 1914, pp. 429–472. 1919.
    Rapides Parish, La." With others. Soil Sur. Adv. Sh., 1916, pp. 43. 1918; Soils F.O., 1916, pp. 1121–1159. 1921.
    the Freehold area, New Jersey." With others. Soil Sur. Adv. Sh., 1913, pp. 51. 1916; Soils F.O., 1913, pp. 95–141. 1916.
Dickey system of drainage. Y.B., 1916, p. 131. 1917; Y.B., Sep. 688, p. 25. 1917.
Dickinson Field Station, spring wheat production, various methods, 1908–1914, yields and cost. D.B. 214, pp. 17–19, 37–42. 1915.
DICKSON, J. G.—
  "Influence of soil temperature and moisture on the development of the seedling-blight of wheat and corn caused by Gibberella saubinetii." J.A.R., vol. 23, pp. 837–870. 1923.
  "Production of conidia in Gibberella saubinetii." With Helen Johann. J.A.R., vol. 19, pp. 235–237. 1920.
  "Wheat scab and corn root rot caused by Gibberella saubinetii in relation to crop successions." With others. J.A.R., vol. 27, pp. 861–880. 1924.
  "Wheat scab and its control." With Aaron G. Johnson. F.B. 1224, pp. 16. 1921.
DICKSON, WILLIAM: "Surgical operations." With William Herbert Lowe. Revised by B. T. Woodward. B.A.I. [Misc.], "Diseases of cattle," rev., pp. 285–302. 1904; pp. 295–314. 1912; pp. 289–302. 1923.
Dicrocoelium dendriticum, spread by dogs. D.B. 260, p. 23. 1915.
Dictyocaulus—
  filaria, description, occurrence in sheep, and treatment. F.B. 1150, pp. 50–51. 1920.
  hadweni, n. sp., nematode from bison, description. J.A.R., vol. 30, p. 677. 1925.
  sp. See Lungworms.
Dictyophora spp., description. D.B. 175, pp. 47–48. 1915.
Dictyospermum scale, injury, history, and control. F.B. 1261, pp. 4–8, 30. 1922.
Dicyanodiamide, toxicity to plants, studies. F. E. Allison and others. J.A.R., vol. 30, pp. 419–429. 1925.
Dicymolomia julianalis, similarity to Pectinophora gossypiella. J.A.R., vol. 20, pp. 807, 830–831. 1921.
Didelphis virginiana. See Opossum.
Die-back—
  avocado, control. Hawaii A.R., 1921, p. 12. 1922.
  citrus trees, investigations. S.R.S. Rpt., 1916, Pt. I, pp. 69, 90. 1918.
  occurrence and description, Texas. B.P.I. Bul. 226, pp. 25, 26, 27, 28, 32, 73. 1912.
  olive, description and control. F.B. 1249, pp. 42–43. 1922.
  pecan, cause and treatment. F.B. 1129, pp. 12–13. 1920.
DIEHL, H. C.—
  "Freezing injury of apples." With R. C. Wright J.A.R., vol. 29, pp. 99–127. 1924.
  "Physiological studies on apples in storage." With J. R. Magness. J.A.R., vol. 27, pp. 1–28. 1923.
  "The chilling of tomatoes. D.C. 315, pp. 6. 1924."
DIEHL, W. W.: "A list of fungi (Ustilaginales and Uredinales) prepared for exchange." With others. D.C. 195, pp. 50. 1922.

INDEX TO PUBLICATIONS, 1901–1925 — 731

Diervilla—
  sessifolia, importation and description. No. 49945, B.P.I. Inv. 63, p. 23. 1923.
  spp. importations and description. Nos. 43841–43844, B.P.I. Inv. 49, pp. 85–86. 1921.
Dies, box, meat marking, approval regulation. B.A.I. S.R.A. 203, pp. 27–29. 1924.
Diet—
  adequacy for various persons, determination studies. F.B. 808, pp. 11–12. 1917.
  American—
    adequacy, and kinds of food eaten. Y.B., 1907, pp. 373–376. 1908; Y.B. Sep. 454, pp. 373–376. 1908.
    average, adequacy. O.E.S. Cir. 110, pp. 23–25. 1911.
  and food customs, American homes. C. F. Langworthy. O.E.S. Cir. 110, pp. 32. 1911.
  balancing requirements. F.B. 1228; pp. 8–18. 1921.
  care of food in the home. Mary Hinman Abel. F.B. 375, pp. 46. 1909.
  cheese, economical uses. C. F. Langworthy and Caroline L. Hunt. F.B. 487, pp. 40. 1912.
  cost, relation of variety. O.E.S. Cir. 110, pp. 27–29. 1911.
  deficiency in vitamins, cause of beriberi disease. J.A.R., vol. 5, No. 11, p. 490. 1915.
  eggs, importance. D.B. 471, pp. 25–29. 1917.
  emergency, uses of fresh fruits and vegetables to save staple foods. F.B. 871, pp. 4, 6–7. 1917.
  for—
    canary, recommendations. F.B. 1327, pp. 9–10, 11, 12–13, 18, 19. 1923.
    children—
      and school lunches. O.E.S. An. Rpt., 1909, p. 387. 1910.
      principles and suggestions. F.B. 717, rev., pp. 1–22. 1920.
    cow, relation to secretion of milk. J.A.R., vol. 29, pp. 603–624. 1924.
    family, milk need and value. D.C. 129, pp. 1–4. 1920.
  function of vegetable foods. D.B. 503, p. 4. 1917.
  improvement—
    due to livestock on farm. Y.B., 1916, pp. 474–475. 1917; Y.B. Sep. 694, pp. 8–9. 1917.
    for farmers' families, suggestions. Sec. Cir. 56, p. 7. 1916.
  iron in, source in cereals and other seeds. J.A.R., vol. 23, No. 6, pp. 398–399. 1923.
  Japanese, fuel value of nutrients. O.E.S. Bul. 159, pp. 216–224. 1905.
  kitchens, organization for Public Health Service in South. S.R.S. Rpt., 1918, p. 57. 1919.
  lamb and mutton, value and uses. F.B. 1324, pp. 14. 1923.
  manganese in, source in cereals and other seeds. J.A.R., vol. 23, pp. 398–399. 1923.
  meat—
    expense and suggestion for reduction. F.B. 391, pp. 16–18. 1910.
    substitutes, cheese and other. C. F. Langworthy. Y.B., 1910, pp. 359–370. 1911; Y.B. Sep. 543, pp. 359–370. 1911.
  milk, importance. Sec. Cir. 85, pp. 5–9, 19–20. 1918.
  mixed—
    meat digestion experiments, details. O.E.S. Bul. 193, pp. 12–46. 1907.
    nature and use in digestion experiments with fish. D.B. 649, p. 5. 1918.
  needs of body in food. F.B. 871, pp. 3–4. 1917.
  nuts, use and value. F.B. 332, pp. 16–18. 1908; Y.B., 1906, p. 303. 1907; Y.B. Sep. 424, p. 303. 1907.
  place of—
    fruit. Y.B., 1905, pp. 314–316, 323–324. 1906; Y.B. Sep. 385, pp. 314–316, 323–324. 1906.
    potatoes, discussion. Y.B., 1900, p. 374. 1901.
  proportions of different foods. Caroline L. Hunt. F.B. 1313, pp. 24. 1923.
  protein needs and sources. F.B. 824, pp. 1–19. 1917.
  rations for small family. F.B. 824, p. 17. 1917.
  relation to toxicity of drugs. Chem. Bul. 148, p. 94. 1912.
  sample meals furnishing equal amounts of protein. F.B. 824, pp. 14–16. 1917.
  saving in staple food. F.B. 871, pp. 6–7. 1917.

Diet—Continued.
  soy-bean and peanut flours, experiments. D.B. 717, pp. 14, 17–18, 20–21. 1918.
  studies on value of dairy products. Y.B., 1322, pp. 285–287. 1923; Y.B. Sep. 879, pp. 4–6. 1923.
  United States. C. F. Langworthy. Y.B., 1907, pp. 361–378. 1908; Y.B. Sep. 454, pp. 361–378. 1908.
  use of—
    food charts. F.B. 1383, p. 34. 1924.
    green vegetables. C. F. Langworthy. Y.B., 1911, pp. 439–452. 1912; Y.B. Sep. 582, pp. 439–452. 1912.
    milk. F.B. 413, pp. 14–20. 1910.
  value of mutton. C. F. Langworthy and Caroline L. Hunt. F.B. 526, pp. 32, 1913.
  variety—
    added by use of cottage cheese. Y.B., 1918, pp. 273, 274. 1919; Y.B. Sep. 787, pp. 5, 6. 1919.
    importance, and means of securing. Y.B., 1913, pp. 152–154. 1914; Y.B. Sep. 621, pp. 152–154. 1914.
    in relation to cost. Y.B., 1907, p. 376. 1908; Y.B. Sep. 454, p. 376. 1908.
  See also Food.
Dietary(ies)—
  American—
    change in favor of vegetable foods. Rpt. 91, pp. 14–15. 1909; Sec. A.R., 1909, pp. 20–21. 1909; Y.B., 1909, pp. 20–21. 1910.
    rural, discussion. O.E.S. Bul. 221, pp. 137–142. 1909.
  and dietary standards, American and European. F.B. 142, pp. 32–37. 1902.
  ash constituents, comparative summary. O.E.S. Bul. 227, pp. 68–70. 1910.
  children, use of sugar, methods. F.B. 535, pp. 30–31. 1913.
  convicts, experimental road camp, details and cost. D.B. 583, pp. 29–36. 1918.
  customs of different nations. Y.B., 1907, pp. 361–363. 1908; Y.B. Sep. 454, pp. 361–363. 1908.
  daily, for woman. O.E.S. Bul. 200, pp. 17–18. 1908.
  experiments—
    fine wheat bran and unground bran. D.B. 751, pp. 9–17. 1919.
    Japan, results. O.E.S. Bul. 159, pp. 101–128. 1905.
    with—
      benzoic acid. Chem. Bul. 84, Pt. IV, pp. 1043–1294. 1908.
      bicycle riders. O.E.S. Bul. 208, pp. 21–26. 1909.
      miscellaneous animal fat. Arthur D. Holmes. D.B. 613, pp. 27. 1919.
  farm, Minnesota. F.B. 366, p. 32. 1909.
  meat equivalents in other foods. Rpt. 109, pp. 16, 134–135. 1916.
  methods of recording. Y.B., 1907, p. 364. 1908; Y.B. Sep. 454, p. 364. 1908.
  national, importance of potatoes. D.B. 47, p. 3. 1913.
  public institutions. Y.B., 1901, pp. 393–408. 1902; Y.B. Sep. 244, pp. 393–408. 1902.
  source of protein, control, studies. O.E.S. Bul. 227, pp. 59–68. 1910.
  standards—
    aged persons, comparative. O.E.S. Bul. 223, pp. 83–85. 1910.
    and physiological requirements. O.E.S. Cir. 110, pp. 19–22. 1911.
    children, various ages and weights. O.E.S. Bul. 223, pp. 94–98. 1910.
  studies—
    Baltimore, private institutions for the aged and children. O.E.S. Bul. 223, pp. 46–75. 1910.
    college students' clubs. O.E.S. Bul. 227, pp. 46–48. 1910.
    cooperative work, and institutions cooperating. O.E.S. An. Rpt., 1910, pp. 451–452. 1911.
    farmers' families and outdoor laborers. O.E.S. Bul. 227, pp. 55–58. 1910.
    food-value tests. F.B. 535, pp. 16–17, 20–21, 22. 1913.
    fruit and nuts. F.B. 293, pp. 22–24. 1907.
    Government Hospital for Insane. H. A. Pratt and A. D. Milner. O.E.S. Bul. 150, pp. 170. 1904.

36167°—32——47

Dietary(ies)—Continued.
studies—continted.
homes for the aged, comparative summary. O.E.S. Bul. 223, pp. 83-87. 1910.
in—
Boston and Springfield, Mass., Philadelphia, and Chicago. Lydia Southard and others. O.E.S. Bul. 129, pp. 103. 1903.
digestion of animal fats. D.B. 507, pp. 20. 1917.
New York City, 1896 and 1897. W. O. Atwater and A. P. Bryant. O.E.S. Bul. 116, pp. 83. 1902.
rural regions in Vermont, Tennessee, and Georgia. J. L. Hills and others. O.E.S. Bul. 221, pp. 142. 1909.
mechanics' and indoor laborers' families. O.E.S. Bul. 227, pp. 48-54. 1910.
nuts and fruit, California Experiment Station F.B. 332, pp. 14-16. 1908.
object, summary of results. O.E.S. Cir. 110, pp. 10-11, 13, 15-17. 1911; Y.B., 1907, pp. 363-368. 1908; Y.B. Sep. 454, pp. 363-368. 1908.
on varying conditions of living. O.E.S. Bul. 227, pp. 42-58. 1910.
professional men's families. O.E.S. Bul. 227, pp. 42-46. 1910.
relation to planning meals. Y.B., 1913, pp. 151-157. 1914; Y.B. Sep. 621, pp. 151-157. 1914.
United States and other countries, summary. O.E.S. Cir. 110, pp. 15-17. 1911.
with Harvard University students. Edward Mallinckrodt, jr. O.E.S. Bul. 152, pp. 138. 1905.
survey—
cooperative work of home economics. An. Rpts., 1918, pp. 369-371. 1919; S.R.S. Rpt., 1918, pp. 35-37. 1918.
for schools, forms. D.C. 250, pp. 11-14, 29-31. 1923.
tests of bob veal. J.A.R., vol. 6, No. 16, pp. 579-580. 1916.
value of cheese, discussion. B.A.I. Cir. 166, pp. 19-22. 1911.
weekly, suggestions. Thrift Leaf. 16, pp. 1-4. 1919.
woman at moderate work. O.E.S. Bul. 200, p. 18. 1908.
Dietetics—
digestibility of grain sorghums. D.B. 470, pp. 1-31. 1916.
in relation to hospitals for insane. W. O. Atwater. O.E.S. Rpt., 1904, pp. 473-492. 1904.
See also Food, Nutrition.
DIETZ, H. F.—
"A new avocado weevil from the Canal Zone." With H. S. Barber. J.A.R., vol. 20, pp. 111-116. 1920.
"Biological notes on the termites of the Canal Zone and adjoining parts of the Republic of Panama." With T. E. Snyder. J.A.R. vol. 26, pp. 279-302. 1924.
"Fumigation of cattleya orchids with hydrocyanic-acid gas." With E. R. Sasscer. J.A.R., vol. 15, pp. 263-268. 1918.
"The black fly of citrus and other subtropical plants." With James Zetek. D.B. 885, pp. 55. 1920.
DIETZ, S. M.: "The role of the genus Rhamnus in the dissemination of crown rust." D.B. 1162, pp. 19. 1923.
Diffusion tension, fruit juices, hosts of parasitic fungi. J.A.R., vol 7, pp. 256, 258. 1916.
Digester—
alcohol plants, description, size, capacity. D.B. 983, p.65. 1922.
ethel alcohol production, record. D.B. 983, pp. 95-97. 1922.
use in pulp making, description. D.B. 72, p. 5. 1914.
Digestibility—
bread—
and macaroni, studies, University of Minnesota, 1903-1905. Harry Snyder. O.E.S. Bul. 156, pp. 80. 1905.
studies at Maine Experiment Station. O.E.S. Bul. 143, pp. 1-77. 1904.

Digestibility—Continued.
cereal and other foods, comparison, table. F.B. 249, pp. 17-19. 1906.
coefficients—
food groups. O.E.S. Cir. 110, p. 12. 1911.
in nutrients of different meats. O.E.S. Bul. 193, pp. 41-46. 1907.
slop feed, estimation. F.B. 410, p. 37. 1910.
various foods and for different animals. Chem. Bul. 120, pp. 8-10. 1909.
eggs. D.B. 471, pp. 15-16. 1917.
fats, animal—
dietary experiments. C. F. Langworthy and A. D. Holmes. D.B. 310, pp. 23. 1915.
experiments. Arthur D. Holmes. D.B. 613, pp. 27. 1919.
studies and experiments. D.B. 507, pp. 20. 1917.
feed of cows in milk-production experiment. D.B. 1281, pp. 13-14. 1924.
fish, experiments. A. D. Holmes. D. B. 649, pp. 15. 1918.
food—
discussion. O.E.S. Cir. 46, pp. 10, 11. 1901.
experiments on effect of muscular work. Charles E. Wait. O.E.S. Bul. 117, pp. 43. 1902.
grain sorghums, studies. C. F. Langworthy and A. D. Holmes. D.B. 470, pp. 31. 1916.
legumes, and nutritive value. O.E.S. Bul. 187, pp. 55. 1907.
meats, comparison of different cuts. F. B. 391, pp. 7-8. 1910.
milk—
constituents governing, studies. F.B. 1207, pp. 9-11, 32. 1921.
process and results of digestion. F.B. 363. pp. 20-23. 1909.
raw, pasteurized, and cooked. F.B. 149, pp. 27-28. 1902.
mutton. F.B. 526, p. 6. 1913.
nut oils, studies. A. D. Holmes. D.B. 630, pp. 15. 1918.
nuts, study. F.B. 332, pp. 14-16. 1908.
oils from—
kernels and seeds. D.B. 781, pp. 1-16. 1919.
seeds. A. D. Holmes. D.B. 687, pp. 20. 1918.
palates of cattle. J.A.R., vol. 6, No. 17, pp. 641-648. 1916.
prickly pear by cattle, experiments. R. F. Hare. B.A.I. Bul. 106, pp. 38. 1908.
raw starches and carbohydrates. C. F. Langworthy and Alice Thompson Merrill. D. B. 1213, pp. 16. 1924.
red clover hay and maize meal, discussion. B.A.I. Bul. 74, p. 32. 1905.
starches, as affected by cooking. Edna D. Day. O.E.S. Bul. 202, pp. 42. 1908.
Sudan-grass hay for dairy feeding. J.A.R., vol. 14, pp. 178-184. 1918.
veal. J.A.R., vol. 6, No. 16, pp. 577-588. 1916.
vegetable fats. C. F. Langworthy and A. D. Holmes. D.B. 505, pp. 20. 1917.
wheat bran without flour. Arthur D. Holmes. D.B. 751, pp. 20. 1919.
Digestion—
and health—
effect of salicylic acid and salicylates. Chem. Bul. 84, Pt. II, pp. 479-760. 1906.
influence of preservatives and artificial colors. H. W. Wiley and others. Chem. Bul. 84, pp. 1500. 1904-1908.
animal, studies. O.E.S. An. Rpt., 1908, pp. 347-348, 352. 1909.
artificial, experiments. O.E.S. Bul. 193, pp. 61-63, 76-93. 1907.
cattle, studies, changes in feed residues. J.A.R., vol. 13, pp. 639-646. 1918.
cheese, experiments with human subjects, Connecticut and Minnesota. B.A.I. Cir. 166, pp. 1-22. 1911.
dairy cows, experiments and studies. D.B. 1281, pp. 6-7, 10-11, 13-14. 1924.
effect of—
benzoic acid and benzoates. Chem. Bul. 84, pp. 1043-1294. 1908; Chem. Cir. 39, pp. 15. 1908.
boric and boric acid, experiments. Chem. Cir. 15, pp. 1-27. 1911.
formaldehyde. Chem. Cir. 42, pp. 16. 1908.

Digestion—Continued.
 effect of—continued.
  sodium benzoate in food. Rpt. 88, pp. 36-45. 1909.
  sulphurous acid and sulphites, investigations. Chem. Bul. 84, pp. 761-1041. 1907; Chem. Cir. 37, pp. 18. 1907.
 experiments with—
  by-product oils. D.B. 781, pp. 3-16. 1919.
  soy-bean and peanut flours. D.B. 717, pp. 14-26. 1918.
 food, assimilation and excretion, O.E.S. Bul. 200, pp. 19-24. 1908, O.E.S. Cir. 110, pp. 11-13 1911.
 human, relation to muscular work, experimental study. O.E.S. Bul. 98, pp. 45-47, 54-56. 1901.
 influence of saccharin. Rpt. 94, pp. 9-227. 1911.
 injury by use of benzoate of soda and benzoic acid. Chem. Cir. 39, p. 14. 1908.
 liberation of hydrocyanic acid. J.A.R., vol. 22, p. 127. 1921.
 meat, effect of cooking, studies, University of Illinois. H. S. Grindley and others. O.E.S. Bul. 193, pp. 100. 1907.
 milk, enzyms producing curdling. F.B. 490, pp. 14-15. 1912.
 natural and artificial, comparison, feeding experiments. B.A.I. Bul. 139, pp. 20-22. 1911.
 poultry, experiments. E. W. Brown. B.A.I. Bul. 56, pp. 112. 1904.
 process, milk nutrients. F.B. 363, pp. 21-23. 1909.
 steers, relation to passage of food residues studies. J.A.R., vol. 10, pp. 55-63. 1917.
 sugar, studies. F.B. 535, p. 17. 1913.
 trials—
  dairy cows in prickly-pear feeding experiments. J.A.R., vol. 4, pp. 418-421, 445-450. 1915.
  feed-utilization experiments. B.A.I. Bul. 128, pp. 66-69, 189-199. 1911.
 value of green vegetables. Y.B., 1911, pp. 447-449. 1912; Y.B. Sep. 582, pp. 447-449. 1912.
Digestive—
 organs, diseases of—
  A. J. Murray. B.A.I. [Misc.], "Diseases of cattle," rev., pp. 14-52. 1904; pp. 14-52 1908; pp. 14-53. 1912; pp. 12-50. 1923.
  Ch. B. Michener. B.A.I. [Misc.], "Diseases of the horse," rev., pp. 34-74. 1903; pp. 34-74. 1907; pp. 34-74. 1911; pp. 49-94. 1916; pp. 49-94. 1923.
 powers, comparison of two animals with various feeding stuffs. B.A.I. Bul. 128, pp. 25-34. 1911.
Digitalis—
 culture and handling as drug plant, yield, and price. F.B. 663, p. 22. 1915.
 growing—
  and uses, harvesting, marketing and prices. F.B. 663, rev., pp. 30-31. 1920.
  experiments. Y.B., 1917, p. 172. 1918; Y.B. Sep. 734, p. 6. 1918.
 leaves, adulteration, discussion. Chem. Bul. 122, pp. 96, 104. 1909.
 use in control of zygadenus poisoning of sheep. D.B. 125, p. 38. 1915.
 See also Foxglove.
Digitaria—
 didactyla. See Couch grass, blue.
 iburua, importation and description. No. 51257, B.P.I. Inv. 64, pp. 5, 81. 1923.
 spp., occurrence in Guam. Guam A.R. 1913, p. 16. 1914.
 exilis. See Fundi grass.
Dihydrogen potassium arsenate, use in control of termites. D.B. 333, p. 30. 1916.
Dihydroxystearic acid—
 isolation from soil, effect on plants, general study. Soils Bul. 53, pp. 35-40, 49-51, 52. 1909; Soils Bul. 75, pp. 31, 32, 42. 1911; Soils Bul. 89, pp. 25, 33-35. 1912.
 occurrence in different soils. Soils Bul. 80, pp. 24-32. 1911.
 preparation. Soils Bul. 70, p. 13. 1910; Soils Bul. 80, pp. 19-20. 1911.
 use in solutions with fertilizer salts. Soils Bul. 70, pp. 28-96. 1910.
Dikes—
 building and management by districts, on Wabash silt loam. Soils Cir. 40, pp. 6-7. 1911.

Dikes—Continued.
 cranberry fields, construction and use. F.B. 1400, pp. 23-25. 1924.
 injury by ground squirrels, note. Biol. Cir. 76. p. 7. 1910.
 location and building. O.E.S. Dir. Rpt., 1906, pp. 379-385. 1907.
Dilatometer, measurement of inactive moisture in the soil. J.A.R., vol. 8, pp. 195-217. 1917.
DILL, H. R.: "Report of an expedition to Laysan Island in 1911." With Wm. Alanson Bryan. Biol. Bul. 42, pp. 30. 1912.
Dill—
 and gin phosphate, misbranding. Chem. N.J. 3977. 1915.
 culture and handling as drug plant, yield, and price. F.B. 663, p. 23. 1915.
 drying and use. D.C. 3, p. 16. 1919.
 growing and uses, harvesting, marketing, and prices. F.B. 663, rev., p. 31. 1920.
 pickles—
  description and use. F.B. 1159, pp. 8, 13-15. 1920.
  directions for making—
   and caution. F.B. 254, pp. 21-22. 1906.
   large or small quantities. F.B. 1438, pp. 8-10. 1924.
 seed. See also Spice.
 use as food flavoring. O.E.S. Bul. 245, p. 68. 1912.
DILLE, ALVIN—
 "Forestry lessons on home woodlands." With Wilbur R. Mattoon. D.B. 863, pp. 46. 1920
 "How teachers may use F.B. 602, clean milk: Production and handling." D.C. 67, pp. 60. 1920.
 "How teachers may use Farmers' Bulletin 1044, the city home garden." D.C. 33, pp. 8. 1919.
 "How teachers may use publications on the control of diseases and insect enemies of the home garden." D.C. 68, pp. 4. 1919.
 "How teachers may use department publications on home storage of fruits and vegetables." S. R. S[Misc.], "How teachers may use * * *," pp. 2. 1918.
 "How teachers may use farmers' bulletins on foods." S.R.S. [Misc.], "How teachers may use * * *," pp. 4. 1918.
 "How teachers may use F.B. 881, pickling, salting and canning vegetables." S.R.S. [Misc.], "How teachers may use * * *," pp. 2. 1918.
 "Lessons on dairying for rural schools." D.B. 763, pp. 31. 1919.
 "Lessons on potatoes for elementary rural schools." D.B. 784, pp. 24. 1919.
 "The reorganization of the country school." Y.B., 1919, pp. 289-306. 1920; Y.B. Sep. 812, pp. 289-306. 1920.
Dillenia—
 pentgyna, importation and description. No. 39109, B.P.I. Inv. 40, pp. 6, 75. 1917.
 spp., importations and description. Nos. 38383-38384, B.P.I. Inv. 39, p. 123. 1917.
DILLMAN, A. C.—
 "Breeding drought-resisting forage plants for the Great Plains area." B.P.I. Bul. 196, pp. 40. 1910.
 "Breeding millet and sorgo for drought adaptation." D.B. 291, pp. 19. 1916.
 "Grasses for canal banks in western South Dakota." B.P.I. Cir. 115, pp. 23-31. 1913.
 "Oats, barley, rye, rice, grain sorghum, seed flax, and buckwheat." With others. Y.B., 1922, pp. 469-568. 1923; Y.B. Sep. 891, pp. 469-568. 1923.
 "Production of seed flax." F.B. 1328, pp. 17. 1924.
 "Seed flax as farm crop in 1925." With others. D.C. 341, pp. 14. 1925.
Dimension stock—
 losses and saving. M.C. 39, p. 98. 1925.
 needs of users. R. E. Brown. M.C. 39, pp. 50-52. 1925.
 production for avoidance of waste. M.C. 39, pp. 47-50. 1925.
Dimeria spp., occurrence in Guam. Guam A.R., 1913, p. 16. 1914.
Dimerosporium parkinsoniae, occurrence in Texas, and description. B.P.I. Bul. 226, p. 78. 1912.

Dimethyl sulphate, test, road materials, equipment and method. D.B. 314, p. 25. 1915.
Dimmockia—
 larvae, parasitized by *Perilampus hyalinus*. Ent. T.B. 19, Pt. IV, p. 35. 1912.
 secundus, description. Ent. T.B. 19, Pt. II, p. 24. 1910.
Dimocarpus longan—
 importation and description(s). No. 34206, B.P.I. Inv. 32, p. 23. 1914; No. 43585, 43784, B.P.I. Inv. 49, pp. 47, 77. 1921.
 See also Longan.
Dimorphism, types and relations, studies. B.P.I. Bul. 221, pp. 32–50, 51. 1911.
Dimorphotheca—
 description, cultivation, and characteristics. F.B., 1171; p. 58. 1921.
 spectabilis, importation and description. No. 48768, B.P.I. Inv. 61, pp. 3, 45. 1922.
Dinitrocresol, fumigant against mosquitoes. Ent. Bul. 88, p. 37. 1910.
Dinner. *See* Menus.
Dinoderus—
 brevis. *See* Shot hole borer.
 distinctus, hosts and descriptions. Sec. [Misc.], "A manual of insects * * *," p. 143. 1917.
 truncatus. *See* Grain borer, larger.
Dinothrombium spp., description. Rpt., 108, p. 44. 1915.
Dinychus spp., description and habits. Rpt., 108, pp. 88, 89. 1915.
Dioclea—
 lasiocarpa, importation and description. No. 54323, B.P.I. Inv. 68, p. 51. 1923.
 reflexa, importations and descriptions. Nos. 45509, 45629, B.P.I. Inv. 53, pp. 44, 71. 1922.
Dioctes obliteratus, parasite of grape-berry moth, same as *Thymaris slingerlandana*. Ent. Bul. 116, Pt. II, p. 48. 1912.
Dioctophyme renale. *See* Kidney worm, giant.
Diomedea albatrus. *See* Albatross, short-tailed.
Diomediidae, Laysan Island, numbers and description. Biol. Bul. 42, pp. 15–17. 1912.
Diorite, origin, classification, and mineral constituents. Rds. Bul. 37, pp. 13, 14–23, 25. 1911.
Dioscorea—
 alta, maggots affecting. Ent. Bul. 82, Pt. VII, p. 90. 1911.
 daemona importation and description. No. 42524, B.P.I. Inv. 47, p. 24. 1920.
 Hawaiian, purpling chromogen. B.P.I. Bul. 264, pp. 19. 1912.
 latifolia. *See* Acom.
 sativa, importation and description. Nos. 36629, 36816, 36873, B.P.I. Inv. 37, pp. 42, 69, 77. 1916.
 source and description. B.P.I. Bul. 189, pp. 19–25. 1910.
 sources in United States. Harley Harris Bartlett. B.P.I. Bul. 189, pp. 29. 1910.
 spp.—
  importations and descriptions. Nos. 42052–42054, B.P.I. Inv. 46, pp. 6, 50. 1919; Nos. 46768, 46801, 46894, B.P.I. Inv. 57, pp. 7, 31, 36, 47. 1922; Nos. 47398, 47399, 47446, 47493–47495, 47565, B.P.I. Inv. 59, pp. 15, 20, 21, 31. 1922.
  See also Yams.
Diosphyrus vulgaris, parasite of sugar-beet webworm. Ent. Bul. 109, Pt. VI, p. 62. 1912.
Diospyros—
 discolor. *See* Mabola fruit.
 kaki, forms found in China, value and uses. B.P.I. Bul. 204, pp. 10–16. 1911.
 lotus, characteristics. Y.B., 1911, p. 418. 1912; Y.B. Sep. 580, p. 418. 1912.
 lycopersicon, importation and description. No. 54047, B.P.I. Inv. 68, p. 22. 1923.
 senegalensis. *See* Inkulu.
 spp., importations and descriptions. Nos. 39324, 39554, 39556, B.P.I. Inv. 41, pp. 10, 40. 1917; Nos. 41691–41702, 41723, 41779–41793, 42138–42165, B.P.I. Inv. 46, pp. 10, 15, 21, 58. 1919; Nos. 44108, 44130, 44187, 44362, 44363, B.P.I. Inv. 50, pp. 30, 33, 40, 62. 1922; Nos. 44535, 44688, 47771, B.P.I. Inv. 51, pp. 21, 48, 62. 1922; Nos. 52287–52288, B.P.I. Inv. 65, pp. 6, 85. 1923; Nos. 52377, 52510, B.P.I. Inv. 66, pp. 3, 17, 35. 1923.
 tupru, importations and description. No. 43215, B.P.I. Inv. 48, p. 28. 1921; Nos. 53572–53573, B.P.I. Inv. 67, pp. 3, 63. 1923.

Diospyros—Continued.
 virginiana—
  injury by sapsuckers. Biol. Bul. 39, p. 49. 1911.
  See also Persimmon.
Diospyrus—
 peregrina, importations and description. No. 31488, B.P.I. Bul. 248, pp. 9, 19. 1912.
 spp., testing for resistant stocks in Texas. D.B. 162, pp. 15, 21–22. 1915.
Dip(s)—
 adulteration and misbranding. I. and F. Bd. N.J. 856, 858, 861. I. and F. Bd. S.R.A. 45, pp. 1071, 1072, 1075. 1923.
 and disinfectant, Conkeys, misbranding. I. and F. Bd. N.J. 19, pp. 3. 1913.
 animal—
  examination. An. Rpts., 1918, pp. 120–121. 1919; B.A.I. Chief Rpt., 1918, pp. 50–51. 1918.
  lime-sulphur, chemical compostition, studies. Robert M. Chapin. D.B. 451, pp. 16. 1916.
  misbranding, "Germo". Insect. N. J. 204, 221. I. and F. Bd. S.R.A. 14, pp. 160–161, 190–191. 1916.
  official, list, and testing. B.A.I. Serv. An. 47, pp. 12–14. 1911.
  use at army camps, and precautions. Sec. Cir. 61, p. 24. 1916.
  zenoleum, misbranding. I. and F. Bd. N.J. 1, p. 1. 1912.
 arsenical—
  action in protecting cattle from tick infestation. H. W. Graybill. B.A.I. Bul. 167, pp. 27. 1913.
  analysis, methods. B.A.I. Cir. 182, pp. 1–2. 1911; D.B. 76, pp. 4–17. 1914.
  for—
   cattle, formulas. B.A.I. An. Rpt., 1910, pp. 268–269, 273, 280–281. B.A.I. Bul. 144, pp. 8–9, 10–44, 61–62. 1912; B.A.I. Cir. 174, pp. 291–293. 1911; F.B. 909, pp. 14–16. 1918.
   cattle precautions in use and disposal of. F.B. 498, pp. 30, 31–33. 1912; F.B. 504, pp. 19–20. 1912.
   cattle preparation and use methods. F.B. 603, pp. 16. 1914.
   cattle ticks, formulas and directions for use. B.A.I. Cir. 207, pp. 5–11. 1912; B.A.I. Cir. 183, pp. 5–10. 1911; Ent. Bul. 105, pp. 37, 43. 1911; F.B. 378, pp. 22–24. 1909; F.B. 498, pp. 27–33. 1912; F.B. 1057, pp. 21–32. 1919.
   tick eradication, notices regarding. B.A.I. S.R.A. 82, pp. 27–29. 1914.
   ticks, formula and cost. Ent. Bul. 105, pp. 37, 43. 1911.
  laboratory and field assay. Robert M. Chapin. D.B. 76, pp. 17. 1914.
  permitted for use, list. B.A.I.S.R.A. 201, p. 8. 1924.
  precautions in use, and disposal of residue. B.A.I. Cir. 207, pp. 10–11. 1912.
  rendering harmless, method of Dalrymple and Kerr. F.B. 504, pp. 19–20. 1912.
  spontaneous oxidation. Aubrey V. Fuller. B.A.I. Cir. 182, pp. 8. 1911.
  testing device. B.A.I. Cir. 207, p. 9. 1912.
 use—
  against screw worm. Y.B., 1912, p. 394. 1913; Y.B. Sep. 600, p. 394. 1913.
  dangers and control methods. D.B. 76, pp. 1–4. 1914.
  in control of external parasites of animals. An. Rpts., 1917, pp. 118, 119, 120. 1918; B.A.I. Chief Rpt., 1917, pp. 52, 53, 54. 1917.
  in fly-larvae destruction in manure, experiments. D.B. 245, pp. 5, 20. 1915.
 authorized for scabies control, regulations. B.A.I.O. 263, pp. 19–20. 1919.
 carsolium, adulteration and misbranding. N.J. 184. I. and F. Bd. S.R.A. 11, pp. 58–59. 1915.
 cattle. *See* Cattle dips.
 coal-tar—
  creosote—
   and cresol, manufacture—Opinion 44. I. and F. Bd. S.R.A. 11, pp. 53–54. 1915.
   and cresol, notice to manufacturers. I. and F. Bd. S.R.A. 11, pp. 53–54. 1915.

Dip(s)—Continued.
  coal-tar—continued.
    dimethyl sulphate test, methods, comparison with sulphonation test. B.A.I. Cir. 167, pp. 4–6. 1911.
    effectiveness against dog fleas. D.B. 888, p.13. 1920.
    for mange, label, I. and F. Bd. N.J. 24. I. and F. Bd. S.R.A. 2, p. 27. 1914.
  cresol and coal-tar creosote, testing. B.A.I.S.R.A. 47, p. 14. 1911.
  effect on ticks, suffocation or poisoning, experiments. B.A.I. Bul. 167, pp. 9–27. 1913.
  fungi control, experiments and studies. D.B. 1037, pp. 32–48, 51. 1922.
  hog—
    diseases and insects. F.B. 465, pp. 19–20. 1911.
    materials and method of use. F.B. 1085, pp. 17–20. 1920.
  Lariat Arsenical, use permission and formula. B.A.I.S.R.A. 141, p. 6. 1919.
  lime—
    and sulphur, for cattle mange, use. B.A.I. Bul. 40, pp. 11–13. 1902.
    sulphur, field test, outfit. D.B. 163, pp. 1–7. 1915.
  livestock in interstate movement, formulas. B.A.I.O. 210, Amdt. 6, pp. 2. 1916.
  mangy cattle, approved by department, directions for preparing. B.A.I. [Misc.], "Diseases of cattle," rev., pp. 527–528. 1912.
  manufacturers, notices to. I. and F. Bd. S.R.A. 15, pp. 220, 223–224. 1917.
  misbranding, N.J. 279, 288, 290, 292, I. and F. Bd. S.R.A. 17, pp. 297–301, 308, 310, 312. 1917; N.J. 828, 844, 845, I. and F. Bd. S.R.A. 44, pp. 1035, 1051. 1923.
  permitted, for livestock diseases, report by months. See *Bureau of Animal Industry Service and Regulatory Announcements*.
  poultry, composition and uses. F.B. 1337, pp. 34, 36, 37. 1923.
  proprietary, permission for use, rules. B.A.I.O. 292, pp. 17, 21. 1925.
  Richard's tarbo, misbranding. I. and F. Bd. S.R.A. 9, p. 25. 1915.
  Rutherford, for sheep scab, formula. Rpt. 108, p. 131. 1915.
  "S. B.," formula and directions for making. F.B. 1057, pp. 24–26. 1919.
  sheep—
    and cattle, for scabies, preparation and application. B.A.I. [Misc.], "Instructions concerning preparation * * *," pp. 16. 1907.
    See also Sheep dips.
    stock, approved for scabies. B.A.I.O. 292, pp. 17, 21. 1925.
    substances allowed for sheep and cattle. B.A.I.S.R.A. 85, pp. 72–73. 1914.
    testing and analysis, 1915. An. Rpts., 1915, p. 125. 1916; B.A.I. Chief Rpt., 1915, p. 49. 1915.
  tobacco, for sheep, with and without sulphur. F.B. 527, p. 19. 1913.
  use as lice killers. F.B. 276, pp. 25–26. 1907.
  See also Turpentine gum.
Dipelta yunnanensis, importations and descriptions. Nos. 39905, 40027, 40178, B.P.I. Inv. 42, pp. 36, 54, 84. 1918.
Diphtheria—
  animal, similarity and relation to human diphtheria. B.A.I. Bul. 67, pp. 30, 42, 43. 1905.
  calf—
    cause, symptoms, prevention, and treatment. B.A.I. [Misc.], "Diseases of cattle," rev., pp. 470–474, 546. 1912; rev., pp. 464–469, 536. 1923.
    occurrence of *Necrotic stomatitis*. B.A.I. Bul. 67, pp. 1–48. 1905.
    symptons and cause. D.C. 322, p. 6. 1924.
  chicken, and diphtheric affections, treatment. Y.B., 1911, pp. 189–191. 1912; Y.B. Sep 559, pp. 189–191. 1912.
  cure misbranding, "Kurakoff." Chem. N.J. 750, pp. 1–2. 1911.
  germs, longevity in soils. J.A.R. vol. 5, pp. 928, 931. 1916.
  horse. See Laryngitis; Pharyngitis.
  human, bacillus discovery by Loffler, difference from animal diphtheria. B.A.I. Bul. 67, pp. 11, 30, 42. 1905.

Diphtheria—Continued.
  poultry—
    cause, symptoms, and treatment. F.B. 530, pp. 12–15. 1913.
    description, cause, symptoms, and treatment. F.B. 957, pp. 9–12. 1918.
  remedy, misbranding. Chem. N.J. 4123, 4131. 1916; Chem. N.J., 4186. 1916.
  serum heating, experiments and results. J.A.R., vol. 8, pp. 449–451, 454–455. 1917.
  specialty, misbranding. Chem. N.J. 4249. 1916.
  transmission in milk, danger. F.B. 490, p. 19. 1912.
Diphyllobothrium—
  latum, hematoxins. J.A.R., vol. 22, pp. 420, 423, 424, 426. 1921.
  spp., spread by dogs. D.B. 260, p. 23. 1915.
Diplacrum caricinum, occurrence in Guam. Guam A.R., 1913, p. 16. 1914.
Diplacus longiflorus, importation and description. No. 44002, B.P.I. Inv. 50, p. 15. 1922.
Diplodia—
  gossypina, cause of Diplodia boll rot. F.B. 1187, p. 32. 1921.
  longispora, morphology, experiments, and culture work. J.A.R., vol. 1, pp. 340–346. 1914.
  maydis cause of dry rot of corn. F.B. 334, pp. 11–12. 1908.
  natalensis—
    cause of—
      gummosis of citrus trees. O.E.S. An. Rpt., 1911, p. 91. 1913.
      rot in citrus, development and control. D.C. 293, pp. 1–10. 1923.
    injury to grapefruit, Porto Rico, description, control. P.R. An. Rpt., 1921, p. 27. 1922.
    relation to coconut bud rot. B.P.I. Bul. 228, pp. 47, 155. 1912.
    rot, citrus fruits, occurrence in handling. F.B. 696, p. 3. 1915.
  spp—
    injury to crops in South. J.A.R., vol. 6, No. 4, p. 152. 1916.
    occurrence in Texas and description. B.P.I. Bul. 226, pp. 26, 27. 1912.
    relation to citrus gummosis. J.A.R., vol. 24, pp. 194, 222, 224, 232. 1923.
  tubericola—
    and *Mucor racemosus*, rot fungi of sweet potato, study. L. L. Harter. J.A.R., vol. 30, pp. 961–969. 1925.
    cause of—
      Java black rot of sweet potatoes. F.B. 714, pp. 23–25. 1916; F.B. 1059, p. 21. 1919; J.A.R., vol. 15, pp. 347–349, 361. 1918.
      potato rot. J.A.R., vol. 21, pp. 211–226. 1921.
      watermelon stem-end rot. J.A.R., vol. 6, No. 4, pp. 149–152. 1916.
    glucose as a source of carbon. J.A.R., vol. 21, pp. 189–210. 1921.
    growth in concentrated solutions. J.A.R., vol. 7, pp. 256–259. 1916.
Diplogaster—
  aerivora, parasite of termite *Leucotermes lucifugus*. J.A.R., vol. 6, No. 3, pp. 121–127. 1916.
  labiata, parasite of elm borer, life history and habits. J.A.R., vol. 6, No. 3, pp. 115–121. 1916.
  spp., nematodes parasitic on insects, life history. J.A.R., vol. 6, No. 3, pp. 115–127. 1916.
Diplogonoporus grandis, adult cestode of man, which may possibly occur in returning American troops. Ch. Wardell Stiles and Louise Tayler. B.A.I. Bul. 35, pp. 43–47. 1902.
Diplosis sorghicola. See Sorghum midge.
Dipodomys—
  deserti. See Rat, kangaroo.
  destruction by coyotes. Biol. Bul. 20, p. 13. 1905.
Dipotassium phosphate, effect on growing chicks. J.A.R., vol. 22, pp. 145–149. 1921.
Dipper excavator, dry-land, description, use, and cost of operation. D.B. 300, pp. 25–27. 1916.
Dippers (bird)—
  range and habits. N.A. Fauna, pp. 49, 801 1901; N.A. Fauna 24, pp. 80. 1904.
  See also Ouzel.
Dipping—
  bag, description, for sheep dipping. F.B. 798, pp. 23–24. 1917.

Dipping—Continued.
　baths—
　　arsenical, arsenic oxidation, changes in degree, studies. Robert M. Chapin. D.B. 259, pp. 12. 1915.
　　lime-sulphur, field test, outfit. Robert M. Chapin. D.B. 163, pp. 7. 1915.
　for—
　　control of spotted fever ticks. Ent. Bul. 105, pp. 37-38, 41. 1911.
　　tick control, commercial value to dairymen. News L., vol. 4, No. 49, pp. 4-5. 1917.
　forks, descript on and use. F.B. 713, p. 21. 1916.
　painting method, practice. F.B. 1452, p. 32. 1925.
　plant(s)—
　　cattle, construction and operation. B.A.I. Bul. 40, pp. 13-23. 1902; F.B. 909, pp. 17-26. 1918.
　　hogs, construction and plans. D.B. 1085, pp. 22-28. 1920.
　　sheep, construction and capacities. F.B. 713, pp. 25, 28-36. 1916.
　red-oak, methods and dips. D.B. 1037, pp. 38-41. 1922.
　vats—
　　cattle protection from insects, description. Ent. Cir. 115, pp. 9-12. 1910.
　　concrete, construction. F.B. 481, pp. 26-32. 1912.
　　construction—
　　　and use for ticky cattle, directions. H. W. Graybill and W. P. Ellenberger. B.A.I. Cir. 207, pp. 20. 1912.
　　　details. Ent. Bul. 105, pp. 39-41. 1911; F.B. 1017, pp. 26-29. 1919.
　　description, materials, specifications. B.A.I. An. Rpt., 1909, pp. 293-300. 1911; B.A.I. Cir. 174, pp. 293-300. 1911; F.B. 909, pp. 17-18, 22-27. 1918.
　　for—
　　　cattle, description, and method of use. B.A.I. An. Rpt., 1910, pp. 281-283. 1912; B.A.I. Bul. 144, pp. 62-65. 1912; B.A.I. Cir. 183, pp. 10-15. 1911.
　　　cattle, diagrams and specifications. B.A.I. Bul. 40, pp. 14, 15, 18, 19, 20, 21-23. 1902.
　　　hogs, construction and use. F.B. 1085, pp. 24-28. 1920.
　　　hogs, description. F.B. 874, pp. 35-36. 1917.
　　　hogs on farm. F.B. 465, p. 19. 1911.
　　　sheep, construction and case. F.B. 713, pp. 28, 33, 35-36. 1916; F.B. 798, pp. 30-31. 1917; F.B. 810, pp. 25-26. 1917.
　　　sheep, portable and permanent. F.B. 798, pp. 23-24, 26-31. 1917.
　　measurements, and construction plans. F.B. 1057, pp. 13-17. 1919.
　　portable, use for small number of animals. F.B. 1017, p. 22. 1919.
　　specifications and materials—
　　　details. F.B. 378, pp. 27-30. 1909.
　　　for concrete construction. F.B. 498, pp. 37-42. 1912.
Diprion simile. See Sawfly, pine, imported.
Diptera—
　cactus, lists. Ent. Bul. 113, pp. 45, 46, 48, 50, 53. 1912.
　destruction by birds. Biol. Bul. 15, pp. 8, 20, 21. 1901.
　enemies of—
　　boll weevil. Ent. Bul. 100, pp. 10, 42, 47-48, 54-68. 1912.
　　green clover worm, list. D.B. 1336, p. 17. 1925.
　in the Pribilof Islands, Alaska. N.A. Fauna 46, Pt. II, pp. 159-228. 1923.
　injury to Porto Rican crops. D.B. 192, p. 10. 1915.
Dipterous larvae—
　cephalopharyngeal, skeleton, description. Ent. T.B. 22, pp. 36-37. 1912.
　structure and infestation of human foods. Nathan Banks. Ent. T.B. 22, pp. 44. 1912.
Dipylidium caninum—
　hemotoxins. J.A.R., vol. 22, pp. 382-432. 1921.
　spp.—
　　anthelmintic tests. J.A.R., vol. 29, pp. 313-332. 1924.
　　efficacy of carbon tetrachloride against. J.A.R., vol. 21, No. 2, pp. 164-175. 1921.
　See also Tapeworm.

Dirca palustris. See Moosewood.
Directory(ies)—
　agricultural organizations, national, interstate, and State. Farm M. [Misc.], "Directory * * * agricultural organizations," pp. 75. 1920.
　Animal Industry Bureau, changes. See Service Announcements.
　birds and game protection, officials and organizations—
　　1901. Biol. Cir. 33, pp. 10. 1901.
　　1902. Biol. Cir. 35, pp. 10. 1902.
　　1903. Biol. Cir. 40, pp. 12. 1903.
　　1904. Biol. Cir. 44, pp. 15. 1904.
　　1905. T. S. Palmer. Biol. Cir. 50, pp. 16. 1905.
　　1906. Biol. Cir. 53, pp. 16. 1906.
　　1907. Biol. Cir. 62, pp. 16. 1907.
　　1908. Biol. Cir. 65, pp. 16. 1908.
　　1909. Biol. Cir. 70, pp. 16. 1909.
　　1910. Biol. Cir. 74, pp. 16. 1910.
　　1911. Biol. Cir. 83, pp. 16. 1911.
　　1912. Biol. Cir. 88, pp. 16. 1912.
　　1913. Biol. Cir. 94, pp. 16. 1913.
　　1914. Biol. [Misc.], "Directory of officials * * * 1914," pp. 16. 1914.
　　1915. T.S. Palmer. Biol. Doc. 101, pp. 16. 1915.
　　1916. T. S. Palmer. Biol. Doc. 104, pp. 16. 1916.
　　1917. W. F. Bancroft. Biol. Doc. 108, pp. 17. 1917.
　　1918. Biol. Doc. 109, pp. 17. 1918.
　　1919. D.C. 63, pp. 18. 1919.
　　1920. D.C. 131, pp. 19. 1920.
　　1921. George A. Lawyer and Frank L. Earnshaw. D.C. 196, pp. 20. 1921.
　　1922. George A. Lawyer and Frank L. Earnshaw. D.C. 242, pp. 20. 1922.
　　1923. George A. Lawyer and F. L. Earnshaw. D.C. 298, pp. 16. 1923.
　　1924. George A. Lawyer and Frank L. Earnshaw. D.C. 328, pp. 16. 1924.
　　1925. Talbott Denmead and Frank L. Earnshaw. D.C. 360, pp. 12. 1925.
　changes and corrections. B.A.I.S.R.A. 184, pp. 91-93. 1922.
　extension work—
　　officers and institutions. S.R.S. Doc. 13 (June, 1918), p. 1. 1918.
　　officials. S.R.S. Doc. 90, p. 8. 1918.
　field, Plant Industry Bureau, December, 1924. M.C. 30, pp. 62. 1925.
　for farmers—
　　1901. Y.B., 1901, pp. 611-697. 1902; Y.B. Sep. 259, pp. 611-697. 1902.
　　1902. Y.B. 1902, pp. 661-759. 1903; Y.B. Sep. 297, pp. 661-759. 1903.
　　1903. Y.B., 1903, pp. 507-583. 1904; Y.B. Sep. 333, pp. 507-583. 1904.
　　1904. Y.B. 1904, pp. 539-625. 1905; Y.B. Sep. 369, pp. 539-625. 1905.
　　1905. Y.B., 1905, pp. 563-655. 1906; Y.B. Sep. 405, pp. 563-655. 1906.
　　1906. Y.B. 1906, pp. 453-472. 1907; Y.B. Sep. 435, pp. 453-472. 1907.
　　1907. Y.B., 1907, pp. 499-523. 1908; Y.B. Sep. 464, pp. 499-523. 1908.
　　1908. Y.B., 1908, pp. 491-515. 1909; Y.B. Sep. 497, pp. 491-515. 1909.
　　1909. Y.B., 1908, pp. 491-515. 1909; Y.B. Sep. 497, pp. 491-515. 1909.
　　1912. Y.B. ,1912, pp. 541-545. 1913; Y.B. Sep. 613, pp. 541-545. 1913.
　game officials. See Game officials.
　meat inspection, changes. B.A.I.S.R.A. 193, pp. 45-47. 1923.
　officials, Federal and State dairy, food, drug, and feeding stuffs, Nov. 1, 1917. J. S. Abbott. Chem. [Misc.], "Directory * * * officials," pp. 10. 1918.
Dirhinus giffardii, parasite of fruit fly, introduction, Hawaii. J.A.R., vol. 3, p. 363. 1915.
Dirigible, British, flight, aid of Weather Bureau. An. Rpts., 1919, p. 55. 1920; W.B. Chief Rpt 1919, p. 7. 1919.
Dirt, in milk—
　disposal of. F.B. 1019, pp. 2, 6-8, 14. 1919.
　prevention. D.B. 356, pp. 21-22. 1916.

Dirt, in milk—Continued.
  scoring in contests, and suggestions for prevention. B.A.I. Cir. 205, pp. 16, 26–27. 1912.
Disbudding—
  chrysanthemums. F.B. 1311, pp. 6–7. 1923.
  dahlias. F.B. 1370, pp. 14–15. 1923.
Disbursements—
  Agriculture Department, 1839–1923. Accts. Chief Rpt., 1923, pp. 6–7. 1923; An. Rpts., 1923, pp. 512–513. 1924.
  Division. See Accounts and Disbursements.
Disc—
  harrows, description, use, adjustment and care. F.B. 946, pp. 8–9. 1918.
  plows, description, use, adjustment and care. F.B. 946, p. 6. 1918.
Discipline in civilian service, value. B.A.I.S.R.A. 194, p. 54. 1923.
Dscolia dubia. See Wasp, digger.
Dscosia pini, presence on young pines. J.A.R., vol. 15, p. 550. 1918.
Disease(s)—
  animal. See Animal diseases.
  avoidance by selection and treatment of seed potatoes. W. A. Orton. C.T. and F.C.D. Cir. 3, pp. 8. 1918.
  beneficial, of insects, control of forest enemies. Ent. Bul. 58, p. 86. 1910.
  carried by insects, list. Ent. Bul. 78, p. 7. 1909.
  carriers, chicken raising. Y.B., 1911, pp. 184–185. 1912; Y.B. Sep. 559, pp. 184–185. 1912.
  caused by—
    bites of insects. Sec. Cir. 61, pp. 10–23. 1916.
    dipterous larvae. Ent. T.B. 22, pp. 10, 11, 19. 1912.
    nematodes. Y.B., 1914, pp. 446–468. 1915; Y.B. Sep. 652, pp. 466–468. 1915.
  causes of condemnation of meat animals. B.A.I. An. Rpt., 1909, p. 24. 1911.
  contact, conveyed by insects. Sec. Cir. 61, pp. 1–10. 1916.
  contagious—
    action of Congress regarding. B.A.I. Bul. 32, p. 7. 1901.
    and infectious, of livestock, law extract, 1890. B.A.I.O. 281, pp. 17–18. 1923.
  animal—
    control and eradication, work, 1909. Rpt. 91, pp. 39–43. 1909; Sec. A. R., 1909, pp. p. 492. 1901; B.A.I. An. Rpt., 1901, p. 590. 1902.
    eradication appropriation, 1915. Sol. [Misc.], "Laws applicable * * * Agriculture," 3rd Sup. pp. 16. 1915.
    eradication progress. John R. Mohler. Y. B., 1919, pp. 69–78. 1920; Y.B. Sep. 802, pp. 69–78. 1920.
    field inspection. An. Rpts., 1917, pp. 100–101. 1918; B.A.I. Chief Rpt., 1917, pp. 34–35. 1917.
    in foreign countries. B.A.I. An. Rpt., 1900, p. 492. 1901; B.A.I. An. Rpt., 1901, p. 590. 1902.
    in foreign countries, 1906. B.A.I. An. Rpt., 1906, pp. 327–334. 1908.
    inspection. Rpt. 73, p. 7. 1902.
    suppression, violations reported, 1909. An. Rpts., 1909, p. 776. 1911; Sol. A.R., 1909, p. 42. 1909.
    legislation. B.A.I. Bul. 28, pp. 7–173. 1901.
    of domestic animals, laws for control. B.A.I. Bul. 54, pp. 46. 1902–1903.
    of trees, examination before attempting repair. Y.B., 1913, pp. 183–184. 1914; Y.B. Sep. 622, pp. 183–184. 1914.
    precautions—
      and treatment. For. [Misc.], "First-aid manual * * *," pp. 70–72. 1917.
      in dairies. B.A.I. Bul. 104, pp. 11, 12, 17. 1908; D.B. 1, pp. 7, 36, 37. 1913.
      spread from uninspected slaughterhouses. B.A.I. An. Rpt., 1910, p. 243. 1912; B.A.I. Cir. 185, p. 243, 1912.
      treatment at quarantine stations, B.A.I.O. 281, p. 7. 1923.
    control in home—
      gardens, methods. F.B. 936, pp. 33–34. 1918.
      vegetable garden. W. A. Orton and F. H. Chittenden. F.B. 856, pp. 72. 1917.

Disease(s)—Continued.
  conveyance—
    by insects, control. Y.B., 1915, p. 161. **1916;** Y.B. Sep. 666, p. 161. 1916.
    by milk. Y.B., 1907, pp. 191–193. 1908; Y.B. Sep. 444.
    to foods by insects, rats, and mice. F.B. 1374, p. 3. 1923.
  dissemination by insects, loss occasioned in United States. L. O. Howard. Ent. Bul. 78, pp. 40. 1909.
  endemic, effect on progress of nations. Ent. Bul. 78, pp. 36–38. 1909.
  enemies of incense cedar, and causes. D.B. 604, pp. 29–30. 1918.
  eradication, dairy herds, influence of cooperative bull associations. F.B. 993, pp. 14, 29–31, 35. 1918.
  etiology, discussion: predisposing and exciting causes. Ent. Bul. 75, pp. 34–37. 1911.
  fly-borne, relation to sewage disposal. F.B. 1408, p. 15. 1924.
  fundamental principles of. Rush Shippen Huidekoper. B.A.I., [Misc.], "Diseases of the horse," rev., pp. 27–43. 1916; pp. 27–43. 1923.
  general. Rush Shippen Huidekoper. B.A.I. [Misc.], "Diseases of the horse," rev., pp. 482–545. 1903; pp. 482–545. 1907; pp. 482–545. 1911; pp. 507–582. 1916; pp. 507–582. 1923.
  germs—
    contamination of green vegetables, cautions. Y.B., 1911, pp. 446–447. 1912; Y.B. Sep. 582, pp. 446–447. 1912.
    milk as a carrier. F.B. 1207, pp. 15–16, 32. 1921.
    spread by food and water pollution. F.B. 375, pp. 12–13. 1909.
  infectious—
    definition. B.A.I. [Misc.], "Diseases of cattle," rev., p. 371. 1912.
    of cattle—
      D. E. Salmon and Theobald Smith. B.A.I. [Misc.], "Diseases of cattle," rev., pp. 357–472. 1904; pp. 357–494. 1908; pp. 371–517. 1912.
      John R. Mohler. B.A.I. [Misc.], "Diseases of cattle," rev., pp. 358–501. 1923.
      causes, classification, symptoms, and treatment. B.A.I. [Misc.], "Diseases of cattle," rev., pp. 357–472. 1904; pp. 371–517. 1912; pp. 358–511. 1923.
    See also *under specific diseases.*
  plant. See Plant diseases.
  prevention by ventilation. F.B. 1393, pp. 3–4. 1924.
  relation to the action of drugs. Chem. Cir. 81, pp. 1–16. 1911.
  resistance, inheritance, importance to plant breeder. Y.B., 1908, p. 461. 1909; Y.B. Sep. 494, p. 461. 1909.
  resistant crops, development. W. A. Orton. Y. B., 1908, pp. 453–464. 1909; Y. B. Sep. 494, pp. 453–464. 1909.
  sewage-borne, and their avoidance. F.B. 1227, pp. 5–9. 1922.
  similar to—
    hog cholera, symptoms. F.B. 379, pp. 15–17. 1909.
    rabies, differential diagnosis. B.A.I. An. Rpt., 1909, pp. 206–209. 1911; F.B. 449, pp. 13–15. 1911.
  spread—
    by—
      birds. F.B. 755, pp. 18, 38–39. 1916.
      dairy products, and methods of prevention. B.A.I. Cir. 153, pp. 57. 1910.
      fleas and rats. D.B. 248, pp. 11–16. 1915.
      flies, control methods. F.B. 459, pp. 9–14, 15–16. 1911.
      horse flies. D.B. 1218, pp. 3–4. 1924.
      house flies. F.B. 679, p. 10. 1915; F.B. 851, pp. 9–10. 1917; F.B. 1408, pp. 6–7. 1924.
      rats. Y.B. 1917, pp. 235–236, 246, 247–248. 1918; Y.B. Sep. 725, pp. 3–4, 14, 15–16. 1918.
      windblown rain. J.A.R., vol. 10, pp. 639–648. 1917.
    from—
      insanitary slaughterhouses. B.A.I. An. Rpt., 1908, pp. 86–88. 1910; B.A.I. Cir. 154, pp 4–6. 1910.

Disease(s)—Continued.
    spread—continued.
        from—continued.
            man by soil pollution, control methods. F.B. 463, pp. 8-12. 1911.
        transmission by—
            chiggers. D.B. 986, pp. 12-13. 1921.
            dairy products. B.A.I. Cir. 147, pp. 8, 9, 10. 1909; F.B. 490, pp. 18-20. 1912.
            flies. B.A.I. An. Rpt., 1909, pp. 94-97. 1911; B.A.I. Cir. 169, pp. 94-97. 1911.
            insect pests. Y.B., 1912, pp. 383, 391. 1913; Y.B. Sep. 600, pp. 383, 391. 1913.
            rats. Biol. Bul. 33, pp. 31-33. 1909.
            ticks. Y.B., 1910, pp. 219-230. 1911; Y.B. Sep. 531, pp. 219-230. 1911; Ent. Bul. 72, pp. 45, 52, 53, 57, 61. 1907.
    work of Yuma Experiment Farm, 1916. W.I.A. Cir. 20, pp. 12-13. 1918.
    See also *names of diseases.*
Disguise 11 (horse) description. B.A.I. An. Rpt., 1907, p. 93. 1909; B.A.I. Cir. 137, p. 93. 1908.
Dish drainer, for farm home, description and use method. F.B. 927, pp. 9-10. 1918.
Dishcloths, directions for making. D.C. 2, p. 8. 1919; S.R.S. Doc. 83, pp. 5-6. 1918.
Dishwashing, sanitary, directions. F.B. 375, pp. 41-42. 1909.
Disinfectall, misbranding, sheep dip. N.J. 148, I. and F.Bd. S.R.A. 8, pp. 13-14. 1915.
Disinfectants—
    adulteration and misbranding. Insect. N.J. 857, 866, 874, I. and F. Bd. S. R. A. 45, pp. 1071, 1079, 1084-6. 1923; Insect N.J. 881-885, 887, 892, 894; I. and F. Bd. S.R.A. 46, pp. 1094-8, 1099, 1103, 1104. 1923.
    analysis methods. Chem. Bul. 90, pp. 95-104. 1905.
    and algicide in water supplies, copper. George T. Moore and Karl F. Kellerman. B.P.I. Bul. 76, pp. 55. 1905.
    approved for stock moving. B.A.I.O. 292, pp. 5-6. 1925.
    assays, field. An. Rpts., 1914, p. 91. 1914; B.A.I. Chief Rpt., 1914, p. 35. 1914.
    bactericidal efficiency. B.A.I. Chief Rpt., 1924, pp. 33-34. 1924.
    borax for citrus fruit. William R. Barger and Lon A. Hawkins. J.A.R., vol 30, pp. 189-192. 1925.
    coal tar, labeling. Insect. N.J. 26, I. and F. Bd. S.R.A. 2, p. 28. 1914.
    common. M. Dorset. F.B. 345, pp. 12. 1909; F.B. 926, pp. 12. 1918.
    cresol solutions. Jacob M. Schaffer. D.B. 855, pp. 5. 1920.
    description and use. B.A.I. [Misc.], "Diseases of cattle" rev., pp. 375-377, 527-528. 1912.
    effect on—
        eggs of *Ascaris lumbricoides* J.A.R., vol. 27, pp. 170-174. 1924.
        seeds. B.P.I. Cir. 67, pp. 3-11. 1910.
        virus of cucurbit mosaic. D.B. 879, pp. 22-23. 1920.
    formulas for livestock, interstate movement. B.A.I.O. 210, amdt. 6, pp. 2. 1916.
    importance in fish packing. Chem. Bul. 133, pp. 38-39. 1911.
    injury to seeds and roots in sandy soils. Carl Hartley. D.B. 169, pp. 35. 1915.
    kinds—
        and description. F.B. 1227, pp. 24-26. 1922.
        permitted, manufacture and distribution, report by months. See *Bureau of Animal Service and Regulatory Announcements.*
    liquid, labeling. Opinion 31. I. and F. Bd. S.R.A. 3, pp. 33-34. 1914.
    livestock, regulations. B.A.I.O. 210, amdt. 5, pp. 2. 1915.
    misbranding—
        chloronaptholeum. Insect. N.J. 94, I. and F. Bd. S.R.A. 3, p. 41. 1914.
        Creolin-Pearson. Insect. N.J. 103, I. and F. Bd. S.R.A. 5, p. 67. 1914.
        "Dr. Hess Dip and Disinfectant." I. and F. Bd. N.J. 64, pp. 2. 1914.
        "Germanthol Sanitary Disinfectant," Insect. N.J. 125, I. and F. Bd. S.R.A. 7, p. 97. 1915.
        "Kresapol." N.J. 194. I. and F. Bd. S.R.A. 11, pp. 80-81. 1915.

Disinfectants—Continued.
    nature and use for stables. F.B. 480, pp. 8-16. 1912.
    paste, formula for stem end rot of watermelon F.B. 1394, p. 16. 1924.
    phenolic, test. Chem. Bul. 109, pp. 42-43. 1908; rev., pp. 59-61. 1910.
    pine-oil, investigations by Insecticide Board. An. Rpts., 1922, pp. 596-597, 600. 1923; I. and F. Bd. A.R., 1922, pp. 2-3, 6. 1922.
    pink yeast control, experiments. D.B. 819, pp. 20-21. 1920.
    poultry house, description and uses. F.B. 1337, pp. 2-3, 32, 34, 35, 39, 40. 1923.
    report of referee. Chem. Bul. 99, pp. 26-33. 1906.
    selection and application. F.B. 480, pp. 13-16. 1912.
    soil, varieties, uses, and comparison. P.R. An. Rpt., 1910, pp. 17-19. 1911.
    standardization, work, 1915. An. Rpts., 1915, p. 126. 1916; B.A.I. Chief Rpts., 1915, p. 50. 1915.
    testing and distribution of outfits. An. Rpts., 1917, pp. 115-116. 1917; B.A.I. Chief Rpt., 1917, pp. 49-50. 1917.
    toxicity to roots of plants, studies and experiments. D.B. 169, pp. 1-35. 1915.
    treatments, for damping-off control, cost. D.B. 453, pp. 19-21, 31. 1917.
    use—
        and value in stable disinfection. F.B. 954, pp. 5-8, 10-12. 1918.
        for anthrax, testing experiments. J.A.R., vol. 4, pp. 67-90. 1915.
        in—
            cattle-abortion control, formulas. News L., vol. 4, No. 12, pp. 3-4. 1916.
            chicken houses, directions. F.B. 1337, pp. 2-3, 36, 39, 40. 1923.
            control of animal diseases. B.A.I. [Misc.], "Diseases of cattle," rev., pp. 363-366. 1923.
            control of cattle abortion, formulas and use methods. F.B. 790, pp. 10-12. 1917.
            dairy barn. B.A.I. Bul. 104, pp. 10, 23, 25. 1908.
            germination stimulation. D.B. 453, pp. 21-22. 1917.
            interstate livestock movement. B.A.I.O. 245, p. 5. 1916.
            pheasant diseases. F.B. 390, pp. 36-40. 1910.
            poultry disease control, methods, formulas. F.B. 530, pp. 6-7. 1913; F.B. 957, pp. 5-6. 1918.
        of yeast. F.B. 237, p. 32. 1905.
        on feces, study. B.A.I. Bul. 135, p. 32. 1911.
Disinfection—
    after blackleg disease. B.A.I. Cir. 31, rev., pp. 12-13. 1911.
    animals or premises, in infectious-disease control, expenses, regulations. B.A.I.O. 237, pp. 6-7. 1915.
    chlorinated lime, principles advice to manufacturers. I. and F.Bd. S.R.A. 15, pp. 219-220. 1917.
    kennels, pens, and yards, by fire. Ch. Wardell Stiles. B.A.I. Bul. 35, pp. 15-17. 1902.
    livestock—
        cars for foot-and-mouth disease, formula. B.A.I.O. 229, amdt. 6, pp. 2. 1914.
        cars, formula and use. B.A.I.O. 266, p. 17. 1919.
    methods for disease control. B.A.I.O. 263, pp. 4-5. 1919; B.A.I.O. 292, p. 5. 1925.
    stables. George W. Pope. F.B. 954, pp. 12. 1918.
    value and method, for control of poultry diseases. News L., vol. 6, No. 13, p. 2. 1918.
    vehicles used in transportation of livestock. B.A.I.O. 273, pp. 3-7, 17, 21, 26, 29, 33. 1921.
    vessels—
        and cars after livestock importation. B.A.I.O. 266, pp. 9-10, 17. 1919.
        in Hawaii, regulations. F.H.B. Quar. 51, p. 2. 1921.
    water for farmstead. F.B. 1448, pp. 10-12. 1925.
    yellow-fever prevention, uselessness. F.B. 547, p. 15. 1913.

Disk—
    four-horse, 8-foot, daily capacity. News L., vol. 3, No. 18, p. 2. 1915.
    harrow, day's work. D.B. 3, pp. 16–17, 43. 1913.
    plows, comparison with moldboard plows. B.P.I. Bul. 170, p. 10. 1910.
Disking—
    alfalfa fields—
        for caterpillar control, times and dates. F.B. 1094, pp. 14–15, 16. 1920.
        to prevent injury from silt. F.B. 373, p. 46. 1909.
    corn stubble, results on wheat and oats. B.P.I. Bul. 187, pp. 45–49. 1910.
    dates, for various crops in North Dakota. D.B. 757, pp. 25–26. 1919.
    day's work in New York and Illinois, comparison. D.B. 814, pp. 30–31. 1920.
    dry-land effect on crop yields, experiments. D.B. 1293, pp. 11–13, 14. 1925.
    fall, seed bed for bean production. F.B. 907, pp. 4–5. 1917.
    for control of apple leaf miner. J.A.R., vol. 6, No. 8, p. 294. 1916.
    importance in control of curculio. D.C. 216, pp. 13–14. 1922.
    labor-saving practices. F.B. 1042, p. 8. 1919; F.B. 989, p. 7. 1918.
    old meadows, injurious effects. B.P.I. Bul. 117, p. 19. 1907.
    pastures, for eradication of quack grass, directions. F.B. 464, pp. 9–11. 1911.
    practices, Colorado sugar-beet districts. D.B. 917, p. 15. 1921.
    statistics of day's work with horses. Y.B., 1922, p. 1049. 1923; Y.B. Sep. 890, p. 1049. 1923.
    substitute for plowing. D.B. 268, pp. 7, 11, 13, 15, 16, 22. 1915.
    sugar-beet—
        districts of California. D.B. 760, pp. 15–16. 1919.
    fields—
        methods and cost. D.B. 735, p. 14. 1918.
        practices and cost, Idaho and Utah. D.B. 693, pp. 19–20. 1918.
        practices, Michigan and Ohio. D.B. 748, pp. 13–15, 32. 1919.
    tractor, on Corn Belt farms. F.B. 1093, pp. 5, 10, 12, 15. 1920.
    use—
        and value in control of southern grass worm. F.B. 890, pp. 9, 26. 1917.
        of tractors and horses on Corn Belt farms. F.B. 1295, pp. 6–8. 1923.
    value—
        for alfalfa following wheat. News L., vol. 4, No. 20, p. 5. 1916.
        in wireworm control. News L., vol. 3, No. 41, p. 2. 1916.
    wheat—
        fields, fall and spring, in dry farming, results. D.B. 1173, pp. 12–17. 1923.
        lands. Y.B., 1919, pp. 133, 134. 1920; Y.B. Sep. 804, pp. 133, 134. 1920.
    work done by tractors and by horses on Corn Belt farms. D.B. 997, pp. 15, 19–20, 26, 36–37. 1921.
Dislocations, treatment. For [Misc.], "First-aid manual * * *," pp. 49–55. 1917.
Disonycha—
    spp. See Flea beetle.
    varicornis, description. Ent. Bul. 113, p. 22. 1912.
Disparene, spray for codling moth. Ent. Bul. 67, pp. 54, 75. 1907.
Dispharagus nasutus, similarity to Habronema muscae. B.A.I. Bul. 163, pp. 10–11. 1913.
Displaymen, storm-warning, instructions to. W.B. [Misc.], "Instructions to storm-warning * * *," p. 10. 1912.
Disporum calcaratum, importation and description. No. 42616, B.P.I. Inv. 47, p. 38. 1920.
Dissanthelium spp., description, distribution, and uses. D.B. 772, pp. 10, 52–54. 1920.
Dissosteira—
    carolina—
        control and life history. F.B. 1270, pp. 61–62. 1922.
        See also Grasshopper, dust-colored.

Dissosteira—Continued.
    longipennis—
        destruction by sarcophagids. J.A.R. vol. 2, pp. 437, 439. 1914.
        See also Grasshopper, long-winged.
    spurcata, description and habits. F.B. 1140, p. 6. 1920.
Distegia involucrata. See Honeysuckle, fly involucred.
Distemper, legislation. B.A.I. Bul. 28, pp. 108, 119. 1901.
Distichlis—
    spicata—
        and associated grasses, Utah meadow lands. J.A.R. vol. 1, pp. 407–408. 1914.
        distribution, description, and feed value. D.B. 201, pp. 20–21. 1915.
        See also Salt grass.
    spp., description, distribution, and uses. D.B. 772, pp. 9, 56–58, 59. 1920.
Distillate(s)—
    fuel for engines, comparison with gasoline. Work and Exp., 1915, Pt. I, p. 65. 1916.
    oil emulsion—
        formula, preparation, and use. F.B. 908, pp. 30–31. 1918.
        preparation and use against pear thrips, experiments. Ent. Cir. 131, pp. 7–10. 1911.
    soil extracts, use in plant culture experiments. Soils Bul. 56, pp. 29–30. 1909.
Distillation—
    agricultural alcohol, studies in Germany. Edward Kremers. D.B. 182, pp. 36. 1915.
    bituminous road binders, fractional and destructive. Y.B., 1910, pp. 298–299. 1911; Y.B. Sep. 538, pp. 298–299. 1911.
    camphor, methods, and implements used. Y.B., 1910, pp. 450, 456–458. 1911; Y.B. Sep. 551, pp. 450, 456–458. 1911.
    coal tar creosote. For. Cir. 31, pp. 31. 1904.
    commercial, from resinous woods, processes, plants, and cost. D.B. 1003, pp. 43–46, 68. 1921.
    creosote, after use in wood preservation. For. Cir. 188, pp. 5. 1911.
    crude products, method and description. D.B. 1003, pp. 31–37. 1921.
    curves, turpentines, interpretation. For. Bul. 105, pp. 14–18. 1913.
    destructive—
        chief products, amount in 1906. For. Cir. 121, pp. 6–7. 1907.
        of—
            hardwoods, yields, second report. D.B. 508, pp. 8. 1917.
            stumps, possibilities. F.B. 974, pp. 27–29. 1918.
            yellow pine waste. D.B. 1003, pp. 13–14. 1921.
    drug plants, directions. F.B. 663, pp. 8–9. 1915; F.B. 663, rev., pp. 9–11. 1920.
    ethyl alcohol, apparatus description. D.B. 983, p. 66. 1922.
    experiments, low-grade materials for alcohol. Chem. Bul. 130, pp. 66–69. 1910.
    fractional—
        of phenols in saponified cresol solution. D.B. 1308, p. 20. 1924.
        principles and methods. Chem. Bul. 144, pp. 23–27. 1911.
    hardwood, material used, and products, 1906 and 1907. Y.B., 1908, p. 557. 1909.
    hops, yield of volatile oils, 1906–1909. J.A.R., vol. 2, pp. 118–119. 1914.
    horsemint, details. D.B. 372, pp. 6–8. 1916.
    lemon-grass oil. D.B. 442, p. 6. 1917.
    peppermint, details. Y.B., 1908, p. 341; Y.B., Sep. 485, p. 341. 1909.
    perfumes, apparatus description. B.P.I. Bul. 195, pp. 22–27. 1910.
    pine—
        material used and products, 1906 and 1907. Y.B., 1908, p. 555. 1909.
        oil, method. D.B. 989, pp. 2–7. 1921.
        products, by States, quantity and value, 1906, For. Cir. 121, p. 7. 1907.
        processes, history and principles. Chem. Bul. 130, pp. 53–69, 90–94, 109–113. 1910.
    resinous wood, methods, apparatus, and materials experiments. For. Bul. 109, pp. 9–17. 1912.

Distillation—Continued.
  steam, chief products amount, 1906. For. Cir. 121, pp. 6-7. 1907.
  stumpwood and logging waste of western yellow pine. M. G. Donk and others. D.B. 1003, pp. 69. 1921.
  test—
    bituminous materials for road treatment. D.B. 1216, pp. 62-64. 1924.
    road materials equipment and method. D.B. 314, pp. 21-24. 1915.
  thermology. Chem. Bul. 130, pp. 54-57. 1910.
  turpentine—
    from pine—
      lumber. For. Bul. 99, pp. 16, 56, 88. 1911.
      wood, growth of industry. Soils Cir. 43, p. 8. 1911.
    methods. Chem. Bul. 135, pp. 10, 15, 16, 26-31. 1911.
  use of—
    beech, birches and maple. D.B. 12, pp. 10, 17, 22, 46. 1913.
    Douglas fir, methods, products, yield and value. For. Bul. 88, pp. 72-75. 1911.
    wood, United States, 1905. For. Bul. 74, pp. 67-69. 1907.
  waste wood—
    as side industry in lumbering. For. Bul. 114, p. 28. 1912.
    experiments. Chem. Bul. 159, pp. 8-24. 1913.
  water-gas-tar creosotes, appendix. D.B. 1036, pp. 110-111. 1922.
  wintergreen, details. Y.B., 1908, p. 341. 1909; Y.B. Sep. 485, p. 341. 1909.
  wood—
    W. C. Geer. For. Cir. 114, pp. 8. 1907.
    apparatus—
      and manufacturing processes. Chem. Cir. 36, pp. 12-23. 1907.
      temperatures, and results. D.B. 129, pp. 1-16. 1914.
    consumption, 1907. For. Cir. 166, p. 23. 1909.
    methods, comparisons. For. Cir. 114, pp. 7-8. 1907.
    relation to land clearing. D.B. 1003, pp. 51-53. 1921.
    statistics. Chem. Cir. 36, pp. 7-9. 1907.
    studies. An. Rpts., 1913, p. 188. 1914; For. A. R., 1913, p. 54. 1913.
    turpentine, methods, equipment and cost. Chem. Bul. 144, pp. 9-16, 51-52, 53-58. 1911.
    used in—
      1905. H. M. Hale. For. Cir. 50, pp. 3. 1906.
      1906. For. Cir. 121, pp. 7. 1907.
    yellow-pine samples, apparatus, methods, and yields. D.B. 1003, pp. 22-30. 1921.
Distillers—
  German, Central Association, organization and success. D.B. 182, pp. 9-11. 1915.
  grains—
    dried, moisture testing, instructions. B.P.I. Cir. 72, rev., p. 16. 1914.
    manufacture, method. Chem. Bul. 108, p. 11. 1908.
    nutritive value as dairy feed, analysis. F.B. 743, p. 15. 1916.
Distillery(ies)—
  alcohol—
    operations, control and regulations. Chem. Bul. 130, pp. 109-127, 152-156. 1910.
    regulations. F.B. 429, pp. 30-31. 1911.
  by-products, use in feeding cattle. Rpt. 115, p. 25. 1916.
  cooperative, Germany. D.B. 182, pp. 20-26. 1915.
  denatured alcohol—
    governmental control. F.B. 429, p. 30. 1911.
    model, description and operation. Chem. [Misc.], "model * * * distillery," pp. 7. 1908.
  experimental, capacity, equipment and experiments. Chem. Bul. 130, pp. 62-69. 1910.
  industrial alcohol, regulations. Chem. Bul. 130, pp. 152-161. 1920.
  peppermint-oil, varieties, descriptions. F.B. 694, pp. 9-11. 1915.
  potato, cost, operation details, and schedule of work. F.B. 410, pp. 9-10, 11-18, 28-31. 1910.
  practice, history and development in United States. Chem. Bul. 130, pp. 109-113. 1910.

Distillery(ies)—Continued.
  products, analysis. Chem. Bul. 108, pp. 32-34. 1908.
  slop, use as cow's feed; prohibitions. B.A.I. An. Rpt., 1907, pp. 318, 325. 1909; F.B. 349, pp. 17, 24. 1909.
  small farms, Germany. D.B. 182, pp. 18-20. 1915.
  tests, physical and chemical. Chem. Bul. 130, pp. 70-75. 1910.
Distilling industry, States most active. Chem. Bul. 130, p. 96. 1910.
Distomatiasis, hepostic and venal, treatment, experiments. B.A.I. Bul. 153, pp. 1016. 1912.
Distomum texanicum. See Fluke, large American.
Distribution—
  farm products—
    need of cooperation. Y.B., 1914, pp. 186, 187, 210. 1915; Y.B. Sep. 637, pp. 186, 187, 210. 1915.
    work of Markets Office, 1915. An. Rpts., 1915, pp. 364-389. 1916; Mkts. Chief Rpt., 1915, pp. 2-27. 1915.
  of produce, extract from the Report of the Secretary of Agriculture, 1914. Rpt. 106, pp. 95-98. 1915.
Distributors—
  plaster, description. B.P.I. Cir. 22, pp. 5-14. 1909.
  silage, description. F.B. 578, p. 10. 1914.
District of Columbia—
  accredited herds, list No. 3. D.C. 142, pp. 7, 17, 47, 48, 49. 1920.
  agricultural associations, directory. Farm M. [Misc.], "Directory * * * agricultural organizations," p. 31. 1920.
  bees and honey statistics. D.B. 685, pp. 6, 24. 1918.
  bird protection. See Bird protection, officials.
  bovine tuberculosis eradication work, 1911. An. Rpts., 1911, pp. 50-51. 1912; Sec. A.R., 1911, pp. 48-49. 1911; Y.B., 1911, pp. 48-49. 1912.
  buildings rented, 1913, location, purpose, and rental. Accts. Chief Rpt., 1913, p. 3. 1913; An. Rpts. 1913, p. 239. 1914.
  cattle—
    testing, condemnation, appraisement, and reimburesment. B.A.I. An. Rpt., 1910, pp. 73-75. 1912.
    tuberculosis eradication. An. Rpts., 1916, p. 17. 1917; Sec. A.R., 1916, p. 19. 1916.
  Conference report on sanitary milk production. B.A.I. Cir. 114, pp. 1-38. 1907.
  crow roosts, location, and numbers of birds Y.B., 1915, pp. 88, 89, 92. 1916; Y.B. Sep. 659, pp. 88, 89, 92. 1916.
  dairy herds, tuberculosis prevalence. B.A.I. An. Rpt., 1908, p. 163. 1910.
  drug laws. Chem. Bul. 98, pp. 44-49. 1906; rev., Pt. I, pp. 69-76. 1909.
  fairs, number, kind, location, and dates. Stat. Bul. 102, pp. 13, 14, 20. 1913.
  fern injury by Florida fern caterpillar. Ent. Bul. 125, pp. 6, 8-9. 1913.
  fly control, methods, and regulations. F.B. 459, pp. 15-16. 1911.
  food law(s)—
    enforcement. Chem. Cir. 16, rev., pp. 7-8 1908.
    general, 1906. Chem. Bul. 104, p. 20. **1906.**
  fur animals, laws—
    1915. F.B. 706, p. 5. 1915.
    1916. F.B. 783, pp. 6, 27. 1916.
    1923-24. F.B. 1387, p. 9. 1923.
    1924-25. F.B. 1445, p. 7. 1924.
  game—
    laws—
      1902. F.B. 160, pp. 12, 56. 1902.
      1903. F.B. 180, pp. 10, 53. 1903.
      1904. F.B. 207, pp. 17. 1904.
      1905. F.B. 230, pp. 15. 1905.
      1906. F.B. 265, pp. 14. 1906.
      1907. F.B. 308, p. 13. 1907.
      1908. F.B. 336, pp. 14-15. 1908.
      1909. F.B. 376, pp. 20, 42. 1909.
      1910. F.B. 418, pp. 13, 36. 1910.
      1911. F.B. 470, pp. 17, 41. 1911.
      1912. F.B. 510, pp. **13, 25-26, 36, 37.** **1912.**

INDEX TO PUBLICATIONS, 1901-1925 741

District of Columbia—Continued.
game—continued.
laws—continued.
1913. D.B. 22, pp. 20, 25, 48. 1913; D.B. 22, rev., pp. 19, 20, 21, 25, 48. 1913.
1914. F.B. 628, pp. 16, 40. 1914.
1915. F.B. 692, pp. 26, 51, 54. 1915.
1916. F.B. 774, pp. 23. 1916.
1917. F.B. 910, pp. 14-15. 1917.
1918. F.B. 1010, pp. 12. 1918.
1919. F.B. 1077, pp. 14. 1919.
1920. F.B. 1138, p. 15, 1920.
1921. F.B. 1235, pp. 16, 55. 1921.
1922. F.B. 1288, pp. 13, 53. 1922.
1923-24. F.B. 1375, pp. 14-15, 49. 1923.
1924-25. F.B. 1444, pp. 9, 36. 1924.
1925-26. F.B. 1466, pp. 15, 44. 1925.
protection. See Game protection, officials.
reservations, details and summary. Biol. Cir. 87, pp. 2, 4, 16. 1912.
health department—
ordinance relative to animal excreta. Ent. Bul. 78, pp. 32-33. 1909.
regulations, 1907. Chem. Bul. 112, Pt. I, pp. 37-38. 1908.
herd—
lists, tested and accredited. D.C. 54, pp. 27, 50. 1919.
once-tested, list No. 3, supplement 1. D.C. 143, pp. 21, 62. 1920.
lard supply, wholesale and retail, Aug. 31, 1917, tables. Sec. Cir. 97, pp. 13-31. 1918.
law against Sunday shooting. Biol. Bul. 12, rev., p. 63. 1902.
legislation—
cold storage proposed. Chem. Bul. 115, p. 114. 1908.
relative to tuberculosis. B.A.I. Bul. 28, pp. 14-16. 1901.
livestock admission, sanitary requirements. B.A.I. Doc. A-28, pp. 7-8. 1917; B.A.I. Doc. A-36, pp. 9-10. 1920; M.C. 14, p. 10. 1924.
location of first agricultural fair in United States, 1804. Stat. Bul. 102, pp. 7-8. 1913.
milk—
conditions. B.A.I. Cir. 139, p. 22. 1909.
plants inspection. An. Rpts., 1916, p. 97. 1917; B.A.I. Chief Rpt., 1916, p. 31. 1916.
supply—
B.A.I. Bul. 138, pp. 31-40. 1911.
investigation and recommendations. F.B. 366, pp. 27-28. 1909.
nursery stock, interstate shipment. F.H.B.S.-R.A. 57, p. 113. 1919.
officials, dairy, drug, feeding stuffs, and food. See Dairy officials; Drug officials.
pasture land on farms. D.B. 626, pp. 15, 23. 1918.
plant quarantine, need. An. Rpts., 1919, p. 532. 1920; F.H.B. An. Rpt., 1919, p. 28. 1919.
plum-curculio control work experiments. Ent. Bul. 103, pp. 178, 186. 1912.
rabies, history and prevalence. B.A.I. Cir. 129, pp. 5-6. 1912.
rainfall and temperature records, 1904-1914. D.B. 336, pp. 4-6. 1916.
road(s)—
binding experiments, 1912. D.B. 105, pp. 29-31. 1912.
building rock tests, results. D.B. 1132, pp. 6, 51. 1923.
experimental (and vicinity). B. A. Anderton, and J. T. Pauls. Sec. Cir. 77, pp. 8. 1917.
object lesson work, 1907. An. Rpts., 1907, pp. 719-725. 1908.
surfacing experiments, 1915. D.B. 407, pp. 32-35, 55-57. 1916.
San Jose scale, occurrence. Ent. Bul. 62, p. 22. 1906.
standard containers. F.B. 1434, p. 17. 1924.
termites, occurrence and damages. D.B. 333, pp. 12, 26, 28. 1916.
tuberculin testing of cattle. An. Rpts., 1916, p. 113. 1917; B.A.I. Chief Rpt., 1916, p. 47. 1916.
tuberculosis eradication—
R. W. Hickman. Y. B., 1910, pp. 231-242. 1911; Y.B. Sep. 532, pp. 231-242. 1911.
work and results. F.B. 1069, p. 23. 1919.
typhoid fever investigations and report, 1894. B.A.I. Cir. 153, pp. 7-9. 1910.

District of Columbia—Continued.
vicinity, chestnut bark disease, control experiments. F.B. 467, pp. 10-11. 1911.
walnut growing. B.P.I. Bul. 254, pp. 17, 102. 1913.
See also Washington, D. C.
Ditch(es)—
apron-traction, used in drainage work, southern Louisiana. D.B. 71, pp. 36, 48, 50. 1914.
banks—
grazing for insect control. D.B. 889, p. 22. 1920.
protection by forage crops for mowing. B.P.I. Bul. 260, p. 63. 1912.
shelter for chalcis fly. F.B. 636, pp. 6-7, 8. 1914.
cleaner, construction, use and value. F.B. 321, pp. 13-14. 1908.
cleaning—
for cotton growing. D.B. 896, p. 19. 1920.
machinery, description and cost. D.B. 300, pp. 21-22, 35-36. 1916.
sugar-beet farms, preparation for plantings. D.B. 726, pp. 25-27. 1918.
construction and usefulness. F.B. 187, pp. 10-14. 1904.
cost of building and maintaining. Y.B. 1900, p. 511. 1901.
cranberry, cleaning necessity. F.B. 1401, p. 15. 1924.
destruction by rodents. F.B. 335, pp. 13, 20, 24, 29. 1908.
dredging, drainage work in Arkansas, cost. O.E.S. Cir. 86, pp. 19, 30. 1909.
earth, unlined, comparison with lining, efficiency. F.B. 317, p. 11. 1908.
erosion, cause of gullies. F.B. 1234, p. 6. 1922.
excavating machinery. J. O. Wright. O.E.S. Cir. 74, pp. 40. 1907.
farm—
for irrigation, materials, and capacity. F.B. 373, pp. 31-35. 1909.
location in irrigation farming, building. F.B. 865, pp. 25-29. 1917.
structures, Oregon, Umatilla Experiment Farm. W.I.A. Cir. 26, pp. 21-23. 1919.
field—
for irrigation of grain, making, requirements. F.B. 399, pp. 4-9. 1910.
in irrigation systems, description and carrying capacities. F.B. 1348, pp. 3-5. 1923.
forest trails, directions. For. Misc., O-6, p. 30. 1915.
furrow irrigation, management. F.B. 404, pp. 13-17. 1900. O.E.S. Bul. 220, pp. 33-34. 1910.
hillside, value in erosion prevention. D.B. 512, p. 5. 1917.
irrigated farms, construction, form. F.B. 263, pp. 10-19. 1906; F.B. 864, pp. 8-15. 1917.
line, directions for locating. Y.B. 1900, pp. 496-507. 1901.
lining(s)—
efficiency and cost, various materials. O.E.S. An. Rpt., 1908, pp. 374-375. 1909.
methods, descriptions, and cost. O.E.S. An. Rpt. 1907, pp. 370-380. 1908.
tests of various materials. F.B. 317, p. 11. 1908.
to prevent seepage losses. F.B. 317, pp. 10-12. 1908.
lowland drainage, location, slope, and size. O.E.S. Bul. 243, pp. 16-20. 1911.
open, disadvantages, comparison with tile drainage. Y.B., 1914, pp. 248-249. 1915; Y.B. Sep. 640, pp. 248-249. 1915.
rice irrigation, location and importance. F.B. 1240, p. 6. 1924.
riders duties. O.E.S. Bul. 229, pp. 1-99. 1910.
road, constructions. D.B. 463, pp. 7-8. 1917.
side purpose and construction. D.B. 724, pp. 3-5, 11-18. 1919.
small, building for irrigation. F.B. 158, pp. 1-28.
southern Louisiana, drainage districts, capacity. D.B. 71, pp. 25, 30, 36, 40, 44, 48, 50, 54, 62. 1914.
supply, for irrigation, (and pipes), location and capacity. F.B. 1243, pp. 8-10, 16-20. 1922.
swamp drainage, South Carolina, data, computations and cost. D.B. 114, pp. 10-20. 1914.
systems—
Louisiana reclamation of wet prairie lands. O.E.S. An. Rpt., 1909, pp. 437-439. 1910.

Ditch(es)—Continued.
   systems—continued.
      southern Louisiana, wet lands. D.B. 652, pp. 42-44. 1918.
      tidal-marsh reclamation, descriptions. O.E.S. Bul. 240, pp. 24-25, 33, 39, 50-51, 55, 61-63, 83, 93. 1911.
   use and value in open-ditch subirrigation in Florida. D.B. 462, pp. 26-28, 46. 1917.
   water conveyance discharges for different grades. F.B. 899, p. 10. 1917.
   See also Drainage; Irrigation.
Ditcher, construction, use, and value. F.B. 321, pp. 13-14. 1908.
Ditching—
   control of coffee root diseases. P.R. Bul. 17, pp. 17, 20-21. 1915.
   dredge, methods and cost of operation. O.E.S. Cir. 74, pp. 29-35. 1907.
   for control of army worm. F.B. 731, p. 11. 1916; F.B. 752, pp. 9, 14, 15. 1916.
   lands, methods. Y.B., 1919, pp. 79-80. 1920; Y.B. Sep. 822, pp. 79-80. 1920.
   machinery, description, use, and cost. News L., vol. 3, No. 19, pp. 2-3. 1915.
   plows and scoops for trenching, description. F.B. 698, pp. 3-6, 1915.
   sugar-beet fields, methods, and cost. D.B. 735, pp. 17-18. 1918; D.B. 693, p. 24. 1918.
   use of explosives. Off. Rec., vol. 3, No. 42, p. 5. 1924.
   wet lands, South Carolina, Georgetown County, cost. Soil Sur. Adv. Sh., 1911, pp. 15-16, 35, 39, 43, 47. 1912; Soils F.O., 1911, pp. 523-524, 543, 547, 551, 555, 1914.
DITEWIG, GEORGE—
   "Economic importance of the Federal inspection of meats." Y.B., 1915, pp. 273-280. 1916; Y.B. Sep. 676, pp. 273-280. 1916.
   "Meat inspection service of the United States Department of Agriculture." Y.B., 1916, pp. 77-97. 1917; Y.B. Sep. 714, pp. 21. 1917.
Ditropinotus aureoviridis—
   destruction by *Pediculoides ventricosus*. Ent. Cir. 118, p. 21 1910.
   parasite of wheat joint-worm. F.B., 1006, p. 11. 1918; J.A.R., vol. 21, pp. 405-426. 1921; Y.B., 1907, p. 255. 1908; Y.B. Sep. 447, p. 255. 1908.
Diuresis—
   cattle, symptoms and treatment. B.A.I. [Misc.], "Diseases of cattle," rev., pp. 116-117. 1904; 118-119. 1912; 118-119. 1923.
   relation to milk flow. H. Steenbock. J.A.R., vol. 5, No. 13, pp. 561-568. 1915.
Diuretic plants, cattle feed, list. B.A.I. [Misc.], "Diseases of cattle," rev., pp. 119, 124. 1912.
Diuretin, use in control of zygadenus poisoning of sheep. D.B. 125, pp. 37-38. 1915.
Diversification—
   crops—
      cause of success in southern farming. D.C. 85, pp. 8-12. 1920.
      demonstration beginning in South. D.C. 248, pp. 4-7. 1922.
      essential to sustained productivity. Y.B., 1911, pp. 376-377, 379, 380. 1912; Y.B. Sep. 576, pp. 376-377, 379, 380. 1912.
      form of crop insurance. D.B. 1043, p. 13. 1922.
      Georgia, Sumter County. D.B. 1034, pp. 46-50. 1922.
      good results in Southern States. Y.B., 1911, pp. 286, 288, 291-292. 1912; Y.B. Sep. 568, pp. 286-288, 291, 292. 1912.
      need in club work. S.R.S. Doc. 29, p. 3. 1915.
      problems for wheat farmers. An. Rpts., 1923, pp. 14-15. 1924; Sec. A.R., 1923, pp. 14-15. 1923.
      progress in Porto Rico. P.R. An. Rpt., 1917, pp. 39-40. 1918.
      relation to hog industry in South. Y.B., 1922, p. 207. 1923; Y. B. Sep. 882, p. 207. 1923.
   definition. Sec. Cir. 50, pp. 6-7. 1915.
   factor of profit in farming. Y.B., 1915, pp. 114-115. 1916; Y.B. Sep. 661, pp. 114-115. 1916.
   familiar talks on farming. S. A. Knapp. B.P.I. Doc. 383, pp. 4. 1908.
   farming, definition. Sec. Cir. 56, pp. 1-2. 1916.
   industries, need in newly settled lands. Y.B., 1912, pp. 487-488. 1913; Y.B. Sep. 608, pp. 487-488. 1913.

Diversion boxes, irrigation. D.B. 906, pp. 41-44. 1921.
Dividends—
   cooperative marketing, discussion. Y.B., 1914, pp. 196-197. 1915; Y.B. Sep. 637, pp. 196-197. 1915.
   definition, disposal. D.B. 178, pp. 14-15. 1915.
   payment, methods of cooperative stores, reports. D.B. 394, pp. 30-32. 1916.
Divi-divi, importation and description. No. 35896. B.P.I. Inv. 36, p. 22. 1915.
Dixie National Forest, Nevada, Utah, and Arizona, map. For. Maps. 1923.
DIXON, H. M.—
   "A farm management survey of three representative areas in Indiana, Illinois, and Iowa." With E. H. Thompson. D.B. 41, pp. 42. 1913.
   "A method of analyzing the farm business." With E. H. Thompson. F.B. 661, pp. 26. 1915.
   "A method of analyzing the farm business." With H. W. Hawthorne. F.B. 1139, pp. 40. 1920.
   "A study of farm management problems in Lenawee County, Mich." With J. A. Drake. D.B. 694, pp. 36. 1918.
   "An economic study of farming in Sumter County, Ga." With H. W. Hawthorne. D.B. 492, pp. 64. 1917.
   "Farm management and farm organization in Sumter County, Georgia." With others. D.B. 1034, pp. 97. 1922.
   "Farm management extension. Early development and status in 1922." D.C. 302, pp. 27. 1924.
   "Farm management in the Ozark region of Missouri." With J. M. Purdom. D.B. 941, pp. 51. 1921.
   "Farm management practice of Chester County, Pa." With others. D.B. 341, pp. 99. 1916.
   "Farm organization and mangement in Clinton County, Indiana, 1910 and 1913-1919." With H. W. Hawthorne. D.B. 1258, pp. 68. 1924.
   "Farm profits—figures from the same farms for a series of years." With H. W. Hawthorne. D.B. 920, pp. 56. 1921.
   "Profits in farming on irrigated areas in Utah Lake Valley." With E. H. Thomson. D.B. 117, pp. 21. 1914.
   "The organization and management of farms in northwestern Pennsylvania." With Earl D. Strait. D.B. 853, pp. 32. 1920.
Djave, importation and description. No. 46695, B.P.I. Inv. 57, p. 20. 1922.
DOANE, C. F.—
   "Cheesemaking brings prosperity to farmers of southern mountains." With A.J. Reed. Y.B. 1917, pp. 147-152. 1918. Y.B. Sep. 737, pp. 8. 1918.
   "Methods and results of paraffining cheese." B.A.I. Cir. 181, pp. 16. 1911.
   "The cold curing of American cheese, with a digest of previous work on the subject." B.A.I. Bul. 85, pp. 68. 1906.
   "The digestibility of cheese." B.A.I. Cir. 166, pp. 22. 1911.
   "The influence of lactic acid on the quality of cheese of the Cheddar type." B.A.I. Bul. 123, pp. 20. 1910.
   "The milk supply of twenty-nine southern cities." B.A.I. Bul. 70, pp. 40. 1905.
   "The use of *Bacillus bulgaricus* in starters for making Swiss or Emmental cheese." With E. E. Eldredge. D.B. 148, pp. 16. 1915.
   "The viability of tubercle bacilli in cheese." With others. B.A.I. An. Rpt., 1909, pp. 187-191. 1911.
   "Varieties of cheese: Descriptions and analyses." With H. W. Lawson. B.A.I. Bul. 105, pp. 72. 1908; B.A.I. Bul. 146, pp. 78. 1911; D.B. 608, pp. 80. 1918.
   "Whey butter." B.A.I. Cir. 161, pp. 7. 1910.
Dobry's positive hog cure, misbranding. Chem. N.J. 12873. 1925.
Doca, importation and description. No. 44814, B.P.I. Inv. 51, p. 72. 1922.
Dock—
   aphid, description, and injury to apples. F.B. 804, p. 17. 1917.

INDEX TO PUBLICATIONS, 1901-1925   743

Dock—Continued.
  broad-leaved, habitat, range, description, collection, prices, and uses of roots. B.P.I. Bul. 107, p. 27. 1907.
  curled—
    description of seed, appearance in red clover seed. F.B. 260, p. 16. 1906.
    injury to timothy fields, control methods. F.B. 502, p. 24. 1912.
    seeds, illustration, description. B.P.I. Bul. 84, p. 36. 1905.
    drug use, with prices, description, and range. F.B. 188, pp. 15-19. 1904.
  false-worm—
    apple pest. E. J. Newcomer. D.B. 265, pp. 40. 1916.
    description, damage, and remedies. Ent. Bul. 54, pp. 40-43. 1905.
    enemies, natural and predacious. D.B. 265, pp. 33-35, 37. 1916.
  leaves, mining by two species of Pegomyia. S. W. Frost. J.A.R., vol. 16, pp. 229-244. 1919.
  Mexican, indicator value on range. D.B. 791, pp. 37, 40, 43, 44. 1919.
  seed, description. F.B. 428, pp. 7, 18, 19. 1911.
  yellow—
    description, distribution, spread, and products injured. F.B. 660, p. 28. 1915.
    eradication. F.B. 1294, p. 43. 1922.
    habitat, range, description, collection, prices, and uses of roots. B.P.I. Bul. 107, p. 27. 1907.
Dockage—
  application in wheat marketing. F.B. 919, pp. 12. 1917.
  determination in wheat, method and instructions. Mkts. S.R.A. 26, pp. 10-13, 14-18. 1917.
  in grading grain, causes. An. Rpts., 1912, p. 419. 1913; B.P.I. Chief Rpt., 1912, p. 39. 1912.
  quantity in spring wheat. F.B. 1287, pp. 6-7. 1922.
  value of system to wheat farmers. F.B. 1118, pp. 7-8. 1920.
  wheat—
    cost of handling, suggestions. Sec. A.R., 1924, pp. 39-40. 1924.
    definition of term. F.B. 1118, pp. 3-5. 1920; F.B. 1287, p. 5. 1922.
    determination equipment. F.B. 919, pp. 4-5. 1917; F.B. 1118, pp. 8-20. 1920; F.B. 1287, pp. 5-6. 1922.
    losses to farmers. An. Rpts., 1923, pp. 35-36, 153, 154. 1924; B.A.E. Chief Rpt., 1923, pp. 23, 24. 1923; Sec. A.R., 1923, pp. 35-36. 1923.
    removal at threshing. Y.B., 1918, p. 335. 1919; Y.B. Sep. 766, p. 3. 1919.
    under Federal grades. Ralph H. Brown. F.B. 1118, pp. 26. 1920.
    value and handling methods. F.B. 919, pp. 6-9, 12. 1917; F.B. 1118, pp. 7-8, 21-22. 1920.
Docking lambs—
  and castrating. G. H. Bedell and E. W. Baker. F.B. 1134, pp. 14. 1920.
  benefits and method of operation. F.B. 1134, pp. 11-13. 1920.
  directions. F.B. 840, p. 16. 1917.
  time and method. D.B. 573, pp. 13-14. 1917.
Docks, building, use of greenheart. For. Cir. 211, p. 6. 1913.
Dr. J. S. Rose's whooping cough remedy, misbranding. Chem. N.J. 13317. 1925.
Dr. Lippi blood purifier, tonic, misbranding. Chem. N.J. 13780. 1925.
Dr. Sanger capsules, misbranding. Chem. N.J. 13552. 1925.
Dr. Sayman's wonder herbs, misbranding. Chem. N.J. 13191. 1925; Chem. N.J. 13702. 1925.
Documents, Superintendent, sales of department publications. An. Rpts., 1918, pp. 294-295. 1919. Pub. A. R., 1918, pp. 14-15. 1918.
Docynia—
  delavayi—
    importation and description. No. 44677, B.P.I. Inv. 51, pp. 8, 42. 1922.
    See also Pear, wild, Chinese.
  indica, importation and description. No. 50364, B.P.I. Inv. 63, pp. 4, 62. 1923.

Dodder—
  Albert A. Hansen. F.B. 1161, pp. 21. 1921.
  adulterant of alfalfa seed. F.B. 660, p. 14. 1915; S.R.S. Syl. 20, pp. 10, 11. 1916.
  Chilean, injury to California hemp. Y.B., 1913, p. 316. 1914; Y.B. Sep. 628, p. 316. 1914.
  control—
    and eradication methods. F.B. 1161, pp. 13-19. 1921.
    international action, 1906. Y.B., 1907, p. 57. 1908.
  definition, seed importation regulations. B.P.I. S.R.A. 1, p. 1. 1914; Sec. Cir. 42, p. 3. 1913.
  description, species and life history. F.B. 1161, pp. 4-10. 1921.
  field, description, distribution, spread, and products injured. F.B. 660, p. 28. 1915.
  injurious character. F.B. 1161, p. 3. 1921.
  injury to—
    alfalfa, and control. F.B. 339, pp. 39-40. 1908; D.C., 342, p. 7. 1925.
    red clover description and control. F.B. 1339, pp. 29-30. 1923.
  occurrence on plants other than clover and alfalfa. F.B. 1161, pp. 9-20. 1921.
  relation to farm seeds. F. H. Hillman. F.B. 306, pp. 27. 1907.
  seed—
    description. F.B. 353, pp. 6-9. 1909; F.B. 428, pp. 4-9. 1916; F.B. 1283, pp. 7, 31. 1922.
    destruction by heat. F.B. 1161, p. 13. 1921.
    imported in clover seed. B.P.I. Bul. 111, pp. 8-15. 1907.
    spraying for eradication. F.B. 360, p. 17. 1909.
  spread, methods and prevention. F.B. 1161, pp. 10-12. 1921.
D decatheon latifolium. See Shooting star.
DODGE, B. O.—
  "A new type of orange rust on blackberry." J.A.R., vol. 25, pp. 491-494. 1923.
  "Aecidiospore, discharge as related to the character of the spore wall." J.A.R., vol. 27, pp. 749-756. 1924.
  "Effect of the orange rusts of Rubus on the development and distribution of stomata." J.A.R., vol. 25, pp. 495-500. 1923.
  "Expulsion of aecidiospores by the may apple rust, *Puccinia podophylli.*" J.A.R., vol. 28, pp. 923-926. 1924.
  "Life history of *Pilacre faginea* (Fr.) B. and Br." With C. L. Shear. J.A.R., vol. 30, pp. 407-417. 1925.
  "Morphology and host relations of *Pucciniastrum americanum.*" J.A.R., vol. 24, pp. 885-894 1923.
  "Origin of the central and ostiolar cavities in pycnidia of certain fungous parasites of fruits." J.A.R., vol. 23, pp. 743-760. 1923.
  "Systemic infection of Rubus with the orange rusts." J.A.R., vol. 25, pp. 209-243. 1923.
  "The Rhizoctonia brown rot and other fruit rots of strawberries." With Neil E. Stevens. J.A.R., vol 28, pp. 643-648. 1924.
  "Uninucleated aecidiospores in *Caeoma nitens* and associated phenomena." J.A.R., vol. 28, pp. 1045-1058. 1924.
DODGE, L. G.—
  "A successful dairy farm." B.P.I. Bul. 102, Pt. II, pp. 19-23. 1907.
  "Cropping systems for New England dairy farms." F.B. 337, pp. 24. 1908.
  "Farm management in Northern potato-growing sections." F.B. 365, pp. 31. 1909.
  "Some profitable and unprofitable farms in New Hampshire." With Fred E. Robertson. B.P.I. Cir. 128, pp. 3-15. 1913.
DODGE, MARTIN—
  "Government cooperation in object lesson road work." Y.B., 1901, pp. 409-414. 1902; Y.B. Sep. 245, pp. 409-414. 1902.
  "Object-lesson road at Charlottesville, Va." Rds. [Misc.], "Object-lesson road * * *." p. 1. 1902.
  report of Director Public Road Inquiries Office—1901. An. Rpts., 1901, pp. 419-443. 1901; Pub. Rd. Inq. Rpt., 1901, pp. 18. 1901.
  1902. An. Rpts., 1902, pp. 325-347. 1902; Pub. Rd. Inq. Rpt., 1902, pp. 12. 1902.

DODGE, MARTIN—Continued.
  report of Director, Public Road Inquiries Office—
      Continued.
      1903. An. Rpts., 1903, pp. 305-316. 1903; Pub.
          Rd. Inq. Rpt., 1903, p. 23. 1903.
      1904. An. Rpts., 1904, pp. 235-252. 1904; Pub.
          Rd. Inq. Rpt., 1904, p. 16. 1904.
Dodgers, corn meal, recipes. F.B. 1136, p. 29.
  1920.
Dodonaea—
  spp., importations and description. Nos. 50399,
      50400, B.P.I. Inv. 63, pp. 66-67. 1923.
  thunbergiana, importation and description. No.
      44536, B.P.I. Inv. 51, p. 21. 1922.
  viscosa, importations and descriptions. No.
      34724, B.P.I. Inv. 35, p. 51. 1915; No. 36813,
      B.P.I. Inv. 37, pp. 6, 68. 1916; No. 45726,
      B.P.I. Inv. 54, p. 11. 1922; No. 48029, B.P.I.
      Inv. 60, p. 30. 1922; No. 48667, B.P.I. Inv. 61,
      p. 34. 1922.
DODSON, W. R.—
  "Relation of experiment stations to popular in-
      struction." O.E.S. Bul. 212, pp. 106-112.
      1909.
  report of—
      extension work in agriculture and home eco-
          nomics in Louisiana.
          1915. S.R.S. Rpt., 1915, Pt. II., pp. 71-79.
              1916.
          1916. S.R.S. Rpt., 1916, Pt. II., pp. 74-82.
              1917.
      Louisiana Experiment Stations, work and ex-
          penditures—
          1905. O.E.S. An. Rpt., 1905, pp. 78-80. 1906.
          1906. O.E.S. An. Rpt, 1906, pp. 110-111.
              1907.
          1907. O.E.S. An. Rpt., 1907, pp. 108-111.
              1908.
          1908. O.E.S. An. Rpt., 1908, pp. 104-106.
              1909.
          1909. O.E.S. An. Rpt., 1909, pp. 114-117.
              1910.
          1910. O.E.S. An. Rpt., 1910, pp. 149-152.
              1911.
          1911. O.E.S. An. Rpt., 1911, pp. 118-121.
              1912.
          1912. O.E.S. An. Rpt., 1912, pp. 124-127.
              1913.
          1913. O.E.S. An. Rpt., 1913, pp. 50-51. 1915;
              Work and Exp., 1913, pp. 50-51. 1915.
          1914. O.E.S. Rpt., 1914, pp. 120-123. 1915.
          1915. S.R.S. Rpt., 1915, Pt. I., pp. 130-134.
              1916; Work and Exp., 1915, pp. 130-134.
              1917.
          1916. S.R.S. Rpt., 1916, Pt. I, pp. 131-136.
              1918; S.R.S. Rpt., 1916, Pt. II, pp. 74-82.
              1917.
          1917. S.R.S. Rpt., 1917, Pt. I, pp. 128-133.
              1918.
          1918. S.R.S. Rpt., 1918, pp. 70-80. 1920.
Dodson's remedy, headache, misbranding. Chem.
  N.J., 3494, Chem. S.R.A. 9, Sup. pp. 717-718.
  1915.
Does—
  Belgian hares, care and feeding while nursing
      young. F.B. 496, p. 12. 1912.
  care during kidding season. D.B. 749, pp. 19-26.
      1919.
  management and desirable characteristics in rais-
      ing milch goats. B.A.I. Bul. 68, pp. 29-30,
      38-39. 1905.
Dog(s)—
  Alaska regulations. Biol. S.R.A. 28, pp. 2-3.
      1919.
  attacks by ticks of various kinds. Y.B. 1910, pp.
      224, 225, 228, 229, 230. 1911; Y.B. Sep. 531, pp.
      224, 225, 228, 229, 230. 1911.
  bite, treatment directions. D.C. 4, p. 70. 1919.
  "black-tongue", investigations. An. Rpts., 1911:
      p. 238. 1912; B.A.I. An. Rpt., 1911, pp. 60-61.
      1913; B.A.I. Chief Rpt., 1911, p. 48. 1911.
  breeds and books of records, list. B.A.I.O. 288,
      pp. 5, 6. 1924.
  breeds, certification regulations. B.A.I.O. 293,
      pp. 1-3, 5, 6. 1925.
  caffein elimination, experiments. Chem. Bul.
      157, pp. 20, 21. 1912.
  Canadian National Records, certification regu-
      lation. B.A.I.O. 206, amdt. 2, p. 1. 1915.

Dog(s)—Continued.
  carrier of parasites and disease. Maurice C. Hall.
      D.P.B. Cir. 260, pp. 27. 1915.
  cause of spread of gid parasite, experiments.
      B.A.I. Cir. 159, pp. 1-7. 1910.
  Collie, imported, inspection and quarantine regu-
      lations. B.A.I.O. 266, pp. 8-9. 1919.
  control—
      in Alaska, for deer protection, studies. Biol.
          Doc. 110, pp. 3-4. 1919.
      in Kenai Peninsula, Alaska. Biol. S.R.A. 17,
          p. 1. 1917.
      legislation urged for wool growing States.
          News L., vol 1, No. 47, pp. 1-2. 1914.
  damage to sheep. D.B. 20, pp. 11-13. 1913; D.B.
      260, pp. 5, 8, 14-22, 25-27. 1915; F.B. 929, p. 24.
      1918.
  danger, duties of owners. B.A.I. Cir. 120, pp.
      9-10, 16. 1908.
  destruction, laws relating to. F.B. 1268, pp. 8,
      9-29. 1922.
  diet, raw onions n, as a control measure for
      worms. M. C. Hall and others. J.A.R., vol.
      30, pp. 155-159. 1925.
  diseases—
      caused by protozoan parasites. B.A.I. Cir. 194,
          pp. 477, 481, 493. 1912; B.A.I. An. Rpt., 1910,
          pp. 447, 481, 493. 1912.
      transmission by ticks. Y.B. 1910, pp. 229-230.
          1911; Y.B. Sep. 531, pp. 229-230. 1911.
  enemies of goats and kids. D.B. 941, p. 33. 1921.
  factors in flea spread. D.B. 248, pp. 10, 24. 1915.
  feeding—
      ash-free foods, experiments. Chem. Bul. 123,
          p. 19. 1909.
      coal-tar colors, experiments. Chem. Bul. 147,
          pp. 67-70. 1912.
      experiments, with nonproteins. B.A.I. Bul.
          139, pp. 6-12. 1911.
      phosphorus, studies. Chem. Bul. 123, pp. 9,
          10, 11, 16, 17. 1909.
  flea—
      control experiments. D.B. 888, pp. 9-15. 1920.
      infestation, control. F.B. 683, pp. 10-11, 14.
          1915.
      injurious to dogs and cats, description, habits,
          and control method. F.B. 897, pp. 8-9, 10-11.
          1917.
  game destruction, control, Alaska regulations.
      Biol. S.R.A. 22, p. 3. 1918.
  German Shepherd, book of record, recognition.
      B.A.I.O. 206, amdt. 1, p. 1. 1920.
  gid—
      occurrence. B.A.I. Bul. 125, Pt. I, pp. 41-42.
          1910.
      quarantine and inspection against. B.A.I. Cir.
          165, p. 28. 1910.
  glanders, inoculation effects. B.A.I. Doc. A-13,
      p. 4. 1917.
  hookworm-infested, treatment. B.A.I. Chief
      Rpt., 1924, p. 39. 1924.
  host of—
      cattle tick. Ent. Bul. 72, p. 35. 1907.
      spotted-fever tick. Ent. Bul. 105, pp. 28, 30, 33,
          1911.
  hunting, laws. Biol. Bul. 28, pp. 85-87. 1907.
  immunization against rabies, historical notes.
      J.A.R., vol. 30, p. 431. 1925.
  imported, inspection and quarantine regulations.
      B.A.I. An. Rpt., 1911, pp. 86, 87-88. 1913;
      B.A.I. Cir. 213, pp. 86, 87-88. 1913.
  infestation—
      by mites. Rpt., 108, pp. 62, 67, 68, 131, 132.
          1915.
      with Multiceps serialis. B.A.I. Bul. 125, Pt. I,
          pp. 63-64. 1910.
  injury—
      by stable fly. F.B. 540, p. 8. 1913.
      to sheep—
          and control. F.B. 1181, p. 16. 1921.
          industry, control by dog-proof fences. News
              L., vol. 2, No. 34, pp. 3-4. 1915.
  inoculation with Coccidioides immitis, experi-
      ments. J.A.R., vol. 14, p. 538. 1918.
  law—
      enactment in Virginia, text. News L., vol. 2,
          No. 4, p. 1. 1914.
      enforcement necessity. F.B. 652, p. 11. 1915.
      Michigan, complete text. F.B. 1268, pp. 24-29.
          1922.

INDEX TO PUBLICATIONS, 1901–1925   745

Dog(s)—Continued.
  law—continued.
    suggestions and digest for different States. F.B. 652, pp. 7–11. 1915; F.B. 935, pp. 6–32. 1918.
    United States and Great Britain, comparison and studies. D.B. 20, pp. 12–13. 1913.
    See also *under names of States.*
  licensed, identification methods. F.B. 652, p. 8. 1915; F.B. 935, pp. 7–8. 1918.
  malignant jaundice, cause and transmission. B.A.I. An. Rpt., 1910, p. 493. 1912; B.A.I. Cir. 194, p. 493. 1912.
  management for flea control. D.B. 248, pp. 24, 26. 1915.
  meat, inspection, German regulations. B.A.I. Bul. 50, p. 14. 1903.
  muzzling—
    for eradication of rabies, efficacy and desirability. B.A.I. An. Rpt., 1909, pp. 214–216. 1911.
    in Germany and Great Britain. B.A.I. An. Rpt., 1900, p. 521. 1901.
  parasites and parasitic diseases. Maurice C. Hall. D.C. 338, pp. 28. 1925.
  poisoning by lupine, experiments. D.B. 405, pp. 10–12, 13. 1916.
  purebred—
    certification. B.A.I.O. 206, Amdt. 1, p. 1. 1914.
    foreign books of record, recognized breeds. B.A.I.O. 175, p. 5. 1911.
  quarantine regulations. B.A.I.O. 259, pp. 8, 11. 1918.
  rabid—
    danger, duties of owners. B.A.I. An. Rpt., 1906, pp. 189–191, 196. 1908.
    post-mortem examination of carcass, forwarding to laboratory. B.A.I. Cir. 129, pp. 15–16. 1908.
    symptoms and course of disease. F.B. 440, pp. 8–10. 1911.
  rabies. *See* Rabies.
  record books and publishers, list. B.A.I.O. 278, pp. 5, 6. 1922.
  sanitary requirements for admission, State laws. B.A.I. Doc. A–28, p. 3. 1917; B.A.I. Doc. A–36, pp. 1–67. 1924.
  Scotch Collie, use in sheep raising. D.B. 20, p. 11. 1913.
  septicemia, inoculation study. B.A.I. Bul. 36, p. 18. 1902.
  sheep—
    killing—
      M. W. Coll. F.B. 1268, pp. 29. 1922.
      V. O. McWhorter. F.B. 652, pp. 13. 1915.
    control methods. D.B. 573, pp. 20–21. 1917.
    habits and control. J. F. Wilson. F.B. 935, pp. 32. 1918.
    menace to sheep raising, control suggestions. Sec. Cir. 93, pp. 12–13, 14. 1918.
    State laws for control. F.B. 652, pp. 8–9. 1915; F.B. 935, pp. 8, 11–22, 26, 31. 1918.
    use and value in sheep raising. D.B. 20, p. 11. 1913.
  shepherd, imported, inspection and quarantine regulations. B.A.I.O. 266, pp. 8–9. 1919.
  slaughter for food, Germany, number, etc. B.A.I. An. Rpt., 1911, p. 265. 1913.
  soap misbranding, Ricksecker's. Insect. N.J. 131. I. and F. Bd. S.R.A. 7, pp. 103–104. 1915.
  studies for southern rural schools. D.B. 305, pp. 39–40, 43. 1915.
  tapeworm—
    feeding experiments. J.A.R., vol. 1, pp. 21–23, 26, 58. 1913.
    infestation and treatment. F.B. 1150, pp. 24–26, 27, 31–33. 1920; F.B. 1330, pp. 24–26, 31–33. 1923.
    prevention. D.B. 1089, pp. 58–59. 1922.
  taxes—
    levying and collection by States and counties, variations and methods. F.B. 652, pp. 7–8. 1915.
    value in control of sheep-killing dogs. News L., vol. 5, No. 34, p. 5. 1918.
  temperature, normal. Y.B., 1914, p. 166. 1915; Y.B. Sep. 635, p. 166. 1915.
  ticks. *See* Ticks, dog.
  tissues, histological examination. Theobald Smith. Rpt. 97, pp. 453–461. 1913.

Dog(s)—Continued.
  tolerance of strychnine, lethal dose. D.B. 1023, p. 3. 1921.
  transmission of—
    gid parasite to sheep, notes. B.A.I. Bul. 125, Pt. I, pp. 15, 19, 23, 26. 1910.
    parasites to men and livestock, prevention. Y.B., 1905, pp. 147, 159, 161. 1906.
    tapeworms to sheep and reindeer, precautions. An. Rpts., 1912, p. 383. 1913; B.A.I. Chief Rpt., 1912, p. 87. 1912.
  treatment—
    against rabies. Off. Rec., vol. 3, No. 13, p. 5. 1924.
    for—
      fleas, recommendations. D.B. 888, p. 15. 1920.
      tapeworms. B.A.I. Cir. 165, pp. 25–28. 1910; F.B. 1150, pp. 25–26. 1920; J.A.R., vol. 1, pp. 51–52. 1913.
  use in control of field mice. F.B. 352, p. 20. 1909; Y.B., 1908, p. 309. 1909; Y.B. Sep. 482, p. 309. 1909.
  usefulness in control of rats. Biol. Bul. 33, p. 48. 1909; F.B. 369, pp. 14, 16. 1909; F.B. 1302, p. 10. 1923; Y.B., 1917, pp. 242, 247. 1918; Y.B. Sep. 725, pp. 10, 15. 1918.
  vaccination against rabies, studies on single-injection method. Harry W. Schoening. J.A.R., vol. 30, pp. 431–439. 1925.
  value in destruction of gophers. Y.B., 1909, p. 218. 1910; Y.B. Sep. 506, p. 218. 1910.
  worms—
    control, by carbon tetrachloride, tests. J.A.R., vol. 23, pp. 168–171. 1923.
    test of raw onions in the diet for control. M. C. Hall, with others. J.A.R., vol. 30, pp. 155–159. 1925.
    treatment with various remedies, effects. J.A.R., vol. 12, pp. 399–433, 441. 1918.
  worrying of milk goats. B.A.I. Bul. 68, p. 48. 1905.

Dog—
  daisy. *See* Yarrow.
  ears, tree. *See* Fungi.
"Dog towns," Texas, description. N.A. Fauna 25, pp. 90–91. 1905.
Dogbane, description, distribution, spread, and products injured. F.B. 660, p. 28. 1915.
Dogberry—
  aphid, description, habits and control. F.B. 1128; pp. 35, 48. 1920.
  See also Mountain ash, American.
Dogfish—
  description, characteristics, destruction of shellfish. D.B. 2, pp. 16–18. 1913.
  source of fish meal. D.B. 378, pp. 8, 19–20. 1916.
  utilization for fertilizer. F.B. 320, pp. 7–8. 1908.
Dogskins, imports and consumption. Y.B., 1917, pp. 438, 443. 1918; Y.B. Sep. 741, pp. 16, 21. 1918.
Dogwood—
  characters, occurrence on Pacific slope. For. [Misc.], "Forest trees for Pacific * * *," pp. 412–416. 1908.
  description, key, and list of common kinds. D.C. 223, pp. 6, 10. 1922.
  destruction by birds. Biol. Bul. 15, p. 74. 1901.
  distribution. N.A. Fauna 21, p. 13. 1901.
  family, injury to trees by sapsuckers. Biol. Bul. 39, pp. 48, 86. 1911.
  fruiting season and use as bird food. F.B. 844, pp. 12, 13. 1917; F.B. 912, pp. 12, 13. 1918.
  insect pests, list. Sec. [Misc.] "A manual of insects * * *," p. 95. 1917.
  leaf spot, occurrence and description, Texas. B.P.I. Bul. 226, p. 65. 1912.
  names, range, description, root bark, prices and uses. B.P.I. Bul. 139, pp. 41–43. 1909.
  quantity used in manufacture of wooden products. D.B. 605, p. 13. 1918.
  red-osier, occurrence in Colorado and description. N.A. Fauna 33, p. 242. 1911.
  seed distribution by crows. D.B. 621, pp. 54, 69, 70. 1918.
  slime-flux injury, note. B.P.I. Bul. 149, p. 24. 1909.
  tests for mechanical properties, results. D.B. 556, pp. 29, 39. 1917; D.B. 676, p. 17. 1919.

Dogwood—Continued.
    western, description, range, and occurrence. For. [Misc.], "Forest trees for Pacific * * *," pp. 413–416. 1908.
Dog's—
    finger. *See* Foxglove.
    tail grass, crested, analytical key, and description of seedling. D.B. 461, pp. 6, 11. 1917.
DOHERTY, EVERETT H.: "Hydration capacity of gluten from strong and weak flours." With Ross Aiken Gortner. J.A.R., vol. 13, pp. 389–418. 1918.
Dolichoderidae, enemies of boll weevil, list. Ent. Bul. 100, pp. 41, 72. 1912.
Dolicholus—
    phaseoloides importation and description. No. 44369, B.P.I. Inv. 50, p. 63. 1922.
    spp., importations and descriptions. Nos. 50761, 51027, B.P.I. Inv. 64, pp. 23, 43. 1923.
Dolichonyx oryzivorus—
    game bird status. Biol. Bul. 12, rev., pp. 24–25. 1902.
    See also Bobolink.
Dolichos—
    ensiformis, descriptions by Linnaeus and others. B.P.I. Cir. 110, pp. 30–31, 34. 1913.
    jaquina, importation and description. No. 48668. B.P.I. Inv. 61, p. 34. 1922.
    lablab—
        importations and descriptions. Nos. 46612, 46729. B.P.I. Inv. 57, pp. 12, 26. 1922.
        See also Bean, bonavist.
    spp.—
        description. D.B. 318, pp. 4–7. 1915. B.P.I. Bul. 229, pp. 10–11. 1912.
        importations and descriptions. Nos. 43504–43517, 43594. B.P.I. Inv. 49, pp. 9, 38, 49. 1921.
Dolomite—
    description and composition. Rds. Bul. 37, pp. 16, 19, 26. 1911.
    effect on plant growth, experiments. J.A.R., vol. 6, No. 16, pp. 596–606, 615. 1916.
    formation, discussion. Soils Bul. 49, pp. 37–38. 1907.
    value in road building. D.B. 348, pp. 19, 25. 1916; D.B. 370, pp. 6, 13–100. 1916; D.B. 670, pp. 2–28. 1918; Rds. Bul. 44, p. 29. 1912.
"Dom," fruit of *Zizyphus lotus* bush, Palestine. B.P.I. Bul. 108, p. 13. 1910.
Domestic—
    animals, origin and principles of breeding. B.A.I. An. Rpt., 1910, pp. 125–186. 1912.
    plant quarantine regulations. An. Rpts., 1915, pp. 359–361. 1916; F.H.B. An. Rpt., 1915, pp. 9–11. 1915.
    science—
        clubs. *See* Girls 'agricultural clubs.
        school courses, needs of farm girls. Rpt. 105, pp. 26–29. 1915.
Dominican Republic—
    fruit exports, 1912–1914. D.B. 483, p. 11. 1917.
    road building, rock-test results. D.B. 1132, p. 45. 1923.
Don Edwood (horse) description and pedigree. B.A.I. Cir. 137, pp. 97, 129. 1908; B.A.I. An. Rpt., 1907, pp. 97, 129. 1909.
Don tree, Porto Rico, description and uses. D.B. 354, p. 90. 1916.
DONALDSON, N. C.—
"Cereal experiments at the Judith Basin substation Moccasin, Mont." D.B. 398, pp. 42. 1916.
"Grains for the Montana dry lands." F.B. 749, pp. 23. 1916.
Dondia spp., description. D.B. 1345, pp. 21–23. 1925.
DONEGHUE, R. C., "Soil survey of—
De Kalb County, Missouri." With others. Soil Sur. Adv. Sh., 1914, pp. 25. 1916; Soils F.O., 1914, pp. 2005–2025. 1919.
Dickey County, North Dakota." With others. Soil Sur. Adv. Sh., 1914, pp. 56. 1916; Soils F.O., 1914, pp. 2411–2462. 1919.
DONK, M. G.—
"A modification of the Herzfeld-Bohme method for the detection of mineral oil in other oils." With F. P. Veitch. Chem. Cir. 85, pp. 15. 1912.

DONK, M. G.—Continued.
"Commercial turpentines." With F. B. Veitch. Chem. Bul. 135, pp. 46. 1911.
"The distillation of stumpwood and logging waste of western yellow pine." With others. D.B 1003, pp. 69. 1921.
"Wood turpentine: Its production, refining, properties, and uses." With F. P. Veitch. Chem. Bul. 144, pp. 76. 1911.
Donkey engine, use in clearing land, method and costs of outfit and work. B.P.I. Bul. 239, pp. 33–45. 1912; B.P.I. Cir. 25, pp. 7–9. 1909.
DOOLITTLE, S. P.—
"Control of cucumber mosaic in the greenhouse." D.C. 321, pp. 6. 1924.
"Further studies on the overwintering and dissemination of cucurbit mosaic." With M. N. Walker. J.A.R., vol. 31, pp. 1–58. 1925.
"Inspection of imported food and drug products." Y.B., 1910, pp. 201–212. 1911; Y.B. Sep. 529, pp. 201–212. 1911.
report of chemist (acting), 1912. An. Rpts., 1912, pp. 555–604. 1913; Chem. Chief Rpt., 1912, pp. 54, 1912.
"The mosaic disease of curcurbits." D.B. 879, pp. 69. 1920.
Door(s)—
    closers, automatic, use on fire doors of warehouse. D.B. 801, pp. 28–29. 1919.
    kitchen, space-saving plans. D.C. 189, p. 5. 1921.
    leakage of air, control methods, relation to heating houses. F.B. 1194, pp. 13–19. 1921.
    manufacture, utilization of sycamore. D.B. 884, pp. 9, 10, 15, 24. 1920.
    storage houses, requirements for insulation. F.B. 852, p. 23. 1917.
    warehouse, details of construction, materials. D.B. 801, pp. 24–29, 44. 1919.
"Doping," treatment of cotton airplane cloth. D.B. 882, pp. 38–47. 1920.
DOREMUS, A. F.—
"The irrigation system of the Spanish Fork River," O.E.S. Bul. 124, pp. 157–170. 1903.
"The Spanish Fork River irrigation system." O.E.S. Bul. 124, pp. 157–170. 1903.
Dorianthes palmeri, importation and description. No. 51063, B.P.I. Inv. 64, p. 49. 1923.
DORLAND, C. R.: "Commercial handling, grading, and marketing of potatoes." With C. T. More. F.B. 753, pp. 24. 1916.
Dormancy—
    plant—
        aid to drought endurance. Y.B., 1911, pp. 354–355, 357. 1912; Y.B. Sep. 574, pp. 354–355, 357. 1912.
        effect of weather. J.A.R., vol. 20, pp. 151–160. 1920.
        relation to health and growth. Y.B., 1901, pp. 172, 173. 1902.
        relation to length of daylight. J.A.R., vol. 23, pp. 905, 908, 919. 1923.
    seeds, mechanics. J.A.R., vol. 15, pp. 137–139. 1918.
Dorry machine for testing hardness of rock. D.B. 949, pp. 4–6. 1921; J.A.R., vol. 5, No. 19, pp. 903–904. 1916; Rds. Bul. 44, pp. 7–8, 9. 1912.
DORSET, MARION—
"A chemical examination of various tubercle bacilli." With E. A. De Schweinitz. B.A.I. Cir. 52, pp. 7. 1904.
"A form of hog cholera not caused by the hog-cholera bacillus." With E. A. De Schweinitz. B.A.I. Cir. 41, pp. 4. 1903.
"Distribution of tuberculin and mallein by the Bureau of Animal Industry." Y.B., 1906, pp. 347–354. 1907; Y.B. Sep. 428, pp. 347–354. 1907.
"Further experiments concerning the production of immunity from hog cholera." With others. B.A.I. Bul. 102, pp. 96. 1908.
"Hog cholera." F.B. 379, pp. 23. 1909.
"Hog cholera." F.B. 558, pp. 4–6. 1913.
"Hog cholera: Prevention and treatment." With O. B. Hess. F.B. 834, pp. 32. 1917.
"Investigations concerning the sources and channels of infection in hog cholera." With others. J.A.R. vol. 13, pp. 101–131. 1918.

INDEX TO PUBLICATIONS, 1901–1925 747

DORSET, MARION—Continued.
"Invisible microorganisms." B.A.I. Cir. 57, pp. 18. 1904.
"New facts concerning the etiology of hog cholera." With E. A. De Schweinitz. B.A.I. Cir. 72, pp. 6. 1905.
"Production of clear and sterilized anti-hog-cholera serum." With R. R. Henley. J.A.R., vol. 6, No. 9, pp. 333–338. 1916.
"Recent work of the Bureau of Animal Industry, concerning the cause and prevention of hog cholera." Y.B., 1908, pp. 321–332. 1909; Y.B. Sep. 484, pp. 321–332. 1909.
report of Insecticide and Fungicide Board, 1912. With others. An. Rpts., 1912, pp. 1093–1100. 1913; I. and F. Bd. A.R., 1912, pp. 10. 1912.
"Some common disinfectants." F.B. 345, pp. 12. 1909; F.B. 926, pp. 12. 1918.
"The comparative virulence of human and bovine tubercle bacilli for some large animals." With others. B.A.I. Bul. 52, Pt. II, pp. 31–100. 1905.
"The control of the hog cholera with a discussion of the results of field experiments." With A. D. Melvin. D.B. 584, pp. 18. 1917.
"The desirability of phosphates as an addition to culture media for tubercle bacilli." B.A.I. Cir. 61, pp. 5. 1904.
"The etiology of hog cholera." With others. B.A.I. Bul. 72, pp. 102. 1905.
"The virulence of human and bovine tubercle bacilli for guinea pigs and rabbits." B.A.I. Bul. 52, Pt. I, pp. 3–30. 1904.
DORSETT, P. H.—
"Experiments in bulb growing at the United States bulb garden at Bellingham." D.B. 28, pp. 21. 1913.
"The navel orange of Bahia; with notes on some little-known Brazilian fruits." With others. D.B. 445, pp. 35. 1917.
"The plant-introduction gardens of the Department of Agriculture." Y.B., 1916, pp. 135–144. 1917. Y.B. Sep. 687, pp. 10. 1917.
DORSEY, C. W.—
"Alkali soils of the United States. A review of literature and summary of present information." Soils Bul. 35, pp. 196. 1906.
"Reclamation of alkali land in Salt Lake Valley, Utah." Soils Bul. 43, pp. 28. 1907.
"Reclamation of alkali soils." Soils Bul. 34, pp. 30. 1906.
"Reclamation of alkali soils at Billings, Mont." Soils Bul. 44, pp. 21. 1907.
"Soil survey—
around Lancaster, Pa." Soils F.O. Sep. 1900, pp. 61–84. 1902; Soils F.O., 1900, pp. 61–84. 1901.
from Arecibo to Ponce, P. R." With others. (Also Span. Ed.) P.R. Bul. 3, pp. 53. 1903.
of the Statesville area, North Carolina." With others. Soils F.O. Sep. 1901, pp. 23. Soils F.O., 1901; pp. 273–295. 1902.
DORSEY, M. J.: "Relation of weather to fruitfulness in the plum." J.A.R., vol. 17, pp. 103–126. 1919.
Doryanthes palmeri, importation and description. No. 49859, B.P.I. Inv. 63, p. 13. 1923.
Dorycephalus platyrhynchus. See Leafhopper, shovel-nosed.
Dorylidae, enemies of boll weevil. Ent. Bul. 100, pp. 41, 69. 1912.
Dorymyrmex pyramicus, enemy of—
cotton boll weevil and leaf worm. Ent. Bul. 100, pp. 41, 69, 72. 1912.
plum curculio. Ent. Bul. 103, p. 152. 1912.
DOTEN, S. B., report of Nevada Experiment Station, work and expenditures—
1913. O.E.S. An. Rpt., 1913, pp. 61–62. 1915.
1914. O.E.S. An. Rpt., 1914, pp. 157–159. 1915.
1915. O.E.S. An. Rpt. 1915, pp. 178–181. 1917.
1915. S.R.S. Rpt. 1915, Pt. I, pp. 178–181. 1917.
1916. S.R.S. Rpt. 1916, Pt. I, pp. 182–186. 1918.
1917. S.R.S. Rpt., 1917, Pt. I, pp. 176–181. 1918.
Dothidella ulei, cause of rubber leaf disease, life history, and description. D.B. 1286, pp. 2, 4, 1–11. 1924.
Dotterel, breeding and migration, note. Biol. Bul. 35, p. 77. 1910.
Dotterel, range and names. M.C. 13, p. 67. 1923.

DOTY, S.W.—
"Cooperative livestock shipping associations." With L. D. Hall. F.B. 718, pp. 16. 1916.
"Marketing livestock in the South: Suggestions for improvement." F.B. 809, pp. 16. 1917.
"Methods and cost of marketing livestock and meats." With others. Rpt. 113, pp. 98. 1916.
Double-blossom disease, dewberry control studies. O.E.S. An. Rpt., 1911, pp. 89, 169. 1912.
DOUCETTE, C. F.: "The strawberry rootworm as an enemy of the greenhouse rose." With C. A. Weigel. F.B. 1344, pp. 14. 1923.
Dough—
bread, preparation, different methods. F.B. 389, pp. 22–25, 26. 1910; F.B. 807, pp. 12–13. 1917.
fat-mixing methods, results. F.B. 360, p. 32. 1909.
DOUGHERTY, C. M.:
"Foreign crops, March–April, 1913." Stat. Cir. 47, pp. 27. 1913.
"The wheat crop of the Southern Hemisphere." F.B. 645, pp. 15–17. 1914.
Doughnuts, recipe. F.B. 1450, p. 14. 1925.
Douglas fir. See Fir, Douglas.
Dourine—
John R. Mohler. B.A.I. [Misc.], "Diseases of the horse," rev., pp. 562–564. 1916; pp. 562–564. 1923.
cause, transmission, symptoms, course and outcome. F.B. 1146, pp. 4–10. 1920.
complement fixation, antigen preparation, method. J.A.R., vol. 14, pp. 574–576. 1918.
diagnosis studies and experiments, 1914. An. Rpts. 1914, p. 84. 1915; B.A.I. Chief Rpt., 1914, p. 28. 1914.
eradication work. B.A.I. Chief Rpt., 1924, pp. 22–23. 1924.
horse(s)—
and asses, spread prevention, regulations. B.A.I.O. 210, pp. 26–27. 1914; B.A.I.O. 245, pp. 27. 1916; B.A.I.O. 273, pp. 22–23. 1923; B.A.I.O. 292, pp. 21–22. 1925.
cause and—
suppression. John R. Mohler. B.A.I. Bul. 142, pp. 38. 1911.
treatment. J. R. Mohler and H. W. Schoening. F.B. 1146, pp. 12. 1920.
control work. Y. B., 1919, p. 77. 1920; Y.B. Sep. 802, p. 77. 1920.
outbreak in Iowa, investigations of source. An. Rpts., 1911, p. 51. 1912; Sec. A.R., 1911, p. 49. 1911; Y.B., 1911, p. 49. 1912.
in United States, history. J.A.R., vol. 1, pp. 99–104. 1913.
inefficacy of echinacea against. J.A.R., vol. 20, pp. 80–82. 1920.
infection, of horses, experiments. B.A.I. Bul. 142, pp. 17–27. 1911.
lesions, examination in brain, spinal cord, etc., of horses. J.A.R., vol. 18, pp. 148–154. 1919.
outbreak in Iowa, 1911. B.A.I.S.A. 51, p. 49. 1911.
pathology, changes in nerve tissues and other structures. Robert J. Formad. J.A.R., vol. 18, pp. 145–154. 1919.
study of serology, cerebrospinal fluid, and changes in spinal cord. Harry W. Schoening and Robert J. Formad. J.A.R., vol. 26, pp. 497–505. 1923.
DOVE, W. E.: "Some biological and control studies of *Gastrophilus haemorrhoidalis* and other bots of horses." D.B. 597, pp. 52. 1918.
Dove(s)—
destroyer of weed seeds. Biol. Bul. 12, rev., p. 24. 1902.
ground, occurrence in Porto Rico, and food habits. D.B. 326, pp. 49–51. 1916.
hunting regulations, Montana and Idaho. For. [Misc.], "Trespass on national * * *," pp. 11, 28, 44. 1922.
law of Mississippi, 1910. F.B. 418, p. 8. 1910.
mourning—
banded, returns, 1920 to 1923. D.B. 1268, p. 29. 1924.
description, range, and habits. N.A. Fauna 21, p. 42. 1901; N.A. Fauna 22, p. 105. 1902; F.B. 513, p. 28. 1913.

36167°—32——48

Dove(s)—Continued.
mourning—continued.
game bird, status. Biol. Bul. 12, rev., pp. 22-24. 1902.
occurrence in Arkansas, habits and food. Biol. Bul. 38, pp. 35-36. 1911.
protection. D.C. 202, pp. 1-6. 1922.
open season, regulation. Biol. S.R.A. 29, p. 1. 1919.
Porto Rican, occurrence in Porto Rico, and food habits. D.B. 326, pp. 51-52. 1916.
white-winged, habits damage to seed grain. An. Rpts., 1919, p. 285. 1920; Biol. Chief Rpt., 1919, p. 11. 1919.
Dove-dock. See Coltsfoot.
Dovekie, occurrence, Athabaska-Mackenzie region. N.A. Fauna 27, p. 260. 1908.
Dovekie, range and habits. N.A. Fauna 22, p. 78. 1902.
Dovyalis caffra, importation and description. No. 34250, B.P.I. Inv. 32, p. 26. 1914.
DOWELL, C. T.—
"Cyanogenesis in *Andropogon sorghum*." J.A.R., vol. 16, pp. 175-181. 1919.
"Cyanogenesis in Sudan grass: A modification of the Francis-Connell method of determining hydrocyanic acid." With Paul Menaul. J.A.R., vol. 18, pp. 447-450. 1920.
"Effect of autoclaving upon the toxicity of cottonseed meal". With Paul Menaul. J.A.R., vol. 26, pp. 9-10. 1923.
Dowitcher—
breeding range and migration habits. Biol. Bul. 35, pp. 26-28. 1910; N.A. Fauna 24, p. 62. 1904.
long-billed, range and habits. N.A. Fauna 21, p. 74. 1901; N.A. Fauna 22, p. 95. 1902; Biol. Bul. 35, pp. 28-29. 1910.
occurrence—
Athabaska-Mackenzie region. N. A. Fauna 27, p. 319. 1908.
in Pribilof Islands. N.A. Fauna 46, p. 66. 1923.
DOWNING, F. P.—
"Standard baskets for fruits and vegetables." With H. A. Spilman. F.B. 1434, pp. 18. 1924.
"Standard containers for fruits and vegetables." F.B. 1196, pp. 34. 1921.
DOWNING, J. E.—
"The livestock industry of Honduras." With William Thompson. B.A.I. An. Rpt., 1910, pp. 285-295. 1912.
"The shrinkage in weight of beef cattle in transit." With W. F. Ward. Pts. I-IV. D.B. 25, pp. 78. 1913.
Downy mildew. See Mildew.
Dox, A. W.—
"Influence of fermentation on the starch content of experimental silage." With Lester Loder. J.A.R., vol. 19, pp. 173-188. 1920.
"Proteolytic changes in the ripening of Camembert cheese." B.A.I. Bul. 109, pp. 24. 1908.
"The intracellular enzyms of Penicillium and Aspergillus, with special reference to those of *Penicillium camemberti*." B.A.I. Bul. 120, pp. 70. 1910.
DOYLE, C. B.—
"Cotton-seed mixing increased by modern gin equipment." With W. W. Ballard. D.C. 205, pp. 12. 1922.
"Meade cotton, an upland long-staple variety replacing sea-island." With G.S. Meloy. D.B. 1030, pp. 24. 1922.
"The cotton situation." With others. Y.B., 1921, pp. 323-406. 1922; Y.B. Sep. 877, pp. 323-406. 1922.
Doyle rule for scaling logs. D.B. 718, pp. 51, 52. 1918; D.B. 863, p. 37. 1920; D.B. 909, p. 83-84. 1921; D.B. 1117, p. 17, 18. 1920; D.B. 1210, p. 19, 21. 1921.
Dracaena cinnabari, importation, use of gum. B.P.I. Bul. 242, p. 74. 1912.
Dracontium sp., importation and description. No. 50476, B.P.I. Inv. 63, p. 71. 1923.
Dracontomelon sinense, importation and description. No. 54655, B.P.I. Inv. 69, pp. 5, 34. 1923.
Draeculacephala—
mollipes—
carrier of mosaic disease. J.A.R., vol. 23, pp. 281, 283. 1923; J.A.R., vol. 24, pp. 251-253. 1923.

Draeculacephala—Continued.
mollipes—continued.
See also Grain leaf hopper, sharp-headed.
reticulata. See Leaf hopper, yellowheaded.
spp., description, distribution, and control. Ent. Bul. 108, pp. 52-60. 1912.
Draft, control in chimneys and fireplaces. F.B. 1230, pp. 4, 7, 18-20, 22-28. 1921.
Draft, military, provisions concerning farmers. Sec. Cir. 112, pp. 1-3. 1918.
Drag—
brush—
caterpillar control, construction and use. D.B. 124, pp. 38-39. 1914.
use in control of garden webworm in alfalfa. F.B. 944, p. 7. 1918.
chain. See Cultivator.
for grading sides of ditches. F.B. 326, p. 18. 1908.
groove, for use in chinch-bug control, construction. F.B. 1223, pp. 23-25. 1922.
home-made, for throwing up terraces, description and use. F.B. 997, pp. 32-34. 1918.
log, building directions. News L., vol. 1, No. 12, p. 1. 1913.
marker, use for plants set in checks, description. F.B. 999, p. 17. 1919.
plank—
for cloddy land, description. D.B. 320, p. 17. 1916.
use in barley growing. F.B. 427, p. 8. 1910.
road—
construction and use. F.B. 597, pp. 15. 1914.
description and use. D.B. 463, pp. 58-61. 1917; Rds. Bul. 48, pp. 44-48. 1913; S.R.S. Syl. 29, p. 6. 1917.
split-log—
construction and use. F.B. 321, p. 16. 1908; F.B. 638, p. 24. 1915; O.E.S.F.I.L. 7, pp. 5-6. 1917; Rds. Bul. 36, pp. 11-12. 1911.
description, and value in road maintenance. Rds. Bul. 42, pp. 19-20, 26. 1912.
use on roads in Kentucky, results. Y.B., 1915, pp. 225, 229. 1916; Y.B. Sep. 672, p. 225, 229. 1916.
terrace, description, and use on eroded lands. D.B. 675, pp. 32-33. 1918.
trench, for use in chinch bug control. F.B. 1223, p. 25. 1922.
V-shaped, for building terraces, description. F.B. 1386, pp. 18-19. 1924.
Dragee, confectionery adulteration, litigation, 1909. Sol. A.R., 1909, p. 8. 1909; An. Rpts., 1909, p. 742. 1910.
Dragees, silver, confectionery adulteration. Chem. N.J. 176, pp. 5. 1910; Chem. N.J. 249, pp. 3. 1910.
Dragging—
alfalfa fields, for caterpillar control. F.B. 1094, pp. 15, 16. 1920.
beetfields, farm practice, Michigan and Ohio. D.B. 748, pp. 15-16. 1919.
roads, method and cost. Rds. Bul. 48, pp. 44-48, 52-53. 1913.
wheat seed-bed. Y.B. 1919, pp. 133, 134, 135, 150. 1920; Y.B. Sep. 804, pp. 133, 134, 135, 150. 1920.
Dragonflies, use against mosquitoes. Ent. Bul. 88, p. 62. 1910.
Dragon's-blood tree, importation, use of gum. B.P.I. Bul. 242, p. 74. 1912.
Dragon's eye, importation and description. No. 34206, B.P.I. Inv. 32, p. 23. 1914.
Drains—
box, descriptions. D.B. 190, pp. 5-7. 1915.
capacity, velocity tables. D.B. 724, pp. 6-11. 1919.
construction, open and covered. D.B. 190, pp. 24-28. 1915.
irrigated lands, dept, spacing, and location. F.B. 805, pp. 9-14. 1917.
location, directions. F.B. 187, pp. 16-19. 1904.
macadam roads, directions. F.B. 338, pp. 13-15, 31-32. 1908.
maintenance. D.B. 190, pp. 28-29. 1915.
mouth protection, necessity and methods. F.B. 524, p. 22. 1913.
open and—
covered, cost, comparison. F.B. 805, p. 16. 1917.
tile, comparison. Y.B., 1914, pp. 248-249. 1915; Y.B. Sep. 640, pp. 248-249. 1915.

INDEX TO PUBLICATIONS, 1901–1925   749

Drains—Continued.
  pole, use in draining embankments, description. F.B. 997, p. 35. 1918.
  reclamation of alkali soils, suggestions. Soils Bul. 34, pp. 27–28. 1906.
  tile—
    cleaning methods. O.E.S. Bul. 217, pp. 30–31. 1909.
    durability. F.B. 524, p. 21. 1913.
    lawn soils. F.B. 494, pp. 23–24. 1912.
    laying, in drainage of irrigated land. D.B. 190, pp. 25–28. 1915.
    location and depth. F.B. 524, pp. 11–14. 1913.
    machinery for laying, cost of operating. O.E.S. An. Rpt., 1904, pp. 464–466. 1905.
    school exercises. F.B. 638, pp. 21–23. 1915.
    trenches, construction and machinery. D. L. Yarnell. F.B. 698, pp. 27. 1915.
    See also Tiles, drain.
  wooden box, use in irrigated lands. O.E.S. An. Rpt., 1910, pp. 497–498. 1911.
Drainage—
  air, relation to frost conditions. F.B. 1096, pp. 5–7. 1920.
  alfalfa requirements. D.C. 127, pp. 1–2. 1920; F.B. 1283, p. 9. 1922; Soils Cir. 49, pp. 6, 8. 1911; Soils Cir. 50, pp. 4, 6. 1911.
  alkali lands—
    California, Fresno district. Soils Bul. 42, pp. 20–23. 1907.
    Nevada. B.P.I. Cir. 122, pp. 22–23. 1913.
  alluvial lands, lower Mississippi Valley. O.E.S. An. Rpt., 1908, pp. 407–417. 1909.
  and irrigation—
    investigations—
      1904, report. Elwood Mead. O.E.S. An. Rpt., 1904, pp. 425–472. 1904.
      review of work of year. C. G. Elliott. O.E.S. Bul. 158, pp. 643–743. 1904.
      Louisiana, mechanical tests of pumping plants, 1905–1906. W. B. Gregory. O.E.S. Bul. 183, pp. 72. 1907.
  areas, relation to game preservation. Biol. Chief Rpt., 1924, p. 33. 1924.
  artificial, lands requiring. F.B. 524, pp. 22–24. 1913.
  assessments, methods of making. D.B. 1207, pp. 3–4, 51–63. 1924.
  barnyard, certified dairies. D.B. 1, p. 15. 1913; B.A.I. Bul. 104, p. 10. 1908.
  basket-willow holts, necessity. F.B. 341, pp. 11–19. 1909.
  beet growing. Rpt. 90. pp. 17–18. 1909.
  bonds, issue and proceeds. F.B. 815, pp. 20–26. 1917.
  by means of pumps. S. M. Woodward. O.E.S. Bul. 243, pp. 44. 1911.
  by means of pumps. S. M. Woodward and C. W. Okey. D.B. 304, pp. 60. 1915.
  celery fields, methods used in subirrigation. F.B. 1269, pp. 14–15. 1922.
  citrus fruit, requirements. F.B. 538, p. 10. 1913.
  Clyde loam, necessity and cost per acre. Soils Cir. 37, p. 7. 1911.
  computation methods and formulas. D.B. 181, pp. 28–29. 1915.
  conditions—
    Hawaii. Hawaii Bul. 40, pp. 9–10, 18. 1915.
    in Colorado, Cache la Poudre Valley. D.B. 1026, p. 12. 1922.
    for various States, counties, and areas. See also Soil Surveys.
  cooperative, State laws. D.B. 190, p. 33. 1915.
  corn—
    growing, necessity. F.B. 1149, p. 3. 1920.
    land, practices in twenty-one regions of United States. D.B. 320, pp. 12–13. 1916.
  cost—
    benefits and profits. F.B. 524, pp. 24–27. 1913.
    irrigated farms. D.B. 190, pp. 32–33. 1915.
    Miami soils. D.B. 142, p. 44. 1914.
  cotton fields, importance. F.B. 1262, p. 25. 1922; F.B. 1329, p. 23. 1923; D.B. 511, pp. 5–6. 1917.
  county roads, methods and foundations. E. W. James and others. D.B. 724, pp. 86. 1919.
  cranberry marshes, Wisconsin. O.E.S. Bul. 158, pp. 625–642. 1905.
  Crater National Forest, description. For. Bul. 100, pp. 6–7. 1911.
  date palm, needs and methods. B.P.I. Bul. 53, pp. 50–52. 1904.

Drainage—Continued.
  district(s)—
    assessments, study. George R. Boyd and R. A. Hart. D.B. 1207, pp. 70. 1924.
    Oregon, description. O.E.S. Bul. 209 pp. 13–19. 1909.
    organization, financing, and administration. H. S. Yohe. F.B. 815, pp. 37. 1917.
  ditches—
    construction, cleaning, and maintenance. D. B. 304, pp. 13–19. 1915; O.E.S. Bul. 158. pp. 656–670. 1905; O.E.S. Bul. 246, pp. 11–21, 46–47. 1912.
    cost estimate, Arkansas, Cypress Creek. D.B. 198, pp. 14–19. 1915.
    description. Saint Francis Valley, Arkansas. O.E.S. Bul. 230, Pt. I, pp. 68–78. 1911.
    excavation methods. O.E.S. An. Rpt., 1907, pp. 398–401. 1908.
    flow of water after dredging. S. E. Ramser. D.B. 832, pp. 60. 1920.
    for hilly lands. F. B. 905, p. 21. 1918.
    in sugar-beet growing. D.B. 721, pp. 22–23. 1918; D.B. 995, pp. 22–24. 1921.
    interior, description. D.B. 304, pp. 13–19. 1915.
    irrigated lands, objections, cost, and maintenance. F.B. 805, pp. 14–16. 1917.
    size, method of computing, and form. O.E.S. Bul. 189, pp. 22–26. 1907.
    use as barriers against Argentine ants. F.B. 928, p. 16. 1918.
  earth roads, principles. Rds. Bul. 48, pp. 35–38. 1913.
  effect on—
    acid soils. J.A.R., vol. 15, pp. 321–329. 1918.
    ground in physical structure and temperature. Y.B., 1914, pp. 246–248. 1915.
    oxidation, experiments. Soils Bul. 56, p. 51. 1909.
  effectiveness in reclamation. Rpt. 70, pp. 42–43. 1901.
  engineering features. C. G. Elliott. Y.B., 1902, pp. 231–244. 1903; Y.B. Sep. 265, pp. 13. 1903.
  errors. O.E.S. pp. 401–402. 1908. An. Rpts., 1907.
  excavating machinery. D. L. Yarnell. D.B. 300, pp. 39. 1916.
  expense for reclamation of lands. Y.B., 1918, pp. 436–437. 1919; Y.B. Sep. 771, pp. 6–7. 1919.
  experiments. Klamath Marsh Experiment Farm, preliminary report. B.P.I. Cir. 86, pp. 7–9. 1911.
  factor in increase of land values in Iowa. D.B. 874, p. 7. 1920.
  farm—
    construction with trenching machines. Y.B., 1919, pp. 80–92. 1920; Y.B. Sep. 822, pp. 80–92. 1920.
    economy. R. D. Marsden. Y.B., 1914, pp. 245–256. 1915; Y.B. Sep. 640, pp. 245–256. 1915.
    examples showing increase in value of land. O.E.S. An. Rpt., 1907, pp. 388, 396–397. 1908.
    house, systems. O.E.S.F.I.L. 12, p. 11. 1912.
    lands. E. G. Elliott. F.B. 187, pp. 40. 1904.
  floor of cow stable. F.B. 1342, pp. 13–14, 17. 1923.
  forest trails, directions. For. Misc., 0–6, pp. 27–31. 1915.
  garden, importance and methods. F.B. 936, p. 11. 1918.
  ginseng beds. B.P.I. Bul. 250, pp. 43–44. 1912; F.B. 736, pp. 13, 15, 21–22. 1916; F.B. 1184, p. 10. 1921.
  Gulf Coast soils, indications of soil, timber, etc. Soils Cir. 43, pp. 5–8. 1911.
  gullies caused by erosion, directions. Y.B., 1916, p. 131. 1917; Y.B. Sep. 688, p. 25. 1917.
  ice house, necessity, ice pits. F.B. 1078, pp. 15–17, 19. 1920.
  importance—
    for sweet potatoes. F.B. 999, p. 5. 1919.
    in clover growing. F.B. 1365, pp. 6, 24. 1924.
    in sugar-beet growing, methods, etc. F.B. 568, pp. 6–7. 1908.
  in—
    Alaska, necessity. Alaska Bul. 1, pp. 10–13. 1902; D.B. 50, p. 10. 1914.

Drainage—Continued.
in—continued.
Arkansas, Saint Francis Valley project—
preliminary report. Arthur E. Morgan.
O.E.S. Cir. 86, pp. 31. 1909.
report. Arthur E. Morgan and O. G. Baxter.
O.E.S. Bul. 230, Pt. I, pp. 100. 1911.
California—
area and location. O.E.S. Bul. 237, pp.
14–26. 1911.
Fresno District—
preliminary plans and estimates. G. C.
Elliott. O.E.S. Cir. 50, pp. 9. 1908.
supplemental report. G. C. Elliott. O.E.S.
Cir. 57, pp. 5. 1904.
Georgia, Effingham County, wet lands. F.G.
Eason. O.E.S. Cir. 113, pp. 24. 1911.
Indiana, Kankakee River Valley, report.
O.E.S. Cir. 80, pp. 23. 1909.
Louisiana—
Fifth Levee District, preliminary report.
A. E. Morgan and others. O.E.S. Cir.
104, pp. 35. 1911.
southern, wet lands. Charles W. Okey.
D.B. 71, pp. 82. 1914; D.B. 652, pp. 67.
1918.
Mississippi, Bolivar County, report. W. J.
McEathron and S. H. McCrory. O.E.S.
Cir. 81, pp. 28. 1909.
Nevada, Truckee-Carson Experiment Farm,
diagram. W.I.A. Cir. 3, pp. 10–12. 1915;
W.I.A. Cir. 13, pp. 12–14. 1916.
North Carolina, Robeson County, Back
Swamp and Jacob Swamp. Samuel H.
McCrory and Carl W. Mengel. O.E.S. Bul.
246, pp. 47. 1912.
North Dakota, Cass, Traill, Grand Forks,
Walsh, and Pembina Counties. John T.
Stewart. O.E.S. Bul. 189, pp. 71. 1907.
Oregon, Willamette Valley, relation to crop
yields. D.B 705, p. 19. 1918.
South Carolina, Black and Boggy Swamps, report. F. G. Eason. D.B. 114, pp. 21. 1914.
southern Louisiana, description, districts, Nos.
3 and 12. J.A.R. vol. 11, pp. 248–266. 1917.
Texas, Jefferson County. H. A. Kipp and
others. D.B. 193, pp. 40. 1915.
Wyoming, by areas. O.E.S. Bul. 205, pp. 11–17.
1909.
investigations—
1903, report C. G. Elliott. O.E.S. Bul. 147, pp.
62. 1904.
1904, report. C. G. Elliott. O.E.S. Bul. 158,
pp. 643–743. 1905.
1915, and review of work, 1902–1915. An. Rpts.,
1915, pp. 309–312. 1916; O.E.S. Dir. Rpt.,
1915, pp. 15–18. 1915.
1925 by Roads Bureau. Rds. Chief Rpt., 1925,
pp. 39–41. 1925.
appropriations. Sol. [Misc.], "Laws applicable
* * * Agriculture." 2d Sup., p. 86. 1915.
burned sections. O.E.S. An. Rpt., 1904, pp.
457–464. 1905.
in Kansas, Neosho valley. Pub. [Misc.],
"Investigations of Neosho valley * * *,"
p. 1. 1908.
organization, work and publications. O.E.S.
Cir. 88, pp. 6. 1909; rev., 1910.
irrigated—
farms. R. A. Hart. F.B. 805, pp. 31. 1917.
land(s)—
R. A. Hart. D.B. 190, pp. 34. 1915.
Charles F. Brown. F.B. 371, pp. 52. 1909.
development of methods. C. G. Elliott.
O.E.S. An. Rpt., 1910, pp. 489–501. 1911.
importance. F.B. 263, pp. 39–40. 1906.
investigations, California. O.E.S. Cir. 108,
pp. 29–30. 1911.
need of cooperation. O.E.S. An. Rpt., 1910,
pp. 498–499. 1911.
San Joaquin Valley, California. Samuel
Fortier and Victor M. Cone. O.E.S. Bul.
217, pp. 58. 1909.
orchards. F.B. 404, pp. 30–33. 1910.
shale lands. Dalton G. Miller and L. T. Jessup.
D.B. 502, pp. 40. 1917.
land, winter care in South. News L., vol. 5,
No. 14, pp. 1–2. 1917.
lawn soils. F.B. 494, pp. 14, 23–24. 1912; Soils
Bul. 75, pp. 27, 32, 50. 1911.

Drainage—Continued.
laws—
of Italy. R. P. Teele. O.E.S. Bul. 192, pp.
100. 1907.
of Minnesota, North Dakota, and South Dakota. D.B. 1017, p. 86. 1922.
State, general principles. O.E.S. An. Rpt.,
1907, pp. 392–396. 1908.
maintenance, needs and provision for. F.B. 815,
p. 35. 1917.
Marion silt loam, eastern United States, necessity, cost, etc. Soils Cir. 59, pp. 4–7. 1912.
marsh soils, methods. F.B. 465, p. 7. 1911.
milk houses, directions. F.B. 1214, p. 5. 1921.
mosquito-infested regions. Ent. Bul. 78, pp. 12,
14–17. 1909.
movement in the United States. S. H. McCrory.
Y.B., 1918, pp. 137–144. 1919; Y.B. Sep. 781,
pp. 10. 1919.
muck land, Indiana and Michigan. F.B. 761, pp.
22–23. 1916.
narcissus-bulb growing. D.B. 1270, pp. 14–15.
1924.
overflowed lands—
Kansas, Marias des Cygnes Valley, report.
S. H. McCrory and others. O.E.S. Bul. 234,
pp. 53. 1911.
Mississippi, Big Black River, report. Lewis
A. Jones and others. D.B. 181, pp. 39. 1915.
pasture, preventive of swamp fever. B.A.I. Cir.
138, p. 1. 1909.
pear orchard, necessity. F.B. 482, p. 10. 1912.
pineapple soils, necessity. Hawaii A.R., 1911,
pp. 12, 43–44. 1912.
plants, types. O.E.S. Bul. 183, pp. 70–72. 1907.
Portsmouth sandy loam, methods, cost. Soils
Cir. 24, pp. 4–5. 1911.
prevention of anthrax. F.B. 439, p. 15. 1911;
B.A.I. An. Rpt., 1909, p. 227. 1911.
pumping—
plants, tests in Southern States. W. B. Gregory. D.B. 1067, pp. 54. 1922.
southern Louisiana, factors affecting. D.B. 71,
pp. 59–82. 1914.
reclamation and State laws in regard to. D.B.
1257, pp. 24–34. 1924
reclamation of meadowlands. Soils Cir. 68, pp. 9,
12, 17, 19. 1912.
relation—
of grapevine root rot. J.A.R., vol. 30, pp. 358–
361. 1925.
to—
coconut bud rot. B.P.I. Bul. 228, pp. 33, 34,
147. 1912.
fur production. F.B. 1445, p. 2. 1924.
irrigation districts. D.B. 1177, pp. 37–38.
1923.
precipitation. Off. Rec., vol. 4, No. 19, p. 5.
1925.
requirements—
for abattoirs. B.A.I. An. Rpt., 1909, pp. 255–
258. 1911; B.A.I. Cir. 173, pp. 255–258. 1911.
for blueberry culture. D.B. 974, pp. 3, 19
1921.
of irrigated farms, testing. F.B. 805, pp. 8–9.
1917.
rice—
for control of water weevil. Ent. Cir. 152, pp.
14–15, 19. 1912; F.B. 1086, p. 7. 1920.
importance, and practices. F.B. 1240, pp. 16–
17. 1924.
requirements and provisions. F.B. 1092, pp. 6,
18. 1920; F.B. 1141, pp. 7, 14–15. 1920.
river lands, cost and benefits. O.E.S. Bul. 243,
pp. 42–43. 1911.
roads. See Roads, drainage.
roofs and cellars. Y.B. 1919, pp. 430, 434–436.
1920; Y.B. Sep. 824, pp. 430, 434–436. 1920
salt-marsh lands. O.E.S. An. Rpt., 1906, pp 373–
397. 1907.
sanitary for farm home. Y.B. 1909, pp. 351–352.
1910; Y.B. Sep. 518, pp. 351–352. 1910.
shale lands' effectiveness, conditions governing.
D.B. 502, pp. 11–20, 40. 1917.
subsoil, use of dynamite for loosening soils.
P.R.An.Rpt. 1913, pp. 20–21. 1914.
sugar—
beet(s)—
ditching methods. D.B. 721, pp. 21–23.
1918.

INDEX TO PUBLICATIONS, 1901-1925   751

Drainage—Continued.
  sugar—continued.
    beet(s)—continued.
      fields, natural and artificial, description, D.B. 995, pp. 22-24. 1921.
      under irrigation. F.B. 567, pp. 8-9. 1914.
    cane lands, Porto Rico, value, and cost per acre. O.E.S. P. R. Bul. 9, pp. 12-13. 1910.
  surface, method. D.B. 724, pp. 11-18. 1919; F.B. 326, pp. 18-19. 1908; F.B. 364, p. 10. 1909.
  surveys and grades. F.B. 187, pp. 19-20. 1904.
  swamp—
    lands—
      cost per acre, and value, examples. News L. vol. 5, No. 1, p. 4. 1917.
      for mosquito eradication. Ent. Bul. 88, pp. 42-53. 1910.
      South Carolina, details and cost. D.B. 114, pp. 9-20. 1914.
  system—
    for farms, studies and comparison. F.B. 524, pp. 5-8. 1913.
    irrigated lands, outline, and cost. O.E.S. Bul. 217, pp. 44-46. 1909.
    most practicable for wet lands. News L. vol. 3, No. 12, pp. 1, 5. 1915.
  tax, levy and collection. F.B. 815, pp. 18-19, 26-28, 35. 1917.
  tidal marshes, methods and results. George M. Warren. O.E.S. Bul. 240, pp. 99. 1911.
  tile—
    advantages, costs and profits. Y.B. 1914, pp. 248-253. 1915; Y.B. Sep. 640, pp. 248-253. 1915.
    benefit to wet lands. Y.B. 1919, pp. 92-93. 1920; Y.B. Sep. 822, pp. 92-93. 1920.
    Clyde soils, necessity benefit to soil. D.B. 141, pp. 25, 30, 42, 44, 46, 57-59. 1914.
    community, construction. John R. Haswell. Y.B. 1919, pp. 79-93. 1920; Y.B. Sep. 822, pp. 79-93. 1920.
    construction, individual efforts, costs. Y.B. 1919, pp. 88-89. 1920; Y.B. Sep. 822, pp. 88-89. 1920.
    cost and profit. F.B. 187, pp. 28-31. 1904.
    cost and results in Missouri, Lincoln County. Soil Sur. Adv. Sh., 1917, p. 39. 1920; Soils F.O., 1917, p. 1517. 1923.
    Coxville sandy loam. Y.B. 1912, p. 425. 1913; Y.B. Sep. 603, p. 425. 1913.
    effect on soils. Rds. Chief Rpt. 1921, p. 39. 1921.
    experiment(s). O.E.S. An. Rpt., 1908, pp. 43, 46. 1909.
    experimental—
      systems. An. Rpts., 1912, p. 109. 1913; Sec. A.R., 1912, p. 109. 1912; Y.B. 1912, p. 109. 1913.
      work, 1908. An. Rpts., 1908, pp. 739, 740, 741. 1909; O.E.S. Dir. Rpt., 1908, pp. 25, 26, 27. 1908.
    farm lands. O.E.S. An. Rpt. 1911, pp. 41-42, 47. 1912.
    for reclamation of wet lands, South Carolina experiment Station. O.E.S. An. Rpt., 1912, pp. 64, 201. 1913.
    improvement of farm lands. O.E.S. An. Rpt., 1912, pp. 30, 32. 1913.
    in—
      Indiana. O.E.S. Bul. 158, pp. 731-743. 1905.
      Indiana, Boone County, improvement of land. Soil Sur. Adv. Sh. 1912, pp. 9, 20, 28-31. 1914; Soils F.O. 1912, pp. 1413, 1424, 1432-1435. 1915.
      Indiana, White County. Soil Sur. Adv. Sh. 1915, pp. 11, 19, 34. 1917; Soils F.O. 1915, pp. 1455, 1463, 1478. 1919.
      New York farm, method and cost. F.B. 454, pp. 9-12. 1911.
      Porto Rico, use of homemade cement tiles. O.E.S. An. Rpt., 1911, pp. 24, 188. 1912.
    introduction and progress. Y.B. 1914, p. 246. 1915; Y.B. Sep. 640, p. 246. 1915.
    investigations—
      1908. An. Rpts., 1908, p. 143. 1909; Sec. A.R. 1908, p. 141, 1908.
      1910. O.E.S. An Rpt. 1910, pp. 45-46. 1911.
    irrigated lands, description and sizes of tiles. F.B. 805, pp. 16-18. 1917.

Drainage—Continued.
  tile—continued.
    Knox silt loam, cost of construction. Soils Cir. 33, p. 8. 1911.
    lawn soils. Soils Bul. 75, pp. 50-51. 1911.
    measurement table. F.B. 1902, p. 51. 1921.
    methods, discussion. O.E.S. An. Rpt., 1907, pp. 398-401. 1908.
    necessity on—
      Crowley silt loam, rice and other crops. Soils Cir. 54, p. 4. 1912.
      Fargo silt loam. Soils Cir. 36, p. 7. 1911.
      Wabash silt loam. Soils Cir. 40, pp. 5, 7. 1911.
    need and value, in Missouri, Knox County. Soil Sur. Adv. Sh., 1917, pp. 13, 18, 29, 30. 1921; Soils F.O., 1917, pp. 1463, 1468, 1479, 1480. 1923.
    need in Southern States. Sec. Cir. 33, p. 1. 1910.
    on Ohio farms, value as farm equipment, cost per acre. B.P.I. Bul. 212, pp. 14, 18, 19, 21, 24, 39-41. 1911.
    on the farm. A. G. Smith. F.B. 524, pp. 27. 1913.
    study—
      and experiments, 1907. An. Rpts., 1907, pp. 712, 713. 1908.
      course. D.B. 355, pp. 34-38, 39. 1916.
      experimental plant, description. D.B. 854, pp. 5-8. 1920.
    systems—
      for draining irrigated lands, California. O.E.S. Bul. 217, pp. 22-27, 44-57. 1909.
      in Southern States, demonstrations, and plans. An. Rpts., 1914, pp. 266-267. 1915; O.E.S. Chief Rpt., 1914, pp. 12-13. 1914.
    use—
      in irrigated lands. O.E.S. An. Rpt., 1910, pp. 492-494, 497, 500. 1911.
      of poles in South Carolina, Florence County. Soil Sur. Adv. Sh., 1914, p. 33. 1916; Soils F.O., 1914, p. 725. 1919.
    Volusia loam, eastern United States, necessity, value, and cost. Soils Cir. 60, pp. 4, 5, 6. 1912.
    work, in North Carolina. O.E.S. Chief Rpt., 1913, pp. 11-12. 1913; An. Rpts., 1913, pp. 271-272. 1914.
    See also Tiles, drainage.
  tools, list, description, etc. F.B. 524, pp. 15-16. 1913.
  trench digging and ditch grading. F.B. 187, pp. 23-25. 1904.
  tri-State Association, formation and work. D.B. 1017, pp. 1-2. 1922.
  truck soils, Atlantic coast region. Y.B., 1912, pp. 425, 426, 427, 428, 432. 1913; Y.B. Sep. 603, pp. 425, 426, 427, 428, 432. 1913.
  Truckee-Carson project, installation, extension, etc., 1913. B.P.I. [Misc.], "The work * * * Truckee-Carson * * * 1913," pp. 13-14. 1914.
  use and value in erosion prevention. B.P.I. Doc. 706, pp. 2-3. 1911.
  V-drains, construction and cost. D.B. 724, pp. 37-39, 62. 1919.
  Valley of Red River of the North, and overflow prevention. P. T. Simons and Forest V. King. D.B. 1017, pp. 89. 1922.
  value—
    for flat and heavy clays. F.B. 266, pp. 8-10. 1906.
    in crayfish control. F.B. 890, p. 7. 1917.
  velvet beans, requirement. S.R.S. Doc. 44, p. 2. 1917.
  Wabash clay or "gumbo" soils. Soils Cir. 41, pp. 8-9. 1911.
  waste water removal in irrigated orchards, methods, drains, etc., F.B. 882, pp. 37-38. 1917.
  water—
    flow in various districts, experiments, summary of results. D.B. 832, pp. 58-60. 1920.
    pumping into irrigation ditches. O.E.S. An. Rpt., 1910. pp. 499-501. 1911.
    spread of cabbage diseases. F.B. 488, p. 8. 1912; F.B. 925, pp. 4-5. 1918.
  wet soils, importance. F.B. 522, pp. 5-7. 1913.

752　UNITED STATES DEPARTMENT OF AGRICULTURE

Drainage—Continued.
  works marsh lands design and construction. O.E.S. Bul. 240, pp. 59-67. 1911.
  See also Irrigation.
Draining—
  cloths, use in cheese making. F.B. 1451, p. 3. 1925.
  pens for use in—
    cattle dipping. F.B. 909, pp. 21-22. 1918; F.B. 1017, p. 25. 1919.
    sheep dipping. F.B. 713, pp. 30, 33. 1916.
  value in control of soil erosion. Soils Bul. 71, pp. 36-37. 1911.
Drainpipes, importance of frequent cleaning. News L., vol. 5, No. 29, p. 7. 1918.
Draintile—
  factory, Utah, descripton. O.E.S. An. Rpt., 1910, p. 492. 1911.
  flow of water in. D. L. Yarnell and Sherman M. Woodward. D.B. 854, pp. 50. 1920.
  sampling and testing methods. D.B. 1216, pp. 78-84. 1924.
  use in blanching celery. F.B. 1269, p. 22. 1922.
  varieties and description. F.B. 524, pp. 8-11. 1913.
DRAKE, J. A.—
  "A Corn-Belt farming system which saves harvest labor by hogging down crops." F.B. 614, pp. 16. 1914.
  "A study of farm management problems in Lenawee County, Mich." With H. M. Dixon. D.B. 694, pp. 36. 1918.
  "Alfalfa on Corn-Belt farms." With others. F.B. 1021, pp. 32. 1919.
  "Management of sandy-land farms in northern Indiana and southern Michigan." F.B. 716, pp. 29. 1916.
  "Saving farm labor by harvesting crops with livestock." F.B. 1008, pp. 16. 1918.
  "Sweet clover on Corn Belt farms." With J. C. Rundles. F.B. 1005, pp. 28. 1919.
  "Soil survey of—
    Escambia County, Fla." With others. Soil Sur. Adv. Sh., 1906, pp. 32. 1907; Soils F.O., 1906, pp. 335-362. 1908.
    New Hanover County, N. C." With H. L. Belden. Soil Sur. Adv. Sh., 1906, pp. 39. 1906; Soils F.O., 1906, pp. 245-279. 1908.
    the O'Fallon area, Missouri-Illinois." With Elmer O. Fippin. Soil Sur. Adv. Sh., 1904, pp. 29. 1905; Soils F.O., 1904, pp. 815-843. 1905.
    the Parsons area, Kansas." Soil Sur. Adv. Sh., 1903, pp. 19. 1904; Soils F.O., 1903, pp. 891-909. 1904.
DRAKE, J. W.: "Industrial cooperation." M. C. 39, pp. 7-9, 1925.
Dram, definition, correction of opinion 36 in S.R.A. 5, p. 311. Opinion 66. Chem. S.R.A. 7, p. 528. 1914.
DRANE, F. P.: "Soil survey of—
  Caswell County, North Carolina." With W. Edward Hearn. Soil Sur. Adv. Sh., 1908. pp. 28. 1910; Soils F.O., 1908, pp. 317-340. 1911.
  Gaston County, North Carolina." With others, Soil Sur. Adv. Sh., 1909, pp. 33. 1911; Soils F.O., 1909, pp. 345-373. 1912.
  Pitt County, North Carolina." With others. Soil Sur. Adv. Sh., 1909, pp. 35. 1910; Soils F.O., 1909, pp. 389-419. 1912.
DRAPER, C. N.: "Naphthalene in road tars." With Prevost Hubbard. Rds. Cir. 96, pp. 12. 1911.
DRAPER, W. F.:
  "Convict labor for road work." With others. D. B. 414, pp. 218. 1916.
  the experimental convict road camp, Fulton County, Ga." With others. D.B. 583, pp. 64. 1918.
Drasterius—
  livens, description. Ent. Bul. 123, pp. 12-13. 1914.
  spp., injuries to corn and wheat, life history. D.B. 156, pp. 22-24. 1915.
Drawbar work—
  on farm by tractors and by horses. D.B. 997, pp. 14, 15-23, 26-32, 33, 34-37, 1921.
  with tractors, amount on wheat farms, and cost. D.B. 1202, pp. 10-15, 23-43, 47-48, 54, 56, 58. 1924.

Dray, jackknife, description and use. D.B. 718, pp. 46, 51. 1918.
DRESCHSLER, CHARLES:—
  "Crownwart of alfalfa caused by *Urophlyctis alfalfae*." With Fred Reuel Jones. J.A.R., vol. 20, pp. 295-324. 1920.
  "Root rot of peas in the United States, caused by *Aphanomyces euteiches* (n. sp.)." With Fred Reuel Jones. J.A.R., vol. 30, pp. 293-325. 1925.
  "Some graminicolons species of Helminthosporium." J.A.R., vol. 24, pp. 641-740. 1923.
  "The cottony leak of cucumbers caused by *Pythium aphanidermatum*." J.A.R., vol. 30, pp. 1035-1042. 1925.
Dredge(s)—
  hydraulic, use in construction of levees, and cost. D.B. 300, pp. 33-35. 1916.
  classes, construction and use. O.E.S. Cir. 74, pp. 6-28. 1907.
  excavating, descriptions. O.E.S. Cir. 74, pp. 7-28. 1307.
  floating, for drainage work, description and cost. D.B. 300, pp. 3-18. 1916.
  grab-bucket, floating, description and use. D.B. 300, pp. 17-18. 1916.
  irrigation canal, description and use. O.E.S. Bul. 207, p. 67. 1909.
  steam, use in drainage work, irrigated lands. O.E.S. An. Rpt., 1910, pp. 492, 496. 1911.
  use in drainage construction, comparison of kinds. D.B. 71, pp. 25, 29, 30, 35, 37, 39, 43, 46, 47, 50. 1914.
Dredging, cost, drainage work Arkansas. O.E.S. Cir. 86, pp. 18-19, 30. 1909.
Drenching—
  methods used and position of the animal. B.A.I. Bul. 35, pp. 12-13. 1902.
  sheep—
    directions, apparatus, and dosage. D.C. 47, p. 5. 1919.
    with copper sulphate solution, directions. F.B. 1150, pp. 39-41. 1920.
Drepanididae, Laysan Island, number and description. Biol. Bul. 42, p. 22. 1912.
Dress form—
  homemade, description and directions for making. D.C. 207, pp. 1-10. 1922.
  paper. D.C. 207, pp. 10. 1922.
Dressing—
  antiseptic and waterproof, for tree scars. Y.B., 1913, pp. 170-171. 1914; Y.B. Sep. 622, pp. 170-171. 1914.
  leather belts. F.B. 1183, rev., pp. 18-19. 1922.
  poultry, producers' methods. F.B., 1377, pp. 18-24. 1924.
Dressmaking, home demonstration work, results. D.C. 141, pp. 19-20, 23. 1920.
Drexel Aerological Station, installation and work. An. Rpts., 1916, pp. 64-65. 1917; W.B. Chief Rpt., 1916, pp. 16-17. 1916.
Dried beetle—
  fruit, infestation of figs and control methods. D.B. 235, pp. 5-8. 1915.
  milk. *See* Milk.
Drier(s)—
  cabinet and trays, description, details, and cost. F.B. 916, pp. 3-7. 1917.
  community plants, types, and construction. F.B. 916, p. 12. 1917; F.B. 984, pp. 27-40. 1918.
  cookstove—
    description. D.B. 1335, pp. 21-25. 1925; F.B. 841, pp. 15-16. 1917; F.B. 927, pp. 30-31. 1918; F.B. 984, pp. 22-27. 1918.
    homemade, directions for making. D.C. 3, pp. 3-7. 1919.
  direct-heat, description and use. D.B. 927, pp. 13-15. 1921.
  fish waste, description, types, and cost. D.B. 150, pp. 30-31. 41-42, 46-47, 49-50. 1915.
  food, types used in Hawaii. Hawaii A. R., 1919, 12-13, 40-41. 1920.
  for drying pineapples, description. Chem. Cir. 57, pp. 1-2. 1910.
  fruit, description and types. D.B. 1335, pp. 11-13. 1925; D.C. 3, pp. 3-7. 1919; F.B. 903, pp. 15-22. 1917.
  grain, in the United States. Mkts. Doc. 12, pp. 6, 1918.

INDEX TO PUBLICATIONS, 1901–1925 753

Drier(s)—Continued.
homemade, for fruits and vegetables, description. D.B. 123, p. 60. 1916; D.C. 3, pp. 5–7. 1919; F.B. 841, pp. 12–15. 1917; O.E.S. Bul. 245, p. 78. 1912.
hop-kiln, for black raspberries. F.B. 213, pp. 28–33. 1905.
Japan, for paints, test. Chem. Bul. 109, rev., pp. 19–20. 1910.
large-type, for drying crude drugs, description. F.B. 1231, pp. 11–15. 1921.
outdoor, construction, details. F.B. 984, pp. 18–20. 1918.
paint, kinds and use. F.B. 474, pp. 7–9. 1911; F.B. 1452, p. 7. 1925.
resin, manufacture with use of rosin. D.B. 229, p. 9. 1915.
sweet-potato pomace, description and use. D.B. 1158, pp. 12–14. 1923.
tomato seed, description, use, and cost. D.B. 927, pp. 10–15. 1921.
tower, description and use. Hawaii A.R., 1919, pp. 40–41. 1920.
trayless, description, capacity, and cost. D.B. 927, pp. 12–13. 1921.
tunnel, description, capacity, and use. D.B. 927, pp. 11–12. 1921.
vacuum, use in Hawaii, and results. Hawaii, A.R., 1919, pp. 12–13. 1920.
Drift—
deposits, Minnesota, location and description. Rds. Bul. 40, pp. 6–9. 1911.
glacial, soils in Washington, Stevens County. Soil Sur. Adv. Sh., 1913, pp. 41–42, 49–74. 1915; Soils F.O., 1913, pp. 2199–2200, 2207–2276. 1916.
See also Loess.
Driftwood, factor in gipsy-moth spread. Ent. Bul. 119, p. 8. 1913.
Drill(s)—
core, use in rock building. Rds. Bul. 44, pp. 12, 13. 1912.
disk—
use in seeding oats. F.B. 1119, p. 15. 1920.
value in seeding clover. S.R.S. Syl. 25, p. 9. 1917.
grain—
calibration, school exercises. F.B. 638, pp. 17–18. 1915.
description and use in seeding oats. F.B. 1119, pp. 15, 16, 17. 1920.
use and value in irrigation farming. F.B. 1103, p. 14. 1920.
value, life, repair cost, and acreage worked. D.B. 757, pp. 17, 19. 1919.
hemp-seed, description. B.P.I. Cir. 57, p. 5. 1910.
laboratory, diamond-core manufacture and use. D.B. 949, pp. 76–78. 1921.
manufacture and sale. Y.B., 1922, pp. 1022, 1023. 1923; Y.B. Sep. 887, pp. 1022, 1023. 1923.
oat, description and use. F.B. 436, pp. 21, 22. 1911.
use in—
sowing grain sorghum. F.B. 1137, p. 19. 1920.
sugar-beet growing. D.B. 721, pp. 35–36. 1918.
Drilling—
oats—
comparison to broadcasting. F.B. 388, pp. 14–16. 1910.
methods and implements. F.B. 436, pp. 20–23. 1911.
wheat, methods, various localities. Y.B., 1919, pp. 128, 135–137, 138–139, 141–143, 148. 1920; Y.B. Sep. 804, pp. 128, 135–137, 138–139, 141–143, 148. 1920.
Drillworm. See Corn rootworm, southern.
Drimys—
granatensis, importation and description. No. 44701, B.P.I. Inv. 51, p. 51. 1922.
winteri. See Canelo.
Drinks—
fermented, made of milk. F.B. 490, pp. 17–18. 1912.
made of milk, recipes. D.C. 72, pp. 8. 1919.
See also Beverages; Soft drinks.
DRINKARD, A. W., JR., report of Virginia Experiment Station, work and expenditures, 1917. S.R.S. An. Rpt., 1917, Pt. I., pp. 262–266. 1918.

DRINKARD, C. H., "Soil survey of Pittsylvania County, Virginia." With others. Soil Sur. Adv. Sh.,1918, pp. 46. 1922; Soils F.O., 1918; pp. 121–162. 1924.
Drinking—
fountain, sanitary for hogs, illustration. F.B. 1244, p. 25. 1923.
pans, pigeon, description. F.B. 684, p. 9. 1915.
water, distilled. F.B. 124, pp. 5–7. 1901.
"Drips" sirup, misbranding. Chem. N.J. 1240, pp. 2. 1912.
Driveways—
concrete, and stable floors, construction. F.B. 235, p. 18. 1905.
farm—
arrangement for beautifying home. F.B. 1087, pp. 21–31. 1920.
location and construction. S.R.S. Syl. 28, pp. 4–5. 1917.
in national forest, for stock. For. [Misc.] "The use book, 1921," p. 8. 1922.
relation to lawns. F.B. 494, p. 46. 1912.
sheep, on ranges. D.B. 738, p. 29. 1918.
stock, on—
forest ranges. D.B. 790, pp. 55–56. 1919; D.B. 791, pp. 56–58, 71–72. 1919.
ranges, avoidance of poisonous plants. F.B. 720, pp. 8–9. 1916.
Driving—
colts and horses, in breaking. F.B. 1368, pp. 7–14. 1923.
equipment for horse. F.B. 816, pp. 8–9. 1917.
livestock to market, conditions, trails and cost. Y.B., 1908, pp. 227–230. 1909; Y.B. Sep. 477, pp. 227–230. 1909.
partridges, custom in England. Y.B., 1909, p. 253. 1910; Y.B. Sep. 510, p. 253. 1910.
Drones—
destruction by kingbirds. Biol. Bul. 34, pp. 32–33. 1910.
honeybee, characteristics, anatomical details. Ent. T.B. 18, pp. 29, 40, 66, 69, 72–74, 92, 93, 130, 132–134. 1910.
selection in rearing queen bees. P.R. Cir. 16, pp. 10–11. 1918.
See also Bees.
Drop disease—
cabbage and other vegetables, description, cause and control. F.B. 925, p. 27. 1918; F.B. 925, rev., pp. 26–27. 1921.
lettuce, control—
by use of formaldehyde. Webster S. Krout J.A.R., vol. 23, pp. 645–654. 1923.
measures. F.B. 460, pp. 25–26. 1911.
Dropseed grasses, description. D.B. 772, p. 150. 1920.
Dropsy—
abdominal of—
cattle, causes, symptoms and treatment. B.A.I. [Misc.], "Diseases of cattle," rev., pp. 48–49, 177. 1908.
sheep, cause and treatment. F.B. 1155, p. 19. 1921.
chest, of cattle, treatment. B.A.I. [Misc.] "Diseases of cattle," rev., pp. 98–99. 1912.
inflammatory. See Purpura hemorrhagica.
navel of calf, treatment. B.A.I. [Misc.], "Diseases of cattle," rev., p. 249. 1908.
synovial, description. B.A.I. [Misc.], "Diseases of the horse," rev. p. 330. 1903; rev. p. 330. 1907; rev. p. 330. 1911; rev. p. 355. 1923.
womb, of cow, treatment. B.A.I. [Mics.] "Diseases of cattle," rev., p. 162. 1912.
Drosera rotundifolia. See Sundew.
Drosophila—
ampelophila—
description and habits. F.B. 459, p. 7. 1911.
See also Fruit fly.
larvae, infestation of citrus fruits. D.B. 134, p. 11. 1914.
Drosophyllum lusitanicum, importation and description. No. 45502. B.P.I. Inv. 53, p. 41. 1922.
Drought(s)—
adaptations of millet and sorgo. D.B. 291, pp. 2–3. 1916.
area in Northwest, 1919, map and description. Y.B., 1919, pp. 398–399. 1920; Y.B. Sep. 820, pp. 398–399. 1920.
cause of sun scorch of conifer seedlings, discussion. D.B. 44, pp. 4–9. 1913.

Drought(s)—Continued.
conditions—
in humid regions, and need of irrigation. Y.B., 1911, pp. 311–316, 319–320. 1912; Y.B. Sep. 570, pp. 311–316, 319–320. 1912.
summer of 1913, effect on crops. F.B. 558, pp. 1–2. 1913.
control—
by transfer of cattle. News L., vol. 7, No. 7, p. 6. 1919.
of boll weevil, tables and notes. Ent. Bul. 74, pp. 12–15, 27–63, 73. 1907.
corn plowing, usefulness. F.B. 257, p. 30. 1906.
definition of term. Y.B., 1911, p. 351. 1912; Y.B. Sep. 574, p. 351. 1912.
destruction of forest seedlings. J.A.R., vol. 30, pp. 638, 640. 1925.
effect on—
beets. D.B. 1340, p. 27. 1925.
cotton. D.B. 1111, pp. 16, 27, 42. 1922.
forest seedlings. Y.B., 1924, p. 545. 1925.
range—
livestock. F.B. 1428, pp. 1–3. 1925.
stockmen. D.B. 1001, pp. 33–36. 1922.
tree planting. M.C. 16, p. 1. 1925.
wheat quality. Y.B., 1921, p. 127. 1922; Y.B. Sep. 873, p. 127. 1922.
yields, Nebraska, Phelps County. Soil Sur. Adv. Sh., 1917, p. 14. 1919; Soils F.O. 1917 p. 1928. 1923.
fighting on plains, experience of early settlers. Y.B., 1913, pp. 225–226. 1914; Y.B.Sep. 625, pp. 225–226. 1914.
historic, United States and Europe. For. Bul. 117, pp. 12–14. 1912.
in Nebraska, Deuel County. Soil Sur. Adv. Sh., 1921, p. 713. 1924.
injury to—
conifer seedlings. J.A.R., vol. 15, pp. 554–555. 1918.
rice, symptoms. F.B. 1212, p. 9. 1921.
western yellow pine. D.B. 418, pp. 15–16. 1917; For. Bul. 101, p. 16. 1911.
internodal shortening in cotton. J.A.R., vol 3, pp. 391–392. 1915.
loans, distribution. News L., vol. 6, No. 20, p. 3. 1918.
losses caused by, 1909–1918. D.B. 1043, pp. 6, 7, 8, 9, 10, 11. 1922.
of—
1895–1914, records. Atlas Am. Agr. Adv. Sh., Pt. II, Sec. A, pp. 9, 12, 33–36, 42. 1922.
1911—
effect on foreign crops. Stat. Cir. 24, pp. 4, 6, 8, 11, 12, 13, 14. 1911.
1912, 1913, effect on livestock, California. Rpt. 110, p. 12. 1916.
1918, effects in Southern States. An. Rpts., 1918, pp. 354–355. 1918; S.R.S. An. Rpt., 1918, pp. 20–21. 1918.
problems in range and cattle management. James T. Jardine and Clarence L. Forsling. D.B. 1031, pp. 84. 1922.
relation to—
corn growing. C. P. Hartley and L. L. Zook. F.B. 773, pp. 24. 1916.
weevil resistance in cotton. O. F. Cook. B.P.I. Bul. 220, pp. 30. 1911.
relief work for livestock in 1919. George M. Rommel. Y.B., 1919, pp. 391–405. 1920; Y.B. Sep. 820, pp. 391–405. 1920.
resistance—
Australian saltbush. D.B. 617, pp. 7–8. 1919.
barley. F.B. 443, pp. 20–21. 1911.
Burt oat in Great Plains. J.A.R., vol. 30, p. 5–6. 1925.
characters necessary in plants. Y.B., 1913, p. 228. 1914; Y.B. Sep. 625, p. 228. 1914.
citrus fruits, new genus from Australia. Walter T. Swingle. J.A.R., vol. 2, pp. 85–100. 1914.
crosses of wheat for. J.A.R., vol. 29, pp. 1–47. 1924.
grain sorghums, studies. F.B. 448, pp. 15–17. 1911.
Korean lespedeza. D.C. 317, p. 10. 1924.
legumes, new varieties, introduction. Y.B., 1908, pp. 251, 252, 253, 258. 1909; Y.B. Sep. 478, pp. 251, 252, 253, 258. 1909.
maize seedlings. G. N. Collins. J.A.R., vol. 1, pp. 293–302. 1914.

Drought(s)—Continued.
resistance—continued.
olive in the Southwestern States. Silas C. Mason. B.P.I. Bul. 192, pp. 60. 1911.
sorghum, value. Guam Bul. 3, p. 17. 1922; F.B. 1158, pp. 4–5. 1920.
variegated alfalfas. B.P.I. Bul. 169, pp. 21, 22, 27, 49–51, 56. 1910.
resistant—
crops—
distribution of seed, results. News L., vol. 1, No. 35, p. 4. 1914.
introduction and development. B.P.I. Bul. 215, pp. 31–34. 1911.
hay plant, Sudan grass. C. V. Piper. B.P.I. Cir. 125, pp. 20. 1913.
sufferers relief, petition. Off. Rec., vol. 1, No. 9, p. 2. 1922.
summer, injury to nursery stock, remedy. D.B. 479, pp. 71–72. 1917.
Drowning, treatment, directions. D.C. 4, p. 69. 1919; D.C. 138, p. 73. 1920; For. [Misc.], "First-aid manual * * *," pp. 61–65. 1917.
Drug(s)—
act. See Food and drugs act.
action under pathological conditions. William Salant. Chem. Cir. 81, pp. 16. 1911.
addiction "cures," danger in use. F.B. 393, pp. 15–18. 1910.
adulterated—
and chemicals. Lyman F. Kebler. Chem. Bul. 80, pp. 47. 1904.
manufacture, sale, shipment, seizure and destruction. Y.B., 1913, p. 128. 1914; Y.B. Sep. 619, p. 128. 1914.
adulteration—
Lyman F. Kebler. Y.B., 1903, pp. 251–258. 1904; Y.B. Sep. 331, pp. 251–258. 1904.
and substitution, control work. Chem. Chief Rpt., 1918, pp. 6, 8, 21. 1918; An. Rpts., 1918, pp. 206, 208, 221. 1918.
dangers. Chem. Bul. 122, pp. 94–97, 138–139. 1909.
definition. Chem. S.R.A. 14, pp. 12–13. 1915. See also *Indexes, Notices of Judgment, in bound volumes and in separates published as supplements to Chemistry Service and Regulatory Announcements.*
alkaloidal, assaying. Chem. Bul. 122, pp. 129–136. 1909; Chem. Bul. 132, pp. 188, 192–196. 1910.
analysis methods—
Chem. Bul. 107, pp. 201–202. 1907; Chem. Bul. 107, rev., 258–260. 1912.
report of referees committee. Chem. Cir. 90, p. 9. 1912; Chem. Bul. 152, p. 212. 1912.
and—
food. See Food and drugs.
medicinal plants, report. Chem. Bul. 90, pp. 141–150. 1905.
medicine act, 1848, administration by Treasury Department. Chem. [Misc.], "Food and drug manual," pp. 78–80. 1920.
plants, medicinal, report of referee. Chem. Bul. 162, pp. 188–193. 1913.
collection and curing. F.B. 188, pp. 7–10. 1904.
condemnation and forfeiture, decision. Sol. Cir. 76, pp. 7. 1914.
control—
interstate. W. W. Skinner and W. L. Morrison. Chem. [Misc.], "Chart showing interstate * * *"; chart. 1924.
investigations. Chem. Chief Rpt., 1924, pp. 20–21. 1924.
crude—
and deficient, importations, 274. Chem. S.R.A., 23, p. 96. 1918.
drying. G. A. Russell. F.B. 1231, pp. 16. 1921.
imports, adulteration, results of inspection. Y.B., 1910, pp. 211–212. 1911; Y.B. Sep. 529, pp. 211–212. 1911.
inspection for substitute. An. Rpts., 1920, p. 266. 1921.
production, general hints. F.B. 663, rev., pp. 3–4. 1920.
definition under food and drugs law. Y.B., 1913, p. 126. 1914; Y.B. Sep. 619, p. 126. 1914.
deterioration by age. Chem. Bul. 8, p. 11. 1904.

INDEX TO PUBLICATIONS, 1901–1925   755

Drug(s)—Continued.
  domestic, labeling, purity, etc., control by Chemistry Bureau. D.C. 137, p. 8. 1922.
  effect on—
    European foulbrood, experiments. D.B. 810, pp. 26, 33. 1920.
    milk and fat production. F. A. Hays and Merton G. Thomas. J.A.R., vol. 19, pp. 123–130. 1920.
  effects in febrile conditions and in health, experiments. Chem. Cir. 81, pp. 6–8. 1911.
  examination, report of referree. Chem. Bul. 152, pp. 234–236. 1912.
  gardens for schools of pharmacy. Y.B., 1917, pp. 159–160. 1918; Y.B. Sep. 734, pp. 9–10. 1918.
  habit—
    cure, misbranding. Chem. N.J. 693, p. 1. 1910; Chem. N.J. 694, p. 2. 1910; Chem. N.J. 1921, p. 2. 1912; Chem. N.J. 1891, p. 12. 1913; Chem. N.J. 2511, p. 3. 1913; Chem. N.J. 2554, p. 3. 1913.
  forming—
    danger in indiscriminate sale and use. L. F. Kebler. F.B. 393, pp. 19. 1910.
    harmful effects. Chem. Bul. 126, pp. 18–19, 35–37, 40, 42, 43, 44, 45, 74, 78–79, 83. 1909.
    labeling, provisions to prevent misuse. Y.B., 1913, pp. 127–128. 1914; Y.B. Sep. 619, pp. 127–128. 1914.
  imported—
    acts and regulations (with foods). Chem. [Misc.], "Food and drug manual," pp. 78–98. 1920.
    fraudulent dealings prior to the enactment of Federal law, 1848. Chem. Bul. 98, rev., Pt. I, pp. 7–13. 1909.
    inspection—
      Federal laws. Chem. Bul. 98, rev., Pt. I, pp. 13–14. 1909.
      for adulteration. An. Rpts., 1920, pp. 265–267. 1921.
  imports—
    examination of samples in the United Kingdom, 1908. Chem. Bul. 143, pp. 17–18. 1911.
    improvement under inspection laws. Y.B., 1910, pp. 211–212. 1911; Y.B. Sep. 529, pp. 211–212. 1911.
  inferior, from siftings and sweepings. Chem. Bul. 80, pp. 20–21. 1904.
  injurious to milk, list. B.A.I. An. Rpt., 1907, p. 158. 1909.
  inspection. See Food and drug inspection.
  inspectors, instructions to. Chem. [Misc.], "Instructions to food * * *," pp. 55. 1910.
  label formula, decision. F.I.D. 53; Chem. F.I.D. 49–53, p. 5. 1907.
  labeling regulations, modification. Chem. F.I.D. 1, pp. 3–5. 1907; Chem. S.R.A. 18, pp. 43–44. 1916.
  laboratories, directory. Chem. S.R.A. 14, p. 14. 1915.
  law(s)—
    Louisiana, 1908. Chem. Bul. 121, pp. 19–36. 1909.
    of 1848. Y.B., 1910, p. 201. 1911; Y.B. Sep. 529, p. 201. 1911.
    officials, United States and Canada, July 1, 1912. Chem. Cir. 16, pp. 51. 1912.
    States, cooperation of Chemistry Bureau. An. Rpts., 1916, pp. 202–203. 1917; Chem. Chief Rpt., 1916, pp. 12–13. 1916.
    violations, actions instituted by States and by cities, tables. Chem. Chief Rpt., 1921, pp. 10–11. 1921.
    See also Food and drugs act.
  leaves, adulteration and misbranding. Chem. N.J. 1674, pp. 4. 1912.
  legislation, State and Federal. Lyman F. Kebler and Earl T. Ragan. Chem. Bul. 98, rev. Pt. I, pp. 343. 1909; Chem. Bul. 98, pp. 217. 1906.
  medicinal, analysis, report and recommendations. Chem. Bul. 116, pp. 81–87, 117. 1908; Chem. Cir. 38, p. 5. 1908.
  misbranded, manufacture, sale, shipment, seizure and destruction. Y.B., 1913, p. 128. 1914; Y.B. Sep. 619, p. 128. 1914.
  misbranding—
    decision. Sol. Cir. 85, pp. 6. 1916; Sol. Cir. 88, pp. 6. 1917.
    See also under name of substance.

Drug(s)—Continued.
  narcotic, uses, names, and countries producing. Y.B., 1913, pp. 288–289, 294, 295, 296, 301, 302, 345. 1914; Y.B. Sep. 628, pp. 288–289, 294, 295, 296, 301, 302, 345. 1914.
  officials—
    Federal and State, directory—
      1914. Chem. S.R.A. 10, pp. 745–750. 1914.
      1915. Chem. S.R.A. 14, pp. 15–20. 1915.
      1916. Chem. [Misc.], "Directory of Federal * * *," pp. 10. 1916.
      1917. Chem. [Misc.], "Directory of Federal and State * * * 1917," pp. 10. 1918.
      1918. Chem. S.R.A. 23, p. 106. 1918.
    State, manual of procedure for guidance. Chem. [Misc.], "Manual of procedure * * *," pp. 12. 1915.
  oriental, inspection, Hawaii and California. An. Rpts., 1912, pp. 582, 584. 1913; Chem. Chief Rpt., 1912, pp. 32, 34. 1912.
  plant(s)—
    caution to growers. News L., vol. 5, No. 35, p. 7. 1918.
    crop production in the United States. W. W. Stockbenger. Y.B. 1917, pp. 169–176. 1918; Y.B. Sep. 734, pp. 10. 1918.
    cultivation—
      W. W. Stockberger. F.B. 663, rev., pp. 50. 1920.
      in the United States. Rodney H. True. Y.B., 1903, pp. 337–346. 1904; Y.B. Sep. 325, pp. 337–346. 1904.
      progress. Rodney H. True. Y.B., 1905, pp. 533–540. 1906; Y.B. Sep. 401, pp. 7. 1906.
    cultural suggestions, harvesting distilation and yield. F.B. 663, pp. 4–9. 1915; rev., pp. 5–14. 1920.
    description. F.B. 188, pp. 10–45. 1915.
    distillation. F.B. 663, rev., pp. 9–11. 1920.
    growing in the United States, description. Y.B., 1917, pp. 154–157. 1918; Y.B. Sep. 734, pp. 4–7. 1918.
    imported, cultivation. Y.B., 1905, pp. 536–540. 1906; Y.B. Sep. 401, pp. 536–540. 1906.
    investigations—
      1925. B.P.I. Chief Rpt., 1925, p. 16. 1925.
      Plant Industry Bureau, 1908. Y.B., 1908, p. 57. 1909.
    marketing and commercial prospects. F.B. 663, pp. 9–12. 1915.
    physiological testing, use of suprarenal glands. Albert C. Crawford. B.P.I. Bul. 112, pp. 32. 1907.
    pinkroot. W. W. Stockberger. B.P.I. Bul. 100, Pt. V, pp. 8. 1907.
    suitable for cultivation in the United States. F.B. 663, rev. pp. 4–5. 1920.
  poisoning—
    by acetanilid, antipyrin, and phenacetin. Chem. Bul. 126, pp. 1–85. 1909.
    treatment. For. [Misc.], "First-aid manual * * *," p. 66. 1917.
  products—
    imported, inspection. R. E. Doolittle. Y.B. 1910, pp. 201–212. 1911; Y.B. Sep. 529, pp. 11. 1911.
    manufactured for or distributed by another firm, labeling. F.I.D. 68, Chem. F.I.D. 66–68, pp. 3–5. 1907.
    use of word "compound." F.I.D. 63, Chem. F.I.D. 60–64, pp. 3–4. 1907.
  prohibited, acts and regulations for disposal of. Chem. [Misc.], "Food and drug manual," p. 91. 1920.
  relabeling, notice to importers. Chem. S.R.A. 1, p. 10. 1915.
  report—
    G. W. Hoover. Chem. Bul. 137, pp. 181–183. 1911.
    of referee. L. F. Kebler. Chem. Bul. 105, pp. 127–142. 1907.
  root, American. Alice Henkel. B.P.I. Bul. 107, pp. 80. 1907.
  sale, acts of the United Kingdom, 1875–1899. Chem. Bul. 143, pp. 24–37. 1911.
  samples—
    collection under food and drug act. Chem. [Misc.], "Collection of samples * * * ", pp. 6. 1910.

756 UNITED STATES DEPARTMENT OF AGRICULTURE

Drug(s)—Continued.
 samples—continued.
  distribution, regulations. Chem. Bul. 98, rev., Pt. I, pp. 116, 150, 163, 196, 217, 308, 318, 334, 336. 1909.
  shortage caused by war. Y.B., 1917, p. 153. 1918; Y.B. Sep. 734, p. 3. 1918.
  standards, food and drugs act, regulation 8. Sec. Cir. 21, rev., pp. 6–7. 1922.
  studies, technical. L. F. Kebler and others. Chem. Bul. 150, pp. 51. 1912.
  transmission, postal laws. Chem. Bul. 98, rev., Pt. I, pp. 25–27. 1909.
 use—
  as disinfectants. F.B. 480, pp. 9–11. 1912.
  on American foulbrood. D.B. 809, pp. 32–34, 40, 41. 1920.
 See also Narcotics.
Drug-store beetle—
 description and habits. D.B. 737, pp. 7, 29. 1919; F.B. 1260, p. 37. 1922.
 injuries to cured and manufactured tobacco, control. Y.B. 1910, p. 296. 1911; Y.B. Sep. 537, p. 296. 1911.
Drum—
 machine, testing, for wooden containers, etc. For. [Misc.], "Forest Products Laboratory," pp. 13, 16. 1922.
 sawmill, speed calculating. D.B. 718, p. 62. 1918.
 use as grape container, description, weight of grapes and packing. D.B. 35, pp. 12–13, 21–22, 29, 30, 31. 1913.
Drumfish injuries to oysters, control. Y.B. 1910, p. 375. 1911; Y.B. Sep. 544, p. 375. 1911.
DRUMMOND, BRUCE: "Propagation and culture of the date palm." F.B. 1016, pp. 23. 1919.
DRUMMOND, PEARL L.: "The fermentation of cottonseed." With Eben S. Toole. J.A.R., vol. 28, pp. 285–292. 1924.
Druses, wheat growers of Mount Hermon, historical notes. B.P.I. Bul. 274, pp. 37–38. 1913.
Dry—
 farming—
  agricultural practice in seeding and pruning. Y.B. 1911, pp. 359–361. 1912; Y.B. Sep. 574, pp. 359–361. 1912.
  better methods, study. Y.B., 1907, pp. 464–466. 1908; Y.B. Sep. 461, pp. 464–466. 1908.
  Congress, International, appropriations. Sol. [Misc.], "Laws applicable * * * Agriculture," 3rd Sup. p.11. 1915.
  cooperative experiments, Fort Hays branch station. D.B. 1094, pp. 7–29, 30. 1922.
  corn variety testing. D.B. 307, pp. 11–12, 13–17, 19. 1915.
  crops rotation and cultural methods, study. D.B. 991, pp. 1–24. 1921; F.B. 800, pp. 10–11. 1917.
  cultivation to preserve soil moisture. J.A.R., vol. 23, pp. 736, 739. 1923.
  cultural methods, western South Dakota. F.B. 1163, pp. 11–14. 1920.
  data, source, character, and study methods. D.B. 1004, pp. 3–6. 1923.
  definition. D.B. 1001, p. 5. 1922.
  demonstrations. O.E.S. An. Rpt., 1910, pp. 64, 179, 180, 181, 183, 213, 248. 1911.
  development. E. A. Burnett. B.P.I. Bul. 130, pp. 9–15. 1908.
  effects of local conditions, rainfall, temperature. B.P.I. Bul. 103, pp. 15–21. 1907.
  experiments—
   at Akron (Colorado) Field Station, 1909–1923. J. F. Brandon. D.B. 1304, pp. 28. 1925.
   comparison with irrigation, Wyoming. O.E.S. Cir. 95, pp. 8–9. 1910.
   in North Dakota. D.B. 1293, pp. 1–23. 1925.
   in the Great Basin. B.P.I. Bul. 103, pp. 11–15. 1907.
  for better wheat yields, Columbia and Snake River Basins. Byron Hunter. F.B. 1047, pp. 24. 1919.
  grain growing—
   in central Oregon. F.B. 800, pp. 1–22. 1917.
   practices. F.B. 883, pp. 1–22. 1917.
  in—
   Arizona, aid of irrigation. O.E.S. Bul. 235, pp. 79–80. 1911.
   Arizona, San Simon area. Soil Sur. Adv. Sh., 1921, pp. 588, 589. 1924.

Dry—Continued.
 farming—continued.
  in—continued.
   California, Modesto-Turlock area, methods and results. Soil Sur. Adv. Sh., 1908, pp. 63–65. 1911; Soils F.O., 1908, pp. 1287–1289. 1911.
   Colorado. O.E.S. Bul. 218, pp. 39–40. 1910.
   Great Plains area. D.B. 1139, pp. 24–25. 1923; Y.B., 1907, pp. 451–468. 1908; Y.B. Sep. 461, pp. 451–468. 1908.
   Great Plains, northern, part forage crops relation. D.B. 1244, pp. 1–54. 1924.
   Montana, and crops grown. F.B. 749, pp. 4–22. 1916.
   Montana, pasture crops for hogs. D.B. 1142, pp. 1–24. 1923.
   Nebraska, Deuel County. Soil Sur. Adv. Sh., 1921, p. 718. 1924.
   Nebraska, Perkins County. Soil Sur. Adv. Sh., 1921, pp. 889, 894. 1924.
   Nebraska, Scottsbluff Experiment Farm. D.C. 173, pp. 31–34. 1921.
   Nebraska, western part, methods. Soil Sur. Adv. Sh., 1911, pp. 31–32. 1913; Soils F. O., 1911, pp. 1899–1900. 1914.
   South Dakota, experiments. D.C. 339, pp. 26–31. 1925.
   South Dakota, western part. Soil Sur. Adv. Sh., 1909, p. 73. 1911; Soils F.O., 1909, p. 1469. 1912.
   South Dakota, western part. O. R. Mathews. F.B. 1163, pp. 16. 1920.
   Texas, south-central, conditions. Soil Sur. Adv. Sh., 1913, pp. 45–46, 63. 1915; Soils F.O., 1913, pp. 1111–1112, 1129. 1916.
   Texas, southern part. B.P.I. Cir. 14, p. 6. 1908.
   the Great Basin. Carl S. Scofield. B.P.I. Bul. 103, pp. 43. 1907.
   Utah, Cache Valley area, crops and methods. Soil Sur. Adv. Sh., 1913, pp. 11–12, 38, 56. 1915; Soils F.O., 1913, pp. 2105–2106, 2132, 2150. 1916.
   Washington, Quincy area. Soil Sur. Adv. Sh., 1911, pp. 17, 35. 1913; Soils F.O., 1911, pp. 2239, 2257. 1914.
   Wyoming, Nebraska-Fort Laramie area. Soil Sur. Adv. Sh., 1917, pp. 11–14, 24–28, 33. 1921; Soils F.O., 1917, pp. 2047, 2052, 2060–2065, 2070. 1923.
   Wyoming, possibilities. O.E.S. Bul. 205, pp. 26–27. 1909.
   Wyoming, southeastern part. A. L. Nelson. D.B. 1315, pp. 20. 1925.
  introduction, value to agriculture. Y.B., 1916, p. 66. 1917; Y.B. Sep. 698, p. 4. 1917.
 land—
  definition. D.B. 1001, p. 5. 1922.
  indications of natural vegetation. J.A.R., vol. 28, p. 117. 1924.
  livestock, need of forest ranges. Y.B., 1914, p. 81. 1915; Y.B. Sep. 633, p. 81. 1915.
  machinery, needs. F.B. 769, pp. 6–13. 1916.
 methods—
  cause of soil blowing, remedies. Soils Bul. 68, pp. 170–171. 1911.
  Nebraska, Perkins County. Soil Sur. Adv. Sh., 1921, pp. 889, 894. 1925.
  misconceptions. E. C. Chilcott. Y.B., 1911, pp. 247–256. 1912; Y.B. Sep. 565, pp. 247–256. 1912.
  moisture, effects of mulches. J.A.R., vol. 10, pp. 127–131, 152. 1917.
  need of livestock to maintain fertility. Y.B., 1912, pp. 463–470. 1913; Y.B. Sep. 606, pp. 463–470. 1913.
  notes on. William M. Jardine. B.P.I. Cir. 10, pp. 6. 1908.
 on—
  Huntley Experiment Farm, investigations. D.C. 275, pp. 12–14. 1923.
  Scottsbluff Experiment Farm. D.C. 289, pp. 27–37. 1924.
 plant breeding. L. R. Waldron. B.P.I. Bul. 130, pp. 55–57. 1908.
 possibilities in West. Y.B., 1918, pp. 437–438. 1919; Y.B. Sep. 771, pp. 7–8. 1919.
 principles. D.B. 355, pp. 29–30. 1916; F.B. 388, pp. 6–12. 1910.

Dry—Continued.
farming—continued.
regions—
classification. B.P.I. Bul. 188, p. 8. 1910.
water requirement of plants, studies. J.A.R., vol. 3, pp. 1-64. 1914.
relation—
of scientist and farmer. Y.B., 1911, pp. 255-256. 1912; Y.B. Sep. 565, pp. 255-256. 1912.
to rainfall and evaporation. Lyman J. Briggs and J. O. Belz. B.P.I. Bul. 188, pp. 71. 1910.
to subsoil water. Soils Bul. 93, pp. 5, 39-40. 1913.
soil management. F.B. 266, p. 20. 1906; O.E.S. Cir. 92, pp. 5-6, 1901.
statement of problem. D.B. 1004, pp. 2-3. 1923.
station—
Indian land provision, March 4, 1915. Sol. [Misc.], "Laws applicable * * * Agriculture," 3d Sup., p. 21. 1915.
Nephi, Utah, work, 1911. O.E.S. An. Rpt., 1911, pp. 208-209. 1912.
studies, suggestions of crops, gardening. F.B. 329, pp. 10-15. 1908.
substation, Moro, Oregon, cereal growing experiments. David E. Stephens. D.B. 498, pp. 38. 1917.
sunflower, culture, directions. D.B. 1045, pp. 6-7. 1922.
tillage—
and rotation experiments, Utah. D.B. 157, pp. 1-45. 1915.
requirements. Y.B., 1911, pp. 252-253. 1912. Y.B., Sep. 565, pp. 252-253. 1912.
wheat—
experiments in the Western States. D.B. 1173, pp. 1-60. 1923.
for better yields. Byron Hunter. F.B. 1047, pp. 24. 1919.
growing and rotations. Y.B., 1921, pp. 93, 94, 96, 97. 1922; Y.B. Sep. 873, pp. 93, 94, 96, 97. 1922.
farms—
purchase, capital required. F.B. 1385, p. 2. 1923.
southern Idaho, growing grain. L. C. Aicher. F.B. 769, pp. 23. 1916.
land(s)—
agriculture—
investigations at Huntley Farm. D.C. 330, pp. 12-21. 1925.
Montana, Utah and Colorado. B.P.I. Cir. 10, pp. 1-6. 1908.
papers read at the second annual meeting of the Cooperative Experiment Association of the Great Plains area, Manhattan, Kans., June 26-27, 1907. B.P.I. Bul. 130, pp. 90. 1908.
Tunis. B.P.I. Bul. 125, pp. 8-12, 39. 1908.
alfalfa, description, and seeding, method, rate and date. D.C. 122, pp. 1-4. 1920.
breaking time, tests in yields of oats, South Dakota. W.I.A. 9, 24. 1919.
crops—
investigations in Utah. D.B. 30, pp. 1-50. 1913.
water economy. Thos. H. Kearney and H. L. Shantz. Y.B., 1911, pp. 351-362. 1912; Y.B. Sep. 574, pp. 351-362. 1912.
western South Dakota, culture and yields. F.B. 1163, pp. 6-16. 1920.
fruit garden. B.P.I. Chief Rpt., 1908, p. 96. 1908; An. Rpts., 1908, p. 368. 1909.
grain(s)—
William M. Jardine. B.P.I. Cir. 12, pp. 14. 1908.
for western North and South Dakota. Cecil Salmon. B.P.I. Cir. 59, pp. 24. 1910.
growing experiments. D.B. 1287, pp. 18-60. 1925.
in Great Basin. F.D. Farrell. B.P.I. Cir. 61, pp. 39. 1910.
milo, as a grain crop. Carleton R. Ball and Arthur H. Leidigh. F.B. 322, pp. 23. 1908.
Montana, grains adaptable. N.C. Donaldson. F.B. 749, pp. 23. 1916.
oats for. J.A.R., vol. 30, pp. 5-6. 1925.

Dry—Continued.
land(s)—continued.
olive culture in northern Africa. Thomas H. Kearney. B.P.I. Bul. 125, pp. 48. 1908.
plant(s)—
breeding. J. H. Shepperd. B.P.I. Bul. 130, pp. 81-83. 1908.
Sudan grass. F.B. 1126, pp. 7-8. 1920.
value of thornless prickly pear. F.B. 483, pp. 8-11. 1912.
regions, soil studies, Canada. F. J. Alway. B.P.I. Bul. 130, pp. 17-42. 1908.
utilization with irrigation farming. D.C. 339, p. 31. 1925.
wireworms, injuries to crops in West control studies. News L., vol. 3, No. 41, p. 2. 1916.
lot—
feeding methods for steers, roughages and concentrates. F.B. 1218, pp. 13-25. 1921.
hog feeding, comparison with pasture feeding. F.B. 316, p. 28. 1908.
mash—
feeder, description. News L., vol. 4, No. 7, p. 7. 1916.
value for poultry. News L., vol. 4, No. 7, p. 7. 1916.
rot—
canker of sugar beets. B. L. Richards. J.A.R., vol. 22, pp. 47-52. 1921.
damage to Government buildings. M.C. 39, p. 11. 1925.
decay in softwood logs and lumber. D.B. 1128, p. 39. 1923.
description, development, and spread. B.P.I. Bul. 214, pp. 14-20. 1911; B. P.I. Bul. 281, pp. 10-35. 1913.
enemy of incense cedar. M.C. 31, p. 5. 1925.
late blight, potato, description and control methods. F.B. 544, pp. 11-12, 14. 1913.
of incense cedar, description, spread, and results. D.B. 871, pp. 8-49. 1920; D. B. 1128, p. 36. 1923.
olive, injury to fruit. F.B. 1249, p. 43. 1922.
potato(es)—
associated with powdery scab, cause. J.A.R. vol. 7, pp. 240-251. 1916.
control treatment. F.B. 856, p. 58. 1917.
due to *Fusarium oxysporum*. Erwin F. Smith and Deane B. Swingle. B.P.I. Bul. 55 pp. 64. 1904.
powdery—
injury to potatoes, description, cause and determination methods. News L., vol. 5, No. 35, p. 5. 1918.
potato, cause, description and control. B.P.I. Cir. 110, pp. 13-15. 1913.
potato, caused by *Fusarium trichothecioides*, control. O. A. Pratt. J. A. R., vol. 6, No. 21, pp. 817-832. 1916.
potato disease, description, control methods. F.B. 544, pp. 12-13, 14. 1913.
scab, cause, description. J.A.R., vol. 7, pp. 240-251. 1916.
sweet-potato—
cause, description, and spread. J.A.R., vol. 15, p. 349. 1918.
description. S.R.S. Syl. 26, p. 16. 1917.
description, distribution, and control. F.B. 714, pp. 22-23, 24-25. 1916.
See also Black rot.
weather, unfavorable to boll weevil. Ent. Cir. 122, pp. 3, 4. 1910.
Dry goods—
destruction by rats. Biol. Bul. 33, p. 26. 1909.
fiber mixtures. Off. Rec., vol. 4, No. 47, p. 6. 1925.
DRYDEN, JAMES: "Syllabus of illustrated lecture on the production and marketing of eggs and fowls." O.E.S.F.I.L. 10, pp. 20. 1909.
Dryer—
cheese, description. D.B. 1171, p. 17. 1923.
food, home-made in Kentucky. News L., vol. 5, No. 48, p. 10. 1918.
steam-heated rotary, use in drying apple pomace. D.B. 1166, p. 6. 1923.
Drying—
advantages as method of preservation of food. D.B. 1335, p. 2. 1925.

Drying—Continued.
  apple(s)—
    in evaporators. F.B. 291, pp. 1-40. 1907.
    pomace, industry, history and development. D.B. 1166, pp. 1-3. 1923.
  beef, directions. F.B. 1415, p. 22. 1924.
  beet pulp, directions. Y.B., 1908, pp. 446-447. 1909; Y.B. Sep. 493, pp. 446-447. 1909.
  blackleg toxin. J.A.R., vol. 14, pp. 263-264. 1918.
  boots and shoes, precautions. F.B. 1183, rev., p. 8. 1922.
  cassava and sweet potatoes. Chem. Bul. 130, p. 101. 1910.
  cones for seed extraction, methods. D.B. 475, pp. 6-12. 1917; For. Cir. 208, pp. 6-15. 1912; For. Bul. 76, pp. 8-9. 1909.
  cowpea seed, for control of weevil. Ent. Bul. 96, Pt. VI, p. 92. 1912.
  cranberries after waterraking, importance. D.B. 960, pp. 3-4, 9-10. 1921.
  crude drugs, methods and equipment. F.B. 1231, pp. 6-9. 1921.
  currant grapes, practices in different countries. D.B. 856, pp. 15-16. 1920.
  effect on longevity of soil micro-organisms. J.A.R., vol. 5, No. 20, pp. 927-942. 1916.
  elementary principles, evaporation, circulation and humidity. D.B. 509, pp. 3-5. 1917.
  figs—
    infestation with fig moths while on "serghi." Ent. Bul. 104, pp. 44-45. 1911.
    methods. F.B. 1031, pp. 43-45. 1919; Y.B., 1900, pp. 93-95. 1901; Y.B. Sep. 196, pp. 93-95. 1901.
  fish, in sardine industry, variations in water content, etc. D.B. 908, pp. 9, 51-58, 122. 1921.
  flowering plants and ferns, directions. D.C. 76, pp. 3-4, 6-7. 1920.
  foods—
    history and importance of industry. Sec. Cir. 126, pp. 1-11. 1919.
    home work in Southern States, 1917. S.R.S. Rpt., 1917, Pt. II, pp. 24, 34. 1919.
    methods and equipment. F.B., 841, pp. 3-16. 1917; F.B., 984, pp. 9-41. 1918; Sec. Cir. 126, p. 8. 1919; D.C. 3, pp. 19-23. 1919.
    possibilities, limitations, and fundamental principles. F.B. 984, pp. 5-9. 1918.
    products, Hawaii. Hawaii A.R., 1919, pp. 12-13, 40-41. 1920.
  fruit(s)—
    and—
      commercial evaporation of fruits. James H. Beattie and H. P. Gould. F.B. 903, pp. 61. 1917.
      vegetables and other foods, club work. D.C. 66, p. 30. 1920.
      vegetables, farm and home. Joseph S. Caldwell. F.B. 984, pp. 61. 1918.
      vegetables, for home use on the farm. F.B. 1082, p. 14. 1920.
      vegetables in Hawaii, work, 1918. Hawaii A.R., 1918, pp. 8, 22. 1919.
      vegetables in the home. F.B. 841, pp. 29. 1917.
      vegetables, means and methods. D.B. 1335, pp. 10-26. 1925.
    cheap evaporation. F.B. 202, pp. 29-32. 1904.
    side line for cannery. Y.B., 1916, p. 246. 1917; Y.B. Sep. 705, p. 10. 1917.
  ginseng roots, directions. F.B. 1184, p. 11. 1921.
  grape paste. F.B. 1033, p. 9. 1919.
  home—
    of fruits and vegetables, methods and recipes. Food Thrift Ser. 5, pp. 1-2. 1917.
    use of fireplace. News L., vol. 6, No. 25, p. 9. 1919.
  house(s)—
    community, for saving perishable fruits, advantages and use methods. News L., vol. 5, No. 36, pp. 2-3. 1918.
    for conifer seeds, description. For. Bul. 98, pp. 20-21. 1911; For. Cir. 208, p. 13. 1912.
    for seed corn, description and use. B.P.I. Cir. 95, pp. 10-12. 1917.
    in Iowa, Dickinson County, notes. Soil Sur. Adv. Sh., 1920, pp. 603, 605, 613-633. 1923; Soils F.O., 1920, pp. 603, 613-633. 1925.
  lambskins, directions. Y.B., 1915, p. 262. 1916; Y.B. Sep. 673, p. 262. 1916.

Drying—Continued.
  leaf tobacco, patent process for public use. B.P.I. Chief Rpt., 1918, p. 22. 1918; An. Rpts., 1918, p. 156. 1919.
  loganberries, evaporation methods. F.B. 998, p. 20. 1918.
  lumber, loblolly pine—
    directions. D.B. 11, p. 44. 1914.
    new dry kiln, description and efficiency. D.B. 509, pp. 1-28. 1917.
    piling methods. An. Rpts., 1916, p. 188. 1917; For. A.R., 1916, p. 34. 1916.
    principles and operation. D.B. 894, pp. 6-9. 1920.
  mangoes, experiments in Porto Rico. P.R. An. Rpt., 1918, p. 13. 1920.
  method of food conservation in Hawaii. Maxwell O. Johnson. Hawaii Bul. 7, pp. 31. 1918.
  mushrooms, methods. F.B. 796, p. 24. 1917.
  objections as method of preservation of food. D.B. 1335, p. 2. 1925.
  okra, directions. F.B. 232, rev., p. 7. 1918.
  periods for hardwoods. D.B. 1136, pp. 42-43. 1923.
  persimmons, China, details. Y.B., 1915, p. 213. 1916; Y.B. Sep. 671, p. 213. 1916.
  plant—
    community, successful. C. W. Pugsley. F.B. 916, pp. 12. 1917.
    fruit, location, arrangement and floor plans. D.B. 1141, pp. 14-17. 1923.
  plants for specimens, directions and equipment. B.P.I. Cir. 126, pp. 31-34. 1913.
  plum, in northwest prune growing. F.B. 1372, pp. 55-59. 1924.
  potatoes, value in disposing of surplus. D.B. 81, p. 20. 1914.
  rack for seed corn, construction and use, school exercise. D.B. 527, pp. 17-18. 1917.
  raisins. D.B. 349, pp. 11-12. 1916.
  raspberry(ies)—
    methods. F.B. 213, pp. 20-33. 1905.
    on bushes, picking methods. F.B. 887, p. 34. 1917.
  relation of conditions to rate and quality of product. D.B. 1335, p. 16. 1925.
  schedules for woods. For. [Misc.], "Forest Products Laboratory," p. 18. 1922.
  seed corn, Indian methods. Y.B., 1918, pp. 130, 132. 1919; Y.B. Sep. 776, pp. 10, 12. 1919.
  seed, effect on germination and vitality, experiments. J.A.R., vol. 14, pp. 527-531. 1918.
  shrimp, in Southern States. D.B. 538, p. 6. 1917.
  sugar-beet pulp, method. B.P.I. Bul. 260, pp. 24-25. 1912.
  sweet corn, investigations. B.P.I. Chief Rpt., 1921, p. 9. 1921.
  sweet potatoes in Guam, to prevent destruction by weevils. Guam A.R., 1920, p. 33. 1921.
  tomato seed, methods and equipment, cost, etc. D.B. 927, pp. 10-15, 24-27. 1921.
  vegetables and fruits for home use. Frants P. Lund. D.C. 3, pp. 23. 1919.
  vegetables, directions. D.B. 123, pp. 60, 61-62 1916.
  wood, schedules for hardwoods and softwoods. D.B. 1136, pp. 31-45. 1923.
  See also Dehydration.
Drymoglossum sp., importation and description. No. 48564. B.P.I. Inv. 61, p. 22. 1922.
Dryobates spp.—
  injury to telephone poles. Biol. Bul. 39, p. 11. 1911.
  parasites of huisache girdler. D.B. 184, p. 8. 1915.
  See also Woodpecker.
Drymophloeus spp., importations and descriptions. Nos. 51714-51717. B.P.I. Inv. 65, p. 40. 1923.
Dryopteris filix-mas. See Fern, male.
Drypetes—
  diversifolia, injury by sapsuckers. Biol. Bul. 39, p. 44. 1911.
  spp., Porto Rico, description and uses. D.B. 354, p. 80. 1916.
DuBois, Coert. "National forest fire protection plans." For. [Misc.], "National * * * plans," pp. 8. 1911.

DuBois, W. L.—
"Analyses of canned peas and beans, showing composition of different grades." Chem. Cir. 54, pp. 9. 1910.
"cocoa." Chem. Bul. 137, pp. 98–105. 1911.
DuBois Pecific pills, misbranding. Chem. N.J. 11472, 11481. 1923.
DuBose, Clarence: "Supplying the farm labor need." With G. I. Christie. Sec. [Misc.], "Supplying * * * need," pp. 8. 1918.
Dubuque, Iowa, milk supply, statistics, officials, and prices. B.A.I. Bul. 46, pp. 34, 74. 1903.
Duchesnia sp., importation and description. No. 46946, B.P.I. Inv. 57, p. 49. 1922.
D ck(s)—
   nd woodcock, vanishing game birds. A. K. Fisher. Y.B. 1901, pp. 447–458. 1902; Y.B. Sep. 247, pp. 12. 1902.
   Aylesbury, description, and characters. F.B. 697, p. 3. 1915.
   Bahama. *See* Pintail, Bahama.
   banded, returns, 1920 to 1923. D.B. 1268, pp. 8–27. 1924.
   black—
      description, names, and food habits. D.B. 720, pp. 10–14. 1918.
      East India, description and characters. F.B. 697, p. 8. 1915.
   blue—
      food, name of wild millet. D.B. 58, p. 12. 1914.
      Swedish, description, characters, and origin. F.B. 697, p. 6. 1915.
   breeding—
      grounds, Great Plains, description. Y.B., 1917, pp. 198–200. 1918; Y.B. Sep. 723, pp. 4–6. 1918.
      range and migration. Biol. Bul. 26, pp. 19–64, 83–84. 1906; N.A. Fauna 21, pp. 39–40, 73. 1901; N.A. Fauna 22, pp. 82–88. 1902.
      selecting and mating, incubation, and egg testing, time, and methods. F.B. 697, rev., pp. 14–16. 1923.
   bufflehead. *See* Bufflehead.
   Canvasback. *See* Canvasback.
   Cayuga, description, and characters. F.B. 697, pp. 5–6. 1915.
   conditions, 1909. Biol. Cir. 73, p. 7. 1910.
   crested white, description. F.B. 697, p. 8. 1915.
   description and local names. M. C. 13, pp. 4–32. 1923.
   destruction of oysters in Washington, note. News L., vol. 4, No. 20, p. 3. 1916.
   disease—
      study in 1923. Work and Exp., 1923, p. 68. 1925.
      Utah, symptoms, description, cause, and control. D.B. 672, pp. 1–26. 1918.
   distribution by States, and standard breeds. F.B. 697, rev., pp. 1–9. 1923.
   economic use and self-feeding value on farms. Sec. Cir. 107, p. 9. 1918.
   egg-laying class, standard breeds, descriptions and characters. F.B. 697, pp. 6–8. 1915.
   eggs—
      flavor, composition and shells. D.B. 471, pp. 1, 6, 12. 1917.
      incubation period. F.B. 585, p. 3. 1914.
   farming—
      development of industry. F.B. 697, pp. 8–11. 1915.
      extent, demand, profits, etc., of enterprise near large cities. F.B. 697, rev., pp. 9–14. 1923.
   farms—
      location and arrangement. F.B. 697, pp. 10–11. 1915.
      plants suitable for duck food, description, distribution, propagation. D.B. 205, pp. 19–25. 1915.
   fattening—
      feeding method. F.B. 697, pp. 17–18. 1915.
      for market. F.B. 697, pp. 17–18. 1915.
   feeding, methods and rations. B.A.I. Bul. 56, pp. 48–50, 60. 1904; F.B. 697, pp. 16–20. 1915; News L., vol. 3, No. 21, pp. 2–3. 1916.
   food of nestlings. Y.B. 1900, p. 435. 1901.
   foods of Bear River marshes, Utah, description and value. D.B. 936, pp. 10–15. 1921.
   gray. *See* Gadwall.
   "green," value of Pekin duck. F.B. 697, p. 2. 1915.

Duck(s)—Continued.
   harlequin—
      description and food habits. N.A. Fauna 46, pp. 51–52. 1923.
      Yukon Territory, note. N.A. Fauna 30, p. 58. 1909.
   hatching by incubators and hens, incubation period. News L., vol. 3, No. 21, p. 3. 1915.
   houses, requirements and construction. F.B. 697, p. 11. 1915.
   hunting—
      bag limit and penalties in Montana and Idaho. For. [Misc.], "Trespass on national * * *," pp. 11, 28, 44. 1922.
      from airplanes. Off. Rec., vol. 3, No. 34, p. 4. 1924.
   importation. F.B. 197, pp. 7, 9, 14. 1904.
   Indian Runner, description and characteristics. F.B. 697, pp. 6–8. 1915.
   lameness, cause, and treatment. F.B. 1337, pp. 22–23. 1923.
   laying, feeding, rations, and management. F.B. 697, pp. 19–20. 1915.
   lead poisoning—
      by shot swallowing, in Utah. News L., vol. 4, No. 24, p. 3. 1917.
      symptoms and causes. D.B. 793, pp. 1–12. 1919.
   mallard—
      enemy of rice water-weevil. Ent. Cir. 152, p. 12. 1912.
      of the United States, food habits of. W. L. McAtee. D.B. 720, pp. 36. 1918.
      range and habits. N.A. Fauna 24, pp. 55–57. 1904.
      stomach contents, items of food found, vegetable and animal. D.B. 720, pp. 16–35. 1918.
      superiority for farms, studies. New L., vol. 6, No. 24, p. 14. 1919.
   mandarin descriptions. F.B. 697, p. 8. 1915.
   market—
      demand, prices. F.B. 697, pp. 9, 21. 1915.
      grades and quotations. F.B. 1377, p. 8. 1924.
   marketing, picking, treatment, and prices. F.B. 697, pp. 20–21. 1915.
   masked, occurrence in Porto Rico. D.B. 326, p. 28. 1916.
   meat breeds, descriptions and characters. F.B. 697, pp. 2–3. 1915.
   migration from Bear River Marshes, Utah, in fall. D.B. 936, p. 9. 1921.
   mock wild, recipe for making. F.B. 391, p. 27. 1910.
   muscovy—
      occurrence in wild state. Biol. Bul. 26, p. 41. 1906.
      varieties, descriptions, and characters. F.B. 697, pp. 3–4. 1915.
   North American, distribution and migration. Biol. Bul. 26, pp. 19–64, 83–84. 1906.
   number—
      1909. D.B. 467, p. 2. 1916.
      decrease, percentage of farms raising. F.B. 697, p. 1. 1915.
   occurrence in Nebraska. D.B. 794, pp. 27, 28. 1920.
   origin, quality of flesh, food value, and uses. D.B. 467, pp. 5–6, 21. 1916.
   ornamental, standard breeds, descriptions and characters. F.B. 697, p. 8. 1915.
   parasite, sarcocyst. Off. Rec., vol. 4, No. 51, p. 5. 1925.
   Pekin—
      breeding and cost of feeding. F.B. 697, p. 20. 1915.
      description, characters, origin and value. F.B. 697, pp. 2–3. 1915.
      picking, directions. F.B. 697, pp. 20–21. 1915.
   plash. *See* Ducks, shoal-water.
   poisoning—
      by alkali, symptoms and treatment. D.B. 672, pp. 7–11, 18–24. 1918.
      in Maryland. Off. Rec., vol. 3, No. 6, p. 2. 1924.
      with oil in Rhode Island. Off. Rec., vol. 1, No. 6, p. 7. 1922.
   Porto Rico, habits and food. D.B. 326, pp. 28–30. 1916.
   postmortem appearance after lead poisoning. D.B. 793, pp. 5–7. 1919.

Duck(s)—Continued.
  preparation for market, methods, time, etc. F.B. 697, rev., pp. 19–20. 1923.
  production in United States. Y.B. 1902, pp. 301–303. 1903.
  protection under Federal regulations. Y.B. 1918, p. 312. 1919; Y.B. Sep. 785, p. 12. 1919.
  raising—
    Alfred R. Lee. F.B. 697, pp. 23. 1915; rev., pp. 22. 1923.
    study course, suggestions for teachers. S.R.S. Doc. 57, pp. 3–5, 10. 1917.
  ring-necked, occurrence—
    and food habits. Biol. Bul. 38, p. 21. 1911.
    in Porto Rico. D.B. 326, p. 28. 1916.
  river. See Ducks, shoal-water.
  Rouen, description, characters, and value. F.B. 697, pp. 4–5. 1915.
  ruddy, occurrence in Porto Rico. D.B. 326, p. 28. 1916.
  scaup—
    lesser, occurrence in Porto Rico, and food habits. D.B. 326, pp. 28–29. 1916.
    range and habits. N.A. Fauna 24, p. 57. 1904; N.A. Fauna 46, p. 47. 1923.
  septicemia inoculation study. B.A.I. Bul. 36, p. 16. 1902.
  shoal-water—
    food habits of seven American species. Douglas C. Mabbott. D.B. 862, pp. 68. 1920.
    vegetable foods. D.B. 862, pp. 49–56. 1920.
  shoveller, range and habits. N.A. Fauna 24, p. 57. 1904.
  sickness in Utah. Alexander Wetmore. D.B. 672, pp. 26. 1918.
  southern black, description and food habits. D.B. 720, pp. 14–16. 1918.
  standard breeds, descriptions and characters. F.B. 697, pp. 1–8. 1915.
  Steller, description and food habits. N.A. Fauna 24, pp. 22, 58. 1904; N.A. Fauna 46, p. 52. 1923.
  Swedish, blue, description and characters. F.B. 697, p. 6. 1915.
  tipping. See Ducks, shoal-water.
  treatment for alkali poisoning. D.B. 672, pp. 20–24. 1918.
  tree, black-bellied, occurrence in Porto Rico, and habits. D.B. 326, p. 30. 1916.
  tufted, occurrence in Pribilof Islands, and food habits. N.A. Fauna 46, p. 47. 1923.
  value against green June beetles. D.B. 891, p. 37. 1922.
  varieties, Athabaska-Mackenzie region. N.A. Fauna 27, pp. 277–297. 1908.
  wild—
    and other birds, banded in the Salt Lake Valley, Utah, migration records. Alexander Wetmore. D.B. 1145, pp. 16. 1923.
    animal foods in Bear River marshes, Utah. D.B. 936, pp. 14–15. 1921.
    banded, information asked by Biological Survey. News L., vol. 4, No. 11, p. 1. 1916.
    banding. Off. Rec., vol. 1, No. 51, p. 6. 1922.
    Bear River marshes, Utah, species, number, habits. D.B. 936, pp. 3–10, 16–18. 1921.
    condition in U. S., 1908. Y.B., 1908, p. 583. 1909; Y.B. Sep. 500, p. 583. 1909.
    conditions, past and present. Y.B., 1910, pp. 243, 246, 253. 1911; Y.B. Sep. 533, pp. 243, 246, 253. 1911.
    damage to rice. An. Rpts., 1918, p. 264. 1919; Biol. Chief Rpt., 1918, p. 8. 1918.
    epidemic, Great Salt Lake, control measures. An. Rpts., 1911, p. 536. 1912; Biol. Chief Rpt., 1911, p. 6. 1911.
    food(s)—
      discussion An. Rpts., 1916, p. 241. 1917; Biol. Chief Rpt., 1916, p. 5. 1916.
      eleven important. W. L. McAtee. D.B. 205, pp. 25. 1915.
      five important. W. L. McAtee. D.B. 58, pp. 19. 1914.
      for, studies. An. Rpts., 1917, pp. 255–256. 1918; Biol. Chief Rpt., 1917, pp. 5–6. 1917.
      injuries by agricultural practices. D.B. 936, p. 16. 1921.
      propagation. W. L. McAtee. D.B. 465, pp. 40. 1917.
    increase in Alaska. D.C. 225, p. 5. 1922.

Duck(s)—Continued.
  wild—continued.
    migration records from birds banded in Utah. Alexander Wetmore. D.B. 1145, pp. 16. 1923.
    molting habits. D.B. 936, pp. 6–9. 1921.
    mortality—
      and causes. Biol. Chief Rpt., 1924, p. 17. 1924.
      from alkali sickness in Utah. D.B. 672, pp. 1–5. 1918.
    natural enemies, birds and mammals. D.B. 936, pp. 16–18. 1921.
    occurrence in Arkansas, food habits. Biol. Bul. 38, pp. 17–22. 1911.
    of United States, classification. D.B. 862, pp. 1–2. 1920.
    poisoning. Off. Rec., vol. 3, No. 52, p. 3. 1924.
    protection need. D.B. 936, pp. 1–2. 1921.
    rice—
      depredations, California. An. Rpts., 1919, pp. 286–287. 1920; Biol. Chief Rpts., 1919, pp. 12–13. 1919.
      destruction, control in California. Y.B., 1918, p. 314. 1919; Y.B. Sep. 785, p. 14. 1919.
    shooting—
      in spring, reduction by migratory bird law. D.B. 794, pp. 3–4. 1920.
      permission in Arkansas. News L., vol. 7, No. 18, p. 2. 1919.
      season. D.B. 936, p. 10. 1921.
    three important foods. W. L. McAtee. Biol. Cir. 81, pp. 19. 1911.
    Utah, mortality, causes, studies. An. Rpts., 1915, pp. 236–237. 1916; Biol. Chief Rpt., 1915, pp. 4–5. 1915.
  wood—
    breeding range. D.B. 862, p. 37. 1920.
    description—
      and food habits. D.B. 862, pp. 37–48, 49–67. 1920.
      habits, food and decreasing numbers. Biol. Bul. 38, p. 20. 1911.
    hunting restrictions. Off. Rec., vol. 2, No. 26, p. 4. 1923.
    protective laws. Off. Rec., vol. 4, No. 46, p. 3. 1925.
Duck (cloth), cotton, waterproofing, and mildew-proofing. H. P. Holman, and others. F.B. 1157, pp. 13. 1920.
Duck grass—
  importation and description. No. 30208, B.P.I. Bul. 233, p. 66. 1912.
  See also Pondweed.
DUCKETT, A. B.—
  "Absorption and retention of hydrocyanic acid by fumigated food products." With others. D.B. 1149, pp. 16. 1923.
  "Bean and pea weevils." With E. A. Back. F.B. 983, pp. 24. 1918.
  "Para-dichlorobenzene as an insect fumigant." D.B. 167, pp. 7. 1915.
Ducking preserves, private, in several States, conditions, area, and use. Biol. Cir. 72, pp. 6–7. 1910.
Ducklings—
  animal food. F.B. 233, pp. 25–26. 1905.
  brooding, management. F.B. 697, pp. 15–16. 1915.
  feeding, rations, and management. F.B. 697, pp. 16–20. 1915.
Duckweeds—
  food of—
    mallard ducks. D.B. 720, pp. 5–6, 18, 19. 1918.
    shoal-water ducks. D.B. 862, pp. 6, 13, 20, 26, 34, 38, 51. 1920.
  other names. D.B. 205, p. 4. 1915.
  value—
    as duck food, description, distribution, propagation. D.B. 205, pp. 3–5. 1915.
    in prevention of mosquito breeding. Ent. Bul. 88, pp. 28–30. 1910.
Ductility test, bituminous materials, method. D.B. 1216, pp. 61–62. 1924.
DUDLEY, J. E., Jr.—
  "Results of experiments with miscellaneous substances against bedbugs, cockroaches, clothes moths, and carpet beetles." With others. D.B. 707, pp. 36. 1918.

DUDLEY, J. E. Jr.—Continued.
"The potato leafhopper and its control." F.B. 1225, pp. 16. 1921.
Duff, forest—
inflammability. Off. Rec. vol. 3. No. 26, p. 2. 1924.
seed stored in, natural reproduction source. J.A.R., Doc. A, vol. 11, pp. 1–26. 1917.
Dugaldia hoopesii—
cause of spewing sickness of sheep, description, distribution, symptoms, and control. B.A.I. Doc. 9, p. 4. 1916.
See also Sneezeweed.
Dugaldin, poisonous principle of western sneezeweed, examination. D.B. 947, pp. 17–23. 1921.
Dugdug. *See* Breadfruit.
DUGGAR, B. M.—
"The cultivation of mushrooms." F.B. 204, pp. 24. 1904.
"The principles of mushroom growing and mushroom spawn making." B.P.I. Bul. 85, pp. 60. 1905.
DUGGAR, J. F.—
"A successful Alabama diversification farm." With others. F.B. 310, pp. 24. 1907.
"Experiments in beef production in Alabama." With W. F. Ward. B.A.I. Bul. 103, pp. 28. 1908.
report of Alabama Experiment Station, Auburn—
1908. O.E.S. An. Rpt., 1908, pp. 61–65. 1909.
1909. O.E.S. An. Rpt., 1909, pp. 70–72. 1910.
1910. O.E.S. An. Rpt., 1910, pp. 89–92. 1911.
1911. O.E.S. An. Rpt., 1911, pp. 68–71. 1912.
1912. O.E.S. Doc. 1523, pp. 67–70. 1913.
1913. O.E.S. An. Rpt., 1913, pp. 28–29. 1915.
1914. Work and Exp., 1914, pp. 56–59. 1915.
1915. Work and Exp., 1915, pp. 58–62. 1916.
1916. Work and Exp., 1916, pp. 53–58. 1918.
Duggena panamensis, importation and description. No. 50585, B.P.I. Inv. 63, p. 81. 1923.
Dugoan. *See* Nutmeg, wild.
Dugouts, potato storage cellars, description and cost. F.B. 847, pp. 12–19, 24–25, 26. 1917.
Duikers, antelope species, description. Biol. Bul. 36, p. 14. 1910.
Duku, importation and description. No. 34496, B.P.I. Inv. 33, pp. 6, 26–28. 1915.
Dulcamara. *See* Bittersweet.
Dulce, use as salad. O.E.S. Bul. 245, p. 30. 1912.
Dulcin, determination in food, methods. Chem. Bul. 107, p. 189. 1907.
Dulcite, honeydew, analysis. Chem. Bul. 110, p. 14. 1908.
Dulichium, description and use in Washington, eastern Puget Sound Basin. Soils F.O., 1909, p. 1541. 1912; Soil Sur. Adv. Sh., 1909, p. 29. 1911.
Duluth—
durum wheat, receipts and prices. 1902–1914. Y.B., 1914, pp. 413–415. 1915; Y.B. Sep. 649," pp. 413–415. 1915.
milk supply, statistics, officials, prices, and ordinances. B.A.I. Bul. 46, pp. 30, 105. 1903.
trade center for farm products, statistics. Rpt. 98, pp. 287–290, et seq. 1913.
Dumetella carolinensis. *See* Catbird.
Dummock, protection by law. Biol. Bul. 12, rev., p. 41. 1902.
Dumori heckeli. *See* Bako.
Dumplings—
directions for making. F.B. 1090, p. 24. 1920; F.B. 391, pp. 21–22. 1910.
recipes, corn meal and substitutes. F.B. 955, pp. 17–18. 1918.
Dumps, log, unloading and piling, costs. D.B. 711. pp. 226–229, 230–232. 1918.
DUNBAR, B. A.: "A study of the essential plant foods recoverable from the manure of dairy cows." With C. F. Wells. J.A.R., vol. 30, pp. 985–988. 1925.
DUNBAR, C. O.: "Determination of fatty acids in butter fat: II." With others. J.A.R., vol. 24, pp. 365–398. 1923.
DUNBAR, P. B.—
"Changes taking place during spoilage of tomatoes, with methods for detecting spoilage in tomato products." With Raymond Bacon. Chem. Cir. 78, pp. 15. 1911.
"Determination of malic acid." With R. F. Bacon. Chem. Cir. 76, pp. 12. 1911.

DUNBAR, P. B.—Continued.
"Preservatives." Chem. Bul. 137, pp. 108–115. 1911; Chem. Bul. 132, pp. 138–149. 1910.
"The determination of malic and tartaric acids in the same solution." Chem. Cir. 105, pp. 8. 1912.
"The determination of tartaric acid." Chem. Cir. 106, pp. 9. 1912.
"Two new pieces of chemical apparatus: I. Apparatus for the continuous extraction of liquids with immiscible solvents lighter than water. II. Apparatus for quantitative reactions which depend on the measurement of an evolved gas." Chem. Cir. 80, pp. 3. 1911.
DUNCAN, G. H.: "Early vigor of maize plants and yield of grain as influenced by the corn root, stalk, and ear rot diseases." With others. J.A.R., vol. 23, pp. 583–630. 1923.
DUNEGAN, J. C.: "The fungus causing the common brown rot of fruits in America." With John W. Roberts. J.A.R., vol. 28, pp. 955–960. 1924.
Dung—
beetle—
cause of threadworms in cattle and sheep, control. News L., vol. 3, No. 38, pp. 1–2. 1916.
description, resemblance to sacred beetle. Y.B., 1913, pp. 75–76. 1914; Y.B. Sep. 616, pp. 75–76. 1914.
destruction by birds. Biol. Bul. 15, pp. 59, 86. 1901.
enemy of horn fly. Ent. A.R., 1914, p. 9. 1914. An. Rpts., 1914, p. 191. 1915.
fly. *See* Horn fly.
DUNGAN, G. H.—
"Flag smut of wheat." With others. D.C. 273, pp. 7. 1923.
"Varietal resistance in winter wheat to the rosette disease." With others. J.A.R., vol. 26, pp. 261–270. 1923.
DUNLAP, F. L.: "The food laws of the United Kingdom and their administration." Chem. Bul. 143, pp. 42. 1911.
DUNLAP, FREDERICK—
"Density of wood substance and porosity of wood." J.A.R., vol. 2, pp. 423–428. 1914.
"Kiln-drying hardwood lumber." For. Cir. 48, pp. 19. 1906.
"The specific heat of wood." For. Bul. 110, pp. 28. 1912.
Dunlin, breeding range and migration habits. Biol. Bul. 35, p. 43. 1910; M.C. 10, p. 56. 1923.
DUNN, J. E.—
"Reconnaissance soil survey of the central and southern area. California." With others. Soil. Sur. Adv. Sh., 1917, pp. 136. 1921; Soils F. O. 1917, pp. 2405–2534. 1923.
"Soil survey of—
Barnes County, N. Dak." With others. Soil Sur. Adv. Sh., 1912, pp. 47. 1914; Soils F.O., 1912, pp. 1921–1963. 1915.
Jackson County, Mo." With others. Soils F.O., 1910, pp. 1261–1293. 1912; Soil Sur. Adv. Sh., 1910, pp. 37. 1911.
Kent County, Del." With others. Soils F.O., 1918, pp. 45–72. 1924; Soil Sur. Adv. Sh., 1918, pp. 32. 1920.
Orange County, Fla." With Mark Baldwin, and Charles N. Mooney. Soil Sur. Adv. Sh., 1919. pp. 25. 1922; Soils F.O., 1919. pp. 947–971. 1925.
Platte County, Mo." With others. Soil Sur. Adv. Sh., 1911, pp. 29. 1912. Soils F.O., 1911, pp. 1701–1725. 1914.
Stoddard County, Mo." With others. Soil Sur. Adv. Sh., 1912, pp. 38. 1914; Soils F. O. 1912, pp. 1751–1784. 1915.
Sussex County, Del." With others. Soil Sur. Adv. Sh., 1920, pp. 1531–1565. 1924; Soils F.O., 1920, pp. 1531–1565. 1925.
the Los Angeles area, California." With others. Soil Sur. Adv. Sh., 1916, pp. 78. 1919; Soils F.O., 1916, pp. 2347–2420. 1921.
the Riverside area, California." With others. Soil Sur. Adv. Sh., 1915, pp. 88. 1917; Soils F.O., 1915, pp. 2367–2450. 1921.
DUNNEWALD, T. J.—
"Reconnaissance soil survey of the—
north part of north-central Wisconsin." With others. Soil Sur. Adv. Sh., 1914, pp. 76. 1916; Soils F.O., 1914, pp. 1655–1725. 1919.

DUNNEWALD, T. J.—Continued.
"Reconnaissance soil survey of the—Continued.
south part of north-central Wisconsin." With others. Soil Sur. Adv. Sh., 1915, pp. 65. 1917; Soils F.O., 1915, pp. 1585-1645. 1921.
"Soil survey of—
Adams County, Wis." With others. Soil Sur. Adv. Sh., 1920, pp. 30. 1924. Soils F.O., 1920, pp. 1121-1152. 1925.
Buffalo County, Wis." With others. Soil Sur. Adv. Sh., 1913, pp. 50. 1915; Soils F. O., 1913, pp. 1441-1486. 1916.
Duval County, Fla." With Arthur E. Taylor. Soil Sur. Adv. Sh., 1921, pp. 48. 1923.
Iowa County, Wis." With others. Soil Sur., Adv. Sh., 1910, pp. 29. 1911; Soils F.O., 1910, pp. 1147-1171. 1912.
Jackson County, Wis." With others. Soils F.O. 1918, pp. 941-980. 1924; Soil Sur. Adv. Sh., 1918, pp. 44. 1922.
La Crosse County, Wis." With others. Soil Sur. Adv. Sh., 1911, pp. 45. 1913; Soils F.O., 1911, pp. 1561-1601. 1914.
Milwaukee County, Wis." With W. J. Geib. Soil Sur. Adv. Sh., 1916, pp. 32. 1918; Soils F.O., 1916, pp. 1779-1806. 1921.
DUNNING, DUNCAN:"Some results of cutting in the Sierra forests of California." D.B. 1176, pp. 27. 1923.
Dura, varieties. See Sorghum, grain.
Duranta—
repens, importation and description. No. 39458, B.P.I. Inv. 41, p. 31. 1917; No. 51558, 51939, B.P.I. Inv. 65, pp. 26, 68. 1923.
spp., importations and descriptions. Nos. 48669, 48707, B.P.I. Inv. 61, pp. 34, 39. 1922; Nos. 52575, 52610, B.P.I. Inv. 66, pp. 42, 50 1923.
Duraznillo blanco, importation and description. No. 41309, B.P.I. Inv. 44, p. 62. 1918.
Durian, importation and description. No. 37108, B.P.I. Inv. 38, pp. 37-38. 1917; No. 39709, B.P.I. Inv. 42, pp. 7, 14. 1918; No. 51464, B.P.I. Inv. 65, p. 19. 1923.
Durio zibethinus. See Durian.
Durra—
characteristics and chief varieties. D.B. 772, p. 267. 1920; F.B. 322, pp. 5-6. 1908; F.B. 1137, pp. 10-11. 1920; B.P.I. Bul. 175, pp. 17-20, 39. 1910.
description, origin, introduction, and crop value. D.B. 698, pp. 18, 42-45, 52, 88. 1918; Y.B. 1913, pp. 221, 223-224, 227, 229, 230. 1914; Y.B. Sep. 625, pp. 221, 223-224, 227, 229, 230. 1914.
kafir hybrids, description and yields. D.B. 698, pp. 46-52, 88. 1918.
smut inoculation, experiments. D.B. 1284, pp. 29-31. 1925.
stem-borer, sugar cane pest, description. Sec. [Misc.], "A manual of insects * * *", p. 203. 1917.
Sudan—
yields, Texas, San Antonio Experiment Farm. B.P.I. Cir. 120, pp. 18, 19. 1913.
See also Feterita.
white—
growing in Guam, description. Guam Bul. 3, p. 8. 1922.
varietal experiments in Oklahoma. D.B. 1175, pp. 22-23, 36, 37. 1923.
See also Sorghum.
Durum wheat. See Wheat, durum.
Dust(s)—
atmospheric, sources, functions, effects. Soils Bul. 68, pp. 110-122. 1911; Y.B. 1915, pp. 322-323. 1916; Y.B. Sep. 680, pp. 322-323. 1916.
barn, relation to milk, investigations. S.R.S. Rpt., 1916, Pt. I, pp. 43, 204. 1918.
barrier, for control of chinch bugs. Ent. Bul. 107, p. 48. 1911.
bath, for poultry, advantages. D.C. 16, p. 6. 1919; F.B. 1110, p. 9. 1920; F.B. 1331, p. 16. 1923.
boxes, value in control of lice on hens. F.B. 889, p. 19. 1917.
carbonaceous, temperatures, smoking, melting, and ignition, table. D.C. 171, p. 6. 1921.
cement, source of potash. Y.B., 1917, pp. 177, 261-262. 1918; Y.B. Sep. 728, pp. 11-12. 1918; Y.B. Sep. 730, p. 3. 1918.

Dust(s)—Continued.
cloud, type required for dusting cotton. F.B. 1319, pp. 7-8. 1923.
control by use of drag on earth. F.B. 321, p. 11. 1908.
explosions—
and fires, investigations. Chem. Chief Rpt. 1925, pp. 8-9. 1925.
electric lights as hazard. David J. Price and Hylton R. Brown. D.C. 171, pp. 7. 1921.
grain—
cause and prevention. Sec. [Misc.], "Just a word * * *," pp. 10. 1919.
industries, improvement. Sec.A.R., 1925; p. 73. 1925.
separators, in Pacific Northwest. David J. Price and E. B. McCormick. D.B. 379, pp. 22. 1916.
mills and elevators, control work. Chem. Chief Rpt., 1918, pp. 11, 14. 1918; An. Rpts., 1918, pp. 211, 214. 1918.
threshing machines, prevention, studies and equipment. News L., vol. 3, No. 43, pp. 1-2. 1916.
extraterrestrial, discussion. Soils Bul. 68, pp. 120-122. 1911.
falls, European, theories of origin, amount deposited. Soils Bul. 68, pp. 88-99. 1911.
furnace flues, potash content and process for recovery. D.B. 1226, pp. 6-7, 16-17. 1924.
grain, explosions, experimental studies. B. W. Dedrick and others. D.B. 681, pp. 54. 1918.
guns—
construction, operation, capacity, and limitations. F.B. 1038, pp. 12-18. 1920.
for use of dry insecticides. Ent. Cir. 123, p. 13. 1910; F.B. 595, p. 5. 1914; F.B. 1038, p. 17. 1919.
haze, description and cause. Soils Bul. 68, pp. 115, 117-119. 1911.
hopper for airplanes, construction, types. D.B. 1204, pp. 2-8. 1924.
insecticides, use in control of boll weevil. F.B. 1098, pp. 1-31. 1920.
lime, use with Bordeaux mixture as fungicide. F.B. 243, pp. 11-12. 1906.
mixtures for control of grape-berry moth, experiments. D.B. 837, pp. 22-23. 1920.
mulch. See Mulch, dust.
nicotine. See Nicotine, dust.
pear insects and diseases, formulas and use. F.B. 1056, pp. 31-33. 1919.
poison(s)—
feeding devices on guns and power machines. F.B. 1098, pp. 16, 22. 1920.
for boll-weevil control. B. R. Coad. Y.B., 1920, pp. 241-252. 1921; Y.B., Sep. 842, pp. 11. 1921.
relation to air currents and moisture, and rate of delivery. D.B. 1204, pp. 12-21, 26-29, 34, 36. 1924.
prevention—
macadam roads, materials and cost. Rds. Bul. 48, pp. 33-35. 1913.
on roads, experiments, report—
1907. Rds. Cir. 89, pp. 26. 1908.
1908. Rds. Cir. 90, pp. 2-10, 19-21. 1909.
1909. Rds. Cir. 92, pp. 1-32. 1910.
1910. Rds. Cir. 94, pp. 1-56. 1911.
1911. Rds. Cir. 98, pp. 1-47. 1912.
1912. Rds. Cir. 99, pp. 1-51. 1913.
1913. D.B. 105, pp. 1-46. 1914.
1914. D.B. 257, pp. 1-44. 1915.
1915. D.B. 407, pp. 1-71. 1916.
1916. D.B. 586, pp. 1-1-78. 1918.
preventives—
bituminous, and road binders. Prevost Hubbard. Y.B., 1910, pp. 297-306. 1911; Y.B. Sep. 538, pp. 9. 1911.
roads experiments 1907, 1908, report. Soils Cir. 90, pp. 2-10, 19-23. 1912.
tars, application to roads, methods. Rds. Bul. 34, pp. 15-19. 1908.
use on macadam roads. F.B. 338, p. 27. 1908.
uses—
Logan Waller Page. Y.B., 1907, pp. 257-266. 1908; Y.B. Sep. 448, pp. 9. 1908.
Prevost Hubbard. Rds. Bul. 34, pp. 64. 1908.

INDEX TO PUBLICATIONS, 1901–1925 — 763

Dust(s)—Continued.
  relation to—
    food, precautions. F.B. 375, pp. 17–18. 1909.
    rainfall. Y.B., 1912, p. 375. 1913; Y.B. Sep. 599, p. 375. 1913.
  rock, grinding and molding for test of cementing value. Rds. Bul. 44, pp. 19–23. 1912.
  sirocco, description, composition, materials, color, effects. Soils Bul. 68, pp. 45, 88, 92–96, 97, 121, 167. 1911.
  sprayer—
    description, cost, and use. D.C. 154, pp. 4–5. 1921.
    orchard, description. Y.B., 1908, p. 284. 1909; Y.B. Sep. 480, p. 284. 1909.
  sprays, formulas, and directions for use. Y.B., 1908, pp. 275–276, 284. 1909; Y.B. Sep. 480, pp. 275–276, 284. 1909.
  storms—
    control by windbreaks. F.B. 1405, pp. 5, 13. 1924.
    description, causes, and effects. Soils Bul. 68, pp. 77–99. 1911.
  use in control of—
    bean and pea weevil. F.B. 983, p. 24. 1918.
    chicken mites. D.B. 1228, pp. 4–6, 9. 1924.
  volcanic, production, and composition. Soils Bul. 68, pp. 146–160. 1911.
Dusters—
  description, use and care. F.B. 1180, pp. 6, 11. 1921.
  insecticides, decription and use. F.B. 908, pp. 67–68. 1918; F.B. 1098, pp. 1–31. 1920; F.B. 1306, pp. 31, 33. 1923.
  power, for cotton fields. F.B. 1319, pp. 16–17. 1923.
Dustfall of February 13, 1923. Alexander N. Winchell and Eric R. Miller. J.A.R., vol. 29, pp. 443–450. 1924.
Dusting—
  airplane on plants. Off. Rec., vol. 4, No. 51, p. 6. 1925.
  apparatus for insecticide application. F.B. 908, pp. 67–68. 1918.
  appliances, for gardens, description, cost, and use method. F.B. 856, pp. 13–14. 1917.
  avocado insects, experiments with dusts and dusters. F.B. 1261, pp. 26–29. 1922.
  beans for control of Mexican beetle. F.B. 1407, pp. 9–11, 13–14. 1924.
  beetles, experiments with poisons. D.B. 892, pp. 20, 21. 1920.
  cabbage flea-beetle, experiments with zinc arsenite and tobacco. D.B. 902, pp. 17, 18. 1920.
  celery, for disease control, experiments. F.B. 1269, p. 19. 1922.
  cotton—
    for—
      boll weevil, directions. D.B. 875, pp. 10–16. 1920.
      control of boll weevil. B. R. Coad and T. P. Cassidy. D.C. 274, pp. 3. 1923.
      weevil control, hand guns and power machines, experiments. D.B. 731, p. 14. 1918.
    from airplanes. B. R. Coad and others. D.B. 1204, pp. 40. 1924.
    machinery. Elmer Johnson and others. F.B. 1319, pp. 20. 1923.
    pink bollworm control, experiments. D.B. 918, pp. 51–52. 1921.
    with calcium arsenate, requirements, season. D.B. 875, pp. 8–16. 1920.
  cucumber, for beetle control, directions. F.B. 1322, pp. 10–11, 14, 15. 1923.
  lice, eradication on pigeons, method. D.C. 213, pp. 2–3. 1922.
  machinery for cotton—
    boll weevil control. Elmer Johnson and B. R. Coad. F.B. 1098, pp. 31. 1920.
    types and directions for use. D.B. 875, pp. 18–26. 1920.
  nicotine sulphate experiments, cost, etc. Ent. A.R., 1921, p. 14. 1921.
  outfit for codling-moth control. F.B. 1326, p. 12. 1924.
  peach trees—
    for control of curculio. D.B. 1208, pp. 4, 12. 1924.
    recommendations and schedule. D.C. 216. pp. 24–25, 25–26. 1922.

Dusting—Continued.
  peach trees—continued.
    results in Georgia. Off. Rec., vol. 4, No. 34, p. 1. 1925.
  pear insects and diseases, formulas and directions. F.B. 1056, pp. 31–33. 1919.
  potatoes, day's work. S.B. 10, p. 12. 1925.
  value in corn ear-worm control, methods and dusts. F.B. 1310, pp. 16–17. 1923.
  vetch, for control of corn ear worm, directions and formulas. F.B. 1206, pp. 15, 18. 1921.
  See also Fungicides; Insecticides; Spraying.
Dustpan, description and use. F.B. 1180, p. 6. 1921.
Dutch East Indies—
  agricultural statistics, 1911–1919. D.B. 987, pp. 23–24. 1921.
  coffee production and exports. Stat. Bul. 79, pp. 88–92. 1912.
Dutch Guiana, rubber plantations, leaf-disease conditions. D.B. 1286; p. 8. 1924.
Dutchman's—
  breeches, poisonous properties. O. F. Black and others. J.A.R., vol. 23, pp. 69–78. 1923.
  pipe, injury by sapsuckers. Biol. Bul. 39, p. 22. 1911.
DUVAL, LAUREL—
  "The production and handling of grain in Argentina." Y.B. 1915, pp. 281–298. 1916; Y.B. Sep. 677, pp. 281–298. 1916.
  "The shrinkage of corn in storage". With J. W. T. Duvel. B.P.I. Cir. 81, pp. 11. 1911.
  "The shrinkage of shelled corn while in cars in transit." With J. W. T. Duvel. D.B. 48, pp. 21. 1913.
Duval soil, south Texas, distribution, description and uses. Soils Sur. Adv. Sh. 1909, pp. 26–32. 1910; Soils F.O. 1909, pp. 1050–1057. 1912.
DUVEL, J. W. T.—
  "A quick method for the determination of moisture in grain." With Edgar Brown. B.P.I. Bul. 99, pp. 24. 1907.
  "A moisture tester for grain and other substances, and how to use it." B.P.I. Cir. 72, pp. 15. 1910; B.P.I. Cir. 72, rev. pp. 16. 1914.
  "Garlicky wheat." B.P.I. Bul. 100, Pt. III, pp. 21–30. 1907.
  "Grades for commercial corn." D.B. 168, pp. 11. 1915.
  "Moisture content and shrinkage in grain." B.P.I. Cir. 32, pp. 13. 1909.
  "The deterioration of corn in storage." B.P.I. Cir. 43, pp. 12. 1909.
  "The germination of seed corn." F.B. 253, pp. 16. 1906.
  "The shrinkage of corn in storage." With Laurel Duval. B.P.I. Cir. 81, pp. 11. 1911.
  "The shrinkage of shelled corn while in cars in transit." With Laurel Duval. D.B. 48, pp. 21. 1913.
  "The storage and germination of wild rice seed." B.P.I. Bul. 90, Pt. I., pp. 5–14. 1906.
  "The vitality and germination of seeds." B.P.I. Bul. 58, pp. 96. 1904.
  "The vitality of buried seeds." B.P.I. Bul. 83, pp. 22. 1905.
Dwale. See Bittersweet.
Dwarf—
  trees, value in small yards. F.B. 1001, pp. 8–9. 1919.
  varieties, value as dry-land crops. Y.B. 1911, p. 360. 1912. Y.B. Sep. 574, p. 360. 1912.
Dwarfism—
  corn, advantages. D.B. 925, pp. 11–14, 26. 1921.
  See also Brachysm.
Dwelling—
  cleaning, helps for. F.B. 1180; pp. 3–30. 1921.
  farm—
    per cent of value to the farm, various sections. F.B. 1082, p. 18. 1920.
    plan and location. F.B. 1132, pp. 14, 16, 21, 25. 1920.
    heating with pipeless furnace, plans, and management. F.B. 1174, pp. 3–7. 1920.
    vermin control in. News L., vol. 3, No. 37, p. 2. 1916.
  See also Homes; Farmhouse.
Dyar, H. G.—
  "Descriptions of the earlier stages of Hymenia fascialis." Ent. Bul. 109, Pt. I, pp. 11–12. 1911.

36167°—32——49

Dyar, H. G.—Continued.
"Key to the known larvae of the mosquitoes of the United States." Ent. Cir. 72, pp. 6. 1906.
Dye(s)—
absorption, selective, by soils. Soils Bul. 52, pp. 33–34. 1908.
black, for leather. D.C. 230, p. 17. 1922.
Canadian, meat-inspection regulations. B.A.I. S. A. 58, p. 12. 1912.
certification, and preparation, work of Chemistry Bureau. An. Rpts., 1918, pp. 206, 213, 215. 1918. Chem. Chief Rpt., 1918, pp. 6, 13, 15. 1918.
coal-tar—
laws regulating use. Chem. Bul. 147, pp. 35–42. 1912.
list accepted for certification. M.C. 52, pp. 2–3. 1925.
mixtures, quantative separation. W. E. Mathewson. Chem. Cir. 89, pp. 7. 1912.
permitted by meat-inspection regulations, list. B.A.I. Cir. 180, p. 1. 1911
physiological action, experiments. Chem. Bul. 147, pp. 67–74. 1912.
samples forwarding. Chem. S.R.A. 17, p. 41. 1916.
use in food decision. F I.D. 180, p. 1. 1919.
See also Colors, coal-tar.
cochineal, setting with juice of tuna juell. B.P.I. Bul. 116, p. 65. 1907.
color investigations by Chemistry Bureau. D.C. 137, p. 22. 1922.
cotton, description and use. D.B. 366, p. 11. 1916.
designation numbers in published tables. D.B. 448, p. 56. 1917.
examination and testing. News L., vol. 6, No. 35, p. 15. 1919.
fadeless, patents. Off. Rec., vol. 4, No. 21, pp. 1–2. 1925.
food(s)—
and foodstuffs, coloring, control. F.I.D. 77, pp. 6. 1925.
certification, purpose and procedure. M.C. 52, pp. 1–12. 1925.
coloring substances, separation and purification methods. D.B. 448, pp. 8–34. 1917.
colors, separation and determination. Walter E. Mathewson. Chem. Cir. 113, pp. 4. 1913.
definitions of terms "batch" and "mixtures." F.I.D. 106, p. 1. 1908.
hair, misbranding, walnut oil. Chem. N.J. 1677, pp. 2. 1912.
leather, formulas. F.B. 1183, rev., p. 21. 1922.
manufacture, investigations, Chemistry Bureau—
1917. Y.B., 1917, p. 85. 1918.
1924. Chem. Chief Rpt., 1924, pp. 15–16. 1924.
materials, Porto Rico forests. D.B. 354, p. 46. 1916.
meat inspection regulation. B.A.I.O. 150, p. 31. 1908.
mineral, testing in khaki-colored duck. F.B. 1157. p. 7. 1920.
mixtures—
certification under secondary certificates. F.I.D. 129, pp. 2. 1910.
separation, description, and methods. D.B. 448, pp. 8–34. 1917.
mohair goods, fast quality. Y.B., 1901, pp. 278, 281. 1902.
plants, importations and description. Nos. 47573, 47577, 47769, 47833, B.P.I. Inv. 59, pp. 33, 34, 57, 65. 1922; Nos. 48082, 48277, B.P.I. Inv. 60, pp. 40, 65. 1922.
poisonous, action on animal organism. Chem. Bul. 147, pp. 72–73. 1912.
preparation, use of castor oil. D.B. 867, p. 38. 1920.
production studies. News L., vol. 4, No. 5, pp. 4–5. 1916.
red, work of Chemistry Bureau. Off. Rec., vol. 3, No. 17, p. 4. 1924.
soaps, directions for use. F.B. 1099, p. 27. 1920.
sources in plant importations. Nos. 44461, 44544, 44667, 44702, 44805, B.P.I. Inv. 51, pp. 15, 22, 40, 51, 71. 1922; Nos. 45478, 45605, B.P.I. Inv. 53, pp. 38, 67. 1922; No. 46903, B.P.I. Inv. 57, p. 48. 1922.
stains, removal from textiles. F.B. 861, pp. 13–14. 1917.

Dye(s)—Continued.
straight, certification under secondary certificates. F.I.D. 129, pp. 2. 1910.
use of—
chicory leaves. D.C. 108, p. 3. 1920.
genipapo fruit, Brazil. D.B. 445, p. 21. 1917.
vat, development of industry. Sec. A.R., 1925, pp. 75–76. 1925.
wool, color identification. Chem. Bul. 122, pp. 230–233. 1919.
work of department. Off. Rec., vol. 4, No. 33, pp. 1, 4. 1925.
See also Colors; Dyeing; Pigments.
Dyeing—
cottons—
comparison of long-staple grades. D.B. 359, pp. 14–15. 1916.
in testing. D.B. 990, pp. 7, 8–9. 1921.
yarns, tests after fumigation. D.B. 366, pp. 10–11. 1916.
leather, directions. D.C. 230, p. 17. 1922; F.B. 1334, pp. 14, 18, 20. 1923.
osage orange wood, use and value. Y.B., 1915, pp. 202–204. 1916; Y.B. Sep. 670, pp. 202–204. 1916.
use and value of huisache tree pods. D.B. 184, p. 1. 1915.
See also Colors; Dyes; Pigments.
DYER, C. L.—
"Citrus-fruit improvement: A study of bud variation in the Eureka lemon." With others. D.B. 813, pp. 88. 1920.
"Citrus-fruit improvement: A study of bud variation in the Lisbon lemon." With others. D.B. 815, pp. 70. 1920.
DYER, D. C.: "Progressive oxidation of cold-storage butter." J.A.R., vol. 6, No. 24, pp. 927–952. 1916.
Dyera costulata, substitute for caoutchouc importation. No. 31362, B.P.I. Bul. 242, p. 88. 1912.
Dyestuff(s)—
identification by oxidation with bromine. Walter E. Mathewson. Chem. Cir. 114, p. 3. 1913.
manufacture from raisin seeds, description, coloring properties. B.P.I. Bul. 276, pp. 31–32. 1913.
production industry, color studies by Chemistry Bureau. D.C. 137, p. 22. 1922.
value of American sumac. F. P. Veitch and others. D.B. 706, pp. 12. 1918.
Dyewood(s)—
fustic, substitute, osage orange waste. F.W. Kressman. Y.B., 1915, pp. 201–204. 1916; Y.B. Sep. 670, pp. 201–204. 1916.
imports—
1851–1908. Stat. Bul. 51, pp. 23–24. 1909.
1906–1910. Y.B., 1910, p. 656. 1911; Y.B. Sep. 553, p. 656. 1911.
1907–1909, value, by countries from which consigned. Stat. Bul. 82, pp. 63–64. 1910.
1908–1910, quantity and value, by countries from which consigned. Stat. Bul. 90, p. 67. 1911.
1913–1915. Y.B., 1915, pp. 542, 555. 1916; Y.B. Sep. 685, pp. 542, 555. 1916.
1916. Y.B., 1916, pp. 709, 722. 1917; Y.B. Sep. 722, pp. 3, 16. 1917.
1919–1921, and exports. Y.B., 1922, pp. 951, 957, 961. 1923; Y.B. Sep. 880, pp. 951, 957, 961. 1923.
Dynamite—
ditches, use in drainage system, Mississippi. O.E.S. Bul. 244, pp. 25, 34, 45. 1912.
effect on soils, studies. S.R.S. Rpt. 1916, Pt. I, pp. 38, 124, 140. 1918.
handling and management in road building. For. Misc., O–6, pp. 36–42. 1915.
subsoiling experiments in control of tobacco and melon wilt. O.E.S. An. Rpt., 1912, p. 175. 1913.
use in—
agriculture, Hawaii. Hawaii A.R. 1914, p. 20. 1915.
blasting hard pan in California, Colusa area. Soil Sur. Adv. Sh., 1907, p. 47. 1909; Soils F.O., 1907, p. 969. 1909.
clearing land, precautions. F.B. 550, pp. 8–10. 1902; F.B. 974, pp. 15–17, 28, 29. 1918.
deep tilling in the Great Plains, experiments. J.A.R., vol. 14, pp. 505–517. 1918.

Dynamite—Continued.
use in—continued.
drainage of subsoils, Bradford County, Pennsylvania. Soil Sur. Adv. Sh., 1911, p. 16. 1913; Soils F.O., 1911, p. 242. 1914.
loosening soils—
for cocoanut planting. Guam A.R., 1920, p. 60. 1921.
Porto Rico. P.R. An. Rpt., 1913, pp. 20-21. 1914.
pineapple fields, notes. Hawaii A.R., 1915, pp. 49, 50. 1916.
planting orchard trees, discussion. D.B. 29, pp. 7, 18. 1913; F.B. 631, p. 15. 1915.
stump blasting. B.P.I. Bul. 239, pp. 13-28. 1912; D.B. 91, pp. 7-8, 24. 1914; F.B. 381, p. 8. 1909.
Dyospyrus texana, drought and cold resistance. Y.B., 1911, p. 418. 1912; Y.B. Sep. 580, p. 418, 1912.
Dypsis madagascariensis, importation and description. No. 45958, B.P.I. Inv. 54, p. 50. 1922.
Dysdercus suturellus. See Cotton stainer.
Dysentery—
amoebic—
caused by rhizopod parasite. B.A.I. Cir. 194, p. 484. 1912. B.A.I. An. Rpt., 1910, p. 484. 1912.
of monkeys, outbreak and studies. An. Rpts., 1916, p. 116. 1917; B.A.I. Chief Rpt., 1916, p. 50. 1916.
spread, control method. F.B. 463, p. 11. 1911.
bees, causes and treatment. D.B. 780, p. 52. 1919; Ent. Bul. 98, pp. 13, 89-92. 1912; F.B. 397, pp. 25, 39. 1910; F.B. 442, p. 20. 1911.
causes and treatment. For. [Misc.], "First-aid manual * * *," pp. 80-81. 1917.
chronic bacterial—
cattle, cause, symptoms, and treatment. John R. Mohler. B.A.I. An. Rpt., 1908, pp. 234-236. 1910; B.A.I. Cir. 156, p.p. 3. 1910; B.A.I. [Misc.], "Diseases of cattle," rev., pp. 491-493. 1908; rev. pp. 513-515. 1912; rev., pp. 498-500. 1923.
of cow, study, experiments with organism. An. Rpts., 1910, pp. 258-259. 1911. B.A.I. Chief Rpt., 1910, pp. 64-65. 1910.
See also Johne's disease.
hog, study in 1923. Work and Exp., 1923, p. 68. 1925.
red, cattle disease in Switzerland caused by protozoa. B.A.I. [Misc.], "Diseases of cattle," rev., p. 536. 1912.
spread, causes, control methods, etc. F.B. 463, pp. 8-10. 1911.
tropical, transmission by house flies, note. F.B. 412, p. 11. 1910.
See also Diarrhea.
Dysoxylum binectariferum, importation and description. No. 47840, B.P.I. Inv. 59, p. 66. 1922.
Dyspepsia remedy, Graham's, misbranding. Chem. N.J. 4119, pp. 176-180. 1916.
Dystocia, ewes, treatment. F.B. 1155, pp. 33-34. 1921.

Eagle(s)—
bald—
food habits and occurrence in Arkansas. Biol. Bul. 38, pp. 39-40. 1911.
northern, range and habits. N.A. Fauna 21, pp. 43, 76. 1901; N.A. Fauna 24, p. 68. 1904.
bounties—
in Alaska, 1921. D.C. 225, p. 3. 1922.
in different States. F.B. 1238, pp. 6, 26. 1921.
destruction by man. Biol. Bul. 27, pp. 17, 26, 31. 1906.
destructive habits. An. Rpts., 1919, p. 287. 1920; Biol. Chief Rpt., 1919, p. 13. 1919.
eye parasites of. B.A.I. Bul. 60, pp. 45, 46. 1904.
golden, range and habits. N.A. Fauna 24, p. 68. 1904; N.A. Fauna 27, pp. 358-361. 1908.
gray sea, habits, food, and economic status. Biol. Bul. 27, pp. 18-20. 1906.
North American, and their economic relations. Harry C. Oberholser. Biol. Bul. 27, p. 31. 1906.
occurrence in Pribilof Islands. N.A. Fauna 46, p. 82. 1923.
protection by law, and exceptions. Biol. Bul. 12, rev., pp. 32-33. 1902.

Eagle Creek trail, log. D.C. 105, pp. 9-11. 1920.
Eagle Lake Rice Irrigation Company, canal, irrigation details. O.E.S. Bul. 222, p. 47. 1910.
Ear(s)—
canker, rabbit disease, description and control. F.B. 1090, pp. 31-32. 1920.
cattle—
foreign substances, removal and treatment. B.A.I. [Misc.], "Diseases of cattle," rev., p. 355. 1904; p. 368. 1912; p. 356. 1923.
growths and injuries treatment. B.A.I. [Misc.], "Diseases of cattle," rev., pp. 367-370. 1912; pp. 355-357. 1923.
diseases—
of. M. R. Trumbower. B.A.I. [Misc.], "Diseases of cattle," rev., pp. 354-356. 1904; pp. 354-356. 1908; pp. 367-370. 1912; pp. 355-357. 1923.
relation of fungus, *Sterigmatocystis* sp. J.A.R., vol. 7, pp. 8, 9, 11. 1916.
"gotched" caused by screw worms following ticks. Ent. Bul. 106, pp. 19, 141. 1912.
internal, inflammation, of cattle, symptoms and treatment. "Diseases of cattle," rev., p. 354. 1904; p. 367. 1912; p. 355. 1923.
mange, dogs, cause and treatment. D.C. 338, pp. 6-7. 1925.
tick. See Tick, ear; Tick, spinose ear.
Ear flower—
Mexican, importation and description. No. 35039, B.P.I. Inv. 34, pp. 6, 36. 1915.
sacred, importation and description. No. 42047, B.P.I. Inv. 46, p. 49. 1919.
Earache, causes and treatment. For. [Misc.], "First-aid manual * * *," p. 84. 1917.
EARLE, D. E.—
"Classification of American upland cotton." With Fred Taylor. F.B. 802, pp. 28. 1917.
"Manufacturing and laboratory tests to produce an improved airplane fabric." With Fred Taylor. D.B. 882, pp. 48. 1920.
"The classification and grading of cotton." With W. S. Dean. F.B. 591, pp. 23. 1914.
EARLE, F. S.: "Development of the trucking interests." Y.B., 1900, pp. 437-452. 1901; Y.B., Sep. 217, pp. 15. 1901.
EARNSHAW, F. L.—
"Directory of officials and organizations concerned with the protection of birds and game—
1921." With Geo. A. Lawyer. D.C. 196, pp. 20. 1921.
1922." With George A. Lawyer. D.C. 242, pp. 20. 1922.
1923." With George A. Lawyer. D.C. 298, pp. 16. 1923.
1925." With Talbott Denmead. D.C. 360, pp. 12. 1925.
"Game laws for—
1910." With others. F.B. 418; pp. 47. 1910.
1911." With others. F.B. 470, pp. 52. 1911.
1912." With others. F.B. 510, pp. 48. 1912.
1913." With others. D.B. 22, pp. 59 1913.
1914." With others. F.B. 628, pp. 54. 1914.
1915." With others. F.B. 692, pp. 64. 1915.
1916." With others. F.B. 774, pp. 64. 1916.
1917." With others. F.B. 1910, pp. 70. 1917.
1918." With George A. Lawyer. F.B. 1010, pp. 70. 1918.
1919." With Geo. A. Lawyer. F.B. 1077, pp. 80. 1919.
1920." With Geo. A. Lawyer. F.B. 1138, pp. 84. 1920.
1921." With Geo. A. Lawyer. F.B. 1235, pp. 80. 1921.
1922." With Geo. A. Lawyer. F.B. 1288, pp. 80. 1922.
the season—
1923-1924." With Geo. A. Lawyer. F.B. 1375, pp. 70. 1923.
1924-25." With George A. Lawyer. F.B. 1444, pp. 38. 1924.
1925-26." With Geo. A. Lawyer. F.B. 1466, pp. 46. 1925.
"Laws relating to—
fur animals—
1922." With George A. Lawyer. F.B. 1293, pp. 30. 1922.
for the season 1923-24." With Geo. A. Lawyer. F.B. 1387, pp. 34. 1923.

EARNSHAW, F. L.—Continued.
"Laws relating to—Continued.
fur animals—continued.
for the season 1924-25." With Frank G. Ashbrook. F.B. 1445, pp. 22. 1924.
for the season 1925-26." With Frank G. Ashbrook, F.B. 1469, pp. 29. 1925.
fur-bearing animals—
1919." With others. F.B. 1079, pp. 32. 1919.
1920." F.B. 1165, pp. 32. 1920.
1921." With George A. Lawyer. F.B. 1238, pp. 32. 1921.
Earth—
almond oil. See Oil, chufa.
and gravel roads. See Roads.
diatomaceous—
mixing with apple juice for filtration. F.B. 1264, pp. 47-48, 51-52. 1922.
use as clarifying agent. F.B. 1424, p. 16. 1924.
floors, value in hen houses, comparison with other floors. News L., vol. 5, No. 4, p. 8. 1917.
infusorial, use in clarification of sugar-cane juice. D.B. 921, pp. 2-7, 8-12. 1921.
roads. See Roads, earth.
Earthenware.—
kitchen utensils, advantages and disadvantages. Thrift Leaf. 10, p. 2. 1919.
unglazed, use in cooling foods. Thrift Leaf. 14, p. 3. 1919.
Earthnut. See Peanut.
Earthquakes—
data, collection and publication. An. Rpts., 1916, p. 65. 1917; W.B. Chief Rpt. 1916, p. 17. 1916.
investigations, Weather Bureau work, 1919. An. Rpts., 1919, pp. 71-72. 1920; W.B. Chief Rpt., 1919, pp. 23-24. 1919.
records by Weather Bureau, new stations, 1906. Rpt. 83, p. 16. 1906.
studies by seismograph. Off. Rec., vol. 2, No. 41, p. 5. 1923.
Earthstars, fungi, description. D.B. 175, p. 51. 1915.
Earthworms—
beneficial effects in soil. D.B. 499, p. 18. 1917
carrier of gapeworm, danger to young poultry. F.B. 90, p. 37. 1910.
cause of soil movements. Soils Bul. 68, pp. 16, 29, 107, 108. 1911.
control—
in greenhouses. F.B. 1362, p. 75. 1924.
on lawns, experiments. Ent. A.R., 1911, p. 28. 1911; An. Rpts., 1911, p. 518. 1912.
method of detection in stomach of bird. Biol. Bul. 15, p. 14. 1901.
source of gapeworms. F.B. 1337, p. 29. 1923.
transmission of—
blackleg infection. B.A.I. Cir. 31, rev., p. 13. 1907; p. 9. 1911.
parasites to livestock and chickens. S.R.S. Rpt., 1915, Pt. I, p. 122. 1917; Y.B., 1905, p. 150. 1906.
Earwig—
European—
control. D. W. Jones. D.B. 566, pp. 12. 1917.
damage and control. Off. Rec., vol. 2, Nos. 32, 33, p. 2. 1923.
relation to coconut bud rot. B.P.I. Bul. 228, pp. 15, 48, 50, 51, 53, 61, 153. 1912.
EASON, F. G.—
"Drainage of the wet lands of Effingham County, Georgia." O.E.S. Cir. 113, pp. 24. 1911.
"Report upon the Black and Boggy Swamps drainage district, Hampton and Jasper Counies, S. C." D.B. 114, pp. 21. 1914.t
EAST, E. M.: "Heterozygosis in evolution and plant breeding." With H. K. Hayes. B.P.I. Bul. 243, pp. 58. 1912.
East Africa. See Africa.
East India—
gum, imports, 1907-1909, quantity and value, by countries from which consigned. Stat. Bul. 82, p. 65. 1910.
yautias and taros, description and uses. B.P.I. Bul. 164, pp. 11, 18, 22, 23, 24, 26, 27. 1910.
East Indies, Dutch, tobacco acreage, "production and exports. Sec. [Misc.], Spec. "Geography * * * world's agriculture," p. 62. 1917.

East St. Louis, market statistics for livestock, 1910-1920. D.B. 982, pp. 5-6, 8, 9, 15, 35-37, 41, 45, 50, 57, 67-68, 72, 73, 74, 81, 97-98, 100. 1921.
Eastern Shore, Va. See Virginia.
Eastern States—
apple growing. H. P. Gould. F.B. 1360, pp. 50. 1924.
forest—
lands acquisition by National Forests. An. Rpts., 1919, p. 182. 1920; For. A.R., 1919, p. 6. 1919.
planting, needs. Y.B. 1909, pp. 34-340. 1910; Y.B. Sep. 517, pp. 334-340. 1910.
grain-marketing methods. Rpt. 98, pp. 60-69. 1913.
oats growing, altitudes, climate and soil type. D.B. 823, pp. 6-35. 1920.
plum curculio occurrence and spread. Ent. Bul. 103, pp. 19-21. 1912.
principal crops. Y.B., 1915, p. 331. 1916; Y.B. Sep. 681, p. 331. 1916.
termites, biology, prevention and control. Ent. Bul. 94, Pt. II, pp. 13-87. 1915.
walnut growing and varieties recommended. B.P.I. Bul. 254, pp. 17-18, 22-23, 76. 1913.
windbreaks, composition and directions. F.B. 788, p. 13. 1917; For. Bul. 86, p. 99. 1911.
woodlands, extent and value of products. F.B. 1117, pp. 4-7, 8, 16, 17, 29, 34. 1920.
EASTERWOOD, HENRY W.: "Investigations of the manufacture of phosphoric acid by the volatilization process." With others. D.B. 1179, pp. 55. 1923.
EASTHAM, R. H.: "Report on experimental convict road camp, Fulton County, Ga." With others. D.B. 583, pp. 64. 1918.
EASTMAN, H. B.: "Experiments with railway crossties." For. Cir. 146, pp. 22. 1908.
EASTON, E. C.: "Climate and thought." W.B. Bul. 31, pp. 111-115. 1902.
EATON, E. O.—
"A simplified extraction method for the determination of morphine in opium and opium preparation." Chem. Bul. 137, pp. 188-189. 1911.
"Estimating small quantities of morphine in mixtures." Chem. Bul. 152, pp. 242-244. 1912.
EATON, O. N.: "Factors which determine otocephaly in guinea pigs." With Sewall Wright. J.A.R., vol. 26, pp. 161-182. 1923.
EATON, S. V.: "Evaluation of climatic temperature efficiency for the ripening processes in sweetcorn." With Charles O. Appleman. J.A.R., vol. 20, pp. 795-805. 1921.
Eatoniana spp., description. Rpt. 108, pp. 40, 41. 1915.
Eau celeste—
formula. F.B. 622, p. 15. 1914.
fungicide for wilt control, formula. Hawaii Bul. 45, p. 14. 1920.
Ebenaceae, injury by sapsuckers. Biol. Bul. 39, pp. 49, 88. 1911.
Ebony—
importation(s) and source. Inv. Nos. 29384, 30139, 30365, B.P.I. Bul. 233, pp. 17, 61, 81. 1912; No. 43215, B.P.I. Inv. 48, p. 28. 1921.
Jamaica, fungous parasite, Glomerella cingulata, studies. B.P.I. Bul. 252, p. 17. 1913.
mountain, insect pests. Sec. [Misc.], "A manual of insects * * *," p. 149. 1917.
quantity used in manufacture of wooden products. D.B. 605, p. 16. 1918.
Echidnophaga gallinacea. See Flea, poultry; Sticktight.
Echinacea—
culture and handling as drug plant, yield, and price. F.B. 663, p. 23. 1915.
growing and uses, harvesting, marketing, and prices. F.B. 663, rev., pp. 31-32. 1920; B.P.I. Bul. 107, p. 63. 1907.
therapy, experimental study. James F. Couch and Leigh T. Giltner. J.A.R., vol. 20, pp. 63-84. 1920.
Echinocactus—
simpsoni. See Cactus, snake.
spp., description and climate adaptation. F.B 1381, pp. 57-58. 1924.
Echinocereus viridiflorus. See Cereus.
Echinochloa—
crus-galli. See Barnyard grass.

Echinochloa—Continued.
spp.—
distribution, description, and feed value. D.B. 58, p. 12. 1914; D.B. 201, p. 21. 1915; D.B. 772, pp. 238–240, 288. 1920.
importations and descriptions. Nos. 54342–54343, 54345, B.P.I. Inv. 68, pp. 53, 54. 1923.
stagnina, importation and description. No. 49845, B.P.I. Inv. 63, pp. 2, 11. 1923.
Echinococcus—
granulosus—
cause of tumors, precautions. B.A.I. [Misc.], "Diseases of cattle"; rev., p. 538. 1912.
description, occurrence in sheep and dogs, preventive measures. F.B. 1150, pp. 31–33. 1920.
hog liver, description, dog infection. B.A.I. [Misc.], "Diseases of cattle," rev., p. 514. 1908; pp. 538–539, 1912; p. 528. 1923.
multilocularis, hog liver, diagnosis. B.A.I. An. Rpt., 1907, p. 241. 1909; B.A.I. Cir. 144, p. 241. 1909; B.A.I. Cir. 201, p. 35. 1912.
synonymy. B.A.I. Bul. 80, pp. 1–14. 1905.
Echinocystis lobata. See Cucumber, wild.
Echinodontium tinctorium—
description and disease caused. D.B. 722, pp. 3–14. 1918.
enemy of white fir. D.B. 275, pp. 22, 23, 30–33, 35, 49. 1916.
See Brown rot, stringy.
Echinolaena polystachya, importation and description. No. 50365, B.P.I. Inv. 63, p. 62. 1923.
Echinopanax horridum. See Devil's club.
Echium—
fastuosum, importation and description. No. 35672, B.P.I. Inv. 36, p. 9. 1915.
pininana, importation and description. No. 32263, B.P.I. Bul. 261, p. 49. 1912.
spp. importations and description. Nos. 37100–37102, B.P.I. Inv. 38, p. 37. 1917; No. 47355, 47356, B.P.I. Inv. 59, p. 10. 1922.
violaceum, importation and description. No. 52357, B.P.I. Inv. 66, p. 14. 1923.
vulgare, susceptibility to *Puccinia triticina*. J.A.R., vol. 22, pp. 152–172. 1921.
wildpreth, importation and description. No. 35097, B.P.I. Inv. 34, p. 41. 1915.
Eciton commutatum enemy of boll weevil. Ent. Bul. 100, pp. 41, 69. 1912; Ent. Bul. 114, p. 139. 1912.
ECKART, C. F., report of Hawaiian Sugar Planters' Experiment Station—
1909. O.E.S. An. Rpt., 1909, pp. 97–98. 1910.
1910. O.E.S. An. Rpt., 1910, pp. 126–127. 1911.
1912. O.E.S. An. Rpt., 1912, pp. 104–106. 1913.
Eckersall (horse), description and pedigree. B.A.I. An. Rpt., 1907, pp. 90, 142. 1911; B.A.I. Cir. 137, pp. 90, 142. 1911.
ECKERSON, S. H.: "The intracellular bodies associated with the rosette disease and a mosaiclike leaf mottling of wheat." With others. J.A.R., vol. 26, pp. 605–608. 1923.
ECKLES, C. H.—
"A chemical and physical study of the large and small fat globules in cow's milk." With R. H. Shaw. B.A.I. Bul. 111, pp. 16. 1909.
"Influence of the age of the cow on the composition and properties of milk and milk fat." With L. S. Palmer., J.A.R., vol. 11, pp. 645–658. 1917.
"The estimation of total solids in milk by the use of formulas." With R. H. Shaw. B.A.I. Bul. 134, pp. 31. 1911.
"The influence of breed and individuality on the composition and properties of milk." With Roscoe H. Shaw. B.A.I. Bul. 156, pp. 27. 1913.
"The influence of the stage of lactation on the composition and properties of milk." With Roscoe H. Shaw. B.A.I. Bul. 155, pp. 88. 1913.
"Variations in the composition and properties of milk from the individual cow." With Roscoe H. Shaw." B.A.I. Bul. 157, pp. 27. 1913.
ECKMAN, O. L.: "Soil survey of—
Bastrop County, Tex." With others. Soil Sur. Adv. Sh., 1907, pp. 46. 1908; Soils F.O., 1907, pp. 663–704. 1909.
the North Platte area, Nebraska." With E. L. Worthen. Soil Sur. Adv. Sh., 1907, pp. 28. 1908; Soils F. O., 1907, pp. 813–836. 1909.

ECKMANN, E. C.—
"Reconnaissance soil survey of the—
Lower San Joaquin Valley, Calif." With others. Soil Sur. Adv. Sh., 1915, pp. 157. 1918; Soils F. O., 1915, pp. 2583–2733. 1921.
Middle San Joaquin Valley, Calif." With others. Soil Sur. Adv. Sh., 1916, pp. 115. 1919; Soils F. O., 1916, pp. 2421–2529. 1921.
Upper San Joaquin Valley, California." With others. Soil Sur. Adv. Sh., 917, pp. 109. 1921; Soils F.O., 1917, pp. 2535–2644. 1923.
"Soil survey of—
Kershaw County, S. C." With others Soil Sur. Adv. Sh., 1919. pp. 71. 1922; Soils F.O., 1919, pp. 763–829. 1925.
the—
Anaheim area, California. "With others." Soil Sur. Adv. Sh., 1916, pp. 79. 1919; Soils F.O., 1916, pp. 2271–2345. 1921.
Bitterroot Valley area." With G. L. Harrington. Soil Sur. Adv. Sh., 1914, pp. 72. 1917; Soils F. O., 1914, pp. 2463–2530. 1919.
Cache Valley area, Utah." With J. W. Nelson. Soil Sur. Adv., Sh., 1913, pp. 70. 1915; Soils F. O., 1913, pp. 2099–2164. 1916.
El Centro area, California." With others. Soil Sur. Adv. Sh., 1918, pp. 59. 1922; Soils F.O., 1918, pp. 1633–1687. 1924.
Fresno area, California." With others. Soil Sur. Adv. Sh., 1912, pp. 82. 1914; Soils F.O., 1912, pp. 2089–2166. 1915.
Honey Lake area, California." With others Soil Sur. Adv. Sh., 1915, pp. 64. 1917; Soils F.O., 1915, pp. 2255–2314. 1919.
Madera area, California." With others. Soil Sur. Adv. Sh., 1910, pp. 43. 1911; Soils F.O., 1910, pp. 1717–1753. 1912.
Medford area, Oregon." With others. Soil Sur. Adv. Sh., 1911, pp. 74. 1913; Soils F.O., 1911, pp. 2287–2356. 1914.
middle Gila Valley area, Arizona." With others. Soil Sur. Adv. Sh., 1917, pp. 37. 1920; Soils F.O., 1917, pp. 2087–2119. 1923.
middle Rio Grande Valley area, New Mexico." With others. Soil Sur. Adv. Sh., 1912, pp. 52. 1914; Soils F. O., 1912, pp. 1965–2010. 1915.
Pasadena area, California." With others Soil Sur. Adv. Sh., 1915, pp. 56. 1917; Soils F.O., 1919, pp. 2315–2366. 1921.
Red Bluff area, California." With L. C. Holmes. Soil Sur. Adv. Sh., 1910, pp. 60. 1911; Soils F.O., 1910, pp. 1601–1656. 1912.
San Fernando Valley area, California." With others. Soil Sur. Adv. Sh., 1915, pp. 61. 1918; Soils F.O., 1915, pp. 2451–2507. 1919.
Washington County—
Oregon." With others. Soil Sur. Adv. Sh., 1919, pp. 51. 1923; Soils F. O., 1919, pp. 1835–1881. 1925.
Texas." With others. Soil Sur. Adv. Sh., 1913, pp. 31. 1915; Soils F.O., 1913, pp. 1045–1071. 1916.
Eckman's Alterative, misbranding, decision of Supreme Court. Sol. Cir. 85, pp. 6. 1916.
Eclampsia, cause, symptoms and treatment. F.B. 1155, p. 35. 1921.
Eclipse, June 8, 1918, studies of meteorological conditions. News L., vol. 5, No. 44, p. 6. 1918.
Economics—
a degree course. W. E. Stone. O.E.S. Bul. 164, pp. 92–96. 1906.
agriculture and home, educational contests. George I. Christie. O.E.S. Bul. 255, pp. 47. 1913.
farm—
and business methods, discussion by Secretary. An. Rpts., 1914, pp. 14–15. 1914; Sec. A. R., 1914, pp. 16–17. 1914.
projects and studies in Farm Management Office. An Rpts., 1919, pp. 27–29. 1920; Sec. A.R., 1919, pp. 29–31. 1919.
forest, study. D.C. 211, p. 40. 1922.
home. *See* Home economics.
road, studies, 1917. An. Rpts., 1917, pp. 367–371. 1918; Rds. Chief Rpt., 1917, pp. 9–13. 1917.
rural—
and farm management, discussion. O.E.S. Cir. 115, pp. 1–14. 1912.

Economics—Continued.
rural—continued.
course for southern schools. D.B. 592, pp. 32-40. 1917; O.E.S. Cir. 60, p. 20. 1905.
studies by experiment stations, results, 1923. S.R.S. [Misc.], "Experiment Station work," pp. 105-106. 1923.
Economy—
cutting down farm expenses. S. A. Knapp. B.P.I. Doc. 355, rev., pp. 5. 1910.
department record for year, by divisions. Y.B., 1922, pp. 53-60. 1923; Y. B., Sep. 883, pp. 53-60. 1923.
in household equipment, in cost and care. Y.B., 1914, pp. 340, 341, 345-346, 361. 1915; Y. B. Sep. 646, pp. 340, 341, 345-346, 361. 1915.
Ecpantheria eridanus. See Caterpillar, "wooly bear".
Ecraseur, castrating, description and use. F.B. 949, pp. 11-13. 1918.
Ectatomma tuberculatum—
boll weevil enemy. Ent. Bul. 100, pp. 41, 69. 1912; Ent. Bul 114, p. 139. 1912.
See also Kelep.
Ecthrodelphax fairchildii, Hawaiian parasite of sugar-cane leaf hopper. Ent. Bul. 93, pp. 28, 29, 32. 1911.
Ectopistes migratorius—
game bird status. Biol. Bul. 12, rev., p. 22. 1902.
See also Pigeon, passenger.
Ectropion, cattle, treatment. B.A.I. [Misc.], "Diseases of cattle," rev., p. 350. 1904; p. 362. 1912; p. 350. 1923.
Ecuador—
agricultural exploration. Off. Rec. vol. 4, No. 18, pp. 1, 8. 1925.
coffee production, exports. Stat. Bul. 79, pp. 10, 33-34. 1912.
Eczema—
cattle, causes, symptoms, and treatment. B.A.I. [Misc.], "Diseases of cattle," rev., pp. 325-327. 1904; rev., pp. 337-339. 1912; rev., pp. 325-327. 1923.
epizootica. See Foot-and-mouth disease.
hog, symptoms. F.B. 1244, pp. 19-20. 1923.
sheep, cause, symptoms, and treatment. F.B. 713, p. 11. 1916; F.B. 1155, pp. 36-37. 1921.
Eddo—
Chinese, importation and description. No. 46788. B.P.I. Inv. 57, pp. 34-35. 1922.
See also Dasheen; Taro; Yautia.
Edema—
cattle, causes, symptoms, and treatment. B.A.I. [Misc.], "Diseases of cattle," rev. pp. 329-330. 1904; 342. 1912; rev. p. 330. 1923.
malignant—
cattle—
cause, symptoms, treatment, and prevention. B.A.I. [Misc.], "Diseases of cattle," rev., pp. 459-461. 1908; rev., pp. 456-458. 1904; rev., pp. 478-480. 1912; rev., pp. 472-474. 1923.
diagnosis, differences from similar diseases. B.A.I. [Misc.], "Diseases of cattle," rev., pp. 449, 461. 1908; rev., p. 458. 1904; rev., p. 479. 1912; rev., p. 474. 1923.
diagnosis from septicemia. D.B. 674, p. 7. 1918.
difference from blackleg. B.A.I. Cir. 31, rev., p. 8. 1911.
occurrence in man. B.A.I. [Misc.], "Diseases of cattle," rev., p. 461. 1908; 458. 1904; 479. 1912; 474. 1923.
sheep, cause, symptoms and diagnosis. F.B. 1155; pp. 5-6. 1921.
susceptibility of man. B.A.I. [Misc.], "Diseases of cattle," rev., pp. 478, 479. 1912.
Edgeley field station, spring wheat production, various methods, 1907-1914, yields and cost. D.B. 214, pp. 19-21, 37-42. 1915.
Edgemont stony loam, Albermarle area, Virginia. Soils Cir. 53, pp. 3-8. 1912.
Edgers, capacities and prices. D.B. 718, p. 15. 1918.
EDGERTON, C. W.: "Tolerance and resistance to the sugar cane mosaic." With W. G. Taggart. J.A.R. vol. 29, pp. 501-506. 1924.

Edgeworthia gardneri, importation and description. No. 39642. B.P.I. Inv. 41, p. 53. 1917.
Edgings—
and trim, loss percentage at mill. M.C. 39, p. 94. 1925.
log, use for dimension stock. M.C. 39, p. 50. 1925.
Editor(s)—
agricultural journals, conference, address of Secretary. Sec. [Misc.], "Remarks of * * * Nov. 20, 1918." pp. 19. 1918.
American Agricultural Association, meeting. Off. Rec. vol. 2, No. 10, pp. 1, 3. 1923.
report. See Publications, editor, report.
Editorial and distribution work—
report 1924. L.J. Haynes. Pub. A.R., 1924; pp. 14. 1924.
See also Publications division.
EDLEFSEN, N. E.—
"Determination of normal temperatures by means of the equation of the seasonal temperature variation and a modified thermograph record." With others. J.A.R., vol. 18, pp. 499-510. 1920.
"Freezing of fruit buds." With Frank L. West. J.A.R. vol. 20, pp. 655-662. 1921.
EDLER, G. C.—
"Seed marketing hints for the farmer." F.B. 1232, pp. 31. 1921.
"Some effects of the war upon the seed industry of the United States." With W. A. Wheeler. Y.B., 1918, pp. 195-214. 1919. Y.B. Sep. 775, pp. 22. 1919.
EDMONDSON, Ruth B.: "Some experiments with a boric-acid canning powder." With others. D.C. 237, pp. 12. 1922.
EDMUNDSON, W.C.: "Size of potato sets: Comparisons of whole and cut seed." With others. D.B. 1248, pp. 44. 1924.
EDSON, H. A.—
"Acid production by *Rhizopus tritici* in decaying sweet potatoes." J.A.R., vol. 25, pp. 9-12. 1923.
"Blackleg potato tuber-rot under irrigation." With M. Shapovalov. J.A.R. vol. 22, pp. 81-92. 1921.
"Growing high-grade potato seed stock." With William Stuart. C.T. and F.C.D. Inv. Cir. 5, pp. 8. 1918.
"Histological relations of sugar-beet seedlings and *Phoma betae*." J.A.R. vol. 5, No. 1, pp. 55-58. 1915.
"Parasitism of *Sclerotium rolfsii* on Irish potatoes." With M. Shapovalov. J.A.R. vol. 23, pp. 41-46. 1923.
"Potato-stem lesions." With M. Shapovalov. J.A.R. vol. 14, pp. 213-219. 1918.
"*Rheosporangium aphanidermatus* new genus and species of fungus parasitic on sugar beets and radishes." J.A.R. vol. 4, pp. 279-291. 1915.
"Seedling diseases of sugar beets and their relation to root rot and crown rot." J.A.R. vol. 4, pp. 135-168. 1915.
"Temperature relations of certain potato-rot and wilt-producing fungi." With M. Shapovalov. J.A.R. vol. 18,pp. 511-524. 1920.
"Vascular discoloration of Irish potato tubers." J.A.R. vol. 20, pp. 277-294. 1920.
Education—
agricultural. See Agricultural education; Colleges, agricultural.
agriculture and home economics in the U. S. Report 1922-1923 to the Brazil Centennial Exposition. A. C. True S.R.S. [Misc.] "Education and research * * *," pp. 45. 1923.
Bureau of—
and land-grant colleges. L. A. Kalbach. O.E.S. Bul. 184, pp., 59-61. 1907.
rulings on land-grant colleges. D.C. 251, pp. 6-9. 1925.
comparison of country and city conditions. Andrew Sledd. O.E.S. Bul. 212, pp. 53-59. 1909.
correlating agriculture with school studies, Southern States. D.B. 132, pp. 1-41. 1915.
cost per capita, city and country children. Y.B. 1919, p. 302. 1920; Y.B. Sep. 812, p. 302. 1920.
country life. W. M. Hays. O.E.S. Cir. 73, pp. 13. 1907; O.E.S. Cir. 84, pp. 40. 1907.

Education—Continued.
course(s)—
given by Department—
1922. Off. Rec. vol. 1, No. 7, pp. 1-2. 1922.
1923. Off. Rec. vol. 2, No. 1, p. 5. 1923.
1925. Off. Rec. vol. 4, No. 40, pp. 1, 5. 1925.
in—
agriculture, secondary. O.E.S. Cir. 49, pp. 1-10. 1902.
grain grading and handling. Off. Rec. vol. 1, No. 10, p. 4. 1922.
kiln-drying and crating. D.C. 231, pp. 46, 47. 1922.
farm—
family, relation to living costs and standards. D.B. 1214, pp. 16-18, 29-32. 1924.
laborers—
in Massachusetts, occupational history. D.B. 1220, pp. 9-14. 1924.
in New Jersey. D.B. 1285, pp. 16-20. 1925.
management, teaching, rural and agricultural schools. B.P.I. Bul. 236, pp. 44-53. 1912.
farmer, and money saving. Off. Rec. vol. 3, No. 12, p. 3. 1924.
forestry—
in the public schools. For. Cir. 130. pp. 1-20. 1907.
lessons in home woodlands. Wilbur R. Mattoon and Alva Dille. D.B. 836, pp. 46. 1920.
graduate schools in agriculture, improvement of courses. A. C. True. O.E.S. Bul. 123, pp. 61-67. 1903.
higher, theory changes. O.E.S. Bul. 65, pp. 87, 94, 97. 1914.
home—
economics in college courses. Isabel Bevier. O.E.S. Bul. 184, pp. 91-95. 1907.
projects in secondary courses in agriculture. D.B. 346, pp. 1-20. 1916.
illustrative materials, in rural schools, teaching agriculture. Dick J. Crosby. Y.B., 1905, pp. 257-274. 1906; Y.B. Sep. 382, p. 17. 1906.
laboratory exercises, farm mechanics, for high schools. F.B. 638, pp. 1-26. 1915.
milk-for-health campaigns. Jessie M. Hoover. D.C. 250, pp. 36. 1923.
movable schools of agriculture, cheese making. O.E.S. Bul. 166, p. 63. 1906.
need in—
forest management. F.B. 1417, pp. 19-20. 1924.
prevention of erosion. Y.B., 1916, p. 130. 1917; Y.B. Sep. 688, p. 24. 1917.
negro, Tuskegee Normal and Industrial Institute and Experiment Stations. G. W. Carver. O.E.S. Bul. 123, pp. 55-58. 1903.
rural—
and urban, comparison of conditions. Andrew Sledd. O.E.S. Bul. 212, pp. 53-59. 1909.
improved opportunities, work of women's organizations. D.B. 719, pp. 8-10, 11. 1918.
place of consolidated school. O.E.S. Bul. 232, pp. 31-33. 1910.
value of school-ground planting. F.B. 134, pp. 5-8, 21-31. 1901.
school exercises in plant production. F.B. 408, pp. 1-48. 1910.
secondary, course in animal production. O.E.S. Cir. 100, pp. 1-56. 1911.
State departments, cooperation. Off. Rec., vol. 2, No. 25, p. 5. 1923.
uses of community buildings. F.B. 1274, pp. 5-6, 14, 16, 17, 19-21, 24, 30-32. 1922.
value—
in successful farming, studies. News L., vol. 1, No. 28, pp. 2-3. 1914.
of club work. Off. Rec., vol. 4, No. 33, p. 8. 1925.
of department films. Off. Rec., vol. 2, No. 48, p. 2. 1923.
veterinary, progress, 1917. An. Rpts., 1917, pp. 124-125. 1918; B.A.I. Chief Rpt., 1917, pp. 58-59. 1917.
work of department and experiment stations. O.E.S. An. Rpt., 1911, pp. 278-280. 1912; O.E.S. Cir. 016, pp. 6-9. 1911.
See also Agricultural colleges.

Educational—
contests, agriculture and home economics. George I. Christie. O.E.S. Bul. 255, pp. 47. 1913.
institutions connected with dairy interests. B.A.I. Cir. 162, pp. 18-28. 1910; B.A.I. Cir. 80, pp. 1-12. 1905.
value, livestock exhibitions. George M. Rommel. Y.B., 1902, pp. 259-264. 1903; Y.B. Sep. 267, pp. 5. 1903.
EDWARDS, C. W., report of animal husbandman, Guam Experiment Station—
1917. With Glen Briggs. Guam A.R., 1917, pp. 5-17. 1918.
1918. With others. Guam A.R., 1918, pp. 5-29. 1919.
1919. With others. Guam A.R., 1919, pp. 5-20. 1921.
1920. With others. Guam A.R., 1920, pp. 5-15. 1921.
1921. With others. Guam A.R., 1921, pp. 1-7, 1923.
1922. With Joaquin Guerrero. Guam A.R., 1922, pp. 1-7. 1924.
1923. With Joaquin Guerrero. Guam A.R., 1923, pp. 1-4, 12. 1925.
EDWARDS, H. T.—
"Production of henequen fiber in Yucatan and Campeche." D.B. 1278, pp. 20. 1924.
"Sisal and henequen as binder-twine fibers." Y.B., 1918, pp. 357-366. 1919; Y.B. Sep. 790, pp. 12. 1919.
"The production of binder twine fiber in the Philippine Islands. D.B. 930, pp. 19. 1920.
EDWARDS, HOWARD (Acting Director), report of Rhode Island, extension work in agriculture and home economics, 1916. S.R.S. An. Rpt., 1916, Pt. II, pp. 331-335. 1917.
EDWARDS, J. F.: "Relation of the health bureau to the dairyman." B.A.I. Cir. 151, pp. 32-34. 1909.
EDWARDS, R. W.: "New sorghum varieties for the central and southern Great Plains." With H. N. Vinall. D.B. 383, pp. 16. 1916.
Edwinia americana, occurrence in Colorado, description. N.A. Fauna 33, p. 231. 1911.
Eelgrass—
characters, resemblance to wild celery. Biol. Cir. 81, p. 8. 1911.
value as duck food, description, distribution, and propagation. D.B. 205, pp. 13-16. 1915.
Eels, use for destruction of bloodsuckers in ponds. B.A.I. [Misc.], "Diseases of cattle," rev., p. 529. 1912.
Eelworms—
alfalfa, control. F.B. 1283, p. 35. 1922.
cause of—
cabbage root-knot. F.B. 1351, p. 11. 1923.
cotton root-knot, control. F.B. 1187, p. 13. 1921; Y.B., 1921, p. 356. 1922; Y.B. Sep. 877, p. 356. 1922.
root-knot, description, life history, hosts, and spread. F.B. 1345, pp. 5-9, 12-14. 1923.
control in—
garden and greenhouse soil. F.B. 388, pp. 17-18. 1910.
wheat. News L., vol. 7, No. 1, p. 3. 1919.
description, habits, and life cycle. News L., vol. 6, No. 12, pp. 1, 7. 1918.
disease—
alfalfa pest. D.C. 297, pp. 1-8. 1923.
injury to—
tomatoes, control. F.B. 1431, p. 22. 1924.
wheat, distribution and control studies. News L., vol. 6, No. 12, pp. 1, 7. 1918.
yams and control. D.B. 1167, p. 10. 1923.
menace to alfalfa in America. G. H. Godfrey D.C. 297, pp. 8. 1923.
occurrence in—
cereals, investigations. B.P.I. Chief Rpt., 1921, p. 35. 1921.
hyacinths, detection. D.B. 797, p36. 1919.
potato, description. F.B. 544, pp. 13-14. 1913.
potato, prevention. F.B. 1190, p. 22. 1921.
wheat, control. Luther P. Byars. F.B. 1041, pp. 10. 1919.
wheat, description, cause, and control. Sec. Cir. 114, pp. 7. 1918.
wheat, proposed quarantine notice of hearing. F.H.B.S.R.A. 64, pp. 84-85. 1919.
See also Root knot.

Eelworms—Continued.
 onion infestation, disease and control. F.B. 1060, pp. 14-15. 1919.
 potato, control by seed treatment with heat, experiments. D.C. 136, pp. 12-13. 1920.
 spread and control methods. F.B. 463, p. 11. 1911.
 See also Nematode; Gall worm.
Efficiency—
 Bureau, regulations. Off. Rec. vol. 3, No. 21, p. 4. 1924.
 Commission, establishment. Off. Rec. vol. 1, No. 32, p. 3. 1922.
 division, establishment and appropriations for. Sol. [Misc.], "Laws applicable * * * Agriculture," 3d sup., p. 57. 1915.
 factors in farming. W. J. Spillman. Y.B., 1913, pp. 93-108. 1914; Y.B. Sep. 617, pp. 93-108. 1914.
 farm management tests in South. C. L. Goodrich. D.C. 83, pp. 27. 1920.
 ratings, system establishment, appropriation. Sol. [Misc.], "Laws applicable * * * Agriculture," 2d sup., p. 97. 1915.
 system, basis for promotion. Sec. [Misc.], "Promotions based on efficiency," pp. 2. 1913.
Efwatakala grass. See Molasses grass.
Eg-Less, misbranding. See Indexes, Notices of Judgment, in bound volumes, and in separate published as supplements to Chemistry Service and Regulatory Announcements.
Egg(s)—
 absorption of odors, prevention. Chem. Cir. 64, p. 37. 1910.
 adulterated, interstate shipment regulations. Chem. S.R.A. 17, p. 38. 1916.
 adulteration—
  boric acid, litigation, 1909. Sol. An. Rpt., 1909, p. 9. 1909; An. Rpts., 1909, p. 743. 1910.
  forms. Off. Rec., vol. 3, No. 32, p. 1. 1924.
  See also Indexes, Notices of Judgment, in bound volumes and in separates published as supplements to Chemistry Service and Regulatory Announcements.
 albumen—
  dried, adulteration. Chem. N.J., 1300, p. 1. 1912.
  effect on growing chicks. J.A.R., vol. 22, p. 146. 1921.
  hydrolysis by peptic enzym, effect of saccharin on. Rpt. 94, p. 108-113. 1911.
  powdered, misbranding. Chem. N.J. 1389, p. 1. 1912.
 and—
 poultry—
  annual production in United States and value. F.B. 656, p. 1. 1915.
  industry, distribution and magnitude. George F. Thompson. Y.B., 1902, pp. 295-308. 1903; Y.B. Sep. 273, pp. 13. 1903.
  products, denaturing methods, ruling. Chem. S.R.A. 18, p. 46. 1916.
 their—
  uses as food. C. F. Langworthy. F.B. 128, pp. 32. 1901.
  value as food. C. F. Langworthy. D.B. 471, pp. 30. 1917.
 annual loss from improper handling. F.B. 656, p. 1. 1915.
 appearance of parts, in candling. D.B. 565, pp. 6-12. 1918.
 aseptically opened, studies, and methods. D.B. 51, pp. 9-39, 65-67, 74. 1914.
 average yield per hen per year, and conditions governing. Sec. Cir. 107, pp. 13-15. 1918.
 average yield under various rations. F.B. 244, pp. 25-28. 1906.
 bacterial—
  contamination, cause, and loss to trade. B.A.I. Cir. 140, pp. 14-16. 1909.
  content—
   chemical composition, and analysis tables. D.B. 51, pp. 3-7. 1914.
   relation to shell and physical condition. D.B. 391, pp. 4-14. 1918.
  flora, effect of dehydration. George G. De Bord. J.A.R., vol. 31, pp. 155-164. 1925.
  infection, study. S.R.S. Rpt., 1916, Pt. I, pp. 42, 243. 1918.

Egg(s)—Continued.
 bacteriological—
  examination, methods. Chem. Bul. 158, pp. 18-21. 1912.
  study, shell, frozen, and dessicated. George Whitfield Stiles, jr., and Carleton Bates. Chem. Bul. 158, pp. 36. 1912.
 bacteriology, cold-stored and fresh. Chem. Bul. 115, p. 34. 1908.
 bad—
  losses, prevention by production of infertile eggs. F.B. 528, pp. 6-7, 10. 1913.
  traffic control, methods of department. News L., vol. 2, No. 17, pp. 2-3. 1914.
 birds—
  collection regulations. Biol. S.R.A. 8, p. 1. 1916; Biol. S.R.A. 21, pp. 2. 1918.
  wild, comparison with those of domestic fowl, tables. B.A.I. Bul. 110, pp. 225-228. 1914.
 black rot, bacterial count, description and tables. D.B. 51, pp. 38-39, 56. 1914.
 black spot, description. D.B. 565, p. 14. 1918.
 blood rings, adulterated. Opinion 102, Chem. S.R.A. 12, p. 754. 1915.
 bloody, studies. D.B. 51, pp. 13-17, 49-51. 1914.
 boiled and coddled, cooking recipes. F.B. 712, p. 22. 1916.
 breakage in transit—
  carlot shipments, prevention. M. E. Pennington and others. D.B. 664, pp. 31. 1918.
  losses, and prevention. Y.B., 1914, pp. 375-377. 1915; Y.B. Sep. 647, pp. 375-377. 1915.
 breaking—
  and mixing for drying and freezing process. Chem. Bul. 158, pp. 13-14. 1912.
  cooperative work, details of experiments. D.B. 224, pp. 22-63. 1916.
  for freezing, directions. D.C. 74, pp. 12. 1920.
 industry, review of conditions, 1911. 1912. D.B. 224, pp. 1-99. 1916.
 plant installation and equipment. M. K. Jenkins and M. E. Pennington. D.B. 663, pp. 26. 1918.
 buyers—
  and shippers, suggestions to. D.C. 25, p. 3. 1919.
  measures for organization. B.A.I. Bul. 14, pp. 17-19. 1911.
 buying—
  by weight. B.A.I. Cir. 140, p. 32. 1909.
  "case count," system. B.A.I. Bul. 141, pp. 12-13. 1911; Y.B. 1910, pp. 467, 475. 1911; Y.B. Sep. 552, pp. 467, 475. 1911.
  different systems. B.A.I. Bul. 141, pp. 12-14. 1911.
  "loss-off" method. F.B. 517, pp. 14-15. 1912.
  "quality" basis and "loss off" basis, comparison. Y.B. 1911, pp. 470-478. 1912; Y.B. 1914, pp. 372-373, 377. 1915; Y.B. Sep. 584, pp. 470-478 1912; Y.B. Sep. 647, pp. 372-373, 377. 1915.
 candling—
  and preservation. B.A.I.A.H. G-25. pp. 4. 1918.
  commercial efficiency. M. K. Jenkins and C. A. Bengston. D.B. 702, pp. 22. 1918.
  demonstrations, value to poultry industry. Y.B., 1912, p. 347. 1913; Y.B. Sep. 596, p. 347. 1913.
  devices, description, use method, and cost. News L. Vol. 4, No. 1, pp. 1-2. 1916; News L., Vol. 5, No. 41. p. 3. 1918.
  directions. D. B. 565, pp. 2-6. 1918; F.B. 517, pp. 14-15. 1912; F.B. 1109, pp. 6-7. 1920; Y.B. 1911, pp. 472-473. 1912; Y.B., Sep. 584, pp. 472-473. 1912.
  homemade outfit. F.B. 830, p. 5. 1917.
  methods and results. B.A.I. Bul. 160, pp. 12-15, 48-53. 1913; D.C. 25, pp. 2, 4-11. 1919.
 candy, adulteration, alleged. Chem. N.J. 1642, pp. 5. 1912.
 care in the home. Thrift Leaf. 13, p. 3. 1919.
 case(s)—
  and fillers, strength of various materials, analyses. D.B. 664, pp. 16-18, 30. 1918.
  fillers, strength tests. News L., vol. 2, No. 39. pp. 1, 2. 1915.

Egg(s)—Continued.
  cash buying system, progress. B.A.I. Bul. 141, pp. 34-35. 1911.
  changes during storage, studies. D.B. 775, pp. 23-34. 1919.
  chemical analysis, showing effects of cold storage. Chem. Bul. 115, pp. 29-33. 1908.
  chilling, importance and necessity. Y.B. 1914, pp. 365, 371, 374. 1915; Y.B. Sep. 647, pp. 365, 371, 374. 1915.
  Chinese, imports. Off. Rec., vol. 2, No. 51, p. 3. 1923.
  circle(s)—
    community. C. E. Bassett. F.B. 656, pp. 7. 1915.
    cooperative, organization and uses. News L., vol. 2, No. 39, p. 5. 1915; News L., vol. 5, No. 11, p. 2. 1917.
    number in South, and products, 1916-1917. News L., vol. 5, No. 21, p. 4. 1917.
    organization—
      agreement, constitution and by-laws, blanks. F.B. 656, pp. 3-7. 1915.
      and work in Texas, Liberty County. Y.B., 1919, pp. 218-219. 1920; Y.B. Sep. 808, pp. 218-219. 1920.
  classified descriptions before candle and out of shell. D.B. 565, pp. 12-20. 1918.
  cleaning—
    before incubation, reasons and directions. Y.B. Sep. 559, 1911; pp. 181, 186-187, 192. 1912.
    directions. F.B. 1109, p. 4. 1920.
  clusters, gipsy moth, treatment, cost. D.B. 899, pp. 12, 13. 1920; Ent. Bul. 119, pp. 28-29. 1913; Y.B. 1916, p. 220. 1917; Y.B. Sep. 706, p. 4. 1917.
  cold storage—
    commercial preservation. M. K. Jenkins. D.B. 775, pp. 36. 1919.
    consumption, monthly. Stat. Bul. 101, pp. 54-67. 1913.
    effects. B.A.I. Cir. 140, pp. 25-27. 1909. B.A.I. Cir. 149, p. 1. 1909; Chem. Bul. 115, pp. 1-117. 1908.
    holdings, 1915-1924. S. B. 4, p. 12. 1925.
    receipt, deliveries, length of storage. Stat. Bul. 93, pp. 15, 26-47. 1913.
    reports—
      1916-1917. D.B. 709, pp. 22-25. 1918.
      1917-1918. D.B. 776, pp. 18-31. 1919.
    shortage, January 1, 1919. News L., vol. 6, No. 26, p. 6. 1919.
    time, effects, and consumption statistics. Y.B., 1910, pp. 472-474. 1911; Y.B. Sep. 552, pp. 472-474. 1911.
  collection—
    methods in Denmark. D.B. 1266, pp. 51-53. 1924.
    permits. Biol. Bul. 12, Rev. pp. 46-50. 1902.
  color—
    adulteration. Chem. N.J. 1103, p. 1. 1911.
    of shells and contents, causes and preferences. D.B. 471, pp. 3-4. 1917; F.B. 262, pp. 27-30. 1906.
  combinations with cheese, recipes. F.B. 960, p. 31. 1918; Sec. Cir. 109, pp. 5-7. 1918.
  commercial, bacteriological and chemical study in Central West. M. E. Pennington and others. D.B. 51, pp. 77. 1914.
  composition and comparison with other foods. D.B. 471, pp. 5-12. 1917.
  compound, relation to dwarf eggs, studies. J.A.R. vol. 6, No. 25 pp. 1027-1029. 1916.
  consumption, per capita. J.A.R., vol. 28, p. 461. 1924.
  containers, for use in shipping by parcel post. F.B. 594, pp. 5-8, 12, 17-18, 20. 1914; F.B. 830, pp. 7-9. 1917.
  contaminated, effect upon composite products. D.B. 391, pp. 18-21. 1918.
  cooking and serving. D.B 471, pp. 12-15. 1917; D.C. 36, pp. 3-10. 1919; F.B. 128, pp. 7-11. 1901; S.R.S. Doc. 91, pp. 3-10. 1919.
  cooperative marketing by parcel post, advantages. F.B. 594, pp. 18-19, 20. 1914.
  cost of producing in winter. F.B. 190, pp. 5-6. 1904.
  cracked, annual loss, cause, and control. News L., vol. 3, No. 32, pp. 1, 6. 1916.

Egg(s)—Continued.
  crystal, adulteration. Chem. N.J. 657, p. 1. 1910; Chem. N.J. 1102, p. 1. 1911: Chem. N.J. 1100, p. 1. 1911.
  damage in transit, factors contributing to. D.B. 664, pp. 12-29, 30-31. 1918.
  day, Oregon, operation. News L., vol. 6, No. 46, p. 12. 1919.
  dealers, country and city, practices. B.A.I. Cir. 140, pp. 18-25, 28-34. 1909.
  decomposed, shipment control. News L., vol. 4, No. 24, p. 2. 1917.
  defects not distinguishable in candling. D.B. 702, pp. 5-6, 10. 1918.
  Denmark industry. B.A.I. An. Rpt., 1901, p. 608. 1902.
  description, composition. F.B. 128, pp. 11-14. 1901.
  dessicated—
    adulteration. See *Indexes to Chemistry Notices of Judgment*.
    composition, comparison with eggs and other foods. D.B. 471, pp. 6, 8, 10, 24. 1917.
    condemnation, District Court decision, Minnesota district. Sol. Cir. 51, pp. 1-7. 1911.
    destruction by—
      crows. D.B. 621, pp. 36, 65, 83-84. 1918.
      rats. Biol. Bul. 33, pp. 22-23, 24. 1909.
    deteriorated—
      classes in egg trade. B.A.I. Bul. 141, pp. 15-17. 1911.
      not distinguishable by candling, studies and tables. D.B. 51, pp. 56-65. 1914.
    deterioration—
      as shown by moisture content. A. D. Greenlee. Chem. Cir. 83, pp. 7. 1911.
      on farm, experiment methods. B.A.I. Bul. 160, pp. 12-15. 1913.
    digestibility and wholesomeness. D.B. 471, pp. 15-17. 1917; F.B. 128, pp. 15-19. 1901.
    dimension, value determination. B.A.I. Bul. 110, Pt. III, p. 203. 1914.
    double-yolked—
      production, relation to simultaneous ovulation. Maynie R. Curtis. J.A.R., vol. 3, pp. 375-386. 1915.
      relation to dwarf eggs. J.A.R., vol. 6, No. 25, pp. 1029-1030. 1916.
    dried—
      adulteration. Chem. N.J. 1637, p. 1. 1912; Chem. N.J. 2131, p. 1. 1913; Chem. N.J. 2788, p. 1. 1914; Chem. N.J. 2836, p. 1. 1914; Chem. N.J. 2838, p. 1. 1914; Chem. N.J. 3175, p. 1. 1914.
      and frozen, imports, by countries of origin. Y.B., 1924, p. 454. 1925.
      preparation and uses. D.B. 224, pp. 1-99. 1916; D.B. 471, p. 24. 1917.
      products, notice to importers. F.I.D. 9, p. 18. 1905.
      quality used, methods of drying, and bacteriological data. Chem. Bul. 158, pp. 9, 14-16, 31-34. 1912.
      stocks (not retail), July 1, 1918. News L., vol. 6, No. 6, p. 6. 1918.
    drying, methods. Chem. Bul. 158, pp. 14-16. 1912.
    ducks'—
      and hens', value and price comparison. News L., vol. 3, No. 21, p. 3. 1915.
      testing, demand and prices. F.B. 697, pp. 14-15, 22. 1915; rev., pp. 14-15, 22. 1923.
    dwarf, conditions leading to production, studies, autopsies. J.A.R., vol. 6, No. 25, pp. 1015-1033. 1916.
    eating—
      by hens, cause and control. F.B. 287, rev., p. 37. 1921; News L., vol. 7, No. 1, p. 3. 1919.
      habits of—
        jay birds in California. Biol. Bul. 34, pp. 48, 49, 50, 53, 54. 1910.
        pheasants, control. F.B. 390, p. 24. 1910.
    enzymes, study. M. E. Pennington and H. C. Robertson, jr. Chem. Cir. 104, pp. 8. 1912.
    evaporated, adulteration. Chem. N.J. 252, pp. 2. 1910; Chem. N.J. 618, p. 1. 1910; Chem. N.J. 2105, p. 1. 1913; Chem. N.J. 2107, p. 1. 1913; Chem N.J. 2110, p. 1. 1913.
    evaporation, loss to trade. B.A.I. Cir. 140, pp. 13-14. 1909.

Egg(s)—Continued.
exports—
  1864–1908. Stat. Bul. 75, p. 25. 1910.
  1884–1911, monthly. Stat. Bul. 101, pp. 72, 73–74, 75. 1913.
  1922–1924. Y.B., 1924, p. 1041. 1925.
  from Madeira. B.A.I. An. Rpt., 1900, p. 520. 1901.
  from Russia. B.A.I. An. Rpt., 1900, p. 512. 1901.
farm—
  care. Harry M. Lamon and Charles L. Opperman. B.A.I. Bul. 160, pp. 53. 1913.
  improvement—
    Harry M. Lamon and Charles L. Opperman. B.A.I. Bul. 141, pp. 43. 1911.
    methods and suggestions. Y.B., 1911, pp. 472–478. 1912; Y.B. Sep., 584, pp. 472–478. 1912.
  prices, May 1, 1914. News L., vol. 1, No. 43, p. 3. 1914.
fertile—
  and infertile—
    comparison in candling. S.R.S. Doc. 74, pp. 2–3. 1918.
    uses and advantages. F.B. 562, p. 11. 1913; F.B. 1109, pp. 5–6, 8. 1920.
  poor keeping quality. Y.B., 1914, p. 373. 1915; Y.B. Sep. 647, p. 373. 1915.
fertility—
  and hatching quality, distinction. F.B. 405, pp. 18–19. 1910; J.A.R., vol. 23, pp. 717–718. 1923.
  management of breeding stock for. F.B. 1116, pp. 8–9. 1920.
  relation to keeping quality, study. B.A.I. Cir. 140, pp. 10–11. 1909; B.A.I. Cir. 141, p. 30. 1911.
  flavor, effect of feed. F.B. 128, pp. 14–15. 1901; F.B. 287, p. 26. 1907.
food—
  use, recipes. S.R.S. Doc. 91, pp. 3–10. 1919.
  value. D.B. 471, pp. 1–30. 1917; D.B. 975, pp. 6–8, 22. 1921; F.B. 1383, p. 19. 1924; Food Thrift Ser. 2, p. 7. 1917.
freezing and drying, conditions affecting quality. Chem. Bul. 158, pp. 9–11. 1912.
frequency distributions, analytical studies. B.A.I. Bul. 110. Pt. III, pp. 183–189. 1914.
fresh—
  and cold-storage, relative prices in New York, 1880–1911, study. Stat. Bul. 101, pp. 12, 14, 16, 1913.
  appearance in candling. F.B. 1109, p. 7. 1920.
  bacteriological data. Chem. Bul. 158, pp. 21–24. 1912.
  composition, size, and color of shell, variations. B.A.I. Cir. 140, pp. 7–9. 1909.
  vitamin A content. Joseph C. Murphy and D. Breese Jones. J.A.R., vol. 29, pp. 253–257. 1924.
frozen—
  adulteration. See Indexes to Chemistry Notices of Judgment.
  and dried—
    investigations. An. Rpts., 1912, pp. 562–563, 565, 583, 587. 1913; Chem. Chief Rpt., 1912, pp. 12–13, 15, 33, 37. 1912.
    preparation, suggestions. M. E. Pennington. Chem. Cir. 98, pp. 12. 1912.
  cans, capacity. D.B. 663, p. 20. 1918.
  cold storage reports, 1917–1918. D.B. 776, pp. 28–31. 1919.
  condemnation and forfeiture, decision. Sol. Cir. 55, pp. 1–4. 1911.
  effect of contaminated eggs in mixture. D.B. 391, pp. 18–21. 1918.
  judging methods. An. Rpts., 1918, p. 220. 1919; Chem. Chief Rpt., 1918, p. 20. 1918.
  opinion of Justice Day. Sol. Cir. 68, pp. 1–6. 1913.
  preparation, study and experiments. M. E. Pennington and others. D.B. 224, pp. 99. 1916.
  quality used, breaking and mixing, and bacteriological data. Chem. Bul. 158, pp. 9, 13–14, 24–31. 1912.
  storage, handling, temperature, and shipping. D.B. 729, pp. 7–8. 1918.
  uses. D.B. 471, p. 24. 1917.

Egg(s)—Continued.
frozen—continued.
  vitamin value. Off. Rec. vol. 4, No. 14, p. 3. 1925.
game birds—
  importation—
    for propagation. T. S. Palmer and Henry Oldys. F.B. 197, pp. 27. 1904.
    regulations. Biol. S.R.A. 54, pp. 2. 1923.
    regulations. James Wilson. Biol. Cir. 37, pp. 2. 1902.
gathering and shipping by motor trucks. News L., vol. 5, No. 44, p. 3. 1918.
germ, vitality, effects of temperature. F.B. 251, pp. 18–22. 1906.
gipsy moth, distribution by birds, experimental work. Ent. Bul. 119, pp. 12–15. 1913.
goose, collection, care, hatching methods, and time. News L., vol. 3, No. 35, p. 2. 1916.
grades—
  definition and description. B.A.I. Bul. 60, pp. 10–12. 1913; Y.B., 1910, pp. 463–465. 1911; Y.B. Sep. 552, pp. 463–465. 1911.
  for country buyers. Off. Rec., vol. 3, No. 23, p. 3. 1924.
  percentage in New York market, received from nine States. Y.B., 1910, p. 470. 1911; Y.B. Sep. 552, p. 470. 1911.
  specifications. Off. Rec. vol. 2, No. 19, p. 2. 1923.
  under candling. Y.B., 1914, p. 366. 1915; Y.B. Sep. 647, p. 366. 1915.
grading—
  accuracy in commercial practice. M. K. Jenkins and Norman Hendrickson. D.B. 391, pp. 27. 1918.
  candling, and inspection. Y.B., 1910, pp. 463–465. 1911; Y.B. Sep. 552, pp. 463–465. 1911.
  commercial methods. Chem. Bul. 158, pp. 11–13. 1912.
  directions. B.A.I. Cir. 140, pp. 6–7. 1909.
  for—
    cold storage. D.B. 775, p. 10. 1919.
    market, importance to producers. Y.B., 1914, pp. 371–373, 380. 1915; Y.B. Sep. 647, pp. 371–373, 380. 1915.
  in Kansas, 1916–1918. News L., vol. 6, No. 37, p. 10. 1919.
  methods. Chem. Cir. 64, p. 36. 1910; D.B. 391, p. 14. 1918; Y.B., 1924, pp. 439–442. 1925.
grass, cause and quality. B.A.I. Cir. 140, p. 8. 1909.
gravity, relation to fertility, hatching power, and growth of chicks. F. E. Mussehl and D. L. Halbersleben. J.A.R., vol. 23, pp. 717–720. 1923.
Guam, production record, 1912. Guam A.R., 1912, p. 22. 1913.
guinea—
  description, number, food value, and demands. F.B., 234, p. 8. 1905; F.B. 858, pp. 8–10. 1917.
  value, comparision with hen eggs, care in gathering. F.B. 1391, pp. 7–8. 1924.
handling—
  and marketing. Harry M. Lamon. Y.B., 1911, pp. 467–478. 1912; Y.B. Sep. 584. pp. 467–478. 1912.
  at railroad terminals, results. D.B. 664, pp. 10–12, 28–29. 1918.
  bacterial contamination. Chem. Cir. 98, pp. 8–12. 1912.
  demonstrations. News L., vol. 6, No. 47, p. 9. 1919.
  effect of present method. M. E. Pennington and H. C. Pierce. Y.B., 1910, pp. 461–476. 1911; Y.B. Sep. 552, pp. 461–476. 1911.
  improper methods between farm and market, losses, control. F.B. 656, pp. 1–3. 1915.
  on farm, cause of losses. S.R.S. Doc. 74, pp. 1–2. 1918; Y.B., 1914, pp. 363–364, 370–371, 374–376. 1915; Y.B. Sep. 647, pp. 363–364, 370–371, 374–376. 1915.
  through the creamery. B.A.I. An. Rpt., 1910, pp. 305–306. 1912; B.A.I. Cir. 188, pp 305–306. 1912.
hatching—
  air cells. F.B. 236, pp. 4–7. 1905.
  care. News L., vol. 6, No. 18, p. 11. 1918.

Egg(s)—Continued.
hatching—continued.
effect of age and added moisture. Guam A.R., 1917, p. 16. 1918.
importation into Hawaii. Hawaii A.R., 1924, p. 14. 1925.
selection, care, packing methods. F.B. 237, pp. 22-23. 1905; F.B. 585, pp. 1-3. 1914; F.B. 594, pp. 9, 20. 1914.
testing, importance and times. News L., vol. 5, No. 32, p. 2. 1918.
heated—
classes in egg trade. B.A.I. Bul. 141, pp. 15-17. 1911.
loss to trade. B.A.I. Cir. 140. pp. 10-13. 1909.
hens', incubation. Harry M. Lamon. F.B. 585, pp. 16. 1914; F.B. 1106, pp. 8. 1920.
high-priced, production methods, studies. News L., vol. 2, No. 25, p. 1. 1915.
huckster, types, and methods practiced. B.A.I. Cir. 140, pp. 24-25. 1909.
importance of prompt sales, warning to farmers. News L., vol. 2, No. 7, p. 1. 1914.
importing and exporting, by Canada. News L., vol. 7, No. 17. p. 2. 1919.
imports—
1907-1909, number and value, by countries from which consigned. Stat. Bul. 82, p. 22. 1910.
1908-1910, number and value, by countries from which consigned. Stat. Bul. 90, p. 23. 1911.
1909-1911, by countries from which consigned. Stat. Bul. 95, p. 23. 1912.
1922-1924. Y.B., 1924, p. 1058. 1925.
and exports—
1903-1907. Y.B., 1907, pp. 736, 747. 1908; Y.B. Sep. 465, pp. 736, 747. 1908.
1921. Y.B., 1921, pp. 737, 743. 1922; Y.B. Sep. 867, pp. 1, 7. 1922.
improvement in quality and prevention of waste, demonstration work. Y.B., 1914, pp. 363-380. 1915; Y.B. Sep. 647, pp. 363-380. 1915.
incubation—
factors affecting. F.B. 309, pp. 24-26. 1907.
moisture factor, studies. S.R.S. Rpt., 1916, Pt. I, pp. 41, 229. 1918.
natural and artificial. Alfred R. Lee. F.B. 1363, pp. 18. 1923.
natural and artificial, suggestions. F.B. 281, pp. 24-28. 1907; F.B. 1040, pp. 10-11. 1919.
period for—
different fowls. F.B. 236, p. 8. 1905.
hens. F.B. 1106, p. 8. 1920.
incubator—
evaporation control. F.B. 186, p. 28. 1904.
period. F.B. 585, p. 3. 1914.
index correlations, tables. B.A.I. Bul. 110, Pt. III, pp. 198-200. 1914.
industry—
and cooperation in Denmark. D.B. 1266, pp. 46-54. 1924.
distribution. Off. Rec., vol. 3, No. 14, p. 3. 1924.
effect of present method of handling eggs. M. E. Pennington and H. C. Pierce. Y.B., 1910, pp. 461-476. 1911; Y.B. Sep. 552, pp. 461-476. 1911.
locations, conditions of egg production. Y.B., 1911, pp. 467-468. 1912. Y.B. Sep. 584, pp. 467-468. 1912.
United States, notes. B.A.I. An. Rpt., 1911, pp. 247-251. 1913.
value and average prices. Chem. Bul. 158, p. 11. 1912.
infection—
before hatching, cause of chick diseases. Y.B., 1911, pp. 187-189, 191-192. 1912; Y.B. Sep. 559, pp. 181-189, 191-192. 1912.
prevention, factor in preservation. F.B. 353, pp. 14-15. 1909.
infertile—
advantage in egg preservation. News L., vol. 6, No. 50, pp. 11-12. 1919.
and fertile, definition. S.R.S. Doc. 74, p. 1. 1918.
comparison with fertile eggs in keeping quality. Y.B., 1914, p. 373. 1915; Y.B. Sep. 647, p. 373. 1915.
freedom from bacteria, reasons. Y.B., 1911, p. 188. 1912; Y.B. Sep. 559, p. 188. 1912.

Egg(s)—Continued.
infertile—continued.
less susceptible to rot. Y.B., 1910, p. 474. 1911; Y.B. Sep. 552, p. 474. 1911.
production—
for market. S.R.S. Doc. 74; pp. 4. 1918.
methods. D.B. 471, pp. 19-20. 1917; D.C. 15, pp. 4-5, 6-7. 1919; F.B. 1109; pp. 5, 8. 1920; News L., vol. 6, No. 35, pp. 5-6. 1919.
to prevent loss from bad eggs. F.B. 528, pp. 6-7. 1915; F.B. 528, pp. 6-7, 10. 1913.
relative value, comparison with fertile eggs. F.B. 1040, pp. 16-17, 21. 1919.
use in chick feed. F.B. 1376, p. 13. 1924.
insect, toxicity of volatile organic compounds. William Moore and Samuel A. Graham. J.A.R., vol. 12, pp. 579-587. 1918.
inspection under pure-food laws. B.A.I. Cir. 140, p. 28. 1909.
laying—
contests—
and breeding for egg production. F.B. 549, pp. 16-18. 1913.
details. News L., vol. 6, No. 40, p. 10. 1919.
world's record layer. S.R.S. Rpt., 1917, Pt. I, p. 127. 1918.
inheritance made in winter cycle, Rhode Island Red. J.A.R., vol. 12, pp. 571-573. 1918.
rations—
formulas. F.B. 1067, pp. 7-8. 1919.
wheatless. News L., vol. 4, No. 46, p. 4. 1917.
leaking, description and handling, and bacterial content. D.B. 224, pp. 9-12, 18, 19, 77, 89, 99. 1916.
Leghorn hens, value, comparison with other varieties. News L., vol. 4, No. 50, pp. 4-5. 1917.
liquid—
adulteration. Chem. N.J. 224, pp. 2. 1910; Chem. N.J. 4490, p. 1. 1916; Chem. N.J. 4665, p. 1. 1917; Chem. N.J. 4672, p. 1. 1917.
and dried, bacteria in. D.B. 224, pp. 16-21, 64-99. 1916.
products, notice to importers. Chem. F.I., D. 8, pp. 17-18. 1905.
loading on cars, details, methods, and instructions. D.B. 664, pp. 5-9, 20-28. 1918; D.C. 55, pp. 16. 1919.
loss(es)—
by winter and spring killing of hens. News L., vol. 5, No. 32, p. 6. 1918.
comparisons of fertile with infertile eggs. F.B. 1040, p. 21. 1919.
from careless handling on farm and in transit. Y.B., 1914, pp. 363-364, 370-371, 374-376. 1915; Y.B. Sep. 647, pp. 363-364, 370-371, 374-376. 1915.
in cold storage, causes. D.B. 775, pp. 5-10, 17-20. 1919.
off system of buying. B.A.I. Bul. 141, pp. 13-14. 1911.
prevention by proper handling and shipping. News L., vol. 5, No. 44, p. 6. 1918.
macaroni, misbranding. Chem. N.J. 652, pp. 2. 1910.
market, improvement. F.B. 517, pp. 13-15. 1912.
marketing—
Rob R. Slocum. F.B. 1378, pp. 29. 1924.
and handling. Harry M. Lamon. Y.B., 1911, pp. 467-478. 1912; Y.B. Sep. 584, pp. 467-478. 1912.
and rules for handling. S.R.S. Syl. 17, pp. 17-18. 1916.
annual value. Y.B., 1914, p. 369. 1915; Y.B. Sep. 647, p. 369. 1915.
associations, recommendations. B.A.I. Cir. 140, p. 31. 1909.
at principal cities, various dates between 1880 and 1911, tables, etc. Stat. Bul. 93, pp. 50-85. 1913.
by—
creameries. An. Rpts., 1912, pp. 333. 1913; B.A.I. Chief Rpt., 1912, p. 37. 1912.
farmer, methods. B.A.I. Bul. 141, pp. 32-38. 1911.
parcel post. F.B. 594, pp. 17-20. 1914; News L., vol. 2, No. 18, p. 2. 1914.

Egg(s)—Continued.
  marketing—continued.
    by—continued.
      parcel post. Lewis B. Flohr. F.B. 830, pp. 23. 1917.
    delays, cause of losses at packing house. Y.B., 1910, pp. 466–467, 475–476. 1911; Y.B. Sep. 552, pp. 466–467, 475–476. 1911.
    directions. B.A.I. Cir. 208, pp. 8–10. 1913; F.B. 405, pp. 19–20. 1910; S.R.S. Syl. 17, pp. 17–18. 1915.
    frequency, studies. News L., vol. 2, No. 7, p. 1. 1914.
    hints and rules. B.A.I. Cir. 206, pp. 4, 5. 1912.
    hints on packing and shipping. F.B. 1040, pp. 22–23. 1919.
    in large quantities, direct to purchaser. F.B. 830, pp. 20–21. 1917.
    methods. F.B. 128, pp. 23–27, 1901; F.B. 287, rev., p. 32. 1921; F.B. 445, pp. 5–7. 1911; F.B. 562, pp. 10–12. 1913; F.B. 656, pp. 1–3. 1915; Y.B., 1919, pp. 316–317. 1920; Y.B. Sep. 800, pp. 10–11. 1920.
    school lesson. D.B. 258, pp. 13–14. 1915; S.R.S. Doc. 72, pp. 7, 8. 1917.
    simple rules. F.B. 528, p. 11. 1913.
    systems. Rpt. 98, pp. 48–49. 1913.
    through the creamery. Rob. R. Slocum. B.A.I. An. Rpt., 1909, pp. 239–246. 1911; F.B. 445, pp. 12. 1911.
  measurements, studies and methods. B.A.I. Bul. 110, Pt. III, pp. 174–177. 1914.
  misbranding. Chem. N.J., No. 7, p. 4. 1908; Chem. N.J., 22, pp. 1–2. 1908.
  miscandled, types, and causes of errors. D.B. 702, pp. 6–18. 1918.
  moisture—
    conditions requisite for keeping, study. Chem. Cir. 64, pp. 36–37. 1910.
    content, relation to deterioration. Chem. Cir. 83, pp. 1–7. 1911.
  moldy—
    cause. B.A.I. Cir. 140, p. 16. 1909; D.B. 51, pp. 33–38. 1914.
    description. D.B. 565, p. 18. 1918.
  musty, description. D.B. 565, p. 18. 1918.
  nest, medicated, use in lice control, dangers. F.B. 801, pp. 25–26. 1917.
  noodles—
    making. F.B. 233, p. 20. 1905.
    misbranding. Chem. N.J. 652, pp. 2. 1910; Chem. N.J. 734, p. 1. 1911; Chem. N.J. 1181, p. 1. 1911.
    tables, Juckenacks', a recalculation. Chem. Bul. 152, pp. 116–117. 1912.
  nutrition studies, historical notes. O.E.S. An. Rpt., 1909, pp. 369, 371. 1910.
  oil-treated, studies. Off. Rec., vol. 1, No. 27, p. 3. 1922.
  omelet, baked with greens, recipe. F.B. 712, pp. 22–23. 1916.
  one hundred from every hen. Sec. Cir. 107. pp. 24. 1918.
  ostrich—
    description annual yield per bird, and incubation period. B.A.I. An. Rpt., 1909, pp. 234, 236. 1911; B.A.I. Cir. 172, pp. 234, 236. 1911.
    incubation, use as food. Y.B., 1905, pp. 400–402, 405. 1906.
  packages, weight and economical sizes and cost. F.B. 830, pp. 10, 12, 19. 1917.
  packing—
    and shipping, proper methods. B.A.I. Bul. 141, p. 34. 1911; News L., vol. 3, No. 32, pp. 1. 6. 1916; News L., vol. 5, No. 44, p. 6. 1918.
    demonstration work of Chemistry Bureau. An. Rpts., 1917, p. 204. 1918; Chem. Chief Rpt., 1917., p. 6. 1917.
    for market, good method. B.A.I. An. Rpt., 1909, pp. 241–244. 1911; F.B. 445, pp. 7–10. 1911.
    for shipment by parcel post, marking, weighing. F.B. 830, pp. 10–13. 1917.
    to prevent breakage. Y.B., 1914, pp. 375–377. 1915; Y.B. Sep. 647, pp. 375–377. 1915.
  parcel-post rates, weights, lawful enclosures, etc. F.B. 594, pp. 9, 10–11, 17. 1914.
  partridge, description. Y.B., 1909, p. 252. 1910; Y.B. Sep. 510, p. 252. 1910.

Egg(s)—Continued.
  percentage of farms in United States producing. News L., vol. 5, No. 23, p. 1. 1918.
  pheasant, packing for shipment. F.B. 390, p. 34. 1910.
  physical characters, variation and correlation. B.A.I. Bul. 110, Pt. III, pp. 171–274. 1914.
  place in diet. F.B. 128, pp. 19–22. 1901.
  points for buyers. D.C. 25, pp. 11. 1919.
  pork medium for cultures, preparation, and use with ham-souring bacillus. B.A.I. Bul. 132, pp. 14, 43. 1911.
  powder(s)—
    misuse of term, Chem. Bureau opinion. Chem. S.R.A. 3, pp. 112–113. 1914.
    use—
      as egg substitute, prohibition. News L., vol. 1, No. 29, p. 8. 1914.
      in cooking. F.B. 128, p. 29. 1901.
  precooling, investigations. An. Rpts., 1912, p. 561. 1913; Chem. Chief Rpt., 1912, p. 11. 1912.
  preparation for market. F.B. 1105, p. 7. 1920.
  preservation—
    by cold. Chem. Cir. 64, pp. 33–38. 1910.
    commercial by cold storage. M. K. Jenkins. D.B. 775, pp. 36. 1919.
    increase. An. Rpts., 1918, p. 79. 1919.; B.A.I. Chief Rpt., 1918, p. 9. 1918.
    methods. B.A.I. A–H, G-25, pp. 3–4. 1918; B.A.I. Cir. 140, pp. 25–28. 1909; F.B. 287, rev., p. 33. 1921; D.B. 471, pp. 21–24. 1917; News L., vol. 5, No. 29, p. 8. 1918; News L., vol. 6, No. 2, p. 40. 1919.
    use of clean, sound product. F.B. 353, pp. 14–15. 1909.
  preserved—
    adulteration, decision of Supreme Court. Sol. Cir. 45, pp. 8. 1911.
    Hipolite Egg Co., case, decision of Supreme Court. An. Rpts., 1911, p. 765. 1912; Sol. A.R., 1911, p. 9. 1911.
    keeping quality, and using. F.B. 1109, pp. 3, 4. 1920; S.R.S. Doc. 75, p. 2. 1918.
    laws, State. Chem. Bul. 69, rev., Pt. III, p. 227. 1906.
    whole, adulteration. Chem. N.J. 508, pp. 5. 1910; Chem. N.J. 1043, pp. 7. 1911.
  preserving—
    J. W. Kinghorne. F.B. 1109, pp. 8. 1920.
    boys' and girls' poultry club work. D.C. 15, pp. 1–8. 1919.
    directions. F.B. 1331, pp. 18–19. 1923; S.R.S. Syl. 17, p. 20. 1916.
    for home use, methods. D.C. 36, pp. 13–14. 1919; S.R.S. Doc. 75, pp. 2. 1918; S.R.S. Doc. 91, pp. 13–14. 1919.
    in water glass—
      Chem. Bureau opinion. Chem. S.R.A. 3, p. 112. 1914.
      directions. B.A.I. Doc. A-30, pp. 1–2. 1917; F.B. 296, pp. 29–31. 1907; F.B. 594, pp. 4, 14. 1914; F.B. 830, pp. 5–6. 1917; F.B. 1109, p. 3. 1920.
      requirements. F.B. 1109, pp. 4, 7. 1920.
      school lesson. D.B. 464, pp. 21–22. 1916.
      time and method. F.B. 889, pp. 21–22. 1917.
      with lime solution. F.B. 1109, p. 4. 1920.
  price(s)—
    Alaska. Alaska A.R., 1916. p 51. 1918.
    compilation, sources, grades, etc. Stat. Bul. 101, pp. 36, 37, 38, 39, 40, 43, 46, 47, 48. 1913.
    farm—
      and market. Y.B., 1924, pp. 430, 1001–1003. 1925.
      and wholesale, comparisons in different States. D.B. 999, p. 18. 1921.
    city, and export, comparison. Stat. Bul. 101, pp. 70–71. 1913.
    levels in New York, studies. Stat. Bul. 101, pp. 18, 20–21, 21–22, 23–26. 1913.
    marketing, etc., 1923. Y.B., 1923, pp. 1043–1048. 1924; Y.B. Sep. 903, pp. 1043–1048. 1924.
    uniformity for year, comparisons, etc. Stat. Bul. 101, pp. 68–70. 1913.
    wholesale—
      1880–1911, various markets. Stat. Bul. 101, pp. 91–99, 111–116. 1913.
      1903–1907. Y.B. 1907, p. 720. 1908; Y.B. Sep. 465, p. 720. 1908.

Egg(s)—Continued.
price(s)—continued.
wholesale—continued.
during Civil War and World War periods. D.B. 999, pp. 15, 34. 1921.
producers—
association, organization, value, etc. F.B.656, pp. 1–7. 1915.
suggestions to. D.C. 25, p. 2. 1919.
production—
1914 and 1918, and forecasts, 1919. An. Rpts., 1919, p. 5. 1920; Sec. A.R., 1919, p. 7. 1919.
1919, forecast and statistics. Y.B., 1919, pp. 11, 14, 28. 1920.
and—
handling, improper methods, annual losses S.R.S. Doc. 74, pp. 1, 2. 1918.
marketing. F.I.L. 10, pp. 1–20. 1909.
marketing, improvement in methods, necessity for, etc. F.B. 656, p. 1. 1915.
marketing, recommendations. B.A.I. Cir. 140, pp. 32–33. 1909.
value, and centers of production. Y.B., 1910, pp. 461–463. 1911; Y.B. Sep. 552, pp. 461–463. 1911.
value, imports and exports, 1890–1915. D.B. 471, pp. 25–26. 1917.
annual, variation. B.A.I. Bul. 110, Pt. I, pp. 1–80. 1909.
average per hen. News L., vol. 5, No. 51, pp. 3, 6. 1918.
biometrical study, domestic fowl. Raymond Pearl and Frank M. Surface. B.A.I. Bul. 110, Pt. I, pp. 9–80. 1909; Pt. II, pp. 81–170 1911; Pt. III, pp. 171–241. 1914.
breeding for. D.B. 905, p. 49. 1920; F.B. 355, pp. 32–34. 1909.
breeds recommended for. B.A.I. Bul. 110, Pt. I, pp. 50–57. 1909; P.R. Cir. 19, pp. 4–11. 1921.
by—
bantams, size, color, etc. F.B. 1251, pp. 4–5. 1921.
early-hatched pullets. B.A.I.A.H., G.-28, p. 6. 1919.
poultry clubs. Off. Rec., vol. 3, No. 4, p. 2. 1924.
consumption, and outlook for 1924. M.C. 23, pp. 21–22. 1924.
cost and weight, experiments, 1913–1915. News L., vol. 4, No. 50, pp. 4–5. 1917.
culling for signs of good layers. F.B. 1112, pp. 4–7, 8. 1920.
data for back yard flock of hens. News L., vol. 5, No. 45, p. 5. 1918.
decrease, 1911–1917. Sec. Cir. 107, pp. 5–6. 1918.
effects of diets. B.A.I. Bul. 56, pp. 76, 77. 1904.
feed cost—
Harry M. Lamon and Alfred R. Lee. D.B. 561, pp. 42. 1917.
general. Y.B., 1924, pp. 396–405. 1925.
per dozen. D.B. 561, pp. 27–32. 1917; F.B. 1067, pp. 12–13. 1919.
feeding hens for. Harry M. Lamon and Alfred R. Lee. F.B. 1067, pp. 15. 1919.
hints and rules. B.A.I. Cir. 206, pp. 4, 5. 1912; F.B. 528, pp. 6–7, 10–11. 1913.
in—
Alaska, price. D.B. 50, pp. 12, 14, 17. 1914.
United States, and other countries, monthly percentage. Stat. Bul. 101, pp. 52–53. 1913.
winter. Alfred R. Lee. Sec. Cir. 71, pp. 4. 1917.
increase—
by early hatching, work of Animal Industry Bureau. News L., vol. 5, No. 22, p. 8. 1917.
by retaining hens until June. News L., vol. 5, No. 29, p. 7. 1918.
necessity for South, 1918. News L., vol. 5, No. 27, p. 2. 1918.
since 1914. An. Rpts., 1918, pp. 6, 8, 1919; Sec. A.R., 1918, pp. 6, 8. 1918.
judging fowls for. D.C. 31, pp. 2–4. 1919.
management of hens for. F.B. 287, pp. 19–27. 1907; rev., pp. 14–21. 1921.

Egg(s)—Continued.
production—continued.
marketing, United States and Canada. O.E.S. Bul. 238, p. 28. 1911.
maxims. News L., vol. 6, No. 17, p. 15. 1918.
measurement of winter cycle, domestic fowl. Raymond Pearl. J.A.R., vol. 5, No. 10, pp. 429–437. 1915.
monthly, of three breeds of chickens, comparisons. J.A.R., vol. 12, pp. 561–568. 1918.
on farm, faulty handling. Y.B., 1911, pp. 469–470, 473–477. 1912; Y.B. Sep. 584, pp. 469–470, 473–477. 1912.
on the farm, illustrated lecture. Harry M. Lamon. S.R.S. Syl. 17, pp. 22. 1915.
opinions of poultry raisers on feeding. B.A.I. An. Rpt., 1905, pp. 236–240. 1907.
per hen. News L., vol. 6, No. 48, p. 2. 1919.
rations for. F.B. 1105, pp. 4–5. 1920; M.C. 12, p. 33. 1924.
relation to—
conformation, etc., of hen. S.R.S. Rpt., 1917, pt. 1, pp. 47, 82, 196, 228. 1918.
housing conditions of poultry. B.A.I. Bul. 110, Pt. I, pp. 58–63. 1909.
the sex ratio of the domestic fowl. M.A. Jull. J.A.R., vol. 28, pp. 199–224. 1924.
results from feeding poultry on fish meal. D.B. 378, pp. 8, 12, 15. 1916.
seasonal distribution. Raymond Pearl and Frank M. Surface. B.A.I. Bul. 110, Pt. II, pp. 170. 1911.
second laying year, investigations. B.A.I. Bul. 110, Pt. I, pp. 63–67. 1909.
studies, reports in 1923. Work and Exp., 1923, pp. 61–62. 1925.
study of yield of large and small flocks of hens. B.A.I. An. Rpt., 1907, pp. 64, 355. 1909.
various months. D.B. 561, pp. 24–27. 1917.
vitamin requirement in chicken feed. O.E.S. An. Rpt., 1922, pp. 81–82. 1924.
wheatless rations for hens. News L., vol. 5, No. 5, p. 7. 1917.
products—
adulteration. See *Indexes to Chemistry Notices of Judgment.*
frozen, examination, and interpretation of results. H. W. Redfield. D.B. 846, pp. 96. 1920.
pure-food law, application. B.A.I. Cir. 140, p. 28. 1909.
quality—
effect of dampness and heat. Y.B., 1910, p. 465. 1911; Y.B. Sep. 552, p. 465. 1911.
factors influencing. B.A.I. Bul. 141, pp. 12–15. 1911.
relation to accuracy in candling. D.B. 702, pp. 3–6. 1918.
receipts—
New York City, 1921. Off. Rec., vol. 1, No. 40, p. 8. 1922.
various markets for August, 1910–1914. F.B. 620, p. 7. 1914.
recipes for use with meat. F.B. 391, pp. 26–27. 1910.
record, first year, definition of term and reasons for use. B.A.I. Bul. 110, Pt. I, pp. 12–14. 1909.
refrigeration—
in transit, relation to kind of buffing used. D.B. 664, pp. 22–26. 1918.
studies. Chem. Cir. 64, pp. 33–38. 1910.
registration studies, tables. B.A.I. Bul. 110, Pt. III, pp. 203–225. 1914.
rejection in grading, description. D.B. 391, pp. 21–25. 1918.
relation between bacterial multiplication and chemical changes. D.B. 51, pp. 7–9. 1914.
"renewed," detection. Off. Rec., vol. 3, No. 5, p. 3. 1924.
salads and sandwiches. D.C. 36, p. 8. 1919.
sale regulation, Maine. Chem. Bul. 69, Pt. III, rev. p. 227. 1905.
sampling, directions. Chem. [Misc.], "Food and drug manual," pp. 40–41. 1920.
saving for hatching, suggestions. F.B. 549, p. 16. 1913.
selecting, grading, and marketing, importance and profit to farmers. F.B. 562, p. 1. 1913.

Egg(s)—Continued.
  selection—
    effect on production, discussion. B.A.I. Bul. 110, Pt. I, pp. 67–73. 1909.
    for—
      hatching, instructions. F.B. 1106, p. 3. 1920.
      marketing. F.B. 830, pp. 4–5. 1917.
      judging for quality and grade. D.B. 471, pp. 18–19. 1917.
    selling—
      by weight. F.B. 128, p. 28. 1901.
      cooperative work, Southern States. S.R.S. Doc. 28, pp. 5–6. 1915.
      methods. S.R.S. Syl. 17, pp. 18–19. 1915.
    setting and testing, necessity and methods. S.R.S. Doc. 68, pp. 2–3. 1918.
    shape—
      and weight, relation to sex of chicks. M. A. Jull and J. P. Quinn. J.A.R., vol. 22, pp. 195–201. 1924.
      logarithmic curves. J.A.R., vol. 3, p. 411. 1915.
    shell—
      adulteration. Chem. N.J. 3151, p. 1. 1914; Chem. N.J. 3702, p. 1. 1915; Chem. N.J. 3703, p. 1. 1915; Chem. N.J. 3705, p. 1. 1915; Chem. N.J. 3710–3713, p. 1–3. 1915; Chem. N.J. 3716, p. 1. 1915.
      studies by Chemistry Bureau. Chem. Cir. 98, pp. 7–8. 1912.
    shipment from Shanghai to United States, 1914, value, freight rates. News L., vol. 3, No. 1, p. 4. 1915.
    shipping—
      by country merchant, practice in Kansas. B.A.I. Bul. 141, pp. 33–34. 1911.
      by parcel post—
        Lewis B. Flohr. F.B. 594, pp. 20. 1914.
        breakage, packing methods, containers, rates. F.B. 830, p. 4. 1917; News L., vol. 1, No. 46, pp. 1–2. 1914.
      loading cars, directions. D.C. 55, pp. 1–16 (folder). 1919.
      loss, reduction by care in packing and loading. News L., vol. 5, No. 41, p. 6. 1918.
      methods. B.A.I. Bul. 141, pp. 35–39. 1911.
      temperature management. F.B. 125, p. 11. 1901.
    size—
      and shape variations, comparisons of dwarf and normal. J.A.R., vol. 6, No. 25, pp. 981–1000. 1916.
      color, and flavor, relation to value. D.B. 471, pp. 3–5, 18, 20. 1917.
      relation to damage during transportation. D.B. 664, pp. 13–14, 30. 1918.
      weight per dozen, and relative values, geographical and breed classification. B.A.I. Cir. 140, p. 9. 1909.
    soft, appearance and reasons for rejecting in grading. D.B. 391, pp. 11–12, 23–24. 1918.
    sorting, packing, and shipping for market. F.B. 287, rev., p. 31. 1921.
    sour and musty, description. D.B. 51, pp. 61–64. 1914; D.B. 391, pp. 21–23. 1918.
    source of protein and energy, cost, comparison with milk. Sec. Cir. 85, p. 6. 1918.
    spoiled, losses annually. An. Rpts., 1912, p. 310. 1913; B.A.I. Chief Rpt., 1912, p. 14. 1912.
    spoiling by wetting. News L., vol. 4, No. 44, p. 5. 1917.
    stale, bacterial content, analyses, etc., tables. D.B. 51, pp. 9–11. 1914.
    standards for, encouragement. Sec. A. R., 1924, pp. 37–38. 1924.
    statistics—
      Hawaii, 1917. Hawaii A.R., 1919, p. 55. 1920.
      prices, and market receipts—
        1891–1918. Y.B., 1918, pp. 609–611. 1919; Y.B. Sep. 793, pp. 25–27. 1919.
        1917–1924. Y.B., 1924, pp. 451–453, 999, 1000–1003, 1041, 1175. 1925.
      production, prices, imports, and exports—
        1907–1911. Y.B., 1911, pp. 634–636, 656, 668. 1912; Y.B. Sep. 588, pp. 634–636, 656, 668. 1912.
        1908–1912. Y.B., 1912, pp. 686–689, 712, 726. 1913; Y.B. Sep. 615, pp. 686–689, 712, 726. 1913.

Egg(s)—Continued.
  statistics—continued.
    production, prices, imports, and exports—con.
      1913–1915. Y.B., 1915, pp. 524–527, 540, 548, 555. 1916; Y.B. Sep. 684, pp. 524–527, 540, 548, 555. 1916; Y.B. Sep. 685, pp. 540, 548, 555. 1916.
      1916. Y.B., 1916, pp. 678–680, 707, 715, 722. 1917; Y.B. Sep. 721, pp. 20–22. 1917; Y.B. Sep. 722, pp. 1, 9, 16. 1917.
      1917. Y.B., 1917, pp. 729–731, 754, 768, 775. 1918; Y.B. Sep. 761, pp. 23–25. 1918; Y.B. Sep. 762, pp. 3, 12, 19. 1918.
      1922. Y.B., 1922, pp. 858–863, 945, 959. 1923; Y.B. Sep. 888, pp. 858–863. 1923; Y.B. Sep. 880, pp. 945, 959. 1923.
    receipts and shipments at trade centers. Rpt. 98, pp. 288, 330–332. 1913.
    stocks (not retail), July 1, 1918. News L., vol. 6, No. 6, p. 6. 1918.
  storage—
    effect. J.A.R., vol. 31, pp. 161–163. 1925.
    examination. Chem. Cir. 64, pp. 13–14. 1910.
    in the home and preserving for home use. F.B. 1374, pp. 8–9. 1923; S.R.S. Syl. 17, p. 20. 1915.
    on the farm, practices in Kansas. B.A.I. Bul. 141, pp. 30–31. 1911.
    store dealing, methods. B.A.I. Bul. 141, pp. 32–34. 1911.
  substitute(s)—
    composition, comparison with eggs and other foods. D.B. 471, pp. 6, 8, 10, 25. 1917; F.B. 128, pp. 29–30. 1901.
    fraudulent. News L., vol. 7, No. 6, p. 5. 1915.
    labeling. Chem. S.R.A. 17, p. 39. 1916.
    misbranding "eg nutrine." Chem. N.J. 991, p. 1. 1911.
  supply—
    housekeepers' standpoint. D.B. 471, pp. 17–21. 1917.
    of family for a week, and place in menu. F.B. 1228, pp. 11–12, 19. 1921.
  tanners', sources, and bacterial content. D.B. 224, pp. 13–14, 18, 19, 21, 25, 29, 60. 1916.
  tester, homemade, description and use. F.B. 562, pp. 9–10. 1913; F.B., 1106, p. 7. 1920; S.R.S. Doc. 68, p. 2. 1918; News L., vol. 4, No. 33, pp. 1, 4. 1917.
  testing—
    by poultry-club members, importance. B.A.I. A–29, pp. 2–3. 1918.
    danger from kerosene lamps, and caution. S.R.S. Doc. 68, p. 2. 1918.
    directions. B.A.I. Cir. 208, p. 8. 1913; F.B. 287, pp. 28, 40. 1907; F.B. 287, rev., pp. 22, 32. 1921; F.B. 585, pp. 14–16. 1914; S.R.S. Doc. 68, pp. 2–3. 1917.
    during hatching, directions. F.B. 1106, pp. 7–8. 1920.
    for setting, method. F.B. 562, pp. 9–10. 1913; News L., vol. 4, No. 33, pp. 1, 4. 1917.
  trade—
    in car lots, breakage prevention. M. E. Pennington and others. D.B. 664, pp. 31. 1918.
    losses due to detrimental changes from various causes. B.A.I. Cir. 140, pp. 10–17. 1909.
    of United States—
      Milo M. Hastings. B.A.I. Cir. 140, pp. 34. 1909.
      magnitude and importance. B.A.I. Bul. 141, pp. 7, 10. 1911.
  transportation—
    damage, control work. An. Rpts., 1916, pp. 196, 199, 203. 1917; Chem. Chief Rpt., 1916, pp. 6, 9, 13. 1916.
    suggestions to producers and to railroads. Y.B., 1911, pp. 477–478. 1912; Y.B. Sep. 584, pp. 477–478. 1912.
  turbidity, studies. D.B. 51, pp. 51–52, 52–53. 1914.
  turkey—
    freedom from parasite of blackhead. B.A.I. Cir. 119, pp. 3, 9. 1907.
    incubation. F.B. 1409, pp. 11–12. 1924.
  use—
    as—
      feed for canaries, preparation. F.B. 1327, p. 10. 1923.

INDEX TO PUBLICATIONS, 1901–1925

Egg(s)—Continued.
  use—continued.
    as—continued.
      food. F.B. 128, pp. 1–31. 1901; F.B. 717, pp. 11, 13. 1916.
      remedy for scours in calves. F.B. 233, p. 25. 1905.
      with cheese in food. F.B. 487, pp. 29–30, 34. 1912.
    value—
      as meat substitute, cost, and digestibility. Y.B., 1910, pp. 360, 361–363. 1911; Y.B. Sep. 543, pp. 360, 361–363. 1911.
      in diet, and cost. Thrift Leaf. 15, pp. 2, 4. 1919.
      various fowls, flavor, food use, and composition. D.B. 471, pp. 1–2, 5, 6. 1917; F.B. 128, pp. 5–6. 1901.
      vitamin content, studies. J.A.R., vol. 28, pp. 461–472. 1924.
    washing—
      danger of contamination. Y.B., 1911, p. 476. 1912; Y.B. Sep. 584, p. 476. 1912.
      injury to quality. Y.B., 1914, p. 367. 1915, Y.B. Sep. 647, p. 367. 1915.
    waste reduction, work of egg and poultry demonstration car. M. E. Pennington and others. Y.B., 1914, pp. 363–380. 1915; Y.B. Sep. 647, pp. 363–380. 1915.
    weight, relationship with sex of chicks. M. A. Jull and J. P. Quinn. J.A.R., vol. 31, pp. 223–226. 1925.
    white and brown, marketing. News L., vol. 6, No. 40, p. 14. 1919.
    whites, use for clarifying liquids. D.B. 471, pp. 13, 14, 24. 1917.
    wholesale prices, 1895–1908. Y.B., 1908, p. 741. 1909; Y.B. Sep. 498, p. 741. 1909.
    winter production—
      cost. F.B. 190, pp. 1–2. 1904.
      daily average. News L., vol. 4, No. 29, p. 1. 1917.
    yields—
      on different rations. D.B. 561, pp. 11–16. 1917.
      per hen, and feed consumed, monthly record, by breeds. F.B. 1067, p. 13. 1919.
  yolk(s)—
    adulteration. See Indexes, Notices of Judgment in bound volumes, and in separates published as supplements to Chemistry Service and Regulatory Announcements.
    color, causes. D.B. 471, p. 4. 1917.
    denaturing for use in tanning. An. Rpts., 1916, p. 199. 1917. Chem. Chief Rpt., 1916, p. 9. 1916.
    fat, digestion experiments. D.B. 507, pp. 13–16. 1917.
    imports, 1907–1909, value, by countries by which consigned. Stat. Bul. 82, p. 22. 1910.
    value and uses. News L., vol. 6, No. 40, p. 7. 1919.
    with double germs, discussion. J.A.R., vol. 3, pp. 382–384. 1915.
Eggette, misbranding. See also Indexes, Notices of Judgment, in bound volumes and in separates published as supplements to Chemistry Service and Regulatory Announcements.
EGGLESTON, J. D. (Acting Director), report of Virginia, extension work in agriculture and home economics—
  1915. S.R.S. An. Rpt., 1915, Pt. II, pp. 128–137. 1916.
  1916. S.R.S. An. Rpt., 1916, Pt. II, pp. 138–145. 1917.
EGGLESTON, W. W.—
  "Poisonous properties of Bikukulla cucullaria (Dutchman's-breeches) and B. canadensis (squirrel-corn)." With others. J.A.R., vol. 23, pp. 69–78. 1923.
  "The whorled milkweed (Asclepias galioides) as a poisonous plant." With others. D.B. 800, pp. 40. 1920.
Eggplant(s)—
  beetle, description and control methods. News L., vol. 4, No. 11, p. 5. 1916.
  borer, description. Sec. [Misc.], "A manual of insects * * *," p. 95. 1917.
  canning directions. F.B. 359, p. 13. 1910; S.R.S. Doc. 12, pp. 4–5. 1917.

Eggplant(s)—Continued.
  cooking methods. F.B. 934, pp. 33–34. 1918.
  cultivation in North Carolina, New Hanover County. Soils F.O. 1906, pp. 275–276. 1908.
  cultural directions and varieties. F.B. 818, pp. 36–37. 1917; F.B. 934, pp. 33–34. 1918; F.B. 937, pp. 16, 19, 23, 38–39. 1918; F.B. 1044 p. 29. 1919.
  destruction by potato stalk weevil. Ent. Bul. 82, p. 89. 1912.
  digestion experiment. O.E.S. Bul. 159, pp. 176, 177. 1905.
  diseases—
    caused by Phomopsis vexans. L. L. Harter. J.A.R., vol. 2, pp. 331–338. 1914.
    Guam, report. Guam A.R., 1917, pp. 50–51. 1918.
    occurring under market, storage, and transit conditions. B.P.I. [Misc.] "Handbook of the * * *," pp. 34–35. 1919.
    Texas, occurrence and description. B.P.I. Bul. 226, pp. 39–40. 1912.
  drying directions. D.C. 3, p. 15. 1919.
  food value and cooking directions. D.B. 123, p. 39. 1916.
  freezing point. D.B. 1133, pp. 6, 7, 8. 1923.
  fruit rot, fungus causing, description. J.A.R. vol. 2, pp. 331–338. 1914.
  growing in—
    frames, directions. F.B. 460, pp. 23–24. 1911.
    Guam. Guam A.R., 1914, pp. 9–10. 1915; Guam Cir. 2, p. 10. 1921; Guam Bul. 2, pp. 12, 39–40. 1922.
    Virginia trucking districts. D.B. 1005, pp. 4, 42. 1922.
  importations and descriptions. Nos. 40759, 40760, B.P.I. Inv. 43, pp. 76–77. 1918; Nos. 50035, 50454, B.P.I. Inv. 63, pp. 30, 31. 1923; Nos. 50910–50918, 50971, B.P.I. Inv. 64, pp. 33, 37. 1923.
  infection with tomato rot, experiments. J.A.R., vol. 4, p. 10. 1915.
  infestation with Mediterranean fruit fly. D.B. 536, pp. 24, 47. 1918.
  injury by—
    melon fly, Hawaii. D.B. 491, p. 15. 1917.
    splitworm. Hawaii Bul. 34, p. 8. 1914.
  inoculation with—
    fungi causing wilt disease. J.A.R., vol. 12, p. 543. 1918.
    fungus spores, experiments. J.A.R., vol. 2, pp. 333–335, 337. 1914.
  insect pests, list. F.B. 856, pp. 49, 55–57. 1917; Sec. [Misc.], "A manual of insects * * *," p. 95. 1917.
  Japanese, importation and description. No. 43636, B.P.I. Inv. 49, p. 53. 1921.
  lacebug, description, life history, and control. D.B. 239, pp. 1–7. 1915.
  leaf—
    miner, Phthorimaea glochinella Zeller. Thomas H. Jones. J.A.R., vol. 26, pp. 567–570. 1923.
    spot, fungus causing, description. J.A.R., vol. 2, pp. 331–338. 1914.
  marketing, note. F.B. 460, p. 29. 1911.
  seed saving. F.B. 884, p. 7. 1917; F.B. 1390, p. 5. 1924.
  setting plants. D.C. 48, p. 9. 1919.
  shipments by States, and by stations, 1916. D.B. 667, pp. 10, 120. 1918.
  spraying calendar. S.R.S. Doc. 52, p. 8. 1917.
  stem blight, fungus causing, description. J.A.R. vol. 2, pp. 331–338. 1914.
  susceptibility to Bacterium aptatum. J.A.R., vol. 1, pp. 194, 210. 1913.
  tortoise beetle. Thomas H. Jones. D.B. 422, pp. 8. 1916.
  transpiration, effect of Bordeaux mixture. J.A.R., vol. 7, pp. 536, 544, 546. 1916.
  white, importation and description. No. 35635, B.P.I. Inv. 35, p. 62. 1915.
Eggshell—
  mold, indication of moisture condition, study. Chem. Cir. 64, p. 37. 1910.
  soundness, relation to damage during transportation. D.B. 664, pp. 14–16, 30. 1918.
  variation, effect on market value. B.A.I. Cir. 140, pp. 8–9. 1909.

Egregia—
  menziesii, occurrence, description, and growth. Rpt. 100, pp. 54, 55, 56. 1915.
  spp., analyses. J.A.R., vol. 4, pp. 41, 43, 45, 46, 51. 1915.
Egrets—
  American—
    distribution. W. W. Cooke. Biol. Cir. 84, pp. 5. 1911.
    occurrence, and destruction by plume hunters. Biol. Bul. 38, p. 25. 1911.
  distribution and destruction by plume hunters. Biol. Cir. 84, pp. 1–3. 1911.
  in Porto Rico, habits and food. D.B. 326, pp. 25–26. 1916.
  large, in Porto Rico, nesting habits, and food. D.B. 326, pp. 25–26. 1916.
  plumage hunter's inhumanity, films. Off. Rec. vol. 1, No. 8, p. 6. 1922.
  protection by law. Biol. Bul. 12, rev., pp. 35–37, 41. 1902.
  range and breeding. Biol. Bul. 45, pp. 40–50. 1913.
  reddish, range and breeding. Biol. Bul. 45, pp. 49–50. 1913.
  snowy—
    description, habits, and food. D.B. 326, p. 25. 1916.
    occurrence, destruction by plume hunters. Biol. Bul. 38, p. 25. 1911.
Egypt—
  agricultural statistics, 1910–1920. D.B. 987, pp. 24–25. 1921.
  alkali lands, reclamation, crops used. Thomas H. Kearney and Thomas H. Means. Y.B., 1902, pp. 573–588. 1903; Y.B. Sep. 291, pp. 573–588. 1903.
  cattle of ancient times, types. B.A.I. An. Rpt., 1910, pp. 215–216. 1912.
  cotton—
    acreage and production. Sec. [Misc.], Spec. "Geography * * * world's agriculture," pp. 50, 51, 52, 54. 1917.
    crop—
      1900–1911, acreage and yield. Stat. Cir. 28, p. 3. 1912.
      increase. Off. Rec., vol. 2, No. 52, p. 2. 1923.
    growing—
      conditions, acreage, and production problems. D.B. 742, pp. 3–4, 8–10, 12. 1919; B.P.I. Bul. 128, pp. 10–26. 1908.
      conditions, comparison with America. D.B. 332, pp. 5, 8–10. 1916.
    mixing of varieties. D.B. 1184, p. 13. 1923.
    production—
      1909–1913. D.B. 332, p. 4. 1916.
      1921. Y.B., 1921, p. 325. 1922; Y.B. Sep. 877, p. 325. 1922.
    history, and methods. Atl. Am. Agr., Adv. Sh., Pt. V. Sec. A., pp. 6–7. 1919.
    quarantine. F.H.B.S.R.A. 28, pp. 62–63. 1916.
  crop(s)—
    acreage, 1905–1910, and conditions, May–June, 1912. Stat. Cir. 37, p. 17. 1912.
    for reclamation of alkali lands. T. H. Kearney and T. H. Means. Y.B., 1902, pp. 573–588. 1903; Y.B. Sep. 291, pp. 15. 1903.
  dates, climatic environments and varieties. D.B. 271, pp. 1–40. 1915.
  Hindi cotton. O. F. Cook. B.P.I. Bul. 210, pp. 58. 1911.
  insect superstitions, inscriptions, and ancient scarabs. Y.B., 1913, p. 77. 1914; Y.B. Sep. 616, p. 77. 1914.
  irrigation and water supply. Y.B., 1902, pp. 632–634. 1903.
  mules and asses, numbers. Sec. [Misc.], Spec. "Geography * * * world's agriculture," p. 114. 1917.
  Nile Valley, climate. D.B. 271, pp. 2–16. 1915.
  pink bollworm, conditions. F.H.B.,S.R.A. 53, p. 64. 1918.
  quarantine against cotton-boll weevil. Ent. Bul. 114, p. 168. 1912.
  reclamation of alkali lands—
    Thos. H. Means. Soils Bul. 21, pp. 48. 1903.
    details. O.E.S. Cir. 103, p. 32. 1911.
  rice acreage, map. Sec. [Misc.], Spec. "Geography * * * world's agriculture." p. 48. 1917.

Egypt—Continued.
  river fronts, mosquito work. Ent. Bul. 88, p. 88. 1910.
  sugar industry, 1903–1914. D.B. 473, pp. 69–70. 1917.
  wheat—
    acreage, map. Sec. [Misc.], Spec. "Geography * * * world's agriculture," p. 25. 1917.
    flour imports, 1884–1906. Stat. Bul. 66, pp. 84–86. 1908.
Egyptian—
  agriculture notes George P. Foaden. B.P.I. Bul, 62, pp. 61. 1904.
  clover. *See* Berseem.
  cotton. *See* Cotton, Egyptian.
  irrigation, study of methods and administration. Clarence T. Johnston. O.E.S. Bul. 130, pp. 100. 1903.
  "rice," use of name for shallu sorghum. B.P.I. Cir. 50, p. 4. 1910.
  "wheat," use of name for shallu sorghum. B.P.I. Cir. 50, p. 4. 1910.
Ehretia—
  acuminata, importation and description. No. 51891, B.P.I. Inv. 65, p. 64. 1923.
  elliptica, injury by sapsuckers. Biol. Bul. 39, p. 50. 1911.
  microphylla, growing in Florida. Off. Rec., vol. 1, No. 14, p. 3. 1922.
Ehrhornia cupressi. *See* Scale, cypress bark.
EICHHORN, ADOLPH—
  "Contagious abortion of cattle." With George M. Potter. F.B. 790, pp. 12. 1917.
  "Diagnosis of tuberculosis by complement fixation, with special reference to bovine tuberculosis." With A. Blumberg. J.A.R., vol. 8, pp. 1–20. 1917.
  "Diseases of the generative organs." B.A.I. [Misc.], "Diseases of cattle," pp. 147–213. 1923.
  "Experiments in vaccination against anthrax." D.B. 340, pp. 16. 1915.
  "Immunity studies of anthrax serum." With others. J.A.R., vol. 8, pp. 37–56. 1917.
  "Immunization tests in tetanus." With John R. Mohler. B.A.I. An. Rpt., 1911, pp. 185–194. 1913.
  "Immunization tests with glanders vaccine." With John R. Mohler. D.B. 70, pp. 13. 1914.
  "Malta fever, with special reference to its diagnosis and control in goats." With John R. Mohler. B.A.I. An. Rpt., 1911, pp. 119–136. 1913; B.A.I. Cir. 215, pp. 18. 1913.
  "Ophthalmic mallein for the diagnosis of glanders." With John R. Mohler. D.B. 166, pp. 11. 1915.
  "The diagnosis of dourine by complement fixation." With others. J.A.R., vol. 1, pp. 99–107. 1913.
  "The diagnosis of glanders by complement fixation." With John R. Mohler. B.A.I. Bul. 136, pp. 31. 1911.
  "The need of controlling and standardizing the manufacture of veterinary tetanus antitoxin." With John R. Mohler. B.A.I. Bul. 121, pp. 22. 1909.
  "The preparation of hog cholera serum in Hungary." B.A.I. An. Rpt., 1910, pp. 401–413. 1912.
  "Various methods for the diagnosis of glanders." With John R. Mohler. B.A.I. An. Rpt., 1910, pp. 345–370. 1912; B.A.I. Cir. 191, pp. 26. 1912.
Eider—
  occurrence in—
    Alaska. N.A. Fauna 24, pp. 58–59. 1904; N.A. Fauna 27, pp. 292–294. 1908.
    Pribilof Islands, description, and food habits. N.A. Fauna 46, pp. 52–59. 1923.
  varieties, range, and habits. Biol. Bul. 26, pp. 56–58. 1906; N.A. Fauna 24, pp. 22, 58. 1904.
Eimeria avium, cause of coccidiosis. F.B. 1337, p. 12. 1923.
Eimeriella—
  new genus of Coccidia. Ch. Wardell Stiles. B.A.I. Bul. 35, pp. 18–19. 1902.
  nova (Schneider, 1881), parasite of mouse. B.A.I. Bul. 35, p. 19. 1902.

INDEX TO PUBLICATIONS, 1901-1925

Einkorn—
  analyses, discussion of results. Chem. Bul. 120, pp. 30-32, 56. 1909.
  and emmer, resistance to rust. F.B. 219, p. 15. 1905.
  classification and description. D.B. 772, p. 89. 1920; D.B. 1074, pp. 198-199. 1922.
  difference from other wheats. B.P.I. Bul. 180, pp. 40-41. 1910.
  digestible nutrients, comparison with emmer and oats. F.B. 466, p. 21. 1911.
  distinction from wild wheat. B.P.I. Bul. 274, pp. 13, 26, 52. 1913.
  growing and uses, with emmer and spelt. John H. Martin and Clyde E. Leighty. D.B. 1197, pp. 60. 1924.
  origin of emmer. F.B. 139, p. 6. 1901; F.B. 466, p. 7. 1911.
  yield in Kansas experiments, 1904-1909. B.P.I. Bul. 240, p. 18. 1912.
EISEN, GUSTAV: "The fig: Its history, culture, and curing." Pom. Bul. 9, pp. 317. 1901.
Eksi-taya, inoculation with rots, experiments. J.A.R., vol. 6, pp. 555, 558-559, 561. 1916.
Elachertinae sp., parasite of corn-leaf miner. J.A.R. vol. 2, p. 29. 1914.
Elaeagnaceae, injury by sapsuckers. Biol. Bul. 39, p. 47. 1911.
Elaeagnus—
  angustifolia. See Oleaster.
  argentea. See Silverberry.
  multiflora. See Gumi.
  pyriformis, importation and description. No. 47841, B.P.I. Inv. 59, p. 66. 1922.
  umbellata, injury by sapsuckers. Biol. Bul. 39, p. 47. 1911.
  guineensis. See Palm, African oil.
  melanocco, importation and description. No. 43001, B.P.I. Inv. 47, pp. 7, 86. 1920.
Elaeocarpus—
  angustifolius, importation and description. No. 54890, B.P.I. Inv. 70, p. 24. 1923.
  cyaneous, importation and description. No. 45789, B.P.I. Inv. 54, p. 20. 1922.
  serratus, importation and description. No. 32098, B.P.I. Bul. 261, p. 28. 1912.
  sikkimensis, importation and description. No. 39110, B.P.I. Inv. 40, pp. 75-76. 1917; B.P.I. Inv. 59, p. 45. 1922.
  sphaericus, importation and description. No. 50696, B.P.I. Inv. 64, p. 15. 1923.
Elainea, Antillean, occurrence in Porto Rico, habits and food. D.B. 326, pp. 84-85. 1916.
Eland, origin, distribution, and description. Biol. Bul. 36, p. 13. 1910.
Elanus leucurus. See Kite, white-tailed.
Elaphidion villosum—
  description, habits, and control. F.B. 1169, pp. 70-71. 1921.
  See also Oak pruner.
"Elastic limit," meaning of term as applied to wood. D.B. 556, pp. 20-21. 1917.
Elasticity, wool, and tensile strength. J.A.R., vol. 4, No. 5, pp. 379-390. 1915.
Elaterid, luminous, beneficial characteristics. D.B. 156, p. 3. 1915.
Elateridae. See Click beetles; Snapping beetles.
Elbowoods irrigation project, in North Dakota, proposed work. O.E.S. Bul. 219, p. 26. 1909.
Elder—
  blueberry—
    description, range, and occurrence on Pacific slope. For. [Misc.] "Forest trees of Pacific * * *," pp. 434-435. 1908.
    injury to trees by sapsuckers. Biol. Bul. 39, p. 50. 1911.
  box. See Box elder.
  destruction by birds. Biol. Bul. 15, p. 74. 1901.
  distribution and characteristics. N.A. Fauna 21, pp. 13, 56. 1901.
  fruiting season, and use as bird food, notes. F.B. 912, pp. 12, 14. 1918.
  habitat, description, collection, uses, and prices. D.B. 26, pp. 15-16. 1913.
  host of bagworm, note. F.B. 701, p. 3. 1916.
  Mexican, description, range, and occurrence, on Pacific slope. For. [Misc.], "Forest trees for Pacific * * *," pp. 435-436. 1908.

Elder—Continued.
  mountain, description, habits, and forage value. D.B. 545, pp. 48-49, 58, 60. 1917.
  occurrence in—
    Colorado, description. N.A. Fauna 33, p. 244. 1911.
    Wyoming, distribution and growth. N.A. Fauna 42, pp. 76-77. 1917.
  poison. See Sumac, poison.
  redberry—
    characters. For. [Misc.], "Forest trees for Pacific * * *," p. 436. 1908.
    importation and description. No. 43919, B.P.I. Inv. 49, p. 95. 1921.
    tests for mechanical properties, results. D.B. 556, pp. 29, 39. 1917; D.B. 676, p. 17. 1919.
    varieties, importations and descriptions. Nos. 36744, 36745, B.P.I. Inv. 37, pp. 59-60. 1916.
Elderberries—
  characters and varieties on Pacific slope. For. [Misc.], "Forest trees for Pacific * * *," pp. 433-436. 1908.
  importance as bird food, notes. Biol. Bul. 30, pp. 11, 21, 56-99. 1907; Y.B., 1909, pp. 186-190, 195. 1910; Y.B. Sep. 504, pp. 186-190, 195.
Eldorado National Forest, Calif.—
  and Nev., map. For. Maps. 1925.
  information for mountain travelers, map. For. Map. Fold. 1914; For. Rec. Map. 1916.
  location, description, and area. D.C. 185, p. 16. 1921.
ELDREDGE, E. E.: "The use of Bacillus bulgaricus in starters for making Swiss or Emmental cheese." With C. F. Doane. D.B. 148, pp. 16. 1915.
ELDRIDGE, M. O.—
  "Earth roads." F.B. 136, pp. 24. 1902.
  "Economic surveys of county highway improvement." With J. E. Pennybacker. D.B. 393, pp. 86. 1916.
  "Mileage and cost of public roads in the United States in 1909." With J. E. Pennybacker, jr. Rds. Bul. 41, pp. 120. 1912.
  "Public roads, mileage revenues and expenditures in the United States in 1904." Rds. Bul. 32, pp. 100. 1907.
  "Public roads of Kansas: Mileage and expenditures in 1904." Rds. Cir. 63, pp. 4. 1906.
  "Public Roads of Minnesota: Mileage and expenditures in 1904." Rds. Cir. 80, pp. 4. 1907.
  "Public Roads of New Jersey: Mileage and expenditures in 1904." Rds. Cir. 71, pp. 3. 1907.
Eleais melanococca, host of black fly. D.B. 885, pp. 11, 15. 1920.
Eleaocarpus angustifolius, importation and description. No. 51817, B.P.I. Inv. 65, p. 54. 1923.
Elecampane, culture and handling as drug plant, yield, and price. B.P.I. Bul. 107, p. 62. 1907; F.B. 663, pp. 23-24. 1915; rev., p. 32. 1920.
Electric—
  apparatus, injury by termites. D.B. 1232, pp. 16, 18-19. 1924.
  companies, pole consumption, 1915, railway, light, and power. D.B. 519, p. 2. 1917.
  cure, misbranding. See Indexes, Notices of Judgment, in bound volumes and in separates published as supplements to Chemistry Service and Regulatory announcements.
  furnace, use in volatilization of phosphoric acid. D.B., 1179, pp. 9-10, 11-18, 49. 1923.
  light(s)—
    and power—
      from small streams. A. M. Daniels. Y.B. 1918, pp. 221-238. 1919; Y.B. Sep. 770, pp. 20. 1919.
      in the farm home. A. M. Daniels. Y.B. 1919, pp. 223-238. 1920; Y.B. Sep. 799, pp. 223-238. 1920.
    fire and explosion hazard. David J. Price and H. R. Brown. D.C. 171, pp. 7. 1921.
    insect destruction. Ent. Cir. 110, p. 5. 1909.
    plants, safety from fires, value for farms, and cost. F.B. 904, pp. 5-6. 1918.
    protection in dusty industries. D.C. 171, p. 7. 1921.
    use on farms, statistics. Y.B. 1921, p. 788. 1922; Y.B. Sep. 871, p. 19. 1922.
  lighting system for farm, description and cost. F.B. 517, pp. 23-24. 1912.

36167°—32——50

Electric—Continued.
lines, poles—
arborvitae, seasoning and preservative treatment and cost. For. Cir. 136, pp. 1–29. 1908.
use in 1906. For. Cir. 137, pp. 1–9. 1908.
motors, pumping plants. O.E.S. Bul. 158, pp. 213–226. 1905.
plants, water-power, descriptions. F.B. 1430, pp. 12–14. 1925.
power—
companies, railways, etc., crossties used, 1915. D.B. 549, p. 3. 1917.
development by irrigation districts. D.B. 1177, p. 38. 1923.
generators, and plants. F.B. 1430, pp. 20–27. 1925.
lease act, amendment. Off. Rec., vol. 1, No. 20, p. 2. 1922.
precipitation, value in recovery of potash. D.B. 572, pp. 16, 17, 18–20, 22. 1917.
pumping plants, small water supplies. Y.B., 1907, pp. 421–424; Y.B. Sep. 458, pp. 4. 1908.
shock, treatment. For. [Misc.], "First-aid manual * * *," pp. 58–59. 1917.
vermin exterminator, analysis. Chem. Bul. 76, p. 52. 1903.
washing machines, use. F.B. 1099, pp. 8–9. 1920.
wiring, system for grounding cotton gins. D.C. 271, pp. 2–4. 1923.
Electrical—
bridge for determination of soluble salts in soil. R.O.E. Davis and H. Bryan. Soils Bul. 61, pp. 36. 1910.
conductivity of tissue fluids of indicator plants, Utah. J.A.R., vol. 27, No. 12, pp. 893–924. 1924.
method of determination of moisture in soil. Y.B., 1900, p. 403. 1901.
power, cheap, development, relation of forests. For. Cir. 35, p. 19. 1905.
Electricity—
development from wind, possibilities. Y.B., 1911, pp. 349–350. 1912; Y.B. Sep. 573, pp. 349–350. 1912.
effect on plant growth, experiments. An. Rpts., 1912, pp. 420–421. 1913; B.P.I. Chief Rpt., 1912, pp. 40–41. 1912.
for—
farm—
and home, estimating requirements. Y.B., 1918, pp. 222–225. 1919; Y.B. Sep. 770, pp. 4–7. 1919.
home. News L., vol. 6, No. 45, p. 6. 1919.
home, lighting cost. Y.B., 1909, p. 355. 1910; Y.B. Sep. 518, p. 355. 1910.
power from small streams. A. M. Daniels and others. F.B. 1430, pp. 36. 1925.
pumping—
cost. O.E.S. An. Rpt., 1908, p. 386. 1909.
tests. O.E.S. Bul. 243, pp. 25, 32. 1911.
frictional, cause of cotton-gin fires. News L., vol. 6, No. 42, p. 8. 1919.
meat curing, special instructions to inspectors. B.A.I.S.A. 56, p. 88. 1911.
nitrogen-fixation processes, etc. D.B. 37, p. 7. 1913.
relation to plant nutrition. James F. Breazeale. J.A.R., vol. 24, pp. 41–54. 1923.
seed-wheat treatment, experiments. D.C. 305, pp. 1–7. 1924.
source—
for home light and power. Y.B., 1919, p. 224. 1920; Y.B. Sep. 799, p. 224. 1920.
of power for pumping plants, note. D.B. 1067, p. 6. 1922; Y.B. 1916, pp. 520. 1917; Y.B. Sep. 703, p. 14. 1917.
static, cause of dust explosions, study and control. D.B. 379, pp. 6, 9–10, 11, 12, 15, 19. 1916.
use—
and value in the farm home. Y.B., 1919, pp. 223–238. 1920; Y.B. Sep. 799, pp. 223–238. 1920.
as power in irrigation pumping, Pomona Valley, Calif. O.E.S. Bul. 236, pp. 50–55. 1911.
for lighting, directions. Thrift Leaf. 9, pp. 3–4. 1919.

Electricity—Continued.
use—continued.
in—
control of orchard pests. O.E.S. An. Rpt., 1911, p. 156. 1912.
determination of salt in soils. Soils Bul. 61, pp. 1–36. 1910.
logging camps. News L., vol. 7, No. 10, p 14. 1919.
nitrogen fixation, experiments. O.E.S. An. Rpt., 1911, p. 22. 1912.
seasoning wood. D.B. 1262, p. 2. 1924.
stump blasting, method and cost. B.P.I. Bul. 239, pp. 24–28. 1912.
Electro-culture experiments and investigations. An. Rpts., 1907, pp. 282–283, 321. 1908.
Electro-plating process of coating iron with zinc. Rds. Bul. 35, p. 18. 1909.
Electrode, hydrogen, description, and use in determining acidity. J.A.R., vol. 7, pp. 123–145. 1916; J.A.R., vol. 12, pp. 19–31, 139–148. 1918; J.A.R., vol. 15, pp. 118–122. 1918; J.A.R., vol. 16, pp. 1–13. 1919; J.A.R., vol. 26, pp. 84–87, 91. 1923.
Electrolysis—
effect on wire. F.B. 239, pp. 18–22. 1905.
use in silver cleaning, directions. F.B. 1180, p 18. 1921.
Electrolytes, action in decomposition of rocks Chem. Bul. 92, pp. 15, 16, 17, 19, 23. 1905.
Electrolytic—
dissociation of water, new method for measuring. C. S. Hudson. Chem. Cir. 45, pp. 2. 1909.
method, silver cleaning, study. H. L. Lang and C. F. Walton, jr. D.B. 449, pp. 12. 1916.
Elengi—
infestation with Mediterranean fruit fly. D.B. 536, pp. 18, 24, 40. 1918.
introduction into Guam. O.E.S. An. Rpt., 1907, p. 410. 1908.
Eleocharis—
spp., occurrence in Guam. Guam A.R., 1913, p. 16. 1914.
tuberosa—
use as food in Asia. F.B. 332, p. 10. 1908.
See also Apulid; Beechi.
Eleodes—
contusum, resemblance to Embaphion muricatum. J.A.R., vol. 22, p. 323. 1921.
pimelioides, description. Ent. Bul. 95, Pt. V, pp. 80–82. 1912.
spp., historical notes, injury to crops, and distribution. Ent. Bul. 95, Pt. V, pp. 73–75. 1912.
sulcipennis, enemy of alfalfa weevil. Ent. Bul. 112, p. 32. 1912.
suturalis Say, biology. J. S. Wade and R. A. St. George. J.A.R., vol. 26, pp. 547–566. 1923.
Elephant-ear—
leaf-spot, occurrence and description, Texas. B.P.I. Bul. 226, pp. 85–86. 1912.
See also Caladium.
Elephant grass—
growing in—
Hawaii, description and yield. Hawaii A.R., 1920, pp. 62, 68. 1921; Hawaii A.R., 1921, pp. 4, 30, 48–49. 1922.
Porto Rico, value as stock feed. P.R. Bul. 29, pp. 10, 12. 1922.
Virgin Islands—
1920. Vir. Is. A.R., 1920, p. 17. 1921.
value. S.R.S. Rpt., 1921, p. 26. 1921.
importations and descriptions. No. 36103, B.P.I. Inv. 36, p. 53. 1915; No. 40989, B.P.I. Inv. 44, pp. 8, 27. 1918; No. 43241, B.P.I. Inv. 48, pp. 6, 32. 1921; No. 46890, B.P.I. Inv. 57, pp. 7, 47. 1922; No. 54513, B.P.I. Inv. 69, pp. 3, 19. 1923.
introduction, growing, and yield, in Porto Rico. P.R. An. Rpt., 1920, pp. 12, 38, 39. 1921.
silage, St. Thomas, Virgin Islands. Vir. Is. A.R., 1920, p. 5. 1921.
See also Napier grass.
Elephantiasis, cattle, description. B.A.I. [Misc.], "Diseases of cattle," rev., p. 342. 1912; rev., p. 330. 1923.
Elephantorrhiza elephantina—
forage-plant introduction. B.P.I. Bul. 176, p. 29. 1910.
importation and description. No. 38580. B.P.I. Inv. 39, p. 150. 1917; No. 46902, B.P.I. Inv. 57, p. 48. 1922.

INDEX TO PUBLICATIONS, 1901-1925   781

Elephants' tusks, finding on Pribilof Islands, discussion. N.A. Fauna 46, pp. 118-119. 1923.
Eleusine—
  coracana. See Ragi.
  indica—
    occurrence in Guam. Guam A.R., 1913, p. 16. 1914.
    See also Goose grass; Yard grass.
  spp., description, distribution, and uses. D.B. 772, pp. 16, 174-175, 176. 1920.
Elevator—
  bundle, for corn binder, description, advantages, and disadvantages. F.B. 992, pp. 9-10. 1918.
  silage, description, power. F.B. 578, pp. 8-9. 1914.
  threshing machines, care and repair. F.B. 1036, p. 10. 1919.
  use in apple packing houses. F.B. 1204, pp. 28-30. 1921.
Elevators—
  accounting systems, types. D.B. 362, p. 2. 1916; D.B. 811, p. 2. 1919.
  cooperative—
    farmers', accounts system. John E. Humphrey and W. H. Kerr. D.B. 236, pp. 30. 1915.
    form, features and advantages. D.B. 860, pp. 4-40. 1920.
    patronage dividends. D.B. 371, pp. 1-11. 1916.
  cotton gin, description and use method. F.B. 764, rev., pp. 8-10. 1917.
  country, uses, functions, cost, and hazards in handling grain. D.B. 558, pp. 2-6, 34-41. 1917.
  equipment for grading grain. Mkts. S.R.A. 47, pp. 20-21. 1919.
  explosions, causes. D.B. 681, pp. 2-3. 1918.
  farms, needs for bulk handling of grain, description. F.B. 1290, pp. 21-22. 1922.
  farmers'—
    cooperative—
      growth, number, and location. D.B. 546, pp. 5-6, 12, 27-29, 49-50, 51-54. 1917.
      remarks and map. Y.B., 1913, pp. 248-249. 1914; Y.B. Sep. 626, pp. 248-249. 1914.
    development and conditions, discussion. D.B. 937, pp. 2-6, 15-17. 1921.
    for sale of grain. Y.B., 1909, p. 170. 1910; Y.B. Sep. 502, p. 170. 1910.
  fumigation. Ent. Cir. 112, pp. 8-22. 1920.
  grain—
    grading, details. Y.B., 1918, pp. 336-339. 1919; Y.B. Sep. 766, pp. 4-7. 1919.
    See Grain elevators.
  "Hospital" for grain, operation, and benefits. D.B. 937, p. 13. 1931.
  portable—
    need for bulk handling of grain. F.B. 1290, pp. 15-17. 1922.
    use in unloading grain. D.B. 814, p. 23. 1920.
  reports of grain receipts and shipments. Mkts. S.R.A. 44, pp. 102-124. 1919.
  rice storage. F.B. 1420, pp. 18-22. 1924.
  systems, statistics, in Russia. Stat. Bul. 65, pp. 20-24. 1908.
  terminal—
    Canada, regulations and methods. D.B. 937, pp. 12-15. 1921.
    in United States, operation. D.B. 937, pp. 17-18. 1921.
  See also Warehouse.
Elfin-wood. See Chaparral.
Elichrysum orientale. See Immortelle.
ELIOT, C. W.: "The value during education of the life-career motive." O.E.S. An. Rpt., 1910, p. 339. 1911.
Elis sexcincta, enemy of white grub, description. F.B. 543, pp. 14-15. 1913.
Elixir—
  iron, adulteration and misbranding. See Indexes, Notices of Judgment, in bound volumes and in separates published as separates to Chemistry Service and Regulatory Announcements.
  tonico stomatico, misbranding. N. J. 4161. Chem. S.R.A. Sup. 14, p. 259. 1916.
Elizabeth, N. J., milk supply, statistics, officials, prices, and ordinances. B.A.I. Bul. 46, pp. 30, 116. 1903.
Elk—
  calves, destruction by predatory animals. D.C. 51, p. 17. 1919.

Elk—Continued.
  conditions—
    and numbers on game reservations—
      1907. Y.B., 1907, p. 593. 1908; Y.B. Sep. 469, p. 593. 1908.
      1908. Y.B., 1908, p. 582. 1909; Y.B. Sep. 500, p. 582. 1909.
      1917. Biol. Chief Rpt., 1917, pp. 9-11. 1917; For. A.R., 1917, p. 20. 1917; An. Rpts., 1917, pp. 182, 259-261. 1918.
      1918. Biol. Chief Rpt., 1918, pp. 11-12. 1918; An. Rpts., 1918, pp. 267-268. 1918.
      1920. An. Rpts., 1920, pp. 367, 368, 369. 1921.
      1924. Biol. Chief Rpt., 1924, pp. 28-29. 1924.
    past and present. Y.B., 1910, p. 245, 247. 1911; Y.B. Sep. 533, p. 245, 247. 1911.
  conservation of national herds, vicinity of Yellowstone National Park. Henry P. Graves and E. W. Nelson. D.C. 51, pp. 34. 1919.
  cross-breeding experiments in Europe, note. F.B. 330, p. 9. 1908.
  depredations in winter. Biol. Bul. 40, pp. 16-17. 1911.
  enemy(ies)—
    of wolves. Biol. Cir. 63, pp. 4-5. 1908.
    wild animals and insects. Biol. Bul. 40, pp. 20-21. 1911.
  enumeration and value. D.B. 1049, pp. 24-25. 1922.
  feeding—
    grounds, increased area. D.C. 51, pp. 26, 32, 33. 1919.
    in winter. Biol. Bul. 40, p. 14. 1911.
  herds, preservation, measures taken by Order of Elks. News L., vol. 7, No. 1, p. 8. 1919.
  hunting regulations, Montana and Idaho. For. [Misc.], "Trespass on national * * *," pp. 23, 24, 26, 27, 45, 46. 1922.
  illegal killing, depredations by tusk hunters. Biol. Bul. 40, p. 21. 1911.
  in Wichita National forest. M.C. 36, p. 5. 1925.
  life history, and range. Biol. Bul. 40, pp. 15-20. 1911.
  migration habits. D.C. 51, pp. 12-13. 1919.
  numbers, and location on national forest. D.C. 51, p. 4. 1919.
  occurrence—
    distribution, hunting restrictions, and need of refuges. D.B. 1049, pp. 4-5. 1922.
    in Colorado, description. N.A. Fauna 33, pp. 53-54. 1911.
    in Montana. Biol. Cir. 82, p. 10. 1911.
  preservation—
    in United States, importance. Biol. Bul. 36, pp. 26-28. 1910.
    need of land for grazing. D.C. 51, pp. 11-12. 1919.
  protection—
    in Yellowstone region, forestry problems. An. Rpts., 1916, pp. 173, 244. 1917; Biol. Chief Rpt., 1916, p. 8. 1916; For. Rpt., 1916, p. 19. 1916.
    laws—
      1913. D.B. 22, rev., pp. 3, 4, 10. 1913.
      1915. F.B. 692, pp. 8, 9, 25-38. 1915.
  refuge—
    at Jackson Hole, Wyoming, purchase and cost. D.B. 1049, pp. 45, 46. 1922.
    in winter, necessity. Biol. Bul. 40, pp. 22-23. 1911.
  restocking, and transfers, 1905-1920. D.B. 1049, pp. 39-41. 1922.
  Rocky Mountain, domestication, uses, and management. F.B. 330, pp. 7-13. 1908.
  Roosevelt, protection, 1909, in Mount Olympus National Monuments. Biol. Cir. 73, p. 9. 1910.
  situation in United States, public interests, and program. D.C. 51, pp. 4-7, 32-34. 1919.
  statistics, 1910. Biol. Cir. 80, pp. 10-11. 1911.
  tick infestation, fatal results. Ent. Bul. 72, p. 51. 1907; F.B. 484, p. 45. 1912.
  transportation to game preserves, Montana and Oklahoma. Biol. Bul. 40, pp. 21-22. 1911.
  use in protection of sheep against dogs. F.B. 330, p. 11. 1908.
  winter feeding, Jackson Hole, Wyoming. Sec. A.R., 1912, p. 84. 1912; An. Rpts., 1912, p. 84; 1913; Y.B., 1912, p. 84. 1913.

Elk grass, description, habits, and forage value. D. B. 545, pp. 34-36, 58, 59. 1917.
Elkton silt loam, heating experiments. Soils Bul. 89, pp. 14-36. 1912.
Elkwood. See Magnolia.
ELLENBERGER, W. P.—
"Cattle-fever ticks and methods of eradication." With Robert M. Chapin. F.B. 1057, pp. 32. 1919.
"Directions for constructing a vat and dipping cattle to destroy ticks." With H. W. Graybill. B.A.I. Cir. 183, pp. 15. 1911.
"Directions for constructing vats and dipping cattle to destroy ticks." With H. W. Graybill. B.A.I. Cir. 207, pp. 20. 1912.
ELLINGTON, G. W.: "The ham beetle, *Necrobia rufipes* De Geer." With Perez Simmons. J.A.R., vol. 30, pp. 845-863. 1925.
ELLIOTT, C. G.—
"A supplemental report on drainage in the Fresno district, California." O.E.S. Cir. 57, pp. 5. 1904.
"Annual report of irrigation and drainage investigations, 1904." O.E.S. Bul. 158, pp. 643-743. 1905.
"Development of methods of draining irrigated lands." O.E.S. An. Rpt. 1910, pp. 489-501. 1911.
"Drainage investigations for 1907-8." O.E.S. An. Rpt. 1907, pp. 38-45. 1908.
"Drainage of agricultural lands in the Kankakee River Valley, Indiana." O.E.S. Cir. 80, pp. 23. 1909.
"Drainage of farm lands." F.B. 187, pp. 40. 1904.
"Preliminary plans and estimates for drainage of Fresno district, Calif." O.E.S. Cir. 50, pp. 9. 1903.
"Prevention of injury by floods in the Neosho Valley, Kansas." With J. O. Wright. O.E.S. Bul. 198, pp. 44. 1908.
"Progress in drainage." O.E.S. An. Rpt., 1907, pp. 387-404. 1908.
"Report on drainage investigations, 1903." O.E.S. Bul. 147, pp. 62. 1904.
"Some engineering features of drainage." Y.B., 1902, pp. 231-244. 1903; Y.B. Sep. 265, pp. 231-244. 1903.
ELLIOTT, CHARLOTTE—
"A bacterial leafspot of Martynia." J.A.R. vol. 29, pp. 483-490. 1924.
"A bacterial stripe disease of proso millet." J.A.R., vol. 26, pp. 151-160. 1923.
"Halo-blight of oats." J.A.R., vol. 19, pp. 139-172. 1920.
"Sterility of oats." D.B. 1058, pp. 8. 1922.
ELLIOTT, G. R. B.: "Effect of organic decomposition products from high vegetable content soils upon concrete drain tile." J.A.R., vol. 24, pp. 471-500. 1923.
ELLIOTT, J. A.: "Pathogenicity of *Ophiobolus cariceti* in its relationship to weakened plants." With H. R. Rosen. J.A.R., vol. 25, pp. 351-358. 1923.
ELLIOTT, PERRY—
"Our foreign trade in farm and forest products." D.B. 296, pp. 51. 1915.
"Production of sugar in the United States and foreign countries." D.B. 473, pp. 70. 1917.
"Statistics of crops other than grain crops, 1922." With others. Y.B., 1922, pp. 666-794. 1923; Y.B. Sep. 884, pp. 666-794. 1923.
ELLIS, DON CARLOS: "A working erosion model for schools." O.E.S. Cir. 117, pp. 11. 1912.
ELLIS, L. W.—
"A study of farm equipment in Ohio." B.P.I. Bul. 212, pp. 57. 1911.
"Minor articles of farm equipment." B.P.I. Cir. 44, pp. 15. 1910; rev. 1915.
"Traction plowing." B.P.I. Bul. 170, pp. 44. 1910.
ELLIS, W. O.: "Some lepidopterous larvae resembling the European corn borer." J.A.R. vol. 30, pp. 777-792. 1925.
ELLSWORTH, J. L.: "Agricultural journal for farmer's institutes." O.E.S. Bul. 256, pp. 29-30. 1913.
Elm—
American, for roadside planting. F.B. 338, p. 22. 1908.

Elm—Continued.
aphid, woolly, habits and control. F.B. 1169, p. 88. 1921; Rpt., 101, pp. 7-42. 1915.
borer—
description, habits, and control. F.B. 1169, pp. 55-56. 1921.
parasite, *Diplogaster labiata*, life history and habits. J.A.R., vol. 6, pp. 115-121. 1916.
caterpillar, spiny, description, habits and control. F.B. 1169, pp. 48-49. 1921.
characters. F.B. 468, p. 41. 1911.
Chinese—
description, and adaptability to Great Plains. F.B. 1312, p. 13. 1923.
drought-resistant, value as shade tree. Y.B., 1915, p. 220. 1916; Y.B. Sep. 671, p. 220. 1916.
dry-land, testing value and uses. Y.B., 1916, p. 141. 1917; Y.B. Sep. 687, p. 7. 1917.
importation and description. No. 40898. B.P.I. Inv. 44, p. 9. 1918.
introduction, northern Great Plains. D.B. 1113, p. 14. 1923.
consumption in Arkansas, amount, and value. For. Bul. 106, pp. 7, 9, 14, 15, 16, 17, 18, 19, 20, 21, 22, 32, 38. 1912.
cooperage stock, slack, production and value, 1906. For. Cir. 123, pp. 3-8. 1907.
cork, properties, range, value, and uses in industries. D.B. 683, pp. 2, 3-6, 9, 25, 30-33, 41-42. 1918.
description—
habits, and regions suited to. F.B. 1208, pp. 15-16. 1922. N.A. Fauna 22, pp. 11, 22. 1902.
key, and list of common kinds. D.C. 223, pp. 5, 9. 1922.
use as shade trees, care required, and regions adapted to. D.B. 816, pp. 18, 19, 22-24. 1920.
diseases—
caused by fungi. B.P.I. Bul. 149, pp. 18, 24, 48. 1909.
Texas, occurrence and description. B.P.I. Bul. 226, pp. 65-67, 111. 1912.
distillation, yields of alcohol and lime acetate. D.B. 508, pp. 3-7. 1917.
growth in different regions, rate. F.B. 1177, rev., p. 24. 1920.
importations and description. Nos. 30060, 30152, 30364, B.P.I. Bul. 233, pp. 55, 63, 81. 1912; Nos. 37671, 37810, 38491, 38492, B.P.I. Inv. 39, pp. 7, 17, 47, 137, 138. 1917; Nos. 43029-43031, 43214, B.P.I. Inv. 48, pp. 12, 27. 1921; No. 45943, B.P.I. Inv. 54, p. 45. 1922; Nos. 50588-50589, B.P.I. Inv. 63, p. 82. 1923.
in Wyoming, distribution and growth. N.A. Fauna 42, p. 64. 1917.
infestation with—
May beetles. F.B. 543, pp. 10, 19. 1913.
wooly pear aphid. J.A.R., vol. 6, p. 355. 1916.
injury by—
avocado red spider in South. D.B. 1035, p. 4. 1922.
gipsy moth. D.B. 204, p. 15. 1915.
sapsuckers. Biol. Bul. 39, pp. 35-36, 75-76. 1911.
insects, injurious. F.B. 1169, pp. 95-96. 1921; Sec. [Misc.], "A manual of insects * * *." 1917.
Karagatch, importation and description. No. 34063, B.P.I. Inv. 31, pp. 7, 80. 1914.
large sawfly, description and control. F.B. 1169, pp. 51-52. 1921.
leaf beetle—
control by spray of arsenate of lead, note. O.E.S. An. Rpt., 1910, p. 208. 1911.
description, evidences, habits, and control. Ent. Bul. 67, p. 36. 1907; F.B. 1169, pp. 38-39. 1921.
parasite, importation. An. Rpts., 1908, pp. 104, 538. 1909; Ent. A.R., 1908, p. 16. 1908; Sec. A.R., 1908, p. 102. 1908.
similarity to beet leaf beetle. D.B. 892, p. 1. 1920.
lumber—
grading rules. D.B. 683, pp. 28-29. 1918.
prices, and stumpage value. D.B. 683, pp. 29-35. 1918.

Elm—Continued.
 lumber—continued.
  production and value, by States—
   1905. For. Bul. 74, p. 25. 1907.
   1906. For. Cir. 122, p. 24. 1907.
   1916, mills reporting, and lumber value. D.B. 673, p. 39. 1918.
   1917. D.B. 768, pp. 29, 38, 43. 1919.
   1918. D.B. 845, pp. 33–34, 46. 1920.
   1920. Y.B., 1922, p. 926. 1923; D.B. 1119, p. 50. 1923.
  markets, and prices for various purposes. D.B. 683, pp. 35–37. 1918.
  mistletoe infection. B.P.I. Bul. 166, pp. 21, 22, 29. 1910.
  northern forests, characteristics, annual cut, etc. D.B. 285, pp. 6–21, 28–33. 1915.
  planting in sand hills. M.C. 16, pp. 5, 7. 1925.
  preservative treatment, results. D.B. 606, pp. 22, 25, 28, 30, 32. 1918; F.B. 744, p. 17. 1916.
  production, 1899–1914, and estimates, 1915. D.B. 506, pp. 13–15, 27. 1917.
  quantity used in manufacture of wooden products. D.B. 605, p. 11. 1918.
  root galls, caused by woolly aphid of pear, development. J.A.R., vol. 10, pp. 68–73. 1917.
  scale—
   European—
    control by spraying with water at high pressure. O.E.S. An. Rpt., 1912, p. 158. 1913.
    description and control on shade trees. F.B. 1169, pp. 82–83. 1921.
    in the West. Frank B. Herbert. D.B. 1223, pp. 20. 1924.
    parasite. D.B. 1223, p. 12. 1924.
  scolytus, introduction from Europe. An. Rpts., 1910, p. 545. 1911; Ent. A.R., 1910, p. 41. 1910.
  seeds, white, gathering and planting. For. Cir. 66, rev., p. 2. 1907.
  slippery—
   description, habits, uses, and planting directions. For. Cir. 85, pp. 4. 1907.
   names, range, description, bark, prices, and use. B.P.I. Bul. 139, pp. 20–21. 1909.
   properties, range, value, and uses in industries. D.B. 683, pp. 2, 3–6, 8, 11, 14. 1918.
  spacing in forest planting, and seed per acre. F.B. 1177, rev., p. 22. 1920.
  stumpage value—
   1906. For. Cir. 122, p. 38. 1907.
   in Louisiana. For. Bul. 114, p. 16. 1912.
  supply and demand, range of species, and cut, by States. D.B. 683, pp. 7–14. 1918.
  tests for mechanical properties, results. D.B. 556, pp. 29, 39. 1917; D.B. 676, pp. 17–19. 1919.
  tree borer—
   common, treatment suggestions. F. H. Chittenden. Ent. [Misc.], "Suggestions for the * * *," p. 1. 1909.
   ravages, 1907. Y.B., 1907, p. 550. 1908; Y.B. Sep. 472, p. 550. 1908.
  use for barrel hoops. For. Cir. 166, p. 22. 1909.
  utilization. W. D. Brush. D.B. 683, pp. 43. 1918.
  value for windbreaks, Oregon. W.I.A. Cir. 1, p. 18. 1915.
  water, value as duck food, description, distribution, and propagation. D.B. 205, pp. 9–12. 1915.
  weeping, importation and description. No. 40507, B.P.I. Inv. 43, pp. 7, 37. 1918; No. 43791, B.P.I. Inv. 49, pp. 5, 78. 1921.
  weight, freight rates. F.B. 715, pp. 4, 6, 9, 34, 35, 41. 1916.
  white—
   adaptability for shelter-belt planting. D.B. 1113, pp. 8, 15. 1923.
   characteristics, uses, and rate of growth. For. Cir. 161, pp. 24, 29, 39–40. 1909; F.B. 888, pp. 6, 13. 19. 1917; For. Cir. 66, pp. 1–3. 1907.
   description, uses, and adaptability to Great Plains. F.B. 1312, p. 8. 1923.
   growth in Illinois. For. Cir. 81, rev., pp. 20, 21. 1910.
   lumber characteristics. D.B. 683, pp. 2–7. 1918; D.B. 1128, p. 13. 1923.
   planting directions, uses. For. Cir. 99, p. 11. 1907.

Elm—Continued.
 white—continued.
  properties, range, value, and uses in industries. D.B. 683, pp. 1, 3–6, 7, 9, 30, 39–41. 1918.
  weight per cord, and equivalent in coal. D.B. 718, p. 59. 1918.
Elmira, N. Y., milk supply, statistics, officials, and prices. B.A.I. Bul. 46, pp. 36, 133. 1903.
Elodea. See Water weed.
ELSWORTH, R. H.: "Development and present status of farmers' cooperative business organizations." D.B. 1302, pp. 76. 1924.
Eltzbacher Commission, reports of food supplies in Germany. Y.B., 1919, pp. 63, 64. 1920; Y.B. Sep. 801, pp. 63, 64. 1920.
Elvira Lindsay, (horse) pedigree and history. B.A.I. An. Rpt., 1907, pp. 150, 130. 1909; B.A.I. Cir. 137, pp. 105–130. 1908.
ELWELL, J. A.: "Soil survey of—
 Benton County, Iowa." With others. Soil Sur. Adv. Sh., 1921, pp. 30. 1925.
 Dickinson County, Iowa." With J. L. Boatman. Soil Sur. Adv. Sh., 1920, pp. 41. 1923; Soils F.O. 1920, pp. 599–639. 1925.
 Louisa County, Iowa." With L. Vincent Davis. Soil Sur. Adv. Sh., 1918, pp. 50. 1921; Soils F.O., 1918, pp. 1019–1064. 1924.
 Mahaska County, Iowa." With E. C. Hall. Soil Sur. Adv. Sh., 1919, pp. 40. 1922; Soils F.O. 1919, pp. 1543–1578. 1925.
 O'Brien County, Iowa." With H. R. Meldrum. Soil Sur. Adv. Sh., 1921, pp. 213–246. 1924.
 Washington Parish, La." With others. Soil Sur. Adv. Sh., 1922, pp. 345–390. 1925.
ELY, C. W.: "Soil survey of—
 Conway County, Ark." With James L. Burgess. Soil Sur. Adv. Sh., 1907, pp. 23. 1908; Soils F.O., 1907, pp. 753–771. 1909.
 McLean County, Ill." With others. Soil Sur. Adv. Sh., 1903, pp. 21. 1904; Soils F.O. 1903, pp. 777–797. 1904.
 Ransom County, N. Dak." With others. Soil Sur. Adv. Sh., 1906, pp. 39. 1907; Soils F.O., 1906, pp. 963–997. 1908.
 the Henderson area, Texas." With A. S. Kocher. Soil Sur. Adv. Sh., 1906, pp. 26. 1907; Soils F.O. 1906, pp. 459–480. 1908.
Elymus—
 condensatus. See Ryegrass, giant.
 spp.—
  description, distribution, and uses. D.B. 772, pp. 12, 93–94, 95. 1920; D.B. 201, pp. 22–24. 1915.
  mportations and descriptions. Nos. 36541, 36793, 36794, B.P.I. Inv. 37, pp. 29, 65. 1916.
  resistance to teliospores of Puccinia triticina. J.A.R., vol. 22, pp. 163–172. 1921.
  susceptibility to stem rust, studies. J.A.R., vol. 10, pp. 435–486. 1917.
  See also Lyme grass.
 triticoides, growth on old ranges. B.P.I. Bul. 117, p. 10. 1907.
Elyonurus spp., description, distribution, and uses. D.B. 772, pp. 21, 275, 277. 1920.
Emajagua—
 occurrence, Porto Rico, source of honeydew. P.R. Bul. 15, p. 15. 1914.
 use for windbreaks in coffee production in Porto Rico. P.R. An. Rpt., 1910, p. 37. 1911.
Emasculator, description and use in castrating cattle. F.B. 949, pp. 11–13. 1918.
Embankments—
 dike, directions for building. O.E.S. An. Rpt., 1906, pp. 379–385. 1907.
 earth-fill dams for reservoirs, types and cost. O.E.S. Bul. 249, Pt. I, pp. 21–30. 1912.
 injury by—
  muskrats. F.B. 869, pp. 9–10. 1917.
  pocket gophers. Y.B., 1916, p. 388. 1917; Y.B. Sep. 708, p. 8. 1917.
  rats. Biol. Bul. 33, p. 29. 1909.
  rodents. F.B. 932, pp. 10, 12. 1918.
 reservoir, dimensions and slopes. F.B. 828, pp. 17, 19–25. 1917.
 road, construction. D.B. 463, pp. 31–32. 1917.
 slopes, construction and protection. D.B. 463, pp. 14–15. 1917.
Embaphion muricatum, biology. J. S. Wade and A. G. Böving. J.A.R., vol. 22, pp. 323–334. 1921.

Embargo. *See* Quarantine.
Embella floribunda, importation and description. No. 47677, B.P.I. Inv. 59, p. 46. 1922.
Embothrium coccineum. See Ciruelillo; Notru.
Embryology, *Tozoptera graminum*, further studies. J.A.R., vol. 4, pp. 403–404. 1915.
Embryotomy, calf, directions. B.A.I. [Misc.], "Diseases of cattle," rev., pp. 204–209. 1912; rev., pp. 202–207. 1923.
Emergency—
  food production, activities of department. Sec. A.R., 1918, pp. 52–53. 1918; An. Rpts., 1918, pp. 52–53. 1919.
  fund, contagious diseases of animals, etc., appropriations, 1915–16, authorization to Secretary. News L., vol. 2, No. 36, p. 1. 1915.
  war gardens, work in Hawaii. Hawaii A.R., 1918, p. 5. 1919.
EMERSON, F. V.: "Soil survey of—
  Miller County, Mo." With H. G. Lewis. Soil Sur. Adv. Sh., 1912, pp. 28. 1914; Soils F.O., 1912, pp. 1687–1710. 1915.
  Montgomery County, Kans." With C. S. Waldrop. Soil Sur. Adv. Sh., 1913, pp. 36. 1915; Soils F.O., 1913, pp. 1893–1924. 1916.
  Reno County, Kans. With others. Soil Sur. Adv. Sh., 1911, pp. 72. 1913; Soils F.O., 1911, pp. 1991–2058. 1914.
  Sabine Parish, La." With others. Soil Sur. Adv. Sh., 1919, pp. 62. 1922; Soils F.O., 1919, pp. 1041–1098. 1925.
EMERY, J. A.—
  "A practical method for the detection of beef fat in lard." B.A.I. Cir. 132, pp. 9. 1908.
  "Meat extracts, their composition and identification." With R. R. Henley. J.A.R., vol. 17, pp. 1–17. 1919.
  report of Insecticide and Fungicide Board, 1915. With others. An. Rpts., 1915, pp. 347–350. 1916; I. and F. Bd. A.R. 1915, pp. 4. 1915.
  "The use of metallic containers for edible fats and oils." B.A.I. An. Rpt., 1909, pp. 265–282. 1911.
EMERY, S. C.—
  "Mississippi River levees and their effect on river stages during flood periods." W.B. Bul. 38, pp. 21. 1910.
  "The best means of preserving records for reference and study." W.B. Bul. 31, pp. 175–177. 1902.
EMERY, W. O.—
  "Headache mixtures." Chem. Bul. 132, pp. 196–202. 1910; Chem. Bul. 137, pp. 183–186. 1911; Chem. Bul. 152, pp. 236–241. 1912; Chem. Bul. 162, pp. 193–201. 1913.
  "The melting temperature of aspirin and salicylic acid mixtures." With C. D. Wright. Chem. Bul. 162, pp. 202–203. 1913.
  "The volatile acidity of gum tragacanth compared with that of Indian gum." Chem. Cir. 94, pp. 5. 1912.
Eminent domain, right of, relation to irrigation districts. D.B. 1177, p. 37. 1923.
Emma Briggs (horse), history and pedigree. B.A.I. Cir. 137, pp. 91, 130. 1908; B.A.I. An. Rpt., 1907, pp. 91, 130. 1909.
Emmer—
  adaptability to western Kansas. Soil Sur. Adv. Sh., 1910, p. 94. 1912; Soils F.O., 1910, p. 1432. 1912.
  adaptation—
    for cultivation, United States. F.B. 139, p. 8. 1901.
    to—
      dry lands. B.P.I. Cir. 12, p. 5. 1908.
      Eastern and Central States. B.P.I. Chief Rpt., 1909, p. 43. 1909; An. Rpts., 1909, p. 295. 1910.
      soil and climate. F.B. 1429, p. 5. 1924.
  analyses, kernels and chaff. F.B. 466, pp. 19–21. 1911; F.B. 139, p. 12. 1901; Chem. Bul. 120, pp. 30–32, 55. 1909.
  analytical key and description of seedlings. D.B. 461, p. 27. 1917.
  and—
    einkorn, resistance to rust. F.B. 219, p. 15. 1905.
    spelt. John H. Martin and Clyde E. Leighty. F.B. 1429, pp. 13. 1924.
  antiquity of use and cultivation. B.P.I. Bul. 180, p. 41. 1910.

Emmer—Continued.
  Black Winter—
    resistance to cold, rust and drought. An. Rpts., 1907, p. 313. 1908.
    test and quality, yield per acre, Utah. B.P.I. Cir. 61, pp. 15–16. 1910.
  characteristics, history, and distribution. F.B. 139, pp. 6–8. 1901; F.B. 466, pp. 5–8. 1911.
  classification and description. D.B. 772, p. 89. 1920.
  comparison—
    of synthetic form with wild form. J.A.R., vol. 28, pp. 515–520. 1924.
    with other grains in feeding value and yield. F.B. 466, pp. 17–19. 1911.
  content of manganese and occurrence. J.A.R., vol. 5, p. 353. 1915.
  crossing with wheat to increase hardiness. F.B. 466, pp. 22–23, 24. 1911.
  cultivation, semiarid regions. B.P.I. Bul. 215, p. 33. 1911.
  digestible nutrients, comparison with oats and einkorn. F.B. 466, p. 21. 1911.
  distinction from wild wheat. B.P.I. Bul. 274, pp. 13, 27. 1913.
  experiments at—
    Akron field station, 1908–1915, varieties and yields. D.B. 402, pp. 31, 34. 1916.
    Cheyenne farm, varieties, seeding rates and yields, 1913–1915. D.B. 430, pp. 25–26. 1916.
  feed for stock. F.B. 305, pp. 17–19. 1907.
  food use for man and livestock. F.B. 466, pp. 17–18. 1911; F.B. 1429, p. 12. 1924.
  freezing point and sap density. J.A.R., vol. 13, pp. 500–504. 1918.
  grain for the semiarid regions. Mark Alfred Carleton. F.B. 139, pp. 16. 1901.
  growing—
    and—
      uses, with spelt and einkorn. John H. Martin and Clyde E. Leighty. D.B. 1197, pp. 60. 1924.
    yield, Texas Panhandle. F.B. 738, p. 12. 1916; Soil Sur. Adv. Sh. (Recon.), 1910, pp. 40, 54. 1911; Soils F.O., 1910, pp. 996, 1010. 1912.
  experiments and results, at Belle Fourche farm. D.B. 297, p. 38. 1915.
  experiments at Williston, 1909–1914, varieties and yield. D.B. 270, pp. 33, 34, 36. 1915.
  in—
    Alaska, at Fairbanks station. Alaska A.R., 1908, pp. 35, 38. 1909; Alaska A.R., 1910, p. 37. 1911.
    California, varietal experiments. D.B. 1172, pp. 31, 33. 1923.
    Colorado, experiments. D.B. 1287, pp. 49–50. 1925.
    Nebraska, Scottsbluff County, value as horse feed. Soil Sur. Adv. Sh., 1913, p. 14. 1915; Soils F.O., 1913, p. 2068. 1916.
    Utah dry lands, details. F.B. 883, p. 18. 1917.
    western North and South Dakota. F.B. 878, p. 16. 1917.
  reports of tests in United States. F.B. 139, pp. 9–11. 1901.
  harvesting and threshing. F.B. 1429, p. 8. 1924.
  Indian, importation and description. No. 39227, B.P.I. Inv. 40, p. 94. 1917; No. 53078, B.P.I. Inv. 67, p. 25. 1923.
  production—
    and feed use. Y.B., 1923, p. 365. 1924; Y.B. Sep. 895, p. 365. 1924.
    in Russia. F.B. 139, p. 7. 1901.
  rust resistance. F.B. 219, p. 15. 1905; Y.B., 1917, p. 492. 1918; Y.B. Sep. 755, p. 13. 1918.
  seed, introduction and distribution through the United States. F.B. 466, pp. 9, 23. 1911.
  spring—
    growing experiments, Belle Fourche Farm. D.B. 1039, pp. 36, 41, 71. 1922.
    testing at Moro, 1911–1915. D.B. 498, pp. 35–36. 1917.
  use—
    as sheep feed. D.B. 20, p. 44. 1913.
    in wheat breeding. F.B. 139, p. 15. 1901.

Emmer—Continued.
varietal tests—
at Belle Fourche Experiment Farm. D.C. 60, p. 15. 1919.
at Dickinson substation, 1907–1913, yields. D.B. 33, pp. 37, 44. 1914.
in Utah, 1908–1912, yields. D.B. 30, pp. 31–32. 49. 1913.
varieties—
descriptions and localities. D.B. 1074, pp. 193–195. 1922; F.B. 139, pp. 13–15. 1901.
experiments on irrigated land, Belle Fourche Farm, 1915–1919. D.B. 1039, pp. 59–60, 71. 1922.
for Virginia and Maryland. F.B. 786, pp. 16–17. 1917.
weight per bushel, testing. D.B. 472, pp. 5, 6, 7. 1916.
wild—
discovery. J.A.R., vol. 19, p. 525. 1920.
from Palestine, introduction and testing. B.P.I. Bul. 180, pp. 37, 42–49. 1910; Y.B., 1911, p. 422. 1912; Y.B. Sep. 580, p. 422. 1912.
winter—
adaptation to United States, experiments and results. B.P.I. Bul. 283, pp. 29–30, 43. 1913; F.B. 466, pp. 10–16. 1911.
growing in Alaska, experiments. Alaska A.R., 1910, p. 32. 1911.
tests and yield per acre. B.P.I. Cir. 61, pp. 15–16. 1910.
varietal tests, Maryland and Virginia. D.B. 336, pp. 26–30. 1916.
varietal tests, Texas. B.P.I. Bul. 283, pp. 25, 27, 42, 43, 76, 77, 78. 1913.
yield in—
Kansas experiments, 1904–1909. B.P.I. Bul. 240, pp. 18–19. 1912.
pounds per acre, comparison with other grains. F.B. 466, pp. 18–19. 1911.
yields on Arlington Farm. D.B. 1309, pp. 16–17. 1925.
EMMETT, A. D.: "Studies on the influence of cooking upon the nutritive value of meats at the University of Illinois, 1903–1904." With H. S. Grindley. O.E.S. Bul. 162, pp. 230. 1905.
Emmett's Remedy, for horses, mules, and cows, misbranding. Chem. S.R.A. 43, pp. 1009–1010. 1923.
Empetrum nigrum. See Crowberry, black.
Emphitus cinctus. See Sawfly.
Emphysema—
cattle, causes and treatment. B.A.I. [Misc.], "Diseases of cattle," rev., pp. 97–98, 346. 1912; rev., p. 334. 1923.
mesenteric, of hogs. B.A.I. An. Rpt., 1907, p. 45. 1909.
See also Heaves.
Emphysematous anthrax. See Blackleg.
Empidonax spp. See Flycatcher.
Employees—
Agriculture Department, indexed list of principal. Pub. Cir. 1, pp. 49–72. 1912.
as witnesses, regulations. B.A.I. S. R. A. 206, pp. 73–74. 1924.
assignment, requirements. Off. Rec., vol. 4, No. 6, p. 4. 1925.
bonus bill. Off. Rec., vol. 2, No. 10, p. 2. 1923.
civil, grading. Off. Rec., vol. 2, No. 2, p. 8. 1923.
compensation—
act, amendment. Off. Rec., vol. 1, No. 24, p. 2. 1922.
from outside sources, restrictions. B.A.I.S.R.A. 147, pp. 76–77. 1919.
laws relating to, 1916. Sol. [Misc.], "Laws applicable * * * Agriculture," Sup. 4, pp. 100–111. 1917.
department—
deceased, balances due, examination by Solicitor, 1913. An. Rpts., 1013, p. 326. 1914; Sol. A.R., 1913, p. 28. 1913.
growth of force, 1863, 1907. Appt. Clerk A.R., 1907, pp. 13–19. 1907.
in Washington, D. C., and elsewhere, number. An. Rpts., 1910, p. 908. 1911; Appt. Clerk A.R., 1910, p. 16. 1910.
efficiency helps. Off. Rec., vol. 2, No. 2, p. 4. 1923.
expenses allowable when sent as witness, restrictions. Sol. [Misc.], "Laws applicable * * * Agriculture," Sup. 2, pp. 100–101. 1915.

Employees—Continued.
extension, relation to agricultural organizations. D.C. 251, pp. 48–49. 1923.
field—
ruling on maintenance, quarters. Off. Rec., vol. 4, No. 30, pp. 1–2. 1925.
temporary, oaths of office. B.A.I. S.R.A. 104, p. 137. 1916.
Forest Service in Alaska, leave of absence allowed to. Sol. [Misc.], "Laws applicable * * * Agriculture," Sup., 2, pp. 60–61. 1915.
Government—
hotel rates. B.A.I.S.R.A. 201, pp. 9–11. 1924.
purchase from prohibited, property regulations, department, effective July 1, 1916. D. F. Houston. Adv. Com. F. and B. M. [Misc.], "Property regulations * * * Amdt. 2," p. 1. 1920.
status in National Guard, law. B.A.I.S.R.A., 112, p. 76. 1916.
holding municipal offices, executive order April 12, 1912. B.A.I.S.A. 65, p. 78. 1912.
household goods, transportation regulation. B.A.I.S.R.A. 205, p. 61. 1924.
in Alaska, Hawaii, Porto Rico and Guam, leaves of absence authorized. Sol. [Misc.], "Laws applicable * * * Agriculture," Sup., 2, p. 7. 1915.
injury on duty, compensation. S.R.A.,B.A.I. 187, pp. 135–136. 1922.
jury service, regulations. B.A.I.S.R.A. 212, p. 130. 1925.
leave of absence as National Guard members. Sol. [Misc.], "Laws applicable * * * Agriculture," Sup., 2, pp. 101–102. 1915.
loss in World War. Off. Rec., vol. 1, No. 23, p. 4. 1922.
meat inspection, assignment, regulations. B.A.I.O. 211, rev., p. 7. 1922.
medical attention by Government. Off. Rec., vol. 2, No. 24, p. 4. 1923.
misconduct, examination of charges by Solicitor. An. Rpts., 1913, p. 300. 1914; Sol. A.R., 1913, p. 2, 1913.
national forests, appointment, qualifications and duties. For. [Misc.], O. 9, pp. 4. 1919.
new appointees, bonus certification. B.A.I.S.R.A. 197, p. 83. 1923.
number in department, June 30, 1921. Sec. A.R. 1921, p. 61. 1921.
per diem, pay for holidays. Off. Rec., vol. 1, No. 12, p. 4. 1922.
physical examination. Off. Rec., vol. 3, No. 3, p. 4. 1924.
political contributions, ruling. Sec. [Misc.], "Political assessments" p. 1. 1902.
preparation of articles for outside publications or radio. Off. Rec., vol. 3, No. 41, p. 4. 1924.
reinstatement, Civil Service rules. B.A.I.S.R.A. 198, p. 91. 1923.
removal or reduction. Adv. Com. F. and B. pp. 3. 1919.
[Misc.] Administrative Regulations, Amt. 1.
retirement act, amendment. S.R.A.B.A.I. 187, p. 136. 1922.
subsistence expenses, limitation of law. Sol. [Misc.], "Laws applicable * * * Agriculture," Sup. 2, p. 100. 1915.
transfer to other bureaus, payment of increase in salary. Off. Rec., vol. 1, No. 30, p. 4. 1922.
travel regulations. B.A.I.S.R.A. 214, pp. 18–19. 1925.
Weather Bureau, advisability of supplying with apparatus for carrying on original scientific investigations under certain conditions. Weston M. Fulton. W. B. Bul. 31, pp. 22–28. 1902.
Employment—
agencies, aid in placing farm labor. D.B. 1285, pp. 17–18. 1925.
national forests, information regarding. For. [Misc.], O.-9, pp. 4. 1919.
Employment Service—
Federal, offices in wheat belt, and work. D.B. 1020, pp. 16, 18, 25, 26, 27, 28, 33–34. 1922; D.B. 1211, pp. 11, 14–15. 1924.
State, offices, location, and cooperative work. D.B. 1020, pp. 27–28, 33. 1922.
Empoa rosea—
control and life history. F.B. 1270, pp. 26–27. 1922.
See also Rose leaf hopper.

Empoasca—
  mali—
    description, life history, and control. Ent. Bul. 108, pp. 44, 100–103. 1912; F.B. 1270, pp. 27–28. 1922.
    injury to beans and cowpeas. D.B. 192, pp. 3, 10. 1915.
    See also Potato leaf hopper.
  sp.—
    description, range, injury to beets, control measures. Ent. Bul. 66, Pt. IV, pp. 51–52. 1910.
    injuries to the sugar beet. Ent. Bul. 66, p. 51. 1910.
Empusa—
  aphidis—
    fungous enemy of yellow clover aphid. Ent. T.B. 25, Pt. II, p. 39. 1914.
    See Gray fungus.
  aulicae, fungous enemy of caterpillars. Ent. Bul. 87, p. 70. 1910.
  muscae—
    enemy of flies. F.B. 459, p. 15. 1911.
    fungous enemy of flies. F.B. 679, p. 11. 1915.
  sp., fungous enemy of—
    army worm. Ent. Bul. 66, Pt. V., p. 65. 1910.
    grass worm. D.B. 192, p. 7. 1915.
  sphaerosperma, fungous, enemy of—
    alfalfa weevil. Ent. Bul. 112, p. 41. 1912.
    the lesser cloverleaf weevil. D.B. 992, pp. 16–17. 1920; Ent. Bul. 85, p. 11. 1911.
Empyreuma lichas, injurious to oleander, description and control. P.R. An. Rpt., 1914, p. 45. 1916.
Emulsifier, use in preparation of miscible oils. F.B. 329, p. 27. 1908.
Emulsin experimental work with *Penicillium* and *Aspergillus* molds. B.A.I. Bul. 120, pp. 23–25, 49–50. 1910.
Emulsin, hydrolysis of salicin. Chem. Cir. 47, pp. 1–8. 1909.
Emulsion(s)—
  activity, effects of acids and alkalis. Chem. Cir. 47, p. 7. 1909.
  Beaumont oil, formula. B.A.I. [Misc.], "Diseases of cattle," rev., p. 528. 1912.
  boiled-oil, Government formula. D.B. 1118, p. 33. 1923.
  Bordeaux-mixture-kerosene, use as scale insecticide. Ent. Bul. 30, p. 37. 1901.
  carbolic-acid, use and value in control of cabbage maggot. F.B. 856, p. 36. 1917.
  caustic soda and kerosene for use in hedorning calves. F.B. 350, p. 14. 1909; B.A.I. An. Rpt. 1907, p. 306. 1909.
  creosote-zinc-chloride, analyses. For. Bul. 126, pp. 83–85. 1913.
  cresol-soap-distillate, use in mealybug control, formula and cautions. F.B. 1309, p. 10. 1923.
  crude petroleum, formula and directions for making. F.B. 650, p. 25. 1915.
  destructive of Japanese beetle larvae. B. R. Leach and J. P. Johnson. D.B. 1332, pp. 18. 1925.
  distillate-oil—
    formula. Ent. Bul. 80, pp. 65, 149, 158. 1912. Ent. Bul. 118, p. 43. 1912.
    spraying orange thrips, experiments. Ent. Bul. 99, pp. 10–12. 1911.
  dust preventives, roads. Rds. Bul. 34, pp. 42–48. 1908.
  kerosene—
    adulteration, opinion. I. and F. Bd. S.R.A. 10, pp. 31–32. 1915.
    formula—
      and directions for making. F.B. 650, pp. 24–25. 1915.
      for chinch-bug control. F.B. 657, pp. 18, 27. 1915.
    lime, formula, use as scale insecticide. Ent. Bul. 30, pp. 37–38. 1901.
    oil, use for lice control on hogs. News L., vol. 3, No. 26, p. 4. 1916.
  lubricating-oil—
    control of San José scale, preliminary report on. A. J. Ackerman. D.C. 263, pp. 18. 1923.
    preparation, directions. D.C. 263, pp. 13–17. 1923.

Emulsion(s)—Continued.
  oil, formulas—
    and directions for making. Ent. Bul. 80, pp. 65, 148–159. 1912; F.B. 933, pp. 17–21. 1918.
    for use in scale control. P.R. An. Rpt., 1920, p. 24. 1921.
  petroleum—
    formulas, for spraying or dipping cattle. F.B. 378, pp. 21–22, 25. 1909; F.B. 498, pp. 26–27. 1912.
    preparations. T. M. Price. B.A.I. Cir. 89, pp. 4. 1905.
  pine-oil and pine-distillate product, production methods, chemical properties, and disinfectant action. L. P. Shippen and E. L. Griffin. D.B. 989, pp. 16. 1921.
  spray, making and use. J.A.R., vol. 31, pp. 59–65. 1925.
  spraying, formulas and cost. F.B. 329, p. 27. 1908.
  stock, directions for preparing and diluting. F.B. 1223, pp. 21–22. 1922.
  tar, preparation for use in cattle dips. B.A.I. Cir. 207, p. 7. 1912.
  use in—
    control of walnut aphides, formulas, etc. D.B. 100, pp. 40–45. 1914.
    destruction of Japanese beetle larvae, summary of study. D.B. 1332, pp. 16–17. 1925.
  used as dust preventives. Y.B., 1907, pp. 263–266. 1908; Y.B. Sep. 448, pp. 263–266. 1908.
  viscosity and volatility, relation to penetration. J.A.R., vol 13, pp. 528–530. 1918.
Enamel—
  kitchen utensils, advantages and disadvantages. Thrift Leaf. 10, p. 2. 1919.
  paints, nature and use. F.B. 1452, pp. 9, 11. 1925.
Enameled ware, cleaning and care, directions. F.B. 1180, p. 20. 1921.
Enargea spp., importations and descriptions. Nos. 35948–35950. B.P.I. Inv. 36, p. 29. 1915.
Enargia radicans, importations and description. Nos. 33865–33866, B.P.I. Inv. 31, p. 63. 1914.
Enarmonia prunivora. *See* Apple worm, lesser; Codling moth.
Encarsia spp., parasites of white fly. Ent. Bul. 102, p. 8. 1912.
Encephalartos villosus, nitrogen-gathering root nodules, formation and description. Y.B., 1910, p. 216. 1911; Y.B. Sep. 530, p. 216. 1911.
Endive—
  Alaska, growing at Sitka station. Alaska A.R., 1910, p. 17. 1911.
  cultural directions and varieties. F.B. 937, p. 39. 1918; F.B. 255, p. 33. 1906; D.C. Cir. 48, p. 9. 1919; S.R.S. Doc. 49, p. 5. 1917.
  seed saving, directions. F.B. 1390, p. 8. 1924; F.B. 884, p. 9. 1917.
Endocarditis, cattle, symptoms and treatment. B.A.I. [Misc.], "Diseases of cattle," rev., pp. 81–82. 1923; rev., pp. 78–80. 1912.
Endogens, growth studies. J.A.R., vol. 31, pp. 420–421, 447–450. 1925.
Endolepis dioica, description. D.B. 1345, p. 23. 1925.
Endosperm—
  changes, investigations, conclusions. D.B. 183, pp. 10–12. 1915.
  in maize, discussion, heredity studies. B.P.I. Bul. 272, pp. 7–9, 10–22. 1913; D.B. 754, pp. 10–29. 1919.
  texture and aleurone color in corn, correlation. D.B. 754, pp. 65–97. 1919.
  waxy—
    in maize, inheritance. J.H. Kempton. D.B. 754, pp. 99. 1919.
    inheritance in hybrid sweet corn. B.P.I. Cir. 120, pp. 21–27. 1913.
Endothia—
  parasitica—
    and related species. C. L. Shear and others. D.B. 380, pp. 82. 1917.
    cause of chestnut-bark disease, description. Y.B., 1912, pp. 364–365, 367. 1913; Y.B. Sep. 598, pp. 364–365, 367. 1913.
    distribution in United States. D.B. 380, pp. 59, 76. 1917.

Endothia—Continued.
  parasitica—continued.
    food of *Neoclytus capraea*. J.A.R., vol. 22, p. 193. 1921.
    resistance of Chinese chinquapin. No. 45949, B.P.I. Inv. 54, p. 47. 1922.
    See also Chestnut-bark disease; Chestnut blight.
  spp.—
    description, cultural characters, and mediums. B.P.I. Cir. 131, pp. 3-18. 1913.
    distribution, and factors influencing distribution. D.B. 380, pp. 48-54, 76. 1917.
Energy—
  available, food and body material. O.E.S. Bul. 99, p. 112. 1901.
  chemical, losses in animal feeding. J.A.R., vol. 3, pp. 439-453. 1915.
  metabolism, relation to muscular work, experimental study. O.E.S. Bul. 98, pp. 15-31, 52-53, 55-56. 1901.
  sources for Azotobacter growth. J.A.R., vol. 24, p. 267. 1923.
  values—
    computation of rations for farm animals. D.B. 459, pp. 1-31. 1916; J.A.R., vol. 3, pp. 483-489. 1915.
    foods, calculation methods. Chem. Bul. 120, pp. 13-16. 1909; D.B. 975, pp. 1-36. 1921. F.B. 142, p. 11. 1902.
ENGELBERT, E. E.—
  "Bank loans to farmers on personal and collateral security." With V. N. Valgren. D.B. 1048, pp. 26. 1922.
  "Farm mortgage loans by banks, insurance companies, and other agencies." With V. N. Valgren. D.B. 1047, pp. 23. 1922.
  "The credit association as an agency for rural short-time credit." With V. N. Valgren. D.C. 197, pp. 24. 1921.
Engelhardtia—
  acerifolia, importation and description. No. 42765, B.P.I. Inv. 47, p. 61. 1920.
  spicata, importation and description. No. 47842, B.P.I. Inv. 59, p. 67. 1922.
Engine(s)—
  auxiliary binder, use, cost, fuel and repairs. D.B. 627, pp. 9-11, 18. 1918.
  cooling system, description. Y.B., 1916, p. 515. 1917; Y.B. Sep. 703, p. 9. 1917.
  donkey—
    use in clearing land, method, and costs of outfit and work. B.P.I. Bul. 239, pp. 33-45. 1912.
    use in yarding and hauling logs, costs. D.B. 440, pp. 23-33, 36-41. 1917.
  farm—
    machinery, selection. Y.B., 1915, p. 104. 1916; Y.B. Sep. 660, p. 104. 1916.
    use of alcohol and gasoline. S. M. Woodward. F.B. 277, pp. 40. 1907.
  gas—
    care and repair. Off. Rec., vol. 4, No. 46, p. 6. 1925.
    instructions for farmers, extension work. D.C. 270, pp. 11-12. 1924.
    running, practical hints. A. P. Yerkes. F.B. 1013, pp. 16. 1919.
  gasoline—
    for—
      pumping plants. O.E.S. Bul. 158, pp. 199-213, 250, 252. 1905.
      stump pulling. B.P.I. Bul. 239, p. 46. 1912.
      traction plowing, types, description, cost, and cost of operation. B.P.I. Bul. 170, pp. 14, 28, 34. 1910; B.P.I. Cir. 10, pp. 2-3. 1908.
      use in wheat growing, North Dakota, Barnes County. Soil Sur. Adv. Sh., 1912, pp. 11, 12, 1914; Soils F.O., 1912, pp. 1927, 1928. 1915.
    internal-combustion—
      tests, on alcohol fuel. Charles Edward Lucke and S. M. Woodward. O.E.S. Bul. 191, pp. 89. 1907.
      use in pumping plants, fuel, etc. D.B. 1067, pp. 5-6. 1922; Y.B., 1916, pp. 515, 519-520. 1917; Y.B. Sep. 703, pp. 9, 13-14. 1917.
    loading description and costs. D.B. 711, pp. 165-175. 1918.
    nuts, care of. F.B. 1013, p. 5. 1919.
    parts, wiring and running, school exercises. F.B. 638 pp. 7-8. 1915.

Engine—Continued.
  pumping—
    for farm houses, cost. Y.B., 1909, p. 350. 1910; Y.B. Sep. 518, p. 350. 1910.
    plant, description and cost. D.B. 71, pp. 26-51. 1914; D.B. 304, pp. 38-39. 1915; F.B. 899, pp. 14-15. 1917; O.E.S. Bul. 243, p. 33. 1911; O.E.S. Cir. 101, pp. 23-33. 1910.
  roading, description and costs. D.B. 711, pp. 148-153. 1918.
  small sawmills, description and prices. D.B. 718, pp. 16-21. 1918.
  solid-stream, sprayer, description. D. B. 480. p. 4. 1917.
  steam—
    efficiency, comparison with human body. Y.B., 1910, p. 315. 1911; Y.B. Sep. 539, p. 315. 1911.
    source of power for pumping plants, description. D.B. 1067, p. 5. 1922.
    traction, manufacture and sale, 1920. D.C. 212, p. 4. 1922.
  troubles, list. F.B. 1013, pp. 15-16. 1919.
  use in farm homes, needs of farm women. Rpt. 104, pp. 30-34, 38. 1915.
  yarding, description, use, prices and maintenance. D.B. 711, pp. 57, 74-94, 110-114, 118. 1918.
  See also Machinery.
Engineer(s)—
  and chemists, state highway, standard forms for specifications and tests. D.B. 555, pp. 1-56. 1917; D.B. 949, pp. 1-98. 1921.
  building, course at Forest Products Laboratory. Off. Rec., vol. 2, No. 45, p. 3. 1923.
  Chemical, meeting and program. Off. Rec., vol. 2, No. 38, p. 3. 1923.
  drainage, duties. O.E.S. Bul. 243, p. 9. 1911.
  forest, organization for war service. Y.B., 1917, pp. 50-51, 80. 1918.
  harmonizing road specifications. Off. Rec., vol. 1, No. 14, p. 2. 1922.
  highway, training methods. Off. Rec., vol. 1, No. 35, p. 5. 1922.
  liberal education. H. W. Tyler. O.E.S. Bul. 164, pp. 90-92. 1906.
  road—
    building problems. S.R.S. Syl. 29, pp. 3-4. 1917.
    duties and value, comparison with highway commissions. Rds. Bul. 42, pp. 25-26. 1912.
    rural, aid to farm life. Y.B., 1915, pp. 101-112. 1916; Y.B. Sep. 660, pp. 101-112. 1916.
  State—
    duties in Wyoming. O.E.S. Bul. 205, pp. 50-52. 1909.
    relation to irrigation. R. P. Teele. O.E.S. Bul. 168, pp. 99. 1906.
  timber tests, instructions. W. Kendrick Hatt. For. Cir. 38, pp. 55. 1906; rev., pp. 56. 1909.
Engineering—
  agricultural—
    extension work, 1922. George R. Boyd. D.C. 270, pp. 16. 1924.
    work in 1923. Guy Ervin. D.C. 344, pp. 10. 1925.
  constructions, use of oil-mixed concrete, methods. D.B. 230, pp. 15-16. 1915.
  demonstration work among negroes. D.C. 355, pp. 12-13. 1925.
  education, development in land-grant colleges. W. E. Stone. O.E.S. Bul. 196, pp. 55-60. 1907.
  farm—
    extension work, 1923. D.C. 344, pp. 4-6. 1925.
    problems, study. Off. Rec., vol. 1, No. 38, p. 3. 1922.
  features of drainage. C. G. Elliot. Y.B., 1902, pp. 231-244. 1903; Y.B. Sep. 265, pp. 231-244. 1903.
  landscape, in national forests. Frank A. Waugh. For. [Misc.], "Landscape engineering * * *," pp. 38. 1918.
  rural—
    course—
      for southern schools, references. D.B. 592, pp. 22-31. 1917.
      needed in colleges. Sec. Cir. 153, p. 7. 1920.
      help to farm life. Y.B., 1915, pp. 101-112. 1915; Y.B. Sep. 660, pp. 101-112. 1915.

Engineering—Continued.
  rural—continued.
    scope of term. O.E.S. Cir. 77, rev., p. 2. 1908.
    teaching in high school, irrigation, drainage, etc. Y.B., 1912, p. 480. 1913; Y.B. Sep. 607, p. 480. 1913.
England—
  agricultural education, conditions. O.E.S. An. Rpt., 1909, pp. 258–263. 1910.
  and Wales, food crops acreage, and decrease of feed and pasture. Sec. [Misc.], "Report * * * agricultural commission * * *," pp. 35–47. 1919.
  apple pomace, drying industry. D.B. 1166, pp. 3, 5. 1923.
  cattle—
    feeding, use of oil meals and cake. Rpt. 112, pp. 18, 20. 1916.
    testing for tuberculosis, results. B.A.I. [Misc.], "Diseases of cattle," rev., pp. 414–415. 1912.
  cider making, comparison with American work. Chem. Bul. 71, pp. 18–19, 26–27, 39–41, 71–74, 110–111, 112. 1903.
  cotton straddles, 1915. Mkts. S.R.A. 9, pp. 104–105. 1916.
  deer parks, number, and area of the ten largest. Biol. Cir. 72, p. 4. 1910.
  drainage—
    by pumping. O.E.S. Bul. 243, pp. 11, 25. 1911.
    projects, areas, and cost. D.B. 304, pp. 4–6, 16, 24, 37. 1915.
  experiment farms, establishment. O.E.S. An. Rpt., 1911, p. 67. 1913.
  farm products, estimate, 1914, with comparisons. F.B. 620, p. 16. 1914.
  fisheries. Y.B., 1913, p. 193. 1914; Y.B. Sep. 623, p. 193. 1914.
  food laws affecting American exports. Chem. Bul. 61, p. 18. 1901.
  foot-and-mouth disease. News L., vol. 6, No. 37, p. 8. 1919.
  forestry policy, and plan of reforestation. Sec. Cir. 129, p. 6. 1919; Sec. Cir. 140, p. 3. 1919.
  grain production, acreage, etc. Stat. Bul. 68, pp. 97–99. 1908.
  legislation protecting birds. Biol. Bul. 12, rev., p. 17. 1902.
  meat imports from Argentina. B.A.I. An. Rpt., 1908, pp. 315–316. 1910.
  nursery conditions. F.B. 453, p. 14. 1911.
  partridge rearing and driving. Y.B., 1909, p. 253. 1910; Y.B. Sep. 510, p. 253. 1910.
  plant imports, regulations. F.H.B.S.R.A. 74, pp. 46–48. 1923.
  potatoes, production, 1909–1913, 1921–1923. Stat. Bul. 10, p. 19. 1925.
  poultry fattening. B.A.I. Bul. 140, pp. 8–9, 15. 1911.
  rabies, eradication by muzzling dogs. B.A.I. An. Rpt., 1909, pp. 213, 214. 1911; F.B. 449, pp. 20, 21. 1911.
  rat extermination, organized work. Biol. Bul. 33, pp. 52, 53. 1909.
  road management, costs. Rds. Bul. 48, pp. 9, 56, 63–66. 1913.
  sheep industry, management. B.A.I. Cir. 81, pp. 71–79. 1905.
  soils—
    chemical composition. Soils Bul. 57, pp. 94–99. 1909.
    similarity to Pennsylvania. Off. Rec., vol. 1, No. 30, p. 2. 1922.
  typhoid caused by polluted oysters, investigations. Chem. Bul. 156, pp. 7, 8, 9–10. 1912.
  wheat prices, 1859–1921. Y.B. 1922, pp. 605–606. 1923; Y.B. Sep. 881, pp. 605–606. 1923.
Engle, C. C., "Soil survey of—
  Chautauqua County, New York." With others. Soil Sur. Adv. Sh., 1914, pp. 60. 1916; Soils F.O., 1914, pp. 271–326. 1919.
  the Belvidere area, New Jersey." With others. Soil Sur. Adv. Sh., 1917, pp. 72. 1920; Soils F.O., 1917, pp. 125–192. 1923.
  the Bernardsville area, New Jersey." With others. Soil Sur. Adv. Sh., 1919, pp. 409–468. 1923; Soils F.O. 1919, pp. 409–468. 1925.
  the Camden area, New Jersey." With others. Soil Sur. Adv. Sh., 1915, pp. 45. 1917; Soils F.O., 1915, pp. 155–195. 1919.

Engle, C. C., "Soil survey of—Continued.
  the Chatsworth area, New Jersey." With others. Soil Sur. Adv. Sh., 1919, pp. 46. 1923; Soils F.O., 1919, pp. 469–515. 1925.
  the Millville area, New Jersey." With others. Soil Sur. Adv. Sh., 1917, pp. 46. 1921; Soils F.O., 1917, pp. 193–234. 1923.
Engler viscosimeter, description. D.B. 949, p. 45. 1921.
English, L. L.; "Studies of the Mexican bean beetle in the Southeast." With Neale F. Howard D.B. 1243, pp. 51. 1924.
English, W. L., report of Oklahoma Experiment Station, work and expenditures—
  1906. O.E.S. An. Rpt., 1906, pp. 144–145. 1907.
  1907. O.E.S. An. Rpt., 1907, pp. 155–157. 1908.
English—
  bluegrass. See Fescue, meadow.
  cost. See Tansy.
  rye-grass. See Rye-grass, perennial.
Engraver beetle, destruction by birds. Biol. Bul. 30, pp. 27, 31, 33, 41, 47. 1907.
Engstrom, H. E., "Soil survey of—
  Johnson County, Nebraska." With H. L. Bedell. Soil Sur. Adv. Sh., 1920, pp. 1255–1285. 1924; Soils F.O., 1920, pp. 1255–1285. 1925.
  Pawnee County, Nebraska. With others. Soil Sur. Adv. Sh., 1920, pp. 1317–1350. 1924; Soils F.O., 1920, pp. 1317–1350. 1925.
Enicospilus purgatus, enemy of army worm. F.B. 731, pp. 3, 9. 1916; F.B. 835, p. 9. 1917.
Enkianthus—
  campanulatus, importation and description. No. 40074. B.P.I. Inv. 42, pp. 65–66. 1918.
  spp., importations and descriptions. Nos. 43845, 43846, B.P.I. Inv. 49, p. 86. 1921.
Enlows, E. M. A.—
  "A leaf blight of Kalmia latifolia." J.A.R., vol. 13, pp. 199–212. 1918.
  "Bacterial wilt of cucurbits." With Frederick V. Rand. D.B. 828, pp. 43. 1920.
  "Transmission and control of bacterial wilt of cucurbits." With Frederick V. Rand. J.A.R. vol. 6, pp. 417–434. 1916.
Enneacanthus spp. See Sunfish.
Ennyomma—
  globosa, enemy of boll weevil, notes. Ent. Bul. 100, pp. 12, 42, 45, 48, 54–68, 77. 1912; Ent. Bul. 114, p. 142. 1912.
  spp., parasites of the cowpea curculio. Ent. Bul. 85, p. 145. 1911.
Enological studies—
  cider and wine making. William B. Alwood. Chem. Bul. 129, pp. 32. 1910.
  grapes of Ohio, New York, and Virginia. William B. Alwood. Chem. Bul. 145, pp. 35. 1911.
Ensilage. See Silage.
Ensiling, Sudan grass with a legume. P. A. Wright and R. H. Shaw. J.A.R., vol. 28, pp. 255–259. 1924.
Entada polystachya, importation and description. No. 43419, B.P.I. Inv. 49, p. 15. 1921.
Entamoeba dysenteria, spread by dogs. D.B. 260, p. 22. 1915.
Entandrophragma candollei See Sapeli.
Entedon epigonus, parasite of the Hessian fly, introduction. F.B. 132, p. 19. 1901.
Entelea arborescens—
  importation and description. No. 51047, B.P.I. Inv. 64, p. 46. 1923.
  See Cork, New Zealand.
Enteritis—
  cattle—
    various forms, causes, symptoms, and treatment. B.A.I. [Misc.], "Diseases of cattle," rev., pp. 35–36, 37–38. 1904; rev., pp. 35–36, 37–38. 1912; rev., pp. 33–34, 35–36. 1923.
    See also Dysentery.
  necrotic—
    hog, study. An. Rpts., 1923, p. 247. 1924; B.A.I. Chief Rpt., 1923, p. 49. 1923.
    of pigs, symptoms and control. B.A.I. Doc. A–20, pp. 1–2. 1917; F.B. 1244, pp. 11–12. 1923; Sec. Cir. 84, p. 22. 1918.
    studies. B.A.I Chief Rpt., 1924, pp. 34–35. 1924.
  pheasant, causes and treatment. F.B. 390, p. 38. 1910.

INDEX TO PUBLICATIONS, 1901–1925 789

Entero-hepatitis -
  cause, symptoms, and treatment. F.B. 530, pp. 16–19. 1913.
  See also Blackhead.
Enterolobium—
  cyclocarpum, importations and descriptions. No. 35591. B.P.I. Inv. 35, p. 58. 1915; No. 40995, B.P.I. Inv. 44, p. 28. 1918; No. 44746, B.P.I. Inv. 51, pp. 58–59. 1922; No. 51406, B.P.I. Inv. 65, p. 14. 1923.
  sp., importation and description. No. 46744, B.P.I. Inv. 57, p. 28. 1922.
Enthrips spp.—
  enemies of the red spider. Ent. Cir. 150, p. 9. 1912.
  key and description of new species. Ent. T.B. 23, Pt. I, pp. 10–14. 1912.
Entoloma grayanum, description. D.B. 175, p. 28. 1915.
Entomologist(s)—
  Economic Association—
    12th annual meeting, proceedings, 1900. Ent. Bul. 26, pp. 102. 1901.
    13th annual meeting, proceedings, 1901. Ent. Bul. 31, pp. 100. 1902.
    14th annual meeting, proceedings, 1902. Ent. Bul. 37, pp. 127. 1902.
    15th annual meeting, proceedings, 1902. Ent. Bul. 40, pp. 124. 1903.
    16th annual meeting, proceedings, 1903. Ent. Bul. 46, pp. 113. 1904.
    17th annual meeting, proceedings, 1904. Ent. Bul. 52, pp. 123. 1905.
    18th annual meeting, proceedings, 1906. Ent. Bul. 60, pp. 206. 1906.
    19th annual meeting, proceedings, 1906. Ent. Bul. 67, pp. 145. 1907.
  for city or community. F.B. 1169, p. 8. 1921.
  Hawaii Experiment Station, report—
    1907. D. L. Van Dine. Hawaii A.R., 1907, pp. 25–51. 1908.
    1908. D. L. Van Dine. Hawaii A.R., 1908, pp. 17–41. 1909.
    1909. David T. Fullaway. Hawaii A.R., 1909, pp. 17–46. 1910.
    1910. D.T. Fullaway. Hawaii A.R., 1910, pp. 19–24. 1911.
    1911. D. T. Fullaway. Hawaii A.R., 1911, pp. 17–24. 1912.
    1912. D. T. Fullaway. Hawaii A.R., 1912, pp. 16–34. 1913.
    1913. David T. Fullaway. Hawaii A.R., 1913, pp. 18–21. 1914.
  Porto Rico Experiment Station, report—
    1904. O. W. Barrett. O.E.S. An. Rpt., 1904, pp. 387–397. 1905.
    1905. O. W. Barrett. O.E.S. Bul. 171, pp. 2–123. 1906.
    1908. W. V. Tower. P.R. An. Rpt., 1908, pp. 23–28. 1909.
    1909. W. V. Tower. P.R. An. Rpt., 1909, pp. 24–28. 1910.
    1910. W. V. Tower. P.R. An. Rpt., 1910, pp. 31–34. 1911.
    1911. W. V. Tower. P.R. An. Rpt., 1911, pp. 32–36. 1912.
    1912. C. W. Hooker. P. R. An. Rpt., 1912, pp. 34–38. 1913.
    1914. R. H. Van Zwaluwenburg. P.R. An. Rpt., 1914, pp. 31–35. 1915.
    1915. R. H. Van Zwaluwenburg. P.R. An. Rpt., 1915, pp. 42–45. 1916.
    1916. R. H. Van Zwaluwenburg. P.R. An. Rpt., 1916, pp. 25–28. 1918.
    1917. R. H. Van Zwaluwenburg. P. R. An. Rpt., 1917, pp. 31–34. 1918.
    1918. W. V. Tower. P.R. An. Rpt., 1918, pp. 15–17. 1920.
    1919. W. V. Tower. P.R. An. Rpt., 1919, pp. 21–25. 1920.
    1920. W. V. Tower. P.R. An. Rpt., 1920, pp. 23–27. 1921.
  State and Federal, aid in insect control. F.B. 1169, p. 8. 1921.
Entomology—
  American economic, bibliography of the more important contributions. Pt. VII. Nathan Banks. Ent. [Misc.], "Bibliography of the more * * *," pp. 113. 1901; Pt. VIII, pp. 132. 1905.

Entomology—Continued.
  economic—
    catalogue of exhibit at—
      Lewis and Clark Centennial Exposition, Portland, Oregon, 1905. Rolla P. Currie. Ent. Bul. 53, pp. 127. 1905.
      Louisiana Purchase Exposition. E. S. G. Titus and F. C. Pratt. D.B. 47, rev., pp. 155. 1904.
    definition, discussion. Ent. Bul. 67, p. 78. 1907.
    exhibit at World's Columbian Exposition. Ent. Bul. 31, pp. 100. 1902.
    research under Adams Act. Ent. Bul. 67, pp. 77–85. 1907.
    field laboratory at Sandusky, Ohio, corn borer work. D.B. 1103, p. 30. 1922.
    index to—
      Bulletins Nos. 1–30 (new series) (1896–1901): Nathan Banks. Ent. Bul. 36, pp. 68. 1902.
      Circulars 1–100. Rolla P. Currie and Andrew N. Caudell. Ent. Cir. 100, pp. 49. 1911.
    interstate character of work. Y.B., 1913, pp. 90, 91. 1914; Y.B. Sep. 616, pp. 90, 91. 1914.
    laboratory in France. Off. Rec., vol. 2, Nos. 32, 33, p. 2. 1923.
    Mexican work, note. Ent. Bul. 30, p. 96. 1901.
    nomenclature, committee report. Ent. Bul. 60, pp. 25–27. 1906.
    practical, for farmers. F. M. Webster. Y.B., 1913, pp. 75–92. 1914; Y.B. Sep. 616, pp. 75–92. 1914.
    publications in the department library. Lib. Bul. 55, pp. 562. 1906.
    report of section. M. V. Slingerland. O.E.S. Bul. 115, pp. 21–22. 1902.
    specimen types, care. Ent. Bul. 60, p. 51. 1906.
    technical terms, explanation. Ent. Bul. 83, Pt. I, pp. 38–41. 1909; Ent. Bul. 108, pp. 51–52. 1912.
Entomology, Bureau of—
  appropriations and disbursements—
    1910. Accts. Rpt., 1910, pp. 9, 54. 1910; An. Rpts., 1910, pp. 571, 616. 1911.
    1911. Accts. Rpt., 1911, p. 13. 1911; An. Rpts. 1911, p. 559. 1912.
    1912. Accts. Rpt., 1912, pp. 14, 27–32. 1912; An. Rpts., 1912, pp. 690, 703, 708. 1913.
    1915. Sol. [Misc.], "Laws applicable * * * Agriculture," Sup. 3, pp. 41–42. 1915.
    1916. Sol. [Misc.], "Laws applicable * * * Agriculture," Sup. 4, pp. 53–54. 1917.
  boll weevil investigation, 1904. F.B. 189, pp. 14–20. 1904.
  building, history and cost. Off. Rec., vol. 1, No. 27, p. 1. 1922.
  field stations, list. Off. Rec., vol. 3, No. 9, p. 3. 1924.
  force, growth, 1881–1908. An. Rpts., 1908, p. 776. 1909; Appt. Clerk A.R., 1908, p. 8. 1908.
  list of publications. Mabel Colcord. Ent. Cir. 76, pp. 21. 1906.
  moth control work, New England. F.B. 845, pp. 26–28. 1917; F.B. 1335, pp. 26–27. 1923.
  motion picture films, list. D.C. 114, p. 20. 1920; D.C. 233, pp. 10–11. 1922.
  publications, list—
    Mabel Colcord. Ent. Cir. 76, pp. 29. 1906.
    revised to Feb. 1, 1910. Mabel Colcord. Ent. Cir. 76, rev., pp. 32. 1910.
    February 1, 1911. Pub. Cir. 16, pp. 9. 1911.
  report of chief—
    1901. L. O. Howard. An. Rpts., 1901, pp. 141–150. 1902; Ent. A.R., 1901, pp. 10. 1901.
    1902. C. L. Marlatt, acting chief. An. Rpts. 1902, pp. 189–207. 1903; Ent. A.R., 1902, pp. 17. 1902.
    1903. L. O. Howard. An. Rpts., 1903, pp. 227–243. 1904; Ent. A.R., 1903, pp. 17. 1903.
    1904. L. O. Howard. An. Rpts., 1904, pp. 271–289. 1904; Ent. A.R., 1904, pp. 17. 1904.
    1905. L. O. Howard. An. Rpts., 1905, pp. 273–302. 1906; Ent. A.R., 1905, pp. 30. 1905.
    1906. L. O. Howard. An. Rpts., 1906, pp. 363–396. 1907; Ent. A.R., 1906, pp. 36. 1906.
    1907. L. O. Howard. An. Rpts., 1907, pp. 443–483. 1908; Ent. A.R., 1907, pp. 45. 1907.
    1908. L. O. Howard. An. Rpts., 1908, pp. 527–569. 1909; Ent. A.R., 1908, pp. 47. 1908.

Entomology, Bureau of—Continued.
report of chief—continued.
1909. L. O. Howard. An. Rpts., 1909, pp. 491-531. 1910; Ent. A.R., 1909, pp. 45. 1909.
1910. L. O. Howard. An. Rpts., 1910, pp. 509-548. 1911; Ent. A.R., 1910, pp. 44. 1910.
1911. L. O. Howard. An. Rpts., 1911, pp. 495-532. 1912; Ent. A.R., 1911, pp. 42. 1911.
1912. L. O. Howard. An. Rpts., 1912, pp. 617-658. 1913; Ent. A.R., 1912, pp. 46. 1912.
1913. L. O. Howard. An. Rpts., 1913, pp. 209-222. 1914; Ent. A.R., 1913, pp. 14. 1913.
1914. L. O. Howard. An. Rpts., 1914, pp. 183-198. 1914; Ent. A.R., 1914, pp. 16. 1914.
1915. L. O. Howard. An. Rpts., 1915, pp. 211-231. 1916; Ent. A.R., 1915, pp. 21. 1915.
1916. L. O. Howard. An. Rpts., 1916, pp. 213-236. 1917; Ent. A.R., 1916, pp. 24. 1916.
1917. L. O. Howard. An. Rpts., 1917, pp. 227-250. 1918; Ent. A.R., 1917, pp. 24. 1917.
1918. L. O. Howard. An. Rpts., 1918, pp. 233-256. 1919; Ent. A.R., 1918, pp. 24. 1918.
1919. L. O. Howard. An. Rpts., 1919, pp. 247-273. 1920; Ent. A.R., 1919, pp. 27. 1919.
1920. L. O. Howard. An. Rpts., 1920, pp. 307-342. 1921; Ent. A. R., 1920, pp. 36. 1920.
1921. L. O. Howard. Ent. A.R., 1921, pp. 33. 1921.
1922. L. O. Howard. An. Rpts., 1922, pp. 299-330. 1923; Ent. A.R., 1922, pp. 32. 1922.
1923. L. O. Howard. An. Rpts., 1923, pp. 381-417. 1924; Ent. A.R., 1923, pp. 37. 1923.
1924. L. O. Howard. Ent. A.R., 1924, pp. 30. 1924.
1925. L. O. Howard. Ent. A.R., 1925, pp. 35. 1925.
salaries and general expenses, 1915, appropriations. Sol. [Misc.], "Laws applicable * * * Agriculture," Sup., 2, pp. 72-73. 1915.
work—
miscellaneous results—
Pt. VII. Ent. Bul. 44, pp. 99. 1904.
Pt. VIII. Ent. Bul. 54, pp. 99. 1905.
Pt. IX. A. W. Morrill and others. Ent. Bul. 64, pp. 98. 1907-1910.
review by Secretary—
1902. Rpt. 73, pp. 61-68. 1902.
1904. Rpt. 79, pp. 65-72. 1904.
1905. An. Rpts., 1905, p. LXXXIV-LCIV. 1905.
1906. Rpt. 83, pp. 62-68. 1906; Y.B., 1906, pp. 81-88. 1907.
1907. Rpt. 85, pp. 62-70. 1907.
1908. Rpt. 87, pp. 50-56. 1908.
1909. Sec. A.R., 1909, pp. 107-115. 1909; Y.B., 1909, pp. 107-115. 1910.
1910. An. Rpts., 1910, pp. 113-121. 1911; Rpt. 93, pp. 71-76. 1911; Sec. A.R., 1910, pp. 113-121. 1910; Y.B., 1910, pp. 112-120. 1911.
1911. An. Rpts., 1911, pp. 111-115. 1912; Sec. A.R., 1911, pp. 108-113. 1911; Y.B., 1911, pp. 108-113. 1912.
1912. An. Rpts., 1912, pp. 75-80, 115, 144-150. 1913; Sec. A.R., 1912, pp. 75-80, 115, 144-150. 1912; Y.B., 1912, pp. 75-80, 115, 144-150. 1913.
workers. See Agriculture, list of workers.
Entomology Division, work, miscellaneous results—
Pt. V. Ent. Bul. 30, pp. 98. 1901.
Pt. VI. Ent. Bul. 38 pp. 110. 1902.
Entomophthora—
aphidis, fungous enemy of chinch bug. Ent. Bul. 95, Pt. III, pp. 40-41. 1911.
aulica, fungous enemy of browntail moth. F.B. 564, p. 11. 1914.
fresenti, fungous enemy of artichoke aphid. D.B. 703, p. 2. 1918.
sphaerosperma, fungous enemy of water cress leaf beetle. Ent. Bul. 66, p. 96. 1910.
Envelopes, penalty, use regulations. Chief. Clk. [Misc.], "Circular letter on penalty * * *," p. 1. 1903.
Environment factors, effect on growth and reproduction in plants. J.A.R., vol. 18, pp. 553-606. 1920.
Enzymic action—
in *Pseudomonas citri* cultures. J.A.R., vol. 20, pp. 450-455. 1920.

Enzymic action—Continued.
of *Rhizopus tritici* on starch. J.A.R., vol. 20, pp. 761-786. 1921.
Enzymes—
action—
in foods. F.B. 853, p. 5. 1917.
in soil. Soils Bul. 55, pp. 18-19. 1909; Soils Bul. 56, pp. 13-14, 25, 42-50. 1909.
on chemical constituents of soils. Soils Bul. 89, pp. 28-30. 1912.
on flesh in cold storage, study. Chem. Bul. 115, pp. 89-93. 1908.
bacterial. in cheese, effect, and sources. B.A.I. Bul. 62, pp. 28-35. 1904.
classification and action. Chem. Bul. 130, pp. 32-36. 1910.
digestive influence of—
formaldehyde. T. M. Price. B.A.I. Cir. 59, pp. 8. 1904.
saccharine and its sodium salt. Rpt. 94, pp. 102-122. 1911.
effects of low temperatures, studies. Chem. Bul. 115, pp. 89-91. 1908; Chem. Cir. 75, p. 4. 1912.
intracellular, of Penicillium and Aspergillus. B.A.I. Bul. 120, pp. 1-70. 1910.
of—
apple, relation to the ripening process. J.A.R., vol. 5, pp. 103-116. 1915.
butter, tests. B.A.I. Bul. 57, pp. 15-22. 1904.
cheese making. B.A.I. Bul. 150, pp. 10, 25. 1912; O.E.S. Bul. 166, pp. 33-36. 1906.
chlorotic and green leaves. P.R. Bul. 11, pp. 39-42. 1911.
cornstalk, and their relation to cornstalk disease. T. M. Price. B.A.I. Cir. 84, pp. 12. 1905; B.A.I. An. Rpt., 1904, pp. 66-75. 1905.
egg, determination methods and results. Chem. Cir. 104, pp. 2-7. 1912.
milk—
and butter, studies. J.A.R., vol. 11, No. 9, pp. 437-450. 1917.
tests in butter making with pasteurized cream. B.A.I. An. Rpt., 1910, pp. 310-322. 1912; B.A.I. Cir. 189, pp. 310-322. 1912.
mold—
development and uses. D.B. 1152, pp. 20-21, 24. 1923.
preparation, methods. B.A.I. Bul. 120, pp. 16, 38. 1910.
ox muscle, action during autolysis. J.A.R., vol. 7, pp. 44, 45. 1916.
oxidizing—
nature and activities, plant culture, experiments. Soils Bul. 56, pp. 45-50. 1909.
relation to tobacco mosaic disease. J.A.R., vol. 6, pp. 649, 667-670. 1916.
plant, relation to fermentation of corn silage, with microorganisms. A. R. Lamb. J.A.R., vol. 8, pp. 361-380. 1917.
products containing, Information 24. Chem. S.R.A. 10, p. 741. 1914.
relation to—
gum formation in citrus trees. J.A.R., vol. 24, pp. 227-228. 1923.
mold spores. J.A.R., vol. 18, pp. 195-209. 1919.
secretion—
by barley grain, studies. D.B. 183, pp. 1-32. 1915.
by rot fungi. J.A.R., vol. 6, pp. 188-195. 1916.
power of various plant seeds, studies. D.B. 183, pp. 10-12. 1915.
study in storage rot. J.A.R., vol. 30, pp. 962-967. 1925.
thermal death points, studies. B.A.I. An. Rpt., 1910, pp. 311, 313, 315, 317, 320, 321, 325. 1912; B.A.I. Cir. 189, pp. 311, 313, 315, 317, 320, 321, 325. 1912.
use in—
clearing fruit juices. D.B. 1025, pp. 3-5. 1922.
tobacco curing. D.B. 79, pp. 33-36. 1914.
See also Ferments.
EOFF, J. R.—
"Development of sugar and acid in grapes during ripening." With others. D.B. 335, pp. 28. 1916.
"The chemical composition of American grapes grown in the Central and Eastern States." With others. D.B. 452, pp. 20. 1916.

Eolian geology, bibliography. S. C. Stuntz and E. E. Free. Soils Bul. 68, pp. 174-263. 1911.
Eosine, distribution between quartz flour and solution. Soils Bul. 52, pp. 46-47. 1908.
Eosinophiles, some observations regarding. Lewis H. Wright. J.A.R., vol. 21, pp. 677-688. 1921.
Epagoge sulfureana. See Sulphur leaf-roller.
Eperua falcata. See Wallaba.
Ephedra—
   antisyphylitica. See Fir, joint.
   torreyana, occurrence in Colorado, description. N.A. Fauna 33, p. 222. 1911.
Ephedrus incompletus, parasite of rose aphid. D.B. 90, p. 10. 1914.
Ephemeral plants, adaptation to dry regions. Y.B. 1911, p. 357. 1912; Y.B. Sep. 574, p. 357. 1912.
Ephestia—
   cautella. See Fig moth.
   kuehniella—
      injury to stored peanuts. Ent. Cir. 142, pp. 2, 4. 1911.
      See also Flour moth, Mediterranean.
      spp., fumigation with carbon tetrachloride, experiments. Ent. Bul. 96, Pt. IV, p. 55. 1911.
Ephialtes messor, description. J.A.R., vol. 1, pp. 213-214. 1913.
Ephippic fever. See Influenza.
Epiblema scudderiana, description of two species. J.A.R., vol. 30, pp. 788-789. 1925.
Epicaerus imbricatus. See Snout beetle, imbricated.
Epicampes—
   macroura—
      use and value in paper and brush making. B.P.I. Cir. 82, p. 16. 1911.
      See also Zacaton.
      spp., description, distribution, and uses. D.B. 772, pp. 15, 142-145, 288. 1920.
      strictus, description. D.B. 309, p. 3. 1915.
Epicauta—
   spp.—
      description, life history, and control. D.B. 967, pp. 6-7, 12-17, 18. 1921.
      rejection by birds. Biol. Bul. 15, p. 46. 1901.
   vittata. See Blister beetle, striped.
Epicoccum sp., cause of sweet-potato rot. J.A.R. vol. 15, p. 357. 1918.
Epidemics—
   caused by impure milk supply. B.A.I. Cir. 153, pp. 20-22. 1910.
   See also Contagious diseases.
Epidiaspis pyricola. See Scale, pear, European.
Epidonax trailli alnorum. See Flycatcher, alder.
Epidote, composition and description. Rds. Bul. 37, pp. 21, 22, 27. 1911.
Epigaea repens. See Gravel plant.
Epihydrin aldehyde, formation, sources, color observations, and odors. J.A.R., vol. 26, pp. 344-359, 360. 1923.
Epilachna—
   corrupta. See Bean beetle, Mexican; Ladybird, bean.
   genus, technical description of species. D.B. 843, pp. 3-4. 1920.
   spp., two injurious ladybirds. F.B. 1074, p. 3. 1919.
Epilepsy—
   cattle, causes and treatment. B.A.I. [Misc.], "Diseases of cattle," rev., p. 105. 1904; rev., pp. 107-108. 1912; rev., p. 107. 1923.
   cure, misbranding. Chem. N.J. 1079, pp. 3. 1911; Chem. N.J. 4280, pp. 2. 1916.
   remedy(ies)—
      Dr. Lindsey's, misbranding. Chem. N.J. 1093, pp. 2. 1911.
      notes. F.B. 393, p. 15. 1910.
Epimys norvegicus. See Rat, Norway; Rat, wharf.
Epinotia pyricolana—
   associated with lesser apple worm. Ent. Bul. 80, Pt. III, p. 46. 1909.
   See also Codling moth.
Epiphyllum—
   spp., importations and descriptions. Nos. 51559-51561, B.P.I. Inv. 65, p. 26. 1923.
   truncatum. See Cacti.
Epistaxis, cattle, causes and treatment. B.A.I. [Misc.]. "Diseases of cattle," rev., p. 92. 1912; rev., p. 93. 1923.
Epithelioma, contagious, of chickens, control. S.R.S. Rpt., 1916, Pt. I, pp. 42, 184. 1918.

Epitrix spp. See Flea-beetle.
Epiurus—
   indigator Walsh, parasite of codling moth. D.B. 1235, pp. 72, 76. 1924.
   pterophorae, parasite enemy of dock false-worm. D.B. 265, pp. 33-34. 1916.
Epizootic, legislation. B.A.I. Bul. 28, pp. 75, 172. 1901.
Epizootic lymphangeitis. See Lymphangeitis, mycotic.
Epochra canadensis larvae, description and occurrence in currants. Ent.T.B. 22, p. 33. 1912.
Epsom—
   lithia water, Whittle's, misbranding. Chem. N.J. 1139, pp. 2. 1911.
   salts—
      effect on fat and milk production of cows. J.A.R. vol. 19, p. 124. 1920.
      leather weighting. Chem. Bul. 165, pp. 9-11. 1913.
      tannage, effect on wear of sole leather. D.B. 1168, pp. 9-10, 20. 1923.
      use in chicken diseases. F.B. 390, pp. 36, 38-39. 1910; F.B. 1337, pp. 2, 21, 22, 26. 1923; Y.B., 1911, pp. 179-184. 1912; Y.B. Sep. 559, pp. 179-184. 1912.
      use in fly-larvae destruction in manure, experiments. D.B. 245, p. 6. 1915.
      use in prevention and treatment of milk fever in cows. News L., vol. 3, No. 31, pp. 1-2. 1916.
      use in treatment of worms in dogs, effects. J.A.R. vol. 12, pp. 400-401. 1918.
      See also Magnesium sulphate.
Eptesicus fuscus. See Bat, brown.
Equinoxes, explanation. Off. Rec. vol. 3, No. 2, p. 5. 1924.
Equipment—
   farm(s)—
      cost item in accounts and records. D.B. 994, pp. 19-20, 41. 1921.
      home, needs of women. Rpt. 104, pp. 22-30. 1915.
      interest on, formulae for calculating. W. J. Spillman. Sec. Cir. 53, pp. 4. 1915.
      of forty and twenty acres, Nebraska. F.B. 325, pp. 12, 20, 24. 1908.
      ownership under lease contracts. D.B. 650, pp. 15-17. 1918.
      purchase with farm, desirability. F.B. 1088, p. 22. 1920.
      repair of. W. R. Beattie. F.B. 347, pp. 32. 1909.
   medical, for field parties. For. [Misc.], "First-aid manual * * *," pp. 9-11. 1917.
   wheat-harvesting, development and use. D.B. 627, pp. 2-21. 1918.
Equity, Society of, position in agricultural organization. Y.B., 1913, p. 242. 1914; Y.B. Sep. 626, p. 242. 1914.
Equus—
   sivalensis. See Horse, Siwalik.
   spp., extinct and modern, classification and modifications. B.A.I. An. Rpt., 1910, pp. 163-164. 1912.
Eragrostis—
   abyssinica. See Teff.
   nutans, importation and description. No. 47678. B.P.I. Inv. 59, p. 46. 1922.
   spp., description, distribution, and uses. D.B. 772, pp. 10, 45-47, 48, 49, 50. 1920; D.B. 201, p. 24. 1915.
   spp., importations and descriptions. Nos. 41903, 41904, B.P.I. Inv. 46, pp. 31-32. 1919; Nos. 50764-50767, B.P.I. Inv. 64, p. 23. 1923; Nos. 51499-51501, B.P.I. Inv. 65, pp. 21-22. 1923.
   superba, importation and description. No. 46806. B.P.I. Inv. 57, pp. 6, 37. 1922.
   tenella, occurrence in Guam. Guam A.R. 1913, p. 16. 1914.
   tremula, importation and description. No. 53615. B.P.I. Inv. 67, p. 69. 1923.
Eranthemum purpureum, importation and description. No. 55050. B.P.I. Inv. 71, p. 17. 1923.
Erax varipes, destruction of New Mexico range caterpillar. Ent. Bul. 85, p. 92. 1911.
ERB, E. S.: "Condition of fertilizer potash residues in Hagerstown silty loam soil." With Wm. Frear. J.A.R., vol. 15, pp. 59-81. 1918.

Erbswurst, use in making soup. D.C. 4, p. 62. 1919.
ERDE, H. W.: "Soil survey of Wayne County, New York." With others. Soil Sur. Adv. Sh. 1919, pp. 273–348. 1923; Soils F.O., 1919, pp. 273–348. 1925.
ERDMAN, L. W.: "Effect of sulphur and gypsum on the fertility elements of Palouse silt loam." J.A.R., vol. 30, pp. 451–462. 1925.
Erdoline, misbranding. Chem. N.J. 4071. 1916.
Eremochloa ophiuroides, importation and description. No. 48566, B.P.I. Inv. 61, pp. 2, 23. 1922.
Eremocitrus—
  glauca. See Kumquat, Australian desert.
  hardiness and drought-resistance. J.A.R., vol. 2, pp. 91–95. 1914.
Eremurus spp., importations and descriptions. Nos. 35165, 35166, 35286. B.P.I. Inv. 35, pp. 15–16, 33. 1915.
Erethizon spp. See Porcupine.
Ereunetes—
  pusillus, occurrence in Pribilof Islands, and food. N.A. Fauna 46, p. 74. 1923.
  spp.—
    description and habits. Rpt. 108, pp. 21, 22. 1915.
    See also Sandpiper.
Ergaticus ruber. See Warbler, red.
Ergometer—
  bicycle—
    construction, calibration, and experiments. O.E.S. Bul. 208, pp. 11–44. 1909.
    use in respiration calorimeter. Y.B., 1910, pp. 309, 314. 1911; Y.B. Sep. 539, pp. 309, 314. 1911.
  use in calorimeter. J.A.R., vol. 5, p. 343. 1915.
Ergot—
  adulterant of caraway seed, ruling. Chem. S.R.A. 18, p. 43. 1916.
  cause of forage poisoning, studies. S.R.S. Rpt., 1915,, Pt. I, pp. 58, 160. 1917.
  damage to rye and control. F.B. 1358, p. 17. 1923.
  determination in grain. D.B. 1187, p. 47. 1924.
  in cereal food products. Information 25. Chem. S.R.A. 11, p. 751. 1915.
  of—
    barley, description. F.B. 443, p. 44. 1911.
    grain, prevention by copper sulphate. B.A.I. [Misc.], "Diseases of cattle," rev., p. 168. 1904.
    grasses, appearance, and danger to livestock. B.A.I. [Misc.], "Diseases of cattle," rev., pp. 52, 66, 148, 157, 163, 167-168. 1908; rev., pp. 52, 66-67, 148, 163, 167-168. 1904; rev., pp. 53, 68, 152, 161, 166, 171, 172. 1912; rev., pp. 50, 69-70, 166. 1923.
    rye—
      danger and control. F.B. 894, p. 14. 1917; F.B. 756, p. 16. 1916.
      losses in 1917-1921, and danger to stock. Y.B., 1922, p. 509. 1923; Y.B. Sep. 891, p. 509. 1913.
  seeds, affected by, illustrations and descriptions. B.P.I. Bul. 84, p. 38. 1905.
  use in grains and cattle feeds, regulations. Chem. S.R.A. 15, p. 24. 1915.
Ergotism—
  diagnosis, distinction from foot-and-mouth disease. F.B. 666, p. 12. 1915.
  effect on cattle. B.A.I. [Misc.], "Diseases of cattle," rev., pp. 52, 66, 148, 499. 1904; rev., 53, 68, 166-167, 546. 1912; rev., 50, 70, 166, 536. 1923.
  fatal, from smutted grain, note. Chem. N.J. 722, p. 27. 1911.
  symptoms, difference from mycotic stomatitis. D.C. 322, pp. 5-6. 1924.
Erianthus—
  rufipilus, mountain grass, importation and description. No. 39689, B.P.I. Inv. 42, p. 12. 1918.
  spp., description, distribution, and uses. D.B. 772, pp. 21, 255, 258, 259. 1920.
Ericaceae—
  family, characters, and range. For. [Misc.], "Forest trees * * * Pacific * * *," p. 418. 1908.
  injury by sapsuckers. Biol. Bul. 39, pp. 48, 87. 1911.

Ericaceae—Continued.
  pollen, type, description. Chem. Bul. 110, p. **75**. 1908.
Eridontomerus primus, parasite on grain straw worms. Y.B., 1907, p. 255. 1908; Y.B. Sep. 447, p. 255. 1908.
Erie, grape belt, grape rootworm, studies. Ent. Bul. 89, pp. 1–100. 1910.
Erie, Pa., milk supply, statistics, officials, prices, and ordinances. B.A.I. Bul. 45, pp. 32, 147, 174–175, 189, 196. 1903.
Erie Canal—
  historical notes, Monroe County, N. Y. Soil Sur. Adv. Sh., 1910, p. 9. 1912; Soils F.O., 1910, p. 47. 1912.
  relation to dairying developments. Y.B., 1922, p. 304. 1923; Y.B. Sep. 879, p. 19. 1923.
Erigeron—
  annuus. See Whitetop.
  canadensis. See Fleabane, Canada.
  multiradiatus, importation and description. No. 39012, B.P.I. Inv. 40, p. 58. 1917.
  root-aphid, description, food plants, attendant ants, and control. Ent. Bul. 85, pp. 113–118. 1911; Ent. Bul. 85, Pt. VI, pp. 113–118. 1910.
Erignathus barbatus. See Seal, bearded.
Erigone sp., enemy of citrus thrips. D.B. 616, p. 27. 1918.
Erinose of—
  grape, caused by *Eriophyes vitis*. Ent. Cir. 154, p. 2. 1912.
  litchi tree, symptoms and control. Hawaii Bul. 44, pp. 17–18. 1917.
Eriobotrya—
  hookeriana, importation and description. No. 50717, B.P.I. Inv. 64, p. 18. 1923; No. 55679, B.P.I.Inv. 72, pp. 3, 17. 1924.
  japonica—
    importation and description. No. 34101, B.P.I. Inv. 32, p. 10. 1914; No. 34119, B.P.I. Inv. 32, p. 12. 1914.
    See also Loquat.
  petiolata, importation and description. No. 39111, B.P.I. Inv. 40, pp. 6, 76. 1917; No. 47679, B.P.I. Inv. 59, pp. 7, 46. 1922.
Eriocampoides cerasi. See Pear slug.
Eriocaulon, resembling to wild celery. Biol. Cir. 81, pp. 8–9. 1911.
Eriochloa spp., description, distribution, and uses. D.B. 772, pp. 20, 219–221, 222. 1920.
Eriocoma cuspidata, distribution, description, and feed value. D.B. 201, pp. 24–25. 1915.
Eriodictyon—
  glutinosum. See Yerba santa.
  tomentosum, occurrence in chaparral. For. Bul. 85, p. 32. 1911.
Eriogonum—
  asciculatum. See Buckwheat, wild.
  spp., description. D.B. 1345, pp. 30–33. 1925.
  wrightii subscaposum, importation and description, No. 52509, B.P.I. Inv. 66, p. 35. 1923.
Eriophorum spp. See Cotton grass.
Eriophyes—
  pyri, control, life history. F.B. 1270, pp. 58–59. 1922.
  spp.—
    cause of erinose disease of litchi, control. Hawaii Bul. 44, pp. 17–18. 1917.
    description and habits. Rpt. 108, pp. 135, 136, 137, 138, 139. 1915.
  vitis, cause of "erinose" of grape. Ent. Cir. 154, p. 2. 1912.
Eriophyidae—
  classification and description. Rpt. 108, pp. 18, 134–139. 1915.
  injury to different plants. Ent. Cir. 154, pp. 1–2. 1912.
Eriopus floridensis. See Fern, Florida, caterpillar.
Eriosoma—
  languinosa, relation to *Eriosoma pyricola*, studies. J.A.R., vol. 10, pp. 65–67. 1917.
  lanigerum—
    description, habits and control. F.B. 1128, pp. 13, 38–47. 1920; F.B. 1270, pp. 79–80. 1922.
    See also Apple aphid, woolly.
  pyri, identity. J.A.R., vol. 5, No. 23, pp. 1115–1119. 1916.
  pyricola, technical description. J.A.R., vol. 6, No. 10, pp. 358–360. 1916; J.A.R., vol. 10, pp. 65–74. 1917.

Eriosoma—Continued.
 rileyi, description, habits, and control. F.B. 1169, p. 88. 1921.
 spp.—
  biology, comparison of *E. pyricola* with *E. lanigerum*. J.A.R., vol. 6, No. 10, pp. 357-358. 1916.
  discussion and history. J.A.R., vol. 10, pp. 65-67. 1917.
  elm-feeding, life cycles. Rpt. 101, p. 16. 1915.
Eriosomatinae, tribes and genera, descriptions and keys. D.B. 826, pp. 8, 62-81. 1920.
Erismatura rubida. *See* Duck, ruddy.
Ermine—
 fur, origin. Y.B., 1919, p. 461. 1920; Y.B. Sep. 823, p. 461. 1920.
 moth, apple and cherry, description. Sec. [Misc.], "A manual of insects * * * ," p. 21. 1917.
ERNEST, L. B.—
 "The toll of tuberculosis in live stock." With J. A. Kiernan. Y.B. 1919, pp. 277-288. 1920; Y.B. Sep. 810, pp. 277-288. 1920.
 "Tuberculin testing of live stock." With Elmer Lash. D.C. 249, pp. 28. 1922.
ERNI, C. P., "Soil survey of White County, Indiana." With T. B. Bushnell. Soil Sur. Adv. Sh., 1915, pp. 43. 1917; Soils F.O., 1915, pp. 1449-1487. 1917; Soils F.O., 1915, pp. 1449-1487. 1919.
Erodium—
 cicutarium. *See* Alfilaria.
 See also Crane's-bill.
Erolia ferruginea, breeding range and migration habits. Biol. Bul. 35, p. 45. 1910.
Erosion—
 agricultural conditions affected by. D.B. 180, pp. 21-23, 24. 1915; Soils Bul. 85, p. 19. 1912.
 cause of gullies, checking methods. F.B. 1234, pp. 4-5, 10-11. 1922.
 caused by forest fires. For. Bul. 82, p. 15. 1910.
 causes, kinds and effects. D.B. 180, pp. 6-9. 1915; D.B. 512, pp. 2-3. 1917; F.B. 1386, pp. 1-5. 1924; F.B. 997, pp. 3-7. 1918; Y.B., 1916, pp. 109-123. 1917; Y.B. Sep. 688, pp. 3-17. 1917.
 control—
  by—
   covering of bluegrass sod in West Virginia, Spencer area. Soil Sur. Adv. Sh., 1909, p. 21. 1910; Soils F.O., 1909, p. 1191. 1912.
   drainage or contour cultivation. Sec. Cir. 38, p. 5. 1911.
   terracing. News L., vol. 6, No. 47, p. 13. 1919.
   terracing, in Alabama, Fayette County. Soil Sur. Adv. Sh., 1917, pp. 17, 23, 31. 1920; Soils F.O., 1917, pp. 711, 717, 725. 1923.
   use of Mangum terrace. B.P.I. Cir. 94, pp. 1-11. 1912.
  in Alabama, Lowndes County. Soil Sur. Adv. Sh., 1916, pp. 13, 17, 24, 48. 1918; Soils F.O., 1916, pp. 808, 810, 818, 828. 1921.
  measures. D.B. 512, pp. 3-5. 1917; D.B. 675, pp. 31-34. 1918; D.C. 27, pp. 5, 17, 18. 1911; F.B. 342, pp. 6-8. 1909; Soils Bul. 71, pp. 32-60. 1911; Soils F.O., 1909, pp. 256-257, 545, 556, 558, 657, 783, 780, 819, 825, 830, 914, 994, 1016. 1912; Y.B., 1916, pp. 123-131. 1917; Y.B. Sep. 688, pp. 17-25. 1917.
  methods in—
   Alabama, Autauga County. Soil Sur. Adv. Sh., 1908, p. 40. 1910; Soils F.O., 1908, p. 550. 1911.
   Alabama, Bullock County. Soil Sur. Adv. Sh., 1913, pp. 15-16. 1915; Soils F.O., 1913, pp. 757-758. 1916.
   Alabama, Butler County, methods. Soil Sur. Adv. Sh., 1907, p. 11. 1909; Soils F.O., 1907, p. 443. 1909.
   Alabama, Jefferson County. Soil Sur. Adv. Sh., 1908, pp. 23, 28, 32. 1910; Soils F.O., 1908, pp. 755, 760, 764. 1911.
   Alabama, Monroe County. Soil Sur. Adv. Sh., 1916, pp. 26, 27. 1919; Soils F.O., 1916, pp. 872, 873. 1921.
   Alabama, Tuscaloosa County. Soil Sur. Adv. Sh., 1911, pp. 14, 23, 45. 1912; Soils F.O., 1911, pp. 942, 951, 973. 1914.
   Arkansas, Drew County. Soil Sur. Adv. Sh., 1917, pp. 22, 23, 30. 1919; Soils F.O., 1917, pp. 1296, 1297, 1301. 1923.

Erosion—Continued.
 control—continued.
  methods in—continued.
   Georgia, Troup County. Soil Sur. Adv. Sh., 1912, pp. 17, 19. 1913; Soils F.O., 1912, pp. 645, 647. 1915.
   Louisiana, Bienville Parish. Soil Sur. Adv. Sh., 1908, pp. 14-15. 1909; Soils F.O., 1908, pp. 852-853. 1911.
   Mississippi, Holmes County. Soil Sur. Adv. Sh., 1908, pp. 25, 31. 1909; Soils F.O., 1908, pp. 791, 797. 1911.
   Mississippi, Lauderdale County. Soil Sur. Adv. Sh., 1910, pp. 32, 37, 38. 1912; Soils F.O., 1910, pp. 760, 765, 767. 1912.
   Missouri, Caldwell County. Soil Sur. Adv. Sh., 1921, pp. 331, 337. 1924.
   Missouri, Callaway County. Soil Sur. Adv. Sh., 1916, p. 15. 1919; Soils F.O., 1916, p. 1981. 1921.
   Missouri, Cape Girardeau County. Soil Sur. Adv. Sh., 1910, pp. 23, 35, 48. 1912; Soils F.O., 1910, pp. 1235, 1247, 1260. 1912.
   Missouri, Cooper County. Soil Sur., 1909, p. 14. 1911; Soils F.O., 1909, p. 1376. 1912.
   Missouri, Jackson County, suggestions. Soil Sur. Adv. Sh., 1910, pp. 35-36. 1912; Soils F.O., 1910, pp. 1291-1292. 1912.
   Missouri, Johnson County. Soil Sur. Adv. Sh., 1914, pp. 13-14. 1916; Soils F.O., 1914, pp. 2036, 2043. 1919.
   Missouri, Ralls County. Soil Sur. Adv. Sh., 1913, pp. 14-15. 1914; Soils F.O., 1913, pp. 1824-1825. 1916.
   national forests. Y.B., 1914, pp. 75-78. 1915; Y.B. Sep. 633, pp. 75-78. 1915.
   Nebraska, Dakota County. Soil Sur. Adv. Sh., 1919, pp. 24, 26. 1921; Soils F.O., 1919, pp. 1694, 1696. 1925.
   Nebraska, Dodge County. Soil Sur. Adv. Sh., 1916, pp. 23-24, 25. 1918; Soils F.O., 1916, pp. 2089-2090, 2091. 1921.
   North Carolina, Cleveland County. Soil Sur. Adv. Sh., 1916, pp. 13, 21, 23. 1919; Soils F.O., 1916, pp. 317, 325, 327. 1921.
   North Carolina, Mecklenberg County. Soil Sur. Adv. Sh., 1910, pp. 15, 26, 28. 1912; Soils F.O., 1910, pp. 391, 402, 404. 1912.
   South Carolina, Fairfield County, damage. Soil Sur. Adv. Sh., 1911, pp. 13-14. 1913; Soils F.O., 1911, pp. 487-488, 502. 1914.
   South Carolina, Newberry County, methods. Soil Sur. Adv. Sh., 1918, pp. 19, 23-29, 36, 1921; Soils F.O., 1918, pp. 391, 395-401, 408. 1924.
   Tennessee, Meigs County, directions. Soil Sur. Adv. Sh., 1919, p. 20. 1921; Soils F.O., 1919, p. 1268. 1925.
   West Virginia, Morgantown area. Soil Sur. Adv. Sh., 1911, p. 13. 1912; Soils F.O., 1911, p. 1335. 1914.
   West Virginia, Parkersburg area. Soil Sur. Adv. Sh., 1908, p. 16. 1909; Soils F.O., 1908, p. 1030. 1911.
   Wisconsin, La Crosse County. Soil Sur. Adv. Sh., 1911, p. 20. 1913; Soils F.O., 1911, p. 1576. 1914.
 on—
  Cecil Clay. Soils Cir. 28, pp. 4-6. 1911.
  Chester loam. Soils Cir. 55, pp. 5-6. 1912.
  clay soil. D.B. 355, p. 74. 1916.
  Hagerstown clay. Soils Cir. 64, pp. 6, 7, 8. 1912.
  Knox silt loam remedy. Soils Cir. 33, pp. 5, 8. 1911.
  Memphis silt loam. Soils Cir. 35, pp. 7, 9, 14. 1911.
  mountain slopes, forestry work. An. Rpts., 1916, p. 181. 1917; For. A.R., 1916, p. 27. 1916.
  Orangeburg sandy loam, directions. Soils Cir. 47, p. 6. 1911.
  Porters loam and Porters black loam. Soils Cir. 39, pp. 8-9. 1911.
  ranges, western grazing lands. Arthur W. Sampson and Leon H. Weyl. D.B. 675, pp. 35. 1918.
  sandy loam. Soils Cir. 46, pp. 6, 7. 1911.
  Susquehanna fine sandy loam. Soils Cir. 51, pp. 5, 6. 1912.

Erosion—Continued.
  control—continued.
    school studies. D.B. 521, pp. 16–17. 1917;
      D.B. 863, pp. 12–13. 1920.
    suggestions for south-central Pennsylvania.
      Soil Sur. Adv. Sh., 1910, pp. 52, 73. 1912;
      Soils F.O., 1910, pp. 240, 261. 1912.
  danger in cutting trees on hill slopes, precaution.
    Y.B., 1918, p. 323. 1919; Y.B. Sep. 779, p. 9.
    1919.
  ditch sides, prevention. F.B. 326, p. 19. 1908.
  economic losses, studies. D.B. 180, pp. 21–24.
    1915.
  effect—
    of forest destruction. F.B. 358, pp. 36–40. 1909.
    on soils in—
      Louisiana, Lake Charles area. Soils F.O.
        Sep., 1901, pp. 626, 627, 629. 1903; Soils
        F.O., 1901, pp. 626, 627, 629. 1902.
      Nebraska, Sioux County. Soil Sur. Adv.
        Sh., 1919, p. 14. 1922; Soils F.O., 1919, p.
        1770. 1925.
      North Carolina, Statesville area. Soil Sep.,
        1901, p. 276. 1903; Soils F.O., 1901, p. 276.
        1902.
  farm lands, prevention by terracing. C. E.
    Ramser. D.B. 512, pp. 40. 1917.
  farms, and forests. Samuel T. Dana. Y.B.,
    1916, pp. 107–134. 1917; Y.B. Sep. 688, pp. 28.
    1917.
  hill lands, prevention method. W. B. Mercier.
    S.R.S. Doc. 41, pp. 8. 1917.
  hillside—
    a working model for schools. Don Carlos
      Ellis. O.E.S. Cir. 117, pp. 11. 1912.
    control, in Mississippi, Prentiss County. Soil
      Sur. Adv. Sh., 1907, pp. 10–11, 25. 1908;
      Soils F.O., 1907, pp. 508, 523. 1909.
    prevention in Georgia. O.E.S. Bul. 147, pp.
      60–61. 1904.
  influence of forest in prevention. Y.B., 1901,
    p. 333. 1902.
  losses from, value and acreage. F.B. 997, pp.
    3–5. 1918.
  natural reclamation. Y.B., 1913, pp. 215–216.
    1914; Y.B. Sep. 624, pp. 215–216. 1914.
  New Mexico stock ranges, control methods.
    D.B. 211, pp. 31–32, 38. 1915.
  of—
    cleared land, waste. Y.B., 1913, p. 210. 1914;
      Y.B. Sep. 624, p. 210. 1914.
    pasture lands, correction. Y.B., 1915, p. 310.
      1916; Y.B. Sep. 678, p. 310. 1916.
    terraces, prevention. Soils Bul. 75, p. 52. 1911.
  Porto Rico conditions, influence of forests. D.B.
    354, pp. 36–39. 1916.
  prevention—
    by—
      cover crops and terraces. F.B. 398, p. 7.
        1910; F.B. 414, pp. 8–9, 17. 1910.
      grass covering. B.P.I. Cir. 115, pp. 23–24.
        1913.
      terracing in Hancock County, Georgia.
        Soil Sur. Adv. Sh., 1909, pp. 10–12. 1910;
        Soils F.O., 1909, pp. 556–558. 1912.
      tree planting. F.B. 1177, rev., p. 20. 1920.
      use of terrace banks. F.B. 494, p. 23. 1912.
    extension work, 1923. D.C. 344, pp. 2–4.
      1925.
    in hillside planting. F.B. 905, p. 21. 1918.
    on hill lands. W. B. Mercier. B.P.I. Doc.
      706, pp. 7. 1911.
    on mountain farms. F.B. 981, pp. 12–13, 14,
      23, 29, 30. 1918.
    use of willows. D.B. 316, pp. 37–43. 1915.
  relation to—
    forest reproduction. J.A.R., vol. 30, pp. 1195–
      1196. 1925; Sec. Cir. 183, pp. 9–11. 1921.
    soil formation, methods, studies. D.B. 180,
      pp. 1–6. 1915.
    vegetative growth. D.B. 675, pp. 18–22. 1918.
  result of—
    destructive grazing practices. D.B. 701, pp.
      54–55. 1919.
    forest-fire depredations. D.C. 358, p. 10. 1925.
    rodents, depredations. An. Rpts., 1923, pp. 430,
      432. 1924; Biol. Chief Rpt., 1923, pp. 12, 14.
      1923.
  roads and ditches, Southern States, control
    methods. Rds. Cir. 95, pp. 12–14. 1911.

Erosion—Continued.
  soil—
    by wind, control methods, plants. Soils Bul.
      68, pp. 28–33, 74–77, 169–172. 1911.
    causes. W. J. McGee. Soils Bul. 71, pp. 60.
      1911.
    control in Missouri, Harrison County. Soil
      Sur. Adv. Sh., 1914, pp. 13, 28. 1916; Soils
      F.O., 1914, pp. 1951, 2066. 1919.
    economic waste. R. O. E. Davis. Y.B., 1913,
      pp. 207–220. 1914; Y.B. Sep. 624, pp. 207–220.
      1914.
    injury as cause of abandoned farms. D.B.
      512, pp. 1–2, 38. 1917.
    nature, results, control methods. D.B. 180,
      pp. 9–14. 1915.
    terracing advantages and objections, Lamar
      County, Alabama. Soil Sur. Adv. Sh., 1908,
      p. 10. 1909. Soils F.O., 1908, p. 460. 1911.
    wind, sandy lands, control methods. F.B. 323,
      pp. 16–18. 1908.
  See also Gullies.
Eruca sativa. See Roquette.
ERVIN, GUY—
  "A bibliography relating to soil alkalies." With
    others. D.B. 1314, pp. 40. 1925.
  "Extension work in agricultural engineering,
    1925." D.C. 344, pp. 10. 1925.
  "Irrigation under the provisions of the Carey
    Act." Sec. Cir. 124, pp. 14. 1919.
Ervum lens, forage-crop experiments in Texas.
  B.P.I. Cir. 106, p. 25. 1913.
Erymus eurytheme. See Alfalfa caterpillar.
Eryngo, water, habitat, range, description, collection, prices, and uses of roots. B.P.I. Bul. 107,
  p. 50. 1907.
Erysipelas—
  swine, cause, lesions and treatment. F.B. 1244,
    p. 20. 1923.
  transmission by house flies, note. F.B. 412, p.
    11. 1910.
Erysipelothrix porci, cause of swine erysipelas. F.B.
  1244, p. 20. 1923.
Erysiphaceae spp.—
  injurious to forest trees. B.P.I. Bul. 149, p. 18.
    1909.
  occurrence on plants in Guam. Guam A. R.,
    1917, pp. 50, 52, 53, 54, 57. 1918.
Erysiphe spp. See Mildew, powdery.
Erythea spp. See Palm, blue.
Erythema—
  cattle, causes, and treatment. B.A.I. [Misc.],
    "Diseases of cattle," rev. pp. 335–336. 1912;
    rev., pp. 323–324. 1923.
  hog, symptoms and treatment. F.B. 1244, p. 20.
    1923.
Erythraeidae, classification and description. Rpt.
  108, pp. 38–41. 1915.
Erythraeus—
  arvensis, infestation of alfalfa weevil. Ent. Bul.
    112, p. 33. 1912.
  spp., description and habits. Rpt. 108, p. 40.
    1915.
Erythrina—
  aroborescens, importations and description. Nos.
    39013, 39112, B.P.I. Inv. 40, pp. 58, 76. 1917;
    No. 47680, B.P.I. Inv. 59, p. 46. 1922; No.
    55680, B.P.I. Inv. 72, p. 18. 1924.
  caffra, importations and descriptions. Nos.
    49817, 50151, B.P.I. Inv. 63, pp. 8, 40. 1923.
  corallodendeon, coffee shade testing in Porto Rico.
    P.R. An. Rpt., 1916, p. 22. 1918.
  crista-galli, importation and description. Inv.
    No. 29655, B.P.I. Bul. 233, p. 35. 1912.
  flabelliformis, importation and description. No.
    42204, B.P.I. Inv. 46, p. 68. 1919.
  poeppigiana, importation and description. No.
    55040, B.P.I. Inv. 71, p. 15. 1923.
  spp., importations and descriptions. Nos. 36009,
    36019, B.P.I. Inv. 36, pp. 37, 38. 1915; No.
    46638, B.P.I. Inv. 57, p. 15. 1922; Nos. 47498,
    47680, B.P.I. Inv. 59, pp. 6, 22, 46. 1922; Nos.
    49817, 50151, B.P.I. Inv. 63, pp. 8, 40. 1923;
    Nos. 50768, 51357, B.P.I. Inv. 64, pp. 2, 24, 89–90.
    1923; Nos. 51637, 52289, B.P.I. Inv. 65, p. 34,
    85. 1923; Nos. 54896–54898, B.P.I. Inv. 70, p.
    25. 1923.
  variegata, importation, and description. No.
    46523, B.P.I. Inv. 56, p. 23. 1922.

INDEX TO PUBLICATIONS, 1901-1925   795

Erythrina—Continued.
  vespertilio, importation, description, and use. No. 42466, B.P.I. Inv. 47, p. 18. 1920.
Erythrochiton sp., importation and description. No. 44825, B.P.I. Inv. 51, p. 74. 1922.
Erythrocytes, counts in normal pigs' blood. J.A.R., vol. 9, pp. 131-140. 1917.
Erythroneura—
  spp. relationships. J.A.R. vol. 26, pp. 419-420. 1923.
  tricincta. *See* Grape Leaf hopper.
Erythrosin—
  analysis method. Chem. Bul. 147, pp. 222-224. 1912.
  estimation of presence of iodine. Chem. Cir. 65, pp. 3-4. 1910.
Escallonia—
  langleyensis, importation and description. No. 41962, B.P.I. Inv. 46, pp. 39-40. 1919.
  myrtilloides, importations and description. Nos. 41105, 41112, B.P.I. Inv. 44, pp. 6, 38, 39. 1918.
  pulverulenta, importation and description. No. 36122, B.P.I. Inv. 36, p. 56. 1915.
  revoluta, importation and description. No. 42870, B.P.I. Inv. 47, p. 77. 1920.
  spp., importations and descriptions. Nos. 41324, 41326, B.P.I. Inv. 45, pp. 5, 13, 14. 1918.
Escalop. *See* Scallop.
Eschscholtzia—
  description and suggestions for growing. B.P.I. Doc. 433, p. 4. 1909; F.B. 195, p. 23. 1904.
  See also Poppy, California.
Escobon, importations and descriptions. Nos. 31951-31952. B.P.I. Bul. 261, p. 11. 1912.
Esculin—
  origin, effect on wheat plants. Soils Bul. 47, pp. 35, 39. 1907.
  solutions, use in plant culture experiments. Soils Bul. 56, pp. 18. 1909.
Eserin—
  use as purgative in case of horse meningitis. B.A.I. An. Rpt., 1906, p. 172. 1908; B.A.I. Cir. 122, p. 172. 1908.
  with epsom salts and linseed oil, use in control of zygadenus poisoning of sheep. D.B. 125, p. 38. 1915.
Eskimo coating, adulteration and misbranding. No. 12268, Chem. S.R.A. Sup. 176, p. 142. 1924.
Esophagotomy, cattle, directions. B.A.I. [Misc.], "Diseases of cattle," rev., p. 293. 1904; rev., p. 303. 1912.
Esophagus. *See* Gullet.
Esparto, use in paper making. B.P.I. Cir. 82, pp. 17-18. 1911; Chem. Cir. 41, p. 5. 1908; D.B. 309, p. 3. 1915; Y.B., 1910, p. 339. 1911; Y.B. Sep. 541, p. 339. 1911.
ESPE, KNUTE: "Soil survey of—
  Hamilton County, Iowa." With L. E. Lindley. Soil Sur. Adv. Sh., 1917, pp. 30. 1920; Soils F.O., 1917, pp. 1629-1654. 1923.
  Mitchell County Iowa." With W. E. Tharp. Soil Sur. Adv. Sh., 1916, pp. 34. 1918; Soils F.O., 1916, pp. 1875-1904. 1921.
  Scott County, Iowa." With others. Soil Sur. Adv. Sh., 1915, pp. 43. 1917; Soils F.O., 1915, pp. 1707-1745. 1919.
"Espey's sirup for children's dentition," narcotic content, danger. F.B. 393, p. 6. 1910.
Espino, importation and description. Nos. 33833, 33834, B.P.I. Inv. 31, pp. 6, 59-60. 1914.
Essence. *See specific name of fruit*.
ESTABROOK, L. M.—
  "Live stock of the United States." F.B. 575, pp. 5. 1914.
  report as chairman, Board of Finance, Adv. Com. F. and B. M. "Property regulations * * *," pp. 141. 1916.
  report of Chief of Bureau of—
    Crop Estimates—
      1915. An. Rpts., 1915, pp. 275-281. 1916; Crop Est. Chief Rpt., 1915, pp. 7. 1915.
      1916. An. Rpts. 1916, pp. 277-284. 1917; Crop Est. Chief Rpt. 1916, pp. 8. 1916.
      1917. An. Rpts. 1917, pp. 295-307. 1918; Crop Est. Chief Rpt. 1917, pp. 13. 1917.
      1918. An. Rpts. 1918; pp. 305-318. 1919; Crop Est. Chief Rpt. 1918, pp. 14. 1918.
      1919. An. Rpts. 1919; pp. 325-335. 1920; Crop Est. Chief Rpt. 1919, pp. 11. 1919.

ESTABROOK, L. M.—Continued.
  report of Chief of Bureau of—Continued.
    Crop Estimates—Continued.
      1920. An. Rpts. 1920, pp. 405-426. 1921; Crop Est. Chief Rpt. 1920, pp. 22. 1920.
    Statistics, 1914. An. Rpts., 1914, pp. 233-244. 1914; Stat. Chief Rpt. 1914, pp. 12. 1914.
  "The agricultural outlook." F.B. 570, pp. 5. 1913.
Ester(s)—
  formation in Cheddar cheese. J.A.R. vol. 2, pp. 204-205. 1914.
  lipolysis, influence of temperature, study on chicken fat. Chem. Cir. 103, pp. 1-3. 1912.
  numbers, hop oils from various sources. J.A.R. vol. 2, pp. 125-126, 139-147. 1914.
  office as odor bearers. B.P.I. Bul. 195, pp. 10-11, 27, 28, 31-34. 1910.
  soil, description and studies. Soils Bul. 74, pp. 23-24. 1910.
  spraying tests as insecticides. D.B. 1160, pp. 6, 9. 1923.
  testing for volatility and toxicity. J.A.R. vol. 10, pp. 366-371. 1917.
Esterases in apple pulp, study. J.A.R. vol. 5, pp. 111-112. 1915.
Esthonia, potato production, 1909-1913, 1921-1923. Stat. Bul. 10, p. 20. 1925.
Estigmene acraea. *See* Caterpillar, salt-marsh.
Estimates—
  Agriculture Department—
    annual, restrictions. Sol. [Misc.] "Laws applicable * * * Agriculture." Sup. 2, p. 103. 1915.
    law in reorganization plan. Sec. [Misc.] "Laws applicable * * * Agriculture." Sup. 2, p. 5. 1915.
  for salaries, laws relating to, 1916. Sol. [Misc.] "Laws applicable * * * Agriculture." Sup. 4, pp. 8, 116-117. 1917.
  preparation by Budget Bureau officers. Off. Rec., vol. 1, No. 32, p. 3. 1922.
  See also Accounts and Disbursements, reports.
Ether—
  adulteration and misbranding. See *Indexes, notices of Judgment, in bound volumes and in separates published as supplements to Chemistry Service and Regulatory Announcements*.
  danger in use. F.B. 393, p. 13. 1910.
  effect on virus of tobacco mosaic disease. J.A.R. vol. 6, pp. 659-662, 671. 1916.
  ethyl, instructions for tests. Chem. Bul. 90, pp. 159, 162, 168. 1905.
  extract—
    determination, method, report. Chem. Bul. 137, pp. 85-86. 1911. Chem. Bul. 14, p. 42. 1908.
    of cashew nut, constants, report. Chem. Bul. 137, pp. 137-138. 1911.
    in sugar-beet-top silage. J.A.R. vol. 20, pp. 538-540. 1921.
    in sunflower and corn silage. J.A.R. vol. 20, pp. 881-888. 1921.
    use in fat estimation of poultry excretion. B.A.I. Bul. 56, p. 41. 1904.
  extraction method of valuation of insect powder. D.B. 824, pp. 37-38, 42-43. 1920.
  petroleum—
    and ethyl, for determination of fat in cotton products, comparison. Chem. Bul. 137, pp. 155-157. 1911.
    nicotine extraction experiments. B.P.I. Bul. 141, pp. 8, 10, 13, 16. 1909.
  testing for volatility and toxicity. J.A.R. vol. 10, pp. 366-371. 1917.
  use as—
    anthelmintic, effects. J.A.R. vol. 12, p. 405. 1918.
    denaturant for alcohol. F.B. 429, p. 9. 1911.
  use in forcing—
    plants. F.B. 320, pp. 23-25. 1908.
    rhubarb. F.B. 233, pp. 18-20. 1905.
Ethmiidae, similarity of certain species to *Pectinophora gossypiella*. J.A.R. vol. 20, p. 819. 1921.
Ethnology Bureau, cooperation in care of National Monuments. D.C. 211, p. 15. 1922.
Ethyl alcohol. *See* Alcohol, ethyl.
Ethylene—
  dichloride, anthelmintic use. J.A.R. vol. 30, p. 949. 1925.

36167°—32——51

Ethylene—Continued.
  sources, chemical and physical characters, and uses. J.A.R. vol. 27, pp. 761-767. 1924.
Etiella zinckenella schisticolor. See Legume pod moth.
Etoliation, caused by shortness of daylight. J.A.R. vol. 23, pp. 902-903, 919. 1923.
Eubiomyia calosomae, tachinid parasite, of Calosoma beetles life history. C. W. Collins and Clifford E. Hood. J.A.R. vol. 18, pp. 483-498. 1920.
Euca-Mul, misbranding. Chem. N.J. 12974. 1925; Chem. N.J. 13764. 1925.
Eucaine, prescription, laws. Chem. Bul. 98, rev., Pt. I, pp. 32, 59-60, 114, 144-145, 155, 195, 214-215, 220-221, 274-275, 315, 333. 1909; Chem. F.I.D. 112, p. 3. 1910.
Eucalymnatus tessellatus. See Scale, tessellated.
Eucalypt(s)—
  characteristics, and reproduction, notes. For. Bul. 98, p. 53. 1911.
  cider, distribution and description. For. Bul. 87, pp. 15, 19-20. 1911.
  climatic requirements. For. Bul. 87, p. 8. 1911.
  cultivated in the United States. Alfred James McClatchie. For. Bul. 35, pp. 106. 1902.
  drought resistance. An. Rpts., 1910, p. 389. 1911; For. A.R., 1910, p. 29. 1910.
  frost injuries in Florida. For. Bul. 87, pp. 14, 19, 20. 1911.
  growing in—
    California. For. Bul. 87, pp. 33-42. 1911; Y.B., 1909, p. 343. 1910; Y.B. Sep. 517, p. 343. 1910.
    California, Santa Maria area. Soil Sur. Adv. Sh., 1916, pp. 14, 35. 1919; Soils F.O. 1916, pp. 2540, 2561. 1921.
    Florida. Raphael Zon and John M. Briscoe. For. Bul. 87, pp. 47. 1911.
  nativity, description and distribution. For. Bul. 87, pp. 7-8. 1911.
  range, cultivation and uses. For. Cir. 59, pp. 6. 1907.
  use for chaparral lands, discussion. For. Bul. 85, pp. 46-48. 1911.
  value as windbreaks. For. Bul. 86, p. 100. 1911.
  See also Eucalyptus.
Eucalyptol—
  chief constituent of eucalyptus oil. B.P.I. Bul. 195, p. 39. 1910.
  germicidal property, note. B.A.I. Cir. 31, rev., p. 12. 1911.
  use against blackleg infection. B.A.I. Cir. 31, rev., p. 13. 1907.
  See also Cineol.
Eucalyptus—
  alpina, importation and description. No. 51756, B.P.I. Inv. 60, p. 45. 1923.
  as deterrent to mosquitoes, discussion. Ent. Bul. 88, pp. 22-23. 1910.
  borers, description. Sec. [Misc.], "A manual of insects * * *," pp. 97-98. 1917.
  California, utilization. H. S. Betts and C. Stowell Smith. For. Cir. 179, pp. 30. 1910.
  description, varieties, and regions suited to. F.B. 1208, pp. 17-18. 1922.
  distillation products. D.B. 508, pp. 3-7. 1917.
  globulus—
    injury by sapsuckers. Biol. Bul. 39, pp. 53, 86. 1911.
    use in California for windbreak. F.B. 228, p. 17. 1905.
    See also Gum, blue.
  growing—
    and value in California, Madera area. Soil Sur. Adv. Sh., 1910, p. 17. 1911; Soils F.O., 1910, p. 1727. 1912.
    at Yuma Experiment Farms. B.P.I. Cir. 126, p. 24. 1913; D.C. 75, pp. 66-67. 1920.
    in Porto Rico, experiments with varieties. P.R. An. Rpt., 1912, pp. 26-27. 1913.
  hybrid, importation, origin, and description. No. 34661, Inv. 33, pp. 7, 44. 1915.
  importation and description. No. 45769, B.P.I. Inv. 54, p. 17. 1922.
  insect pests, list. Sec. [Misc.], "A manual of insects * * *," pp. 97-100. 1917.
  marginata, importation and description. No. 43957, B.P.I. Inv. 49, p. 104. 1921.

Eucalyptus—Continued.
  miniata, importation and description. No. 42467, B.P.I. Inv. 47, pp. 18-19. 1920.
  oil, source and value. B.P.I. Bul. 195, pp. 38-39. 1910.
  ointment, misbranding. Chem. N.J. 3965. 1915.
  origin, introduction in California, and description. For. Cir. 1, pp. 6-8. 1910.
  patentinervis, importation for shade tree. Inv. No. 31554, B.P.I. Bul. 248, p. 23. 1912.
  planting—
    by railroad in southern California. Stat. Bul. 100, pp. 35-36. 1912.
    for fuel and timber, California, Marysville area. Soil Sur. Adv. Sh., p. 19. 1911; Soils F.O., 1909, p. 1703. 1912.
    for windbreaks, Hawaii. Hawaii A.R., 1923, p. 14. 1924.
    production in Porto Rico, varieties. P.R. An. Rpt., 1910, p. 30. 1911.
    quantity used in manufacture of wooden products. D.B. 605, p. 17. 1918.
  risdoni, importation and description. No. 51064, B.P.I. Inv. 64, p. 50. 1923.
  importation and description. No. 53852, B.P.I. Inv. 67, p. 92. 1923.
  robusta. See Mahogany, swamp.
  spp.—
    description, use as street trees, and regions adapted to. D.B. 816, pp. 24-25. 1920.
    drying experiments. An. Rpts., 1912, p. 542. 1913; For. A.R., 1912, p. 84. 1912.
    importations and description. Nos. 36618-36621, B.P.I. Inv. 37, pp. 39-40. 1916; Nos. 38709-38730, B.P.I. Inv. 40, pp. 14-21. 1917; Nos. 46885-46889, B.P.I. Inv. 57, pp. 46-47. 1922; Nos. 48986-49001, B.P.I. Inv. 61, pp. 62-64. 1922; Nos. 49842, 49855-49856, 49860, 50208-50210, 50347, B.P.I. Inv. 63, pp. 11, 13, 45, 57. 1923; Nos. 54469, 54506, B.P.I. Inv. 69, pp. 3, 14, 18. 1923.
  trabuti, importation from Algeria, 1909. B.P.I. Bul. 168, pp. 7, 13. 1909.
  tree, source of cineol. B.P.I. Bul. 235, p. 12. 1912.
  use—
    as windbreak for citrus orchards. F.B. 1447, pp. 39, 40. 1925.
    in—
      reforesting Porto Rico, tests. O.E.S. An. Rpt., 1908, pp. 26, 163. 1909.
      street paving. For. Cir. 141, p. 6. 1908.
    uses and value. For. Cir. 179, pp. 24-27. 1910.
    utilization in Australia. O.E.S. Bul. 231, pp. 28-30. 1910.
Eucepes batatae. See Sweet potato weevil, West Indian.
Euchistis, rejection by birds. Biol. Bul. 15, p. 48. 1901.
Euchlaena—
  mexicana, importation and description. No. 34257, B.P.I. Inv. 32, pp. 27-28. 1914.
  spp.—
    description, distribution, and uses. B.P.I. Bul. 278, pp. 14, 16-18. 1913; D.B. 772, pp. 22, 281, 283, 284. 1920.
    See also Teosinte.
Euclea—
  chloris, similarity to moth of rose slug caterpillar. Ent. Bul. 124, p. 6. 1913.
  indetermina. See Rose slug-caterpillar.
Eucoila—
  hunteri, parasite of serpentine leaf-miner. J.A.R., vol. 1, p. 82. 1913.
  impatiens, dung fly parasites, study. Ent. Cir. 115, p. 7. 1910.
Eucommia ulmoides—
  importation and description. No. 45950, B.P.I. Inv. 54, p. 47. 1922.
  See also Tuchung.
Eucoptolophus sordidus, destruction by birds. Biol. Bul. 15, p. 45. 1901.
Eucosma obfuscana, similarity of E. discretivana. J.A.R., vol. 20, pp. 823-824. 1921.
Eudamus proteus, injury to vegetables in Porto Rico. D.B. 192, pp. 7, 10. 1915.

Eudemis—
botrana. See Grape-berry moth.
vacciniana, description, injuries, and remedies. F.B. 178, pp. 9-12. 1903.
Eudoromyia magnicornis, enemy of brown-tail caterpillar, colonization. Ent. A.R., 1911, p. 10. 1911; An. Rpts., 1911, p. 500. 1912.
Eudromias morinellus, breeding and migration, note. Biol. Bul. 35, p. 77. 1910.
Euetheola rugiceps. See Sugar-cane beetle.
Eugenia—
buxifolia, injury by sapsuckers. Biol. Bul. 39, p. 48. 1911.
curranii, importation and description. No. 51201, B.P.I. Inv. 64, pp. 4, 72. 1923.
cyanocarpa, importation and description. No. 44833, B.P.I. Inv. 51, p. 75. 1922.
glaucescens, importation and description. No. 50392, B.P.I. Inv. 63, p. 65. 1923.
jambolana, importation and description. Inv. No. 31571, B.P.I. Bul. 248, pp. 25-26. 1912.
klotzschiana. See Pera do campo.
luma, importation and description. No. 53591, B.P.I. Inv. 67, pp. 4, 66. 1923.
luschnathiana. See Pitomba.
malaccensis. See Ohia.
micheli. See Cherries, Surinam.
myrtifolia. See Rose-apple, Australian.
sp(p).—
description and use in Porto Rico. D.B. 354, pp. 89-90. 1916.
hosts of Mediterranean fruit fly in Hawaii. D.B. 536, pp. 24, 36-37. 1918.
importations and description. Nos. 29336, 30040, B.P.I. Bul. 233, pp. 12, 51. 1912; Nos. 36043, 36167, B.P.I. Inv. 36, pp. 42, 61. 1915; Nos. 36968, 37017, 37026, 37385, 37392, 37492. B.P.I. Inv. 38, pp. 16, 26, 28, 55, 56, 64. 1917; Nos. 37829-37832, 37836, 38735, B.P.I. Inv. 39, pp. 11, 50-51, 122. 1917; No. 41110, B.P.I. Inv. 44, pp. 6, 39. 1918; Nos. 42030, 42366, B.P.I. Inv. 46, pp. 7, 46, 84. 1919; Nos. 47970, 47987, 47988, 48083, 48223, B.P.I. Inv. 60, pp. 5, 23, 24, 25, 40, 57. 1922; Nos. 48670, 48671, B.P.I. Inv. 61, p. 34. 1922; No. 51562, B.P.I. Inv. 65, p. 26. 1923; Nos. 54702, 54777, B.P.I. Inv. 70, pp. 1, 10, 19. 1923.
insect pests, list. Sec. [Misc.], "A manual of insects * * *." p. 100. 1917.
lemu. See Temu.
tomentosa. See Cabelluda.
uniflora. See Pitanga.
ventenatii. See Myrtle, drooping.
Euglobulin, transformation of pseudoglobulin. J.A.R., vol. 8, pp. 449-456. 1917.
Eulabis rufipes, enemy of codling moth. Ent. Bul. 97, Pt. II, p. 32. 1911.
Eulachnina, genera, description and key. D.B. 826, pp. 14-15. 1920.
Eulalia—
japonica, use and value in paper making, yield. B.P.I. Cir. 82, p. 17. 1911.
spp., use on home grounds, description. F.B. 185, p. 19. 1904; D.B. 772, pp. 255-256. 1920.
Eulecanium nigrofasciatum. See Scale, terrapin.
Eulia velutinana—
control and life history. F.B. 1270, pp. 21-22. 1922.
See also Leaf roller, red-banded.
Eumeris strigatus. See Narcissus fly.
Eumetopias jubata. See Sea lion, Steller.
Eumicrosoma benefica, parasite of chinch bug. F.B. 1223, p. 14. 1922.
Eunetta falcata. See Teal, falcated.
Eunonymus—
atropurpureus. See Wahoo.
diseases, occurrence and description in Texas. B.P.I. Bul. 226, pp. 68, 111. 1912.
spp.—
importations and description. Nos. 30535, 30983, 31276, B.P.I. Bul. 242, pp. 8, 18, 60, 79. 1912; Nos. 37479, 37541, 37546, B.P.I. Inv. 38, pp. 63, 71, 72. 1917; No. 38237, B.P.I. Inv. 39, p. 106. 1917; Nos. 38833-38835, B.P.I. Inv. 40, p. 34. 1917; Nos. 39903, 40179, 40180, B.P.I. Inv. 42, pp. 35, 84. 1918; Nos. 40581, 40696-40698, B.P.I. Inv. 43, pp. 6, 49, 68. 1918; Nos. 43684-43688, 43847, B.P.I. Inv. 49, pp. 62-63, 86. 1921; Nos. 53699-53702, B.P.I. Inv. 67, p. 79. 1923.

Eunonymus—Continued.
spp—continued.
scale infestation, description, and remedies. Ent. Cir. 114, pp. 1-5. 1909.
Eupatorium—
ageratoides, danger as cause of trembles. J.A.R., vol. 9, pp. 397-404. 1917.
glutinosum, importation and use as substitute for matico, opinion, 276. Chem. S.R.A. 23, p. 97. 1918.
oblongifolium, importation and description. No. 50393, B.P.I. Inv. 63, p. 66. 1923.
perfoliatum—
comparison with *Eupatorium urticaefolium.* J.A.R., vol. 11, p. 700. 1917.
drug use, with price, description, and range. F.B. 188, p. 30. 1904.
See also Boneset.
poisoning, symptoms and relation to milksickness. B.A.I. Doc. A-26, pp. 3, 4-5. 1918.
urticaefolium—
poisonous plant. J.A.R., vol. 11, pp. 699-716. 1917.
See also Snakeroot, white.
Eupelminus excavatus, parasite of alfalfa weevil eggs, introduction. D.C. 301, pp. 2, 3-4. 1924.
Eupelmus—
allynii—
description, enemy of wheat strawworm. Ent. Cir. 106, p. 8. 1909.
description, life history and rearing method. J.A.R., vol. 6, pp. 370-373. 1916.
parasite of Hessian fly, description. F.B. 640, pp. 15-16. 1915; F.B. 1083, p. 12. 1920; J.A.R., vol. 21, pp. 405-426. 1921.
sp., parasite of chalcid fly. D.B. 812, p. 19. 1920.
Eupeodes volucris—
enemy of the spring grain aphid. Ent. Bul. 110, p. 130. 1912.
parasite of rose aphid. D.B. 90, p. 10. 1914.
Euphagus spp. See Blackbirds.
Euphonia, occurrence in Porto Rico, habits and food. D.B. 326, pp. 123-124. 1915.
Euphorbia—
heterophylla, description, cultivation, and characteristics. F.B. 1171, pp. 35-36, 82. 1921.
lorifolia, value as rubber source, study. Hawaii A.R., 1912, p. 13. 1913.
marginata, growth in prairie-dog town. Biol. Bul. 20, p. 13. 1905.
royleana, importation and description. No. 53575, B.P.I. Inv. 67, pp. 3, 63. 1923.
rust, occurrence and description in Texas. B.P.I. Bul. 226, p. 94. 1912.
spp., importations and description. Nos. 50657, 51346, B.P.I. Inv. 64, pp. 8, 87-88. 1923.
Euphorbiaceae—
importation and description. No. 41431, B.P.I. Inv. 45, p. 28. 1918.
injury by sapsuckers. Biol. Bul. 39, p. 44. 1911.
Euphoria—
botanical description. Hawaii Bul. 44, p. 21. 1917.
cinerea, importation and description. No. 38734, B.P.I. Inv. 39, pp. 10, 122. 1917.
kernii, description. Ent. Bul. 113, p. 32. 1912.
longan. See Longan.
spp., destruction by crows. D.B. 621, pp. 15, 57. 1918.
Euphorocera claripennis, parasite of catalpa sphinx. Ent. Cir. 96, p. 5. 1907.
Eupodes spp., description and habitat. Rpt. 108, p. 21. 1915.
Eupristocerus spp., larval structure, distribution, habits, and host trees. D.B. 437, pp. 3, 6. 1917.
Euproctis chrysorrhoea—
control and life history. F.B. 270, pp. 44-46. 1922.
parasitism by *Limnerium validum.* Ent. T.B. 19, Pt. V, pp. 73-78. 1912.
See also Brown-tail moth.
Euptelea pleiosperma, importation and description. No. 34568, Inv. 33, p. 34. 1915.
"Eureka clover," new name for sachaline, origin, description, false claims. News L., vol. 3, No. 51, p. 6. 1916.
Europe—
agricultural—
economics, studies. Off. Rec., vol. 3, No. 37, p. 1. 1924.

Europe—Continued.
  agricultural—continued.
    extension work, 1913. D.B. 83, pp. 13-19. 1914.
    instruction for adults. John Hamilton. O.E.S. Bul. 163, pp. 32. 1905.
    production, government control, results. Y.B., 1919, pp. 189-190. 1920; Y.B., Sep. 807, pp. 189-190. 1920.
    survey, Danube Basin, Pt. I. L. G. Michael. D.B. 1234, pp. 111. 1924.
  anthracnose of cucurbits, occurrence. D.B. 727, pp. 3-6. 1918.
  apple—
    growing, location and acreage. Sec. [Misc.], Spec. "Geography * * * world's agriculture," pp. 77, 83. 1917.
    imports from United States and Canada, 1914-15, with comparisons. D.B. 302, pp. 17-18. 1915.
  barley acreage, production, and yield, leading countries. Sec. [Misc.], Spec. "Geography * * * world's agriculture," pp. 41, 43. 1917.
  blackleg, occurrence. F.B. 1355, p. 2. 1923.
  blister rust, occurrence—
    distribution, and control. D.B. 957, pp. 4, 76-80. 1922.
    on pines, damage. B.P.I. Bul. 206, pp. 16-21, 36-37. 1911.
  boundary, changes. Off. Rec., vol. 2, No. 29, p. 3. 1923.
  butter trade. D. C. 70, pp. 8-9. 1919.
  cattle—
    markets and abattoirs. B.A.I. Chief Rpt., 1901, p. 279. 1902.
    sheep and hog feeding. Willard John Kennedy. B.A.I. Bul. 77, pp. 98. 1905.
  central, barberry-eradication laws, and results on rust control. D.C. 269, pp. 7-9. 1923.
  cereal production. Frank R. Rutter. Stat. Bul. 68, pp. 100. 1908.
  citrus—
    fruits, acreage and production. Sec. [Misc.], Spec. "Geography * * * world's agriculture," pp. 89, 91. 1917.
    pests, attacking. Ent. Bul. 120, pp. 15-16, 49-51. 1913.
    trees, injury by gummosis. J.A.R., vol. 24, pp. 192-193. 1923.
  conditions caused by war, casualties and debts. Sec. Cir. 125, pp. 25-26. 1919.
  consumption of bread cereals. Y.B., 1923, pp. 99-100. 1924.
  continuous fight against barberry, and conditions governing. D.C. 269, p. 10. 1923.
  corn acreage and production, five leading countries, map. Sec. [Misc.] Spec., "Geography * * * world's agriculture," p. 33. 1917.
  corn, American export. John D. Shanahan and others. B.P.I. Cir. 55, pp. 42. 1910.
  cotton production. Atl. Am. Agr., Ad. Sh. Pt. V, sec. A., p. 7. 1919.
  cow-testing associations, 1895-1909. B.A.I. An. Rpt., 1909, p. 100. 1911; B.A.I. Cir. 179, p. 100. 1911.
  demand for tobaccos from United States. B.P.I. Bul. 244, pp. 34-37, 61, 77. 1912.
  drainage by pumping. O.E.S. Bul. 243, pp. 10-11, 25. 1911.
  eastern—
    grain surplus. Stat. Bul. 69, p. 6. 1908.
    wheat surplus. Stat. Bul. 68, pp. 5-6. 1908.
  emergency need for lumber. Sec. Cir. 140, pp. 5-8. 1919.
  farm products, shipments to United States, 1905-1907. Stat. Bul. 70, pp. 7, 9. 1909.
  field seed, needs and varieties, 1920. News L., vol. 6, No. 41, pp. 1, 5. 1919.
  fish utilization, comparison with America. Y.B., 1913, pp. 192, 196, 202. 1914; Y.B. Sep. 623, pp. 192, 196, 202. 1914.
  food—
    laws, affecting American exports. Chem. Bul. 61, pp. 1-39. 1901.
    shortage at close of war, and livestock shortage. Y.B., 1919, pp. 9-10, 407-424. 1920.
  foot-and-mouth disease—
    distribution, and control methods. News L. vol. 2, No. 26, pp. 3-4. 1915.
    prevalence. F.B. 666, pp. 3-4. 1915.

Europe—Continued.
  forest(s)—
    destruction by insects, notable instances. Y.B., 1907, pp. 149, 158. 1908; Y.B. Sep. 442, pp. 149, 158. 1908.
    extent and per cent of land area by countries. For. Bul. 83, pp. 6-7. 1910.
  fruits, area, production, exports, and imports, 1909-1913. D.B. 483, pp. 16-17. 1917.
  grain—
    areas, 1885, 1895, 1905. Stat. Bul. 68, pp. 8-18. 1908.
    production, 1913, comparison with 1912. News L., vol. 1, No. 18, p. 4. 1913.
    supply, per capita. Stat. Bul. 68, pp. 42-44. 1908.
  grapes, acreage and production. Sec. [Misc.], Spec. "Geography * * * world's agriculture," pp. 84, 86, 87. 1917.
  hay and forage, acreage maps. Sec.[Misc.] Spec., "Geography * * * world's agriculture," pp. 106, 107. 1917.
  hemp acreage, map. Sec. [Misc.], Spec. "Geography * * * world's agriculture," p. 56. 1917.
  hemp, introduction and growing. Y.B., 1913, pp. 289-291, 296, 299-300. 1914; Y.B. Sep. 628, pp. 289-291, 296, 299-300. 1914.
  hogs, numbers, maps and discussion. Sec. [Misc.], Spec. "Geography * * * world's agriculture," pp. 130, 131, 133. 1917.
  horse breeding, progress. F.B. 419, pp. 20-21. 1910.
  importations and restrictions. News L., vol. 6, No. 51, pp. 1-2. 1919.
  International Congresses. Off. Rec., vol. 2, No. 2, p. 2. 1923.
  laborers, percentage employed in agricultural pursuits. Stat. Bul. 94, pp. 10-11. 1912.
  land policies, discussion. Off. Rec., vol. 1, No. 41, pp. 1-2. 1922.
  livestock conditions. Turner Wright and George A. Bell. Y.B., 1919, pp. 407-424. 1920; Y.B. Sep. 821, pp. 407-424. 1920.
  market conditions. Off. Rec., vol. 2, No. 50, p. 3. 1923.
  meat inspection in different countries. B.A.I. An. Rpt., 1906, pp. 97-100. 1908; B.A.I. Cir. 125, pp. 37-40. 1908.
  Mediterranean fruit fly, distribution, and ravages. D.B. 536, pp. 3-4. 1918.
  northern—
    drainage by pumping. D.B. 304, pp. 4-6, 16, 24, 37. 1915.
    reindeer investigations. An. Rpts., 1923, p. 447. 1924; Biol. Chief Rpt., 1923, p. 29. 1923.
  oats production, 1905-1909. F.B. 420, p. 6. 1910.
  olives, growing, acreage and production. Sec. [Misc.] Spec., "Geography * * * world's agriculture," p. 92. 1917.
  pine forests, injury by pine-shoot moth. D.B. 170, pp. 2-3. 1915.
  pleuro-pneumonia of cattle, history. B.A.I. [Misc.], "Diseases of cattle," rev., p. 365. 1904; pp. 380-382. 1912; p. 367. 1923.
  potato—
    fungus, culture growth, studies. B.P.I. Bul. 245, pp. 42-43. 1912.
    production, 1909-1913, 1921-1923. Stat. Bul. 10, pp. 19-20. 1925.
  prehistoric, cattle types and agricultural conditions. B.A.I. An. Rpt., 1910, pp. 216-218. 1912.
  rabies, prevalance in various countries. B.A.I. An. Rpt., 1909, pp. 202, 213. 1911; F.B. 449, pp. 6, 19-20. 1911.
  rabbits consumed to supplement meat supply. Y.B., 1918, p. 146. 1919; Y.B. Sep. 784, p. 4. 1919.
  rice exports to United States. D.B. 323, pp. 2, 3. 1915.
  rye, acreage and production, five leading countries. Sec. [Misc.], Spec. "Geography * * * world's agriculture," p. 28. 1917.
  seed conditions, investigation. News L., vol. 6, No. 25, pp. 1-2. 1919.
  sheep, numbers, discussion and maps. Sec. [Misc.], Spec. "Geography * * * world's agriculture, pp. 135, 137, 139. 1917.

Europe—Continued.
  sorghums introduction, development and uses. B.P.I. Bul. 175, pp. 26–31. 1910.
  southeastern, fruits, area, production, exports, and imports. D.B. 483, pp. 28–32. 1917.
  southern, black rust, independence of barberry. D.C. 269, pp. 9–10. 1923.
  spruce beetle, ravages and control methods. Ent. Bul. 83, Pt. I, pp. 142–146. 1909.
  sugar consumption and production. 1906–1907. Rpt. 86, pp. 70–71. 1908.
  sugar-beet production, acreage and consumption. Sec.[Misc.], Spec."Geography * * * world's agriculture," pp. 71, 73, 75. 1917.
  western—
    grain deficit. Stat. Bul. 69, p. 5. 1908.
    prune culture, with reference to conditions in Pacific Northwest. Edward R. Lake. Pom. Bul. 10, pp. 23. 1901.
    white pine blister rust. W. Stuart Moir. D.B. 1186, pp. 32. 1924.
    wheat acreage, production, and yield, maps. Sec.[Misc.], Spec."Geography * * * world's agriculture," pp. 20–23. 1917.
  wheat—
    and rye, requirements for 1919–1920. See. Cir. 142, pp. 4–6. 1919.
    conditions, results of war. Y.B., 1917, pp. 464–469, 470, 474, 476–480. 1918; Y.B. Sep. 752, pp. 6–11, 12–16, 18–22. 1918.
    supply, dependence on foreign countries. Stat. Bul. 68, pp. 5–6. 1908.
European—
  corn borer. See Corn borer.
  countries, deposits due to dust falls, 1846–1901. Soils Bul. 68, pp. 97–99. 1911.
  grain trade. Frank R. Rutter. Stat. Bul. 69, pp. 63. 1908.
  markets, Russian wheat and wheat flour. I. M. Rubinow. Stat. Bul. 66, pp. 99. 1908.
  Russia, wheat crop, 1915, estimate. News L., vol. 3, No. 1, p. 2. 1915.
Europyga major. See Bittern, Guatemalan sun.
Eurotia lanata, description. D.B. 1345, pp. 23–24. 1925.
Eurya aciminata, importation and description. No. 47681, B.P.I. Inv. 59, p. 46. 1922.
Eurymus eurytheme—
  alfalfa caterpillar, description, distribution, control, methods. Ent. Cir. 133, pp. 1–14. 1911.
  See also Butterfly, alfalfa; Caterpillar, alfalfa.
Eurynorhynchus pygmeus, distribution and migration. Biol. Bul. 35, p. 45. 1910.
Eurytoma—
  bolteri parva, parasite of wheat jointworm. F.B. 1006, p. 11. 1918.
  hordei. See Rye strawworm.
  sp., parasite of huisache girdler. D.B. 184, p. 8. 1915.
  tylodermatis, boll weevil parasite. D.B. 231, p. 31. 1915.
Eurytomidae, enemies of boll weevil, list, etc. Ent. Bul. 100, pp. 41, 49, 54–68. 1912.
Euscaphis japonica, importation and description. No. 41263, B.P.I. Inv. 44, p. 56. 1918.
Euscepes batatae—
  description. J.A.R., vol. 12, pp. 608–610. 1918.
  See also Sweet potato scarabee.
Euschistus—
  servus. See Cotton bug, brown.
  spp., pentatomid bugs injurious to cotton. Ent. Bul. 86, pp. 74–78. 1910.
Eusideroxylon givageri, importation and description. No. 51818, B.P.I. Inv. 65, p. 54. 1923.
"Eusol," value as disinfectant. J.A.R., vol. 20, pp. 86–110. 1920.
EUSTACE, H. J.—
  "Potato diseases and their treatment: Syllabus of illustrated lecture." With F. C. Stewart. O.E.S.F.I.L. 2, pp. 17. 1904.
  "The decay of oranges while in transit from California." With others. B.P.I. Bul. 123, pp. 79. 1908.
Eustylomorphus squamipunctatus, species from Peru, description. Rpt. 102, pp. 9–10. 1915.
Eutainia vagrans. See Snake, garter.
Eutamias—
  destruction by coyotes. Biol. Bul. 20, p. 13. 1905.
  spp. See Chipmunks.

Euteles, n. sp., parasite of *Recurvaria milleri.* J.A.R., vol. 21, No. 3, p. 138. 1921.
Eutelus bruchophage—
  parasite of chalcis fly. D.B. 812, p. 17. 1920.
  parasite of clover-seed chalcid fly, life history. J.A.R., vol. 16, pp. 171–172. 1919.
Eutermes—
  debilis, occurrence in Panama, and injurious habits. D.B. 1232, p. 21. 1924.
  morio, habits and control, Porto Rico. P.R. An. Rpt., 1914, p. 43. 1916.
Euterpe—
  acuminata, importation and description. No. 51719, B.P.I. Inv. 65, p. 40. 1923.
  oleracea—
    importation and uses. No. 50481, B.P.I. Inv. 63, pp. 4, 72. 1923.
    See also Assahy.
Eutettix—
  spp.—
    life history, description, and relation to beet diseases. Ent. Bul. 66, Pt. IV, pp. 33–52. 1910.
    See also Leaf hopper.
  tenella, injury to beans, cowpeas, etc. D.B. 192, pp. 2–3, 10. 1915.
Euthrips—
  citri. See Orange thrips.
  pyri. See Pear thrips.
  spp., enemies of red spider. Ent. Cir. 172, p. 16. 1913.
Euthyrhynchus floridans, description and habits, notes. Ent. Bul. 82, Pt. VII, pp. 86–87. 1910.
Euvanessa antiopa—
  description, habits, and control. F.B. 1169, pp. 48–49. 1921.
  See also Butterfly, mourning-cloak.
Euxesta—
  notata—
    fly injurious to loco weed. B.A.I. Bul. 112, p. 106. 1909.
    See also Fly, spotted root.
  spp., infestation of yams and sweet corn. Ent. Bul. 82, Pt. VII, p. 90. 1911.
  thomae, larvae, description and occurrence in tomatoes. Ent. T.B. 22, p. 34. 1912.
Euxoa—
  ochragaster, connection with *Porosagrotis orthogonia.* J.A.R., vol. 22, p. 290. 1921.
  spp., injurious to onions, habits and control. Y.B., 1912, pp. 332–333. 1913; Y.B. Sep. 594, pp. 332–333. 1913.
  spp. See Cutworms.
  tessellata, infection with *Sorosporella uvella.* J.A.R., vol. 8, p. 190. 1917.
Euzercon spp., description. Rpt. 108, pp. 79, 80. 1915.
Euzophera semifuneralis. See Plum borer, American.
EVANS, A. C.—
  "A comparison of the acid test and the rennet test for determining the condition of milk for the Cheddar type of cheese." With E. G. Hastings. B.A.I. Cir. 210, pp. 6. 1913.
  "A study of the streptococci concerned in cheese ripening." J.A.R., vol. 13, pp. 235–252. 1918.
  "Bacteria concerned in the production of the characteristic flavor in cheese of the Cheddar type." With others. J.A.R., vol. 2, pp. 167–192. 1914.
  "Bacterial flora of Roquefort cheese." J.A.R., vol. 13, pp. 225–233. 1918.
  "Relation of the action of certain bacteria to the ripening of cheese of the Cheddar type." With others. J.A.R., vol. 2, pp. 193–216. 1914.
  "The bacteriology of Cheddar cheese." With others. B.A.I. Bul. 150, pp. 52. 1912.
EVANS, A. M.—
  "Women's rural organizations and their activities." D.B. 719, pp. 15. 1918.
  "Rest rooms for women in marketing centers." Y.B., 1917, pp. 217–224. 1918; Y.B. Sep. 726, pp. 10. 1918.
EVANS, E. A.: "Meteorological and other forms and reports: Should they be simplified, are modifications desirable." W.B. Bul. 31, pp. 168–172. 1902.
EVANS, F. L., report as Chief of Accounts and Disbursements Division—
  1902. Accts. Chief Rpt., 1902, pp. 15. 1902; An. Rpts., 1902, pp. 219–233. 1902.

EVANS, F. L., report as Chief of Accounts and Disbursements Division—Continued.
1903. Accts. Chief Rpt., 1903, pp. 19. 1903; An. Rpts., 1903, pp. 349–367. 1903.
1904. Accts. Chief Rpt., 1904, pp. 8. 1904; An. Rpts., 1904, pp. 307–314. 1904.
EVANS, J. A.: "Extension work among negroes." D.C. 355, pp. 24. 1925.
EVANS, L. F.: "Pay regulations." Accts. [Misc.], "Pay regulations," p. 1. 1903.
EVANS, L. H.: "Commercial Bordeaux mixtures." With Errett Wallace. F.B. 994, pp. 11. 1918.
Evans, M. W.—
"Alfalfa seed production." With others. F.B. 495, pp. 36. 1912.
"Alfalfa seed production: Pollination studies." With others. D.B. 75, pp. 32. 1914.
"Rooting stems in timothy." With R. A. Oakley. J.A.R., vol. 21, No. 3, pp. 173–178. 1921.
"Sowing flax on winterkilled wheat fields." B.P.I. Cir. 114, pp. 3–7. 1913.
"Timothy." F.B. 990, pp. 28. 1918.
"Timothy production on irrigated land in the Northwestern States." F.B. 502, pp. 32. 1912.
EVANS, O. L.: "A bibliography relating to soil alkalies." With others. D.B. 1314, pp. 40. 1925.
EVANS, PAUL, report on Missouri State Fruit Experiment Station, 1909. O.E.S. An. Rpt., 1909, p. 138. 1910.
EVANS, W. H.—
"Agricultural investigations in the island possessions of the United States." Y.B., 1901, pp. 503–526. 1902; Y.B. Sep. 252, pp. 503–526. 1902.
report as chief of Insular Stations—
1922. An. Rpts., 1922, pp. 425–437. 1923.
1923. An. Rpts., 1923, pp. 584–593. 1924.
EVANS, WALTER, opinion on cattle quarantine law. Sol. Cir. 13, pp. 7. 1909.
Evanston, Ill., milk supply, statistics, officials, prices, and ordinances. B.A.I. Bul. 46, pp. 40, 68. 1903.
Evansville, Ind., milk supply, statistics, officials, prices, and ordinances. B.A.I. Bul. 46, pp. 30, 71. 1903.
Evaporated—
apples, 1912. See Apples, dried; Apples, evaporated.
milk. See Milk, condensed; Milk, evaporated.
Evaporation—
a manual for observers. Frank Hagar Bigelow. W.B. [Misc.], "A manual for obesrvers * * *," pp. 196. 1909.
and mountain snowfall, observations in United States. Frank H. Bigelow. Y.B., 1910, pp. 407–412. 1911; Y.B. Sep. 547, pp. 407–412. 1911.
and rainfall, relation to dry farming. Lyman J. Briggs and J. O. Belz. B.P.I. Bul. 188, pp. 71. 1910.
annual, in southwestern Louisiana. D.B. 1356, p. 8. 1925.
average monthly, at Akron Field Station, 1908–1923. D.B. 1304, pp. 6–7. 1925.
checking by—
soil mulches. Samuel Fortier. Y.B. 1908, pp. 465–472. 1909; Y.B. Sep. 495, pp. 465–472. 1909.
windbreaks, tests and results. For. Bul. 86, pp. 43–55. 1911.
comparison with transpiration of alfalfa. J.A.R., vol. 9, pp. 277–292. 1917.
conditions at—
Belle Fourche Experiment Farm, April–September, 1908–1919. D.B. 1039, pp. 8–9. 1922.
Dickinson substation, 1907–1913. D.B. 33, pp. 6–7, 42. 1914.
control by windbreaks. F.B. 788, pp. 5–7. 1917.
data for forest stations, central Rocky Mountains. D.B. 1233, pp. 72–83, 136. 1924.
discussion, theoretical. D.B. 509, pp. 13–18. 1917.
effect(s)—
of—
cultivation to different depths, experiments. O.E.S. Bul. 248, pp. 30–62. 1912.
forest cover. F.B. 358, p. 34. 1909.
soil mulches, study and experiments. O.E.S. Bul. 248, pp. 11–30. 1912.
temperature and wind velocity. O.E.S. Bul. 248, pp. 69–74. 1912.

Evaporation—Continued.
effect(s)—Continued.
on—
development of apple aphids. Frank H. Lathrop. J.A.R., vol. 23, pp. 969–987. 1923.
land in dry farming. Y.B., 1911, pp. 249–250. 1912; Y.B. Sep. 565, pp. 249–250. 1912.
factors affecting. J.A.R., vol. 7, pp. 439–461. 1916.
fruits—
Joseph S. Caldwell. D.B. 1141, pp. 64. 1923.
and vegetables, methods and studies. O.E.S. Bul. 245, pp. 77–78, 79–80. 1912.
commercial, and drying. James H. Beattie and H. P. Gould. F.B. 903, pp. 61. 1917.
in Great Plains area, effect on agriculture. B.P.I. Bul. 188, pp. 20–22. 1910.
laws, researches. Y.B., 1910, pp. 411–412. 1911; Y.B. Sep. 547, pp. 411–412. 1911.
losses—
and means of checking. O.E.S. Bul. 177, pp. 60–63. 1907.
from orchard soils. F.B. 882, pp. 31–35. 1917.
irrigated soils. O.E.S. Bul. 248, pp. 1–77. 1912
irrigation and water requirements of crops. Samuel Fortier. O.E.S. Bul. 177, pp. 51. 1907.
maple sap, apparatus, description and use. Chem. Bul. 134, pp. 13, 52–54. 1910; F.B. 1366, pp. 21–24. 1924.
measurement—
Great Plains States. B.P.I. Bul. 188, pp. 18–19. 1910.
methods in forest studies. D.B. 1059, pp. 151–168. 1922.
method of preserving foods, studies. O.E.S. An. Rpt., 1909, p. 379. 1910.
of apples. H. P. Gould. F.B. 291, pp. 40. 1907.
paradichlorobenzene, laboratory studies. D.B. 1169, pp. 13–14. 1923.
prevention by mulching. D.B. 355, pp. 28–29. 1916.
rate, comparison to moisture content of soils. Soils Bul. 50, pp. 45–49. 1908.
recording in forests. D.B. 1233, p. 6. 1924.
records—
1922. Atl. Am. Agr., Pt. II, Sec. A, p. 48. 1922.
use. Off. Rec., vol. 3, No. 26, p. 2. 1924.
reduction by windbreaks. F.B. 1405, pp. 5–7. 1924.
relation to—
soil-moisture movements. D.B. 835, pp. 54–56. 1920.
soil temperature, record. D.B. 1233, pp. 103–108. 1924.
wind. B.P.I. Bul. 215, p. 16. 1911.
stations, class "A," instructions for installation and operation. Benjamin C. Kadel. W. B. Cir. L, pp. 26. 1915; rev., pp. 30. 1919.
stream-bed, in Colorado. J.A.R., vol. 10, pp. 242–259. 1917.
studies—
at Denver, Irrigation Field Laboratory. J.A.R. vol. 10, pp. 209–262. 1917.
equipment and plan of experiments. O.E.S. Bul. 248, pp. 8–11. 1912.
in Oregon, relation to apple aphids. J.A.R., vol. 23, pp. 977–984. 1923.
Salton Sea Basin, by Weather Bureau. An. Rpts., 1907, pp. 152–157. 1908.
surface—
soil, effect on water content, various depths. J.A.R., vol. 9, pp. 42–47. 1916.
water, Colorado, studies. J.A.R., vol. 10, pp. 210–242. 1917.
sweet-potato sirup, description and cost. D.B. 1158, pp. 9–10, 25. 1923.
total monthly, 23 stations in United States, 1909–1910. W.B. Abs. D. 4, pp. 6. (No date.)
United States, and Egypt, comparison. Soil Sur., 1903, p. 1224. 1904; Soils F.O., 1903, p. 1224. 1904.
use in sorghum-sirup manufacture. F.B. 135, p. 26. 1901.
vacuum, in cane-sirup manufacture. D.B. 921, pp. 12–13. 1920.
within various soils. Soils Bul. 55, p. 16. 1909.
Evaporator(s)—
appliances. F.B. 291, pp. 18–26. 1907.
cane-sirup factory, operation. Chem. Bul. 93, pp. 50–55. 1905.

Evaporator(s)—Continued.
 for drying pineapples, description. Chem. Cir. 57, pp. 1-2. 1910.
 for sirup-making, description and operation. D.B. 1370, pp. 21-28. 1925; D.B. 1389, pp. 15-19. 1924.
 fruit and vegetables. D.C. 3, pp. 3-7. 1919.
 fruit, size and type for community plant. D.B. 1141, pp. 7-8. 1923; F.B. 903, pp. 5-22. 1917.
 kiln for drying fruits. D.B. 1141, pp. 8-17. 1923.
 maple sap, description and use. Chem. Bul. 134, pp. 53-54. 1910; Y.B. 1366, pp. 21-23, 25-26. 1924; For. Bul. 59, pp. 6-8, 41-42. 1905.
 modern, invention and use in sugar making. For. Bul. 59, pp. 7-8, 40, 41, 42, 43. 1905.
 sorghum, description. F.B. 477, pp. 23-26. 1912.
 stove, for farm home, description and use method. F.B. 927, pp. 30-31. 1918.
 types, description. F.B. 291. pp. 6-17. 1907.
Evaporimeter—
 cold-storage—
  Milo M. Hastings. B.A.I. Cir. 149, pp. 8. 1909.
  invention and use. Y.B., 1909, p. 61. 1910.
 description and use. O.E.S. Bul. 248, pp. 70-74. 1912.
 Forest Service, description and cost. D.B. 1059, pp. 161-163, 168. 1922.
 Piche, description. D.B. 1059, pp. 155, 160, 162, 168. 1922; J.A.R., vol. 10, pp. 233-237. 1917.
Evarthrus—
 sodalis, enemy of boll weevil. Ent. Bul. 100, pp. 12, 40, 68. 1912.
 sp.—
  boll-weevil enemy, notes. Ent. Bul. 114, p. 137. 1912.
  enemy of plum curculio. Ent. Bul. 103, p. 154. 1912.
Everard, L. C.—
 "Arbor Day." D.C. 8, pp. 28. 1919.
 "Science seeks the farmer." Y.B., 1920, pp. 105-109. 1921; Y.B. Sep. 832, 105-109. 1921.
Everest, D. C.: "Preventing decay losses in pulp and paper manufacture." M.C. 39, pp. 67-68. 1925.
Evergestis—
 rimosalis. See Cabbage worms.
 straminalis. See Horse-radish webworm, European.
Everglades, Florida—
 drainage survey. O.E.S. An. Rpt., 1907, p. 42. 1908.
 experiment station. Off. Rec., vol. 1, No. 5, p. 2. 1922.
Evergreens—
 broad-leaved, use. F.B. 185, p. 19. 1904.
 hosts of bagworms. F.B. 701, p. 3. 1916.
 injury by coal dust. Off. Rec., vol. 3, No. 14, p. 5. 1924.
 planting—
  directions. Off. Rec., vol. 3, No. 7, p. 5. 1924.
  for windbreaks, returns. F.B. 788, pp. 12, 13, 14, 15. 1917.
 trees, adapted to California, Yuma Experiment Farm. W.I.A. Cir. 12, p. 24. 1916.
 uses and culture. F.B. 185, pp. 18-19. 1904; F.B. 329, pp. 16-19. 1908; F.B. 1087, p. 47. 1920.
 varieties suited to Yuma Reclamation Project. D.C. 75, pp. 66-68, 70-71. 1920.
 See also Conifers.
Evetria—
 buoliana—
  parasites. D.B. 170, pp. 8-9. 1915.
  synonymy. D.B. 170, p. 10. 1915.
 See also Moth, European pine shoot.
 spp. See Moths, tip.
Evodia—
 rutaecarpa, importation, and description. No. 40719. B.P.I. Inv. 43, pp. 71-72. 1918.
 spp., importations and descriptions. Nos. 47682, 47683. B.P.I. Inv. 59, p. 46. 1922.
Evolution—
 heterozygosis in plant breeding. E. M. East and H. K. Hayes. B.P.I. Bul. 243, pp. 58. 1912.
 methods and causes. O. F. Cook. B.P.I. Bul. 136, pp. 35. 1908.
 principles in corn breeding. Y.B. 1909, pp. 314, 315, 316. 1910; Y.B. Sep. 515, pp. 314, 315, 316. 1910.

Evotomys—
 gapperi gatei. See Mouse, Rocky Mountain red-backed.
 spp. See Mouse.
Evoxysoma vitis. See Chalcid fly, grape-seed.
Evvard, J. M.: "Rape as material for silage." With A. R. Lamb. J.A.R. vol. 6, pp. 527-533. 1916.
Ewart, J. C.: "The principles of breeding and the origin of domesticated breeds of animals." B.A.I. An. Rpt., 1910, pp. 125-186. 1912.
Ewe(s)—
 blue bag, cause, symptoms and treatment. F.B. 1155, pp. 35-36. 1921.
 breeding—
  age, discussion. F.B. 929, p. 28. 1918.
  distribution in Central and Eastern States. Sec. Cir. 93, p. 10. 1918.
  feeding directions. M.C. 12, pp. 29-30. 1924.
  grading for market. F.B. 360, p. 27. 1909.
  pea-vine silage feeding. B.P.I. Cir. 45, p. 9. 1910.
 caked udder, cause, symptoms, and treatment. F.B. 1158; pp. 35-38. 1920.
 care, feeding, tagging, dipping, and shearing. D.B. 20, pp. 19-26. 1913.
 dipping for scab. F.B. 713, pp. 17, 21, 27. 1916.
 diseases of the reproductive system, cause and treatment. F.B. 1155, pp. 32-36. 1921.
 feeder sheep, grading for market. F.B. 360, p. 26. 1909.
 feeding—
  danger in beet-top silage. F.B. 1095, p. 13. 1919.
  on Canadian field peas. F.B. 224, p. 5. 1905.
  with snakeroot to produce trembles, experiments. J.A.R. vol. 9, pp. 400-403. 1917.
 flushing—
  for lamb yield, increase. D.B. 996, pp. 1-14. 1921.
  studies in lamb production. B.A.I. Chief Rpt., 1924, p. 9. 1924.
 gestation period. F.B. 1167, p. 9. 1920.
 grazing on temporary pastures. F.B. 1181, pp. 4, 6-11, 13, 15. 1921.
 habits in inclosed pastures. For. Cir. 178, pp. 10-22. 1910.
 lambing, management on range. F.B. 1428, pp. 18-19. 1925; For. Bul 97, pp. 17-23. 1911; For. Cir. 178, pp. 33-40. 1910.
 management at breeding time and during lambing. F.B. 840, pp. 11, 12, 14-15. 1917; F.B. 374, pp. 23-24. 1909.
 milk, fat content and relation to growth in lambs. J.A.R., vol. 8, pp. 29-36. 1917; J.A.R., vol. 16, pp. 83, 84. 1919; J.A.R., vol. 17, pp. 19-32. 1919.
 parturition troubles, treatment. F.B. 840, pp. 14-15. 1917; F.B. 1152, p. 33. 1921.
 pasture space required per season. F.B. 370, p. 20. 1909.
 range, culling. F.B. 1428, pp. 20-21. 1925.
 selection for—
  1919 lamb crop, methods, etc. News L., vol. 6, No. 1, p. 8. 1918.
  starting flock, telling age by teeth. F.B. 840, p. 10. 1917; D.B. 20, pp. 8-10. 1913.
 treatment for difficult lambing. F.B. 1155, pp. 33-34. 1921.
 various breeds, mating with Karakul rams, experimental work. Y.B. 1915, pp. 257-261. 1916; Y.B. Sep. 673, 1915, pp. 257-261. 1916.
 western, value for farm flocks, selection and sales markets. News L., vol. 5, No. 3, p. 8. 1917.
 winter care, and its influence on spring lambs. News L., vol. 5, No. 18, p. 6. 1917.
 wintering methods and feeds. News L., vol. 5, No. 14, p. 6. 1917.
 See also Sheep.
Ewell, E. E.—
 "Exhibit of the Bureau of Chemistry at the Pan American Exposition, Buffalo, N. Y., 1901." With others. Chem. Bul. 63, pp. 29. 1901.
 "Methods for the investigation of canceling inks and other stamping inks." Chem. Cir. 12, pp. 6. 1903.
 "Pan-American exposition exhibit of Bureau of Chemistry." With others. Chem. Bul. 63, pp. 29. 1901.

EWING, C. O.: "Studies in mustard seeds and substitutes: I. Chinese Colza (*Brassica campestris chinoleifera* Viehoever)." With others. J.A.R., vol. 20, pp. 117-140. 1920.
EWING, H. E.—
"Our only common North American chigger, its distribution and nomenclature." J.A.R., vol. 26, pp. 401-403. 1923.
"Studies on the biology and control of chiggers." D.B. 986, pp. 19. 1921.
EWING, P. A.: "Pumping from wells for irrigation." F.B. 1404, pp. 28. 1924.
EWING, P. V.—
"A study of the physical changes in feed residues which take place in cattle during digestion." With L. W. Wright. J.A.R., vol. 13, pp. 639-646. 1918.
"A study of the rate of passage of food residues through the steer and its influence on digestion coefficients." With F. H. Smith. J.A.R., vol. 10, pp. 55-63. 1917.
"Digestibility of corn silage, velvet bean meal, and alfalfa hay when fed singly or in combinations." With F. H. Smith. J.A.R., vol. 13, pp. 611-618. 1918.
EWING, S.: "Determination of normal temperatures by means of the equation of the seasonal temperature variation, and a modified thermograph record." With others. J.A.R., vol. 18, pp. 499-510. 1920.
EWING, SCOTT: "Soil survey of—
the Ashley Valley, Utah." With others. Soil Sur. Adv. Sh., 1920, pp. 907-937. 1924; Soils F.O., 1920, pp. 907-937. 1925.
Uinta River Valley, Utah." With others. Soil Sur. Adv. Sh., 1921, pp. 42. 1925.
Exacum teres, importation and description. No. 47684, B.P.I. Inv. 59, p. 46. 1922.
Examinations—
Civil Service, scope, etc. Off. Rec., vol. 1, No. 44, p. 7. 1922.
for veterinary inspectors, admission regulations. Sec. 128, rev., pp. 11. 1921.
Exanthema—
coital or vesicular, of cattle, symptoms and treatment. B.A.I. [Misc.], "Diseases of cattle," rev., pp. 392-393. 1904; rev., pp. 408-409. 1912; rev., pp. 401-402. 1923.
See also Die-back, olive.
Excavating machinery—
for digging ditches and building levees. J. O. Wright. O.E.S. Cir. 74, pp. 40. 1907.
used in land drainage. D. L. Yarnell. D.B. 300, pp. 39. 1915.
Excavators—
descriptions and cost of operations. D.B. 300, pp. 18-33, 38. 1915.
for trenching, description. F.B. 698, pp. 6-18. 1915.
types, wheel, endless chain, and scraper, sizes and prices. F.B. 1131, pp. 9-20. 1920.
Excelsior—
hardwood trees most valuable for. F.B. 1123, p. 4. 1921.
manufacture from—
aspen and pine trees. For. Bul. 93, p. 10. 1911.
basswood. D.B. 1007, pp. 7, 24-26. 1922.
cottonwood. D.B. 24, p. 5. 1913.
pine. For. Bul. 99, pp. 19, 35, 52. 1911.
willow, uses and value. D.B. 316, pp. 30-31. 1915.
use as filter in making sorghum sirup. F.B. 135, pp. 1-40. 1914.
Excelsior Insecticide—
and Wood Preserver, Red Cedar Brand, analysis. Chem. Bul. 76, p. 54. 1903.
composition. Chem. Bul. 76, p. 54. 1903.
Exchange(s)—
citrus fruits, expenses in marketing fruit. D.B. 1261, pp. 31-33. 1924.
cotton—
action on cotton standards. Mkts., S.R.A. 7, pp. 35-36. 1916.
Growers' Imperial Valley, organization and work. D.B. 324, pp. 7-9. 1915.
foreign—
depreciation, influence on agricultural production. A. E. Taylor. Y.B., 1919, pp. 189-196. 1920; Y.B. Sep. 807, pp. 189-196. 1920.

Exchange(s)—Continued.
foreign—continued.
rates in New York, 1912-1923. Y.B., 1923, pp. 1163-1164. 1924; Y.B., Sep. 906, pp. 1163-1164. 1924.
fruit—
and truck, reports and by-laws. Rpt. 98, pp. 166-284. 1913.
organization in California. D.B. 1237, pp. 10-13. 1924.
grain named as "contract markets." An. Rpts., 1923, p. 690. 1924; Gr. Fut. A.R., 1923, p. 2. 1923.
livestock, commission rates, adjustment. Off. Rec., vol. 1, No. 43, p. 2. 1922.
produce, methods of selling. Y.B., 1909, p. 172. 1910; Y.B. Sep. 502, p. 172. 1910.
system, fruit growers, fundamental principles. D.B. 1237, pp. 44-48. 1924.
trading in eggs. F.B. 1378, p. 8. 1924.
truck, potato handling. F.B. 407, p. 24. 1910.
Excrement, poultry, composition. B.A.I. Bul. 56, pp. 44-66, 78-88, 93-94, 99, 104-105. 1904.
Excrescences, plant, symptoms of disease. F.B. 430, p. 6. 1911.
Excreta—
disinfection and care for prevention of typhoid fever. Y.B., 1901, p. 186. 1902.
human, responsibility for typhoid fever and hookworm infestation, studies. News L., vol. 2, No. 42, p. 4. 1915.
plant, presence in soil, cause, nature and disposition. Soils Bul. 55, pp. 17-18, 58-60, 64-66. 1909.
sanitary disposal, importance in prevention of tapeworm. B.A.I. An. Rpt., 1911, pp. 102, 116-117. 1913; B.A.I. Cir. 214, pp. 102, 116-117. 1913.
Excretion, purpose. O.E.S. Bul. 200, pp. 21-22. 1908.
Executive—
committee, farm bureau, composition and duties. S.R.S. Doc. 54, pp. 4-5. 1917.
departments, transactions with War Department, restrictions. Sol. [Misc.], "Laws applicable * * * Agriculture," Sup. 2, p. 108. 1915.
Exhibit(s)—
1924, list, cost, preparation, etc. Ext. Dir. Rpt., 1924, pp. 15-19. 1924.
at fairs, plan for Farmers' Institute work. O.E.S. An. Rpt., 1911, pp. 350-352. 1912.
boys' and girls' clubs at Guam fairs. Guam A.R., 1921, pp. 34-35. 1923.
cattle, in quarantined areas, shipment regulations. B.A.I.O. 240, pp. 2. 1915.
classification, at flower and fruit shows. D.C., 62, pp. 6-17. 1919.
colleges of agriculture and mechanic arts, Louisiana Purchase Exposition, St. Louis, Mo., 1904. W. H. Beal. O.E.S. Doc. 710, pp. 23. 1904.
community fairs, descriptions, groups, etc. F.B. 870, pp. 6-8. 1917.
corn, in Guam, preparation and scoring. Guam Cir. 3, pp. 8-10. 1922.
department—
at State fairs, etc. Off. Rec. vol. 1, No. 21, p. 2. 1922.
for Brazilian Centennial. Off. Rec. vol. 1, No. 4, p. 2. 1922.
exposition, custody and accountability. Adv. Com. F. and B. M. [Misc.], "Property regulations * * *," p. 19. 1916.
farm management. D.C. 302, p. 16. 1924.
Forest Service. D.C. 211, p. 44. 1922.
livestock—
arrangement and placarding. F.B. 822, pp. 5-6. 1917.
Chicago. Off. Rec. vol. 2, No. 6, p. 4. 1923.
milk, at Chattanooga Fair. Off. Rec. vol. 2, No. 49, p. 3. 1923.
National Food Show. Off. Rec. vol. 1, No. 3, p. 3. 1922.
office, report—
1922. Joseph W. Hiscox. An. Rpts., 1922, pp. 629-632. 1922; Exh. A.R., 1922, pp. 4. 1922.
1923. Joseph W. Hiscox. An. Rpts., 1923, pp. 532-536. 1923; Pub. A.R., 1923, pp. 19-22. 1923.

Exhibit(s)—Continued.
  pig-club, educational value. Y.B., 1917, p. 379. 1918; Y.B. Sep. 753, p. 11. 1918.
  pigs, at county and State fairs. Y.B., 1915, pp. 181-185. 1916; Y.B. Sep. 667, pp. 181-185. 1916.
  Plant Industry Bureau, Louisiana Purchase Exposition, St. Louis, 1904, visitors' guide. J. E. Rockwell. B.P.I. Doc. 120, pp. 53. 1904.
  road model, descriptive catalogue. Rds. Bul. 36, pp. 20. 1911.
  Roads Bureau, report for Brazil exposition. Rds. [Misc.], "Bureau of Public Roads * *," pp. 7. 1922.
  Roads Office, at Alaska-Yukon-Pacific Exposition. Rds. [Misc.], "Exhibit, Office of Public Roads * * *," pp. 23. 1909.
  selection and arrangement for corn-day exercises. D.B. 653, pp. 17-18. 1918.
Exhibition—
  agricultural—
    Society of Egypt. Off. Rec., vol. 4, No. 48, p. 7. 1925.
    See also Fairs, agricultural.
  cattle, tuberculin test, waiving. B.A.I. An. Rpt., 1907, pp. 457, 458, 459. 1909.
  coop, for poultry club members, construction. D.C. 13, pp. 6-7. 1919.
  horticultural and garden competitions. F. L. Mulford. D.C. 62, pp. 38. 1919.
  poultry, value to club members, and importance of attending. F.B. 1115, pp. 3, 10. 1920.
Exidia spp., description. D.B. 175, p. 45. 1915.
Exobasidium—
  oxycocci, cause of false-blossom of cranberry. F.B. 1081, pp. 12-13. 1920.
  vaccinii, cause of red leaf-spot of cranberry. F.B. 1081, pp. 13-14. 1920.
Exochus ovatus, parasite enemy of case-making clothes moth. F. B. 659, p. 4. 1915.
Exogens, growth studies. J.A.R., vol. 31, pp. 420-421, 448-449. 1925.
Exorista—
  boarmiae, parasite of cranberry spanworm. Ent. Bul. 66, p. 26. 1910.
  flavirostris, parasite of puss caterpillar. D.C. 288, pp. 13, 14. 1923.
  pyste—
    enemy of—
      cabbage webworm. Ent. Bul. 109, Pt. III, p. 31. 1912.
      sweet-potato leaf folder. D.B. 609, p. 9. 1917.
    parasite of southern beet webworm. D.B. 192, p. 8. 1915.
  spp., parasites of European corn borer. F.B. 1046, p. 21. 1919.
  vulgaris Fall. See Tachina fly.
Exosporium concentricum, occurrence on plants, Texas, and description. B.P.I. Bul. 226, p. 68. 1912.
Expectorant, Miller's, vegetable, misbranding. Chem. S.R.A. Sup. 18, pp. 524-525. 1916.
Expenditures—
  agricultural extension work, classified, 1915, table. S.R.S. Rpt., 1915, Pt. II, pp. 337-351. 1917.
  Agricultural Department—
    1922, 1839-1922. Accts. Chief Rpt., 1922, pp. 2, 5-6. 1922; An. Rpts., 1922, pp. 372, 375-376. 1922.
    See also Accounts and Disbursements, reports.
  cooperative extension work, 1925. Ext. Dir. Rpt., 1925, pp. 98-117. 1925.
  farmers' demonstration and extension work, 1904-1921. D.C. 248, p. 7. 1922.
  grouping, in household accounts. F.B. 964, pp. 8-9. 1918.
  library—
    1911-1915. An. Rpts., 1915, p. 288. 1916; Lib. A.R., 1915, p. 6. 1915.
    1912-1921. Lib. A.R., 1921, pp. 12, 13. 1921.
    1914-1923. An. Rpts., 1923, pp. 551, 552. 1923; Lib. A.R , 1923, pp. 15, 16. 1923.
  printing and binding, by bureaus, 1923. Pub. A.R., 1923, pp. 2-3. 1923; An. Rpts., 1923, pp. 516-517. 1923.

Experiment—
  Farm—
    Arlington. See Arlington Experiment Farm.
    Belle Fourche. See Belle Fourche Reclamation Project Experiment Farm.
    Beltsville. See Beltsville Experiment Farm.
    Chester County, Pa., description and diagram. D.B. 528, pp. 20-22. 1917.
    Cheyenne. See Cheyenne Experiment Farm.
    for breeding cotton, establishment. D.B. 332, p. 11. 1916.
    for city boys, location, description, operation methods. News L., vol. 2, No. 37, p. 5. 1915.
    Huntley reclamation project. See Huntley Reclamation Project Experiment Farm.
    Klamath Marsh. See Klamath Marsh Experiment Farm.
    San Antonio. See San Antonio Experiment Farm.
    Truckee-Carson. See Truckee-Carson Experiment Farm.
    Umatilla. See Umatilla Reclamation Project Experiment Farm.
    Yuma. See Yuma Reclamation Project Experiment Farm.
  Experiment Station—
    Bulletin No. 2, index. O.E.S. Doc. 614, pp. 671. 1903.
    Record—
      abbreviations for periodicals' names. O.E.S. Cir. 62, pp. 74. 1905.
      abbreviations, lists used in referring to periodicals. Francis A. Bartholow. D.B. 1330, pp. 160. 1925.
      vols. I to XII, 1889-1901, general index. O.E.S. Doc. 614, pp. 671. 1903.
  Experiment stations—
    accounts, classification. O.E.S. Cir. 111, p. 23. 1911; rev., pp. 24-25. 1912.
    act for establishment and endowment. O.E.S. Cir. 68, rev., pp. 4-6, 8-9. 1908.
    address list, August 1, 1916. S.R.S. Doc. 4, pp. 2. 1916.
    administration, discussion. O.E.S. An. Rpt., 1910, pp. 76-78. 1911.
    agricultural—
      and land-grant colleges, United States, statistics—
        1900. O.E.S. Bul. 97, pp. 37. 1901.
        1901. O.E.S. Bul. 114, pp. 39. 1902.
        1902. O.E.S. Bul. 128, pp. 38. 1903.
      and State agricultural colleges, list of workers, 1924-1925. Mary A. Agnew. M.C. 34, pp. 96. 1925.
      directory. Farm M. [Misc.], "Directory * * * agricultural * * *," pp. 60-61. 1920.
    education, publications. O.E.S. Doc. 807, pp. 8. 1905.
    establishment, act, text. D.C. 251, pp. 19-20. 1925.
    extension under Adams Act. Rpt. 83, pp. 79-81. 1906.
    in foreign countries. A. C. True and D. J. Crosby. O.E.S. Bul. 112, rev., pp. 276. 1902
    in United States, organization and work, 1904- O.E.S. [Misc.], "Organization and work * * *," pp. 24. 1904.
    list. Off. Rec. vol. 3, No. 38, p. 8. 1924.
    publications, list to June 30, 1906. O.E.S. Bul. 180, pp. 104. 1907.
    relation with Office of Experiment Stations. Rpt. 87, pp. 63-64. 1908.
    report on work and expenditures, 1900. A. C. True. O.E.S. Bul. 93, pp. 181. 1901.
    Treasury Department rulings. O.E.S. Cir. 111, pp. 16-18. 1911; rev., pp. 17-19. 1912.
    work and expenditures—
      1919. Work and Exp., 1919, pp. 94. 1921.
      1920. E. W. Allen and others. Work and Exp., 1920, pp. 94. 1922.
      1923. Work and Exp., 1923, pp. 122. 1925.
    Alaska. See also Alaska Experiment Stations.
    alkali soils work, résumé. Soils Bul. 35, pp. 25-60. 1906.
    American and foreign, and agricultural colleges, official lists, 1901. O.E.S. Bul. 111, pp. 130. 1902.

Experiment stations—Continued.
and agricultural colleges—
association—
constitution as amended at the seventeenth annual convention of the association, 1903. O.E.S. Cir. 56, pp. 4. 1903.
convention proceedings, 1900. O.E.S. Bul. 99. 1901.
convention proceedings, 1901. O.E.S. Bul. 115, pp. 134. 1902.
convention proceedings, 1903. O.E.S. Bul. 142. 1904.
convention proceedings, 1904. O.E.S. Bul. 153, pp. 138. 1905.
convention proceedings, 1905. O.E.S. Bul. 164, pp. 189. 1906.
convention proceedings, 1906. O.E.S. Bul. 184, pp. 132. 1907.
convention proceedings, 1907. O.E.S. Bul. 196, pp. 114. 1907.
convention proceedings, 1908. O.E.S. Bul. 212, pp. 122. 1909.
convention proceedings, 1909. O.E.S. Bul. 228, pp. 124. 1910.
report of committee on rural engineering. O.E.S. Cir. 53, pp. 10. 1903.
directory. [Misc.], "List of workers * * * 1917," Pt. II, pp. 88. 1917.
Federal legislation and rulings affecting. O.E.S. Cir. 68, pp. 21. 1906; O.E.S. Cir. 111, rev., pp. 26. 1912; O.E.S. Doc. 491, pp. 15. 1902.
Federal regulations and rulings, affecting. O.E.S. Cir. 68, rev., pp. 21. 1909.
in United States, organization lists. O.E.S. Bul. 111, pp. 1–101. 1902.
locations and officials, list. Y.B., 1900, p. 638. 1901; Y.B., 1901, p. 615–619. 1902; Y.B., 1902, p. 665–670. 1903; Y.B., 1903, p. 519. 1904; Y.B. 1904, p. 549. 1905; Y.B. 1905, p. 573. 1906.
organization lists—
1901. O.E.S. Bul. 111, pp. 130. 1902.
1902. O.E.S. Bul. 122, pp. 96. 1903.
1903. O.E.S. Bul. 137, pp. 100. 1903.
1904. O.E.S. Bul. 151, pp. 92. 1904.
1905. O.E.S. Bul. 161, pp. 95. 1905.
1906. O.E.S. Bul. 176, pp. 100. 1907.
1907. O.E.S. Bul. 197, pp. 108. 1908.
1908. O.E.S. Bul. 206, pp. 114. 1909.
1909. O.E.S. Bul. 224, pp. 95. 1910.
1910. O.E.S. Bul. 233, pp. 100. 1911.
1911. O.E.S. Bul. 247, pp. 103. 1912.
1912. O.E.S. Bul. 253, pp. 114. 1913.
See also Colleges, agricultural, and experiment stations.
and laboratories in French agricultural schools. Y.B. 1900, p. 129. 1901.
and land-grant colleges, statistics—
1904. M. T. Spethmann. O.E.S. An. Rpt., 1904, pp. 203–235. 1905.
1905. O.E.S. Cir. 64, pp. 9. 1906.
board of control, functions, duties, etc. O.E.S. Doc. 1255, pp. 104–105. 1910.
bulletins—
from their establishment to 1920. D.B. 1199, pp. 186. 1924.
list, by States, 1921 and 1922. Catherine E. Pennington. D.B. 1199, Sup. 1, pp. 24. 1924.
cooperation—
in farm-management studies. Sec. Cir. 132, p. 8. 1919.
in plant introduction. Y.B., 1900, pp. 131–133. 1901.
with Department of Agriculture. E.W. Allen. Y.B., 1905, pp. 167–182. 1906; Y.B. Sep. 375, pp. 16. 1906.
corn-breeding work. Y.B., 1906, pp. 279–294. 1907.
dairying and livestock work. Off. Rec., vol. 3, No. 22, p. 2. 1924.
distribution of information to Porto Ricans. P.R. An. Rpt., 1921, p. 6. 1922.
endowment more complete, Purnell Act, text. D.C. 251, pp. 22–23. 1925.
establishment at agricultural colleges, development, etc. News L., vol. 1, No. 37, p. 2. 1914.
expenditures under Hatch and Adams Acts, 1921. Work and Exp., 1921, pp. 114–117. 1923.

Experiment stations—Continued.
extension, report of committee. O.E.S. Cir. 72, pp. 8. 1907.
Federal legislation, regulations and rulings affecting. O.E.S. Cir. 68, pp. 21. 1906; rev., pp. 21. 1909; O.E.S. Cir. 111, pp. 24. 1911; rev., pp. 26. 1912.
field—
reports, suggestions for preparation. O.E.S. [Misc.], "Suggestions concerning preparation * * *," p. 1. 1907.
work, instructions. O.E.S. [Misc.], "Instructions to field men," pp. 4. 1909.
foreign countries. A.C. True and D. J. Crosby. O.E.S. Bul. 112, pp. 230. 1902.
forest—
list. Off. Rec., vol. 3, No. 16, p. 7. 1924.
work and needs. E. H. Clapp. Sec. Cir. 183, pp. 34. 1921.
franking privilege, rulings. D.C. 251, pp. 35–37. 1925.
funds, administration under agriculture appropriation act of 1926. D.C. 251, pp. 24–25. 1925.
funds and equipment, 1914. Work and Exp., 1914, pp. 22–26. 1915.
growth and purpose in America. O.E.S. Bul. 99, p. 42. 1901.
Guam. See Guam Experiment Station.
Hawaii. See Hawaii Experiment Station.
help to farmers. F.B. 704, pp. 5, 13, 38. 1916.
in Alaska, Hawaii, Porto Rico, and Guam, location and work. O.E.S. [Misc.], "Organization and work * * *," pp. 9–14. 1909.
in the United States, list of publications. O.E.S. Bul. 180, pp. 104. 1907.
influence on culture of field crops, illustrations. J. I. Schulte. Y.B., 1905, pp. 407–422. 1906; Y.B. Sep. 392, pp. 407–422. 1906.
insular, work in 1925. Sec. A.R., 1925, pp. 94–97. 1925.
legislation, regulations, and rulings. D.C. 251, pp. 20–31. 1923; O.E.S. An. Rpt., 1903, pp. 254–270. 1904.
limitations on use of funds. D.C. 251, pp. 26–28. 1925.
list—
1925. Off. Rec., vol. 4, No. 35, p. 4. 1925.
of workers—
1918–1919. Sec. [Misc.], "List of workers * * * 1918–19," Pt. II, pp. 89. 1919.
1921–22. S.R.S. [Misc.], "List of workers * *. * 1921–22," pp. 103. 1922.
1922–23. M.C. 4, Pt. II, pp. 108. 1923.
1923–24. M.C. 17, pp. 103. 1924.
literature—
card index—
general plan. O.E.S. Cir. 47, pp. 2. 1902; O.E.S. Cir. 107, pp. 2. 1911.
outline. S.R.S. Doc. 85, pp. 2. 1918.
subject index, key. O.E.S. Cir. 23, rev., pp. 4. 1912; S.R.S. Doc. 37, pp. 4. 1917.
location, various States, information centers. F.B. 830, p. 9. 1917.
need of sheep husbandry demonstration. Y.B., 1917, p. 319. 1918; Y.B. Sep. 750, p. 11. 1918.
organization and policy, report of committee. O.E.S. Cir. 71, pp. 7. 1907; O.E.S. Cir. 82, pp. 10. 1908.
personnel, changes, causes and details. S.R.S. Rpt., 1916, Pt. I, pp. 25–29. 1918.
Porto Rico. See Porto Rico Experiment Station.
program of work for 1915. Sec. [Misc.], "Program of work * * * 1915," p. 256. 1914.
progress in foreign countries. O.E.S. An. Rpt., 1910, pp. 85–89. 1911.
projects, list. Off. Rec., vol. 3, No. 9, p. 7. 1924.
publications—
editing of. L. H. Bailey. O.E.S. Bul. 123, pp. 112–113. 1903.
on food and nutrition of man. O.E.S. Doc. 715, pp. 12. 1904.
on irrigation and drainage, list, June, 1904. O.E.S. Doc. 719, pp. 8. 1904.
to June 30, 1908. O.E.S. Cir. 70, rev., pp. 19. 1908.
See also each issue of Official Record.
regulatory work, funds, and equipment, 1916. S.R.S. Rpt., 1916, Pt. I, pp. 20–25. 1918.

INDEX TO PUBLICATIONS, 1901–1925   805

Experiment stations—Continued.
  relation to—
    Department Library. An. Rpts., 1912, pp. 810–812. 1913; Lib. A. R., 1912, pp. 14–16. 1912.
    Department of Agriculture. Y.B., 1905, pp. 167–182. 1906; Y.B. Sep. 375, pp. 167–182. 1906.
    Experiment Stations Office. O.E.S. Bul. 256, pp. 24–25. 1913; O.E.S. [Misc.], "Organization and work * * *," pp. 5–9. 1909.
  revenues, and relation of projects. Work and Exp., 1921, pp. 2–5, 7–8. 1923.
  rulings of Treasury Department. D. C. 251, pp. 28–29. 1925.
  semiarid regions, effect of establishment. B.P.I. Bul. 215, p. 22. 1911.
  southern, forage-crop adaptability, recommendations. F.B. 509, pp. 45–47. 1912.
  State—
    aid in solving war problems. News L. vol. 5, No. 2, p. 4. 1917.
    by States and workers, list. S.R.S. [Misc.], "List of workers * * * 1921–22," Pt. II, pp. 1–76. 1922.
    cooperation with Agriculture Department, law. O.E.S. Cir. 111, p. 14. 1911.
    information on fruit growing. F.B. 161, pp. 25–26. 1902.
    progress and projects. S.R.S. Dir. Rpt., 1921, pp. 1–2, 13–16. 1921.
  statistics—
    1907. O.E.S. An. Rpt., 1907, pp. 199–236. 1908.
    1908. O.E.S. An. Rpt., 1908, pp. 216–230. 1909.
    1909. O.E.S. An. Rpt., 1909, pp. 211–250. 1910.
    1910. M. T. Spethmann. O.E.S. An. Rpt., Rpt., 1910, pp. 271–314. 1911.
    1911. O.E.S. An. Rpt., 1911, pp. 233–234, 260–275. 1912.
    1912. O.E.S. An. Rpt., 1912, pp. 262–277. 1913.
    1913, tables, directory. O.E.S. An. Rpt., pp. 90–110. 1913.
    1915, organization, revenue and expenditures. S.R.S. Rpt., 1915, Pt. I, pp. 285–298. 1916.
    1916, organization, revenue, and expenditures. S.R.S. Rpt., 1916, Pt. I, pp. 297–308. 1918.
    1917 on equipment, revenues and expenditures. S.R.S. Rpt., 1917, Pt. I, pp. 285–296. 1918.
    1919–1920, by States. Work and Exp., 1920, pp. 85–87. 1922.
    1921, general and financial. Work and Exp., 1921, pp. 107–118. 1923.
    1922. J. I. Schulte. Work and Exp., 1922, pp. 127–136. 1924.
    1923. Work and Exp., 1923, pp. 113–122. 1925.
  studies of hay shrinkage, data. D.B. 873, pp. 4–8. 1920.
  substations, establishment, 1920, location and description. Work and Exp., 1920, pp. 16–21. 1922.
  supplement to Department of Agriculture. E. W. Allen. Y.B., 1905, pp. 167–182. 1906; Y.B. Sep. 375, pp. 167–182. 1906.
  Virgin Islands. See Virgin Islands Experiment Station.
  war activities, and resulting work. Work and Exp., 1918, pp. 12–29, 43–46, 53. 1920.
  work—
    XVIII. F.B. 133, pp. 32. 1901.
    XIX. F.B. 144, pp. 32. 1901.
    XX. F.B. 149, pp. 32. 1902.
    XXI. F.B. 162, pp. 32. 1903.
    XXII. F.B. 169, pp. 32. 1903.
    XXIII. F.B. 186, pp. 32. 1904.
    XXIV. F.B. 190, pp. 32. 1904.
    XXV. F.B. 193, pp. 32. 1904.
    XXVI. F.B. 202, pp. 32. 1904.
    XXVII. F.B. 210, pp. 32. 1904.
    XXVIII. F.B. 222, pp. 32. 1905.
    XXIX. F.B. 225, pp. 32. 1905.
    XXX. F.B. 227, pp. 32. 1905.
    XXXI. F.B. 233, pp. 32. 1905.
    XXXII. F.B. 237, pp. 32. 1905.
    XXXIII. F.B. 244, pp. 32. 1906.
    XXXIV. F.B. 251, pp. 32. 1906.
    XXXV. F.B. 259, pp. 32. 1906.

Experiment stations—Continued.
  work—continued.
    XXXVI. F.B. 262, pp. 32. 1906.
    XXXVII. F.B. 267, pp. 32. 1906.
    XXXVIII. F.B. 273, pp. 32. 1906.
    XXXIX. F.B. 276, pp. 32. 1907.
    XL. F.B. 281, pp. 32. 1907.
    XLI. F.B. 296, pp. 32. 1907.
    XLII. F.B. 305, pp. 32. 1907.
    XLIII. F.B. 309, pp. 32. 1907.
    XLIV. F.B. 316, pp. 32. 1908.
    XLV. F.B. 317, pp. 32. 1908.
    XLVI. F.B. 320, pp. 32. 1908.
    XLVII. F.B. 329, pp. 32. 1908.
    XLVIII. F.B. 334, pp. 32. 1908.
    XLIX. F.B. 342, pp. 32. 1909.
    L. F.B. 353, pp. 32. 1909.
    LI. F.B. 360, pp. 32. 1909.
    LII. F.B. 366, pp. 32. 1909.
    LIII. F.B. 374, pp. 32. 1909.
    LIV. F.B. 381, pp. 32. 1909.
    LV. F.B. 384, pp. 32. 1910.
    LVI. F.B. 388, pp. 32. 1910.
    LVII. F.B. 405, pp. 32. 1910.
    LVIII. F.B. 412, pp. 32. 1910.
    LIX. F.B. 419, pp. 24. 1910.
    LX. F.B. 425, pp. 24. 1910.
    LXI. F.B. 430, pp. 24. 1911.
    LXII. F.B. 435, pp. 24. 1911.
    LXIII. F.B. 451, pp. 24. 1911.
    LXIV. F.B. 457, pp. 24. 1911.
    LXV. F.B. 465, pp. 24. 1911.
    LXVI. F.B. 469, pp. 24. 1911.
    LXVII. F.B. 479, pp. 24. 1912.
    LXVIII. F.B. 486, pp. 24. 1912.
    LXIX. F.B. 499, pp. 24. 1912.
    LXX. F.B. 504, pp. 24. 1912.
    LXXI. F.B. 514, pp. 24. 1912.
    LXXII. F.B. 517, pp. 24. 1912.
    LXXIII. F.B. 522, pp. 24. 1913.
    LXXIV. F.B. 527, pp. 24. 1913.
    LXXV. F.B. 532, pp. 24. 1913.
    LXXVI. F.B. 549, pp. 24. 1913.
  and expenditures—
    1900. O.E.S. Bul. 93, pp. 181. 1901.
    1901. O.E.S. An. Rpt., 1901, pp. 17–238. 1902.
    1902. O.E.S. An. Rpt., 1902, pp. 23–232. 1903.
    1903. O.E.S. An. Rpt., 1903, pp. 23–311. 1904.
    1904. O.E.S. An. Rpt., 1904, pp. 49–264. 1905.
    1905. O.E.S. An. Rpt., 1905, pp. 39–196. 1906.
    1906, tables. O.E.S. An. Rpt., 1906, pp. 208–212. 1907.
    1907. O.E.S. An. Rpt., 1907, pp. 51–191. 1908.
    1908. O.E.S. An. Rpt., 1908, pp. 55–190. 1909.
    1909. O.E.S. An. Rpt., 1909, pp. 55–209. 1910.
    1910. O.E.S. An. Rpt., 1910, pp. 61–269. 1911.
    1911. O.E.S. An. Rpt., 1911, pp. 53–230. 1912; O.E.S. Doc. 1504, pp. 53–230. 1912.
    1912. O.E.S. An. Rpt., 1912, pp. 43–231. 1913.
    1913. A. C. True. O.E.S. An. Rpt., 1913, pp. 110. 1915.
    1914. A. C. True. O.E.S. An. Rpt., 1914, pp. 289. 1915.
    1915. A. C. True. O.E.S. An. Rpt., 1915, Pt. I, pp. 321. 1917.
    1916. A. C. True. O.E.S. An. Rpt., 1916, Pt. I, pp. 334. 1918.
    1917. A. C. True. O.E.S. An. Rpt., 1917, Pt. I, pp. 335. 1918.
    1918. A. C. True. O.E.S. An. Rpt., 1918, pp. 80. 1920.
    1921. A. C. True. O.E.S. An. Rpt., 1921, pp. 138. 1923.
    1922. A. C. True. O.E.S. An. Rpt., 1922, pp. 158. 1924.
    1923. A. C. True. 1924. An. Rpts., 1923, pp. 578–593. 1924.
  continuity. O.E.S. Cir. 82, pp. 5–7. 1908.
  duplication. H. T. French. O.E.S. Bul. 196, pp. 100–103. 1907.

Experiment stations—Continued.
work—continued.
influence in culture of field crops. J. I. Schulte. Y.B., 1905, pp. 407–422. 1906; Y.B. Sep. 392, pp. 407–422. 1906.
practical results. W. H. Beal. Y.B., 1902, pp. 589–606. 1903; Y.B. Sep. 292, pp. 18. 1903.
review of results, 1915. S.R.S. Rpt., 1915, Pt. I, pp. 31–58. 1917.
with cowpeas as feed and green manure. F.B. 1153, pp. 10, 15–17, 20, 22–23. 1920.
with peaches. O.E.S. An. Rpt., 1906, pp. 399–434. 1907.
See also under names of field stations.
Experiment Stations Office—
agricultural extension act, and appropriation. Sol. [Misc.], "Laws applicable * * * Agriculture," Sup. 2, pp. 80–84. 1915.
annual report—
1901. A. C. True. O.E.S. An. Rpt., 1901, pp. 489. 1902.
1902. A. C. True. O.E.S. An. Rpt. 1902, pp. 547. 1903.
1903. A. C. True. O.E.S. An. Rpt., 1903, pp. 758. 1904.
1904. A. C. True. O.E.S. An. Rpt. 1904, pp. 724. 1905.
1905. A. C. True. O.E.S. An. Rpt., 1905, pp. 413. 1906.
1906. A. C. True. O.E.S. An. Rpt., 1906, pp. 434. 1907.
1907. A. C. True. O.E.S. An. Rpt., 1907, pp. 414. 1908.
1908. A. C. True. O.E.S. An. Rpt., 1908, pp. 417. 1909.
1909. A. C. True. O.E.S. An. Rpt., 1909, pp. 439. 1910.
1910. A. C. True. O.E.S. An. Rpt., 1910, pp. 512. 1911.
1911. A. C. True. O.E.S. An. Rpt., 1911, pp. 388. 1912.
1912. A. C. True. O.E.S. An. Rpt., 1912, pp. 383. 1913.
See also States Relations Service.
appropriations, act, 1910, extracts. O.E.S. Cir. 68, rev., pp. 11–12. 1908.
change of name. Y.B., 1914, p. 61. 1915.
cooperation with colleges in rural engineering. O.E.S. An. Rpt., 1905, pp. 491–493. 1906.
cooperative studies with respiration calorimeter. Y.B., 1911, pp. 491, 492, 493, 504. 1912; Y.B. Sep. 586, pp. 491, 492, 493, 504. 1912.
establishment and work. An. Rpts., 1923, pp. 554–567, 578–593. 1924; S.R.S. Rpt., 1923, pp. 2–15, 26–41. 1923.
food and nutrition publications, list. O.E.S. Doc. 993, pp. 16. 1907.
irrigation—
and drainage—
investigations. R. P. Teele. O.E.S. Doc. 723, pp. 23. 1904.
work. O.E.S. Cir. 63, pp. 11. 1905.
investigations, organization, work and publications. O.E.S. Doc. 1079, pp. 11. 1908.
list of publications on agricultural education, corrected to Feb. 15. O.E.S. Doc. 1076, pp. 12. 1908; O.E.S. [Misc.], "List of publications * * * education," pp. 12. 1908.
list of station publications received—
during March, 1908. O.E.S. [Misc.], "List of station publications * * *," pp. 7. 1908.
during April, 1908. O.E.S. [Misc.], "List of station publications * * *," pp. 7. 1908.
during June, 1908. O.E.S. [Misc.], "List of station publications * * *," pp. 6. 1908.
during July, 1908. O.E.S. [Misc.], "List of station publications * * *," pp. 6. 1908.
during August, 1908. O.E.S. [Misc.], "List of station publications * * *," pp. 8. 1908.
during September, 1908. O.E.S. [Misc.], "List of station publications * * *," pp. 4. 1908.
during October, 1908. O.E.S. [Misc.], "List of station publications * * *," pp. 6. 1908.
during November, 1908. O.E.S. [Misc.], "List of station publications * * *," pp. 5. 1908.

Experiment Stations Office—Continued.
nutrition investigations and results. C. F. Langworthy. O.E.S. An. Rpt., 1906, pp. 359–372. 1907.
organization—
and work, 1907. O.E.S. [Misc.], "Organization and work * * *," pp. 29. 1907.
and work, 1909. O.E.S. [Misc.], "Organization and work * * *," pp. 32. 1909.
growth since 1881, and present status. An. Rpts., 1909, pp. 801–802, 810. 1910; Appt. Clerk A.R., 1909, pp. 13–14, 22. 1909.
publications—
from organization to June 30, 1909. O.E.S. Cir. 70, rev., pp. 20. 1909.
issued and received, 1905. O.E.S. Cir. 66, pp. 14. 1906.
on agricultural education. O.E.S. Doc. 992, pp. 11. 1907.
on food and nutrition of man. O.E.S. Doc. 865, pp. 14. 1906; O.E.S. Doc. 938, pp. 14. 1906; O.E.S. Doc. 1052, pp. 16. 1907.
on irrigation and drainage. O.E.S. Doc. 875, pp. 10. 1906; O.E.S. Doc. 917, pp. 11. 1906; O.E.S. Doc. 994, pp. 11. 1907.
to February 15, 1911. Pub. Cir. 17, pp. 12. 1911.
relations—
to—
agricultural colleges and schools. O.E.S. Cir. 106, pp. 7–9. 1911.
institutions for agricultural education. An. Rpts., 1907, pp. 655–665. 1908.
with experiment stations. S.R.S. Rpt., 1915, Pt. I, pp. 11–13. 1917.
report of director—
1901. A. C. True. An. Rpts., 1901, pp. 175–233. 1901; O.E.S. Dir. Rpt., 1901, pp. 59. 1901.
1902. A. C. True. An. Rpts., 1902, pp. 241–304. 1902; O.E.S. Dir. Rpt., 1902, pp. 64. 1902.
1903. A. C. True. An. Rpts., 1903, pp. 245–324. 1903; O.E.S. Dir. Rpt., 1903, pp. 80. 1903.
1904. A. C. True. An. Rpts., 1904, pp. 445–523. 1904; O.E.S. Dir. Rpt., 1904, pp. 79. 1904.
1905. A. C. True. An. Rpts., 1905, pp. 439–494. 1906; O.E.S. Dir. Rpt., 1905, pp. 56. 1905.
1906. A. C. True. An. Rpts., 1906, pp. 556–615. 1907; O.E.S. Dir. Rpt., 1906, pp. 63. 1906.
1907. A. C. True. An. Rpts., 1907, pp. 649–715. 1908; O.E.S. Dir. Rpt., 1907, pp. 71. 1907.
1908. A. C. True. An. Rpts., 1908, pp. 717–743. 1909; O.E.S. Dir. Rpt., 1908, pp. 29. 1908.
1909. A. C. True. An. Rpts., 1909, pp. 683–709. 1910; O.E.S. Dir. Rpt., 1909, pp. 31. 1909.
1910. A. C. True. An. Rpts., 1910, pp. 735–766. 1911; O.E.S. Dir. Rpt., 1910, pp. 36. 1910.
1911. A. C. True. An. Rpts., 1911, pp. 685–713. 1912; O.E.S. Dir. Rpt., 1911, pp. 31. 1911.
1912. A. C. True. An. Rpts., 1912, pp. 819–845. 1913; O.E.S. Dir. Rpt., 1912, pp. 31. 1912.
1913. A. C. True. An. Rpts., 1913, pp. 271–284. 1914; O.E.S. Dir. Rpt., 1913, pp. 14. 1913.
1914. A. C. True. An. Rpts., 1914, pp. 255–269. 1915; O.E.S. Dir. Rpt., 1914, pp. 15. 1914.
1915. A. C. True. An. Rpts., 1915, pp. 295–312. 1916; O.E.S. Dir. Rpt., 1915, pp. 18. 1915.
salaries and general expenses, 1915, appropriations. Sol. [Misc.], "Laws applicable * * * Agriculture." * * * Sup. 2, pp. 84–86. 1915.
work, educational, relations, U. S. and foreign. O.E.S. An. Rpt., 1906, pp. 217–232. 1907.
See also States Relations Service.
Experiment Station Record, scope. O.E.S. [Misc.]. "Organization and work * * *," p. 21. 1909.
Experiment substations—
establishment in various States, 1910. O.E.S. An. Rpt., 1910, pp. 63–66. 1911.
for dry-farming demonstrations. Y.B., 1907, pp. 456–463. 1908; Y.B., Sep. 461, pp. 456–463. 1908.
Experimental farm, boys', Elmira, New York, operation methods and financing. News-L., vol. 2, No. 37, p. 5. 1915.
Expert accountants, compensation payment, restrictions, law. Sol. [Misc.], "Laws applicable * * * agriculture," Sup. 2, p. 99. 1915.
Expiro insect powder, adulteration and misbranding, No. 750. I. and F.Bd. S.R.A. 40, pp. 959–960. 1922.

INDEX OF PUBLICATIONS, 1901–1925

Exploration(s)—
agricultural—
1904–1905. B.P.I. Chief Rpt., 1905, pp. 171–173. 1905.
for introduction of rare plants and seeds. B.P.I. Cir. 100, pp. 17–19. 1912.
in Asia, 1911. An. Rpts., 1911, pp. 333–334. 1912; B.P.I. Chief Rpt., 1911, pp. 85–86. 1911.
and explorers, Athabaska-Mackenzie Region, 1770–1907. N.A.Fauna 27, pp. 10–11, 54–85. 1908.
foreign, recent bearing on agricultural development of the Southern States. S. A. Knapp. B.P.I. Bul 35, pp. 44. 1903.
Palestine, botanical and agricultural. Aaron Aaronsohn. B.P.I. Bul. 180, pp. 64. 1910.
plant, China a fruitful field. Frank N. Meyer. Y.B. 1915, pp. 205–224. 1916; Y.B., Sep. 671, pp. 205–224. 1916.
Explorer, agricultural, requirements and equipment. Y.B., 1915, pp. 208–209. 1916; Y.B. Sep. 671, pp. 208–209. 1916.
Explosions—
dust—
character and causes. D.B. 681, pp. 4–6. 1918.
control investigations. An. Rpts., 1920, pp. 280–281. 1921.
danger from electric lights in dusty industries. David J. Price and Hylton R. Brown. D.C. 171, pp. 7. 1921.
mills and elevators, control work. An. Rpts., 1918, pp. 211, 214. 1919; Chem. Chief Rpt., 1918, pp. 11, 14. 1918.
prevention studies. Chem. Chief Rpt., 1924, pp. 13–14. 1924.
grain-dust—
cause and prevention. Sec. [Misc.], "Just a word * * *," pp. 10. 1919.
device for prevention. Off. Rec., vol. 2, No. 8, p. 4. 1923.
experimental studies. B. W. Dedrick and others. D.B. 681, pp. 54. 1918.
movie exhibits. News L., vol. 7, No. 15, p. 4. 1919.
prevention, studies by Chemistry Bureau. D.C. 137, p. 21. 1922.
mills, elevators, and cotton gins, investigations. An.Rpts., 1919, p. 226. 1920; Chem. Chief Rpt., 1919, p. 16. 1919.
threshing machines, prevention by dust-collecting fans. H. E. Roethe, jr., and E. N. Bates. D.C. 98, pp. 11. 1920.
Explosives—
blasting, T. N. T., nature and use. C. E. Munroe and S. P. Howell. D. C. 94, pp. 24. 1920.
distribution for roads. Off. Rec., vol. 2, No. 37, p. 2. 1923.
land clearing, cooperative purchase, county agent work. D.C. 244, p. 29. 1922.
management in rockwork for trail building. For. [Misc.], 0–6, pp. 36–42. 1915.
manufacture—
from linters, processes, description. D. C. 175, pp. 3, 8, 9. 1921.
use of cottonseed products. Mkts. Chief Rpt., 1915, p. 22. 1915; An. Rpts., 1915, p. 384. 1916.
mixtures, discussion. F.B. 277, pp. 18–22. 1907.
nitrogen, demand and use in war. Y.B., 1919, p. 116. 1920; Y.B. Sep. 803, p. 116. 1920.
pyrotol, priming method. Rds. [Misc.], "Prime pyrotol this way * * *," pp. 4. 1924.
sensitiveness, comparison with T. N. T. D.C. 94, pp. 6, 19, 20–24. 1920.
sodatol, cost to farmer. Off. Rec., vol. 2, No. 48, p. 5. 1923.
storage building, for department supply. Off. Rec., vol. 1, No. 45, p. 4. 1922.
use in—
blasting stumps. D.C. 191, pp. 15. 1921.
protection of fruit from frost. Y.B., 1909, pp. 357–358. 1910; Y.B. Sep. 519, pp. 357–358. 1910.
stump pulling, kinds, and comparisons. D.B. 91, pp. 7–8. 1914.
war—
distribution for agricultural uses. An. Rpts., 1922, pp. 502–503. 1923; Rds. Chief Rpt., 1922, pp. 42–43. 1922.

Explosions—Continued.
war—continued.
surplus, use in clearing land. Rds. Chief Rpt., 1925, pp. 43–44. 1925.
wood containers for safe transportation. An. Rpts., 1914, p. 163. 1914; For. A.R., 1914, p. 35. 1914.
Exports—
agricultural—
and countries to which consigned, 1905–1907. Stat. Bul. 71, pp. 78. 1909.
increase in 1921. Y.B., 1922, p. 250. 1923; Y.B. Sep. 882, p. 250. 1923.
increase in 1923. Off. Rec., vol. 2, No. 25, pp. 1–2. 1923.
Porto Rico—
1912, increase. P.R. An. Rpt., 1912, p. 7. 1913.
1913. P.R. An. Rpt., 1913, pp. 7, 8, 9. 1914.
products—
1906–1910, and 1851–1910. Y.B., 1910, pp. 665–678. 1911; Y.B. Sep. 553, pp. 665–678. 1911; Y.B. Sep. 554, pp. 665–678. 1911.
1907–1911 and 1851–1911. Y.B., 1911, pp. 668–682, 688–690. 1912; Y.B. Sep. 588, pp. 668–682, 688–690. 1912.
1908–1912 and 1851–1912. Y.B., 1912, pp. 726–741, 746–749. 1913; Y.B. Sep. 615, pp. 726–741, 746–749. 1913.
1910–1919. Y.B., 1919, pp. 11–12, 14–16. 1920.
1913, comparison with other years. F.B. 570, pp. 18–19. 1913.
1913–1923. Off. Rec. vol. 3, No. 1, p. 8. 1924.
1914–1915, discussion. An. Rpts., 1915, pp. 4–5. 1916; Sec. A.R., 1915, pp. 6–7. 1915.
annual average, by countries, from which consigned. Stat. Cir. 31, pp. 30. 1912.
testimony of Frank H. Hitchcock before the Industrial Commission. Rpt. 67, pp. 53. 1901.
statistics—
1919. Y.B., 1919, pp. 691–702, 705, 708, 710–716. 1920; Y.B. Sep. 829, pp. 691–702, 705–708, 710–716. 1920.
1922. Y.B., 1922, pp. 70–72, 955–964, 968, 970–976, 982. 1923; Y.B. Sep. 880, pp. 955–964, 968, 970–976, 982. 1923; Y.B. Sep. 883, pp. 70–72. 1923
1923. Y.B., 1923, pp. 1103–1114, 1118–1126, 1135. 1924; Y.B. Sep. 905, pp. 1103–1114, 1118–1126, 1135. 1924.
United States—
1851–1902. Frank H. Hitchcock. For. Mkts. Bul. 34, pp. 100. 1903.
1896–1900, distribution. Frank H. Hitchcock. For. Mkts. Bul. 25, pp. 182. 1901.
distribution, 1897–1901. Frank H. Hitchcock. For. Mkts. Bul. 29, pp. 202. 1902.
distribution, 1898–1902. Frank H. Hitchcock. For. Mkts. Bul. 32, pp. 224. 1903.
to the Netherlands, 1897–1906. Stat. Bul. 72, pp. 7, 41–51. 1909.
American, effect of European pure-food laws. Chem. Bul. 61, pp. 39. 1901.
and imports, agricultural, 1897–1901. For. Mkts. Cir. 24, pp. 1–16. 1902.
animals—
and animal products—
John Roberts. B.A.I. Chief Rpt., 1904, pp. 469–505. 1905.
1906–1909. B.A.I. An. Rpt., 1909, pp. 316–317. 1911.
1909–1911. B.A.I. An. Rpt., 1911, pp. 280–281. 1913.
by countries to which consigned, 1897–1906. B.A.I. An. Rpt., 1907, pp. 346, 386–395. 1909.
inspection, handling and transport, regulations. B.A.I.O. 264, pp. 23. 1919.
apples—
1910, 1912. D.B. 140, p. 37. 1915.
from Northwest, 1916–1920. D.B. 935, pp. 8–9, 27. 1921.
ash lumber. D.B. 523, pp. 37–38. 1917.
barley, for world countries, 1911–1920. Y.B., 1921, p. 558. 1922; Y.B. Sep. 868, p. 52. 1922.
beef and beef products, 1917 and 1918. Sec. Cir. 123, p. 8. 1918.
beef cattle, Mexico, number and value. B.A.I. Bul. 41, pp. 6–13. 1902.

Exports—Continued.
  birch lumber. For. Cir. 163, p. 9. 1909.
  black walnut, amounts and value, 1912–1917.
    D.B. 909, pp. 74–76. 1921.
  butter—
    1906–1910, 1907–1911. Y.B. 1911, pp. 633, 668.
      1912; Y.B. Sep. 588, pp. 633, 668. 1912.
    and eggs, monthly, 1884–1911. Stat. Bul. 101,
      pp. 72–75. 1913.
    by countries. D.C. 70, pp. 9–11, 13–19. 1919.
  cattle—
    and meat, federal inspection law. Chem. Bul.
      69, Pt. I, pp. 2–7. 1902.
    increase 1878–1908. Y.B., 1908, p. 236. 1909;
      Y.B. Sep. 477, p. 236. 1909.
    number and value, 1850–1918. D.C. 7, p. 5.
      1919.
  cereals, European countries. Stat. Bul. 69, pp.
    9–60. 1908.
  clover and timothy seeds, 1910–1922. S.B. 2,
    pp. 81 82. 1924.
  coffee, by world countries. Y.B., 1921, p. 669.
    1922; Y.B. Sep. 869, p. 89. 1922.
  Commission—
    personnel. Off. Rec., vol. 3, No. 4. pp. 1, 5.
      1924.
    proposal. Off. Rec., vol. 3, No. 22, pp. 1–2.
      1924.
  corn—
    carrying qualities, factors influencing. E. G.
      Boerner. D.B. 764, pp. 99. 1919.
    graphs and statistics. Y.B., 1921, pp. 203–206,
      746, 751, 781. 1922; Y.B. Sep 872, pp. 203–
      206. 1922; Y.B. Sep. 867, pp. 10, 15. 1922;
      Y.B. Sep. 871, p. 12. 1922.
    investigations of cargoes in Europe, 1906, 1907,
      1908, details and tables. B.P.I. Cir. 55, pp.
      5–19. 1910.
    of world countries, 1909–1920. Y.B. 1921, p
      519. 1922; Y.B. Sep. 868, p. 13. 1922.
  corporation bill, objects. Off. Rec., vol. 3, No. 4,
    pp. 1, 5. 1924.
  cotton—
    1790–1911. Stat. Cir. 32, pp. 5–9. 1912.
    1866–1921. Y.B., 1921, pp. 610, 616. 1922; Y.B.
      Sep. 869, pp. 30, 36. 1922.
    1910–1922. An. Rpts., 1922, pp. 54–55. 1922;
      Sec. A.R., 1922, pp. 54–55. 1922.
    percentage of production. Atl. Am. Agr. Adv.
      Sh., Pt. V, Sec. A, p. 28. 1919.
    statistics, comparison 1913–1916. Mkts. S.R.A.
      9, pp. 105–106. 1916.
  cottonseed oil—
    1909–1920. Y.B., 1921, p. 618. 1922; Y.B. Sep.
      869, p. 38. 1922.
    1913–1920, by world countries. Y.B., 1921,
      p. 800. 1922; Y.B. Sep. 871, p. 31. 1922.
  crop movement—
    Pub. [Misc.], "Crop export movement," p. 1.
      1905.
    port facilities on Atlantic and Gulf Coasts.
      Frank Andrews. Stat. Bul. 38, pp. 80. 1905.
  dairy—
    cows, regulations. News L., vol. 7, No. 9, p. 7.
      1919.
    products—
      1910–1918. Sec. Cir. 123, p. 12. 1918.
      1914–1919. Sec. Cir. 142, p. 21. 1919.
      1919 increase, and foreign demands. News L.
        vol. 7, No. 6, p. 3. 1919.
      increase since 1914. Sec. Cir. 85, pp. 3–5.
        1918.
    decrease in 1909, discussion. Stat. Bul. 83,
      pp. 7–8. 1910.
    domestic, total and farm, value, 1851–1907. Y.B.
      1907, p. 756. 1908; Y.B. Sep. 465, p. 756. 1908.
  eggs and poultry, discussion. Y.B., 1902, pp.
    304–308. 1903.
  farm—
    and forest products—
      1851–1908. An. Rpts., 1908, pp. 17–19. 1909;
        Sec. A.R., 1908, pp. 15–17. 1908.
      1901–1903, by countries to which consigned.
        Stat. Bul. 32, pp. 100. 1905.
      1903, Stat. Cir. 15, pp. 2, 5–6, 13–18. 1903.
      1903–1905. Stat. Bul. 46, pp. 72. 1906.
      1904, statistics. Stat. Cir. 16, pp. 3, 4–6, 8–13.
        1905.
      1904–1906. Stat. Bul. 53, pp. 68. 1907.

Exports—Continued.
  farm—continued.
    and forest products—continued.
      1906–1908, by countries to which consigned.
        Stat. Bul. 77, pp. 91. 1910.
      1907–1909, by countries to which consigned.
        Stat. Bul. 83, pp. 100. 1910.
      1908–1910, by countries to which consigned.
        Stat. Bul. 91, pp. 96. 1911.
      1909–1911, by countries to which consigned.
        Stat. Bul. 96, pp. 100. 1912.
      1912, analysis, increases, and decreases. Sec.
        A.R., 1912, pp. 22–24. 1912; An. Rpts. 1912,
        pp. 22–24. 1913; Y.B., 1912, pp. 22–24.
        1913.
      increase, 1896–1908. Rpt. 87, p. 98. 1908.
    produce, 1851–1902, report. An. Rpts., 1903,
      pp. 448–453. 1903.
    products—
      1851–1908. Stat. Bul. 75, pp. 66. 1910.
      1901–1903, statistics. Stat. Bul. 32, pp. 100.
        1905.
      1906. Y.B., 1906, p. 13. 1907.
      1910. An. Rpts., 1910, p. 18. 1911; Rpt. 93,
        pp. 14–15. 1911; Sec. A.R., 1910, p. 18.
        1910; Y.B., 1910, p. 18. 1911.
      1910–1921, 1918–1920. Y.B., 1921, pp. 74–75,
        743–752. 1922; Y.B. Sep. 867, pp. 7–16.
        1922; Y.B. Sep. 875, pp. 74–75. 1922.
      1918. Sec. Cir. 125, pp. 7–8. 1919.
      from United States, destination, 1912–1915.
        Y.B., 1915, pp. 565–570. 1916; Y.B. Sep.
        685, pp. 565–570. 1916.
      per capita, value and quantity, increase since
        1851. Stat. Bul. 75, pp. 6–7, 12–14. 1910.
      reexportation, 1851–1908. Stat. Bul. 75, pp.
        7–8, 17–22. 1910.
      trend and situation. Y.B., 1923, pp. 445–451.
        1924; Y.B. Sep. 896, pp. 445–451. 1924.
    fertilizer ingredients, 1913–1918, and values, 1909–
      1918. D.B. 798, pp. 18–19, 22–23. 1919.
    flour from Pacific coast. Y.B., 1901, pp. 577, 578,
      579. 1902.
  food(s)—
    analysis only before shipment. F.I.D. 14,
      p. 20. 1905.
    and drugs—
      examination and certification. Chem.
        [Misc.], "Food and drug manual * * *,"
        pp. 136–137. 1920.
      regulations for enforcement of law. Sec. Cir.
        21, pp. 12–15. 1906.
    animals, 1907–1923. D.C. 241, pp. 17, 18. 1924.
    decrease probable after 1920, discussion by
      Secretary. Sec. Cir. 146, pp. 11–12. 1919;
      Sec. Cir. 147. pp. 5–6. 1919.
    examination. Chem. [Misc.], "Food and drug
      manual," pp. 136–137. 1920.
    or drugs, requirements, Regulation 27. Sec.
      Cir. 21, rev., p. 15. 1922.
    rise since 1914. Sec. A.R., 1919, pp. 7, 11.
      1919; An. Rpts., 1919, pp. 5, 9. 1920.
    summary of laws affecting. Chem. [Misc.],
      "Summary of pure-food * * *," pp. 2.
      1903.
  foodstuffs—
    1910–1922. An. Rpts., 1922, pp. 54–55. 1922;
      Sec. A.R., 1922, pp. 54–55. 1922.
    and cotton—
      1914–1921. Sec. A.R. 1921, pp. 65–67. 1921.
      1916–1923. Y.B., 1923, pp. 86–87. 1924.
      1925. Sec. A.R., 1925, pp. 104–105. 1925.
    cotton, and tobacco, statistics, 1910–1923.
      Sec. A.R., 1923, pp. 92–93. 1923; An. Rpts.,
      1923, pp. 92–93. 1923.
  forest products—
    1851–1908, in detail. Stat. Bul. 51, pp. 16–22.
      1909.
    1901–1903, statistics. Stat. Bul. 32, pp. 100.
      1905.
    1904–1908. For. Cir. 162, pp. 3–4. 1909.
    1905–1907 and countries to which consigned.
      Stat. Bul. 71, pp. 10, 12, 13, 16, 19, 22, 25, 26,
      27, 29, 67–78. 1909.
    1906–1910, and 1851–1910. Y.B. 1910, pp. 667–
      669, 684–686. 1911; Y.B. Sep. 553, pp. 667–669,
      684–686. 1911; Y.B. Sep. 554, pp. 667–669,
      684–686. 1911.

INDEX TO PUBLICATIONS, 1901-1925 809

Exports—Continued.
forest products—continued.
1907-1911, and 1851-1911. Y.B. 1911, pp. 670-671, 688-690. 1912; Y.B. Sep. 588, pp. 670-671, 688-690. 1912.
1912-1914, and other data. Y.B., 1914, pp. 661-662, 671-672, 681, 682. 1915; Y.B. Sep. 657, pp. 661-662, 671-672, 681, 682. 1915.
by countries. For. Bul. 83, pp. 73-88. 1910.
domestic and foreign, 1851-1908. Stat. Bul. 77, p. 12. 1910.
per capita, 1851-1908. Stat. Bul. 51, pp. 7-8. 1909.
from—
Guam, 1910. O.E.S. An. Rpt., 1910, p. 512. 1911.
Porto Rico, increase, 1901-1921. Off. Rec., vol. 1, No. 41, p. 4. 1922.
fruit, from Australia and New Zealand. D.C. 145, pp. 4-5, 14. 1921.
furs, 1917, 1918. F.B. 1022, p. 2. 1918.
game, laws prohibiting. D.B. 22, pp. 38-43. 1913; F.B. 470, pp. 31-35. 1911; F.B. 336, pp. 22-29. 1908.
ginseng—
1900-1919, and 1860-1919. F.B. 1184, pp. 13, 14. 1921.
1904-1908. B.P.I. Doc. 477, p. 2. 1909.
quality and value, 1904-1912. F.B. 551, p. 6. 1913.
gold, silver, and merchandise, Pacific ports, 1856-1910. Stat. Bul. 89, p. 27. 1911.
grain—
from Hungary, 1911-1915, and 1921-22. D.B. 1234, pp. 15-18, 21-27, 38. 1924.
Russian, and balance of trade, 1886-1904. Stat. Bul. 66, p. 9. 1908.
hay—
1839-1924. S.B. 11, pp. 3-4. 1925.
by countries of destination. S.B. 11, p. 56. 1925.
hides and skins—
1913-1915. Y.B., 1916, pp. 663-664. 1917; Y.B. Sep. 721, pp. 5-6. 1917.
and leather. Y.B., 1917, pp. 439-442. 1918; Y.B. Sep. 741, pp. 17-20. 1918.
hogs, 1918-1920. Y.B., 1921, p. 743. 1922; Y.B. Sep. 867, p. 7. 1922.
honey—
1911-1917. D.B. 685, pp. 32, 33-34. 1918.
1914-1915. D.B. 325, pp. 6-8. 1915.
and beeswax from Porto Rico, 1897, 1901-1914. P.R. Bul. 15, pp. 6, 9. 1914.
hops—
1790-1911. Stat. Cir. 35, pp. 4-8. 1912.
1910-1921. Y.B., 1921, p. 636. 1922; Y.B. Sep. 869, p. 56. 1922.
horse—
and mules—
1918-1920. Y.B., 1921, p. 743. 1922; Y.B. Sep. 867, p. 7. 1922.
inspection, Aug. 1914-May, 1915. B.A.I. S.R.A. 98, p. 69. 1915.
effect upon market. B.A.I. Bul. 37, pp. 12-13. 1902.
mules and cattle, 1892-1911, and 1907-1911. Y.B., 1911, pp. 628-629, 668. 1912; Y.B. Sep. 588, pp. 628-629, 668. 1912.
increase, 1906. Stat. Bul. 53, p. 7. 1907.
linseed oil, 1913-1920, by world countries. Y.B. 1921, p. 803. 1922; Y.B. Sep. 871, p. 34. 1922.
livestock—
and meat, prohibitions and special requirements, various countries. Y.B., 1906, pp. 251-261. 1907.
inspection, regulations, and ports. B.A.I. Cir. 213, pp. 96-99. 1913.
lumber—
past and future. Sec. Cir. 140, pp. 5-8, 14-15. 1919.
timber depletion, lumber prices, and concentration of timber ownership. Earle H. Clapp. For. [Misc.], "Timber depletion * * *," pp. 71. 1920.
markets for cotton. Y.B., 1921, pp. 384, 385. 1922; Y.B. Sep. 877, pp. 384, 385. 1922.
measures, foreign countries. Rpt. 67, pp. 47-51. 1901.

Exports—Continued.
meat(s)—
and—
lard, 1907-1923. D.C. 241, pp. 16-19. 1924.
live animals, July, 1919. News L., vol. 7, No. 5, p. 14. 1919.
meat products, 1851-1889 and 1890-1906, review. Stat. Bul. 55, pp. 4-11. 1907.
meat products, 1915-1919. Sec. Cir. 142, pp. 25-26. 1919.
meat products, certificates issued, 1908. An. Rpts., 1908, p. 230. 1909; B.A.I. Chief Rpt., 1908, p. 16. 1908.
meat products from United States, 1895-1915. Rpt. 109, pp. 76, 77, 79, 224, 226-228. 1916.
meat products, inspection and certification. B.A.I. Chief Rpt., 1918, p. 31. 1918; An. Rpts., 1918, p. 101. 1910.
meat products under meat-inspection. Y.B. 1915, pp. 277-278. 1915; Y.B. Sep. 676, pp. 277-278. 1915.
animals—
1909. B.A.I. An. Rpt., 1911, pp. 254, 257. 1913.
and packing-house products, 1890-1904, table. Stat. Bul. 39, pp. 9-30. 1905.
from nine countries of surplus production. Rpt. 109, pp. 70-72, 216-229. 1916.
stamps and certificates. B.A.I.O. 211, rev., pp. 47-50. 1922.
to Great Britain, 1900-1904, comparison with other countries. An. Rpts., 1905, pp. 48-50. 1905; B.A.I. Chief Rpt., 1905, 48-50. 1907.
transportation from Australia and New Zealand. Y.B. 1914, pp. 430-431. 1915; Y.B. Sep. 650, pp. 430-431. 1915.
mutton by world countries, 1910-1920. Y.B. 1921, p. 718. 1922; Y.B. Sep. 870, p. 44. 1922.
oats, of world countries, 1911-1920. Y.B. 1921, p. 551. 1922; Y.B. Sep. 868, p. 45. 1922.
oils and fats, 1912-1918. D.B. 769, p. 3. 1919.
olive oil, 1913-1920, by world countries. Y.B. 1921, p. 801. 1922; Y.B., Sep. 871, p. 32. 1922.
on Pacific coast, foreign trade, value, classes, etc., 1856-1910. Stat. Bul. 89, pp. 27-41. 1911.
onions, sales and distribution. D.B. 1325, pp. 55, 68. 1925.
peanut(s)—
by world countries. Y.B., 1921, p. 646. 1922; Y.B. Sep. 869, p. 66. 1922.
oil, 1913-1920, by world countries. Y.B. 1921, p. 802. 1922; Y.B. Sep. 871, p. 33. 1922.
plants—
prohibited, regulations. F.H.B.S.R.A. 45, pp. 121-125. 1917.
to England and Wales, conditions. F.H.B.S. R.A. 74, pp. 46-48. 1923.
pork—
1917 and 1918. Sec. Cir. 123, pp. 3, 5. 1918.
and pork products, trend, 1790-1922. Y.B. 1922, pp. 273-275, 277. 1923; Y.B. Sep. 882, pp. 273-275, 277. 1923.
by world countries, 1910-1920. Y.B., 1921, p. 729. 1922; Y.B. Sep. 870, p. 55. 1922.
cuts, descriptions. D.C. 300, p. 8. 1924.
magnitude and importance. Off. Rec., vol. 2, No. 43, p. 5. 1923.
potato—
1848-1916, and surplus. D.B. 695, pp. 10-13, 21-23. 1918.
1866-1921. Y.B., 1921, p. 583. 1922; Y.B. Sep. 869, p. 3. 1922.
prices, farm products, comparison with farm prices. Stat. Bul. 101, pp. 70-71. 1913.
pure food laws of European countries. W. D. Bigelow. Chem. Bul. 61, pp. 39. 1901.
raisins, 1900-1915. D.B. 349, p. 3. 1916.
rice—
data. Sec. Cir. 89, pp. 4-6. 1918.
of world countries, 1909-1920. Y.B., 1921, p. 579. 1922; Y.B. Sep. 868, p. 73. 1922.
rye, of world countries, 1911-1920. Y.B., 1921, p. 565. 1922; Y.B. Sep. 868, p. 59. 1922.
seed, 1914-1918, effects of the war. Y.B., 1918, pp. 195-197. 1919; Y.B. Sep. 775, pp. 3-5. 1919.
sheep—
1892-1911 and 1907-1911. Y.B. 1911, pp. 638, 668. 1912; Y.B. Sep. 588, pp. 638, 668. 1912.

810   UNITED STATES DEPARTMENT OF AGRICULTURE

Exports—Continued.
  sheep—continued.
    1918–1920. Y.B. 1921, p. 743. 1922; Y.B. Sep. 867, p. 7. 1922.
  soy beans, from Manchuria and Japan, and countries of destination. D.B. 439, pp. 4, 5. 1916.
  stamps and certificates, meat inspection, regulations. B.A.I.O. 211, pp. 56–58. 1914.
  statistics—
    agricultural products (and imports), 1916. Y.B. 1916, pp. 707–743. 1917; Y.B. Sep. 722, pp. 37. 1917.
    agricultural products (and imports), 1917. Y.B., 1917, pp. 759–799. 1918; Y.B. Sep. 762, pp. 43. 1918.
  sugar, world countries, 1901–1911. D.B. 66, pp. 4, 24. 1914.
  tea, by world countries. Y.B. 1921, p. 668. 1922; Y.B. Sep. 869, p. 88. 1922.
  tobacco—
    1612–1911. Stat. Cir. 33, pp. 6–12. 1912.
    1908. B.P.I. Bul. 244, pp. 10–11. 1912.
    history, and chief countries. Y.B., 1919, pp. 158–160. 1920; Y.B. Sep. 805, pp. 158–160. 1920.
    since 1618, fluctuations, discussion. Y.B. 1922, pp. 448–449, 465. 1923; Y.B. Sep. 885, pp. 448–449, 465. 1923.
  trade—
    in dairy products. Y.B., 1922, pp. 391–394. 1923; Y.B. Sep. 879, pp. 95–98. 1923.
    meat inspection a factor. Sec. A.R., 1925, p. 68. 1925.
    purebred livestock, development. B.A.I. An. Rpt., 1907, pp. 345–352. 1909.
  transportation facilities. D.B. 296, p. 50. 1915.
  treaty limitations. Y.B., 1906, p. 261. 1907; Y.B. Sep. 421, p. 261. 1907.
  vegetable oils, 1912–1921. Y.B., 1921, p. 799. 1922; Y.B. Sep. 871, p. 30. 1922.
  wheat—
    1890–1908. Y.B., 1909, pp. 270–271. 1910; Y.B. Sep. 511, pp. 270–271. 1910.
    1909–1920, of world countries. Y.B., 1921, p. 538. 1922; Y.B. Sep. 868, p. 538. 1922.
    1925. Sec. A.R., 1925, pp. 5–6, 104. 1925.
    and other crops. Y.B., 1921, p. 80. 1922; Y.B. Sep. 873, p. 80. 1922.
    from Pacific coast. Y.B., 1901, p. 576. 1902.
    review since 1836. Y.B., 1921, pp. 152–155. 1922; Y.B. Sep. 873, pp. 152–155. 1922.
    routes. Rpt. 98, pp. 69, 70–71. 1913.
    trade conditions, Russia, contracts and arbitrations. Stat. Bul. 65, pp. 28–31. 1908.
  wood pulp and paper. D.B. 758, pp. 8, 19. 1919.
  wool—
    1896–1910 and 1907–1911. Y.B., 1911, pp. 645, 668. 1912; Y.B. Sep. 588, pp. 645, 668. 1912.
    1909–1920, by world countries. Y.B., 1921, p. 722. 1922; Y.B. Sep. 870, p. 48. 1922.
  See also *under specified article.*
Exporters—
  cotton, on cotton standards. Off. Rec., vol. 2, No. 24, p. 1. 1923.
  farm products, methods. Y.B., 1909, p. 168. 1910; Y.B. Sep. 502, p. 168. 1910.
Exporting farm products, methods and routes. Edward G. Ward, jr. Stat. Bul. 29, pp. 62. 1904.
Exposition—
  Alaska-Yukon-Pacific, importation of Canadian sheep, special order. B.A.I.O. 161, p. 1. 1909.
  Brazilian, exhibits from department. Off. Rec., vol. 1, No. 31, pp. 1, 3. 1922.
  Buffalo, exhibit of Chemistry Bureau. E. E. Ewell and others. Chem. Bul. 63, pp. 29. 1901.
  Chemical Industries, department exhibit. Off. Rec., vol. 4, No. 39, pp. 1, 3. 1925.
  Eastern States, opening of Camp Vail. Off. Rec., vol. 1, No. 27, p. 5. 1922.
  invitation by Spain. Off. Rec., vol. 3, No. 21, p. 1. 1924.
  Jamestown—
    dairy exhibition. B.A.I. An. Rpt., 1907, p. 76. 1909.
    exhibit of Entomology Bureau. Ent. A.R. 1907, p. 40. 1907.

Exposition—Continued.
  Lewis and Clark Centennial, 1905, exhibit Economic Entomology, catalogue. Rolla P. Currie. Ent. Bul. 53, pp. 127. 1905.
  Louisiana Purchase—
    Animal Industry Bureau exhibit. James M. Pickens and J. William Fink. B.A.I. Chief Rpt., 1904, pp. 406–416. 1905.
    catalogue of exhibit of Economic Entomology. E. S. G. Titus and F. C. Pratt. Ent. Bul. 47, pp. 155. 1904.
    exhibit. Walter H. Evans. O.E.S. An. Rpt., 1904, pp. 687–714. 1905.
  Paris, 1900, exhibit, of Experiment Station work. O.E.S. Bul. 99, p. 23. 1901.
  Portland and Jamestown, exhibit. O.E.S. An. Rpt., 1906, p. 577. 1907.
  Spain, participation. Off. Rec., vol. 4, No. 10, p. 1. 1925.
Express—
  companies, shipment of field and garden seeds, weight limit. News L., vol. 5, No. 32, p. 1. 1918.
  eggs, shipping. F.B. 1378, pp. 24–25. 1924.
  fiscal regulations. Accts. [Misc.], p. 60. 1922.
  marketing by. An. Rpts., 1916, pp. 393–394. 1917; D.B. 266, pp. 10–11. 1915; Mkts. Doc. 1, pp. 8–9. 1915; Mkts. Chief Rpt., 1916, pp. 9–10. 1916.
  packages, danger in spread of Mediterranean fruit fly. D.B 536, p. 21. 1918.
  regulations. Adv. Com. F. and B.M. "Fiscal regulations * * *," p. 32. 1917, Adv. Com. F. and B.M. "Property regulations * * *." pp. 33–34. 1916.
Extension—
  accounting, instructions for. D.C. 251, pp. 42–48. 1922.
  act. See Agricultural extension act.
  activities—
    details. Off. Rec., vol. 4, No. 31, pp. 6, 8. 1925.
    work of county agents, summary. D.C. 248. p. 23. 1922.
  agencies, Federal and State, relationship. S.R.S. Doc. 90, pp. 1–2. 1918.
  agents, number and work. Off. Rec., vol. 2, No. 51, p. 5. 1923.
  agricultural—
    college and station work. F. H. Rankin. O.E.S. Bul. 196, pp. 77–80. 1907.
    transportation companies as factors. John Hamilton. O.E.S. Cir. 112, pp. 14. 1911.
  agronomy, work in 1923. O.S. Fisher. D.C. 343, pp. 15. 1925.
  boys' and girls' club work, 1923. I. W. Hill and Gertrude L. Warren. D.C. 348, pp. 47. 1925.
  conference in 1923. D.C. 349, pp. 27–28. 1925.
  cooperative, methods and results. H. W. Gilbertson and C. L. Chambers. D.C. 347, pp. 38. 1925.
  county—
    organization for conducting club work. D.C. 152, pp. 4–5, 6–7. 1921.
    relation to club work. D.C. 255, pp. 8–9. 1923.
  course—
    colleges giving. Off. Rec., vol. 3, No. 14, p. 5. 1924.
    in vegetable foods. Anna Barrows. D.B. 123, pp. 78. 1916.
  director, duty in extension work. Off. Rec., vol. 1, No. 39, p. 1. 1922.
  farm work with boys and girls, effectiveness. D.C. 312, pp. 24–27. 1924.
  foods and nutrition, 1923. Miriam Birdseye. D.C. 359, pp. 31. 1925.
  forestry on farms, 1923. G. H. Collingwood. D.C. 345, pp. 15. 1925.
  funds—
    amounts and sources, by States, 1920–21. D.C. 140, pp. 3–14. 1920.
    restrictions on use. D.C. 251, pp. 40–44. 1925.
  labor-saving methods. Off. Rec., vol. 3, No. 46, p. 6. 1924.
  methods in home demonstration work and agencies. D.C. 314, pp. 5–27. 1924.
  problems in nutrition, 1923. D.C. 349, pp. 2–3. 1925.

INDEX TO PUBLICATIONS, 1901–1925   811

Exposition—Continued.
  program—
    for Western States. W. A. Lloyd. D.C. 308, pp. 14. 1924.
    in crop production for the Western States. W. A. Lloyd. D.C. 335, pp. 16. 1924.
    schools, North and West, 1915. S.R.S. Rpt., 1915, Pt. II, pp. 168–170, 175, 194, 204, 218, 226, 238, 244, 272, 284, 289, 313, 321. 1917.
    State institutions and officers in charge. Sec. Cir. 47, pp. 11–12. 1913.
    status and results of county agent work, 1920, Northern and Western States. W. A. Lloyd. D.C. 179, pp. 36. 1921.
  work—
    1919, report. An. Rpts., 1919, pp. 366–386. 1920.
    1920. An. Rpts., 1920, pp. 36–38. 1921; Sec. A.R., 1920, pp. 36–38. 1920.
    1922, report. An. Rpts., 1922, pp. 437–454. 1922; S.R.S. An. Rpt., 1922, pp. 25–42. 1922.
    1923, report. An. Rpts., 1923, pp. 567–572. 1924.
    1925, results, statistics. Ext. Dir. Rpt., 1925, pp. 80–96. 1925.
    accounting rulings. D.C. 251, pp. 45–51. 1925.
    agricultural—
      aim, scope, and methods. O.E.S. Bul. 231, pp. 16–86. 1910; O.E.S. Cir. 106, rev., pp. 22–24. 1912.
      appropriations, 1909, by States. O.E.S. Bul. 231, pp. 23–24. 1910.
      cooperative. S.R.S. Doc. 40, pp. 31. 1917.
      cooperative. A. C. True. Sec. Cir. 47, pp. 12. 1915.
      cooperative, appropriation, text of acts. Sol. [Misc.], "Laws applicable * * *," Sup. 2, pp. 80–84, 84–85. 1915.
      cooperative, expenditures, Federal and State, 1916. S.R.S. Rpt., 1916, Pt. II, pp. 378–396. 1917.
      engineering, 1923. Guy Ervin. D.C. 344, pp. 10. 1925.
      funds, allotment for 1915–1916, by States. News L., vol. 3, No. 13, pp. 4, 5. 1915.
      funds, sources, and allotments. D.C. 253, pp. 3–16. 1923.
      in Hawaii, 1915. Hawaii A.R., 1915, pp. 15–16, 27, 45–50, 56–57. 1916.
      in Hawaii, 1916. Hawaii A.R., 1916, pp. 11–12, 32–39. 1917.
      in Hawaii, 1919, summary and reports. Hawaii A.R., 1919, pp. 13, 56–67. 1920.
      in Northern and Western States, 1915. W. A. Lloyd. S.R.S. Doc. 32, pp. 19. 1917.
      in Porto Rico, 1919. P.R. An. Rpt., 1919, pp. 13–14, 34. 1920.
      in schools and colleges, discussion. O.E.S. An. Rpt., 1910, pp. 331–338. 1911.
      in United States, 1912. O.E.S. An. Rpt., 1912, pp. 333–383. 1913.
      progress, 1916, and work of States Relations Service. An. Rpts., 1916, p. 31, 313–326. 1917; S.R.S. Rpt., 1916, pp. 1–3, 17–30. 1916; Sec. A.R., 1916, p. 33. 1916.
      Smith-Lever Act, maximum amounts for States. News L., vol. 1, No. 43, p. 1. 1914.
      State officers in charge, directory. Sec. [Misc.], Spec. "Directory * * * agricultural * * *," pp. 61–63. 1920.
      status in foreign countries. O.E.S. Bul. 231, pp. 27–30. 1910.
      summary and details. S.R.S. Rpt., 1921, pp. 4–6, 26–55. 1921.
    allotment of funds. D.C. 251, p. 40. 1925
    among negroes—
      1920. W. B. Mercier. D.C. 190, pp. 24. 1921.
      1923. J. A. Evans. D.C. 355, pp. 24. 1925.
    and agricultural demonstrations. Sec. Cir. 56, pp. 13–14. 1916.
    appropriations, Federal, State, and local. S.R.S. Doc. 32, p. 5. 1917.
    beef-cattle industry, Southern States. Y.B., 1917, pp. 332–333. 1918; Y.B. Sep. 749, pp. 8–9. 1918.
    college training. D.C. 244, pp. 17–18 1922.
    contests. D.C. 255, p. 5. 1923.

Exposition—Continued.
  work—continued.
    cooperative—
      1921, report. Coop. Ext. Wk., 1921, pp. 46. 1923.
      1922, report. Coop. Ext. Wk., 1922, pp. 36. 1924.
      1923, report. Coop. Ext. Wk., 1923, pp. 104. 1925.
      act providing for, 1914, text. S.R.S. Rpt., 1915, Pt. II, pp. 355–357. 1917.
      franking privilege and funds under Smith-Lever Act. S.R.S., [Misc.], "Federal legislation, regulations, and rulings," pp. 28–32. 1916.
      funds for 1920–1921, 1921–1922, sources by States. D.C. 203, pp. 9–11. 1921.
      funds from all sources, June, 1915–1919, by projects. S.R.S., Doc., 40, rev., pp. 14–23. 1919.
      in agriculture and home economics. S.R.S. Doc. 90, pp. 8. 1918.
      in agriculture and home economics, report, 1915. A. C. True. S.R.S. Rpt., 1915, Pt. II, pp. 364. 1916.
      in agriculture and home economics, report, 1916. A. C. True. S.R.S. Rpt., 1916, Pt. II, pp. 406. 1917.
      in agriculture and home economics, report, 1917. A. C. True. S.R.S. Rpt., 1917, Pt. II, pp. 416. 1919.
      in agriculture and home economics, report, 1918. A. C. True. S.R.S. Rpt., 1918, pp. 158. 1919.
      in agriculture and home economics, report, 1919. A. C. True. S.R.S. An. Rpt., 1919, pp. 63. 1921.
      in agriculture and home economics, report, 1920. A. C. True. S.R.S. An. Rpt., 1920, pp. 53. 1922.
      in agriculture and home economics, report, 1921. A. C. True. S.R.S. An. Rpt., 1921, pp. 46. 1923.
      legislation, regulations, and rulings affecting. D.C. 251, pp. 32–49. 1923.
      North and West, receipts, and expenditures. S.R.S. Rpt., 1916, Pt. II, pp. 152–153. 1917.
      receipts. S.R.S. Rpt., 1916, Pt. II, pp. 13–15. 1917.
      sources of funds, 1914–1919, by States. S.R.S. Doc. 40, rev., pp. 9–14. 1919.
      statistics, 1919–1920. S.R.S. [Misc.], "Statistics of cooperative extension work, 1919–20," pp. 16. 1920.
      statistics, 1921–1922. Eugene Merritt. D.C. 203, pp. 18. 1921.
      statistics, 1922–1923. Eugene Merritt. D.C. 253, pp. 19. 1923.
      statistics, 1923–1924. Eugene Merritt. D.C. 306, pp. 22. 1924.
      total expenditures from all sources, 1920, by States, items, and projects. S.R.S. Rpt., 1920, pp. 40–47. 1922.
    development in department. Sec. A.R., 1924, pp. 52–53. 1924.
    directory of officials and workers. S.R.S. Doc. 40, pp. 28–29. 1917.
    employees, relation to agricultural organizations. D.C. 251, pp. 44–45. 1925.
    evolution and extent. Off. Rec., vol. 1, No. 49, p. 5. 1922.
    farm-bureau plan of county organization. L. R. Simmons. D.C. 30, pp. 26. 1919; S.R.S. Doc. 89, pp. 26. 1919.
    farmers' institutes. O.E.S. Cir. 106, pp. 8, 19–20. 1911.
    Federal, Smith-Lever funds, by States. D.C. 253, p. 3. 1923.
    fruits, vegetables, and ornamentals, 1923. C. P. Close and others. D.C. 346, pp. 16. 1925.
    general activities of county agents. D.C. 106, pp. 7, 18. 1920.
    Guam, report—
      1919. W. J. Green. Guam A.R., 1919, pp. 44–50. 1921.
      1920. W. J. Green. Guam A.R., 1920, pp. 65–67. 1921.

36167°—32——52

Exposition—Continued.
　work—continued.
　　Guam, report—Continued.
　　　1921. W. J. Green. Guam A.R., 1921, pp. 27–41. 1923.
　　Hawaii, report—
　　　1917. Hawaii A.R., 1917, pp. 8, 25, 28–33. 1918.
　　　1918. Hawaii A.R., 1918, pp. 9, 26–35. 1919.
　　　1923. Hawaii A.R., 1923, pp. 11–14. 1924.
　　　1924. Hawaii A.R., 1924, pp. 19–24. 1925.
　　importance and needs. Off. Rec., vol. 2, No. 50, p. 5. 1923.
　　in—
　　　agricultural education. John Hamilton. O.E.S. Cir. 98, pp. 12. 1910.
　　　agricultural engineering. 1922. George R. Boyd. D.C. 270, pp. 16. 1924.
　　　farm management. H. M. Dixon. D.C. 302, pp. 27. 1924.
　　　France. Off. Rec., vol. 2, No. 2, p. 6. 1923.
　　　marketing, 1915–1920, cost. Off. Rec., vol. 1, No. 23, p. 3. 1922.
　　　North and West, 1918, report. S.R.S. An. Rpt., 1918, pp. 73–123. 1919.
　　　South, early history and development. D.C. 248, pp. 3–16. 1922.
　　　South, 1917. S.R.S. Rpt., 1917, Pt. II, pp. 19–162. 1919.
　　　South, 1918, report and outlook. S.R.S. Rpt., 1918, pp. 23–171. 1919.
　　　Southern States, 1921, reports. D.C. 248, pp. 16–37. 1922.
　　　West. Off. Rec., vol. 3, No. 49, p. 4. 1924.
　　laws—
　　　affecting, Federal and State. S.R.S. Doc. 32, pp. 1–4. 1917.
　　　authorizing, text. D.C. 251, pp. 37–39. 1925.
　　methods and results, 1922. H. W. Hochbaum. D.C. 316, pp. 40. 1924.
　　negro, cost for 1923. D.C. 355, p. 6. 1925.
　　North and West—
　　　county-agent work, 1917–1918. S.R.S. Doc. 88, pp. 1–24. 1918.
　　　report, 1915. S.R.S. An. Rpt., 1915, Pt. II, pp. 145–326. 1917.
　　　report, 1916. S.R.S. An. Rpt., 1916, pp. 23–30. 1916.
　　　report, 1917. An. Rpts., 1917, pp. 345–355. 1918; S.R.S. Rpt., 1917, pp. 23–33. 1917.
　　　report, 1918. An. Rpts., 1918, pp. 335, 358, 359. 1919; S.R.S. Rpt., 1918, pp. 1, 24–35. 1918.
　　　report, 1919. An. Rpts., 1919, pp. 376–386. 1920; S.R.S. Rpt., 1919, pp. 24–35. 1919.
　　　report, 1921. S.R.S. Rpt., 1921, pp. 5–6, 38–55. 1921.
　　　survey of farm home conditions. D.C. 148, pp. 24. 1920.
　　offices consolidation, funds, programs, and agencies. Y.B., 1921, pp. 35–38. 1922; Y.B. Sep. 875, pp. 35–38. 1922.
　　organization, Federal, State, and county, and funds. S.R.S. Doc. 90, pp. 6–7. 1918.
　　planning, use of maps and charts. D.C. 107, rev., pp. 12–13. 1924.
　　plant pathology, 1923. Fred C. Meier. D.C. 329, pp. 20. 1924.
　　progress and magnitude. Off. Rec., vol. 2, No. 51, p. 5. 1923.
　　readjustment to peace basis in 1919, funds, etc. D.C. 152, pp. 5–6. 1921.
　　relation of—
　　　experiment stations. O.E.S. An. Rpt., 1912, pp. 47–53. 1913.
　　　farmers' institutes. O.E.S. Bul. 256, pp. 22–24. 1913.
　　report of committee—
　　　O.E.S. Cir. 72, pp. 8. 1907.
　　　1906–1907. O.E.S. Cir. 75, pp. 16. 1907.
　　rulings of Agriculture Department. D.C. 251, pp. 40–51. 1925.
　　soil improvement, results. Off. Rec., vol. 3, No. 27, p. 6. 1924.
　　South—
　　　finances, sources and uses. S.R.S. Rpt., 1916, Pt. II, pp. 18–19. 1917.
　　　report, 1915. S.R.S. Rpt., 1915, Pt. II, pp. 13–145. 1917.

Exposition—Continued.
　work—continued.
　　South—Continued.
　　　report, 1916. S.R.S. An. Rpt., 1916, pp. 17–22. 1916.
　　　report, 1917. An. Rpts., 1917, pp. 337–354. 1918; S.R.S. Rpt., 1917, pp. 15–23. 1917.
　　　report, 1918. S.R.S. Rpt., 1918, pp. 1, 17–24. 1918; An. Rpts., 1918, pp. 335, 351–358. 1919.
　　　report, 1919. An. Rpts., 1919, pp. 366–376. 1920; S.R.S. Rpt., 1919, pp. 14–24. 1919.
　　Southern States, status and results, 1903–1921. W. B. Mercier. D.C. 248, pp. 38. 1922.
　　State institutions and officers, address list, 1917. S.R.S. Doc. 13, p. 1. 1917.
　　statistics, 1920–21. D.C. 140, pp. 18. 1920.
　　See also each issue of Official Record.
　workers—
　　July 1, 1917, 1918, by States. S.R.S. Doc. 40, rev., p. 34. 1919.
　　Hudspeth resolution. Off. Rec., vol. 2, No. 10, p. 1. 1923.
　　kind and number, 1917–1922. D.C. 203, pp. 17–18. 1921.
　　lantern slides available for. Off. Rec., vol. 1, No. 23, p. 5. 1922.
　　records, field and office, system. M. C. Wilson. D.C. 107, rev., pp. 13. 1924. D.C. 107, pp. 13. 1920.
　　value of county estimates, and market specialists. Y.B., 1919, pp. 40, 41, 45, 57. 1920.
Extension service—
　growth in counties, 1915–1920. D.C. 179, p. 19. 1920.
　in Guam, report. C. W. Edwards. Guam A.R., 1922, pp. 18–19. 1924.
　report of Director—
　　1924. C. W. Warburton. Ext. Dir. Rpt., 1924, pp. 22. 1924.
　　1925. C. W. Warburton. Ext. Dir. Rpt., 1925, pp. 22. 1925.
　work of ten years. Off. Rec., vol. 3, No. 20, pp. 1–2. 1924.
Extension Work, Office of—
　cooperative, report of Chief, 1923. C. B. Smith. An. Rpts., 1923, pp. 594–609. 1924.
　list of workers. See Workers, list of.
　report of Chief, 1922. C. B. Smith. An. Rpts., 1922, pp. 437–454. 1923.
Extinguishers—
　chemical—
　　for forest fires, description and use. For. Bul. 113, p. 18. 1912.
　　use in fire control. D.B. 801, p. 63. 1919.
　fire, for threshing machines. D.B. 379, pp. 9, 13–14, 20–22. 1916.
Extract(s)—
　adulteration and misbranding. See Indexes, Notices of Judgment, in bound volumes, and in separates published as supplements to Chemistry Service and Regulatory Announcements.
　available for fermentation, determination. Chem. Bul. 130, p. 117. 1910.
　determination in wines, methods. Chem. Bul. 107, pp. 84–85. 1907.
　beef. See Beef, extract.
　cherry phosphate, ginger, and peppermint. Chem. N. J. 3908, 3928. 1915.
　flavoring. See Flavoring extracts.
　ginger. See Ginger extract.
　laws, State, fiscal year 1907. Chem. Bul. 112, Pt. II, pp. 99, 113, 130. 1908.
　lemon adulteration and misbranding, etc. Chem. N.J. 532, pp. 2. 1910; Chem. N.J. 534, p. 1. 1910; Chem. N.J. 536, pp. 2. 1910; Chem. N.J. 2381, pp. 2. 1913.
　lemon, raspberry and strawberry, misbranding. Chem. N.J. 91, pp. 2. 1909.
　meat, composition and identification. J.A.R. vol. 17, pp. 1–17. 1919.
　meats, analysis methods, studies. W. D. Bigelow and F. C. Cook. Chem. Bul. 114, pp. 56. 1908.
　orange, adulteration and misbranding. Chem., N.J. 3811. 1915.
　organic, effect on citrus seedlings. J.A.R. vol. 18, pp. 268–269, 270. 1919.
　Paxton's brand, misbranding. Chem. N.J. 3328. 1914.

INDEX TO PUBLICATIONS, 1901-1925 813

Extract(s)—Continued.
  peach, adulteration and misbranding. Chem. N.J. 520, pp. 2. 1910.
  plant, use in feeding experiments, notes. B.A.I. Bul. 139, pp. 19-20, 23, 24-28, 40-43. 1911.
  silage, water and alcohol, methods of making. J.A.R., vol. 15, pp. 113-132. 1918.
  sumac, use by tanners, description, and price per pound. D.B. 706, pp. 9, 12. 1918.
  tanning, sources and consumption, 1907. For. Cir. 166, p. 22. 1909.
  tobacco, nicotine determination, improved method. O. M. Shedd. J.A.R., vol. 24, pp. 961-970. 1923.
  vanilla, misbranding. Chem. N.J. 532, pp. 2. 1910; Chem. N.J. 548, pp. 2. 1910.
  See also *under name of fruit, from which made.*
Extractives—
  meat, importance. F.B. 391, p. 13. 1910.
  uses as food. F.B. 142, p. 7. 1902.
Extractor(s)—
  honey, description and use. Ent. Bul. p. 7. 1911; F.B. 447, pp. 35-36. 1911.
  oil, description and use. D.B. 952, pp. 16, 17. 1921.
  wax, directions for making and use. F.B. 334, pp. 29-30. 1908.
Eye(s)—
  and its appendages, diseases of. M. R. Trumbower. B.A.I. [Misc.], "Diseases of cattle," rev., pp. 340-353. 1904; pp. 340-353. 1908; pp. 352-366. 1912; pp. 340-354. 1923.
  cattle, anatomy, composition, and functions of various parts. B.A.I. [Misc.], "Diseases of cattle" rev., pp. 340-343. 1904; rev., pp. 352-356. 1912; rev., pp. 340-344. 1923.
  diseases of. James Law. B.A.I. [Misc.], "Diseases of the horse," rev., pp. 251-273. 1903; rev., pp. 251-273. 1907; rev., pp. 251-273. 1911; rev., pp. 274-297. 1916; rev., pp. 274-297. 1923.
  inflamed, treatment. For. [Misc.], "First-aid manual * * *," pp. 85-86. 1917.
  parasites—
    of chickens and birds. B.A.I. Bul. 60, pp. 1-72. 1904.
    See also Parasites, eye.
  Remedy, misbranding. See also *Indexes, Notices of Judgment, in bound volumes and in separates published as supplements to Chemistry Service and Regulatory Announcements.*
  sore, of—
    rabbit, cause and control. F.B. 1090, p. 33. 1920.
    sheep, cause, symptoms and treatment. F.B. 1155, pp. 24-25. 1921.
    young lambs, treatment. F.B. 840, p. 16. 1917.
  test with tuberculin, process and results. F.B. 1069, pp. 16-18. 1919.
  worm—
    cattle, treatment. B.A.I. [Misc.], "Diseases of cattle," rev., pp. 348, 516. 1908; rev., pp. 348-349, 482-483. 1904; rev., pp. 361, 541. 1912; rev., pp. 349, 531. 1923.
    chicken, relation to diphtheritic roup. Guam A.R., 1915, pp. 40-41. 1916.
    Manson's (*Oxyspirura mansoni*), of chickens and parasitic nematodes in the eyes of birds. B. H. Ransom. B.A.I. Bul. 60, pp. 72. 1904.
Eyeball—
  abscess and other diseased conditions, treatment. B.A.I. [Misc.], "Diseases of cattle," rev., pp. 352-353. 1908; rev., pp. 352. 1904; rev., pp. 364. 1912; rev., pp. 352. 1923.
  cattle, dislocation. B.A.I. [Misc.], "Diseases of cattle," p. 353. 1923.
  hairy tumor, cattle, treatment. B.A.I. [Misc.], "Diseases of cattle," rev., p. 361. 1912.
  horse, description. B.A.I. [Misc.], "Diseases of the horse," rev., pp. 251-253. 1903.
Eyebright. See Lobelia.
Eyelashes, cow, inversion, treatment. B.A.I. [Misc.], "Diseases of cattle," rev., p. 349. 1904; rev., p. 362. 1912; rev., p. 350. 1923.
Eyelids—
  diseased, cattle, treatment. B.A.I. [Misc.], "Diseases of cattle," rev., p. 350. 1904; rev., pp. 362-363. 1912; rev., pp. 350-351. 1923.
  horse, inflammation, cause, description and treatment. B.A.I. [Misc.], "Diseases of the horse," rev., pp. 257-259. 1903.

"Eyelin," misbranding. Chem. N.J. 181, pp. 2. 1910.
Eylais spp., description and habits. Rpt. 108, pp. 48, 49, 50. 1915.
Ezekiel, M. J. B.: "Input as related to output in farm organization and cost-of-production studies." With others. D.B. 1277, pp. 44. 1924.

Fabaceae, injury by sapsuckers. Biol. Bul. 39, p. 44. 1911.
Faberi, technical description. J.A.R., vol. 8, p. 271. 1917.
Fabiana imbricata, importation and description. No. 36567, B.P.I. Inv. 37, p. 32. 1916.
Fabraea maculata, occurrence in Texas, and description. B.P.I. Bul. 226, p. 30. 1912.
Fabrics—
  Angora, goat hair, use and value. F.B. 1203, p. 3. 1921.
  arsenic content. J. K. Haywood and H. J. Warner. Chem. Bul. 86, pp. 53. 1904.
  colored, laundering directions. F.B. 1099, p. 22. 1920.
  effects of gas fumigation. D.B. 893, p. 12. 1920.
  waterproofing—
    investigations. Chem. Chief Rpt., 1924, p. 9. 1924.
    mildewproofing, and fireproofing. An. Rpts., 1923, pp. 349-350. 1923. Chem. Chief Rpt., 1923, pp. 5-6. 1923.
Factories—
  beet-sugar—
    building. Rpt. 80, pp. 27-32, 34-36. 1905.
    improvements in construction and equipment. Rpt. 86, pp. 9-10. 1908.
    in Michigan and Ohio, location and number. D.B. 748, pp. 2, 5. 1919.
    location and capacity. Rpt. 86, pp. 33-35. 1908.
    number and capacities by States, 1908. F.B. 392, pp. 8, 41-43. 1910.
    of the United States, table. Y.B., 1901, pp. 492, 493. 1902.
    period of operation, factors, etc. Rpt. 92, pp. 57-58. 1910.
    United States, list, location and capacity. Rpt., 90, pp. 51-54. 1909; Rpt. 92, pp. 22-46. 1910.
  butter and cheese, location and output, 1921. Y.B., 1922, pp. 296, 311, 314, 386. 1923; Y.B., Sep. 879, pp. 14, 25, 28, 91. 1923.
  cheese—
    Camembert, equipment, description. D.B. 1171, pp. 12-18. 1923.
    equipment. B.A.I. Bul. 115, pp. 10-15, 45. 1909.
    establishment and success in Southern States. Y.B. 1917, pp. 150-152. 1918; Y.B. Sep. 737, pp. 6-8. 1918.
    increase in output. D.C. 71, p. 4. 1919.
    management under cooperation, methods. Y.B., 1916, pp. 148-151. 1917; Y.B. Sep. 699, pp. 4-7. 1917.
    manufacture of Neufchatel and cream cheese. K. J. Matheson and F. R. Cammack. D.B. 669, pp. 28. 1918.
    inspection under food and drugs act, methods, reports, forms, etc. Chem. [Misc.], "Food and drug manual," pp. 25-27. 1920.
    lemon by-products, equipment in Italy, note. B.P.I. Bul. 160, p. 44. 1909.
    milk service for workers, results. D.C. 250, pp. 16, 17. 1923.
    mutual insurance companies, cooperation, loss prevention. Y.B., 1916, pp. 430-431. 1917; Y.B. Sep. 697, pp. 10-11. 1917.
    peanut-butter, location and description. D.C. 128, pp. 4-5. 1920.
    renovated-butter, supervision and inspection. News L., vol. 2, No. 41, p. 4. 1915. B.A.I.O. 193, pp. 4. 1912.
  sugar—
    beet and cane, statistics. Y.B., 1918, pp. 566, 572-574. 1919; Y.B. Sep. 792, pp. 62, 68-70. 1919.
    waste, composting with peat. D.C. 252, pp. 10-11. 1922.
  tobacco, control of tobacco beetle, cold storage. F.B. 846, pp. 14-22. 1917.

Factories—Continued.
  tomato-canning, sanitary control. Burton J. Howard and Charles H. Stephenson. D.B. 569, pp. 29. 1917.
  waste(s)—
    relation to waterfowl mortality, studies. D.B. 217, p. 6. 1915.
    transmission of anthrax, note. O. E. S. Bul. 240, p. 26. 1911.
    use and value for fats and oils. D.B. 769, pp. 42–43, 45. 1919.
Fadan, use of nuts as food, Guam. Guam A.R., 1911, p. 22. 1912.
Fagaceae, injury by sapsuckers. Biol. Bul. 39, pp. 33–35, 51, 71–75. 1911.
Fagelia sp., importation and description. No. 33801, B.P.I. Inv. 31, pp. 6, 57. 1914.
Fagiola. See Cowpeas.
Fagopyrism, sheep, cause and treatment. F.B. 1155, p. 37. 1921.
Fagopyrum—
  esculemtum, description, etc. D.B. 1345, p. 34. 1925.
  spp. See Buckwheat.
Fagraea auriculata, importation and description. No. 53483, B.P.I. Inv. 67, pp. 3, 54. 1923.
Fagus—
  grandifolia, injury by sapsuckers. Biol. Bul. 39, p. 33, 73. 1911.
  spp. See Beech.
FAILYER, G. H.—
  "Barium in soils." Soils Bul. 72, pp. 23. 1910.
  "Calorimetric, turbidity, and titration methods used in soil investigations." With Oswald Schreiner. Soils Bul. 31, pp. 60. 1906.
  "Management of soils to conserve moisture." F.B. 266, pp. 30. 1906.
  "The absorption of phosphates and potassium by soils." With Oswald Schreiner. Soils Bul. 32, pp. 39. 1906.
  "The mineral composition of soil particles." With others. Soils Bul. 54, pp. 36. 1908.
Fainting, causes and treatment. For. [Misc.], "First-aid manual * * *," pp. 75–77. 1917.
Fair(s)—
  agricultural—
    association, relation of Farmers' Institutes. Alva Agee. O.E.S. Bul. 213, pp. 63–65. 1909.
    character, changes. Stat. Bul. 102, p. 11. 1913.
    establishment in Hawaii, scope and value. Hawaii A. R., 1917, pp. 10, 32, 33. 1918.
    history and origin. Stat. Bul. 102, pp. 7–11. 1913.
    in United States, list. George K. Holmes. Stat. Bul. 102, pp. 68. 1913.
    utilization in agricultural education and improvement. John Hamilton. O.E.S. Cir. 109, pp. 23. 1911.
    aid of county agents. D.C. 248, p. 23. 1922.
    and expositions, International Association, endorsement of club work of department. Off. Rec., vol. 1, No. 50, p. 5. 1922.
    boys' and girls' club, entry blanks, certificates, books, and tags. S.R.S. Doc. 55, pp. 4–7. 1917.
    cattle exhibits, in quarantined areas, shipment regulations. B.A.I.O. 240, pp. 2. 1915; B.A.I.O. 252, pp. 2. 1917; B.A.I.O. 268, pp. 2. 1919.
    community—
      description. J. Sterling Moran. F.B. 870, pp. 12. 1917.
      description and value. News L., vol. 5, No. 25, p. 4. 1918.
      encouragement by women's organizations. D.B. 719, p. 10. 1918.
      relation to county fairs, specific example. F.B. 870, pp. 10–11. 1917.
    county—
      and State, pig exhibits by club members. Y.B., 1915, pp. 181–185. 1916; Y.B. Sep. 667, pp. 181–185. 1916.
      improvement, discussion. O.E.S. Bul. 182, pp. 70–77. 1907.
      in Hawaii. Hawaii Ext. Bul. 1, p. 4. 1917.
      livestock classification. S. H. Ray. F.B. 822, pp. 12. 1917.
      objects, scope, and methods, News L., vol. 3, No. 5, pp. 2–3. 1915.

Fair(s)—Continued.
  directory, national. Farm M. [Misc.], "Directory * * * agricultural * * *," pp. 70–72. 1920.
  exhibits—
    by negroes. D.C. 355, pp. 23–24. 1925.
    from department, scope, circuits, etc. News L., vol. 5, No. 52, p. 10. 1918.
    Guam, 1921, location, and exhibits. Guam A.R., 1921, pp. 27–30. 1923.
    interstate at—
      Chattanooga. Off. Rec., vol. 2, No. 49, p. 3. 1923.
    club camp. Off. Rec., vol. 2, No. 45, p. 6. 1923.
    Kentucky State, payment of premiums in war-savings stamps. News L., vol. 5, No. 48, p. 6. 1918.
    livestock exhibits—
      cooperative work. News L., vol. 7, No. 5, pp. 11–12. 1919.
      rules. F.B. 822, pp. 6–7. 1917.
    local, county, and State, exhibits by boy's and girl's clubs. Milton Danziger. S.R.S. Doc. 55, pp. 11. 1917.
    showing, fitting, and judging hogs. E. Z. Russell. F.B. 1455, pp. 22. 1925.
    Sportsmen's, at Spokane. Off. Rec., vol. 2, No. 19, p. 6. 1923.
    stock and produce sales, plan for operating and conducting. O.E.S. Bul. 225, pp. 36–38. 1910.
    Tennessee County, description, and value. News L., vol. 7, No. 15, p. 9. 1919.
    use of community buildings. F.B. 1274, pp. 17, 21. 1922.
    vegetables and flowers from school and home gardens, methods. D.B. 281, pp. 25–26. 1915.
FAIRBANKS, H. S.—
  "Convict labor for road work." With others. D.B. 414, pp. 213. 1916.
  "Highways and highway transportation." With others. Y.B., 1924, pp. 97–184. 1925.
  "Report on experimental convict road camp, Fulton County, Ga." With others. D.B. 583, pp. 64. 1918.
  "Roads." Y.B., 1920, pp. 339–352. 1921; Y.B. Sep. 849, pp. 339–352. 1921.
  "Tests of a large-sized reinforced concrete slab subjected to eccentric concentrated loads." With A. T. Goldbeck. J.A.R., vol. 11, pp. 505–520. 1917.
Fairbanks, Alaska—
  Experiment Station, report—
    1908. J. W. Neal. Alaska A. R., 1908, pp. 15, 43. 1909.
    1909. J. W. Neal. Alaska A.R., 1909, pp. 20–23, 51–57. 1910.
    1910. J. W. Neal. Alaska A.R., 1910, pp. 35–43, 53–59. 1911.
    1911. J. W. Neal. Alaska A.R., 1911, pp. 28–30, 45–53. 1912.
    1912. J. W. Neal. Alaska A.R., 1912, pp. 28–33, 46–57. 1913.
    1913. J. W. Neal. Alaska A.R., 1913, pp. 13–17, 24–37. 1914.
    1914. J. W. Neal. Alaska A.R., 1914, pp. 28–34, 43–54. 1915.
    1915. J. W. Neal. Alaska A.R., 1915, pp. 13–17, 42–54. 1916.
    1916. J. W. Neal. Alaska A.R., 1916, pp. 15–17, 37–53. 1918.
    1917. M. D. Snodgrass. Alaska A.R., 1917, pp. 28–29, 57–72. 1919.
    1918. M. D. Snodgrass. Alaska A.R., 1918, pp. 8, 13–15, 54–71. 1920.
    1919. M. D. Snodgrass. Alaska A. R., 1919, pp. 13–14, 44–55. 1920.
    1920. M. D. Snodgrass. Alaska A.R., 1920, pp. 8–9, 36–48. 1922.
    1921. G. W. Gasser. Alaska A.R., 1921, pp. 3–4, 23–32. 1923.
  frost dates, 1908–1912. Soil Sur. Adv. Sh. 1914; pp. 111–114, 115. 1915; Soils F. O. 1914, pp. 145, 148, 149. 1919.
FAIRCHILD, C. C., explorations in Athabaska-Mackenzie region, 1900. N.A. Fauna 27, pp. 84–85. 1908.
FAIRCHILD, D. G.—
  "Berseem: The great forage and soiling crop of the Nile Valley." B.P.I. Bul. 23, pp. 20. 1902.

FAIRCHILD. D. G.—Continued.
"Cultivation of wheat in permanent alfalfa fields." B.P.I. Bul. 72, Pt. I, pp. 5–7. 1905.
"Experiments with udo, the new Japanese vegetable." D.B. 84, pp. 15. 1914.
"How to send living plant material to America." F.S. and P.I. [Misc.], "How to send * * *," pp. 9. 1914.
introduction of bamboos. D.B. 1329, p. 2. 1925.
inventory of seeds and plants imported, April 1 to June 30, 1916. B.P.I. Inv., 47, pp. 96. 1920.
inventory of seeds and plants imported July 1–Sept. 30, 1916. Nos. 43013–43390, B.P.I. Inv. 48, pp. 56. 1921.
inventory of seeds and plants imported, Jan. 1 to Mar. 31, 1917. Nos. 43980–44445, B.P.I. Inv. 50, pp. 83. 1922.
"Japanese bamboos and their introduction into America." B.P.I. Bul. 43, pp. 36. 1903.
"Letters on agriculture in the West Indies, Spain, and the Orient." B.P.I. Bul. 27, pp. 40. 1902.
"Persian Gulf dates and their introduction into America." B.P.I. Bul. 54, pp. 32. 1903.
"Plant introduction notes from South Africa," B.P.I. Bul. 25, Pt. III., pp. 13–22. 1903.
"Plant introductions for the plant breeder." Y.B., 1911, pp. 411–422. 1912; Y.B. Sep. 580, pp. 411–422. 1912.
"Saragolla wheat." B.P.I. Bul. 25, Pt. II, pp. 9–12. 1903.
"Some Asiatic actinidias." B.P.I. Cir. 110, pp. 7–12. 1913.
"Spanish almonds and their introduction into America." B.P.I. Bul. 26, pp. 16. 1902.
"The chayote. A new winter vegetable from the South." F.S. and P.I. [Misc.], "The chayote. A new * * *," pp. 2. 1908.
"The Chinese wood-oil tree." B.P.I. Cir. 108, pp. 7. 1913.
"The cultivation of the Australian wattle." B.P.I. Bul. 51, Pt. IV, pp. 21–25. 1905.
"The grafted papaya as an annual fruit tree." With Edward Simmons. B.P.I. Cir. 119, pp. 3–13. 1913.
"The South African pipe calabash." With G. N. Collins. B.P.I. Cir. 41, pp. 9. 1909.
"Three new plant introductions from Japan." B.P.I. Bul. 42, pp. 24. 1903.
FAIRFIELD, W. H.: "Duty of water on the Laramie Plains for 1899." O.E.S. Bul. 104, pp. 215–220. 1902.
Fairhope, Ala., Baldwin County, single-tax settlement, description. Soil Sur. Adv. Sh., 1909, p. 9. 1911; Soils F.O., 1909, p. 709. 1912.
Fairy ring—
causes and types. J.A.R., vol. 11, pp. 192–203. 1917; J.A.R., vol. 26, p. 415. 1923.
See also Mushrooms.
Falco—
albigularis. See Falco, white-throated.
spp.—
occurrence in Pribilof Islands. N.A. Fauna 46, p. 83. 1923.
See also Hawk.
Falcon(s)—
food habits. Biol. Bul. 31, p. 44. 1907.
Peale, range and habits. N.A. Fauna 21, p. 43. 1901.
protection, exception from. Biol. Bul. 12, rev., pp. 38, 42, 44. 1902.
Falconidae, hosts of eye parasites, list. B.A.I. Bul. 60, pp. 45–46. 1904.
Falculifer spp., description and habits. Rpt. 108, pp. 122, 123–124. 1915.
Fall army worm. See Army worm, fall.
Fall River, Mass., milk supply, statistics, officials, prices, and ordinances. B.A.I. Bul. 46, pp. 26, 88–89, 179, 207, 208. 1903.
Fallow—
care, objects and methods. B.P.I. Cir. 61, pp. 19–22. 1910.
cause of insect increase in rice lands. Y.B., 1911, pp. 204–205, 209. 1912; Y.B. Sep. 561, pp. 204–205, 209. 1913.
comparison with other ground for small grains. D.B. 991, pp. 10–18. 1921.
cultivation, experiments in dry farming, wheat yield. D.B. 157, pp. 17–20. 1915.

Fallow—Continued.
experiments—
in Montana. George W. Morgan. D.B. 1310, pp. 16. 1925.
results at Akron Field Station. D.B. 1304, p. 22. 1925.
in Wyoming, note. D.B. 1306, p. 30. 1925.
methods for crop-rotation experiments, Fort Hays branch station, 1907–1920. D.B. 1094, pp. 17–20. 1922.
moisture movement and distribution, studies. J.A.R., vol. 10, No. 3, pp. 117–125, 151. 1917.
plats, nitrification variations. B.P.I. Bul. 173, pp. 12–14, 26, 27, 28. 1910.
purpose and implements used. D.B. 1304, p. 22. 1925.
rotation with winter wheat, and comparison with intertilled crops. D.B. 157, pp. 7–21, 39–43. 1915.
San Antonio, Tex., crop production experiments. C. R. Letteer. D.B. 151, pp. 10. 1914.
soil—
nitrogen content and bacterial activity, studies. J.A.R., vol. 9, pp. 313–320, 326–336. 1917.
sampling for moisture content, and hydroscopic coefficient. J.A.R., vol. 14, No. 11, pp. 456, 457, 467, 469, 475, 477, 479. 1918.
summer—
advantages in control of insect pests. Y.B., 1905, pp. 469–471. 1906.
advantages in dry farming. F.B. 435, p. 6. 1911.
alternation with wheat. Y.B., 1919, pp. 129, 130, 131, 132, 134. 1920; Y.B. Sep. 804, pp. 129, 130, 131, 132, 134. 1920.
comparison with green manuring in dry farming. Y.B., 1907, p. 466. 1908; Y.B. Sep. 461, p. 466. 1908.
cultivation methods and results. D.B. 1173, pp. 32–42, 60. 1923; F.B. 1047, pp. 6–17. 1919; F.B. 294, pp. 13–21. 1907.
effect on yield of crops, Texas. B.P.I. Cir. 120, p. 12. 1913.
elimination by use of clover in crop rotation. D.B. 625, pp. 1–2. 1918.
experiments and results. S.R.S. Rpt., 1915, Pt. I, pp. 36, 125. 1917.
importance in grain farming on dry lands. F.B. 800, pp. 10, 12–13. 1917.
in dry farming—
disadvantages. F.B. 749, pp. 6, 21. 1916.
effects on crops. B.P.I. Bul. 130, pp. 25–30. 1908; Y.B., 1911, pp. 253, 254. 1912; Y.B. Sep. 565, pp. 253, 254. 1912.
in spring wheat rotations. F.B. 678, pp. 10–11. 1915.
methods, purposes, and results. F.B. 1047, pp. 6–17. 1919.
need in wheat growing, dry regions. B.P.I. Cir. 59, pp. 21–22. 1910.
percentage of rotation area number of farms. D.B. 625, pp. 2–3. 1918.
relation to farm income and crop yield. B.P.I. Cir. 120, p. 12. 1913, D.B. 705, pp. 8–9, 18, 21. 1918.
specifications in large-scale farm contract. D.C. 351, p. 30. 1925.
use in control of—
root-knot, advantages and dangers. B.P.I. Bul. 217, p. 64. 1911.
wild oats in wheat fields. F.B. 833, pp. 13–14. 1917.
Utah dry lands. F.B. 883, p. 10. 1917.
treatment for sowing wheat or rye. Sec. Cir. 108, p. 12. 1918.
Fallowing—
and cropping, biennial, effect on crops, 1918, experiments. D.C. 73, pp. 14–15. 1920.
dry farming, value, time, etc. F.B. 769, p. 16. 1916.
experiments at San Antonio farm. W.I.A. Cir. 10, p. 8. 1916.
summer—
advantages in dry farming. F.B. 435, p. 6. 1911.
comparison with irrigation, experiments. O.E.S. Cir. 95, pp. 5–6. 1910.
in dry farming, note. Y.B., 1911, p. 253. 1912; Y.B., Sep. 565, p. 253. 1912.

Fallowing—Continued.
  summer—continued.
    methods and benefits. O.E.S. Cir. 92, pp. 22–24. 1910.
    relation to crop yield. D.B. 757, p. 30. 1919.
    responsibility for soil blowing. F.B. 421, p. 9. 1910.
    use in eradication of Canada thistle. F.B. 1002, p. 11. 1918.
    Washington, Oregon, and Idaho, responsibility for idle land. F.B. 907, pp. 3–4, 15. 1917.
False—
  blossom, disease of cranberry, description, cause, and control. F.B. 1081, pp. 12–13, 14–15. 1920.
  guinea grass. *See* Johnson grass.
Fam-Ly-Ade, adulteration and misbranding. Chem. N.J. 12500. 1924.
Family(ies)—
  "average," definition of and comparison with other units. F.B. 1228, pp. 8, 20. 1921.
  dependents of enlisted men, support, law. B.A.I.S.R.A. 124, p. 95. 1917.
  eligibility to Civil Service appointments, opinions. An. Rpts., 1908, p. 789. 1909; Appt. Clerk A. R., 1908, p. 21. 1908.
  farm. *See* Farm families.
  food—
    for a week. Caroline L. Hunt. F.B., 1228, pp. 27. 1921.
    requirements, and meal samples. F.B. 808, pp. 6–8. 1917.
  income, increase by club activities, North and West. D.C. 192, pp. 21–32. 1921.
  incomes, farms in Missouri, Ozark region. D.B. 941, pp. 13, 14. 1921.
  life, relation to farm life. D.B. 984, p. 3. 1921.
  living in farm homes. E. L. Kirkpatrick and others. D.B. 1214, pp. 36. 1924.
  supplies from farms in North-Central States. D.B. 920, pp. 5, 8, 17, 23, 32, 49. 1920.
"Family physician," misbranding. News L., vol 3, No. 9, pp. 5–6. 1915.
Fan(s)—
  drying house, description and importance. F.B. 916, pp. 6–7. 1917; News L., vol. 5, No. 36, pp. 2–3. 1918.
  dust-collecting, on threshing machines, for fire prevention and grain cleaning. H. E. Roethe, jr., and E. N. Bates. D.C. 98, pp. 11. 1920.
  electric, use in drying foods. F.B. 984, pp. 20–21. 1918.
  separator, for removal of smut from grain. F.B. 1213, p. 6. 1921.
  suction, for grain separator to prevent dust explosions. D.B. 379, pp. 19–20. 1916.
  thresher, care and repair. F.B. 1036, pp. 9–10. 1919.
  use and value in circulation forcing in storage houses. F.B. 852, p. 17. 1917.
Fanciers' Friend, analysis. Chem. Bul. 68, p. 53. 1902.
Fannia canicularis. *See* House fly, small.
Fanning mill—
  management in cleaning wheat. F.B. 1287, pp. 12–13. 1922.
  necessity on grain farm, cost. B.P.I. Cir. 61, p. 23. 1910.
  use—
    and value on farms. News L., vol. 5, No. 18, p. 6. 1917.
    in cleaning bluegrass seed. F.B. 402, pp. 15, 16, 19. 1910.
Far East, definition, and countries included. D.C. 146, p. 3. 1920.
Far West, corn yields and prices, by States, 1866–1916. D.B. 515, pp. 3, 13–16. 1917.
Faradaya splendida, importation and description. No. 34696, B.P.I. Inv. 33, p. 48. 1915.
Farase, use as immunizing agent against glanders. D.B. 70, pp. 2–3. 1914.
Farcy—
  and glanders. Rush Shippen Huidekoper. B.A.I. Doc. A–13, pp. 12. 1917, B.A.I. Cir. 78, pp. 12. 1905.
  cattle, description and treatment. B.A.I. [misc.], "Diseases of cattle," rev., p. 494. 1908; rev., p. 472. 1904; rev., pp. 516–517. 1912; rev., p. 501. 1923.
  Japanese. *See* Lymphangitis, mycotic.

Farcy—Continued.
  legislation regarding. B.A.I. Bul. 28, pp. 50, 54, 106, 108, 138, 139. 1901.
  nature and history, causes, symptoms, and control. B.A.I. Doc. A–13, pp. 1–12. 1917; B.A.I. Cir. 191, p. 346. 1912.
  See also Glanders.
Farewell-to-spring, description, cultivation, and characteristics. F.B. 1171, pp. 52, 81. 1921.
Fargo clay loam, soils of the eastern United States and their use. Jay A. Bonsteel. Soils Cir. 36, pp. 16. 1911.
Farina—
  gluten, misbranding. Chem. N.J. 250, p. 1. 1910.
  making from Hawaiian algae or limus. O.E.S. An. Rpt., 1906, pp. 80–82. 1907.
  pudding, recipes. F.B. 817, p. 20. 1917.
  use as vegetable, note. O.E.S. Bul. 245, p. 59. 1912.
Farley, F. W.—
  "Beef cattle." Sec. Cir. 122, pp. 11–12. 1918.
  "Dehorning and castrating cattle." F.B. 949, pp. 14. 1918.
  "Growing beef on the farm." F.B. 1073, pp. 23. 1919.
  "Growth of the beef-cattle industry in the South." Y.B., 1917, pp. 327–340. 1918. Y.B. Sep. 749, pp. 16. 1918.
  "The cut-over pine lands of the South for beef-cattle production." Wich S. W. Greene. D.B. 827, pp. 51. 1921.
  "Wintering and summer fattening of steers in North Carolina." With others. D.B. 954, pp. 18. 1921.
Farm(s)—
  abandoned—
    building up, example of good farm practice. F.B. 981, pp. 23–25. 1918.
    New York, reclamation, method of work, recommendations. B.P.I. Cir. 64, pp. 16–18. 1910.
    notes. Y.B. 1918, pp. 437, 441. 1919; Y.B. Sep. 771, pp. 7, 11. 1919.
    opportunities for forest planting. F.B. 1417, pp. 4, 5. 1924; Y.B., 1909, p. 335. 1910; Y.B. Sep. 517, p. 335. 1910.
    result of forest desecration, number, distribution, and acreage. D.B. 638, pp. 6–8. 1918.
    study of soil fertility. Soils Bul. 55, pp. 68–69. 1909.
    use as summer homes, notes. Y.B. 1914, pp. 267–268. 1915; Y.B. Sep. 641, pp. 267–268. 1915.
  abandonment—
    causes. Rpt. 70, pp. 1–30. 1901.
    in older States, statistics. F.B. 406, p. 8. 1910.
  account(s)—
    and records, keeping. H. P. Barrows. S.R.S. Doc. 38, pp. 10. 1917.
    books, distribution and use. D.C. 302, pp. 7, 21, 22. 1924.
    closing, time, methods, and studies. F.B. 572, pp. 11–15. 1914; F.B. 572, rev., pp. 16–20. 1920.
    fundamental principles, usefulness and kinds. Y.B., 1917, pp. 153–155. 1918; Y.B. Sep. 735, pp. 3–5. 1918.
    home-project, school studies. S.R.S. Doc. 38, p. 3. 1917.
    interpretation and use. F.B. 511, rev., pp. 37–39. 1920.
    keeping, starting time, and daily time requirement. F.B. 572, pp. 2–10. 1914.
    method and blank forms. F.B. 1139, pp. 5–7, 29–40. 1920.
    miscellaneous, keeping. F.B. 782, p. 18. 1917.
    needs in analysis of farm business. F.B. 661, pp. 3–9. 1915.
    use of diary. E. H. Thomson. F.B. 782, pp. 19. 1917.
    uses, suggestions. F.B. 511, pp. 1–37. 1912.
    with outside firms or individuals. F.B. 782, p. 18. 1917.
  accounting—
    aid of farm inventory. F.B. 1182, pp. 3–4, 23. 1921.
    demonstration work, Corn Belt. News L., vol. 6, No. 29, p. 7. 1919.
    improvement. D.C. 302, pp. 8–9. 1924.

Farm(s)—Continued.
accounting—continued.
principles, records, and cost items. D.B. 994, pp. 15-38. 1921.
purpose and value. News L., vol. 1, No. 39, pp. 1-2. 1914.
schools. D.C. 302, pp. 10-11, 14-15, 23. 1924.
acquisition from farm income, table, etc. Y.B., 1923, pp. 563-568. 1924; Y.B. Sep. 897, pp. 563-568. 1924.
acreage—
and—
crops, amount one man can tend (under irrigation). O.E.S. Bul. 222, pp. 53, 54, 58, 60, 62, 68, 69, 73, 87. 1910.
forest lands in Southern States. F.B. 1071, pp. 2, 36. 1920.
livestock per acre, average in twenty-one regions, United States. D.B. 320, p. 9. 1916.
changes in different sections since 1880, relation to labor. Stat. Bul. 94, pp. 48-53. 1912.
in South, North, and West. Y.B., 1923, pp. 569-570. 1924; Y.B. Sep. 897, pp. 569-570. 1924.
in States adapted to sugar-beet growing. B.P.I. Bul. 260, p. 29. 1912.
increase with use of tractors. F.B. 1093, pp. 6, 7. 1920.
North-Central States, distribution of c op areas, etc. D.B. 920, pp. 8, 9-11, 23, 24-26, 42, 43-44. 1920.
requirements for supplies of family and stock. D.C. 83, pp. 5-6, 22, 23. 1920; F.B. 1015, pp. 14-16. 1919.
with wheat percentage, 1850-1900. Y.B., 1909, pp. 259-261. 1910; Y.B. Sep. 511, pp. 259-261. 1910.
See also Soil surveys *for various States, counties and areas.*
adaptability to turkey raising. News L., vol. 5, No. 29, p. 4. 1918.
administration and operation, systems, etc. B.P.I. Bul. 259, pp. 30-38, 62-76. 1912.
Alabama, successful diversification. M. A. Crosby and others. F.B. 310, pp. 24. 1907.
and—
forest products, trade with noncontiguous possessions, 1903-1905. Stat. Bul. 47, pp. 45. 1906.
home handicraft clubs. O. H. Benson. S.R.S. Doc. 26, pp. 3. 1915.
animals. *See* Animals, farm; Livestock.
apple-sampling accounts, description and use. D.B. 1006, pp. 2-4, 10-13. 1921.
architecture. Elmina T. Wilson. O.E.S. F.I.L. 8, pp. 19. 1907.
area(s)—
and number in counties containing railroads for promotion of agriculture. Stat. Bul. 100, pp. 16-18. 1912.
and values in Massachusetts, Norfolk, Bristol, and Barnstable Counties. Soil Sur. Adv. Sh., 1920, pp. 1044-1046. 1924; Soils F.O., 1920, pp. 1044-1046. 1925.
definition of terms, blank, etc. F.B. 661, pp. 4, 17. 1915.
extension, problem and discussion. Sec. Cir. 146, pp. 5-6. 1919.
improved, woodland, etc., census, 1910. Y.B., 1913, p. 488. 1914; Y.B. Sep. 361, p. 488. 1914.
utilization on owner and tenant farms, Lenawee County, Mich. D.B. 694, p. 8. 1918.
Arizona, acreage, capital, expenses, and incomes. D.B. 654, pp. 47-58. 1918.
bird protection and beneficial effect. F.B. 1239, pp. 3-5. 1921.
black land—
income and net profits from cotton growing. D.B. 1068, pp. 24-30. 1922.
value changes in relation to tenure, 1860-1920. D.B. 1068, pp. 10-12. 1922.
blanks, various uses in analyzing farm business samples. F.B. 661, pp. 2-3, 15-26. 1915.
blasting suggestions. Off. Rec., vol. 4, No. 43, pp. 1-2. 1925.
bluegrass region, size, relation to distribution of receipts, crops, livestock, income. D.B. 482, pp. 15-18. 1917.

Farm(s)—Continued.
board, cost per month, per day and per man. Stat. Bul. 73, p. 17. 1909.
bond loan of $5,000,000, availability to farmers, object, methods, and rates. News L., vol. 6, No. 1, and pp. 1, 16. 1918.
bookkeeping—
methods—
accounting. F.B. 572, pp. 1-15. 1914.
Edward H. Thompson and J. S. Ball. F.B. 511, rev., pp. 42. 1920.
work of county agents. D.C. 37, p. 15. 1919.
buildings. *See* Buildings, farm.
bureau—
community programs and leaders. D.C. 141, pp. 13-14. 1920.
constitution and by-laws, suggestions. S.R.S. Doc. 89, pp. 23-26. 1919.
cooperation—
in emergency work of war. S.R.S. An. Rpt., 1918, pp. 75-76. 1919.
of farmers. News L., vol. 1, No. 43, p. 4. 1914.
county—
definition. News L., vol. 5, No. 52, p. 13. 1918.
extension organization plan. L. R. Simons. D.C. 30, pp. 26. 1919.
organization in Montana. News L., vol. 5, No. 51, p. 1. 1918.
organization, membership, and scope. News L., vol. 5, No. 1, p. 3. 1917.
organization, work, and cooperation. S.R.S. Doc. 88, pp. 6-12. 1918.
use of community buildings. F.B. 1274, pp. 14, 16, 26. 1922.
description, membership, scope, and officers. S.R.S. Doc. 60, pp. 5-8. 1917.
development and activities, part of farm women. D.C. 148, pp. 17-18. 1920.
expansion in the Northern and Western States. D.C. 37, pp. 3-5, 6-7. 1919.
food-production, stimulation in Idaho. News L., vol. 6, No. 7, p. 6. 1918.
hog-plague control, work in 1918. News L., vol. 6, No. 22, p. 8. 1919.
increase in—
Iowa. News L., vol. 6, No. 45, p. 10. 1919.
New York. News L., vol. 6, No. 42, p. 16. 1919.
labor mobilization, various States. News L., vol. 6, No. 8, p. 7. 1918.
membership—
and relation to home demonstration. D.C. 141, pp. 11-12. 1920.
in various States. News L., vol. 6, No. 22, pp. 1, 5. 1919.
National Federation. News L., vol. 7, No. 10, p. 15. 1919.
number, 1918. News L., vol. 6, No. 27, p. 7. 1919.
organization—
difference from county extension service. D.C. 244, pp. 5-8. 1922.
for war times, number and location. News L., vol. 6, No. 6, p. 8. 1918.
functions, management. News L., vol. 5, No. 16, p. 6. 1917.
handbook for county agricultural agents. L. R. Simons. S.R.S. Doc. 65, pp. 54. 1917.
in each Iowa county, scope and value. News L., vol. 5, No. 31, p. 8. 1918.
plan. L. R. Simons. S.R.S. Doc. 54, pp. 11. 1917.
plan for county organization. L. R. Simons. S.R.S. Doc. 89, pp. 26. 1919.
purpose, development, membership, and committees. D.C. 30, pp. 4-16. 1919.
San Diego County, Calif., monthly publication, scope, and value. News L., vol. 2, No. 39, p. 5. 1915.
value in food production. News L., vol. 6, No. 22, pp. 1, 5. 1919.
business—
accounts for financial summary. F.B. 782, pp. 7-8. 1917.

Farm(s)—Continued.
business—continued.
analysis(es)—
and accounting studies. An. Rpts., 1920, p. 570. 1921.
method. E. H. Thomson and H. M. Dixon. F.B. 661, pp. 26. 1915.
of cost and profit, as input and output. D.B. 1277, pp. 3–24. 1924.
capital required and available, studies. F.B. 1088, pp. 10–14. 1920.
cooperative work of county agents, 1915. S.R.S. Doc. 32, pp. 17–18, 18–19. 1917.
discussion. D.B. 1338, pp. 13–28. 1925.
improved methods, county agents, work, 1919, results. D.C. 106, pp. 17–18. 1920.
income, effect of extent, quality, and diversification of business. F.B. 1088, pp. 6–10. 1920.
influence of size on success. D.B. 713, pp. 2–3. 1918.
management, work of county agents, 1916. S.R.S. Doc. 60, pp. 22–23. 1917.
measurement, considerations, discussion. D.B. 341, pp. 53–68. 1916.
method of analyzing. H. M. Dixon and H. W. Hawthorne. F.B. 1139, pp. 40. 1920.
nature, comparison with other employments. F.B. 746, pp. 1–2. 1916.
relation to labor income. F.B. 1139, pp. 18–22. 1920.
size, measuring, increasing, etc., study of methods. F.B. 661, pp. 10–11. 1915.
success, relation to farm-home success. F.B. 704, pp. 1–3. 1916.
surveys. Off. Rec., vol. 2, No. 2, p. 2. 1923.
butter making—
Edwin H. Webster. F.B. 241, pp. 32. 1905.
J. R. Keithley. F.B. 541, pp. 28. 1913.
William White. F.B. 876, pp. 23. 1917.
demonstrations. An. Rpts., 1914, p. 70. 1915; B.A.I. Chief Rpt., 1914, p. 14. 1914.
buyers—
prospective, sources of information. F.B. 1088, pp. 26–27. 1920.
study of good and poor acreage. Y.B., 1915, pp. 147–148. 1916; Y.B. Sep. 664, pp. 147–148. 1916.
buying—
in undeveloped region. B. Henderson. F.B. 1385, pp. 30. 1923.
or renting, studies. F.B. 1088, pp. 5–6, 23–24. 1920.
with land-bank loans. L. C. Gray and H. A. Turner. D.B. 968, pp. 27. 1921.
by-products, value and use in feeding and breeding cows. D.B. 615, pp. 2–4, 6–9. 1917.
capital—
analyzing, items included, blank forms. F.B. 661, pp. 7–8, 25. 1915.
distribution among livestock, implements, and supplies. D.C. 83, pp. 25–26. 1920.
distribution on owner and tenant farms, Lenawee County, Mich. D.B. 694, pp. 7–8. 1918.
Indiana, Clinton County, 1910 and 1913–1919, study. D.B. 1258, pp. 28–30. 1924.
invested, relation to size, distribution, etc., survey of Chester County, Pennsylvania. D.B. 341, pp. 64–66. 1916.
nature, method of securing, and use. F.B. 593, pp. 1–2. 1914.
on 185 farms in North-Central States. D.B. 920, pp. 8, 11, 23, 27, 42, 45. 1920.
relation to labor income. D.B. 41, pp. 18–24. 1914; Y.B., 1913, pp. 95–96. 1914; Y.B. Sep. 617, pp. 95–96. 1914.
capitalization and cost of equipment and feed, studies. S.R.S. Rpt., 1915, Pt. I, p. 166. 1917.
cement mortar and concrete, preparation and use. F.B. 235, pp 1–32. 1905.
census—
by mail, experiments and results. An. Rpts., 1914, pp. 239–240. 1914; Stat. Chief Rpt., 1914, pp. 7–8. 1914.
New York, aid in crop reports. Off. Rec., vol. 1, No. 23, p. 3. 1922.
change of occupants, 1922. Off. Rec., vol. 2, No. 28, p. 5. 1923.
changing tenants, customary practices. F.B. 1272, pp. 16–22. 1922.

Farm(s)—Continued.
cheese making—
Henry E. Alvord. F.B. 166, pp. 16. 1903.
American type. C. M. Gere. F.B. 1191, pp. 19. 1921.
choosing and developing, problems involved. D.B. 1236, pp. 32–33. 1924.
cider-making experiments. Chem. Bul. 129, pp. 5–20. 1909.
clubs—
boys and girls. See Boys' and Girls' clubs.
county organization. News L., vol. 6, No. 31, p. 4. 1919.
program at encampment. Off. Rec., vol. 2, No. 45, p. 6. 1923.
colonization plans. F.B. 1388, pp. 25–30. 1924.
community(ies)—
breaking up by family removals. D.B. 984, pp. 1, 3. 1921.
demonstration, Terrell, Texas. Seaman A. Knapp. B.P.I. Bul. 51, Pt. II, pp. 9–14. 1905.
influence on national life. D.B. 984, pp. 13–15. 1921.
conditions—
and needs, discussion by farm women. Y.B., 1914, pp. 311–318. 1915; Y.B. Sep. 644, pp. 311–318. 1915.
relation to fishy butter, investigations. B.A.I. Cir. 146, p. 8. 1909.
southern, causes and remedy. Y.B., 1908, pp. 311–320. 1909; Y.B. Sep. 483, pp. 311–320. 1909.
Congress, International Exposition, Kansas City, October 16–26. News L., vol. 5, No. 50, p. 7. 1918.
coniferous plantations, growing and planting. C. R. Tillotson. F.B. 1453, pp. 38. 1925.
contribution to farmers' living—
W. C. Funk. F.B. 635, pp. 21. 1914.
Arizona, irrigated farms. D.B. 654, pp. 18–21. 1918.
conveniences—
for country homes. D.B. 57, pp. 1–46. 1914.
hand construction, exercises for schools. D.B. 527, pp. 1–38. 1917.
Corn-Belt—
changes effected by tractors. L. A. Reynoldson and H. R. Tolley. F.B. 1296, pp. 12. 1922.
horses, cost. M. R. Cooper and J. O. Willams. F.B. 1298, pp. 16. 1922.
labor saving by hogging down crops. J. A. Drake. F.B. 614, pp. 16. 1914.
power cost and utilization, surveys. D.B. 997, pp. 1–61. 1921.
States, soils, size, value, crops, and size of herds. Rpt. 111, pp. 10–18. 1916.
sweet clover, growing and uses. J. A. Drake and J. C. Rundles. F.B. 1005, pp. 28. 1919.
tractors—
cost. L. A. Reynoldson and H. R. Tolley. F.B. 1297, pp. 15. 1923.
ownership. L. A. Reynoldson and H. R. Tolley. F.B. 1299, pp. 10. 1922.
use of—
motor trucks. D.B. 931, pp. 1–34. 1921.
tractors and horses. L. A. Reynoldson and H. R. Tolley. F.B. 1295, pp. 14. 1923.
cost—
accounting, system. C. E. Ladd. F.B. 572, pp. 15. 1914; rev., pp. 23. 1920.
studies, methods and details. D.B. 994, pp. 36, 39–43. 1921.
cream management. F.B. 201, pp. 12–15. 1904.
credit. See Credit.
crews, sizes, and amount of work per day, North Dakota. D.B. 757, pp. 24–25. 1919.
crops. See Crops.
dairy. See Dairy farm.
dairying and stock raising, profitable combinations in Corn Belt, with rotations. News L., vol. 6, No. 6, p. 14. 1918.
day's work for given operations. D.B. 3, pp. 8–42. 1913.
demonstration(s)—
advisory work and experiments, Hawaii, 1917. Hawaii A.R., 1917, pp. 28–29. 1918.
among negroes, results. D.C. 190, pp. 12–13. 1921.

INDEX TO PUBLICATIONS, 1901–1925 819

Farm(s)—Continued.
  demonstration(s)—continued.
    different States, 1909. O.E.S. An. Rpt., 1909, pp. 58–60. 1910.
    for production of milk of low bacterial content. D.B. 642, pp. 39–43. 1918.
    northern and western, profits, 1917. News L., vol. 5, No. 21, p. 7. 1917.
    southern, plan, number, and scope. F.B. 319, pp. 6–8. 1908.
    various States, establishment, 1910. O.E.S. An. Rpt., 1910, pp. 63–66. 1911.
    work—
      Bradford Knapp and Jesse M. Jones. Y.B., 1915, pp. 225–248. 1916; Y.B. Sep. 672, pp. 225–248. 1916.
      Federal and State expenditures for year 1915–1916, table. News L., vol. 3, No. 7, pp. 1, 8. 1915.
      Kentucky, Christian County. Y.B., 1915, pp. 225–237. 1916; Y.B. Sep. 672, pp. 225–237. 1916.
      of county agents, 1916. S.R.S. Doc. 60, pp. 23–24. 1917.
      of county agents, 1920, and value. D.C. 179, pp. 34–36. 1921.
      progress and forms. Sec. Cir. 47, pp. 4–8. 1915.
      Virginia, Culpeper County. Y.B., 1915, pp. 237–248. 1916; Y.B. Sep. 672, pp. 237–248. 1916.
      See also Extension work.
  depreciation, determination in making inventory. F.B., 511, pp. 12–15. 1912.
  designing and forestry. F.B. 228, pp. 7–8. 1905.
  development from Government land. News L., vol. 6, No. 38, p. 3. 1919.
  diet, kinds of food, nutritive value, and cost. Y.B., 1920, pp. 474–480, 481–483. 1921; Y.B. Sep. 858, pp. 474–480, 481–483. 1921.
  dietaries, Minnesota. F.B. 366, p. 32. 1909.
  disinfection for hog cholera, work of Department. Y.B., 1918, p. 192. 1919; Y.B. Sep. 777, p. 4. 1919.
  diversification—
    North Carolina, cash records, examples. Y.B., 1917, pp. 157–158, 164. 1918; Y.B. 735, pp. 7–8, 14. 1918.
    progress in South, 1904, remarks of Secretary. Rpt. 79, p. 28. 1904.
  drainage—
    construction with trenching machines. Y.B., 1919, pp. 80–92. 1920; Y.B. Sep., 822, pp. 80–92. 1920.
    economy. R. D. Marsden. Y.B., 1914, pp. 245–256. 1915; Y.B. Sep. 640, pp. 245–256. 1915.
    open-ditch system, description, advantages, and disadvantages. F.B. 524, pp. 5–8. 1913.
    outlets, law, North Carolina. O.E.S. Bul. 246, pp. 21–22. 1912.
    systems, study and comparison. F.B. 524, pp. 5–8. 1913.
  drying of fruits and vegetables. Joseph S. Caldwell. F.B. 984, pp. 61. 1918.
  dwelling, plan and location on farmstead. F.B. 1132, pp. 14, 16, 20, 21, 23. 1920.
  early-truck, New Jersey, rent methods, variations. D.B. 411, pp. 5–10. 1916.
  earnings—
    in Georgia, Sumter County, 1913, 1918. D.B. 1034, pp. 31–38. 1922.
    of family, studies. F.B. 746, pp. 2–5. 1916.
  Eastern—
    motor trucks. H. R. Tolley and L. M. Church. F.B. 1201, pp. 23. 1921.
    States, trucks, owned, relation to acreage. D.B. 910, pp. 36–37. 1920.
    surface irrigation. F. W. Stanley. F.B. 899, pp. 36. 1917.
  economics—
    and business methods, investigations. Y.B. 1914, pp. 23–24. 1915.
    practical. Henry C. Taylor, and others. M.C. 32, pp. 100. 1924.
    projects and studies in Farm Management Office. An. Rpts. 1919, pp. 27–29. 1920; Sec. A.R. 1919, pp. 29–31. 1919.

Farm(s)—Continued.
  economics—continued.
    work—
      in Southern States, 1922. D.C. 316, p. 39. 1924.
      of county agents. D.C. 244, pp. 20–22, 39. 1922.
    efficiency—
      factors governing, studies. F.B. 661, pp. 10–13. 1915.
      relation of farm type and amount of livestock. D.B. 482, pp. 19, 22, 23. 1917.
    eggs, care. Harry M. Lamon and Charles L. Opperman. B.A.I. Bul. 160, pp. 53. 1913.
    80-acre, income, amounts, and variations, in Indiana. F.B. 1421, pp. 1–3. 1924.
    electric-lighting system, description and cost. F.B. 517, pp. 23–24. 1912.
    electricity from small streams. News L., vol. 6, No. 45, p. 6. 1919.
    employment office, New York, work, 1906–1910. Stat. Bul. 94, pp. 37, 38. 1912.
    engines, use of gasoline and alcohol. S. M. Woodward. F.B. 277, pp. 40. 1907.
    enterprises—
      adaptability and diversity, as efficiency factors. Y.B. 1913, pp. 98–99, 101–105, 107. 1914; Y.B. Sep. 617, pp. 98–99, 101–105, 107. 1914.
      bluegrass region, 1840–1910, history. D.B. 482, pp. 5–7. 1917.
      commercial, test of efficiency. F.M. Cir. 3, pp. 8–9. 1919.
      cost studies, suggestion for accounting. Sec. Cir. 132, pp. 10–14. 1919.
      dependability in Rio Grande district, Texas, studies. D.B. 665, pp. 7–13. 1918.
      diversity, studies. F.B. 661, p. 13. 1915.
      history and distribution. An. Rpts. 1918, p. 496. 1919; Farm M. Chief Rpt., 1918, p. 6. 1918.
      necessity of diversity. News L., vol. 3, No. 17, p. 2. 1915.
      production cost, and value, bluegrass region. D.B. 482, pp. 25–27. 1917.
      selection by cotton farmers, examples. Y.B. 1921, pp. 365–367. 1922; Y.B. Sep. 877, pp. 365–367. 1922.
      separate records, cost and profit. F.B. 511, pp. 26–30. 1912.
      study, in selection of type of farming. B.P.I. Bul. 259, pp. 9–13, 62–63. 1912.
    equipment—
      and supplies, early attention and care. News L., vol. 5, No. 30, p. 5. 1918.
      cost—
        for 160-acre farm western North Dakota. Soil Sur. Adv. Sh., 1908, p. 31. 1910; Soils F.O. 1908, p. 1179. 1911.
        item in accounts and records. D.B. 904, pp. 19–20, 41. 1921.
      dwelling and personal property, cost studies. B.P.I. Bul. 259, pp. 28–30. 1912.
      for one man. O.E.S. Bul. 222, pp. 53, 54. 1910.
      for use with tractors, improvement and development, necessity. F.B. 1004, p. 27. 1918.
      in Ohio, study. L. W. Ellis. B.P.I. Bul. 212, pp. 57. 1911.
      interest on, formulas for calculations. W. J. Spillman. Sec. Cir. 53, pp. 4. 1915.
      lists, advantages of inventories. F.B. 816, pp. 14–15. 1917.
      manufacture and sale in 1920. H. R. Tolley and L. M. Church. D.C. 212, pp. 11. 1922.
      minor articles. H. N. Humphrey and A. P. Yerkes. F.B. 816, pp. 15. 1917.
      necessary for new settler, western North Dakota, cost. Soil Sur. Adv. Sh. 1908, p. 31. 1909; Soils F.O. 1908, p. 1179. 1911.
      needs—
        for bulk handling of grain. F.B. 1290, pp. 11–17. 1922.
        of sugar-beet farm. D.B. 995, pp. 35, 41. 1921.
      repair. W. R. Beattie. F.B. 347, pp. 32. 1909.
      retailers' licenses, requirements. News L., vol. 5, No. 50, p. 8. 1918.
      rice growing, for one man. O.E.S. Bul. 222, pp. 39, 41, 43, 44, 45, 46. 1910.
      statistics, 1920–1922. Y.B. 1923, pp. 1156–1157. 1924; Y.B. Sep. 906, pp. 1156–1157. 1924.

Farm(s)—Continued.
 equipment—continued.
  tractor choosing. F.B. 1300, pp. 1–13. 1922.
 European, organization in beet-growing countries. B.P.I. Bul. 260, p. 36. 1912.
 exchange, organization in Iowa. News L., vol. 6, No. 40, p. 16. 1919.
 expenditures and values, report for census, 1920. Y.B. 1922, pp. 1005–1007. 1923; Y.B. Sep. 887, pp. 1005–1007. 1923.
 expenses—
  1899 and 1909, comparisons. F.B. 570, p. 21. 1913.
  1912–1916. D.B. 716, pp. 33–37. 1918.
  and receipts, relations. D.C. 307, pp. 4, 8. 1924.
  current, items included, blank forms. F.B. 661, pp. 6, 23. 1915.
  distribution—
   Georgia, Sumter County, 1913, 1918, D.B. 1034, pp. 25–28. 1922.
   owners and tenants, Indiana, Illinois, and Iowa. D.B. 41, pp. 16–17. 1914.
  Georgia, Brooks County. D.B. 648, p. 13. 1918.
  Missouri, Ozark region. D.B. 941, pp. 20–21, 42–51. 1921.
  receipts, distribution, factors, Chester County, Pennsylvania. D.B. 341, pp. 86–89. 1916.
  records keeping, instructions and blanks. F.B. 1139, pp. 9–11, 35, 36, 37, 38. 1920.
  relation of size to annual cost of upkeep, per farm and per acre, Lenawee County, Mich. D.B. 694, pp. 21–22. 1918.
  sharing, methods under lease contracts, various States. D.B. 650, pp. 17–20. 1918.
  Utah Lake Valley, distribution, tables. D.B. 117, pp. 9–11. 1914.
 extension work, record system for county workers. D.C. 107, rev., pp. 6–8. 1924.
 facilities, information collection and indications. Y.B. 1921, p. 415. 1922; Y.B. Sep. 878, p. 9. 1922.
 family(ies)—
  cost of living in various States. News L. vol. 4, No. 18, pp. 2–3. 1916.
  food—
   Helen W. Atwater. Y.B., 1920, pp. 471–484. 1921; Y.B. Sep. 858, pp. 471–484. 1921.
   annual consumption per adult. F.B. 1015, pp. 3–4. 1919.
   consumption in Southern States. D.C. 83, p. 4. 1920.
  income value of food, fuel, and use of house. D.B. 410, pp. 36. 1916.
  labor and income, definitions and conditions in Lake States. D.B. 425, pp. 5–6, 14, 15, 17, 23. 1916.
  living from. H. W. Hawthorne. D.B. 1338, pp. 31. 1925.
  southern, food consumption, per adult. Farm M. Cir. 3, p. 5. 1919.
  supplies from farm, average value. D.B. 941, p. 13. 1921.
  Utah Lake Valley, age of farmer, size of family, and amount of mortgage. D.B. 582, pp. 13–14. 1918.
 fertility, safeguarding in lease contracts. F.B. 1164, pp. 19–20. 1920.
 fertilizers. W. B. Mercier and H. E. Savely. B.P.I. Doc. 692, pp. 14. 1911.
 finance and accounting, committee work and suggested readings. Y.B., 1914, pp. 112–121, 138. 1915; Y.B., Sep. 632, pp. 26–35, 54. 1915.
 fire(s)—
  causes and losses, 1900–1905. News L., vol. 1, No. 8, p. 3. 1913.
  damage, increase. Off. Rec., vol. 2, No. 42, p. 3. 1923.
  losses, prevention methods. Y.B., 1916, pp. 432–433. 1917; Y.B. Sep. 697, pp. 12–13. 1917.
  prevention and fire fighting. H. R. Tolley and A. P. Yerkes. F.B. 904, pp. 16. 1918.
 for sale or rent, States publishing, lists, 1922. D.B. 1271, p. 50. 1922.
 forest—
  and erosion. Samuel T. Dana. Y.B., 1916, pp. 107–134. 1917; Y.B. Sep. 688, pp. 28. 1917.

Farm(s)—Continued.
 forest—continued.
  plantation, care, cleaning, thinning, and pruning. F.B. 1123, pp. 12–17. 1921.
 forestry—
  benefits to farmers. F.B. 1071, pp. 3–4. 1920.
  growing and planting hardwood seedlings. C. R. Tillotson. F.B. 1123, pp. 29. 1921.
 forty-acre, management, equipment, income, and expenses. F.B. 325, pp. 7–21. 1908.
 fruit—
  and general, labor used, and profits. D.B. 582, pp. 18–19. 1918.
  Colorado, equipment and capital required, 40-acre farm. O.E.S. Bul. 218, pp. 44–48. 1910.
 game—
  establishment, 1914. F.B. 628, p. 4. 1914.
  private breeders. D.B. 1049, pp. 43–44. 1922.
 general, management, Oregon, Willamette Valley. Byron Hunter and S. O. Jayne. D.B. 705, pp. 24. 1918.
 grain and livestock, Missouri, organization. D.B. 633, pp. 14–17. 1918.
 grounds—
  improvement, lecture. F. L. Mulford and H. M. Conolly. S.R.S. Syl. 28, pp. 13. 1917.
  plant arrangement, formal and informal. F.B. 1087, pp. 39–40. 1920.
 handicraft—
  clubs, boys' and girls', organization, object, and scope. News L., vol. 3, No. 22, pp. 3–4. 1916.
  exercises for rural schools. H. O. Sampson. D.B. 527, pp. 38. 1917.
 hay—
  acreage, determining factors. Y.B., 1924, pp. 293–295. 1925.
  successful in South. Harmon Benton. F.B. 312, pp. 15. 1907.
  help from birds. W. L. McAtee. Y.B., 1920, pp. 253–270. 1921; Y.B. Sep. 843, pp. 253–270. 1921.
 hill, run-down, improvement methods, cost, and profits, experiments in New York. D.B. 32, pp. 16–21. 1913.
 hilly—
  comparison with valley farms, Missouri, Ozark regions. D.B. 941, pp. 14, 17–22, 42–51. 1921.
  Louisiana, location and general conditions. D.B. 961, pp. 2, 4–5. 1921
 hog—
  and seed corn, successful. W. J. Spillman, F.B. 272, pp. 16. 1906.
  location considerations. F.B. 1437, pp. 2–3. 1925; F.B. 1133, pp. 9–10. 1920.
 homes—
  basis for happy rural life. M.C. 3, pp. 7–8. 1923.
  Belleville, N. Y., safeguarding from overmigration, conclusions. D.B. 984, pp. 52–55. 1921.
  butter-making equipment and use methods. F.B. 927, pp. 18–21. 1918.
  comforts and conveniences. W. R. Beattie. Y.B., 1909., pp. 345–356. 1910; Y.B. Sep. 518, pp. 345–356. 1910.
  convenience(s)—
   Madge J. Reese. F.B. 927, pp. 32. 1918.
   and water supply. Y.B., 1914, pp. 147–155. 1915; Y.B. Sep. 634, pp. 147–155. 1915.
   number reporting. Y.B. 1921, pp. 506, 788. 1922; Y.B. Sep. 878, p. 100. 1922; Y.B. Sep. 871, p. 19. 1922.
   electric light and power. A.M. Daniels. Y.B., 1919, pp. 223–238. 1920; Y.B. Sep. 799, pp. 223–238. 1920.
   family living, cost and quality. E. L. Kirkpatrick and others. D.B. 1214, pp. 36. 1924.
  grounds, improvement—
   methods and projects, school studies. S.R.S. Doc. 62, pp. 10–12. 1917.
   study outline for home project. D.B. 346, pp. 15–17. 1916; O.E.S.F.I.L. 14, pp. 1–16. 1912.
  heating and lighting. Y.B., 1909, pp. 355–356. 1910; Y.B. Sep. 518, pp. 355–356. 1910.
  improvement—
   by aid of rural engineering. Y.B., 1915, pp. 101–112. 1916; Y.B. Sep. 660, pp. 101–112. 1916.

INDEX TO PUBLICATIONS, 1901-1925   821

Farm(s)—Continued.
  homes—continued.
    improvement—continued.
      from community dairying. Y.B., 1916, p. 216. 1917; Y.B. Sep. 707, p. 8. 1917.
      inside pipes and fixtures, description and care in use. F.B. 941, pp. 66-68. 1918.
      lecture syllabus. John Hamilton and George Nox McCain. O.E.S.F.I.L. 12, pp. 25. 1912.
      location, building, beautification, etc., discussion. O.E.S. Bul. 182, pp. 77-84. 1907.
      modern conveniences. Elmina T. Wilson. F.B. 270, pp. 48. 1906.
      planning. B.P.I. Bul. 236, pp. 14-18. 1912.
      plans, and descriptions. News L., vol. 6, No. 42, pp. 10-11, 12, 13. 1919.
      plumbing systems with septic tank, details and cost. Y.B., 1916, pp. 361-370. 1917; Y.B. Sep. 712, pp. 15-24. 1917.
      sanitation, studies. D.B. 57, pp. 1-46. 1914.
      supplies furnished by. W. C. Funk. F. B. 1082, pp. 19. 1920.
      surroundings, improvement in semiarid region. B.P.I. Bul. 215, p. 38. 1911.
      water—
        supply conveniences, directions for. Y.B., 1914, pp. 147-155. 1915; Y.B. Sep. 634, pp. 147-155. 1915.
        supply, plumbing, and sewage disposal. Robert W. Trullinger. D.B. 57, pp. 46. 1914.
        systems. George M. Warren. F.B. 941, pp. 68. 1918.
  horse-power problem. Oscar A. Juve. Y.B., 1919, pp. 485-495. 1920; Y.B. Sep. 825, pp. 485-495. 1920.
  house(s)—
    average value and relation to size of farm. D.B. 410, pp. 32, 33. 1916.
    building, description, and plans. News L., vol. 6, No. 50, pp. 10-11, 12, 13. 1919.
    types, views for illustrated lecture, description. O.E.S.F.I.L. 12, pp. 15-25. 1912.
    See also Farmhouse.
  household accounts. W. C. Funk. F.B. 964, pp. 11. 1918.
  implements—
    and—
      machinery, course of prices for a series of years. George K. Holmes. Stat. Bul. 18, pp. 31. 1901.
      machinery value Jan. 1, 1920, and per farm, map. Y.B., 1921, p. 494. 1922; Y.B. Sep. 878, p. 88. 1922.
      outfit, prices, 1909-1918. Y.B., 1918, pp. 694-695. 1919; Y.B. Sep. 795, pp. 30-31. 1919.
    bean—
      harvester, description. F.B. 289, pp. 14-15. 1907.
      thresher, description. F.B. 289, pp. 17-18, 19. 1907.
    care and repair—
      No. 3, plows and harrows. E. B. McCormick and L. L. Beebe. F.B. 946, pp. 9. 1918.
      No. 4, mowers, reapers and binders. E. B. McCormick and L. L. Beebe. F. B. 947, pp. 16. 1918.
      No. 5, grain separators. Elmer Johnson. F.B. 1036, pp. 20. 1919.
    course of prices. George K. Holmes. Stat. Bul. 18, pp. 31. 1901.
    day's work in various operations. D.B. 412, pp. 1-16. 1916.
    disk-harrow for alfalfa cultivation. F. B. 342, pp. 14-16. 1909.
    evaluation of investigations. O.E.S. An. Rpt. 1905, pp. 211-223. 1906.
    for—
      control of chinch bug. F.B. 1223, p. 16. 1922.
      oat crops. F.B. 424, pp. 14-16, 21, 26, 30. 1910.
      use on hard clay desert lands. B.P.I. Bul. 157, pp. 20-21. 1909.
      improvement in Guam. Guam A.R., 1920, pp. 66, 70. 1921.

Farm(s)—Continued.
  implements—continued.
    labor-saving, in—
      hay making. F.B. 1021, pp. 16-24. 1919.
      sugar-beet growing. F.B. 1042, pp. 4-18. 1919.
    needs on sugar-beet farm, list, uses, etc. D.B. 995, pp. 36-39. 1921.
    prices—
      1909-1918. Y.B., 1918, pp. 694-695. 1919; Y.B. Sep. 795, pp. 30-31. 1919.
      paid by farmers, 1899, 1909, 1910, and 1911. Stat. Chief Rpt., 1912, pp. 15-16. 1912; An. Rpts., 1912; pp. 793-794. 1913.
    repair, supply of materials. F.B. 347, pp. 28-32. 1909.
    spread of cotton wilt by conveyance of spores. F.B. 333, p. 10. 1913.
    statistics, manufacture and sale, 1920-21. Y.B., 1922, pp. 1020-1028. 1923; Y.B. Sep. 887, pp. 1020-1028. 1923.
    supply and cost on Shenandoah Valley farm. F.B. 432, pp. 27-28. 1911.
    sycamore, utilization for. D.B. 884, pp. 9, 16, 24. 1920.
    used on cotton farm, description. F.B. 364, pp. 10-16, 18. 1909.
    values—
      depreciation and estimates. F.B. 1182, pp. 30-31. 1921.
      in 1910. Y.B., 1913, p. 489. 1914; Y.B. Sep. 361, p. 489. 1914.
      on Jan. 1, 1920, map. Y.B., 1921, p. 494. 1922; Y.B. Sep. 878, p. 88. 1922.
      per acre on model tenant farm. F.B. 472, p. 35. 1911.
    work factors, summary, table. D.B. 3, pp. 43-44. 1913.
  improvement(s)—
    in various States, counties, and areas. See Soil surveys.
    provisions regarding landlord and tenant. F.B. 1164, pp. 9, 18, 20-28. 1920.
    requirements of 160-acre hog farm. F.B. 1463, pp. 19-20. 1925.
  in—
    Alaska, locations for settlers, and homestead provisions. Alaska Cir. 1, pp. 10-12, 26-30. 1916; rev., pp. 6-10. 1923.
    California, San Francisco Bay region, number, size, and tenure. Soil Sur. Adv. Sh., 1914, pp. 29-30. 1917; Soils F.O., 1914, pp. 2701-2702. 1919.
    Columbia River Valley, selection and cost. B.P.I. Cir. 60, pp. 6-7. 1910.
    Denmark, number, size, and general conditions. D.B. 1266, pp. 8-9. 1924.
    Georgia—
      Mitchell County, number, size, and rental basis. Soil Sur. Adv. Sh., 1920, p. 10. 1922; Soils F.O., 1920, p. 10. 1925.
      Sumter County, business analysis, 1913, 1918. H. W. Hawthorne and others. D.B. 1034, pp. 97. 1922.
    Indiana, Clinton County, business summary for 1910 and 1913-1919. D.B. 920, pp. 3, 5, 22-41. 1920; D.B. 1258, pp. 4-9. 1924.
    Minnesota—
      labor, hours, wages, and cost of board. F.B. 366, pp. 30-32. 1909.
      resources, crops, requirements, costs, and returns. D.B. 1271, pp. 83-87. 1924.
    Missouri—
      labor incomes and profitableness. D.B. 633, pp. 8-10. 1918.
      Ozark region, management studies. H. M. Dixon and J. M. Purdom. D.B. 941, pp. 51. 1921.
    New England, sheep industry, possibilities. F. H. Branch. F.B. 929, pp. 30. 1918.
    New Hampshire, profitable and unprofitable, comparison. B.P.I. Cir. 128, pp. 3-15. 1913.
    New Jersey, classification, acreages, and values of crops. D.B. 411, pp. 3-5, 16-20. 1916.
    New York—
      income and expenses, 1892-1909. F.B. 454, pp. 22-24. 1911.

Farm(s)—Continued.
 in—continued.
  New York—Continued.
   Monroe County, acreage and value. Soil Sur. Adv. Sh., 1910, p. 17. 1912; Soils F.O., 1910, p. 55. 1912.
   North Carolina, types, crops, and income, Catawba County. D.B. 1070, pp. 5-17. 1922.
   northeastern Pennsylvania, number, tenure, indebtedness, and value. Soil Sur. Adv. Sh., 1911, pp. 18-19. 1913; Soils F.O., 1911, pp. 282-283. 1914.
  Ohio—
   areas, woodland, waste land, and pasture, 1912-1916. D.B. 716, pp. 14-19. 1918.
   investments, distribution, cost, and value. B.P.I. Bul. 212, pp. 11-28, 42-47. 1911.
   study of 25, 1912-1916. D.B. 716, pp. 11-47. 1918.
   Washington County, profits and losses. D.B. 920, pp. 3, 5, 7-22. 1920.
  South, testing for efficiency in management. Farm M. Cir. 3, pp. 40. 1919; C. L. Goodrich. D.C. 83, pp. 27. 1920.
  southern New Hampshire, conditions, survey. E. H. Thomson. B.P.I. Cir. 75, pp. 19. 1911.
  Texas, Rio Grande district, facts and enterprises. D.B. 665, pp. 3-13. 1918.
  United States, 1913, estimate. F.B. 570, p, 2.. 1913.
  Utah Lake Valley—
   area, capital, income, and profits. D.B. 582, pp. 4-7. 1918.
   average area, capital, receipts, expenses, farm and labor incomes, tables. D.B. 117, pp. 5-13. 1914.
  Virginia, Pittsylvania County, number, size, and value. Soil Sur. Adv. Sh., 1918, pp. 14, 19, 24, 26, 27, 28, 30, 45. 1922; Soils F.O., 1918, pp. 130, 135, 140, 142, 143, 144, 146, 161. 1924.
  Washington—
   Wenatchee area, 1899-1920, size and value. Soil Sur. Adv. Sh., 1918, pp. 13, 25, 46, 48, 49, 54, 57, 66. 1922; Soils F.O., 1918, pp. 1553, 1565, 1586, 1588, 1589, 1594, 1597, 1607. 1924.
   Yakima Valley, organization, size, crop areas, and cultivation methods. D.B. 614, pp. 8-10. 1918.
  Wisconsin—
   Dane County, profits and losses. D.B. 920, pp. 3, 5, 41-55. 1920.
   Jackson County, number, size, and prices. Soil Sur. Adv. Sh., 1918, pp. 12-13. 1922; Soils F.O., 1918, pp. 948-949. 1924.
 incomes—
  and—
   labor income, averages, in various locations. Y.B., 1919, p. 740. 1920; Y.B. Sep. 830, p. 740. 1920.
   value, study of, county groups in various States. D.B. 1224, pp. 128-131. 1924
  comparison of various Corn-Belt farms. News L., vol. 3, No. 9, pp. 3-4. 1915.
  definition. D.B. 941, pp. 12-13. 1921.
  determining from accounts. F.B. 511, rev., pp. 34-37. 1920.
  discussion. D.B. 1338, pp. 25-26. 1925.
  in irrigated valley farms in southern Arizona. D.B. 654, pp. 17-18, 21-58. 1918.
  increase since 1922. Off. Rec., vol. 2, No. 50, p. 1. 1923.
  Missouri, Ozark region. D.B. 941, pp. 12-15, 42-51. 1921.
  on—
   Indiana farms, 1913-1918, and factors concerning. D.B. 920, pp. 5, 23, 30-32. 1920.
   Ohio farms, 1912-1918, and factors concerning. D.B. 920, pp. 5, 8, 13, 16. 1920.
   Wisconsin farms, 1913-1917, and factors concerning. D.B. 920, pp. 5, 42, 45, 46-49. 1920.
  owners, landlords and tenants, Indiana, Illinois, and Iowa. D.B. 41, pp. 9-15. 1914.
  relation to—
   size of farm and adaptability of enterprises. Y.B., 1913, pp. 94-95, 101-107. 1914; Y.B., Sep. 617, pp. 94-95, 101-107. 1914.

Farm(s)—Continued.
 incomes—continued.
  relation to—continued.
   valuation, influence. Y.B. 1923, pp. 541, 544-547. 1924; Y.B. Sep. 897, pp. 541, 544-547. 1924.
  sources and—
   amounts, eastern Pennsylvania comparison with Illinois farms, table. D.B. 341, pp. 24-30. 1916.
   per cent of receipts, owner and tenant farms, Lenawee County, Mich. D.B. 694, pp. 2, 11-12. 1918.
   studies, methods. F.B.635, pp. 1-21. 1914.
   variations in Georgia cotton farms. F.B. 1121, pp. 5-8, 28-29. 1920.
   woodlot, proportion of total income, 1910. D.B. 481, pp. 30-31. 1917.
  increase of staple crops, five-year averages since 1866. Y.B., 1918, p. 440. 1919; Y. B. Sep. 771, 1918, p. 10. 1919.
  influence on good citizenship. D.B. 984, p. 6. 1921.
  institutes, men's and women's, early organization in Belleville community, N.Y. D.B. 984, p. 45. 1921.
 insurance, agricultural cooperation. B. B. Hare. O.E.S. Bul. 256, pp. 51-55. 1913.
 inventory(ies)—
  J. S. Ball. F.B. 1182, pp. 31. 1921.
  directions for determining values and depreciation. F.B. 511, pp. 9-15. 1912, F.B. 511, rev., pp. 10-20. 1920.
  instructions and blank form. F.B. 572, pp. 3-5. 1914; F.B. 782, pp. 8-16. 1917; F.B. 1139, pp. 6-7, 38. 1920.
  method for taking, home and school studies. S.R.S. Doc. 38, p. 2. 1917.
  uses and examples. Y.B., 1917, pp. 159-161. 1918; Y.B. Sep. 735, pp. 9-11. 1918.
 investment(s)—
  averages for farms in Missouri, Ozark region. D.B. 941, pp. 15-17. 1921.
  distribution in Ohio, 1912-1916. D.B. 716, pp. 37-39. 1918.
  Idaho, Payette Valley. D.B. 636, pp. 10-11. 1918.
  records keeping, instructions and habits. F.B. 1139, pp. 11-13, 38. 1920.
 irrigated—
  drainage. R. A. Hart. F.B. 805, pp. 31. 1917.
  incomes in Rio Grande irrigation district. D.B. 665, pp. 6-7. 1918.
  industries, grouping and stabilizing, importance. Y.B., 1916, pp. 194-196. 1917; Y.B. Sep. 690, pp. 18-20. 1917.
  land, Provo area, Utah, management and profits. L. G. Connor. D.B. 582, pp. 40. 1918.
  selection and location. F.B. 263, pp. 6-7. 1906; F.B. 864, pp. 3-5. 1917.
  selection, start, crop management, and use of water. Y.B. 1909, pp. 200-206. 1910; Y.B. Sep. 505, pp. 200-206. 1910.
  sheep raising in the Northwest. Stephen O. Jayne. F.B. 1051, pp. 32. 1919.
 irrigation—
  by pumping. P. E. Fuller. Y.B., 1916, pp. 507-520. 1917; Y.B. Sep. 703, pp. 14. 1917.
  Colorado, Cache la Poudre Valley, various crops. D.B. 1026, pp. 51-68, 83-84. 1922.
  ditches, capacity, forms, water flow, structures. F.B. 864, pp. 8-15. 1917.
 Kentucky bluegrass, analysis of business, comparisons. F.B. 812, pp. 11-14. 1917.
 kitchen, management. F.B. 607, pp. 20. 1914.
 labor. See Labor, farm.
 land(s)—
  abandoned—
   of New York, improvement, principles. B.P.I. Cir. 64, p. 7. 1910.
   proportion ruined by erosion. Y.B., 1913, p. 214. 1914.
  acreage—
   and value, 1910, by States, maps. Y.B., 1915, pp. 338, 345. 1916; Y.B., Sep. 681, pp. 338, 345. 1916.
   available for forest planting. D.B. 153, pp. 1, 4, 5. 1915.

Farm(s)—Continued.
  land(s)—continued.
    acreage—continued.
      in various crops in Florida, Orange County. Soil Sur. Adv. Sh., 1919, pp. 7-8. 1922; Soils F.O., 1919, pp. 951-952. 1925.
      per capita, decrease. Y.B., 1923, pp. 433-437. 1924; Y.B. Sep. 896, pp. 433-437. 1924.
      and lands not in farms, in United States. D.B. 626, pp. 8-13. 1918.
    area—
      in United States. Y.B. 1921, p. 23. 1922; Y.B. Sep. 875, p. 23. 1922.
      in various countries. Y.B., 1917, p. 751. 1918; Y.B., Sep. 761, p. 45. 1918.
      increase by work of railroad companies. Stat. Bul. 100, pp. 33-34. 1912.
      percentage improved, census figures. Y.B., 1914, p. 641. 1915; Y.B., Sep. 656, p. 641. 1915.
    available for settlement. B. Henderson. F.B. 1271, p. 51. 1922.
    banks, national, establishment, summary of bill introduced in House and Senate. News L., vol. 1, No. 29, pp. 1-6. 1914.
    Canadian, value per acre, 1914-1918. News L., vol. 6, No. 38, p. 9. 1919.
    census statistics, 1910. Y.B., 1911, pp. 692-696. 1912; Y.B. Sep. 588, pp. 692-696. 1912.
    drainage. E. G. Elliott. F.B. 187, pp. 40. 1904.
    erosion, prevention by terracing. C. E. Ramser. D.B. 512, pp. 40. 1917.
    hillside erosion, prevention. O.E.S. Bul. 158, pp. 728-731. 1905.
    improved, decrease in New England. D.B. 153, pp. 1-2, 4. 1915.
    improvement by drainage, increased crops. Y.B., 1914, pp. 250-253, 256. 1915; Y.B., Sep. 640, pp. 250-253, 256. 1915.
    in—
      Canal Zone, leasing by Canal Commission, methods and rental. Rpt. 95, pp. 19-20, 46. 1912.
      Eastern United States, changes in woodlot areas since 1880. D.B. 481, pp. 8-23. 1917.
      Texas, Ellis County, value, 1890-1900. Soil Sur. Adv. Sh., 1910, pp. 9-10. 1911; Soils F.O., 1910, pp. 935-936. 1912.
      United States, acreage, comparison with European countries. For. Cir. 159, pp. 6-7. 1909.
    intermountain, value, effect of irrigation. M.C. 47, p. 5. 1925.
    mortgages, discussion. Y.B., 1914, pp. 40-41. 1915.
    prices. See Soil surveys for various States, counties, and areas.
    problems—
      increased area, settlement, and tenancy. Y.B., 1919, pp. 25-32. 1920.
      settlement, tenancy and other problems. An. Rpts., 1919, pp. 18-24. 1920; Sec. A. R., 1919, pp. 20-26. 1919.
      selection in Gulf coast region, east of Mississippi River. Soils Cir. 43, pp. 1-11. 1911.
    terracing. C. E. Ramser. F.B. 997, pp. 40. 1918; F.B. 1386, pp. 22. 1924.
    valuation, trend. Y.B., 1923, pp. 442-443. 1924; Y.B. Sep. 896, pp. 442-443. 1924.
    value(s)—
      by States, 1916-1919. Y.B., 1918, p. 699. 1919; Y.B. Sep. 795, p. 35. 1919.
      in Iowa. L. C. Gray and O. G. Lloyd. D.B. 874, pp. 45. 1920.
      in relation to road improvement. An. Rpts., 1923, p. 470. 1923; Rds. Chief Rpt., 1923, p. 8. 1923.
      increase, 1900-1910. Y.B., 1916, p. 332. 1917; Y.B., Sep. 715, p. 12. 1917.
      increase, 1920. Y.B., 1921, pp. 3, 4, 10, 24, 49. 1922; Y.B. Sep. 875, pp. 3, 4, 10, 24, 49. 1922.
      per acre, 1910, by States, maps. Y.B., 1915, pp. 338, 345. 1916; Y.B., Sep. 681, pp. 338, 345. 1916.
      per acre, 1920, map. F.B. 1385, p. 3. 1923.
    See also Soil surveys for various States, counties, and areas.

Farm(s)—Continued.
  late-truck, New Jersey, rent methods, variations. D.B. 411, pp. 10-13. 1916.
  lease(s)—
    contract. L. C. Gray and Howard A. Turner. F.B. 1164, pp. 36. 1920.
    length of period in various localities. D.B. 650, pp. 3-4. 1918.
    on half-and-half system, business analysis. D.B. 650, pp. 32-33. 1918.
    points to be considered, and problems, discussion. F.B. 1164, pp. 6-28, 30-33. 1920.
    short and long-term, influence on length of tenure, Wisconsin and Illinios dairy farms. D.B. 603, p. 14. 1918.
  life—
    aid by engineering. E. B. McCormick. Y.B. 1915, pp. 101-112. 1916; Y.B. Sep. 660, pp. 101-112. 1916.
    Argentina, and wheat production. Frank W. Bicknell. Stat. Bul. 27. pp. 100. 1904.
    attractiveness, increase by livestock on farm. Y.B., 1916, pp. 471-473. 1917; Y.B. Sep. 694, pp. 5-7. 1917.
    benefits of boys' and girls' clubs. C. B. Smith and George E. Farrell. Y.B., 1920, pp. 485-494. 1921; Y.B. Sep. 859, pp. 485-494. 1921.
    improvement, requisite for rural contentment. Sec. Cir. 147, p. 7. 1919.
    movement from cities, discussion. Stat. Bul. 94, pp. 76-78. 1912.
    social and agricultural problems, suggestions. F.B. 432, pp. 23-24. 1911.
    studies, committee, report to Secretary. Sec. Cir. 139, pp. 8. 1919.
    study of national relations. D.B. 984, pp. 1-5. 1921.
  litter, use as fertilizer. B.P.I. Doc. 631, pp. 4-5. 1911.
  livestock—
    and grain, rotation systems. F.B. 1005, pp. 14-25. 1919.
    Argentina, description and management. B.A.I. An. Rpt., 1908, pp. 318-329. 1910.
    concrete construction on. F.B. 481, pp. 32. 1912.
    methods, system and business organization. Y.B., 1916, pp. 473-475. 1917; Y.B. Sep. 694, pp. 7-9. 1917.
    rotation(s)—
      crops, Gulf Coast region. F.B. 986, p. 25. 1918.
      including alfalfa. F.B. 1021, pp. 6-8. 1919.
  loan(s)—
    act—
      aid to farmers in buying land, and limitation. Y.B., 1920, pp. 279, 281-282. 1921; Y.B. Sep. 844, pp. 279, 281-282. 1921.
      benefit to farmer. C. W. Thompson. F.B. 792, pp. 12. 1917.
      effect on ownership of farms. Sec. Cir. 131, p. 9. 1919.
    See also Rural credits act.
    amortization tables. F.B. 593, pp. 7-14. 1914.
    associations, organization and functions. Y.B., 1924, pp. 200-201. 1925.
    by intermediate credit banks, totals. Y.B., 1924, p. 237. 1925.
  Loan Board, Federal, personnel, duties, and work. F.B. 792, pp. 3, 11, 12. 1917.
  loans—
    duration, repayment methods. F.B. 593, pp. 5-6. 1914.
    Federal—
      proportion used in buying farms. D.B. 968, pp. 4, 6-7. 1921.
      size and cost, by land-bank districts. D.B. 968, pp. 8-11. 1921.
      system, benefit to purchasers of farms. Y.B. 1919, p. 32. 1920.
    importance of principal over interest, study. F.B. 593, pp. 3-5. 1914.
    personal and collateral, minimum term. D.B. 1048, pp. 22-24, 26. 1922.
    relation to tenure conditions, in Georgia. D.B. 492, pp. 21-22. 1917.
    several forms, discussion. D.B. 1047, pp. 4-6. 1922.

Farm(s)—Continued.
  loans—continued.
    short-time, interest rates and other charges, factors affecting. C. W. Thompson. D.B. 409, pp. 12. 1916.
    term and repayment methods. D.B. 1047, p. 21. 1922.
    time required for payment by annual payments, tables. F.B. 593, pp. 7–14. 1914.
    See also Loan, farm-mortgage.
  machinery—
    and tools, listing for farm inventory and value losses. F.B. 1182, pp. 16–17, 21, 31. 1921.
    care of. F.B. 504, pp. 20–24. 1912.
    cost, western New York. H. H. Mowry. D.B. 338, pp. 24. 1916.
    depreciation, annual per acre. Stat. Bul. 73, pp. 22–25, 67. 1909.
    school exercises. D.B. 258, p. 19. 1915; D.B. 592, pp. 22–25. 1917; F.B. 638, pp. 14–19. 1915.
    use of tractors for belt work. F.B. 1093, pp. 5, 12–13. 1920.
  management—
    aid from computation of rations. D.B. 459, p. 29. 1916.
    and—
      economics, aid of county agents. D.C. 106, pp. 11–12. 1920.
      forest planting. George L. Clothier. F.B. 228, pp. 22. 1905.
      organization in Sumter County, Georgia. H. W. Hawthorne and others. D.B. 1034, pp. 97. 1922.
      rural economics, discussion. O.E.S. Cir. 115, pp. 1–14. 1912.
    by city family. J. H. Arnold. F.B. 432, pp. 28. 1911.
    cotton farms, Texas, Ellis County, study. Rex E. Willard. D.B. 659, pp. 54. 1918.
    data, testing method. H. R. Tolley and S. W. Mendum. D.C. 307, pp. 13. 1923.
    definition. S.R.S. Doc. 38, p. 1. 1917.
    dry-farming systems. B.P.I. Bul. 215, pp. 34–38. 1911.
    economic study of small farms near Washington, D. C. W. C. Funk. D.B. 848, pp. 19. 1920.
    efficiency—
      testing in South. C. L. Goodrich. D.C. 83, pp. 27. 1920.
      testing in Southern States. Farm M. Cir. 3, pp. 40. 1919.
    energy value of feeding stuffs, importance. F.B. 346, p. 32. 1909.
    extension, development, and status in 1922. H. M. Dixon. D.C. 302, pp. 27. 1924.
    in—
      Alaska. Alaska A.R., 1914, pp. 52–54. 1915.
      Missouri-Ozark region. H. M. Dixon and J. M. Purdom. D.B. 941, pp. 51. 1921.
      North Carolina, Catawba County. J. M. Johnson and E. D. Strait. D.B. 1070, pp. 23. 1922.
      United States, systems. W. J. Spillman. Y.B., 1902, pp. 343–364. 1903; Y.B. Sep. 278, pp. 343–364. 1903.
    investigations, survey method, validity. W. J. Spillman. D.B. 529, pp. 15. 1917.
    of sheep on. Edward L. Shaw and Lewis L. Heller. D.B. 20, pp. 1–52. 1913.
    Oregon, Willamette Valley. Byron Hunter and S. O. Jayne. D.B. 705, pp. 24. 1918.
    organization of research and teaching. W. M. Hays and others. B.P.I. Bul. 236, pp. 96. 1912.
    Porto Rico, problems. P.R. An. Rpt., 1918, pp. 20–23. 1920.
    practices, bluegrass region, study methods. D.B. 482, pp. 1–3. 1917.
    problem studies in Lenawee County, Mich. H. M. Dixon and J. A. Drake. D.B. 694, pp. 36. 1918.
    relation of woodlands, lesson for rural schools. D.B. 863, pp. 32–33. 1920.
    study in Anderson County, South Carolina. A. G. Smith. D.B. 651, pp. 32. 1918.
    successful, in southern New York, example. M. C. Burritt and John H. Barron. D.B. 32, pp. 24. 1913.

Farm(s)—Continued.
  management—continued.
    survey—
      data, checking and tabulating. Farm M. Cir. 1, pp. 40. 1916.
      5-year, Ohio, Washington County, Palmer Township, 1912–1916. H. W. Hawthorne. D.B. 716, pp. 53. 1918.
      in Georgia, Brooks County. E. S. Haskell. D.B. 648, pp. 60. 1918.
      source and summary of data. D.B. 582, pp. 1–3. 1918.
    systems, United States. W. J. Spillman. Y.B., 1902, pp. 343–364. 1903; Y.B. Sep. 278, pp. 343–364. 1903.
  manufacture—
    of sirup from sugar-cane juice. D.B. 921, pp. 1, 2, 7. 1920.
    of unfermented apple juice. Joseph S. Caldwell. F.B. 1264, pp. 56. 1922.
  manures and fertilizers. S.R.S. Doc. 30, pp. 14. 1916.
  market-value increase, ownership transfers. D.B. 1047, p. 21. 1922.
  marketing, accounting systems, kinds, necessity. D.B. 178, pp. 2–5. 1915.
  methods, new versus old. News L., vol. 6, No. 48. pp. 1, 8. 1919.
  migration from, story of flow into national life. Emily F. Hoag. D.B. 984, pp. 55. 1921.
  "minimum efficiency unit," use of term. D.B. 341, pp. 54–55. 1916.
  model. W. J. Spillman. Y.B., 1903, pp. 363–370. 1904; Y.B. Sep. 323, pp. 363–370. 1904.
  mortgage(s)—
    debt, 1919, comparison with 1910. D.B. 1047, p. 22. 1922.
    in Georgia, Sumter County, loans and interest rates. D.B. 1034, pp. 39–40. 1922.
    loans—
      amortization methods. Leon E. Truesdell. Sec. Cir. 60, pp. 12. 1916.
      costs and sources in the United States. C. W. Thompson. D.B. 384, pp. 16. 1916.
    mortgaged, percentage and amounts, 1910. Y.B., 1916, p. 324. 1917; Y.B. Sep. 715, p. 4. 1917.
  motor-truck operation in New England and Central Atlantic States. L. M. Church. D.B. 1254, pp. 28. 1924.
  mountain—
    essential features, slope influences. Y.B., 1912, pp. 310–311. 1913; Y.B. Sep. 593, pp. 310–311. 1913.
    examples of good farming practice. F.B. 981, pp. 22–32. 1918.
  movement to, from city and town. George K. Holmes. Y.B., 1914, pp. 257–274. 1915; Y.B. Sep. 641, pp. 257–274. 1915.
  muck-land, management in Indiana and Michigan. H. R. Smalley. F.B. 761, pp. 26. 1916.
  names, copyrighting in Nebraska. News L., vol. 7, No. 15, p. 2. 1919.
  necessities cost, 1914–1918. News L., vol. 6, No. 38, p. 15. 1919.
  northwestern, organization and diversification. F.B. 1051, pp. 14–32. 1919.
  number—
    acreage, improvements, receipts and expenses, census, 1910. B.P.I. Cir. 132, pp. 3–4. 1913.
    and acreage—
      1890, 1900, and 1910. Stat. Chief Rpt., 1911, p. 15. 1911; An. Rpts., 1911, p. 15. 1912.
      1909, 1910, graphs and maps. Y.B., 1915, pp. 329, 336, 338, 340, 346. 1916; Y.B. Sep. 681, pp. 329, 336, 338, 340, 346. 1916.
      Jan. 1, 1920, maps. Y.B., 1921, pp. 489, 490, 491. 1922; Y.B. Sep. 878, pp. 83, 84, 85. 1922.
    number estimated as existing and prospective. Y.B., 1918, p. 438. 1919; Y.B. Sep. 771, p. 8. 1919.
  nut culture, note. F.B. 700, p. 2. 1916.
  occupancy periods. D.B. 1224, pp. 59–63. 1924; Y.B., 1923, pp. 589–597. 1924; Y.B. Sep. 897, pp. 589–597. 1924.
  occupants, per cent of total population in United States. F.B. 635, p. 1. 1914.
  operated by owners and by tenants, percentage. Y.B., 1911, p. 699. 1912; Y.B. Sep. 588, p. 699. 1912.

Farm(s)—Continued.
  operation—
    by—
      owners or tenants, white or colored, maps.
        Y.B., 1921, pp. 498, 500, 501. 1922; Y.B.
        Sep. 878, pp. 92, 94, 95. 1922.
      tenants, by counties. Y.B., 1923, p. 308.
        1924; Y.B. Sep. 897, p. 308. 1924.
      tenants, percentage. F.B. 1164, p. 3. 1920.
    cost, Georgia, Sumter County, white and
      colored. D.B. 1034, pp. 41, 73-97. 1922.
    cost studies. An. Rpts., 1920, pp. 569-571.
      1921.
    definition of terms. D.B. 482, p. 9. 1917.
    machinery cost, western New York. H. H.
      Mowry. D.B. 338, pp. 24. 1916.
    normal day's work. H. H. Mowry. D.B. 3,
      pp. 44. 1913.
    North, West and South. News L., vol. 6, No.
      40, pp. 4-7, 12. 1919.
    sales funds, rulings of department on use. D.C.
      251, p. 26. 1925.
    seasonal suggestions by Extension Work Offices.
      News L., vol. 6, No. 10, pp. 4-5, 14. 1918.
    statistics. Nat. C. Murray and others. Y.B.,
      1922, pp. 1045-1078. 1923; Y.B. Sep. 890, pp.
      1045-1078. 1923.
    work of tractors. F.B. 1299, pp. 4-6. 1922.
  operator(s)—
    black land, agricultural history. D.B. 1068,
      pp. 31-50. 1922.
    classes and locations. Y.B., 1923, pp. 517-521.
      1924; Y.B. Sep. 897, pp. 517-521. 1924.
    nativity, from census for 1920. Y.B., 1922, p.
      1003. 1923; Y.B. Sep. 887, p. 1003. 1923.
  organization—
    and—
      equipment. B.P.I. Bul. 259, pp. 9-30. 1912.
      management, factors influencing. D.B. 694,
        pp. 12-25. 1918.
      management in Indiana, Clinton County,
        1910 and 1913-1919. H. W. Hawthorne and
        H. M. Dixon. D.B. 1258, pp. 68. 1924.
    application of cost data. D.B. 943, pp. 3-4.
      1921.
    as efficiency factor. Y.B., 1913, pp. 97-100, 107.
      1914; Y.B. Sep. 617, pp. 97-100, 107. 1914.
    availability of agents' services. M.C. 3, pp.
      11-12. 1923.
    committee report. Sec. Cir. 135, pp. 12. 1919.
    cost studies. F. W. Peck. D.B. 994, pp. 47.
      1921.
    crop suitability, studies. D.B. 117, pp. 19-20.
      1914.
    development. An. Rpts., 1917, pp. 13-14.
      1918; Sec. A.R., 1917, pp. 15-16. 1917.
    exemption from antitrust laws by State laws,
      examples. D.B. 1106, pp. 39-43. 1922.
    importance. Y.B., 1921, p. 225. 1922; Y.B.
      Sep. 872, p. 225. 1922.
    in—
      central Kansas. W. E. Grimes and others.
        D.B. 1296, pp. 75. 1925.
      Georgia, Brooks County. D.B. 648, pp. 30-
        41. 1918.
      Idaho, Payette Valley. D.B. 636, pp. 8-10.
        1918.
      North Dakota, value, crops, stock, and labor.
        D.B. 757, pp. 5-10. 1919.
      Oregon, Hood River Valley, types of farms.
        D.B. 518, pp. 12-14. 1917.
      Pennsylvania, Chester County. D.B. 341,
        pp. 81-93. 1916.
      southwestern Minnesota, study. George A.
        Pond and Jesse W. Tapp. D.B. 1271, pp.
        100. 1924.
      the irrigated valleys of southern Arizona.
        R. W. Clothier. D.B. 654, pp. 59. 1918.
    input as related to output. H. R. Tolley and
      others. D.B. 1277, pp. 44. 1924.
    questions governing, studies. D.B. 713, pp. 9-
      10. 1918.
    relation of orchard to, in Colorado. D.B. 500,
      pp. 8-9. 1917.
    studies, outline, and change in research work.
      Sec. Cir. 135, pp. 7-10. 1919.
  out-door work for women, conditions, reports.
    D.C. 148, pp. 10-12, 18, 21-22. 1920.

Farm(s)—Continued.
  owner(s)—
    and tenant, Lenawee County, Mich., area,
      capital, receipts, profits, etc., comparison.
      D.B. 694, pp. 31-35. 1918.
    classes from cities, relation to agriculture.
      Y.B., 1914, pp. 258-269. 1915; Y.B. Sep. 641,
      pp. 258-269. 1915.
    incomes, Indiana, Illinois and Iowa. D.B. 41,
      pp. 9-10, 12-15. 1914.
    per cent—
      borrowing money to buy land. D.B. 968, pp.
        5, 20. 1921.
      in various sections. Off. Rec., vol. 3, No. 12,
        p. 1. 1924.
      of operators. Off. Rec. vol. 3, No. 12, p. 1.
        1924.
  ownership—
    and tenancy—
      L. C. Gray and others. Y.B., 1923, pp. 507-
        600. 1924; Y.B. Sep. 897, pp. 507-600. 1924.
      in Black Prairie, of Texas. J. T. Sanders.
        Bul. 1068, pp. 60. 1922.
    changes—
      and recapitalization. Y.B. 1916, pp. 321-322.
        1917; Y.B., Sep. 715, pp. 1-2. 1917.
      conditions, factors. D.B. 1322, pp. 7-15.
        1925.
    farm-loan survey. D.B. 968, pp. 1-2. 1921.
    desirability—
      from different standpoints. Y.B. 1914, pp.
        258-269. 1915; Y.B. Sep. 641, pp. 258-269.
        1915.
      in cotton regions, discussion. D.B. 659, pp.
        13, 17-20, 35. 1918.
    economic aspects. Charles L. Stewart. D.B.
      1322, pp. 24. 1925.
  owning, aid to landless farmers. L. C. Gray.
    Y.B. 1920, pp. 271-288. 1921; Y.B. Sep. 844,
    pp. 271-288. 1920.
  painting, directions. Percy H. Walker. F.B.
    474, pp. 22. 1911.
  part-owner tenants, location and acreage. Y.B.
    1923, p. 519. 1924; Y.B. Sep. 897, p. 519. 1924.
  pasteurization, milk, value, equipment, and
    methods. B.A.I. Cir. 184, pp. 33-36. 1912.
  pasture land, in the United States. E. A.
    Goldenweiser and J. S. Ball. D.B. 626, pp. 94.
    1918.
  Pennsylvania, northeastern, number, tenure,
    indebtedness, and value. Soil Sur. Adv. Sh.
    1911, pp. 18-19. 1913; Soils F.O. 1911, pp. 282-
    283. 1914.
  pest(s)—
    destruction by birds, notes. F.B. 497, pp.
      7-30. 1912.
    field mice as. D. E. Lantz. F.B. 670, pp. 10.
      1915.
    rabbit as. D. E. Lantz. Y.B. 1907, pp. 329-
      342. 1908; Y.B. Sep. 452, pp. 329-342. 1908.
    rodent—
      destruction, David E. Lantz. Y.B. 1916,
        pp. 381-398. 1917; Y.B. Sep. 708, pp. 18.
        1917.
      habits and control. David E. Lantz. F.B.
        932, pp. 23. 1918.
  planning—
    contest, rules. O.E.S. Bul. 255, p. 42. 1913.
    for rotation of crops. B.P.I. Bul. 236, pp. 9-14,
      58-96. 1912.
  plans—
    for location of windbreaks. For. Bul. 86. pp.
      94-100. 1911.
    requirements and returns. F.B. 370, pp. 10-33.
      1909.
  population—
    acreage and values, graphics. Stat. Bul. 78,
      pp. 37-40. 1910.
    per cent of total population. Y.B. 1911, p. 699.
      1912; Y.B. Sep. 588, p. 699. 1912.
    total and by geographic divisions and States.
      Y.B. 1921, p. 502. 1922; Y.B. Sep. 878, pp.
      96. 1922.
  poultry—
    and egg, exclusive, increase of industry. B.A.I.
      An. Rpt., 1911, pp. 248-249. 1913.
    flock, making profitable. F.B. 1919, p. 317.
      1920; Y.B. Sep. 800, p. 11. 1920.

Farm(s)—Continued.
 poultry—continued.
  raising. D. E. Salmon. F.B. 141, pp. 16. 1901.
 power. See Power, farm.
 practice(s)—
  application of scientific principles. Y.B. 1920, pp. 105-110. 1921; Y.B. Sep. 832, pp. 105-110. 1921.
  California sugar-beet districts. D.B. 760, pp. 3, 11-36. 1919.
  Colorado, Arkansas Valley. B.P.I. Bul. 260, pp. 49-60. 1912.
  crop-yield increase—
   in the Gulf Coast region. M. A. Crosby. F.B. 986, pp. 28. 1918.
   Kentucky and Tennessee. J. H. Arnold. F.B. 981, pp. 38. 1918.
  food-production increase, United States and Europe. Sec. Cir. 130, pp. 7-8. 1919.
  forage crops, western Oregon and western Washington. Byron Hunter. B.P.I. Bul. 94, pp. 39. 1906.
  haymaking in New York and Pennsylvania. H. B. McClure. D.B. 641, pp. 16. 1918.
  in—
   Cotton Belt, variations. Y.B. 1921, pp. 346-348. 1922; Y.B. Sep. 877, pp. 346-348. 1922.
   cotton cultivation. H. R. Cates. D.B. 511, pp. 1-62. 1917.
   grain farming, North Dakota. C. M. Hennis and Rex E. Willard. D.B. 757, pp. 35. 1919.
   growing field crops in Colorado. Samuel B. Nuckols and Thomas H. Summers. D.B. 917, pp. 52. 1921.
   growing wheat. J. H. Arnold and R. R. Spafford. Y.B. 1919, pp. 123-150. 1920; Y.B. Sep. 804, pp. 123-150. 1920.
   the Columbia Basin Uplands. Byron Hunter. F.B. 294, pp. 32. 1907.
  relation—
   of agricultural extension agencies. B.P.I. Cir. 117, pp. 13-25. 1913.
   to cabbage disease control. F.B. 488, pp. 9-12. 1912; F.B. 925, rev., pp. 6-9. 1921.
  sugar-beet growing in—
   California. T. H. Summers and others, D.B. 760, pp. 48. 1919.
   Colorado. D.B. 726, pp. 14-45, 56-59. 1918.
   Michigan and Ohio. R. S. Washburn and others. D.B. 748, pp. 45. 1919.
   Utah and Idaho, 1914-15. L. A. Moorhouse and others. D.B. 693, pp. 44. 1918.
 prices—
  comparison with—
   city and export prices. Stat. Bul. 101, pp. 70-71. 1913.
  freight rates. D.B. 74, pp. 14-15. 1914.
  corn, geographical phases. L. B. Zapoleon. D.B. 696, pp. 53. 1918.
  equalization fees. Off. Rec., vol. 3, No. 4, pp. 1, 5. 1924.
  estimates and comparisons—
   1913. F.B. 570, pp. 17-18. 1913.
   1914. F.B. 641, pp. 7, 25-39. 1914.
  hogs, 1900-1912, increase. B.A.I. Cir. 201, p. 7. 1912.
  increase, 1916-1917. News L., vol. 5, No. 32, p. 7. 1918.
  oats—
   1910-1914, averages. D.B. 755, pp. 2, 21-28. 1919.
   geographical phases. L. B. Zapoleon. D.B. 755, pp. 28. 1919.
  principal crops, 1917, comparison with 1915. News L., vol. 5, No. 29, p. 5. 1918.
  statistics. Y.B., 1924, pp. 1172-1182. 1925.
  trend, December, January, and February, 1914-1916. News L., vol. 3, No. 29, p. 8. 1916.
  wheat, by States and counties, 1910-1914. D.B. 594, pp. 34-46. 1918.
 produce—
  home use on small farms near Washington, D. C. D.B. 848, pp. 17-18. 1920.
  listing for inventory. F.B. 1182, pp. 17-18. 1921.
  marketing—
   by parcel post, methods, studies. News L., vol. 2, No. 20, pp. 6-7. 1914.

Farm(s)—Continued.
 produce—continued.
  marketing—continued.
   in Washington, D. C. D.B. 848, pp. 16-17. 1920.
  perishable, carload shipments, methods of shipper and consignee. D.B. 267, pp. 3-5. 1915.
  sales practices and terms, conclusions. D.B. 266, pp. 17-25. 1915.
  shipment by parcel post, packing and containers. F.B. 703, pp. 6-8. 1916.
  production and income, effect of use of power and machinery. D.B. 1348, pp. 14-17. 1925.
  production, review and outlook. Rpt. 83, pp. 3-14. 1906.
 products—
  1913, farm value, estimates. F.B. 570, pp. 2, 5-17. 1913.
  acre value in human food. Morton O. Cooper and W. J. Spillman. F.B. 877, pp. 11. 1917.
  acreage and production, 1899 and 1909. Sec. A.R., 1914, pp. 6-8. 1914; Y.B., 1914, pp. 10-12. 1915.
  adaptability to San Luis Valley, Colorado. Soils Cir. 52, pp. 15-26. 1912.
  allowance for in keeping accounts. F.B. 964, pp. 10-11. 1918.
  bushel weights. Y.B., 1920, p. 11. 1921; Y.B. Sep. 865, p. 11. 1921.
  carload weights. Y.B., 1921, p. 791. 1922; Y.B. Sep. 871, p. 22. 1922.
  community packing for market, advantages. F.B. 1144, p. 4. 1920.
  condition, prices, etc., tables, estimates, by States. F.B. 611, pp. 3, 35-39. 1914; F.B. 629, pp. 19-35. 1914.
  cooperative marketing organizations, methods. D.B. 178, pp. 1-24. 1915.
  cost—
   data. Y.B., 1921, pp. 804-845. 1922; Y.B. Sep. 876, pp. 42. 1922.
   of production. Willet M. Hays and Edward C. Parker. Stat. Bul. 48, pp. 90. 1906.
   of production, Georgia, Brooks County. D.B. 648, pp. 41-55. 1918.
   statistics, collection and use. B.P.I. Bul. 236, pp. 39-41. 1912.
  demand—
   at trade centers, tables of receipts and shipments. Rpt. 98, pp. 285-391. 1913.
   for, factors governing. Off. Rec., vol. 2, No. 17, pp. 1-2. 1923.
   in world markets, reports. An. Rpts., 1923, pp. 21, 22, 186. 1924; B.A.E. Chief Rpt., 1923, p. 56. 1923; Sec. A.R., 1923, pp. 21, 22. 1923.
  distributing agencies at market centers. D.B. 267, pp. 2-3. 1915.
  distribution, expenses. Y.B., 1909, pp. 161-163. 1910; Y.B. Sep. 502, pp. 161-163. 1910.
  domestic, shipments to and from Hawaii and Porto Rico. Y.B., 1914, p. 676. 1915; Y.B. Sep. 657, p. 676. 1915.
  exception from freight embargoes, list. News L., vol. 5, No. 32, p. 3. 1918.
  exchange value, increase. Off. Rec., vol. 3, No. 37, p. 3. 1924.
  exporting, methods and routes. Edward G. Ward, jr. Stat. Bul. 29, pp. 62. 1904.
  exports—
   1851-1907, value. Y.B., 1907, p. 756. 1908; Y.B. Sep. 465, p. 756. 1908.
   1851-1908. Stat. Bul. 75, pp. 66. 1910.
   1852-1921, destination. Y.B., 1922, pp. 962-964. 1923; Y.B. Sep. 880, pp. 962-964. 1923.
   1901-1903, and forest products by counties to which consigned. Stat. Bul. 32, pp. 100. 1905.
   1902-1904, and forest products by countries to which consigned. Stat. Bul. 36, pp. 108. 1905.
   1903-1905, and forest products by countries to which consigned. Stat. Bul. 46, pp. 72. 1905.
   1904-1906, and forest products by countries to which consigned. Stat. Bul. 53, pp. 68. 1907.
   1905-1907, and forest products by countries to which consigned. Stat. Bul. 71, pp. 67. 1909.

Farm(s)—Continued.
 products—continued.
  exports—continued.
   1906–1908, and forest products by countries to which consigned. Stat. Bul. 77, pp. 91 1910.
   1907–1909, and forest products by countries to which consigned. Stat. Bul. 83, pp. 100. 1910.
   1908–1910, and forest products by countries to which consigned. Stat. Bul. 91, pp. 96. 1911.
   1909–1911, and forest products by countries to which consigned. Stat. Bul. 96, pp. 100. 1912.
   1910–1920, statistics. Y.B., 1921, pp. 71–76. 1922; Y.B. Sep. 875, pp. 71–76. 1922.
  fertilizing value. F.B. 1202, p. 61. 1921.
  foreign trade—
   1851–1908. An. Rpts., 1908, pp. 17–19. 1909; Sec. A.R., 1908, pp. 15–17. 1908.
   1852–1921. Y.B. 1922, p. 982. 1923; Y.B. Sep. 880, p. 982. 1923.
   1903, and forest products. Stat. Cir. 15, pp. 20. 1903.
   1904, and forest products. Stat. Cir. 16, pp. 19. 1905.
   1915, and forest products. Perry Elliott. D.B. 296, pp. 51. 1915.
  freight rates—
   on inland waterways, time of transit. Frank Andrews. D.B. 74, pp. 36. 1914.
   rail and ocean, various dates. Y.B., 1910, pp. 647–652. 1911; Y.B. Sep. 553, pp. 647–652. 1911; Y.B. Sep. 554, pp. 647–652. 1911.
  grades and standards. Y.B., 1922, pp. 19–21. 1923; Y.B. Sep. 883, pp. 19–21. 1923.
  grading, packing, and shipping. M.C. 32, pp. 69–78. 1924.
  hauling—
   cost, decrease, as result of good roads. F.B. 505, pp. 3–12. 1912.
   from farms, amount and cost. Y.B., 1907, p. 735. 1908; Y.B. Sep. 465, p. 735. 1908.
  imports—
   1851–1911, and exports, relative magnitude, table. Stat. Bul. 96, pp. 9–12. 1912.
   1852–1921, countries of origin. Y.B., 1922, pp. 965–967. 1928; Y.B. Sep. 880, pp. 965–967. 1928.
   1901–1903, and forest products, by countries from which consigned. Stat. Bul. 31, pp. 66. 1905.
   1902–1904, with forest products, by countries from which consigned. Stat. Bul. 35, pp. 82. 1905.
   1903–1905, with forest products, by countries from which consigned. Stat. Bul. 45, pp. 62. 1906.
   1904–1906, with forest products, by countries from which consigned. Stat. Bul. 52, pp. 58. 1907.
   1905–1907, with forest products, by countries from which consigned. Stat. Bul. 70, pp. 62. 1909.
   1906–1910 and 1851–1910 and exports. Y.B., 1910, pp. 653–687. 1911; Y.B. Sep. 554, pp. 653–687. 1911.
   1906–1908, with forest products, by countries from which consigned. Stat. Bul. 76, pp. 65. 1909.
   1907–1909, with forest products, by countries from which consigned. Stat. Bul. 82, pp. 74. 1910.
   1908–1910, with forest products, by countries from which consigned. Stat. Bul. 90, pp. 80. 1911.
   1909–1911, with forest products, by countries from which consigned. Stat. Bul. 95, pp. 83. 1912.
   into Alaska, prices, etc., estimates. D.B. 50, p. 14. 1914.
  improvement by organized cooperative work. Y.B., 1914, pp. 97–102. 1915; Y.B. Sep. 632, pp. 11–16. 1915.
  in—
   California, adaptability, variety, acreage, value. O.E.S. Bul. 237, pp. 30–33. 1911.

Farm(s)—Continued.
 products—continued.
  in—continued.
   California, San Francisco Bay region, value, 1880, 1900, 1910. Soil Sur. Adv. Sh., 1914, p. 28. 1917; Soils F.O., 1914, p. 2700. 1919.
   England and Wales, estimate, 1914, comparison with 1913. F.B. 629, p. 16. 1914.
   Maryland, Frederick County, value in 1919. Soil Sur. Adv. Sh., 1919, p. 12. 1922; Soils F.O., 1919, p. 652. 1925.
   Minnesota, cost of producing, 1902–1907. Edward C. Parker and Thomas P. Cooper. Stat. Bul. 73, pp. 69. 1909.
   Minnesota, Pennington County, 1910, census. Soil Sur. Adv. Sh., 1914, p. 9. 1916; Soils F.O., 1914, p. 1731. 1919.
   Missouri, Jackson County, yield, 1910, and value, 1909. Soil Sur. Adv. Sh., 1910, pp. 12–13. 1912; Soils F.O., 1910, pp. 1268–1269. 1912.
   New York, Ontario County, income, profits, 1899. Soil Sur. Adv. Sh., 1910, 13–14. 1912; Soils F.O., 1910, pp. 101–102. 1912.
   Tennessee, Robertson County, 1899, 1909, 1910. Soil Sur. Adv. Sh., 1912, pp. 9–10, 25. 1914; Soils F.O., 1912, pp. 1131–1135. 1915.
   Texas, Taylor County, 1909, value. Soil Sur. Adv. Sh., 1915, p. 10. 1918; Soils F.O., 1915, p. 1132. 1919.
  increased yields, and marketing problems. Sec. Cir. 146, pp. 3–5, 8–10. 1919.
  inspection, advantages. H. E. Kramer and G. B. Fiske. Y.B., 1919, pp. 319–334. 1920; Y.B. Sep. 811, pp. 319–334. 1920.
  losses in handling, causes. F.B. 1434, p. 15. 1924.
  marketing—
   and demand at trade centers. George K. Holmes. Rpt. 98, pp. 391. 1913.
   and fair prices, discussion by women. Rpt. 106, pp. 43–59. 1915.
   and transportation, studies. News L., vol. 3, No. 1, pp. 6–7. 1915.
   associations, purpose, value, and organization. F.B. 1144, pp. 3–27. 1920.
   by parcel post, suggestions. F.B. 703, pp. 1–19. 1916.
   by trains, results and advantages. Y.B., 1916, pp. 482–484. 1917; Y.B. Sep. 701, pp. 6–8. 1917.
   glossary of trade terms. D.B. 266, pp. 26–27. 1915.
   methods and costs. Y.B., 1909, pp. 161–172. 1910; Y.B. Sep. 502, pp. 161–172. 1910.
   suggestions for shippers. Y.B., 1917, pp. 324–325. 1918; Y.B. Sep. 736, pp. 6–7. 1918.
  markets, value per acre. O.E.S. Bul. 235, pp. 20–21. 1911.
  movement—
   and distribution systems. Rpt. 98, pp. 10–14. 1913.
   in Japanese beetle area, regulations. F.H.B. S.R.A. 75, pp. 80–81. 1923.
  ocean freight rates from Boston, New York and Baltimore, to eleven European ports, 1903–1906. Stat. Bul. 67, pp. 13–18. 1907.
  other than eggs, parcel-post marketing. F.B. 594, p. 19. 1914.
  overproduction and results. Y.B., 1923, pp. 443–455. 1924; Y.B. Sep. 896, pp. 443–455. 1924.
  perishable, handling—
   by self-service plan, conditions governing. D.B. 1044, pp. 35–39. 1922.
   packing, precooling, and transportation. News L., vol. 4, No. 11, pp. 1–3. 1916.
  prices—
   1912, comparison with recent years. An. Rpts., 1912, pp. 20–22. 1913; Sec. A.R., 1912, pp. 20–22. 1912; Y.B., 1912, pp. 20–22. 1913.
   1913–1914, April and May estimates. F.B. 598, pp. 7–8, 18–20. 1914.
   1914, by months. F.B. 645, pp. 38–44. 1914.
   1914, July, increase, by States. F.B. 615, pp. 16–17, 34–35. 1914; F.B. 620, pp. 2–7, 22–34. 1914.
   1915, March and April, with comparisons. F.B. 672, pp. 7, 22–28. 1915.

Farm(s)——Continued.
 products—continued.
  prices—continued.
   1920-1921, western Washington. D.B. 1236, pp. 16-17. 1924.
   and quantity. D.B. 716, pp. 44-47. 1918.
   farm and market centers, by States. F.B. 615, pp. 34-35. 1914.
   in Europe. Off. Rec., vol. 1, No. 41, p. 2. 1922.
   in North-Central States, 1912-1918. D.B. 920, pp. 5, 8, 15, 17, 23, 33, 42, 49. 1920.
   in United States. G. F. Warren. D.B. 999, pp. 72. 1921.
   increase, tables. F.B. 611, pp. 12, 36-37. 1914.
   lower than costs of production. Sec. A.R., 1921, pp. 6, 7-8. 1921.
   movements since 1866. Stat. Bul. 94, pp. 44-48. 1912.
   trend, 1909-1914, by States. F.B. 590, pp. 12-13, 18-20. 1914; F.B. 645, pp. 12, 38-44. 1914.
   trend, Nov. 1, 1914, estimates, with comparisons. F.B. 641, pp. 7, 28-34. 1914.
   trend, 1915. F.B. 665, pp. 6-7, 22-28. 1915.
  purchasing power. Off. Rec., vol. 2, No. 41, p. 2 1923.
  receipts by water compared with total receipts, various cities. D.B. 74, pp. 15-16. 1914.
  sales—
   and prices, Georgia, Sumter County, 1913, 1918. D.B. 1034, pp. 43-46. 1922.
   by farmers, monthly percentages. Y.B., 1921, p. 779. 1922; Y.B. Sep. 871, p. 10. 1922.
   cooperative associations, and results. Y.B., 1909, pp. 169, 172. 1910; Y.B. Sep. 502, pp. 169, 172. 1910.
   from 160-acre hog farms in Indiana. F.B. 1463, p. 28, 1925.
   methods, markets, and middlemen. Y.B., 1909, pp. 165-172. 1910; Y.B. Sep. 502, pp. 165-172. 1910.
   to consumers, methods. D.B. 266, pp. 9-12. 1915.
  sharing methods under lease contracts, various States. D.B. 650, pp. 4-15. 1918.
  shipments—
   from U. S. to Hawaii, 1900, 1903, 1904. Stat. Bul. 37, pp. 15-20. 1905.
   to and from non-contiguous possessions, 1901-1911. Stat. Bul. 96, pp. 17-20. 1912.
  shrinkage in storage. F.B. 149, pp. 10-15. 1902.
  standardization—
   effect of cooperation. F.B. 1144, pp. 3-4. 1920.
   work. Y.B. 1923, pp. 31-32. 1924.
  statistics—
   1910. Y.B., 1910, pp. 499-687. 1911; Y.B. Sep. 553, pp. 499-713. 1911.
   1910-1923, acreage, production, and exports. An. Rpts., 1923, pp. 90-93. 1924; Sec. A.R., 1923, pp. 90-93. 1923.
  storage, use of combined ice-house and refrigeration plant. F.B. 475, pp. 17-18. 1911.
  stores, self-service, investigations, summary. D.B. 1044, pp. 49-52. 1922.
  surplus, reports, importance. Y.B., 1919, pp. 40, 44. 1920.
  tonnage on railways—
   1905-1909. Y.B., 1910, p. 646. 1911; Y.B. Sep. 553, p. 646. 1911; Y.B. Sep. 554, p. 646. 1911.
   1911-1913. Y.B., 1914, p. 650. 1915; Y.B. Sep. 656, p. 650. 1915.
   1912-1914. Y.B., 1915, p. 539. 1916; Y.B. Sep. 684, p. 539. 1916.
   1915-1917. Y.B., 1918, p. 711. 1919; Y.B. Sep. 711, p. 47. 1919.
   1916-1921. Y.B., 1921, p. 790. 1922; Y.B. Sep. 871, p. 21. 1922.
  total value, 1910-1922. M.C. 6, p. 21. 1923.
  trade—
   balance 1901-1909, United States and noncontiguous possessions. Stat. Bul. 83, pp. 19-20. 1910.
   international, 1901-1910, and forest products. Eugene Merritt. Stat. Bul. 103, rev., pp. 57. 1913.

Farm(s)—Continued.
 products—continued.
  trade—continued.
   with noncontiguous possessions, 1901-1903. Stat. Bul. 33, pp. 40. 1905.
   with noncontiguous possessions, 1904-1903. Stat. Bul. 54, pp. 40. 1907.
  transportation—
   concentration and storage in transit. T. F. Powell. F.B. 672, pp. 15-16. 1915.
   rates, railroad and ocean. Y.B., 1912. pp. 703-711. 1913; Y.B. Sep. 615, pp. 703-711. 1913.
   transported by water, value. D.B. 74, p. 3. 1914.
  uses in manufactures, collections. F.B. 606, p. 17. 1914.
  values—
   1879-1914, estimates. F.B. 645, pp. 6-7, 11-12, 38-44. 1914.
   1879-1922. Y.B., 1922, p. 985. 1923; Y.B. Sep. 887, p. 985. 1923.
   1899-1908, increase. Rpt. 87, pp. 3-11. 1908.
   1909, by geographic divisions. Y.B., 1913, p. 491. 1914; Y.B. Sep. 361, p. 491. 1914.
   and purchasing power, 1899, 1909, 1910, and 1911. Stat. Chief Rpt., 1912, pp. 13-20. 1912.
   in Missouri, Jackson County, 1909-1910. Soil Sur. Adv. Sh., 1919, pp. 12-13. 1912; Soils F.O., 1910, pp. 1268-1269. 1912.
   in Pennsylvania, Cambria County, 1910. Soil Sur. Adv. Sh., 1915, p. 11. 1917; Soils F.O., 1915, p. 245. 1919.
   in Virginia, Alexandria and Fairfax Counties, 1879-1909. Soil Sur. Adv. Sh., 1915, pp. 10-11. 1917; Soils F.O., 1915, pp. 304-305. 1919.
   relation to percentage of tenantry. Y.B., 1916, p. 335. 1917; Y.B. Sep. 715, p. 15. 1917.
  wagon hauls. Frank Andrews. F.B. 672, pp. 11-14. 1915.
  waste and possibility of use as by-products. Y.B., 1914, pp. 187, 198. 1915; Y.B. Sep. 637, pp. 187, 198. 1915.
  wholesale prices, various markets, 1880-1911. Stat. Bul. 101, pp. 76-116. 1913.
  See also Agricultural products.
 profits—
  determining from accounts. F.B. 511, pp. 20-22. 1912; F.B. 511, rev., pp. 34-37. 1920.
  factors—
   affecting, study of farms in different localities. D.B. 41, pp. 39-42. 1914; F.B. 1139, pp. 14-15, 17-27. 1920.
   in Palmer Township, Ohio, 1912-1916. D.B. 716, pp. 44-47. 1918.
   influencing, Washington, Oregon, and Idaho farms. D.B. 625, pp. 2-3. 1918.
  increase—
   on silt loam farms, Willamette Valley, Oregon, and methods. D.B. 625, pp. 4-6. 1918.
   relation to cost of production. Y.B., 1921, pp. 111-120. 1922; Y.B. Sep. 873, pp. 111-120. 1922.
  Indiana, Illinois, and Iowa. D.B. 41, pp. 9-15, 17-18, 24-25, 39-41. 1914.
  making factors, studies. Y.B., 1915, pp. 113-120. 1916; Y.B. Sep. 661, pp. 113-120. 1916.
  relation to size of farm—
   Y.B., 1915, pp. 148-149. 1916; Y.B. Sep. 664, pp. 148-149. 1916.
   and yield of cotton. D.B. 492, pp. 54-55. 1917.
  reports from 185 farms in three States. H. M. Dixon and H. W. Hawthorne. D.B. 920, pp. 56. 1920.
 projects, labor and financial statements, summaries. S.R.S. Doc. 38, pp. 5-9. 1917.
 property—
  and earnings, aggregate and average. F.B. 746, pp. 2-4. 1916.
  deflation, 1924. B.A.E. Chief Rpt., 1924, p. 2. 1924.
  insurable, value Jan. 1, 1915. Y.B., 1916, p. 425. 1917; Y.B. Sep. 697, p. 5. 1917.
  valuation, relation of tenancy. Y.B., 1923, pp. 539-541. 1924; Y.B. Sep. 897, pp. 539-541. 1924.

INDEX TO PUBLICATIONS, 1901–1925 829

Farm(s)—Continued.
 property—continued.
  value—
   1850–1920. Y.B., 1924, pp. 186, 187. 1925.
   1910, by States, map. Y.B., 1915, p. 344. 1916; Y.B. Sep. 681, p. 344. 1916.
   Jan. 1, 1920, map. Y.B., 1921, p. 493. 1922; Y.B. Sep. 878, p. 87. 1922.
  real estate, taxes paid, 1922. Y.B., 1922, p. 1002. 1923; Y.B. Sep. 887, p. 1002. 1923.
 receipts—
  and expenses—
   calculation of income of farmers. B.P.I. Cir. 132, pp. 5–7. 1913.
   Missouri, Ozark region. D.B. 941, pp. 20–21, 42–51. 1921.
   cotton-growing sources of income D.B. 896, pp. 41–42. 1920.
  distribution—
   Georgia, Sumter County, 1913, 1918. D.B. 1034, pp. 21–25. 1922.
   owners and tenants, Indiana, Illinois, and Iowa. D.B. 41, pp. 15, 16. 1914.
   expenses and earnings, Indiana, Clinton County, 1910 and 1913–1919. D.B. 1258, pp. 30–49. 1924.
   from different types of farming, western Washington. D.B. 1236, pp. 12–14, 15–16. 1924.
   Ohio, 1912–1916. D.B. 716, pp. 27–33. 1918.
   Utah Lake Valley, distribution, tables. D.B. 117, pp. 8–9. 1914; D.B. 582, pp. 8–11. 1918.
   various sources, comparison with beets. D.B. 748, p. 44. 1919.
 records—
  details, and comparison with "complete cost accounting." D.B. 994, pp. 31–35, 38. 1921.
  importance, scope, suggestions. F.B. 1121, pp. 3–4. 1920.
  keeping. H. P. Barrows. S.R.S. Doc. 38, pp. 10. 1917.
  mapping systems for different crops, need and details. B.P.I. Bul. 236, pp. 8–9, 50–58. 1912.
  methods of obtaining. D.B. 529, pp. 2–7. 1917.
  types. F.B. 511, rev. pp. 7–10. 1920.
 relation of size, and type of farming to profits. D.B. 582, pp. 21–22. 1918.
 rent, as measure of land income. D.B. 1224. pp. 47–64. 1924.
 renting—
  and purchasing, adjustment. D.B. 1322, pp. 22–23. 1925.
  for cash, provisions and minor factors. D.B. 850, pp. 6–7, 8. 1920.
  on shares—
   lease contracts. E. V. Wilcox. D.B. 650, pp. 36. 1918.
   provisions and minor factors. D.B. 850, pp. 3–6, 7–8, 9–10. 1920.
   tenant owning cows. F.B. 1272, pp. 22–23. 1922.
  systems in wheat belt. E. A. Boeger. D.B. 850, pp. 15. 1920.
 reorganization plans, analyses, and estimates of returns. D.B. 1271, pp. 87–100. 1924.
 repair work, tools and materials, etc. F.B. 347, pp. 1–32. 1909.
 replanning for profit. C. Beaman Smith and J. W. Froley. F.B. 370, pp. 36. 1909.
 research, survey method, validity. W. J. Spillman. D.B. 529, pp. 15. 1917.
 reservoirs, construction and uses. Samuel Fortier. F.B. 828, pp. 36. 1917.
 resources, classifying, listing and appraising. F.B. 1182, pp. 9–20. 1921.
 run-down, building up by good farm practice. F.B. 981, pp. 26–28. 1918.
 sale of Michigan sand barrens and swamps, methods, misrepresentations by land sharks. D.B. 638, pp. 13–16. 1918.
 sanitation—
  course for southern schools, references. D.B. 592, p. 27. 1917.
  for prevention of hog cholera. F.B. 834, pp. 15–16, 32. 1917.
 school—
  number, size, tenure, and use by schools. D.B. 213, pp. 2–5. 1915.
  use in education. D.B. 346, pp. 1, 3. 1916.

Farm(s)—Continued.
 score card, approval by Agriculture Department, scope, etc., sample. News L., vol. 2, No. 1, pp. 3–4. 1914.
 securities, exemption from tax. Off. Rec., vol. 1, No. 30, p. 1. 1922.
 seeds, establishment in South, cooperative work. F.B. 319, p. 17. 1908.
 selection—
  conditions governing. E. H. Thomson. F.B. 1088, pp. 27. 1920.
  from cut-over lands, suggestions. D.B. 425, pp. 22–23. 1916.
 selling, relation to selection of farm. F.B. 1088, pp. 22–23. 1920.
 semiarid West, water supply, tests. F.B. 394, p. 6. 1910.
 separator—
  care and management. F.B. 201, pp. 7–9. 1904.
  relation to creamery and creamery patron. Ed. H. Webster. B.A.I. Bul. 59, pp. 47. 1904.
 sewage disposal. George M. Warren. Y.B., 1916, pp. 347–373. 1917; Y.B. Sep. 712, pp. 27. 1917.
 sheep—
  business development. Sec. Cir. 93, pp. 11–13. 1918.
  land area, New Zealand, Australia, Ohio, and Wyoming. Y.B. 1914, pp. 335–337. 1915; Y.B. Sep. 645, pp. 335–337. 1915.
  raising for beginners. F. R. Marshall and R. B. Millin. F.B. 840, pp. 24. 1917.
 Shenandoah Valley, financial record. F.B. 432, pp. 17–19. 1911.
 shopwork, teaching in country schools, suggestions. Y.B., 1919, pp. 298–299. 1920; Y.B. Sep. 812, pp. 298–299. 1920.
 size—
  and—
   crop acreage in Kansas, Nebraska, and Oklahoma. D.B. 1202, pp. 3–6, 44, 50, 55, 57. 58. 1924.
   living expenses. D.B. 1338, pp. 19–21. 1925.
   workstock, changes caused by purchase of tractors. D.B. 997, pp. 56–60. 1921.
  as factor of profit. Y.B., 1915, pp. 113–114. 1916; Y.B. Sep. 661, pp. 110–114. 1916.
  changes in the Corn Belt. B.P.I. Bul. 259, pp. 25–27. 1912.
  classification by census for 1920. Y.B., 1922, p. 1008. 1923; Y.B. Sep. 887, p. 1008. 1923.
  Georgia, Sumter County, relation to capital. D.B. 1034, pp 30–31. 1922.
  in Pennsylvania, Chester County, crop areas and value, table. D.B. 341, p. 13. 1916.
  relation to—
   efficiency of tractors. D.B. 174, pp. 30–33. 1915.
   enterprises and capital invested, Arizona. D.B. 654, pp. 42–58. 1918.
   income. D.B. 341, pp. 55–60. 1916; D.B. 425, pp. 10–11. 1916; D.C. 307, pp. 3. 1924; F.B. 1121, pp. 28–29. 1920; Y.B., 1913, pp. 94–95. 1914; Y.B. Sep. 617, pp. 94–95. 1914.
   profit. D.B. 492, pp. 35–62. 1917; D.B. 648, pp. 18–20. 1918; F.B. 761, pp. 20–21. 1916; Y.B., 1915, pp. 148–149. 1916; Y.B. Sep. 664, pp. 148–149. 1916.
   tractor. F.B. 963, pp. 6–10. 1918; F.B. 1296, pp. 7–8. 1922.
   yield, labor efficiency, and income. D.B. 41, pp. 26–29, 40. 1914; D.B. 341, pp. 60–63. 1916; D.B. 659, pp. 25–31, 37. 1918.
 small—
  advantages to Nation and individuals. Y.B., 1908, pp. 314–320. 1909; Y.B. Sep. 483, pp. 314–320. 1909.
  Argentina, prospective increase. Rpt. 75, p. 9. 1903.
  disadvantages in proportion of cost to profit. Y.B., 1915, pp. 113–114. 1916; Y.B. Sep. 661, pp. 113–114. 1916.
  in the Corn Belt. J. A. Warren. F.B. 325, pp. 29. 1908.
  near Washington, D. C., an economic study. W. C. Funk. D.B. 848, pp. 19. 1920.

Farm(s)—Continued.
southern—
cotton and corn, seed selection. Bradford Knapp. B.P.I. Doc. 747, pp. 8. 1912.
demonstration work. S. A. Knapp. F.B. 422, pp. 19. 1910.
model plan for. B.P.I. Doc. 290, pp. 11. 1907.
mountain, making more productive. J. H. Arnold. F.B. 905, pp. 28. 1918.
spring preparation, methods and tools. News L., vol. 1, No. 27, p. 1. 1914.
State game, distribution of game birds. Biol. Cir. 80, p, 22. 1911.
statistics—
1905. Y.B., 1905, pp. 656-782. 1906; Y.B. Sep. 404, pp. 656, 782. 1906.
1910. Y.B., 1911, pp. 692-698. 1912; Y.B. Sep. 588, pp. 692-698. 1912.
for various States and areas. See Soil survey of State.
stock, cropping systems. Y.B., 1907, pp. 385-398. 1908; Y.B. Sep. 456, pp. 385-398. 1908.
storage, need for bulk handling of grain. F.B. 1290, pp. 17-18. 1922.
successful—
factors governing. D.B. 713, pp. 2-9. 1918.
in eastern Pennsylvania, cropping systems. F.B. 978, pp. 11-24. 1918.
New York. M. C. Burritt. F.B. 454, pp. 32. 1911.
sugar-beet—
California, size and distribution. D.B. 760, pp. 8-9. 1919.
Colorado, number and size. D.B. 726, p. 9. 1918.
Michigan and Ohio, size and number. D.B. 748, p. 6. 1919.
summary, items included, blank form, etc. F.B. 661, pp. 8-9, 25. 1915.
supplies—
and wages, comparison with cotton prices. Y.B. 1921, pp. 364-365. 1922; Y.B. Sep. 877, pp. 364-365. 1922.
cooperative buying. Y.B., 1915, pp. 73-82. 1916; Y.B. Sep. 658, pp. 73-82. 1916.
home, furnished by farm, value. F.B. 782, p. 16. 1917.
production on cotton farm. F.B. 1015, pp. 13-16. 1919.
purchasing associations, form of organization. Farm M. Cir. 3, pp. 4-8, 29, 31, 36. 1919.
purchasing associations, form of organization. Y.B., 1915, pp. 76-80. 1916; Y.B. Sep. 658, pp. 76-80. 1916.
surplus, the nation's. George K. Holmes. Y.B., 1903, pp. 479-490. 1904; Y.B. Sep. 304, pp. 479-490. 1904.
surveys—
averages and errors, studies. D.B. 529, pp. 9-13. 1917.
Chester County, Pennsylvania, number and location. D.B. 341, pp. 4-6. 1916.
correlation theory applied to data. H. R. Tolley. D.B. 504, pp. 15. 1917.
crops, nature, area, and yield, studies. Sec. Cir. 57, pp. 1-8. 1916.
Indiana, Illinois, and Iowa, results. Y.B., 1913, pp. 94-95. 1914; Y.B. Sep. 617, pp. 94-95. 1914.
Michigan and New York, comparison of data. Y.B., 1913, pp. 98-99. 1914; Y.B. Sep. 617, pp. 98-99. 1914.
Missouri, area, location, results. D.B. 633, pp. 1-28. 1918.
Ohio, definition of terms. D.B. 716, p. 11. 1918.
studies of waste land in various states. F.B. 745, pp. 1-18. 1916.
telephones on, relation to number of farms. F.B. 1245, p. 3. 1923.
tenant—
by countries. Y.B., 1923, p. 308. 1924; Y.B. Sep. 897, p. 308. 1924.
classification by tenure and color of operator. Atl. Am. Agr. Adv. Sh., Pt. V, sec. A., pp. 12-13. 1919.
cotton, classification by tenure and color of operator. Atl. Am. Agr., Adv. Sh., Pt. V, Sec. A., pp. 12-13. 1919.

Farm(s)—Continued.
tenant—continued.
improvements in large scale farming. D.C. 351, pp. 12-14. 1925.
in Pennsylvania, in Chester County, relation of tenure to size. D.B. 341, pp. 69-70. 1916.
labor income, relation to size and type of farm, Chester County, Pennsylvania. D.B. 341, pp. 71-72. 1916.
percentages by locations. Y.B., 1923, pp. 516-517. 1924; Y.B. Sep. 897, pp. 516-517. 1924.
share-leasing methods. D.B. 650, pp. 1-3. 1918.
successful, central New Jersey, methods, cost, and profits. F.B. 472, pp. 30-38. 1911.
systems. See Soil surveys for various States, counties, and areas.
terms of rental. F.B. 437, pp. 9-10. 1911.
types, Chester County, Pennsylvania. D.B. 341, p. 70. 1916.
tenantry in the United States. W. J. Spillman and E. A. Goldenweiser. Y.B., 1916, pp. 321-346. 1917; Y.B. Sep. 715, pp. 26. 1917.
testing, work on Egyptian cotton. D.B. 742, p. 11. 1919.
Texas-cotton, relation of size and value to wealth accumulation, various tenure stages. D.B. 1068, pp. 44-45. 1922.
tile drainage. A. G. Smith. F.B. 524, pp. 27. 1913.
timbers, preservative treatment. George M. Hunt. F.B. 744, pp. 32. 1916.
tobacco, cropping systems, Pennsylvania. F.B. 416, rev., pp. 7-8. 1921.
tools. See Tools, farm.
tractors—
description and uses. News L., vol. 6, No. 42, pp. 11-13. 1919.
experience in Illinois, on Corn-Belt farms. Arnold P. Yerkes and L. M. Church. F.B. 963, pp. 30. 1918.
in the Dakotas. Arnold P. Yerkes and L. M. Church. F.B. 1035, pp. 32. 1919.
influence on use of horses. L. A. Reynoldson. F.B. 1093, pp. 26. 1920.
operators, difficulty in obtaining. F.B. 1004, pp. 23-24. 1918.
other operations than plowing, cost. F.B. 1035, p. 24. 1919.
testing and rating, project, outline. Sec. Cir. 149, p. 7. 1920.
use in Alaska by Experiment Station, value. Alaska A.R., 1918, pp. 14-15, 70. 1920.
trapping. Ned Dearborn. Y.B., 1919, pp. 451-484. 1920; Y.B. Sep. 823, pp. 451-484. 1920.
truck—
New Jersey, renting systems. D.B. 411, pp. 20. 1916.
See also Truck farms.
twenty-acre, management equipment, income, and expenses. F.B. 325, pp. 21-27. 1908.
two-man, well-organized, stock equipment, crop schedule, and management. D.B. 633, pp. 19-21. 1918.
two-mule, acreage required for home supplies. M.C. 3, pp. 7-8. 1919.
types—
bluegrass region, relation to efficiency, pasture utilization, and crop yields. D.B. 482, pp. 18-23. 1917.
factors controlling location. F.B. 1289, pp. 2-3. 1923.
on which trucks are owned. D.B. 1254, pp. 3-4. 1924.
typical—
for estimating acreage and livestock. Stat. Cir. 17, rev., p. 20. 1915.
mountain sections in South. F.B. 905, pp. 5-7. 1918.
use(s)—
for bamboo. D.B. 1329, pp. 16-19. 1925.
of tractor(s)—
comparison with horses, economy and quality. F.B. 1035, pp. 24-26. 1919.
experience of farmers. Arnold P. Yerkes and H. M. Mowry. F.B. 174, pp. 44. 1915.
valley, comparison with hill farms, Missouri, Ozark region. D.B. 941, pp. 14, 17-22, 42-51. 1921.

Farm(s)—Continued.
  valuation, changes. Y.B., 1923, pp. 541-544. 1924; Y.B. Sep. 897, pp. 541-544. 1924.
  values—
    1900-1905, local conditions affecting. George K. Holmes. Stat. Bul. 44, pp. 88. 1906.
    causes affecting. George K. Holmes. Y.B., 1905, pp. 511-532. 1906; Y.B. Sep. 400, pp. 511-532. 1906.
    changes, 1900-1905. George K. Holmes. Stat. Bul. 43, pp. 46. 1906.
    determination in relation to inventory. F.B. 511, pp. 12-15. 1912.
    in various States, counties, and areas. See Soil Surveys.
    increase—
      by care of woodlands. F.B. 1071, pp. 34-35. 1920.
      effect on farm selection. F.B. 1088, pp. 20-22. 1920.
    of lands—
      and buildings, North Dakota. D.B. 1322, pp. 3-4. 1925.
      buildings, equipment, and livestock, 1920. Y.B., 1922, pp. 1006-1007. 1923; Y.B. Sep. 887, pp. 1006-1007. 1923.
    per acre by States and territories. Stat. Bul. 43, pp. 11-17. 1906.
    relation of wood lot. Y.B., 1914, pp. 453-454. 1915; Y.B. Sep. 651, pp. 453-454. 1915.
  vegetable garden, illustrated lecture. H. C. Thompson and H. M. Conolly. S.R.S. Syl. 27, pp. 15. 1917.
  vinegar-making directions, and in the home. Edwin LeFevre. F.B. 1424, pp. 29. 1924.
  visits by county agents, and office calls, 1915-1921. D.C. 244, pp. 14-16. 1922.
  wares—
    in Canada, 1917-1918. News L., vol. 6, No. 38, p. 15. 1919.
    rates in various sections, increases. F.B. 570, pp. 20-21. 1913.
    reduction, disproportionate. Y.B., 1921, pp. 5, 12. 1922; Y.B. Sep. 875, pp. 5, 12. 1922.
    results of 12 statistical investigations, 1866-1902. James H. Blodgett. Stat. Bul. 26, pp. 62. 1903.
  Washington, D. C., vicinity, comparison, acreage, yields, and profits. D.B. 848, pp. 9-11. 1920.
  waste land and wasted land. James S. Ball. F.B. 745, pp. 18. 1916.
  wastes—
    causes and correction. A. F. Woods. Y.B., 1908, pp. 195-216. 1909; Y.B. Sep. 475, pp. 195-216. 1909.
    utilization in feeding livestock. S. H. Ray. F.B. 873, pp. 12. 1917.
  water—
    supply(ies)—
      and sewage, suggestions. F.B., 432, p. 9. 1911.
      contamination. F.B. 1448, pp. 3, 9. 1925.
      hygienic. Y.B., 1907, pp. 399-408. 1908; Y.B. Sep. 457, pp. 399-408. 1908.
      management. Robert W. Trullinger. Y.B., 1914, pp. 139-156. 1915; Y.B., Sep. 634, pp. 139-156. 1915.
      pollution, investigations. F.B. 549, pp. 5-9. 1913.
      system, planning. F.B. 1448, pp. 33-36. 1925.
    weirs, construction and use. Victor M. Cone. F.B. 813, pp. 19. 1917.
    wells—
      location, types, description, and construction methods. D.B. 57, pp. 6-12. 1914.
      types, and care of. Y.B., 1914, pp. 140-144. 1915; Y.B. Sep. 634, pp. 140-144. 1915.
  western, cream separator on. Ed. H. Webster and C. E. Gray. F.B. 201, pp. 24. 1904.
  wheat—
    belt—
      operation with horses and one tractor. D.B. 1202, pp. 3, 5-50. 1924.
      operation with two tractors. D.B. 1202, pp. 58-59. 1924.
      operation without tractors. D.B. 1202, pp. 2, 4, 50-57. 1924.
      sizes, crop-acreage, harvest, labor, and wages. D.B. 1230, pp. 38-45. 1924.

Farm(s)—Continued.
  wheat—continued.
    crops acreage, climate, and soils. D.B. 943, pp. 6-11. 1921.
  woman's problems. Florence E. Ward. D.C., 148, pp. 24. 1920.
  women—
    aid by home demonstration work. Y.B. 1921, pp. 36-37. 1922; Y.B. Sep. 875, pp. 36-37. 1922.
    American, conditions. Edward B. Mitchell. Y.B., 1914, pp. 311-318. 1915; Y.B. Sep. 644, pp. 311-318. 1915.
    domestic needs. Rpt. 104, pp. 100. 1915.
    economic needs. Rpt. 106, pp. 100. 1915.
    educational needs. Rpt. 105, pp. 86. 1915.
    keeping books for household expenses, methods and value. News L., vol. 6, No. 8, pp. 1-2. 1918.
    social and labor needs. Rpt. 103, pp. 100. 1915.
    turkey raising as source of income. Y.B., 1916, pp. 412-413. 1917; Y.B. Sep. 700, pp. 2-3. 1917.
    See also Women, farm.
  wood lot(s)—
    management. F.B. 276, pp. 29-32. 1907.
    problem. Herbert A. Smith. Y.B., 1914, pp. 439-456. 1915; Y.B. Sep. 651, pp. 439-456. 1915.
    status and value in eastern United States. E. H. Frothingham. D.B. 481, pp. 44. 1917.
    utilization, value to Eastern States. Sec. Cir 183, pp. 24, 25. 1921.
  woodland(s)—
    and the war. Henry S. Graves. Y. B., 1918, pp. 317-326. 1919; Y.B. Sep. 779, pp. 12 1919.
    extent, 1923. D.C. 345, p. 2. 1925.
    extent in eastern United States and value of products. F.B. 1117, pp. 4-7, 8, 16, 17, 29, 34. 1920.
    fuel supply. A. F. Hawes. Sec. Cir. 79, pp. 8. 1917.
  woods, care and improvement. C. R. Tillotson. F.B. 1177, rev., pp. 27. 1920.
  wool production, source of future supply. Y.B. 1917, pp. 313-314. 1918; Y.B. Sep. 750, pp. 5-6. 1918.
  work—
    per cent by horses and by tractors in Corn Belt. F.B. 1093, pp. 5-6, 13-20. 1920.
    schedule value. B.P.I. Bul. 259, p. 33. 1912.
    seasonal suggestions for each month. F.B. 1202, pp. 3-49. 1921.
    time used in various jobs. F.B. 1202, p. 53. 1921.
    units, distribution, relation to size of farm, Chester County, Pennsylvania. D.B. 341, pp. 67-68. 1916.
  workers, houses for. E. B. McCormick. Y.B 1918, pp. 347-356. 1919; Y.B. Sep. 789, pp. 12. 1919.
  worn-out cotton land, building up. F.B. 326, pp. 1-22. 1908.
  year, dates, blank form. F.B. 661, pp. 3, 17. 1915.
  See also Farmhouse; Farmstead.
Farm Management and Farm Economics Office, report of Chief—
  1920. H. C. Taylor. An. Rpts., 1920, pp. 569-575. 1921; Farm M. Chief Rpt., 1920, pp. 7. 1920.
  1922. H. C. Taylor. An. Rpts., 1922, pp. 545-566. 1923; Farm M. Chief Rpt., 1922, pp. 22. 1922.
Farm Management Division, work—
  1924. B.A.E. Chief Rpt., 1924, pp. 5-8. 1924.
  1925. B.A.E. Chief Rpt., 1925, pp. 8-13. 1925.
Farm Management Office—
  report of chief—
    1916. W. J. Spillman. An. Rpts., 1916, pp. 415-423. 1917; Farm M. Chief Rpt., 1916, pp. 9. 1916.
    1917. W. J. Spillman. An. Rpts., 1917, pp. 473-480. 1917; Farm M. Chief Rpt., 1917, pp. 8. 1917.
    (acting) 1918. E. H. Thompson. An. Rpts., 1918, pp. 491-499. 1918; Farm M. Chief Rpt., 1918, pp. 9. 1918.

832   UNITED STATES DEPARTMENT OF AGRICULTURE

Farm Management Office—Continued.
 report of chief—continued.
  1919. H. C. Taylor. Farm M. Chief Rpt., 1919, pp. 6. 1919; An. Rpts., 1919, pp. 463–468. 1920.
 See also Agricultural Economics Bureau.
Farmers—
 accounting schools. S.R.S. An. Rpt., 1921, pp. 52–53. 1921.
 advantages—
  for study of cotton breeding. B.P.I. Bul. 256, pp. 7–8. 1913.
  of marketing by parcel post, suggestions. F.B. 703, pp. 1–19. 1916.
 age, relation to—
  income. D.B. 41, pp. 36–38. 1914.
  size of farms. Y.B., 1923, p. 528. 1924; Y.B. Sep. 897, p. 528. 1924.
 aid—
  by scientist. L. C. Everard. Y.B., 1920, pp. 105–110. 1921; Y.B. Sep. 832, pp. 105–110 1921.
  in buying farms. L. C. Gray. Y.B., 1920, pp. 271–288. 1921; Y.B. Sep. 844, pp. 271–288. 1921.
  in winning the war, details of work. Sec. Cir. 131, pp. 5–6. 1919.
 Alaska, needs. Alaska A.R., 1920, p. 48. 1922.
 American, food supply to Europe. Y.B., 1919, pp. 9–10. 1920.
 and Consumers' Financing Corporation, bill. Off. Rec., vol. 3, No. 4, p. 5. 1924.
 and the national forests. Henry S. Graves. Y.B., 1914, pp. 65–88. 1915; Y.B., Sep. 633, pp. 65–88. 1915.
 application for soda nitrate, forms, and agency receiving. Mkts. S.R.A. 43, pp. 2–9. 1918.
 Argentine, conditions, terms with land owners. Rpt. 75, pp. 17–19. 1903.
 articles purchased, 1899, 1909, 1912, 1913, price comparison. F.B. 645, pp. 18–21. 1914.
 as a business man. Hawaii Ext. Bul. 1, p. 5. 1917.
 associations—
  in Jefferson County, Kentucky. D.B. 678, p. 3. 1918.
  statistics. Y.B., 1924, pp. 1144–1152. 1925.
 bankruptcy. Y.B., 1924, p. 1130. 1925.
 benefit(s)—
  derived from national forests. Y.B., 1914, pp. 72–88. 1915; Y.B. Sep. 633, pp. 72–88. 1915.
  from tick eradication in South, statements. B.A.I. Doc. A–4, rev., pp. 7–22. 1917.
  of Federal Farm Loan Act. C. W. Thompson. F.B. 792, pp. 12. 1917.
  of Federal grain supervision. Ralph H. Brown, Y.B., 1918, pp. 335–346. 1919; Y.B. Sep. 766. pp. 14. 1919.
 birds useful to. F. E. L. Beal. F.B. 630, pp. 27. 1915.
 black-land, per cent of crop land and of crops grown. D.B. 1068, p. 19. 1922.
 Bulletin 602, clean milk, use by teachers. Alvin Dille. D.C. 67, pp. 6. 1920.
 Bulletin 1044, use by teachers in towns or cities, directions. Alvin Dille. D.C. 33, pp. 8. 1919.
 Bulletin 1121, use by teachers, directions. F. A. Merrill. D.C. 159, pp. 7. 1920.
 bulletins—
  index—
   1–250. Charles H. Greathouse. Pub. Bul. 8, pp. 148. 1907.
   1–500. Charles H. Greathouse. Pubs. [Misc.], "Index to * * * 1–500," pp. 432. 1907.
   1–1000. Charles H. Greathouse. Pubs. [Misc.], "Index to * * * 1–1000," pp. 811. 1920.
  on food and nutrition, list. O.E.S. An. Rpt., 1910, p. 458. 1911.
 butchering hogs, and curing and canning pork, directions for. F.B. 1186, pp. 3–44. 1921.
 classes, percentage owners, part-owners, and tenants. Y.B., 1923, pp. 510–515. 1924; Y.B. Sep. 897, pp. 510–515. 1924.
 clubs—
  aid to cooperative rural laundry. Y.B., 1915, pp. 189–190. 1916; Y.B. Sep. 668, pp. 189–190. 1916.

Farmers—Continued.
 clubs—continued.
  expert organizers, necessity for and qualifications required, discussion. O.E.S. Bul. 238. pp. 46–52. 1911.
  importance in agricultural extension, scope. O.E.S. Bul. 231, p. 44. 1910.
  rodent extermination work. Y.B., 1917, p. 232. 1918; Y.B. Sep. 724, p. 10. 1918.
  use of community buildings. F.B. 1274, pp. 15, 16, 19–20, 28. 1922.
 colored, cf South, condition, discussion. O.E.S. Bul. 251, pp. 62–71. 1912.
 condition(s)—
  affecting. Y.B., 1909, p. 239. 1910; Y.B. Sep. 509, p. 239. 1910.
  and legislation helpful to. Y.B., 1922, pp. 7–13. 1923; Y.B. Sep. 883, pp. 7–13. 1923.
 Consolidated Warehouse Company, and branches. B.P.I. Bul. 268, p. 19. 1913.
 convention, 1858, stand in favor of cooperation. Y.B., 1916, p. 63. 1917; Y.B. Sep. 698, p. 1. 1917.
 cooperation—
  economic, development. An. Rpts., 1908, pp. 184–186. 1909; Sec. A.R., 1908, pp. 183–185. 1908.
  in lumbering and marketing forest products. Y.B., 1914, pp. 447, 448, 450. 1915; Y.B. Sep. 651, pp. 447, 448, 450. 1915.
  with experiment stations in experimental work. J. Craig. O.E.S. Bul. 115, pp. 102–105. 1902.
  with his agent. Y.B., 1917, pp. 321–325. 1918; Y.B. Sep. 736, pp. 7. 1918.
 cooperative—
  associations, methods. D.B. 266, pp. 7–9. 1915.
  business organizations, development and present status. R. H. Elsworth. D.B. 1302, pp. 76. 1924.
  Company, Harford County, Md., membership, etc. F.B. 1032, pp. 5–10. 1919.
 demonstration work—
  S. A. Knapp. Y.B., 1909, pp. 153–160. 1910; Y.B. Sep. 501, pp. 153–160. 1910.
  field instructions, cotton and corn cultivation. S. A. Knapp. B.P.I. Doc. 344, pp. 7. 1908.
  field instructions, cotton and corn. S. A. Knapp. B.P.I. Doc. 523, pp. 8. 1909.
  field instructions, fertilizers, uses and cost. S. A. Knapp. B.P.I. Doc. 366, pp. 4. 1908.
  field instructions, fertilizers, uses and value. S. A. Knapp. B.P.I. Doc. 441, pp. 4. 1909.
  in South. S. A. Knapp. F.B. 319, pp. 22. 1908.
  in western Texas and Oklahoma, field instructions. Bradford Knapp. B.P.I. [Misc.], "Field instructions for * * *," pp. 15. 1913.
  program for 1915. Sec. [Misc.], "Program of work * * * 1915," pp. 131–134. 1914.
  relation to rural improvement. S. A. Knapp. B.P.I. Cir. 21, pp. 20. 1908.
 elevator—
  accounts system. John R. Humphrey and W. H. Kerr. D.B. 236, pp. 30. 1915.
  associations. D.B. 558, pp. 41–42, 43. 1917.
 marketing of wheat in California. Stat. Bul. 89, p. 87. 1911.
 motor-truck associations, organization, suggestions. F.B. 1032, pp. 23–24. 1919.
 organizations—
  establishment since 1900. Off. Rec., vol. 3, No. 2, p. 6. 1924.
  in the United States. O. B. Jesness and W. H. Kerr. D.B. 547, pp. 82. 1917.
 selling and buying, extension. D.C. 347, pp. 17–19. *1924.
cotton—
 growers, farm income and net returns on capital. D.B. 1068, pp. 24–30. 1922.
 loans and interest rates. Y.B., 1921, pp. 367–369. 1922; Y.B. Sep. 877, pp. 367–369. 1922.
 marketing policy. Y.B., 1921, pp. 387–388. 1922; Y.B. Sep. 877, pp. 387–388. 1922.

INDEX TO PUBLICATIONS, 1901–1925   833

Farmers—Continued.
  cotton—continued.
    selection of enterprises. Y.B., 1921, pp. 365–367. 1922; Y.B. Sep. 877, pp. 365–367. 1922.
  credit—
    assistance by farm-loan association and land banks. F.B. 792, pp. 9–11. 1917.
    improvement, plans, and agreements. F.B. 654, pp. 1–8. 1915.
  custom work with tractors, prices received, repairs. D.B. 174, pp. 15–17, 34–36. 1915.
  dairy, supplementary sources of income. D.B. 1144, p. 22. 1923.
  diary, usefulness as account book. Y.B., 1917, pp. 155–156. 1918; Y.B. Sep. 735, pp. 5–6. 1918.
  disadvantages in growing vegetable seeds, need of improved practices. Y.B., 1909, pp. 278–283. 1910; Y.B. Sep. 512, pp. 278–283. 1910.
  eastern, experience with motor trucks. H. R. Tolly and L. M. Church. D.B. 910, pp. 37. 1920.
  education, relation to income. D.B. 41, pp. 38–39. 1914.
  efficiency, relation to farm profits. D.B. 41, pp. 17–18. 1914.
  elevator(s)—
    development and conditions, discussion. D.B. 937, pp. 2–6, 15–17. 1921.
    organizations, forms, advantages of different types. D.B. 860, pp. 2–5. 1920.
  entomology, practical application. F.M. Webster. Y.B., 1913, pp. 75–92. 1914; Y.B. Sep. 616, pp. 75–92. 1914.
  European, opposition to barberry, and comments. D.C. 269, pp. 10, 11–12, 12–13. 1923.
  exchanges and cooperative business. D.C. 37, p. 15. 1919.
  financial difficulties, factors. Y.B. 1923, pp. 6–14. 1924.
  fire insurance companies, plan and practices. V. N. Valgren. D.B. 786, pp. 16. 1919.
  food supplies, sources. Y.B., 1922, pp. 999–1001. 1923; Y.B. Sep. 887, pp. 999–1001. 1923.
  forest planting opportunities. Allen S. Peck. Y.B., 1909, pp. 333–344. 1910; Y.B. Sep. 517, pp. 333–344. 1910.
  good roads, acquisition. Rds. Bul. 21, p. 78. 1901.
  grain—
    associations in Canada and United States. D.B. 937, pp. 5–18. 1921.
    organizations, 1923. Y.B., 1923, p. 1164. 1924; Y.B. Sep. 906, p. 1164. 1924.
    prices received, premiums, discounts, and factors influencing. D.B. 558, pp. 16–21. 1917.
  harvest labor, sources and methods. D.B. 1211, pp. 1–3, 14–16. 1924.
  hauling with trucks, on road and farm, Eastern States. D.B. 910, pp. 10–13, 15–16. 1920.
  help by seed testing. E. Brown. Y.B., 1915, pp. 311–316. 1916; Y.B. Sep. 679, pp. 311–316. 1916.
  horse-breeding, suggestions for. H. H. Reese. F.B. 803, pp. 22. 1917.
  improvement of personal credit, methods. C. W. Thompson. F.B. 654, pp. 14. 1915.
  in—
    Corn-belt, reports on motor trucks. F.B. 1314, pp. 1–3. 1923.
    Cotton-belt, comparison of systems. Y.B., 1908, pp. 196–199. 1909; Y.B. Sep. 475, pp. 196–199. 1909.
    Denmark, conditions. D.B. 1266, p. 9. 1924.
    Eastern States, reports on use of trucks. F.B. 1201, pp. 1–23. 1921.
    Hawaii, aid in marketing produce. E. V. Wilcox. Y.B., 1915, pp. 131–146. 1916; Y.B. Sep. 663, pp. 131–146. 1916.
    southwest, protection from extreme heat, importance. B.P.I. Cir. 132, pp. 14–15, 17–18. 1913.
    United States, labor income. F.B. 570, pp. 2–5. 1913.
  income(s)—
    E. A. Goldenweiser. F.B. 746, pp. 8. 1916. 1922. Y.B., 1923, pp. 1161–1163. 1924; Y.B. Sep. 906, pp. 1161–1163. 1924.
    from outside sources. D.B. 853, pp. 30–31. 1920.

Farmers—Continued.
  in—
    Indiana, Illinois and Iowa, factors influencing. D.B. 41, pp. 9–15, 34–39. 1914.
    Iowa, 1913, 1915, 1918, 1919. D.B. 874, pp. 20–33. 1920.
  income, losses, and difficulties, discussion. Y.B., 1921, pp. 1–15, 66. 1922; Y.B. Sep. 875, pp. 1–15, 66. 1922.
  relation to tenure conditions, Georgia. D.B. 492, pp. 17, 18–20, 23–24. 1917.
  statistics. B.P.I. Cir. 132, pp. 3–7. 1913.
  tables. Y.B., 1924, pp. 1131–1132. 1925.
  tax, accounting method. F.B. 1139, p. 5. 1920.
  independence, meaning and limitations. D.B. 1043, pp. 1–2. 1922.
  Indian school or agency, certification. D.C. 251, p. 14. 1923.
  information on—
    cereal insects, and forage crops. Y.B. 1908, pp. 367–388. 1909; Y.B. Sep. 488, pp. 367–388. 1909.
    cotton ginning. Fred Taylor and others. F.B. 764 rev., pp. 28. 1917.
    on demurrage on freight shipments. D.B. 191, pp. 27. 1915.
  institutes—
    John Hamilton. Y.B. 1903, pp. 149–158. 1904; Y.B. Sep. 312, pp. 149–158. 1904.
    addresses on forestry work. An. Rpts., 1906, p. 294. 1907.
    and—
      agricultural associations, relations. O.E.S. Bul. 110, p. 44. 1902.
      extension work. 1908. O.E.S. Dir. Rpt., 1908, pp. 8–9. 1908; An. Rpts., 1908, pp. 183, 722–723. 1909; Sec. A.R., 1908, p. 182. 1908.
      extension work, 1909, review by Director, O.E.S. An. Rpt., 1909, pp. 50–51. 1910.
      farmers, relation to experiment stations. O.E.S. Bul. 120, p. 78. 1902.
    assistance in formation of cooperative agricultural organization. O.E.S. Bul. 256, pp. 58–63. 1913.
    assistance to poultry industry. Y.B., 1912, p. 350. 1913; Y.B. Sep. 596, p. 350. 1913.
    attendance, pledge, discussion. O.E.S. Bul. 238, pp. 39–42. 1911.
    benefits resulting, various localities. O.E.S. An. Rpt., 1912, pp. 343–345. 1913.
    boys and girls, discussion, and recommendations. O.E.S. Bul. 165, pp. 71–75. 1906.
    cooperation—
      of department bureaus and divisions, plan. An. Rpts., 1905, p. 451. 1905.
      with other educational agencies. O.E.S. Bul. 182, pp. 44–49. 1907; O.E.S. Bul. 225, pp. 14–16. 1910; O.E.S. Bul. 238, pp. 52–53. 1911.
    development and increase of work, 1909. An. Rpts., 1909, pp. 688–690. 1910; O.E.S. Dir. Rpt., 1909, pp. 10–12. 1909.
    extension service report, 1925. Ext. A.R., 1925, p. 97. 1925.
    for—
      boys and girls, report Committee Association Farmers' Institute Workers. O.E.S. Bul. 182, pp. 51–52. 1907.
      women. John Hamilton. O.E.S. Cir. 85, pp. 16. 1909.
      young people. John Hamilton and J. M. Stedman. O.E.S. Cir. 99, pp. 40. 1910.
      young people and for women. O.E.S. An. Rpt., 1911, pp. 348–349. 1912.
      young people, county constitution. O.E.S. Cir. 99, pp. 24–27. 1910; O.E.S. Bul. 238, pp. 8–21. 1911.
    form of organization. John Hamilton. O.E.S. Bul. 165, pp. 78–94. 1907.
    forms of activity. O.E.S. An. Rpt., 1907, pp. 308–310. 1908.
    growth—
      1908. Rpt., 87, p. 66. 1908.
      since 1902–3. News L. vol. 1, No. 20, p. 4. 1913.
    history and development. D.B. 269, pp. 1–2. 1915.
    in States and territories. O.E.S. An. Rpt., 1905, pp. 370–408. 1905.

Farmers—Continued.
 Institutes—Continued.
  in United States—
   D. J. Crosby. O.E.S. An. Rpt., 1902, pp. 461–480. 1903.
   John Hamilton. O.E.S. Doc. 711, pp. 20. 1904.
   1905. O.E.S. An. Rpt., 1905, pp. 359–413. 1906.
   1906, report, statistics. O.E.S. An. Rpt., 1906, pp. 301–357. 1907.
   1907. John Hamilton. O.E.S. An. Rpt., 1907, pp. 307–354. 1908.
   1910. John Hamilton. O.E.S. An. Rpt., 1910, pp. 387–424. 1911.
   1911. John Hamilton. O.E.S. An. Rpt., 1911, pp. 343–388. 1912.
   1916. J. M. Stedman. S.R.S. Rpt., 1916, Pt. II, pp. 373–377. 1917.
  and Canada, legislation. John Hamilton. O.E.S. Bul. 135, pp. 35. 1903; rev., pp. 35. 1905.
  and Provinces, 1910, statistics. O.E.S. Bul. 238, pp. 78–79. 1911.
  history. John Hamilton. O.E.S. Bul. 174, pp. 96. 1906.
  legislation. John Hamilton. O.E.S. Bul. 241, pp. 47. 1911.
  influence on agriculture. B.P.I. Cir. 117, pp. 17, 18, 22, 23. 1913.
  investigations—
   1916. An. Rpts., 1916, p. 302. 1917; S.R.S. An. Rpt., 1916, p. 6. 1916.
   1917. An. Rpts., 1917, pp. 327–328. 1918; S.R.S. An. Rpt., 1917, pp. 5–6. 1917.
   1918. An. Rpts., 1918, pp. 341–342. 1919; S.R.S. An. Rpt., 1918, pp. 7–8. 1918.
   1919. An. Rpts., 1919, p. 358. 1920; S.R.S. An. Rpt., 1919, p. 6. 1919.
   1922. An. Rpts., 1922, p. 420. 1923; S.R.S. An. Rpt., 1922, p. 8. 1922.
  lecturers, qualifications, need of certificates, discussion. O.E.S. Bul. 238, pp. 42–46. 1911.
  lectures, report of committee. O.E.S. Bul. 238, pp. 33–34. 1911.
  list of State directors and lecturers—
   John Hamilton. O.E.S. Cir. 51, pp. 23. 1903; rev., pp. 30. 1904; rev., pp. 32. 1905; rev., pp. 14. 1909.
   1910. O.E.S. Cir. 105, pp. 13. 1910.
   1911. O.E.S. Cir. 114, pp. 14. 1911.
   1912. O.E.S. Cir. 114, rev., pp. 13. 1913.
  local, by-laws. O.E.S. Bul. 165, pp. 88–94. 1907.
  managers, local, reports for 1910. O.E.S. An. Rpt., 1910, pp. 394–397. 1911.
  medium for agricultural education, importance. O.E.S. Bul. 135, rev., pp. 7–8. 1905.
  meetings—
   and statistics, 1917, S.R.S. Rpt., 1917, Pt. II, pp. 181, 377–379, 405. 1919.
   number, discussion. O.E.S. Bul. 251, pp. 36–39. 1912.
   methods in Ohio. Off. Rec., vol. 2, No. 10, p. 6. 1923.
  number—
   and attendance, by States, 1914. D.B. 269, pp. 2–7, 16–21. 1915.
   held in 1914, and cost. News L., vol. 3, No. 2, p. 5. 1915.
  objects and perfection methods. O.E.S. Bul. 238, pp. 36–39. 1911.
  organization—
   and form. O.E.S. Bul. 165, pp. 17. 1907.
   in Office of Experiment Stations, 1904. Rpt., 79, p. 83. 1904.
  origin and progress. An. Rpts., 1923, pp. 567, 608. 1924; S.R.S. An. Rpt., 1923, pp. 15, 55. 1923.
  progress, 1903–1913, table. D.B. 83, pp. 3–4. 1914.
  promotion. O.E.S. An. Rpt., 1907, pp. 47–48. 1908.
  relation to—
   agricultural colleges and experiment stations. O.E.S. Bul. 110, p. 33. 1902; O.E.S. Bul. 213, pp. 37–67. 1909; O.E.S. Bul. 256, pp. 24–25. 1913.
   Agriculture Department. O.E.S. Bul. 110, p. 22. 1902.

Farmers—Continued.
 Institutes—Continued.
  relation to—continued.
   extension work. O.E.S. Bul. 256, pp. 22–24. 1913.
   industrial population. O.E.S. Bul 110, p. 20. 1902.
  scope of work, increase in numbers, attendance and interest. News L., vol. 3, No. 2, p. 5. 1915.
  specialist—
   duties. O.E.S. An. Rpt., 1911, pp. 50–51. 1912.
   report of work for 1907. O.E.S. Bul. 199, p. 27. 1908.
   report of work for 1908. O.E.S. An. Rpt., 1908, p. 293. 1909.
  State directors, and lecturers, list. John Hamilton. O.E.S. Cir. 51, pp. 23. 1903; O.E.S. Cir. 51, rev., pp. 30. 1904; O.E.S. Cir. 51, rev., pp. 32. 1905; O.E.S. Cir. 51, rev., pp. 32. 1906; O.E.S. Cir. 51, rev., pp. 32. 1908; O.E.S. Cir. 51, rev., pp. 14. 1909.
  State reports—
   1908, with statistics. O.E.S. An. Rpt., 1908, pp. 303–335. 1909.
   1910. O.E.S. An. Rpt., 1910, pp. 399–417. 1911.
   1911. O.E.S. An. Rpt., 1911, pp. 367–381. 1912.
   1912. O.E.S. An. Rpt., 1912, pp. 360–375. 1913.
   1916. Work and Exp. 1916, pp. 375–377. 1917.
  statistics—
   1902. Y.B. 1902, p. 753. 1903.
   1903. Y.B. 1903, p. 580. 1904.
   1904. O.E.S. An. Rpt., 1904, pp. 672–675. 1905; Y.B., 1904, p. 621. 1905.
   1905. O.E.S. An. Rpt., 1905, pp. 409–413. 1906.
   1906. Y.B., 1906, p. 541. 1907.
   1907. O.E.S. An. Rpt., 1907, pp. 307, 350–354. 1908; O.E.S. Bul. 199, p. 78. 1908.
   1908. O.E.S. Bul. 213, pp. 71–72. 1909.
   1909. O.E.S. An. Rpt., 1909, pp. 356–359. 1910.
   1910. O.E.S. An. Rpt., 1910, pp. 418–424. 1911.
   1911. O.E.S. An. Rpt., 1911, pp. 343–344, 382–388. 1912.
   1912. An. Rpts., 1912, pp. 215–216, 826–828. 1913; O.E.S. Bul. 256, pp. 87–88. 1913; O.E.S. Dir. Rpt., 1912, pp. 12–14. 1912; Sec. A.R., 1912, pp. 215–216. 1912; Y.B., 1912, pp. 215–216. 1913.
   1914. An. Rpts., 1914, pp. 257–258. 1914; O.E.S. Dir. Rpt., 1914, pp. 3–4. 1914.
   1921. Work and Exp., 1921, pp. 13–14, 15. 1923.
   United States and Canada. O.E.S. Bul. 182, pp. 88. 1907; O.E.S. Bul. 225, pp. 50–51. 1910; O.E.S. Bul. 251, pp. 74–75. 1912.
  time limits. P. H. Rolfs. O.E.S. Bul. 256, pp. 66–70. 1913.
  use of—
   community buildings. F.B. 1274, p. 17. 1922.
   question box. O.E.S. Bul. 110, p. 49. 1902.
   various States, administrative methods, number of days, and cost, 1912. D.B. 83, pp. 4–7. 1914.
  work—
   1902. Y.B., 1902, p. 753. 1903.
   1903. Y.B., 1903, p. 580. 1904.
   1904. O.E.S. An. Rpt., 1904, pp. 617–673. 1905.
   1905. Y.B., 1905, pp. 180–182, 650. 1906; Y.B. Sep. 375, pp. 180–182, 650. 1906.
   1906. O.E.S. An. Rpt., 1906, pp. 44–46. 1907. Rpt. 83, pp. 82–83. 1906.
   1907, review by Secretary. An. Rpts., 1907, pp. 120–121. 1908; O.E.S. An. Rpt., 1907, pp. 47–48. 1908; Rpt. 85, pp. 85–86. 1907; Sec. A.R., 1907, pp. 118–120. 1907; Y.B., 1907, pp. 118–119. 1908.
   1908. John Hamilton. O.E.S. An. Rpt., 1908, pp. 289–335. 1909.
   1909. John Hamilton and J. M. Stedman. O.E.S. An. Rpt., 1909, pp. 327–359. 1910.

Farmers—Continued.
  institutes—continued.
    work—continued.
      1910, review by Secretary. An. Rpts., 1910, pp. 143-145. 1911; O.E.S. An. Rpt., 1910, pp. 56-58. 1911; Rpt., 93, pp. 89-90. 1911; Sec. A.R., 1910, pp. 143-145. 1910; Y.B., 1910, pp. 142-143. 1911.
      1911. An. Rpts., 1911, pp. 141, 692-693. 1912; O.E.S. An. Rpt., 1911, pp. 50-51. 1912; O.E.S. Dir. Rpt., 1911, pp. 10-11. 1912; Sec. A.R., 1911, p. 139. 1911; Y.B., 1911, p. 139. 1912.
      1912, review by Director. O.E.S. An. Rpt., 1912, pp. 39-40, 333-383. 1913.
      1913. An. Rpts., 1913, pp. 273-274. 1914; O.E.S. Dir. Rpt., 1913, pp. 3-4. 1913.
      1915. An. Rpts., 1915, p. 298. 1916; O.E.S. Dir. Rpt., 1915, p. 4. 1915.
      1916. S.R.S. Rpt., 1916, Pt. II, pp. 374-375. 1917.
    and agricultural extension, in United States, 1913. D.B. 83, pp. 1-41. 1914.
    and cooperation of Experiment Stations Office. O.E.S. [Misc.], "Organization and work * * *," pp. 17-20. 1909.
    in extension of agricultural education. O.E.S. Cir. 98, pp. 4-5. 1910.
    in Europe. O.E.S. Bul. 163, pp. 7, 8, 14, 23, 24, 25, 26. 1905.
    in Ontario. O.E.S. Bul. 110, p. 32. 1902; O.E.S. Bul. 120, p. 26. 1902.
    in United States and Canada. O.E.S. Bul. 182, pp. 17-35, 88. 1907.
    in various States, 1902. O.E.S. Bul. 120, pp. 20-41. 1902.
    in various States, 1913. D.B. 83, pp. 19-24, 26-34. 1914.
    officials in charge, for the States and Colleges. Farm M. [Misc.], "Directory * * * agricultural * * *," pp. 63-64. 1920.
    problems, address of president. J. L. Ellsworth, 1909. O.E.S. Bul. 225, pp. 7-10. 1910.
  Workers, American Association, annual meeting, proceedings—
    1901. O.E.S. Bul. 110, pp. 53. 1902.
    1902. O.E.S. Bul. 120, pp. 117. 1902.
    1903. O.E.S. Bul. 138, pp. 117. 1903.
    1904. O.E.S. Bul. 154, pp. 96. 1905.
    1905. O.E.S. Bul. 165, pp. 95. 1906.
    1906. O.E.S. Bul. 182, pp. 90. 1907.
    1907. O.E.S. Bul. 199, pp. 79. 1908.
    1908. O.E.S. Bul. 213, pp. 73. 1909.
    1909. O.E.S. Bul. 225, pp. 52. 1910.
    1910. O.E.S. Bul. 238, pp. 80. 1911.
    1911. O.E.S. Bul. 251, pp. 77. 1912.
    1912. O.E.S. Bul. 256, pp. 89. 1913.
    1913. D.B. 83, pp. 7-8. 10-11. 1914.
  instruction—
    in grain grading. Off. Rec., vol. 1, No. 26, p. 1. 1922.
    week, Louisiana college. News L., vol. 6, No. 41, p. 10. 1919.
  insurance, number of companies, amount, losses and costs, by divisions. Y.B., 1916, pp. 424-428. 1917; Y.B. Sep. 697, pp. 4-8. 1917.
  interest in—
    foreign markets. E. G. Montgomery and C. L. Leudtke. Y.B., 1920, pp. 495-503. 1921; Y.B. Sep. 860, pp. 495-503. 1921.
    protection of private forests. Y.B., 1919, pp. 33, 34. 1920.
    the weather. Y.B., 1920, pp. 181-202. 1921; Y. B. Sep. 838, pp. 181-202. 1921.
  Iowa, net worth and earning power, data. D.B. 874, pp. 33-37. 1920.
  irrigation—
    Samuel Fortier. Y.B., 1920, pp. 203-216. 1921; Y.B. Sep. 839, pp. 203-216. 1921.
    problems. Carl S. Scofield. Y.B., 1909, pp. 197-208. 1910; Y.B. Sep. 505, pp. 197-208. 1910.
  labor—
    income, comparison with salaries of city men, studies. F.B. 661, p. 9. 1915.
    value. D.B. 1338, p. 27. 1925.
  laws beneficial to. Sec. Cir. 146, p. 8. 1919.
  legislation helpful to. An. Rpts., 1922, pp. 10-11. 1922; Sec. A.R., 1922, pp. 10-11. 1922.

Farmers—Continued.
  lime production at home. C. C. Fletcher. Y.B., 1919, pp. 335-341. 1920; Y.B. Sep. 814, pp. 335-341. 1920.
  living—
    cost, statistics. Sec. A.R., 1925, p. 34. 1925.
    farm contribution. W. C. Funk. F.B. 635, pp. 21. 1914.
    including food products, fuel, and use of house. D.B. 410, pp. 4-6. 1916.
    standards, studies. Y.B., 1923, p. 34. 1924.
  loans. See Loans.
  Louisiana, reports on labor requirements, summary. D.B. 961, pp. 2-5. 1921.
  market service offices at shipping points, location. Y.B., 1918, p. 286. 1919; Y.B. Sep. 768, p. 12. 1919.
  marketing—
    associations, organization, advantages. F.B. 1144, pp. 3-27. 1920.
    eggs, methods. B.A.I. Bul. 141, pp. 32-38. 1911.
    produce, business relations with customers. F.B. 922, pp. 10-20. 1918.
  markets, open types. McFall Kerbey. D. B. 1002, pp. 18. 1921.
  measuring flume. Carl Rohwer. D.B. 1110, pp. 14. 1922.
  meeting halfway. Carl Vrooman. Y.B., 1916, pp. 63-75. 1917; Y.B. Sep. 698, pp. 13. 1917.
  migration to cities. Y.B., 1923, pp. 8-9. 1924.
  milk, prices from city dealers and from creameries. D.B. 639, pp. 4-7. 1918.
  mistakes in tillage of newly-settled lands. Y.B., 1907, pp. 463-464. 1908; Y. B. Sep. 461, pp. 463-464. 1908.
  mortgage-free owners, age groups. Y.B., 1923, p. 527. 1924; Y. B. Sep. 897, p. 527. 1924.
  mutual fire insurance—
    V. N. Valgren. Y.B., 1916, pp. 421-433. 1917; Y.B. Sep. 697, pp. 13. 1917.
    companies—
      organization and management. V. N. Valgren. D.B. 530, pp. 34. 1917.
      records, system. V. N. Valgren. D.B. 840, pp. 23. 1920.
      suggestions for State law providing for organization. V. N. Valgren. D.C. 77, pp. 8. 1920.
  Negro—
    aid by extension work. Y.B., 1921, p. 36. 1922; Y.B. Sep. 875, p. 36. 1922.
    conditions in South. O.E.S. Bul. 238, pp. 74-76. 1911.
  number in—
    1910, graph. Y.B., 1917, p. 547. 1918; Y.B. Sep. 758, p. 13. 1918.
    1921. Y.B., 1921, pp. 407-408. 1922; Y. B., Sep. 878, pp. 1-2, 1922.
    in Indiana for grain production. News L., vol. 6, No. 3, p. 5. 1918.
  organization(s)—
    county organization method and membership. S.R.S. Doc. 32, pp. 8-9. 1917.
    in N. J. News L., vol. 7, No. 12, p. 2. 1919.
    increase in South, number and membership. News L., vol. 5, No. 21, p. 7. 1917.
    relationship to extension agents. Sec. Cir., No. 3, pp. 9-10. 1923.
    various industries, aid of department. Y.B., 1915, pp. 272h-272k. 1916; Y.B. Sep. 675, pp. 272h-272k. 1916.
  owners, age groups, education, and living standards. Y.B., 1923, pp. 559, 576-582. 1924; Y.B. Sep. 897, pp. 576-582. 1924.
  personal character and business habits, relation to loans. D.B. 409, pp. 6-7. 1916.
  pooling of labor, necessity in war emergency. Sec. Cir. 112, pp. 5-6. 1918.
  poultry management, suggestions. B.A.I. Bul. 141, pp. 42-43. 1911.
  prices—
    paid for—
      feedstuffs and total expenditure, 1919, 1920. D.B. 1124, pp. 1-2. 1922.
      necessities, 1899, 1909, 1910, and 1911. An. Rpts., 1912, pp. 793-794. 1913; Stat. Chief Rpt., 1912, pp. 15-16. 1912.
      purchases, 1922. Y.B., 1922, pp. 994-995. 1923; Y.B. Sep. 887, pp. 994-995. 1923.

Farmers—Continued.
 prices—continued.
  paid for—continued.
   purchases, 1923. Y.B., 1923, pp. 1150-1152. 1924; Y.B. Sep. 906, pp. 1150-1152. 1924.
  production of lime. C. C. Fletcher. Y.B., 1919, pp. 335-341. 1920; Y.B. Sep. 814, pp. 335-341. 1920.
  profits from dairying, 1922. Y.B., 1922, pp. 349-351. 1923; Y.B. Sep. 879, pp. 58-60. 1923.
  prosperity, statistical aspect, 1896-1908. Rpt. 87, pp. 97-98. 1908.
  purchase of soda nitrate from Government. Sec. Cir. 78, pp. 1-11. 1918.
  purchasing—
   and marketing organizations, number, 1914, by classes. F.B. 1100, p. 3. 1920.
   organizations. J. M. Mehl. Y.B., 1919, pp. 381-390. 1920; Y.B. Sep. 819, pp. 381-390. 1920.
  rat control, methods and necessity. Y.B., 1917, pp. 238-244. 1918; Y.B. Sep. 725, pp. 6-12. 1918.
  records, keeping, value. Y.B., 1917, pp. 153-167. 1918; Y.B. Sep. 735, pp. 17. 1918.
  relation to—
   banker, and question of diversified farming. Bradford Knapp. Sec. Cir. 50, pp. 15. 1915.
   loan agency. D.B. 409, pp. 10-12. 1916.
   science. L. C. Everard. Y.B., 1920, pp. 105-109. 1921; Y.B. Sep. 832, pp. 105-109. 1921.
  report(s) on—
   crop costs in 1923. D.C. 340, pp. 3-27. 1925.
   trucks in Eastern States, analysis of. D.B. 910, pp. 1-37. 1920.
   wheat and rye acreage. Off. Rec., vol. 2, No. 34, p. 1. 1923.
  retirement age. Y.B., 1923, p. 527. 1924; Y.B. Sep. 897, p. 527. 1924.
  rights in relation to the seedsman. Edgar Brown. Y.B., 1919, pp. 343-346. 1920; Y.B. Sep. 815, pp. 343-346. 1920.
  sales, monthly percentages from crops and livestock. Y.B., 1922, pp. 992-993. 1923; Y.B. Sep. 887, pp. 992-993. 1923.
  seed—
   grain—
    loans, conditions, number, and amount. Sec. A.R., 1918, pp. 32-35. 1918; An. Rpts., 1918, pp. 32-35. 1919.
    loans in 1921. Y.B., 1921, p. 70. 1922; Y.B. Sep. 875, p. 70. 1922.
    marketing, directions. George C. Edler. F.B. 1232, pp. 31. 1921.
   small—
    organization essential to preservation. Y.B., 1914, pp. 95-97. 1915; Y.B. Sep. 632, pp. 9-11. 1915.
    virtues, advantages, and needs. Y.B., 1908, pp. 317-320. 1909; Y.B. Sep. 483, pp. 317-320. 1909.
  social advantages from good roads. F.B. 505, pp. 18-20. 1912.
  southern—
   cooperative demonstration work. S. A. Knapp. F.B. 319, pp. 22. 1908.
   creamery building. Sec. [Misc.], Special, "Shall southern farmers * * *," pp. 3. 1914.
   marketing and purchasing demonstration work. Y.B., 1919, pp. 205-222. 1920; Y.B. Sep. 808, pp. 205-222. 1920.
   pig-raising suggestions. Sec. [Misc.], Special, "How southern farmers * * *," pp. 4. 1914.
   success with dairying, instances. Y.B., 1917, pp. 307-309. 1918; Y.B. Sep. 744, pp. 7-9. 1918.
   work for 1918, suggestions. S.R.S. Doc. 82, pp. 3-6. 1918.
  stock companies, lumber distribution, profits. Rpt. 116, pp. 40-42. 1918.
  stockyard company—
   Mississippi, operation. F.B. 809, p. 8. 1917.
   organization and advantages for South. News L., vol. 4, No. 43, pp. 4-5. 1917.
   supplies, cost, comparisons and price list. Y.B., 1921, pp. 193, 782-783. 1922; Y.B. Sep. 872, p. 193. 1922; Y.B. Sep. 871, pp. 13-14. 1922.

Farmers—Continued.
 support of cooperative canneries, necessity. Y.B. 1916, pp. 243-244. 1917; Y.B. Sep. 705, pp. 7-8. 1917.
 tobacco, cooperation. B.P.I. Bul. 268, pp. 19, 45, 47, 55, 58-61. 1913.
 tree planting. C. R. Tillotson. Y.B., 1911, pp. 257-268. 1912; Y.B. Sep. 566, pp. 257-268. 1912.
 use of special warnings of the Weather Bureau. Y.B., 1909, pp. 387-398. 1910; Y.B. Sep. 522, pp. 387-398. 1910.
 Utah, number in towns, and residence distances from farms. D.B. 582, pp. 37-40. 1918.
 Utah Lake Valley, age, land ownership, mortgages, etc., influence on farming. D.B. 117, pp. 12-13. 1914.
 value of hawks and owls. A. K. Fisher. Biol. Cir. 61, pp. 16. 1907.
 wages, comparison with other workers. F.B. 746, pp. 5-7. 1916.
 water rights in—
  streams, discussion. Y.B., 1918, p. 235. 1919; Y.B. Sep. 770, p. 17. 1919.
  western United States. R. P. Teele. D.B. 913, pp. 14. 1920.
 wealth accumulation, tenants and owners. Y.B., 1923, pp. 576-578. 1924; Y.B. Sep. 897, pp. 576-578. 1924.
 wheat—
  need of more profits in Kansas. Jesse W. Tapp and W. E. Grimes. D.B. 1440, pp. 14. 1924.
  regions, financial situation. Y.B., 1923, pp. 118-122. 1924.
 woodland ownership. Y.B., 1922, p. 168. 1923; Y.B. Sep. 886, p. 168. 1923.
Farmhouse—
 and outbuildings, with conveniences and comforts. Y.B., 1909, pp. 346-356. 1910; Y.B. Sep. 518, pp. 346-356. 1910.
 for tenant or owner, description, and cost. News L., vol. 1, No. 28, pp. 1-2. 1914.
 inexpensive, plans and buildings. F.B. 126, pp. 9-48. 1901.
 lighting systems, comparative safety, cost, etc. F.B. 517, pp. 21-24. 1912.
 location—
  foundation and cellar, suggestions. F.B. 270, pp. 9-10. 1906.
  with regard to orientation and winds. F.B. 1132, pp. 10-12. 1920.
 modern conveniences. F.B. 270, pp. 1-48. 1906.
 size and value, relation to size of farm. D.B. 410, pp. 32-33. 1916.
 water supply—
  installation. Y.B., 1914, pp. 147-155. 1915; Y.B. Sep. 634, pp. 147-155. 1915.
  suggestions. F.B. 126, pp. 33-34. 1901.
 See also Farm home; Farmstead.
Farming—
 American, comparison with European. D.B. 41, pp. 1, 42. 1914.
 area expansion, outlook. Y.B., 1923, pp. 496-497. 1924; Y.B. Sep. 896, pp. 496-497. 1924.
 areas, Alaska, distribution and description. D.B. 50, pp. 10-11. 1914.
 as occupation for graduates of agricultural colleges. O.E.S. Doc. 1463, pp. 602-604. 1912.
 beaver, conditions, requirements, and possibilities. D.B. 1078, pp. 16-26. 1922.
 business efficiency. Off. Rec., vol. 4, No. 27, pp. 1-2, 7. 1925.
 capital and—
  bank deposits, increase since 1890 and 1896. Y.B., 1908, pp. 183-184. 1909.
  equipment requirements. Y.B., 1909, pp. 242-243. 1910; Y.B. Sep. 509, pp. 242-243. 1910.
 change of type to meet economic conditions. F.B., 1088, pp. 14-15. 1920; Y.B., 1915, pp. 118-119. 1916; Y.B. Sep. 661, pp. 118-119. 1916.
 character, relation to farm loans. D.B. 409, pp. 7-8. 1916.
 choice and adjustment of crops and livestock. D.B. 1271, pp. 79-99. 1924.
 clover, on sandy jack-pine lands of the North. F.B. 323, pp. 1-24. 1908.
 conditions—
  on Great Plains, relation to wheat growing. F.B. 895, pp. 3-4, 11-12. 1917.

Farming—Continued.
conditions—continued.
   semiarid west, changes due to methods not climate. Y.B., 1908, pp. 296-298. 1909; Y.B. Sep. 481, pp. 296-298. 1909.
   See also Soil surveys *for various areas and counties.*
cotton, in Southwest. O. F. Cook. B.P.I. Cir. 132, pp. 9-18. 1913.
Cotton-Belt systems, soy bean growing. A. G. Smith. F.B. 931, pp. 23. 1918.
cultivation, marketing, and preparation for 1918. News L., vol. 5, No. 5, pp. 1-2, 6, 7. 1917.
diversified—
   advantages. Y.B., 1913, p. 99. 1914; Y.B. Sep. 617, p. 99. 1914.
   advice to southern farmers. Sec. Cir. 103, pp. 17-18. 1918.
   contrast with one-crop system. Y.B., 1908, pp. 312, 315. 1909; Y.B. Sep. 483, pp. 312, 315. 1909.
   good results in Southern States. Y.B., 1911, pp. 286, 288, 291-292. 1912; Y.B. Sep. 568, pp. 286, 288, 291-292. 1912.
   importance in citrus-fruit region. F.B. 1122, pp. 4-5. 1920.
   in—
      Georgia, crops and profits. D.B. 492, pp. 52-54. 1917.
      Mississippi, Jones County, result of boll weevil pest. Soil Sur. Adv. Sh., 1913, p. 9. 1915; Soils F.O., 1913; p. 926. 1916.
      Oregon, need of irrigation. O.E.S. Bul. 226, pp. 7-8, 19-27. 1910.
      southern Arizona, leading enterprises, etc. D.B. 654, pp. 34-35, 42-47. 1918.
      the Cotton Belt. W. J. Spillman and others. Y.B., 1905, pp. 193-218. 1906; Y.B. Sep. 377, pp. 193-218. 1906.
   relation to community cotton growing. D.B. 1111, pp. 28-30. 1922.
   under the plantation system. D. A. Brodie and C. M. McClelland. F.B. 299, pp. 16. 1907.
   with relation of banker to farmer. Sec. Cir. 50, pp. 1-15. 1915.
diversity index, relation to labor income. D.B. 341, pp. 81-83. 1916.
dry. *See* Dry farming.
eastern, relation of gas tractor. F.B. 1004, pp. 1-32. 1918.
efficiency—
   factors—
      W. J. Spillman. Y.B., 1913, pp. 93-108. 1914; Y.B. Sep. 617, pp. 93-108. 1914.
      influencing, Oregon farms. D.B. 705, pp. 8-14. 1918.
   relation of tenancy types. Y.B., 1923, pp. 569-582. 1924; Y.B. Sep. 897, pp. 569-582. 1924.
enterprises, adaptation to the size of the farm, Arizona. D.B. 654, pp. 42-47. 1918.
exploitative, cause of depletion of soil fertility. F.B. 406, pp. 6, 7, 9. 1910.
familiar talks—
   cultivation of the crop. S. A. Knapp. B.P.I. Doc. 365, pp. 3. 1908.
   diversification. S. A. Knapp. B.P.I. Doc. 383, pp. 4. 1908.
   teams and greater economy. S. A. Knapp. B.P.I. Doc. 371, pp. 3. 1908.
field operations, length of seasons and succession of operations, various crops. D.B. 528, pp. 9-11. 1917.
game birds. Y.B., 1918, pp. 313-314. 1919; Y.B. Sep. 785, pp. 13-14. 1919.
general—
   W. J. Spillman. Y.B., 1904, pp. 181-190. 1905; Y.B. Sep. 340, pp. 181-190. 1905.
   relation of sugar beets. C. A. Townsend. Y.B., 1903, pp. 399-410. 1904; Y.B. Sep. 320, pp. 399-410. 1904.
high-altitude, Wyoming, Laramie Experiment Station. N. A. Fauna 42, p. 38. 1917.
hog—
   and dairy system. F.B. 1463, pp. 21-23. 1925.
   systems in the Southeastern States. E. S. Haskell. F.B. 985, pp. 40. 1918.
improved methods, rural organizations, etc., in Belleville community, New York. D.B. 984, pp. 44-47. 1921.

Farming—Continued.
in—
   Alaska—
      letters from settlers. Alaska A.R., 1910, pp. 69-76. 1911.
      studies and experiments. D.B. 50, pp. 11-22. 1914.
   Arkansas, systems. F.B. 1000, pp. 1-24. 1918.
   bluegrass region. J. H. Arnold and Frank Montgomery. D.B. 482, pp. 29. 1917.
   Canal Zone, crops, methods. Rpt. 95, pp. 39-40, 42-43, 46-48. 1912.
   central Kansas, types and operation. D.B. 1296, pp. 9-74. 1925.
   Georgia—
      labor in coastal plain area. L. A. Reynoldson. D.B. 1292, pp. 1-28. 1925.
      Sumter County, economic study. H. M. Dixon and H. W. Hawthorne. D.B. 492, pp. 64. 1917.
   Great Plains, capital required to start a home. B.P.I. Bul. 215, p. 39. 1911.
   Guam, methods, improvement. Guam A.R., 1919, p. 37. 1921.
   Hungary, by large estates and by peasants, comparison. D.B. 1234, pp. 11-13, 41. 1924.
   Missouri, factors governing. W. J. Spillman. D.B. 633, pp. 28. 1918.
   Pennsylvania, Chester County, types, and methods. D.B. 341, pp. 1-19. 1916; D.B. 528, pp. 4-8. 1917.
   South Atlantic States, use of commercial fertilizers. F.B. 398, pp. 1-24. 1910.
   South, factors that make for success. C. L. Goodrich. F.B. 1121, pp. 31. 1920.
   Texas—
      Ellis County, cost of production, various crops. D.B. 659, pp. 46-54. 1918.
      Panhandle. F.B. 738, p. 7. 1916.
      status in lower Rio Grande irrigated district. Rex E. Willard. D.B. 665, pp. 24. 1918.
   western Washington, changes between 1915 and 1921. D.B. 1236, pp. 17-19. 1924.
intensive—
   adaptation of tobacco. Y.B., 1908, p. 405. 1909; Y.B. Sep. 490, p. 405. 1909.
   and sheep raising possibilities. Y.B., 1917, pp. 311-320. 1918; Y.B. Sep. 750, pp. 12. 1918.
   crops most profitable. Stat. Bul. 73, p. 56. 1909.
   examples in small farms in Nebraska. F.B. 325, pp. 1-29. 1908.
   in—
      Cotton Belt, example. M. A. Crosby. F.B. 519, pp. 13. 1913.
      Nebraska, example on small farms. F.B. 325, pp. 1-29. 1908.
      on New England dairy farms. F.B. 337, pp. 1-24. 1908.
   profitable in vicinity of cities. D.B. 678, pp. 11. 12-13, 14-23. 1918.
   relation—
      of sugar beets and potatoes, discussion. B.P.I. Bul. 260, pp. 24, 38-42. 1912.
      to higher wages. Stat. Bul. 94, pp. 72-74, 77. 1912.
irrigated—
   Oregon, future development. O.E.S. Bul. 209, pp. 59-67. 1909.
   Texas, future development. O.E.S. Bul. 222, pp. 88-92. 1910.
irrigation—
   conditions, crops and industries. Y.B., 1916, pp. 177-198. 1917; Y.B. Sep. 690, pp. 22. 1917.
   in—
      Colorado, cost per acre, various crops. O.E.S. Bul. 218, pp. 40-44. 1910.
      New Mexico, future development. O.E.S. Bul. 215, pp. 40-42. 1909.
   outlook, 1911. Carl S. Scofield. Y.B., 1911, pp. 371-382. 1912; Y.B. Sep. 576, pp. 371-382. 1912.
labor—
   distribution, graph. D.C. 183, p. 7. 1922.
   income, relation to crop area, size of farm, etc., studies in eastern Pennsylvania. D.B. 341, pp. 30-60. 1916.

Farming—Continued.
 land(s)—
  area available in United States, by States. News L., vol. 1, No. 25, pp. 2–3. 1914.
  Canal Zone, leasing by Canal Commission. Rpt. 95, pp. 19–20, 46. 1912.
  selection, Gulf Coast region, east of Mississippi River. W. E. Tharp. Soils Cir. 43, pp. 11. 1911.
  large-scale in wheat belt, yields. D.C. 351, pp. 22–23. 1925.
  limitation at experiment stations, ruling of department. D.C. 251, p. 26. 1925.
  logged-off uplands in western Washington. E. R. Johnson and E. D. Strait. D.B. 1236, pp. 36. 1924.
  materials, imports, 1906. For. Cir. 119, p. 8. 1907.
  measuring methods. D.B. 651, pp. 10–11. 1918.
  methods—
   for control of potato tuber moth. D.B. 427, pp. 48–51. 1917.
   specifications in leases. F.B. 1164, pp. 10, 19, 20. 1920.
   See Soil Surveys for various States, counties, and areas.
  mixed, rotations with vetch. F.B. 529, pp. 17–18. 1913.
  model example. W. J. Spillman. F.B. 242, pp. 16. 1906.
  occupation for city-bred men, with suggestions for beginners. Y.B., 1909, pp. 239–248. 1910; Y.B. Sep. 509, pp. 239–248. 1910.
  on—
   cut-over lands of Michigan, Wisconsin, and Minnesota. J. C. McDowell and W. B. Walker. D.B. 425, pp. 24. 1916.
   irrigated—
    areas in Utah Lake Valley, profits. E. H. Thomson and H. M. Dixon. D.B. 117, pp. 21. 1914.
    lands, hints to settlers. B.P.I. Doc. 453, pp. 1–7. 1909; B.P.I. Doc. 455, pp. 1–4. 1909.
    lands, Idaho, methods. O.E.S. Bul. 216, pp. 29–31, 39–41, 59. 1909.
    lands, Nebraska, hints. B.P.I. Doc. 454, pp. 1–4. 1909.
  one-crop system—
   abandonment, remarks. Y.B., 1913, pp. 264–265. 1914; Y.B. Sep. 627, pp. 264–265. 1914.
   dangers. Sec. Cir. 50, pp. 3–5. 1915; Sec. Cir. 56, pp. 1, 3. 1916; Y.B., 1908, pp. 312, 313. 1909.
   objections. Sec. Cir. 50, pp. 3–5. 1915.
   responsibility of loan methods. D.B. 409, p. 8. 1916.
  one-man single-crop systems, cotton and wheat. B.P.I. Bul. 259, pp. 18–21, 23, 63. 1912.
  operations—
   farm credit. Sec. Cir. 56, pp. 7–10. 1916.
   in North, West, and South. News L., vol. 6, No. 44, pp. 6, 7, 12. 1919.
   looking forward to 1918. News L., vol. 5, No. 18, pp. 4–5, 6. 1917.
  organization, early types, community and manorial. Y.B., 1913, pp. 239–242. 1914; Y. B. Sep. 626, pp. 239–242. 1914.
  peace basis, restoration. Sec. Cir. 125, pp. 26–27. 1919.
  planning for 1919. News L., vol. 6, No. 18, pp. 14–16, 18–19. 1918.
  plantation system and results. Y.B., 1923, pp. 530–533. 1924; Y.B. Sep. 897, pp. 530–533. 1924.
  population, holding by improvement of country life. Y.B., 1910, p. 200. 1911; Y.B. Sep. 528, p. 200. 1911.
  practices—
   in various States, counties, and areas. See Soil Surveys.
   lowering grade of product. F.B. 1121, pp. 18–19. 1920.
  production, relation to renting method. D.B. 337, pp. 7–10. 1916.
  profit, supply of family living. D.B. 1338, pp. 1–30. 1925.
  profitable—
   outstanding factors. J. S. Cates. Y.B., 1915, pp. 113–120. 1916; Y.B., Sep. 661, pp. 113–120. 1916.

Farming—Continued.
 profitable—continued.
  prime factors involved. D.B. 482, pp. 27–29. 1917; Sec. Cir. 130, p. 11. 1919.
  relation of railroads. Frank Andrews. Stat. Bul. 100, pp. 47. 1912.
  results by type and by farm size. D.B. 582, pp. 17–23. 1918.
 safe—
  address by Bradford Knapp before Cotton States Bankers. Sec. Cir. 56, pp. 16. 1916.
  in Southern States in—
   1919. Bradford Knapp. S.R.S. Doc. 96, pp. 16. 1919.
   1920. Bradford Knapp. D.C. 85, pp. 19. 1920.
  need for the South, 1918. Bradford Knapp. S.R.S. Doc. 82, pp. 7. 1918.
  principles and relation to health. Sec. Cir. 5, pp. 5–6, 7. 1916.
  program for 1920. D.C. 85, pp. 7–12. 1920.
 self-sustaining system, importance. D.B. 99, pp. 23–24. 1921.
 silver fox. See Fox farming.
 single-crop—
  and diversified, comparison of types. Y.B., 1908, p. 353. 1909; Y.B. Sep. 487, p. 353. 1909.
  systems. B.P.I. Bul. 259, pp. 18–21, 63. 1912; F.B. 294, pp. 27–29. 1907.
 specialized, examples, crops, and conditions governing, Lenawee County, Mich. D.B. 694, pp. 17–18. 1918.
 specifications under contract for large-scale farm in wheat belt. D.C. 351, pp. 28–34. 1925.
 standards of success, Arizona farms. D.B. 654, pp. 4, 17–21. 1918.
 successful—
  examples. F.B. 406, pp. 13–14. 1910.
  in Indiana. F.B. 1421, pp. 1–22. 1924.
  measures used in extension work. D.C. 302, pp. 5–6. 1924.
  on 160-acre farms in Central Indiana. Lynn Robertson and H. W. Hawthorne. F.B. 1463, pp. 30. 1925.
  suggestion for selection and improvement of cut-over lands. D.B. 425, pp. 23–24. 1916.
 systems—
  central New Jersey. George A. Billings and J. C. Beavers. F.B. 472, pp. 40. 1911.
  Cotton Belt, comparison of systems. Y.B., 1908, pp. 196–199. 1909; Y.B. Sep. 475, pp. 196–199. 1909.
  determined by land values. Stat. Bul. 73, pp. 51–57. 1909.
  effect on crop yields. F.B. 1121, pp. 16–17. 1920.
  on 160-acre farms in Indiana. F.B. 1463, pp. 3–4. 1925.
  returns, comparison. F.B. 370, pp. 33–34. 1900.
  with hog production. Y.B., 1922, pp. 199–209. 1923; Y.B. Sep. 882, pp. 199–209. 1923.
 tenant—
  advantages and disadvantages, and fundamental principles. F.B. 437, pp. 4–6, 19–20. 1911.
  American, defects of system. Y.B., 1916, pp. 343–346. 1917; Y.B. Sep. 715, pp. 23–26. 1917.
  characteristics. D.C. 351, pp. 14–15. 1925.
  development and causes. Y.B., 1923, pp. 522–576. 1924; Y.B. Sep. 897, pp. 522–576. 1924.
  injury to land. F.B. 406, p. 9. 1910.
  problems, studies on division of income. B.P.I. Bul. 259, pp. 31–32, 54–55. 1912.
  share system—
   North Carolina, Pender County. Soil Sur. Adv. Sh., 1912, pp. 13–14. 1914; Soils F.O., 1912, pp. 377–378. 1915.
   North Carolina, Scotland County. D.B. 320, p. 45. 1916.
   Pennsylvania, York County. Soil Sur. Adv. Sh., 1912, p. 20. 1914; Soils F.O., 1912, p. 170. 1915.
  step toward ownership. Y.B., 1916, pp. 323–333. 1917; Y.B. Sep. 715, pp. 3–13. 1917.
 system(s)—
  Alabama, Henry County. Soil Sur. Adv. Sh., 1908, p. 9. 1909; Soils F.O., 1908, p. 487. 1911.

Farming—Continued.
 tenant—continued.
  system(s)—continued.
   and its results. J. W. Froley and C. Beaman Smith. F.B. 437, pp. 20. 1911.
   Yazoo-Mississippi Delta, studies. E. A. Boeger and E. A. Goldenweiser. D.B. 337, pp. 18. 1916.
  terms, definitions. D.B. 705, pp. 3–4. 1918.
  trends and variations in burdens and benefits in North Dakota. D.B. 1322, pp. 3–24. 1925.
  truck, Atlantic coast States. Y.B., 1907, pp. 425–434. 1908; Y.B. Sep. 459, pp. 425–434. 1908.
  types—
   and organization, influence of city, study in Jefferson County, Ky. J. H. Arnold and Frank Montgomery. D.B. 678, pp. 24. 1918.
   choice, considerations. D.B. 341, pp. 15–16. 1916.
   classified on basis of income source, description. Y.B., 1908, pp. 353–365. 1909; Y.B. Sep. 487, pp. 353–365. 1909.
   conditions affecting, Chester County, Pennsylvania. D.B. 341, pp. 50–53. 1916.
   cost and requirements, studies in selection. B.P.I. Bul. 259, pp. 9–13. 1912.
   distribution in the United States. W. J. Spillman. F.B. 1289, pp. 30. 1923.
   for choice of city-bred men, discussion. Y.B., 1909, p. 243. 1910; Y.B. Sep. 509, p. 243. 1910.
   in—
    Lenawee County, Mich., number, average investment, and labor income. D.B. 694, pp. 13–14. 1918.
    Montana, irrigated sections, hints. B.P.I. Doc. 462, pp. 5–6. 1909.
    Northern Great Plains, need of change. D.B. 1244, p. 52. 1924.
    Oregon, relation to rotations, live stock, income, etc. D.B. 705, pp. 6–8. 1918.
    southern Arizona, description, acreage, and income. D.B. 654, pp. 21–42. 1918.
    the United States. W. J. Spillman. Y. B. 1908, pp. 351–366. 1909; Y.B. Sep. 487, pp. 351–366. 1909.
   muck lands, North-Central States. F.B. 761, pp. 3–4. 1916.
   operated by owners and by tenants, Chester County, Pennsylvania. D.B. 341, p. 70. 1916.
   prevailing in different sections. Y.B., 1921, pp. 413–415. 1922; Y.B. Sep. 878, pp. 7–9. 1922.
   relation to—
    distance from city, factors involved. D.B. 678, pp. 11–14. 1918.
    farm sizes, and investments, Missouri. D.B. 633, pp. 7–8. 1918.
    labor income. D.B. 41, pp. 29–34, 40–41. 1914; F.B. 1139, pp. 17–18. 1920.
   unprofitable acres. J. C. McDowell. Y.B., 1915, pp. 147–154. 1916; Y.B. Sep. 664, pp. 147–154. 1916.
   wheat, management in operation by tenants. Walter H. Baumgartel. D.C. 351, pp. 35. 1925.
   See also Agriculture.
Farmstead(s)—
 approaches by walks and drives. F.B. 1087, pp. 21–31. 1920.
 arrangement, planning, a part of farm management. B.P.I. Bul. 236, pp. 14–18. 1912.
 arrangement, relation to waste of land on farms. F.B. 745, pp. 4–12. 1916.
 beautifying. F. L. Mulford. F.B. 1087, pp. 65. 1920.
 forest planting, special features. F.B. 228, pp. 18–20. 1905.
 planning—
  M. C. Betts and W. R. Humphries. F.B. 1132, pp. 24. 1920.
  for beautifying arid region. D.C. 339, pp. 25–26. 1925.
  for convenience, suggestions. F.B. 1121, pp. 5–6. 1920.
 water supply. George M. Warren. F.B. 1448, pp. 38. 1925.
 See also Farm; Farmhouse.
FARQUHAR, H. H.: "Seed collection on a large scale." Y.B., 1912, pp. 433–442. 1913; Y.B. Sep. 604, pp. 433–442. 1913.

FARRELL, F. D.—
 "Agriculture on Government reclamation projects." With C. S. Scofield. Y.B., 1916, pp. 177–198. 1917; Y.B. Sep. 690, pp. 22. 1917.
 "Dry-land grains in the Great Basin." B.P.I. Cir. 61, pp. 39. 1910.
 "Effect of fall irrigation on crop yields at Belle Fourche, S. D." With Beyer Aune. D.B. 546, pp. 15. 1917.
 "Establishing the swine industry on the North Platte Reclamation Project." With Charles S. Jones. D.R.P. Cir. 1, pp. 26. 1915.
 "Interpreting the variations of plat yields." B.P.I. Cir. 109, pp. 27–32. 1913.
 "Irrigated pastures for northern reclamation projects." D.R.P. Cir. 2, pp. 16. 1916.
 "The utilization of irrigated field crops for hog pasturing." D.B. 752, pp. 37. 1919.
FARRELL, G. E.—
 "Boys' and girls' club work: Hints to potato growers." S.R.S. Doc. 10, pp. 4. 1915.
 "Boys' and Girls' clubs enrich country life." With C. B. Smith. Y.B., 1920, pp. 485–494. 1921; Y.B. Sep. 859, pp. 485–494. 1921.
 "Directions for home canning in tin and mechanical sealing." With O. H. Benson. S.R.S Doc. 97, pp. 8. 1919.
 "Home canning club instruction—canning of soups." S.R.S. Doc. 9, pp. 4. 1915.
 "Home canning instructions—additional recipes." S.R.S. Doc. 12, pp. 6. 1917.
 "Instructions to local leaders of boys' and girls' home garden and canning clubs." S.R.S., Doc. 59, pp. 6. 1917.
 "Organization and results of boys' and girls' club work, Northern and Western States, 1919." With Ivan L. Hobson. D.C. 152, pp. 35. 1921.
 "Some home canning difficulties and how to avoid them." With O. H. Benson. S.R.S. Doc. 33, pp. 6. 1917.
 "Status and results of boys' and girls' club work, Northern and Western States, 1920." D.C. 192, pp. 36. 1921.
 "Status and results of boys' and girls' club work, Northern and Western States, 1921." With Gertrude L. Warren. D.C. 255, pp. 29. 1923.
 "Suggestions to local leaders in poultry-club work." S.R.S. Doc. 53, pp. 7. 1917.
FARRINGTON, A. M.—
 "Instructions concerning laboratory inspection of meat food products." B.A.I. [Misc.], "Instructions concerning laboratory * * *," p. 1. 1907.
 "The need of State and municipal meat inspection to supplement Federal inspection." B.A.I. Cir. 154, pp. 14. 1910.
Farrowing time, management of sow and pigs, methods. B.A.I. Bul. 47, pp. 45–55. 1904; F.B. 205, pp. 27–28. 1904; F.B. 566, pp. 10–11. 1913; F.B. 874, pp. 17–18. 1917.
Fasciola—
 hepatica—
  description, occurrence in sheep and dogs, and prevention. F.B. 1150, pp. 33–36. 1920.
  occurrence in cattle and sheep. J.A.R. vol. 20, pp. 194, 198. 1920.
 spp. See Flukes.
Fascioloides magna, description, occurrence in sheep. F.B. 1150, pp. 36–37. 1920.
FASSIG, O. L.—
 "A marked rise in the normal Baltimore temperature curve for May." W.B. Bul. 31, pp. 68–69. 1902.
 address on Baltimore climate, some diurnal periodicities. W.B. [Misc.], "Proceedings, third convention * * *." 1904.
 "Device for automatically recording beginning and ending of light precipitation." W.B. Bul. 31, pp. 213–214. 1902.
 "Hurricanes of the West Indies." W.B. Bul. X, pp. 28. 1913.
 "Maryland climatological studies." W.B. Bul. 31, pp. 200–202. 1902.
 "New problems of the weather." With others. Y.B., 1906, pp. 121–124. 1907; Y.B. Sep. 410, pp. 121–124. 1907.
 "The normal temperature of Porto Rico, West Indies." W.B. [Misc.], "The normal temperature of * * *," pp. 6. 1911.

FASSIG, O. L.—Continued.
"The U. S. Weather Bureau in the West Indies."
W.B. [Misc.], "The U. S. Weather Bureau
* * *," pp. 4. 1924.
"The westward movement of the daily barometric wave." W.B. Bul. 31, pp. 62–65. 1902.
Fat(s)—
absorption, effects of salicylates in food. Chem.
Bul. 84, Pt. II, pp. 646–663. 1906.
acetyl value, determination. Chem. Bul. 13,
Pt. X, pp. 1422–1423. 1902.
acidity as index of freshness. Chem. Cir. 64, p.
40. 1910; D.B. 17, pp. 3, 6. 1913.
action on various metals, experiments and summary. B.A.I. An. Rpt., 1909, pp. 273–283. 1911.
analysis, report of referee and comments of analysts. Chem. Bul. 81, pp. 46–72. 1904; Chem.
Bul. 132, pp. 166–167. 1910; Chem. Bul. 152, pp.
96–100. 1912; Chem. Bul. 162, pp. 114–118, 162–
163. 1913.
and—
oils, cooperative work, A. O. A. C., 1906. L. M.
Tolman. Chem. Cir. 27, pp. 6. 1906.
sugars, in war time. Lib. Leaf. 7, pp. 2. 1918.
their economical use in the home. A.D.
Holmes and H. L. Lang. D.B. 469, pp. 27.
1916.
animal—
and vegetable—
importance in diet. D.B. 687, pp. 1–2. 1918.
phytosterol detection, methods. Robert H.
Kerr. B.A.I. Cir. 212, pp. 4. 1913.
description, manufacturing methods. D.B.
769, pp. 32–43. 1919.
digestibilities. C. F. Langworthy and A. D.
Holmes. D.B. 310, pp. 23, 1915; rev., pp. 20.
1917.
kinds, description, and value. D.B. 469, pp.
8–12. 1916.
production, exports and imports, 1912–1917,
1918, with comparison. D.B. 769, pp. 2–8.
1919.
beef—
and lard, detection by microscopic examination.
Y.B., 1907, p. 383. 1908; Y.B. Sep. 455,
p. 383. 1908.
composition at different periods of storage.
D.B. 433, pp. 39, 46, 54, 61, 69, 77, 84. 1917.
digestion experiments. D.B. 310, pp. 8–11.
1915.
test. Chem. Bul. 107, p. 147. 1907.
blended hydrogenated, digestibility, experiments.
D.B. 1033, pp. 9–15. 1922.
brisket, digestion experiments. D.B. 507, pp. 8–
11. 1917.
butter. See Butterfat; Milk fat.
buttermilk content, effect on casein strength.
D.B. 661, pp. 17–19. 1918.
care and utilization in the home. F.B. 375,
pp. 37–38. 1909.
changes in cow in milk production. D.B. 1281,
pp. 17–18. 1924.
cheese—
determinations by Gottlieb and ether extraction
methods. Chem. Bul. 105, p. 109. 1907.
Roquefort, composition. J.A.R., vol. 2, pp.
429–434. 1914.
chemical nature, study. O.E.S. An. Rpt., 1908,
p. 340. 1909.
chicken—
acidity determination under varying conditions.
Chem. Cir. 75, pp. 5–7. 1912.
effect of low temperatures. Chem. Cir. 64,
pp. 7, 11–12, 40. 1910.
studies. M. E. Pennington and J. S. Hepburn.
Chem. Cir. 75, pp. 11. 1911; Chem. Cir. 103,
pp. 12. 1912.
color determination. Chem. Bul. 132, p. 58.
1910; Chem. Bul. 147, pp. 159–161. 1912.
composition. O.E.S. Bul. 200, p. 13. 1908.
condensed milk, determinations, A.O.A.C.
Convention, 1906. Chem. Bul. 105, pp. 102, 104,
106–108. 1907.
conservation, slaughter houses, directions.
B.A.I.S.R.A. 122, p. 64. 1917.
consumption by industries, 1912–1918. D.B. 769,
pp. 6–7. 1919.
contamination by metal containers. B.A.I.
An. Rpt., 1909, p. 267. 1911.

Fat(s)—Continued.
content—
cheese, effect on whey separation from curd.
B.A.I. Bul. 122, pp. 52–54. 1910.
ice cream, effect on palatability. D.B. 1161,
pp. 4–5, 7, 8. 1923.
milk—
food value. F.B. 1359, p. 3. 1923.
in breeding experiments. B.A.I. Bul. 156,
pp. 12–13, 19–22, 25–26. 1913.
relation to cost of milk production. J.A.R.,
vol. 29, pp. 593–601. 1924.
variation in Ayrshire cows. Raymond Pearl
and John Rice Miner. J.A.R., vol. 17,
pp. 285–322. 1919.
variations for individual cows. B.A.I. Bul.
157, pp. 11, 15–18, 21–27. 1913.
cows' milk—
at time of calving. F.B. 514, pp. 23–24. 1912.
comparisons with sheep's milk and Roquefort
cheese. J.A.R., vol. 2, pp. 430–431. 1914.
percentage and relation to yield. J.A.R., vol.
14, pp. 67–96. 1918.
deep, cooking lecture. O.E.S. Bul. 200, pp. 68–70.
1908.
deer—
and other, digestibility. H. J. Deuel, jr., and
A. D. Holmes. D.B. 1033, pp. 15. 1922.
digestibility experiments. D.B. 1033, pp. 8–9.
1922.
derivatives, production, 1912–1917. D.B. 769,
pp. 43–44. 1919.
description and general nature. D.B. 469,
pp. 2–3. 1916.
determination in—
butter, comparison of methods. B.A.I. Cir.
202, pp. 7–8. 1912.
canned meats. Chem. Bul. 13, Pt. X, pp.
1395, 1412–1431. 1902.
cocoa. Chem. Bul. 137, pp. 102–105. 1911.
cottonseed meal, methods and results. Chem.
Bul. 137, pp. 155–157. 1911. Chem. Bul. 152,
pp. 198–200. 1912; Chem. Cir. 90, p. 8. 1912.
feeds, methods, comparisons. Chem. Bul. 120,
p. 6. 1909; Chem. Bul. 162, pp. 170, 171,
174–182. 1913.
digestibility—
and melting point, comparison. D.B. 310,
p. 21. 1915.
experiments—
Arthur D. Holmes. D.B. 613. pp. 27. 1919.
and studies. D.B. 469, pp. 4–5. 1916; D.B.
1033, pp. 1–15. 1922.
digestion estimation in poultry. B.A.I. Bul. 56,
pp. 41, 45–46. 1904.
edible—
analysis methods. Chem. Bul. 107, pp. 129–147.
1907; Chem. Bul. 100, pp. 26–28. 1906.
inspection, instructions. B.A.I. S.A., No. 38,
p. 38. 1910.
metallic containers for. B.A.I. An. Rpt., 1909,
pp. 265–282. 1911.
sources and kinds. D.B. 469, pp. 6–8. 1916.
vegetable, definitions and standards. Chem.
F.I.D. 169, pp. 2. 1917; Chem. S.R.A. 19,
pp. 49–50. 1917.
exports—
1922–1924. Y.B., 1924, p. 1042. 1925.
from nine countries of surplus production.
Rpt. 109, pp. 75–77, 81, 90, 96, 216. 1916.
extraction—
apparatus, improvements. H. L. Walter and
C. E. Goodrich. Chem. Cir. 69, pp. 4. 1911.
from dairy products. Chem. Bul. 152, p. 101.
1912.
from leather, methods and results. Chem.
Bul. 152, pp. 221, 223, 226–230, 232. 1912.
feeding into milk. Chas. D. Woods and A. W.
Bitting. B.A.I. Cir. 75, pp. 43. 1905.
food—
standards. Sec. Cir. 136, pp. 17–18. 1919.
values—
and calorie portions in various weights.
F.B. 1228, pp. 6, 17, 22. 1921; O.E.S. Bul.
200, p. 17. 1908.
and charts showing per cent of constituents
supplied. F.B. 1383, pp. 8, 30–32. 1924.
use, economy. Food Thrift Ser., No. 2, pp.
4–5. 1917.

Fat(s)—Continued.
  foreign demand, value of exports, 1890-1906. Stat. Bul. 55, pp. 35-37. 1907.
  from carcasses inspected and passed, eligibility for food. B.A.I. [Misc.], "Circular letter to inspectors * * *," p. 1. 1909.
  globules—
    cow's milk, chemical and physical study. R. H. Shaw and C. H. Eckles. B.A.I. Bul. 111., pp. 16. 1909.
    milk, different breeds. B.A.I. Bul. 156, p. 20. 1913.
  hard, softening for shortening purposes, recipes. D.B. 469, pp. 24-25. 1916.
  hog, effect of feed on hardness, experiments. B.A.I. Bul. 47, pp. 224-228. 1904.
  importance as food for children. F.B. 717, rev., p. 18. 1920.
  importation, German regulations. B.A.I. Bul. 50, p. 48. 1903.
  imports, fifteen principal countries. Rpt. 109, pp. 103, 107, 110, 113, 231-262. 1916.
  in diet, effect on metabolism. D.B. 769, pp. 1-2. 1919; O.E.S. Bul. 208, p. 21. 1909.
  in sweetened dairy products, Babcock test, paper, note. Chem. Bul. 162, p. 120. 1913.
  index of refraction, methods of determination. Chem. Bul. 13, Pt. X, pp. 1415-1417. 1902.
  inedible, regulations, amendments. B.A.I.O. 211, amdt. 2, pp. 3-4. 1915.
  intestinal digestion favorable to transmission of tuberculosis. B.A.I. An. Rpt., 1908, pp. 132, 139-141. 1910.
  iodine absorption, determination. Chem. Bul. 13, Pt. X, pp. 1417-1419. 1902.
  meat, food value and use. F.B. 391, p. 6. 1910.
  melting points—
    and iodine numbers. D.B. 1086, p. 40. 1922.
    determination, methods. Chem. Bul. 13, pp. 1424-1427. 1902; Chem. Bul. 107, pp. 133-135. 1907.
  milk. See Milk fat.
  mixing into dough, results. F.B. 360, p. 32. 1909.
  mixtures for lard substitutes, labels, order. B.A.I.O. 211, amdt. 12, p. 1. 1919.
  mutton—
    characteristics and uses. F.B. 526, pp. 8-10. 1913; F.B. 1324, p. 4. 1923.
    digestion experiments. D.B. 310, pp. 11-13. 1915.
    necessity in diet. Y.B., 1922, p. 270. 1923; Y.B. Sep. 882, p. 270. 1923.
  necrosis, hogs, diagnosis. B.A.I. An. Rpt., 1907, p. 242. 1909; B.A.I. Cir. 144, p. 242. 1909.
  percentage—
    in—
      cream, factors affecting. F.B. 479, pp. 22-24. 1912.
      milk at different lactation stages, melting points. B.A.I. Bul. 155, pp. 49-62. 1913.
      milk from different animals. J.A.R., vol. 16, pp. 83-84. 1919.
    of total meat imports, various countries. Rpt. 109, pp. 113, 261-262. 1916.
  place and value in diet. D.B. 469, pp. 3-4, 26. 1916.
  poultry, special uses. D.B. 467, pp. 6, 12. 1916.
  production—
    and conservation in United States. Herbert S. Bailey and B. E. Reuter. D.B. 769, pp. 48. 1919.
    effect of drugs. F. A. Hays and Merton G. Thomas. J.A.R., vol. 19, pp. 123-130. 1920.
    January to June, 1918, table. D.B. 769, p. 5. 1919.
  rancid, compounds developed, and mechanism of their formation. Wilmer C. Powick. J.A.R., vol. 26, pp. 323-362. 1923.
  reduction (obesity cure), use of thyroid, danger, warning. News L., vol. 2, No. 7, pp. 2-3. 1914.
  refuse, sources, recovering methods, and uses. D.B. 769, pp. 41-43. 1919.
  rendering and clarifying, methods. D.B. 469, pp. 22-23. 1916.
  report of referee. Chem. Bul. 90, pp. 69-75. 1905; Chem. Bul. 99, pp. 63-71. 1906; Chem. Bul. 105, pp. 29-37. 1907; Chem. Bul. 137, pp. 87-91, 117. 1911.
  saponification number, determination. Chem. Bul. 13, Pt. X, 1419-1420. 1902.

Fat(s)—Continued.
  saving by use of soy-bean flour. Sec. Cir. 113, pp. 1-4. 1918.
  savory, preparation recipes. D.B. 469, pp. 23-24. 1916.
  shortage in Germany. Off. Rec., vol. 2, No. 35, p. 3. 1923.
  soft-pork, studies. B.A.I. Chief Rpt., 1924, p. 8. 1924.
  sources in feed. D.B. 1151, p. 40. 1923.
  stock increase, January 1, 1918-19. News L., vol. 6, No. 33, p. 10. 1919.
  storage by animals on different rations. J.A.R., vol. 21, pp. 327-334. 1921.
  storing in the home. F.B. 1374, p. 10. 1923.
  supply of family for a week, and place in menu. F.B. 1228, pp. 16-17, 19. 1921.
  testing—
    cream by the Babcock method. Ed. H. Webster. B.A.I. Bul. 58, pp. 29. 1904.
    dairy products. B.A.I. Doc. A-7, pp. 3-22. 1916.
  tests, report of analysts. Chem. Bul. 105, pp. 29-37. 1907.
  use—
    as children's food. F.B. 712, p. 10. 1916; F.B. 717, p. 17. 1916.
    in—
      cooking. F.B. 807, p. 9. 1917; O.E.S. Bul. 200, p. 68. 1908.
      making potato chips. D.B. 1055, pp. 3-6, 7-9, 19. 1922.
      with vegetable foods. D.B. 123, pp. 7, 10, 14, 56. 1916.
  value in diet, and week's supply for average family. F.B. 1313, pp. 4, 12-14. 1923.
  vegetable—
    blended, digestibility experiments. D.B. 1033, pp. 9-15. 1922.
    digestibility. C. F. Langworthy and A. D. Holmes. D.B. 505, pp. 20. 1917.
    ingredients of compound, designation. B.A.I. S.R.A. 190, p. 21. 1923.
    kinds, description, and value. D.B. 469, pp. 12-15. 1916; D.B. 769, pp. 29-32. 1919.
    purity standards. Sec. Cir. 136, pp. 17-18 1919.
    stocks in United States, Aug. 31, 1917. Sec. Cir. 99, pp. 25-28. 1918.
    waste, utilization methods. D.B. 469, pp. 20-22, 26. 1916.
    wheat, effect of soil and climate. J.A.R., vol. 1, No. 4, p. 286. 1914.
  See also Oils.
"Father John's Medicine," misbranding. News L., vol. 3, No. 9, p. 6. 1915.
Fatness, cattle, relation to utilization of feed. Henry Prentiss Armsby and J. August Fries. J.A.R., vol. 11, No. 10, pp. 451-472. 1917.
Fattening—
  baby beef, cost data, coefficient of correlation. H.R. Tolley. D.B. 504, pp. 15. 1917.
  beef—
    calves—
      Arthur T. Semple. F.B. 1416, pp. 13. 1924.
      and steers in Cotton Belt. F.B. 1379, pp. 2, 11-16. 1923.
    cattle—
      for market. D.B. 73, pp. 7-10. 1914; F.B. 162, p. 23. 1903.
      in North Carolina (and wintering). W. F. Ward and others. D.B. 628, pp. 53. 1918.
  calf(ves)—
    cost of different feeds, experiments. F.B. 517, pp. 9-10. 1912.
    in Alabama. Dan T. Gray and W. F. Ward. B.A.I. Bul. 147, pp. 40. 1912.
  cattle—
    calorimeter studies. J.A.R., vol. 11, pp. 451-472. 1917.
    cost, per 100 pounds of gain. D.B. 762, pp. 6-7, 13, 21, 29. 1919.
    in Alabama. Dan T. Gray and W. F. Ward. D.B. 110, pp. 41. 1914.
    methods. F.B. 588, pp. 13-17. 1914.
    on—
      pasture. B.A.I. Bul. 131, pp. 37-47. 1911.
      silage feed. F.B. 578, pp. 21-22. 1914.
      soapweed and cottonseed meal. D.B. 745, p. 13. 1919.

Fattening—Continued.
chickens, directions. F.B. 287, rev., p. 29. 1921.
ducks, for market. F.B. 697, pp. 17-18, 21. 1915.
farm animals, feed requirements, energy value. F.B. 346, pp. 18-19. 1909.
hens, experiments, comparison with fattening chickens. D.B. 21, pp. 20-23. 1914.
hogs—
    Alabama diversification farm. F.B. 310, p. 11. 1907.
    experiments with various feeds. F.B. 334, pp. 20-22. 1908; F.B. 411, pp. 13-39. 1910.
lambs—
    cost per head, by States. Y.B., 1921, pp. 842-844. 1922; Y.B. Sep. 876, pp. 39-41. 1922.
    on alfalfa and corn. F.B. 504, pp. 8-9. 1912.
livestock, value of alfalfa. F.B. 339, pp. 29-30. 1908.
meat animals, laws. B.A.I. Bul. 108, pp. 29-40, 52-55, 56-69. 1908.
pigs, rations. F.B. 874, pp. 25-26. 1917.
poultry—
    at feeding stations. Y.B., 1912, p. 286. 1913; Y.B. Sep. 591, p. 286. 1913.
    commercial. Alfred R. Lee. D.B. 21, pp. 55. 1914.
    European methods. B.A.I. Bul. 140, pp. 8-9, 15. 1911.
    methods and details. Alfred R. Lee. B.A.I. Bul. 140, pp. 60. 1911.
    range, pen, packing-plant methods. F.B. 1377, pp. 13-17. 1924.
    rations for packing-house feeding. J. S. Hepburn and R. C. Holder. D.B. 1052, pp. 24. 1922.
steer(s)—
    in North Carolina after winter feeding. F. W. Farley and others. D.B. 954, pp. 18. 1921.
    in the—
        Corn Belt. Wm. H. Black. F.B. 1382, pp. 18. 1924.
        Corn Belt, methods and profits. F.B. 1218, pp. 11-34. 1921.
        South, comparison of concentrates. W. F. Ward and others. D.B. 761, pp. 16. 1919.
    on summer pastures in the South. W. F. Ward and others. D.B. 777, pp. 24. 1919.
    roughages, in South, comparison. W. F. Ward and others. D.B. 762, pp. 36. 1919.
    weights, gains, and measurements, statistical study. B. O. Severson and Paul Gerlaugh. J.A.R., vol. 11, pp. 383-394. 1917.
turkeys for market. Y.B., 1916, p. 416. 1917; F.B. 791, pp. 21-22. 1917; F.B. 1409, pp. 16-17. 1924; Y.B. Sep. 700, p. 6. 1917.
Fatty—
acids—
    determination in butterfat—
        E. B. Holland and J. P. Buckley. J.A.R., vol. 12, pp. 719-732. 1918.
        E. B. Holland and others. J.A.R., vol. 24, pp. 365-398. 1928.
    glycerides of, description, studies. Soils Bul. 74, pp. 24-25. 1910.
    insecticidal properties. E. H. Siegler and C. H. Popenoe. J.A.R., vol. 29, pp. 259-261. 1924.
    solid and free, determination methods. Chem. Bul. 77, pp. 27-31. 1905.
    toxicity of alcohol and other compounds, study. An. Rpts., 1910, p. 446. 1911; Chem. Chief Rpt., 1910, p. 22. 1910.
degeneration, result of phosphorus poisoning, discussion. Chem. Bul. 123, pp. 57-60. 1909.
FAULWETTER, R. C.—
"Dissemination of the angular leafspot of cotton." J.A.R., vol. 8, pp. 457-475. 1917.
"Wind-blown rain, a factor in disease dissemination." J.A.R., vol. 10, pp. 639-648. 1917.
Fauna, of—
Alaska Peninsula, base, descriptive list of mammals and birds. N.A. Fauna 24, pp. 27-81. 1904.
Athabaska-Mackenzie region. N.A. Fauna 27, pp. 1-574. 1908.
Canada, Keewatin, descriptive list of mammals and birds. N.A. Fauna 22, pp. 39-131. 1902.
New Mexico. N.A. Fauna 35, pp. 1-100. 1913.
Texas, in relation to life zones. N.A. Fauna 25, pp. 11-14. 1905.

Faunal—
areas, location in United States, with plants attractive to birds. Y.B., 1909, pp. 188-193. 1910; Y.B. Sep. 504, pp. 188-193. 1910.
zone, Upper Sonoran, in New Mexico, physical features, fauna, flora, and crops. N.A. Fauna 35, pp. 25-41. 1913.
Faustrime, susceptibility to citrus canker. J.A.R., vol. 14, p. 348. 1918.
Faustrimon, susceptibility to citrus canker. J.A.R., vol. 14, p. 348. 1918.
Favelleira, importation and description. No. 37916. B.P.I. Inv. 39, pp. 66-67. 1917.
Favus, in poultry, description, cause, symptoms, and treatment. F.B. 530, pp. 24-25. 1913; F.B. 957, pp. 38-39. 1918; J.A.R., vol. 15, pp. 415-418. 1918.
FAWCETT, G. L.—
"A Porto Rican disease of bananas." P.R. An. Rpt., 1915, pp. 36-41. 1916.
"Fungus diseases of coffee in Porto Rico." (Also Spanish ed.) P.R. Bul. 17, pp. 29. 1915.
"*Pellicularia koleroga* on coffee in Porto Rico." J.A.R., vol. 2, pp. 231-233. 1914.
report of Porto Rico Experiment Station, plant pathologist—
    1908. P.R. An. Rpt., 1908, pp. 35-36. 1909.
    1909. P.R. An. Rpt., 1909, pp. 35-36. 1910.
    1910. P.R. An. Rpt., 1910, pp. 35-36. 1911.
    1911. P.R. An. Rpt., 1911, pp. 37-39. 1912.
    1912. P.R. An. Rpt., 1912, pp. 31-33. 1913.
    1913. P.R. An. Rpt., 1913, pp. 26-29. 1914.
    1914. P.R. An. Rpt., 1914, pp. 27-30. 1915.
FAWCETT, H. S.—
"Gummosis of citrus." J.A.R., vol. 24, pp. 191-236. 1923.
"Some relations of temperature to growth and infection in the citrus scab fungus *Cladosporium citri*." J.A.R., vol. 21, pp. 243-253. 1921.
Fawning, reindeer, care of fawns and does. D.B. 1089, pp. 48-49. 1922.
Fawns, antelope, capture and care of. D.B. 1346, pp. 19-21. 1925.
FEAGANS, R. F.: "Laws, decisions, and opinions applicable to the National forests." Sol. [Misc.], Laws * * * forests," pp. 151. 1916.
Feather(s)—
damage by carpet beetles. F.B. 1346, pp. 1, 2, 3, 4, 6, 8. 1923.
duck, yield, prices, and treatment. F.B. 697, p. 21. 1915.
eating—
    by chickens, prevention. F.B. 287, rev., p. 37. 1921.
    habit of grebes. D.B. 1196, p. 4. 1924.
goose, prices, and care in saving. F.B. 767, pp. 14, 15, 16. 1917.
imports—
    1908-1910, value, by countries from which consigned. Stat. Bul. 90, p. 23. 1911.
    1922-1924. Y.B., 1924, pp. 1060-1061. 1925.
    and exports, 1908-1911. Y.B., 1912, pp. 713, 726. 1913; Y.B. Sep. 615, pp. 713, 726. 1913.
millinery, use prohibited. Biol. Bul. 12, rev., pp. 15-17. 1902.
ostrich, imports, 1908, and tariff duties. B.A.I. An. Rpt., 1909, pp. 237-238. 1911; B.A.I. Cir. 172, pp. 237-238. 1911.
plucking—
    chicken, feeding for control, experiments. D.B. 21, pp. 4, 16, 19-20. 1914.
    pheasants, control. F.B. 390, p. 24. 1910.
Feather grass—
diseases, Texas, occurrence and description. B.P.I. Bul. 226, pp. 50-51, 111. 1912.
importations and description. Nos. 53071-53072, 53160, B.P.I. Inv. 67, pp. 25, 33. 1923.
Febrisol, Tilden's, misbranding. Chem. N.J. 780, p. 1. 1911.
"Fece" residue of lemon oil, use. Y.B., 1908, p. 338. 1909; Y.B. Sep. 485, p. 338. 1909.
Feces—
cattle—
    studies in digestion experiments. J.A.R., vol. 10, pp. 55-61. 1917.
    tuberculous, cause of hog tuberculosis. B.A.I. Cir. 201, pp. 16-18. 1912.

INDEX TO PUBLICATIONS, 1901-1925 843

Feces—Continued.
composition, in—
benzoate experiment. Chem. Cir. 39, p. 9. 1908.
cow's weight, experiment. D.B. 1281, pp. 9-10. 1924.
Minnesota, nutrition experiment, 1903-1905. O.E.S. Bul. 156, pp. 16-18. 1905.
sodium benzoate, experiments, tables. Rpt. 88, pp. 90-220, 302-397, 500-532, 663-740, 748-757, 760-761. 1909.
cow—
bacteria cultures, studies, and characteristics. J.A.R. vol. 1, pp. 492-511. 1914.
drying, loss of nitrogen and carbon. J.A.R., vol. 30, pp. 397-402. 1925.
tuberculosis infection. B.A.I. An. Rpt., 1908, pp. 117-120. 1910; B.A.I. Cir. 118, pp. 6-18, 1907.
disposal, ordinance in District of Columbia. Ent. Bul. 78, pp. 32-33. 1909.
examination—
analyses, in saccharine experiments. Rpt. 94, pp. 26-27, 67-85, 91-93, 98, 136-179, 236-375. 1911.
for parasitism, study of methods. Maurice C. Hall. B.A.I. Bul. 135, pp. 36. 1911.
metabolic products and artificial digestion. O.E.S. Bul. 159, pp. 199-205. 1905.
preparation of samples in milk production and cow's-weight experiments. D.B. 1281, p. 8. 1924.
results of bacteriological examinations. Rpt. 94, pp. 261-329. 1911.
weight and water content in sulphur dietary experiments, tables. Chem. Bul. 84, Pt. III, pp. 805-810. 1907.
Fecundity—
chickens, indicated by winter production of eggs. J.A.R., vol. 5, pp. 429-430. 1915.
hogs, effect of high corn feeding. B.A.I. Bul. 47, p. 14. 1904.
livestock, discussion and importance in breeding animals. F.B. 1167, pp. 10-11. 1920.
Federal—
aid—
roads act. See Roads, Federal-aid act.
to highways. J. E. Pennybacker and L. E. Boykin. Y.B., 1917, pp. 127-138. 1918; Y.B. Sep. 739, pp. 14. 1918.
Highway Act. M.C. 60, pp. 7-13, 21-24. 1925.
Horticultural Board—
annual report of Chairman—
1913. C. L. Marlatt. An. Rpts., 1913, pp. 335-345. 1914; F.H.B. An. Rpt., 1913, pp. 11. 1913.
1914. C.L. Marlatt. An. Rpts., 1914, pp. 305-315. 1914; F.H.B., An. Rpt., 1914, pp. 11. 1914.
1915. C. L. Marlatt. An. Rpts., 1915, pp. 351-361. 1916; F.H.B. An. Rpt., 1915, pp. 11. 1915.
1916. C. L. Marlatt. An. Rpts., 1916, pp. 371-384. 1917; F. H.B. An. Rpt., 1916, pp. 14. 1916.
1917. C. L. Marlatt. An. Rpts., 1917, pp. 415-430. 1918; F.H.B. An. Rpt., 1917, pp. 16. 1917.
1918. C. L. Marlatt. An. Rpts., 1918, pp. 431-449. 1919; F.H.B. An. Rpt., 1918, pp. 19. 1918.
1919. C. L. Marlatt. An. Rpts., 1919, pp. 505-536. 1920; F.H.B. An. Rpt., 1919, pp. 32. 1919.
1920. C. L. Marlatt. An. Rpts., 1920, pp. 613-640. 1921; F.H.B. An. Rpt., 1920, pp. 28. 1920.
1921. C. L. Marlatt. F.H.B. An. Rpt., 1921, pp. 22. 1921.
1922. C.L. Marlatt. An. Rpts., 1922, pp. 603-628. 1923; F.H.B. An. Rpt., 1922, pp. 26. 1922.
1923. C.L. Marlatt. An. Rpts., 1923, pp. 615-650. 1923; F.H.B. An. Rpt., 1923, pp. 36. 1923.
1924. C. L. Marlatt. F.H.B. An. Rpt., 1924, pp. 29. 1924.
appropriations, 1916. Sol. [Misc.], "Laws applicable * * *," Sup. 4, pp. 97-98. 1917.

Federal—Continued.
Horticultural Board—Continued.
employees, general instructions. F.H.B.S.R.A. 75, pp. 92-93. 1923.
land banks. See Banks.
laws on foods and food control. Chem. Bul. 69, Pt. I, pp. 1-41. 1902.
legislation, agricultural colleges and experiment stations. O.E.S. Cir. 68, pp. 20. 1906; O.E.S. Doc. 491, pp. 15. 1902.
reserve act—
amendment in favor of farmers. Y.B., 1922, p. 12. 1923; Y.B. Sep. 883, p. 12. 1923.
objects. Y.B., 1919, p. 57. 1920.
relation to farm credit. An. Rpts., 1914, pp. 25-26. 1914. Sec. A.R., 1914, pp. 27-28. 1914.
supervision, livestock markets. Louis D. Hall. Y.B., 1919, pp. 239-248. 1920; Y.B. Sep. 809, pp. 239-248. 1920.
trust laws, affecting lumber industry, remarks. M.C. 39, p. 40. 1925.
Federal Horticultural Board. See Horticultural Board.
Federal Power Commission, work in Alaska. Off. Rec., vol. 2, No. 35, p. 5. 1923.
Federal Trade Commission—
act, extracts. Sec. Cir. 156, pp. 30-35. 1922.
creation, authority and powers, and work. D.B. 950, pp. 18, 27. 1921; D.B. 1106, pp. 47-49. 1922. Sec. Cir. 156, pp. 30-35. 1921.
study of lumber industry. Rpt. 114, p. 4. 1917.
Federico. See Cycas.
Feed(s)—
adulteration and misbranding. See Indexes to Chemistry Notices of Judgment.
alfalfa—
comparison with other feeds, with tables. B.A.I. An. Rpt., 1904, pp. 243-250. 1905.
meal, use and value. F.B. 1229, p. 42. 1921.
mixed, quality and use. F.B. 1229, pp. 43-44. 1921.
value. F.B. 339, pp. 28-31. 1908.
amino acids in, requirements. Off. Rec., vol. 3, No. 37, p. 2. 1924.
amount consumed, feeding experiments, 1913-1914 to 1915-1916. D.B. 628, pp. 6-8. 1918.
analysis methods, report of referee. Chem. Bul. 73, pp. 146-155. 1903; Chem. Bul. 67, pp. 44-51. 1902; Chem. Bul. 152, pp. 197-202. 1912.
and supplies, farm, studies, blank forms, etc. F.B. 661, pp. 7, 24. 1915.
Angora goats, winter-feeding, kinds, etc. F.B. 1203, p. 16. 1921.
animal, solids produced by 100 pounds, different animals. Sec. Cir. 85, p. 10. 1918.
baby beef, requirements. Y.B., 1921, pp. 266-268. 1922; Y.B. Sep. 874, pp. 266-268. 1922.
barley—
adulteration and misbranding. Chem. N.J. 3063. 1914; Chem. N.J. 3112. 1914; Chem. N.J. 12673. 1925.
Ajax ground-mixed, adulteration and misbranding. Chem. N.J. 13662. 1925.
beef cattle, input relation to output, analyses. D.B. 1277, pp. 7-12, 18-23. 1924.
bird, artificial and natural. F.B. 621, pp. 5-15. 1914; F.B. 844, pp. 5-13. 1917.
bulky, relation to length of alimentary canal. B.A.I. Bul. 47, p. 73. 1904.
bull, requirements and cost. D.B. 923, pp. 8-9. 1921.
calf—
after weaning, composition. J.A.R., vol. 26, pp. 437-438. 1923.
concentrates and roughages, recommendations. F.B. 1135, pp. 14, 15, 17. 1920.
price and character. D.B. 631, pp. 5, 22, 30, 40. 1918.
varieties, cost, daily rations, etc., experiments in Alabama. B.A.I. Bul. 147, pp. 11-36. 1912; D.B. 73, pp. 4-10. 1914.
wintering, costs and gains. D.B. 1042, pp. 7-11. 1922.
cattle—
acidity determination. Chem. Bul. 122, pp. 160-163. 1909.
adulteration with ergot. Chem. S.R.A. 15, p. 24. 1915.
analyses, methods in smelter waste investigations. Chem. Bul. 113, rev., p. 61. 1910.

36167°—32——54

Feed(s)—Continued.
cattle—continued.
analyses, table. J.A.R., vol. 3, pp. 437-438. 1915; Chem. Bul. 81, pp. 34-45. 1904.
available in Porto Rico. P.R. Bul. 29, pp. 10-11. 1922.
buckwheat value. F.B. 1062, p. 18. 1919.
character and—
prices. D.B. 761, pp. 2-3, 10. 1919.
requirements. B.A.I. [Misc.], "Diseases of cattle," rev., pp. 14-16. 1904; rev., pp. 14-16. 1912; rev. pp. 12-14. 1923.
comparisons in gains. B.P.I. Cir. 110, p. 32. 1913.
cost of gain per hundred pounds of weight. B.A.I. Bul. 159, pp. 15-17, 28-29, 44-45, 53-54. 1912.
daily amount per head. B.A.I. Bul. 131, pp. 30, 36, 38, 46. 1911; F.B. 325, p. 16. 1908.
effect on composition of urine. B.A.I. [Misc.], "Diseases of cattle," rev., p. 113. 1904; rev., p. 115. 1912; rev., p. 115. 1923.
emergency, on southwestern ranges. C. L. Forsling. D.B. 745, pp. 20. 1919.
energy values of—
hominy feed and maize meal. J.A.R., vol. 10, pp. 599-613. 1917.
various feeding stuffs. J.A.R., vol. 3, pp. 435-491. 1915.
experiments with alfalfa hay and starch. J.A.R., vol. 15, pp. 269-286. 1918.
fertilizer elements returned in manure. D.B. 355, p. 55. 1916.
in—
California, Eureka area. Soil Sur. Adv. Sh., 1921; p. 857. 1925; Soils F.O., 1921, p. 857. 1926.
Guam, and pastures. Guam A.R., 1919, p. 13. 1921.
South, experiments and comparisons. Y.B., 1913, pp. 266-267, 272-273, 276. 1914; Y.B. Sep. 627, pp. 266-267, 272-273, 276. 1914.
methyl pentosan, occurrence. Chem. Bul. 67, pp. 51-54. 1902; Chem. Bul. 132, pp. 173-175. 1910.
prices. B.A.I. Bul. 131, pp. 13, 27, 41. 1911; D.B. 762, pp. 5-27. 1919.
qualities and results. S.R.S. Rpt., 1915, Pt. I, pp. 42, 43, 44, 147, 161-165, 176, 189, 229, 246, 278. 1917.
relation to—
brisket disease. J.A.R., vol. 15, pp. 411-413. 1918.
urinary calculi. B.A.I. [Misc.], "Diseases of cattle," rev., pp. 132-135. 1923.
requirements in Cotton Belt. Y.B., 1921, pp. 256-258. 1922; Y.B. Sep. 874, pp. 256-258. 1922.
sugar determination, comparison of methods. A. Hugh Bryan and others. Chem. Cir. 71, pp. 14. 1911.
testing energy values of red-clover hay and corn meal. J.A.R., vol. 7, pp. 379-387. 1916.
winter rations, composition, and quantity. D.B. 1251, pp. 4, 5-6. 1924.
ceralfa, misbranding. Chem. N.J., 1847, p. 1. 1913.
chick—
mashes and mixed grains. F.B. 624, pp. 12-14. 1914.
misbranding. Chem. N.J. 729. 1911; Chem. N.J. 13720. 1925.
requirements. B.A.I. Doc. G-30, pp. 1-2. 1919; D.C. 17, pp. 4-5. 1919; F.B. 1040, p. 13. 1919; F.B. 1111, pp. 4-6. 1920; S.R.S. Doc. 69, pp. 2-4. 1917.
chicken—
grain and other. F.B. 287, rev., pp. 15-19, 26-27. 1921.
lactose utilization. J.A.R., vol. 27, pp. 597-604. 1924.
recipes. S.R.S. Syl. 17, pp. 8, 13-15. 1916.
time required to pass through intestinal tract. B. F. Kaupp and J. E. Ivey. J.A.R., vol. 23, pp. 721-725. 1923.
choppers, use in preparing desert plants for feed. D.B. 728, pp. 4-6, 22. 1918.
coarse, comparison with concentrates in cattle feeding. J.A.R., vol. 3, pp. 477-481. 1915.

Feed(s)—Continued.
commercial and home-grown, comparison. Chem. Bul. 108, p. 60. 1908.
composition—
and digestible nutrients, calorimeter experiments. B.A.I. An. Rpt., 1906, p. 275. 1908.
in milk production experiment. D.B. 1281, pp. 9-10. 1924.
concentrated—
for cattle in the South. D.B. 827, pp. 38-42. 1921.
for range cattle, amount and cost. D.B. 588, pp. 24-26, 31. 1917.
production, consumption, and feed value. Y.B., 1923, pp. 333-336. 1924; Y.B. Sep. 895, pp. 333-336. 1924.
condimental—
and medicinal, tests. O.E.S. An. Rpt., 1903, pp. 523-524. 1904.
composition and use. F.B. 233, pp. 21-22. 1905.
for hogs, preparation. Sec. Cir. 30, p. 6. 1909; B.A.I. Bul. 47, pp. 133-134. 1904.
for stock, formulas. F.B. 430, pp. 7-8. 1911; F.B. 1202, p. 51. 1921.
use in fattening chickens, experiments. D.B. 21, p. 16. 1914.
consumption on farm by classes of stock. S.B. 5, pp. 30-31. 1925.
cooked, value in cattle feeding. F.B. 486, pp. 5-12. 1912.
cooking, utility. B.A.I. Bul. 47, p. 77. 1904.
corn—
and oat, analysis. Chem. Bul. 108, pp. 40-44. 1908.
meal, energy value. B.A.I. Bul. 74, pp. 1-64. 1905.
use on farms, methods and value. Sec. Cir. 91, pp. 13-14. 1918.
velvet beans, and alfalfa, digestibility studies. J.A.R., vol. 13, pp. 611-618. 1918.
cost—
accounts, usefulness. Y.B., 1917, p. 163. 1918; Y.B. Sep. 735, p. 13. 1918.
for steers per 100 pounds' gain. D.B. 1318, p. 12. 1925.
in fattening chickens for market, per pound of gain. D.B. 21, pp. 4, 5, 7, 9, 10, 12, 13, 14, 21, 22, 31, 32-55. 1914.
in milk production. D.B. 1101, pp. 7-8, 14-16. 1922; Y.B., 1922, pp. 344-349. 1923; Y.B. Sep. 879, pp. 53-58. 1923.
in milk production as affected by the percentage of fat content of the milk. W. L. Gaines. Y.B. Sep. 887, p. 1005. 1923.
on farms—
1910. Y.B., 1911, p. 696. 1912; Y.B. Sep. 588, p. 696. 1912.
1920, by States. Y.B., 1922, p. 1005. 1923; Y.B. Sep. 887, p. 1005. 1923.
cottonseed—
adulteration and misbranding. Chem. N.J. 179. 1910; Chem. N.J. 12493. 1924; Chem. N.J. 12941. 1925; Chem. N.J. 13572. 1925.
prices, feeding value, composition, and effects on cattle. B.A.I. Bul. 131, pp. 13, 27-28, 38-39, 41-42, 44-45. 1911.
products—
for livestock. E. W. Sheets and E. H. Thompson. F.B. 1179, pp. 31. 1920.
value. Sec. Cir. 88, pp. 19, 20. 1918.
cow(s)—
affecting odor and taste of milk, precautions in use. B.A.I. An. Rpt., 1907, p. 157. 1909.
avoidance of costly rations, use of roughage, cost, etc. D.B. 615, pp. 6-9. 1917.
cost, relation to calving season. D.B. 1071, pp. 2, 5-7. 1922.
effects on milk, relation to health of calf. B.A.I. [Misc.], "Diseases of cattle," rev., pp. 252-255. 1904; rev., pp. 261-263. 1912; rev., pp. 256-257. 1923.
in raising beef calves, Alabama. D.B. 73, pp. 5-7. 1914.
maintenance and milk production, proportion. F.B. 743, pp. 2-3. 1916.
requirements for producing 100 lbs. of milk. D.B. 923, p. 4. 1921.

INDEX TO PUBLICATIONS, 1901–1925   845

Feed(s)—Continued.
  cow(s)—continued.
    vetch hay and silage. F.B. 360, pp. 29–30. 1909.
  cowpeas, value for pigs, hogs, cows, and poultry. F.B. 1153, p. 10. 1920.
  crops—
    adaptable to semiarid conditions. B.P.I. Bul. 215, pp. 33–34, 36–37. 1911.
    consumption—
      by each class of stock. M.C. 6, p. 24. 1923.
      on farms. F.B. 629, pp. 8–9. 1914; Y.B. 1919, pp. 729–730. 1920; Y.B. Sep. 830, pp. 729–730. 1920.
    supplementary, growing on reclamation projects. B.P.I. Chief Rpt., 1918, p. 14. 1918; An. Rpts., 1918, p. 148. 1919.
    value and acreage. Y.B. 1923, p. 316. 1924; Y.B. Sep. 895, p. 316. 1924.
  daily consumption, relation to weights of body and excrement. B.A.I. Bul. 56, pp. 89–91. 1904.
  dairy—
    adulteration and misbranding. Chem. N.J. 12461, 12467, 12477. 1924; Chem. N.J. 12753. 1925; Chem. N.J. 1094. 1911; Chem. N.J. 432. 1910.
    analyses, in prickly-pear feeding experiments. J.A.R. vol. 4, pp. 439–440, 445. 1915.
    and beef cattle, value of sunflower silage. D.B. 1045, pp. 23–27. 1922.
    cows—
      calcium and phosphorus content, effect on milk yield. D.B. 945, pp. 1–28. 1921.
      cost in bluegrass region, Kentucky. D.B. 548, p. 4. 1917.
      cost per year, certain States. D.B. 501, pp. 4, 5–10, 18, 19. 1917.
      cost relation to butterfat production. D.B. 1069, pp. 5–14. 1922; Y.B., 1918, p. 160. 1919; Y.B. Sep. 765, p. 10. 1919.
      costs, with labor. F.B. 929, pp. 11, 13. 1918.
      description, and requirements for 100 pounds of milk. D.B. 919, pp. 4, 5, 10–11, 15, 17, 18. 1920; D.B. 923, pp. 9–18. 1921.
      farm prices, 1904–1909. Stat. Bul. 88, pp. 18–20. 1911.
      importance of pastures. Sec. Cir. 142, pp. 21–22. 1919.
      kinds, quantity and prices, average cost per ton. D.B. 858, pp. 19–20. 1920.
      mineral requirements for milk production. D.C. 139, p. 11. 1920.
      misbranding "Excello." Chem. N.J. 3519, p. 1. 1915.
      misbranding. See also Indexes, Notices of Judgment, in bound volumes and in separates published as supplements to Chemistry Service and Regulatory Announcements.
      open sheds and closed barns, requirements, comparison. D.B. 736, pp. 6–10. 1918.
      percentage of cost in milk production. D.B. 955, pp. 7, 11–14. 1921.
      studies in milk production and body increase. D.B. 1281, pp. 5–6, 8–11, 13–14, 24–25. 1924.
      Sudan-grass, comparison with alfalfa. J.A.R., vol. 14, p. 178. 1918.
      values. T. E. Woodward and others. D.B. 1272, pp. 16. 1924.
    dangerous conditions causing bloating in cattle. B.A.I. [Misc.], "Diseases of cattle," rev., pp. 24–25. 1912.
    digestibility, importance. B.A.I. Bul. 47, pp. 76–77. 1904.
    dry—
      for cattle, dangers of producing calculi. B.A.I. [Misc.], "Diseases of cattle," rev., pp. 132–135. 1912.
      matter content, determination. J.A.R. vol. 30, pp. 402–403. 1925.
    ducklings', need of animal food. F.B. 233, pp. 25–26. 1905.
    economical, for beef herds. F.B. 1218, pp. 6–8. 1921.
    effect upon bones of hog. B.A.I. Bul. 47, pp. 205–206. 1904.
    emergency—
      for cattle in Southwest. F.B. 1073, p. 14. 1919.

Feed(s)—Continued.
  emergency—continued.
    freight rates, benefit to drought-stricken areas. Y.B. 1919, pp. 396, 403. 1920; Y.B. Sep. 820, pp. 396, 403. 1920.
  expenditure per farm in 1919, map. Y.B. 1921, p. 495. 1922; Y.B. Sep. 878, p. 89. 1922.
  farm animals—
    energy value in computation of rations. Henry Prentiss Armsby. D.B. 459, pp. 31. 1916.
    requirements in central Kansas. D.B. 1296, pp. 42–44, 47–53, 66–69. 1925.
    use of fruit. F.B. 202, pp. 20–22. 1904.
  fattening, for chickens. F.B. 287, rev., p. 29. 1921.
  feterita, uses and value. D.C. 124, p. 3. 1920.
  field peas, value and practices. F.B. 690, pp. 15–16. 1915.
  flushing for ewes, kinds and comparisons. D.B. 996, pp. 5, 6. 1922.
  fox, selection and preparation. D.B. 1151, pp. 40–42. 1923; F.B. 795, pp. 17–19, 28, 29. 1917.
  fuel value, determination in calorimeter experiments. B.A.I. An. Rpt., 1906, pp. 275–276. 1908.
  function of bulk. B.A.I. Bul. 47, p. 74. 1904.
  garbage, composition and value. F.B. 1133, pp. 4–6. 1920.
  gluten—
    determination of fat and acidity. Chem. Bul. 73, pp. 42–47. 1903.
    manufacture, details. Chem. Bul. 122, pp. 164–166. 1909; Chem. Bul. 108, p. 10. 1908.
  goats, supplemental. D.B. 749, p. 5. 1919.
  grain—
    for chickens. F.B. 287, rev., pp. 15, 16, 26. 1921.
    products, imports, 1922–1924. Y.B., 1924, p. 1062. 1925.
  green—
    dairy cows, caution. B.A.I. Bul. 104, p. 11. 1908; D.B. 1, p. 26. 1913.
    for hens—
      and chicks. F.B. 287, rev., pp. 17, 27. 1921; F.B. 1067, pp. 11–12. 1919; F.B. 1105, pp. 6–7. 1920; F.B. 1111, p. 5. 1920.
      cost and value, experiments. News L., vol. 5, No. 13, pp. 4–5. 1918.
      versus antiseptics as a preventive of intestinal disorders of growing chicks. A. G. Philips and others. J.A.R., vol. 20, pp. 869–873. 1921.
  gromeal, adulteration and misbranding. Chem. N.J. 13726. 1925.
  ground, adulteration and misbranding. Chem. N.J. 12496. 1924.
  guineas, kinds. F.B. 234, pp. 13–14. 1905.
  Hawaiian, composition and feeding value. Hawaii Bul. 36, pp. 10–12. 1915.
  hen—
    description and cost of various kinds. News L., vol. 5, No. 13, pp. 4–5. 1917.
    during molting. F.B. 412, pp. 25–26. 1910.
    relation to laying of eggs. F.B. 186, pp. 23–27. 1904.
  herring, bacteriology and chemical composition. D.B. 908, pp. 21–25, 121. 1921.
  hog(s)—
    cottonseed meal. F.B. 251, pp. 30–32. 1906.
    fattening value of different kinds. Sec. Cir. 30, p. 4. 1909.
    for hardening soft pork. F.B. 985, pp. 23, 24, 25–26. 1918.
    Hawaii. Hawaii Bul. 48, pp. 19–22, 30, 36–37, 38, 39, 40. 1923.
    home-grown in South. F.B. 405, pp. 14–15. 1910.
    management. B.A.I. Bul. 47, pp. 77–96. 1904; B.A.I. Cir. 63, pp. 266–269. 1904; F.B. 205, pp. 23–28. 1904; F.B. 272, pp. 7–8, 11–13. 1906.
    mineral requirements. F.B. 1437, pp. 20–21. 1925.
    sunflower silage, experiments. D.B. 1045, p. 29. 1922.
    value in making compost. Y.B., 1917, pp. 283–284. 1918; Y.B. Sep. 733, pp. 3–4. 1918.
    value of various grains and by-products. B.A.I. Bul. 47, pp. 97–148. 1904.

Feed(s)—Continued.
hominy, manufacture, method. Chem. Bul. 108, p. 10. 1908.
hopper, for poultry. D.B. 527, pp. 27-29. 1917; F.B. 316, pp. 30-31. 1908.
horse—
  algaroba meal, Hawaii. Hawaii A.R., 1914, pp. 12, 19. 1915.
  and mule, adulteration and misbranding. Chem. N.J. 12660, 12678. 1925; Chem. N.J. 13194, 13520. 1925; Chem. N.J. 13567, 13520, 13453. 1925.
  classification and description, concentrates. F.B. 1030, pp. 11-12. 1919.
  cost in—
    Illinois, Ohio, and New York, and on selected farms. D.B. 560, pp. 5-8. 1917.
    North Dakota, methods. D.B. 757, pp. 15-16. 1919.
    Ohio, Indiana, and Illinois areas. D.B. 997, pp. 40, 41, 42-44. 1921.
    various States. D.B. 560, pp. 6-7. 1917.
  cottonseed meal, experiments. G.A. Bell and J.O. Williams. D.B. 929, pp. 10. 1920.
  fleshing rations, experiments. F.B. 405, pp. 16-18. 1910.
  requirements, conditions affecting. F.B. 1030, p. 4. 1919.
  Sudan-grass hay, value. B.P.I. Cir. 125, p. 6. 1913.
influence on—
  carcass of hog. B.A.I. Bul. 47, pp. 194-206. 1904.
  milk. F.B. 225, pp. 18, 19. 1905.
kinds, and prices, North Carolina, feeding experiments, 1913-1916. D.B. 628, pp. 3-4. 1918.
lamb, comparative value, cost and profit. F.B. 466, pp. 17, 18. 1911.
law, necessity. Sec. A.R., 1918, p. 52. 1918; An. Rpts., 1918, p. 52. 1918.
livestock—
  advantages of cottonseed meal. B.A.I. Bul. 103, pp. 9-10. 1908.
  alfalfa hay, value. F.B. 1229, pp. 2, 12-16. 1921; S.R.S. Syl. 20, p. 15. 1916.
  beet tops, value. D.B. 748, pp. 41-42. 1919.
  cost item in farm accounts. D.B. 994, pp. 13-14, 21-23, 32-34. 1921.
  dasheens, use and value. Y.B., 1916, p. 206. 1917; Y.B. Sep. 689, p. 8. 1917.
  emmer and spelt, value. D.B. 1197, p. 8. 1924; F.B. 1429, p. 12. 1924.
  fish meal, value. D.B. 908, pp. 111-115. 1921.
  Hawaii. Hawaii A.R., 1918, pp. 32, 51-52, 54. 1919.
  on farms, acreage requirements. D.C. 83, pp. 5-6, 22, 23. 1920.
  peanut hay and by-products. F.B. 356, pp. 20, 31, 33. 1909.
  pigeon pea, value. Hawaii Bul. 46, pp. 15-20. 1921.
  production on farms in Southern States, and needs. Farm M. Cir. 3, pp. 6-8, 31-36 1919.
  red clover, value. F.B. 1339, pp. 14-15. 1923.
  Sudan-grass hay and pasture. D.B. 981, pp. 43-49. 1921.
  sweet potato, composition and value. F.B. 324, p. 38. 1908; Hawaii Bul. 50, pp. 15, 19. 1923.
  use of—
    beet sugar by-products. B.P.I. Cir. 121, pp. 15-17. 1913; Rpt. 90, pp. 11-12, 25-41. 1909; Sec. Cir. 86, pp. 23-25. 1918.
    corn and demand for. Y.B. 1921, pp. 164-165, 224-225. 1922; Y.B. Sep. 872, pp. 164-165, 224-225. 1922.
    prickly pear and other cacti. B.P.I. Bul. 74, pp. 1-48. 1905.
    soy-bean meal, pasture, silage and hay. S.R.S. Syl. 35, pp. 2-5, 11. 1919.
    utilization of apple pomace, value. F.B. 1264, pp. 25-26. 1922.
  value of—
    dasheens. F.B. 1396, p. 34. 1924.
    peanuts. Y.B., 1917, pp. 123-125. 1918; Y.B. Sep. 748, pp. 13-15. 1918.
    waste from beet-seed growing. Y.B., 1916, pp. 409-410. 1917; Y.B. Sep. 695, pp. 11-12. 1917.

Feed(s)—Continued.
lot—
  beef-cattle barn. F.B. 1350, pp. 4-5. 1923.
  muddy compared with dry, suggestions. F.B. 262, pp. 23-25. 1906.
  paved, value. F.B. 588, pp. 9-10. 1914.
  tick-extermination method. F.B. 378, pp. 16-19. 1909; F.B. 498, pp. 22-24., 1912.
market statistics, prices, 1910-1921. D.B. 982, pp. 209-211. 1921.
marketing, bibliography. M.C. 35, p. 44. 1925.
meat, for farm stock. F.B. 388, pp. 24-25. 1910.
mill—
  exports, 1922-1924. Y.B. 1925, p. 1044. 1925.
  marketing. G.C. Wheeler. D.B. 1124, pp. 20. 1922.
  run, adulteration and misbranding. Chem. N.J. 3071. 1914.
mills and wind mills. F.B. 149, p. 31. 1902.
mixed—
  analysis, results. Chem. Bul. 108, pp. 45-47. 1908.
  misbranding. See Indexes, Notices of Judgment, in bound volumes and in separates published as supplements to Chemistry Service and Regulatory Announcements.
mixing for chickens, machines and methods. B.A.I. Bul. 140, pp. 20-22. 1911.
mixtures—
  for chickens. F.B. 244, pp. 26, 27, 28. 1906.
  for young chicks, formulas and analyses. J.A.R., vol. 14, p. 127. 1918; F.B. 357, pp. 14-33. 1909.
  with—
    beet products. Y.B., 1908, pp. 446, 448. 1909. Y.B. Sep. 493, pp. 446, 448. 1909.
    sorghum grains, recommendations. F.B. 724, pp. 5-6. 1916.
molasses, misbranding. Chem. N.J. 3060. 1914; Chem. N.J. 3527. 1915; Chem. N.J. 4648. 1917.
moldy—
  cause of diseases of horse. B.A.I. An. Rpt., 1906, pp. 165-166. 1908.
  danger to poultry, precautions in use. Y.B. 1911, pp. 181, 186. 1912; Y.B. Sep. 559, pp. 181, 186. 1912.
nitrogenous, exports to Europe, mistaken policy. F.B. 406, pp. 11, 13. 1910.
nutritive—
  ratio, explanation. B.A.I. Bul. 47, p. 47. 1904.
  value, studies and determination method. S.R.S. Rpt., 1916, Pt. I, p. 257. 1918.
oat, analysis, results. Chem. Bul. 108, pp. 38-39. 1908.
per animal unit, value on cotton farms, Texas. D.B. 659, p. 44. 1918.
pheasants, old and young. F.B. 390, pp. 24-25, 30-33. 1910.
pigeon pea, mixing. Hawaii Bul. 46, pp. 17-20. 1921.
pigs, weaning and fattening. F.B. 874, pp. 22-27. 1917.
poultry. See Poultry feed.
preparation for milk-production experiment. D.B. 1281, p. 8. 1924.
prices—
  at main markets, monthly. Stat. Bul. 11, pp. 85-109. 1925.
  estimation in testing cows. M.C. 26, p. 20. 1924.
  1908-1912, Wisconsin. D.B. 49, pp. 21-22. 1914.
  1910-1921. Y.B., 1921, pp. 603-604. 1922; Y.B. Sep. 869, pp. 23-24. 1922.
prickly pear, value. B.P.I. Bul. 124, pp. 26-28. 1908.
production values, table, Kellner's estimates. B.A.I. An. Rpt., 1906, p. 285. 1908.
proprietary, analysis, results. Chem. Bul. 108, pp. 51-53. 1908.
proso, use and value for livestock. F.B. 1162, p. 14. 1920.
protein and carbohydrate, excess and deficiency. D.B. 637, pp. 3, 4. 1918.
racks, sheep, description and use. F.B. 810, pp. 18-21. 1917.
record—
  amount per hen, and egg yields, by breeds. F.B. 1067, p. 13. 1919.
  blank forms. D.B. 763, pp. 26-27, 1919; F.B. 572, rev., pp. 9-12. 1920.

Feed(s)—Continued.
  red clover hay and maize meal, energy value. Henry Prentiss Armsby and J. A. Fries. B.A.I. Bul. 74, pp. 64. 1905.
  requirement—
    and consumption for bantams. F.B. 1251, p. 7. 1921.
    beef-production experiments in Alabama. B.A.I. Bul. 103, pp. 16-19. 1908.
    effect of muscular work. F.B. 170, pp. 37-42. 1903.
    for—
      cows, in market-milk production in Nebraska, cost. D.B. 972, pp. 3-8, 9-10, 16. 1921.
      livestock, southwestern Minnesota. D.B. 1271, pp. 45-66, 86, 94. 1924.
      meat production. B.A.I. Bul. 108, pp. 55-78. 1908.
      100-pound gain in steer fattening. D.B. 110, pp. 19-20. 1914; F.B. 1218, pp. 23-25. 1921.
    of 28-hour law. D.B. 589, pp. 3-4. 1918.
  reserved, on ranges for emergency. D.B. 1031, pp. 69-71. 1922.
  residues, changes during digestion by cattle. J.A.R., vol. 13, pp. 639-646. 1918.
  room, location and arrangement in dairy barn. F.B. 1342, pp. 7, 17, 18, 19, 21. 1923.
  roughage, corn silage, and clover hay. F.B. 504, pp. 7-8. 1912.
  rye, use and value. See. Cir. 90, p. 30. 1918.
  scarcity, cause of stock poisoning on ranges. F.B. 720, pp. 6-7. 1916.
  sheep—
    costs, with labor. F.B. 929, p. 11. 1918.
    economic phase. Y.B., 1917, pp. 315-316. 1918; Y.B. Sep. 750, pp. 7-8. 1918.
    Minidoka project, and feeding methods. D.B. 573, pp. 15-18. 1917.
    requirements. F.B. 840, pp. 5-22. 1917; F.B. 929, pp. 17-22. 1918; F.B. 1051, pp. 9-14. 1919.
    value of sunflower silage. D.B. 1045, pp. 27-29. 1922.
  small grain, value and uses. Y.B., 1922, pp. 472-553. 1923; Y.B. Sep. 891, pp. 472-553. 1923.
  sorghum, grain, use and value. F.B. 972, pp. 3-8, 14-15. 1918.
  soy beans, value and cost. D.C. 120, pp. 1-2. 1920; F. B. 372, pp. 18, 20-22. 1909; F.B. 1125, p. 38. 1920.
  spoiled, utilization in compost for fertilizer. Y.B. 1917, p. 284. 1918; Y.B. Sep. 733, p. 4. 1918.
  statistics—
    1923. Y.B. 1923, pp. 1153-1156. 1924; Y. B. Sep. 906, pp. 1153-1156. 1924.
    for 1924 (with hay). S.B. 11, pp. 1-114. 1925.
  steers, cost and—
    gains. D.B. 870, pp. 14-20. 1920; D.B. 954, pp 14-18. 1921; D.C. 166, pp. 5-10. 1921.
    quantity per 100 pounds of grain. D.B. 628, pp. 25-52. 1918; D.B. 761, pp. 5-7, 12-13. 1919.
  stock—
    range, improper seasonal use. D.B. 1001, pp. 29-30. 1922.
    See also Stock feed.
  succulent—
    effect on milk composition. J.A.R., vol. 6, No. 4, pp. 167-178. 1916.
    for horses, use and value. F.B. 803, pp. 14, 20. 1917; F. B. 803, rev., pp. 14, 20. 1923; F. B. 1030, pp. 20-21. 1919.
    production and portion fed. Y.B., 1923, pp. 339-340. 1924; Y.B. Sep. 895, pp. 339-340. 1924.
  Sudan grass, composition and palatability. F.B. 1126, pp. 20-21 1920.
  sugar—
    and molasses, analysis, results. Chem. Bul. 108, pp. 48, 49. 1908.
    beet products, vlaue. F.B. 162, pp. 10-15. 1903.
  sugared, adulteration. Chem. N.J. 4339. 1916.
  supplemental—
    for range sheep. F.B. 1428, pp. 19-20. 1925.
    to pastures in steer fattening, rations, cost and profit. D.B. 110, pp. 16-17, 19-20, 21-23. 1914; F.B. 1218, pp. 32-34. 1921.

Feed(s)—Continued.
  supplementary, for—
    garbage-fed hogs, experiments. F.B. 1133, pp. 17-18, 26. 1920.
    hogs on alfalfa pasture. D.B. 752, pp. 8-21. 1919.
  supply(ies)—
    associations in Denmark, cooperative buying. D.B. 1266, pp. 64-69. 1924.
    relation to cattle markets. Rpt. 112, pp. 8-9. 1916.
    reports, importance to livestock interests. Y. B. 1919, p. 43. 1920.
  tankage, misbranding. Chem. N.J. 12822. 1925.
  trade, international, 1909-1921. Y.B., 1922, p. 698. 1923; Y.B. Sep. 884, p. 698. 1923.
  units, forage plants. Y.B., 1923, p. 332, 1924; Y.B. Sep, 895, p. 332. 1924.
  use—
    of—
      fish scrap for cattle and poultry. D.B. 150, pp. 34-35. 1915.
      grain sorghum for stock and poultry, experiments. F.B. 448, pp. 10-12. 1911.
      rice by-products. F.B. 1141, p. 22. 1920.
    for steers on Louisiana experiment farm. D.B. 1318, pp. 4-13. 1925.
  utilization by cattle—
    influence of types and age of cattle. Henry Prentiss Armsby and J. August Fries. B.A. I. Bul. 128, pp. 245. 1911.
    relation of fatness of animal. J.A.R., vol. 11, pp. 451-472. 1917.
  value of—
    barley. F.B. 427, pp. 11-13. 1910.
    cow's rations in production of milk, calculation. B.A.I. Dairy [Misc.], "World's dairy congress, 1923", pp. 1081-1088. 1924.
    legumes. Guam Bul. 4, pp. 2-3, 9-10, 28. 1922.
    palm kernels and palm-kernel meal. J.A.R., vol. 25, pp. 165-169. 1923.
    peanut meal. D.B. 1096, pp. 4-7, 9-11. 1922.
    processed fibers. J.A.R., vol. 27, pp. 248-251. 1924.
    rye. Y.B., 1918, pp. 180-181. 1919; Y.B. Sep. 769, pp. 14-15. 1919.
    whey from cheese factories. B.A.I. Cir. 161, pp. 6-7. 1910.
  velvet beans and mixtures, value, comparison with other feeds. F.B. 1276, pp. 22-27. 1922.
  waste, utilization by hogs. Y.B., 1922, pp. 181, 182, 204, 205, 206, 207. 1923; Y.B. Sep. 882, pp. 181, 182, 204, 205, 206, 207. 1923.
  water-free substance, value. B.A.I. Bul. 47, p. 74. 1904.
  water, heating with exhaust steam, fuel saving. B.A.I. Cir. 209, pp. 4-9. 1913.
  weights and measures. F.B. 1419, p. 6. 1924; M.C. 12, p. 37. 1924.
  wheat—
    analysis, results. Chem. Bul. 108, pp. 35-37. 1908.
    comparison with corn. Y.B., 1923, pp. 129-130 1924.
    composition. Chem. Bul. 108, pp. 35-37 1908.
  winter, for—
    hogs, Pacific Northwest. D.B. 68, pp. 13, 15, 21, 25, 26. 1914.
    sheep. F.B. 1051, pp. 13-14. 1919.
  work horses, consumption and value. D.B. 1202, pp. 29, 31, 45, 53, 54, 59. 1924.
  See also Bran; Cottonseed meal; Poultry feed.
Feeder(s)—
  buying for the Corn Belt. F.B. 1218, pp. 8-10. 1921.
  hogs and pigs, descriptions. Hawaii Bul. 48, pp. 11-12. 1923.
  pigs, production, development of industry. Y.B. 1922, pp. 198-199. 1923; Y.B. Sep. 882, pp. 198-199. 1923.
  production in the Corn Belt, feeds and cost. F.B. 1218, pp. 3-8. 1921.
  purchase in various seasons, by States. Rpt. 113, pp. 17-18. 1916.
  selection, factors to be considered. F.B. 1382, pp. 4-5. 1924.
  sheep, grading for market. F.B. 360, pp. 24-27. 1909.
  shipments at principal markets in 1922. F.B. 1382, pp. 2-4. 1924.

Feeder(s)—Continued.
supply, buying and fattening for market. F.B. 1382, pp. 1–4. 1924.
See also Stockers.

Feeding—
alfalfa, discussion and summary of experiments. F.B. 215, pp. 31–36. 1905.
and breeding, animal, investigations. D. E. Salmon. Y.B., 1904, pp. 527–538. 1905. Y.B. Sep. 366, pp. 527–538. 1905.
Angora goats, directions. B.A.I. An. Rpt., 1900, pp. 298–308, 332–334. 1901; B.A.I. Bul. 27, pp. 40–41, 47. 1901; F.B. 137, pp. 32–33. 1901; F.B. 573, pp. 11–15. 1914.
animals—
and breeding, investigations, Bureau of Animal Industry. D. E. Salmon. B.A.I. Cir. 77, pp. 527–538. 1906.
cottonseed feeds, experiments. J.A.R., vol. 12, pp. 83–100. 1918.
for meat production. Henry Prentiss Armsby. B.A.I. Bul. 108, pp. 89. 1908.
improvements. Y.B., 1902, p. 602. 1903.
katabolism, determination and comparisons J.A.R., vol. 13, pp. 43–57. 1918.
barley. F.B. 1464, pp. 23–24. 1925.
batteries—
description, and care. B.A.I. Bul. 140, pp. 11–12, 25–26, 28; 50. 1911.
for fattening market poultry, description. D.B. 21, p. 25. 1914; Y.B., 1912, p. 286. 1913; Y.B. Sep. 591, p. 286. 1913.
bee(s)—
directions and precautions. F.B. 397, pp. 23–24, 36–37. 1910; F.B. 447, pp. 26, 40. 1911; F.B. 1014, pp. 6–7, 19–20. 1918; P.R. Cir. 13, p. 21. 1911.
in winter, experiments and results. D.B. 96, pp. 6–10. 1914; D.C. 222, pp. 7–8. 1922; F.B. 1012, pp. 18–19. 1918.
larvae, observations. D.B. 1222, pp. 25–37. 1924.
with medicated sirup for control of disease. Ent. Bul. 98, pp. 21, 22, 23, 39, 40, 51. 1912.
beef—
cattle—
for manure production. F.B. 312, p. 8. 1907.
labor-saving methods. Sec. Cir. 122, pp. 11–12. 1918.
cows—
in winter, in Corn Belt. J. S. Cotton and Edmund H. Thompson. D.B. 615, pp. 16. 1917.
raising calves. E. W. Sheets and R. H. Tuckwiller. D.B. 1024, pp. 17. 1922.
Belgian hares, directions. F.B. 496, pp. 9–11. 1912.
birds—
as means of attraction, suggestions. F.B. 621, pp. 4–6. 1914; rev., pp. 6–15. 1921; F.B. 912, pp. 6–13. 1918.
stations in parks and other grounds. D.B. 715, pp. 6, 10, 11. 1918.
box hogs, directions for making. F.B. 504, pp. 9–10. 1912.
cabbage and potatoes, effect on flavor and odor of milk. C. J. Babcock. D.B. 1297, pp. 12. 1924.
calf(ves)—
cost. D.B. 49, pp. 6–8, 10–11, 13, 18, 19, 20. 1914; D.B. 73, pp. 4–5, 5–10. 1914.
directions. F.B. 777, pp. 3–12, 17–18. 1917.
experiments. F.B. 381, pp. 14–23. 1909.
five years, work in Alabama and Mississippi. W. F. Ward and S. S. Jerdan. D.B. 631, pp. 54. 1918.
for baby beef, different systems. F.B. 811, pp. 16–17, 20, 21. 1917.
from birth to weaning time, and to market. F.B. 1416, pp. 7, 9–11. 1924.
in beef cattle herds. F.B. 1073, pp. 12–13, 17–18, 19. 1919.
on ranges. D.B. 1031, pp. 67–68, 79. 1922.
skim milk, methods. F.B. 233, pp. 22–25. 1905.
use of skim milk. F.B. 233, pp. 23–24. 1905.
winter ration, gains and costs. E. W. Sheets and R. H. Tuckwiller. D.B. 1042, pp. 15. 1922.
canary, directions. F.B. 770, pp. 10, 12–14. 1916.
capon, directions. F.B. 849, pp. 12–13. 1917.

Feeding—Continued.
cattle—
and sheep, in Iowa, Page County. Soil Sur. Adv. Sh., 1921, pp. 355–356. 1924.
beef and dairy, directions. M.C. 12, pp. 15–25. 1924.
comparisons of materials, experiments. Y.B., 1913, pp. 266–267, 272–282. 1914; Y.B. Sep. 627, pp. 266–267, 272–282. 1914.
cost, in Georgia, Brooks County. D.B. 648, p. 56. 1918.
demonstrations, Georgia, Alabama, and Mississippi. Y.B., 1917, pp. 333–335. 1918; Y.B. Sep. 749, pp. 9–11. 1918.
economical, Corn Belt. J. S. Cotton and W. F. Ward. F.B. 588, pp. 19. 1914.
experiments—
An. Rpts., 1923, pp. 201, 204–205. 1923; B.A.I. Chief. Rpt., 1923, pp. 3, 6–7. 1923.
with prickly pear. B.A.I. Bul. 106, pp. 1–38. 1908.
for exhibition, methods and champions. F.B. 486, pp. 5–12. 1912.
for market. F.B. 320, pp. 25–28. 1908.
gains lower with increase of age. B.A.I. An. Rpt., 1905, pp. 203–206. 1907.
grain sorghums, tests, results. F.B. 724, pp. 8–11. 1916.
hogs, and sheep, in Europe. Willard John Kennedy. B.A.I. Bul. 77, pp. 98. 1905.
in—
Alaska. Alaska A.R., 1919, p. 57. 1920.
baby beef, production. F.B. 811, pp. 11–14. 1917.
the South, profitable. F.B. 259, pp. 27–28. 1906.
influence of livestock shows. B.A.I. An. Rpt. 1908, pp. 345–356. 1910.
jack beans. B.P.I. Cir. 110, pp. 31–32. 1913.
long versus short feeding, experiment. F.B. 374, pp. 17–19. 1909.
methods at Huntley Farm. D.C. 330, pp. 23–26. 1925.
on hog and beef farm, practices. F.B. 1463, pp. 20–22. 1925.
on ranges in Southwest. D.B. 588, pp. 20–21, 23–27, 30, 31. 1917.
profitable. Frederick B. Mumford. O.E.S., F.I.L. 4, pp. 21. 1905.
Siberian alfalfas and clovers. B.P.I. Bul. 150, pp. 9, 11, 13, 14, 15, 23. 1909.
statistics, 1923. Y.B. 1923, pp. 933–941. 1924; Y.B. Sep. 902, pp. 933–941. 1924.
studies of passage of food residues through steer. J.A.R. vol. 10, pp. 55–63. 1917.
tests in Guam. Guam A.R., 1921, p. 2. 1923.
to supply elements lacking in the soil. F.B. 1379, p. 2. 1923.
chickens—
directions. B.A.I. Cir. 206, pp. 3–4. 1912; B.A.I. Cir. 208, pp. 5–6. 1913; F.B. 528, p. 10. 1913; F.B. 1331, pp. 12–16. 1923; S.R.S. Syl. 17, pp. 8–16. 1916.
experiments—
1915. S.R.S. Rpt. 1915, Pt.I, pp. 45, 86, 141, 206. 1917.
details. B.A.I. Bul. 140, pp. 31–46, 55–60. 1911.
for market, cost and gain, experiments and details. D.B. 21, pp. 55. 1914.
grain sorghum, value. Y.B. 1913, pp. 224, 237. 1914; Y.B. Sep. 625, pp. 224, 237. 1914.
in Hawaii. Hawaii A.R., 1921, pp. 58–59. 1922.
methods—
forms of food necessary, suggestions as to exercise. O.E.S. F.I.L. 10, pp. 9–12, 14. 1909.
Maine Experiment Station. F.B. 357, pp. 13–20, 31–33. 1909.
opinions of poultry raisers. B.A.I. An. Rpt., 1905, pp. 236–240. 1907.
study in 1923. Work and Exp., 1923, pp. 62, 63. 1925.
systems and methods. F.B. 287, pp. 20–27. 1907.
tests in Guam. Guam A.R., 1919, pp. 9, 19–20. 1921.

Feeding—Continued.
chicks—
and—
care of. S.R.S. Doc. 69, pp. 4. 1917.
chickens. O.E.S. An. Rpt., 1922, pp. 63–64. 1924.
directions. F.B. 624, pp. 12–14. 1914; F.B. 1108, pp. 6–7. 1920; F.B. 1111, pp. 4–6. 1920; F.B. 1376, pp. 12–14. 1924; S.R.S. Syl. 17, pp. 8–9. 1915.
in confinement, experiments. J.A.R. vol. 25, pp. 452–454. 1923.
colt(s)—
first and second years, directions. F.B. 803, pp. 19–21. 1917.
motherless, directions and feeds. F.B. 803, (rev.), pp. 15–16. 1923.
necessity in breeding good animals. B.A.I. An. Rpt., 1906, pp. 259–260. 1908; B.A.I. Cir. 124, p. 14. 1908.
conditions, effect upon quality of pork. B.A.I. Bul. 47, pp. 220–221. 1904.
cornstalk extract, experiments, 1911. An. Rpts., 1911, pp. 283–284. 1912; B.P.I. Chief Rpt., 1911, pp. 35–36. 1911.
cotton products, lessons. M.C. 43, pp. 12–13. 1925.
cottonseed, experiments with gossypol. J.A.R. vol. 28, pp. 173–198. 1924.
cows—
alfalfa and green corn, effect on milk flavor and odor. C.J. Babcock. D.B. 1190, pp. 12. 1923.
during dry period, effect on milk yields. D.B. 945, pp. 3–5, 13–19. 1921.
in dairy, studies. B.A.I. Chief Rpt., 1924. p. 15. 1924.
with drugs to affect milk and fat production. J.A.R. vol. 19, pp. 123–130. 1920.
dairy—
calf(ves)—
directions. F.B. 430, pp. 8–10. 1911.
and young dairy stock, and management. W. K. Brainerd and H. P. Davis. F.B. 1336, pp. 18. 1923.
cattle—
methods, Huntley Experiment Farm. D.C. 275, pp. 26–27. 1923.
semiarid regions, relation to soil improvement. Y.B. 1912, pp. 466, 467–469. 1913; Y.B. Sep. 606, pp. 466, 467–469. 1913.
silage value. F.B. 578, pp. 14–17. 1914.
cows—
Helmer Rabild and others. F.B. 743, pp. 23. 1916.
after milking, certified milk production. B.A.I. Bul. 104, pp. 11, 1908; D.B. 1, pp. 15, 26. 1913.
cost, relation to production of butterfat. Y.B. 1917, pp. 358–359. 1918; Y.B. Sep. 743, pp. 4–5. 1918.
economy. Sec. Cir. 85, pp. 13–15. 1918.
experiments. An. Rpts., 1923, pp. 201, 218. 1923; B.A.I. Chief Rpt., 1923, pp. 3, 20. 1923.
experiments at Beltsville Experiment Farm. D.B. 945, pp. 1–28. 1921.
improvement by cow-testing associations. Y.B. 1917, pp. 361–362. 1918; Y.B. Sep. 743, pp. 7–8. 1918.
in the South. B.A.I. An. Rpts., 1907, pp. 318, 335. 1909; F.B. 349, pp. 17, 34. 1907.
investigations. An. Rpts., 1922, pp. 120, 123. 1922; B.A.I. Chief Rpt., 1922, pp. 22, 25. 1922.
methods and costs. Y.B., 1922, pp. 331–335, 344–349. 1923; Y.B. Sep. 879, pp. 42–45, 53–58. 1923.
more legumes to save grain. B.A.I. Doc. A.-25, p. 1. 1917.
nutrition and growth, and silage tests. O.E.S. An. Rpt., 1922, pp. 66, 67–68. 1924.
rations, Europe. B.A.I. Bul. 77, pp. 40–70. 1905.
winter and summer. F.B. 355, pp. 15–17 1909.
schools, by county agents, saving on rations. D.C. 244, pp. 33–34. 1922.
deer, directions. F.B. 330, pp. 15, 16, 17. 1908.

Feeding—Continued.
dry—
and self-feeders for poultry. F.B. 244, pp. 25–29. 1906.
suggestions for cattle. F.B. 588, p. 15. 1914.
ducklings, methods and feeds. F.B. 697, rev., pp. 17–19. 1923.
elk in winter. Biol. Bul. 40, p. 14. 1911.
ewes, for lamb yield increase, methods. D.B. 996, pp. 1–14. 1921.
experiment(s)—
for—
meat production, methods. H. W. Mumford. O.E.S. Bul. 184, pp. 111–115. 1907.
milk production. J. L. Hills. O.E.S. Bul. 184, pp. 115–119. 1907.
in the respiration calorimeter, details. B.A.I. An. Rpt., 1906, pp. 271–274. 1908.
with—
cocklebur, symptoms and results. D.B. 1274, pp. 6–22. 1924.
corn and various concentrates, results. J.A.R., vol. 24, pp. 972–977. 1923.
cottonseed products. J.A.R., vol. 14, pp. 430–450. 1918.
Pacific Coast kelps. J.A.R., vol. 4, pp. 53–54. 1915.
sorghum, silage, and seed. F.B. 1158, pp. 21, 22–25, 26–27. 1920.
western sneezeweed, and discussion. D.B. 947, pp. 6–17, 19–22, 23–38. 1921.
family, score card. D.C. 349, p. 7. 1925.
farm—
animals, beet molasses and pulp, value. F.B. 262, pp. 19–23. 1906.
cow in south. Sec. [Misc.] Spec., "Feeding farm cow * * *," pp. 4. 1914.
fat into milk. Charles D. Woods and A. W. Bitting. B.A.I. Cir. 75, pp. 43. 1905.
floors, concrete, construction, materials, and equipment. F.B. 481, pp. 6–20. 1912.
for bacon. B.A.I. Bul. 47, pp. 206–223. 1904.
fowls, for—
effect on plumage. J.A.R., vol. 29, pp. 284–287. 1924.
forced molting. F.B. 412, pp. 20–26. 1910.
foxes—
directions. D.B. 1350, pp. 19–24. 1925.
in confinement, directions. D.B. 301, pp. 15–18. 1915.
principles, selection and preparation of feed. D.B. 1151, pp. 39–45. 1923.
fur animals, directions. Y.B., 1916, pp. 498–499. 1917; Y.B. Sep. 693, pp. 10–11. 1917.
geese and goslings. F.B. 767, p. 12. 1917.
gipsy-moth caterpillars, and food trees, list. D.B. 484, Pt. I, pp. 8–10. 1917.
goats, directions. F.B. 137, p. 43. 1901.
grain to milch cows at pasture. F.B. 317, pp. 26–27. 1908.
green rye and green cowpeas, effect on flavor and odor of milk. C. J. Babcock. D.B. 1342, pp. 8. 1925.
grounds for elk, increased area. D.C. 51, pp. 26, 32, 33. 1919.
guinea fowls, directions. F.B. 858, p. 13. 1917; F.B. 1391, pp. 10–11. 1924.
heavy—
cause of milk fever in milch cows. B.A.I. [Misc.], "Diseases of cattle," rev., p. 222. 1904; rev., pp. 228–229. 1912; rev., pp. 226–227. 1923.
value by increase of lamb yield. D.B. 996, rev., pp. 1–15. 1923.
hens—
city back-yard, methods and feed. F.B. 889, pp. 15–19. 1917.
directions. F.B. 355, pp. 35–36. 1909.
for egg production. F.B. 287, rev., pp. 14–21. 1921.
for egg production. Harry M. Lamon and Alfred R. Lee. F.B. 1067, pp. 15. 1919.
methods at Maine Experiment Station. F.B. 357, pp. 31–33. 1909.
rations, methods, and various kinds of feed. F.B. 1105, pp. 4–7. 1920.
hogs—
after steers, profits. D.B. 761, pp. 14, 16. 1919.
and management of herd. F.B. 874, pp. 13–28. 1917.

Feeding—Continued.
 hogs—continued.
  breadfruit and coconuts, value, Guam. Guam A.R., 1917, p. 12. 1918.
  buttermilk, value and results. B.A.I. Cir. 188, pp. 301-304. 1912; B.A.I. An. Rpt., 1910, pp. 301-304. 1912.
  causes of soft and hard pork. F.B. 809, pp. 13-14. 1917.
  cost, Georgia, Brooks County. D.B. 648, pp. 57-59. 1918.
  crops, methods in Pacific Northwest. D.B. 68, pp. 1-27. 1914.
  experimental crops, 1916. Hawaii A.R., 1916, p. 41. 1917.
  experiments—
   Huntley Experiment Farm 1917-1921. D.C. 275, pp. 17-21. 1923.
   Huntley Experiment Farm, 1922. D.C. 330, pp. 27-31. 1925.
   in Guam. Guam A.R., 1923, pp. 2-3. 1925.
   with fermented cottonseed meal. F.B. 384, pp. 9-11. 1910.
  fat hardening, experiments. B.A.I. Bul. 47, pp. 211-212. 1904.
  for exhibition. F.B. 1455, pp. 7-9. 1925.
  forage crops, Kansas and Oklahoma. C. E. Quinn. F.B. 331, pp. 24. 1908.
  in Hawaii, principles and experiments. Hawaii Bul. 48, pp. 19-22, 26-34, 36, 38, 39, 40. 1923.
  in the South. Dan T. Gray. F.B. 411, pp. 47. 1910.
  methods—
   in Kansas and Oklahoma. B.P.I. Bul. 111, pp. 34-50. 1907; F.B. 331, pp. 8-24. 1908.
   producing tuberculosis infection. F.B. 781, pp. 5-10. 1917.
   practices, North Platte reclamation project. D.R.P. Cir. 1, pp. 8-10. 1915.
   precautions in use of garbage. Y.B., 1919, pp. 199-200. 1920; Y.B. Sep. 798, pp. 199-200. 1920.
  preparation of corn. F.B. 479, pp. 11-12. 1912.
  principles. B.A.I. Bul. 47, pp. 73-77. 1904.
  relation to tuberculosis infection. Y.B., 1909, pp. 228-232, 235. 1910; Y.B. Sep. 508, pp. 228-232, 235. 1910.
  skim milk value. B.A.I. Doc. A.-. 31, p. 1. 1918.
  systems. B.P.I. Bul. 111, pp. 47-50. 1907.
  use of—
   garbage. F. G. Ashbrook and A. Wilson. F.B. 1133, pp. 26. 1920.
   self-feeders, labor saving. Sec. Cir. 122, p. 7. 1918.
   sweet potato culls. F.B. 324, pp. 28, 38. 1908.
  with—
   cultures of *Bacillus cholerae suis*, experiments. B.A.I. Bul. 72, pp. 26-30. 1905.
   fish meal. D.B. 610, pp. 1-10. 1917.
   potatoes, experiments. D.B. 596, pp. 1-11. 1917.
 horse(s)—
  cost—
   and requirements on Corn Belt farms. F.B. 1298, pp. 4-8. 1922.
   per year in cities and on farms. F.B. 1093, p. 18. 1920.
  experiments—
   digest. C. F. Langworthy. O.E.S. Bul. 125, p. 52. 1903.
   with work horses. F.B. 374, pp. 25-26. 1909.
   on farm, directions and rations. F.B. 1419, pp. 4-11. 1924.
   on unbalanced rations, results, study. S.R.S. Rpt., 1916, Pt. I, pp. 40, 249. 1918.
  principles. C. F. Langworthy. F.B. 170, pp. 44. 1903.
  selection and balancing of rations. G. A. Bell and J. O. Williams. F.B. 1030, pp. 24. 1919.
  silage, dangers, precautions. F.B. 578, pp. 17-19. 1914.
  substitutes for oats. F.B. 425, pp. 18-19. 1910.
  tests. F.B. 222, pp. 19-24. 1905; F.B. 316, pp. 22-25. 1908.
  value of coconut and peanut meal. George M. Rommel and W. F. Hammond. B.A.I. Cir. 168, pp. 2. 1911.
 hunter horse, methods. B.A.I. Chief Rpt., 1904, pp. 218-221. 1905.

Feeding—Continued.
 infant, milk and special foods. F.B. 1359, pp. 5-6, 15. 1923.
 lambs—
  experiments—
   in Nebraska, cost and profit. D.C. 173, pp. 34-36. 1921.
   Scottsbluff Experiment Farm. D.C. 289, pp. 31-33. 1924.
   in Colorado. B.A.I., An. Rpt., 1901, p. 275. 1902.
   metabolism studies. J.A.R., vol. 4, pp. 459-473. 1915.
 laying hens, directions and cost. S.R.S. Syl. 17, pp. 13-15. 1915.
 livestock—
  alfalfa, comparison with other feeds. F.B. 339, pp. 28-30. 1908.
  barley, use and value. F.B. 968, pp. 3, 6-7, 28-29. 1918.
  cottonseed products. E. W. Sheets and E. H. Thompson. F.B. 1179, pp. 18. 1920.
  distillery slop. F.B. 410, pp. 34-40. 1910.
  experiments—
   and results. An. Rpts., 1919, pp. 80-81, 82, 84, 85, 87, 100. 1920; B.A.I. Chief Rpt., 1919, pp. 8-9, 10, 12, 13, 15, 28. 1919.
   with cowpea seed and hay. F.B. 1153, pp. 10, 15-17. 1920.
  farm wastes, utilization. S. H. Ray. F.B. 873, pp. 12. 1917.
  feterita, value. B.P.I. Cir. 122, p. 31. 1913.
  grain sorghums, use and value. Geo. A. Scott. F.B. 724, pp. 15. 1916.
  grain sorghums, value. Y.B., 1913, pp. 224, 237. 1914; Y.B. Sep. 625, pp. 224, 237. 1914.
  handbook. E. W. Sheets and William Jackson. M. C. 12, pp. 48. 1924; pp. 49, rev. 1925.
  improvement under 28-hour law. D.B. 589, pp. 14-16. 1918.
  in transit, requirements and charges. Rpt. 113, pp. 33-34. 1916.
  milo, use and value. F.B. 322, p. 20. 1908. F.B. 1147, p. 17. 1920.
  on beet pulp and alfalfa in Nebraska, Scottsbluff County. Soil Sur. Adv. Sh., 1913, pp. 13, 42. 1915; Soils F. O., 1913, pp. 2067, 2096. 1916.
  pea-vine hay and silage. F.B. 1255, pp. 2, 24. 1922.
  practice and cost on bluegrass farms. F.B. 812, pp. 7-10. 1917.
  problem-sheet, purpose. Off. Rec., vol. 2, No. 41, p. 5. 1923.
  rations, balanced, calculation method. D.B. 637, pp. 1-19. 1918.
  soy-bean hay, value and comparisons. F.B. 973, pp. 26-27. 1918.
  sugar-beet by-products, value. D.B. 721, pp. 40-41. 1918.
  systems in different types of farming. F.B. 370, pp. 11, 18, 25, 28. 1909.
  28-hour law, enforcement. B.A.I.S.A. 74, pp. 58-59. 1913.
  use of soybeans. F.B. 973, pp. 20-23, 49. 1918.
  value of—
   apple by-products. D.B. 1166, pp. 1-2, 22-33. 1923.
   oats. F.B. 436, pp. 27-30. 1911.
   winter employment for farm labor. Y.B., 1911, p. 271. 1912; Y.B. Sep. 567, p. 271. 1912.
 mare, and management, before and after foaling. F.B. 803, pp. 11-14, 16-17. 1917.
 materials, analyses, methods. Chem. Bul. 81, 35-45. 1904.
 milch goats, directions. B.A.I. Bul. 68, pp. 34-37. 1905.
 milkweed to stock, experiments. D.B. 800, pp. 9-20, 25-38. 1920.
 mules, directions. F.B. 1341, pp. 13-14. 1923.
 ostriches, directions. B.A.I. An. Rpt., 1909, pp. 235, 236. 1911; B.A.I. Cir. 172, pp. 235, 236. 1911.
 periods, feed-utilization experiments, rations consumed, composition of feeding stuffs. B.A.I. Bul. 128, pp. 60-91, 94, 131, 161, 227-230. 1911.
 pigeons—
  experiments in vitamin studies. D.B. 1138, pp., 4-20, 23-46. 1923.
  in squab raising. F.B. 177, pp. 19-23. 1903.

INDEX TO PUBLICATIONS, 1901–1925 851

Feeding—Continued.
  pigeons—continued.
    with poultry flesh and eggs, experiments. J.A.R., vol. 28, pp. 462–471. 1924.
  pigs—
    cost experiments. D.C. 339, pp. 41–44. 1925.
    directions. B.A.I. Bul. 47, pp. 55–61. 1904.
    experimental work, review. B.A.I. An. Rpt., 1903, pp. 261–311. 1903; B.A.I. Cir. 63, pp. 261–311. 1904.
    experiments—
      food requirements at different ages. F.B. 388, pp. 25–28. 1910.
      Guam, feed and cost. Guam A.R., 1915, pp. 24–25. 1916.
      for bacon, Europe. B.A.I. Bul. 77, pp. 90–98. 1905.
      for market. F.B. 1437, pp. 21–22. 1925.
      improved methods introduced by pig clubs. Y.B., 1917, pp. 373–374. 1918; Y.B. Sep. 753, pp. 5–6. 1918.
      supplements to alfalfa pasture, experiments. D.C. 147, pp. 13–21. 1921.
      tests, results in individual variations in gain. J.A.R., vol. 19, pp. 225–232. 1920.
    plant, studies in 1923. Work and Exp., 1923, pp. 21–23. 1925.
  poultry—
    and egg-laying contests. S.R.S. Rpt. 1916, Pt. I, pp. 41, 84, 114, 118, 129, 165, 170, 176, 210, 202. 1918.
    as breeding stock. F.B. 1116, p. 9. 1920.
    based on digestion coefficients. B.A.I. Bul. 56, pp. 66–68. 1904.
    directions. M.C. 12, pp. 32–35. 1924; Y.B., 1919, pp. 313–314. 1920; Y.B. Sep. 800, pp. 7–8. 1920.
    for—
      effect on quality of flesh. D.B. 467, pp. 9–10. 1916.
      egg production, cost and results. D.B. 561, pp. 142. 1917; F.B. 1067, pp. 1–15. 1919.
      hoppers, construction. F.B. 316, pp. 30–32. 1908.
      in packing house, rations. J. S. Hepburn and R. C. Holder. D.B. 1052, pp. 24. 1922.
      methods in Kansas. B.A.I. Bul. 141, pp. 25–26. 1911.
      sand utilization, experimental data. B.A.I. Bul. 56, pp. 71–73. 1904.
      school lesson. D.B. 464, pp. 12–15. 1916.
      stations and their equipment. B.A.I. Bul. 140, pp. 23–31. 1911.
      studies. B.A.I. Chief Rpt., 1924, pp. 10, 11. 1924.
      suggestions for southern farmers. Sec. [Misc.] Spec., "Suggestions on poultry * * *," pp. 1–2, 3–4. 1914.
      use of grain combinations. B.A.I. Bul. 56, pp. 71. 1906.
      various classes, directions, formulas. B.A.I. Bul. 90, pp. 22–26, 37–41. 1906.
    poults, directions. F.B. 1409, pp. 15–16. 1924.
  prickly pear to stock in Texas. David Griffiths. B.A.I. Bul. 91, pp. 23. 1906.
  rabbits, directions. F.B. 1090, pp. 17–19. 1920.
  range—
    cattle. F.B. 1395, pp. 33–38. 1925.
    stock, feeds, cost. F.B. 1428, pp. 9–15, 19–21. 1925.
  rat with chlorinated milk. J. W. Read and Harrison Hale. J.A.R., vol. 30, pp. 889–892. 1925.
  records, farm accounts. F.B. 511, pp. 34–35. 1912.
  regulations, stockyard, United States, France, and Germany. D.B. 25, pp. 26–27. 1913.
  reindeer, experiments. D.B. 1089, pp. 49–50. 1922.
  rice meal to pigs. F.B. 144, pp. 24–25. 1901.
  sheep—
    death-camas experiments, symptoms and results. D.B. 1012, pp. 3–8, 17–20. 1922.
    experiments, at Umatilla Experiment Farm, 1918–19. D.C. 110, pp. 22–24. 1920.
    fattening for market. Y.B., 1923, pp. 260–262. 1924.
    labor-saving methods. Sec. Cir. 122, pp. 9–11. 1918.

Feeding—Continued.
  sheep—continued.
    on sweet-clover screenings, experiments. D.C. 87, pp. 1–7. 1920.
    roughage and grain. Sec. [Misc.] Spec., "Producing sheep * * *," p. 2. 1914.
    silage value. F.B. 578, p. 24. 1914.
    time, feeds, and methods. D.B. 20, pp. 35–46. 1913.
    with poisonous milkweeds, experiments and results. D.B. 942, pp. 3–14. 1921.
  silage, and making. T. E. Woodward and others. F.B. 556, pp. 24. 1913.
  silkworms. F.B. 165, pp. 9–12. 1903.
  snails, directions. Y.B., 1914, p. 497. 1915; Y.B. Sep. 653, p. 497. 1915.
  soft corn, precautions. D.C. 333, pp. 2–3. 1924.
  sorghum—
    green, value, caution. F.B. 246, pp. 30–31. 1906.
    hay. F.B. 458, p. 20. 1911.
  sows—
    alfalfa and clover hay. B.P.I. Bul. 111, Pt. IV, pp. 9, 12, 13, 22. 1907.
    and pigs, directions. Sec. [Misc.] Spec., "How southern farmers * * *," pp. 2–3. 1914.
    standards and rations. F.B. 170, pp. 30–36. 1903.
  station(s)—
    facilities, charges, and location. Y.B., 1908, pp. 236–239. 1909; Y.B. Sep. 477, pp. 236–239. 1909.
    for—
      noninfected cattle at Waycross, Ga. B.A.I.O. 271, amdt. 1, p. 2. 1921.
      noninfected cattle in quarantine area, Apr. 1, 1909. B.A.I.O. 158, rule 1, rev. 4, p. 10. 1909.
      noninfected cattle in quarantine area, December 6, 1909. B.A.I.O. 166, p. 9. 1909.
      noninfected cattle in quarantine area, December 15, 1909. B.A.I.O. 158, rule 1, rev. 4, p. 10. 1909.
      in quarantined areas, for noninfected cattle, list. B.A.I.O. 187, rule 1, rev. 9, p. 10. 1912; B.A.I.O. 269, pp. 6–7. 1919; B.A.I.O. 285, pp. 4–5. 1923.
    livestock management and handling. Rpt. 98, pp. 108–109. 1913.
  steer(s)—
    demonstrations, in Illinois. News L., vol. 4, No. 40, pp. 2–3. 1917.
    dry-lot methods, roughages and concentrates. F.B. 1218, pp. 13–25. 1921.
    experiments, digestion studies. J.A.R., vol. 13, pp. 639–646. 1918.
    experiments to determine nitrogen metabolism. J.A.R., vol. 18, pp. 241–254. 1919.
    fattening in the Corn Belt. F.B. 1382, pp. 1–18. 1924.
    for fattening, with velvet beans. D.B. 1333, pp. 1–27. 1925.
    in sugar-cane belt. J. R. Quesenberry. D.B. 1318, pp. 14. 1925.
    in the Corn Belt, crude protein, cost. F.B. 1382, p. 10. 1924.
    methods and rations. F.B. 1382, pp. 5–15. 1924.
    open-shed method. F.B. 517, pp. 10–11. 1912.
    rations, Europe. B.A.I. Bul. 77, pp. 20–21, 26–28, 31–32, 34–35, 36–37, 38–39. 1905.
    various feeds and combinations, studies. J.A.R., vol. 13, pp. 611–618. 1918.
  stock—
    alfalfa meal, experiments. F.B. 384, pp. 12–14. 1910.
    and chickens, with infected screening, objections. D.B. 734, p. 15. 1918.
    beet—
      by-products. F.B. 392, p. 39. 1910.
      sugar by-products, value. B.P.I. Bul. 260, pp. 24–27, 34, 35. 1912.
      tops, pulp, and molasses. Y.B., 1908, pp. 444–448, 450. 1909; Y.B. Sep. 493, pp. 444–448, 450. 1909.
    emmer, experiments and results, cost and profit. F.B. 466, pp. 17–18, 24. 1911.
    experiments on Huntley farm. D.C. 86, pp. 21–25. 1920.

852 UNITED STATES DEPARTMENT OF AGRICULTURE

Feeding—Continued.
stock—continued.
sweet potatoes, advantages and food value. F.B. 517, pp. 16-18. 1912.
use of sugar-beet by-products. F.B. 1095, pp. 1-24. 1919; Rpt. 86, pp. 16-20, 41-58. 1908.
value of cowpeas for pasture and hay. F.B. 318, pp. 13-15. 1908.
with—
oats, value as grain, hay, pasture, and soiling. F.B. 420, pp. 19-22, 24. 1910.
sweet clover, experiments. F.B. 485, pp. 28-30. 1912.
stuffs—
adulteration and inspection. O.E.S. An. Rpt., 1903, pp. 531-532. 1904.
commercial, United States, chemical and microscopical examination. J. K. Haywood and others. Chem. Bul. 108, pp. 94. 1908.
digestibility, experiments. O.E.S. An. Rpt., 1903, pp. 533-535. 1904.
Hawaiian, composition. E. C. Shorey. Hawaii Bul. 13, pp. 23. 1906.
injurious, and poisonous plants. O.E.S. An. Rpt., 1903, pp. 525-526. 1904.
nutritive value of the nonprotein. Henry Prentiss Armsby. B.A.I. Bul. 139, pp. 49. 1911.
outline of work for 1901. Chem. Cir. 7, pp. 3. 1901.
summary of recent American work. O.E.S. An. Rpt., 1903, pp. 513-537. 1904.
See also Feedstuffs.
sweet clover. F.B. 820, pp. 23-28. 1917.
system, Virginia horse-farm. Y.B., 1907, pp. 389-390. 1908; Y.B. Sep. 456, pp. 389-390. 1908.
terms, explanation. M.C. 12, pp. 37-38. 1924.
tests, cattle, in South. F.B. 522, pp. 11-17. 1913.
threshing machines, directions and precautions. F.B. 991, pp. 12-13. 1918.
trough for chickens. B.A.I. Bul. 90, p. 24. 1906; F.B. 357, p. 18. 1909.
tuberculous butter and cheese to guinea pigs, comparison with inoculation. B.A.I. An. Rpt., 1909, pp. 182-184, 188-189. 1911.
turkeys—
artificially hatched and reared. F.B. 465, pp. 23-24. 1911.
breeding stock and young. F.B. 1409, pp. 8, 15-16. 1924.
rations. F.B. 200, pp. 28-34. 1904.
turnips, effect on milk flavor and odor. C. J. Babcock. D.B. 1208, pp. 8. 1923.
values—
of—
cereals as calculated from chemical analyses. Joseph S. Chamberlain. Chem. Bul. 120, pp. 64. 1909.
grain sorghum. B.P.I. Bul. 237, p. 29. 1912.
shallu sorghum, camparison with corn. F.B. 827, p. 8. 1917.
nutrients on which based. Chem. Bul. 120, pp. 6-8. 1909.
velvet beans, methods in experiments. D.B. 1333, pp. 6, 9, 14, 18. 1925.
whole grain, experiments. F.B. 296, pp. 21-23. 1907.
young beavers, time, feed, and methods. D.B. 1078, pp. 25-26. 1922.
Feedstuffs—
acidity determination, report by referee. Chem. Bul. 137, pp. 152-155. 1911.
adulteration and misbranding. Chem. N.J. 2551, pp. 2. 1913.
alfalfa. F.B. 259, pp. 22-25. 1906.
American, utilization and efficiency. W. F. Ward and S. F. Ray. Rpt. 112, pp. 27. 1916.
analysis—
correspondence with manufacturers. Chem. Bul. 108, pp. 61-71. 1908.
experiments. J.A.R., vol. 12, pp. 2-6. 1918.
methods. Chem. Bul. 107, pp. 38-56. 1907; Chem. Bul. 108, pp. 8-9. 1908; Chem. Bul. 116, pp. 62-66, 116. 1908; Chem. Bul. 152, pp. 197-211. 1912; Chem. Cir. 43, p. 8. 1909; Chem. Cir. 90, p. 8. 1912.
animal meals, composition. Chem. Bul. 108, pp. 54-55. 1908.

Feedstuffs—Continued.
cattle—
determination, report of referee. Chem. Cir. 52, p. 14. 1910.
energy values of maize meal and hominy feed. J.A.R., vol. 10, pp. 599-613. 1917.
net energy values. J.A.R., vol. 3, pp. 435-491. 1915.
utilization experiments, comparisons, etc., tables. B.A.I. Bul. 128, pp. 1-245. 1911.
classifications, composition, and energy values. F.B. 1030, pp. 6-9. 1919.
commercial, analysis, discussion. Chem. Bul. 108, pp. 14-59. 1908.
component parts. D.B. 459, pp. 3-4. 1916; F.B. 346, pp. 6-8, 14-15. 1909.
composition and digestibility, table. B.A.I. Bul. 128, pp. 92-128, 231-241. 1911; F.B. 346, pp. 5-7, 14-15. 1909; F.B. 410, p. 40. 1910.
composition, money values, and feeding standards. B.A.I. Cir. 86, pp. 244, 245-248, 254. 1905.
control, act of the United Kingdom, 1906. Chem. Bul. 143, pp. 37-39. 1911.
cows, relation to milk flavor. O.E.S. An. Rpt., 1905, pp. 285-287. 1906.
digestibility. F.B. 170, pp. 27-30. 1903.
emmer. F.B. 305, pp. 17-19. 1907.
growing in Guam, uses and experiments. Guam A.R., 1918, pp. 9-10, 15, 17-18, 22, 30-34. 1919.
Hawaiian, analyses. Hawaii A. R., 1919, pp. 42-43. 1920.
importance of lime and other mineral matter. F.B. 329, pp. 22-26. 1908.
improved method of computation of net-energy values. Max Kriss. J.A.R., vol. 31, pp. 469-484. 1925.
injurious, discussion. F.B. 170, pp. 21-23. 1903.
manufacture, methods. Chem. Bul. 108, pp. 9-14. 1908.
marketing. D.B. 1124, pp. 1-20. 1922.
milk cows, comparative values. F.B. 384, p. 15. 1910.
number of jobbers and retailers. D.B. 1124, p. 1. 1922.
nutrients, comparison with cowpeas. F.B. 1153, p. 10. 1920.
officials, Federal and State, directory. Chem. [Misc.]. "Directory of Federal * * *," pp. 10. 1916.
oil seeds and grain, composition and comparison. D.B. 350, p. 21. 1916.
poultry, composition, table. F.B. 1067, p. 5. 1919.
prices per ton, and choice with regard to cost. D.B. 459, pp. 25-28. 1916.
production in 1917, comparison with 1916. News L., vol. 5, No. 18, p. 1. 1917.
proprietary, composition. Chem. Bul. 108, pp. 45-47. 1908.
red clover hay, available energy. B.A.I. Bul. 101, pp. 1-61. 1908.
relative money values, table. B.A.I. An. Rpt., 1904, pp. 245-248. 1905.
report of J. K. Haywood, referee. A.O.A.C. Convention, 1906. Chem. Bul. 105, pp. 112-116. 1907.
rice and its by-products. F.B. 412, pp. 16-20. 1910.
ruminants, net energy value per 100 pounds. D.B. 459, pp. 11-13. 1916.
shortage in Europe. Y.B., 1918, pp. 290, 294, 295, 297, 298, 299. 1919; Y.B. Sep. 773, pp. 4, 8, 11, 12, 13. 1919.
specified countries, yield and prices. Rpt. 109, pp. 165-168, 301-306. 1916.
sugar and molasses, composition, etc. Chem. Bul. 108, pp. 48-49. 1908.
testing for protein, experiments on rats. S.R.S. Rpt., 1916, Pt. 1, pp. 40, 81. 1918.
waste in United States. Rpt. 112, pp. 9, 14, 15-16, 18, 27. 1916.
weed seeds, dissemination. F.B. 334, pp. 18-19. 1908; F.B. 366, pp. 16-17. 1909.
weight per quart. F.B. 222, pp. 17-18. 1905.
Fees—
automobile registrations and license, in force Jan. 1, 1917. Sec. Cir. 73, pp. 8-11. 1917.

Fees—Continued.
cotton warehousemen's licenses, regulation 7. Sec. Cir. 94, pp. 19-20. 1918.
fire insurance. D.B. 530, pp. 15, 25-26. 1917.
food inspection, regulations. Sec. Cir. 120, p. 8. 1918; Sec. Cir. 144, pp. 9-10. 1919; Sec. Cir. 160, pp. 4-6. 1922.
grain warehouses, regulations. Sec. Cir. 141, pp. 20-21. 1919.
grazing, on national forests—
1910. For. [Misc.], "The use book, 1910," pp. 40-42. 1910.
1921. For. A.R. 1921, p. 24. 1921.
hay inspection, regulations. B.A.E.S.R.A. 77, pp. 5-6. 1923.
hunting license, receipts from. Biol. Bul. 19, pp. 25-26, 36, 37. 1904; D.B. 1049, pp. 11-12. 1922.
notarial, allowance, by States. Adv. Com. F. and B.M. [Misc.] "Fiscal regulations * * *" amdt. 3, pp. 6-9. 1916.
warehouse for peanuts. B.A.E.S.R.A. 81, pp. 16-17. 1923.
warehousemen, regulations. Mkts. S.R.A. 27, pp. 24-25. 1917; Sec. Cir. 154, pp. 18-19. 1920; Sec. Cir. 150, pp. 18-19. 1920.
FEHR, R. B.: "Grain-dust explosions." With others. D.B. 681, pp. 54. 1918.
FEHSENFELT, J. B.: "Soil survey of Lincoln County, Mo." With others. Soil Sur. Adv. Sh., 1917, pp. 44. 1920; Soils F.O., 1917, pp. 1483-1522. 1923.
Feijoa—
growing in Hawaii, origin and description. Hawaii A.R., 1916, p. 20. 1917.
importation and description. No. 38970, B.P.I. Inv. 40, p. 51. 1917.
sellowiana—
description, introduction into California and Florida. B.P.I. Bul. 205, pp. 8, 17. 1911.
importation and description. Nos. 31389-31390, B.P.I. Bul. 248, p. 13. 1912; Nos. 32151, 32152, B.P.I. Bul. 261, p. 32. 1912; No. 39555, B.P.I. Inv. 41, pp. 7, 40. 1917.
Feldspar(s)—
classification, description, and composition. Rds. Bul. 37, pp. 17-18, 25. 1911; Soils Bul. 91, pp. 59-61. 1913.
constituents of road-building rocks, description. D.B. 348, pp. 6, 7. 1916.
decomposition. Allerton S. Cushman and Prevost Hubbard. Rds. Bul. 28, pp. 29. 1907.
fusion with phosphate rock in production of fertilizer. D.B. 143, pp. 4-7. 1914.
lime clinker, composition, comparison with Portland cement. Soils Cir. 71, pp. 8-10. 1912.
mixture with slags in fertilizer manufacture. Soils Bul. 95, pp. 12-16. 1913.
occurrence in soils. D.B. 122, pp. 14, 17-27. 1914.
potash—
availability in soils. J.A.R., vol. 14, pp. 298-313. 1918.
content, percentage, comparison with calcium and sodium. Soils Cir. 71, pp. 4-10. 1912.
distribution and extraction methods. Y.B., 1912, pp. 528-530. 1913; Y.B. Sep. 611, pp. 528-530. 1913.
relation in cement mixture, to potash recovery. D.B. 572, pp. 1-3, 10. 1917.
source of potash, analysis. Soils Cir. 71, p. 2. 1912.
Feldspathic rocks, use as fertilizers. Allerton S. Cushman. B.P.I. Bul. 104, pp. 32. 1907.
FELDSTEIN, L.: "The refractive index of beeswax." Chem. Cir. 86, pp. 3. 1911.
Felicia sp., importation and description. No. 48174, B.P.I. Inv. 60, p. 52. 1922.
Felis spp. *See* Cougar; Mountain lion; Wildcat.
Felling—
log, methods, equipment, and costs. D.B. 711, pp. 30-55. 1918.
trees in small logging operations. D.B. 718, pp. 41-43. 1918.
FELLOWS, G. E.: "Land-grant colleges securing State support." O.E.S. Bul. 196, pp. 67-69. 1907.
Felonwort. *See* Bittersweet, Celandine.
Felony, definition and punishment under Montana and Idaho laws. For. [Misc.], "Trespass on national * * *," pp. 77, 89. 1922.

FELT, E. P.—
"Experimental work in New York State against the San Jose scale." Ent. Bul. 37, pp. 35-36. 1902.
notes on insects in New York State, 1906. Ent. Bul. 67, pp. 39-43. 1907.
Feltia—
annexa—
injury to melons, cotton, and tobacco. Ent. Bul. 109, Pt. IV, p. 48. 1912.
larvae, enemy of grass worm. D.B. 192, p. 8. 1915.
spp. *See* Cutworms.
Feminelle, use in saffron adulteration. Chem. Chief Rpt., 1908, p. 28. 1908, An. Rpts., 1908, p. 472. 1909.
Fence(s)—
and battue, method of trapping rats. F.B. 896, p. 15. 1917.
bamboo, suggestion for. D.B. 1329, p. 16. 1925.
beaver control, description, kinds, etc. D.B. 1078, pp. 12-14. 1922.
bracing, directions. For. Bul. 97, pp. 14-15. 1911.
construction, national forests. For. A.R., 1908, pp. 26, 27. 1908; An. Rpts., 1908, pp. 430, 431. 1909.
coyote-proof—
description and cost. For. Bul. 97, pp. 9, 11-16. 1911.
maintenance cost, and efficiency. For. Cir. 178, pp. 6-10. 1910; For. Cir. 160, pp. 5-6. 1909.
pasturing range sheep, experiments. An. Rpts., 1908, pp. 62-63, 572. 1909; Biol. Chief Rpt., 1908, p. 4. 1908; Sec. A.R., 1908, pp. 60-61. 1908; Y.B. 1908, p. 62. 1909.
specifications. For. Cir. 156, pp. 9, 23. 1908.
damage by woodpeckers. Biol. Bul. 39, pp. 13-14. 1911.
dog-proof—
and wolf-proof, description. F.B. 1268, pp. 4-5, 6. 1922.
construction details. F.B. 935, pp. 5-6. 1918.
for sheep, construction and cost. F.B. 374, pp. 22-24. 1909.
uses in protection of sheep from dogs, description. F.B. 652, pp. 11-13. 1915.
elk inclosure, requirements and cost. F.B. 330, pp. 12-13. 1908.
farm—
durable, cost of construction and upkeep. News L., vol. 3, No. 28, p. 2. 1916.
early and present-day, kind and cost, comparisons. D.B. 321, pp. 1-2. 1916.
relation of first cost to maintenance cost. D.B. 321, pp. 17-18. 1916.
for yards, directions. D.B. 301, pp. 11-15. 1915.
fox farming. D.B. 1151, pp. 10-16, 30-31. 1923, F.B. 328, pp. 10-11. 1908, F.B. 795, pp. 11, 7. 1917.
gardens in Guam. Guam Bul. 2, p. 17. 1922; Guam Cir. 2, p. 7. 1921.
goat enclosures, requirements. B.A.I. Bul. 27, pp. 38-39. 1901; B.A.I. Bul. 68, p. 33. 1905.
guard, fox ranches. D.B. 1151, pp. 30-31. 1923.
hog, construction. B.A.I. Bul. 47, pp. 18-19. 1904; F.B. 1437, p. 20. 1925; Hawaii Bul. 48, pp. 8-9. 1923.
iron pipe, details. F.B. 338, p. 39. 1908.
jackal-proof, details, advantages. F.B. 226, pp. 18-19. 1905.
kinds, descriptions, and comparisons. News L., vol. 3, No. 23, pp. 1, 4. 1916.
lines—
burning to control chalcid fly in clover and alfalfa seed. D.B. 812, p. 14. 1920.
shelter for chalcid fly. F.B. 636, pp. 6-7, 8. 1914.
Mexican boundary line, construction. An. Rpts., 1914, p. 77. 1915; B.A.I. Chief Rpt., 1914, p. 21. 1914; B.A.I. Cir. 174, p. 290. 1911.
mileage in United States, 1910, cost of replacing with woven-wire fence, and upkeep. D.B. 321, p. 2. 1916.
need on public domain for eradication of cattle diseases. An. Rpts., 1907, p. 197. 1908.

Fence(s)—Continued.
   Ohio farms, varieties, cost, and value as farm equipment. B.P.I. Bul. 212, pp. 15, 19, 21, 24, 36–39. 1911.
   on embankments of road, specifications. F.B. 338, p. 31. 1908.
   portable panel, description and construction. F.B. 412, pp. 26–28. 1910.
   posts—
      annual consumption. For. Cir. 117, p. 5. 1907; For. Cir. 166, p. 21. 1909.
      bamboo. D.B. 1329, p. 24. 1925.
      cement and concrete, making on the farm. F.B. 384, pp. 29–32. 1910.
      charring, butts. For. Cir. 117, p. 6. 1907.
      concrete—
         construction. F.B. 403, pp. 31. 1910.
         reinforced. F.B. 235, pp. 20–25. 1905.
         tests. F.B. 235, pp. 27–31. 1905.
         use, directions for making. F.B. 235, pp. 20–25. 1905, O.E.S.F.I.L. 8, p. 16. 1907.
      creosoting—
         experiments, details, and cost. F.B. 1071, pp. 12–17. 1920; For. Cir. 117, pp. 7–13. 1907.
         for farm use. F.B. 1071, pp. 12, 14, 16–17. 1920.
         cutting time and creosoting. News L., vol. 5, No. 18, p. 5. 1917.
      decay—
         cause. For. Cir. 117, p. 5. 1907.
         caused by sap-rotting fungi, and prevention. B.P.I. Bul. 149, pp. 53–58. 1909.
      "Illinois," description. F.B. 1181, pp. 11–12. 1921.
      kinds, description, durability, and cost. News L., vol. 3, No. 23, p. 4. 1916.
      locust, value. For. Cir. 64, p. 2. 1907.
      oak, durability. B.P.I. Chief Rpt., 1924, p. 33. 1924.
      preservation, methods. F.B. 320, pp. 30–32. 1908.
      preservative treatment—
         Howard F. Weiss. For. Cir. 117, pp. 15. 1907.
         details. F.B. 320, pp. 30–32. 1908, F.B. 1117, pp. 24–27. 1920, S.R.S. Rpt., 1916, Pt. 1, pp. 119, 200. 1918.
         Yuma Experiment Farm. D.C. 75, pp. 76–77. 1920.
      production in Connecticut, specifications, and cost. For. Bul. 96, p. 19. 1912.
      prolonging life, methods, experiments, and results. F.B. 387, pp. 5, 6–17. 1910.
      setting without holes. For. Cir. 156, pp. 13–15. 1908.
      steel and concrete, comparison with wooden. News L. vol. 3, No. 23, p. 4. 1916.
      treatment—
         by open-tank method. For. Cir. 101, pp. 1–15. 1907.
         study for rural schools. D.B. 863, p. 16. 1920.
      trees—
         best adapted for North and South Platte Valleys. For. Cir. 109, p. 10. 1907.
         species, requirements, and cultivation. For. Cir. 69, pp. 1–4. 1907; For. Cir. 99, pp. 6–9, 12–14. 1907.
         useful in Kansas. For. Cir. 161, pp. 24, 31, 33, 35, 37, 39, 41–43. 1909.
      use of lodgepole pine, treatment, value and cost, comparisons. D.B. 234, pp. 6–7. 1915.
      value—
         in Kansas, Nebraska, Iowa, and Minnesota. For. Bul. 86, pp. 77, 83. 1911.
         of osage orange, Cedar County, Missouri. Soil Sur. Adv. Sh. 1909, p. 12. 1911; Soils F.O. 1909, p. 1344. 1912.
      varieties, life, cost, preservation, and materials. D.B. 321, pp. 21–26. 1916.
   poultry. F.B. 1413, pp. 2–3. 1924.
   rabbit-proof—
      directions. F.B. 702, p. 10. 1916; F.B. 800, pp. 15–16. 1917, Y.B. 1907, p. 339. 1908, Y.B. Sep. 452, p. 339. 1908.
      value for orchards and gardens. F.B. 484, p. 42. 1912.
   ranch, construction. F.B. 1395, pp. 10–11. 1925.
   reindeer ranges. D.B. 1089, p. 37. 1922.

Fence(s)—Continued.
   removal on public range, injurious effects. B.A.I. An. Rpt., 1907, pp. 16–17. 1909.
   repairs, annual cost and comparisons. D.B. 321, pp. 30–31. 1916.
   requirements—
      factors influencing. D.B. 321, pp. 10–12. 1916.
      in sheep raising. F.B. 840, pp. 6, 11, 17, 23. 1917.
   rows—
      cause of waste of land on farms. F.B. 745, pp. 9–19. 1916.
      grazing for insect control. D.B. 889, p. 22. 1920.
      neglected, source of insect trouble, control measures. Y.B. 1908, pp. 369, 375–376. 1909; Y.B. Sep. 488, pp. 369, 375–376. 1909.
   shrubby, value as bird refuges. F.B. 1239, p. 6. 1921.
   stock-range, advantages, cost. D.B. 1001, p. 41. 1922.
   temporary, for use in grazing hogs. F.B. 951, p. 8. 1918.
   types, local requirements, description, distribution, and adaptability. D.B. 321, pp. 4–10. 1916.
   use in—
      Missouri, Andrew County. Soil Sur. Adv. Sh. 1921, p. 824. 1925.
      sand-dune control, description. F.B. 421, p. 23. 1910.
   use of—
      kapok trees in Guam. Guam A.R., 1920, p. 34. 1921.
      pine species. For. Bul. 99, pp. 9, 27, 34, 49, 64, 72, 79, 87, 92, 95. 1911.
      vermin-proof, for protection of birds, description. F.B. 760, p. 2. 1916; F.B. 912, p. 4. 1918.
   wire—
      barbed and woven, distribution, description, cost, and dangers. D.B. 321, pp. 5–6. 11–12. 1916.
      building, day's work. Y.B. 1922, p. 1074. 1923; Y.B. Sep. 890, p. 1074. 1923.
      building, school exercises. F.B. 638, p. 13. 1915.
      construction method, speed, and cost. D.B. 321, pp. 26–29, 32. 1916.
      corrosion—
         Allerton S. Cushman. F.B. 239, pp. 31. 1905.
         tests, work of Roads Office, 1909. An. Rpts., 1909, p. 737. 1910, Rds. Chief Rpt., 1909, p. 29. 1909.
      fabricated, information, and hints to purchasers. Allerton S. Cushman. Y.B. 1909, pp. 285–292. 1910; Y.B. Sep. 513, pp. 285–292. 1910.
      grounding for lightning protection. F.B. 367, p. 13. 1909.
      preservation tests. Rds. Bul. 35, pp. 19–21. 1909.
      sample examination, analysis. F.B. 239, pp. 15–21. 1905.
   wolf-proof and coyote-proof. Biol. Cir. 55, p. 5. 1907; Biol. Cir. 63, p. 10. 1908; For. Bul. 72, pp. 19–20. 1907.
Fencing—
   against animals. F.B. 226, pp. 19, 21, 23. 1905.
   Angora goats. B.A.I. Bul. 27, pp. 37–39. 1901; B.A.I. An. Rpt., 1900, p. 330. 1901; F.B. 137, pp. 29–30. 1901.
   beaver, necessity for restraint and protection from thieves. D.B. 1078, pp. 12–14, 18. 1922.
   bull inclosure, directions and precautions. F.B. 1412, pp. 5–6. 1924.
   cost—
      New Mexico. O.E.S. Bul. 215, p. 38. 1909.
      North-Central States. H. N. Humphrey. D.B. 321, pp. 32. 1916.
   coyote-proof, investigations. Biol. Bul. 20, pp. 24–28. 1905; F.B. 226, pp. 19–23. 1905.
   for control of plum curculio. Ent. Bul. 103, pp. 156, 166. 1912.
   goat inclosures, kinds and building method. F.B. 137, pp. 41–42. 1901; F.B. 920, p. 32. 1918.
   hog pasture. F.B. 205, pp. 18–19. 1904.
   metal and concrete displacement of lumber. Rpt. 114, p. 56. 1917.

Fencing—Continued.
  pasture against injurious animals, directions and cost. For. Cir. 156, pp. 8-19, 23-24. 1908.
  selection, economy in strong wire. Y.B., 1909, pp. 288, 289. 1910; Y.B. Sep. 513, pp. 288, 289. 1910.
  sheep—
    dog-proof, and other. F.B. 810, pp. 23-25. 1917.
    farms, cost. F.B. 1051, p. 9. 1919.
    pastures. F.B. 1181, pp. 11-12. 1921.
    protection, use and value on New Mexico ranges. D.B. 211, p. 36. 1915.
  tight, use and value on grain farm, cost, etc. F.B. 704, p. 36. 1916.
  unlawful, obstructions, national forests, laws and decisions. Sol. [Misc.], "Forestry laws * * *," pp. 106, 107, 108, 110. 1916.
  wire—
    durability test, method and solution formula. News L., vol. 3, No. 29, pp. 7-8. 1916.
    general-purpose, woven, desirability for stock farms. News L., vol. 3, No. 30, p. 4. 1916.
    rusting, causes, discussion. Y.B., 1909, pp. 285-286. 1910; Y.B. Sep. 513, pp. 285-286. 1910.
    wood, and substitutes, data, types in use, etc. Rpt. 117, pp. 30-32. 1917.
    woven-wire, life and service of different weights, tests, etc. D.B. 321, pp. 18-21, 31. 1916.
    yards for fur animals, size of wire. Y.B., 1916, pp. 497, 498. 1917; Y.B. Sep. 693, pp. 9, 10. 1917.
Fendlera rupicola, occurrence in Colorado, description. N.A. Fauna 33, p. 231. 1911.
Feniseca tarquinius, enemy of *Pemphigus acerifolii*. Ent. T.B. 24, p. 11. 1912.
Fennel—
  adulterant, description. Chem. S.R.A. 21, p. 70. 1918.
  culture and handling as drug plant, yield, and price. F.B. 663, p. 24. 1915.
  description, distribution, spread, and products injured. F.B. 660, p. 27. 1915.
  dog, seeds, description. B.P.I. Bul. 84, p. 35. 1905; F.B. 260, pp. 16-17. 1906; F.B. 428, pp. 7, 27, 28. 1911.
  edible, importation, culture and description. Nos. 34611, 34612, B.P.I. Inv. 33, p. 38. 1915.
  growing, harvesting, marketing, and uses. F.B. 663, rev., pp. 32-33. 1920.
  oil, adulteration and misbranding. Chem., S.R.A. Sup. 2, pp. 71-72, 73. 1915.
  seed—
    importation, notice to importers. Opinion 71. Chem. S.R.A. 7, p. 529. 1914.
    oil, adulteration and misbranding. Chem. N.J. 2748, pp. 1-2. 1914.
    source of volatile oil. B.P.I. Bul. 195, pp. 10, 12, 40, 42, 44. 1910.
  sweet, importation and description. No. 35634, B.P.I. Inv. 35, p. 61. 1915.
  use as salad and potherb. O.E.S. Bul. 245, p. 29. 1912.
  See also Spices.
Fens, England, drainage by pumping. O.E.S. Bul. 243, pp. 11, 25. 1911.
Fenton, F. A.: "Clover-leaf weevil." With D. G. Tower. D.B. 922, pp. 18. 1920.
Fenugreek—
  Egyptian culture and uses. B.P.I. Bul. 62, p. 61. 1904.
  growing and use as green-manure crop, California orchards. B.P.I. Bul. 190, pp. 20-23. 1910.
  importations and description. No. 33299, B.P.I. Inv. 31, pp. 4, 11. 1914; No. 47537, B.P.I. Inv. 59, p. 29. 1922; No. 49743, B.P.I. Inv. 62, p. 79. 1923.
  orchard cover-crop, California. F.B. 278, p. 13. 1907; B.P.I. Bul. 190, pp. 20-23. 1910.
  seed—
    rate of seeding and yield per acre. B.P.I. Bul. 190, p. 23. 1910.
    standards, Opinion 162. Chem. S.R.A. 16, p. 30. 1916.
    yield per acre and cost, California. B.P.I. 190, p. 33. 1910.
  use as legume in California. F.B. 1250, p. 42. 1922.
  value for green manure, California. B.P.I. Chief Rpt., 1909, p. 16. 1909; An. Rpts., 1909, p. 368. 1910.

Ferguson, J. E.—
  "Soil Survey of—
    Glynn County, Ga." With David D. Long. Soil Sur. Adv. Sh., 1911, pp. 55. 1912; Soils F. O., 1911, pp. 593-643. 1914.
    the Jacksonville area, Florida." With Grove B. Jones. Soil Sur. Adv. Sh., 1910, pp. 26. 1911; Soils F. O., 1910, pp. 583-604. 1912.
    the Marshfield area, Oregon." With C. W. Mann. Soil Sur. Adv. Sh., 1909, pp. 38. 1911; Soils F.O., 1909, pp. 1601-1634. 1912.
    the Woodland area, California." With others. Soil Sur. Adv. Sh., 1909, pp. 57. 1911; Soils F.O. 1909, pp. 1635-1687. 1912.
Ferguson, M. C.: "A preliminary study of the germination of the spores of *Agaricus campestris* and other basidiomycetous fungi." B.P.I. Bul. 16, pp. 43. 1902.
Fermentation(s)—
  acetic, in vinegar making. F.B. 1424, pp. 1, 6, 8, 12, 13, 20. 1924.
  alcoholic—
    in vinegar making. F.B. 1424, pp. 1, 6, 8, 12, 13, 19. 1924.
    theory and practice. F.B. 429, pp. 21-28. 1911.
  alfalfa silage, effects of carbohydrates. J.A.R., vol. 15, pp. 584-590. 1918.
  cacao and coffee, studies, Porto Rico. O.E.S. An. Rpt., 1908, pp. 23-24. 1909.
  carbohydrate, action of soil bacteria. B.P.I. Cir. 113, pp. 5-6. 1913.
  cucumbers and other vegetables. F.B. 1159, pp. 5-6, 13-17. 1920.
  dextrose, effect of aeration and rate. J.A.R., vol. 23, pp. 669-673. 1923.
  effect on pectin, note. D.B. 1323, p. 8. 1925.
  export corn, effect on carrying quality. D.B. 764, pp. 5, 20, 43, 98-99. 1919.
  fruit juice, yeast cultures, studies. An. Rpts., 1908, pp. 487-488, 498. 1909; Chem. Chief Rpt., 1908, pp. 43-44, 54. 1908.
  gassy, Swiss cheese. F.B. 237, pp. 29-32. 1905.
  intestinal, of animals, studies. B.P.I. Bul. 266, pp. 13, 22. 1913.
  Japanese use in food preparation. O.E.S. Bul. 159, pp. 29, 30, 31, 32, 33. 1905.
  materials, preparation, mashing, etc. Chem. Bul. 130, pp. 42-48. 1910.
  milk—
    causes and results. F.B. 490, pp. 17-18. 1912.
    natural and artificial. F.B. 348, p. 19. 1909.
  organic—
    effect on solubility of phosphates. D.B. 699, pp. 14, 115, 119. 1918.
    matter in soils, factor in soil improvement. Soils Bul. 55, pp. 65-66. 1909.
  processes, discussion. Chem. Bul. 130, pp. 32-52. 1910.
  record in ethyl alcohol production. D.B. 983, pp. 85-94. 1922.
  resistance of sacbrood virus, various processes. D.B. 431, pp. 41-46, 51, 53. 1917.
  sauerkraut, influence of inoculation upon. O. R. Brunkow and others. J.A.R., vol. 30, pp. 955-960. 1925.
  silage—
    effect on starch content. A. W. Dox and Lester Yoder. J.A.R., vol. 19, pp. 173-188. 1920.
    microorganisms and heat production. J.A.R., vol. 10, pp. 75-83. 1917.
    theories, discussion. J.A.R., vol. 12, pp. 595-599. 1918.
    soy, and other. Margaret B. Church. D.B. 1152, pp. 27. 1923.
    study in bagasse waste. J.A.R., vol. 30, pp. 625-628. 1925.
  tests of streptococci from milk. J.A.R., vol. 1, pp. 495-497, 504. 1914.
  theory, classification of ferments. F.B. 389, pp. 7, 17-18. 1910.
  tobacco, effects. B.P.I. Bul. 141, Pt. I, pp. 9-11. 1909.
  vegetables, with dry salting and in brine. F.B. 881, pp. 5-11. 1917.
  vinegar, process and principles. S. R. S. Doc. 99, pp. 3-4. 1919.
  wine, control experiment. Chem. Bul. 129, pp. 21-32. 1909.

Fermentation(s)—Continued.
yeast—
breads, temperatures, testing, etc. F.B. 1450, p. 4. 1925.
effect of varying quantities. Chem. Bul. 111, pp. 15-17. 1908.
Fermenting—
agent, psilocybe, in organic débris. Charles Thom and Elbert C. Lathrop. J.A.R., vol. 30, pp. 625-628. 1925.
power, pure yeast, and some associated fungi. Chem. Bul. 111, pp. 28. 1908.
Fermentology, course, purposes and scope. H. W. Wiley. Chem. Bul. 130, pp. 86-89. 1910.
Ferments—
action in cellulose destruction, studies. B.P.I. Bul. 266, pp. 10-22. 1913.
barley, source, variations, etc. D.B. 183, pp. 12-18, 19-21. 1915.
classification and mode of action. F.B. 389, p. 17. 1910.
soil, studies. Soils Bul. 56, pp. 13-14, 25, 42, 45-50. 1909.
Fermi's solution, for culture medium. B.P.I. Bul. 247, p. 35. 1912.
Fern(s)—
Australian. See Oak, silk.
bracken, poisonous character. D.B. 1245, p. 31. 1924.
burning for control. F.B. 687, pp. 5, 10. 1915.
bush. See Sweet fern.
collection and preservation directions. S. F. Blake. D.C. 76, pp. 8. 1920.
control in cranberry fields. F.B. 1401, pp. 10, 11-12, 15. 1924.
description and use in gardens. F.B. 1381, pp. 69-73. 1924.
digestion experiment. O.E.S. Bul. 159, p. 177. 1905.
eradication—
from pastures, teaching by use of F.B. 687, F. E. Heald; S.R.S. [Misc.]," How teachers may use * * *," pp. 2. 1916.
pasture lands in eastern United States. H. R. Cox. F.B. 687, pp. 12. 1915.
Guatemalan, importations and descriptions. Nos. 43434-43436, B.P.I. Inv. 49, p. 21. 1921.
hay-scented, description and control. F.B. 687, pp. 2, 6-12. 1915.
importations and descriptions. Nos. 47011-47015, B.P.I. Inv. 58, pp. 6, 19. 1922.
insects, control. F.B. 1362, pp. 42-48. 1924.
maidenhair, injury by Florida fern caterpillar, and control. Ent. Bul. 125, pp. 8-9, 11. 1913.
male—
description, habitat, range, collection prices and uses of roots. B.P.I. Bul. 107, p. 11. 1907.
oleoresin, use in control of tapeworms in sheep and dogs. F.B. 1330, pp. 22, 25, 35. 1923.
use as anthelmintic, results. B.A.I. Bul. 153, pp. 6-16, 18-19. 1912; J.A.R., vol. 12, pp. 403, 414-416. 1918.
nephrolepis, importation and description. No. 44857, B.P.I. Inv. 51, p. 81. 1922.
parsley. See Tansy.
Platycerium grande, importation and description. No. 41441, B.P.I. Inv. 45, p. 29. 1918.
poisonous to livestock, distribution, and warning. D.B. 575, p. 17. 1918.
sweet. See Sweet fern.
tree. See Tree fern.
weed, description and control. F.B. 687, pp. 1-12. 1915.
FERNALD, H. T., report as chairman of committee on testing insecticides. Ent. Bul. 67, p. 12. 1907.
"Fernet-Branca" bitters, adulteration and misbranding. Chem. N.J. 726, pp. 2. 1911; Chem. N.J. 1909, pp. 2. 1913.
Fernet—
de Vecchi, misbranding. See *Indexes, Notices of Judgment, in bound volumes, and in separates published as supplements to Chemistry Service and Regulatory Announcements.*
Milana, adulteration. Chem. N.J. 3039. 1914; Chem. N.J. 3132, 3133, 3180. 1914; Chem. N. J. 3956. 1915.
Feronia limonia. See Wood-apple.
Feroniella—
lucida, importation and description. No. 41385, B.P.I. Inv. 45, p. 21. 1918.

Feroniella—Continued.
oblata—
importation and description. No. 36995, B.P.I. Inv. 38, p. 21. 1917.
See also Krassan.
Ferraline, misbranding. See *Indexes, Notices of Judgment, in bound volumes and in separates published as supplements to Chemistry Service and Regulatory Announcements.*
Ferret(s)—
black-footed, occurrence in—
Colorado, description. N.A. Fauna 33, pp. 184-185. 1911.
Texas, description. N.A. Fauna 25, pp. 197-198. 1905.
protection laws, summary, 1918. F.B. 1022, p. 30. 1918.
use in hunting, restrictions. Biol. Bul. 28, p. 87. 1909.
value in rat control. Biol. Bul. 33, pp. 26, 48. 1909; F.B. 369, p. 17. 1909; F.B. 896, p. 18. 1917; F.B. 1302, p. 10. 1923.
Ferric—
chloride—
comparison with colloidal iron in soil cultures. J.A.R., vol. 3, pp. 205-210. 1914.
distribution between ferric hydroxide and solution. Soils Bul. 52, p. 42. 1908.
compounds, availability to rice plants in calcareous and noncalcareous soils. J.A.R., vol. 20, pp. 42-44, 50-54. 1920.
humate, availability to rice plants in calcareous and noncalcareous soils. J.A.R., vol. 20, pp. 50-54. 1920.
hydrate, effect on soil extracts, plant-culture experiments. Soils Bul. 56, pp. 27-23. 1909.
hydroxide, use in reduction of solution acidity, experiments. Chem. Bul. 145, pp. 15-16. 1912.
oxalate, availability to rice plants in calcareous and noncalcareous soils. J.A.R., vol. 20, pp. 50-54. 1920.
oxide—
adulteration of foood product, chocolate cremolin. Chem. N.J. 989, pp. 2. 1911.
deposits, methods. Chem. Bul. 152, pp. 61-67. 1912.
solubility, hydration, and deposition. Soils Bul. 79, pp. 12-18. 1911.
phosphate, source of iron for plants. J.A.R., vol. 21, pp. 701-728. 1921.
valerianate, availability to rice plants in calcareous and noncalcareous soils. J.A.R. vol. 20, pp. 50-54. 1920.
See also Iron.
Ferrichloridi tincture, adulteration and misbranding. Chem. N.J. 3392-3394. 1915; Chem. N.J. 3485. 1915.
FERRIS, G. F.: "Mallophaga." N.A. Fauna 46, Pt. II, p. 141. 1923.
Ferro China—
Antimalarico, misbranding. Chem. N.J. 745. 1911; Chem. N.J. 2989. 1914.
bisleri, adulteration and misbranding. Chem. N.J. 1909, pp. 2. 1913.
Ferrous—
arsenate—
preparation and use as an insecticide. J.A.R., vol. 24, pp. 503-504, 519, 521. 1923.
with cactus solution, spraying experiments. D.B. 160, pp. 7-9, 11-12, 18. 1915.
sulphate—
and molasses, availability to rice plants in calcareous and noncalcareous soils. J.A.R., vol. 20, pp. 50-54. 1920.
effect on—
action of gypsum. J.A.R. vol. 20, pp. 38-44. 1920.
chlorosis of conifers. J.A.R., vol. 21, No. 3, pp. 153-171. 1921.
source of iron for plants. J.A.R., vol. 21, pp. 701-728. 1921.
See also Iron.
Fertility—
as affected by manures. Frank D. Gardner. Soils Bul. 48, pp. 59. 1908.
breeding animals, factors and conditions affecting. D.B. 905, pp. 8-11. 1920.
eggs, conditions affecting. F.B. 405, p. 18. 1910.
farm, safeguarding in lease contracts. F.B. 1164, pp. 19-20. 1920.

INDEX TO PUBLICATIONS, 1901–1925   857

Fertility—Continued.
  in Shropshire sheep. Elmer Roberts. J.A.R., vol. 22, pp. 231–234. 1921.
  maintaining in fruit garden. F.B. 1001, pp. 14–15. 1919.
  maintenance—
    by manure or fertilizer for control of corn root aphid. F.B. 891, p. 11. 1917.
    on raspberry plantations, use of fertilizers. F.B. 887, pp. 16–17. 1917.
  marsh soils, needs and supply, studies. D.B. 355, pp. 75–76. 1916.
  natural, as related to responsiveness of soil to fertilizers. Soils Bul. 48, pp. 53–54, 58. 1908.
  of reclaimed swamp land. Ent. Bul. 88, pp. 53–62. 1910.
  plats, studies. S.R.S. Rpt., 1916, Pt. I, pp. 29, 285. 1918.
  relation to—
    farming system. F.B. 437, pp. 15–17. 1911.
    soil acidity. Chem. Bul. 90, pp. 183–187. 1905.
    sugar-beet production. D.B. 721, pp. 25–29. 1918.
    yield and water requirements in Idaho. D.B. 1340, p. 40. 1925.
  restoration and maintenance. F.B. 245, pp. 1–16. 1906.
  soil(s)—
    as affected by manures. Frank D. Gardner. Soils Bul. 48, pp. 59. 1908.
    county agents' work, 1919, results. D.C. 106, p. 16. 1920.
    criteria. J.A.R., vol. 12, pp. 306–307. 1918.
    differences in natural condition. F.B. 245, p. 3. 1906.
    effects of—
      hog raising. B.A.I. Bul. 47, pp. 237–239. 1904.
      raising livestock and legumes. F.B. 406, pp. 11–12. 1910.
      windbreaks. For. Bul. 86, pp. 38–39. 1911.
    for Easter-lily growing. D.B. 962, pp. 25–26. 1921.
    investigations. Milton Whitney and F. K. Cameron. Soils Bul. 23, pp. 48. 1904.
    maintaining in—
      bluegrass pastures. D.B. 397, pp. 12–14. 1916.
      peach orchards, methods. F.B. 917, pp. 20–23. 1918.
    maintenance—
      by livestock. Y.B., 1916, pp. 467–468. 1917; Y.B. Sep. 694, pp. 1–2. 1917.
      by steer feeding. F.B. 479, p. 13. 1912.
      methods. F.B. 144; pp. 5–6. 1901.
      or increase, methods of conducting investigations. C. E. Thorne. O.E.S. Bul. 142, pp. 127–133. 1904.
      under good farm management. B.P.I. Bul. 259, pp. 13, 35–36, 73. 1912.
    oxidation, rôle. Oswald Schreiner and Howard S. Reed. Soils Bul. 56, pp. 52. 1909.
    preservation by scientific agriculture. Chem. Bul. 90, p. 237. 1905.
    principles, study by Soils Bureau. An. Rpts., 1907, pp. 75–77, 432–434. 1908; Rpt. 85, p. 55, 1907; Sec. A.R., 1907, pp. 73–75. 1907; Y.B. 1907, pp. 74–76. 1908.
    progress of study, remarks. Soils Bul. 28, pp. 5–7. 1905.
    relation—
      of certain organic constituents of soils. Oswald Schreiner and others. Soils Bul. 47, pp. 52. 1907.
      to water requirements in irrigation. D.B. 1340, p. 33. 1925.
    some factors influencing. Oswald Schreiner and Howard S. Reed. Soils Bul. 40, pp. 40. 1907.
    work of county agents, 1915–1920. D.C. 179, pp. 21–24. 1921.
Fertilization—
  cross. See Cross-fertilization.
  fruit trees, to stimulate growth. F.B. 908, p. 59. 1918.
  in—
    irises, for hybridization. F.B. 1406, p. 38. 1924.

Fertilization—Continued.
  in—continued.
    Pima cotton. Thomas H. Kearney. D.B. 1134, pp. 68. 1923.
    Smyrna fig flowers, use of caprifig. Y.B., 1900, p. 81. 1901.
    sugar cane, in St. Croix, methods and fertilizers. Vir. Is. Bul. 2, pp. 14–15. 1921.
  objects and methods. F.B. 596, pp. 4, 5. 1914; Rpt. 70, pp. 31–32. 1901.
  orchards. F.B. 491, pp. 11, 15–16, 22. 1912; S.R.S. Syl. 31, pp. 6, 11–13. 1918.
  peach orchards. Y.B., 1902, pp. 621–626. 1903.
  selective, in cotton. Thomas H. Kearney and George J. Harrison. J.A.R., vol. 27, pp. 329–340. 1924.
  self, of corn, and crossing of individual lines, productiveness. Frederick D. Richey and L. S. Mayer. D.B. 1354, pp. 19. 1925.
  wheat, experiments. S.R.S. Rpt. 1917, Pt. I, pp. 19, 101. 1918.
Fertilizer(s)—
  acid—
    experiments, Huntley farm, 1913–1916. B.P.I. W.I.A. 15, pp. 23. 1917.
    for blueberries. D.B. 334, p. 15. 1915.
  addition to—
    arbutin solutions, effect on wheat plants. Soils Bul. 47, p. 48. 1907.
    vanillin solutions, effect on wheat plants. Soils Bul. 47, p. 50. 1907.
  adulteration, definition. Chem. Bul. 116, pp. 99–100. 1908.
  Alaska, vegetable gardens. Alaska Bul. 2, pp. 21–22. 1905.
  alfalfa as. F.B. 133, p. 6. 1901; F.B. 339, pp. 9, 21. 1908; F.B. 472, pp. 29–30. 1911; F.B. 1283, pp. 12–13, 30–23. 1922; S.R.S. Syl. 20, p. 7. 1916.
  alkaline, bad effects on tobacco root-rot soils. B.P.I. Cir. 7, p. 6. 1908.
  amount, quality, and method of application. Soils Cir. 21, pp. 6–8, 12, 14, 15, 16, 17, 18, 19, 20. 1910.
  analysis(es)—
    potash determination. Chem. Bul. 73, pp. 38–41. 1903.
    summary for various States. Soils Bul. 58, pp. 17–39. 1910.
    table for identification of inorganic salts. D.B. 1108, pp. 10–21. 1922.
  application to—
    asparagus, methods. F.B. 233, pp. 11–13. 1905; F.B. 829, pp. 4–6. 1917; Soils Cir. 20, p. 13. 1910.
    citrus groves. F.B. 1122, pp. 31–34. 1920.
  atmospheric-nitrogen—
    field experiments. F.E. Allison and others. D.B. 1180, pp. 44. 1923.
    for. R. O. E. Davis. Y.B. 1919, pp. 115–121. 1920; Y.B. Sep. 803, pp. 115–121. 1920.
  beet—
    by-products, value. Y.B., 1908, pp. 444, 446, 447, 448, 449. 1909; Y.B. Sep. 493, pp. 444, 446, 447, 448, 449. 1909.
    sugar. Chem. Bul. 95, pp. 30–31. 1905.
  bills, reduction by use of leguminous crops. F.B. 398, p. 7. 1910.
  borax—
    content—
      injury to crops. Oswald Schreiner and others. D.C. 84, pp. 35. 1920.
      regulations. News L., vol. 7, No. 15, p. 8. 1919.
    effect on—
      cotton. J. J. Skinner and F. E. Allison. J.A.R. vol. 23, pp. 433–444. 1923.
      crops, studies and experiments. D.B. 1126, pp. 1–31. 1923.
      potatoes. B. E. Brown. D.B. 998, pp. 8. 1922.
  brands for special crops, differences. Soils Bul. 55, pp. 55–57. 1909.
  catalytic, effect on plants. D.B. 149, pp. 11–13. 1914.
  chemical, effect on Leonardtown loam, Maryland. Soils Cir. 15, pp. 8–9. 1905.
  coffee—
    experiments, Porto Rico. P.R. An. Rpt., 1913, p. 22. 1914; P.R. An. Rpt. 1918, p. 11. 1920; P.R. An. Rpt., 1923, p. 7. 1924.

858　UNITED STATES DEPARTMENT OF AGRICULTURE

Fertilizer(s)—Continued.
coffee—continued.
  plantation, availability of pulp and manure. P.R. Cir. 15, pp. 21-22. 1912.
  pulp, use and value. Hawaii A.R., 1919, pp. 36-37. 1920.
commercial—
  adulteration. Chem. Bul. 105, pp. 177-178. 1907.
  and homemade, kinds, description, and value. D.B. 995, pp. 26-30. 1921.
  common forms, difference in fertilizing value. Soils Bul. 55, pp. 52-53. 1909.
  comparison with green manure for potatoes. B.P.I. Cir. 127, pp. 7-9. 1913.
  composition—
    Milton Whitney. Soils Bul. 58, pp. 39. 1910.
  cost, use, and value. B.P.I. Doc. 441, pp. 1-4. 1909.
  effect on potato yield. Soils Bul. 65, pp. 16, 18. 1910.
  effect on yield of rice. D.B. 1356, pp. 16-18, 32. 1925.
  experiments with sugar-beet growing, tables. Misc., "Progress beet-sugar industry * * *," 1903, pp. 87-90. 1903.
  factors influencing the economical use. F.B. 398, pp. 6-11. 1910.
  for greenhouse tomatoes. F.B. 1431, pp. 9-10. 1924.
  formulas for sugar beets. D.B. 721, pp. 28-29. 1918.
  function in crop production. Soils Bul. 22, pp. 58-62. 1903.
  home gardens, use, methods, and rate. S.R.S. Doc. 49, p. 4. 1918.
  kinds, composition, use, methods, amount per acre, and cost. B.P.I. Doc. 629, pp. 6-13. 1911.
  mixing directions and formulas. Y.B., 1918, pp. 187-190. 1919; Y.B. Sep. 780, pp. 5-8 1919.
  mixtures for sweet potatoes, and use. F.B. 324, pp. 7-9, 17. 1908.
  onion culture, cost and quantity per acre. F.B. 354, pp. 12-13. 1909.
  requirements in Gulf coast region. F.B. 986, pp. 17-18. 1918.
  sources of three required elements. News L., vol. 2, No. 24, p. 4. 1915.
  stocks in United States, Oct. 1, 1917. Sec. Cir. 104, pp. 12. 1918.
  tests on soils for various crops. Soils Bul. 67, pp. 1-73. 1910.
use(s)—
  and cost. S. A. Knapp. B.P.I. Doc. 366, pp. 4. 1908; B.P.I. Doc. 441, pp. 4. 1909.
  and value. B.P.I. Doc. 631, pp. 5-8. 1911.
  control, and mixing, studies. D.B. 355, pp. 59-60. 1916.
  in corn growing, methods. F.B. 537, pp. 11-12. 1913.
  in Georgia, Talbot County. Soil Sur. Adv. Sh., 1913, pp. 12-13. 1914; Soils F.O., 1913, pp. 614-615. 1916.
  in peanut growing. F.B. 356, p. 12. 1909.
  in procuring early cotton crop. F.B. 344, pp. 24-25. 1909.
  in South Carolina, Fairfield County, rate, and quality. Soil Sur. Adv. Sh., 1911, pp. 15-16. 1913; Soils F.O., 1911, pp. 489-490. 1914.
  on corn in Kentucky and West Virginia, methods. F.B. 546, p. 6. 1913.
  on sweet potatoes. F.B. 999, pp. 6-7. 1919.
  value, functions and effects. S.R.S. Doc. 30, pp. 6-14. 1916.
  wheat soils, tests. Soils Bul. 66, pp. 15, 17, 20. 1910.
complete—
  analyses of different brands, summary. Soils Bul. 58, pp. 28-29, 36-37. 1910.
  effect on citrus fruits, experiments. P.R. Bul. 18, pp. 7-32. 1915.
  composition. Y.B., 1918, p. 186. 1919; Y.B. Sep. 780, p. 4. 1919.
concentrated—
  advantage and economy. F.B. 329, p. 5. 1908.
  nature. Off. Rec., vol. 3, No. 51, p. 6. 1924.

Fertilizer(s)—Continued.
constituents—
  alsike and red clover, comparison. F.B. 1151, p. 20. 1920.
  in cow manure, determination. D.B. 858, pp. 24-26. 1920.
  withdrawal from soils by crops. F.B. 437, p. 15. 1911; J.A.R., vol. 12, pp. 299-301. 1918.
content of sulphur in relation to plant growth. Oscar C. Bruce. J.A.R., vol. 30, pp. 937-947. 1925.
control, act of the United Kingdom, 1906. Chem. Bul. 143, pp. 37-39. 1911.
cooperative buying, result of organization work. Y.B., 1915, pp. 234-235. 1916; Y.B. Sep. 672, pp. 234-235. 1916.
cost—
  as factor in wheat profits. Y.B., 1921, p. 117. 1922; Y.B. Sep. 873, p. 117. 1922.
  of available nitrogen, experiments. F.B. 465, pp. 5-6. 1911.
on farms—
  1910. Y.B., 1911, p. 696. 1912; Y.B. Sep. 588, p. 696. 1912.
  1920, by States. Y.B., 1922, p. 1005. 1923; Y.B. Sep. 887, p. 1005. 1923.
  per acre, tenant farm in New Jersey. F.B. 472, p. 37. 1911.
cotton—
  farm. F.B. 364, pp. 19-20. 1909.
  soils, kind and cost. Soils Bul. 62, pp. 8-9. 1909.
  whole cotton seed, comparison with cottonseed meal. F.B. 286, pp. 1-14. 1907.
crushing and mixing, school exercise. D.B. 527, p. 27. 1917.
danger from use, Missouri, Cooper County. Soil Sur. Adv. Sh., 1909, p. 16. 1911; Soils F.O., 1909, p. 1378. 1912.
demonstrations by county agents, 1919. An. Rpts., 1919, pp. 370-371. 1920.
deposits, Porto Rico, survey. S.R.S. Rpt., 1916, Pt. I, p. 238. 1918.
distribution, methods. F.B. 316, pp. 5-6. 1908.
distributor—
  cost. F.B. 316, p. 6. 1908.
use in—
  growing potatoes. F.B. 1064, p. 12. 1919.
  onion culture. F.B. 354, p. 13. 1909.
  sweet potato growing. F.B. 324, p. 8. 1908.
effect—
  and value of red clover. F.B. 455, pp. 26-27. 1911.
on—
  alfalfa root-growth. D.B. 1087, p. 3. 1922.
  catalytic power of soils. Soils Bul. 86, pp. 16-18. 1912.
  color of apples. F.B. 316, pp. 8-9. 1908.
  composition of potato tubers, skins, and sprouts. J.A.R., vol. 20, pp. 632-634. 1921.
  composition of rice. Hawaii Bul. 21, pp. 14-29. 1910.
  diseased pecan trees, experiments. D.B. 756, pp. 5-6. 1919.
  flea beetle. Ent. Bul. 66, Pt. VI, p. 88. 1909.
  fruit-bud formation. O.E.S. An. Rpt., 1922, pp. 89-90. 1924.
  nitrates, nitrification, and bacteria of acid soils. J.A.R., vol. 16, pp. 30-32, 33-35. 1919.
  physical properties of Hawaiian soils. W. T. McGeorge. Hawaii Bul. 38, pp. 31. 1915.
  potato wilt. D.B. 64, p. 15. 1914.
  rice production, Porto Rico, experiments. P.R. An. Rpt., 1921, pp. 7-9. 1922.
  rust development. J.A.R., vol. 27, pp. 115-117. 1923.
  soil. J.A.R., vol. 4, pp. 187-192. 1915; Soils Bul. 55, pp. 19-20, 47-58. 1909; Soils Cir. 74, pp. 17-18. 1912.
  soil reaction, studies. J.A.R., vol. 12, pp. 25-30. 1918.
  soils, tests. Soils Bul. 48, pp. 1-59. 1908.
  stem-rust development on wheat. E. C. Stakman and O. S. Aamodt. J.A.R., vol. 27, pp. 341-380. 1924.
  toxic soil solutions. Soil Bul. 47, pp. 12, 44-52. 1907.
  vanillin. Soils Bul. 77, pp. 19-22. 1911.

Fertilizer(s)—Continued.
 effect—continued.
  on—continued.
   water requirement of plants. J.A.R., vol. 3, pp. 4-5. 1914; B.P.I. Bul. 285, pp. 31-56, 88-89. 1913.
   weight of crops, Hawaiian experiments. Hawaii Bul. 41, pp. 9-14, 15-24. 1916.
   yield of cotton in Noth Carolina. M.C. 32, pp. 28-31. 1924.
 efficiency—
  as related to soil texture. Soils Bul. 48, pp. 53, 58. 1908.
  testing, studies, Porto Rico. P.R. An. Rpt., 1916, pp. 11-12. 1918.
 elements needed on sandy lands. F.B. 716, pp. 3, 21-23. 1916.
 Europe, situation after the war. Sec. [Misc.], "Report of agricultural * * *," pp. 18, 31-32, 66. 1919.
 expenditure—
  1909, United States. Sec. [Misc.], Spec. "Geography * * * world's agriculture," p. 53. 1917.
  per farm in 1919, map. Y. B., 1921, p. 496. 1922; Y.B. Sep. 878, p. 90. 1922.
 experiments—
  Hawaii. Hawaii A.R., 1923, pp. 8-9. 1924.
  in Minnesota. Off. Rec., vol. 2, No. 48, p. 6. 1923.
  on sugar cane. Chem. Bul. 75, pp. 5-24. 1903.
  paraffin-pot method. Soils Bul. 48, pp. 10-12, 56. 1908.
  with coconuts in Porto Rico. P.R. An. Rpt., 1921, pp. 12-13. 1922.
  with ground raw rock phosphate. W. H. Waggaman and others. D.B. 699, pp. 119. 1918.
  with sweet potatoes. B.P.I. Chief Rpt., 1924, pp. 12-13. 1924.
  with various crops in Hawaii. Hawaii A.R., 1910, pp. 41-45. 1911.
  with wheat, Truckee-Carson farm, Nevada. W.I.A. Cir. 19, pp. 9-10. 1918.
 extent of use in West. Rpt. 70, pp. 47-48. 1901.
 farm—
  S. A. Knapp. B.P.I. Doc. 631, pp. 8. 1911.
  W. B. Mercier and H. E. Savely. B.P.I. Doc. 692, pp. 14. 1911.
  and manures. W. B. Mercier and H. E. Savely S.R.S. Doc. 30, pp. 14. 1916.
  needs, central Alaska, practices and resources. Soil Sur. Adv. Sh., 1914, pp. 94-96, 171-173. 1915; Soils F.O., 1914, pp. 128-130, 205-206. 1919.
  practice, study. An. Rpts., 1908, p. 380. 1909; B.P.I. Chief Rpt., 1908, p. 108. 1908.
 field experiments, details, and factors involved. D.B. 699, pp. 18-28. 1918; D.B. 1000, pp. 5-50. 1921.
 fish—
  scrap, industry of Atlantic coast. J. W. Turrentine. D.B. 2, pp. 50. 1913.
  value, preparation. F.B. 320, pp. 5-9. 1908.
  waste utilization. D.B. 378, pp. 1-20. 1916; D.B. 908, p. 111. 1921.
 for—
  apple—
   orchards, formula, Pennsylvania, Cambria County. Soil Sur. Adv. Sh., 1915, p. 23. 1917; Soils F.O., 1915, p. 259. 1919.
   trees. F.B. 1360, pp. 33-37. 1924.
  avocado trees. Hawaii Bul. 25, p. 18. 1911; Hawaii Bul. 51, p. 12. 1924.
  banana trees, experiments, Hawaii. Hawaii A.R., 1919, p. 43. 1920.
  barley. F.B. 427, p. 5. 1910; F.B. 443, pp. 13-16. 1911; F.B. 518, p. 8. 1912; F.B. 1464, pp. 9-10. 1925.
  beans. F.B. 289, pp. 21-22. 1907.
  beets—
   needs, effect on yield. D.B. 748, pp. 3, 11-12, 35. 1919; Rpt. 90, pp. 15-17, 20. 1909.
   Nevada. B.P.I. Cir. 122, p. 18. 1913.
  berry growing. S.R.S. Doc. 93, pp. 4-5, 10. 1919.
  blackberry growing. F.B. 1399, p. 6. 1924.
  blueberry, formula and requirements. D.B. 974, p. 20. 1921.
  brome grass meadows. B.P.I. Bul. 111, Pt. V, p. 7. 1907.

Fertilizer(s)—Continued.
 for—continued.
  buckwheat. F.B. 1062, pp. 8-10. 1919.
  bulbs, requirements. D.B. 797, p. 5. 1919.
  cabbage, use against root maggots. Ent. Cir. 63, p. 3. 1905.
  cantaloupe, use in North Carolina, Scotland County. Soil Sur. Adv. Sh. 1909, p. 14. 1911; Soils F.O. 1909, p. 430. 1912.
  carnations, experiments, New Hampshire Experiment Station. O.E.S. An. Rpt., 1912, p. 161. 1913.
  cassava, kinds and effectiveness. F.B. 167, pp. 10-11. 1903.
  celery, composition, application methods, and quantities. F.B. 1269, p. 5. 1922.
  chayote, requirements. D.C. 286, p. 5. 1923.
  cherry orchards. F.B. 776, pp. 14-15. 1916.
  chrysanthemum. F.B. 1311, pp. 3, 5. 1923.
  citrus—
   fruit, furrow-manure method. An. Rpts., 1923, p. 270. 1924; B.P.I. Chief Rpt., 1923, p. 16. 1923.
   fruits. F.B. 238, pp. 17-22. 1905.
   fruits, Porto Rico, experiments. P.R. An. Rpt., 1913, pp. 16-18. 1914; P.R. An. Rpt., 1920, pp. 24, 27. 1921.
   trees, kinds for different conditions. F.B. 542, pp. 8-12. 1913; F.B. 1122, pp. 31-34. 1920.
   trees, relation to mottle leaf. J.A.R. vol. 6, pp. 724, 738. 1916.
  coconut palm, effect on growth. Guam A.R., 1920, pp. 59-60. 1921; P.R. An. Rpt., 1913, pp. 19-20. 1914.
  control of potato wart-disease. F.B. 412, p. 10. 1910.
  corn—
   and crop rotation. F.B. 199, pp. 13-17. 1904.
   cost per acre. D.B. 653, p. 5. 1918; D.C. 340, pp. 5-6, 9. 1925.
   cotton and alfalfa. F.B. 310, pp. 12, 13, 17, 20. 1907.
   formulas and application. F.B. 729, pp. 3-8. 1916; F.B. 1149, pp. 5-9. 1920.
   New Jersey farms. F.B. 472, pp. 14-16. 1911.
   soils. Milton Whitney. Soils Bul. 64, pp. 31. 1910.
   use in North Carolina, Scotland County. Soil Sur. Adv. Sh. 1909, pp. 11, 12. 1911; Soils F.O. 1909, pp. 427-428. 1912.
  cotton—
   and methods of application. B.P.I. Doc. 344, pp. 3-4. 1908; F.B. 216, pp. 18-19. 1905.
   cost per acre. D.C. 340, pp. 26-27. 1925.
   experiments and yields, North Carolina soils. J.A.R. vol. 5, pp. 578, 580. 1915.
   experiments at Yuma experiment farm. D.C. 221, p. 22. 1922.
   formulas, cost and use in Alabama, Colbert County. Soil Sur. Adv. Sh. 1908, pp. 11-12. 1909; Soils F.O. 1908, pp. 561-562. 1911.
   growing, requirements for different soils, table. F.B. 398, pp. 17-19. 1910.
   hauling, distributing, and covering, time and crew. D.B. 896, pp. 22-25. 1920.
   importance in securing early crop. F.B. 217, pp. 5-7, 10. 1905; F.B. 1329, pp. 21-22. 1923.
   influence on wilt disease. F.B. 333, p. 12. 1908.
   kinds and cost. Y.B., 1921, pp. 348, 361, 362, 363. 1922; Y.B. Sep. 877, pp. 348, 361, 362, 363. 1922.
   lessons. M.C. 43, pp. 19-21. 1925.
   mixing and application. B.P.I. Doc. 523, rev., pp. 3, 4. 1911.
   soils. Milton Whitney. Soils Bul. 62, pp. 24. 1909.
   use in hastening maturity. F.B. 457, pp. 14-15. 1911.
   use in Scotland County, North Carolina. Soil Sur. Adv. Sh. 1909, pp. 10-11. 1911; Soils F.O. 1909; pp. 426-428. 1912.
   use in South Atlantic States. Atl. Am. Agr., Pt. V, sec. A, p. 15. 1919.
  cowpea. F.B. 1148, pp. 11-12. 1920.

Fertilizers—Continued.
for—continued.
cranberry—
directions and formula. F.B. 1401, pp. 5–6. 1924.
use as repellents against girdler. D.B. 554, pp. 13–14. 1917.
crimson clover. F.B. 550, pp. 6–8. 1913; F.B. 1142, pp. 11–12. 1920.
cucumbers—
F.B. 254, pp. 7, 16, 25. 1906.
grown in greenhouses. F.B. 1320, pp. 12–13, 21. 1923.
currants and gooseberries. F.B. 1024, pp. 12–13. 1919; F.B. 1398, pp. 10–11. 1924.
dasheen, application. B.P.I. Cir. 127, p. 31. 1913; B.P.I. Doc. 1110, p. 8. 1914; F.B. 1396, pp. 13–14. 1924.
dewberry. F.B. 728, pp. 7–8. 1916; F.B. 1403, pp. 6–7. 1924.
edible canna, directions. Hawaii Bul. 54, p. 5. 1924.
figs. F.B. 342, p. 22. 1909; F.B. 1031, pp. 17–19. 1919.
forest nurseries. For. Bul. 121, pp. 27–29. 1913; D.B. 479, pp. 79–86. 1917.
ginseng. F.B. 1184, p. 9. 1921.
goldenseal. F.B. 613, pp. 4–5. 1914.
grain(s)—
and alfalfa, tests, Montana, experiments. W.I.A. Cir. 22, pp. 21–22. 1918.
fall-sown. F.B. 786, pp. 5–7. 1917.
farming, elements needed, and sources. F.B. 968, pp. 13–14. 1918.
in Missouri, Lincoln County. Soil Sur. Adv. Sh., 1917, pp. 13, 20, 24, 25, 29, 32, 34. 1920; Soils F.O., 1917, pp. 1491, 1498, 1502–1503, 1507, 1510, 1512. 1923.
grape—
effects in renovation of old vineyards. Ent. Bul. 89, pp. 76, 79. 1910.
formula for northwestern Pennsylvania. Soil Sur. Adv. Sh., 1908, p. 46. 1910; Soils F.O., 1908, p. 238. 1911.
muscadine. F.B. 709, pp. 13–14. 1916.
grapefruit, effect on growth and fruit yield. P.R. Bul. 18, pp. 27–32. 1915.
grass—
demonstrations in South. B.P.I. Cir. 110, p. 3. 1913.
soils, directions for use. Soils Bul. 75, pp. 14, 17, 32, 40, 42, 43, 45, 49, 53–54. 1911.
hay—
crops. F.B. 1170; pp. 10–11. 1920.
top-dressing. F.B. 472, pp. 23–24, 26. 1911.
hemp. B.P.I. Cir. 57, p. 4. 1910; Y.B., 1913, pp. 313–315. 1914; Y.B. Sep. 628, pp. 313–315. 1914.
lawns, directions for applications. D.C. 49, p. 4. 1919; F.B. 494, pp. 26, 44–46. 1912.
leguminous crops, hay farm. F.B. 312, p. 14. 1907.
lemon groves. B.P.I. Bul. 160, pp. 25–26. 1909; Y.B., 1907, p. 352. 1908; Y.B. Sep. 453, p. 352. 1908.
Lespedeza. F.B. 1143, pp. 5–6. 1920.
lettuce, in greenhouse growing. F.B. 1418, p. 6. 1924.
lime trees, directions, and effect on yields. Hawaii Bul. 47, pp. 5–6. 1923; Hawaii Bul. 49, pp. 5–6. 1923.
market garden crop. F.B. 124, pp. 12–16. 1901.
millet. F.B. 793, pp. 25–26. 1917.
narcissus, in bulb growing. D.B. 1270, pp. 15–16. 1924.
oats—
cost per acre. D.C. 340, pp. 17–18, 20. 1925.
formulas and directions. F.B. 436, pp. 14–16. 1911; F.B. 892, pp. 5–6. 1917; F.B. 1119, pp. 11–12. 1920.
growing, selection and application. F.B. 424, pp. 7–9. 1910.
onion growing. F.B. 354, pp. 11–13. 1909; F.B. 434, pp. 8, 14. 1911.
oranges, effect on—
composition and quality of fruit. J.A.R., vol. 8, pp. 127–138. 1917.
growth and fruit yield. Hawaii Bul. 9, p. 16. 1905; P.R. Bul. 18, pp. 8–27. 1915.

Fertilizers—Continued.
for—continued.
orchards. F.B. 1284, pp. 12–15. 1922; S.R.S. Syl. 23, pp. 7, 9. 1916.
papaya, experiments. Guam A.R., 1918, pp. 48, 50. 1919.
paprika pepper, experiments and results. D.B. 43, p. 16. 1913.
Para grass, effect on yields. Guam Bul. 1, pp. 17–19. 1921.
peach orchards. D.B. 29, pp. 9, 18. 1913; D.B. 543, pp. 5–7. 1917; F.B. 631, pp. 23–24. 1915; F.B. 917, pp. 22–23, 41. 1918.
peanut growing, kinds, rate per acre, and time of using. F.B. 431, pp. 9–12. 1911; F.B. 1127, pp. 6–7. 1920; S.R.S. Doc. 45, pp. 2–3. 1917.
pear trees. F.B. 482, pp. 10–11. 1912.
peas. F.B. 1255, pp. 10–11. 1922.
pecan—
experiments in rosette control studies. J.A.R. vol. 3, pp. 159–162, 168, 172, 174. 1914.
orchards, cost. B.P.I. Cir. 112, p. 5. 1913.
permanent pasture. Soil Sur. Adv. Sh., 1908, p. 27; Soils F.O., 1908, p. 93. 1911.
pigeon peas, experiment. Hawaii A.R., 1922. p. 21. 1924.
pineapples—
effect on yield. Guam A.R., 1920, p. 51. 1921.
experiments in Hawaii. Hawaii A.R., 1919, p. 43. 1920.
methods, use, and rate of application. F.B. 140, pp. 22–30. 1901; F.B. 412, pp. 5–7. 1910; F.B. 1237, pp. 18–20. 1921; P.R., Bul. 8, pp. 18–23. 1909.
plums, in Northwest prune growing. F.B. 1372, p. 55. 1924.
Porto Rico soils, requirements. P.R. An. Rpt. 1922, p. 1. 1923; P.R. An. Rpt., 1914, p. 14. 1915; P.R. Cir. 6, pp. 1–16. 1906.
potato(es)—
constituents and distribution. F.B. 407, pp. 15–16. 1910.
cost per acre. D.C. 340, pp. 23–24. 1925.
directions, choice and application. F.B. 210, pp. 31–32. 1904; F.B. 1190, pp. 9–11. 1921; Sec. Cir. 92, pp. 9, 17, 24. 1918.
effect on leaf-roll disease. D.B. 64, p. 35. 1914.
formulas and grades for Southern crop. F.B. 1205, pp. 7–9, 28. 1921.
formulas used by Maine planters. Soil Sur. Adv. Sh., 1908, p. 16. 1910; Soils F.O., 1908, p. 46. 1911.
growing, kinds. F.B. 210, pp. 31–32. 1904; F.B. 365, pp. 23–25, 29, 30–31. 1909.
materials removed from soil by crop. F.B. 1064, pp. 9–12. 1919.
on New Jersey farms. F.B. 472, pp. 18–19. 1911.
on Norfolk fine sand. Soils Cir. 23, p. 11. 1911.
soils. Milton Whitney. Soils Bul. 65, pp. 19. 1910.
studies for rural schools. D.B. 784, p. 15. 1919.
tests in Alaska. Alaska A.R., 1921, p. 29. 1923.
tests in Hawaii. Hawaii A.R., 1919, pp. 65, 73. 1920.
ramie, requirements. B.P.I. Cir. 103, p. 5. 1912.
red clover, varieties, quantity. F.B. 455, pp. 12–13. 1911.
rice—
experiments in California. D.B. 1155, pp. 20–29. 1923.
experiments in Hawaii. Hawaii A. R., 1907, pp. 76–88. 1908; Hawaii A. R., 1908, pp. 70–79. 1908; Hawaii Bul. 24, pp. 1–20. 1911; Hawaii Bul. 31, pp. 8–15. 1914.
growing. F.B. 1092, pp. 16–17. 1920.
kinds and application. F.B. 417, pp. 15–16. 1910; F.B. 1240, pp. 5–6. 1924; Sec. Cir. 89, pp. 17–18. 1918.
rose. F.B. 750, pp. 5, 10, 18. 1916.
rubber trees, effect on yield. Hawaii A.R., 1914, pp. 55–56. 1915.
rye, requirements. F.B. 894, p. 9. 1917.
sea-island cotton, kinds, use, rate, and method. F.B. 302, pp. 20–23. 1907; F.B. 787, pp. 12–15. 1916.

Fertilizer(s)—Continued.
for—continued.
   soils and crops, proportions and amounts. S.R.S.Doc. 30, pp. 10-13. 1916.
   sorghum. F.B. 1158, p. 6. 1920.
   special crops. A.F. Woods and R. E. B. McKenney. Y.B. 1902, pp. 553-572. 1903; Y.B. Sep. 290, pp. 553-572. 1903.
   spinach, experiments. J.A.R., vol. 16, pp. 15-19. 1919.
   strawberries. F.B. 149, pp. 17-20. 1902; F.B. 664, pp. 3-5. 1915; F.B. 854, pp. 9-10, 1917; F.B. 1026, p. 28. 1919; F.B. 1027, p. 20. 1919; F.B. 1028, pp. 12, 30-31. 1919.
   sugar beets—
      experiments. Chem. Bul. 95, pp. 22, 25, 30-31. 1905; F.B. 567, pp. 21-22. 1914; Rpt. 86, pp. 32, 85. 1908.
      experiments at Scottsbluff, Nebr. D.C. 173, pp. 18-21. 1921.
   sugar-cane—
      application time and method. Chem. Bul. 75, pp. 5-24. 1903; D.B. 486, pp. 14-15. 1917; F.B. 1034, pp. 10-12, 29. 1919.
      discussion. D.B. 1370, pp. 4-5. 1925.
      experiments in Virgin Islands. Vir. Is. A.R., 1919, pp. 9-10. 1920.
      experiments, on red clay soils. P.R. An. Rpt., 1914, pp. 16-24. 1916.
      use, Louisiana, Iberia Parish. Soil Sur. Adv. Sh., 1911, pp. 13, 39. 1912; Soils F.O., 1911, pp. 1137, 1163. 1914.
   sweet clover. F.B. 485, pp. 15-16. 1912.
   sweet potatoes—
      kinds and methods of use. F.B. 129, pp. 10-15. 1901; F.B. 999, pp. 6-8. 1919; Hawaii Bul. 50, p. 6. 1923; S.R.S Syl. 26, pp. 4-5. 1917.
      relation to soil-rot disease. J.A.R., vol. 13, pp. 447-448. 1918.
   taros, experiments in Hawaii. Hawaii A.R., 1912, pp. 56-58, 83. 1913.
   timothy, use and effect. F.B. 990, pp. 11-16. 1918.
   tobacco—
      cost, per cent of total cost. Y.B., 1922, p. 429. 1923; Y.B. Sep. 885, p. 429. 1923; Soils Bul. 46, pp. 14-16. 1907.
      desirable constituents. B.P.I. Bul. 105, pp. 1-24. 1907.
      directions. O.E.S.F.I.L. 9, p. 8. 1907.
      effect on yields and on quality of leaves. Guam A.R., 1918, pp. 41, 42, 43. 1919.
      experiments, Red Lion, Pa., results on burning quality. J.A.R., vol. 7, pp. 278-284. 1916.
      formulas. F.B. 381, pp. 10, 11. 1909.
      formulas, cost and quantity. B.P.I. Doc. 629, pp. 1-4. 1910.
      formulas, effects of different ingredients. Y.B., 1908, pp. 406-409. 1909; Y.B. Sep. 490, pp. 406-409. 1909.
      home-mixed and factory-mixed, formulas. Y.B., 1905, pp. 225-226. 1906; Y.B. Sep. 378, pp. 225-226. 1906.
      importance in growing White Burley. B.P.I. Bul. 244, pp. 57-58. 1912.
      in North Carolina, Granville County. Soil Sur. Adv. Sh., 1910, pp. 12, 14, 15. 1912; Soils F.O., 1910, pp. 348, 350, 351. 1912.
      kind and methods of application. F.B. 343, pp. 15-16. 1909.
      plant food per acre. B.P.I. Bul. 138, p. 12. 1908.
      rate and kind, relation to soil conditions. Y.B., 1922, pp. 420-421. 1923; Y.B. Sep. 885, pp. 420-421. 1923.
      relation to root rot, studies. J.A.R., vol. 17, pp. 53-60. 1919.
      uses. F.B. 571, pp. 4-5, 8-13. 1914; F.B. 571, rev., pp. 7-8, 16. 1920; Y.B., 1905, pp. 222-227. 1906; Y.B. Sep. 378, pp. 222-227. 1906.
   tomato(es)—
      directions. F.B. 642, p. 6. 1915; F.B. 1338, pp. 13-15, 33. 1923.
      growing, kinds, application methods, use rates. S.R.S. Doc. 92, p. 10. 1919.
      growing, practices in Florida. D.B. 859, pp. 3-4. 1920.

Fertilizer(s)—Continued.
for—continued.
   tomato(es)—continued.
      kinds, rate, and use methods. S.R.S. Doc. 98, p. 7. 1919.
      suggestions. D.B. 1288, p. 12. 1924.
   truck—
      crops in Alabama, Mobile County, formula and quantity. Soil Sur. Adv. Sh., 1911, pp. 11-13, 22, 27. 1912; Soils F.O., 1911, pp. 865-867, 876, 881. 1914.
      crops in Mississippi, Adams County. Soil Sur. Adv. Sh., 1910, pp. 12, 22, 24. 1911; Soils F.O. 1910, pp. 712, 722, 724. 1912.
      growing, practices in Virginia, Accomac and Northampton Counties. Soil Sur. Adv. Sh., 1917, pp. 25-31, 44, 50, 54. 1920.
      growing under frames, requirement. F.B. 460, pp. 14-15. 1911.
   vegetable(s)—
      garden. F.B. 255, pp. 1-11. 1906; F.B. 647, pp. 6-8. 1915; Y.B. 818, p. 16. 1917.
      growing. D.C. 27, pp. 7, 10. 1919; F.B. 937, pp. 9-11. 1918.
      in Guam. Guam Bul. 2, pp. 8-10. 1922.
      in Porto Rico. P.R. Bul. 7, p. 11. 1906.
   velvet beans. F.B. 962, p. 12. 1918.
   vetch. F.B. 515, p. 15. 1912.
   walnut orchards. B.P.I. Bul. 254, pp. 86-88. 1913.
   watermelons—
      formula used in North Carolina, Scotland County. Soil Sur. Adv. Sh., 1909, p. 15. 1911; Soils F.O., 1909, p. 431. 1912.
      requirements. F.B. 1394, pp. 4-6. 1924.
   wheat—
      cost per acre. D.C. 340, pp. 12, 14. 1925.
      cost per ton. Soils Bul. 66, p. 8. 1910.
      effect on sterility of spikelets. J. A.R.,vol. 6, pp. 242-243. 1916.
      effect on "take-all" disease. J.A.R., vol. 25, pp. 354-356. 1923.
      relation to yield and qualities. F.B. 320, pp. 21-22. 1908; F.B. 885, pp. 4-5. 1917; Sec. Cir. 90, p. 23. 1918.
      requirements. O.E.S.F.I.L. 11, pp. 12-13. 1910.
      soils. Milton Whitney. Soils Bul. 66, pp. 48. 1910.
      study and experiments. J.A.R., vol. 23, pp. 55-68. 1923.
      use in tenant-farm system, constituents, and cost. F.B. 437, pp. 8, 12, 17. 1911.
   willows. F.B. 622, p. 20. 1914.
   yams—
      formula and application. D.B. 1167, pp. 6-7. 1923.
      testing four varieties, hill and ridge culture. P.R.Bul. 27, pp. 8-10. 1921.
formula(s)—
   combining fish with other materials. F.B., 320, p. 8. 1908.
   for—
      apple orchards, experiments. F.B. 1284, pp. 13-15. 1922.
      blueberries. B.P.I.Cir. 122, p. 10. 1913.
      grapes in northwestern Pennsylvania. Soil Sur. Adv. Sh., 1908, p. 44. 1910; Soils F.O., 1908, p. 238. 1911.
      grass lands. F.B. 366, p. 9. 1909.
      lawn trees. Y.B., 1907, p. 484. 1908; Y.B. Sep. 463, p. 484. 1908.
      lettuce growers, in South Atlantic States. Soils Cir. 19, p. 14. 1909.
      mixture. Y.B., 1918, pp. 189-190. 1919. Y.B. Sep. 780, pp. 7-8. 1918.
      potato growing. F.B. 1064, pp. 11-12. 1919.
      sandy soils with forage crops, rotations. F.B. 329, p. 9. 1908.
freight rates, report of advisory board. News L., vol. 5, No. 52, p. 7. 1918.
from industrial wastes. Y.B., 1917, pp. 177, 178, 253-263. 1918; Y.B.Sep. 728, pp. 13. 1918; Y.B. Sep. 730, pp. 3, 4. 1918.
goat droppings. B.A.I. Bul. 27, p. 62. 1901.
grades, price, and value, comparison. F.B. 457, pp. 5-7. 1911.
guano, use in control of beet wireworms, experiments. Ent. Bul. 123, p. 61. 1914.

Fertilizer(s)—Continued.
  hemp culture, recommendations. B.P.I. Cir. 57, p. 4. 1910.
  home—
    for the farm, economy. B.P.I. Doc. 355, rev., pp. 1–5. 1910.
  mixing—
    C. C. Fletcher. Y.B., 1918, pp. 185–190. 1919; Y.B. Sep. 780, pp. 8. 1919.
    advantages and disadvantages. F.B. 222, pp. 5–9. 1905; F.B. 366, p. 9. 1909.
    in Goergia, Sumter County. Soil Sur. Adv. Sh., 1910, pp. 18–19. 1911; Soils F.O., 1910, pp. 514–515. 1912.
    onion culture, formulas and directions. F.B. 354, pp. 12–13. 1909.
    school studies. D.B. 521, pp. 18–19. 1917.
  horsemint, analysis. D.B. 372, p. 4. 1916.
  importation, manufacture, storage, and distribution regulations. Sec. Cir. 145, pp. 4. 1919.
  imports. Y.B., 1924, p. 1168. 1925.
  in—
    Guam, resources, investigations. Guam A.R., 1919, pp. 35–37. 1921.
    Hawaii, experiments with pineapples. Hawaii A.R., 1910, pp. 41–43. 1911.
    South Carolina, requirements of Cecil silt loam. Soils Cir. 16, pp. 1–7. 1905.
  increased use in South, 1916. S.R.S. Rpt. 1916, Pt. II, p. 24. 1917.
  industry, survey. E. A. Goldenweiser. D.B. 798, pp. 29. 1919.
  influence on internal browning of apples. D.B. 1104, pp. 15–16, 24. 1922.
  ingredients—
    imports and exports, 1909–1913. D.B. 798, pp. 18–25. 1919.
    various crops, cost per ton. Soils Bul. 67, pp. 9, 20. 1910.
  inspection laws, report of committee, American agricultural colleges, and experiment stations. O.E.S. Bul. 99, pp. 54, 115. 1901.
  irrigated crops, Oregon, Umatilla Experiment Station, tests. W.I.A. Cir. 17, pp. 9–12. 1917.
  kinds—
    and value—
      experiments, in Hawaii, 1917. Hawaii A.R., 1917, p. 32. 1918.
      for Rhodes grass. F.B. 1048, pp. 9–10. 1919.
      for Porto Rican bananas, experiments. P.R. An. Rpt., 1921, p. 22. 1922.
      use for soy beans, and rate. S.R.S. Doc. 43, p. 2. 1917.
  larvicidal, mixture with manure to destroy fly larvae. D.B. 408, pp. 5–13. 1916.
  law—
    in Alabama, Henry County, details. Soil Sur. Adv. Sh., 1908, p. 9. 1909; Soils F.O., 1908, p. 487. 1911.
    in Porto Rico, necessity. P.R. An. Rpt., 1911, p. 10. 1912.
    necessity. An. Rpts., 1918, p. 51. 1919; Sec. A.R., 1918, p. 51. 1918.
  legislation, report of committee, A. O. A. C. Chem. Bul. 73, p. 169. 1903; Chem. Bul. 81, pp. 206–214. 1904; Chem. Bul. 105, pp. 174–176. 1907; Chem. Bul. 116, pp. 97–100. 1908.
  loss by careless handling of manure. News L., vol. 3, No. 30, pp. 1, 4. 1916.
  low-grade, comparison with high-grade. F.B. 329, pp. 5–6. 1908.
  manufacture—
    from—
      feldspar, experiments. Y.B., 1912, pp. 529–530. 1913; Y.B. Sep. 611, pp. 529–530. 1913.
      fish waste, Pacific coast. J. W. Turrentine. D.B. 150, pp. 71. 1915.
      nitrogen compounds. An. Rpts., 1922, pp. 641–642. 1922; Fix. Nit. Lab. A.R., 1922, pp. 9–10. 1922.
      in California from phosphate rock. Soils Bul. 69, pp. 47–48. 1910.
      utilization of acid and basic slags. William H. Waggaman. Soils Bul. 95, pp. 18. 1913.
  manure and ashes, formulas. F.B. 936, p. 24. 1918.

Fertilizer(s)—Continued.
  marl deposits in North Carolina, Pitt County, value and use. Soil Sur. Adv. Sh., 1909, pp. 31–32. 1910; Soils F.O., 1909, pp. 415–416. 1912.
  marsh land, experiment and results. O.E.S Bul. 240, p. 77. 1911.
  material(s)—
    conservation, minor sources. C. C. Fletcher. Y.B., 1917, pp. 283–288. 1918; Y.B. Sep. 733, pp. 8. 1918.
    determination of optical constants, use of refractive indices of liquids as mediums, and list. D.B. 97, p. 3. 1914.
    identification methods. William H. Fry. D.B. 97, p. 13. 1914.
    removed from soil by 1,000 pounds of buckwheat. F.B. 1062, pp. 8, 9. 1919.
    stocks on hand 1917, 1918. D.B. 798, pp. 16–17. 1919; Sec. Cir. 104, pp. 1–12. 1918.
    supplying nitrogen, phosphoric acid, and potash. Y.B., 1918, p. 186. 1919; Y.B. Sep. 780, p. 4. 1919.
    tables showing content of nitrogen, phosphoric acid, and potash. S.R.S. Doc. 30, pp. 9–10. 1916.
  methods for analysis. Chem. Bul. 107, pp. 1–12. 1907.
  mineral—
    adsorption by soils, studies and experiments. J.A.R., vol. 1, pp. 182–188. 1913.
    control of wireworms on onions. Y.B., 1912, p. 334. 1913; Y.B. Sep. 594, p. 334. 1913.
    corn, tests and results. Soils Bul. 64, pp. 14–17, 24–29. 1910.
    for control of onion maggot. Y.B., 1912, p. 331. 1913; Y.B. Sep. 594, p. 331. 1913.
    potato, tests and results. Soils Bul. 65, pp. 8–10, 15, 17–18. 1910.
    tests on soils for various crops. Soils Bul. 67, pp. 1–73. 1910.
    use on chrysanthemums. Y.B., 1902, pp. 563–564. 1903.
    wheat soils. Soils Bul. 66, pp. 8–11, 16–20. 1910.
  misbranding, definition. Chem. Bul. 116, pp. 99–100. 1908.
  mixed—
    materials used. D.B. 798, pp. 2–12. 1919.
    variable ammonia, results. Chem. Bul. 62, p. 28. 1901.
  mixing at home, directions. F.B. 1202, p. 55. 1921.
  mixture(s)—
    from concentrated materials, computation. Albert R. Merz and William H. Ross. D.B. 1280, pp. 16. 1924.
    guano, nitrogen, potash, etc., formula. P.R. Bul. 25, pp. 57–60. 1918.
    incompatibles. F.B. 225, pp. 7–8. 1905; F.B. 388, p. 5. 1910.
  muck—
    lands, Indiana and Michigan. F.B. 761, pp. 24–25. 1916.
    soils. F.B. 366, p. 6. 1909.
  necessity in Alaska farming. Alaska A.R., 1909, pp. 30, 31. 1910.
  need in Corn-Belt rotations. Y.B., 1911, pp. 335–336. 1912; Y.B. Sep. 572, pp. 335–336.
  nitrate-determination methods. J.A.R., vol. 28, pp. 537–538. 1924
  nitrification rates—
    experiments. Chem. Bul. 62, p. 28. 1901.
    in semiarid soils, experiments. J.A.R., vol. 7, pp. 418–433. 1916.
  nitrogen availability, studies. D.B. 158, pp. 19–22. 1914.
  nitrogenous—
    decomposition in soils. W. P. Kelley. Hawaii Bul. 39, pp. 25. 1915.
    effect on grain stem rust. J.A.R., vol. 16, pp. 72–73. 1919.
    for market garden crops. F.B. 124, pp. 12–16. 1901.
    obtainable in the United States. J. W. Turrentine. D.B. 37, pp. 12. 1913.
    relation to rice chlorosis. L. G. Willis and J. O. Carrero J.A.R., vol. 24, pp. 621–640. 1923.

INDEX TO PUBLICATIONS, 1901-1925   863

Fertilizer(s)—Continued.
nitrogenous—continued.
sources. Y.B., 1917, pp. 139-146. 1918; Y.B. Sep. 729, pp. 10. 1918.
substances prohibited by law. Soils Bul. 55, p. 53. 1909.
on soils for oats, hay, and miscellaneous crops Milton Whitney. Soils Bul. 67, pp. 73. 1910.
or manures (Spanish edition). D. W. May. P.R. Cir. 6, pp. 18. 1906.
organic—
corn, tests and results. Soils Bul. 64, pp. 17-22, 23, 25-30. 1910.
danger to onions of maggot infestation. Y.B., 1912, p. 331. 1913; Y.B. Sep. 594, p. 331. 1913.
potato, tests and results. Soils Bul. 65, pp. 10-13, 15-16, 17. 1910.
tests on soils for various crops. Soils Bul. 67, pp. 1-73. 1910.
use on—
citrus groves, effect. F.B. 542, p. 12. 1913.
wheat soils. Soils Bul. 66, pp. 12-14, 15, 16, 17, 19. 1910.
oriental, and bug destroyer, composition value. Chem. Bul. 76, p. 43. 1903.
phosphate—
efficiency tests. Chem. Bul. 152, pp. 18-24. 1912.
for Hawaiian soils, and their availability. W. T. McGeorge. Hawaii Bul. 41, pp. 45 1916.
potash, production methods. D.B. 143, pp. 2-7. 1914.
rock, utilization methods. D.B. 144, p. 10. 1914; D.B. 312, pp. 1-37. 1915.
phosphatic—
efficiencies in Porto Rican soils. P. L. Gile and J. O. Carrero. J.A.R., vol. 25, pp. 171-194. 1923.
manufacture by volatilization process. D.B. 1179, pp. 1-55. 1923.
production, processes. D.B. 312, pp. 8-37. 1915.
phosphoric acid and potash, citric-soluble, production. William H. Waggaman. D.B. 143, pp. 12. 1914.
phosphorus content. William H. Waggaman. Y.B., 1920, pp. 217-224. 1921; Y.B. Sep. 840, pp. 217-224. 1921.
potash—
content, regulations. News L., vol. 7, No. 15, p. 8. 1919.
residues in Hagerstown silty loam soil, condition. J.A.R., vol. 15, pp. 59-81. 1918.
sources and production in United States. D.C. 61, pp. 1-7. 1919; Y.B., 1920, pp. 363-376. 1921; Y.B. Sep. 851, pp. 363-376. 1921.
use of alunite and kelp. Soils Cir. 76, pp. 1-5. 1913.
practice, need of intelligent control. Soils Bul. 55, pp. 54-58. 1909.
preparation from municipal waste. J. W. Turrentine. Y.B., 1914, pp. 295-310. 1915; Y.B. Sep. 643, pp. 295-310. 1915.
prices—
1919—
June 1 and May 1, by States and counties. D.C. 57, pp. 1-11. 1919.
nitrate of soda and acid phosphate. D.C. 39, pp. 1-15. 1919.
1924. Y.B., 1924, p. 1169. 1925.
saving by home mixing. Y.B., 1918, p. 190. 1919; Y.B. Sep. 780, p. 8. 1919.
stabilizing, in Ohio. News L., vol. 6, No. 45, p. 16. 1919.
principles governing use. F.B. 787, pp. 12-13. 1916.
problems, study in pot cultures. J.A.R., vol. 23, pp. 39-40. 1923.
processed—
definition. D.B. 158, p. 2. 1914.
nitrogen content. Elbert C. Lathrop. D.B. 158, pp. 24. 1914.
production—
1917 and 1918. D.B. 798, pp. 13-16. 1919.
price and value, 1923. Y.B., 1923, pp. 1177-1192; Y.B. Sep. 906, pp. 1177-1192. 1924.
purchasing, suggestions. Y.B., 1918, p. 186. 1919; Y.B. Sep. 780, p. 4. 1919.

Fertilizer(s)—Continued.
purity retention, stockyard methods. News L., vol. 6, No. 50, p. 15. 1919.
rate of nitrification. Chem. Bul. 62, p. 25. 1901.
red-clover requirements. F.B. 1339, pp. 6-7. 1923.
regulations, proclamation by the President, February, 1918. Sec. Cir. 145, pp. 1-4. 1919.
relation—
of cost to yield of cotton, corn, oats, hay, and cowpeas. D.B. 651, pp. 12-15. 1918.
of distribution to use. Soils Bul. 52, pp. 48-49. 1908.
to—
crop production. Soils Bul. 77, pp. 1-31. 1911.
damping-off control. D.B. 453, pp. 4-5, 31-32. 1917.
ginseng growing and diseases. F.B. 736, p. 18. 1916.
oil content of seed. J.A.R., vol. 3, pp. 245-247. 1913.
soil fertility, extension work, North and West, 1916. S.R.S. Rpt., 1916, Pt. II, p. 171. 1917.
water in plant growth. Soils Bul. 48, pp. 54-56, 59. 1908.
yields, costs, and profits on farms, Georgia. D.B. 648, pp. 28-30. 1918.
requirements—
for—
city gardens. F.B. 1044, pp. 8-11. 1919.
crops on different soils, methods of application, tables. F.B. 398, pp. 15-24. 1910.
sugar-cane growing, rate. D.B. 486, pp. 11-15. 1917.
Gulf coast soils, outlay per year per acre. Soils Cir. 43, p. 10. 1911.
in wheat growing, and prices. D.B. 943, pp. 12, 14, 39. 1921; D.B. 1198, pp. 11, 12, 15, 18-21. 1924.
of—
corn, and sources of supply. F.B. 414, pp. 12-14. 1910.
everbearing strawberries. F.B. 901, pp. 8-9. 1917.
marsh soils. F.B. 465, pp. 8-9. 1911.
North Carolina soils, relation to petrography. J. K. Plummer. J.A.R., vol. 5, No. 13, pp. 569-582. 1915.
strawberries. F.B. 149, pp. 17-20. 1902.
various crops, comparison. D.B. 721, pp. 25-26. 1918.
relation to character of soils. Soils Bul. 48, pp. 44-46. 1908.
to increase crop yields. F.B. 981, pp. 11, 32. 1918.
resources, investigations, program for 1915. Sec. [Misc.], "Program of work * * *, 1915," p. 213. 1914.
rich, injury to forest nurseries. D.B. 479, pp. 85-86. 1917.
rock phosphate, comparison with "complete fertilizers." O.E.S. Bul. 164, pp. 139-141. 1906.
sale—
of nitrate of soda by Government, 1919. Mkts. S.R.A. 23, pp. 10. 1918.
regulations in various States. Soils Bul. 58, pp. 6, 9, 11, 17-39. 1910.
salts—
absorption by Hawaiian soils. W. T. McGeorge. Hawaii Bul. 35, pp. 32. 1914.
effect on plant growth. Soils Bul. 77, pp. 9-11, 19-25. 1911.
samples, arranging for school-work collection. F.B. 606, p. 17. 1914.
sandy land improvement, cost and returns. F.B. 504, pp. 5-6. 1912.
school lesson in home mixing. D.B. 258, p. 24. 1915.
selection and use on citrus orchards. F.B. 1447, pp. 20-24. 1925.
sharing expense on tenant farms. D.B. 650, pp. 17, 20. 1918.
Shenandoah Valley farm, practices. F.B. 432, p. 16. 1911.
situation, effect of European war, statement by Agriculture Secretary. News L., vol. 3, No. 22, pp. 1-3. 1916.

Fertilizer(s)—Continued.
  slag—
    cost of manufacture. Soils Bul. 95, pp. 16–17. 1913.
    pot tests with different soils, wheat growing. D.B. 143, pp. 9–12. 1914; Soils Bul. 95, p. 18. 1912.
  solutions with dihydroxystearic acid, experiments with wheat cultures. Soils Bul. 70, pp. 28–96. 1910.
  source(s)—
    and action. Soils Bul. 41, pp. 9–23. 1907.
    in—
      Alaska, Kenai Peninsula region. Soil Sur. Adv. Sh., 1916, pp. 114–117. 1919; Soils F.O., 1916, pp. 147–149. 1921.
      Porto Rico, description. P.R. An. Rpt., 1914, pp. 10–11. 1916.
      United States. D.B. 150, pp. 3–4. 1915.
    phosphate rock, importance. W. H. Waggaman. Y.B., 1917, pp. 177–183. 1918; Y.B. Sep. 730, pp. 9. 1918.
  sower, use in fertilizing sweet potatoes, note. F.B. 999, p. 7. 1919.
  soy-bean, uses. F.B. 931, p. 15. 1918; F.B. 973, pp. 5–6. 1918.
  special brands, discussion and analyses. Soils Bul. 58, pp. 8, 19, 22, 25, 27, 30. 1910.
  spraying on rice, bananas, and pineapples, in Hawaii, experiments, 1917. Hawaii A.R., 1917, p. 27. 1918.
  spreading, day's work. D.B. 3, pp. 24–26, 44. 1913.
  statistics—
    1924. Y.B., 1924, pp. 1164–1171. 1925.
    stocks on hand, Oct. 1, 1917, tables. Sec. Cir. 104, pp. 10–12. 1918.
  stocks, shortage and control efforts. Sec. Cir. 75, p. 13. 1917.
  studies—
    by experiment stations. Work and Exp., 1923, pp. 20–21. 1925.
    in 1923. D.C. 343, pp. 11–12. 1925.
  suitability for tobacco growing, use methods, and rates. D.B. 16, pp. 10–16. 1913.
  sulphur—
    and gypsum, effect on Palouse silt loam. L. W. Erdman. J.A.R., vol. 30, pp. 451–462. 1925.
    compounds, experiments with grain and vegetables. J.A.R., vol. 5, No. 6, pp. 237–250. 1915.
    effect on certain crops, experiments. J.A.R., vol. 17, pp. 89–99. 1919.
  supply—
    association, Danish cooperatives. D.B. 1266, pp. 69–70. 1924.
    for 1919–1920. Sec. Cir. 125, p. 23. 1919.
    North and West, work of county agents. D.C. 37, p. 13. 1919.
  survey(s)—
    emergency. Y.B., 1917, p. 30. 1918.
    returns for commercial stocks, 1917. Sec. Cir. 104, pp. 1–12. 1918.
  test(s)—
    comparison of alunite and kelp, with potassium sulphate and potassium chloride. Soils Cir. 76, pp. 1–5. 1913.
    Huntley project, 1913. B.P.I. [Misc.], "The work of the Huntley * * * 1913," p. 12. 1914.
    in Alaska. Alaska A.R., 1911, pp. 38–41. 1912.
    oats, hay, field crops, and truck crops. Soils Bul. 67, pp. 1–73. 1910.
    with—
      alfalfa, in Hawaii. Hawaii A.R., 1919, pp. 63–64. 1920.
      coffee in Porto Rico. P.R. An. Rpt., 1921, p. 12. 1922.
      corn in Hawaii. Hawaii A.R., 1919, p. 62. 1920.
      onions, Nevada, Fallon. W.I.A. Cir. 13, p. 12. 1916.
  top-dressing, grass land. F.B. 227, pp. 5–8. 1905.
  use(s)—
    against pear thrips, experiments. Ent. Bul. 80, Pt. IV, p. 65. 1909.
    and cost, field instructions for farmers' cooperative demonstration work. S. A. Knapp. B.P.I. Doc. 366, pp. 4. 1908.

Fertilizer(s)—Continued.
  use(s)—continued.
    and value—
      in Alaska. Alaska A.R. 1913, pp. 13, 17, 21–22, 35–37, 42, 49–60. 1914.
      in boll-weevil control. F.B. 1262, pp. 22–23, 30. 1922.
      in corn growing. B.P.I. Doc. 730, pp. 3, 7, 12. 1912.
      in growing sugar beets. F.B. 568, pp. 15–16. 1914.
      in soil improvement, Coastal Plain section, discussion. F.B. 924, pp. 13–14. 1918.
      in tobacco growing on Cecil clay. Soils Cir. 28, pp. 10–11. 1911.
      of fish scrap on Atlantic coast. News L., vol. 1, No. 27, p. 2. 1914.
      of manganese. Soils Cir. 75, pp. 1–3. 1912.
      of sugar-cane by-products. D.B. 486, pp. 43–45. 1917.
      of wood ashes. News L., vol. 2, No. 11, pp. 3–4. 1914.
    cost, and results, in Georgia, Brooks County. Soil Sur. Adv. Sh. 1916, pp. 17–18. 1918; Soils F.O. 1916, pp. 600–602. 1921.
    decrease in water requirements of crops. F.B. 435, pp. 5, 6. 1911.
    experiments in growing velvet beans. F.B. 1276, p. 10. 1922. Hawaii A.R., 1920, pp. 13, 27–28, 34–60. 1921.
    for fall-sown wheat or rye. Sec. Cir. 108, pp. 12–13. 1918.
    in Alabama, Fort Payne area. Soil Sur. Adv. Sh. 1903, p. 21. 1904; Soils F.O. 1903, p. 371. 1904.
    in Arkansas, Lonoke County. Soil Sur. Adv. Sh., 1921, pp. 1284, 1286, 1287, 1289. 1925.
    in California, Pasadena area. Soil Sur. Adv. Sh. 1915, pp. 18, 39. 1917; Soils F.O. 1915, pp. 2328, 2349. 1919.
    in connection with bacterial inoculation. F.B. 214, pp. 22–24. 1905.
    in control of—
      hop flea beetle. Ent. Bul. 66, p. 88. 1910.
      pineapple wilt. Hawaii A.R., 1921, p. 37. 1922.
      root knot. B.P.I. Bul. 217, pp. 52, 56–58, 70, 75. 1911.
    in Florida—
      Flagler County. Soil Sur. Adv. Sh. 1918, pp. 10–13, 18, 19, 21, 27, 40. 1922; Soils F.O. 1918, pp. 542–543, 548, 549, 551, 557, 570. 1924.
      Gadsden County. Soil Sur. Adv. Sh. 1903, p. 349. 1904; Soils F.O. 1903, p. 349. 1904.
      Orange County. Soil Sur. Adv. Sh., 1919, pp. 7, 11, 13, 14. 1922; Soils F.O., 1919, pp. 953, 957, 959, 960. 1925.
    in Georgia—
      Merriwether County. Soil Sur. Adv. Sh. 1916, p. 11. 1917; Soils F.O. 1916, p. 693. 1921.
      Mitchell County. Soil Sur. Adv. Sh. 1920, pp. 8, 9, 10, 20, 33–36. 1922; Soils F.O. 1920, pp. 8, 9, 10, 20, 33–36. 1925.
      Richmond County. Soil Sur. Adv. Sh. 1916, p. 11. 1917; Soils F.O. 1916, p. 721. 1921.
    in growing sugar beets. Rpt. 80, pp. 158–160, 170–176. 1905.
    in Guam, for vegetable gardens. Guam A.R., 1917, pp. 32–35. 1918.
    in Indiana, Hendricks County. Soil Sur. Adv. Sh. 1913, p. 10. 1915; Soils F.O. 1913, p. 1412. 1916.
    in Iowa—
      Delaware County. Soil Sur. Adv. Sh. 1922, p. 9. 1925.
      Jefferson County. Soil Sur. Adv. Sh., 1922, p. 316. 1925.
      Worth County. Soil Sur. Adv. Sh. 1922, p. 277. 1925.
    n Louisiana, Washington Parish. Soil Sur. Adv. Sh. 1922, p. 354. 1925.
    in Maryland—
      Charles County. Soil Sur. Adv. Sh. 1918, pp. 14, 15, 20, 26–39. 1922; Soils F.O. 1918, pp. 85, 87, 92, 98–111. 1924.
      Frederick County. Soil Sur. Adv. Sh. 1919, pp. 15, 28–69, 79. 1922; Soils F.O. 1919, pp. 655, 668–709, 719. 1925.

INDEX TO PUBLICATIONS, 1901–1925   865

Fertilizer(s)—Continued.
 use(s)—continued.
  in Maryland—Continued.
   Wicomico County. Soil Sur. Adv. Sh. 1921, p. 1020. 1925; Soils F.O. 1921, p. 1020. 1926.
  in Minnesota, Stevens County. Soil Sur. Adv. Sh. 1919, pp. 13–14, 24. 1922; Soils F.O. 1919, pp. 1385–1386, 1396. 1925.
  in Mississippi, George County. Soil Sur. Adv. Sh. 1922, p. 40. 1925.
  in New York, Long Island area. Soil Sur. Adv. Sh. 1903, p. 124. 1904; Soils F.O. 1903, p. 124. 1904.
  in North Carolina—
   Cumberland County. Soil Sur. Adv. Sh. 1922, pp. 117, 124, 127, 133, 140. 1925.
   Haywood County. Soil Sur. Adv. Sh. 1922, p. 210, 216, 219. 1925.
   Onslow County. Soil Sur. Adv. Sh. 1921, pp. 105, 110, 122, 124. 1923.
  in onion-thrip control. F.B. 1007, pp. 9–10. 1919.
  in papaya growing, formula, and rate. Hawaii Bul. 32, p. 10. 1914.
  in pasture restoration, varieties, quantity. F.B. 499, pp. 5–6. 1912.
  in peanut culture, methods, etc. O.E.S. F.I.L. 13, pp. 7–8. 1912.
  in Pennsylvania—
   Greene County. Soil Sur. Adv. Sh., 1921, p. 1259. 1925.
   Lehigh County. Soil Sur. Adv. Sh., 1912, pp. 14, 18–19, 52. 1914; Soils F. O., 1912, pp. 118–119, 128, 131. 1915.
   York County, practices. Soil Sur. Adv. Sh., 1912, p. 19. 1914; Soils F.O., 1912, p. 169. 1915.
  in potato—
   growing, varieties. B.P.I. Doc. 884, pp. 2–3. 1913.
   production, formula, and quantity. F.B. 454, pp. 16–17. 1911; S.R.S. Doc. 86, p. 3. 1918.
  in South Atlantic States. J. C. Beavers. F.B. 398, pp. 24. 1910.
  in South Carolina, Lexington County. Soil Sur. Adv. Sh., 1922, p. 160. 1925.
  in tea growing, varieties, amount per acre. B.P.I. Bul. 234, pp. 17–18, 36–40. 1912.
  in Texas, Denton County. Soil Sur. Adv. Sh., 1918, p. 15. 1922; Soils F. O., 1918, p. 787. 1924.
  in Virginia—
   Norfolk area. Soil Sur. Adv. Sh., 1903, p. 248. 1904; Soils F.O., 1903, p. 248. 1904.
   Pittsylvania County. Soil Sur. Adv. Sh., 1918, pp. 12, 19, 21, 33, 34. 1922; Soils F.O., 1918, pp. 129, 135, 137, 149–151. 1924.
  in Washington, Wenatchee area. Soil Sur. Adv. Sh., 1918, pp. 13–14, 23. 1922; Soils F.O., 1918, pp. 1553–1554, 1563. 1924.
  in West Virginia, Barbour and Upshur Counties. Soil Sur. Adv. Sh., 1917, p. 17. 1919; Soils F.O., 1917, p. 1005. 1923.
  in wireworm control. D.B. 78, p. 25. 1914.
 of—
  atmospheric nitrogen for. R.O.E. Davis. Y.B., 1919, pp. 115–121. 1920. Y.B. Sep. 803, pp. 115–121. 1920.
  cow manure, benefits. B.A.I. Cir. 196, p. 4. 1912.
  factory waste-water, slime, or trash, danger in nematode spread. F.B. 772, p. 12–13. 1916.
  feldspathic rocks. Allerton S. Cushman. B.P.I. Bul. 104, pp. 32. 1907.
  fish other than Menhaden, in preparation. D.B. 2, pp. 14–19. 1913.
  fish scrap. D.B. 2, p. 36. 1913; News L., vol. 4, No. 6, pp. 7–8. 1916.
  manganese. Soils Bul. 73, pp. 40–44. 1910.
  street sweepings. J. J. Skinner and J. H. Beattie. Soils Cir. 66, pp. 8. 1912.
  term. F.B. 542, p. 9. 1913.
 on—
  alkali land, effects. D.C. 136, pp. 16–21. 1920.
  crops, Georgia, Sumter County. D.B. 1034, pp. 18–19, 26, 27, 28. 1922.
  Hawaiian Soils. Hawaii Bul. 40, pp. 18–19. 1915.

Fertilizer(s)—Continued.
 use(s)—continued.
  on—continued.
   sandy jack-pine land. F.B. 323, p. 23. 1908.
   sandy soils, experiments. D.C. 342, pp. 17–20, 23–24. 1925.
   sick soil in Porto Rico, kinds, necessity for caution. P.R. Bul. 13, pp. 16–17. 1913.
   small farms near Washington, D. C. D.B. 848, pp. 12–13. 1920.
   Takoma soils, experiments. Soils Bul. 28, pp. 14–37. 1905.
   timothy meadows. F.B. 502, pp. 20, 32. 1912.
   vegetable garden. D.C. 48, pp. 3–4. 1919.
   young camphor plants. Y.B., 1910, p. 454. 1911; Y.B. Sep. 551, p. 454. 1911.
  relation to rotation of crops. F.B. 398, p. 6. 1910.
  utilization of radioactive substances. William H. Ross. D.B. 149, pp. 14. 1914.
 value—
  for truck crops under frames. F.B. 460, pp. 14–15. 1911.
 in—
  control of rice water weevil. Ent. Cir. 152, p. 17. 1912.
  vegetable garden. F.B. 934, pp. 16–17. 1918.
  wheat growing, uses. F.B. 596, pp. 3–5. 1914.
 of—
  bat guano from Porto Rico. P.R. Bul. 25, pp. 1–66. 1918.
  different forms of lime. F.B. 124, p. 12. 1901.
  extracted sumac leaves. D.B. 706, pp. 9–10. 1918.
  kelp, and comparison with other products. D.B. 150, pp. 59–62. 1915; J.A.R., vol. 4, pp. 23–37. 1915.
  lime sludge from sugar-beet factories. D.B. 721, p. 49. 1918.
  offal from slaughter houses. B.A.I. An. Rpt., 1910, pp. 247, 253, 254. 1912; B.A.I. Cir. 185, pp. 247, 253, 254. 1912.
  pea-cannery waste. B.P.I. Cir. 45, pp. 11–12. 1910.
  phosphorus nitride and ammonium sulphate, comparison. J.A.R., vol. 28, p. 1118. 1924.
  salmon fish-scrap, price per ton. News L., vol. 3, No. 33, pp. 7–8. 1916.
  seaweed. News L., vol. 6, No. 39, p. 12. 1919.
  soy beans, soy-bean meal and cottonseed meal. D.B. 439, p. 15. 1916; S.R.S. Syl. 35, p. 6. 1919.
  various farm products. F.B. 1202, p. 61. 1921.
  various materials and wastes, table. Y.B., 1917, pp. 285–288. 1918; Y.B. Sep. 733, pp. 5–8. 1918.
 varieties—
  Porto Rico, analyses. P.R. An. Rpt., 1910, p. 23. 1911.
  relation to ginseng diseases. B.P.I. Bul 250, pp. 42–43. 1912.
  suitabliity for rye. F.B. 756, pp. 9–11. 1916.
 use in—
  corn growing in Kentucky and West Virginia. F.B. 546, p. 6. 1913.
  growing sweet peas. F.B. 532, p. 9. 1913.
  value, effect on sugar-cane yield, experiments. P.R. Bul. 9, pp. 17–18, 20–35. 1910.
 various crops in different areas. See Soil survey of area or county.
 See also Lime; Manure; and under specific materials.
Fertilizing—
 alfalfa and clovers, experiments in Porto Rico. P.R. An. Rpt., 1921, p. 22. 1922.
 asparagus—
  beds, time, rate, and methods. News L., vol. 4, No. 51, p. 6. 1917.
  methods, experiments. F.B. 469, pp. 7–8. 1911.
 basket willow holts. F.B. 341, pp. 19, 22. 1909.
 constituents, content of Hawaiian-grown leguminous forage crops. Hawaii Bul. 23, p. 31. 1911.
 date palms. F.B. 1016, pp. 13–14. 1919.
 effect on soil oxidation. Soils Bul. 73, pp. 44–47. 1910.

Fertilizing—Continued.
  elements—
    in acre yields of different crops. Y.B., 1913, p. 310. 1914; Y.B. Sep. 628, p. 310. 1914.
    removed by hay crops, grass, and legumes. F.B. 362, pp. 14-15, 23. 1909.
    irrigated lands, hints. B.P.I. Doc. 453, pp. 6-7. 1909.
  material—
    home garden. S.R.S. Doc. 49, p. 4. 1918.
    waste in slaughtering food animals. News L., vol. 1, No. 23, p. 3. 1914.
  Minidoka project, Idaho, suggestions. B.P.I. Doc. 452, p. 3. 1909.
  necessity in corn growing. F.B. 537, pp. 10-12. 1913.
  pastures, experiments and results. B.P.I. Cir. 49, pp. 8-9. 1910; F.B. 499, pp. 5-6. 1912.
  value in control of soil erosion. Soils Bul. 71, p. 35. 1911.
Ferula. See Asafetida.
Fescue—
  analytical key and description of seedlings. D.B. 461, pp. 6, 11, 14. 1917.
  importation and description. No. 32387. B.P.I. Bul. 282, p. 13. 1913.
  meadow—
    culture and uses. H. N. Vinall. F.B. 361, pp. 22. 1909.
    description, habits, and value as pasture grass. F.B. 361, pp. 6-8. 1909; F.B. 1254, pp. 20-22. 1922.
    forage, value in Pacific Northwest. F.B. 271, p. 28. 1906.
    growing and—
      handling of seed. Y.B., 1901, p. 244. 1902.
      harvesting. H. N. Vinall. D.C. 9, pp. 4. 1919.
    importation and description. No. 32216. B.P.I. Bul. 261, p. 42. 1912.
    mixture with other grasses. F.B. 361, pp. 13, 17. 1909.
    seed—
      adulteration and misbranding, results of analyses. Sec. Cir. 26, p. 2. 1907.
      adulteration, description, and detection F.B. 382, pp. 12, 15, 19. 1909; F.B. 428, pp. 7, 39. 1911.
      marketing methods. Rpt. 98, pp. 147-148. 1913.
      production and value. F.B. 361, pp. 9-12, 18. 1909.
      use as adulterant of other grass seed. F.B. 361, pp. 6, 13, 17. 1909; F.B. 428, pp. 7, 8, 9, 38, 39. 1911.
      weight, price, harvesting, and threshing. D.C. 9, pp. 3, 4. 1919.
      yield per acre, and value. F.B. 361, pp. 9-12, 18. 1909.
    sowing directions, quantity of seed. D.C. 9, p. 3. 1919.
    use in Eastern States. F.B. 361, pp. 16-18. 1909.
  rat-tail, growing, Hawaii. Hawaii Bul. 36, pp. 13, 19-20. 1915.
  red—
    description and value as lawn plant. F.B. 1254, p. 27. 1922.
    growing experiments in Alaska. Alaska A.R., 1911, p. 43. 1912.
    use on shady lawns. F.B. 494, pp. 33, 39. 1912.
  sheep's—
    description and adaptability to sandy soil. F.B. 1254, p. 27. 1922.
    use on shady lawns. F.B. 494, pp. 33, 39. 1912.
  Siberian, in Alaska, growth. B.P.I. Bul. 82, p. 17. 1905.
  suitability for shady lawns. D.C. 49, p. 6. 1919.
  tall—
    description, seed habits, and rust resistance. F.B. 361, pp. 19-21. 1909.
    meadow, inoculations with timothy rust. B.P.I. Bul. 224, p. 9. 1911.
    seed production per acre, and value. F.B. 361, p. 19. 1909.
  tribe, key to genera, and description of grasses. D.B. 772, pp. 8-11, 24-86. 1920.
  use on lawns. F.B. 494, pp. 29, 30, 33, 35, 38. 1912.
Fessonia spp., description. Rpt. 108, p. 40. 1915.

Festuca—
  arizonica, prevalence in forests of Southwest, indications. D.B. 1105, pp. 34, 39, 47, 48, 53, 55, 75. 1923.
  jointworm, description and injurious habits. D.B. 808, pp. 18-19. 1920.
  octoflora, occurrence among short grasses, Colorado. B.P.I. Bul. 201, p. 26. 1911.
  spp.—
    description, distribution, and uses. D.B. 772, pp. 11, 28-34. 1920.
    distribution, description, and feed value. D.B. 201, pp. 25-26. 1915.
    importations and descriptions. Nos. 32216, 32219. B.P.I. Bul. 261, pp. 42, 43. 1912.
    inoculation with *Puccinia graminis*. J.A.R., vol. 15, p. 244. 1918.
    susceptibility to stem rust. J.A.R., vol. 10, pp. 448-482. 1917.
    See also Fescue.
  thurberi, host of *Puccinia cockerelliana*. J.A.R., vol. 22, p. 165. 1921.
  viridula. See Bunchgrass, mountain.
Feterita—
  analysis, comparison with corn and other grains. F.B. 724, p. 4. 1916.
  bread, digestion tests. D.B. 470, pp. 12-14. 1916.
  chemical composition and uses. F.B. 686, pp. 2-5, 7. 1915.
  classification, description, and yields. D.B. 698, pp. 18, 39-42, 88. 1918.
  composition, comparison with corn. F.B. 972, p. 5. 1918.
  crosses with other sorghums, seed color of progeny. J.A.R., vol. 27, pp. 55-58, 59-61. 1923.
  date-of-seeding experiments. D.B. 1175, pp. 48-49. 1923.
  description—
    introduction and crop value. Y.B., 1913, pp. 221, 229-230. 1914; Y.B., Sep. 625, pp. 221, 229-230. 1914.
    requirements, and acreage. F.B. 1137, p. 10. 1920.
  dwarf, description, adaptation, and yields. D.B. 383, pp. 4-5, 8-15. 1916.
  feed and forage value. B.P.I. Cir. 122, p. 31. 1913.
  growing—
    and yield, Texas, comparison with milo. B.P.I. Cir. 122, pp. 29-31. 1913.
    in Guam—
      description and yields. Guam Bul. 3, pp. 8-9, 13, 14. 1922.
      experiments, 1915. Guam A.R., 1915, p. 20. 1916.
      experiments, 1916. Guam A.R., 1916, pp. 19-21. 1917.
    in Oklahoma, Woodward Field Station. D.B. 1175, pp. 20-22, 36, 37, 48, 50, 64. 1923.
    in Texas—
      Panhandle, date of seeding, and spacing. D.B. 976, pp. 17, 22, 37, 41. 1922.
      San Antonio, cultural directions. F.B. 965, pp. 6-12. 1918.
      seeding, cultivation, and harvesting. D.C. 124, pp. 2-3. 1920.
  growth under varying weather conditions. J.A.R., vol. 13, pp. 139-142. 1918.
  improved, description, adaptation, and yields. D.B. 383, pp. 4, 8-15. 1916.
  introduction and value. B.P.I. Chief Rpt., 1909, p. 114. 1909; An. Rpts., 1909, p. 366. 1910.
  kernels, physical and chemical study. D.B. 1129, pp. 1-8. 1922.
  mush, digestibility tests. D.B. 470, pp. 23-24, 28-30. 1916.
  seed—
    production. D.C. 124, p. 3. 1920.
    selection and growing. B.P.I. Cir. 122, pp. 31-32. 1913.
  smut inoculations, experiments. D.B. 1284, pp. 33-35, 41-43. 1925.
  spur—
    description, history, growing, and uses. D.C. 124, pp. 4. 1920.
    production. D.C. 124, pp. 4. 1920.
  testing in Great Plains. D.B. 1260, pp. 19-47, 54, 55. 1924.
  transpiration, comparison with corn, studies. J.A.R., vol. 13, pp. 579-604. 1918.

INDEX TO PUBLICATIONS, 1901–1925   867

Feterita—Continued.
  use as food. D.B. 470, pp. 2, 3. 1916.
  value for—
    drought resistance. B.P.I. Cir. 122, p. 26. 1913.
    grain and forage. An. Rpts., 1913, pp. 118, 129. 1914; B.P.I. Chief Rpt., 1913, pp. 14, 25. 1913.
    grain and forage. An. Rpts. 1914, p. 113. 1914; B.P.I. Chief Rpt., 1914, p. 13. 1914.
    varietal experiments in Oklahoma. D.B. 1175, pp. 20–22, 36, 37. 1923.
    water requirement, studies, and results. J.A.R., vol. 6, pp. 480, 482, 484. 1916.
    yield and feed value. Rpt. 112, p. 23. 1916.
  See also Sorghum, grain; Sorghum, nonsaccharine.
FETHEROLF, J. M.: "Forest planting on the northern prairies." For. Cir. 145, p. 28. 1908.
Fetlock—
  ankle, and foot, diseases of. A. A. Holcombe. B.A.I.[Misc.], "Diseases of the horse," rev., pp. 369–430. 1903; rev., pp. 369–430. 1907; rev., pp. 369–430. 1911; rev., pp. 395–457. 1916; rev., pp. 395–457. 1923.
  bones, fracture in cattle, treatment. B.A.I.[Misc.], "Diseases of cattle," rev., p. 279. 1904; rev., pp. 288. 1912; rev., pp. 282. 1923.
  sprain, in cattle, cause and treatment. B.A.I. [Misc.], "Diseases of cattle," rev., pp. 266–267. 1904; rev., pp. 275–276. 1912; rev., pp. 269–270. 1923.
Fetus, diseased conditions, in mare. B.A.I.[Misc.], "Diseases of the horse," rev., pp. 171–174. 1903; rev., pp. 171–174. 1907; rev., pp. 171–174. 1911; rev., pp. 192–194. 1923.
Fever(s)—
  cattle. See Cattle fever; Texas fever; Tick fever.
  causes and treatment. For. [Misc.], "First-aid manual * * *," pp. 92–94. 1917.
  conditions, relation to the action of drugs. Chem. Cir. 81, pp. 6–8. 1911.
  drops, Tucker's, misbranding. Chem. S.R.A. Sup. 19, pp. 638–640. 1916.
  epidemic, Bitterroot Valley, Montana, control methods. Biol. Cir. 82, pp. 4–5. 1911.
  powder, misbranding (Dixie). Chem. N.J. 1178, pp. 2. 1911.
  southern. See Tick fever, cattle; Cattle fever.
  splenetic. See Tick fever, cattle; Cattle fever.
  spotted. See Spotted fever.
  stockyards. See Septicemia, hemorrhagic.
  swamp. See Anemia, infectious; Swamp fever.
  Texas. See Texas fever; Tick fever, cattle.
  tick. See Texas fever; Tick fever.
  See also under specific names.
Fever plant. See Primrose, evening.
Feverbush. See Alder, black; Spicebush.
Fevertwig. See Bittersweet, false.
Feverwort. See Boneset.
Fevillea cordifolia. See Cabalonga; Sequa.
Fiber(s)—
  animal—
    and vegetable, imports and exports, 1908–1912 and 1851–1912. Y.B., 1912, pp. 713, 716, 726, 728, 741–743. 1913; Y.B. Sep. 615, pp. 713, 716, 726, 728, 741–743. 1913.
  imports—
    1907–1909, amount and value by countries from which consigned. Stat. Bul. 82, pp. 22–25. 1910.
    1908–1910, amount and value by countries from which consigned. Stat. Bul. 90, pp. 23–26. 1911.
    1909–1911, by countries from which consigned. Stat. Bul. 95, pp. 23–26. 1912.
  and exports, 1913–1915, and 1852–1915. Y.B., 1915, pp. 540, 548, 558, 571. 1916; Y.B. Sep. 685, pp. 540, 548, 558, 571. 1916.
  and exports, 1914–1916. Y.B .1916, pp. 707, 715, 738. 1917; Y.B. Sep. 722, pp. 1, 9. 32, 1917.
  and exports, 1917. Y.B., 1917, pp. 759, 768, 775, 784. 1918; Y.B. Sep. 762, pp. 3, 12, 19, 38. 1918.
  and exports, 1918. Y.B., 1918, pp. 627, 635, 643, 647, 661. 1919; Y.B. Sep. 794, pp. 3, 11, 19, 23, 37. 1919.
  and exports, 1921. Y.B., 1921, pp. 737, 743, 764. 1922; Y.B. Sep. 867, pp. 1,2 7,8. 1922.

Fiber(s)—Continued.
  binder-twine—
    improvement to meet increased demand. An. Rpts., 1917, pp. 149–150. 1918; B.P.I. Chief Rpt., 1917, pp. 19–20. 1917.
  production—
    and cost. Y.B., 1918, pp. 359–360. 1919; Y.B. Sep. 790, pp. 12. 1919.
    in the Philippine Islands. H. T. Edwards. D.B. 930, pp. 19. 1920.
    requirements, description. Y.B., 1911, pp. 193–200. 1912; Y.B. Sep. 560, pp. 193–200. 1912.
    sisal and henequen. H. T. Edwards. Y.B., 1918, pp. 357–366. 1919; Y.B. Sep. 790, pp. 12. 1919.
    world production, distribution per cent of henequen. News L., vol. 3, No. 30, pp. 1–2. 1916.
  board—
    composition, cost. For. Cir. 177, pp. 8–9. 1911.
    flax straw, mill tests. D.B. 322, pp. 13–16. 1916.
    manufacture, mill tests. D.B. 322, pp. 13–18, 20–21. 1916.
    use in packing. M.C. 39, p. 53. 1925.
  boxes, uses and specifications. For. Cir. 177, pp. 1–14. 1911.
  cleaning—
    machinery, use in Philippines and Porto Rico. Y.B., 1918, pp. 364, 365. 1919; Y.B. Sep. 790, pp. 10, 11. 1919.
    machines, introduction and use, Philippine Islands. D.B. 930, pp. 10–15. 1920.
  crops—
    Porto Rico, experiments with sisal, henequen, and Panama straw. P.R. An. Rpt., 1914, p. 11. 1915.
    seed, supply for the United States. Y.B., 1917, pp. 525–527. 1918; Y.B. Sep. 757, pp. 31–33. 1918.
  crude—
    determination in feeds. Chem. Bul. 62, p. 112. 1901; Chem. Bul. 152, pp. 200–201. 1912.
    determination in flour. D.B. 1187, p. 47. 1924.
    determinations, note on filtrations. Chem. Bul. 73, pp. 154–155. 1903.
    determination method. Chem. Bul. 137, pp. 157–160. 1911; Y.B., 1911, p. 197. 1912; Y.B. Sep. 560, p. 197. 1912.
  dyed—
    solubility and extraction of colors. Chem. Cir. 35, pp. 1–51. 1907.
    wool, color reactions, method and table. Chem. Cir. 63, pp. 3, 36–48. 1911.
  effect of sodium hydroxide and other alkalies. J.A.R., vol. 27, pp. 247–248. 1924.
  for grass cloth, use of kudzu. Y.B., 1908, p. 250. 1909; Y.B. Sep. 478, p. 250. 1909.
  fustic, description. For. Cir. 184, pp. 13–14. 1911.
  ground-wood, microscopic comparison. D.B. 343, pp. 49–50. 1916.
  growing in—
    Philippine Islands, cooperative work. D.B. 930, pp. 9–18. 1920.
    Porto Rico. P.R. An. Rpt., 1919, p. 12. 1920.
  hard, testing for weight and strength. B.P.I. Cir. 128, pp. 20–21. 1913.
  hydrolysis, development of process. J.A.R., vol. 27, pp. 248–251. 1924.
  imports, 1904–1908, 1851–1908. Y.B., 1908, pp. 755, 774. 1909; Y.B. Sep. 498, pp. 755, 774. 1909.
  International Congress, Java. An. Rpts., 1911, pp. 68–69. 1912; Sec. A.R., 1911, pp. 66–67. 1911; Y.B., 1911, pp. 66–67. 1912.
  investigations in Philippines, remarks. Sec. A.R., 1924, pp. 70–71. 1924.
  jute, retting, and uses. No. 45809, B.P.I. Inv. 54, p. 24. 1922.
  maguey, cleaning methods. D.B. 930, pp. 7–8, 11–15. 1920.
  marketing, bibliography. M.C. 35, p. 44. 1925.
  Mexican, necessity for country's harvest, shortage, etc. News L., vol. 2, No. 34, p. 1. 1915.
  munj, from elephant grass, uses. No. 40987, B.P.I. Inv. 44, p. 27. 1918.
  oak, lengths and widths. For. Bul. 102, p. 56. 1911.
  paper making. Rpt. 89, pp. 9, 14–15, 26–27. 1909.
  pentosan-free crude, determination. Chem. Bul. 67, p. 51. 1902.

Fiber(s)—Continued.
plant(s)—
African, importation and description. No. 42376, B.P.I. Inv. 46, p. 86. 1919.
alkali resistance. F.B. 446, pp. 28, 32. 1911.
and grasses, from Brazil, importation. Nos. 46985-46999, B.P.I. Inv. 58, pp. 6, 16-17. 1922.
Apocynum spp., importations from Asia. Nos. 30501-30502, 30637-30638, B.P.I. Bul. 242, pp. 15, 26. 1912.
Brazilian, caroa, description and uses. No. 32260, B.P.I. Bul. 261, pp. 48-49. 1912.
diseases, Texas, occurrence and description. B.P.I. Bul. 226, pp. 54-57. 1912.
growing in Hawaii, studies. Hawaii A.R., 1916, p. 26. 1917.
importations and description. Nos. 39685, 39888, 39889, B.P.I. Inv. 42, pp. 11, 31-32. 1918; Nos. 47349, 47369, 47429, 47527, 47572, 47702, 47719, 47723, 47726, 47833, B.P.I. Inv. 59, pp. 9, 12, 18, 27, 33, 49, 51, 65. 1922; Nos. 47989, 48146, B.P.I. Inv. 60, pp. 25, 47. 1922; No. 48478, B.P.I. Inv. 61, p. 13. 1922.
investigations. Y.B., 1924, p. 74. 1925; Sec. A.R., 1924, p. 74. 1925.
principal commercial. Lyster H. Dewey. Y.B., 1903, pp. 387-398. 1904; Y.B. Sep. 321, pp. 387-398. 1904.
value of zapupe. B.P.I. Bul. 223, p. 11. 1911.
varieties, growing, and diseases. B.P.I. Chief Rpt., 1925, pp. 19-21. 1925.
processes, flax. F.B. 274, pp. 23-30. 1907.
production, improvement. Y.B., 1917, pp. 75-76. 1918.
ramie, preparation, yield, uses, market value, etc. B.P.I. Cir. 103, pp. 7-8, 9. 1912.
resembling cotton, detention at Mexican border. F.H.B.S.R.A. 54, pp. 73-74. 1918.
rot. See Rust.
rugs and mattings, description and use. F.B. 1219, pp. 25-26. 1921.
saturation point, meaning of term as applied to wood. D.B. 556, p. 21. 1917.
saturation point, relation to shrinkage. D.B. 552, p. 2. 1917.
stress at elastic limit, meaning of term as applied to wood. D.B. 556, p. 21. 1917.
testing—
in clothing materials. F.B. 1089, pp. 11-12. 1920.
in paper examination. Y.B., 1908, pp. 264-266. 1909; Y.B. Sep. 479, pp. 264-266. 1909.
machine, description and use. J.A.R., vol. 4, pp. 384-390. 1915.
textile plants, strength. B.P.I. Cir. 128, pp. 17-21. 1913.
use of Eriophorum peat. D.B. 802, p. 33. 1919.
vegetable—
exports (other than cotton). Stat. Bul. 75, pp. 40-41. 1910.
imports—
1907-1909, quantity and value, by countries from which consigned. Stat. Bul. 82, pp. 37-39. 1910.
1908-1910, quantity and value, by countries from which consigned. Stat. Bul. 90, pp. 39-42. 1911.
1909-1911, by countries from which consigned. Stat. Bul. 95, pp. 43-45. 1912.
1919-1921. Y.B., 1922, pp. 951, 961, 979. 1923; Y.B. Sep. 880, pp. 951, 961, 979. 1923.
1922-1924. Y.B., 1924, p. 1066. 1925.
and exports, 1906-1910, and imports, 1851-1910. Y.B., 1910, pp. 656, 667, 680, 681. 1911; Y.B. Sep. 553, pp. 656, 667, 680, 681. 1911; Y.B. Sep. 554, pp. 656, 667, 680, 681. 1911.
and exports, 1913-1915 and 1852-1915. Y.B., 1915, pp. 542, 549, 558, 567, 573. 1916; Y.B. Sep. 685, pp. 542, 549, 558, 567, 573. 1916.
and exports, 1914-1916. Y.B., 1916, pp. 709, 716, 740. 1917; Y.B. Sep. 722, pp. 3, 10, 34. 1917.
trade with foreign countries, exports and imports. D.B. 296, pp. 44-45. 1915.
wheat, effect of soil and climate. J.A.R., vol. 1, p. 286. 1914.

Fiber(s)—Continued.
world demand, studies by Agricultural Commission. News L., vol. 6, No. 24, pp. 1, 15-16. 1919.
yield from flax straw, tow and imported waste, comparison. D.B. 322, p. 22. 1916.
yucca, investigations. An. Rpts., 1919, p. 156. 1920; B.P.I. Chief Rpt., 1919, p. 20. 1919.
zacaton, description, and yield. D.B. 309, pp. 13-14, 21-24. 1915.
See also Cotton; Flax; Silk; Wool.
Fiber spp. *See* Muskrat.
Fibro ferro feeder, analysis. Chem. Bul. 68, pp. 52-53. 1902.
Fibroma, interdigital, cattle, treatment. B.A.I. [Misc.], "Diseases of cattle," rev., p. 338. 1904; rev., p. 350. 1912; rev., pp. 311-312, 338. 1923.
Fibrous materials, chemistry. J.A.R., vol. 27, pp. 246-247. 1924.
Fictitious firm names, F.I.D. 46. F.I.D. 46-48, pp. 1-2. 1906.
Ficus—
bengalensis. *See* Banyan tree.
carica. *See* Figs.
elastica. *See* Rubber plant.
hookeri, importation and description. No. 39643. B.P.I. Inv. 41, p. 53. 1917; No. 43292, B.P.I. Inv. 48, p. 40. 1921.
indica. *See* Cacti.
laevigata, description and uses. D.B. 354, p. 67. 1916.
laurifolia latex, use as anthelmintic, efficacy tests. J.A.R., vol. 12, pp. 427-428.
longifolia-schott, fungous parasite, *Glomerella cingulata*, studies. B.P.I. Bul. 252, pp. 32-33. 1913.
macrophylla, importation and description. No. 52865. B.P.I. Inv. 67, p. 7. 1923.
padifolia, importation and description. No. 44116. B.P.I. Inv. 50, p. 31. 1922.
pseudopalma, importation and description. No. 44470. B.P.I. Inv. 51, pp. 8, 16. 1922.
rigo, rubber tree, importation and description. No. 32325. B.P.I. Bul. 261, p. 55. 1912.
saemocarpa, importation and description. No. 36020. B.P.I. Inv. 36, p. 39. 1915.
spp.—
importations and description. Nos. 39113, 39114, B.P.I. Inv. 40, p. 76. 1917; Nos. 44470, 44472, 44576, 44708, B.P.I. Inv. 51, pp. 16, 27, 52. 1922; Nos. 47685, 47686, 47843, B.P.I. Inv. 59, pp. 47, 67. 1922; Nos. 50396-50398, B.P.I. Inv. 63, p. 66. 1923; Nos. 54891-54892, B.P.I. Inv. 70, p. 24. 1923.
value as fruit and rubber producers. D.B. 732, pp. 2-3. 1919.
sycomorus—
yield, resistance to drought and value as stock feed. B.P.I. Bul. 180, p. 22. 1910.
See also Fig, sycamore.
utilis, importation and description. No. 29359. B.P.I. Bul. 233, pp. 14-15. 1912.
Fiddlewood trees, Porto Rico, description and uses. D.B. 354, pp. 94-95. 1916.
Fidia viticida. *See* Grape rootworm.
Fidiobia flaripes, parasite of grape rootworm, description, and life history. Ent. Bul. 89, pp. 52-55. 1910.
FIELD, ETHEL—
"A dry rot of sweet potatoes caused by *Diaporthe batatatis*." With L. L. Harter. B.P.I. Bul. 281, pp. 38. 1913.
"Fungous diseases liable to be disseminated in shipments of sugar cane." B.P.I. Cir. 126, pp. 3-15. 1913.
"Two dangerous imported plant diseases." With Perley Spaulding. F.B. 489, pp. 29. 1912.
"Wart disease of the potato; a dangerous European disease liable to be introduced into the United States." With W. A. Orton. B.P.I. Cir. 52, pp. 11. 1910.
FIELD, J. E.: "Irrigation from Big Thompson River." O.E.S. Bul. 118, pp. 75. 1902.
Field(s)—
agents—
department, collection of information on harvest labor. D.B. 1020, pp. 1-2, 16-22, 25. 1922.

INDEX TO PUBLICATIONS, 1901-1925   869

Field(s)—Continued.
  agents—continued.
    work, Crop Estimates Bureau, 1919. An. Rpts., 1919, pp. 327-328. 1920; Crop Est. Chief Rpt., 1919, pp. 3-4. 1919.
  burning to control gasshoppers. F.B. 691, rev. p. 17. 1920.
  crops—
    amount necessary to pay cost of production. Stat. Bul. 73, p. 51. 1909.
    breeding for disease-resistant strains, experiment station work. Work and Exp., 1919, pp. 19-20. 1921.
    cost of materials used in producing, in Colorado. D.B. 917, p. 46. 1921.
    cost per acre, production and labor details, Minnesota counties. B.P.I. Bul. 236, p. 41. 1912.
    cultivation in Alaska. Alaska A.R., 1907, pp. 44-47, 53-57. 1908.
    culture, influence of experiment station work. J. I. Schulte. Y.B., 1905, pp. 407-422. 1906; Y.B., Sep. 392, pp. 407-422. 1906.
    damage from white ants, and control. F.B. 1037, pp. 3, 8-9, 15. 1919.
    demonstration work and yield increase. S.R.S. Rpt., 1921, p. 8. 1923.
    demonstrations and experiments. An. Rpts., 1908, pp. 326-355. 1909; B.P.I. Chief Rpt., 1908, pp. 54-83. 1908.
    experimental work in Hawaii. Hawaii A.R., 1908, pp. 65-84. 1909.
    experiments—
      at field station near Mandan, N. Dak. D.B. 1301, pp. 47-64. 1925.
      Truckee-Carson project, 1913. B.P.I. [Misc.], "The work of the Truckee-Carson * * *," pp. 4-9. 1914.
    growing—
      as school projects, suggestions and references. S.R.S. Doc. 73, p. 5. 1917.
      in Alaska. Alaska A.R., 1908, pp. 33-39, 52-55. 1909.
      in bluegrass region, 1840-1910. D.B. 482, pp. 5, 6, 7. 1917.
      in Colorado sugar-beet districts, farm practice. Samuel B. Nuckols and Thomas H. Summers. D.B. 917, pp. 52. 1921.
    in—
      Guam, experiments, 1911. Guam A.R., 1911, pp. 9-12. 1912.
      Hawaii, insects injurious, investigations, control methods. Hawaii A.R., 1910, pp. 21-24. 1911.
      Minnesota, cost of production, 1902, 1903, 1904. Stat. Bul. 48, pp. 90. 1906.
      Nevada, varietal and cultural tests. D.C. 136, pp. 7-13. 1920.
    injury by termites. D.B. 333, pp. 19-22. 1916.
    insect control, farm practices. F. M. Webster. Y.B., 1905, pp. 465-476. 1906; Y.B. Sep. 396, pp. 465-476. 1906.
    irrigated, effect of alfalfa on subsequent yield. C. S. Scofield. D.B. 881, p. 13. 1920.
    irrigation experiments, Huntley Experiment Farm, 1916. W.I.A. Cir. 15, pp. 5-11. 1917.
    nitrate of soda, experiments. F.B. 210, pp. 6-10. 1904.
    production by extension agents. S.R.S. Rpt., 1920, pp. 2-5, 12. 1922.
    requirements in labor and material. L. A. Moorhouse and O. A. Juve. D.B. 1000, pp. 56. 1921.
    root systems. F.B. 233, pp. 5-11. 1905.
    seed quantity per acre—
      1901. Y.B., 1901, pp. 693-694. 1902; Y.B. Sep. 259, pp. 693-694. 1902.
      1902. Y.B., 1902, pp. 755-757. 1903; Y.B. Sep. 297, pp. 755-757. 1903.
    sharing methods under lease contracts, in various States. D.B. 650, pp. 4-9. 1918.
    spraying, day's work. D.B. 3, pp. 27-28. 1913.
    studies for schools. D.B. 521, pp. 21-34. 1917.
    variety testing work in Hawaii. Hawaii A.R., 1920, pp. 13-14. 1921.
    water, quantity necessary for maturation. Y.B., 1900, p. 511. 1901.

Field(s)—Continued.
  crops—continued.
    work of experiment stations, results. O.E.S. An. Rpt., 1922, pp. 24-31. 1924.
    yield and value on Belle Fourche project. B.P.I. Cir. 119, pp. 18-19. 1913.
    See also Crops; Forage crops; and under specific crops.
  cultivated, protection from grasshoppers. F.B. 1140, p. 16. 1920.
  cured, definition of term. D.B. 353, p. 2. 1916.
  expenses, fiscal regulations. Adv. Com. F. and B. M. [Misc.], "Fiscal Regulations * * *," pp. 41-43. 1922.
  experimental, permanent differences in plots. J. Arthur Harris and C. S. Scofield. J.A.R., vol. 20, pp. 335-356. 1920.
  experimentation, essentials of success. C. E. Thorne. O.E.S.F.I.L. 6, pp. 24. 1905.
  experiments, cooperative, report. O.E.S. Bul. 99, p. 116. 1901.
  flooding, by different methods, in grain growing. F.B. 863, pp. 4-14. 1917.
  forecast agents, duties. An. Rpts., 1913, p. 13. 1914; Sec. A.R., 1913, p. 11. 1913; Y.B., 1913, p. 16. 1914.
  idle, effect on fertility, of sandy lands. F.B. 716, pp. 3, 23-24. 1916.
  irrigation. F.B. 138, pp. 1-40. 1901.
  laying out for tractor plowing. H. R. Tolley. F.B. 1045, pp. 40. 1919.
  levees, rice irrigation, location, building, and cost. F.B. 673, pp. 6-12. 1915.
  location and avoidance for boll-weevil control. F.B. 1262, p. 20. 1922.
  measuring instruments on automobile. Off. Rec., vol. 3, No. 9, p. 3. 1924.
  operations—
    soils. See Soils.
    time required per acre for plowing, harrowing and drilling. B.P.I. Bul. 259, p. 68. 1912.
  parties, first-aid manual. For. [Misc.], "First-aid manual * * *," pp. 98. 1917.
  root-knot control, methods and experiments. B.P.I. Bul. 217, pp. 48-69, 74. 1911.
  segregation, need in growing Pima cotton. D.B. 1184, pp. 11-12. 1923.
  service, crop reporting, composition and requisite. An. Rpts., 1917, pp. 298, 301-302. 1918; Crop Est. Chief Rpt., 1917, pp. 4, 11-12. 1917.
  size, change by use of tractors. F.B. 1296, p. 8. 1922.
  soils, protozoa, studies. J.A.R., vol. 4, pp. 531-542. 1915.
  stations—
    at shipping points, value. Off. Rec., vol. 3, No. 29, p. 2. 1924.
    entomological, introduction, development, and practical value. Y.B., 1913, pp. 84-92. 1914; Y.B. Sep. 616, pp. 84-92. 1914.
    Great Plains—
      barley growing, cost and yields. D.B. 22, pp. 12-31. 1915.
      climate and crop production. D.B. 268, pp. 3-21. 1915.
      corn growing, cost and yield. D.B. 219, pp. 13-31. 1915.
      oat growing, cost and yields. D.B. 218, pp. 11-37. 1915.
      southern Great Plains area, corn, milo and kafir growing. D.B. 242, pp. 20. 1915.
    technic, plot tests—
      experiments. A. C. Arny and H. K. Hayes. J.A.R., vol. 15, pp. 251-262. 1918.
      further experiments. A. C. Arny. J.A.R., vol. 21, pp. 483-500. 1921.
    work, days available on Georgia farms, per month. Farm M. Cir. 3, pp. 21-25. 1919.
Field Inspection Division, Animal Industry Bureau—
  work and scope. News L., vol. 2, No. 43, p. 6. 1915.
  report of work—
    1922. An. Rpts., 1922, pp. 131-135. 1922; B.A.I. Chief Rpt., 1922, pp. 33-37. 1922.
    1923. An. Rpts., 1923, pp. 225-229. 1923; B.A.I. Chief Rpt., 1923, pp. 27-31. 1923.
Fig(s)—
  Abyssinian, value for use in caprifying early crop. An. Rpts., 1914, p. 126. 1914; B.P.I. Chief Rpt., 1914, p. 26. 1914.

Fig(s)—Continued.
  adaptability to Yuma reclamation project. B.P.I. Cir. 124, pp. 7, 8. 1913.
  adulteration. See *Indexes, Notices of Judgment, in bound volumes and in separates published as supplements to Chemistry Service and Regulatory Announcements.*
  African, importation for use in fig-breeding work. Inv. No. 31469, B.P.I. Bul. 248, p. 17. 1912.
  Algerian, care and handling. B.P.I. Bul. 80, pp. 67-68. 1905.
  and honey cakes, adulteration and misbranding. Chem. N.J. 1745, pp. 2. 1912.
  Barbary. See Tuna; Prickly pear.
  beetles, description. Sec. [Misc.], "A manual of insects * * *," p. 100. 1917.
  borer(s)—
    description. Sec. [Misc.], "A manual of insects * * *," pp. 100-101. 1917.
    three-lined, description, life history, and control. F.B. 1031, pp. 29-32. 1919. J.A.R., vol. 11, pp. 371-382. 1917.
  breeding and caprification. B.P.I. Chief Rpt., 1909, pp. 22-23. 1909; An. Rpts., 1909, pp. 274-275. 1910.
  bush or stool form, for winter protection. F.B. 342, p. 19. 1909.
  candied and crystallized. F.B. 1031, p. 43. 1919.
  canning—
    commercial and home methods. F.B. 1031, pp. 39-42. 1919.
    methods. D.B. 1084, p. 24. 1922; F.B. 853, pp. 19-20, 30. 1917.
    standards and directions. B.P.I. No. 631, rev., pp. 5, 6. 1915.
  capri. See Caprifigs.
  caprification, work in Southern States. An. Rpts., 1918, p. 163. 1919; B.P.I. Chief Rpt., 1918, p. 29. 1918.
  Celeste, description, characteristics, and pruning methods. F.B. 1031, pp. 6, 20-21, 36. 1919.
  China, restricted growth. B.P.I. Bul. 204, p. 47. 1911.
  composition, analytical data. Chem. Bul. 66, rev., p. 41. 1905.
  crown-gall inoculation from daisy. B.P.I. Bul. 213, p. 49. 1911.
  culture—
    California improvement. B.P.I. Bul. 53, p. 14. 1904.
    in South. F.B. 342, pp. 19-26. 1909.
    increase in United States. An. Rpts., 1910, p. 74. 1911; Rpt. 93, p. 54. 1911; Sec. A.R., 1910, p. 74. 1910; Y.B., 1910, p. 73. 1911.
  cuttings, and seedlings, distribution by department, terms. B.P.I. Doc. 438, pp. 3-6. 1909.
  destruction by—
    birds, prevention. Y.B., 1900, p. 93. 1901; Y.B. Sep. 196, p. 93. 1901.
    the fig moth. Ent. Bul. 104, pp. 18, 20, 21-28, 45-49. 1911.
  diseases—
    and insects, comparative freedom from. D.B. 732, pp. 33-34. 1918.
    control. F.B. 1031, pp. 25-28. 1919.
    Texas, occurrence and description. B.P.I. Bul. 226, pp. 26, 109. 1912.
  dried—
    production in California. D.B. 1141, p. 2. 1923.
    shipments by States, and by stations, 1916. D.B. 667, pp. 7, 92. 1918.
  drying—
    and uses, sources of supply and food value. Y.B., 1912, pp. 507, 514-515, 519. 1913; Y.B. Sep. 610, pp. 507, 514-515, 519. 1913.
    directions. D.C. 3, p. 22. 1919; F.B. 984, p. 45. 1918; F.B. 1031, pp. 43-45. 1919.
    protection from fig moth by covering at night and screening. Ent. Bul. 104, p. 50. 1911.
  fertilization—
    introduction of insects and establishment in California. B.P.I. Doc. 438, p. 1. 1909.
    See also Caprification.
  fertilizing insect—
    effect on Smyrna fig industry. An. Rpts., 1912, p. 146. 1913; Sec. A.R., 1912, p. 146. 1912; Y.B., 1912, p. 146. 1913.

Fig(s)—Continued.
  experiments in California, 1902. Rpt. 73, pp. 63-64. 1902.
  flowers, number, kinds, description, and characteristics. D.B. 732, pp. 10-15. 1918.
  food value. F.B. 685, p. 21. 1915; F.B. 1031, p. 41. 1919; O.E.S. Bul. 245, p. 77. 1912.
  fresh—
    shipments by States, and by stations, 1916. D.B. 667, pp. 8, 99. 1918.
    transportation. An. Rpts., 1914, p. 124. 1915; B.P.I. Chief Rpt., 1914, p. 24. 1914.
  fungous parasite, *Glomerella cingulata* and *Colletotrichum carcia*, studies. B.P.I. Bul. 252, p. 31. 1913.
  growers, foothill regions, special collection of plants. B.P.I. Doc. 537, p. 5. 1910.
  growing—
    adaptability to irrigation farming. Y.B., 1911, pp. 374, 380. 1912; Y.B. Sep. 576, pp. 374, 380. 1912.
    cultural directions. D.B. 732, pp. 32-33. 1918.
    for home use. F.B. 1001, pp. 4, 11, 34. 1919.
    in Arizona experiments. B.P.I.W.I.A. Cir. 7, p. 19. 1915.
    in California—
      Fresno area, methods. Soil Sur. Adv. Sh., 1912, pp. 17-18. 1914; Soils F.O., 1912, pp. 2101-2102. 1915.
      lower San Joaquin Valley. Soil Sur. Adv. Sh. 1915, pp. 24, 48, 65, 86, 122, 127, 143. 1918; Soils F.O., 1915, pp. 2600, 2624, 2641, 2662, 2698, 2703, 2719. 1919.
      Madera area. Soil Sur. Adv. Sh., 1910, p. 15. 1911; Soils F.O., 1910, p. 1725. 1912.
      Marysville area, yield, and prices. Soil Sur. Adv. Sh., 1909, p. 16. 1911; Soils F.O., 1909, p. 1700. 1912.
      Merced area, soils suited. Soil Sur. Adv. Sh., 1914, p. 15. 1916; Soils F.O., 1914, pp. 2694-2695, 2795. 1919.
      middle San Joaquin Valley. Soil Sur. Adv. Sh., 1916, pp.29-30. 1919; Soils F.O., 1916, pp. 2443-2444. 1921.
      Modesto-Turlock area, varieties. Soil Sur. Adv. Sh., 1908, p. 55. 1909; Soils F.O., 1908, p. 1279. 1911.
      San Francisco Bay region, varieties, longevity of trees. Soil Sur. Adv. Sh., 1914, pp. 22-23. 1917; Soils F.O., 1914, pp. 2694-2695. 1919.
    in—
      South Atlantic and Gulf States. H. P. Gould. F.B. 1031, pp. 45. 1919.
      Southern States, development of industry. D.B. 732, pp. 26-27, 40. 1918.
      Texas, variety testing. D.B. 162, pp. 19-20, 26. 1915.
      Virgin Islands, experiments. Vir. Is. A.R., 1924, pp. 13-14. 1925.
    possibilities in southwest Texas. Soil Sur. Adv. Sh., 1911, p. 35. 1912; Soils F.O., 1911, p. 1203. 1914.
    progress at Yuma Experiment Farm. D.C. 75, p. 44. 1920.
    under shade of date palms. B.P.I. Bul. 53, pp. 44, 115. 1904.
    Yuma Experiment Farm, 1912. B.P.I. Cir. 126, pp. 22-23. 1913.
  handling, shipping, and utilization. F.B. 1031, pp. 38-45. 1919.
  harvesting, curing, packing, and shipping methods. D.B. 732, pp. 22-26. 1918.
  history, culture, and curing. Gustav Eisen. Pom. Bul. 9, pp. 317. 1901.
  host of Mediterranean fruit fly. D.B. 536, pp. 24, 37. 1918.
  importations and description. No. 32878, B.P.I. Bul. 282, p. 56. 1913; Nos. 37140, 37141, B.P.I. Inv. 38, p. 43. 1917; Nos. 39829, 39904, B.P.I. Inv. 42, pp. 7, 23, 35. 1918; No. 40499, B.P.I. Inv. 43, pp. 7, 35-36. 1918; No. 44471, 44472, 44576, 44708, B.P.I. Inv. 51, pp. 16, 27, 52. 1922; No. 45235, B.P.I. Inv. 53, pp. 10, 15. 1922; Nos. 50697-50699, 50769, 51252, B.P.I. Inv. 64, pp. 15, 24, 80. 1923; Nos. 51751, 52290, B.P.I. Inv. 65, pp. 44, 85. 1923; Nos. 52404-52410, 52496, 52598, B.P.I. Inv. 66, pp. 5, 22, 33, 48. 1923; No. 55628, B.P.I. Inv. 72, p. 13. 1924.

Fig(s)—Continued.
  imported, microchemical examinations. Chem. Chief Rpt., 1910, pp. 26, 33. 1910; An. Rpts., 1910, pp. 450, 457. 1911.
  imports—
    1901–1924. Y.B., 1924, pp. 1061, 1077. 1925.
    1903, 1913, quantity and source. D.B. 296, p. 42. 1915.
    1907–1909, quantity and value, by countries from which consigned. Stat. Bul. 82, p. 40. 1910.
    1908–1910, quantity and value, by countries from which consigned. Stat. Bul. 90, p. 43. 1911.
    1911–1913 and 1852–1913. Y.B., 1913, pp. 497, 511. 1914; Y.B. Sep. 361, pp. 497, 511. 1914.
    1913–1915 and 1887–1915. Y.B., 1915, pp. 544, 559. 1916; Y.B. Sep. 685, pp. 544, 559. 1916.
    1919–1921 and 1852–1921. Y.B., 1922, pp. 952, 967. 1923; Y.B. Sep. 880, pp. 952, 967. 1923.
  in khans in Smyrna, infestation with fig moth, and elimination of larvæ. Ent. Bul. 104, pp. 47–48, 52–63. 1911.
  Indian. See Prickly pears, spineless; Tuna.
  infestation, sources. Ent. Bul. 104, pp. 41–49. 1911.
  injury by—
    low temperature. F.B. 1031, p. 4. 1919.
    melon fly, Hawaii. D.B. 491, p. 16. 1917.
  insect pests, description and control. F.B. 1031, pp. 28–34. 1919.
  insects likely to be imported, description. Sec. [Misc.], "A manual of insects * * *," pp. 100–101. 1917.
  invoices, declaration of shipper. Chem. [Misc.], "Food and drug manual," pp. 102–103. 1920.
  jam, cooking directions. F.B. 853, p. 30. 1917.
  June, inferiority, and source of infestation of later crop. Ent. Bul. 104, p. 49. 1911.
  leather, directions. F.B. 1031, p. 42. 1919.
  Lob Ingir, origin and value. B.P.I. Doc. 537, rev., p. 3. 1912.
  Magnolia, description, characteristics, and pruning methods. F.B. 1031, pp. 11, 21–25, 36–37. 1919.
  marmalade, recipe. S.R.S. Doc. 22, rev., pp. 12–13. 1919.
  moth—
    control methods. Ent. Bul. 104, pp. 32–37, 49–65. 1911.
    description, in Smyrna. F. H. Chittenden and E. G. Smith. Ent. Bul. 104, p. 65. 1911.
    injury to figs in Smyrna, danger of introduction. F.B. 1031, p. 34. 1919.
    injury to stored peanuts. Ent. Cir. 142, p. 2. 1911.
    larvae, destruction by various methods. Ent. Bul. 104, pp. 53–63. 1911.
    parasites, description. Ent. Bul. 104, pp. 30–32. 1911.
    similarity of injury to that made by rice moth. D.B. 783, pp. 2, 8, 13. 1919.
  orchards—
    cooperative—
      suggestions. B.P.I. Doc. 537, p. 6 1910.
      work. B.P.I. Doc. 537, rev., pp. 7. 1912.
    occurrence of fig moths on trees and fruit. Ent. Bul. 104, pp. 42–44. 1911.
    starting in South, kinds, methods, climate, soil, and other requirements. D.B. 732, pp. 28–34. 1918.
  packed, cause and prevention of mold, experiments. D.B. 235, pp. 12–13. 1915.
  packing—
    experiments for protection from insects. D.B. 235, pp. 8–14. 1915.
    methods as protection against insects. Ent. Bul. 104, p. 35. 1911.
  Palestine varieties or races, value for alkaline soils. B.P.I. Bul. 180, pp. 21–22. 1910.
  paste, labeling Inf. 32. Chem. S.R.A. 12, p. 754. 1915.
  planting, directions. F.B. 1031, pp. 12–14. 1919.
  premature dropping in the South, cause. F.B. 430, p.7. 1911.
  preservation, home methods. F.B. 1031, pp. 41–45. 1919.
  preserved, recipe. S.R.S. Doc. 22, rev., p. 12. 1919.

Fig(s)—Continued.
  preserves and marmalade, directions for making. S.R.S. Doc. 22, pp. 11–12. 1916.
  preserving, cooperative club work, Florida. Y.B. 1916, p. 254. 1917; Y.B. Sep. 710, p. 4. 1917.
  processing, directions and time table. F.B. 1211, pp. 40, 49. 1921.
  production in North Carolina, Wayne County. Soil Sur. Adv. Sh., 1915, p. 11. 1916; Soils F.O., 1915, p. 503. 1919.
  propagation. F.B. 1031, pp. 9–10. 1919.
  pruning, practices in Southern States. F.B. 1031, pp. 18–25. 1919.
  ripening—
    artificial, Arabian methods. B.P.I. Bul. 180, p. 23. 1910.
    times and yields. D.B. 732, pp. 6–9. 1918.
  Rixford—
    description, and advantage in self-sealing. An. Rpts., 1910, p. 289. 1911; B.P.I. Chief Rpt., 1910, p. 19. 1910; B.P.I. Doc. 537, p. 3. 1910.
    self-sealing—
      Smyrna variety, value. B.P.I. Doc. 438, p. 3. 1909.
    variety, description and value. B.P.I. Doc. 537, p. 3. 1910; rev. 1912.
  rootknot, description. B.P.I. Cir. 91, p. 10. 1912.
  rust, occurrence, cause and control. F.B. 1031, pp. 27–28. 1919.
  scale insects, infestation. Ent. T.B. 16, Pt. II, pp. 17–19. 1908.
  seedlings—
    distribution by department, and directions for setting. B.P.I. Doc. 537, 2d rev., pp. 2, 3–4, 6. 1912.
    experiments and results. D.B. 732, pp. 21–22. 1918.
    setting out, directions. B.P.I. Doc. 537, rev. p. 4. 1912.
    value and rapid growth. B.P.I. Doc. 537, pp. 2, 3, 4. 1910.
  self-sealing—
    description and advantages. An. Rpts., 1910, p. 289. 1911; B.P.I. Chief Rpt., 1910, p. 19. 1910.
    Smyrna variety, value. B.P.I. Doc. 438. p. 3. 1909.
  sites for growing. F.B. 1031, p. 11. 1919.
  Smyrna—
    adaptability to Southern States, discussion. F.B. 430, p. 7. 1911.
    caprification, possibility. B.P.I. Doc. 438, pp. 1–6. 1909.
    cooperative distribution and culture. B.P.I. Doc. 537, rev., pp. 7. 1912.
    crop, dependence on the fig wasp or Blastophaga. An. Rpts., 1912, p. 146. 1913; Sec. A.R., 1912, p. 146. 1912; Y.B. 1912, p. 146. 1913.
    culture—
      G.P. Rixford. D.B. 732, pp. 48. 1918.
      in United States. L. O. Howard. Y.B., 1900, pp. 79–106. 1901; Y.B. Sep. 196, pp. 79–106. 1901.
    drying variety, climatic and soil conditions. B.P.I. Doc. 438, pp. 4–5. 1909.
    growing and uses. An. Rpts., 1923, p. 271. 1923; B.P.I. Chief Rpt., 1923, p. 17. 1923.
    industry, Pacific coast, establishment and yield. An. Rpts., 1912, p. 119. 1913; Sec. A.R., 1912, p. 119. 1912; Y.B., 1912, p. 119. 1913.
    Maslin orchard, promising varieties. B.P.I. Doc. 438, pp. 2–3. 1909.
    origin and introduction into United States. D.B. 732, pp. 1–4, 9–10, 26–27. 1918.
    production in South, value of fertilizing insects. News L., vol. 5, No. 26, p. 7. 1918.
  soft rot, cause and prevention. F.B. 1031, p. 26. 1919.
  susceptibility to drought. B.P.I. Bul. 192, pp. 13, 18, 26, 42. 1911.
  sycamore, importation and description. No. 37729, B.P.I. Inv. 39, p. 28. 1917; Nos. 39827, 39857, B.P.I. Inv. 42, pp. 8, 22, 27. 1918.
  tillage requirements and principles. F.B. 1031, pp. 14–16. 1919.
  transportation, infestation while in cars. Ent. Bul. 104, pp. 46–47, 48. 1911.

Fig(s)—Continued.
  trees—
    damage by root knot, and resistant varieties. F.B. 648, pp. 8, 10, 12, 17. 1915; Y.B. 1345, p. 24. 1923.
    destruction for control of borers. J.A.R., vol. 11, pp. 372, 382. 1917.
    susceptibility to attacks by gophers. Y.B., 1909, p. 211. 1910; Y.B. Sep. 506, p. 211. 1910.
  tropical, importation and description. No. 35449, B.P.I. Inv. 35, pp. 8, 46. 1915.
  varietal tests, Yuma Experiment Farm, in 1912-1920. D.C. 221, pp. 28-29. 1922.
  varieties—
    characteristics. D.B. 732, pp. 4-6, 34-39. 1918; F.B. 1031, pp. 35-38. 1919.
    general-purpose. F.B. 342, p. 24. 1909.
    recommendations for various fruit districts. B.P.I. Bul. 151, p. 59. 1909.
  vinegar making in the home. S.R.S. Doc. 99, pp. 3, 6. 1919.
  wild, *Actinidia arguta*, origin and description. B.P.I. Cir. 110, p. 7. 1913.
Figeater. *See* June beetle, green.
Figletts, adulteration. Chem. N.J. 1403, p. 1. 1912.
Figprune cereal, misbranding. Chem. N.J. 975, pp. 2. 1911; Chem. N.J. 1177, p. 1. 1912.
Fiji Islands—
  occurrence of banana root disease caused by *Tylenchus similis*. J.A.R., vol. 4, pp. 561, 567. 1915.
  sugar industry, 1893-1914. D.B. 473, p. 67. 1917.
Fijole, description. S.R.S. Guam Bul. 4, p. 25. 1922.
Fijoles, growing in Guam, directions. Guam Bul. 2, pp. 12, 30, 32. 1922.
Filaree. *See* Alfilaria.
Filaria—
  labiato-papillosa, transmission by stable fly. B.A.I. [Misc.], "Diseases of Cattle," rev., pp. 519, 540. 1912.
  labiato-papillosa. *See also* Thread worms; Eye worms.
  lacrimalis. *See* Eye worm.
  muscae, early name for *Habronema muscae*, description. B.A.I. Bul. 163, pp. 6-8. 1913.
  oculi, description and treatment. B.A.I. [Misc.]. "Diseases of cattle," rev., pp. 349, 531. 1923.
  spp.—
    description. B.A.I. Bul. 163, pp. 9-10. 1913.
    diagnosis, synonymy and bibliography. B.A.I. Bul. 60, pp. 31-38. 1904.
Filariae, transmission by ticks. Ent. Bul. 106, p. 44. 1912.
Filariidae, anatomical details. B.A.I. Bul. 158, pp. 9-32. 1912.
Filberts—
  adulteration. *See Indexes, Notices of Judgment, in bound volumes and in separates published as Supplements to Chemistry Service and Regulatory Announcements*.
  importations and description. No. 34266, B.P.I. Inv. 32, p. 29. 1914; Nos. 44350-44356, B.P.I. Inv. 50, p. 61. 1922; Nos. 49176-49196, 49433-49440, 49627, B.P.I. Inv. 62, pp. 3, 10, 37, 61. 1923.
  imports—
    1910-1914. average amount, and source. D.B. 296, p. 36. 1915.
    1922-1924. Y.B., 1924, p. 1062. 1925.
  insect pests, list. Sec. [Misc.], "A manual of insects * * *," pp. 133-135. 1917.
  varieties, recommendations for various fruit districts. B.P.I. Bul. 151, p. 54. 1909.
  See also Hazelnut.
Files—
  extension workers, system. D.C. 107, rev., pp. 4-10. 1924.
  follow-up for extension workers. D.C. 107, p. 5. 1920.
  record, timber testing work, directions. For. Cir. 38, rev., p. 30. 1909.
Filing—
  cabinet, for county agents, description. S.R.S. Doc. 34. pp. 7-9. 1918.
  record, system for county extension workers. M. C. Wilson. D.C. 107, pp. 13. 1920.

Filing—Continued.
  systems—
    for agricultural agents. S.R.S. Doc. 34, pp. 16. 1918.
    use in cooperative organizations, description. D.B. 178, pp. 9-10, 22. 1915.
Filipino beef, cooking, recipe. F.B. 391, p. 34. 1910.
Filled milk law, enactment. Off. Rec., vol. 2, No. 11, p. 1. 1923.
Filler(s)—
  brick pavement. D.B. 246, pp. 15-17, 24. 1915.
  egg-case, strength tests. News L., vol. 2, No. 39, p. 1. 1915.
  floor, composition and use. F.B. 1219, pp. 9-10. 1921.
  prepared, method of surfacing roads. Rds. Bul. 42, pp. 12-14. 1912.
  road, sampling methods. D.B. 1216, p. 45. 1924.
Fillmore National Forest, consolidation with Fishlake Forest. Off. Rec., vol. 2, No. 42, p. 3. 1923.
Film(s)—
  "Better seed—better crops." Off. Rec., vol. 3, No. 2, p. 5. 1924.
  department—
    distribution, sale, and use. D.C. 114, pp. 3-8. 1920; M.C. 27, pp. 3-4. 1924; News L., vol. 6, No. 11, pp. 1-2. 1918.
    lists, by Bureaus and Divisions. D.C. 233, pp. 3-13. 1922.
  distribution, growth, number of reels and shipments. An. Rpts., 1923, pp. 527-529. 1924; Pub. A. R., 1923, pp. 13-15. 1923.
  forest, use of airplane photography. Off. Rec., vol. 1, No. 42, p. 2. 1922.
  motion-picture, description and directions for handling. D.C. 114, pp. 6, 10-11. 1920.
  pig-club, distribution by Agriculture Department. News L., vol. 5, No. 22, p. 5. 1917.
  "Uncle Sam World Champion Farmer." Off. Rec., vol. 3, No. 15, p. 5. 1924.
  "Wonders of National Capitol." Off. Rec., vol. 3, No. 2, p. 4. 1924.
  See also Motion pictures.
Filter(s)—
  air analyses, history and tests. J.A.R., vol. 4, pp. 343-366. 1915.
  antiquity of employment. Soils Bul. 52, pp. 9-10. 1908.
  cistern, description. F.B. 941, pp. 15-17. 1918; Y.B., 1914, pp. 146-147. 1915; Y.B. Sep. 634, pp. 146-147. 1915.
  description for use in hog cholera filtration experiments. B.A.I. Bul. 113, pp. 7-29. 1909.
  drinking-water. F.B. 375, p. 42. 1909; F.B. 1448, pp. 9-10. 1925.
  fruit-juice, directions for making. D.B. 1025, pp. 16-20. 1922.
  paper, Swedish, decomposition, gases found in mixture. B.P.I. Bul. 266, p. 11. 1913.
  porcelain, solubility in water. Soils Bul. 22, pp. 17-18. 1903.
  press(es)—
    (lime) cake, composition. Sidney F. Sherwood. D.C. 257, pp. 3. 1923.
    clarifying, for sugar-cane, juice, description and cost. D.B. 921, pp. 2, 3, 6, 8, 11. 1921.
  sand—
    or charcoal, for surface water, description, sizes, cost, and cautions. F.B. 941, pp. 17-20. 1918.
    use in treatment of sewage by copper sulphate. B.P.I. Bul. 115, pp. 14-18, 33. 1907.
  sirup factory, operation. Chem. Bul. 93, pp. 51-52. 1905.
  testing and cleansing. B.A.I. Bul. 113, pp. 7, 27. 1909.
  use in making sorghum sirup. F.B. 135, pp. 21, 24-25, 28-30. 1901.
Filtering—
  effect on milk. D.B. 1344, pp. 21-22. 1925.
  fruit juice, use of infusorial earth, experiments. D.B. 241, pp. 3, 14, 15, 16, 17. 1915.
  grape juice. F.B. 1075, pp. 17, 28-29. 1919.
Filtrate(s)—
  blackleg, antigenic value, experiments. J.A.R., vol. 19, pp. 514-515. 1920.

Filtrate(s)—Continued.
  germ-free, as antigens in the complement-fixation test. William S. Gochenour. J.A.R., vol. 19, pp. 513-515. 1920.
Filtration—
  Bacillus cholerae suis, experiments. C.N. McBryde. B.A.I. Bul. 113, pp. 31. 1909.
  cows' milk, method. B.A.I. Bul. 166, pp. 6-7. 1913.
  experiments in hog-cholera investigations. B.A.I. Bul. 72, pp. 41-98. 1905.
  fruit juices with diatomaceous earth, simple methods. D.B. 1025, pp. 12-26. 1922.
  methods and comparisons. F.B. 941, pp. 15-17. 1918.
  mosaic virus, results. D.B. 879, pp. 24-26. 1920.
  of clay from soil solutions and capillary studies. Lyman J. Briggs and Macy H. Lapham. Soils Bul. 19, pp. 40. 1902.
  sugar-cane juice, new method, materials and cost. D.B. 921, pp. 2-12. 1920.
  sweet potato sirup. D.B. 1158, pp. 17-18. 1923.
  use—
    in clarification of apple juice. F.B. 1264, pp. 29-30, 37-38, 48-50. 1922.
    of copper sulphate. B.P.I. Bul. 100, Pt. VII, pp. 17-19. 1907.
    vinegar, direction. F.B. 1424, pp. 15-16. 1924; S.R.S. Doc. 99, p. 5. 1919.
  virus, tobacco mosaic experiments. J.A.R., vol. 6, pp. 649-652. 1916.
Fimbristylis spp., occurrence in Guam. Guam A.R., 1913, p. 16. 1914.
Finance(s)—
  advisory committee, personnel. Off. Rec., vol. 3, No. 28, p. 4. 1924.
  agricultural, division, report. B.A.E. Chief Rpt., 1924, pp. 40-42. 1924.
  cooperative associations in Denmark. D.B. 1266, pp. 11, 18, 37-38, 68, 81-87. 1924.
  department, 1839-1909. Accts. Chief Rpt., 1909, pp. 19-42. 1909; An. Rpts., 1909, pp. 567-590. 1910.
  farm credit studies. B.A.E. Chief Rpt., 1925, pp. 42-44. 1925.
  work of Economics Bureau. B.A.E. Chief Rpt., 1924, pp. 40-42. 1924.
  See also Business.
Financial statement—
  close of business, fruit-shipping associations. D.B. 590, pp. 29-30. 1918.
  experiment station, ruling. D.C. 251, p. 28. 1925.
  for department, 1925. Sec. A.R., 1925, pp. 98-101. 1925.
Financing—
  cooperative associations. D.B. 547, pp. 50-59. 1917.
  farm operations on logged-off lands. D.B. 1236, pp. 33-35. 1924.
  marketing associations, methods. Y.B., 1914, pp. 201-210. 1915; Y.B. Sep. 637, pp. 201-210. 1915.
  pig-club members. Y.B., 1915, pp. 177-179. 1916; Y.B. Sep. 667, pp. 177-179. 1916.
  road building, methods. S.R.S. Syl. 29, p. 3. 1917.
  wheat growing, storage and movement. Y.B., 1921, pp. 120-121, 133-134. 1922; Y.B. Sep. 873, pp. 120-121, 133-134. 1922.
FINCH, V. C.—
  "A graphic summary of world agriculture." With others. Y.B., 1916, pp. 531-553. 1917; Y.B. Sep. 713, pp. 23. 1917.
  "Geography of the world's agriculture." O.E. Baker. Sec. [Misc.], Spec. "Geography * * * worlds agriculture," pp. 149. 1917.
Finch—
  blue, protection by law. Biol. Bul. 12, rev., pp. 38, 40. 1902.
  California house, feeding on rose aphid, note. D.B. 90, p. 10. 1914.
  food habits, good and bad. Y.B., 1907, p. 173. 1908; Y.B. Sep. 443, p. 173. 1908.
  green, protection by law. Biol. Bul. 12, rev., p. 41. 1902.
  house, food habits. D.B. 107, pp. 27-28. 1914.
  house. *See also* Linnet.
  in Porto Rico, habits and food. D.B. 326, pp. 14, 111-112. 1916.

Finch—Continued.
  lark, protection by law. Biol. Bul. 12, rev., p. 40. 1902.
  Laysan—
    occurrence on Laysan Island, number and description. Biol. Bul. 42, p. 22. 1912.
    value as insect-eating bird. Y.B., 1911, p. 160. 1912; Y.B. Sep. 557, p. 160. 1912.
  lazuli, protection by law. Biol. Bul. 12, rev., p. 40. 1902.
  protection by law. Biol. Bul. 12, rev., pp. 38, 39, 41, 42. 1902.
  purple—
    Athabaska-Mackenzie region. N.A. Fauna 27, p. 415. 1908.
    food habits and occurrence in Arkansas. Biol. Bul. 38, pp. 60-61. 1911.
    range and habits. Biol. Bul. 15, p. 42. 1901; N.A. Fauna 22, p. 118. 1902.
  rosy Aleutian, description, habits, and food. N.A. Fauna 46, pp. 88-90. 1923.
  serin, form of wild canary, descripiton. F.B. 770, p. 4. 1916.
  weaver—
    hooded, occurrence in Porto Rico, habits and food. D.B. 326, pp. 14, 111-112. 1916.
    scarlet-cheeked, occurrence in Porto Rico, habits and food. D.B. 326, pp. 14, 112. 1916.
  See also Grosbeak.
Finfoot, American, range. D.B. 128, p. 47. 1914.
Finger and toe. *See* Clubroot.
Finger flower. *See* Foxglove.
Fingerberry. *See* Blackberry.
Finishing. *See* Fattening.
FINK, D. E.—
  "The eggplant lacebug." D.B. 239, pp. 7. 1915.
  "The green June beetle." With F. H. Chittenden. D.B. 891, pp. 52. 1922.
  "The verbena bud moth." D.B. 226, pp. 7. 1915.
FINKS, A. J.—
  "Growth-promoting value of the proteins of the palm kernel, and the vitamin content of palm-kernel meal." With D. Breese Jones. J.A.R., vol. 25, pp. 165-169. 1923.
  "Nutritive value of mixtures of proteins from corn and various concentrates." With others. J.A.R., vol. 24, pp. 971-978. 1923.
Finland—
  agriculture—
    conditions, comparison with Alaska. Soil Sur. Adv. Sh., 1914, pp. 195-198. 1915; Soils F.O., 1914, pp. 229-233. 1919.
    education, progress, 1910. O.E.S. An. Rpt., 1910, p. 328. 1911.
    statistics 1911-1920. D.B. 987, pp. 26-27. 1921.
  cows—
    and cattle, numbers, 1850-1918. D.C. 7, p. 16. 1919.
  cattle, and reindeer, numbers, 1865-1918. B.A.I. Doc. A-37, p. 50. 1922.
  forest resources. For. Bul. 83, pp. 21-22. 1910.
  grain—
    production, and acreage. Stat. Bul. 68, pp. 62-64. 1908.
    trade. Stat. Bul. 69, pp. 21-24. 1908.
  livestock statistics, numbers of cattle, sheep, and hogs. Rpt. 109, pp. 29, 36, 47, 51, 59, 62, 200, 212. 1916.
  potatoes, production, 1909-1913, 1921-1923. Stat. Bul. 10, p. 20. 1925.
  publication on agricultural cooperation. M.C. 11, p. 16. 1923.
  wheat flour imports from Russia and other countries. Stat. Bul. 66, pp. 83-84. 1908.
Finns, use of American foods. News L., vol. 7, No. 10, p. 11. 1919.
Fiorinia—
  fioriniae, avocado pest, description and control. Hawaii Bul. 25, p. 23. 1911.
  genus, in United States. E. R. Sasscer. Ent. T.B. 16, Pt. V pp. 75-82. 1912.
  theae. See Tea scale.
FIPPIN, E. O.—
  "Soil survey of Allegon County, Mich." With Thomas D. Rice. Soils F.O. Sep., 1901, pp. 32. 1903; Soils F.O., 1901, pp. 93-124. 1902.
  "Soil survey of Gadsden County, Fla." With Aldert S. Root. Soils F.O. Sep., 1903, pp. 23. 1904; Soils F.O., 1903, pp. 327-353. 1904.

874 UNITED STATES DEPARTMENT OF AGRICULTURE

FIPPIN, E. O.—Continued.
"Soil survey of Howell County, Mo." With James L. Burgess. Soils F.O. Sep., 1902, pp. 17. 1903; Soils F.O., 1902, pp. 593–609. 1903.
"Soil survey of Livingston County, N. Y." With others. Soil Sur. Adv. Sh., 1908, pp. 91. 1910. Soils F.O., 1908, pp. 71–157. 1911.
"Soil survey of Niagara County, N.Y." With others. Soil Sur. Adv. Sh., 1906, pp. 53. 1908. Soils F.O., 1906, pp. 69–117. 1908.
"Soil survey of O'Fallon area, Missouri-Illinois." With J.A. Drake. Soil Sur. Adv. Sh., 1904, pp. 29. 1905; Soils F.O., 1904, pp. 815–843. 1905.

Fir—
Alpine—
characteristics differing from balsam fir. D.B. 55, pp. 24, 27. 1914.
characteristics, occurrence, habits, and longevity. D.B. 327, pp. 24–27. 1916.
description, range, and occurrence on Pacific slope. For. [Misc.], "Forest trees for Pacific * * *," pp. 107–111. 1908.
occurrence with Engelmann spruce in Rocky Mountains. For. Cir. 170, p. 6. 1910.
stand on mountains. J.A.R., vol. 30, pp. 996–1006. 1925.
value, range, occurrence, and requirements. For. Silv. Leaf. 1, pp. 3. 1907.
Amabilis—
description, range and occurrence on Pacific slope. For. [Misc.], "Forest trees for Pacific * * *," pp. 125–128. 1908.
occurrence, habits, and reproduction. For. Silv. Leaf. 22, pp. 1–3. 1908.
balsam—
Raphael Zon. D.B. 55, pp. 68. 1914.
characteristics, occurrence, habits, and longevity. D.B. 327, pp. 20–24. 1916.
consumption for sulphite-process pulp, 1900–1916. D.B. 620, pp. 2–4. 1918.
cut, by States. D.B. 55, pp. 7–11. 1914.
description, cultivation, and characteristics. F.B. 1171, pp. 48–49, 79. 1921.
description, range, and occurrence on Pacific slope. For. [Misc.], "Forest trees for Pacific * * *," pp. 107–111. 1908.
distribution. N.A. Fauna 22, p. 13. 1902.
distribution, types, stand, cut, and uses. D.B. 55, pp. 1–22. 1914.
freedom from gipsy-moth injury. D.B. 204, p. 15. 1915.
generic characteristics. D.B. 327, pp. 17–42, 43. 1916.
green, quality tests, table. D.B. 343, p. 147. 1916.
growth in different regions, rate. F.B. 1177, rev., p. 24. 1920.
in northern hardwood forests. D.B. 285, pp. 6–21. 1915.
life history, description, growth, and yield. D.B. 55, pp. 22–60. 1914.
lumber production—
1916, by States, mills reporting, and lumber value. D.B. 673, p. 33. 1918.
1917, value by States. D.B. 768, pp. 33, 38, 41. 1919.
1918, by States producing. D.B. 845, pp. 37, 44. 1920.
1920, by States. D.B. 1119, p. 53. 1923; Y.B. 1922, p. 923. 1923.
management and cutting systems. D.B. 55, pp. 60–67. 1914.
mortality from spruce budworm, relation to previous growth. J.A.R. vol. 30, pp. 544–553. 1925.
occurrence in Colorado, description. N.A. Fauna 33, pp. 219–220. 1911.
pollen types, and shape of grains. Chem. Bul. 110, p. 74. 1908.
Porto Rico, description and uses. D.B. 354: p. 86. 1916.
quality tests, table. D.B. 343, p. 124. 1916.
requirements for growth. D.B. 55, p. 29. 1914.
Rocky Mountain region with spruce trees. George B. Sudworth. D.B. 327, pp. 43. 1916.
seed—
collection and drying. For. Bul. 76, p. 10. 1909.

Fir—Continued
balsam—continued.
seed—continued.
quantity per pound and quality. D.B. 55, pp. 28–29. 1914.
susceptibility to disease and injury. D.B. 55, pp. 30–31. 1914.
taper and cord measurements. D.B. 55, pp. 42–56. 1914.
wood analyses. D.B. 1298, pp. 23–24. 1925.
See also Fir, white.
bristlecone—
description, range, and occurrence. For. Silv. Leaf. 24, pp. 2. 1908; rev., pp. 2. 1910.
on Pacific slope. For. [Misc.], "Forest trees of Pacific * * *," pp. 121–125. 1908.
characters—
and description. F.B. 468, p. 40. 1911.
species on Pacific slope. For. [Misc.]. "Forest trees for Pacific * * *," pp. 106–137. 1908.
Chinese, introduction and value. Off. Rec., vol. 3, No. 24, p. 3. 1924.
cork, characteristics, occurrence, habits, and longevity. D.B. 327, pp. 27–29. 1916.
description(s)—
and range. M. C. 31, pp. 4–5. 1925.
key and list. D.C. 223, pp. 4, 8. 1922.
destruction by smelter fumes. D.B. 154, pp. 22–23. 1915.
Douglas—
adaptability—
for shelter-belt planting. D.B. 1113, p. 11. 1923.
to Olympic National Forest, quantity and reproduction. For. Bul. 89, pp. 11–17. 1911.
association with lodgepole pine. D.B. 154, pp. 26–27. 1915.
beetle—
damage to standing timber, and control. Ent. Cir. 143, p. 6. 1912.
description, habits, injuries, and control. D.B. 1200, p. 53. 1924; Ent. Bul. 83, Pt. I, pp. 106–114. 1909; Ent. Cir. 125, pp. 3–5. 1910.
forest destruction, Rocky Mountain region. Ent. Bul. 58, Pt. V p. 59. 1909.
characteristics, names, occurrence, and habits. D.B. 680, pp. 21–27. 1918.
commercial uses. For. Bul. 88, pp. 59–70. 1911.
common names, use in various States. For. Bul. 88, p. 10. 1911.
cutting methods to secure reproduction, experiments. Sec. Cir. 183, pp. 6–9. 1921.
decay in Pacific Northwest. J. S. Boyce. D.B. 1163, pp. 20. 1923.
definition. D.C. 295, pp. 19–20. 1923.
density determinations. J.A.R., vol. 2, pp. 426–427. 1914.
description, range, and occurrence on Pacific slope. For. [Misc.], "Forest trees for Pacific * * *," pp. 100–104. 1908.
destruction by—
insects. Ent. Bul. 58, pp. 59, 92. 1910.
sheep grazing. D.B. 738, pp. 7–25. 1918.
diseases, damping-off fungi and rots. D.B. 1200, p. 53. 1924.
distribution and silvical regions, map. For. Cir. 150, p. 13. 1909.
distillation products, comparison with kelp. J.A.R., vol. 4, pp. 55–56. 1915.
distribution—
importance, and available supply. For. Bul. 88, pp. 9–10. 1911.
relation of altitude and exposure. For. Cir. 150, pp. 11–12. 1909.
drying schedule. D.B. 1136, pp. 38, 43. 1923.
experimental plantations. D.B. 1264, pp. 23–27. 1925.
exports—
1906. For. Cir. 110, p. 16. 1907.
1908. For. Cir. 162, pp. 17–18. 1909.
1922–1924. Y.B., 1924, p. 1049. 1925.
fire-killed—
deterioration rate, usability and strength. For. Bul. 112, pp. 18. 1912.
injury by forest insects. Ent. Cir. 159, pp. 1–4. 1912.

INDEX TO PUBLICATIONS, 1901-1925   875

Fir—Continued.
Douglas—Continued.
for pipes, descriptions. D.B. 376, pp. 40-41, 43-47, 77-81. 1916.
forest type, brush disposal, directions. For. [Misc.], "Suggestions * * * disposal of brush * * *," pp. 10, 12, 14. 1907.
forms, characteristics, and reproduction. For. Bul. 98, p. 52. 1911.
grading rules. D.C. 64, pp. 31, 34. 1920.
growth with western pine and blue spruce. For. Bul. 125, pp. 10-17, 31. 1913.
history, distinguishing characteristics, forms, and distribution. For. Cir. 150, pp. 4-12. 1909.
importance in airplane construction. D.B. 1128, pp. 3, 4. 1923.
in Apache National Forest. For. Bul. 125, pp. 1-32. 1913.
injury(ies)—
by bark beetle. Ent. Bul. 83, Pt. I, pp. 109-111. 1909.
by mistletoe. J.A.R., vol. 4, pp. 370, 371. 1915.
from fire, wind, and frost. For. Cir. 150, pp. 25-27. 1909.
kiln-drying experiments. An. Rpts, 1923, pp. 338-339. 1924; For. A.R., 1923, pp. 50-51. 1923.
log prices, 1909-1916. D.B. 711, pp. 29-30. 1918.
logging. William H. Gibbons. D.B. 711, pp. 256. 1918.
losses—
by fungus attacks. B.P.I. Chief Rpt., 1924, pp. 32-33. 1924.
from pitch seams. D.B. 255, pp. 1-2. 1915.
lumber—
characteristics. D.B. 1128, p. 13. 1923.
cut, 1906, value, by States. For. Cir. 122, pp. 12-13. 1907; For. Cir. 129, pp. 5, 9. 1907.
injury by pitch moth, character and prevention. D.B. 255, pp. 1-2, 7-17, 18-22. 1915.
production, 1913, value by States. D.B. 232, pp. 10, 30-31. 1915.
production, 1916, value by States, mills reporting. D.B. 673, pp. 16-17. 1918.
production, 1917, value by States. D.B. 768, pp. 17, 38, 39. 1919.
production, 1918, by States. D.B. 845, pp. 20, 42. 1920.
production, 1920, value by States. D.B. 1119, p. 43. 1923; Y.B., 1922, p. 921. 1923.
profits and losses. Rpt. 114, pp. 27-28, 41, 51. 1917.
management, study by silvical regions. For. Cir. 150, pp. 31-38. 1909.
mechanical properties and commercial uses. For. Bul. 88, pp. 1-75. 1911.
mistletoe effects. D.B. 360, pp. 1-37. 1916; J.A.R., vol. 12, p. 716. 1918.
names, characteristics. For. Cir. 150, p. 5. 1909; For. Cir. 175, p. 6. 1911.
needle blight, description and effects. J.A.R., vol. 10, pp. 99-104. 1917.
Pacific coast and Rocky Mountains forms, study. E. H. Frothingham. For. Cir. 150, pp. 38. 1909.
Pacific Northwest, growth and management. T. T. Munger. For. Cir. 175, pp. 27. 1911.
physical characteristics, relation to mechanical properties. For. Bul. 88, pp. 22-38. 1911.
physiological studies. J.A.R., vol. 24, pp. 106-160. 1923.
pitch moth. Josef Brunner. D.B. 255, pp. 23. 1915.
planting—
cost and profits. For. Bul. 98, p. 11. 1911.
eastern United States, suggestion. D.B. 153, p. 35. 1915.
experiments. An. Rpts., 1914, p. 158. 1914; For. A.R., 1914, p. 30. 1914.
preservative treatment, effect on strength. D.B. 286, pp. 4, 7, 8, 9, 10, 12, 13. 1915.
production, 1899-1914, and estimates, 1915. D.B. 506, pp. 13-15, 16-17. 1917.
products in United States, 1908, commodity, quantity, and value. For. Bul. 88, p. 59. 1911.

Fir—Continued.
Douglas—Continued.
quantity used in manufacture of wooden products. D.B. 605, p. 8. 1918.
railroad ties, number, and value of consumption, 1905, 1906. For. Cir. 124, pp. 4-5. 1907.
reforestation, methods and seasons, costs. For. Serv. Inv. No. 2, pp. 68-70. 1913.
relation to forest conditions in Central Rocky Mountains. D.B. 1233, pp. 3-151. 1924.
reproduction—
factors. For. Cir. 150, pp. 21-25. 1909.
natural, in Pacific Northwest. J. V. Hofmann. D.B. 1200, pp. 63. 1924.
on forest burns, studies. J.A.R., vol. 11, pp. 4-8, 13, 14, 19-22, 24, 25. 1917.
on pine lands of central Idaho. J.A.R., vol. 28, pp. 1140-1147. 1924.
requirements. Y.B., 1907, p. 286. 1908; Y.B. Sep. 466, p. 286. 1908.
under various cutting methods, study. J.A.R., vol. 28, pp. 1233-1242. 1924.
seed—
crops, 1909, 1910. For. Bul. 98, p. 14. 1911.
destruction by Megastigmus spermotrophus. Ent. T.B. 20, Pt. VI, pp. 158, 161. 1913.
drying and extracting, space, and temperature requirements. For. Cir. 208, pp. 9-10, 15, 17, 20. 1912.
germination and seedling development. D.B. 1200, pp. 13-14. 1924; J.A.R., vol. 24, pp. 157-159. 1923.
production, distribution, and viability. D.B. 1200, pp. 10-18. 1924.
relation to oviposition of Megastigmus spermotrophus. J.A.R., vol. 6, No. 2, pp. 65-68. 1916.
resistance to heat. D.B. 1200, pp. 15-16. 1924.
storage, experiments. For. Bul. 98, pp. 25-28. 1911; J.A.R., vol. 22, pp. 479-510. 1922.
seedlings—
development. D.B. 1200, pp. 13-14. 1924.
relation to seed trees. D.B. 1200, p. 44. 1924.
resistance to heat. D.B. 1263, pp. 5-13. 1924.
spraying for control of needle blight. J.A.R., vol. 10, pp. 102-103. 1917.
size, rate of growth, longevity. For. Cir. 150, pp. 28-31. 1909.
specifications and grading rules. For. Bul. 115, pp. 32-40. 1913; For. Bul. 122, pp. 34-40. 1913.
strength tests—
of treated and untreated wood. D.B. 286, pp. 1-15. 1915.
results. For. Bul. 115, pp. 10, 40. 1913; For. Bul. 122, pp. 11, 41. 1913; For. Cir. 204, pp. 3-4, 6-8, 10. 1912.
structural value, strength, and elasticity. For. Cir. 115, pp. 15-18, 29, 30, 32, 34, 36, 38, 39. 1907.
study in central Rocky Mountains. D.B. 1233, pp. 13-14, 16-18, 19, 22-23, 25. 1924.
stumpage estimates. For. Cir. 122, p. 42. 1907; For. Cir. 129, p. 16. 1907; For. Cir. 166, p. 8. 1909.
stumpwood, yield per cord of distillation products, value. For. Bul. 88, pp. 74-75. 1911.
superiority in reforestation. J.A.R., vol. 30, pp. 638-641. 1925.
supply in 1906. For. Cir. 97, p. 11. 1907.
susceptibility to—
snow mold. J.A.R., vol. 24, pp. 741-744, 748. 1923.
sun scorch of conifers. D.B. 44, p. 6. 1913.
tests for mechanical properties, results. D.B. 556, pp. 33, 43. 1917; D.B. 676, p. 29. 1919; For. Bul. 108, pp. 18-114. 1912; For. Cir. 189, pp. 4-7. 1912.
timber, fungi infecting. D.B. 1262, pp. 3, 4. 1924.
treatment—
in forests for control of pitch moth. D.B. 255, pp. 18-21. 1915.
with creosote, tests and results. D.B. 101, pp. 15, 22, 36, 37, 41. 1914.

36167°—32——56

Fir—Continued.
Douglas—Continued.
turpentine and resin yield, tests. An. Rpts., 1913, p. 188. 1914; For. A. R., 1913, p. 54. 1913.
use as—
cross-ties, quantity and value. D.B. 549, pp. 2, 3, 4, 5, 6, 7. 1917.
paving block, tests of durability. For. Cir. 194, pp. 4, 7-12, 14-15. 1912.
value—
as ornamental for plains region. F.B. 888, p. 15. 1917.
susceptibility to heart rot after maturity. D.B. 275, pp. 17, 21. 1916.
volume-table—
curves, Idaho work. J.A.R., vol. 30, pp. 616-621. 1925.
various heights. For. Cir. 175, pp. 25-27. 1911.
waste in logging and milling. For. Bul. 88, pp. 70-72. 1911.
yield and measurements, studies. An. Rpts., 1910, p. 409. 1911; For. A. R., 1910, p. 49. 1910.
See also *Pseudotsuga taxifolia*.
Fraser, characteristics differing from balsam fir. D.B. 55, pp. 24, 27. 1914.
grand—
characteristics, occurrence, habits, and longevity. D.B. 327, pp. 29-33. 1916.
description, range, occurrence, Pacific slope. For. [Misc.], "Forest trees for Pacific slope * * *," pp. 111-116. 1908.
grinder runs, tables. D.B. 343, pp. 86-95. 1916.
Himalayan, importation and description. No. 38733, B.P.I. Inv. 40, p. 21. 1917.
importations and description. No. 38409, B.P.I. Inv. 39, p. 126. 1917; Nos. 39860, 39983-39987, B.P.I. Inv. 42, pp. 9, 28, 46-47. 1918; No. 47198, B.P.I. Inv. 58, p. 38. 1922; Nos. 52622-52624, B.P.I. Inv. 66, pp. 1, 53. 1923.
in Wyoming, distribution and growth. N.A. Fauna 42, p. 58. 1917.
infestation with mistletoe. J.A.R., vol. 4, pp. 370-372. 1915.
injury by—
fungus rots. D.B. 658, pp. 5, 7, 15, 16, 17, 18. 1918.
"red belt." D.B. 154, pp. 25-26. 1915.
sapsuckers. Biol. Bul. 39, pp. 26, 53, 64. 1911.
sulphur dioxide. Chem. Bul. 113, rev., pp. 22, 24-27, 36-54. 1910.
insect pests, list. Sec. [Misc.], "A manual of insects * * *," pp. 77-79. 1917.
joint, occurrence in Colorado, description. N.A. Fauna 33, p. 222. 1911.
lowland, range, occurrence, and habits. For. Silv. Leaf 5, pp. 1-3. 1907.
lumber production, 1913, species and range. D.B. 232, pp. 25, 30, 31. 1915.
noble—
association with Douglas fir. D.B. 1200, pp. 19-29. 1924.
description, range and occurrence on Pacific slope. For. [Misc.], "Forest trees for Pacific slope," pp. 128-132. 1908.
occurrence, habits, and management. For. Silv. Leaf. 7, pp. 1-2. 1907.
silver, and Douglas, effect of heat on seeds, laboratory tests. J. V. Hofmann. J.A.R., vol. 31, pp. 197-199. 1925.
occurrence in Colorado, description. N.A. Fauna 33, pp. 218-220, 222. 1911.
pillows, quarantine and inspection, ruling. F.H.B.S.R.A. 31, pp. 96-97. 1916.
production, 1899-1914, and estimates, 1915. D.B. 506, pp. 13-15, 30. 1917.
quality tests, tables. D.B. 343, pp. 125-130. 1916.
quantity used in manufacture of wooden products. D.B. 605, pp. 11, 13, 14, 15. 1918.
red—
dependence on mycorrhiza, abundance in Washington forests. Soil Sur. Adv. Sh., 1909, pp. 33, 34, 40. 1911; Soils F.O., 1909, pp. 1545, 1546, 1552. 1912.
description, range, and occurrence on Pacific slope. For. [Misc.], "Forest trees for Pacific * * *," pp. 132-137. 1908.

Fir—Continued.
red—continued.
occurrence—
and soil indications in Washington, Eastern Puget Sound Basin. Soil Sur. Adv. Sh., 1909, p. 36. 1911; Soils F.O., 1909, pp. 1546-1547. 1912.
habits, and reproduction. For. Silv. Leaf. 8, pp. 1-3. 1907.
in Colorado, description. N.A. Fauna 33, pp. 218-219. 1911.
strength tests. For. Cir. 32, pp. 9-11, 12-14. 1904.
reproduction on forest burns, studies. J.A.R., vol. 11, pp. 6, 7-8, 13, 14, 15. 1917.
seedling diseases, causes. J.A.R., vol. 15, pp. 521-558. 1918.
silver, seed destruction by *Megastigmus* spp. Ent. T.B. 20, pp. 158, 162. 1913.
Shasta red, characteristics, occurrence, habits, and longevity. D.B. 327, pp. 38-42. 1916.
sowing, best time in nursery. J. V. Hofmann. J.A.R., vol. 31, pp. 261-266. 1925.
spacing in forest planting, and seed quantity per acre. F.B. 1177, rev., p. 22. 1920.
stumps, blasting and burning, cost, diameter, and number per acre. B.P.I. Bul. 239, pp. 21, 41, 42, 43, 44, 45, 60. 1912.
supplies, outlook and provision for. D.B. 1241, pp. 68-69. 1924.
testing for pulp manufacture. D.B. 343, pp. 38-66. 1916.
tests for mechanical properties, results. D.B. 556, pp. 33, 43. 1917; D.B. 676, pp. 29-30. 1919.
treatment with creosote, tests and results. D.B. 101, pp. 15, 20, 22, 36, 37, 38. 1914.
Vilmorin's, importation and description. No. 35173, B.P.I. Inv. 35, p. 17. 1915.
volume tables and growth rate. For. Bul. 36, pp. 154-163, 188, 191, 192, 194. 1910.
weevils, description. Ent. T.B. 20, Pt. I, pp. 34, 36, 56, 62, 63. 1911.
western, stumpage estimate. For. Cir. 166, p. 10. 1909.
white—
characteristics, occurrence, habits, and longevity. D.B. 327, pp. 33-38. 1916.
consumption for sulphite-process pulp, 1900-1916. D.B. 620, pp. 2-4. 1918.
description, range, and occurrence on Pacific slope. For. [Misc.], "Forest trees for * * *," pp. 111-116. 1908.
destruction by sheep grazing. D.B. 738, pp. 7-25. 1918.
fungus enemies. D.B. 275, pp. 22, 23, 28-33. 1916.
grading rules. D.C. 64, p. 39. 1920.
lumber—
cut and value, 1906, by States. For. Cir. 122, p. 27. 1907.
production, 1916, value by States, and mills reporting. D.B. 673, p. 31. 1918.
production 1917, value by States. D.B. 768, pp. 30, 38, 41. 1919.
production, 1918, value by States. D.B. 845, pp. 32, 44. 1920.
production, 1920, by States. D.B., 1119, p. 50. 1923; Y.B., 1922, p. 923. 1923.
occurrence in Colorado and description. N.A. Fauna 33, p. 220. 1911.
pathology, studies and data. D.B. 275, pp. 22, 23, 27-33, 35-36, 38-53. 1916.
production, 1899-1914, and estimates, 1915. D.B. 506, pp. 13-15, 30. 1917.
range, occurrence, and habits. For. Silv. Leaf, 4, pp. 1-4. 1907.
strength, dead and green, comparisons. For. Cir. 113, p. 2. 1907.
susceptibility to decay, and value when sound. D.B. 275, pp. 5, 17, 18, 21, 22. 1916.
use for wood pulp for high-grade paper. Y.B. 1907, p. 566. 1908; Y.B. Sep. 470, p. 4. 1908.
value as ornamental for plains region. F.B. 888, p. 15. 1917.
worms, descriptions. Sec. [Misc.], "A manual of insects * * *," p. 77. 1917.
Fire(s)—
alarm, signaling systems for cotton warehouses. D.B. 801, p. 73. 1919.

Fire(s)—Continued.
and the forest. (California pine region.) S. B. Show and E. I. Kotok. D.C. 358, pp. 20. 1925.
beneficial uses in forests. D.B. 1294, pp. 61-71, 79. 1924.
brigade, private, training for employees of warehouses. D.B. 801, pp. 74-75. 1919.
brush fields, effects. D.B. 1294, pp. 39-44. 1924.
camp, directions for making. D.C. 138, pp. 63-64. 1920.
cause(s)—
 by dust explosions, destructiveness. Off. Rec. vol. 1, No. 43, p. 2. 1922.
 elimination. For. Bul. 82, p. 18. 1910.
 of loss in lumber industry, remarks. M.C. 39, p. 18. 1925.
cautions to campers, Chelan Lake country. D.C. 91, pp. 13-15. 1920.
control—
 by light burning in forests. D.B. 1294, pp. 45-61. 1924.
 for prevention of injury and diseases of trees. D.B. 871, pp. 49-50. 1920.
 in—
  farm woods. F.B. 1177, rev., pp. 14-15. 1920.
  forests, instructions. M. C. 7, pp. 22-24. 1923.
  national forests. D.C. 211, pp. 25-28, 36-38. 1922.
 precautions for managers of warehouses. D.B. 801, pp. 75-76. 1919.
cotton gin—
 causes and prevention. D.C. 271, pp. 1-4. 1923.
 due to static electricity. D.C. 28, pp. 8. 1919.
 losses, causes, and control. News L., vol. 6, No. 17, pp. 1-2. 1918.
 prevention. An. Rpts., 1923, p. 357. 1924; Chem. Chief Rpt., 1923, p. 13. 1923.
crown, character and course. For. Bul. 82, pp. 11-12. 1910.
curing, tobacco, methods. F. B. 523, pp. 22-24. 1913.
damage—
 on cut-over areas. D.B. 1294, pp. 36-39. 1924.
 to—
  forests. J.A.R., vol. 30, pp. 737-741. 1925.
  henequen plantations. D.B. 1278, p. 11. 1924.
  timber in southern Appalachian region. Y.B., 1900, pp. 363, 364. 1901.
  young growth of forests. D.B. 1294, pp. 24-29. 1924.
danger(s)—
 and prevention at cotton gins. F.B. 1465, pp. 21-22. 1925.
 from—
  electric lights in dusty industries. D.C. 171, pp. 1-7. 1921.
  fumigants. D.B. 1313, pp. 28-34. 1925.
  of combustion in haystacks, and detection methods. News L., vol. 5, No. 43, p. 6. 1918.
  on farm, prevention methods. Y.B., 1916, pp. 432-433. 1917; Y.B. Sep. 697, pp. 12-13. 1917.
  to spruce trees. D.B. 544, pp. 23-24. 1918.
department, use of community buildings. F.B. 1274, pp. 19, 20, 21. 1922.
destruction of—
 forests, October 1918. M.C. 39, pp. 22-23. 1925.
 national forests, New Mexico, annual loss. D.C. 240, pp. 6-7. 1922.
detection in forests, and control work. M.C. 7, pp. 19-24. 1923.
doors, cotton warehouses. D.B. 801, pp. 25-27. 1919.
effects on—
 concrete, and conditions governing. F.B. 1279, pp. 25-26. 1922.
 forest reproduction. D.B. 1294, pp. 25-29, 38. 1924.
 lodgepole pine, reproduction and growth. D.B. 154, pp. 14-16, 19. 1915.
enemy of Douglas fir. D.B. 1200, pp. 50-53. 1924.
engines, railway, for use in forest protection. For. Bul. 113, pp. 18-21. 1912.

Fire(s)—Continued.
exclusion from forests, necessity. D.C. 358, pp. 18-19. 1925.
extinguishers—
 for threshing machines. D.B. 379, pp. 9, 13-14, 20-22. 1916.
 forest fires, description and use. For. Bul. 113, p. 18. 1912.
 kinds, description, and use in control of farm fires. F.B. 904, pp. 13-16. 1918.
 patent, use in fighting forest fires. For. Bul. 82, p. 45. 1910.
farm, causes and—
 losses, 1900-1905. News L., vol. 1, No. 8, p. 3. 1913.
 prevention methods. F.B. 904, pp. 3-11. 1918.
fighters, national forests, camp equipment and rations. D.C. 185, pp. 22-24. 1921.
fighting—
 equipment for railways, designs. For. Bul. 113, pp. 18-21. 1912.
 in forests, cost. M.C. 19, p. 13. 1924.
 methods and apparatus for the prevention and control of forest fires, Arkansas National Forest. Daniel W. Adams. D.C. 113, pp. 27. 1912.
 national forests, methods and suggestions. D.C. 185, pp. 39-45. 1921.
 on farms, methods and aids. F.B. 904, pp. 11-16. 1918.
forest. See Forest fires.
grain—
 dust, prevention. Chem. [Misc.], "Just a word * * *," pp. 7. 1918.
 land, control work by California farm bureaus. News L., vol. 6, No. 5, p. 13. 1918.
 thresher and separator, prevention studies and equipment. News L., vol. 3, No. 43, pp. 1-2. 1916.
ground, character and tenacity. For. Bul. 82, p. 11. 1910.
in—
 California pine forests, rôle of. S.B. Show and E. I. Kotok. D.B. 1294, pp. 80. 1924.
 virgin forest, results. D.B. 1294, pp. 6-31. 1924.
 watersheds, effects. D.B. 1294, pp. 44-45. 1924.
incendiary—
 in California forests, data for 1911-1920. D.C. 243, pp. 25-29, 72. 1923.
 prevention. M.C. 7, p. 14. 1923.
 proportion of forest fires, and difficulty of prevention. Y.B., 1910, p. 417. 1911; Y.B., Sep. 548, p. 417. 1911.
injurious to grain fields in California, and control methods. News L., vol. 6, No. 5, p. 12. 1918.
injuries to—
 aspen stands. D.B. 1291, pp. 19-20. 1925; For. Bul. 93, pp. 18, 23. 1911.
 cottonwood trees. D.B. 24, p. 15. 1913.
 emory oak, control methods. For. Cir. 201, pp. 10, 15. 1912.
 forest lands. For. Bul. 56, pp. 8, 10, 12, 31-32, 56. 1905.
 hemlock. D.B. 152, p. 28. 1915.
 incense cedar. D.B. 871, pp. 38-39. 1920.
 jack pine. D.B. 212, p. 9. 1915; D.B. 820, p. 20. 1920.
 loblolly pine. D.B. 11, pp. 8-10. 1914.
 scrub pine, control methods. For. Bul. 94, pp. 14-15, 25. 1911.
 shortleaf pine. D.B. 244, pp. 34-35. 1915.
 Sitka spruce. D.B. 1060, p. 23. 1922.
 southern pastures. D.B. 827, pp. 23-26. 1921.
 sprout forest. For. Cir. 118, pp. 18-19. 1907.
 sugar pine. D.B. 426, p. 4. 1916.
 tanbark oak forests, need of control. For. Bul. 75, pp. 19-20, 23. 1911.
 timber in Crater National Forest. For. Bul. 100, pp. 16-18. 1911.
 turpentined trees, dangers. D.B. 229, pp. 25-27. 1915.
 Utah juniper in Arizona. For. Cir. 197, p. 9. 1912.
 western yellow pine. For. Bul. 101, p. 18. 1911.
 wood lots, necessity of control. F.B. 711, pp. 16-17. 1916.

Fire(s)—Continued.
  insurance—
    company(ies)—
      farmers' mutual, organization and management. D.B. 530, pp. 1-34. 1917.
      farmers' mutual, plans and practices. V. N. Valgren. D.B. 786, pp. 16. 1919.
      farmers' mutual, records system. V. N. Valgren. D.B. 840, pp. 23. 1920.
      farmers, suggestions for State law providing for. V. N. Valgren. D.C. 77, pp. 8. 1920.
    farmers'—
      mutual. V. N. Valgren. Y. B., 1916, pp. 421-433. 1917; Y.B. Sep. 697, pp. 13. 1917.
      situation. Y.B., 1923, pp. 34-35. 1924.
    relation to cotton storage, general considerations. D.B. 277, pp. 28-37. 1915.
  kitchen, making, management and banking. U. S. Food Leaf. No. 12, pp. 2-3. 1918; Thrift Leaf. No. 11, pp. 1-3. 1919.
  laws—
    against, on forest lands. For. Law Leaf. 22, pp. 7-8. 1917.
    Federal—
      and State. M.C. 7, p. 18. 1923.
      for national forest, digest. For. [Misc.], "Trespass on national * * *," pp. 9-10, 21-39. 1922.
  lightning as cause, damage annually. Off. Rec., vol. 2, No. 41, p. 5. 1923.
  lines—
    construction, cost, chaparral forests. For. Bul. 85, p. 41. 1911.
    description and directions for building. For. Bul. 82, pp. 28-35. 1910.
    forests, new location, proposed plan. For. Bul. 113, pp. 26-27. 1912.
    national forests, construction, 1911, and previously. An. Rpts., 1911, pp. 400, 401. 1912; For. A. R., 1911, pp. 60, 61. 1911.
    width in various localities. For. Bul. 82, p. 31. 1910.
  losses—
    adjustment, value of farm inventory. F.B. 1182, p. 24. 1921.
    Arkansas forests, saving due to improved methods. For. Bul. 113, pp. 5, 22. 1912.
    due to combustion. Chem. Chief Rpt., 1924, p. 3. 1924.
    arm property, paid by insurance companies, 1914. Y.B. 1916, p. 425. 1917. Y.B. Sep. 697, p. 5. 1917.
    seven years in 45 States. For. [Misc.], "Intermountain district forests * * *," pp. 44-50. 1925.
  menace to pine reproduction. D.B. 1105, p. 133, 141. 1923.
  mills, elevators—
    and gins, investigations. Chem. Chief Rpt., 1919, p.16. 1919; An. Rpts., 1919, p. 226. 1920.
    and threshers, control work. Chem. Chief Rpt., 1918, p. 11. 1918; An. Rpts., 1918, p. 211. 1919.
  national forests—
    1905, 1906, 1907. Y.B., 1907, p. 568. 1908; Y.B. Sep. 470, p. 7. 1908.
    1917, extent and causes. An. Rpts., 1918, p. 177. 1919; For. A.R., 1918, p. 13. 1918.
    1918, extent and causes, cost of fighting. An. Rpts., 1919, pp. 183-186. 1920; For. A.R. 1919, pp. 7-10. 1919.
    acres burned annually, loss. For. Cir. 205, pp. 5, 12. 1912.
    Arizona and New Mexico, number and causes. For. Bul. 101, p. 52. 1911.
    dangers and control methods. D.C. 185, pp. 39-45. 1921.
    emergency cases, appropriation, 1915. Sol. [Misc.], "Laws applicable * * * Agriculture * * *," 2d, Supp., p. 68. 1915.
    severity, 1918, and control. News L., vol. 6, No. 21, p. 4. 1918.
  notices, posting, benefit in forest protection. For. Bul. 82, p. 36. 1910.
  occurrence on cut-over lands. D.C. 358, pp. 10-11. 1925.
  orchard protection, fuel materials, preparation, distribution, and cost. F.B. 401, pp. 6-13. 1910.

Fire(s)—Continued.
  point test, bituminous materials, methods, apparatus. D.B. 1216, pp. 52-53. 1924.
  pot, homemade. F.B. 853, p. 24. 1917.
  precautions in drying cones. For. Cir. 208, p. 11. 1912.
  prevention—
    and—
      control, national forests. F. A. Silcox. Y.B. 1910, pp. 413-424. 1911; Y.B. Sep. 548, pp. 413-424. 1911.
      control, national forests. S. C. Bartrum. For. [Misc.], "Fire prevention * * *," pp. 20. 1913.
    fighting on the farm. H. R. Tolley and A. P. Yerkes. F.B. 904, pp. 16. 1918.
    by cotton gin grounding. Harry E. Roethe. D.C. 271, pp. 4. 1923.
    grain elevators. Sec. [Misc.], "Your carelessness may * * *." Folder. 1920.
    in mills, devices. D.B. 681, pp. 46-48. 1918.
    in white-oak forests. M. C. 53, pp. 1-10. 1925.
    methods used in Arkansas National Forests. For. Bul. 113, pp. 7-8. 1912.
    national forests. For. [Misc.], "When wisdom * * * ." Folder. 1920.
    on farm, automatic sprinkler. F.B. 1448, p. 36. 1925.
    rules for uses of forests. D.C. 211, pp. 26-27. 1922.
    water-pressure requirements. F.B. 941, pp. 63-64. 1918.
  prohibitions. For. Law Leaf. 21, pp. 5-6. 1917.
  proper use in forestry work. D. C. 358, pp. 16-17. 1925.
  protection—
    against, Colorado forestry laws. For. Law Leaf. 2¹, pp. 3-8. 1917.
    and camp sanitation, Pike National Forest. D.C. 41, pp. 9-10. 1919.
    chaparral forests. For. Bul. 85, pp. 39-41. 1911.
    cooperative work of railroads, timberland owners. An. Rpts., 1911, pp. 94-95. 1912; Sec. A.R. 1911, pp. 92-93. 1911; Y.B. 1911, pp. 92-93. 1912.
    costs to timberland owners. Rpt., 114, pp. 16-17, 58. 1917.
    cotton warehouses. D.B. 801, pp. 60-75. 1919; Y.B. 1918, pp. 408-416. 1919; Y.B. Sep. 763, pp. 12-20. 1919.
    forest(s)—
      cooperative work with States, 1917, 1911-1917. An. Rpts., 1917, pp. 190-191. 1918; For. A.R. 1917, pp. 28-29. 1917.
      lands, South Carolina, plan and cost. For. Bul. 43, rev., pp. 47-48. 1907.
      objects and requirements. Sec. Cir. 148, pp. 6-7, 9. 1919.
      plantations. For. Bul. 121, p. 45. 1913.
      problem for experiment stations. Sec. Cir. 183, pp. 14, 15. 1921.
      southern Appalachians, suggestions. For. Cir. 118, p. 21. 1907.
      use of light burning, discussion. For. [Misc.], "Light burning * * *." pp. 1-4. 1911.
      in District 1. For. [Misc.], "Fire protection * * *," pp.117. 1915.
    in slash-pine woods. F.B. 1256, pp. 8, 29, 33. 1922.
    laws and costs, West Virginia. For. Law Leaf. 22, pp. 6-9. 1917.
    loblolly-pine land. D.B. 11, p. 29. 1914.
    lookout systems, addresses by M. C. Hutchins and J. H. Foster, and discussion. For. [Misc.], "Forest fire protection * * *," pp. 45-51. 1914.
    measures, lookout towers and range-finders. For. Bul. 113, pp. 8-14. 1912.
    of—
      forests from. Henry S. Graves. For. Bul. 82, pp. 48. 1910.
      orchards from frost. Y.B. 1909, pp. 359-364, 394, 395. 1910; Y.B. Sep. 519, pp. 359-364, 394, 395. 1910; Y.B. Sep. 522, pp. 394, 395. 1910.
      private forests, importance to farmers. Y.B. 1919, pp. 33, 34. 1920.
      white pine against, methods and cost. D.B. 13, pp. 59-62. 1914.

Fire(s)—Continued.
protection—continued.
of—continued.
woodlands. D.B. 863, pp. 20–23. 1920; F.B. 1117, pp. 20–21. 1920.
young forests. D.B. 153, p. 21. 1915; For. Bul. 68, pp. 43–44, 68. 1905.
sawmill, and water capacity of hose. D.B. 718, pp. 37–38. 1918.
virgin forests of western yellow pine. D.B. 418, pp. 36–37, 41. 1917.
watersheds, cooperation of Federal and State authorities, 1915. Sol. [Misc.], "Laws applicable * * * agriculture," Sup. 2, p. 68. 1915.
wood lots, necessity for. F.B. 711, pp. 16–17. 1916.
work in forests. Y.B. 1921, pp. 54, 55, 56. 1922; Y.B. Sep. 875, pp. 54, 55, 56. 1922.
See also Insurance.
range, effect on forage supply. D.B. 367, p. 33. 1916.
rats as cause. Biol. Bul. 33, p. 27. 1909.
resistance by construction in cotton warehouses. D.B. 801, pp. 16–41. 1919.
responsibility for damage to incense cedar. D.B. 604, p. 30. 1918.
risks—
and losses, protection of farmers by insurance companies. D.B. 786, pp. 6–7, 12–13. 1919.
in timber sales from national forests. Y.B. 1911, p. 369. 1912; Y.B. Sep. 575, p. 369. 1912.
second-growth forest stands. D.B. 1294, pp. 31–36. 1924.
shields, description and use. For. Bul. 113, p. 17. 1912.
signals, use in forest-patrol work, description. For. Bul. 82, pp. 37–38. 1910.
slash, management. D.B. 1200, pp. 36–48. 1924.
surface, character, and causes. For. Bul. 82, pp. 8–10. 1910.
surface, effect on forests. D.B. 1294, pp. 34–36. 1924.
the uncontrollable. Roy Headley. For. [Misc.], "The uncontrollable * * *," pp. 4. 1919.
threshing machine, prevention. D. C. 48, pp. 1–11. 1920; F.B. 991, p. 8. 1918; News L., vol. 5, No. 43, pp. 9–10. 1918.
timber lands, control by Government, and cost per acre to owners. News L., vol. 6, No. 4, p. 5. 1918.
trespass—
cases, receipts, 1917. An. Rpts., 1917, p. 175. 1918; For. A.R., 1917, p. 13. 1917.
national forests, laws and decisions. Sol. [Misc.], "Laws * * * forests," pp. 105, 114–115. 1916.
use in orchard heating and lighting equipment. F.B. 1096, pp. 23–24, 28–29. 1920.
Utah National Forests, dangers and protection. D.C. 198, pp. 26–27. 1921.
wagons, forest work, equipment and use. For. Bul. 82, p. 43. 1910.
walls, warehouse, description and construction. D.B. 801, pp. 18–21, 42–43, 52–53. 1919.
weather, duration in different regions. Y.B. 1924, pp. 549–557. 1925.
wood, frost protection in citrus groves. F.B. 1343, p. 32. 1923.
Fire ant, injury to okra in Porto Rico. D.B. 192, p. 9. 1915.
Fire blight—
occurrence on plants in Texas, and description. B.P.I. Bul. 227, p. 30. 1912.
spread by plant lice, and control. O.E.S. An. Rpt., 1910, p. 204. 1911.
transmission by insects. S.R.S. Rpt., 1915, Pt. I, p. 217. 1917.
Fire bug. See Harlequin cabbage bug.
Fire disease, tulip, description and spread. D.B. 797, pp. 34–35. 1919.
Fire-leaf, control in cranberry fields. F.B. 1401, p. 12. 1924.
Fire-lily, importation and description. No. 49256, B.P.I. Inv. 62, p. 16. 1923.
Fire Island reservation for Alaska moose, description. Biol. Cir. 71, pp. 2–3. 1910.
Fire-plant, Mexican, description, cultivation, and characteristics. F.B. 1171, pp. 35, 36, 82. 1921.

Firearms—
manufacture, demands and uses of black walnut. D.B. 909, pp. 59, 60, 68–70, 76–79, 88. 1921.
prohibition to aliens, Pennsylvania, Court decision. Biol. Cir. 72, p. 19. 1910.
Firebrat, description and habits. F.B. 902, p. 3. 1917.
Fireguards, use and value of plowing furrows around grain fields. News L., vol. 6, No. 6, p. 16. 1918.
Fireless cooker. See Cooker, fireless.
Fireplace(s)—
construction (and chimneys). A. M. Daniels. F.B. 1230, pp. 28. 1921.
directions for building. O.E.S.F.I.L. 8, p. 10. 1907.
heating, improvements, description. F.B. 1230, pp. 22–28. 1921.
Fireproofing, farm fabrics. An. Rpts., 1923, pp. 349–350. 1924. Chem. Chief Rpt., 1923, pp. 5–6. 1923.
Fireweed—
Alaska growth. B.P.I. Bul. 82, p. 18. 1905.
description, habits, and forage value on range. D.B. 545; pp. 43–44, 58, 60. 1917.
diseases, Texas, occurrence and description. B.P.I. Bul. 226, pp. 94–95. 1912.
habitat, range, description, uses, collection, and prices. B.P.I. Bul. 219, p. 43. 1911.
utilization, investigations, and experiments, Wisconsin. An. Rpts., 1912, p. 409. 1913; B.P.I. Chief Rpt., 1912, p. 29. 1912.
Firewood—
consumption—
1907, value. For. Cir. 166, pp. 14, 20. 1909.
annual, per capita. For. Cir. 129, p. 14. 1907.
in United States. Albert H. Pierson. For. Cir. 181, pp. 7. 1910.
elm, value and use. D.B. 683, p. 27. 1918.
fallen timber. News L., vol. 7, No. 12, p. 7. 1919.
machinery for cutting. H. R. Tolley. F.B. 1023, pp. 16. 1919.
production methods, drying-time requirements, profitableness. News L., vol. 6, No. 11, p. 3. 1918.
sawing—
danger to operator. F.B. 1023, pp. 8–9. 1919.
power, and danger. F.B. 1023, pp. 9–11. 1919.
selling by weight. News L., vol. 6, No. 32, pp. 9–10. 1919.
supply, use of undesirable species from woodlands. Sec. Cir. 79, p. 7. 1917.
uses on farms, Southern States. F.B. 1117, p. 7. 1920.
wood lot, amount and value. D.B. 481, pp. 24, 25–26, 35–37. 1917.
See also Fuel.
Fireworm—
blackhead—
control by disease and insect enemies. D.B. 1032, pp. 20–22. 1922.
injury to cranberry vines, history and control. F.B. 860, pp. 4–9. 1917.
introduction to cranberry bogs of Northwest. D.B. 1032, p. 4. 1922.
of cranberry, on Pacific coast. H.K. Plank and Carl Heinrich. D.B. 1032, pp. 46. 1922.
red-striped, injury to cranberries, history and control. F.B. 860, pp. 12–14. 1917.
yellow-head, injury to cranberry vines, history and control. F.B. 860, pp. 9–12. 1917.
Firing—
tobacco—
description and cause. D.B. 1256, p. 34. 1924.
practices and fuel used. F.B. 343, pp. 25–26. 1909.
treatment of bone spavin. B.A.I. [Misc.], "Diseases of the horse," rev., p. 297. 1903; rev., p. 297. 1907; rev., p. 297. 1911; rev., p. 321. 1923.
windgalls, directions. B.A.I. [Misc.], "Diseases of the horse," rev., p. 331. 1903; rev., p. 331. 1907; rev., p. 331. 1911; rev., p. 356. 1923.
Firm names, fictitious, F.I.D. 46. Chem. F.I.D. 46–48, pp. 1–2. 1906.
Firmiana simplex seeds, use as food in China. B.P.I. Bul. 204, p. 56. 1911.
First-aid—
manual for field parties. For. [Misc.], "First-aid manual * * *," pp. 98. 1917.

First-aid—Continued.
  treatment of accidents, directions for campers.
    D.C. 4, pp. 69-70. 1919.
Fiscal—
  affairs, department, handling, change in system.
    An. Rpts., 1913, p. 9. 1914; Sec. A.R., 1913, p.
    7. 1913; Y.B. 1913, pp. 11-12. 1914.
  management and appropriations, Forest Service.
    Sol. [Misc.], "Laws * * * forests," pp. 118-
    127. 1916.
  regulations—
    field employees per diem, amendments. B.A.I.
      S.R.A. 126, p. 111. 1917.
    holiday pay and reimbursement accounts,
      amendments. B.A.I.S.R.A. 175, p. 38. 1922.
    of Department of Agriculture—
      1901. Accts. [Misc.], "Fiscal regulations
        * * *," rev., pp. 49. 1901.
      1904. Accts. [Mise.]. "Fiscal regula-
        tions * * *," rev., pp. 32. 1904.
      1907. Accts. [Misc.]. "Fiscal regula-
        tions * * *," pp. 77. 1907.
      1915. Adv. Com. F. and B. M. [Misc.],
        "Fiscal regulations * * *," pp. 124.
        1915.
      1917. Adv. Com. F. and B. M. "Fiscal regu-
        lations * * *," pp. 163. 1917.
      1922. Adv. Com. F. and B. M. [Misc.],
        "Fiscal regulations * * *," pp. 131.
        1922.
    transportation of personal effects of employees.
      B.A.I.S.R.A. 109, pp. 47-48. 1916.
    traveling expenses, amendments. B.A.I.
      S.R.A. 122, pp. 77-78. 1917; B.A.I.S.R.A.
      186, p. 121. 1922; B.A.I.S.R.A. 204, p. 49.
      1924.
FISCHER, G. L.—
  "Handling and transportation of cantaloupes."
    With A. E. Nelson. F.B. 1145, pp. 23. 1921.
  "More care is needed in handling western canta-
    loupes." With Arthur E. Nelson. Mkts.
    Doc. 9, pp. 11. 1918.
Fish(es)—
  adulteration and misbranding. See Indexes, No-
    tices of Judgment, in bound volumes and in sep-
    arates published as Supplements to Chemistry
    Service and Regulatory Announcements.
  and—
    Fisheries Bureau, relation of Commissioner's
      duties to Agriculture Department. Off.
      Rec. vol. 1, No. 2, p. 1. 1922.
    meat, report of associate referee, and recommen-
      dations. Chem. Bul. 162, pp. 95-109, 162.
      1913.
    other sea foods, canning recipes for the home.
      S.R.S. Doc. 80, pp. 24-28. 1918.
    vegetables, combination packs, canning.
      S.R.S. An. Rpt., 1921, pp. 31-32. 1921.
  Athabaska-Mackenzie region. N.A. Fauna 27,
    pp. 502-515. 1908.
  balls with corn meal, recipe. News L., vol. 1,
    No. 13, p. 3. 1913.
  Bayou walnut, in impounded area, survey, kinds,
    etc., lists. D.B. 1098, pp. 16-17, 21. 1922.
  belly-blown, cause. D.B. 908, pp. 18, 25. 1921.
  buying for sardine canneries. D.B. 908, p. 115.
    1921.
  by-products, uses and value. Chem. Bul. 133,
    p. 25. 1911.
  cakes, with dumplings, canning recipe. S.R.S.
    Doc. 80, p. 25. 1918.
  canned—
    adulteration, studies. An. Rpts., 1910, pp. 456,
      458, 464, 473, 477. 1911; Chem. Chief Rpt.,
      1910, pp. 32, 34, 40, 49, 53. 1910.
    misbranding. Chem. N.J. 365, p. 1. 1910.
    tin determination method. Chem. Cir. 67, pp.
      1-9. 1911.
  canning—
    directions. S.R.S. Doc. 80, rev., pp. 25-28.
      1919.
    early history, notes. Y.B., 1911, p. 384. 1912;
      Y.B. Sep. 577, p. 384. 1912.
    care in the home. Thrift Leaf. 13, p. 3. 1919.
  catches, fluctuation. Y.B., 1913, pp. 199-200.
    1914; Y.B. Sep. 623, pp. 199-200. 1914.
  chowder, canning recipe. S.R.S. Doc. 80, pp.
    25-26. 1918.

Fish(es)—Continued.
  cold-storage—
    data, from warehousemen. Chem. Bul. 115, p.
      15. 1908.
    holdings—
      1916-1923. S.B. 1, pp. 18-31. 1923.
      1916-1924. S.B. 4, pp. 19-30. 1925.
      December 15, 1917. D.B. 709, p. 43. 1918.
      1918, by months. D.B. 792, pp. 71-73. 1919.
    packing and shipping, methods. Chem. Bul.
      133, pp. 20-24. 1911; Stat. Bul. 93, p. 11. 1913.
    preparation, temperature, glazing. D.B. 729,
      pp. 9-10. 1918.
    relation to supply and prices. Y.B., 1913, pp.
      202-204. 1914; Y.B. Sep. 623, pp. 202-204.
      1914.
    studies, results. Y.B., 1917, p. 369. 1918;
      Y.B. Sep. 745, p. 10. 1918.
  Colorado, in streams of Holy Cross Forest. D.C.
    29, p. 11. 1919.
  composition—
    analyses, methods, and tables. D.B. 2, pp.
      32-33. 1913.
    changes during transportation. D.B. 908, pp.
      30-32, 121. 1921.
  conservation by freezing. D.B. 635, pp. 1-9. 1918.
  cooking—
    classes, Germany. Y.B., 1913, p. 194. 1914;
      Y.B. Sep. 624, p. 194. 1914.
    directions and recipes. U.S. Food Leaf. 17, pp.
      3-4. 1918.
    importance as addition to diet. Y.B., 1913,
      pp. 205-206. 1914; Y.B. Sep. 623, pp. 205-206.
      1914.
    with corn meal, recipe. F.B. 565, p. 13. 1914.
  cooperative—
    protection on forest ranges, reg. G-28. For.
      [Misc.], "The use book, 1921," pp. 69-70.
      1922.
    shipping in car lots from Gulf of Mexico. News
      L., vol. 6, No. 2, p. 6. 1918.
  cured, storage holdings, 1918, review. D.B. 792,
    pp. 76-80. 1919.
  cutting and eviscerating for sardines. D.B. 908,
    pp. 10, 47-49, 95-96. 1921.
  decomposed, experimental packs, index numbers.
    D.B. 908, pp. 89-93, 123. 1921.
  destruction by—
    crows. D.B. 621, pp. 27, 63, 89. 1918.
    eagles. Biol. Bul. 27, pp. 10, 16, 19. 1906.
    industrial plants and chemicals in streams.
      Y.B., 1913, pp. 198-199. 1914; Y.B. Sep. 623,
      pp. 198-199. 1914.
  digestibility experiments. D.B. 649, pp. 1-15.
    1918; F.B. 276, pp. 26-27. 1907; O.E.S. Bul. 159,
    pp. 187-188. 1905.
  diseases caused by protozoan parasites. B.A.I.
    An. Rpt., 1910, pp. 473, 474, 481, 482. 1912;
    B.A.I. Cir. 194, pp. 473, 474, 481, 482. 1912.
  dried, food value, comparison with meat. Y.B.,
    1910, pp. 360, 361. 1911; Y.B. Sep. 543, pp. 360,
    361. 1911.
  drying, in sardine industry, variations in water
    content. D.B. 908, pp. 9, 51-58, 122. 1921.
  fat, digestion experiments. D.B. 507, pp. 16-18.
    1917.
  "feedy," unfitness for use in sardine packing.
    D.B. 908, pp. 18-20, 93. 1921.
  fertilizer, value, preparation. F.B. 320, pp. 5-9.
    1908.
  fibered, misbranding and adulteration. Chem.
    N.J. 2862. 1914.
  flaking, in sardine industry. D.B. 908, pp. 9, 50-
    51, 100. 1921.
  food—
    destruction in Menhaden industry, studies,
      tables. D.B. 2, pp. 19-21. 1913.
    laws, State—
      1906. Chem. Bul. 69, rev., Pt. VIII, pp. 644-
        650, 664-666. 1906.
      1907. Chem. Bul. 112, Pt. I, p. 106, Pt. II, pp.
        43-48, 62, 99. 1908.
    of grebes. D.B. 1196, pp. 3, 6, 8, 11, 15-23. 1924.
    of mallards. D.B. 720, pp. 10, 13, 35. 1918.
    use by Japanese preparation. O.E.S. Bul. 159,
      pp. 18, 19-20. 1905.

INDEX TO PUBLICATIONS, 1901-1925   881

Fish(es)—Continued.
  food—continued.
    value—
      digestion experiments, with men, nature of mixed diet. D.B. 649, pp. 3-13. 1918.
      meat substitute and food conservation. U.S. Food Leaf. 17, pp. 4. 1918.
    freezing—
      and storing, commercial. Ernest D. Clark and Lloyd H. Almy. D.B. 635, pp. 9. 1918.
      natural and artificial, effect on flavor and comparison. D.B. 635, pp. 2-3. 1918.
      Pacific-coast fisheries. Y.B., 1915, pp. 156-158. 1916; Y.B. Sep. 665, pp. 156-158. 1916.
    fresh—
      caught, transportation. Y.B., 1913, pp. 200-201. 1914; Y.B. Sep. 623, pp. 200-201. 1914.
      cooperative shipping in carload lots. News L., vol. 6, No. 3, p. 2. 1918.
      selection. U.S. Food Leaf. 17, p. 2. 1918.
    fried, canning recipe. S.R.S. Doc. 80, p. 25. 1918.
    frozen—
      adulteration. Chem. N.J. 4004. 1916.
      cold-storage holdings, 1918, review. D.B. 792, pp. 27-75. 1919.
      food value. Y.B., 1915, pp. 157-158. 1916; Y.B. Sep. 665, pp. 157-158. 1916.
      food value, and handling after storage. D.B. 635, pp. 7-9. 1918.
      keeping qualities and time. News L., vol. 2, No. 43, p. 2. 1915.
      transportation and handling. Y.B., 1913, pp. 200-201. 1914; Y.B. Sep. 623, pp. 200-201. 1914.
    grading in sardine industry. D.B. 908, pp. 93-96. 1921.
    heads, poultry feeding. News L., vol. 6, No. 49, p. 8. 1919.
    importation into Germany, distribution and prices. Y.B., 1913, pp. 195-196. 1914.
    imported, possession and sale, decisions. Biol. Cir. 67, pp. 10-12. 1908.
    imports, adulteration. Y.B., 1910, pp. 209-210. 1911; Y.B. Sep. 529, pp. 209-210. 1911.
    in Alaska, Kenai Peninsula, variety and abundance. Soil Sur. Adv. Sh., 1916, pp. 125-129. 1919; Soils F.O., 1916, pp. 157-161. 1921.
    in brine, statement of contents on packages, opinion 76. Chem. S.R.A. 8, p. 634. 1914.
    industry—
      fertilizer, source. Y.B., 1917, pp. 177, 256-257. 1918; Y.B. Sep. 728, pp. 6-7. 1918; Y.B. Sep. 729, p. 7. 1918.
      in Alaska, salmon pack of 1908. For. Bul. 81, p. 9. 1910.
    infection at factory, prevention methods. Chem. Bul. 133, pp. 61-63. 1911.
    injury by muskrats. F.B. 869, p. 10. 1917.
    inoculation with tubercle bacilli. B.A.I. An. Rpt., 1906, pp. 126, 128. 1908.
    laws, Alaska. Chem. Bul. 104, pp. 17-19. 1906.
    laws, Porto Rico. Chem. Bul. 104, pp. 45-47. 1906.
    live, transportation from Texas to Hawaii, details. Ent. Bul. 88, pp. 68-69. 1910.
    meal—
      analyses for feeding value. D.B. 378, pp. 5-11. 1916.
      feed for swine. F.G. Ashbrook. D.B. 610, pp. 10. 1917.
      feed value for livestock in Alaska. Soil Sur. Adv. Sh., 1916, p. 110. 1919; Soils F.O. 1916; p. 142. 1921.
      feeding experiments with cows, pigs, and poultry. News L., vol. 4, No. 6, pp. 7-8. 1916.
      feeding to cows, results. D.B. 1272, pp. 2-3. 1924.
      manufacture, methods. D.B. 378, pp. 18-20. 1916.
      supplement to dried potato, for fattening hogs. D.B. 610, pp. 5-8. 1917.
      use as—
        dairy feed. B.A.I. Chief Rpt., 1917, p. 25. 1917; An. Rpts., 1917, p. 91. 1918.
        stock and poultry food. F.C. Weber. D.B. 378, pp. 23. 1916.
        use in hog feed. News L., vol. 6, No. 2, pp. 1-2. 1918.

Fish(es)—Continued.
  meal—continued.
    value—
      as feed and fertilizer. D.B. 610, pp. 1-2. 1917; Rpt. 112, p. 25. 1916.
      as feed, yield and composition. D.B. 908, pp. 111-115. 1921.
      as stock feed, yield and composition. D.B. 908, pp. 111-115. 1921.
      for egg production, experiments. News L., vol. 5, No. 13, p. 4. 1917.
      in scratch rations for chickens, and results. D.B. 561, pp. 15, 41. 1917.
  mosquito—
    eating, Hawaii. O.E.S. Bul. 170, p. 44. 1906.
    feeding, Porto Rico. P.R. Cir. 14, p. 7. 1912.
  nationl forests, protection and license requirements. D.C. 185, pp. 45-47. 1921.
  number per hogshead. D.B. 908, pp. 115-116. 1921.
  nutritive value, recipes for cooking. Y.B., 1910, pp. 360-361. 1911; Y.B. Sep. 543, pp. 360-361. 1911.
  oil—
    detection, methods. Chem. Bul. 137, pp. 87-89. 1911.
    fly repellent—
      formulas and experiments. D.B. 131, pp. 9-10, 18, 20, 24. 1914.
      uses. B.A.I. [Misc.], "Diseases of cattle," rev., p. 496. 1908; rev., p. 478. 1904; rev., p. 519. 1912; rev., p. 503. 1923; Ent. Cir. 115, pp. 7-8. 1910.
    kerosene emulsion, adulteration and misbranding. N.J. 200. I. and F. Bd. S.R.A. 11, pp. 88-89. 1915.
    manufacture, and utilization of waste for fertilizer. Y.B., 1917, p. 257. 1918; Y.B. Sep. 728, p. 7. 1918.
    production, uses, and increase methods. D.B. 769, pp. 38-40. 1919.
    resin, use in vineyard sprays. Ent. Bul. 116, Pt. II, pp. 54-60. 1912.
  soap—
    addition to Bordeaux mixture. F.B. 1338, p. 25. 1923.
    adulteration and misbranding. Insect. N.J. 84, I. and F. Bd. S.R.A. 1, p. 21. 1914; Insect N.J. 100, I. and F. Bd. S.R.A. 3, pp. 45-46. 1914.
    and nicotine sulphate spray, efficiency and wetting power. L.B. Smith. J.A.R., vol. 7, pp. 389-399. 1916.
    formula, and use in sprays. F.B. 908, pp. 36-38. 1918.
    misbranding, N.J. 140. I. and F. Bd. S.R.A. 8, p. 6. 1915.
    mixture, directions for making and use on pear thrips. Ent. Bul. 80, pp. 65, 149, 158. 1910. Ent. Bul. 80, Pt. IV, p. 65. 1909.
    mixture with arsenicals, composition and toxicity. D.B. 1147, pp. 18, 51. 1923.
    use against rose insects. F.B. 750, p. 31. 1916.
    use in sprays for control of pear leaf worm. D.B. 438, pp. 19-21. 1916.
    wash, formula. F.B. 723, p. 12. 1916.
    solutions, use in treatment of infested sugar cane. D.B. 746, pp. 50-52. 1919.
    spray formula, for control of citrus black fly. D.B. 885, p. 46. 1920.
  value—
    and sources. D.B. 378, pp. 2-3, 9-10, 16-17. 1916.
    of salmon fish scrap, yield and price per gallon. News L., vol. 3, No. 33, pp. 7-8. 1916.
    varieties, properties, yields, and uses. D.B. 2, pp. 46-50. 1913.
  wash, use against tree borers. Ent. Cir. 24, rev., p. 7. 1909.
  other than salmon, Pacific coast, scrap output and uses. D.B. 150, pp. 66-71. 1915.
  packing—
    and sale regulations. Chem. Bul. 69, rev., Pts. I-IX, pp. 44, 48, 52, 75, 93, 105, 201, 215, 220, 227-231, 235, 261-266, 360, 438, 481-484, 487, 505-509, 546, 646, 647, 664-665, 740. 1905-1906.

Fish(es)—Continued.
  packing—continued.
    freezing, and transportation. Chem. Chief Rpt., 1919, pp. 11-12. 1919; An. Rpts., 1919, pp. 221-222. 1920.
  paste, potted, adulteration. Chem. N.J. 1648, p. 1. 1912.
  pickling and salting in sardine industry. D.B. 908, pp. 8, 34-50, 122. 1921.
  poison, derris use as insecticide, forms and efficiency. J.A.R., vol. 17, pp. 177-200. 1919.
  poisoning with gossypol. J.A.R., vol. 26, pp. 235-236. 1923.
  ponds, stocking, aid of county agents. News L. vol. 6, No. 30, p. 10. 1919.
  possession and sale, right of State to regulate, history, decisions, etc. Biol. Cir. 67, pp. 8-12. 1908.
  preparation—
    and freezing, time and methods. D.B. 635, pp. 2-5. 1918.
    for digestion experiments, nature of diet. D.B. 649, pp. 4-5. 1918.
  prices in large cities, 1913. Y.B., 1913, pp. 202-205. 1914; Y.B. Sep. 623, pp. 202-205. 1914.
  protection—
    Federal, Montana, and Idaho laws. For. [Misc.], "Trespass on national * * *," pp. 12, 23-26, 39-47. 1922.
    in Alaska, Kenai Peninsula, laws, extracts from. Soil Sur. Adv. Sh., 1916, pp. 127-129. 1918; Soils F.O., 1916, pp. 159-161. 1921.
    in national forests, precautions and laws. D.C. 4, pp. 66-67. 1919; D.C. 138, pp. 70, 76-77. 1920.
    in Utah National Forests. D.C. 198, p. 25. 1921.
    See also Game protection.
  protein content, comparison with meat. Y.B., 1913, p. 192. 1914; Y.B. Sep. 623, p. 192. 1914.
  reddening, causes and prevention, bacteriological study. Chem. Bul. 133, pp. 30-34, 40-61. 1911.
  restocking streams in national forests. An. Rpts., 1913, p. 172. 1914; For. A.R., 1913, p. 38. 1913.
  roe, canning recipe. S.R.S. Doc. 80, p. 26. 1918.
  salt—
    adulteration. Chem. N.J. 2427, p. 1. 1913.
    commercial holdings in the United States on August 31, 1917. Sec. Cir. 101, pp. 12-15. 1918.
    misbranding. Chem. N.J. 779, pp. 2. 1911.
    preparation for market. Chem. Bul. 133, pp. 1-63. 1911.
  salting during transportation. D.B. 908, pp. 28-32, 121. 1921.
  sardine, changes in pickle and in dry salt. D.B. 908, pp. 36-46. 1920.
  scalloped—
    recipe. F.B. 824, p. 14. 1917.
    use with hominy, or vegetables, recipe. News L., vol. 5, No. 8, p. 2. 1917.
  scrap—
    and kelp-fertilizer production, details and cost. D.B. 150, pp. 52-66. 1915.
    comparison with cottonseed meal as stock feed. D.B. 2, p. 39. 1913.
    composting with peat, directions and uses. D.C. 252, pp. 9-10. 1922.
    determination in commercial fertilizers. D.B. 97, pp. 1-10, 13. 1914; D.B. 2, pp. 34-35. 1913.
    fertilizer industry, Atlantic coast. J. W. Turrentine. D.B. 2, pp. 50. 1913.
    manufacture—
      from menhaden fish, methods, old and new, and equipment. D.B. 2, pp. 24-30. 1913.
      from salmon waste, composition and uses. D.B. 150, pp. 28-35. 1915.
    production, 1912-1922. Y.B., 1923, pp. 1186-1187. 1924; Y.B. Sep. 906, pp. 1186-1187, 1189. 1924.
    salmon canneries, value for fertilizer, feed, and oil. News L., vol. 3, No. 33, pp. 7-8. 1916.
    stocks, 1917. Sec. Cir. 104, pp. 4, 9, 10-12. 1918.
    treatment to produce complete fertilizers. F.B. 320, pp. 7-8. 1908.
    use. D.B. 2, pp. 36-39. 1913.

Fish(es)—Continued.
  scrap—continued.
    use and value as fertilizer. Y.B., 1917, pp. 257, 142-143. 1918; Y.B. Sep. 728, p. 7. 1918; Y.B. Sep. 729, pp. 6-7. 1918.
    use and value as fertilizer, Atlantic coast output. News L., vol. 1, No. 27, p. 2. 1914.
  selection in buying. F.B. 375, p. 24. 1909.
  shad, adulteration. Chem. N.J. 1021, p. 1. 1911.
  shipping to market, three thousand miles. E. D. Clark. Y.B., 1915, pp. 155-158. 1916; Y.B. Sep. 665, pp. 155-158. 1916.
  smoked, use of artificial color. Opinion 97. Chem. S.R.A. 10, p. 743. 1914.
  statistics, 1908, 1912. Y.B., 1913, pp. 197, 198. 1914; Y.B. Sep. 623, pp. 197, 198. 1914.
  storage and care in the home. F.B. 1374, p. 8. 1923.
  studies, storage, analyses, and feeding value. An. Rpts., 1915, p. 193. 1916; Chem. Chief Rpt., 1915, p. 3. 1915.
  stupefaction with bark, description of plant. No. 34696, Inv. 33, p. 48. 1915.
  supplementary to meat supply. M. E. Pennington. Y.B., 1913, pp. 191-206. 1914; Y.B. Sep. 623, pp. 191-206. 1914.
  supply of family for a week, and place in menu. F.B. 1228, pp. 11-12, 19. 1921.
  thawing before selling, unwholesome practice. Y.B. 1915, p. 157. 1916; Y.B. Sep. 665, p. 157. 1916.
  transportation, in sardine industry, methods and details. D.B. 908, pp. 8, 26-34, 121. 1921.
  tuna, and other, labeling regulations. Chem. S.R.A. 28, p. 39. 1923.
  use—
    and value in food and meat conservation. D.B. 635, p. 2. 1918.
    as fertilizer, methods. D.B. 2, pp. 3-5. 1913.
    in water-cress ponds for control of insects. Ent. Bul. 66, pp. 15, 20. 1910.
    with cheese in food. F.B. 487, p. 35. 1912.
  value as—
    food for children. F.B. 717, pp. 11, 12. 1916.
    meat substitute, preparation methods. Y.B., 1910, pp. 360-361. 1911; Y.B. Sep. 543, pp. 360-361. 1911.
  varieties—
    conservation by freezing and storing, list. D.B. 635, pp. 1-2. 1918.
    in market, "staple," "limited," and "fancy." Y.B., 1913, pp. 201-202. 1914; Y.B. Sep. 623, pp. 201-202. 1914.
  waste—
    as fertilizer resource. An. Rpts., 1914, p. 181. 1914; Soils Chief Rpt., 1914, p. 7. 1914.
    in sardine canneries, utilization methods. D.B. 908, pp. 101-115. 1921.
    Pacific coast, utilization for manufacture of fertilizer. J. W. Turrentine. D.B. 150, pp. 71. 1915.
    utilization for stock and poultry feed. News L., vol. 4, No. 6, pp. 7-8. 1916.
  weight, losses during marketing preparations. Chem. Bul. 133, pp. 22-23. 1911.

FISHER, A. K.—
  "Crawfish as crop destroyers." Y.B., 1911, pp. 321-324. 1912; Y.B. Sep. 571, pp. 321-324. 1912.
  "Hawks and owls from the standpoint of the farmer." Biol. Cir. 61, pp. 18. 1907.
  "The economic value of predaceous birds and mammals." Y.B., 1908, pp. 187-194. 1909; Y.B. Sep. 474, pp. 187-194. 1909.
  "Two vanishing game birds—the woodcock and the wood duck." Y.B., 1901, pp. 447-458. 1902; Y.B. Sep. 247, pp. 12. 1902.

FISHER, C. K.: "Longevity and fecundity of *Bruchus quadrimaculatus* Fab. as influenced by different foods." With A. O. Larson. J.A.R., vol. 29, pp. 297-305. 1924.

FISHER, D. F.—
  "Apple powdery mildew and its control in the arid regions of the Pacific Northwest." D.B. 712, pp. 28. 1918.
  "Apple scald." With others. J.A.R., vol. 16, pp. 195-217. 1919.
  "Apple scald and its control." With others. F.B. 1380, pp. 17. 1923.

FISHER, D. F.—Continued.
"Brown rot of prunes and cherries in the Pacific Northwest." With Charles Brooks. D.B. 368, pp. 10. 1916.
"Control of apple powdery mildew." F.B. 1120, pp. 14. 1920.
"Control of brown-rot of prunes and cherries in the Pacific Northwest." With Charles Brooks. F.B. 1410, pp. 13. 1924.
"Controlling important fungous and insect enemies of the pear in the humid sections of the Pacific Northwest." With E. J. Newcomer. F.B. 1056, pp. 34. 1919.
"Diseases of apples in storage." With others. F.B. 1160, pp. 24. 1920.
"Irrigation experiments on apple-spot diseases." With Charles Brooks. J.A.R., vol. 12, pp. 109-138. 1918.
"Nature and control of apple scald." With others. J.A.R. vol. 18, pp. 211-240. 1919.
"Oiled wrappers, oils and waxes in the control of apple scald." With others. J.A.R., vol. 26, pp. 513-536. 1923.
"Prunes and cherry brown-rot investigations in the Pacific Northwest." With Charles Brooks. D.B. 1252, pp. 22. 1924.
"Transportation rots of stone fruits as influenced by orchard spraying." With C. Brooks. J.A.R., vol. 22, pp. 467-477. 1922.
FISHER, G. W., invention of steam cooker for canning. Y.B., 1911, p. 384. 1912; Y.B. Sep. 577, p. 384. 1912.
FISHER, J. W., Jr.—
"Methods of wholesale distribution of fruits and vegetables on large markets." With others. D.B. 267, pp. 28. 1915.
"Outlets and methods of sale for shippers of fruits and vegetables." With others. D.B. 266, pp. 28. 1915.
FISHER, O. S.: "Extension work in agronomy, 1923." D.C. 343, pp. 15. 1925.
FISHER, R. T.—
"Close utilization in New England." M.C. 39, pp. 24-27. 1925.
"The redwood." With others. For. Bul. 38, pp. 40. 1903.
"The woodlot: A handbook for owners of woodlands in southern New England." With Henry Solon Graves. For. Bul. 42, pp. 89. 1903.
Fisher(s)—
Athabaska-Mackenzie region. N.A. Fauna 27, p. 238. 1908.
fur value, increase since 1915. D.C. 135, p. 5. 1920.
occurrence in—
Colorado, description. N.A. Fauna 33; p. 191. 1911.
Montana. Biol. Cir. 82, p. 23. 1911.
protection laws—
1918. F.B. 1022, p. 29. 1918.
1919. F.B. 1079, pp. 4-30. 1919.
raising for fur, value and costs, dens, and feeding. Y.B., 1916, pp. 493, 496, 498. 1917; Y.B. Sep. 693, pp. 5, 8, 10. 1917.
range and habits. N.A. Fauna 22, p. 69. 1902.
Fisheries—
Alaska—
and Pacific coast, output, value. Y.B. 1915, p. 156. 1916; Y.B. Sep. 665, p. 156. 1916.
industry and laws governing. Soil Sur. Adv. Sh., 1916, pp. 125-129. 1919; Soils F.O., 1916, pp. 157-161. 1921.
value of output. Alaska Cir. 1, p. 25. 1916.
United States. Y.B., 1913, p. 197-199. 1914; Y.B. Sep. 623, pp. 197-199. 1914.
use and value of St. Francis Reservoir, Ark. O.E.S. Bul. 230, Pt. I, pp. 80-81. 1911.
Fisheries, Bureau of, relation of work to Agriculture Department. Off. Rec., vol. 1, No. 2, p. 1. 1922.
Fishhawk, protection by law. Biol. Bul. 12, rev., pp. 38, 40, 41. 1902.
Fishing—
Cascade National Forest. D.C. 104, pp. 3-5, 15. 1920.
Colorado, grounds in national forest. D.C. 34, p. 5. 1919.
extent of industry, value of catch, methods. Chem. Bul. 133, pp. 5-12. 1911.
fly rods, value of bamboo for. D.B. 1329, pp. 21-22. 1925.

Fishing—Continued.
grounds in Colorado, Sopris National Forest. D.C. 6, pp. 3-5. 1919.
licenses, various States. F.B. 774, p. 55. 1916.
methods, Athabaska-Mackenzie region. N.A. Fauna 27, pp. 504, 506, 509, 512, 515. 1908.
national forests. Sol. [Misc.] "Laws * * * forests," p. 15. 1916.
opportunities in Chelan Lake, Wash. D.C. 91, pp. 10-11. 1920.
Oregon, national forests. D.C. 4, pp. 3-51. 1919.
permit regulations, Big Lake Bird Reservation, Ark. Biol. S.R.A. 24, p. 1. 1918.
regulations, in Pisgah National Game Preserve. D.C. 161, pp. 4-5, 7. 1921.
salmon, methods, traps, seines, nets, and wheels. D.B. 150, pp. 4-8. 1915.
San Isabel National Forest streams and lakes. D.C. 5, pp. 9-10. 1919.
sea herring, for Maine sardines, methods and suggestions. D.B. 908, pp. 7, 19, 94. 1921.
streams, in Pike National Forest. D.C. 41, pp. 7-8. 1919.
trespass, national forests, reg. T-7. For. [Misc.], "The use book, 1921," pp. 71-72. 1922.
trips, in national forests. For. [Misc.] "Cochetopa National Forest," p. 10. 1919; For. [Misc.], "Uncompahgre National Forest," pp. 6-7. 1919; For. [Misc.], "Battlement National Forest," p. 46. 1919.
Washington National Forest. D.C. 132, pp. 4-9. 1920; D.C. 138, pp. 8-52. 1920.
White Mountain National Forest. D.C. 100, p. 9. 1921.
Fishlake National Forest, Utah—
consolidation with Fillmore Forest. Off. Rec., vol. 2, No. 42, p. 3. 1923.
land exchange authorized, law. Sol. [Misc.], "Laws applicable * * * Agriculture," sup. 2, pp. 38-39. 1915.
map and directions to campers and travelers. For. Map Fold., "Map of Fishlake * * * ," 1915.
Fishmouth. See Balmony.
Fishy flavor in butter. L. A. Rogers. B.A.I. Cir. 146, pp. 20. 1909.
FISKE, G. B.—
"Following the produce markets." Y.B., 1918, pp. 277-288. 1919; Y.B., Sep. 768, pp. 14. 1919.
"How to use market stations." Y.B., 1919, pp. 94-114. 1920; Y.B. Sep. 797, pp. 94-114. 1920.
"Marketing cabbage." With Alexander E. Cance. D.B. 1242, pp. 60. 1924.
"Marketing main-crop potatoes." With others. F.B. 1317, pp. 37. 1923.
"Marketing onions." With Alexander E. Cance. D.B. 1325, pp. 71. 1925.
"Marketing the early-potato crop." With Paul Froehlich. F.B. 1316, pp. 33. 1923.
"Why produce inspection pays." With H. E. Kramer. Y.B., 1919, pp. 319-334. 1920; Y.B. Sep. 811, pp. 319-334. 1920.
FISKE, R. J.: "Effects of nicotine sulphate as an ovicide and larvicide of the codling moth and three other insects." With others. D.B. 938, pp. 19. 1921.
FISKE, W. F.—
introduction to article on Sarcophagidae. With T. L. Patterson. Ent. T.B. 19, Pt. III, pp. 25-27. 1911.
"The gipsy moth as a forest insect, with suggestions as to its control." Ent. Cir. 164, pp. 20. 1913.
"The importation into the United States of the parasites of the gipsy moth and the brown-tail moth. Progress report." With L. O. Howard. Ent. Bul. 91, pp. 312. 1911.
Fistulas—
horse—
causes, symptoms, and treatment. B.A.I. [Misc.], "Diseases of the horse," rev., pp. 477-481. 1903; rev., pp. 477-481. 1907; rev., pp. 477-481. 1911; rev., pp. 502-506. 1923.
withers, detection. F.B. 779, p. 12. 1917.
milk, cow, cause, and treatment. B.A.I. [Misc.], "Diseases of cattle," rev., pp. 249-250. 1912; rev., p. 245. 1923.
Fistulina hepatica—
description. D.B. 175, p. 42. 1915.

Fistulina hepatica—Continued.
   See also Mushrooms, beefsteak.
FITCH, F. C.: "Livestock, 1922." With others. Y.B., 1922, pp. 795-913. 1923; Y.B. Sep. 888, pp. 795-913. 1923.
Fitchburg, Mass., milk supply, statistics, officials, prices, and ordinances. B.A.I. Bul. 46, pp. 36, 96. 1903.
Fits—
   epileptic, treatment. For. [Misc.], "First-aid manual * * * ," pp. 91-92. 1917.
   falling, horse, symptoms and treatment. B.A.I. [Misc.], "Diseases of the horse," p. 207. 1903; rev., p. 207. 1907; rev., p. 207. 1911; rev., p. 228. 1923.
FITZ, L. A.: "Handling wheat from field to mill." B.P.I. Cir. 68, pp. 12. 1910.
Fixed Nitrogen Research Laboratory—
   fertilizer experiments. J.A.R., vol. 28, pp. 971-976. 1924.
   report of director—
      1922. F. G. Cottrell. Fix. Nit. Lab. A.R., 1922, pp. 10. 1922; An. Rpts., 1922, pp. 633-642. 1923.
      1923. F. G. Cottrell. Fix. Nit. Lab. A.R., 1923, pp. 12. 1923; An. Rpts., 1923, pp. 495-506. 1924.
      1924. F. G. Cottrell. Fix. Nit. Lab. A.R., 1924, pp. 5. 1924.
Fixtures, manufacture, utilization of sycamore. D.B. 884, pp. 9, 14, 24. 1920.
Flacherie, cause and control in mulberry silkworm. Ent. Bul. 39, pp. 29-30. 1903.
Flacourtia—
   euphlebia, importation and description. No. 54692, B.P.I. Inv. 70, p. 8. 1923.
   gardnerii, introduction into Porto Rico, and description. P.R. An. Rpt., 1918, p. 14. 1920.
   rukam, importation and description. No. 51772, B.P.I. Inv. 65, pp. 4, 47. 1923.
   sepiaria, importation and description. No. 34093, B.P.I. Inv. 32, p. 9. 1914; No. 53576, B.P.I. Inv. 67, p. 64. 1923.
   spp., importation and descriptions. Nos. 48249, 48284, B.P.I. Inv. 60, pp. 60, 67. 1922.
Flag, spiral, parasitic attack by *Glomerella cingulata* studies. B.P.I. Bul. 252, pp. 28-29. 1913.
"Flag salt," misbranding. Chem. N.J. 495, p. 1. 1910.
Flag smut. See Smut, flag; *Urocystis tritici*.
Flagella staining, Williams' method. J.A.R., vol. 8, p. 403. 1917.
Flagellata, classification, description, and importance as causes of disease. B.A.I. Cir. 194, pp. 472-483. 1912.
Flagellates, development, in culture solutions, protozoa studies. J.A.R., vol. 4, pp. 520-526, 528-530, 534-540, 544, 552, 554, 556. 1915.
Flagpoles, value as protection against lightning. F.B. 842, p. 15. 1917.
Flagroot. See Calamus.
Flail, wheat cleaning, use. Y.B., 1921, pp. 87, 88. 1922; Y.B. Sep. 873, pp. 87, 88. 1922.
Flailing, sweet-clover seed, directions. F.B. 836, pp. 18-19. 1917.
Flakes, sugar corn, misbranding. Chem. N.J. 1042, pp. 2. 1911.
Flaking, fish, in sardine industry. D.B. 908, pp. 9, 50-51, 100. 1921.
Flamboyan tree, Porto Rico, description and uses. D.B. 354, pp. 49, 73. 1916.
Flame—
   plant, description, cultivation, and characteristics. F.B. 1171, pp. 31-32, 80. 1921.
   tree, introduction and description. No. 38979, B.P.I. Inv. 40, p. 52. 1917.
Flamingo—
   occurrence in Porto Rico. D.B. 326, pp. 27-28. 1916.
   pulmonary mycosis, report of case. B.A.I. Cir. 58, pp. 1-17. 1904.
   range and breeding habits. Biol. Bul. 45, pp. 10-12. 1913.
FLANDERS, E. H.:
   "Soil survey of Uinta River Valley, Utah." With others. Soil Sur. Adv. Sh., 1921, pp. 42. 1925.
Flaphorns, occurrence on cattle in ancient times. B.A.I. An. Rpt., 1910, pp. 210, 215. 1912.

Flash—
   point test, bituminous materials, methods, and apparatus. D.B. 314, pp. 16-18. 1915; D.B. 1216, pp. 52-53. 1924.
   process, milk pasteurization, description. B.A.I. Bul. 126, pp. 15-21, 60. 1910; B.A.I. Cir. 184, p. 9. 1912.
Flashboards, overflow spillways, description and use. D.B. 831, p. 11. 1920.
Flask—
   culture, for fermentation tests, description. Chem. Bul. 111, pp. 8-11. 1908.
   for rapid determination of water in flour and meal. J. H. Cox. D.B. 56, pp. 7. 1914.
   tester, description. B.P.I. Cir. 72, rev., pp. 7, 16. 1914.
Flat, greenhouse. See Seed box.
Flat sour, canned corn and peas, cause and prevention. S.R.S. Doc. 33, p. 1. 1917.
Flavor(s)—
   absorption by milk. F.B. 363, p. 14. 1909.
   apple—
      juice, improvement by blending from various apple varieties, suggestions. F.B. 1264, pp. 11-15, 52, 53. 1922.
      oil, manufacture. Off. Rec., vol. 2, No. 15, p. 8. 1923.
   butter—
      defects and control. D.C. 236, pp. 4-8. 1922.
      factor, judging. Mkts. S.R.A. 51, pp. 16-19. 1919.
      in storage, change, factors influencing. C. R. Potteiger and B. J. Davis. B.A.I. Bul. 162, pp. 69. 1913.
      inspection rules. D.C. 236, pp. 1-2. 1922.
      relation to impurities in nonfatty ingredients. J.A.R., vol. 6, pp. 928, 930, 936, 937, 945, 950. 1916.
   Cheddar cheese—
      bacteria producing. J. A. R., vol. 2, pp. 167-192. 1914.
      relation of bacteria. L. A. Rogers. B.A.I. Bul. 62, pp. 38. 1904.
      cheese, effect of high acidity on cheese in storage, experiments. B.A.I. Bul. 123, pp. 11-18.
      imitation, misbranding. Chem. N.J. 1057, pp. 4. 1911.
      labeling, opinion 159. Chem. S.R.A. 16, p. 29. 1916.
   maple sugar and sirup, use of hickory bark. For. Bul. 59, pp. 49-50. 1905.
   meat—
      developing and improving, methods. F.B. 391, pp. 35-40. 1910.
      relation to extractives, remarks. F.B. 391, p. 13. 1910.
      metallic, dairy products, cause, study. S.R.S. Rpt., 1916, Pt. I pp. 43, 201-202. 1918.
   milk—
      and cream, testing methods. D.C. 53, p. 21. 1919.
      effect of garlic. D.B. 1326, pp. 1-11. 1925.
      origin, and result of different bacteria. Y.B., 1907, p. 185. 1908; Y.B. Sep. 444, p. 185. 1908.
      scoring in contests, and suggestions for control. B.A.I. Cir. 205, pp. 15, 26. 1912.
      misbranding. Chem. N.J. 1675, pp. 2. 1912.
      pasteurized milk, effect of cooling by forced air. D.B. 420, pp. 31-32. 1916.
   Roquefort cheese, studies. J.A.R., vol. 2, pp. 1-14. 1914.
   soda water, definitions and standards. Chem. S.R.A., 23, pp. 95-96. 1918; F.I.D. 177, p. 1. 1918.
   succulent vegetables, relation to dietary value. Y.B., 1911, pp. 444-445. 1912; Y.B. Sep. 582, pp. 444-445. 1912.
   vanilla and lemon, misbranding. Chem. N.J. 774, pp. 2. 1911.
Flavoring—
   caramel, uses and recipe. F.B. 717, p. 11. 1916.
   extracts—
      adulteration and—
         detection. Chem. Bul. 100, pp. 28-29, 54-56. 1906.
         misbranding. Chem. N.J. 339, pp. 2. 1910; Chem. N.J. 738, pp. 3. 1911; Chem. N.J. 739, pp. 3. 1911; Chem. N.J. 13747. 1925.

Flavoring—Continued.
  extracts—continued.
    analysis methods, report of referees committee.
      Chem. Bul. 132, pp. 56, 97-109, 166. 1910;
      Chem. Bul. 152, pp. 127-148, 190-191. 1912;
      Chem. Bul. 162, pp. 82-90. 1913; Chem.
      Cir. 90, pp. 12-14. 1912.
    definition, nature and uses. Y.B., 1908, p. 333.
      1909; Y.B. Sep. 485, p. 333. 1909.
    food standards. Sec. Cir. 136, pp. 15-17. 1919.
    labeling, F.I.D. 47. F.I.D. 46-48, pp. 2-3.
      1906.
    laws and standards. Chem. Bul. 69, rev., Pts.
      I-IX, pp. 161, 171, 185, 241, 306, 456, 503, 546,
      591, 597, 633, 667, 685, 690, 738. 1905-1906.
    laws, State, 1907. Chem. Bul. 112, Pt. I, pp.
      66, 85-87, 1908, Pt. II, pp. 99, 113. 1908.
    laws, State, 1908. Chem. Bul. 121, p. 65. 1909.
    lemon, raspberry, and strawberry, misbranding. Chem. N.J. 91, pp. 2. 1909.
    manufacture. E. M. Chace. Y.B., 1908, pp.
      333-342. 1909; Y.B. Sep. 485, pp. 333-342.
      1909.
    misbranding. Chem. N.J. 1057, pp. 4. 1911.
    misbranding, decision. Sol. Cir. 89, pp. 1-4.
      1918.
    purity standards. Chem. [Misc.], "Standards
      of purity * * *," pp. 3-5. 1905; Sec. Cir.
      136, pp. 15-17. 1919.
    use of flowers in manufacture. O.E.S. Bul.
      245, p. 50. 1912.
    See also Lemon; Vanilla.
  kitchen bouquet, for soups, recipe. F.B. 391,
    p. 38. 1910.
  materials—
    studies in cooking course. D.B. 123, pp. 52, 53.
      1916.
    use as food, notes. O.E.S. Bul. 245, pp. 68,
      69-70. 1912.
  sirup, muscadine grapes, directions. F.B. 859,
    p. 21. 1917.
  vegetable, various kinds, use in meat dishes,
    suggestions. F.B. 391, pp. 37-39. 1910.
Flax—
  acreage—
    1922-1924, with yield of seed. D.C. 341, p. 1.
      1925.
    and production, world countries, 1910-1914,
      graph. Y.B., 1916, p. 543. 1917; Y.B. Sep.
      713, p. 13. 1917.
    in 1919, map. Y.B., 1921, p. 446. 1922; Y.B.
      Sep. 878, p. 40. 1922.
  yield—
    North Dakota, McHenry County. Soil Sur.
      Adv. Sh., 1921, pp. 935, 936, 940. 1925.
      Soils F.O. 1921, pp. 935, 936, 940. 1926.
    prices, marketing, 1923. Y.B., 1923, pp. 708-
      715, 1924; Y.B. Sep. 899, pp. 708-715. 1924.
  adaptability to new ground and value for oil.
    News, L. vol. 4, No. 37, p. 2. 1917.
  alkali resistance. F.B. 446, p. 28. 1911.
  anthracnose, cause and symptoms. D.B. 1120, p.
    2. 1922.
  area, soil, and climate variations. D.B. 883,
    pp. 2-3. 1920.
  breeding—
    for wilt resistance. J.A.R., vol. 11, pp. 588-602.
      1917.
    instruments used. D.B. 1092, pp. 16-17. 1922.
  canker, control treatment. F.B. 419, p. 17. 1910.
  cost of production—
    and threshing, value per bushel. Stat. Bul.
      48, pp. 44-46, 57. 1906.
    per acre. Y.B., 1921, p. 830. 1922; Y.B. Sep.
      876, p. 27. 1922.
  crop, world, acreage and production. F.B. 581,
    pp. 26-30. 1914.
  culture. H.L. Bolley. F.B. 274, pp. 36. 1907.
  disease(s)—
    control. F.B. 669, pp. 9, 19. 1915.
    study in 1923. Work and Exp., 1923, p. 44.
      1925.
  dry-land rotation at Huntley farm. D.C. 204,
    pp. 12-14, 16. 1921. D.C. 330, pp. 16-17.
    1925.
  effect on soil. F.B. 669, p. 6. 1915.
  Europe, situation in 1919. Sec. [Misc.], "Report
    of agricultural * * *," pp. 42-43, 77. 1919.

Flax—Continued.
  experiments at—
    Akron field station 1908-1915, varieties and yield.
      D.B. 402, pp. 32-34. 1916.
    Cheyenne farms, varieties, seeding rate, and
      yields, 1913-1915. D.B. 430, pp. 33-36, 39.
      1916.
    field station near Mandan, N. Dak. D.B.
      1301, pp. 65-67. 1925.
    San Antonio farm, 1917, varietal tests. W.I.A.
      Cir. 21, pp. 17-19. 1918.
  false, seed description. F.B. 428, pp. 7, 19, 20.
    1911.
  fiber—
    Frank C. Miles. F.B. 669, pp. 19. 1915.
    cultivation and use. Y.B., 1902, pp. 421-422.
      1903.
    description, harvesting, and breaking. D.B.
      1092, pp. 2-3. 1922.
    pedigreed. Robert L. Davis. D.B. 1092, pp.
      23. 1922.
    preparation, threshing, retting, and breaking.
      F.B. 669, pp. 13-17. 1915.
    quality and factors affecting. D.B. 1185, pp.
      4-5. 1923.
    selection and propagation for improvement.
      D.B. 1092, pp. 1-3. 1922.
  statistics—
    acreage, production and imports. Y.B., 1915,
      pp. 479-480, 542, 558, 573. 1916; Y.B. Sep.
      682, pp. 479-480. 1916; Y.B. Sep. 685, pp.
      542, 558, 573. 1916;
    graphic showing of average production, world.
      Stat. Bul. 78, p. 59. 1910.
    imports, 1914-1916 and 1852-1916. Y.B., 1916,
      pp. 709, 726, 740. 1917; Y.B. Sep. 722, pp.
      3, 20, 34. 1917.
    stem weights and lengths, seed weights and
      number, percentages. D.B. 1092, pp. 9-10.
      1922.
  forecast, general and by States, September, 1913,
    price. F.B. 558, pp. 12, 16. 1913.
  frost resistance. Robert L. Davis. D.C. 264,
    pp. 8. 1923.
  geographical source and variety, influence on
    linseed oil. Frank Rabak. D.B. 655, pp. 16.
    1918.
  growing—
    and decline of industry, Washington County,
      N. Y. Soil Sur. Adv. Sh., 1909, pp. 19, 57.
      1911; Soils F.O., 1909, pp. 119, 157. 1912.
    area in United States, 1909. F.B. 785, p. 5.
      1917.
    climate and soil, areas in United States adapted.
      F.B. 669, pp. 4-7. 1915.
    date of various operations in North Dakota.
      D.B. 757, pp. 25-26. 1919.
    effect on soil. D.B. 322, p. 3. 1916.
    experiments—
      at Williston station, 1908-1912, varieties and
        yields. D.B. 270, pp. 33, 35, 36. 1915.
      in Alaska, 1915. Alaska A.R., 1915, p. 66.
        1916.
    for—
      fiber, conditions and possibilities, United
        States. F.B. 669, pp. 3-18. 1915.
      fiber, experiments. B.P.I. Chief Rpt., 1919,
        p. 20. 1919; An. Rpts., 1919, p. 156. 1920.
      seed. F.B. 785, pp. 1-20. 1917.
      seed, acreage and production. D.B. 322,
        pp. 2-4, 23. 1916.
      seed, historical notes. D.B. 883, pp. 1-2.
        1920.
    harvesting, southwestern Minnesota. D.B.
      1271, pp. 35-36. 1924.
    in Arizona, Yuma Experiment Farm, methods.
      W.I.A. Cir., 25, pp. 27-29. 1919.
    in California, varietal experiments. D.B. 1172,
      pp. 32, 33. 1923.
    in central Oregon, varieties and methods.
      F.B. 800, p. 21. 1917.
    in Colorado, experiments. D.B. 1287, p. 50.
      1925.
    in Iowa—
      Grundy County. Soil Sur. Adv. Sh., 1921,
        p. 1043. 1925; Soils F.O., 1921, p. 1043. 1926.
      Palo Alto County. Soil Sur. Adv. Sh., 1918,
        pp. 10, 12, 24-31. 1921; Soils F.O., 1918,
        pp. 1138, 1140, 1152-1159. 1924.

Flax—Continued.
  growing—continued.
    in Iowa—Continued.
      Webster County, notes. Soil Sur. Adv. Sh., 1914, pp. 14, 38, 39. 1916; Soils F.O., 1914, pp. 1794, 1818, 1819. 1919.
      Worth County. Soil Sur. Adv. Sh., 1922, pp. 274-275. 1925.
    in Minnesota—
      Pennington County. Soil Sur. Adv. Sh., 1914, pp. 9, 11, 17. 1916; Soils F.O., 1914, pp. 1731, 1733, 1739. 1919.
      Stevens County. Soil Sur. Adv. Sh., 1919, pp. 10, 21, 30. 1922; Soils F.O. 1919, pp. 1382, 1393, 1402. 1925.
    in Montana—
      acreage and methods. D.C. 341, pp. 7-9. 1925.
      experiments at Judith Basin substation. D.B. 398, pp. 34-39. 1916.
    in Nebraska, 1913, seeding rate and yield. B.P.I. Doc. 1081, p. 7. 1914.
    in Nevada, Newlands Experiment Farm, 1918. D.C. 80, p. 11. 1920.
    in North Dakota—
      Barnes County, Soil Sur. Adv. Sh., 1912, pp. 13, 19, 21. 1914; Soils F.O., 1912, pp. 1929, 1935, 1937. 1915.
      Bottineau County. Soil Sur. Adv. Sh., 1915, pp. 11, 21, 22, 25, 26, 27. 1917; Soils F.O., 1915, pp. 2135, 2149. 1919.
      Dickey County, yields. Soil Sur. Adv. Sh., 1914, pp. 11, 25, 33, 40. 1916; Soils F.O., 1914, pp. 2417, 2431, 2439, 2446. 1919.
      Lamoure County, decrease and yields. Soil Sur. Adv. Sh., 1914, pp. 11, 13, 15, 22, 24, 1917; Soils F.O., 1914, pp. 2369, 2379-2396. 1919.
      Sargent County. Soil Sur. Adv. Sh., 1917, pp. 12, 20-22, 35. 1920; Soils F.O., 1917, pp. 2010, 2018-2020, 2033. 1923.
      Traill County. Soil Sur. Adv. Sh., 1918, pp. 11, 13, 27-41. 1920; Soils F.O., 1918, pp. 1367, 1369, 1383-1397. 1924.
    in nursery rows, varieties and results. D.B. 883, pp. 22-28, 29. 1920.
    in Ohio, Miami County. Soil Sur. Adv. Sh., 1916, p. 10. 1918; Soils F.O., 1916, p. 1588. 1921.
    in Porto Rico. P.R. An. Rpt., 1919, p. 12. 1920.
    in South Dakota, experiments, methods and results. D.B. 297, pp. 39-40. 1915.
    in southeast Wyoming, experiments. D.B. 1315, pp. 11-12. 1925.
    in Texas—
      experiments, variety tests and yields. D.C. 209, p. 31. 1922.
      San Antonio Experiment Farm, 1918. D.C. 73, pp. 24-26. 1920.
      San Antonio Experiment Farm, varieties and yields. B.P.I.W.I.A. 16, pp. 14-15. 1917.
    in western North Dakota, details. F.B. 878, pp. 20-21. 1917.
    in Wyoming, experiments. D.B. 1306, pp. 7, 12, 15, 17-18, 29-30. 1925.
    on Montana dry lands, varieties and methods. F.B. 749, pp. 19-21. 1916.
    on new land, experiments. Charles H. Clark. D.B. 883, pp. 29. 1920.
    variety tests and seeding tests, Yuma Experiment Farm. D.C. 75, pp. 37-39. 1920.
    yield(s) and—
      agronomic data of 14 varieties. D.B. 883, pp. 14-16. 1920.
      profit, western North Dakota. Soil Sur. Adv. Sh., 1908, p. 28. 1910; Soils F.O., 1908, p. 1176. 1911.
  harvesting—
    and threshing, methods and machinery. News L., vol. 3, No. 39, p. 3. 1916.
    cutting, shocking, and threshing. F.B. 785, pp. 16-19. 1917.
    with reaper. Y.B., 1921, p. 89. 1922; Y.B. Sep. 873, p. 89. 1922.
    yield, and marketing methods. F.B. 669, pp. 10-13. 1915.
  heat canker, cause, and control experiments. D.B. 1120, pp. 3-16. 1922.
  immunity to *Thielavia basicola.* J.A.R., vol. 7, p. 295. 1916.

Flax—Continued.
  importation(s) and description(s). Nos. 40307-40310, 40352-40367, B.P.I. Inv. 42, pp. 103-104, 110-111. 1918; Nos. 41811, 42037, B.P.I. Inv. 46, pp. 24, 47. 1919; No. 49898, B.P.I. Inv. 63, p. 19. 1923; Nos. 52358-52361, 52364-52366, 52369-52374, 52380-52382, 52774, 52776-52784, 52826-52827, B.P.I. Inv. 66, pp. 14-15, 16, 17, 18, 73, 74, 81. 1923.
  imports—
    1901-1924. Y.B., 1924, pp. 1066, 1076. 1925.
    1906-1910, and 1851-1910. Y.B., 1910, pp. 656, 680-681. 1911; Y.B. Sep. 553, pp. 656, 680-681. 1911; Y.B. Sep. 554, pp. 656, 680-681. 1911.
    1908-1910, quantity and value, by countries from which consigned. Stat. Bul. 90, p. 40. 1911.
    1909-1911, by countries from which consigned. Stat. Bul. 95, p. 43. 1912.
    1917-1919, 1852-1919, and 1910-1919. Y.B., 1919, pp. 684, 703, 719. 1920; Y.B. Sep. 829, pp. 684, 703, 719. 1920.
    1919-1921, and 1852-1921, by countries of origin. Y.B., 1922, pp. 951, 965, 979. 1923; Y.B. Sep. 880, pp. 951, 965, 979. 1923.
  infection with *Fusarium lini* from soil. J.A.R., vol. 11, pp. 573-588. 1917.
  injury by dodder. F.B. 1161, p. 20. 1920.
  insect pests, list. Sec. [Misc.], "A manual of insects * * *," pp. 103-104. 1917.
  irrigated, rotation and yields, experiments. W.I.A. Cir. 2, pp. 6, 7, 19-20. 1915.
  irrigation—
    experiment, Belle Fourche project, 1913. B.P.I. [Misc.], "The work * * * Belle Fourche * * * 1913," p. 13. 1914.
    tests—
      and experiments, Huntley project, 1913. B.P.I. [Misc.], "The work of the Huntley * * * 1913," p. 12. 1914.
      Montana. B.P.I. Cir. 121, p. 26. 1913.
  labor and seed requirements on farms in southwestern Minnesota. D.B. 1271, pp. 35-36. 1924.
  marketings, monthly, by farmers, 1913-1918. Y.B., 1918, p. 687. 1919; Y.B. Sep. 795, p. 22. 1919.
  mixture with cereals as field crop. D.B. 1301, p. 67. 1925.
  New Zealand—
    destruction of rootstocks, for insects and disease control. F.H.B.S.R.A. 43, pp. 103-104. 1917.
    importation(s) and description(s). Nos. 31870, 31884-31890, B.P.I. Bul. 248, pp. 8, 58, 60. 1912; No. 35470, B.P.I. Inv. 35, p. 49. 1915; No. 46388, B.P.I. Inv. 56, p. 15. 1922; Nos. 46750-46752, B.P.I. Inv. 57, p. 29. 1922; Nos. 47369, 47572, B.P.I. Inv. 59, pp. 12, 33. 1922.
    imports, 1910, 1914, value and source. D.B. 296, p. 44. 1915.
  North Dakota, acreage, 1891-1916. D.B. 757, pp. 1, 6, 7. 1919.
  nurse crop for alfalfa, Belle Fourche project, 1913. B.P.I. [Misc.], "The work of the Belle Fourche * * * 1913," p. 11. 1914.
  oil-content experiments. D.B. 655, pp. 16. 1918.
  planting—
    and harvesting dates, by season and by States. Stat. Bul. 85, pp. 89-92. 1912.
    intentions and outlook for 1924. M.C. 23, pp. 2, 4, 10. 1924.
  position in American agriculture. Y.B., 1922, pp. 470, 568. 1923; Y.B. Sep. 891, pp. 470, 568. 1923.
  production, seed and fiber, world countries, 1905-1907. Y.B., 1908, p. 706. 1909; Y.B. Sep. 498, p. 706. 1909.
  pulling, comparison to cutting. F.B. 669, pp. 10-11. 1915.
  pulp, preparation, laboratory tests. D.B. 322, pp. 6-11. 1916.
  rotation—
    and tillage, tests at field station near Mandan, N. Dak. D.B. 1301, p. 56. 1925.
    with grain crops. D.B. 883, p. 3. 1920; F.B. 785, pp. 11-13. 1917.
  Russian, adaptation to Montana dry-farming. F.B. 749, pp. 19, 22. 1916.

Flax—Continued.
 seed—
  and straw utilization. B.P.I. Cir. 114, p. 7. 1913.
  bed, preparation. F.B. 669, pp. 7-9, 19. 1915; F.B. 785, pp. 13-14. 1917.
  pedigreed, yield increase, methods. D.B. 1092, pp. 19, 21. 1922.
  production—
   A. C. Dillman. F.B. 1328, pp. 17. 1924.
   Charles H. Clark. F.B. 785, pp. 20. 1917.
  threshing and separating. B.P.I. Cir. 114, pp. 5-6. 1913.
  See also Flaxseed; Linseed.
 seeding—
  date and rate, Montana dry-lands. F.B. 749, pp. 20-21, 22. 1916.
  harvesting, threshing, when sown on wheatfields. B.P.I. Cir. 114, pp. 4-6. 1913.
  rate and date, experiments and results. D.B. 883, pp. 21-22, 29. 1920; F.B. 785, pp. 14-16. 1917.
  shading to control heat canker. D.B. 1120, pp. 5-10. 1922.
 Sigger, description and uses. Inv. Nos. 31817, 31818, B.P.I. Bul. 248, p. 51. 1912.
 sowing—
  and harvesting, average date, by States. Y.B., 1910, pp. 491, 493. 1911.
  on winterkilled wheat fields. B.P.I. Cir. 114, pp. 3-7. 1913.
 spinning factories in the world. F.B. 669, pp. 2, 18. 1915.
 statistics—
  1899, 1902, 1909-1914. D.B. 322, pp. 3-4. 1916.
  1907-1911 and 1851-1911, acreage, production, and imports. Y.B. 1911, pp. 589-590, 659, 684-685. 1912; Y.B. Sep. 587, pp. 589-590. 1912; Y.B. Sep. 588, pp. 659, 684-685. 1912.
  1913, acreage, production, value, yield, imports. Y.B. 1913, pp. 432-433, 495. 1914; Y.B. Sep. 360, pp. 432-433. 1914; Y.B. Sep. 361, pp. 495. 1914.
  1914, acreage, production, value, yield, and imports. Y.B. 1914, pp. 586-587, 653, 669, 685. 1915; Y.B. Sep. 654, pp. 586-587. 1915; Y.B. Sep. 657, pp. 653, 669, 685. 1915.
  1916, acreage, production, yield, and prices. Y.B. 1916, pp. 602-606. 1917; Y.B. Sep. 719, pp. 42-46. 1917.
  1917, acreage, production, yield, prices, exports and imports. Y.B. 1917, pp. 646-650, 761, 781, 797. 1918; Y.B.Sep. 759, pp. 42-46. 1918; Y.B. Sep. 762, pp. 5, 25, 41. 1918.
  1918, acreage, production, yield, prices, exports, and imports. Y.B. 1918, pp. 493-502. 1919; Y.B. Sep. 791, pp. 53-56. 1919.
  1919, acreage, production, and value. Y.B. 1919, pp. 557-560. 1920; Y.B. Sep. 826, pp. 557-560. 1920.
  1920, acreage, production, and value. Y.B., 1920, pp. 67-71. 1921; Y.B. Sep. 861, pp. 67-71. 1921.
  1921, acreage, production, and value. Y.B., 1921, pp. 568-575. 1922; Y.B. Sep. 868, pp. 62-69. 1922.
  1922, acreage, production, and value, 1909-1922. Y.B. 1922, pp. 647-656. 1923; Y.B. Sep. 881, pp. 647-656. 1923.
  1924. Y.B., 1924, pp. 639-647. 1925.
  foreign countries, 1909-1912. Stat. Cir. 45, pp. 17-18. 1913.
 stem anatomy in relation to retting. Robert L. Davis. D.B. 1185, pp. 27. 1923.
 straw—
  American, utilization in the paper and fiberboard industry. Jason L. Merrill. D.B. 322, pp. 24. 1916.
  use and value in paper making, experiments. B.P.I. Cir. 82, pp. 15-16. 1911; B.P.I. Cir. 1, pp. 12-13. 1916.
  utilization and value for paper and fiber board. News L., vol. 3, No. 24, pp. 1, 3. 1916.
 subsoiling, effects on yields, experiments. J.A.R. vol. 14, pp. 488-490, 503. 1918.
 textile fiber, description and differentiation from oil-producing varieties. D.B. 883, p. 25. 1920.
 tow—
  bleaches, laboratory tests. D.B. 322, pp. 19, 20. 1916.

Flax—Continued.
 tow—continued.
  manufacture, supply, mill and laboratory tests. D.B 322, pp. 16-21. 1916.
  utilization for paper making. An. Rpts., 1916, pp. 150-151. 1917; B.P.I. Chief Rpt., 1916, pp. 14-15. 1916.
 transpiration studies, Akron, Colorado. J.A.R., vol. 7, pp. 168-179, 183, 192, 195, 203. 1916.
 use—
  as nurse crop. F.B. 785, pp. 11-12. 1917.
  for binder twine. Y.B. 1911, p. 199. 1912; Y.B. Sep. 560, p. 199. 1912.
 value—
  comparison with other crops. F.B. 785, pp. 5-6. 1917.
  per acre and comparison with wheat and oats. D.C. 341, p. 2. 1925.
 varietal—
  experiments—
   at Belle Fourche farm. D.B. 1039, pp. 42-45, 68-69, 71, 72. 1922.
   at San Antonio Experiment Farm. W.I.A. Cir 10, pp. 16-17. 1916.
   on irrigated land, Belle Fourche Farm. D.B. 1039, pp. 65-69, 72. 1922.
  tests—
   Belle Fourche Experiment Farm, 1912-1916. W.I.A. Cir 44, pp. 23-24. 1917.
   Yuma Experiment Farm, in 1914 and 1919. D.C. 221, pp. 26-27. 1922.
 varieties—
  and—
   culture. An. Rpts., 1920, p. 171. 1921.
   retting, studies. B.P.I. Chief Rpt., 1925, p. 21. 1925.
  descriptions, and sources. D.B. 883, pp. 12-17, 25-28. 1920.
  importations and descriptions. Nos. 36565-36566, 36849-36850, B.P.I. Inv. 37, pp. 32, 74. 1916.
  stations and soils in oil-yield experiments. D.B. 655, pp. 2-3. 1918.
  testing—
   Belle Fourche, South Dakota. W.I.A. Cir. 9, pp. 21-22. 1916; W.I.A. Cir. 24, pp. 24, 27. 1918; D.C. 60, pp. 15-16. 1919.
   results and discussion, with key to varieties. D.B. 883, pp. 11-28. 1920.
  wilt resistance, nature and inheritance study. J.A.R. vol., 11, pp. 573-606. 1917.
  vitality of buried seed. J.A.R., vol. 29, p. 354. 1924.
 waste—
  comparison with flax straw. D.B. 322, pp. 5-6. 1916.
  imported, quantity and value. D.B. 322, pp. 2, 5, 13. 1916.
  paper making, value and use. Chem. Cir. 41, pp. 12, 19. 1908.
 water requirements of different varities. J.A.R., vol. 3, pp. 15, 52, 59. 1914.
 wilt. See Wilt.
 wilt-resistant strains, development in North Dakota, Barnes County. Soil Sur. Adv. Sh., 1912, p. 13. 1914; Soils F.O., 1912, p. 1929. 1915.
 winter—
  growing in Southwest. An. Rpts., 1919, p. 154. 1920; B.P.I. Chief Rpt., 1919, p. 18. 1919.
  irrigation and variety tests, Yuma experiment farm, 1916. W.I.A. Cir. 20, p. 24. 1918.
 world—
  acreage and production of seed and fiber, by countries. Sec. [Misc., Spec. "Geography * * * world's agriculture," pp. 55, 57-60. 1917.
  production—
   1896-1921, seed and fiber. Y.B., 1922, p. 650. 1923; Y.B. Sep. 881, p. 650. 1923.
   1920-1922, by countries. Y.B., 1922, pp. 647-649. 1923; Y.B. Sep. 881, pp. 647-649. 1923.
   countries producing, and acreage. F.B.669, p. 2. 1915.
 yields—
  at Mandan, North Dakota. D.B. 1337, p. 15. 1925.
  fall-irrigated plats, South Dakota, 1914, 1915, 1916. D.B. 546, pp. 6-7. 1917.
  in dry-land experiments, North Dakota. D.B. 1293, pp. 6-7, 17. 1925.

Flax—Continued.
　yields—continued.
　　in North Dakota, 1906–1919. D.B. 991, pp. 3, 4, 18. 1921.
　　in rotations, experiments. W.I.A. Cir. 22, pp. 10, 11, 12. 1918.
　　on Fargo clay loam. Y.B., 1911, pp. 229–236. 1912; Y.B. Sep. 563, pp. 229–236. 1912.
　　on wheat fields, Ohio. B.P.I. Cir. 114, p. 6. 1913.
　　per acre. D.B. 1338, p. 5. 1925.
Flaxseed—
　acreage—
　　1909, and estimate for 1915, by States, map. Y.B., 1915, p. 359. 1916; Y.B. Sep. 681, p. 359. 1916.
　　and production—
　　　1913, value, and estimates. F.B. 570, pp. 8, 15, 16, 17, 18, 33. 1913; F.B. 645, p. 35. 1914.
　　　1922, imports and exports. Y.B., 1922, pp. 533–538. 1923; Y.B. Sep. 891, pp. 533–538. 1923.
　　　1924, by States. Y.B., 1924, p. 640. 1925.
　　　1925. Sec. A.R. 1925, pp. 3, 102–103. 1925.
　　in India, 1910–1912. Stat. Cir. 28, p. 5. 1912.
　adulteration and testing directions. F.B. 428, pp. 7, 9, 45. 1911.
　amount and value—
　　1909. An. Rpts., p. 12. 1910; Rpt. 91, p. 8. 1909; Sec. A.R., 1909, p. 12. 1909; Y.B., 1909, p. 12. 1910.
　　1910, estimate. An. Rpts., 1910, p. 15. 1911; Sec. A.R., 1910, p. 15. 1910; Rpt. 93, p. 12, 1911; Y.B., 1910, p. 15. 1911.
　　1911, estimate. Sec. A.R., 1911, p. 16. 1911; Y.B., 1911, p. 16. 1912; An. Rpts., 1911, p. 18. 1912.
　area and production, by world countries, 1907–1911. Stat. Cir. 29, pp. 16–18. 1912.
　Argentine—
　　production and exports, 1915. Y.B., 1915, pp. 285–286. 1916; Y.B. Sep. 677, pp. 285–286. 1916.
　　statistics, 1890–1912. Stat. Cir. 30, pp. 9, 11. 1912.
　as farm crop in 1925. A. C. Dillman and others. D.C. 341, pp. 14. 1925.
　British India, statistics, 1891–1912. Stat. Cir. 36, pp. 9–10. 1912.
　bushel weights, Federal and State. Y.B., 1918, p. 724. 1919; Y.B. Sep. 795, p. 60. 1919.
　calf feeding, experiments. F.B. 381, p. 22. 1909.
　classes and grades. Y.B., 1922, pp. 543–545. 1923; Y.B. Sep. 891, pp. 543–545. 1923.
　composition. J.A.R., vol. 5, p. 1162. 1916.
　consumption in the United States. D.C. 341, pp. 2–3. 1925.
　crushing for oil and cake. Y.B., 1922, pp. 535, 544, 545. 1923; Y.B. Sep. 891, pp. 535, 544, 545. 1923.
　cultivation in United States, statistical history. Y.B., 1902, pp. 427–428. 1903.
　demand and supply. Y.B., 1917, pp. 528–529. 1918; Y.B. Sep. 757, pp. 34–35. 1918.
　estimates, 1910–1922. M.C. 6, p. 9. 1923.
　exports—
　　and imports—
　　　1906–1910. Y.B., 1910, pp. 662, 672. 1911. Y.B. Sep. 554, pp. 662, 672. 1911.
　　　1911–1920, world countries. Y.B., 1921, pp. 574–575. 1922; Y.B. Sep. 868, pp. 68–69. 1922.
　　Argentina for 1915. Y.B., 1915, pp. 284, 285. 1916; Y.B. Sep. 677, pp. 284, 285. 1916.
　　northern border and lake ports, 1871–1909. Stat. Bul. 81, pp. 51–52. 1910.
　growing—
　　Argentina, location, seeding, and harvesting. Y.B., 1915, pp. 282, 286, 292. 1916; Y.B. Sep. 677, pp. 282, 286, 292. 1916.
　　Hawaii, methods and yield. Hawaii A.R., 1914, p. 40. 1915.
　handling and sowing. F.B. 274, pp. 15, 16, 19. 1907.
　hauling from farm to shipping points, costs. Stat. Bul. 49, pp. 22, 37. 1907.
　importations, Jan. 1 to March 31, 1914. Nos. 36937, 36938, 37085–37089, 37214, B.P.I. Inv. 38, pp. 6, 11, 35, 46. 1917.

Flaxseed—Continued.
　imports—
　　1901–1924. Y.B. 1924, pp. 644, 1063, 1076. 1925.
　　1907–1909, quantity and value, by countries from which consigned. Stat. Bul. 82, p. 54. 1910.
　　1908–1910, quantity and value, by countries from which consigned. Stat. Bul. 90, p. 58. 1911.
　　of world countries, 1911–1920. Y.B., 1921, pp. 574–575. 1922; Y.B. Sep. 868, pp. 68–69. 1922.
　　since 1909, discussion. F.B. 785, p. 4. 1917.
　　increase by growing two crops per year, methods. D.B. 1092, pp. 21, 22. 1922
　losses—
　　1909–1918, from specified causes. D.B. 1043, pp. 6, 8, 10. 1922.
　　1909–1920, causes and extent. Y.B., 1921, pp. 572. 1922; Y.B. Sep. 868, pp. 66. 1922.
　　1910–1921, extent and causes. Y.B., 1922, p. 653. 1923; Y.B. Sep. 881, p. 653. 1923.
　market statistics, 1910–1921, prices and production. D.B. 982, pp. 211–213. 1921.
　marketing—
　　monthly by farmers, 1914–1922. M.C. 6, p. 42. 1923.
　　systems, production, and demand. Rpt. 98, pp. 49–50. 1913.
　meal, use in calf feeding. B.A.I. Chief Rpt., 1905, p. 198. 1907.
　movement through Canada, 1876–1909. Stat. Bul. 81, pp. 54–55. 1910.
　oil yield, per acre, data. D.B. 883, pp. 14, 15, 17–20, 25. 1920.
　price(s)—
　　and tariff. D.C. 341, p. 3. 1925.
　　farm and market. Y.B., 1924, pp. 645, 646, 647. 1925.
　　increase, responsibility for production increase. News L., vol. 3, No. 39, pp. 1, 3. 1916.
　production—
　　and—
　　　consumption, U. S., and world, 1905–1914. F.B. 785, pp. 3–4. 1917.
　　　introduction of improved varieties. Y.B. 1902, pp. 426–427. 1903.
　　　value, five-year average. D.B. 322, pp. 2–3, 23. 1916.
　　Argentina, 1912, largest in the world. Stat. Cir. 44, pp. 3–4. 1913.
　　commerce, and manufacture in United States. Charles M. Daugherty. Y.B. 1902, pp. 421–438. 1903; Y.B. Sep. 282, pp. 421–438. 1903.
　　cost per acre. Stat. Bul. 73, pp. 38–40, 67. 1909.
　　imports and exports, annual and average, by countries. Stat. Cir. 31, pp. 18, 29, 30. 1912.
　　increase and causes, 1916. News L., vol. 3, No. 39, pp. 1, 3. 1916.
　　marketing, and uses, discussion and historical notes. Y.B., 1922, pp. 533–546. 1923; Y.B. Sep. 891, pp. 533–546. 1923.
　　net imports, and net supply, 1911–1924. D.C. 341, p. 2. 1925.
　　yield and prices—
　　　1913 with comparisons, by States. F.B. 563, pp. 2, 4, 11. 1913.
　　　1914, with comparisons, by States. F.B. 641, p. 28. 1914.
　products and uses. Y.B. 1902, pp. 430–434. 1903.
　quantity per acre for fiber growing. F.B. 669, pp. 9, 19. 1915.
　recleaning and storing. F.B. 1328, pp. 15–16. 1924.
　relation of source to oil yields. D.B. 655, pp. 14–15, 16. 1918.
　requirements for 1919–1920, and available stocks. Sec. Cir. 125, p. 12. 1919.
　sowing, method, time, and rate. F.B. 785, pp. 14–16. 1917.
　statistics—
　　1907–1911. Y.B., 1911, pp. 591–592, 666, 675. 1912; Y.B. Sep. 587, pp. 591–592. 1912; Y.B. Sep. 588, pp. 666, 675. 1912.
　　1908–1912. Y.B., 1912, pp. 633–635, 723, 734. 1913; Y.B. Sep. 614, pp. 633–635. 1913; Y.B. Sep. 615, pp. 723, 734. 1913.

Flaxseed—Continued.
statistics—continued.
1913. Y.B., 1913, pp. 433-435, 499, 506. 1914; Y.B. Sep. 360, pp. 433-435. 1914; Y.B. Sep. 361, pp. 499, 506. 1914.
1914. Y.B., 1914, pp. 587-589, 646, 657, 664. 1915; Y.B. Sep. 654, pp. 587-589. 1915; Y.B. Sep. 656, p. 646. 1915; Y.B. Sep. 657, pp. 657, 664. 1915.
1915. Y.B., 1915, pp. 479-483, 546, 553, 574. 1916; Y.B. Sep. 682, pp. 479-483. 1916; Y.B. Sep. 685, pp. 546, 553, 574. 1916.
1916. Y.B., 1916, pp. 604-606. 1917; Y.B. Sep. 719, pp. 44-46. 1917.
1919. Y.B., 1919, pp. 558-560. 1920; Y.B. Sep. 826, pp. 558-560. 1920.
1921. Y.B., 1921, pp. 73, 570-575, 748, 753, 754, 761, 767. 1922; Y.B. Sep. 875, p. 73. 1922; Y.B. Sep. 868, pp. 64-69. 1922; Y.B. Sep. 867, pp. 12, 17, 18, 25, 31. 1922.
1924. Y.B., 1924, pp. 639-647. 1925.
graphic showing of average production, United States and world. Stat. Bul. 78, pp. 23, 60. 1910.
receipts and shipments at trade centers. Rpt. 98, pp. 288, 332-334. 1913.
Russia, acreage, production, and yield, etc. 1906-1910. Stat. Cir. 40, pp. 16-19. 1912.
storing. F.B. 785, p. 19. 1917.
testing for moisture, directions. B.P.I. Cir. 72, rev., p. 12. 1914.
trade—
international, 1911-1921. Y.B., 1922, p. 655. 1923; Y.B. Sep. 881, p. 655. 1923.
with foreign countries, exports and imports. D.B. 296, pp. 38-39. 1915.
treatment for control of disease. F.B. 669, pp. 8, 9, 19. 1915.
types, varieties, origin, and cleaning. F.B. 785, pp. 7-10. 1917.
use as sheep feed. D.B. 20, p. 44. 1913.
value per acre. D.B. 322, p. 23. 1916.
varieties used in experiments at Mandan, N. Dak. D.B. 883, p. 12. 1920.
vitality studies. D.B. 1092, p. 8. 1922.
weight per bushel, testing. D.B. 472, pp. 5, 6, 7. 1916.
yield, 1909-1924. Y.B., 1924, p. 640. 1925.
See also Linseed.
Flaxseedine, misbranding. Chem. N.J. 3775. Chem. S.R.A. Sup. 6, p. 332. 1915.
"Flaxseeds," Hessian-fly larvae—
description, effect of climatic conditions. B.P.I. Bul. 240, p. 12. 1912.
detection and danger. F.B. 835, p. 4. 1917; F.B. 1083, pp. 7-8, 9. 1920.
Flea(s)—
F. C. Bishopp. D.B. 248, pp. 31. 1915.
and their control. F. C. Bishopp. F.B. 897, pp. 16. 1917.
as a pest to man and animals, with suggestions for their control. F. C. Bishopp. F.B. 683, pp. 15. 1915.
bites—
remedies. D.B. 248, p. 31. 1915; F.B. 683, pp. 14-15. 1915.
symptoms and control method. F.B. 897, p. 15. 1917.
biting habits, and hosts. D.B. 248, pp. 1-4. 1915.
breeding—
places, destruction, methods, and necessity. D.B. 248, pp. 25-31. 1915.
relation of season, climate, and other conditions. F.B. 897, pp. 5-6. 1917.
camp pest, dangers and control. Sec. Cir. 61, pp. 19-20. 1916.
cat—
and dog, distribution. Hawaii A.R., 1907, p. 36. 1908.
description, life history, and control. F.B. 683, pp. 2-3, 8, 10-13. 1915.
remedies. Ent. Bul. 30, pp. 94-95. 1901; Ent. Cir. 108, pp. 1-4. 1909.
chicken—
control measures. Ent. Cir. 170, p. 12. 1913.
description, and control treatment. F.B. 957, p. 46. 1918.
injuries, treatment and prevention. F.B. 1337, pp. 39-40. 1923.

Flea(s)—Continued.
chigoe, injuries to man and animals, description and distribution. D.B. 248, pp. 21-22. 1915.
control—
by derris powder, experiments. J.A.R., vol. 17, p. 192. 1919.
by plant insecticides. D.B. 1201, pp. 7, 8, 26-53. 1924.
directions. D.B. 248, pp. 22-31. 1915; F.B. 897, pp. 10-15. 1917; F.B. 1180, p. 28. 1921.
in buildings and on animals and fowls. F.B. 683, pp. 10-14. 1915.
measures in Hawaii. Hawaii A.R., 1907, pp. 35-37. 1908.
Porto Rico. P.R. Cir. 17, p. 17. 1918.
description, life history and control. F.B. 683, pp. 1-15. 1915.
destruction in immature stages, method. F.B. 897, pp. 11-13. 1917.
disease transmission from dogs to man. D.B. 260, pp. 16, 19-21, 23, 24. 1915.
dog—
agent in disease transmission. D.B. 260, pp. 19-20. 1915.
control experiment. D.B. 888, pp. 9-15. 1920.
description, life history, and control. F.B. 683, pp. 2-3, 10-13. 1915.
injuries to man and animals, description and distribution. D.B. 248, pp. 18-19. 1915.
remedies for house infestation. Ent. Cir. 108, pp. 1-4. 1909.
eradication by use of hydrocyanic-acid gas. F.B. 699, pp. 1-8. 1916.
fumigation, directions and precautions. Ent. Cir. 163, pp. 1-8. 1912.
hen—
description, pest in Hawaii, and control measures. Hawaii A.R., 1914, p. 24. 1915.
life history and development. J.A.R., vol. 23, No. 12, pp. 1007-1009. 1923.
horse, prevention and treatment. B.A.I. [Misc.], "Diseases of the horse," rev., p. 454. 1903; rev., p. 454. 1907; rev., p. 454. 1911; rev., p. 482. 1923.
house. L. O. Howard. Ent. Cir. 108, pp. 4. 1909.
human—
agent in spread of disease from dogs. D.B. 260, p. 19. 1915.
description, life history and control. F.B. 683, pp. 4-6, 10-13. 1915.
injuries to man, description, and distribution. D.B. 248, pp. 16-18. 1915.
kinds attacking dogs, descriptions and control. D.C. 338, pp. 14-16. 1925.
life history—
and habits. D.B. 248, pp. 4-8. 1915; F.B. 897, pp. 3-5. 1917.
distribution, agents in transmitting tapeworms. Y.B., 1905, pp. 145, 161. 1906.
poultry, description and control. F.B. 683, pp. 7-8, 13-14. 1915; F.B. 897, pp. 7-8. 1917.
rat—
description—
dangers, and control. F.B. 683, pp. 1, 3, 9-10. 1915.
occurrence, and habits. D.B. 248, pp. 8-10, 12-13. 1915.
plague transmission. Biol. Bul. 33, pp. 31-32. 1909.
relation to leprosy. Ent. Bul. 67, p. 118. 1907.
remedy, misbranding. I. and F. Bd. S.R.A. 16, pp. 293-294. 1917; I. and F. Bd. S.R.A. 44, p. 1049. 1923.
sticktight—
injuries to chickens and horses, other names, description, and distribution. D.B. 248, pp. 19-21. 1915.
on chickens, danger and control. D.C. 16, pp. 4, 7. 1919.
poultry, pest, description and control. D.C. 19, p. 3. 1919; F.B. 1110, pp. 7, 9. 1920.
studies for southern rural schools. D.B. 305, p. 58. 1915.
transmission of plague by rats, squirrels, etc. An. Rpts., 1912, p. 661. 1913; Biol. Chief Rpt., 1912, p. 5. 1912.
Flea beetle(s)—
apple, description, habits, injuries, and control. F.B. 1270, p. 33. 1923.

Flea beetle(s)—Continued.
  bean, rejection by birds. Biol. Bul. 15, p. 24. 1901.
  beet, habits and control. D.C. 35, pp. 7–8. 1919; F.B. 856, p. 29. 1917.
  cabbage—
    habits and control. D.C. 35, p. 12. 1919.
    western. F. H. Chittenden and H. O. Marsh. D.B. 902, pp. 21. 1920.
  cactus, description. Ent. Bul. 113, p. 22. 1912.
  catchers, description and cost. Ent. Bul. 66, Pt. VI, pp. 88–89. 1910.
  cranberry, injuries, description, and control. F.B. 860, pp. 19–20. 1917.
  cucumber, control. Ent. Bul. 67, p. 111. 1907.
  desert corn—
    V. L. Wildermuth. D.B. 436, pp. 23. 1917.
    life history and habits. D.B. 436, pp. 7–15, 21. 1917.
  grape, description, life history, and control. F.B. 284, pp. 23–27. 1907; F.B. 1220, pp. 26–27. 1921.
  grapevine. See Grapevine flea beetle.
  habits and control. D.C. 40, pp. 4–5. 1919.
  hop—
    description, life history, and control. Ent. Bul. 66, pp. 71–92. 1910; Ent. Bul. 82, pp. 33–58. 1912.
    diseases, and enemies. Ent. Bul. 82, Pt. IV, pp. 47–48. 1910.
    food plants. Ent. Bul. 66, Pt. VI, pp. 76–77, 81. 1910; Ent. Bul. 82, Pt. IV, pp. 40–41. 1910.
    hosts and habits. Sec. [Misc.], "A manual of insects * * *," p. 135. 1917.
  horse-radish—
    control by spraying and replanting. D.B. 535, pp. 13–14. 1917.
    life history and distribution. F. H. Chittenden and Neale F. Howard. D.B. 535, pp. 16. 1917.
  injury to—
    cabbage, description and control. F.B. 856, pp. 35–36. 1917.
    muscadine grapes, control methods. B.P.I. Bul. 273, p. 40. 1913.
    ornamental plants, control studies. Ent. Bul. 127, Pt. I, pp. 6, 7–9. 1913.
    sugar beets, control methods. D.B. 238, p. 16. 1915.
    tobacco. P.R. An. Rpt., 1907, pp. 17–34. 1908.
    tomatoes, and control. F.B. 1338, pp. 23–24. 1923.
    vegetables in Porto Rico, description. D.B. 192, p. 6. 1915.
  oak, hosts and habits. Sec. [Misc.], "A manual of insects * * *," p. 151. 1917.
  parasite. Ent. Bul. 66, Pt. VI, p. 82. 1909.
  potato. See Potato flea beetle.
  red-legged. description, habits, injuries, and control. F.B. 1270, p. 32. 1923.
  remedy. Ent. Bul. 30, p. 91. 1901.
  spread of mosaic disease, experiments. J.A.R., vol. 19, p. 329. 1920.
  strawberry, control. An. Rpts., 1923, p. 403. 1924; Ent. A.R., 1923, p. 23. 1923.
  sweet potato, injuries and control. F.B. 856, p. 64. 1917.
  three-lined, rejected by birds. Biol. Bul. 15, p. 46. 1901.
  tobacco. See Tobacco flea beetle.
  tomato enemies, description, and control methods. F.B. 856, pp. 6, 68. 1917; S.R.S. Doc. 95, pp. 4–5. 1919.
  turnip, control. F.B. 479, p. 6. 1912.
  yellow-necked, description, distribution, and control methods. Ent. Bul. 82, pp. 29–32. 1912.
Flea hopper, garden—
  in alfalfa, and its control. A. H. Beyer. D.B. 964, pp. 27. 1921.
  injury to alfalfa and control. F.B. 1283, p. 35. 1922.
  life history and habits. D.B. 964, pp. 17–23, 26. 1921.
leabane—
  Canada—
    distillation for oil of erigeron. B.P.I. Bul. 195, p. 38. 1910.
    habitat, range, description, uses, collection, and prices. B.P.I. Bul. 219, pp. 38–39. 1911.

Fleabane—Continued.
  Canada—Continued.
    production, distillation, and uses. B.P.I. Bul. 235, pp. 7, 8. 1912.
    characters. News L., vol 2, No. 40, p. 2. 1915.
    description, distribution, spread and products injured. F.B. 660, p. 28. 1915.
    leaf spot, occurrence and description. B.P.I. Bul. 226, p. 95. 1912.
  See also Whitetop.
Flecks, pith-ray—
  in wood. H. P. Brown. For. Cir. 215, pp. 15. 1913.
  tree hosts, list. For. Cir. 215, pp. 9–10. 1913.
Fleece(s)—
  Angora, goat—
    quality, effect of atmosphere, weight, care, etc. B.A.I. Bul. 27, pp. 13–14, 26–27, 49–50. 1901.
    weight and handling. F.B. 137, pp. 17–23. 1901; F.B. 573, pp. 7–8. 1914.
  See also Goat, Angora; Mohair.
  cleaning, to remove grease and dirt. D.B. 1100, pp. 2–6, 11–17. 1922.
  crop on irrigated farms. F.B. 1051, pp. 17, 19, 20, 21, 24, 28, 29. 1919.
  crossbred sheep, testing for grease and dirt, results. D.B. 1100, pp. 11–15. 1922.
  examination in judging animals, directions. F.B. 1199, pp. 13–18, 19. 1921.
  improper tying. D.B. 206, pp. 9, 30. 1915.
  mohair, production, 1899, 1909, sources, weight, and prices. F.B. 573, pp. 1–3. 1914.
  Rambouillet sheep, testing for grease and dirt, results. D.B. 1100, pp. 11–15. 1922.
  tying, packing, and storing for market. F.B. 527, pp. 11–13. 1913.
  weights and farm value, average. Y.B., 1923, pp. 295–297. 1924; Y.B. Sep. 894, pp. 295–297. 1924.
FLEMING, B. P.: "Irrigation investigations on Sand Creek, Albany County, Wyo." O.E.S. Bul. 133, pp. 101–122. 1903.
FLEMING, F. L.: "Relation of the density of cell sap to winter hardiness in small grains." With S. C. Salmon. J.A.R., vol. 13, pp. 497–506. 1918.
FLEMING, R. M.: "The toxicity to fungi of various oils and salts, particularly those used in wood preservation." With C. J. Humphrey. D.B. 227, pp. 38. 1915.
Flesh, frozen, bacterial content. Chem. Cir. 64, p. 13. 1910.
Fleshing—
  chicken, broilers, advantage. D.B. 657, pp. 10–11, 12. 1918.
  poultry, rations for packing-house feeding. D.B. 1052, pp. 1–24. 1922.
FLETCHER, A. B.—
  "Highways and highway transportation." With others. Y.B., 1924, pp. 97–184. 1925.
  "Macadam roads." F.B. 338, p. 39. 1908.
  "Report of study of California highway system." With others. Rds. [Misc.], "Report of study * * *, 1920, rev., 1921," pp. 171. 1922.
  "The construction of macadam roads." Rds. Bul. 29, pp. 56. 1907.
FLETCHER, C. C.—
  "Conservation of fertilizer materials from minor sources." Y.B., 1917, pp. 285–288. 1918; Y.B. Sep. 733, pp. 8. 1918.
  "Home mixing of fertilizers." Y.B., 1919, pp. 185–190. 1919; Y.B. Sep. 780, pp. 8. 1919.
  "Home production of lime by the farmer." Y.B., 1919, pp. 335–341. 1920; Y.B. Sep. 814, pp. 335–341. 1920.
  "Modification of the method of mechanical soil analysis." With H. Bryan. Soils Bul. 84, pp. 16. 1912.
  "The stable manure business of big cities." Y.B., 1916, pp. 375–379. 1917; Y.B. Sep. 716, pp. 5. 1917.
FLETCHER, S. W.—
  report of Virginia Experiment Station—
    1907. O.E.S. An. Rpt., 1907, pp. 178–180. 1908.
    1908. O.E.S. An. Rpt., 1908, pp. 178–180. 1909.
    1909. O.E.S. An. Rpt., 1909, pp. 194–197. 1910.
    1910. O.E.S. An. Rpt., 1910, pp. 254–257. 1911.
    1911. O.E.S. An. Rpt., 1911, pp. 213–215. 1912.
    1912. O.E.S. An. Rpt., 1912, pp. 217–219. 1913.
    1913. O.E.S. An. Rpt., 1913, pp. 84–85. 1915.
    1914. O.E.S. An. Rpt., 1914, pp. 233–236. 1915.

INDEX TO PUBLICATIONS, 1901-1925 — 891

FLETCHER, S. W.—Continued.
"Syllabus of illustrated lecture on farm home grounds—Their planting and care." O.E.S.F. I.L. 14, pp. 16. 1912.

FLETCHER, W. F.—
"Apples and peaches in the Ozark region." With H. P. Gould. B.P.I. Bul. 275, pp. 95. 1913.
"Bridge grafting of fruit trees." F.B. 710, pp. 8. 1916.
"Canning peaches on the farm." With H. P. Gould. F.B. 426, pp. 26. 1910.
"The native persimmon." F.B. 685, pp. 28. 1915.

Fleurent-Manget method of determining gliadin and glutenin in flour. Chem. Bul. 81, pp. 118-125. 1904.

Flexor metatarsi, rupture, cause, symptoms, and treatment. B.A.I. [Misc.], "Diseases of the horse," rev., p. 352-353. 1903; rev., 352-353. 1907; rev., 352-353. 1911; rev., 377-379. 1923.

Flicker(s)—
Athabaska-Mackenzie region. N.A. Fauna 27, pp. 386-389. 1908.
carriers of chestnut-blight fungus. J.A.R., vol. 2, pp. 409, 413, 414. 1914.
description and food habits. F.B. 513, p. 24. 1913; F.B. 630, p. 26. 1915.
enemy of Argentine ant. Ent. Bul. 122, p. 73. 1913.
food habits—
 and occurrence in Arkansas. Biol. Bul. 38, pp. 48-49. 1911.
 distribution. Biol. Bul. 37, pp. 52-58. 1911.
game bird status. Biol. Bul. 12, rev., pp. 24-25. 1902.
gilded, food habits. Biol. Bul. 37, p. 64. 1911.
northern—
 Alaska. N.A. Fauna 30, pp. 39, 89. 1909.
 game bird, status. Biol. Bul. 12, rev., p. 24. 1902.
 range and habits. N.A. Fauna 22, p. 112. 1902.
northwestern, range and habits. N.A. Fauna 21, p. 45. 1901.
protection by law. Biol. Bul. 12, rev., pp. 39, 40, 41. 1902.
red-shafted—
 distribution, food habits, and destruction of insects. Biol. Bul. 34, pp. 25-27. 1910; Biol. Bul. 37, pp. 59-62. 1911; D.B. 107, p. 9. 1914.
 enemy of codling-moth larvae. Y.B., 1911, p. 240. 1912; Y.B. Sep. 564, p. 240. 1912.
 game bird, status. Biol. Bul. 12, rev., p. 24. 1902.
 relation to starlings. D.B. 868, pp. 47, 50, 51. 1920.
 usefulness as enemy of mangrove borer. J.A.R., vol. 16, p. 161. 1919.
 various names, distribution, description, and food value. Biol. Bul. 37, pp. 52-53. 1911.
yellow-shafted, game bird, status. Biol. Bul. 12, rev., p. 24. 1902.

Flindersia maculosa. See Leopard tree.

FLINT, E. M.: "Relation of the action of certain bacteria to the ripening of cheese of the Cheddar type." With others. J.A.R., vol. 2, pp. 193-216. 1914.

FLINT, E. R.—
"Some results of station work." O.E.S. An. Rpt., 1922, pp. 18-77. 1924.
"Work and expenditures of the Agricultural Experiment Stations—
 1917." With others. S.R.S. Rpt., 1917, Pt. I, pp. 335. 1918.
 1918." With others. Work and Exp., 1918, pp. 80. 1920.
 1919." With E. W. Allen and J. I. Schulte. Work and Exp., 1919, pp. 94. 1921.
 1920." With E. W. Allen and J. I. Schulte. Work and Exp., 1920, pp. 94. 1922.
 1921." With E. W. Allen and J. I. Schulte. Work and Exp., 1921, pp. 138. 1923.
 1923." With others. Work and Exp., 1923, pp. 122. 1925.

Float test, road materials. D.B. 314, pp. 9-11. 1915; D.B. 1216, pp. 55-57. 1924.

Floating—
oysters, methods, and description. Chem. Bul. 156, pp. 7, 28, 33-34. 1912.
shellfish (amdt. F.I.D. 110). F.I.D. 121, p. 1. 1910.

Floating—Continued.
sugar-beets—
 fields, California, methods. D.B. 760, pp. 20-21. 1919.
 machinery requirement, description, use, method, and cost. D.B. 735, pp. 14-16. 1918.

Floats—
efficiency in Porto Rican soils. J.A.R., vol. 25, pp. 174-182, 187. 1923.
for dragging fields and breaking clods. F.B. 1092, pp. 12, 13. 1920.
use in crushing clods in growing sugar beets. D.B. 693, p. 21. 1918.
value as fertilizer on marsh soils. F.B. 465, pp. 8-9. 1911.
wheat soils, tests. Soils Bul. 66, pp. 8, 14. 1910.
See also Phosphate, rock.

FLOHR, L. B.—
"Farm operations." With others. Y.B., 1922, pp. 1045-1078. 1923; Y.B. Sep. 890, pp. 1045-1078. 1923.
"Forest statistics." With others. Y.B., 1922, pp. 914-948. 1923; Y.B. Sep. 889, pp. 914-948. 1923.
"Imports and exports of agricultural products." With others. Y.B., 1922, pp. 949-982. 1923; Y.B. Sep. 880, pp. 949-982. 1923.
"Livestock, 1922." With others. Y.B., 1922, pp. 795-913. 1923; Y.B. Sep. 888, pp. 795-913. 1923.
"Market statistics." With Carl J. West. D.B. 982, pp. 279. 1921.
"Marketing butter and cheese by parcel post." With Roy C. Potts. F.B. 930, pp. 12. 1918.
"Marketing eggs by parcel post." F.B.830, pp. 23. 1917.
"Marketing of canning-club products." Mkts. Doc. 5, pp. 8. 1917.
"Miscellaneous agricultural statistics, 1922." With others. Y.B., 1922, pp. 983-1044. 1923; Y.B., Sep. 887, pp. 983-1044. 1923.
"Shipping eggs by parcel post." F.B. 594, pp. 20. 1914.
"Statistics of crops other than grain crops, 1922." With others. Y.B., 1923, pp. 666-794. 1923; Y. B., Sep. 884, pp. 666-794. 1923.
"Statistics of grain crops, 1922." With others. Y.B., 1922, pp. 569-665. 1923; Y.B. Sep. 881, pp. 569-665. 1923.
"Suggestions for parcel-post marketing." With C. T. More. F.B. 703, pp. 19. 1916.

Flood(s)—
and—
 flood warnings, 1901. Y.B., 1901, pp. 477-486. 1902; Y.B. Sep. 250, pp. 477-486. 1902.
 river(s) of the Sacramento and San Joaquin watersheds. Nathaniel R. Taylor. W.B. Bul. 43, pp. 92. 1913.
 river service, 1914. An. Rpts., 1914, p. 52. 1914; W.B. Chief Rpt., 1914, p. 4. 1914.
cause—
 by loss of forest cover, losses in south. D.B. 364, pp. 2, 6. 1916.
 of farm abandonment. Rpt. 70, pp. 13-15. 1901.
conditions—
 in Manti National Forest, Utah. For. Bul. 91, pp. 5, 7-15. 1911.
 increase and causes. For. Cir. 176, pp. 6-11. 1910.
control—
 by forest conditions. For. Cir. 176, p. 3. 1910.
 in national forests. Y.B., 1914, pp. 75-78. 1915; Y.B. Sep. 633, pp. 75-78. 1915.
damage in 1915, 1916. News L., vol. 4, No. 26, p. 2. 1917.
damaged lands in Kansas River Valley, reclamation by forest plants. George L. Clothier. For. Cir. 27, pp. 5. 1904.
drainage studies. O.E.S. Chief Rpt., 1913, p. 12. 1913; An. Rpts., 1913, p. 282. 1914.
forecasting—
 at Cairo, Ill., practical rules. P. H. Smyth. W.B. [Misc.], "Proceedings, third convention * * *," pp. 102-109. 1904.
 by Weather Bureau, results. An. Rpts., 1912, pp. 38-39, 183. 1913; Sec. A.R., 1912, pp. 38-39, 183. 1912; Y.B., 1912, pp. 38-39, 183. 1913.
frequency and duration, studies and results. For. Cir. 176, pp. 3-4. 1910.

36167°—32——57

892   UNITED STATES DEPARTMENT OF AGRICULTURE

Flood(s)—Continued.
 historical accounts. Y.B., 1908, p. 299. 1909; Y.B. Sep. 481, p. 299. 1909.
 in—
  Kansas, Marais des Cygnes Valley, description, and prevention methods. O.E.S. Bul. 234, pp. 10-11, 14-27. 1911.
  Kansas, Neosho Valley, investigations. Pub. [Misc.], "Investigations of Neosho Valley * * *," p. 1. 1923.
  Kansas, Neosho Valley, prevention of injury. J.O. Wright. O.E.S. Bul. 198, pp. 44. 1908.
  Louisiana, relation to capacity of pumping plants. D.B. 71, pp. 67-76. 1914.
  Manti, National Forest, Utah, damage and control methods. For. Bul. 91, pp. 9-11. 1911.
  Mississippi and Ohio Valleys, 1913. Alfred J. Henry. W.B. Bul. Z, pp. 117. 1913.
  Sacramento Valley, California, control, study of problem. O.E.S. Bul. 207, pp. 16-19, 28-31. 1909.
 increase—
  and decrease on certain rivers. For. Cir. 176, pp. 3-6. 1910.
  and severity caused by erosion. Y.B., 1916, pp. 116, 121-122. 1917; Y.B. Sep. 688, pp. 10, 15-16. 1917.
 principal causes. For. Cir. 176, p. 11. 1910.
 Kansas River, 1903, cause and extent of losses. Y.B., 1916, p. 116. 1917; Y.B. Sep. 688, p. 10. 1917.
 lands, reclamation projects, Louisiana, Iberia Parish. Soil Sur. Adv. Sh., 1911, pp. 45-48. 1912; Soils F.O., 1911, pp. 1169-1172. 1914.
 losses—
  caused by, 1909-1918. D.B. 1043, pp. 6, 7, 8, 9, 10, 11. 1922.
  in—
   1922, summary. An. Rpts., 1922, pp. 78-79. 1922; W.B. Chief Rpt., 1922, pp. 12-13. 1922.
   1923, and property saved by warnings. An. Rpts., 1923, pp. 111, 112. 1923; W.B. Chief Rpt., 1923, pp. 9, 10. 1923.
   1924, warnings by Weather Bureau. W.B. Chief Rpt., 1924, pp. 7-8. 1924.
 Mississippi—
  and Ohio, 1912. H. C. Frankenfield. W.B. Bul. Y, pp. 25. 1913.
  watershed, spring of 1903. H.C. Frankenfield. W.B. Bul. M, pp. 63. 1904.
 prevention by watersheds. M.C. 47, p. 6. 1925.
 Red River of the North, description and results. D.B. 1017, pp. 49-59, 88. 1922.
 relief, seed distribution. An. Rpts., 1917, p. 148. 1918; B.P.I. Chief Rpt., 1917, p. 18. 1917.
 Sacramento and San Joaquin watersheds. Nathaniel R. Taylor. W.B. Bul. 43, pp. 92. 1913.
 southern roads, control methods, studies. Rds. Cir. 95, pp. 7-10. 1911.
 sufferers relief, bills. Off. Rec., vol. 1, No. 22, pp. 1, 2. 1922.
 value in Argentine-ant control. Ent. Bul. 122, p. 76. 1913.
 warnings, use by farmers. Y.B., 1909, p. 398. 1910; Y.B. Sep. 522, p. 398. 1910.
 water, storage, effect on ground water level, studies. An. Rpts., 1914, p. 266. 1914; O.E.S. Chief Rpt., 1914, p. 12. 1914.
 See also Rivers.
Flooding—
 control for Mediterranean fruit fly. D.B. 536, pp. 112-115. 1918.
 cotton fields, for control of boll weevil. An. Rpts., 1913, p. 213. 1914; Ent. A.R., 1913, p. 5. 1913.
 cow, treatment. B.A.I. [Misc.], "Diseases of cattle," rev., pp. 216-217. 1912.
 cranberry—
  bogs—
   for control of girdler. D.B. 554, pp. 15-17. 1917.
   for insect control. D.B. 1032, pp. 22, 34, 40. 1922; F.B. 860, pp. 7-42. 1917.
  marshes for frost protection. Y.B., 1911, p. 213. 1912; Y.B. Sep. 562, p. 213. 1912.
 gopher destruction—
  directions. Y.B., 1909, p. 216. 1910; Y.B. Sep. 506, p. 216. 1910.

Flooding—Continued.
 gopher destruction—continued.
  in irrigated districts. Biol. Cir. 52, rev., p. 4. 1908.
 irrigation method, land preparation, tools, and cost. F.B. 373, pp. 20-25. 1909; F.B. 865, pp. 11-16. 1917.
 mare, treatment. B.A.I. [Misc.], "Diseases of the horse," rev., p. 184. 1903; p. 184. 1907; p. 184. 1911; p. 205. 1923.
 method of irrigation. Y.B., 1909, pp. 295-296. 1910; Y.B. Sep. 514, pp. 295-296. 1910.
 rice fields—
  directions, methods. F.B. 417, pp. 14-15. 1910.
  for control of southern grass worm. F.B. 1086, p. 8. 1920.
  methods. F.B. 673, pp. 2, 11-12. 1915.
 use in—
  control of—
   green June beetles. D.B. 891, pp. 39, 49. 1922.
   root knot. B.P.I. Bul. 217, pp. 52, 58-60, 74. 1911.
  reclamation of alkali soils. O.E.S. Cir. 103, pp. 28-29. 1911.
  various kinds, value in control of rice waterweevil. Ent. Cir. 152, pp. 15-17, 19. 1912.
Floodway(s)—
 data, computation, Mississippi, Big Black River lands. D.B. 181, pp. 38-39. 1915.
 overflowed lands, clearing and maintenance. D.B. 181, pp. 31, 35. 1915.
Floors—
 and floor coverings. F.B. 1219, pp. 36. 1921.
 barn, for sheep. F.B. 810, p. 8. 1917.
 basement—
  cellar, and barn, use of oil-mixed concrete. Rds. Bul. 46, pp. 13-14, 17. 1912.
  use of oil-mixed cement, methods, and formula. D.B. 230, pp. 10-11. 1915.
 car, construction, relation to broken packages of grapes. Mkts. Doc. 14, p. 7. 1918.
 care of. F.B. 1219, pp. 16-18. 1921.
 chicken house, board, dirt, or cement, care of. D.C. 19, p. 7. 1919.
 cleaning and polishing. F.B. 1180, p. 13. 1921.
 composition and treatment, and coverings. F.B. 1219, pp. 1-36. 1921.
 concrete—
  basement. F.B. 235, p. 18. 1905.
  composition and tile, advantages and disadvantages. F.B. 1219, p. 14. 1921.
  construction. F.B. 1214, p. 4. 1921.
  feeding, construction, and cost. F.B. 481, pp. 6-20. 1912.
  construction for abattoirs and packing houses. B.A.I. An. Rpt., 1909, pp. 252-254. 1911; B.A.I. Cir. 173, pp. 252-254. 1911.
 coverings—
  cleaning, directions. F.B. 1180, p. 14. 1921.
  types and care of. F.B. 1219, pp. 18-35. 1921.
 cracks, treatment for control of carpet beetles. F.B. 1346, p. 13. 1923.
 dairy barn, cement, wood, etc., discussion. B.A.I. Bul. 104, pp. 10, 40-41. 1908; D.B. 1, pp. 13, 27. 1913.
 decay in war buildings. M.C. 39, p. 11. 1925.
 false—
  refrigerator car, value for cantaloupe shipping. Mkts. Doc. 10, pp. 1, 7. 1918.
  value in storage houses. F.B. 852, pp. 16-17, 18, 19. 1917.
 farm, kitchen, materials, care, and coverings. F.B. 607, pp. 5-6. 1914.
 hen houses, comparison with other floors. News L., vol. 5, No. 14, p. 8. 1917.
 house, finish, selection. Y.B., 1914, pp. 349-352. 1915; Y.B. Sep. 646, pp. 349-352. 1915.
 kitchen, covering and care. D.C. 189, p. 4. 1921.
 leaky, cause of waste of heat, prevention. F.B. 1194, p. 17. 1921.
 old, treatment, directions. F.B. 1219, pp. 14-16. 1921.
 paints for. F.B. 1452, p. 9. 1925.
 poultry houses. F.B. 1413, pp. 9, 14. 1924.
 racks, value in cantaloupe cars while in transit, description. Mkts. Doc. 10, pp. 1, 7. 1918.
 relation to utilization of lumber in building. M.C. 39, p. 57. 1925.

… INDEX TO PUBLICATIONS, 1901–1925   893

Floors—Continued.
staining, filling, varnishing, waxing, oiling, and painting. F.B. 1219, pp. 8–14. 1921.
warehouse, construction, details, and materials. D.B. 801, pp. 32–37, 45–46, 57. 1919.
wax, formulas and use. F.B. 1180, pp. 9, 13. 1921.
wood, finishing, tools and materials. F.B. 1219, pp. 6–14. 1921.
thickness, factor in lumber waste. M.C. 39, p. 58. 1925.
use of—
beech, birches and maples in manufacture. D.B. 12, pp. 7, 15, 36–37. 1913.
tanbark oak. For. Bul. 75, p. 31. 1911.
woods used—
for abattoirs. B.A.I. An. Rpt., 1909, p. 253. 1911; B.A.I. Cir. 173, p. 253. 1911.
soft and hard, qualities. F.B. 1219, pp. 5–6. 1921.
Flop dock. See Foxglove.
Flora—
Athabaska-Mackenzie region. N.A. Fauna 27, pp. 515–534. 1908.
bacteria—
effect of stable manure. O.E.S. An. Rpt., 1911, pp. 93–94. 1912.
of—
Cheddar cheese. B.A.I. Bul. 63, pp. 17–26. 1904; J.A.R., vol. 2, p. 179. 1914.
cheese, effect of temperature. B.A.I. Bul. 62, pp. 26–28. 1904.
pasteurized milk, study. B.A.I. Bul. 161, pp. 53–58. 1913.
Roquefort cheese. J.A.R., vol. 13, pp. 225–233. 1918.
characteristic of different soils, Washington, Eastern Puget Sound Basin. Soil Sur. Adv. Sh., 1909, pp. 30–43. 1911; Soils F.O., 1909, pp. 1540–1553. 1912.
honey-yielding, Massachusetts. Ent. Bul. 75, pp. 89–96. 1911.
of—
Alaska—
Kenai Peninsula region, and forest fires. Soils F.O., 1916, pp. 68–75, 101. 1921; Soil Sur. Adv. Sh., 1916, pp. 36–43, 69. 1918.
various sections. Soil Sur. Adv. Sh., 1914, pp. 19–23, 119–121, 144, 188. 1915; Soils F.O., 1914, pp. 53–57, 153–155, 178, 222. 1919.
forest burns, Colorado. For. Bul. 79, pp. 7, 12–17, 19, 20–23, 24–25. 1910.
Guam, specimens collected. Guam A.R., 1913, p. 20. 1914.
New Mexico, different zones. N.A. Fauna 35, pp. 20, 28, 35, 45–46, 49, 51, 52. 1913.
Porto Rico, trees, families, genera, and species, table. D.B. 354, p. 56. 1916.
Texas, relation to life zones. N.A. Fauna 25, pp. 11–14. 1905.
Wyoming, Rock Creek region, description. J.A.R., vol. 6, No. 19, pp. 743–745, 757–758. 1916.
FLORELL, V. H.—
"Australian wheat varieties in the Pacific coast area." With others. D.B. 877, pp. 25. 1920.
"Cereal experiments at Chico, Calif." D.B. 1172, pp. 34. 1923.
"Studies on the inheritance of earliness in wheat." J.A.R., vol. 29, pp. 333–347. 1924.
Floriculture, home—
course for southern schools, references. D.B. 592, pp. 14–15. 1917.
improvement, school studies. S.R.S. Doc. 62, pp. 1–7. 1917.
Florida—
accredited herds, list, No. 3. D.C. 142, pp. 5, 7, 30, 47, 48, 49. 1920.
agricultural—
colleges, and experiment stations—
list of workers, 1923. M.C. 4, Pt. II, pp. 10–11. 1923.
list of workers, 1924. M.C. 17, p. 11. 1924.
organization, 1905. O.E.S. Bul. 161, pp. 17–19. 1905.
organization, 1907. O.E.S. Bul. 176, pp. 19–20. 1907.

Florida—Continued.
agricultural—continued.
colleges, and experiment stations—Continued.
organization, 1908. O.E.S. Bul. 197, pp. 19–21. 1908.
organization, 1910. O.E.S. Bul. 224, pp. 16–18. 1910.
organization, 1912. O.E.S. Bul. 247, pp. 18–19. 1912.
conditions. See Soils surveys of States and areas.
extension work, statistics. D.C. 253, pp. 3, 4, 7, 10–11, 17, 18. 1923.
organizations, directory. Farm M. [Misc.], "Directory * * * agricultural * * *," p. 22. 1920.
schools, work. O.E.S. Cir. 106, rev., pp. 18, 24. 1912.
appropriations for agricultural college building. O.E.S. An. Rpt., 1912, p. 310. 1913.
army-worm infestation, 1907, and control experiments. Ent. Bul. 66, Pt. V., pp. 53, 58–62, 65–68. 1910.
Audubon society, organization. Biol. Cir. 65, p. 14. 1908.
avocado—
growing, extent and progress of industry. Hawaii A.R., 1915, pp. 70–72. 1916.
propagation, cultivation, and marketing. P. H. Rolfs. B.P.I. Bul. 61, pp. 36. 1904.
Baker County, sweet-potato weevil eradication. D.C. 201, pp. 3–8. 1921.
banana root-borer investigation. J.A.R., vol. 19, pp. 39, 41, 46. 1920.
barley crops, 1867–1906, acreage, production, and value. Stat. Bul. 59, pp. 7–8, 17–19, 30. 1907.
bee—
and honey statistics—
1914–1915. D.B. 325, pp. 6, 9, 10, 11, 12. 1915.
1918. D.B. 685, pp. 6, 9, 12, 14, 16, 18, 19, 21, 24, 26, 29, 31. 1918.
disease, occurrence. Ent. Cir. 138, p. 6. 1911.
bird—
and mammal life, survey. An. Rpts., 1923, p. 440. 1924; Biol. Chief Rpt., 1923, p. 22. 1923.
protection. See Bird protection, officials.
reports from observers. D.B. 1165, pp. 9, 26. 1923.
reservations—
conditions, 1918. An. Rpts., 1918, p. 270. 1919; Biol. Chief Rpt., 1918, p. 14. 1918.
details and summary. 1917. Biol. Cir. 87, pp. 9, 10, 16. 1912.
blueberry culture, suggestions. D.B. 974, p. 5. 1921.
boll-weevil—
biology studies. D.B. 926, pp. 1–44. 1921.
control on cotton, planted at different dates. D.B. 1320, p. 41. 1925.
dispersion line, 1922. D.C. 266, pp. 3, 5. 1923.
infested territory, 1912. Ent. Cir. 167, p. 3. 1913.
Brooksville—
bamboo plantation. D.B. 1329, p. 3. 1925.
Field Station, dasheen testing. Y.B., 1916, pp. 202–203. 1917; Y.B. Sep. 689, pp. 4–5. 1917.
Plant Introduction Garden—
Chayote growing. D.C. 286, p. 3. 1923.
work. Y.B., 1916, pp. 135, 136, 143. 1917; Y.B. Sep. 687, pp. 1, 2, 9. 1917.
Buena Vista Field Station work. B.P.I. Chief Rpt., 1914, p. 27. 1914; An. Rpts., 1914, p. 127. 1914.
cabbage production, acreage, yield, and shipments. D.B. 1242, pp. 4, 6, 12–36, 47, 49–52. 1924.
caerulea. See Heron, little blue.
camphor growing, progress. An. Rpts., 1918, pp. 163–164. 1919; B.P.I. Chief Rpt., 1918, pp. 29–30. 1918.
cane growing for sirup making. Chem. Bul. 75, p. 38. 1903.
cantaloupe shipments, 1914. D.B. 315, pp. 17, 18. 1915.
castor bean gray-mold outbreak and prevalence. J.A.R., vol. 23, pp. 680–685, 712. 1923.
cattle tick—
conditions, 1911. B.A.I. An. Rpt., 1910, p. 257. 1912; B.A.I. Cir. 187, p. 257. 1912.

Florida—Continued.
cattle tick—continued.
eradication law. D.C. 184, pp. 14-18. 1921.
celery growing, localities. F.B. 1269, p. 4. 1922.
cigar—
tobacco districts. Stat. Cir. 18, p. 8. 1909.
wrapper tobacco injury by flea beetles. F.B. 1352, p. 1. 1923.
cities, dairy products, consumption and prices, 1905-6. B.A.I. An. Rpt., 1907, pp. 315-317. 1909; F.B. 349, pp. 14-16. 1909.
cities, milk supply, statistics. B.A.I. Bul. 70, pp. 6-7, 31-32. 1905.
citrus—
exchange—
amount of work, 1914-15. Hawaii A.R., 1915, p. 69. 1916.
factor for improving industry in State. F.B. 1122, p. 5. 1920.
tonnage for 1924. Off. Rec., vol. 3, No. 32, p. 2. 1924.
type of cooperation. D.B. 547, pp. 43-44. 1917.
fruit(s)—
acreage. Atl. Am. Agr. Adv. Sh. 2, Pt. II, pp. 89, 90. 1918.
and stock varieties adapted. F.B. 238, pp. 13-14, 36. 1906.
danger of introduction of black fly. D.B. 885, pp. 9, 47-51. 1920.
growers, attempts at cooperation. Y.B., 1910, pp. 392, 400, 406. 1911; Y.B. Sep. 546, pp. 392, 400, 406. 1911.
growing. F.B. 1122, pp. 4-5. 1920.
handling methods, injuries. D.B. 63, pp. 4-12, 25-47. 1914.
in horticultural sections. F.B. 238, pp. 13-14. 1905.
industry, value, marketing, and frost protection. Hawaii A.R., 1915, pp. 68-70. 1916.
marketing. Rpt. 98, pp. 55-58, 208-211. 1913.
spraying experiment with Bordeaux-oil emulsion. D.B. 1178, pp. 1-24. 1923.
varieties, adaptability. F.B. 538, pp. 13-14. 1913.
groves—
stock suitability. F.B. 539, pp. 4-5. 1913; F.B. 238, pp. 36-37. 1906.
woolly white fly. W. W. Yothers. F.B. 1011, pp. 14. 1919.
growing sections. F.B. 1122, pp. 5, 11. 1920.
industry, location, history, and development. D.B. 63, pp. 1-4, 17-18. 1914; F.B. 1343, pp. 1-3, 19-37. 1923.
knot occurrence. B.P.I. Bul. 247, pp. 9, 69. 1912.
mealybug, natural control. A. T. Speare. D.B. 1117, pp. 19. 1922.
melanose, occurrence and control. D.C. 259, pp. 1-8. 1923.
tree spraying—
details, cost, and results. D.B. 645, pp. 1-19. 1918.
for control if insects and mites attacking. W. W. Yothers. F.B. 933, pp. 39. 1918.
white flies, occurrence, descriptions, and importance. J.A.R., vol. 6, pp. 466, 469, 470. 1916.
climate—
correspondence to Guatemalan elevations. D.B. 743, pp. 20, 32. 1919.
temperature, rainfall, and frost records. Soils Cir. 21, pp. 8-10. 1910.
climatic conditions—
comparison with other eucalyptus-growing countries and States. For. Bul. 87, pp. 8-11. 1911.
in relation to fruit fly, discussion. J.A.R., vol. 3, pp. 324-328. 1915.
relation to citrus-scab infection. D.B. 1118, pp. 13-20. 1923.
climatology with regard to crops. A. J. Mitchell. W. B. Bul. 31, pp. 208-211. 1902.
closed season for shore birds and woodcock. Y.B., 1914, pp. 293. 1915; Y.B. Sep. 642, pp. 293. 1915.
commercial fertilizers. F.B. 238, pp. 21-22. 1906.
consolidated schools, conditions, cost, and attendance. O.E.S. Bul. 232, pp. 14, 30, 43, 48, 76. 1910.

Florida—Continued.
convict road work, laws. D.B. 414, pp. 197-198. 1916.
cooperative organizations, statistics, details, and laws. D.B. 547, pp. 12, 15, 32, 40, 43, 68. 1917.
corn—
crops, 1866-1906, acreage, production, and value. Stat. Bul. 56, pp. 7-27, 31. 1907.
growing—
practices and suggestions. F.B. 729, pp. 1-20. 1916; F.B. 1149, pp. 3-19. 1920.
protection from weevils, cost. F.B. 1029, pp. 4-5, 32-33. 1919.
production, movements, consumption, and prices. D.B. 696, pp. 15, 16, 20, 28, 29, 33, 36, 38, 40, 45. 1918.
yields and prices, 1866-1915. D.B. 515, p. 8. 1917.
cotton—
boll-weevil control method. F.B. 1329, p. 30. 1923.
conditions, review since 1890. D.B. 146, pp. 13-15. 1914.
crop, movement, 1899-1904. Stat. Bul. 34, pp. 17-18, 39. 1905.
production—
1916 and 1917. D.B. 733, pp. 3, 7-8. 1918.
and yield. D.B. 896, pp. 3-4. 1920.
stainer, prevalence and injury to cotton. Ent. Cir. 149, pp. 2, 3-4. 1912.
county organization, and expenditures for extension work, 1918. S.R.S. An. Rpt., 1918, pp. 29, 128-158. 1919.
credit, farm-mortgage loans, costs and sources. D.B. 384, pp. 2, 3, 5, 7, 10. 1916.
crop(s)—
acreage and production, 1909-1919. D.C. 85, pp. 14-19. 1920.
conditions—
1912-1914. F.B. 598, p. 14. 1914; F.B. 611, p. 11. 1914; F.B. 620, p. 8. 1914; F.B. 645, p. 10. 1914.
April 1, 1914. F.B. 590, p. 10. 1914.
May, 1914. F.B. 598, pp. 14, 21. 1914.
June 1, 1914. F.B. 604, p. 8. 1914.
Oct. 1, 1914, estimates. F.B. 629, p. 12. 1914.
Nov. 1, 1914, with comparison. F.B. 641, p. 6. 1914.
Mar. 1, 1915, with comparisons. F.B. 665, p. 5. 1915.
April 1, 1915, with comparisons. F.B. 672, p. 7. 1915.
planting and harvesting dates, important crops. Stat. Bul. 85, pp. 21, 48, 97, 105. 1912.
crow roosts, location, and numbers of birds. Y.B., 1915, p. 92. 1916; Y.B. Sep. 659, p. 92. 1916.
dasheen growing at Brooksville station, yield. B.P.I. Doc. 1110, pp. 3-4. 1914.
demurrage provisions and regulations. D.B. 191, pp. 3, 12, 13, 14, 15, 16, 17, 25. 1915.
drainage—
experiments on water flow. D.B. 832, pp. 2, 51-58. 1920.
surveys, 1912. O.E.S. Chief Rpt., 1912, p. 28. 1912; An. Rpts., 1912, p. 842. 1913.
drug—
laws. Chem. Bul. 98, pp. 50-54. 1906; Chem. Bul. 98, rev., Pt. I, pp. 77-84. 1909.
plants, growing. Y.B. 1917, pp. 171-172. 1918; Y.B. Sep. 734, pp. 5-6. 1918.
early settlement, historical notes. See Soil Surveys for various counties and areas.
eucalyptus—
growing, adaptability. For. Bul. 87, pp. 7-12. 1911.
in. Raphael Zon and John M. Briscoe. For. Bul. 87, pp. 47. 1911.
Everglades—
drainage, discussion. O.E.S. Bul. 158, pp. 714-717. 1905.
irrigation problems, studies. D.B. 462, p. 47. 1917.
preliminary survey. An. Rpts., 1907, pp. 131, 711. 1908; O.E.S. Dir. Rpt., 1907, p. 62. 1907; Rpt. 85, p. 93. 1907; Sec. A.R., 1907, p. 130. 1907; Y.B. 1907; p. 129. 1908.
exhibition, cattle shipment. B.A.I.O. 270, p. 1. 1920.

Florida—Continued.
  Experiment Station, work and expenditures, report—
    1908. O.E.S. An. Rpt., 1908, pp. 80–82. 1909.
    1909. O.E.S. An. Rpt., 1909, pp. 90–93. 1910.
    1910. O.E.S. An. Rpt., 1910, pp. 74, 116–121. 1911.
    1911. O.E.S. An. Rpt., 1911, pp. 91–93. 1912.
    1912. O.E.S. An. Rpt., 1912, pp. 94–97. 1913.
    1913. O.E.S. An. Rpt., 1913, pp. 20, 26, 39–40. 1915.
    1914. O.E.S. An. Rpt., 1914, pp. 84–87. 1915.
    1915. S.R.S. Rpt., 1915, Pt. I, pp. 91–94. 1917.
    1916. S.R.S. Rpt., 1916 Pt. I, pp. 89–93. 1918.
    1917. S.R.S. Rpt., 1917, Pt. I, pp. 86–91. 1918.
    1918. Work and Exp. 1918, pp. 35, 37, 49, 54, 56, 59, 70–80. 1920.
  extension work—
    funds allotment, and county-agent work. S.R.S. Doc. 40, pp. 4, 5, 9, 14, 23, 25, 28. 1918.
    in agriculture and home economics, report—
      1915. S.R.S. Rpt., 1915, Pt. II, pp. 52–57. 1917.
      1916. S.R.S. Rpt., 1916, Pt. II, pp. 51–59. 1917.
      1917. S.R.S. Rpt., 1917, Pt. II, pp. 58–63. 1919.
    statistics. D.C. 306, pp. 3, 5, 9, 14, 20, 21. 1924.
  fairs, number, kind, location, and dates. Stat. Bul. 102, pp. 13, 14, 21. 1913.
  farm—
    animals, statistics, 1867–1907. Stat. Bul. 64, p. 111. 1908.
    conditions, letters from women, citations. Rpt., 103, pp. 34, 40, 48, 76. 1915; Rpt., 104, pp. 12, 19, 28, 38, 51, 55, 68, 74. 1915; Rpt., 105, pp. 16, 28, 32, 41, 51, 56, 59. 1915; Rpt., 106, pp. 18, 32, 50, 65. 1915.
    values, changes, 1900–1905. Stat. Bul. 43, pp. 11–17, 29–46. 1906.
    values, 1922. F. B. 1385, pp. 12, 13. 1923.
  Farmers' Institutes—
    history. O.E.S. Bul. 174, p. 25. 1906.
    legislation. O.E.S. Bul. 241, p. 11. 1911.
    report—
      1904. O.E.S. An. Rpt., 1904, p. 636. 1905.
      1906. O.E.S. An. Rpt., 1906, p. 326. 1907.
      1907. O.E.S. An. Rpt., 1907, pp. 321–322. 1908.
      1908. O.E.S. An. Rpt., 1908, p. 308. 1909.
      1909. O.E.S. An. Rpt., 1909, p. 343. 1910.
      1910. O.E.S. An. Rpt., 1910, p. 403. 1911.
      1911. O.E.S. An. Rpt., 1911, p. 369. 1912.
      1912. O.E.S. An. Rpt., 1912, p. 362. 1913.
  fertilizer(s)—
    for citrus fruits. Hawaii Bul. 9, p. 17. 1905.
    prices, 1919, by counties. D.C. 57, pp. 4, 6, 10. 1919.
  fiber plants, introduction. Y.B. 1911, p. 200. 1912; Y.B. Sep. 560, p. 200. 1912.
  field work of Plant Industry, December, 1924. M.C. 30, pp. 13–16. 1925.
  fig growing, notes. F.B. 1031, pp. 3, 10, 16. 1919.
  food—
    laws—
      1903. Chem. Bul. 83, Pt. I, pp. 30–32. 1904.
      1905. Chem. Bul. 69, Pt. II, pp. 129–133. 1902.
      1907. Chem. Bul. 112, Pt. I, pp. 39–44. 1908.
      1908, enforcement. Chem. Cir. 16, rev., p. 8. 1908.
    legislation—
      1904. Chem. Cir. 16, pp. 7, 22, 27. 1904.
      1907. Chem. Bul. 112, Pt. I, pp. 39–44. 1908.
  forage plants, introduction and experiments. Y.B., 1908, pp. 250, 258. 1909; Y.B. Sep. 478, pp. 250, 258. 1909.
  forest—
    area, 1918. Y.B., 1918, p. 717. 1919; Y.B. Sep. 795, p. 53. 1919.
    fires, statistics. For. Bul. 117, p. 28. 1912.
    lands, purchase. Off. Rec., vol. 3, No. 16, p. 2. 1924.
    legislation, 1907. Y.B., 1907, p. 575. 1908; Y.B. Sep. 470, p. 15. 1908.
  forestry laws, 1921, summary. D.C. 239, pp. 7–8. 1922.

Florida—Continued.
  freeze, 1894–95, effect on citrus-fruit growing in Ocala area. Soil Sur. Adv. Sh., 1912, pp. 13, 17, 34, 43, 44, 49, 59. 1913; Soils F.O., 1912, pp. 677, 681, 698, 707, 708, 713, 723. 1915.
  frost protection work. F.B. 104, rev., pp. 27–29. 1910.
  fruit—
    and nut production, 1923. Y.B., 1923, p. 743. 1924; Y.B. Sep. 900, p. 743. 1925.
    and truck growers' associations. Rpt. 98, pp. 206–211. 1913.
    growers, warning and advice. F.B. 1237, p. 35. 1921.
    growing, comparison with that of Hawaii. Hawaii A.R., 1915, pp. 58–73. 1916.
  fumigation of citrus white fly. A. W. Morrill. Ent. Bul. 76, pp. 73. 1908.
  funds for cooperative extension work, sources. S.R.S. Doc. 40, pp. 4, 5, 8, 14. 1917.
  fur animals, laws—
    1915. F.B. 706, p. 5. 1916.
    1916. F.B. 783, pp. 6, 27. 1916.
    1917. F.B. 911, pp. 8, 31. 1917.
    1918. F.B. 1022, p. 8. 1918.
    1919. F.B. 1079, p. 11. 1919.
    1920. F.B. 1165, p. 9. 1920.
    1921. F.B. 1238, p. 8. 1921.
    1922. F.B. 1293, p. 6. 1922.
    1923–24. F.B. 1387, p. 9. 1923.
    1924–25. F.B. 1445, p. 7. 1924.
    1925–26. F.B. 1469, p. 10. 1925.
  game—
    laws—
      1902. F.B. 160, pp. 12, 31, 41, 45, 54. 1902.
      1903. F.B. 180, pp. 10, 22, 37, 44, 46, 53. 1903.
      1904. F.B. 207, pp. 17, 32, 42, 50, 60. 1904.
      1905. F.B. 230, pp. 9, 16, 30, 37, 42. 1905.
      1906. F.B. 265, pp. 15, 29, 37, 42. 1906.
      1907. F.B. 308, pp. 13, 27, 35, 42. 1907.
      1908. F.B. 336, pp. 15, 30, 39, 44, 50. 1908.
      1909. F.B. 376, pp. 6, 12, 20, 33, 39, 42, 46. 1909.
      1910. F.B. 418, pp. 13, 26, 32, 36, 40. 1910.
      1911. F.B. 470, pp. 10, 18, 31, 37, 41, 46. 1911.
      1912. F.B. 510, pp. 13, 25–26, 27, 33, 37, 40, 42. 1912.
      1913. D.B. 22, pp. 12, 20, 25, 39, 45, 48, 52. 1913.
      1914. F.B. 628, pp. 10, 11, 12, 16, 28–29, 30, 36, 37, 40, 47. 1914.
      1915. F.B. 692, pp. 3, 4, 7, 9, 26, 40, 46, 51, 57. 1915.
      1916. F.B. 774, pp. 24, 38, 45, 51, 57. 1916.
      1917. F.B. 910, pp. 15, 50. 1917.
      1918. F.B. 1010, p. 12. 1918.
      1919. F.B. 1077, pp. 14, 53. 1919.
      1920. F.B. 1138, pp. 15–16. 1920.
      1921. F.B. 1235, pp. 17. 1921.
      1922. F.B. 1288, p. 13. 1922.
      1923–24. F.B. 1375, p. 15. 1923.
      1924–25. F.B. 1444, pp. 9–10. 1924.
      1925–26. F.B. 1466, p. 16. 1925.
    organizations, 1920. D.C. 131, pp. 13, 17. 1920.
    protection—
      R. W. Williams, jr. Biol. Cir. 59, pp. 11. 1907.
      See also Game protection, officials.
  Georgia, tobacco blue mold, present status. D.C. 181, pp. 1–4. 1921.
  gooseberry, spiny-fruited, native species, description. J.A.R. vol. 28, pp. 71–74. 1924.
  gain supervision, districts and counties. Mkts. S.R.A. 14, pp. 5–6. 1916.
  grapefruit—
    notes. D.B. 697, pp.1–5, 112. 1918.
    storage changes. L. A. Hawkins and J. R. Magness. J.A.R., vol. 20, pp. 357–373. 1920.
  grasshopper eradication work, 1915, destructiveness of pest. Y.B., 1915, pp. 268, 269–270. 1916; Y.B. Sep. 674, pp. 268, 269–270. 1916.
  greenhouse thrips, occurrence. Ent. Cir. 151, pp. 2, 7, 8. 1912.
  Gulf coast region, farm practices to increase crop yields. F.B. 986, pp. 1–28. 1918.
  Hastings, early potatoes, shipping, description, and distribution. F.B. 1316, pp. 20–23. 1923.

Florida—Continued.
 hay crops, 1866-1906, acreage, production, and value. Stat. Bul. 63, pp. 5-7, 13-15, 17-25, 28. 1908.
 herd(s)—
  lists of tested and accredited. D.C. 54, pp. 6, 27, 50, 77. 1919.
  once-tested, list No. 3, supplement 1. D.C. 143, pp. 3, 21, 62. 1920; suppl. 2. D.C. 144, pp. 3, 8, 16, 19. 1920.
 history of Perrine tract. Off. Rec. vol. 2, No. 4, p. 2. 1923.
 hogs, feeding and marketing. News L., vol. 6, No. 45, p. 10. 1919.
 horsemint, growing and use. D.B. 372, pp. 1-2, 8. 1916.
 importations of plants, regulations, and instructions to postmaster. F.H.B.S.R.A. 33, pp. 132-134. 1916.
 increase of hogs and farm feed. News L., vol. 6, No. 31, pp. 11-12. 1919.
 infestation of banana root borer, and proposed quarantine. F.H.B.S.R.A. 48, p. 2. 1918.
 irrigation—
  in. F.W. Stanley. D.B. 462, pp. 62. 1917.
  need and possibilities. Y.B. 1911, pp. 311, 316, 320. 1912; Y.B. Sep. 570, pp. 311, 316, 320. 1912.
 Jackson County. See Florida, Marianna area.
 Jacksonville fair, cattle shipments, permit. B.A.I.O. 261, pp. 2. 1918.
 Japanese timber-bamboo growing. An. Rpts., 1910, pp. 77, 357. 1911; B.P.I. Chief Rpt., 1910, p. 87. 1910; Sec. A.R., 1910, p. 77, 1910; Y.B., 1910, p. 76. 1911.
 Jefferson County, survey and tillage records for cotton. D.B. 511, pp. 49-51. 1917.
 Key West hurricane, 1909, description. An. Rpts., 1909, pp. 165-170. 1910; W. B. Chief Rpt., 1909, pp. 15-20. 1909.
 Keys, pineapple growing. P.R. Bul. 11, pp. 18-19. 1911.
 labor conditions. See Soil surveys.
 land crabs, control. Off. Rec. vol. 3, No. 7, p. 3. 1924.
 lard supply, wholesale and retail, Aug. 31, 1917, tables. Sec. Cir. 97, pp. 13-31. 1918.
 law(s)—
  against Sunday shooting. Biol. Bul. 12, rev., p. 63. 1902.
  and decisions on livestock sanitary control. D.C. 184, pp. 14-18. 1921.
  contagious diseases of domestic animals, control. 1902-1903. B.A.I. Bul. 54, p. 14. 1904.
  dog control, digest. F.B. 935, p. 13. 1918; F.B. 1268, p. 13. 1922.
  for turpentine sale. D.B. 898, pp. 38-39. 1920.
  hunting. Biol. Bul. 19, pp. 11, 13, 19, 26, 32, 55, 64. 1904.
  nursery stock, shipment, interstate. Ent. Cir. 75, rev., p. 2. 1909; F.H.B.S.R.A. 57, pp. 113-115. 1919.
 legislation—
  protecting birds. Biol. Bul. 12, rev., pp. 15, 18, 33, 34, 35, 36, 37, 43, 45, 46, 47, 48, 84-86, 136. 1902.
  relative to tuberculosis. B.A.I. Bul. 28, p. 16. 1901.
 lemon-grass growing, experiments, results, and cost. D.B. 442, pp. 1-12. 1917.
 lettuce and celery, handling and precooling. J. Ramsey and E. L. Markell. D.B. 601, pp. 29. 1917.
 livestock—
  admission, sanitary requirements—
   1915. B.A.I. [Misc.], "Animals imported * * * ," p. 8. 1915.
   1917. B.A.I. Doc. A.-28, p. 8. 1917.
   1920. B.A.I. Doc., A.-36, pp. 10-11. 1920. 1924. M.C. 14, p. 11. 1924.
  associations. Y.B., 1920, p. 517. 1921; Y.B. Sep. 866, p. 517. 1921.
 lumber—
  cut, 1920, 1870-1920, value, and kinds. D.B. 1119, pp. 27, 30-35, 43, 46, 47, 56, 58, 61. 1923.
  production, 1918. D.B. 845, pp. 6-10, 13, 16, 19, 27, 40, 42-47. 1920.
 Manatee County, road improvement, financing management, maintenance, effect on land values and traffic. D.B. 393, pp. 79-86. 1916.

Florida—Continued.
 mango—
  growing—
   and propagation, progress of industry. Hawaii A.R., 1915, p. 73. 1916.
   anthracnose. S. M. McMurray. D.B. 52, pp. 15. 1914.
  industry, danger from mango weevil. Ent. Cir. 141, p. 1. 1911.
  insects, description and control. F.B. 1257, pp. 1-22. 1922.
 Meadow soil, areas, location, and adaptations. Soils Cir. 68, pp. 14, 20. 1912.
 Merritts Island, Indian River area, temperature and precipitation, monthly. Soil Sur. Adv. Sh., 1913, pp. 8-11. 1915; Soils F. O. 1913, pp. 678-681. 1916.
 meteorological data. Chem. Bul. 127, pp. 28, 39, 48. 1909.
 Miami—
  experiment roads, description. D.B. 53, pp. 31-32. 1913.
  plant introduction garden, work. Y.B., 1916, pp. 135, 144. 1917; Y.B. Sep. 687, pp. 1, 10. 1917.
  road-binding experiments, report, 1913. D.B. 105, pp. 25-29. 1914.
  subtropical garden work, 1908. An. Rpts., 1908, pp. 402-403. 1909.
  subtropical garden, work, 1909. B.P.I. Chief Rpt., 1909, p. 118. 1909; An. Rpts., 1909, p. 370. 1910.
 milk supply and laws. B.A.I. Bul. 46, pp. 34, 59. 1903.
 Monticello, pecan leaf case-bearer, seasonal records, 1913-1915. D.B. 571, pp. 8-14. 1917.
 muck areas, location. Soils Cir. 65, p. 15. 1912.
 Natal grass, growing, acreage, culture, and value as hay. F.B. 726, pp. 1-16. 1916.
 national forests—
  location, date and area, Jan. 31, 1913. For. [Misc., "The use book, 1913," p. 85. 1913.
  turpentining, receipts. An. Rpts., 1914, p. 138. 1915; For. A.R., 1914, p. 10. 1914.
 Negro extension work and workers, 1908-1921. D.C. 190, pp. 6-9, 22. 1921.
 Norfolk—
  sand, areas, location, and uses. Soils Cir. 44, pp. 3, 12, 13, 19. 1911.
  sandy loam, areas, location, and use. Soils Cir. 45, pp. 9, 10, 14. 1911.
 oat crops, 1866-1906, acreage, production, and value. Stat. Bul. 58, pp. 5-25, 29. 1907.
 officials, dairy, drug, feeding stuffs, and food. See Dairy officials; Drug officials.
 orange(s)—
  decay experiments. B.P.I. Cir. 124, pp. 17-28. 1913.
  enemy, wooly white fly. Ent. Bul. 64, Pt. VIII, pp. 65-71. 1910.
  production and prices. Y.B., 1918, p. 551. 1919; Y.B. Sep. 792, p. 47. 1919.
  production and value, 1915-1921. Y.B., 1921, p. 633. 1922; Y.B. Sep. 869, p. 53. 1922.
  shipment, factors governing. D.B. 63, pp. 1-50. 1914.
 Orangeburg—
  fine—
   sand, location and areas. Soils Cir. 48, pp. 3, 15. 1911.
   sandy loam, areas, location, and uses. Soils Cir. 46, pp. 3, 11, 20. 1911.
   sandy loam, location, areas, and uses. Soils Cir. 47, pp. 3, 6, 8, 10, 11, 12, 15. 1911.
 Orlando, experiments with soil containing boron. J.A.R., vol. 5, pp. 885, 886, 887, 888. 1916.
 papaya—
  fruit fly, biology. A. C. Mason. D.B. 1081, pp. 10. 1922.
  growing and grafting at Miami Plant Introduction Station. B.P.I. Cir. 119, pp. 5-8, 11. 1913.
 pasture land on farms. D.B. 626, pp. 15, 23-24. 1918.
 peaches—
  carload shipments from various stations, 1914. D.B. 298, p. 10. 1915.
  growing, production, districts, and varieties. D.B. 806, pp. 4, 5, 7, 8, 24. 1919.

INDEX TO PUBLICATIONS, 1901-1925   897

Florida—Continued.
 peaches—continued.
  industry, season, and shipments, 1914. D.B. 298, pp. 3, 4, 10. 1916.
  varieties, names and ripening dates. F.B. 918, p. 7. 1918.
 pear growing, distribution and varieties. D.B. 822, pp. 10-11. 1920.
 pecan—
  rosette, occurrence and control experiments. J.A.R., vol. 3, pp. 150-152. 1914.
  yields, 1904-1905. B.P.I. Cir. 112, p. 7. 1913.
 persimmons, processing experiments. Chem. Bul. 141, pp. 8-31. 1911.
 phosphate—
  deposits. D.B. 312, pp. 2, 3-4. 1915.
  fields, review. William H. Waggaman. Soils Bul. 76, pp. 23. 1911.
 rock—
  deposits, form, and mining methods. Y.B., 1917, pp. 178, 179, 180. 1918; Y.B. Sep. 730, pp. 4, 5, 6. 1918.
  production and marketing, 1918. D.B. 798, pp. 5-6. 1919.
 pig-club work. News L., vol. 6, No. 40, pp. 8, 9-10. 1919.
 pine lands, in beef-cattle industry, conditions. D.B. 827, pp. 6-13, 31. 1921.
 pineapple(s)—
  growing—
   experiments with fertilizers. F.B. 412, pp. 5-7. 1910.
   varieties and shipping methods. Hawaii A.R. 1915, pp. 64-65. 1916.
  industry, history. F.B. 1237, pp. 2, 3-5. 1921.
  soils, description and analyses. F.B. 140, pp. 12-13. 1901; P.R. Bul. 11, pp. 18-20. 1911.
  yields and profits. F.B. 1237, pp. 24-25. 1921.
 postmasters, instructions, plant products. F.H.B. S.R.A. 40, p. 53. 1917.
 potato(es)—
  crops, 1866-1906, acreage, production and value. Stat. Bul. 62, pp. 7-11, 14-27, 31. 1908.
  early crop location, season, varieties, and shipments. F.B. 1316, pp. 3, 4, 5. 1923.
  growing section. F.B. 407, p. 6. 1910.
  marketing, details of digging and grading. F.B. 753, pp. 2-5, 24, 26, 31. 1916.
 public roads, mileage and expenditures, 1904. Rds. Cir. 59, pp. 3. 1906.
 quarantine—
  against cotton-boll weevil. Ent. Bul. 114, p. 165. 1912.
  area for cattle fever—
   Nov. 1, 1911. B.A.I.O. 183, rule 1, rev. 8, p. 7. 1911.
   Dec. 1, 1917, and releases. B.A.I.O. 255, pp. 2, 9. 1917.
   1918. B.A.I.O. 262, pp. 3, 13. 1918.
   Dec. 10, 1922. B.A.I.O. 279, p. 2. 1922.
  area for Texas fever—
   1908. B.A.I.O. 151, rule 1, rev. 3, p. 8. 1908.
   Apr. 1, 1909. B.A.I.O. 158, rule 1, rev. 4, p. 8. 1909.
   Dec. 6, 1909. B.A.I.O. 166, p. 8. 1909.
   1910. B.A.I.O. 168, rule 1, rev. 6, p. 8. 1910.
   1912. B.A.I.O. 187, rule 1, rev. 9, p. 7. 1912.
   1913. B.A.I.O. 194, rule 1, rev. 10, p. 9. 1913.
   1914. B.A.I.O. 207, rule 1, rev. 12, pp. 1, 9. 1914.
   1915. B.A.I.O. 235, rule 1, rev. 13, p. 8. 1915; B.A.I.O. 241, p. 8. 1915.
   December, 1919. B.A.I.O. 269, p. 3. 1919.
   1924. B.A.I.O. 290, p. 2. 1924.
   Lake and Orange Counties. B.A.I.O. 262, amdt. 5, p. 1. 1919.
 rat control. News L., vol. 7, No. 10, pp. 14-15. 1919.
 ravages by plant bug. D.B. 689, pp. 12, 13. 1918.
 raw rock phosphate, solubility increased by grinding. D.B. 699, p. 12. 1918.
 Rhodes grass, introduction and growing. Y.B., 1912, pp. 497-499. 1913; Y.B. Sep. 609, pp. 497-499. 1913.
 rice rats, descriptions. N.A. Fauna 43, pp. 24-26. 1918.
 road(s)—
  bond-built, amount of bonds and rate. D.B. 136, pp. 38, 63, 80, 85. 1915.

Florida—Continued.
 road(s)—continued.
  building, rock tests—
   1916 results, table. D.B. 370, p. 19. 1916.
   1916 and 1917. D.B. 670, p. 4. 1918.
   1923. D.B. 1132, pp. 6, 51. 1923.
  construction and surfacing, experiments, 1915. D.B. 407, pp. 35-47. 1916.
  expenditures, bonds and mileage, 1914. D.B. 387, pp. 3-8, 16-18, III-IV, LXXXV. 1917.
  experiments in dust prevention. D.B. 105, pp. 25-29. 1914.
  improvement, progress. Rds. Bul. 21, p. 60. 1901.
  materials, tests. Rds. Bul. 44, p. 37. 1912.
  mileage and expenditures—
   1904. Rds. Cir. 59, pp. 3. 1906.
   1909, statistics. Rds. Bul. 41, pp. 16, 40, 42, 52-53. 1912.
   Jan. 1, 1915. Sec. Cir. 52, pp. 2, 4, 6. 1915.
   1916. Sec. Cir. 74, pp. 5, 7, 8. 1917.
  model county system. An. Rpts., 1912, p. 870. 1913; Rds. Chief Rpt., 1912, p. 26. 1912.
  preservation, and dust prevention—
   1914, experiments at Lemon City, West Palm Beach, and Miami, reports. D.B. 257, pp. 1-17. 1915.
   1916, reports. D.B. 586, pp. 42-47. 1918.
   work by department, 1913-1914. D.B. 284, p. 34. 1915.
 rock, iron and alumina determination. Chem. Bul. 122, p. 143. 1909.
 rotundifolia grapes, growing and varieties. B.P.I. Bul. 273, pp. 17-18. 1913.
 rye crops, 1866-1892, acreage, production, and value. Stat. Bul. 60, pp. 5-7, 12-13, 16-18, 29. 1908.
 San Jose scale, occurrence. Ent. Bul. 62, p. 22. 1906.
 sand-clay roads, cost. News L., vol. 1, No. 26, p. 3. 1914.
 sand testing, vanillin, in pots of wheat. D.B. 164, pp. 3-4. 1915.
 Satsuma growing. B.P.I. Doc. 457, p. 4. 1909.
 sections suited to growing thornless prickly pears. F.B. 483, p. 7. 1912.
 shipments of fruits and vegetables, and index to station shipments. D.B. 667, pp. 6-13, 19-20. 1918.
 sisal, growing experiments. Sec. A.R., 1910, p. 63. 1910; Rpt. 93, p. 46. 1911; B.P.I. Chief Rpt., 1910, p. 34. 1910; An. Rpts., 1910, pp. 63, 304. 1911; Y.B., 1910, p. 62. 1911.
 slash-pine stands, typical. F.B. 1256, pp. 36-40. 1922.
 soil survey of—
  Alachua County. See Gainesville area.
  Bradford County. W. C. Byers and others. Soil Sur. Adv. Sh., 1913, pp. 36. 1914; Soils F.O., 1913, pp. 643-674. 1916.
  Brevard County. See Indian River area.
  Citrus County. See Ocala area.
  Dade County. See Fort Lauderdale area.
  Duval County. Arthur E. Taylor and T. J. Dunnewald. Soil Sur. Adv. Sh., 1921, pp. 48. 1923.
  Escambia County. A. M. Griffen and others. Soil Sur. Adv. Sh., 1906, pp. 32. 1907; Soils F.O., 1906, pp. 335-362. 1908.
  Flagler County. Arthur E. Taylor. Soil Sur. Adv. Sh., 1918, pp. 41. 1922; Soils F. O., 1918, pp. 535-571. 1924.
  Fort Lauderdale area. Mark Baldwin and H. W. Hawker. Soil Sur. Adv. Sh., 1915, pp. 52. 1915; Soils F.O., 1915, pp. 751-798. 1919.
  Franklin County. Charles N. Mooney and A. L. Patrick. Soil Sur. Adv. Sh., 1915, pp. 31. 1916; Soils F.O., 1915, pp. 799-825. 1919.
  Gadsden County. Elmer O. Fippin and Aldert S. Root. Soil Sur. Adv. Sh., 1903, pp. 22. 1903; Soils F.O., 1903, pp. 331-353. 1904.
  Gainesville area. Thomas D. Rice and W. J. Geib. Soil Sur. Adv. Sh., 1904, pp. 25. 1905; Soils F.O., 1904, pp. 269-289. 1905.
  Hernando County. G. B. Jones and T. M. Morrison. Soil Sur. Adv. Sh., 1914, pp. 30. 1915; Soils F.O., 1914, pp. 1045-1070. 1919.
  Hillsborough County. C. N. Mooney and others. Soil Sur. Adv. Sh., 1916, pp. 42. 1918; Soils F.O., 1916, pp. 749-786. 1921.

Florida—Continued.
 soil survey of—continued.
  Indian River area. Charles N. Mooney and Mark Baldwin. Soil Sur. Adv. Sh., 1913, pp. 47. 1915; Soils F.O., 1913, pp. 675-717. 1916.
  Jackson County. See Mariana area.
  Jacksonville area. Grove B. Jones and James E. Ferguson. Soil Sur. Adv. Sh., 1910, pp. 26. 1911; Soils F.O., 1910, pp. 583-604. 1912.
  Jefferson County. Grove B. Jones and others. Soil Sur. Adv. Sh., 1907, pp. 39. 1908; Soils F.O., 1907, pp. 345-379. 1909.
  Leon County. Henry J. Wilder and others. Soil Sur. Adv. Sh., 1905, pp. 30. 1906; Soils F.O., 1905, pp. 363-388. 1907.
  Levy County. See Ocala and Gainesville areas.
  Marianna area. Grove B. Jones and others. Soil Sur. Adv. Sh., 1909, pp. 30. 1910; Soils F.O., 1909, pp. 619-644. 1912.
  Marion County. See Ocala and Gainesville areas.
  Ocala area. Charles N. Mooney and others. Soil Sur. Adv. Sh., 1912, pp. 60. 1913; Soils F.O., 1912, pp. 669-724. 1915.
  Orange County. J. E. Dunn and others. Soil Sur. Adv. Sh., 1919, pp. 25. 1922; Soils F.O., 1919, pp. 947-971. 1925.
  Palm Beach County. See Fort Lauderdale area and Indian River area.
  Payne Prairie, Gainesville area. Charles N. Mooney. Soils Cir. 72, pp. 5. 1912.
  Pinellas County. Grove B. Jones and T. M. Morrison. Soil Sur. Adv. Sh., 1913, pp. 31. 1914; Soils F.O., 1913, pp. 719-745. 1916.
  Putnam County. Charles N. Mooney and others. Soil Sur. Adv. Sh., 1914, pp. 52. 1916; Soils F.O., 1914, pp. 997-1044. 1919.
  St. Johns County. Arthur E. Taylor and others. Soil Sur. Adv. Sh., 1917, pp. 37. 1920; Soils F.O., 1917, pp. 665-697. 1923.
  St. Lucie County. See Indian River area.
  Sumter County. See Ocala area.
 soils—
  adapted to growing eucalypts. For. Bul. 87, p. 12. 1911.
  analyses for boron and nitrogen. J.A.R., vol. 13, pp. 452, 468. 1918.
  depth distribution of root-knot nematode, Heterodera radicicola. G. H. Godfrey.
  native vegetation. Soils Bul. 55, p. 35. 1909.
  requirements, citrus fruits. F.B. 238, pp. 21-22. 1905.
  southern—
   casaurina trees, injury by the mangrove borer. Thomas E. Snyder. J.A.R., vol. 16, pp. 155-164. 1919.
  sisal industry, introduction and problems. Y.B., 1918, p. 365. 1919; Y.B. Sep. 790, p. 11. 1919.
 standard containers. F.B. 1434, p. 17. 1924.
 State—
  fair, cattle shipments, order providing for. B.A.I.O. 270, p. 1. 1920.
  Horticultural Society, value to citrus industry. F.B. 1122, p. 5. 1920; F.B. 1343, p. 3. 1923.
 strawberry—
  culture, dates, practices, training systems. F.B. 1026, pp. 3, 4, 6, 8, 10-12, 14, 15, 16, 23, 29, 33, 35. 1919.
  shipments—
   1914. D.B. 237, p. 7. 1915.
   1914, 1915. F.B. 1028, p. 6. 1919.
  shipping practices, studies. D.B. 531, pp. 1, 3, 9, 12, 14, 15, 18. 1917.
 subtropical fruits, production, 1913, estimate. F.B. 570, pp. 21-22. 1913.
 sugar production, 1919. News L., vol. 6, No. 29, p. 2. 1919.
 sweet potato—
  crop, value, and losses by weevil infestation. F.B. 1020, pp. 3, 4, 9. 1919.
  description. F.B. 324, p. 37. 1908.
  group and varieties, descriptions. D.B. 1021, pp. 6, 9, 15-16. 1922.
  industry. D.B. 1206, pp. 6, 7, 9-13. 1924.
  selling, cooperation. News L., vol. 6, No. 41, p. 10. 1919.

Florida—Continued.
 tar production. For. Cir. 121, p. 7. 1907.
 termites, occurrence and damage. D.B. 333, pp. 15, 16, 18, 19, 20, 23. 1916.
 tick, eradication law. B.A.I.S.R.A. 148, p. 89. 1919.
 tobacco—
  conditions, 1911. Stat. Cir. 27, p. 4. 1912.
  crop, 1912. Stat. Cir. 43, pp. 2, 3, 5. 1913.
  growing, notes. B.P.I. Bul. 24, pp. 17, 18, 22, 24, 28, 99. 1912.
  growing under shade. Soil Sur. Adv. Sh., 1907, pp. 14-15. 1908; Soils F.O., 1907, pp. 354-355. 1909.
  importance of industry, and production. B.P.I. Cir. 48, pp. 4, 5, 6, 7. 1910.
  insect enemies, 1906. Ent. Bul. 67, pp. 106-112. 1907.
  mildew outbreak. D.C. 174, p. 3. 1921.
  report for July 1, 1912. Stat. Cir. 38, pp. 3, 4, 5. 1912.
 tomatoes—
  growing—
   and shipping to market, practices. D.B. 859, pp. 3-7. 1920.
   as a truck crop, localities. F.B. 1338, pp. 1-5, 8, 13-19, 29. 1923.
  production, and value of shipments. D.B. 290, pp. 8-9. 1915; D.B. 1099, p. 2. 1922.
  shipping sections. F.B. 1291, p. 3. 1922.
 transportation facilities. See Soils surveys for various counties and areas.
 truck growing—
  acreage, and crops. Y.B., 1916, pp. 441-442, 449, 450, 455-465. 1917; Y.B. Sep. 702, pp. 7-8, 15, 16, 21-31. 1917.
  origin and methods. Y.B., 1907, pp. 426, 427, 428, 430, 432, 432. 1908; Y.B. Sep. 459, pp. 426, 427, 428, 430, 432, 433. 1908.
 Turnbull, spineless prickly pear as field crop, experiment. B.P.I. Bul. 140, p. 17. 1909.
 turpentine—
  production, percentage of United States, supply. D.B. 898, p. 2. 1920.
  sales from national forest lands. An. Rpts., 1916, p. 162. 1917; For. A.R., 1916, p. 8. 1916.
 turpentining methods, studies and experiments. D.B. 1064, pp. 26-27. 1922.
 University, teachers' courses. O.E.S. Cir. 118, p. 10. 1913.
 Valrico, community building, history, description, cost, and uses. F.B. 1274, pp. 12-15. 1922.
 vegetable growing, varieties and methods. Soils Cir. 21, pp. 4-7. 1910.
 velvet bean, description and maturing season. F.B. 1276, p. 4. 1922; S.R.S. 44, pp. 2-3. 1917.
 wage rates, farm labor, 1866-1909. Stat. Bul. 99, pp. 29-43, 68-70. 1912.
 walnut growing, varieties adapted. B.P.I. Bul. 254, pp. 17, 102. 1913.
 Walton County, home demonstration work, results. Y.B., 1916, p. 254. 1917; Y.B. Sep. 710, p. 4. 1917.
 water supply, records, by counties. Soils Bul. 92, pp. 42-43. 1913.
 west coast, rainfall study. B. Bunnemeyer. W.B. [Misc.], "Proceedings, third convention . . .," pp. 235-238. 1904.
 wheat—
  acreage and varieties. D.B. 1074, p. 209. 1922.
  crops, acreage, production, and value. Stat. Bul. 57, pp. 6-25, 29. 1907; Stat. Bul. 57, rev., pp. 6-25, 29, 37. 1908.
  varieties grown. F.B. 616, p. 6. 1914; F.B. 1168, p. 9. 1921.
  yields and prices, 1867-1882. D.B. 514, p. 8. 1917.
 white flies—
  control by natural means. Ent. Bul. 102, pp. 1-78. 1912.
  injurious to citrus. A. W. Morrill and E. A. Back. Ent. Bul. 92, pp. 109. 1911.
  spraying for. W. W. Yothers. Ent. Cir. 168, pp. 8. 1913.
 yam growing. D.B. 1167, pp. 4-10. 1923.
 See also Atlantic coastal plains; Gulf coastal plains.

INDEX TO PUBLICATIONS, 1901-1925   899

Florists, protests against plant quarantine 37, answer by Secretary. F.H.B.S.R.A. 61, pp. 37-43. 1919.
FLORY, DAVID, originator of banana apple. Y.B. 1913, p. 110. 1914; Y.B. Sep. 618, p. 110. 1914.
Flossflower, description, cultivation, and characteristics. F.B. 1171, pp. 67-68, 79. 1921.
Flour—
absorption of water, comparisons of American wheats. D.B. 557, pp. 25, 26, 27. 1917.
acidity, determination. D.B. 1187, pp. 30-32, 36. 1924.
"Acme Diabetic," misbranding. Chem. N.J. 1507, pp. 3. 1912.
adlay, testing in breads. Off. Rec., vol. 1, No. 22, p. 3. 1922.
adulterants, exhibit at Buffalo Exposition. Chem. Bul. 63, pp. 10-11. 1901.
adulteration and misbranding. See *Indexes to Chemistry Notices of Judgment*.
Alaska wheat, baking tests. Off. Rec., vol. 1, No. 10, p. 2. 1922.
analysis(es)—
and baking tests, in study of gluten. J.A.R., vol. 13, pp. 400-401. 1918.
and testing, methods and results. Chem. Bul. 152, pp. 101-114. 1912.
methods. Chem. Bul. 122, pp. 53-58. 1909.
methods, modifications, A. O. A. C., 1908. Chem. Cir. 43, p. 12. 1909.
of different varieties, comparative. D.B. 357, pp. 12, 14. 1916.
reference tables. D.B. 1187, pp. 49-52. 1924.
report. Chem. Bul. 105, p. 90. 1907.
with and without impurities. D.B. 328, p. 21. 1915.
and—
feeding stuff. *See* Baking; Milling.
substitutes, studies by Chemistry Bureau. An. Rpts., 1919, pp. 225-226. 1920; Chem. Chief Rpt., 1919, pp. 15-16. 1919.
ash determination. D.B. 1187, pp. 32, 35-26. 1924.
Australian wheat varieties, baking tests. D.B. 877, pp. 18-25. 1920.
baking tests—
in wheat studies. Chem. Bul. 137, pp. 149-150. 1911; O.E.S. An. Rpt., 1909, pp. 373-374. 1910.
operations. D.B. 1187, pp. 15-27. 1924.
barley—
substitute for wheat flour. F.B. 1464, p. 22. 1925.
use in saving wheat, recipes. Sec. Cir. 111, pp. 1-4. 1918.
value, and use as wheat substitute. F.B. 968, pp. 6, 27-28. 1918.
beetle—
broad-horned, description and habits. F.B. 1206, p. 36. 1922.
confused—
description and habits. F.B. 1260, p. 34. 1922.
fumigation with carbon tetrachloride, experiments. Ent. Bul. 96, Pt. IV, p. 45. 1911.
control in mills. D.B. 872, pp. 27-30. 1920.
description and habits. F.B. 1200, pp. 34-36. 1922.
long-headed, description. F.B. 1260, pp. 35-36. 1922; Sec. [Misc.], "A manual of insects * * *." p. 122. 1917.
red rust—
description and habits. F.B. 1260, p. 35. 1922.
injury to stored peanuts. Ent. Cir. 142, p. 2. 1911.
slender-horned, description and habits. F.B. 1206, p. 36. 1922.
small-eyed, description and habits. F.B. 1260, p. 36. 1922.
biscuit, types for baking powder biscuits, experiments. F.B. 374, pp. 31-32. 1909.
bleached—
adulteration and misbranding. See *Indexes, Notices of Judgment, in bound volumes and in separates published as supplements to Chemistry Service and Regulatory Announcements.*

Flour—Continued.
bleached—continued.
analysis method. An. Rpts., 1913, p. 193. 1914; Chem. Chief Rpt., 1913, p. 3. 1913.
baking qualities and tests. Chem. N.J. 722, pp. 25-26, 34-39, 43-47, 65-67, 77, 85, 92. 1911.
by Alsop process, suits to restrain seizures. Chem. N.J. 497, pp. 7. 1910.
litigation, 1909. Sol. A.R., 1909, p. 9. 1909; An. Rpts., 1909, p. 743. 1910.
mandamus proceedings, F.I.D. 100. Chem. N.J. 498, pp. 6. 1910.
status of case. An. Rpts., 1909, pp. 36, 41. 1910; Rpt. 91, pp. 28, 31. 1909; Sec. A.R., 1909, pp. 36, 41. 1909; Y.B., 1909, pp. 36, 41. 1910.
testing by Griess-Ilosvay reagent. Chem. N.J. 722, pp. 22, 26, 28, 39, 44, 46, 83, 84, 100. 1911.
bleaching—
Alsop process, details. Chem. N.J. 382, pp. 5, 6, 11. 1910; Chem. N.J. 722, pp. 18-22, 31-35, 45-83. 1911.
different methods using nitrogen peroxide. Chem. N.J. 722, pp. 18, 31. 1911.
simple tests. Chem. Bul. 122, pp. 216-217. 1909.
use of nitrogen peroxide. F.I.D. 100, p. 1. 1908.
Williams process, description. Chem. N.J. 722, pp. 18, 31, 33, 34, 36, 79. 1911.
blends, various impurities, milling and baking tests. D.B. 328, pp. 17-20. 1915.
browned, for gravies, recipe. F.B. 391, p. 40. 1910.
Canadian, competition from Germany. Off. Rec., vol. 2, No. 45, p. 3. 1923.
cereal, description, and uses in bread making. F.B. 389, pp. 8-16. 1910.
characters and wheat characters, correlations. Jacob Zinn. J.A.R. vol. 23, pp. 529-548. 1923.
chemical determinations. D.B. 1187, pp. 27-47. 1924.
color—
American wheats, comparisons. D.B. 557, pp. 14-18. 1917.
method for determination of "Gasoline color value." A. L. Winton. Chem. Bul. 137, pp. 144-148. 1911.
test. Chem. Bul. 137, pp. 144-148. 1911; D.B. 1187, p. 44. 1924.
coloring artificial, control. An. Rpts., 1914, p. 169. 1914; Chem. Chief Rpt., 1914, p. 5. 1914.
commercial—
examination and hair counts. D.B. 1130, pp. 4-5. 1923.
grades, examination. D.B. 839, pp. 16-29. 1920.
stocks—
Aug. 31, 1917. Sec. Cir. 100, pp. 37. 1918.
Sept. 1, 1918, comparison with 1917. News L. vol. 6, No. 10, p. 13. 1918.
composition, comparison—
of grains and soy beans. D.B. 439, p. 12. 1916.
with bread made from it. F.B. 389, p. 36. 1910.
condemnation and forfeiture, decision reversing judgment. Sol. Cir. 70, pp. 5. 1913; Sol. Cir. 71, pp. 11. 1913; Sol. Cir. 79, pp. 7. 1914.
consumption decrease. Y.B., 1923, p. 110. 1924.
control of 1918 production, plans of Food Administration. News L. vol. 5, No. 52, p. 9. 1918.
corn—
adulteration. Chem. N.J. 396, p. 1. 1910; Chem. N.J. 2579, p. 1. 1913.
making and uses. F.B. 1236, p. 17. 1923.
recipes, bread and cakes. Sec. Cir. 117, p. 4. 1918.
varieties, description and adaptations. D.B. 307, p. 7. 1915.
cottonseed, analysis. J.A.R. vol. 12, p. 99. 1918.
dasheen—
food value. F.B. 1396, p. 34. 1924.
preparation and use. Y.B. 1916, p. 205. 1917. Y.B. Sep. 689, p. 7. 1917.
value and uses. B.P.I. Doc. 1110, p. 4. 1914.
definitions and standards, hearing, St. Paul, Minn., May 24, 1915. News L. vol. 2, No. 41, p. 3. 1915.

Flour—Continued.
  description, food value, and care. F.B. 807, pp. 5-7. 1917.
  deterioration by water content, prevention. D.B. 56, p. 1. 1914.
  diabetic, misbranding. Chem. N.J. 1507, pp. 2-3. 1912.
  dust, inflammability. D.B. 681, pp. 5, 49-51. 1918.
  export(s)—
    from leading ports, 1884-1905. Stat. Bul. 38, p. 27, 28. 1905.
    mill outputs, and international trade, 1922. Y.B. 1922, pp. 613-617. 1923; Y.B. Sep. 881, pp. 613-617. 1923.
    northern border and lake ports, 1871-1909. Stat. Bul. 81, pp. 51-52. 1910.
    statistics, report. Off. Rec., vol. 2, No. 39, p. 5. 1923.
  Federal laws. Chem. Bul. 69, rev., Pt. I, pp. 25-28. 1905.
  food standards. Sec. Cir. 136, pp. 6-7. 1919.
  forms, for preparation of bread. D.B. 751, p. 1. 1919.
  from durum wheat, value for bread making, tests. F.B. 412, pp. 29-30. 1910.
  frosted wheat, composition, studies. J.A.R. vol. 19, pp. 186, 188. 1920.
  fumigated, absorption of hydrocyanic acid. D.B. 1149, pp. 4, 13. 1923.
  fumigation with hydrocyanic acid. D.B. 872, p. 27. 1920.
  gasoline color, determination. D.B. 1187, pp. 43-44. 1924.
  gliadin and glutenin content, determination by Fleurent-Manget method. A.O.A.C. report, 1903. Chem. Bul. 81, pp. 118-125. 1904.
  gluten—
    and other constituents. F.B. 305, pp. 13-16. 1907.
    misbranding. Chem. N.J. 250, p. 1. 1910.
    or protein determination, Opinion 38. Chem. S.R.A. 6, p. 420. 1914.
    use with corn meal in making bread. F.B. 565, pp. 15, 21. 1914.
  grades—
    description. Chem. N.J. 382, pp. 6-21. 1910.
    used in nutrition investigations, University of Minnesota. O.E.S. Bul. 156, pp. 12-13. 1905.
  grading, studies. S.R.S. Rpt., 1916, Pt. I, pp. 30, 158. 1918.
  Graham—
    adulteration and misbranding. Chem. N.J. 1846, pp. 2. 1913; Chem. N.J. 2132, pp. 2. 1913; Chem. N.J. 4076, pp. 2. 1916.
    bread-making recipes and directions. F.B. 955, pp. 8, 14, 16, 18-21. 1918.
    examination, analyses by Chemistry Bureau, tables. Chem. Bul. 164, pp. 13-52. 1913.
    food-value comparisons, chart. D.B. 975, p. 27. 1921.
    milling methods, studies. Chem. Bul. 164, pp. 53-54. 1913.
    origin of term and definitions. Chem. Bul. 164, pp. 7-9. 1913.
    samples, description, examination methods, and tables. Chem. Bul. 164, pp. 13-52. 1913.
    study of physical and chemical differences between it and imitation graham flours. J. A. Le Clerc and B. R. Jacobs. Chem. Bul. 164, pp. 57. 1913.
    whole-wheat, and standard, patent, differences. O.E.S. Bul. 156, pp. 9, 50. 1905.
  hard spring wheat mixed with durum, misbranding. Chem. N.J. 12, pp. 5. 1908.
  holdings of mills, elevators, and wholesale dealers, Aug. 31, 1916, 1917. Sec. Cir. 100, pp. 20-25, 27-37. 1918.
  home-grown substitutes, use and value in South. News L., vol. 4, No. 49, p. 7. 1917.
  home-mixed—
    bread, recipes. News L., vol. 4, No. 42, p. 6. 1917.
    use of bran, meal, rice, or rye flour. Food Thrift Ser. 5, p. 3. 1917.
  hydration capacity of gluten. J.A.R., vol. 13, pp. 389-418. 1918.
  imitation Graham, comparison of samples. Chem. Bul. 164, p. 53. 1913.

Flour—Continued.
  imports—
    1907-1909, quantity and value by countries from which consigned. Stat. Bul. 82, p. 43. 1910.
  and exports—
    1907-1911, and 1851-1911. Y.B., 1911, pp. 663, 673, 681-682; Y.B. Sep. 588, pp. 663, 673, 681-682. 1912.
    1908-1912 and 1851-1912. Y.B., 1912, pp. 576, 720, 732, 740-741. 1913; Y.B. Sep. 614, pp. 576. 1913; Y.B. Sep. 615, pp. 720, 732, 740-741. 1913.
    1913-1915. Y.B., 1915, pp. 544, 551, 557, 568. 1916; Y.B. Sep. 685, pp. 544, 551, 557, 568. 1916.
    1914-1916. Y.B., 1916, pp. 711, 718, 725-735. 1917; Y.B. Sep. 722, pp. 5, 12, 19, 29. 1917.
    1919. Y.B., 1919, pp. 686, 695, 702, 713. 1920; Y.B. Sep. 829, pp. 686, 695, 702, 713. 1920.
    1921. Y.B., 1921, pp. 740, 747, 752, 753, 754, 761. 1922; Y.B. Sep. 867, pp. 4, 11, 16, 17, 18, 25. 1922.
  duties, European countries. Stat. Bul. 68, pp. 45-49. 1908.
  of Netherlands. Stat. Bul. 72, p. 9. 1909.
  impurities, elimination. F.B. 389, p. 13. 1910.
  industry, growth, production, and exports, Minneapolis. Y.B., 1914, pp. 391, 396. 1915; Y.B. Sep. 649, pp. 391, 396. 1915.
  injury by termites. D.B. 333, p. 17. 1916.
  insect pests, notes. F.B. 1260, pp. 18-41. 1922.
  inspection law, State. Chem. Bul. 69, rev., Pt. VIII, pp. 644-650, 686. 1906.
  kinds and blends, discussion. Y.B., 1921, p. 123. 1922; Y.B. Sep. 873, p. 123. 1922.
  labeling—
    "electrically bleached," misbranding. Chem. S.R.A. 15, p. 23. 1915.
    "self-rising" and "mixed," regulation. Chem. S.R.A. 15, p. 23. 1915.
  laws—
    and standards. Chem. Bul. 69, rev., Pts. I-IX, pp. 15, 108, 171, 184, 212, 307, 443, 562, 633, 668, 740-743. 1905-1906.
    State—
      1906. Chem. Bul. 104, pp. 30-31, 34. 1906.
      1907. Chem. Bul. 112, pp. 100, 118. 1908.
      1908. Chem. Bul. 121, pp. 65, 73. 1909.
    See also Foods.
  low-grade, use in fattening poultry. D.B. 21, pp. 6, 7, 8, 11, 13, 18. 1914.
  market in Europe. Stat. Bul. 72, p. 9. 1909.
  microscopical examination—
    George L. Keenan and Mary A. Lyons. D.B. 839, pp. 32. 1920.
    significance of wheat hairs. By G. L. Keenan. D.B. 1130, pp. 8. 1923.
  milk, adulteration and misbranding. Chem. N.J. 211, pp. 2. 1910.
  milling yields and moisture content, relation to wheat humidity and moisture. J. H. Shollenberger. D.B. 1013, pp. 12. 1921.
  mills—
    insect control. E. A. Back. D.B. 872, pp. 40. 1920.
    stocks, examination. D.B. 839, pp. 11-16. 1920.
  misbranding—
    (underweight). Chem. N.J. 113. 1909.
    as to place of manufacture and name of manufacturer. Chem. N.J. 17, pp. 11-13. 1908.
  mixed, tax law, Federal. Chem. Bul. 69, Pt. I, pp. 25-28. 1902.
  mixing. Chem. F.I.D. 42, p 1. 1906.
  moisture—
    content, relation to humidity and moisture of wheat. D.B. 1013, pp. 1-12. 1921.
    content, value basis. D.B. 374, pp. 4-5, 10-30. 1916.
    testing, special flask. B.P.I. Cir. 72, rev., p. 16. 1914.
  moth, Mediterranean—
    control by—
      hydrocyanic-acid gas fumigation. F. H. Chittenden. Ent. Cir. 112, pp. 22. 1910.
      para-dichlorobenzene. D.B. 167, pp. 4, 5. 1915.
      Weather Bureau. W. B. Chief Rpt., 1924, pp. 6-7. 1924.

INDEX TO PUBLICATIONS, 1901-1925   901

Flour—Continued.
  moth, Mediterranean—continued.
    description, distribution, and habits. Ent. Cir. 112, pp. 1-4. 1910; F.B. 1260, pp. 20-22. 1922.
    fumigation with—
      carbon tetrachloride. Ent. Bul. 96, Pt. IV, p. 55. 1911.
      hydrocyanic-acid gas, standard remedy. Ent. Cir. 163, pp. 1, 2. 1912.
    introduction, life history, and control. D.B. 872, pp. 2-40. 1920.
    parasites. D.B. 872, p. 11. 1920.
    resemblance to fig moth. Ent. Bul. 104, p. 10. 1911.
  moths, description and habits. F.B. 1260, pp. 18-24. 1922.
  movement through Canada, 1876-1909. Stat. Bul. 81, pp. 54-55. 1910.
  nematode-infested, description and baking tests. D.B. 734, pp. 10-13. 1918.
  nut, use as food. F.B. 332, p. 21. 1908.
  nutritive value, investigations. An. Rpts., 1907, pp. 692-693. 1908.
  oat, use in fattening chickens. D.B. 21, pp. 6, 18, 30. 1914.
  other than wheat, composition and use O.E.S. Bul. 200, pp. 53-56. 1908.
  paste—
    addition to spray for brown rot, formula. D.B. 368, pp. 6, 7. 1916.
    sprays for red spider on hops. Ent. Bul. 117, pp. 24, 27, 34. 1913.
    use—
      as insecticide. F.B. 1362, p. 10. 1924.
      in spraying hop aphids, preparation. Ent. Bul. 111, pp. 25, 26, 27, 28, 30. 1913.
      in spraying red spider. Ent. Cir. 172, p. 20. 1913.
  patent, decision of Judge Marshall, United States Court of Appeals, Mo. Sol. Cir. 71, pp. 1-11. 1913.
  peanut—
    and bread, analyses and characteristics. D.B. 701, pp. 4-9. 1918.
    composition, comparison with wheat flour. Y.B., 1917, pp. 294-297. 1918; Y.B. Sep. 746, pp. 8-11. 1918.
    digestibility experiments. D.B. 717, pp. 19-24. 1918.
    substitute for wheat flour. News L., vol. 5, No. 47, p. 9. 1918.
    use to save wheat. Sec. Cir. 110, pp. 4. 1918.
    with soy-bean flour, preparation and digestibility. D.B. 717, pp. 1-28. 1918.
  pharmacological experiments. An. Rpts., 1909, p. 438. 1910; Chem. Chief Rpt., 1909, p. 28. 1909.
  phosphate, labeling regulation. Chem. S.R.A. 28, p. 38. 1923.
  potato—
    analysis and characteristics for breadmaking. D.B., 701, pp. 4-9. 1918.
    and rice, definition of term. Chem. S.R.A. 14, p. 10. 1915.
    utilization of cull potatoes. Sec. Cir. 126, p. 9. 1919.
  preferences in bread making. Off. Rec., vol. 4, No. 52, p. 5. 1925.
  prices—
    for 1900 to 1924. Y.B., 1924, pp. 587-590. 1925.
    per barrel for 1915-1921. Y.B., 1921, p. 533. 1922; Y.B. Sep. 868, p. 27. 1922.
  production—
    1909, and demands for barrels. Rpt. 117, p. 60. 1917.
    and—
      exports in various countries. Stat. Cir. 19, pp. 4-6, 7. 1911.
      marketing, Fairbanks Station, Alaska. Alaska A.R., 1919, pp. 13, 54. 1920.
  protein—
    content—
      importance in marketing. Sec. A.R., 1924, p. 39. 1924.
      relation to wheat protein. J.A.R., vol. 23, p. 531. 1923.
    determination. D.B. 1187, pp. 27-30, 36-42. 1924.

Flour—Continued.
  purchase by Austria, extension of debt. Off. Rec., vol. 1, No. 14, p. 1. 1922.
  purifier, invention, and value for hard wheats. Y.B., 1914, p. 391. 1915; Y.B. Sep. 649, p. 391. 1915.
  purity standards. Sec. Cir. 136, pp. 6-7. 1919.
  rice—
    calf feeding, mixtures. F.B. 381, pp. 20-21. 1909.
    definition of term. Chem. S.R.A. 14, p. 10. 1915.
    disposal, protein content. F.B. 417, pp. 25-26. 1910.
    imports, 1907-1909 (with rice meal, etc.), quantity and value, by countries from which consigned. Stat. Bul. 82, p. 53. 1910.
    law, State, 1908. Chem. Bul. 121, p. 73. 1909.
    use to save wheat. Sec. Cir. 119, pp. 4. 1918.
  rye—
    adulteration. Chem. N.J. 354, p. 1. 1910.
    and buckwheat, composition, manufacture, etc. O.E.S. Bul. 200, pp. 53-54. 1908.
    and wheat, comparisons. Y.B. 1922, p. 507. 1923; Y.B. Sep. 891, p. 507. 1923.
    wheat detection, modification of Bamihl test. Chem. Bul. 122, pp. 217-219. 1909.
  sacks, handling to avoid insect infestation. D.B. 872, pp. 8-10. 1920.
  self-rising, studies and prices. Off. Rec., vol. 1, No. 46, p. 6. 1922.
  soy bean—
    and peanut press-cake, protein content and digestibility. Arthur D. Holmes. D.B. 717, pp. 28. 1918.
    comparison with other flours. D.B. 439, p. 12. 1916.
    use to save wheat, meat, and fat. Sec. Cir. 113, pp. 4. 1918.
  spring wheat varieties—
    analyses and baking qualities, Moro, 1913-1915. D.B. 498, pp. 22, 24-25. 1917.
    yields and value. D.B. 878, pp. 41-46. 1920.
  stock(s)—
    held by retailers, Aug. 31, 1916, 1917. Sec. Cir. 100, pp. 23-27, 32-37. 1918.
    increase, 1919 over 1918. News L., vol. 6, No. 40, p. 7. 1919.
    on hand—
      January 1, 1918, 1919. News L., vol. 6, No. 28, p. 16. 1919.
      March 1, 1918, 1919. News L., vol. 6, No. 36, p. 7. 1919.
      April 1, 1918. News L., vol. 5, No. 42, pp. 1-2. 1918.
      June 1, 1918. News L., vol. 5, No. 51, pp. 11-12. 1918.
      November 1, 1918, with comparisons. News L., vol. 6, No. 19, p. 6. 1918.
      December 1, 1918. News L., vol. 6, No. 23, p. 6. 1919.
  strength—
    from baker's standpoint. D.B. 522, p. 6. 1917.
    loaf volume and texture, American wheats. D.B. 557, pp. 3-5, 18-22. 1917.
  substitutes—
    experiments. S.R.S. Rpt., 1917, Pt. I, pp. 22, 123, 281. 1918.
    high-protein. Chem. Chief Rpt., 1911, p. 47. 1911; An. Rpts., 1911, p. 461. 1912.
  substitution in bread recipes. F.B. 1450, p. 9. 1925.
  sweet potato—
    manufacture. D.B. 1041, pp. 6, 33. 1922.
    production methods. D.B. 1158, pp. 2, 3. 1923.
  tariff, approval by Senate. Off. Rec., vol. 1, No. 28, p. 1. 1922.
  taro, use as food, value. B.P.I. Bul. 164, pp. 15, 25. 1910.
  trade, international, 1901-1910. Stat. Bul. 103, pp. 50-53. 1913.
  valuation in cereal analyses, A.O.A.C. Convention, 1906. Chem. Bul. 105, pp. 68-71. 1907.
  value, based on dry-matter content. D.B. 374, pp. 32. 1916.
  varieties, composition and comparative values. F.B. 382, pp. 40-42. 1910.

Flour—Continued.
  water—
    absorption, effect on bread. D.B. 1187, pp. 22–23. 1924.
    determination, flask for rapid method, description and use. D.B. 56, pp. 1–7. 1914.
  weight per barrel, various localities. Chem. Bul. 69, rev., Pts. I–IX, pp. 110, 138, 428, 484, 581, 604, 608, 627, 644. 1905–6.
  wheat—
    analyses—
      and tests. F.B. 389, p. 13. 1910.
      methods, report of referees' committee. Chem. Cir. 90, pp. 11–12. 1912; Chem. Bul. 152, pp. 102, 189–190. 1912.
    and bread. Harry Snyder and Charles D. Woods. Y.B., 1903, pp. 347–362. 1904; Y.B. Sep. 324, pp. 347–362. 1904.
    blended, microscopical examination. D.B. 839, pp. 18, 22, 24, 26, 28. 1920.
    characteristics. F.B. 1450, pp. 1–3. 1925.
    composition, with corn products, comparison. F.B. 298, p. 13. 1907.
    effect of weed seeds. F.B. 1287, pp. 9–10. 1922.
    exports—
      1900, destination and value. Rpt. 67, p. 14. 1901.
      1901–1924. Y.B. 1924, p. 1075. 1925.
    from Russia, cost of production, transportation. Stat. Bul. 66, pp. 83–97. 1908.
    food-value comparisons, chart. D.B. 975, p. 27. 1921.
    imports, 1901–1924. Y.B., 1924, pp. 1062, 1076. 1925.
    imports and exports, 1911–1913, and imports, 1852–1913. Y.B., 1913, pp. 497, 504, 509. 1914; Y.B. Sep. 361, pp. 497, 504, 509. 1914.
    macaroni-like food preparation, Japanese. O.E.S. Bul. 159, p. 20. 1905.
    mixture with rye in bread making. Y.B., 1918, pp. 171, 183. 1919; Y.B. Sep. 769, pp. 5, 17. 1919.
    production—
      imports and exports, annual and average, by countries. Stat. Cir. 31, pp. 12, 29, 30. 1912.
      trade difficulties and cost, Russia. Stat. Bul. 66, pp. 89–94. 1908.
    receipts at interior cities. Stat. Bul. 38, p. 20. 1905.
    Russian in European markets. Stat. Bul. 68, pp. 1–99. 1908.
    stocks on hand, April 1, 1918 (and substitutes). News L., vol. 5, No. 42, p. 2. 1918.
    structure and composition. O.E.S. Bul. 200, pp. 47–50. 1908.
    substitutes, use in baking. H. L. Wessling. F.B. 955, pp. 22. 1918.
    three grades, value and use as food. Y.B., 1902, pp. 398–399. 1903.
    transportation rates, Russia. Stat. Bul. 66, pp. 94–96. 1908.
    use of cereal substitutes in bread making. News L., vol. 5, No. 39, p. 8. 1918.
    use of soy beans, peanuts, rice, kafir, as mixture. News L., vol. 4, No. 49, p. 7. 1917.
  yield—
    and weight, wheats, five American classes, comparisons. D.B. 557, pp. 9–14. 1917.
    in wheat varieties. D.B. 1183, pp. 8–9, 28, 40, 52, 75, 79, 81. 1924.
    of winter wheats. D.B. 1276, p. 45. 1925.
    relation to—
      loaf volume. J.A.R., vol. 23, pp. 541–542. 1923.
      wheat protein content. J.A.R., vol. 23, p. 5–34. 1923.
Flowers—
  adaptability for gardens, description. News L., vol. 2, No. 33, p. 4. 1915.
  Alaskan, wild and cultivated. Soil Sur. Adv. Sh., 1914, pp. 20, 22, 120, 174. 1915; Soils F.O., 1914, pp. 55–56, 154, 208. 1919.
  annual—
    for special soils and conditions. F.B. 1171, pp. 76–78. 1921.
    growing. F.B. 195, pp. 1–48. 1904.
    list with characteristics. F.B. 1171, pp. 79–83. 1921.

Flowers—Continued.
  annual—continued.
    plants—
      grouping, uses, and selection. F.B. 1171, pp. 3–7. 1921.
      growing. F.B. 1171, pp. 1–83. 1921.
      seeding and care of seedlings. F.B. 1171, pp. 11–14. 1921.
      tests at field station near Mandan, N. Dak. D.B. 1301, p. 38. 1925.
      varieties for window gardens. B.P.I. Doc. 433, pp. 3–7. 1909.
    breeding work, Sitka experiment station, Alaska. Alaska A.R., 1918, p. 24. 1920.
  bug—
    enemy of onion thrips. F.B. 1007, p. 7. 1919.
    insidious, enemy of—
      chinch bug. F.B. 657, p. 11. 1915.
      onion thrips. Y.B., 1912, p. 322. 1913; Y.B. Sep. 594, p. 322, 1913.
  Chinese, new importations. B.P.I. Bul. 153, p. 8. 1909.
  cotton—
    arrangement on fruiting branches. B.P.I. Bul. 222, pp. 14–15. 1911.
    Egyptian and hybrid varieties, description. B.P.I. Bul. 156, pp. 11, 14, 19, 21, 22, 23, 42. 1909.
  cut—
    freezing temperatures with fruits and vegetables. R.C. Wright and G. F. Taylor. D.B. 1133, pp. 8. 1923.
    from Cuba, importation restrictions. F.H.B. S.R.A. 37, pp. 7–8. 1917.
    grading and storage. Rpt. 98, p. 51. 1913.
    growing under glass, acreage, cost, requirements, marketing. Y.B., 1904, pp. 167–168. 1905; Y.B. Sep. 340, pp. 167–168. 1905.
    importation restrictions. F.H.B.S.R.A. 79, pp. 64–65. 1924.
    production in California, Los Angeles, area. Soil Sur. Adv. Sh., 1916, pp. 20, 70. 1919; Soils F.O., 1916, pp. 2362, 2412. 1921.
  damage by white ants, and preventive methods. F.B. 759, pp. 12, 19. 1916; F.B. 1037, pp. 9–10, 15–16. 1919.
  destruction by rats. Biol. Bul. 33, p. 26. 1909.
  diseases—
    studies in 1923. Work and Exp., 1923, p. 42. 1925.
    Texas, occurrence and description. B.P.I. Bul. 226, pp. 82–89. 1912.
  emasculation, method. B.P.I. Bul. 167, p. 31. 1910.
  fall, honey sources, dates of blooming periods. D.B. 685, pp. 46–47. 1918.
  garden(s)—
    general arrangement and care. F.B. 1171, pp. 5–7. 1921.
    home, outline project, school studies. S.R.S. Doc. 52, pp. 5–7. 1917.
    making contest, rules. O.E.S. Bul. 255, p. 47. 1913.
  greenhouse, injury by termites, and protection. D.B. 333, pp. 24–26, 32. 1916.
  grouping against evergreens. F.B. 329, p. 19. 1908.
  growing—
    collections. B.P.I. Chief Rpt., 1923, p. 32. 1923; An. Rpts., 1923, p. 286. 1924.
    experiments in Alaska, varieties. Alaska A.R. 1915, pp. 51–52. 1916.
    for seed, by contract. Rpt., 98, pp. 140, 141. 143–145. 1913.
    in Alaska—
      Kenai Peninsula region. Soil Sur. Adv. Sh., 1916, pp. 71, 99–100. 1919; Soils F.O., 1916, pp. 103, 110, 131–132. 1921.
      shrubs, perennials, and annuals. Alaska A.R., 1917, pp. 15–21, 57, 70. 1919.
    in California, Los Angeles area. Soil Sur. Adv. Sh., 1916, pp. 20–21, 52, 70. 1919; Soils F.O., 1916, pp. 2362, 2394, 2412. 1921.
    methods and varieties, New York farm. F.B. 454, p. 28. 1911.
  importation restrictions, under corn borer quarantine. F.H.B. Quar. 41, pp. 2, 4. 1921.
  imports, 1907–1909, value, by countries from which consigned. Stat. Bul. 82, p. 39. 1910.

INDEX TO PUBLICATIONS, 1901-1925 903

Flowers—Continued.
in Alaska—
  growing at Sitka station. Alaska A.R., 1910, pp. 27-29. 1911.
  notes on growth. Alaska A.R., 1908, pp. 32, 43, 67, 69, 70. 1909.
injury by—
  common red spider, list. Ent. Cir. 104, p. 3. 1909.
  corn borers. F.B. 1294, pp. 5, 11, 16, 19-20. 1922.
  earwig. Off. Rec., vol. 2, Nos. 32, 33, p. 2. 1923.
  investigations, usefulness to farmers. News L., vol. 1, No. 48, pp. 1-2. 1914.
judging at shows, scales and regulations. D.C. 62, pp. 30-31. 1919.
marketing methods. Rpt., 98, pp. 50-53. 1913.
medicinal—
  American, with fruits and seeds. Alice Henkel. D.B. 26, pp. 16. 1913.
  gathering time, packing methods. D.B. 26, pp. 1-2. 1913.
Narcissus, treatment in growing bulbs. D.B. 1270, pp. 16-18. 1924.
planting to attract seed-eating birds. Y.B., 1909, p. 193. 1910; Y.B. Sep. 504, p. 193. 1910.
pollen supply, variable. Ent. Bul. 121, pp. 10-11. 1912.
pollination, methods. B.P.I. Bul. 167, pp. 30-32. 1910.
pressing, instructions. D.C. 76, pp. 6-7. 1920.
production, leading States, 1909. Y.B., 1914, p. 646. 1915; Y.B. Sep. 656, p. 646. 1915.
school-garden. F.B. 218, pp. 10-12. 1905.
school lesson. D.B. 258, pp. 35-36. 1915.
seed(s)—
  germination temperatures. J.A.R., vol. 23, pp. 297, 298, 330. 1923.
  growing in California, Santa Maria area, notes. Soil Sur. Adv. Sh., 1916, pp. 13, 44, 45. 1919; Soils F.O. 1916, pp. 2539, 2570, 2571. 1921.
  See also Seeds, flower; Seed, garden.
shows, schedules, classes, arrangement, judging and premiums. D.C. 62, pp. 6-11, 13-27, 30-34. 1919.
sources of perfumery. B.P.I. Bul. 195, pp. 9, 10, 11, 16-18, 19-21, 26, 41, 47. 1910.
thrips, study and control in 1923. Work and Exp., 1923, p. 52. 1925.
tulip blossoms, sale, removal. D.B. 1082, pp. 13-15. 1922.
use—
  and value of wild-rice plants. D.C. 229, p. 16. 1922.
  as food—
    cooking directions. D.B. 123, pp. 34-36. 1916.
    studies. O.E.S. Bul. 245, pp. 49-50. 1912.
  in beautifying the farmstead. F.B. 1087, pp. 53-54. 1920.
  in improvement of farm grounds. S.R.S. Syl. 28, pp. 7-9. 1917.
  varities, adaptability to Alaska. News L., vol. 2, No. 52, p. 8. 1915.
  wild, vitality of buried seeds. J.A.R., vol. 29, 351-361. 1924.
  See also Bulbs.
Flowering—
  period, cotton. B.P.I. Bul. 256, p. 11. 1913.
  plants—
    annual—
      L. C. Corbett. F.B. 195, pp. 48. 1904.
      growing. L. C. Corbett and F. L. Mulford. F.B. 1171, pp. 83. 1921.
    control by length of day. W. W. Garner and H. A. Allard. Y.B. 1920, pp. 377-400. 1921; Y.B. Sep. 852, pp. 377-400. 1921.
    relation to length of day and night, studies. J.A.R., vol. 23, pp. 873-881. 1923.
    spring and fall, relation to temperature and length of days. J.A.R., vol. 23, pp. 885-886. 1923.
FLOYD, M. L.: "The world's exhibit of leaf tobacco at Paris Exposition of 1900." Y.B., 1900, pp. 157-166. 1901.
Flue(s)—
  barn, outtakes and intakes. F.B. 1393, pp. 16-20. 1924.

Flue(s)—Continued.
chimney, shapes—
  and sizes for residences. F.B. 1194, pp. 4-5. 1921.
  sizes, linings, location, and openings. F.B. 1230, pp. 5-10. 1921.
defective, danger of farm fires, and control. F.B. 904, pp. 7-8. 1918.
dust—
  potash—
    percentage, estimates for different plants. D.B. 572, pp. 15-17. 1917.
    source, trapping methods. Y.B., 1912, p. 529. 1913; Y.B. Sep. 611, p. 529. 1913.
testing for smoke leakage. F.B. 1230, pp. 14-15. 1921.
use in tobacco curing, description. B.P.I. Bul. 241, pp. 18-23, 25. 1912.
ventilation, description and operation. F.B. 1194, p. 27. 1921.
Fluellin. *See* Speedwell, common.
FLUHARTY, L. W.—
  "Bean growing in eastern Washington and Oregon and northern Idaho." F.B. 561, pp. 12. 1913.
  "Bean growing in eastern Washington and Oregon and northern Idaho." With Byron Hunter. F.B. 907, pp. 16. 1917.
  "Cropping systems for the moister portion of eastern Washington and Oregon and northern Idaho." D.B. 625, pp. 12. 1918.
  "Soil survey of Washington County, Oreg." With others. Soil Sur. Adv. Sh., 1919, pp. 51. 1923; Soils F.O., 1919, pp. 1835-1881. 1925.
Fluke(s)—
  cattle—
    description. B.A.I. [Misc.], "Diseases of cattle," rev., pp. 489-490. 1904; rev., p. 505, 1908; rev., pp. 537-538. 1912; rev., pp. 526-527. 1923.
    liver and lungs, description, symptoms, and treatment. B.A.I. [Misc.], "Diseases of cattle," rev., pp. 473, 489-490. 1904; rev., pp. 512-513. 1908; rev., pp. 537-538. 1912; rev., pp. 526-527. 1923.
  conical, infestation of cattle. B.A.I. [Misc.], "Diseases of cattle," rev., p. 530. 1912.
  disease(s)—
    control by destruction of intermediate host. Asa C. Chandler. J.A.R., vol. 20, pp. 193-208. 1920.
    frogs, toads, and carp as eradicators. B.A.I. An. Rpt., 1901, p. 220. 1902.
    sheep, treatment, experiments. B.A.I. Bul. 153, pp. 11-12, 13-16. 1912.
    in humans, treatment. B.A.I. Bul. 153, pp. 14-15. 1912.
  large American, life history, distribution, and symptoms. B.A.I. An. Rpt., 1910, pp. 432-436. 1912; B.A.I. Cir. 193, pp. 432-436. 1912.
  liver—
    and lungs, cattle, description and control. B.A.I. [Misc.], "Diseases of cattle," rev., pp. 526-527. 1923.
    control by destruction of intermediate host. J.A.R., vol. 20, pp. 193-208. 1920.
    descriptions, occurrence in sheep, symptoms. F.B. 1150, pp. 36-37. 1920.
  injury to—
    cattle in Porto Rico. P.R. Bul. 29, pp. 9-10. 1922.
    livestock, Guam, description and control. Guam A.R. 1915, pp. 30-32. 1916.
  of sheep, life history, distribution, and results. B.A.I. An. Rpt., 1910, pp. 428-432. 1912; B.A.I. Cir. 193, pp. 428-432. 1912.
  sheep infestation, description, life history, and control. F.B. 1150, pp. 33-37. 1920; F.B. 1330, pp. 33-37. 1923.
  species, occurrence, determination studies. B.A.I. S.R.A. 100, p. 96. 1915.
  species, life history, distribution, results. B.A.I. An. Rpt., 1910, pp. 428-432. 1912; B.A.I. Cir. 193, pp. 428-432. 1912.
  spread by dogs, causes of disease in man and animals. D.B. 260, p. 23. 1915.
Flume(s)—
  construction, material required and methods. D.B. 87, pp. 30-32, 34-36. 1914.

Flume(s)—Continued.
    irrigation—
        construction of lumber or cement. Y.B., 1909, p. 300. 1910; Y.B., Sep. 514, p. 300. 1910.
        ditches, materials, and cost. F.B. 404, pp. 14-17. 1910.
        water flow. D.B. 194, pp. 1-68. 1915.
        measuring, farmer's short-box. Carl Rohwer. D.B. 1110, pp. 14. 1922.
        redwood, cost, comparison with cement pipes. F.B. 317, p. 14. 1908.
        reinforcement at unloading points, necessity. D.B. 87, pp. 23-25. 1914.
        replacing by a hydraulic-fill, irrigation reservoir. O.E.S. Bul. 249, Pt. I, pp. 88-90. 1912.
        soil-moisture movement. D.B. 835, pp. 7-46, 54-56. 1920.
        transportation, cost for various materials. D.B. 87, p. 29. 1914.
        types for farm water-power. F.B. 1430, pp. 12-17. 1925.
        use in sluicing. F.B. 828, pp. 23-24. 1917.
        Venturi, description, and use. J.A.R., vol. 9, pp. 115-129. 1917.
Fluminea spp., description, distribution, and uses. D.B. 772, pp. 11, 38, 40, 288. 1920.
Fluoride and silico-fluorides, detection in canned meats. Chem. Bul. 13, Pt. X, pp. 1407-1408. 1902.
Flushing, sheep—
    for lamb-yield increase, with other means. F. R. Marshall and C. G. Potts. D.B. 996, pp. 14. 1921; D.B. 996, pp. 15. 1923.
    meaning of term. D.B. 996, p. 1. 1921.
Flute budding, directions, care, and tools. F.B. 700, pp. 12-14, 15-16. 1916.
Flux—
    blast-furnace, nature, and potash content. D.B. 1226, pp. 5, 13. 1924.
    bloody. See Dysentery.
    canning, for tin. S.R.S. Doc. 22, pp. 1-2. 1916.
    making and use in canning. F.B. 853, pp. 23, 24. 1917.
    soldering, formula and directions for using. S.R.S. Doc. 11, p. 2. 1916; S.R.S. Doc. 97, p. 4. 1919.
Fluxing bituminous road binders. Y.B., 1910, p. 298. 1911; Y.B. Sep. 538, p. 298. 1911.
Fly(ies)—
    alkali, food of wild ducks. D.B. 936, p. 15. 1921.
    annoyance to cattle, horses, and mules, control repellents. News L., vol. 2, No. 5, p. 4. 1914.
    bean. See Seed-corn maggot.
    bird enemies, Southeastern States. F.B. 755, pp. 5, 8, 10, 12, 24, 29. 1916.
    biting—
        injury to domestic animals. D.B. 131, pp. 2-5. 1914.
        "punkies" in Virginia. Ent. Bul. 64, Pt. III, pp. 23-28. 1907.
        spread of diseases. B.A.I. An. Rpt., 1910, pp. 467, 473-478. 1912; B.A.I. Cir. 194, pp. 467, 473-478. 1912.
    black—
        American, characteristics, description, and synonyms. Ent. T.B. 26, pp. 7-67. 1914.
        control—
            experiments, New Hampshire Experiment Station. O.E.S. An. Rpt., 1912, p. 160. 1913.
            in mountain streams. O.E.S. An. Rpt., 1910, p. 192. 1911.
            of citrus and other subtropical plants. Harry F. Dietz and James Zetek. D.B. 885, pp. 55. 1920.
        See also Buffalo gnats; Citrus black fly; Scale, black.
    bluebottle—
        American, enemy of sheep. Hawaii A.R., 1907, p. 47. 1908.
        description. F.B. 679, p. 3. 1915; F.B. 459, p. 6. 1911.
        English, enemy of sheep. Hawaii A.R., 1907, p. 47. 1908.
        injury to sheep. D.B. 131, pp. 1-2, 23. 1914.
    bot. See Botfly; Bots.
    breeding—
        in horse manure. D.B. 118, pp. 2-3. 1914.

Fly(ies)—Continued.
    breeding—continued.
        places—
            flight habits, experiments with marked flies. D.B. 200, pp. 8-9. 1915.
            treatment. F.B. 679, pp. 12-22. 1915.
        responsibility of human excrement, control methods. F.B. 463, p. 12. 1911.
    breeze. See Gadfly.
    bulb, infestation of imports. Off. Rec. vol. 1, No. 50, p. 4. 1922.
    carriage of diseases. Ent. Bul. 30, p. 39. 1901.
    cattle—
        life history. B.A.I. [Misc.], "Diseases of cattle," rev., pp. 477-480. 1904; rev., pp. 495-500. 1908; rev., pp. 518-524. 1912; rev, pp. 502-511. 1923.
        parasites, description, habits and control. B.A. I. [Misc.], "Diseases of cattle," rev., pp. 502-511. 1923.
    celery, description. Sec. [Misc.], "A manual of insects * * *," p. 52. 1917.
    chalcid. See Chalcid fly.
    cheese, cause of intestinal myiasis in man. Sec. Cir. 61, p. 8. 1916.
    chin, horse, enemy. Hawaii A.R., 1907, p. 47. 1908.
    Chinese blister, substitute for cantharides, description. Chem. S.R.A. 21, p. 69. 1918.
    citrus black, Quarantine No. 49, with regulations, summary. F.H.B.S.R.A. 71, p. 177. 1922.
    classification of larval characters. Ent. T.B. 22, pp. 13, 37. 1912.
    cluster, description. F.B. 459, pp. 5-6. 1911. F.B. 679, pp. 2-3. 1915; F.B. 851, p. 3. 1917.
    color preferences. D.B. 131, pp. 5-6. 1914.
    control—
        by—
            benzene derivatives, tests of toxicity. J.A.R., vol. 9, pp. 373-376. 1917.
            derris powder experiments. J.A.R., vol. 17, p. 192. 1919.
            fungous disease. D.B. 922, p. 17. 1920.
            gases, fumigation experiments. D.B. 893, pp. 4, 6, 7, 10. 1920.
            plant insecticides. D.B. 1201, pp. 4-14, 21-52. 1924.
            pyrethrum. D.B. 824, pp. 13, 21, 22-23, 74. 1920.
        campaign for 1917, notice. B.A.I.S.R.A. 119, p. 31. 1917.
        College Park, Md., plan and scope of experiments. D.B. 200, p. 3. 1915.
        in houses, directions. F.B. 1180, p. 28. 1921.
        methods—
            at convict camps. D.B. 414, pp. 104-106. 1916.
            experiments. F.B. 459, pp. 9-14, 15-16. 1911; F.B. 532, pp. 22-24. 1913.
    conveyance of mushroom mites. Ent. Cir. 155, pp. 5, 6. 1912.
    corn-silk, Porto Rico, damage to corn, investigations. P.R. An. Rpt., 1917, p. 33. 1918.
    cows, protection. F.B. 225, pp. 19-21. 1905.
    cows, riddance in Hawaii. Hawaii Ext. Bul. 2, pp. 2-3. 1917.
    crane. See Crane fly.
    cucurbit, description. Sec. [Misc.], "A manual of insects * * *," p. 93. 1917.
    currant, description and control. F.B. 1024, p. 20. 1919.
    Dermatobia, cause of dermal myiasis in man. Sec. Cir. 61, p. 10. 1916.
    destruction—
        by—
            birds. Biol. Bul. 30, pp. 29, 42, 44, 48, 59. 1907.
            crows. D.B. 621, p. 24. 1918.
            starlings. D.B. 868, pp. 24-25, 65. 1920.
        for sanitation, directions. B.A.I.S.A. 62, pp. 47-48. 1912.
    deterrent—
        "Fly shy," misbranding. N. Judg. 185. I. and F. Bd. S.R.A. 11, pp. 59-61. 1915.
        "O. K. fly relief," misbranding. Insect. N. Judg. 210. I. and F. Bd. S.R.A. 14, pp. 169-170. 1916.
    device for ridding houses of. F.B. 133, pp. 25-26. 1901.

Fly(ies)—Continued.
  dispersion by flight. F. C. Bishopp and E. W. Laake. J.A.R., vol. 21, pp. 729-766. 1921.
  dung, description. F.B. 679, p. 4. 1915.
  early spring, control importance. News L., vol. 5, No. 43, p. 12. 1918.
  exterminator, misbranding. Insect. N.J. 90. I. and F. Bd. S.R.A. 3, p. 38. 1914.
  Fiji, hosts. Sec. [Misc.], "A manual of insects * * *," p. 117. 1917.
  flesh, gray, life history and habits. F.B. 857, p. 16. 1917.
  food of shoal-water ducks. D.B. 862, pp. 9, 15, 21, 27, 30, 36, 48, 63. 1920.
  forest. See Ticks.
  four-winged larvae, aid in aphid control. F.B. 804, p. 34. 1917.
  fruit. See Fruit fly.
  grain—
    description. Sec. [Misc.], "A manual of insects * * *," pp. 124-125. 1917.
    two-winged, description and injuries. Ent. Bul. 42, n. s., pp. 40-43. 1903.
  grass, two-winged, description and injuries. Ent. Bul. 42, n. s., pp. 40-43. 1903.
  green-bottle—
    description and habits. F.B. 679, p. 3. 1915; F.B. 857, pp. 15-16. 1917.
    poisonous effect of larvae, investigations. An. Rpts., 1914, p. 88. 1914; B.A.I. Chief Rpt., 1914, p. 32. 1914.
  harmfulness, as cause of milk-flow decrease. News L., vol. 5, No. 52, p. 16. 1918.
  Hessian. See Hessian fly.
  horn. See Horn fly.
  house—
    L. O. Howard. F.B. 459, pp. 16. 1911.
    L. O. Howard and R. H. Hutchison. F.B. 679, pp. 22. 1915; F.B. 851, pp. 24. 1917.
    and how to suppress it. L. O. Howard and F. C. Bishopp. F.B. 1408, pp. 17. 1924.
    and stable, control by fall hauling of stable manure. News L., vol. 5, No. 52, p. 5. 1918.
    as carrier of disease. F.B. 412, pp. 11-13. 1910.
    breeding habits. F.B. 412, pp. 13-16. 1910; F.B. 851, pp. 5-9. 1917.
    carriers of—
      disease. Ent. Bul. 30, pp. 39-45. 1901.
      typhoid bacilli. B.A.I. An. Rpt., 1908, p. 297. 1910.
    control—
      by use of maggot trap. R. H. Hutchison. D.B. 200, pp. 15. 1915.
      Health Office regulations, Washington, D. C. F.B. 459, pp. 15-16. 1911; F.B. 851, p. 15. 1917.
      relation to sanitary conditions. Ent. Bul. 78, pp. 23-36. 1909.
      work for community. F.B. 679, pp. 21-22. 1915.
    danger, suggestions. F.B. 412, pp. 11-16. 1910.
    eradication, need of education and community work. F.B. 851, p. 23. 1917.
    fumigation with hydrocyanic-acid gas, dosages. J.A.R., vol. 11, pp. 422, 428. 1917.
    habits—
      and control. F.B. 851, pp. 1-24. 1917; F.B. 1408, pp. 1-17. 1924.
      disease spreading and control. Sec. Cir. 61, pp. 2-7. 1916.
      larvae, control through migratory habit, experiments. D.B. 14, pp. 1-11. 1914.
    larvae, description and occurrence in food. Ent. T.B. 22, p. 23. 1912.
    lesser, description. F.B. 851, pp. 3-4. 1917.
    life history—
      and control. F.B. 679, pp. 1-22. 1915; Sec. Cir. 61, pp. 2-3. 1916.
      remedies, preventives, natural enemies. L. O. Howard. Ent. Cir. 71, pp. 9. 1906.
    nicotine poisoning, studies. J.A.R. vol. 7, pp. 95, 100, 112. 1916.
    overwintering, invesitgations. J.A.R., vol. 13, pp. 149-170. 1918.
    preoviposition period. D.B. 345, pp. 1-14. 1916.
    small, description—
      and habits. F.B. 459, pp. 6-7. 1911.
      difference from common house fly. F.B. 679, p. 3. 1915.

Fly(ies)—Continued.
  house—continued.
    transmission of—
      disease. Ent. T.B. 22, p. 11. 1912.
      Habronema muscae. B.A.I. Bul. 163, pp. 36. 1913.
    trap, directions for making and use. F.B. 133, pp. 25-26. 1901.
    winter survival. News L., vol. 5, No. 21, p. 5. 1917.
    See also Musca domestica.
  infestation by mites. Rpt. 108, pp. 43, 81, 107, 108, 114. 1915.
  injurious to livestock, control studies. An. Rpts. 1917, p. 236. 1918; Ent. A.R., 1917, p. 10. 1917.
  killer—
    adulteration and misbranding. Insect. N. J. 98. I. and F. Bd. S.R.A. 3, pp. 43-45. 1914.
    labeling. Opinion 34. I. and F. Bd. S.R.A. 5, p. 66. 1914.
    misbranding. Insect. N.J. 898. I. and F. Bd. S.R.A. 46, p. 1107. 1923.
  kinds—
    and methods as enemies of grasshoppers. F.B. 747, pp. 10-11. 1916.
    caught in traps. F.B. 734, p. 2. 1916.
    found in houses, similarity to house flies. F.B. 851, pp. 3-4. 1917.
  knocker, Conkey's misbranding. I. and F. Bd. N.J. 19, pp. 3. 1913.
  lacewing—
    enemy of—
      avocado red spider. D.B. 1035, p. 9. 1922.
      codling moth. Ent. Bul. 115, Pt. 1, p. 74. 1912.
      corn earworm. F.B. 1310, pp. 11, 12. 1923.
      pink bollworm. D.B. 918, p. 47. 1921.
      spring grain aphid. Ent. Bul. 110, pp. 132-133. 1912.
      usefulness as enemy of black fly. D.B. 885, p. 45. 1920.
    larvae—
      cause of intestinal disease. F.B. 412, p. 12. 1910.
      description and occurrence in food. Ent. T.B. 22, pp. 44. 1912.
      destruction in—
        horse manure, experiments. F.C. Cook and others. D.B. 118, pp. 26. 1914; D.B. 245, pp. 22. 1915.
        horse manure, experiments during 1915. F. C. Cook and R. H. Hutchison. D.B. 408, pp. 20. 1916.
      injury to human beings. Ent. T.B. 22, pp. 9-11, 19, 22. 1912.
      parasitic, spread by dogs. D.B. 260, p. 24. 1915.
  life history, distribution, agents in transmitting tapeworms. Y.B., 1905, pp. 145, 161. 1906; Y.B. Sep. 374, pp, 145, 161. 1906.
  loco, yellow, description. Ent. Bul. 64, Pt. V, p. 38. 1908.
  marguerite—
    control. S.R.S. Rpt., 1915, Pt. I, p. 147. 1917.
    host, habits, and description. Sec. [Misc.], "A manual of insects * * *," p. 215. 1917.
  meat, trapping and destroying, meat inspection, instructions. B.A.I. Ser. An. 74, p. 52. 1913.
  melon. See Melon fly.
  mushroom, description and control. Ent. Cir. 155, pp. 1-3. 1912; F.B. 789, pp. 3-6. 1917.
  occurrence in the Pribilof Islands, Alaska. N.A. Fauna 46, Pt. II., pp. 187-224, 225-228. 1923.
  oil, misbranding. N.J. 1 70.I. and F. Bd. S.R.A. 10, pp. 38-39. 1915.
  onion, description and control. Y.B. 1912, pp. 329-330. 1913; Y.B. Sep. 594, pp. 329-330. 1913.
  orange, injuries to oranges in Mediterranean countries. J.A.R., vol. 3, pp. 311-312. 1915.
  other than Musca domestica found in houses, descriptions. F.B. 679, pp. 1-5. 1915.
  paper(s)—
    and poisons, use. F.B. 851, pp. 11. 1917; F.B. 1408, pp. 8. 1924.
    castor-oil ingredient. D.B. 867, p. 39. 1920.
    misbranding, "Sure kill poison." I. and F. Bd. S.R.A. 1, p. 16. 1914.
    poison, misbranding. N.J. 99, I. and F. Bd S.R.A. 3, p. 45. 1914.
    preparation, formula. F.B. 734, p. 13. 1916.

Fly(ies)—Continued.
  paper(s)—continued.
    stains, removal from textiles. F.B. 861, p. 14. 1917.
    use in control of fleas. F.B. 897, p. 13. 1917.
  parasitic—
    cause of bee disease, discussion. Ent. Bul. 98, p. 15. 1912.
    control of grasshoppers. Y.B., 1907, p. 248. 1908; Y.B. Sep. 447, p. 248. 1908.
    enemies of—
      alfalfa caterpillar, description. F.B. 1094, pp. 8–9. 1920.
      striped cucumber beetle. F.B. 1322, p. 6. 1923.
      on boll weevil, description. Ent. Bul. 100, pp. 47–48. 1912.
  peach. See Fruit fly, Mediterranean.
  poison—
    formula. F.B 412, p. 14. 1910.
    misbranding. I. and F. Bd. S.R.A. 9, pp. 16, 17. 1915.
    plant insecticide, use as spray. An. Rpts., 1916, p. 152. 1917; B.P.I. Chief Rpt., 1916, p. 16. 1916.
  pomace, enemy of pineapple. Hawaii A.R., 1907, p. 44. 1908.
  prevalence at stable and kitchen, control by maggot trap. D.B. 200, pp. 6–8. 1915.
  preventive, analysis. Chem. Bul. 76, p. 55. 1903.
  protection—
    compound, for livestock, formula. News L., vol. 2, No. 2, p. 2. 1914.
    of cows. F.B. 225, pp. 19, 21. 1905.
  relation to food. F.B. 375, pp. 14–17. 1909.
  remedies—
    adulteration and misbranding. N.J. 776, 777, 786. I. and F. Bd. S.R.A. 42, pp. 983–984, 995. 1923.
    misbranding, N. J. 836, 838, 840. I. and F. Bd. S.R.A. 44, pp. 1046, 1047, 1048. 1923.
  repellent(s)—
    external remedies. D.B. 131, pp. 7–12. 1914.
    formulas and use. B.A.I. [Misc.], "Diseases of cattle," rev., pp. 495–496. 1908; rev., pp. 518–519. 1912; rev., pp. 503. 1923.
    in Porto Rico, formulas and use. P.R. Cir. 17, pp. 19–20. 1918.
    internal remedies. D.B. 131, pp. 6–7. 1914.
    misbranded, "Shoo-fly, the animals' friend." I. and F. Bd. N.J. 6, p. 1. 1912.
    protection of animals. H. W. Graybill. D.B. 131, pp. 26. 1914.
  robber—
    destruction as—
      bees. Biol. Bul. 44, p. 14. 1912.
      New Mexico range caterpillar. Ent. Bul. 85, p. 92. 1911.
      stable flies. F.B. 1097, p. 14. 1920.
    methods as enemies of grasshoppers. F.B. 747, p. 11. 1916.
  root, spotted, description and occurrence. Ent. Bul. 64, Pt. V, pp. 38–39. 1908.
  school lesson. D.B. 258, pp. 29–30. 1915.
  screw-worm. See also Chrysomya macellaria; Screw worm fly.
  shake, red diamond, misbranding. I. and F. Bd. S.R.A. 9, pp. 28–29. 1915.
  sheep—
    grub, description, habits, life history, and control. F.B. 1330, pp. 17–19. 1923.
    maggot. See Sheep maggot.
  Simulian, relation to pellagra. Ent. A.R., 1911, p. 34. 1911; An. Rpts., 1911, p. 524. 1912.
  skipper, control in cheese factories. D.B. 1171, p. 12. 1923.
  spray, whiz, misbranding. N.J. 174, I. and F. Bd. S.R.A. 10, pp. 41–42. 1915.
  spread of mites in hypopus stage. F.B. 789, pp. 7, 8, 13. 1917.
  stable—
    F. C. Bishopp. F.B. 540, pp. 28. 1913.
    biting, description. F.B. 679, p. 2. 1915.
    breeding—
      places. F.B. 540, pp. 7–8, 15–16. 1913.
      prevention by immature-stage destruction. F.B. 1097, pp. 18–21. 1920.
    camp pest, control. Sec. Cir. 61, p. 20. 1916.
    common names. F.B. 1097, pp. 3, 4. 1920.

Fly(ies)—Continued.
  stable—continued.
    control. F.B. 540, pp. 20–28. 1913; F.B. 1097, pp. 13–21. 1920.
    description—
      and habits. F.B. 459, p. 5. 1911; F.B. 679, pp. 2, 3. 1915; F.B. 851, p. 3. 1917.
      dangers and control. Y.B., 1912, pp. 391–392. 1913; Y.B. Sep. 600, pp. 391–392. 1913.
    disease transmission, preventive measures. B.A.I. [Misc.], "Diseases of cattle," rev., p. 496. 1908; rev., p. 477. 1904; rev., p. 519. 1912; rev., p. 503. 1923.
    distribution and abundance. F.B. 540, pp. 5–7. 1913; F.B. 1097, pp. 34–37. 1920.
    effect on animals attacked. F.B. 540, pp. 11–12. 1913.
    enemy of horse. Hawaii A.R., 1907, p. 47. 1908.
    habits, breeding, feeding, and hibernation. F.B. 540, pp. 15–20. 1913.
    hosts. F.B. 540, p. 8. 1913.
    increase by agricultural practices, control suggestions. F.B. 1097, p. 13. 1920.
    injury to—
      animals, and control by repellents. D.B. 131, pp. 1, 4, 8, 10, 14–21, 23. 1914.
      livestock, losses. F.B. 540, pp. 9–11. 1913.
      larvae, description, occurrence, and injury to cattle. Ent. T.B., 22, pp. 11, 24–25, 37, 38. 1912.
    life history—
      description. F.B. 540, pp. 15–20. 1913.
      development, and habits. F.B. 1097, pp. 7–12. 1920.
    outbreak, 1912, history. F.B. 540, pp. 7–12. 1913.
    parasitic enemies, description. F.B. 1097, p. 15. 1920; F.B. 540, pp. 22–23. 1913.
    prevention of annoyance and losses to livestock. F. C. Bishopp. F.B. 1097, pp. 23. 1920.
    repellents, formula and caution F.B. 1097, p. 15. 1920.
    seasonal history. F.B. 540, pp. 19–20. 1913.
    transmission of—
      diseases to man and animals. F.B. 540, p. 5. 1913.
      pellagra, study. An. Rpts., 1913, p. 214. 1914; Ent. A.R., 1913, p. 6. 1913.
    See also Stomoxys calcitrans.
  studies for southern rural schools. D.B. 305, p. 53. 1915.
  syrphus—
    enemies of the spring grain aphid. Ent. Bul. 110, pp. 129–132. 1912.
    injury to vegetables in Porto Rico. D.B. 192, p. 3. 1915.
    lacewing, and four-winged, aid in aphid control. F.B. 804, p. 34. 1917.
  tabanid, spread of dromedary disease, control by wasps. An. Rpts., 1907, p. 456. 1908.
  Tabanidae family, habits and life histories. Ent. T.B. 12, Pt. II, pp. 19–38. 1903.
  tachinid. See Tachinid fly.
  tomato, metallic, description. Sec. [Misc.], "A manual of insects * * *," p. 217. 1917.
  transmission of diseases. B.A.I. An. Rpt., 1909, pp. 94–97. 1911; B.A.I. Cir. 169, pp. 94–97. 1911; Ent. Bul. 30, pp. 39–45. 1901.
  trapping, for stock protection. F.B. 1097, pp. 16–18. 1920.
  tsetse. See Tsetse fly.
  varieties, hibernation, studies. J.A.R., vol. 13, pp. 164–167. 1918.
  vinegar, description and control. F.B. 1424, p. 23. 1924; F.B. 851, p. 4. 1917.
  walnut husk-maggot, habits and control. D.B. 992, pp. 1–8. 1921.
  warble. See Warble fly.
  weevil. See Angoumois grain moth.
  white—
    artificial spread of fungus. Ent. Bul. 102, pp. 47–70. 1912.
    cloudy-winged—
      distinction from citrus white-fly. Ent. Cir. 168, pp. 2–3. 1913.
      enemies, parasitic and predatory. Ent. Bul. 102, pp. 8–9. 1912.
      history, distribution, habits, injury, food plants. Ent. Bul. 92, pp. 86–103. 1911.

Fly(ies)—Continued.
white—continued.
control—
by fungus, experiments. Vir. Is. A. R. 1920, pp. 26-27, 32. 1921.
in greenhouses. Ent. Bul. 57, pp 1-9. 1906; F.B. 1306, pp. 9-11. 1923.
dosage requirements, experiments and table. Ent. Bul. 76, pp. 40-50, 66-68. 1908.
enemies from India, loss after transportation to Florida. Ent. Bul. 120, pp. 38-39. 1913.
fungous parasites, natural efficacy. Ent. Bul. 102, pp. 39-47. 1912.
injury to—
beet crop in Utah. Rpt. 92, p. 38. 1910.
tomatoes and control. D.C. 40, p. 9. 1919; S.R.S. Doc. 95, p. 9. 1919.
mortality from over-crowding, drought and bacterial diseases. Ent. Bul. 102, pp. 11-17, 18-19. 1912.
spraying—
Florida. Ent. Cir. 168, pp. 8. 1913.
season, and effects of Bordeaux-oil emulsion. D.B. 1178, pp. 3, 11-12, 14-18. 1923.
with spores of fungus. O.E.S. An. Rpt., 1909, p. 91. 1910.
See also Citrus white fly.
window—
description and habits. F.B. 679, p. 4. 1915; F.B. 459, p. 7. 1911.
larva, parasite of grain pests. F.B. 1260, p. 43. 1922.
woolly white—
description, habits, enemies, and control. F.B. 1011, pp. 3, 5-12. 1919.
in Florida citrus groves. F.B. 1011, pp. 14. 1919.
life history, description and control. Ent. Bul. 64, Pt. VIII, pp. 65-71. 1910.
See also Ichneumon fly; Tachina fly.
Flycatcher(s)—
Acadian, occurrence, habits, and food. Biol. Bul. 44, pp. 58-60. 1912.
alder—
Alaska. N.A. Fauna 30, p. 39. 1909.
occurrence, habits and food. Biol. Bul. 44, pp. 60-63. 1912.
Antillean, occurrence in Porto Rico, habits and food. D.B. 326, pp. 81-82. 1916.
ash-throated, food habits beneficial to agriculture. Biol. Bul. 34, pp. 29-32. 1910; Biol. Bul. 44, pp. 28-30, 1912; F.B. 506, pp. 19-21. 1912.
crested, occurrence, description, habits, and food. Biol. Bul. 44, pp. 24-27. 1912.
enemies of leafhoppers. Ent. Bul. 108, pp. 25, 29. 1912.
family, food habits, relation to agriculture. Biol. Bul. 34, pp. 29-44. 1910.
food—
animal and vegetable. F.B. 506, pp. 19-23. 1912.
habits and occurrence in Arkansas. Biol. Bul. 38, pp. 52-55. 1911.
of our more important. F. E. L. Beal. Biol. Bul. 44, pp. 67. 1912.
least, occurrence, habits, and food. Biol. Bul. 44, pp. 64-67. 1912.
occurrence, habits, usefulness in boll weevil destruction. Biol. Bul. 29, pp. 14-15. 1909.
olive-sided—
Alaska. N.A. Fauna 30, p. 39. 1909.
occurrence, habits, and food. Biol. Bul. 44, pp. 41-44. 1912.
use in control of Parandra borer. D.B. 262, p. 6. 1915.
protection by law. Biol. Bul. 12, rev., pp. 40, 41, 42. 1902.
range and habits. N.A. Fauna 21, pp. 46, 77. 1901; N.A. Fauna 22, pp. 113-114. 1902.
scissor-tailed, occurrence, habits, and food. Biol. Bul. 44, pp. 8-11. 1912; F.B. 755, pp. 29-31. 1916.
Traills', occurrence, habits, and food. Biol. Bul. 44, pp. 60-63. 1912; D.B. 107, p. 10. 1914.
varieties, Athabaska-Mackenzie region. N.A. Fauna 27, pp. 393-398. 1908.
western—
food habits, relation to agriculture. Biol. Bul. 34, pp. 41-44. 1910.

Flycatcher(s)—Continued.
western—continued.
yellow-bellied—
enemy of codling moth. Y.B. 1911, p. 240. 1912; Y.B. Sep. 564, p. 240. 1912.
occurrence, habits, and food. Biol. Bul. 44, pp. 55-58. 1912; F.B. 506, pp. 21-23. 1912.
See also. Kingbird; Phoebe.
Flyspeck—
apple, treatment. F.B. 243, p. 19. 1906; F.B. 492, p. 37. 1912.
disease of plants, occurrence and description, Texas. B.P.I. Bul. 226, p. 29. 1912.
Flystone. See Cobalt, arsenite.
Flytraps—
at meat establishments, operation and baits. B.A.I.S.R.A. 107, pp. 23-25. 1916.
conical hoop, dimensions and construction. B.A.I.S.R.A. 105, pp. 2-5. 1916; F.B. 734, pp. 3-8. 1916.
construction and operation. F. C. Bishopp. F.B. 734, pp. 14. 1916.
description and uses. F.B. 532, pp. 23-24. 1913; F.B. 540, pp. 25-26. 1913; F.B. 1408, pp. 8-9. 1924.
homemade, description and use method. News L., vol. 3, No. 34, p. 7. 1916.
manure-box, description. F.B. 734, pp. 9-10. 1916.
tent, description. F.B. 734, pp. 6-7. 1916.
uses—
in control of flies. F.B. 679, p. 12. 1915; F.B. 532, pp. 22-24. 1913.
in military camps. Sec. Cir. 61, pp. 6-7, 24. 1916.
window—
description. F.B. 734, pp. 8-10. 1916.
Hodge type, description. B.A.I.S.R.A. 105, pp. 5-6. 1916.
FOADEN, G. P.: "Notes on Egyptian agriculture." B.P.I. Bul. 62, pp. 61. 1904.
Foal—
birth, abnormal presentations, description, directions for treatment. B.A.I. [Misc.], "Diseases of the horse," rev., pp. 176-181. 1903; rev., pp. 176-182. 1907; rev., pp. 176-182. 1911; rev., pp. 197-202. 1923.
care at birth and later. F.B. 451, pp. 20-24. 1911; F.B. 803, pp. 15-19. 1917; rev., pp. 13-14. 1923.
hunter horse, feeding, and management. B.A.I. Rpt., 1904, pp. 220-221. 1905.
mule, care at birth. F.B. 1341, pp. 10-11. 1923.
new-born, care and feeding. F.B. 451, pp. 21-24. 1911.
orphan, raising by hand, formulas for milk. F.B. 803, pp. 17-18. 1917; rev., pp. 15-16. 1923.
See also Colt.
Foaling—
care of mare and young. F.B. 803, pp. 14-17. 1917.
dates—
and modern practices. F.B. 803, rev., pp. 8-9. 1923.
table for mares. F.B. 1341, p. 9. 1923.
Fodder—
acreage cut in 1919, cane, corn, and sorghum, maps. Y.B., 1921, pp. 436, 445, 446. 1927; Y.B. Sep. 878, pp. 30, 39, 40. 1922.
amount in corn crop, effects of breeding. F.B. 366, p. 12. 1909.
borer-infested, feeding to livestock. F.B. 1294, p. 43. 1923.
broomcorn, use and value. F.B. 768, pp. 15-16. 1916.
composition and energy value per 100 lbs. F.B. 346, pp. 7-8, 14-15. 1909.
corn—
cattle feeding, comparison with other feeds. D.B. 762, pp. 17-32. 1919.
cost of production. Stat. Bul. 48, pp. 46-47. 1906.
cured, silage making. F.B. 316, p. 21. 1908.
feed for cattle, energy value, notes and tables. J.A.R., vol. 3, pp. 437-484. 1915.
ground, feed for hogs. B.A.I. Bul. 47, pp. 177-178. 1904.
loss of feeding constituents, experiments. Y.B., 1908, p. 393. 1909; Y.B. Sep. 489, p. 393. 1909.
preparation, cost. F.B. 303, pp. 30-32. 1907.

Fodder—Continued.
  corn—continued.
    production—
      cost per acre. Stat. Bul. 73, pp. 40-41, 67. 1909.
      in United States, uses, value, and waste. F.B. 873, pp. 5-7. 1917; Rpt. 112, pp. 13-16. 1916.
    protein content and forage value. F.B. 320, p. 16. 1908.
    pulling method, Georgia, Habersham, and Jones Counties. Soil Sur. Adv. Sh., 1913, p. 11. 1915; Soils F.O., 1913, p. 407. 1916.
    shredded, value as feed. F.B. 312, p. 11. 1907.
    silage making, fermentation studies. J.A.R., vol. 12, pp. 589-600. 1918.
    storing precaution. S.R.S. Syl. 21, pp. 19-20. 1916.
    use—
      as roughage for horses. F. B. 1030, pp. 17-18. 1919.
      in cattle feeding. Y.B., 1913, p. 275. 1914; Y.B. Sep. 627, p. 275. 1914.
      in winter feeding of breeding cows, cost per cow. D.B. 615, pp. 9-10. 1917.
    yield per acre by States. D.C. 340, pp. 5-6. 1925.
  cost of preparing. O.E.S. Bul. 173, pp. 43-47. 1907.
  crops, growing in Northern Great Plains. D.B. 1244, pp. 18-22. 1924.
  fattening roughage, use in Corn Belt for steers. F.B. 1218, pp. 18-20. 1921.
  grasses, forage crops for cotton States. F.B. 1125, rev., pp. 23-28. 1920.
  plants—
    and grasses on the Potomac Flats. C. R. Ball. Agros. Cir. 28, pp. 18. 1901.
    native Alaska, abundance and permanence. B.P.I. Bul. 82, pp. 16-18. 1905.
    silica content, cause of calculi in cattle. B.A.I. [Misc.], "Diseases of cattle," rev., p. 132. 1904; rev., p. 135. 1912; rev., p. 135. 1923.
  production, relation of irrigation. F.B. 399, p. 18. 1910.
  protein and net energy value per 100 pounds. D.B. 459, p. 11. 1916.
  sorghum—
    curing, use, and value. F.B. 1158, p. 21. 1920.
    cutting and curing. F.B. 246, pp. 27, 33. 1906.
    value and use. F.B. 246, p. 33. 1906; Y.B., 1913, pp. 223, 227. 1914; Y.B. Sep. 625, pp. 223, 227. 1914.
  use in livestock rations. F.B. 873, pp. 7-12. 1917.
  value—
    equivalent in hay, in Dickey County, N. Dak. Soil Sur. Adv. Sh., 1914, p. 25. 1916; Soils F.O., 1914, p. 2423. 1919.
    in Great Plains area, comparison with hay. D.B. 219, p. 12. 1915.
    variety tests, corn and sorghum, Nevada, Truckee-Carson farm. W.I.A. Cir. 3, p. 6. 1915.
  See also Stover; Straw.
Foehn. See Chinook; Winds, warm.
Foeniculum vulgare. See Fennel.
Fog(s)—
  dry, cause, description, and various names. For. Bul. 117, pp. 20-21. 1912; Soils Bul. 68, pp. 115, 117-119. 1911.
  excessive, in California, San Francisco Bay region. Soil Sur. Adv. Sh., 1914, p. 15. 1917; Soils F.O., 1914, p. 2687. 1919.
  forecasting on Gulf Coast. B. Bunnemeyer. W.B. [Misc.], "Proceedings, third convention * * *," pp. 52-54. 1904.
  records, 1895-1914. Atl. Am. Agr. Adv. Sh., Pt. II, sec. A, p. 44. 1922.
  studies. Alex. G. McAdie. W.B. Bul. 31, pp. 31-35. 1902.
Fogfruit or lippia, as lawn plant and soil binder for arid regions. F.B. 169, pp. 8-9. 1903.
FOHRMAN, M. H.: "Effect of age and development on butterfat production of register-of-merit Jersey and advanced-register Guernsey cattle." With R. R. Graves. D.B. 1352, pp. 24. 1925.
Folding—
  hides and skins after curing, and tagging bundles. F.B. 1055, pp. 37-39, 52. 1919.
  machine, paper testing. Rpt. 89, p. 24. 1909.

FOLEY, JOHN—
  "A working plan for southern hardwoods, and its results." Y.B., 1901, pp. 471-476. 1902; Y.B. Sep. 249, pp. 471-476. 1902.
  "Conservative lumbering at Sewanee, Tennessee. For. Bul. 39, pp. 36. 1903.
Foley kidney pills, misbranding. Chem. N.J. 12498. 1924; Chem. N.J. 12779. 1925; Chem. N.J. 13346. 1925.
FOLGER, J. C.: "The commercial apple industry in the United States." Y.B., 1918, pp. 367-378. 1919; Y.B. Sep. 767, pp. 14. 1919.
Foliage—
  analyses showing injury by smelter fumes. Chem. Bul. 89, pp. 13, 14, 15, 17, 22. 1905; Chem. Bul. 113, pp. 17-31, 45-55. 1910.
  citrus, injury by fumigation, conditions affecting. D.B. 907, pp. 27-29. 1920.
  cover with arsenic adhering from sprays. D.B. 1147, pp. 21, 22. 1923.
  cranberry, insects injurious. F.B. 172, pp. 9-21. 1903.
  destruction by army worm at different instars. J.A.R., vol. 6, No. 21, pp. 800-804. 1916.
  fruit trees, action of lead arsenate, experiments, 1907 and 1908. Chem. Bul. 131, pp. 27-49, 1910.
  injury—
    by arsenical sprays. D. B. Swingle and others. J.A.R., vol. 24, pp. 501-538. 1923.
    by smelter wastes, methods of analysis. Chem. Bul. 113, pp. 34-35. 1908.
    insecticide tests. D.B. 278, pp. 9-11, 22, 38, 40. 1915.
  insects destructive, depredations, Europe and North America. Y.B., 1907, pp. 149-154, 158-160. 1908; Y.B. Sep. 442, pp. 149-154, 158-160. 1908.
  poisoned, for control of cutworms. Hawaii Bul. 54, p. 7. 1924.
  tender, injury by concentrated lime-sulphur solution, No. 19. I. and F. Bd. S.R.A. 2, p. 26. 1914.
FOLIN, OTTO—
  discussion of nitrite poisoning in bleached flour. Chem. N.J. 382, pp. 39-40. 1910.
  "Effect of saccharin on the health, nutrition, and general metabolism of man." Rpt. 94, pp. 229-375. 1911.
Folklore, weather and local weather signs. Edward B. Garriott. W.B. Bul. No. 33, pp. 153. 1903.
Follicular mange. See Mange, demodectic.
FOLSOM, DONALD—
  "Infection and dissemination experiments with degeneration diseases of potatoes, observations in 1923." With E. S. Schultz. J.A.R., vol. 30, pp. 493-528. 1925.
  "Investigations on the mosaic disease of the Irish potato." With others. J.A.R., vol. 17, pp. 247-273. 1919.
  "Leafroll, net-necrosis, and spindling-sprout of the Irish potato." With E. S. Schultz. J.A.R., vol. 21, pp. 47-80. 1921.
  "Transmission of the mosaic disease of Irish potatoes." With E. S. Schultz. J.A.R., vol. 19, pp. 315-338. 1920.
FOLSOM, J. C.—
  "Farm labor in Massachusetts, 1921." D.B. 1220, pp. 26. 1924.
  "Truck-farm labor in New Jersey, 1922." D.B. 1285, pp. 38. 1925.
Fomes—
  applanatus, description, and cause of cottonwood decay. B.P.I. Bul. 149, pp. 52, 58-60. 1909.
  conchatus, comparison with Fomes putearius. J.A.R., vol. 2, p. 163. 1914.
  everhartii, cause of—
    heart rot of oaks, and description. B.P.I. Bul. 149, pp. 48, 76. 1909.
    injury to Emory oak. For. Cir. 201., p. 11. 1912.
  fomentarius, occurrence and description. B.P.I. Bul. 149, pp. 49-51. 1909.
  frazinophilus, cause of white heart rot of ash. B.P.I. Bul. 149, p. 46. 1909.
  fulvus, cause of red heart rot of birch. B.P.I. Bul. 149, p. 47. 1909.
  geotropus, danger to cypress trees. D.B. 272, pp. 36-37. 1915.

Fomes—Continued.
  igniarius—
    destruction of trees attacked by aspen borer. F.B. 1154, pp. 6, 10. 1920.
    injury to trees and rapidity of spread. D.B. 871, pp. 20-22. 1920.
    See Fungus, false-tinder; Heart rot, white.
  laricis. See Fungus, quinine.
  nigricans, description, growth, and effects on diseased trees. B.P.I. Bul. 149, pp. 42-44. 1909.
  nigricans. See also Heart rot, brown.
  pinicola. See Fungus, red-belt.
  putearius description, habitat, and range. J.A.R., vol. 2, pp. 163-164, 166. 1914.
  rimosus, cause of black-locust disease, and description. B.P.I. Bul. 149, pp. 45-46. 1909.
  root, description and injury to pine trees. D.B. 799, pp. 2, 4, 23. 1919.
  rose-colored, cause of top rot, Douglas fir, description and results. D.B. 1163, pp. 4, 5, 15. 1923.
  roseus, cause of decay in timber, studies. D.B. 1053, pp. 3-40. 1922.
  spp.—
    attack on conifers after mistletoe injury. D.B. 360, pp. 25, 26. 1916.
    cultural data and discussion. J.A.R., vol. 12, pp. 41-44, 47, 49-59, 62, 69, 72, 77, 80. 1918.
    description, trees attacked, and characteristics. D.B. 658, pp. 10, 11, 14, 15, 17. 1918; D.B. 175, p. 40. 1915.
    development in wood-preservation tests, records. D.B. 227, pp. 18-31, 36. 1915.
    effect of wood preservatives on. D.B. 145, pp. 7, 11, 19. 1915.
    injury to forest trees. D.B. 275, pp. 12, 13, 14, 29, 35. 1916.
  texanus, fungus enemy of the Utah juniper. For. Cir. 197, p. 8. 1912.
Fondue, peanut-butter, recipe. D.C. 128, p. 15. 1920.
Food(s)—
  absorption and retention of hydrocyanic acid in fumigation. D.B. 1307, pp. 1-8. 1924.
  accessories, vegetable, and condimental. O.E.S. Bul. 245, pp. 69-70. 1912.
  adulterants, detection, simple tests. Chem. Bul. 100, pp. 41-59. 1906.
  adulterated—
    and pure, Chemistry Bureau exhibit, Buffalo Exposition, 1901. Chem. Bul. 63, pp. 7-14. 1901.
    defined. Chem. Bul. 100, pp. 8-11. 1906.
    manufacture, sale, shipment, seizure, and destruction. Y.B., 1913, p. 128. 1914; Y.B. Sep. 619, p. 128. 1914.
    or misbranded, private importations. F.I.D. 83, p. 1. 1908.
  adulteration—
    and misbranding—
      cases of special interest. An. Rpts., 1917, pp. 216-217. 1918; Chem. Chief Rpt., 1917, pp. 18-19. 1917.
      definition of term. Chem. [Misc.], "Food and drug manual * * *," pp. 17-18. 1920.
      prosecutions and seizures. Chem. Chief Rpt., 1924, pp. 18-20. 1924.
    decisions in special cases. An. Rpts., 1913, pp. 3-4, 310. 1914; Sol. A.R., 1913, pp. 6-12. 1913.
    definitions. Chem. Bul. 69, rev., Pts. I-IX, pp. 52, 86, 120, 141, 161, 173, 201, 205, 221, 247, 274, 324, 350, 375, 415, 437, 446, 459, 494, 512, 554, 576, 586, 600, 606, 611, 639, 653, 672, 694, 706. 1905-1906.
    detection by use of the microscope. Y.B., 1907, pp. 379-384. 1908; Y.B. Sep. 455, pp. 279-384. 1908.
    dyes, chemicals, and preservatives, decision. F.I.D. 76, pp. 13. 1907.
    'orms, and simple methods for their detection. W. D. Bigelow and B. J. Howard. Chem. Bul. 100, pp. 59. 1906.
    interstate shipment. Information 19. Chem. S.R.A. 7, p. 525. 1914.
    laws. Chem. Bul. 69, Pt. VII, pp. 549-637. 1906.

Food(s)—Continued.
  adulteration—continued.
    report of referee. Chem. Bul. 73, pp. 47-48. 1903; Chem. Bul. 122, pp. 11-12. 1909; Chem. Bul. 132, pp. 54-55. 1910; Chem. Bul. 152, pp. 88-89. 1912; Chem. Cir. 52, pp. 17-19. 1910.
    with sodium benzoate, effect on nutrition and health of man. Rpt. 88, pp. 1-784. 1909.
    See also Indexes, Notices of Judgment, in bound volumes and in separates published as supplements to Chemistry Service and Regulatory Announcements.
  advertising, abuse of guaranty. F.I.D. 70, p. 1. 1916.
  allowance cards, England and France. Y.B., 1918, p. 291. 1919; Y.B. Sep. 773, p. 5. 1919.
  alum, use as, study and conclusions of referee board. D.B. 103, pp. 1-7. 1914.
  American—
    description and nutritive value. Y.B., 1907, pp. 361-378. 1908; Y.B. Sep. 454, pp. 361-378. 1908.
    homes, nutrients furnished. O.E.S. Cir. 110, pp. 25-27. 1911.
  analysis(es)—
    for nutrients, suggestions. O.E.S. Bul. 200, pp. 13-14. 1908.
    methods. Chem. Bul. 81, pp. 35-42. 1904; Chem. Bul. 107, pp. 38-56. 1907; Chem. Bul. 107, rev., pp. 241-251. 1912; Chem. Bul. 116, pp. 62-66, 116. 1908; Chem. Bul. 152, pp. 197-202, 210-211. 1912; Chem. Cir. 43, pp. 9-13. 1909.
    provisional methods, adopted by Association of Official Agricultural Chemists, 1901. H. W. Wiley and W. D. Bigelow. Chem. Bul. 65, pp. 169. 1902.
  and drugs—
    act—
      June 30, 1906. Chem. Bul. 98, Pt. I, pp. 14-18. 1909; Sec. Cir., pp. 16-20. 1906; Sec. Cir. 21, rev., pp. 22-27. 1922; Sec. [Misc.], "Food and drugs act * * *," pp. 20. 1908.
      administration. Sol. [Misc.], "A brief * * * history * * *," pp. 13, 18, 20. 1916.
      administration and cases of interest. An. Rpts., 1918, pp. 407-415. 1919; Sol. A.R., 1918, pp. 15-23. 1918.
      and amendments, dates and application to meat inspection. B.A.I.O. 211, pp. 1, 58. 1922.
      benefits derived from. Sec. A.R., 1925, pp. 74-75. 1925.
      constitutionality, opinion of Judge Holland. Sol. Cir. 29, pp. 4. 1910.
      container markings, law requirements. News L., vol. 4, No. 51, pp. 4-5. 1917.
      decision by Judge Knappen, tomato catsup. Sol. Cir. 47, pp. 7. 1911.
      decision by Justice Lamar on "Imperial Spring Water." Sol. Cir. 58, pp. 4. 1911.
      decision of Rogers, circuit judge, Weeks & Co. *v.* United States. Sol. Cir. 81, pp. 1-12. 1914.
      decision on "Damiana," nerve invigorator. Sol. Cir. 57, pp. 4. 1912.
      decision re: adulteration and condemnation of asafoetida. Sol. Cir. 41, pp. 7. 1911.
      decision re: adulteration and misbranding of grape essence. Sol. Cir. 91. pp. 3. 1918.
      decision re: adulteration and misbranding of Jalap. Sol. Cir. 49, pp. 5. 1911.
      decision re: condemnation and forfeiture of Coca Cola. Sol. Cir. 80, pp. 9. 1914.
      decision re: condemnation and forfeiture of drugs. Sol. Cir. 76, pp. 7. 1914.
      decision re: condemnation and forfeiture of flour. Sol. Cir. 70, pp. 5. 1913.
      decision re: condemnation and forfeiture of flour. Sol. Cir. 79, pp. 7. 1914.
      decision re: condemnation and forfeiture under Section 10. Sol. Cir. 55, pp. 4. 1911.
      decision re: confectionery containing talc. Sol. Cir. 82, pp. 5. 1915.
      decision re: lithia water. Sol. Cir. 78, pp. 4. 1914.
      decision re: misbranding and adulteration of coca cola. Sol. Cir. 86, pp. 14. 1916.

Food(s)—Continued.
and drugs—continued.
  act—continued.
    decision re: misbranding of drugs. Sol. Cir. 85, pp. 1–6. 1916.
    decision re: misbranding of flavoring extract. Sol. Cir. 89, pp. 1–4. 1917.
    decision re: misbranding of medicine. Sol. Cir. 72, pp. 1–3. 1913.
    decision re: transportation of adulterated milk. Sol. Cir. 90, pp. 2. 1918.
    decision reversing judgment re condemnation and forfeiture of flour. Sol. Cir. 71, pp. 11. 1913.
    desiccated eggs, condemnation, District Court decision, Minnesota District. Sol. Cir. 51, pp. 7. 1911.
    duties of Department of Agriculture. Chem. Bul. 112, Pt. I, p. 51. 1908.
    enactment, amendment, and administration. Y.B., 1913, pp. 125, 126–129. 1914; Y.B. Sep. 619, pp. 125, 126–129. 1914.
    enforcement, 1920. An. Rpts., 1920, pp. 256, 257–265, 584, 590–596. 1921; Chem. [Misc.], "Food and drug manual," p. 20. 1920.
    enforcement, 1924. Sol. A.R., 1924, pp. 6–9. 1924.
    enforcement, 1925. Chem. Chief Rpt., 1925, pp. 17–23. 1925.
    enforcement, appropriation, 1915. Sol. [Misc.], "Laws applicable on Agriculture * * *," sup. 3, p. 40. 1915.
    enforcement by Chemistry Bureau, methods, D.C. 137, pp. 9–15. 1922.
    enforcement, cooperative work, manual of procedure for the guidance of commissioned officials, collaborating State chemists and officials of the United States Department of Agriculture. Sec. [Misc.], "Manual of procedure * * *," pp. 8. 1913.
    enforcement, departments having jurisdiction. F.I.D. 183, p. 1. 1922.
    enforcement, establishment of tentative standards, F.I.D. 195. Chem. S.R.A. 19, pp. 50–51. 1917.
    enforcement, hearings, decision. F.I.D. 130, pp. 2. 1911.
    enforcement, rules and regulations. Sec. Cir. 21, rev., pp. 22. 1913.
    enforcement work of Chemistry Bureau. D.C. 137, pp. 6–18. 1920.
    hearing on rules and regulations for enforcement. Sec. [Misc.], "Hearing before commission * * *," pp. 4. 1906.
    hearings, Regulation 5, amendment. F.I.D. 130, pp. 1–2. 1911.
    meat inspection regulations. B.A.I.O. 211, p. 69. 1914.
    opinion of Justice Day on frozen egg product. Sol. Cir. 68, pp. 6. 1913.
    opinion of Justice Morris of Maryland. Sol. Cir. 10, pp. 2. 1908.
    original packages. F.I.D. 86, pp. 16. 1908.
    pink pills misbranding, decisions. Sol. Cir. 87, pp. 4. 1916.
    provisions and enforcement. Chem. [Misc.], "Food and drug manual * * *," pp. 155. 1920.
    provisions, carrying into effect, hearing before commission appointed by Secretaries of Treasury, Commerce, Labor and Agriculture. Sec. [Misc.], "Hearing before the * * *," pp. 1–4. 1906.
    quantity marking on packages, restrictions, penalty, etc. Sol. [Misc.], "Laws applicable * * * Agriculture * * *," sup. 2, pp. 68–69. 1915.
    references to manual and sources of information. Chem. [Misc.], "Food and drug manual," pp. 143–144. 1920.
    regulation 39, revocation. F.I.D. 151, p. 1. 1913.
    rules and regulations for enforcement. Sec. Cir. 21, pp. 20. 1906; rev., pp. 20. 1908; rev., pp. 20. 1911; rev., pp. 27. 1922.
    sale under guaranty, against Glaser, Kohn & Co. Sol. Cir. 84, pp. 4. 1915.
    scope. Chem. S.R.A. 15, pp. 21–22. 1915.
    status in 1920. An. Rpts., 1920, p. 52. 1921; Sec. A.R., 1920, p. 52. 1920.

Food(s)—Continued.
and drugs—continued.
  act—continued.
    ten years enforcement, review. An. Rpts., 1917, pp. 210–218. 1918; Chem. Chief Rpt., 1917, pp. 12–20. 1917.
    terms. Chem. Bul. 104, pp. 5–10. 1906.
    text. Sec. Cir. 21, rev., pp. 16–20. 1911.
    time required to reach decisions. F.I.D. 43, p. 1. 1907; F.I.D. 49, p. 1. 1907.
    violation. Sec. Cir. 90, pp. 2. 1918.
    violations, duties of collectors, and regulations. F.I.D. 183, pp. 3–5. 1922.
    weights and measures. F.I.D. 168, amdt. to par. E, reg. 29, p. 1. 1916.
    work of Solicitor, and court decisions. An. Rpts., 1923, pp. 693, 694, 701–705. 1924; Sol. A.R., 1923, pp. 1, 2, 9–13. 1923.
  by-products, utilization studies by Chemistry Bureau. D.C. 137, pp. 18–19. 1922.
  control, State cooperative, office, establishment, F.I.D. 153. Chem. S.R.A. 4, p. 204. 1914.
  cooperation between Federal and State officials. Chem. [Misc.], "The policies of cooperation * * *," pp. 5. 1915.
  districts, officials, analysts and inspectors, duties. Chem. [Misc.], "Food and drug manual," pp. 22–24. 1920.
  importations, decisions. F.I.D. 183, pp. 7. 1922.
  index. Pub. Cir. 5, pp. 12. 1908.
  inspection—
    at nonlaboratory ports, regulations. F.I.D. 183, pp. 6–7. 1922.
    board, enforcement of laws. Chem. Cir. 16, rev., p. 2. 1908.
    board, organization, functions, and personnel. Chem. Cir. 14, p. 3. 1904.
    manual of instructions. Chem. [Misc.], "Food and drug inspection * * *," pp. 168. 1911.
  law, rules for enforcement, Indiana 1907. Chem. Bul. 112, Pt. I, pp. 73–82. 1908.
  law, violations. News L., vol. 3, No. 31, pp. 6–7. 1916.
  manual, 1920. Chem. [Misc.], "Food and drug * * *," pp. 155. 1920.
  notices of judgment. See Indexes to Chemistry Notices of Judgment.
  officials, State changes. Chem. S.R.A. 21, p. 8. 1918.
  regulation 28, amendment (derivatives labeling). F.I.D. 112, pp. 3. 1910.
  samples, release regulations. F.I.D., 183, p. 3. 1922.
  standards, cooperative studies. News L., vol. 3, No. 22, pp. 4–5. 1916.
and—
  feeding stuffs, analysis, recommendation of referee. Chem. Bul. 116, pp. 62–66. 1908; Chem. Bul. 162, pp. 170–182. 1913. Chem. Cir. 38, p. 4. 1908.
  food control—
    digest and index of legislation to July 1, 1902. W. D. Bigelow. Chem. Bul. 69, Pt. VI, pp. 463–503. 1904.
    laws of Ohio, Oklahoma, Oregon, Pennsylvania and Philippine Islands. W. D. Bigelow. Chem. Bul. 69, Pt. VI, pp. 463–548. 1904.
    legislation during the years 1903–04. W. D. Bigelow. Chem. Bul. 83, Pt. I, pp. 157; Pt. II, pp. 23. 1904.
    legislation in United States. W. D. Bigelow. Chem. Bul. 69, Pts. I–V, pp. 461. 1902.
  foodstuffs, coloring, certificate, and control of dyes. F.I.D. 77, pp. 6. 1907.
  menus, preparation in hospitals for the insane. O.E.S. An. Rpt., 1904, pp. 490–491. 1905.
  nutrition, extension work in, 1923. Miriam Birdseye. D.C. 349, pp. 31. 1925.
  nutrition, summary of recent American work. O.E.S. An. Rpt., 1903, pp. 289–303. 1904.
animal(s)—
  annual production in United States, and meat consumption. John Roberts. B.A.I. An. Rpt., 1905, pp. 277–285. 1907.
  consumption and exports, 1906. B.A.I. An. Rpt., 1906, p. 263. 1908.

Food(s)—Continued.
  animal(s)—continued.
    eaten by mallard ducks, lists. D.B. 720, pp. 8–10, 13–14, 24–35. 1918.
    imports—
      Nov., 1916. B.A.I.S.R.A. 116, p. 112. 1917.
      August, 1918. B.A.I.S.R.A. 137, p. 71. 1918.
      January, 1919. B.A.I.S.R.A. 142, p. 11. 1919.
    in the United States (and meat consumption) John Roberts. D.C. 241, pp. 21. 1924.
    increase of stockyard receipts, June, 1918. News L., vol. 5, No. 52, p. 13. 1918.
    products, per capita consumption by countries. Y.B., 1923, pp. 479–480. 1924; Y.B. Sep. 896, pp. 479–480. 1924.
    proportion of nutrients furnished, American dietary. O.E.S. Cir. 110, p. 26. 1911.
    tuberculosis in. D. E. Salmon. B.A.I. Bul. 38, pp. 99. 1906.
  arrangement by groups and charts. D.B. 975, pp. 5–36. 1921.
  arsenic content, minute amounts, estimation. Edmund Clark and A. G. Woodman. Chem. Cir. 99, pp. 7. 1912.
  artificial colors, influence on digestion and health, tests. Chem. Bul. 84, Pt. II, pp. 479–759. 1906.
  as building material, source of heat, and muscular power. F.B. 142, pp. 8–12. 1902.
  assimilation—
    mechanical, work and efficiency of bicyclers. R. C. Carpenter. O.E.S. Bul. 98, pp. 57–67. 1901.
    process. O.E.S. Bul. 200, p. 21. 1908.
  bamboo as. D.B. 1329, p. 20. 1925.
  bee(s)—
    larvae, nature and composition. D.B. 1222, pp. 11–13, 19. 1924.
    source of disease infection. Ent. Bul. 98, pp. 38, 43, 52. 1912.
  beverages, studies. O.E.S. Bul. 245, pp. 69, 70. 1912.
  bird—
    artificial and natural supply. F.B. 621, pp. 6–15. 1921.
    constituents, investigation methods, classification. Biol. Bul. 15, pp. 7–18. 1901.
    lists, of plants. D.B. 715, pp. 4, 5, 8. 1918.
    nestling. Sylvester D. Judd. Y.B. 1900, pp. 411–436. 1901; Y.B. Sep. 194, pp. 26. 1901.
    papers by members of Biological Survey, list and index, 1885–1911. W. L. McAtee. Biol. Bul. 43, pp. 69. 1913.
  bottled, volume variations. H. Runkel and J. C. Munch. D.B. 1009, pp. 20. 1921.
  bouillon cubes, contents and value compared with meat extracts and homemade preparations of meat. F. C. Cox. D.B. 27, pp. 7. 1913.
  breakfast, place in diet. F.B. 249, pp. 31–33. 1906.
  bulky, necessity in proper quantity for cattle. B.A.I. [Misc.], "Diseases of cattle," rev. p. 15. 1904; rev., p. 15. 1912; rev., p. 13. 1923.
  buying for family, lists suggested. Thrift Leaf. 16, pp. 1–4. 1919.
  calcium compounds, forms and metabolism, study, and review of literature. Chem. Bul. 123, pp. 21–30. 1909.
  caloric value, sodium-benzoate experiments. Rpt. 88, pp. 580, 758–759. 1909.
  camping parties and ration list. D.C. 4, pp. 55–57. 1919.
  canaries, requirements. F.B. 1327, pp. 9–10, 12–13. 1923.
  canned—
    adulteration, use of water, brine, sirup, and sauce. F.I.D. 144, p. 1. 1912.
    boiling before use. F.B. 1211, p. 10. 1921.
    cost, comparison with fresh foods. Chem. Bul. 151, pp. 32–33. 1912; D.B. 196, p. 15. 1915.
    examination before using, directions. M.C. 25, p. 1. 1924.
    occurrence of tin salts. W. D. Bigelow and R. F. Bacon. Chem. Cir. 79, pp. 6. 1911.
    testing. F.B. 1211, pp. 9–10. 1921.
    use of sugar. F.I.D. 66. Chem. F.I.D. 66–68, pp. 1–2. 1907.

Food(s)—Continued.
  canning—
    and drying for winter use. Mkts. Doc. 6, pp. 2–3. 1917.
    commercial methods followed. A. W. Bitting. Chem. Bul. 151, pp. 67. 1912; D.B. 196, pp. 79. 1915.
  caramelization. O.E.S. Bul. 200, p. 69. 1908.
  cards, use in England and France. Y.B., 1918, p. 291. 1919; Y.B. Sep. 773, p. 5. 1919.
  care of in the home—
    F.B. 1374, pp. 13. 1323.
    Mary Hinman Abel. F.B. 375, pp. 46. 1909.
  cattle—
    analysis methods—
      Chem. Bul. 107, pp. 57–58. 1907; Rpt. 83, pp. 53–54. 1906.
    in smelter waste investigations. Chem. Bul. 113, p. 38. 1908.
    and poultry, condimental and medicinal. F.B. 144, pp. 22–24. 1901.
  cereal—
    breakfast—
      Charles D. Woods and Harry Snyder. F.B. 243, pp. 37. 1906.
      cooking, time required, and effects. F.B. 249, pp. 22–24. 1906.
      most important grains, comparison of value. F.B. 249, pp. 9–10, 16, 34. 1906.
    composition, digestibility, cooking and cost. O.E.S. Bul. 200, pp. 28–34. 1908.
    grains, composition and value. Y.B. 1922, pp. 471, 483, 498. 1923; Y.B. Sep. 891, pp. 471, 483, 498. 1923.
    preparation, course for movable schools of agriculture. Margaret J. Mitchell. O.E.S. Bul. 200, pp. 78. 1908.
    raw, nutritive value. F.B. 249, p. 26. 1906.
    selections. Caroline L. Hunt and Helen W. Atwater. F.B. 817, pp. 23. 1917.
    values and calorie portions in various weights. F.B. 1228, pp. 6, 14, 22. 1921.
  charts—
    comparison of food values and body needs. D.B. 975, pp. 1–4. 1921.
    daily, sodium-benzoate experiments. Rpt. 88, pp. 221–292, 398–479, 627–662. 1909.
    use in arranging diet. F.B. 1383, p. 34. 1924.
  cheese, use and value. B.A.I. Doc. A-21, pp. 2. 1917.
  chemical preservatives, influence of canning. Chem. Bul. 90, pp. 62–64. 1905.
  children's, directions and recipes. U. S. Food Leaf. No. 7, pp. 1–4. 1917.
  choice from five groups. U. S. Food Leaf. No. 4, pp. 1–4. 1917.
  choosing, five groups for selection. Thrift Leaf. 15, pp. 1–4. 1919.
  classes held in cold storage. Y.B., 1917, pp. 364–365. 1918; Y.B. Sep. 745, pp. 4–5. 1918.
  classification into groups, and food value of each group. F.B. 1228, pp. 3–6, 8–17. 1921.
  Club(s)—
    Liberty, boys' and girls' organization. News L., vol. 5, No. 47, pp. 12–13. 1918.
    North and west, enrollment and work. D.C. 192, p. 16. 1921.
    progress in 1921. D.C. 255, pp. 16–18. 1923.
  cold—
    box, for farm home, description. F.B. 927, p. 18. 1918.
    storage—
      effects on, study by department and results. Y.B., 1917, pp. 368–369. 1198; Y.B. Sep. 745, pp. 9–10. 1918.
      legislation, trend of opinion. Chem. Bul. 115, pp. 108–117. 1908.
  coloring—
    matter—
      effect on health, experiments. An. Rpts., 1903, pp. 172–178. 1903.
      provisional method for analysis. Chem. Bul. 65, p. 111. 1905.
      use, discussion. Chem. Bul. 100, pp. 13–14. 1906.
    substances, separation and identification. W. E. Mathewson. D.B. 448, pp. 56. 1917.

Food(s)—Continued.
  colors—
    amendment to Food Inspection Decisions 76, 117, 129, 164, 175, and 180. F.I.D. 184, p. 1. 1922.
    analytical scheme for preliminary identification. Chem. Cir. 63, pp. 63-69. 1911.
    identification—
      of. H. M. Loomis. Chem. Cir. 63, pp. 69. 1911.
      report of referee. Chem. Bul. 152, pp. 122-124. 1912.
    permitted—
      addition to list. B.A.I.S.R.A. 186, p. 114. 1922.
      quantitative separation and determination of subsidiary dyes. Walter E. Mathewson. Chem. Cir. 113, pp. 4. 1913.
    report on solubility and extraction of colors, and color reactions. H. M. Loomis. Chem. Cir. 35, pp. 51. 1907.
    shades allowed. F.I.D. 180, p. 1. 1919.
  combinations, use of "left-overs." Food Thrift Ser., No. 3, pp. 5-6. 1917.
  Commission, Territorial, of Hawaii, cooperation with Experiment Station. Hawaii A.R., 1917, pp. 32-33. 1918.
  commodities, stocks—
    January 1, 1918, 1919. News L., vol. 6, No. 28, p. 16. 1919.
    March 1, 1918, 1919. News L., vol. 6, No. 36, p. 7. 1919.
    November 1, 1918, with comparisons. News L., vol. 6, No. 19, p. 6. 1918.
  composition, meats and other foods, comparison with poultry. D.B. 467, pp. 20-22. 1916.
  condemnation proceedings, 1909, details. An. Rpts., 1909, pp. 740-757. 1910; Sol. A.R., 1909, pp. 16-23. 1909.
  conditions in Europe after the war. An. Rpts., 1919, p. 3. 1920; Sec. A.R., 1919, p. 5. 1919.
  conservation—
    and production, 1918. An. Rpts., 1918, pp. 291-293. 1919; Pub. A.R. 1918, pp. 11-13. 1918.
    and utilization, extension work, 1918, report. S.R.S. Rpt., 1918, pp. 17-18, 52, 54-56, 91-92, 99-101, 1919.
    by making cottage cheese. Y.B., 1918, pp. 270-271, 274, 275. 1919; Y.B. Sep. 787, pp. 4-5, 8, 9. 1919.
    by use of vegetables and fruits. Lib. Leaf. No. 5, pp. 2-4. 1918.
    canning and other methods. F.B. 853, p. 3. 1917.
    demonstrations for Polish women. News L, vol. 6, No. 19, pp. 2-3. 1918.
    department activities, 1917. An. Rpts., 1917, pp. 14-17, 21-26. 1918; Sec. A.R., 1917, pp. 16-19, 23-28. 1917.
    meat, milk, need. News L., vol. 6, No. 17, pp. 2-3. 1918.
    work—
      and war spirit of boys' and girls' clubs in South, examples. News L., vol. 6, No. 13, pp. 1-2. 1918.
      of boys' and girls' clubs. D.C. 66, pp. 28-31. 1920.
  constituents—
    in vegetables, demonstration. D.B. 123, pp. 7-8. 1916.
    uses in the body. O.E.S. Bul. 200, pp. 16-19. 1908.
  consumption—
    by farm families—
      home-produced and bought. F.B. 1082, p. 19. 1920.
      Southern States. Farm M. Cir. 3, p. 5. 1919.
    digestion, metabolism, and mechanical work of bicyclers. W. O. Atwater and others. O.E.S. Bul. 98, pp. 56. 1901.
    Germany, reports before and during war. Y.B., 1919, pp. 63, 64, 65. 1920; Y.B. Sep. 801, pp. 63, 64, 65. 1920.
    Japanese studies. O.E.S. Bul. 159, pp. 47-54. 1905.
    per adult person in farm families in South. D.C. 83, p. 4. 1920.

Food(s)—Continued.
  consumption—continued.
    per capita. Y.B., 1924, pp. 1126-1128. 1925.
    record and household inventory, war emergency survey. Sec. [Misc.], "War emergency * * * consumption record," pp. 4. 1917.
    United States and Germany, comparison. Y.B., 1923, pp. 481-483. 1924; Y.B. Sep. 896, pp. 481-483. 1924.
  containers, shortage probability, advice to growers and shippers. News L., vol. 4, No. 46, p. 6. 1917.
  contamination—
    arsenic content of shellac. Chem. Cir. 91, pp. 1-4. 1912.
    by flies and dust, ordinance in District of Columbia. Ent. Bul. 78, p. 33. 1909.
    by tubercle bacilli from cows. B.A.I. Bul. 93, pp. 14-16. 1906.
  control—
    act—
      section 27, text and regulations (soda nitrate) Sec. Cir. 78, pp. 1-11. 1918.
      work of solicitor. An. Rpts., 1920, pp. 603-604. 1920.
    Federal, State, and municipal, coordination. B.A.I. Dairy [Misc.], "World's dairy congress, 1923," pp. 764-768. 1924.
    interstate. W. W. Skinner and W. L. Morrison. Chem. [Misc.], "Chart showing interstate * * *." Chart. [1924.]
    investigations. Chem. Chief Rpt., 1924, pp. 21-22. 1924.
    laws—
      general, Federal and State. Chem. Bul. 69 rev., Pts. I-VIII, pp. 1, 42, 45, 46, 48, 52, 75, 85, 105, 120, 129, 134, 141, 146, 157, 173, 194, 201, 205, 215, 220, 234, 245, 273, 309, 324, 327, 340, 347, 358, 362, 373, 408, 411, 436, 445, 459, 491, 494, 511, 549, 569, 575, 585, 599, 606, 610, 619, 639, 653, 670, 672, 693. 1904-1906.
      indexed digest. Chem. Bul. 69, Pt. IX, pp. 705-778. 1906.
      United States and Canada. Chem. Bul. 69. Pts. I-IX, pp. 778. 1905-1906.
    legislation—
      during the year ended July 1, 1903. W. D. Bigelow. Chem. Bul. 83, Pt. I, pp. 157; Pt. II, pp. 23. 1904.
      in United States. Chem. Bul. 69, rev., Pt. VIII, pp. 639-704. 1906.
    rules and regulations, State, 1907. Chem. Bul. 112, Pt. I, pp. 32-33, 44, 73, 88-96, 101-102, 108-109, 128-130, 149-151. 1908.
  convention, Colorado. Off. Rec., vol. 4, No. 40, pp. 1-2. 1925.
  convict, balanced rations, at experimental camp, details and cost. D.B. 583, pp. 29-36. 1918.
  cooked—
    storage for home use. F.B. 375, pp. 35-36. 1909.
    temperature determination studies. An. Rpts. 1922, p. 455. 1923; S.R.S. Rpt., 1922, p. 43. 1922.
  cooking and serving, importance. Y.B., 1920, pp. 480-481. 1921; Y.B. Sep. 856, pp. 480-481. 1921.
  cooling, use of fireless cooker as refrigerator F.B. 771, rev., p. 16. 1918.
  corn—
    digestibility. F.B. 298, pp. 23-26. 1907.
    history and value. Sec. Cir. 91, pp. 15-16. 1918.
    preparation, Indian methods. Y.B., 1918, pp. 130-131. 1919; Y.B. Sep. 776, pp. 10-11. 1919.
    use and value. Y.B., 1921, pp. 164, 165, 224. 1922; Y.B. Sep. 872, pp. 164, 165, 224. 1922.
    value, school studies, references. D.B. 653, p. 7. 1918.
  cost—
    as related to nutritive value. R. D. Milner. Y. B., 1902, pp. 387-406. 1903; Y.B. Sep. 280, pp. 387-406. 1903.
    cutting by substituting cheaper foods of equal food value. F.B. 1228, pp. 20-23. 1921.
    relation of variety. O.E.S. Cir. 110, pp. 27-29, 1911; Y.B., 1907, p. 376, 1908; Y.B. Sep. 454, p. 376. 1908.

Food(s)—Continued.
  cost—continued.
    various localities and institutions. O.E.S. Bul. 223, pp. 10, 39, 53, 58, 63, 75. 1910.
  cottage cheese as, advantages. F.B. 1451, p. 11. 1925.
  cottonseed, possibilities. Sec. Cir. 88, pp. 19, 20. 1918.
  cowpea, varieties grown for. F.B. 1148, pp. 3–4, 7, 10–11. 1920.
  crops—
    acreage and production, 1910–1914, 1916, 1917. News L., vol. 5, No. 30, pp. 7–8. 1918.
    cereal, production increase, annual report of Agriculture Secretary. News L., vol. 5, No. 19, pp. 1–4. 1917.
    harvest, labor supply. G. I. Christie. Sec. Cir. 115, pp. 8. 1918.
    increase, imperative. D. F. Houston. Sec. [Misc.], "Food crops must * * *," pp. 3. 1917.
    locally-grown, in Hawaii, utilization, methods. Hawaii A.R., 1917, p. 33. 1918.
    production and acreage, principal countries. Sec. [Misc.], Spec. "Geography * * * world's agriculture," p. 8. 1917.
    production, increase—
      Agriculture Department recommendations. Sec. Cir. 75, pp. 5–13. 1917.
      in New Hampshire, 1918. News L., vol. 6, No. 5, p. 13. 1918.
    subcultures in tropical climates. B.P.I. Cir. 132, pp. 16–17. 1913.
    summer, to accompany cotton in Southwest. B.P.I. Cir. 132, pp. 15–17. 1913.
    supplementary, need in Hawaii. Hawaii A.R., 1919, p. 10. 1920.
    value and acreage. Y.B., 1923, p. 316. 1924; Y.B. Sep. 895, p. 316. 1924.
    waste-prevention method, statement by Agriculture Secretary. News L., vol. 4, No. 35, pp. 1–2. 1917.
  crows, animal and vegetable. D.B. 621, pp. 2–68, 81–85. 1918.
  customs and diet in American homes. C. F. Langworthy. O. E. S. Cir. 110, pp. 32. 1911.
  decay, action of mold, studies. D.B. 123, pp. 49–50. 1916.
  definitions and standards—
    Chem. [Misc.], "Food definitions and standards," pp. 10. 1903.
    legislation of 1903. Chem. Bul. 83, Pt. I, pp. 8–18. 1904.
    report of committee, A. O. A. C., 1903. Chem. Bul. 81, pp. 179–189. 1904.
  demonstration—
    by club boys and girls, results. D.C. 312, pp. 8–12. 1924.
    work of agents, and results. D.C. 285, pp. 7–9, 15–17. 1923.
  determination of heavy metals, methods and recommendations. Chem. Bul. 162, pp. 139–145, 164–165. 1913.
  diabetic—
    definitions and standards. News L., vol. 3, No. 29, pp. 2–3. 1916.
    purity standards. Sec. Cir. 136, p. 7. 1919.
  digestibility—
    and metabolism of nitrogen, effect of muscular work, experiments, 1899–1900. Charles E. Wait. O.E.S. Bul. 117, pp. 43. 1902.
    discussion. O.E.S. Bul. 175, pp. 123–137. 1907.
    studies. O.E.S. An. Rpt., 1909, pp. 388–390. 1910.
  digestion—
    and assimilation discussion. O.E.S. Cir. 110, pp. 11–13. 1911.
    by fowls. J.A.R., vol. 23, pp. 721–725. 1923.
    relative ease, calorimeter experiments. Y.B., 1910, pp. 316–317. 1911; Y.B. Sep. 539, pp. 316–317. 1911.
  domestic—
    and imported, inspection. Chem. Cir. 14, pp. 3–4, 5–7. 1908.
    purity, misbranding, labeling, and short weight, control by Chemistry Bureau. D.C. 137, pp. 6–8. 1922.
  dried—
    conditioning, packing, and storing. F.B. 984, pp. 56–59. 1918.

Food(s)—Continued.
  dried—continued.
    storing. F.B. 916, p. 10. 1917.
  drying—
    advantages, principles, methods, apparatus. F.B. 841, pp. 3–16. 1917.
    and preserving, Hawaii. Hawaii A.R., 1919, pp. 12–13, 40–41. 1920.
    and storing, Guam. Guam A.R., 1919, pp. 30–31. 1921.
    community plant, successful. F.B. 916, pp. 1–12. 1917.
    industry, history and importance. Sec. Cir. 126, pp. 1–11. 1919.
    methods and equipment. F.B. 984, pp. 9–41. 1918.
    possibilities, limitations, and fundamental principles. F.B. 984, pp. 5–9. 1918.
    work of club members. D.C. 66, p. 30. 1920.
  duck, determination by stomach content. D.B. 862, pp. 3, 11, 16, 18, 23, 28, 31, 38. 1920.
  dust, relation and precaution. F.B. 375, pp. 17–18. 1909.
  economical uses, general suggestions. F.B. 808, p. 13. 1917.
  economy, principles, errors. F.B. 142, pp. 14–15. 43–47. 1902.
  effect on size and formation of animals, bones, and horns. B.A.I. An. Rpt., 1910, p. 205. 1912.
  eggs—
    and their uses. F.B. 128, pp. 1–31. 1901.
    value as. C. F. Langworthy. D.B. 471, pp. 30. 1917.
  emergency—
    crop, the banana. J. E. Higgins. Hawaii Bul. 6, pp. 16. 1917.
    work, Porto Rico, 1917. P.R. An. Rpt., 1917, pp. 36–37. 1918.
  emmer and spelt products. F.B. 1429, p. 12. 1924.
  energy—
    and production value, calculation, methods. Chem. Bul. 120, pp. 13–16. 1909.
    value. F.B. 142, pp. 10–12. 1902.
    values, estimating for families and for individuals. F.B. 1228, pp. 7, 10, 12, 14, 15, 17, 20. 1921.
  essentials for health of children. B.A.I. Dairy [Misc.], "World's dairy congress, 1923," pp. 116, 120. 1924.
  examination, Chemistry Bureau, duties. Chem. Bul. 104, pp. 10–11. 1906.
  experiment station publications, list. O.E.S. Doc. 238, rev., pp. 8. 1901; rev., pp. 9. 1902; rev., pp. 11. 1903.
  export(s)—
    decrease probable after 1920, discussion by Secretary. Sec. Cir. 146, pp. 11–12. 1919; Sec. Cir. 147, pp. 5–6. 1919.
    examination. Chem. [Misc.], "Food and drug manual," pp. 136–137. 1920.
    foreign laws affecting, summary. Chem. [Misc.], "Summary of pure-food * * *," pp. 2. 1903.
  factories, inspection by Chemistry Bureau. D.C. 137, pp. 15–16. 1922.
  factory, sanitary precautions, essential. Chem. Bul. 158, pp. 16–17. 1912.
  family—
    acreage requirements on farms. D.C. 83, pp. 6, 22, 23. 1920.
    week's supply. Caroline L. Hunt. F.B. 1228, pp. 27. 1921.
  fancy names, regulation. Chem. S.R.A. 15, p. 22. 1915.
  farm—
    families—
      Helen W. Atwater. Y.B., 1920, pp. 471–484. 1921; Y.B. Sep. 858, pp. 471–484. 1921.
      value and percentage furnished by farm, various States. D.B. 410, pp. 7–29. 1916.
    home—
      per cent of total cost. D.B. 1214, pp. 9, 10, 11, 20–21, 24–25. 1924.
      suggestions. F.B. 317, pp. 8–9. 1908.
      improvement. D.C. 349, pp. 20–22. 1925.
      kinds, nutritive value and cost. Y.B., 1920, pp. 474–480, 481–483. 1921; Y.B. Sep. 858, pp. 474–480, 481–483. 1921.

Food(s)—Continued.
Farmers'—
Bulletins on, use by teachers. Alvin Dille. S.R.S. [Misc.], "How teachers may use * * *," pp. 4. 1918.
furnished by farm, proportion, Georgia. D.B. 492, p. 16. 1917.
fermentation, studies. An. Rpts., 1919, p. 229. 1920; Chem. Chief Rpt., 1919, p. 19. 1919.
fermented milk, value and use. D.B. 319, p. 7. 1916.
fish, destruction in Menhaden industry, studies, tables. D.B. 2, pp. 19-21. 1913.
five groups, need in nutrition. U.S. Food Leaf. No. 4, pp. 1-4. 1917.
for—
children, studies. F.B. 712, pp. 1-27. 1916.
young children. Caroline L. Hunt. F.B. 717, pp. 20. 1916; rev., pp. 22. 1920.
foxes in confinement. F.B. 328, p. 13. 1908.
fresh, cost, comparison with canned foods. D.B. 196, p. 15. 1915.
fruit, use as. C. F. Langworthy. F.B. 293, pp. 40. 1907; Y.B., 1905, pp. 307-324. 1906; Y.B. Sep. 385, pp. 307-324. 1906.
fuel value, calculation, methods. Chem. Bul. 120, pp. 10-13. 1909.
functions—
and uses. C. F. Langworthy. O.E.S. Cir. 46, pp. 10. 1901.
discussion. B.A.I. Bul. 106, pp. 8-11. 1908.
game—
meat, needs of people of Alaska. D.C. 168, pp. 2-3, 9. 1921.
use of, regulation by Food Administration. F.B. 1010, pp. 68-69. 1918.
grain—
sorghums, digestibility. D.B. 470, pp. 1-31. 1916.
sorghums, value and uses. Y.B., 1913, pp. 222, 223, 237. 1914; Y.B. Sep. 625, pp. 222, 223, 237. 1914.
grape juice, value. F.B. 175, pp. 13-14. 1903.
green, for rabbits. F.B. 496, p. 10. 1912.
greening, use of copper salts. F.I.D. 92, pp. 2. 1908; F.I.D. 148, pp. 2. 1912; F.I.D. 149, p. 1. 1912.
group(s)—
and their dietary value. F.B. 808, pp. 8-11. 1917; F.B. 824, p. 5. 1917; F.B. 1313, pp. 2-4, 1923.
No. 1, substitutes and recipes. F.B. 717, pp. 5-14. 1916.
No. 2, bread and other cereal food, recipes. F.B. 717, pp. 14-16. 1916.
No. 3, butter, cream, table oil, and other fatty food. F.B. 717, pp. 16-17. 1916.
No. 4, vegetables and fruit, use for children's food. F.B. 717, pp. 17-18. 1916.
No. 5, sweets, use for children's food. F.B. 717, pp. 18-19. 1916.
grouping as sources of protein and energy or fuel. Y.B., 1902, pp. 405-406. 1903; Y.B. Sep. 280, pp. 405-406. 1903.
guinea fowl, use and value. C. F. Langworthy. F.B. 234, pp. 24. 1905.
habits—
larval, of green June beetle, determination experiments. D.B. 891, pp. 25-26. 1922.
of—
American shoal-water ducks, seven species. Douglas C. Mabbott. D.B. 862, pp. 68. 1920.
birds and mammals investigations. An. Rpts., 1922, pp. 346-349. 1922; Biol. Chief Rpt., 1922, pp. 16-19. 1922.
birds, California. Biol. Bul. 34, pp. 1-96. 1910.
birds, research work. Biol. Chief Rpt., 1925, pp. 12-14. 1925.
mallard ducks of the United States. W. L. McAtee. D.B. 720, pp. 36. 1918.
swallows. F. E. L. Beal. D.B. 619, pp. 28. 1918.
origin, historical notes, various races. O.E.S. Cir. 110, pp. 5-10. 1911.
sectional, relation to use of potatoes and other foods. D.B. 695, pp. 3-4. 1918.
handling in kitchen. F.B. 375, pp. 38-44. 1909.

Food(s)—Continued.
Hawaiian—
native. O.E.S. An. Rpt., 1906, pp. 61-63. 1907
preservation methods. Hawaii A.R., 1920, pp. 9, 36. 1921.
utilization of seaweeds. Hawaii A.R., 1906, pp. 61-63. 1907.
honey as. F.B. 653, pp. 4-6, 7-10. 1915.
honeybees, natural constituents. Ent. T. B. 18, pp. 89, 91-94, 98-101. 1910.
horse meat, Germany. B.A.I. An. Rpt., 1900, p. 520. 1901.
household, suggestions for accounting. F.B. 1228, pp. 24-26. 1921; F.B. 1313, pp. 19-22. 1923.
human—
and nutrition, list of publications of Office of Experiment Stations, to—
March 1, 1906. O.E.S. Doc. 865, pp. 14. 1906.
June, 1906. O.E.S. Doc. 903, pp. 14. 1906.
May, 1907. O.E.S. Doc. 993, pp. 16. 1907.
from an acre of staple farm products. Morton O. Cooper and W. J. Spillman. F.B. 877, pp. 11. 1917.
use of bobwhite and quail. Biol. Bul. 21, p. 16, 59. 1905.
importations, acts and regulations. Chem. [Misc.], "Food and drug manual," pp. 78-98. 1920.
imported—
and exported, inspection, Federal law. Chem. Bul., 69, rev., Pt. I, pp. 2-9. 1906.
inspection of samples, and results, 1921. Chem. Rpt., 1921, pp. 11-12. 1921.
law enforcement by Chemistry Bureau. D.C. 137, p. 9. 1922.
imports, variety and value, and forms of adulteration. Y.B., 1910, pp. 208-211. 1911; Y.B. Sep. 529, pp. 208-211. 1911.
improvement, and nutrition studies, demonstration work. D.C. 141, pp. 16-17. 1920.
impure, seizure, cooperation of Federal and State authorities. News L., vol. 5, No. 19, p. 8. 1917.
infant and invalid—
analysis, provisional method of analysis. Chem. Bul. 65, p. 141. 1902.
use caution. F.B. 1207, p. 29. 1921.
infestation—
by mites. Rpt. 108, pp. 112, 116. 1915.
dipterous larvae, or maggots. Ent. T.B. 22, pp. 1-44. 1912.
influence on longevity and fecundity of Bruchus quadrimaculatus. A. O. Larson and C. K. Fisher. J.A.R., vol. 29, pp. 297-305. 1924.
inspection—
abuse of guaranty for advertising purposes. Chem. F.I.D. 70, pp. 1-2. 1907.
applications—
and regulations. Mkts. S.R.A. 28, pp. 3-6. 1917; Sec. Cir. 144, pp. 6-8. 1919; Sec. Cir. 155, p. 7. 1921.
directions and forms. Mkts. S.R.A. 28, pp. 3-6. 1917.
certificates for imported meats. F.I.D. 74, pp. 2. 1907.
collection of samples, regulations. F.I.D. 79 pp. 2-3. 1907.
decisions—
list. Chem. Cir. 14, p. 29. 1910.
scope and purpose. F.I.D. 44. F.I.D. 44-45, pp. 1-2. 1906.
denaturing, amendment. F.I.D. 93, p. 1. 1908.
for Army and Navy supplies. An. Rpts., 1918, pp. 75-76, 92, 93, 103. 1918; B.A.I. Chief Rpt., 1918, pp. 5-6, 22, 23, 33. 1918.
for Navy, meat and eggs, by Animal Industry Bureau. An. Rpts., 1913, p. 87. 1914; B.A.I. Chief Rpt., 1913, p. 17. 1913.
issue of guaranty based on former guaranty. F.I.D. 83, pp. 8. 1907.
law(s)—
F.I.D. 1, pp. 1-3. 1905.
(flour, fish, meat, salt and barreled products in general), for Virginia. Chem. Bul. 69, rev., Pt. VIII, pp. 644-650. 1906.
status in 1920. An. Rpts., 1920, pp. 53-54. 1921; Sec. A.R., 1920, pp. 53-54. 1920.

INDEX TO PUBLICATIONS, 1901–1925 915

Food(s)—Continued.
  inspection—continued.
    regulations—
      certificates, fees, etc. Sec. Cir. 155, pp. 7–11. 1921.
      decisions during year ended June, 1907. Chem. Bul. 112, Pt. I, pp. 8–9. 1908.
      use of guaranties and serial numbers. F.I.D. 72, pp. 2–3. 1907.
    inspectors—
      duties. Chem. Cir. 14, p. 4. 1908.
      instructions to. Chem. [Misc.], "Instructions to food * * * ," pp. 55. 1910.
    interchangeable, selection methods. Food Thrift Ser. 5, p. 5. 1917.
    investigations—
      by Home Economics Office. An. Rpts., 1922, pp. 455–457. 1922; S.R.S. An. Rpt., 1922, pp. 43–45. 1922.
      Office of Experiment Stations, origin, scope, and results. O.E.S. An. Rpt., 1910, pp. 449–460. 1911.
    Japanese, nature, preparation, etc., investigations. O.E.S. Bul. 159, pp. 1–124. 1905.
    Kafir, nature, preparation and use. D.B. 319, pp. 14–18. 1916.
    keeping cool inexpensive ways of. Thrift Leaf. 14, pp. 4. 1919.
    kinds needed, and what they supply. F.B. 1228, pp. 3–6. 1921.
    labeling—
      directions. Chem. Bul. 69, rev., Pts. I–IX, pp. 30, 34, 48, 50, 58, 73, 82, 92, 150, 153, 161, 163, 165, 194, 211, 213, 216, 237, 247, 249, 250, 254, 256, 275, 285, 320, 321, 322–333, 338, 355, 386, 440, 443, 464, 476, 501, 502, 522, 524, 529, 534, 575, 596, 602, 613, 617, 625, 626, 675, 681, 691, 750. 1905–6.
    laws—
      European countries, affecting American exports. Chem. Bul. 61, pp. 7–39. 1901.
      State. Chem. Bul. 69, rev., Pt. VIII, pp. 666–669. 1906.
    laboratories, directory. Chem. S.R.A. 14, p. 14. 1915.
    larvae of army worm, parasitized and nonparasitized. J.A.R., vol. 6, No. 12, pp. 455–458. 1916.
    laws—
      and food control—
        enacted 1903. Chem. Bul. 83, pt. 1, pp. 1–157. 1904.
        enacted 1904. Chem. Bul. 83, Pt. II, pp. 1–23. 1904.
        Federal and State, 1905 and 1906. Chem. Bul. 69, Pts. I–IX, pp. 1–771. 1905–1906.
        legislation during the year ended July 1, 1903. Chem. Bul. 82, pp. 1–157 and 1–23, (in two parts). 1904.
      by States and territories, to July 1, 1902. Chem. Bul. 69, Pts. I–V, pp. 26–641. 1902.
      enacted during year ended June 30, 1907, Alabama—New Hampshire, inclusive. Chem. Bul. 112, Pt. I, pp. 1–155. 1908.
      enforcement in the United States and Canada, officials. Chem. Cir. 16, pp. 29. 1904; rev., pp. 36. 1905; rev., pp. 39. 1910.
      English, definition of terms. Chem. Bul. 143, pp. 8–10. 1911.
      European, affecting American exports. W. D. Bigelow. Chem. Bul. 61, pp. 39. 1901.
      Federal and state—
        1905. Chem. Bul. 69, Pts. I–VIII, rev., pp. 1–704. 1905–1906; Chem. Bul. 69, Pts. IX, rev., 1905, pp. 705–778. 1906.
        1906. Chem. Bul. 104, pp. 1–53. 1906.
        1907. Chem. Bul. 112, Pt. II, pp. 1–155. 1908.
        1908. Chem. Bul. 121, pp. 1–85. 1909.
      for New Jersey, New Mexico, New York, North Carolina, and North Dakota, revised to July 1, 1905. Chem. Bul. 69, rev., Pt. V. pp. 1–100. 1906.
      general, Federal and State—
        1905. Chem. Bul. 69, rev., Pt. VIII, pp. 639–642, 653–656, 670, 672–673, 693–697. 1906.
        1906. Chem. Bul. 104, pp. 20–24, 30–33, 35–37, 43–45, 53. 1906.

Food(s)—Continued.
  laws—continued.
    1907. Chem. Bul. 112, Pt. I, pp. 11–26, 34–50, 53–62, 69–72, 83–84, 97–100, 103–106, 110, 113–117, 120–127, 131–133, 137–141, 146–148, 152–155. 1908.
    1907. Chem. Bul. 112, Pt. II, pp. 7–13, 19, 22–30, 39–43, 50–54, 63–71, 73–75, 83–86, 88–94, 104–108, 116, 122–126, 134–137, 144–146, 152. 1908.
    indexed digest. Chem. Bul. 69, rev., Pt. IX, pp. 705–778. 1906.
    of—
      Alabama, 1905. Chem. Bul. 69, Pt. I, pp. 42–44. 1905.
      Alaska, 1905. Chem. Bul. 69, Pt. I, p. 45. 1905.
      Arizona, 1905. Chem. Bul. 69, Pt. I, pp. 46–47. 1905.
      Arkansas, 1905. Chem. Bul. 69, Pt. I, pp. 48–51. 1905.
      California, 1905. Chem. Bul. 69, Pt. I, pp. 52–74. 1905.
      Canada, 1905. Chem. Bul. 69, rev., Pt. II, pp. 120–128. 1905.
      Canada, 1908. Chem. Bul. 121, pp. 9–12. 1909.
      Colorado, 1905. Chem. Bul. 69, Pt. I, pp. 75–84. 1905.
      Connecticut, 1905. Chem. Bul. 69, Pt. I, pp. 85–98. 1905.
      Delaware, 1905. Chem. Bul. 69, rev., Pt. II, pp. 99–104. 1905.
      District of Columbia, 1905. Chem. Bul. 69, rev., Pt. II, pp. 105–119. 1905.
      Florida, 1905. Chem. Bul. 69, rev., Pt. II, pp. 129–133. 1905.
      Georgia, 1905. Chem. Bul. 69, rev., Pt. II, pp. 134–140. 1905.
      Hawaii, 1905. Chem. Bul. 69, rev., Pt. II, pp. 141–145. 1905.
      Idaho, 1905. Chem. Bul. 69, rev., Pt. II, pp. 146–156. 1905.
      Illinois, 1905. Chem. Bul. 69, (rev., Pt. II, pp. 157–172. 1905.
      Indiana, 1905. Chem. Bul. 69, rev., Pt. II, pp. 173–193. 1905.
      Iowa, 1905. Chem. Bul. 69, rev., Pt. II, pp. 195–200. 1905.
      Kansas, 1905. Chem. Bul. 69, rev., Pt. III, pp. 201–204. 1905.
      Kentucky, 1905. Chem. Bul. 69, rev., Pt. III, pp. 205–214. 1905.
      Kentucky, 1908. Chem. Bul. 121, pp. 14–18. 1909.
      Louisiana, 1905. Chem. Bul. 69, rev., Pt. III, pp. 215–219. 1905.
      Louisiana, 1908. Chem. Bul. 121, pp. 19–36. 1909.
      Maine, 1905. Chem. Bul. 69, rev., Pt. III, pp. 120–233. 1905.
      Maryland—
        1905. Chem. Bul. 69, rev., Pt. III, pp. 234–244. 1905.
        1908. Chem. Bul. 121, p. 37. 1909.
      Massachusetts—
        1905. Chem. Bul. 69, rev., Pt. III, 245–271. 1905.
        1908. Chem. Bul. 121, pp. 38–41. 1909.
      Michigan, 1905. Chem. Bul. 69, rev., Pt. IV, pp. 273–308. 1905.
      Minnesota, 1905. Chem. Bul. 69, rev., Pt. IV, pp. 309–323. 1906.
      Mississippi—
        1905. Chem. Bul. 69, rev., Pt. IV, pp. 324–326. 1906.
        1908. Chem. Bul. 121, p. 42. 1909.
      Missouri, 1905. Chem. Bul. 69, rev., Pt. IV, pp. 327–339. 1906.
      Montana, 1905. Chem. Bul. 69, rev., Pt. IV, pp. 340–346. 1906.
      Nebraska, 1905. Chem. Bul. 69, rev., Pt. IV, pp. 347–357. 1906.
      Nevada, 1905. Chem. Bul. 69, rev., Pt. IV, pp. 358–361. 1906.
      New Hampshire, 1905. Chem. Bul. 69, rev., Pt. IV, pp. 362–372. 1906.

Food(s)—Continued.
　laws—continued.
　　of—continued.
　　　New Jersey—
　　　　1905. Chem. Bul. 69, rev., Pt. V, pp. 373–407. 1906.
　　　　1908. Chem. Bul. 121, pp. 43–46. 1909.
　　　New Mexico, 1905. Chem. Bul. 69, rev., Pt. V, pp. 408–410. 1906.
　　　New York—
　　　　1905. Chem. Bul. 69, rev., Pt. V, pp. 411–435. 1906.
　　　　1908. Chem. Bul. 121, p. 47. 1909.
　　　North Carolina—
　　　　1905. Chem. Bul. 69, rev., Pt. V, pp. 436–444. 1906.
　　　　1908. Chem. Bul. 121, p. 48. 1909.
　　　North Dakota, 1905. Chem. Bul. 69, rev., Pt. V, pp. 445–457. 1906.
　　　Ohio—
　　　　1905. Chem. Bul. 69, rev., Pt. VI, pp. 459–490. 1906.
　　　　1908. Chem. Bul. 121, pp. 49–53. 1909.
　　　Oklahoma—
　　　　1905. Chem. Bul. 69, rev., Pt. VI, pp. 491–493. 1906.
　　　　1908. Chem. Bul. 121, pp. 54–67. 1909.
　　　Oregon, 1905. Chem. Bul. 69, rev., Pt. VI, pp. 494–510. 1906.
　　　Pennsylvania, 1905. Chem. Bul. 69, rev., Pt. VI, pp. 511–546. 1906.
　　　Philippine Islands, 1905. Chem. Bul. 69, rev., Pt. VI, pp. 547–548. 1906.
　　　Porto Rico—
　　　　1905. Chem. Bul. 69, rev., Pt. VII, pp. 549–568. 1906.
　　　　1908. Chem. Bul. 121, p. 68. 1909.
　　　Rhode Island—
　　　　1905. Chem. Bul. 69, rev., Pt. VII, pp. 569–574. 1906.
　　　　1908. Chem. Bul. 121, pp. 69–72. 1909.
　　　South Carolina—
　　　　1905. Chem. Bul. 69, rev., Pt. VII, pp. 575–584. 1906.
　　　　1908. Chem. Bul. 121, p. 73. 1909.
　　　South Dakota, 1905. Chem. Bul. 69, rev., Pt. VII, pp. 585–598. 1906.
　　　States and Territories, enforcement. Chem. Cir. 16, rev., pp. 5–25. 1906.
　　　Tennessee, 1905. Chem. Bul. 69, rev., Pt. VII, pp. 599–605. 1906.
　　　Texas, 1905. Chem. Bul. 69, rev., Pt. VII, pp. 606–609. 1906.
　　　United Kingdom, and their administration. F. L. Dunlap. Chem. Bul. 143, pp. 42. 1911.
　　　United States and Canada, officials charged with enforcement. Chem. Cir. 16, rev., pp. 36. 1908.
　　　Utah, 1905. Chem. Bul. 69, rev., Pt. VII, pp. 610–618. 1906.
　　　Vermont, 1905. Chem. Bul. 69, rev., Pt. VII, pp. 619–637. 1906.
　　　Virginia—
　　　　1905. Chem. Bul. 69, rev., pt. 8, pp. 639–652. 1906.
　　　　1908. Chem. Bul. 121, pp. 74–84. 1909.
　　　Washington, 1905. Chem. Bul. 69, rev., Pt. VIII, pp. 653–669. 1906.
　　　West Virginia, 1905. Chem. Bul. 69, rev., Pt. VIII, pp. 670–671. 1906.
　　　Wisconsin, 1905. Chem. Bul. 69, rev., Pt. VIII, pp. 672–692. 1906.
　　　Wyoming, 1905. Chem. Bul. 69, rev., Pt. VIII, pp. 693–704. 1906.
　　officials, United States and Canada, July 1, 1912. Chem. Cir. 16, pp. 29. 1904; rev., pp. 39. 1910; rev., pp. 51. 1912.
　　pure, European countries, on exports from America. W. D. Bigelow. Chem. Bul. 61, pp. 39. 1901.
　　state, stimulation by Federal act. An. Rpts., 1917, pp. 210–211. 1918; Chem. Chief Rpt., 1917, pp. 12–13. 1917.
　　left-overs, utilization. Food Thrift Ser., No. 4, p. 5. 1917.
　legislation—
　　during the year ended—
　　　July 1, 1903. W. D. Bigelow. Chem. Bul. 83. Pt. I, pp. 157; Pt. II, pp. 23. 1904.

Food(s)—Continued.
　legislation—continued.
　　during the year ended—continued.
　　　June 30, 1906. W. D. Bigelow. Chem. Bul. 104, pp. 53. 1906.
　　　June 30, 1907. W. D. Bigelow. Chem. Bul. 112, pp. 155. 1908.
　　　June 30, 1908. W. D. Bigelow and N. A. Parkinson. Chem. Bul. 121, pp. 85. 1909.
　　　indexed digest. Chem. Bul. 69, rev., Pt. IX, pp. 705–778. 1906.
　legumes, digestibility and nutritive value, studies at University of Tennessee, 1901–1905. Charles E. Wait. O.E.S. Bul. 187, pp. 55. 1907.
　"made dishes," food-value comparisons. D.B. 975, pp. 11, 35, 36. 1921.
　mahua, use in India, production and value. No. 38182, B.P.I. Inv. 40, pp. 88–89. 1917.
　"malted" or "predigested," discussion. F.B. 237, pp. 15, 16, 17. 1905; F.B. 249, pp. 20–21. 1906.
　mammals and amphibians, study. Biol. Chief Rpt., 1925, pp. 14–15. 1925.
　manual for enforcement of food and drugs act. Chem. [Misc.], "Food and drug manual," pp. 155. 1920.
　market regulations, on exposure for sale, discussion. D.B. 1002, p. 11. 1921.
　materials—
　　ash constituents. O.E.S. Bul. 227, pp. 40–42. 1910.
　　comparative values and prices, table and discussion. Y.B., 1902, pp. 389–391. 1903.
　　composition—
　　　comparison with milk, tables and charts. F.B. 363, pp. 9, 27, 28, 32, 34. 1909.
　　　in digestion experiments. O.E.S. Bul. 193, pp. 7–10. 1907.
　　cost of nutrients, comparison, table. F.B. 298, p. 32. 1907.
　　distribution in diet. O.E.S. An. Rpt., 1906, pp. 364–366. 1907.
　　Japanese, digestibility. O.E.S. Bul. 159, pp. 137–209. 1905.
　　losses in silos. F.B. 556, p. 12. 1913.
　　magnesium contents. O.E.S. Bul. 227, pp. 40–42. 1910.
　　phosphorus contents. O.E.S. Bul. 227, pp. 40–42. 1910.
　　preparation and sampling. O.E.S. Bul. 227, pp. 28–29. 1910.
　　proportion of digestible nutrients, with tables. F.B. 142, pp. 25–29. 1902.
　　protein amounts and proportions. F.B. 824, pp. 4, 6–9. 1917.
　meadow mice, habits and losses occasioned. J.A.R., vol. 27, pp. 531–533. 1924.
　meals from oil sources, composition and comparison. D.B. 350, p. 21. 1916.
　meat, imports in August, 1922. B.A.I., S.R.A. 185, pp. 103–104. 1922.
　menus, preparation, hospital for the insane. O.E.S. An. Rpt. 1904, pp. 490–491. 1905.
　milk—
　　chlorinated, safety of. J. W. Read and Harrison Hale. J.A.R., vol. 30, pp. 889–892. 1925.
　　use as. R. D. Milner. F.B. 363, pp. 44. 1909.
　milo, use and value. F.B. 1147, p. 18. 1920.
　mineral—
　　constituents, presence, test. O.E.S. Bul. 200, pp. 13, 14. 1908.
　　requirements. Chem. Bul. 123, p. 21. 1909.
　misbranded, manufacture, sale, shipment, seizure, and destruction. Y.B., 1913, p. 128. 1914; Y.B. Sep. 619, p. 128. 1914.
　misbranding, Federal laws. Chem. Bul. 69, rev., Pt. I, p. 21. 1905.
　moist, danger of absorbing poison in fumigation. Ent. Cir. 163, pp. 3, 8. 1912.
　moisture—
　　determination, recommendation of referee. Chem. Cir. 38, p. 8. 1908.
　　estimates, report by associate referee. Chem. Bul. 137, pp. 138–141. 1911.
　moldy, danger in feeding stock. F.B. 322, p. 20. 1908.
　muskrat, and feeding habits. F.B. 396, pp. 15–17. 1910.
　natural sources. B.A.I. [Misc.], "World's dairy congress, 1923," p. 422. 1924.

INDEX TO PUBLICATIONS, 1901–1925 917

Food(s)—Continued.
  needs—
    for—
      1918, agricultural program for period beginning with autumn, 1917. Sec. Cir. 75, pp. 14. 1917.
      1919, fall-sown wheat and rye. Sec. Cir. 108, pp. 13. 1918.
      1919, livestock production for 1919. Sec. Cir. 123, pp. 14. 1918.
    in South, more important than cotton crop. News L., vol. 5, No. 35, p. 8. 1918.
    nitrogenous, analyses and values, comparison with shrimp. D.B. 538, p. 7. 1917.
  nonacid, canned, determination of volatile bases. Chem. Cir. 79, pp. 5–6. 1911.
  nutrients—
    and energy in diet. M.C. 6, p. 25. 1923.
    comparative cost. Stat. Bul. 55, p. 87. 1907.
  nutrition—
    and nutritive value, principles. W. O. Atwater. F.B. 142, pp. 48. 1902.
    investigations, organization, work, and publications. O.E.S. Cir. 89, pp. 18. 1909; O.E.S. Cir. 102, pp. 22. 1910.
    of man, publications list. O.E.S. Doc. 715, pp. 12. 1904; O.E.S. Doc. 810, pp. 14. 1905; O.E.S. Doc. 820, pp. 14. 1905; O.E.S. Doc. 865, pp. 14. 1906; O.E.S. Doc. 903, pp. 14. 1906; O.E.S. Doc. 938, pp. 14. 1906; O.E.S. Doc. 993, pp. 16. 1907; O.E.S. Doc. 1052, pp. 16. 1907; O.E.S. Doc. 1063, pp. 16. 1907.
    studies by Home Economics Bureau. Home Ec. A.R. 1924, pp. 3–4. 1924.
  nutritive value—
    and principles of nutrition. W. O. Atwater. F.B. 142, pp. 48. 1902.
    comparison. Stat. Bul. 55, pp. 84–86. 1907.
    cooperative studies. O.E.S. [Misc.], "Organization and work * * *," pp. 25–26. 1909.
    relation of cold storage. O.E.S. An. Rpt., 1909, pp. 380–382. 1910.
    relation to cost. Y.B., 1902, pp. 387–406. 1903; Y.B. Sep. 280, pp. 387–406. 1903.
    of lumbermen in Maine, studies. C. D. Woods and E. R. Mansfield. O.E.S. Bul. 149, pp. 60. 1904.
  officials—
    duties—
      Chem. Bul 69 (rev.), Pts. I–VIII, pp. 42, 43, 54, 60, 63, 69, 78, 85, 91, 93, 100, 102, 105, 110, 118, 121, 122, 129, 135, 138, 142, 147, 158, 167, 174, 196, 201, 205, 215, 220, 224, 232, 234, 245, 253, 261, 273, 286, 297, 309, 324, 327, 341, 347, 362, 365, 373, 385, 411, 436, 445, 459, 494, 496, 511, 519, 547, 549, 569, 575, 585, 599, 607, 610, 619, 639, 650, 655, 659, 672, 676, 693, 696. 1905–6.
      See also Food laws.
    Federal and State, directory—
      1915. Chem. S.R.A. 14, pp. 15–20. 1915.
      1916. Chem. [Misc.], "Directory of Federal * * *," pp. 10. 1916.
      Nov. 1, 1917. S. Abbott. Chem. [Misc.], "Directory of Federal and State * * *," pp. 10. 1918.
      United States and Canada. Chem. Cir. 16, pp. 36. 1904; rev., pp. 39. 1910.
      State laws, 1908. Chem. Bul. 121, pp. 16, 20, 25, 38, 39, 54–56, 59, 64, 74–77, 82–84. 1909.
  oils, vegetable, American sources, and production. H. S. Bailey. Y.B., 1916, pp. 159–176. 1917; Y.B. Sep. 691, pp. 18. 1917.
  outline of work for 1901. Chem. Cir. 7, pp. 1–3. 1901.
  package(s)—
    form, marking, quantity, regulation. F.I.D. 154, pp. 3. 1914; F.I.D. 157, p. 1. 1914; F.I.D. 163, p. 1. 1916; F.I.D. 168, p. 1. 1916; F.I.D. 179, p. 1. 1919.
    weighing, hand versus machine, experiment. D.B. 897, pp. 13–19. 1920.
  weight—
    and volume regulations, opinions, 45–53. Chem. S.R.A. 6, pp. 416–419. 1914.
    measure, or count, marking regulations. B.A.I.S.R.A. 85, pp. 62–63. 1914.
    variations. H. Runkel. D.B. 897, pp. 20. 1920.

Food(s)—Continued.
  packing in containers, government regulations F.B. 1211, p. 31. 1921.
  pecuniary economy with tables giving comparative cost of nutrients. F.B. 142, pp. 39–43. 1902.
  perishable, storage conditions suitable. D.B. 729, pp. 10. 1918.
  phosphorus, organic and inorganic. H. S. Grindley and E. S. Ross. Chem. Bul. 137, pp. 142–144. 1911.
  pineapple for table use. F.B. 140, pp. 35–37. 1901.
  plant(s)—
    citrus white fly attack. Ent. Bul. 120, pp. 41–44. 1913.
    classification, structure, composition, studies. O.E.S. Bul. 245, pp. 15–20. 1912.
    data, application to tree species. D.B. 484, Pt. I, pp. 11–15. 1917.
    definition, report of committee. 1906. Chem. Bul. 105, pp. 178, 180. 1907.
    dock false-worm, host list. D.B. 265, pp. 4–5, 37. 1916.
    gipsy moths, classification. D.B. 250, pp. 33–35. 1915.
    southern corn leaf beetle, studies and experiments. D.B. 221, pp. 4–5. 1915.
    sugar-beet wireworm, host list. Ent. Bul. 123, p. 16. 1914.
    transfer within the plant. J.A.R., vol. 24, pp. 50–51. 1923.
    wild-duck foods, Sandhill region, Nebraska, list. D.B. 794, Pt. II, pp. 37–79. 1920.
    winter, destruction for red-spider control. D.B. 416, pp. 59–67, 68. 1917.
  poisoning, convict road camps, causes and dangers. D.B. 414, p. 190. 1916.
  poisoning with Bacillus botulinus. Chem. Chief Rpt., 1921, p. 18. 1921.
  potatoes and other root crops as. C. F. Langworthy. F.B. 295, pp. 45. 1907.
  poultry—
    analysis, results. Chem. Bul. 108, pp. 56–59. 1908.
    as. Helen W. Atwater. F.B. 182, pp. 40. 1903.
    manufacture, method. Chem. Bul. 108, p. 13. 1908.
  preparation—
    for drying, directions, and equipment. F.B. 841, pp. 8–11. 1917; F.B. 984, pp. 11–16. 1918.
    in the home, relation of nutrition studies. O.E.S. An. Rpt., 1907, pp. 359–361. 1908.
    ingredients used, decision. F.I.D. 48, Chem. F.I.D. 46–48, p. 3. 1906.
    practical work in schools. S.R.S. Doc. 50, pp. 3–4. 1917.
  presence of dyes, chemicals, and preservatives, regulations. F.I.D. 76, pp. 3. 1907.
  preservation—
    by drying, explanation. D.B. 1335, pp. 1–2. 1925.
    demonstration work. D.C. 312, pp. 8–10. 1924.
    detection and determination. Chem. Bul. 107, pp. 179–189. 1907.
    drying as a method in Hawaii. Maxwell O. Johnson. Hawaii Bul. 7, pp. 31. 1918.
    extension work in 1923. D.C. 349, pp. 21–22, 23–25. 1925.
    home demonstration work, results. D.C. 314, pp. 31–32. 1924.
    methods, study by Ola Powell. Off. Rec., vol. 1, No. 7, p. 5. 1922.
    publications, list. F.B. 853, p. 42. 1917; Sec. Cir. 126, p. 11. 1919.
    use and abuse. W. D. Bigelow. Y.B., 1900, pp. 551–560. 1901; Y.B. Sep. 221, pp. 551–560. 1901.
  preservatives—
    analysis, provisional method. Chem. Bul. 65, p. 107. 1902.
    and artificial colors, influence on digestion and health. H. W. Wiley and others. Chem. Bul. 84, pp. 1500. 1904–1908.
    and other substances, effect on health and digestion. H. W. Wiley. Pub. [Misc.], "Methods of studying * * *," pp. 14. 1903.
    benzoate of soda and benzoic acid, injury by use. Chem. Cir. 39, pp. 15. 1908.

918　UNITED STATES DEPARTMENT OF AGRICULTURE

Food(s)—Continued.
　preservatives—continued.
　　benzoic acid and benzoates, uses. Chem. Bul. 84, Pt. IV., pp. 1043-1294. 1908.
　　danger in use in home canning. S.R.S. Doc. 80, p. 6. 1918; rev., p. 6. 1919.
　　decrease of use. Sec. A.R., 1909, p. 40. 1909; Rpt. 91, p. 30. 1909; Y.B., 1909, p. 40. 1910.
　　detection, household tests. Chem. Bul. 100, pp. 43-45. 1906.
　　effect on health—
　　　and digestion. An. Rpts., 1904, pp. 212-213. 1904.
　　　and digestion. H. W. Wiley. Pub. [Misc.], "Methods of studying * * *," pp. 14. 1903.
　　　and digestion, determination. H. W. Wiley. Y.B., 1903, pp. 289-302. 1904; Y.B. Sep. 328, pp. 289-302. 1904.
　　　experiments. An. Rpts., 1903, pp. 172-178. 1903.
　　food and drugs act, Regulations 12 and 13. Sec. Cir. 21, rev., pp. 7-8. 1922.
　　formaldehyde experiments. Chem. Bul. 84, Pt. V, pp. 1295-1499. 1908.
　　influence on digestion and health. Chem. Bul. 84, Pt. V, p. 206. 1908.
　　influence on digestion and health, tests. Chem. Bul. 84, Pt. II, pp. 479-759. 1906.
　　laws—
　　　European countries, affecting American exports. Chem. Bul. 61, p. 8. 1901.
　　　State, 1907. Chem. Bul. 112, Pt. I, pp. 24, 57, 147. 1908.
　　　State, 1907. Chem. Bul. 112, Pt. II, pp. 23, 106, 145. 1908.
　　legislation. Chem. Bul. 116, pp. 16-20. 1908.
　　methods of determination. Chem. Cir. 28, pp. 1-18. 1906.
　　report of associate referee, and recommendations. Chem. Bul. 105, pp. 51-58. 1907; Chem. Bul. 162, pp. 135-138, 164. 1913.
　　salicylic acid and salicylates, effect on digestion and health. Chem. Bul. 84, Pt. II, pp. 479-760. 1906.
　　use—
　　　and abuse. W. D. Bigelow. Y.B., 1900, pp. 551-560. 1901; Y.B. Sep. 221, pp. 551-560. 1901.
　　　of benzoate of soda and sulphur dioxide. Chem. F.I.D. 89, pp. 2. 1908.
　　See also Preservatives.
　price, advance, 1914-1918. News L., vol. 6, No. 39, p. 13. 1919.
　prickly pear, use as. F.B. 316, pp. 14-17. 1908.
　problems in extension, 1923. D.C. 349, pp. 2-3. 1925.
　processing methods. F.B. 1211, pp. 14-15. 1921.
　Producers' Advisory Committee, organization, officers, membership, and proposed work. News L., vol. 5, No. 36, pp. 7-8. 1918.
　production—
　　1918. News L., vol. 6, No. 19, pp. 1-2, 16. 1918.
　　act, administration, assistance of Solicitor, Sol. A.R., 1918, pp. 1, 29. 1918; An. Rpts., 1918., pp. 393, 421. 1919.
　　Alaska, war work, and possibilities. Alaska A.R., 1918, pp. 8-9. 1920.
　　and—
　　　conservation, demonstration work, North and West. S.R.S. An. Rpt., 1921, pp. 47, 49-50. 1921.
　　　conservation, report of Agriculture Secretary to United States Senate, April 18, 1917. News L., vol. 4, No. 39, pp. 1-3. 1917.
　　　preservation, home demonstration results. D.C. 141, pp. 16, 23, 24. 1920.
　　　preservation, home demonstration work, results. D.C. 285, pp. 15-17. 1923.
　　by mill operatives on small lots. D.B. 602, pp. 1-12. 1918.
　　campaign, 1919. An. Rpts., 1919, pp. 379-380. 1920.
　　cooperation of experiment station work and military reservations in Hawaii, 1917. Hawaii A.R., 1917, pp. 6, 23-24. 1918.
　　effect of labor situation, address by Assistant Secretary Christie. News L., vol. 6, No. 26, pp. 5-6. 1919.

Food(s)—Continued.
　production—continued.
　　emergency measures, Italy, 1914-1916. Sec. [Misc.], "Report * * * agricultural commission * * *," pp. 28-31. 1919.
　　extension work, 1918, report. S.R.S. An. Rpt., 1918, p. 15-17, 36, 55, 90, 99. 1919.
　　farmers aid in winning the war. News L., vol 6, No. 2, pp. 1, 3. 1918.
　　for family support. News L. vol. 6, No. 30, pp. 1, 12. 1919.
　　Hawaii, difficulties. Hawaii A.R., 1917, pp. 5-6. 1918.
　　home demonstration work, details and results. D.C. 178, pp. 20-21. 1921.
　　importance in Southern States, meat, milk, and eggs. S.R.S. Doc. 96, pp. 6-9. 1919.
　　in Southern States, suggestions for farmers. S.R.S. Doc. 82, pp. 3-5. 1918.
　　increase—
　　　and distribution. News L., vol. 4, No. 39, pp. 1-3. 1917.
　　　in Austria, possibilities and requirements. D.B. 1234, pp. 63-66. 1924.
　　　in South, method, changes. News L., vol. 5, No. 50, pp. 1, 6. 1918.
　　initial efforts and legislation. An. Rpts., 1917, pp. 4, 9-10, 22, 25-28. 1917; Sec. A.R. 1917, pp. 6, 11-12, 24, 27-30. 1917; Y.B., 1917, pp. 10-12, 17, 33, 37-40. 1918.
　　methods. News L., vol. 6, No. 20, p. 5. 1918.
　　suggestions for teachers. S.R.S. Doc. 73, pp. 1-12. 1917.
　　inspection law, rules and regulations. Sec. Cir. 144, pp. 10. 1919.
　　official supervision in Germany. News L., vol. 6, No. 17, pp. 2-3. 1918.
　　on farm, income value to families, with fuel and house. W. C. Funk. D.B. 410, pp. 36. 1916.
　　outlook for 1918, with comparisons with other years, statement of Secretary Houston. News L., vol. 5, No. 30, pp. 7-8. 1918.
　　projects for schools, suggestions and references. S.R.S. Doc. 73, pp. 5-10. 1917.
　　report. D. F. Houston. Sec. [Misc.], "Food production report * * *," pp. 3. 1917.
　　stimulating work of county agents in South. S.R.S. Rpt., 1917, Pt. II, pp. 21-28. 1919.
　　syndicate service, announcement. Sec. [Misc.], "Announcing a food production * * *," pp. 4. 1917.
　　value, expressed according to three methods. Chem. Bul. 120, pp. 13-15. 1909.
　　work of boys' and girls' clubs. D.C. 66, pp. 20-27. 1920.
　products—
　　almond utilization. A. F. Sievers and Frank Rabak. D.B. 1305, pp. 22. 1924.
　　American, average composition, table. O.E.S. Cir. 46, pp. 4-6. 1901.
　　and population of United States, relations, 1850-1900. James H. Blodgett. Stat. Bul. 24, pp. 86. 1903.
　　animal, commercial stocks in the United States on August 31, 1917. Sec. Cir. 101, pp. 19. 1918.
　　articles to be inspected, regulation 4. Sec. Cir. 160, p. 2. 1922.
　　branding for interstate commerce, opinion of Attorney General. Sec. [Misc.], "Opinion of Attorney General * * *," pp. 5. 1903.
　　coal-tar colors. Chem. Bul. 147, pp. 228. 1912.
　　cold storage, data from warehousemen. Chem. Bul. 115, pp. 11-21. 1908.
　　colors, determination. Chem. Bul. 132, pp. 55-58. 1910.
　　composition—
　　　studies by school clubs. D.B. 281, p. 30, 1915. with table. F.B. 142, pp. 15-18. 1902.
　　denaturing, amendment to regulation 34, F.I.D. 93, 1908. F.I.D. 93-95, p. 1. 1908.
　　developed by department, menu from. Off. Rec., vol. 2, No. 10, pp. 1, 3. 1923.
　　distribution channels, studies. D.B. 267, pp. 21-23. 1915.
　　drying experiments in Hawaii, 1917. Hawaii A.R., 1917, p. 27. 1918.
　　exports, analyses. Chem. S.R.A. 13, p. 3. 1915.
　　foreign, inspection. H. W. Wiley. Y.B. 1904, pp. 151-160. 1905; Y.B. Sep. 339, pp. 151-160. 1905.

INDEX TO PUBLICATIONS, 1901-1925   919

Food(s)—Continued.
  products—continued.
    fumigated, absorption and retention of hydrocyanic acid. E. L. Griffin and others. D.B. 1149, pp. 16. 1923.
    garden, surplus distribution and utilization. Mkts. Doc. 6, pp. 1-10. 1917.
    grades, preparation for use in marketing. Y.B., 1920, pp. 355-361. 1921; Y.B. Sep. 850, pp. 355-361. 1921.
    importations, condemned, treasury decision. F.I.D. 10, p. 18. 1905.
    imported—
      adulterated or misbranded, action by department. Y.B., 1910, p. 207. 1911; Y.B. Sep. 529, p. 207. 1911.
      inspection. R. E. Doolittle. Y.B., 1910, pp. 201-212. 1911; Y.B. Sep. 529, pp. 201-212. 1911.
      labeling, proposed regulations governing. Chem. Cir. 21, pp. 2. 1901.
    in tin, occurrence and estimation. Chem. Bul. 137, pp. 134-137. 1911.
    inspection—
      Y.B., 1922, pp. 374-375. 1923; Y.B. Sep. 878, p. 80. 1923.
      act, of March 3, 1921, text. Sec. Cir. 155, pp. 3, 4. 1921.
      law, provisions, rules and regulations. D.C. 157, pp. 1-3. 1923; Sec. Cir. 82, pp. 1-8. 1917; Sec. Cir. 120, pp. 1-8. 1918; Sec. Cir. 151, pp. 1-8. 1920; Sec. Cir. 155, pp. 1-11. 1921; Sec. Cir. 160, pp. 1-6. 1922.
      on markets. News L., vol. 6, No. 30, pp. 14-15. 1919.
      organization and extension. Mkts. S.R.A. 28, pp. 1-3. 1917.
      service, aid to sweet-potato growers. D.B. 1206, pp. 43-45. 1924.
    suggestions to importers. Chem. Cir. 18, pp. 16. 1904.
    investigation and certification, law provisions. Sec. Cir. 144, pp. 2, 3. 1919.
    Japanese, miscellaneous, discussion. O.E.S. Bul. 159, pp. 34-35. 1905.
    labeling "manufactured for" and "prepared for." F.I.D. 66-68, pp. 3-5. 1907.
    losses in marketing. D.B. 267, p. 23. 1915.
    manufactured, date, requirement. Information 20. Chem. S.R.A. 7, pp. 525-526. 1914.
    meat—
      adulteration. Chem. N.J. 1476, pp. 2. 1912.
      imported, inspection and handling, regulations governing. B.A.I.O. 202, pp. 30. 1913.
      labeling "100 per cent pure" forbidden. B.A.I.S.A. 64, p. 63. 1912.
      starch determination, method. T. M. Price. B.A.I. Cir. 203, pp. 6. 1912.
    preliminary treatment for detection of coloring substances. D.B. 448, pp. 4-8. 1917.
    preservation, importance of studies. Sec. Cir. 153, pp. 6-7. 1920.
    price fixing, discussion by Agriculture Secretary. News L., vol. 4, No. 31, p. 3. 1917.
    production—
      per capita, 1899, 1909, 1915, report of Secretary. News L., vol. 4, No. 23, pp. 1-2. 1917.
      requirements, various countries, estimates and values. F.B. 641, pp. 20-22. 1914.
    protection from—
      cold during transportation. Y.B., 1909, p. 397. 1910; Y.B. Sep. 522, p. 397. 1910.
      injurious temperatures. H. E. Williams. F.B. 125, pp. 28. 1901.
    purity—
      Chem. [Misc.], "Purity of food * * *," pp. 7. 1906.
      standards. Chem. [Misc.], "Standards of purity * * *," pp. 6. 1905; Sec. Cir. 10, pp. 13. 1903; Sec. Cir. 13, pp. 14. 1904; Sec. Cir. 17, pp. 7. 1906; Sec. Cir. 19, pp. 19. 1906; Sec. Cir. 136, pp. 22. 1919.
      standards in Indiana. Chem. Bul. 69, Pt. II, pp. 181-193. 1902.
      standards of Federal proclamation. Chem. Bul. 69, Pt. I, pp. 10-21. 1902.
    self-service in retailing. F. E. Chaffee and McFall Kerbey. D.B. 1044, pp. 52. 1922.

Food(s)—Continued.
  products—continued.
    storage holdings—
      during 1918, reports. John O. Bell. D.B. 792, pp. 80. 1919.
      reports. John O. Bell and I. C. Franklin. D.B. 709, pp. 44. 1918.
    suggestions to importers. Chem. Cir. 18, pp. 16. 1904.
    used also for technical purposes, labeling, F.I.D. 58. Chem. F.I.D. 54-59, pp. 5-6. 1907.
    various kinds, canning methods, conditions affecting, etc., studies. D.B. 196, pp. 21-79. 1915.
  proportions—
    in the diet. F.B. 1313, pp. 1-24. 1923.
    of nutrients and nonnutrients. F.B. 142, pp. 18-20. 1902.
  protection from—
    adulteration, farm women's needs. Rpt. 106, pp. 64-66. 1915.
    rats and mice. F.B. 896, pp. 5-11. 1917.
    rats, on farms and in cities. Y.B. 1917, pp. 240-241, 246-247. 1918; Y.B. Sep. 725, pp. 8-9, 14-15. 1918.
    spoiling. Thrift Leaf. 13, p. 2. 1919.
  protein—
    cooking recipes. F.B. 824, pp. 12-17. 1917.
    food values and calorie portions in various weights. F.B. 1228, pp. 5, 12, 22. 1921.
    selection. Caroline L. Hunt and Helen W. Atwater. F.B. 824, pp. 19. 1917.
  publications, Office of Experiment Stations. Corrected to May 1, 1907. O.E.S. Doc. 993, pp. 16. 1907.
  pure and adulterated, exhibit at Pan-American Exposition. Chem. Bul. 63, pp. 7-14. 1901.
  raw, caution in use. F.B. 375, pp. 13-14, 40-41. 1909.
  receptacles and wrappers, laws, European countries, affecting American exports. Chem. Bul. 61, pp. 7-39. 1901.
  records and cost in milk-recording societies, methods. B.A.I. Dairy [Misc.], "World's dairy congress, 1923," pp. 383-388. 1924.
  Referee Board, legality, decision of Attorney-General. F.I.D. 107, pp. 6. 1909.
  refrigeration, thrift in the home. Thrift Leaf. 14, pp. 1-4. 1919.
  regulating work, Chemistry Bureau. D.C. 137, pp. 6-8, 9-15. 1920.
  relabeling, notice to importers. Chem. S.R.A. 14, p. 10. 1915.
  relation to—
    bodily activity, calorimeter studies. Y.B., 1910, pp. 313-316. 1911; Y.B. Sep. 539, pp. 313-316. 1911.
    hygiene problems. O.E.S. An. Rpt. 1909, pp. 383-385. 1910.
  requirements—
    European countries, 1920. Sec. [Misc.], "Report of Agricultural * * *," pp. 17, 64-79, 83-86. 1919.
    factors affecting. Y.B., 1907, pp. 368-369. 1908; Y.B. Sep. 454, pp. 368-369. 1908.
    in calories for individuals. F.B. 1313, pp. 16-19. 1923.
    men and women of different ages, and factors affecting. O.E.S. Cir. 110, pp. 13-14, 17-19. 1911; Y.B., 1907, p. 365. 1908; Y.B. Sep. 454, p. 365. 1908.
    of the aged. O.E.S. Bul. 223, pp. 75-83. 1910.
    studies for secondary schools, suggestions. S.R.S. Doc. 50, pp. 1-6. 1917.
  research—
    investigations, 1896-1908. Rpt. 87, pp. 88-89. 1908.
    laboratory, organization and duties. Chem. Cir. 14, p. 12. 1908.
    residues, passage through steer, relation to digestion, studies. J.A.R., vol. 10, pp. 55-63. 1917.
  rice, value and uses. F.B. 417, pp. 25-26. 1910; F.B. 1195, pp. 1-22. 1921.
  saccharin content. F.I.D. 135, p. 1. 1911; F.I.D. 138, p. 1. 1911.
  safeguarding by law enforcements. News L. vol. 4, No. 24, pp. 1-2. 1917.

Food(s)—Continued.
  samples, collection under food and drug act. Chem. [Misc.], "Collection of samples * * *," pp. 6. 1910.
  sampling—
    laws. Chem. Bul. 69, rev., Pts. I–IX, pp. 53, 54, 83, 101, 107, 109, 122, 123, 131, 141, 149, 161, 216, 248, 255, 322–323, 363, 375, 413, 416, 439, 447, 449, 400, 537, 620, 622, 632–637. 1905–6.
    special classes of products, directions. Chem. [Misc.], "Food and drug manual," pp. 36–46. 1920.
  saving—
    by proper care. Thrift Leaf. 13, pp. 4. 1919.
    in preparation of meals, work of club members. D.C. 66, p. 30. 1920.
  scalding before canning, apparatus and methods and details. D.B. 1265, pp. 3–33. 1924.
  scarcity, cause of stock poisoning, control methods, etc. F.B. 536, pp. 1–4. 1913.
  sea, canning in homes, recipes. S.R.S. Doc. 80, pp. 24–28. 1918; rev., pp. 24–28. 1919.
  seizure procedure. Chem. [Misc.], "Food and drug manual," pp. 68–73. 1920.
  selection—
    according to body needs. Caroline L. Hunt and Hannah L. Wessling. F.B. 808, pp. 14. 1917.
    and dietary value, studies by Home Economics Office. S.R.S. An. Rpt., 1921, p. 58. 1921.
    by groups for protein, starch, sugar, and fat. News L., vol. 4, No. 41, pp. 9, 10. 1917.
    demonstration work, results. D.C. 285, p. 8. 1923.
    for—
      body needs. Caroline L. Hunt and Helen W. Atwater. F.B. 808, pp. 14. 1917.
      body needs, teaching by use of. F.B. 808. E. A. Miller. S.R.S. [Misc.], "How teachers may use * * *," pp. 2. 1917.
      children. F.B. 717, rev., pp. 1–3. 1920.
      protein. Caroline L. Hunt and Helen W. Atwater. F.B. 824, pp. 19. 1917.
      of cereals. Caroline L. Hunt and Helen W. Atwater. F.B. 817, pp. 23. 1917.
      rations and sample meals. Food Thrift Ser., No. 2, pp. 5–6. 1917.
  shelters, for house birds, description, location. F.B. 609, pp. 16–18. 1914.
  shortage, Europe, relief by American farmers. Y.B., 1919, pp. 9, 10. 1920.
  situation, statement by Agriculture Secretary. News L., vol. 4, No. 31, pp. 1–3. 1917.
  soda benzoate, use, amendment to F.I.D. Nos. 76 and 89. F.I.D. 104, pp. 1–3. 1909.
  sources of—
    minerals, notes and charts. D.B. 975, pp. 1–10, 11–36. 1921.
    protein, energy, and fuel in body; notes and charts. D.B. 975, pp. 1–10, 11–36. 1921.
  soy bean, uses and value. D.B. 439, pp. 2, 5, 9, 11–13. 1916; D.C. 120, pp. 1–2, 4. 1920; F.B. 973, pp. 22–23. 1918; S.R.S. Doc. 43, pp. 5–6. 1917; S.R.S. Syl. 35, pp. 6–7. 1919.
  sparrows, general habits, relation to agriculture. Biol. Bul. 15, pp. 19–50. 1901.
  spoilage—
    causes—
      F.B. 853, pp. 4–6. 1917; F.B. 1211, pp. 4–5. 1921.
      and prevention. Thrift Leaf. 13, p. 2. 1919.
    control methods. Food Thrift Ser., No. 3, pp. 1–8. 1917.
  spoiled, returned, regulations. Chem. S.R.A. 28, p. 37. 1923.
  spoiling, causes, and prevention by canning, studies. S.R.S. Doc. 80, p. 4. 1918; rev., p. 4. 1919.
  standards—
    Off. Rec., vol. 2, No. 9, p. 3. 1923.
    approval by Secretary. Off. Rec., vol. 2, No.10, p. 3. 1923.
    A. O. A. C. report, 1903. Chem. Bul. 81, pp. 179–190. 1904.
    definitions. An. Rpts., 1922, p. 288. 1922; Chem. Chief Rpt., 1922, p. 38. 1922.
    discussion. Chem. Bul. 73, pp. 141–144. 1903.
    importance and necessity, recommendation. An. Rpts., 1916, p. 36. 1917; Sec. A.R., 1916, p. 38. 1916.

Food(s)—Continued.
  standards—continued.
    necessity. An. Rpts., 1913, p. 18. 1914; Sec. A.R., 1913, p. 16. 1913; Y.B., 1913, pp. 22–23. 1914.
    of Georgia, 1907. Chem. Bul. 112, Pt. I, pp. 50–51. 1908.
    of purity, Federal and State. Chem. Bul. 69, Pts. I–VIII, pp. 10–21, 108, 170–172, 181–193, 211–214, 274–277, 305–308, 357, 441–444, 455–457, 543–546, 555–568, 595–598, 617, 631–637, 666–668, 690–692. 1905–1906.
    recommendations. Off. Rec., vol. 1, No. 28, p. 4. 1922; No. 32, p. 6. 1922.
    report of Committee, Association of Official Agricultural Chemists. Chem. Bul. 62, p. 146. 1901; Chem. Bul. 67, p. 169. 1902; Chem. Bul. 73, pp. 84–85. 1903; Chem. Bul. 105, pp. 168–173. 1907.
    with definitions, 1903. Chem. Bul. 83, Pt. I, pp. 8–18. 1904.
  staple—
    conservation by use of fruits and vegetables. Caroline L. Hunt. F.B. 871, pp. 11. 1917.
    Japan, manner of use. O.E.S. Bul. 159, pp. 18–35. 1905.
  State officials, manual of procedure for guidance. Chem. [Misc.], "Manual of procedure * * *," pp. 12. 1915.
  sterilization, reasons for, methods and aids. F.B. 853, pp. 4–7, 19, 20. 1917.
  stocks, monthly publication in "Food surveys." News L., vol. 5, No. 44, p. 5. 1918.
  storage—
    farm buildings. F.B. 1082, pp. 16–17. 1920.
    home methods. F.B. 375, pp. 27–37. 1909.
    on farm. D.B. 410, pp. 28–29. 1916.
    relation to nutritive value. O.E.S. An. Rpt., 1909, pp. 380–382. 1910.
    use of weather reports. F.B. 125, pp. 23–25. 1901.
  stored, insects injurious. An. Rpts., 1922, pp. 309–310. 1923; Ent. A.R., 1922, pp. 11–12. 1922.
  storing for winter use or sale. Mkts. Doc. 6, pp. 3–4. 1917.
  study(ies)—
    at experiment stations in 1923. Work and Exp., 1923, pp. 53–54. 1925.
    by women's clubs, improved diet in homes. D.B. 719, p. 6. 1918.
    experimental, relation to planning meals. Y.B., 1913, pp. 151–157. 1914; Y.B. Sep. 621, pp. 151–157. 1914.
    hospitals for the insane, discussion. O.E.S. An. Rpt., 1904, pp. 486–489. 1905.
    in cooking, nutritive value. Rpt. 83, p. 85. 1906.
    relation to curriculum of schools. S.R.S. Doc. 50, pp. 1–2. 1917.
  substance X, sources in common foods. B.A.I. Dairy [Misc.], "World's dairy congress, 1923," pp. 1031–1033. 1924.
  sugary, list and food-value comparisons, charts. D.B. 975, pp. 9–10, 30–32. 1921.
  sulphur preservatives, effects on digestion and health. Chem. Bul. 84, Pt. III, pp. 761–1041. 1907; Chem. Cir. 37, pp. 1–18. 1907.
  supply(ies)—
    Canal Zone, source, methods of securing. Rpt. 95, pp. 39–40, 43–44. 1912.
    control authority, statement by President, May 19, 1917. News L., vol. 4, No. 43, p. 1. 1917.
    effect of peace, address of Assistant Secretary Ousley, Nov. 5, 1918. News L., vol. 6, No. 15, pp. 1, 3–5. 1918.
    for campers, list. D.C. 138, pp. 58–60. 1920.
    for week, cost of computing, directions. F.B. 1313, pp. 16–19. 1923.
    forest vacation trips, suggestions. D.C. 105, p. 26. 1920.
    Germany, pre-war estimates. Y.B. 1919, pp. 61–68. 1920; Y.B. Sep. 801, pp. 61–68. 1920.
    home, importance of raising in Utah. D.B. 582, p. 40. 1918.
    importance to nation and needs by starving nations. Y.B. 1921, pp. 1–3, 6. 1922; Y.B. Sep. 875, pp. 1–3, 6. 1922.

INDEX TO PUBLICATIONS, 1901-1925   921

Food(s)—Continued.
 supply(ies)—continued.
  increase and improvement, work of department. Y.B., 1913, pp. 146-148. 1914; Y.B. Sep. 621, pp. 146-148. 1914.
  loss prevention, method studies. Sec. Cir. 103, pp. 20-21. 1918.
  national, relation to cereal diseases. H. B. Humphrey. Y.B., 1917, pp. 481-495. 1918; Y.B. Sep. 755, pp. 16. 1918.
  of—
   farmers, source. Y.B., 1922, pp. 999-1001. 1923; Y.B. Sep. 887, pp. 999-1001. 1923.
   United States and world, problem. Y.B., 1918, p. 357. 1919; Y.B. Sep. 790, p. 3, 1919.
   United States, sources of imports, etc., summary. Atl. Am. Agr. Adv. Sh., pp. 8-9. 1918.
  protection in public places, necessity. F.B. 375, pp. 19-25. 1909.
  relation to—
   animal disease, losses of meat. Y.B., 1915, pp. 159-172. 1916; Y.B. Sep. 666, pp. 159-172. 1916.
   population growth in United States, annual report of Secretary. News L., vol. 4, No. 23, pp. 1-3. 1917.
  storing habits of kangaroo rats, varieties. D.B. 1091, pp. 15-16, 18-28, 39. 1922.
  United States, sources, statistics, production and protection. An. Rpts., 1916, pp. 10-31. 1917; Sec. A.R., 1916, pp. 12-33. 1916; Y.B., 1916, pp. 18-44. 1917.
  wild-duck, Sandhill-region lakes, improvement. D.B. 794, p. 38. 1920.
 survey—
  inauguration, scope, penalties. News L., vol. 5, No. 21, pp. 1-2. 1917.
  lard supply tables, by States. Sec. Cir. 97, pp. 12-32. 1918.
  sugar supply and distribution. Sec. Cir. 96, pp. 3-5. 1918.
 war emergency—
  household inventory and consumption record. Sec. [Misc.], "War emergency * * * consumption record," pp. 4. 1917.
  New York City. Sec. [Misc.], "War emergency food * * *," pp. 2. 1917.
  work of Markets Division and Crop Estimates. An. Rpts., 1917, pp. 19-20. 1919; Sec. A.R., 1917, pp. 21-22. 1917.
 swallows, habits. F. E. L. Beal. D.B. 619, pp. 28. 1918.
 testing for vitamin content, experimental method. D.B. 1138, pp. 1-2, 4-6, 23. 1923.
 tin determination, note. Chem. Bul. 152, pp. 117-118. 1912.
 tuna, use as. David Griffith and R. F. Hare. B.P.I. Bul. 116, pp. 73. 1907.
 unit, Scandinavian, method of measurement, comparison with others. B.A.I. Dairy [Misc.], "World's dairy congress, 1923," pp. 1081-1090, 1095. 1924.
 United States. C. F. Langworthy. Y.B., 1907, pp. 361-378. 1908; Y.B. Sep. 454, pp. 361-378. 1908.
 use(s)—
  and value of wild rice. D.C. 229, pp. 13-16. 1922.
  in the body. O.E.S. Bul. 200, p. 16. 1908.
  nutrients, composition of human body. O.E.S. Bul. 200, pp. 16-19. 1908.
  of—
   colors. F.I.D. 164, p. 1. 1916.
   corn oil. D.B. 904, pp. 14, 20-22. 1920.
   dairy by-products. F.B. 486, pp. 12-24. 1912.
 values—
  and—
   body needs. E. A. Winslow. D.B. 975, pp. 37. 1921.
   body needs shown graphically. E. A. Winslow. F.B. 1383, pp. 36. 1924.
   composition of bottled soft drinks. Y.B., 1918, pp. 115-122. 1919; Y.B. Sep. 774, pp. 10. 1919.
   cost, proportion. Y.B., 1902, pp. 389-391. 1903; Y.B. Sep. 280, pp. 389-391. 1903.

Food(s)—Continued.
 values—continued.
  and—continued.
   uses of poultry. H. W. Atwater. D.B. 467, pp. 29. 1916.
  avocado. B.P.I. Bul. 77, pp. 46-47. 1905.
  bouillon cubes, meat extracts and home-made preparations of meat. F. C. Cook. D.B. 27, pp. 7. 1913.
  buttermilk. B.A.I. Doc. A-22, p. 2. 1917.
  cane sirup. Y.B., 1905, p. 244. 1906.
  cheese, comparison with other foods. B.A.I. Cir. 166, pp. 20-21. 1911.
  dasheens, and other aroid roots. Y.B., 1916, pp. 200-206. 1917; Y.B. Sep. 689, pp. 2-8. 1917.
  estimating by calories. F.B. 1228, pp. 21-23, 27. 1921.
  factors, use in calculation. Chem. Bul. 120, pp. 8-16. 1909.
  grasses, native Alaskan. B.P.I. Bul. 82, p. 18. 1905.
  guinea fowl, composition. F.B. 234, pp. 21-22, 24. 1905.
  increased by addition of milk in cooking. F.B. 363, pp. 35-36. 1909.
  of—
   avocado. Hawaii Bul. 25, pp. 34-35. 1911.
   beans. F.B. 169, pp. 26-29. 1903.
   bonavist, and use in different countries. D.B. 318, p. 3. 1915.
   corn and corn products. C. D. Woods. F.B. 298, pp. 40. 1907.
   dried fruits. Y.B., 1912, pp. 505-506, 516-519. 1913; Y.B. Sep. 610, pp. 505-506, 516-519. 1913.
   English sparrow, directions for preparing. F.B. 493, pp. 23-24. 1912; rev., pp. 21-22. 1917.
   emmer. F.B. 139, pp. 11-12. 1901; F.B. 466, pp. 17, 24. 1911.
   emmer and spelt. D.B. 1197, pp. 7-8. 1924.
   fermented milk. B.A.I. An. Rpt., 1909, p. 134. 1911; B.A.I. Cir. 171, p. 134, 1911.
   grain sorghums, composition, digestibility and taste. F.B. 666, pp. 3-6, 8. 1915.
   guinea pigs. F.B. 525, pp. 5-6. 1913.
   ground squirrels. Biol. Cir. 76, p. 7. 1910.
   kafir, physical and chemical studies. D.B. 634, pp. 1-6. 1918.
   marrow cabbage. F.B. 522, pp. 8-9. 1913.
   milk. F.B. 413, pp. 11-20. 1910.
   milk, comparisons with other foods. B.A.I. Doc. A-27, pp. 2. 1917.
   milk, composition and comparative cost. Sec. Cir. 85, pp. 5-9. 1918.
   nuts. F.B. 332, pp. 28. 1908; Y.B., 1906, pp. 295-312. 1907; Y.B Sep. 424, pp. 295-312. 1907.
   oats and oatmeal. F.B. 420, p. 18. 1910.
   peanut butter and round steak, comparison. D.C. 128, p. 3. 1920.
   peanuts. O.E.S.F.I.L. 13, p. 18. 1912; F.B. 356, pp. 31-33. 1909; F.B. 431, pp. 30-32. 1911.
   potato. C. F. Langworthy. Y.B., 1900, pp. 337-348. 1901; Y.B. Sep. 213, pp. 337-348. 1901.
   potatoes, composition and value. D.B. 784, pp. 21-23. 1919.
   proso. F.B. 1162, pp. 13-14. 1920.
   rabbits. F.B. 484, pp. 43-44. 1912; F.B. 496, pp. 3, 5, 13, 16. 1912.
   rice and its by-products. D.B. 570, pp. 11-15. 1917.
   rice, polished and unpolished. F.B. 1195, pp. 7-8. 1921.
   skim milk. B.A.I. Doc. A-31, pp. 1-2. 1917; Y.B., 1918, pp. 269-271, 273-274, 275. 1919; Y.B. Sep. 787, pp. 3-5, 7-8, 9. 1919.
   snails. Y.B., 1914, pp. 491-492. 1915; Y.B. Sep. 653, pp. 491-492. 1915.
   sorghum grain. B.P.I. Bul. 175, pp. 10-13, 16, 18-31. 1910; F.B. 448, p. 12. 1911; F.B. 972, pp. 5-8, 15-16. 1918.
   soy beans and uses. Sec. [Misc.] Special, "Soy in the * * *," p. 6. 1915.

Food(s)—Continued.
  values—continued.
    of—continued.
      succulent vegetables. Y.B. 1911, pp. 441, 447-449. 1912; Y.B. Sep. 582, pp. 441, 447-449. 1912.
      sugar. F.B. 535, pp. 32. 1913.
      sweet potato. D.B. 1041, pp. 1-3. 1922.
      vitamins. Off. Rec. vol. 3, No. 41, p. 6. 1924.
      wild rice, comparison. B.P.I. Bul. 50, pp. 20-21. 1903.
    varieties consumed, and food value, table. Y.B. 1923, p. 154. 1924; Y.B. Sep. 893, p. 2. 1924.
    vegetable—
      composition, nutrients, analysis. O.E.S. Bul. 200, pp. 12-16. 1908.
      condimental, studies. O.E.S. Bul. 245, pp. 69-70. 1912.
      drying, evaporating, salting, etc., studies. O.E.S. Bul. 245, pp. 77-80. 1912.
      eaten by mallard ducks, notes and lists. D.B. 720, pp. 3-8, 11-13, 15, 16-26. 1918.
      nutrients furnished. O.E.S. Bul. 200, p. 17. 1908.
      proportion of nutrients furnished. O.E.S. Cir. 110, p. 26. 1911.
      use and preparation, course in, for movable and correspondence schools of agriculture. Anna Burrows. O.E.S. Bul. 245, pp. 98. 1912.
      value in supplying mineral needs. D.B. 503, p. 4. 1917.
    vireos, percentage of various items. D.B. 1355, pp. 2-3. 1925.
    vitamins in. Off. Rec., vol. 4, No. 29, pp. 1, 8, 1925.
  war emergency survey. Mkts. [Misc.], "War emergency food * * *," pp. 2. 1917.
  wastage in homes, and control methods. Food Thrift Ser. 5, p. 6. 1917.
  waste—
    amount, and prevention methods. Food Thrift Ser., No. 1, pp. 2, 4. 1917.
    avoidance, problem of housekeeper. Y.B. 1913, pp. 159-161. 1914; Y.B. Sep. 621, pp. 159-161. 1914.
    in home, and conservation, studies. News L., vol. 4, No. 46, pp. 6-7. 1917.
    water determination, report. Chem. Bul. 105, pp. 58-65. 1907; Chem. Bul. 132, pp. 150-153, 165. 1910.
  week's supply of various groups for average family. F.B. 1313, pp. 6-14. 1923.
  weights, estimating from measures. F.B. 1313, pp. 7, 8, 9, 10, 12, 13. 1923.
  wild duck—
    five important. W. L. McAtee. D.B. 58, pp. 19. 1914.
    propagation of. W. L. McAtee. D.B. 465, pp. 40. 1917.
    three important. W. L. McAtee. Biol. Cir. 81, pp. 19. 1911.
  winter—
    bird visitants, lists. D.B. 1249, pp. 4, 5, 8-9, 12, 14, 15, 18, 21, 22, 25, 26, 27, 30-32, 33. 1924.
    of crows, character and diversity. Y.B., 1915, pp. 96-97. 1916; Y.B. Sep. 659, pp. 96-97. 1916.
    raising. Y.B., 1906, pp. 233-235. 1907; Y.B. Sep. 419, pp. 233-235. 1907.
  world's—
    needs and conservation methods. News L., vol. 5, No. 5, pp. 4-5. 1917.
    supply of wheat, changes caused by war. Y.B., 1917, pp. 461-480. 1918; Y.B. Sep. 752, pp. 22. 1918.
  See also Diet.
Food Administration—
  action in regard to livestock markets. Y.B., 1919, pp. 241, 246. 1920; Y.B. Sep. 809, pp. 241, 246. 1920.
  control of wheat, and wheat prices. Sec. Cir. 90, pp. 31-32. 1918.
  inauguration, legislation and administration. An. Rpts., 1917, pp. 7-12. 1918; Sec. A.R., 1917, pp. 9-14. 1917.
Foodstuff(s)—
  analyses, application to peat materials. J.A.R., vol. 29, pp. 69-83. 1924.

Foodstuff(s)—Continued.
  bacterial flora, bacilli and molds, investigations. An. Rpts., 1916, pp. 193-194. 1917; Chem. Chief Rpt., 1916, pp. 3-4. 1916.
  buildings for storing, rat-proof construction needed. F.B. 896, pp. 7-8. 1917.
  cereal and vegetable, stocks, August 31, 1917. Sec. Cir. 99, pp. 1-28. 1918.
  cold storage, value. An. Rpts., 1917, p. 438. 1918; Mkts. Chief Rpt., 1917, p. 8. 1917.
  city marketing and distribution. An. Rpts., 1914, pp. 323-324. 1914; Mkts. Chief Rpt., 1914, pp. 7-8. 1914.
  coloring matters and methods for their detection. W. G. Berry. Chem. Cir. 25, pp. 40. 1905.
  conservation, service of cold storage. I. C. Franklin. Y.B., 1917, pp. 363-370. 1918; Y.B. Sep. 745, pp. 11. 1918.
  domestic, exports in 1920. An. Rpts., 1920, pp. 9-10. 1921; Sec. A.R., 1920, pp. 9-10. 1920.
  dry, keeping and protecting in the home. F.B. 1374, p. 12. 1923.
  effects of carbon bisulphide. F.B. 145, pp. 6, 23. 1902.
  exports—
    1910-1919, discussion and statistics. ;An. Rpts., 1919, pp. 5, 9. 1920; Sec. A.R., 1919, pp. 7, 11. 1919.
    1910-1922. An. Rpts., 1922, pp. 54-55. 1922; Sec. A.R., 1922, pp. 54-55. 1922.
    1915-1924. Y.B., 1924, pp. 86-87. 1925.
    1916-1923. Y.B., 1923, pp. 86-87. 1924.
    1925. Sec. A.R., 1925, pp. 104-105. 1925.
  foreign trade, 1912-1918. Y.B.,1918, p. 672. 1919; Y.B. Sep., 795, p. 8. 1919.
  growing experiments, Hawaiian Islands. Hawaii A.R., 1920, pp. 26-32. 1921.
  imports—
    and exports, 1913-1919. Y.B., 1919, p. 736. 1920; Y.B. Sep. 830, p. 736. 1920.
    into Southern States, cost, estimate. An. Rpts., 1914, pp. 10-11. 1914; Sec. A.R., 1914, pp. 12-13. 1914.
  loss in transit. An. Rpts., 1916, pp. 391-392. 1917; Mkts. Chief Rpt., 1916, pp. 7-8. 1916.
  marketing and distribution in cities, methods and studies. News L., vol. 2, No. 52, pp. 6-7. 1915.
  nutritive contents. Chem. Chief Rpt., 1925, pp. 2-3. 1925.
  shipping, necessity for capacity loading of cars. News L., vol. 5, No. 34, p. 8. 1918.
  supply—
    in May, 1919. News L., vol. 6, No. 45, p. 7. 1919.
    increase, agricultural conferences, Missouri and California. News L., vol. 5, No. 19, pp. 2-3. 1917.
  values in terms of "nem." B.A.I. Dairy [Misc.], "World's dairy congress, 1923," p. 464. 1924.
Foot—
  and-mouth disease—
    D. E. Salmon. Y.B., 1902, pp. 643-658. 1903; Y.B. Sep. 295, pp. 643-658. 1903.
    D. E. Salmon and Theobald Smith. B.A.I. Cir. 141, pp. 8. 1908.
    John R. Mohler. F.B. 666, pp. 16. 1915.
    and other contagious or infectious, control expenditures, regulations, 1-17. B.A.I.O. 237, pp. 7. 1915.
  animal(s)—
    importations from Canada, prohibition, effective November 9, 1914. B.A.I.O. 209, amdt. 2. 1914.
    liable to disease, and dangerous carriers. B.A.I. [Misc.], "Diseases of cattle," rev., pp. 380, 385. 1904.
    slaughtered in various States, to January 1, 1915, value. News L., vol. 2, No. 27, pp. 2-3. 1915.
    appearance in Argentina. B.A.I. Bul. 48, pp. 37-38. 1903.
    California, history and control work. B.A.I. Chief Rpt., 1924, pp. 20-22. 1924.
    campaign in Texas. Off. Rec., vol. 4, No. 47, p. 3. 1925.
    careful watching for prevention and control. News L., vol. 6, No. 12, p. 1. 1918.
    cattle slaughter, serum tests and destruction, etc., statement. News L., vol. 3, No. 14, pp. 1-2. 1915.

Foot—Continued.
and-mouth disease—continued.
character, symptoms, prevention, and eradication. B.A.I. ["Misc.], Diseases of cattle," rev., pp. 383-395. 1923.
Chicago stockyards, control regulations. B.A.I.O. 226, pp. 1-2. 1914.
comparison with—
other diseases. B.A.I. [Misc.], "Diseases of cattle," rev., pp. 391-392, 535. 1923.
vesicular stomatitis. An. Rpts., 1917, pp. 72-73. 1918; B.A.I. Chief Rpt., 1917, pp. 6-7. 1917.
conditions in California, May-June, 1924. B.A.I. S.R.A. 205, pp. 55-57. 1924.
conditions in Great Britain. B.A.I.S.A. 64, p. 67. 1912.
conference, proceedings. [Misc.], "Proceedings of a conference * * *," pp. 157. 1916.
contamination of anti-hog-cholera serum, prevention. J.A.R., vol. 6, p. 333. 1916.
control—
Y.B., 1921, p. 42. 1922; Y.B. Sep. 875, p. 42. 1922.
expenditures, regulations, 1-17. B.A.I.O. 237, pp. 7. 1915.
in California, progress. B.A.I.S.R.A. 202, pp. 22-23. 1924.
in deer. Biol. Chief Rpt., 1925, p. 5. 1925.
in Europe. B.A.I. Dairy [Misc.], "World's dairy congress, 1923," pp. 1501-1512. 1924.
increase of veterinary force. B.A.I.S.R.A. 203, pp. 37-38. 1924.
danger to milk supply. B.A.I. An. Rpt., 1907, p. 153. 1909.
description and eradication. Y.B., 1919, pp. 72, 75. 1920; Y.B. Sep. 802, pp. 72, 75. 1920.
diagnosis, difference from mycotic stomatitis. D.C. 322, p. 5. 1924.
differential diagnosis and comparison with other diseases. B.A.I. [Misc.], "Diseases of cattle," rev., pp. 15, 384, 455, 520. 1908; rev., pp. 15, 384, 455. 1904; rev., pp. 15, 400, 473, 545. 1912; rev., pp. 391-392. 1923.
disinfection—
F.B. 666, p. 14. 1915.
of cars, stockyards, and buildings. B.A.I. An. Rpt., 1908, pp. 384-386. 1910.
shipment regulations, formula. B.A.I.O. 233, pp. 2. 1915.
distinction from necrotic stomatitis. B.A.I. [Misc.], "Diseases of cattle," rev., p. 473. 1912.
distribution—
description, injuries, and control methods. News L., vol. 2, No. 15, pp. 1-2. 1914.
number of counties affected, eradication completed. News L., vol. 3, No. 36, pp. 3-4. 1916.
eradication—
and removal of quarantine. B.A.I.S.R.A. 107, p. 28. 1916.
appropriation, 1915. Sol. [Misc.], "Laws applicable * * * Agriculture," sup. 3, p. 20. 1915.
in Great Britain. B.A.I. S.A. 78, p. 92. 1913.
instructions for employees engaged in. B.A.I. [Misc.], "Instructions for employees * * *," pp. 24. 1915; rev., pp. 31. 1925.
measures, 1914, details. D.C. 325, pp. 16-27. 1924.
methods and cost, 1908. B.A.I. An. Rpt., 1908, pp. 380-387, 391. 1910.
necessity. B.A.I. Doc. A-6, pp. 4. 1915.
statistics. B.A.I. Chief Rpt., 1925, pp. 17-18. 1925.
work. B.A.I. Chief Rpt., 1924, pp. 20-22. 1924.
exclusion, efforts of Department. B.A.I. An. Rpt., 1913, pp. 88-89. 1913; B.A.I. Cir. 213, pp. 88-89. 1913.
history, cause, symptoms, and treatment. B.A.I. [Misc.], "Diseases of cattle," rev., pp. 380-387. 1904; rev., pp. 395-403. 1912; rev., pp. 383-395. 1923.
in foreign countries, June-July, 1912. B.A.I.S.A. 63, p. 57. 1912.
in man, symptoms and mode of transmission. B.A.I. Cir. 147, pp. 8-10. 1909; F.B. 666, pp. 1, 15-16. 1915.

Foot—Continued.
and-mouth disease—continued.
infection, artificial, method, studies. B.A.I. Cir. 147, pp. 27-29. 1909.
inspection, instructions concerning. D. E. Salmon. B.A.I. [Misc.], "Instructions concerning * * *," pp. 3. 1902.
interstate shipment, disinfection regulations. B.A.I.O. 233, pp. 2. 1915.
introduction into United States, nature, and slaughter of infected animals for suppression. Y.B., 1902, pp. 647-658. 1903.
legislation. B.A.I. Bul. 28, pp. 54, 75, 110, 167, 172. 1901.
losses—
Germany and England. B.A.I. Cir. 141, pp. 1-2. 1908.
in Denmark and United States, 1914, 1915, comparisons. News L., vol. 3, No. 21, p. 8. 1915.
of animals, 1914. Y.B., 1915, p. 159. 1916; Y.B. Sep. 666, 1915, p. 159. 1916.
menace to cattle in Uruguay. D.C. 228, p. 18. 1922.
nature—
and characteristics. B.A.I. Cir. 147, p. 7. 1909.
description and control. F.B. 666, pp. 1-16. 1915.
symptoms, and prevention. B.A.I. Cir. 141, pp. 1-8. 1908.
need of complete eradication. Y.B., 1918, pp. 241-242, 243. 1919; Y.B. Sep. 783, pp. 5-6, 7. 1919.
noninfectious. See Mycotic stomatitis.
occurrence in Argentina. D.C. 228, pp. 10-11. 1922.
Ohio, shipment, regulation. B.A.I.O. 228, pp. 2. 1914.
outbreak(s)—
1902. Y.B. 1902, pp. 656-658. 1903.
1908, control work. An. Rpts., 1908, pp. 27-30. 1908; B.A.I. An. Rpt., 1908, pp. 379-392. 1910; Rpt. 87, pp. 15-17. 1908; Sec. A.R., 1908, pp. 25-28. 1908; Y.B., 1908, pp. 27-30. 1909.
1909, origin and eradication. An. Rpts., 1909, pp. 196-199, 214. 1910; B.A.I. An. Rpt., 1909, pp. 8-12, 29-30. 1911; B.A.I. Chief Rpt., 1909, pp. 6-9, 24. 1909.
1912, and control. An. Rpts., 1912, p. 163. 1913; Sec. A.R., 1912, p. 163. 1912; Y.B., 1912, p. 163. 1913.
1914, history, spread, and eradication. An. Rpts., 1915, pp. 11-20, 78-83. 1916; B.A.I. Chief Rpt., 1915, pp. 2-7, 41, 61. 1915; Sec. A.R., 1915, pp. 13-22. 1915.
1919, and control. An. Rpts., 1919, pp. 74, 76, 112. 1920; B.A.I. Chief Rpt., 1919, pp. 2, 4, 40. 1919.
1925, and control. Sec. A.R., 1925, pp. 65-66. 1925.
and eradication work. B.A.I. [Misc.], "Diseases of cattle," rev., pp. 386-389. 1923.
control methods, veterinary inspectors. B.A.I.S.R.A. 90, pp. 133-134. 1914.
control, quarantine area reduction. B.A.I.-S.R.A. 91, p. 147. 1914.
cost to Jan. 1, 1915, control appropriation. News L., vol. 2, No. 27, pp. 2-3. 1915.
distribution, animals affected, value. F.B. 651, pp. 4-5. 1915.
in California. Off. Rec., vol. 3, No. 10, pp. 1, 3. 1924.
in Illinois and Massachusetts, 1915. News L., vol. 3, No. 11, p. 3. 1915.
in New York, cause. B.A.I.S.R.A. 99, pp. 89-90. 1915.
in Texas. Off. Rec., vol. 4, No. 40, p. 2. 1925.
in United States, dates. F.B. 666, pp. 4-8. 1915.
payment for animals or property destroyed in control, regulations. B.A.I.O. 237, pp. 2-3, 6-7. 1915.
premises infected and value of slaughtered animals. An. Rpts., 1909, p. 215. 1910; B.A.I. Chief Rpt., 1909, p. 25. 1909.

36167°—32——59

Foot—Continued.
  and-mouth disease—continued.
    prevention and eradication. F.B. 666, pp. 13–15. 1915.
    quarantine—
      areas and regulations. B.A.I.O. 230, pp. 4. 1914; B.A.I.O. 234, pp. 11. 1915; B.A.I.O. 234, amdts. 1 and 2, pp. 5. 1915; B.A.I.O 236, pp. 2. 1915; B.A.I.O. 236, amdt. 3, pp. 5. 1915; B.A.I.O. 238, pp. 1–13. 1915; B.A.I.O. 238, amdts. 1–8, pp. 34. 1915; B.A.I.O. 238, amdts. 24–32, pp. 1–3. 1915; B.A.I.O. 238, amdts. 35–41, pp. 20. 1915; B.A.I.O. 238, amdts. 46, 47, 48, pp. 2 and p. 1. 1916.
      areas, California. B.A.I.O. 287, amd. 7, pp. 2. 19124; B.A.I.O. 287, amd. 8, p. 1. 19124.
      areas, shipment of hides and skins, regulation, Nov. 25, 1908. B.A.I.O. 156, amdt. 2, rev. 1, pp. 2. 1908.
      areas, various States. News L., vol. 2, No. 24, pp. 1–2. 1915.
      effective November 5–16, 1914. B.A.I.O. 229, amdts. 1–7. 1914.
      effective Nov. 23, 27, 30; Dec. 1, 4, 7–9, 11–12, 14–15, 17, 19, 22–24, 26, 1914. B.A.I.O. 230, amdts. 1–22. 1914.
      establishment in Illinois, Indiana, Michigan and Pennsylvania. B.A.I.O. 227, pp. 2. 1914.
      establishment in Illinois, Indiana, Maryland, Michigan, New York, and Pennsylvania. B.A.I.O. 229, pp. 3. 1914.
      establishment in Michigan. B.A.I.O. 225, pp. 2. 1914.
      establishment, Michigan and Indiana. B.A.I.O. 220, pp. 2. 1914
      for Pennsylvania, New York, Michigan, and Maryland, release, Apr. 24, 1909. B.A.I.O. 160, rule 7, p. 1. 1909.
      for, prevention, cattle, sheep, swine and goats, Nov. 13, 1908. B.A.I.O. 155, pp. 2. 1908.
      in California counties. B.A.I.O. 287, amdt. 2, p. 1. 1924; B.A.I.O. 287, amdt. 3, pp. 2. 1924.
      in Illinois. B.A.I.O. 242, p. 1. 1916; B.A.I.O. 244 pp. 2. 1916; B.A.I.O. 244, amdt. 1, p. 1. 1916.
      in Pennsylvania, New York, Michigan and Maryland, Feb. 25, 1909. B.A.I.O. 157, rule 6, rev. 2, pp. 4. 1909.
      modifications, effective, July 5, 12, 26, Aug. 2, 9–10, 12, 16, 26, 30, Sept. 3, 9–10, 16, 1915. B.A.I.O. 238, amdts. 9, 10, 12, 14–23. 1915.
      modifications for Wisconsin, Iowa and Illinois. News L., vol. 2, No. 18, pp. 3–4. 1914.
      on cattle and sheep, Nov. 19, 1908. B.A.I.O. 156, pp. 2. 1908.
      order revoking. B.A.I.O. 243, p. 1. 1916.
      regulations, 1909. B.A.I. An. Rpt., 1909, pp. 361–368. 1911.
      regulations, various areas. News L., vol. 2, No. 24, pp. 1–2. 1915.
      release, Illinois. B.A.I.O. 238, amdt. 49, pp. 2. 1916.
      revoking. B.A.I.O. 246, p. 1. 1916.
    reappearance in Illinois, cause, Department statement. News L., vol. 3, No. 14, pp. 1–2. 1915.
    recent outbreak in the United States, origin. John R. Mohler and Milton J. Rosenau. B.A.I. Cir. 147, pp. 29. 1909.
    sheep—
      cause and symptoms. F.B. 1155, pp. 16–17. 1921.
      description, comparison to foot-rot. B.A.I. Bul. 63, pp. 33–34. 1905.
      diagnosis and treatment. F.B. 1155, pp. 16–17. 1921.
      situation in California, June, 1924. B.A.I.S.R.A. 206, p. 68. 1924.
    South America, danger to imported stock. Y.B., 1919, pp. 370, 377. 1920; Y.B. Sep. 818, pp. 370, 377. 1920.
    spread—
      in Texas. B.A.I.S.R.A. 209, p. 102. 1924.
      methods. F.B. 666, pp. 2, 13, 15. 1915.
      prevention, quarantine order. B.A.I.O. 231, pp. 12. 1915; B.A.I.O. 232, pp. 13. 1915; B.A.I.O. 236, amdt. 2, pp. 5. 1915; B.A.I.O. 238, amdt. 8, pp. 4. 1915.

Foot—Continued.
  and-mouth disease—continued.
    statistics—
      1914. D.C. 325, pp. 9, 27. 1924.
      animals, number and value, by States, 1914–1916. An. Rpts., 1916, p. 68. 1917; B.A.I. Chief Rpt., 1916, p. 2. 1916.
    study in Europe. Off. Rec., vol. 4, No. 45, pp. 1, 3. 1925.
    suppression—
      animals killed. Sec. A.R., 1909, pp. 53–55. 1909; Y.B., 1909, pp. 53–55. 1910.
      discussion by Secretary. Y.B., 1916, pp. 23–24. 1917.
    symptoms—
      B.A.I. An. Rpt., 1908, p. 379. 1910.
      and diagnosis. F.B. 666, pp. 8–13. 1915.
    Texas outbreak. Off. Rec., vol. 4, No. 33, p. 2. 1925.
    transmission—
      by dairy products. B.A.I. Cir. 147, pp. 8, 9, 10. 1909.
      fatalities, and control. B.A.I [Misc.], Dairy "World's dairy congress, 1923", pp. 1511–1512. 1924.
      methods. B.A.I. [Misc.], "Diseases of cattle," rev., pp. 396, 397. 1912.
      vesicles, description. B.A.I.S.R.A. 93, pp. 16–17. 1915.
      virus, transmission methods. B.A.I. [Misc.], "Diseases of cattle, rev., pp. 381, 382, 385. 1904; rev., pp. 397, 398. 1912; rev., pp. 383–384, 387, 388, 392. 1923.
    warning to all owners of cattle, sheep and swine. D. E. Salmon. B.A.I. Cir. 38, pp. 3. 1902.
    with special reference to the outbreak of 1914. John R. Mohler. D.C. 325, pp. 32. 1924.
  deformities of cattle, causes and treatment. B.A.I. [Misc.], "Diseases of cattle," rev., p. 338. 1904; rev., p. 350. 1912; rev., p. 338. 1923.
  diseases of—
    M. R. Trumbower. B.A.I. [Misc.], "Diseases of cattle," rev., pp. 335–339. 1904; rev. pp. 335–339. 1908; rev., pp. 347–351. 1912; rev., pp. 335–339. 1923.
    cattle. See Foot-and-mouth disease.
    horse, complication of influenza. B.A.I. [Misc.], "Diseases of the horse," pp. 504–505. 1903; rev., 505. 1907; rev., 505. 1911; rev., 517-518. 1923.
  foul—
    cattle—
      disease, diagnosis, distinction from foot-and mouth disease. F.B. 666, p. 13. 1915.
      symptoms and cause. D.C. 322, p. 6. 1924.
    sheep, description, cause and treatment. B.A.I. Bul. 63, pp. 30–31. 1905.
  horse—
    anatomy, bones, joints, etc. B.A.I. [Misc.], "Diseases of the horse," pp. 369–372, 559. 1903; rev., pp. 369–372. 1907; rev., pp. 369–372, 565. 1911; rev., pp, 395–398, 583. 1923.
    examination and preparation for shoeing. B.A.I. [Misc.]," Diseases of the horse," pp. rev., 562–565. 1903: 569–572. 1907; rev., 575–578. 1911; rev., 594–597. 1923.
  mange. See Mange.
  reindeer, club disease, similarity to sheep foot-rot, cause, etc. B.A.I. Bul. 63. pp. 11, 26. 1905.
  rot—
    cabbage. See Blackleg, cabbage.
    cattle—
      nature, and cause. B.A.I. An. Rpt., 1904. pp. 101–102. 1905.
      symptoms and treatment. B.A.I. [Misc.], "Diseases of cattle", rev., pp. 336–337, 392, 536. 1923.
    cereals cased by Gibberella saubinetii. J.A.R., vol. 20, pp. 6–7. 1920.
    contagious. See Sore mouth; Lip-and-leg ulceration of goats.
    diagnosis, differential. B.A.I. Bul. 63, pp. 29–34. 1905.
    disease(s) of wheat—
      distinction from rosette disease, cause. J.A.R. vol. 23, pp. 771, 772, 777. 1923.
      in America. Harold H. McKinney. D.B. 1347, pp. 40. 1925.
    goat, control by copper sulphate, use formula. F.B. 920, p. 36. 1918.

Foot—Continued.
rot—continued.
  legislation. B.A.I. Bul. 28, pp. 108, 110, 172. 1901.
  noncontagious of sheep, treatment. F.B. 1155, p. 12. 1921.
  other names F.B. 714, pp. 11, 13. 1916.
  Phytophthora, of rhubarb. George H. Godfrey. J.A.R., vol. 23, pp. 1-26. 1923.
  reindeer, treatment. D.B. 1089, p. 54. 1922.
  sheep—
    John R. Mohler and Henry J. Washburn. B.A.I. An. Rpt., 1904, pp. 117-137. 1905; B.A.I. Bul. 63, pp. 39. 1905; B.A.I. Cir. 94. pp. 21. 1906.
    contagiousness, discussion. B.A.I. Bul. 63, pp. 12-26. 1905.
    control remedies. D.B. 573, p. 22. 1917.
    economic importance. B.A.I. Bul. 63, pp. pp. 26-29. 1905.
    inspection instructions. B.A.I.S.A., No. 9, p. 1. 1908.
    name and synonyms. B.A.I. Bul 63, pp. 5-7. 1905.
    nature, cause, and treatment. John R. Mohler and Henry J. Washburn. B.A.I. Bul. 63, pp. 39. 1904.
    prevention. B.A.I. Bul. 63, pp. 34-35. 1905.
    symptoms and course of disease. B.A.I. Bul. 63, pp. 9-12. 1905.
    treatment. B.A.I. Bul. 63, pp. 35-38. 1905.
  sweet potato—
    cause, description, and spread. F.B. 714, pp. 11-14. 1916; F.B. 1059, pp. 11-13. 1919; J.A.R., vol. 1, pp. 251-274. 1913; J.A.R., vol. 15, p. 350. 1918.
    control suggestions. J.A.R., vol. 1, p. 272. 1913; S.R.S. Syl. 26, pp. 14-15. 1917.
    distribution, and injury. F.B. 714, pp. 12-13. 1916; F.B. 856, p. 66. 1917.
    unidentified, Pacific Coast States. D.B. 1347, pp. 28-30. 1925.
  wheat—
    Fusaria and miscellaneous fungi, causes of. D.B. 1347, pp. 33-34. 1925.
    miscellaneous. D.B. 1347, pp. 30-33. 1925.
    use of the term. D.B. 1347, pp. 2-3. 1925.
  scab, sheep, treatment. F.B. 1150, p. 13. 1920.
  soreness, cattle, causes and treatment. B.A.I. [Misc.], "Diseases of cattle," rev., p. 335-336. 1904; rev., pp. 347-348. 1912; rev., pp. 335-336. 1923.
  wounds—
    cattle, treatment. B.A.I. [Misc.], "Diseases of cattle," rev., pp. 338-339. 1908; rev., pp. 347-348. 1912.
    punctured, treatment. B.A.I. [Misc.], "Diseases of the horse," pp. 465-467. 1903; pp. 465-467. 1907; pp. 465-467. 1911; pp. 426-429. 1923.
    sheep, causes, and treatment. B.A.I. Bul. 63, pp. 29-32. 1905.
Foothill(s)—
  California, description, fruit-growing possibilities. Soil Sur. Adv. Sh., 1908, pp. 65-69. 1911; Soils F.O., 1908, pp. 1289-1293. 1911.
  regions of Southwest, adaptability to fig culture. B.P.I. Doc. 537, pp. 4-5. 1910; rev., pp. 4-5, 1912.
Footings, bridges and culverts, building and protection. Rds. Bul. 43, pp. 17-18. 1912.
Forage—
  Acacia species, value. D.B. 9, pp. 12, 30-31. 1913.
  acreage in—
    1909, by States, maps. Y.B., 1915, pp. 361, 367. 1916; Y.B. Sep. 681, pp. 361, 367. 1916.
    1919, maps. Y.B., 1921, pp. 436, 445, 446, 447. 1922; Y.B. Sep. 878, pp. 30, 39, 40, 41. 1922.
    1923. Y.B., 1923, pp. 311-315. 1924; Y.B. Sep. 895, pp. 311-315. 1924.
  alfalfa, production of Grimm varieties. B.P.I. Bul. 209, pp. 48-54. 1911.
  Arizona, grazing ranges, character and distribution. D.B. 367, pp. 9-22. 1916.
  arsenic content, near smelters. Chem. Bul. 113, p. 28. 1908; rev., pp. 30, 55-57. 1910.
  bamboo, success with. D.B. 1329, p. 19. 1925.

Forage—Continued.
  bluegrass, Canada, uses and value. F.B. 402, pp. 1-20. 1910.
  character on western ranges. Y.B., 1921, p. 251. 1922; Y.B. Sep. 874, p. 251. 1922.
  conditions—
    and problems in eastern Washington, eastern Oregon, northeastern California, and northwestern Nevada. David Griffiths. B.P.I. Bul. 38, pp. 52. 1903.
    on the northern border of the Great Basin. David Griffiths. B.P.I. Bul. 15, pp. 60. 1902.
  corn, acreage. Y.B., 1921, p. 179. 1922; Y.B. Sep. 872, p. 179. 1922.
  Cotton Belt—
    Farmers Bulletin 1125, use by teachers. D.C. 158, pp. 1-8. 1921.
    sorghum. H.N. Vinall. Sec. [Misc.] Special, "Sorghum for forage * * *," pp. 4. 1914.
  crop(s)—
    adaptation to peat lands of California. B.P.I. Cir. 23, pp. 12-14. 1909.
    agricultural value, comparison with small grains. D.B. 291, pp. 1-2. 1916.
    alfalfa, utilization and value. F.B. 1229, pp. 2, 5. 1921.
    alfilaria. F.B. 267, pp. 17-21. 1906.
    Algerian. B.P.I. Bul. 80, pp. 77-85. 1905.
    alkali-resistant. B.P.I. Bul. 157, pp. 30-31, 34. 1909.
    and grasses, publications, list. F.B. 1126, pp. 29-30. 1920.
    billbug control. F.B. 1003, pp. 1-23. 1919.
    composition and feeding value, comparison with alfalfa. F.B. 339, pp. 28-29. 1908.
    cooperative experiments, 1907, 1908. B.P.I. Doc. 281, pp. 4. 1907.
    corn, comparison to clover, cowpeas, and sorghum. F.B. 313, p. 8. 1907.
    Cotton Belt, rape. C. V. Piper. Sec. [Misc.] Spec., "Rape as a forage * * *," pp. 3. 1914.
    cultivable, Alaskan. B.P.I. Bul. 82, p. 19. 1905.
    cultivation in Northwestern States. A. S. Hitchcock. B.P.I. Bul. 31, pp. 28. 1902.
    cutting—
      time. F.B. 169, pp. 7-8. 1903.
      to aid drought resistance. Y.B., 1911, p. 360. 1912; Y.B. Sep. 574, p. 360. 1912.
    damages by field mice. Biol. Bul. 31, p. 23. 1907.
    demonstration work among negroes. D.C. 355, pp. 9-10. 1925.
    diseases, Texas, occurrence and description. B.P.I. Bul. 226, pp. 48-54. 1912.
    dry-farming problems. Rpt. 91, p. 47. 1909; Y.B., 1909, p. 65. 1910; Sec. A.R., 1909, p. 65. 1909.
    emergency. David A. Brodie. Sec. Cir. 36, pp. 4. 1911.
    exhibit at National Dairy Show. D.C. 139, p. 15. 1920.
    experimental tests in Texas. B.P.I. Bul. 283, p. 69. 1913.
    experiments—
      D.B. 1306, pp. 22-27. 1905.
      at field station near Mandan, N. Dak. D.B. 1301, pp. 57-63. 1925.
      at the San Antonio field station. S. H. Hastings. B.P.I. Cir. 105, pp. 27. 1913.
      Copper Center Station, Alaska. O. E. S. Rpt., 1904, pp. 328-331. 1905.
      in Porto Rico. P.R. An. Rpt., 1907, pp. 12-13 1908.
    feed—
      for range stock. F.B. 1428, pp. 11-12, 20. 1925.
      value. F.B. 170, pp. 16-19. 1903.
    feeding to sheep. F.B. 840, p. 23. 1917.
    field pea as. H. N. Vinall. F.B. 690, pp. 24. 1915.
    for—
      cotton region. S. M. Tracy. F.B. 509, pp. 47. 1912.
      different seasons, hog pastures. B.P.I. Bul. 111, pp. 45-46. 1907.
      fattening pigs. F.B. 124, pp. 25-27. 1901.
      hogs. F.B. 985, pp. 11-32. 1918.

Forage—Continued.
crop(s)—continued.
for—continued.
hogs in Kansas and Oklahoma. C. E. Quinn. B.P.I. Bul. 111, pt. IV., pp. 24. 1907; F.B. 331, pp. 24. 1908.
Nebraska sand-hill section. H. N. Vinall. B.P.I. Cir., 80 pp. 23. 1911.
pigs. C. F. Langworthy. F.B. 124, pp. 25-27. 1901; F.B. 334, pp. 20-22. 1908.
sheep, investigations. An. Rpts., 1909, pp. 326, 332. 1910; B.P.I. Chief Rpt., 1909, pp. 74, 80. 1909.
forecast, general and by States, September, 1913, price. F.B. 558, pp. 12, 17. 1913.
growing—
experiments, Texas. B.P.I. Cir. 34, pp. 12-14. 1909; B.P.I. Cir. 120, p. 17. 1913.
for improvement of sandy soils. F.B. 329, pp. 6-10. 1908.
in Georgia, Thomas County, value in stock raising. Soil Sur. Adv. Sh., 1908, pp. 17-20. 1909; Soils F.O., 1908, pp. 407-410. 1911.
in Guam. Guam A.R. 1923, pp. 4-8. 1925.
in Guam, 1920, experiments and results. Guam A.R., 1920, pp. 16-29. 1921.
in Hawaii. Hawaii A.R. 1921, pp. 30-33. 1922.
in Indiana, Boone County, yield. Soil Sur. Adv. Sh., 1912, pp. 21, 27. 1914; Soils F.O. 1912; pp. 1425, 1442-1443. 1915.
in Louisiana, Lafayette Parish. Soil Sur. Adv. Sh., 1915, pp. 10, 13. 1916; Soils F.O., 1915, pp. 1056, 1059. 1919.
in Maryland, Wicomico County. Soil Sur. Adv. Sh. 1921, p. 1017. 1925.
in Northern Great Plains. D.B. 1244, pp. 1-54. 1924.
in South. D.C. 85, p. 11. 1920.
in Southern States, importance. S.R.S. Doc. 96, pp. 7-8. 1919.
in Texas, Denton County. Soil Sur. Adv. Sh., 1918, pp. 8, 10, 11, 27, 50. 1922; Soils F.O., 1918, pp. 780, 782, 783, 799, 823. 1924.
on sandy lands, New Jersey. F.B. 504, pp. 5-6. 1912.
on Truckee-Carson project, varieties, yield. B.P.I. Cir. 78, pp. 10-13. 1911.
on Umatilla Experiment Farm. W.I.A. Cir. 1, pp. 10-13. 1915.
tests. Hawaii A.R., 1913, pp. 37-38. 1914.
hog pastures, Southern States. F.B. 951, 3-4, 8-18. 1918.
importations, descriptive notes and numbers. B.P.I. Inv. 39, pp. 6-7. 1917.
improvement, need in dry-land regions. B.P.I. Bul. 130, pp. 82-83. 1908.
in—
Alaska, growing and yield. Alaska A.R., 1912, pp. 32, 50, 59. 1913.
Alaska, production and management. Alaska A.R., 1916, pp. 11, 25-27, 45, 57, 63-64. 1918.
Gulf Coast region, investigations. An. Rpts., 1905, pp. 116-117. 1905.
Nebraska, pasture and meadow. T. L. Lyon and A. S. Hitchcock. B.P.I. Bul. 59, pp. 57. 1904.
New Mexico, nature and distribution. D.B. 211, pp. 20-22. 1915.
Oregon and Washington, practices. Byron Hunter. F.B. 271, pp. 39. 1906.
relation to the agriculture of the semiarid portion of the northern Great Plains. R. A. Oakley and H. J. Westover. D.B. 1244, pp. 54. 1924.
South, varieties, value as stock feed, yield. F.B. 580, pp. 3-4, 20. 1914.
western Oregon and western Washington, farm practices with. Byron Hunter. B.P.I. Bul. 94, pp. 39. 1906.
injury by—
corn-and-cotton wireworm. F.B. 733, p. 3. 1916.
smelter fumes, analyses showing arsenic. B.A.I. An. Rpt., 1908, pp. 241-242. 1910.
southern corn rootworm. D.B. 5, pp. 2-3. 1913.

Forage—Continued.
crop(s)—continued.
insects—
information for farmers. Y.B., 1908, pp. 367-388. 1909; Y.B. Sep. 488, pp. 367-388. 1909.
injurious, 1907. Y.B., 1907, pp. 542-543. 1908; Y.B. Sep. 472, pp. 542-543. 1908.
injurious, publications list. D.B. 432, pp. 19-20. 1916; F.B. 1086, pp. 10-11. 1920.
kinds and value for hog pasturage. D.B. 646, pp. 18-21. 1918.
Korean Lespedeza. A. J. Pieters and G. P. Van Eseltine. D.C. 317, pp. 15. 1924.
leaf hoppers affecting. Ent. Bul. 108, pp. 1-123. 1912.
leguminous—
for the North, lecture. Charles V. Piper and H. B. Hendrick. S.R.S. Syl. 25, pp. 18. 1917.
for the South, lecture. Charles V. Piper and H. B. Hendrick. S.R.S. Syl. 24, pp. 16. 1917.
Hawaiian-grown, composition, fertilizing constituents. Hawaii Bul. 23, p. 31. 1911.
search for. C. V. Piper. Y.B., 1908, pp. 245-260. 1909; Y.B. Sep. 478, pp. 245-260. 1909.
Lespedeza as. Lyman Carrier. F.B. 1143, pp. 15. 1920.
miscellaneous, growing, Yuma Experiment Farm. W.I.A. Cir .12, pp. 12-15. 1916.
of—
Nile Valley, berseem. David G. Fairchild. B.A.I. Bul. 23, pp. 20. 1902.
Porto Rico, growing and yield. P.R. An. Rpt., 1912, pp. 43-44. 1913.
United States and Europe, distribution and acreage. Sec. [Misc.], Spec. "Geography * * * world's agriculture," pp. 103-108. 1917.
various kinds, support of animals. Y.B., 1923, p. 342. 1924; Y.B. Sep. 895, p. 342. 1924.
parasites, value. Ent. Bul. 67, pp. 94-100. 1907.
pig feeding. B.A.I. An. Rpt., 1903, pp. 289-295. 1904; B.A.I. Cir. 63, pp. 289-295. 1904.
practices in western Oregon and western Washington. Byron Hunter. F.B. 271, pp. 39. 1906.
production, and importance of various kinds. Y.B., 1923, pp. 342-367. 1924; Y.B. Sep. 895, pp. 342-367. 1924.
protein content. F.B. 320, pp. 13-17. 1908.
range, digestion experiments. F.B. 425, pp. 9-12. 1910.
rape as. A. S. Hitchcock. F.B. 164, pp. 16. 1903.
relation of pea aphid. D.B. 276, pp. 1-67. 1915.
requirements, water and growth. D.B. 1340, pp. 25-26. 1925.
reseeding, acreage requirements, comparison. D.B. 876, p. 3. 1920.
seed—
importations. S. B. 2, pp. 78-80. 1924.
quantity per acre. F.B. 147, pp. 10-35. 1902.
supply for the United States. Y.B., 1917, pp. 509-517. 1918; Y.B. Sep. 757, pp. 15-23. 1918.
weights per bushel. F.B. 1202, p. 53. 1921.
semiarid regions, feeding value. Y.B., 1912, pp. 467-469. 1913; Y.B. Sep. 606, pp. 467-469. 1913.
silage, cost and feeding value. Stat. Bul. 73, pp. 36-38, 67. 1909.
southern, value, and comparisons. Y.B., 1913, pp. 266-267. 1914; Y.B. Sep. 627, pp. 266-267. 1914.
sowing and harvesting dates. Stat. [Misc.], "Dates of sowing * * *," pp. 1-7. 1912.
spring-planted, acreage recommendations, 1917-1918. Sec. Cir. 75, p. 12. 1917.
Sudan grass as. H. N. Vinall. F.B. 605, pp. 20. 1914.
suitability for hog pastures. News L., vol. 3, No. 35, pp. 1-2. 1916.
suitable for market hay in South. F.B. 677, pp. 6-12. 1915.

INDEX TO PUBLICATIONS, 1901–1925 927

Forage—Continued.
crop(s)—continued.
testing, Hawaii. Hawaii A.R., 1916, pp. 40–41. 1917.
tests of varieties. D.B. 1337, p. 15. 1925.
treatment for control of fall army worm. Sec. Cir. 40, rev., pp. 2–4. 1912.
use—
and value for hogs. F.B. 566, pp. 8, 14. 1913.
of legumes in Hawaii, studies. Hawaii Bul. 23, pp. 1–31. 1911.
value—
and acreage. Y.B., 1923, p. 316. 1924; Y.B. Sep. 895, p. 316. 1924.
in hog raising. News L., vol. 3, No. 47, pp. 1, 3. 1916.
varieties—
grown in Texas, studies and experiments. B.P.I. Cir. 106, pp. 7–27. 1913.
tests in Hawaii. Hawaii A.R., 1920, pp. 13–14. 1921.
tests, Yuma experiment farm, 1916. B.P.I. W.I.A. Cir. 20, pp. 25–31. 1918.
yield and forage value, comparisons. D.B. 291, pp. 12–15. 1916.
webworms and their control. F.B. 1258, pp. 1–16. 1922.
winter—
Bienville Parish, Louisiana. Soil Sur. Adv. Sh., 1908, p. 16. 1909; Soils F.O., 1908, p. 854. 1911.
for South. Carleton R. Ball. F.B. 147, pp. 36. 1902.
wireworms attacking. D.B. 156, pp. 1–34. 1915; F.B. 725, pp. 1–12. 1916.
with relation to the pea aphid. J. J. Davis. D.B. 276, pp. 67. 1915.
work of experiment stations, results. O.E.S. Rpt., 1922, pp. 27–31. 1924.
cured, southern dairy. F.B. 151, pp. 32–34. 1902.
destruction—
by—
prairie dogs. N.A. Fauna 40, p. 7. 1916.
rodents. Y.B., 1916, pp. 28–29. 1917.
in forests by fires. M.C. 19, p. 9. 1924.
development, national forests. For. [Misc.], "The use book, 1910," pp. 70–73. 1910.
drought-resistant—
crops, growing in Archer County, Tex. Soil Sur. Adv. Sh. 1912, pp. 11, 13–14, 25, 30, 33, 46. 1914; Soils F.O. 1912, pp. 1013, 1015–1016, 1029, 1035, 1038, 1050. 1915.
value of thornless prickly pear. F.B. 483, pp. 8–11. 1912.
experiments, Copper Center Station, Alaska. O.E.S. An. Rpt., 1904, pp. 328–329. 1905.
for Cotton Belt. S.M. Tracy. F.B. 1125, pp. 63. 1920.
grass varieties, Porto Rico, description and value P.R. An. Rpt., 1921, p. 3. 1922.
green and field-cured, moisture comparison. D.B. 353, pp. 14–22. 1916.
growing—
experiments in Alaska, cost. Alaska A.R., 1911, pp. 49–50, 51, 59–61. 1912.
in Arkansas, Lonoke County, remarks. Soil Sur. Adv. Sh., 1921, p. 1288. 1925.
harvested, classes. Y.B., 1923, pp. 333–342. 1924; Y.B. Sep. 895, pp. 333–342. 1924.
importance and production of various kinds. Y.B., 1923, pp. 342–367. 1924; Y.B. Sep. 895, pp. 342–367. 1924.
improvement, national forests range, grazing rotation. An. Rpts., 1913, pp. 165, 185, 186. 1914; For. A.R., 1913, pp. 31, 51, 52. 1913.
insects—
contents and index to papers in Bulletin 85. Ent. Bul. 85, Pt. IX, pp. 147–162. 1911.
papers (and cereal). F. M. Webster and others. Ent. Bul. 85, pp. 162. 1911.
Japanese cane, use and value, studies. F.B. 457, pp. 8–11. 1911.
meadow, and pasture crops in Nebraska. T. L. Lyon and A. S. Hitchcock. B.P.I. Bul. 59, pp. 64. 1904.
moisture content and shrinkage. D.B. 353, pp. 1–37. 1916.
moldy, cause of mycotic stomatitis. B.A.I. [Misc.], "Diseases of cattle," rev., p. 496. 1904; rev., p. 518. 1908; rev., p. 543. 1912; rev., p. 533. 1923.

Forage—Continued.
national forests, density, amount, and character, 1913–1914. D.B. 580, pp. 10–13. 1917.
of Great Basin, conditions on the northern border. David Griffiths. B.P.I. Bul. 15, pp. 60. 1902.
on ranges, destruction by rodents. An. Rpts., 1916, p. 19. 1917; Sec. A.R., 1916, p. 21. 1916.
pea-cannery refuse, utilization for. M. A. Crosby. B.P.I. Cir. 45, pp. 12. 1910.
peanuts, entire plant, methods of use, and value. F.B. 227, pp. 10–12. 1905; F.B. 356, pp. 36–37. 1909.
plant(s)—
Alaskan—
coast. O.E.S. An. Rpt., 1904, pp. 280–285. 1905.
grazing by reindeer. D.B. 1089, pp. 22–27. 1922.
alkali resistance. F.B. 446, pp. 19–26, 31. 1911; rev., 13, 17, 21–24. 1920.
and grass(es)—
cooperative experiments. T.L. Lyon. O.E.S. Bul. 115, pp. 71–73. 1902.
experiments. B.P.I. Chief Rpt., 1925, pp. 16–18. 1925.
investigations in United States. Thomas A. Williams. O.E.S. Bul. 99, pp. 148–152. 1901.
of Hawaii. C. K. McClelland. Hawaii Bul. 36, pp. 43. 1915.
seed distribution records. F. Lamson-Scribner. B.P.I. Bul. 10, pp. 23. 1902.
and range grass experiments at Highmore, S. Dak. F. Lamson-Scribner. Agros. Cir. 33, pp. 5. 1901.
as honey sources, Hawaii. Ent. Bul. 75, p. 49. 1911; Ent. Bul. 75, Pt. V, p. 49. 1909.
association on Arizona grazing ranges. D.B. 367, pp. 9–18. 1916.
characteristics, flower and seed production. For. Cir. 169, pp. 11–25. 1909.
cultivated—
introduction on depleted pastures, experiments. B.P.I. Bul. 117, pp. 11–15. 1907.
reseeding of depleted grazing lands to. Arthur W. Sampson (prefatory note by Frederick V. Coville). D.B. 4, pp. 34. 1913.
water requirements. D.B. 4, pp. 20–21, 25–26. 1913.
drought-resistant, breeding for the Great Plains area. Arthur C. Dillman. B.P.I. Bul. 196, pp. 40. 1910.
effect of altitude. O.E.S. An. Rpt., 1911, p. 229. 1912.
France, seed importations. Nos. 39343–39351. B.P.I. Inv. 41, p. 14. 1917.
grasses, and ranges of northwestern California B.P.I. Bul. 12, pp. 1–81. 1902.
growing in—
Alabama, Escambia County. Soil Sur. Adv. Sh., 1913, pp. 15–16. 1915; Soils F.O., 1913, pp. 835–838. 1916.
Alaska, 1908. Alaska A.R., 1908, pp. 17, 39, 54–55. 1909.
hairy vetch, value. D.B. 886, pp. 1–2. 1920.
importations—
and descriptions. Nos. 33443–33447, 33595–33623, B.P.I. Inv. 31, pp. 5, 23, 34–36. 1914.
from Jan. 1 to Mar. 31, 1921, discussion. B.P.I. Inv. 66, p. 3. 1923.
injury by sharp headed leaf hopper. D.B. 254, pp. 2–3. 1915.
insects, control by parasites. Y.B., 1907, pp. 237–256. 1908; Y.B. Sep. 447, pp. 237–256. 1908.
investigations, experiment stations. O.E.S. Bul. 99, p. 148. 1901.
leguminous, vegetative propagation. B.P.I. Bul. 102, pp. 33–37. 1907.
mountain ranges, reproduction under grazing systems. J.A.R., vol. 3, pp. 118–127. 1914.
national forests, suggestions for collecting herbarium specimens. For [Misc.], "Suggestions for the collection * * *," pp. 3. 1909.
native—
reseeding, difficulties, suggestions. B.P.I Bul. 117, pp. 8–11. 1907.
western. F.B. 1395, p. 8. 1925.

Forage—Continued.
plant(s)—continued.
of—
Alaska, value for hay. Soil Sur. Adv. Sh., 1914, pp. 82-86, 160. 1915; Soils F.O., 1914, pp. 113, 116, 120, 194-198. 1919.
Guam, experiments. Guam A.R., 1917, pp. 17-20. 1918.
Guam, 1912. An. Rpts., 1912, p. 837. 1913; O.E.S. Chief Rpt., 1912, p. 23. 1912.
Gulf Coast Region, and grasses, important. F.B. 300, pp. 1-15. 1907.
Hawaii, and grasses. C. K. McClelland. Hawaii Bul. 36, pp. 43. 1915.
Palestine, varieties description and value. B.P.I. Bul. 180, pp. 27-28. 1910.
Wyoming, value, changes under irrigation. J.A.R., vol. 6, No. 19, pp. 743-756. 1916.
on range—
growth requirements. D.B. 34, pp. 2, 13. 1913.
history and value. Arthur W. Sampson. D.B. 545, pp. 63. 1917.
lands, life history, and seed fertility, etc. J.A.R., vol. 3, pp. 100-115, 129-143. 1914.
perennial, reproduction by seedlings, table. For. Cir. 169, p. 24. 1909.
poisonous, investigations. S.R.S.Rpt. 1917, Pt. I, pp. 29, 158, 172, 282, 283. 1918.
reseeding stock ranges, natural and artificial methods, results. B.P.I. Bul. 177, pp. 11-14. 1910.
seed—
amount and cost per acre, tables. D.B. 4, pp. 26-30. 1913.
definitions. B.P.I.S.R.A. 3, pp. 15-16. 1916.
testing by department, 1909. Sec. Cir. 31, pp. 1-4. 1910.
stage of growth, relation to moisture content. D.B. 353, pp. 22-27, 36. 1916.
use and value of Bermuda grass. News L. vol. 2, No. 43, pp. 1-2. 1915.
wild, study plan. D.B. 545, pp. 61-63. 1917.
poisoning—
caused by *Claviceps paspali*, symptoms. J.A.R., vol. 7, pp. 401-406. 1916.
cerebrospinal meningitis. John R. Mohler. D.B. 65, pp. 14. 1914.
symptoms and treatment. B.A.I. [Misc.], "Diseases of the horse," rev., pp. 216-218. 1903; rev., pp. 217-219. 1907; rev., pp. 217-219. 1911; rev., pp. 237-249. 1923.
See also Meningitis, cerebrospinal.
preparation and storage by Roman farmers, methods. News L., vol. 5, No. 47, p. 15. 1918.
production—
in different regions. Y.B., 1923, pp. 327-332. 1924; Y.B. Sep. 895, pp. 327-332. 1924.
in 1919, kinds, by States. Y.B., 1921, p. 262. 1922; Y.B. Sep. 874, p. 262. 1922.
on—
Minnesota farms. Stat. Bul. 48, pp. 60-78. 1906.
New Mexico range, relation to protection. D.B. 1031, pp. 25-41. 1922.
reseeded land, increase, profit, etc. D.B. 4, pp. 29-30. 1913.
relation to livestock. Y.B., 1923, pp. 326-327. 1924; Y.B. Sep. 895, pp. 326-327. 1924.
quarantine affidavit regarding. B.A.I.O. 281, pp. 7-8. 1923.
range—
depletion on stock driveways and bed grounds. D.B. 791, pp. 55-61, 71-72. 1919.
losses from rodent injuries. D.B. 1227, pp. 1-3, 8-9, 13, 14. 1924.
soapweed, value. D.B. 745, pp. 2-3. 1919.
reindeer, types found on Alaska ranges. D.B. 1089, pp. 22-27. 1922.
resources—
C. V. Piper and others. Y.B., 1923, pp. 311-414. 1924; Y.B. Sep. 895, pp. 311-414. 1924.
Honduras. B.A.I. An. Rpt., 1910, pp. 288, 289. 1912.
national forests, investigations. For. A.R., 1912, pp. 66-67. 1912; An. Rpts., 1912, pp. 524-525. 1913.

Forage—Continued.
rotations in different sections. F.B. 1181, p. 14. 1921.
saccharine sorghums for. Carleton R. Ball. F.B. 246, pp. 38. 1906.
seed, hardy, from Austrian alpine garden. B.P.I. Bul. 106, p. 6. 1907.
seedlings, mountain ranges, growth and establishment. J.A.R., vol. 3, pp. 109-115, 129-143. 1914.
sorghum—
chemical composition and digestibility. F.B. 1158, p. 27. 1920.
growing and utilizing for. H. N. Vinall and R. E. Getty. F.B. 1158; pp. 32. 1920.
sweet sorghums, the best two for. A. B. Conner. F.B. 458, pp. 23. 1911.
thornless prickly pear, composition and value. F.B. 483, pp. 10-11. 1912.
use—
and value of wild rice plants. D.C. 229, p. 16. 1922.
of chayote vines. D.C. 286, p. 8. 1923.
value of—
Florida velvet bean. B.P.I. Bul. 141, pp. 26-28. 1909.
peanuts and peanut hay. F.B. 431, pp. 34-37. 1911.
jack bean and sword bean. B.P.I. Cir. 110, pp. 33, 36. 1913.
sorghum. F.B. 246, pp. 1-38. 1906.
soy beans. Y.B., 1917, pp. 103-104. 1918; Y.B. Sep. 740, pp. 5-6. 1918.
yields—
from irrigated pastures, Nebraska, Scottsbluff Experiment Farm. W.I.A. Cir. 11, pp. 7-8. 1916.
quality. B.P.I. Bul. 196, pp. 9, 12-15, 17-18, 22-24, 28-29, 33-34. 1910.
use of samples in correcting, tables. D.B. 353, pp. 3-22. 1916.
FORBES, E. B.—
"A study of methods of estimation of metabolic nitrogen." With others. J.A.R., vol. 9, pp. 405-411. 1917.
"Evidence of deficiency of mineral nutrients in the rations of milk cows." B.A.I. Dairy [Misc.], "World's dairy congress, 1923," pp. 1036-1046. 1924.
FORBES, R. H.—
"Irrigation in Arizona." O.E.S. Bul. 235, pp. 83. 1911.
report of Arizona Experiment Station work—
1909. O.E.S. An. Rpt., 1909, pp. 75-77. 1910;
1910. O.E.S. An. Rpt., 1910, pp. 96-98. 1911;
1911. O.E.S. An. Rpt., 1911, pp. 74-76. 1912;
1912. O.E.S. An. Rpt., 1912, pp. 74-77. 1913;
1913. O.E.S. An. Rpt., 1913, pp. 31-32. 1915;
1914. O.E.S. An. Rpt., 1914, pp. 62-64. 1915.
FORBES, S. A.: "Excellencies and defects of existing legislation for the control of insect and fungus pests." O.E.S. Bul. 123, pp. 122-126. 1903.
FORBES, W. T. M.: "Lepidoptera of the Pribilof Islands, Alaska." N.A. Fauna 46, Pt. II, pp. 147-149. 1923.
Forcemeat, recipes for making and use. F.B. 391 p. 27. 1910.
Forcing—
box, construction and use, school exercise. D.B. 527, pp. 22-25. 1917.
bulbs in storage. D.B. 797, p. 18. 1919.
dasheen shoots, directions. D.C. 125, pp. 2-4. 1920.
Easter lilies, cost reduction. D.B. 962, pp. 30-31. 1921.
houses, construction, heating, use methods, studies. Sec. [Misc.], "Program of work * * *, 1915," p. 150. 1914.
FORD, A. L.: "Life history and habits of two new nematodes parasitic on insects." With J. H. Merrill. J.A.R., vol. 6, pp. 115-127. 1916.
FORD, E. R.: "Survey of blister rust infection on pines at Kittery Point, Maine, and the effect of Ribes eradication in controlling the disease." With G. B. Posey. J.A.R., vol. 28, pp. 1253-1258. 1924.
FORD, M. C.: "Soil survey of Outagamie County, Wisconsin." With others. Soil Sur. Adv. Sh., 1918, pp. 42. 1921; Soils F.O., 1918, pp. 981-1018. 1924.

INDEX TO PUBLICATIONS, 1901-1925   929

Fordini, description and key. D.B. 826, pp. 9, 77–81. 1910.
Forearm, horse, fracture, cause, treatment. B.A.I. [Misc.], "Diseases of the horse," rev., pp. 321–322. 1903; rev., pp. 321–322. 1907; rev., pp. 321–322. 1911; rev., pp. 345–347. 1923.
Forecast(s)—
  crop—
    and livestock production, surveys, and reports. An. Rpts., 1923, pp. 22–27, 132, 135, 143, 158. 1924; B.A.E. Chief Rpt., 1923, pp. 2, 5, 13, 28. 1923; Sec. A. R., 1923, pp. 22–27. 1923.
    comparison with final estimates. Stat. Cir. 17, rev., pp. 25–26. 1915.
    importance to producers. Y.B., 1918, pp. 277–278. 1919; Y.B. Sep. 768, pp. 3–4. 1919.
    distribution—
      increase of service. An. Rpts., 1912, pp. 180–181. 1913; Sec. A.R., 1912, pp. 180–181. 1912; Y.B., 1912, pp. 180–181. 1913.
      methods of saving time. W. T. Blythe. W.B. Bul. 31, pp. 203–205. 1902.
      to street cars. N. B. Conger. W.B. Bul. 31, pp. 206–208. 1902.
    economic value. Off. Rec., vol. 4, No. 1, p. 6. 1925.
  flood warnings by Weather Bureau. Off. Rec., vol. 1, No. 14, p. 4. 1922.
  frost and low temperatures, value to farmers and orchardists. F.B. 1096, p. 36. 1920.
  fruit, distribution to growers. News L., vol. 6, No. 20, pp. 6–7. 1918.
  improvement, discussion. Lee A. Denson. W.B.Bul. 31, pp. 153–154. 1902.
  night, distribution by rural free delivery. M. E. Blystone. W.B.Bul. 31, pp. 191–195. 1902.
  relation between general and local. Ferdinand J. Walz. W.B.Bul. 31, pp. 117–127. 1902.
  river-stage, importance in periods of low water. P. H. Smyth. W.B.Bul. 31, pp. 14–151. 1902.
  seasonal. Alexander G. McAdie. W.B. [Misc.], "Proceedings, third convention * * *," pp. 38–42. 1904.
  service, Weather Bureau. An. Rpts., 1923, pp. 106–112. 1923; W.B. Chief Rpt., 1923, pp. 4–10. 1923.
  sugar, in 1919. News L., vol. 6, No. 52, p. 16. 1919.
  weather—
    amplification. Alfred J. Henry. Y.B., 1900, pp. 107–114. 1901; Y.B. Sep. 202, pp. 107–114. 1901.
    application to various uses. Y.B., 1920, pp. 182–195. 1921; Y.B. Sep. 838, pp. 182–195. 1921.
    counterfeiting, prosecution by Solicitor. An. Rpts., 1912, p. 926. 1913; Sol.A.R., 1912, p. 42. 1912.
    daily wireless service for Great Lakes. News L., vol. 1, No. 45, p. 4. 1914.
    distribution. An. Rpts., 1916, pp. 55–56. 1917; W. B. Chief Rpt., 1916, pp. 7–8. 1916.
    for fruits. Sec.A.R., 1925, pp. 63–64. 1925.
    long-range. E. B. Garriott. W.B. Bul. 35, pp. 68. 1904.
    usefulness and results on important occasions. An. Rpts., 1912, pp. 36–37, 177–178, 180. 1913; Sec. A.R., 1912, pp. 36–37, 177–178, 180. 1912; Y.B., 1912, pp. 36–37, 177–178, 180. 1913.
    verification. J. B. Marbury. W.B.Bul. 31, pp. 156–158. 1902.
Forecaster, relation to newspaper. Harvey Maitland Watts. W.B.Bul. 31, pp. 43–57. 1902.
Forecasting—
  an aid in. F. H. Brandenburg. W.B. [Misc.], "Proceedings, third convention * * *," pp. 52–54. 1904.
  entomological, data important. D.B. 1103, pp. 1–3. 1922.
  potato-market seasons, importance to producer. F.B. 1317, pp. 4–6, 34. 1923.
  river stages, small drainage area. C.F. von Herrmann. W.B.Bul. 31, pp. 158–167. 1902.
  storms, frosts, and floods, methods of Weather Bureau. News L., vol. 1, No. 27, pp. 1–2. 1914.
  the weather. George S. Bliss. W.B.Bul. 42, pp. 34. 1913.

Foreign—
  countries—
    agriculture—
      experiment stations in. A. C. True and D. J. Crosby. O.E.S. Bul. 112, rev., pp. 230. 1904.
      extension progress. O.E.S. An. Rpt., 1912, pp. 353–358. 1913.
    contagious diseases of animals—
      1906. B.A.I. An. Rpt., 1906, pp. 327–334. 1908.
      1907. B.A.I. An. Rpt., 1907, pp. 348, 410–417. 1909.
      1908. B.A.I. An. Rpt. 1908, pp. 416–424. 1910.
      1909. B.A.I. An. Rpt., 1909, pp. 330–339. 1911.
      1910. B.A.I. An. Rpt., 1910, pp. 514–524. 1912.
      1911. B.A.I. An. Rpt., 1911, pp. 288–300. 1913.
    exports from United States, farm products, 1912–1914, 1907–1914. Y.B. 1914, pp. 675, 677–682. 1915; Y.B. Sep. 657, pp. 675, 677–682. 1915.
    from which rice is exported. D.B. 323, pp. 2–4. 1915.
    grain crops, tables and graphs. Y.B., 1916, pp. 533–541, 561, 569, 580, 587–589, 594, 602, 607. 1917; Y.B. Sep. 713, pp. 3–11. 1917; Y.B. Sep.719, pp. 1–2, 9, 20, 27–29, 34, 42. 1917.
    hog tuberculosis, prevalence. B.A.I. An. Rpt., 1907, pp. 218–220. 1909; B.A.I. Cir. 144, pp. 218–220. 1909; B.A.I. Cir. 201, pp. 10–11. 1912.
    horse trade of United States. B.A.I. An. Rpt., 1901, p. 600. 1902.
    hunting licenses, variation in game laws. Biol. Bul. 19, pp. 51–54. 1904.
    imports to United States, principal farm products, 1912–1914, 1907–1914. Y.B., 1914, pp. 674, 683–687. 1915; Y.B. Sep. 657, pp. 674, 683–687. 1915.
    laborers, percentage employed in agricultural pursuits. Stat. Bul. 94, pp. 10–11. 1912.
    maintaining plant inspection service. An. Rpts., 1916, p. 376. 1917; F.H.B. An. Rpt., 1916, p. 6. 1916.
    meat consumption per capita. B.A.I. An. Rpt., 1911, pp. 264–266. 1913.
    nursery stock inspection, list. F.H.B.S.R.A. 20, pp. 59–79. 1915; F.H.B.S.R.A. 27, p. 10. 1916.
    plant quarantine, agreement list. F.H.B.Quar. 37, rev., p. 14. 1923.
    progress in agricultural education—
      1907. O.E.S. An. Rpt., 1907, pp. 242–254. 1908.
      1910. O.E.S. An. Rpt., 1910, pp. 321–331. 1911.
      1911. O.E.S. An. Rpt., 1911, pp. 282–293. 1912.
    road repair and maintenance, conditions and cost. Rds. Bul. 48, pp. 9, 15–16, 48, 56, 63–68. 1913.
    wheat acreage—
      percentage of total land areas. Y.B., 1909, pp. 262–264. 1910; Y.B. Sep. 511, pp. 262–264. 1910.
      production, and yield. Y.B., 1922, pp. 581–582, 584–587. 1923; Y.B. Sep. 881, pp. 581–582, 584–587. 1923.
  crops—
    November–December, 1911. Charles M. Daugherty. Stat. Cir. 26, pp. 16. 1912.
    August–September, 1912. Charles M. Daugherty. Stat. Cir. 40, pp. 24. 1912.
    October, 1912. Charles M. Daugherty. Stat. Cir. 41, pp. 24. 1912.
    November, 1912. Charles M. Daugherty. Stat. Cir. 42, pp. 20. 1912.
    December, 1912. Charles M. Daugherty. Stat. Cir. 44, pp. 18. 1913.
    January, 1913. Charles M. Daugherty. Stat. Cir. 45, pp. 18. 1913.
    February, 1913. Charles M. Daugherty. Stat. Cir. 46, pp. 20. 1913.
    March–April, 1913. Charles M. Daugherty. Stat. Cir. 47, pp. 27. 1913.

Foreign—Continued.
  crops—continued.
    experiment stations. O.E.S. Bul. 111, pp. 85-111. 1902.
    import tariffs on meat and meat products, 1903. Frank H. Hitchcock. For. Mkts. Bul. 35, pp. 64. 1903.
    inspection, meat, officials, signatures. B.A.I. S.R.A. 97, pp. 56-58. 1915.
    lumber trade. Rpt. 114, p. 79. 1917.
    markets. See Markets, foreign.
    officials, meat inspection, signatures and countries. B.A.I.S.R.A. 99. pp. 85-87. 1915.
    plants, introduction, dangers and advantage. Y.B., 1908, p. 146. 1909; Y.B. Sep. 494, p. 461. 1909.
    population, origin. Atl. Am. Agr. Adv. Sh. Pt. IX, sec. 1, pp. 11-14. 1919.
    service, work of department. Sec. A.R., 1924, pp. 48-50. 1924.
  trade—
    agricultural products—
      1851-1908. Y.B., 1908, pp. 772-784. 1909; Y.B. Sep. 498, pp. 772-784. 1909.
      1852-1917. Y.B., 1917, p. 775. 1918; Y.B. Sep. 762, p. 19. 1918.
      1892-1901. Frank H. Hitchcock. For. Mkts. Bul. 27, pp. 67. 1902.
      1902. For. Mkts. Cir. 25, pp. 24. 1903.
      1908, and since 1851, discussion by Secretary. Rpt. 87, pp. 8-10. 1908.
    farm and forest products—
      1903. George K. Holmes. Stat. Cir. 15, pp. 20. 1903.
      1904. George K. Holmes. Stat. Cir. 16, pp. 19. 1905.
    of United States in forest products, 1902. Frank H. Hitchcock. For. Mkts. Bul. 33, pp. 70. 1903.
    weights and measures, equivalents in United States. D.B. 987, pp. 68-69. 1921.
Foreigners, land ownership. Y.B., 1923, pp. 537-738. 1924; Y.B. Sep. 897, pp. 537-538. 1924.
Forelius maccooki, enemy of cotton boll weevil and leaf worm. Ent. Bul. 100, pp. 41, 69, 72. 1912; Ent. Bul. 114, p. 140. 1912.
Foremilk—
  composition, variations for individual cows. B.A.I. Bul. 157, pp. 16-20. 1913.
  discarding, certified dairy. B.A.I. Bul. 104, pp. 12, 26, 42. 1908; D.B. 1, pp. 17, 27. 1913.
Forest(s)—
  acreage—
    and stumpage, original and present. For. Cir. 171, pp. 5-6. 1909.
    by States, 1923. Y.B., 1923, p. 421. 1924; Y.B. Sep. 896, p. 421. 1924.
  alluvial regions, Louisiana. For. Bul. 114, pp. 13-17. 1912.
  and farm products, trade with noncontiguous possessions, 1903-1905. Stat. Bul. 47, pp. 45. 1906.
  and fire (California pine region.) S. B. Show and E. I. Kotok. D.C. 358, pp. 20. 1925.
  Apache National, composite type on. Harold G. Greenamyre. For. Bul. 125, pp. 32. 1913.
  areas—
    different countries, relation to exports and imports of wood. For. Cir. 159. pp. 10-11. 1909.
    of United States. Y.B., 1923, p. 1050. 1924. Y.B. Sep. 904, p. 1050. 1924.
    original and present. For. Cir. 166, pp. 6, 7. 1909.
    productive and nonproductive, possible increase. For. Cir. 172, pp. 5-8. 1909.
    relation to climatic conditions. For. Cir. 159, p. 10. 1909.
    volume and annual growth, comparison to annual cut. For. Cir. 129, pp. 14-16. 1907.
  atlas—
    geographic distribution of North American trese. Pt. I., Pines. George B. Sudworth. For [Misc.], "Forest atlas * * * ," 1913.
    preparation. For. [Misc.], "Preparation of the forest atlas," pp. 4. 1907.
  attrition process. D.B. 1294, pp. 29-31. 1924.
  belts, western Kansas and Nebraska. Royal S. Kellogg. For. Bul. 66, pp. 44. 1905.

Forest(s)—Continued.
  Benning, area and administration. Off. Rec., vol. 3, No. 43, p. 4. 1924.
  burning for grazing and clearing, objections. An. Rpts., 1910, pp. 376, 377. 1911; For. A.R., 1910, pp. 16, 17. 1910.
  burns—
    character of new growth. M.C. 19, p. 3. 1924.
    effect on vegetation. D.B. 1200, pp. 18-22. 1924.
    lodgepole reproduction. For. Bul. 79, pp. 1-56. 1910.
    studies of reproduction. J.A.R., vol. 11, pp. 1-26. 1917.
    vegetative succession. J.A.R., vol. 30, pp. 1195-1196, 1197. 1925.
  calendar, suggestions for making. F.B. 468, pp. 32-33. 1911.
  California—
    national, receipts and expenditures, annual. D.C. 185, p. 9. 1921.
    pine, conclusions as to fires. D.C. 358, p. 19. 1925.
  camping—
    national forest, miscellaneous advice and suggestions. D.C. 185, pp. 47-48. 1921.
    outfit requirements. D.C. 185, pp. 21-22. 1921.
  care of, publications list. D.B. 481, p. 44. 1917.
  caribou, reduction, proclamation. News L., vol. 7, No. 7, p. 2. 1919.
  Cascade National, fishing, hunting, and camping. D.C. 104, pp. 31. 1920.
  cattle grazing, cost. Off. Rec., vol. 4, No. 1, p. 5. 1925.
  central, original area and stand. For. Cir. 166, pp. 5, 6. 1909.
  Chelan National, land of beautiful water. D.C. 91, pp. 15. 1920.
  claims and court cases. Sol. A.R., 1924, pp. 4-5. 1924.
  classes of lands. Y.B., 1923, p. 454. 1924; Y.B. Sep. 896, p. 454. 1924.
  Colorado National, outdoor life. D.C. 34, pp. 19. 1919.
  communal, European countries, acreage and value. D.B. 481, p. 28. 1917.
  community—
    aid. Y.B., 1914, p. 57. 1915.
    value in United States and foreign countries. D.B. 481, pp. 27-28. 1917.
  composite—
    reproduction studies, Apache National Forest. For. Bul. 125, pp. 23-27. 1913.
    type, Apache National Forest, description and management. For. Bul. 125, pp. 1-32. 1913.
  conditions—
    causing fires. For. Bul. 117, pp. 11-12. 1912.
    chaparral region, California, historical records. For. Bul. 85, pp. 10-11. 1911.
  in—
    Connecticut. For. Bul. 96, pp. 10-14. 1912.
    Europe. Off. Rec., vol. 2, No. 3, p. 3. 1923.
    Louisiana. J. H. Foster. For. Bul. 114, pp. 39. 1912.
  knowledge needed by county agents. Y.B., 1918, pp. 325—326. 1919; Y.B. Sep. 779, pp. 11-12. 1919.
  of northern New Hampshire. Alfred K. Chittenden. For. Bul. 55, pp. 100. 1905.
  relation to gipsy-moth control. Ent. Cir. 164, pp. 9-11. 1913.
  coniferous—
    of United States, some principal insect enemies. A. D. Hopkins. Y.B., 1902, pp. 265-282. 1903; Y.B. Sep. 268, pp. 265-282. 1903.
    peat materials. D.B. 802, pp. 20, 37. 1919.
  conservation—
    causes of movement. For. Cir. 167, pp. 3-4. 1909; Rpt. 114, p. 13. 1917.
    cooperation. F.B. 1417, pp. 13, 14, 16-20. 1924.
    declaration of governors, 1908. F.B. 340, p. 7. 1908.
    for States in the southern pine region. J. Girvin Peters. D.B. 364, pp. 14. 1916.
    grouping of industries, suggestion of Secretary Gore. M.C. 39, p. 23. 1925.
    industrial relation, studies by public agencies. Rpt. 114, pp. 3-5. 1917.
    progress. Sec. A.R., 1921, pp. 47-48. 1921.

Forest(s)—Continued.
conservation—continued.
value of Forest Products Laboratory. For. [Misc.], "Forest Products Laboratory * * *," pp. 4, 6, 47. 1922; D.C. 231, p. 47. 1922.
Coeur d'Alene—
railroad right of way, suit. Sol. Cir. 32, pp. 3. 1910.
timber yield. Off. Rec., vol. 2, No. 26, p. 3. 1923.
cover—
effect(s) on—
seed germination. D.B. 1200, p. 14. 1924.
stream flow and erosion. An. Rpts., 1914, p. 158. 1915; For. A.R., 1914, p. 30. 1914.
temperature, moisture and evaporation. F.B. 358, pp. 32-34. 1909.
on lodgepole-pine burns, description. For. Bul. 79, pp. 7, 12-17, 20-23, 24-25. 1910.
relation to—
formation of slope slides. For. Cir. 173, pp. 6-9. 1911.
stream flow, studies. An. Rpts., 1912, p. 514. 1913; For. A.R., 1912, p. 56. 1912.
removal, effects on drainage, south-central Pennsylvania. Soil Sur. Adv. Sh., 1910, p. 11. 1912; Soils F.O., 1910, p. 199. 1912.
use in avalanche control in Northern Cascades. For. Cir. 173, pp. 1-12. 1911.
Crater National—
location, area, description, and resources. For. Bul. 100, pp. 5-18. 1911.
resources and conservation. Findley Burns. For. Bul. 100, pp. 20. 1911.
crop, handling suggestions. M.C. 39, p. 24. 1925.
crown injuries and rate of growth, California forest. D.B., 1294, pp. 15-18. 1924.
culling, methods. D.B. 285, pp. 39-40. 1915.
cut of timber annually. F.B. 1417, p. 9. 1924.
cut-over—
areas, fire damage. D.B. 1294, pp. 36-39. 1924.
lands, increase and utilization. Y.B., 1923, pp. 451-455. 1924; Y.B. Sep. 896, pp. 451-455. 1924.
cutting—
damage by fires. J.A.R., vol. 30, pp. 737-741. 1925.
details. For. Bul. 82, pp. 12-17. 1910.
methods, need of experimental study. Sec. Cir. 183, p. 12. 1921.
working plans and difficulties. D.B. 275, pp. 2-6. 1916.
dead, in national parks. Off. Rec., vol. 4, No. 49, p. 6. 1925.
deciduous, peat material. D.B. 802, pp. 20, 37. 1919.
definition. D.B. 1001, p. 6. 1922.
denuded portion of Upper Lake region, climate. Willis L. Moore. Y.B., 1902, pp. 125-132. 1903; Y.B. Sep. 269, pp. 125-132. 1903.
depletion—
and destruction. D.C. 211, p. 36. 1922.
study. For. [Misc.], "Timber depletion * * *," pp. 71. 1920.
destruction—
by insects, control. Ent. Cir. 125, pp. 1-9. 1910; Ent. Cir. 129, pp. 1-10. 1910.
Montana, by Sequoia pitch moth. D.B. 111, pp. 1-11. 1914.
rather than utilization, effects on community development. D.B. 638, pp. 1-2. 1918.
waste of timber, estimates. For. Cir. 167, pp. 3-4. 1909.
devastation, control, cooperation need. D.C. 112, pp. 9-11, 14-15. 1920.
disease(s)—
control, precautions. D.B. 153, p. 21. 1915.
determination, table. D.B. 658, pp. 16-17. 1918.
surveys. James R. Weir and Ernest E. Hubert. D.B. 658, pp. 23. 1918.
distribution, relation to sap density. J.A.R., vol. 28, pp. 892-895. 1924.
divisions in United States, with needs and conditions. Y.B., 1909, pp. 334-343. 1910; Y.B. Sep. 517, pp. 334-343. 1910.
Douglas fir—
growing under management. D.B. 1200, p. 49. 1924.

Forest(s)—Continued.
Douglas fir—Continued.
reproduction problems, study by experiment stations. Sec. Cir. 183, pp. 6-9. 1921.
drain upon. R. S. Kellogg. For. Cir. 129, pp. 16. 1907.
dwarf. See Chaparral.
ecological studies, scope. D.B. 1059, pp. 4-8, 168. 1922.
economics, research, value to wood-using industries. For. A.R., 1921, pp. 38-40. 1921.
effect(s)—
in avalanche control. For. Cir. 173, pp. 9-10. 1911.
on climate—
and stream flow, studies. An. Rpts., 1912, pp. 39, 70, 187. 1913; Sec. A.R., 1912, pp. 39, 70, 187. 1912; Y.B., 1912, pp. 39, 70, 187. 1913.
discussion. For. Cir. 161, p. 10. 1909.
on erosion, Porto Rico. D.B. 354, pp. 36-39. 1916.
on stream flow and erosion, studies. Sec. Cir. 183, pp. 9-10. 1921.
enemies. F.B. 173, pp. 35-47. 1903.
Engelmann spruce, management. For. Cir. 170, pp. 17-22. 1910.
entomology—
conditions and needs. Ent. Bul. 58, pp. 88-95. 1910; Ent. Bul. 58, Pt. V, pp. 88-95. 1909.
in America, discussion. Ent. Bul. 37, p. 5-33. 1902.
methods of work and study. Ent. Bul. 37, p. 10, 15-16. 1902.
environment study, research methods. Carlos G. Bates and Raphael Zon. D.B. 1059, pp. 209. 1922.
environmental data, interpretation, aid of physiological studies. J.A.R., vol. 24, pp. 105-160. 1923.
establishing by planting trees, and by seeding. For. Bul. 76, pp. 12-32. 1909.
European—
expenditures and returns. Y.B., 1907, p. 61. 1908.
insect depredations, notable. Y.B., 1907, pp. 149-157, 158. 1908; Y.B. Sep. 442, pp. 149-157, 158. 1908.
exhaustion of resources. For. Cir. 129, pp. 1-16. 1907.
experiment stations—
Earle H. Clapp. Sec. Cir. 183, pp. 34. 1921.
Amherst, Mass. Off. Rec., vol. 2, No. 34, p. 3. 1923.
California. Off. Rec., vol. 1, No. 5, p. 2. 1922.
cost. Sec. Cir. 183, pp. 32-34. 1921.
early history and instances of usefulness. Sec. Cir. 183, pp. 3-11, 29. 1921.
establishment and development. An. Rpts., 1911, p. 417. 1912; For. A. R., 1911, p. 77. 1911.
establishment and work. J.A.R., vol. 24, p. 104. 1923.
expenditures in various countries. Sec. Cir. 183, p. 33. 1921.
Fort Valley, study of mistletoe or western yellow pine. D.B. 1112, pp. 2-3, 4-29. 1922.
investigations. D.B. 1059, p. 7. 1922.
Lake States. Off. Rec., vol. 2, No. 38, p. 5. 1923.
location, objects, and importance. An. Rpts., 1923, pp. 333-336. 1924; For. A.R., 1923, pp. 45-48. 1923.
northeastern, appointments. Off. Rec., vol. 2, No. 42, p. 3. 1923.
problems to be studied. Sec. Cir. 183, pp. 11-15. 1921.
southern. Off. Rec., vol. 3, No. 16, p. 2. 1924.
extension—
in the Middle West. William L. Hall. Y.B., 1900, pp. 145-156. 1901; Y.B. Sep. 212, pp. 145-156. 1901.
natural tendency, value in Kansas and Nebraska. For. Bul. 66, pp. 21-23, 32. 1905.
prevention by seed-eating rodents. For. Bul. 79, p. 35. 1910.
farms, and erosion. Samuel T. Dana. Y.B., 1916, pp. 107-134. 1917; Y.B. Sep. 688, pp. 28. 1917.

Forest(s)—Continued.
  field—
    observations, photographs and maps, suggestions. D.B. 1059, pp. 172-174. 1922.
    parties, first-aid manual. Howard W. Baker. For. [Misc.], "First-aid manual * * *," pp. 98. 1917.
  fires—
    1916-1923. Y.B., 1924, pp. 1009-1010. 1925.
    1918, causes. News L., vol. 6, No. 50, p. 8. 1919.
    acreage and losses, 1915. An. Rpts., 1916, p. 180. 1917; For. A.R., 1916, p. 26. 1916.
    annual losses. F.B. 1417, p. 13. 1924.
    ancient records. For. Bul. 117, p. 7. 1912.
    area, causes, and damage—
      1915. News L., vol. 3, No. 38, p. 2. 1916.
      1922. Y.B., 1922, pp. 37-41, 161-162, 931-939. 1923; Y.B. Sep. 886, pp. 161-162. 1923; Y.B. Sep. 889, pp. 931-939. 1923.
      1923. Y.B., 1923, pp. 1058-1061. 1924; Y.B. Sep. 904, pp. 1058-1061. 1924.
    cause(s)—
      and extent, 1919, 1920, 1921. An. Rpts., 1922, pp. 209-210. 1923; For. A.R., 1922, pp. 15-16. 1922.
      and prevention methods. Y.B., 1910, pp. 414-424. 1911; Y.B. Sep. 548, pp. 414-424. 1911.
      and results. M.C. 15, pp. 11-12. 1924.
      and statistics for 1919. An. Rpts., 1920, pp. 227-229. 1920.
      extent and effects, with a summary of recorded destruction and loss. Fred G. Plummer. For. Bul. 117, pp. 39. 1912.
      of land erosion, typical cases, and control. Y.B., 1916, pp. 110-111, 115, 128. 1917; Y.B. Sep. 688, pp. 4-5, 9, 22. 1917.
      prevention, and trespass penalties. For. [Misc.], "Use book, 1915," rev., pp. 21-25. 1915.
    caused by lightning, frequency. For. Bul. 79, pp. 8, 9. 1910.
    classes and causes—
      1909. For. Bul. 82, pp. 7-12. 1910.
      1919, 1920, and losses. For. A.R., 1921, pp. 12-14, 34. 1921.
    climatic causes contributory. For. Bul. 117, pp. 12-22. 1912.
    computing dates, methods. For. Bul. 79, pp. 9-11, 28. 1910.
    control—
      John McLaren. M.C. 44, pp. 15. 1925.
      aid by airmen. News L., vol. 7, No. 15, p. 7. 1919.
      appropriation need. An. Rpts., 1918, pp. 41-42. 1918; Sec. A.R., 1918, pp. 41-42. 1918.
      at McCloud, California. A. W. Cooper and P. D. Kelleter. For. Cir. 79, pp. 16. 1907.
      by use of Angora goats. F.B. 573, pp. 2, 4. 1914.
      importance. Y.B., 1923, p. 65. 1924.
      methods. For. Bul. 96, p. 58. 1912.
    damage to—
      forests. J.A.R., vol. 30, pp. 737-741. 1925.
      timber and watersheds. M.C. 53, pp. 4-7. 1925.
    damages—
      and cooperation of States in control. D.C. 211, pp. 36-38. 1922.
      comparison of grazed and ungrazed areas. D.C. 134, pp. 6-8. 1920.
    danger—
      from dry soil of jack-pine plains. D.B. 212, p. 1. 1915.
      in New England woodlands. News L., vol. 7, No. 5, p. 8. 1919.
      to Englemann spruce. For. Cir. 170, pp. 12, 13-14. 1910.
      destruction to timber. For. Cir. 205, pp. 5-6. 1912.
      destructiveness in Southern States. D.B. 364, pp. 4-7. 1916.
    effect on—
      reproduction of trees in Idaho. J. A. Larsen. J.A.R., vol. 30, pp. 1197-1197. 1925.
      standing timber. W. H. Long. For. Cir. 216, pp. 6. 1913.

Forest(s)—Continued.
  fires—continued.
    effect on—continued.
      water supply in chaparral regions. For Bul. 85, pp. 18-22. 1911.
      emergency cases, appropriation, 1915. Sol. [Misc.], "Laws applicable * * * agriculture," sup. 2 p. 68. 1915.
    expenditures and needs. An. Rpts., 1918, pp. 41-42. 1919; Sec. A.R. 1918, pp. 41-42. 1918; Y.B. 1918, pp. 57-58. 1919.
    extent and results in New England, causes and control. For. Cir. 168, pp. 13-15. 1909.
    fighting—
      by airplanes. News L., vol. 6, No. 37, pp. 1-2. 1919.
      in national forests, work, and public sentiment. Y.B., 1920, pp. 323-328. 1921; Y.B. Sep. 847, pp. 323-328. 1921.
      methods, implements. For. Bul. 82, pp. 41-48. 1910.
    five years; reports on Coeur d'Alene National Forest. D.C. 292, pp. 5-6. 1924.
    ground and crown, description. Y.B., 1910, p. 423. 1911; Y.B. Sep. 548, p. 423. 1911.
    hazard and liability. J.A.R., vol. 30, pp. 694-696. 1925.
    historic, location, area, and lives lost. For. Bul. 117, pp. 22-23. 1912.
    in—
      California, 1911-1920. S. B. Show and E. I. Kotok. D.C. 243, pp. 80. 1923.
      California pine, kinds of damage. D.C. 358, pp. 3-8. 1925.
      Colorado, 1924. Off. Rec., vol. 3, No. 29, p. 3. 1924.
      Colorado forests since 1705, description of results. For. Bul. 79, pp. 7-29. 1910.
      Idaho. For. Bul. 67, pp. 49, 50. 1905.
      Louisiana, causes and prevention. For. Bul. 114, pp. 10, 13, 25-28. 1912.
      Maine, historic, effect on birch. For. Cir. 163, p. 11. 1909.
      relation to lightning. Fred G. Plummer. For. Bul. 111, pp. 39. 1912.
      the Adirondacks in 1903. H. M. Suter. For. Cir. 26, pp. 15. 1904.
      the intermountain region. M.C. 19, pp. 16. 1924.
      the United States in 1915. J. Girvin Peters. Sec. Cir. 69, pp. 6. 1917.
    increased danger by dry soil of jack-pine plains. D.B. 212, p. 1. 1915.
    injury(ies)—
      in western mountains, remarks. Y.B., 1901, p. 346. 1902.
      to Douglas fir. For. Cir. 175, pp. 9-10. 1911.
      to yellow pine, classification. D.B. 418, pp. 9-12. 1917.
    law(s)—
      enforcement, decision. Sol. A.R., 1924, p. 5. 1924.
      in California. For. Bul. 85, p. 41. 1911.
      in Indiana. For. Misc., S-14, pp. 2-3. 1915.
      in Minnesota. For. Misc., S-15, pp. 4-9. 1915.
      in New Jersey. For. Misc., S-12, pp. 4-6. 1915.
      in Washington. For. Misc., S-13, pp. 3-8. 1915.
    liability ratings in planning control. W. N. Sparhawk. J.A.R., vol. 30, pp. 693-762. 1925.
    lightning in relation to. Fred G. Plummer. For. Bul. 111, pp. 39. 1912.
    location—
      methods, instruments and maps. An. Rpts. 1912, p. 502. 1913; For. A.R., 1912, p. 44. 1913.
      with airplanes. News L., vol. 6, No. 50, p. 15. 1919.
    losses—
      Ent. Bul. 58, Pt. V, pp. 67-68. 1909.
      1910 and 1911. For. A.R., 1911, pp. 25-28. 1911; An. Rpts., 1911, pp. 265-268. 1912.
      1911 and 1912. An. Rpts., 1912, p. 67. 1913; Sec. A.R., 1912, p. 67. 1912; Y.B., 1912, p. 67. 1913.

Forest(s)—Continued.
fires—continued.
losses—continued.
1912, numbers and causes. An. Rpts., 1913, pp. 158-160. 1914; For. A.R., 1913, pp. 24-26. 1913.
1913, number and causes. For. A.R., 1914, pp 13-14. 1914; An. Rpts., 1914, pp. 141-142. 1914.
1914, causes and number. An. Rpts., 1915, pp. 166-167. 1916; For. A.R., 1915, pp. 8-9. 1915.
1915, location, number, and causes. Sec. Cir. 69, pp. 1-5. 1917.
1920-1925, number and cause. For. A.R., 1925, pp. 21-23. 1925.
and control work. An. Rpts., 1922, pp. 30, 32-33. 1923; Sec. A.R., 1922, pp. 30, 32-33. 1922.
and prevention, California pine region. S. B. Show and E. I. Kotok. D.C. 358, p. 20. 1925.
statistics. For. Bul. 117, pp. 23-39. 1912.
motion-picture "set." Off. Rec., vol. 2, No. 50, p. 7. 1923.
nature, causes, and prevention. M.C. 7, pp. 7-19. 1923.
number and causes—
1912. An. Rpts., 1913, p. 159. 1914; For. A.R., 1913, p. 25. 1913.
1923, damage, areas burned. Y.B., 1923, pp. 1058-1061. 1924; Y.B., Sep. 904, pp. 1058-1061. 1924.
pictures. D.C. 358, pp. 2, 4, 5, 8, 9, 10, 15, 20. 1925.
prevalence in eastern United States. F.B. 1117, p. 21. 1920.
prevention—
For. [Misc.], "This man is * * *," pp. 4. 1920.
and control, methods and apparatus, as exemplified on the Arkansas National Forest. Daniel W. Adams. For. Bul. 113, pp. 27. 1912.
by railway devices. M.C. 39, p. 66. 1925.
don'ts. Off. Rec., vol. 3, No. 25, p. 8. 1924.
handbook for California school children. State Forester and Superintendent of Public Instruction, California. M.C. 7, pp. 24. 1923.
in national forests, numbers and losses. An. Rpts., 1918, pp. 166, 174-178. 1919; For. A.R., 1918, pp. 2, 10-14. 1918.
methods. D.B. 475, p. 48. 1917; Y.B., 1910, pp. 417-424. 1911; Y.B. Sep. 548, pp. 417-424. 1911.
rules. D.B. 863, pp. 20, 22. 1920; D.C. 4, pp. 4, 9, 53-54, 71. 1919; D.C. 100, pp. 2, 23. 1921; D.C. 104, p. 21. 1920; D.C. 138, p. 6. 1920.
six rules. M.C. 15, p. 16. 1924.
protection—
1911-1917, cooperative work with States. An. Rpts., 1917, pp. 189-191. 1918; For. A.R., 1917, pp. 27-29. 1917.
1922. Y.B., 1922, pp. 37-41, 160-162. 1923; Y.B. Sep. 886, pp. 160-162. 1923.
1925, statistics. For. A.R., 1925, pp. 7-8. 1925.
and losses 1905, 1906, 1907, and 1908. Y.B., 1908, pp. 540-541. 1909.
appropriation, cooperation with States. Sol. [Misc.], "Laws * * * forests," pp. 17-18, 21, 119. 1916.
by sheep grazing. D.B. 738, p. 27. 1918.
by States. For. [Misc.], "Forest fire protection * * *," pp. 85. 1914.
expenditures, 1915, by States. Sec. Cir. 69, p. 6. 1917.
in Colorado National Forest. D.C. 34, pp. 8-10. 1919.
in national forests, precautions. D.C. 29, pp. 13-14. 1919.
in South. D.B. 1061, pp. 44-46, 47. 1922.
laws, necessity for enactment by States. For. Cir. 205, p. 12. 1912.
laws needed for public and private forests. D.C. 112, pp. 10-11, 14-15. 1920.
laws of Vermont. For. Law Leaf. No. 24, pp. 3-6. 1920.

Forest(s)—Continued.
fires—continued.
protection—continued.
methods, use and cost. For. Cir. 171, pp. 15-16, 24. 1909.
needs, methods, and value. D.B. 1061, pp. 44-46, 47. 1922.
objects and requirements. Sec. Cir. 148, pp. 6-7. 1919.
of lodgepole pine, methods. D.B. 234, p. 46. 1915.
rules. D.C. 105, p. 25. 1920.
southern Appalachians, suggestions. For. Cir. 118, p. 21. 1907.
suggestions for vacation campers. D.C. 5, p. 19. 1919; D.C. 6, pp. 11-13. 1919.
under the Weeks law in cooperation with States. J. Girvin Peters. For. Cir. 205, pp. 15. 1912.
work, 1917. Y.B., 1917, p. 80. 1918.
protective association, objects and methods. For. Bul. 113, pp. 7-8. 1912.
relation—
between extent and hour control. J.A.R., vol. 30, pp. 702-717. 1925.
of succession on same tract to reproduction of trees. J.A.R., vol. 30, pp. 1196-1197. 1925.
to insect injuries. Ent. Bul. 58, pp. 67-69. 1910; Ent. Cir. 129, pp. 1-3. 1910.
risks, classification and rating. J.A.R., vol. 30, pp. 698-761. 1925.
scarring and killing of seed trees. D.C. 358, pp. 3-4. 1925.
seasonal factors. D.C. 243, pp. 74-75. 1923.
size and cost of suppression. J.A.R., vol. 30, pp. 703, 719-737. 1925.
smoke phenomena. For. Bul. 117, pp. 15-22. 1912.
spread by pitch exudations from infested trees. D.B. 111, pp. 8-9. 1914.
statistics, 1924-1925. For. A.R., 1925, pp. 7-8. 1925.
use of liability ratings in planning protection. W. N. Sparhawk. J.A.R., vol. 30, pp. 693-762. 1925.
flies. See Ticks.
floor, seed storage, source of young growth. D.B. 1200, pp. 16-17, 27-33. 1924.
formations, Porto Rico, description and distribution. D.B. 354, pp. 21-36. 1916.
Government work. D.C. 211, pp. 47. 1922.
grazing—
effect on number and extent of fires. D.C. 134, pp. 5-8. 1920.
fees, fixing. Off. Rec., vol. 4, No. 34, p. 2. 1925.
permits, requirements. Off. Rec., vol. 3, No. 44, p. 5. 1924.
growing, operation and costs. For. Bul. 76, pp. 25-42, 36. 1909.
growth—
and reproduction, relations of air and soil temperatures. D.B. 1059, pp. 13-38. 1922.
increase—
by improved practice, possibilities. Y.B., 1922, pp. 139-144, 151-157. 1923; Y.B. Sep. 886, pp. 139-144, 151-157. 1923.
methods for promotion. For. Cir. 172, pp. 8-12. 1909.
on farm lands in New England section. M.C. 39, p. 24. 1925.
on meadow soils. Soils Cir. 68, pp. 8, 15, 18. 1912.
per acre, present conditions and possible increase For. Cir. 172, pp. 11-12. 1909.
rates by countries. Y.B., 1923, pp. 474-475. 1924; Y.B. Sep. 893, pp. 474-475. 1924.
hardwood, relation of grapevine root rot. J.A.R., vol. 30, pp. 358-362. 1925.
highways, mileage and cost, 1925. Rds. Chief Rpt., 1925, p. 27. 1925.
homestead law, passage and results. An. Rpts., 1914, pp. 132-135. 1914; For. A.R., 1914, pp 4-7. 1914.
in —
Alabama, Choctaw County. Soil Sur. Adv Sh., 1921, p. 980. 1925.

Forest(s)—Continued.
  in—continued.
    Alaska—
      central, kinds and conditions (reconnoissance), Soil Sur. Adv. Sh., 1914, pp. 20–23, 47, 66, 71, 119–120, 128, 131–144, 146, 151, 174. 1915; Soils F.O., 1914, pp. 64–57, 81, 100, 105, 153–154, 162, 165, 178, 180, 185, 208. 1919.
      injuries by fire, Kenai Peninsula. Soil Sur. Adv. Sh., 1916, pp. 40–43, 93. 1918; Soils F.O., 1916, pp. 72–75, 125. 1921.
      need of reservations, suggestions for preservation. O.E.S. Bul. 169, pp. 23–25. 1906.
      paper supply sources. D.B. 950, pp. 3–5. 1921.
    America, entomological study. Ent. Bul. 37, p. 5. 1902.
    Arkansas, slash rotting, investigations. W.H. Long. D.B. 496, pp. 15. 1917.
    Austria, conditions and management. For. Cir. 140, pp. 15–16. 1908.
    California—
      fires, 1911–1920, causes and control. D.C. 243, pp. 11–33. 1923.
      light burning. F.E. Olmsted. For. [Misc.], "Light burning in California forests", pp. 4. 1911.
      location, area, composition, and amount of timber. M.C. 7, pp. 1–7. 1923.
      Sierras, cutting, results. Duncan Dunning. D.B. 1176, pp. 27. 1923.
      timber stand, volume and species. D.B. 440, pp. 2–4. 1917.
    Canada, condition and management. For. Cir. 140, p. 28. 1908.
    Central America, evidences of recent growth. B.P.I. Bul. 145, pp. 11–23. 1909.
    China, condition and management. For. Cir. 140, pp. 27–28. 1908.
    Denmark, condition and management. For. Cir. 140, p. 19. 1908.
    Europe, management, outlay, and returns. An. Rpts., 1907, p. 62. 1908; Rpt. 85, p. 45. 1907; Sec. A. R., 1907, p. 60. 1907; Y.B., 1907, p. 61. 1908.
    Finland, condition and management. For. Cir. 140, pp. 21–24. 1908.
    France, conditions and management. For. Cir. 140, pp. 10–12. 1908.
    Germany, condition and management. For. Cir. 140, pp. 7–10. 1908.
    Hungary, conditions and management. For. Cir. 140, pp. 16–17. 1908.
    India, comparison with Porto Rican forests. D.B. 354, pp. 27, 28, 32. 1916.
    India, condition and management. For. Cir. 140, pp. 21–24. 1908.
    Japan, condition and management. For. Cir. 140, pp. 24–25. 1908.
    Mississippi, Alcorn County. Soil Sur. Adv. Sh., 1921, p. 676. 1924.
    Norway, condition and management. For. Cir. 140, pp. 17–18. 1908.
    Ontario, revenue. For. Cir. 35, p. 9. 1905.
    Pennsylvania, southeastern, waste and present condition. Soil Sur. Adv. Sh., 1912, p. 13. 1914; Soils F.O., 1912, p. 253. 1915.
    Porto Rico—
      O.E.S. An. Rpt., 1904, p. 395. 1905.
      conditions, formations, industries, and problems. D.B. 354, pp. 20–55. 1916.
      reforestation. P.R. An. Rpt., 1919, p. 11. 1920.
    Roumania, condition and management. For. Cir. 140, pp. 26–27. 1908.
    Russia, condition and management. For. Cir. 140, pp. 19–21. 1908.
    Spain, condition and management. For. Cir. 140, p. 26. 1908.
    Sweden, condition and management. For. Cir. 140, pp. 18–19. 1908.
    Switzerland, condition and management. For. Cir. 140, pp. 13–14. 1908.
    Texas, south-central, description. Soil Sur. Adv. Sh., 1913, pp. 15–16. 1915; Soils F.O., 1913, pp. 1081–1082. 1916.
    United States—
      area and stand, past and present. For. Cir. 166, pp. 3–7. 1909.

Forest(s)—Continued.
  in—continued.
    United States—Continued.
      area and variety of wood. F.B. 358, p. 44. 1909.
      timber stand, value and annual losses by fire and insects. Ent. Cir. 129, pp. 1, 4–5. 1910.
    Utah—
      Government work in. R. H. Rutledge. D.C. 198, pp. 31. 1921.
      names, headquarters, and area. D.C. 198, pp. 5–6. 1921.
  increase annually, measurement. F.B. 358, pp 7–8. 1909.
  industries, Porto Rico. D.B. 354, pp. 44–46. 1916.
  injury(ies)—
    and losses caused by insect infestations. Ent. A.R., 1921, pp. 25–26. 1921.
    by gipsy moth, and control studies and experiments. D.B. 484, Pt. I, pp. 1–16. 1917.
    by round-headed borers. J. L. Webb. Y.B., 1910, pp. 341–358. 1911; Y.B. Sep. 542, pp. 341–358. 1911.
  insects—
    character and extent of depredations, control methods. A. D. Hopkins. Ent. Cir. 125, pp. 9. 1910.
    control—
      by fungi. Ent. Cir. 129, p. 9. 1910.
      by light burning. D.B. 1294, pp. 57–59. 1924.
      by sprays. D.B. 1079, pp. 1–4. 1922.
      general principles. Ent. Cir. 129, pp. 6–10. 1910.
      methods. Ent. Bul. 58, pp. 6, 8, 11–13, 28, 56, 71–95. 1910.
      suggestions. D.B. 153, p. 19. 1915.
    damage and control, investigations. Ent. A.R., 1924, pp. 24–27. 1924.
    defoliators, importance, description. Sec. [Misc.], "A manual * * *insects * * *," pp. 104–108. 1917.
    depredations in—
      North America and control methods. Ent. Bul. 58, pp. 57–101. 1910.
      United States. Ent. Bul. 37, pp. 10–28. 1902.
    economic relations, discussion. Ent. Bul. 37, pp. 7–20, 25–26. 1902.
    enemies, locust borer. A. D. Hopkins. Ent. Bul. 58, pp. 16. 1906
    gipsy moth, control suggestions. W. F. Fiske. Ent. Cir. 164, pp. 20. 1913.
    injuries, character and extent, summary. Ent. Bul. 58, pp. 69–71, 91–92. 1910.
    injurious—
      A. D. Hopkins and J. L. Webb. Ent. Bul. 58, pp. 114. 1910.
      flat-headed borers. H. E. Burke. D.B. 437, pp. 8. 1917.
    injury to fire-killed Douglas fir in Washington and Oregon. Ent. Cir. 159, pp. 1–4. 1912.
    investigations, program for 1915. Sec. [Misc.], "Program of work * * *, 1915," pp. 231–238. 1914.
    notable depredations. A. D. Hopkins. Y.B., 1907, pp. 149–164. 1908; Y. B. Sep. 442, pp. 149–164. 1908.
    of the genus Dendroconus. Ent. Bul. 83, Pt. I. pp. 1–169. 1909.
    publications list. F.B. 1076, pp. 13–14. 1920.
    relation to forest fires. Ent. Bul. 58, pp. 67–69. 1910.
    technical papers. Ent. T.B. 20, Pt. IV, pp. 139–148. 1911; Pt. VI, pp. 157–163. 1913.
  intermountain, areas, timber, grazing, etc., statistics. For. [Misc.], "Intermountain district forest * * *," pp. 64. 1925.
  interstate, names and acreage, 1915. Y.B., 1915, p. 581. 1916; Y.B. Sep. 684, p. 581. 1916.
  investigations, cooperative work, law for disposition of money contributions. Sol. [Misc.], "Laws applicable * * * Agriculture," 2d sup., pp. 33–34 1915.
jack pine, protection from fires. D.B. 820, pp. 29–30. 1920.
Kaibab, deer problem. Off. Rec., vol. 3, No. 28, p. 3. 1924.

Forest(s)—Continued.
land(s)—
  acquisition—
    by nation, States, and cities. Sec. Cir. 134, p. 13. 1919.
    under Weeks forestry law. Y.B., 1919, p. 34. 1920.
    under Weeks law, for 1912. An Rpts., 1912, pp. 69, 257–258. 1913; For. A.R., 1912, pp. 72–75. 1912; Sec. A.R., 1912; pp. 69, 257–258. 1912; Y.B., 1912; pp. 69, 257–258. 1913.
    under Weeks law, for 1913. An. Rpts., 1913, pp. 180–181. 1914; For. A.R., 1913, pp. 46–47. 1913.
    under Weeks law, for 1914. An. Rpts., 1914, pp. 156, 289–290. 1914; For. A.R., 1914, p. 28. 1914; Sol. A.R., 1914, pp. 9–10. 1914.
    under Weeks law, for 1916. An. Rpts., 1916, p. 356. 1917; Sol. A.R., 1916, p. 12. 1916.
  acreage—
    in 1922. An. Rpts., 1922, pp. 201, 205–209. 1923; For. A.R., 1922, pp. 7, 11–15. 1922.
    in Southern States, F.B. 1071, pp. 2, 36. 1920.
  areas—
    by States. F.B. 1417, p. 4. 1924.
    in United States, 1918. Y.B., 1918, pp. 436, 438. 1919; Y.B. Sep. 771, pp. 6, 8. 1919.
    present and future. D.B. 1241, pp. 35–36. 1924.
  available for crops, acreage by States. Y.B., 1923, p. 426. 1924; Y.B. Sep. 896, p. 426. 1924; F.B. 1417, pp. 3, 4. 1924.
  clearing—
    cost in Washington, Stevens County. Soil Sur. Adv. Sh., 1913, p. 26. 1915; Soils F.O., 1913, p. 2184. 1916.
    in Idaho, Kootenai County. Soil Sur. Adv. Sh., 1919, p. 9. 1923; Soils F.O., 1919, p. 9. 1925.
  condemnation procedure. For. [Misc.], "Purchase of land * * *," rev., pp. 5–6. 1921.
  exchange law, provisions. An. Rpts., 1922, pp. 198, 207–208. 1922; For. A.R., 1922, pp. 4, 13–14. 1922.
  in—
    Alabama, central, working plan. Franklin W. Reed. For. Bul. 68, pp. 71. 1905.
    Alabama, Coosa County tract, description. For. Bul. 68, pp. 7–44. 1905.
    Alabama, situation, topography, and soil. For. Bul. 68, pp. 44–46. 1905.
    Arkansas, near Pine Bluff, working plan. Frederick E. Olmsted. For. Bul. 32, pp. 48. 1902.
    Sawtooth National Forest, bill. Off. Rec., vol. 1, No. 20, p. 2. 1922.
    Siskiyou, Oregon. Off. Rec., vol. 1, No. 39, p. 2. 1922.
    South Carolina, Berkeley County, working plan. Charles S. Chapman. For. Bul. 56, pp. 62. 1905.
    South Carolina, Hampton and Beaufort Counties, working plan. Thomas H. Sherrard. For. Bul. 43, pp. 54. 1903.
    Washington, consolidation. Off. Rec., vol. 1, No. 7, p. 2. 1922.
  management—
    and need. M.C. 15, pp. 8–11. 1924.
    suggestions. For. Bul. 56, pp. 47–57. 1905.
  natural, in United States, acreage. For. Cir. 159, p. 8. 1909.
  minimum area for one hundred inhabitants. For. Cir. 159, pp. 10–14. 1909.
  near Pine Bluff, Ark., a working plan for. Frederick E. Olmsted. For. Bul. 32, pp. 48. 1902.
  owners, practical assistance, application forms. For. Cir. 165, pp. 1–7. 1909.
  ownership—
    F.B. 1417, pp. 10, 13, 15, 16, 18–19. 1924.
    and management. Y.B., 1922, pp. 159, 166–170. 1923; Y.B. Sep. 886, pp. 159, 166–170. 1923.
  permits, term occupancy, instructions. A. F. Potter. For. [Misc.], "Instructions regarding * * *," pp. 4. 1915.

Forest(s)—Continued.
land(s)—continued.
  private—
    management. D.B. 418, pp. 41–42. 1917.
    reforesting. Rpt. 114, p. 89. 1917.
  proposals invited under the Weeks Act. For. [Misc.], "Purchase of land * * *," rev., pp. 6–13. 1921.
  protection and reforestation, needs, study. For. A.R., 1921, p. 2. 1921.
  public, total stand. For. Cir. 171, p. 6. 1909.
  purchase—
    by Government, provisions and regulations. Sol. [Misc.], "Laws * * * forests," pp. 18–19. 1916.
    increase, desirability. Sec. Cir. 148, p. 11. 1919.
    procedure. For. [Misc.], "Purchase of land * * *," rev., pp. 4–5. 1921.
  regulations (claims, settlement, and administrative sites). For. [Misc.], "The national forest manual," pp. 56. 1912.
  relation to increasing demand for agricultural land. For. Cir. 159, pp. 8–15. 1909.
  reserve, listing description, principles governing decision upon form. For. [Misc.], "Principles governing decision * * *," pp. 4. 1914.
  sugar pine, management methods. D.B. 426, pp. 30–35. 1916.
  taxation. D.C. 112, pp. 13, 16. 1920.
  utilization—
    and for crops and pastures. L. C. Gray and others. Y.B., 1923, pp. 415–506. 1924; Y.B. Sep. 896, pp. 415–506. 1924.
    for growing pulp wood. D.B. 1241, pp. 69–70. 1924.
laws—
  decisions and opinions applicable to national forests. Sol. [Misc.], "Laws * * * forests," pp. 151. 1916.
  Federal and State—
    George W. Woodruff. For. Bul. 57, pp. 259. 1904.
    need for protection of timber supply. D.C. 112, pp. 9–16. 1920.
    of Vermont. Jeannie S. Peyton. For. Law Leaf. No. 24, pp. 17. 1920.
    State, need, extent, and compilation. An. Rpts., 1912, pp. 534–537. 1913; For. A.R., 1912, pp. 76–79. 1912.
  legislation—
    different States, 1907. Y.B., 1907, pp. 574–576. 1908; Y.B. Sep. 470, pp. 14–16. 1908.
    for—
      1901. Y.B., 1901, p. 667. 1902.
      1903. Y.B., 1903, pp. 558–559. 1904.
      1904. Y.B., 1904, p. 592. 1905.
      1905. Y.B., 1905, p. 643. 1906.
      1907. Y.B., 1907, pp. 574–576. 1908; Y.B. Sep. 470, pp. 574–576. 1908.
      1908, 1909. Y.B., 1908, pp. 548–551. 1909.
    States, needs. D.B. 364, pp. 1–3. 1916.
    unwise, warning of Secretary and President. An. Rpts., 1916, pp. 41–42. 1917; Sec. A.R., 1916, pp. 43–44. 1916.
life. F.B. 173, pp. 23–35. 1903.
light burning, failure, evidences. D.C. 358, pp. 14–16. 1925.
litter burning, periodic. For. Bul. 82, p. 27. 1910.
loblolly pine—
  as an investment. For. Bul. 64, p. 44. 1905.
  eastern Texas, types. For. Bul. 64, pp. 8–9. 1905.
lodgepole pine—
  burn, life history of. F. E. Clements. For. Bul. 79, pp. 56. 1910.
  management, objects, and methods. D.B. 234, pp. 21–46. 1915.
Lolo National, success in reforestation by seed sowing. J.A.R., vol. 30, p. 637. 1925.
losses by frost, lightning, and fungus diseases. D.B. 275, pp. 9–14, 27–33. 1916.
lumber exports. Henry S. Graves. Sec. Cir. 140, pp. 15. 1919.
maintenance, and extension of Federal ownership. An. Rpts., 1923, pp. 64–68, 291, 327. 1924; For. A.R., 1923, pp. 3, 39. 1923; Sec. A.R., 1923, pp. 64–68. 1923.

Forest(s)—Continued.
  management—
    advisability, purpose, and methods. For. Bul. 94, pp. 20–22. 1911.
    amounts of timber cut in different States. An. Rpts., 1906, pp. 54–55. 1907; Rpt. 83, pp. 48–49. 1906; Sec. A.R., 1906, pp. 55–57. 1906.
    control of gipsy moth by. G. E. Clement and Willis Munro. D.B. 484, pp. 54. 1917.
    cypress, aim, methods, and profitableness. D.B. 272, pp. 54–56, 63. 1915.
    essentials—
      for timber growth. D.B. 1241, p. 61. 1924.
      protection, cutting, and reproduction. D.B. 308, pp. 24–55. 1915.
    for moth control, factors governing. D.B. 484, Pt. II, pp. 18–19. 1917.
    improvement in Eastern States. Y.B., 1912, p. 368. 1913; Y.B. Sep. 598, p. 368. 1913.
    methods for hardwoods. D.B. 285, pp. 36–42. 1915.
    need in southern pine region. D.B. 364, p. 8. 1916.
    Norway pine, lumbering reforestation. D.B. 139, pp. 25–33. 1914.
    of loblolly pine in Delaware, Maryland, and Virginia. W. D. Sterrett. D.B. 11, pp. 59. 1914.
    relation to fire damage. D.B. 1294, pp. 71–78. 1924.
    systems and details. F.B. 358, pp. 8–20. 1909.
    white pine. E. H. Frothingham. D.B. 13, pp. 70. 1914.
    with reference to gipsy moth control. Ent. Cir. 164, pp. 16–18. 1913.
  manual, national—
    1911. For. [Misc.], "The national forest manual," pp. 90. 1911.
    1913. Sol. [Misc.], "The national forest manual," pp. 97. 1913.
  maps—
    instructions for making. For. [Misc.], "Instructions for making forest maps * * *," pp. 10. 1905.
    pathological, description, value, and use. D.B. 658, pp. 2, 5–6, 9, 19–23. 1318.
  mixed, improvement cuttings. F.B. 358, pp. 19–20. 1909.
  money for schools and roads. Off. Rec., vol. 4, No. 51, p. 5. 1925.
  mountain—
    management, problems for experiment stations. Sec. Cir. 183, p. 13. 1921.
    protection from erosion. Y.B., 1916, pp. 125–127. 1917; Y.B. Sep. 688, pp. 19–21. 1917.
  municipal—
    and county, by States, and forest planting. Y.B., 1922, p. 940. 1923; Y.B. Sep. 889, p. 940. 1923.
    value for city fuel supply. D.B. 753, pp. 34, 38. 1919.
  museum specimens, collection, arrangement, and use. F.B. 468, pp. 33–36. 1911.
  national—
    acreage—
      1912, number, lines of work. For. Cir. 207, pp. 8–10. 1912.
      1916, various States. Y.B., 1916, pp. 701–702. 1917; Y.B. Sep. 721, pp. 43–44. 1917.
      and acquisitions, 1922. An. Rpts., 1922, pp. 201, 205–209. 1923; For. A.R. 1922, pp. 7, 11–15. 1922.
      and acquisitions, 1924. For. A.R., 1924, pp. 7–10. 1924.
      and acquisitions, 1925. For. A.R., 1925, pp. 17–21. 1925.
    administration—
      1897–1907. Y.B., 1907, pp. 280–283. 1908; Y.B. Sep. 466, pp. 280–283. 1908.
      1906, protection. Y.B., 1906, pp. 449–452. 1907; Y.B. Sep. 434, pp. 449–452. 1907.
      1908, progress, receipts and expenditures. An. Rpts., 1908, pp. 70–75, 79–80. 1909; Rpt. 87, pp. 37–41. 1908; Sec. A. R., 1908, pp. 68–73, 77–78. 1908; Y.B., 1908, pp. 70–75, 79–80. 1909.
      1911, reforestation. An. Rpts., 1912, pp. 58–62, 65–71, 234, 240–243. 1913; Sec. A.R., 1912, pp. 58–62, 65–71, 234, 240–243. 1912; Y. B., 1912, pp. 58–62, 65–71, 234, 240–243. 1913.

Forest(s)—Continued.
  national—continued.
    administration—continued.
      1912, cost, and receipts. An. Rpts., 1912, pp. 464, 466, 467, 488. 1913; For. A.R., 1912, pp. 6, 8, 9, 30. 1912.
      1913, review by Secretary. Sec. A.R., 1913, pp. 36–39, 56. 1913; An. Rpts., 1913, pp. 38–41, 58. 1914; Y.B., 1913, pp. 47–51, 71. 1914.
      1913, details, and history. For. [Misc.], "Use book, 1913," pp. 13, 59. 1913.
      1914 protection. An. Rpts., 1914, pp. 36–42, 129–157. 1914; Sec. A.R., 1914, pp. 38–44, 1914; Sol. A.R., 1914, pp. 1–29. 1914; Y.B., 1914, pp. 52–59. 1915.
      1915 protection, management, and uses. An. Rpts., 1915, pp. 159–179. 1916; For. A.R.. 1915, pp. 1–21. 1915.
      1915 and protection. For. Cir. 207, pp. 8–10. 1912; For. [Misc.], "Use book, 1915," pp. 9–31. 1915.
      1919. D.C. 4, pp. 70–72. 1919.
      1920. D.C. 138, pp. 74–75. 1920.
      1921, methods, officials, and duties. D.C. 185, pp. 8–9. 1921.
      1922. D.C. 211, pp. 1–4. 1922.
      1922, protection and uses. An. Rpts., 1922, pp. 29–33. 1922; Sec. A.R., 1922, pp. 29–33. 1922; Y.B., 1922, pp. 34–41, 43. 1923; Y.B. Sep. 883, pp. 34–41, 43. 1923.
      1923, income, uses, and protection. An. Rpts., 19-3, pp. 58–77, 292, 308–333. 1924; For. A.R., 1923, pp. 4, 10–45. 1923; Sec. A.R., 1923, pp. 58–77. 1923.
    reforestation an essential feature. D.B. 475, pp. 1–3. 1917.
    uses, and receipts. For. Misc., F–1, pp. 7–12, 18. 1915.
    administrative—
      act. U. S. Supreme Court decision, U. S. vs. Pierre Grimaud and J. P. Carajous, and U. S. vs. Antonio Inda. Sol. Cir. 54, pp. 9. 1911.
      regulations. For. [Misc.], "Use book. Administrative edition," pp. 286–299. 1908.
    agricultural—
      and forest lands, principles and procedure governing the classification and segregation. For. [Misc.], "Principles and procedures * * *," pp. 23. 1914.
      land, acreage, and development. Y.B., 1914, pp. 69–71. 1915; Y.B. Sep. 633, pp. 69–71. 1915.
    lands, classification and elimination. An. Rpts., 1913, pp. 144–148. 1914; For. A.R., 1913, pp. 10–14. 1913.
    settlement, act. For. [Misc.], "Use of national * * *," pp. 35–37. 1907.
    settlement, instructions for examinations. For. [Misc.], "Instructions for * * *," pp. 12. 1907.
    airplane-patrol service. News L., vol. 6, No. 42, p. 7. 1919.
    and—
      State, national parks, monuments, and Indian reservations. For. [Misc.], "National forests * * *," map. 1924.
      the farmer. Henry S. Graves. Y.B. 1914, pp. 65–88. 1915; Y.B. Sep. 633, pp. 65–88. 1915.
      the lumber supply. Thomas H. Sherrard. Y.B., 1906, pp. 447–452. 1907; Y.B. Sep. 434, pp. 447–452. 1907.
    animals grazed under permits. Y.B., 1923, p. 523. 1924; Y.B. Sep. 897, p. 523. 1924.
    Apache, composite type on. Harold G. Greenamyrea. For. Bul. 125, pp. 32. 1913.
    area—
      and need of road development. Y.B., 1916, pp. 53–54, 522, 528. 1917; Y.B. Sep. 696, pp. 2, 8. 1917.
      and present conditions as to cover and yield. For. Bul. 98, pp. 7–8. 1911.
      by States. Y.B., 1922, p. 940. 1923; Y.B. Sep. 889, p. 940. 1923.
    claims, management, permanent improvements, etc. An. Rpts., 1910, pp. 364–406. 1911; For. A.R., 1910, pp. 4–46. 1910.

INDEX TO PUBLICATIONS, 1901–1925 937

Forest(s)—Continued.
national—continued.
area—continued.
changes, management, uses, receipts, 1917. An. Rpts., 1917, pp. 163–189. 1918; For. A.R., 1917, pp. 1–27. 1917.
changes, management, uses, receipts, 1918. An. Rpts., 1918, pp. 166–192. 1919; For. A.R., 1918, pp. 2–28. 1918.
comparision to private holdings. For. Cir. 129, p. 16. 1907.
costs, and receipts, 1913, 1914. An. Rpts., 1914, p. 129. 1914; For. A.R., 1914, p. 1. 1914.
in acres, by States, July 1, 1909 to July 1, 1910. An. Rpts., 1910, p. 365. 1911; For. A.R., 1910, p. 5. 1910.
in need of replanting, quantity of seed. Y.B., 1912, pp. 433–434. 1913; Y.B. Sep. 604, pp. 433–434. 1913.
March 31, 1915. For. [Misc.], "National forest * * *," pp. 8. 1915.
Jan. 1, 1916. For. [Misc.], "National forest * * *," pp. 8. 1916.
June 30, 1916. For. [Misc.], "National forest * * *," pp. 8. 1917.
June 30, 1918. For. [Misc.], "National forest * * *," pp. 8. 1918.
June 30, 1919. For. [Misc.], "National forest * * *," pp. 7. 1919.
June 30, 1920. For. [Misc.], "National forest * * *," pp. 8. 1920.
June 30, 1921. For. [Misc.], "National forest * * *," pp. 8. 1921.
June 30, 1922. For. [Misc.], "National forest * * *," pp. 8. 1922.
June 30, 1923. For. [Misc.], "National forest * * *," pp. 8. 1923.
June 30, 1924. For. [Misc.], "National forest * * *," pp. 8. 1924.
laws, use and administration. An. Rpts., 1908, pp. 410–432. 1909; For. A.R., 1908, pp. 6–28. 1908.
names, cost, uses, and administration. An. Rpts., 1909, pp. 372–397. 1910; For. A.R., 1909, pp. 4–29. 1909.
organization, land classification, and alienation, etc. An. Rpts., 1916, pp. 160–161. 1917; For. A.R., 1916, pp. 6–7. 1916.
revenue, uses, etc. Y.B., 1921, p. 792. 1921; Y.B. Sep. 871, p. 23. 1922.
timber and grazing details. Y.B., 1917, pp. 752–757. 1918; Y.B. Sep. 761, pp. 46–51. 1918.
assistance to communities. Rpt. 106, pp. 98–99. 1915.
base map. For. [Misc.], "National forests. Base map * * *," 1908.
benefits of administration, to water users. For. [Misc.], "What the national forests mean * * *," pp. 36–37, 46–47, 52. 1919.
book for users. For. [Misc.], "Use book 1915," pp. 160. 1915.
boundaries and areas, changes, Executive orders. For. [Misc.], "Field program, Jan. 1911," pp. 97–102. 1911.
brush disposal, suggestions. T. S. Holmes. For. [Misc.], "Suggestions for the disposal of brush," pp. 15. 1907.
by districts—
1915. For. [Misc.], "National forests * * *" map folder. 1915.
1917. For. [Misc.], "National forests * * *," map folder. 1917.
1919. For. [Misc.], "National forests * * *," map folder. 1919.
by States, headquarters of Supervisors. For. [Misc.], "The use book, 1921," pp. 73–76. 1922.
changes in area, 1907. For. A.R. 1907, pp. 11–13. 1907.
claims. For. [Misc.], "Use book.—Administrative edition." pp. 35–51. 1908.
claims and rights. For. [Misc.], "Use book," pp. 20–27. 1906.
Columbia, Wash. For. [Misc.], "Columbia National * * *." Folder. 1922.
competition in lumber trade. Rpt., 114, p. 52. 1917.

Forest(s)—Continued.
national—continued.
consolidation in Utah. Off. Rec. vol. 2, No. 42, p. 3. 1923.
cooperative experiment in reforesting. Biol. Cir. 78, pp. 1–2. 1911.
cost—
1909, for administration and protection. An. Rpts., 1909, pp. 90, 95. 1910; Rpt., 91, pp. 63, 66. 1909; Sec. A. R. 1909, pp. 90, 95. 1909; Y. B. 1909, pp. 90, 95. 1910.
per acre for administration, comparison with foreign countries. An. Rpts., 1909, p. 95. 1910; Rpt., 91, p. 66. 1909; Sec. A.R. 1909, p. 95. 1909; Y.B. 1909, p. 95. 1910.
court decisions. Sol. A.R. 1924, pp. 5–6. 1924.
creation, area and uses, progress of legislation. F.B. 358, pp. 47–48. 1909.
creation from public domain of West. D.C. 211, pp. 5–8. 1922.
cutting timber and providing for future supply. Y.B. 1907, pp. 277–288. 1908; Y.B. Sep. 466, pp. 277–288. 1908.
damage to newly planted seed by rodents. Biol. Cir. 78, p. I. 1911.
decisions—
1906. For. [Misc.], "Use book, 1906," pp. 185–195. 1906.
1908. For. [Misc.], "Use book.—Administrative edition," pp. 256–285. 1908.
designation, administration, and uses. Y.B. 1921, pp. 51–57. 1922; Y.B. Sep. 875, pp. 51–57. 1922.
developments, administration and uses. An. Rpts., 1916, pp. 38–46, 155–178. 1917; For. A.R. 1916, pp. 1–24. 1917; Sec. A.R. 1916, pp. 40–48. 1916; Y.B. 1916, pp. 52–61. 1917.
directions and specifications for building telephone lines. For. [Misc.], "Directions and specifications * * *." pp. 12. 1908.
directory. For. [Misc.] "Use book, 1915," pp. 175–160. 1915.
discussion by Secretary. Sec. A.R. 1925, pp. 83–91. 1925.
disposal of brush, suggestions for. T. S. Holmes. For. [Misc.], "Brush disposal * * *" pp. 15. 1907.
distribution of rangers and patrolmen. Y.B. 1910, pp. 421–422. 1911; Y. B. Sep. 548, pp. 421–422. 1911.
districts—
D.C. 211, p. 47. 1922.
administration and inspection. An. Rpts., 1907, pp. 350–351. 1908.
and divisions. For. [Misc.], "The use book, 1910," pp. 22–24. 1910.
and list of workers. Pub. [Misc.], "List of workers, 1922," pp. 17–25. 1922.
organization, 1907. An. Rpts., 1907, p. 350. 1908.
eastern, land purchase, various States. News L. vol. 6, No. 21, p. 15. 1918.
employees, grades, qualifications, duties, and examination. For. [Misc.], "Information regarding employment * * *," pp. 4. 1905; rev. 1907.
employment, information regarding. For. [Misc.], "Information regarding employment * * *," pp. 4. 1909.
equipment for officers' use. For. [Misc.], "Use book, 1906," pp. 110–120. 1906.
establishment—
administrative, laws applicable. Sol. [Misc.], "Laws * * * forests," pp. 5–14. 1913.
officers and their work. For. Cir. 167, pp. 5–6. 1909.
to conserve timber resources. Sec. A.R. 1921, pp. 45–46. 1921.
expenditures—
1903. An. Rpts., 1908, p. 416. 1909; For. A.R. 1908, p. 12. 1908.
and receipts. An. Rpts., 1920, pp. 224–225. 1921.
and receipts, 1909 and 1910, comparison. An. Rpts., 1910, p. 370. 1911; For. A.R. 1910, p. 10. 1910.
and revenues, several Nations. For. Cir. 140, p. 29. 1908.

Forest(s)—Continued.
  national—continued.
    expenditures—continued.
      proposed for 1915, allotments by forests, summary. Sec. [Misc.], "Program of work * * * 1915," pp. 177-179. 1914.
    expenses—
      local, 1911. An. Rpts., 1911, p. 344. 1912; For. A. R., 1911, p. 4. 1911.
      of administration, protection and improvements. An. Rpts., 1910, pp. 88, 90-95. 1911; Rpt. 93, pp. 61-63. 1911; Sec. A.R. 1910, pp. 88, 90-95. 1910; Y.B. 1910, pp. 87, 89-94. 1911.
      experiments with wireless telephone. News L. vol. 6, No. 43, p. 12. 1919.
      extending into two or more states, area. Y.B. 1918, p. 719. 1919; Y.B. Sep. 795, p. 55. 1919.
    extension—
      Off. Rec. vol. 3, No. 27, pp. 2, 8. 1924.
      to nonagricultural land, need. Sec. Cir. 134, p. 13. 1919.
      farms, classification, area, value, and protection. Y.B. 1914, pp. 67-72, 75-76. 1915; Y.B. Sep. 633, pp. 67-72, 75-76. 1915.
    fire(s)—
      1911-1915, number and cause. J.A.R. vol. 30, p. 696. 1925.
      control, work and public sentiment. Y.B. 1920, pp. 323-328. 1921; Y.B. Sep. 847, pp. 323-328. 1921.
      distribution, extent, and damage. Sec. A.R., 1910, p. 88-91. 1910; Rpt. 93, pp. 61-63. 1911; An. Rpts., 1910, pp. 88-91. 1911; Y.B. 1910, pp. 87-90. 1911.
      prevention. For. [Misc.], "When wisdom * * *." Folder. 1920.
      prevention and control. F. A. Silcox. Y.B. 1910, pp. 413-424. 1911; Y.B. Sep. 548, pp. 413-424. 1911.
      protection, 1906. For. [Misc.], "Use book," pp. 95-104. 1906.
      protection, 1907. For. [Misc.], "Red book, 1907," pp. 17, 31. 1907.
      protection, 1914. Sec. A.R., 1914, p. 40. 1915; Y.B., 1914, pp. 54-55, 74. 1915; Y.B. Sep. 633, p. 74. 1915.
      protection, by livestock grazing. D.C. 134, pp. 1-11. 1920.
      protection, cost per acre. For. Cir. 205, p. 12. 1912.
      protection, livestock grazing as a factor in. John H. Hatton. D.C. 134, pp. 11. 1920.
      protection, management. For. Cir. 167, p. 13. 1909.
      protection methods. For. Cir. 167, p. 13. 1909.
      protection, methods. For. [Misc.], "National forest fire protection * * *," pp. 8. 1911.
      protection, methods and suggestions. D.C. 185, pp. 44-45. 1921.
      protection, necessary measures. For. Bul. 101, p. 53. 1911.
      protection, need of emergency funds. An. Rpts., 1914, pp. 38-39. 1914; Sec. A.R., 1914, pp. 40-41. 1914.
      protection, regulations. For. [Misc.], "Use book, 1913," pp. 72-74. 1913.
      protection, relation to pleasure seekers. For. [Misc.], "Battlement National Forest," pp. 11-12. 1919; For. [Misc.], "Cochetopa National Forest," pp. 6-7. 1919; For. [Misc.], "Superior National Forest," p. 12. 1919.
      protection under Weeks law in cooperation with States. J. Girvin Peters. For. Cir. 205, pp. 15. 1912.
      record and disasters of 1910. An. Rpts., 1910, pp. 88-91. 1911; Rpt. 93, pp. 61-63. 1911; Sec. A.R., 1910, pp. 88-91. 1910; Y.B. 1910, pp. 87-90. 1911.
    forage development. For. [Misc.], "The use book, 1910," pp. 70-73. 1910.
    fruit growing by rangers, preliminary work. An. Rpts., 1910, p. 351. 1911; B.P.I. Chief Rpt., 1910, p. 81. 1910.

Forest(s)—Continued.
  national—continued.
    game—
      conditions. An. Rpts., 1922, pp. 352-353. 1922; Biol. Chief Rpt., 1922, pp. 22-23. 1922.
      preserves. For. [Misc.], "The use book, 1910," pp. 68-69. 1910.
    geography, work. Sec. [Misc.], "Program of work * * * 1915." p. 163. 1914.
    Government control, advantages to small operators. Y.B. 1912, pp. 415-416. 1913; Y.B. Sep. 602, pp. 415-416. 1913.
    grants under Clarke-McNary Act. Off. Rec., vol. 3, No. 43, p. 4. 1924.
    grazing—
      For. [Misc.], "Use book. Grazing," pp. 84. 1910.
      allowance. F.B. 1395, p. 7. 1925.
      capacity conditions, permits, etc. 1911. An. Rpts., 1911, pp. 387-393. 1912; For. A.R., 1911, pp. 47-53. 1911.
      lands, revegetation studies. For. Cir. 169, pp. 1-28. 1909.
      leases, policy. Sec. A.R., 1925, pp. 83-89. 1925.
      permits, control difficulties. D.B. 1001, pp. 18, 63. 1922.
      permits, fees, receipts, and details. An. Rpts., 1916, pp. 155, 157-158, 169-171. 1917; For. A.R., 1916, pp. 1, 3-4, 15-17. 1916.
      permits, Secretary's order. News L., vol. 6, No. 20, pp. 2-3. 1918.
      regulations. For. [Misc.], "The national forest manual," pp. 100. 1911.
      regulations by Agriculture Secretary, Supreme Court decision sustaining. Sol. Cir. 52, pp. 7. 1911.
      regulations and fees, and range management. An. Rpts., 1923, pp. 60-64, 72-77, 318-324, 340-343. 1923; For. A.R., 1923, pp. 30-36, 52-55. 1923; Sec. A.R., 1923, pp. 60-64, 72-77. 1923.
      rules and regulations. For. [Misc.], "The use of * * * grazing section," rev., pp. 80. 1921.
      section, information manual, 1921. For. [Misc.], "Use book," pp. 76. 1922.
      trespass procedure, instructions. For. [Misc. "Instructions regarding grazing * * *," pp. 6. 1908.
      use and control. Y.B., 1923, p. 403, 404, 1924; Y.B. Sep. 895, pp. 403, 404. 1924.
    herbaria, establishment, and methods employed. For. [Misc.], "Suggestions * * * collection * * * plants * * *." pp. 3. 1909.
    history—
      and administration by Forest Service. For. Misc., F-1, pp. 16. 1916.
      and objects. For. [Misc.], "The use book, 1910," pp. 7-11. 1910.
      making, and results. For. [Misc.], "Use o national * * *," pp. 7-15. 1907.
    homestead—
      entry. Off. Rec., vol. 2, No. 39, p. 5. 1923.
      in. For. [Misc.], "Homesteads * * *," pp. 12. 1917.
      laws and regulations. For. Misc., L-1, "Suggestions and information * * *," pp. 11. 1915.
      laws, application in Alaska. Alaska Cir. 1, rev., pp. 8-9. 1923.
    hunting—
      laws. F.B. 1077, pp. 64-65. 1919.
      on. F.B. 1138, p. 64. 1920.
      regulation. Biol. S.R.A. 62, pp. 13-14. 1924.
      regulations. F.B. 1288, p. 59. 1922.
      regulations. F.B. 1375, p. 54. 1923.
    improvement(s)—
      needs. Y.B., 1914, pp. 84-88. 1915; Y.B. Sep. 633, pp. 84-88. 1915.
      ranges and stock handling. Rpt. 110, pp. 16-21. 1916.
      permanent. For. Cir. 167, p. 12. 1909.
      permanent, nature and cost, 1909. An. Rpts., 1909, pp. 396-397. 1910; For. A.R., 1909, pp. 28-29. 1909.

INDEX TO PUBLICATIONS, 1901-1925 939

Forest(s)—Continued.
 national—continued.
  improvement(s)—continued.
   stations, roads, and trails. D.C. 211, pp. 21-24. 1922.
   value. An. Rpts., 1919, p. 202. 1920 For. A.R., 1919, p. 26. 1919.
  in—
   Arkansas, timber resources. For. Bul. 106, pp. 27-33. 1912.
   Arkansas, timber sales, methods, contracts, and stumpage price. For. Bul. 106, pp. 33-36. 1912.
   California, handbook for campers in. D.C. 185, pp. 48. 1921.
   California, location, areas, description, timber supply, etc. D.C. 185, pp. 4-8. 1921.
   Colorado, directory. O.E.S. Bul 218, p. 6. 1910.
   Colorado, vacation days. For. [Misc.], "Vacation days in Colorado * * *," pp. 60. 1919.
   Idaho, description. O.E.S. Bul. 216, pp. 26-27. 1909.
   Kansas. O.E.S. Bul. 211, p. 11. 1909.
   New Mexico, acreage. O.E.S. Bul. 215, p. 16. 1909.
   Oregon, an ideal vacation land. For. [Misc.], "An ideal vacation * * *," pp. 56. 1923.
   Oregon area, timber and grazing privileges. O.E.S. Bul. 209, pp. 22-23. 1909.
  income from. Off. Rec. vol. 3, No. 7, p. 5. 1924.
  increased—
   acreage by aquisition and exchange. An. Rpts., 1919, p. 25. 1920; Sec. A.R., 1919, p. 27. 1919.
   uses and receipts, 1917. News L., vol. 5, No. 23, p. 4. 1918.
  influence of Clarke-McNary Act. Sec. A.R., 1924, pp. 63-64. 1924.
  investigations. An. Rpts., 1914, pp. 157-160. 1914. For. A.R., 1914, pp. 29-32. 1914.
  key map, with lists. For. [Misc.], L-1, pp. 10-11. 1915.
  killing of undesirable trees, remarks. J.A.R., vol. 31, pp. 267-274. 1925.
  land—
   addition-approval. News L., vol. 7, No. 18, p. 4. 1919.
   additions. Off. Rec., vol. 2, No. 26, p. 3. 1923.
   agricultural and forest, classification and segregation, principles, and procedure governing. For. [Misc.], "Principles and * * *," pp. 23. 1914.
   claims, character, location, quantity, and status. An. Rpts., 1911, pp. 784-786, 889-947. 1912; Sol. A. R., 1911, pp. 28-30, 133-191. 1911.
   claims, character, location, quantity, and status. An. Rpts., 1912, pp. 902-903, 1013-1059. 1913; Sol. A.R., 1912, pp. 18-19, 129-175. 1912.
   classification and elimination. An. Rpts., 1918, pp. 170-172. 1918; For. A.R., 1918, pp. 6-8. 1919.
   classification, changes in areas and lines. An. Rpts., 1917, pp. 167-169. For. A.R., 1917, pp. 5-7. 1917.
   classification, work of Soils Bureau. An. Rpts., 1913, pp. 205-206. 1914; Soils Chief Rpt., 1913, pp. 5-6. 1913.
   consolidation, act. Off. Rec., vol. 1, No. 9. p. 2. 1922.
   exchanges and transfers. Sol. [Misc.], sup. 4, pp. 32-40. 1917.
   laws applicable. Sol. [Misc.], "Laws applicable * * * Agriculture." pp. 18-59. 1913.
   purchase under the Weeks' law. D.C. 313, pp. 1-15. 1924.
   purchase under the Weeks' law in southern Appalachian and White Mountains. For. [Misc.], "Purchase of * * *," pp. 9. 1911; rev., 1921
   selection and classification. Sol. [Misc.], "Laws applicable * * * Agriculture." Sup. 2, pp. 31-32. 1915.

Forest(s)—Continued.
 national—continued.
  land—continued.
   settlement, policy of Agriculture Department, report of Secretary. News L., vol. 3, No. 22, p. 5. 1916.
   special uses, regulations and instructions. For. [Misc.], "The national forest * * *," pp. 35. 1911.
  landscape engineering. Frank A. Waugh. For. [Misc.], "Landscape engineering * * *," pp. 38. 1918.
  larkspur eradication on cattle ranges. F.B. 826, pp. 1-23. 1917.
  laws—
   administration by Solicitor. An. Rpts., 1916, pp. 351-358. 1917; Sol. A.R., 1916, pp. 7-13. 1916.
   administration, decisions. An. Rpts., 1917, pp. 383, 390-396. 1917; Sol. A.R., 1917, pp. 3, 10-16. 1917.
   administration, decisions, etc. An. Rpts., 1918, pp. 398-406. 1918; Sol. A.R., 1918, pp. 6-14. 1918.
   applicable. Sol. [Misc.], "The national * * * manual," pp. 97. 1913.
   applicable, and appropriations 1915. Sol. [Misc.], "Laws applicable * * *," sup. 3, pp. 25-31, 32-37. 1915.
   applicable and appropriations, 1916. Sol. [Misc.], "Laws applicable * * *," sup. 4, pp. 29-48. 1917.
   enforcement in the California District. C. L. Hill and C. V. Brereton. For. [Misc.], "Law enforcement * * *," pp. 107. 1920.
   enforcement in the California District. Paul G. Redington. For. [Misc.], "Law enforcement * * *," pp. 102. 1923.
   for right of way for San Franicisco water supply. Sol. [Misc.], sup. 2, pp. 43-54. 1915.
  legal work—
   An. Rpts., 1920, pp. 581-582, 585-588. 1920.
   handling by solicitor. An. Rpts., 1922, p. 586. 1922; Sol. A.R., 1922, p. 4. 1922.
   Office of Solicitor. An. Rpts., 1919, pp. 472-473, 476-479. 1920; Sol. A.R., 1919, pp. 4-5, 8-11. 1919.
  legislation—
   affecting certain reservations. Sol. [Misc.], "Forestry laws," pp. 15-17. 1916.
   needed for protection. D.C. 112, pp. 9-14. 1920.
  list—
   and map. For. Misc., L-3, pp. 9, folder. 1915.
   by States, with acreage, June 30, 1915. Y.B., 1915, pp. 579-581. 1916; Y.B. Sep. 684, pp. 579-581. 1916.
  location—
   and acreage. For. [Misc.], "National forest areas," pp. 38-40. 1918.
   and acreage, 1911, by States. An. Rpts., 1911, p. 350. 1912; For. A.R., 1911, p. 10. 1911.
   and area, 1907. An. Rpts., 1907, pp. 351-359. 1908.
   and area, July 1, 1908. For. [Misc.], "Location, date * * * national forests," pp. 4. 1908.
   and area, June 30, 1909. For. [Misc.], "Location, date * * * national forests," pp. 4. 1909.
   area, protection, and uses. Sec. A.R., 1914, pp. 39-44. 1914; Y.B., 1914, pp. 53-59, 65-67, 77-82. 1915; Y.B. Sep. 633, pp. 65-67, 77-82. 1915.
   date, and area, Jan. 31, 1913. For. [Misc.], "National forests * * *," pp. 6. 1913; For. [Misc.], "The use book, 1913," pp. 84-88. 1913.
   date of latest proclamation and area. For. [Misc.], "The use * * * forests," pp. 38-42. 1907.
   proclamation and area. For. [Misc.], "Location, date * * * national forests," pp. 4. 1907.
  lodgepole pine, estimated stand, table. D.B 234, pp. 1-2. 1915.

36167°—32——60

Forest(s)—Continued.
  national—continued.
    losses by fires, 1910. An. Rpts., 1911, pp. 365–367. 1912; For. A.R., 1911, pp. 25–27. 1911.
    maintenance and revenue, discussion by Secretary. An. Rpts., 1908, p. 122. 1909; Sec. A.R., 1908, p. 120. 1908.
    management—
      1920. An. Rpts., 1920, pp. 249–251. 1921.
      1925. For. A.R., 1925, pp. 13–21. 1925.
      advance, 1907. Y.B., 1907, p. 568. 1908; Y.B. Sep. 470, p. 568. 1908.
    and permanent improvement. An. Rpts., 1913, pp. 135–181. 1914; For. A.R., 1913, pp. 1–47. 1913.
    and resources. For. A.R., 1921, pp. 18–34. 1921.
    improvement. Y.B., 1907, p. 568. 1908; Y.B. Sep. 470, p. 7. 1908.
    of incense cedar, rotation. D.B. 604, pp. 31–34. 1918.
    timber, range, and recreation. An. Rpts., 1922, pp. 216–238. 1922; For. A.R., 1922, pp. 22–44. 1922.
    timber sales, and grazing. Y.B., 1923, pp. 55–74. 1924.
    Manti, Utah, grazing and flood conditions, study. For. Bul. 91, pp. 1–16. 1911.
    manual—
      grazing section. For. [Misc.], "Grazing section, memorandum * * *," pp. 12. 1914.
      instructions relating to forest plans, extension, investigation, libraries, cooperation, and dendrology. For. [Misc.], "The national * * *," pp. 45. 1911.
      regulations and instructions relating to claims, settlement, and administrative sites. For. [Misc.], "The national * * *," pp. 1–56. 1912.
      regulations and instructions relating to forest products. For. [Misc.], "The national * * *," pp. 47. 1913.
      regulations and instructions relating to general administration of Forest Service and protection and use of national forests For. [Misc.], "The national forest * * *," pp. 87. 1912.
      regulations and instructions relating to grazing of livestock. For. [Misc.], "The national * * *," pp. 100. 1911; rev. 1913.
      regulations and instructions relative to special uses of land. For. [Misc.], "The national * * *," pp. 35. 1911.
      regulations and instructions relating to timber sales, administrative use, timber settlement, and the free use of timber and stone upon national forest lands. For. [Misc.], "The national * * *," pp. 90. 1911.
      regulations and instructions relating to water power, and telephone, telegraph, and power transmission lines. For. [Misc.], "The national * * *," pp. 63. 1913.
      regulations appertaining to trespass. For. [Misc.], "The national * * *," pp. 23. 1911.
    meaning to—
      intermountain region. M.C. 47, pp. 1–21. 1925.
      water users. For. [Misc.], "What the national * * *," pp. 1–52. 1919.
    Mount Hood, Oreg., information for campers, tourists, and hikers. For. [Misc.], "Mount Hood National * * *," map, folder. 1924.
    names, and areas, 1909. An. Rpts., 1909, pp. 372–375. 1910; For. A.R., 1909, pp. 4–7. 1909.
    net area, 1920. An. Rpts., 1920, pp. 225–227. 1921.
    new—
      additions in 1908. Y.B., 1908, p. 539. 1909.
      establishment by President, locations and descriptions. News L., vol. 5, No. 45, p. 1. 1918.
      establishment by President, and location. News L., vol. 5, No. 45, p. 7. 1918.
    number, extent, and location. Off. Rec., vol. 2, No. 24, p. 5. 1923.
    nursery practice on. C. R. Tillotson. D.B. 479, pp. 86. 1917.

Forest(s)—Continued.
  national—continued.
    occupation and use for irrigation canals, decision. Sol. Cir. 69, pp. 1–5. 1913.
    Ochoco, Oreg. For. [Misc.], "Information map * * *," folder. 1922.
    of Alaska—
      acreage, timber yields, and uses. An. Rpts., 1915, pp. 51–52. 1916; Sec. A.R., 1915, pp. 53–54. 1915.
      administration, resources, and needs. For. A.R., 1921, pp. 3–5. 1921.
      road projects. Off. Rec., vol. 1, No. 25, p. 3. 1922.
    of Arizona—
      and New Mexico, grazing effects on yellow pine reproduction. Robert R. Hill. D.B. 580, pp. 27. 1917.
      and New Mexico, yellow pine, conditions. For. Bul. 101, pp. 1–64. 1911.
      description. D.C. 318, pp. 19. 1924.
    of Arkansas—
      and Ozark region, composition and stand. D.B. 244, pp. 6, 31, 46. 1915.
      description. For. Bul. 106, pp. 1–40. 1912.
      location, area, description, timber resources. For. Bul. 106, pp. 27, 29–33. 1912.
    of New Mexico—
      description. D.C. 240, pp. 21. 1922.
      receipts, disposition of. D.C. 240, p. 9. 1922.
    of Northwest, timber stand, estimate. D.B. 738, pp. 1–2. 1918.
    of Northwestern States, reproduction studies. J.A.R., vol. 11, pp. 1–26. 1917.
    of south-central Idaho. For. [Misc.], "The national * * *," folder. 1922.
    of Washington, directory. D.C. 138, p. 2. 1920.
    Olympic—
      resources and management. Findley Burns. For. Bul. 89, pp. 20. 1911.
      topography, drainage, and land classification. For. Bul. 89, pp. 7–8, 9. 1911.
    open road through. John L. Cobbs, jr. Y.B., 1919, pp. 177–188. 1920; Y.B. Sep. 806, pp. 177–188. 1920.
    opening up by road building. O. C. Merrill. Y.B., 1916, pp. 521–529. 1917; Y.B. Sep. 696, pp. 9. 1917.
    operation, laws applicable. Sol. [Misc.], "Laws applicable * * * Agriculture," pp. 14–18. 1913.
    order 23, Pt. IV. For. [Misc.], "National forest order * * *," pp. 20. 1907.
    organic and administrative acts. Sol. Cir. 52, pp. 1–7. 1911.
    organization and employees, details. For. Misc., 0–9, pp. 1–4. 1919.
    origin—
      acreage, eliminations, and acquisitions. An. Rpts., 1923, pp. 300–303. 1924; For. A.R., 1923, pp. 12–15. 1923.
      and administration. D.C. 240, pp. 4, 8–10. 1922.
      and development. Y.B., 1908, pp. 175–176. 1909.
    Ozark, location, area, description, timber resources, freight rates, etc. For. Bul. 106, pp. 27–33. 1912.
    patrolling by airplanes. News L., vol. 6, No. 44, p. 8. 1919.
    permanent improvements—
      1908. An. Rpts., 1908, p. 431. 1909; For. A.R., 1908, p. 27. 1908; Y.B., 1908, pp. 75, 542. 1909.
      1913, cost. An. Rpts., 1913, pp. 135, 176–177. 1914; For. A.R., 1913, pp. 1, 42–43. 1913.
    permits, residence grazing, etc. Y.B., 1924, pp. 1011–1012. 1925.
    photographs of special interest, instructions for taking. For. [Misc.], "Instructions for * * *," p. 1. 1907.
    Pisgah, western North Carolina. For. [Misc.], "The Pisgah * * *," folder. 1924.
    policy—
      1923. An. Rpts., 1923, pp. 289–293. 1924; For. A.R., 1923, pp. 1–5. 1923.
      1924. For. A.R., 1924, pp. 1–4. 1924.
    for protection and conservation. Sec. Cir. 134, pp. 1–14. 1919.

INDEX TO PUBLICATIONS, 1901–1925   941

Forest(s)—Continued.
  national—continued.
    population, resident and transient, 1913. An. Rpts., 1913, p. 159. 1914; For. A.R., 1913, p. 25. 1913.
    protection—
      and cooperative work. An. Rpts., 1922, pp. 209-216. 1923; For. A.R., 1922, pp. 15-22. 1922.
      and improvement, cost, returns. 1907. An. Rpts., 1907, pp. 61-63, 67, 350-354, 359-362, 366-368. 1908; Sec. A.R., 1907, pp. 59-61, 65. 1907; Rpt. 85, pp. 45-46, 48; 1907 and For. A.R. 1908, pp. 10, 19, 26. 1908; Y.B., 1907, pp. 60-62, 66. 1908.
      and improvement, 1913. For. [Misc.], "National forest manual * * *," p. 6-7. 1914.
      cost, and losses by fire. 1915. An. Rpts., 1915, pp. 160, 166-167, 179-180. 1916; For. A.R., 1915, pp. 2, 8-9, 21-22. 1915.
      fire, water supply, and health. D.C. 211, pp. 25-30, 36-38. 1922.
      from fire, insects, and predatory animals. An. Rpts., 1916, pp. 164-166, 172. 1917; For. A.R., 1916, pp. 10-12, 18. 1916.
      from trespass and damages, litigation. An. Rpts., 1910, pp. 875-885. 1911; Sol. A.R., 1910, pp. 89-97. 1910.
      regulations. For. [Misc.], "Use book, 1913," pp. 72-80. 1913.
      work of year. For. A.R., 1921, pp. 12-18, 34. 1921.
    purchase areas in Appalachians, location and acreage. An. Rpts., 1918, pp. 169, 172. 1919; For. A.R., 1918, pp. 5, 8. 1918.
    purchase in Appalachian and White Mountain regions. D.C. 211, pp. 8-9. 1922.
    purchase of land under—
      act of March 1, 1911, the Weeks' law. D.C. 313, pp. 15. 1924; For. [Misc.], "Purchase of * * *," rev., pp. 16. 1921.
      the Weeks Law in southern Appalachian and White Mountains. For. [Misc.], "Purchase of * * *," rev., pp. 13. 1913; rev., pp. 14. 1914.
    purpose, location, history, and administration. For. [Misc.], "Use book, 1913," pp. 13-18. 1913; rev., pp. 9-11. 1915.
    purpose, occupancy, and use. Sol. [Misc.], "Forestry laws * * *," pp. 10-15. 1916.
    range—
      carrying capacity. Y.B., 1916, p. 28. 1917.
      management. An. Rpts., 1916, pp. 169-173, 183-184. 1917; For. A.R., 1916, pp. 15-19, 29-30. 1916.
      management. James T. Jardine and Mark Anderson. D.B. 790, pp. 98. 1919.
      plants, suggestions for collection of specimens. For. [Misc.], "Suggestions * * * collection * * * plants * * *," pp. 30. 1910; rev., pp. 4. 1911.
      problem, studies. D.B. 4, pp. 2-4. 1913.
      protection from overgrazing. D.B. 34, pp. 1-16. 1913.
    receipts—
      1917-1918. News L., vol. 6, No. 4, p. 5. 1918.
      1918, with comparison with 1917. News L., vol. 6, No. 5, p. 11. 1918.
      1924. Off. Rec., vol. 3, No. 40, p. 3. 1924.
      and expenditures—
        1921. For. A.R., 1921, pp. 8-9. 1921.
        1922. An. Rpts., 1922, pp. 204-205. 1923; For. A.R., 1922, pp. 10-11. 1922.
        1923. An. Rpts., 1923, pp. 298-300. 1923; For. A.R., 1923, pp. 10-12. 1923.
      and free use of grazing and timber. An. Rpts., 1908, pp. 416-417, 423. 1909; For. A.R., 1908, pp. 12-13, 19. 1908.
      distribution to States. Off. Rec., vol. 2, No. 41, p. 1. 1923.
      expenses, areas, protection, and management. An. Rpts., 1919, pp. 181-202. 1920; For. A.R., 1919, pp. 5-26. 1919.
      for benefit of schools and roads. For. [Misc.], "National forest receipts * * *," pp. 8. 1916.
      for timber and grazing, 1917. Y.B., 1917, p. 80. 1918.

Forest(s)—Continued.
  national—continued.
    receipts—continued.
      from grazing and timber, 1909. Y.B., 1909, pp. 90, 92, 93, 94. 1910; Sec. A.R., 1909, pp. 90, 92, 93, 94. 1909; Rpt. 91, pp. 63, 64, 65. 1909.
      from various sources, 1916-1921. D.C. 211, p. 30. 1922.
    funds available from national forest receipts. An. Rpts., 1914, pp. 154-155. 1914; For. A.R., 1914, pp. 26-27. 1914.
    increase, details, and disposal. An. Rpts., 1916, pp. 155, 156, 162, 163, 164, 171, 176, 177-178. 1917; For. A.R., 1916, pp. 1, 2, 8, 9, 10, 17, 22, 23-24. 1916.
    per cent used for road building. Y.B., 1919, p. 180. 1920; Y.B. Sep. 806, p. 180. 1920.
    sources and uses. Accts. Chief Rpt., 1923, pp. 2, 4, 5. 1923; An. Rpts., 1923, pp. 508, 510, 511. 1924.
    State funds available from. An. Rpts., 1915, pp. 177-178. 1916; For. A.R., 1915, pp. 19-20. 1915.
    recreational—
      resources. Off. Rec., vol. 3, No. 22, p. 2. 1924.
      uses. Frank A. Waugh. For. [Misc.], "Recreation uses * * * forests," pp. 43. 1918.
    reforestation—
      C. R. Tillotson. D.B. 475, pp. 63. 1917.
      William T. Cox. For. Bul. 98, pp. 57. 1911.
      of denuded lands. D.C. 112, p. 13. 1920.
      of denuded lands, by States. An. Rpts., 1919, p. 189. 1920; For. A.R., 1919, p. 13. 1919.
    regulations—
      and instructions. For. [Misc.], "Use book, 1907," pp. 248. 1907; rev., pp. 109. 1908.
      relation to forest pathology. D.B. 275, pp. 1-63. 1916.
      relation to woodlots. D.B. 481, pp. 28-29. 1917.
    reproduction of western yellow pine. G. A. Pearson. D.B. 1105, pp. 114. 1923.
    research work—
      1916. An. Rpts., 1916, pp. 180-190. 1917; For. A.R., 1916, pp. 26-36. 1916.
      1922. An. Rpts., 1922, pp. 238-247. 1923; For. A.R., 1922, pp. 44-53. 1922.
    reseeding experiments. D.B. 4, pp. 1-34. 1913.
    reserves, public use, control, and protection. Rpt. 83, pp. 45-48. 1906.
    resources. Off. Rec., vol. 4, No. 46, p. 3. 1925.
    Rio Grande, Colo. For. [Misc.], "Rio Grande * * *," folder map. 1922.
    roads—
      and trails, Federal appropriation. News L., vol. 4, No. 4, p. 2. 1916; News L., vol. 6, No. 32, p. 16. 1919.
      and trails, report. An. Rpts., 1922, pp. 232-237. 1923; For. A.R., 1922, pp. 38-43. 1922.
      appropriation. Y.B., 1921, p. 50. 1922; Y.B. Sep. 875, p. 50. 1922.
      building cooperative, regulations. Sec. Cir. 65, pp 13-19. 1916.
      construction, 1915. An. Rpts., 1915, pp. 318-319. 1916; Rds. Chief Rpt., 1915, pp. 6-7. 1915.
      construction progress, 1920, 1921. Rds. Chief Rpt., 1921, pp. 20-24. 1921.
      mileage and cost, by States. An. Rpts., 1919, pp. 409-411. 1920; Rds. Chief Rpt., 1919, pp. 19-21. 1919.
      projects, progress, 1914. An. Rpts., 1914, p. 275. 1914; Rds. Chief Rpt., 1914, p. 7. 1914.
      requirements. Off. Rec., vol. 1, No. 28, p. 5. 1922.
      surveys and construction, 1920. An. Rpts., 1920, pp. 510-515. 1921.
      surveys, construction, and maintenance. An. Rpts., 1916, pp. 333-334. 1917; Rds. Chief Rpt., 1916, pp. 5-6. 1916.
      work by department, 1913-1914. D.B. 284, pp. 54-57. 1915.
    rodent-control methods and cost. An. Rpts., 1913, pp. 223-224. 1914; Biol. Chief. Rpt., 1913, pp. 1-2. 1913.

Forest(s)—Continued.
 national—continued.
  salaries, general expenses, 1915. Sol. [Misc.], "Laws applicable * * * Agriculture," sup. 2, pp. 62–68. 1915.
  saloon keepers, prosecution. An. Rpts., 1910, p. 882. 1911; Sol. A. R. 1910, p. 94. 1019.
  saloon trespass, court opinion, syllabus. Sol. Cir. 40, pp. 11. 1910.
  Santa Rita, Arizona, reseeding of grazing areas. An. Rpts., 1909, p. 330. 1910; B.P.I. Chief Rpt., 1909, p. 84. 1909.
  sheep handling. (In English and Spanish.) For. [Misc.], "The handling * * *," pp. 11. 1920.
  Sierra and Stanislaus, law for land exchange with Yosemite National Park, values. Sol. [Misc.], "Laws applicable * * * Agriculture," Sup. 2, pp. 36–37. 1915.
  Siskiyou, the Oregon Caves. For. [Misc.], "The Oregon * * *." Folder. 1924.
  soil surveys, cooperation of Soils Bureau. An. Rpts., 1912, p. 610. 1913; Soils Chief Rpt., 1912, p. 8. 1912.
  sources of domestic water supply. News L., vol. 6, No. 32, p. 10. 1919.
  southern Appalachians, description. For. [Misc.], "The national forests of the southern Appalachians," pp. 22, 1923.
  special privileges. For. [Misc.], "Use book," pp. 61–71. 1906; rev. pp. 127–140. 1915.
  special uses. An. Rpts., 1914, pp. 152–153. 1914; For. A.R., 1914, pp. 24–25. 1914; For. Cir. 167, pp. 11–12. 1909.
  statement on turpentining by W. G. Greeley. D.B. 1064, p. 39. 1922.
  statistics—
   1915, timber, area, and grazing allowance. Y.B., 1915, pp. 579–584. 1916; Y.B., Sep. 648, pp. 579–584. 1916.
   1916, timber, grazing, areas. Y.B., 1916, pp. 700–705. 1917; Y.B. Sep. 721, pp. 42–47. 1917.
   1918, area, timber, grazing, etc. Y.B., 1918, pp. 716–721. 1919; Y.B. Sep. 795, pp. 52–57. 1919.
   1919, area, revenue. Y.B., 1919, pp. 749–755. 1920; Y.B. Sep. 830, pp. 749–755. 1920.
   1920, timber, grazing, revenues and areas. Y.B., 1920, pp. 35–40. 1921; Y.B. Sep. 865, pp. 35–40. 1921.
  stumpage appraisal, instructions. For. [Misc.], "Instructions for appraising * * *," pp. 70. 1914; rev. pp 73. 1922.
  sugar pine and other timber, sales, and stumpage value. D.B. 426, p. 24. 1916.
  summer camps, leasing to permanent renters, areas, description, and location. Forestry [Misc.], "Recreation uses * * * forests," pp.7–21 1918.
  telephone—
   construction and maintenance. For. [Misc.], "Telephone construction, * * *," pp. 83. 1915.
   lines, building and maintenance, instructions. For. [Misc.], "Instructions * * * telephone lines * * *," pp. 23. 1909.
   lines, building directions and specifications. For. [Misc.], "Directions and * * *," pp. 10. 1907.
   system, construction and maintenance, handbook. For. [Misc.], "Handbook on * * *," pp. 126. 1925.
  term occupancy permits, instructions regarding. Henry S. Graves. For. [Misc.], "Instructions regarding term * * *," p. 4. 1915.
  timber—
   by species. Y.B., 1922, pp. 946–947. 1923; Y.B. Sep. 887, pp. 946–947. 1923.
   cut and sales, 1911. An. Rpts., 1911, pp. 95–97. 1912; Sec. A.R., 1911, pp. 93–95. 1911; Y.B., 1911, pp. 93–95. 1912.
   for the small operator. William B. Greeley. Y.B., 1912, pp. 405–416. 1913; Y.B. Sep. 602, pp. 405–416. 1913.
   minerals, etc., provisions. Sol. [Misc.], "Laws applicable * * * Agriculture," sup. 4, pp. 30–31. 1917.

Forest(s)—Continued.
 national—continued.
  timber sales—
   1924. Y.B., 1924, p. 1013. 1925.
   amount and value, 1917. News L., vol. 5, No. 22, p. 6. 1917.
   and free use. An. Rpts., 1916, pp. 155–156, 161–164. 1917; For. A.R., 1916, pp. 1–2, 7–10. 1916.
   benefit to countries. News L., vol. 1, No. 3, p. 2. 1913.
   business aspect. T. D. Woodbury. Y.B., 1911, pp. 363–370. 1912; Y.B. Sep. 575, pp. 363–370. 1912.
   procedure. D.B. 950, pp. 22–38. 1921.
  timber scaling and measurement instructions. For. Misc., S–19, pp. 91. 1915.
  timber, selling plan. Off. Rec., vol. 3, No. 24, p. 5. 1924.
  timber, stand—
   1908 growth, and consumption. An. Rpts., 1908 pp. 418–420. 1909; For. A.R., 1908, pp. 14–16. 1908.
   1910 cut of year, sales. An. Rpts., 1910, pp. 86–87, 95–96, 375–379, 380–386. 1911; Sec. A.R., 1910, pp. 86–87, 95–96. 1910; For. A.R., 1910, pp. 15–19, 20–26. 1910; Rpt. 93, pp. 59–60, 63–64. 1911; Y.B., 1910, pp. 86, 94–95. 1911.
   June 30, 1922, estimates. Y.B., 1922, pp. 944–946. 1923; Y.B. Sep. 889, pp. 944–946. 1923.
   1923. Y.B., 1923, pp. 1054–1058. 1924; Y.B., Sep. 904, pp. 1054–1058. 1924.
  timber surveys, instructions. For. [Misc.], "Instructions for * * *," pp. 53. 1917.
  timber surveys, instructions for making. For. Misc., S–23, pp. 53. 1917.
  trail construction. For. Misc., O–6, pp. 69. 1915.
  transfer of lands. Off. Rec., vol. 2, No. 24, p. 4 1923.
  trespass—
   cases, prosecution. An. Rpts., 1913, pp. 300, 311–313. 1914; For. [Misc.], "Field program, Jan., 1911," pp. 92–93. 1911. Sol. A.R., 1913, pp. 2, 13–15. 1913.
   in District 1. P. J. O'Brien. For. [Misc.], "Trespass on * * *," pp. 125. 1922.
   laws and decisions. Sol. [Misc.], "Laws * * * forests," pp. 102–118. 1916.
   laws, digest. For. [Misc.], "Trespass on national * * *," pp. 125. 1922; rev., pp. 88. 1925.
   prosecutions. An. Rpts., 1912, pp. 33, 254–255. 1913; Sec. A.R., 1912, pp. 33, 254–255. 1912; Y.B., 1912, pp. 33, 254–255. 1913.
   regulations, manual. For. [Misc.], "The national forest manual," pp. 23. 1911.
  turpentining experiments. An. Rpts., 1912, p. 238. 1913; Sec. A.R., 1912, p. 238. 1912; Y.B., 1912, p. 238. 1913.
  use, and—
   administrative policies. For. [Misc.], "A manual of information * * *," pp. 27–36. 1918.
   grazing fees. An. Rpts., 1920, pp. 234–238. 1921.
   receipts. For. Misc., F–1, pp. 5–9, 16. 1916.
   value to farmers. Y.B., 1914, pp. 65–88. 1915; Y.B. Sep. 633, pp. 65–88. 1915.
  use as—
   fur-animal preserves, administration. D.C. 135, p. 10. 1920.
   vacation land. News L., vol. 6, No. 51, p. 7. 1919.
  use book, regulations and instructions—
   For. [Misc.], "Use book—Administrative edition," pp. 341. 1908.
   for use of national forest reserves. For. [Misc.], "Use book," pp. 208. 1906.
  use by public, increase 1908. Y.B., 1908, p. 540. 1909.
  use for—
   grazing. M.C. 47, pp. 12–14. 1925.
   homesteads, recreation, grazing. D.C. 211, pp. 9–21. 1922.
  use in 1913. For. [Misc.] "The use book," pp. 5–6. 1914.

INDEX TO PUBLICATIONS, 1901-1925   943

Forest(s)—Continued.
 national—continued.
  use, objects, laws, officers, and administration. For. [Misc.], "The use * * * forests," pp. 42. 1907.
  use of—
   dead timber in. E. R. Hodson. For. Cir. 113, pp. 4. 1907.
   reserves, regulations and instructions. For. [Misc.], "Use of national * * *," pp. 142. 1905.
   resources. An. Rpts., 1912, pp. 234-242. 1913; Sec. A.R., 1912, pp. 234-242. 1912; Y.B., 1912, pp. 234-242. 1913.
  use, preferences and conditions governing, Reg. G-15. For. [Misc.], "The use book, 1921," pp. 43-48. 1922.
  use, regulations and instructions. For. [Misc.], "The use book," pp. 84. 1910.
  utilization—
   of paper-making resources. News L., vol. 4, No. 34, p. 2. 1917.
   planting and protection. D.B. 426, pp. 33-35. 1916.
  vacation—
   For. [Misc.], "Spend your * * *," folder. 1919; For. [Misc.], "Vacation in the * * *," folder. 1924.
   uses. News L., vol. 7, No. 6, p. 1. 1919.
   vistas, Rocky Mountain quadrangle, map and scenes. For. [Misc.], "Vacation vistas * * *," folder. 1920.
  value of tree covers in checking soil erosion. For. [Misc.], "Forestry and agriculture," pp. 9, 14-15. 1919.
  water—
   improvement projects. F.B. 592, p. 2. 1914.
   power development. News L., vol. 1, No. 4, pp. 1-2. 1913.
   power, regulations and instructions. For. [Misc.], "The national forest manual," pp. 86. 1911.
  western—
   reforestation, work of forest experiment stations. Sec. Cir. 183, pp. 5-6. 1921.
   South Dakota. Soil Sur. Adv. Sh., 1909, pp. 10-11. 1911; Soils F.O., 1909, pp. 1406-1407. 1912.
  wild life studies. Biol. Chief Rpt., 1921, p. 19. 1921.
  with related projects and data, base map, July 1, 1908. For. [Misc.], "National forests with related * * *," pp. 4. 1908.
  wolves and coyotes, destruction, 1907. Biol. Cir. 63, pp. 5-7. 1908.
  work of Roads Office, 1915. News L., vol. 4, No. 19, p. 3. 1916.
  yellow pine, management, cutting, and marking. For. Bul. 101, pp. 47-60. 1911.
 neglect in United States. Sec. Cir. 129, pp. 6-8. 1919.
 non-European countries, extent and per cent of land area. For. Bul. 83, pp. 7-9. 1910.
 North American—
  attack by Dendroctonus beetles. Ent. Bul. 83, Pt. I, pp. 80-102. 1909.
  insect depredations, and control methods. Ent. Bul. 58, pp. 57-101. 1910.
 northern—
  area and stand. For. Cir. 166, pp. 3-5, 6. 1909.
  hardwood, its composition, growth, and management. E. H. Frothingham. D.B. 285, pp. 80. 1915.
  topography, soils and climate. D.B. 285, pp. 2-5. 1915.
 northwestern, mistletoe injury to conifers. D.B. 360, pp. 1-39. 1916.
 nursery(ies)—
  Columbia National Forest. D.C. 138, p. 14. 1920.
  exhibit at Louisiana Purchase Exposition. For. Cir. 31, pp. 7. 1904.
  for schools. Walter M. Moore and Edwin R. Jackson. F.B. 423, pp. 24. 1910.
  number and location. Off. Rec., vol. 3, No. 5, p. 5. 1924.
  operations, costs. D.B. 479, p. 86. 1917; For. Bul. 121, pp. 27-35. 1913.
  planting and care. For. Cir. 61, rev., p. 3. 1907.

Forest(s)—Continued.
 nursery(ies)—continued.
  protection from Peridermium. D.B. 212, pp. 6-7. 1915.
  sanitation. D.B. 1112, p. 33. 1922.
  stock, free distribution. An. Rpts., 1913, p. 164. 1914; For. A.R., 1913, p. 30. 1913.
 of—
  Alaska. R. S. Kellogg. For. Bul. 81, pp. 24. 1910.
  Allegheny Mountains, problems and needs. Sec. Cir. 183, pp. 24-26. 1921.
  Appalachian Mountains—
   conditions, and need of experiment stations. Sec. Cir. 183, pp. 26-27. 1921.
   use of lands by public. D.C. 313, p. 2. 1924.
  Hawaiian Islands. William L. Hall. For. Bul. 48, pp. 29. 1904.
  Pacific coast, tannin sources, analyses of barks. For. Bul. 75, p. 22. 1911.
  Porto Rico, past, present, and future, and their physical and economic environment. Louis S. Murphy. D.B. 354, pp. 99. 1916.
  United States, use. Overton W. Price and others. For. Cir. 171, pp. 25. 1909.
 officers—
  and employees, qualifications, duties and authority. For. [Misc.], "Use book, 1913," pp. 16-18. 1913.
  authority to arrest for violation of law. Sol. [Misc.], "Laws * * * forest." p. 110. 1916.
  commission as deputy game wardens in States. An. Rpts., 1914, p. 151. 1914; For. A.R., 1914, p. 23. 1914.
  consultations with public. D.C. 193, pp. 29-30. 1921.
  law-enforcement duties. For. [Misc.], "Trespass on national * * *," pp. 57, 69, 70, 78. 1922.
  manual of procedure in use of National Forests. For.]Misc.], "The use book, 1910," pp. 1-84. 1910.
  qualifications and duties. D.C. 211, pp. 31-34. 1922; For. [Misc.], "Use book," 1915, rev., pp. 14-17. 1915.
  State, assistance to farmers in tree planting. Y.B., 1911, pp. 257, 268. 1912; Y.B. Sep. 566, pp. 257, 268. 1912.
  West Virginia, duties. For. Law Leaf. 22, pp. 2-4. 1917.
  work, and numbers. For. Cir. 167, pp. 5-6. 1909.
 open "parks", occurrence. Off. Rec., vol. 2, No. 37, p. 5. 1923.
 original and present, area. For. [Misc.], "Timber depletion * * * ," pp. 31-35. 1920.
 owners, assistance of Forest Service. For. Cir. 203, pp. 8. 1912.
 owners cooperation with Forest Service. An. Rpts., 1911, pp. 402-404. 1912. For. A.R., 1911, pp. 62-64. 1911.
 ownership—
  improvement of conditions. Rpt. 114, pp. 83-88, 99-100. 1917.
  United States. For. Cir. 166, pp. 12-13. 1909.
 pathology in forest regulation. E. P. Meinecke. D.B. 275, pp. 63. 1916.
 phenology, scope and limitations. D.B. 1059, pp. 168-169, 170. 1922.
 photographs, directions for taking. For. [Misc.], "Directions for * * * ," pp. 4. 1906.
 Pike National, Colorado, law for. Sol. [Misc.], "Laws applicable * * * forests," sup. 2, pp. 35-36. 1915.
 plantations—
  cultivation, thinning, pruning, and protection. F.B. 888, pp. 19-23. 1917.
  eastern Nebraska, cost and yield, different trees. For. Cir. 45, pp. 8-32. 1906.
  enemies, fire, insects, birds, and rodents, control. For. Bul. 121, pp. 45-46. 1913.
  establishment and care, directions. D.B. 153, pp. 6-21. 1915.
  Illinois, examination, number, area, and value. For. Cir. 81, rev., pp. 6-8. 1910.
  mixed species recommended, Great Plains. F.B. 888, pp. 13-15. 1917.
  prairies and plains, care and treatment. For. Bul. 65, pp. 9-12. 1905.

Forest(s)—Continued.
plantations—continued.
semiarid plains, cultivation and care. For. Cir. 54, pp. 1-4. 1907.
planters in Plains region, advice. Seward D. Smith. F.B. 888, pp. 23. 1917.
planting—
and farm management. George L. Clothier. F.B. 228, pp. 22. 1905; Y.B., 1904, pp. 255-270. 1905; Y.B. Sep. 345, pp. 255-270. 1905.
application for examination of lands, blank form. For. Cir. 203, p. 7. 1912.
cooperative work. An. Rpts., 1906, pp. 291-294. 1907.
cost per acre. D.B. 1264, p. 45. 1925.
crews, organization, supervision, and equipment. D.B. 475, pp. 39-46, 48. 1917.
European larch. For. Cir. 70, pp. 1-3. 1907.
failures, causes and prevention. D.B. 475, pp. 46-53. 1917.
farmstead, special features. F.B. 228, pp. 18-20. 1905.
growing young trees, directions. E. A. Sterling. Y.B., 1905, pp. 183-192. 1906; Y.B. Sep. 376, pp. 183-192. 1906.
in—
eastern Nebraska. Frank G. Miller. For. Cir. 45, pp. 32. 1906.
eastern United States. C. R. Tillotson. D.B., 153, pp. 38. 1915.
France, results. F.B. 1256, pp. 27, 33. 1922.
Hawaii, black wattle for tan bark and fire wood. Hawaii Bul. 11, p. 8, 1905.
Illinois. R. S. Kellogg. For. Cir. 81, pp. 32. 1907; rev., 1910.
intermountain region. C. F. Korstian and F. S. Baker. D.B. 1264, pp. 57. 1925.
Louisiana, suggestions. For. Bul. 114, pp. 35, 37. 1912.
national forests. An. Rpts., 1908, p. 80. 1909; Sec. A.R., 1908, p. 78. 1908.
North Platte and South Platte Valleys. Frank G. Miller. For. Cir. 109, pp. 20. 1907.
Northeastern and Lake States. For. Cir. 195, pp. 15. 1912.
Northeastern and Lake States, suggestions. For. Cir. 100, pp. 15. 1907.
Plains region, advice. Seward D. Smith. F.B. 888, pp. 23. 1917.
sand-hill region of Nebraska, species suitable for planting. For. Cir. 37, pp. 5. 1903.
semiarid plains, suggestions for. For. Cir. 99, pp. 15. 1907.
United States, practicability. William L. Hall. Y.B., 1902, pp. 133-144. 1903; Y.B. Sep. 270, pp. 133-144. 1903.
western Kansas. Royal S. Kellogg. For. Bul. 52, pp. 52. 1904; For. Cir. 161, pp. 51. 1909.
western Pennsylvania, on coal lands. S. N. Spring. For. Cir. 41, pp. 16. 1906.
woodlots, exhibit at the Louisiana Purchase Exposition. For. Cir. 30, pp. 11. 1904.
injuries by rabbits. Y.B., 1907, p. 333. 1908; Y.B. Sep. 452, p. 333. 1908.
needs, private and public lands. F.B. 228, pp. 8-10. 1905; For. Cir. 171, p. 12. 1909.
on farms. D.C. 345, pp. 3-6. 1925.
on northern prairies. James M. Fetherolf. For. Cir. 145, pp. 28. 1908.
operations, nurseries, and seedlings. Y.B., 1907, pp. 287-288. 1908; Y.B. Sep. 466, pp. 287-288. 1908.
opportunities for the farmer. Allen S. Peck. Y.B., 1909, pp. 333-344. 1910; Y.B. Sep. 517, pp. 333-344. 1910.
practical application of plan. F.B. 228, pp. 11-14. 1905.
practice and purpose, successful methods. Y.B., 1911, pp. 257-259, 262-263. 1912; Y.B. Sep. 566, pp. 257-259, 262-263. 1912.
preparation of plan. F.B. 228, p. 10. 1905.
reclamation of flood-damaged lands in the Kansas River Valley. George L. Clothier. For. Cir. 27, pp. 5. 1904.
reserves, private, cooperative. Rpt. 83, pp. 50-51. 1906.
species recommended for New England and Lake States. For. Cir. 100, pp. 9-15. 1907.

Forest(s)—Continued.
planting—continued.
stock, sources. F.B. 1123, p. 17. 1921.
total area, and agencies, tables. Y.B., 1922, p. 941. 1923; Y.B. Sep. 889, p. 941. 1923.
white willow. For. Cir. 87, pp. 1-3. 1907.
policy—
for agricultural land, timber, sales, mining, and grazing. D.C. 198, pp. 9-18. 1921.
national, remedy for timber depletion, suggestions. D.C. 112, pp. 9-16. 1920.
preservation—
and national prosperity, portions of addresses by President Roosevelt, Ambassador Jusserand, Secretary Wilson, and others. For. Cir. 35, pp. 31. 1905.
for control of streamflow, importance. D.C. 100, p. 21. 1921.
prevalence in Canal Zone. Rpt. 95, pp. 20-21. 1912.
private—
duty of owners in preserving forests and avoiding waste. For. Cir. 171, pp. 14-21. 1909.
importance, and suggested program for protection. Sec. Cir. 129, pp. 3, 9-11. 1919.
owners, cooperation with Government. Y.B., 1921, p. 54. 1922; Y.B. Sep. 875, p. 54. 1922.
ownership, profits and obligations of owners. Y.B., 1922, pp. 140-144, 166-172, 173-177. 1923; Y.B. Sep. 886, pp. 140-144, 166-172, 173-177. 1923.
ownership, status. An. Rpts., 1923, pp. 68, 69, 70, 71, 291-292, 312, 313. 1924; For. A.R., 1923, pp. 3-4, 24, 25. 1923; Sec. A.R., 1923, pp. 68, 69, 70, 71. 1923.
reforestation, legislation needed. D.C. 112, p. 15. 1920.
safeguarding and perpetuation. Sec. Cir. 148, pp. 5-9. 1919.
stumpage estimate. For. Cir. 166, p. 13. 1909.
problem(s)—
For. [Misc.], "Our forest * * *," pp. 4. 1919.
discussion by Secretary. An. Rpts., 1922, pp. 29-33. 1923; Sec. A.R., 1922, pp. 29-33. 1922.
relationship to activities of various Bureaus. An. Rpts., 1916, p. 45. 1917; Sec. A.R., 1916, p. 47. 1916.
production—
annually, and rates of growth. For. Cir. 171, pp. 7-8, 25. 1909.
methods, and profits. D.B. 638, pp. 25-28. 1918.
productivity, methods of increasing. E. E. Carter. For. Cir. 172, pp. 16. 1909.
products—
and forestry. J. A. Becker and others. Y.B., 1923, pp. 1050-1092. 1924; Y.B. Sep. 904, pp. 1050-1092. 1924.
annual consumption in United States, diagram. For. Cir. 181, p. 3. 1910.
annual exports, demand and production. An. Rpts., 1912, pp. 59, 232. 1913; Sec. A.R., 1912, pp. 59, 232. 1912; Y.B., 1912, pp. 59, 232. 1913.
annual output, by States and sections. For. Cir, 97, pp. 3-5. 1907.
association organization, recommendations. F.B. 1100, pp. 4-13. 1920; M.C. 39, pp. 69-72. 1925.
classes and value, 1907. For. Cir. 166, pp. 14-23. 1909.
classes damaged by powder post. F.B. 778, p. 4. 1917.
committee on organization for utilization. M.C. 39, p. 69. 1925.
conference, purpose and membership. M.C. 39, pp. 1-2, 5-6, 75-83. 1925. 44
Connecticut, market values, and uses. For. Bul. 96, pp. 15-19. 1912.
conservation, importance to national forests. D.B. 1231, p. 1. 1924.
consumption—
per capita by countries. Y.B., 1923, pp. 483-487. 1924; Y.B. Sep. 896, pp. 483-487. 1924.
statistics, studies. An. Rpts., 1910, p. 417. 1911; For. A.R., 1910, p. 57. 1910.
cooperative marketing associations, effect on community development. F.B. 1100, pp. 14-15. 1920.

INDEX TO PUBLICATIONS, 1901–1925   945

Forest(s)—Continued.
products—continued.
  drying, preservation and manufactures. An. Rpts., 1917, pp. 195-197. 1917; For. A.R., 1917, pp. 33-35. 1917.
  exports—
    1851-1909. Stat. Bul. 83, p. 12. 1910.
    1893-1903. An. Rpts., 1903, pp. 449-450. 1903.
    1902-1904. Stat. Bul. 36, pp. 1-108. 1905.
    1904-1906. Stat. Bul. 53, pp. 1-68. 1907.
    1904-1908. For. Cir. 162, pp. 3-4. 1909.
    1905-1907, and countries to which consigned, Stat. Bul. 71, pp. 10, 12, 13, 16, 19, 22 25, 26, 27, 29, 67-78. 1909.
    1906-1908, value by grand divisions, and by countries. Stat. Bul. 77, pp. 12, 14. 1910.
    1907-1909, by countries to which consigned. Stat. Bul. 83, pp. 1-100. 1910.
    1907-1909, value by countries to which consigned. Stat. Bul. 83, pp. 14-15, 16. 1910.
    1908. For. Cir. 162, pp. 3-19. 1909.
    1908-1910, by countries to which consigned. Stat. Bul. 91, pp. 1-96. 1911.
    1909-1911, by countries to which consigned. Stat. Bul. 96, pp. 1-100. 1912.
    1910-1914. News L., vol. 3, No. 13, p. 3. 1915.
    1913-1915, value. Y. B., 1915, p. 555. 1916; Y. B. Sep. 685, p. 555. 1916.
    1914-1917, destination. Y.B., 1917, pp. 793-794. 1918; Y.B. Sep. 762, pp. 37-38. 1918.
    1915-1917 and 1852-1917. Y.B., 1917, pp. 769-771, 784. 1918; Y.B. Sep. 762, pp. 13-15, 28. 1918.
    1917-1919, 1910-1919. Y.B., 1920, pp. 13-15, 38-39. 1921; Y.B. Sep. 864, pp. 13-15 38-39. 1921.
    1918-1919, by groups. Y.B., 1920, pp. 20-21. 1921; Y.B. Sep. 864, pp. 20-21. 1921.
    1922-1924. Y.B., 1924, pp. 1047-1049. 1925.
  exports and imports—
    1852-1919. Stat. Bul. 51, pp. 16-31. 1909; Y.B., 1920, pp. 27-29. 1921; Y.B. Sep. 864, pp. 27-29. 1921.
    1852-1921. Y.B., 1922, p. 968. 1923; Y.B. Sep. 880, p. 968. 1923.
    1903-1907. Y.B., 1907, pp. 739-741, 749-751. 1908; Y.B. Sep. 465, 739-741, 749-751. 1908.
    1904-1908, 1851-1908. Y.B., 1908, pp. 755, 766-767, 781-784. 1909; Y.B. Sep. 498, pp. 755, 766-767, 781-784. 1909.
    1906. R. S. Kellogg. For. Cir. 110, pp. 28. 1907.
    1906-1910 and 1851-1910. Y.B., 1910, pp. 656-659, 667-669, 684-687. 1911; Y.B. Sep. 553, pp. 656-659, 667-669, 684-687. 1911; Y.B. Sep. 554. pp. 684-687. 1911.
    1907. A. H. Pierson. For. Cir. 153, pp. 26. 1908; Y.B., 1907, p. 21. 1908.
    1907-1911 and 1851-1911. Y.B., 1911, pp. 659-662, 670-671, 688-691. 1912; Y.B. Sep. 588, pp. 659-662, 670-671, 688-691. 1912.
    1908. A. H. Pierson. For. Cir. 162, pp. 29. 1909.
    1908-1912 and 1851-1912. Y.B., 1912, pp. 661-663, 665, 716-719, 729-730, 746-750. 1913; Y.B. Sep. 615, pp. 661-663, 665, 716-719, 729-730, 746-750. 1913.
    1910, different countries. For. Bul. 83, pp. 73-88. 1910.
    1911-1913 and 1852-1913. Y.B., 1913, pp. 495-496, 502-504, 512-513. 1914; Y.B. Sep. 361, pp. 495-496, 502-504, 512-513. 1914.
    1912, discussion by Secretary. An. Rpts., 1912, p. 24. 1913; Sec. A.R., 1912, p. 24. 1912; Y.B., 1912, p. 24. 1913.
    1912-1914 and other dates. Y.B., 1914, pp. 653-655, 661-662, 672-673, 681-682, 687. 1915; Y.B. Sep. 657, pp. 653-655, 661-662, 672-673, 681-682, 687. 1915.
    1913-1915 and 1852-1915. Y.B., 1915, pp. 542-544, 549-551, 555, 560-562, 575. 1916; Y.B. Sep. 685, pp. 542-551, 555, 560-562, 575. 1916.
    1914-1916 and 1852-1916. Y.B., 1916, pp. 709, 716, 722, 736, 742. 1917; Y.B. Sep. 722, pp. 3, 10, 16, 30, 36. 1917.

Forest(s)—Continued.
products—continued.
  exports and imports—continued.
    1915-1917 and 1852-1917. Y.B., 1917, pp. 762-763, 769-771, 784, 785. 1918; Y.B. Sep. 762, pp. 6-7, 13-15, 28, 29. 1918.
    1918. Y.B., 1918, pp. 629, 637, 643, 649-651, 659, 665. 1919; Y.B. Sep. 794, pp. 5, 13, 19, 25-27, 35, 41. 1919.
    1919. Y.B., 1919, pp. 684-721. 1920; Y.B. Sep. 829, pp. 684-721. 1920.
  exports—
    domestic and foreign, 1851-1908. Stat. Bul. 77, p. 12. 1910.
    per capita, 1851-1908. Stat. Bul. 51, pp. 7-8. 1909.
    statistics. Y.B., 1921, pp. 745-746, 749, 756, 762-763, 769. 1922; Y.B. Sep. 876, pp. 9-10, 13, 20, 26-27, 33. 1922.
    statistics, 1901-1903. Stat. Bul. 32, pp. 100. 1905.
  foreign trade—
    (with farm products). Perry Elliott. D.B. 296, pp. 51. 1915.
    1851-1908. An. Rpts., 1908, pp. 18-19. 1909; Sec. A.R., 1908, pp. 16-17. 1908.
    1852-1915. Y.B., 1915, p. 560. 1916; Y.B. Sep. 685, p. 560. 1916.
    1852-1921. Y.B., 1922, p. 982. 1923; Y.B. Sep. 880, p. 982. 1923.
    1903. Stat. Cir. 15, pp. 1-20. 1903.
    1904, statistics. Stat. Cir. 16, pp. 1-19. 1905.
    1908 and since 1851. Rpt. 87, pp. 8-10. 1908.
    1909, summary. Sec. A.R., 1909, p. 15. 1909. Rpt. 91, p. 10. 1909; Y.B., 1909, p. 15. 1910.
    land requirements. Y.B., 1923, pp. 460-461. 1924; Y.B. Sep. 896, pp. 460-461. 1924.
    of the United States, 1851-1908. Stat. Bul. 51, pp. 32. 1909.
    study by Statistics Bureau. An Rpts., 1910, p. 701. 1911; Stat. Chief Rpt., 1910, p. 11. 1910.
  important countries consigning. Stat. Bul. 35, pp. 15-17. 1905.
  imports—
    1851-1908, per capita. Stat. Bul. 51, pp. 9-11. 1909.
    1851-1910, values by years. Stat. Bul. 82, p. 10. 1910; Stat. Bul. 90, p. 10. 1911.
    1901-1903, statistics. Stat. Bul. 31, pp. 1-66. 1905.
    1902-1904 (with farm products). Stat. Bul. 35, pp. 7-35. 1905.
    1902-1904 (with farm products) by countries. Stat. Bul. 35, pp. 1-82. 1905.
    1903-1905. Stat. Bul. 45, pp. 1-62. 1906.
    1904-1906. Stat. Bul. 52, pp. 1-58. 1907.
    1904-1908. For. Cir. 162, pp. 19-21. 1909.
    1905-1907. Stat. Bul. 70, pp. 1-62. 1909.
    1906-1908, by countries. Stat. Bul. 76, pp. 1-65. 1909.
    1907-1909 (with farm products), by countries from which consigned. Stat. Bul. 82, pp. 74. 1910.
    1908. For. Cir. 162, pp. 19-29. 1909.
    1908-1910 (with farm products), by countries from which consigned. Stat. Bul. 90, pp. 80. 1911.
    1909-1911 (with farm products), by countries from which consigned. Stat. Bul. 95, pp. 83. 1912.
    1910-1914. News L., vol. 3, No. 13, p. 3. 1915.
    1914-1917, country of origin. Y.B., 1917, p. 799. 1918; Y.B. Sep. 762, p. 43. 1918.
    1917-1919, 1910-1919. Y.B., 1920, pp. 5-7, 44. 1921; Y.B. Sep. 864, pp. 5-7, 44. 1921.
    1919-1921. Y.B., 1922, pp. 951-952, 961. 1923; Y.B. Sep. 880, pp. 951-952, 961. 1923.
    1921, statistics. Y.B., 1921, pp. 739-740, 749, 756, 768. 1922; Y.B. Sep. 867, pp. 3-4, 13, 20, 32. 1922.
    1922-1924. Y.B., 1924, pp. 1067-1068. 1925.
  improvement of quality, methods. For. Cir. 172, pp. 12-15. 1909.
  injuries by—
    round-headed borers. J. L. Webb. Y.B., 1910, pp. 341-358. 1911; Y.B. Sep. 542, pp 341-358. 1911.

Forest(s)—Continued.
　products—continued.
　　injuries by—continued.
　　　white ants. Ent. Bul. 94, Pt. II, pp. 13, 22–25, 75–76. 1915.
　　insect(s)—
　　　enemies, exhibits, Louisiana Purchase Exposition, 1904, catalogue. A. D. Hopkins. Ent. Bul. 48, pp. 56. 1904.
　　　injuries. A. D. Hopkins. Ent. Cir. 128, pp. 9. 1910; Ent. Bul. 58, pp. 64–67. 1910; Ent. Bul. 58, Pt. V, pp. 64–67. 1909; Y.B., 1904, pp. 381–398. 1905; Y.B. Sep. 355, pp. 381–398. 1905.
　　　.njurious, 1908. Y.B., 1908, pp. 574–575. 1909; Y.B. Sep. 449, pp. 574, 575. 1909.
　　　inspection, value in gipsy-moth control. Ent. Bul. 87, pp. 57–60. 1910.
　　investigation(s)—
　　　for war emergency. Y.B., 1917, pp. 50, 82. 1918.
　　　work. For. Cir. 207, pp. 10–11. 1912.
　　　work of department. Rpt. 83, pp. 51–52. 1906.
　　logs, lumber, and wood, value, 1917. News L., vol. 5, No. 35, p. 6. 1918.
　　national conference, report adopted. M.C. 39, pp. 69–72. 1925.
　　of—
　　　Arizona, production, and value. O.E.S. Bul. 235, p. 22. 1911.
　　　economic importance, chemical studies of. William H. Krug. Y.B., 1902, p. 321–332. 1903; Y.B. Sep. 276, pp. 321–332. 1903.
　　　Missouri, Cape Girardeau County, value, 1910. Soil Sur. Adv. Sh., 1910, p. 13. 1912; Soils F.O., 1910, p. 1226. 1912.
　　　United States, 1905. R. S. Kellogg and H. M. Hale. For. Bul. 74, pp. 69. 1907.
　　　United States, 1906. For. Bul. 77, pp. 99. 1908.
　　organization activities, recommendations. M.C. 39, pp. 70–72. 1925.
　　practical assistance to users. For. Cir. 28. pp. 2. 1904.
　　preservation from insect injury. Ent. Cir. 128, pp. 4–5. 1910.
　　production and value, leading States, 1909. Y.B., 1914, p. 646. 1915; Y.B. Sep. 656, p. 646. 1915.
　　quarantine restrictions. F.H.B., S.R.A. 18, pp. 51–52. 1915.
　　railroads, relation. For. Cir. 35, pp. 11, 15–17. 1905.
　　research—
　　　laboratory, Madison, Wis. D.C. 211, pp. 39–40. 1922.
　　　work, 1925. For. A.R., 1925, pp. 48–49. 1925.
　　sales, amounts paid to States and territories. An. Rpts., 1907, p. 356. 1908.
　　shipments to and from noncontiguous possessions—
　　　1901–1908. Stat. Bul. 77, pp. 20, 23, 26, 30, 33, 34. 1910.
　　　1901–1911. Stat. Bul. 96, p. 21. 1912.
　　　1907–1909. Stat. Bul. 83, pp. 20, 21, 25, 29, 33, 34, 37. 1910.
　　　1908–1910. Stat. Bul. 91, pp. 20, 21, 25, 29, 33, 36, 37. 1911.
　　statistics, 1924. Y.B., 1924, pp. 1013–1040. 1925.
　　tariff provisions. For. Cir. 153, pp. 17–18. 1907.
　　trade—
　　　1903–1905. Stat. Bul. 45, pp. 1–45. 1906.
　　　1904–1906. Stat. Bul. 54, pp. 1–40. 1907.
　　　1908, and 1851–1908. Y.B., 1908, pp. 16, 18–19. 1909.
　　　international, 1901–1910 (and farm products). Stat. Bul. 103, pp. 57. 1913.
　　　international, 1902–1906. Y.B., 1907, pp. 691–694, 740, 750. 1908; Y.B. Sep. 465, pp. 691–694, 740, 750. 1908.
　　users, practical assistance. For. Cir. 28, pp. 2. 1904.
　　utilization—
　　　1921. Y.B. 1921, p. 57. 1922; Y.B. Sep. 875, p. 57. 1922.
　　　and preservation. For. A.R., 1907, pp. 33–40. 1907.

Forest(s)—Continued.
　products—continued.
　　utilization—continued.
　　　conference. M.C. 39, pp. 1–100. 1925.
　　　in war work, laboratory studies. An. Rpts., 1918, pp. 193–200. 1919; For. A.R., 1918, pp. 29–36. 1918.
　　value comparison with agricultural products. Sec. Cir. 183, pp. 19, 20. 1921.
　　war demands and uses. Y.B., 1918, pp. 317–326. 1919; Y.B. Sep. 779, pp. 1–12. 1919.
　　Western Coast Association, activities. M.C. 39, pp. 36–37. 1925.
　　profit of maintenance in Kansas and Nebraska. For. Bul. 66, pp. 32–33. 1918.
　protection—
　　by campers, rules. D.C. 100, pp. 2, 23. 1921.
　　by light burning. D.B. 1294, pp. 45–68. 1924.
　　by slash disposal. D.C. 292, pp. 1–20. 1924.
　　European countries, cost and returns. An. Rpts., 1907, p. 62. 1908; Sec. A.R., 1907, p. 60. 1907; Rpt. 85, p. 45. 1907; Y.B., 1907, p. 61. 1908.
　　expenditures, fire damages, extent and cause. An. Rpts., 1919, pp. 183–186. 1920; For. A.R., 1919, pp. 7–10. 1919.
　　Federal and State. F.B. 1417, pp. 13–14. 1924.
　　Federal cooperation with States and owners. For. A.R., 1921, pp. 3, 16–18. 1921.
　　for watersheds, remarks. Y.B., 1902, p. 138. 1903.
　　from fire—
　　　Henry S. Graves. For. Bul. 82, pp. 48. 1910. 1921. Y.B., 1921, pp. 54–56. 1922; Y.B. Sep. 875, pp. 54–56. 1922.
　　　and insects. For. A.R., 1924, pp. 11–15. 875, pp. 54–56. 1922.
　　　appropriation, cooperation with States. Sol. [Misc.]. "Laws * * * forests," pp. 17–18, 21, 119. 1916.
　　　appropriations of States. Off. Rec., vol. 1, No. 1, p. 4. 1922.
　　　by sheep grazing. D.B. 738, p. 27. 1918.
　　　cooperative work, cost. An. Rpts., 1923, pp. 310–312. 1924; For. A.R., 1923, pp. 22–24. 1923.
　　　court decisions. Sol. A.R., 1924, p. 5. 1924.
　　　disease, wild animals. An. Rpts., 1911, pp. 368–372, 394–397. 1912; For. A.R., 1911, pp. 28–32, 54–57. 1911.
　　　floods, and insects, necessity. D.B. 364, pp. 4–7, 13. 1916.
　　　grazing, and insect damage. F.B. 1117, pp. 20–23. 1920.
　　　methods. D.C. 4, pp. 4, 9, 53–54, 71. 1919.
　　　problem for experiment stations. Sec. Cir. 183, pp. 14, 15. 1921.
　　　relation of brush disposal. D.B. 496, pp. 1–3, 11–13. 1917.
　　　requirements. An. Rpts., 1910, pp. 375–379, 421. 1911; For. A.R., 1910, pp. 15–19, 61. 1910.
　　　rules for campers. D.C. 138, p. 6. 1920.
　　　suggestion. D.C. 132, p. 10. 1920.
　　　theories, minimum-cost, and minimum-damage. D.B. 1294, pp. 74–78. 1924.
　　importance to timber supplies. Sec. Cir. 140, pp. 9, 13, 14. 1919.
　　laws needed, discussions. D.C. 112, pp. 9–16. 1920.
　　Louisiana, need. For. Bul. 114, pp. 25–27. 1912.
　　national necessity. Geo. E. Griffiths. For. [Misc.], "Forest protection, a national * * *," pp. 4. 1924.
　　public—
　　　how handled. Herbert A. Smith; Y.B. 1920, pp. 309–330. 1921. Y.B. Sep. 847, pp. 309–330. 1921.
　　　national and State, and municipal parks. Sec. Cir. 148, pp. 4–5. 1919.
　　ownership recommendation. F.B. 1417, pp. 16, 18–19. 1924.
　　policy, needs. Rpt. 114, pp. 99–100. 1917.
　purchases—
　　delays and causes. News L., vol. 6, No. 37, p. 5. 1919.
　　for Alleghany National Forest. Off. Rec., vol. 1, No. 25, p. 4. 1922.

INDEX TO PUBLICATIONS, 1901–1925   947

Forest(s)—Continued.
  purchases—continued.
    to protect watersheds. Y.B., 1921, pp. 53, 55. 1922; Y.B. Sep. 875, pp. 53–55. 1922.
    purpose, reservation of tax-sale lands by Michigan, benefits of policy change. D.B. 638, p 16. 1918.
  railroads, relation. For. Cir. 35, pp. 11, 15–17. 1905.
  range(s)—
    cattle, maintenance cost. Off. Rec., vol. 3, No. 28, p. 3. 1924.
    early grazing use, 1917. News L., vol. 5, No. 26, p. 3. 1918.
    grazing periods and capacity. D.B. 790, pp. 10–30. 1919.
    national, grazing permits, increasing demand. News L., vol. 5, No. 22, p. 8. 1917.
    national, plant work, 1925, instructions. For. [Misc.], "Instructions for * * *," pp. 4. 1925.
    plants, collection for study. For. [Misc.], "Instructions for national * * *," pp. 4. 1925.
  rangers—
    use of carrier pigeons. Off. Rec., vol. 1, No. 7, p. 3. 1922.
    work as agricultural agents, cooperative. An. Rpts., 1917, p. 355. 1917; S.R.S. An. Rpt., 1917, p. 33. 1917.
  Ranier, Washington, vacation use. D.C. 103, pp. 1–26. 1920.
  receipts—
    from grazing. Y.B., 1922, p. 155. 1923; Y.B. Sep. 886, p. 155. 1923.
    per cent to be used for schools and roads. Sol. [Misc.], "Laws * * * forests," pp. 20, 118–119. 1916.
  recreational use—
    1913, recommendations. An. Rpts., 1913, pp. 41, 60. 1914; Sec. A.R., 1913, pp. 39, 58. 1913; Y.B., 1913, pp. 50–51, 74. 1914. 1923. An. Rpts., 1923, pp. 324–328. 1924; For. A.R., 1923, pp. 36–40. 1923. 1925. M.C. 47, pp. 17–19. 1925.
  regions—
    natural, of North America, and their characteristic tree growth. For. [Misc.], "Natural forest * * *," map. 1910.
    United States, listing the principal trees for each region. For. [Misc.], "Forest regions * * *," map. 1924.
    United States map. For. Cir. 97, p. 6. 1907.
  relation—
    of transportation. M.C. 39, pp. 10–11. 1925.
    to—
      agriculture. For. Cir. 35, pp. 12–13. 1905.
      arable land conditions. Y.B., 1918, p. 434. 1919; Y.B. Sep. 771, p. 4. 1919.
      climate. F.B. 358, pp. 29–40. 1909.
      development of cheaper electrical power. For. Cir. 35, p. 19. 1905.
      farm. Y.B., 1909, p. 333. 1910; Y.B. Sep. 517, p. 333. 1910.
      flow of streams. M.C. 47, pp. 4–5. 1925.
      irrigation. For. Cir. 35, pp. 10, 19–22. 1905.
      industrial development. M.C. 47, pp. 2–16. 1925.
      mining. For. Cir. 35, pp. 17–19. 1905.
      Nation. Address of President Roosevelt, American Forest Congress, 1905. For. Cir. 35, pp. 5–8. 1905.
      stream flow. James W. Toumey. Y.B., 1903, pp. 279–288. 1904; Y.B. Sep. 329, pp. 279–288. 1904.
  renewal—
    need of legislation and cooperation. Sec. Cir. 134, pp. 6–13. 1919.
    on private lands, problems and measures. Sec. Cir. 148, pp. 7–9. 1919.
  replacement, discussion. An. Rpts., 1905, pp. 222–223. 1905; For. A.R., 1905, pp. 222–223. 1905.
  reproduction—
    after logging in northern Idaho, factors affecting. J. A. Larsen. J.A.R., vol. 28, pp. 1149–1157. 1924.
    aiding by light burning. D.B. 1294, pp. 68–70. 1924.

Forest(s)—Continued.
  reproduction—continued.
    by direct seeding, broadcast or in spots. For. Bul. 98, pp. 29–50. 1911.
    coppice or sprout system, details, management. Y.B., 1910, pp. 158–161. 1911; Y.B. Sep. 525, pp. 158–161. 1911.
    effect of—
      forest fires. For. Bul. 82, pp. 16–17. 1910.
      grazing on western yellow pine, publications relating to. D.B. 580, p. 27. 1917.
    insect enemies. A. D. Hopkins. Y.B., 1905, pp. 249–256. 1903; Y.B. Sep. 381, pp. 249–256. 1906.
    limitation by heat injury to seedlings. D.B. 1263, pp. 1–16. 1924.
    natural and artificial, factors affecting. For. Bul. 98, pp. 8–16. 1911.
    natural, studies, effects of burns. J.A.R., vol. 11, pp. 1–26. 1917.
    prevention by fire. D.B. 1294, pp. 25–29, 38. 1924.
    protection from grazing, studies, scope, and method. D.B. 580, pp. 2–4. 1917.
    relation of sheep grazing, Idaho. D.B. 738, pp. 6–25. 1918.
    second-growth sprouts, management. Y.B., 1910, pp. 157–168. 1911; Y.B. Sep. 525, pp. 157 168. 1911.
    silvicultural systems. F.B. 358, pp. 8–20. 1909.
    strip system. F.B. 358, p. 18. 1909.
    studies and protection. An. Rpts. 1916, pp. 181–183. 1917; For. A.R. 1916, pp. 27–29. 1916.
    system. F.B. 358, pp. 17–18. 1909.
    systems of lumbering. Y.B., 1907, pp. 284–288. 1908; Y.B. Sep. 466, pp. 284–288. 1908.
  research—
    Forest Service. D.C. 211, pp. 38–41. 1922.
    silvical investigations, forest products, range, etc. For. A.R., 1921, pp. 34–41. 1921.
    studies, object and scope. D.B. 1059, pp. 4–8. 1922.
  reseeded areas, damage by white-footed mice. F.B. 484, p. 30. 1912.
  reseeded areas, damage from chipmunks. F.B. 484, p. 22. 1912.
  reservation, Appalachian, relation to cotton manufacture in South. For. Cir. 35, p. 29, 1905.
  Reservation Commission—
    National, appointment, personnel, and duty. Sol. [Misc.], "Laws * * * forests," pp. 18, 20. 1916.
    purchase of additions to eastern forests. News L., vol. 6, No. 21, p. 15. 1918.
  reservations, restrictions. Sol. [Misc.], "Laws * * * forests," p. 9. 1916.
  reserve(s)—
    agricultural lands, applications for classification and listing under Act of June 11, 1906. For. [Misc.], "Applications for * * *," pp. 4. 1906.
    areas and locations, table. An. Rpts., 1905, pp. 203–206. 1905.
    change of name and transfer to Agricultural Department. D.C. 211, pp. 5–8. 1922.
    creation, area, and uses. F.B. 258, pp. 47–48. 1903.
    crossing permits. For. [Misc.], "The use book, 1910," pp. 53–55. 1910.
    drift fences, corrals, and pastures. For. [Misc. "The use book, 1910," pp. 55–59. 1910.
    Federal, benefits. For. Cir. 35, pp. 28–29. 1905.
    Federal, location and area in U. S., Alaska and Porto Rico, February 1, 1905. For [Misc.], "Location and * * *," pp. 2. 1905.
    game protection. For. [Misc.], "The use book, 1910," pp. 66–68. 1910.
    grazing in. Filibert Roth. Y.B., 1901, pp. 333–348. 1902; Y.B. Sep. 241, pp. 333–348. 1902.
    grazing regulations of Forest Service, to January, 1906. For. [Misc.], "Revised regulations * * * grazing," pp. 16. 1906.
    in Idaho. For. Bul. 67, pp. 90. 1905.

Forest(s)—Continued.
  reserve(s)—continued.
    lands, listing description, principles governing decision upon form. For. [Misc.], "Principles governing decisions * * *," pp. 4. 1914.
    national—
      area, revenue, public utility, protection. An. Rpts., 1906, pp. 51-54. 1907; Rpt. 83, pp. 44-48. 1906.
      areas, changes, timber, and grazing permits. Y.B., 1901; p. 668. 1902; Y.B., 1902; p. 724. 1903; Y.B., 1903; p. 557. 1904; Y.B., 1904; p. 589, 1905; Y.B. ,1905; p. 637. 1906.
      in U. S., Alaska, and Porto Rico, October 3, 1905. For. [Misc.], "National forest * * *," pp. 4. 1905.
      in U. S., Alaska, and Porto Rico, November 15, 1905. For. [Misc.], "National forest * * *," pp. 4. 1905.
      in U. S. ,Alaska, and Porto Rico, September 1, 1905. For. [Misc.], "National forest * * *," pp. 4. 1905.
      in U. S., Alaska, and Porto Rico, January 25, 1906. For. [Misc.], "National forest * * *," pp. 4. 1906.
    relation of wolves. For. Bul. 72, pp. 1-31. 1907.
    use, regulations and instructions. For. [Misc.], "Use of national * * *," pp. 142. 1905.
    planting, instructions to officers. For. [Misc.], "Instructions to * * *," pp. 6. 1917.
    quarantine. For. [Misc.], "The use book, 1910," pp. 64-65. 1910.
    relation to livestock industry. For. Cir. 35, pp. 22-24. 1905.
    State—
      acreage and management. For. Bul. 114, pp. 35-36. 1912.
      establishment by various States. News L., vol. 4, No. 34, p. 3. 1917.
    stock protection. For. [Misc.], "The use book, 1910," pp. 66-68. 1910.
    trespass. For. [Misc.], "The use book, 1910," pp. 25-29. 1910.
  resources—
    by countries, area, character, annual cut. For. Bul. 83, pp. 9-64. 1910.
    conservation. F.B. 327, pp. 1-12. 1908.
    depletion. An. Rpts., 1919, p. 178. 1920; For. A.R., 1919, p. 2. 1919.
    exhaustion, possibility, discussion. An. Rpts., 1912, pp. 230-233. 1913; Sec. A.R., 1912, pp. 230-233. 1912; Y.B., 1912, pp. 230-233. 1913.
    insects affecting, investigations. An. Rpts., 1919, pp. 258-260. 1920; Ent. A.R., 1919, pp. 12-14. 1919.
    of—
      Texas. William L. Bray. For. Bul. 47, pp. 71. 1904.
      world. Raphael Zon. For. Bul. 83, pp. 91. 1910.
      United States, comparison with other countries. For. Bul. 83, pp. 67-73. 1910.
    renewal, public aid and regulation. Rpt. 114, pp. 93-94. 1917.
    supplement from European countries, improbability, and reasons. D.B. 638, pp. 9-10. 1918.
    survey, classification and research, needs. D.C. 112, pp. 13-14. 1920.
    U. S., various estimates. For. Cir. 97, pp. 5-12. 1907.
    waste, and necessity of conservation. F.B. 327, pp. 8, 12. 1908; Rpt. 114, pp. 64-66, 73. 1917.
  roads—
    and trails—
      administering under provisions of the Federal highway act; rules and regulations. Sec. [Misc.], "Rules and regulations * * *," pp. 14. 1922.
    1922, construction. An. Rpts., 1922, p. 34. 1923; Sec. A.R., 1922, p. 34. 1922.
    1923 construction and maintenance. An. Rpts., 1923, pp. 329-331. 1924; For. A.R., 1923, pp. 41-43. 1923.
    1925, construction. Sec. A.R., 1925, p. 91. 1925.

Forest(s)—Continued.
  roads—continued.
    appropriations, 1923, 1924, 1925. Off. Rec., vol. 1, No. 24, p. 1. 1922.
    building, legislation. M.C. 60, pp. 25-30. 1925.
    Colorado, approval and cost. Off. Rec. vol. 1, No. 26, p. 3. 1922.
    construction. Rds. [Misc.], "Road under construction * * *," pp. 3. 1924.
    expenditures, 1922. Off. Rec., vol. 2, No. 30, p. 3. 1923.
    funds apportionment. Off. Rec., vol. 1, No 28, p. 1. 1922.
    National, Federal aid allotments, by States. News L., vol. 4, No. 5, p. 8. 1916.
    work of Roads Bureau, 1922. An. Rpts., 1922, pp. 485-488. 1923; Rds. Chief Rpt., 1922, pp. 25-28. 1922.
  Rocky Mountains, conditions and need of experiment stations. Sec. Cir. 183, pp. 27-29. 1921.
  Routt National, vacation days. For. [Misc.], "Vacation days in * * * ," pp. 13. 1917.
  rules for tourists. M.C. 36, pp. 9-10. 1925.
  Santa Barbara, destruction of office. Off. Rec., vol. 4, No. 29, p. 2. 1925.
  sawmill statistics. For. Cir. 107, pp. 1-2. 1907.
  scrub pine, annual yield. For. Bul. 94, p. 22. 1911.
  seed collection—
    drying, testing and storing. For. Bul. 98, pp. 13-28. 1911.
    on a large scale. Henry H. Farquhar. Y.B. 1912, pp. 433-442. 1913; Y.B., Sep. 604, pp., 433-422. 1913.
  seeding with tree seeds, methods rates, and seasons, and costs. D.B. 475, pp. 18-19, 20-23, 32-34, 38-39. 1917.
  seedlings, source of seeds. Off. Rec. vol. 2, No. 43, p. 5. 1923.
  selection, system of forest management. F.B. 358, pp. 15-17. 1909.
  seven years' fire losses, in 45 States. For. [Misc.], "Intermountain district forests * * * ," pp. 44-45. 1925.
  Sierra, results of timber cutting. Off. Rec., vol. 2, No. 50, p. 7. 1923.
  Sioux, reduction. News L., vol. 7, No. 8, p. 5. 1919.
  Sitka spruce, management, cutting, protection, and reproduction. D.B. 1060, pp. 28-32. 1922.
  softwood, management against spruce budworm damage. J.A.R., vol. 30, pp. 553-555. 1925.
  soil erosion, causes. Y.B., 1913, pp. 208-209 1914; Y.B. Sep. 624, pp. 208-209. 1914.
  soils, Virginia, location. D.B. 44, pp. 7, 8, 9. 1913.
  southern area and stand. For. Cir. 166, pp. 5, 6. 1909.
  special uses, receipts, 1919. An. Rpts., 1919, p. 181. 1920; For. A.R., 1919, p. 5. 1919.
  species and mixtures for Plains region. F.B. 888, pp. 5-15. 1917.
  sprout, management. For. Cir. 118, pp. 15-21. 1907.
  sprout, second-growth, management. Henry S. Graves. Y.B., 1910, pp. 157-168. 1911; Y.B. Sep. 525, pp. 157-168. 1911.
  spruce, Maine, Androscoggin region, decay, cause, etc. Ent. Bul. 28, pp. 11-15. 1901.
  stand, original and present estimate. For. Cir. 166, p. 6. 1909.
  State—
    acquirement and management. For. Law Leaf. 22, p. 9. 1917.
    and municipal, legislation needed. D.C. 112, pp. 14-16. 1920.
    and private, cooperative work of Forest Service. An. Rpts., 1910, pp. 89, 90, 91, 97-98, 406-408. 1911; For. A.R., 1910, pp. 46-48. 1910; Sec. A.R., 1910, pp. 89, 90, 91, 97-98. 1910; Y.B., 1910, pp. 89-90, 96-97. 1911.
    area and location. Y.B., 1908, p. 544. 1909.
    cooperative studies, Forest Service. An. Rpts., 1909, pp. 400-401. 1910; For. A.R., 1909, pp. 32-33. 1909.
    European countries, expenditures per acre. Y.B., 1908, p. 122. 1909.
    National, and world, areas, etc., 1923. Y.B., 1923, pp. 1050-1052. 1924; Y.B. Sep. 904, pp. 1050-1052. 1924.

INDEX TO PUBLICATIONS, 1901–1925   949

Forest(s)—Continued.
 State—Continued.
  owned, number, acreage, and States owning. D.B. 364, pp. 8–9. 1916.
  parks and other forest lands, and forest planting. Y.B., 1922, pp. 940, 941. 1923; Y.B. Sep. 889, pp. 940, 941. 1923.
  policy, purchase methods. An. Rpts., 1923, pp. 290–291. 1923; For. A.R., 1923, pp. 2–3. 1923.
  stations in central Rocky Mountains, location, climate, etc. D.B. 1233, pp. 7–25. 1924.
 statistics—
  Nat C. Murray and others. Y.B., 1922, pp. 914–948. 1923; Y.B. Sep. 889, pp. 914–948. 1923.
  intermountain district. For. [Misc.], "Intermountain district * * *," pp. 64. 1925.
 streams, pollution, protection necessity, study. An. Rpts., 1913, pp. 160–176. 1914; For. A.R., 1913, pp. 26–27, 42. 1913.
 students, prospective, suggestions. Gifford Pinchot. For. Cir. 23, pp. 5. 1902; rev., pp. 4. 1911.
 study, field trips, suggestions. F.B. 468, pp. 29–31. 1911.
 supervision for control of fires. For. Bul. 82, pp. 35–41. 1910.
 supervisors, duties and characteristics. Y.B., 1920, pp. 310–315. 1921; Y.B. Sep. 847, pp. 310–315. 1921.
 supplies, depletion, and serious conditions. Sec. Cir. 140, pp. 8–11, 12–14. 1919.
 tables—
  lodgepole pine. E. A. Ziegler. For. Cir. 126, pp. 24. 1907.
  western yellow pine. E. A. Ziegler. For. Cir. 127, pp. 23. 1908.
 taxation—
  Alfred Gaskell. For. [Misc.], "How shall forests * * *," pp. 12. 1906.
  Louisiana. For. Bul. 114, pp. 32–34. 1912.
  methods, need of reform. For. Cir. 171, pp. 12, 23. 1909.
  Vermont laws. For. Law Leaf. No. 24, pp. 7–8. 1920.
 temperature records for central Rocky Mountains. D.B. 1233, pp. 27–52. 1924.
 the country's. For. [Misc.], "The country's * * *," pp. 14. 1914.
 thrift, address by President Coolidge. M.C. 39, pp. 2–5. 1925.
 timber—
  cut, 1923. Off. Rec., vol. 4, No. 1, p. 3. 1924.
  maintenance, policy. Y.B., 1923, pp. 60–67. 1924.
  removal annually in United States. Y.B., 1923, p. 1079, 1924; Y.B. Sep. 904, p. 1079. 1924.
 Tongass National, pulp timber sale prospectus, West Admiralty Island Unit, Alaska. For. [Misc.], "Sale prospectus * * *," pp. 20. 1921.
 trails and highways of the Mount Hood region. D.C. 105, pp. 32. 1920.
 tree-fern, effects of use of ferns as commercial source of starch. Hawaii Bul. 53, pp. 1–2. 1924.
 trees. See Trees.
 types—
  by regions. J.A.R., vol. 30, p. 697. 1925.
  classification. For. [Misc.], "Instructions for * * *," pp. 40–53. 1917.
  containing stands of balsam fir. D.B. 55, pp. 4–7. 1914.
  in central Rocky Mountains as affected by climate and soil. Carlos G. Bates. D.B. 1233, pp. 152. 1924.
  Kansas and Nebraska. For. Bul. 66, pp. 11–31. 1905.
  Rocky Mountain region. For. Cir. 150, pp. 13–19. 1909.
  sugar pine in mixture with other trees, per cent of each. D.B. 426, pp. 9–10. 1916.
 use(s)—
  for goat raising in Southwest. F.B. 1203, p. 5. 1921.
  requirements and yields. F.B. 358, pp. 3–8. 1909.

Forest(s)—Continued.
 use(s)—continued.
  special-use permits, in Utah national forests. D.C. 198, p. 23. 1921.
  Utah national, improvement. D.C. 198, pp. 25–26. 1921.
  Utah national, receipts and disbursements. D.C. 198, pp. 27–28. 1921.
 utilization—
  John W. Blodgett. M. C. 39, pp. 19–21. 1925.
  for beaver farming. D.B. 1078, pp. 28–29. 1922.
  increase. Sec. A.R., 1921, pp. 49–50. 1921.
  intensive. D.B. 418, pp. 39–40. 1917.
  misrepresentation and growth. M. C. 39, pp. 27–28. 1925.
  problems, suggestions. Y.B. 1923, pp. 500–502. 1924; Y.B. Sep. 896, pp. 500–502. 1924.
 value in reclamation of sand dunes. Soils Bul. 68, p. 76. 1911.
 vegetation. Raphael Zon. Atl. Am. Agr. Adv. Sh. 6, pp. 3–15, 27. 1924.
 Wallowa National, revegetation of overgrazed areas. For. Cir. 158, pp. 1–21. 1908.
 Washington National, a mountain vacation land. D.C. 132, pp. 10. 1920.
 waste—
  annually, sources. For. Cir. 171, pp. 10–11. 1909.
  of trees. H. Oldenburg. M.C. 39, pp. 21–24. 1925.
  saving, progress. William L. Hall. Y.B. 1910, pp. 255–264. 1911; Y.B. Sep. 534, pp. 255–264. 1911.
  use in paper making. Chem. Cir. 41, pp. 10, 19. 1908.
 Week, American, program for observance by schools, boy scout meetings, and other assemblies For. [Misc.], "Program * * *," Folder. 1925.
 Weeks forestry law, work under. Sol. A.R., 1924. p. 6. 1924.
 western, insect control studies. An. Rpts., 1920, pp. 321–323. 1921.
 western yellow pine, management in Oregon. D.B. 418, pp. 36–42. 1917.
 white oak, fire prevention. M.C. 53, pp. 1–10. 1925.
 white pine, area, value, protection from blister rust. News L., vol. 3, No. 27, p. 4. 1916.
 White Mountain—
  commercial importance. Philip W. Ayres. For. Cir. 168, pp. 32. 1909.
  trails. News. L., vol. 7, No. 8, p. 4. 1919.
 Wichita National—
  and game preserve. S. M. Shanklin and James E. Scott. M.C. 36, pp. 11. 1925.
  buffalo increase. Off. Rec., vol. 1, No. 6, p. 7. 1922.
 work of Government—
  details. For. [Misc.], "Government forest work," pp. 19. 1915.
  State and private cooperation. For. Cir. 167, pp. 13–14. 1909.
 working plan—
  for Township 40, Hamilton County, N. Y. Ralph S. Hosmer and Eugene S. Bruce. For. Bul. 30, pp. 64. 1901.
  preparation. An. Rpts., 1912, pp. 489–491. 1913; For. A.R., 1912, pp. 31–33. 1912.
 world areas, by countries. Y.B., 1924, p. 1007. 1925.
 yellow pine, utilization. D.B. 418, pp. 30–32. 1917.
 young growth, damage by fire. D.B. 1294, pp. 24–29. 1924.
 zones, tree types and sites, study, objects and methods. J.A.R. vol. 24, pp. 97–102. 1923.
 See also Timberlands; Woodlands.
Forest Products Laboratory—
 Madison, Wis.—
  D.C. 231, pp. 47. 1922.
  Herbert Augustine Smith. For. [Misc.], "Forest products * * *," pp. 31. 1922.
  demonstration courses. M.C. 8, pp. 1–20. 1923.
  experiments on wood turpentines. For. Bul. 105, pp. 1–69. 1913.
  functions, and work, details of courses. M.C. 29, pp. 1–22. 1924.

Forest Products Laboratory—Continued.
Madison, Wis.—Continued.
   investigational work. For. Misc., F-1, p. 11. 1916.
   organization and projects. D.C. 231, pp. 7-9. 1922.
   study of wood tyloses. J.A.R., vol., 1, pp. 450, 464. 1914.
   work. M.C. 39, p. 35. 1925.
   work on packing boxes. M.C. 39, p. 53. 1925.
Seattle, work. For. Bul. 115, p. 5. 1913; For. Bul. 122, p. 7. 1913.
Forest Reserve—
   Black Hills, insect enemies of pine. A. D. Hopkins. Ent. Bul. 32, pp. 24. 1902.
   Caribou National, law, lands included. Sol. [Misc.], "Laws applicable * * * Agriculture," sup. 2, pp. 37-38. 1915.
   Luquillo, Porto Rico. John C. Gifford. For. Bul. 54, pp. 52. 1905.
   service, reorganization and policy. An. Rpts., 1905, p. 204. 1905; For. A.R., 1905, p. 204. 1905.
Forest Service—
   accounting, activities and procedure, standard classification. For. [Misc.], "Standard classification * * *," pp. 41. 1912.
   activities for help of lumber industry, suggestions. D.C. 296, pp. 4, 8-9. 1923; M.C. 39, p. 35. 1925.
   administration of national forests. For. Misc., F-1, pp. 5-16. 1916.
   aid to State forestry. D.B. 364, pp. 12-13. 1916.
   Alaska employees, leave of absence allowed. Sol. [Misc.], "Laws applicable * * * agriculture," sup. 2, pp. 60-61. 1915.
   assistance to—
      landowners and tree planters. For. Cir. 165, pp. 7. 1909.
      private owners of forest and waste lands. For Cir. 203, pp. 1-8. 1912.
   changes in appropriations and work. News L., vol. 2, No. 36, pp. 3-4. 1915.
   Chief, report. See Forester, annual report.
   cooperation—
      in handling road funds. Off. Rec., vol. 1, No. 28, p. 1. 1922.
      with livestock associations. An. Rpts., 1919, p. 193. 1920; For. A.R., 1919, p. 17. 1919.
      with other bureaus. Y.B., 1921, pp. 58-59. 1922; Y.B. Sep. 875, pp. 58-59. 1922.
      with States and private owners. An. Rpts., 1912, pp. 533-538. 1913; For. A.R., 1912, pp. 75-80. 1912.
      with States in fire protection. An. Rpts., 1919, pp. 203-204. 1920; For. A.R., 1919, pp. 27-28. 1919.
      with States in protection of watersheds. An. Rpts., 1916, pp. 179-180. 1917; For. A.R., 1916, pp. 25-26. 1916.
      with War and Navy Departments. An. Rpts., 1917, pp. 35-36. 1918; Sec. A.R., 1917, pp. 37-38. 1917.
      with Weather Bureau, Colorado and Arizona. An. Rpts., 1911, p. 171. 1912. W.B. Chief Rpt., 1911, p. 21. 1911.
   cooperative—
      agreement, claims, instructions. For. [Misc.], "Field program, Jan. 1911," pp. 97-102. 1911.
      investigation of creosote treatment for pole preservation. For. Bul. 84, pp. 8-40. 1911.
   dealings with forest problems. For. Cir. 36, pp. 38. 1905.
   development and work, 1896-1908. Rpt. 87, pp. 91-92. 1908.
   early turpentining experiments, and yields. D.B. 1064, pp. 27-31. 1922.
   educational work—
      1909. O.E.S. An. Rpt., 1909, p. 254. 1910.
      1910. O.E.S. An. Rpt., 1910, pp. 317, 355. 1911.
      1911. O.E.S. An. Rpt., 1911, p. 279. 1912.
      1912. O.E.S. An. Rpt., 1912, p. 282. 1913.
   emergency work on account of war. An. Rpts., 1918, pp. 165-166, 193-200. 1919; For. A.R., 1918, pp. 1-2, 29-36. 1918.
   employees, transportation of personal property, allowances. Sol. [Misc.], "Laws * * * forestry," pp. 119-120, 127. 1916.

Forest Service—Continued.
   equipment, stationery, and supplies, list to be procured from property clerk, Ogden, Utah. For. [Misc.], "List of standard articles * * *," pp. 9. 1908; rev., pp. 10. 1909; rev., pp. 8. 1914.
   field libraries, instructions for use of books. For. [Misc.], "Instructions for * * *," p. 1. 1907.
   fire protection of national forests. For. Cir. 265, p. 5. 1912.
   fiscal management and appropriations, laws. Sol. [Misc.], "Laws * * * forestry," pp. 118-127. 1916.
   force, growth, 1880-1908. An. Rpts., 1908, p. 775. 1909; Appt. Clerk A.R., 1908, p. 7. 1908.
   force, recruiting method. For. Cir. 207, pp. 11-12. 1912.
   grazing permits. For. [Misc.], "The use book," pp. 11-13. 1910.
   help in winning war, annual report of forester. News L., vol. 6, No. 21, pp. 4-5. 1918.
   index of standard forms procurable. For. [Misc.], "Index of standard * * *," pp. 13. 1925.
   informational activities. For. A.R., 1921, pp. 41-42. 1921.
   instructions for preparing supervisors' annual statistical report. For. [Misc.], "Instructions for preparing * * *," pp. 13. 1912; rev., pp. 14. 1914.
   investigations and cooperation. D.C. 198, pp. 28-29. 1921.
   law(s)—
      affecting employees. Sol. [Misc.], "Laws * * * forestry," pp. 24-27, 29. 1916.
      and appropriations, 1916. Sol. [Misc.], "Laws applicable * * * agriculture," sup. 4, pp. 29-48. 1917.
      enforcement, authorization to Secretaries. Sol. [Misc.], "Laws applicable * * * agriculture," sup. 2, pp. 31-61. 1915.
   list of—
      expendable articles approved by acting forester. For. [Misc.], "List of expendable * * *," pp. 3. 1914.
      forms to be procured on requisition of forester. For. [Misc.], "List of forms * * *," pp. 4. 1907; rev., pp. 15. Apr. 1909; rev., pp. 15. July, 1909.
      workers. See Workers, lists.
   manual of procedure in Washington and district offices. For. [Misc.], "Manual * * *," pp. 93. 1908.
   moth control, cooperative work. F.B. 564, pp. 23-24. 1914.
   motion picture films, list. D.C. 233, pp. 6-9. 1922.
   organization—
      and statutes regarding. Sol. [Misc.], "A * * * statutory history * * *," pp. 9-13. 1916.
      and work. Y.B., 1908, p. 493. 1909; Y.B. Sep. 497, p. 493. 1909.
      duties, and purposes. D.C. 211, pp. 1-47. 1922; D.C. 36, pp. 1-38. 1905; Pub. Cir. 1, pp. 12-14. 1905.
   publication list—
      1905. For. [Misc.], "List of publications * * *," pp. 4. 1905.
      1906. For. [Misc.], "Classified list of publications * * *," pp. 4. 1906.
      1907. For. [Misc.], "Classified list of publications * * *," pp. 4. 1907; rev., 1908; rev., 1909.
      Jan. 30, 1911. Pub. Cir. 11, pp. 6. 1911.
   purchase of land for national forests under the act of March 1, 1911, the Weeks Law. D.C. 313, pp. 15. 1924.
   report. See Forester, annual report.
   salaries, 1914. Sol. [Misc.], "Laws applicable * * * Agriculture," sup. 2, pp. 61-62. 1915.
   study of turpentining. J.A.R., vol. 30, pp. 81-82. 1925.
   supplies, prices for Ogden, Utah, depot. For. [Misc.], "Contract prices for supplies * * *, 1910," pp. 12. 1909; For. [Mis.], "Contract prices for supplies * * *, 1911," pp. 12. 1910.
   tree distribution under Kinkaid Act of 1911. M.C. 16, pp. 1-14. 1925.

INDEX TO PUBLICATIONS, 1901–1925   951

Forest Service—Continued.
United States. Herbert Augustine Smith. (In English, Spanish and Portuguese.) For. [Misc.], "The United States * * *," pp. 25. 1922.
upon national forest reserves. For. [Misc.], "Use book," pp. 142–153. 1906.
upon national forests. For. [Misc.], "Use book—Adm. Ed.," pp. 19–33. 1908.
use book, grazing section, 1921. For. [Misc.], "The use book * * * 1921," rev., pp. 80. 1921.
use of material for construction, etc., laws and decisions. Sol. [Misc.], "Laws * * * forestry," pp. 27–29, 30–31. 1916.
water spray dry kiln, manual of design and installation. L. V. Teesdale. D.B. 894, pp. 47. 1920.
work, review by Secretary. An. Rpts., 1906, pp. 50–58. 1907; Sec. A.R., 1906, pp. 51–59. 1906; Y.B., 1906, pp. 59–69. 1907; Rpt. 83, pp. 44–52. 1906.
work, 1907, review by Secretary. An. Rpts., 1907, pp. 61–71. 1908; Y.B., 1907, pp. 60–70. 1908; Rpt. 85, pp. 45–52. 1907.
work, 1908, review by Secretary. Sec. A.R., 1908, pp. 68–79. 1908; An. Rpts. 1908, pp. 70–81. 1909; Rpt. 87, pp. 37–41. 1908.
work of 1908, review by Secretary. Y.B., 1908, pp. 70–81. 1909.
work, 1909, review by Secretary. Sec. A.R., 1909, pp. 90–99. 1909; Y.B., 1909, pp. 90–99. 1910.
work, 1910, review by Secretary. Sec. A.R., 1910, pp. 86–98. 1910; Rpt. 93, pp. 59–65. 1910; An. Rpts., 1910, pp. 86–98. 1911; Y.B., 1910, pp. 86–97. 1911.
work, 1911, review by Secreatry. Sec. A.R., 1911, pp. 85–102. 1911; Y.B., 1911, 85–102. 1912; An. Rpts., 1911, pp. 87–104. 1912.
work, 1912, review by Secretary. Sec. A.R., 1912, pp. 58–71, 114, 229–243. 1912; An. Rpts., 1912, pp. 58–71, 114, 229–243. 1913; Y.B., 1912, pp. 58–71, 114, 229–243. 1913.
work, 1917, review by Secretary. Y.B., 1917, pp. 79–82. 1918.
workers list. See Agriculture, workers.
Forestation—
adaptability of Porters loam and Porters black loam. Soils Cir. 39, pp. 15–16. 1911.
annular, value in control of soil erosion. Soils Bul. 71, p. 54. 1911.
artificial in intermountain region, planting sites. D.B. 1264, pp. 49–55. 1925.
artificial, of incense cedar, seed collection, planting, and sowing. D.B. 604, pp. 35–36. 1918.
sand hills of Nebraska and Kansas. Carlos G. Bates and Roy G. Pierce. For. Bul. 121, pp. 49. 1913.
value in erosion prevention. D.B. 512, pp. 4–5. 1917.
work on Nebraska sand hills, difficulties. Sec. Cir. 183, pp. 4–5. 1921.
Forester(s)—
and forestry. Theodore Roosevelt. For. Cir., 25, pp. 4–8. 1903.
and the lumberman. Gifford Pinchot. For. Cir. 25, pp. 11–14. 1903.
annual report—
1901. Gifford Pinchot. An. Rpts., 1901, pp. 325–329. 1901.
1902. Gifford Pinchot. An. Rpts., 1902, pp. 109–136. 1902.
1903. Gifford Pinchot. An. Rpts., 1903, pp. 497–533. 1903.
1904. Gifford Pinchot. An. Rpts., 1904, pp. 169–205. 1904.
1905. Gifford Pinchot. An. Rpts., 1905, pp. 199–237. 1905.
1906. Gifford Pinchot. An. Rpts.. 1906, pp. 267–305. 1907.
1907. Gifford Pinchot. An. Rpts., 1907. pp. 343–380. 1908; For. A.R., 1907, pp. 40. 1907.
1908. Gifford Pinchot. For. A.R., 1908, pp. 44. 1909; An. Rpts., 1908, pp. 409–448. 1909.
1909. Gifford Pinchot. For. A.R., 1909, pp. 45. 1909; An. Rpts., 1909, pp. 371–413. 1910.
1910. Henry S. Graves. For. A.R., 1910, pp. 67. 1910; An. Rpts., 1910, pp. 363–427. 1911.
1911. Henry S. Graves. For. A.R., 1911, pp. 78. 1911; An. Rpts., 1911, pp. 343–418. 1912.

Forester(s)—Continued.
annual report—continued.
1912. Henry S. Graves. For. A.R., 1912, pp. 95. 1912; An. Rpts., 1912, pp. 463–553. 1913.
1913. Henry S. Graves. For. A.R., 1913, pp. 56. 1913; An. Rpts., 1913, pp. 135–190. 1914.
1914. Henry S. Graves. For. A.R., 1914, pp. 36. 1914; An. Rpts., 1914, pp. 129–164. 1914.
1915. Henry S. Graves. For. A.R., 1915, pp. 31. 1915; An. Rpts., 1915, pp. 159–189. 1916.
1916. Henry S. Graves. For. A.R., 1916, pp. 36. 1916; An. Rpts., 1916, pp. 155–190. 1917.
1917. Albert F. Potter, acting. For. A.R., 1917, pp. 36. 1917; An. Rpts., 1917, pp. 163–198. 1918.
1918. Henry S. Graves. For. A.R., 1918, pp. 36. 1918; An. Rpts., 1918, pp. 165–200. 1918.
1919. Henry S. Graves. For. A.R., 1919, pp. 34. 1919; An. Rpts., 1919, pp. 177–210. 1920.
1920. William B. Greeley. An. Rpts., 1920, pp. 221–254. 1921; For. A.R., 1920, pp. 34. 1920.
1921. William B. Greeley. For. A.R., 1921, pp. 42. 1921.
1922. William B. Greeley. For. A.R., 1922, pp. 55. 1922; An. Rpts., 1922, pp. 195–249 1923.
1923. William B. Greeley. For. A.R., 1923, pp. 56. 1923; An. Rpts., 1923, pp. 289–344. 1924.
1924. William B. Greeley. For. A.R., 1924, pp. 40. 1924.
1925. William B. Greeley. For. A.R., 1925, pp. 51. 1925.
consulting, assistance to private owners of forest and waste lands. For. Cir. 203, pp. 3–5. 1912.
district, appeals to. For. [Misc.], "Use book, 1921," p. 5. 1922.
education, openings, and salaries. For. Cir. 23, rev., pp. 1–2. 1911.
State—
advisers to owners of wood lots. Y.B., 1914, pp. 446, 449. 1915; Y.B. Sep. 651, pp. 446, 449. 1915.
cooperative conference for study of white-pine blister rust. News L., vol. 3, No. 3, pp. 4–5. 1915.
duties, salary, assistants. For. Cir. 207, pp. 13–14. 1912.
qualifications. D.B. 364, pp. 10–12. 1916.
stock increase on fenced-in ranges, report. D.B. 1001, pp. 38–39. 1922.
Forester (caterpillar), eight-spotted, on grape, control. F.B. 908, p. 97. 1918; F.B. 1220, pp. 23–24. 1921.
Forestiera acuminata. See Swamp privet.
Forestry—
and agriculture. R. F. Hammatt. For. [Misc.], "Forestry and * * *," pp. 4. 1919.
and community development. Samuel T. Dana. D.B. 638, pp. 33. 1918.
and farm designing. F.B. 228, pp. 7–8. 1905.
and farm income. Wilbur R. Mattoon. F.B. 1117, pp. 35. 1920.
and forest products, statistics, 1923. Y.B., 1923, pp. 1050–1092; Y.B., Sep. 904, pp. 1050–1092. 1924.
and foresters. Theodore Roosevelt. For. Cir. 25, pp. 4–8. 1903.
and the lumber supply. Theodore Roosevelt and others. For. Cir. 25, pp. 14. 1903.
compulsory, need urged by forester. News L., vol. 6, No. 33, pp. 14, 15. 1919.
courses, schools maintaining, lists. For. Cir. 23, rev., p. 4. 1911.
departments, State directory. F.B. 1123, pp. 28–29. 1921.
development 1898–1908. Sec. A.R., 1908, pp. 173–174. 1908; An. Rpts., 1908, pp. 175–176. 1909.
development of interest, importance. Rpt. 87, pp. 91–92. 1908.
economic values, lesson for rural schools. D.B. 863, pp. 10–13. 1920.
educational facilities, increase, 1907. Y.B., 1907, p. 567. 1908; Y.B., Sep. 470, p. 6. 1908.
establishment on scientific basis, need of experiment stations. Sec. Cir. 183, pp. 18–19. 1921.
European, importance of pines. D.B. 1186, pp 6–9, 26–28. 1924.

Forestry—Continued.
 extension—
  importance to private owners. Y.B., 1919, pp. 32–35. 1920.
 work—
  history and status in 1923. D.C. 345, pp. 1–2. 1925.
  of specialists. S.R.S. An. Rpt. 1918, pp. 69–70, 114–115. 1919.
 farm—
  benefits to farmers. F.B. 1071, pp. 3–4. 1920.
  extension—
   early development, and status in 1923. G.H. Collingwood. D.C. 345, pp. 15. 1925.
   work. F.B. 1417, pp. 16, 17, 18, 19, 20. 1924.
  growing and planting hardwood seedlings. F.B. 1123, pp. 1–29. 1921.
  importance in management of wood lot. Y.B., 1914, pp. 439–441, 456. 1915; Y.B. Sep. 651, pp. 439–441, 456. 1915.
  profits in New England and France. F.B. 1256, pp. 32–33. 1922.
  seasonal suggestions for each month. F.B. 1202, pp. 5–49. 1921.
 Federal—
  cooperation with States and individuals. An. Rpts., 1923, pp. 29, 30, 32. 1924; Sec. A.R., 1922, pp. 29, 30, 32. 1922.
  State, and private work. For Cir. 207, pp. 8–16. 1912.
 film, "Green barrier." Off. Rec., vol. 3, No. 48, p. 3. 1924.
 foreign countries. F.B. 358, pp. 40–44. 1909.
 importance—
  and the national forests. M.C. 15, pp. 16. 1924.
  in farm management. F.B. 228, pp. 7–21. 1905.
 in—
  Alaska, policy and activities. An. Rpts., 1922, pp. 199–201. 1923; For A.R., 1922, pp. 5–7. 1922.
  Algeria, conditions, products, etc. B.P.I. Bul. 80, pp. 90–98. 1905.
  America, origin and growth. F.B. 358, p. 46. 1909.
  Iowa, care of native and planted timber. For. Cir. 154, pp. 1–24. 1908.
  Mississippi, George County, kinds of trees, etc. Soil Sur. Adv. Sh., 1922, pp. 33, 34, 41. 1925.
  nature study. Edwin R. Jackson. F.B. 468, pp. 43. 1911.
  Norway, study. Off. Rec., vol. 2, No. 52, p. 7. 1923.
  Porto Rico, planting trees on denuded hill lands. P.R. An. Rpt., 1914, p. 12. 1916.
  the public schools. Hugo A. Winkenwerder. For. Cir. 130, pp. 20. 1907.
  the United States, status. Treadwell Cleveland, jr. For. Cir. 167, pp. 39. 1909.
  the War. For. [Misc.], "Messages from abroad," pp. 4. 1919.
 influence upon lumber industry. Overton W. Price. Y.B., 1902, pp. 309–312. 1903; Y.B. Sep. 274, pp. 4. 1903.
 information—
  diffusion and cooperative work. For. [Misc.], "The use book, 1913," pp. 81–88. 1913.
  sources, and list of publications. D.B. 863, pp. 2, 34–36. 1920; F.B. 1117, pp. 31–33. 1920.
 interest to lumbermen. For. Cir. 35, pp. 24–27. 1905.
 investigative work of department and cooperation with States. For. Misc., F-1, pp. 10–12. 1916.
 land, claims and decisions. An. Rpts., 1918, pp. 398–400. 1919; Sol. A.R., 1918, pp. 6–8. 1918.
 laws—
  enforcement, 1924. Sol. A.R., 1924, pp. 4–6. 1924.
  State—
   1921. Jeannie S. Peyton. D.C. 239, pp. 28. 1922.
   California. Jeannie S. Peyton. For. Law Leaf. 25, pp. 23. 1921; For. Misc. S-29, pp. 23. 1921.
   Colorado. Jeannie S. Peyton. For. Law Leaf. 21, pp. 9. 1917; For. Misc. S-25, pp. 9. 1917.
   Connecticut. Jeannie S. Peyton. For. Law Leaf. 18, pp. 12. 1916; For. Misc. S-21, pp. 12. 1916.

Forestry—Continued.
 laws—continued.
  State—Continued.
   Idaho. Jeannie S. Peyton. For. Law Leaf. 8, pp. 5. 1915; For. Misc. S-9, pp. 5. 1915.
   Illinois. Jeannie S. Peyton. For. Misc. S-17, pp. 6. 1916.
   Indiana. Jeannie S. Peyton. For. Law Leaf. 13, pp. 5. 1915; For. Misc. S-14, pp. 5. 1915.
   Louisiana. Jeannie S. Peyton. For. Law Leaf. 2, pp. 7. 1915; For. Misc. S-3, pp. 7. 1915.
   Maryland. Jeannie S. Peyton. For. Law Leaf. 4, pp. 6. 1915; For. Misc. S-5, pp. 6. 1915.
   Massachusetts. Jeannie S. Peyton. For. Law Leaf. 19, pp. 21. 1917; For. Misc. S-22, pp. 21. 1917.
   Minnesota. Jeannie S. Peyton. For. Law Leaf. 14, pp. 14. 1916; For. Misc. S-15, pp. 14. 1916.
   Missouri. Jeannie S. Peyton. For. Law Leaf. 5, pp. 2. 1915; For. Misc. S-6, pp. 2. 1915.
   Montana. Jeannie S. Peyton. For. Misc. S-16, pp. 6. 1916.
   New Hampshire. Jeannie S. Peyton. For. Law Leaf. 20, pp. 13. 1917; For. Misc. S-24, pp. 13. 1917.
   New Jersey. Jeannie S. Peyton. For. Law Leaf. 11, pp. 7. 1915; For. Misc. S-12, pp. 7. 1915.
   New York. Jeannie S. Peyton. For. Law Leaf. 23, pp. 40. 1918; For. Misc. S-27, pp. 40. 1918.
   North Carolina. Jeannie S. Peyton. For. Law Leaf. 3, pp. 5. 1915; For. Misc. S-4, pp. 5. 1915.
   Ohio. Jeannie S. Peyton. For. Law Leaf. 17, pp. 4. 1916; For. Misc. S-20, pp. 4. 1916.
   Oregon. Jeannie S. Peyton. For. Law Leaf. 9, pp. 7. 1915; For. Misc. S-10, pp. 7. 1915.
   Pennsylvania. Jeannie S. Peyton. For. Law Leaf. 26, pp. 42. 1921; For. Misc. S-30, pp. 42. 1921.
   regulations, officials, etc. For. Cir. 167, pp. 15–20. 1909.
   Texas. Jeannie S. Peyton. For. Law Leaf. 6, pp. 3. 1915; For. Misc. S-7, pp. 3. 1915.
   Vermont. Jeannie S. Peyton. For. Law Leaf. 24, pp. 17. 1920.
   Virginia. Jeannie S. Peyton. For. Law Leaf. 7, pp. 6. 1915; For. Misc. S-8, pp. 6. 1915.
   Washington. Jeannie S. Peyton. For. Law Leaf. 12, pp. 8. 1915; For. Misc. S-13, pp. 8. 1915.
   West Virginia. Jeannie S. Peyton. For. Law Leaf. 22, pp. 10. 1917; For. Misc. S-26, pp. 10. 1917.
   Wisconsin. Jeannie S. Peyton. For. Law Leaf. 1, pp. 16. 1915; For. Misc. S-2, pp. 16. 1915.
   Wyoming. Jeannie S. Peyton. For. Law Leaf. 10, pp. 3. 1915; For. Misc. S-11, pp. 3. 1915.
 legislation—
  by States, assistance of Forest Service. An. Rpts., 1913, pp. 182–183. 1914; For. A.R., 1913, pp. 48–49. 1913.
  Louisiana. For. Bul. 114, pp. 37–39. 1912.
  suggestions. Y.B., 1923, pp. 67–72. 1924.
 lessons on home woodlands. Wilbur R. Mattoon and Alvin Dille. D.B. 863, pp. 46. 1920.
 modern, originators and progress. F.B. 358, p. 41. 1909.
 national—
  need, address of James Wilson, American Forest Congress, 1905. For. Cir. 35, pp. 9–12. 1905.
  policy—
   Henry S. Graves. Sec. Cir. 148, pp. 11. 1919.
   discussion by Forester. An. Rpts., 1922, pp. 195–199. 1923; For. A.R., 1922, pp. 1–5. 1922.
   need of national program. Sec. Cir. 153, **p. 7.** 1920.

INDEX TO PUBLICATIONS, 1901–1925 953

Forestry—Continued.
officials, in Colorado. For. Law Leaf. 21, pp. 2, 3, 5. 1917.
officials, State, list. F.B. 582, p. 24. 1914.
planting, plans for Oklahoma and vicinity. For. Bul. 65, pp. 16, 19, 23, 25, 28, 31, 36. 1905.
policy—
 foreign countries. Sec. Cir. 140, p. 3. 1919.
 needs. Off. Rec., vol. 3, No. 14, pp. 1, 5. 1924.
 stability requirement. D.B. 638, pp. 28–30. 1918.
practical—
 in Adirondacks. Henry S. Graves. For. Bul. 26, pp. 85. 1904.
 in southern Appalachians. Overton W. Price. Y.B., 1900, pp. 357–368. 1901; Y.B. Sep. 214, pp. 357–368. 1901.
 spruce tract in Maine. Austin Cary. For. Cir. 131, pp. 15. 1907.
practice—
 assistance to private owners. For. Cir. 203, pp. 8. 1912.
 community benefits. D.B. 638, pp. 32–33. 1918.
 extension to privately-owned forests. D.C. 211, pp. 34–36. 1922.
 of Forest Service, 1907, review by Secretary. An. Rpts., 1907, pp. 68–69. 1908; Rpt. 85, pp. 50–51. 1907; Sec. A.R., 1907, pp. 66–68. 1907; Y.B., 1907, pp. 67–69. 1908.
preparatory studies, suggestions. For. Cir. 23, rev., pp. 1–4. 1911.
primer of—
 Gifford Pinchot. F.B. 173, pp. 48. 1903.
 practical work. Gifford Pinchot. F.B. 358, pp. 48. 1909.
principles, application to spruce logging, Maine. For. Cir. 131, p. 4. 1907.
private—
 address of Henry S. Graves before the New England Forestry Conference, Boston, February 24, 1919. Sec. Cir. 129, pp. 11. 1919.
 discussion. For. Cir. 167, pp. 21–28. 1909.
 need of assistance. An. Rpts., 1908, pp. 77–78. 1909; Sec. A.R. 1908, pp. 75–76. 1908.
 supplementing public forestry. Sec. Cir. 129, p. 8. 1919.
problems—
 discussion by Secretary. Sec. A.R., 1914, pp. 38–44. 1914; Y.B., 1914, pp. 52–59. 1915.
 investigation and relations of economic entomology. Ent. Bul. 37, pp. 7–10. 1902.
progress—
 1904. Quincy R. Craft. Y.B., 1904, pp. 589–593. 1905; Y.B. Sep. 372, pp. 589–593. 1905.
 1905. Quincy R. Craft. Y.B., 1905, pp. 636–645. 1906; Y.B. Sep. 406, pp. 636–645. 1906.
 1906. Quincy R. Craft. Y.B., 1906, pp. 525–531. 1907; Y.B. Sep. 439, pp. 1–14. 1907.
 1907. Q. R. Craft. Y.B., 1907, pp. 565–576. 1908; Y. B. Sep. 470, pp. 565–576. 1908.
 1908. Treadwell Cleveland, jr. Y.B., 1908, pp. 538–557. 1909.
proper use of fire. D.C. 358, pp. 16–17. 1925.
protection against fires, livestock, and insects, study. D.B. 863, pp. 20–23. 1920.
publications—
 in Department Library, catalogue. Lib. Bul. 76, pp. 302. 1912.
 list. F.B. 1071, pp. 37–38. 1920.
regions of United States suited to different shade trees. F.B. 1208, pp. 6–13. 1922.
reproduction methods, lesson for rural schools. D.B. 863, pp. 26–31. 1920.
results for several nations. For. Cir. 140, pp. 1–31. 1908.
rotations in harvesting trees, application to incense cedar. D.B. 871, pp. 54–55. 1920.
schools—
 advances, 1907. Y.B., 1907, p. 567. 1908; Y.B. Sep. 470, p. 6. 1908.
 directory—
  1908. Y.B., 1908, pp. 510–511. 1909; Y.B. Sep. 497, pp. 510–511. 1909.
  1911. For. Cir. 23, rev., p. 3. 1911.
 establishment, location, courses of study. For. Cir. 207, pp. 3, 7. 1912.

Forestry—Continued.
scientific, results in conservation work. An. Rpts., 1912, pp. 232–233, 235–237. 1913; Sec. A.R., 1912, pp. 232–233, 235–237. 1912; Y.B., 1912, pp. 232–233, 235–237. 1913.
State—
 departments and officials, list. F.B. 1117, p. 32. 1920.
 officials, directory. D.B. 863, pp. 36–37. 1920.
 work, progress, officials, duties and salaries. For. Cir. 207, pp. 12–14. 1912.
statistics. Y.B., 1924, pp. 1005–1040. 1925.
status in the United States. Treadwell Cleveland, jr. For. Cir. 167, pp. 39. 1909.
study—
 Henry S. Graves. (In English, Spanish, and Portuguese.) For. [Misc.], "The study * * *," pp. 10. 1922.
 courses and experiments. F.B. 468, pp. 9–29. 1911.
terms used. For. Bul. 61, pp. 1–53. 1905.
the profession of. Henry S. Graves. For. Cir. 207, pp. 17. 1912.
timberlands, ownership by public. Sec. A.R., 1924, pp. 63–64. 1924.
tools, sharpening crosscut saws. For. [Misc.], "Sharpening crosscut * * *," pp. 22. 1924.
tree planting, mixtures for Oklahoma and vicinity. For. Bul. 65, pp. 24, 25, 27, 31, 30, 34, 38, 39. 1905.
troops, return from France, date. News L., vol. 6, No. 37, p. 5. 1919.
United States, and forests. Herbert A. Smith. For. [Misc.], "Forestry and forests in the United States," pp. 16. 1922.
value of heterozygosis. B.P.I. Bul. 243, p. 48. 1912.
Weeks law, work of solicitor. An. Rpts., 1920, pp. 582, 588. 1920.
windbreaks, varieties. For. Bul. 65, pp. 31, 34, 39. 1905.
work—
 by Government, history and details. For. Misc. F-1, pp. 16. 1916.
 inspection and study in Alaska. Off. Rec., vol. 1, No. 25, p. 7. 1922.
See also Lumber; Naval stores; Trees; Wood.
Forfeitures, under food and drugs act, court decisions. An. Rpts., 1911, pp. 766–767. 1912; Sol. A.R., 1311, pp. 10–11. 1911.
Forficula auricularia. See Earwig, European.
Forget-me-not—
 description, cultivation, and characteristics. F.B. 1171, pp. 75, 80. 1921.
 importations and descriptions. Nos. 53059, 53060, 53151–53152, B.P.I. Inv. 67, pp. 24, 32. 1923.
 seeds, description. F.B. 428, p. 26. 1911.
Forks—
 cattle dipping, description and use. F.B. 909, p. 13. 1917.
 horse, use in unloading hay. D.B. 578, pp. 8–22. 1918.
Forma-Germkill fumigation, adulteration and misbranding, Insect. N.J. 736, 740. I. and F. Bd. S.R.A. 40, pp. 941, 945. 1922.
FORMAD, R. J.—
 "A study of the serology, the cerebrospinal fluid and the pathological changes in the spinal cord in dourine." With Harry W. Schoening. J.A.R., vol. 26, pp. 497–505. 1923.
 "Pathology of dourine with special reference to the microscopic changes in nerve tissues and other structure." J.A.R., vol. 18, pp. 145–154. 1919.
 testimony, caffeine effects on rabbits. Chem. N.J. 1455, p. 27. 1912.
 "The effect of smelter fumes upon the livestock industry in the Northwest." B.A.I. An. Rpt., 1908, pp. 237–268. 1910.
Formaggini di Lecco, description and analysis. B.A.I. Bul. 105, pp. 22, 58. 1908; B.A.I. Bul. 146, pp. 24, 64. 1911.
Formaldehyde—
 H.W. Wiley and others. Chem. Bul. 84, Pt. V, pp. 1295–1500. 1908.

Formaldehyde—Continued.
  analysis methods. Chem. Bul. 107, p. 33. 1907;
    Chem. Bul. 116, p. 127. 1908; Chem. Bul. 122,
    pp. 109-110. 1909; Chem. Bul. 132, pp. 47-48.
    1910.
  bait for flies. F.B. 734, p. 13. 1916.
  composition, and—
    use as a disinfectant of stables. F.B. 480, pp.
      10-11. 1912.
    uses. Bernard H. Smith. Y.B., 1905, pp.
      477-482. 1906; Y.B. Sep. 397, pp. 477-482.
      1906.
  cotton root-rot control. J.A.R., vol. 23, pp. 526,
    527. 1923.
  derivation. Chem. Cir. 42, pp. 1-2. 1908.
  description and price. F.B. 407, p. 13. 1910.
  detection—
    in food. Chem. Bul. 107, pp. 183-185. 1907;
      Chem. Bul. 116, p. 13. 1908; Chem. Bul. 132,
      p. 149. 1910.
    in milk, difficulty. Chem. Cir. 42, p. 3. 1908.
    methods. Chem. [Misc.], "Recent methods
      suggested * * *," pp. 6. 1904.
  disinfectant—
    foot-and-mouth disease. F.B. 666, p. 14. 1915.
    seed potatoes, formulas, and use. F.B. 1367,
      pp. 5-6, 7-8. 1924.
    sweetpotato seed and hotbeds. B.P.I. Cir.
      114, pp. 16, 17-18. 1913.
  disinfection of tobacco seed beds, caution in use.
    D.C. 176, pp. 2-3. 1921.
  drench for seed-bed soil. D.B. 1256, p. 7. 1924.
  effect on—
    germination of pod-blight spores. J.A.R., vol.
      11, pp. 497-500. 1917.
    mold infestation of wheat. J.A.R., vol. 21,
      No. 2, pp. 106-119. 1921.
    sclerotia and mycelium of *Sclerotinia libertiana*.
      J.A.R., vol. 23, pp. 645-652. 1923.
    seed and seedlings, studies and results. Work
      and Exp., 1921, pp. 68-69. 1923.
    virus of tobacco mosaic disease. J.A.R.,
      vol. 6, pp. 658, 671. 1916; J.A.R., vol. 13,
      pp. 634-637. 1918.
  effect upon—
    digestion and health, general results of investi-
      gations. Chem. Cir. 42, pp. 16. 1908.
    metabolism of the food. Chem. Bul. 84, Pt. V,
      pp. 1496-1497. 1908.
  formation in sugar-cane juice. O.E.S. An. Rpt.,
    1909, p. 115. 1910.
  forms in use, advantages and disadvantages.
    F.B. 345, pp. 5-8. 1909.
  formula and use method. F.B. 856, p. 8. 1917.
  gas—
    as fumigant against mosquitoes. Ent. Bul. 88,
      pp. 37, 38. 1910.
    as fungicide, historical review. B.P.I. Bul. 171,
      pp. 16-17. 1910.
    disinfection method. F.B. 926, pp. 3-4. 1918.
    fumigation of—
      mushroom beds, directions. D.B. 127,
        pp. 11-14, 18-20, 21. 1914.
      pineapple rot, experiments. B.P.I. Bul. 171,
        pp. 17-30. 1910.
    insecticide, value. Ent. Bul. 30, p. 39. 1901.
    production, "permanganate method." F.B.
      345, p. 7. 1908.
    treatment of scab-infected potato seed, method
      and cost. B.P.I. Cir. 23, pp. 10-11. 1909.
    use—
      as disinfectant. B.A.I. [Misc.], "Diseases of
        cattle," rev., p. 362-363. 1904; rev., p. 377.
        1912; rev., p. 365. 1923.
      in control of potato scab, cost. F.B. 316,
        p. 12. 1908; F.B. 407, pp. 13-14. 1910.
      in disinfection of incubators and brooders.
        Y.B., 1911, pp. 182, 183. 1912; Y.B. Sep.
        559, pp. 182, 183. 1912.
      in fumigation of pineapple rot. An. Rpts.,
        1907, p. 681. 1908.
  gaseous, production from formalin, paraform, and
    wood alcohol. F.B. 345, pp. 6-7. 1909.
  grain treatment for smut, directions. F.B. 939,
    pp. 16-20. 1918.
  in milk, determination. D.B. 1, p. 34. 1913.
  influence on the digestive enzymes. T. M. Price.
    B.A.I. Cir. 59, pp. 8. 1904.

Formaldehyde—Continued.
  injury to seed wheat. Annie May Hurd. J.A.R.,
    vol. 20, pp. 209-244. 1920.
  investigations—
    metabolic processes. Chem. Bul. 84, Pt. V,
      pp. 1381-1497. 1908.
    urine, quantity of urea and ratio of sulphur,
      sulphates, and phosphates to nitrogen.
      Chem. Bul. 84, Pt. V, pp. 1330-1370. 1908.
  origin. Chem. Bul. 84, Pt. V, p. 1295. 1908.
  penetration of soils. J.A.R., vol. 31, pp. 334-335,
    336-337. 1925.
  physical properties. J.A.R., vol. 20, pp. 218-223.
    1920.
  reaction of serum proteins, observations on
    mechanism. R. R. Henley. J.A.R., vol. 29,
    pp. 471-482. 1924.
  soil—
    disinfection for control of wheat rosette, experi-
      ments. J.A.R., vol. 23, pp. 782-783. 1923.
    treatment for damping-off control, tests.
      D.B. 453, pp. 12-18, 19, 20, 26, 27, 28, 29, 31.
      1917.
  solution, ingredients, false statements. Insect.
    N.J. 21, I. and F. Bd. S.R.A. 2, p. 26. 1914.
  use—
    against—
      bunt in wheat. D.B. 1210, pp. 15, 17, 18.
        1924; Y.B., 1921, p. 110. 1922; Y.B. Sep.
        873, p. 110. 1922.
      flies. F.B. 1180, p. 28. 1921.
      mange. D.C. 338, p. 10. 1925.
      onion smut, apparatus and cost. F.B. 1060,
        pp. 7-9. 1919.
    as—
      preservative in milk, experiments. B.A.I.
        Bul. 46, p. 71. 1903.
      seed potato disinfectant, and formula. C.T.
        and F.C.D. Cir. 3, pp. 7-8. 1918.
      stable disinfectant, formula, and use methods.
        F.B. 954, p. 7. 1918.
      tobacco fumigant, lack of value. D.B. 737,
        p. 65. 1919.
    in castor-bean seed treatment. J.A.R., vol. 23,
      pp. 711-712. 1923.
    in control of—
      and prevention of potato blackleg. J.A.R.,
        vol. 8, pp. 90, 91. 1917.
      damping-off in conifer seed beds. D.B. 934,
        pp. 25-26. 1921.
      favus. J.A.R., vol. 15, pp. 417-418. 1918.
      flag smut, suggestion. F.B. 1063, p. 8. 1919.
      lettuce drop. Webster S. Krout. J.A.R.,
        vol. 23, pp. 645-654. 1923.
      plant diseases. D.C. 35, pp. 9, 19, 22. 1919.
      potato powdery-scab. J.A.R., vol. 7, pp. 229-
        233. 1916.
      potato scab. News L., vol. 3, No. 34, pp. 2-3.
        1916.
      potato wart, tests. D.C. 111, p. 19. 1920.
      root knot. B.P.I. Bul. 217, pp. 46-48, 50, 53,
        74. 1911; F.B. 648, pp. 13, 14. 1915.
      rye anthracnose. F.B. 756, p. 16. 1916.
      sweet-potato rot, method. News L., vol. 3,
        No. 34, p. 4. 1916.
      wilt. F.B. 785, pp. 9-10. 1917.
    in—
      disinfection of seed potatoes, results. F.B.
        544, p. 14. 1913; J.A.R., vol. 6, No. 21,
        pp. 827-831. 1916.
      fly larvae destruction in manure, experiments
        D.B. 118, pp. 14, 15. 1914; D.B., 245, pp.
        11, 20. 1915; F.B. 532, p. 23. 1913.
      milk adulteration. Chem. N.J., 8-9, pp. 5-7.
        1908.
      milk or cream, inadvisibility. Chem. Cir.
        42, p. 3. 1908.
      pink-yeast control, experiments. D.B. 819,
        pp. 20-21. 1920.
      preservation of hog-cholera virus, results.
        An. Rpts., 1912, p. 375. 1913; B.A.I. Chief
        Rpt., 1912, p. 79. 1912.
      preventing plant diseases. F.B. 1371, pp.
        40-41. 1924.
      sirup preserving. Chem. Bul. 93, p. 63.
        1905.
      soil sterilization for ginseng, method. B.P.I.
        Bul. 250, pp. 40-41. 1912.

Formaldehyde—Continued.
  use—continued.
    in—continued.
      sterilizing seed beds. F.B. 996, pp. 14–15. 1918.
      sterilizing tobacco-plant beds, methods. F.B. 451, pp. 6–7. 1911.
      testing ammonium salts. Chem. Bul. 150, pp. 47, 48. 1912.
    in treatment of—
      barley seed. F.B. 968, p. 37. 1918.
      calf scours. F.B. 273, p. 17. 1906.
      cucurbit seed for anthracnose. D.B. 727, pp. 61–62. 1918.
      grain for disease control. F.B. 419, pp. 16–18. 1910.
      seed potatoes, rate. News L., vol. 4, No. 35, pp. 3, 4. 1917.
      smut on grain seed. F.B. 738, p. 9. 1916; F.B. 883, pp. 11–12. 1917; Sec. Cir. 142, p. 14. 1919.
      stinking smut of wheat. F.B. 885, pp. 10–11. 1917.
      wheat seed, studies. D.B. 1239, pp. 18–21. 1924.
    on roots to control root-knot nematodes. F.B. 1345, p. 17. 1923.
    value as disinfectant, and methods of use. F.B. 926, pp. 3–6. 1918.
    vapor, seed disinfection. Cecil C. Thomas. J.A.R., vol. 17, pp. 33–39. 1919.
  See also Formalin; Preservatives.
Formalin—
  analysis, methods. Chem. Bul. 73, pp. 164–165. 1903; Chem. Bul. 76, pp. 48–49. 1903; Chem. Bul. 81, pp. 204–205. 1904; Chem. Bul. 107, p. 33. 1907.
  control of sorghum head-smut experiments. J.A.R., vol. 2, pp. 355–357. 1914.
  dilution for treating seed potatoes or soil. F.B. 1202, p. 60. 1921.
  disinfection of stables and hog pens. B.A.I. An. Rpt., 1907, p. 244. 1909; B.A.I. Cir. 144, p. 244. 1909.
  effect on—
    vitality of grain. O.E.S. An. Rpt., 1910, pp. 246, 247. 1911.
    wheat seed, experiments. J.A.R., vol. 19, pp. 366–374, 376–386. 1920.
  gas production and use as disinfectant. F.B. 345, pp. 6–7. 1909.
  injury to pine seedlings and other plants. D.B. 169, pp. 3, 5, 23–26, 29–30, 34, 35. 1915.
  misbranding and adulteration. Insect. N.J.457, 458, I. and F. Bd. S.R.A. 26, pp. 581, 582. 1919.
  pastils, use in fumigation experiments. B.P.I. Bul. 171, p. 16. 1910.
  permanganate method of generating formaldehyde gas. B.P.I. Bul. 171, pp. 17–21. 1910.
  potato seed disinfection. F.B. 784, pp. 17, 23. 1919; F.B. 1064, pp. 18, 19. 1919; F.B. 1332, p. 11. 1923.
  solution—
    for potato pests. Hawaii Bul. 45, p. 9. 1920.
    use in control of potato diseases in Alaska. Alaska A.R. 1915, p. 40. 1916.
  use—
    against flies. O.E.S. An. Rpt., 1911, p. 170. 1912.
    as disinfectant. F.B. 345, p. 5. 1908; B.A.I. [Misc.], "Diseases of cattle," rev., p. 377. 1912; rev., p. 362. 1908.
    as fly poison. F.B. 851, p. 11. 1917.
    in control of—
      bursitis of horses, danger. News L., vol. 3. No. 2, p. 5. 1915.
      flies. Sec. Cir. 61, p. 7. 1916.
      grain smuts, directions. B.P.I. Bul. 240, p. 20. 1912.
      house flies. F.B. 679, p. 12. 1915.
      kernel smut of Sudan grass. F.B. 1126, p. 26. 1920.
      mushroom disease. D.B. 127, pp. 11, 13, 17, 18–19. 1914.
      potato scab. F.B. 316, p. 12. 1908; F.B. 533, p. 15. 1913.
      silver scurf of potato. B.P.I. Cir. 127, pp. 21–23. 1913.

Formalin—Continued.
  use—continued.
    in control of—continued.
      smut, formula, and method. News L., vol. 3, No. 31, p. 5. 1916.
      tobacco bed-rot. F.I.L. 9, p. 11. 1907.
      wheat smut, method. News L., vol. 3, No. 8, pp. 1–2. 1915.
    in disinfection of—
      citrus groves. Y.B., 1916, p. 270. 1917; Y.B. Sep. 711, p. 4. 1917.
      hog pens and stables. Y.B., 1909, p. 237. 1910; Y.B. Sep. 508, p. 237. 1910.
      potato seed. F.B. 1190, p. 12. 1921.
    in sterilization of—
      cabbage and cauliflower seed-beds. F.B. 488, pp. 10–11. 1912.
      soil. O.E.S. An. Rpt., 1911, p. 211. 1912.
    in treatment of—
      beet seed for fungous infection. J.A.R., vol. 4, p. 138. 1915.
      broomcorn kernel smut. F.B. 768, p. 6. 1916.
      covered smut of barley. B.P.I. Bul. 152, p. 37. 1909.
      grain smut, formula, methods. F.B. 507, pp. 19–23, 32. 1912.
      millet seed for smut. F.B. 793, p. 26. 1917.
      oat smut. F.B. 436, p. 19. 1911.
      potato seed. Sec. Cir. 92, pp. 11, 29. 1918.
      seed to prevent diseases. F.B. 584, pp. 6, 7. 1914.
      smuts of wheat and oats. F.B. 250, pp. 8, 9, 16. 1906.
      sorghum smut. B.P.I. Cir. 8, p. 6. 1908.
      wheat bunt, formula. D.B. 30, pp. 44–48, 50. 1913.
  See also Formaldehyde; Preservatives.
Formic acid—
  determination—
    in food preservatives, methods. Chem. Bul. 162, pp. 135–138. 1913.
    method for small quantity. Chem. Cir. 74, pp. 6–8. 1911.
  presence in soils, effect on Azotobacter content. J.A.R., vol. 24, p. 296. 1923.
  use—
    in treatment of bee diseases. Ent. Bul. 98, p. 51. 1912.
    with mercuric chloride as anthrax disinfectant. J.A.R., vol. 4, pp. 68–81. 1915.
Formica—
  cinereorufibarbis. See Ant, Colorado.
  fusca, destruction by birds. Biol. Bul. 15, p. 20. 1901.
  spp., enemy of—
    alfalfa looper. Ent. Bul. 95, Pt. VII, pp. 117–118. 1912.
    boll weevil. Ent. Bul. 100, pp. 11, 41, 73. 1912; Ent. Bul. 114, p. 140. 1912.
  subsericea—
    destruction by birds. Biol. Bul. 15, p. 20. 1901.
    relation to spread of hop aphids. Ent. Bul. 111, p. 19. 1913.
Formicariidae, hosts of eye parasite. B.A.I. Bul. 60, p. 48. 1904.
Formosa—
  agricultural statistics, 1911–1917. D.B. 987, pp. 27–28. 1921.
  camphor industry and method of manufacture. Y.B., 1910, pp. 450–451. 1911; Y.B. Sep. 551, pp. 450–451. 1911.
  sugar industry, 1903–1914. D.B. 473, p. 66. 1917.
Forms—
  account, for cooperative fruit associations. D.B. 225, pp. 4–24. 1915.
  ginnery accounts, description and use. D.B. 985, pp. 8–14. 1921.
  grain-elevator accounts. D.B. 811, pp. 13–30, 36–39, 42–48. 1919.
  use for holding concrete, kinds, setting, removal. F.B. 1279, pp. 10–13. 1922.
Formulary, national, appendix. F.I.D. 59, Chem. F.I.D. 54–59, pp. 6–7. 1907.
Forrester Island, Alaska, bird reservation, conditions. An. Rpts., 1916, p. 248. 1917· Biol. Chief Rpt., 1916, p. 12. 1916.

FORSLING, C. L.—
"Chopped soapwood as emergency feed for cattle on southwestern ranges." D.B. 745, pp. 20. 1919.
"Range and cattle management during drought." With James T. Jardine. D.B. 1031, pp. 84. 1922.
"Saving livestock from starvation on southwestern ranges." F.B. 1428, pp. 22. 1925.
Forsythia suspensa—
importations and descriptions. Nos. 37004, 37477, B.P.I. Inv. 38, pp. 22, 62. 1917.
See also Golden bell, drooping.
Fort fromage (cheese) description and process of manufacture. B.A.I. Bul. 105, p. 22. 1908; B.A.I. Bul. 146, p. 24. 1911.
Fort Bayard Nursery, practices, shading. D.B. 479, pp. 35–50, 61, 66, 69, 85. 1917.
Fort Berthold project, irrigation in North Dakota, proposed work. O.E.S. Bul. 219, pp. 26–27. 1909.
Fort Hays branch, experiment station, location, area, and description. D.B. 1094, pp. 1–2, 29. 1922.
Fort Keogh Reservation, stock experiments. Off. Rec., vol. 3, No. 16, p. 2. 1924.
Fort Mohave, experiment station, establishment, bill. Off. Rec. ,vol. 1, No. 22, p. 2. 1922.
Fort Niobrara Military Reservation, Nebr., condition of game, 1908. Y.B., 1908, p. 584. 1909; Y.B. Sep. 500, p. 584. 1909.
Fort Stockton, irrigation system, details. O.E.S. Bul. 222, p. 74. 1910.
Fort Wayne, Ind., milk supply, statistics, officials, prices, and ordinances. B.A.I. Bul. 46, pp. 34, 72, 179. 1903.
Fort Wingate Military Reservation, right of way to Atchison & Topeka Ry. Sol. [Misc.], "Laws applicable * * * Agriculture," sup. 2, pp. 42–43. 1915.
Fort Worth, Tex.—
market statistics for livestock, 1910–1920. D.B. 982, pp. 16, 51, 82. 1921.
named as spot cotton-market. Sec. Cir. 46, amdt. 7, p. 1. 1915.
trade center for farm products, statistics. Rpt. 98, pp. 287–290. 1913.
FORTIER, SAMUEL—
"Concrete lining as applied to irrigation canals." D.B. 126, pp. 86. 1914.
"Drainage of irrigated lands in the San Joaquin Valley, California." With Victor M. Cone. O.E.S. Bul. 217, pp. 58. 1909.
"Evaporation from irrigated soils." With S. H. Beckett. O.E.S. Bul. 248, pp. 77. 1912.
"Evaporation losses in irrigation and water requirements of crops." O.E.S. Bul. 177, pp. 2. 1907.
"Farm irrigation investigations." An. Rpts., 1915, p. 326. 1916; Rds. Chief Rpt., 1915, p. 14. 1915.
"Farm reservoirs." F.B. 828, pp. 36. 1917.
"Irrigation in Montana." With others. O.E.S. Bul. 172, pp. 108. 1906.
"Irrigation in Santa Clara Valley, California." O.E.S. Bul. 158, pp. 77–91. 1905.
"Irrigation in the Sacramento Valley, California." With others. O.E.S. Bul. 207, pp. 99. 1909.
"Irrigation investigations in Montana, 1900." O.E.S. Bul. 104, pp. 267–292. 1902.
"Irrigation investigations in Montana, 1901." O.E.S. Bul. 119, pp. 225–241. 1902.
"Irrigation investigations in Montana, 1902." O.E.S. Bul. 133, pp. 137–150. 1903.
"Irrigation of alfalfa." F.B. 373, pp. 48. 1909; F.B. 865, pp. 40. 1917.
"Irrigation of orchards." F.B. 404, pp. 36. 1910; F.B. 882, pp. 40. 1917.
"Irrigation requirements of the arable lands of the Great Basin." D.B. 1340, pp. 55. 1925.
"Methods of applying water to crops." Y.B., 1909, pp. 293–308. 1910; Y.B. Sep. 514, pp. 293–308. 1910.
"Practical information for beginners in irrigation." F.B. 263, pp. 40. 1906; F.B. 864, pp. 38. 1917.
"Progress report of cooperative irrigation investigations in California." O.E.S. Cir. 59, pp. 23. 1904.

FORTIER, SAMUEL—Continued.
"Report of irrigation investigations for 1902." O.E.S. Bul. 133, pp. 137–150. 1903.
"Report of irrigation investigations, for 1910." O.E.S. An. Rpt., 1910, pp. 37–43. 1911.
"Soil mulches for checking evaporation." Y.B., 1908, pp. 465–472. 1909; Y.B. Sep. 495, pp. 465–472. 1909.
"The border method of irrigation." F.B. 1243, pp. 41. 1922.
"The use of concrete pipe in irrigation." With F. W. Stanley. D.B. 906, pp. 54. 1921.
"The storage of water for irrigation purposes, Pts. I and II." With F. L. Bixby. O.E.S. Bul. 249, Pt. I, pp. 95. 1912; O.E.S. Bul. 249, Pt. II, pp. 64. 1912.
"The use of small water supplies for irrigation." Y.B., 1907, pp. 409–424. 1908; Y.B. Sep. 458, pp. 409–424. 1908.
"With the irrigation farmer." Y.B., 1920, pp. 203–216. 1921; Y.B. Sep. 839, pp. 203–216. 1921.
Fortunella—
hindsii susceptibility to citrus canker. J.A.R. vol. 15, pp. 662, 664, 665. 1919.
spp. See Kumquat.
Forty fold wheat. *See* Wheat, Gold Coin.
FOSSUM, ANDREW—
"The Danish hog industry." B.A.I. An. Rpt., 1906, pp. 223–246. 1908.
"The poultry and egg industry of leading European countries." B.A.I. Bul. 65, pp. 79. 1904.
FOSTER, A. C.—
"Some effect of the blackrot fungus, *Sphaeropsis malorum*, upon the chemical composition of the apple." With others. J.A.R., vol. 7, pp. 17–40. 1916.
"Tobacco wildfire." With Frederick A. Wolf. J.A.R., vol. 12, pp. 449–458. 1918.
FOSTER, H. D.: "Chestnut oak in the southern Applachians." With W. W. Ashe. For. Cir. 135, pp. 23. 1908.
FOSTER, J. H.—
"Condition of cut-over long leaf pine lands in Mississippi." With J. S. Holmes. For. Cir. 149, pp. 8. 1908.
"Engelmann spruce in the Rocky Mountains, with special reference to growth, volume, and reproduction." With E. R. Hodson. For. Cir. 170, pp. 23. 1910.
"Forest conditions in Louisiana." For. Bul. 114, pp. 39. 1912.
FOSTER, LUTHER, report of New Mexico Experiment Station, work—
1906. O.E.S. An. Rpt., 1906, pp. 134–135. 1907.
1907. O.E.S. An. Rpt., 1907, pp. 139–141. 1908.
1908. O.E.S. An. Rpt., 1908, pp. 136–139. 1909.
1909. O.E.S. An. Rpt., 1909, pp. 152–154. 1910.
1910. O.E.S. An. Rpt., 1910, pp. 196–199. 1911.
1911. O.E.S. An. Rpt., 1911, pp. 158–161. 1912.
1912. O.E.S. An. Rpt., 1912, pp. 164–167. 1913.
FOSTER, S. W.—
"Additional observations on the lesser apple worm." With P. R. Jones. Ent. Bul. 80, Pt. III, pp. 45–50. 1909.
"Demonstration spraying for the codling moth." With others. Ent. Bul. 68, Pt. VII, pp. 69–76. 1908.
"How to control the pear thrips." With P. R. Jones. Ent. Cir. 131, pp. 24. 1911.
"Life history of the codling moth and its control on pears in California." Ent. Bul. 97, Pt. II., pp. 13–51. 1911.
"The cherry fruit saw-fly." Ent. Bul. 116, Pt. III, pp. 73–79. 1913.
"The life history and habits of the pear thrips in California." With P. R. Jones. D.B. 173, pp. 52. 1915.
"The nut-feeding habits of the codling moth." Ent. Bul. 80, Pt. V., pp. 67–70. 1910.
FOSTER, W. D.—
"Efficacy of some anthelmintics." With Maurice C. Hall. J.A.R., vol. 12, pp. 397–447. 1918.
"Life history of *Ascaris lumbricoides* and related forms." With B. H. Ransom. J.A.R., vol. 11, pp. 395–398. 1917.
"Observations on the life history of *Ascaris lumbricoides*. With B. H. Ransom. D.B. 817, pp. 47. 1920.

INDEX TO PUBLICATIONS, 1901–1925   957

FOSTER, W. D.—Continued.
"Poultry diseases." With Bernard A. Gallagher.
F.B. 957, pp. 48. 1918.
"The roundworms of domestic swine, with special reference to two species parasitic in the stomach." B.A.I. Bul. 158, pp. 47. 1912.
Foster's backache kidney pills, misbranding. Chem. N.J. 12957. 1925.
Fostite, analysis. Chem. Bul. 76, p. 45. 1903.
Fostoria, Ohio, milk supply, statistics, officials, and prices. B.A.I. Bul. 46, pp. 42, 142. 1903.
FOUBERT, C. L.—
"Oil content of seeds as affected by the nutrition of the plant." With others. J.A.R., vol. 3, pp. 227–249. 1914.
"Research studies on the curing of leaf tobacco." With others. D.B. 79, pp. 40. 1914.
Foulbrood—
American—
G. F. White. D.B. 809, pp. 64. 1920.
and wax moths. E. F. Phillips. Ent. Bul. 75, Pt. II., pp. 19–22. 1907.
bee disease, nature, description, and treatment. Ent. Bul. 75, pp. 24, 36, 38–40. 1911.
cause—
G. F. White. Ent. Cir. 94, pp. 4. 1907.
and description, treatment. Ent. Bul. 75, Pt. IV, pp. 36, 38–40. 1908.
comparison with European foulbrood. F.B. 175, pp. 3, 4–7, 16. 1918.
control of. E. F. Phillips. D.B. 1084, pp. 15. 1920.
death age of former healthy brood. D.B. 809, pp. 3–5. 1920.
diagnosis, characteristics, and cultures. D.B. 671, pp. 8–10. 1918.
effect of drugs, experiments. D.B. 809, pp. 32–34, 40, 41. 1920.
effects, progress. Ent. Bul. 75, Pt. II, p. 19. 1907.
name, description, and cause. Ent. Bul. 98, pp. 11, 48, 75, 80–82. 1912.
origin of name. D.B. 809, pp. 2–3. 1920.
relation to wax moths. Ent. Bul. 75, pp. 19–22. 1911.
symptoms, various stages. D.B. 809, pp. 5–11. 1920.
transmission methods. D.B. 809, pp. 34–36, 41. 1920.
and injurious insects, State and territorial laws. L. O. Howard and A. F. Burgess. Ent. Bul. 61, pp. 222. 1906.
bacillus, vitality and development. Ent. Bul. 70, pp. 36–42. 1907.
causes—
and development. J.A.R., vol. 28, pp. 130–133. 1924.
development, losses, and control studies. D.B. 804, pp. 1–27. 1920.
control—
by antiseptic drugs, experiments. Ent. Bul. 98, pp. 21, 22, 23, 40, 51, 52. 1912.
in tulip-tree region. F.B. 1222, p. 21. 1922.
measures. F.B. 1215, pp. 14, 24. 1922; D.B. 1349, p. 8. 1925.
preparation in early spring. F.B. 1216, pp. 12, 18, 24. 1922.
description. D.B. 92, pp. 2–4, 8. 1914; Ent. Bul. 98, pp. 19, 45, 66, 69, 70, 76. 1912.
detection symptoms, and basis of treatment. F.B. 1084, pp. 4–9. 1920.
diagnosis, comparisons of symptoms. D.B. 810, pp. 28–31. 1920.
distinction between European and American. D.B. 809, p. 3. 1920.
distribution. D.B. 809, pp. 12, 40. 1920.
European—
G. F. White. D.B. 810, pp. 39. 1920.
and American disease. Ent. T.B. 14, pp. 31–43. 1906.
behavior of bees in colonies affected by, a study. Arnold P. Sturtevant. D.B. 804, pp. 28. 1920.
cause—
and treatment. Ent. Bul. 75, Pt. IV, pp. 37, 41. 1908.
of. G. F. White. Ent. Cir. 157, pp. 15. 1912.

Foulbrood—Continued.
European—Continued.
control of. E. F. Phillips. F.B. 975, pp. 16. 1918.
description, symptoms, and control. F.B. 975, pp. 1–16. 1918.
diagnosis, characteristics, and cultures. D.B. 671, pp. 4–8. 1918.
differences from American foulbrood. F.B. 1084, pp. 4, 8, 9. 1920.
distribution by months, spread and disappearance. F.B. 975, pp. 7–10. 1918.
nature, description, and treatment. Ent. Bul. 75, pp. 24, 37, 41. 1911.
resistance to heat, drying, and fermentation. D.B. 810, pp. 17–25. 1920.
symptoms manifested by diseased larvae. Ent. Cir. 157, pp. 4–7, 10. 1912.
test in living larvae. Ent. Cir. 157, pp. 7–9. 1912.
transmission methods, and diagnosis. D.B. 810, pp. 26–31. 1920.
in bees, control legislation in Hawaii. Hawaii A.R., 1907, p. 41. 1908.
laws, State and territorial. Ent. Bul. 61, pp. 184–200. 1906.
occurrence in United States. Ent. Cir. 138, pp. 2–23. 1911.
preventive measures. F.B. 1084, pp. 9–10. 1920.
relation to the metabolism of its causative organism. A. P. Sturtevant. J.A.R., vol. 28, pp. 129–168. 1924.
résumé of history. Ent. Bul. 70, pp. 23–26. 1907.
symptoms—
and control. F.B. 447, p. 42. 1911.
description, spread, and treatment. F.B. 442, pp. 8–11, 12–19. 1911.
transmission methods, and prevention, Porto Rico. P.R. Cir. 13, pp. 30–31. 1911.
Foundations—
bridges and culverts, examination and testing. Rds. Bul. 43, pp. 8–11. 1912.
road-bearing power, types, construction, cost, and specifications. D.B. 724, pp. 39–76. 82–86. 1919.
Founder—
cattle, causes, symptoms, and treatment. B.A.I. [Misc.], "Diseases of cattle," rev., p. 335. 1904; rev., p. 347. 1912; rev., p. 335. 1923.
horse, causes, symptoms, and treatment. B.A.I. [Misc.], "Diseases of the horse," rev., pp. 414–430. 1903; rev., pp. 414–430. 1907; rev., pp. 414–430. 1911; rev., pp. 414–457. 1923.
Fountain tree, importation and description. No. 42373, B.P.I. Inv. 46, p. 75. 1919.
Fountains—
drinking, for—
chickens. F.B. 1107, p. 7. 1920.
poultry, sterilizing. Y.B. 1911, p. 185. 1912; Y.B. Sep. 559, p. 185. 1912.
use in attracting birds to public grounds. D.B. 715, pp. 5, 11. 1918.
Four o'clock—
description, cultivation and characteristics. F.B. 1171, pp. 50–52, 80. 1921.
family, injury to trees by sapsuckers. Biol. Bul. 39, pp. 36, 76. 1911.
rust occurrence, and description. B.P.I. Bul. 226, p. 86. 1912.
Fowl(s)—
American breeds—
Plymouth Rock. T. F. McGrew. B.A.I. Bul. 29, pp. 32. 1901.
Wyandotte. T. F. McGrew. B.A.I. Bul. 31, pp. 30. 1901.
blood—
antisheep amboceptor and complement. F. R. Beaudette and L. D. Bushnell. J.A.R., vol. 27, pp. 709–715. 1924.
poisoning diseases, distinction from tuberculosis. F.B. 1200, p. 9. 1921.
canned—
composition and characteristics. Chem. Bul. 13, Pt. X, pp. 1439–1441. 1902.
recipe. S.R.S. Doc. 80, p. 21. 1918.
cold storage, extent and importance of industry. Y.B., 1907, p. 197. 1908; Y.B. Sep. 468, p. 197. 1908.

Fowl(s)—Continued.
diseases caused by protozoan parasites. B.A.I. An. Rpt., 1910, pp. 470, 481, 488, 496. 1912; B.A.I. Cir. 194, pp. 470, 481, 488, 496. 1912.
domestic, tumor occurrence, frequency. Maynie R. Curtis. J.A.R., vol. 5, No. 9, pp. 397-404. 1915.
dressing, methods used in experimental studies. Chem. Cir. 70, pp. 6-7. 1911.
exhibition, selection, and preparation. J. W. Kinghorne. F.B. 1115, pp. 11. 1920.
feeding on thyroid, effect on plumage. L. J. Cole and D. H. Reid. J.A.R., vol. 29, pp. 285-287. 1924.
food—
digestion, studies. J.A.R. vol. 23, pp. 721-725. 1923.
value comparisons, chart. D.B. 975, pp. 6, 24. 1921; F.B. 1383, p. 21. 1924.
for table, selection methods, studies. News L., vol. 4, No. 24, p. 3. 1917.
frozen, cold storage reports, 1917-1918. D.B. 776, pp. 32, 33, 35, 38, 41, 43. 1919.
gizzard, grit function. B. F. Kaupp. J.A.R., vol. 27, pp. 413-416. 1924.
gossypol feeding experiments. J.A.R., vol. 5, No. 7, pp. 276-277. 1915.
growing, mineral requirements, and southern poultry feeds. B. F. Kaupp. J.A.R., vol. 14, pp. 125-134. 1918.
incubation period. D.B. 905, p. 7. 1920.
inoculation with tubercle bacilli. B.A.I. An. Rpt., 1906, pp. 118, 119, 120, 128, 133. 1908.
kinds bred for food and eggs. D.B. 467, pp. 2-7. 1916.
mite, tropical, in the United States. H. P. Wood. D.C. 79, pp. 8. 1920.
molting, forced, experiments. F.B. 412, pp. 20-26. 1910.
parasites of. Y.B., 1924, pp. 422-423. 1925.
pest—
European, outbreak and suppression. Sec. A.R., 1925, p. 66. 1925.
source. Off. Rec., vol. 4, No. 10, pp. 1-2. 1925.
physical signs of good and poor layers. D.C. 18, pp. 4-7. 1919.
plumage, effect of feeding thyroid. L. J. Cole and D. H. Reid. J.A.R., vol. 29, pp. 285-287. 1924.
Plymouth Rock breed, ancestry. F.B. 262, p. 27. 1906.
protection from ticks. Y.B., 1910, p. 222. 1911; Y.B. Sep. 531, p. 222. 1911.
sex of chicks, relation to shape and weight of eggs. M. A. Jull and J. P. Quinn. J.A.R., vol. 29, pp. 195-201. 1924.
slaughtered, bacterial content and odor, experiments. S.R.S. Rpt., 1917, Pt. I, pp. 28, 121. 1918.
susceptibility to tick infestation. F.B. 1070, pp. 4-5. 1919.
tapeworms, sources of infection. S.R.S. Rpt., 1916, Pt. I, p. 123. 1918.
testing for *Bacterium pullorum* infection. Archibald R. Ward and Bernard A. Gallagher. D.B. 517, pp. 15. 1917.
tick. *See* Tick, fowl; Tick, chicken.
time required to grow feathers. F.B. 412, p. 23. 1910.
tuberculosis—
Bernard A. Gallagher. F.B., 1200, pp. 11. 1921.
investigations, 1907. An. Rpts., 1907. pp. 218-219. 1908.
tuberculous, source of disease in hogs. Y.B., 1909, p. 231. 1910; Y.B. Sep. 508, p. 231. 1910; F.B. 781, pp. 10, 18. 1917; B.A.I. Cir. 144, p. 230. 1909.
value in grasshopper destruction. F.B. 747, p. 12. 1916.
various kinds, economic use on farms. Sec. Cir. 107, pp. 8-10. 1918.
washing for exhibition, management and directions. F.B., 1115, pp. 6-9. 1920.
Wyandotte breed, ancestry. F.B. 262, p. 27. 1906.
See also Chickens; Ducks; Geese; Turkeys.
FOWLER, E. D.—
"Soil survey of Lonoke County, Ark." With others. Soil Sur. Adv. Sh., 1921, pp. 1279-1327. 1925.

FOWLER, E. D.—Continued.
"Soil survey of Mitchell County, Ga." With others. Soil Sur. Adv. Sh., 1920, pp. 37. 1922; Soils F.O. 1920, pp. 1-37. 1925.
"Soil survey of Texas County, Mo." With others. Soil Sur. Adv. Sh., 1917, pp. 37. 1919; Soils F.O., 1917, pp. 1523-1555. 1923.
Fowler's solution, remedy for loco poisoning in horse. B.A.I. Bul. 112, pp. 75, 78, 80-90. 1909; F.B. 380, pp. 13-14, 16. 1909.
FOX, HENRY—
"The rough-headed cornstalk beetle." With W. J. Phillips. D.B. 1267, pp. 34. 1924.
"The rough-headed cornstalk beetle in the Southern States and its control." With W. J. Phillips. F.B. 875, pp. 12. 1917.
Fox, J. W., report of Mississippi Experiment Station, work and expenditures—
1910. O.E.S. An. Rpt., 1910, pp. 172-175. 1911.
1911. O.E.S. An. Rpt., 1911, pp. 137-139. 1912.
Fox, W. F.—
"A history of the lumber industry in the State of New York." For. Bul. 34, pp. 59. 1902.
"The maple sugar industry." With William F. Hubbard. For. Bul. 59, pp. 5-45. 1905.
Fox(es)—
adult and pup, key for identification. Biol. Cir. 69, p. 2. 1909.
Alaska red, occurrence in Alaska, description. N A. Fauna 24, p. 40. 1904.
Arctic, range and habits. N.A. Fauna 24, pp. 22, 40. 1904.
Athabaska-Mackenzie region, description. N.A. Fauna 27, pp. 215-220. 1908.
behavior in captivity, handling and sanitation. D.B. 301, pp. 21-25. 1915.
beneficial habits. Y.B., 1908, p. 190. 1909; Y.B. Sep. 474, p. 190. 1909.
black, breeding for furs. An. Rpts., 1912, p. 659. 1913; Biol. Chief Rpt., 1912, p. 3. 1912.
blue—
description, value, and difficulty in domestication. Y.B., 1916, pp. 493-494, 495. 1917; Y.B. Sep. 693, pp. 5-6, 7. 1917.
farming in Alaska. Frank G. Ashbrook and Ernest P. Walker. D.B. 1350, pp. 35. 1925.
Pribilof Islands, description and value. N.A. Fauna 46, pp. 103-105. 1923.
skins from Pribilof Islands, value to Government. D.C. 135, p. 5. 1920.
bounties paid by different States. F.B. 1238, pp. 7-21. 1921.
branding and recording, Alaska. Off. Rec. vol. 2, No. 30, p. 1. 1923.
Breeders Association(s)—
Canadian. Off. Rec. vol. 3, No. 39. p. 2. 1924.
union. Off. Rec. vol, 2. No. 4, p. 6. 1923.
breeding—
history, requirements, profits. F.B. 328, pp. 6-21. 1908.
improved strains. F.B. 795, pp. 20-21, 24-26. 1917.
land leasing in Alaska. Off. Rec. vol. 1, No. 30, p. 3. 1922.
prices. D.B. 301, pp. 4, 5, 34. 1915.
stock and equipment for farming. D.B. 1350, pp. 15-16. 1925.
crossbreeding experiments. F.B. 328, p. 20. 1908.
dens and yards, description. F.B. 795, pp. 9-17. 1917.
desert—
description, beneficial habits. F.B. 335, p. 27. 1908.
New Mexico, occurrence in Texas. N.A. Fauna 25, p. 179. 1905.
diseases—
and parasites, detection and control. D.B. 1151, pp. 55-57. 1923.
and their treatment. D.B. 301, pp. 23-25. 1915.
detection, control, and prevention. D.B. 1151, pp. 55-57. 1923; D.B. 1350, pp. 29-31. 1925.
domestication, history. D.B. 301, pp. 4-6, 34. 1915.
enemy of Calosoma beetles. D.B. 417, p. 12. 1917.
farming—
Alaska, industry. Biol. Chief Rpt. 1924, p. 26. 1924.

Fox(es)—Continued.
  farming—continued.
    area, space required, enclosures and equipment. F.B. 328, pp. 7-13. 1908.
    costs and profits. F.B. 795, pp. 31-32. 1917.
    data regarding. An. Rpts., 1922, pp. 344, 345, 355. 1923; Biol. Chief Rpts., 1922, pp. 14, 15, 25. 1922.
    in Alaska—
      Central. Soil Sur. Adv. Sh. 1914, pp. 173-174. 1915; Soils F.O. 1914, p. 207. 1919.
      legal requirements. D.B. 301, pp. 33-34. 1915.
    possibilities and profits. News L. vol. 4, No. 38, pp. 5-6. 1917.
  farms—
    disinfection by fire, note. B.A.I. Bul. 35, p. 17. 1902.
    success of industry in Alaska. D.C. 225, p. 5. 1922.
  feeding, selection and preparation of food. F.B. 301, pp. 15-18. 1915; F.B. 325, pp. 13-14. 1908; F.B. 795, pp. 17-19, 28, 29. 1917.
  fur, value increase since 1915. D.C. 135, p. 5. 1920.
  gray—
    description and habits. N. A. Fauna 45, pp. 33-34. 1921.
    occurrence in—
      Colorado and description. N.A. Fauna 33, pp. 176-178. 1911.
      Texas and habits. N.A. Fauna 25, pp. 180-182. 1905.
  growing for fur, value, and costs, dens, feeding and care. Y.B., 1916, pp. 491-492, 493-494, 495, 497, 498, 500. 1917; Y.B. Sep. 693, pp. 3-4, 5-6, 7, 9, 10, 12. 1917.
  handling and transportation. F.B. 795, pp. 22-23. 1917.
  hunting laws—
    1919, notes. F.B. 1079, pp. 3-30. 1919.
    Montana and Idaho. For. [Misc.], "Trespass on national * * *," pp. 28, 46. 1922.
    Texas. N.A. Fauna 25, pp. 180-181. 1905.
  importation for breeding purposes, inspection regulation. B.A.I.O. 266, amdt. 7, pp. 2. 1921.
  improvement by selective breeding. F.B. 328, pp. 19-20. 1908.
  industry—
    Pribilof Islands, number taken and value. N.A.Fauna 46, p. 105. 1923.
    speculative phase, prices. F.B. 795, pp. 5-6, 32. 1917.
  injuries and diseases, care and control. F.B. 795, pp. 23-25. 1917.
  intestinal worms, control. D.B. 301, p. 25. 1915.
  Kenai range and habits. N.A. Fauna 21, p. 68. 1901.
  killing and skinning, directions. D.B. 301, pp. 31-32. 1915; F.B. 795, pp. 30-31. 1917.
  kit—
    natural enemy of kangaroo rat. D.B. 1091, p. 34, 35. 1922.
    occurrence in Colorado, description. N.A. Fauna 33, pp. 175-176. 1911.
  occurrence—
    and habits in Texas. N.A. Fauna 25, pp. 178-182. 1905.
    in—
      Alabama, description and habits. N.A. Fauna 45, pp. 34-35. 1921.
      Colorado, and description. N.A. Fauna 33, pp. 174-176. 1911.
      Pribilof Islands, habits, and value. N.A. Fauna 46, pp. 103-105. 1923.
  parasites, prevention. D.B. 301, pp. 24-25. 1915; D.B. 1151, p. 57. 1923.
  poisoning, Alaska, prevention. D.C. 88, p. 11. 1920.
  protection—
    by laws, various States. D.B. 301, pp. 32-34. 1915.
    in Alaska, regulations. Biol. S.R.A. 56, pp. 1-3. 1923.
    law, summary, 1917. F.B. 911, p. 29. 1917.
    laws, summary, 1918. F.B. 1022, p. 29. 1918.
  ranches—
    description of dens and inclosures, and cost. D.B. 301, pp. 8-18, 30. 1915.

Fox(es)—Continued.
  ranches—continued.
    location, sites and climate requirements. F.B. 795, pp. 7-8. 1917; D.B. 301, pp. 5-6. 1915.
  ranching. See Fox farming.
  range and habits. N.A. Fauna 22, pp. 62-63. 1902.
  rearing—
    for fur. Off. Rec. vol. 3, No. 39, pp. 1-2. 1924.
    inclosures, breeding, feeding, and management. D.B. 301, pp. 8-25. 1915.
  red—
    Alaska, range and habits. N.A. Fauna 24, p. 40. 1904.
    description—
      and habits. N.A. Fauna 45, p. 32. 1921.
      relation to silver fox. F.B. 795, pp. 4-5. 1917.
    introduction into Texas. N.A. Fauna 25, pp. 178-179. 1905.
    western, occurrence in Montana. Biol. Cir. 82, p. 21. 1911.
  silver—
    description, and natural habitat. D.B. 301, pp. 2-3, 4-8. 1915; F.B. 328, pp. 6-16. 1908.
    domesticated. Ned Dearborn. F.B. 795, pp. 32. 1917.
    farming—
      Frank G. Ashbrook. D.B. 1151, pp. 60. 1923.
      Wilfred H. Osgood. F.B. 328, pp. 22. 1908.
      conditions and requirements. News L., vol. 3, No. 11, pp. 4, 6. 1915.
      eastern North America. Ned Dearborn. D.B. 301, pp. 35. 1915.
    improved strains. F.B. 795, pp. 25-28. 1917.
  skins—
    preparation and marketing. F.B. 795, pp. 29-31. 1917.
    value, prices, and method of preparation. D.B. 301, pp. 4, 5, 34. 1915; F.B. 328, pp. 6, 21-22. 1908.
  strains, improvement by careful selection. D.B. 301, pp. 25-28. 1915.
  trap-feed houses, construction. D.B. 1350, pp. 12-15. 1925.
  trapping directions and casing skins. Y.B., 1919, pp. 465-467. 1920; Y.B. Sep. 823, pp. 465-467. 1920.
  treatment with carbon tetrachloride. Karl B. Hanson and H. L. Van Volkenberg. J.A.R., vol. 28, pp. 331-327. 1924.
  types, and habits. Y.B., 1919, pp. 465, 467. 1920; Y.B. Sep. 823, pp. 465, 467. 1920.
  value against green June beetle. D.B. 891, p. 36. 1922.
  varieties, difference in fur color and quality. D.B. 301, pp. 2-3, 27. 1915.
  western, occurrence in Colorado, description. N.A.Fauna 33, pp. 174-175. 1911.
  white, farming in northern Alaska. D.B. 1350, pp. 32-33. 1925.
  worms—
    control by carbon tetrachloride, tests. J.A.R., vol. 23, pp. 172-174. 1923.
    intestinal, control. F.B. 795, p. 25. 1917.
    treatment. D.B. 1151, pp. 57, 58. 1923.
  young, care in confinement. D.B. 301, pp. 20-21, 29. 1915; F.B. 328, p. 15. 1908; F.B. 795, pp. 21-25. 1917

Foxglove—
  blue, growth habits, indicator value. D.B. 791, pp. 18, 23-27, 34-37, 43. 1919.
  habitat, range, description, uses, collection, and prices. B.P.I. Bul. 219, pp. 32-33. 1911; F.B. 188, pp. 22-24. 1904.
  sage-yarrow type of range vegetation, value and uses. D.B. 791, pp. 32-44, 69-70. 1919.
  See also Digitalis.
Foxhound, use in care of fenced pastures. For. Cir. 178, pp. 7, 22. 1910.
Foxtail—
  alfalfa enemies. F.B. 495, p. 32. 1912.
  bristly, Hawaii, growing and use. Hawaii Bul. 36, pp. 13, 26. 1915.
  control. D.C. 342, p. 7. 1925.
  grasses, analytical key and descriptions of seedlings. D.B. 461, pp. 8, 21, 25. 1917.

Foxtail—Continued.
  injurious to alfalfa in Oregon, Klamath area.
    F.B. 339, p. 38. 1908; Soil. Sur. Adv. Sh.,
    1908, p. 17. 1910; Soils F.O., 1908, p. 1385.
    1911.
  meadow, description, habits, uses. F.B. 1433,
    pp. 40–42. 1925.
  meadow, importation and description. No.
    55375, B.P.I. Inv. 71, p. 37. 1923.
  occurrence in wheat. F.B. 1287, p. 9. 1922.
  seeds, description. F.B. 428, pp. 23, 24. 1911.
  susceptibility to mosaic disease. D.B. 829, p.
    15. 1919.
  white, description, habits, and forage value.
    D.B. 545, pp. 30–31, 58, 59. 1917.
  description, distribution, spread, and products
    injured. F.B. 660, p. 28. 1910.
  yellow—
    description of seed, appearance in red clover
      seed. F.B. 260, p. 23. 1906.
    Hawaii, objectionable characteristics. Hawaii
      Bul. 36, pp. 13, 22, 42. 1915.
  See also Barley, wild.
Fractionation—
  ester, method and apparatus. J.A.R., vol. 12,
    pp. 725–726. 1918.
  hop oils from different sources. J.A.R., vol. 2,
    pp. 126–138, 148–149. 1914.
Fractures—
  cattle, description, variations, symptoms and
    treatment. B.A.I. [Misc.], "Diseases of cat-
    tle," rev. pp. 268–279. 1904; rev., pp. 276–288.
    1912; rev., pp. 271–282. 1923.
  causes, kinds, and treatment. For. [Misc.],
    "First-aid manual * * *," pp. 40–49.
    1917.
  horse, description, variations, treatment. B.A.I.
    [Misc.], "Diseases of the horse," rev., pp. 297–
    329. 1903; rev., pp. 297–329. 1907; rev., pp. 297–
    329. 1911; rev., pp. 322–354. 1923.
Fragaria—
  chiloensis, description and use in hybridization
    work. Alaska Bul. 4, pp. 3–4, 6–9. 1923.
  platypatala, description, and use in hybridization
    work. Alaska Bul. 4, pp. 2, 4, 10. 1923.
  spp. See Strawberry.
Frame, N. T., report of Eastern Fruit Growers'
  Association, Martinsburg, W. Va. Rpt. 98,
  pp. 261–262. 1913.
Frames—
  as a factor in truck growing. W. R. Beattie.
    F.B. 460, pp. 29. 1911.
  cloth-covered, construction and uses for truck
    growing. F.B. 460, pp. 10–11. 1911.
  construction for cotton warehouses. D.B. 801,
    p. 57. 1919.
  for truck growing, types, description and cost.
    F.B. 460, pp. 10–13. 1911.
  heated, construction and uses in truck growing.
    F.B. 460, p. 13. 1911.
  sash-covered, construction and uses in truck grow-
    ing. F.B. 460, pp. 11–13. 1911.
  seed-bed, description. D.B. 479, pp. 30–31. 1917.
France—
  acacia-perfume industry. D.B. 9, p. 33. 1913.
  agricultural—
    conditions, 1918, reports. Sec. [Misc.], "Report
      * * * agricultural commission * * *,"
      pp. 9, 12–14, 17, 36, 44, 46, 53–59, 64–66, 81–82.
      1919.
    extension work, movable schools, 1912. O.E.S.
      An. Rpt., 1912, pp. 354–355. 1913.
    production, relation to depreciation of exchange.
      Y.B. 1919, pp. 190–191. 1920. Y.B., Sep. 807,
      pp. 190–191. 1920.
    statistics, 1910–1920. D.B. 987, pp. 28–30.
      1921.
  alcohol denaturing, systems and formulas.
    Chem. Bul. 130, pp. 78–79. 1910.
  anthrax outbreaks, treatment with Pasteur vac-
    cine. F.B. 784, pp. 12–13. 1917.
  apple pomace drying industry, notes. D.B.
    1166, pp. 3, 6, 7. 1923.
  areas destroyed by war, report. Sec. [Misc.],
    "Report * * * agricultural commission
    * * * pp. 9, 84. 1919.
  Bank of, capital and deposits. An. Rpts., 1914,
    p. 26. 1914; Sec. A.R. 1914, p. 28. 1914.
  barberry-eradication laws, and results in rust
    control. D.C. 269, pp. 8–9. 1923.

France—Continued.
  bee diseases, survey results. D.C. 287, pp. 12–16.
    1923.
  beet-sugar production, exports and imports, 1911–
    1917. Sec. Cir. 86, pp. 6–7. 1918.
  buckwheat production in 1909–1913. Y.B., 1922,
    p. 547. 1923; Y.B. Sep. 891, p. 547. 1923.
  butter trade, 1850–1915. D.C. 70, p. 16. 1919.
  Camembert cheese-making. D.B. 1171, pp. 1–2.
    1923.
  canning methods. News L., vol. 7, No. 8, pp.
    1, 3. 1919.
  cattle and milk cows, numbers, maps. Sec. [Misc.],
    Spec. "Geography * * * world's agricul-
    ture," pp. 121, 123, 125. 1917.
  cattle breeds, origin and ancestry. B.A.I. An.
    Rpt., 1910, pp. 224–225. 1912.
  cheese trade. D.C. 71, p. 18. 1919.
  cider making, comparison with American work.
    Chem. Bul. 71, pp. 15–16, 21–24, 30–35, 59–67,
    109, 112. 1903.
  citrus-fruit industry, notes. D.B. 134, p. 33.
    1914.
  climatic conditions, comparison to United States,
    table. B.A.I. Bul. 115, pp. 41–42. 1909.
  colonial training school. O.E.S. An. Rpt., 1909,
    p. 266. 1910.
  contagious diseases of animals—
    1906. B.A.I. An. Rpt., 1906, p. 330. 1908.
    1907. B.A.I. An. Rpt., 1907, pp. 411, 413–414.
      1909.
    1908. B.A.I. An. Rpt., 1908, pp. 417, 419. 1910.
    1909. B.A.I. An. Rpt., 1909, pp. 332–333. 1911.
    1910. B.A.I. An. Rpt., 1910, p. 517. 1912.
  corn imports, 1906–1910, by countries of origin.
    Stat. Cir. 26, p. 8. 1912.
  cows and cattle, statistics, 1850 to 1918. D. C. 7,
    pp. 3, 11. 1919.
  crop(s)—
    acre value. Stat. Bul. 68, pp. 23–25. 1908.
    areas and wheat imports, 1910–1912, 1907–1912.
      Stat. Cir. 37, pp. 8–10. 1912.
    statistics, beets and potatoes, 1907–1911. Stat.
      Cir. 26, p. 15. 1912.
    value in July, 1912. Stat. Cir. 39, p. 6. 1912.
    yields, comparison with United States. Y.B.,
      1919, pp. 24, 25. 1920.
  dairy statistics. B.A.I. Doc. A–37, pp. 51–52.
    1922.
  date hybrids at Nice, cold resistance. B.P.I.
    Bul. 53, pp. 124, 125. 1904.
  decrees regulating manufacture of arsenical
    products. Chem. Bul. 86, p. 46. 1904.
  demand for pork products. Y.B., 1922, p. 251.
    1923; Y.B. Sep. 882, p. 251. 1923.
  experiment station—
    for fruit refrigeration. O.E.S. An. Rpt., 1910,
      p. 87. 1911.
    work, progress, 1912. O.E.S. An. Rpt., 1912,
      p. 65. 1913.
  flax acreage and production of fiber. Sec. [Misc.],
    Spec. "Geography * * * world's agricul-
    ture," pp. 57, 59. 1917.
  food laws affecting American exports. Chem.
    Bul. 61, pp. 18–20. 1901.
  forest—
    management, turpentining rotation, methods.
      D.B. 229, pp. 32–40. 1915.
    planting, results. F.B. 1256, pp. 27, 33. 1922.
    resources. For. Bul. 83, pp. 45–48. 1910.
  forestry—
    policy, comparison with New England. Sec
      Cir. 129, p. 6. 1919.
    practice and returns. F.B. 358, p. 42. 1909.
  fruit growing, apples and peaches. Sec. [Misc.],
    Spec. "Geography * * * world's agricul-
    ture," pp. 77, 78, 83. 1917.
  goat cheese, manufacture and value. B.A.I
    Bul. 68, p. 25. 1905.
  grain—
    crops, area, and production, 1910. Stat. Cir.
      19, pp. 8–9. 1911.
    production and acreage. Stat. Bul. 68, pp.
      64–65. 1908.
    trade. Stat. Bul. 69, pp. 24–27. 1908.
  grape acreage and production. Sec. [Misc.], Spec.
    "Geography * * * world's agriculture," pp.
    84, 86, 87. 1917.
  grape crown-gall studies. B.P.I. Bul. 183, p. 8.
    1910.

France—Continued.
  hay acreage and root-forage acreage. Sec. [Misc.], Spec. "Geography * * * world's agriculture," 1917, pp. 106, 107. 1917.
  hemp acreage and production, map. Sec. [Misc.], Spec. "Geography * * * world's agriculture," p. 56. 1917.
  hemp growing and retting. Y.B., 1913, pp. 300, 328. 1914; Y.B. Sep. 628, pp. 300, 328. 1914.
  hog tuberculosis, prevalence. B.A.I. An. Rpt., 1907, p. 219. 1909; B.A.I. Cir. 144, p. 219. 1909.
  hogs, number, maps. Sec. [Misc.], Spec. "Geography * * * world's agriculture," pp. 130, 131, 133. 1917.
  horse(s)—
    and mules, numbers, maps. Sec. [Misc.], Spec. "Geography * * * world's agriculture," pp. 111, 113, 116. 1917.
    breeding—
      for army remounts. B.A.I. An. Rpt., 1910, p. 104. 1912; B.A.I. Cir. 186, p. 104. 1912.
    progress. F.B. 419, p. 21. 1910.
  imports of fresh frozen pork, regulation. B.A.I. S.R.A. 204, pp. 42–43. 1924.
  insect conditions, 1910. An. Rpts., 1910, p. 543. 1911; Ent. A.R., 1910, p. 39. 1910.
  land reclamation by forest planting. Y.B., 1922, pp. 106–107. 1923; Y.B. Sep. 886, pp. 106–107. 1923.
  laws—
    food colors. Chem. Bul. 147, pp. 35, 171–172. 1912.
    on fruit and plant introduction. Ent. Bul. 84, p. 35. 1909.
  livestock—
    conditions—
      1918, and losses during war. Y.B., 1918, pp. 296–298. 1919; Y.B. Sep. 773, pp. 10–12. 1919.
      1918, breeds and needs. Sec. [Misc.], "Report * * * agricultural commission * * *," pp. 53–59. 1919.
      1919, and trade demands. Y.B., 1919, pp. 408–411. 1920; Y.B. Sep. 821, pp. 408–411. 1920.
    statistics, numbers of cattle, sheep, and hogs. Rpt. 109, pp. 30, 36, 47, 51, 59, 62, 201, 212. 1916.
  market for fresh pork. Off. Rec., vol. 3, No. 20, p. 3. 1924.
  meat—
    consumption per capita—
      1904. B.A.I. An. Rpt., 1911, pp. 264, 265. 1913.
      1909. B.A.I. An. Rpt., 1909, pp. 314–315. 1911.
    importation—
      regulation, Feb. 1912. B.A.I.S.A. 60, p. 26. 1912.;
      special provisions. B.A.I.S.R.A. 110, p. 51. 1916.
    imports, statistics. Rpt. 109, pp. 101–114, 236–237, 250–251, 259, 261. 1916.
    inspection laws. B.A.I. An. Rpt., 1906, p. 98. 1908; B.A.I. Cir. 125, p. 38. 1908.
  milk production and distribution in the vicinity of Lyons. B.A.I. Dairy [Misc.], "World's dairy congress," 1923, pp. 875–880. 1924.
  nursery—
    conditions and inspection law. F.B. 453, pp. 13–14. 1911.
    stock inspection, officials, directory. F.H.B. S.R.A. 20, pp. 62–63. 1915.
  oat acreage, production, and yield, maps. Sec. [Misc.], Spec. "Geography * * * world's agriculture," pp. 36, 38. 1917.
  orchard fruits, area, production, imports, and exports, 1904–1913, 1914–1915. D.B. 483, pp. 20–22. 1917.
  pork situation, 1919. News L., vol. 6, No. 52, pp. 1, 2. 1919.
  potato(es)—
    acreage, production, and yield. Sec. [Misc.], Spec. "Geography * * * world's agriculture," pp. 68–70. 1917.
    production, 1909–1913, 1921–1923. S.B. 10, p. 19. 1925.
  poultry fattening. B.A.I. Bul. 140, pp. 8–9, 15. 1911.

France—Continued.
  prohibition of American pork, 1881. Y.B., 1922, p. 191. 1923; Y.B. Sep. 882, p. 191. 1923.
  purchase of American dairy cattle. News L., vol. 6, No. 47, pp. 1, 11. 1919.
  rabbit industry. F.B. 1090, p. 4. 1920.
  reforestation for reclamation of waste lands, results. Sec. Cir. 183, pp. 10–11. 1921.
  road(s)—
    management, cost, mileage, and maintenance methods. D.B. 220, pp. 3–5. 1915; Rds. Bul. 48, pp. 15, 48, 66–68. 1913.
    materials, laboratory work, and historical notes. Rds. Bul. 44, p. 5. 1912.
    modified Roman method, description. D.B. 220, p. 4. 1915.
    Tresaguet method, description. D.B. 220, pp. 4–5. 1915.
  sardine exports to United States, 1910–1916. D.B. 908, pp. 117, 118. 1921.
  sheep industry. B.A.I. Cir. 81, pp. 86–89. 1905.
  soils, chemical composition. Soils Bul. 57, pp. 62–64, 100–121. 1909.
  source of white-pine blister rust. B.P.I. Bul. 206, pp. 16–21, 36–37. 1911.
  statistics, crops and livestock, 1911–1913, graphs. Y.B., 1916, pp. 533, 537–551. 1917; Y.B. Sep. 713, pp. 3, 7–21. 1917.
  sugar—
    industry, 1882–1914. D.B. 473, pp. 46–48. 1917.
    production and consumption, and beet acreage. Sec. [Misc.], Spec. "Geography * * * world's agriculture," pp. 73, 75. 1917.
  tobacco acreage, production, and imports. Sec. [Misc.], Spec. "Geography * * * world's agriculture," pp. 62, 64. 1917.
  trade with United States, notes. D.B. 296, pp. 4, 8–47. 1915.
  tuberculosis, hog, prevalence. B.A.I. Cir. 201, p. 10. 1912.
  tuberculous carcasses, disposition, legal provisions. B.A.I.S.A. 72, pp. 30–31. 1913.
  turpentine—
    chipping method. For. Bul. 90, p. 8. 1911.
    methods. F.B. 1256, pp. 23–27. 1922.
    production, percentage, and source. D.B. 898, p. 2. 1920.
  wheat—
    acreage, production, and trade, 1909–1917, war conditions. Sec. [Misc.], Spec. "Geography * * * world's agriculture," pp. 20–22. 1917; Y.B., 1917, pp. 463, 464, 470, 472, 473, 475. 1918; Y.B. Sep. 752, pp. 5, 6, 12, 14, 15, 17. 1918.
    imports, 1880–1906. Stat. Bul. 66, pp. 41–44. 1908.
    statistics 1907–1911, area, production, and imports. Stat. Cir. 24, pp. 8–9. 1911.
  white pine, injury by blister rust, and control measures. D.B. 1186, pp. 15–16, 19, 23. 1924.
  wool imports, 1900, 1909. Y.B., 1917, p. 409. 1918; Y.B. Sep. 751, p. 11. 1918.
FRANCIS, W. B.—
  "Reconnoissance survey of northwest Texas." With others. Soil Sur. Adv. Sh. 1919, pp. 75. 1922; Soils F.O. 1919, pp. 1099–1173. 1925.
  "Soil survey of Dallas County, Tex." With others. Soil Sur. Adv. Sh. 1920, pp. 1213–1254. 1924; Soils F.O. 1920, pp. 1213–1254. 1925.
  "Soil survey of Red River County, Tex." With others. Soil Sur. Adv. Sh. 1919, pp. 153–206. 1923; Soils F.O. 1919, pp. 153–206. 1925.
Francis-Connell method of determining hydrocyanic acid in Sudan grass. Paul Menaul and C. T. Dowell. J.A.R. vol. 18, pp. 447–450. 1920.
FRANDSEN, J. H.: "Methods of disseminating results of research concerning the dairy industry by publications." B.A.I. Dairy [Misc.]. World's dairy congress, 1923," pp. 352–358. 1924.
FRANK, JACOB: lemon extract case, opinion by Judge Hollister. Chem. N.J. 823, pp. 6. 1911.
FRANKENFIELD, H. C.—
  "Daily river stages at river gage stations on the principal rivers of the United States, 1900–1904." W.B.D.R.S. Pt. VII, pp. 728. 1905.
  "Daily river stages at river gage stations on the principal rivers of the United States, 1905–1906." W.B.D.R.S. Pt. VIII, pp. 270. 1909.

FRANKENFIELD, H. C.—Continued.
"Daily river stages at river gage stations on the principal rivers of the United States, 1907–1908." W.D.B.R.S. Pt. IX, pp. 368. 1909.
"Daily river stages at river gage stations on the principal rivers of the United States, 1909–1910." W.B.D.R.S. Pt. X, pp. 397. 1911.
"Daily river stages at river gage stations on the principal rivers of the United States, 1920." W.B.D.R.S. Pt. XVIII, pp. 182. 1922.
"Daily river stages at river gage stations on the principal rivers of the United States, 1921." W.B.D.R.S. Pt. XIX, pp. 277. 1922.
"Daily river stages at river gage stations on the principal rivers of the United States, 1922." W.B.D.R.S. Pt. XX, pp. 268. 1923.
"Daily river stages at river gage stations on the principal rivers of the United States, 1923." W.B.D.R.S. Pt. XXI, pp. 188. 1924.
"Daily river stages at river gage stations on the principal rivers of the United States, 1924." W.B.D.R.S. Pt. XXII, pp. 183. 1925.
"Extension of the river and flood service of the Weather Bureau." Y.B., 1905, pp. 231–240. 1906; Y.B. Sep. 379, pp. 231, 240. 1906.
"Floods and flood warnings." Y.B., 1901, pp. 477–486. Y.B. Sep. 250, pp. 477–486. 1902.
"The floods of the spring of 1903 in the Mississippi watershed." W.B. Bul. M., pp. 63. 1904.
"The Ohio and Mississippi floods of 1912." W.B. Bul. Y, pp. 25. 1913.
"Weather and agriculture." With others. Y.B., 1924, pp. 457–558. 1925.
"Weather forecasting in U. S." With others. W.B. [Misc.], "Weather forecasting in * * *," pp. 370. 1916.
Frankincense tree, importation and description, No. 32019. B.P.I. Bul. 261, pp. 18–19. 1912.
Franking—
college and station, restrictions. D.C. 251, p. 37. 1925.
limit of weight, law, 1916. Sol. [Misc.], "Laws applicable * * * Agriculture," sup. 4, p. 122. 1917.
privilege—
college and experiment station, rulings. D.C. 251, pp. 35–37. 1925.
extension work, postal laws. D.C. 251, pp. 52–55. 1925.
unclaimed matter, disposal ruling. D.C. 251, p. 36. 1925.
FRANKLAND, W. A.: "A case of vinegar eel (Anguillula aceti) infection in the human bladder." With Ch. Wardell Stiles. B.A.I. Bul. 35, pp. 35–41. 1902.
FRANKLIN, H. J.—
"Cranberry harvesting and handling." With others. F.B. 1402, pp. 30. 1924.
"Establishing cranberry fields." With others. F.B. 1400, pp. 38. 1924.
"Managing cranberry fields." With others. F.B. 1401, pp. 21. 1924.
FRANKLIN, I. C.:
"Reports of storage holding of certain food products." With John O. Bell. D.B. 709, pp. 44. 1918.
"The service of cold storage in the conservation of foodstuffs." Y.B., 1917, pp. 365–370. Y.B. Sep. 745, pp. 11. 1918.
Franklin, John, explorations in Athabaska-Mackenzie region. N.A. Fauna 27, pp. 57–61. 1908.
FRANKLIN, M. L.: "Markets for American fruits in China." With Clarence W. Moomaw. D.C. 146, pp. 27. 1920.
Franklin Irrigation Company, system, details. O.E.S. Bul. 222, p. 75. 1910.
Franklinia alatamaha, importation and description. No. 39414. B.P.I. Inv. 41, p. 25. 1917.
Franks and franking, laws applicable. Sol. [Misc.], "Laws applicable * * * Agriculture," sup. 2, p. 111. 1915.
FRAPS, G. S.:
"Interpretation of soils analyses with respect to phosphoric acid." Chem. Bul. 132, pp. 33–34. 1910.
"Nitrification and soil deficiencies." Chem. Bul. 90, pp. 179–183. 1905.
"Nitrification of ammonium sulphate and cotton-seed meal in different soils." With W. A. Withers. Chem. Bul. 67, pp. 36–41. 1902.

FRAPS, G. S.—Continued.
"Objections to the 'element' system of nomenclature." Chem. [Misc.], "Preliminary report on unification * * *," p. 4. 1905.
report on ash analysis. Chem. Bul. 67, pp. 54–61. 1902; Chem. Bul. 73, pp. 18–27. 1903; Chem. Bul. 81, pp. 191–195. 1904.
report on soils. Chem. Bul. 152, pp. 50–56. 1912; Chem. Bul. 162, pp. 22–26. 1913.
"The determination of pentosan-free crude fiber." Chem. Bul. 67, pp. 51–54. 1902.
"The phosphoric acid of the soil." Chem. Bul. 116, pp. 95–96. 1908.
Fratercula corniculata. See Puffin, horned.
Fraud(s)—
food products, Regulation 10. Sec. Cir. 160, p. 6. 1922.
land, in sales, warning. News L., vol. 7, No. 1, p. 7. 1919.
orders, work of Drug Division. News L., vol. 6 No. 40, p. 16. 1919.
warning against bogus food-control officials. News L., vol. 5, No. 19, p. 6. 1917.
Fraudulent—
medicines, marketing by mail, cooperation. An. Rpts., 1918, p. 223. 1919; Chem. Chief Rpt., 1918, p. 23. 1918.
remedies, investigation, Chemistry Bureau. An. Rpts., 1910, pp. 442, 445. 1911; Chem. Chief Rpt., 1910, pp. 18–21. 1910.
Fraxinus—
floribunda, importation and description. No. 50366, B.P.I. Inv. 63, p. 62. 1923.
potomophila, importation and description. Nos. 44132–44134, B.P.I. Inv. 50, pp. 6, 33. 1922.
spp.—
host of—
Neoclytus capraea. J.A.R., vol. 22, pp. 210–211. 1921.
Xylotrechus colonus. J.A.R., vol. 22, pp. 195–198. 1921.
injury by sapsuckers. Biol. Bul. 39, pp. 49, 88–89. 1911.
See also Ash.
velutina, description, range, and occurrence on Pacific slope. For. [Misc.], "Forest trees for Pacific * * *," pp. 426–427. 1908.
FREAR, WILLIAM.—
"Condition of fertilizer potash residues in Hagerstown silty loam soil." With E. S. Erb. J.A. R., vol. 15, pp. 59–81. 1918.
report of committee on food standards. Chem Bul. 73, pp. 84–85. 1903.
"The production of cigar leaf tobacco in Pennsylvania." With E. K. Hibshman. F.B. 416, pp. 24. 1910; rev., pp. 20. 1921.
Freckle—
disease—
banana—
cause, description, and control. Hawaii A.R., 1918, pp. 10, 36–40. 1919.
study and control. Hawaii A.R., 1919, pp. 14, 51–53. 1920.
of plants, occurrence in Texas, and description. B.P.I. Bul. 226, p. 28. 1912.
lotion, misbranding. Chem. N.J., 4115. 1916.
ointment, Berry's, misbranding. Chem. N.J. 1376, pp. 2. 1912.
Freckeleater, misbranding. Chem. N.J. 2443, pp. 2. 1913.
Freckeless, misbranding. Chem. N.J. 3540. 1915.
FRED, E. B.—
"A study of the influence of inoculation upon the fermentation of sauerkraut." With others. J.A.R., vol. 30, pp. 955–960. 1925.
"Distribution of pentosans in the corn plant at various stages of growth." With others. J.A. R., vol. 23, pp. 655–663. 1923.
"Influence of reaction on nitrogen-assimilating bacteria." With A. Davenport. J.A.R., vol. 14, pp. 317–336. 1918.
"Relation of carbon bisulphid to soil organisms and plant growth." J.A.R., vol. 6, No. 1, pp. 1–20. 1916.
"Relation of green manures to the failure of certain seedlings." J.A.R., vol. 5, No. 25, pp. 1161–1176. 1916.

FREDERICH, W. J.—
"Further studies on the relative susceptibility to citrus canker of different species and hybrids of the genus Citrus, including the wild relatives." With George L. Peltier. J.A.R., vol. 28, pp. 227–239. 1924.
"Relation of environmental factors to citrus scab caused by *Cladosporium citri* Massee." With George L. Peltier. J.A.R., vol. 28, pp. 241–254. 1924.
"Relative susceptibility of citrus fruits and hybrids to *Cladosporium citri* Massee." With G. L. Peltier. J.A.R., vol. 24, pp. 955–959. 1923.
"Relative susceptibility to citrus canker of different species and hybrids of the genus Citrus, including the wild relatives." With George L. Peltier. J.A.R., vol. 19, pp. 339–362. 1920.
FREDERICK, H. J.: "Bighead in sheep." B.A.I. Doc. A-3, pp. 6. 1914.
FREDHOLM, A., investigations of control diseases. B.P.I. Bul. 228, pp. 26, 150. 1912.
FREE, E. E.—
"A bibliography of eolian geology." With S. C. Stuntz. Soils Bul. 68, pp. 174–272. 1911.
"An investigation of the Otero Basin, New Mexico, for potash salts." Soils Cir. 61, pp. 7. 1912.
"Nitrate prospects in the Amargosa Valley near Tecopa, Calif." Soils Cir. 73, pp. 6. 1912.
"Report of a reconnaissance of the Lyon nitrate prospect near Queen, New Mexico." Soils Cir. 62, pp. 6. 1912.
"The control of blowing soils." With J. M. Westgate. F.B. 421, pp. 23. 1910.
"The movement of soil material by the wind." Soils Bul. 68, pp. 1–173. 1911.
"The topographic features of the Desert Basin of the United States with reference to the possible occurrence of potash." D.B. 54, pp. 65. 1914.
Free delivery, rural, number of cotton share-tenants using. D.B. 1068, p. 55. 1922.
FREEMAN, E. M.—
"The loose smuts of barley and wheat." With Edward C. Johnson. B.P.I. Bul. 152, pp. 48. 1909.
"The rusts of grains in the United States." With Edward C. Johnson. B.P.I. Bul. 216, pp. 87. 1911.
FREEMAN, E. T.: "The smuts of sorghum." With Harry J. C. Umberger. B.P.I. Cir. 8, pp. 9, 1908; rev., 1910.
Freemartin, definition and cause of abnormality. D.B. 905, pp. 10, 29. 1920.
Freeze(s)—
Cotton Belt, effect on boll weevil. Off. Rec. vol. 3, No. 37, p. 2. 1924.
Florida—
  1894, destruction of citrus groves. Soil Sur. Adv. Sh., 1914, p. 10. 1916; Soils F.O., 1914, p. 1002. 1919.
  1894–95, effects on citrus fruit growing, Ocala area. Soil Sur. Adv. Sh., 1912, pp. 13, 17, 34, 43, 44, 49, 59. 1913; Soils F.O., 1912, pp. 677, 681, 698, 707, 708, 713, 723. 1915.
  injury to citrus industry. F.B. 1122, p. 4. 1920.
Gulf States, November, 1911, warnings, by Weather Bureau. W.B. Chief Rpt., 1912, pp. 13–14. 1912; An. Rpts., 1912, pp. 271–272. 1913.
killing, in Florida citrus sections and other Gulf States. F.B. 1343, pp. 2, 4, 6, 7. 1923.
protection of citrus-fruit trees, methods. F.B. 374, pp. 10–11. 1909.
spring, in northwest Texas, destruction of fruit. Soil Sur. Adv. Sh., 1919, p. 12. 1922; Soils F.O., 1919, p. 1110. 1925.
Freezers, fish—
investigations. An. Rpts., 1919, p. 222. 1920; Chem. Chief Rpt., 1919, p. 12. 1919.
location, and operation methods. D.B. 635, pp. 3–5, 8–9. 1918.
Freezing—
as means of fish conservation. D.B. 635, pp. 1–9. 1918.
cause of gullies. F.B. 1234, p. 8. 1922.
chicken injury, treatment. F.B. 287, rev., p. 36. 1921.
citrus bark, relation to gum formation. J.A.R., vol. 24, p. 225. 1923.

Freezing—Continued.
colostrum milk, normal milk, and end milk. B.A.I. Dairy [Misc.], "World's dairy congress, 1923," pp. 1173–1174. 1924.
destruction of flour moths. Ent. Cir. 112, p. 20. 1910.
effect(s) on—
  beef tapeworm. B.A.I. An. Rpt., 1911, p. 115. 1913. B.A.I. Cir. 214, p. 115. 1913.
  canned food. Off. Rec., vol. 4, No. 12, p. 5. 1925.
  Colletotrichum circinans. J.A.R., vol. 20, pp. 699–700. 1921.
  impermeable seed. J.A.R., vol. 6, No. 20, pp. 776–781. 1916.
  Mediterranean fruit fly. D.B. 536, pp. 109–111. 1918.
  sardines during storage. D.B. 908, pp. 78–80. 1921.
  trees, control. Y.B., 1907, pp. 486–487. 1908; Y.B. Sep. 463, pp. 486–487. 1908.
  virus of tobacco mosaic disease. J.A.R., vol. 6, No. 17, pp. 667, 672. 1916.
eggs, directions for preparation. D.C. 74, pp. 12. 1920.
fish—
  in ice or in brine, comparison of methods. D.B. 635, p. 4. 1918.
  Pacific coast fisheries. Y.B., 1915, pp. 156–158. 1916; Y.B. Sep. 665, pp. 156–158. 1916.
fruit juice, for concentration, results of experiments. D.B. 241, pp. 8–15, 17, 19. 1915.
in refrigeration of perishables, prevention, studies. An. Rpts., 1917, p. 158. 1918; B.P.I. Chief Rpt., 1917, p. 28. 1917.
injury(ies)—
of apples. H. C. Diehl and R. C. Wright. J.A.R., vol. 29, pp. 99–127. 1924.
to—
canned goods, caution. News L., vol. 5, No. 33, p. 5. 1918.
concrete work in irrigation canals. D.B. 126, pp. 52, 85. 1915.
potatoes, description, and prevention. F.B. 1367, pp. 31–32. 1924.
potatoes when undercooled. R. C. Wright and George F. Taylor. D.B. 916, pp. 15. 1921.
shade trees, treatment. F.B. 360, p. 10. 1909.
insect, for control in flour mills. D.B. 872, p. 39. 1920.
method and cost, for concentration of sweet cider. Y.B., 1914, pp. 238–244. 1915; Y.B. Sep. 639, pp. 238–244. 1915.
milk, effect on bacteria. F.B. 490, p. 9. 1912.
of fruit buds. Frank L. West and N. E. Edlefsen. J.A.R., vol. 20, pp. 655–662. 1921.
pipes for water supply, attention in home. F.B. 1460, pp. 9–10. 1925.
plants, mechanism. J.A.R., vol. 15, pp. 85–87. 1918.
point—
depression—
of dry seeds. J.A.R., vol. 20, pp. 592–593. 1921.
of tissue fluids in indicator plants, Utah. J.A.R., vol. 27, pp. 894–916. 1924.
determination, studies of fruits, vegetables and flowers. D.B. 1133, pp. 2–3. 1923.
index of variations, in soil solution due to season and crop growth. D. R. Hoagland. J.A.R., vol. 12, pp. 369–395. 1918.
of soils, lowering, relation of moisture content. J.A.R., vol. 8, pp. 195–197, 210–212. 1917.
potatoes, determination by thermoelectric method. R. C. Wright and R. B. Harvey. D.B. 895, pp. 7. 1921.
relation to osmotic pressure, tables. D.B. 1059, p. 198. 1922.
salt determination in soils. J.A.R., vol. 15, pp. 331–336. 1918.
soils. J.A.R., vol. 20, pp. 267–269. 1920.
tomatoes. D.B. 1099, p. 4. 1922.
prevention in water supply for fire protection. D.B. 801, pp. 62–63. 1919.
relation to humidity. F.B. 1096, pp. 37–38. 1920.
soil, effect on movement of soil moisture. G. J. Bouyoucos. J.A.R., vol. 24, pp. 427–432. 1923.

Freezing—Continued.
  temperatures—
    effect on eggs of *Ascaris lumbricoides*. J.A.R., vol. 27, pp. 167-170. 1924.
    of fruits, vegetables, and cut flowers. R. C. Wright and George F. Taylor. D.B. 1133, pp. 8. 1923.
  tobacco-beetle control. F.B. 846, p. 16. 1917.
  tomatoes, temperature, effect, studies. D.B. 1099, pp. 3-8. 1922.
  water, prevention by use of calcium chloride. News L., vol. 1, No. 6, p. 2. 1913.
  wheat, immature, effect on composition. M. J. Blish. J.A.R., vol. 19, pp. 181-188. 1920.
  winter-killing of fruit trees. F.B. 227, pp. 12-15. 1905.
Fregata aquila. See Man-o'war bird.
Fregatidae, Laysan Island, number and description. Biol. Bul. 42, p. 20. 1912.
Freight(s)—
  and transportation, Alaskan. B.P.I. Bul. 82, p. 26. 1905.
  charges—
    livestock. Rpt. 98, pp. 111-112, 113. 1913.
    motor transportation, collection methods. D.B. 770, p. 23. 1919.
  on—
    cabbage. D.B. 1242, pp. 23, 57. 1924.
    farm produce. An. Rpts., 1910, pp. 20, 21, 23, 25. 1911; Rpt. 93, pp. 16, 17, 19, 21. 1911; Sec. A.R., 1910, pp. 20, 21, 23, 25. 1910; Y.B., 1910, pp. 20, 21, 23, 25. 1911.
    logs. D.B. 711, pp. 176-179. 1918.
  classifications, official, southern, and western, compendium with directions as to making shipments. A. Zappone. Accts. [Misc.], "Compendium of the * * *," pp. 272. 1910.
  conditions, marketing, methods, speed, and rates. Y.B., 1911, pp. 167-170. 1912; Y.B. Sep. 558, pp. 167-170. 1912.
  contraband, pieces intercepted at Mexican border, 1920-1921. F.H.B.S.R.A. 71, p. 108. 1922.
  costs and market values. Frank Andrews. Y.B., 1906, pp. 371-386. 1907; Y.B.Sep. 430, pp. 371-386. 1907.
  department—
    property regulations. Sec. [Misc.], "Property regulations * * *," pp. 29-34. 1916.
    receipts, accounting. Off. Rec., vol. 1, No. 31, p. 4, 1922.
  embargoes—
    application of. B.A.I.S.R.A. 118, p. 25. 1917.
    exception of farm products by Car Service Commission, list. News L., vol. 5, No. 32, p. 3. 1918.
  hauling by trucks. Off. Rec., vol. 3, No. 36, p. 6, 1924.
  motor-truck—
    association, classification and rates. F.B. 1032, pp. 13-16. 1919.
    collection and delivery points. D.B. 770, pp. 20-23. 1919.
  rates—
    aid to foreign competition. Y.B., 1921, pp. 9-10. 1922; Y.B.Sep. 875, pp. 9-10. 1922.
    apples, via Panama Canal to New York. D.B. 302, pp. 16-17. 1915.
    blanket, description, schedule. D.B. 74, p. 12. 1914.
    by boat, various farm products, September-October, 1912. D.B. 74, pp. 17-31. 1914.
    carload, for refined sugar, May, 1913. D.B. 66, p. 17. 1914.
    changes and regulation. Sec. A.R., 1925, pp. 23-24. 1925.
    Chesapeake Bay and Tennessee River. Y.B., 1907, pp. 290, 299. 1908; Y.B. Sep.449, pp. 290, 299. 1908.
    comparison with farm prices. D.B. 74, pp. 14-15. 1914.
    compressed cotton. D.B. 1184, p. 17. 1923.
    distance comparisons. D.B. 74, pp. 12, 17-31. 1914.
    factor in wheat situation. Y.B., 1923, pp. 111-113. 1924.
    farm products—
      1911. Y.B., 1911, pp. 650-655. 1912; Y.B. Sep. 588, pp. 650-655. 1912.

Freight(s)—Continued.
  rates—continued.
    farm products—continued.
      1912. Y.B., 1912, pp. 703-711. 1913; Y.B. Sep. 615, pp. 703-711. 1913.
      discussion. Off. Rec., vol. 1, No. 41, pp. 1, 3. 1922.
    increase—
      effect on farmers. Sec. A.R., 1921, pp. 9-11. 1921.
      effect on road materials. Rds. Chief Rpt., 1921, p. 1. 1921.
    lower, motor-truck association. F.B. 1032, pp. 19-20. 1919.
    motor-transportation, determination. D.B. 770, pp. 18-20. 1919.
    ocean—
      and conditions affecting them. Frank Andrews. Stat. Bul, 67, pp. 42. 1907.
      and railroad, for corn, 1913. F.B. 581, pp. 8-9. 1913.
    for corn, 1910-1921. Y.B., 1921, p. 207. 1922; Y.B.Sep. 872, p. 207. 1922.
    for wheat, 1914-1915. News L., vol. 2, No. 52, p. 2. 1915.
    New York to Liverpool, 1914, comparison with other years. F.B. 645, p. 7. 1914.
    per bushel for wheat, 1913. D.B. 594, pp. 16-19. 1918.
    on—
      agricultural products, 1907. Y.B., 1907, pp. 731-735. 1908; Y.B.Sep. 465, pp. 731-735. 1908.
      agricultural products, 1922. Y.B., 1922, pp. 1011, 1013-1018. 1923, Y.B.Sep. 887, pp. 1011, 1013-1018. 1923.
      agricultural products, 1923. Y.B., 1923, pp. 1165-1177. 1924; Y.B.Sep. 906, pp. 1165-1177. 1924.
      cattle. F.B. 1382, p. 17. 1924.
      corn. D.B. 696, pp. 24-25. 1918.
      corn from Argentina. Rpt. 75, pp. 36-39. 1903; Y.B., 1915, p. 295. 1916; Y.B. Sep. 677, p. 295. 1916.
      cotton. Y.B., 1906, pp. 372-376. 1907; Y.B. Sep. 430, pp. 372-376. 1907.
      cotton, to foreign countries. Mkts., S.R.A. 9, pp. 99-100. 1916.
      eggs. F.B. 1378, pp. 25-26. 1924.
      Egyptian cotton, from Egypt and Arizona. D.B. 332, p. 9. 1916.
      farm products, on inland waterways, time of transit. Frank Andrews. D.B. 74, pp. 36. 1914.
      frozen meats, from Australia and New Zealand. Y.B., 1914, p. 431. 1915; Y.B. Sep. 650, p. 431. 1915.
      fruit to Australia and New Zealand. D.C. 145, pp. 10-11. 1921.
      garden truck. Stat. Bul. 21, pp.1-86. 1901.
      grain and livestock, Pacific coast. Stat. Bul. 89, pp. 59-71. 1911.
      grain, Chicago to New York, rail and water, comparison. Rpt. 98, p. 67. 1913.
      grain, cotton, meats, and livestock. Y.B., 1910, pp. 647-652. 1911; Y.B. Sep. 553, pp. 647-652. 1911; Y.B. Sep. 554, pp. 647-652. 1911.
      grain from Russia. Stat. Bul. 65, pp. 38-49. 1908.
      hogs and pork, and relation to marketing. Y.B., 1922, pp. 252, 253. 1923; Y.B. Sep. 882, pp. 252, 253. 1923.
      hogs, between western cities. D.R.P. Cir. 1, p. 11. 1915.
      lemons. Y.B., 1907, p. 347. 1908; Y.B. Sep. 453, p. 347. 1908.
      livestock and meats, and length of haul. Rpt. 113, pp. 29-31. 1916.
      livestock from south-central Texas shipping points. Soil Sur. Adv. Sh., 1913, p. 19. 1915; Soils F.O., 1913, p. 1085. 1916.
      lumber. Rpt. 114, pp. 41, 42-43. 1917.
      lumber, 1920. M.C. 15, p. 2. 1924.
      milk. B.A.I. Bul. 138, pp. 12, 33. 1911.
      milk and cream, Boston, New York and Philadelphia. B.A.I. Bul. 81, pp. 21, 42, 50. 1905.

Freight(s)—Continued.
rates—continued.
on—continued.
milk transportation to largest 15 cities. Edward G. Ward, jr. Stat. Bul. 25, pp. 60. 1903.
oranges from Florida. D.B. 63, p. 9. 1914.
phosphates of Florida. Soils Bul. 76, pp. 13, 21. 1911.
potatoes, 1919-1921. D.B. 1188, pp. 8-9. 1924.
pulp and paper from Alaska. D.B. 950, pp. 20-22. 1921.
sugar. D.B. 66, p. 17. 1914.
timber. F.B. 1210, pp. 43-47. 1921.
vegetables, south Texas to various points. Soil Sur. Adv. Sh., 1909, p. 11. 1910; Soils F.O., 1909, p. 1035. 1912.
wheat, 1906. Y.B., 1906, pp. 377-384. 1907.
wheat, 1921. Y.B., 1921, pp. 135-137. 1922; Y.B. Sep. 873, pp. 135-137. 1922.
wheat, corn, and oats. D.B. 1083, p. 3. 1922.
rail—
and water, comparison. D.B. 74, pp. 13, 32-33. 1914.
on lumber, volume of traffic, classification, cost per thousand feet, etc. Rpt. 115, pp. 41-64, 91-93. 1917.
reduction. Off. Rec., vol. 3, No. 15, p. 2. 1924.
statistics. Y.B., 1924, pp. 1152-1163. 1925.
steamboat, characteristics, and comparisons. D.B. 74, pp. 10-11. 1914.
Texas, southwest, to various points, for truck crops. Soil Sur. Adv. Sh., 1911, p. 15. 1912; Soils F.O., 1911, p. 1183. 1914.
unfavorable to farmers. Off. Rec., vol. 2, No. 50, p. 2. 1923.
water and rail, variations, and comparisons. Stat. Bul. 81, pp. 69-76. 1910.
See also Transportation rates.
refrigerator, soil and water, for butter, description. D.B. 456, pp. 13-15, 37. 1917.
regulations, department. Adv. Com. F. and B. M. [Misc.], "Fiscal regulations * * *," pp. 32-34. 1917.
relief to railroads by highway traffic. News L., vol. 5, No. 42, p. 4. 1918.
return loads, relation to motor-truck transportation industry. D.B. 770, p. 26. 1919.
revenue from farm products, importance to railroads. Stat. Bul. 100, p. 8. 1912.
saving in dimensioning stock at source. M.C. 39, p. 51. 1925.
speed rates between cities. Y.B., 1911, pp. 168-169. 1912; Y.B. Sep. 558, pp. 168-169. 1912.
tariff zones, rates, etc., studies. D.B. 74, p. 11. 1914.
tonnage—
amount supplied by agriculture to railroads, increase, and profits. O.E.S. Cir. 112, pp. 12-13. 1911.
on railways, farm and other products, 1916-1921. Y.B., 1921, p. 790. 1922; Y.B. Sep. 871, p. 21. 1922.
traffic, lake and rail, 1898-1908, comparison. Stat. Bul. 81, pp. 59-60. 1910.
transportation—
distance and time of transit, studies. D.B. 74, pp. 13, 34-35. 1914.
terminals and landings, studies and comparisons. D.B. 74, pp. 5-6. 1914.
See also Commerce; Shipping.
Fremont Experiment Station, Colorado, tree experiments. Off. Rec., vol. 3, No. 28, p. 6. 1924.
Fremont National Forest, Oregon—
For. [Misc.], "An ideal vacation * * *," pp. 13-15. 1923.
description and recreational uses. D.C. 4, pp. 4, pp. 19-20. 1919.
map. For. Maps. 1923.
Fremontia—
description, range, occurrence. For. [Misc.], "Forest trees * * * Pacific * * *," pp. 382-384. 1908.
family, injury to trees by sapsuckers. Biol. Bul 39, pp. 47, 85. 1911.
occurrence in chaparral, and value. For. Bul. 85, pp. 32, 36, 37. 1911.

Fremontodendron californieum—
injury by sapsuckers. Biol. Bul. 39, pp. 47, 85. 1911.
See also Fremontia.
FRENCH, H. T.—
"Duplication of work of experiment stations," O.E.S. Bul. 196, pp. 100-103. 1907.
report on Colorado extension work in agriculture and home economics—
1916. S.R.S. Rpt., 1916, Pt. II, pp. 183-187. 1917.
1917. S.R.S. Rpt., 1917, Pt. II, pp. 193-197. 1919.
French—
bug. See Leaf-beetle, beet.
cattle breeds, classification. B.A.I. An. Rpt.. 1910, pp. 231-232. 1912.
clover. See Clover, crimson.
Gulch timber sale, cutting, classification, and marking, methods. D.B. 234, pp. 23-31. 1915.
Merino Sheep. See Rambouillet.
"Frenching"—
caused by injuries by curlew bug. Ent. Bul. 95, part 4, p. 66. 1912.
citrus trees, cause and treatment. F.B. 1122, p. 34. 1920.
corn and cotton control, Georgia, Gordon county. Soil Sur. Adv. Sh., 1913, p. 68. 1914; Soils F.O., 1913, p. 398. 1916.
tobacco, description, cause, and control. D.B. 1256, pp. 37-39, 49. 1924; F.B. 571, rev., p. 23, 1920.
Frenchweed. See Cress, penny.
FRÈRES, RICHARD, transpiration balance, description. J.A.R., vol. 5, p. 121. 1915.
FRESCOLN, S. W.: "Drainage of Jefferson County, Texas." With others. D.B. 193, pp. 40. 1915.
Fresno district, Calif., drainage, preliminary plans and estimates. C. G. Elliott. O.E.S. Cir. 50, pp. 9. 1903.
Fretes wheat, origin, history, description, yield, and milling qualities. B.P.I. Bul. 178, pp. 26-29. 1910; D.B. 878, p. 6. 1920.
FREY, C. N.: "Studies of spore dissemination of *Venturia inaequalis* (Cke.) Wint., in relation to seasonal development of apple scab." With G. W. Keitt. J.A.R., vol. 30, pp. 529-540. 1925.
FREY, H. W.—
"Country hides and skins." With others. F.B. 1055, pp. 64. 1919.
"Home tanning." With others. D.C. 230, pp. 22. 1922.
"Home tanning of leather and small fur skins." With others. F.B. 1334, pp. 29. 1923.
"The care of leather." With others. F.B. 1183, pp. 18. 1920; rev., pp. 22. 1922.
"Wearing qualities of shoe leathers." With others. D.B. 1168, pp. 25. 1923.
Freyana spp., description and habits. Rpt. 108, p. 122. 1915.
Freycinetia banksii, importation and description. No. 46317, B.P.I. Inv. 56, pp. 2, 8. 1922.
Friction, reduction in sawing as means of saving lumber. M.C. 39, p. 60. 1925.
FRIES, J. A.—
"Basal katabolism of cattle and other species." With others. J.A.R., vol. 13, pp. 43-57. 1918.
"Energy values of red-clover hay and maize meal." With others. J.A.R., vol. 7, pp. 379-387. 1916.
"Energy values of hominy feed and maize meal for cattle." With Henry Prentiss Armsby. J.A.R., vol. 10. pp. 599-613. 1917.
"Energy values of red clover hay and maize meal." With Henry Prentiss Armsby. B.A.I. Bul. 74, pp. 64. 1905.
"Influence of the degree of fatness of cattle upon their utilization of feed." With Henry Prentiss Armsby. J.A.R., vol. 11, pp. 451-472. 1917.
"Investigations in the use of the bomb calorimeter in cooperation with the Pennsylvania State College Agricultural Experiment Station." B.A.I. Bul. 94, pp. 39. 1907.
"Methods and standards in bomb calorimetry." B.A.I. Bul. 124, pp. 32. 1910.
"Net energy values of alfalfa hay and starch." With H. P. Armsby. J.A.R., vol. 15. pp. 269-286. 1918.

FRIES, J. A.—Continued.
"Net energy values of feeding stuffs for cattle."
With Henry Prentiss Armsby. J.A.R., vol. 3,
pp. 435–491. 1915.
"Relative utilization of energy in milk production and body increase of dairy cows." With
others. D.B. 1281, pp. 36. 1924.
"The available energy of red clover hay. Investigations with the respiration calorimeter."
With Henry Prentiss Armsby. B.A.I. Bul.
101, pp. 61. 1908.
"The available energy of timothy hay." With
Henry Prentiss Armsby. B.A.I. Bul. 51, pp.
77. 1903.
"The influence of type and of age upon the utilization of feed by cattle." With Henry Prentiss
Armsby. B.A.I. Bul. 128, pp. 245. 1911.
Frijole, Mexican, use as food, and cooking method.
D.B. 123, p. 43. 1916.
FRIMML, JOHANN: "The production and utilization of milk." B.A.I. Dairy [Misc.], "World's
dairy congress, 1923," pp. 1111–1118. 1924.
Fringe tree—
Chinese, importation and description. No.
41259. B.P.I. Inv. 44, pp. 55–56. 1918.
names, range, description, root bark, prices, and
uses. B.P.I. Bul. 139, pp. 45–46. 1909.
Fringillidae. See Sparrow family.
FRISBIE, W. S.: "The coordination of Federal,
State, and municipal control." B.A.I. Dairy
[Misc.], "World's dairy congress, 1923," pp.
764–768. 1924.
Frit fly—
American, injurious to growing grain, description, remedies, prevention. Ent. Bul. 42, pp.
57–58, 59–62. 1903.
European, in North America. J. M. Aldrich.
J.A.R., vol. 18, pp. 451–474. 1920.
parasites. J.A.R., vol. 18, pp. 471–472. 1920.
Fritter(s)—
batter, recipes. F.B. 1450, p. 8. 1925.
use of vegetables in preparation, note. O.E.S.
Bul. 245, p. 75. 1912.
vegetable, preparation. D.B. 123, p. 58. 1916.
Frochilus spp. See Humming bird.
FROEHLICH, PAUL—
"Car-load shipments of fruits and vegetables in
the United States in 1916." D.B. 667, pp. 196.
1918.
"Marketing the early-potato crop." With
George B. Fiske. F.B. 1316, pp. 33. 1923.
"Rail shipments and distribution of fresh tomatoes, 1914." With others. D.B. 290, pp. 12.
1915.
Froelichia floridana, description. D.B. 1345, p. 29.
1925.
Frog(s)—
Athabaska-Mackenzie region. N.A. Fauna 27,
p. 501. 1908.
destruction by crows. D.B. 621, pp. 28–29, 89.
1918.
enemies of leaf hoppers. Ent. Bul. 108, p. 31.
1912.
eradication of fluke disease. B.A.I. An. Rpt.,
1901, p. 220. 1902.
field, enemy of wireworm. F.B. 725, p. 10. 1916.
injury by caffein, experiments. Chem. Bul. 148,
pp. 9–17, 92. 1912.
inoculation with tubercle bacilli. B.A.I. An.
Rpt., 1906, pp. 124, 126, 128. 1908.
legs, canning, directions. S.R.S. Doc. 80, rev.,
p. 25. 1919.
leopard, enemy of alfalfa weevil. D.B. 107,
pp. 60–61. 1914.
range and habits. N.A. Fauna 22, pp. 133–134.
1902.
tree, enemies of roaches. F.B. 658, p. 11. 1915.
use in testing medicines. Chem. Bul. 122, pp.
103, 104. 1909.
Frogbit, value as duck food, desription, distribution and propagation. D.B. 205, pp. 5–6. 1915.
Froghoppers, injury to sugar-cane. Ent. Cir. 165,
pp. 3–4. 1912; Ent. Cir. 171, pp. 6–7, 8. 1913.
FROLEY, J. W.—
"A system of tenant farming and its results."
With C. Beaman Smith. F.B. 437, pp. 20.
1911.
"Measuring hay in ricks or stacks." With others
B.P.I. Cir. 131, pp. 19–24. 1913.
"Replanning a farm for profit." With C. Beaman Smith. F.B. 370; pp. 36. 1909.

FROMME, F. D.—
"Angular leafspot of tobacco an undescribed
bacterial disease." With T. J. Murray.
J.A.R., vol. 16, pp. 219–228. 1919.
"Black root rot of the apple." With H.E.
Thomas. J.A.R. vol. 10, pp. 163–174. 1917.
"Varietal susceptibility of beans to rust." With
S.A. Wingard. J.A.R vol. 21, pp. 385–404.
1921.
Frontina—
archippivora—
enemy of—
alfalfa caterpillar. D.B. 124, p. 24. 1914.
cabbage worm. Hawaii A.R., 1914, p. 45.
1915; Hawaii A.R. 1921, p. 34. 1922.
cutworms, Hawaii. Hawaii Bul. 27, p. 9.
1912; Hawaii Bul. 34, p. 8. 1914.
grass worm. D.B. 192, p. 7. 1915.
See also Tachina fly.
frenchii, parasite of catalpa sphinx and other
Lepidoptera. Ent. Cir. 96, p. 5. 1907.
FROST, J. N.: "Mastitis." B.A.I. Dairy [Misc.],
"World's dairy congress, 1923," pp. 1473–1482.
1924.
FROST, S. W.: "Two species of Pegomyia mining the
leaves of dock." J.A.R., vol. 16, pp. 229–249.
1919.
FROST, V. J.—
"Soil survey of Ontario County, New York."
With others. Soil Sur. Adv. Sh., 1910, pp. 55.
1911; Soils F.O., 1910, pp. 93–143. 1912.
"Soil survey of Washington County, New York."
With others. Soil Sur. Adv. Sh., 1909, pp. 59.
1911; Soils F.O., 1909, pp. 105–159. 1912.
Frost(s)—
alarm, value. F.B. 401, p. 18. 1910.
and the growing season. Wm. Gardner Reed.
Atl. Am. Agr. Adv. Sh., Pt. II, Sec. 1, pp.
29–40. 1921.
autumnal, in Corn Belt. News L., vol. 1, No. 8,
p. 2. 1913.
Cheyenne Experiment Farm, late and early,
1900–1915. D.B. 430, pp. 7–8, 38. 1916.
citrus grove, protection in the Gulf States. F.B.
1122, pp. 36–38. 1920.
conditions, cranberry bogs, special investigations.
Y.B., 1911, pp. 213–219. 1912; Y.B. Sep. 562,
pp. 213–219. 1912.
control in—
citrus orchards, California, Anaheim area. Soil
Sur. Adv. Sh., 1916, pp. 11, 16. 1919; Soils.
F.O., 1916, pp. 2277, 2282. 1921.
orchards. Off. Rec. vol. 2, No. 14, p. 3. 1923
crop season, 1902, notes. Y.B., 1902, pp. 700–705,
710, 711. 1903.
danger—
fruit districts, protection in mountain valleys.
Y.B., 1912, pp. 312–313. 1913; Y.B. Sep. 593,
pp. 312–313. 1913.
to plumbing and protection. F.B. 1426, pp.
30–31. 1924.
data—
relation to sugar-beet industry. B.P.I. Bul.
260, p. 18. 1912.
Texas stations. O.E.S. Bul. 222, p. 10. 1910.
United States, and length of crop-growing
season as determined from the average of the
latest and the earliest dates of killing frost.
P. C. Day. W.B. Bul. V, pp. 5. 1911.
destruction of citrus fruits in Florida, 1894–1895.
Soil Sur. Adv. Sh., 1914, p. 10. 1916; Soils F.O.,
1914, p. 1002. 1919.
destructive, in Alaska, 1908. Alaska A.R., 1908,
pp. 17, 48. 1909.
earliest and late dates, maps. Atl. Am. Agr.
Adv. Sh., Pt. II, Sec. 1, pp. 2–9. 1918.
early—
and late—
dates at Weather Bureau stations. F.B. 104,
rev., pp. 15–17. 1910.
western Nebraska. Soil Sur. Adv. Sh., 1911,
pp. 18–19. 1913; Soils F.O., 1911, pp. 1886–
1887. 1914.
danger to corn crop. Y.B., 1921, pp. 106, 182.
1922; Y.B. Sep. 873, p. 106. 1922; Y.B. Sep.
872, p. 182. 1922.
fall, variation dates in West. News L., vol. 6,
No. 1, p. 5. 1918.
effect on—
cactus under cultural conditions. D.B. 31, pp.
16–17. 1913.

Frost(s)—Continued.
effect on—continued.
cane. F.B. 477, p. 13. 1912.
cranberries. Y.B., 1911, pp. 219-220, 221. 1912; Y.B. Sep. 562, pp. 219, 220, 221. 1912.
oil yield of peppermint plants. D.B. 454, pp. 12-15. 1916.
plum fruitfulness. J.A.R., vol. 17, pp. 108, 109, 124. 1919.
sweet potatoes. F.B. 324, pp. 26-27. 1908; J.A.R., vol. 12, pp. 11, 12, 17. 1918.
fighting in Western States, necessity and results. Y.B., 1909, pp. 362-364. 1910; Y.B. Sep. 519, pp. 362-364. 1910.
first and last—
Montana, Huntley Farm. D.C. 330, p. 3. 1925.
Nevada, Newlands Farm. D.C. 352, p. 6. 1925.
Pennsylvania, Greene County. Soil Sur. Adv. Sh., 1921, p. 1254. 1925.
forecasting—
North Pacific States. Edward A. Beals. W.B. Bul. 41, pp. 49. 1912.
Weather Bureau methods. News L., vol. 1, No. 27, pp. 1-2. 1914.
forecasts, distribution. F.B. 104, rev., pp. 30-31. 1910.
formation, principles—
F.B. 104, rev., pp. 5-6. 1910; Y.B. 1909, pp. 357, 392. 1910; Y.B. Sep. 519, p. 357. 1910; Y.B. Sep. 522, p. 392. 1910.
and conditions in Oregon valleys. F.B. 401, pp. 14, 17, 19. 1910.
free period at Mandan, N. Dak. D.B. 1301, p. 3. 1925.
harm to forest trees. D.B. 275, pp. 10-11, 31. 1916.
heaving, injury to pine seedlings. D.B. 1105, p. 23-24. 1923.
in—
Alabama, Choctaw County. Soil Sur. Adv. Sh., 1921, p. 979. 1924.
Arizona, San Simon area. Soil Sur. Adv. Sh., 1921, p. 587. 1924.
Mississippi, Alcorn County. Soil Sur. Adv. Sh., 1921, pp. 675, 676. 1924.
Missouri, Andrew County. Soil Sur. Adv. Sh., 1921, p. 820. 1925.
Nebraska—
Antelope County. Soil Sur. Adv. Sh., 1921, p. 762. 1924.
Deuel County. Soil Sur. Adv. Sh., 1921, pp. 712-713. 1924.
Perkins County. Soil Sur. Adv. Sh., 1921, p. 887. 1924.
Nevada, Truckee-Carson project. B.P.I. Cir. 114, pp. 26-27. 1913.
South Carolina, Spartanburg County. Soil Sur. Adv. Sh., 1921, pp. 412, 413. 1924.
Texas, latest and earliest dates. B.P.I. Cir. 106, pp. 4-5. 1913.
United States, and cold waves. Edward B. Garriott. W.B. Bul. P, pp. 22. 1906.
Washington, Wenatchee area, effect on early fruits. Soil Sur. Adv. Sh., 1918, p. 12. 1922; Soils F.O., 1918; p. 1552. 1924.
injury(ies)—
conifer blight, prevention. D.B. 44, pp. 12-13. 1913.
prevention, preparation of materials. F.B. 401, p. 6. 1910.
to—
apples, description and results. F.B. 1160, p. 19. 1920.
citrus trees, nature and treatment. F.B. 1343, pp. 36-37. 1923; F.B. 1447, pp. 38-39. 1925.
fruit, relation to site of orchard. F.B. 1001, p. 6. 1919.
incense cedar. D.B. 871, pp. 39-40. 1920.
jack pine. D.B. 820, p. 20. 1920.
lodgepole pine. D.B. 154, p. 24. 1915.
nursery stock, prevention. D.B. 479, pp. 72-73. 1917.
peaches. F.B. 631, p. 8. 1915.
Pima cotton, and dates. D.B. 1018, p. 21. 1922.
plants, developments. R. B. Harvey. J.A.R., vol. 15, pp. 83-112. 1918.

Frost(s)—Continued.
injury(ies)—continued.
to—continued.
tomatoes. R. B. Harvey and R. C. Wright. D.B. 1099, pp. 10. 1922.
irregularities in neighboring localities. W. B. [Misc.], "Proceedings, third convention * * *." pp. 250-253. 1904.
killing—
average dates. News L., vol. 6, No. 33, p. 11. 1919.
dates—
at Belle Fourche experiment farm, 1908-1914. D.B. 1039, pp. 10-11. 1922.
chart publications, isbsue y Weather Bureau. News L., vol. 6, No. 10, p. 16. 1918.
early studies by Weather Bureau. News L., vol. 5, No. 7, p. 9. 1917.
in Alabama, Mobile area. Soil Sur. Adv. Sh., 1903, p. 395. 1904; Soils F.O., 1903, p. 395. 1904.
in Arkansas, Stuttgart area. Soil Sur. Adv. Sh. 1902, p. 613. 1903; Soils F.O., 1902, p. 613. 1903.
in California, southern area. Soil Sur. Adv. Sh., 1917, pp. 18-23. 1921; Soils F.O., 1917, pp. 2418-2421. 1923.
in California, Victorville area. Soil Sur. Adv. Sh., 1921, p. 629. 1924.
in Florida, Gadsden County. Soil Sur. Adv. Sh., 1903, p. 334. 1904; Soils F.O., 1903, p. 334. 1904.
in Florida, Orange County. Soil Sur. Adv. Sh., 1919, p. 4. 1922; Soils F.O., 1919, p. 950. 1925.
in Georgia, Cobb County. Soils F.O. Sep. 1901, p. 318. 1903; Soils F.O., 1901, p. 318. 1902.
in Georgia, Covington area. Soils F.O. Sep. 1901, pp. 330, 337. 1903; Soils F.O., 1901, p. 330, 337. 1902.
in Georgia, Fort Valley area. Soil Sur. Adv. Sh., 1903, p. 319. 1904; Soils F.O., 1903, p. 319. 1904.
in Illinois, McLean County. Soil Sur. Adv. Sh., 1903, p. 780. 1904; Soils F.O., 1903, p. 780. 1904.
in Iowa, Benton County. Soil Sur. Adv. Sh., 1921, p. 1224. 1925.
in Iowa, Cedar County. Soil Sur. Adv. Sh., 1919, p. 8. 1921; Soils F.O., 1919, p. 1430. 1925.
in Iowa, Grundy County. Soil Sur. Adv. Sh., 1921, pp. 1041-1042. 1925.
in Kansas, Parsons area. Soil Sur. Adv. Sh., 1903, p. 894. 1904; Soils F.O., 1903, p. 894. 1904.
in Kentucky, McCracken County. Soil Sur. Adv. Sh., 1905, p. 7. 1906; Soils F.O., 1905; p. 681. 1907.
in Kentucky, Scott County. Soil Sur. Adv. Sh., 1903, p. 8. 1904; Soils F.O., 1903, p. 622. 1904.
in Louisiana, Acadia Parish. Soil Sur. Adv. Sh., 1903, p. 465. 1904; Soils F.O., 1903, p. 465. 1904.
in Louisiana, Lake Charles area. Soils F.O. Sep., 1901, p. 624. 1903; Soils F.O. 1901, p. 624. 1902.
in Maryland, Wicomico County. Soil Sur. Adv. Sh., 1921, pp. 1013-1014. 1925.
in Mississippi, Covington County. Soil Sur. Adv. Sh., 1917, p. 8. 1919; Soils F.O., 1917, p. 870. 1923.
in Mississippi, M'Neile area. Soil Sur. Adv. Sh., 1903, pp. 406-407. 1904; Soils F.O., 1903, pp. 406-407. 1904.
in Mississippi, Smedes area. Soils F.O. Sep. 1902, p. 328. 1903; Soils F.O., 1902, p. 328. 1903.
in Missouri, Cooper County. Soil Sur. Adv. Sh., 1909, pp. 10, 11. 1911; Soils F.O., 1909, pp. 1372, 1373. 1912.
in Missouri, Howell County. Soils F.O. Sep. 1902, p. 596;. 1903; Soils F.O., 1902, p. 596. 1903.
in Missouri, Shelby County. Soil Sur. Adv. Sh., 1903, pp. 877-878. 1904; Soils F.O., 1903, pp. 877-878. 1904.

Frost(s)—Continued.
killing—continued.
dates—continued.
in Nebraska, Boone County. Soil Sur. Adv. Sh., 1921, pp. 1173-1174. 1925.
in Nebraska, Grand Island area. Soil Sur. Adv. Sh. 1903, p. 929. 1904; Soils F.O., 1903, p. 929. 1904.
in Nebraska, Perkins County. Soil Sur. Adv. Sh., 1921, p. 887. 1925.
in Nebraska, Phelps County. Soil Sur. Adv. Sh., 1917, p. 9. 1919; Soils F.O., 1917, p. 1923. 1923.
in Nebraska, Stanton area. Soil Sur. Adv. Sh., 1903, p. 949. 1904; Soils F.O., 1903, p. 949. 1904.
in Nebraska, Wayne County. Soil Sur. Adv. Sh., 1917, p. 9. 1919; Soils F.O., 1917, p. 1961. 1923.
in Nevada, Truckee-Carson project, 1905-1910. B.P.I. Cir. 78, pp. 5-6. 1911.
in North Carolina, Asheville area. Soil Sur. Adv. Sh., 1903, p. 281. 1904; Soils F.O., 1903, p. 281. 1904.
in North Carolina, Craven area. Soil Sur. Adv. Sh., 1903, pp. 255-256. 1904; Soils F.O., 1903, pp. 255-256. 1904.
in North Carolina, Mount Mitchell area. Soils F.O., Sep. 1902, p. 261. 1903; Soils F.O.1902, p. 261. 1903.
in North Carolina, Orange County. Soil Sur. Adv. Sh., 1918, pp. 8-9. 1921; Soils F.O., 1918, pp. 224-225. 1924.
in North Dakota, Jamestown area. Soil Sur. Adv. Sh., 1903, p. 1008. 1904; Soils F.O., 1903, p. 1008. 1904.
in North Dakota, McHenry County. Soil Sur. Adv. Sh., 1921, p. 933. 1925.
in Oregon, Umatilla experiment farm, 1909-1912. B.P.I. Cir. 129, p. 22. 1913.
in Pennsylvania, Lebanon area. Soils F.O. Sep., 1901, p. 152. 1903; Soils F.O., 1901, p. 152. 1902.
in South Carolina, Lexington County. Soil Sur. Adv. Sh., 1922, p. 155. 1925.
in Tennessee, Davidson County. Soil Sur. Adv. Sh., 1903, pp. 606-607. 1904; Soils F.O., 1903, pp. 606-607. 1904.
in northwest Texas. Soil Sur. Adv. Sh., 1919, pp. 11-12. 1922; Soils F.O., 1919, pp. 1109-1110. 1925.
in Texas, Panhandle Region. Soil Sur. Adv. Sh., 1910, p. 18. 1911; Soils F.O., 1910, p. 974. 1912.
in Texas, San Antonio experiment farm, 1907-1915. W.I.A. Cir. 10, pp. 2, 3. 1916.
in Utah, Uinta River Valley area. Soil Sur. Adv. Sh., 1921, p. 1492. 1925.
in Virginia, Bedford area. Soils F.O Sep. 1901, p. 240. 1903; Soils F.O., 1901, p. 240. 1902.
in Virginia, Norfolk area. Soil Sur. Adv. Sh., 1903, p. 235. 1904; Soils F.O., 1903, p. 235. 1904.
in Virginia, Prince Edward area. Soils F.O. Sep., 1901, p. 261. 1903; Soils F.O., 1901, p. 261. 1902.
in Washington, southwestern. Soil Sur. Adv. Sh., 1911, pp. 25-27. 1913; Soils F.O., 1911, pp. 2115-2117. 1914.
in Washington, Stevens County. Soil Sur. Adv. Sh., 1913, pp. 22-25. 1915; Soils F.O., 1913, pp. 2180-2183. 1916.
in West Virginia, Barbour and Upshur Counties. Soil Sur. Adv. Sh., 1917, p. 9. 1919; Soils F.O., 1917, p. 997. 1923.
in Wisconsin, Viroqua area. Soil Sur. Adv. Sh., 1903, p. 8. 1904; Soils F.O., 1903, p. 802. 1904.
with growing season, by towns. Y.B., 1924, p. 1230. 1925.
late—
injury to conifers, studies. D.B. 1131, pp. 1-16. 1923.
spring of 1911. Y.B., 1911, p. 507. 1912.
line, southern movement. News L., vol. 6, No. 1, p. 4. 1918.
losses caused by, 1909-1918. D.B. 1043, pp. 6, 7, 8, 9, 10, 11. 1922.

Frost(s)—Continued.
nature, causes, and probabilities. F.B. 1096, pp. 3-11, 46-47. 1920.
necrosis, potato tubers, physiology. D.B. 916, pp. 2-4. 1921.
orchard protection in—
Oregon, Medford area, methods, and cost. Soil Sur. Adv. Sh., 1911, pp. 24-25. 1913; Soils F.O., 1911, pp. 2306-2307. 1914.
Pacific northwest, by fires and smudges. P. J. O'Gara. F.B. 401, pp. 24. 1910.
prevention—
instruments, exposure and use. F.B. 1096, pp. 42-48. 1920.
of damage from. F.B. 1096, pp. 48. 1920.
probabilities, requirements and factors modifying. F.B. 1096, pp. 8-11, 46-48. 1920.
protection—
against. Off. Rec., vol. 4, No. 46, p. 5. 1925.
by—
conserving heat, methods. F.B. 1096, pp. 11-14. 1920.
heat, fuels, heaters, types and use. F.B. 1096, pp. 14-36. 1920.
smoke screens. Off. Rec. vol. 2, No. 49, p. 5. 1923.
citrus—
groves in the Gulf States, culture and fertilization. F.B. 542, pp. 1-20. 1913.
groves, studies. F.B. 538, p. 11. 1913.
orchards, equipment. F.B. 1447, pp. 38-39. 1925.
orchards, value of overhead irrigation. Hawaii A.R., 1915, p. 69. 1916.
cranberry bogs, investigations. O.E.S. Bul. 158, pp. 627-635. 1905; Y.B. 1911, pp. 212-222. 1912; Y.B. Sep. 562, pp. 212-222. 1912.
devices—
F.B. 1096, pp. 11-30. 1920.
and methods. F.B. 401, rev., pp. 17-26. 1910.
for citrus groves, by air drainage and bodies of water. F.B. 1343, pp. 6-7. 1923.
from. Off. Rec., vol. 4, No. 47, p. 5. 1925.
garden frames, experiments, Umatilla experiment farm. B.P.I. [Misc.], "The work of the Umatilla * * * 1913," pp. 8-9. 1914.
in lemon orchards. A. D. Shamel. With others. D.B. 821, pp. 20. 1920.
of—
citrus groves, methods. F.B. 1122, pp. 36-38. 1920; F.B. 1343, pp. 31-33. 1923.
cranberries. F.B. 227, pp. 17-18. 1905.
fruits and special crops. Y.B., 1909, pp. 393-396. 1910; Y.B. Sep. 522, pp. 393-396. 1910.
lemon trees. Y.B., 1907, p. 353. 1908; Y.B. Sep. 453, p. 353. 1908.
strawberry fields. F.B. 1028, p. 42. 1919.
records and the growing season. Atl. Am. Agr. Adv. Sh., Pt. II, sec. 1, pp. 1-12. 1918.
resistance of flax. R. L. Davis. D.C. 264, pp. 8. 1923.
rings in conifers, formation and pathological anatomy. A. S. Rhoads. D.B. 1131, pp. 16. 1923.
risk to crops in Iowa and North Dakota. Y.B., 1921, p. 106. 1922; Y.B. Sep. 873, p. 106. 1922.
seasons, various localities, notes. F.B. 104, rev. pp. 7-10. 1910.
source of failure in seeding for reforestation. J.A.R., vol. 30, p. 641. 1925.
spring—
dates, Middle Atlantic States. B.P.I. Bul. 194, p. 16. 1911.
Oregon, Rogue River Valley, conditions producing. F.B. 401, pp. 1-19. 1910.
warnings—
accuracy. An. Rpts., 1901, p. 14. 1901.
and fruit service. An. Rpts., 1922, pp. 70, 80-82. 1923; W.B. Chief Rpt., 1922, pp. 4, 14-16. 1922.
for cranberry growers. Y.B. 1911, pp. 213-214, 222. 1912; Y.B. Sep. 562, pp. 213-214, 222. 1912.
for fruit growers, results. Y.B., 1920, pp. 186-189. 1921; Y.B. Sep. 838, pp. 186-189. 1921.
use by farmers. Y.B., 1909, pp. 364, 390-397. 1910; Y.B. Sep. 519, pp. 364, 390-397. 1910.
See also Weather conditions.

Frostbite—
cattle, treatment. B.A.I. [Misc.], "Diseases of of cattle," rev., pp. 355-356. 1904; rev., p. 346. 1912; rev., p. 357. 1923.
treatment. For. [Misc.], "First-aid manual * * *," p. 65. 1917.
Frostings, composition and use. O.E.S. Bul. 200, pp. 72, 73. 1908.
Frostless zones. See Thermal belts.
FROTHINGHAM, E. H.—
"Douglas fir: A study of the Pacific coast and Rocky Mountain forms.' For. Cir. 150, pp. 38. 1909.
"Second-growth hardwoods in Connecticut." For. Bul 96, pp. 70. 1912.
"The aspens: Their growth and management." With W. G. Weigle. For. Bul. 93, pp. 35. 1911.
"The eastern hemlock." D.B. 152, pp. 43. 1915.
"The northern hardwood forest: Its composition, growth, and management." D.B. 285, pp. 80. 1915.
"The status and value of farm woodlots in the eastern United States." D.B. 481, pp. 44. 1917.
"White pine under forest management." D.B. 13, pp. 70. 1914.
Frozen—
eggs—
adulteration. Chem. N.J. 486, p. 1. 1910; Chem. N.J. 736, p. 1. 1911.
investigations. An. Rpts., 1912, pp. 562-563, 565, 583, 587. 1913; Chem. Chief Rpt., 1912, pp. 12-13, 15, 33, 37. 1912.
fish, cold-storage holdings, 1918, review. D.B. 792, pp. 27-75. 1919.
fruit, detection, studies. An. Rpts., 1912, pp. 558, 584. 1913; Chem. Chief Rpt., 1912, pp. 8, 34. 1912.
meats—
stocks reported, Dec. 1, 1917, and Dec. 1, 1918. Y.B., 1918, pp. 392-393. 1919; Y.B. Sep. 788, pp. 16-17. 1919.
storage holdings, 1918, reports. D.B. 792, pp. 4-15. 1919.
Fructose, protective action against the destruction of invertase. C. S. Hudson and H. S. Paine. Chem. Cir. 59, pp. 5. 1910.
Fruit(s)—
accounting systems for shippers. News L., vol. 5, No. 37, p. 8. 1918.
acid(s)—
investigations by Chemistry Bureau. An. Rpts., 1912, p. 558. 1913; Chem. Chief Rpt., 1912, p. 8. 1912.
lime, in Hawaii. W.T. Pope. Hawaii Bul. 49, pp. 20. 1923.
relation to disease resistance. J.A.R., vol. 5, No. 9, pp. 368, 369, 388. 1915.
acreage and—
production, world. Sec. [Misc.], Spec. "Geography * * * world's agriculture." pp. 77-92. 1917.
value, comparative importance, diagrams. D.B. 806, p. 2. 1919.
value, relative importance, 1909, graphs and maps. Y.B., 1915, pp. 380-387. 1916; Y.B. Sep. 681, pp. 380-387. 1916.
adaptability to Miami clay loam. Soils Cir. 31, pp. 9, 13-14. 1911.
addition to poison baits for grasshoppers. Y.B., 1915, pp. 267, 268, 269, 272. 1916; Y.B. Sep. 674, pp. 267, 268, 269, 272. 1916.
adulteration, prosecutions. An. Rpts. 1920, pp. 257-258. 1921.
alcohol, yield and cost. F.B. 429, pp. 11-12. 1911.
American—
demand in Great Britain. Off. Rec. vol. 1, No. 40, p. 4. 1922.
exports to China, and duties thereon. D.C. 146, pp. 7-9, 25-27. 1920.
market in Australia and New Zealand. S. B. Moomaw and C. B. Sherman. D.C. 145, pp. 16. 1921.
markets in China. C. W. Moomaw and M. L. Franklin. D.C. 146, pp. 27. 1920.
analysis methods. B.P.I. Bul. 116, p. 33. 1907; Chem. Bul. 107, pp. 77-82. 1907; Chem. Bul. 152, pp. 218-220. 1912.

Fruit(s)—Continued.
and—
fruit products, standards. Chem. [Misc.], "Standards of purity * * *," p. 1. 1905.
nuts—
dietary studies, California Experiment Station. F.B. 332, pp. 14-16. 1908.
foreign import tariffs on, 1903. Frank H. Hitchcock. For. Mkts. Bul. 36, pp. 69. 1903.
vegetables—
division, report, 1924. B.A.E. Chief Rpt., 1924, pp. 31-35. 1924.
division, report, 1925. Sec. A.R. 1925, pp. 40-42. 1925.
mixed, shipments by States, and by stations, 1916. D.B. 667, pp. 13, 194-196. 1918.
quarantine modification, February 6, 1925. F.H.B. Quar. 56, amdt. 4, pp. 2. 1925.
quarantine modification, January 18, 1924. F.H.B. Quar. 56, amdt. 2, pp. 2. 1924.
standard containers, law requirements. News L., vol. 5, No. 38, p. 3. 1918.
subcommittee, recommendations agricultural Conference. Off. Rec. vol. 1, No. 5. p. 3. 1922.
aphids, control. F.B. 1128, pp. 37-48. 1920.
associations—
accounting systems, investigations. An. Rpts., 1917, pp. 432-433. 1918; Mkts. Chief Rpt., 1917, pp. 2-3. 1917.
cooperative—
accounting system. G.A. Nahstoll and W. H. Kerr. D.B. 225, pp. 25. 1915.
location, number, and methods. D.B. 547, pp. 9-10, 12, 32-34, 49-51, 56-59. 1917.
work, various States. News L., vol. 5, No. 13, p. 3. 1917.
failure from lack of accounting system. D.B. 225, p. 1. 1915.
pooling products. Off. Rec. vol. 3, No. 19, p. 3. 1924.
attractive to birds—
lists and seasons when available. F.B. 621, pp. 8-15. 1914; rev., pp. 10-15. 1921; F.B. 844, pp. 11-15. 1917; F.B. 912, pp. 9-13. 1918.
seasons, Northwestern states. F.B. 760, pp. 9-11. 1916.
auctions, American. A. D. Miller and C. W. Hauck. D.B. 1362, pp. 36. 1925.
bacterial spot, varieties affected, and geographic distribution. F.B. 1435, p. 2. 1924.
bag-ripening, of dates. Off. Rec. vol. 2, No. 26, p. 6. 1923.
bagging, for protection from insects. F.B. 908, p. 53. 1918; Hawaii A.R. 1914, pp. 17, 31. 1915.
blanching—
directions. F.B. 1211, pp. 26-27. 1921; S.R.S. Doc. 17, pp. 3-4. 1915.
for canning. F.B. 853, pp. 13-14. 1917.
for dehydration. D.B. 1335, pp. 9-10. 1925.
bleaching—
by use of sulphur fumes. F.B. 903, pp. 25-26, 33-34, 46, 48, 49, 51, 54. 1917.
for evaporation. D.B. 1141, pp. 22, 34, 38-39, 47, 49. 1923.
blooms, honey sources, value. Ent. Bul. 75, pp. 90, 93, 94. 1911.
blossoming dates in Nevada, 1916-1919. D.C. 136, pp. 14-15. 1920.
brandied, description and composition. Chem. Bul. 66, rev., p. 96. 1905.
Brazilian—
and navel orange of Bahia. P. H. Dorsett and others. D.B. 445, pp. 35. 1917.
useful as stock feed. D.B. 445, pp. 19, 35. 1917.
breeding—
at Mandan, North Dakota. D.B. 1337, pp. 10-11. 1925.
experiments at field station near Mandan, N. Dak. D.B. 1301, pp. 30-33. 1925.
work—
of experiment stations. O.E.S. An. Rpt., 1910, pp. 81, 168, 237. 1911.
Plant Industry Bureau, 1909. An. Rpts., 1909, pp. 274-277. 1910; B.P.I. Chief Rpt., 1909, pp. 22-25. 1909.

Fruit(s)—Continued.
  brown rot, fungus causing, in America. John W. Roberts and John C. Dunegan. J.A.R., vol. 28, pp. 955-960. 1924.
  buds—
    formation—
      experiment station investigations. O.E.S. An. Rpt., 1922, pp. 89-93. 1924.
      relation to cultivation and fertilizers. O.E.S. An. Rpt., 1910, p. 190. 1911.
    freezing. F. L. West and N. E. Edlefsen. J.A.R. vol. 20, pp. 655-662. 1921.
    spraying to increase vigor, experiments. J.A.R. vol. 1, pp. 437-444. 1914.
  bush—
    growing—
      Alaska Experiment Stations. Alaska A.R., 1920, pp. 13, 14, 45, 57-58. 1922.
      centers and acreage. Atl. Am. Agr. Adv. Sh. pp. 78, 81. 1918.
      protection and fall care. News L., vol. 3, No. 19, pp. 1, 4. 1915.
  butters—
    composition, table. Chem. Bul. 66, rev., pp. 96-97. 1905.
    fruit varieties, and recipes. News L., vol. 5, No. 1, p. 3. 1917; News L., vol. 5, No. 4, pp. 5-6. 1917.
    homemade. C. P. Close. F.B. 900, pp. 7. 1917.
    utilization of waste fruit. News L., vol. 7, No. 6, p. 5. 1919.
  buying at auction. D.B. 1362, pp. 13-15, 16, 19-21, 30, 32-33. 1925.
  California—
    and Florida, condition, Oct. 1, 1914, estimates, with comparisons. F.B. 62:, p. 12. 1914.
    carload lots, annual average number. Rpt. 98, pp. 193, 194. 1913.
    in moving picture. News L., vol. 6, No. 52, pp. 6-7. 1919.
    movement under permits. B.A.I.S.R.A. 204, p. 43. 1924.
  candied, preparation and use. Y.B., 1912, pp. 508, 510, 511, 513, 520. 1913; Y.B. Sep. 610, pp. 508, 510, 511, 513, 520. 1913.
  canned—
    adulteration. See Indexes, Notices of Judgment, in bound volumes and in separates published as supplements to Chemistry Service and Regulatory Announcements.
    analyses, composition, and tables. Chem. Bul. 66, rev., pp. 84-95. 1905.
    effects of holding and shipping on weight and quality. D.B. 196, pp. 23-24. 1915.
    fermentation changes. Off. Rec., vol. 3, No. 8, p. 5. 1924.
    preserves and jellies. F.B. 203, pp. 1-32. 1905.
    processing, methods. F.B. 426, pp. 24-25. 1910.
    standards. B.P.I. Doc. 631, rev., p. 5. 1915; F.B. 853, p. 27. 1917; S.R.S. Doc. 22, p. 7. 1916; S.R.S. Doc. 22, rev., p. 8. 1919.
    storage. F.B. 281, pp. 22-24. 1907.
    weights, table. F.B. 1211, p. 32. 1921.
  canneries—
    and vegetable, inspection directions. F. B. Linton. D.B. 1084, pp. 38. 1922.
    cooperative, and vegetable, business essentials. W. H. Kerr. Y.B., 1916, pp. 237-249. 1917; Y.B. Sep. 705, pp. 13. 1917.
  canning—
    and sealing. F.B. 853, p. 14. 1917.
    at home, and vegetables—
      F.B. 1211, pp. 51. 1921.
      Mary E. Creswell and Ola Powell. F.B. 853, pp. 42. 1917.
    cheap outfit. F.B. 259, pp. 30-32. 1906.
    club work of girls and women. S.R.S. Rpt. 1919. pp. 17, 28-29. 1921.
    "cold-pack" method, description and advantages. News L., vol. 3, No. 22, p. 5. 1916.
    contests, rules. O.E.S. Bul. 255, pp. 40-41. 1913.
    directions. B.P.I. Doc. 631, pp. 1-8. 1915; F.B. 203, pp. 15-21. 1905; F.B. 839, pp. 19-21, 30. 1917.
    follow-up instructions for girls' clubs. S.R.S. Doc. 12, pp. 1-4. 1917.

Fruit(s)—Continued.
  canning—continued.
    in South, methods, table. News L., vol. 4, No. 43, pp. 6-7. 1917.
    inspection points for different fruits. D.B. 1084, pp. 20-28. 1922.
    instructions for home clubs. S.R.S. Doc. 17, p. 1. 1915.
    methods, conditions affecting, and sirups, studies. D.B. 196, pp. 21-53. 1915.
    outfit for farm, description. F.B. 426, pp. 8-19. 1910.
    study of temperature changes in containers. C. A. Magoon and C. W. Culpepper. D.B. 956, pp. 55. 1921.
    table, hot-water process. S.R.S. Doc. 22, p. 9. 1916.
    time-tables, with vegetables. M.C. 24, pp. 4. 1924.
    without sugar. F.B. 839, pp. 15, 30. 1917; F.B. 1211, p. 38. 1921.
  cans—
    filled per bushel. S.R.S. Doc. 97, p. 7. 1919.
    tin, soldering methods. News L., vol. 2, No. 43, pp. 4-5. 1915.
  car-lot movement reports. Off. Rec., vol. 1, No. 52, p. 8. 1922.
  care in the home. Thrift Leaf. 13, p. 4. 1919.
  characteristics, transmission by budding. D.B. 1255, pp. 2-3. 1924.
  Chinese, introduction, 1907. An. Rpts., 1907, p. 331. 1908.
  cider making, washing and sorting, methods. F.B. 1264, pp. 16-17, 52. 1922.
  citrus. See Citrus fruits.
  cold—
    dipping after blanching. F.B. 1211, pp. 27-28. 1921.
    storage—
      data from warehousemen. Chem. Bul. 115, pp. 18-19, 22-23. 1908.
      effects. F.B. 193, pp. 15-20. 1904.
  color, indication of maturity. L. C. Corbett. Y.B., 1916, pp. 99-106. 1917; Y.B. Sep. 686, pp. 8. 1917.
  coloring matter, detection, discussion. Chem. Bul. 66, rev., pp. 22, 23-29, 36-37. 1905.
  competition with sugar beets, experiments. D.B. 895, p. 35. 1921.
  composition—
    comparison with other foods. Y.B., 1905, pp. 308-313. 1906; Y.B. Sep. 385, pp. 308-313. 1906.
    inheritance through vegetative propagation. E. M. Chace and others. D.B. 1255, pp. 19. 1924.
    tables. Chem. Bul. 66, rev., pp. 41-51. 1905.
  consumption by farm families. F.B. 1082, pp. 13, 14, 19. 1920.
  consumption by farm families, Southern States. Farm M. Cir. 3, p. 5. 1919.
  containers, standard, and vegetables. F. P. Downing. F.B. 1196, pp. 3-. 1921.
  containers, standard baskets. F. P. Downing and H. A. Spilman. F.B. 1434, pp. 18. 1924.
  cooking—
    effects. F.B. 293, pp. 28-30. 1907.
    lessons for first-year classes, and correlative studies. D.B. 540, pp. 24, 25. 1917.
    with mutton. F.B. 526, pp. 8, 24. 1913.
  covering for protection from—
    Mediterranean fruit fly. D.B. 536, pp. 101-102. 1918.
    melon fly. D.B. 491. p. 54. 1917.
  crop(s)—
    acreage, value, and relative importance Sec. [Misc.], Spec. "Geography * * * world's agriculture," p. 77. 1917.
    adaptability to the Dekalb silt loam. Soils Cir. 38, p. 14. 1911.
    Algerian. B.P.I. Bul. 80, pp. 60-71. 1905.
    estimates, work of—
      1917. An. Rpts., 1917, pp. 298-299. 1918.
      1918. An. Rpts., 1918, pp. 313-314. 1919.
    growing on Norfolk fine sandy loam. Soils Cir. 22, pp. 10, 12, 13. 1911; Soils Cir. 45, p. 11. 1911.
    in south Texas, conditions. Soil Sur. Adv. Sh., 1909, pp. 35, 58, 94. 1910; Soils F.O., 1909; pp. 1087, 1091, 1128. 1912.

INDEX TO PUBLICATIONS, 1901-1925   971

Fruit(s)—Continued.
  crop(s)—continued.
    injury by frost, prevention. G. B. Brackett.
      Y.B., 1909, pp. 357-364. 1910; Y.B. Sep. 519,
      pp. 357-364. 1910.
    losses caused by plum curculio. Ent. Bul. 103,
      pp. 27-28. 1912.
  crossbreeding—
    experiments in Porto Rico. P.R. An. Rpt.,
      1921, p. 22. 1922.
    for hardiness, studies. Work and Exp., 1919,
      p. 51. 1921.
  crushed, keeping qualities. Chem. Bul. 132, pp.
    66-71. 1910.
  Cuban, chemical composition and products,
    study. Chem. Bul. 87, pp. 9-30. 1904.
  cull, utilization, studies. An. Rpts., 1914, pp.
    170-171. 1914; Chem. Chief Rpt., 1914, pp. 6-7.
    1914.
  cultivated—
    protection from birds by planting wild fruits.
      F.B. 912, pp. 13-14. 1918.
    wild relatives, need of study. J.A.R., vol. 2,
      pp. 98-99. 1914.
  cultural tests near Mandan, N. Dak. D.B. 1301,
    pp. 24-30. 1925.
  culture—
    and testing, Hawaii. O.E.S. [Misc.], "Organization and work of the Office of Experiment
      Stations," p. 11. 1909.
    experiments, Virgin Islands. Vir. Is. A. R.,
      1924, pp. 12-15. 1925.
    Porto Rico. O.E.S. An. Rpt., 1904, pp. 400-
      405. 1905.
  curculio. See Plum curculio.
  damage by horned lark. Biol. Bul. 23, p. 22.
    1905.
  decay caused by careless handling. Y.B., 1910,
    p. 438. 1911; Y.B. Sep. 550, p. 438. 1911.
  deciduous—
    classification. Y.B., 1909, p. 365. 1910; Y.B.
      Sep. 520, p. 365. 1910.
    frost injuries, temperatures critical, records.
      F.B. 1096, pp. 38-40. 1920.
    growing in—
      Arizona, Yuma experiment farm. W.I.A.
        Cir. 25, pp. 35-38. 1919.
      California, central southern area. Soil Sur.
        Adv. Sh., 1917, pp. 28-30, 35, 45, 46, 64-120.
        1921; Soils F.O., 1917, pp. 2426-2428, 2433,
        2443, 2444, 2462-2518. 1923.
      California, Yuma experiment farm. B.P.I.
        W.I.A. 12, pp. 16-17. 1916.
      Hawaii, varieties, description, etc. Hawaii
        A.R., 1910, p. 39. 1911.
      Portersville area, California. Soil Sur. Adv
        Sh., 1908, p. 18. 1909; Soils F.O., 1908,
        p. 1308. 1911.
    handling on the Pacific coast. Y.B., 1909, pp.
      365-374. 1910; Y.B. Sep. 520, pp. 365-374.
      1910.
    injurious insects. D.B. 435, pp. 15-16. 1916.
    insects—
      and insecticides, index. Ent. Bul. 116, pp.
        111-117. 1915.
      and insecticides, papers. E. L. Jenne and
        others. Ent. Bul. 80, p. 167, rev. 1912.
      and insecticides, papers. Fred Johnson and
        others. Ent. Bul. 97, pp. 132. 1913.
      grape and apple. Fred E. Brooks and B. R.
        Leach. D.B. 730, pp. 40. 1918.
      injurious, publications list. D.B. 886, pp.
        10-12. 1920.
      on cherries. Ent. Bul. 116, Pt. III, pp. 73-79.
        1913.
    irrigation method, time in Pomona Valley,
      Calif. O.E.S. Bul. 236, rev., pp. 79-80, 88-
      89. 1912.
    packing, need of organized methods. Y.B.,
      1909, pp. 367-369. 1910; Y.B. Sep. 520, pp.
      367-369. 1910.
    refrigeration and precooling. Y.B., 1909, pp.
      372-374. 1910; Y.B. Sep. 520, pp. 372-374.
      1910.
    shipments, by States, and by stations, 1916.
      D.B. 667, pp. 6, 51-90. 1918.
    transportation problems, Pacific coast. Y.B.,
      1909, pp. 366-367. 1910; Y.B. Sep. 520, pp.
      366-367. 1910.

Fruit(s)—Continued.
  deciduous—continued.
    varieties, growth tests, Yuma experiment farm,
      1913-1916. W.I.A. Cir. 20, pp. 34-36. 1918.
    variety tests, Yuma experiment farm. D.C.
      75, pp. 42-45. 1920.
    See also Fruits, orchard.
  decoy, for protection of cultivated fruits. Y.B.,
    1909, pp. 194-196. 1910; Y.B. Sep. 504, pp. 194-
    196. 1910.
  dehydration, commercial, with vegetables. P.F.
    Nichols and others. D.B. 1335, pp. 40. 1925.
  deliveries, reconciling, statements and forms.
    D.B. 590, pp. 7, 42. 1918.
  demand by consumer stimulation. D.B. 1237,
    pp. 41-42. 1924.
  description, food-value comparisons. D.B. 975
    pp. 5-6, 11-20. 1921.
  desiccated, notice to exporters. Chem. F. I.D. 7.
    p. 17. 1904; Sec. [Misc.], "Notice to exporters * * *," p. 1. 1904.
  destruction by—
    birds. Biol. Bul. 30, pp. 14, 19, 23, 26, 53, 56, 70,
      86, 88, 94-96. 1907; F.B. 513, pp. 7, 8, 11, 12,
      14, 15, 17, 18, 19, 21. 1913; F.B. 630, pp. 3-27.
      1915; F.B. 752, pp. 9, 10, 26, 27. 1916.
    bobwhite and quail. Biol. Bul. 21, pp. 35-37,
      50-51. 1905.
    jays, California. Biol. Bul. 34, pp 48, 50-51,
      54, 55. 1910.
    Mediterranean fruit fly, notes and citations.
      Ent. Cir. 160, pp. 3-14. 1912.
    rats, in orchard, and storage or transit. Biol
      Bul. 33, pp. 24-25. 1909.
    starlings. D.B. 868, pp. 13, 26-31, 43, 57-58.
      1921.
  detection in stomach of bird. Biol. Bul. 15, p. 14.
    1901.
  dietary experiments. F.B. 293, pp. 22-24. 1907.
  digestibility. Y.B., 1905, pp. 316-318, 321. 1906;
    Y.B. Sep. 385, pp. 316-318, 321. 1906.
  disease(s)—
    1905. Y.B., 1905, p. 603. 1906; Y.B. Sep. 409,
      p. 603. 1906.
    1906. Y.B., 1906, pp. 499-502. 1907; Y.B. Sep.
      437, pp. 499-502. 1907.
    1907. Y.B., 1907, pp. 577-581. 1908; Y.B. Sep.
      467, pp. 577-581. 1908.
    1908. Y.B., 1908, pp. 534-536. 1909.
    control by lime-sulphur sprays. F.B. 435, pp.
      12-16. 1911.
    control program, 1915. Sec [Misc.], "Program
      of work * * * 1915," pp. 82-88. 1914.
    fungicides, use in prevention. M. B. Waite.
      F.B. 243, pp. 32. 1906.
    treatment by spraying and other methods.
      F.B. 1202, pp. 59-60. 1921.
    Yakima Valley, Washington, and control
      studies. D.B. 614, pp. 6-7. 1918.
    destruction as preventive of rot disease. O.E.S.
      Bul. 196, p. 98. 1907.
  districts—
    as defined by the American Pomological Society.
      B.P.I. Bul. 151, pp. 10-13. 1909.
    description and location, and fruit varieties.
      F.B. 1001, pp. 23-27, 32-39. 1919.
  development. Y.B., 1908, p. 473. 1909; Y.B.
    Sep. 496, p. 473. 1909.
  division of United States, and British provinces.
    F.B. 208, pp. 3-5. 1904.
  mapping, progress of work. An. Rpts., 1912,
    p. 132. 1913; Sec. A. R., 1912, p. 132. 1912;
    Y.B., 1912, p. 132. 1913.
  domestic, exports, 1910, 1915. D.B. 483, p. 7.
    1917.
  dried—
    adulteration, peaches and blackberries. Chem.
      N.J. 1808, p. 1. 1912.
    and their uses. C. F. Langworthy. Y.B.,
      1912, pp. 505-522. 1913; Y.B. Sep. 610, pp.
      505-522. 1913.
    cooking—
      directions. D.C. 4, p. 62. 1919; F.B. 916,
        p. 11. 1917.
      in fireless cooker. F.B. 771, p. 16. 1916;
        rev., p. 15. 1918; Food Thrift Ser. No. 13,
        p. 4. 1918; O.E.S. Syl. 15, p. 8 1914.
      recipes. F.B. 841, p. 28. 1917.
    exports to China, and demands. D.C. 146,
      pp. 8, 12, 17. 1920.

36167°—32——62

Fruit(s)—Continued.
dried—continued.
figs, raisins, etc. C. F. Langworthy. Y.B., 1912, pp. 505-522. 1913; Y.B. Sep. 610, pp. 505-522. 1913.
fumigation with hydrocyanic-acid gas, danger. D.B. 1307, pp. 3-5. 1924.
infestation by rice moth. D.B. 783, p. 9. 1919.
insect—
control, in California. William B. Parker. D.B. 235, pp. 15. 1915.
enemies. D.B. 1335. pp. 27-29. 1925.
laws relating to. F.B. 903, pp. 59-60. 1917.
packing and storing. D.B. 1335, pp. 29-31. 1925; F.B. 841, p. 25. 1917.
preparation for market, grading and packing. F.B. 903, pp. 55-59. 1917.
protection from infestation, packages and seals. D.B. 235, pp. 8-14. 1915.
restrictions of foreign markets. F.B. 903, p. 60. 1917.
shipments—
by States, and by stations, 1916. D.B. 667, pp. 7, 90-93. 1918.
from California to Australasia. D.C. 145, pp. 5, 12, 13. 1921.
sulphur—
and zinc, objections in foreign markets. F.B. 903, p. 60. 1917.
use. Chem. Bul. 84, pp. 762-765. 1907; Chem. Cir. 37, pp. 2-5. 1907.
sulphurous acid detection. Chem. Bul. 116, pp. 14-16. 1908.
test of moisture content. D.B. 1335, pp. 25-26. 1925.
use—
in bread and cakes. Y.B., 1912, p. 520. 1913; Y.B. Sep. 610, p. 520. 1913.
with cottage cheese. F.B. 1451, p. 14. 1925.
value—
as food. D.B. 123, p. 60. 1916.
comparison with canned fruits. O.E.S. Bul. 245, p. 78. 1912.
driers, description, and types. F.B. 903, pp. 15-22. 1917.
drupe—
kernel oils, similarity of composition. D.B. 350, p. 2. 1916.
See also Fruits, stone.
dry-land garden. An. Rpts., 1908, p. 368. 1909; B.P.I. Chief Rpt., 1908, p. 96. 1908.
drying—
and commercial evaporation. James H. Beattie and H. P. Gould. F.B. 903, pp. 61. 1917.
by sun, equipment, and details. F.B. 903, pp. 43-55. 1917.
cheap evaporator. F.B. 202, pp. 29-32. 1904.
directions—
and recipes for cooking. F.B. 841, pp. 22-24, 28. 1917.
details. D.B. 1335, pp. 31-35. 1925; D.C. 3, pp. 19-23. 1919.
farm and home (and vegetables). Joseph H. Caldwell. F.B. 984, pp. 61. 1918.
in Hawaii. Hawaii A.R., 1918, pp. 8, 22. 1919.
methods, hand and machine, various fruits. Y.B., 1912, pp. 506-516. 1913; Y.B. Sep. 610, pp. 506-516. 1913.
plant, location, arrangement and floor plans. D.B. 1141, pp. 14-17. 1923.
preparation and processes. F.B. 984, pp. 41-47. 1918.
duty of water, Pomona Valley, Calif., 1905-1909. O.E.S. Bul. 236, pp. 86-89. 1911.
eaten by flycatchers, lists. Biol. Bul. 44, pp. 18, 22, 27, 35, 38, 40, 48, 54, 66. 1912.
entries, restrictive orders. F.H.B.S.R.A. 75, pp. 76-77. 1923.
evaporated—
cheap process. F.B. 202, pp. 29-32. 1904.
sulphur, use. Chem. Bul. 84, Pt. III, pp. 762-765. 1907; Chem. Cir. 37, pp. 2-5. 1907.
sulphuring, reasons. Chem. Bul. 84, Pt. III, p. 764. 1907; Chem. Cir. 37, p. 4. 1907.
evaporation. Joseph S. Caldwell. D.B. 1141, pp. 64. 1923.
evaporators, description of types. F.B. 202, pp. 29, 32. 1904; F.B. 903, pp. 5-22. 1917.

Fruit(s)—Continued.
examination, chemical and microscopical (and fruit products). L. S. Munson and others. Chem. Bul. 66, rev., pp. 114. 1905.
exchange—
cooperative, establishment in Porto Rico. P.R. An. Rpt., 1913, p. 8. 1914.
system, development in California. D.B. 1237, pp. 4-13. 1924.
experiments—
at Mandan, N. Dak. D.B. 1337, pp. 8-11. 1925.
at San Antonio farm. W.I.A. Cir. 10, p. 16, 1916.
in Hawaii. Hawaii A.R., 1924, pp. 4-9, 10, 14, 16-17. 1925.
exports—
1851-1908. Stat. Bul. 75, pp. 8, 41-42. 1910.
1917-1919, 1910-1919. Y.B., 1920, pp. 15, 35. 1921; Y.B. Sep. 864, pp. 15, 35. 1921.
1922-1924. Y.B., 1924, pp. 1043-1044. 1925.
countries to which consigned, 1907-1914. Y.B., 1914, p. 679. 1915; Y.B. Sep. 657, p. 679. 1915.
from—
Porto Rico. P.R. An. Rpt., 1913, pp. 8, 9. 1914.
United States, 1915. News L., vol. 4, No. 40, p. 2. 1917.
statistics, 1921. Y.B., 1921, pp. 746, 760. 1922; Y.B. Sep. 867, pp. 10, 24. 1922.
extension—
program for Western States, report. D.C. 335, pp. 12-13, 14. 1924.
work with, 1923. C. P. Close and others. D.C. 346, pp. 16. 1925.
extracts, use as food. O.E.S. Bul. 245, pp. 68, 70. 1912.
farming, in Arizona, acreage, and income. D.B. 654, p. 40. 1918.
farms—
Colorado, size, type, and capital invested. D.B. 500, pp. 9-11. 1917.
large fruits and small, labor used, and profits. D.B. 582, pp. 18-19. 1918.
New Jersey, labor hiring. D.B. 1285, pp. 4-6. 1925.
value per acre by States and Territories, 1900-1905. Stat. Bul. 43, pp. 13-20. 1906.
feeding habits of Argentine ants. D.B. 647, pp. 9-10. 1918.
fertilizers. F.B. 1001, pp. 14-15. 1919.
fly(ies)—
banana, distribution. Y.B., 1917, p. 191. 1918. Y.B. Sep. 731, p. 9. 1918.
cherry, control. F.B. 908, p. 92. 1918.
collection from plants and plant products imported, 1923. F.H.B., S.R.A., sup. 77. pp. 175-176, 177, 179, 206. 1924.
control in Hawaii—
and Canal Zone. An. Rpts., 1923, p. 398. 1924; Ent. A.R., 1923, p. 18. 1923.
by parasites. Hawaii A.R., 1921, pp. 16, 25. 1922.
climatic checks and parasites. D.B. 640, pp. 37-40. 1918.
description and habits. F.B. 459, p. 7. 1911.
foreign species likely to be introduced. Y.B., 1917, pp. 188-192. 1918; Y.B. Sep. 731, pp. 6-10. 1918.
Hawaiian—
control by destruction of infested trees and fruits, and spraying. D.B. 640, pp. 34-36. 1918.
host trees in Honolulu and Hilo, and control campaign. D.B. 640, pp. 26-27, 34-36. 1918.
quarantine measures against. D.B. 643, pp. 29-30. 1918.
importation in plant material, danger. J.A.R., vol. 6, No. 7, pp. 251-252. 1916.
injurious to mango in foreign countries. F.B. 1257, pp. 21-22. 1922.
introduction, danger, and descriptions. Sec. [Misc.], "A manual * * * insects * * *," pp. 34, 37, 52, 85, 93, 113-118, 145, 150, 156, 157, 215, 217. 1917.
lechosa, Porto Rico, description and control. P.R. An. Rpt., 1912, p. 36. 1913.

Fruit(s)—Continued.
fly(ies)—continued.
Mandarin, description. Sec. [Misc.], "A manual * * * insects * * *," p. 58. 1917.
mango—
control. P.R. Bul. 24, p. 24. 1918.
description. Sec. [Misc.], "A manual * * * insects * * *," p. 145. 1917.
description and plants infested. F.B. 1257, p. 21. 1922.
injuries, Porto Rico, and its parasites. P.R. An. Rpt., 1912, p. 36. 1913.
Mediterranean—
A. L. Quaintance. Ent. Cir. 160, pp. 25. 1912.
E. A. Back and C. E. Pemberton. D.B. 640, pp. 44. 1918.
citrus fruits, susceptibility to. E. A. Back and C. E. Pemberton. J.A.R., vol. 3, pp. 311–331. 1915.
control by parasites, work, 1917. J.A.R., vol. 14, pp. 605–610. 1918.
control by refrigeration. J.A.R., vol. 6, No. 7, pp. 251–260. 1916.
control by spraying with poisoned bait. J.A.R., vol. 3, pp. 328, 330. 1915.
control measures. Ent. Cir. 160, pp. 16–19. 1912.
control, natural and artificial. D.B. 536, pp. 77–115. 1918.
control studies, program for 1915. Sec. [Misc.], "Program of work in 1915," pp. 238–239. 1914.
damage in Hawaii. Ent. A.R., 1924, pp. 14–15. 1924.
description and life history. J.A.R., vol. 3, pp. 314–323. 1915.
discovery in Hawaii, and history of species. J.A.R., vol. 3, pp. 311–312. 1915.
distribution and history. D.B. 640, p. 2. 1918.
effect of cold-storage temperatures. E. A. Back and C. E. Pemberton. J.A.R., vol. 5, No. 15, pp. 657–666. 1916.
eradication, studies, experiments, and possibilities, in Bermuda. D.B. 161, pp. 5–6, 7–8. 1914.
history, spread, and list of host fruits. Y.B., 1917, pp. 188–189. 1918; Y.B. Sep. 731, pp. 6–7. 1918.
host fruits in Hawaii, list and description. D.B. 536, pp. 11–15, 24–48. 1918.
host plants. J.A.R., vol. 3, pp. 312–314. 1915; Sec. [Misc.], "A manual * * * insects * * *," p. 115. 1917.
importance as fruit pest, and losses resulting. D.B. 640, pp. 5–7. 1918.
in Bermuda. E. A. Back. D.B. 161, pp. 8. 1914.
in Hawaii. E. A. Back and C. E. Pemberton. D.B. 536, pp. 119. 1918.
in Hawaii, quarantine regulations. F.H.B. Quar., No. 13, rev. pp. 4. 1917; F.H.B. S.R.A. 73, pp. 120–124. 1923.
injury to citrus fruits, Hawaii. Hawaii A.R., 1916, p. 19. 1917.
investigation and quarantine against. F.B. 1261, p. 31. 1922.
life history and description. D.B. 536, pp. 49–76. 1918.
life history, in relation to parasite introduction. E. A. Back and C. E. Pemberton. J.A.R., vol. 3, pp. 363–374. 1915.
natural enemies. Ent. Cir. 160, pp. 15–16. 1912.
occurrence, food plants, life history. D.B. 134, pp. 1–11, 26–27. 1914.
occurrence on bananas. E. A. Back and C. E. Pemberton. J.A.R., vol. 5, No. 17, pp. 793–804. 1916.
parasites. Ent. Cir. 160, p. 16. 1912.
parasites in Hawaii, biology. J.A.R. vol. 15, pp. 419–466. 1918.
parasites, infestation records for 1918. J.A.R. vol. 18, pp. 441–446. 1920.
parasites, introduction into Hawaii O.E.S. An. Rpt., 1912, pp. 20, 102. 1913.
parasites, introduction problems, study. J.A.R., vol. 3, pp. 363–374. 1915.

Fruit(s)—Continued.
fly(ies)—continued.
Mediterranean—Continued.
parasites of, biology. J.A.R., vol. 15, pp. 419–466. 1918.
parasitism in Hawaii during 1916. C. E. Pemberton and H. F. Willard. J.A.R., vol. 12, pp. 103–108. 1918.
quarantine act, amendment. F.H.B., S.R.A. 15, p. 17. 1915; F.H.B. S.R.A. 38, pp. 23–28, 33. 1917.
quarantine, domestic. An. Rpts., 1913, pp. 343, 344–345. 1914; F.H.B. An. Rpt., 1913, pp. 9, 10–11. 1913.
quarantine in Hawaii, No. 13, regulations. F.H.B. S.R.A. 2, pp. 2–4, 6–8. 1914.
quarantine of Hawaiian fruits. An. Rpts., 1918, p. 247. 1919; Ent. A.R., 1918, p. 15. 1918.
ravages in Hawaii. Hawaii A.R., 1913, p. 21. 1914.
spread methods. D.B. 536, pp. 18–31. 1918.
temperature requirements. J.A.R., vol. 3, pp. 324–325, 327, 329. 1915.
transference experiments. D.B. 134, pp. 9–10. 1914.
work and parasitism in Hawaii, during 1918. H. F. Willard. J.A.R., vol. 18, pp. 441–446. 1920.
work and parasitism in Hawaii during 1919 and 1920. H. F. Willard. J.A.R., vol. 25, pp. 1–7. 1923.
Mexican—
control. Y.B., 1917, p. 190. 1918; Y.B. Sep. 731, p. 8. 1918.
description and fruit infested. F.B. 1257, p. 22. 1922.
on mangoes. Off. Rec., vol. 2, No. 30, p. 3. 1923.
quarantine, against fruits from Mexico. News L., vol. 1, No. 4, p. 3. 1913.
quarantine notice. F.H.B. Quar., Notice 5, amdt. 1, p. 1. 1913.
olive—
description. Sec. [Misc.], "A manual * * * insects * * *," p. 156. 1917.
distribution, damages, and control. Y.B., 1917, p. 189. 1918; Y.B. Sep. 731, p. 7. 1918.
injuries caused, danger of introduction. D.B. 134. pp. 28–28. 1914.
papaya, description, and life history. Frederick Knab and W. W. Yothers. J.A.R., vol. 2, pp. 447–454. 1914.
parasites—
description and use. D.B. 536, pp. 80–101. 1918.
experiments in Hawaii, 1919 and 1920. J.A.R., vol. 25, pp. 1–7. 1923.
in Hawaii, interrelations. C. E. Pemberton and H. F. Willard. J.A.R., vol. 12, pp. 285–296. 1918.
in Porto Rico. P.R. An. Rpt., 1912, p. 36. 1913.
infestation records for 1918. J.A.R., vol. 18, pp. 441–446. 1920.
introduction into Hawaii, history. D.B. 536, pp. 82–95. 1918.
rearing in Hawaii, methods. D.B. 536, pp. 95–97. 1918.
work in Hawaii, 1916. J.A.R., vol. 12, pp. 103–108. 1918.
pineapple, distribution. Y.B., 1917, pp. 191–192. 1918; Y.B. Sep. 731, pp. 9–10. 1918.
presence in banana plantations, evidence from traps. J.A.R., vol. 5, pp. 793–794. 1916.
punctures in oranges, description. D.B. 134, p. 7. 1914.
quarantine—
in Australia and New Zealand. D.C. 145, pp. 6, 7. 1921.
in Hawaii, regulations, revision. An. Rpts., 1923, pp. 623, 646, 647. 1924; F.H.B. An. Rpt., 1923, pp. 9, 32, 33. 1923.
necessity. F.H.B.S.R.A. 79, pp. 57–63. 1924.
need in Porto Rico. P.R. An. Rpt., 1918, p. 17. 1920.

Fruit(s)—Continued.
  fly(ies)—continued.
    quarantine—continued.
      regulations. F.H.B.S.R.A. 78, pp. 16-20. 28, 1924.
    Queensland—
      description and fruits infested. F.B. 1257, p. 21. 1922.
      distribution, and list of fruits injured. Y.B., 1917, p. 192. 1918; Y.B. Sep. 731, p. 10. 1918.
    research in Mexico. An. Rpts., 1923, p. 632. 1924; F.H.B. An. Rpt., 1923, p. 18. 1923.
    spread, instances. Y.B., 1917, pp. 194-195. 1918; Y.B. Sep. 731, pp. 12-13. 1918.
    survey in Colombia and Central America. F.H.B.S.R.A. 78, p. 20. 1924.
    survey in Mexico. F.H.B.S.R.A. 75, p. 58. 1923.
    West Indian, description and fruits infested. F.B. 1257, p. 22. 1922.
  food—
    of birds on a Maryland farm. Biol. Bul. 17, pp. 55-65. 1902.
    standards. Sec. Cir. 136, pp. 7-8. 1919.
    use—
      preparation, with vegetables. D.B. 123, pp. 36-40. 1916.
      studies, with vegetables. O.E.S. Bul. 245, pp. 51-54. 1912.
    values and—
      calorie portions in various weights, etc. F.B. 1228, pp. 4-5, 10, 21. 1921.
      and charts showing per cent of constituents supplied. F.B. 1383, pp. 4-5, 9-17. 1924.
      uses. Y.B., 1905, pp. 318-320. 1906; Y.B. Sep. 385, pp. 318-320. 1906.
  forecast—
    condition, September, 1913. F.B. 558, pp. 2-3, 14, 18. 1913.
    for several industries. Sec. A.R., 1925, pp. 63-64. 1925.
    Oct. 1, 1913. F.B. 560, p. 12. 1913.
  foreign—
    detection in jams. Chem. Bul. 66, rev., p. 38. 1905.
    seed and plant importations, January to March, 1909. B.P.I. Bul. 162, p. 8. 1909.
  freezing temperatures, with vegetables and flowers. R. C. Wright and George F. Taylor. D.B. 1133, pp. 8. 1923.
  freight to Australia and New Zealand, cost to American shippers. D.C. 145, pp. 10-11. 1921.
  fresh—
    dried, and canned, China imports and duty rate. D.C. 146, pp. 7-9, 12-13. 1920.
    selling by canneries. Y.B., 1916, p. 246. 1917; Y.B. Sep. 705, p. 10. 1917.
  frozen, handling methods. An. Rpts., 1919, p. 439. 1920; Mkts. Chief Rpt., 1919, p. 13. 1919.
  fumigated, hydrocyanic acid absorption and retention. D.B. 1149, pp. 3, 5-10. 1923.
  fumigation—
    experiments and results. Ent. Bul. 84, pp. 11-32. 1909.
    with carbon bisulphide. Ent. Bul. 30, p. 78. 1901.
  fungous parasites, pycnidia cavities, origin. B. O. Dodge. J.A.R., vol. 23, pp. 743-760. 1923.
  garden—
    berries and tree fruits. F.B. 818, p. 44. 1917.
    for home use. F.B. 1001, pp. 1-40. 1919.
    on cotton farms, suggestions, plan and varieties. F.B. 1015, pp. 5-10. 1919.
    surplus distribution and utilization. Mkts. Doc. 6, pp. 1-10. 1917.
  grades—
    establishment. Off. Rec., vol. 2, No. 35, p. 5. 1923.
    for canning, inspection instruction. D.B. 1084, pp. 9-10. 1922.
  grading—
    and handling studies. An. Rpts., 1917, pp. 436-437. 1918; Mkts. Chief Rpt., 1917, pp. 6-7. 1917.
    Australia and New Zealand. D.C. 145, pp. 3-4. 1921.
  grinding and pressing for cider making, equipment and methods. F.B. 1264, pp. 17-26, 52. 1922.

Fruit(s)—Continued.
  growers—
    aid by Plant Industry, experiments. News L. vol. 1, No, 30, p. 1. 1914.
    aid from county agents in orchard management. News L., vol. 6, No. 6, p. 9. 1918.
    associations—
      and exchanges, reports and by-laws. Rpt. 98, pp. 166-284. 1913.
      directory. Farm M. [Misc.], "Directory * * * agricultural * * *," p. 70. 1920.
      need of organization in handling deciduous fruits. Y.B., 1909, p. 367. 1910; Y.B. Sep. 520, p. 367. 1910.
    California—
      advertising campaigns, results. B.A.I. Dairy [Misc.], "World's dairy congress, 1923," pp. 947, 948. 1924.
      cooporation, methods. B.P.I. Bul. 123, pp. 12-15. 1908.
    cooperation. F.B. 522, pp. 21-24. 1913.
    exchange—
      California, outline of system. D.B. 1261, pp. 1-3. 1924; Y.B., 1910, pp. 404-405. 1911; Y.B. Sep. 546, pp. 404-405. 1911.
      system, fundamental principles. D.B. 1237, pp. 44-48. 1924.
    information about insecticides, spraying, and insect pests. A. L. Quaintance and E. H. Siegler. F.B. 908, pp. 99. 1918.
    local units of exchange, types and by-laws. D.B. 1237, pp. 15-22. 1924.
    Northwest, marketing plans, cooperative. News L., vol. 3, No. 49, p. 3. 1916.
    on the Pacific coast, irrigation practices among. E. J. Wickson. O.E.S. Bul. 108, pp. 54. 1902.
    practical suggestions. H.P. Gould. F. B. 161, pp. 30. 1902.
    rabbit as a pest. N.A. Fauna, 29, pp. 11-12. 1909.
    societies, directory. Y.B., 1908, p. 512. 1909; Y.B. Sep. 497, p. 512. 1909.
    value of Government reports. Sec. Cir. 152, pp. 4-5. 1920.
    value of weather forecasts. Off. Rec., vol. 1, No. 39, p. 7. 1922.
  growing—
    M. B. Waite. Y.B., 1904, pp. 169-181. 1905; Y.B. Sep. 340, pp. 169-181. 1905.
    adaptability to Memphis silt loam. Soils Cir. 35, p. 16. 1911.
    and use, Porto Rico. An. Rpts., 1919, p. 364. 1920; S.R.S. An. Rpt., 1919, p. 12. 1919.
    at—
      Alaska experiment stations, 1912. O.E.S. An. Rpt., 1912, pp. 17, 71-72. 1913.
      Alaska experiment stations, 1916. Alaska A.R., 1916, pp. 6-7, 48, 65. 1918.
      Alaska experiment stations, 1920. Alaska A.R., 1920, pp. 13-16, 35. 1922.
      field station near Mandan, N. Dak. D.B. 1301, pp. 16-41. 1925.
      Guam Experiment Station, 1912. O.E.S. An. Rpt., 1912, pp. 18, 101. 1913.
      Porto Rico Experiment Station. O.E.S. An. Rpt., 1912, pp. 20, 193. 1913.
      Umatilla experiment farm, varieties. B.P.I. [Misc.], "The work of the Umatilla * * *, 1913," p. 6. 1914.
      Yuma experiment farm, 1912. B.P.I. Cir. 126, pp. 21-23. 1913.
      Yuma, experiment farm, 1913. B.P.I. [Misc.], "The work * * * Yuma * * *, 1913," pp. 11-12. 1914.
    by girls' canning clubs, course extension work. News L., vol. 3, No. 28, pp. 2-3. 1916.
    club demonstrations. D.C. 312, pp. 18-19. 1924.
    competition with sugar beets. D.B. 721, p. 34. 1918.
    cost of 40-acre farm, Colorado. O.E.S. Bul. 218, pp. 44-48. 1910.
    course in movable schools of agriculture. Samuel P. Green. O.E.S. Bul. 178, pp. 100. 1907.
    cover crops. F.B. 161, pp. 11-12. 1902.
    farm gardens, extension work, 1920. S.R.S. Rpt. 1920, pp. 8, 16. 1922.

Fruit(s)—Continued.
growing—continued.
for home use—
H. P. Gould and G. M. Darrow. F.B. 1001, pp. 40. 1919.
in the central and southern Great Plains. H. P. Gould. B.P.I. Cir. 51, pp. 23. 1910.
in the Great Plains area. H. P. Gould and Oliver J. Grace. F.B. 727, pp. 40. 1916.
soil preparation and cultivation. F.B. 1001, pp. 9–10, 13–14. 1919.
frost service extension and results. An. Rpts., 1922, pp. 81–82. 1923; W.B. Chief Rpt., 1922, pp. 15–16. 1922.
importance and rquirements. F.B. 1360, p. 1. 1924.
in Alabama—
Clay County. Soil Sur. Adv. Sh., 1915; p. 10. 1916; Soils F.O., 1915, p. 832. 1919.
Escambia County, varieties and yields. Soil Sur. Adv. Sh., 1913, p. 17. 1915; Soils F.O., 1913, p. 839. 1916.
Jefferson County, soils suitable. Soil Sur. Adv. Sh., 1908, pp. 12, 32. 1910; Soils F.O., 1908, pp. 744, 764. 1911.
Limestone County, varieties. Soil Sur. Adv. Sh., 1914, pp. 13, 24, 27–28. 1916; Soils F.O., 1914; pp. 1125, 1136, 1139–1140. 1919.
Lowndes County. Soil Sur. Adv. Sh., 1916, pp. 12, 43–62. 1918; Soils F.O., 1916, pp. 794, 825–841. 1921.
Madison County, varieties and yield. Soil Sur. Adv. Sh., 1911, pp. 12, 18, 28, 33. 1913; Soils F.O., 1911, pp. 800, 806, 816, 821. 1914.
Randolph County, varieties and yields. Soil Sur. Adv. Sh., 1911, pp. 21, 26–27. 1912; Soils F.O., 1911, pp. 913, 918–919. 1914.
Tallapoosa County. Soil Sur. Adv. Sh., 1909, pp. 12, 24. 1910; Soils F.O., 1909, pp. 652, 664. 1912.
Washington County. Soil Sur. Adv. Sh., 1915, pp. 14, 24, 35, 37. 1917; Soils F.O., 1915, pp. 900, 910, 921, 923. 1919.
in Alaska—
1904. O.E.S. An. Rpt., 1904, pp. 290–296. 1905.
1905, investigations. O.E.S. Bul. 169, pp. 8–9, 27–34, 65. 1906.
1908, notes on growth. Alaska A.R., 1908, pp. 9–13, 22–30. 1909.
1910, experiments. Alaska A.R., 1910, pp. 20–26. 1911.
1911, experiments. O.E.S. An. Rpt., 1911, pp. 17, 72. 1912.
1912. Alaska A.R., 1912, pp. 10–13, 23–26. 1913.
1913, experiments. An. Rpts., 1913, p. 276. 1914; O.E.S. Chief Rpt., 1913, p. 6. 1913.
1914, varieties. Alaska A.R., 1914, pp. 11–16, 79–89. 1915; Soil Sur. Adv. Sh., 1914, pp. 87, 165. 1915; Soils F.O., 1914, pp. 121–122, 199–200. 1919.
1915, progress. O.E.S. Chief Rpt., 1915, pp. 7–8. 1915; An. Rpts., 1915, pp. 301–302. 1916.
1917, varieties and results. Alaska A.R., 1917, pp. 11–13, 70. 1919.
1921. Alaska A.R., 1921, pp. 13, 22, 30, 47–49. 1923.
1922. Alaska A.R., 1922, p. 11. 1923.
Hawaii, and Porto Rico, progress. An. Rpts., 1916, pp. 306, 308, 309, 310, 313. 1917; S.R.S. An. Rpt., 1916, pp. 10, 12, 13, 14, 15. 1916.
in Arizona—
experiments with irrigation. W.I.A. Cir. 7, pp. 18–20. 1915.
middle Gila Valley area. Soil Sur. Adv. Sh., 1917, pp. 20, 26. 1920; Soils F.O., 1917, pp. 2094, 2102. 1923.
Yuma experiment farm. W.I.A. Cir. 25, pp. 36–41. 1919.
in Arkansas—
Fayetteville area. Soil Sur. Adv. Sh., 1906, pp. 36–43. 1907; Soils F.O. 1906, pp. 619–625. 1908.
Lonoke County. Soil Sur. Adv. Sh., 1921, p. 1288. 1925.

Fruit(s)—Continued.
growing—continued.
in Arkansas—continued.
Ozark region, rise and decline. Soil Sur. Adv. Sh., 1911, pp. 22–24, 65, 73, 75, 91, 103, 135. 1914; Soils F.O., 1911, pp. 1742–1744, 1785, 1793, 1795, 1811, 1823, 1855. 1914.
Perry County. Soil Sur. Adv. Sh., 1923, pp. 498, 500, 515, 516, 521, 523. 1923.
Pope County, varieties. Soil Sur. Adv. Sh., 1913, pp. 13, 23. 1915; Soils F.O., 1913, pp. 1229, 1239. 1916.
in California—
Anaheim County. Soil Sur. Adv. Sh., 1916, pp. 13–17. 1919; Soils F.O., 1916, pp. 2279–2285, 2294–2328. 1921.
Fresno area. Soil Sur. Adv. Sh., 1912, pp. 15–20, 81. 1914; Soils F.O., 1912, pp. 2099–2104, 2165. 1915.
Grass Valley area. Soil Sur. Adv. Sh., 1918, pp. 14–16, 26, 29, 40. 1921; Soils F.O. 1918, pp. 1698–1700, 1710, 1713, 1724. 1924.
Healdsburg area. Soil Sur. Adv. Sh., 1915, pp. 11, 12–16, 32–58. 1917; Soils F.O., 1915, pp. 2205, 2206–2210, 2226–2250. 1919.
Honey Lake area, yields. Soil Sur. Adv. Sh., 1915, p. 13. 1917; Soils F.O. 1915, p. 2263. 1919.
Imperial Valley, Brawley area. Soil Sur. Adv. Sh., 1920, pp. 649, 651–658, 675, 678, 690. 1923; Soils F.O., 1920, pp. 649, 651–658, 675, 678, 690. 1925.
Los Angeles area. Soil Sur. Adv. Sh., 1916, pp. 17–19, 42, 44, 51–69. 1919; Soils F.O., 1916, pp. 2359–60, 2382–2411. 1921.
lower San Joaquin Valley. Soil Sur. Adv. Sh., 1915, pp. 23–27. 1918; Soils F.O. 1915; pp. 2599–2603. 1919.
Marysville area, yields, and net returns. Soil Sur. Adv. Sh., 1909, pp. 14–18, 29, 38, 43. 1911; Soils F.O., 1909, pp. 1698–1702, 1713, 1722, 1727. 1912.
Merced area, yields and soils. Soil Sur. Adv. Sh., 1914, pp. 14–15, 16, 34, 53, 55. 1916; Soils F.O., 1914, pp. 2794–2795, 2831–2839. 1919.
Modesto-Turlock area, acreage, varieties, and yields. Soils F.O., 1908, pp. 1274–1276, 1278–1281. 1911; Soil Sur. Adv. Sh., 1908, pp. 50–52, 54–57. 1909.
Pajaro Valley, varieties. Soils F.O., 1908, pp. 1338–1346. 1911; Soil Sur. Adv. Sh., 1908, pp. 12–20. 1910.
Pasadena area, soils and details. Soil Sur. Adv. Sh., 1915, pp. 11–15, 34, 40, 52. 1917; Soils F.O. 1915, pp. 2321, 2324–2325, 2327, 2344, 2346, 2348, 2364. 1919.
Redding area. Soil Sur. Adv. Sh., 1907, pp. 10–13. 1908; Soils F.O., 1907, pp. 979–980, 985. 1909.
relation of birds. F.E.L. Beal. Y.B., 1904, pp. 241–254. 1905; Y.B. Sep 344, pp. 15. 1905.
Sacramento Valley. Soil Sur. Adv. Sh., 1913, pp. 20–25, 38–132. 1915; Soils F.O., 1913, pp. 2310–2315, 2328–2422. 1916.
San Fernando Valley area. Soil Sur. Adv. Sh., 1915, pp. 15–16, 26, 36–54. 1917; Soils F.O., 1915, pp. 2461, 2479, 2484, 2487, 2497, 2500, 2507. 1919.
San Francisco Bay region, details. Soil Sur. Adv. Sh., 1914, pp. 17–23, 40–104. 1917; Soils F.O., 1914, pp. 2689–2695, 2712–2776. 1919.
San Joaquin Valley. Soil Sur. Adv. Sh., 1916, pp. 20, 21, 27–33. 1919. Soils F.O. 1916, pp. 2435, 2441–2447, 2465–2519. 1921.
Santa Maria area. Soil Sur. Adv. Sh., 1916, pp. 14, 28, 36–44. 1919; Soils F.O., 1916, pp. 2540, 2554, 2562–2570. 1921.
Ukiah area. Soil Sur. Adv. Sh., 1914, pp. 14–18, 27–49. 1916; Soils F.O. 1914, pp. 2638–2642, 2651–2673. 1919.
upper San Joaquin Valley, notes. Soil Sur. Adv. Sh., 1917, pp. 26–30, 66, 67, 68, 93. 1921; Soils F.O., 1917, pp. 2554–2558. 1923.
Ventura area. Soil Sur. Adv. Sh., 1917, pp. 13, 17–19, 30–69. 1920; Soils F.O. 1917, pp. 2329, 2333–2335, 2346–2385. 1923.

Fruit(s)—Continued.
growing—continued.
  in California—continued.
    Victorville area. Soil Sur. Adv. Sh., 1921, pp. 631–632. 1924.
    Woodland area. Soil Sur. Adv. Sh., 1909, pp. 16, 33, 34, 56. 1911; Soils F.O., 1909, pp. 1646, 1663, 1664, 1686. 1912.
  in Colorado—
    equipment and capital required, 40-acre farm. O.E.S. Bul. 218, pp. 44–48. 1910.
    Uncompahgre Valley area. Soil Sur. Adv. Sh. 1910, pp. 12, 18–21. 1912; Soils F.O., 1910, pp. 1450, 1456–1460. 1912.
  in Delaware, Kent County. Soil Sur. Adv. Sh., 1918, pp. 9, 18, 21. 1920; Soils F.O., 1918, pp. 49, 58, 61. 1924.
  in Florida, Franklin County. Soil Sur. Adv. Sh., 1915, pp. 9, 14. 1916; Soils F.O., 1915, pp. 803, 808. 1921.
  in Georgia—
    Fort Valley area. Soil Sur. Adv. Sh., 1903, pp. 328–330. 1904; Soils F.O., 1903, pp. 328–330. 1904.
    Grady County. Soils F.O., 1908, p. 355. 1911; Soil Sur. Adv. Sh., 1908, p. 19. 1909.
    Washington County. Soil Sur. Adv. Sh., 1915, p. 10. 1916; Soils F.O., 1915, p. 688. 1919.
  in Great Plains, conditions, care of trees, methods. B.P.I. Cir. 51, pp. 4–17. 1910.
  in Guam—
    1911. Guam A.R., 1911, pp. 15–19, 27. 1912; O.E.S. An. Rpt., 1911, pp. 29, 96. 1912.
    1912, experiments. O.E.S. Chief Rpt., 1912, pp. 23–24. 1912; An. Rpts., 1912, pp. 837–838. 1913; O.E.S. Bul. 170, pp. 59–64. 1906.
    1916, orchard notes. Guam A.R., 1916, pp. 37–38. 1917.
    1922, experiments. Guam A.R., 1922, pp. 15–16. 1924.
  in Hawaii—
    1908, experimental work. Hawaii A.R., 1908, pp. 42–50. 1908.
    1914. O.E.S. Chief Rpt., 1914, p. 9. 1914; An. Rpts., 1914, p. 263. 1914.
    1922, uses and fertilizer experiments. Hawaii A.R., 1922, pp. 2–8, 12–14, 15, 20, 23. 1924.
    1923, uses and fertilizer experiments. Hawaii A.R., 1923., pp 1, 3–5, 8–9, 12. 1924.
  in Idaho—
    Kootenai County. Soil Sur. Adv. Sh., 1919, pp. 11, 21–39. 1923; Soils F.O., 1919, pp. 11, 21–39. 1925.
    Lewiston area. Soils F.O. Sep., 1902, p. 707. 1903; Soils F.O. 1902, p. 707. 1903.
    Nez Perce and Lewis Counties. Soil Sur. Adv. Sh., 1917, pp. 14–15, 16, 25, 31, 35. 1920; Soils F.O., 1917, pp. 2130–2131, 2132, 2141–2147, 2157. 1923.
    Portneuf area. Soil Sur. Adv. Sh., 1918, p. 16. 1921; Soils F.O., 1918; p. 1508. 1924.
  in Illinois, Will County, acreage, methods, and yields. Soil Sur. Adv. Sh., 1912, pp. 9–11, 17, 19, 20, 26, 28, 30. 1914; Soils F.O., 1912, pp. 1525–1527, 1535, 1542–1551. 1915.
  in Indiana, Elkhart County. Soil Sur. Adv. Sh., 1914, pp. 9, 14–23. 1916; Soils F.O., 1914, pp. 1575, 1580–1589. 1919.
  in Iowa—
    Grundy County. Soil Sur. Adv. Sh., 1921, p. 1045. 1925.
    Muscatine County, varieties, and yields. Soil Sur. Adv. Sh., 1914, pp. 19, 34. 1916; Soils F.O., 1914, pp. 1839, 1854. 1919.
    Scott County. Soil Sur. Adv. Sh., 1915, pp. 12, 31. 1917. Soils F.O., 1915, pp. 1714, 1733. 1919.
  in Japan, comparison with United States. D.C. 146, pp. 23–24. 1920.
  in Kansas—
    Leavenworth County. Soil Sur. Adv. Sh., 1919, pp. 215–216, 243, 248. 1923; Soils F.O., 1919, pp. 215–216, 243, 248. 1925.
    Shawnee County. Soil Sur., Adv. Sh. 1911, pp. 23, 30. 1913; Soils F.O., 1911, pp. 2077, 2085. 1914.

Fruit(s)—Continued.
growing—continued.
  in Kentucky—
    Jessamine County. Soil Sur. Adv. Sh., 1915, p. 8. 1916; Soils F.O., 1915, p. 1270. 1919.
    Logan County. Soil Sur. Adv. Sh., 1919, pp. 13, 29. 1922; Soils F.O., 1919, pp. 1209, 1225. 1925.
  in Louisiana, Iberia Parish, possibilities. Soil Sur. Adv. Sh., 1911, pp. 21–22, 34, 41. 1912; Soils F.O., 1911, pp. 1145–1146, 1158, 1165. 1914.
  in Maryland—
    Anne Arundel County. Soil Sur. Adv. Sh., 1909, pp. 12, 17–19 ,23, 24, 28, 31, 33, 35, 37. 1910; Soils F.O., 1909, pp. 278, 283, 285, 289, 290, 294, 297, 299, 301, 303. 1912.
    Charles County. Soil Sur. Adv. Sh., 1918, pp. 11, 13, 20, 26, 32. 1922; Soils F.O., 1918, pp. 82–83, 85, 92, 98, 104. 1924.
    Easton area. Soil Sur. Adv. Sh., 1907, p. 12. 1909; Soils F.O., 1907, p. 128. 1909.
    Montgomery County. Soil Sur. Adv. Sh., 1914, pp. 10, 19, 32, 34. 1916; Soils F.O., 1914, pp. 397, 406, 419, 421. 1919.
  in Massachusetts, Norfolk, Bristol, and Barnstable Counties. Soil Sur. Adv. Sh., 1920, pp. 1047, 1063–1106. 1924; Soils F.O., 1920, pp. 1047, 1063–1106. 1925.
  in Michigan, Calhoun County. Soil Sur. Adv. Sh., 1916, pp. 11, 14, 26, 28, 30. 1919; Soils F.O., 1916, pp. 1635, 1638, 1650, 1652, 1654. 1924.
  in Mississippi—
    George County. Soil Sur. Adv. Sh., 1922, p. 38. 1925.
    Lauderdale County, possibilities. Soil Sur. Adv. Sh., 1910, pp. 19, 30, 32, 53, 55. 1912; Soils F.O., 1910, pp. 747–748, 758, 760, 781. 1912.
    Pearl River County. Soil Sur. Adv. Sh., 1918, pp. 11, 13, 19. 1920; Soils F.O., 1918, pp. 621, 623, 629. 1924.
    Smith County. Soil Sur. Adv. Sh., 1920, pp. 450, 460–470. 1923; Soils F.O., 1920, pp. 450, 460–470. 1925.
  in Missouri—
    Andrew County. Soil Sur. Adv. Sh., 1921, p. 822. 1925.
    Buchanan County, varieties and yields. Soil Sur. Adv. Sh., 1915, pp. 10, 13, 16, 26. 1917; Soils F.O., 1915, pp. 1814, 1817, 1820, 1830. 1919.
    Greene County, shipments and varieties. Soil Sur. Adv. Sh., 1913, pp. 12–13, 23. 1915; Soils F.O., 1913, pp. 1730–1731, 1741. 1916.
    Harrison County, kinds, varieties, and value. Soil Sur. Adv. Sh., 1914, p. 12. 1916; Soils F.O., 1914, p. 1950. 1919.
    Howell County. Soils F.O. Sep., 1902, pp. 595, 602, 607, 608, 609. 1903; Soils F.O., 1902, pp. 595, 602, 607, 608, 609. 1903.
    Newton County, varieties, yields. Soil Sur. Adv. Sh., 1915, pp. 11–19, 26, 27, 31. 1917; Soils F.O., 1915, pp. 1857, 1858–1859, 1873, 1885. 1921.
    Ozark region. D.B. 941, pp. 26–28. 1921.
  in Missouri-Arkansas, Ozark region. Soil Sur. Adv. Sh., 1911, pp. 22–24, 65, 73, 75, 91, 103. 1914; Soils F.O., 1911, pp. 1742–1744, 1785, 1793, 1795, 1804. 1914.
  in Missouri-Illinois, O'Fallon area. Soil Sur. Adv. Sh., 1904, p. 823, 842–843. 1905; Soils F.O., 1904, p. 823, 842–843. 1905.
  in Montana, Bitterroot Valley area, varieties and soils. Soil Sur. Adv. Sh., 1914, pp. 12–14, 30, 31, 38, 40, 42, 60. 1917; Soils F.O., 1914, pp. 2470–2472, 2488, 2489, 2496, 2498, 2526. 1919.
  in Nebraska—
    experiments. W.I.A. Cir. 6, p. 18. 1915; O.E.S. An. Rpt., 1911, p. 20. 1912.
    Nance County. Soil Sur. Adv. Sh., 1922, pp. 230, 233. 1925.
    Nemaha County. Soil Sur. Adv. Sh., 1914, pp. 13–14. 1916; Soils F.O., 1914, pp. 2297, 2305, 2308. 1919.
    wintering experiments. B.P.I. Doc. 1081 p. 18. 1914.

INDEX TO PUBLICATIONS, 1901–1925   977

Fruit(s)—Continued.
 growing—continued.
  in New Jersey—
   Belvidere area. Soil Sur. Adv. Sh., 1917, pp. 12, 13, 30–52. 1920; Soils F.O., 1917, pp. 132, 133, 150–172. 1923.
   Camden area, 1909. Soil Sur. Adv. Sh., 1915, pp. 10, 11, 12–13. 1917; Soils F.O., 1915, pp. 160, 161, 162–163. 1919.
   Freehold area, acreage, varieties, and yields. Soil Sur. Adv. Sh., 1913, pp. 10–11, 15, 19, 20, 28, 32. 1916; Soils F.O., 1913, pp. 100–101, 105, 109, 110, 118, 122. 1916.
  in New Mexico—
   adaptability. O.E.S. Bul. 215, pp. 18, 23, 41. 1909.
   middle Rio Grande Valley, possibilities. Soil Sur. Adv. Sh., 1912, pp. 11–16, 28, 31, 35. 1914; Soils F.O., 1912, pp. 1971–1974, 1986, 1989, 1993. 1915.
   Texas, Mesilla Valley, varieties, yields. Soil Sur. Adv. Sh., 1912, pp. 18–19, 31, 32–33. 1914; Soils F.O., 1912, pp. 2021–2024, 2037, 2038–2039. 1915.
   varieties adapted. N.A. Fauna 35, pp. 23–24, 38–41. 1913.
  in New York—
   Chautauqua County, increase. Soil Sur. Adv. Sh., 1914, pp. 16–18, 35. 1916; Soils F.O., 1914, pp. 280, 284, 293–313. 1919.
   Cortland County. Soil Sur. Adv. Sh., 1916, pp. 10, 21, 22. 1917; Soils F.O., 1916, pp. 200, 211, 212. 1921.
   Livingston County, apple varieties, adaptation. Soil Sur. Adv. Sh., 1908, pp. 87–89. 1910; Soils F.O., 1908, pp. 84–85. 1911.
   Long Island area. Soil Sur. Adv. Sh., 1903, pp. 107, 126. 1904; Soils F.O., 1903, pp. 107, 126. 1904.
   Monroe County. Soil Sur. Adv. Sh., 1910, pp. 14, 27, 31, 38. 1912; Soils F.O., 1910, pp. 52, 65, 69, 76. 1912.
   Niagara County, development. Soil Sur. Adv. Sh., 1906, pp. 17–20, 51, 52. 1908; Soils F. O., 1906, pp. 81–84, 115, 116. 1908.
   Ontario County, varieties and value. Soil Sur. Adv. Sh., 1910, p. 13. 1912; Soils F.O., 1910, p. 101. 1912.
   Orange County, varieties, and yields. Soil Sur. Adv. Sh., 1912, pp. 16, 32, 35, 37, 42, 55. 1914; Soils F.O., 1912, pp. 68, 84, 87, 89, 94, 107. 1915.
   Wayne County. Soil Sur. Adv. Sh., 1919, pp. 285–288, 299, 307–338. 1923; Soils F.O., 1919, pp. 285–288, 299, 307–338. 1925.
   White Plains area. Soil Sur. Adv. Sh., 1919, pp. 22, 28–35, 43. 1922; Soils F.O., 1919, pp. 584, 590–597, 605. 1925.
   Yates County. Soil Sur. Adv. Sh., 1916, pp. 9–11, 16, 22, 26–31. 1918; Soils F.O., 1916, pp. 223, 230-245. 1921.
  in North Carolina—
   Buncombe County. Soil Sur. Adv. Sh., 1923, pp. 790, 791, 796–802. 1923.
   Cleveland County. Soil Sur. Adv. Sh., 1916, pp. 11, 18–25. 1919; Soils F.O., 1916, pp. 315, 322–329. 1921.
   Harnett County. Soil Sur. Adv. Sh., 1916, pp. 10, 23, 24. 1917; Soils F.O., 1916, pp. 392, 405, 406. 1921.
   Hoke County. Soil Sur. Adv. Sh., 1918, pp. 10, 16, 19, 22, 24. 1921; Soils F.O., 1918, pp. 198, 204, 207, 210, 212. 1924.
   Lincoln County, varieties and conditions. Soil Sur. Adv. Sh., 1914, pp. 11–12, 17, 21. 1916; Soils F. O., 1914, pp. 565–566, 571, 575. 1919.
   Mount Mitchell area. Soils F.O. Sep., 1902, p. 271. 1903; Soils F.O., 1902, p. 271. 1903.
   Richmond County, possibilities. Soil Sur. Adv. Sh., 1911, pp. 11, 13, 20, 23, 25, 26, 37. 1912; Soils F.O., 1911, pp. 393, 395, 402, 405, 407, 408, 419. 1914.
   Union County, varieties. Soil Sur. Adv. Sh., 1914, pp. 18, 19, 28. 1916; Soils F.O., 1914, pp. 602, 603, 612. 1919.
   Wilkes County. Soil Sur. Adv. Sh., 1918, pp. 10, 16–32. 1921; Soils F.O., 1918, pp. 298, 304–320. 1924.

Fruit(s)—Continued.
 growing—continued.
  in northwest Texas, varieties. Soil Sur. Adv. Sh., 1919, pp. 21, 33, 51, 61, 66, 68, 74. 1922; Soils F.O., 1919, pp. 1119, 1131, 1149, 1159, 1164, 1166, 1172. 1925.
  in Ohio—
   Geauga County. Soil Sur. Adv. Sh., 1915, pp. 11–12, 19. 1916; Soils F.O., 1915, pp. 1289–1290, 1297. 1919.
   Marion County. Soil Sur. Adv. Sh., 1916, pp. 9, 20. 1918; Soils F.O., 1916, pp. 1553, 1564. 1921.
   Meigs County. Soil Sur. Adv. Sh., 1906, p. 12. 1908; Soils F.O., 1906, p. 708. 1908.
   reconnaissance. Soil Sur. Adv. Sh., 1912, pp. 41, 96. 1915; Soils F.O., 1912, pp. 1279, 1334. 1915.
   Sandusky County. Soil Sur. Adv. Sh., 1917, pp. 10, 45–57, 62. 1920; Soils F.O., 1917, pp. 1084, 1119–1131, 1137. 1923.
   Trumbull County. Soil Sur. Adv. Sh., 1914, pp. 11, 21–27. 1916; Soils F.O., 1914, pp. 1461, 1471–1479. 1919.
  in Oklahoma, Canadian County. Soil Sur. Adv. Sh., 1917, pp. 22, 25, 27, 29, 37, 43. 1919; Soils F.O., 1917, pp. 1416, 1419, 1421, 1423, 1431, 1437. 1923.
  in Oregon—
   Benton County. Soil Sur. Adv. Sh., 1920, pp. 1436–1438, 1446–1472. 1924; Soils F.O., 1920, pp. 1436–1438, 1446–1472. 1925.
   cash returns per acre. O.E.S. Bul. 209, pp. 26–27. 1909.
   Josephine County. Soil Sur. Adv. Sh., 1919, pp. 354–356, 370–407. 1923.; Soils F.O., 1919, pp. 354–356, 370–407. 1925.
   Medford area, methods, spraying and pruning. Soil Sur. Adv. Sh., 1911, pp. 18–27. 1913; Soils F.O., 1911, pp. 2300–2309. 1914.
   pruning experiments. W.I.A. Cir. 1, pp. 13–16. 1915.
   reclamation project, possibilities. Soil Sur. Adv. Sh., 1908, p. 16. 1910; Soils F.O., 1908, p. 1384. 1911.
   Umatilla experiment farm, variety tests. W.I.A. Cir. 26, pp. 23–27. 1919.
   Umatilla project. W.I.A. Cir. 17, pp. 4, 6, 7, 12–13, 19, 27–32. 1917.
   Washington County. Soil Sur. Adv. Sh., 1919, pp. 10, 13–14, 26–49. 1923; Soils F.O., 1919, pp. 1840, 1843–1844, 1856–1876. 1925.
   Yamhill County. Soil Sur. Adv. Sh., 1917, pp. 13, 14–17, 26–60. 1920; Soils F.O., 1917, pp. 2267, 2268–2272, 2280–2314. 1923.
  in Pennsylvania—
   Bedford County. Soil Sur. Adv. Sh., 1911, pp. 16–17. 1913; Soils F.O., 1911, pp. 186–187. 1914.
   Cambria County, acreage, varieties, and methods. Soil Sur. Adv. Sh., 1915, pp. 11, 14, 15. 1917; Soils F.O., 1915, pp. 247, 251, 256, 267. 1919.
   Erie County, possibilities. Soil Sur. Adv. Sh., 1910, pp. 18–19. 1911; Soils F.O., 1910, pp. 158–159. 1912.
   Lancaster County, soils. Soil Sur. Adv. Sh., 1914, pp. 12–13, 29, 30, 32, 54. 1916. Soils F.O., 1914, pp. 334–335, 351, 354, 363–379. 1919.
   Lehigh County. Soil Sur. Adv. Sh., 1912, pp. 17, 30, 32, 43. 1914; Soils F.O., 1912, pp. 117, 130, 132, 143. 1915.
   northwestern. Soil Sur. Adv. Sh., 1908, pp. 43–51. 1910; Soils F.O., 1908, pp. 235–243. 1911.
   southeastern, possibilities. Soil Sur. Adv. Sh., 1912, pp. 31, 32, 33, 41, 65. 1914. Soils F.O., 1912; pp. 273, 280–282, 288, 306–307. 1915.
   York County, practices. Soil Sur. Adv. Sh., 1912, pp. 16–17. 1914; Soils F.O., 1912, pp. 166–167. 1915.
  in Porto Rico—
   1910. P.R. An. Rpt., 1910, pp. 10–11. 1911.
   1911, varieties. P.R. An. Rpt., 1911, pp. 12–13, 24–27, 34. 1912.
   1912, progress, fertilizer experiments. P.R. An. Rpt., 1912, pp. 7, 9, 23–25. 1913.

Fruit(s)—Continued.
growing—continued.
in Porto Rico—continued.
1913, progress of industry. P.R. An. Rpt., 1913, pp. 8–9. 1914.
1916, needs and conditions. P.R. An. Rpt., 1916, p. 8. 1918.
1918, utilization of by-products. P.R. An. Rpt., 1918, pp. 6–7. 1920.
1919. P.R. An. Rpt., 1919, pp. 7–8, 16–18, 22–25, 26–28. 1920.
Cuba, and Florida, comparison with Hawaii. Hawaii A.R., 1915, pp. 53–73. 1916.
in South Carolina—
Dorchester County, soils adapted. Soil Sur. Adv. Sh., 1915, pp. 11, 19, 21, 25. 1917; Soils F.O., 1915, pp. 559, 563, 565, 569. 1919.
Newberry County. Soil Sur. Adv. Sh., 1918, pp. 10, 19, 21, 26, 27, 35. 1921; Soils F.O., 1918, pp. 382, 391, 393, 398, 399, 407. 1924.
in South Dakota—
cost and yield per acre. O.E.S. Bul. 210, p. 26. 1909.
western part. Soil Sur. Adv. Sh., 1909, p. 71, 1911; Soils F.O., 1909, p. 1467. 1912.
in Texas—
Archer County, varieties. Soil Sur. Adv. Sh., 1912, pp. 16, 29, 46, 47. 1914; Soils F.O., 1912, pp. 1018, 1031, 1048, 1049. 1915.
Dallas County. Soil Sur. Adv. Sh., 1920, pp. 1220, 1230–1244. 1924; Soils F.O., 1920, pp. 1220, 1230–1244. 1925.
Denton County. Soil Sur. Adv. Sh., 1918, pp. 7, 8, 11, 12, 28, 43, 48, 58. 1922; Soils F.O., 1918, pp. 779, 780, 783, 784, 800, 815, 820, 830. 1924.
Eastland County, varieties. Soil Sur. Adv. Sh., 1916, p. 10. 1918; Soils F.O., 1916, p. 1286. 1921.
Jefferson County. Soil Sur. Adv. Sh., 1913, pp. 15–16, 21, 24. 1915; Soils F.O., 1913, pp. 1011–1012, 1017, 1020. 1916.
Panhandle, varieties suited to soils, difficulties. Soil Sur. Adv. Sh., 1910, pp. 26, 40, 55–56. 1911; Soils F.O., 1910, pp. 982, 996, 1011–1012. 1912.
possibilities. O.E.S. Bul. 222, p. 31. 1910.
Robertson County. Soil Sur. Adv. Sh., 1907, pp. 14, 24, 30, 33, 51. 1909; Soils F.O., 1907, pp. 600, 610, 616, 619, 637. 1909.
San Antonio experiment farm, 1917. W.I.A. Cir. 10, pp. 16–17. 1917.
San Antonio experiment farm, 1920. D.C. 73, pp. 29–32. 1920.
San Antonio experiment farm, 1922. D.C. 209, pp. 34–36. 1922.
San Antonio field station. D.B. 162, pp. 1–26. 1915.
San Antonio vicinity, diseases prevailing. B.P.I. Bul. 226, pp. 18–20, 24–32. 1912.
south-central, varieties. Soil Sur. Adv. Sh., 1913, pp. 42–43. 1915; Soils F.O., 1913. pp. 1108–1109. 1916.
in Utah—
Ashley Valley. Soil Sur. Adv. Sh., 1920, pp. 913, 920–934. 1924; Soils F.O., 1920, pp. 913, 920–934. 1925.
Cache Valley area, varieties and yields. Soil Sur. Adv. Sh., 1913, pp. 16–19. 1915; Soils F.O., 1913, pp. 2110–2113. 1916.
varieties, adaptability. D.B. 117, pp. 15–18, 20, 21. 1914.
in various States, relative importance. F.B. 1289, pp. 5, 6, 14, 18, 24. 1923.
in Virgin Islands—
1920. Vir. Is. A.R., 1920, pp. 6, 7, 19. 1921.
1921. S.R.S. An. Rpt., 1921, pp. 25–26. 1921.
in Virginia—
Frederick County. Soil Sur. Adv. Sh., 1914, pp. 12, 14–18, 21, 30–36. 1916; Soils F.O., 1914, pp. 436, 438–442, 445, 454–460. 1919.
Pittsylvania County. Soil Sur. Adv. Sh., 1918, pp. 8, 20. 1922; Soils F.O., 1918, pp. 124, 136. 1924.
in Washington—
Benton County. Soil Sur. Adv. Sh., 1916, pp. 13, 14, 15, 17, 18, 35–63. 1919; Soils F.O., 1916, pp. 2210–2216, 2238, 2245–2261, 2269. 1921.

Fruit(s)—Continued.
growing—continued.
in Washington—continued.
eastern Puget Sound Basin. Soil Sur. Adv. Sh., 1909, p. 28. 1911; Soils F.O., 1909, p. 1538. 1912.
Franklin County. Soil Sur. Adv. Sh., 1914, pp. 30–31, 63, 74, 83. 1917; Soils F.O., 1914, pp. 2542, 2556, 2589, 2605. 1919.
Quincy area, varieties. Soil Sur. Adv. Sh., 1911, pp. 17, 18, 19, 35, 46, 49, 58. 1913; Soils F.O., 1911, pp. 2239, 2240, 2241, 2257, 2268, 2271. 1914.
southwestern, varieties, yields, etc., notes. Soil Sur. Adv. Sh., 1911, pp. 29–32, 58–105. 1913; Soils F.O., 1911, pp. 2119–2122, 2148–2195. 1914.
Spokane County. Soil Sur. Adv. Sh., 1917, pp. 21, 24–26, 47, 57–93, 104. 1921; Soils F.O., 1917, pp. 2171, 2174–2176, 2197, 2207–2243, 2254. 1923.
Stevens County, cost. Soil Sur. Adv. Sh., 1913, pp. 30–33. 1915; Soils F.O., 1913, pp. 2188–2191. 1916.
Wenatchee area. Soil Sur. Adv. Sh., 1918, pp. 10–24, 44, 51, 56, 60, 74. 1922; Soils F.O., 1918, pp. 1550–1565, 1584, 1591, 1596, 1600, 1614. 1924.
in West Virginia—
Huntington area, varieties. Soil Sur. Adv. Sh. 1911, pp. 14, 23. 1912, Soils F.O., 1911, pp. 1296, 1305. 1914.
Jefferson, Berkeley, and Morgan Counties. Soil Sur. Adv. Sh., 1916, pp. 16–17, 31–72. 1918; Soils F.O., 1916, pp. 1490–1491, 1505–1546. 1921.
Lewis and Gilmer Counties. Soil Sur. Adv. Sh., 1915, pp. 11, 12, 22. 1917; Soils F.O., 1915, pp. 1243, 1244, 1254. 1919.
McDowell and Wyoming Counties. Soil Sur. Adv. Sh., 1914, pp. 12, 20–25. 1916; Soils F.O., 1914, pp. 1434, 1442–1447. 1919.
Nicholas County. Soil Sur. Adv. Sh., 1920, pp. 8, 22. 1922; Soils F.O., 1920, pp. 46, 60. 1925.
Point Pleasant area. Soil Sur. Adv. Sh., 1910, pp. 13, 25, 30. 1911; Soils F.O., 1910, pp. 1085, 1097, 1102. 1912.
Raleigh County, varieties. Soil Sur. Adv. Sh., 1914, pp. 11, 17, 19. 1916; Soils F.O., 1914, pp. 1403, 1409, 1411. 1919.
Spencer area, varieties. Soil Sur. Adv. Sh. 1909, pp. 11, 24, 26, 30. 1910; Soils F.O., 1909, pp. 1181, 1194, 1196, 1200. 1912.
in western South Dakota, possibilities. Soil Sur. Adv. Sh., 1909, p. 71. 1911; Soils F.O., 1909, pp. 1467–1468. 1912.
in Wisconsin—
Bayfield area, varieties adaptable. Soil Sur. Adv. Sh., 1910, pp. 13–18. 1912; Soils F.O., 1910, pp. 1131–1136. 1912.
Door County. Soil Sur. Adv. Sh., 1916, pp. 12, 14–17, 25, 26. 1918; Soils F.O., 1916, pp. 1745, 1746, 1748–1773. 1921.
northeastern, varieties and yields. Soil Sur. Adv. Sh., 1913, pp. 23–25, 43, 46, 62–63. 1915; Soils F.O., 1913, pp. 1579–1581, 1599, 1602, 1618–1619. 1916.
Viroqua area. Soil Sur. Adv. Sh., 1903, pp. 6, 14. 1904; Soils F.O., 1903, pp. 805, 813. 1904.
in Wyoming—
experiments. O.E.S. Cir. 95, pp. 9–10. 1910.
notes. N.A. Fauna 42, pp. 23, 24, 31, 38. 1917.
intensive—
farming, with small fruits and vegetables. F.B. 325, p. 23. 1908.
methods. Y.B. 1904, pp. 170–177. 1905; Y.B. Sep. 340, pp. 170–177. 1905.
investigations, by experiment stations. Work and Exp., 1918, pp. 17–18, 34, 35, 36. 1920.
investigations, program for 1915. Sec. [Misc.], "Program of work * * * 1915," p. 141–145. 1914.
labor—
day's work, pruning, picking, and packing. D.B. 412, pp. 2, 14–16. 1916.
requirements per acre, Georgia farms. Farm M. Cir. 3, pp. 27, 28. 1919.
marketing the crop. F.B. 161, pp. 13–14. 1902.

INDEX TO PUBLICATIONS, 1901-1925   979

Fruit(s)—Continued.
 growing—continued.
  on—
   abandoned farms in New York, recommendations. B.P.I. Cir. 64, pp. 12-15. 1910.
   Miami soils, varieties. D.B. 142, pp. 26, 45, 49, 53. 1914.
   Porters loam in the thermal zone. Soils Cir. 39, pp. 9-10, 13, 17. 1911.
   the northern Great Plains. Max Pfander. D.C. 58, pp. 12. 1919.
   the Plains. J. E. Payne. B.P.I. Bul. 130, pp. 61-67. 1908.
   Truckee-Carson project. B.P.I. Cir. 118, pp. 17-28. 1913.
  possibilities—
   New Hampshire farms. B.P.I. Cir. 75, pp. 17, 19. 1911.
   western Puget Sound Basin, Washington. Soil Sur. Adv. Sh., 1910, pp. 32, 38, 52, 57, 100. 1912; Soils F.O., 1910, pp. 1516, 1522, 1534, 1536, 1598. 1912.
  publications useful in Great Plains area, list. F.B. 727, p. 40. 1916.
  seasonal suggestions for each month. F.B. 1202, pp. 3-49. 1921.
  spraying. F.B. 161, pp. 15-24. 1902.
  statistics of day's work for several operations. Y.B., 1922, pp. 1068-1070. 1923; Y.B. Sep. 890, pp. 1068-1070. 1923.
  subtropical, new opportunities. P. H. Rolfs. Y.B., 1905, pp. 439-454. 1906; Y.B. Sep. 394, pp. 439-454. 1906.
  under irrigation, value of cooperative associations. Y.B., 1916, pp. 186-187. 1917; Y.B. Sep. 690, pp. 10-11. 1917.
  varieties and yield, in Alabama, Madison County. Soil Sur. Adv. Sh., 1911, pp. 12, 18, 28, 33. 1913; Soils F.O., 1911, pp. 806, 815, 821, 830. 1914.
  variety tests and yields, Yuma experiment farm. D.C. 75, pp. 42-46. 1920.
  work of—
   county agents, results, 1920-1921. D.C. 244, p. 39. 1922.
   experiment stations, results. Work and Exp., 1922, pp. 31-36. 1924.
  See also Horticulture.
 grown under shade of date palms. B.P.I. Bul. 53, pp. 43-44, 115. 1904.
 handling—
  and—
   marketing, 1905. Y.B., 1905, pp. 322-332. 1906; Y.B. Sep. 385, pp. 322-332. 1906.
   marketing, cooperation. G. Harold Powell. Y.B., 1910, pp. 391-406. 1911; Y.B. Sep. 546, pp. 391-406. 1911.
   precooling experiments, objects and scope. D.B. 331, pp. 2-4. 1916.
  for transportation. Y.B., 1905, pp. 349-362. 1906; Y.B. Sep. 387, pp. 349-362. 1906.
  grading, and marketing, studies. An. Rpts., 1916, pp. 389-390. 1917; Mkts. Chief Rpt., 1916, pp. 5-6. 1916.
  in transit and storage, for prevention of decay. Mkts. Chief Rpt., 1918, pp. 13-14. 1918; An. Rpts., 1918, pp. 463-464. 1919.
  injuries, prevention. Y.B., 1905, pp. 353-355. 1906; Y.B. Sep. 387, pp. 353-355. 1906.
 hard, canning directions. S.R.S. Doc. 17, p. 1. 1915.
 hardy—
  adapted mainly to northern localities, list. B.P.I. Bul. 151, pp. 14-55. 1909.
  introduction from Asia. B.P.I. Chief Rpt., 1911, pp. 86, 87. 1911; An. Rpts., 1911, pp. 78, 334, 335. 1912; Y.B., 1911, p. 76. 1912; Sec. A.R., 1911, p. 76. 1911.
  propagation for northern Great Plains. D.C. 58, pp. 6-9. 1919.
 hauling from farm to shipping points, costs. Stat. Bul. 49, pp. 23, 37. 1907.
 Hawaiian—
  fruit-fly infestation records, 1917. J.A.R., vol. 14, p. 606. 1918.
  infestation by fruit-fly larvae during 1918. J.A.R., vol. 18, pp. 441-443. 1920.
  jelly making. J. C. Ripperton. Hawaii Bul. 47, pp. 24. 1923.

Fruit(s)—Continued.
 Hawaiian—Continued.
  local shipment in quarantined area, regulations. F.H.B.S.R.A. 2, rev., pp. 2-3. 1914.
  marketing. J. E. Higgins. Hawaii Bul. 14. pp. 44. 1907.
  preserves and jellies. Hawaii A.R., 1922, pp. 15-16. 1924.
  protection from fruit fly, methods and coverings. D.B. 640, p. 37. 1918.
  quarantine regulations for fly control. F.H.B.S.R.A. 38, pp. 23-28. 1917; F.H.B. S.R.A. 42, p. 98. 1917; F.H.B.S.R.A. 71, p. 174. 1922.
  spread of Mediterranean fruit flies. D.B. 536, pp. 11-15, 24-48. 1918.
  subject to attack by Mediterranean fruit fly, list. D.B. 640, pp. 11-14, 15-24. 1918.
 home storage—
  how teachers may use department bulletins on. Alvin Dille. S.R.S. [Misc.], "How teachers may use * * *," pp. 2. 1918.
  publications, use in schools. S.R.S. [Misc.], "How teachers in rural schools may use * * *," pp. 2. 1918.
 hybrid—
  Alaska, experiments and results. Alaska A.R., 1908, pp. 10, 12, 13, 29. 1909.
  hardiness. S.R.S. Rpt., 1915, Pt. I, p. 243. 1917.
 immature—
  harvesting, disadvantages. Y.B. 1916, pp. 105-106. 1917; Y.B. Sep. 686, pp. 7-8. 1917.
  sweating control. News L. vol. 4, No. 24, p. 2. 1917.
 importance in diet of children. F.B. 717, rev., pp. 15-16. 1920.
 importation(s)—
  from Hawaii, restrictions. F.H.B.S.R.A. 38, pp. 23-28, 33. 1917.
  January 1 to March 31, 1921, discussion. B.P.I. Inv. 66, pp. 4-5. 1923.
  laws of Australia and New Zealand. D.C. 145, pp. 6-7. 1921.
  regulations on naval vessels. F.H.B.S.R.A. 73, p. 131. 1923.
  under quarantine. F.H.B. An. Rpt., 1924, pp. 23-28. 1924.
 imported, marketing methods, Australia and New Zealand. D.C. 145, pp. 8-9. 1921.
 imports—
  1902-1904. Stat. Bul. 35, pp. 15, 21-25, 47-50. 1905.
  1907-1909, quantity and value, by countries from which consigned. Stat. Bul. 82, pp. 40-42. 1910.
  1907-1914, by countries of origin. Y.B., 1914, p. 685. 1915; Y.B. Sep. 657, p. 685. 1915.
  1908-1910, quantity and value, by countries from which consigned. Stat. Bul. 90, pp. 42-45. 1911.
  1909-1911, by countries of origin. Stat. Bul. 95, pp. 45-48. 1912.
  1910, 1915. D.B. 483, p. 7. 1917.
  1917-1919, 1910-1919. Y.B., 1920, pp. 7, 42. 1921. Y.B. Sep. 864, pp. 7, 42. 1921.
  1922-1924, by kinds. Y.B., 1924, pp. 1061-1062. 1925.
  and exports—
   1903-1907. Y.B., 1907, pp. 741-742, 751. 1908; Y.B. Sep. 465, pp. 741-742, 751. 1908.
   1906-1910, and imports 1851-1910. Y.B., 1910, pp. 659, 669, 683. 1911; Y.B. Sep. 553, pp. 659, 669. 1911; Y.B. Sep. 554, pp. 683. 1911.
   1907-1911 and 1851-1911. Y.B., 1911, pp. 662, 672, 680-681, 687. 1912; Y.B. Sep. 588, pp. 662, 672, 680-681, 687. 1912.
   1908-1912 and 1851-1912. Y.B., 1912, pp. 719, 731, 745, 746. 1913; Y.B. Sep. 615, pp. 719, 731, 745, 746. 1913.
   1909-1913, Canada. D.B. 483, pp. 8-9. 1917.
   1911-1913 and 1852-1913. Y.B. 1913, pp. 497, 504, 509, 511, 512. 1914; Y.B. Sep. 361, pp. 497, 504, 509, 511, 512. 1914.
   1913-1915 and 1852-1915. Y.B., 1915, pp. 544, 551, 555, 556, 557, 560, 567, 574. 1916; Y.B. Sep. 685, pp. 544, 551, 555, 556, 557, 560, 567, 574. 1916.

Fruit(s)—Continued.
   imports—continued.
      and exports—continued.
         1914–1916 and 1852–1916. Y.B. 1916, pp. 710, 718, 722, 727, 729, 734, 741. 1917; Y.B. Sep. 722, pp. 5, 12, 16, 21, 23, 28, 35. 1917. 1917. Y.B., 1917, pp. 763, 771, 782, 791, 797. 1918; Y.B. Sep. 762, pp. 7, 15, 26, 35, 41. 1918. 1918. Y.B., 1918, pp. 631, 639, 643, 656, 663. 1919; Y.B. Sep. 794, pp. 7, 15, 19, 32, 39. 1919. 1919–1921 and 1852–1921. Y.B., 1922, pp. 952, 958, 961, 967, 972–973. 1923; Y.B. Sep. 880, pp. 952, 958, 961, 967, 972–973. 1923.
         of Australia and New Zealand. D.C. 145, pp. 4–6, 14, 15. 1921.
      inspection for black fly. Y.B. 1924, pp. 1204–1205. 1925.
      of Netherlands. Stat. Bul. 72, p. 9. 1909.
      quarantine. F.H.B. An. Rpt., 1924, pp. 10–11. 1924.
      statistics, 1921. Y.B. 1921, pp. 740, 757, 766. 1922; Y.B. Sep. 867, pp. 4, 21, 30. 1922.
   improved utilization. Sec. A.R., 1924, pp. 69, 70. 1924.
   improvement through bud selection. An. Rpts., 1920, pp. 171–172. 1921.
   increased consumption, advisability. News L., vol. 5, No. 1, p. 2. 1917.
   industry—
      California, relation of birds. F. E. L. Beal. Biol. Bul. 30, pp. 100. 1907; Biol. Bul. 34, pp. 96. 1910.
      California, statistics. Edwin S. Holmes, jr. Stat. Bul. 23, pp. 11. 1901.
      development in Washington, Wenatchee Valley. D.B. 446, pp. 5–6. 1917.
      influence of refrigerators. Y.B., 1900, p. 561. 1901; Y.B. Sep. 222, p. 561. 1901.
      Porto Rico improvement. Work and Exp., 1914, p. 204. 1915.
      Porto Rico, need of cooperation and standardization. P.R. An. Rpt., 1920, pp. 9–10. 1921.
   infected, source of bitter-rot infection. D.B. 684, pp. 20, 23. 1918.
   inferior, utilization in cider and vinegar making. Chem. Bul. 67, pp. 84–86. 1902.
   infested—
      by—
         boll-weevil parasites. Ent. Bul. 100, pp. 51, 53, 54, 64, 65. 1912.
         dipterous larvae, or maggots. Ent. T.B. 22, pp. 10, 23, 26, 33, 35, 36. 1912.
         Mediterranean fruit fly. Ent. Cir. 160, p. 12. 1912; J.A.R., vol. 3, pp. 312–314. 1915; J.A.R., vol. 5, No. 15, pp. 657–666. 1916.
         plum curculio, percentage. Ent. Bul. 103, pp. 134–139. 1912.
      destruction, for control of Mediterranean fruit fly. D.B. 536, p. 115. 1918; D.B. 643, pp. 27–38. 1918; Ent. Cir. 160, p. 17. 1912.
   injury(ies)—
      by—
         birds. F.B. 506, pp. 8, 9, 11. 1912.
         frost, prevention. G.B. Brackett. Y.B., 1909, pp. 357–364. 1910; Y.B. Sep. 519, pp. 357–364. 1910.
         green June beetle. D.B. 891, pp. 15–16, 48. 1922.
         grosbeaks. Biol. Bul. 32, pp. 9–11, 25, 40–41, 58, 61–66, 76. 1908; F.B. 456, p. 13. 1911.
         Japanese beetles. D.B. 1154, pp. 2, 3, 5, 8, 9. 1923.
         Mediterranean fruit fly, nature and appearance. D.B. 536, pp. 16–18. 1918.
         moths. Ent. Bul. 31, p. 90. 1902.
         plum curculio, methods of injury. Ent. Bul. 103, pp. 33–39, 54–59, 100–107, 134–139. 1912.
         San Jose scale. F.B. 650, pp. 1, 6, 8, 9, 22. 1915.
         thrushes. Y.B., 1913, pp. 140, 141. 1914; Y.B. Sep. 620, pp. 140, 141. 1914.
      cause of decay. Y.B., 1909, pp. 369–372. 1910; Y.B. Sep. 520, pp. 369–372. 1910.
   inoculation with rots, experiments. J.A.R., vol. 8, pp. 143–150. 1917.
   insects—
      control by use of sealed paper cartons. An. Rpts., 1915, p. 228. 1916; Ent. A.R., 1915, p. 18. 1915.

Fruit(s)—Continued.
   insects—continued.
      important, description. Sec. [Misc.], "A manual * * * insects * * *," pp. 108–118. 1917.
      pests in Virgin Islands, host plants and control studies, 1921. Vir. Is. A. R. 1921, pp. 12–19, 21–24. 1922.
      tropical and subtropical. An Rpts., 1922, pp. 310–314. 1923; Ent. A.R., 1922, pp. 12–16. 1922.
   inspection(s)—
      Off. Rec., vol. 3, No. 2, p. 5. 1924.
      and—
         certification, regulations. B.A.E.S.R.A. 85, pp. 6. 1924.
         standardization in marketing. Sec. A.R., 1924, pp. 34–37. 1924.
      at ports, need. Off. Rec., vol. 2, No. 34, p. 5. 1923.
      by department agents. Y.B., 1919, p. 44. 1920.
      service—
         establishment, and work on apples. D.B. 1253, p. 2. 1924.
         for shippers at important markets. News L., vol. 5, No. 17, p. 6. 1917.
      shipping point service, results. An. Rpts., 1923, pp. 31–33, 167–170. 1924; B.A.E. Chief Rpt., 1923, pp. 37–40. 1923; Sec. A.R., 1923, pp. 31–33. 1923.
   introduction—
      by Wilson Popenoe. Off. Rec., vol. 4, No. 34, pp. 1–2. 1925.
      into Guam, catalogue, and description. Guam A.R., 1911, pp. 19–25. 1912.
      laws, foreign and United States. Ent. Bul. 84, pp. 33–39. 1909.
   irrigated lands of Sacramento Valley, Calif. O.E.S. Bul. 207, pp. 12, 52–53, 72–74. 1909.
   irrigation—
      Great Plains area. F.B. 727, p. 27. 1916.
      methods—
         F.B. 864, pp. 31–33. 1917.
         value and cost, Pomona Valley, Calif. O.E.S. Bul. 236, pp. 78–80. 1911.
      relation to yield, size, quality, and commercial suitability. E. J. Wickens. O.E.S. Bul. 158, pp. 141–174. 1905.
   Japanese, exports to China. D.C. 146, pp. 7–8. 24. 1920.
   jars, glass, supply equal to demand. News L., vol. 4, No. 52, p. 2. 1917.
   jellies, adulteration and misbranding—"Columbine brand compound." Chem. N.J. 811, pp. 2. 1911.
   judging at shows, scales and regulations. D.C. 62, pp. 26, 27–29. 1919.
   juice(s)—
      alcohol content, labeling requirements. News L., vol. 1, No. 46, pp. 2–3. 1914.
      analysis methods. Chem. Bul. 132, pp. 60–66. 1910.
      beverages, labeling, 289. Chem. S.R.A. 23, p. 101. 1918.
      canning for future jelly making. F.B. 853, p. 18. 1917; S.R.S. Doc. 17, p. 5. 1915; Y.B., 1916, p. 247. 1917; Y.B. Sep. 705, p. 11. 1917.
      citric acid, determination method. Chem. Cir. 88, pp. 6–7. 1912.
      clarification—
         methods, description. D.B. 1025, pp. 3–12. 1922.
         with infusorial earth. Off. Rec., vol. 1, No. 6, p. 3. 1922.
      composition, analytical data, and tables. Chem. Bul. 66, rev., pp. 41–51. 1905.
      concentration by freezing, results of experiments. D.B. 241, pp. 8–19. 1915.
      description and composition, analytical data. Chem. Bul. 66, rev., pp. 42–51. 1905.
      extraction and filtering methods. D.B. 241, pp. 2–3. 1915.
      fermentation, yeast cultures, studies. An. Rpts., 1908, pp. 487–488, 498. 1909; Chem. Chief Rpt., 1908, pp. 43–44, 54. 1908.
      filters, directions for making. D.B. 1025, pp. 16–20. 1922.

Fruit(s)—Continued.
juice(s)—continued.
food standards. Sec. Cir. 136, pp. 19-20. 1919.
freezing point and diffusion tension. J.A.R., vol. 7, pp. 256, 258. 1916.
homemade, without sugar, recipe. News L., vol. 5, No. 51, p. 2. 1918.
hydrometer readings. F.B. 1424, p. 27. 1924.
imports, 1907-1909, quantity and value, by countries from which consigned. Stat. Bul. 82, p. 39. 1910.
malic acid determination, modification. Chem. Cir. 87, pp. 1-2. 1911.
misbranding. Chem. N.J. 2071, p. 1. 1913.
moisture determination, calcium carbide method, studies. Chem. Cir. 97, p. 8. 1912.
pasteurizing before filtering. D.B. 1025, p. 20. 1922.
preparation and bottling for jelly, method. Food Thrift Ser. 5, p. 5. 1917.
preparation and directions. F.B. 839, pp. 21, 30. 1917.
preservation without sugar, for jelly, methods. News L., vol. 4, No. 46, p. 8. 1917.
processing directions. F.B. 1211, p. 41. 1921.
purity standards. Sec. Cir. 136, pp. 19-20. 1919.
sterilization. D.B. 241, pp. 4-7. 1915.
studies. H. C. Gore. D.B. 241, pp. 19. 1915.
sugar proportion in jelly making. Hawaii Bul. 47, pp. 3-4. 1923.
tartaric acid determination, results by different methods. Chem. Cir. 106, p. 9. 1912.
unfermented, clarification, studies. Joseph S. Caldwell. D.B. 1025, pp. 30. 1922.
value in food with milk. B.A.I. Dairy [Misc.], "World's dairy congress, 1923," pp. 162-163. 1924.
keeping quality in storage, factors. F.B. 852, pp. 9, 10. 1917.
kernels as by-products of fruit industry. Frank Rabak. B.P.I. Bul. 133, pp. 34. 1908.
kernels, oils extracted, composition and comparison. D.B. 350, pp. 2, 8, 12, 15, 19. 1916.
kinds, for jelly making. F.B. 853, p. 37. 1917.
labor—
income, relation to orchard area, studies in eastern Pennsylvania. D.B. 341, pp. 40-41. 1916.
requirements and field practice in Georgia D.C. 83, pp. 19, 20. 1920.
law(s)—
requirements for container markings. News L., vol. 4, No. 51, pp. 4-5. 1917.
State—
1905. Chem. Bul. 69, rev., pp. 66, 103. 1905-06.
1907. Chem. Bul. 112, Pt. I, pp. 53, 111. 1908; Chem. Bul. 112, Pt. II, pp. 21, 48-49, 113-114. 1908.
1908. Chem. Bul. 121, pp. 37, 47. 1909.
See also Food laws.
lecanium, European, sprays, and tests. Ent. Bul. 80, pp. 147-160. 1912.
losses from crows. D.B. 621, pp. 42, 43, 50-51, 68, 85. 1918.
market(s)—
foreign, extension. Rpt., 73, pp. 9-10. 1902.
news—
service, branch offices. Y.B., 1918, pp. 280, 281, 286-188. 1919; Y.B. Sep. 768, pp. 6, 7, 12-14. 1919.
service, inspection and grading. An. Rpts., 1920, pp. 541-543, 544-546. 1921; Y.B., 1920, pp. 136-139. 1921; Y.B. Sep. 834, pp. 136-139. 1921.
value to producers. Y.B., 1919, pp. 97, 111-112. 1920; Y.B. Sep. 797, pp. 97, 111-112. 1920.
statistics, 1916-1921: Y.B., 1921, pp. 652-656. 1922; Y.B. Sep. 869, pp. 72-76. 1922.
statistics, 1919 and 1920. D.B. 982, pp. 216-273. 1921.
transportation, demand, supply and distribution. Y.B., 1911, pp. 167-176. 1912; Y.B. Sep. 558, pp. 167-176. 1912.
marketing—
1917-1923. Y.B., 1923, pp. 787-789. 1924; Y.B. Sep., 900, pp. 787-789. 1924.

Fruit(s)—Continued.
marketing—continued.
1924. B.A.E. Chief Rpt., 1924, pp. 31-35. 1924.
bibliography. M.C. 35, pp. 32-41. 1925.
by parcel post, requirements and suggestions. F.B. 703, pp. 13-15. 1916.
Chinese methods. D.C. 146, pp. 9-12. 1920.
conditions, improvement in distribution. B.P.I. Cir. 118, pp. 5-6. 1913.
cooperation. F.B. 309, pp. 20-23. 1907.
cost between producer and retailer. Rpt. 98, pp. 177, 186, 228, 234, 252, 254. 1913.
methods. Rpt. 98, pp. 53-60, 166, 167, 169-181, 183-189, 200-221, 228-231, 236, 240-252, 255-262. 1913.
outlets and methods of sale for shippers. J.W. Fisher, jr. and others. D.B. 266, pp. 28. 1915.
school work on problems. S.R.S. Doc. 72, pp. 2-6. 1917.
seasons. Rpt. 98, pp. 59, 247. 1913.
wholesale distribution, with vegetables. J. H. Collins, jr., and others. D.B. 267, pp. 28. 1915.
maturity—
influence on keeping quality of apples in storage. F.B. 852, pp. 6-7. 1917.
stages, study and comparisons. Y.B., 1916, pp. 100-102. 1917; Y.B. Sep. 686, pp. 2-4. 1917.
medicinal, American, with flowers and seeds. Alice Henkel. D.B. 26, pp. 16. 1913.
microscopical examination. Chem. Bul. 66, p. 103. 1902; rev., pp. 103-107. 1905.
miner, serpentine, description, habits, injuries, and control. F.B. 1270, p. 22. 1923.
miscellaneous, grown at Bahia, description and uses. D.B. 445, pp. 17-25. 1917.
mixed—
recipes. News L., vol. 3, No. 24, pp. 3-4. 1916.
shipments by States, and by stations, 1916. D.B. 667, pp. 6, 87-90, 93. 1918.
modeling, directions. Hawaii A.R., 1911, pp. 37-38. 1912.
mulching. F.B. 202, pp. 8-12. 1904.
mummied, danger as sources of infection, and removal. F.B. 938, pp. 6-9, 10-11. 1918; D.B. 684, 4-7, 23. 1918.
naming and exhibiting, rules. Y.B., 1900, p. 742. 1901.
need, daily, for children. News L., vol. 7, No. 15, p. 11. 1919.
new—
introduction and successful growing since 1897., An. Rpts., 1912, pp. 119-120. 1913; Sec. A.R., 1912, pp. 119-120. 1912; Y.B., 1912, pp. 119-120. 1913.
productions of Department of Agriculture. Herbert J. Webber. Y.B., 1905, pp. 275-290. 1906; Y.B. Sep. 383, pp. 275-290. 1906.
variety, characteristics desirable. Y.B., 1913, pp. 109-110. 1914; Y.B. Sep. 618, pp. 109-110. 1914.
nomenclature—
code of American Pomological Society. B.P.I. Bul. 151, pp. 65-66. 1909.
simplification, work. An. Rpts., 1908, p. 361. 1909; B.P.I. Chief Rpt., 1908, p. 89. 1908.
nursery stock, exports and imports. Y.B., 1924, pp. 1047, 1066, 1099. 1925.
nutritive value, investigations, California and Illinois. An. Rpts., 1907, pp. 690, 691. 1908.
of—
Guam—
1917, kinds and results. Guam A.R., 1917, pp. 37-39. 1918.
1923, growing experiments. Guam A.R., 1923, pp. 10-11. 1925.
Hawaii—
and Porto Rico, importation prohibitions. Henry C. Wallace. F.H.B., [Misc.], "Warning to passengers * * * from Hawaii * * * fruits, etc.," pp. 4. 1921.
composition, analytical study, and data. Hawaii A.R., 1914, pp. 27, 62-73. 1915.
free list. F.H.B.S.R.A. 47, p. 144. 1918.
fruit-fly infestation and parasitism. J.A.R., vol. 12, pp. 105-107. 1918.
marketing conditions, improvement. Y.B., 1915, pp. 137, 138, 140, 144. 1916; Y.B. Sep. 663, pp. 137, 138, 140, 144. 1916.

Fruit(s)—Continued.
  of—continued.
    Hawaii—Continued.
      quarantine, 1917. An. Rpts., 1917, p. 429. 1918; F.H.B. An. Rpt., 1917, p. 15. 1917.
      variety and cultural tests. Hawaii A.R., 1916, pp. 19–21. 1917.
    Maryland, Allegany County, 1889–1919. Soil Sur. Adv. Sh., 1921, pp. 1068, 1069. 1925.
    Mexico, quarantine. An. Rpts., 1917, p. 429. 1917; F.H.B. An. Rpt., 1917, p. 15. 1917.
    Missouri—
      kind and local importance. D.B. 633, p. 6. 1918.
      speculative nature of industry. D.B. 633, pp. 10–12. 1918.
    New Mexico, better prices. News L., vol. 7, No. 5, p. 12. 1919.
    South Carolina, Spartanburg County. Soil Sur. Adv. Sh., 1921, p. 416. 1924.
    South Dakota, varieties adapted. B.P.I. Cir. 119, pp. 21–22. 1913.
    Utah, prices at canning factory. D.B. 117, p. 18. 1914.
    Washington, kind, acreage, yields, and returns. O.E.S. Bul. 214, pp. 18–23. 1909.
    West Virginia, Kentucky, and Tennessee. George M. Darrow. D.B. 1189, pp. 82. 1923.
  orchard—
    and small, production and per capita, 1899, 1909, 1915. News L., vol. 4, No. 23, p. 2. 1917.
    aphids injurious. A. L. Quaintance and A. C. Baker. F.B. 804, pp. 42. 1917.
    enemies in Pacific Northwest. F.B. 153, pp. 1–39. 1902.
    growing—
      in Alaska, 1909. Alaska A.R., 1909, pp. 8–9, 32–36. 1910.
      in Alaska, 1914. Alaska A.R., 1914, p. 15–16. 1915.
      in Alaska, 1918. Alaska A.R., 1918, p. 28. 1920.
      in Alaska, 1919. Alaska A.R., 1919, pp. 26, 75. 1920.
      in Virgin Islands. Vir. Is. A.R., 1923, p. 12. 1924.
      on sassafras soils, possibilities. D.B. 159, pp. 23, 27, 31, 36, 43. 1915.
      requirements in northern Great Plains. D.C. 58, pp. 5–12. 1919.
    insects and insecticides, papers. A.L. Quaintance and others. Ent. Bul. 68, pp. 117. 1909.
    Piedmont and Blue Ridge region—
      phenological records. B.P.I. Bul. 135, pp. 71–95. 1908.
      Virginia and South Atlantic States. H. P. Gould. B.P.I. Bul. 135, pp. 102. 1908.
    production, annual and in 1899 and 1909. An. Rpts., 1914, pp. 4, 5. 1914; Sec. A.R., 1914, pp. 6, 7. 1914.
    protection from birds by planting wild fruits. F.B. 621, pp. 13–15. 1914.
    pruning, thinning, picking, and marketing. Y.B., 1904, pp. 176–177. 1905.
    sharing methods under lease contracts, various states. D.B. 650, pp. 9–10. 1918.
    spraying directions and cautions. Y.B., 1908, pp. 269–280. 1909; Y.B. Sep. 480, pp. 269–280. 1909.
    susceptibility to grape crown-gall. B.P.I. Bul. 183, pp. 23, 24. 1910.
    varietal tests—
      Yuma experiment farm, in 1911–1920. D.C. 221, pp. 28–31. 1922.
      Yuma experiment farm, 1916. W.I.A. Cir. 20, pp. 32–36. 1918.
    varieties, descriptions. D.B. 1189, pp. 26–64. 1923.
  oriental, recommendations for introduction into United States. B.P.I. Bul. 180, pp. 17–20. 1910.
  packages—
    average weights. Rpt. 98, p. 195. 1913.
    statement of contents, opinions 61, 62. Chem. S.R.A. 7, pp. 526–527. 1914.
  packed, treatment with paraffin and tissue wraps, results. P.R. An. Rpt., 1920, p. 36. 1921.
  packers, members of exchange cooperative work. D.B. 1237, pp. 22–23. 1924.

Fruit(s)—Continued.
  packing—
    house(s)—
      and warehouse operations, cost statements. D.B. 590, pp. 25–26. 1918.
      cost of operations, investigations. An. Rpts., 1917, pp. 432–433. 1918; Mkts. Chief Rpt., 1917, pp. 2–3. 1917.
      organization. News L., vol. 6, No. 27, pp. 1–2. 1919.
    in jars and cans for canning, directions. F.B. 1211, pp. 29, 31–32. 1921.
  paste—
    apple-cranberry, directions for making. News L., vol. 3, No. 24, pp. 3–4. 1916.
    desirability, food value, and use as confection. F.B. 1033, pp. 3–4, 10–13. 1919.
    directions for making and use. F.B. 853, pp. 32–33. 1917.
    food value, and uses as confection. F.B. 1033, pp. 3–4, 10–13. 1919.
  patch, self-protecting combination system. D.C. 58, pp. 9–10. 1919.
  peel, candied, recipe. F.B. 712, pp. 24–25. 1916; News, L., vol. 4, No. 10, pp. 5–6. 1916.
  perforation, pricking board, description. D.B. 1215, pp. 19–20. 1924.
  periodicals, list. M.C. 11, p. 51. 1923.
  perishable—
    handling, grading, and conservation. News L., vol. 4, No. 49, pp. 1, 2. 1917.
    marketing methods. News L., vol. 4, No. 11, pp. 1, 3. 1916.
    supply sources. Y.B., 1911, p. 171. 1912; Y.B. Sep. 558, p. 171. 1912.
  permanent, in gardens, and vegetables. W. R. Beattie and C. P. Close. F.B. 1242, pp. 23. 1921.
  pests, insects and disease, control. F.B. 1001, pp. 20–21. 1919.
  picking—
    and—
      packing, women and girls as laborers. Stat. Bul. 94, pp. 27–29, 77. 1912.
      weighing for tree records. F.B. 794, pp. 6–9. 1917.
    handling, and shipping, studies. D.B. 196, pp. 21–24. 1915.
  pickling directions. F.B. 1159, p. 17. 1920.
  place in the diet. Y.B., 1905, pp. 314–316, 323, 324. 1906; Y.B. Sep. 385, pp. 314–316, 323, 324. 1906.
  planting—
    and cultural systems, northern Great Plains. D.C. 58, pp. 9–11. 1919.
    distances, Great Plains area. F.B. 727, pp. 13–15. 1916.
    for birds, to protect orchard fruits. D.B. 715, pp. 4, 5, 8. 1918; F.B. 630, pp. 4, 8. 1915.
    for home use. F.B. 1001, pp. 11–13. 1919.
    recommendations for various sections of United States and British provinces. F.B. 208, pp. 5–48. 1904.
  pollination, value of honeybee. Ent. Bul. 75, Pt. VI, p. 71. 1909; P.R. Bul. 15, p. 20. 1914.
  pome, spraying materials and combinations. F.B. 908, pp. 73–74. 1918.
  pooling in cooperative associations. F.B. 1204, pp. 15, 32. 1921; Y.B., 1910, pp. 401–402. 1911; Y.B. Sep. 546, pp. 401–402. 1911.
  Porto Rico, rot in transit, cause and prevention, study. P.R. An. Rpt., 1920, pp. 33–37. 1921.
  precooling—
    A. V. Stubenrauch and S. J. Dennis. Y.B., 1910, pp. 437–448. 1911; Y.B. Sep. 550, pp. 437–448. 1911.
    effect on keeping quality, tests. D.B. 830, pp. 1–6. 1920.
  preparation for—
    canning. F.B. 853, pp. 13–14. 1917; F.B. 1211, p. 15. 1921.
    drying. F.B. 903, pp. 24–26, 33–34, 45–54. 1917; F.B. 916, pp. 9–10. 1917.
  preservation in transit and storage. An. Rpts., 1920, pp. 563–564. 1921.
  preserved—
    and vegetables, laws, Texas, 1907. Chem. Bul. 112, Pt. II, pp. 101–102. 1908.
    recipes. F.B. 653, pp. 24–25. 1915.

INDEX TO PUBLICATIONS, 1901-1925   983

Fruit(s)—Continued.
preserving—
chemicals, natural occurrence. Chem. Bul. 90, pp. 60-62. 1905.
directions. F.B. 203, pp. 21-24. 1905; S.R.S. Doc. 22, pp. 10-12. 1916.
presses, use in commercial manufacture of grape juice, description. F.B. 644, pp. 7-8, 11. 1915.
pressing for extraction of juice, results of experiments. D.B. 241, pp. 2-3, 17. 1915.
processing—
directions and time table. F.B. 1211, pp. 38-43, 49-50. 1921.
formulas and effect on insects infesting. D.B. 235, pp. 5-7. 1915.
production—
and value in California, 1920-1922. Y.B., 1922, p. 747. 1923; Y.B. Sep. 884, p. 747. 1923.
in—
Australia and New Zealand. D.C. 145, pp. 2-3, 13. 1921.
Iowa, Des Moines County. Soil Sur. Adv. Sh. 1921, pp. 1097, 1100-1101. 1925.
New York, Ontario County, varieties, value. Soil Sur. Adv. Sh., 1910, p. 13. 1912; Soils F.O., 1910, p. 101. 1912.
Oregon, Medford area, varieties, methods, yields, profits. Soil Sur. Adv. Sh., 1911, pp. 17-27. 1913; Soils F.O., 1911, pp. 2299-2310. 1914.
principal countries, statistics. D.B. 483, pp. 1-40. 1917.
new, Department of Agriculture. Herbert J. Webber. Y.B., 1905, pp. 275-290. 1906. Y.B. Sep. 383, pp. 275-290. 1906.
on secondary cotton branches. B.P.I. Bul. 249, pp. 19, 21. 1912.
percentage of full crop, 1911-1913, by States. F.B. 563, pp. 3, 7, 13. 1913.
quality, and price, 1914, with comparisons, by States. F.B. 641, pp. 30-31. 1914.
products—
Chem. Bul. 65, p. 74. 1902.
adulterations and detection. Chem. Bul. 100, pp. 29-31, 56-57. 1906.
analysis—
method, data. Chem. Bul. 66, rev., pp. 9-102. 1905.
methods. Chem. Bul. 107, pp. 77-82. 1907; Chem. Bul. 152, pp. 168-170. 1912.
report. H. C. Gore. Chem. Bul. 132, pp. 60-66. 1910.
chemical and microscopical examination. L. S. Munson and others. Chem. Bul. 66, rev., pp. 114. 1905.
coloring matter, detection, discussion, etc. Chem. Bul. 66, rev., pp. 22, 23-29, 36-37. 1905.
content of tin and zinc detection. Chem. Bul. 66, rev., pp. 39-40. 1905.
economic studies by Chemistry Bureau. An. Rpts., 1911, pp. 81-82. 1912; Sec. A.R., 1911, pp. 79-80. 1911; Y.B., 1911, pp. 79-80. 1912.
fumigation with carbon bisulphide. Ent. Bul. 30, p. 78. 1901.
hearing, standards, etc. Off. Rec. vol. 4, No. 28, p. 3. 1925.
investigations by Chemistry Bureau. An. Rpts., 1912, pp. 557-558. 1913; Chem. Chief Rpt., 1912, pp. 7-8. 1912.
laws. See Foods.
manufacturers, correspondence in regard to analysis. Chem. Bul. 66, rev., pp. 98-102. 1905.
microscopical examination. Chem. Bul. 66, rev., pp. 103-107. 1905.
moisture determination methods. Chem. Bul. 152, pp. 218-220. 1912.
preparation, preservation, and utilization, program for 1915. Sec. [Misc.], "Program o, work * * * 1915," pp. 189-190. 1914.
preparing and drying, directions. F.B. 984, pp. 41-47. 1918.
preservatives, detection. Chem. Bul. 100, pp. 43-45. 1906.
purity standards. Sec. Cir. 136, p. 8. 1919.
report—
by H. C. Lythgoe, A.O.A.C. Convention, 1906. Chem. Bul. 105, pp. 19-20. 1907.
of associate referee, and recommendations. Chem. Bul. 162, pp. 60-71, 160. 1913.

Fruit(s)—Continued.
products—continued.
standards—
Off. Rec., vol. 4, No. 27, p. 6. 1925.
and laws. Chem. Bul. 69, rev., Pts. I-IX, pp. 19, 66, 103, 108, 163, 171, 174, 185, 191, 210, 212, 216, 254, 306, 319, 428, 442, 443, 456, 457, 459, 504, 505, 514, 538, 545, 562, 563, 597, 633, 667, 690, 691, 745. 1905-8.
studies by Chemistry Bureau—
1910. An. Rpts., 1910, pp. 99-101, 436-437, 451-453. 1911; Chem. Chief Rpt., 1910, pp. 12-13, 27-29. 1910; Sec. A.R., 1910, pp. 99-101. 1910; Y.B., 1910, pp. 98-100. 1911.
1911. An. Rpts., 1911, pp. 439-440, 462-463. 1912; Chem. Chief Rpt., 1911, pp. 25-26, 48-49. 1911.
1912. An. Rpts., 1912, pp. 52-52. 1913; Sec. A.R., 1912, pp. 52-53. 1912; Y.B., 1912, pp. 52-53. 1913.
study, in 1923. Work and Exp., 1923, pp. 36-37. 1925.
promising, new—
1902. William A. Taylor. Y.B., 1902, pp. 469-480. 1903; Y.B., Sep. 283, pp. 469-480. 1903.
1903. William A. Taylor. Y.B., 1903, pp. 267-278. 1904; Y.B. Sep. 330, pp. 267-278. 1904.
1904. William A. Taylor. Y.B., 1904, pp. 399-416. 1905; Y.B. Sep. 356, pp. 399-416. 1905.
1905. William A. Taylor. Y.B., 1905, pp. 495-510. 1906; Y.B. Sep. 399, pp. 495-510. 1906.
1906. William A. Taylor. Y.B., Sep. 429, pp. 16. 1907; Y.B., 1906, pp. 355-370. 1907.
1907. William A. Taylor. Y. B., 1907. pp. 305-320. 1908; Y.B. Sep. 450, pp. 305-320. 1908.
1908. William A. Taylor. Y.B., 1908. pp. 473-490. 1909; Y.B. Sep. 496, pp. 473-490. 1909.
1909. William A. Taylor. Y.B., 1909, pp. 375-386. 1910; Y.B. Sep. 521, pp. 375-386. 1910.
1910. William A. Taylor. Y.B., 1910, pp. 425-436. 1911; Y.B. Sep. 549, pp. 425-436. 1911.
1911. William A. Taylor and H. P. Gould. Y.B., 1911, pp. 423-438. 1912; Y.B. Sep. 581, pp. 423-438. 1912.
1912. William A. Taylor and H. P. Gould. Y.B. 1912, pp. 261-278. 1913; Y.B. Sep. 589, pp. 261-278. 1913.
1913. William A. Taylor and H. P. Gould. Y.B., 1913, pp. 109-124. 1914; Y.B. Sep. 618, pp. 109-124. 1914.
from foreign countries. An. Rpts., 1923, p. 285. 1923; B.P.I. Chief Rpt., 1923, p. 31. 1923.
propagation investigations in Hawaii. Hawaii A.R. 1909, pp. 47-51. 1910.
protection—
against birds by planting wild fruits. F.B. 844, pp. 14-15. 1917.
by attracting birds to other plants. W. L. McAtee. Y.B., 1909, pp. 185-196. 1910; Y.B. Sep. 504, pp. 185-196. 1910.
from—
birds, value of mulberry as decoy tree. Biol. Bul. 32, pp. 63-66. 1908.
cold, methods. Y.B., 1909, pp. 357-364, 394-396. 1910; Y.B. Sept. 519, pp. 357-364. 1910; Y.B. Sep. 522, pp. 394-396. 1910.
melon flies, spraying and covering. D.B. 643, pp. 26-29. 1918.
in transit, needs. D.B. 935, p. 5. 1921.
pruning and spraying in Tennessee. News L., vol. 6, No. 29, p. 7. 1919.
publications of the experiment stations for 1923. Work and Exp., 1923, pp. 101-103. 1925.
purity standards. Sec. Cir. 136, pp. 7-8. 1919.
quarantine—
against stocks, cuttings, buds, and scions. F.H.B.S.R.A. 68, p. 108. 1920.
for—
citrus black fly, regulations. F.H.B.S.R.A. 70, pp. 79-84. 1921.

Fruit(s)—Continued.
 quarantine—continued.
  for—continued.
   Japanese beetle. F.H.B.S.R.A. 67, pp. 29, 30. 1920.
   orders and announcements. F.H.B.S.R.A. 76, pp. 111–118. 1923; F.H.B.S.R.A. 77, pp. 157–164, 169–173. 1924; F.H.B.S.R.A. 78, pp. 16–20. 1924.
 rapid cooling. F.B. 852, p. 19. 1917.
 receipts—
  daily, at Kansas City, and sources. D.B. 267, p. 11. 1915.
  tallying and registering, forms. D.B. 590, pp. 6–7, 40, 41. 1918.
 recommendations of American Pomological Society for various sections. B.P.I. Bul. 151, pp. 69. 1909.
 records, methods of keeping. D.B. 623, pp. 9–13, 1918; D.B. 624, pp. 7–8. 1918.
 refrigeration in transit, protection from freezing, studies. An. Rpts., 1917, pp. 156–158. 1917; B.P.I. Chief Rpt., 1917, pp. 26–28. 1917.
 region—
  seasonal labor distribution, graph. D.C. 183, p. 7. 1922.
  weather service special, extension and work. An. Rpts., 1916, pp. 58, 60. 1917; W.B. Chief Rpt., 1916, pp. 10, 12. 1916.
 relative economy, food. Y.B., 1905, pp. 318–320. 1906.
 report by associate referee. Chem. Bul. 137, pp. 56–57. 1911.
 resistant to melon fly. D.B. 643, p. 22. 1918.
 respiration studies. H. C. Gore. Chem. Bul. 142, pp. 40. 1911.
 ripe, spray residue on prevention. D.B. 959, pp. 33–34. 1921.
 ripening—
  and respiration, review. Chem. Bul. 94, pp. 9–31. 1905.
  control. Y.B., 1912, p. 295. 1913; Y.B. Sep. 592, p. 295. 1913.
  effect on composition. Y.B., 1905, p. 313. 1906; Y.B. Sep. 385, p. 313. 1906.
  processes, study by use of respiration calorimeter. O.E.S. Cir. 116, pp. 2–3. 1912; Y.B., 1911, pp. 492–494, 503–504. 1912; Y.B. Sep. 586, pp. 492–494, 503–504. 1912.
 room, description. F.B. 482, p. 24. 1912.
 rot—
  eggplant—
   fungus causing, description. J.A.R., vol. 2, pp. 331–338. 1914.
   symptoms and control studies. F.B. 856, p. 49. 1917.
   occurrence on plants, Texas, and description. B.P.I. Bul. 226, pp. 31, 39, 43. 1912.
 salads—
  recipes. D.C. 36, pp. 9–10. 1919.
  tropical avocado. G. N. Collins. B.P.I. Bul. 77, pp. 52. 1905.
 sale regulations. Chem. Bul. 69, rev., pp. 66, 103, 185, 234, 360, 504, 555, 744. 1905–6.
 sawfly, cherry, description, life history, and control. Ent. Bul. 116, Pt. III, pp. 73–79. 1913.
 scalding, blanching, and sterilizing, time table. F.B.839, pp. 30, 31. 1917.
 scale-infested—
  danger of spreading scale. Ent. Bul. 84, pp. 7–11. 1909.
  fumigation. Ent. A.R., 1908, p. 20. 1908; An. Rpts., 1908, p. 542. 1909.
 scarred, causes. P.R. Bul. 10, pp. 18–20. 1911.
 score card for school use. D.B. 132, p. 36. 1915.
 selection for—
  canning. F.B. 203, pp. 12–13. 1905; F.B. 1211, pp. 7–8, 9, 25–26. 1921.
  cider making, importance. F.B. 1264, pp. 8–11, 52. 1922.
 selling by cooperative associations, methods. Y.B., 1910, pp. 405–406. 1911; Y.B. Sep. 546, pp. 405–406. 1911.
 setting—
  effect of unfavorable weather. J.A.R., vol. 17, pp. 105–118. 1919.
  without pollination, with injurious effects of premature pollination and notes on artificial pollination. Charles P. Hartley. B.P.I. Bul. 22, pp. 48. 1902.

Fruit(s)—Continued.
 shipments—
  and unloads 1918–1923 (and vegetables). S.B. 7, pp. 110. 1925.
  in carloads, by States, 1920–1923 (with melons). S.B. 8, pp. 79. 1925.
  in United States, 1916, and vegetables. Paul Froehlich. D.B. 667, pp. 196. 1918.
  pooling records, forms. D.B. 590, pp. 8, 14–15, 48–49. 1918.
  reports, invoice, and manifest, forms. D.B. 590, pp. 7–8, 45–47. 1918.
 shippers, trade with China, recommendations. D.C. 146, pp. 17–23. 1920.
 shipping—
  efficiency of short-type refrigerator car. D.B. 1353, pp. 1–28. 1925.
  forms for association. D.B. 590, pp. 31–60. 1918.
  organizations, accounting system for. G. A. Nahstoll and John R. Humphrey. D.B. 590, pp. 60. 1918.
  temperature management. F.B. 125, pp. 13–14. 1901.
 shows, schedules, classes, arrangement, judging and premiums. D.C. 62, pp. 6–10, 12–13, 17–34. 1919.
 shrinkage in drying. F.B. 903, pp. 31, 39, 43, 53, 54. 1917.
 sirups—
  adulteration and misbranding. Chem. N.J. 328, pp. 2. 1910.
  preparation methods. News L., vol. 5, No. 2, pp. 6–7. 1917.
 size and yield, relation of irrigation. E. J. Wickson. O.E.S. Bul. 158, pp. 141–174. 1905.
 small—
  adaptability to irrigation projects, growing methods, etc. B.P.I. Cir. 83, pp. 8–9. 1911.
  Alaska—
   breeding and testing, 1914. Alaska A.R., 1914, pp. 12–15. 1915.
   growing at Sitka station. Alaska A.R., 1910, pp. 23–26. 1911.
   varieties, notes on growth. Alaska A.R., 1908, pp. 11–13, 26–30, 42–43. 1909.
  Athabaska-Mackenzie region. N.A. Fauna 27, pp. 525–530, 532–534. 1908.
  cold storage. S. H. Fulton. B.P.I. Bul. 108, pp. 28. 1907.
  containers, size regulation, Act, text, and regulations. Sec. Cir. 76, pp. 8. 1917.
  culture, blackberry, dewberry, and raspberry, S.R.S. Doc. 93, pp. 1–12. 1919.
  damages by field mice. Biol. Bul. 31, p. 24. 1907.
  diseases, Texas, occurrence, and description. B.P.I. Bul. 226, pp. 33–34. 1912.
  experiments, Wyoming, 1908. O.E.S. Cir. 95, p. 10. 1910.
  growing—
   course for movable schools. O.E.S. Bul. 178, pp. 86–96. 1907.
   for home use, varieties. F.B. 1001, pp. 4, 5, 8, 11, 12, 13, 30, 32–39. 1919.
   in Alaska, Kenai Peninsula region. Soil Sur. Adv. Sh., 1916, pp. 85, 98–99. 1919; Soils F.O., 1916, pp. 117, 130–131. 1921.
   in California, San Francisco Bay region, and adaptability. Soil Sur. Adv. Sh., 1914, p. 23. 1917; Soils F.O., 1914, pp. 2695–2696. 1919.
   in Maryland, Anne Arundel County. Soil Sur. Adv. Sh., 1909, pp. 18, 23, 24, 33. 1910; Soils F.O., 1909, pp. 284, 289, 290, 299. 1912.
   in Mississippi, Scranton area. Soil Sur. Adv. Sh., 1909, pp. 10, 13, 19. 1910; Soils F.O., 1909, pp. 892, 895, 901. 1912.
   in Montana, Huntley experiment farm, experiments. W.I.A. Cir. 8, p. 22. 1916.
   in Nebraska. B.P.I. [Misc.], "The work of the Scottsbluff * * *," 1913, p. 18. 1914.
   in New Jersey, Camden area. Soil Sur. Adv. Sh., 1915, pp. 9, 12–13. 1917; Soils F.O., 1915, pp. 159, 162–163. 1919.
   in New Jersey, Millville area. Soil Sur. Adv. Sh., 1917, pp. 14, 15, 20, 21, 33. 1921; Soils F.O., 1917, pp. 202, 203, 208, 209, 221. 1923.

Fruit(s)—Continued.
  small—continued.
    growing—continued.
      in New Mexico and Texas, Mesilla Valley, varieties and yield. Soil Sur. Adv. Sh., 1912, p. 18. 1914; Soils F.O., 1912, p. 2024. 1915.
      in New York, Wayne County. Soil Sur. Adv. Sh., 1919, pp. 286, 300, 307-334. 1923; Soils F.O., 1919, pp. 286, 300, 307-334. 1925.
      in northern Great Plains, requirements. D.C. 58, pp. 4-5. 1919.
      in Ohio, Hamilton County, acreage and yields. Soil Sur. Adv. Sh., 1915, pp. 11-12. 1917; Soils F.O., 1915, pp. 1323-1324, 1334. 1919.
      in Pennsylvania, York County, on rough lands. Soil Sur. Adv. Sh., 1912, p. 17. 1914; Soils F.O., 1912, p. 167. 1915.
      in Washington, eastern Puget Sound Basin. Soil Sur. Adv. Sh., 1909, pp. 26, 47, 57, 61, 62, 75. 1911; Soils F.O., 1909, pp. 1538, 1559, 1569, 1573, 1574, 1587. 1912.
      in young orchards, Pajaro Valley, Calif. Soil Sur. Adv. Sh., 1908, pp. 16, 18-20, 28. 1910; Soils F.O., 1908, pp. 1342, 1344-1346, 1354. 1911.
      on Sassafras soils, yields. D.B. 159, pp. 22-23, 31. 1915.
      under irrigation, Belle Fourche, S. Dak. W.I.A. Cir. 24, pp. 30-31. 1918.
    Huntley project, experiments, 1913. B.P.I. [Misc.], "The work of the Huntley * * * 1913," p. 13. 1914.
    in New Mexico, varieties adapted. N.A. Fauna 35, pp. 40-41. 1913.
    irrigation methods. F.B. 864, p. 33. 1917.
    kinds and varieties for Tennessee, Kentucky, and West Virginia. D.B. 1189, p. 77. 1923.
    package, Maine. An. Rpts., 1912, p. 579. 1913; Chem. Chief Rpt., 1912, p. 29. 1912.
    permanent for gardens. F.B. 1242, pp. 9-18. 1921.
    picking and handling, studies. News L., vol. 3, No. 39, pp. 2-3. 1916.
    planting on the northern Great Plains, instructions to cooperators. D.L.A. Cir. 7, pp. 2. 1925.
    protection, fall care. News L., vol. 3, No. 19, pp. 1, 4. 1915.
    resistance to wounding, effect of temperature. Lon A. Hawkins and Charles E. Sando. D.B. 830, pp. 6. 1920.
    returns per acre, Washington irrigated land. O.E.S. Bul. 214, p. 23. 1909.
    rots and spoilage, prevention. An. Rpts., 1918, pp. 153-154. 1919; B.P.I. Chief Rpt., 1918, pp. 19-20. 1918.
    susceptibility to grape crown-gall. B.P.I. Bul. 183, pp. 23, 24. 1910.
    use of mulches. F.B. 202, pp. 11-12. 1904.
    varieties—
      suited to sandy lands Columbia River Valley. B.P.I. Cir. 60, p. 16. 1910.
      tests, Umatilla experiment farm, notes, 1912. B.P.I. Cir. 129, pp. 24-28. 1913.
      wild, occurrence in Alaska, varieties. D.B. 50, pp. 8-9, 30. 1914.
    See also Berries.
  soft—
    canning directions. F.B. 839, pp. 19-20, 30. 1917.
    injury in packing. Y.B. 1909, p. 370. 1910; Y.B. Sep. 520, p. 370. 1910.
  soils—
    Tennessee, selection by soils experts. An. Rpts. 1908, p. 520. 1909; Soils Chief Rpt., 1908, p. 24. 1908.
    Virginia, location. D.B. 46, pp. 5, 6, 7, 9, 12, 14. 1913.
  sorting table, construction, school exercise. D.B. 527, pp. 25-26. 1917.
  sour, canning directions for home club. S.R.S. Doc. 17, p. 1. 1915.
  source of aromatic oils. B.P.I. Bul. 195, pp. 8, 10, 12, 21-22, 40, 41, 42. 1910.
  spot, apple—
    nondevelopment in storage. F.B. 1160, p. 5. 1920.

Fruit(s)—Continued.
  spot, apple—continued.
    prevalence and prevention. B.P.I. Cir. 112, pp. 11-16. 1913; Y.B. 1908, pp. 534-535. 1909.
  spraying—
    combinations, and dilution of spray mixtures. F.B. 908, pp. 73-75. 1918.
    danger of poisoning, study. D.B. 1027, pp. 1, 16-58. 1922.
    day's work. D.B. 3, p. 27. 1913.
    for—
      aphids, formulas and directions. F.B. 1128, pp. 38-48. 1920.
      European fruit lecanium and European pear scale. Ent. Bul. 80, pp. 147-160. 1912; Ent. Bul. 80, Pt. VIII, pp. 147-160. 1910.
      San Jose scale. F.B. 650, rev., pp. 12-22. 1919.
    while in bloom—
      injury to bees and to fruit growers. F.B. 447, p. 46. 1911.
      laws prohibiting. F.B. 397, p. 42. 1910.
  spurs, production on pear trees, and growth. J.A.R., vol. 21, pp. 866-868. 1921.
  staining, result of spraying. B.P.I. Cir. 27, p. 11. 1909.
  standard trade terms. News L., vol. 7, No. 15, p. 8. 1919.
  standardization and inspection work. B.A.E. Chief Rpt., 1924, pp. 3-4. 1924.
  standards for 4-H cans. S.R.S. Doc. 22, p. 5. 1915.
  statistics—
    1909, production, by States, different kinds. Y.B., 1914, pp. 645, 646, 647, 648, 649. 1915. 1915; Y.B. Sep. 656, pp. 645, 646, 647, 648, 649. 1915.
    1910-1923, production. An. Rpts., 1923, p. 91. 1924; Sec.A.R., 1923, p. 91. 1923.
    for 1923. Y.B., 1923, pp. 731-789. 1924; Y.B. Sep. 900, pp. 731-789. 1924.
    1924. Y.B., 1924, pp. 664-739, 1043-1044, 1055, 1061-1062, 1066, 1070, 1082, 1083, 1093, 1099, 1110, 1127-1128, 1145, 1173, 1204-1205. 1925.
  stock, inspection studies. Off. Rec., vol. 4, No. 37, pp. 1, 7. 1925.
  stone—
    bacterial-spot control. F.B. 1435, pp. 2-3. 1924.
    blue mold, description and control. F.B. 1435, pp. 3, 5. 1924.
    bruises. F.B. 1435, p. 9. 1924.
    crown-gall, losses. B.P.I. Bul. 213, pp. 183-185. 1911.
    crown-gall resistant stock, Japanese mumes. Nos. 45876-45881, B.P.I. Inv. 54, pp. 2, 33-34. 1922.
    danger of arsenicals. Y.B., 1908, pp. 271, 272, 274. 1909; Y.B. Sep. 480, pp. 271, 272, 274. 1909.
    fungi, temperature relations. Charles Brooks and J. S. Cooley. J.A.R., vol. 22, pp. 451-465. 1921.
    injury by spraying. F.B. 1435, pp. 15-16. 1924.
    inoculation with Coccomyces spp., experiments. G. W. Kent. J.A.R., vol. 13, pp. 539-569. 1918.
    on the market, diseases of. Dean H. Rose. F.B. 1435, p. 17. 1924.
    precooling effects. F.B. 1435, p. 14. 1924.
    spraying materials and combinations. F.B. 908, pp. 73-74. 1918.
    transportation rots as influenced by orchard spraying. Charles Brooks and D. F. Fisher. J.A.R., vol. 22, pp. 467-477. 1921.
    See also Almonds; Cherries; Olives; Peaches; Plums; etc.
  storage—
    and washing for table use. F.B. 375, pp. 33, 40. 1909.
    in the home. F.B. 1374, p. 9. 1923.
    relation of ice supply. F.B. 475, pp. 14-16. 1911.
    storing winter supplies, amounts required for families. News L., vol. 5, No. 5, p. 8. 1917.
    stowing in ships, methods. D.B. 1290, pp. 6-7, 8-9. 1924.

Fruit(s)—Continued.
  strawberry, rot studies. Neil E. Stevens and R. B. Wilcox. D.B. 686, pp. 13. 1918.
  study and development. B.P.I. Chief Rpt.. 1924, pp. 3-10. 1924.
  subtropical—
    conditions, September 1, 1911, 1912, 1913, Florida and California. F.B. 558, p. 14. 1913.
    of California and Florida, production, etc., 1913, estimate. F.B. 570, pp. 21-22. 1913.
    shipments by States, and by stations, 1916. D.B. 667, pp. 8, 98-99. 1918.
    yield, 1911-1913. F.B. 563, p. 7. 1913.
  sugar content, studies. F.B. 535, p. 29. 1913.
  sugars, availability for alcohol. F.B. 429, pp. 11-12. 1911.
  suited to sandy lands, Columbia River Valley. B.P.I. Cir. 60, pp. 14-15, 16. 1910.
  sulphuring in dehydration. D.B. 1335, p. 10. 1925.
  sun scald, remedy. B.P.I. Cir. 118, p. 27. 1913.
  supply of average family for a week, and place in menu. F.B. 1228, pp. 8-11, 19. 1921.
  surpluses, saving in Richmond, Va., by "Win the war kitchen." News L., vol. 5, No. 49, p. 6. 1918.
  stains, removal from textiles. F.B. 861, pp. 14-17. 1917.
  syrup, misbranding. Chem. N.J. 1156, pp. 2. 1911.
  temperate, testing in Brazilian highlands. D.B. 445, p. 31. 1917.
  temperatures injurious at various stages of growth, table. F.B. 401, p. 20. 1910; F.B. 1096, pp. 36-42. 1920.
  tester for maturity, improved type. J. R. Magness and George F. Taylor. D.C. 350, pp. 8. 1925.
  thinning for codling moth control. F.B. 1326, p. 9. 1924.
  tillage, Great Plains area, methods and tools. F.B. 727, pp. 16-19. 1916.
  time limit for storage, influences governing. F.B. 852, p. 19. 1917.
  trade—
    American, with—
      Australia and New Zealand, possibilities. D.C. 145, pp. 11-13. 1921.
      China, possibilities and recommendations. D.C. 146, pp. 7-9, 14-23. 1920.
      United States, with foreign countries, and insular possessions, 1910, 1915. D.B. 483, p. 7. 1917.
    with foreign countries, exports and imports. D.B. 296, pp. 41-43. 1915.
  transportation and—
    handling. Y.B., 1905, pp. 349-362. 1906; Y.B. Sep. 387, pp. 349-362. 1906.
    storage, investigations. An. Rpts., 1906, pp. 241-243. 1907.
  trees—
    alkali resistance. F.B. 446, pp. 29-30, 32. 1911.
    and shrubs, cross-inoculation with crown-gall. B.P.I. Bul. 131, pp. 21-23. 1908.
    arsenical injury through the bark. Deane B. Swingle and H. E. Morris. J.A.R., vol. 8, pp. 283-318. 1917.
    banking for protection from—
      frost. Y.B., 1909, p. 394, 1910; Y.B. Sep. 522, p. 394. 1910.
      winter-killing. F.B. 227, p. 14. 1905.
    bark beetle—
      control. F.B. 908, p. 89. 1918.
      description. F. H. Chittenden. Ent. Cir. 29, rev., pp. 8. 1903.
      life history, description, preventive measures. Y.B., 1905, pp. 346-347. 1906; Y.B. Sep. 386, pp. 346-347. 1906; F.B. 763, pp. 2-6. 1916.
      parasites and other enemies. Ent. Cir. 29, rev., pp. 5-6. 1909.
      trapping. Ent. Cir. 29, rev., pp. 7-8. 1909.
    bearing, plant food requirements. F.B. 237, pp. 7-8. 1905.
    blossoming dates in Nevada—
      1916-1921. D.C. 267, p. 14. 1923.
      Newlands experiment farm, 1916-1918. D.C. 80, p. 16. 1920.

Fruit(s)—Continued.
  trees—continued.
    borer control. B.P.I. Cir. 118, p. 28. 1913.
    bridge grafting. W. F. Fletcher. F.B. 710, pp. 8. 1916.
    chlorosis caused by lime carbonate in soils. P.R. Bul. 11, pp. 29-30. 1911.
    combinations. F.B. 154, pp. 14-16. 1902.
    cross-inoculation with crown-gall experiments, results. B.P.I. Bul. 131, Pt. III, pp. 21-23. 1908.
    crown gall caused by gopher injuries. Y.B., 1909, pp. 213-214. 1910; Y.B. Sep. 506, pp. 213-214. 1910.
    damage by Parandra borers, character and prevention. D.B. 262, pp. 1-2, 3-4, 6-7. 1915.
    deciduous, insect enemies, investigations. Ent. A.R., 1905, pp. 287-288. 1905.
    destruction by—
      meadow mice. J.A.R., vol. 27, p. 533. 1924.
      pocket gophers. Y.B., 1909, pp. 211-212. 1910; Y.B. Sep. 506, pp. 211-212. 1910.
      sapsuckers. F.B. 506, p. 13. 1912.
    diseases, Texas, occurence and description. B.P.I. Bul. 226, pp. 24-32. 1912.
    dry regions, planting, pruning and care. B.P.I. Bul. 130, pp. 63-67. 1908.
    dwarf—
      desirability for small home garden. F.B. 818, p. 44. 1917.
      suitability for northern Great Plains. D.C. 58, pp. 7, 8, 9-11. 1919.
    dwarfing. F.B. 154, pp. 12-13. 1902.
    fire blight, control. S.R.S. Syl. 23, p. 12. 1916.
    foliage, injury by bean thrips. Ent. Bul. 118, pp. 16, 31. 1912.
    food requirements, and losses by action of water, experiments. Y.B., 1908, pp. 397-398. 1909; Y.B. Sep. 489, pp. 397-398. 1909.
    form and pruning at field station near Mandan, N. Dak. D.B. 1301, pp. 27-28. 1925.
    frozen, 1904. M. B. Waite. B.P.I. Bul. 51, pp. 15-19. 1905.
    fumigation. F.B. 133, pp. 21-23. 1901.
    girdled or diseased, saving by bridge grafting. News L., vol. 3, No. 31, pp. 2-3. 1916.
    girdling by meadow and orchard mice, prevention. An. Rpts., 1923, pp. 431, 432. 1924; Biol. Chief Rpt., 1923, pp. 13, 14. 1923.
    grafting. F.B. 154, pp. 13-14. 1902.
    growing in Montana. D.C. 86, p. 18. 1920; D.C. 147, pp. 12-13. 1921.
    heeling in, puddling and setting, directions. S.R.S. Syl. 23, pp. 4-5. 1916.
    hosts of bagworm, note. F.B. 701, p. 3. 1916.
    Huntley project, experiments, 1913. B.P.I. [Misc.], "The work of the Huntley * * *, 1913," p. 13. 1914.
    importation from China, description. News L., vol. 3, No. 32, p. 2. 1916.
    injury(ies) by—
      blister beetles, with remedies. Ent. Bul. 38, pp. 97-99. 1902.
      cucumber beetles. Ent. Bul. 82, Pt. VI, pp. 72, 75, 77. 1910.
      field mice, description. F.B. 1397, pp. 4-5. 1924.
      fluted scale, description. Y.B., 1916, pp. 273-274. 1917; Y.B. Sep. 704, pp. 1-2. 1917.
      melon fly, Hawaii. D.B. 491, p. 16. 1917.
      rodents. F.B. 484, pp. 12-13, 26, 37, 41-42. 1912; F.B. 932, pp. 5, 10, 19. 1918.
      rose slug caterpillar. Ent. Bul. 124, pp. 7, 8. 1913.
      salmon fly. J.A.R., vol. 13, pp. 38, 39. 1918.
      San Jose scale, description. Ent. Cir. 124, pp. 1-2. 1910.
      termites. D.B. 333, pp. 18, 22-23. 1916.
    insects in Georgia, 1906. Ent. Bul 67, p. 104. 1907.
    leaf roller, description. Ent. Bul. 116, Pt. V, pp. 91-105. 1913.
    number and kinds in Indiana, Grant County, 1890, 1910. Soil Sur. Adv. Sh., 1915, p. 13. 1916; Soils F.O., 1915, pp. 1360-1361. 1919.
    pests, three British, on nursery stock. Frederick V. Theobald. Ent. Bul. 44, pp. 62-70. 1904.

INDEX TO PUBLICATIONS, 1901–1925   987

Fruit(s)—Continued.
  trees—continued.
    plant-food requirement. F.B. 237, pp. 7–8. 1905.
    planting—
      crew work and cost. D.B. 29, pp. 7, 18. 1913.
      for insect control, injurious results. D.B. 730, pp. 38–39. 1918.
      higher elevation and northern slopes desirable. B.P.I. Cir. 118, pp. 18. 1913.
      the northern Great Plains, instructions to cooperators. D.L.A. Cir. 7, pp. 2. 1925.
    productivity, variability, studies, historical summary. J.A.R., vol. 12, pp. 247–250. 1918.
    protection against rodents. S.R.S. Syl. 23, p. 11. 1916.
    pruning—
      defoliation, and girdling, effect on fruit buds. S.R.S. An. Rpt., 1922, pp. 90–91. 1924.
      directions. F.B. 181, pp. 8–10. 1903.
      experiments. S.R.S. Rpt., 1917, Pt. I, pp. 36, 101, 108, 123, 182, 187, 265. 1918.
      experiments, Oregon. W.I.A. Cir. 1, pp. 13–16. 1915.
      Great Plains area. F.B. 727, pp. 19–27. 1916.
      in the home garden, directions. F.B. 1001, pp. 15–20. 1919.
      principles. S.R.S. Syl. 23, pp. 7–8. 1916.
    purchasing from nurseries. F.B. 1001, pp. 6–8. 1919.
    records keeping, methods. D.B. 813, pp. 8–12. 1920.
    renovation, old orchards. S.R.S. Syl. 23, p. 9. 1916.
    resistance to alkali salts, table. Soils Bul. 35, p. 14. 1906.
    rows, location in irrigated sections. F.B. 404, pp. 10–12. 1910.
    school lesson in pruning. D.B. 258, p. 25. 1915.
    spacing and planting systems at field station, near Mandan, N. Dak. D.B. 1301, pp. 26–27. 1925.
    spraying—
      for codling moth, demonstration work. Ent. Bul. 68, Pt. VII, pp. 69–76. 1908.
      methods, machinery, and time. P.R. Bul. 10, pp. 20–23, 34, 35. 1911.
      with Paris green, experiments. J. K. Haywood. Chem. Bul. 82, pp. 32. 1904.
    value as source of Hawaiian honey. Hawaii Bul. 17, p. 9. 1908.
    varieties—
      adapted to Nevada, blossoming dates. D.C. 136, pp. 15–16. 1920.
      blossoming period, experiments, Truckee-Carson project, 1916–1917. W.I.A. Cir. 23, pp. 17–18. 1918.
      tests. Montana. W.I.A. Cir. 22, p. 21. 1918.
    winter—
      injured, treatment. F.B. 251, pp. 10–14. 1906.
      killing. F.B. 227, pp. 12–15. 1905.
    worming for bores. F.B. 908, pp. 45–46. 1918.
    yields, variability, relation to accuracy of field tests. L. D. Batchelor and H. S. Reed. J.A.R., vol. 12, pp. 245–283. 1918.
    young, increasing hardiness. F.B. 267, pp. 26–27. 1906.
    young, use of cover crops, studies. Work and Exp., 1919, pp. 52–53. 1921.
    See also Orchards.
  tropical—
    and—
      subtropical. F.B. 169, pp. 18–24. 1903.
      subtropical, list, adapted to warmer climates. B.P.I. Bul. 151, pp. 56–63. 1909.
      their products, chemical composition. Ed. Mackay Chace and others. Chem. Bul. 87, pp. 38. 1904.
    description and composition. F.B. 293, pp. 12–15. 1907.
    growing in—
      Florida, Fort Lauderdale area. Soil Sur. Adv. Sh., 1915, pp. 13, 26, 32, 45. 1915; Soils F.O., 1915, pp. 759, 773, 778, 791. 1919.
      Guam, 1918. Guam A.R., 1918, pp. 46–50. 1919.

Fruit(s)—Continued.
  tropical—continued.
    growing in—continued.
      Guam, 1919. Guam A.R., 1919, pp. 7, 38–39. 1921.
      Guam, 1920. Guam A.R., 1920, pp. 48–52. 1921.
      Guam, 1921. Guam A.R., 1921, pp. 23–24. 1923.
    insects injurious, 1907. Y.B., 1907, p. 548. 1908; Y.B. Sep. 472, p. 548. 1908.
    investigations in Hawaii and Porto Rico. O.E.S. An. Rpt., 1908, pp. 20, 25, 85, 163. 1909.
    shipping experiments, Hawaii to United States. O.E.S. An. Rpt., 1907, p. 21. 1908.
    varieties, adaptability to Canal Zone. Rpt. 95, pp. 19, 43–44. 1912.
    unmailable in Hawaii. F.H.B.S.R.A. 3, p. 21. 1914.
    unripe, shipment, injury to industry in Porto Rico. P.R. An. Rpt., 1920, pp. 9–10. 1921.
  use(s)—
    and value for children's foods. F.B. 717, pp. 17–18. 1916.
    as—
      conservers of other staple foods and vegetables Caroline L. Hunt. F.B. 871, pp. 11. 1917.
      food. C. F. Langworthy. F.B. 293, pp. 40. 1907.
      food. C. F. Langworthy. Y.B., 1905, pp. 307–324. 1906; Y.B. Sep. 385, pp. 307–324. 1906.
      food for farm animals. F.B. 202, pp. 20–22. 1904.
      horse feed. F.B. 1030, p. 21. 1919.
      substitute for sugar. U. S. Food Leaf. No. 15, p. 3. 1918.
      vegetables, studies. O.E.S. Bul. 245, pp. 51–54. 1912.
    for canning, studies. Chem. Bul. 151, pp. 36–43. 1912.
    in manufacture of industrial alcohol, cost and yield. Chem. Bul. 130, pp. 28–30, 104. 1910.
    in poisoned baits for insects. F.B. 835, pp. 10, 15. 1917.
    of cacti as. B.P.I. Bul. 262, p. 17. 1912.
    to save sugar. F.B. 871, pp. 5, 6. 1917.
    utilization, courses for women and girls, Germany. O.E.S. An. Rpt., 1911, p. 291. 1912.
  value—
    as crop in California, Butte Valley. Soil Sur. Adv. Sh., 1907, pp. 16–18. 1909; Soils F.O., 1907, pp. 1012–1014. 1909.
    in—
      child's diet, use methods. F.B. 712, pp. 6–7, 8, 25. 1916.
      diet, and week's supply for average family. F.B. 1313, pp. 2–3, 6–8. 1923.
      North Carolina, Haywood County. Soil Sur. Adv. Sh. 1922, p. 207. 1925.
      of different woods, notes, New England woodlots. Ent. [Misc.], "Some timely suggestions * * *," pp. 6–8. 1917.
    variations, Marsh grapefruit, seasonal fluctuations in production. D.B. 697, pp. 18–20, 112. 1918.
  varietal tests—
    Arlington farm. An. Rpts., 1912, p. 449. 1913; B.P.I. Chief Rpt., 1912, p. 69. 1912.
    Huntley, Mont. W.I.A. Cir. 2, p. 20. 1915.
    Nevada, Newlands farm. D.C. 352, pp. 14–15. 1925.
    Oregon, Umatilla project, details. B.P.I. Cir. 129, pp. 24–28. 1913; W.I.A. Cir. 17, pp. 27–32. 1917.
    Texas, San Antonio field station. D.B. 162, pp. 5–25. 1915.
    Yuma experiment farm, in 1913–1920. D.C. 221, pp. 29–31. 1922.
  varieties—
    acreage in Yakima County, Wash., and percentage of apples, 1914. D.B. 614, p. 4. 1918.
    adaptable to Clarksville silt loam. Soils Cir. 30, p. 11. 1911.
    adaptability to—
      Great Plains, list. B.P.I. Bul. 130, p. 65. 1908; B.P.I. Cir. 51, pp. 18–22. 1910; F.B. 727, pp. 30–39. 1916.

36167°—32——63

Fruit(s)—Continued.
varieties—continued.
adaptability to—continued.
Truckee-Carson project. B.P.I. Cir. 78, pp. 17-18. 1911.
West Virginia, Logan and Mingo Counties. Soil Sur. Adv. Sh., 1913, p. 11. 1915; Soils F.O., 1913, p. 1323. 1916.
Yuma reclamation project. B.P.I. Bul. 124, pp. 7, 8. 1913.
condition, July 1, 1914, comparison with other years, by States. F.B. 611, pp. 3, 33. 1914.
differences in resistance to arsenical poisoning. J.A.R., vol. 8, pp. 303-306. 1917.
for—
different localities, description and adaptations. F.B. 1001, pp. 22-23, 27-39. 1919.
Nevada. B.P.I. Cir. 118, pp. 25-27. 1913.
growing at St. Croix Experiment Station, 1921. Vir. Is. A. R. 1921, pp. 6-7. 1922.
importations from New Zealand, testing in California. B.P.I. Inv. 48, pp. 7, 19-25. 1921.
lists for regions of Tennessee, Kentucky, and West Virginia. D.B. 1189, pp. 74-77. 1923.
little-known, considered worthy of wider dissemination. William A. Taylor. Y.B., 1901, pp. 381-392. 1902; Y.B. Sep. 229, pp. 12. 1902.
recommended for planting. W. H. Ragan. F.B. 208, pp. 48. 1904.
vegetative propagation, composition inheritance. E. M. Chace, and others. D.B. 1255, pp. 19. 1924.
vinegar making, adaptability and directions. S.R.S. Doc. 99, pp. 3, 6-8. 1919.
waste—
canning instructions for home clubs. S.R.S. Doc. 17, pp. 1-6. 1915.
utilization by evaporation. Rpt. 98, p. 213. 1913.
wild—
food of crows. D.B. 621, pp. 42, 43, 53-54. 1918.
food of starlings and other birds. D.B. 868; pp. 35-37, 65-66. 1921.
planting for protection of cultivated fruits. Biol. Bul. 30, pp. 10, 21, 26, 65, 73. 1907; F.B. 621, pp. 13-15. 1914; F.B. 912, pp. 13-14. 1918.
use in attracting birds, notes. F.B. 760, pp. 8-11. 1916; F.B. 1239, pp. 7-8. 1921; Y.B., 1909, pp. 186-193, 195. 1910; Y.B. Sep. 504, pp. 186-193, 195. 1910.
wrapping, injurious effects. D.B. 859, p. 27. 1920.
yield(s)—
commercial suitability, relation of irrigation. O.E.S. Bul. 158, pp. 141-174. 1905.
effects of hydrocyanic-acid fumigation. J.A.R., vol., 11, pp. 328-330. 1917.
factors affecting. J.A.R., vol. 12, pp. 245-247. 1918.
of dry product per 100 pounds, table. F.B. 984, p. 61. 1918.
See also *under specific names.*
Fruitarians—
further investigations, 1901-2. M. E. Jaffa. O.E.S. Bul. 132, pp. 81. 1903.
nutrition investigations at California Station. M. E. Jaffa. O.E.S. Bul. 107, pp. 43. 1901.
Fruitatives, misbranding. See *Indexes, Notices of Judgment, in bound volumes and in separates published as supplements to Chemistry Service and Regulatory Announcements.*
Fruitfulness, plum, relation to weather. M. J. Dorsey, J.A.R. vol. 17, pp. 103-126. 1919.
Fruiting—
plants, control by length of day, and flowering. W. W. Garner and H. A. Allard. Y.B., 1920, pp. 377-400. 1921; Y.B. Sep. 852, pp. 377-400. 1921.
relation to length of day and night, studies. J.A.R., vol. 23, pp. 873-881. 1923.
Fruitworm—
cranberry—
description, injuries and remedies. F.B. 178, pp. 24-26. 1903.

Fruitworm—Continued.
cranberry—continued.
injury, history and control treatment. F.B. 860, pp. 20-23. 1917.
green, description, habits, injuries, and control. F.B. 1270, p. 21. 1923.
tomato—
control with arsenicals. D.B. 703, pp. 15-19. 1918.
description and control. D.C. 35, p. 26. 1919; D.C. 40, pp. 6-7. 1919; F.B. 856, p. 68. 1917.
injuries, description, and control. S.R.S. Doc. 95, pp. 6-7. 1919.
same as bollworm, control. F.B. 1338, p. 25. 1923.
See also Bollworm; Corn ear worm.
Fruta de—
condessa, description and use. D.B. 445, p. 31. 1917.
pava importation and description. No. 50692,, B.P.I. Inv. 64, pp. 2, 14. 1923.
Frutena, adulteration and misbranding. Chem. N.J. 1603, pp. 2. 1912.
Frutilla, importation, and description. No. 42566, B.P.I. Inv. 47, p. 29. 1920.
Fry, W. H.—
"Absorption by colloidal and noncolloidal soil constituents." With others. D.B. 1122, pp. 20. 1922.
"Calcium compounds in soils." With others. J.A.R., vol. 8, pp. 57-77. 1917.
"Estimation of colloidal material in soils by adsorption." With others. D.B. 1193, pp. 42. 1924.
"Identification of commercial fertilizer materials." D.B. 97, pp. 13. 1914.
"Phosphate rock and methods proposed for its utilization as a fertilizer." With William H. Waggaman. D.B. 312, pp. 37. 1915.
"Tables for the microscopic identification of inorganic salts." D.B. 1108, pp. 22. 1922.
"The microscopic determination of soil-forming minerals." With W. J. McCaughey. Soils Bul. 91, pp. 100. 1913.
"The microscopic estimation of colloids in soil separates." J.A.R., vol. 24, pp. 879-883. 1923.
"Variation in the chemical composition of soils." With others. D.B. 551, pp. 16. 1917.
Frye, T. C.: "The kelp beds of southeast Alaska." Rpt. 100, pp. 60-104. 1915.
Frye Ranch, Alaska, report for—
1907. Alaska A.R., 1907, pp. 60-61. 1908.
1908. Alaska A.R., 1908, p. 65. 1909.
Fryhofer, C. W.—
"Defects in the quality of butter." D.C. 236, pp. 14. 1922.
"Handbook for use in the inspection of whole-milk American cheese under the food products inspection law." With Roy C. Potts. Sec. Cir. 157, pp. 16. 1923.
Frying, camp cooking, directions. D.C. 4, pp. 61-62. 1919.
Frysinger, G. E.: "Home demonstration work, 1922." D.C. 314, pp. 44. 1924.
Fuba vulgaris, growing in manganiferous soils. Hawaii Bul. 26, p. 25. 1912.
Fuchsia, spp., importation(s) and description(s). No. 38050, B.P.I. Inv. 39, p. 83. 1917; No. 51001, B.P.I., Inv. 64, pp. 3, 39. 1923; No. 53992, B.P.I. Inv. 68, p. 16. 1923.
Fucus. See Rockweed.
Fuel(s)—
Alaska, pulp mills, sources. D.B. 950, pp. 17, 19. 1921.
alcohol, internal-combustion engines, tests. Charles Edward Lucke and S. M. Woodward. O.E.S. Bul. 191, pp. 89. 1907.
and firing, burnt-clay roads. F.B. 311, pp. 17-19. 1907.
blast-furnace, character and potash content. D.B. 1226, pp. 5, 12-13, 18. 1924.
chestnut wood, value and demand. F.B. 582, pp. 7-9, 23. 1914.
consumption by farm families, value of woodlot-supplies. F.B. 1082, p. 15. 1920.
cooking, thrift in use of. Thrift Leaf. 11, pp. 1-4. 1919.

Fuel(s)—Continued.
  cord wood, annual cut. For. Cir. 172, p. 14. 1909.
  cost—
    for farm tractors. F.B. 963, pp. 18-19, 22. 1918.
    for traction plowing. News L., vol. 3, No. 49, pp. 3-4. 1916.
    in refining corn oil. D.B. 1010, pp. 20, 21. 1922.
  demands of animal body. D.B. 459, pp. 6-7. 1916.
  efficiency in heat production, table. D.B. 1335, p. 14. 1925.
  emergency from farm woodland. E. F. Hawes. Sec. Cir. 79, pp. 8. 1918.
  engine, in ground yarding, kind and cost. D.B. 711, pp. 108-112. 1918.
  factor in cost of operating pumping plants. O.E.S. Bul. 183, pp. 7-64. 1907.
  farm engines, use of alcohol and gasoline. S. M. Woodward. F.B. 277, pp. 40. 1907.
  farm—
    families, consumption and sources. D.B. 410, pp. 29-31. 1916.
    home, per cent of total cost. D.B. 1214, pp. 9, 10, 22, 24-25. 1924.
    income, value to farm families, with food and house. W. C. Funk. D.B. 410, pp. 36. 1916.
    farmers', furnished by farm, value, Georgia farms. D.B. 492, p. 16. 1917.
  firewood, consumption in United States. For. Cir. 181, pp. 1-7. 1910.
  for—
    orchard heating, relative value and cost. F.B. 1096, pp. 18, 32-34. 1920.
    smoking meat. F.B. 1186, p. 23. 1921.
    sorghum manufacture. F.B. 477, pp. 35-36. 1912.
    use in cooking, saving methods. U. S. Food Leaf. 12, pp. 4. 1918.
  furnace, use in volatilization of phosphoric acid. D.B. 1179, pp. 19-48. 1923.
  gas engine, testing conditions. F.B. 1013, pp. 10-12, 16. 1919.
  gasoline, kinds, and cost. B.P.I. Bul. 170, pp. 29-30. 1910.
  in milk plants and creameries, economical use of. John T. Bowen. D.B. 747, pp. 47. 1919.
  incense cedar, use, value, price per cord. D.B. 604, p. 8. 1918.
  jack pine, quantity used annually in the Lake States. D.B. 820, p. 26. 1920.
  kinds of wood for farm use. D.B. 753, pp. 6-8. 1919.
  liquid, properties. F.B. 277, pp. 22-25. 1907; O.E.S. Bul. 191, pp. 11-19. 1907.
  motor trucks, costs. D.B. 1254, p. 21. 1924; F.B. 1201, p. 17. 1921; F.B. 1314, p. 13. 1923.
  oil(s)—
    determination in distilled liquors, methods. Chem. Bul. 107, pp. 97-98. 1907.
    sources, use in orchards. F.B. 542, pp. 13-15. 1913.
    See also Kerosene.
    price in different markets. Stat. Bul. 66, p. 93. 1908.
  pumping—
    engines—
      and mills, cost for irrigation. O.E.S. An. Rpt., 1908, pp. 384-394. 1909.
      cost. O.E.S. Cir. 101, pp. 27, 28, 32. 1910.
      Louisiana and Arkansas, cost. O.E.S. Bul. 201, pp. 9-37. 1908.
    plants—
      kind and cost. D.B. 304, pp. 34-35, 37, 50. 1915.
      storage and cost. Y.B., 1916, pp. 516, 519. 1917; Y.B. Sep. 703, pp. 10, 13. 1917.
  saving—
    by use of exhaust steam for heating water. D.B. 747, pp. 35-38. 1919.
    in heating. Thrift Leaf. 12, pp. 4. 1919.
    selection for home heating. F.B. 1194, pp. 9-10. 1921.
  sirup factory, Georgia experiments, 1904. Chem. Bul. 93, pp. 14, 44, 56. 1905.
  slash pine and yields per acre. F.B. 1256. p. 17. 1922.
  sorghum stalks and roots, use in China. Y.B., 1913, p. 223. 1914; Y.B. Sep. 625, p. 223. 1914.
  storage, for orchard heating. F.B. 1096, pp. 29-30. 1920.

Fuel(s)—Continued.
  substitutes for wood. Y.B. 1922, pp. 137-138. 1923; Y.B. Sep. 886, pp. 137-138. 1923.
  sycamore wood, utilization. D.B. 884, p. 18. 1920.
  tractor—
    cost and requirements. D.B. 997, pp. 49-50, 1921; F.B. 1278, pp. 16-18, 1922; F.B. 1297, pp. 7-9. 1923; Y.B. 1921, p. 806. 1922; Y.B. Sep. 875, p. 13. 1922.
    Western States, and consumption per hour. D.B. 174, pp. 13-14, 21-22. 1915.
  use—
    in curing lemons. B.P.I. Bul. 232, pp. 13-14. 1912.
    of—
      flax straw, objections. D.B. 757, p. 23. 1919.
      kaoliang stalks, China. B.P.I. Bul. 253, pp. 11, 15, 17, 19, 20. 1913.
      peat materials. D.B. 802, pp. 16, 25, 26, 32. 1919.
      pine species. For. Bul. 99, pp. 19, 24, 30, 35, 35, 79, 82, 87, 92, 94, 96. 1911.
      wood for. D.B. 753, p. 40. 1919.
    per 1,000 pounds of butter, comparison of creameries. D.B. 747, p. 2. 1919.
  value—
    cereal breakfast foods., discussion and table. F.B. 249, pp. 12-17. 1906.
    of—
      foods, calculation methods. Chem. Bul. 120, pp. 10-13. 1909.
      milk in diet. D.C. 129, p. 4. 1920.
      nutrients in food materials. F.B. 142, pp. 27-28. 1902.
      nutrients in Japanese diet. O.E.S. Bul. 159, pp. 216-224. 1905.
      tanbark oak. For. Bul. 75, pp. 22, 24, 32. 1911.
    to—
      average farm family, various States. News L., vol. 4, No. 18, pp. 2-3. 1916.
      farm families, and use of house. W. C. Funk. D.B. 410, pp. 36. 1916.
  wood—
    supply, various States. D.B. 753, pp. 8-9. 1919.
    used in 1880. Rpt. 117, pp. 61-62, 72. 1917.
    value and importance. Y.B., 1918, pp. 322-323. 1919; Y.B. Sep. 779, pp. 8-9. 1919.
  See also Coal; Wood; Firewood.
FULGHUM, J. A., statement on origin of Fulghum oats. D.C. 193, p. 4. 1921.
Fulica spp. See Coots.
Fulix marila. See Duck, scaup.
FULKERSON, VINCENT—
  "Agricultural observations on the Truckee-Carson irrigation project." With F. B. Headley. B.P.I. Cir. 78, pp. 20. 1911.
  "Agriculture on the Truckee-Carson project: Vegetables for the home garden." With F. B. Headley. B.P.I. Cir. 110, pp. 21-25. 1913.
  "Commercial truck crops on the Truckee-Carson project." With F. B. Headley. B.P.I. Cir. 113, pp. 15-22. 1913.
  "Fruit growing on the Truckee-Carson project." With F. B. Headley. B.P.I. Cir. 118, pp. 17-28. 1913.
FULLAWAY, D. T.—
  "Insects attacking the sweet potato in Hawaii." Hawaii Bul. 22, pp. 31. 1911.
  "Insects injurious to corn." Hawaii Bul. 27, pp. 20. 1912.
  "Insects of cotton in Hawaii." Hawaii Bul. 18, pp. 27. 1909.
  report of entomologist, Hawaiian Experiment Station—
    1909. Hawaii A.R., 1909, pp. 17-46. 1910.
    1910. Hawaii A.R., 1910, pp. 19-24. 1911.
    1911. Hawaii A.R., 1911, pp. 17-24. 1912.
    1912. Hawaii A.R., 1912, pp. 16-34. 1913.
    1913. Hawaii A.R., 1913, pp. 18-21. 1914.
    1914. Hawaii A.R., 1914, pp. 43-50. 1915.
    1915. Hawaii A.R., 1915, p. 28. 1916.
  "Tobacco insects in Hawaii." Hawaii Bul. 34, pp. 20. 1914.
Fullawayina, genera, description and key. D.B. 826, pp. 7, 36-37. 1920.

FULLER, A. V.: "The spontaneous oxidation of arsenical dipping fluids." B.A.I. Cir. 182, pp. 8. 1911.
FULLER, F. D., report on foods and feeding stuffs. Chem. Bul. 81, pp. 35–42. 1904.
FULLER, G. L.: "Soil survey of—
 Chautauqua County, N. Y." With others. Soil Sur. Adv. Sh., 1914, pp. 60. 1916; Soils F.O., 1914, pp. 271–326. 1919.
 Cortland County, N. Y." With E. T. Maxon. Soil Sur. Adv. Sh., 1916, pp. 28. 1917; Soils F.O., 1916, pp. 195–218. 1921.
 Schoharie County, N. Y." With E. T. Maxon. Soil Sur. Adv. Sh., 1915, pp. 34. 1917; Soils F.O., 1915, pp. 125–154. 1919.
FULLER, H. B.: "Office filing system for county agricultural agents in the Northern and Western States." S.R.S. Doc. 34, pp. 16. 1918.
FULLER, H. C.—
 "Methods for the analysis of medicated soft drinks." Chem. Bul. 137, pp. 190–194. 1911.
 report as referee on medicated soft drinks. Chem. Bul. 152, pp. 241–242. 1912.
 "The determination of camphor." Chem. Cir. 77, p. 1. 1911.
 "The purity of glycerin." With L. F. Kebler. Chem. Bul. 150, Pt. II, pp. 24–35. 1912.
 "The separation and identification of small quantities of cocain." Chem. Bul. 150, Pt. IV, pp. 41–43. 1912.
 "Two important alkaloidal reactions." Chem. Bul. 150, Pt. III, pp. 36–40. 1912.
FULLER, M. L., on transmission of typhoid by polluted waters. F.B. 549, p. 5. 1913.
FULLER, P. E.—
 "Pumping for irrigation on the farm." Y.B., 1916, pp. 507–520. 1917; Y.B. Sep. 703, pp. 14. 1917.
 "The use of windmills in irrigation in the semiarid West." F.B. 394, pp. 44. 1910; F.B. 866, pp. 38. 1917.
Fuller's earth—
 test for caramel in vinegar. Chem. Bul. 105, pp. 23–25. 1907.
 use—
  in bleaching vegetable oils, and cost. D.B. 1010, pp. 5–10, 17, 19–20. 1922.
  in refining cottonseed oil. Y.B., 1916, p. 169. 1917; Y.B. Sep. 691, p. 11. 1917.
  to prevent spray burning of plants. S.R.S. Rpt., 1916, Pt. I, pp. 44, 230. 1918.
Fulmar—
 range and habits. N.A. Fauna 22, p. 81. 1902.
 Rodgers, habits and food. N.A. Fauna 46, pp. 38–39. 1923.
FULMER, H. L.: "Influence of carbonate of magnesium and calcium on bacteria of certain Wisconsin soils." J.A.R., vol. 9, pp. 463–504. 1918.
FULTON, B. B.: "Cherry and hawthorn sawfly leaf miner." With P. J. Parrott. J.A.R., vol. 5, No. 12, pp. 519–528. 1915.
FULTON, H. R.—
 "Commercial control of citrus stem-end rot." With others. D.C. 293, pp. 10. 1923.
 "Decline of *Pseudomonas citri* in the soil." J.A.R., vol. 19, pp. 207–223. 1920.
 "Preliminary results with the borax treatment of citrus fruits for the prevention of blue mold rot." With John J. Bowman. J.A.R., vol. 28, pp. 961–968. 1924.
 "Relative susceptibility of citrus varieties to attack by *Gloeosporium limetticolum* (Clausen). J.A.R., vol. 30, pp. 629–635. 1925.
 "The field testing of copper-spray coatings." With J. R. Winston. D.B. 785, pp. 9. 1919.
FULTON, S. H.—
 "Cold storage, with special reference to the pear and peach." With G. Harold Powell. B.P.I. Bul. 40, pp. 28. 1903.
 "The apple in cold storage." With G. Harold Powell. B.P.I. Bul. 48, pp. 66. 1903.
 "The cold storage of small fruits." B.P.I. Bul. 108, pp. 28. 1907.
FULTON, W. M.—
 "The advisability of supplying employees with apparatus for carrying on original scientific investigations under certain conditions." W.B. Bul. 31, pp. 22–28. 1902.
 "The introduction of automatically recording river gages." W.B.Bul. 31, pp. 220–222. 1902.

Fumago vagans. See Mold, sooty.
Fumarium, reduction of Asiatic wines by evaporation. F.B. 644, p. 1. 1915.
Fumes, smelter, injury to forest trees. D.B. 154, pp. 22–23. 1915.
Fumigant(s)—
 aid in insect control. Ent. A.R., 1924, pp. 11–13. 1924.
 formula for corn weevil. News L., vol. 6, No. 38, pp. 10–11. 1919.
 high temperature experiments. Ent. Bul. 104, pp. 36–37. 1911.
 insect, para-dichlorobenzene as. A. B. Duckett. D.B. 167, pp. 7. 1915.
 nicotine—
  effects on insects, studies. J.A.R., vol. 7, pp. 94–95, 109–113. 1916.
  use in control of mushroom maggots. Ent. Cir. 155, p. 3. 1912.
 oil, effectiveness against chicken lice and dog fleas. D.B. 888, pp. 3–5, 13–14. 1920.
 poisonous effect on several insects. D.B. 1313, pp. 19–23. 1925.
 use—
  against mosquitoes. Ent. Bul. 88, pp. 30–40, 1910; F.B. 444, pp. 7–8. 1911.
  as insecticides, penetration tests. J.A.R., vol. 13, pp. 534–535. 1918.
  in—
   Argentine and control, experiments. Ent. Bul. 122, pp. 81–84. 1913.
   control of potato-tuber moths, description. F.B. 557, pp. 4–5, 6–7. 1913.
   insect control, directions. P.R. Cir. 17, pp 20–23. 1918.
  worthlessness as repellents in boll-weevil control. F.B. 1262, p. 28. 1922.
Fumigation—
 against—
  Angoumois grain moth, directions. F.B. 1156, pp. 17–19. 1920.
  Argentine ants—
   cover construction. D.B. 647, pp. 66–67. 1918.
   results, method and costs. D.B. 647, pp. 67–71. 1918; F.B. 928, pp. 15–16. 1918.
  corn weevils. News L., vol. 6, No. 38, pp. 10–11. 1919.
  grain weevils with various volatile organic compounds. Ira E. Neifert and others, D.B. 131, pp. 40. 1925.
  ground squirrels. F.B. 484, pp. 19–20. 1912.
  orange thrips, ineffective. Ent. Bul. 99, Pt. I, p. 10. 1911.
  stored grain insects. Ent. Cir. 142, pp. 4–5. 1911.
 apparatus—
  description. Ent. Bul. 84, pp. 11–14. 1909.
  for formaldehyde gas. B.P.I. Bul. 171, pp. 17–19. 1910.
 apples for San José scale. A. L. Quaintance. Ent. Bul. 84, pp. 43. 1909.
 avocado, for insect pests. Hawaii Bul. 25, pp. 22, 23. 1911.
 banana, for scale insects, experiments. Hawaii A.R., 1912, pp. 42–43. 1913.
 beans and peas, for control of weevils. F.B. 983, pp. 22–23. 1918.
 bin, directions for making. F.B. 799, p. 8. 1917.
 box, use in greenhouses. D.B. 513, p. 9. 1917; F.B. 880, p. 10. 1917.
 buildings, with carbon bisulphide, directions. F.B. 145, pp. 18–19. 1902; F.B. 799, pp. 12–14. 1917.
 carbon disulphide, for control of melon aphid. F.B. 914, p. 15. 1918.
 cattleya orchids with hydrocyanic-acid gas. E. R. Sasscer and H. F. Dietz. J.A.R., vol. 15, pp. 263–268. 1918.
 chicken house, for control of mites. D.B. 1228, pp. 2, 4. 1924.
 cigarette beetle, directions. Hawaii Bul. 34, pp. 19–20. 1914.
 citrus—
  orchards—
   cost in California. F.B. 1321, pp. 53–55. 1923.
   meteorological elements, effects. Ent. Bul. 90, pp. 68–72. 1912.

INDEX TO PUBLICATIONS, 1901-1925   991

Fumigation—Continued.
  citrus—continued.
    plants with hydrocyanic acid; conditions influencing injury. R. S. Woglum. D.B. 907, pp. 43. 1920.
    trees—
      R. S. Woglum. F.B. 923, pp. 31. 1918.
      chemicals required, proportions and mixing. Ent. Bul. 79, pp. 30-40. 1909.
      cost of treatment. Ent. Bul. 76, pp. 56-63. 1908.
      demonstration in Spain. R. S. Woglum. Ent. Bul. 120, pp. 16, 52-53. 1913.
      effect on plants, responsibility for injury. F.B. 1321, pp. 39-49, 53, 56-57. 1923.
      for control of insect pests. R. S. Woglum. F.B. 1321, p. 59. 1923.
      season. Ent. Bul. 90, pp. 61-63. 1912.
  comb honey for wax moth. News L., vol. 6, No. 52, p. 8. 1919.
  control of—
    bollworm. F.H.B.S.R.A. 58, p. 123. 1919; J.A.R., vol. 9, p. 361. 1917.
    book lice or psocids. F.B. 1104, p. 4. 1920.
    broad-bean weevils, methods. Ent. Bul. 96, Pt. VI, pp. 76-77. 1912.
    carpet beetle, directions and cautions. F.B. 626, p. 4. 1914.
    cedar moths. F.B. 1346, pp. 11-12. 1923.
    cowpea weevil. Ent. Bul. 96, Pt. V, p. 92. 1912.
    fleas. F.B. 683, p. 12. 1915; F.B. 897, pp. 11-13. 1917.
    greenhouse thrips. Ent. Cir. 151, p. 8. 1912.
    moths. F.B. 1353, pp. 19-23. 1923.
    potato-tuber moth. D.B. 427, pp. 50, 51. 1917; D.B. 557, pp. 4-6. 1913; Ent. Cir. 162, pp. 3-5. 1912.
    prairie dogs. Y.B., 1908, p. 427. 1909; Y.B. Sep. 491, p. 427. 1909.
    rats and mice. F.B., 896, pp. 18-19. 1917.
    rice moth. D.B. 783, pp. 10-11, 12-13. 1919.
    tobacco beetle, experiments. D.B. 737, pp. 59-65, 69. 1919; F.B. 846, pp. 18-21. 1917.
    vermin in convict camps, method. D.B. 414, pp. 113-114. 1916.
  cooperative organization, methods. F.B. 1321, p. 52. 1923.
  corn, method and cost. F.B. 1029, pp. 5, 24-29. 1919.
  corncribs, for control of pink corn worm. D.B. 363, pp. 16-18. 1916.
  costs. Ent. Bul. 76, pp. 62-63. 1906; Ent. Bul. 90, Pt. I, pp. 78-79. 1911.
  cotton—
    and cotton wrappings before entry. F.H.B.S.R.A. 74, pp. 37-39. 1923.
    boll weevil, summary of experiments. F.B. 209, pp. 11-12. 1904.
    directions and precautions. F.H.B.S.R.A. 26, pp. 38-40. 1916.
    effect, manufacturing tests. D.B. 366, pp. 1-12. 1916.
    imports, regulation. F.H.B.S.R.A. 33, p. 32. 1917.
    in bales, method and apparatus. F.H.B.S.R.A. 21, pp. 82-85. 1915.
    licensing plants. F.H.B.S.R.A. 39, pp. 38-39. 1917.
  cottonseed—
    for boll-weevil control. Ent. Bul. 114, pp. 150, 162-163. 1912; F.B. 209, pp. 6-12. 1904; F.B. 344, pp. 36-38. 1909; F.B. 500, p. 13. 1912; F.B. 512, pp. 37-39. 1912; F.B. 848, pp. 31-33. 1917.
    with carbon disulphide, for insect control. F.B. 799, p. 14. 1917.
  cowpea seed, for insect control. F.B. 1148, pp. 23-24. 1920.
  destruction of rats. F.B. 297, p. 7. 1907.
  details, in generating hydrocyanic-acid gas. F.B. 699, pp. 5-6. 1916.
  dosage schedules for citrus tree. F.B. 1321, pp. 28-31. 1923; F.B. 923, pp. 16-18. 1918.
  effect on—
    foods. D.B. 1149, pp. 2-4, 15-16. 1923.
    heating of grain caused by insects. E. A. Back and R. T. Cotton. J.A.R., vol. 28, pp. 1103-1116. 1924.

Fumigation—Continued.
  effect on—continued.
    ladybirds and *Scutallista cyanea* experiments. Ent. Bul. 90, Pt. I, pp. 77-78. 1911.
    trees. Ent. Bul. 90, Pt. I, pp. 66-68. 1911.
    field work, formula. Ent. Bul. 90, Pt. III, p. 96. 1911.
    flour mills, directions. D.B. 872, pp. 11-27. 1920.
    for citrus white fly, as adapted to Florida conditions. A. W. Morrill. Ent. Bul. 76, pp. 73. 1908.
    formaldehyde, value in pineapple shipments. Hawaii A.R., 1907, pp. 16-17. 1908.
    fruit trees, management. F.B. 127, pp. 23-30. 1901; F.B. 133, pp. 21-23. 1901.
    gophers, directions. Y.B., 1909, p. 216. 1910; Y.B. Sep. 506, p. 216. 1910.
  grain—
    borers, experiments and results. Ent. Bul. 96, Pt. III, pp. 36-45. 1911.
    in bulk. F.B. 1260, p. 47. 1922
    warehouses, experiments with chick peas. J.A.R., vol. 28, pp. 650-659. 1924.
    weevil, summary of experiments. D.B. 1313, pp. 38-39. 1925.
  greenhouse(s)—
    directions. F.B. 880, pp. 11-18. 1917; F.B. 1306, pp. 5-36. 1923.
    for control of cucumber mosaic. D.C. 321, pp. 4-5. 1924.
    plants with hydrocyanic-acid gas. E. R. Sasscer and A. D. Borden. D.B. 513, pp. 20. 1917; F.B. 880, pp. 20. 1917.
  house—
    for cottonseed, description. D.B. 918, pp. 55-56. 1921.
    hydrocyanic-acid gas, directions. Ent. Cir. 163, pp. 5-8. 1912.
  hydrocyanic acid—
    gas—
      against household insects. F.B. 699, pp. 1-8. 1916.
      chemical studies. Ent. Bul. 90, Pt. III, pp. 91-105. 1911.
      citrus trees in California. Ent. Bul. 90, Pt. I, pp. 1-81. 1911.
      control of the Mediterranean flour moth. F. H. Chittenden. Ent. Cir. 112, pp. 22. 1910.
      cost for greenhouse plants. F.B. 880, p. 11. 1917.
      cost for various insects. D.B. 513, pp. 10-11. 1917.
      danger. D.B. 1307. pp. 1-8. 1924.
      effect on plant growth and yield of fruit. J.A.R., vol. 11, pp. 328-330. 1917.
      for greenhouses. F.B. 1431, pp. 19-20. 1924.
      in California. R. S. Woglum and C. C. McDonnell. Ent. Bul. 90, Pts. I.-III., pp. 113. 1911.
      substitution of soda salts for potash salts. Ent. [Misc.], "Soda salts as a * * *," p. 1. 1915.
      physiological effects on greenhouse plants. William Moore and J. J. Willaman. J.A.R., vol. 11, pp. 319-338. 1917.
      improved method, procedure and advantages. Ent. Bul. 79, pp. 58-68. 1909.
      in winter, for the citrus white fly, preparations for. A. W. Morrill and W. W. Yothers. Ent. Cir. 111, pp. 12. 1909.
  injury to—
    citrus plants, relations of light, heat, and moisture. D.B. 907, pp. 4-27. 1920.
    various trees. Ent. Bul. 90, Pt. I, pp. 67, 72-73. 1911.
  insects—
    on imported plants in containers. J.A.R., vol 15, p. 264. 1918.
    stored products, carbon tetrachloride, experiments. Ent. Bul. 96, Pt. IV, pp. 53-57. 1911.
    investigations in California. R. S. Woglum. Ent. Bul. 79, pp. 73. 1909.
    lemons, cost per tree. Y.B., 1907, p. 355. 1908; Y.B. Sep. 453, p. 355. 1908.
    lettuce, for insects. F.B. 1418, pp. 21-22. 1924.
    mealybug control on citrus fruits, directions. F.B. 862, pp. 5-7. 1917.

Fumigation—Continued.
  mills, warehouse, methods and results. Ent. Cir. 112, pp. 8–22. 1910.
  mushroom houses for control of pests. Ent. Cir. 155, pp. 2–3. 1912; F.B. 789, pp. 5, 6, 9, 11. 1917.
  nicotine, for greenhouses. F.B. 1431, p. 20. 1924.
  nursery stock, directions. F.B. 244, pp. 11–12. 1906; F.B. 908, pp. 43–44. 1918.
  orchard, details of procedure and cautions. Ent. Bul. 76, pp. 22–24. 1908; F.B. 1321, pp. 31–38, 56–57, 58. 1923.
  pecan, for control of leaf case-bearer. D.B. 571, pp. 23–25, 26. 1917.
  pecans, for control of weevils. F.B. 843, p. 16. 1917; F.B. 1364, p. 14. 1924.
  pineapple rot, experiments, apparatus, etc. B.P.I. Bul. 171, pp. 17–30. 1910.
  potato scab, formula and effect. Work and Exp., 1914, p. 178. 1915.
  rats, in fields, buildings, and ships. Biol. Bul. 33, pp. 48–50. 1909; F.B. 369, pp. 17–18. 1909.
  roses in greenhouse, precaution. D.B. 90, p. 15. 1914.
  scale insects, dosage recommendation in use of sodium cyanide. Ent. Bul. 90, Pt. II, pp. 89–90. 1911.
  seed—
    cotton, for control of pink bollworm. D.B. 918, pp. 47–51, 55–56, 57. 1921.
    directions. F.B. 884, pp. 15–16. 1917; F.B. 1390, p. 14. 1924.
    method. E. R. Sasscer and Lon A. Hawkins. D.B. 186, pp. 5. 1915.
  soil—
    for prevention of wireworms. D.B. 156, pp. 32–33. 1915.
    with hydrocyanic-acid gas. E. Ralph de Ong. J.A.R., vol. 11, pp. 421–436. 1917.
  stored grain, directions. F.B. 424, pp. 42–43. 1910.
  subterranean larvae under vacuum conditions, effect of hydrocyanic acid gas. E. L. Sasscer and H. L. Sanford. J.A.R., vol. 15, pp. 133–136. 1918.
  sulphur—
    dioxide experiments. Chem. Bul. 113, pp. 9–12. 1910.
    or hydrocyanic-acid gas, use in flea control. D.B. 248, p. 27. 1915.
  tents, construction and handling, directions. Ent. Bul. 76, pp. 14–21, 27–29. 1908.
  time of year and condition of fruit. Ent. Bul. 79, pp. 48–52. 1909.
  tobacco, for control of cigarette beetles, directions. Y.B., 1910, p. 292, 1911; Y.B. Sep. 537, p. 292, 1911.
  toxic gases, experiments against insects, seeds, and fungi. D.B. 893, pp. 1–16. 1920.
  use in pheasant diseases. F.B. 390, pp. 37, 39. 1910.
  value of cyanides, sodium, and potassium, comparison. Ent. Bul. 90, pp. 40–41, 83–90, 92. 1911.
  vegetable seed, use of carbon disulphide. F.B. 1390, p. 14. 1924.
  with sulphur dioxide, experiments and results. Chem. Bul. 89, pp. 10–12. 1905.
  work, Florida, and California, with results. Ent. A.R. 1909, pp. 31–33. 1909; An. Rpts., 1909, pp. 517–519. 1910.
Fumigator(s)—
  control of weevils, description. Ent. Bul. 96, Pt. V, pp. 77–79. 1912; F.B. 1275, p. 26. 1923.
  for small orchard trees. F.B. 133, pp. 21–23. 1901.
  orchard, materials. Ent. Bul. 90, pp. 10–20. 1912.
  regulations governing in southern California. F.B. 1321, p. 57. 1923.
  use in potato fumigation, description. Ent. Cir. 162, p. 5. 1912.
Fumigatorium, corn, construction directions. F.B. 1029, pp. 29–31, 36. 1919.
Fundi, importations and descriptions. Nos. 49522–49524, B.P.I. Inv. 62, pp. 3, 49. 1923; No. 52736, B.P.I. Inv. 66, pp. 3, 69. 1923; Nos. 53486, 53546, B.P.I. Inv. 67, pp. 4, 55, 60. 1923.
Funds—
  apportionment to States, under Federal aid road act for 1917. Sec. Cir. 62, pp. 1–2. 1916.

Funds—Continued.
  extension work, sources and amounts, by States. D.C. 306, pp. 3–12. 1924.
  home demonstration work, sources and extent. D.C. 141, pp. 9–10. 1920.
  marketing associations, management. Y.B., 1914, pp. 194, 201–210. 1915; Y.B. Sep. 637, pp. 194, 201–210. 1915.
  transfer, regulations. Adv. Com. F. and B.M. [Misc.], " Fiscal regulations," pp. 53–54. 1917.
Fungicide(s)—
  act—
    administration work. Y.B., 1923, p. 55. 1924.
    enforcement by department. An. Rpts., 1912, pp. 34, 253–254. 1913; Sec. A.R., 1912, pp. 34, 253–254. 1912; Y.B., 1912, pp. 34, 253–254. 1913.
  apple, experiments on. M. B. Waite. B.P.I. Cir. 58, pp. 19. 1910.
  adulteration and misbranding, N. J. 826, 846. I. and F. Bd. S.R.A. 44, pp. 1033, 1052. 1923
  analysis, methods. Chem. Bul. 67, pp. 87–96. 1902; Chem. Bul. 76, pp. 23–56. 1903; Chem. Bul. 81, pp. 195–205. 1904; Chem. Bul. 90, pp. 95–104. 1905; Chem. Bul. 107, pp. 25–34. 1907; Chem. Bul. 107, rev., pp. 239–240. 1912.
  and insecticides—
    J. K. Haywood. F.B. 146, pp. 16. 1902.
    analysis, methods. J. K. Haywood. Chem. Cir. 10, pp. 8. 1902.
    chemical composition. J. K. Haywood. Chem. Bul. 68, pp. 62. 1902.
    methods of analysis. Chem. Bul. 73, pp. 158–169. 1903.
  combinations with—
    arsenicals, investigations. D.B. 1147, pp. 13–18, 33–36, 51. 1923.
    nicotine dust. F.B. 1282, pp. 6–7. 1922.
  efficiency, factors influencing. B.P.I. Bul. 265, pp. 1–29. 1912.
  examination and testing. An. Rpts., 1913, pp. 331–333. 1914; I. and F. Bd. A.R., 1913, pp. 3. 1913.
  for control of Sclerotium wilt of potatoes. Hawaii Bul. 45, p. 13. 1920.
  formulas and directions. F.B. 856, pp. 6–12. 1917; F.B. 1202, p. 60. 1921; P.R. Bul. 10, pp. 24–31. 1911; P.R. Cir. 17, pp. 26–28. 1918.
  increase on market, control work of Insecticide Board, etc. News L., vol. 2, No. 33, pp. 3–4. 1915.
  injury to seeds with broken coats. J.A.R., vol. 21, No. 2, pp. 99–122. 1921.
  inspection and special investigations—
    1917. An. Rpts., 1917, pp. 411–414. 1918; I. and F. Bd. A.R., 1917, pp. 4. 1917.
    1918. An. Rpts., 1918, pp. 425–430. 1918; I. and F. Bd. A.R., 1918, pp. 6. 1918.
    1919. An. Rpts., 1919, pp. 425–430. 1920. I. and F. Bd. A.R., 1919, pp. 5. 1919.
  investigations, program for 1915. Sec. [Misc.], "Program of work * * *, 1915," pp. 271–272. 1914.
  law(s)—
    interstate commerce, passage. O.E.S., An. Rpt., 1910, p. 71. 1911.
    violations and penalties. News L., vol. 3, No. 7, pp. 3–4, 5. 1915.
  manufacture and sale, supervision. An. Rpts., 1923, pp. 58, 651–656. 1924; I. and F.Bd. A.R., 1923, pp. 1–60. 1923; Sec. A.R., 1923, p. 58. 1923.
  misbranding—
    N.J. 282, 284, 288, 289, 293–297. I. and F. Bd., S.R.A. 17, pp. 303, 304, 308–310, 312–317. 1917.
    and adulteration, regulations. Sec. Cir. 34, 2d, rev., pp. 5–7. 1917.
    "Horicum." I. and F. Bd., N.J. 31, pp. 2. 1914.
    "simplex." N.J. 190, I. and F. Bd. S.R.A. 11, pp. 72–76. 1915.
  pear diseases, formulas and directions for use. F.B. 1056, pp. 8–13, 18, 23–28, 30–34. 1919.
  penetration into soils. J.A.R., vol. 31, pp. 329–358. 1925.
  plant diseases, formulas and use. S.R.S. Doc. 52, pp. 2–3, 6–10. 1917.
  preparation, Pacific Northwest. F.B. 153, pp. 20–22. 1902.

INDEX TO PUBLICATIONS, 1901-1925   993

Fungicide(s)—Continued.
  relation to mealybugs. D.B. 1117, pp. 2, 14-18. 1922.
  report of referee. Chem. Bul. 62, p. 139. 1901; Chem. Bul. 67, p. 87. 1902; Chem. Bul. 73, p. 158-169. 1903; Chem. Bul. 99, pp. 26-33. 1906.
  rose disease, formulas and directions. F.B. 750, pp. 34-35. 1916.
  self-boiled, lime-sulphur—
    mixture, promising. W. M. Scott. B.P.I. Cir. 1, pp. 18. 1908.
    wash. Ent. Cir. 124, p. 14. 1910.
  State laws. I. and F. Bd. S.R.A. 21, pp. 435-450. 1918.
  use—
    against black-rot of grape, experiments. B.P.I. Cir. 65, pp. 5-13. 1910.
    for control of—
      corn smut. J.A.R., vol. 30, p. 170. 1925.
      peach-scab, kinds, cost of treatment, profits. D.B. 395, pp. 56-59, 63. 1917.
      powdery scab of potato. D.B. 82, pp. 12-13. 1914.
    in—
      cranberry diseases. F.B. 221, pp. 9-13. 1905.
      fruit disease prevention. M. B. Waite. F.B. 243, pp. 32. 1906.
      home garden, directions. D.C. 35, pp. 27-28, 29-30. 1919.
      insect and plant disease control in Canal Zone. Rpt. 95, pp. 16-17. 1912.
      ginseng spraying, formulas. B.P.I. Bul. 250, pp. 37-38. 1912.
    of—
      lime-sulphur sprays. F.B. 435, pp. 12-16. 1911.
      Morren's mixture, formula. B.P.I. Bul. 245, p. 21. 1912.
    on—
      crown gall not successful. B.P.I. Bul. 183, pp. 25-26. 1910.
      grape black rot, formulas and directions. B.P.I. Bul. 155, pp. 11-13. 1909.
      with insecticides, table for mixing. P.R. Cir. 17, p. 23. 1918.
    useless against cotton wilt. F.B. 333, p. 13. 1908.
    value of lime sulphur wash. Y.B., 1908, p. 270. 1909; Y.B. Sep. 480, p. 270. 1909.
  See also Dusting; Insecticides; Spraying.
Fungicide and Insecticide Board. See Insecticide and Fungicide Board.
Fungicide Board. See Insecticide and Fungicide Board.
Fungine misbranding. I. and F. N.J. 117. I. and F. Bd. S.R.A. 6, p. 87. 1914.
Fungous—
  disease(s)—
    coffee, Porto Rico. G. L. Fawcett. P.R. Bul. 17, pp. 29. 1915.
    destruction of native vegetation of Great Plains area. B.P.I. Bul. 201, pp. 43-44, 52, 56. 1911.
    grape—
      description and control. F.B. 284, pp. 28-48. 1907; F.B. 1220, pp. 47-64. 1921.
      spraying experiments and results. D.B. 866, pp. 22-29. 1920.
    hemp. Y.B., 1913, p. 316. 1914; Y.B. Sep. 628, p. 316. 1914.
    in Pacific Northwest. F.B. 153, pp. 13, 14, 31-38. 1902.
    in Porto Rico. O.E.S. An. Rpt., 1904, pp. 397-399. 1905.
    injurious to ash trees. D.B. 299, p. 24. 1915.
    injury to plants in Alaska. Alaska A.R., 1914, pp. 26-27. 1915.
    jack pine, studies. D.B. 212, pp. 1-10. 1915.
    killing destructive locusts. Ent. Bul. 38, p. 50. 1902.
    methods of invading host-plants. J.A.R., vol. 13, pp. 275, 276, 277. 1919.
    of—
      acid lime. Hawaii Bul. 49, pp. 12-13. 1923.
      alfalfa weevil, description. Ent. Bul. 112, p. 41. 1912.
      animals, transmission, experiments. B.A.I. An. Rpt., 1907, pp. 274-275. 1909.
      apple and insect enemies. F.B. 492, pp. 1-48. 1912.

Fungous—Continued.
  disease(s)—continued.
    of—continued.
      blackhead fireworm of cranberry. D.B. 1032, pp. 20-21. 1922.
      cranberry. C. L. Shear. F.B. 221, pp. 16. 1905.
      economic importance. Flora W. Patterson and others. B.P.I. Bul. 171, pp. 41. 1910.
      forest trees. Herman von Schrenk. Y.B., 1900, pp. 199-210. 1901; Y.B. Sep. 208, pp. 12. 1901.
      orchards, spread by cultivation. J.A.R., vol. 10, p. 171. 1917.
      plant—
        control progress. F. C. Stewart. O.E.S. Bul. 196, pp. 96-99. 1907.
        nature, and relation of parasite to host. Y. B., 1908, pp. 455-457. 1909; Y.B. Sep. 494, pp. 455-457. 1909.
        relation to mistletoe injury of conifers. D.B. 360, pp. 25-26, 27. 1916.
        roselle, uses. F.B. 307, p. 16. 1907.
        shade trees, prevention and treatment. Y.B., 1907, pp. 491-494. 1908; Y.B. Sep. 463, pp. 491-494. 1908.
        spread, relation to weather, remarks. J.A.R., vol. 30, p. 593. 1925.
        sugar-cane, dissemination in shipments. B.P.I. Cir. 126, pp. 3-13. 1913.
      use in—
        Argentine-ant control. Ent. Bul. 122, pp. 75-76. 1913.
        forest-insect control. Ent. Cir. 129, p. 9. 1910.
        grasshopper control. Ent. Bul. 38, pp. 52-57. 1902.
        sugar-cane leafhopper control. Ent. Bul. 93, pp. 28, 32. 1911.
        yellow-bear caterpillar. Ent. Bul. 82, Pt. V, p. 61. 1910.
    See also names of diseases.
    infection, spread by weather. J.A.R., vol. 30, p. 593. 1925.
    staining of cotton fibers. B.P.I. Cir. 110, pp. 27-28. 1913.
Fungus(i)—
  absence in leaf-roll of potato. D.B. 64, pp. 25-26. 1914.
  affecting white fly, description, and results. Ent. Bul. 102, pp. 20-70, 71. 1912.
  Agaricus campestris and other basidiomycetes, a preliminary study of spore germination. Margaret C. Ferguson. B.P.I. Bul. 16, pp. 43. 1902.
  anthracnose, germination, and kinds. D.B. 727, pp. 19-22, 24. 1918.
  apple scab, growth and control. F.B. 492, pp. 24-25. 1912.
  associated with—
    root-rot disease of apple. J.A.R., vol. 10, pp. 165-167. 1917.
    rots in aroids. J.A.R., vol. 6, No. 15, p. 566. 1916.
  association with Spongospora subterranea on potato. J.A.R., vol. 7, pp. 226-228. 1916.
  attacking—
    pecan, description, and cultural studies. J.A.R., vol. 1, pp. 303-338. 1914.
    wireworms. D.B. 156, p. 29. 1915.
  attacks on—
    fruits injured by fruit fly. J.A.R., vol. 3, pp. 322, 323, 324. 1915.
    yellow pine from grazing injuries. D.B. 580, pp. 22-23. 1917.
  beefsteak, description. D.B. 175, p. 42. 1915.
  beet diseases, cultures, methods of securing. J.A.R., vol. 4, pp. 137, 160, 162. 1915.
  beetle—
    black, description and habits. F.B. 1260, p. 40. 1922.
    two-banded, description. F.B. 1260, p. 39. 1922.
  use and propagation, Porto Rico sugar-cane fields. P.R. An. Rpt., 1912, pp. 36-37. 1913.
  beneficial—
    control of citrus pests. D.B. 1178, pp. 1-2. 1923; Hawaii A.R., 1915 pp. 67-69. 1916; F.B. 933, pp. 5-6. 1918.

Fungus(i)—Continued.
  beneficial—continued.
    in citrus orchards, not affected by oil sprays. Ent. Cir. 168, p. 8. 1913.
    introduction methods, description, etc. P.R. Bul. 10, pp. 15–16. 1911.
    bird's nest, description. D.B. 175, pp. 52–53. 1915.
    black sooty, injury to walnuts. D.B. 100, pp. 3, 46. 1914.
    blueberry root, beneficial effects. An. Rpts., 1908, p. 62. 1909; Sec. A.R., 1908, p. 60. 1908.
  brown, of white fly—
    history, description, and effects. Ent. Bul. 102, pp. 28–32, 48, 50, 51, 59, 71. 1912.
    occurrence in India. Ent. Bul. 120, p. 20. 1913.
  cause of—
    angular leaf spot of cotton, studies. J.A.R., vol. 8, pp. 457–475. 1917.
    anthracnose in watermelon, description. F.B. 821, p. 7. 1917.
    apple bitter-rot, description. D.B. 684, pp. 3, 4. 1918.
    black root rot of apple. J.A.R., vol. 10, pp. 167–170. 1917.
    black stem rust, description and life history. Y.B., 1918, pp. 78–82. 1919; Y.B. Sep. 796 pp. 6–10. 1919.
    brown—
      rot of fruits in America. John W. Roberts and John C. Duncan. J.A.R., vol. 28, pp. 955–960. 1924.
      rot of prunes and cherries. D.B. 368, pp. 23–24. 1916.
      spot of corn, spores production, and germination. F.B. 1124, pp. 7–8. 1920.
    cherry leaf spot. F.B. 1053, p. 5. 1919.
    chestnut bark disease, description, and spread. Y.B., 1912, pp. 364–367. 1913; Y.B. Sep. 598, pp. 364–367. 1913.
    citrus scab, description and characteristics. D.B. 1118, pp. 8–11, 12–13. 1923; D.C. 215, p. 3. 1922.
    cork-rot in Douglas fir, description, and results. D.B. 1163, pp. 3–5, 12–15. 1923.
    cotton—
      leak on cucumbers. J.A.R., vol. 30, pp. 1035–1042. 1925.
      wilt, description and spread. F.B. 625, p. 5. 1914.
    decay in timber, description and spread. D.B. 510, pp. 2–7. 1917.
    decay in wood. F.B. 744, pp. 2–4. 1916.
    decay of fruit in transit, control. D.B. 331, pp. 4, 12. 1916.
    discolorations in airplane woods. D.B. 1128, pp. 24–40. 1923.
    dry rot of corn. F.B. 334, pp. 11–12. 1908.
    ginseng root rot, *Alternaria panax*. J.A.R., vol. 5, No. 4, pp. 181–182. 1915.
    honeycomb heart rot of oaks. J.A.R., vol. 5, No. 10, pp. 421–428. 1915.
    leaf—
      blight of *Kalmia latifolia*, technical description. J.A.R., vol. 13, p. 211. 1918.
      spot of sugar beet, spread and control. B.P.I. Cir. 121, pp. 13–17. 1913.
    mycotic stomatitis of cattle. D.C. 322, p. 2. 1924.
    peanut wilt. J.A.R., vol. 8, pp. 441–448. 1917.
    reddened codfish. Chem. Bul. 133, pp. 40–61. 1911.
    rots of peas. J.A.R., vol. 26, p. 459. 1923.
    sap rot, description and occurrence. B.P.I. Bul. 114, pp. 13–15. 1907.
    silver scurf of potato. B.P.I. Cir. 127, pp. 18–19. 1913.
    southern sclerotium rot, studies. J.A.R., vol. 18, pp. 127–138. 1919.
    squash disease, description and spread. J.A.R. vol. 8, pp. 319–328. 1917.
    stem lesions on potato plants. J.A.R., vol. 14, pp. 213–219. 1918.
    sweet-potato rots, description, and spread. J.A.R., vol. 15, pp. 340–365. 1918.
    tobacco root rot. D.B. 765, p. 5. 1919.
    turnip leaf spot, classification and description. J.A.R., vol. 10, p. 161. 1917.
    yellow-leaf-blotch of alfalfa. J.A.R., vol. 13, pp. 307–333. 1918.

Fungus(i)—Continued.
  causing—
    forest tree diseases. B.P.I. Bul. 149, pp. 18–61. 1909.
    pulp decay. D.B. 1298, pp. 6, 52–67. 1925.
    chalky quinine, decay in softwoods, description. D.B. 1128, p. 35. 1923.
    cheese ripening, Camembert and Roquefort. B.A.I. Bul. 82, pp. 39. 1906.
    chestnut blight. See Chestnut bark disease; Chestnut blight; *Endothia parasitica*.
  chinch-bug—
    destruction of grasshoppers. F.B. 691, p. 9. 1915; rev., p. 10. 1920.
    experiments in Argentine ant control. Ent. Bul. 122, p. 75. 1913.
    failure as control measure. F.B. 1223, p. 13. 1922.
    for control of pest. Ent. Cir. 113, pp. 13–14, 26. 1909.
    origin and use, experiments. F.B. 657, pp. 13–15. 1915.
    cinnamon, as parasite of white fly. Ent. Bul. 102, pp. 37–38, 71. 1912.
  citrus—
    knot, description, culture, and inoculation experiments. B.P.I. Bul. 247, pp. 13–69. 1912.
    scab, attack on rutaceous plants. John R. Winston and others. J.A.R. vol. 30, pp. 1087–1093. 1925.
    common and mushrooms. Flora W. Patterson and Vera K. Charles. D.B. 175, pp. 64. 1915.
    conifer trees, causing needle diseases. D.B. 44, p. 16. 1913.
  control—
    of clover-leaf curculio. F.B. 649, p. 6. 1915.
    on white pine seedlings. For. Cir. 67, p. 4. 1907.
    coral, description. B.P.I. Bul. 149, pp. 44, 76. 1909; D.B. 175, p. 46. 1915; F.B. 796, p. 16. 1917.
    corn, poisonous character, studies. B.P.I. Bul. 270, pp. 1–48. 1913.
  cotton—
    root rot, habits. J.A.R., vol. 28, pp. 525–527. 1923.
    root rot, habits. C. J. King. J.A.R., vol. 26, pp. 405–418. 1923.
    wilt, description and characteristics. B.P.I. Cir. 92, pp. 6–7. 1912; F.B. 333, pp. 8–11. 1908.
  cranberry—
    anthracnose, description and treatment. B.P.I Bul. 110, pp. 30–35. 1907.
    blast and scald, description, treatment. B.P.I. Bul. 110, pp. 12–26. 1907.
    hypertrophy, description and treatment. B.P.I. Bul. 110, pp. 35–37. 1907.
    injuries to fruit and leaves. B.P.I. Bul. 110, pp. 37–49. 1907.
    relation to temperatures. J.A.R., vol. 11, pp. 521–529. 1917.
    rot, description, treatment. B.P.I. Bul. 110, pp. 26–30. 1907.
    cucurbit anthracnose, description and spread. D.B. 727, pp. 12–58. 1918.
    cultural characters, value in determination of species. J.A.R. vol. 12, pp. 48–65. 1918.
    culture methods, results. B.P.I. Bul. 85, pp. 19–21, 24–25. 1905.
    cultures, handling, methods and instruments. J.A.R., vol. 12, pp. 34–35. 1918.
    damage to wheat. Y.B., 1921, p. 110. 1922; Y.B Sep. 873, p. 110. 1922.
  damping-off—
    cause of diseases of conifer seedlings, studies. J.A.R., vol. 15, pp. 530–550. 1918
    direct inoculation of coniferous stems. Annie Rathbun-Gravatt. J.A.R., vol. 30, pp. 327–339. 1925.
    source and identity. J.A.R., vol. 30, pp. 329–331. 1925.
    tobacco, remedies. Hawaii Bul. 15, p. 16. 1908.
  definition. D.C. 220, p. 1. 1924; Sec. Cir. 34, rev., p. 6. 1913.

Fungus(i)—Continued.
  destruction of—
    chinch bug. Ent. Bul. 69, pp. 1-44. 1907.
    English grain aphid. J.A.R., vol. 7, p. 479. 1916.
  development on *Gastrophilus haemorrhoidalis*, natural control. D.B. 597, pp. 23-25. 1918.
  economic and others prepared for distribution, a collection. Flora W. Patterson. B.P.I. Bul. 8, pp. 31. 1902.
  edible—
    nutritive value, discussion. Y.B., 1910, p. 365. 1911; Y.B. Sep. 543, p. 365. 1911.
    See also Mushrooms.
  effect—
    of low temperature, experiments. J.A.R., vol. 5, No. 14, pp. 651-655. 1916.
    on germination of cottonseed. J.A.R., vol. 5, No. 25, pp. 1172-1174. 1916.
  enemies of—
    grape east of Rocky Mountains, with insects. A. L. Quaintance and C. L. Shear. F.B. 284, pp. 48. 1907.
    leafhoppers. Ent. Bul. 108, pp. 57, 59. 1912.
    pear thrips. D.B 173, p. 52. 1915; Ent. Bul. 68, p. 15. 1907.
    terrapin scale. Ent. Bul. 67, p. 38. 1907.
    western yellow pine. D.B. 1105, p. 133. 1923; For. Bul. 101, pp. 15-16. 1911.
  entomogenous—
    studies, historial notes. J.A.R., vol. 18, pp. 400-405, 438-439. 1920.
    value to citrus industry. D.B. 1117, pp. 2, 4-6. 1922; D.C. 215, p. 4. 1922.
  factors favoring growth. D.B. 1037, pp. 14-17. 1922.
  fairy rings, description and effect on vegetation. J.A.R., vol. 11, pp. 191-246. 1917.
  false-tinder, description, hosts, distribution, and spread. B.P.I. Bul. 149, pp. 25-37. 1909.
  filamentous, destruction of cellulose. B.P.I. Bul. 266, pp. 23-25, 41-43, 46. 1913.
  forest trees, description, trees attacked, and characteristics. D.B. 658, pp. 3-22. 1918.
  fruits—
    pycnidia cavities, origin. B. O. Dodge. J.A. R., vol. 23, pp. 743-760. 1923.
    temperature relations. C. Brooks and J. S. Cooley. J.A.R., vol. 22, pp. 451-465. 1922.
  fumigation with toxic gases, effect. D.B. 893, pp. 5, 7, 11. 1920.
  gray, of chinch bug. Ent. Bul. 107, pp. 7, 8, 9, 10. 1911.
  growth—
    and reproduction, effect of various factors, physical and chemical. J.A.R., vol. 5, No. 16, pp. 720-764. 1916.
    effect of wood preservatives. D.B. 145, pp. 7, 11, 19. 1915.
    in culture media containing dextrose, experiments. J.A.R., vol. 24, pp. 35-38. 1923.
  harmless to seedling conifers, description and list. J.A.R., vol. 15, pp. 548-550, 556. 1918.
  heart-rotting, investigations. J.A.R., vol. 1, pp. 99-114. 1913.
  Idaho soils, lists and detailed descriptions. J.A.R., vol. 13, pp. 78-97. 1918.
  imperfect, isolated from wheat, oat, and barley plants, study. Edward C. Johnson. J.A.R., vol. 1, pp. 475-490. 1914.
  importance in timber decay, studies. Walter H. Snell. D.B., 1053, pp. 47. 1922.
  in grain, retarded by bleaching. B.P.I. Cir. 74, p. 9. 1911.
  Indian paint, decay in firs and hemlock, description. D.B. 1128, p. 37. 1923.
  infection of plants, effect on water requirement. J.A.R., vol. 27, pp. 108-110. 1923.
  infesting *Paspalum dilatatum*. J.A.R., vol. 7, p. 404. 1916.
  injury to—
    alfalfa caterpiller. D.B. 124, pp. 6, 26-28. 1914.
    aspen trees. D.B. 1291, pp. 15-16. 1925; For. Bul. 93, p. 19. 1911.
    avocado. D.B. 743, pp. 35-36. 1919; Hawaii Bul. 25, pp. 23-26. 1911.
    balsam fir. D.B. 55, pp. 30-31. 1914.
    beet leaf-beetle. D.B. 892, p. 18. 1920.

Fungus(i)—Continued.
  injury to—continued.
    cereals, study in 1923. Work and Exp., 1923, pp. 43-44. 1925.
    cottonwood trees. D.B. 24, pp. 14-15. 1913.
    cypress trees. D.B. 272, pp. 36-37. 1915.
    date fruits, studies. Work and Exp., 1919, p. 58. 1921.
    Emory oak. For. Cir. 201, pp. 11-12. 1912.
    false wireworms. J.A.R., vol. 26, p. 561. 1923.
    fire-killed Douglas fir timber. For. Bul. 112, pp. 7-8. 1912.
    forest trees. D.B. 275, pp. 12-14. 1916.
    grasshoppers, experiments in Mississippi Delta. Ent. Bul. 30, pp. 19-22. 1901.
    hemp. J.A.R., vol. 3, pp. 81-84. 1914.
    jack pine. D.B. 212, p. 2. 1915.
    lodgepole pine. D.B. 154, p. 21. 1915.
    meadow plant bug. J.A.R., vol. 15, p. 197. 1918.
    melon fly. D.B. 491, p. 47. 1917.
    mole cricket, experimental studies. P.R. Bul. 23, p. 19. 1918.
    mushrooms, discussion. D.B. 127, pp. 3-6. 1914.
    pecans, and control methods. F.B. 1129, pp. 3-13. 1920.
    San Jose scale. Ent. Cir. 124, p. 11. 1910; F.B. 650, p. 13. 1915.
    shortleaf pine, diseases caused by. D.B. 244, pp. 36-38. 1915.
    Sitka spruce, description and habits. D.B. 1060, pp. 18-20. 1922.
    white grubs. F.B. 940, pp. 14-15. 1918.
    wood lots, control studies. F.B. 711, pp. 17, 18. 1916.
    yellow pine. D.B. 418, p. 14. 1917.
  insects, and other pests, in Porto Rico, some means of controlling. R. H. Van Zwaluwenburg and Raphael Vidal. P.R. Cir. 17, pp. 30. 1918.
  lacquer-top, description and injury to spruce trees. D.B. 1060, p. 19. 1922.
  mealybug, description and symptoms. D.B. 1117, pp. 4-10. 1922.
  mycorrhizal in roots of legumes and some other plants. Fred Reuel Jones. J.A.R., vol. 29, pp. 459-470. 1924.
  needle—
    injury to pine trees. D.B. 799, p. 2. 1919.
    western yellow pine, undescribed, *Hypoderma deformans*. James R. Weir. J.A.R., vol. 6, No. 8, pp. 277-288. 1916.
  occurrence—
    in moldy butter. J.A.R., vol. 3, pp. 303-309. 1915.
    on strawberries, and causing decay. D.B. 531, p. 4. 1917.
  on forage, cause of mouth disease of cattle. B.A.I. [Misc.], "Diseases of cattle," rev., pp. 15-68, 69, 543. 1912.
  onion, relation of temperature to growth. J.A.R., vol. 30, p. 181. 1925.
  organisms—
    description. Chem. Bul. 133, pp. 47-56. 1911.
    transmission in seed potatoes. J.A.R., vol. 21, pp. 822-839. 1921.
  osmotic pressure, studies. J.A.R., vol. 7, pp. 255-259. 1916.
  oyster, shade tree, results. Y.B., 1907, p. 491. 1908; Y.B. Sep. 463, p. 491. 1908.
  parasite—
    in white fly control work. An. Rpts., 1908, pp. 548-549. 1909; Ent. A.R., 1908, pp. 26-27. 1908.
    of—
      chinch bugs, studies. Ent. Bul., 95, Pt. III, pp. 40-41. 1911.
      coconut palm. Ent. Bul. 38, p. 21. 1902.
      cutworms. J. A. R., vol. 8, pp. 189-194. 1917; J. A. R., vol. 18, pp. 399-440. 1920.
      the genus Glomerella. C. L. Shear and Anna K. Wood. B.P.I. Bul. 252, pp. 110. 1913.
      woolly white fly. Ent. Bul. 64, p. 70. 1911.
    on sugar beets and radishes. J.A.R., vol. 4, pp. 279-291. 1915.
  parasitic—
    attacks on citrus varieties. J.A.R., vol. 30, pp. 629-635. 1925.

Fungus(i)—Continued.
  parasitic—continued.
    growth in concentrated solutions. J.A.R., vol. 7, pp. 255–260. 1916.
    growth in concentrated solutions. Lon A. Hawkins. J.A.R., vol. 7, pp. 255–260. 1916.
    use in chinch-bug control, experiments. F.B. 657, pp. 13–15. 1915.
    pathogenic, distribution in upper air. J.A.R., vol. 24, pp. 599–605. 1923.
  pests, control, legislation, excellencies, and defects. S. A. Forbes. O.E.S. Bul. 123, pp. 122–126. 1903.
  poisoning, cattle, dangers of moldy feed. B.A.I., [Misc.] "Diseases of cattle," rev., pp. 15, 67, 148. 1912.
  potato—
    causing wart disease. C. T. and F. C. D. Inv. Cir. 6, pp. 6–7. 1919.
    control measures. F.B. 953, pp. 6, 15. 1918.
    description. J.A.R., vol. 7, pp. 213–254. 1916.
    investigations. L. R. Jones and others. B.P.I. Bul. 245, pp. 100. 1912.
    scab, character and development. B.P.I. Cir. 23, pp. 8–9. 1909.
    wilt—
      and rot, temperature relations. H. A. Edson and M. Shapovalov. J.A.R., vol. 18, pp. 511–524. 1920.
      infection and spread. B.P.I. Cir. 23, p. 6. 1909.
  preparation for exchange (Ustilaginales and Uredinales) list. Flora W. Patterson and others. D.C. 195, pp. 50. 1922.
  presence in seed potatoes. J.A.R., vol. 21, pp. 828–829. 1921.
  red—
    belt, description and injury to spruce trees. D.B. 1060, p. 19. 1922.
    of white fly, history, description, effects and artificial infection. Ent. Bul. 102, pp. 20–26, 47, 61–68, 71. 1912.
  relation to—
    coconut bud rot. B.P.I. Bul. 228, pp. 11, 19, 22, 25, 26, 32, 38, 39, 47, 48. 1912.
    jack pine. D.B. 212, p. 2. 1915.
    leaf-roll of potato. D.B. 64, pp. 25–26. 1914.
  ring-scale—
    association with dry rot of cedar. D.B. 871, pp. 16–20. 1920.
    decay in softwood trees, description. D.B. 1128, p. 34. 1923.
    description, and injury to pine trees. D.B. 154, p. 21. 1915. D.B. 799, pp. 3, 15, 23. 1919.
    description and injury to trees. For. [Misc.], "Forest tree diseases * * * ," pp. 43–44. 1914.
    description, injury to spruce trees. D.B. 1060, p. 18. 1922.
  root—
    and needle, resistance of jack pine. D.B. 212, p. 7. 1915.
    growth and effect on trees of eastern Puget Sound Basin, Wash. Soil Sur. Adv. Sh., 1909, pp. 33–34. 1911; Soils F.O., 1909, pp. 1545–1546. 1912.
    rot, tobacco, nature and effects. B.P.I. Bul. 158, pp. 1–55. 1909.
  rot(s)—
    and wilt of potatoes, temperature relations. H. A. Edson and M. Shapovalov. J.A.R., vol. 18, pp. 511–524. 1920.
    Douglas fir, description and relative importance. D.B. 1163, pp. 3–5, 12–17. 1923.
    in stored lumber. D.B. 510, pp. 30–37. 1917.
    inoculation into corn, experiments and results. J.A.R., vol. 27, pp. 961–963. 1924.
    sweet potato, Mucor racemosus and Diplodia tubericola. L. L. Harter. J.A.R., vol. 30, pp. 961–969. 1925.
  sap-stain, responsibility for fungous stains of wood, history. D.B. 1037, pp. 7–10. 1922.
  scab, of grains, propagation. J.A.R., vol. 19, pp. 235–237. 1920.
  seed corn, internal parasitic. Thomas F. Manns and J. F. Adams. J.A.R. ,vol. 23 ,pp. 495–524. 1923.

Fungus(i)—Continued.
  shelf, description, and injuries to trees. B.P.I. Bul. 149, pp. 25–61. 1909; For. [Misc.], "Forest tree diseases * * * ," pp. 21–29, 42–53. 1914.
  shoestring, destruction of oaks and relation to borers. J.A.R., vol. 3, pp. 284–285. 1915.
  silver scurf of potato, characteristics, spread, and control. J.A.R., vol. 6, No. 10, pp. 339–350. 1916.
  soil—
    control by hot water. D.B. 818, pp. 1–14. 1920.
    effects. Soils Bul. 55, p. 18. 1909.
    relation to potato diseases in southern Idaho. O. A. Pratt. J.A.R., vol. 13, pp. 73–100. 1918.
  sooty—
    injury to apple. F.B. 492, pp. 36–37. 1912.
    mold, injury to citrus fruit. Ent. Bul. 120, pp. 11–12. 1913.
    spraying tests. Ent. Bul. 80, Pt. VIII, pp. 148, 151. 1910.
  species, determination by cultural characters. J.A.R., vol. 12, pp. 48–65. 1918.
  spore(s)—
    carried by birds, results of tests, description. J.A.R., vol. 2, pp. 417–420. 1914.
    use as spray for control of white fly. O.E.S. An. Rpt., 1909, p. 91. 1910.
    walls, studies. J.A.R., vol. 27, pp. 749–756. 1924.
  spread by insects. J.A.R., vol. 5, No. 19, pp. 898–902. 1916.
  stone fruits, temperature relations. Charles Brooks and J. S. Cooley. J.A.R., vol. 22, pp. 451–465. 1922.
  sulphur—
    decay in softwoods, description. D.B. 1128, p. 35. 1923.
    description, and injury to fir trees. For [Misc.], "Forest tree diseases * * * ," p. 45. 1914.
    description, trees attacked, and characteristics. D.B. 658, pp. 8, 9, 17. 1918.
  temperature relations, studies of eleven Rhizopus spp. J.A.R., vol. 24, pp. 1–40. 1923.
  Texas root rot, Ozonium omnivorum Shear, life history. C. L. Shear. J.A.R., vol. 30, pp. 475–477. 1925.
  transference from forest to orchard trees. B.P.I. Bul. 149, p. 24. 1909.
  tree roots, effect on soils, discussion. Soils Bul. 75, p. 33. 1911.
  twig blight on chestnut oak. J.A.R., vol. 1, pp. 339–346. 1914.
  use(s)—
    as food, lesson. D.B. 123, pp. 48–50. 1916; O.E.S. Bul. 245, pp. 63–66. 1912.
    in—
      agriculture study, varieties, collection methods, etc. F.B. 596, pp. 21–24. 1914.
      control of black fly. D.B. 885, p. 45. 1920.
      control of white grub, experiments. F.B. 543, pp. 15–16. 1913.
      study of decomposition of proteins and amino acids. J.A.R., vol. 30, pp. 265, 274, 275. 1925.
    value to blueberry rootlets. B.P.I. Bul. 193, pp. 42–45, 48–50, 89. 1910.
  velvet-top—
    decay in softwoods, description. D.B. 658, pp. 6–8, 16. 1918; D.B. 1128, p. 35. 1923.
    description, and injury to pine trees. D.B. 799, pp. 3–4, 15, 23. 1919.
    description and injury to spruce trees. D.B. 1060, pp. 18–19. 1922.
  white. See White-fungus disease.
  white-fly, experiments in Virgin Islands. Vir. Is. A.R., 1920, pp. 26–27. 1921.
  white-fringed, of white fly, description and effects. Ent. Bul. 102, pp. 32–35. 1912.
  willow, injury to wood. D.B. 316, p. 8. 1915.
  wood—
    destroying two new species. James R. Weir. J.A.R., vol. 2, pp. 163–166. 1914.
    effect of kiln drying, steaming, and air seasoning. Ernest E. Hubert D.B. 1262, pp. 20 1924.

Fungus(i)—Continued.
wood—continued.
rotting—
destruction of trees attacked by aspen borers. F.B. 1154, pp. 6, 10. 1920.
dissemination methods. D.B. 1053, pp. 26-30. 1922.
economic importance to uses of timber. D.B. 1053, pp. 1-47. 1922.
factors governing growth. B.P.I. Bul. 214, pp. 24-26. 1911.
injury to pecan trees, and control. F.B. 1129, pp. 9-10. 1920.
pure cultures on artificial media. W. H. Long and R. M. Marsch. J.A.R., vol. 12, pp. 33-82. 1918.
spores, viability and transmission methods. D.B. 1053, pp. 11-19. 1922.
work on slash in forests of Arkansas. D.B. 496, pp. 3-4, 6, 7-8, 11, 14. 1917.
staining, injury to airplane woods. D.B. 1128, pp. 24-40. 1923.
wound, description and injuries to trees. B.P.I. Bul. 149, pp. 25-52. 1909.
yeasts and associated, fermenting power. William B. Alwood. Chem. Bul. 111, pp. 28. 1908.
yellow, of white fly, history, description, effects of artificial infection. Ent. Bul. 102, pp. 26-28, 57, 67, 71. 1912.
See also *names of fungi.*
FUNK, W. C.—
"An economic study of small farms near Washington, D. C." D.B. 848, pp. 19. 1920.
"Costs and farm practices in producing potatoes on 461 farms in Minnesota, Wisconsin, Michigan, New York, and Maine for the crop year 1919." D.B. 1189, pp. 40. 1924.
"Farm household accounts." F.B. 964, pp. 11. 1918.
"Home supplies furnished by the farm." F.B. 1082, pp. 19. 1920.
"Value of a small plot of ground to the laboring man." D.B. 602, pp. 12. 1918.
"Value to farm families of food, fuel, and use of house." D.B. 410, pp. 35. 1916.
"What the farm contributes directly to the farmers' living." F.B. 635, pp. 21. 1914.
Funnel trap for English sparrows. F.B. 493, pp. 17-20. 1912.
Fur(s)—
Alaskan—
illegal traffic. D.C. 88, p. 11. 1920.
shipments, kinds, number, and value. An. Rpts., 1923, pp. 448-449. 1924; Biol. Chief Rpt., 1923, pp. 30-31. 1923.
animals—
Alaska—
care, protection, and propagation, transfer to Agriculture Department. An. Rpts., 1920, pp. 354-357, 378. 1921.
conditions. D.C. 260, pp. 4-5. 1923.
Kenai Peninsula region, list and closed seasons. Soil Sur. Adv. Sh., 1916, p. 117-118. 1919; Soils F.O., 1916, pp. 149-150. 1921.
under care of Biological Survey, work. D.C. 168, pp. 5, 6, 10, 12. 1921.
already domesticated, and other possibilities. Y.B. 1916, pp. 490-494. 1917; Y.B. Sep. 693, pp. 2-6. 1917.
aquatic, under care of Commerce Department. D.C. 168, pp. 5, 6, 10. 1921.
choice of species, inclosures, food, breeding, and care. Y.B., 1916, pp. 495-503. 1917; Y.B. Sep. 693, pp. 7-15. 1917.
diseases, description, causes, and control. Y.B., 1916, pp. 501-503. 1917; Y.B. Sep. 693, pp. 13-15. 1917.
land, protection, regulation. Biol. S.R.A. 45, p. 1. 1922.
laws—
1915. D. E. Lantz. F.B. 706, pp. 24. 1916.
1916. D. E. Lantz. F.B. 783, pp. 28. 1916.
1917. David E. Lantz. F.B. 911, pp. 31. 1917.
1918. David E. Lantz. F.B. 1022, pp. 32. 1918.
1919. George A. Lawyer and others. F.B. 1079, pp. 32. 1919.
1920. George A. Lawyer and others. F.B. 1165, pp. 32. 1920.

Fur(s)—Continued.
animals—continued.
laws—continued.
1921. George A. Lawyer and Frank L. Earnshaw. F.B. 1238, pp. 31. 1921.
1922. George A. Lawyer and Frank L. Earnshaw. F.B. 1293, pp. 30. 1922.
1923-24. George A. Lawyer and Frank L. Earnshaw. F.B. 1387, pp. 34. 1923.
1924-25. Frank G. Ashbrook and Frank L. Earnshaw. F.B. 1445, pp. 22. 1924.
1925-26. Frank G. Ashbrook and Frank L. Earnshaw. F.B. 1469, pp. 29. 1925.
Minnesota, number taken under license. F.B. 1469, p. 3. 1925.
occurrence in Alaska. N.A. Fauna 24, p. 46. 1904.
protection—
in Alaska. Biol., Chief Rpt., 1924, pp. 25-26. 1924; Biol. S.R.A. 60, pp. 4. 1924.
in Montana and Idaho. For [Misc.], "Trespass on national * * *," pp. 23-29, 39-47. 1922.
laws and results. D.C. 135, pp. 6, 7-8, 12. 1920.
legislation, 1923. F.B. 1387, pp. 1-4. 1923.
summary of laws. F.B. 1022, pp. 29-30. 1918.
raising on farms. Biol. Chief Rpt., 1925, pp. 10-11. 1925.
rearing, investigations. An. Rpts., 1923, pp. 435-437. 1924; Biol. Chief Rpt., 1923, pp. 17-19. 1923.
rearing, program for 1915. Sec. [Misc.], "Program of work * * * 1915," p. 251. 1914.
trapping directions and curing skins. Y.B., 1919, pp. 457-481. 1920; Y.B. Sep. 823, pp. 457-481. 1920.
young, taming. Y.B., 1916, p. 501. 1917; Y.B. Sep. 693, p. 13. 1917.
arsenic content. Chem. Bul. 86, p. 44. 1904.
Astrakhan, description and value. Y.B., 1915, p. 251. 1916; Y.B. Sep. 673, p. 251. 1916.
bearers—
land, protection regulations in Alaska. Biol. S.R.A. 56, pp. 4. 1923.
muskrat, notes on its use as food. David E. Lantz. F.B. 869, pp. 23. 1917.
bearing animals. See Fur animals.
beaver, value, early and present. D.B. 1078, pp. 2, 17. 1922.
broadtail, description and value. Y.B., 1915, p. 251. 1916; Y.B. Sep. 673, p. 251. 1916.
cleaning and disinfecting. Y.B., 1919, pp. 480-481. 1920; Y.B. Sep. 823, pp. 480-481. 1920.
damage by carpet beetles. F.B. 1346, pp. 1, 2, 4, 8. 1923.
description and value, various animals. Y.B., 1916, pp. 491, 492, 493, 494. 1917; Y.B. Sep. 693, pp. 3, 4, 5, 6. 1917.
destruction by bad practices in hunting and trapping. Y.B., 1919, p. 482. 1920; Y.B. Sep. 823, p. 482. 1920.
dressing—
and dyeing, increase of industry in United States. D.C. 135, p. 4. 1920.
at home, directions. F.B. 396, pp. 29-30. 1910.
exports and imports, 1917, 1918. F.B. 1022, p. 2. 1918.
farm, experimental, scope and work. Biol. Chief Rpt., 1924, p. 16. 1924.
farming—
Alaska, status of industry. Biol. Chief Rpt., 1924, p. 26. 1924.
as a side line. Ned Dearborn. Y.B., 1916, pp. 489-506. 1917; Y.B. Sep. 693, pp. 18. 1917.
extent and value. F.B. 1445, p. 3. 1924.
methods and resources. Off. Rec., vol. 3, No. 39, pp. 1-2. 1924.
progress and instances. D.C. 135, pp. 8-9. 1920.
silver fox. F.B. 795, pp. 1-32. 1917.
work of department. Biol. Chief Rpt., 1921, pp. 12, 32-33. 1921.
fisher, description and value. Y.B., 1916, p. 493. 1917; Y.B. Sep. 693, p. 5. 1917.
fox—
description, and value. Y.B., 1916, pp. 492, 494. 1917; Y.B. Sep. 693, pp. 4, 6. 1917.

Fur(s)—Continued
  fox—continued.
    preparation for market. F.B. 795, pp. 30-31. 1917.
  garments, use of moleskins. F.B. 832, p. 13. 1917.
  imports—
    1913. Y.B., 1916, p. 489. 1917; Y.B. Sep. 693, p. 1. 1917.
    1917, 1918. F.B. 1022, p. 2. 1918.
  value—
    1919. D.C. 135, pp. 4, 6. 1920.
    prices and demand. Y.B., 1916, pp. 489-490, 491, 492, 493, 494. 1917; Y.B. Sep. 693, pp. 1-2, 3, 4, 5, 6. 1917.
  in Alaska, supply of fur-bearing animals. Soil Sur. Adv. Sh., 1914, pp. 97, 100, 101. 1915; Soils F.O., 1914, pp. 131, 134, 135. 1919.
  industry, Alaska, blue and white fox farming. D.B. 1350, p. 35. 1925.
  lambskin, classes and values. Y.B., 1915, pp. 250-252, 257-258, 259. 1916; Y.B. Sep. 673, pp. 250-252, 257, 258, 259. 1916.
  low prices, and causes. D.C. 225, p. 5. 1922.
  marmot, economic value. N.A. Fauna 37, p. 14. 1915.
  marten, description and value. Y.B., 1916, p. 492. 1917; Y.B. Sep. 693, p. 4. 1917.
  mink, description and value. Y.B., 1916, p. 491. 1917; Y.B. Sep. 693, p. 3. 1917.
  mole(s)—
    description, and molting. N.A. Fauna 38, pp. 11-16. 1915.
    making up, directions. F.B. 1247, p. 23. 1922.
    value. An. Rpts., 1919, pp. 282-283. 1920; Biol. Chief Rpt., 1919, pp. 8-9. 1919.
  muskrat—
    description, preparation, uses and prices. F.B. 396, pp. 29-31. 1910; F.B. 869, pp. 11-12, 14-16, 17. 1917.
    sales in London, 1905-1910. F.B. 396, pp. 9, 24-26. 1910.
    number and value in shipments, 1923-1924. Biol. Chief Rpt., 1925, pp. 18-19. 1925.
  opossum, value. N.A. Fauna 25, p. 57. 1905.
  otter, description and value. Y.B., 1916, p. 493. 1917; Y.B. Sep. 693, p. 5. 1917.
  packing, directions. Y.B., 1919, p. 479. 1920; Y.B. Sep. 823, p. 479. 1920.
  Persian lamb, production, description, value and grades. Y.B., 1915, pp. 249-262. 1916; Y.B., Sep. 673, pp. 249-262. 1916.
  preparation, directions. Y.B., 1919, pp. 460-476, 477-481. 1920; Y.B. Sep. 823, pp. 460-476, 477-481. 1920.
  prices, relation to hunting predatory animals. Biol. Chief Rpt., 1921, p. 5. 1921.
  producers, value of American moles. F.B. 1247, pp. 23. 1922.
  protection from—
    insects. Y.B., 1919, p. 481. 1920; Y.B. Sep. 823, p. 481. 1920.
    moths, methods. F.B. 659, pp. 6-8. 1915.
  rabbit, utilization and value. F.B. 1090, pp. 29-31. 1920; Y.B., 1918, p. 151. 1919; Y.B. Sep. 784, p. 9. 1919.
  raccoon, description and value. Y.B., 1916, p. 494. 1917; Y.B. Sep. 693, p. 6. 1917.
  seizures, in Alaska, proceeds, recommendation by Governor. D.C. 168, p. 6. 1921.
  shipments—
    from Alaska, regulations. Biol. S.R.A. 56, pp. 3, 4. 1923.
    law violations, and fines, note. F.B. 1293, p. 2. 1922.
  skunk, description and value. Y.B., 1916, p. 491. 1917; Y.B. Sep. 693, p. 3. 1917.
  supply—
    and quality, improvement, practices recommended. Y.B., 1919, pp. 482-484. 1920; Y.B. Sep. 823, pp. 482-484. 1920.
    conservation methods. F.B. 396, p. 9. 1910.
    depletion, causes. D.B. 135, pp. 6-9. 1920; F.B. 1469, pp. 1-2. 1925.
    maintenance of. Ned Dearborn. D.C. 135, pp. 12. 1920.
  tanning formulas. F.B. 1334, pp. 25-27. 1923.
  trade, in United States, origin and development. D.C. 135, pp. 4-6. 1920.
  use, historical notes. F.B. 396, p. 7. 1910.

Fur(s)—Continued.
  value(s)—
    and preparation methods, study. An. Rpts. 1920, pp. 356-357. 1921.
    increase since 1915. D.C. 135, pp. 4-6. 1920.
  See also names of fur animals.
Furcraea—
  bedinghousi, a hardy fiber plant, introduction distribution. B.P.I. Bul. 205, p. 24. 1911.
  cabuya, use of fiber for binder twine. Y.B., 1911, p. 198. 1912; Y.B. Sep. 560, p. 198. 1912
  elegans, importation and description. No 37128, B.P.I. Inv. 38, pp. 40-41. 1917.
  foetida. See Mauritius fiber.
  spp., importations and description. Nos. 43966, 43967, B.P.I. Inv. 49, p. 106. 1924.
Furfural, manufacture from corn cobs. Off. Rec., vol. 1, No. 50, p. 2. 1922.
Furnace(s)—
  blast—
    potash source. Y.B., 1916, p. 304. 1917; Y.B Sep. 717, p. 4. 1917.
    reactions, and factors governing potash recovery. D.B. 1226, pp. 3, 6-7, 16-18. 1924.
    wastes as potash source. D.C. 61, p. 5. 1919
    wastes as sources of fertilizer. Y.B., 1917, pp. 177, 259-260. 1918; Y.B. Sep. 728, pp. 9-10. 1918; Y.B. Sep. 730, p. 3. 1918
  boiler, hand firing, tools and methods, directions. D.B. 747, pp. 18-23. 1919.
  construction for creameries, details. D.B. 747, pp. 10-18. 1919.
  electric, use in ash analysis, description. D.B. 600, pp. 22-23. 1917.
  for cooking lime-sulphur. F.B. 1285, pp. 13-20, 30-33, 39. 1922.
  home heating plant, operation, and fuel. F.B. 1194, pp. 6-13. 1921.
  management of fuel and regulation of fire. F.B. 1194, pp. 6-13. 1921.
  pipeless, construction, advantages, and use F.B. 1174, pp. 3-12. 1920.
  portable, for soil sterilization, description. F.B. 996, p. 5. 1918.
  room, tunnel evaporator, description. D.B. 1141, pp. 29-30. 1923.
  sirup-making, description and operation. D.B. 1370, pp. 22-24. 1925.
  types used in nitrogen fixation work. Y.B., 1917, pp. 143-144. 1918; Y.B. Sep. 729, pp. 7-8. 1918.
  use in tobacco curing, description. B.P.I. Bul. 241, pp. 18-23, 25. 1912.
Furnariidae, hosts of eye parasites. B.A.I. Bul 60, p. 48. 1904.
Furniture—
  bamboo, suggestion for. D.B. 1329, p. 24. 1925.
  cleaning, directions. F.B. 1180, p. 15. 1921.
  construction of wood and substitutes. Rpt. 117, pp. 46-47, 71. 1917.
  destruction by termites. D.B. 333, pp. 14, 15. 1916.
  injury, by—
    carpet beetles. F.B. 1346, pp. 7-9. 1923.
    termites. J.A.R., vol. 26, pp. 283, 284, 285 294. 1923.
  manufacture—
    by use of elm lumber. D.B. 683, pp. 22, 23-24 40, 41, 42, 43. 1918.
    from pine. For. Bul. 99, pp. 19, 27, 35, 47-48. 1911.
    various woods used, and quantity. D.B. 605, pp. 8-17. 1918.
  polish, formulas and use. F.B. 1180, pp. 9,13,15. 1921.
  public buildings regulation. B.A.I.S.R.A 124 p. 96. 1917.
  selection for house, and arrangement. Y.B., 1914, pp. 355-360. 1915; Y.B. Sep. 646, pp. 355-360. 1915.
  upholstered, injury by tobacco beetle. D.B. 737, p. 6. 1919.
  use—
    in public buildings, restrictions. Sol. [Misc.], 2d. Sup., " Laws applicable * * *," pp. 107-108. 1915.
    of—
      D.B. 523, pp. 31-32, 48, 49. 1917.
      beech, birches and maples. D.B. 12, pp. 6-7, 13-14, 20-21, 38-39. 1913.
      Douglas fir. For. Bul. 88, pp. 67-68. 1911.

Furniture—Continued.
  use—continued.
    of—continued.
      lumber in Arkansas. For. Bul. 106, p. 16. 1912.
    walnut, demand and uses. D.B. 909, pp. 60–67, 88–89. 1921.
    wicker, advantages. Y.B., 1914, p. 356. 1915; Y.B. Sep. 646, p. 356. 1915.
Furrow(s)—
  irrigation—
    beet growing. F.B. 392, pp. 14–22. 1910; D.B. 735, p. 22. 1918.
    citrus orchards, California. O.E.S. Cir. 108, pp. 26–27. 1911.
    date gardens. F.B. 1016, pp. 13, 14. 1919.
    distribution of water in soil. R. H. Loughridge. O.E.S. Bul. 203, pp. 63. 1908.
    Eastern States, directions. F.B. 899, pp. 29–32. 1917.
    Florida, description and cost. D.B. 462, pp. 38, 46. 1917.
    for orchards, description. F.B. 404, pp. 12–22. 1910; F.B. 882, pp. 12–14. 1917.
    marking and management. O.E.S. Bul. 226, pp. 31–34. 1910.
    method, implements and cost. F.B. 373, pp. 25–31. 1909; F.B. 404, pp. 19–20. 1910; F.B. 865, pp. 16–22. 1917; Y.B., 1909, pp. 299–300. 1910; Y.B. Sep. 514, pp. 299–300. 1910.
    shallow and deep, effects on evaporation. O.E.S. Bul. 248, pp. 51–62. 1912.
  planting, forest trees, description and cost. D.B. 153, pp. 8, 10. 1915.
  slice, action of plow bottom, study. E. A. White. J.A.R., vol. 12, pp. 149–182. 1918.
  use—
    as barriers against chinch bug invasions. F.B. 657, pp. 19–24. 1915.
    for protection of fields from corn earworm. F.B. 1206, pp. 16–17. 1921.
Furrower—
  use in irrigation, construction, description. F.B. 865, pp. 20, 21. 1917.
  use in preparing land for furrow irrigation. Y.B., 1909, p. 303. 1910; Y.B. Sep. 514, p. 303. 1910.
Furrowing—
  by machinery, for tulip planting. D.B., 28, p. 18. 1913.
  irrigation aids, methods. D.B. 614, pp. 32–38. 1918.
  land, for sugar cane. F.B. 1034, pp. 15–16. 1919.
  sled, use in beet irrigation, construction. F.B. 392, p. 18. 1910.
  sugar beets, practices and cost, Utah and Idaho. D.B. 693, pp. 28–29. 1918.
Furunculus. See Boils.
Fusaria—
  pigment development, role of hydrogen-ion concentration. Christos P. Sideris. J.A.R., vol. 30, pp. 1011–1019. 1925.
  rots, Irish potato, effect of temperature and humidity. R. W. Goss. J.A.R., vol. 22, pp. 65–80. 1921.
Fusarium—
  acuminatum—
    cause of—
      potato rot. J.A.R., vol. 21, pp. 211–226. 1921; D.C. 214, pp. 4–5. 1922.
      sweet-potato rot. J.A.R., vol. 15, p. 360. 1918.
    description and habitat. J.A.R., vol. 2, pp. 269–270. 1914.
    glucose as a source of carbon. J.A.R., vol. 21, pp. 189–210. 1921.
  avenaceum, cause of wheat scab. F.B. 1224, p. 9. 1921.
  batatatis, description. J.A.R., vol. 2, pp. 267, 268. 1914.
  blight—
    description, inoculation experiments and infection. J.A.R., vol. 16, pp. 230–287. 1919.
    of—
      grains, causes and control. B.P.I. Chief Rpt., 1921, pp. 34–35. 1921.
      potatoes, under irrigation. H. G. McMillan. J.A.R., vol. 16, pp. 279–304. 1919.
      soy bean. Richard O. Cromwell. J.A.R., vol. 8, pp. 421–440. 1917.

Fusarium—Continued.
  blight—continued.
    wheat and other cereals. Dimitr Atanasoff. J.A.R., vol. 20, pp. 1–32. 1920.
    See also Wheat scab.
  boll rot, cause and description. F.B. 1187, p. 32. 1921.
  cabbage, relation to soil temperature and soil moisture. William B. Tisdale. J.A.R., vol. 24, pp. 55–86. 1923.
  caudatum, description, habitat, etc. J.A.R., vol. 2, pp. 262–263. 1914.
  cause of—
    banana disease, control. P.R. An. Rpt., 1914, pp. 36–41. 1916.
    cabbage wilt. F.B. 488, p. 20. 1912.
    potato diseases, control studies. News L., vol. 4, No. 22, pp. 1, 3. 1917.
    powdery dry rot of potatoes. C.T. and F.C. D. Inv. Cir. 1, pp. 4. 1918.
  cepae, experiments in disease resistance of onions. J.A.R., vol. 29, pp. 508–509. 1924.
  coeruleum, cause of potato rot, classification. J.A.R., vol. 5, No. 5, p. 204. 1915.
  conglutinans—
    cause of cabbage yellows. F.B. 925, rev., p. 18. 1921; J.A.R., vol. 24, pp. 55–86. 1923.
    identification on cabbage. J.A.R., vol. 30, p. 1027. 1925.
    infection of cabbage roots, experiments. J.A.R., vol. 11, pp. 575–576, 602. 1917.
  culmorum—
    cause of sweet-potato rot. J.A.R., vol. 15, pp. 359–360. 1918.
    cause of wheat scab. F.B. 1224, p. 9. 1921.
    description and habitat. J.A.R., vol. 2, pp. 260–261. 1914.
    study and inoculation experiments with grains. J.A.R., vol. 1, pp. 475–490. 1914.
  cultures, temperature and light conditions and effects. J.A.R., vol. 24, pp. 350, 352–354. 1923.
  discolor, description and classification. J.A.R., vol. 5, No. 5, p. 207. 1915.
  disease of potatoes, San Joaquin, Calif. B.P.I. Cir. 23, pp. 4–8. 1909.
  equinum, cause of dermal mycosis in horses. B.A.I. An. Rpt., 1907, pp. 260, 266–276. 1909.
  eumartii, cause of new dry-rot of potatoes. J.A.R., vol. 5, No. 5, pp. 198–201, 204–205, 207. 1915.
  gemmiperda, description and reaction to culture media. J.A.R., vol. 26, pp. 508–510. 1923.
  genus, synonomy and descriptions of groups and sections. J.A.R., vol. 24, pp. 345, 357–363. 1923.
  graminearum. See Giberella saubinetti.
  hyperoxysporum—
    cause of potato rots, inoculation experiments. J.A.R., vol. 5, No. 5, pp. 191–192, 206. 1915.
    description and habitat. J.A.R., vol. 2, p. 268. 1914.
  incarnatum, description and habitat. J.A.R., vol. 2, pp. 258–260. 1914.
  lini—
    cause of damping-off of flax. D.B. 934, p. 2. 1921.
    See also Wilt, flax.
  lycopersici, study on isoelectric points. J.A.R., vol. 31, pp. 383, 393–394, 395–398. 1925.
  malli, cause of pink root of onions. F.B. 1060, p. 14. 1919.
  martii pisi, description, cultural characters and physiology. J.A.R., vol. 26, pp. 462–465. 1923.
  metachroum, cause of staining of cotton. B.P.I. Cir. 110, pp. 27–28. 1913.
  moniliforme—
    cause of corn root rot. J.A.R., vol. 27, pp. 957–964. 1924.
    cause of dry rot on corn, effects on animals. B.A.I. An. Rpt., 1907, pp. 260–261, 275. 1909.
    description, and inoculation tests. J.A.R., vol. 15, pp. 538–543. 1918.
    growth on seed corn, description and habits. J.A.R., vol. 23, pp. 495, 503–505, 507–518, 519–520. 1923.
  negundi, cause of red stain of boxelder, description and life history. J.A.R., vol. 26, pp. 451–456. 1923.
  niveum, cause of watermelon wilt. F.B. 1277, p. 5. 1922.

Fusarium—Continued.
　onion rot, description and control. F.B. 1060, p. 13. 1919.
　orthoceras, description and habitat. J.A.R., vol. 2, pp. 263–268. 1914.
　oxysporum—
　　cause of—
　　　dry rot of potatoes. Erwin F. Smith and Deane B. Swingle. B.P.I. Bul. 55, pp. 64. 1904.
　　　potato blight and wilt diseases, Hawaii. Hawaii A.R., 1917, pp. 35, 38. 1918.
　　　potato disease. B.P.I. Cir. 23, p. 4. 1909.
　　　potato end-rot. B.P.I. Bul. 245, p. 17. 1912.
　　　potato tuber rot, results of inoculation. J.A.R., vol. 5, No. 5, pp. 187–191, 206. 1915.
　　　potato wilt. F.B. 544, pp. 9–10. 1913.
　　confused with causal organism of blackleg potato tuber-rot. J.A.R., vol. 22, pp. 81–92. 1921.
　　description and habitat. J.A.R., vol. 2, p. 268. 1914.
　　isolated from discolored potato tubers. J.A.R., vol. 20, pp. 280–282. 1920.
　　parasitism on potato plant. D.B. 64, pp. 8–10. 1914.
　　study of isoelectric points. J.A.R., vol. 31, pp. 386, 394–398. 1925.
　　var. *nicotinae*, n. var., causal organism of Fusarium-wilt of tobacco. J.A.R., vol. 20, pp. 521–536. 1921.
　radicicola—
　　cause of—
　　　fruit rot, temperature studies. J.A.R., vol. 8, pp. 142–163. 1917.
　　　potato field rot in West. J.A.R., vol. 6, No. 9, pp. 297–310. 1916.
　　　potato rots, inoculation experiments. J.A.R., vol. 5, No. 5, pp. 194–198, 205, 207, 208. 1915.
　　confused with causal organism of blackleg potato tuber-rot. J.A.R., vol. 22, pp. 81–92. 1921.
　　description and habitat. J.A.R., vol. 2, pp. 257–258. 1914.
　　distribution, and presence in arid soils. J.A.R. vol. 6, No. 9, pp. 299–300. 1916.
　　resistant cabbage, progress with second early varieties. L. R. Jones and others. J.A.R., vol. 30, pp. 1027–1034. 1925.
　rots—
　　causes, description, and control. Hawaii Bul. 45, pp. 17–18, 28. 1920.
　　starting in soil, place and method. D.C. 214, pp. 5–6. 1922.
　rubi, cause of double-blossom disease of dewberry. O.E.S. An. Rpt., 1911, p. 89. 1912.
　solani—
　　cause of—
　　　gray rot of aroids, studies. J.A.R., vol. 6, No. 15, pp. 556–559, 566, 568. 1916.
　　　potato rots, inoculation experiments. J.A.R., vol. 5, No. 5, pp. 203, 204. 1915.
　　description and inoculation tests. J.A.R., vol. 15, p. 544. 1918.
　spp.—
　　cause of—
　　　conifer-seedling diseases, studies. J.A.R., vol. 15, pp. 522, 537–546. 1918.
　　　potato tuber-rots, classification. C. W. Carpenter. J.A.R., vol. 5, No. 5, pp. 183–209. 1915.
　　　"snowmold." J.A.R., vol. 20, pp. 19, 20. 1920.
　　　stem rot and root rot of peas in United States. Fred Reuel Jones. J.A.R., vol. 26, pp. 459–476. 1923.
　　　sweet-potato stem rot. F.B. 714, pp. 2, 7–8. 1916; F.B. 1059, p. 8. 1919; S.R.S. Syl. 26, p. 12. 1917.
　　　wilt diseases of cotton, cowpea, etc. An. Rpts., 1912, p. 138. 1913; Sec. A.R., 1912, p. 138. 1912; Y.B., 1912, p. 138. 1913.
　　cultural studies and microscopic notes. J.A.R., vol. 24, pp. 347–349. 1923.
　　destruction by cellulose. B.P.I. Bul. 266, pp. 24, 43. 1913.
　　effect on—
　　　composition of potato tuber. Lon A. Hawkins. J.A.R., vol. 6, No. 5, pp. 183–196. 1916.

Fusarium—Continued.
　spp.—continued.
　　effect on—continued.
　　　starch, experiments. J.A.R., vol. 6, No. 5, p. 190. 1916.
　　　found associated with sweet potatoes. J.A.R., vol. 15, pp. 363–364. 1918.
　　from—
　　　potato tubers in Montana, identification. H. E. Morris and Grace B. Nutting. J.A.R., vol. 24, pp. 339–364. 1923.
　　　potatoes in Idaho soils, list and descriptions. J.A.R., vol. 13, pp. 79, 81–92. 1918.
　　growth in concentrated solutions. J.A.R., vol. 7, pp. 256–259. 1916.
　　identical with *Colletotrichum lagenarium*. D.B. 727, p. 12. 1918.
　　in corn meal. J.A.R., vol. 22, pp. 187–188. 1921.
　　injury to vanilla beans, Porto Rico, and control studies. P.R. An. Rpt., 1921, pp. 11–12. 1922.
　　inoculation of potato plants, experiments. J.A.R., vol. 14, pp. 216, 218. 1918.
　　isolation from diseased peas, pathogenicity. J.A.R., vol. 26, pp. 472–474. 1923.
　　key for identification. J.A.R., vol. 2, pp. 279–281. 1914.
　　occurrence—
　　　in conifer seed-beds, habits. D.B. 934, pp. 34–35, 66–73, 82. 1921.
　　　on coffee. P.R. Bul. 17, pp. 27–28. 1915.
　　on—
　　　conifers, vitality tests under low temperature. J.A.R., vol. 5, No. 14, pp. 652, 654, 655. 1916.
　　　grains, studies, synopsis. J.A.R., vol. 1, pp. 484–486. 1914.
　　　pitted grapefruit. J.A.R., vol. 22, p. 277. 1921.
　　　soy bean, comparison with other species. J.A.R., vol. 8, pp. 427–433. 1917.
　　　sweet potato, characters, table. J.A.R., vol. 2, pp. 282–283. 1914.
　　　sweet potato, identification. J.A.R., vol. 2, pp. 251–286. 1914.
　　pasteurization experiments. J.A.R., vol. 6, No. 4, pp. 155, 159, 161. 1916.
　　presence in seed potatoes, symptoms. J.A.R., vol. 21, p. 827. 1921.
　　relation to citrus gummosis. J.A.R., vol. 24, pp. 193, 205–207, 214, 221, 232. 1923.
　　taxonomic studies. J.A.R., vol. 30, pp. 833–843. 1925.
　　technical description and identification. J.A.R., vol. 2, pp. 257–270. 1914.
　　temperature relations and studies. J.A.R., vol. 18, pp. 511–524. 1920.
　taxonomic studies, fundamentals for. H. W. Wollenweber and others. J.A.R., vol. 30, pp. 833–843. 1925.
　tracheiphilum, cause of cowpea wilt disease. J.A.R., vol. 8, pp. 421, 424, 430–437. 1917.
　trichothecioides—
　　cause of powdery dry-rot. B.P.I. Cir. 110, p. 13. 1913; J.A.R., vol. 5, No. 5, pp. 184, 207. 1915; J.A.R., vol. 6, No. 21, pp. 817–832. 1916.
　　See also Dry-rot, powdery.
　tuberivorum—
　　identical with *F. trichothecioides*. J.A.R., vol. 5, No. 5, p. 184. 1915; J.A.R., vol. 6, No. 21, pp. 817–818. 1916.
　　potato dry rot. O.E.S. An. Rpt., 1912. p. 153. 1913.
　vasinfectum—
　　cause of—
　　　cotton wilt. F.B. 625, p. 5. 1914; F.B. 1187, p. 8. 1921.
　　　wilt disease of okra. J.A.R. vol. 12, pp. 533–536, 541, 542. 1918.
　　potato inoculation, results. J.A.R., vol. 5, No. 5, pp. 192–194. 1915.
　　var. *pisi*, host selection. J.A.R., vol. 22, pp. 191–220. 1921.
　ventricosum, description and inoculation tests. J.A.R., vol. 15, p. 543. 1918.
　wilt. *See* Wilt, Fusarium.
Fuscipes group, wood rats. N.A. Fauna 31, pp. 87–94. 1910.

Fusel oil—
　determination—
　　methods, cooperative test. Chem. Bul. 122, pp. 25-27, 199-205, 208-212. 1909.
　　report on distilled liquors. Chem. Bul. 105, pp. 20-23. 1907.
　manufacture from waste beet-molasses. Y.B., 1908, p. 448. 1909; Y.B. Sep. 493, p. 448. 1909.
　use with kerosene emulsion as insecticide. Vir. Is. A.R., 1920, p. 26. 1921.
Fuses, lead, injury by insects. D.B. 1107, pp. 2, 3-4. 1922.
Fusicladium—
　effusum—
　　cause of pecan scab, nature and control. J.A.R. vol. 28, pp. 324-328. 1924.
　　description and control. F.B. 1129, pp. 5-7. 1920.
　sp., occurrence on plants in Texas, and description. B.P.I. Bul. 226, p. 76. 1912.
Fusicoccum putrefaciens—
　cause of cranberry end-rot. F.B. 1081, p. 9. 1920; J.A.R., vol. 11, pp. 36-39, 524-529. 1917.
　See also Cranberries, end-rot.
Fustic—
　dyewood substitute, osage orange waste. F. W. Kressman. Y.B., 1915, pp. 201-204. 1916; Y.B. Sep. 670, pp. 201-204. 1916.
　importation and prices increase by European war. Y.B., 1915, p. 201. 1916; Y.B. Sep. 670, p. 201. 1916.
　Tehuantepec, dyeing value, comparison with osage orange. Y.B., 1915, p. 203. 1916; Y.B. Sep. 670, p. 203. 1916.
　wood—
　　anatomical characters. For. Cir. 184, pp. 12-14. 1911.
　　substitutes and adulterants. George B. Sudworth and Clayton D. Mell. For. Cir. 184, pp. 14. 1911.
Futu, importation and description. No. 36867, B.P.I. Inv. 37, p. 76. 1916.
Future trading—
　act, administration. Y.B., 1921, pp. 34-35. 1922; Y.B. Sep. 875, pp. 34-35. 1922.
　act, requirements. Off. Rec., vol. 1, No. 1, pp. 1-2. 1922.
　farm products. Off. Rec., vol. 2, No. 3, p. 2. 1923.
Futurity contests, livestock at county fairs. F.B. 822, pp. 4-5. 1917.
Fuzz, cotton seed, relation to breeding. B.P.I. Bul. 256, pp. 54-56. 1913.

Gabbro, origin, classification, and mineral constituents. Rds. Bul. 37, pp. 13, 14-23. 1911.
GABRIELSON, I. N.: "Food habits of some winter bird visitants." D.B. 1249, pp. 32. 1924.
Gacia—
　blanca, importation and description. No. 34262, B.P.I. Inv. 32, p. 28. 1914.
　importation and description. No. 44832, B.P.I. Inv. 51, p. 75. 1922.
Gadfly—
　description, outbreaks, and injuries to livestock. Y.B., 1912, p. 386. 1913; Y.B. Sep. 600, p. 386. 1913.
　sheep, description, distribution, life history. B.A.I. An. Rpt., 1910, pp. 453-456. 1912; B.A.I. Cir. 193, pp. 453-456. 1912.
　spread of dromedary disease, control by wasp enemy. An. Rpts., 1907, pp. 92, 456. 1908; Rpt. 85, p. 66. 1907; Sec. A.R., 1907, p. 90. 1907; Y.B., 1907, p. 90. 1908.
Gado de puro sangre dos Estados Unidos. Mkts. [Misc.], "Gado de puro * * *," pp. 63. 1919; (also in Spanish); rev. 1920.
Gadrise. *See* Cramp-bark tree.
Gadwall—
　breeding grounds, Great Plains, description. Y.B., 1917, pp. 198-200. 1918; Y.B. Sep. 723, pp. 4-6. 1918.
　description and food habits. Biol. Bul. 38, p. 18. 1911; D.B. 862, pp. 2-10, 49-67. 1920.
　migration records from birds banded in Utah. D.B. 1145, p. 5. 1923.
　occurrence in Pribilof Islands, description. N.A. Fauna 46, p. 44. 1923.

Gaertneria grayi. See Ragweed, white.
GAESSLER, W. G.: "Composition and digestability of Sudan-grass hay." With A. C. McCandlish. J.A.R., vol. 14, pp. 176-185. 1918.
Gag, cattle, description and use. B.A.I. [Misc.], "Diseases of cattle," rev., pp. 22, 52. 1912.
Gage Canal, Calif., duty of water. W. Irving. O.E.S. Bul. 104, pp. 137-146. 1902.
Gagroot. *See* Lobelia.
GAHAN, A. B.—
　"Insects in Maryland, 1906." With G. B. Weldon. Ent. Bul. 67, pp. 37-39. 1909.
　"Black grain-stem sawfly of Europe in the United States." D.B. 834, pp. 18. 1920.
GAIL, A. D., Jr.: "Cantaloupe marketing in the larger cities with car-lot supply, 1914." With others. D.B. 315, pp. 20. 1915.
Gaillardia, description, cultivation and characteristics. F.B. 1171, pp. 45, 81. 1921.
GAINES, E. F.—
　"A genetic and cytological study of certain hybrids of wheat species." With Karl Sax. J.A.R., vol. 28, pp. 1017-1032. 1924.
　"Genetics of bunt resistance in wheat." J.A.R., vol. 23, pp. 445-480. 1923.
　"Markton, an oat variety immune from covered smut." With others. D.C. 324, pp. 8. 1924.
　"Relative resistance of wheat to bunt in Pacific Coast States." With others. D.B. 1299, pp. 29. 1925.
GAINES, R. C.—
　"Dispersion of the boll weevil in 1921." With others. D.C. 210, pp. 3. 1922.
　"Dispersion of the boll weevil in 1922." With others. D.C. 266, pp. 6. 1923.
GAINES, W. L.: "Feed cost of milk production as affected by the percentage fat content of the milk." J.A.R., vol. 29, pp. 593-601. 1924.
GAINEY P. L.—
　"A study of the effect of changing the absolute reaction of soils upon their Azotobacter content." J.A.R., vol. 24, pp. 289-296. 1923.
　"Bacteriological studies of a soil subjected to different systems of cropping for twenty-five years." With W. M. Gibbs. J.A.R., vol. 6, No. 24, pp. 953-975. 1916.
　"Effect of carbon disulphid and toluol upon nitrogen-fixing and nitrifying organisms." J.A.R., vol. 15, pp. 601-614. 1918.
　"Effect of paraffin on the accumulation of ammonia and nitrates in the soil." J.A.R., vol. 10, pp. 355-364. 1917.
　"Influence of the absolute reaction of a soil upon its Azotobacter flora and nitrogen-fixing ability." J.A.R., vol. 24, pp. 907-938. 1923.
　"Influence of the hydrogen-ion concentration on the growth and fixation of nitrogen." With H. W. Batchelor. J.A.R., vol. 24, pp. 759-767. 1923.
　"On the use of calcium carbonate in nitrogen fixation experiments." J.A.R., vol. 24, pp. 185-190. 1923.
　"Soil reaction and the growth of Azotobacter." J.A.R., vol. 14, pp. 265-271. 1918.
　"Some factors affecting nitrate-nitrogen accumulation in soil." With L. F. Metzler. J.A.R., vol. 11, pp. 43-64. 1917.
Galactan, content of potatoes, before and after Fusarium infection. J.A.R., vol. 6, No. 5, pp. 186, 187, 194. 1916.
GALACTASE—
　effect of formaldehyde. B.A.I. Cir. 59, pp. 118-120. 1904.
　in buttermilk—
　　activity measurement. B.A.I. Cir. 189, pp. 315-318, 325. 1912; B.A.I. An. Rpt., 1910, pp. 315-318, 325. 1912.
　　effect of sodium chloride and cold storage. B.A.I. Bul. 162, pp. 27-32. 1913.
Galactogogues, drugs used as, experiments. J.A.R., vol. 19, pp. 123-130. 1920.
Galactose—
　fermentation in milk. D.B. 782, p. 16. 1919.
　presence in milk and butter, investigations. J.A.R., vol. 11, pp. 439-444, 447. 1917.
Galangale, importation and description. Nos. 32036-32037, B.P.I. Bul. 261, p. 21. 1912.

Galax leaves, shipments from North Carolina, Alleghany County. Soil Sur. Adv. Sh. 1915, p. 7. 1917; Soils F.O., 1915, p. 341. 1919.
Galeoscoptes carolinensis. See Catbird.
Galera tenera, description. D.B. 175, pp. 31-32. 1915.
Galerucella caricollis. See Cherry leaf beetle.
Galerucella—
  luteola—
    description, habits, and control. F.B. 1169, pp. 38-39. 1921.
    similarity to *Monoxia puncticollis.* D.B. 892, p. 1. 1920.
    See also Elm leaf beetle.
  rufosanguinea, occurrence on buttercup and azalea. D.B. 352, pp. 2-3. 1916.
Galesus silverstrii, parasite of fruit fly, experiments. J.A.R., vol. 15, pp. 458-461. 1918; J.A.R., vol. 3, p. 363. 1915.
Gall(s)—
  alfalfa, caused by midge, description. Ent. Cir. 147, p. 2. 1912.
  aphids—
    forming. D.B. 826, pp. 9, 68-77, 81-86. 1920.
    Sitka spruce, injury to foliage. D.B. 1060, p. 21. 1922.
  apple tree, caused by woolly aphid. Rpt. 101, pp. 33, 34. 1915.
  apricot, cause and description, infection, and control work. J.A.R., vol. 26, pp. 45-48, 52-58. 1923.
  blister mite, description and effect on leaves of fruit. F.B. 722, pp. 3-4. 1916.
  cane, form of grape crown-gall, description and development. B.P.I. Bul. 183, pp. 11-12, 13. 1910.
  cause, Plasmodiophoraceae genera, comparisons. J.A.R., vol. 14, pp. 567-570. 1918.
  caused by leaf blister mite, description. Ent. Cir. 154, p. 3. 1912.
  cottonwood, caused by sugar-beet root louse. Work and Exp., 1914, pp. 46, 73. 1915.
  cottonwood, source of beet root-louse infestation. J.A.R., vol. 4, pp. 246-249. 1915.
  cowpea root-knot, description, comparison with nodules. F.B. 1148, p. 21. 1920.
  Cronartium, description. D.B. 658, pp. 17, 21, 22. 1918.
  development by *Bacterium tumefaciens* inoculation, details. J.A.R., vol. 26, pp. 425-430. 1923.
  eelworm—
    disposal after treatment of infested wheat. F.B. 1041, p. 10. 1919.
    of potato, cause and control. F.B. 1367, p. 28. 1924.
    of wheat, description. Sec. Cir. 114, pp. 2, 3. 1918.
  effects on quality and size of beets. D.B. 203, pp. 5-7, 8. 1915.
  elm roots, caused by woolly aphid of pear, development. J.A.R., vol. 10, pp. 68-73. 1917.
  fly, violet, description, distribution, and remedies. Ent. Bul. 27, pp. 47-49. 1901.
  formation in plants by crown gall inoculation. J.A.R., vol. 25, pp. 123-128. 1923.
  grapevine, description and prevention. F.B. 1220, pp. 31-33. 1921.
  hackberry, use as food by Chinese. B.P.I. Bul. 204, p. 50. 1911.
  harness, description and treatment. B.A.I. [Misc.], "Diseases of the horse," rev., pp. 448, 470. 1911.
  insect—
    habits and control. F.B. 1169, pp. 88-94. 1921.
    on tamarisk, note. B.P.I. Inv. 54, p. 4. 1922.
  Isosoma, infestation by Hessian-fly parasites, experiments. J.A.R., vol. 6, No. 10, pp. 373-377. 1916.
  lodgepole pine, caused by *Peridermium filamentosum.* J.A.R., vol. 5, No. 17, p. 782. 1916.
  louse, western spruce, injuries to Sitka spruce. D.B. 1060, p. 21. 1922.
  midges, life history, and control. F.B. 1169, pp. 90, 91. 1921.
  mite—
    black currant, eradication. Ent. Bul. 67, pp. 119-122. 1907.
    description and habits. Rpt. 108, pp. 14, 108-109, 134-140. 1915.

Gall(s)—Continued.
  mite—continued.
    introduction, danger, and description. Sec. [Misc.], "A manual * * * insects * * *," pp. 11, 26, 70, 118, 141, 223. 1917.
  moth—
    false indigo, description and occurrence. Ent. Bul. 64, pp. 34-35. 1908.
    larch, description. Sec. [Misc.], "A manual * * * insects * * *," p. 83. 1917.
  nematode—
    factor in the marketing and milling of wheat. D. A. Coleman and S. A. Regan. D.B. 734, pp. 16. 1918.
    ginseng roots, symptoms, cause and control. F.B. 736, pp. 16-17. 1916.
    on wheat, origin and description. D.B. 842, pp. 9-10. 1920; J.A.R., vol. 8, p. 183. 1917.
    removal from wheat by floating. D.B. 734, p. 14. 1918.
    similarity to nodules, precaution. F.B. 315, p. 12. 1908.
  pecan, formed by hickory phylloxera, description and control. F.B. 843, pp. 31-32. 1917; F.B. 1364, pp. 32-33. 1924.
  pine, cause, description and injury to trees. For. [Misc.], "Forest tree diseases * * *," pp. 20, 38-39. 1914.
  poplar, formed by winged form of *Pemphigus populi transversus.* J.A.R., vol. 14, pp. 579-584, 591-592. 1918.
  powdery scab, description. J.A.R., vol. 7, pp. 223-224. 1916.
  raspberry canes, cause and destruction. F.B. 1236, pp. 4-5. 1922.
  red, cranberry, description, cause, and control. F.B. 1081, pp. 11-12. 1920.
  root, form of grape crown gall, description and development. B.P.I. Bul. 183, pp. 11, 12-13. 1910.
  strawberry, description and control. F.B. 1458, p. 6. 1925.
  sugar beet, symptoms, causes, injuries, and control methods. D.B. 203, pp. 1, 2-8. 1915.
  tamarisk, value for tanning. No. 44554. B.P.I. Inv. 51, pp. 9, 23. 1922.
  tree, occurrence and description, Texas. B.P.I. Bul. 226, pp. 63-64, 72, 111. 1912.
  varieties, formation by mites, description. Rpt. 108, pp. 14, 108-109, 134-140. 1915.
  wheat—
    arrangement and description, comparisons. J.A.R., vol. 27, pp. 937-939. 1924.
    caused by eelworm disease, similarity to other diseases. F.B. 1041, pp. 3-4, 5-6. 1919.
    nematodes, longevity and vitality. J.A.R., vol. 27, pp. 949-952. 1924.
    spread of nematode disease. J.A.R., vol. 27, pp. 925-933, 941-949. 1924.
  worms—
    cause of root knot, description and life history. F.B. 648, pp. 4-6. 1915; B.P.I. Cir. 91, pp. 5-6. 1912.
    control by—
      rotation of crops. Sec. A.R., 1912, p. 123. 1912; An. Rpts., 1912, p. 123. 1913; Y.B., 1912, p. 123. 1913.
      starvation, methods. News L., vol. 5, No. 28, pp. 6-7. 1918.
    description—
      and other names. News L., vol. 3, No. 5, pp. 5-6. 1915.
      cause of cotton root knot. B.P.I. Cir. 92, pp. 6, 7. 1912.
    eradication methods. B.P.I. Cir. 91, pp. 11-12, 14-15. 1912.
    infestation, sources, and methods. B.P.I. Cir. 91, pp. 6-7, 13-14. 1912.
    injury to—
      garden and field crops in South, control methods. News L., vol. 3, No. 5, pp. 5-6. 1915.
      tomatoes, prevention by rotation crops. F.B. 1338, p. 3. 1923.
    potatoes—
      and other crop plants in Nevada. C.S. Scofield. B.P.I. Cir. 91, pp. 15. 1912.
      causes. B.P.I. Cir. 91, pp. 4-5. 1912.
    See also Eelworm; Nematode.
See also Crown gall.

GALLAGHER, B. A.—
"An intradermal test for *Bacterium pullorum* infection in fowls." With Archibald R. Ward. D.B. 517, pp. 15. 1917.
"Diseases of poultry." F.B. 1337, pp. 41. 1923.
"Diseases of sheep." F.B. 1155, pp. 39. 1921.
"Poultry diseases." With W. D. Foster. F.B. 957, pp. 48. 1918.
"Tuberculosis of fowls." F.B. 1200, pp. 11. 1921.

GALLAGHER, F. E.—
"Absorption of vapors and gases by soils." With Harrison E. Patten. Soils Bul. 51, pp. 50. 1908.
"Moisture content and physical condition of soils." With Frank K. Cameron. Soils Bul. 50, pp. 70. 1908.

Gallatin National Forest, Mont., map. For. Maps, "Gallatin * * *." 1923.

Gallberry—
bushes, indication of acid soils. Soils Cir. 43, p. 8. 1911.
honey sources in North Carolina. D.B. 489, pp. 9, 12. 1916.

Galleria mellonella. See Wax moth, large.

Galleta grass, description. D.B. 772, pp. 169, 170. 1920.

Gallicole, grape—
life history and habits. D.B. 903, pp. 95–98, 1915, 1921.
scarcity in California. D.B. 903, pp. 8, 29, 98. 1921.

Gallinago spp. See Snipe.

Gallinas Nursery, practices, mulching and transplanting. D.B. 479, pp. 43, 49, 62, 63. 1917.

Gallinippers. See Crane-fly, smoky.

Gallinule—
Florida—
occurrence in Porto Rico, and food habits. D.B. 326, pp. 35–36. 1916.
range and migration. D.B. 128, pp. 40–43. 1914.
occurrence in Arkansas. Biol. Bul. 38, p. 28. 1911.
Porto Rico, habits and food. D.B. 326, pp. 35–36. 1916.
protection, closed season, proposed amendment. Biol. S.R.A. 14, p. 2. 1917.
purple, occurrence in Porto Rico and nesting habits. D.B. 326, p. 36. 1916.
range and migration. D.B. 128, pp. 37–43. 1914; M.C. 13, pp. 44–45. 1923.

Gallito tree—
use as temporary shade for coffee plantation. P.R. Cir. 15, pp. 24–25. 1912.
value as nitrogen collector. P.R. An. Rpt., 1912, p. 8. 1913.

Gallnuts, dried, infestation by fig moth. Ent. Bul. 104, pp. 15, 19. 1911.

GALLOWAY, B. T.—
"Adulteration and misbranding of the seeds of Kentucky bluegrass, redtop, and orchard grass." Sec. Cir. 43, pp. 6. 1913.
"Adulteration and misbranding of the seeds of red clover, Kentucky bluegrass, orchard grass, and hairy vetch." Sec. Cir. 39, pp. 7. 1912.
"Adulteration of alfalfa seed." Sec. Cir. 20, pp. 2. 1906.
"Bamboos: Their culture and uses in the United States." D.B. 1329, pp. 46. 1925.
"Distribution of seeds and plants by the Department of Agriculture." B.P.I. Cir. 100, pp. 23. 1912.
"Growing crops under glass." Y.B., 1904, pp. 161–169. 1905; Y.B. Sep. 340, pp. 161–169. 1905.
"How to collect, label, and pack living plant material for long-distance shipment." D.C. 323, pp. 12. 1924.
"Industrial progress in plant work." Y.B., 1902, pp. 219–230. 1903; Y.B. Sep. 264, pp. 219–230. 1903.
"Opportunities in agriculture." With others. Y.B., 1904, pp. 161–190. 1905; Y.B. Sep. 340, pp. 161–190. 1905.
"Progress in some of the new work of the Bureau of Plant Industry." Y.B., 1907, pp. 139–148. 1908; Y.B. Sep. 441, pp. 139–148. 1908.

GALLOWAY, B. T.—Continued.
report of—
Cornell University Experiment Station, work and expenditures—
1915. O.E.S. An. Rpt., 1915, pp. 193–199. 1917.
1915. S.R.S. An. Rpt., 1915, Pt. I, pp. 193–199. 1916.
1916. S.R.S. An. Rpt., 1916, Pt. I, pp. 199–203. 1918.
Department building operations—
1904. An. Rpts., 1904, pp. 525–529. 1904; Bldg. Chm. Rpt., 1904, pp. 5. 1904.
1905. An. Rpts., 1905, pp. 525–528. 1905.
1906. An. Rpts., 1906, pp. 675–678. 1907; Bldg. Chm. Rpt., 1906, pp. 8. 1906.
1907. An. Rpts., 1907, pp. 777–779. 1908; Bldg. Chm. Rpt., 1907, pp. 7. 1907.
1908. An. Rpts., 1908, pp. 819–821. 1909; Bldg. Chm. Rpt., 1908, pp. 5. 1908.
New York, extension work in agriculture and home economics, 1915. S.R.S. An. Rpt., 1915, Pt. II, pp. 269–276. 1916.
New York, extension work in agriculture and home economics, 1916. S.R.S. An. Rpt., 1916, Pt. II, pp. 297–305. 1917.
Plant Industry Bureau, Chief—
1901. An. Rpts., 1901, pp. 43–94. 1901; B.P.I. Chief Rpt., 1901, pp. 22. 1901.
1902. An. Rpts., 1902, pp. 47–108. 1902; B.P.I. Chief Rpt., 1902, pp. 60. 1902.
1903. An. Rpts., 1903, pp. 85–169. 1903; B.P.I. Chief Rpt., 1903, pp. 75. 1903.
1904. An. Rpts., 1904, pp. 69–168. 1904; B.P.I. Chief Rpt., 1904, pp. 100. 1904.
1905. An. Rpts., 1905, pp. 63–197. 1905 B.P.I. Chief Rpt., 1905, pp. 135. 1905.
1906. An. Rpts. 1906, pp. 175–266. 1907; B.P.I. Chief Rpt., 1906, pp. 92. 1907.
1907. An. Rpts., 1907, pp. 257–341. 1908; B.P.I. Chief Rpt., 1907, pp. 93. 1907.
1908. B.P.I. Chief Rpt., 1908, pp. 135. 1908; An. Rpts., 1908, pp. 283–407. 1909.
1909. B.P.I. Chief Rpt., 1909, pp. 118. 1909; An. Rpts., 1909, pp. 261–370. 1910.
1911. An. Rpts., 1911, pp. 257–341. 1912; B.P.I. Chief. Rpt., 1911, pp. 93. 1911.
1912. An. Rpts., 1912, pp. 339–462. 1913; B.P.I. Chief. Rpt., 1912, pp. 82. 1912.
"School gardens: A report upon some cooperative work with the normal schools of Washington, with notes on school garden methods followed in other American cities." O.E.S. Bul. 160, pp. 47. 1905.
"Seaman Asahel Knapp." Y.B., 1911, pp. 151–154. 1912; Y.B. Sep. 556, pp. 151–154. 1912.
"Tests of commercial cultures of nitrogen-fixing bacteria." Sec. Cir. 16, p. 1. 1906.
"The adulteration and misbranding of alfalfa, red clover, and grass seeds." Sec. Cir. 26, pp. 6. 1907.
"The adulteration and misbranding of the seeds of alfalfa, red clover, orchard grass, and Kentucky bluegrass." Sec. Cir. 28, pp. 5. 1909.
"The Bureau of Plant Industry, its functions and efficiency." B.P.I. Cir. 117, pp. 3–12. 1913.
"Work of the Bureau of Plant Industry in meeting the ravages of the boll weevil, and some diseases of cotton." Y.B., 1904, pp. 497–508. 1905; Y.B. Sep. 363, pp. 497–508. 1905.

Galloway—
cattle. See Cattle.
Yak hybrids, crossing experiments in Alaska. News L., vol. 2, No. 50, p. 7. 1915.

Gallus domesticus—
egg characters in relation to sex of chicks. J.A.R., vol. 29, pp. 195–201. 1924.
feeding on thyroid. J.A.R., vol. 29, pp. 285–287. 1924.
variety, postnatal growth. J.A.R., vol. 29, pp. 363–397. 1924.
See also Chicken.

Galo, importation and description. No. 35893., B.P.I. Inv. 36, pp. 7, 21. 1915; No. 38395, B.P.I. Inv. 36, pp. 7, 124. 1917.

Galpin, C. J.: "Plans for rural community buildings." With W. C. Nason. F.B. 1173, pp. 38. 1921.

36167°—32——64

GALT, W. I.: "Soil survey of Mercer County, Pennsylvania." With others. Soil Sur. Adv. Sh., 1917, pp. 40. 1919; Soils F.O., 1917, pp. 235-270. 1923.
Galumna spp., description and habits. Rpt. 108, pp. 95-96. 1915.
Galvanizing—
  fence wire, improvements. Y.B., 1909, p. 290. 1910; Y.B. Sep. 513, p. 290. 1910.
  metals for road building, tests. D.B. 1216, pp. 81-83, 92-93. 1924.
  wire, process. D.B. 1216, pp. 92-93. 1924; F.B. 239, pp. 22-24. 1905; Rds. Bul. 35, p. 17. 1909.
Galvanometer, use in regulating temperature of calorimeter. Y.B., 1910, pp. 311, 312. 1911; Y.B. Sep. 539, pp. 311, 312. 1911.
Galveston, Tex.—
  milk supply, statistics, officials, and prices. B.A.I. Bul. 46, pp. 38, 157. 1903.
  storm, 1900, losses of life and property. Sec. A.R., 1912, p. 179. 1912; An. Rpts., 1912, p. 179. 1913; Y.B., 1912, p. 179. 1913.
  trade center for farm products, statistics. Rpt., 98, pp. 238, 324. 1913.
Gama grass, description. D.B. 772, p. 281. 1920.
Gamasid, feeding on mushroom mites. Ent. Cir. 155, p. 6. 1912.
Gambier, imports—
  1907-1909, quantity and value, by countries from which consigned. Stat. Bul. 82, p. 65. 1910.
  1911-1913. Y.B., 1913, p. 495. 1914; Y.B. Sep. 361, p. 495. 1914.
Gamble, J. A.—
  "Cooling milk and cream on the farm." F.B. 976, p. 16. 1918.
  "Cooling milk and storing and shipping it at low temperatures." With John T. Bowen. D.B. 744, pp. 28. 1919.
  "Milk and cream contests." With others. D.B. 356, pp. 24. 1916.
  "Straining milk." With Ernest Kelly. F.B. 1019, pp. 16. 1919.
  "The effect of silage on the flavor and odor of milk." With Ernest Kelly. D.B. 1097, pp. 24. 1922.
Gambusia affinis. See Sticklebacks.
Game—
  abundance in early times. Y.B., 1910, pp. 243-245. 1911; Y.B. Sep. 533, pp. 243-245. 1911.
  Alaska, definitions. Biol. Cir. 66, p. 2. 1908.
  and—
    birds—
      commerce, interstate. James Wilson. Biol. Cir. 38, pp. 38. 1902.
      laws of United States and Canada. Biol. S.R.A. 62, pp. 22. 1924.
    fish, protection in Utah national forests. D.C. 198, p. 25. 1921.
    stock, national forest reserves, wolves in relation to. Vernon Bailey. For. Bul. 72, pp. 31. 1907.
  animals. See Animals, game.
  Arkansas, resources and legislation, discussion. Biol. Bul. 38, pp. 10-11. 1911.
  as a national resource. T.S. Palmer. D.B. 1049, pp. 48. 1922.
  bag limits for—
    1908. F.B. 336, pp. 43-46. 1908.
    1909, United States and Canada. F.B. 376, pp. 41-44. 1909.
    1910. F.B. 418, pp. 35-37. 1910; F.B. 470, pp. 6, 40-42. 1911.
    1912. F.B. 510, pp. 36-39. 1912.
    1913. D.B. 22, pp. 6-7, 47-50. 1913.
    1914. F.B. 628, pp. 3, 39-43. 1914.
    1915. F.B. 692, pp. 6, 51-53. 1915.
    1918, summary. F.B. 1010, pp. 6-44. 1918.
    1923, Alaska. Biol. S.R.A. 53, p. 1. 1923.
  big—
    as tick hosts. F.B. 484, pp. 45-46. 1912.
    condition—
      in 1908. Y.B., 1908, pp. 581-582. 1909; Y.B. Sep. 500, pp. 581-582. 1909.
      in 1909. Biol. Cir. 73, pp. 4-5. 1910.
      in 1910. Biol. Cir. 80, pp. 6-13. 1911.
    on game reservations. An. Rpts., 1920, pp. 367-369. 1921.
    past and present. Y.B., 1910, pp. 244, 247-248. 1911; Y.B. Sep 533, pp. 244, 247-248. 1911.
    in Pike National Forest. D.C. 41, p. 8. 1919.

Game—Continued.
  big—continued.
    in United States, excluding Alaska, value. D.B. 1049, p. 25. 1922.
    increase in Colorado forests, introduction of elk. D.C. 5, p. 11. 1919; D.C. 6, pp. 5-6. 1919.
    legislation—
      1913. D.B. 22, pp. 3, 4. 1913.
      1915. F.B. 692, p. 4. 1915.
      1916. F.B. 774, pp. 3-5. 1916.
      1917. F.B. 910, pp. 3-4. 1917.
      1918. F.B. 1010, pp. 3-4. 1918.
      1919. F.B. 1077, pp. 3-4. 1919.
      1920. F.B. 1138, pp. 4, 58-61. 1920.
      1921. F.B. 1235, p. 5. 1921.
      1922. F.B. 1288, p. 4. 1922.
    national forests and parks. Biol. Chief Rpt., 1924, pp. 22-23. 1924.
    Niobrara Reserve, organization and uses. An. Rpts., 1913, pp. 234-235, 236. 1914; Biol. Chief Rpt., 1913, pp. 12-13, 14. 1913.
    numbers on national forests, conservation. For. A.R., 1925, pp. 36-39. 1925.
    preservation progress. Off. Rec., vol. 4, No. 20, p. 6. 1925.
    protection—
      of females by hunting laws. D.B. 1049, pp. 28-29. 1922.
      work of Biological Survey Bureau. Biol. Chief Rpt., 1925, pp. 18-23. 1925.
    refuges under Federal control, 1923. An. Rpts., 1923, pp. 451-454. 1924; Biol. Chief Rpt., 1923, pp. 33-36. 1923.
    reservations, location and administration. Y.B., 1920, pp. 167-171. 1921; Y.B., Sep. 836, pp. 167-171. 1921.
    statistics for Yellowstone National Park, 1891-1912. Biol.Cir. 87, p. 5. 1912.
  birds. See Birds, game.
  breeding, to increase supply. D.B. 1049, pp. 42-44. 1922.
  captive, laws. F.B. 692, pp. 49-51. 1915; F.B. 910, pp. 8, 47-48. 1917; F.B. 1077, pp. 48-51. 1919; F.B. 1138, pp. 52-55. 1920; F.B. 1235, pp. 54-57. 1921; F.B. 1444, pp. 36-38. 1924; F.B. 1466, p. 43. 1925.
  cold storage laws, drawn and undrawn. Chem. Bul. 115, pp. 113-117. 1908.
  Commission(s)—
    Alaska—
      personnel. Off. Rec., vol. 4, No. 12, p. 2. 1925.
      regulations and recommendations. D.C. 88, pp. 14-15. 1920.
    and wardens, appointment, powers, and duties. R. W. Williams, jr. Biol. Bul. 28, pp. 285. 1907.
  conditions—
    January, 1906. Pub. [Misc.], "Game conditions in * * *," p. 1. 1906.
    1907. An. Rpts., 1907, pp. 496-497. 1908.
    and causes of decrease. Y.B., 1910, pp. 247-249. 1911; Y.B. Sep. 533, pp. 247-249. 1911.
    in Alaska, Kenai Peninsula. Sec. [Misc.], "Report of the governor * * *, 1915," pp. 3-6. 1916; Soil Sur. Adv. Sh., 1916, pp. 93, 118-124. 1918; Soils F.O., 1916, pp. 125, 150-156. 1921.
    in central Alaska, birds and fur animals. Soil Sur. Adv. Sh., 1914, pp. 100-101. 1915; Soils F.O., 1914, pp. 134-135. 1919.
  conservation, attitude of Alaskans. Biol. Doc. 110, p. 2. 1919.
  conventions, 1909. Biol. Cir. 73, p. 15. 1910.
  cooperative protection on forest ranges, Reg. G-28. For. [Misc.], "Use book, 1921," pp. 69-70. 1922.
  covers, stocking—
    collection of information, Biological Survey. Biol. Chief Rpt., 1908, p. 15. 1908.
    with pheasants. F.B. 390, pp. 17-19. 1910.
  destruction—
    by—
      coyotes. Biol. Bul. 20, p. 14. 1905.
      dogs. Biol. S.R.A. 59, p. 3. 1924.
      dogs in Alaska, prevention. Biol. S.R.A. 17, p. 1. 1917; Biol. S.R.A. 53, pp. 2-3. 1923
    in Alaska, prevention, territorial law. Biol. Doc. 105, p. 16. 1917.

INDEX TO PUBLICATIONS, 1901-1925 1005

Game—Continued.
  domesticated, laws relating to. F.B. 774, pp. 48-50. 1916; F.B. 1288, pp. 52-56. 1922.
  enumeration, and value. D.B. 1049, pp. 23-25. 1922.
  exports, 1902-1904, with poultry. Stat. Bul. 36, p. 40. 1905.
  farm(s)—
    establishment, 1914. F.B. 628, p. 4. 1914.
    relations to, seasonal suggestions. F.B. 1202, pp. 4-49. 1921.
    State, distribution of game birds. Biol. Cir. 80, p. 22. 1911.
  food use, regulation by Food Administration. F.B. 1010, pp. 68-69. 1918.
  foreign—
    prices, comparison with native game. Y.B., 1910, p. 253. 1911; Y.B. Sep. 533, p. 253. 1911.
    species, introduction. Biol. Chief Rpt., 1925, pp. 27-28. 1925.
  forest reservations, hunting rights. Sol. [Misc.] "The * * * forest manual," p. 15. 1916.
  general, shipping licenses issued in Alaska, fiscal year, 1921, dates, fees, and trophies. D.C. 225, pp. 6, 7. 1922.
  hunting—
    and shipping licenses, Alaska, 1916. Biol. Doc. 105, pp. 4-6. 1917.
    licenses, details of issue. Biol. Bul. 19, pp. 26-30. 1904.
    rights on waters. Off. Rec., vol. 3, No. 43, p. 5. 1924.
  illegal traffic, prosecutions and convictions. News L. vol. 4, No. 6, p. 6. 1916.
  importation—
    and interstate commerce, text of law. F.B. 470. p. 30. 1911.
    tariff laws. Biol. S.R.A. 62, pp. 14-15. 1924.
  imported, sale of, decision of United States Supreme Court. T. S. Palmer. Biol. Cir. 67, pp. 12. 1908.
  in Alaska—
    conditions. Biol. Doc. 110, pp. 10-11. 1919; D.C. 88, pp. 3-13. 1920; D.C. 168, pp. 5-11. 1921; Y.B., 1920, pp. 171-174. 1921; Y.B. Sep. 836, pp. 171-174. 1921.
    hunting and shipping licenses, receipts. Biol. Cir. 77, pp. 4-8. 1911; Biol. Cir. 85, pp. 6-8. 1912; Biol. Cir. 90, pp. 7-10, 12-13. 1913.
    killing to feed dogs and foxes. Biol. S.R.A. 53, p. 2. 1923.
    laws and regulations. Biol. S.R.A. 61, pp. 8. 1924.
    value of business. Off. Rec., vol. 3, No. 28, p. 5. 1924.
  interstate commerce, Lacey Act, text. F.B. 1010, pp. 51-52. 1918; F.B. 1077, pp. 62-64. 1919; F.B. 1138, pp. 61-63. 1920; F.B. 1235, pp. 58-59. 1921; F.B. 1288, pp. 56-58. 1922.
  killed, records. D.B. 1049, pp. 18-23. 1922.
  killing—
    by dogs, Alaska, control. Biol. S.R.A. 22, p. 3. 1918.
    shipping, laws affecting. Biol. Bul. 36, pp. 52-59. 1910.
    to feed dogs or foxes, Alaska, regulations. Biol. S.R.A. 22, p. 3. 1918.
  kinds in the United States, description and location. D.B. 1049, pp. 2-9. 1922.
  law(s)—
    administration and enforcement—
      1906. Biol. Bul. 28, pp. 43-59. 1907.
      1907, and court decisions. Y.B., 1907, pp. 591-593. 1908; Y.B. Sep. 469, pp. 591-593. 1908.
      1908. Y.B., 1908, p. 587. 1909; Y.B. Sep. 500, p. 587. 1909.
      1909. Biol. Cir. 73, pp. 12-15, 17-19. 1910.
      1910. Biol. Cir. 80, pp. 26-27, 27-29, 31-36. 1911.
      1917. F.B. 910, pp. 5, 7-8. 1917.
      1919. F.B. 1077, pp. 5-6. 1919.
      1920. An. Rpts., 1920, pp. 343, 372-377. 1921.
      affecting deer in private grounds. 1908; F.B. 336, pp. 15, 19, 21, 23, 26, 32, 42. 1908.
    Alaska—
      1913, text. Biol. [Misc.], "Report of the Governor of Alaska, * * * 1913," pp. 8-11. 1913.

Game—Continued.
  law(s)—continued.
    Alaska—Continued.
      Agricultural Department regulations, unsuitableness. Biol. Doc. 110, p. 10. 1919.
      and regulations of the Department of Agriculture, 1908. Biol. Cir. 66, pp. 8. 1908.
      enforcement, obstacles and recommendations. Biol. Doc. 110, p. 11. 1919.
      impossibility of absolute enforcement. D.C. 225, pp. 2, 3. 1922.
      information for settlers. Alaska Cir. 1, pp. 22-25. 1916.
      report of governor, 1910. Walter E. Clark. Biol. Cir. 77, pp. 8. 1911.
      report of governor, 1911. Walter E. Clark. Biol. Cir. 85, pp. 12. 1912.
      report of governor, 1912. Walter E. Clark. Biol. Cir. 90, pp. 14. 1913.
      report of governor, 1913. J. F. A. Strong. Biol. [Misc.]. "Report of the Governor * * *, 1913," pp. 14. 1913.
      report of governor, 1914. J. F. A. Strong. Biol [Misc.], "Report of the Governor * * *, 1914," pp. 16. 1914.
      report of governor, 1915. J. F. A. Strong. Sec. [Misc.], "Report of the Governor * * *, 1915," pp. 18. 1915.
      report of governor, 1916. J. F. A. Strong. Biol. Doc. 105, pp. 16. 1917.
      report of governor, 1918. Thomas Riggs, jr. Biol. Doc. 110, pp. 14. 1918.
      report of governor, 1919. Thomas Riggs, jr. D.C. 88, pp. 18. 1920.
      report of governor, 1920. Thomas Riggs, jr. D.C. 168, pp. 18. 1921.
      report of governor, 1921. Scott C. Boone. D.C. 225, pp. 7. 1922.
      report of governor, 1922. Scott C. Boone. D.C. 260, pp. 7. 1923.
      and regulations in Alaska. Alaska G.C. Cir. 1, pp. 1-24. 1925.
    Canada, by Provinces. F.B. 265, pp. 10, 23, 32, 39, 48. 1906.
    changes, review. F.B. 1469, pp. 5-6. 1925.
    codification in States, 1917. F.B. 910, p. 5. 1917.
    conditions, 1910 and 1913, comparison. D.B. 22, p. 10. 1913.
    enforcement, officials, organizations, States and Territories. Biol. Cir.. 65, pp. 1-16. 1908.
    Federal, for national forests, digest. For. [Misc.], "Trespass on national * * *," pp. 10-12. 1922.
    Federal, violations, 1917, kinds, penalties, etc. News L., vol. 5, No. 19, p. 8. 1917.
    for—
      1901, digest. T. S. Palmer and H. W. Olds. Biol. Bul. 16, pp. 152. 1901.
      1902. T. S. Palmer and H. W. Olds. F.B. 160, pp. 56. 1902.
      1903. T. S. Palmer and others. F.B. 180, pp. 56. 1903.
      1904. T. S. Palmer and others. F.B. 207, pp. 63. 1904.
      1905. T. S. Palmer and others. F.B. 230, pp. 54. 1905.
      1906. T. S. Palmer and R. W. Williams, jr. F.B. 265, pp. 54. 1906.
      1907. T. S. Palmer and others. F.B. 308, pp. 52. 1907.
      1908. T. S. Palmer and Henry Oldys. F.B. 336, pp. 55. 1908.
      1909. T. S. Palmer and others. F.B. 376, pp. 56. 1909.
      1910. Henry Oldys and others. F.B. 418, pp. 47. 1910.
      1911. Henry Oldys and others. F.B. 470, pp. 52. 1911.
      1912. T. S. Palmer and others. F.B. 510, pp. 48. 1912.
      1913. A summary of the provisions relating to seasons, exports, sale, limits, and licenses. T. S. Palmer and others. D.B. 22, pp. 59. 1913.
      1914. T. S. Palmer and others. F.B. 628, pp. 54. 1914.
      1915. T. S. Palmer and others. F.B. 692, pp. 64. 1915.

Game—Continued.
  law(s)—continued.
    for—continued.
      1916. T. S. Palmer and others. F.B. 774, pp. 64. 1916.
      1917. George A. Lawyer and others. F.B. 910, pp. 70. 1917.
      1918. George A. Lawyer and Frank L. Earnshaw. F.B. 1010, pp. 70. 1918.
      1919. George A. Lawyer and Frank L. Earnshaw. F.B. 1077, pp. 80. 1919.
      1920. Geo. A. Lawyer, and Frank L. Earnshaw. F.B. 1138, pp. 84. 1920.
      1921. Geo. A. Lawyer and Frank L. Earnshaw. F.B. 1235, pp. 80. 1921.
      1922. George A. Lawyer and Frank L. Earnshaw. F.B. 1288, pp. 80. 1922.
      1923–24. George A. Lawyer and Frank L. Earnshaw. F.B. 1375, pp. 70. 1923.
      1924–25. George A. Lawyer and Frank L. Earnshaw. F.B. 1444, pp. 38. 1924.
      1925–26. George A. Lawyer and Frank L. Earnshaw. F.B. 1466, pp. 46. 1925.
    protection of elk, need of enforcement. D.C. 51, pp. 16, 23–24, 32, 33, 34. 1919.
    index, Biological Survey. An. Rpts., 1909, pp. 546–547. 1910; Biol. Chief Rpt., 1909, pp. 18–19. 1909.
    modified for sale of domesticated deer. F.B. 330, pp. 19–20. 1908.
    of various States. Biol. Bul. 24, pp. 12, 29, 47. 1905.
    prosecutions. Biol. Bul. 28, pp. 60–77. 1907.
    protecting does throughout the year, in 1912, map showing States having. Biol. [Misc.] "Map showing States * * *," map. 1913
    restrictions on hunting and sale, States illustrated. Y.B., 1910, pp. 249–252. 1911; Y.B. Sep. 533, pp. 249–252. 1911.
    seasons, licenses, limits. sale, and exports, summary. F.B. 1288, pp. 6–51. 1922.
    State, administration and warden service, 1921. F.B. 1235, pp. 7–9. 1921.
    violations, cases handled by Solicitor. An. Rpts., 1912, pp. 923–924, 1008–1009, 1012. 1913; Sol. A.R., 1912, pp. 39–40, 124–125, 128. 1912; Sol. Cir. 39, pp. 1–5. 1910.
    See also Game officials; Game wardens; also, under specific States, game laws.
  legislation—
    1907. Y.B., 1907, pp. 590–591. 1908; Y.B. Sep. 469, pp. 590–591. 1908.
    1910, various States. Biol. Cir. 80, pp. 29–31. 1911.
    1915, new enactments, studies. News L., vol. 3, No. 9, pp. 7–8. 1915.
    1925, review. F.B. 1469, pp. 5–6. 1925.
    and court decisions. Y.B., 1908, pp. 588–590. 1909; Y.B. Sep. 500, pp. 588–590. 1909.
    index, work of Biological Survey. An. Rpts., 1915, p. 245. 1916; Biol. Chief Rpt., 1915, p. 13. 1915.
  licenses, hunting and shipping, laws—
    1906. F.B. 265, pp. 26, 40–49. 1906.
    1909. F.B. 376, pp. 33–37. 1909.
    1911. F.B. 470, pp. 6, 30–35. 1911.
    1912. F.B. 510, pp. 39–48. 1912.
    1913. D.B. 22, rev., pp. 7–8, 50–59. 1913.
    1914. F.B. 628, pp. 4, 43–54. 1914.
  maintenance, cost. D.B. 1049, pp. 44–47. 1922.
  market of to-day. Henry Oldys. Y.B., 1910, pp. 243–254. 1911; Y.B. Sep. 533, pp. 243–254. 1911.
  migratory birds, sale regulations of new law. News L., vol. 6, No. 4, p. 8. 1918.
  national forests, protection and license requirements. D.C. 185, pp. 45–47. 1921.
  officials—
    and organizations, directory—
      1901. Biol. Cir. 33, pp. 1–10. 1901.
      1902. Biol. Cir. 35, pp. 1–10. 1902.
      1903. Biol. Cir. 40, pp. 1–12. 1903.
      1904. Biol. Cir. 44, pp. 1–15. 1904.
      1905. Biol. Cir. 50, pp. 1–16. 1905.
      1906. Y.B., 1906, p. 472. 1907; Y.B. Sep. 435, p. 472. 1907.
      1907. Y.B., 1907, p. 522. 1908; Y.B. Sep. 464, p. 522. 1908.
      1908. Y.B., 1908, p. 514. 1909; Y.B. Sep. 497, p. 514. 1909; Biol. Cir. 65, pp. 1–16. 1908.

Game—Continued.
  officials—continued.
    and organizations, directory—continued.
      1909. Biol. Cir. 70, pp. 1–16. 1909.
      1910. Biol. Cir. 74, pp. 1–16. 1910.
      1911. Biol. Cir. 83, pp. 1–16. 1911.
      1912. Biol. Cir. 88, pp. 1–16. 1912.
      1913. Biol. Cir. 94, pp. 1–16. 1913.
      1914. Biol. [Misc.], "Directory of officials * * * 1914," pp. 1–16. 1914.
      1915. Biol. Doc. 101, pp. 1–16. 1915.
      1916. Biol. Doc. 104, pp. 1–16. 1916.
      1917. Biol. Doc. 108, pp. 1–17. 1917.
      1918. Biol. Doc. 109, pp. 1–17. 1918.
      1919. D.C. 63, pp. 1–18. 1919.
      1920. D.C. 131, pp. 12–19. 1920.
      1921. D.C. 196, pp. 1–20. 1921.
      1922. D.C. 242, pp. 1–20. 1922.
      1923. D.C. 298, pp. 1–16. 1923.
      1924. D.C. 328, pp. 1–16. 1924.
      1925. D.C. 360, pp. 1–12. 1925.
    Federal and State, directory, 1920. D.C. 131, pp. 2–10. 1920.
    State, directory, 1923. F.B. 1387, p. 32. 1923.
    See also Game laws; Game wardens.
  open and close season for, definitions. Henry Oldys. Biol. Cir. 43, pp. 8. 1904.
  packers, Alaska, appointment and duties. Sec. [Misc.], "Report of the Governor * * * 1914," p. 16. 1914.
  pheasants, value in game preserves. F.B. 390, p. 19. 1910.
  possession and sale, right of State to regulate, history and decisions. Biol. Cir. 67, pp. 8–12. 1908.
  preserve(s)—
    and the Wichita National Forest. S. M. Shanklin and James E. Scott. M.C. 36, pp. 11. 1925.
    conditions, 1911. Biol. Cir. 80, pp. 19, 20. 1911.
    Idaho and Montana, penalty for violation of act which created. For. [Misc.], "Trespass on national * * *," pp. 7, 39, 47, 70, 78. 1922.
    in Connecticut. Biol. Bul. 12, rev., pp. 19, 61–62. 1902.
    in national forests, administration and list. For. [Misc.], "The use * * * national forests," pp. 10, 36, 41. 1918.
    in national forests, names and location. D.C. 211, p. 14. 1922; For. [Misc.], "Use book, 1921," p. 72. 1922.
    in national forests, regulations. For. [Misc.], "Use book. Grazing"; pp. 68–69. 1910.
    parks for, legislation. F.B. 207, pp. 11–15. 1904.
    Pisgah, western North Carolina. D.C. 161, pp. 11. 1921; For. [Misc.], "The Pisgah * * *" Folder. 1924.
    private—
      and their future in the United States. T. S. Palmer. Biol. Cir. 72, pp. 11. 1910.
      establishment and increase, 1909. Biol. Cir. 73, pp. 10–11. 1910.
      for wild deer. F.B. 330, p. 17. 1908.
    State—
      and private. Y.B., 1908, p. 585. 1909; Y.B. Sep. 500, p. 585. 1909.
      establishment, 1909. Biol. Cir. 73, pp. 10, 16. 1910.
      on national reservations, list, location and acreage. Biol. Cir. 87, pp. 15, 32. 1912.
    types, in United States and foreign countries. Biol. Cir. 72, pp. 3–7. 1910.
    prices, increase since 1763, comparative schedules. Y.B., 1910, pp. 245–247. 1911; Y.B. Sep. 533, pp. 245–247. 1911.
    propagation, different States. F.B. 470, p. 8. 1911.
    property of the State. Biol. Bul. 12, rev., pp. 50–53. 1902.
  protection—
    Alaska, text of law and regulations, 1915. Sec. [Misc.], "Report of the Governor * * * 1915," pp. 11–18. 1916.
    American, important events, chronology and index, 1776–1911. T. S. Palmer. Biol. Bul. 41, pp. 62. 1912.
    and introduction. Rpt. 83, pp. 71–73. 1906.
    and preservation, work under Lacey Act, 1902. Rpt. 73, pp. 70–71. 1902.

Game—Continued.
protection—continued.
by hunting laws, various sections. D.B. 1049, pp. 26-29. 1922.
by States, 1776-1911. T. S. Palmer. Biol. Bul. 41, pp. 62. 1912.
cooperation of Forest Service. For. [Misc.], "The use book, 1911," rev., pp. 73-76. 1921.
cost of refuges, national and State. D.B. 1049, pp. 45-47. 1922.
court decisions, 1910. Biol. Cir. 80, pp. 31-36. 1911.
farmers' benefits. T. S. Palmer. Y.B., 1904, pp. 509-520. 1905; Y.B. Sep. 364, pp. 509-520. 1905.
Federal, five-year retrospect. T. S. Palmer. Y.B., 1905, pp. 541-562. 1906; Y.B. Sep. 402, pp. 541-562. 1906.
funds, sources. Biol. Bul. 28, pp. 34-40. 1907.
in Alaska—
1903 regulations. James Wilson. Biol. Cir. 39, pp. 6. 1903.
1904, regulations. James Wilson. Biol. Cir. 42, pp. 6. 1904.
1907, importance and necessity. Y.B., 1907, pp. 470-471. 1908; Y.B. Sep. 462, pp. 470-471. 1908.
1909, regulation. Biol. Cir. 68, p. 1. 1909.
1912, regulations. Biol. Cir. 89, pp. 2. 1912; Biol. Cir. 90, pp. 13-14. 1913.
1915, regulations, amendment. Biol. S.R.A. 5, pp. 1. 1915.
1917, regulations. Biol. Doc. 105, pp. 11-14. 1917.
1918, regulations. Biol. S.R.A. 22, pp. 3. 1918.
1919, regulations. Biol. S.R.A. 28, pp. 3. 1919.
1923, regulation. Biol. S.R.A. 53, pp. 2. 1923; Biol. S.R.A. 56, pp. 4. 1923.
1924, regulations. Biol. Chief Rpt., 1924, pp. 26-27. 1924; Biol. S.R.A. 59, pp. 3. 1924.
in—
Florida. R. W. Williams, jr. Biol. Cir. 59, pp. 11. 1907.
national forests, regulations. D.C. 4, pp. 66-67. 1919; D.C. 138, pp. 70, 76-77. 1920; For. [Misc.], "Use book, 1915," rev., 5, pp. 26-28, 156. 1915.
Texas. N.A. Fauna 25, pp. 62, 68, 75, 127, 186. 1905.
law(s)—
1916. Sol. [Misc.], "Laws applicable * * * Agriculture," 4 Sup. p. 31. 1917.
enacted, 1917. News L., vol. 5, No. 16, pp. 7, 8. 1917.
of District of Columbia. T. S. Palmer. Biol. Cir. 34, pp. 8. 1901.
of United States and Canada. Biol. S.R.A. 62, pp. 22. 1924.
on forest reserves. Biol. Cir. 87, pp. 1-32. 1912; For. [Misc.], "The use book, 1910," pp. 66-58. 1910.
progress in—
1904. T. S. Palmer. Y.B., 1904, pp. 606-610. 1905; Y.B. Sep. 371, pp. 606-610. 1905.
1905. T. S. Palmer. Y.B., 1905, pp. 611-617. 1906; Y.B. Sep. 403, pp. 611-617. 1906.
1906. T. S. Palmer. Y.B., 1906, pp. 533-540. 1907; Y.B. Sep. 440, pp. 533-540. 1907.
1907. Henry Oldys. Y.B., 1907, pp. 590-597. 1908; Y.B. Sep. 469, pp. 590-597. 1908.
1908. T. S. Palmer. Y.B., 1908, pp. 580-590. 1909; Y.B. Sep. 500, pp. 580-590. 1909.
1909. T. S. Palmer and others. Biol. Cir. 73, pp. 19. 1910.
1910. T. S. Palmer and Henry Oldys. Biol. Cir. 80, pp. 36. 1911.
See also Game laws; Game officials; Game wardens.
rearing in private preserves, laws affecting. D.B. 22, pp. 5-6. 1913.
refuge(s)—
and propagation, different States. F.B. 470, p. 8. 1911.
closing to stock grazing. For. [Misc.], "Use book, 1921," p. 9. 1922.
conditions, 1911. Biol. Cir. 80, pp. 16-18. 1911.

Game—Continued.
refuge(s)—continued.
designation, authority of Secretary. F.B. 1466, p. 2. 1925.
establishment—
1913, national and State. D.B. 22, pp. 3, 11. 1913; D.B. 22, rev., pp. 3, 10. 1913.
1914, regulation. F.B. 628, p. 4. 1914.
1915, abandonment, and boundary changes. F.B. 692, pp. 7-8. 1915; News L., vol. 3, No. 10, p. 6. 1915.
1917. F.B. 910, pp. 6-7. 1917.
1921. F.B. 1235, p. 6. 1921.
1922. D.B. 1049, pp. 29-33. 1922.
for elk, necessity. D.C. 51, pp. 13, 28, 33. 1919.
Grand Canyon, boundaries. Off. Rec., vol. 1, No. 28, p. 2. 1922.
islands in Mississippi River. Off. Rec., vol. 4, No. 37, p. 2. 1925.
legislation—
1918, and new reserves. News L., vol. 6, No. 17, p. 13. 1918.
1922. F.B. 1288, p. 4. 1922.
1925, review. F.B. 1466, pp. 5-6. 1925.
national parks and other, reservations, details. Biol. Cir. 87, pp. 3-8, 18-21. 1912.
State, object and development. D.B. 1049, pp. 31-33. 1922.
regulations in Alaska, 1910, protection. Biol. Cir. 75, pp. 2. 1910.
relation of wolves. For. Bul. 72, pp. 1-31. 1907.
reservations—
Alaska, list, executive orders, and descriptions. Biol. Cir. 71, pp. 1-15. 1910.
establishment, and maintenance program for 1915. Sec. [Misc.], "Program of work * * * 1915," pp. 248-249. 1914.
locations and conditions. Biol. Chief Rpt., 1924, pp. 31-32. 1924.
reserve, winter refuge for elk, necessity. Biol. Bul. 40, pp. 22-23. 1911.
resources—
Alaska, 1907. Y.B., 1907, pp. 469-482. 1908; Y.B. Sep. 462, pp. 469-482. 1908.
survey, suggestions. D.B. 1049, pp. 47-48. 1922.
sale—
Alaska, discussion by Governor. D.C. 168, pp. 2-4. 1921.
laws, Federal, State, and Canadian—
1907. F.B. 308, pp. 34-39. 1907.
1908. F.B. 336, pp. 36-42. 1908.
1909. F.B. 376, pp. 37-41. 1909.
1910. F.B. 418, pp. 31-35. 1910.
1911. F.B. 470, pp. 6, 36-40. 1911.
1912. F.B. 510, pp. 32-36. 1912.
1913. D.B. 22, pp. 43-47. 1913.
1914. F.B. 628, pp. 35-39. 1914.
1915. F.B. 692, pp. 46-49. 1915.
1916. F.B. 774, pp. 43-48. 1916.
sanctuary, Kaibab National Forest, and native game. D.C. 318, p. 13. 1924.
season(s)—
Alaska, 1908. Biol. Cir. 66, p. 2. 1908; Biol. Cir. 90, pp. 12, 13, 14. 1913.
definitions of open and close. Henry Oldys. Biol. Cir. 43, pp. 8. 1904.
licenses, bag limits, possession, transportation, and sale. See also under names of States and Provinces.
United States and Canada, 1914, by States. F.B. 628, pp. 3, 13-28. 1914.
serving by hotels, legality. Off. Rec., vol. 2, No. 43, p. 5. 1923.
shipments—
from Alaska—
1908. Biol. Cir. 66, pp. 6-8. 1908.
1910, report of governor. Biol. Cir. 77, p. 7. 1911.
1911, report of governor. Biol. Cir. 85, pp. 8-9. 1912.
1912. Biol. Cir. 90, p. 10. 1913.
1914, kind, shippers' residence. Sec. [Misc.], "Report of the Governor * * * 1914," pp. 7-8. 1914.
1915, licenses issued. Sec. [Misc.], "Report of the Governor * * * 1915," pp. 8-9. 1916.

1008   UNITED STATES DEPARTMENT OF AGRICULTURE

Game—Continued.
  shipments—continued.
    from Alaska—continued.
      1918, licenses. Biol. Doc. 110, pp. 13-14. 1919.
      1919, licenses. D.C. 88, pp. 16-18. 1920.
      1920, licenses. D.C. 168, p. 18. 1921.
      1922, licenses. D.C. 260, pp. 6-7. 1923.
    laws, Federal, state, and Canadian—
      1902. F.B. 160, pp. 27-39, 43-51. 1902.
      1906. F.B. 265, pp. 26-33. 1906.
      1908. F.B. 336, pp. 27-36. 1908.
      1910. F.B. 418, pp. 25-30. 1910.
      1911. F.B. 470, pp. 29-35. 1911.
      1912. F.B. 510, pp. 25-31. 1912.
      1913. D.B. 22, pp. 37-43, 50-52. 1913.
      1914. F.B. 628, pp. 3, 28-39. 1914.
      1915. F.B. 692, pp. 38-45. 1915.
      1916. F.B. 774, pp. 36-43. 1916.
      1917. Biol. Doc. 107, pp. 1-2. 1917.
    shoal-water ducks, food habits of seven species. D.B. 862, pp. 10-68. 1920.
    shooting from airplanes illegal in North Carolina. News L., vol. 5, No. 13, p. 5. 1917.
    supply, conditions essential to protection. Y.B., 1917, pp. 200-203. 1918; Y.B. Sep. 723, pp. 6-7. 1918.
    tariff provisions. F.B. 1288, p. 58. 1922; F.B. 1445, p. 4. 1924.
    trophies, Alaska, shipments, 1915. Sec. [Misc.], "Report of the Governor * * * 1915," pp. 9-10. 1916.
    use as food, Alaska, conditions, discussion by governor. D.C. 168, pp. 2-4. 1921.
    value—
      as source of healthy recreation. D.B. 1049, pp. 10-11. 1922.
      estimates by state officials. D.B. 1049, pp. 12-15. 922.
      to the farmer, means of increasing income. D.B. 1049, pp. 9-10. 1922.
    wardens—
      Alaska, 1914, list. Sec. [Misc.], "Report of the Governor * * * 1914," p. 15. 1914.
      Alaska, work and need of increase. D.C. 88, pp. 13-14. 1920.
      and bird, Alaska, recommendations of Governor. D.C. 168, p. 12. 1921.
      and guides, Alaska, list—
        1910. Biol. Cir. 77, p. 8. 1911.
        1912. Biol. Cir. 90, pp. 11, 14. 1913.
        1916. Biol. Doc. 105, pp. 14-15. 1917.
        1920. D.C. 168, p. 12. 1921.
      appointment, powers, and duties. R. W. Williams, jr. Biol. Bul. 28, pp. 285. 1907.
      attacks by hunters. Off. Rec. vol. 4, No. 26, p. 2. 1925.
      cost, and organization of service. D.B. 1049, pp. 44-45. 1922.
      deputy, promotion examination system. Biol. Chief Rpt., 1913, p. 14. 1913; An. Rpts., 1913, p. 236. 1914.
      duties and powers. Y.B., 1906, pp. 213-224. 1907; Y.B. Sep. 418, pp. 213-224. 1907.
      increase in 1905. F.B. 230, pp. 8-9. 1905.
      insufficient number, and inadequate equipment for Alaska. Biol. Doc. 110, pp. 2-3. 1919.
      laws affecting, 1913. D.B. 22, pp. 8-9. 1913.
      legislation, 1923. F.B. 1375, pp. 6-7. 1923.
      number in forty-one States, 1909. Biol. Cir. 73, p. 13. 1910.
      of today. R. W. Williams, jr. Y.B., 1906, pp. 213-224. 1907; Y.B. Sep. 418, pp. 213-224. 1907.
      or commissions, States having, January 1, 1913, map. Biol. [Misc.], "Map showing States * * *." Map. 1913.
      service. An. Rpts., 1923, p. 455. 1924; Biol. Chief Rpt., 1923, p. 37. 1923.
      service, legislation of 1925, review. An. Rpts., 1923, p. 455. 1924; Biol. Chief Rpt., 1923, p. 37. 1923.
      work and efficiency in Alaska. D.C. 225, p. 3. 1922.
  Washington National Forests, conditions. D.C. 138, pp. 8-15. 1920.
  western prairies, destruction by coyotes. Biol. Bul. 20, p.14. 1905.

Gamete production in certain crosses with "rogues" in peas. Wilbur Brotherton, jr. J.A.R., vol. 28, pp. 1247-1252. 1924.
Ganado de puro sangre de los Estados Unidos. Mkts. [Misc.], "Ganado de puro sangre * * *," pp. 63. 1919; (Also in Portuguese.) rev., pp. 64. 1920.
Gandul—
  disease transference to citrus fruits, study. P.R. An. Rpt., 1913, p. 29. 1914.
  See also Pea, pigeon.
Gangraena tuberum solani, synonym of Phytophthora infestans. B.P.I. Bul. 245, pp. 24-26. 1912.
Gangrene, gas, in sheep, cause, symptoms and prevention. F.B. 1155, pp. 5-7. 1921.
GANNON, E. A.: "Unit requirements for producing market milk in eastern Nebraska." With others. D.B. 972, pp. 16. 1921.
Ganoderma—
  cortissii, cause of injury to Emory oak. For. Cir. 201, p. 11. 1912.
  oregonense. See Fungus, lacquer-top.
Ganong, autographic transpirometer, description. J.A.R., vol. 5, No. 3, p. 118. 1915.
Gapes—
  cause and control. D.B. 939, pp. 8-13. 1921.
  chicken, cause, treatment. B.A.I. Cir. 206, p. 5. 1912; D.C. 206, pp. 3-4. 1919; F.B. 287, p. 45. 1907; F.B. 287, rev., pp. 35-36. 1921; F.B. 528, p. 12. 1913; F.B. 530, pp. 30-32. 1913; F.B. 1040, p. 26. 1919.
  poultry, cause, symptoms, and control. F.B. 957, pp. 33-36. 1918; F.B. 1114, pp. 3-4. 1920.
  young pheasants, causes, symptoms, treatment, and prevention. F.B. 390, p. 27. 1910.
Gapeworm(s)—
  chicken, description, habits and control. F.B. 1337, pp. 27-30. 1923.
  description—
    and control. F.B. 390, p. 37. 1910.
    and life history. D.B. 939, pp. 6, 7, 10-12. 1921.
  habits and spread. F.B. 1337, pp. 28-29. 1923.
  poultry—
    control. S.R.S. Rpt., 1915, Pt. I, pp. 57, 275. 1917.
    investigations. An. Rpts., 1917, pp. 122-123. 1918; B.A.I. Chief Rpt., 1917, pp. 56-57. 1917.
  spread by turkeys. B. H. Ransom. D.B. 939, pp. 13. 1921.
  turkey, transmission to chickens. An. Rpts., 1916, p. 130. 1917; B.A.I. Chief Rpt., 1916, p. 64. 1916.
Garambullo, description. B.P.I. Bul. 262, p. 17. 1912.
Garawa. See Sudan grass.
Garbage—
  can, fly-trap attachment. F.B. 734, p. 7. 1916.
  care for repression of rats. Biol. Bul. 33, pp. 10, 39, 53. 1909.
  carrier of corn borer. F.B. 1294, p. 34. 1922.
  city—
    collection suggestions. F.B. 1133, pp. 7-8. 1920.
    disposal by feeding to hogs. F.G. Ashbrook and J. D. Bebout. Sec. Cir. 80, pp. 8. 1917.
    feeding to hogs. Sec. Cir. 84, p. 14. 1918.
    use and value for fertilizer. News L., vol. 3, No. 34, p. 8. 1916.
  collection—
    annual, and value as fertilizer. Y.B., 1914, pp. 309-310. 1915; Y.B. Sep. 643, pp. 309-310. 1915.
    feeding to hogs, cost per hog, and cost for other feeds. Sec. Cir. 80, pp. 3-4. 1917.
    composition, disposal, preparation for fertilizer, and value. F.B. 1133, pp. 4-9. 1920; Y.B., 1914, pp. 301-310. 1915; Y.B. Sep. 643, pp. 301-310. 1915.
    cooking for feed, prevention of disease. F.B. 781, pp. 9-10, 18. 1917.
  disposal—
    at military camps, for control of flies. Sec. Cir. 61, pp. 5-6. 1916.
    convict road camp, Fulton County, Ga. D.B. 583, pp. 23-24. 1918.
    cost of gathering for hogs, and comparison with incineration cost. News L., vol. 5, No. 19, pp. 6-7. 1917.

Garbage—Continued.
 disposal—continued.
  for control of—
   blowflies. F.B. 857, p. 17. 1917.
   flies. F.B. 1408, p. 15. 1924.
  feeding—
   relation to diseases in hogs. F.B. 1133, pp. 19-21, 26. 1920.
   to hogs—
    F. G. Ashbrook, and A. Wilson. F.B. 1133, pp. 26. 1920.
    equipment. Sec. Cir. 80, pp. 4-5. 1917.
    to stocker hogs, precautions. Y.B. 1919, pp. 199-200. 1920; Y.B. Sep. 798, pp. 199-200. 1920.
  hog-cholera infection, removal by cooking. News L., vol. 5, No. 34, pp. 1-2. 1918.
  products of, composition and uses. F.B. 1133, p. 24. 1920.
  protection from rats. F.B. 896, pp. 10-11. 1917.
  rendering process, products and advantages. Y.B., 1914, pp. 303-309. 1915; Y.B. Sep. 643, pp. 303-309. 1915.
  source of refuse fats, and annual production and value. D.B. 769, pp. 41, 45. 1919.
  tankage, stocks, 1917. Sec. Cir. 104, pp. 4, 6, 10-12. 1918.
  uncooked, cause of hog tuberculosis. B.A.I. Cir. 201, pp. 20-21. 1912; F.B. 781, pp. 9-10, 18. 1917.
  use and value as hog feed, gathering, cost. News L., vol. 5, No. 19, pp. 6-7. 1917.
  value—
   as hog feed in Hawaii. Hawaii Bul. 48, pp. 3, 36-37, 39. 1923.
   for fertilizer, studies. Sec. [Misc.], "Program of work, 1915," p. 213. 1914.
Garbanzos. See Chick-pea.
Garber, R. J.: "Variation and correlation in wheat, with special reference to weight of seeds planted." With A. C. Army. J.A.R., vol. 14, pp. 359-392. 1918.
Garcia, Fabian, report of New Mexico Experiment Station, work and expenditures—
 1913. O.E.S. An. Rpt., 1913, pp. 65-66. 1915.
 1914. O.E.S. An. Rpt., 1914, pp. 167-170. 1915.
 1915. O.E.S. An. Rpt., 1915, pp. 189-192. 1917.
 1915. S.R.S. Rpt., 1915, Pt. I, pp. 189-192. 1917.
 1916. S.R.S. Rpt., 1916, Pt. I, pp. 195-199. 1918.
 1917. S.R.S. Rpt., 1917, Pt. I, pp. 189-193. 1918.
Garcinia—
 Brazil, importation and description. No. 41622, B.P.I. Inv. 45, p. 55. 1918.
 dioica, importation and description. No. 44085. B.P.I. Inv. 50, p. 25. 1922.
 importation and description. No. 41802, B.P.I. Inv. 46, p. 22. 1919.
 kola. See Kola, bitter.
 livingstonei, importation and description. No. 36021. B.P.I. Inv. 36, p. 39. 1915.
 loureiri, importation and description. No. 40553. B.P.I. Inv. 43, p. 44. 1918.
 mangostana. See Mangosteen.
 multiflora, importation and description. No. 39573, B.P.I. Inv. 41, p. 43. 1917; No. 44239, B.P.I. Inv. 50, pp. 6, 45. 1922.
 oblongifolia, importations and descriptions. Nos. 36497, 36898, B.P.I. Inv. 37, pp. 27, 81. 1916.
 spp.—
  importations and descriptions. Nos. 32082, 32259, 32264, B.P.I. Bul. 261, pp. 26, 48, 49. 1912; Nos. 36977, 37092, 37131, 37381, B.P.I. Inv. 38, pp. 17, 36, 41, 54. 1917; Nos. 39880, 40103, B.P.I. Inv. 42, p. 31. 1918; Nos. 54470, 54656-54657, B.P.I. Inv. 69, pp. 3, 5, 14, 34, 35. 1923; Nos. 55105, 55454-55455, 55496, 55552, B.P.I. Inv. 71, pp. 23, 45, 50, 56. 1923.
  use as stock for inarching mangosteen. B.P.I. Bul. 202, p. 28. 1911.
  See also "Monkey-fruit."
 tinctoria—
  importation and description. No. 47358, B.P.I. Inv. 59, p. 10. 1922.
  use as stock for mangosteens. B.P.I. Bul. 202, pp. 28, 29, 31, 32, 33, 40. 1911.
 xanthochymus, use as stock for mangosteen. B.P.I. Chief Rpt., 1909, p. 109. 1909; An. Rpts., 1909, p. 361. 1910.

Garden(s)—
 advantages and suggestions. S.R.S. Doc. 48, pp. 1-4. 1917.
 alternation with fowl runs, for gallworm control. News L., vol. 5, No. 28, p. 7. 1918.
 and—
  canning clubs, boys' and girls', work, instructions to local leaders. George F. Farrell. S.R.S. Doc. 59, pp. 6. 1917.
  field, irrigation in. E. J. Wickson. F.B. 138, pp. 40. 1901.
 back-yard—
  plan. F.B. 818, p. 7. 1917.
  size, arrangement, fences and windbreaks. F.B. 936, pp. 12-14. 1918.
 beans, American varieties of. W. W. Tracy, jr. B.P.I. Bul. 109, pp. 173. 1907.
 bulb, Bellingham, Wash., experiments. P. H. Dorsett. D.B. 28, pp. 21. 1913.
 care of, general directions, cultivation, watering, etc. F.B. 1044, pp. 19-21. 1919.
 caterpillar, striped, and cranberry spanworm. F. H. Chittenden. Ent. Bul. 66, Pt. III, pp. 21-32. 1907.
 city—
  arrangement and plan. F.B., 937, p. 7. 1918.
  fertilizer requirements. F.B. 1044, pp. 8-11. 1919.
 home—
  W. R. Beattie. F.B. 1044, pp. 40. 1919.
  Farmers' Bulletin 1044, how teachers may use. Alvin Dille. D.C. 33, pp. 8. 1919.
 importance and value, educational aid to children. F.B. 936, pp. 3-4. 1918.
 cleaning up at harvest, insect control. News L., vol. 5, No. 23, p. 3. 1918.
 club(s)—
  acreage, demonstrations, and value of products. D.C. 27, pp. 3-4. 1919; D.C. 152, pp. 14-15. 1921.
  champions, 1913. News L., vol. 1, No. 20, pp. 1-2. 1913.
  demonstrations. D.C. 312, pp. 17-18. 1924.
  directions for work. D.C. 48, pp. 1-11. 1919.
  for North and West, enrollment and work. D.C. 192, pp. 28-29. 1921.
  girls', work in New Jersey. News L., vol. 1, No. 31, pp. 3-4. 1914.
  in—
   Guam, results of work. Guam A.R., 1921, pp. 37, 39. 1923.
   Guam, rules for members. Guam Cir. 2, pp. 2, 3. 1921.
   Iowa, membership increase, 1919. News L., vol. 6, No. 48, p. 8. 1919.
   Nebraska, products value, 1918. News L., vol. 6, No. 43, p. 10. 1919.
   North and West, enrollment and work. S.R.S. Dir. Rpt., 1921, p. 49. 1921.
   South, value of products. S.R.S. Dir. Rpt., 1921, pp. 32-33. 1921.
  labor records. D.B. 385, p. 27. 1916.
  number, membership, and results in 1921. D.C. 255, pp. 15, 22-23. 1923.
 competitions, rules, judging, and premiums. D.C. 62, pp. 35-38. 1919.
 cress—
  cultural hints. F.B. 255, p. 32. 1906.
  seed saving, directions. F.B. 1390, p. 7. 1924.
 crops—
  choosing for family of four. F.B. 818, pp. 8-9. 1917.
  cultivation. See Soil Surveys *for areas and counties*.
  damages by field mice. Biol. Bul. 31, p. 23. 1907.
  dates when fit for use. S.R.S. Doc. 84, p. 6. 1918.
  description, growing methods. F.B. 647, pp. 10-27. 1915.
  destruction by rabbits. N.A. Fauna 25, p. 152. 1905.
  for market, use of nitrate of soda. F.B. 162, pp. 6-9. 1903.
  succession and rotation. F.B. 937, pp. 23-24. 1918.
  varietal tests, Umatilla Experiment Farm. B.P.I. Cir. 129, pp. 28-29. 1913.
 cultivation, use in preventing evaporation. F.B. 934, pp. 22-23. 1918.

Garden(s)—Continued.
  damages by moles. F.B. 1247, pp. 11-13. 1922.
  date—
    cooperative—
      Arizona, California, and Texas. An. Rpts., 1908, p. 297. 1909; B.P.I. Chief Rpt., 1908, p. 25. 1908.
      Tempe, Arizona, work. B.P.I. Bul. 53, pp. 19, 21, 31, 35, 37, 42-43, 47, 100, 110, 127, 128. 1904.
      establishment. An. Rpts., 1907, pp. 45, 278. 1908; Rpt. 85, p. 32. 1907; Sec. A.R., 1907, p. 43.1907; Y.B., 1907, p. 44. 1908.
      Sahara desert, Souf region. B.P.I. Bul. 86, pp. 18-27. 1905.
      sunken, Algeria, description. B.P.I. Bul. 53, pp. 69-70. 1904.
  day-school, England, rules, plans, and general results. O.E.S. Bul. 204, pp. 26-33. 1909.
  demonstration, cooperation with Indian Service. An. Rpts., 1909, pp. 278-279. 1910; B.P.I. Chief Rpt., 1909, pp. 26-27. 1909.
  diseases—
    prevention method. F.B. 856, pp. 4-6. 1917.
    publications, use by teachers. Alvin Dille. D.C. 68, pp. 4. 1919.
  drug, for schools of pharmacy. Y.B., 1917, pp. 159-160. 1918; Y.B. Sep. 734, pp. 9-10. 1918.
  dry—
    farming regions, directions. F.B. 329, p. 13. 1908.
    land fruit, Akron, Colo., work, 1910. B.P.I. Chief Rpt., 1910, p. 81. 1910; An. Rpts., 1910, p. 351. 1911.
  evening school, England. O.E.S. Bul. 204, pp. 23-26. 1909.
  experimental, south Texas, demand. B.P.I. Doc. 457, pp. 2-3. 1909.
  experiments in Alaska. Alaska A.R., 1911, pp. 44-45, 47, 49, 66, 68-75. 1912.
  extension program for Western States, report. D.C. 335, pp. 12-13, 14. 1924.
  Fairbanks Experiment Station, Alaska, management. Alaska A.R., 1910, pp. 58-59. 1911.
  fall—
    and winter, in South and Southwest, planting directions. News L., vol. 4, No. 4, pp. 1, 3. 1916.
    plan. S.R.S. Doc. 84, p. 7. 1919.
  farm—
    care, rotations, etc. Y.B., 1908, p. 201. 1909; Y.B. Sep. 475, p. 201. 1909.
    extension work in 1923. D.C. 349, pp. 20-21. 1925.
    in the North. James H. Beattie. F.B. 937, pp. 54. 1918.
    location, plans and arrangement. F.B. 937, pp. 4-8. 1918.
    value as source of home supplies. F.B. 1082, p. 9. 1920.
    vegetable, illustrated lecture on. H. C. Thompson and H. M. Conolly. S.R.S. Syl. 27, pp. 15. 1917.
  fertilizer, formula. Y.B., 1918, p. 189. 1919; Y.B. Sep. 780, p. 7. 1919.
  fertilizers. F.B. 124, pp. 12-16. 1901.
  flower, general arrangement and care. F.B. 1171, pp. 5-6. 1921.
  flower, making, contest, rules. O.E.S. Bul. 255, p. 47. 1913.
  for growing the Madonna lily. D.B. 1331, pp. 15-16. 1925.
  four-year course, girls' canning clubs. News L., vol. 3, No. 28, pp. 2-3. 1916.
  frames, frost protection experiments, Umatilla experiment farm. B.P.I. [Misc.], "The work of the Umatilla * * * 1913," pp. 8-9. 1914.
  fruit—
    combination with vegetable garden. F.B. 154, pp. 16-18. 1902.
    farmers'. F.B. 169, pp. 14-15. 1903.
    for cotton farm, suggestions, plan and varieties. F.B. 1015, pp. 5-10. 1919.
    home—
      plan showing combinations. Y.B. 1901, pp. 443-445. 1902; Y.B. Sep. 246, pp. 443-445. 1902.
      preparation and care. L. C. Corbett. F.B. 154, pp. 20. 1902.
      laying out. F.B. 154, pp. 16-19. 1902.

Garden(s)—Continued.
  fruit—continued.
    plan and site. F.B. 1001, pp. 4-6. 1919.
    See also Fruit(s), growing; Orchards.
  Guam, importance and requisites for success. Guam Bul. 2, p. 2. 1922.
  half-acre, desirability, and plan. F.B. 937, pp. 3, 6. 1918.
  herbaceous perennials, culture, arrangement, and kinds. F.B. 1381, pp. 4-73. 1924.
  home—
  and—
    community, work of county agents. D.C. 37, p. 12. 1919.
    market, saving vegetable seeds for. W. W. Tracy, sr. F.B. 884, pp. 16. 1917.
    market, vegetable seeds for. W. W. Tracy, sr., and D. N. Shoemaker. F.B. 1390, pp. 14. 1924.
  celery plants for. F.B. 1269, pp. 9-10. 1922.
  cultivation requirements. F.B. 936, pp. 14-15. 1918; S.R.S. Doc. 49, pp. 5, 6, 12. 1918.
  demonstration work in South. S.R.S. Rpt., 1918, pp. 41, 52. 1919.
  diseases and—
    insect enemies, how teachers may use publications on control. Alvin Dille. D.C. 68, pp. 4. 1919.
  insects, boys' and girls' club work. W. W. Gilbert. D.C. 35, pp. 31. 1919.
  extension work, North and West. S.R.S. Rpt., 1918, pp. 83, 90. 1919.
  for club members. Glen Briggs. Guam Cir. 2, pp. 15. 1921.
  fruit—
    L. C. Corbett. Y.B., 1901, pp. 431-446. 1902; Y.B. Sep. 240, pp. 431-446. 1902.
    advantages and pleasures. F.B. 145, pp. 6-7. 1902.
    preparation and care. L. C. Corbett. F.B. 154, pp. 20. 1902.
  growing seeds for, boys' and girls' club work. C. P. Close. S.R.S. Doc. 87, pp. 8. 1918.
  help in winning war, results of county-agent work. S.R.S. Doc. 88, pp. 15-16. 1918.
  in the South. H. C. Thompson. F.B. 647, pp. 28. 1915.
  insect and disease control. S.R.S. Doc. 52, pp. 1-10. 1917.
  location, plan and arrangement. F.B. 934, pp. 3-8. 1918; F.B. 936, pp. 10-11. 1918.
  necessity in safe farming. Sec. Cir. 56, pp. 5-6. 1916.
  plan and tools for, boys' and girls' club work. C. P. Close. S.R.S. Doc. 84, pp. 7. 1918.
  requirements for 1919-1920. Sec. Cir. 125, p. 16. 1919.
  seed and plants for family of four, boys' and girls' club work. C. P. Close. S.R.S. Doc. 46, pp. 2. 1917.
  soil selection and preparation. D.C. 48, p. 3. 1919.
  time and methods of cultivation. F.B. 936, pp. 32-33. 1918.
  vegetables—
    cultural advice for planting. F.B. 934, pp. 24-44. 1918.
    growing, boys' and girls' club work. C. P. Close. S.R.S. Doc. 49, pp. 7. 1917.
    growing on Truckee-Carson project. B.P.I. Cir. 110, pp. 21-25. 1913.
    in South, location, soil requirement, plan, and size. F.B.647,pp.2-5,27,26. 1915.
  work of—
    boys' and girls' clubs, value of produce. D.C. 33, pp. 20-21, 33. 1920.
    children in Hawaii. Hawaii A.R., 1919, pp. 38-39, 73. 1920.
    club boy. News L., vol. 6, No. 50, p. 6. 1919.
  hose. See Hose, garden.
  importance in adding to beauty of farmstead. F.B. 1087, pp. 32-35. 1920.
  Indian, in Alaska. Alaska A.R., 1907, pp. 58-59. 1908.
  injury by—
    muskrat. F.B. 396, pp. 17-18. 1910.
    rabbits. Y.B., 1907, p. 332. 1908; Y.B. Sep. 452, p. 332. 1908.

Garden(s)—Continued.
  insects and diseases attacking. F.B. 856, pp. 24-70. 1917.
  irrigated—
    plan. F.B. 864, pp. 24-26. 1917; F.B. 934, pp. 23-24. 1918.
    sections, Montana, hints. B.P.I. Doc. 462, p. 2. 1909.
  irrigation—
    preparing land. F.B. 263,pp. 26-28. 1906; F.B. 864, pp. 24-26. 1917.
    Wyoming experiments. O.E.S. Cir. 95, pp. 1-11. 1910.
  kneeling pad, description and directions for making. S.R.S. Doc. 83, pp. 1-3. 1918.
  laborers, on the farm. Y.B., 1918, pp. 355-356. 1919; Y.B. Sep. 789, pp. 11-12. 1919.
  management, suggestions. F.B. 432, pp. 12-14. 1911.
  market—
    centers, and cities served, 1900, 1910. Y.B., 1916, pp. 450-451. 1917; Y.B. Sep. 702, pp. 16-17. 1917.
    fertilizer, use of nitrate of soda. F.B. 162, pp. 6-9. 1903.
    vegetable seed growing. F.B. 1390, pp. 1-14. 1924.
  mint. See Spearmint.
  northern, for fall vegetables, seed selection, care, etc. News L., vol. 6, No. 1, p. 4. 1918.
  permanent fruit and vegetable. W. R. Beattie and C. P. Close. F.B. 1242, pp. 23. 1921.
  pests—
    combating methods. C. W. Carpenter. Hawaii Ext. Bul. 4, pp. 16. 1917.
    publications, use by teachers. D.C. 68, pp. 1-4. 1919.
  plan(s)—
    arrangement of fences, crops, and rotations. S.R.S. Syl. 27, pp. 2-5. 1917.
    for beginners. F.B. 934, pp. 5-6. 1918.
    general directions. S.R.S. Doc. 49, p. 1. 1917.
    necessity and value, sample plan. News L., vol. 3, No. 33, pp. 6-7. 1916.
    work and study of school clubs. D.B. 281, p. 28. 1915.
  plant introduction—
    inspection. F.H.B.S.R.A. 61, p. 32. 1919.
    location and work. B.P.I. Cir. 100, pp. 19-20. 1912.
    of the Department. P. H. Dorsett. Y.B., 1916, pp. 135-144. 1917; Y.B. Sep. 687, pp. 10. 1917.
  planting advice. S.R.S. Doc. 48, pp. 1-4. 1917.
  products, Alaska. B.P.I. Bul. 82, p. 27. 1905.
  profits per hour to Ohio factory workers. News L., vol. 5, No. 43, p. 12. 1918.
  project, record blank, school studies. S.R.S. Doc. 38, p. 6. 1917.
  protection—
    against insects and diseases. F.B. 934, p. 24. 1918.
    from—
      cold. Y.B., 1909, p. 393. 1910; Y.B. Sep. 522, p. 393. 1910.
      grasshoppers. F.B. 691, rev., pp. 18-20. 1920.
      muskrats. F.B. 869, p. 19. 1917.
  Rampart Experiment Station, Alaska, management. Alaska A.R., 1910, p. 53. 1911.
  refuse in, destruction before onion planting. F.B. 1007, pp. 8-9. 1919.
  rock or wall, description and plants adapted to. F.B. 1381, pp. 12-14, 50-58. 1924.
  roof, London school. O.E.S. Bul. 204, pp. 7-8. 1909.
  root-knot control by rotation with grain and chickens. F.B. 1345, pp. 22-23. 1923.
  school—
    L. C. Corbett. B.P.I. Doc. 140, pp. 6. 1905; F.B. 218, pp. 40. 1905.
    and home, Hawaii. Hawaii A.R., 1918, pp. 14-15, 34. 1919.
    and propagating, needs and value in Canal Zone. Rpt. 95, pp. 48-49. 1912.
    discussion. F.B. 194, pp. 10-11. 1904.
    educational value of work. F.B. 218, pp. 6-7. 1905.

Garden(s)—Continued.
  school—continued.
    England, and nature study. Susan B. Sipe. O.E.S. Bul. 204, pp. 37. 1909.
    Guam, objects and results. Guam A.R., 1920, pp. 69-70. 1921.
    lesson in preparation. D.B. 258, pp. 20-21, 26, 35. 1915.
    planning and planting. D.B. 132, pp. 29-31. 1915; F.B. 195, pp. 10-11. 1904.
    report upon cooperative work with normal schools of Washington, with notes on school-garden methods followed in other American cities. B. T. Galloway. O.E.S. Bul. 160, pp. 47. 1905.
    seed distribution. An. Rpts., 1908, pp. 359-360. 1909; B.P.I. Chief Rpt., 1908, pp. 87-88. 1908.
    work and exhibits. Guam A.R., 1921, pp. 31-33. 1923.
  seed—
    imports, 1922-1924. Y.B., 1924, p. 1064. 1925.
    See also Seeds, flower and garden.
  small, planning. F.B. 818, pp. 4-8. 1917.
  study in cotton-mill town, details. D.B. 603, pp. 4-8. 1918.
  subtropical, Miami, Fla., work, 1907. An. Rpts., 1907, pp. 335-338. 1908.
  surplus, distribution and utilization. Mkts. Doc. 6, pp. 10. 1917.
  testing, Department of Agriculture. Y.B., 1905, pp. 278-299. 1916; Y.B. Sep. 384, pp. 278-299. 1906.
  tools necessary for vegetable culture. F.B. 255, pp. 21-22. 1906.
  truck, transportation rates of charge with notes on growth of industry. Edward G. Ward, jr. and Edwin S. Holmes, jr. Stat. Bul. 21, pp. 16 1901.
  value—
    in contribution to farmers' living, various States. D.B. 654, p. 19. 1918.
    to laborers, study in cotton-mill towns. W.C. Funk. D.B. 602, pp. 12. 1918.
  vegetable—
    city and suburban. H. M. Connolly. F.B. 936; pp. 52. 1918; S.R.S. Syl. 33, pp. 20. 1918.
    cotton farm, size, planning., and yields. F.B. 1015, pp. 5-10. 1919.
    cultivation, directions for club member. D.C. 48, p. 11. 1919.
    description and value. F.B. 454, pp. 25-26. 1911.
    diseases and insects. W. W. Gilbert and C. H. Popenoe. F.B. 1371, pp. 46. 1927.
    establishment and management, syllabus. S.R.S. Syl. 27, pp. 8-13. 1917.
    farmer's. F.B. 149, pp. 6-10. 1902.
    fertilizing methods, formulas, and use rates. F.B. 936, pp. 22-25. 1918.
    growing. C. P. Close. S.R.S. Doc. 49, pp. 12. 1918.
    home. W. R. Beattie. F.B. 255, pp. 48. 1907.
    in Guam, 1917. Guam A.R., 1917, pp. 31-35. 1918.
    rotation with chicken yard and corn patch. F.B. 1345, pp. 22-23. 1923.
    small. F.B. 818, pp. 44. 1917.
    surplus, distribution and utilization. Mkts. Doc. 6, pp. 1-10. 1917.
  war and army, European countries. Sec. [Misc.] Report of the Agricultural Commission * * *, pp. 43-45. 1919.
  webworm, parasites. Ent. Bul. 57, p. 13. 1906.
  wild—
    description, and perennials adapted to. F.B. 1381, pp. 14-15, 69-72. 1924.
    plant improvement, California, work, B.P.I. Chief Rpt., 1905, p. 95. 1905; An. Rpts., 1905, p. 95. 1905.
  window—
    boxes for schoolroom. F.B. 218, pp. 31-33. 1905.
    directions for making. W. W. Tracy, sr. B.P.I. Doc. 433, pp. 7. 1909; B.P.I. [Misc.], "Directions for making * * *" rev. pp. 8. 1905; rev. pp. 7. 1909.
  winter—
    enriching for 1918, methods. News L., vol. 5, No. 14, pp. 1, 5. 1917.

Garden(s)—Continued.
  winter—continued.
    for South, details. News L., vol. 6, No. 1,. pp. 4, 5. 1918; News, L., vol 2, No. 14, pp. 3-4. 1914.
    increase work with club work in Southern States. Y.B., 1916, pp. 255, 265. 1917; Y.B. Sep. 710, pp. 5, 15. 1917.
  work—
    children's, study of types. Susan B. Sipe. O.E.S. Bul. 252, pp. 56. 1912.
    girls' clubs, 1910-1921, enrollment and products. D.C. 248, p. 25. 1922.
    in south Texas, at Brownsville. B.P.I. Doc. 457, p. 2. 1909.
    of girls and women in Southern States, 1917. S.R.S. Rpt., 1917, Pt. II, pp. 24, 33. 1919.
Garden City—
  Field Station, spring wheat production, various methods, 1909,-1914, yields and cost. D.B. 214, pp. 32-33, 37-42. 1915.
  Nursery, practices, seeding, and irrigation. D.B. 479, pp. 36, 41, 43, 60, 62, 75, 85. 1917.
Gardeners, planting table—
  for Guam. Guam Bul. 2, p. 12. 1922.
  quantity of seeds and plants. F.B. 818, pp. 18-19. 1917; F.B. 937, p. 16. 1918.
Gardenia—
  jasminoides or florida. See Cape jasmine.
  latifolia, importation and description. No. 53577, B.P.I. Inv. 67, p. 64. 1923.
Gardening—
  beautifying the home. F.B. 185. pp. 1-24. 1904.
  beginning work, rules for club members. S.R.S. Doc. 92, p. 3. 1919.
  city and suburban, types and descriptions. F.B. 936, pp. 5-7. 1918.
  clothing set, directions for making. D.C. 2, pp. 3-6. 1919.
  cooperation, at field station near Mandan, N. Dak. D.B. 1301, p. 34. 1925.
  demonstration work, results. D.C. 285, p. 16. 1923.
  essentials for success. F.B. 818, pp. 3-4. 1917.
  experiments in Alaska. Alaska A.R., 1911, pp. 44-45, 47, 49, 66, 68-75. 1912.
  farm, in the north, teaching by use of F.B. 937. F. E. Heald. S.R.S. [Misc.], "How teachers may use * * *," pp. 4. 1918.
  home—
    Lib. Leaf. 8, pp. 3. 1918.
    development and increase. Y.B., 1917, pp. 23, 78, 95. 1918.
  in the South.—
    H. C. Thompson. F.B., 934, pp. 44. 1918.
    teaching by use of F.B. 934. F. E. Heald. S.R.S. [Misc.], "How teachers may use * * *," pp. 4. 1918.
  in Alaska—
    Coldfoot. Alaska A.R., 1906, pp. 34-35. 1907.
    Copper Center Station. O.E.S. An Rpt., 1904. pp. 330-331. 1905.
    reports from private land holders. Alaska A.R., 1907, pp. 74-87. 1908.
    vegetable yields and prices. News L., vol. 2, No. 49, p. 5. 1915.
    vegetables and flowers, various settlements. Alaska A.R., 1912, pp. 77-89. 1913.
  in Arizona, difficulties, and incomes. D.B. 654, p. 41. 1918.
  injury by green June beetle. D.B. 891, pp. 8-9 11, 12-15, 16-17, 48. 1922.
  instructions for club members. D.C. 27, pp. 16. 1919; S.R.S. Doc. 92, pp. 16. 1919.
  landscape—
    experiments at field station near Mandan, N. Dak. D.B. 1301, pp. 34-41. 1925.
    home grounds, school studies. S.R.S. Doc. 62, pp. 7-12. 1917.
  needs of farm homes, and publications suggested. Rpt. 103, pp. 86, 87, 93, 95. 1915; Rpt. 104, pp. 15, 22, 86, 87, 93, 95. 1915; Rpt. 105, pp. 74, 75, 81, 83. 1915; Rpt. 106, pp. 77, 78, 84, 86. 1915.
  ornamental, work of railroads, features and purposes. Stat. Bul, 100, pp. 36-37, 45. 1912.
  school—
    and home, planting table. D.B. 305, p. 62. 1915.

Gardening—Continued.
  school—continued.
    lessons. D.B. 258, pp. 15, 20-21, 26, 31, 35. 1915.
    set, girls', description and directions. S.R.S. Doc. 83, pp. 1-4. 1918.
    suburban, as beginning of farming. Y.B., 1909, p. 241. 1910; Y.B.Sep. 509, p. 241. 1910.
    under glass, in North Carolina. F.B. 144, pp.11-12. 1901.
    vacant-lot, experiments at Minneapolis, Minn., methods. O.E.S. Bul. 252, pp. 18, 23. 1912.
  vegetable—
    city and suburban, teaching by use of F.B. 936. F. E. Heald. S.R.S. [Misc.], "How teachers may use * * *," pp. 2. 1918.
    course for southern schools, references. D.B. 592, pp. 17-20. 1917.
    experiments at field station near Mandan, N. Dak. D.B.,-1301, pp. 41-47. 1925.
    seed care. F.B. 1390, pp. 1-14. 1924.
  See also Fruit growing; Horticulture.
GARDINER, A. B.: "The costs of milk delivery." B.A.I. [Misc.], "World's dairy congress, 1923," pp. 833-835. 1924.
GARDINER, R. F.—
  "Analyses of salines of the United States." With others. Soils Bul. 94, pp. 96. 1913.
  "Analysis of experimental work with ground raw rock phosphate as a fertilizer." With others. D.B. 699, pp. 119. 1918.
  "Solubility of lime, magnesia, and potash in such minerals as epidote, chrysolite, and muscovite, especially in regard to soil relationships." J.A.R., vol. 16, pp. 259-261. 1919.
GARDNER, CHASTINA: "Agricultural cooperation: A selected and annotated reading list." M.C. 11, pp. 55. 1923.
GARDNER, F. D.—
  "Fertility of soils as affected by manures." Soils Bul. 48, pp. 59. 1908.
  "Manurial requirements of the Cecil silt loam of Lancaster County, South Carolina." With F. E. Bonsteel. Soils Cir. 16, pp. 7. 1905.
  "Manurial requirements of the Leonardtown loam soil of St. Mary County, Maryland." Soils Cir. 15, pp. 13. 1905.
  "Manurial requirements of the Portsmouth sandy loam of the Darlington Area, S. C." With F. E. Bonsteel. Soils Cir. 17, pp. 10. 1905.
  Porto Rico Experiment Station, work—
    1901. O.E.S. An. Rpt., 1901, pp. 381-415. 1902.
    1902. O.E.S. An. Rpt., 1902, pp. 331-357. 1903.
    1903. O.E.S. An. Rpt., 1903, pp. 419-468. 1904.
    1904. O.E.S. An. Apt., 1904, pp. 383-424. 1905.
  "The agricultural experiment station of Porto Rico, its establishment, location, and purpose." (Also Spanish Edition.) P.R. Bul. 1, pp. 15. 1902.
  "The wirebasket method for determining the manurial requirements of soils." Soils Cir. 18, pp. 6. 1905.
GARDNER, M. W.—
  "Air and wind dissemination of ascospores of the chestnut-blight fungus." With others. J.A.R., vol. 3, pp. 493-526. 1915.
  "Anthracnose of cucurbits." D.B. 727, pp. 68. 1918.
  "Bacterial spot of tomato." With James B. Kendrick. J.A.R., vol. 21, No. 2, pp. 123-156. 1921.
  "Cladosporium leaf mold of tomato fruit invasion and seed transmission." With James B. Kendrick. J.A.R., vol. 31, pp. 519-540. 1925.
  "Handbook of the diseases of vegetables occurring under market, storage, and transit conditions." With George K. K. Link. B.P.I. [Misc.], "Handbook of the * * *," pp. 73. 1919.
  "Longevity of pycnospores of the chestnut blight fungus in the soil." With F. D. Heald. J.A.R., vol. 2, pp. 67-75. 1914.
  "Necrosis, hyperplasia, and adhesions in mosaic tomato fruits." J.A.R., vol. 30, pp. 871-888. 1925.
  "Origin and control of apple-blotch cankers." J.A.R., vol. 25, pp. 403-418. 1923.

GARDNER, M. W.—Continued.
"Soy bean mosaic." With James B. Kendrick. J.A.R., vol. 22, pp. 111–114. 1921.
"Soy bean mosaic; seed transmission and effect on yield." With J. B. Kendrick. J.A.R., vol. 27, pp. 91–98. 1923.
"Turnip mosaic." With James B. Kendrick. J.A.R. vol. 22, pp. 123–124. 1921.
Gargaphia solani. See Lacebug, eggplant.
Garget—
  cow, causes and treatment. B.A.I. [Misc.], "Diseases of cattle," rev., pp. 238, 447. 1912.
  cup, use in detection of diseased udders. B.A.I. Dairy [Misc.], "World's dairy congress, 1923," p. 535. 1924.
  danger to milk supply. B.A.I. An. Rpt., 1907, p. 154. 1909.
  ewes, cause and treatment. F.B. 1155, pp. 32–35. 1921.
  goat ailment, control by washing with warm water. F.B. 920, p. 36. 1918.
  See also Mammitis; Mastitis.
Garlic—
  control in wheat fields. F.B. 885, pp. 11–12. 1917.
  cultural directions and uses. D.B. 503, p. 14. 1917; F.B. 647, p. 16. 1915; F.B. 934, p. 34. 1918; F.B. 937, p. 39. 1918.
  effect on odor and flavor of milk. C. J. Babcock. D.B. 1326, pp. 11. 1925.
  flavor, removal from milk and cream. S. Henry Ayers and W. T. Johnson. F.B. 608, pp. 4. 1914.
  food use and composition. F.B. 295, pp. 33, 41. 1907.
  growing directions, for home gardens. F.B. 936, p. 44. 1918.
  growing in Arizona, Yuma Experiment Farm, yields. D.C. 75, pp. 52–53. 1920; W.I.A. Cir. 25, p. 43. 1919.
  home garden, cultural hints. F.B. 255, p. 34. 1906.
  injury to—
    pastures, control method. F.B. 509, pp. 41–42. 1912.
    rye, control. F.B. 756, pp. 14–15. 1916.
  insect pests, list. Sec. [Misc.], "A manual * * * insects * * *," pp. 157–158. 1917.
  medicinal use, importation. No. 44248, B.P.I. Inv. 50, p. 48. 1922.
  occurrence in pastures, extermination. F.B. 1125, rev., p. 57. 1920.
  origin and distribution, injury to wheat. D.B. 455, pp. 2–3. 1916.
  planting and uses. F.B. 354, p. 30. 1909.
  shipments by States, and by stations, 1916. D.B. 667, pp. 11, 159. 1918.
  use for food. D.B. 123, p. 21. 1916; O.E.S. Bul. 245, p. 34. 1912.
  vermifuge use. J.A.R., vol. 30, p. 155. 1925.
  wild—
    control method. Work and Exp., 1914, p. 104. 1915.
    eradication, method. Work and Exp., 1913, p. 25. 1915.
    extermination. B.P.I. Doc. 416. pp. 1–6. 1908.
    injury to wheat. B.P.I. Bul. 100. Pt. III, pp. 5–6, 21–30. 1907.
  See also Onion, wild.
Garment(s)—
  freshening and remaking to lessen expense. F.B. 1089, pp. 5–7. 1920.
  making clubs, work and demonstrations. D.C. 66, pp. 31–32, 33, 36. 1920.
  outer, selection and care of. F.B. 1089, pp. 18–19, 23–25. 1920.
  See also Clothing; Clothes.
GARNER, H. S.: "The alcohol test as a means of determining quality of milk for condenseries." With A. O. Dahlberg. D.B. 944, pp. 13. 1921.
GARNER, J. R.: "Inspection of fruit and vegetable canneries." With others. D.B. 1084, pp. 38. 1922.
GARNER, W. W.—
"A new method for the determination of nicotine in tobacco." B.P.I. Bul. 102, Pt. VII, pp. 61–69. 1907.

GARNER, W. W.—Continued.
"Effect of the relative length of day and night, and other factors of the environment on growth and reproduction of plants." With H. A. Allard. J.A.R., vol. 18, pp. 553–606. 1920.
"Effects of crops on the yields of succeeding crops in the rotation, with special reference to tobacco." With others. J.A.R., vol. 30, pp. 1095–1132. 1925.
"Flowering and fruiting of plants as controlled by the length of day." With H. A. Allard. Y.B., 1920, pp. 377–400. 1921; Y.B. Sep. 852, pp. 377–400. 1921.
"Further studies in photoperiodism, the response of the plant to relative length of day and night." With H. A. Allard. J.A.R., vol. 23, pp. 871–920. 1923.
"History and status of tobacco culture." With others. Y.B., 1922, pp. 395–468. 1923; Y.B. Sep. 885, pp. 395–468. 1923.
"Localization of the response in plants to relative length of day and night." With H. A. Allard. J.A.R., vol. 31, pp. 555–566. 1925.
"Methods of testing the burning quality of cigar tobacco." B.P.I. Bul. 100, Pt. IV, pp. 31–40. 1907.
"Oil content of seeds as affected by the nutrition of the plant." With others. J.A.R., vol. 3, pp. 227–249. 1914.
"Photoperiodism in relation to hydrogen-ion concentration of the cell sap and the carbohydrate content of the plant." With others. J.A.R., vol. 27, pp. 119–156. 1924.
"Plans for the continuation of the tobacco investigations in Texas." B.P.I. Doc. 533, pp. 3. 1909.
"Principles and practical methods of curing tobacco." B.P.I. Bul. 143, pp. 54. 1909.
"Research studies on the curing of leaf tobacco." With others. D.B. 79, pp. 40. 1914.
"Sand drown, a chlorosis of tobacco due to magnesium deficiency, and the relation of sulphates and chlorids of potassium to the disease." With others. J.A.R., vol. 23, pp. 27–40. 1923.
"The control of tobacco wilt in the flue-cured district." With others. D.B. 562, pp. 20. 1917.
"The present status of the tobacco industry." B.P.I. Cir. 48, pp. 13. 1910.
"The relation of nicotine to the burning quality of tobacco." B.P.I. Bul. 141, Pt. I, pp. 5–16. 1909.
"The relation of the composition of the leaf to the burning qualities of tobacco." B.P.I. Bul. 105, pp. 25. 1907.
"The use of artificial heat in curing cigar-leaf tobacco." B.P.I. Bul. 241, pp. 25. 1912.
"Tobacco culture." F.B. 571, pp. 15. 1914; rev., pp. 24. 1920.
"Tobacco curing." F.B. 523, pp. 24. 1913.
Garnet, description and composition. Rds. Bul. 37, p. 20. 1911.
Garrapata. See Tick, spinose ear.
GARRAD, G. H.: "Educational and advisory work in dairy farming through the agency of milk recording societies." With James Mackintosh. B.A.I. Dairy [Misc.], "World's dairy congress, 1923," pp. 382–392. 1924.
GARRIELSON, I. N.: "Economic value of the starling in the United States." With E. R. Kalmbach. D.B. 868, pp. 66. 1921.
GARRIOTT, E. B.—
  address on long-range weather forecasts. W.B [Misc.], "Proceedings, third convention * * *," pp. 38–42. 1904.
  "Cold waves and frost in the United States." W.B. Bul. P, pp. 22. 1906.
  "Long-range weather forecasts." W.B. Bul. 35, pp. 68. 1904.
  "Storms of the Great Lakes." (Charts.) W.B. Bul. K, pp. 9. 1903.
  "Weather folk-lore and local weather signs." W.B. Bul. 33, pp. 153. 1903.
GARRISON, G. L.: "Experiments on the toxic action of certain gases on insects, seeds and fungi." With I. E. Neifert. D.B. 893, pp. 16. 1920.
GARRISON, H. S.—
"Effect of date of seeding on germination, growth, and development of corn." With E. B. Brown. D.B. 1014, pp. 11. 1922.

GARRISON, H. S.—Continued.
"Effects of continuous selection for ear type in corn." With Frederick D. Richey. D.B. 1341, pp. 11. 1925.
"Influence of spacing on productivity in single-ear and prolific types of corn." With E. B. Brown. D.B. 1157, pp. 11. 1923.
Garrulax pectoralis, shipment from Java, 1919. An. Rpts., 1919, p. 297. 1920; Biol. Chief Rpt., 1919, p. 23. 1919.
Garrya—
 elliptica. See Quinine bush.
 genus, characters, occurrence on Pacific slope. For. [Misc.], "Forest trees for Pacific * * *," pp. 416–418. 1908.
GARVER, SAMUEL—
"Alfalfa root studies." D.B. 1087, pp. 28. 1922.
"*Medicago falcata*, a yellow-flowered alfalfa." With R. A. Oakley. D.B. 428, pp. 70. 1917.
"Two types of proliferation in alfalfa." With R. A. Oakley. B.P.I. Cir. 115, pp. 3–13. 1913.
GARVEY, MARY E.: "Determination of fatty acids in butterfat. II." With others. J.A.R., vol. 24, pp. 365–398. 1923.
Gas(es)—
 absorbents on apple wrappers, prevention of internal browning. J.A.R., vol. 24, pp. 177–179. 1923.
 absorption by porous bodies. Soils Bul. 51, pp. 9–10. 1908.
 acetylene, substitution for oil in storm-warning lanterns. H. W. Richardson. W.B. Bul. 31, pp. 154–156. 1902.
 and vapors, absorption by soils. Harrison E. Patten and Francis E. Gallagher. Soils Bul. 51, pp. 50. 1908.
 by-product, use against prairie dogs. F.B. 227, p. 23. 1905.
 cheese, analysis method. B.A.I. Bul. 151, pp. 11–18. 1912.
 combustible—
  cattle on normal rations. J.A.R., vol. 11, pp. 455, 469. 1917.
  from sludge, peat, and coal, per ton. Y.B., 1914, p. 298. 1915; Y.B. Sep. 643, p. 298. 1915.
 concentration, injury to citrus fruits. D.B. 907, pp. 28–29. 1920.
 cooking, saving methods. U.S. Food Leaf. No. 12, p. 4. 1918.
 development, injury to farming, West Virginia, Clarksburg area. Soil Sur. Adv. Sh., 1910. pp. 10–11, 13. 1912; Soils F.O., 1910, pp. 1054–1055, 1057. 1912.
 dosage—
  citrus-free fumigation, schedules and experiments. Ent. Bul. 79, pp. 19–30, 50–52, 61–67. 1909.
  for orchard trees, schedule and directions. Ent. Bul. 90, pp. 27–28, 34–37, 51–60, 88–90. 1912.
 effect on lemon coloration, detection by analytical methods. J.A.R., vol. 27, pp. 758–759. 1924.
 emmental cheese, studies. William Mansfield Clark. B.A.I. Bul. 151, pp. 32. 1912.
 engine—
  horsepower rating method. Y.B., 1915, pp. 103–104. 1916; Y.B. Sep. 660, pp. 103–104. 1916.
  power for pumping domestic water supply. Y.B., 1914, p. 151. 1915; Y.B. Sep. 634, p. 151. 1915.
  running, practical hints. A. P. Yerkes. F.B. 1013, pp. 16. 1919.
 formation in Swiss cheese, effect of secondary heating. B.A.I. Dairy [Misc.], "World's dairy congress, 1923," pp. 296–297. 1924.
 gangrene. See Edema, malignant.
 hydrocyanic-acid—
  for tobacco fumigant, strength requirement, and use, danger. D.B. 737, pp. 55–56. 1919.
  fumigation—
   details and instructions. D.B. 872, pp. 11–27. 1920.
   of ornamental greenhouse plants with. E. R. Sasscer and A. D. Borden. D.B. 513, pp. 20. 1917.
   penetration into plant cells, evidence. J.A.R., vol. 11, pp. 319–320. 1917.
   plants and insects fumigated with, list. D.B. 513, pp. 11–20. 1917.

Gas(es)—Continued.
 hydrocyanic-acid—continued.
  use—
   against household insects. L. O. Howard and C. H. Popenoe. Ent. Cir. 163, pp. 8. 1912.
   against insects in stored products, method, and value. Ent. Cir. 112, pp. 4–7. 1909.
   against scale insects. F.B. 172, pp. 9–15. 1903.
   and superiority as fumigant for citrus-scale insect control. News L., vol. 5, No. 45, pp. 3, 8. 1918.
   in fumigation, cost for various insects. D.B. 513, pp. 10–11. 1917.
  value as fumigant, use and danger. D.B. 513, pp. 1–2, 11, 20. 1917.
  See also Hydrocyanic acid.
 illuminating—
  effect on trees, remedies. F.B. 316, pp. 12–14. 1908.
  fumigation effects. D.B. 893, p. 13. 1920.
  product of coal distillation. D.B. 1036, p. 7. 1922.
 in pasteurized butter, before and after storage, quantity and composition. B.A.I. Bul. 162, pp. 35–37. 1913.
 injury to vegetation and animal life. F.B. 225, pp. 5–7. 1905.
 leakage in fumigation of citrus trees. Ent. Bul. 79, pp. 43, 47–48. 1909.
 liberation in processing foods, effect on canned materials. D.B. 1022, pp. 21, 26, 33, 39, 48, 51. 1922.
 liquid, for fumigation, properties, vaporizing and dosage, and dangers. F.B. 1321, pp. 22–27, 38, 56. 1923.
 masks, manufacture, use of cohune nut. B.P.I. Inv. 63, pp. 76–77. 1923.
 measurement, apparatus and method. Chem. Cir. 80, pp. 2–3. 1911.
 miscellaneous, effect on lemon coloration. J.A.R., vol. 27, p. 767. 1924.
 natural—
  statistics, waste. For. Cir. 157, p. 8. 1908.
  waste and methods of prevention. F.B. 327, p. 9. 1908.
 pipes, destruction by rats. Biol. Bul. 33, pp. 27–28. 1909.
 poisoning, shade trees, causes, symptoms. Y.B., 1907, p. 485. 1908; Y.B. Sep. 463, p. 485. 1908.
 producer plant, use as power for pumping. O.E.S. Bul. 211, p. 27. 1909.
 proofing tents for use in orchard fumigation. F.B. 1321, pp. 4–5. 1923.
 rates allowable. Adv. Com. F. and B. M. [Misc.], "Fiscal regulations," p. 10. 1917.
 requirements for annual consumption, average northern farm. D.B. 1203, pp. 5–6. 1923.
 silo, control. F.B. 825, p. 12. 1917.
 stove—
  constituents, removal by absorbents, results. J.A.R., vol. 27, pp. 759–760. 1924.
  effect on lemon coloration, analysis data, experiments. J.A.R., vol. 27, pp. 758, 761–767. 1924.
 straw, experimental production. Harry E. Roethe. D.B. 1203, pp. 11. 1923.
 toxic—
  action on insects, seeds, and fungi, experiments. I. E. Neifert and G. L. Garrison. D.B. 893, pp. 16. 1920.
  use in control of peach-tree borer. E. B. Blakeslee. D.B. 796, pp. 23. 1919.
 treatment, for plant insects. F.B. 127, pp. 23–29. 1901.
 under skin, cattle. See Emphysema.
 use—
  for—
   lighting, directions. Thrift Leaf. 9, p. 3. 1919.
   pumping, power tests. O.E.S. Bul. 243, pp. 25, 32. 1911.
  in lemon curing, possibilities, study. B.P.I. Bul. 232, pp. 22–28, 32–33, 38. 1912.
  on farms, statistics. Y.B., 1921, p. 788. 1922, Y.B. Sep. 871, p. 19. 1922.
 war, use in bird control, experiments. An. Rpts., 1923, p. 439. 1924; Biol. Chief Rpt., 1923, p. 21. 1923.

Gas(es)—Continued.
  wells, South Dakota. O.E.S. Bul. 210, p. 20. 1909.
GASKILL, ALFRED: "How shall forests be taxed?" For. [Misc.], "How shall * * *," pp. 12. 1906.
Gasoline—
  and alcohol, use in farm engines. Charles Edward Lucke and S. M. Woodward. F.B. 277; pp. 40. 1907.
  brooder heating, cost and efficiency, precautions in use. F.B. 381, pp. 26-30. 1909.
  determination of color in flour. Chem. Bul. 137, pp. 144-148. 1911; O.B. 1187, pp. 43-44. 1924.
  engine exhaust, use against rats. F.B. 1302, p. 7. 1923.
  fuel—
    tests with internal-combustion engines. O.E.S. Bul. 191, pp. 48, 60, 67, 83, 86. 1907.
    use for farm tractors, quantity per acre plowed, and cost. F.B. 1035, pp. 19-21. 1919.
  lighting—
    system for homes, note. Thrift Leaf. 9, p. 3. 1919.
    value, comparison with alcohol. F.B. 517, p. 22. 1912.
  motor-truck operation expense, estimation. D.B. 770, p. 11. 1919; D.B. 910, pp. 26-27. 1920; D.B. 931, pp. 24, 29. 1921.
  power sprayers, description. F.B. 908, pp. 66-67. 1918; F.B. 933, pp. 9-19. 1918; Y.B., 1908, p. 284. 1909; Y.B. Sep. 480, p. 284. 1909.
  pumps and engines, fuel cost for irrigation. O.E.S. An. Rpt., 1908, pp. 384-385. 1909; O.E.S. Bul. 158, pp. 199-213, 250-253. 1905.
  remedy for sheep grubs. B.A.I. Bul. 112, pp. 67, 69. 1909.
  supply of United States, discussion. D.B. 174, pp. 20-21. 1915.
  torch, use for control of leaf-tyer moth. F.B. 1306, p. 8. 1923.
  use—
    as—
      anthelmintic, effect. B.A.I. Bul. 35, pp. 11-12. 1902; J.A.R., vol. 12, pp. 409-411. 1918; News L., vol. 2, No. 50, pp. 4, 6. 1915.
      power in irrigation pumping, Pomona Valley, Calif. O.E.S. Bul. 236, pp. 50-55. 1911.
      pumping power, precautions and cost. O.E.S. Bul. 240, p. 66. 1911.
      tractor fuel, comparison with kerosene. D.B. 174, pp. 14, 18-19, 43. 1915.
    in—
      engines attached to wheat harvesting machinery. D.B. 627, pp. 10, 18. 1918.
      house cleaning, precautions. F.B. 1180, pp. 8, 13, 27. 1921.
      moth control, precautions. F.B. 1353, p. 27. 1923.
      scouring wool and extracting grease. D.B. 1100, pp. 3, 11-17, 20. 1922.
      traction engines. B.P.I. Bul. 170, pp. 29-30. 1910.
    treatment of stomach worms in cattle. B.A.I. [Misc.], "Diseases of cattle," rev., p. 533. 1912.
    on farms, fire dangers, and control. F.B. 904, pp. 6-7. 1918.
GASSER, G. W., report of—
  Fairbanks Experiment Station work, Alaska, 1921. Alaska A.R., 1921, pp. 23-32. 1923.
  Rampart Experiment Station work, Alaska—
    1908. Alaska A.R., 1908, pp. 32-43. 1909.
    1909. Alaska A.R., 1909, pp. 43-51, 1910.
    1910. Alaska A.R., 1910, pp. 43-53. 1911.
    1911. Alaska A.R., 1911, pp. 33-45. 1912.
    1912. Alaska A.R., 1912, pp. 57-67. 1913.
    1913. Alaska A.R., 1913, pp. 37-48. 1914.
    1914. Alaska A.R., 1914, pp. 54-65. 1915.
    1915. Alaska A.R., 1915, pp. 54-69. 1916.
    1916. Alaska A.R., 1916, pp. 23-37. 1918.
    1917. Alaska A.R., 1917, pp. 34-57. 1919.
    1918. Alaska A.R., 1918, pp. 33-54. 1920.
    1919. Alaska A.R., 1919, pp. 30-44. 1920.
    1920. Alaska A.R., 1920, pp. 20-36. 1922.
Gassing trees, details of methods with tables of proportions of chemicals. Y.B., 1900, pp. 254, 257. 1901.
Gassy curd, cheese, cause, and control experiment. B.A.I. Bul. 115, pp. 19-21. 1909.

Gasterocercodes gossypii, species from Peru, description. Rpt. 102, pp. 14-15. 1915.
Gasteromycetes, keys to families and genera, and description of species. D.B. 175, pp. 47-53. 1915.
Gastric—
  contents, examination in saccharin experiments. Rpt. 94, pp. 88-89, 99-100. 1911.
  juice—
    effect on the virus of rabies. B.A.I. An. Rpt., 1909, pp. 203, 206. 1911; F.B. 449, pp. 7, 12. 1911.
    poultry, collection, function, etc. B.A.I. Bul. 56, pp. 17-19. 1904.
Gastridium spp., description, distribution, and uses. D.B. 772, pp. 15, 141-142. 1920.
Gastritis, traumatic, cattle, causes and prevention. B.A.I. Dairy [Misc.], "World's dairy congress, 1923," pp. 1463-1464. 1924.
Gastrocystis gilruthi occurrence in sheep. An. Rpts., 1912, p. 381. 1913; B.A.I. Chief Rpt., 1912, p. 85. 1912.
Gastroenteritis—
  cattle, causes, symptoms, and treatment. B.A.I. [Misc.], "Diseases of cattle," rev., pp. 35-36. 1912.
  causes, symptoms, and treatment. B.A.I. [Misc.], "Diseases of the horse," rev., p. 65. 1911.
  hog, cause, symptoms and treatment. F.B. 1244, p. 9. 1923.
  horse. *See also* Influenza.
  sheep, cause, symptoms, and treatment. F.B. 1155, p. 29. 1921.
  See also Diarrhea.
Gastrointestinal catarrh, horse, symptoms and treatment. B.A.I. [Misc.], "Diseases of the horse," rev. p. 61. 1911.
Gastrophilus—
  haemorrhoidalis—equi. *See* Botfly, horse.
  and other bots of horses, biological and control studies. W. E. Dove. D.B. 597, pp. 52. 1918
  See also Nose fly.
  nasalis. *See* Fly, chin, horse.
  spp., larval movement within horse, points of attachment. D.B. 597, pp. 10-13. 1918.
  spp., relation to Eosinophiles. J.A.R., vol. 21, pp. 679-688. 1921.
Gate(s)—
  construction, school exercises. F.B. 638, p. 12. 1915.
  farm, construction, school exercise. D.B. 527, pp. 36-37. 1917.
  for lambing enclosures. For. Bul. 97. p. 16. 1911.
  irrigation—
    canals, structures for. Fred C. Scobey. D.B. 115, pp. 61. 1914.
    for field levees. F.B. 673, p. 11. 1915.
    materials and cost. F.B. 373, p. 32. 1929.
    number used on various farms, table. D.B. 321, pp. 14-15. 1916.
    posts, concrete, making and hanging. F.B. 403, p. 30. 1910.
    reservoir, description. O.E.S. Bul. 249, Pt. I, pp. 41-51. 1912.
    shutters, irrigation canals, types, materials, construction, methods, etc. D.B. 115, pp. 3-10. 1914.
  sluice, protection. O.E.S. Bul. 240, pp. 63, 93. 1911.
  spillway, types, operation, and use. D.B. 831, pp. 11-13. 1920.
  See also Head gate; Tide gates.
GATES, B. N.—
  "Bee diseases in Massachusetts." Ent. Bul. 75, pp. 23-32. 1911; Ent. Bul. 75, Pt. III, pp. 23-32. 1908.
  "Beekeeping in Massachusetts." Ent. Bul. 75, Pt. VII, pp. 81-109. 1909.
  "The temperature of the bee colony." D.B. 96, pp. 29. 1914.
GATES, F. H.: "Clover stem-borer as an alfalfa pest." With V. L. Wildermuth. D.B. 889, pp. 25. 1920.
GATES, O. H.: "Laws applicable to the United States Department of Agriculture." Sol. [Misc.], "Laws applicable * * *," pp. 442. 1913; 2d Sup., 1915; 4th Sup., 1917.
GATLIN, G. O.: "Marketing southern-grown sweet-potatoes." D.B. 1206, pp. 48. 1924.
Gatten. *See* Cramp-bark tree.

Gattine, diagnosis and control in mulberry silk worm. Ent. Bul. 39, pp. 30–31. 1903.
Gatun Lake, island laboratory. Off. Rec., vol. 3, No. 31, pp. 1, 8. 1924.
Gauge(s)—
 rain and snow, use in forest study, and cost. D.B. 1059, pp. 60–61, 63. 1922.
 use in wood work, directions. D.B. 527, pp. 4–5. 1917.
 weir, description and adjustment. F.B. 813, pp. 10–12. 1917.
Gaultheria—
 nummularioides, importation and description. No. 39015, B.P.I. Inv. 40, pp. 58–59. 1917.
 oil, adulteration and misbranding. Chem. N. J. 4596, p. 134. 1917.
 procumbens. See Wintergreen.
 pubiflora, importation and description. No. 51570, B.P.I. Inv. 65, p. 27. 1923.
 trichophylla, importation and description. No. 42617, B.P.I. Inv. 47, p. 38. 1920.
Gaur, characteristics of skull, B.A.I. An. Rpt., 1910, pp. 158, 159. 1912.
Gaura, rust, occurrence, Texas. B.P.I. Bul. 226, p. 95. 1912.
GAUTIER, ARMAND, researches on cold storage of meats. D.B. 433, pp. 5–6. 1917.
Gauvin's aniseed syrup, misbranding. Chem. N.J. 773, pp. 2. 1911.
Gavia spp. See Loon.
Gaws, disease, transmission by ticks. Rpt. 108, p. 62. 1915.
Gaya lyalli. See Ribbonwood, large-flowered.
Gaylussacia—
 frondosa, huckleberry species. B.P.I. Bul. 193, p. 13. 1910.
 spp. See Huckleberries.
Gazania sp., importation and description. No. 48769, B.P.I. Inv. 61, p. 45. 1922.
Gazelle, gid occurrence. B.A.I. Bul. 125, Pt. I, pp. 19, 31–35. 1910.
Gazoo-Mississippi Delta, formation and description, Holmes County, Miss. Soil Sur. Adv. Sh., 1908, p. 6. 1909; Soils F.O., 1908, p. 772. 1911.
GEARREALD, NEAL—
 "Reconnoissance soil survey of northwest Texas." With others. Soil Sur. Adv. Sh., 1919, pp. 75. 1922; Soils F.O., 1919, pp. 1099–1173. 1925.
 "Soil survey of—
  Freestone County, Tex." With others. Soil Sur. Adv. Sh., 1918, pp. 58. 1921; Soils F.O., 1918, pp. 831–884. 1924.
  Tarrant County, Tex." With others. Soil Sur. Adv. Sh., 1920, pp. 859–905. 1924; Soils F.O., 1920, pp. 859–905. 1925.
Gears, sawmill, diameter pitch measurement. D.B. 718, pp. 61–62. 1918.
Geaster hygrometricus, description. D.B. 175, p. 51. 1915.
GEER, W. C.—
 "The analysis of turpentine by fractional distillation with steam." For. Cir. 152, pp. 29. 1908
 "Wood distillation." For. Cir. 114, pp. 8. 1907.
Geese—
 bag limits and penalties, Montana and Idaho. For. [Misc.]. "Trespass on national * * *," pp. 11, 28, 44. 1922.
 breeders, reports on breeds, prices, weights, etc. F.B. 767, pp. 14–16. 1917.
 breeds, description. F.B. 767, pp. 3–7. 1917.
 decrease in numbers, 1880–1920. Y.B., 1924, p. 388. 1925.
 economic use and self-feeding value on farms. Sec. Cir. 107, p. 9. 1918.
 fattening for—
  foie gras. F.B. 182, pp. 15–16. 1903.
  market. F.B. 1377, p. 14. 1924; D.B. 467, pp. 6, 9. 1916.
 feeding, directions. B.A.I. Bul. 56, pp. 48–50, 60. 1904; F.B. 767, p. 12. 1917.
 frozen, adulteration. Chem. N.J. 4698, p. 256. 1917.
 importation. F.B. 197, pp. 7, 9, 14. 1904.
 infection with coccidiosis. F.B. 1337, p. 13. 1923.
 lameness, treatment. F.B. 1337, pp. 22–23. 1923.
 market grades and quotations. F.B. 1377, pp. 8–9. 1924.

Geese—Continued.
 North American, distribution and migration. Biol. Bul. 26, pp. 65–84. 1906; N.A. Fauna 21, pp. 40, 73. 1901.
 number in 1909. D.B. 467, p. 2. 1916.
 origin, quality of flesh, and food value. D.B. 467, pp. 6, 21. 1916.
 preparing for market, killing, picking, cooling, etc. F.B. 767, pp. 13–14. 1917.
 wild—
  increase in Alaska. D.C. 225, p. 5. 1922.
  molting habits. D.B. 936, pp. 6, 8. 1921.
  occurrence in—
   Arkansas, food habits. Biol. Bul. 38, pp. 22–23. 1911.
   Pribilof Islands, and food habits. N.A. Fauna 46, pp. 59–61. 1923.
  range, occurrence and names. M.C. 13, pp. 32–38. 1923.
 See also Goose.
GEHRMAN, ADOLPH: "Infectiveness of tuberculous milk." With W. A. Evans. B.A.I. Bul. 44, pp. 22, 91. 1903.
GEIB, H. V.—
 "Reconnoissance soil survey of northwest Texas." With others. Soil Sur. Adv. Sh., 1919, pp. 75. 1922; Soils F.O., 1919, pp. 1099–1173. 1925.
 "Soil survey of—
  Mitchell County, Ga." With others. Soil Sur. Adv. Sh., 1920, pp. 37. 1922; Soils F.O., 1920, pp. 1–37. 1925.
  Oconee, Morgan, Greene, and Putnam Counties, Ga." With others. Soil Sur. Adv. Sh., 1919, pp. 61. 1922; Soils F.O., 1919, pp. 889–945. 1925.
  Outagamie County, Wis." With others. Soil Sur. Adv. Sh., 1918, pp. 42. 1921; Soils F.O., 1918, pp. 981–1018. 1924.
  Red River County, Tex." With others. Soil Sur. Adv. Sh., 1919, pp. 153–206. 1923; Soils F.O., 1919, pp. 153–206. 1925.
GEIB, W. J.—
 "Reconnoissance soil survey of—
  north part of north-central Wisconsin." With others. Soil Sur. Adv. Sh., 1914, pp. 76. 1916; Soils F.O., 1914, pp. 1655–1726. 1919.
  northeastern Wisconsin." With others. Soil Sur. Adv. Sh., 1913, pp. 101. 1915; Soils F.O., 1913, pp. 1561–1657. 1916.
  south part of north-central Wisconsin." With others. Soil Sur. Adv. Sh., 1915, pp. 65. 1917; Soils F.O., 1915, pp. 1585–1645. 1919.
 "Soil survey of—
  Adams County, Miss." With A. L. Goodman. Soil Sur. Adv. Sh., 1910, pp. 32. 1911; Soils F.O., 1910, pp. 705–732. 1912.
  Auglaize County, Ohio." Soil Sur. Adv. Sh., 1909, pp. 22. 1910.
  Berks County, Pa." With others. Soil Sur. Adv. Sh., 1909, pp. 47. 1911; Soils F.O., 1909, pp. 161–203. 1912.
  Bienville Parish, La." With others. Soil Sur. Adv. Sh., 1908, pp. 36. 1909; Soils F.O., 1908, pp. 843–874. 1911.
  Buffalo County, Wis." With others. Soil Sur. Adv. Sh., 1913, pp. 50. 1915; Soils F.O., 1913, pp. 1441–1486. 1916.
  Camp County, Tex." With others. Soil Sur. Adv. Sh., 1908, pp. 20. 1910; Soils F.O., 1908, pp. 953–968. 1911.
  Cass County, Mich." Soil Sur. Adv. Sh., 1906, pp. 30. 1907; Soils F.O., 1906, pp. 729–754. 1908.
  Chesterfield County, Va." With others. Soil Sur. Adv. Sh., 1906, pp. 32. 1908; Soils F.O., 1906, pp. 195–222. 1908.
  Columbia County, Wis." With others. Soil Sur. Adv. Sh., 1911, pp. 61. 1913; Soils F.O., 1911, pp. 1365–1421. 1914.
  Dane County, Wis." With others. Soil Sur. Adv. Sh., 1913, pp. 78. 1915; Soils F.O., 1913, pp. 1487–1530. 1916.
  Door County, Wis." With others. Soil Sur. Adv. Sh., 1916, pp. 44. 1918; Soils F.O., 1916, pp. 1739–1778. 1921.
  Fond du Lac County, Wis." With others. Soil Sur. Adv. Sh., 1911, pp. 43. 1913; Soils F.O., 1911, pp. 1423–1461. 1914.

GEIB, W. J.—Continued.
"Soil survey of—Continued.
Hancock County, Ga." With Gustavus B. Maynadier. Soil Sur. Adv Sh., 1909, pp. 27. 1910; Soils F.O., 1909, pp. 551-573. 1912.
Holmes County, Miss." With others. Soil Sur. Adv. Sh., 1908, pp. 32. 1909; Soils F.O., 1908, pp. 771-798. 1911.
Jackson County, Wis." With others. Soil Sur. Adv. Sh., 1918, pp. 44. 1922; Soils F.O., 1918, pp. 941-980. 1924.
Jefferson County, Wis." With others. Soil Sur. Adv. Sh., 1912, pp. 58. 1914; Soils F.O., 1912, pp. 1555-1608. 1915.
Juneau County, Wis." With others. Soil Sur. Adv. Sh., 1911, pp. 54. 1913; Soils F.O., 1911, pp. 1463-1512. 1914.
Kenosha and Racine Counties, Wis." With others. Soil Sur. Adv. Sh., 1919, pp. 58. 1922; Soils F.O., 1919, pp. 1319-1376. 1925.
Kewaunee County, Wis." With others. Soil Sur. Adv. Sh., 1911, pp. 51. 1913; Soils F.O., 1911, pp. 1513-1559. 1914.
La Crosse County, Wis." With others. Soil Sur. Adv. Sh., 1911, pp. 45. 1913; Soils F.O., 1911, pp. 1561-1601. 1914.
Lee County, Ala." With W. Edward Hearn. Soil Sur. Adv. Sh., 1906, pp. 26. 1907; Soils F.O., 1906, pp. 363-384. 1908.
Marion County, Ind." With Frank C. Schroeder. Soil Sur. Adv. Sh., 1907, pp. 24. 1908; Soils F.O., 1907, pp. 793-812. 1909.
Milwaukee County, Wis." With T. J. Dunnewald. Soil Sur. Adv. Sh., 1916, pp. 32. 1918; Soils F.O., 1916, pp. 1779-1806. 1921.
Mobile County, Ala." With others. Soil Sur. Adv. Sh., 1911, pp. 42. 1912; Soils F.O., 1911, pp. 859-896. 1914.
Niagara County, N. Y." With others. Soil Sur. Adv. Sh., 1906, pp. 53. 1908; Soils F.O., 1906, pp. 69-117. 1908.
Noxubee County, Miss." With others. Soil Sur. Adv. Sh., 1910, pp. 46. 1911; Soils F.O., 1911, pp. 785-826. 1912.
Portage County, Wis." With others. Soil Sur. Adv. Sh., 1915, pp. 52. 1917; Soils F.O., 1915, pp. 1489-1536. 1921.
Prentiss County, Miss." With C. L. Mann. Soil Sur. Adv. Sh., 1907, pp. 25. 1908; Soils F.O., 1907, pp. 503-523. 1909.
Rock County, Wis." With others. Soil Sur. Adv. Sh., 1917, pp. 51. 1920; Soils F.O., 1917, pp. 1188-1229. 1923.
the Bayfield area, Wis." With others. Soil Sur. Adv. Sh., 1910, pp. 28. 1911; Soils F.O., 1910, pp. 1123-1146. 1912.
Walworth County, Wis." With others. Soil Sur. Adv. Sh., 1920, pp. 51. 1381-1430. 1924; Soils F.O., 1920, pp. 1381-1430. 1925.
Waukesha County, Wis." With others. Soil Sur. Adv. Sh., 1910, pp. 48. 1911; Soils F.O., 1910, pp. 1173-1216. 1912.
Waupaca County, Wis." With others. Soil Sur. Adv. Sh., 1917, pp. 51. 1920; Soils F.O., 1917, pp. 1231-1277. 1923.
Wexford County, Mich." Soil Sur. Adv. Sh., 1908, pp. 20 1909; Soils F.O., 1908, pp. 1051-1066. 1911.
Wood County, Wis." With others. Soil Sur. Adv. Sh., 1915, pp. 51. 1917; Soils F.O., 1915, pp. 1537-1583. 1921.
Geijera parviflora—
importation and description. No. 49892, B.P.I. Inv. 63, p. 18. 1923; No. 52801, B.P.I. Inv. 66, p. 77. 1923.
See also Wilga.
GEISE, FRED W.: "Experiments on the value of greensand as a source of potassium for plant culture." With R. H. True. J.A.R., vol. 15, pp. 483-492. 1918.
Gekobia spp., description and habits. Rpt. 108, p. 31. 1915.
Gelatin—
adulteration—
and misbranding. See *Indexes, Notices of Judgment, in bound volumes and in separate published as supplements to Chemistry Service and Regulatory Announcements.*

Gelatin—Continued.
adulteration—continued.
dangers. An. Rpts., 1918, p. 205. 1918; Chem. Chief Rpt., 1918, p. 5. 1918.
analysis methods. Chem. Bul. 114, pp. 35-38. 1908.
arsenic determination method. Chem. Cir. 102, p. 10. 1912.
capsules, misbranding. Chem. N. J. 4052, 1916.
detection in jellies and jams. Chem. Bul. 66, rev., p. 29. 1905.
determination in canned meats. Chem. Bul. 13 Pt. X, pp. 1396-1397. 1902.
Hawaiian algae or limus. Hawaii A. R., 1906, pp. 79, 80-83. 1907.
ice cream—
effect on palatability. D.B. 1161, pp. 6-7, 8. 1923.
legal standards, by States. B.A.I. Dairy [Misc.], "World's dairy congress, 1923," p. 490. 1924.
imports—
1907-1909, amount and value, by countries from which consigned. Stat. Bul. 82, p. 25. 1910; Y.B., 1911, p. 657. 1912; Y.B. Sep. 588, p. 657. 1912.
1909, 1910. Y.B., 1910, p. 654. 1911; Y.B. Sep. 553, p. 654, 1911.
1911-1913. Y.B., 1913, p. 493. 1914; Y.B. Sep. 361, p. 493. 1914.
1918, statistics. Y.B., 1918. p. 628. 1919; Y.B. Sep. 794, p. 4. 1919.
mixtures, analysis methods. Chem. Bul. 152, p. 169. 1912.
presence in meat extracts, nutritive value. Chem. Bul. 114, pp. 35-38, 44-48. 1908.
use in—
clarifying vinegar. F.B. 1424, p. 17. 1924.
ice cream adulteration. Chem. N.J. 1446, p. 1. 1912.
preparation of colloidal arsenate of lead. J.A.R., vol. 26, p. 373. 1923.
separation of alumina from its salts. Soils Bul. 52, p. 28. 1908.
Gelatinization—
point of starch. Chem. Bul. 130, p. 137. 1910.
See also Proliferation.
Gelatinizing agents used in fruit products. Chem. Bul. 66, rev., pp. 37-38. 1905.
Gelatinoids, uses in the body. F.B. 142, pp. 7, 10. 1902.
Gelding, conformation for several classes of horses. Y.B., 1902, pp. 460, 464, 465. 1903.
Gelechia—
confusella—
history, synonymy, and food plants. D.B. 599, pp. 2-3. 1918.
See Peach worm, striped.
genus, comparison with new genus *Pectinophora*. J.A.R., vol. 9, No. 10, pp. 346-350. 1917.
gossypiella. See Bollworm, pink, cotton.
hibiscella, similarity to *Pectinophora gossypiella*. J.A.R., vol. 20, pp. 810-811. 1921.
neotrophella, n. sp. J.A.R., vol. 20, pp. 811-812. 1921.
trialbamaculella. See Fireworms, red-striped.
Gelsemium, alkaloidal reactions, comparison with atropin. Chem. Bul. 150, pp. 36, 39-40. 1912.
GELUK, J. A.: "Dairy instruction given by the cooperative dairy organizations in the Netherlands," B.A.I. Dairy [Misc.], "World's dairy congress, 1923," pp. 400-407. 1924.
GEMMELL, R. C.—
"Duty of water on Big Cottonwood Creek." O.E.S. Bul. 104, pp. 165-179. 1902.
"Water administration in Utah." O.E.S. Bul. 104, pp. 159-165. 1902.
Gems, recipes, wheat flour substitutes. F.B. 955, p. 15. 1918; S.R.S. Doc. 64, p. 3. 1917.
General Gates (horse), description, pedigree, and record. B.A.I. An. Rpt., 1907, pp. 61, 114, 118-119, 131. 1909; B.A.I. Cir. 137, pp. 114, 118-119, 131. 1908.
Generative organs, diseases of. James Law.—B.A.I. [Misc.], "Diseases of cattle," rev., pp. 144-209. 1904; pp. 144-209. 1908; pp. 147-215 1912; pp. 147-213. 1923.

Generative organs, diseases of. James Law.—Con.
  B.A.I. [Misc.], "Diseases of the horse," rev., pp.
  142–189. 1903; pp. 142–189. 1907; pp. 142–189.
  1911; pp. 164–209. 1916; pp. 164–209. 1923.
Generator(s)—
  fumigation—
    covering device, description. Ent. Bul. 79,
      pp. 56–58. 1909; Ent. Bul. 90, pp. 74–76.
      1912; Ent. Bul. 90, Pt. I, pp. 74–76. 1911.
    requirements. Ent. Cir. 111, p. 6. 1909.
  gas, use in fumigation experiments. J.A.R., vol.
    11, p. 429. 1917.
  vinegar, directions for making and use. F.B.
    1424, pp. 10–12. 1924.
Genetics—
  correlation and causation. Sewall Wright.
    J.A.R., vol. 20, pp. 557–585. 1921.
  experiment stations, studies. Work and Exp.,
    1919, pp. 34–36. 1921.
  rust resistance in crosses of varieties of *Triticum
    vulgare* with varieties of *T. durum* and *T. dicoc-
    cum.* H. K. Hayes and others. J.A.R., vol.
    19, pp. 523–542. 1920.
  See also Breeding; Crossbreeding; Heredity; Hy-
    bridization.
Genipap, importation and description. No. 34882,
  B.P.I. Inv. 66, p. 83. 1923.
Genipa, importations and descriptions. Nos.
  44090, 44183, B.P.I. Inv. 50, pp. 26, 39. 1922.
Genipap, importation and description. No. 34882,
  B.P.I. Inv. 34, p. 24. 1915; Nos. 37833, 37935,
  B.P.I. Inv. 39, pp. 51–52, 69. 1917; No. 43965,
  B.P.I. Inv. 49, p. 106. 1921.
Genipapo, description of tree and fruit, uses, Brazil.
  D.B. 445, p. 21. 1917.
Genista—
  raetam. See Retem.
  splendens, importation and description. No.
    34262, B.P.I. Inv. 32, p. 28. 1914.
Genital glands, cattle, vesicular eruption, symp-
  toms and treatment. B.A.I. [Misc.], "Diseases
  of cattle," rev., pp. 408–409. 1912; rev., pp. 401–
  402. 1923.
Gennaeus nycthemerus. See Pheasant, silver.
Gentian—
  culture and handling as drug plants, yield, and
    price. F.B. 663, p. 24. 1915.
  effect on fat and milk production of cows. J.A.R.,
    vol. 19, pp. 123, 125, 126, 128. 1920.
  importation and description. No. 40670, B.P.I.
    Inv. 43, p. 63. 1918; No. 55274–9, B.P.I. Inv.
    71, p. 31. 1923.
  root, powdered, adulteration. Chem. N.J. 754,
    pp. 2. 1911.
  violet, distribution between soil and solution.
    Soils Bul. 52, pp. 43–46. 1908.
  yellow, growing and uses, harvesting, marketing
    and prices. F.B. 663, rev., p. 33. 1920.
Geococcyx californianus. See Road runner.
Geocoris spp., enemy of leaf hopper. Ent. Bul.
  108, p. 32. 1912.
Geographical names, use in connection with food
  and drug products. F.I.D. 115, pp. 1–2. 1910.
Geography—
  agriculture of world. V. C. Finch and O. E.
    Baker. Sec. [Misc.], Spec., "Geography
    * * *," pp. 149. 1918.
  physical, and meteorology, a course in. W. N.
    Allen. W.B. Bul. 39, pp. 35. 1911.
  publications, list for use of teachers. Pub. Cir. 19,
    pp. 30–32. 1912.
  relation of forestry, plan of studies. For. Cir. 130,
    pp. 8, 11–12, 19. 1907.
Geological formations, relation to soil alkali. J.A.R.,
  vol. 10, pp. 335–336. 1917.
Geology—
  eolian, bibliography. S. C. Stuntz and E. E.
    Free. Soils Bul. 68, pp. 174–263. 1911.
  formations, in Pike National Forest. D.C. 41,
    p. 12. 1919.
  See also *Soils, field operations, and advanced sheets
    for geology and physiography of areas surveyed.*
Geometrid—
  cinchona, description. Sec. [Misc.], "A manual
    * * * insects * * *," p. 55. 1917.
  grape, description. Sec. [Misc.], "A manual
    * * * insects * * *," p. 129. 1927.
  pine, description. Sec. [Misc.], "A manual
    * * * insects * *," p. 66. 1917.
  tea, description. Sec. [Misc.], "A manual
    * * * insects * * *," p. 211. 1917.

Geomys spp.—
  characteristics. Y.B. 1909, p. 209. 1910; Y.B.
    Sep. 506, p. 209. 1910.
  See Gopher, pocket.
Geophilus rubens, enemy of codling moth. Ent.
  Bul. 80, Pt. VI, p. 110. 1910.
GEORGE, FRANK: "Know your markets." With
  W. A. Wheeler. Y.B., 1920, pp. 127–146. 1921;
  Y.B. Sep. 834, pp. 127–146. 1921.
GEORGE, W. T.:
  "Phosphate fertilizers for Hawaiian soils and their
  availability." Hawaii Bul. 41, pp. 45. 1916.
GEORGESON, C. C.—
  "Eradication of tuberculosis in cattle at the
    Kodiak Experiment Station." With W. T.
    White. Alaska Bul. 5, pp. 11. 1924.
  "Information for prospective settlers in Alaska."
    Alaska Cir. 1, pp. 30. 1916; rev., pp. 18. 1923.
  "Production of improved hardy strawberries for
    Alaska." Alaska Bul. 4, pp. 13. 1923.
  "Reindeer and caribou." B.A.I. Cir. 55, pp. 14.
    1904.
  "Report on—
    agricultural investigations in Alaska, 1905."
      O.E.S. Bul. 169, pp. 100. 1906.
    Alaska Experiment Stations, work—
      1901. O.E.S. An. Rpt., 1901, pp. 239–359.
        1901.
      1902. O.E.S. An. Rpt., 1902, pp. 233–307.
        1902.
      1903. O.E.S. An. Rpt., 1903, pp. 313–390.
        1903.
      1904. O.E.S. An. Rpt., 1904, pp. 265–360.
        1904.
      1905. O.E.S. An. Rpt., 1905, pp. 46–48. 1905.
      1906. With others. Alaska A.R., 1906, pp.
        75. 1907.
      1907. With others. Alaska A.R., 1907, pp.
        31. 1908.
      1908. With others. Alaska A.R., 1908, pp.
        80. 1909.
      1909. With others. Alaska A.R., 1909, pp.
        82. 1910; O.E.S. An. Rpt., 1909, pp. 74–75.
        1910.
      1910. With others. Alaska A.R., 1910, pp.
        94–96. 1911; O.E.S. An. Rpt., 1910, pp.
        94–96. 1911.
      1911. With others. Alaska A.R., 1911, pp.
        84. 1912; O.E.S. An. Rpt., 1911, pp. 72–74.
        1912.
      1912. With others. Alaska A.R., 1912, pp.
        96. 1913; O.E.S. An. Rpt., 1912, pp. 71–74.
        1913.
      1913. O.E.S. An. Rpt., 1913, pp. 30–31. 1915.
      1914. With others. Alaska A.R., 1914, pp.
        96. 1915; O.E.S. An. Rpt., 1914, pp. 59–62.
        1915.
      1915. With others. Alaska A.R., 1915, pp.
        100. 1916; O.E.S. An. Rpt., 1915, pp. 62–64.
        1917.
      1916. With others. Alaska A.R., 1916, pp.
        91. 1918.
      1917. With others. Alaska A.R., 1917, pp.
        96. 1919.
      1918. With others. Alaska A.R., 1918, pp.
        104. 1920.
      1919. With others. Alaska A.R., 1919, pp.
        90. 1920.
      1920. With others. Alaska A.R., 1920, pp.
        75. 1922.
      1921. With others. Alaska A.R., 1921, pp.
        58. 1923.
      1922. Alaska A.R., 1922, pp. 25. 1923.
      1923. Alaska A.R., 1923, pp. 37. 1925.
    Sitka Experiment Station, Alaska, work—
      1918. With C. H. Benson. Alaska A.R.,
        1918, pp. 22–33. 1920.
      1920. Alaska A.R., 19.0, pp. 12–20. 1922.
      1921. With H. Lindberg. Alaska A.R.,
        1921, pp. 7–15. 1923.
  "Suggestions to pioneer farmers in Alaska."
    Alaska Bul. 1, pp. 15. 1902.
  "Vegetable growing in Alaska." Alaska Bul. 2,
    pp. 46. 1905.
Georgia—
  agricultural—
    colleges—
      and experiment stations, organization, 1905.
        O.E.S. Bul. 161, pp. 19–20. 1905.
      and experiment stations, organization, 1907.
        O.E.S. Bul. 176, pp. 20–22. 1907.

INDEX TO PUBLICATIONS, 1901–1925   1019

Georgia—Continued.
  agricultural—continued.
    colleges—continued.
      and experiment station, organization, 1908. O.E.S. Bul. 197, pp. 21–23. 1908.
      and experiment stations, organization, 1910. O.E.S. Bul. 224, pp. 18–19. 1910.
      and experiment stations, organization, 1912. O.E.S. Bul. 247, pp. 19–20. 1912.
      workers. *See* Agriculture, workers.
    education, extension work, 1906. O.E.S. Bul. 196, p. 26. 1907.
    extension work, statistics. D.C. 253, pp. 3, 4, 7, 10–11, 17, 18. 1923.
    organizations, directory. Farm M. [Misc.], "Directory of American * * *," p. 23. 1920.
    secondary schools, equipment, income, etc., O.E.S. An. Rpt., 1909, pp. 310–312. 1910.
  apple growing, areas and varieties, and production. D.B. 485, pp. 27, 44–47. 1917.
  appropriations for agricultural education. O.E.S. An. Rpt., 1910, p. 352. 1911.
  Athens State Normal School, agricultural work, 1910. O.E.S. An. Rpt., 1910, pp. 380–382. 1911.
  barley—
    crops, 1866–1906, acreage, production and value. Stat. Bul. 59, pp. 7–11, 13–19, 30. 1907.
    rotation. F.B. 518, p. 11. 1912.
  bean beetle—
    introduction and ravages. D.B. 1243, pp. 1, 3, 4, 24. 1924.
    outbreaks in 1921. D.B. 1103, p. 33. 1922.
  bee and honey statistics—
    1914–1915. D.B. 325, pp. 9, 10, 11, 12. 1915.
    1918. D.B. 685, pp. 6–31. 1918.
  bird—
    protection. *See* Audubon society; Bird protection, officials.
    reservation, creation, 1914. F.B. 628, p. 4. 1914.
  boys' and girls' agricultural clubs, work—
    1910. F.B. 385, p. 10. 1910.
    1912. O.E.S. Bul. 251, pp. 16–17. 1912.
  Brooks County, farm—
    management survey. E. S. Haskel. D.B. 648, pp. 60. 1918.
    production of family supplies. F.B. 1015, pp. 3–4. 1919.
  Bulloch County, survey and tillage, records for cotton. D.B. 511, pp. 38–40. 1917.
  cantaloupe shipments, 1914. D.B. 315, pp. 17–18. 1915.
  cattle—
    feeding demonstrations, 1916, record. Y.B., 1917, p. 334. 1918; Y.B. Sep. 740, p. 10. 1918.
    tick—
      conditions, 1911. B.A.I. An. Rpt., 1910, pp. 256, 257. 1912; B.A.I. Cir. 187, pp. 256, 257. 1912.
      eradication, effect. B.A.I. [Misc.], "Progress and results * * *," p. 7. 1914.
      eradication laws. D.C. 184, pp. 18–22. 1921.
  cement factories, potash content and loss. D.B. 572, p. 4. 1917.
  Central railroad, occurence of bench marks along. O.E.S. Cir. 113, p. 23. 1911.
  Charlton County, sweet-potato weevil eradication. D.C. 201, pp. 3–8. 1921.
  cigar—
    tobacco districts. Stat. Cir. 18, p. 8. 1909.
    wrapper tobacco, injury by flea-beetles. F.B. 1352, p. 1. 1923.
  cities—
    dairy products, consumption and prices, 1905–6. B.A.I. An. Rpt., 1907, pp. 315–317. 1909; F.B. 349, pp. 14–16. 1909.
    milk-supply statistics. B.A.I. Bul. 70, pp. 6–7, 28–31. 1905.
  citrus-growing—
    conditions. F.B. 1122, p. 7. 1920.
    location. F.B. 1343, p. 5. 1923.
  climate, temperature, rainfall and frost records. Soils Cir. 21, pp. 8–10. 1910.
  climatological records. B.P.I. Bul. 135, p. 25. 1908.
  closed season for shore birds and woodcock. Y.B., 1914, p. 293. 1915; Y.B. Sep. 642, p. 293. 1915.

Georgia—Continued.
  Coastal Plain area, description. D.B. 1292, pp. 3–4. 1925.
  convict labor on roads. D.B. 414, pp. 198–199. 1916. D.B. 583, pp. 4–6. 1918; Y.B., 1910, p. 273. 1911; Y.B. Sep. 535, p. 273. 1911.
  cooperative organizations, statistics. D.B. 547, pp. 12, 15, 34, 40. 1917.
  corn—
    breeding, tests. B.P.I. Bul. 218, pp. 42–64, 65. 1912.
    club labor records, specimen. D.B. 385, p. 26. 1916.
    crops, 1866–1906, acreage, production, and value. Stat. Bul. 56, pp. 7–27, 31. 1907.
    growing—
      directions. F.B. 729, pp. 1–20. 1916.
      labor requirements, man and horse. D.B. 385, p. 23. 1916.
      practices and suggestions. F.B. 1149, pp. 3–19. 1920.
    planting date. F.B. 414, p. 20. 1910.
    production, movements, consumption, and prices. D.B. 696, pp. 15, 16, 20, 28, 29, 33, 36, 38, 40, 45. 1918.
    yields and prices, 1866–1915. D.B. 515, p. 7. 1917.
  cotton—
    conditions, review since 1890. D.B. 146, pp. 13–15. 1914.
    crop, movement, 1899–1904. Stat. Bul. 34, pp. 18–20, 39–42. 1905.
    farms—
      organization for profit, examples. Y.B., 1921, pp. 365–367. 1922; Y.B. Sep. 877, pp. 365–367. 1922.
      variations in income and in practices. F.B. 1121, pp. 5–8, 22–23, 28–31. 1920.
    growing—
      costs in representative districts. D.B. 896, pp. 1–7, 10–15, 19–44, 50–52. 1920.
      in Greene County, notes and tables. D.B. 896, pp. 1–44, 51. 1920.
      in Laurens County, notes and tables. D.B. 896, pp. 1–44, 50. 1920.
    one-variety communities. D.B. 1111, pp. 39–40. 1922.
    prices, variations and comparisons. D.B. 457, pp. 3, 6, 7, 9, 12. 1916.
    production—
      1916 and 1917. D.B. 733, pp. 3, 7–8. 1918.
      1920, and yield. D.B. 896, pp. 3–4. 1920.
    seed, oil content, studies. J.A.R., vol. 3, pp. 230, 231, 239, 241, 242. 1914.
    shipments. Stat. Bul. 38, pp. 11–14. 1905.
    warehouses, distribution and production. D.B. 216, pp. 6–7, 9, 12–17, 20, 21–22. 1915.
  county organization, and expenditures for extension work, 1918. S.R.S. Rpt., 1918, pp. 29, 128–158. 1919.
  cowpea seed, growing and shipments. F.B. 1308, pp. 4, 5, 14, 15. 1923.
  credits, farm-mortgage loans, costs and sources. D.B. 384, pp. 2, 3, 5, 7, 8, 10. 1916.
  crop planting and harvesting dates, important crops. Stat. Bul. 85, pp. 20, 32, 47, 55, 76, 97, 105. 1912.
  crops, acreage and production, 1909–1919. D.C. 85, pp. 14–19. 1920.
  crow roosts, location, and numbers of birds. Y.B., 1915, p. 92. 1916; Y.B. Sep. 659, p. 92. 1916.
  curculio control work, experiments. Ent. Bul. 103, pp. 172–175, 177, 186–189, 209–211, 216, 218. 1912.
  demurrage provisions, regulations. D.B. 191, pp. 3, 12, 13, 14, 16, 17, 25. 1915.
  district agricultural high schools. O.E.S. Cir. 106, pp. 21–22. 1911.
  drainage surveys, 1911, location and kind of land. An. Rpts., 1911, pp. 708, 709. 1912; O.E.S. Chief Rpt., 1911, pp. 26, 27. 1911.
  drug laws. Chem. Bul. 98, pp. 55–58. 1906; rev., Pt. I, pp. 85–92. 1909.
  early settlement, historical notes. *See* Soil Surveys *for various counties and areas.*
  Effingham County, drainage of wet lands. F. G. Eason. O.E.S. Cir. 113, pp. 24. 1911.

36167°—32——65

Georgia—Continued.
Experiment Station—
cowpeas as green-manure crop. F.B. 1153, p. 23. 1920.
report of work, 1906. O.E.S. Dir. Rpt., 1906, pp. 94–95. 1907.
work and expenditures—
1907. O.E.S. An. Rpt., 1907, pp. 89–90. 1908.
1908. O.E.S. An. Rpt., 1908, pp. 82–84. 1909.
1909. O.E.S. An. Rpt., 1909, pp. 92–94. 1910.
1910. O.E.S. An. Rpt., 1910, pp. 121–122. 1911.
1911. O.E.S. An. Rpt., 1911, pp. 93–95. 1912.
1912. O.E.S. An. Rpt., 1912, pp. 98–100. 1913.
1915, report. S.R.S. Rpt., 1915, Pt. I, pp. 94–97. 1917.
1916. S.R.S. Rpt., 1916, Pt. I, pp. 93–97. 1918.
1917. S.R.S. Rpt., 1917, Pt. I, pp. 91–95. 1918.
extension work—
funds allotment, and county-agent work. S.R.S. Doc. 40, pp. 4, 5, 9, 14, 23, 25, 28. 1918.
in agriculture and home economics—
1915. S.R.S. Rpt., 1915, Pt. II, pp. 57–64. 1917.
1916. S.R.S. Rpt., 1916, Pt. II, pp. 59–67. 1917.
1917. S.R.S. Rpt., 1917, Pt. II, pp. 63–68. 1919.
statistics. D.C. 306, pp. 3, 5, 9, 14, 20, 21. 1924.
airs, number, kind, location, and dates. Stat. Bul. 102, pp. 13, 14, 21. 1913.
farm(s)—
animals, statistics, 1867–1907. Stat. Bul. 64, p. 110. 1908.
corn and cotton, labor distribution, seasonal. Y.B., 1917, p. 546. 1918; Y.B. Sep. 758, 1917, p. 12. 1918.
family, food, fuel, and housing, value, details. D.B. 410, pp. 7–35. 1916.
field and crop labor on (coastal plain area). L. A. Reynoldson. D.B. 1292, pp. 28. 1925.
leases, provisions, note. D.B. 650, p. 7. 1918.
products, acreage and value. Crop Est. [Misc.], "Field handbook * * *," pp. 25–28. 1914.
testing for efficiency. Farm M. Cir. 3, pp. 4–6, 11, 15–38. 1919.
testing for efficiency in management. D.C. 83, pp. 8–26. 1920.
values—
changes, 1900–1905. Stat. Bul. 43, pp. 11–17, 29–46. 1906.
income, and tenancy classification. D.B. 1224, pp. 78–81. 1924.
farmers—
institutes—
for young people. O.E.S. Cir. 99, p. 17. 1910.
history. O.E.S. Bul. 174, p. 26. 1906.
legislation. O.E.S. Bul. 241, p. 11. 1911.
work, 1904. O.E.S. An. Rpt. 1904, pp. 636–637. 1905.
work, 1906. O.E.S. An. Rpt., 1906, p. 326. 1907.
work, 1907. O.E.S. An. Rpt., 1907, p. 322. 1908.
work, 1908. O.E.S. An. Rpt., 1908, p. 308. 1909.
work, 1909. O.E.S. An. Rpt., 1909, p. 343. 1910.
work, 1910. O.E.S. An. Rpt., 1910, p. 403. 1911.
work, 1911, report. O.E.S. An. Rpt., 1911, p. 369. 1912.
work, 1912. O.E.S. An. Rpt., 1912, p. 363. 1913.
living, cost. F.B. 635, pp. 1–21. 1914.
farming in Sumter County, enonomic study. H. M. Dixon and H. W. Hawthorne. D.B. 492, pp. 64. 1917.
fertilizer—
control laws. Soils Bul. 58, pp. 32–39. 1910.
prices, 1919, by counties. D.C. 57, pp. 4, 6, 9–10. 1919.
field work of Plant Industry Bureau, December, 1924. M.C. 30, pp. 16–18. 1925.
fig caprification. An. Rpts., 1918, p. 163. 1918; B.P.I. Chief Rpt., 1918, p. 29. 1918.

Georgia—Continued.
Fitzgerald laboratory for work on sweet-potato sirup. D.B. 1158, pp. 5–20. 1923.
flood losses, 1909. An. Rpts., 1909, p. 170. 1910; W.B. Chief Rpt., 1909, p. 20. 1909.
Florida, tobacco blue-mold, present status. Erwin F. Smith and R. E. B. McKenney. D.C. 181, pp. 4. 1921.
food—
imports from other States. Y.B., 1914, p. 18. 1915.
laws—
1903. Chem. Bul. 83, Pt. I, p. 33. 1904.
1905. Chem. Bul. 69, Pt. II, pp. 134–140. 1902.
1907. Chem. Bul. 112, Pt. I, pp. 45–51. 1908.
forest—
fires, statistics. For. Bul. 117, p. 28. 1912.
lands—
added to national forests. An. Rpts., 1912, pp. 69, 258. 1913; Sec. A.R., 1912, pp. 69, 258. 1912; Y.B., 1912, pp. 69, 258. 1913.
proposals invited. For. [Misc.], "Purchase of land * * *," rev., p. 12. 1921.
units. D.C. 313, pp. 10, 11. 1924.
forestry laws, 1921, summary. D.C. 239, p. 8. 1922.
Fort Valley, experiments in peach dusting and spraying. D.B. 1205, pp. 1–19. 1924.
fruit precooling experiments. Y.B., 1910, pp. 439, 441. 1911; Y.B. Sep. 550, pp. 439, 441. 1911.
Fulton County, experimental convict road camp, report. H. S. Fairbank and others. D.B. 583; pp. 64. 1918.
fur animals, laws—
1915. F.B. 706, p. 5. 1916.
1916. F.B. 783, pp. 6, 27. 1916.
1917. F.B. 911, pp. 9, 31. 1917.
1918. F.B. 1022, pp. 8, 31. 1918.
1919. F.B. 1079, pp. 11, 31. 1919.
1920. F.B. 1165, p. 10. 1920.
1921. F.B. 1238, pp. 9. 1921.
1922. F.B. 1293, pp. 6–7. 1922.
1923–24. F.B. 1387, p. 9. 1923.
1924–25. F.B. 1445, p. 7. 1924.
1925–26. F.B. 1469, p. 10. 1925.
game—
laws—
1902. F.B. 160, pp. 13, 31, 45, 52, 54. 1902.
1903. F.B. 180, pp. 10, 22, 32, 37, 44, 46, 53. 1903.
1904. F.B. 207, pp. 10, 18, 32, 50, 60. 1904.
1905. F.B. 230, pp. 9, 16, 30, 42. 1905.
1906. F.B. 265, pp. 8, 15, 29, 42. 1906.
1907. F.B. 308, pp. 13, 27, 42. 1907.
1908. F.B. 336, pp. 15, 30, 44, 50. 1908.
1909. F.B. 376, pp. 20, 33, 42, 46. 1909.
1910. F.B. 418, pp. 26, 36, 40. 1910.
1911. F.B. 470, pp. 18, 31, 41, 46. 1911.
1912. F.B. 510, pp. 4, 5, 6, 7, 13, 25–26, 27, 32, 33, 37, 42. 1912.
1913. D.B. 22, pp. 20, 25, 39, 45, 48, 53. 1913; rev., pp. 20, 21, 25, 39, 45, 48, 53. 1913.
1914. F.B. 628, pp. 4, 10, 11, 12, 16, 28–29, 30, 36, 37, 40, 47. 1914.
1915. F.B. 692, pp. 4, 9, 26, 40, 46, 51, 57. 1915.
1916. F.B. 774, pp. 8, 24, 38, 45, 51, 57. 1916.
1917. F.B. 910, pp. 15, 47. 1917.
1918. F.B. 1010, pp. 13, 45. 1918.
1919. F.B. 1077, pp. 15, 49, 72, 73. 1919.
1920. F.B. 1138, p. 16. 1920.
1921. F.B. 1235, pp. 18, 55. 1921.
1922. F.B. 1288, pp. 14, 53. 1922.
1923–24. F.B. 1375, pp. 15–16, 49. 1923.
1924–25. F.B. 1444, pp. 10, 36. 1924.
1925–26. F.B. 1466, pp. 16, 44. 1925.
protection. See Game protection, officials.
girls' canning clubs, records and work. S.R.S. Doc. 28, pp. 1–4. 1915.
Glynn County, soils, preliminary report. Soils Cir. 21, pp. 1–21. 1910.
grain supervision districts, counties. Mkts. S.R.A. 14, pp. 6, 7. 1916.
Guyton, cane growing. Chem. Bul. 75, pp. 32–33. 1903.
Hagerstown clay, acreage and location. Soils Cir. 64, pp. 3, 12. 1912.

Georgia—Continued.
 hay crops, 1866–1906, acreage, production, and value. Stat. Bul. 63, pp. 5–25, 28. 1908.
 haymaking, use of hay caps. F.B. 977, pp. 5–7. 1918.
 herds, lists of tested and accredited. D.C. 54, pp. 11, 21, 52, 78. 1919; D.C. 142, pp. 14, 17, 30, 41–49. 1920; D.C. 143, pp. 6, 21, 65–66. 1920; D.C. 144, pp. 9, 19. 1920.
 hog—
  cholera control, experiments, results. D.B. 584, pp. 8, 10. 1917.
  production, some successful examples. F.B. 985, pp. 5, 6–11. 1918.
 industrial and agricultural schools, establishment, course of study. O.E.S. An. Rpt., 1906, pp. 258–270. 1907.
 insects prevalent in 1906. Ent. Bul. 67, pp. 101–106. 1907.
 interest rates on loans to farmers. Y.B., 1921, pp. 368, 778. 1922; Y.B. Sep. 877, p. 368. 1922; Y.B. Sep. 871, p. 9. 1922.
 irrigation need and possibilities. Y.B., 1911, p. 316. 1912; Y.B. Sep. 588, p. 316. 1912.
 land—
  abandoned, per cent of new additions to national forests. D.B. 638, p. 8. 1918.
  purchases under Weeks law. D.C. 313, pp. 10, 11. 1924; For. [Misc.], "Purchase of land * * *," pp. 9–11. 1913.
 lard supply, wholesale and retail, August 31, 1917, tables. Sec. Cir. 97, pp. 13–31. 1918.
 law(s)—
  against Sunday shooting. Biol. Bul. 12, rev., p. 63. 1902.
  and decisions on livestock sanitary control. D.C. 184, pp. 18–22. 1921.
  contagious diseases of domestic animals, control. B.A.I. Bul. 54, p. 14. 1902–1903.
  dog control, digest. F.B. 935, p. 13. 1918; F.B. 1268, p. 13. 1922.
  food, 1907. Chem. Bul. 112, Pt. I, pp. 45–51. 1908.
  for turpentine sale. D.B. 898, p. 39. 1920.
  nursery stock shipments, interstate. Ent. Cir. 75, 2d rev., p. 2. 1909.
  on hunting. Biol. Bul. 19, pp. 11, 15, 19, 26, 36, 61. 1904.
 legislation—
  protecting birds. Biol. Bul. 12, rev., pp. 23, 27, 30, 38, 43, 54, 86–87, 137. 1902.
  relative to tuberculosis. B.A.I. Bul. 28, p. 16. 1912.
 livestock—
  admission, sanitary requirements. B.A.I. [Misc.], "State sanitary requirements * * *," pp. 8–10. 1915; B.A.I. Doc. A–36, pp. 11–12. 1920; B.A.I. Doc. A–28, pp. 8–10. 1917; M.C. 14, pp. 12–13. 1924.
  associations. Y.B., 1920, p. 518. 1921. Y.B. Sep. 866, p. 518. 1921.
 lumber—
  cut, 1870–1920, value, and kinds. D.B. 1119, pp. 27, 30–35, 43–61. 1923.
  production, 1918, by mills, by woods, and lath and shingles. D.B. 845, pp. 6–10, 13, 16, 19, 22, 26–28, 30, 40, 42–47. 1920.
 marketing activities and organization. Mkts. Doc. 3, p. 2. 1916.
 Meadow soil, areas, location, and adaptations. Soils Cir. 68, pp. 14, 20. 1912.
 milk—
  inspection and city regulations. F.B. 349, p. 24. 1909; B.A.I. An. Rpt., 1907, p. 325. 1909.
  supply and laws. B.A.I. Bul. 46, pp. 30, 34, 59–60. 1903.
 Mill Creek, improvement of drainage conditions, cost. O.E.S. Cir. 113, pp. 18–22. 1911.
 muck areas, location. Soils Cir. 65, p. 15. 1912.
 negro extension-work and workers, 1908–1921. D.C. 190, pp. 6–9, 22. 1921.
 Norfolk—
  sand, areas, location, and uses. Soils Cir. 44, pp. 12, 13, 19. 1911.
  sandy loam, areas, location and use. Soils Cir. 45, pp. 9, 10, 14. 1911.
 oat crops, 1866–1906, acreage, production, and value. Stat. Bul. 58, pp. 5–25, 29. 1907.

Georgia—Continued.
 officials, dairy, drug, feeding stuffs, and food. See Dairy officials; Drug officials, etc.
 Orangeburg—
  fine—
   sand, location and areas. Soils Cir. 48, pp. 3, 15. 1911.
   sandy loam, areas, location, and uses. Soils Cir. 46, pp. 3, 10, 11, 17, 18, 20. 1911.
  sandy loam, location, areas, and uses. Soils Cir. 47, pp. 3, 6, 8, 10, 11, 12, 15. 1911.
 orchard—
  fruits, Piedmont and Blue Ridge region. B.P.I. Bul. 135, pp. 1–102. 1908.
  methods and cost of establishing. Y.B., 1904, p. 180. 1905; Y.B. Sep. 340, p. 180. 1905.
 pasture lands on farms. D.B. 626, pp. 15, 25–28. 1918.
 peach(es)—
  belt, control of curculio, brown-rot, and scab in. Oliver I. Snapp and others. D.C. 216, pp. 30. 1922.
  borer contro., experiments with paradichlorobenzene. D.B. 1169, pp. 2–18. 1923.
  carload shipments from various stations, 1914. D.B. 298, pp. 10–11. 1915.
  crop, 1921, saving by control recommendations of Federal and State boards. D.C. 216, pp. 3–4. 1922.
  growing, production, districts, and varieties. D.B. 806, pp. 4, 5, 7, 8, 9, 23. 1919.
  industry—
   growth, 1910–1920. D.C. 216, p. 4. 1922.
   season and shipments, 1914. D.B. 298, pp. 4, 5, 7, 10–11. 1916
  preparation for market. F.B. 1266, pp. 4, 7, 10, 12, 15, 16–27, 34. 1922.
  shipping season and area o· production. D.B. 298, pp. 4, 5, 11. 1915.
  spraying experiments. B.P.I. Cir. 27, pp. 8–9. 1909.
  varieties, names and ripening dates. F.B. 918, p. 7. 1918.
 pear growing, distribution and varieties. D.B. 822, p. 10. 1920.
 pecan—
  rosette, occurrence and control experiments. J.A.R., vol. 3, pp. 150, 152, 153, 156, 158–162. 1914.
  yields, 1899–1906. B.P.I. Cir. 112, pp. 7, 8. 1913.
 pig clubs—
  and increase of hogs. Y.B., 1917, p. 376. 1918; Y.B. Sep. 753, p. 8. 1918.
  work, 1915. Y.B., 1915, pp. 178–182, 185. 1916; Y.B. Sep. 667, pp. 178–182, 185. 1916.
 Pike County, survey and tillage records for cotton. D.B. 511, pp. 31–33. 1917.
 pine lands, in beef cattle industry, conditions. D.B. 827, pp. 6–13, 31. 1921.
 plantations, crops, acreage, location, labor, and tenancy. D.B. 1269, pp. 2–7, 69–72, 75. 1924.
 plants, terminal inspection provisions. F.H.B. S.R.A. 76, pp. 120–121. 1923.
 pork increase. News L., vol. 6, No. 34, pp. 13–14. 1919.
 potato—
  crops—
   1866–1906, acreage, production and value. Stat. Bul. 62, pp. 7–11, 13–27, 31. 1908.
   early, location and number of carloads. F.B. 1316, pp. 3, 5. 1923.
  growing section. F.B. 407, p. 6. 1910.
 Powers Ferry road, plan, profile, and details of work. D.B. 583, pp. 7–8, 57–64. 1918.
 public roads, mileage and expenditures, 1904. Rds. Cir. 76, pp. 4. 1907.
 quarantine—
  against cotton-boll weevil. Ent. Bul. 114, pp. 165–166. 1912.
  areas for cattle fever—
   Nov. 1, 1911. B.A.I.O. 183, Rule 1, rev. 8, p. 6. 1911.
   September 15, 1915, release. B.A.I.O. 235, amdt. 2, pp. 1–2, 3. 1915.
   Dec. 1, 1917, and releases. B.A.I.O. 255, pp 2–3, 9. 1918.
   Dec. 10, 1922. B.A.I.O. 279, pp. 3, 7. 1922.
  establishment. B.A.I.O. 199, Rule 1, rev. 11, pp. 8–13. 1913.

Georgia—Continued.
  quarantine—continued.
    areas for Texas fever, December, 1919. B.A.I.O. 269, pp. 3, 7. 1919.
  Quitman, cane growing. Chem. Bul. 75, pp. 34-35. 1903.
  roads—
    and road-building materials. Rds. Bul. 23, p. 50. 1902.
    bond-built, amount of bonds, and rate. D.B. 136, pp. 38, 63, 81, 85. 1915.
    building—
      earliest date, 1735. Y.B., 1910, p. 267. 1911; Y.B. Sep. 535, p. 267. 1911.
      rock tests, 1916 and 1917. D.B. 670, pp. 4-7. 1918.
      rock tests, 1916-1921, results. D.B. 1132, pp. 7-10, 51. 1923.
      rock tests, results, table. D.B. 370, pp. 19-23. 1916.
    laws, 1908. Y.B., 1908, p. 590. 1909.
    materials, tests. Rds. Bul. 44, pp. 37-38. 1912.
    mileage and—
      cost, statistics, 1909. Rds. Bul. 41, pp. 16-17, 40, 42, 53-56. 1912.
      expenditures, 1916. Sec. Cir. 74, pp. 5, 7, 8. 1917.
      expenditures to Jan. 1, 1915. Sec. Cir. 52, pp. 2, 4, 6. 1915.
      expenditures and bonds, 1914. D.B. 387, pp. 3-8, 18-20, IV-VI, LI-LIII. 1917.
  rye—
    crops, 1866-1906, acreage, production, and value. Stat. Bul. 60, pp. 5-9, 12-25, 29. 1908.
    growing, early history. Y.B., 1922, p. 503. 1923; Y.B. Sep. 891, p. 503. 1923.
  San Jose scale, experiments. Ent. Bul. 37, p. 41. 1902; Ent. Bul. 62, p. 22. 1906.
  Savannah, bamboo plantation. D.B. 1329, p. 2. 1925.
  schools—
    agricultural work. O.E.S. Cir. 106, rev., pp. 18, 24, 25, 28, 31. 1912.
    reconstruction. O.E.S. Bul. 232, pp. 17, 30, 31. 1910.
  shale deposits, potash source. D.C. 61, p. 6. 1919.
  shipments of fruits and vegetables, and index to station shipments. D.B. 667, pp. 6-13, 20-21. 1918.
  soil survey—
    Bainbridge area. Elmer O. Fippin and J. A. Drake. Soil Sur. Adv. Sh., 1904, pp. 25. 1905; Soils F.O., 1904, pp. 247-267. 1905.
    Ben Hill County. Allen L. Higgins and David D. Long. Soil Sur. Adv. Sh., 1912, pp. 27. 1913; Soils F.O., 1912, pp. 495-517. 1915.
    Brooks County. A. T. Sweet and B. W. Tillman. Soil Sur. Adv. Sh., 1916, pp. 42. 1918; Soils F.O., 1916, pp. 589-626. 1921.
    Bulloch County. Charles N. Mooney and others. Soil Sur. Adv. Sh., 1910, pp. 52. 1911; Soils F.O., 1910, pp. 453-500. 1912.
    Burke County. E. T. Maxon and others. Soil Sur. Adv. Sh., 1917, pp. 31. 1919; Soils F.O., 1917, pp. 539-565. 1923.
    Butts and Henry Counties. David D. Long and others. Soil Sur. Adv. Sh., 1919, pp. 28. 1922; Soils F.O., 1919, pp. 831-854. 1925.
    Carroll County. H. G. Lewis and others. Soil Sur. Adv. Sh., 1921, pp. 129-154. 1924; Soils F.O., 1921, pp. 129-154. 1924.
    Chatham County. W. J. Latimer and Floyd S. Bucher. Soil Sur. Adv. Sh., 1911, pp. 34. 1912; Soils F.O., 1911, pp. 563-592. 1914.
    Chattooga County. A. W. Mangum and David D. Long. Soil Sur. Adv. Sh., 1912, pp. 57. 1913; Soils F.O., 1912, pp. 519-571. 1915.
    Clay County. William G. Smith and N. M. Kirk. Soil Sur. Adv. Sh., 1914, pp. 46. 1916; Soils F.O., 1914, pp. 919-960. 1919.
    Cobb County. R. T. Avon Burke and Herbert W. Marean. Soils F.O., Sep., 1901, pp. 11. 1902; Soils F.O., 1901, pp. 317-327. 1902.
    Colquitt County. A. T. Sweet and J. B. R. Dickey. Soil Sur. Adv. Sh., 1914, pp. 39. 1915; Soils F.O., 1914, pp. 961-995. 1919.

Georgia—Continued.
  soil survey—continued.
    Columbia County. Charles N. Mooney and Arthur E. Taylor. Soil Sur. Adv. Sh., 1911, pp. 47. 1912; Soils F.O., 1911, pp. 645-687. 1914.
    Covington area. Herbert W. Marean. Soils F.O., Sep., 1901, pp. 12. 1902; Soils F.O., 1901, pp. 329-340. 1902.
    Coweta and Fayette Counties. David D. Long and others. Soil Sur. Adv. Sh., 1919, pp. 34. 1922; Soils F.O., 1919, pp. 855-888. 1925.
    Crisp County. E. T. Maxon and David D. Long. Soil Sur. Adv. Sh., 1916, pp. 24. 1917; Soils F.O., 1916, pp. 627-646. 1921.
    Decatur County. See Bainbridge area.
    Dekalb County. David D. Long and Mark Baldwin. Soil Sur. Adv. Sh., 1914, pp. 25. 1915; Soils F.O., 1914, pp. 795-815. 1919.
    Dodge County. Charles W. Ely and A. M. Griffen. Soils F.O. Sep., 1904, pp. 20. 1905; Soils F.O., 1904, pp. 231-246. 1905.
    Dougherty County. M. Earl Carr and others. Soil Sur. Adv. Sh., 1912, pp. 63. 1913; Soils F.O., 1912, pp. 573-631. 1915.
    Early County. David D. Long and E. C. Hall. Soil Sur. Adv. Sh., 1918, pp. 43. 1921; Soils F.O., 1918, pp. 419-457. 1924.
    Fayette County. See Coweta and Fayette Counties.
    Floyd County. David D. Long. Soil Sur. Adv. Sh., 1917, pp. 72. 1921; Soils F.O., 1917, pp. 567-632. 1923.
    Fort Valley area. William G. Smith and William T. Carter, jr. Soils F.O., 1903, pp. 18. 1904; Soils F.O., 1903, pp. 317-330. 1904.
    Franklin County. W. E. McLendon. Soil Sur. Adv. Sh., 1909, pp. 22. 1910; Soils F.O., 1909, pp. 533-550.
    Glynn County. David D. Long and James E. Ferguson. Soil Sur. Adv. Sh., 1911, pp. 55. 1912; Soils F.O., 1911, pp. 593-643. 1914.
    Gordon County. J. O. Veatch. Soil Sur. Adv. Sh., 1913, pp. 70. 1914; Soils F.O., 1913, pp. 335-400. 1916.
    Grady County. Hugh H. Bennett and party. Soil Sur. Adv. Sh., 1908, pp. 57. 1909; Soils F.O., 1908, pp. 341-393. 1911.
    Greene County. See Oconee, Morgan, Greene, and Putnam Counties.
    Habersham County. David D. Long and E. C. Hall. Soil Sur. Adv. Sh., 1913, pp. 48. 1914; Soils F.O., 1913, pp. 401-444. 1916.
    Hancock County. Gustavus B. Maynadier and W. J. Geib. Soil Sur. Adv. Sh., 1909, pp. 27. 1910; Soils F.O., 1909, pp. 551-573. 1912.
    Henry County. See Butts-Henry Counties.
    Houston County. See Fort Valley area.
    Jackson County. David D. Long and Mark Baldwin. Soil Sur. Adv. Sh., 1914, pp. 27. 1915; Soils F.O., 1914, pp. 729-751. 1919.
    Jasper County. David D. Long and M. Earl Carr. Soil Sur. Adv. Sh., 1916, pp. 43. 1918; Soils F.O., 1916, pp. 647-685. 1921.
    Jeff Davis County. Percy O. Wood and others. Soil Sur. Adv. Sh., 1913, pp. 34. 1914: Soils F.O., 1913, pp. 445-474. 1916.
    Jones County. David D. Long and others. Soil Sur. Adv. Sh., 1913, pp. 44. 1914; Soils F.O., 1913, pp. 475-514. 1916.
    Laurens County. A. T. Sweet and others. Soil Sur. Adv. Sh., 1915, pp. 41. 1916; Soils F.O., 1915, pp. 621-657. 1919.
    Lowndes County. David D. Long and N. M. Kirk. Soil Sur. Adv. Sh., 1917, pp. 36. 1920; Soils F.O., 1917, pp. 633-644. 1923.
    Macon County. See Fort Valley area.
    Madison County. David D. Long. Soil Sur. Adv. Sh., 1918, pp. 32. 1921; Soils F.O., 1918, pp. 459-486. 1924.
    Meriwether County. Mark Baldwin and J. A. Kerr. Soil Sur. Adv. Sh., 1916, pp. 31. 1917; Soils F.O., 1916, pp. 687-713. 1921.
    Miller County. Risden T. Allen and E. J. Grimes. Soil Sur. Adv. Sh., 1913, pp. 34. 1914; Soils F.O., 1913, pp. 515-544. 1916.
    Mitchell County. David D. Long and others. Soil Sur. Adv. Sh., 1920, pp. 37. 1922; Soils F.O., 1920, pp. 1-37. 1925.

INDEX TO PUBLICATIONS, 1901–1925 1023

Georgia—Continued.
  soil survey—continued.
    Monroe County. David D. Long and others. Soil Sur. Adv. Sh., 1920, pp. 36. 1922; Soils F.O., 1920, pp. 71-102. 1925.
    Morgan County. *See* Oconee, Morgan, Greene, and Putnam Counties and Covington area.
    Oconee, Morgan, Greene, and Putnam Counties. David D. Long and others. Soil Sur. Adv. Sh., 1919, pp. 61. 1922; Soils F.O., 1919, pp. 889-945. 1925.
    Newton County. *See* Covington area.
    Pierce County. E. T. Maxon and N. M. Kirk. Soil Sur. Adv. Sh., 1918, pp. 29. 1920; Soils F.O., 1918, pp. 487-511. 1924.
    Pike County. Charles N. Mooney and Gustavus B. Maynadier. Soil Sur. Adv. Sh., 1909, pp. 31. 1910; Soils F.O., 1909, pp. 575-601. 1912.
    Polk County. David D. Long and Mark Baldwin. Soil Sur. Adv. Sh., 1914, pp. 46. 1916; Soils F.O., 1914, pp. 753-794. 1919.
    Pulaski County. A. H. Meyer. Soil Sur. Adv. Sh., 1918, pp. 25. 1920; Soils F.O., 1918, pp. 513-533. 1924.
    Putnam County. *See* Oconee, Morgan, Greene, and Putnam Counties.
    Rabun County. David D. Long. Soil Sur. Adv. Sh., 1920, pp. 1193-1211. 1924; Soils F.O., 1920, pp. 1193-1211. 1925.
    Richmond County. T. M. Bushnell and J. M. Snyder. Soil Sur. Adv. Sh., 1916, pp. 38. 1917; Soils F.O., 1916, pp. 715-748. 1921.
    Rockdale County. A. H. Meyer. Soil Sur. Adv. Sh., 1920, pp. 537-553. 1923; Soils F.O., 1920, pp. 537-553. 1925.
    Rockdale County. *See also* Covington area.
    Screven County. David D. Long and others. Soil Sur. Adv. Sh., 1920, pp. 1623-1657. 1924; Soils F.O., 1920, pp. 1623-1657. 1925.
    Spalding County. J. E. Lapham and others. Soil Sur. Adv. Sh., 1905, pp. 15. 1905; Soils F.O., 1905, pp. 351-361. 1907.
    Stewart County. David D. Long and others. Soil Sur. Adv. Sh., 1913, pp. 66. 1915; Soils F.O., 1913, pp. 545-606. 1916.
    Sumter County. J. C. Britton and F. S. Welsh. Soil Sur. Adv. Sh., 1910, pp. 47. 1911; Soils F.O., 1910, pp. 501-543. 1912.
    Talbot County. R. A. Winston and H. W. Hawker. Soil Sur. Adv. Sh., 1913, pp. 40. 1914; Soils F.O., 1913, pp. 607-642. 1916.
    Tatnall County. Arthur E. Taylor and others. Soil Sur. Adv. Sh., 1914, pp. 48. 1915; Soils F.O., 1914, pp. 817-860. 1919.
    Tatnall County, reconnoissance. Hugh H. Bennett. Soil Sur. Adv. Sh., 1912, pp. 18. 1913; Soils F.O., 1912, pp. 655-668. 1915.
    Terrell County. David D. Long and Mark Baldwin. Soil Sur. Adv. Sh., 1914, pp. 62. 1915; Soils F.O., 1914, pp. 861-918. 1919.
    Thomas County. Hugh H. Bennett and Charles J. Mann. Soil Sur. Adv. Sh., 1908, pp. 64. 1909; Soils F.O., 1908, pp. 395-454. 1911.
    Tift County. J. C. Britton and Percy O. Wood. Soil Sur. Adv. Sh., 1909, pp. 20. 1910; Soils F.O., 1909, pp. 603-618. 1912.
    Troup County. A. T. Sweet and Howard C. Smith. Soil Sur. Adv. Sh., 1912, pp. 25. 1913; Soils F.O., 1912, pp. 633-653. 1915.
    Turner County. E. C. Hall and David D. Long. Soil Sur. Adv. Sh., 1915, pp. 28. 1916; Soils F.O., 1915, pp. 659-682. 1919.
    Walker County. W. E. McLendon. Soil Sur. Adv. Sh., 1910, pp. 42. 1911; Soils F.O., 1910, pp. 545-582. 1912.
    Walton County. *See* Covington area.
    Ware County. *See* Waycross area.
    Washington County. R. A. Winston and others. Soil Sur. Adv. Sh., 1915, pp. 39. 1916; Soils F.O., 1915, pp. 683-717. 1919.
    Waycross area. M. Earl Carr and W. E. Tharp. Soil Sur. Adv. Sh., 1906, pp. 35. 1907; Soils F.O., 1906, pp. 303-333. 1908.
    Wilkes County. David D. Long. Soil Sur. Adv. Sh., 1915, pp. 35. 1916; Soils F. O., 1915, pp. 719-749. 1919.
  spraying peach trees, experiments and results. Ent. Cir. 120, pp. 5-6. 1910.

Georgia—Continued.
  State—
    aid to roads. Y.B., 1914, pp. 215, 222. 1915; Y.B. Sep. 638, pp. 215, 222. 1915.
    College of Agriculture, cotton school. O.E.S. Cir. 83, p. 18. 1909.
  stock-feeding experiments. F.B. 962, pp. 38-39. 1918.
  strawberry—
    growing, practices. F.B. 1026, pp. 3, 4. 1919.
    shipments, 1915. F.B. 1028, p. 6. 1919.
  sugar-cane growing and sirup making. Chem. Bul. 93, pp. 1-78. 1905.
  Sumter County—
    cotton growing, notes and tables. D.B. 896, pp. 1-44, 52. 1920.
    farm management and farm organization in. H. W. Hawthorne and others. D.B. 1034, pp. 97. 1922.
    farming, an economic study of. H. M. Dixon and H. W. Hawthorne. D.B. 492, pp. 64. 1917.
    farms' organization, hog raising, value. Y.B., 1922, p. 208. 1923; Y.B. Sep. 882, p. 208. 1923.
  Susquehanna fine sandy loam, areas, location and crops. Soils Cir. 51, pp. 3, 11. 1912.
  sweet-potato industry. D.B. 1206, pp. 5, 7, 9-13. 1924.
  Taylor County, quarantine on account of Texas fever in cattle. B.A.I.O. 271, amdt. 2, p. 1. 1921.
  termites, occurrence and damages. D.B. 333, p. 16. 1916.
  Tift County, survey and tillage records for cotton. D.B. 511, pp. 34-35. 1917.
  tobacco—
    crop, 1912. Stat. Cir. 43, pp. 2, 3, 5. 1913.
    growing—
      1912. B.P.I. Bul. 244, pp. 22, 99. 1912.
      1922. Y.B., 1922, pp. 405, 408, 409, 427. 1923. Y.B. Sep. 885, pp. 405, 408, 409, 427. 1923.
    importance of industry, and production. B.P.I. Cir. 48, pp. 4, 5, 6. 1910.
    mildew outbreak. D.C. 174, p. 3. 1921.
    report for July 1, 1912. Stat. Cir. 38, pp. 3, 4, 5. 1912.
  tractors on farms, reports. F.B. 1278, pp. 1-26. 1922.
  trucking industry, acreage and crops. Y.B., 1916, pp. 449, 455-465. 1917; Y.B. Sep. 702, pp. 15, 21-31. 1917.
  turpentine—
    farming, successful example. F.B. 1256, pp. 7-8, 35. 1922.
    production, percentage of United States supply. D.B. 898, p. 2. 1920.
  University, boarding club, dietary studies. O.E.S. Bul. 221, pp. 121-122. 1909.
  velvet-bean growing, description and maturing season. F.B. 1276, p. 4. 1922.
  vetch growing. F.B. 529, p. 5. 1913.
  wage rates, farm labor, 1845, and 1866-1909. Stat. Bul. 99, pp. 21, 29-43, 68-70. 1912.
  walnut—
    growing. B.P.I. Bul. 254, pp. 17, 102. 1913.
    range and estimated stand. D.B. 933, pp. 7, 9. 1921.
    stand and quality. D.B. 909, pp. 9, 17. 1921.
  water supply, records by counties. Soils Bul. 92, pp. 43-47. 1913.
  watermelon culture. F.B. 193, pp. 8-10. 1904.
  Waycross—
    cane growing for sirup making. Chem. Bul. 75, pp. 33-34. 1903.
    designation as feeding station for cattle. B.A.I.O. 271, amdt. 1, p. 2. 1921.
  wheat—
    acreage and varieties. D.B. 1074, pp. 209-210. 1922.
    crops, acreage, production, and value. Stat. Bul. 57, pp. 5-25, 29. 1907; rev., pp. 5-25 29, 37. 1908.
    growing, yields and cultural suggestions. F.B. 885, pp. 1-14. 1917.
    varieties grown. F.B. 616, p. 6. 1914; F.B. 1168, p. 9. 1921.
    yields and prices, 1866-1915. D.B. 514, p. 7. 1917.

Georgia (horse), history and pedigree. B.A.I. Cir. 137, pp. 108, 131. 1908; B.A.I. An. Rpt., 1907, pp. 108, 131. 1909.
Georgia Strait, winds prevailing. J.A.R., vol. 30, p. 602. 1925.
Geothlypis spp. *See* Yellowthroat.
Geotrygon spp. *See* Quail doves.
Geraeus perscitus, description. Rpt. 102, pp. 15–16. 1915.
Geraniol, use to attract Japanese beetles. Off. Rec., vol. 4, No. 52, p. 6. 1925.
Geranium(s)—
  bacterial leaf spot—
    in eastern United States. Nellie A. Brown. J.A.R., vol. 23, pp. 361–372. 1923.
    occurrence and description, Texas. B.P.I. Bul. 226, pp. 86, 112. 1912.
  fumigation effects, studies and experiments. J.A.R., vol. 11, pp. 326, 327. 1917.
  importations and descriptions. Nos. 37735–37736, 37820–37821, 38056, 38136–38137, 38334, B.P.I. Inv. 39, pp. 30, 49, 85, 92, 118. 1917.
  injury by termites. D.B. 333, p. 25. 1916.
  rose—
    extract, misbranding. Chem. N.J. 1057, p. 3. 1911.
    importation from Algeria. Inv. No. 29430, B.P.I. Bul. 233, p. 27. 1912.
    value in perfumery production. B.P.I. Bul. 195, pp. 40, 41–42. 1910.
  rot from fungi, comparative study. J.A.R., vol. 30, pp. 1043–1062. 1925.
  stemrot caused by *Pythium complectens*, n. sp., host resistance reactions; significance of Pythium type of sporangial germination. Harry Braun. J.A.R., vol. 29, pp. 399–419. 1924.
  varieties, importations, and description. Nos. 31957–31975, B.P.I. Bul. 261, pp. 12–13. 1912.
  wild—
    description, habits, and forage value. D.B. 545, pp. 42–43, 58, 60. 1917.
    seed description. F.B. 428, pp. 25, 26 1911; F.B. 1411, p. 12. 1924.
Gerardmer. *See* Gerome.
Gerber sediment test, milk, comparison with other methods. D.B. 1, pp. 32–33. 1913; D.B. 361, pp. 2–6. 1916.
GERE, C. M.: "Making American cheese on the farm." F.B. 1191, p. 19. 1921.
GERICKE, W. F.—
  "Antagonism between anions as affecting barley yields on a clay-adobe soil." With Charles B. Lipman. J.A.R., vol. 4, pp. 201–218. 1915.
  "Relation between certain heritable properties of wheat and their capacity to increase protein content of grain." J.A.R., vol. 31, pp. 67–70. 1925.
GERLAUGH, PAUL: "A statistical study of body weights, gains, and measurements of steers during the fattening period." With B. O. Severson. J.A.R., vol. 11, pp. 383–394. 1917.
Germ(s)—
  corn—
    buying and shipping. D.B. 904, p. 13. 1920.
    oil expelling, method and machines used. D.B. 904, pp. 8–11. 1920.
    removal from meal, effects. F.B. 565, p. 6. 1914.
  destroyer (Nox-i-Cide), adulteration and misbranding. Chem. N.J. 178, p. 47. 1915.
  disease, spread by food and water pollution. F.B. 375, pp. 12–13. 1909.
  flour, bread, nutrition experiments. O.E.S. Bul. 156, pp. 46–50. 1905.
  killer ("Benetol"), adulteration and misbranding. Chem. N.J. 169, pp. 37–38. 1915.
  poison, misbranding. I. and F. Bd. S.R.A. 9, p. 17. 1915.
German—
  clover. *See* Clover, crimson.
  silver, injury to milk, notes. B.A.I. Dairy [Misc.], "World's dairy congress, 1923," pp. 1191, 1197, 1198, 1209. 1924.
German East Africa, livestock statistics, numbers of cattle, sheep, and hogs. Rpt. 109, pp. 30, 36, 47, 51, 59, 62, 201, 213. 1916.
Germans, blunders in the war, discussion by Secretary. Sec. Cir. 133, pp. 4–5. 1919.

Germany—
  agricultural education—
    progress—
      1907. O.E.S. An. Rpt., 1907, pp. 250–251. 1908.
      1908. O.E.S. An. Rpt., 1908, pp. 244–250. 1909.
      1909. O.E.S. An. Rpt., 1909, pp. 265–266. 1910.
      1910. O.E.S. An. Rpt., 1910, pp. 328–329. 1911.
      1911. O.E.S. An. Rpt., 1911, pp. 290–291. 1912.
      1912. O.E.S. An. Rpt., 1912, pp. 292–293. 1913.
  imports, 1897–1901. Frank H. Hitchcock. For. Mkts. Bul. 30, pp. 323. 1903.
  production relation to depreciation of exchange. Y.B., 1919, p. 191. 1920; Y.B. Sep. 807, p. 191. 1920.
  statistics, 1911–1920 D.B. 987, pp. 30–32. 1921.
  alcohol—
    denaturing, system and formulas. Chem. Bul 130, pp. 78–79, 82–83. 1910.
    manufacture—
      from potatoes, grain, and molasses. Chem Bul. 130, p. 97. 1910.
      studies. Edward Kremers. D.B. 182, pp. 36. 1915.
  apple growing. Sec. [Misc.] Spec. "Geography * * * world's agriculture," pp. 77, 83. 1917.
  barberry-eradication laws, results in rust control. D.C. 269, pp. 7–8. 1923.
  bee diseases, survey. D.C. 287, pp. 19–20. 1923
  beef inspection for tapeworm. B.A.I. An. Rpt., 1911, pp. 108, 110–111. 1913; B.A.I. Cir. 214 pp. 108, 110–111. 1913.
  beet-sugar—
    industry, importance and value. B.P.I. Bul. 260, pp. 31–34, 36, 37–42. 1912.
    production and exports, 1913. Sec. Cir. 86, p. 5. 1918.
  butter trade, 1903–1911. D.C. 70, p. 17. 1919.
  calf-raising experiments. F.B. 381, p. 22. 1909.
  cattle—
    and milk cows, numbers, maps. Sec. [Misc.] Spec. "Geography * * * world's agriculture, pp. 121, 123, 125. 1917.
    breeds, origin and ancestry. B.A.I. An. Rpt., 1910, p. 222. 1912.
  cheese trade. D.C. 71, p. 19. 1919.
  cider making, comparison with work of other countries. Chem. Bul. 71, pp. 19–27. 1903.
  coal-tar exports to United States annually. Rds. Cir. 97, p. 3. 1912.
  contagious diseases of animals—
    1906. B.A.I. An. Rpt., 1906, p. 330. 1908.
    1907. B.A.I. An. Rpt., 1907, p. 414. 1909.
    1908. B.A.I. An. Rpt., 1908, pp. 417, 520. 1910.
    1909. B.A.I. An. Rpt., 1909, pp. 333–334. 1911.
    1910. B.A.I. An. Rpt., 1910, pp. 517–518. 1912.
  corn imports, 1906–1910, by countries of origin. Stat. Cir. 26, p. 6. 1912.
  crop—
    and livestock statistics, 1911–1913, graphs. Y.B. 1916, pp. 533, 536–551. 1917; Y.B. Sep. 713, pp. 3, 6–21. 1917.
    conditions and wheat imports, 1907–1912. Stat. Cir. 37, pp. 12–13. 1912.
    estimates before the war. A. E. Taylor. Y.B., 1919, pp. 61–68. 1920; Y.B. Sep. 801, pp. 61–68. 1920.
    statistics—
      1907–1912. Stat. Cir. 39, pp. 8–9. 1912
      1910–1911. Stat. Cir. 26, p. 16. 1912.
  dairy statistics, 1883–1920. B.A.I. Doc. A–37, pp. 52–53. 1922.
  epidemic caused by impure milk supply. B.A.I. Cir. 153, pp. 21–22. 1910.
  expenditures for forest investigations. Sec. Cir. 183, pp. 32, 33. 1921.
  experiment—
    farm establishment. O.E.S. An. Rpt., 1911, p. 67. 1912.
    stations, 1910. O.E.S. An. Rpt., 1910, p. 86. 1911.
  farming systems compared to United States. F.B. 406, pp. 9–11. 1910.

Germany—Continued.
  fishing industry, encouragement by Government. Y.B., 1913, pp. 193-196. 1914; Y.B. Sep. 623, pp. 193-196. 1914.
  flour imports. Off. Rec. vol. 2, No. 45, p. 3. 1923.
  food—
    consumption, comparison with United States. Y.B., 1923, pp. 481-483. 1924; Y.B. Sep. 896, pp. 481-483. 1924.
    drying industry, development since 1898. Sec. Cir. 126, p. 6. 1919.
    laws affecting American exports. Chem. Bul. 61, pp. 20-24. 1901.
  foot-and-mouth disease—
    extent of outbreaks. F.B. 666, pp. 3-4. 1915.
    statistics, 1890. B.A.I. [Misc.], "Diseases of cattle," rev., p. 396. 1912.
  forest—
    destruction by insects, notable instances. 1908; Y.B., 1907, pp. 150, 156-157, Y.B. Sep. 442, pp. 150, 156-157. 1908.
    injury by *Trametes pini.* D.B. 275, p. 13. 1916.
    resources. For. Bul. 83, pp. 35-45. 1910.
  forestry teaching and practice. F.B. 358, p. 42. 1909.
  fruit, production, imports and exports, 1909-1913. D.B. 483, pp. 22-23. 1917.
  goats, numbers, map. Sec. [Misc.] Spec. "Geography * * * world's agriculture," p. 144. 1917.
  grain—
    production and acreage. Stat. Bul. 68, pp. 65-69. 1908.
    trade. Stat. Bul. 69, pp. 27-30. 1908.
  grape crown-gall, studies. B.P.I. Bul. 183, p. 8. 1910.
  hay acreage. Sec. [Misc.] Spec. "Geography * * * world's agriculture," p. 106. 1917.
  hogs—
    numbers, maps. Sec. [Misc.] Spec. "Geography * * * world's agriculture," pp. 130, 131, 133. 1917.
    tuberculosis, prevalence. B.A.I. An. Rpt., 1907, p. 219. 1909; B.A.I. Cir. 144, p. 219. 1909.
  hop valuation, schedule. B.P.I. Cir. 33, p. 5. 1909.
  horse—
    breeding—
      for army remounts. B.A.I. Cir. 186, pp. 103-104. 1912; B.A.I. An. Rpt., 1910, pp. 103-104. 1912.
      progress. F.B. 419, p. 21. 1910.
    meat as food. B.A.I. An. Rpt., 1900, p. 520. 1901.
    number, maps. Farm M., Sec. [Misc.] Spec. "Geography * * * world's agriculture," pp. 111, 113. 1917.
  laws—
    governing sale of arsenical papers and fabrics. Chem. Bul. 86, pp. 46-49. 1904.
    in regard to food colors. Chem. Bul. 147, pp. 35, 37-40. 1912.
    on fruit and plant introduction. Ent. Bul. 84, p. 35. 1909.
  Letmathe, foliage injury by smelter fumes. Chem. Bul. 89, pp. 17-19. 1905.
  licenses, hunting. Biol. Bul. 19, p. 52. 1904.
  livestock statistics, numbers of cattle, sheep, and hogs. Rpt. 109, pp. 30, 36, 47, 51, 59, 62, 201, 213. 1916.
  meat—
    animals, slaughter, and percentage of stock on hand. Rpt. 109, pp. 126, 269, 270. 1916.
    consumption per capita—
      1909. B.A.I. An. Rpt., 1909, pp. 313-314. 1911.
      1911. B.A.I. An. Rpt., 1911, pp. 264, 265. 1913.
    imports, statistics. Rpt. 109, pp. 101-114, 237-238, 251-252, 259, 261. 1916.
    inspection—
      ambulatory. B.A.I. Cir. 185, p. 245. 1912; B.A.I. An. Rpt., 1910, p. 245. 1912.
      law, comparison with American. B.A.I. An. Rpt., 1906, pp. 98-100. 1908; B.A.I. Cir. 125, pp. 38-40. 1908.
      law, imperial. B.A.I. Cir. 32, pp. 18. 1901.
    production, 1904-1913, and percentages of beef, mutton and pork. Rpt. 109, pp. 119-121, 264-267, 268. 1916.

Germany—Continued.
  meat—continued.
    regulations. (With original text.) B.A.I. Bul. 50, pp. 51. 1903.
  milk goat industry. B.A.I. Bul. 68, pp. 10, 12, 59, 62. 1905.
  mosquito work for prevention of malaria. Ent. Bul. 88, p. 87. 1910.
  nursery stock inspection, officials. F.H.B.S.R. A. 7, pp. 54-64. 1914; F.H.B.S.R.A. 20, pp. 63-73. 1915; F.H.B.S.R.A. 32, pp. 108-118. 1916.
  oat acreage, production, and yield, maps. Sec. [Misc.] Spec. "Geography * * * world's agriculture," pp. 36, 38. 1917.
  part in war, details. Sec. [Misc.], "Why we went to war," pp. 9-15, 17, 18, 27, 28, 38. 1918.
  pork production, consumption, and imports. Y.B., 1922, pp. 185, 251, 273. 1923; Y.B. Sep. 882, pp. 185, 251, 273. 1923.
  potash supply, effect of the war. Y.B., 1916, pp. 301, 302. 1917; Y.B. Sep. 717, pp. 1, 2. 1917; Rpt. 100, pp. 9-11. 1915.
  potato(es)—
    acreage, production, and yield. Sec. [Misc.] Spec. "Geography * * * world's agriculture," pp. 68, 70. 1917; D.B. 182, pp. 2, 7-8, 11-14. 1915.
    production—
      1909-1913, 1921-1923. S.B. 10, p. 19. 1925.
      compared to United States. F.B. 533, pp. 4, 5. 1913.
  prewar crop estimates. A. E. Taylor. Y.B., 1919, pp. 61-68. 1920; Y.B. Sep. 801, pp. 61-68. 1920.
  prohibition of American pork, 1881. Y.B., 1922, p. 191. 1923; Y.B. Sep. 882, p. 191. 1923.
  rabbit production for meat, 1911. Y.B., 1918, p. 146. 1919; Y.B. Sep. 784, p. 4. 1919.
  rabies—
    occurrence, 1895-1898, 1901, 1902, notes. B.A.I. An. Rpt., 1909, pp. 202, 213. 1911; F.B. 449, pp. 6, 20. 1911.
    statistics for dogs and cattle. B.A.I. [Misc.], "Diseases of cattle," rev., p. 411. 1912.
  road repairing, cost for macadam roads. Rds. Bul. 48, p. 16. 1913.
  soils, chemical composition. Soils Bul. 57, pp. 121-127. 1909.
  source of white-pine blister rust. B.P.I. Bul. 206, pp. 16-21, 36-37. 1911.
  sugar—
    beet growing, yield, rotation methods and fertilizers. Rpt. 90, p. 9. 1909.
    industry, 1901-1914. D.B. 473, pp. 3, 4, 5, 35-37. 1917.
    production, consumption and beet acreage. Sec. [Misc.] Spec. "Geography * * * world's agriculture," pp. 73, 75. 1917.
  tobacco acreage, production, imports, and consumption. Sec. [Misc.], Spec. "Geography * * * world's agriculture," pp. 61, 62, 64. 1917.
  trade—
    associations, origin. B.A.I. Dairy [Misc.], "World's dairy congress, 1923," pp. 257, 258. 1924.
    with United States, imports and exports. D.B. 296, pp. 4, 8-49. 1915.
  trichinosis in. Ch. Wardell Stiles and Albert Hassall. B.A.I. Bul. 30, pp. 211. 1901.
  tuberculosis, animal, prevalence. B.A.I. Cir. 201, pp. 10-11. 1912.
  tuberculous carcasses, disposition, legal provisions. B.A.I.S.A. 72, pp. 26-27. 1913.
  wheat—
    acreage, production, and yield, maps. Sec. [Misc.] Spec. "Geography * * * world's agriculture," pp. 20, 23. 1917.
    imports, 1880-1906. Stat. Bul. 66, pp. 35-41. 1908.
  white-pine blister rust control, studies. D.B. 1186, pp. 21, 23. 1924.
  wood consumption per capita, and production per acre. For. Cir. 166, pp. 23-24. 1909.
Germetuer, Dr. King's, misbranding. Chem. N.J. 4113, pp. 164-167. 1916.
Germicide(s)—
  action on *Bacillus necrosis.* B.A.I. An. Rpt., 1904, p. 85. 1905.

Germicide(s)—Continued.
   adulteration. See *Indexes, Notices of Judgment, in bound volumes and in separates published as supplements to Chemistry Service and Regulatory Announcements*.
   chlorine disinfectants, investigations of value. F. W. Tilley. J.A.R., vol. 20, pp. 85-110. 1920.
   effects on—
      Bacillus necrophorus. B.A.I. Bul. 67, p. 18. 1905; B.A.I. An. Rpt., 1904, p. 85. 1905.
      infectivity of tobacco mosaic virus. H. A. Allard. J.A.R., vol. 13, pp. 619-637. 1918.
   efficiency increase by presoak method of seed treatment. J.A.R., vol. 19, pp. 363-392. 1920.
   Hiatt's, misbranding. Chem., N. J. 4131, pp. 204-205. 1916.
   milk, and milk products, active chlorine. Harrison Hale and William L. Bleecker. J.A.R., vol. 26, pp. 375-382. 1923.
   misbranding, "Sol-O-Kre." N.J. 188. I. and F. Bd. S.R.A. 11, pp. 68-71. 1915.
   stock dips, experiments. B.A.I. An. Rpt., 1906, p. 45. 1908.
   sunshine experiments. News L., vol. 3, No. 16, pp. 2-3. 1915.
   value of liquor cresolis compositus, preparation. (U.S.P.) C. N. McBryde. B.A.I. Bul. 100, pp. 24. 1907.
Germination—
   adaptations of wild wheat, rachis and spikelets. B.P.I. Bul. 274, pp. 19-23, 51-52. 1913.
   apple seeds, and after-ripening. George T. Harrington and Bertha C. Hite. J.A.R., vol. 23, pp. 153-161. 1923.
   barley pollen, studies. Stephen Anthony and Harry V. Harlan. J.A.R., vol. 18, pp. 525-536. 1920.
   beans infested with weevils, tests. D.B. 807, pp. 13-14. 1920.
   bluegrass seed. B.P.I. Bul. 84, p. 12. 1905.
   buried seeds, experimental results. J.A.R., vol. 29, pp. 349-362. 1924.
   camphor seed, effect of removing the pulp. J.A.R., vol. 17, pp. 223-238. 1919.
   conifer seed, effect of storage, temperature, etc. J.A.R., vol. 22, pp. 479-510. 1922.
   corn—
      conditions necessary. B.P.I. Cir. 55, pp. 20-21. 1910.
      in shipment, effect on carrying quality. D.B. 764, p. 5. 1919.
      Pueblo and other varieties, at different depths. J.A.R., vol. 1, pp. 296-298. 1914.
      seed, detection of disease. F.B., 1176, pp. 13-19. 1920.
   cottonseed—
      Eben S. Toole and Pearl L. Drummond. J.A.R., vol. 28, pp. 285-292. 1924.
      causes affecting, tests. D.B. 1056, pp. 18-20, 24. 1922.
      effect of delinting. D.B. 1219, pp. 4-6. 1924.
      effect of temperatures during storage. B.P.I. Cir. 123, pp. 18-20. 1913.
   crops, effect of alkali salts in soils. J.A.R., vol. 5, No. 1, pp. 1-53. 1915.
   eggs, hastened by high temperature. Y.B., 1910, p. 466. 1911; Y.B. Sep. 552, p. 466. 1911.
   forcing in freshly harvested wheat and other cereals. George T. Harrington. J.A.R., vol. 23, pp. 79-100. 1923.
   forest seeds, tests. For. Bul. 98, pp. 23, 24, 26-27. 1911.
   hairy-vetch seed, tests. D.B. 876, pp. 30-31. 1920.
   leguminous crops, effect of weevil attack. F.B. 1275, p. 22. 1923.
   modification by alkali salts in soils. J.A.R., vol. 5, No. 1, pp. 1-53. 1915.
   mushroom, studies. B.P.I. Bul. 85, pp. 12-18. 1905.
   oats, reduction by sulphur bleaching. D.B. 725, pp. 6-7, 9-11. 1918.
   peanuts, studies. Guam A. R., 1914, p. 16. 1915.
   pine seeds. For. Bul. 79, pp. 36-39, 52. 1910.
   potato—
      seeds, experiments. O.E.S. Bul. 245, p. 20. 1912.
      tests for rest periods. J.A.R., vol. 25, p. 256. 1923.

Germination—Continued.
   rice seed—
      testing. F.B. 1092, pp. 13-14. 1920.
      wild, and the storage of. J. W. T. Duvel. B.P.I. Bul. 90, Pt. I, pp. 13. 1906.
   seed(s)—
      after treatment with various disinfectants. B.P.I. Cir. 67, pp. 3-5. 1910.
      and vitality of. J. W. T. Duvel. B.P.I. Bul. 58, pp. 92. 1904.
      corn—
         J. W. T. Duvel. F.B. 253, pp. 16. 1906.
         testing directions. B.P.I. Cir. 104, pp. 12-13. 1912; B.P.I. Doc. 747, pp. 7-8. 1912; D.B. 653, p. 4. 1918; F.B. 229, pp. 19-22. 1905; F.B. 1175, pp. 11-13. 1920.
      effect of—
         hydrocyanic-acid gas and solutions. J.A.R., vol. 11, pp. 423-425. 1917.
         soil heating. Soils Bul. 89, pp. 7-12, 32-34. 1912.
      forest trees, tests, different storage conditions. An. Rpts., 1910, p. 389. 1911; For. A. R., 1910, p. 29. 1910.
      function of the mesocotyl. J.A.R., vol. 1, pp. 294-295. 1914.
      impermeable, tests under varying conditions. J.A.R., vol. 6, No. 20, pp. 767-770, 775-784. 1916.
      of Johnson grass and Sudan grass, discussion. J.A.R., vol. 23, pp. 208-218. 1923.
      promotion by treatment with sulphuric acid. F.B. 517, pp. 5-6. 1912.
      relation to burying seed in soil. B.P.I. Bul. 83, pp. 11-17. 1905.
      test details. F.B. 428, pp. 30-31. 1911.
      use of temperature alternations. G. T. Harrington. J.A.R., vol. 23, pp. 295-332. 1923.
   sporangial, significance of Pythium type. J.A.R., vol. 29, pp. 399-419. 1924.
   spores of—
      Agaricus campestris and other basidiomycetous fungi, preliminary report. Margaret C. Ferguson. B.P.I. Bul. 16, pp. 43. 1902.
      Spongospora subterranea, studies. J.A.R., vol. 4, pp. 274-277. 1915.
   sugar beets, imperfect, cause of loss. D.B. 238, pp. 14-17. 1915.
   sweet potatoes, in the Virgin Islands. Vir. Is. Bul. 5, pp. 4-5. 1925.
   tests—
      field seeds. S. B. 2, p. 82. 1924.
      forest tree seeds, and methods for hastening. D.B. 479, pp. 19, 35. 1917.
      seed corn selected by farmers and by department men. B.P.I. Cir. 95, pp. 8-9. 1912.
      sweet-clover seed. B.P.I. Cir. 80, p. 15. 1911.
      vegetable and flower seeds. B.P.I. Bul. 131, pp. 5-10. 1908; B.P.I. Cir. 100, pp. 8-11. 1912.
      vetch seed. D.B. 1289, pp. 11-12. 1925.
      wheat seed. F.B. 678, p. 13. 1915.
   wheat—
      and barley, effect of hot-water treatment. B.P.I. Bul. 152, pp. 21-24, 37-38. 1909.
      effect of formaldehyde. J.A.R., vol. 20, pp. 211-244. 1920.
      process. O.E.S.F.I.L. 11, p. 5. 1910.
      seed, retardation by chemicals. J.A.R., vol. 19, pp. 367-379, 391. 1920.
   seedlings, experiments with culture solutions. Soils Bul. 87, p. 24. 1912.
Germinator(s)
   homemade for testing seed, description. F.B. 1339, pp. 5, 7. 1923.
   seed—
      construction and use, school exercise. D.B. 527, pp. 13-16. 1917.
      descriptions and use. F.B. 1176, pp. 14-19. 1920.
      directions for making. F.B. 428, p. 14. 1911.
Germo-Carboline, misbranding. Insect. N.J. 852, I. and F. Bd. S.R.A. 45, p. 1058. 1923.
Germo-Pine-Ol, adulteration and misbranding. Insect. N.J. 859, I and F. Bd. S.R.A. 45, p. 1073. 1923.
GERRY, ELOISE—
   "Effect of height of chipping on oleoresin production." J.A.R., vol. 30, pp. 81-93. 1925.

GERRY, ELOISE—Continued.
"Five molds and their penetration into wood." J.A.R., vol. 26, pp. 219-230. 1923.
"Oleoresin production." D.B. 1064, pp. 46. 1922.
"Tyloses, their occurrence and practical significance in some American woods." J.A.R., vol. 1, pp. 445-470. 1914.

Gerstaeckeria—
nobilis, occurrence of boll-weevil parasites. Ent. Bul. 100, pp. 45, 51, 78. 1912.
spp., description, injury to cactus and control. Ent. Bul. 113, pp. 29-31. 1912.

Gestation—
cows—
diseased conditions and treatment. B.A.I. [Misc.], "Diseases of cattle," rev., pp. 154-170. 1908; rev., pp. 161-164. 1912.
table, period. F.B. 1073, p. 7. 1919; F.B. 1379, p. 8. 1923; F.B. 1412, p. 11. 1924.
periods for various animals. D.B. 905, pp. 7-8. 1920; F.B. 1167, p. 9. 1920.
sows, period table. F.B. 1437, p. 8. 1925.

"Get-away" crops, effect on price of seeds. B.P.I. Bul. 184, p. 11. 1910.

GETTY, R. E.—
"Growing and utilizing sorghums for forage." With H. N. Vinall. F.B. 1158, pp. 32. 1920.
"Sorghum experiments on the Great Plains." With others. D.B. 1260, pp. 88. 1924.
"Sudan grass and related plants." With H. N. Vinall. D.B. 981, pp. 68. 1921.

Gevuina avellana—
importation and description. No. 34113, B.P.I. Inv. 32, p. 10. 1914.
See also Avellano.

GEYER, E. W.: "Life history of the codling moth in the Pecos Valley, N. Mex." With A. L. Quaintance. D.B. 429, pp. 90. 1917.

"Ghee," preparation and use in India and Asia. F.B. 1207, p. 26. 1921.

Gherkins, misbranding. See *Indexes, Notices of Judgment, in bound volumes and in separates published as supplements to Chemistry Service and Regulatory Announcements.*

Ghoorma, use as stock for Chinese persimmons. Y.B., 1915, p. 214. 1916; Y.B. Sep. 671, p. 214. 1916.

Ghotwa. See Septicemia, hemorrhagic.

Gibberella—
saubinetii—
cause of—
blights on corn and wheat seedlings, development, relation of soil temperature and moisture. James G. Dickson. J.A.R., vol. 23, pp. 837-870. 1923.
corn seed infection, results. J.A.R., vol. 23, pp. 502-520, 586-587, 591. 1923.
damping-off of grain. D.B. 934, p. 2. 1921.
foot-rot. D.B. 1347, p. 33. 1925.
sweet-potato rot. J.A.R., vol. 15, pp. 357-358. 1918
wheat scab. F.B. 1176, p. 5. 1920; F.B. 1224, pp. 3, 8-12. 1921.
wheat scab and corn root-rot relation to crop succession. Benjamin Koehler and others. J.A.R., vol. 27, pp. 861-880. 1924.
description and habitat. J.A.R., vol. 2, pp. 276-279. 1914.
greenhouse experiments with temperature and moisture. J.A.R., vol. 23, pp. 844-858. 1923.
in cereal seeds, dry heat treatment. J.A.R., vol. 18, pp. 381-382, 385, 387. 1920.
production of conidia. James G. Dickson and Helen Johann. J.A.R., vol. 19, pp. 235-237. 1920.
study of isoelectric points. J.A.R., vol. 31, pp. 386, 390-393, 395-398. 1925.
See also Fusarium blight; Wheat scab.
sp., cause of corn root-rot and wheat scab. J.A.R., vol. 14, pp. 611-612. 1918.

GIBBONS, C. E.—
"Hog production and marketing." With others. Y.B., 1922, pp. 181-280. 1923; Y.B. Sep. 882, pp. 181-280. 1923.
"Our beef supply." With others. Y.B., 1921, pp. 227-322. 1922; Y.B. Sep. 874, pp. 227-322. 1922.

GIBBONS, C. E.—Continued.
"The sheep industry." With others. Y.B., 1923, pp. 229-310. 1924; Y.B. Sep. 894, pp. 229-310. 1924.

GIBBONS, W. H.: "Logging in the Douglas fir region." D.B. 711, pp. 256. 1918.

GIBBS, JOSHUA, plow-bottom invention, description. J.A.R., vol. 12, p. 181. 1918.

GIBBS, W. D.—
discussion of teaching force of land-grant colleges. O.E.S. Bul. 196, p. 74. 1907.
report of New Hampshire Experiment Station—work, 1906. O.E.S. An. Rpt., 1906, pp. 131-132. 1907.
work and expenditures, 1909. O.E.S. An. Rpt., 1909, pp. 147-149. 1910.

GIBBS, W. M.—
"Bacteriological studies of a soil subjected to different systems of cropping for twenty-five years." With P. L. Gainey. J.A.R., vol. 6, No. 24, pp. 953-975. 1916.
"Soil survey of—
Kenosha and Racine Counties, Wis." With others. Soil Sur. Adv. Sh., 1919, pp. 58. 1922; Soils F.O., 1919, pp. 1319-1376. 1925.
Rock County, Wis." With others. Soil Sur. Adv. Sh., 1917, pp. 51. 1920; Soils F.O., 1917, pp. 1183-1229. 1923.

Gibraltar, Malta fever, prevalence and control. B.A.I. An. Rpt., 1913, p. 120. 1913; B.A.I. Cir. 215, p. 120. 1913.

GIBSON, E. H.—
"The clover leafhopper and its control in the Central States." F.B. 737, pp. 8. 1916.
"The corn and cotton wireworm in its relation to cereal and forage crops, with control measures." F.B. 733, pp. 8. 1916.
"The sharp-headed grain leafhopper." D.B. 254, pp. 16. 1915.

Gid—
cattle, infection and treatment. B.A.I. [Misc.], "Diseases of cattle," rev., p. 539. 1912; rev., pp. 528-529. 1923.
cause, symptoms, and spread by dogs. B.A.I. Bul. 125, pp. 15-16, 46-47. 1910; D.B. 260, pp. 9-11. 1915.
confusion of disease with loco disease. B.A.I. Cir. 165, pp. 5-6. 1910.
distribution of disease in United States. B.A.I. Bul. 125, pp. 16-30. 1910. B.A.I. Cir. 165, p. 5. 1910.
economic importance in Europe, control. B.A.I. Cir. 165, p. 28. 1910.
eradication—
effect of dry-land farming in Montana. B.A.I. Cir. 165, p. 28. 1910.
methods. Maurice C. Hall. B.P.I. Cir. 165, pp. 29. 1910.
losses from. B.A.I. Cir. 165, pp. 5-6. 1910.
parasite—
and allied species of the cestode genus Multiceps. Maurice C. Hall. B.A.I. Bul. 125, Pt. I, pp. 68. 1910.
animal hosts, lists and discussion, historical data. B.A.I. Bul. 125, Pt. I, pp. 30-40. 1910.
description, life history, lesions, and control. F.B. 1330, pp. 27-31. 1923.
dissemination by dogs, experiments. B.A.I. Cir. 159, pp. 1-7. 1910.
history in Montana. B.A.I. Cir. 165, pp. 8-10. 1910.
infection of meat, animals, inspection regulations. B.A.I. An. Rpt., 1907, p. 372. 1909.
life history. B.A.I. Cir. 165, pp. 6-10. 1910.
life history—
and prevention. Maurice C. Hall. B.A.I. Cir. 159, pp. 7. 1910.
distribution, symptoms. B.A.I. An. Rpt., 1910, pp. 421, 436-438. 1912; B.A.I. Cir. 165, pp. 6-10. 1910; B.A.I. Cir. 193, pp. 421, 436-438. 1912.
origin, description, life history, symptoms and control. F.B. 1150, pp. 27-31. 1920.
presence in American sheep. B.H. Ransom. B.A.I. Bul. 66, pp. 23. 1905.
sheep—
spread by coyotes and dogs, investigations. An. Rpts., 1911, p. 250. 1912; B.A.I. Chief Rpt., 1911, p. 60. 1911.

Gid—Continued.
sheep—continued.
treatment, experiments. B.A.I. Bul. 153, p. 9. 1912.
symptoms, comparison with—
grub in head. B.A.I. Cir. 165, p. 12. 1910.
loco-poisoning symptoms. B.A.I. Cir. 165, pp. 11-12. 1910.
GIDDINGS, L. A.: "The sugar-beet nematode in the Western States." With Gerald Thorne. F.B. 1248, pp. 16. 1922.
GIDDINGS, N. J.: "Investigations of the potato fungus *Phytophthora infestans*." With others. B.P.I. Bul. 245, pp. 100. 1912.
GIFFORD, J. C.: "The Luquillo Forest Reserve, Porto Rico." For. Bul. 54, pp. 52. 1905.
GIGAULT, G. A.—
"Agricultural cooperation for the preparation and sale of products." O.E.S. Bul. 256, pp. 44-47. 1913.
"Introducing prize contests among farming people." O.E.S. Bul. 225, pp. 30-32, 1910.
"Technical schools of agriculture and domestic science." O.E.S. Bul. 251, pp. 47-51. 1912.
Gila National Forest, N. Mex., map. For. Maps. 1924.
Gila River—
Arizona, and tributaries, irrigation farm practices. O.E.S. Bul. 235, pp. 74-77. 1911.
New Mexico irrigation projects. O.E.S Bul. 215, pp. 12, 27. 1909.
GILBERT, A. H.—
"Correlation of foliage degeneration, diseases of the Irish potato with variations of the tuber and sprout. J.A.R., vol. 25, pp. 255-266. 1923.
"Heredity of color in *Phlox drummondii*. J.A.R. vol. 4, pp. 293-302. 1915.
GILBERT, B. D.: "Soil survey of —
Ashley County, Ark." With others. Soil Sur. Adv. Sh., 1913, pp. 39. 1914; Soils F.O., 1913, pp. 1185-1219. 1916.
Genessee County, Mich." Soil Sur. Adv. Sh., 1912, pp. 39. 1914; Soils F.O., 1912, pp. 1373-1407. 1915.
Goodhue County, Minn." With others. Soil Sur. Adv. Sh., 1913, pp. 34. 1915; Soils F. O., 1913, pp. 1659-1683. 1916.
Jefferson County, N. Y." With others. Soil Sur. Adv. Sh., 1911, pp. 83. 1913; Soils F.O., 1911, pp. 95-173. 1914.
Lancaster County, Pa." With others. Soil Sur. Adv. Sh., 1914, pp. 70. 1916; Soils F O., 1914, pp. 327-392. 1919.
Monroe County, N. Y." With others. Soil Sur. Adv. Sh., 1910, pp. 53. 1911; Soils F.O., 1910, pp. 43-91. 1912.
Putnam County, Fla." With others. Soil Sur. Adv. Sh., 1914, pp. 52. 1916; Soils F.O., 1914, pp. 997-1044. 1919.
GILBERT, J. C.: "Marketing and distribution of strawberries in 1915." With O. W. Schleussner. D.B. 477, pp. 32. 1917.
GILBERT, J. W., game herd, gift to United States. An. Rpts., 1913, pp. 234-235. 1914; Biol. Chief Rpt., 1913. pp. 12-13. 1913.
GILBERT, Judge, opinion on twenty-eight hour law. Sol. Cir. 24, pp. 1-2. 1909.
GILBERT, W. W.—
"Cotton anthracnose and how to control it." F.B. 555, pp. 8. 1913.
"Cotton diseases and their control." F.B. 1187, pp. 32. 1921.
"Cotton wilt and root knot." F.B. 625, pp. 21. 1914.
"Diseases and insects of the home garden." With C. H. Popenoe. D.C. 35, pp. 35. 1919.
"Soil disinfection with hot water to control the root-knot nematode and soil fungi." With L. P. Byars. D.B. 818, pp. 14. 1920.
"The root-rot of tobacco caused by *Thielavia basicola*." B.P.I. Bul. 158, pp. 55. 1909.
"The control of cotton wilt and root-knot." With W. A. Orton. B.P.I. Cir. 92, pp. 19. 1912.
GILBERTSON, H. W.: "Methods and results of cooperative extension work, 1923." With C. L. Chambers. D.C. 347, pp. 38. 1925.
Gilding, injury by beetles. D.B. 1107, p. 2. 1922.

GILE, P. L.—
"Absorption by colloidal and noncolloidal soil constituents." With others. D.B. 1122, pp. 20. 1922.
"Absorption of nutrients as affected by the number of roots supplied with the nutrient." With J. O. Carrero. J.A.R., vol. 9, pp. 73-95. 1917.
"Ash composition of upland rice at various stages of growth." With J. O. Carrero. J.A.R., vol. 5, No. 9, pp. 357-364. 1915.
"Assimilation of colloidal iron by rice." With J. O. Carrero. J.A.R., vol. 3, pp. 205-210. 1914.
"Assimilation of iron by rice from certain nutrient solutions." With J. O. Carrero. J.A.R., vol. 7, pp. 503-528. 1916.
"Assimilation of nitrogen, phosphorus, and potassium by corn when nutrient salts are confined to different roots." With J. C. Carrero. J.A.R., vol. 21, pp.545-573. 1921.
"Cause of lime-induced chlorosis and availability of iron in the soil." With J. O. Carrero. J.A.R. vol. 20, pp. 33-62. 1920.
"Colloidal silica and the efficiency of phosphates." With J. G. Smith. J.A.R., vol. 31, pp. 247-260. 1925.
"Efficiency of phosphatic fertilizers as affected by liming and by the length of time the phosphates remained in Porto Rican soils." With J. O. Carrero. J.A.R., vol. 25, pp. 171-194. 1923.
"Estimation of colloidal material in soils by adsorption." With others. D.B. 1193, pp. 42. 1924.
"Immobility of iron in the plant." With J. O. Carrero. J.A.R., vol. 7, pp. 83-87. 1916.
"Lime-magnesia ratio as influenced by concentration." P.R. Bul. 12, pp. 24. 1913.
"Red clay soil of Porto Rico." With C. N. Ageton. P.R. Bul. 14, pp. 24. 1914.
"Relation of calcareous soils to pineapple chlorosis." (Also Spanish edition.) P.R. Bul. 11, pp. 45. 1911.
report of chemist, Porto Rico Experiment Station—
1908. P.R. An. Rpt., 1908, pp. 29-32. 1909.
1909. P.R. An. Rpt., 1909, pp. 29-31. 1910.
1910. P.R. An. Rpt., 1910, pp. 20-24. 1911.
1911. P.R. An. Rpt., 1911, pp. 15-23. 1912.
1912. P.R. An. Rpt., 1912, pp. 18-22. 1913.
1913. P.R. An. Rpt., 1913, pp. 11-15. 1914.
1914. P.R. An. Rpt., 1914, pp. 13-24. 1916.
1915, and assistant chemist. With J. O. Carrero. P.R. An. Rpt., 1915, pp. 13-24. 1916.
1916, and assistant chemist. With J. O. Carrero P.R. An. Rpt., 1916, pp. 10-17. 1918.
1917, and assistant chemist. With J. O. Carrero. P.R. An. Rpt., 1917, pp. 7-20. 1918.
"The bat guano of Porto Rico, and their fertilizing value." With J. O. Carrero. P.R. Bul. 25, pp. 66. 1918.
"The catalase of soils." With D. W. May. P.R. Cir. 9, pp. 13. 1909.
"The effect of strongly calcareous soils on the growth and ash composition of certain plants." With C. N. Ageton. P. R. Bul. 16, pp. 45. 1914.
GILL, A. H.: Discussion of flour bleaching with nitrogen peroxide. Chem. N.J. 382, pp. 40-42. 1910.
GILL, J. B.—
"Important pecan insects and their control." F.B. 843, pp. 48. 1917; F.B. 1364, pp. 49. 1924.
"The fruit-tree leaf-roller." Ent. Bul. 116, Pt. V, pp. 91-105. 1913.
"The pecan leaf case-bearer." D.B. 571, pp. 28. 1917.
"The pecan nut case-bearer." D.B. 1303, pp. 12. 1925.
Gill-over-the-ground, use on lawns as grass substitute. F.B. 494, pp. 35, 36, 48. 1912.
Gill-poke, log, devices, material, and cost. D.B. 711, pp. 233-237. 1918.
GILLETT, L. H.: "Welfare agencies as a factor in educating consumers in the use of milk." B.A.I. Dairy [Misc.], "World's dairy congress, 1923," pp. 669-674. 1924.
GILLETT, R. L.: "Soil survey of—
Carroll County, Ga." With others. Soil Sur. Adv. Sh., 1921, pp. 129-154. 1924.
Wicomico County, Md." With J. M. Snyder. Soil Sur. Adv. Sh., 1921, pp. 28. 1925.

GILLETTE, C. P.—
"Life history of *Pemphigus populi-transversus*."
With T. H. Jones. J.A.R., vol. 14, pp. 577–594. 1918.
report of Colorado Experiment Station, work and expenditures—
1910. O.E.S. An. Rpt., 1910, pp. 106–109. 1911.
1911. O.E.S. An. Rpt., 1911, pp. 81–84. 1912.
1912. O.E.S. An. Rpt., 1912, pp. 83–86. 1913
1913. O.E.S. An. Rpt., 1913, pp. 35–36. 1915.
1914. O.E.S. An. Rpt., 1914, pp. 72–75. 1915.
1915. S.R.S. Rpt., 1915, Pt. I, pp. 78–81. 1916.
1916. S.R.S. Rpt., 1916, Pt. I, pp. 74–80. 1918.
1917. S.R.S. Rpt., 1917, Pt. I, pp. 73–77. 1918.
GILLETTE, H. P.: "Highway cost keeping." With others. D.B. 660, pp. 52. 1918.
GILMORE, J. U.: "The tobacco flea-beetle in the dark fire-cured tobacco district of Kentucky and Tennessee." With A. C. Morgan. F.B. 1425, pp. 12. 1924.
Gilmore needles, use in testing cement mortar. D.B. 949, pp. 25, 26. 1921.
GILTNER, L. T.—
"An experimental study of Echinacea therapy." With James F. Couch. J.A.R., vol. 20, pp. 63–84. 1920.
"Occurrence of Coccidioidal granuloma (oidiomycocis) in cattle." J.A.R., vol. 14, pp. 533–542. 1918.
"Some experiments with a boric-acid canning powder." With others. D.C. 237, pp. 12. 1922.
GILTNER, WARD: "Some factors influencing the longevity of soil micro-organisms subjected to desiccation." With H. V. Langworthy. J.A.R. vol. 5, No. 20, pp. 927–942. 1916.
Gilts, use and value in pork production, increase. News L., vol. 5, No. 18, p. 2. 1917.
Gin, beverage—
adulteration and misbranding. See *indexes to Chemistry Notices of Judgment*, in bound volumes.
and celery, eclipse phosphates, misbranding. Chem. N.J. 1672, p. 4. 1912.
Buchu, misbranding. Chem. N.J. 134–140, pp. 1–4. 1910; Chem. N.J. 160, pp. 3. 1910; Chem. N.J. 1480, p. 1. 1912; Chem. N.J. 3349, pp. 2. 1915.
cucurbita, misbranding. Chem. N.J. 1672, p. 1. 1912.
Damiana, misbranding. Chem. N.J. 245, p. 1. 1910.
"domestic," restriction requirements, Opinion 227. Chem. S.R.A. 20, p. 65. 1917.
Geneva, misbranding. Chem. N.J. 770, p. 1. 1911; Chem. N.J. 771, p. 1. 1911.
Holland, misbranding, alleged. Chem. N.J. 3397, pp. 598–603. 1915.
honey and orange, adulteration and misbranding. Chem. N.J. 2239, pp. 2. 1913.
juniper berry, misbranding. Chem. N.J. 2519, p. 1. 1913.
Piccadilly dry, misbranding. Chem. N.J. 1347, pp. 2. 1912.
Gin-seng-gin, misbranding. Chem. N.J. 327, pp. 2. 1910.
Gin(s)—
cleaning, for pink boll-worm control. D.B. 918, pp. 55, 57. 1921.
community, advantage in one-variety cotton growing. D.B. 1111, pp. 13–15. 1922.
compresses, description and use. F.B. 764, pp. 16–18. 1916.
compresses, introduction in cotton States. Y.B. 1912, pp. 456–458. 1913; Y.B. Sep. 605, pp. 456–458. 1913.
compression, advisability for Egyptian cotton. D.B. 311, p. 6. 1915.
construction of roller, knives, etc. D.B. 1319, pp. 6–8. 1925.
cotton—
and gin machinery, description and comparisons. F.B. 764, rev., pp. 7–21, 27. 1917.
as community centers for efficient production. F.B. 1384, p. 12. 1924.
classes in use. F.B. 209, pp. 22–23. 1904; F.B. 764, p. 5. 1916.
community control, advantages. D.B. 533, pp. 12–13. 1917.
control of boll weevil. Ent. Bul. 114, pp. 152–153, 161–162. 1912; F.B. 500, p. 13. 1912.

Gin(s)—Continued.
cotton—continued.
cooperative ownership, advantages. Y.B. 1912, pp. 445–446, 448. 1913; Y.B. Sep. 605, pp. 445–446, 448. 1913.
description of machinery. F.B. 1465, pp. 5–16. 1925.
Egyptian, adjustment in Arizona. D.B. 311, pp. 3–4. 1915.
fires caused by static electricity. D.C. 28, pp. 8. 1919.
grounding for fire prevention—
F.B. 1465, pp. 21–22. 1925.
Harry E. Roethe. D.C. 271, pp. 4. 1923.
invention, relation to development of industry. Atl. Am. Agr. Adv. Sh., Pt. V, sec. A, p. 19. 1919.
mixing seed, cause of contamination of varieties. D.B. 60, p. 4. 1914.
regulation by law, New Mexico. F.H.B.S.R.A. 74, pp. 4–6. 1923.
roller and saw, description and use. Y.B., 1921, pp. 372–373. 1922. Y.B. Sep. 877, pp. 372–373. 1922.
small—
for ginning special seed cotton, desirability. B.P.I. Cir. 66, pp. 5, 18. 1910.
size, description and price, use in cotton breeding. B.P.I. Cir. 92, p. 17. 1912.
custom, operation methods. D.B. 288, pp. 2–3. 1915.
cut cotton, definition. Mkts. S.R.A. 2, p. 14. 1915.
machinery—
experiments to destroy live weevils in seed cotton. F.B. 209, pp. 12–14. 1904.
principal parts, description. F.B. 764, pp. 5–18. 1916.
press boxes, standardization, desirability. Y.B., 1912, p. 453. 1913; Y.B. Sep. 605, p. 453. 1913.
public, cause of cotton-seed deterioration. D.B. 1111, pp. 11–13. 1922.
roller, necessity for long fiber cotton. Y.B., 1911, p. 409. 1912; Y. B. Sep. 579, p. 409. 1912.
saws, description and use, comparisons and directions. F.B. 764, pp. 10–14, 24. 1916; rev., pp. 11–17, 27. 1917.
Ginep tree, Porto Rico, description and uses. D.B. 354, p. 82. 1916.
Ginger—
adulteration—
by bleaching. Chem. Bul. 80, p. 9. 1904.
"whole Japan." Chem. N.J. 4263, p. 385. 1916.
ale—
adulteration and misbranding. Chem. N.J. 741, pp. 2. 1911; Chem. N.J. 4333, p. 474. 1916.
flavor and concentrate, definitions and standards. F.I.D. 185, p. 1. 1922.
misbranding. Chem. N.J. 1026, pp. 2. 1911.
brandy, labeling. Opinion 158. Chem. S.R.A. 16, p. 29. 1916.
cordial, adulteration and misbranding. Chem. N.J. 2734, pp. 1–2. 1914; Chem. N.J. 2898, p. 129. 1914; Chem. N.J. 2932. 1914.
description and uses as condiment and sweetmeat. D.B. 503, p. 16. 1917; F.B. 295, p. 42. 1907; O.E.S. Bul. 245, pp. 47, 68. 1912.
effect on fat and milk production of cows. J.A.R. vol. 19, pp. 123, 125, 130. 1920.
extract—
adulteration and misbranding. Chem. N.J. 1422, pp. 3. 1912; Chem. N.J. 1433, pp. 2. 1912; Chem. N.J. 1453, pp. 2. 1912; Chem. N.J. 3336, pp. 2. 1912.
determination in flavoring extracts. Chem. Bul. 137, pp. 75–76. 1911; Chem. Bul. 152, pp. 137–139. 1912.
ground, misbranding. Chem. N.J. 13427. 1925.
growing and use in China, and adaptability to South. Y.B., 1915, pp. 221–222. 1916; Y.B. Sep. 671, pp. 221–222. 1916.
importations and descriptions. Inv. Nos. 29355, 29529, 29990, B.P.I. Bul. 233, pp. 14, 30, 46. 1912; No. 38180, B.P.I. Inv. 39, pp. 8, 100. 1917.
imports—
1907–1909, quantity and value, by countries from which consigned. Stat. Bul. 82, p. 41. 1910.

Ginger—Continued.
  imports—continued.
    1907–1911. Y.B., 1911, p. 657. 1912; Y.B. Sep. 588, p. 657. 1912.
  plant. See Tansy.
  preserved, imports 1906–1910. Y.B., 1910, p. 659. 1911; Y.B. Sep. 553, p. 659. 1911.
  root—
    imports, 1912–1914, quantity, value, and sources. D.B. 296, pp. 39–40. 1915.
    See Coltsfoot.
  tincture, standard for. Chem. Bul. 152, pp. 244, 248. 1912.
  use as flavoring for food. D.B. 503, p. 16. 1917; F.B. 295, p. 42. 1907; O.E.S. Bul. 245, pp. 47, 68. 1912.
  white, importations and descriptions. Nos. 30483, 30592, B.P.I. Bul. 242, pp. 9, 12, 22. 1912.
  wild, use as condiment, sweetmeat, and pickle. D.B. 503, p. 17. 1917.
  worm-eaten, importation. Chem. Bul. 116, pp. 11–12. 1908.
  See also Spices.
Ginger grass. See Bahia grass.
Gingerbread, recipe. F.B. 817, p. 19. 1917; F.B. 1450, p. 11. 1925; U.S. Food Leaf. No. 15, p. 2. 1918.
Ginkgo—
  biloba, attack by parasite, Glomerella cingulata. B.P.I. Bul. 252, pp. 33–34. 1913.
  description—
    and regions suited to. F.B. 1208, p. 18. 1922.
    use as street tree, and regions adapted to. D.B. 816, pp. 17, 19, 25. 1920.
  nut, use as food. F.B. 332, p. 9. 1908.
  nut, use as food in China. B.P.I. Bul. 204, p. 54. 1911.
  spermatogenesis and fecundation. B.P.I. Bul. 2, pp. 7–13, 17–18, 21–22, 23, 26–30, 32, 47, 51–52, 54, 56, 58, 60–63, 70, 71, 75, 77–80, 82, 86. 1901.
Ginkgoaceae, injury by sapsuckers. Biol. Bul. 39, p. 22. 1911.
Ginner, certificate, for farmer, blank form, and explanation. F.B. 764, pp. 3–4. 1916; rev., pp. 4–6, 27. 1917.
Ginneries—
  and cotton seed, boll-weevil control. W.D. Hunter. F.B. 209, pp. 32. 1904.
  boll-weevil shelter during hibernation. Ent. Bul. 77, pp. 31–32. 1909.
  cotton, accounting system for. A. V. Swarthout and J. A. Bexell. D.B. 985, p. 42. 1921.
  ledger accounts, directions. D.B. 985, pp. 20–36. 1921.
  public, custom work. Y.B., 1921, p. 375. 1922; Y.B. Sep. 877, pp. 375. 1922.
Ginning—
  and handling seed cotton, present system. F.B. 209, pp. 14–24. 1904.
  association, organization for protection of cottonseed supply. Y.B., 1915, p. 2721. 1916; Y.B. Sep. 675, p. 2721. 1916.
  company, cooperative, organization and work, outline. D.B. 324, p. 7. 1915.
  cotton—
    G. S. Meloy. F.B. 1465, pp. 29. 1925.
    cooperation, economic importance. Y.B., 1911, pp. 405–406, 409, 410. 1912; Y.B. Sep. 579, pp. 405–406, 409, 410. 1912.
    customs. Atl. Am. Agr. Adv. Sh., Pt. V, sec. A, pp. 24–25. 1919.
    Egyptian, in Arizona. D.B. 311, pp. 3–4. 1915.
    information for farmers. Fred Taylor and others. F.B. 764, pp. 24. 1916; rev., pp. 28. 1917.
    injurious methods, control measures. Y.B., 1912, pp. 452–453, 461. 1913; Y.B. Sep. 605, pp. 452–453, 461. 1913.
    lesson. M.C. 43, pp. 6–7. 1925.
    machines, description and use. Y.B., 1921, pp. 372–375. 1922; Y.B. Sep. 877, pp. 372–375. 1922.
    method(s)—
      D.B. 458, pp. 5–6. 1917; F.B. 764, rev., pp. 6–7, 26–27. 1917; F.B. 1465, pp. 4–5. 1925.
      in Arizona, variations. D.B. 1319, pp. 2–11. 1925.
    quality and relation to grade. F.B. 802, pp. 6–9. 1917.

Ginning—Continued.
  cotton—continued.
    San Joaquin Valley, Calif. D.C. 164, p. 19. 1921.
  seed—
    for planting, methods and value. D.B. 1056, pp. 4–5, 23–24. 1922.
    responsibility for cotton deterioration, suggestions and cautions. D.C. 204, pp. 10–11. 1922.
  custom, factor in cottonseed deterioration. D. A. Saunders and P. V. Cardon. D.B. 288, pp. 8. 1915.
  difficulty with Meade cotton. D.B. 1030, pp. 7–8. 1922.
  Egyptian cotton requirements. D.B 332, p. 19. 1916; D.B. 742, pp. 6, 15, 17–18, 26. 1919; F.B. 577, p. 8. 1914.
  establishments for Egyptian cotton, Salt River Valley. D.B. 332, p. 6. 1916.
  machinery, efficacy in control of boll weevil. Ent. Bul. 114, pp. 152–153. 1912.
  Pima cotton—
    directions. F.B. 1432, p. 14. 1924.
    in Arizona. James S. Townsend. D.B. 1319, pp. 12. 1925.
  record forms, description and use. D.B. 985, pp. 8–14. 1921.
  seed cotton, present system of handling, suggestions for improvement. F.B. 209, pp. 14–31. 1904.
  sharing expense, on tenant farms. D.B. 650, p. 18. 1918.
  ticket and register, form. D.B. 985, pp. 9–11. 1921.
Ginseng—
  American—
    Rodney H. True. B.P.I. Doc. 477, pp. 3. 1909.
    cultivation. Walter Van Fleet. F.B. 551, pp. 14. 1913.
    description. F.B. 1184, pp. 4–5. 1921.
  beds, disinfection and drainage. F.B. 736, pp. 7–15, 20–22. 1916.
  black-rot, symptoms, cause, and control. B.P.I. Bul. 250, pp. 36–37. 1912; J.A.R., vo. 5, No. 7, pp. 294–296. 1915.
  blights, history, symptoms, cause, and control methods. B.P.I. Bul. 250, pp. 9–23. 1912.
  blue or yellow. See Cohosh, blue.
  collection and sale, West Virginia. Raleigh County. Soil Sur. Adv. Sh., 1914, p. 12. 1916; Soils F.O., 1914, p. 1404. 1919.
  culture—
    W. W. Stockberger. F.B. 1184, pp. 15. 1921.
    and handling as drug plant, yield, and price. F.B. 663, pp. 24–25. 1915.
  description of plant, seeds, and root. F.B. 551, pp. 6–7, 10. 1913; F.B. 1184, pp. 4–6. 1921.
  digging and drying of roots. F.B. 1184, pp. 11–12. 1921.
  diseases, control—
    F.B. 551, p. 12. 1913; F.B. 1184, p. 12. 1921.
    H. H. Whetzel and J. Rosenbaum. B.P.I. Bul. 250, pp. 44. 1912.
    H. H. Whetzel and others. F.B. 736, pp. 23. 1916.
  exports—
    1851, 1914, value and destination. D.B. 296, p. 45. 1915.
    1851–1908. Stat. Bul. 75, p. 42. 1910.
    1904–1912, quantity and value. F.B. 551, p. 6. 1913.
    1906–1910. Y.B., 1910, p. 669. 1911; Y.B. Sep. 553, p. 669. 1911.
    1908–1912. Y.B., 1912, p. 731. 1913; Y.B. Sep. 615, p 731. 1913.
    1913–1915. Y.B., 1915, pp. 551, 555. 1916; Y.B. Sep. 685, p. 551, 555. 1916.
  fertilizers. F.B. 1184, p. 9. 1921.
  forest planting, directions. F.B. 1184, p. 10. 1921.
  growing—
    and uses, harvesting, marketing and prices. F.B. 551, pp. 7–13. 1912; F.B. 663, rev., pp. 33–34. 1920; F.B. 1184, pp. 6–11. 1921.
    in—
      Iowa, Mitchell County. Soil Sur. Adv. Sh., 1916, pp. 9–10. 1918; Soils F.O., 1916, p. 1879. 1921.

INDEX TO PUBLICATIONS, 1901–1925   1031

Ginseng—Continued.
　growing—continued.
　　in—continued.
　　　North Carolina, Henderson County. Soil Sur. Adv. Sh., 1907, pp. 8, 15. 1908; Soils F.O., 1907, pp. 230, 237. 1909.
　　　Wisconsin, northeastern, prices. Soil Sur. Adv. Sh., 1913, pp. 23, 80. 1915; Soils F.O., 1913, pp. 1579, 1636. 1916.
　　　Wisconsin, south part of north-central. Soil Sur. Adv. Sh., 1915, p. 18. 1917; Soils F.O., 1915, p. 1598. 1919.
　habitat, range, description, collection, prices and uses of roots. B.P.I. Bul. 107, p. 49. 1907.
　importations and descriptions. No. 36175, B.P.I. Inv. 36, pp. 62–64. 1915; Nos. 36282, 36596, 36716, 36900, B.P.I. Inv. 37, pp. 7, 13, 35, 56, 81. 1916.
　industry—
　　history, magnitude and outlook. F.B. 1184, pp. 2–3. 1921.
　　outlook. F.B. 1184, pp. 14–15. 1921.
　inoculation with fungous disease, experiments. J.A.R., vol. 5, No. 4, p. 181. 1915.
　planting in forest. F.B. 551, p. 12. 1913.
　production and value, leading States, 1909. Y.B., 1914, p. 646. 1915; Y.B. Sep. 656, p. 646. 1915.
　root(s)—
　　digging and drying. F.B. 1184, pp. 11–12. 1921.
　　knot, prevalence and control methods. B.P.I. Bul. 217, pp. 18, 22, 24, 38, 43, 73. 1911. F.B. 648, pp. 12, 13–14, 18. 1915.
　　planting directions, prices. B.P.I. Doc. 477, pp. 2, 3. 1909.
　　rots, causes, symptoms and control. F.B. 736, pp. 2–12. 1916; J.A.R., vol. 5, No. 4, pp. 181–182. 1915.
　　rots caused by *Sclerotinia* spp. J.A.R., vol. 5, No. 7, pp. 291–298. 1915.
　seed—
　　beds, construction, shading, planting, and mulching. F.B. 551, pp. 8–11. 1913; F.B. 1184, p. 7. 1921.
　　description and price. F.B. 551, pp. 6, 7, 10. 1913; F.B. 1184, pp. 5–6. 1921.
　　importations and descriptions. Nos. 38742–38750, B.P.I. Inv. 40, p. 23. 1917.
　　planting directions. B.P.I. Doc. 477, pp. 2, 3. 1909; F.B. 551, p. 10. 1913; F.B. 1184, p. 7. 1921.
　seedlings, damping-off, cause and control. F.B. 736, pp. 12–14. 1916.
　shading, drainage, and protection. F.B. 1184, pp. 7–11. 1921.
　soils, disinfection. F.B. 736, pp. 7, 8, 9, 11, 12, 14, 20–21. 1916.
　spraying, directions. F.B. 736, pp. 19–20. 1916.
　statistics, exports. Y.B., 1917, p. 771. 1918; Y.B. Sep. 762, p. 15. 1918.
　susceptibility to root rot, caused by *Thielavia basicola*. J.A.R., vol. 7, p. 298. 1916.
　varieties, description. F.B. 551, p. 11. 1913.
　white rot, description and cause. J.A.R., vol. 5, No. 7, pp. 291–294. 1915.
　wilt—
　　caused by *Acrostalagmus* sp. J.A.R., vol. 12, pp. 531–533, 544. 1918.
　　See also Wilt.
　yield and value of exports, 1900–1919 and 1860–1919. F.B. 1184, pp. 13, 14. 1921.
Gioddu. *See* Yogurt.
Gipsy moth(s)—
　absence from cranberry. News L., vol. 6, No. 30, p. 15. 1919.
　and brown-tail moth—
　　control—
　　　A. F. Burgess. F.B. 1335, pp. 28. 1923.
　　　by disease. Ent. Bul. 91, pp. 94–96. 1911.
　　　methods and suggestions. A. F. Burgess. F.B. 564, pp. 24. 1914.
　　　work. Rpt. 87, pp. 50–51. 1908.
　　European parasites. L. O. Howard. Y.B. 1905, pp. 123–138. 1906; Y.B. Sep. 373, pp. 123–138. 1906.
　feeding experiments with *Calosoma sycophanta*. Ent. Bul. 101, pp. 32–41, 52–57. 1911.
　field work against, report. D. M. Rogers and A. F. Burgess. Ent. Bul. 87, pp. 81. 1910.

Gipsy moth(s)—Continued.
　and brown-tail moth—continued.
　　in New England, solid-stream spraying against. L. H. Worthley. D.B. 480, pp. 16. 1917.
　　introduced parasites, status. Ent. Bul. 91, pp. 307–312. 1911.
　　parasites—
　　　establishment and dispersion. Ent. Bul. 91, pp. 94–96. 1911.
　　　importation and breeding, 1906. Rpt. 83, pp. 64–65. 1906.
　　　importation into the United States, progress report. L. O. Howard and W. F. Fiske. Ent. Bul. 91, pp. 312. 1911.
　　introduction into New England. D.B. 204, pp. 2–3, 4–20. 1915.
　　list. Ent. Bul. 91, pp. 84–94. 1911.
　　quarantine. *See* Brown-tail moth, quarantine; Gipsy moth, quarantine.
　　report, July, 1904. C. L. Marlatt. Ent. Cir. 58, pp. 12. 1904.
　　spread through imported nursery stock, danger. C. L. Marlatt. F.B. 453, pp. 22. 1911.
　　State and cooperative work for control, scope and progress. F.B. 564, pp. 20–24. 1914.
　attack by *Perilampus curpinus*. Ent. T.B. 19, Pt. IV., pp. 65, 69. 1912.
　caterpillars—
　　bacteriological studies. J.A.R., vol. 4, pp. 115–126. 1915.
　　description. F.B. 1335, pp. 6–7. 1923.
　　disease caused by *Streptococcus disparis*. J.A.R., vol. 13, pp. 515–522. 1918.
　　feeding habits and food trees, list. D.B. 484, Pt. I, pp. 8–10. 1917.
　　mortality, conditions increasing. J.A.R., vol. 4, pp. 103–104, 117–126. 1915.
　　parasites, description, studies, etc. Ent. Bul. 91, pp. 188–202. 1911.
　　spread by wind and motor vehicles. Y.B., 1916, pp. 221–222. 1917; Y.B. Sep. 706, pp. 5–6. 1917.
　　tissues and blood, pathology. J.A.R., vol. 4, pp. 109–115. 1915.
　　wilt disease. J.A.R., vol. 4, pp. 101–128. 1915.
　control—
　　1924. Sec. A.R., 1924, p. 67. 1924.
　　airplanes, use. Off. Rec., vol. 1, No. 23, p. 3. 1922.
　　by insect enemies. F.B. 845, pp. 9, 27, 28. 1917.
　　by tree banding, directions and cost. D.B. 899, pp. 2–18. 1920.
　　city problem, recommendations. D.B. 250, p. 36. 1915.
　　experimental work in Europe. D.B. 204, pp. 2–4. 1915.
　　forest management. G. E. Clement and Willis Munro. D.B. 484, pp. 54. 1917.
　　forest problem. D.B. 250, p. 35. 1915.
　　future outlook. Ent. Bul. 87, pp. 74–76. 1910.
　　hand methods for orchards, woodlands, and towns. F.B. 845, pp. 15–24. 1917.
　　history and methods. D.B. 250, pp. 1–33. 1915.
　　in—
　　　cranberry bogs and vicinity. D.B. 1093, pp. 13–19. 1922.
　　　foreign countries, methods. Ent. Bul. 91, pp. 117–131, 132. 1911.
　　　forest. W. F. Fiske. Ent. Cir. 164, pp. 20. 1913.
　　　Massachusetts. Ent. Bul. 87, pp. 30–37. 1910; Ent. Bul. 119, pp. 9–11. 1913.
　　　woods, recommendation by Forest Service. D.B. 484, Pt. I, p. 16. 1917.
　　life history. F.B. 1270, pp. 43–44. 1922.
　　methods. Ent. Bul. 87, pp. 63–70. 1910; F.B. 564, pp. 1, 3–7, 12–24. 1914.
　　methods. L. O. Howard. F.B. 275, pp. 24. 1907.
　　scouting work and methods, 1913–1914. D.B. 204, pp. 24–28, 32. 1915.
　　work in East. Ent. A.R., 1924, pp. 7–9. 1924.
　　work in New England, report. A. F. Burgess. D.B. 204, pp. 32. 1915.
　　work in New England States. F.B. 564, pp. 1–3, 5–7, 18, 20, 21–22, 23–24. 1914.

1032   UNITED STATES DEPARTMENT OF AGRICULTURE

Gipsy moth(s)—Continued.
 control—continued.
  work, methods, cost, and value. A. F. Burgess. Y.B., 1916, pp. 217–226. 1917; Y.B. Sep. 706, pp. 10. 1917.
  work of National Government. Ent. Bul. 87, pp. 37–47. 1910.
 damage to bee keeping in Massachusetts. Ent. Bul. 75, p. 104. 1911; Ent. Bul. 75, Pt. VII, p. 104. 1909.
 danger of introduction from foreign countries. Ent. Bul. 87, pp. 60–62. 1910.
 depredations, Europe and North America, historical notes. Y.B., 1907, pp. 153, 160. 1908; Y.B. Sep. 442, pp. 153, 160. 1908.
 description, habits, injuries and control. F.B. 1270, pp. 43–44. 1923; Sec. [Misc.], "A manual * * * insects * * *," p. 107. 1917.
 destruction by *Calosoma sycophanta*. D.B. 417, pp. 6, 7. 1917.
 dispersion—
  A. F. Burgess. Ent. Bul. 119, pp. 62. 1913.
  investigations and experiments. D.B. 273, p. 2. 1915.
 distribution—
  by nursey stock. F.H.B.S.R.A. 59, p. 3. 1919.
  in various States. Ent. Bul. 87, pp. 36–38. 1910.
 early history in United States, distribution, injuries, and control. D.B. 484, Pt. I, pp. 1–16. 1917.
 egg(s)—
  clusters—
   importations, dangers. F.B. 453, pp. 6, 7. 1911.
   locations. Ent. Bul. 119, pp. 28–29. 1913.
   observed, 1910–1914. D.B. 204, pp. 16–18. 1915.
   treatment, cost. D.B. 899, pp. 12–13. 1920.
  hatching, effect of low temperature. John N. Summers. D.B. 1080, pp. 14. 1922.
  hatching periods, investigations. D.B. 273, pp. 7–8. 1915.
  parasites—
   description and studies. Ent. Bul. 91, pp. 168–188. 1911.
   study. S. S. Crossman. J.A.R. vol. 30, pp. 643–675. 1925.
   See also *Anastatus* sp.
 European parasites. Y.B., 1905, pp. 123–138. 1906; Y.B. Sep. 373, pp. 123–138. 1906.
 feeding habits on cranberry and white-oak foliage. D.B. 1093, pp. 9–11. 1922.
 field work, and parasite importations, etc. An. Rpts., 1910, pp. 510–517, 542, 546. 1911; Ent. A.R., 1910, pp. 6–13, 38, 42. 1910.
 food plants—
  D.B. 204, pp. 14–15, 20–22. 1915; Ent. Bul. 87, pp. 14–15. 1910; Ent. Bul. 119, pp. 30–31. 1913; F.B. 564, p. 5. 1914.
  in America. F. H. Mosher. D.B. 250, pp. 39. 1915.
 importance as pest in United States. Ent. Bul. 87, pp. 9–12. 1910.
 importations from France, precautions. F.H. B.S.R.A. 60, p. 22. 1919.
 in—
  Connecticut, 1906, W. E. Britton. Ent. Bul. 67, pp. 22–26. 1907.
  Europe, natural control. Ent. Cir. 164, pp. 7–9. 1913.
 increase—
  determination experiments. D.B. 204, pp. 16–18, 20. 1915.
  in New England, rate, control methods. Ent. Bul. 91, pp. 109–117. 1911.
 infestation—
  1920. An. Rpts., 1920, p. 29. 1921; Sec. A.R., 1920, p. 29. 1920.
  of forests, cooperative investigations. D.B. 484. Pt. I, pp. 1–16. 1917.
 infested—
  area—
   1915. J.A.R., vol. 4, pp. 102–103. 1915.
   July 1, 1916. F.H.B. Quar. 25, p. 2. 1916; F.H.B.S.R.A. 28, p. 65. 1916.
  territory, condition at close of State work. Ent. Bul. 87, p. 29. 1910.

Gipsy moth(s)—Continued.
 injury to—
  bee keeping in Massachusetts. Ent. Bul. 75, Pt. VII, p. 104. 1909.
  trees. F.B. 564, p. 5. 1914.
 insect enemies, studies. F.B. 564, pp. 5–7. 1914.
 introduction—
  history, habits, and control methods. F.B. 564, pp. 1, 3–7, 12–20, 20–24. 1914.
  into forests, and injuries. D.B. 484, Pt. I, pp. 2–4. 1917.
  spread methods, and control work. F.B. 845, pp. 3, 5–9, 15–24. 1917; Y.B., 1916, pp. 217–218, 220–226. 1917; Y.B. Sep. 706, pp. 1–2, 4–10. 1917.
 larvae—
  agency spread of white-pine blister rust. G. Flippo Gravatt and G. B. Posey. J.A.R., vol. 12, pp. 459–462. 1918.
  characteristics. Ent. Bul. 119, p. 16. 1913.
  dispersion by wind—
   C.W. Collins. D.B. 273, pp. 23. 1915.
   investigations. D.B. 1093, pp. 3–9. 1922.
   nature and function of hairs. D.B. 273, pp. 3–6. 1915.
  silk spinning, quantity. Ent. Bul. 119, pp. 23–24, 28, 30. 1913.
  wind dispersion, screen experiments. D.B. 273, pp. 7, 8–14, 18. 1915.
 life history, habits, spread, and damages to plants. Ent. Bul. 87, pp. 12–16. 1910; F.B. 453, pp. 18–22. 1911.
 natural enemies. Ent. Bul. 67, p. 25. 1907; Ent. Bul. 87, pp. 70–71. 1910; F.B. 275, pp. 15–16. 1907.
 on cranberry bogs. Charles W. Minott. D.B. 1093, pp. 19. 1922.
 parasite—
  description, life history, introduction and dispersion. D.B. 1028, pp. 1–125. 1922.
  enemies of satin moth. D.B. 1103, p. 48. 1922.
  importation and results. Y.B., 1916, pp. 282–286. 1917; Y.B. Sep. 704, pp. 10–14. 1917.
  in Europe, sequence, table. Ent. Bul. 91, pp. 131, 132. 1911.
  introduction and—
   results. F.B. 845, pp. 9, 27, 28. 1917; F.B. 1335, p. 11. 1923.
   work. Y.B., 1911, pp. 453, 461, 462–463. 1912; Y.B. Sep. 583, pp. 453, 461, 462–463. 1912.
  liberation. Off. Rec., vol. 4, No. 32, p. 4. 1925.
  reared from eggs of gipsy moth. L. O. Howard. Ent. T.B. 19, Pt. I, pp. 1–12. 1910.
  relation—
   of *Perilampus* genus, to work of introduction. Harry S. Smith. Ent. T.B. 19, Pt. IV, pp. 33–69. 1912.
   to low temperatures. D.B. 1080, pp. 12–13. 1922.
  released. Off. Rec., vol. 2, No. 48, p. 6. 1923.
  Sarcophagidae investigations. Ent. T.B. 19, Pt. III, pp. 25–32. 1911.
  tachinid, description, and studies. Ent. Bul. 91, pp. 202–236. 1911.
  See also Apanteles; Compsilura; Perilampus.
 parasitism—
  by *Limnerium validum*, experiments. Ent. T.B. 19, Pt. V, p. 82. 1912.
  in the United States. Ent. Bul. 91, pp. 136–143. 1911.
 pupae, parasites, species, description, studies. Ent. Bul. 91, pp. 236–255. 1911.
 quarantine—
  areas—
   1916, map showing. Ent. [Misc.], "Map showing areas * * *," map. 1916.
   1923. F.H.B. Quar. 45, Amdt. 4, pp. 1–3. 1923.
   1924. F.H.B An. Rpt., 1924, p. 7. 1924.
  inspection of Christmas trees, etc. F.H.B. S.R.A. 29, pp. 76–77. 1916.
  mailing area. F.H.B.S.R.A. 18, pp. 51–52. 1915; F.H.B.S.R.A. 30, p. 87. 1916; F.H.B. S.R.A. 64, p. 88. 1919.
  modification, July 1, 1921. F.H.B. Quar. 45, Amdt. 1, pp. 3. 1921.
  modification, October 14, 1925. F.H.B. Quar. 45, Amdt. 1, pp. 4. 1925.

INDEX TO PUBLICATIONS, 1901–1925 1033

Gipsy moth(s)—Continued.
  quarantine—continued.
    of portions of New England, proposal. F.H.B. S.R.A. 51, pp. 43–44. 1918.
    on stone and quarry products. D. F. Houston. Sec. [Misc.], "Quarantine on stone * * * products," pp. 3. 1916.
    proposed, in New England, notice of hearing. F.H.B.S.R.A. 15, pp. 24–25. 1915.
    report of conference on nursery stock, 1924. F.H.B.S.R.A. 78, pp. 8–9. 1924.
    revision, 1924. F.H.B.S.R.A. 79, pp. 35–43. 1924.
    work, 1914. D.B. 204, pp. 29–30, 31, 32. 1915.
  ravages, investigation, appropriation by Congress. Ent. Bul. 87, pp. 28, 38, 41, 42. 1910.
  report for 1925. Off. Rec., vol. 4, No. 44, p. 7. 1925.
  spread—
    1921. D.B. 1103, pp. 48–50. 1922.
    through imported nursery stock, danger. F.B. 453, pp. 1–22. 1911.
  spreading methods, studies and experiments. D.B. 204, pp. 18–19. 1915; Ent. Bul. 119, pp. 11–16. 1913.
  survival of winter exposure, investigations. D.B. 1080, pp. 1–14. 1922.
  trapping. D.B. 1093, pp. 5–9, 1922.
  tree-banding material—
    barriers. M. T. Smulyan. D.B. 1142, pp. 16. 1923.
    use and application. C. W. Collins and Clifford E. Hood. D.B. 899, pp. 18. 1920.
  tree species favored and unfavored as food. Ent. [Misc.], "Some * * * suggestions * * *," pp. 4–5. 1917.
  wilt. See Wilt disease, gipsy moth.
  work, review, 1917. An. Rpts., 1917, pp. 227–229. 1918. Ent. A.R., 1917, pp. 1–3. 1917.
Girardinia palmata, importation and description. No. 55001, B.P.I. Inv. 71, p. 12. 1923.
Girardinus caudimaculatus, use in mosquito extermination. Ent. Bul. 88, p. 71. 1910.
GIRAULT, A. A.—
  "Demonstration spraying for codling moth." With others. Ent. Bul. 68, Pt. VII, pp. 69–76. 1908.
  study of plum curculio. Ent. Bul. 103, pp. 49, 75, 97, 102. 1912.
  "The lesser peach borer." Ent. Bul. 68, Pt. IV., pp. 31–48. 1907.
  "The plum curculio." With Fred Johnson. Ent. Cir. 73, pp. 10. 1906.
Girdler(s)—
  cranberry—
    H. B. Scammell. D.B., 554, pp. 20. 1917.
    control by flooding in 1923. Work and Exp., 1923, p. 50. 1925.
    description, injury, history, and control. F.B. 860, pp. 29–33. 1917; F.B. 178, pp. 21–24. 1903.
    enemies and control methods. D.B. 554, pp. 12–19. 1917.
  huisache—
    M. M. High. D.B. 184, pp. 9. 1915.
    food plants and hosts, list. D.B. 184, p. 5. 1915.
    life history, description, distribution, food plants, habits, and control methods. D.B. 184, pp. 2–9. 1915.
    natural enemies, infestation by parasites. D.B. 184, pp. 8–9. 1915.
    twig, description, habits and control. F.B. 1169, pp. 71–72. 1921.
Girdling—
  avocado trees' production of fruitfulness. Hawaii Bul. 25, pp. 20–21. 1911.
  caused by ice and animals, dangers to spruce trees. D.B. 544, pp. 24–25. 1918.
  citrus knot, fatal result on trees. B.P.I. Bul. 247, p. 11. 1912.
  effect on fruit-bud formation. O.E.S. An. Rpt., 1922, p. 91. 1924.
  experiments for control of apple browning. D.B. 1104, pp. 17–22, 24. 1922.
  forest trees. For. Cir. 118, pp. 13, 15. 1907.
  hemlock trees for control of heart rot spread. D.B. 722, pp. 35–36. 1918.
  injuries to trees, treatment by bridge grafting. F.B. 360, p. 14. 1909.

Girdling—Continued.
  mango trees, effect on fruit bearing. P.R. Bul. 24, pp. 7, 8. 1918; D.B. 542, p. 20. 1917.
  means of removing undesirable tree species in the western white-pine type. Donald R. Brewster and Julius A. Larsen. J.A.R., vol. 31, pp. 267–274. 1925.
  spruce, control of beetle, investigations of method. Ent. Bul. 28, pp. 31–41. 1901.
  trees, effects. Y.B., 1913, pp. 165, 182. 1914; Y.B. Sep. 622, pp. 165, 182. 1914.
Girls'—
  agricultural—
    clubs, uses, organizations, work and statistics. F.B. 385, pp. 1–23. 1910.
    institute work, outline. O.E.S. Cir. 99, pp. 38–40. 1910.
  and boys'—
    agricultural clubs—
      O.E.S. An. Rpt., 1909, p. 322. 1910.
      importance in study of agriculture extension. O.E.S. Bul. 231, p. 66. 1910.
    clubs—
      country life enrichment. C. B. Smith and George E. Farrell. Y.B., 1920, pp. 485–494. 1921; Y.B. Sep. 859, pp. 485–494. 1921.
      work, 1922. Ivan L. Hobson and Gertrude L. Warren. D.C. 312, pp. 52. 1924.
      work, canned vegetables, recipes. Caroline L. Hunt. S.R.S. Doc. 31, pp. 4. 1916.
      work, demonstrations in 1912, results of. O. B. Martin and I. W. Hill. B.P.I. Doc. 865, pp. 8. 1913.
      work in Northern and Western States, 1918, organization and results. O. H. Benson and Gertrude Warren. D.C. 66, pp. 38. 1920.
      work in Northern and Western States, 1919, organization and results. George E. Farrell and Ivan L. Hobson. D.C. 152, pp. 35. 1921.
      work in Northern and Western States, 1920, status and results. George E. Farrell. D.C. 192, pp. 36. 1921.
      work in Northern and Western States, 1921, status and results. George E. Farrell and Gertrude L. Warren. D.C. 255, pp. 29. 1923.
    4-H club work, 1923. I. W. Hill and Gertrude L. Warren. D.C. 348, pp. 47. 1925.
    institutes—
      organization, 1910. O.E.S. An. Rpt., 1910, pp. 57, 387, 391. 1911.
      organization, 1911. O.E.S. An. Rpt., 1911, pp. 348–349. 1912.
      report and discussion. O.E.S. Bul. 213, pp. 18–22. 1909; O.E.S. Bul. 251, pp. 15–22. 1912.
    poultry clubs, organization. Harry M. Lamon. F.B. 562, pp. 12. 1913.
    thrift standards. Thrift Leaf. 20, pp. 4. 1919.
  canning clubs—
    directions for pepper growing. F.C.D.W.S. Cir. 1, pp. 8. 1915.
    in—
      Kentucky, Christian County, progress. Y.B., 1915, p. 234. 1916; Y.B. Sep. 672, p. 234. 1916.
      South, progress and results. Y.B., 1916, pp. 251–266. 1917; Y.B. Sep. 710, pp. 1–16. 1917.
      Southern States, records and membership. S.R.S. Doc. 28, pp. 1–4. 1915.
      Virginia, Culpepper County, progress. Y.B. 1915, p, 245. 1916; Y.B. Sep. 672, p. 245. 1916.
    results and profits, 1911. F.B. 521, pp. 35–36. 1913.
  club(s)—
    agricultural, notes. O.E.S. Cir. 99, pp. 6–7. 1910.
    canning and poultry, history and records. B.P.I. Doc. 865, pp. 6–7. 1913.
    enrollment, increase. An. Rpts., 1917, p. 14. 1918; Sec. A.R., 1917, p. 16. 1917.
    food preparation. D.C. 349, p. 23. 1925.
    garden and canning, work in New Jersey. News L., vol. 1, No. 31, pp. 3–4. 1914.
    home work. News L., vol. 6, No. 26, pp. 8–10. 1919.

Girls'—Continued.
club(s)—continued.
in Guam—
1920, enrollment, projects and results. Guam A.R., 1920, pp. 70-77. 1921.
1921, activities and results. Guam A.R., 1921, pp. 33-41. 1923.
in North and West—
1918, report. S.R.S. An. Rpt., 1918, pp. 95-103. 1919.
data. An. Rpts., 1919, pp. 383-384. 1920; S.R.S. An. Rpt., 1919, pp. 31-32. 1919.
in South—
home demonstration, number and work, 1916. S.R.S. An. Rpt., 1916, Pt. II, pp. 28-30. 1917.
North and West. An. Rpts., 1913, pp. 125-126, 127, 128. 1914; B.P.I. Chief Rpt., 1913, pp. 21-22, 23, 24. 1913.
increase in Louisiana, 1914-1915, responsibility of local fair. News L., vol. 3, No. 4, p. 3. 1915.
labor records. D.B. 385, p. 27. 1916.
objects, scope and value. News L., vol. 2, No. 44, pp. 2-3. 1915; S.R.S. Doc. 40, pp. 23-25. 1917.
records and progress. O.E.S. An. Rpt., 1912, p. 281. 1913.
usefulness in helping farm women under Smith-Lever Act. News L., vol. 2, No. 13, pp. 3-4. 1914.
work—
aid by demonstration agents. D.C. 285, pp, 21-22. 1923.
by county agents, 1920-1921. D.C. 244, pp. 22-23. 1922.
dairy cattle, design and results. Y.B., 1918, p. 163. 1919; Y.B. Sep. 765, p. 13. 1919.
sewing. S.R.S. Doc. 83, pp. 16. 1918.
sewing. Ola Powell. D.C. 2, pp. 20. 1919.
demonstration work, canning clubs. I. W. Hill and O. B. Martin. B.P.I. Doc. 870, pp. 8. 1913.
farm—
handicraft clubs, organization, object, and scope. News L., vol. 3, No. 22, pp. 3-4. 1916.
management extension work, clubs. D.C. 302, pp. 13-15. 1924.
school courses in domestic science. Rpt. 105, pp. 26-29. 1915.
height and weight-tables. D.C. 250, p. 15. 1923.
institutes, report of committee. O.E.S. Bul. 225, p. 19-24. 1910.
Negro, club work, results. D.C. 190, p. 15. 1921.
poultry clubs—
organization. Harry M. Lamon. B.A.I. Cir. 208, pp. 11. 1913.
work in the South. Y.B., 1915, pp. 195-200. 1916; Y.B Sep. 669, pp. 195-200. 1916.
study of agriculture in high schools. D.B. 213, p. 9. 1915.
winners in pig-club contests. Y.B., 1915, pp. 181-182. 1916; Y.B. Sep 667, pp. 181-182.1916.
Working Reserve, work in Hawaii. Hawaii A.R., 1920, p. 70. 1921.
See also Boys; Children.
GIVEN, ARTHUR—
"Chemical analysis and composition of imported honey from Cuba, Mexico, and Haiti." With others. Chem. Bul. 154, pp. 21. 1912.
"Experimental work in the production of table sirup at Waycross, Ga., 1905, together with a summary of the four-year experiment on fertilization of sugarcane." With others. Chem. Bul. 103, pp. 38. 1906.
"Extraction of grains and cattle foods for the determination of sugars: A comparison of the alcohol and sodium carbonate digestions." With others. Chem. Cir. 71, pp. 14. 1911.
"Manufacture of denatured alcohol." With others. Chem. Bul. 130, pp. 166. 1910.
"Maple sugar: Composition, methods of analysis, effect of environment." With others. D.B. 466, pp. 46. 1917.
Gizzard, structure and contents. B.A.I. Bul. 56, pp. 18-19. 1904.
GLABAU, C. A.: "The use of milk powder in baking." B.A.I. Dairy [Misc.], "World's dairy congress, 1923," pp. 183-192. 1924.

Glacial—
and loessial province, soils, description, area, and uses. Soils Bul. 78, pp. 95-130. 1911; Soils Bul. 96, pp. 109-164. 1913.
drift, format'on, description. D.B. 142, pp. 9-17. 1914.
lake—
and river—
province, new soil types, classification. Soils [Misc.], "Description of soil * * *," pp. 13-14. 1911.
terrace province, soils, description, area, and uses. Soils Bul. 96, pp. 165-219. 1913; Soils Bul. 78, pp. 131-168. 1911.
deposits, formation. D.B. 141, pp. 7-11. 1914.
province, eastern part of the United States, soils. Soils Bul. 78, pp. 95-130. 1911.
soils, character and agricultural value, by series. Soils Bul. 55, pp. 143-164. 1909.
Glacier Peak, Washington, description. D.C. 138, pp. 33, 53. 1920.
Glaciers, Colorado National Forest, description. D.C. 34, p. 15. 1919.
Gladiolus—
alatus, importation and description. No. 54304, B.P.I. Inv. 68, pp. 4, 48. 1923.
bacterial blight. Lucia McCulloch. J.A.R., vol. 27, pp. 225-230. 1924.
importations and descriptions. Nos. 44700, 44722-44728, B.P.I. Inv. 51, pp. 51, 56. 1922; Nos. 49369, 49695, 49715, 49732, B.P.I. Inv. 62, pp. 3, 30, 72, 75, 77. 1923.
leaf and corm disease caused by Bacterium marginatum. Lucia McCulloch. J.A.R., vol. 29, pp. 159-177. 1924.
planting depth, note. D.B. 797, p. 9. 1919.
shows, rules, schedules, classes, judging, premiums, etc. D.C. 62, pp. 6-9, 16, 17-27, 31, 32-34. 1919.
spp., importations and descriptions. Nos. 50770-50772, 51146, 51225. B.P.I. Inv. 64, pp. 24, 64, 77. 1923.
variety collection of. A. J. Pieters. B.P.I. Doc. 177, pp. 24. 1905.
Glanders—
and farcy. Rush Shippen Huidekoper. B.A.I. Cir. 78, pp. 12. 1905; B.A.I. Doc. A-13, pp. 12. 1917.
bacilli, dried, use as immunizing agent, experiments. D.B. 70, pp. 4-8. 1914.
causative agent, description and spread. F.B. 480, pp. 6, 7. 1912.
chronic and acute. B.A.I. Doc. A-13, pp. 7-9. 1917.
complement-fixation test, inspection. B.A.I. An. Rpt., 1911, pp. 11, 46, 53, 73. 1913.
control, new diagnosis method. B.A.I. An. Rpt., 1907, p. 36. 1909.
description, symptoms, history, and treatment. B.A.I. [Misc.], "Diseases of the horse," rev., pp. 532-545. 1911.
diagnosis—
by complement fixation. John R. Mohler and Adolph Eichhorn. B.A.I. Bul. 136, pp. 31. 1911.
comparison with ulcerations of mycotic lymphangitis. B.A.I. An. Rpt., 1908, p. 233. 1910; B.A.I. Cir. 155, p. 4. 1910.
conglutination test. H. W. Schoening. J.A.R., vol. 11, pp. 65-75. 1917.
methods. B.A.I. Doc. A-13, pp. 10-11. 1917.
ophthalmic mallein. D.B. 166, pp. 11. 1915.
serum collection, use. B.A.I.S.A. 73, pp. 45-46. 1913.
various methods. John R. Mohler and Adolph Eichhorn. B.A.I. An. Rpt., 1910, pp. 345-370. 1912; B.A.I. Cir. 191, pp. 26. 1912.
germ discovery. B.A.I. Doc. A-13, p. 2. 1917.
horse(s)—
disease, control work. Y.B., 1919, p. 77. 1920; Y.B. Sep. 802, p. 77. 1920.
spread prevention, regulations. B.A.I.O. 210, p. 28. 1914.
use of mallein in treatment. B.A.I. [Misc.], "Directions for using * * *," p. 1. 1907.
inoculation into various animals, results. B.A.I. Doc. A-13, pp. 3-5. 1917.
laws for examination, U. S. and foreign countries. B.A.I. [Misc.], "Diseases of the horse," rev., p. 544. 1911.

Glanders—Continued.
  legislation, 1901. B.A.I. Bul. 28, pp. 7, 44, 50, 54, 75, 79, 82, 83, 103, 104, 106, 108, 110, 138, 139, 144, 167, 172. 1901.
  nodules, comparison with other diseases. B.A.I. An. Rpt., 1910, p. 348. 1912. B.A.I. Cir. 191, p. 348. 1912.
  ophthalmic—
    and intradermic tests. B.A.I. Doc. A-35, pp. 13. 1919.
    test. B.A.I. Doc. A-1, pp. 5. 1914. B.A.I. S.A. 80, p. 112. 1913.
  physical examination for diagnosis, symptoms. B.A.I. An. Rpt., 1910, pp. 345–347, 1912; B.A.I. Cir. 191, pp. 345–347. 1912.
  specimens for examination, directions for packing, test. B.A.I. An. Rpt., 1906, pp. 202–203. 1908; B.A.I. Cir. 123, pp. 6–7. 1908.
  spread—
    methods. B.A.I. Doc. A-13, pp. 3–5. 1917.
    of contagion, various methods. B.A.I. [Misc.], "Diseases of the horse," rev., pp. 532–538. 1911.
  tests—
    comparison. J.A.R., vol. 11, pp. 66, 70–73. 1917.
    complement fixation, value and accuracy. An. Rpts., 1911, pp. 196, 232. 1912; B.A.I. Chief Rpt., 1911, pp. 6, 42. 1911.
    vaccine, immunization tests with. John R. Mohler and Adolph Eichhorn. D.B. 70, pp. 13. 1914.
GLASER, R. W.—
  "A new bacterial disease of gipsy-moth caterpillars." J.A.R., vol. 13, pp. 515–522. 1918.
  "Wilt of gipsy-moth caterpillars." J.A.R., vol. 4, pp. 101–128. 1915.
GLASS, E. J.: "Chinook winds." W.B. Bul. 31, pp. 41–43. 1902.
Glass—
  canning in, preparations and various steps. B.P.I. Doc. 631, rev., pp. 4–5, 6. 1915; F.B. 1211, pp. 29–30. 1921; S.R.S. Doc. 22, pp. 6–7. 1916.
  containers for cottage cheese. D.C. 1, pp. 7–8. 1919.
  enameled steel, use in dairy equipment. B.A.I. Dairy [Misc.], "World's dairy congress," 1923, pp. 1198–1200. 1924.
  gardening under, in North Carolina. F.B. 144, pp. 11–12. 1901.
  ground, cementing value of powder. Chem. Bul. 92, pp. 7, 9. 1905.
  houses, plant experiments, distribution of seedling trees. Rpt. 73, pp. 19–20. 1902.
  jars—
    for home canning. F.B. 1211, pp. 21–23. 1921.
    pork canning, directions. F.B. 1186, pp. 35–36. 1921.
  snails, description, inferiority, and prices. Y.B. 1914, pp. 492, 499. 1915; Y.B. Sep. 653, pp. 492, 499. 1915.
  use in frost protection. F.B. 104, rev., p. 18. 1910.
  vessels, solubility in certain solutions. Soils Bul. 49, pp. 39, 57. 1907.
GLASSON, E. J.: "Illustrated lecture on orchard management." With H. M. Connolly. S.R.S. Syl. 23, pp. 15. 1916.
Glassware—
  cleaning directions. F.B. 1180, p. 17. 1921.
  dairy, laws. B.A.I. Dairy [Misc.], "World's dairy congress," 1923, p. 773. 1924.
  kitchen utensils, advantages and disadvantages. Thrift Leaf. 10, p. 2. 1919.
  laboratory, cleaning and sterilization. Chem. Bul. 130, p. 135. 1910.
Glasswort, occurrence near eastern Puget Sound Basin, Washington. Soil Sur. Adv. Sh., 1909, p. 32. 1911; Soils F.O., 1909, p. 1544. 1912.
Glaucidium gnoma. See Owl, pygmy.
Glaucionetta spp. See Goldeneye.
Glaucomys—
  sabrinus, general characters and distribution. N.A. Fauna 44, pp. 29–60. 1918.
  species—
    and subspecies, key, and descriptions. N.A. Fauna 44, pp. 16–60. 1918.
    history, nomenclature, and characters. N.A. Fauna 44, pp. 11–60. 1918.
  See also Squirrels, flying.

Glaucomys—Continued.
  volans, general characters and distribution. N.A. Fauna 44, pp. 18–29, 59. 1918.
Glauconite—
  effect on plants. J.A.R. vol. 23, pp. 225–226. 1923.
  source of potash, distribution, and analysis. Soils Cir. 71, pp. 1–2. 1912.
  See also Greensand.
Glazing fish, before freezing, methods and necessity. D.B. 635, pp. 4–5, 9. 1918.
Glechoma hederacea—
  susceptibility to *Puccinia triticina*. J.A.R., vol. 22, pp. 152–172. 1921.
  See also Gill-over-the-ground.
Gleditsia—
  amorphoides, importation and description. No. 33965, B.P.I. Inv. 31, pp. 7, 71. 1914; No. 48673, B.P.I. Inv. 61, p. 35. 1922.
  spp., injury by sapsuckers. Biol. Bul. 39, pp. 44, 82. 1911.
  sinensis—
    importation and description. No. 50638, B.P.I. Inv. 63, p. 89. 1923.
    fumigation experiments. D.B. 186, p. 5. 1915.
  See Locust, honey; Soap bean.
Gleet, nasal, horse—
  symptoms and treatment. B.A.I. [Misc.], "Diseases of the horse," rev., pp. 108–110. 1911.
  See also Glanders; Farcy.
GLENN, C. C.: "Stallion legislation and the horse-breeding industry." Y.B., 1916, pp. 289–299. 1917; Y.B. Sep. 692, pp. 11. 1917.
GLENN, J. C.: "Power for the farm from small streams." With others. F.B. 1430, pp. 36. 1925.
GLENN, S. W.: "Should the remarks of climate and crop correspondents be published in the weekly bulletins?" W.B. Bul. 31, pp. 188–191. 1902.
Glenwood—
  Creamery Company, Hawaii, report of manager. Hawaii. A.R., 1921, p. 45. 1922.
  Demonstration Farm, work in Hawaii. Hawaii A.R., 1920, pp. 71–72. 1921.
  substation, Hawaii, work—
    1912. Hawaii A.R., 1912, pp. 8, 84–87. 1913.
    1914. Hawaii A.R., 1914, pp. 9–10, 58–61. 1915.
    1917, report of J. B. Thompson. Hawaii A.R., 1917, pp. 42–48. 1918.
    1919, summary and report. Hawaii A.R., 1919, pp. 15–16, 68–73. 1920.
    1923, and experiment farm. Hawaii A.R., 1923, pp. 11–12. 1924.
Gliadin—
  determination in flour. Chem. Bul. 152, p. 104. 1912.
  determination in flour by the Fleurent-Manget method. Chem. Bul. 81, pp. 118–125. 1904.
  in flour and wheat, determination. D.B. 1187, p. 41. 1924.
  in wheat, relation to protein, gluten, and flour characteristics. J.A.R. vol. 23, pp. 533, 542–543. 1923.
Gliricidia—
  meistophylla, importation and description. No. 45552, B.P.I. Inv. 53, p. 52. 1922.
  sepium, importation and description. No. 39331, B.P.I. Inv. 41, p. 11. 1917.
Globe flour middlings, feed, adulteration and misbranding. Chem. N.J. 314, p. 1. 1910.
Globeflower, mountain. See Buttonbush.
Globicephala scammoni, range and habits. N.A. Fauna 21, p. 25. 1901.
Globulins—
  cottonseed meal, bacterial decomposition in soils. Hawaii Bul. 39, pp. 21–22. 1915.
  experiments with formaldehyde. J.A.R., vol. 29, pp. 472–473. 1924.
  in various foods, studies. An. Rpts., 1918, p. 218. 1919; Chem. Chief Rpt., 1918, p. 18. 1918.
Gloeosporium—
  cause of disease of avocado. Hawaii A.R., 1912, p. 38. 1913.
  lagenarium, identity with *Colletotrichum lagenarium*. D.B. 727, pp. 12–15. 1918.
  limetticolum, cause of wither tip of lime. Harry R. Fulton. J.A.R., vol. 30, pp. 629–635. 1925.
  mangiferae, fungus disease of mango, spraying for control. Hawaii A.R., 1911, p. 36. 1912.

Gloeosporium—Continued.
  nervisequum, cause of sycamore leaf blight. B.P.I. Bul. 149, p. 20. 1909.
  officinale, identity with bitter-rot fungus. D.B. 684, p. 19. 1918.
  spp.—
    cause of leaf-spot disease, Guam. Guam A.R., 1917, pp. 46, 54, 56. 1918.
    occurrence on plants, Texas, and description. B.P.I. Bul. 226, pp. 39, 59, 71, 72, 78, 80, 85, 100. 1912.
    on different hosts, studies. B.P.I. Bul. 252, pp. 17, 18, 29, 36–43, 51, 56. 1913.
Glomerella—
  cingulata—
    cause of—
      bitter-rot of cranberries, control. D.B. 714, pp. 6, 7–8, 19. 1918.
      fruit rot, temperature studies. J.A.R., vol. 8, pp. 142–163. 1917.
      pecan anthracnose, control. F.B. 1129, pp. 11–12. 1920; J.A.R., vol. 1, No. 4, pp. 319–330, 338. 1914.
    cultures from avocado, and hosts. B.P.I. Bul. 252, pp. 58–63. 1913.
    growth in concentrated solutions. J.A.R., vol. 7, pp. 256–259. 1916.
    temperature studies. J.A.R., vol. 11, pp. 524–529. 1917.
    vaccinii, cause of cranberry anthracnose. F.B. 1081, pp. 8–9. 1920.
    See also Apple, bitter rot.
  genus, fungous parasites, studies. C. L. Shear and Anna K. Wood. B.P.I. Bul. 252, pp. 110. 1913.
  gossypii—
    cause of—
      cotton anthracnose. F.B. 555, pp. 4–5. 1913; F.B. 1187, p. 16. 1921.
      damping-off of cotton. D.B. 934, p. 2. 1921.
      occurrence in Texas and description. B.P.I. Bul. 226, p. 55. 1912.
    inoculation experiments. B.P.I. Bul. 252, pp. 74–93, 98. 1913.
  lindemuthianum, cause of bean spot. Hawaii Bul. 8, p. 2. 1918.
  perithecia production. B.P.I. Bul. 252, pp. 68–74. 1913.
  rufomaculans—
    cause of bitter rot. F.B. 492, p. 27. 1912.
    occurrence on—
      cyclamen, cultural studies. B.P.I. Bul. 171, pp. 12–13. 1910.
      pear in Texas, and description. B.P.I. Bul. 226, p. 29. 1912.
    production of alkaline reaction. J.A.R., vol. 7, pp. 28, 35. 1916.
    vitality test under low temperature. J.A.R., vol. 5, No. 14, pp. 652, 654, 655. 1916.
  variability, causes. B.P.I. Bul. 252, pp. 63–68. 1913.
Gloomy scale, description and control on shade trees. F.B. 1169, pp. 78–79. 1921.
Gloriosa—
  simplex, importation and description. No. 51234, B.P.I. Inv. 64, p. 78. 1923.
  sp., importation and description. No. 49874. B.P.I. Inv. 63, p. 16. 1923.
Glorious—
  Red Cloud (horse) history and pedigree. B.A.I. An. Rpt., 1907, pp. 91, 132. 1909; B.A.I. Cir. 137, pp. 91, 132. 1908.
  Whirling Cloud (horse) description and pedigree. B.A.I. An. Rpt., 1907, pp. 97, 129. 1909; B.A.I. Cir. 137, pp. 97, 129. 1908.
Glossina spp., importance in spread of disease. B.A.I. Dairy [Misc.], "World's dairy congress, 1923," pp. 1455, 1456. 1924.
Glossina spp. See also Tsetse flies.
Glossitis, treatment. B.A.I. [Misc.], "Diseases of the horse," rev., p. 45. 1911.
Glottis nebularia, breeding and migration range. Biol. Bul. 35, p. 54. 1910.
Gloucester, Mass., milk supply, statistics, officials, and prices. B.A.I. Bul. 46, pp. 36, 96. 1903.
Glover, G. H.: "Further studies of brisket disease." With I. E. Newsom. J.A.R., vol. 15, pp. 409–414. 1918.

Glover, J. W.: "Highway bonds: A compilation of data and an analysis of economic features affecting construction and maintenance of highways financed by bond issues, and the theory of highway bond calculations." With Laurence I. Hewes. D.B. 136, pp. 136. 1915; rev., pp. 78. 1917.
Gloves, selection and care of. F.B. 1089, pp. 20, 27–28. 1920.
Glover, W. O.: "Ascochyta clematidina, the cause of steam-rot and leaf-spot of clematis." J.A.R., vol. 4, pp. 331–342. 1915.
Glucose—
  adulterant of—
    honey. Chem. Bul. 110, pp. 58–61. 1908.
    molasses. Chem. N.J. 1461, pp. 2. 1912.
    rice. Chem. N.J. 1361, p. 1. 1912; Chem. N.J. 1388, pp. 2. 1912.
  American, ash analyses. Chem. Bul. 66, rev., p. 34. 1905.
  as source of carbon for certain sweet potato storage-rot fungi. J. L. Weimer and L. L. Harter. J.A.R., vol. 21, pp. 189–210. 1921.
  as sugar source, production value. Y.B., 1917, p. 459. 1918; Y.B. Sep. 756, p. 15. 1918.
  coating of milled rice, percentage. D.B. 330, p. 12. 1916.
  commercial—
    determination in some saccharine products. Chem. Bul. 81, pp. 73–80. 1904.
    manufacture from starch, description and use. F.B. 535, pp. 11–12. 1913.
    test by invertase. Chem. Cir. 50, p. 7. 1910.
  concentrated solution, effect on growth of fungi. J.A.R., vol. 7, pp. 256–259. 1916.
  detection in sirups and honey. Chem. Bul. 122, pp. 180–183. 1909.
  determination, discussion. Chem. Bul. 66, rev., pp. 31–34. 1905; Chem. Bul. 73, pp. 65–77. 1903.
  effect on hydrolysis of starch by Rhizopus tritici. J.A.R., vol. 20, pp. 768–769. 1921.
  exports—
    1852–1921. Y.B., 1922, pp. 958, 961, 963, 973. 1923; Y.B. Sep. 880, pp. 958, 961, 963, 973. 1923.
    1882–1915. Y.B., 1915, pp. 551, 555, 557, 567. 1916; Y.B. Sep. 685, p. 551, 555, 557, 567. 1916.
    1901–1924. Y.B., 1924, pp. 1047, 1074. 1925.
  form liberated from salicin by emulsin. Chem. Cir. 47, pp. 5–6. 1909.
  honey, determination, method. Ent. Bul. 75, Pt. I, p. 17. 1907.
  leather weighting. Chem. Bul. 165, pp. 9–11. 1913.
  manufacture—
    and uses. F.B. 298, p. 14. 1907; Sec. Cir. 86, pp. 31–32. 1918.
    composition, substitution for sugar in fruit products. Chem. Bul. 66, rev., pp. 31–34. 1905.
    methods in United States. Chem. Bul. 66, rev., p. 32. 1905.
  presence in sirup, misbranding. N.J. 127. Chem. N.J. Nos. 123–133, pp. 6–8. 1910.
  products, purity standards. Chem. Bul. 69, rev., pp. 76, 108, 186, 195, 234, 276, 545, 634, 636, 747. 1905–6; Sec. Cir. 136, pp. 10–11. 1919.
  source of carbon for storage-rot fungi. J.A.R., vol. 21, pp. 211–226. 1921.
  sweet potatoes, effect of Rhizopus tritici. J.A.R., vol. 21, pp. 633–634. 1921
  tannage, effect on wear of sole leather. D.B. 1168, pp. 9–10, 20–21. 1923.
  test insufficient in testing tuna products. B.P.I. Bul. 116, p. 38. 1907.
  use—
    and standards. For. Bul. 59, pp. 48–49, 54. 1905.
    as adulterant of coconut. Chem. N.J. 2389, p. 1. 1913.
    in—
      adulteration of jellies. Chem. N.J. 2376, pp. 2. 1913
      adulteration of sugar butter. Chem. N.J. 2573, pp. 2. 1913.
      currant preserves. Chem. N.J. 1081, p. 1. 1911.

Glucose—Continued.
  use—continued.
    in—continued.
      grape juice. Chem. N.J. 1045, pp. 5. 1911.
      peach-apple preserves. Chem. N.J. 1038, p. 1. 1911.
      table sirups. Chem. Bul. 93, p. 16. 1905.
Glucosides—
  in cotton varieties and their products of hydrolysis. J.A.R., vol. 13, pp. 346–349. 1918.
  presence in citrus fruits. D.B. 1323, p. 3. 1925.
Glue—
  and bran, or sawdust, use in control of cabbage maggots. Ent. Bul. 67, p. 14. 1907.
  determination in paper sizing. Rpt. 89, pp. 20, 21. 1909.
  exports, 1864–1908. Stat. Bul. 75, pp. 26–27. 1910.
  fish by-product. Chem. Bul. 133, p. 25. 1911.
  Hawaiian algae or limus. Hawaii A.R., 1906, pp. 79, 80–82. 1907.
  imports—
    1922–1924. Y.B., 1924, p. 1061. 1925.
  and exports—
    1903–1907. Y.B., 1907, pp. 737, 747. 1908; Y.B. Sep. 465, pp. 737, 747. 1908.
    1906–1910. Y.B., 1910, pp. 654, 665. 1911; Y.B. Sep. 553, pp. 654, 665. 1911.
    1908–1912. Y.B., 1912, pp. 713, 726. 1913; Y.B. Sep. 615, pp. 713, 726. 1913.
    1911–1913. Y.B., 1913, pp. 493, 501. 1914; Y.B. Sep. 361, pp. 493, 501. 1914.
    1913–1915. Y.B., 1915, pp. 541, 548. 1916; Y.B. Sep. 685, pp. 541, 548. 1916.
    1917. Y.B., 1917, pp. 760, 768. 1918; Y.B. Sep. 762, pp. 4, 12. 1918.
    1917–1919. Y.B., 1919, pp. 683, 691. 1920; Y.B. Sep. 829, pp. 683, 691. 1920.
    1921. Y.B., 1921, pp. 737, 743. 1922; Y.B. Sep. 867, pp. 1, 7. 1922.
  1907–1909, amount and value, by countries from which consigned. Stat. Bul. 82, p. 26. 1910.
  making from waste rabbit skin. F.B. 1090, p. 30. 1920.
  plywood—
    improvement and testing, studies. For. [Misc.], "Forest products laboratory," pp. 25–27. 1922.
    manufacture and testing. D.C. 231, p. 25. 1922.
    preparation and formula. D.B. 898, p. 8. 1920.
    sizing, preparation, use, and testing. Chem. Cir. 107, pp. 3. 1913.
    sources, manufacture, characteristics and tests. M.C. 29, pp. 7, 15–17. 1924.
    stock, imports—
      1907–1909, value, by countries from which consigned. Stat. Bul. 82, pp. 27–28. 1910.
      1908–1910, value by countries from which consigned. Stat. Bul. 90, p. 29. 1911.
      1922–24. Y.B., 1924, p. 1061. 1925.
  studies in demonstration course. M.C. 8, pp. 13, 15–16. 1923.
  testing methods. Chem. Bul. 109, pp. 37–38. 1908.
  use in whitewash. F.B. 499, pp. 23–24. 1912.
  waterproof, development and use in airplane construction. An. Rpts., 1918, p. 196. 1919; For. A.R., 1918, p. 32. 1918.
Gluing, turpentine barrels, directions. D.B. 898, pp. 8–9. 1920.
Glumerot, basal, of wheat. Lucia McCulloch. J.A.R., vol. 18, pp. 543–552. 1920.
Glumes—
  barley, variations, studies. D.B. 137, pp. 24–26. 1914.
  wheat, use as varietal character. D.B. 1074, pp. 32–35. 1922.
Gluten—
  breakfast food, "Manana," misbranding. Chem. N.J. 470, p. 1. 1910.
  colloidal properties, studies. J.A.R., vol. 13, pp. 390–393. 1918.
  determination in flour. Chem. Bul. 152, pp. 104, 111. 1912.
  effect on growing chicks. J.A.R., vol. 22, p. 144. 1921.
  estimation in cereals. Chem. Bul. 105, pp. 66–72. 1907.

Gluten—Continued.
  feeds—
    acidity—
      determinations. Chem. Bul. 122, p. 163. 1909.
      study of causes. Chem. Bul. 152, p. 198. 1912; Chem. Cir. 90, p. 8. 1912.
    determination of fat and acidity. Chem. Bul. 73, pp. 42–47. 1903.
    misbranding, continental. Chem. N.J., 1293, p. 1. 1912; Chem. N.J., 1294, p. 1. 1912.
    manufacture, details. Chem. Bul. 122, pp. 164–166. 1909.
    prices at main markets. Stat. Bul. 11, pp. 94, 104–106, 108. 1925.
    substitute for oats in ration for horses, experiments. F.B. 425, pp. 18, 19. 1910.
  flours—
    analyses, value of breads. F.B. 389, pp. 13, 27–28. 1910.
    and farina, misbranding. Chem. N.J. 250, p. 1. 1910.
    and similar foods. F.B. 305, pp. 13–16. 1907.
    composition, and protein content. F.B. 565, p. 15. 1914.
    determination. D.B. 1187, pp. 39–41. 1924.
    misbranding—"Acme Diabetic." Chem. N.J. 1507, pp. 3. 1912.
  foods, nutrition studies. O.E.S. An. Rpt., 1909, pp. 368, 374. 1910.
  from strong and weak flours, hydration capacity. J.A.R., vol. 13, pp. 389–418. 1918.
  "international," adulteration and misbranding. Chem. N.J. 315, p. 1. 1910.
  manufacture, method. Chem. Bul. 108, p. 10. 1908.
  meal—
    and feed, use for horses. F.B. 1030, p. 15. 1919.
    feed for pigs. B.A.I. Bul. 47, p. 111, 113. 1904.
    food value and price in rations. D.B. 459, pp. 13, 22, 24, 25, 26, 27. 1916.
    nutritive value as dairy feed, analysis. F.B. 743, p. 14. 1916.
    use as sheep feed. D.B. 20, p. 44. 1913.
  paste, adulteration and misbranding. Chem. N.J. 1514, p. 1. 1912.
  products—
    and "diabetic" food. F.I.D. 160, p. 1. 1916.
    standards, F.I.D. 160. Chem. S.R.A. 16, p. 26. 1916.
  quality, relation to degree of hydration. J.A.R., vol. 13, pp. 402–408. 1918.
  relation to character of bread. F.B. 389, pp. 31–33. 1910.
  source of protein, grains supplying. F.B. 817, p. 5. 1917.
  wheat, relation to flour characters. J.A.R., vol. 23, pp. 538–539, 543–546. 1923.
Glutenin, determination—
  in flour. D.B. 1187, p. 42. 1924.
  in flour by the Fleurent-Manget method. Chem. Bul. 81, pp. 118–125. 1904.
Glycerin—
  analyses, and comments by manufacturers. Chem. Bul. 150, pp. 27–35. 1912.
  determination in—
    vinegar, report. Chem. Bul. 137, pp. 61–64. 1911.
    wine by S. H. Ross. Chem. Bul. 132, pp. 85–87. 1910.
  high grade, requirements. Chem. Bul. 150, pp. 32–33. 1912.
  purity investigations. Chem. Bul. 150, pp. 24–35. 1912.
  solution, use in processing persimmons. Chem. Bul. 141, p. 26, 1911.
  test. Chem. Bul. 109, pp. 38–39. 1908; rev., pp. 55–56. 1910.
Glycerol—
  determination in meat extracts. Chem. Bul. 114, pp. 42–43. 1908.
  determination in wine. Chem. Bul. 122, p. 14. 1909; Chem. Bul. 132, p. 84. 1910.
  solutions, solubility of lime. Soils Bul. 49, p. 31. 1911.
Glycine hispida. See Soy beans.
Glyciphagus spp., description and habits. Rpt. 108, 113, 115. 1915.

Glycocoll—
 origin, effect on wheat seedlings. Soils Bul. 47, pp. 17, 38. 1911.
 relation to formation of hippuric acid. Chem. Cir. 39, p. 7. 1908.
Glycogen—
 animal and plant, elements. F.B. 346, pp. 6–7. 1909.
 characteristics. F.B. 535, p. 11. 1913.
 determination in canned meats. Chem. Bul. 13, pt. 10, pp. 1399–1403. 1902.
 formation in birds. B.A.I. Bul. 56, pp. 23–24. 1904.
Glycol, relation to ascaridol, etc., studies. Chem. Cir. 73, pp. 5–9. 1911.
Glycosmis sp., importation and description. No. 44125, B.P.I. Inv. 50, p. 32. 1922.
Glycyrrhiza glabra. See Licorice.
Glypta spp., parasites of grape-berry moth, description. Ent. Bul. 116, pt. 2, p. 46. 1912.
Gmelina arborea, importation and description. No. 43656, B.P.I. Inv. 49, p. 57. 1921.
Gnat(s)—
 buffalo. See Buffalo gnats; Fly, black, American.
 catcher—
  blue-gray, food habits, and occurrence in Arkansas. Biol. Bul. 38, p. 90. 1911.
  food habits. Biol. Bul. 30, pp. 84–86. 1907.
  protection by law. Biol. Bul. 12, rev., pp. 38, 40. 1902.
 occurrence—
  and habits in the Pribilof Islands, Alaska. N.A. Fauna 46, Pt. II pp. 170–187. 1923.
  in Alaska, obstacle to homesteaders. D.B. 50, p. 27. 1914.
 prevalence in Alaska, Kenai Peninsula region. Soil Sur. Adv. Sh., 1916, p. 125. 1919; Soils F.O., 1916, p. 157. 1921.
 Simulian genus, transmission of pellagra, probability. An. Rpts., 1912, p. 78. 1913; Sec. A.R., 1912, p. 78. 1912; Y.B., 1912, p. 78. 1913.
 turkey, distribution, description, and control. Y.B., 1912, pp. 385–386. 1913; Y.B. Sep. 600, pp. 385–386. 1913.
 turnip, description. Sec. [Misc.], "A manual * * * insects * * *." p. 219. 1917.
 See also Flies.
Gnathocerus spp.—
 descriptions and occurrence. F.B. 1260, p. 36. 1922.
 See also Flour beetle.
Gneiss—
 origin, classification, and mineral constituents. Rds. Bul. 37, pp. 14–23, 27. 1911.
 road-building, physical tests, results, 1916, 1917. D.B. 370, pp. 7, 15–100. 1916; D.B. 670, pp. 2–28. 1918.
Gnetum indicum, importation and uses. No. 49799, B.P.I. Inv. 63, pp. 2, 6. 1923.
Gnomonia—
 iliau. See Iliau.
 veneta, cause of sycamore leaf blight. B.P.I. Bul. 149, p. 20. 1909.
Goa bean, importation and description. No. 43492, B.P.I. Inv. 49, p. 37. 1921.
Goat(s)—
 Abyssinian—
  description. B.A.I. Bul. 68, p. 66. 1905.
  milk yield. B.A.I. Bul. 68, pp. 18, 66, 69. 1905.
 African, description. B.A.I. Bul. 68, p. 70. 1905.
 Algerian, description. B.P.I. Bul. 80, p. 90. 1905.
 Alpine, description and value. B.A.I. Bul. 68, pp. 63–64. 1905.
 American—
  Angora, description. F.B. 573, p. 4. 1914.
  description and value. B.A.I. Bul. 68, pp. 50–51. 1905.
  origin and description. B.A.I. Bul. 68, pp. 11, 50–51. 1905.
  short-haired, South, description milk production, value for cross breeding. F.B. 920, pp. 18–19. 1918.
  susceptibility to infection of Malta fever. B.A.I. An. Rpt., 1908, p. 287. 1910.
 and sheep husbandry, instructions and suggestions for teachers in secondary schools. H. P. Barrows. S.R.S. Doc. 76, pp. 12. 1918.

Goat(s)—Continued.
 anglo-Nubian, description, size, and milk production. F.B. 920, pp. 15–16. 1918.
 Angora—
  George Fayette Thompson. F.B. 137, pp. 48. 1901.
  L. L. Heller. F.B. 573, pp. 16. 1914.
  G. P. Williams. F.B. 1203, pp. 26. 1921.
  ability to clear brush land. B.A.I. Bul. 27, pp. 41–44. 1906; F.B. 462, pp. 17–19. 1911; S.R.S. Doc. 76, p. 11. 1918.
  antiquity of ancestry. B.A.I. Bul. 27, pp. 12–13. 1906.
  breeder's associations. B.A.I. Bul. 27, pp. 75–76. 1901; F.B. 573, p. 16. 1914.
  breeding directions. B.A.I. Bul. 27, p. 30. 1906; F.B. 137, pp. 38–42. 1901; F.B. 573, pp. 10–16. 1914; F.B. 1203, p. 4. 1921.
  browsing and pasturage. B.A.I. Bul. 27, pp. 41–46. 1901; rev., pp. 41–47. 1906.
  bucks, management. B.A.I. Bul. 27, pp. 31–32. 1901.
  care—
   at kidding time and methods. F.B. 1203, pp. 17–20. 1921.
   of fleece. B.A.I. Bul. 27, rev., pp. 53–54. 1906.
  confusion with Cashmere goat. B.A.I. Bul. 27, rev., pp. 14–16. 1906.
  crossing with other breeds. B.A.I. Bul. 27, rev., pp. 14, 29–30. 1906; F.B. 573, pp. 3–4. 1914.
  Davis importation, report to United States Agricultural Society. B.A.I. Bul. 27, rev., p. 17. 1906.
  description. B.A.I. Bul. 27, pp. 24–27. 1906; Y.B., 1901, pp. 271–284. 1902.
  diseases—
   and enemies, protection. B.A.I. Bul. 27, rev., pp. 65–67. 1906; F.B. 137, pp. 44–48. 1901.
   treatment. B.A.I. Bul. 27, pp. 65–68. 1901.
  distribution, in the United States. B.A.I. Bul. 27, rev., pp. 19–21. 1906; F.B. 1203, pp. 4–6. 1921.
  effect of—
   browsing on flavor of meat. B.A.I. Bul. 27, rev., p. 44. 1906.
   climate. B.A.I. Bul. 27, rev., pp. 63–64. 1906.
  enrichment of land. B.A.I. Bul. 27, rev., p. 62. 1906.
  export—
   laws, foreign countries. F.B. 573, p. 3. 1914.
   from California. F.B. 573, p. 3. 1914.
  feeding, salting, and marking. F.B. 137, pp. 32–33. 1901.
  flock management. B.A.I. Bul. 27, pp. 36–41. 1906; F.B. 137, pp. 40–44. 1901; F.B. 573, pp. 10–16. 1914.
  founders of industry in United States. B.A.I. Bul. 27, rev., p. 24. 1906.
  grazing, number to an acre. B.A.I. Bul. 27, rev., pp. 46–47. 1906.
  herding and fencing. B.A.I. Bul. 27, rev., pp. 37–39. 1906; F.B. 137, pp. 29–30. 1901.
  importations into the United States. B.A.I. Bul. 27, rev., pp. 14–19, 21–23. 1906.
  industry, location. F.B. 573, p. 2. 1914.
  information concerning. Geo. Fayette Thompson. B.A.I. Bul. 27, pp. 85. 1901.
  kidding and care of kids. B.A.I. Bul. 27, rev., pp. 32–36. 1906; F.B. 137, pp. 33–37, 42. 1901.
  localities adapted to raising. F.B. 137, pp. 31–33. 1901; B.A.I. Bul. 27, rev., pp. 63–65. 1906.
  meat and the markets. B.A.I. Bul. 27, rev., pp. 62–63. 1906; F.B. 137, pp. 23–29. 1901.
  milk yield. B.A.I. Bul. 27, rev., p. 61. 1906.
  number and value in various countries. B.A.I. Bul. 27, rev., p. 70. 1906.
  on far western ranges. D.B. 749, pp. 26–28, 32, 34–35. 1919.
  origin and history. B.A.I. Bul. 27, pp. 11–24. 1901; F.B. 1203, p. 6. 1921.
  pasturing with other stock. B.A.I. Bul. 27, rev., p. 47. 1906.

Goat(s)—Continued.
Angora—Continued.
raising—
in United States, methods, prices, and profits. News L., vol. 1, No. 40, pp. 3-4. 1914.
plans for beginning the flock. B.A.I. Bul. 27, pp. 28-30. 1901.
score cards. F.B. 573, p. 16. 1914.
shearing and weight of fleeces. F.B. 137, pp. 42-44. 1901; F.B. 573, 7-8, 12-13. 1914.
shedding of hair. B.A.I. Bul. 27, rev., pp. 52-53. 1906.
shelter and pens. B.A.I. Bul. 27, rev., pp. 39-40. 1906.
skins, uses, value and tariff rates. B.A.I. Bul. 27, rev., pp. 60-61. 1906; F.B. 137, pp. 29-30. 1901.
susceptibility to—
bacterial diseases. F.B. 1203, pp. 24-26. 1921.
foot-rot of sheep. B.A.I. Bul. 63, p. 29. 1905.
type, description, and breeding experiments. F.B. 1203, pp. 7-9, 10-11. 1921.
value—
for protection of sheep. B.A.I. Bul. 27, rev., p. 61. 1906.
in clearing brush land and preventing fires. F.B. 573, pp. 2, 4, 6. 1914.
variety of purebred animals. B.A.I. Bul. 27, rev., pp. 10, 14, 24, 28, 54. 1906.
Appenzell, description and value. B.A.I. Bul. 68, p. 57. 1905.
Asiatic, microscopic examination of hair. An. Rpts., 1905, pp. 57-59. 1905.
barn and yard, description. B.A.I. Bul. 68, pp. 30-32, 77. 1905.
blood, experiments with *Micrococcus melitensis*. B.A.I. An. Rpt., 1908, pp. 286-288. 1910.
Breeders'—
Association, American Angora, and others. F.B. 573, p. 16. 1914.
foundation flock, advice and warnings. F.B. 1203, p. 11. 1921.
breeding—
and care. News L., vol. 6, No. 33, pp. 2-3. 1919.
experiments—
Guam, 1915, and diseases. Guam A.R., 1915, pp. 23-24, 31, 32. 1916.
New Mexico station, and goat parasites. O.E.S. An. Rpt., 1922, pp. 59, 73-74. 1924.
methods, selection, and number of kids. F.B. 920, pp. 19-22. 1918.
breeds and types, description, increase, and value. F.B. 920, pp. 9-19. 1918; S.R.S. Doc. 58, pp. 4-5. 1917.
butter—
digestibility, experiments. D.B. 613, pp. 3-6. 1919.
manufacture and composition. B.A.I. Bul. 68, p. 26. 1905.
Cashmere, description. B.A.I. An. Rpt., 1900, pp. 287-288. 1901; B.A.I. Bul. 27, pp. 16, 17. 1901.
castration of kids. F.B. 137, p. 37. 1901.
classes susceptible to takosis. B.A.I. Bul. 45, pp. 10-11. 1903.
classification at county fairs. F.B. 822, pp. 1-11. 1917.
climate limitations. D.B. 749, p. 5. 1919.
common—
information concerning. George Fayette Thompson. B.A.I. Cir. 42, pp. 14. 1903.
South, description, milk production, and value for cross breeding. F.B. 920, pp. 18-19. 1918.
crossbreeding, Angora and Kurd. F.B. 573, p. 3. 1914.
dairies, possibilities, use and value. B.A.I. Bul. 68, p. 24. 1905.
diseases—
immunity and susceptibility, discussion. F.B. 920, pp. 34-36. 1918.
symptoms and treatment. F.B. 137, pp. 45-47. 1901.
dwarf, description. B.A.I. Bul. 68, pp. 70, 72. 1905.
economic advantages and management. B.A.I. Rpt., 1904, pp. 326, 343-348. 1905.
Egyptian, description. B.A.I. Bul. 68, p. 69. 1905.

Goat(s)—Continued.
emaciation, control studies. F.B. 920, p. 34. 1918.
enclosures, fencing requirements. B.A.I. Bul. 68, p. 33. 1905.
English, description. B.A.I. Bul. 68, pp. 65-66. 1905.
exclusion from landing at United States ports from Asia and Africa. B.A.I.O. 174, p. 1. 1910.
export, shipping regulations. B.A.I. 139, pp. 5-18. 1906; B.A.I.O. 264, pp. 9, 17-18, 19, 21. 1919.
feeding—
experiments, with nonprotein. B.A.I. Bul. 139, pp. 22-23, 32, 40, 41, 42. 1911.
with Para grass. Guam Bul. 1, p. 25. 1921.
fever. See Malta fever.
fleece, injury by briers. F.B. 573, p. 6. 1914.
foot-and-mouth disease, slaughter. B.A.I. Chief Rpt., 1924, p. 21. 1924.
France, number, 1840-1920. B.A.I. Doc. A-37, p. 51. 1922.
Gassenay, description. B.A.I. Bul. 68, p. 60. 1905.
gestation period. F.B. 1167, p. 9. 1920.
gid occurrence. B.A.I. Bul. 125, Pt. I, pp. 23, 30-33. 1910.
grazing—
bedding grounds. News L., vol. 6, No. 33, pp. 2-3. 1919.
chaparral eradication. For. Serv. Inv. No. 2, pp. 25-28. 1913.
free, for clearing brushy land, National Forests. An. Rpts., 1909, p. 396. 1910; For. A.R., 1909, p. 28. 1909; For Bul. 82, p. 32. 1910.
in—
national forests, permits, fees, kidding, etc. For. [Misc.], rev., "The use book," pp. 26, 28, 32, 38, 53, 70. 1921.
New Mexico national forests. D.C. 240, pp. 7, 11, 15, 16, 18, 19. 1922.
Texas, Erath County. Soil Sur. Adv. Sh., 1920, pp. 378, 395. 1923; Soils F.O., 1920, pp. 378, 395. 1925.
Guggisberger, description. B.A.I. Bul. 68, p. 60. 1905.
hardiness, lack of maintenance under artificial conditions. B.A.I. Bul 68, pp. 41-42. 1905.
Harz Mountain, description. B.A.I. Bul. 68, pp. 60-61. 1905.
herd, management on ranges, and care of kids. D.B. 749, pp. 11-26. 1919.
Hinterwald, description. B.A.I. Bul. 68, p. 62. 1905.
hornless, varieties. B.A.I. Bul. 68, pp. 47, 54, 55, 59-72. 1905.
Hungarian, description. B.A.I. Bul. 68, p. 63. 1905.
hunting laws, Montana and Idaho. For. [Misc.], "Trespass on national * * *," pp. 23, 27, 45. 1922.
immunity—
from tuberculosis. B.A.I. An. Rpt., 1904, pp. 341-343. 1905.
to oak-brush poisoning. D.B. 769, pp. 5, 7. 1919.
in—
Alaska, number and conditions. D.C. 88, p. 9. 1920; D.C. 168, p. 6. 1921; D.C. 260, p. 3. 1923.
Germany, number, 1892-1919. B.A.I. Doc. A 37, p. 52. 1922.
Italy, numbers, 1881-1918. B.A.I. Doc. A-37, p. 54. 1922.
Norway and Sweden. Caroline Harrison. B.A.I. Bul. 68, pp 78-80. 1905.
Spain, numbers, 1865-1920. B.A.I. Doc. A-37, p. 61. 1922.
Switzerland, numbers, 1866-1920. B.A.I. Doc. A-37, p. 63. 1922.
industry, United States, status and possibilities. B.A.I. Bul. 68, pp. 11-14. 1905.
injury—
by caffein. Chem. Bul. 148, pp. 17, 91. 1912.
to western yellow pine. For. Bul. 101, p. 17. 1911.
inoculation with tuberculin. B.A.I. Bul. 52, Pt. II, pp. 81, 90. 1905.

Goat(s)—Continued.
  inspection—
    and condemnations, 1907-1914. Y.B., 1914, pp. 639, 640. 1915; Y.B. Sep. 656, pp. 639 640. 1915.
    for meat, laws. Y.B., 1913, pp. 129-130. 1914; Y.B. Sep. 619, pp. 129-130. 1914.
  Irish, description. B.A.I. Bul. 68, p. 66. 1905.
  keeping, economy. B.A.I. Bul. 68, pp. 12-13. 1905.
  killing in Alaska. Biol S.R.A. 53, p. 2. 1923.
  lactation period. B.A.I. Bul. 68, pp. 21-22, 71, 74. 1905.
  lactation period and feeding and milking regularity. F.B. 920, p. 25. 1918.
  Langensalzaer, description and value. B.A.I. Bul. 68, p. 59. 1905.
  loco disease, description. B.A.I. Bul. 112, p. 53. 1909.
  longevity. B.A.I. Bul. 68, p. 44. 1905.
  Malta—
    fever, danger to humans, quarantine and eradication. Y.B. 1919, pp. 75-76. 1920; Y.B. Sep. 802, pp. 75-76. 1920.
    infected with Malta fever, history of importation. B.A.I. An. Rpt., 1911, p. 92. 1913; B.A.I. Cir. 215, p. 92. 1913.
  Maltese—
    characteristics and high quality of milk. B.A.I. An. Rpt., 1908, pp. 280-281. 1910; B.A.I. Bul. 68, pp. 51-53. 1905.
    description and value. B.A.I. Bul. 68, pp. 51-53. 1905; F.B. 920, pp. 16-17. 1918.
    importation, 1905, and Malta fever. B.A.I. An. Rpt., 1908, pp. 279-295. 1910.
  Mamber, description. B.A.I. Bul. 68, p. 72. 1905.
  management, feed and feed rations, care. F.B. 920, pp. 22-25. 1918.
  manure, value as fertilizer. B.A.I. Bul. 68, p. 47. 1905.
  marking, dipping, and dehorning. F.B. 920, pp. 30-32. 1918.
  meat—
    flavor, food value, substitution for mutton, and price comparison. F.B. 920, pp. 32-33. 1918.
    production, 1913-1919, and exports, 1915-1919. Sec. Cir. 142, pp. 24-25. 1919.
    value as food. B.A.I. Bul. 68, p. 45. 1905; F.B. 1203, pp. 3, 22-23. 1921.
  milk—
    Edward L. Shaw. F.B. 920, pp. 36. 1918.
    American, importations and breeds. B.A.I An. Rpt., 1904, pp. 362-364. 1905.
    association, record, American. B.A.I. Cir. 162, p. 31. 1910.
    bedding and care. B.A.I. Bul. 68, p. 32. 1905.
    breeding directions. B.A.I. Bul. 68, pp. 37-41. 1905.
    breeds, description, and value. B.A.I. Bul. 68, pp. 50-77. 1905.
    cleaning directions. B.A.I. Bul. 68, p. 21. 1905.
    climate suitable. B.A.I. Bul. 68, pp. 13-14. 1905.
    feeding—
      directions. M.C. 12, p. 32. 1924.
      in Switzerland. B.A.I. Bul. 68, p. 76. 1905.
      salting, and watering. B.A.I. Bul. 68, pp. 33-37. 1905.
    flow, effect of diuretics, experiments. J.A.R., vol. 5, No. 13, pp. 561-567. 1915.
    hornless varieties. B.A.I. Bul. 68, pp. 47, 54, 55, 59, 60, 62, 68, 72. 1905.
    immunity from tuberculosis, discussion. B.A.I. Bul. 68, pp. 16, 27-29, 40. 1905.
    industry—
      European countries. B.A.I. Bul. 68, pp. 10, 12-13, 25, 73-76. 1905.
      status, discussion. F.B. 920, pp. 3-4. 1918.
      information concerning. George Fayette Thompson. B.A.I. Bul. 68, pp. 87. 1905; B.A.I. An. Rpt., 1904, pp. 323-399. 1905.
      of Switzerland. Frank Sherman Peer. B.A.I. Bul. 68, pp. 73-77. 1905.
    points in selection. B.A.I. Bul. 68, pp. 38, 76. 1905.

Goat(s)—Continued.
  milk—continued.
    prices. B.A.I. Bul. 68, pp. 43, 75. 1905.
    selection and purchase. B.A.I. Bul. 68, pp. 38, 42-44. 1905.
    soil suitable. B.A.I. Bul. 68, pp. 13-14, 77. 1905.
    of. See Milk, goats.
  milking, directions. B.A.I. An. Rpt., 1904, pp. 336-337. 1905; B.A.I. Bul. 68, pp. 22-23. 1905; F.B. 920, pp. 26-27. 1918.
  mountain. See Mountain goat.
  mouth disease, symptoms and treatment. B.A.I. An. Rpt., 1906, p. 38. 1908.
  national forest grazing, bedding regulations, Reg. G-24. For. [Misc.] "The use book, 1921," pp. 66-67. 1922.
  Nile, description. B.A.I. Bul. 68, p. 69. 1905.
  Nubian—
    description—
      and value. B.A.I. Bul. 68, pp. 66-69. 1905.
      size, milk production, and importations. F.B. 920, pp. 15-16. 1918.
    milk yield. B.A.I. Bul. 68, pp. 18, 68, 69. 1905.
  number—
    grazed on national forests, and fees, 1920, 1921. For. A.R., 1921, pp. 23, 24. 1921.
    in—
      Alaska. Biol. Doc. 110, p. 5. 1919.
      foreign countries. Y.B., 1917, pp. 431-432. 1918; Y.B. Sep. 741, pp. 9-10. 1918.
      United States and foreign countries. Sec. [Misc.], Spec. "Geography * * * world's agriculture," pp. 142-146. 1918.
      United States and number inspected for meat. Y.B., 1917, p. 128. 1918; Y.B. Sep. 741, p. 6. 1918.
      world countries. Y.B., 1922, pp. 795-801. 1923; Y.B. Sep. 888, pp. 795-801. 1923.
    on farms and ranges, Jan. 1, 1920, map. Y.B., 1921, p. 486. 1922; Y.B. Sep. 878, p. 80. 1922.
    slaughtered, 1909. F.B. 1055, p. 4. 1919.
  occurrence of liver flukes. B.A.I. An. Rpt., 1910, pp. 430, 431. 1912; B.A.I. Cir. 193, pp. 430, 431. 1912.
  pasturing—
    on Paspalum grass. Guam Bul. 1, pp. 38, 39. 1921.
    value for clearing land, Wisconsin, north part of north-central. Soil Sur. Adv. Sh., 1914, pp. 23, 24, 26, 45. 1916; Soils F.O., 1914, pp. 1673, 1674, 1676, 1695. 1919.
    with other stock, possibilities. F.B. 573, pp. 5-6. 1914.
  pens, disinfection, directions. B.A.I. An. Rpt., 1911, p. 135. 1913; B.A.I. Cir. 215, p. 135. 1913.
  phosphorus-feeding experiments. Chem. Bul. 123, p. 16. 1909.
  poisoning—
    by Daubentia longifolia, symptoms and treatment. D.C. 82, pp. 1, 3. 1920.
    laurel and other plants. F.B. 573, p. 6. 1914.
  production—
    in South American countries. Stat. Bul. 39, pp. 65, 86. 1905.
    on far western ranges. W. R. Chapline. D.B. 749, pp. 35. 1919.
    possibilities, breed selection. S.R.S. Doc. 76, pp. 7-11. 1918.
  Pyrenean, description. B.A.I. Bul. 68, pp. 64-65. 1905.
  raising—
    in—
      Alaska, decline. Alaska A.R., 1922, p. 9. 1923.
      Europe and other countries. Sec. [Misc.], Spec., "Geography * * * world's agriculture," pp. 136, 142-146. 1918.
      Hawaii, breeding and feeding experiments. Hawaii A.R., 1921, pp. 59-60. 1922.
      Missouri, Ozark region. D.B. 941, p. 33. 1921.
      Texas, southwest, number and value. Soil Sur. Adv. Sh., 1911, p. 27. 1912; Soils F.O., 1911, p. 1195. 1914.
    milk production, and value in Porto Rico. P.R. An. Rpt., 1921, p. 4. 1922.
    range management, care, protection, mating, etc. D.B. 749, pp. 11-18. 1919; F.B. 1203, pp. 11-21. 1921.

Goat(s)—Continued.
ranges, rotation necessity. F.B. 1203, pp. 13–14. 1921.
rations, comparison with cows, cost per goat. F.B. 920, p. 23. 1918.
roundworms, treatment, cattle and sheep. Ch. Wardell Stiles. B.A.I. Cir. 35, pp. 8. 1901.
Saanen, description—
  and value. B.A.I. Bul. 68, pp. 55–57, 73, 75. 1905.
  weight, milk production, importations, etc. F.B. 920, pp. 10–12. 1918.
Schwartzenberg-Guggisberger, description, milk production and importation. F.B. 920, pp. 17–18. 1918.
Schwartzthal, description and value. B.A.I. Bul. 68, pp. 57–58. 1905.
Schwarzwald, description. B.A.I. Bul. 68, pp. 68, 58–59. 1905.
selection for ranges. D.B. 749, pp. 26–29. 1919.
Spanish, description. B.A.I. Bul. 68, p. 65. 1905.
Starkenburg, description, note. B.A.I. Bul. 68, p. 60. 1905.
statistics—
  graphic showing of average numbers, world. Stat. Bul. 78, p. 48. 1910.
  numbers, world countries, and inspection. Y.B., 1914, pp. 612–615, 639, 640. 1915; Y.B. Sep. 656, pp. 612–615, 639, 640. 1915.
Sumatra, description. B.A.I. Bul. 68, p. 72. 1905.
susceptibility to—
  foot-and-mouth disease. F.B. 666, pp. 1, 3, 5, 7, 10, 13. 1915.
  lone star tick. Y.B., 1910, p. 224. 1911; Y.B. Sep. 531, p. 224. 1911.
Swiss—
  in America. B.A.I. Bul. 68, pp. 76–77. 1905.
  milk, in America. B.A.I. Bul. 68, pp. 76–77. 1905.
Syrian, description. B.A.I. Bul. 68, p. 71. 1905.
takosis, contagious disease. John R. Mohler and Henry J. Washburn. B.A.I. Bul. 45, pp. 44. 1903.
Tarentaise, description. B.A.I. Bul. 68, p. 64. 1905.
teeth, indication of age. B.A.I. An. Rpt., 1900, p. 343. 1901; B.A.I. Bul. 27, p. 30. 1901; B.A.I. Bul. 68, p. 45. 1905.
testing for Malta fever, experiments, Beltsville, Md. B.A.I. An. Rpt., 1911, p. 131. 1913: B.A.I. Cir. 215, p. 131. 1915.
tick infestation. Ent. Bul. 72, pp. 56, 58, 59. 1907.
Toggenburg—
  description—
    and value. B.A.I. Bul. 68, pp. 53–55, 73, 75. 1905.
    weight, milk production, importations, etc. F.B. 920, pp. 12–15. 1918.
  importations. B.A.I. Bul. 68, p. 49. 1905.
tuberculosis, immunity, discussion. B.A.I. Bul. 68, pp. 27–29. 1905.
urea feeding experiment, fatal dose. J.A.R., vol. 5, No. 13, p. 564. 1915.
use in clearing stump land. F.B. 974, p. 7. 1918.
vaccination for anthrax. B.A.I. An. Rpt., 1909, p. 227. 1911; F.B. 439, p. 15. 1911.
wattles on neck. B.A.I. An. Rpt., 1904, p. 361. 1905.
Welch, description. B.A.I. Bul. 68, p. 66. 1905.
Westphalian, description. B.A.I. Bul. 68, p. 62. 1905.
whey, composition. B.A.I. Bul. 68, p. 26. 1905.
Widah, description. B.A.I. Bul. 68, p. 70. 1905.
Wiesenthal, description. B.A.I. Bul. 68, p. 61. 1905.
worms—
  occurrence and treatment. F.B. 137, p. 45. 1901.
  prevalence in Guam, and fatal effects. Guam A.R., 1918, pp. 28, 29. 1919.
Zaraibi, description. B.A.I. Bul. 68, pp. 70–71. 1905.
See also Kids.
Goat's beard grass, importation and description. Inv. No. 30209, B.P.I. Bul. 233, p. 67. 1912.

Goatskins—
Angora—
  imports and tariff duties, 1896–1901, 1901–1905. B.A.I. An. Rpt., 1900, pp. 355, 516. 1901; B.A.I. An. Rpt., 1901, pp. 479. 1902; B.A.I. Bul. 27, pp. 73, 74. 1901; rev., pp. 73. 1906.
  uses and value. B.A.I. Bul. 27, pp. 60–61. 1901; B.A.I. Bul. 27, pp. 60–61. 1901; F.B. 137, pp. 25–26. 1901.
importations, uses and price. F.B. 920, p. 33. 1918.
imports—
  1895–1911. Y.B., 1911, p. 687. 1912; Y.B. Sep. 588, p. 687. 1912.
  1907–1909, amount and value, by countries from which consigned. Stat. Bul. 82, pp. 28–29. 1910.
  1908–1910, quantity and value, by countries from which consigned. Stat. Bul. 90, p. 31. 1911.
  1921 statistics. Y.B., 1921, pp. 738, 755, 765. 1922; Y.B., Sep. 867, pp. 2, 19, 29. 1922.
production, foreign trade, supply and consumption. Y.B., 1917, pp. 433, 436, 438, 439, 442. 1918; Y.B. Sep. 741, pp. 11, 14, 16, 17, 20. 1918.
use and value. B.A.I. An. Rpt., 1904, p. 359–360. 1905.
value, directions for handling. B.A.I. Bul. 68, pp. 45–46. 1905.
Goatsuckers. See Chuck-will's-widow; Nighthawk.
Gobo, importation from Hawaii. F.H.B.S.R.A. 47, p. 144. 1918.
"Gobaishi." See Gallnuts, dried.
GOCHENOUR, W. S.: "Germ-free filtrates as antigens in the complement-fixation test." J.A.R., vol. 19, pp. 513–515. 1920.
Godetia, description, cultivation, and characteristics. F.B. 1171, pp. 52, 81. 1921.
GODFREY, G. H.—
  "A phytophthora footrot of rhubarb." J.A.R., vol. 23, pp. 1–26. 1923.
  "Bacterial wilt of castor bean (*Ricinus communis* L.)." J.A.R., vol. 21, pp. 255–262. 1921.
  "Dissemination of the stem and bulb infesting nematode *Tylenchus dipsaci*, in the seeds of certain composites." J.A.R., vol. 28, pp. 473–478. 1924.
  "Root-knot; Its cause and control." F.B. 1345, pp. 27. 1923.
  "The depth distribution of the root knot nematode, *Heterodera radicicola*, in Florida soils." J.A.R., vol. 29, pp. 93–98. 1924.
  "The eelworm disease; a menace to alfalfa in America." D.C. 297, pp. 8. 1923.
  "The gray mold of castor bean." J.A.R, vol. 23, pp. 679–716. 1923.
  "The stem nematode *Tylenchus dipsaci* on wild hosts in the Northwest." With M. B. McKay. D.B. 1229, pp. 10. 1924.
GODING, HARRY—
  "State laws and court decisions relating to cattle-tick eradication." D.C. 184, pp. 71. 1921.
  "The 28-hour law regulating the interstate transportation of livestock: Its purpose, requirements, and enforcement." With A. Joseph Raub. D.B. 589, pp. 20. 1918.
GODKIN, JAMES: "Bacterial blight of rye." With C. S. Reddy and A. G. Johnson. J.A.R. vol. 28, pp. 1039–1040. 1924.
Godwit—
  black-tailed, breeding range and migration habits. Biol. Bul. 35, p. 53. 1910.
  Hudsonian, breeding range and migration habits. Biol. Bul. 35, pp. 52–53. 1910; N.A. Fauna 21, p. 74. 1901.
  marbled, breeding range and migration habits. Biol. Bul. 35, pp. 50–51. 1910; N.A. Fauna 24, p. 63. 1904.
Pacific—
  breeding range and migration habits. Biol. Bul. 35, p. 51. 1910.
  occurrence in Pribilof Islands, and food habits. N.A. Fauna 46, p. 74. 1923.
  range and habits. Biol. Bul. 35, pp. 50–53. 1910; M.C. 13, pp. 58–60. 1923; N.A. Fauna 22, pp. 97–98. 1902.

GOERGENS, G. R.: "Motion pictures of the United States Department of Agriculture. A list of films and their uses." With Fred W. Perkins. D.C. 114, pp. 22. 1920.
Goes tesselatus, technical description and distribution. J.A.R., vol. 26, pp. 315–316. 1923.
GOFF, R. A.: Report of—
  Hawaii Experiment Station, Glenwood substation—
    1918. Hawaii A.R., 1918, pp. 51–52. 1919.
    1919. Hawaii A.R., 1919, pp. 68–73. 1920.
  Hawaii extension and demonstration work—
    1920. Hawaii A.R., 1920, pp. 68–72. 1921.
    1921. Hawaii A.R., 1921, pp. 47–51. 1922.
    1922. Hawaii A.R., 1922, pp. 18–20. 1924.
    1923. Hawaii A.R., 1923, pp. 11–14. 1924.
    1924. Hawaii A.R., 1924, pp. 18–21. 1925.
Goffs cough syrup and herb bitters, misbranding, Chem. N.J. 4332, pp. 471–473. 1916.
"Going light"—
  pigeons, description, causes, and control. F.B. 684, pp. 13, 14. 1915.
  term applicable to fowls, causes and treatment. F.B. 530, pp. 25–26. 1913.
  See also Tuberculosis, fowls.
Goiter—
  animals, cause. M.C. 12, p. 4. 1924.
  cattle, description, causes, symptoms, and treatment. B.A.I. [Misc.], "Diseases of cattle," rev., pp. 311–312. 1904; rev., pp. 322–323. 1912; rev., pp. 310–311. 1923.
  cure, misbranding. Chem. N.J. 4551, pp. 75–78, 1917.
  sheep, cause and treatment. F.B. 1155; pp. 20–21. 1921.
GOKE, A.W.: "Soil survey of—
  Deuel County, Nebr." With others. Soil Sur. Adv. Sh., 1921, pp. 707–755. 1924.
  Greene County, Iowa." With C. L. Orrben. Soil Sur. Adv. Sh., 1921, pp. 281–303. 1924.
  Lonoke County, Ark." With others. Soil Sur. Adv. Sh., 1921, pp. 1279–1327. 1927.
  Redwillow County, Nebr." With Louis A. Wolfanger. Soil. Sur. Adv. Sh., 1919, pp. 48. 1921; Soils F.O., 1919, pp. 1713–1756. 1925.
Gold—
  mining, South Dakota, annual output. O.E.S. Bul. 210, p. 8. 1909.
  output Alaska, 1908. For. Bul. 81, p. 9. 1910.
  value in currency, 1862–1878, table. Stat. Bul. 99, p. 25. 1912.
Gold-blossom tree, importation and description. No. 37134, B.P.I. Inv. 38, pp. 8, 42. 1917.
GOLDBECK, A. T.—
  "Apparatus for measuring the wear of concrete roads." J.A.R. vol. 5, pp. 951–954. 1916.
  "Highways and highway transportation." With others. Y.B. 1924, pp. 97–184. 1925.
  "Tests of a large-sized reinforced-concrete slab subjected to eccentric concentrated loads." With H. S. Fairbank. J.A.R., vol. 11, pp. 505–520. 1917.
  "Tests of three large-sized reinforced-concrete slabs under concentrated loading." With E. B. Smith. J.A.R. vol. 6, pp. 205–234. 1916.
  "The expansion and contraction of concrete and concrete roads." With F. H. Jackson, jr. D.B. 532, pp. 31. 1917.
  "The physical testing of rock for road building, including the methods used and the results obtained." With Frank H. Jackson, jr. Rds. Bul. 44, pp. 96. 1912.
Golden bell, drooping, use on terrace lawns as substitute for grass. F.B. 494, pp. 35, 48. 1912.
Golden-crown grass. *See* Dallis grass.
Golden-eye, occurrence in Pribilof Islands, and food habits. N.A. Fauna 46, p. 48. 1923.
Golden glow, description, cultivation, and characteristics. F.B. 1171, pp. 45, 82. 1921.
Golden gram. *See* Mung bean.
Golden King (horse), description and pedigree. B.A.I. An. Rpt., 1907, pp. 106, 132. 1909; B.A.I. Cir. 137, pp. 106, 132. 1906.
Golden Picture (horse), pedigree and history. B.A.I. Cir. 137, pp. 105, 133. 1908; B.A.I. An. Rpt., 1907, pp. 105, 133. 1909.
Goldenrod—
  eradication. B.P.I. Bul. 117, p. 21. 1907.

Goldenrod—Continued.
  factor in spread of locust borer. Ent. Bul. 58, pp. 6, 7, 13, 33. 1910; S.R.S. Rpt., 1916, Pt. I, p. 127. 1918.
  growing, experiments with daylight of different lengths. J.A.R., vol. 23, pp. 877, 879, 887. 1923.
  honey source, dates of blooming periods, and quality. D.B. 685, pp. 46–47, 52, 54. 1918.
  leaf, blight, occurrence and description, Texas. B.P.I. Bul. 226, p. 95. 1912.
  poisoning symptoms. D.C. 180, pp. 5–6. 1921.
  rayless—
    description and—
      distribution. D.C. 180, pp. 4, 5. 1921.
      effects on livestock. D.B. 1245, p. 31. 1924.
    destruction methods and studies. D.C. 180, p. 8. 1921.
    doses fatal for animals. D.C. 180, p. 7. 1921.
    occurrence on Arizona ranges. D.B. 367, pp. 15, 17. 1916.
    poisoning cattle, symptom and treatment-B.A.I. [Misc.], "Diseases of cattle," p. 68 1923.
    uselessness as forage plant on western ranges. B.P.I. Bul. 177, pp. 17–19. 1910.
  source of borneol. B.P.I. Bul. 235, p. 11. 1912.
  value as honey source. Ent. Bul. 75, pp. 90, 92, 94. 1911.
Goldenseal—
  Alice Henkel and G. Fred Klugh. B.P.I. Bul. 51, Pt. VI, pp. 35–46. 1905.
  adulteration and misbranding. Chem. N.J. 1843, p. 4. 1913.
  cultivation—
    Walter Van Fleet. F.B. 613, pp. 15. 1914.
    and handling. Alice Henkel and G. Fred Klugh. B.P.I. Cir. 6, pp. 19. 1908.
  culture and handling as drug plant, yield, and price. F.B. 663, p. 25. 1915; rev. 1920.
  fluid extract, adulteration. Chem. N.J. 1843, p. 4. 1912.
  habitat, range, description, collection, prices, and uses of roots. B.P.I. Bul. 107, p. 31. 1907; F.B. 613, pp. 1–3. 1914.
  market prices—
    1880–1912. F.B. 613, pp. 2–3. 1914.
    1898–1907. B.P.I. Cir. 6, p. 18. 1908.
  propagation methods. F.B. 613, pp. 5–8. 1914.
  seed—
    bed, preparation and protection. F.B. 613, pp. 4–5, 9–11, 13. 1914.
    collection, curing, and sowing. F.B. 613, pp. 6–8. 1914.
  yield and cost of culture. F.B. 613, p. 14. 1914.
GOLDENWEISER, E. A.—
  "A study of the tenant systems of farming in the Yazoo-Mississippi Delta." With E. A. Boeger. D.B. 337, pp. 18. 1916.
  "A survey of the fertilizer industry." D.B. 798, pp. 29. 1919.
  "Farm tenantry in the United States." With W.J. Spillman. Y.B., 1916, pp. 321–346. 1917; Y.B. Sep. 715, pp. 26. 1917.
  "Pasture lands on farms in the United States." With J. S. Ball. D.B. 626, pp. 94. 1918.
  "Rural population." Atl. Am. Agr. Adv. Sh., Pt. IX, Sec. I, pp. 19. 1919.
  "The farmer's income." F.B. 746, pp. 8. 1916.
Goldfinch—
  American, protection by law. Biol. Bul. 12, rev., 12, p. 40. 1902.
  Arizona, protection by law. Biol. Bul. 12, rev., p. 40. 1902.
  food habits—
    and description. Biol. Bul. 15, p. 39. 1901.
    and occurrence in Arkansas. Biol. Bul. 38, p. 61. 1911.
  green-backed, food habits, relation to agriculture, California. Biol. Bul. 34, pp. 73–75. 1910.
  sale as reedbirds. Biol. Bul. 12, rev., p. 26. 1902.
  use in aphid destruction. Y.B., 1912, pp. 399, 402, 403. 1913; Y.B. Sep. 601, pp. 399, 402, 403. 1913.
  willow, food habits, relation to agriculture, California. Biol. Bul. 34, pp. 71–73. 1910.
Goldfish, use in control of mosquitoes. Ent. Bul. 88, pp. 63–66. 1910.
GOLDMAN, E. A.—
  "Conserving our wild animals and birds." Y.B., 1920, pp. 159–174. 1921; Y.B., Sep. 836, pp. 159–174. 1921.

GOLDMAN, E. A.—Continued.
"Revision of the spiny pocket mice. (Genera Heteromys and Liomys.)" N.A. Fauna 34, pp. 70. 1911.
"Revision of the wood rats of the genus Neotoma." N.A. Fauna 31, pp. 124. 1910.
"The rice rats of North America." (Genus Oryzomys. N.A. Fauna 43, pp. 100. 1918.
Goldthread, habitat, range, description, collection, prices, and uses of roots. B.P.I. Bul. 107, p. 34. 1907.
GOLDTHORPE, H. C.: "Influence of salts on the nitric-nitrogen accumulation in the soil." With others. J.A.R., vol. 16, pp. 107-135. 1919.
Gomphrena—
description, cultivation, and characteristics. F.B. 1171, pp. 52, 79. 1921.
rosea, importation and description. No. 51108, B.P.I. Inv. 64, p. 57. 1923.
sonorae, description. D.B. 1345, p. 29. 1925.
Gomuti. See Palm, sugar.
Gonatocerus gibsoni, parasite of sharp-headed grain leaf hopper. D.B. 254, p. 14. 1915.
GONGWER, R. E.—
"Feeding dried, pressed potatoes to swine." With Frank G. Ashbrook. D.B. 596, pp. 11. 1917.
"The self-feeder for hogs." With F. G. Ashbrook. F.B. 906, pp. 12. 1917.
Gongylonema ingluvicola. See Nematode, chicken.
Gonia crassicornis, insect enemy of grass worm. D.B. 192, p. 7. 1915.
Gonidia, filterable, formation studies. J.A.R., vol. 6, No. 18, pp. 694-696. 1916.
Gonorrhea—
cattle, treatment. B.A.I. [Misc.] "Diseases of cattle," rev., p. 152. 1912.
cure, misbranding. Chem. N.J. 4397. 1916; Chem. N.J. 4423. 1916.
Goober pea—
wild species of peanuts. F.B. 356, p. 7. 1909.
See also Peanut.
Good-King-Henry, importation and description. No. 52789, B.P.I. Inv. 66, pp. 3, 75. 1923.
Good-roads day, celebration in Christian County, Kentucky. Y.B., 1915, pp. 229-230. 1916; Y.B. Sep. 672, pp. 229-230. 1916.
GOODALE, H. D.: "Winter cycle of egg production in the Rhode Island Red breed of the domestic fowl." J.A.R., vol. 12, pp. 547-574. 1918.
GOODLOE, MARIE: "The strength of textile plant fibers." With Lyster H. Dewey. B.P.I. Cir. 128, pp. 17-21. 1913.
GOODMAN, A. L.: "Soil survey of—
Adams County, Miss." With W. J. Geib. Soil Sur. Adv. Sh., 1910, pp. 32. 1911; Soils F.O., 1910, pp. 705-732. 1912.
Amite County, Miss." With others. Soil Sur. Adv. Sh., 1917, pp. 38. 1919; Soils F.O., 1917, pp. 833-866. 1923.
Clarke County, Miss." With E. M. Jones. Soil Sur. Adv. Sh., 1914, pp. 41. 1915; Soils F.O., 1914, pp. 1201-1237. 1919.
Hamilton County, Ohio." With E. R. Allen and S. W. Phillips. Soil Sur. Adv. Sh., 1915, pp. 39. 1917; Soils F.O., 1915, pp. 1317-1351. 1921.
Hampton County, S. C." With M. W. Beck. Soil Sur. Adv. Sh., 1915, pp. 37. 1917; Soils F.O., 1915, pp. 587-619. 1921.
Hinds County, Miss." With A. E. Kocher. Soil Sur. Adv. Sh., 1916, pp. 42. 1918; Soils F.O., 1916, pp. 1007-1044. 1921.
Jackson County, Wis." With others. Soil Sur. Adv. Sh., 1918, pp. 44. 1922; Soils F. O., 1918, pp. 941-980. 1924.
Jones County, Miss." With E. M. Jones. Soil Sur. Adv. Sh., 1913, pp. 35. 1915; Soils F.O., 1913, pp. 921-951. 1916.
Lafayette County, Miss." With E. M. Jones. Soil Sur. Adv. Sh., 1912, pp. 29. 1914; Soils F.O., 1912, pp. 831-854. 1915.
Lauderdale County, Miss. With others. Soil Sur. Adv. Sh., 1910, pp. 56. 1911; Soils F. O., 1910, pp. 733-784. 1912.
Lincoln County, Miss." With E. M. Jones. Soil Sur. Adv. Sh., 1912, pp. 29. 1913; Soils F.O., 1912, pp. 855-879. 1915.

GOODMAN, A. L.: "Soil survey of—Continued.
Lowndes County, Miss." With Howard C. Smith. Soil Sur. Adv. Sh., 1911, pp. 50. 1912; Soils F.O. 1911, pp. 1083-1128. 1914.
Newton County, Miss." With E. M. Jones. Soil Sur. Adv. Sh., 1916, pp. 43. 1918; Soils F.O., 1916, pp. 1081-1119. 1921.
Noxubee County, Miss." With others. Soil Sur. Adv. Sh., 1910, pp. 46. 1911; Soils F.O., 1910, pp. 785-826. 1912.
Pottawattamie County, Iowa." With others. Soil Sur. Adv. Sh., 1914, pp. 30. 1916; Soils F.O., 1914, pp. 1885-1910. 1919.
Wayne County, Miss." With others. Soil Sur. Adv. Sh., 1911, pp. 35. 1913; Soils F.O., 1911, pp. 1051-1081. 1914.
GOODRICH, C. E.—
"Improvements in the Knorr fat extraction apparatus." With H. L. Walter. Chem. Cir. 69, pp. 4. 1911.
"Native pasture grasses of the United States." With others. D.B. 201, pp. 52. 1915.
GOODRICH, C. L.—
"A method of testing farms in the South for efficiency in management." Farm Cir. 3, pp. 40. 1919.
"A profitable cotton farm." F.B. 364, pp. 23. 1909.
"Factors that make for success in farming in the South." F.B. 1121, pp. 31. 1920.
"Producing family and farm supplies on the cotton farm." F.B. 1015, pp. 16. 1919.
"Testing farms in the South for efficiency in management." D.C. 83, pp. 27. 1920.
GOODRICH, H. C.: "Soil survey of Jeff Davis County, Georgia." With others. Soil Sur. Adv. Sh., 1913, pp. 34. 1914; Soils F.O., 1913, pp. 445-474. 1916.
GOODYEAR, A. C.: "Close utilization as a factor of forest industry." M.C. 39, pp. 27-29. 1925.
Goonies. See Albatross.
Goose—
African, description. F.B. 767, p. 5. 1917.
breeding, incubation and care. F.B. 767, pp. 7-12, 15-16. 1917.
Canada—
description. F.B. 767, p. 6. 1917.
migration habits and routes. Biol. Bul. 38, pp. 22-23. 1911; D.B. 185, pp. 41, 44. 1915.
occurrence on Bear River Marshes, Utah. D.B. 936, pp. 3, 5. 1921.
Chinese, description. F.B. 767, p. 6. 1917.
disease caused by Spirochaeta anserina. B.A.I. Cir. 194, p. 471. 1912.
eggs—
flavor, composition, shells, etc. D.B. 471, pp. 1, 6, 12. 1917.
incubation period. F.B. 585, p. 3. 1914.
Egyptian, description. F.B. 767, p. 7. 1917.
Embden, description. F.B. 767, pp. 4-5. 1917.
Emperor—
nesting and flight habits. D.C. 88, p. 10. 1920.
range and habits. N.A. Fauna 24, pp. 59-60. 1904.
fat, digestion experiments. D.B. 507, pp. 6-8. 1917.
Hutchins, range and habits. N.A. Fauna 24, p. 59. 1904; N.A. Fauna 30, pp. 34, 85. 1909.
raising—
Harry M. Lamon. F.B. 767, pp. 16. 1917.
study course, suggestions for teachers. S.R.S. Doc. 57, pp. 5-7, 10. 1917.
teaching by use of F.B. 767. E. A. Miller. S.R.S. [Misc.], "How teachers may use * * *," pp. 2. 1917.
Ross snow, migration habits and route. D.B. 185, pp. 23, 26. 1915.
sea. See Phalarope.
snow—
greater, occurrence in Porto Rico. D.B. 326, p. 30. 1916.
occurrence in Arkansas. Biol. Bul. 38, p. 22. 1911.
Toulouse, description. F.B. 767, p. 4. 1917.
varieties, Athabaska-Mackenzie region. N.A. Fauna 27, pp. 297-309. 1908.
white-fronted, range and habits. N.A. Fauna 24, p. 50. 1904.
See also Geese.

Goose grass—
  description. D.B. 772, pp. 175, 176. 1920.
  See also Millet, wild.
Gooseberry(ies)—
  and currants—
    George M. Darrow. F.B. 1024, pp. 40. 1919.
    culture. S.R.S. Doc. 94, pp. 6. 1919.
    culture and relation to white-pine blister rust. George M. Darrow and S. B. Detwiler. F.B. 1398, pp. 38. 1924.
  aphids—
    description, seasonal history, and control. F.B. 804, p. 31. 1917; F.B. 1128, pp. 28-35, 37-45, 48. 1920.
    injuries to fruits, currants, and grapes. A. L. Quaintance and A. C. Baker. F.B. 1128, pp. 48. 1920.
  Asiatic, introduction. B.P.I. Bul. 176, p. 23. 1910.
  Athabaska-Mackenzie region. N.A. Fauna 27, p. 525. 1908.
  blister rust. See Blister rust; Cronartium ribicola; Rust, currant.
  bugs, same as harvest mites. F.B. 671, p. 5. 1915.
  canning directions. Chem. Bul. 151, pp. 34, 39. 1912; D.B. 196, pp. 40-41. 1915; D.B. 1084, p. 23. 1922; F.B. 853, pp. 16, 28. 1917.
  Cape. See Poha.
  Carrie, description and origin. Y.B., 1909, p. 379. 1910; Y.B. Sep. 521, p. 379. 1910.
  cold storage. B.P.I. Bul. 108, pp. 1-28. 1907.
  cultivation in Alaska. Alaska A.R., 1907, pp. 36-37. 1908.
  cultural directions. F.B. 1242, p. 14. 1921; O.E.S. Bul. 178, pp. 91-93. 1907.
  diseases, and their control. F.B. 1024, pp. 20-26. 1919.
  drying directions. D.C. 3, p. 20. 1919.
  eradication for control of white-pine blister rust. D.B. 1186, pp. 25-26. 1924.
  fertilizers. F.B. 1024, p. 12. 1919.
  freezing points. D.B. 1133, pp. 5, 7. 1923.
  growing—
    for home use. F.B. 1001, pp. 4, 5, 8, 11, 13, 32-39. 1919.
    in—
      Alaska. Alaska A.R., 1921, pp. 13, 22. 1923.
      Kentucky, Tennessee, and West Virginia. D.B. 1189, p. 67. 1923.
    limitations. F.B. 1024, pp. 4, 22-25. 1919.
    Umatilla Experiment Farm, varieties. B.P.I. [Misc.], "The work of the Umatilla * * * 1913," p. 7. 1914.
    under irrigation, Belle Fourche, S. Dak. W.I.A. Cir. 24, p. 31. 1918.
  host of white-pine blister rust. D.B. 116, pp. 3-6. 1914; D.B. 1186, pp. 4, 23-26. 1924; D.C. 177, pp. 5-8, 17, 18. 1921; F.B. 489, pp. 5, 6, 8, 10, 14. 1912.
  Houghton, aphid occurrence, description, habits, and control. F.B. 1128, pp. 34-35, 48. 1920.
  hybrids, resistance to mildew. B.P.I. Bul. 205, pp. 8, 19. 1911.
  importance in Western Europe. D.B. 1186, pp. 9-11. 1924.
  importations and descriptions. No. 36756, B.P.I. Inv. 37, p. 61. 1916; Nos. 39916, 40022, B.P.I. Inv. 42, pp. 5, 38, 53. 1918; Nos. 40406-40496, B.P.I. Inv. 43, pp. 7, 14-35. 1918; No. 44004, B.P.I. Inv. 50, p. 16. 1922; No. 44699, B.P.I. Inv. 51, p. 50. 1922; Nos. 48511-48515, B.P.I. Inv. 61, p. 18. 1922; No. 52706, B. P. I. Inv. 66, pp. 5, 62. 1923.
  insect pests, list. F.B. 1024, pp. 18-20, 25-26. 1919; Sec. [Misc.], "A manual * * * insects * * *," pp. 118-121. 1917.
  insects, description and control. F.B. 908, pp. 98-99. 1918.
  interplanting and intercropping. F.B. 1024, pp. 11-12. 1919.
  mildew—
    American, effect on European varieties. Y.B., 1908, p. 460. 1909; Y.B. Sep. 494, p. 460. 1909.
    control by lime sulphur. F.B. 435, p. 15. 1911.
  Otaheite, cultivation in Porto Rico. P.R. An. Rpt., 1907, p. 23. 1908.
  packing season. D.B. 196, p. 17. 1915.
  parasites, Glomerella sp., and Gloeosporium sp., studies. B.P.I. Bul. 252, p. 51. 1913.

Gooseberry(ies)—Continued.
  paste, receipe. F.B. 853, p. 33. 1917.
  planting directions, time, distances, and methods. F.B. 1024, pp. 7-10. 1919.
  plants, mailing restrictions. F.H.B.S.R.A. 40, p. 51. 1917.
  processing, directions and time table. F.B. 1211, pp. 41, 49. 1921.
  propagation, methods. F.B. 1024, pp. 5-6. 1919.
  pruning, directions. F.B. 181, pp. 35-36. 1903; F.B. 1024, pp. 14-17. 1919.
  quarantine—
    Great Britain, for white-pine blister rust control. F.H.B.S.R.A. 43, p. 106. 1917.
    See also Blister rust quarantine; Blister rust, white-pine, quarantine; Currants, quarantine; Ribes, quarantine.
  relation to white-pine blister rust. F.B. 742, pp. 4, 8, 11. 1916; F.B. 1239, p. 6. 1921.
  shipments by States, and by stations, 1916. D.B. 667, pp. 9, 101. 1918.
  spiny-fruited from Florida. Frederick V. Coville. J.A.R., vol. 28, pp. 71-74. 1924.
  spraying—
    against scale insects. F.B. 723, p. 11. 1916.
    for scale pests. Ent. Cir. 121, p. 13. 1910.
  stock, shipments to West, control by cooperation. F.H.B.S.R.A. 26, pp. 36-38. 1916.
  strawberry jam, recipe. F.B. 1026, p. 39. 1919. F.B. 1027, p. 28. 1919; F.B. 1028, p. 48. 1919;
  variety(ies)—
    for Great Plains area. D.C. 58, p. 4. 1919; F.B. 727, p. 36. 1916.
    preferable, plant selection, planting, fertilizing, and pruning. S.R.S. Doc. 94, pp. 2-5. 1919.
    recommendations for various fruit districts. B.P.I. Bul. 151, p. 29. 1909.
    tests at field station near Mandan, N. Dak. D.B. 1301, p. 23. 1925; D.B. 1337, p. 8. 1925.
    Whitesmith, adaptation to Alaska. Alaska A.R., 1908, pp. 12, 28. 1909.
  wild—
    hedge plant from China, importation. B.P.I. Bul. 153, p. 8. 1909.
    host of white-pine blister rust. M.C. 40, pp. 3-4. 1925.
  See also Ribes spp.
Goosefoot—
  description, and occurrence in Washington saltwater bogs, eastern Puget Sound Basin. Soil Sur. Adv. Sh. 1909, p. 32. 1911; Soils F.O., 1909, p. 1544. 1912.
  indicator value on ranges. D.B. 791, pp. 45, 48. 1919.
  native vegetation of Belle Fourche region. D.B. 1039, p. 4. 1922.
  saltbush species, descriptions. D.B. 1345, pp. 3-27. 1925.
  See also Lamb's-quarters; Pigweed.
Gopher—
  bounties paid by different States. F.B. 1238, pp. 10-24. 1921.
  chestnut-faced, pocket, occurrence in Colorado, description. N.A. Fauna 33, pp. 130-131. 1911.
  Colorado, pocket, occurrence in Colorado, and description. N.A. Fauna 33, pp. 134-135. 1911.
  control by traps and poison baits. D.B. 479, pp. 77, 78-79. 1917.
  Coues pocket, occurrence in Colorado, description. N.A. Fauna 33, pp. 132-133. 1911.
  damage to young trees, and control. F.B. 1312, p. 28. 1923; M.C. 16, pp. 10-11. 1925.
  destruction—
    cooperative campaigns. Y.B., 1917, p. 228. 1918; Y.B. Sep. 724, p. 6. 1918.
    of forest plantation. For. Misc., S-18, p. 10. 1916.
  Espanola, pocket, occurrence in Colorado, description. N.A. Fauna 33, pp. 137-138. 1911.
  golden pocket, occurrence in Colorado, description. N.A. Fauna 33, pp. 136-137. 1911.
  Green River pocket, occurrence in Colorado, description. N.A. Fauna 33, pp. 133-134. 1911.
  injury to alfalfa fields and control. F.B. 339, p. 41. 1908.
  methods of extermination. N.A. Fauna 25, pp. 128, 133. 1905.
  Nevada pocket, description, habits, and control. F.B. 335, pp. 19-20. 1908.

Gopher—Continued.
  occurrence in—
    Texas, habits. N.A. Fauna 25, pp. 127–135. 1905.
    Wyoming. N.A. Fauna 42, pp. 16, 19, 24, 26, 33, 34, 43, 48, 51. 1917.
  pocket—
    control—
      experiments and work. News L., vol. 5, No. 26, pp. 7–8. 1918.
      in national forests. D.B. 475, pp. 51, 52. 1917.
      methods. Y.B., 1909, pp. 214–218. 1910; Y.B. Sep. 506, pp. 214–218. 1910.
    damage in orchards and vineyards, and control work. An. Rpts., 1923, pp. 429–431. 1923; Biol. Chief Rpt.. 1923, pp. 11–13. 1923.
    description, habits, and control. F.B. 335, pp. 19–21. 1908; F.B., 932, pp. 9–11. 1918.
    destruction, methods. Biol. Cir. 82, p. 8. 1911; F.B. 484, pp. 39–40. 1912.
    directions for destroying. David E. Lantz. Biol. Cir. 52, pp. 4. 1906.
    distribution—
      classification, and habits. Y.B., 1909, pp. 209–211. 1910; Y.B. Sep. 506, pp. 209–211. 1910.
      habits, and control. F.B. 484, pp. 36–38. 1912; Y.B., 1916, pp. 387–389. 1917; Y.B. Sep. 708, pp. 7–9. 1917.
    enemies—
      of pine seedlings. D.B. 1105, p. 135. 1923.
      of trees. David E. Lantz. Y.B., 1909, pp. 209–218. 1910; Y.B. Sep. 506, pp. 209–218. 1910.
      predaceous. Y.B., 1909, pp. 217–218. 1910; Y.B. Sep. 506, pp. 217–218. 1910.
    habits, food, molt, and pelage, with distribution maps. N.A. Fauna 39, pp. 7–31. 1915.
    injuries—
      by burrowing. N.A. Fauna 39, pp. 8–11. 1915.
      causing crown gall. Y.B., 1909, pp. 213–214. 1910; Y.B. Sep. 506, pp. 213–214. 1910.
      to crops. F.B. 484, pp. 37–38. 1912.
      to ditch banks, and control work, Yuma Experiment Farm, 1916. W.I.A. Cir. 20, p. 13. 1918.
    occurrence in—
      Alabama, description and habits. N.A. Fauna 45, pp. 59–60. 1921.
      Colorado, descriptions. N.A. Fauna 33, pp. 128–139. 1911.
      Montana, control methods. Biol. Cir. 82, p. 19. 1911.
    poisoning—
      by poison bait, methods. News L., vol. 5, No. 4, pp. 7–8. 1917.
      directions. Y.B., 1908, p. 430. 1909; Y.B. Sep. 491, p. 430. 1909.
    species and subspecies, description and distribution. N.A. Fauna 39, pp. 40–132. 1915.
      Thomomys, genus, revision. Vernon Bailey. N.A. Fauna 39, p. 136. 1915.
    sagebrush pocket, description and habits. F.B. 335, p. 20. 1908.
    San Luis, pocket, occurrence in Colorado, description. N.A. Fauna 33, pp. 131–132. 1911.
    Saskatchewan pocket, Athabaska-Mackenzie region. N.A. Fauna 27, p. 195. 1908.
    susceptibility to spotted fever. Ent. Bul. 105, p. 34. 1911.
    trapping directions. Y.B., 1919, pp. 455–456. 1920; Y.B. Sep. 823, pp. 455–456. 1920.
    value against green June beetle, note. D.B. 891, p. 36. 1922.
    yellow pocket, occurrence in Colorado, and description. N.A. Fauna 33, pp. 128–129. 1911.
Gordo corn, description, and hybridization experiments. D.B. 971, pp. 2–18. 1921.
Gordolobo. See Yarrow.
GORDON, J. H.: "Experiments in supplemental irrigation with small water supplies at Cheyenne, Wyo., in 1909." O.E.S. Cir. 95, pp. 11. 1910.
Gordonia axillaris, importation and description. No. 45718, B.P.I. Inv. 54, pp. 5, 10. 1922.

Gordura grass—
  importation and description, No. 36051. B.P.I. Inv. 36, p. 43. 1915.
  See also Molasses grass.
GORE, H. C.—
  "An electrically controlled constant temperature water bath for the immersion refractometer." Chem. Cir. 72, pp. 2. 1911.
  "Apparatus for use in the determination of volatile acids in wines and vinegars." Chem. Bul. 44, pp.2. 1909.
  "Apple sirup and concentrated cider: New products for utilizing surplus and cull apples." Y.B., 1914, pp. 227–244. 1915; Y.B. Sep. 639, pp. 227–244. 1915.
  "Changes in composition of peel and pulp of ripening bananas." J.A.R., vol. 3, pp. 187–203. 1914.
  "Experiments on the preparation of sugared, dried pineapples." Chem. Cir. 57, pp. 8. 1910.
  "Experiments on the processing of persimmons to render them nonastringent." Chem. Bul. 141, pp. 31. 1911.
  "Large scale experiments on the processing of Japanese persimmons; with notes on the preparation of dried persimmons." Chem. Bul. 155, pp. 20. 1912.
  "Production of sirup from sweet potatoes." With others. D.B. 1158, pp. 34. 1923.
  report on fruit and fruit products. Chem. Bul. 132, pp. 60–66. 1910; Chem. Bul. 162, pp. 60–71. 1913.
  "Studies on apples. I. Storage, respiration, and growth. II. Insoluble carbohydrates or marc. III. Microscopic and macroscopic examinations of apple starch." With others. Chem. Bul. 94, pp. 100. 1905.
  "Studies on fruit juices." D.B. 241, pp. 19. 1915.
  "Studies on fruit respiration." Pts. I–III. Chem. Bul. 142, pp. 20. 1911.
  "Studies on peaches." Chem. Bul. 97, pp. 32. 1905.
  "Sugar-beet sirup." With C. O. Townsend. F.B. 823, pp. 13. 1917.
  "The cold storage of apple cider." Chem. Cir. 48, pp. 13. 1910.
  "The preparation of unfermented apple juice." Y.B., 1906, pp. 239–246. 1907; Y.B. Sep. 420, pp. 239–246. 1907.
  "The value of peaches as vinegar stock." Chem. Cir. 51, pp. 7. 1910.
  "Unfermented apple juice." Chem. Bul. 118, pp. 23. 1909.
GORE, H. M.—
  Acting Secretary of Agriculture, report, 1924. An. Rpts., 1924, pp. 96. 1924; Sec. A.R., 1924, pp. 96. 1924.
  Secretary, remarks on forestry and forest conservation. M.C. 39, pp. 5–6. 1925.
GORGAS, W. C., work in mosquito eradication, Cuba and Panama. Ent. Bul. 78, pp. 17, 21–23. 1909; Ent. Bul. 88, pp. 77–79, 92–95. 1910.
Gorges, deep, cut by western rivers. Y.B., 1913, p. 213. 1914; Y.B. Sep. 624, p. 213. 1914.
Gorli, importation and description. No. 55465, B.P.I. Inv. 71, pp. 3–4, 46. 1923.
GORTNER, R. A.—
  "Hydration capacity of gluten from strong and weak flours." With Everett H. Doherty. J.A.R., vol. 13, pp. 389–418. 1918.
  "The osmotic concentration, specific electrical conductivity, and chlorid content of tissue fluids of the indicator plants of Tooele Valley, Utah." With others. J.A.R., vol. 27, pp. 893–924. 1924.
Goshawk—
  occurrence in Alaska. N.A. Fauna 30, pp. 38, 60, 88. 1909.
  protection and exception from. Biol. Bul. 12, rev., pp. 33, 42. 1902.
  range and habits. N.A. Fauna 22, p. 106. 1902.
  western, range and habits. N.A. Fauna 21, pp. 42, 76. 1901; N.A. Fauna 24, p. 68. 1904.
Goslings, care after hatching. F.B. 767, pp. 11–12. 1917.

Goss, Arthur, report of Indiana Experiment Station, work—
1906. O.E.S. An. Rpt., 1906, pp. 103–104. 1907.
1907. O.E.S. An. Rpt., 1907, pp. 98–101. 1908.
1908. O.E.S. An. Rpt., 1908, pp. 93–95. 1909.
1909. O.E.S. An. Rpt., 1909, pp. 104–107. 1910.
1910. O.E.S. An. Rpt., 1910, pp. 134–138. 1911.
1911. O.E.S. An. Rpt., 1911, pp. 105–109. 1912.
1912. O.E.S. An. Rpt., 1912, pp. 111–115. 1913.
1913. O.E.S. An. Rpt., 1913, pp. 45–46. 1914.
1914. O.E.S. An. Rpt., 1914, pp. 103–106. 1915.
1915. S.R.S. Rpt., 1915, Pt. I, pp. 111–116. 1917.
Goss, O. P. M.—
"Mechanical properties of western hemlock." For. Bul. 115, pp. 45. 1913.
"Mechanical properties of western larch." For. Bul. 122, pp. 45. 1913.
Goss, R. W.: "Temperature and humidity studies of some fusaria rots of the Irish potato." J.A.R., vol. 22, pp. 65–80. 1921.
Goss, W. L.—
"The germination of packeted vegetable seeds." With Edgar Brown. B.P.I. Cir. 101, pp. 9. 1912.
"The germination of vegetable seeds." With Edgar Brown. B.P.I. Bul. 131, Pt. I, pp. 5–10. 1908.
"The vitality of buried seeds." J.A.R., vol. 29. pp. 349–362. 1924.
Gossard, O. P.: "Soil survey of—
Geauga County, Ohio." With others. Soil Sur. Adv. Sh., 1915, pp. 37. 1916; Soils F.O., 1915, pp. 1283–1315. 1919.
Mahoning County, Ohio." With M. W. Beck. Soil Sur. Adv. Sh., 1917, pp. 41. 1919; Soils F.O., 1917, pp. 1041–1077. 1923.
Marion County, Ohio." With others. Soil Sur. Adv. Sh., 1916, pp. 37. 1918; Soils F.O., 1916, pp. 1549–1581. 1921.
Miami County, Ohio." With E. R. Allen. Soil Sur. Adv. Sh., 1916, pp. 50. 1918; Soils F.O., 1916, pp. 1583–1628. 1921.
Sandusky County, Ohio." With others. Soil Sur. Adv. Sh., 1917, pp. 64. 1920; Soils F. O., 1917, pp. 1079–1138. 1923.
Gossyparia spuria—
description, habits, and control. F.B. 1169, pp. 41–43. 1921.
See also Elm scale.
Gossypitrin in cotton varieties. J.A.R., vol. 13, pp. 346, 347. 1918.
Gossypium—
arboreum, importation and description. No. 34184. B.P.I. Inv. 32, p. 20. 1914.
barbadense. See Cotton, sea-island.
drynarioides—
seed importation and description. No. 39354, B.P.I. Inv. 41, pp. 6, 15. 1917.
See Cotton tree.
genus, and related plants, presence of internal glands. J.A.R., vol. 13, pp. 431–433. 1918.
hirsutum—
importation(s) and description(s) Nos. 34185–34194, B.P.I. Inv. 32, pp. 21–22. 1914; No. 34289, B.P.I. Inv. 32, p. 30. 1914.
variations. J.A.R., vol. 21, pp. 227–242. 1921.
spp.—
description of commercial types. Atl. Am. Agr., Adv. Sh. Pt. V, sec. A, p. 5. 1919.
food plants of boll weevil. D.B. 231, p. 3. 1915.
importations and descriptions. Nos. 49846, 50004–50006, 50214–50216, 50229–50231, 50581. B.P.I. Inv. 63, pp. 11, 28, 46, 47, 79. 1923.
See also Cotton.
Gossypol—
acetate of cottonseed, optical crystallographic properties. J.A.R., vol. 25, p. 290. 1923.
content of cottonseed, relation to toxicity. J.A.R. vol. 28, pp. 173–189. 1924.
cottonseed, relation to oil content. Erich W. Schwartze and Carl L. Alsberg. J.A.R., vol. 25, pp. 285–295. 1923.
extract from cottonseed. S.R.S. Rpt., 1915, Pt. I, pp. 57, 205. 1916.
extraction from cottonseed meal, properties and feeding experiments. J.A.R., vol. 5, pp. 262–286. 1915.
feeding to animals, experiments. J.A.R., vol. 12, pp. 88–97. 1918.

Gossypol—Continued.
pharmacology. Erich W. Schwartze and Carl L. Alsberg. J.A.R., vol. 28, pp. 191–198. 1924.
physiological effect. Paul Menaul. J.A.R., vol. 26, pp. 233–237. 1923.
pig feed, results. J.A.R., vol. 12, pp. 89–97. 1918.
presence in cotton glands and its relation to other secretions. J.A.R., vol. 13, pp. 423–431. 1918.
quantity variations due to place of growth and season. J.A.R., vol. 25, pp. 291–294. 1923.
toxicity and cause. J.A.R., vol. 5, No. 7, pp. 261–288. 1915; J.A.R., vol. 12, pp. 83–102. 1918; J.A.R., vol. 14, pp. 427–449. 1918.
Gouania napalensis, importation and description. No. 47688, B.P.I. Inv. 59, p. 47. 1922.
Goulash, canning recipe. S.R.S. Doc. 80, pp. 15–16. 1918.
Gould, H. P.—
"Apple growing east of the Mississippi River." F.B. 1360, pp. 50. 1924.
"Apple-orchard renovation." F.B. 1284, pp. 32. 1922.
"Apples and peaches in the Ozark region." With W. F. Fletcher. B.P.I. Bul. 275, pp. 95. 1913.
"Apples; Production estimates and important commercial districts and varieties." With Frank Andrews. D.B. 485, pp. 48. 1917.
"Canning peaches on the farm." With W. F. Fletcher. F.B. 426, pp. 26. 1910.
"Commercial evaporation and drying of fruits." With James H. Beattie. F.B. 903, pp. 61. 1917.
"Evaporation of apples." F.B. 291, pp. 40. 1907.
"Fig growing in the South Atlantic and Gulf States." F.B. 1031, pp. 45. 1919.
"Fruit growing for home use in the central and southern Great Plains." B.P.I. Cir. 51, pp. 23. 1910.
"Growing cherries east of the Rocky Mountains." F.B. 776, pp. 37. 1916.
"Growing fruit for home use." With George M. Darrow. F.B. 1001, pp. 40. 1919.
"Growing fruit for home use in the Great Plains area." With Oliver J. Grace. F.B. 727, pp. 40. 1916.
"Growing peaches: Pruning, renewal of tops, thinning interplanted crops, and special practices." F.B. 632, pp. 23. 1915.
"Growing peaches: Sites and cultural methods." F.B. 917, pp. 44. 1918.
"Growing peaches: Sites, propagation, planting, tillage, and maintenance of soil fertility." F.B. 631, pp. 24. 1915.
"Growing peaches: Varieties and classification." F.B. 633, pp. 13. 1915.
"Orchard fruits in the Piedmont and Blue Ridge regions of Virginia and the South Atlantic States." B.P.I. Bul. 135, pp. 102. 1908.
"Peach varieties and their classification." F.B. 918, pp. 15. 1918.
"Peaches: Production estimates and important commercial districts and varieties." With Frank Andrews. D.B. 806, pp. 35. 1919.
"Pears: Production estimates and important commercial districts and varieties." With Frank Andrews. D.B. 822, pp. 16. 1920.
"Practical suggestions for fruit growers." F.B. 161, pp. 30. 1902.
"Promising new fruits, 1911." With William A. Taylor. Y.B., 1911, pp. 423–438. 1912; Y.B. Sep. 581, pp. 423–438. 1912.
"Promising new fruits, 1912." With William A. Taylor. Y.B., 1912, pp. 261–278. 1913; Y.B. Sep. 589, pp. 261–278. 1913.
"Promising new fruits, 1913." With William A. Taylor. Y.B., 1913, pp. 109–124. 1914; Y.B. Sep. 618, pp. 109–124. 1914.
"Summer apples in the Middle Atlantic States." B.P.I. Bul. 194, pp. 96. 1911.
"The Himalaya blackberry." B.P.I. Cir. 116, pp. 23–26. 1913.
Gourd(s)—
anthracnose, cause, description, and control. D.B. 727, pp. 1–68. 1918.
bottle. See Calabash; Calabaza.
calabash. See Calabash.
digestion experiment. O.E.S. Bul. 159, pp. 171, 173. 1905.

INDEX TO PUBLICATIONS, 1901–1925 — 1047

Gourd(s)—Continued.
  dishcloth—
    edible, use in Guam. Guam A.R., 1911, p. 13. 1912.
    See also Patola.
  downy mildew disease, description, causes, and remedy. F.B. 231, pp. 5–7, 11–13. 1905.
  edible—
    importation and descriptions. Nos. 34458, 34502, 34509, 34512. B.P.I. Inv. 33, pp. 21, 28–29. 1915.
    seeds, importation and description. No. 50333, B.P.I. Inv. 63, p. 57. 1923.
  family, use as food, studies. O.E.S. Bul. 245, pp. 51–52. 1912.
  importations and descriptions. Nos. 30222, 30223, 30306, B.P.I. Bul. 233, pp. 68, 74. 1912; No. 45904, B.P.I. Inv. 54, p. 38. 1922; Nos. 48553, 48560–48562, 48714–48715, 48717, B.P.I. Inv. 61, pp. 21, 22, 39, 40. 1922; Nos. 53903–53904, B.P.I. Inv. 68, p. 6. 1923.
  introduction of varieties. B.P.I. Bul. 176, pp. 16–17. 1910.
  Mexican, importation and description. No. 44450, B.P.I. Inv. 51, p. 13. 1922.
  snake, importation and description. No. 35578, B.P.I. Inv. 35, p. 56. 1915.
  sponge, introduction into Guam. O.E.S. Doc. 1137, p. 410. 1903.
  wax—
    Chinese, importation and description. No. 41492, B.P.I. Inv. 45, p. 39. 1918.
    importation and description. No. 32104, B.P.I. Bul. 261, p. 28. 1912.
    See also Kondot.
  wild, leaf-spot occurrence and description, Texas. B.P.I. Bul. 226, p. 105. 1912.
Gourliea decorticans subtropicalis, importation and description. No. 44433, B.P.I. Inv. 50, p. 72. 1922.
Gout—
  fowls, distinction from tuberculosis. F.B. 1200, p. 9. 1921.
  poultry, description, cause, symptoms, and treatment. F.B. 957, pp. 31–32. 1918.
Government—
  aid in highway improvement. Rds. Bul. 25, p. 33. 1902.
  supplies, use in economy urged. B.A.I.S.R.A. 137, p. 77. 1918.
  See also Federal.
Governors—
  Conference, 1918, address of Secretary. Sec. Cir. 133, pp. 15. 1919.
  declaration for conservation of natural resources. F.B. 340, pp. 7. 1908.
Gowan. See Coltsfoot.
Gowan's pneumonia cure, misbranding. Chem. N.J. 180, pp. 2. 1910.
GOWELL, G. M.: "Poultry investigations at the Maine Agricultural Experiment Station." With Clarence D. Woods. B.A.I. Bul. 90, pp. 42. 1906.
GOWEN, J. W.—
  "Studies in inheritance of certain characters of crosses between dairy and beef breeds of cattle." J.A.R., vol. 15, pp. 1–58. 1918.
  "Studies on conformation in relation to milk producing capacity of cattle. IV. The size of the cow in relation to the size of her milk production." J.A.R., vol. 30, pp. 865–869. 1925.
  "Variations and mode of secretion of milk solids." J.A.R., vol. 16, pp. 79–102. 1919.
Gracca candida, importation and description. No. 55678, B.P.I. Inv. 72, p. 17. 1924.
GRACE, O. J.—
  "Growing fruit for home use in the Great Plain, area." With H. P. Gould. F.B. 727, pp. 40. 1916.
  "The effect of different times of plowing small grain-stubble in eastern Colorado." D.B. 253, pp. 15. 1915.
Grackle(s)—
  boat-tailed—
    description and food habits. F.B. 755, pp. 22–23. 1916.
    protection, exception from. Biol. Bul. 12, rev., p. 44. 1902.
  bronzed, range and habits. N.A. Fauna 22, p. 117. 1902; Biol. Bul. 38, p. 60. 1911.

Grackle(s)—Continued.
  description, range, and food habits. F.B. 630, p. 12. 1915.
  enemy of sweetpotato leaf-folder. D.B. 609, p. 9. 1917.
  Florida. See Blackbird, crow.
  occurrence—
    Athabaska-Mackenzie region. N.A. Fauna 27, p. 412. 1908.
    in Texas. N.A. Fauna 25, p. 17. 1905.
  protection by law. Biol. Bul. 12, rev., pp. 38, 40, 42. 1902.
  purple, protection and exception from, by law. Biol. Bul. 12, rev., p. 41. 1902.
  rusty, protection and exception from. Biol. Bul. 12, rev., pp. 42, 44. 1902.
  usefulness against grubs and cutworms. F.B. 1456, p. 3. 1925.
Grader(s)—
  elevating, description and use. D.B. 463, pp. 25–26. 1917.
  irrigation lands, use. F.B. 373, p. 18. 1909.
  licensed, for wool warehouses, regulations. Sec. Cir. 150, pp. 19–23, 25. 1920.
  peanut regulations. B.A.E.S.R.A. 81, pp. 17–22. 1923.
  potato, description and use. F.B. 953, pp. 19–20. 1918.
  road, description and operation, details. D.B. 220, p. 24. 1915; Rds. Bul. 48, pp. 38–43. 1913; Rds. Bul. 36, pp. 19–20. 1911.
  use in irrigation construction, types. F.B. 865 pp. 9, 12. 1917.
Grades—
  apple—
    enforcement by various States. F.B. 1080, p. 21. 1919.
    packing for market, and grading rules. D.B. 935, pp. 5, 17–18. 1921.
  basic, for yard lumber, instructions and rules. D.C. 296, pp. 34–38. 1923.
  beef and—
    cattle. Y.B., 1921, pp. 308–312. 1922; Y.B Sep. 874, pp. 308–312. 1922.
    classes. W. C. Davis and C. V. Whalin. D.B. 1246, pp. 48. 1924.
  benefit to farmers. Sec. A.R., 1924, pp. 38–40. 1924.
  cabbage, requirements. D.B. 1242, p. 18. 1924; F.B. 1423, pp. 7–8. 1924.
  citrus fruits, value to buyer and seller. D.B. 1261, pp. 8–9. 1924.
  corn, relation to marketing and prices. Y.B., 1921, pp. 195–199. 1922; Y.B. Sep. 872, pp. 195–199. 1922.
  cotton—
    Arizona-Egyptian. D.B. 311, pp. 7–8, 9–11. 1915.
    classification, names and factors determining. F.B. 802, pp. 4–9. 1917.
    determination, regulations. Sec. Cir. 46, pp. 1–2. 1915.
    establishment under cotton futures act. Y.B. 1917, p. 99. 1918.
    official—
      memorandum of information concerning. N. A. Cobb. B.P.I. Doc. 72, pp. 3. 1912.
      need of universal adoption. Y.B., 1912, p. 455. 1913. Y.B. Sep. 605, p. 455. 1913.
      standards. Y.B., 1921, pp. 379–381. 1922; Y.B. Sep. 877, pp. 379–381. 1922.
    standard, authorization and sale. B.P.I. Cir. 109, pp. 3–6. 1913.
  cucumber, requirements. F.B. 1320, pp. 27–28. 1923.
  dairy products. Y.B., 1922, pp. 371–374. 1923; Y.B. Sep. 879, pp. 77–80. 1923.
  eggs, commercial. F.B. 1378, pp. 17–18. 1924.
  evaporated applies. F.B. 903, pp. 55–56. 1917.
  farm products in marketing associations, importance. Y.B., 1914, pp. 194–195. 1915; Y.B. Sep. 637, pp. 194–195. 1915.
  Federal, for tomatoes. F.B. 1291, p. 29. 1922.
  flaxseed, state sets. Y.B., 1922, p. 545. 1923; Y.B. Sep. 891, p. 545. 1923.
  fruits and vegetables, inspection instructions. D.B. 1084, pp. 8–10. 1922.
  grain—
    certificates, regulations and opinions. Mkts. S.R.A. 15, pp. 1–9, 12–16. 1916.

Grades—Continued.
  grain—continued.
    establishment. Y.B., 1918, p. 343. 1919;
      Y.B. Sep. 766, p. 11. 1919.
    factors serving as basis. D.B. 1187, p. 3. 1924.
  hay—
    certificates, description and use. D.B. 980, pp.
      13–15. 1921.
    definition, and demand in principal market
      centers. F.B. 508, pp. 7–8, 30–36. 1912.
    effective Feb. 1, 1924, and hay making. Edward C. Parker. D.C. 326, pp. 24. 1924.
    formation, establishment, and variation. D.B.
      980, pp. 2–4. 1921.
    in marketing. D.B. 979, pp. 21, 22, 51. 1921.
    National Hay Association. F.B. 362, pp.
      23–25. 1909.
    uniformity, importance. D.B. 979, pp. 21, 22,
      51. 1921; D.B. 980, pp. 15–16. 1921.
  hides and skins, packer and country, classes.
    F.B. 1055, pp. 40–45, 63. 1919.
  honey, description. F.B. 1039, pp. 38–39. 1919.
  livestock, for meat supply, work of Markets Bureau. Y.B., 1319, pp. 246–247. 1920; Y.B. Sep.
    809, pp. 246–247. 1920.
  lumber, yellow-pine, in Oregon. D.B. 418, p.
    35. 1917.
  market, poultry, definitions of terms. F.B.
    1377, pp. 6–9. 1924.
  market, study by Markets Office. Mkts. Doc. 1,
    pp. 4–5. 1915.
  milk and cream, suggestions for form of ordinance.
    D.B. 585, p. 3. 1917.
  milk, enforcement by city ordinances. D.C.
    276, pp. 6, 7. 1923.
  oats, tabulation. Mkts. S.R.A. 46, p. 6. 1919.
  olive, standards for size. D.B. 803, p. 6. 1920.
  oysters, Connecticut. D.B. 740, p. 2. 1919.
  potatoes, standardization, need. F.B. 753, pp.
    18–22. 1916; F.B. 1317, pp. 14–15. 1923; Sec.
    Cir. 92, pp. 35–36. 1918.
  rice—
    recommendations. D.C. 290, pp. 1–9. 1923.
    relation to food value. F.B. 1195, pp. 6–7.
      1921.
  rye, and samples. B.A.E.S.R.A. 73, pp. 3–5.
    1923.
  Sitka spruce lumber. D.B. 1060, pp. 37–38. 1922.
  sweet potato, requirements. D.B. 1206, p. 17.
    1924.
  tomato, importance in packing and marketing.
    F.B. 1338, pp. 29, 31, 32. 1923.
  uniform—
    benefit to grain industry. Y.B., 1918, pp.
      341–344. 1919; Y.B. Sep. 766, pp. 9–12. 1919.
    for agricultural products, progress. Y.B., 1920,
      pp. 353–362. 1921; Y.B. Sep. 850, pp. 353–362.
      1921.
  United States—
    Bermuda onions. Hartley E. Truax. D.C.
      97, pp. 4. 1920.
    milled rice—
      D.C. 133, pp. 16. 1920.
      H. J. Besley and others. D.C. 291, pp. 17.
        1923.
    northern-grown onions. Hartley E. Truax.
      D.C. 95, pp. 4. 1920.
    potatoes—
      Harold W. Samson. D.C. 238, pp. 4. 1922.
      Hartley E. Truax. D.C. 96, pp. 4. 1920.
    shelled white Spanish peanuts. D.C. 304, pp.
      2. 1924.
    sweet potatoes. Hartley E. Truax. D.C. 99,
      pp. 4. 1920.
    timothy hay, clover hay, clover mixed hay,
      and grass mixed hay, effective Feb. 1, 1924.
      Edward C. Parker. D.C. 326, pp. 24. 1924.
  walnut—
    lumber, and prices. D.B. 909, pp. 35–41. 1921.
    veneer logs, and prices. D.B. 909, pp. 55–56.
      1921.
  wheat—
    hard red winter, Federal standards. Mkts.
      S.R.A. 54, pp. 12. 1919.
    memoranda to inspectors. Mkts. S.R.A. 26,
      pp. 7–9. 1917.
    northwestern requirements. Mkts. S.R.A. 48,
      p. 3. 1919.
    official standards. Mkts. S.R.A. 22, pp. 29.
      1917; Mkts. S.R.A. 35, pp. 5–7. 1918.

Grades—Continued.
  wool—
    American and Australian. Y.B., 1916, pp.
      230, 231. 1917; Y.B. Sep. 709, pp. 4, 5. 1917.
    description. B.A.E.S.R.A. 75, pp. 2–3. 1923.
Grademeter, making, directions. For. Misc. 0–6,
  p. 16 1915.
Grading—
  advantages in marketing farm products. M.C.
    32, pp. 70–71. 1924.
  aggregate, in cement-concrete road construction.
    J.A.R., vol. 10, pp. 262–274. 1917.
  apples—
    for—
      drying. D.B. 1141, p. 19. 1923.
      market. F.B. 1080, pp. 10–22. 1919.
    rules—
      and regulations. D.B. 935, pp. 5–10, 17–18.
        1921.
      of Northwestern Fruit Exchange. Rpt. 98,
        p. 249. 1913.
    sorting and sizing, in packing houses. F.B.
      1204, pp. 16–25. 1921.
  avocados for market, directions. Hawaii Bul. 25,
    p. 30. 1911.
  berries, methods. Rpt. 98, p. 227. 1913.
  broomcorn, directions. F.B. 768, p. 13. 1916;
    F.B. 958, p. 16. 1918.
  cane sirup, at cooperative cannery, directions.
    D.C. 149, pp. 12–15. 1920.
  cantaloupes, methods. F.B. 707, pp. 11–12.
    1916.
  citrus fruits—
    methods. Rpt. 98, pp. 175, 207. 1913.
    relation to insect injury and to spraying. D.B.
      645, pp. 4–15. 1918.
  commercial, of opened eggs, accuracy in. M. K.
    Jenkins and Norman Hendrickson. D.B. 391,
    pp. 27. 1918.
  corn—
    commercial methods. Carl S. Scofield. B.P.I.
      Bul. 41, pp. 24. 1903.
    table for calculating percentages. D.B. 516,
      pp. 1–21. 1916.
  cotton—
    lessons. M.C. 43, pp. 6–7. 1925.
    practices, suggestions for improvement. Y.B.,
      1918, pp. 416–417. 1919; Y.B. Sep. 763, pp.
      20–21. 1919.
  cranberries, sorting and packing. D.B. 1109,
    pp. 3, 12–13. 1923; F.B. 1402, pp. 17–23. 1924.
  cream—
    B. D. White. Y.B., 1910, pp. 275–280. 1911;
      Y.B. Sep. 536, pp. 275–280. 1911.
    methods. B.A.I. Bul. 59, pp. 32–42. 1904.
  dasheens, methods. B.P.I. Cir. 127, pp. 31–33.
    1913.
  Douglas fir, rules and regulations. For. Bul. 88,
    pp. 40–48. 1911.
  early potatoes for distant markets. F.B. 1316,
    pp. 15–16. 1923.
  eggs—
    by candling, and after breaking. D.B. 224,
      pp. 6–8, 11–12, 26, 29, 33, 54. 1916.
    for cold storage. D.B. 775, p. 10. 1919.
    methods. B.A.I. Cir. 140, pp. 6–7. 1911; D.B.
      565, p. 2. 1918; F.B. 1378, p. 16. 1924.
    farm products. Y.B., 1922, pp. 19–21. 1923;
      Y.B. Sep. 883, pp. 19–21. 1923.
  fish in sardine industry. D.B. 908, pp. 93–96.
    1921.
  fruit(s)—
    and vegetables for canning. F.B. 853, p. 13.
      1917; F.B. 1211, pp. 25–26. 1921.
    importance in cooperative associations. Y.B.,
      1910, pp. 399, 401. 1911; Y.B. Sep. 546, pp.
      399, 401. 1911.
    in Australia and New Zealand, regulations.
      D.C. 145, pp. 3–4. 1921.
  grain—
    appeals and instructions. Mkts. S.R.A. 52,
      pp. 20. 1919.
    methods in markets. Rpt. 98, pp. 62–63. 1913.
    regulations. Sec. Cir. 141, pp. 26–27. 1919.
    reports of inspectors. Mkts. S.R.A. 44, pp. 124.
      1919.
    use of Boerner modified sampler. D.B. 857,
      pp. 4–8. 1920.

Grading—Continued.
   hay—
      and—
         inspection. H. B. McClure and G. A. Collier. D.B. 980, pp. 16. 1921.
         marketing. B.A.E. Chief Rpt., 1924, pp. 20-23. 1924.
      in warehouse. D.B. 979, p. 7. 1921.
      rules. F.B. 362, pp. 19-21, 23-25. 1909.
      systems, and demand for different grades. F.B. 508, pp. 7-8, 27-29, 30-32. 1912; Rpt. 98, pp. 77-79, 83-85, 86-91, 93, 97. 1913.
   honey—
      instructions. D.C. 364, p. 6. 1925.
      rules, eastern and Colorado bee keepers. F.B. 397, pp. 35-36. 1910.
   implements, use. F.B. 373, pp. 14-29, 34. 1909.
   lemons, methods. Y.B., 1907, p. 349. 1908. Y.B. Sep. 453, p. 349. 1908.
   logs—
      rules in use, Pacific Northwest. D.B. 711, pp. 19-22. 1918.
      source of loss in logging. M.C. 39, p. 31. 1925.
   lumber—
      directions. D.B. 718, pp. 8-9, 53. 1918.
      methods. H. S. Betts. D.C. 64, pp. 39. 1920.
      rules—
         and specifications adopted by lumber manufacturing associations of the United States. E.R.Hudson. For. Bul. 71, pp. 144. 1906.
         for chestnut. F.B. 582, pp. 13, 14. 1914.
         for elm. D.B. 683, pp. 28-29. 1918.
   milk, systems. Rpt. 98, pp. 121-122. 1913.
   mohair, methods, and prices. F.B. 1203, pp. 21-22. 1921.
   olives, and processing. F.B. 1249, pp. 36-39. 1922.
   onions, methods. D.B. 1325, pp. 12-16. 1925.
   oranges, Florida methods. D.B. 63, pp. 7-8. 1914.
   peaches—
      methods. F.B. 1266, pp. 32-34. 1922.
      sizing machine, construction and operation. D.B. 864, pp. 1-6. 1920.
   peas, for quality and size. Chem. Bul. 125, pp. 13-18. 1909.
   potatoes—
      commercial handling and marketing of. C. T. More and C. R. Dorland. F.B. 753, pp. 40. 1916.
      methods. F.B. 1190, pp. 24-25. 1921; Sec. Cir. 92, pp. 34-36. 1918.
      on farm, benefits. F.B. 1050, pp. 5-6. 1919.
   poultry, practices. F.B. 1377, pp 6-9, 10-11, 25-27. 1924; Rpt. 98, p. 130. 1913.
   prunes, methods. Rpt. 98, p. 250. 1913.
   red raspberries, for shipment in Washington, schedule. D.B. 274, pp. 13-14, 36. 1915.
   rice, machinery in modern mills. D.B. 330, pp. 12-14, 16. 1916.
   seed corn, management. F.B. 1175, p. 13. 1920.
   strawberries, methods, description, and classifications. F.B. 979, pp. 8-10, 26. 1918.
   sweet potatoes—
      importance in securing select stock. F.B. 520, pp. 11, 14. 1912.
      methods. F.B. 324, p. 28. 1908; F.B. 999, pp. 25-26. 1919; F.B. 1442, pp. 15, 21. 1925; Hawaii Bul. 50, pp. 9-10. 1923.
   sycamore, rules. D.B. 884, pp. 22-24. 1920.
   timbers, rules, tentative and standard. For. Bul. 108, pp. 59-68. 1912.
   timbers, structural, basic rules and working stresses. J. A. Newlin and R. P. A. Johnson. D.C. 295, pp. 23. 1923.
   tobacco, for marketing. Rpt. 98, pp. 158, 161. 1913.
   tomatoes, methods. F.B. 1291, pp. 19-20, 28-29. 1922.
   walnuts, methods. B.P.I. Bul. 254, pp. 97-98. 1913; Rpt. 98, p. 174. 1913.
   wheat—
      at country elevators, details and advantages. D.B. 558, pp. 36-38. 1917; Y.B., 1918, pp. 336-339, 342-344. 1919; Y.B. Sep. 766, pp. 4-7, 10-12. 1919.
      feeds, instructions. D.B. 1124, pp. 11-15. 1922; Mkts. S.R.A. 26, pp. 7-9, 13. 1917.

Grading—Continued.
   wheat—continued.
      in Montana. D.B. 522, pp. 4-6. 1917.
      methods in various cities, since 1858. Y.B., 1914, pp. 394-395, 402-403, 413-418. 1915; Y.B. Sep. 649, pp. 394-395, 402-403, 413-418. 1915.
   wool—
      on ranch, methods and advantages. Y.B., 1916, pp. 231-233. 1917; Y.B. Sep. 709, pp 5-7. 1917.
      warehouse regulations. Sec. Cir. 150, pp. 24 1920.
   yard lumber, standard specifications. Edward P. Ivory and others. D.C. 296, pp. 75. 1923.
Grading—
   forest trails, preliminary work, methods and tools For. Misc. O-6, pp. 11-12, 26, 27, 62. 1915.
   injuries to trees, prevention. F.B. 360, p. 10. 1909.
   land for—
      drainage, results. F.B. 187, pp. 19, 24. 1904.
      irrigation, methods and cost F.B. 864, pp. 17, 20-21. 1917.
      right of way to logging railroads, methods and costs. D.B. 711, pp. 186-190. 1918.
   road(s)—
      for macadam surfaces. F.B. 338, pp. 11-13, 16. 1908.
      methods and machines. D.B. 463, pp. 20-31, 63-65. 1917.
   soils for lawns, directions. F.B. 494, pp. 21-22 1912.
   value in control of soil erosion. Soils Bul. 71, pp. 54-56. 1911.
Graduate(s)—
   agricultural colleges, occupation. O.E.S. Doc. 1463, pp. 601-605. 1912.
   departments, addition to agricultural colleges, 1908. O.E.S. An. Rpt., 1908, p. 258. 1909.
   school—
      courses and teachers. Off. Rec., vol. 2, No. 42, pp. 1-2. 1923.
      for department workers. Off. Rec., vol. 1, No. 38, pp. 1, 5. 1922.
      of agriculture—
         course of study, report. O.E.S. Bul. 212, pp. 18-26. 1909.
         inauguration, plan, and sessions. O.E.S. An. Rpt., 1911, pp. 48, 311-318. 1913; O.E.S. Cir. 106, p. 9. 1911; O.E.S. Cir. 106, rev., p. 9. 1912.
         Iowa State College, Ames, Iowa, discussions before, July 4-27, 1910. O.E.S. Bul. 231, pp. 86. 1910.
         third session, 1908, enrollment, work, etc. O.E.S. An. Rpt., 1909, pp. 269, 280-287. 1910.
      scientific workers. An. Rpts., 1922, p. 24. 1922; Sec. A.R., 1922, p. 24. 1922.
   work, report of Committee A.A.A.C. and E.S., convention, 1907. O.E.S. Bul. 196, pp. 16-17. 1907.
GRAF, J. E.—
   "A preliminary report on the sugar beet wireworm." Ent. Bul. 123, pp. 68. 1914.
   "Eradication of the sweet potato weevil in Florida." With B. L. Boyden. D.C. 201, pp. 13. 1921.
   "The potato tuber moth." D.B. 427, pp. 56. 1917.
Grafting—
   apple, propagation method. F.B. 1360, p. 9. 1924.
   bark, use in mango propagation. Hawaii A.R., 1915, pp. 22-23, 73. 1916.
   bridge—
      Guy E. Yerkes. F.B. 1369, pp. 20. 1923.
      fruit trees. W. F. Fletcher. F.B. 710, pp. 8. 1916.
      injured trees. Biol. Bul. 31, p. 62. 1907. F.B. 360, p. 14. 1909; F.B. 1397, p. 14. 1924.
      remedy for girdling. Ent. Cir. 32, rev., p. 6. 1907.
      uses and methods. News L., vol. 3, No. 31, pp. 2-3. 1916.
   cacti, methods. B.P.I. Bul. 262, pp. 12-13. 1912.
   citrus trees, methods and directions. F.B. 238, pp. 33-34. 1905; F.B. 542, pp. 19-20. 1913.
   cleft, directions. B.P.I. Bul. 254, pp. 66-67. 1913; F.B. 700, pp. 8-11. 1916.

Grafting—Continued.
  cloth, preparation and management. F.B. 700, p. 10. 1916.
  fig trees, directions. D.B. 732, pp. 32–33. 1918.
  grapevines—
    congeniality and adaptability of types. B.P.I. Bul. 172, pp. 59–61. 1910; D.B. 856, pp. 12–15. 1920.
    directions. F.B. 471, pp. 7–10. 1911; F.B. 709, p. 7. 1916.
  hibiscus for rapid flowering. Hawaii Bul. 29, p. 11. 1914.
  inarching citrus trees. F.B. 1447, pp. 35–36. 1925.
  jujubes, directions. D.B. 1215, pp. 13–15. 1924.
  lime, discussion. Hawaii Bul. 49, pp. 7–8. 1923.
  mango, directions. P.R. Bul. 24, pp. 10–11. 1918.
  methods, directions. B.P.I. 408, pp. 32–35. 1910; F.B. 685, pp. 15–17. 1915.
  olive trees, methods. F.B. 1249, pp. 18–19. 1922.
  papaya, method and results. B.P.I. Cir. 119, pp. 8–12. 1913.
  pecan stock, methods and directions. B.P.I. Bul. 251, pp. 23, 27. 1912; F.B. 700, pp. 8–17. 1916.
  persimmon, directions. F.B. 685, pp. 9–17. 1915.
  stock—
    citrus trees—
      relation to mottle-leaf disease. J.A.R., vol. 6, pp. 723–724. 1916.
      value of *Citrus ichangensis*. J.A.R., vol. 1, pp. 1, 13. 1913.
    for oranges, importations and descriptions. Nos. 30605, 30620, B.P.I. Bul. 242, pp. 9, 23, 24. 1912.
  tools, descriptions. F.B. 700, pp. 8, 13, 15. 1916.
  top-working—
    apple trees in orchard renovation. F.B. 1284, pp. 25–32. 1922.
    citrus trees. F.B. 1447, pp. 33–34. 1925.
    pecan trees. F.B. 700, pp. 18–23. 1916.
    plum trees. F.B. 1372, pp. 28–32. 1924.
  transmission of mosaic by. J.A.R., vol. 17, pp. 251–253. 1919.
  walnut, directions. B.P.I. Bul. 254, pp. 64–69. 1913.
  wax—
    formulas. B.P.I. Bul. 251, p. 23. 1912; B.P.I. Bul. 254, p. 74. 1913; F.B. 408, pp. 31–32. 1910; F.B. 700, p. 10. 1916; F.B. 1333, pp. 24, 31. 1923; F.B. 1369, pp. 14–18. 1923; F.B. 1447, p. 16. 1925; O.E.S. Bul. 186, p. 38. 1907.
    suitability for Hawaii, description. Hawaii A.R., 1920, p. 23. 1921.
    use in—
      filling holes left by tree borers. F.B. 708, p. 9. 1916.
      waterproofing tree wounds. F.B. 1178, pp. 9, 11. 1920.
  whip, pecan nursery stock, directions and care. F.B. 700, pp. 11–12. 1916.
  See also Grafts; Tree surgery.
Grafts—
  apple, wrapping, relation to crowngall disease. B.P.I. Bul. 100, pp. 13–20. 1907.
  care and treatment. F.B. 700, pp. 10–11, 12, 15–16. 1916.
  pecan, care. B.P.I. Bul. 251, pp. 24, 25. 1912.
  See also Grafting; Tree surgery.
GRAHAM, A. B.: "Farmers' Institute with relation to rural public schools." O.E.S. Bul. 213, pp. 46–51. 1909.
GRAHAM, H. C.—
  "Coffee: Production, trade, and consumption, by countries." Stat. Bul. 79, pp. 134. 1912.
  "Foreign crops, April, 1912. (British India.)" Stat. Cir. 36, pp. 15. 1912.
GRAHAM, I. D.: "Alfalfa for the growing and fattening of animals in the Great Plains region." B.A.I. Cir. 86, pp. 24. 1905.
GRAHAM, S. A.—
  "A neglected factor in the use of nicotine sulphate as a spray." With W. Moore. J.A.R., vol. 10, pp. 47–50. 1917.
  "Physical properties governing the efficacy of contact insecticides." With William Moore. J.A.R., vol. 13, pp. 523–538. 1918.

GRAHAM, S. A.—Continued.
  "Toxicity of volatile organic compounds to insect eggs." J.A.R., vol. 12, pp. 579–587. 1918.
GRAHAM, W. A.: "Soil survey of—
  Gaston County, N. C." Soil Sur. Adv. Sh., 1909, pp. 33. 1911.
  Mecklenburg County, North Carolina." With others. Soil Sur. Adv. Sh., 1910, pp. 42. 1912; Soils F.O. 1910, pp. 381–418. 1912.
  Scotland County, North Carolina." With B. W. Kilgore. Soil Sur. Adv. Sh., 1909, pp. 32. 1911; Soils F.O., 1909, pp. 421–448. 1912.
GRAHAM, W. S.: "The efficiency of a short-type refrigerator car." With others. D.B. 1353, pp. 28. 1925.
Graham flour. *See* Flour, Graham.
Grain(s)—
  accounts, forms. D.B. 811, p. 25. 1919.
  acidity test, improved methods. B.P.I. Chief Rpt., 1915, p. 15. 1915; An. Rpts., 1915, p. 157. 1916.
  acreage—
    and production. Y.B., 1918, pp. 358–359. 1919; Y.B., Sep. 790, pp. 4–5. 1919.
    increase in Algeria, opportunities. News L., vol. 6, No. 24, pp. 8–9. 1919.
    required per head of livestock. Y.B., 1907, pp. 390–391, 393–396. 1908; Y.B. Sep. 456, pp. 390–391, 393–396. 1908.
    under irrigation, Colorado, Cache la Poudre Valley, 1916, 1917. D.B. 1026, p. 43. 1922.
  adaptability to newly irrigated lands. F.B. 399, p. 3. 1910.
  adulterated, exclusion from United States. B.P.I. S.R.A. 2, pp. 9–13. 1915.
  adulteration with ergot. Chem. S.R.A. 15, p. 24. 1915.
  analyses, tables. Chem. Bul. 120, pp. 18–42. 1909; F.B. 429, pp. 16–17. 1911.
  and—
    grasses—
      aphids affecting. Theo. Pergande. Ent. Bul. 44, pp. 5–23. 1904.
      leaf miner, spike-horned, as enemy. Philip Luginbill and T. D. Urbahns. D.B. 432, pp. 20. 1916.
    other substances, moisture tester, uses. J. W. T. Duvel. B.P.I. Cir. 72, pp. 15. 1910; B.P.I. Cir. 72, pp. 16. 1914.
  aphids—
    affecting. Ent. Bul. 44, pp. 5–23. 1904.
    destruction by—
      birds. Y.B., 1912, pp. 397–404. 1913; Y.B. Sep. 601, pp. 397–404. 1913.
      parasites. Ent. Bul. 67, p. 99. 1907.
    distribution, description, injuries, and control methods. News L., vol. 2, No. 15, pp. 2–3. 1914.
    English, life history and natural control. J.A.R. vol. 7, pp. 463–480. 1916.
    European, life history, habits, and control. Ent. Cir. 81, pp. 3–5, 9–10. 1910.
    food plants. Ent. Cir. 93, rev., pp. 5–7. 1909.
    green, description, similarity to oat aphid. D.B. 112, pp. 4, 7. 1914.
    invasion of 1907, description. Ent. Cir. 93, rev., pp. 7–14. 1909.
    or green-bug, prevention of periodical outbreaks. W. R. Walton. F.B. 1217, pp. 11. 1921.
    parasite, importation, and experiments. Ent. Cir. 93, rev., pp. 8–14. 1909.
    spring—
      F. M. Webster. Ent. Cir. 85, pp. 7. 1907.
      control by parasite, Lysiphlebus. Y.B., 1907, pp. 239–242, 253. 1908; Y.B. Sep. 447, pp. 239–242, 253. 1908.
      distribution, food, parasites, and methods of control. Ent. Bul. 110, pp. 1–153. 1912; Ent. Cir. 85, pp. 1–7. 1907; Ent. Cir. 93, pp. 1–18. 1907; Ent. Cir. 93, pp. 1–22. 1909.
      distribution, United States and Canada. F.B. 1217, p. 4. 1921.
      embryology, studies. J.A.R., vol. 4, pp. 403–404. 1915; Ent. Bul. 110, pp. 94–103. 1912.
      food plants among the grasses. Y.B., 1908, p. 569. 1909; Y.B. Sep. 499, p. 569. 1909.
      in South, life history. J.A.R., vol. 14, pp. 97–110. 1918.

INDEX TO PUBLICATIONS, 1901–1925   1051

Grain(s)—Continued.
  aphids—continued.
    spring—continued.
      natural enemies. Ent. Bul. 110, pp. 103–136. 1912.
      or "green bug." F. M. Webster and W. J. Phillips. Ent. Bul. 110, pp. 153. 1912.
      or "green bug" in the Southwest, possibilities of outbreak in 1916. F. M. Webster. Sec. Cir. 55, pp. 3. 1916.
      or so-called "green bug." F. M. Webster. Ent. Cir., 93, pp. 18. 1907; rev., pp. 22. 1909.
      outbreaks, 1890, 1901, 1903, 1907, 1911. Ent. Bul. 110, pp. 19–40. 1912.
      parasites, occurrence and description. Ent. Bul. 110, pp. 12, 18, 25, 33–40, 104–125. 1912.
      rearing methods, description, and results. Ent. Bul. 110, pp. 51–57. 1912.
      viviparous and oviparous development. Ent. Bul. 110, pp. 44–81. 1912.
      See also Green bug.
  appeals, regulations. Sec. Cir. 141, pp. 27–32. 1919.
  area and—
    production, Argentina, 1890–1912. Stat. Cir. 30, pp. 4–8, 10, 11. 1912.
    production, British India, 1891–1912. Stat. Cir. 36, pp. 3–10. 1912.
  Argentina, production and handling. Laurel Duval. Y.B., 1915, pp. 281–298. 1916; Y.B. Sep. 677, pp. 281–298. 1916.
  associations, farmers' cooperative, number, and business. D.B. 1302, pp. 4–5, 8–11, 14–21, 25–28, 33–42, 44, 46–51, 54. 1924.
  average yield per acre in Europe. Stat. Bul. 68, pp. 19–21. 1908.
  barley—
    development, studies. Harry V. Harlan and Stephen B. Anthony. J.A.R., vol. 19, pp. 393–472. 1920.
    structure, development, germination, and changes. D.B. 183, pp. 1–10. 1915.
  beetles—
    and flour, description and habits. F.B. 1260, pp. 28–41. 1922.
    control by para-dichlorobenzene. D.B. 167, pp. 3–4, 5–6. 1915.
    description and habits. Ent. Bul. 96, pp. 8–18. 1911; F.B. 1260, pp. 28–32. 1922; Sec. [Misc.], "A manual of insects * * *," pp. 122, 187. 1917.
    flat, description and habits. F.B. 1260, p. 33. 1922.
    foreign, description. F.B. 1260, p. 31. 1922.
    Mexican, description and habits. F.B. 1260, p. 32. 1922.
    saw-toothed—
      description and habits. F.B. 1260, p. 30. 1922.
      flour-mill pest, control. D.B. 872, pp. 27–39. 1920.
      injury to stored peanuts, note. Ent. Cir. 142, p. 2. 1911.
    Siamese, description and habits. F.B. 1260, pp. 32–33. 1922.
    square-necked, description and habits. F.B. 1260, pp. 30–31. 1922.
  binder—
    cost per acre and per day, relation to service, table. D.B. 338, p. 20. 1916.
    description and use in harvesting sweet-clover seed. F.B. 836, pp. 7–15. 1917.
  bird enemies, Southeastern States. F.B. 755, pp. 12–37. 1916.
  bleached—
    adulteration and misbranding. Chem. N.J. 13219. 1925.
    effect on animals, studies. News L., vol. 3, No. 7, pp. 1–2. 1915.
  bleaching—
    method. B.P.I. Cir. 40, pp. 3–4. 1909.
    with sulphur. B.P.I. Cir. 74, pp. 1–13. 1911.
  borers—
    control by gases, fumigation experiments. D. B. 893, pp. 4, 6, 7, 10. 1920.
    corn destruction in South. F.B. 1029, pp. 22–23. 1919.

Grain(s)—Continued.
  borers—continued.
    description and habits. F.B. 1260, pp. 10–13. 1922.
    fumigation, experiments and results. Ent. Bul. 96, Pt. III, pp. 36–45. 1911.
    larger, description and habits. Ent. Bul. 96, pp. 48–52. 1911; F.B. 1260, p. 13. 1922.
    lesser—
      classification and synonyms. Ent. Bul. 96, Pt. III, p. 30. 1911.
      description and habits. F.B. 1260, pp. 10–13. 1922; Ent. Bul. 96, pp. 29–47. 1911.
  bread—
    production in Germany, 1911–1919. Y.B., 1919, p. 62. 1920; Y.B. Sep. 801, p. 62. 1920.
    statistics—
      1923. Y.B., 1923, pp. 98–110, 602–661. 1924; Y.B., Sep. 898, pp. i–iii, 602–661. 1924.
      1924. Y.B., 1924, pp. 560–600, 1041, 1062, 1172. 1925.
  breeding—
    correlation studies, dry lands and high areas. S.R.S. Rpt., 1916, Pt. I, pp. 77, 78. 1918.
    for frost resistance and drought resistance. B. P.I. Bul. 130, pp. 55–57. 1908.
    house, need at Rampart experiment station, Alaska. Alaska A.R., 1913, pp. 18–19. 1914.
    in—
      Alaska, 1914, Rampart station experiments. Alaska A.R., 1914, pp. 36–38. 1915.
      Alaska, 1919. Alaska A.R., 1919, pp. 7, 10–11, 32–38. 1920.
      Kansas, testing experiments. B.P.I. Bul. 240, pp. 1–22. 1912.
  brewers' or distillers', use as horse feed. F.B. 1030, p. 15. 1919.
  bug—
    damages in Texas and other localities. Ent. Bul. 64, pp. 2, 3, 6, 9. 1911.
    description. D.J. Caffrey and George W. Barber. D.B. 779, pp. 35. 1919.
    enemies, and control methods. D.B. 779, pp. 28–33. 1919.
    injury to cotton. Ent. Bul. 86, p. 73. 1910.
  bulk—
    handling of. E. N. Bates and A. L. Rush. F.B. 1290, pp. 22. 1922.
    loading for ocean transportation. Stat. Bul. 67, p. 42. 1907.
  bundle tying, troubles and remedies. F.B. 947, pp. 13–15. 1918.
  buying and selling—
    by cooperative organizations. D.B. 937, pp. 18–19. 1921.
    on dry-matter basis. D.B. 374, pp. 6–7, 10–30. 1916.
  calf feeding, to supplement skim milk. F.B. 381, pp. 15, 16, 18, 19. 1909.
  care in storage, duties of warehousmeen. Sec. Cir. 141, pp. 13–20. 1919.
  cereal—
    classification, food value, and composition. F.B. 249, pp. 9–10, 16, 34. 1906; F.B. 298, p. 10. 1907; Y.B., 1922, pp. 469, 471. 1923; Y.B. Sep. 891, pp. 469, 471. 1923.
    feeding. F.B. 170, pp. 11–14. 1903.
  classification and inspection, Argentina. Y.B., 1915, pp. 296–298. 1916; Y.B. Sep. 677, pp. 296–298. 1916.
  cleaning—
    in threshing machines. D.C. 98, pp. 1–11. 1920. F.B. 991, pp. 13–15. 1918.
    seed, methods. F.B. 704, pp. 28–29. 1916.
  Colorado crops, comparisons, recommendations. D.B. 1287, pp. 57–60. 1925.
  combines, need for bulk handling of grain. F.B. 1290, p. 17. 1922.
  commercial holdings, June 1, 1918. News L., vol. 5, No. 51, pp. 11–12. 1918.
  companies, cooperative, patronage dividends. John R. Humphrey and W. H. Kerr. D.B. 371, pp. 11. 1916.
  composition and energy value, per 100 pounds. F.B. 346, pp. 7–8, 14–15. 1909.
  consumption by hens in producing a dozen eggs. F.B. 1067, pp. 12–13. 1919.
  contracts, Argentina, terms. Y.B., 1915, pp. 296–298. 1916; Y.B. Sep. 677, pp. 296–298. 1916.

36167°—32——67

Grain(s)—Continued.
  Corporation, United States Food Administration, creation, duties, and scope. News L., vol. 5, No. 52, pp. 8–9. 1918.
  cost—
    in milk production. Y.B., 1922, p. 349. 1923; Y. B. Sep. 879, p. 58. 1923.
    increase. F.B. 929, p. 13. 1918.
  crop(s)—
    acreage and production, graphic summary, maps. Y.B., 1915, pp. 348, 349, 352–359. 1916; Y.B. Sep. 681, pp. 348, 349, 352–359. 1916.
    adaptability to Texas, San Antonio district. F.B. 965, pp. 3–4. 1918.
    and pasture for hogs in the Pacific Northwest. Byron Hunter. D.B. 68, pp. 27. 1914.
    Belle Fourche farm, yield comparisons, 1913–1917. D.B. 1039, pp. 41–42. 1922.
    conditions, June 1, 1914. F.B. 604, pp. 2, 3, 4 6, 7, 8, 12–14. 1914.
    destruction by—
      chinch bug. F.B. 1223, pp. 3–4. 1922.
      prairie dogs. N.A. Fauna 40, p. 7. 1916.
    diseases, losses, and prevention. Y.B., 1908, p. 208. 1909; Y.B. Sep. 475, p. 208. 1909.
    dry-land, milo as. Carleton R. Ball and Arthur H. Leidigh. F.B. 322, pp. 23. 1908.
    field peas, value and use. F.B. 690, pp. 15–16. 1915.
    effects of fertilizing with raw ground rock phosphate. D.B. 699, pp. 31–111. 1918.
    European countries and United States, comparison. F.B. 406, pp. 8–10. 1910.
    experiments on Idaho dry farms. F.B. 769, pp. 22–23. 1916.
    forecasts, Oct. 1, 1913. F.B. 560, pp. 2–6, 9–11. 1913.
    foreign countries, tables and graphs. Y.B., 1916, pp. 533–541, 561, 569, 580, 587–589, 594, 602, 607. 1917; Y.B. Sep. 713, pp. 3–11. 1917; Y.B. Sep. 719, pp. 1–2, 9, 20, 27–29, 34, 42, 47. 1917.
    growing in—
      Alaska, 1905, Copper Center Station, experiments and conditions. O.E.S. Bul. 169, pp. 41–50. 1906.
      Alaska, 1908, yield. Alaska A.R., 1908, pp. 14, 15, 17, 33–39, 45–47, 52–53, 55. 1909.
      Alaska, 1910, experiments. Alaska A.R., 1910, pp. 29–32, 36–39, 45–50, 54–57. 1911.
      Alaska, 1911, experiments. Alaska A.R., 1911, pp. 28, 35–38, 51–52, 54. 1912.
      Alaska, 1912, varieties and yield. Alaska A.R. 1912, pp. 30, 34–35, 50–51, 59–64. 1913.
      Alaska, 1919. Alaska A.R., 1919, pp. 10–11, 13, 32–38, 47–51, 69–71. 1920.
      California, upper San Joaquin Valley. Soil Sur. Adv. Sh., 1917, pp. 21, 50–68, 77, 95–104. 1921; Soils F.O., 1917, pp. 2549–2550, 2551, 2553, 2630, 2643. 1923.
      South Dakota, western part, 1904, 1909. Soil Sur. Adv. Sh., 1909, pp. 68–69. 1911; Soils F.O. 1909, pp. 1464–1465. 1912.
    growing on Montana dry land, general directions. F.B. 749, pp. 4–10. 1916.
    hogged-off areas, determination methods. F.B. 599, pp. 9–10. 1914.
    injury caused by sapping of windbreaks. For. Bul. 86, pp. 37–38. 1911.
    insect outbreaks, detection and control. W.R. Walton. F.B. 835, pp. 24. 1917; rev., 1920.
    labor, day's work for implements, horses, and men. D.B. 412, pp. 2, 6–7. 1916.
    protection—
      against birds. Biol. Chief Rpt., 1921, pp. 13–14. 1921.
      by windbreaks. F.B. 788, pp. 9–10. 1917.
    semiarid regions, emmer. Mark Alfred Carleton. F.B. 139, pp. 16. 1901.
    statistics—
      1914. Y.B., 1914, pp. 511–556, 655, 662. 1915; Y.B. Sep. 654, pp. 511–556, 586–593. 1915; Y.B. Sep. 657, pp. 655, 662. 1915.
      1915. Y.B., 1915, pp. 410–453, 479–487. 1916; Y.B. Sep. 682, pp. 410–453, 479–487. 1916.
      1916. Y.B., 1916, pp. 561–610. 1917; Y.B. Sep. 719, pp. 50. 1917.

Grain(s)—Continued.
  crop(s)—continued.
    statistics—continued.
      1917. Y.B., 1917, pp. 605–654. 1918; Y.B. Sep. 759, pp. 50. 1918.
      1918. Y.B., 1918, pp. 449–506. 1919; Y.B. Sep. 791, pp. 60. 1919.
      1919. Y.B., 1919, pp. 509–567. 1920; Y.B. Sep. 826, pp. 509–567. 1920.
      1920. Y.B., 1920, pp. 534–610. 1921; Y.B. Sep. 861, pp. 79. 1921.
      1921. Y.B., 1921, pp. 507–580. 1922; Y.B. Sep. 868, pp. 74. 1922.
      1922. Nat C. Murray and others. Y.B., 1922, pp. 569–665. 1923; Y.B. Sep. 881, pp. 569–665. 1923.
    suitability for pasture, hogging-off in Pacific Northwest. F.B. 599, pp. 6–9, 10–27. 1914.
    suitable for limited means. F.B. 399, p. 23. 1910.
    winter, value for South. F.B. 436, p. 5. 1911.
    Wyoming, acreage and value. O.E.S. Bul. 205, p. 23. 1909.
  culture, Europe, extent, relative areas, by countries. Stat. Bul. 68, pp. 8–21. 1908.
  cutting, work done by tractors and horses on Corn Belt farms. D.B. 997, pp. 15, 22, 27, 30, 34, 36, 37. 1921.
  cutworms, control by cultural methods. Ent. Bul. 67, p. 126. 1907.
  dairy feeding, supplementing with legumes, B.A.I. Doc. A–25, p. 1. 1917.
  damaged and by-products, use as corn substitutes, feed value, and cost. News L. vol. 5, No. 7, pp. 8–9. 1917.
  damage by rats. Biol. Bul. 33, pp. 19–22. 1909.
  dealer, country and Federal grain supervision. Mkts. S.R.A. 47, pp. 21. 1919.
  delivery contracts, kinds, hazards, and advantages. D.B. 558, pp. 23–25. 1917.
  description and use in bread making. F.B. 389, pp. 8–16. 1910.
  destruction by—
    birds. F.B. 513, pp. 18–22. 1913.
    bobwhite and quail. Biol. Bul. 21, pp. 28–31, 51, 57, 60. 1905.
    Brewer's blackbird, California. Biol. Bul. 34, pp. 60, 63. 1910.
    grosbeaks. Biol. Bul. 32, pp. 8–9, 25, 29, 32, 37–38, 66, 76, 79–80, 85. 1908.
    ground squirrels in California. Biol. Cir. 76, p. 6. 1910.
    grouse and turkeys. Biol. Bul. 24, pp. 17, 20, 22, 24, 43, 51. 1905.
    meadow mice. J.A.R., vol. 27, p. 533. 1924.
  digestibility, composition, and comparisons. B.A.I. Bul. 128, pp. 30–34, 135–136, 162–166, 189–197. 1911.
  diseases, relation to market values. Y.B., 1921, p. 22. 1922; Y.B. Sep. 875, p. 22. 1922.
  disinfection methods for smut control. F.B. 939, pp. 15–24. 1918.
  distilleries, chemical control of operations. Chem. Bul. 130, pp. 117–121. 1910.
  distillers, misbranding. Chem. N.J. 12714. 1925.
  dockage problem, discussion. Sec.A.R., 1924, pp. 39–40. 1924.
  doors in cars for, directions. Mkts. S.R.A. 26, pp. 33–36. 1917.
  driers in the United States. Mkts. Doc. 12, pp. 6. 1918.
  drills—
    cost per acre and per day, relation to service, table. D.B. 338, pp. 12–13. 1916.
    kinds needed in dry farming. F.B. 769, pp. 8–9. 1916.
    use and value in irrigation farming. F.B. 1103, p. 14. 1920.
  dry—
    farming, tests. O.E.S. An. Rpt., 1911, pp. 145–146. 1912.
    land—
      William M. Jardine. B.P.I. Cir. 12, pp. 14. 1908.
      in Great Basin. F. D. Farrell. B.P.I. Cir. 61, pp. 39. 1910.
      Oregon. L. R. Breithaupt. F.B. 800, pp. 22. 1917.
      western North and South Dakota. Cecil Salmon. B.P.I. Cir. 59, pp. 24. 1910.

Grain(s)—Continued.
  drying to reduce moth infestation. F.B. 1156, p. 17. 1920.
  dust explosions—
    cause and prevention. Chem., [Misc.], "Just a word about * * *," pp. 10. 1919; [Misc.] "Prevent grain dust * * *," pp. 7. 1918.
    investigation, experimental attrition mill, Pennsylvania State College. B. W. Dedrick and others. D.B. 681, pp. 54. 1918.
  early varieties, escape from rust. F.B. 219, pp. 16-19. 1905.
  elevators—
    accounting system. D.B. 236, pp. 1-30. 1915.
    accounts system, costs of operation, etc. An. Rpts., 1916, pp. 386-387. 1917; Mkts. Chief Rpt., 1916, pp. 2-3. 1917.
    bookkeeping system. B. B. Mason and others. D.B. 811, pp. 53. 1919.
    companies, cooperative organization. J. M. Mehl and O. B. Jesness. D.B. 860, pp. 40. 1920.
    equipped with driers, March, 1918, list. Mkts. Doc. 12, pp. 1-6. 1918.
    "hospital," operation and benefits. D.B. 937, p. 13. 1921.
    in Argentina, location and capacity. Y.B., 1915, pp. 295-296. 1916; Y.B. Sep. 677, pp. 295-296. 1916.
    in country, uses, functions, cost, and hazards. D.B. 558, pp. 2-6, 34-41. 1917.
    methods of unloading. Rpt. 98, pp. 64, 76. 1913.
    New York port. Stat. Bul. 38, pp. 57-58. 1905.
    opening books and lumber accounting. John R. Humphrey and W. H. Kerr. Mkts. Doc. 2, pp. 12. 1916.
    primary, accounts system. John R. Humphrey and W. H. Kerr. D.B. 362, pp. 30. 1916.
    reports of corn supply, December, 1916, to April, 1917. Mkts. S.R.A. 23, pp. 36-47. 1917.
    Russia, system and statistics. Stat. Bul. 65, pp. 20-27. 1908.
    storage, charges, and hazards. D.B. 558, pp. 25-27, 39. 1917.
    system of bookkeeping for. B. B. Mason and others. D.B. 811, pp. 53. 1919.
  wheat—
    cleaning devices and management. F.B. 1287, pp. 13-14. 1922.
    handling. Y.B., 1921, p. 131. 1922; Y.B. Sep. 873, p. 131. 1922.
  energy values, computed. B.A.I. Bul. 128, pp. 57-60. 1911.
  estimating quantity in bins, with chart reducing necessary computations. E. N. Bates. M.C. 41, pp. 8. 1925.
  exchange, supervision. Sec. A.R., 1921, pp. 15-31. 1921; Y.B., 1921, pp. 14, 34-35. 1922; Y.B. Sep. 875, pp. 14, 34-35. 1922.
  experiments on fallow and other ground. D.B. 1310, pp. 4-6. 1923.
  exports—
    1851-1908. Stat. Bul. 75, pp. 43-44. 1910.
    1907-1914, countries to which consigned. Y.B., 1914, p. 680. 1915; Y.B. Sep. 657, p. 680. 1915..
    1917-1919, 1910-1919. Y.B., 1920, pp. 15, 36. 1921; Y.B. Sep. 864, pp. 15, 36. 1921.
    1921. Y.B., 1921, pp. 746, 747, 751, 752, 753, 760-761. 1922; Y.B. Sep. 867, pp. 10, 11, 15, 16, 17, 24-25. 1922.
    1924, by kinds. Y.B., 1924, p. 1044. 1925.
    contract forms, advantages and disadvantages. B.P.I. Cir. 55, pp. 26-27. 1910.
    from Hungary, 1911-1915 and 1921-22. D.B. 1234, pp. 15-18, 21-27, 38. 1924.
    improvement, recommendations. B.P.I. Cir. 55, pp. 38-39. 1910.
    inspection at European ports. Sec. A.R., 1908, p. 62. 1908; An. Rpts., 1908, p. 64. 1908.
    losses by shipwreck. Stat. Bul. 89, p. 86. 1911.
    northern border and lake ports, 1871-1909. Stat. Bul. 81, pp. 51-52. 1910.
    need of government inspection. Rpt. 67, pp. 34-42. 1901.
    Pacific coast trade. Rpt. 98, pp. 70-71. 1913.
    Russian, and balance of trade, 1886-1904. Stat. Bul. 66, p. 9. 1908.
  fall-sown, in Maryland and Virginia. T. R. Stanton. F.B. 786, pp. 24. 1917.

Grain(s)—Continued.
  farm(s)—
    and clover, plan, rotations, and possible returns. F.B. 370, pp. 13-17. 1909.
    and hay, plan, rotations, and possible yields. F.B. 370, pp. 10-12. 1909.
    Dakota, labor data for different seasons. Y.B., 1911, pp. 278-279. 1912; Y.B. Sep. 567, pp. 278-279. 1912.
    rotations, including alfalfa. F.B. 1021, pp. 5-6. 1919.
    value per acre, by States and territories, 1900-1905. Stat. Bul. 43, pp. 12, 14, 16, 18, 29, 39. 1906.
  farming—
    and stock raising on muck lands, Indiana and Michigan. F.B. 761, pp. 12-13, 14, 15, 16, 17, 18. 1916.
    combination with livestock production on Great Plains. D.B. 1244, p. 51. 1924.
    in—
      Corn Belt. (With all bulletins to which reference is made.) Carl Vrooman. Sec. [Misc.], "Grain farming in * * *," pp. 48. 1916.
      Corn Belt, with livestock as side line. Carl Vrooman. F.B. 704, pp. 48. 1916.
      Idaho, Portneuf area. Soil Sur. Adv. Sh., 1918, pp. 13-14. 1921; Soils F.O. 1918, pp., 1505-1506. 1924.
      New York, Tompkins County. Soil Sur. Adv. Sh., 1921, pp. 1571-1572. 1924.
      North Dakota, farm practices. C. M. Hennis and Rex E. Willard. D.B. 757, pp. 35. 1919.
      southern Arizona, acreage, methods and income. D.B. 654, pp. 3, 36-38, 42-47. 1918.
    methods in Great Basin. B.P.I. Cir. 61, pp. 17-31. 1910.
  feed—
    for—
      brood mares. F.B. 803, pp. 12-13. 1917.
      calves, mixtures and directions. F.B. 1336, pp. 7-8. 1923.
      chickens, Guam. Guam A.R., 1919, pp. 9, 19. 1921.
      farm cow. Sec. [Misc.], Spec., "Feeding * * * farm cow * * *" pp. 2-3. 1914.
      growing chicks. D.C. 17, p. 4. 1919; F.B. 1111, pp. 4-5. 1920.
      hens and chicks. D.B. 1052, pp. 4, 23. 1922; F.B. 287, rev., pp. 15, 16, 26. 1921; F.B. 562, pp. 7-8. 1913.
      hogs, Alabama diversification farm. F.B. 310. p. 11. 1907.
      hogs, ground and whole, experiments. B.A.I. Bul. 47, pp. 78-85. 1904.
      hogs on pasture, experiments. W.I.A. Cir. 22, pp. 23-29. 1918; F.B. 411, pp. 34-36. 1910; F.B. 599, pp. 3-5. 1914.
      hogs, with alfalfa pasture, grains. B.P.I. Bul. 111, Pt. IV, p. 8. 1907.
      horses, quantity and cost. D.B. 560, pp. 5-6. 1917.
      milk cows on pasture. F.B. 317, pp. 26-27. 1908.
      rabbits. F.B. 1090, pp. 17, 18. 1920.
      sheep. F.B. 929, p. 21. 1918.
    mixtures used in feeding exhibition cattle. F.B. 486, pp. 5-12. 1912.
    protein and net energy values per 100 pounds. D.B. 459, p. 12. 1916.
    sorghum seed, use and value, comparison with corn. F.B. 1158, pp. 26-27. 1920.
    southern dairy. F.B. 151, pp. 34-35. 1902.
    value, computations. Chem. Bul. 120, pp. 1-64. 1909; J.A.R., vol. 31, pp. 472-478. 1925.
    weight and measure table. F.B. 1419, p. 6. 1924.
  feeding whole, experiments. F.B. 296, pp. 21-23. 1907.
  fertilizers—
    in Maryland and Virginia. F.B. 786, pp. 5-7. 1917.
    influence on phosphoric-acid content. Hawaii Bul. 41, p. 14. 1916.
    of sulphur, experiments. J.A.R., vol. 5, No. 6, pp. 237, 245-247. 1915.

Grain(s)—Continued.
   fertilizers—continued.
      requirements and composition of various brands. Soils Bul. 58, pp. 19, 23, 25, 31, 34. 1910.
   fever. See Dermatitis; Rash.
   filthy or unsound, cause of going light in pigeons. F.B. 684, pp. 13, 14. 1915.
   flies, two-winged, description, and injuries. Ent. Bul. 42, pp. 40-43. 1903.
   food—
      of—
         birds on Maryland farm. Biol. Bul. 17, pp. 65-70. 1902.
         horned larks. Biol. Bul. 23, pp. 13-19, 31, 32, 34. 1905.
         shoal-water ducks. D.B. 862, pp. 6, 12, 19, 24, 33, 40, 50. 1920.
      standards. Sec. Cir. 136, pp. 6-7. 1919.
      values, estimation, method. Chem. Bul. 120, p. 17. 1909.
      for—
         Montana dry lands. N. C. Donaldson. F.B. 749, pp. 23. 1916.
         Oregon dry lands. L. R. Breithaupt. F.B. 800, pp. 2. 1917.
         seed, supply selection and treatment. Sec. Cir. 108, pp. 10-11. 1918.
         semiarid regions, emmer. Mark Alfred Carleton. F.B. 139, pp. 16. 1901.
         Utah dry lands. Jenkin W. Jones and Aaron F. Bracken. F.B. 883, pp. 22. 1917.
         western North and South Dakota. F. Ray Babcock and others. F.B. 878, pp. 22. 1917.
   forage for hogs, number per acre. F.B. 331, pp. 10-12. 1908.
   foreign import tariffs, with grain products, 1903. Frank H. Hitchcock. For. Mkts. Bul. 37, pp. 59. 1903.
   freight rates—
      1871-1910. Y.B., 1910, pp. 647-649, 651, 652. 1911; Y.B. Sep. 553, pp. 647-649, 651, 652. 1911.
      1911. Y.B., 1911, pp. 653, 654. 1912; Y.B., Sep. 588, pp. 653, 654. 1912.
      1912. Y.B., 1912, pp. 704-706, 707-710. 1913; Y.B. Sep. 615, pp. 704-706, 707-710. 1913.
      Pacific coast. Stat. Bul. 89, pp. 59-71. 1911.
      rail and water, comparison. Rpt. 98, pp. 67-68. 1913.
   fumigation—
      effect on heating caused by insect infestation. J.A.R., vol. 28, pp. 1103-1116. 1924.
      for Angoumois moth control. F.B. 1156, pp. 17-19. 1920.
      with carbon bisulphide. F.B. 799, pp. 1, 10-12, 21. 1917.
   futures—
      act—
         1922, general rules and regulations, Secretary of Agriculture, with respect to contract markets. M.C. 10, pp. 65. 1923.
         administration work. Y.B., 1923, pp. 55-56. 1924.
         administration report. Chester Morrill. An. Rpts., 1923, pp. 689-692. 1923; Gr. Fut. Ad. A.R., 1923, pp. 4. 1923.
         Administration workers list. Pub. [Misc.] Pt. I, p. 66. 1922.
         benefit to farmers. Y.B., 1922, pp. 13, 48-49. 1923; Y.B., Sep. 883, pp. 13, 48-49. 1923.
      administration, report—
         1924. Gr. Fut. Ad. A.R., 1924, pp. 76. 1924; Sec. A.R., 1924, pp. 59-61. 1924.
         1925. Gr. Fut. Ad. A.R., 1925, pp. 32. 1925; Sec. A.R., 1925, pp. 37-38. 1925.
      daily data, volume of trading, Chicago, Jan. 1, 1921-May 31, 1924. Stat. Bul. 6, pp. 25. 1924.
   gathering methods, by States. Y.B., 1918, p. 689. 1919; Y.B. Sep. 795, p. 25. 1919.
   grades—
      as aid to farmers. Sec. A.R., 1924, pp. 38-40. 1924.
      certificates, regulations and opinions. Mkts. S.R.A. 15, pp. 1-9, 12-16. 1916; Mkts. S.R.A. 18, pp. 3-4. 1917.
   grading—
      American exports, European complaints. News L., vol. 3, No. 42, pp. 1-2. 1916.

Grain(s)—Continued.
   grading—continued.
      appeals—
         instructions. Mkts. S.R.A. 52, pp. 20. 1919.
         work of supervisors. Y.B., 1918, pp. 339-340, 342. 1919; Y.B. Sep. 766, pp. 7-8, 10. 1919.
      at terminals, Northwest wheat. Mkts. S.R.A. 48, pp. 7. 1919.
      methods, Argentina. Y.B., 1915, pp. 296-298. 1916; Y.B. Sep. 677, pp. 296-298. 1916.
      regulations. Sec. Cir. 141, pp. 26-27. 1919.
      reports of inspectors. Mkts. S.R.A. 44, pp. 124. 1919.
      traveling schools in Ohio. News L., vol. 6, No. 42, pp. 15-16. 1919.
      use of samplers, importance. D.B. 857, pp. 3-4. 1920.
   green—
      cut, acreage, census 1909, by States, map. Y.B., 1915, p. 366. 1916; Y.B. Sep. 681, p. 366. 1916.
      use as forage crop in cotton region, varieties. F.B. 509, p. 18. 1912.
   grinding—
      for feed, objections and cost. F.B. 384, p. 13. 1910.
      toll, South Carolina law. Chem. Bul. 69, Pt. VII (rev.), p. 583. 1906.
   gross income from, 1923-1925. Sec. A.R., 1925, p. 1. 1925.
   ground, value as scratch rations for chickens, results. D.B. 561, pp. 15-16, 41. 1917.
   growers—
      Canadian marketing methods. D.B. 937, pp. 2-15. 1921.
      European, influence of depreciation of exchange. Y.B., 1919, pp. 191-196. 1920; Y.B. Sep. 807, pp. 191-196. 1920.
      United States, marketing methods. D.B. 937, pp. 15-18. 1921.
   growing—
      and—
         testing, Alaska, Rampart station. O.E.S. An. Rpt., 1912, pp. 17, 72. 1913.
         yield on Chester loam. Soils Cir. 55, p. 7. 1912.
         yield on Clyde loam. Soils Cir. 37, pp. 10-11. 1911.
         yield on Dekalb silt loam. Soils Cir. 38, p. 13. 1911.
         yield, on Fargo clay loam. Soils Cir. 36, pp. 9-12. 1911.
         yield, Pajaro Valley, California. Soil Sur. Adv. Sh., 1908, p. 9. 1910; Soils F.O., 1908, p. 1335. 1911.
      cultural methods against insects. F.B. 835, pp. 3-6, 13, 17, 18, 20-21, 23. 1917.
      day's work for several operations. D.B. 814, pp. 19-23. 1920; Y.B., 1922, pp. 1053-1055. 1923; Y.B. Sep. 890, pp. 1053-1055. 1923.
      failures under irrigation, causes. F.B. 863, p. 21. 1917.
      fall planting and farmers, conferences. An. Rpts., 1917, pp. 26-28. 1918; Sec. A.R., 1917, pp. 28-30. 1917; Y.B., 1917, pp. 38-41, 74-75. 1918.
      fertilizer requirements and sources. F.B. 968, pp. 13-14. 1918.
      for—
         feed, suggestion for New England farmers. F.B. 1289, pp. 10-11. 1923.
         forage, Alaska, tests. Alaska A.R., 1916, p. 64. 1918.
         hay in northern Great Plains. D.B. 1244, pp. 43-44, 47. 1924.
      in Alaska—
         1916. Alaska Cir. 1, pp. 17, 27. 1916.
         1924. Alaska A.R., 1924, pp. 9-13, 18-22. 1926.
         central. Soil Sur. Adv. Sh., 1914, pp. 50, 57, 80, 87, 149, 165-166, 182. 1915; Soils F.O., 1914, pp. 84, 91, 114, 121, 182, 198-199, 215. 1919.
         Kenai Peninsula. Soil Sur. Adv. Sh., 1916, pp. 71, 105-106. 1918; Soils F.O., 1916, pp. 103, 137-138. 1921.
         yields. Soil Sur. Adv. Sh., 1914, pp. 50, 57, 80, 87, 164, 183, 192. 1915; Soils F.O., 1914, pp. 104, 114, 121, 198-199, 205-206, 242, 267. 1919.

Grain(s)—Continued
 growing—continued.
  in Arizona, Middle Gila Valley area. Soil Sur. Adv. Sh., 1917, pp. 12-13, 20-29. 1920; Soils F.O., 1917, pp. 2094-2095, 2102-2111. 1923.
  in California—
   Anaheim County. Soil Sur. Adv. Sh., 1916, pp. 13-15, 18, 27-68. 1919; Soils F.O., 1916, pp. 2279-2281, 2284, 2293-2333. 1921.
   Big Valley. Soil Sur. Adv. Sh., 1920, pp. 1008, 1021-1029. 1924; Soils F.O., 1920, pp. 1008, 1021-1029. 1925.
   central southern area. Soil Sur. Adv. Sh., 1917, pp. 33, 43-118. 1921; Soils F.O., 1917, pp. 2431, 2441-2551. 1923.
   Grass Valley area. Soil Sur. Adv. Sh., 1918, pp. 14, 29-34. 1921; Soils F.O., 1918, pp. 1698, 1713-1718. 1924.
   Los Angeles area. Soil Sur. Adv. Sh., 1916, pp. 19, 34-62. 1919; Soils F.O., 1916 pp. 2361, 2373-2412. 1921.
   lower San Joaquin Valley. Soil Sur. Adv. Sh., 1915, pp. 17, 64, 74, 86, 112, 132, 133. 1918; Soils F.O., 1915, pp. 2593-2594, 2641, 2650, 2662, 2688, 2708, 2709. 1919.
   Merced area. Soil Sur. Adv. Sh., 1914, pp. 10, 12, 24-62. 1916; Soils F.O., 1914, pp. 2792, 2804-2844. 1919.
   Modesto-Turlock area, methods and yields. Soil Sur. Adv. Sh., 1908, pp. 12-16. 1909. Soils F.O., 1908, pp. 1236-1240. 1911.
   Middle San Joaquin Valley. Soil Sur. Adv. Sh., 1916, pp. 22-23, 48-101. 1919; Soils F.O. 1916, pp. 2436, 2459-2515. 1921.
   Sacramento Valley. Soil Sur. Adv. Sh., 1913, pp. 17, 75-132. 1915; Soils F.O., 1913, pp. 2307, 2365-2422. 1916.
   San Fernando Valley area. Soil Sur. Adv. Sh., 1915, pp. 14, 31-34, 39, 45-56. 1917; Soils F.O., 1915, pp. 2460, 2477-2480, 2485, 2491-2502. 1919.
   San Francisco Bay region. Soil Sur. Adv. Sh., 1914, pp. 16, 34-104. 1917; Soils F.O., 1914, pp. 2688, 2706-2776. 1919.
   Santa Maria area. Soil Sur. Adv. Sh., 1916, pp. 10, 12-13, 24-45. 1919; Soils F.O., 1916, pp. 2536-2541, 2550-2571. 1921.
   Shasta Valley area. Soil Sur. Adv. Sh., 1919, pp. 103, 105, 117-144. 1923; Soils F.O., 1919, pp. 103, 105, 117-144. 1925.
   Ukiah area. Soil Sur. Adv. Sh., 1914, pp. 16, 28-50. 1916; Soils F.O., 1914, pp. 2640, 2652-2674. 1919.
   Ventura area. Soil Sur. Adv. Sh., 1917, pp. 13, 19, 31-76. 1920; Soils F.O., 1917, pp. 2329, 2335, 2347-2392. 1923.
   Willits area. Soil Sur. Adv. Sh., 1918, pp. 9, 18-26. 1920; Soils F.O., 1918, pp. 1729, 1738-1746. 1923.
   Woodland area. Soil Sur. Adv. Sh., 1909, pp. 12, 21, 22, 29, 37, 41, 42, 46, 60. 1911; Soils F.O., 1909, pp. 1642, 1651, 1652, 1659, 1667, 1671, 1672, 1676, 1680. 1912.
  in Colorado, experiments. D.B. 1287, pp. 18-56. 1925.
  in Idaho, Nez Perce and Lewis Counties. Soil Sur. Adv. Sh., 1917, pp. 12-13, 18, 23-28. 1920; Soils F.O., 1917, pp. 2128-2129, 2139-2145. 1923.
  in Illinois, O'Fallon area. Soil Sur. Adv. Sh., 1904, p. 841. 1905; Soils F.O., 1904, p. 841. 1905.
  in Kentucky—
   labor, seasonal requirements. D.B. 678, p. 8. 1918.
   Shelby County. Soil Sur. Adv. Sh., 1916, pp. 12, 14, 36. 1919; Soils F.O., 1916, pp. 1422, 1424, 1465. 1921.
  in Maryland, Allegany County, 1879-1919. Soil Sur. Adv. Sh., 1921, pp. 1068, 1069, 1078. 1925.
  in Minnesota—
   Pennington County. Soil Sur. Adv. Sh., 1914, pp. 9, 17. 1916; Soils F.O., 1914, pp. 1731, 1739. 1919.
   Rice County. Soil Sur. Adv. Sh., 1909, pp. 11-35. 1911; Soils F.O., 1909, pp. 1275-1299. 1912.

Grain(s)—Continued
 growing—continued.
  in Missouri—
   Lincoln County. Soil Sur. Adv. Sh., 1917, pp. 10-13, 18-41. 1920; Soils F.O., 1917, pp. 1488-1491, 1496-1521. 1923.
   Ozark region, acreage and production. D.B. 941, pp. 18, 19, 24, 42-51. 1921.
  in Montana—
   irrigated sections. B.P.I. Doc. 462, p. 4. 1909.
   Bitter Root Valley area. Soil Sur. Adv. Sh., 1914, pp. 15, 35-68. 1917; Soils F.O., 1914, pp. 2473, 2493-2526. 1919.
  in Nebraska—
   1911, 1912, 1913, varieties and yields. B.P.I. Doc. 1081, pp. 11-14. 1914.
   Boone County. Soil Sur. Adv. Sh., 1921, p. 1175. 1925.
  in New York—
   Washington County. Soil Sur. Adv. Sh., 1909, pp. 20-21, 22. 1911; Soils F.O., 1909, pp. 120-121, 122. 1912.
   White Plains area. Soil Sur. Adv. Sh., 1919, pp. 22-35, 43. 1922; Soils F.O., 1919, pp. 22-35, 43. 1921.
   Yates County. Soil Sur. Adv. Sh., 1916, pp. 8-9, 11, 16-32. 1918; Soils F.O., 1916, pp. 222-223, 225, 230-242. 1921.
  in North Dakota, Bottineau County. Soil Sur. Adv. Sh., 1915, pp. 10-13, 14-15. 1917; Soils F.O., 1915, pp. 502, 503, 504. 1919.
  in South Dakota—
   cooperative experiments. D.B. 39, pp. 1-37. 1914.
   yields, 1909-1919, cultural methods, etc. F.B. 1163, pp. 6-8, 11-14. 1920.
  in southern Great Plains area, methods and yield. D.B. 242, pp. 1-20. 1915.
  in Texas, San Antonio region, disadvantages. B.P.I. Bul. 237, pp. 7-8. 1912.
  in Utah—
   Ashley Valley. Soil Sur. Adv. Sh., 1920, pp. 913, 919-934. 1924; Soils F.O., 1920, pp. 913, 919-934. 1925.
   Delta area. Soil Sur. Adv. Sh., 1919, pp. 8-9, 15, 20, 26, 29. 1922; Soils F.O., 1919, pp. 1804-1805, 1811, 1816, 1822, 1825. 1925.
  in Washington, Spokane County. Soil Sur. Adv. Sh., 1917, pp. 21, 27, 41-94. 1921; Soils F.O., 1917, pp. 2170, 2171, 2177, 2191-2244. 1923.
  in Wisconsin—
   Columbia County, yields. Soil Sur. Adv. Sh., 1911, pp. 9-11, 22-54. 1913; Soils F.O., 1911, pp. 1369-1371, 1382-1414. 1914.
   Outagamie County. Soil Sur. Adv. Sh., 1918, pp. 9-10, 18-28. 1921; Soils F.O., 1918, pp. 985-986, 994-1009. 1924.
   Waukesha County, yield. Soil Sur. Adv. Sh. 1910, pp. 14, 22, 26, 30, 32, 35, 37. 1912; Soils F.O., 1910, pp. 1182, 1190, 1194, 1198, 1200, 1203, 1205. 1912.
  in Yukon Valley, successful experiments. O.E.S. Dir. Rpt., 1909, p. 17. 1909; An. Rpts., 1909, p. 695. 1910.
  on—
   dry lands, equipment. F.B. 800, p.9. 1917.
   irrigated land, Belle Fourche farm, yield comparison. D.B. 1039, pp. 64-65, 72. 1922.
   peat soils. D.B. 802, pp. 7-8, 15, 25, 38. 1919.
   southern Idaho dry farms. L. C. Aicher. F.B. 769, pp. 23. 1916.
  seeding and harvesting. F.B. 878, pp. 6-10, 15, 16, 18, 19, 21. 1917.
  under irrigation, cost and returns. F.B. 399, pp. 21-23. 1910.
 handling—
  and distribution, from producer to consumer. D.B. 558, pp. 12-16. 1917.
  in transit by wagons, cars, and vessels. Rpt. 98, pp. 63-65. 1913.
  to reduce insect injury. F.B. 1260, pp. 45-46. 1922.
 hardiness, relation to density of cell sap. J.A.R., vol. 13, pp. 497-506. 1918.
 harvest time, relations. Y.B., 1921, p. 100. 1922; Y.B. Sep. 873, p. 100. 1922.

Grain(s)—Continued.
　harvesting—
　　binder-twine consumption. Y.B., 1918, pp. 358-359. 1919; Y.B. Sep. 790, pp. 4-5. 1919.
　　day's work. D.B. 3, pp. 33-35, 44. 1913.
　　Maryland and Virginia, shocking and stacking. F.B. 786, pp. 12-14. 1917.
　　Montana dry lands, methods. F.B. 749, pp. 7-10. 1916.
　　saving labor by larger teams and implements. F.B. 989, p. 12. 1918.
　　use of horses and tractors on Corn-Belt farms. F.B. 1295, pp. 9-11. 1923.
　hay, yield by States, 1899-1924. Stat. Bul. 11, p. 20. 1925.
　header—
　　adaptability and use for grain-sorghum harvesting. F.B. 448, pp. 31-32. 1911.
　　description, and use in harvesting sweet-clover seed. F.B. 836, pp. 15-16. 1917.
　heating in storage, cause. J.A.R., vol. 12, pp. 685-686. 1918; J.A.R., vol. 28, pp. 1108-1114. 1924.
　hosts of wheat scab, list. F.B. 1224, pp. 2, 5. 1921.
　hulls—
　　composition, effect of sodium hydroxide. J.A.R., vol. 27, pp. 254-258. 1924.
　　digestibility, effect of sodium hydroxide. J.A.R., vol. 27, pp. 259-263. 1924.
　import(s)—
　　1851-1908. Stat. Bul. 74, pp. 39-40. 1910.
　　1871-1909, from Canada. Stat. Bul. 81, p. 53. 1910.
　　1906-1910, and exports. Y.B., 1910, pp. 659, 669. 1911; Y.B. Sep. 554, pp. 659, 669. 1911.
　　1907-1909, quantity and value, by countries from which consigned. Stat. Bul. 82, pp. 43-44. 1910.
　　1908-1910, quantity and value, by countries from which consigned. Stat. Bul. 90, pp. 45-46. 1911.
　　1909-1911, by countries from which consigned. Stat. Bul. 95, pp. 49-50. 1912.
　　1917-1919. Y.B., 1920, p. 7. 1921; Y.B. Sep. 864, p. 7. 1921.
　　1919-1921, and exports. Y.B., 1922, pp. 953, 958, 961, 973. 1923; Y.B. Sep. 880, pp. 953, 958, 961, 973. 1923.
　　1922-1924, by kinds. Y.B., 1924, p. 1062. 1925.
　　duties of European countries. Stat. Bul. 68, pp. 44-49. 1908.
　　of Germany. Y.B., 1919, pp. 61-68. 1920; Y.B. Sep. 801, pp. 61-68. 1920.
　　of Netherlands. Stat. Bul. 72, p. 8. 1909.
　importations—
　　from Jan. 1 to Mar. 31, 1921, discussion. B.P.I. Inv. 66, pp. 2-3. 1923.
　　inspection requirements, opinion. Mkts. S.R.A. 18, pp. 14-15. 1917.
　in storage bins, notes on pressures. W. J. Larkin, jr. D.B. 789, pp. 16. 1919.
　industry—
　　benefit of uniform grades. Y.B., 1918, pp. 341-344. 1919; Y.B. Sep. 766, pp. 9-12. 1919.
　　changes, and dependence on binder-twine supply. D.B. 930, pp. 2-3. 1921; Y.B., 1918, pp. 357-359. 1919; Y.B. Sep. 790, pp. 3-5. 1919.
　infestation—
　　by—
　　　jointworms. D.B. 808, pp. 2-15. 1920.
　　　lesser grain borer. Ent. Bul. 96, Pt. III, pp. 33, 34. 1911.
　　　mites, control. Ent. Cir. 118, pp. 13-14, 16, 23. 1910; Rpt. 108, p. 116. 1915.
　　methods and prevention. F.B. 1260, pp. 43-46. 1922.
　infested, treatment by heat and fumigation. F.B. 1260, pp. 46-47. 1922.
　influence of environment, investigations, program, 1915. Sec. [Misc.], "Program of work * * * 1915," pp. 181-182. 1914.
　injury by—
　　Angoumois grain moth. F.B. 1156, pp. 5, 7-15. 1920.
　　dampness, control experiments and device, Guam. O.E.S. An. Rpt., 1910, pp. 507-509. 1911.
　　grosbeaks, control methods. F.B. 456, pp. 12-13. 1911.

Grain(s)—Continued.
　injury by—continued.
　　Helminthosporium spp. J.A.R., vol. 24, pp. 641-740. 1923.
　　larks, prevention by drill planting. Biol. Bul. 23, pp. 15, 16, 33. 1905.
　　Mexican grain beetle and Siamese grain beetle. Ent. Bul. 96, Pt. I, pp. 8, 14-15, 18. 1911.
　　over irrigation. F.B. 399, pp. 16-17. 1910.
　　plant lice. D.B. 112, pp. 7-9. 1914.
　　rodents. F.B. 932, pp. 9, 12, 13. 1918.
　　scab fungus, propagation. J.A.R., vol. 19, No. 5, pp. 235-237. 1920.
　　sharp-headed leaf hopper. D.B. 254, pp. 2-3. 1915.
　insects—
　　attacking stems, control methods. Ent. Bul. 42, pp. 1-62. 1903.
　　control in warehouses, experiments with chickpeas. J.A.R., vol. 28, pp. 649-660. 1924.
　　detection and control in field. W. R. Walton. F.B. 835, pp. 24. 1917.
　　fumigation with carbon tetrachloride. Ent. Bul. 96, Pt. IV, pp. 54-56. 1911.
　　habits and control. Y.B., 1922, pp. 497, 509, 519, 543. 1923; Y.B. Sep. 891, pp. 497, 509, 519, 543. 1923.
　　pests, descriptions and list. Sec. [Misc.], "A manual * * * dangerous insects * * *," pp. 122-126. 1917.
　inspection—
　　certificates, regulations, forms, and opinions. Mkts. S.R.A. 15, pp. 1-9, 12-16. 1916; Mkts. S.R.A. 17, pp. 15-33. 1916; Sec. Cir. 70, amdt. 2, pp. 1-2. 1916.
　　decisions, appeals, and regulations. Mkts. S.R.A. 12, pp. 22-30. 1916; Mkts. S.R.A. 47, pp. 10-14. 1919.
　　fees and charges. Mkts. S.R.A. 12, pp. 37-39. 1916.
　　instructions to supervisors and inspectors. Mkts. S.R.A. 26, pp. 36. 1917; Mkts. S.R.A., 47, pp. 21. 1919.
　　requirements from shippers. Mkts. S.R.A. 18, pp. 7-8. 1917; Mkts. S.R.A. 40, pp. 1-2. 1918.
　inspectors—
　　directory. Mkts. S.R.A. 25, pp. 23. 1917; Mkts. S.R.A. 33, pp. 20. 1918.
　　licensed. B.A.E.S.R.A. 71, pp. 44-51. 1922.
　　regulations. Sec. Cir. 70, pp. 8-18. 1916; rev., pp. 7-18. 1920; Sec. Cir. 141, pp. 21-26. 1919.
　　reports on corn supply, December, 1916, to April, 1917. Mkts. S.R.A. 23, pp. 47. 1917.
　investigations—
　　cooperative, McPherson, Kans., 1904-1909. Victor L. Cory. B.P.I. Bul. 240, pp. 22. 1912.
　　program for 1915. Sec. [Misc.], "Program of work * * * 1915," pp. 187-188. 1914.
　irrigated, growing in southern Idaho. L. C. Aicher. F.B. 1103, pp. 28. 1920.
　irrigation—
　　Walter W. McLaughlin. F.B. 399, pp. 23. 1910; F.B. 863, pp. 22. 1917.
　　experiments—
　　　1910-1912. D.B. 10, pp. 10-17, 17-19. 1913.
　　　California. O.E.S. Cir. 108, pp. 14-15, 17-18. 1911.
　　methods. F.B. 263, pp. 31-32. 1906; F.B. 864, pp. 29-30. 1917; Y.B., 1909, p. 304. 1910; Y.B. Sep. 514, p. 304. 1910.
　kinds and varieties, relation to Hessian-fly injury. J.A.R., vol. 12, pp. 519-527. 1918.
　land—
　　indications of natural vegetation. J.A.R., vol. 28, p. 117. 1924.
　　irrigated, value. F.B. 399, p. 21. 1910; F.B. 863, pp. 21-22. 1917.
　leading varieties, testing for Great Basin. B.P.I. Cir. 61, pp. 10-16. 1910.
　leaf—
　　hopper, sharp-headed. Edmund H. Gibson. D.B. 254, pp. 16. 1915.
　　miner, spike-horned, description, life history, and control. D.B. 432, pp. 1-20. 1916.
　license—
　　cancellation, regulations. Sec. Cir. 70, pp. 1-2. 1917.
　　cards, regulations. Sec. Cir. 70, p. 1. 1917.

INDEX TO PUBLICATIONS, 1901–1925 1057

Grain(s)—Continued.
  losses—
    caused by black stem rust. Y.B., 1918, pp. 75–77, 95–97. 1919; Y.B. Sep. 796, pp. 3–5, 23–25. 1919.
    from rosette disease. J.A.R., vol. 23, p. 773. 1923.
    in United States by smut, 1911. F.B. 507, pp. 5–6, 30. 1912.
  louse, southern. Ent. Bul 38, pp. 7–19. 1902.
  maggot, description. Sec. [Misc.], "A manual of insects * * *," p. 124. 1917.
  market(s)—
    European. B.P.I. Cir. 55, p. 36. 1910.
    principal, receipts and shipments of oats, 1911–1915. D.B. 755, p. 10. 1915.
    reports of inspectors and others. Mkts. S.R.A. 44, pp. 124. 1919.
    shipments of corn and wheat, May–October, 1913. Mkts. S.R.A. 37, pp. 82. 1918.
    statistics, prices, exports, imports, etc., 1910–1921. D.B. 982, pp. 155–205. 1921.
  marketing—
    and livestock, Pacific coast region. Frank Andrews. Stat. Bul. 89, pp. 94. 1911
    Argentina, transportation methods and rates. Y.B., 1915, pp. 294–295. 1916; Y.B. Sep. 677, pp. 294–295. 1916.
    associations in Canada and United States. D.B. 937, pp. 5–18. 1921.
    at country points. George Livingstone and K. B. Seeds. D.B. 558, pp. 45. 1917.
    bibliography. M.C. 35, pp. 16–21. 1925.
    by team and by feeding to livestock. F.B. 1008, p. 14. 1918.
    chart, and price-determination factors. D.B. 1083, pp. 3–5. 1922.
    cooperative. J. M. Mehl. D.B. 937, pp. 21. 1921.
    cost and methods, measures, handling. Rpt. 98, pp. 60–75. 1913; Stat. Bul. 89, pp. 84–91. 1911.
    methods, Great Lakes region. Stat. Bul. 81, pp. 78–82. 1910.
    service. Sec. A.R., 1924, pp. 40–41. 1924.
    standards, investigations, etc. An. Rpts., 1920, pp. 551–554. 1921.
  mash, preparation for distillation. Chem. Bul. 130, pp. 45, 50, 123, 126. 1910.
  midges, description. Sec. [Misc.]. "A manual of insects * * *," pp. 123, 124. 1917.
  milling and baking, experimental. D.B. 1187, pp. 1–54. 1924.
  mites, description and control. Rpt. 108, p. 116. 1915.
  mixtures—
    dairy feed, compounding. F.B. 743, pp. 18–22. 1916.
    experiments on irrigated land, Belle Fourche farm. D.B. 1039, pp. 62–63, 72. 1922.
    feed for cattle, energy value, notes and tables. J.A.R., vol. 3, pp. 438–484. 1915.
    feed value for calves. D.B. 1042, pp. 7–11. 1922; F.B. 777, pp. 9–10, 17. 1917.
    for dairy cows. D.B. 945, pp. 25–26. 1921.
  moisture—
    content—
      and shrinkage. J. W. T. Duvel. B.P.I. Cir. 32, pp. 13. 1909.
      electrical resistance method for determination. Lyman J. Briggs. B.P.I. Cir. 20, pp. 8. 1908.
      relation to respiration rate. J.A.R., vol. 12, pp. 689–694. 1918.
      relation to weight shrinkage. D.B. 374, pp. 7–8, 9. 1916.
    determination, quick method. Edgar Brown and J. W. T. Duvel. B.P.I. Bul. 99, pp. 24. 1907.
    tester, description and use. B.P.I. Cir. 72, pp. 1–15. 1910; B.P.I. Cir. 72, rev., pp. 1–16. 1914.
  molasses, manufacture, method. Chem. Bul. 108, p. 13. 1908.
  moths—
    description and habits. F.B. 1260, pp. 13–18, 43. 1922.
    destruction in bin. F.B. 415, pp. 10, 11. 1910.

Grain(s)—Continued.
  movement—
    in Great Lakes region. Frank Andrews. Stat. Bul. 81, pp. 82. 1910.
    through Canada, 1876–1909. Stat. Bul. 81, pp. 54–55. 1910.
  nonsaccharine sorghums, value and use as stock feed. F.B. 724, p. 5. 1916.
  nutritive value in feeding dairy cows. F.B. 743, pp. 17–18. 1916.
  occurrence of ray fungus, cause of actinomycosis. B.A.I. [Misc.], "Diseases of cattle," rev., pp. 447, 453. 1912.
  official standards for rye, handbood. B.A.E. [Misc.], "Handbook of official grain * * *," pp. 5. 1923.
  other than bread grains, statistics—
    1923. Y.B., 1923, pp. 662–730. 1924; Y.B., Sep. 899, pp. iii, 662–730. 1924.
    1924. Y.B., 1924, pp. 601–647, 1044, 1062, 1172. 1925.
  outlook, May, 1914. F.B. 598, pp. 4–6, 15, 21. 1914.
  Pacific coast—
    domestic trade, receipts, and shipments. Stat. Bul. 89, pp. 11–26. 1911.
    foreign trade, value and ports. Stat. Bul. 89, pp. 27–41. 1911.
  pedigree—
    improvement by seed selection. Alaska A.R., 1911, pp. 25, 35–36. 1912.
    plant breeding, Alaska. Alaska A.R., 1908, p. 48. 1909.
    selection, Copper Center Station. Alaska A. R., 1909, pp. 55–56. 1910.
  pests—
    classification. F.B. 1260, pp. 3–4. 1922.
    prevention and control. F.B. 1260, pp. 45–47. 1922.
  planting—
    for hay, and combinations with other plants. F.B. 1170, pp. 7–9. 1920.
    seed preparation, directions. F.B. 584, pp. 6–7. 1914.
  poisoned, use in destruction of—
    prairie dogs. Biol. Cir. 32, p. 1. 1908.
    rodents. Y.B., 1917, pp. 228–230. 1918; Y.B Sep. 724, pp. 6–8. 1918.
  pressures in storage bins. W. J. Larkin, jr., D.B. 789, pp. 16. 1919.
  principal crops of southwestern Minnesota. D.B. 1271, pp. 6–8. 1924.
  production—
    effect of long days in high latitudes. Y.B. 1912, p. 311. 1913; Y.B. Sep. 593, p. 311. 1913.
    farming methods in Great Basin. B.P.I. Cir. 61, pp. 17–31. 1910.
    imports and exports, annual and average, by countries. Stat. Cir. 31, pp. 9–13, 29, 30. 1912.
    in—
      Canada, increase 1918 over 1917. News L., vol. 6, No. 25, p. 7. 1919.
      Europe, 1913, comparison with 1912. News L., vol. 1, No. 18, p. 4. 1913.
      Europe, statistics, scope. Stat. Bul. 68, pp. 6–99. 1908.
      Great Lakes region, tables. Stat. Bul. 81, pp. 9–14. 1910.
      Hawaii, 1917, kinds and experiments. Hawaii A.R., 1917, p. 31. 1918.
      United States, 1866–1920. D.B. 999, pp. 6–7. 1921.
      Washington, 1907. O.E.S. Bul. 214, p. 15. 1909.
    increase, 1917. Sec. Cir. 84, pp. 4–6. 1918.
    stimulation methods and suggestions. Sec. Cir. 103, p. 14. 1918.
  products—
    acidity measurement, simple method. J.A.R., vol. 11, pp. 33–49. 1919.
    exports—
      1851–1908. Stat. Bul. 75, pp. 45–47. 1910.
      and imports, 1913–1915, and value. Y.B., 1915, pp. 544, 551, 555. 1916; Y.B. Sep. 685, pp. 544, 551, 555. 1916.
      1921, statistics. Y.B. 1921, pp. 746, 747. 1922; Y.B. Sep. 867, pp. 10, 11. 1922.

Grain(s)—Continued.
 products—continued.
  imports—
   1851-1908. Stat. Bul. 74, pp. 40-41. 1910.
   1901-1909, northern border and lake ports. Stat. Bul. 81, pp. 50-51. 1910.
   1907-1909, quantity and value, by countries from which consigned. Stat. Bul. 82, pp. 43-44. 1910.
   1908-1910, quantity and value, by countries from which consigned. Stat. Bul. 90, p. 46. 1911.
   1909-1911, by countries from which consigned. Stat. Bul. 95, pp. 49-50. 1912.
   1911-1913, and exports, and 1852-1913. Y.B. 1913, pp. 497, 504-505, 509, 511, 512. 1914; Y.B. Sep. 361, pp. 497, 504-505, 509, 511, 512. 1914.
   1914-1916, and exports, value. Y.B., 1916, pp. 710, 718, 735. 1917; Y.B. Sep. 722, pp. 5, 12, 29. 1917.
   1921, statistics. Y.B., 1921, pp. 746-747. 1922; Y.B. Sep. 867, pp. 10-11. 1922.
  tariffs, foreign, in 1903. Frank H. Hitchcock. For. Mkts. Bul. 37, pp. 59. 1903.
 injury by fig moth. Ent. Bul. 104, pp. 9, 15, 16, 17, 18, 19, 20. 1911.
 purity standards. Chem. Bul. 69, rev., pp. 15, 184, 306, 443, 597. 1905-6; Sec. Cir. 136, pp. 6-7. 1919.
 trade wth foreign countries, exports and imports. D.B. 296, pp. 2, 3, 4, 20, 24-29. 1915.
 protection from rats. Y.B., 1917, pp. 240-241, 243. 1918; Y.B. Sep. 725, pp. 8, 9, 11. 1918.
 purchase from farmers, methods. D.B. 558, pp. 6-11. 1917.
 quantity required for 100 pounds gain, in pig feeding. J.A.R., vol. 19, pp. 226-229. 1920.
 railway rates in Russia. Stat. Bul. 65, pp. 38-49. 1908.
 rations—
  for—
   calves and substitute feeds. F.B. 1135, pp. 17-18. 1920.
   chicks, experiments and results. J.A.R., colts. F.B. 803, rev., p. 18. 1923. vol. 16, pp. 305-312. 1919.
   hogs on pasture. F.B. 951, pp. 5-6. 1918.
   horse, requirements. F.B. 1298, p. 6. 1922.
   pigs on alfalfa pasture, results. D.C. 147, pp. 16-18. 1921.
   pigs without pasture, experiments and results. D.C. 147, pp. 18-21. 1921.
   with alfalfa, for pasturing spring pigs. D.C. 204, pp. 24-25. 1921.
 receipts, purchases, shipments, sales records, and forms. D.B. 362, pp. 8-10, 20-23. 1916.
 report in elevator accounts, directions, and form. D.B. 811, pp. 10, 51. 1919.
 resale and reconsignment, inspection requirement, opinion. Mkts. S.R.A. 18, pp. 12-13. 1917.
 rice—
  milling, mechanical and chemical effect upon. F. B. Wise and A. W. Broomell. D.B. 330, pp. 31. 1916.
  structure, technical description. D.B. 330, pp. 2-4. 1916.
 rotation with—
  other crops in irrigated regions. F.B. 399, p. 3. 1910.
  sweet clover. F.B..1005, pp. 13-14. 1919.
 Russia—
  impurities in chief cereals. Stat. Bul. 65, pp. 15-20. 1908.
  marketing, methods. Stat. Bul. 65, pp. 12-20, 24. 1908.
 rust—
  biologic forms, statistical study. J.A.R., vol. 24, pp. 539-568. 1923.
  cause of abortion in cows. B.A.I. [Misc.], "Diseases of cattle," rev., p. 163. 1904; rev., p. 167. 1912.
  epidemic of 1904, lessons from. M. A. Carleton. F.B. 219, pp. 24. 1905.
  in United States. E. M. Freeman and Edward C. Johnson. B.P.I. Bul. 216, pp. 87. 1911.

Grain(s)—Continued.
 rust—continued.
  resistant, varieties, selection. B.P.I. Bul. 216, pp. 72-73. 1911; Y.B., 1918, pp. 86-87. 1919; Y.B. Sep. 796, pp. 14-15. 1919.
  spread by barberry, methods. F. B. 1058, pp. 3-7. 1919.
 rye, feed use and value, storing and marketing. Y.B. 1918, pp. 180-182. 1919; Y.B. Sep. 769, pp. 14-15. 1919.
 sales by country elevators, methods. D.B. 558, pp. 11-12. 1917.
 sampler, modified Boerner, description and operation. D.B. 857; pp. 4-8. 1920.
 samples, grading, directions. Mkts. S.R.A. 47, pp. 4-7. 1919.
 sampling—
  directions. Chem. [Misc.] "Food and drug manual," p. 43. 1920.
  for inspection, directions. Y.B., 1918, pp. 338, 344. 1919; Y.B. Sep. 766, pp. 6, 12. 1919.
 sap density, relation to winter hardiness. J.A.R., vol. 13, pp. 497-506. 1918.
 scattering in fields to protect planted seed from crows. D.B. 621, pp. 1-77. 1918.
 scooping from bin, hours' work. D.B. 3, p. 40. 1913.
 seed(s)—
  and other materials, sampling device. E. G. Boerner. D.B. 287, pp. 4. 1915.
  bed, preparation. F.B. 786, pp. 8-9. 1917.
  cleaning—
   and treatment for irrigation crops, in Idaho. F.B. 1103, p. 12. 1920.
   directions. F.B. 704, pp. 28-29. 1916.
   grading and treatment for smut. F.B. 883, pp. 11-12. 1917.
  composition, relation to urinary calculi of cattle. B.A.I. [Misc.], "Diseases of cattle," rev., pp. 132-133. 1923.
  disinfection, and cereal smuts. Harry B. Humphrey and Alden A. Potter. F.B. 939, pp. 28. 1918.
  heating and presoaking, effect on germination. J.A.R., vol. 23, pp. 82-85, 96. 1923.
  importations and descriptions. Nos. 36939, 36940, 37031, 37154-37167, 37601-37603, B.P.I. Inv. 38, pp. 6, 11, 29, 44-45, 83. 1917.
  injury by disinfection for smut, precaution. F.B. 939, pp. 24-27. 1918.
  inoculation with cereal fungi, experiments. J.A.R., vol. 1, No. 6, pp. 478-481. 1914.
  loans to farmers—
   1918, conditions, number, and amount. An. Rpts., 1918, pp. 32-35. 1919; Sec. A.R., 1918, pp. 32-35. 1918; Y.B., 1918, pp. 46-49. 1919.
   1922, and collection of old loans. Y.B., 1922, pp. 51-52. 1923; Y.B. Sep. 883, pp. 51-52. 1923.
  marketing methods. Rpt. 98, pp. 136-138. 1913.
  mechanical treatments to hasten germination, effects. J.A.R., vol. 23, pp. 88-94. 1923.
  planting depth, dates and rates of seeding. D.B. 917, pp. 20, 21. 1921.
  preparation for—
   sowing, and treatment for smut. F.B. 738, p. 9. 1916.
   spring planting. F.B. 584, pp. 6-7. 1914.
  production in Alaska for home use, advantage. Alaska A.R., 1911, pp. 26-27. 1912.
  purchase for farmers in drought sections. S.R. S. Rpt., 1918, p. 45. 1919.
  quantity per acre, relation to crop yield. D.B. 757, p. 31. 1919.
  rate per acre, dry regions. B.P.I. Cir. 59, pp. 6-7, 20-21. 1910.
  ripening, forcing method. J.A.R., vol. 23, No. 2, pp. 93-94. 1923.
  selection and—
   preparation. Sec. Cir. 142, pp. 14-16. 1919.
   treatment for smut, dry farming. F.B. 800, pp. 13-14. 1917.
  size and weight, relation to yields, experiments. J.A.R., vol. 14, No. 9, pp. 360-363. 1918.
  sterilization with nitrate of silver. J.A.R., vol. 23. No. 2, pp. 85-86. 1923.
  supply sources. F.B. 1232, pp. 5, 14-15. 1921.

Grain(s)—Continued.
 seed(s)—continued.
  treatment—
   for smuts. F.B. 786, pp. 9-10. 1917.
   to control disease. J.A.R., vol. 24, No. 8. pp. 662, 667, 704, 727. 1923.
   with deterrents against animals, effect on germination. F.B. 1102, p. 17. 1920.
  seeding—
   day's work, with seeder or drill. D.B. 814, pp. 19-21. 1920.
   depth, dates and rates, Colorado. D.B. 917, pp. 20, 21. 1921.
   for prevention of black stem rust. Y.B., 1918, pp. 85-86. 1919; Y.B. Sep. 796, pp. 13-14. 1919.
   in dry land farming. F.B. 883, pp. 16-17, 18, 19, 20. 1917.
   rates—
    and dates, North Dakota, Lamoure County. Soil Sur. Adv. Sh., 1914, pp. 12, 13, 14, 15. 1917; Soils F.O., 1914, pp. 2368, 2369, 2370, 2371. 1919.
    and suggestions. F.B. 878, pp. 15, 16, 18, 19, 21. 1917.
    Montana dry lands. F.B. 749, pp. 15, 17, 19, 21, 22. 1916.
    per acre, dry regions. B.P.I. Cir. 59, pp. 6-7, 20-21. 1910.
    per acre, Europe and United States, comparison. F.B. 672, pp. 9-11. 1915.
   relation—
    of quantity of seed to irrigation. F.B. 399, p. 20. 1910.
    to irrigation. F.B. 863, p. 21. 1917.
   use of horses and tractors on Corn Belt farms. F.B. 1295, p. 8. 1923.
  selection for rotation with wheat. Y.B., 1921, p. 97. 1922; Y.B. Sep. 873, p. 97. 1922.
  separation from seed of hairy vetch. D.B. 876, pp. 19-22. 1920.
  separators—
   care and repair of farm implements, No. 5. Elmer Johnson. F.B 1036, pp. 20. 1919.
   dust explosions and fires, Pacific Northwest. David J. Price and E. B. McCormick. D.B. 379, pp. 22. 1916.
   use in threshing sweet-clover seed F.B. 836, pp. 19-21. 1917.
  settlement for supply accounts. D.B. 811, p. 41. 1919.
  shipments—
   between noninspection points, grade opinion. Mkts. S.R.A. 18, pp. 6-7. 1917.
   Great Lakes regions, care, freight rates, etc. Stat. Bul. 81, pp. 66-67, 69-76. 1910.
   inspection regulations. Mkts. S.R.A. 17, pp. 22-33. 1916.
   interstate, regulations. Mkts. S.R.A. 47, pp. 7, 9, 11-19. 1919.
  shippers, benefits from grain standards act, opinion. Mkts. S.R.A. 18, pp. 5-6. 1917.
  shrinkage—
   corn in crib. F.B. 317, pp. 22-26. 1908.
   in handling, causes and prevention. D.B. 558, pp. 35-36. 1917; F.B. 149, pp. 10-15. 1902.
  slop, feeding value, comparison with potato slop. F.B. 410, pp. 35-37. 1910.
  small—
   C. R. Ball and others. Y.B., 1922, pp. 469-568. 1923; Y.B. Sep. 891, pp. 469-568. 1923.
   acreage, comparison with wheat. Y.B., 1921, p. 99. 1922; Y.B. Sep. 873, p. 99. 1922.
   crops for eastern Oregon. F.B. 800, pp. 17-22. 1917.
   growing, experiments with daylight of different lengths. J.A.R. vol. 23, pp. 877-878. 1923.
   growing in—
    Hawaii, tests for grain and forage. Hawaii A.R., 1916, pp. 28-29, 34. 1917.
    Nebraska, Deuel County. Soil Sur. Adv. Sh., 1921, pp. 714, 716. 1924.
    Nebraska, Perkins County. Soil Sur. Adv. Sh., 1921, pp. 890-891, 894. 1925.
    Nebraska, Sheridan County. Soil Sur. Adv. Sh., 1918, pp. 11, 12, 25-50. 1921; Soils F.O., 1918, pp. 1447, 1448, 1461-1486. 1924.
    Nebraska, variety tests and yields, 1917-1919. D.C. 173, pp. 28-31, 32-34. 1921.

Grain(s)—Continued.
 small—continued.
  growing in—continued.
   Oregon, Washington County. Soil Sur. Adv. Sh., 1919, pp. 10, 11, 12, 26-45. 1923; Soils F.O., 1919, pp. 1840, 1841, 1842, 1856-1875. 1925.
   Texas, experiments, 1919, 1920, variety tests. D.C. 209, pp. 27-29. 1922.
   Texas Panhandle, yield, quality, and seeding rates. F.B. 738, pp. 10-15. 1916.
   Wisconsin, Juneau County, yields. Soil Sur. Adv. Sh., 1911, pp. 11, 22-44. 1913; Soils F.O., 1911, pp. 1469, 1480, 1502. 1914.
   Wisconsin, La Crosse County, yields. Soil Sur. Adv. Sh., 1911, pp. 10, 11, 18-38. 1913; Soils F.O., 1911, pp. 1566, 1567, 1574-1594. 1914.
   Wisconsin, Walworth County. Soil Sur. Adv. Sh., 1920, pp. 1385-1387, 1398-1424. 1924; Soils F.O., 1920, pp. 1385-1387, 1398-1424. 1924.
  growing on Arlington Experiment Farm, experiments. John W. Taylor. D.B. 1309, pp. 28. 1925.
  hay acreage in 1919, map. Y.B., 1921, p. 453. 1922. Y.B. Sep. 878, p. 47. 1922.
  increased acreage, importance in South. S.R.S Doc. 96, p. 7. 1919.
  injury by—
   crows. D.B. 621, pp. 42, 43, 47-50, 67, 84. 1918.
   starlings. D.B. 868, p. 34. 1921.
  other than wheat, production costs and variations. Y.B., 1922, pp. 553-560. 1923; Y.B. Sep. 891, pp. 553-560. 1923.
  plowing stubble, experiments, Colorado. D.B. 253, pp. 1-15. 1915.
  production, 1914-1920, average in wheat belt. D.B. 1020, p. 3. 1922.
  root systems. F.B. 233, p. 8. 1905.
  rotations and cultural methods in North Dakota. D.B. 991, pp. 6-22. 1921.
  seedlings, analytical key and descriptions. D.B. 461, pp 27-30. 1917.
  shrinkage in storage. D.B. 558, pp. 27-28, 43. 1917.
  tests, Kansas experiments, 1904-1909. B.P.I. Bul. 240, pp. 12-19. 1912.
  transpiration studies, Akron, Colorado. J.A.R., vol. 7, pp. 157-203, 205-206. 1916.
  use as forage crop in Texas, yield B.P.I. Cir. 106, pp. 15-18, 27. 1913.
  varietal tests—
   Belle Fourche Experiment Farm, 1915-1916. W.I.A. Cir. 14, pp. 20-24. 1917; W.I.A. Cir. 24, pp. 24-27. 1918.
   Belle Fourche Experiment Farm, 1919. D.C 60, pp. 12-16. 1919.
   Maryland and Virginia. D.B. 336, pp. 1-52. 1916.
  varieties recommended for Dakota and Montana. F.B. 878, p. 21. 1917.
 smuts—
  cause—
   of abortion in cows. B.A.I. [Misc.], "Diseases of cattle," rev., p. 163. 1904; rev., p. 167. 1912; rev., p. 166. 1923.
   prevention and treatment. F.B. 250, pp. 1-16. 1906; F.B. 883, pp. 11-13. 1917.
  control, treatment. F.B. 419, pp. 16-17. 1910; F.B. 507, pp. 1-32. 1912; F.B. 584, pp. 6-7. 1914.
  formaldehyde treatment. Y.B., 1905, pp. 478, 482. 1906; Y.B. Sep. 397, pp. 478, 482. 1906.
  historical review of studies. B.P.I. Bul. 152, pp. 10-12. 1909.
  injury in United States, 1911. F.B. 507, pp. 5-6, 30. 1912.
  inoculation experiments, 1906-7. B.P.I. Bul. 152, pp. 12-18. 1909.
  prevention, formalin and hot-water treatment. B.P.I. Bul. 240, pp. 20-21, 22. 1912.
  seed treatment. F.B. 738, p. 9. 1916; F.B. 786, pp. 9-10. 1917; F.B. 1103, pp. 12-13. 1920.
  sorghum, injury to Sudan grass. F.B. 605, p. 18. 1914.
  See also Smut.

Grain(s)—Continued.
 soils—
  North Central States, importance, extent, and uses. Y.B., 1911, pp. 223–230, 235–236. 1912; Y.B. Sep. 563, pp. 223–230, 235–236. 1912.
  Virginia, location. D.B. 46, pp. 3, 6, 7, 10–18. 1913.
 sorghum—
  chemical composition, comparison with corn. F.B. 972, p. 5. 1918.
  preparation and storage. F.B. 972, pp. 9–12. 1918.
  See Sorghums, grain.
 spring—
  Alaska, experiments. Alaska A.R., 1910, pp. 45–50, 55–56. 1911.
  fall-sowing experiments in Alaska, 1915. Alaska A.R., 1915, pp. 14–15. 1916.
  land preparation. F.B. 738, p. 9. 1916.
  sowing, experiments, Virginia. D.B. 336, p. 49. 1916.
  varietal experiments in Texas. B.P.I. Bul. 283, pp. 27–79. 1913.
 stacking, labor requirements on North Dakota farms. D.B. 757, p. 24. 1919.
 stamping after inspection. Sec. Cir. 70, mdt. 3, p. 1. 1917.
 standardization, expenditure and work, 1914–15. Sec. [Misc.], "Program of work * * * 1915," pp. 105–110. 1914.
 standards—
  act—
   1916, regulations. Sec. Cir. 70, rev., pp. 52. 1920.
   enactment, scope, and work. News L., vol. 4, No. 21, pp. 1, 2. 1916.
   opinions 13–31, sampling and inspection. Mkts. S.R.A. 13, pp. 1–8. 1916; Mkts. S.R.A. 26, pp. 14–36. 1917; Mkts. S.R.A. 24, pp. 1–12. 1918.
   provisions, 1916. Sol. [Misc.], "Laws applicable * * * agriculture," Sup. 4, pp. 79–84. 1917.
   rules and regulations. Mkts. S.R.A. 12, pp. 14–40. 1916; Mkts. S.R.A. 15, pp. 16. 1916; Mkts. S.R.A. 17, pp. 33. 1916; Mkts. S.R.A. 18, pp. 17. 1917; Mkts. S.R.A. 49, pp. 15. 1919; Sec. Cir. 70, pp. 54. 1916; Sec. Cir. 70, rev., pp. 52. 1920.
   status in 1920. An. Rpts., 1920, pp. 1–53. 1921; Sec. A.R., 1920, pp. 1–53. 1920.
   supervision districts of United States. Mkts. S.R.A. 14, pp. 36. 1916; Mkts. S.R.A. 24, pp. 40. 1917.
   text. Mkts. S.R.A. 12, pp. 41–44. 1916; Sec. Cir. 70, pp. 51–54. 1916; Sec. Cir. 70, rev., pp. 47–50. 1920.
   violations, findings of Secretary. Mkts. S.R.A. 56, pp. 5. 1919.
   violations by grain dealers. Mkts. S.R.A. 40, pp. 4. 1918.
  department charges and fees, regulations. Sec. Cir. 70, rev., pp. 39–41. 1920.
  determination, and administration of law. Mkts. Chief Rpt., 1919, pp. 16–17, 29–31. 1919; An. Rpts., 1919, pp. 442–443, 455–457. 1920.
  establishment. Sec. A.R., 1925, p. 44. 1925.
  for—
   shelled corn, establishment by Secretary, text of order. News L., vol. 4, No. 6, pp. 1–2, 3. 1916.
   wheat and corn. Mkts. S.R.A. 35, pp. 11–12. 1918.
   wheat and shelled corn, official handbook. E.G. Boerner. Mkts. [Misc.], "Handbook. Official standards * * *," pp. 47. 1918.
   wheat in United States. Mkts. S.R.A. 22, pp. 29. 1917.
   wheat, shelled corn, and oats, official, handbook. E. G. Boerner. Mkts. [Misc.], "Handbook. Official grain * * *," pp. 53. 1919.
   wheat, shelled corn and oats, official, handbook. E. G. Boerner. B.A.E. [Misc.], "Handbook of official * * *," pp. 58; rev. 1922.

Grain(s)—Continued.
 standards—continued.
  for—continued.
   wheat, shelled corn, oats, and rye, official handbook. E. G. Boerner. B.A.E. [Misc.], "Handbook of official * * *," pp. 74. 1924.
  hearings, subjects of discussion. Mkts. S.R.A. 29, pp. 1–5. 1917.
  law—
   enforcement, 1918. Sec. A.R., 1918, pp. 24–25. 1918; An. Rpts., 1918, pp. 24–25. 1918.
   on use. Off. Rec., vol. 27, No. 5. 1924.
   list of districts under law. Mkts. S.R.A. 24, pp. 1–40. 1917.
   opinions relating to. Mkts. S.R.A. 42, pp. 12. 1918.
  regulations—
   and opinions. Mkts. S.R.A. 15, pp. 16. 1916; Mkts. S.R.A. 17, pp. 33. 1916.
   under United States, act of August 11, 1916. Sec. Cir. 70, pp. 1–54. 1916.
  tabulated for corn, wheat, and oats. D.B. 574, pp. 1–22. 1917; Y.B., 1918, pp. 344–346. 1919; Y.B. Sep. 766, pp. 12–14. 1919.
 statistics—
  June, 1914. F.B. 604, pp. 8–10, 12–14. 1914.
  1918. Y.B., 1918, pp. 449–506. 1919; Y.B. Sep. 791, pp. 60. 1919.
  1919. Y.B., 1919, pp. 509–567. 1920; Y.B. Sep. 826, pp. 509–567. 1920.
  1921. Y.B. 1921, pp. 507–580. 1922; Y.B. Sep. 868, pp. 74. 1922.
  1922. Nat. C. Murray and others. Y.B. 1922, pp. 569–665. 1923; Y.B. Sep. 881, pp. 569–669. 1923.
 imports and exports—
  1904–1908. Y.B., 1908, pp. 758–759, 767–768. 1909; Y.B. Sep. 498, pp. 758–759, 767–768. 1909.
  1907–1911 and 1851–1911. Y.B., 1911, pp. 663, 672, 681–682. 1912; Y.B., Sep. 588, pp. 663, 672, 681–682. 1912.
  1908–1912 and 1851–1912. Y.B. 1912, pp. 720, 731, 740–741. 1913; Y.B. Sep. 615, pp. 720, 731, 740–741. 1913.
  1911–1913 and 1852–1913. Y.B., 1913, pp. 497, 504, 509. 1914; Y.B. Sep. 361, pp. 497, 504, 509. 1914.
  1918. Y.B., 1918, pp. 631, 639, 645, 653, 657. 1919; Y.B. Sep. 794, pp. 7, 15, 21, 29, 33. 1919.
  1919, and grain products. Y.B., 1919, pp. 686, 694, 713. 1920; Y.B. Sep. 829, pp. 686, 694, 713. 1920.
 receipts and shipments at trade centers. Rpt. 98, pp. 288, 334–338. 1913.
 steeping, for making malt. F.B. 410, p. 19. 1910.
 stem rust, ecological factors, effect on the morphology of the urediniospores. J.A.R., vol. 16, pp. 43–77. 1919.
 stocks on—
  farms, Mar. 1, 1915, estimates. F.B. 665, pp. 1–2. 1915.
  hand, Apr. 1, 1918. News L., vol. 5, No. 42, pp. 1–2. 1918.
 storage—
  Argentina facilities. Y.B., 1915, pp. 295–296. 1916; Y.B. Sep. 677, pp. 295–296. 1916.
  capacity of mills and elevators, by States, 1918. Y.B., 1921, p. 794. 1922; Y.B. Sep. 871, p. 25. 1922.
  ticket, form. D.B. 811, p. 48. 1919.
  insect damage and control. Ent. A.R., 1925, pp. 14–15. 1925.
  regulations, modification in regard to seed. Sec. Cir. 90, pp. 24–25. 1918.
 stores—
  black-weevil control. F.B. 885, p. 9. 1917.
  injury by Angoumois grain moth, and prevention. F.B., 1156, pp. 7–13, 16–19. 1920.
  insect control. F.B. 127, pp. 36–37. 1901; Sec. Cir. 90, p. 26. 1918.
  insects injurious, Hawaii, description and control. Hawaii Bul. 27, pp. 18–20. 1912.
  pests. E. A. Back and R. T. Cotton. F.B. 1260, pp. 47. 1922.
  protection from insects and vermin, method. F.B. 443, p. 45. 1911.

INDEX TO PUBLICATIONS, 1901–1925   1061

Grain(s)—Continued.
storing for—
control of dampness and weevils, Guam. O.E.S. An. Rpt., 1910, pp. 507–509. 1911.
farmers at elevators and on farms. D.B. 558, pp. 25–29. 1917.
stowage in ships, injuries, and suggestions for improving conditions. B.P.I. Cir. 55, pp. 23–26, 39. 1910.
stubbling-in, relation to crop yields. D.B. 757, p. 31. 1919.
sugar determination, comparison of methods. Chem. Cir. 71, pp. 14. 1911.
suitability and value for horses and breeding mares. F.B. 803, rev., pp. 10–11. 1923.
sulphured—
detection, improved apparatus. B.P.I. Cir. 111, pp. 23–24. 1913; Mkts. S.R.A. 55, pp. 3. 1919.
testing, simple method. B.P.I. Cir. 40, pp. 1–8. 1909.
supervision—
and wheat standards, comparisons. Mkts. S.R.A. 36, pp. 16. 1918.
Federal, and the—
country grain dealer. Mkts. S.R.A. 47, pp. 21. 1919.
farmer. Ralph H. Brown. Y.B., 1918, pp. 335–346. 1919; Y.B. Sep. 766, pp. 14. 1919.
points of inspection and map of districts. Mkts. S.R.A. 31, pp. 20–24. 1918.
regulations, amendment 5. Sec. Cir. 70, amdt. 5, pp. 1–2. 1918.
supply, Europe, per capita. Stat. Bul. 68, pp. 42–44. 1908.
tariff, European countries. Stat. Bul. 68, pp. 44–49. 1908.
test weight, simple method for determining accuracy of apparatus. E. G. Boerner and E. H. Ropes. D.B. 1065, pp. 13. 1922.
testing—
for moisture, directions. B.P.I. Cir. 72, rev., pp. 9–16. 1914.
sulphur detection, directions. B.P.I. Cir. 40, pp. 5–6. 1909.
trade—
commercial papers, sample set. Rpt. 98, pp. 73–75. 1913.
European. Stat. Bul. 69, pp. 63. 1908.
of Yugoslavia, future. D.B. 1234, pp. 110–111. 1924.
organization, Russia. Stat. Bul. 65, pp. 9–31. 1908.
with foreign countries, exports, imports, and value. D.B. 296, pp. 2, 3, 4, 20, 24–29. 1915.
traffic routes. Rpt. 98, pp. 68–69. 1913.
transportation—
facilities, Pacific coast region. Stat. Bul. 89, pp. 71–83. 1911.
methods, routes, and rates. Rpt. 98, pp. 63–69. 1913.
Russia, mileage and rates. Stat. Bul. 65, pp. 31–64. 1908.
treatment to prevent attacks of crows. D.B. 621, pp. 74–77. 1918.
troughs, for sheep feeding, description. D.B. 20, p. 45. 1913; F.B. 810, pp. 21–22. 1917.
turgidity, relation to winter hardiness. J.A.R., vol. 13, pp. 504–505. 1918.
uninspected, reports, regulations. Mkts. S.R.A. 12, pp. 39–40. 1916.
unloading, day's work. D.B. 814, p. 23. 1920.
use—
as—
chick feed, formulas. S.R.S. Doc. 77, pp. 1–2. 1918.
feed for dairy calves. F.B. 430, pp. 9, 10. 1911.
feed, profits. Y.B. 1921, p. 13. 1922; Y.B. Sep. 875, p. 13. 1923.
green-manure crop. F.B. 1250, pp. 43–44. 1922.
poultry feed. F.B. 1067, pp. 3–4, 6, 7–8, 9, 12–13. 1919.
in—
cow-feeding rations, cost per head per year. D.B. 615, p. 9. 1917.
steer fattening, value and percentages used in Corn Belt. F.B. 1218, p. 23. 1921.
vinegar making. F.B. 1424, p. 5. 1924.

Grain(s)—Continued.
use—continued.
with pasture for cows in summer feeding, suggestions. F.B. 743, pp. 5–6. 1916.
value—
as hen feed, feeding method. F.B. 889, p. 17. 1917.
determination method, on dry-matter basis. B.P.I. Cir. 55, pp. 39–42. 1910; D.B. 374, pp. 4–5, 10–30. 1916.
per bushel and per hundred pounds. D.B. 637, p. 8. 1918.
variety(ies)—
for—
Alaska. Alaska A.R., 1907, pp. 28, 30, 43, 54–57. 1908; D.B. 50, pp. 11, 14, 17, 20–22. 1914.
Texas Panhandle, recommendations. F.B. 738, p. 15. 1916.
Hessian-fly infestation, records and table J.A.R., vol. 12, pp. 522–525. 1918.
irrigated lands, South Dakota. B.P.I. Doc. 453, pp. 3–4. 1909.
quarantine prohibition and restrictions. F.H.B. [Misc.], "Plants * * * prohibited * * * entry from foreign countries * * *," p. 3. 1922.
tests—
correction for soil heterogeneity. J.A.R., vol. 5, No. 22, pp. 1039–1050. 1916.
Nebraska, Scottsbluff Experiment Farm, 1914. W.I.A. Cir. 6, pp. 9–12. 1915.
Nebraska, Scottsbluff Experiment Farm, 1915. W.I.A. Cir. 11, pp. 13–16. 1916.
Nebraska, Scottsbluff Experiment Farm, 1916. W.I.A. Cir. 18, pp. 12–16. 1918.
South Dakota, Belle Fourche Experiment Farm. W.I.A. Cir. 9, pp. 18–22. 1916.
Utah, Nephi substation, 1904–1909. B.P.I. Cir. 61, pp. 9–10. 1910.
testing, rod-row technic. J.A.R., vol. 11, pp. 402–412. 1917.
uniform, advantage of growing. D.B. 558, pp. 30–31. 1917.
volunteer, destruction for control of—
grain aphid. Ent. Cir. 63, rev., pp. 21, 22. 1905.
green bug. F.B. 1217, pp. 8–10. 1921.
warehouses—
licenses, 1922. B.A.E.S.R.A. 71, pp. 36–43. 1922.
number and capacity. Sec. A.R., 1923, p. 29. 1923; B.A.E. Chief Rpt., 1923, p. 42. 1923; An. Rpts., 1923, pp. 29, 172. 1923.
regulations. Mkts. S.R.A. 53, pp. 2–34. 1919 Sec. Cir. 141, pp. 46. 1919.
weevil(s)—
broad-nosed—
control. Richard T. Cotton. D.B. 1085, pp. 10. 1922.
description and habits. F.B. 1260, p. 8. 1922.
parasites. D.B. 1085, p. 8. 1922.
description and habits. F.B. 1260, pp. 4–9, 43. 1922.
fumigation—
against, with volatile organic compounds Ira E. Neifert and others. D.B. 1313, pp. 40. 1925.
experiments. D.B. 186, pp. 4–5. 1915.
weights—
conversion into percentages. D.B. 574, pp. 1–22. 1917.
per bushel—
1902–1921. Y.B., 1921, p. 778. 1922; Y.B. Sep. 871, p. 9. 1922.
1922. Y.B., 1922, p. 992. 1923; Y.B. Sep. 887, p. 992. 1923.
10-year period, comparisons. F.B. 563, p. 12. 1913; F.B. 641, p. 29. 1914.
testing apparatus. D.B. 472, pp. 1–15. 1916 D.B. 1065, pp. 1–13. 1922.
units. Rpt. 98, pp. 71–72. 1913
wheat—
and flax mixtures, experiments on irrigated land, Belle Fourche farm. D.B. 1039, pp. 63–64, 72. 1922.
description and composition. S.R.S. Syl. 11, rev., pp. 5–6. 1918.

1062   UNITED STATES DEPARTMENT OF AGRICULTURE

Grain(s)—Continued.
  winter—
    Alaska, experiments. Alaska A.R., 1910, pp. 32, 50, 56–57. 1911.
    alfalfa fields. F.B. 339, p. 31. 1908.
    growing—
      as forage for hogs. F.B. 951, p. 10. 1918.
      experiments in Alaska. Alaska A.R., 1911, pp. 25–26, 35, 51–52, 54. 1912.
      varietal experiments in Texas, yield. B.P.I. Bul. 283, pp. 25–79. 1913.
      Yuma Project, acreage, production, yield, value, etc., in 1919–1920, and 1911–1920. D.C. 221, pp. 7, 9–11. 1922.
      world countries, acreage and production, 1909–1919. Y.B., 1919, pp. 509, 517, 531, 539–540, 547, 557, 561. 1920; Y.B. Sep. 826, pp. 509, 517, 531, 539–540, 547, 557, 561. 1920.
    yields—
      after—
        disinfection for smut. F.B. 939, pp. 27–28. 1918.
        electrochemical treatment of seed. D.C. 305. pp. 2, 3, 6. 1924.
      at Akron Field Station, 1909–1923. D.B. 1304, pp. 9–19. 1925.
      comparison of other kinds with barley. F.B. 443, p. 41. 1911.
      in North Dakota, and factors affecting. D.B. 757, pp. 27–33. 1919.
      on important American soils. Y.B., 1911, pp. 223–236. 1912; Y.B. Sep. 563, pp. 223–236. 1912.
      per acre—
        by countries (Europe). Soils Bul. 57, pp. 13–27. 1909.
        individual farms, Germany, 1552–1904. Soils Bul. 57, pp. 58–60. 1909.
      relation of water supply. Soils Bul. 71, p. 12, 1911.
      under different volumes of water, Idaho. D.B. 339, pp. 10–14, 16, 20, 24, 26, 30–33, 35, 36, 39, 45. 1916.
      with varying water supply. Y.B., 1910, p. 174. 1911; Y.B. Sep. 526, p. 174. 1911.
    See also Cereals; and under specific crops.
Grainfields—
  California, fire protection, county-agent work. S.R.S. Doc. 88, p. 16. 1918.
  hogging-off, advantages, varieties, methods and areas. F.B. 599, pp. 5–10. 1914.
  seeding to hay. F.B. 1170, pp. 9–10. 1920.
Gram—
  black. See Urd.
  golden, or green. See Mung bean.
Grama—
  buffalo-grass type of vegetation, occurrence and description. B.P.I. Bul. 201, pp. 24–48, 90. 1911.
  grass—
    black, and associated grasses, Arizona ranges, description. D.B. 367, pp. 10–12, 20, 21. 1916.
    blue—
      importance as grazing grass, Great Plains. J.A.R., vol. 19, p. 66. 1920.
      injury by burning. B.P.I. Bul. 117, p. 19. 1907.
      palatability for cattle. D.B. 1170, pp. 36, 42. 1923.
    crowfoot, and associated grasses, Arizona ranges. D.B. 367, pp. 12–13, 19, 21. 1916.
    description. D.B. 772, pp. 193–194, 195. 1920.
    destruction by fungous disease. B.P.I. Bul. 201, p. 44. 1911.
    native vegetation of Belle Fourche region. D.B. 1039, p. 4. 1922.
    occurrence, description and soil indications. B.P.I. Bul. 201, pp. 23–69. 1911.
    rust, occurrence and description. B.P.I. Bul. 226, p. 51. 1912.
    side oats, effect of burning pastures. J.A.R., vol. 23, pp. 633, 636, 642. 1923.
    value—
      as pasture and forage, Southwestern ranges. D.B. 588, pp. 3, 4–9, 16–18, 19, 23–24. 1917.
      on ranges. D.B. 1031, pp. 8–9, 20–22, 26–31, 33. 1922.

Grama—Continued.
  wire, occurrence and value, Arizona ranges. D.B. 367, pp. 12, 13, 17. 1916.
  tribe, key to genera, and descriptions. D.B. 772, pp. 16–17, 171–199. 1920.
Gramineae, growing on manganiferous soils, observations and experiments. Hawaii Bul. 26, pp. 23–24, 26–27. 1912.
Granadilla—
  importations and descriptions. No. 36047, B.P.I. Inv. 36, p. 42. 1915; Nos. 39360, 39382, B.P.I. Inv. 41, pp. 17, 22. 1917; No. 40552, B.P.I. Inv. 43, p. 44. 1918; Nos. 42032, 42033, 42035, 42269, 42289–42291, B.P.I. Inv. 46, pp. 46, 70, 73, 74. 1919; Nos. 43115, 43297, 43298, B.P.I. Inv. 48, pp. 18, 41. 1921; Nos. 43437, 43593, 43745, 43765, B.P.I. Inv. 49, pp. 21, 49, 72, 74. 1921; Nos. 44852–44854, B.P.I. Inv. 51, p. 79. 1922; Nos. 45226, 45613–45614, B.P.I. Inv. 53, pp. 10, 13, 69. 1922; No. 46648, B.P.I. Inv. 57, p. 17. 1922; Nos. 49146, 49211, 49475, B.P.I. Inv. 62, pp. 7, 12, 41. 1923; Nos. 51398, 52300, B.P.I. Inv. 65, pp. 12, 87. 1923; No. 53180, B.P.I. 67, pp. 2, 35. 1923.
  insect pests, list. Sec. [Misc.], "A manual * * * dangerous insects," p. 126. 1917.
  Porto Rico, description and uses. D.B. 354, pp. 28, 88. 1916.
  variety, description. B.P.I. Bul. 207, p. 46. 1911.
Granary—
  crib, combination, description, capacity, and free plans. News L., vol. 6, No. 9, pp. 6–7. 1918.
  farm, portable. L. M. Jeffers and others. Mkts. Doc. 11, pp. 8. 1918.
  permanent, needs for bulk handling of grain, description. F.B. 1290, pp. 20–21. 1922.
  rice storage, directions. F.B. 1420, pp. 18–20. 1924.
  weevil, description and habits. F.B. 1260, pp. 4–5. 1922.
Grand Canyon—
  character of view, and accommodations for tourists. For. [Misc.], "A * * * development of * * * village * * *," pp. 2, 5, 7. 12–18. 1918.
  game refuge, game protection, 1909. Biol. Cir. 73, p. 8. 1910.
  National Monument, location, administration, and character. For. [Misc.], "A development of * * * village * * *," pp. 17. 18, 42. 1918.
Grand Falls Land & Irrigation Co., system and details. O.E.S. Bul. 222, pp. 72–73. 1910.
Grand Rapids, Mich., milk supply, statistics, officials, prices and ordinances. B.A.I. Bul. 46, pp. 30, 101, 178. 1903.
Grand Trunk Ry. Co., violation of 28-hour law, decision. Sol. Cir. 59, pp. 1–4. 1912.
Grandma's Compound Sarsaparilla, misbranding. Chem. N.J. 12658. 1925.
Grange, National, work in county organization. S.R.S. Rpt., 1918, p. 28. 1919.
Granite—
  losses in transformation to soils, table. J.A.R., vol. 13, p. 609. 1918.
  origin, classification, mineral constituents, and value. Rds. Bul. 37, pp. 13, 14–23, 26, 27. 1911.
  pavement, comparison with wood. For. Cir. 141, pp. 8, 9, 10. 1908.
  road-building, physical tests, results, 1916, 1917. D.B. 670, pp. 2–28. 1918.
  unfit for use on road surfaces. Rds. Bul. 44, p. 29. 1912.
  value in road building and results of tests. D.B. 348, pp. 7, 12–15, 20–22. 1916; D.B. 370, pp. 6, 15–100. 1916.
Granitoid surfaces, composition, and value as floors. B.A.I. An. Rpt., 1909, p. 252. 1911; B.A.I. Cir. 173, p. 252. 1911.
Granolithic surfaces, composition, and value as floors. B.A.I. An. Rpt., 1909. p. 252. 1911; B.A.I. Cir. 173, p. 252. 1911.
Grant, C. V.: "Poison ivy and poison sumac and their eradication." With A. A. Hansen. F.B. 1166, pp. 16. 1920.
Grantham, A. E.: "Occurrence of sterile spikelets in wheat." With Frazier Groff. J.A.R., vol. 6, No. 6, pp. 235–250. 1916.

Granulare, effervescente, adulteration and misbranding. See also *Indexes, Notices of Judgment, in bound volumes and in separates published as supplements to Chemistry Service and Regulatory Announcements.*
Granuloma—
coccidioidal, occurrence in cattle. L. T. Giltner. J.A.R., vol. 14, pp. 533-542. 1918.
inguinale, spread by dogs. D.B. 260, p. 23. 1915.
Granville wilt, tobacco—
history, origin, description, and control. B.P.I. Bul. 141, Pt. II, pp. 17-24. 1909.
See also Tobacco wilt.
Grape(s)—
acid content. Chem. Bul. 140, pp. 16-24. 1911.
acreage, varieties, and soils adaptable, Pajaro County, Calif. Soil Sur. Adv. Sh., 1908, p. 16. 1910; Soils F.O., 1908, p. 1344. 1911.
adulteration. Chem. S.R.A. 5, N.J. 3207, p. 394. 1914.
Agawam, chemical composition. Chem. Bul. 145, pp. 21, 27. 1911.
alcohol, production. F.B. 269, pp. 18-21. 1906.
Alexandria, description, uses, growing and pruning. D.B. 349, pp. 4, 8-9. 1916.
Algerian, cultivation. B.P.I. Bul. 80, pp. 60-64. 1905.
American—
and Franco-American varieties, on own roots, behavior and value, experiments in California. D.B. 209, pp. 129-154. 1915.
grown in—
Central and Eastern States, chemical composition. William B. Alwood and others. D.B. 452, pp. 20. 1916.
Ohio, New York, and Virginia, chemical composition, enological studies. William B. Alwood. Chem. Bul. 145, pp. 35. 1911.
improvement. F.B. 144, pp. 16-22. 1901.
loading. H. S. Bird and A. M. Grimes. Mkts. Doc. 14, pp. 28. 1918.
resistance to—
crown gall. B.P.I. Bul. 183, pp. 18-20, 26. 1910.
root knot. F.B. 1345, p. 24. 1923.
varieties and hybrids, characteristics. J.A.R., vol. 23, pp. 47-53. 1922.
Anaheim disease, ravages in California. D.B. 903, pp. 3, 14. 1921.
analyses from sprayed and unsprayed grapevines. Ent. Bul. 116, Pt. I, pp. 10-12. 1912.
anthracnose, control, experiments. Lon A. Hawkins. B.P.I. Cir. 105, pp. 8. 1913.
aphids—
description, seasonal history, and control. F.B. 1128, pp. 36-37, 37-45, 48. 1920; F.B. 1220, p. 25. 1921.
injury to grape foliage. F.B. 804, pp. 32-33. 1917.
apple gall, description and control. F.B. 1220, p. 32. 1921.
area and production in Canada, 1900, 1910. D.B. 483, p. 8. 1917.
Bacchus, chemical compositions. Chem. Bul. 145, pp. 20, 21, 27. 1911.
bagging—
advantages. F.B. 432, pp. 13-14. 1911; F.B. 721, p. 8. 1916.
cost and results. D.B. 550, pp. 9, 39. 1917.
Banner, origin and description. Y.B., 1906, p. 361. 1907; Y.B. Sep. 429, p. 361. 1907.
baskets, standard sizes, and regulations. Sec. Cir. 76, pp. 1-8. 1917.
beetle, root-worm, studies in Erie grape belt, 1907-1909. Fred Johnson and A. G. Hammar. Ent. Bul. 89, pp. 100. 1910.
belt, Erie-Chautauqua—
grape-berry moth, control in. Dwight Isley. D.B. 550, pp. 44. 1917.
location, and acreage of vineyards. D.B. 19, p. 9. 1914.
berry—
moth—
control. F.B. 908, p. 91. 1918.
control in Erie-Chautauqua grape belt. Dwight Isley. D.B. 550, pp. 44. 1917.
control in northern Ohio. H. G. Ingerson and G. A. Runner. D.B. 837, pp. 26. 1920.

Grape(s)—Continued.
berry—continued.
moth—continued.
description, life history, and control. Ent. Bul. 116, Pt. II, pp. 15-71. 1912; F.B. 284, pp. 12-15, 26-27. 1907.
parasites, description. Ent. Bul. 116, Pt. II, pp. 45-48. 1912.
worm, control. S.R.S. Rpt., 1916, Pt. I, pp. 221-222. 1918.
Beula, description. B.P.I. Bul. 273, p. 60. 1913.
beverage, adulteration and misbranding. Chem. N.J. 12760. 1925.
bitter root, description and control. F.B. 1220, pp. 62-63. 1921.
blackrot—
control. C. L. Shear and others. B.P.I. Bul. 155, pp. 42. 1909.
description and control. B.P.I. Bul. 155, pp. 8-10. 1909; B.P.I. Cir. 65, pp. 1-15. 1910; F.B. 1220, pp. 49-51. 1921.
effect on muscadine grapes. F.B. 709, p. 23. 1916.
blossom midge, description, life history, and control. F.B. 1220, pp. 9-11. 1921.
blue, description, resistance to phylloxera. B.P.I. Bul. 172, p. 24. 1910.
borers, description. Sec. [Misc.], "A manual of insects * * *," p. 127. 1917.
boxes and crates, types used in different localities. F.B. 1196, pp. 29-30. 1921.
brandy, misbranding. Chem. N. J. 1592, p. 1. 1912.
breeding, investigations with muscadine grapes. F.B. 709, pp. 23-24. 1916.
Brown, description. B.P.I. Bul. 273, p. 60. 1913.
bushel weights, by States. Y.B. 1918, p. 724. 1919; Y. B. Sep. 795, p. 60. 1919.
California table, successful storage, factors governing. A. V. Stubenrauch and C. W. Mann. D.B. 35, pp. 31. 1913.
Campbell's Early, chemical composition. Chem. Bul. 145, pp. 22, 28. 1911.
canes, insects affecting, description and control. F.B. 1220, pp. 35-39. 1921.
canning—
directions. D.B. 1084, p. 24. 1922; F.B. 839, pp. 19-20, 30. 1917; F.B. 859, pp. 17-18. 1917; S.R.S. Doc. 12, p. 2. 1917.
methods, effect of various sirups. D.B. 196, pp. 41-42. 1915.
seasons. Chem. Bul. 151, pp. 34, 39. 1912.
car lots—
marketing methods. D.B. 861, pp. 16-26. 1920.
shipments, by States, 1917-1922. Y.B., 1922, pp. 773, 774. 1923; Y.B. Sep. 884, pp. 773, 774. 1923.
Carolina Belle, description. B.P.I. Bul. 273, pp. 59-60. 1913.
Catawba—
analyses of juice and whole berries. D.B. 335, pp. 10, 14, 18, 19, 20, 21, 22, 23, 24, 25, 28. 1916.
description, demand, and commercial status. D.B. 861, pp. 6-7. 1920.
introduction into California. D.B. 903, p. 5. 1921.
quality and chemical composition. Chem. Bul. 145, pp. 12, 14, 15, 16, 20, 22, 28. 1911.
sugar content and acid-sugar ratio. D.B. 452, pp. 15, 16. 1916.
caterpillar, eight-spotted forester, control. F.B. 908, p. 97. 1918.
Champion, description, and quality. D.B. 861, p. 8. 1920.
characters, inheritance studies. U. P. Hedrick and R. D. Anthony. J.A.R., vol. 4, pp. 315-330. 1915.
chemical composition, changes during ripening. D.B. 335, pp. 2-4. 1916.
Chinese, importation and description. No. 40026, B.P.I. Inv. 42, pp. 5, 54. 1918; No. 55097, B.P.I. Inv. 71, p. 22. 1923.
cider, adulteration and misbranding. Chem. N.J. 2615, pp. 3. 1913.
Clayton, description. B.P.I. Bul. 273, p. 60. 1913.

Grape(s)—Continued.
Clinton—
  analyses of juice. Chem. Bul. 240, pp. 14–16, 20, 22, 28. 1911; D.B. 335, pp. 10–11, 16, 19. 1916.
  sugar content and acid-sugar ratio, results. D.B. 452, p. 15. 1916.
  color, inheritance studies. J.A.R., vol. 4, pp. 320–323, 329. 1915.
  commercial production, changes in market. D.B. 861, pp. 2–3. 1920.
  comparison with grape juice in sugar and acid content. D.B. 335, pp. 27–28. 1916.
  composition—
    investigations. Chem. Chief Rpt., 1912, pp. 40, 51. 1912; An. Rpts., 1912, pp. 590, 601. 1913.
    of whole fruit, and analytical results. D.B. 335, pp. 22–27. 1916; F.B. 644, pp. 2, 14–15. 1915.
  concentrate, adulteration and misbranding. See *Indexes to Notices of Judgment, in bound volumes, and in separates published as supplements to Chemistry Service and Regulatory Announcements*.
Concord—
  analyses of juice and whole berries. D.B. 335, pp. 13, 14, 15, 17, 19, 20, 22, 23, 24, 25, 26, 28. 1916.
  description, quality, and demand. D.B. 861, p. 5. 1920.
  fungous parasites, *Glomerella* sp., and *Gloeosporium* sp., studies. B.P.I. Bul. 252, pp. 56–57. 1913.
  juice, manufacture and chemical composition. B. G. Hartmann and L. M. Tolman. D.B. 656, pp. 27. 1918.
  origin and value. Y.B., 1911, p. 412. 1912; Y.B. Sep. 580, p. 412. 1912.
  quality and chemical composition. Chem. Bul. 145, pp. 14, 15, 16, 20, 22–23, 29, 35. 1911.
  soils adaptable in northwest Pennsylvania, commercial value. Soil Sur. Adv. Sh., 1908, pp. 44–45. 1910; Soils F.O., 1908, p. 237. 1911.
  spraying experiments. B.P.I. Bul. 155, pp. 13–17, 25–37. 1909.
  sugar content and acid-sugar ratio, results. D.B. 452, pp. 15, 16. 1916.
containers, standard sizes and shapes. D.B. 861, p. 11. 1920.
crossbreeding, studies of character inheritance. J.A.R., vol. 4, pp. 315–330. 1915.
crown gall—
  cause, description and control. F.B. 1220, pp. 61–62. 1921.
  field studies. George G. Hedgcock. B.P.I. Bul. 183, pp. 40. 1916.
crusher, homemade. F.B. 859, p. 4. 1917; F.B. 1075, pp. 9, 10. 1919; F.B. 1454, pp. 2–7, 16, 20. 1925.
crushing, stemming, heating, and pressing for juice. D.B. 656, pp. 6–12. 1918.
cultivation for control of insects. D.B. 730, pp. 16, 27. 1918.
cultural directions for permanent gardens. F.B. 1242, pp. 18–22. 1921.
culture, uses. Y.B., 1904, pp. 363–380. 1905; Y.B. Sep. 354, pp. 363–380. 1905.
curculio—
  Fred E. Brooks. D.B. 730, Pt. I, pp. 1–19. 1918.
  description, injuries, and control. Ent. Bul. 116, Pt. II, pp. 26–27. 1912.
  parasites. D.B. 730, pp. 14–15. 1918.
currant—
  and gooseberry, aphid injury. A. L. Quaintance and A. C. Baker. F.B. 804, pp. 42. 1917; F.B. 1128, pp. 28. 1920.
  culture, history, and description. Y.B., 1911, pp. 433–436. 1912; Y.B. Sep. 581, pp. 433–436. 1912.
  drying, practices in different countries. D.B. 856, pp. 15–16. 1920.
  growing, promising industry. George C. Husmann. D.B. 856, pp. 16. 1920.
  planting, pruning, and ringing directions. D.B. 856, pp. 9–12. 1920.
cuttings—
  and roots, disinfection for phylloxera control. D.B. 903, p. 11. 1921.
  rooting. F.B. 709, pp. 4–6. 1916.

Grape(s)—Continued.
Cynthiana—
  analyses of juice. Chem. Bul. 145, pp. 23, 35. 1911; D.B. 335, pp. 13, 17, 19. 1916.
  sugar content and acid-sugar ratio, results. D.B. 452, p. 15. 1916.
damage by Mexican conchuela Texas. Ent. Bul. 64, Pt. I, p. 6. 1907.
Delaware—
  analyses of juice. D.B. 335, pp. 11, 13, 15, 16, 19, 20, 22, 24. 1916.
  description, quality, and demand. D.B. 861, p. 7. 1920.
  quality and chemical composition. Chem. Bul. 145, pp. 12, 14, 15, 16, 20, 23, 29, 35. 1911.
destruction by—
  birds. Biol. Bul. 15, p. 21. 1901.
  California quail. Biol. Bul. 21, p. 50. 1905.
development of varieties in United States. D.B. 861, pp. 1–2. 1920.
Diana, chemical composition. Chem. Bul. 145, pp. 23, 30. 1911.
disease(s)—
  control by lime-sulphur sprays. F.B. 435, p. 15. 1911.
  introduction into Europe from America. Y.B., 1908, p. 460. 1909; Y.B. Sep. 494, p. 460. 1909.
  resistant varieties, work. B.P.I. Chief Rpt., 1905, pp. 137–138. 1906.
  Texas, occurrence and description. B.P.I. Bul. 226, pp. 33–34, 111. 1912.
  treatment. F.B. 243, p. 22. 1906.
drum, use in grape packing, description, and weight of grapes. D.B. 35, pp. 12, 13, 21–22, 29, 30, 31. 1913.
drying directions. D.B. 1335, p. 34. 1925.
dust, analysis. Chem. Bul. 68, p. 32. 1902.
dusting with insecticides for control of grapeberry moth. D.B. 837, pp. 22–23. 1920.
east of Rocky Mountains, insect and fungous enemies. A. L. Quaintance and C. L. Shear. F.B. 284, pp. 48. 1907.
eastern—
  commercial varieties, description and uses. D.B. 861, pp. 5–9. 1920.
  marketing. Dudley Allerton. D.B. 861, pp. 16. 1920.
  producing sections, shipments, 1916–1919. D.B. 861, pp. 26–53. 1920.
  varieties, introduction into California. D.B. 903, pp. 5–7. 1921.
Eden, origin, description, and characteristics. B.P.I. Bul. 273, pp. 53–54. 1913; F.B. 709, pp. 27–28. 1916.
effect of copper sprays. D.B. 1146, pp. 4, 21. 1923.
Elvira, chemical composition. Chem. Bul. 145, pp. 23, 30, 35. 1911.
essence—
  adulterated and misbranded, decision. Sol. Cir. 91, pp. 3. 1918.
  adulteration and misbranding. See also *Indexes, Notices of Judgment, in bound volumes and in separates published as supplements to Chemistry Service and Regulatory Announcements*.
European—
  description. B.P.I. Bul. 172, pp. 24–25. 1910.
  production district and varieties in United States. D.B. 861, p. 1. 1920.
  species, varieties, and hybrids. J.A.R., vol. 23, pp. 47–53. 1922.
  susceptibility to crown gall. B.P.I. Bul. 183, pp. 16–18, 27. 1910.
exports, 1922–1924. Y.B. 1924, p. 1043. 1925.
fan-training system, description. D.B. 837, p. 4. 1920.
fertilizers. F.B. 709, pp. 13–14. 1916.
flavor, concentrate, adulteration and misbranding. Chem. N.J. 13376. 1925.
flowers, origin, history, and description. B.P.I. Bul. 273, pp. 47–49. 1913; F.B. 709, pp. 26–27. 1916; Y.B. 1913, pp. 117–118. 1914; Y.B. Sep. 618, pp. 117–118. 1914.
food value, analysis and comparison with other fruits. F.B. 685, p. 21. 1915.
forecast by States, September, 1913. F.B. 558, p. 18. 1913.
fox, northern, description, and resistance to phyllox era. B.P.I. Bul. 172, p. 18. 1910.

Grape(s)—Continued.
  freezing points. D.B. 1133, pp. 3, 4, 5, 7. 1923.
  fresh, shipments from California, 1902–1912. D.B. 35, pp. 1–2. 1913.
  Frost—
    description and resistance to phylloxera. B.P.I. Bul. 172, pp. 20–21. 1910.
    injury by sapsuckers. Biol. Bul. 39, p. 22. 1911.
  fungous diseases and their treatment. F.B. 156, pp. 20–22. 1902.
  grafted, comparison with grapes on own roots, tests in California. D.B. 209, pp. 27–125. 1915.
  growing—
    fertilizing experiments, in Hawaii, 1917. Hawaii A.R., 1917, pp. 13–19. 1918.
    for home use. F.B. 1001, pp. 4, 5, 11, 32–39. 1919.
    home vineyard, northern conditions. F.B. 156, pp. 3–22. 1902.
    in Alabama, Tallapoosa County. Soil Sur. Adv. Sh., 1909, pp. 12, 24. 1910; Soils F.O., 1909, pp. 652, 664. 1912.
    in Arizona, Yuma, varieties and yields. W.I.A. Cir. 25, p. 40. 1919.
    in California—
      central southern area. Soil Sur. Adv. Sh., 1917, pp. 28, 58, 62, 88–101. 1921; Soils F.O., 1917, pp. 2426, 2456, 2460, 2486–2499. 1923.
      Fresno area, for wine and raisins. Soil Sur. Adv. Sh., 1912, pp. 15–17. 1914; Soils F.O., 1912, pp. 2099–2101. 1915.
      Healdsburg area. Soil Sur. Adv. Sh., 1915, pp. 11, 13–14, 32–58. 1917; Soils F.O., 1915, pp. 2205, 2207–2208, 2226–2252. 1919.
      history. D.B. 903, pp. 1–7. 1921.
      Lower San Joaquin Valley, varieties and uses. Soil Sur. Adv. Sh., 1915, pp. 26–27. 1918; Soils F.O., 1915, pp. 2602–2603. 1919.
      Marysville area, yield and price. Soil Sur. Adv. Sh., 1909, pp. 16–17, 43. 1911; Soils F.O., 1909, pp. 1700–1701, 1727. 1912.
      Merced area, varieties, and yields. Soil Sur. Adv. Sh., 1914, p. 14, 1916; Soils F.O., 1914, pp. 2794, 2823, 2835. 1919.
      Modesto-Turlock area, acreage, yield, profits, and varieties. Soil Sur. Adv. Sh., 1908, pp. 50–52; Soils F.O., 1908, pp. 1274–1276. 1911.
      Pasadena area. Soil Sur. Adv. Sh., 1915, pp. 11, 15, 34. 1917; Soils F.O., 1915, pp. 2321, 2325, 2344. 1919.
      Portersville area, varieties and yield. Soil Sur. Adv. Sh., 1908, p. 18. 1909; Soils F.O., 1908, p. 1308. 1911.
      Riverside area, methods, varieties, etc. Soil Sur. Adv. Sh., 1915, pp. 14, 53, 70. 1917; Soils F.O., 1915, pp. 2376–2377, 2396, 2401. 1919.
      Sacramento Valley, yields. Soil Sur. Adv. Sh., 1913, pp. 23–24, 80, 88, 96, 98, 112. 1915; Soils F.O., 1913, pp. 2313–2314, 2370, 2378, 2386, 2388, 2402. 1916.
      San Diego region. Soil Sur. Adv. Sh., 1915, pp. 15, 51, 58, 76. 1918; Soils F.O., 1915, pp. 2519, 2555, 2562, 2580. 1919.
      San Fernando Valley area. Soil Sur. Adv. Sh., 1915, pp. 16, 35, 46, 51. 1917; Soils F.O., 1915, pp. 2462, 2481, 2492, 2497. 1919.
      San Francisco Bay region, Soil Sur. Adv. Sh., 1914, pp. 17–18, 37–104. 1917; Soils F.O., 1914, pp. 2689–2690, 2709–2776. 1919.
      San Joaquin Valley. Soil Sur. Adv. Sh., 1915, pp. 26–27, 65, 71, 125, 133, 140. 1918; Soils F.O., 1915, pp. 2602–2603, 2641, 2647, 2701, 2709, 2716. 1919.
      Ukiah area. Soil Sur. Adv. Sh., 1914, pp. 15, 17–18, 39, 43. 1916; Soils F.O., 1914, pp. 2639–2642, 2651–2672. 1919.
      upper San Joaquin Valley, notes. Soil Sur. Adv. Sh., 1917, pp. 27–28. 1921; Soils F.O., 1917, pp. 2555–2556. 1923.
      Victorville area. Soil Sur. Adv. Sh., 1921, p. 632. 1924.
      Woodland area. Soil Sur. Adv. Sh., 1909, pp. 15, 21, 23, 24, 31, 32, 34, 36. 1911; Soils F.O., 1909, pp. 1645, 1661, 1663, 1664, 1671, 1672, 1674, 1686. 1912.

Grape(s)—Continued.
  growing—continued.
    in Florida, Flagler County. Soil Sur. Adv. Sh., 1918, pp. 10, 18, 40. 1922; Soils F.O., 1918, pp. 540, 548, 570. 1924.
    in Guam. Guam A.R., 1920, p. 50. 1921.
    in Hawaii. Hawaii A.R., 1921, pp. 17–18. 1922.
    in Iowa, Pottawattamie County, acreage and methods. Soil Sur. Adv. Sh., 1914, pp. 12–13. 1916; Soils F.O., 1914, pp. 1892–1893, 1897. 1919.
    in Missouri, Newton County, varieties and yields. Soil Sur. Adv. Sh., 1915, pp. 12, 13, 15, 17, 26, 31. 1917; Soils F.O., 1915, pp. 1858, 1863, 1877. 1919.
    in Nebraska, Douglas County, varieties and yields. Soil Sur. Adv. Sh., 1913, pp. 16–17, 24. 1915; Soils F.O., 1913, pp. 1978–1979, 1986. 1916.
    in Nevada, varieties adapted. D.C. 136, p. 16. 1920.
    in New York—
      Chautauqua County, yields. Soil Sur. Adv. Sh., 1914, pp. 16–18, 27, 30, 33, 35, 37, 38. 1916; Soils F.O., 1914, pp. 275, 280–304. 1919.
      Westfield area. Soils F.O. Sep., 1901, pp. 81, 82, 83, 85, 86, 90–91. 1903; Soils F.O., 1901, pp. 81, 82, 83, 85, 90–91. 1902.
      Yates County. Soil Sur. Adv. Sh., 1916, pp. 8, 10, 11, 26, 27, 29, 31. 1918; Soils F.O., 1916, pp. 224, 225, 230–231, 240–245. 1921.
    in North Carolina, Orange County. Soil Sur. Adv. Sh., 1918, p. 11. 1921; Soils F.O., 1918, p. 227. 1924.
    in Ohio, cultural practices, varieties, and harvesting. D.B. 837, pp. 2–4. 1920.
    in Oregon, Umatilla Experiment Farm, variety tests. W.I.A. Cir. 26, pp. 26–27. 1919.
    in Pennsylvania—
      Erie County, soils, methods, and yield. Soil Sur. Adv. Sh., 1910, pp. 11–14. 1911; Soils F.O., 1910, pp. 151–154. 1912.
      northwestern, methods, yield, and value. Soil Sur. Adv. Sh., 1908, pp. 43–48. 1910; Soils F.O., 1908, pp. 235–240. 1911.
    in Texas, possibilities. D.B. 162, pp. 14, 22, 26. 1915; O.E.S. Bul. 222, p. 31. 1910.
    in United States and foreign countries, acreage and production. Sec. [Misc.], Spec. "Geography * * * world's agriculture," pp. 84–88. 1917.
    in Washington—
      Benton County. Soil Sur. Adv. Sh., 1916, pp. 13–14, 47, 53, 71. 1919; Soils F.O., 1916, pp. 2211–2212, 2245, 2251, 2269. 1921.
      Wenatchee area, notes. Soil Sur. Adv. Sh., 1918, pp. 14, 16. 1922; Soils F.O., 1918, pp. 1554, 1556. 1924.
  investigations, work of Bureau of Plant Industry in California, scope and purpose. B.P.I. Bul. 172, p. 17. 1910.
  on Umatilla Experiment Farm, varieties. B.P.I. [Misc.], "The work of the Umatilla * * * 1913," p. 8. 1914.
  spraying experiments in Michigan, 1909. B.P.I. Cir. 65, pp. 1–15. 1910.
  Guatemalan, importation and description. No. 44060, B.P.I. Inv. 50, pp. 8, 21. 1922.
  Gulch, description, resistance to phylloxera. B.P.I. Bul. 172, p. 22. 1910.
  gun-worm, description. Sec. [Misc.], "A manual of * * * insects * * *," p. 129. 1917.
  hardy, from China, importation and description. No. 36753, B.P.I. Inv. 37, pp. 7, 61. 1916.
  harvesting, early, for control of berry moth. D.B. 550, pp. 12, 40. 1917.
  Hopkins, description and characteristics. B.P.I. Bul. 273, pp. 55–56. 1913.
  hybrids—
    American-Italian importations and descriptions. Nos. 42477–42519, B.P.I. Inv. 47, pp. 6, 21–24. 1920.
    disease-resistant, origin. B.P.I. Bul. 172, pp. 25–26. 1910; Y.B., 1908, p. 459. 1909; Y.B. Sep. 494, p. 459. 1909.
    from Russia, importation and description No. 35306, B.P.I. Inv. 35, pp. 7, 35. 1915.
    immune to crown-gall, list. B.P.I. Bul. 183 pp. 19–20. 1910.

Grape(s)—Continued.
hybrids—continued.
importations and descriptions. Nos. 42477-42519, B.P.I. Inv. 47, pp. 6, 21-24. 1920.
phylloxera-resistant, experimental tests in California. D.B. 209, p. 16. 1915.
importation(s) and description(s). Nos. 28637-28642, B.P.I. Bul. 223, pp. 34-35. 1911; Nos. 29653, 30042-30048, 30141, 30142, B.P.I. Bul. 233, pp. 34, 52-53, 61-62. 1912; No. 32879, B.P.I. Bul. 282, p. 56, 1913; Nos. 40600, 40624, 40733, B.P.I. Inv. 43, pp. 8, 58, 73. 1918; Nos. 41707, 41877, 42320, B.P.I. Inv. 46, pp. 7, 12, 27, 77. 1919; Nos. 45236, 45361, 45585, 45690, 45691, B.P.I. Inv. 53, pp. 7, 15, 32, 63, 79. 1922; Nos. 45796, 45797, 45968, B.P.I. Inv. 54, pp. 3, 21, 52. 1922; Nos. 46787, 46833, B.P.I. Inv. 57, pp. 6, 34, 41. 1922; No. 54652, B.P.I. Inv. 69, pp. 33-34. 1923; No. 55952, B.P.I. Inv. 73, pp. 3, 21. 1924.
imports—
1907-1909, quantity and value, by countries from which consigned. Stat. Bul. 82, p. 40. 1910.
1908-1910, quantity and value, by countries from which consigned. Stat. Bul. 90, p. 43. 1911.
1918. Y.B., 1918, p. 631. 1919; Y.B. Sep. 792, p. 7. 1919.
1921. Y.B., 1921, p. 740. 1922; Y.B. Sep. 867, p. 4. 1922.
1922-1924. Y.B., 1924, p. 1061. 1925.
in Pomona Valley, Calif., danger of over-irrigation. O.E.S. Bul. 236, p. 85. 1911.
O.E.S. Bul. 236, p. 85. 1911.
infestation with Mediterranean fruit fly. D.B. 536, pp. 24, 48. 1918.
infested with berry moths, hand-picking experiments. D.B. 550, pp. 9-12, 39. 1917.
injury by—
citrus thrips. D.B. 616, p. 10. 1918.
curculio. D.B. 730, pp. 2, 3, 6, 12. 1918.
fumigation. D.B. 1149, p. 10. 1923.
grape-berry moth, description. Ent. Bul. 116, Pt. II, pp. 23-26. 1912.
leaf folder. D.B. 419, p. 5. 1916.
leaf skeletonizer. Ent. Bul. 68, Pt. VIII, pp. 79-80. 1909.
rose—
bug, bagging for protection. Ent. Bul. 67, p. 35. 1907.
chafer. F.B. 721, pp. 2-3. 1916.
starlings. D.B. 868, pp. 30-31. 1921.
vine chafer. Ent. Bul. 38, pp. 99-100. 1902.
inoculation with crown gall, experiments and results. B.P.I. Bul. 183, pp. 22-25. 1910.
insect(s)—
and fungous enemies. A. L. Quiantance and C. L. Shear. F.B. 1220, pp. 75. 1921.
injuries resembling those of grape-berry moth. Ent. Bul. 116, Pt. II, pp. 26-28. 1912.
injurious—
in Hawaii, 1906. Hawaii A.R., 1906, p. 30. 1907.
to berry, description and control. F.B. 1220, pp. 4-13. 1921.
to foliage, description and control. F.B. 1220, pp. 13-39. 1921.
investigations, program for 1915. Sec. [Misc.], "Program of work * * * 1915," pp. 219-220. 1914.
of New York, 1906. Ent. Bul. 67, p. 40. 1907.
pests, description and list. Sec. [Misc.], "A manual of dangerous insects * * *" pp. 109, 114, 127-131. 1917.
introduction into California. D.B. 903, pp. 1-4. 1921.
Iona, quality and chemical composition. Chem. Bul. 145, pp. 12, 14, 15, 16, 20, 24, 31. 1911.
irrigation—
methods. Pomona Valley, Calif. O.E.S. Bul. 236, rev., p. 85. 1912.
studies in California. O.E.S. Cir. 108, p.36. 1911.
Isabella, chemical composition. Chem. Bul. 145, pp. 20-24, 31, 32. 1911.
Ives—
analyses of juice. D.B. 335, pp. 11-12, 19. 1916.
quality and chemical composition. Chem. Bul. 145, pp. 14, 16, 20, 24, 32, 35. 1911.

Grape(s)—Continued.
Ives—Continued.
wine-making experiments. Chem. Bul. 129, pp. 21-32. 1909.
jam—
adulteration. N.J. 1249, p. 1. 1912.
making, directions. F.B. 853, p. 31. 1917.
misbranding. See Indexes, Notices of Judgment, in bound volumes and in separates published as supplements to Chemistry Service and Regulatory Announcements.
James—
description, and characteristics. B.P.I. Bul. 273, pp. 49-50. 1913.
new variety, history and description. Y.B., 1913, pp. 118-119. 1914; Y.B. Sep. 618, pp. 118-119. 1914.
origin, description and characteristics. F.B. 709, p. 26. 1916.
jelly—
crystallization, cause and prevention. D.B. 952, p. 12. 1921.
directions. F.B. 853, p. 40. 1917.
making in Hawaii. Hawaii Bul. 47, pp. 15-17. 1923.
so-called, adulteration and misbranding. Chem. S.R.A. Sup. 2, p. 98. 1915.
juice—
acid determination by different methods. Chem. Bul. 132, p. 61. 1910.
adulteration. See Indexes, Notices of Judgment, in bound volumes and in separates published as supplements to Chemistry Service and Regulatory Announcements.
alcohol yield and cost per gallon. F.B. 429, p. 12. 1911.
analyses, methods and results. D.B. 335, pp. 7-22. 1916; D.B. 656, pp. 15-17. 20-26. 1918.
bottling and pasteurizing in bottles. D.B. 656, pp. 12-13, 17. 1918; F.B. 1075, pp. 23-27. 1919.
clarification, methods. D.B. 1025, pp. 4-15, 23-26. 1922.
commercial, composition, investigations. J.A.R., vol. 23, p. 52. 1923.
commercial manufacture, methods, and appliances. F.B. 644, pp. 8-13. 1915.
Concord—
grapes from clayey soil preferred, Northwestern Pennsylvania. Soil Sur. Adv. SL. 1908, p. 45. 1910; Soils F.O., 1908, p. 237. 1911.
manufacture and chemical composition. B. G. Hartmann and L. M. Tolman D. B. 656, pp. 27. 1918.
cream of tarter crystallization. J. A. R., vol. 1, pp. 513-514. 1914.
effects of seasonal conditions on composition. Joseph S. Caldwell. J.A.R., vol. 30, pp. 1133-1176. 1925.
examination for methyl anthranilate. Frederick B. Power and Victor K. Chesnut. J.A.R. vol. 23, pp. 47-53. 1923.
factories, purchases of grapes. D.B. 861, pp. 20-21. 1920.
fermentation, causes and prevention. F.B. 644, pp. 3-4. 1915.
flavor and quality. F.B. 174, pp. 12-13. 1903; F.B. 644, pp. 4-5. 1915.
historical notes, early names and uses. F.B. 644, pp. 1-2. 1915.
home manufacture, methods, and appliances needed. F.B. 644, pp. 5-8. 1915.
industry, grape pomace and stems, commercial utilization. Frank Rabak and J. H. Shrader. D.B. 952, pp. 24. 1921.
jars for. F.B. 1454, p. 5. 1925.
labeling, ruling. Chem. S.R.A. 18, p. 45. 1916.
making—
by cold-press method. F.B. 1075, pp. 6-27, 31. 1919.
by hot-press method. F.B. 1075, pp. 27-29. 1919.
summary, diagrammatic outline. F.B. 1075, pp. 29-30. 1919.
manufacture from Concord grapes, details. D.B. 656, pp. 4-20. 1918.
misbranding, decision. Sol. Cir. 91, pp. 3 1918.

INDEX TO PUBLICATIONS, 1901-1925 1067

Grape(s)—Continued.
juice—continued.
muscadine—
making. F.B. 1454, pp. 6-8. 1925.
preparation methods. F.B. 859, pp. 6-8, 1917.
pasteurization, heat requirement. F.B. 644, p. 3. 1915; F.B. 1075, pp. 18-27. 1919.
processing. F.B. 1211, p. 42. 1921.
sweetening, acidifying and blending. F.B. 1075, pp. 14-16. 1919.
types from different varieties of grapes. F.B. 1075, pp. 4-5, 7-9. 1919.
unfermented—
from muscadine grapes, methods. F.B. 859, pp. 6-8. 1917.
home manufacture. Charles Dearing. F.B. 1075, pp. 32. 1919.
home manufacture and use. George C. Husmann. F.B. 175, pp. 16. 1903.
keeping qualities. F.B. 644, p. 7. 1915.
manufacture and use. George C. Husmann. F.B. 644, pp. 16. 1915.
manufacture from rotundifolia grapes. B.P.I. Bul. 273, p. 38. 1913.
uses and food value. F.B. 644, pp. 14-16. 1915.
use in making apple butter. F.B. 900, p. 5. 1917.
yield per bushel. F.B. 1075, p. 13. 1919.
julep, adulteration and misbranding. Chem. N.J. 13276. 1925.
jungle, concentrate, Concord flavor, adulteration and misbranding. Chem. N.J. 13488. 1925.
labor requirements. D.B. 1181, pp. 8, 41, 61. 1924.
Lady James, description. B.P.I. Bul. 273, pp. 58-59. 1913.
Latham, description, and characteristics. B.P.I. Bul. 273, p. 59. 1913.
leaf—
destruction in fall, for control of insects. D.B. 550, pp. 8, 39. 1917; Ent. Bul. 116, pp. 50-51, 65. 1912.
folder—
J. F. Strauss. D.B. 419, pp. 16. 1916.
parasites, description and habits. D.B. 419, pp. 8-12. 1916.
food use in foreign countries. Y.B. 1911, p. 440. 1912; Y.B. Sep. 582, p. 440. 1912.
gall louse, scarcity in California. D.B. 903, pp. 8, 29, 98. 1921.
hopper. See Leaf hopper, grape.
skeletonizer—
description, life, history, and control. F.B. 1220, p. 28. 1921.
injuries, enemies, and remedies. Ent. Bul. 68, Pt. VIII, pp. 77-90. 1909.
Lenoir, disease-resistant, value, etc. An. Rpts., 1905, pp. 93-94. 1905; B.P.I. Chief Rpt., 1905, pp. 93-94. 1906.
Little Mountain, description, resistance to lime and phylloxera. B.P.I. Bul. 172, p. 20. 1910.
losses in transit, causes and prevention. Mkts. Doc. 14, pp. 1-28. 1918.
Lukfata, origin and value. D.B. 162, pp. 14, 22. 1915.
Luola, description, and characteristics. B.P.I. Bul. 273, pp. 56-57. 1913.
mango, importation and description. Inv. No. 29407, B.P.I. Bul. 233, p. 18. 1912.
market handling of carload lots. Y.B. 1911, pp. 170, 171. 1912; Y.B. Sep. 558, pp. 170, 171. 1912.
market statistics, 1919 and 1920. D.B. 982, p. 232. 1921.
marketing—
bibliography. M.C. 35, p. 39. 1925.
by parcel post, suggestions. F.B. 703, p. 14. 1916.
methods and channels. D.B. 861, pp. 13-26. 1920; Rpt. 98, pp. 177, 181, 194, 200, 237-238. 1913.
Memory, description, and characteristics. B.P.I. Bul. 273, pp. 54-55. 1913.
Mexican, importation and description. No. 44921, B.P.I. Inv. 51, p. 91. 1922.
mincemeat. F.B. 1454, pp. 18. 1925.

Grape(s)—Continued.
Mish—
description and characteristics. B.P.I. Bul. 273, pp. 50-51. 1913.
origin, description and characteristics. F.B. 709, p. 26. 1916.
Mission—
origin and value. D.B. 903, pp. 2-3. 1921.
susceptibility to crown gall. B.P.I. Bul. 183, pp. 11, 16-17, 28. 1910.
Montefiore, chemical composition. Chem. Bul. 145, pp. 21, 25. 1911.
Moore, description, quality, and demand. D.B. 861, pp. 7-8. 1920.
mummied, destruction to prevent infection. B.P.I. Bul. 155, p. 10. 1909.
muscadine—
George C. Husmann and Charles Dearing. F.B. 709, pp. 28. 1916.
acid tests, readings. B.P.I. Bul. 273, pp. 37-38, 39-40. 1913.
black-rot injury, description and control methods. B.P.I. Bul. 273, pp. 40-41. 1913.
botanical relation and classification. B.P.I. Bul. 273, pp. 12-15. 1913.
culinary products. F.B. 1454, pp. 25-26. 1925.
cultivation. George C. Husmann and Charles Dearing. B.P.I. Bul. 273, pp. 64. 1913; F.B. 709, pp. 28. 1916.
Eden variety, home utilization. F.B. 1454, pp. 8, 9, 11, 20. 1925.
flavoring sirup. F.B. 1454, p. 18. 1925.
grafting and soils. F.B. 709, pp. 7-8. 1916.
home—
uses. Charles Dearing. F.B. 859, pp. 23. 1917.
utilization. Charles Dearing. F.B. 1454, pp. 27. 1925.
insects and diseases. B.P.I. Bul. 273, pp. 40-41. 1913.
jelly making. F.B. 1454, pp. 8-14. 1925.
layering for new plants, directions. F.B. 709, pp. 6-7. 1916.
planting and cultivation, pruning and training. B.P.I. Bul. 273, pp. 20-23. 1913; F.B. 709, pp. 9-13, 15-19. 1916.
paste. Charles Dearing. F.B. 1033, pp. 15. 1919.
production district. D.B. 861, p. 1. 1920.
products. F.B. 1454, pp. 3-26. 1925.
pruning and training. F.B. 374, pp. 11-12. 1909; F.B. 709, pp. 15-19. 1916.
resistance to root louse and fungous diseases. B.P.I. Bul. 273, p. 10. 1913.
scuppernong variety, home utilization. F.B. 1454, pp. 2, 3, 8, 11, 15, 16, 17, 20, 25. 1925.
sirup—
Charles Dearing. F.B. 758, pp. 11. 1916.
recipe. News L., vol. 5, No. 2, pp. 6-7. 1917.
status of industry, distribution. B.P.I. Bul. 273, pp. 9-10, 15-19. 1913.
sugar content and value for wine making. D.B. 452, pp. 14, 15. 1916.
two new varieties, Flowers and James. Y.B., 1913, pp. 117-119. 1914; Y.B. Sep. 618, pp. 117-119. 1914.
uses. B.P.I. Bul. 273, pp. 38-39. 1913.
utilization. News L., vol. 7, No. 11, pp. 7-8. 1919.
varieties—
adaptation to sirup making. F.B. 758, pp. 3, 11. 1916.
qualities for juice and jelly. F.B. 859, pp. 8, 12-13, 22. 1917.
suitable for cooking. F.B. 1454, pp. 10-11. 1925.
yields and returns. F.B. 709, pp. 20-22. 1916.
Muscat, susceptibility to crown gall. B.P.I. Bul. 183, pp. 11, 12, 16-17, 28. 1910.
must—
analyses, comparison of Concord and California grapes. F.B. 644, p. 2. 1915.
unfermented, manufacture and preservation. George C. Husmann. B.P.I. Bul. 24, pp. 19. 1902.
mustang, description and resistance to phylloxera. B.P.I. Bul. 172, pp. 18-19. 1910.
native, resistance to phylloxera. D.B. 903, p. 2. 1921.

36167°—32——68

Grape(s)—Continued.
  New Mexico, varieties adapted. N.A. Fauna 35, pp. 24, 39. 1913.
  Niagara—
    chemical composition. Chem. Bul. 145, pp. 25, 33. 1911.
    description, quality, and demand. D.B. 861, p. 6. 1920.
    spraying experiments. B.P.I. Bul. 155, pp. 17–24. 1909.
  nip concentrate, adulteration and misbranding. Chem. N.J. 13721. 1925.
  Norton—
    analyses of juice. D.B. 335, pp. 12, 13, 17, 19 1916.
    quality and chemical composition, notes. Chem. Bul. 145, pp. 14, 15, 16, 18, 21, 25, 33, 35. 1911.
    sugar content and acid-sugar ratio, results. D.B. 452, pp. 15, 17. 1916.
  of Brazil. See Jaboticaba.
  of Corinth. See Grapes, currant.
  Oregon. See Barberry, holly-leaved; Oregon grape.
  origins and cultivation. O. E. S. Bul. 178, pp. 82–87. 1907.
  packing—
    experiments and results of careful handling. Y.B., 1909, pp. 370–371. 1910; Y.B. Sep. 520, pp. 370–371. 1910.
    season. D.B. 196, p. 17. 1915.
  Palestine, varieties worthy of cultivation in United States. B.P.I. Bul. 180, pp. 24–25. 1910.
  Panariti—
    description and pruning methods. D.B. 349, p. 10. 1916.
    origin, history, and description. Y. B., 1911, pp. 433–436. 1912; Y.B. Sep. 581, pp. 433–436. 1912.
  paste, muscadine. Charles Dearing. F.B. 1033, pp. 15. 1919.
  Pee Dee, description. B.P.I. Bul. 273, p. 59. 1913.
  phylloxera. See Phylloxera.
  picking—
    boxes, source of phylloxera infestation. D.B. 903, pp. 9–11, 116–117. 1921.
    by hand to control berry moth, experiments. D.B. 550, pp. 9–12, 39. 1917.
  pine-wood, description, and resistance to climatic conditions. B.P.I. Bul. 172, p. 19. 1910.
  planting, spacing, and cultivation, northwestern Pennsylvania. Soil Sur. Adv. Sh., 1908, pp. 46–47. 1910; Soils F.O , 1908, p. 238. 1911.
  plume moth, description and control. F.B. 1220, pp. 24–25. 1921.
  Pockington, chemical composition, notes. Chem. Bul. 145, pp. 25, 33. 1911.
  pollen, type, and shape of grains. Chem. Bul. 110, p. 75. 1908.
  pomace and stems from grape-juice industry, commercial utilization. Frank Rabak and J. H. Shrader. D.B. 952, pp. 24. 1921.
  preparation for market, picking, trimming, and packing. D.B. 861, pp. 9–13. 1920.
  press, homemade, description and use. F.B. 1075, pp. 11, 12, 13, 28. 1919.
  processing directions and time table. F.B. 1211, pp. 42, 49. 1921.
  production—
    1900–1909, Lake Erie Valley, causes of decline. Ent. Bul. 89, p. 58. 1910.
    1909, value, leading States. D.B. 483, pp. 2, 5. 1917; Y.B., 1914, p. 646. 1915; Y.B. Sep. 657, p. 646. 1915.
    1913–1914. F.B. 641, p. 30. 1914.
    1923. Y.B., 1923, pp. 743, 744 1924; Y.B. Sep. 900, pp. 743, 744. 1924.
    in—
      Argentina, 1909–1913. D.B. 483, p. 12. 1917.
      California, San Francisco Bay region. Soil Sur. Adv. Sh., 1914, pp. 16, 17–18. 1917; Soils F.O., 1914, pp. 2688, 2689–2690. 1919.
      Spain, 1909–1915. D.B. 483, pp. 32–33. 1917.
    ten-year average, estimates, etc. by States. F.B. 563, pp. 3, 13. 1913.
  propagation, pruning, and training. George C. Husmann. F.B. 471, pp. 29. 1911.

Grape(s)—Continued.
  pruning—
    and training. F.B. 181, pp. 30–33. 1903; F.B. 709, pp. 15–19. 1916.
    for raisin varieties, systems. D.B. 349, pp. 5–8. 1916.
  pulp analysis, method. Chem. Bul. 145, pp. 9–11. 1911.
  quality, injury by leaf-hoppers Ent. Bul. 116, Pt. I, pp. 10–12. 1912.
  queen, adulteration. See Indexes, Notices of Judgment, in bound volumes, and in separates published as supplements to the Chemistry Service and Regulatory Announcements.
  rasin—
    and wine production in United States. George C. Husman. Y.B., 1902, pp. 407–420. 1903; Y.B. Sep. 281, pp. 407–420. 1903.
    growing and pruning. D.B. 349, pp. 5–8. 1916.
    use for wine and brandy. D.B. 349, p. 4. 1916.
    varieties—
      description, and treatment. D.B. 349, pp. 8–11. 1916.
      first grown in California. D.B. 349, pp. 1–2. 1916.
    regions, locations in United States, varieties grown. F.B. 471, pp. 28–29. 1911.
  resistant—
    and direct-producing varieties, tests in California, growth ratings, table. D.B. 209, pp. 16–21. 1915.
    stock varieties, tests in California, table. D.B. 209, p. 24. 1915.
  respiration studies. Chem. Bul. 142, pp. 15, 18, 23, 25, 26. 1911.
  returns per acre, Washington irrigated land. O.E.S. Bul. 214, p. 22. 1909.
  Riesling, chemical composition. Chem. Bul. 145, pp. 21, 25, 32, 35. 1911.
  Riparia, description and resistance to phylloxera. B.P.I. Bul. 172, pp. 23–24. 1910.
  ripening—
    analytical data, 1909, 1910. Chem. Bul. 140, p. 24. 1911.
    sugar and acid development. D.B. 335, pp. 1–28. 1916.
  Riverside, description, and resistance to phylloxera. B.P.I. Bul. 172, pp. 23–24. 1910.
  Rock, description, resistance to climatic condition and phylloxera. B.P.I. Bul. 172, pp. 22–23. 1910.
  root(s)—
    borer, description, habits, and control. D.B. 730, pp. 21–28. 1918; F.B. 1220, pp. 43–45. 1921.
    inoculation with culture of Roesleria hypogaea. J.A.R., vol. 27, p. 613. 1924.
    insects affecting. F.B. 1220, pp. 40–47. 1921.
    knot, description. B.P.I. Cir. 91, pp. 9, 10. 1912; F.B. 648, pp. 8, 10. 1915.
    phylloxera, spread. D.B. 903, pp. 8, 120–121. 1921.
    rot fungus, Roesleria hypogaea, life history. Angie M. Beckwith. J.A.R., vol. 27, pp. 609–616. 1924.
  weevils, description. Sec. [Misc.], "A manual of insects * * *," pp. 128–129. 1917.
  worm—
    beetle and related forms. Ent. Bul. 89, pp. 15–19. 1910.
    California, similarity to eastern root-worm, description. Ent. Bul. 89, p. 15. 1910.
    control by spraying. Ent. Bul. 97, p. 63. 1913.
    history, origin, distribution, and related beetles. Ent. Bul. 89, pp. 10–19. 1910.
    investigations, 1907, and control experiments. Ent. Bul. 68, Pt. VI, pp. 61–68. 1908.
    investigations in Erie grape belt from 1907 to 1909. Fred Johnson and A. G. Hammar. Ent. Bul. 89, pp. 100. 1910.
    parasites. Ent. Bul. 89, pp. 51–57. 1910.
    prevention and control methods. Ent. Bul. 89, pp. 59–75. 1910.
  rotundifolia—
    cooperative experiment vineyard, establishment, and description. B.P.I. Bul. 273, pp. 10–11. 1913.

Grape(s)—Continued.
 rotundifolia—continued.
  pruning. F.B. 374, pp. 11–12. 1909.
  varieties, description and characteristics. B.P.I. Bul. 273, pp. 43–60. 1913.
  yields and prices. B.P.I. Bul. 273, pp. 35–36. 1913.
 Salem, chemical composition, notes. Chem. Bul. 145, pp. 25, 34. 1911.
 sales—
  grape-juice factories. D.B. 861, pp. 20–21. 1920.
  terms and contracts. D.B. 861, pp. 21–26. 1920.
 samples, analysis for sucrose sugar and acid, 1909, 1910, tables. Chem. Bul. 140, pp. 8–24. 1911.
 San Jacinto, description. B.P.I. Bul. 273, p. 60. 1913.
 scale—
  description, food plants, enemies, and control. Ent. Bul. 97, pp. 115–124. 1913.
  parasites, lists. Ent. Bul. 97, pp. 119–120. 1913.
 scuppernong—
  adaptability of Georgia soil. Soils Cir. 21, p. 17. 1910.
  description and characteristics. B.P.I. Bul. 273, pp. 44–47. 1913.
  origin, description, and characteristics. F.B. 709, pp. 20, 24–25. 1916.
  pruning. F.B. 374, pp. 11–12. 1909.
  use for wine making, profits. F.B. 457, pp. 15–16. 1911.
 seeds, oil—
  manufacture methods, yields, and value. D.B. 952, pp. 15–17, 18. 1921.
  use for food. B.P.I. Bul. 276, p. 9. 1913.
 seedless—
  from India, importation and description. No. 36040. B.P.I. Inv. 36, p. 41. 1915.
  white, uses. B.P.I. Bul. 204, p. 41. 1911.
 selection for—
  sirup making. F.B. 1454, p. 3. 1925.
  storage, methods and importance. D.B. 35, pp. 18, 22. 1913.
 self-sterility, cause, inheritance of character. J.A.R., vol. 4, pp. 318–319, 328. 1915.
 selling by carloads. D.B. 861, pp. 18–26. 1920.
 shipments—
  by States—
   1916, and by stations. D.B. 667, pp. 6, 72–74. 1918.
   1919–1921. Y.B., 1921, p. 654. 1922; Y.B. Sep. 869, p. 74. 1922.
   1920–1923, in carloads. Stat. Bul. 8, pp. 37–41. 1925.
   1924. Y.B., 1924, p. 679. 1925.
  destinations, by cities and by States, table. D.B. 861, pp. 55–61. 1920.
  on consignment and on contract. D.B. 861, pp. 16–18. 1920.
 shipping points, investigations of loading methods. Mkts. Doc. 14, p. 3. 1918.
 sirup. See Sirup.
 size, form and ripening season, and inheritance studies. J.A.R., vol. 4, 325–327, 329. 1915.
 skins, jelly making, directions. D.B. 952, pp. 10–13. 1921.
 Smith, description, and characteristics. B.P.I. Bul. 273, pp. 57–58. 1913.
 Solonis, description, and resistance to phylloxera. B.P.I. Bul. 172, p. 22. 1910.
 Spanish—
  importation—
   and description. Nos. 33460–33464, B.P.I. Inv. 31, pp. 5, 14. 1914; Nos. 33523–33539, B.P.I. Inv. 31, pp. 28–29. 1914.
   restrictions F.H.B.S.R.A. 79, pp. 58–62. 1924.
  imports into United States, 1907–1913, prices, etc. D.B. 35, pp. 2–4. 1913.
  quarantine. F.H.B.S.R.A. 78, pp. 17–20. 1924.
 spiced—
  muscadine varieties. F.B. 1454, p. 15. 1925.
  recipe. F.B. 859, pp. 18, 22. 1917.
 spray residues at harvest time. D.B. 837, pp. 23–24. 1920.

Grape(s)—Continued.
 spraying—
  danger of poisoning. D.B. 1027, pp. 27–30. 1922.
  experiments—
   1906, 1907, and 1908. B.P.I. Bul. 155, pp. 13–37. 1909.
   in Michigan in 1909. Lon A. Hawkins. B.P.I. Cir. 65, pp. 15. 1910.
  for—
   control of grape-berry moth. D.B. 911, pp. 14, 33, 38. 1920.
   control of leaf hopper, experiments. Ent. Bul. 97, Pt. I, pp. 1–12. 1911.
   curculio. D.B. 730, pp. 15–16. 1918.
   leaf hoppers. J.A.R., vol. 26, p. 424. 1923.
   materials and combinations. D.B. 550, pp. 13–39, 40. 1917; F.B. 908, pp. 73–74. 1918.
   schedules. F.B. 908, p. 98. 1918; F.B. 1220, pp. 74–75. 1921.
  with—
   Bordeaux mixture and arsenicals. D.B. 278, pp. 38, 40. 1915.
   Pickering sprays and Bordeaux mixture, comparison of results. D.B. 866, pp. 22–29. 1920.
 statistics, imports, 1915–1917. Y.B., 1917, p. 763. 1918; Y.B. Sep. 762, p. 7. 1918.
 stock, resistant—
  to phylloxera, importance. D.B. 856, pp. 7, 12–15. 1920.
  use in prevention of crown gall. B.P.I. Bul. 183, pp. 26–27, 29. 1910.
 storage, factors governing. A. V. Stubenrauch and C. W. Mann. D.B. 35, pp. 31. 1913.
 sugar—
  and acid development in, during ripening. William B. Alwood and others. D.B. 335, pp. 28. 1916.
  manufacture and use as sugar substitutes. Sec. Cir. 86, pp. 31, 32. 1918.
 Sultana, description, uses, growing and pruning methods. D.B. 349, pp. 9–10. 1916.
 Sultanina, description, uses, growing and pruning methods. D.B. 349, pp. 7–8. 1916.
 sweet—
  mountain, description, resistance to lime and phylloxera. B.P.I. Bul. 172, pp. 19–20. 1910.
  winter, description and resistance to phylloxera. B.P.I. Bul. 172, p. 21. 1910.
 Syrian, importation and description. Nos. 33392–33403. B.P.I. Inv. 31, pp. 18–19. 1914.
 table, keeping quality in transit and in storage, factors affecting. A. V. Stubenrauch. B.P.I. Doc. 392, pp. 3. 1908.
 Tenderpulp, description. B.P.I. Bul. 273, p. 60. 1913.
 Thomas, origin, description, and characteristics. F.B. 709, p. 27. 1916; B.P.I. Bul. 273, pp. 51–53. 1913.
 Thompson seedless, origin, yield, uses, and net profits, in California, Marysville area. Soil Sur. Adv. Sh., 1909, pp. 16–17. 1911; Soils F.O., 1909, pp. 1700–1701. 1912.
 training system, northwestern Pennsylvania. Soil Sur. Adv. Sh., 1908, pp. 47. 1910; Soils F.O., 1908, p. 239. 1911.
 treatment with Bordeaux mixture, tables. B.P.I. 265, pp. 17–25, 27, 28, 29. 1912.
 tropical, importation and description. No. 38853, B.P.I. Inv. 40, p. 36. 1917.
 Turkey, description, and resistance to climatic conditions. B.P.I. Bul. 172, p. 19. 1910.
 types in different sections. D.B. 861, p. 1. 1920.
 use—
  for vinegar making in the home. S.R.S. Doc. 99, pp. 3, 6. 1919.
  in diet, increase. D.B. 861, pp. 2, 3, 4. 1920.
  in vinegar making. F.B. 1424, p. 3. 1924.
  varietal tests, Nevada, Newlands Farm. D.C. 352, p. 15. 1925.
 varieties—
  adaptability to various sections, investigations, program, 1915. Sec. [Misc.], "Program of work * * *," pp. 140–141. 1914.
  chemical composition, tables. Chem. Bul. 145, pp. 20–35. 1911.
  cold-storage experiments. D.B. 35, pp. 4–9. 1913.

Grape(s)—Continued.
varieties—continued.
commercially important, northwestern Pennsylvania. Soil Sur. Adv. Sh., 1908, p. 44. 1909; Soils F.O., 1908, p. 236. 1911.
distribution. F.B. 471, pp. 28–29. 1911.
for—
Great Plains area. F.B. 727, pp. 38–39. 1916; D.C. 58, pp. 4–5. 1919.
table and raisins, Modesto-Turlock area, California. Soil Sur. Adv. Sh., 1908, p. 51. 1909; Soils F.O., 1908, p. 1275. 1911.
in California prior to 1875. D.B. 903, p. 7. 1921.
origin, history, and description. Y.B., 1913, pp. 117–119. 1914; Y.B. Sep. 618, pp. 117–119. 1914; B.P.I. Bul. 207, pp. 14, 18, 44, 83–86. 1911; B.P.I. Bul. 208, pp. 18, 25–26, 31–33, 52. 1911.
phylloxera-resistant, experiments in California, factors governing, table. D.B. 209, pp. 12–15. 1915.
recommendations for various fruit districts. B.P.I. Bul. 151, pp. 30–33. 1909.
resistance to curculio attack. D.B. 730, pp. 3–4. 1918.
selection for use in making grape juice. F.B. 1075, pp. 7–10. 1919.
sugar, and acid content. Chem. Bul. 140, pp. 7–24. 1911; F.B. 644, pp. 4–5. 1915.
susceptibility—
and resistance to crown gall. B.P.I. Bul. 183, pp. 15–20, 26–27. 1910.
to root knot and immunity from it. B.P.I. Bul. 217, p. 71. 1911.
tests—
and yields, Yuma Experiment Farm. D.C. 75, pp. 45–46. 1920.
at field station near Mandan, N. Dak. D.B. 1301, pp. 21–22. 1925.
in California, suggestions and conclusions. D.B. 209, pp. 155–157. 1915.
in Oregon, Umatilla Experiment Farm, 1912. B.P.I. Cir. 129, pp. 25, 27. 1913.
in Oregon, Umatilla Experiment Farm, 1915, 1916. W.I.A. Cir. 17, p. 31. 1917.
in Texas, San Antonio Experiment Farm, 1918. D.C. 73, pp. 31–32. 1920.
in Texas, San Antonio Experiment Farm, 1919, 1920. D.C. 209, p. 36. 1922.
in the vinifera regions of the United States. George C. Husmann. D.B. 209, p. 157. 1915.
waste—
amount available in eastern grape belt. D.B. 952, p. 4. 1921.
use in vinegar making. F.B. 517, pp. 19–21. 1912.
Westbrook, description. B.P.I. Bul. 273, p. 60. 1913.
wild—
Chinese varieties and uses. B.P.I. Bul. 204, p. 42. 1911.
fruiting season and use as bird food. F.B. 912, pp. 12, 13. 1918.
value as bird food. Y.B., 1909, pp. 186–192. 1910; Y.B. Sep. 504, pp. 186–192. 1910.
wine—
adulteration and misbranding. Chem. N. J. 4086, Chem. S.R.A. Sup. 12, pp. 114–115. 1916.
growing, California, Livermore area. Soil Sur. Adv. Sh., 1910, pp. 13–14. 1911; Soils F.O., 1910, pp. 1665–1666. 1912.
winter sour, description, resistance to phylloxera. B.P.I. Bul. 172, pp. 20–21. 1910.
Worden, description and quality. D.B. 861, p. 8. 1920.
yield, Italy and Spain, 1909–1912. Stat. Cir. 41, pp. 10, 11. 1912.
Grape-all, adulteration and misbranding. Chem. N.J. 2615, p. 3. 1913.
Grape Smack, adulteration and misbranding. See *Indexes, Notices of Judgment, in bound volumes, and in separates published as supplements to Chemistry Service and Regulatory Announcements.*
Grapefruit—
acids, ratio to sugars. J.A.R., vol. 22, pp. 263–279. 1921.

Grapefruit—Continued.
acreage, 1910, by States, map. Y.B. 1915, p. 386. 1916; Y.B. Sep. 681, p. 386. 1916.
adulteration. See *Indexes, Notices of Judgment, in bound volumes and in separates published as supplements to Chemistry Service and Regulatory Announcements.*
Arizona, plantings and industry. F.B. 1447, pp. 5–6. 1925.
bud variation, studies. D.B. 697, pp. 1–112. 1918.
California, size and time of ripening. Y.B., 1919, pp. 249–250. 1920; Y.B. Sep. 813, pp. 249–250. 1920.
cleaning with sawdust. D.B. 63, p. 7. 1914.
Cuban—
composition, chemical. Chem. Bul. 87, p. 13. 1904.
study. Chem. Bul. 87, p. 13. 1904.
culture in southern Texas, experiments. F.B. 374, p. 8. 1909.
definition and standard for enforcement of food and drugs act. Chem. F.I.D. 182, p. 1. 1921.
Florida, some changes in storage. Lon A. Hawkins and J. R. Magness. J.A.R., vol. 20, pp. 357–373. 1920.
Foster, new variety in Florida, value. Hawaii A.R., 1915, p. 70. 1916.
freezing points. D.B. 1133, pp. 5, 7. 1923.
grading in Florida, conditions, and relation to insect injury. D.B. 645, pp. 4–13. 1918.
grove, Porto Rico, fertilizer experiments. P.R. Bul. 18, pp. 27–32. 1915.
growing—
and use. F.B. 169, pp. 18–19. 1903.
in Florida—
Flagler County. Soil Sur. Adv. Sh., 1918, pp. 11, 21. 1922; Soils F.O., 1918, pp. 541, 551. 1924.
Hernando County, acreage and varieties. Soil Sur. Adv. Sh., 1914, pp. 10–11, 16. 1915; Soils F.O., 1914, pp. 1050–1051, 1056. 1919.
Indian River area. Soil Sur. Adv. Sh., 1913, pp. 13, 23, 27. 1915; Soils F.O., 1913, pp. 683, 693, 696. 1916.
location, number, and value. F.B. 1122, pp. 11, 12. 1920.
Orange County. Soil Sur. Adv. Sh., 1919, pp. 5, 15. 1922; Soils F.O., 1919, pp. 951, 961. 1925.
in Porto Rico, insect survey and breeding. P.R. An. Rpt., 1919, pp. 24, 26–27. 1920.
growth habits. D.B. 1118, pp. 20–21. 1923.
immaturity, definition. Chem. S.R.A. 15, p. 22. 1915; Chem. S.R.A., 16, p. 31. 1916.
importance in the Gulf States, and varieties. F.B. 1343, pp. 3, 8, 9, 10, 13–14. 1923.
imports, statistics. Y.B., 1921, pp. 740, 757. 1922; Y.B., Sep. 867, pp. 4, 21. 1922.
in Porto Rico, handling, shipments, costs, prices, and losses. P.R. An. Rpt., 1910, pp. 27–33. 1921.
industry in Southwest, varieties and ripening seasons. F.B. 1447, pp. 8–9. 1925.
infestation by Mediterranean fruit fly. D.B. 536, pp. 24, 28–29, 32–33. 1918; J.A.R., vol. 3, pp. 313–317, 320–324, 329. 1915.
injury by—
black fly. D.B. 885, pp. 14, 15, 21. 1920.
mealy bug, prevention. F.B. 862, p. 4. 1917.
inoculation with cultures of *Colletotrichum gloeosporioides*. D.B. 924, pp. 9–10. 1921.
introduction, nativity, description, and value. F.S. and P.I. Inv. Cir. 3, "New plant introductions * * * 1917–18," p. 25. 1917.
jelly, preparation methods. D.C. 232, p. 12. 1922.
juice—
bottled, preparation method, apparatus, etc. D.C. 232, pp. 1–4. 1922.
uses and value. D.C. 232, pp. 1–8. 1922.
leaves—
analysis. J.A.R., vol. 9, p. 163. 1917.
inoculation with washings from canker-infested soils. J.A.R., vol. 19, pp. 207–220. 1920.
testing for copper after spraying. D.B. 785, pp. 5–6. 1919.
marketing, 1923. Y.B., 1923, p. 740. 1924; Y.B., Sep. 900, p. 740. 1924.
marmalade, recipe. F.B. 853, p. 30. 1917.

Grapefruit—Continued.
Marsh—
introduction into California from Florida, history of variety. D.B. 697, pp. 1-5, 112. 1918.
performance data, 1910-1915. D.B. 697, pp. 20-106, 112. 1918.
study of bud variation in: Citrus-fruit improvement. A. D. Shamel and others. D.B. 697, pp. 112. 1918.
value and ripening period. F.B. 1447, pp. 8-9. 1925.
variety, strains, descriptions, and comparisons. D.B. 697, pp. 12-18, 106-108, 112. 1918.
packing—
methods. F.B. 696, pp. 18, 20. 1915.
number to the block. D.B. 63, p. 8. 1914.
plantings in California, by counties. F.B. 1447, p. 3. 1925.
production in Porto Rico, 1910. P.R. An. Rpt., 1910, pp. 10-11. 1911.
ripening and storage, physiological study. Lon A. Hawkins. J.A.R., vol. 22, pp. 263-279. 1921.
roots, infection by *Pseudomonas citri*, tests. J.A.R., vol. 19, pp. 221-222. 1920.
scab. *See* Scab, citrus.
seedless. Off. Rec., vol. 4, No. 6, p. 5. 1925.
seedlings—
effect of salts and organic extracts. J.A.R., vol. 18, pp. 267-274. 1919.
greenhouse experiments, with certain salts. J.A.R., vol. 2, pp. 104-105, 107-108, 111, 112. 1914.
use as stocks for citrus. F.B. 1122, p. 21. 1920.
shipments by States—
1916, and by stations. D.B. 667, pp. 8, 97-98. 1918.
1920-1923, in carloads. Stat. Bul. 8, pp. 30-32. 1925.
1924. Y.B., 1924, p. 574. 1925.
shrinkage in storage. J.A.R., vol. 20, pp. 360-372. 1920.
size, factors influencing. D.B. 645, pp. 8-15. 1918.
spraying—
and spray schedule. D.C. 259, pp. 5-7. 1923; F.B. 1343, pp. 33, 34. 1923.
with fungous infection for control of white fly. Ent. Bul. 102, pp. 47-68. 1912.
statistics, shipments and prices. Y.B., 1922, pp. 745, 747. 1923; Y.B. Sep. 884, pp. 745, 747. 1923.
strains of leading varieties, comparisons. F.B. 1447, pp. 11-12. 1925.
susceptibility to—
citrus—
canker, comparative acidity. J.A.R., vol. 6, No. 2, pp. 69, 72, 73, 74, 86-88. 1916; J.A.R., vol. 14, pp. 346, 353, 354. 1918; J.A.R., vol. 19, pp. 203, 204, 350, 353, 360. 1920.
scab. D.B. 1118, pp. 2, 3, 22, 26. 1923; J.A.R., vol. 24, pp. 955-959. 1923; J.A.R., vol. 30, p. 1087. 1925.
woolly white fly. F.B. 1011, pp. 4-5. 1919.
tear-stain control, spraying experiments. D.B. 924, pp. 1, 3-11. 1921.
toronja, importation and description. No. 53611, B.P.I. Inv. 67, pp. 3, 69. 1923.
treatment with borax for rot prevention, experiments. J.A.R., vol. 28, pp. 965, 968. 1924.
trees, performance records, making and use. F.B. 794, pp. 5-13. 1917.
varieties for the Gulf States, description. F.B. 1122, p. 17. 1920.
waste, use in making pectin. D.B. 1323, pp. 1-20. 1925.
yield per acre. D.B. 1338, p. 4. 1925.
See also Citrus decumana; Citrus grandis; Pomelo; Pummelo.
"Grapes," horse heels, caused by canker, treatment. B.A.I. [Misc.], "Diseases of the horse," rev., pp. 444-446. 1907.
Grapevine(s)—
acreage in
1910 by States, map. Y.B., 1915, p. 385. 1916; Y.B. Sep. 681, p. 385. 1916.
1919, map. Y.B., 1921, p. 467. 1922; Y.B. Sep. 878, p. 61. 1922.

Grapevine(s)—Continued.
and—
cuttings, distribution by Bureau of Plant Industry. B.P.I. Bul. 172, pp. 70-71. 1910.
its fruit, uses. George C. Husmann. Y.B., 1904, pp. 363-380. 1905; Y.B. Sep. 354, pp. 363-380. 1905.
aphid, description, history, and injuries. F.B. 804, p. 33. 1917; F.B. 1128, pp. 36-37, 48. 1920; J.A.R., vol. 11, pp. 83-90. 1917.
chlorosis, induced by lime carbonate. P.R. Bul. 11, pp. 29, 30, 31. 1911.
cidaria. *See* Grapevine looper.
congeniality and adaptability in grafting. B.P.I. Bul. 172, pp. 59-61. 1910; D.B. 209, pp. 26-27. 1915.
crown gall—
inoculation from daisy and other plants. B.P.I. Bul. 213, pp. 35-36, 56, 65, 88, 91, 92. 1911.
studies, inoculation experiments and losses. B.P.I. Bul. 213, pp. 13-16, 19, 35-36, 55-58, 65, 88, 91, 92, 130, 150, 190. 1911.
defoliation, effect on water requirement. B.P.I. Bul. 285, p. 69. 1913.
direct producers, investigations in United States. B.P.I. Bul. 172, pp. 1-86. 1910.
diseases, in California, distribution and magnitude. B.P.I. Bul. 172, pp. 9-11. 1910.
fertilizers. F.B. 156, pp. 4-5. 1902.
flea-beetles—
Dwight Isely. D.B. 901, pp. 27. 1920.
control. F.B. 908, pp. 97-98. 1918.
description. Sec. [Misc.], "A manual of * * * insects * * *," p. 128. 1917.
economic importance and outbreaks. D.B. 901, pp. 20-21. 1920.
similarity to grape rootworm, description. Ent. Bul. 89, p. 17. 1910.
gall-maker, infestation with boll-weevil parasites. Ent. Bul. 100, pp. 45, 48, 80. 1912.
growth ratings in experiment vineyards, tables. B.P.I. Bul. 172, pp. 50-58. 1910.
injury by—
flea-beetles. D.B. 901, pp. 1, 3, 20-21, 23. 1920.
grape leafhoppers, destructive outbreaks. D.B. 19, pp. 5-9. 1914.
grapevine looper. D.B. 900, pp. 1, 3, 11-13. 1920.
leaf folder to foliage and fruit. D.B. 419, p. 5. 1916.
mites. Rpt. 108, pp. 117, 118. 1915.
root borers. D.B. 730, pp. 21, 22-23, 26-27. 1918.
rootworm. Ent. Bul. 68, Pt. VI, pp. 62-63, 64-65. 1908.
little-leaf disease, description, symptoms and control. J.A.R., vol. 8, pp. 381-398. 1917.
looper—
Dwight Isely. D.B. 900, pp. 15. 1920.
names, and historical notes. D.B. 900, pp. 2-3. 1920.
nodules on roots, cause, appearance, and resistance. B.P.I. Bul. 172, pp. 13-14. 1910.
petrophora. *See* Grapevine looper.
planting in California, 1856-1910, by counties. D.B. 903, p. 13. 1921.
propagation. F.B. 156, pp. 5-9. 1902.
pruning. F.B. 156, pp. 14-18. 1902.
resistance to phylloxera, factors. B.P.I. Bul. 172, pp. 13-16. 1910.
resistant—
stock, introductions, and experimentors. B.P.I. Bul. 172, pp. 11-12. 1910.
stocks, groups according to soil adaptability. B.P.I. Bul. 172, pp. 71-72. 1910.
root—
borer, description, habits, and control. F.B. 1220, pp. 43-45. 1921.
lesions from phylloxera, description, and results. D.B. 903, pp. 22-26. 1921.
rot in Missouri caused by *Clitocybe tabescens* (Scop.) Bres. Arthur S. Rhoads. J.A.R., vol. 30, pp. 341-364. 1925.
school lesson. D.B. 258, pp. 24-25. 1915.
scuppernong, pruning. F.B. 374, pp. 11-12. 1909.

Grapevine(s)—Continued.
spraying for control of—
  flea beetles. D.B. 901, pp. 23-24. 1920.
  looper and other pests. D.B. 900, p. 13. 1920.
supports and training. F.B. 156, pp. 9-13. 1902.
tomato gall, description and control. F.B. 1220, pp. 31-32. 1921.
training systems. D.B. 550, pp. 35-37. 1917; F.B. 471, pp. 17-28. 1911.
varieties under test at department experiment station, descriptions. B.P.I. Bul. 172, pp. 17-25. 1910.
wild, mineral composition of sap, leaves, and stems. J.A.R., vol. 5, No. 12, pp. 529-538. 1915.
young, care and training. F.B. 471, pp. 12-15. 1911.
Graphics—
agricultural, crops and livestock, United States and world. Middleton Smith. Stat. Bul. 78, pp. 67. 1910.
world agriculture. V. C. Finch and others. Y.B., 1916, pp. 531-553. 1917; Y.B., Sep. 713, pp. 23. 1917.
Graphiola sp., occurrence in Texas. B.P.I. Bul. 226, p. 25. 1912.
Graphite—
rust-prevention tests. Rds. Bul. 35, pp. 32-34. 1909.
testing methods. Chem. Bul. 109, p. 19. 1908.
Graphs, agricultural summary, 1915. Y.B., 1915, pp. 336, 337, 381, 388. 1916; Y.B., Sep. 681, pp. 336, 337, 381, 388. 1916.
Grapine (fruit sirup), misbranding. Chem. N. J. 3926. 1915.
Grass(es)—
acreage—
  census 1909, by States, maps. Y.B., 1915, pp. 364, 367. 1916; Y.B. Sep. 681, pp. 864, 367. 1916.
  in 1919, maps. Y.B., 1921, pp. 450, 452. 1922; Y.B. Sep. 878, pp. 44, 46. 1922.
adaptability to—
  Cecil clay. Soils Cir. 28, pp. 11-12. 1911.
  soils of different types. Soils Bul. 75, pp. 14, 16, 18-19, 52. 1911.
adapted to lawn making, mixtures and seed sowing. F.B. 494, pp. 27-35, 36-40, 48. 1912.
African, importations and descriptions. Nos. 54400-54406, B.P.I. Inv. 68, p. 58. 1923.
alkali resistance. F.B. 446, pp. 19-20. 1911; rev., pp. 12, 13, 15, 17-19. 1920.
analysis, of plant ash. D.B. 600, p. 11. 1917.
and—
  fodder plants on the Potomac flats. C. R. Ball. Agros. Cir. 28, pp. 18. 1901.
  forage plants—
    experiments, cooperative, with. T. L. Lyon. O.E.S. Bul. 115, pp. 71-73. 1902.
    for Gulf coast region. S. M. Tracy. F.B. 300, pp. 15. 1907.
    investigations, Agriculture Department. O.E.S. Bul. 99, pp. 148-152. 1901.
    range conditions of northwestern California. Joseph Burtt Davy. B.P.I. Bul. 12, pp. 77. 1902.
  other lawn plants, list. F.B. 494, p. 48. 1912.
  small-grain seedlings, analytical key. D.B. 461, pp. 6-9, 27. 1917.
aphids affecting in United States. Theo. Pergande. Ent. Bul. 44, pp. 5-23. 1904.
arid regions, nutritive value. F.B. 374, pp. 12-16. 1909.
as soil binders for ditches and canals. An. Rpts., 1908, p. 326. 1909; B.P.I. Chief Rpt. 1908, p. 54. 1908.
association with yellow-brush type of range cover. D.B. 791, pp. 23, 28, 31. 1919.
Australian, importation and description. Nos. 34046-34049, B.P.I. Inv. 31, pp. 7, 78. 1914.
botanical studies, program of work, 1914. Sec. [Misc.], "Program of work * * * 1915," pp. 124-125. 1914.
Brazilian, in Hawaii. Hawaii Bul. 36, p. 24. 1915.
bridging hosts of Puccinia graminis. J.A.R., vol. 15, pp. 228-241. 1918.
burning on Kansas pastures, effects. J.A.R., vol. 23, pp. 631-644. 1923.

Grass(es)—Continued.
canal bank, western South Dakota. B.P.I. Cir. 115, pp. 23-31. 1913.
cereal, and forage crops, leaf hoppers affecting. Herbert Osborn. Ent. Bul. 108, pp. 123. 1912.
characteristics before blooming. D.B. 461, pp. 2-4. 1917.
coarse fodder, value for hay, grazing, silage, and soiling. F.B. 1125, rev., pp. 23-28. 1920.
collection, studies for schools. D.B. 521, pp. 31-33. 1917.
control in—
  cranberry fields. F.B. 1401, p. 12. 1924.
  rice fields. F.B. 1240, pp. 20-23, 25. 1924.
crops—
  growing tests. Hawaii A.R., 1913, pp. 37-38. 1914.
  treatment for control of fall army worm. Sec. Cir. 40, rev., pp. 2, 3. 1912.
  See also Soil surveys of various States, counties, and areas.
cultivated—
  description and characteristics. F.B. 1254, pp. 3-38. 1922.
  important. C. V. Piper. F.B. 1254, pp. 38. 1922.
  of secondary importance. Charles V. Piper. F.B. 1433, pp. 43. 1925.
cultivation—
  in Alaska. Alaska A.R., 1907, pp. 27-28, 47, 57-58. 1908.
  practices in western Oregon and Washington. F.B. 271, pp. 25-33, 38. 1906.
cutting for hay, time. Y.B., 1924, pp. 330-331. 1925.
dead, overwintering of leaf spot fungus. D.B. 1288, pp. 2-4. 1924.
destruction by—
  chinch bug. Ent. Bul. 69, pp. 29-36. 1906.
  forest fires. M.C. 7, pp. 9-10. 1923.
disease—
  caused by Tarsonemus culmicolus. Ent. Bul. 97, p. 112. 1913.
  Texas, occurrence and description. B.P.I. Bul. 226, pp. 50-54. 1912.
double seeded millet, and deer grass, destruction along dams for katydid control. F.B. 860, p. 26. 1917.
drought resistant in North Dakota, McHenry County. Soil Sur. Adv. Sh. 1921, p. 943. 1925.
dry lands. F.B. 1433, pp. 1, 3, 5, 27, 32. 1925.
eradication for prevention of black stem rust. Y.B., 1918, p. 88. 1919; Y.B. Sep. 796, p. 16. 1919.
evergreen. See Oat grass, tall meadow.
extracts, feeding experiments with nonproteins. B.A.I. Bul. 139, pp. 19-27, 41-43. 1911.
fertilizer requirements and composition of various brands. Soils Bul. 58, pp. 19, 23, 25, 31. 1910.
fertilizing with fish waste, formula. F.B. 320, p. 8. 1908.
fields, soils testing for moisture content and hygroscopic coefficient. J.A.R., vol. 14, pp. 456, 459, 466, 477, 479. 1918.
flats, Utah, vegetation types, and species. J.A.R., vol. 1, pp. 405-408, 412, 415. 1914.
flies, two-winged, description, and injuries. Ent. Bul. 42, pp. 40-43. 1903.
food—
  of mallard ducks. D.B. 720, pp. 4, 12, 15, 17-18. 1918.
  of shoal-water ducks. D.B. 862, pp. 5, 12, 16, 18, 24, 29, 33, 40, 50. 1920.
  plants of chinch bug, list. F.B. 657, p. 7. 1915.
for—
  canal banks in western South Dakota. Arthur C. Dillman. B.P.I. Cir. 115, pp. 23-31. 1913.
  forage crops. F.B. 147, pp. 10-22. 1902.
  goat grazing, valuable species. D.B. 749, p. 4. 1919.
  hog pasture, varieties, value. B.P.I. Bul. 111, Pt. IV, p. 16. 1907.
  lawns, list. F.B. 494, p. 48. 1912.
  moist land. F.B. 1433, pp. 10, 15, 20, 24, 37, 39, 41. 1925.
  mountain—
    meadows, varieties suitable. B.P.I. Bul. 127, pp. 8-24. 1908.

Grass(es)—Continued.
for—continued.
mountain—continued.
range land, forage value and reproduction. J.A.R., vol. 3, pp. 97, 106, 111, 113, 118, 129–141. 1914.
sodding—
levee slopes. O.E.S. Bul. 243, p. 15. 1911.
terraces. F.B. 494, pp. 40–41. 1912.
the South. R.A. Oakley. Y.B., 1912, pp. 495–504. 1913; Y.B. Sep. 609, pp. 495–504. 1913.
gardens, methods and purpose. O.E.S. Bul. 16, p. 130. 1903.
growing—
Alabama, Escambia County, value as hay. Soil Sur. Adv. Sh., 1913, pp. 13–15, 35. 1915; Soils F.O., 1914, pp. 835–836, 870. 1916.
in Alaska—
information on. Alaska Cir. 1, pp. 7, 18, 27. 1916.
Kenai Peninsula region. Soil Sur. Adv. Sh., 1916, pp. 38, 70, 78, 90, 100–104, 109, 134. 1919; Soils F.O., 1916, pp. 110, 112, 113, 117, 122, 132. 1921.
use as hay. Alaska A.R., 1918, pp. 77, 87, 88. 1920; Alaska A.R., 1921, pp. 21, 45. 1923.
wild and cultivated, value for hay. Soil Sur. Adv. Sh., 1914, pp. 82–86, 88, 160, 183, 192. 1915; Soils F.O., 1914, pp. 83, 116–118, 163, 194–198, 226. 1919.
in Guam—
for pasture, varieties, description and adaptability. Guam A.R., 1913, pp. 15–16. 1914.
forage uses. Guam A.R., 1918, pp. 9, 11, 15, 17–18, 21, 30. 1919.
Para and Paspalum. Glen Briggs. Guam Bul. 1, pp. 44. 1921.
in—
Hawaii, yields and value. Hawaii A.R., 1915, pp. 15, 42–43. 1916.
Mississippi, Covington County. Soil Sur. Adv. Sh., 1917, pp. 12–13. 1919; Soils F.O., 1917, pp. 874–875. 1923.
Missouri, St. Francois County. Soil Sur. Adv. Sh., 1918, pp. 10–12, 22, 24. 1921; Soils F.O., 1918, pp. 1339–1341, 1350, 1352. 1924.
North Carolina, Cleveland County. Soil Sur. Adv. Sh., 1916, pp. 9–11, 20–34. 1919; Soils F.O., 1916, pp. 315–317, 326–341. 1921.
Northern Great Plains, experiments, 1907–1922. D.B. 1244, pp. 40–42, 48. 1924.
Ohio, Geauga County. Soil Sur. Adv. Sh., 1915, pp. 11, 13, 24. 1916; Soils F.O., 1915, pp. 1289, 1291, 1302. 1919.
Oregon and Washington, Hood River-White Salmon area, and uses. Soil Sur. Adv. Sh., 1912, pp. 13, 19. 1914; Soils F.O., 1912, pp. 2061, 2067. 1915.
Porto Rico, experiments. P.R. An. Rpt., 1912, pp. 43–44. 1913.
Virginia, Pittsylvania County. Soil Sur. Adv. Sh., 1918, p. 8. 1922; Soils F.O., 1918, p. 127. 1924.
West Virginia, Clarksburg area. Soil Sur. Adv. Sh., 1910, pp. 11, 19, 20, 25, 28, 29, 31. 1912. Soils F.O., 1910, pp. 1055, 1063, 1064, 1069, 1072, 1073, 1075. 1912.
Wyoming-Nebraska, Fort Laramie area. Soil Sur. Adv. Sh., 1917, pp. 13, 19, 24–48. 1921; Soils F.O., 1917, pp. 2049, 2055, 2060–2084. 1923.
on—
Hagerstown clay. Soils Cir. 64, pp. 5, 6, 8, 9, 11. 1912.
manganiferous soils. Hawaii Bul. 26, p. 24. 1912.
Volusia silt loam. Soils Cir. 63, pp. 8, 10–11, 13. 1912.
Guatemalan, growing in Guam. Guam A.R., 1921, p. 10. 1923.
hardy perennial, use in home adornment. Y.B., 1902, pp. 514–515. 1903.
hay—
and pasture, for cotton States, description. F.B. 1125, rev., pp. 5–23. 1920.
yield of several varieties, comparison with meadow fescue. F.B. 361, p. 17. 1909.

Grass(es)—Continued.
herbarium specimens, directions for preparing. A. S. Hitchcock and Agnes Chase. B.P.I. Doc. 442, pp. 4. 1909.
hog feeding, value. F.B. 331, p. 16. 1908.
host of—
Gibberella saubinetii. J.A.R., vol. 20, pp. 1–32. 1920.
wheat scab, list. F.B. 1224, p. 5. 1921.
wheat thrips. J.A.R., vol. 4, pp. 220, 222. 1915.
hybridizing, experiments and results. B.P.I. Bul. 167, p. 27. 1910.
identification by vegetative characters. Lyman Carrier. D.B. 461, pp. 30. 1916.
immunity against root knot. B.P.I. Bul. 217, p. 21. 1911.
importations and descriptions. Nos. 29385–29387, 30208–30210, B.P.I. Bul. 233, pp. 17, 66–67. 1912; Nos. 31594–31605, B.P.I. Bul. 248, p. 28. 1912; Nos. 32217–32221, B.P.I. Bul. 261, p. 43. 1912; Nos. 35429–35434, B.P.I. Inv. 35, p. 45. 1915; Nos. 37709, 37849–37860, 37983–38040, B.P.I. Inv. 39, pp. 6, 7, 25, 57–58, 75–81. 1917; Nos. 38765–38776, 38892, 38946, 39166, 39167, 39177, B.P.I. Inv. 40, pp. 5, 26, 44, 50, 85, 87. 1917; Nos. 41744–41762, 41885–41900, 41902–41916, B.P.I. Inv. 46, pp. 5, 6, 18–20, 29, 30, 31–33, 34. 1919; Nos. 43023, 43239–43242, B.P.I. Inv. 48, pp. 10, 32–33. 1921; Nos. 44096–44098, 44141, 44288, B.P.I. Inv. 50, pp. 27–28, 34, 53. 1922; Nos. 44689, 44690, 44698, 44741, B.P.I. Inv. 51, pp. 49, 50, 58. 1922; Nos. 47102–47107, B.P.I. Inv. 58, p. 24. 1922; Nos. 47898, 48154, 48158–48160, 48177, 48178, 48254, 48269, 48279, B.P.I. Inv. 60, pp. 12, 49, 52, 61, 64, 66. 1922; Nos. 48427, 48452, 48479, 48487, 48489, 48566, 48718, 48721–48722, 48725, 48787, 48847–48848, 48976–48979, B.P.I. Inv. 61, pp. 7, 10, 13, 14, 23, 40, 47, 56, 61. 1922; Nos. 49506–49515, 49517–49521, 49687, 49689–49690, 49692–49694, B.P.I. Inv. 62, pp. 47–49, 71, 72. 1923.
imports, 1907–1909, (with straw), quantity and value, by countries from which consigned. Stat. Bul. 82, p. 57. 1910.
in rotation, effect on soil. Y.B., 1908, pp. 412, 414, 418. 1909; Y.B. Sep. 490, pp. 412, 414, 418. 1909.
indicators of land value and possibilities. J.A.R., vol. 28, pp. 101–107, 112–114, 117–127. 1924.
infection—
by *Sclerospora* spp., discussion and comparisons. J.A.R., vol. 19, pp. 104–120. 1920.
with rust, sizes of urediniospores. J.A.R., vol. 16, pp. 52–63. 1919.
infestation—
by European frit fly. J.A.R., vol. 18, pp. 452, 470. 1920.
jointworms. D.B. 808, pp. 15–23. 1920.
with timothy stem-borer. Ent. Bul. 95, p. 2. 1911.
injurious to rice growing, control. F.B. 417, pp. 16–18. 1910.
injury by—
billbugs. F.B. 1003, pp. 3–4, 6, 8–9, 19. 1919.
green June beetle. D.B. 900, pp. 9–11. 1920.
Helminthosporium spp. J.A.R., vol. 24, pp. 641–740. 1923.
meadow plant bugs. J.A.R., vol. 15, pp. 180–182. 1918.
stalk-beetle. D.B. 1267, pp. 23, 24, 25. 1924.
inoculation with wheat stripe rust, results. J.A.R., vol. 25, pp. 368–371. 1923.
insect pests, description and lists. Sec. [Misc.] "A manual of dangerous insects * * *," pp. 122–126. 1917.
introduced, superiority to native. F.B. 1433. p. 1. 1925.
irrigated, mixtures sown and pasturing tests. W.I.A. Cir. 2, pp. 15–17. 1915.
key to tribes and genera. D.B. 545, pp. 5–6. 1917.
kinds and variety tests in Hawaii. Hawaii A.R., 1920, pp. 14, 26, 29–30, 32, 62. 1921.
land(s)—
effect on soil temperatures, experiments. J.A.R., vol. 5, No. 4, pp. 176–179. 1915.
fertilizer formulas. F.B. 366, p. 9. 1909.
improvement. F.B. 276, pp. 18–20. 1907.

Grass(es)—Continued.
land(s)—continued.
in—
Alaska, agricultural value, factors. B.P.I. Bul. 82, pp. 16–29. 1905; Rpt. 79, pp. 84–85. 1904.
Texas, southern part, origin, history, future development. B.P.I. Cir. 14, pp. 1–7. 1908.
increase, need. Sec. Cir. 142, p. 16. 1919.
manure, quantity per acre, methods of application. F.B. 337, pp. 12, 14, 15, 17, 20. 1908.
mismanagement, cause of failure in dairy farming. F.B. 337, pp. 7–8. 1908.
of south Alaska, coast. C. V. Piper. B.P.I. Bul. 82, pp. 38. 1905.
top dressing. F.B. 227, pp. 5–8. 1905.
leaf hoppers affecting, with cereals and forage crops. Herbert Osborn. Ent. Bul. 108, pp. 123. 1912.
leaf miner, spike-horned, occurrence. D.B. 432, pp. 2, 3, 4–5. 1916.
mixture—
Arlington, growing for market hay in South. F.B. 677, pp. 9–10. 1915.
for—
irrigated pastures, Montana, Huntley Experiment Farm. W.I.A. Cir. 8, pp. 13, 14. 1916.
irrigated pastures, Nebraska, Scottsbluff Experiment Farm. W.I.A. Cir. 11, pp. 7, 8. 1916.
irrigated pastures, South Dakota. W.I.A. Cir. 9, p. 15. 1916.
lawns. F.B. 494, pp. 29–39. 1912.
meadows, experiments. F.B. 361, pp. 6, 13, 17. 1909.
seeding pastures, and rates of seeding. D.C. 275, p. 22. 1923.
sheep pastures, seeding directions. F.B. 1051, pp. 10–11. 1919.
southern border of timothy belt. F.B. 1170, p. 6. 1920.
well drained soils. F.B. 1170, pp. 4–5. 1920.
wet lands. F.B. 1170, pp. 5–6. 1920.
planting and yields, Montana, 1911 and 1912. B.P.I. Cir. 121, pp. 24–25. 1913.
protein content and forage value. F.B. 320, pp. 16–17. 1908.
soil binders, value for canal banks, South Dakota. B.P.I. Cir. 115 C, pp. 29, 31. 1913.
with alsike clover for hay, seeding rate. F.B. 1151, pp. 13–15. 1920.
mosaic, spread by insects. J.A.R., vol. 23, pp. 280–281. 1923.
mowing, chigger control. D.B. 986, pp. 16–17. 1921.
Muhlenbergia spp., host of aphid. Ent. Bul. 25, Pt. I, pp. 1, 3. 1912.
mulch method for orchard culture. F.B. 267, pp. 23–25. 1906.
native—
on Great Plains, growth and palatability. D.B. 1170, pp. 28–33, 36–38, 42. 1923.
of Wyoming, value, changes under irrigation. J.A.R., vol. 6, No. 19, pp. 743–756. 1916.
pasture of the United States. David Griffiths and others. D.B. 201, pp. 52. 1915.
needle, occurrence and value, Arizona ranges. D.B. 367, pp. 12, 13–14, 19, 21. 1916.
new or little-known. F. Lamson-Scribner. Agros. Cir. 30, pp. 8. 1901.
oat aphid, occurrence. D.B. 112, p. 6. 1914.
occurrence in Alaska. D.B. 50, pp. 8, 10. 1914.
of—
Alaska—
at Copper Center Station, experiments and conditions, 1905. O.E.S. Bul. 169, pp. 50–51. 1906.
notes on growth. Alaska A.R., 1908, pp. 17, 19, 20, 39, 54–55. 1909.
value for grazing. Alaska Bul. 5, p. 3. 1924.
Algeria, for binding soils. No. 42551, B.P.I. Inv. 47, pp. 7, 28. 1920.
Arizona—
ranges, description and value. D.B. 367, pp. 9–22. 1916.
some. Elmer D. Merrill. Agros. Cir. 32, pp. 10. 1901.

Grass(es)—Continued.
of—continued.
Brazil, importations and descriptions. Nos. 36624, 26625, B.P.I. Inv. 37, p. 41. 1916; Nos. 46994–46995, 46997–46999, 47005–47006, 47017–47057, B.P.I. Inv. 58, pp. 6, 16, 17, 18, 19–21. 1922.
Colombia, description and importations, Nos. 52741–52743, B.P.I. Inv. 66, p. 69. 1923.
Colorado, list. N.A. Fauna 33, p. 21. 1911.
Guatemala, importation and descriptions. No. 47396, B.P.I. Inv. 59, pp. 6, 15. 1922; Nos. 49376–49382, 49446–49448, 49450–49451, 49455, 49751, 49763, 49784, B.P.I. Inv. 62, pp. 32, 38, 39, 80, 82, 84. 1923.
Hawaii—
analyses. Hawaii Bul. 13, pp. 8, 16. 1906.
and forage plants. C. K. McClelland. Hawaii Bul. 36, pp. 43. 1915.
varieties, and descriptions. Hawaii A.R., 1917, pp. 30, 49–50. 1918.
Nebraska—
sand hills, list. B.P.I. Cir. 80, pp. 6–7. 1911.
western, native vegetation, value as forage. Soil Sur. Adv. Sh., 1911, pp. 54, 56, 63, 74, 91–92, 94, 97, 99, 100. 1913; Soils F.O., 1911, pp. 1922, 1924, 1931, 1942, 1959–1960, 1962, 1965, 1967, 1968. 1914.
New Zealand, importations and descriptions. Inv. Nos. 31489–31509, B.P.I. Bul. 248, pp. 8, 20–22. 1912.
United States, genera, with special reference to the economic species. A. S. Hitchcock. D.B. 772, pp. 307. 1920.
Utah, Tooele Valley, physiochemical constants. J.A.R., vol. 27, pp. 907, 910–912. 1924.
Wyoming, acreage and value. O.E.S. Bul. 205, p. 23. 1909.
ornamental, use in gardens. F.B. 1381, p. 68. 1924.
Para and Paspalum, introduced from Guam. Glen Briggs. Guam Bul. 1, pp. 44. 1921; Guam Cir. 1, pp. 10. 1921.
pasture—
effect of burning. J.A.R., vol. 23, pp. 634–637. 1923.
for steer fattening. F.B. 1218, pp. 31–34. 1921.
in Nevada, Newlands Experiment Farm. D.C. 267, p. 12. 1923.
in Porto Rico, value as cattle feed, and ornamentals. P.R. An. Rpt., 1921, p. 3. 1922.
irrigation experiments in—
Montana, Huntley Experiment Farm. W.I.A. Cir. 8, pp. 12–16. 1916.
Nebraska, Scottsbluff experiment farm. W.I.A. Cir. 11, pp. 6–8. 1916.
irrigation experiments in South Dakota, Belle Fourche experiment farm. W.I.A. Cir. 9, p. 15. 1916.
kinds useful in Porto Rico. P.R. Bul. 29, pp. 10, 12. 1922.
mixtures, experiments in—
Nebraska. W.I.A. Cir. 6, p. 18. 1915.
South Dakota Belle Fourche farm, 1916. W.I.A. Cir. 14, pp. 8–11. 1917.
tests with cows and heifers, South Dakota. W.I.A., Cir. 24, pp. 21–24. 1918.
Truckee-Carson project, experiments, 1917. W.I.A. Cir. 23, p. 21. 1918.
variety tests in—
Montana, Huntley project. B.P.I. [Misc.], "The work of the Huntley * * * 1913," p. 11. 1914.
Oregon, Umatilla experiment farm. W.I.A. Cir. 26, pp. 27–29. 1919.
perennial, deceptive appearance on ranges. B.P.I. Bul. 177, p. 17. 1910.
pollen, type, and shape of grains. Chem. Bul. 110 p. 76. 1908.
range—
Alaska, check list. D.B. 1089, p. 70. 1922.
and forage plant, experiments at Highmore, S. Dak. F. Lamson-Scribner. Agros. Cir. 33, pp. 5. 1901.
damage by Zuni prairie dog. W. P. Taylor and J. V. G. Loftfield. D.B. 1227, pp. 16. 1924.

Grass(es)—Continued.
range—continued.
description and—
feeding value, southwestern ranges. D.B. 588, pp. 4–9, 17. 1917.
forage value. D.B. 545, pp. 4–31. 1917
in Mississippi, George County. Soil Sur. Adv. Sh., 1922, pp. 38–39. 1925.
in Texas, destruction by rodents, notes. N.A. Fauna 25, pp. 91, 152, 154. 1905.
seed production, scattering and planting. D.B. 34, pp. 4–6. 1913.
valuable in reseeding ranges. B.P.I. Bul. 177, pp. 10, 11, 14, 15, 16. 1910.
reaction to chinch-bug attack. Wm. P. Hayes and C. O. Johnston. J.A.R., vol. 31, pp. 575–583. 1925.
recommendation for lawns. F.B. 248, pp. 9–13. 1906.
related to Sudan grass, description. D.B. 981, pp. 7–16. 1921.
relation to cattle raising in the South. Y.B., 1913, pp. 265–266, 278–282. 1914; Y.B. Sep. 627, pp. 265–266, 278–282. 1914.
reseeding, on mountain ranges. For. Cir. 169, pp. 1–28. 1909.
reserve, use as forage crop in cotton region, description. F.B. 509, p. 16. 1912.
rich land. F.B. 1433, pp. 7, 20, 29, 35, 41. 1925.
rotation, tobacco culture and yield under different fertilizers. F.B. 381, p. 12. 1909.
rusts, *Puccinia* spp., studies. J.A.R., vol. 2, pp. 303–319. 1914.
St. Augustine—
description. D.B. 772, pp. 219, 220. 1920.
use on lawns. F.B. 494, pp. 34, 40. 1912.
value for sandy lands and hot climates. Soils Bul. 75, p. 19. 1911.
St. Lucie—
characteristics, note. F.B. 1125, rev., p. 7. 1920.
frost resistance. Agros. Cir. 31, pp. 2, 5. 1901.
small form of Bermuda grass, harmlessness. F.B. 945, p. 6. 1918.
sand—
binding, importation and description. No. 33320, B.P.I. Inv. 31, pp. 5, 14. 1914.
hill vegetation. For. Bul. 121, p. 15. 1913.
sandy or poor soils. F.B. 1433, pp. 3, 5, 14, 22, 24, 26, 32, 35, 39. 1925.
saw, description and composition, comparison with peat. J.A.R., vol. 13, pp. 605–606, 607–609. 1918.
seed(s)—
adulterants. F.B. 428, pp. 6–7, 38–43. 1911.
adulteration with Canada thistle. F.B. 1002, pp. 7–8. 1918.
and seeding for lawn. F.S. and P. Inv. [Misc.], "Making and maintaining a lawn," pp. 5. 1915; rev., pp. 6. 1916; rev., pp. 6. 1917; rev., pp. 6. 1921.
barnyard, adulteration of rice seed. F.B. 688, pp. 17, 18. 1915.
characteristics—
and testing. F.B. 428, p. 16. 1911.
of quack grass and wheatgrass. B.P.I. Cir. 73, pp. 1–9. 1911.
description general. F.B. 382, p. 16. 1909.
desiccation and germination tests. J.A.R., vol. 14, pp. 527–531. 1918.
distribution—
for experiments in native pasture. B.P.I. Bul. 117, p. 8. 1907.
records and cooperative experiments. B.P.I. Bul. 10, pp. 7–23. 1902.
for—
canal banks, quantity per acre. B.P.I. Cir. 115, pp. 30, 31. 1913.
lawn making. D.C. 49, pp. 2–3. 1919; F.B. 248, pp. 13–14. 1906; F.B. 494, pp. 36–42. 1912.
germination temperatures. J.A.R., vol. 23, pp. 296–299, 300–314, 323, 327, 330. 1923.
growing—
and handling. B.P.I. Bul. 84, p. 14. 1905.
labor and materials, requirements in various States. D.B. 1000, pp. 45–46. 1922.
hardy, from Austrian Alpine garden. B.P.I. Bul. 106, p. 6. 1907.

Grass(es)—Continued.
seed(s)—continued
imports, 1922–1924. Y.B. 1924, p. 1064. 1925.
iron and manganese content. J.A.R., vol. 23, p. 397, 399. 1923.
marketing methods. Rpt. 98, pp. 146–149. 1913.
mixtures for—
hay crop. Y.B., 1908, p. 418. 1909; Y.B. Sep. 490, p. 418. 1909.
irrigated pastures. D.R.P. Cir. 2, pp. 7–9, 15. 1916.
mosaic transmission experiments. J.A.R., vol. 24, p. 261. 1923.
quantity per acre—
and time. F.B. 147, pp. 10–23. 1902; F.B. 325, pp. 10–11. 1908; F.B. 337, pp. 8, 9, 10, 12, 13, 14. 1908; F.B. 494, pp. 37–40. 1912; Soils Bul. 75, p. 48. 1911.
for sowing southern pastures. Sec. [Misc.] Spec. "Permanent pastures * * *," pp. 2, 3, 4. 1914.
shrinkage in storage. F.B. 149, p. 15. 1902.
sowing, directions. F.B. 494, pp. 39–40. 1912.
statistics, receipts and shipments at trade centers. Rpt. 98, pp. 339, 380. 1913.
supply—
for the United States. Y.B., 1917, pp. 510–517. 1918; Y.B. Sep. 757, pp. 16–23. 1918.
sources. F.B. 1232, pp. 5, 18, 19. 1921.
testing directions. F.B. 428, pp. 38–43. 1911; F.B. 704, p. 31. 1916.
seeders, description. B.P.I. Cir. 22, pp. 9, 13–14. 1909.
seeding—
for hay, in New York, Jefferson County. Soil Sur. Adv. Sh., 1911, pp. 27, 31. 1913; Soils F.O., 1911, pp. 117, 121. 1914.
time, method, and rate. F.B. 1170, pp. 8–10. 1920.
seedlings—
analytical key and descriptions. D.B. 461, pp. 6–26. 1917.
moisture requirements, comparison. D.B. 4, pp. 20–21, 25–26. 1913.
shade toleration, by varieties. B.P.I. Bul. 176, p. 10. 1910.
"silver top" disease caused by—
Pediculoides spp. Rpt. 108, pp. 106, 107, 108. 1915.
Tarsonemus culmicolus. Ent. Bul. 97, Pt. VI. p. 112. 1912.
similar to quack grass. F.B. 1307, pp. 5, 7. 1923.
soil-binding, classification. D.B. 772, p. 5. 1920; O.E.S. Bul. 198, p. 25. 1908.
soils—
adaptability and fertilizer requirements. D.B. 355, p. 83. 1916.
types in different States. F.B. 494, pp. 19–21. 1912; Soils Bul. 75, pp. 46–48. 1911.
spread of stomach worms. B.A.I. An. Rpt., 1910, pp. 444, 445. 1912; B.A.I. Cir. 193, pp. 444, 445. 1912.
staggers, sheep, cause, symptoms, and treatment. F.B. 1155, p. 28. 1921.
stains, removal from textiles. F.B. 861, p. 17. 1917.
stem—
rust, studies and experiments. J.A.R., vol. 10, pp. 429–496. 1917.
sawfly, western—
F. M. Webster and George I. Reeves. Ent. Cir. 117, pp. 6. 1910.
description and development of larva. D.B. 841, pp. 11–17. 1920.
stripe rust, *Puccinia glumarium*. J.A.R., vol. 29, pp. 209–227. 1924.
sugar-cane and other, mosaic disease. E.W. Brandes. D.B. 829, pp. 26. 1919.
suitability for southern lawns, studies and experiments. F.B. 469, pp. 5–6. 1911.
susceptibility to—
black stem rust. Y.B. 1918, pp. 78, 88, 94–98. 1919; Y.B. Sep. 796, pp. 6, 16, 22–26. 1919.
nematode disease of wheat. D.B. 842, pp. 29–30. 1920.
tame, hay value and use. Y.B., 1924, pp. 310–315. 1925.

Grass(es)—Continued.
testing—
for soil binding, experiments and results. B.P.I. Cir. 115, pp. 25-30. 1913.
at Guam Experiment Station, 1912. O.E.S. An. Rpt., 1912, pp. 18, 100. 1913.
in Alaska. O.E.S. An. Rpt., 1912, pp. 17, 72. 1913.
tests at field station near Mandan, N. Dak. D.B. 1301, pp. 60-61. 1925.
treatment to prevent striped sod webworm. J.A.R., vol. 24, p. 413. 1923.
true, morphology of. D.B. 545, p. 4. 1917.
turf-forming, value as soil binder. D.B. 675, p. 29. 1918.
use—
as forage crop in cotton region, varieties and description. F.B. 509, pp. 7-21. 1912.
in—
fattening steers in the Corn Belt. F.B. 1382, pp. 12-15. 1924.
reseeding experiments, comparison, table. D.B. 4, pp. 7-9. 1913.
rotation with wheat. Y.B. 1921, p. 97. 1922; Y.B. Sep. 873, p. 97. 1922.
soil improvement, mountain farms. F.B. 981, pp. 8-9, 17-18, 21, 23, 28, 30. 1918.
utilization in fattening ration for steers. F.B. 1382, pp. 12-15. 1924.
value—
as hen feed. F.B. 889, p. 18. 1917.
in control of soil erosion. Soils Bul. 71, pp. 42-43, 43-44. 1911.
varieties—
for—
irrigated pastures, comparison with Sudan grass, Yuma experiment farm, 1916. W.I.A. Cir. 20, pp. 26. 1918.
mixtures with carpet grass. F.B. 1130, pp. 10-11. 1920.
forage-crop experiments in Texas. B.P.I. Cir. 106, pp. 24-25, 27. 1913.
growing at St. Croix Experiment Station, 1921, experiments. S.R.S. [Misc.], "Report of Virgin Islands agricultural experiment station, 1921," p. 10. 1922.
growing in Alaska, experiments. Alaska A.R., 1911, pp. 43-44, 51. 1912.
recommended for alkali lands. Soils Bul. 35, p. 135. 1906.
uses as legumes. S.R.S. Syl. 34, p. 21. 1918
vitality of buried seeds. J.A.R., vol. 29, pp. 350-351, 359, 361. 1924.
water requirements. J.A.R., vol. 3, pp. 43-46, 52, 53, 60. 1914.
wild—
acreage and production, in Nebraska, Nance County. Soil Sur. Adv. Sh. 1922, pp. 230, 233. 1925.
destruction for control of chinch bugs. Ent. [Misc.], "Chinch bugs," p. 4. 1918.
hosts of stripe rust. J.A.R., vol. 24, pp. 608-610, 611, 619. 1923.
Nebraska—
Chase County, kinds and value for pasture and hay. Soil Sur. Adv. Sh., 1917, pp. 29, 41-47, 56-63. 1919; Soils F.O., 1917, pp. 1815, 1827-1833, 1842-1849. 1923.
Redwillow County. Soil Sur. Adv. Sh., 1919, pp. 26-45. 1921; Soils F.O., 1919, pp. 1734-1753. 1925.
seed, as adulterants of redtop seed, descriptions. D.B. 692, pp. 23-24. 1918.
susceptible to—
mosaic disease. J.A.R., vol. 24, pp. 248, 260. 1923.
Ophiobolus cariceti. J.A.R., vol. 25, pp. 353, 357. 1923.
western North Dakota, value for grazing and hay. Soil Sur. Adv. Sh., 1908, p. 80. 1910. Soils F. O., 1908, p. 1188. 1911.
wilting coefficient, determinations. B.P.I. Bul. 230, pp. 21, 22, 35-38, 43, 44, 75. 1912.
Grass worm—
enemy of southern field crops. Y.B., 1911, pp. 202, 203, 204, 209. 1912; Y.B. Sep. 561, pp. 202, 203, 204, 209. 1912.
injury to corn and onions in Porto Rico. D.B. 192, p. 7. 1915.

Grass worm—Continued.
southern—
description, injury to cotton, and control. F.B. 890, pp. 8-9. 1917.
injury to rice, and control by flooding. F.B. 1086, p. 8. 1920.
See also Army worm, fall.
See also under common names.
Grasserie, cause and control in mulberry silk worms. Ent. Bul. 39, p. 32. 1903.
Grasshopper(s)—
abundance, relation to blister beetles. D.B. 967, pp. 2-3, 26. 1921.
alfalfa enemies, description, and control methods. F.B. 495, p. 30. 1912.
and their control on sugar beets and truck crops. F.B. Milliken. F.B. 691, pp. 16. 1915; rev. pp. 20. 1920.
arsenical sprays, tests. D.B. 1147, pp. 27-32, 38. 1923.
Belle Fourche reclamation project. D.C. 339, p. 10. 1925.
bird enemies, Southeastern States. F.B. 755, 6-37. 1916.
Bruner, description, habits, and control. F.B. 691, pp. 3-16, 1915; rev., p. 5. 1920.
California, devastation, description, and habits. F.B. 1140, p. 4. 1920.
cane, description. Sec. [Misc.] "A manual of dangerous insects * * *," p. 205. 1917.
Carolina, destructive character. Y.B., 1915, p. 263. 1916; Y.B. Sep. 674, p. 263. 1916.
catcher, description, construction, and use. F.B. 691, rev., pp. 15-17. 1920.
control—
by—
birds. F.B. 630, pp. 2-27. 1915.
community action, organization. F.B. 1140, pp. 6-7. 1920.
egg destruction. F.B. 747, p. 14. 1916.
natural enemies. F.B. 691, rev., pp. 8-10. 1920.
parasitic flies. Y.B., 1907, p. 248. 1908; Y.B Sep. 447, p. 248. 1908.
plant insecticides. D.B. 1201, pp. 5-14, 22-24. 1924.
plowing and harrowing infested land. F.B 691, pp. 9-10, 14. 1915.
formula. F.B. 793, pp. 27-28. 1917.
in—
alfalfa. F.B. 637, pp. 1-9, 1915; F.B. 1283, p. 33. 1922.
forest nurseries. D.B. 479, p. 75. 1917.
grain fields. F.B. 800, pp. 16-17. 1917.
greenhouses. F.B. 1362, pp. 5, 75. 1924
home garden. D.C. 35, p. 4. 1919.
Nebraska, poison bait, formula. W.I.A. Cir 27, p. 12. 1919.
Oregon. W.I.A. Cir. 1, p 3. 1915.
Pacific States. T. D. Urbahns. F.B. 1140. pp. 16. 1920.
Russia, study and work. Ent. Bul. 38, pp. 61-66. 1902.
relation to cereal and forage crops. W. R. Walton. F.B. 747, pp. 20. 1916.
Sudan grass. F.B. 1126, rev., pp. 20-21. 1925.
wheat growing. cost. D.B. 943, pp. 39-40. 1921.
methods. F.B. 747, pp. 14-18. 1916; Y.B., 1915, pp. 264-272. 1916; Y.B. Sep. 674, pp. 264-272. 1916.
work, aid of county agents. D.C. 244, pp. 31-32. 1922.
damage to—
crops. Biol. Bul. 15, p. 10. 1901.
wheat in Minnesota. D.B. 1271, p. 6. 1924.
description, life history, and control. F.B. 691, pp. 4-16. 1915; F.B. 691, rev., pp. 4-18. 1920; F.B. 835, rev., pp. 14-16. 1920; F.R. 1140, pp. 4-6. 1920; F.B. 1270, pp. 61-62. 1923
destruction—
by—
birds. F.B. 506, pp. 19, 21, 31. 1912; F.B 1456, p. 4. 1925.
crows. D.B. 621, pp. 19-21, 42, 43, 59-60, 82. 1916.
flycatchers. Biol. Bul. 44, pp. 9-43. 1912.
parasites. Ent. Bul. 67, p. 98. 1907.
shorebirds. Biol. Cir. 79, p. 4. 1911.

Grasshopper(s)—Continued.
  destruction—continued.
    by—continued.
      starlings. D.B. 868, pp. 20-22, 39, 42, 44, 64. 1921.
      thrushes. Y.B., 1913, pp. 138, 139 1914. Y.B. Sep. 620, pp. 138, 139. 1914.
      with poisoned-bran bait, etc. Ent. [Misc.] "Destroy grasshoppers * * *," pp. 4. 1918.
  detection—
    and control in grain fields. F.B. 835, pp. 13-16. 1917
    in stomach of bird. Biol. Bul. 15, p. 13. 1901
  differential—
    Delta of Mississippi. Ent. Bul. 30, p. 7. 1901.
    description, habits and control. F.B. 637, p. 3. 1915; F.B. 691, pp. 2-16. 1915; rev., p. 4. 1920; F.B. 1140, p. 4. 1920.
    destructive character. Y.B., 1915, p. 263. 1916; Y.B. Sep. 674, p. 263. 1916.
    natural enemies. Ent. Bul. 30, pp. 22-26. 1901.
  dust-colored, destruction by birds. Biol. Bul. 15, p. 94. 1901.
  early history and name. F.B. 747, pp. 12-13. 1916.
  eggs—
    description and destruction. F.B. 691, rev., pp. 6, 10-11, 19. 1920.
    destruction by cultivation of soil. F.B. 637, p. 7. 1915; F.B. 1140, pp. 11-12. 1920.
  enemies. F.B. 691, pp. 6-9. 1915; F.B. 747, pp. 10-12. 1916.
  enigma, description and habits. F.B. 1140, p. 5. 1920.
  foul, description and habits. F.B. 1140, p. 6. 1920.
  fungous disease, experiments in the Mississippi Delta. Ent. Bul. 30, pp. 19-22. 1901.
  hibernating habits, and control measures. Y.B., 1908, pp. 377-378. 1909; Y.B. Sep. 488, pp. 377-378. 1909.
  in Philippine Islands, notes. Ent. Bul. 30, p. 83. 1901.
  injuries to—
    cotton, description and control. F.B. 890, pp. 7, 9, 10-12. 1917.
    grains, grasses, and forage crops, kinds and description. F.B. 747, pp. 3-7. 1916.
    plants and control. F.B. 856, p. 18. 1917.
    tobacco foliage. Y.B., 1910, p. 293. 1911; Y.B. Sep. 537, p. 293. 1911.
  injurious—
    in Mississippi Delta, notes on species. Ent. Bul. 30, pp. 27-31. 1901.
    to cranberries. F.B. 178, pp. 29-30. 1903.
  injury to—
    alfalfa. F.B. 637, pp. 1, 2. 1915.
    cotton. J.A.R., vol. 6, No. 3. p. 134. 1916.
    cranberries, and control treatment. F.B. 860, pp. 26-27. 1916.
    Sudan grass, control methods, etc. F.B. 605, pp. 18, 20. 1914.
    sugar-cane. Ent. Cir. 171, p. 7. 1913.
  kinds—
    description, occurrence, and crops attacked. F.B. 747, pp. 3-7. 1916.
    destructive in United States, description. Y.B., 1915, p. 263. 1916; Y.B. Sep. 674, p. 263. 1916.
  lesser migratory—
    description and habits. F.B. 691, pp. 3-16. 1915; F.B. 1140, p. 5. 1920.
    destructive character. Y.B., 1915, p. 263. 1916; Y.B. Sep. 674, p. 263. 1916.
  locust, injuries to cotton and corn, remedies F.B. 223, pp. 10-12. 1905.
  long-winged, history, distribution, habits and control. D.B. 293, pp. 1-12. 1915.
  lubber, destructive character and habits. Y.B., 1915, pp. 262, 270. 1916; Y.B. Sep. 674, pp. 262, 270. 1916.
  methods of injury. F.B. 747, p. 7. 1916.
  nonmigratory red-legged, destructive character. Y.B., 1915, p. 263. 1916; Y.B. Sep. 674, p. 263. 1916.
  outbreaks—
    and eradication experiments. Y.B., 1915, pp. 263, 267, 268. 1916; Y.B. Sep. 674, pp. 263, 267, 268. 1916.
    conditions favoring. F.B. 747, pp. 7-8. 1916.

Grasshopper(s)—Continued.
  outbreaks—continued.
    contrast with cicada outbreaks. Sec. Cir. 127, p. 5. 1919.
    control by sarcophagids. J.A.R., vol. 2, pp. 439-441. 1914.
    in—
      New Mexico, summer of 1913. Harrison E. Smith. D.B. 293, pp. 12. 1915.
      North Dakota, and control. An. Rpts., 1920, pp. 309-310. 1921.
      Western States, causes and results. F.B. 1140, pp. 3-4. 1920.
    recent, methods of control. F. M. Webster. Y.B., 1915, pp. 263-272. 1916; Y.B. Sep. 674, pp. 263-272. 1916.
  parasites—
    economic aspects. F.B. 691, p. 7. 1915; rev., p. 9. 1920.
    life history and description. J.A.R., vol. 23, pp. 923-926. 1923.
    sarcophagid. E. O. G. Kelly. J.A.R., vol. 2, pp. 435-446. 1914.
  pellucid, description and habits. F.B. 1140, p. 5. 1920.
  pests, Kansas, Shawnee County, 1860 and 1874. Soil Sur. Adv. Sh., 1911, p. 10. 1913; Soils F. O., 1911, p. 2064. 1914.
  poison baits, formulas and use. Y.B., 1915, pp. 266-272. 1916; Y.B. Sep. 674, pp. 266-272. 1916; Ent. [Misc.], "Destroy grasshoppers * * *," pp. 2-4. 1918.
  prevention of sorghum damage. F.B. 1158, p. 30. 1920.
  problem and alfalfa culture. F. M. Webster. Ent. Cir. 84, pp. 10. 1907; F.B. 637, pp. 9. 1915.
  protein determinations and food value. J.A.R., vol. 10, pp. 635-636, 637. 1917.
  red-legged, description and habits. F.B. 1140, p. 6. 1920.
  Rocky Mountain, description. F.B. 637, p. 3. 1915.
  spread of peanut leaf spot. J.A.R., vol. 5, No. 19, pp. 898, 899, 900, 901. 1916.
  tobacco, injury and control. Ent. Bul. 67, p. 109. 1907.
  two-lined, description, habits, and control. F.B. 691, pp. 2-16. 1915; rev., p. 4. 1920.
  two-striped—
    description. F.B. 637, p. 3. 1915.
    destructive character and egg-laying habits. Y.B., 1915, pp. 263, 264. 1916; Y.B. Sep. 674, pp. 263, 264. 1916.
  use for food and destruction by skunks. F.B. 587, pp. 7-8, 11. 1914.
  See also Locusts; Cicada.
GRASSI, G. B.: "Experiments with anthelmintics." With S. Calundruccio. B.A.I. Bul. 153, pp. 10-11. 1912.
Grassland—
  and desert shrub, natural vegetation. H. L. Shantz. Atl. Am. Agr. Adv. Sh., 6, Pt. I, pp. 7, 15-21, 27. 1924.
  effect of frequent cutting on water requirement. B.P.I. Bul. 285, p. 68-69, 90. 1913.
Grassquits, occurrence in Porto Rico, habits and food. D.B. 326, pp. 125-127. 1916.
Grassy heel, sheep, cause and treatment. F.B. 1155, p. 26. 1921.
Grater, apple, use in picking grape pomace. D.B. 952, p. 8. 1921.
Grates, separating, repairing. F.B. 1036, p. 5. 1919.
GRAUL, E. J.: "Soil survey of Kewaunee County, Wisconsin." With others. Soil Sur. Adv. Sh., 1911, pp. 51. 1913; Soils F.O., 1911, pp. 1513-1559. 1914.
Gravata—
  description, from Brazil. D.B. 445, pp. 21-22. 1917.
  importation and description. No. 36967, B.P.I. Inv. 38, pp. 7, 15. 1917.
GRAVATT, A. R. See Rathbun-Gravatt, Annie.
GRAVATT, G. F.—
  "Gipsy moth larvae as agents in dissemination of the white-pine blister rust." With G. B. Posey. J.A.R., vol. 12, pp. 459-462. 1918.
  "Treatment of ornamental white pines infected with blister rust." With others. D.C. 177, pp. 20. 1921.

Gravel—
cementing value, test. Chem. Bul. 63, pp. 28–29. 1901.
for concrete, requirements. F.B. 403, pp. 6, 23, 24. 1910.
foundation for roads, construction and cost. D.B. 724, pp. 53–56, 75. 1919.
road-building, sampling and testing. D.B. 1216, pp. 3–5, 7, 8–10, 19–20. 1924; D.B. 949, pp. 3, 12, 14, 62, 70–71. 1921.
roads. *See* Roads, gravel.
sands and loams, glacial and loessial province, description and uses. Soils Bul. 78, pp. 119–124. 1911.
testing for road material. D.B. 1216, pp. 3–5, 7, 8–10. 1924.
use—
and value in road building, deposits in Minnesota. Rds. Bul. 40, p. 21. 1911.
in concrete, selection. F.B. 461, pp. 8–9. 1911.
in road building. D.B. 257, pp. 37–38. 1915; D.B. 724, pp. 2–3. 1919; Rds. Bul. 33, pp. 19–21. 1908; Rds. Cir. 98, pp. 41, 42. 1912.
See Calculi; Stones.
Gravel plant. *See* Arbutus, trailing.
GRAVES, G. W.: "Soil survey of Latah County, Idaho." With others. Soil Sur. Adv. Sh., 1915, pp. 24. 1917; Soils F.O., 1915, pp. 2179–2198. 1919.
GRAVES, H. S.—
"A national lumber and forest policy." Address. Sec. Cir. 134, pp. 14. 1919.
"A policy of forestry for the Nation." Sec. Cir. 148, pp. 11. 1919.
"Farm woodlands and the war." Y.B., 1918, pp. 317–326. 1919; Y.B. Sep. 779, pp. 12. 1919.
"Instructions for preparing supervisors' annual statistical reports." For. [Misc.], "Instructions for preparing * * *," pp. 13. 1912; rev., pp. 14. 1914.
"Instructions regarding term occupancy permits." For. [Misc.], "Instructions regarding term * * *," p. 4. 1915.
"Light in relation to tree growth." With Raphael Zon. For. Bul. 92, pp. 59. 1911.
"Lumber export and our forests." Sec. Cir. 140, pp. 15. 1919.
Our national elk herds." With E. W. Nelson. D.C. 51, pp. 34. 1919.
"Practical forestry in the Adirondacks." For. Bul. 26, pp. 85. 1904.
"Private forestry," address before New England Forestry conference. Sec. Cir. 129, pp. 11. 1919.
"Protection of forests from fire." For. Bul. 82, pp. 48. 1910.
report of Forester for—
1910. An. Rpts., 1910, pp. 363–427. 1911; For. A.R., 1910, pp. 67. 1910.
1911. An. Rpts., 1911, pp. 343–418. 1912; For. A.R., 1911, pp. 78. 1911.
1912. An. Rpts., 1912, pp. 463–553. 1913; For. A.R., 1912, pp. 95. 1912.
1913. An. Rpts., 1913, pp. 135–190. 1914; For. A. R., 1913, pp. 56. 1913.
1914. An. Rpts., 1914, pp. 129–164. 1914; For. A. R., 1914, pp. 36. 1914.
1915. An. Rpts., 1915, pp. 159–189. 1916; For. A.R., 1915, pp. 31. 1915.
1916. An. Rpts., 1916, pp. 155–190. 1917; For. A.R., 1916, pp. 36. 1916.
1918. An. Rpts., 1918, pp. 165–200. 1919; For. A.R., 1918, pp. 36. 1918.
1919. An. Rpts., 1919, pp. 177–210. 1920; For. A.R., 1919, pp. 34. 1919.
"The management of second-growth sprout forests." Y.B., 1910, pp. 157–168. 1911; Y.B. Sep. 525, pp. 157–168. 1911.
"The National Forests and the farmer." Y.B., 1914, pp. 65–88. 1915; Y.B. Sep. 633, pp. 65–88. 1915.
"The profession of forestry." For. Cir. 207, pp. 17. 1912.
"The study of forestry" (in English, Spanish, and Portuguese). For. [Misc.], "The study of * * *," pp. 10. 1922.
"The woodlot. A handbook for owners of woodlands in southern New England." With Richard Thornton Fisher. For. Bul. 42, pp. 89. 1903.

GRAVES, H. S.—Continued.
"The woodsman's handbook." For. Bul. 36, pp. 296. 1902; rev., pp. 208. 1910.
GRAVES, R. R.: "Effect of age and development on butterfat production of register-of-merit Jersey and advanced-register Guernsey cattle." With M. H. Fohrman. D.B. 1352, pp. 24. 1925.
Gravity—
sluiceways, description. D.B. 304, pp. 19–20. 1915.
specific. *See* Specific gravity.
Gravy(ies)—
milk, recipes. F.B. 413, p. 18. 1910; F.B. 1207, pp. 30–31. 1921; F.B. 1359, p. 16. 1923.
mutton, recipes. F.B. 526, pp. 10, 23, 28. 1913; F.B. 1172, p. 23. 1920.
stains, removal from textiles. F.B. 861, p. 25. 1917.
GRAY, A. L.: "Soil survey of Iowa, Worth County." With D. S. Gray. Soil Sur. Adv. Sh., F.O., 1922, pp. 271–306. 1925.
GRAY, C. E.—
"A rapid method for the determination of water in butter." B.A.I. Cir. 100, pp. 6. 1906.
"Investigations in the manufacture and storage of butter. I. The keeping qualities of butter * * *." With G. L. McKay. B.A.I. Bul. 84, pp. 24. 1906.
"The cream separator on western farms." With Ed. H. Webster. F.B. 201, pp. 24. 1904.
"The influence of acidity of cream on the flavor of butter." With L. A. Rogers. B.A.I. Bul. 114, pp. 22. 1909.
GRAY, D. S.: "Soil survey of—
Cedar County, Iowa." With others. Soil Sur. Adv. Sh., 1919, pp. 31. 1921; Soils F.O., 1919, pp. 1427–1457. 1925.
Emmet County, Iowa." With F. W. Reich. Soil Sur. Adv. Sh., 1920, pp. 409–443. 1923; Soils F.O., 1920, pp. 409–443. 1925.
Jasper County, Iowa." With others. Soil Sur. Adv. Sh., 1921, pp. 42. 1925.
Wayne County, Iowa." With others. Soil Sur. Adv. Sh., 1918, pp. 24. 1920; Soils F.O., 1918, pp. 1229–1248. 1924.
Woodbury County, Iowa." With others. Soil Sur. Adv. Sh., 1920, pp. 759–784. 1923; Soils F.O., 1920, pp. 759–784. 1925.
Worth County, Iowa." With A. L. Gray. Soil Sur. Adv. Sh., 1922, pp. 271–306. 1925.
GRAY, D. T.—
"A comparison of roughages for fattening steers in the South." With others. D.B. 762, pp. 36. 1919.
"Beef production in Alabama." With W. F. Ward. B.A.I. Bul. 131, pp. 47. 1911.
"Beef production in the South." With W. F. Ward. F.B. 580, pp. 20. 1914.
"Fattening calves in Alabama." With W. F. Ward. B.A.I. Bul. 147, pp. 40. 1912.
"Fattening cattle in Alabama." With W. F. Ward. D.B. 110, pp. 41. 1914.
"Fattening steers on summer pasture in the South.' With others. D.B. 777, pp. 24. 1919.
"Feeding beef cattle in Alabama." With W. F. Ward. B.A.I. Bul. 159, pp. 56. 1912.
"Feeding hogs in the South." F.B. 411, pp. 47. 1910.
"Raising and fattening beef calves in Alabama." With W. F. Ward. D.B. 73, pp. 11. 1914.
GRAY, L. C.—
"Buying farms with land-bank loans." With Howard A. Turner. D.B. 968, pp. 27. 1921.
"Farm land values in Iowa." With O. G. Lloyd. D.B. 874, pp. 45. 1920.
"Farm ownership and tenancy." With others. Y.B., 1923, pp. 507–600. 1924; Y.B. Sep. 897, pp. 507–600. 1924.
"Helping landless farmers to own farms." Y.B. 1920, pp. 271–288. 1921; Y.B. Sep. 844, pp. 271–288. 1921.
"History of production." Atl. Am. Agr. Adv. Sh., Pt. V, Sec. A, pp. 15–23. 1919.
"Land settlement and colonization in the Great Lakes States." With John D. Black. D.B. 1295, pp. 88. 1925.
"Land utilization for crops, pasture and forests." With others. Y.B., 1923, pp. 415–506. 1924; Y.B. Sep. 896, pp. 415–506. 1924.

INDEX TO PUBLICATIONS, 1901-1925 1079

GRAY, L. C.—Continued.
report of Land Economics Division, chief, 1924. B.A.E. Chief Rpt., 1924, pp. 44-46. 1924.
"The farm lease contract." With Howard A. Turner. F.B. 1164, pp. 36. 1920.
GRAY, M. W.: "Soil survey of Giles County, Tennessee." With Orla L. Ayrs. Soil Sur. Adv. Sh., 1907, pp. 23. 1909; Soils F.O., 1907, pp. 773-791. 1909.
Gray-damsel enemy of meadow plant bug, description. J.A.R., vol. 15, pp. 194-197. 1918.
Gray disease, bulbs. *See* Mosaic disease.
Gray-mold rot, peach, description. F.B. 1435, pp. 9-10. 1924.
Gray-spot, occurrence on plants in Texas, and description. B.P.I. Bul, 226, pp. 50, 52. 1912.
Gray-top. *See* Mosaic disease.
Graybeard-tree. *See* Fringe tree.
GRAYBILL, H. W.—
"Directions for constructing a vat and dipping cattle to destroy ticks." With W. P. Ellenberger. B.A.I. Cir. 183, pp. 15. 1911.
"Directions for constructing vats and dipping cattle to destroy ticks." With W. P. Ellenberger. B.A.I. Cir. 207, pp. 20. 1912.
"Investigations relative to arsenical dips as remedies for cattle ticks." With H. W. Graybill. B.A.I. Bul. 144, pp. 65. 1912.
"Methods of exterminating the Texas-fever tick." F.B. 378, pp. 30. 1909; F.B. 498, pp. 42. 1912.
"Repellents for protecting animals from the attacks of flies." D.B. 131, pp. 26. 1914.
"Studies on the biology of the Texas-fever tick." B.A.I. Bul. 130, pp. 42. 1911.
"Studies on the biology of the Texas-fever tick. Supplementary report." With W. M. Lewallen. B.A.I. Bul. 152, pp. 13. 1912.
"The action of arsenical dips in protecting cattle from infestation with ticks." B.A.I. Bul. 167, pp. 27. 1913.
"The use of arsenical dips in tick eradication." With B. H. Ransom. B.A.I. An. Rpt., 1910, pp. 267-284. 1912; B.A.I. Bul. 144, pp. 65. 1912.
Grayfish, food value, digestion experiments. D.B. 649, pp. 9-12, 14. 1918.
Grayia—
brandegei, occurrence in Colorado and description. N.A. Fauna 33, p. 230. 1911.
common, occurrence in Colorado, description. N.A. Fauna 33, p. 230. 1911.
spinosa, description. D.B. 1345, p. 24. 1925.
Wyoming, distribution and growth. N.A. Fauna 42, p. 66. 1917.
Grayling, Athabaska-Mackenzie region, method of catching. N.A. Fauna 27, pp. 511-513. 1908.
Grazing—
along canal banks, advantages and precautions. B.P.I. Cir. 115, pp. 24, 25-31. 1913.
among aspen, recommendations. D.B. 741, pp. 27-29. 1919.
area in Piney Woods section. D.B. 827, pp. 14-15. 1921.
areas, western, nature and carrying capacity. Y.B., 1923, p. 396. 1924; Y.B. Sep. 895, p. 396. 1924.
bamboo, suggestion for. D.B. 1329, p. 20. 1925.
beet tops, advantages and disadvantages. F.B. 1095, pp. 6-7. 1919.
benefits to pine reproduction. D.B. 1105, pp. 129-130. 1923.
capacity of—
forest ranges. D.B. 790, pp. 16-30. 1919.
pasture, relation to native vegetation. D.B. 1170, pp. 39-42. 1923.
western ranges. Y.B., 1921, pp. 251-253. 1922; Y.B. Sep. 874, pp. 251-253. 1922.
cattle—
in national forests, administrative act, Supreme Court decision. Sol. Cir. 54, pp. 1-9. 1911.
on cut-over pine land, profit. D.B. 1061, pp. 49-50. 1922.
sheep, or goats, for boll-weevil control. F.B. 1262, p. 19. 1922.
close, injury to pastures. B.P.I. Cir. 49, pp. 5-6. 1910.
conditions in—
Payette National Forest, Idaho. D.B. 738, pp. 2-25. 1918.
Wyoming. N.A. Fauna 42, pp. 10, 15, 21, 37-38, 53. 1917.

Grazing—Continued.
continuous, effect on ranges. D.B. 34, pp. 8-9. 1913.
cooperative experiment, Northern Great Plains field station. D.B. 1170, pp. 2-19. 1923.
cotton fields for control of boll weevil. F.B. 1329, pp. 17-18. 1923.
crops—
feed value. Rpt. 112, pp. 21-24. 1916.
for hogs, season and carrying capacity per acre. F.B. 985, pp. 7, 9, 10, 12-24, 25, 27. 1918.
damage to—
forest plantings in intermountain region. D.B. 1264, p. 45. 1925.
western yellow-pine reproduction, seasons and classes. D.B. 580, pp. 4-9. 1917.
deferred—
and rotation practices. D.B. 675, pp. 28-29. 1918; D.B. 790, pp. 60-65. 1919; D.B. 1170, pp. 8-10, 41. 1923.
and rotation, range improvement. Arthur W. Sampson. D.B. 34, pp. 16. 1913.
application to range management. J.A.R., vol. 3, pp. 143-146. 1914.
method for improvement of native pastures. Y.B., 1915, pp. 304-310. 1916; Y.B. Sep. 678, pp. 304-310. 1916.
demands of livestock interests. Y.B., 1915, pp. 299-300. 1916; Y.B. Sep. 678, pp. 299-300. 1916.
districts and divisions, reg. G-2. For. [Misc.], "The use book: Grazing, 1921," pp. 7, 8. 1922.
effect on—
erosion and stream flow, western ranges. D.B. 675, pp. 24-27. 1918.
plant succession. D.B. 791, pp. 54-66, 71-72. 1919.
ranges, value of protection. D.B. 1031, pp. 25-34. 1922.
effect upon—
aspen reproduction. Arthur W. Sampson. D.B. 741, pp. 29. 1919.
native vegetation, Northern Great Plains field station. J. T. Sarvis. D.B. 1170, pp. 46. 1923.
western yellow-pine reproduction in central Idaho. W. N. Sparhawk. D.B. 738, pp. 31. 1918.
western yellow-pine reproduction in national forests of Arizona and New Mexico. Robert R. Hill. D.B. 580, pp. 27. 1917.
excessive—
cause of land erosion, and control. Y.B., 1916, pp. 113, 129. 1917; Y.B. Sep. 688, pp. 7, 23. 1917.
effects on national forests. For. Bul. 98, p. 9. 1911.
revegetation of areas. For. Cir. 158, pp. 1-21. 1908.
experiments—
cooperative at field station near Mandan, N. Dak. D.B. 1301, pp. 70-79. 1925.
in a coyote-proof pasture, preliminary report. James T. Jardine. Introduction by F. V. Coville. For. Cir. 156, pp. 32. 1908.
feed crop, to save labor. F.B. 1121, p. 26. 1920.
fees—
national forests—
refunding, stock rates, etc., reg. G-11. For. [Misc.], "Use book: Grazing * * *," 1921, pp. 31-32. 1922.
reg. G-9. For. [Misc.], "Use book: Grazing * * *," 1921, pp. 27-30. 1922.
regulation in 1920. An. Rpts., 1920, p. 48. 1921; Sec. A.R., 1920, p. 48. 1920.
fence row, and ditch bank, for insect control. D.B. 889, p. 22. 1920.
goats, range suitable for. D.B. 749, pp. 2-6. 1919.
habits, livestock. F.B. 812, pp. 6-7. 1917.
hogs—
effect on soil. F.B. 951, pp. 7-8. 1918.
pastures suitable, experiments. F.B. 411, pp. 21-34. 1910.
improvement by forest fires. D.C. 358, pp. 17-18. 1925.
in—
Alaska, distribution, value for cattle, sheep, and reindeer. D.B. 50, pp. 6, 9, 10-11, 24, 26-27, 28, 30. 1914.

1080   UNITED STATES DEPARTMENT OF AGRICULTURE

Grazing—Continued.
 in—continued.
  Arizona—
   National Forests. D.C. 318, pp. 3, 6, 8, 10, 16, 17, 18. 1924.
   Santa Rita Range Reserve, experiments. D.B. 367, pp. 28-33. 1916.
  California forests, number of livestock. M.C. 7, p. 6. 1923.
  Crater National Forest, permits issued. For. Bul. 100, p. 18. 1911.
  forest(s)—
   Alabama, damage. For. Bul. 68, p. 64. 1905.
   effect on number and area of fires. D.C. 134, pp. 5-8. 1920.
   effect on pine seedlings. D.B. 1105, pp. 45-49, 115-132, 140. 1923.
   Louisiana, injuries and necessity for control. For. Bul. 114, pp. 10, 13, 27-28. 1912.
   of Southwest, kinds and numbers of animals. M.C. 15, p. 8. 1924.
   reserves. Filibert Roth. Y.B., 1901, pp. 333-348. 1902; Y.B. Sep. 241, pp. 333-348. 1902.
  intermountain—
   forests, statistics. For. [Misc.], "Intermountain district forest * * *," pp. 27-28, 30. 1925.
   region, conditions. F.B. 1395, pp. 4-5. 1925.
  Mississippi, George County. Soil Sur. Adv. Sh., 1922, pp. 38-39. 1925.
  national forests—
   1905-1922. Y.B., 1923, p. 1062. 1924; Y.B. Sep. 904, p. 1062. 1924.
   allowances and rates, 1915. Y.B., 1915, pp. 583-584. 1916; Y.B. Sep. 684, pp. 583-584. 1916.
   benefits and injuries, systematic study. D.C. 134, pp. 3-5. 1920; For. Cir. 167, pp. 9-10. 1909.
   damage by stock, comparison of various kinds and handling methods. D.B. 580, pp. 13-16. 1917; M.C. 47, pp. 13-14. 1925.
   decisions applicable. Sol. [Misc.], "National forest manual," pp. 62-63. 1913.
   fees, management. For. A.R., 1925, pp. 30-36. 1925.
   improved conditions. D.C. 240, pp. 7-8, 11, 13, 15, 16, 18, 19, 21. 1922.
   in Southwest, range management and results. D.B. 580, pp. 25-27. 1917.
   information manual, 1921. For. [Misc.], "The use book, 1921," pp. 76. 1922.
   laws and decisions. Sol. [Misc.], "Laws and decisions * * * national forests," pp. 102, 116-118. 1916.
   number of livestock, and results. D.C. 211, p. 18. 1922.
   permits and fees. F.B. 1395, pp. 7-8. 1925; For. [Misc.], "The use book: Administrative * * *," pp. 63-86. 1908.
   policy and regulation. For. [Misc.], F-1, p. 8. 1915.
   regulations. For. [Misc.], "The use book: Regulations * * *," pp. 71-89. 1906; "The use book: Grazing," pp. 84. 1910: "The use book: A manual * * * uses * * *," pp. 69-122. 1915; Sol. Cir. 52, pp. 1-7. 1911.
  Nebraska, Sioux County. Soil Sur. Adv. Sh., 1919, pp. 13-14, 20-25, 40. 1922; Soils F.O., 1919, pp. 1767-1768, 1775-1781, 1796. 1925.
  Pacific coast region, conditions. F.B. 1395, pp. 5-6. 1925.
 industry—
  effect of land tenure and land status. D.B. 1001, pp. 15-27. 1922.
  Hawaii. Haw. Bul. 36, pp. 7-8, 10-12, 41-42. 1915.
  of bluegrass region. Lyman Carrier. D.B. 397, pp. 18. 1916.
 injury to—
  Emory oak. For. Cir. 201, p. 11. 1912.
  farm woodlands, control. F.B. 1117, pp. 21-23. 1920.
  forests. D.C. 134, pp. 3, 4. 1920.
  incense cedar trees. D.B. 604, p. 31. 1918.
  sprout forests. For. Cir. 118, p. 19. 1907.
  walnut plantations. D.B. 933, pp. 42-43. 1921.
  willow plantations. D.B. 316, p. 9. 1915.

Grazing—Continued.
 injury to—continued.
  yellow-pine reproduction, effect on seedlings and trees. D.B. 580, pp. 16-23. 1917.
  young forests. D.B. 153, pp. 20-21. 1915.
 intensity, influence on damage to yellow-pine reproduction. D.B. 580, pp. 9-10. 1917.
 investigations, Forest Service. D.C. 211, p. 41. 1922.
 lands—
  aid by light burning. D.B. 1294, pp. 70-71. 1924.
  area in United States. Y.B., 1918, p. 438. 1919; Y.B., Sep. 771, p. 8. 1919.
  arid—
   permit system, needs and suggestions. D.B. 1001, pp. 4, 56-62. 1922.
   Southwestern States, relation of land tenure to use of. E. O. Wooton. D.B. 1001, pp. 72. 1922.
  carrying capacity of vegetation, key. J.A.R., vol. 28, pp. 119-121. 1924.
  cattle and sheep, location. Y.B., 1908, p. 232. 1909; Y.B. Sep. 477, p. 232. 1909.
  depleted, reseeding to cultivated forage plants. D.B. 4, pp. 34. 1913.
  Idaho, description. O.E.S. Bul. 216, p. 24. 1909.
  in South, area, distribution, and soil. F.B. 580, pp. 1-2. 1914.
  in Wyoming, location. O.E.S. Bul. 205, p. 18. 1909.
  indications of natural vegetation. J.A.R., vol. 28, p. 118. 1924.
  lease laws, Texas. For. Bul. 62, pp. 40-55. 1905.
  management on mountain farms. F.B. 905, pp. 22-26. 1918.
  mountain, depletion of natural revegetation, progress report. A. W. Sampson. For. Cir. 169, pp. 28. 1909.
  of Alaska. O.E.S. An. Rpt., 1904, pp. 270-276. 1905.
  of United States, with map. For. Bul. 62, pp. 67. 1905.
  private, in national forests, reg. G-7. For. [Misc.], "Use book, 1921," pp. 23-25. 1922.
  Texas Panhandle, description. Soil Sur. Adv. Sh., 1910, pp. 24, 25, 32, 35, 48. 1911; Soils F.O., 1910, pp. 980-981, 988, 991, 1004-1006. 1912.
  United States, future use. For. Cir. 159, p. 7. 1909.
  Wallowa Mountains, belts, and description. For. Cir. 169, pp. 6-11. 1909.
  western—
   range preservation, relation to erosion. Arthur W. Sampson and Leon H. Weyl. D.B. 675, pp. 35. 1918.
   ranges, control. For. Bul. 62, pp. 11-31. 1905; Y.B., 1923, pp. 402-405. 1924; Y.B. Sep. 895, pp. 402-405. 1924.
   stock-watering places. Will C. Barnes. F.B. 592, pp. 27. 1914.
 livestock—
  control to avoid erosion of ranges. D.B. 675, pp. 29-30. 1918.
  effect on western yellow pine. For. Bul. 101, p. 17. 1911.
  emergency use of national forests. Y.B. 1917, pp. 34, 80, 81. 1918.
  in Gulf coast region. F.B. 986, pp. 11-12, 14, 15, 17, 25, 26. 1918.
  in Texas, Bowie County. Soil Sur. Adv. Sh., 1918, pp. 11, 21-58. 1921; Soils F.O., 1918, pp. 721, 731-768. 1924.
  on national forest(s)—
   factor in fire protection. John H. Hatton. D.C. 134, pp. 11. 1920.
   lands, regulations. For. [Misc.], "The national * * *," pp. 100. 1911; rev., pp. 100, 1913; For. [Misc.], "The use book, 1921," p. 1. 1922.
   numbers and regulations. For. A.R. 1924, pp. 20-25. 1924.
   southwestern States, relation of land tenure. D.B. 1001, pp. 1-72. 1922.
   value in fire protection for lodgepole pine. D.B. 234, p. 48. 1915.
 method during reseeding. D.B. 4, pp. 30, 34. 1913.

Grazing—Continued.
  methods, effect on range cover. D.B. 791, pp. 61–66. 1919.
  national forest manual. For. [Misc.] "National forest manual * * *," pp. 12. 1914.
  on—
    alfalfa to limit water requirements. D.B. 228, pp. 4–5. 1915.
    arid lands, premature result of open-range methods. D.B. 1001, pp. 28–29. 1921.
    forest ranges, management. Y.B., 1920, pp. 316–320. 1921; Y.B. Sep. 847, pp. 316–320. 1921.
    Great Plains, conditions. F.B. 1395, pp. 2–3. 1925.
    national forest ranges, organization and work. Sec. [Misc.], "Program * * * work * * * 1915," pp. 170–174. 1914.
    native vegetation, at the Northern Great Plains Field Station, effects of different systems and intensities of. J. T. Sarvis. D.B. 1170, pp. 46. 1923.
    prickly pear, methods. F.B. 1072, pp. 18, 19. 1920.
    Rhodes grass, objections to continuous. F.B. 1048, p. 12. 1919.
    the public lands. For. Bul. 62, pp. 67. 1905.
  periods—
    forest ranges, dates for opening and closing. D.B. 790, pp. 10–16. 1919.
    national forests, considerations governing. For. [Misc.], "The use book, 1921," p. 7. 1922.
  permits—
    animal exemptions, reg. G–5. For. [Misc.], "The use book, 1921," pp. 20–21. 1922.
    applicants, circular. For. [Misc.], "To applicants * * *," pp. 4. 1905.
    applications and conditions governing, reg. G–13. For. [Misc.], "The use book, 1921," pp. 33–36, 43. 1922.
    assessment fees, penalty for delinquent payment. For. [Misc.], "The use book, 1921," p. 13. 1922.
    cancellation and revocation causes, reg. G–20. For. [Misc.], "The use book, 1921," pp. 64–65. 1922.
    grants to purchasers of permitted stock, reg. G–18. For. [Misc.], "The use book, 1921," pp. 55–61. 1922.
    increase and reduction, conditions governing. For. [Misc.], "The use book, 1921," pp. 53–55. 1922.
    national forests, 1911. For. Cir. 207, p. 9. 1912.
    on-and-off, regulations governing, reg. G–6. For. [Misc.], "The use book, 1921," pp. 21–23. 1922.
    qualification of applicants, conditions governing, reg. G–14. For. [Misc.], "The use book, 1921," pp. 36–43. 1922.
    renewal, conditions governing, reg. G–17. For. [Misc.], "The use book, 1921," pp. 50–53. 1922.
  poultry, seed rate and date of sowing. D.B. 464, p. 29. 1916.
  premature, cause of injury to range. Y.B., 1915, pp. 303, 307. 1916; Y.B. Sep. 678, pp. 303, 307. 1916.
  prevention in tree plantations. F.B. 1312, p. 28. 1923.
  privileges in national forests, protective and maximum limits, reg. G–16. For. [Misc.], "The use book, 1921," pp. 48–50. 1922.
  range(s)—
    in southern Arizona, carrying capacity. E. O. Wooton. D.B. 367, pp. 40. 1916.
    lands, effect. D.B. 34, pp. 8–13. 1913.
    value of springs and wells. O.E.S. Bul. 235, p. 80. 1911.
    regulated, discussion. Sec. [Misc.], "Address * * * livestock association," pp. 9–11. 1919.
  regulations—
    1906, and instructions. For. [Misc.], "The use book: Regulations * * *," pp. 16. 1906.
    1911. For. [Misc.], "The national forest manual," pp. 100. 1911.
    1913, national forests. For. [Misc.], "The use book, 1913," pp. 33–59. 1913.
    Manti National Forest, Utah. For. Bul. 91, pp. 15–16. 1911.

Grazing—Continued.
  regulations—continued.
    on national forests, Montana and Idaho laws. For. [Misc.], "Trespass on national * * *," pp. 16, 33–35, 52–53. 1922.
    reindeer, on Alaskan ranges, management. D.B. 1089, pp. 19–33. 1922.
    relation to range improvement. D.B. 34, pp. 1–16. 1913.
  restriction—
    effect on sneezeweed growth. D.B. 947, pp. 41–43. 1921.
    in Southern forests. D.B. 364, p. 7. 1916.
  rotation—
    on goat ranges. D.B. 749, pp. 9–10. 1919.
    suggestions. Y.B., 1915, pp. 308–310. 1916; Y.B. Sep. 678, pp. 308–310. 1916.
    school lesson. D.B. 258, pp. 28–29. 1915.
    season in Idaho forests. D.B. 738, pp. 3, 27. 1918.
  sheep—
    and cattle, Idaho, in proposed forest reserve region. For. Bul. 67, pp. 47–49, 50, 55. 1905.
    coyote-proof pasture, experiments. For. Cir. 156, pp. 7–12. 1908.
    larkspur areas on cattle ranges. F.B. 826, pp. 20–21, 22. 1917.
    management on forest ranges, methods. D.B. 738, pp. 27–31. 1918.
    steers on corn and cowpeas. C. F. Langworthy. F.B. 124, p. 27. 1901.
  stock—
    restrictions on elk ranges. D.C. 51, pp. 14, 22, 27, 28. 1919.
    use of yellow-pine forests, in Oregon. D.B. 418, p. 31. 1917.
  study—
    at Mandan, North Dakota. D.B. 1337, pp. 16–17. 1925.
    of conditions in the Manti National Forest, Utah. For. Bul. 91, pp. 5–7, 15–16. 1911.
  systems—
    in various regions. Y.B., 1923, pp. 371–372. 1924; Y.B. Sep. 895, pp. 371–372. 1924.
    range lands, relation to revegetation. J.A.R., vol. 3, pp. 115–143. 1914.
  trespass—
    by drifting cattle, decision in case of Thomas Shannon. For. [Misc.], "Instructions * * * grazing trespass," pp. 6. 1909.
    by drifting stock in national forests. For. [Misc.], "Grazing trespass * * *," pp. 6. 1908.
    national forests, regulations—
      1911. For. [Misc.], "The national * * * manual; regulations * * * trespass * * *," pp. 6, 14–15. 1911.
      1915. For. [Misc.], "The use book," rev., 5, pp. 69–70. 1915.
      procedure, instructions. For. [Misc.], "Instructions regarding grazing * * *," pp. 6. 1908; rev. 1909.
      reg. T–6. For. [Misc.], "The use book, 1921, p. 2. 1922.
    unregulated, effect on forests. D.C. 240, p. 4. 1922.
  use—
    and value of velvet beans. F.B. 1276, pp. 17–18. 1922.
    of lands in California, San Francisco Bay region. Soil Sur. Adv. Sh., 1914, pp. 51–75, 83, 97. 1917; Soils F.O., 1914, pp. 2723–2747, 2755, 2769. 1919.
    of velvet bean crops. F.B. 962, pp. 20–21, 36. 1918.
    usefulness, eradication of Canada thistle. F.B. 1002, p. 14. 1918.
  vegetation—
    composition in Great Plains. J.A.R., vol. 19, pp. 65–67. 1920.
    native, study at field station near Mandan, N. Dak. D.B. 1301, pp. 75–78. 1925.
Grease (disease), horse foot—
  origin, and character. B.A.I. Chief Rpt., 1904, p. 91. 1904.
  See also Canker.
Grease—
  extraction from wool, and weighing. D.B. 1100, pp. 2–6, 11–15. 1922.

Grease—Continued.
    from garbage, extraction, disposal, uses, and
        value. Y.B., 1914, pp. 304–305, 307. 1915;
        Y.B. Sep. 643, pp. 304–305, 307. 1915.
    imports—
        1907–1909, value, by countries from which consigned. Stat. Bul. 82, p. 27. 1910.
        1908–1910, values, by countries from which consigned. Stat. Bul. 90, p. 28. 1911.
    inedible—
        marking containers. B.A.I.S.R.A. 144, p. 33.
            1919.
        shipment regulations. B.A.I.O. 150, amdt. 1,
            pp. 2. 1908.
        packers and renderers, description, and production. D.B. 769, pp. 3, 40. 1919.
        recovery from wool-scouring waste, uses and
            value. Chem. Chief Rpt., 1921, pp. 38–39.
            1921.
        soap stock, exports and imports, 1908–1912. Y.B.,
            1912, pp. 713, 727. 1913; Y.B. Sep. 615, pp. 713,
            727. 1913.
        stains, removal from textiles. F.B. 861, pp. 17–19.
            1917.
        traps, description and value in house sewers.
            D.B. 57, p. 44. 1914; F.B. 1227, pp. 53–54. 1922.
        use on farm tractors, quantity and cost, per acre
            plowed. F.B. 1035, p. 21. 1919.
Greasewood—
    absorption of alkali salts, analysis of ash. Rpt. 71,
        pp. 64–66. 1902.
    alkali—
        indication. B.P.I. Bul. 157, pp. 13, 32. 1909.
        indicator, in California, Butte Valley. Soil
            Sur. Adv. Sh., 1907, pp. 11, 14. 1909; Soils
            F.O. 1907, pp. 1007, 1010. 1909.
    as poisonous plant. C. Dwight Marsh and others.
        D.C. 279, pp. 4. 1923.
    occurrence—
        description, associates, and indications. J.A.R.,
            vol. 5, pp. 400–405, 408. 1914.
        in chaparral, qualities. For. Bul. 85, pp. 6, 9,
            11, 29, 42. 1911.
        in Colorado, description. N.A. Fauna 33, p.
            230. 1911.
    poisonous effects from excessive feeding. D.B.
        1245, p. 7. 1924.
    shadscale land, characteristics. J.A.R., vol. 1,
        pp. 400–405, 412, 415. 1914.
Greasy heel. See Eczema.
Great Basin—
    alfalfa weevil, damage and spread. J.A.R., vol.
        30, pp. 479, 489–490. 1925.
    arable lands, irrigation requirements. Samuel
        Fortier. D.B. 1340, pp. 55. 1925.
    description and general characteristics. D.B.
        61, 3–14. 1914; D.B. 1340, pp. 4–5. 1925.
    drainage. O.E.S. Bul. 209, p. 18. 1909.
    dry farming, crops adaptable. F.B. 329, pp. 12–15.
        1908.
    dry land grains. F. D. Farrell. B.P.I. Cir. 61,
        pp. 39. 1910.
    extent of lands to be reclaimed. D.B. 1340, pp.
        37–38. 1925.
    farming methods in grain production. B.P.I.
        Cir. 61, pp. 17–31. 1910.
    forage conditions on northern border. David
        Griffiths. B.P.I. Bul. 15, pp. 60. 1902.
    Forest experiment station, establishment, location, plant and grazing tests. D.C. 198, pp.
        18–22. 1921.
    geographical groups, description. D.B. 54, pp.
        9–58. 1914.
    irrigation requirements of arable lands. Samuel
        Fortier. D.B. 1340, pp. 55. 1925.
    location, development. D.B. 54, pp. 3–9. 1914.
    present lakes, saline deposits. D.B. 61, pp. 64–66.
        1914.
    Quaternary lakes, basins formerly occupied, area.
        D.B. 61, pp. 67. 1914.
    region, potash salts and other salines. G. J.
        Young. D.B. 61, pp. 96. 1914.
    salines, nature, conclusion, and tables. D.B. 61,
        pp. 66–89. 1914.
    soil, character and agricultural value, by series.
        Soils Bul. 65, pp. 169–173. 1910; Soils Bul. 96,
        pp. 531–554. 1913.
    wheat—
        experiments with hard red winter varieties.
            D.B. 1276, p. 8. 1925.

Great Basin—Continued.
    wheat—continued.
        production, cost, yield and profits. B.P.I. Cir.
            61, pp. 37–39. 1910.
        zone of weathering, reactions. D.B. 61, pp. 20–27.
            1914.
Great Bear Lake basin, description, climate, and
    seasonal events. N.A. Fauna 27, pp. 42–46. 1908.
Great Britain—
    agricultural—
        conditions, 1918, reports. Sec. [Misc.], "Address * * * Houston * * * livestock,"
            pp. 10–12, 17, 35–53, 66–78, 80–86. 1919.
        education, progress—
            1911. O.E.S. An. Rpt., 1911, pp. 284–288.
                1912.
            1912. O.E.S. An. Rpt., 1912, pp. 288–291.
                1913.
        imports, 1896–1900. For. Mkts. Bul. 16, pp. 227.
            1902.
        instruction for adults. O.E.S. Bul. 155, pp.
            65–84. 1905.
    and Ireland, contagious diseases of animals, 1910.
        B.A.I. An. Rpt., 1910, pp. 518–519. 1912.
    cattle—
        breeds, origin and ancestry. B.A.I. An. Rpt.,
            1910, p. 225. 1912.
        quarantine period, regulation. B.A.I.O. 142,
            amdt. 6, p. 1. 1909.
        tuberculous, occurrence and spread. B.A.I.
            [Misc.], "Diseases of cattle," rev., pp. 407–409,
            1923.
    contagious diseases of animals—
        1901–1907. B.A.I. An. Rpt., 1907, pp. 411, 414.
            1907.
        1908. B.A.I. An. Rpt., 1908, pp. 417, 420. 1910.
    convention with United States on migratory
        birds. Biol. S.R.A. 23, pp. 12. 1918.
    crop statistics—
        1910–1911. Stat. Cir. 26, p. 13. 1912.
        1912. Stat. Cir. 37, pp. 6–8. 1912; Stat. Cir.
            39, p. 5. 1912.
    foot-and-mouth disease conditions. B.A.I.S.A.
        64, p. 67. 1912.
    forest resources (with Ireland). For. Bul. 83,
        pp. 32–34. 1910.
    fossil remains of animals. B.A.I. An. Rpt., 1910,
        pp. 154, 162, 165, 166, 168, 173, 194. 1912.
    hog tuberculosis, prevalence. B.A.I. An. Rpt.,
        1907, p. 219. 1909; B.A.I. Cir. 144, p. 219. 1909.
    hunting licenses. Biol. Bul. 19, pp. 51–52. 1904.
    import duties on tobacco, historical notes. B.P.I.
        Bul. 244, pp. 15, 16, 35. 1912.
    importation of—
        cattle to United States, restrictions. B.A.I.S.A.
            78, p. 92. 1913.
        rabbit meat, 1910, value. Y.B., 1918, p. 146.
            1919; Y.B. Sep. 784, p. 4. 1919.
    livestock—
        Robert Wallace. O.E.S. Bul. 196, pp. 42–47.
            1907.
        conditions, 1909–1918, losses, etc. Y.B., 1918,
            pp. 293–295. 1919; Y.B. Sep. 773, pp. 7–9.
            1919.
    meat—
        consumption per capita, 1906–1908. B.A.I. An.
            Rpt., 1911, pp. 264, 265. 1913.
        imports, 1909–1913, Argentina and other. Y.B.,
            1914, p. 385. 1915; Y.B. Sep. 648, p. 385. 1915.
    pleuropneumonia of cattle, eradication. B.A.I.
        [Misc.], "Diseases of cattle," rev., p. 381. 1912.
    potato—
        production, compared to United States. F.B.
            533, pp. 4, 5. 1913.
        wart, control measures. C.T. and F.C.D. Inv.
            Cir. 6, pp. 9–10. 1919.
    rabbit industry. F.B. 1090, p. 4. 1920.
    sheep, numbers on farms per acre. Y.B., 1917,
        p. 318. 1918; Y.B. Sep. 750, p. 10. 1918.
    sugar consumption, annual. Sec. Cir. 86, p. 8.
        1918.
    treaty for protection of migratory birds. Biol.
        S.R.A. 55, pp. 1–4. 1923; F.B. 774, pp. 18–20.
        1916; F.B. 910, pp. 4, 64–69. 1917; F.B. 1010,
        pp. 56–58. 1918; Y.B., 1918, pp. 307, 308. 1919;
        Y.B. Sep. 785, pp. 7, 8. 1919.
    tuberculin test. An. Rpts., 1908, p. 233. 1909;
        B.A.I. Chief Rpt., 1908, p. 20. 1908.
    tuberculosis—
        beef cattle. B.A.I. Bul. 32, pp. 11–15. 1901.

INDEX TO PUBLICATIONS, 1901–1925 1083

Great Britain—Continued.
  tuberculosis—continued.
    hog, prevalence. B.A.I. Cir. 201, p. 11. 1912.
    regulations. B.A.I. Cir. 153, pp. 22–23. 1910.
  See also United Kingdom.
Great Lakes—
  altitudes, variations. Stat. Bul. 81, p. 57. 1910.
  navigation, length of season. Rpt. 98, p. 66. 1913; Stat. Bul. 81, pp. 57–58. 1910.
  region—
    forest-denuded, climate. Willis L. Moore. Y.B., 1902, pp. 125–132. 1903; Y.B. Sep. 269, pp. 125–132. 1903.
    grain movement. Frank Andrews. S.B. 81, pp. 82. 1910.
    reforestation, influence of *Peridermium cerebrum.* D.B. 212, pp. 5–6. 1915.
    routes of grain shipments. Stat. Bul. 81, pp. 76–78. 1910.
    sandy plains, habitat of jack pine. D.B. 212, p. 1. 1915.
    sugar-beet industry development. B.P.I. Bul. 260, pp. 21–22. 1912.
  States—
    land settlement and colonization. John D. Black and L. C. Gray. D.B. 1295, pp. 88. 1925.
  See also Lake States.
Great Plains—
  agriculture, central semi-arid portion. J. A. Warren. B.P.I. Bul. 215, pp. 43. 1911.
  alfalfa seed, growing experiments. B.P.I. Cir. 24, pp. 10, 12, 13, 15, 17, 21. 1909.
  area—
    adaptability of durum wheat, variety tests and yields. F.B. 534, pp. 8–13. 1913.
    barley growing, methods, and production. E. C. Chilcott and others. D.B. 222, pp. 32. 1915.
    boundaries and climate. Y.B., 1907, pp. 452–456. 1908; Y.B. Sep. 461, pp. 452–456. 1908.
    climate effect on soil conditions. Y.B., 1907, pp. 454–456. 1908; Y.B. Sep. 461, pp. 454–456. 1908.
    climatic features. D.B. 268, pp. 3–5. 1915.
    corn growing, cultural methods and production. E. C. Chilcott and others. D.B. 219, pp. 31. 1915.
    crop—
      production, cultural methods and yields. E. C. Chilcott and others. D.B. 268, pp. 28. 1915.
      production, natural vegetation as indicator of land capabilities. H. L. Shantz. B.P.I. Bul. 201, pp. 100. 1911.
      rotations, experiments. Y.B., 1907, pp. 459–463. 1908; Y.B. Sep. 461, pp. 459–463. 1908.
    cultivation methods and crop rotations, study. E. C. Chilcott. B.P.I. Bul. 187, pp. 78. 1910.
    description, sketch map, and climatic conditions. D.B. 595, pp. 2–7. 1917.
    drought-resistant forage-plant breeding. Arthur C. Dillman. B.P.I. Bul. 196, pp. 40. 1910.
    dry-land farming. Y.B., 1907, pp. 451–468. 1908; Y.B. Sep. 461, pp. 451–468. 1908.
    emmer and spelt growing, experiments. D.B. 1197, pp. 30–42, 55. 1924.
    fruit growing for home use. H. P. Gould and Oliver J. Grace. F.B. 727, pp. 40. 1916.
    location of grain-sorghum belt. B.P.I. Bul. 203, pp. 8–9. 1911.
    location, size, and climate. D.B. 214, pp. 1–5. 1915.
    oats—
      cultural methods and production. E. C. Chilcott and others. D.B. 28, pp. 42. 1915.
      growing, experiments and results. D.B. 823, pp. 36–52, 61. 1920.
    precipitation records, 1906–1909. B.P.I. Bul. 187, pp. 72–74. 1910.
    rainfall and evaporation. B.P.I. Bul. 188, pp. 1–71. 1910.
    soil conditions at individual stations. D.B. 1139, pp. 14–19. 1923.
    southern, corn, milo, and kafir, cultural methods and production. E. F. Chilcott and others. D.B. 242, pp. 20. 1915.

Great Plains—Continued.
  area—continued.
    spring wheat, cultural methods and production. E. C. Chilcott and others. D.B. 214, pp. 43. 1915.
    winter wheat, cultural methods and production. E. C. Chilcott and others. D.B. 595, pp. 36. 1917.
  barium in soils, occurrence, location, and sources. Soils Bul. 72, pp. 14–21. 1910.
  basins, location and areas. D.B. 54, pp. 60–62. 1914.
  central and southern—
    fruit growing, for home use. H. P. Gould. B.P.I. Cir. 51, pp. 23. 1910.
    new sorghum varieties. H. N. Vinall and R. W. Edwards. D.B. 383, pp. 16. 1916.
  climate, soil, and topography. B.P.I. Bul. 215, pp. 8–9. 1911.
  climatic features. F.B. 727, pp. 4–7. 1916.
  Cooperative Experiment Association, organization and purpose. An. Rpts., 1908, p. 319. 1909; B.P.I. Chief Rpt., 1908, p. 47. 1908.
  corn varieties, tests. L. L. Zook. D.B. 307, pp. 20. 1915.
  dry farming, capital requirement to start. B.P.I. Bul. 215, p. 39. 1911.
  farming conditions relating to wheat growing. F.B. 895, pp. 3–4, 11–12. 1917.
  forage production. Y.B., 1923, p. 331. 1924; Y.B. Sep. 895, p. 331. 1924.
  fruit growing. J. E. Payne. B.P.I. Bul. 130, pp. 61–67. 1908.
  location—
    and history. B.P.I. Cir. 51, p. 3. 1910.
    climatic features and frost records. D.B. 1260, pp. 2–9. 1924.
  northern—
    alfalfa growing, effect on yield of irrigated crops. D.B. 881, pp. 1–13. 1920.
    area, elevation, soils, and climate. F.B. 678, pp. 3–7. 1915.
    barley culture. Mark Alfred Carleton. B.P.I. Cir. 5, pp. 12. 1908.
    cooperative shelter-belt development. D.L.A. Cir. 3, pp. 2. 1917.
    description, climate, and soils. D.B. 883, pp. 4–7. 1920.
    field station—
      effects of different systems and intensities of grazing upon native vegetation. J. T. Sarvis. D.B. 1170, pp. 46. 1923.
      location and climate. D.B. 878, pp. 11–12. 1920.
      native vegetation. J. T. Sarvis. J.A.R., vol. 19, pp. 63–72. 1920.
      report for 10-year period, 1913–1922, inclusive. J. M. Stephens and others. D.B. 1301, pp. 80. 1925.
      work in 1923. J. M. Stephens and others. D.B. 1337, pp. 18. 1925.
    flax growing on new lands, experiments. D.B. 883, pp. 2–29. 1920.
    fruit—
      growing on. Max Pfander. D.C. 58, pp. 12. 1919.
      trees and small fruits, planting instructions to cooperators. D.L.A. Cir. 7, pp. 2. 1925.
    location and climate. D.C. 58, pp. 3–4. 1919.
    semiarid portion, forage crops in relation to agriculture. R. A. Oakley and H. L. Westover. D.B. 1244, pp. 54. 1924.
    shelter-belt—
      cooperative planting. D.L.A. Cir. 1, pp. 7. 1916.
      demonstrations, cooperative development. Robert Wilson and F. E. Cobb. D.B. 1113, pp. 28. 1923.
    soil, climate, and elevation. D.B. 878, pp. 11–12. 1920.
    spring wheat growing. F.B. 680, pp. 6–9, 10, 18. 1915.
    spring wheat, varietal experiments. J. Allen Clark and others. D.B. 878, pp. 48. 1920.
  See also North Dakota, western; South Dakota, western.
  officials, agricultural and forest, directory. F.B. 1312, p. 32. 1923.
  ponds, location, description, and origin. D.B. 54, pp. 56–58. 1914.

36167°—32——69

1084   UNITED STATES DEPARTMENT OF AGRICULTURE

Great Plains—Continued.
  potash possibilities, studies. D.B. 54, pp. 58–62. 1914.
  prairie dog. C. Hart Merriam. Y.B., 1901, pp. 217–232. 1902; Y.B. Sep. 227, pp. 217–232. 1902.
  reconnoissance survey, 1908. Rpt. 87, p. 47. 1908.
  region—
    agricultural problems, studies. Farm M. Chief Rpt., 1917, p. 7. 1917; An. Rpts. 1917, p. 479. 1917.
    central, cost of producing winter wheat. R. S. Washburn. D.B. 1198, pp. 36. 1924.
    diversity of conditions. Y.B., 1911, pp. 248–251. 1912; Y.B. Sep. 565, pp. 245–251. 1912.
    oat testing, yield of different varieties. F.B. 395, pp. 18–23. 1910.
    Panhandle section, cattle feeding, 1914–1915. News L., vol. 3, No. 21, pp. 5, 8. 1915.
    soils, description, area, and uses. Soils Bul. 96, pp. 303–380. 1913.
    tree planting. Fred R. Johnson and F. E. Cobb. F.B. 1312, pp. 33. 1923.
  semi-arid portion, agriculture in central part. J. A. Warren. B.P.I. Bul. 215, pp. 43: 1911.
  shallu sorghum, cultivation, and experiments. B.P.I. Cir. 50, p. 3. 1910; F.B. 827, pp. 1–8. 1917.
  soils and climate. D.B. 1113, pp. 5–6. 1923.
  sorghum experiments. H. N. Vinall and others. D.B. 1260, pp. 88. 1924.
  southern—
    cereal growing, publications, list. F.B. 738, p. 16. 1916.
    climate, soil, and experimental grain growing. D.B. 242, pp. 2–7. 1915.
  subsoiling, deep tilling, and soil dynamiting, studies. J.A.R., vol. 14, pp. 481–521. 1918.
  tests of corn varieties. L. L. Zook. D.B. 307, pp. 20. 1915.
  waterfowl breeding grounds, protection. Y.B., 1917, pp. 197–204. 1918; Y.B. Sep. 723, pp. 10. 1918.
  wheat—
    experiments with hard-red winter varieties. D.B. 1276, p. 8. 1925.
    production and rotations. Y.B. 1921, pp. 95, 96, 97 1922; Y.B. Sep. 873, pp. 95, 96, 97. 1922.
  winds, velocity, direction, and characteristics. Y.B. 1911, pp. 341, 345, 347. 1912; Y.B. Sep. 573, pp. 341, 345, 347. 1912.
  winter wheat, growing. E. C. Chilcott and John S. Cole. F. B. 895, pp. 12. 1917.
Great Salt Lake, water analyses. J.A.R., vol. 1, p. 372. 1914; Soils Bul. 94, p. 11. 1913.
Great Slave and Great Bear Lakes, route between, description. N.A. Fauna 27, pp. 110–125. 1908.
Great Slave Lake basin, description, climate, and seasonal events. N.A. Fauna 27, pp. 26–29. 1908.
GREATHOUSE, C. H.—
  "Foods and food control." With W. D. Bigelow. Chem. Bul. 69, rev., Pt. IX, pp. 705–778. 1906.
  "Free delivery of rural mails." Y.B. 1900, pp. 513–528. 1901; Y.B. Sep. 219, pp. 513–528. 1901.
  "Index to Farmers' Bulletins, Nos. 1–250." Pub. Bul. 8, pp. 148. 1907.
  "Index to Farmers' Bulletins, Nos. 1–500." Pub. [Misc.], "Index * * * 1–500," pp. 432. 1915.
  "Index to Farmers' Bulletins, Nos. 1–1000." Pub. [Misc.], "Index to Farmers Bulletins * * *," pp. 811. 1920.
  "Index to the Yearbooks of the United States Department of Agriculture, 1894–1900." Pub. Bul. 7, pp. 196. 1902.
  "Index to the Yearbooks of the United States Department of Agriculture, 1901–1905." Pub. Bul. 9, pp. 166. 1906.
  "Index to the Yearbooks of the United States Department of Agriculture, 1906–1910." Pub. Bul. 10, pp.146. 1913.
  "Index to the Yearbooks of the United States Department of Agriculture, 1911–1915." Pub. [Misc.], "Index * * * Yearbooks * * *," pp. 178. 1922.
  "State publications on agriculture." Y.B., 1904, pp. 521–526. 1905; Y.B. Sep. 365, pp. 521–526. 1905.

GREAVES, J. E.—
  "Influence of barnyard manure and water upon the bacterial activities of the soil." With E. G. Carter. J.A.R., vol. 6, No. 23, pp. 889–926. 1916.
  "Influence of crop, season, and water on the bacterial activities of the soil." With others. J.A.R., vol. 9, pp. 293–341. 1917.
  "Influence of salts on the nitric-nitrogen accumulation in the soil." With others. J.A.R., vol. 16, pp. 107–135. 1919.
  "Stimulating influence of arsenic upon the nitrogen-fixing organisms of the soil." J.A.R., vol. 6, No. 11, pp. 389–416. 1916.
  "The influence of irrigation water and manure on the composition of the corn kernel." With D. H. Nelson. J.A.R., vol. 31, pp. 183–189. 1925.
Grebe(s)—
  Antillean, description, habits, and food. D.B. 326, p. 17. 1916.
  Athabaska-Mackenzie region. N.A. Fauna 27, pp. 251–253. 1908.
  breeding grounds, Great Plains, description. Y.B., 1917, pp. 198–200. 1918; Y.B. Sep. 723, pp. 4–6. 1918.
  Holbiell, Alaska. N.A. Fauna 30, p. 33. 1909.
  horned, distribution and food habits. F.B. 497, pp. 18–19. 1912.
  liability to duck sickness caused by alkali. D.B. 672, pp. 5, 12. 1918.
  North American, food and economic relations. Alexander Wetmore. D.B. 1196, pp. 24. 1924.
  pied-billed, occurrence in Arkansas, destruction for feathers. Biol. Bul. 38, p. 14. 1911.
  Pribilof Islands, description, and food habits. N.A. Fauna 46, p. 16. 1923.
  protection by law. Biol. Bul. 12, rev., pp. 35–36. 1902.
  range and habits. N.A. Fauna 24, p. 51. 1904.
  West Indian, occurrence in Porto Rico, and habits. D.B. 326, pp. 17–18. 1916.
Greece—
  agricultural statistics, 1917–1920. D.B. 987, pp. 32–33. 1921.
  agriculture, progress, 1911. O.E.S. An. Rpt., 1911, p. 67. 1912.
  black-rust infestation, responsibility of barberry D.C. 269, pp. 9–10. 1923.
  cattle types, origin. B.A.I. An. Rpt., 1910, pp. 218–219. 1912.
  citrus-fruit condition, 1914–1915, estimates. F.B. 629, p. 13. 1914.
  currant-grape industry. D.B. 856, pp. 2–3. 1920.
  currants, production and exports, control, by Government. Y.B., 1911, p. 434. 1912; Y.B. Sep. 581, p. 434. 1912.
  forest resources. For. Bul. 83, pp. 56–57. 1910.
  fruits, production, exports, and imports, 1909–1915. D.B. 483, p. 29. 1917.
  goats, numbers, maps. Sec. [Misc.], Spec. "Geography * * * world's agriculture," pp. 142, 144. 1918.
  grain—
    production, acreage. Stat. Bul. 68, pp. 69–70. 1908.
    trade. Stat. Bul. 69, pp. 30–31. 1908.
  laws on fruit and seed introduction. Ent. Bul. 84, p. 35. 1909.
  livestock statistics, numbers of cattle, sheep, and hogs. Rpt. 109, pp. 30, 36, 47, 51, 59, 62, 201, 213. 1916.
  malaria, influence on national progress. Ent. Bul. 78, pp. 9, 36–38. 1909.
  meat consumption. Rpt. 109, pp. 128, 133, 271–273. 1916.
GREELEY, W. B.—
  "Fire protection under the Weeks law for 1913." For. [Misc.], "Forest fire protection * * *," pp. 73–76. 1914.
  "Idle land and costly timber." F.B. 1417, pp. 21. 1924.
  "National forest timber for the small operator." Y.B., 1912, pp. 405–416. 1913; Y.B. Sep. 602, pp. 405–416. 1913.
  report of forester—
    1920. An. Rpts., 1920, pp. 221–254. 1921; For. A.R., 1920, pp. 34. 1920.

GREELEY, W. B.—Continued.
report of forester—continued.
1921. For. A.R., 1921, pp, 42. 1921.
1922. An. Rpts., 1922, pp. 195-249. 1922; For. A.R., 1922, pp. 55. 1922.
1923. An. Rpts., 1923, pp. 289-344. 1923; For. A.R., 1923, pp. 56. 1923.
1924. For. A.R. 1924, pp. 40. 1924.
1925. For. A.R., 1925, pp. 51. 1925.
"Some public and economic aspects of the lumber industry." Rpt. 114, pp. 100. 1917.
"The problem of timber waste." M.C. 39, pp. 10-19. 1925.
"Timber: Mine or Crop?" With others. Y.B., 1922, pp. 83-180. 1923; Y.B., Sep, 886, pp. 83-180. 1923.
"White oak in the Southern Appalachians." With W. W. Ashe. For. Cir. 105, pp. 27. 1907.
"Wood for the Nation." Y.B., 1920, pp. 147-158. 1921; Y.B. Sep. 835, pp. 147-158. 1921.
Greeley, Colo., Canal No. 2, description and capacity. D.B. 1026, pp. 37-39. 1922.
GREEN, D. M.
"Brood coops and appliances." F.B. 1107, pp. 8. 1920.
"Common poultry diseases." F.B. 1114, pp. 8. 1920.
"Lice, mites, and cleanliness." With J. W. Kinghorne. F.B. 1110, pp. 10. 1920.
GREEN, S. B.: "Course in fruit growing for movable schools of agriculture." O.E.S. Bul. 178, pp. 100. 1907.
GREEN, W. J.—
"Corn growing in Guam, for club members." Guam Cir. 3, pp. 13. 1923.
"Plans for boys' and girls' club work for 1921." Guam Cir. 1, pp. 2. 1920.
report of Guam Experiment Station—
extension agent, 1919. Guam A.R., 1919, pp. 44-50. 1921.
superintendent of extension—
1920. Guam A.R., 1920, pp. 65-67. 1921.
1921. Guam A.R., 1921, pp. 27-41. 1923.
Green—
chrome, testing methods. Chem. Bul. 109, pp. 26-27. 1918.
light, chemical composition. Chem. Bul. 147, pp. 166-169, 185, 186, 189, 193-195, 200. 1912.
malachite, adsorption by colloidal material in soils. D.B. 1193, pp. 7-33. 1924.
table numbers, in classification of food colors. Chem. Bul. 147, pp. 17, 19-20, 46. 1912.
Green archangel. See Bugleweed.
Green arrow. See Yarrow.
Green book, regulations, fiscal, of Forest Service. For. [Misc.], "Green book," pp. 47. 1907; rev., 1908.
Green bug—
destruction by—
lacewing fly. J.A.R., vol. 6, No. 14, p. 517. 1916.
ladybirds. Y.B., 1911, p. 457. 1912; Y.B. Sep. 583, p. 457. 1912.
injury to—
citrus fruits, description, and control methods. P.R. Bul. 10, p. 9. 1911.
grain, distribution, and control methods. News L., vol. 3, No. 20, pp. 1-2. 1915.
oats, prevention. F.B. 436, p. 27. 1911.
wheat plants. Ent. Bul. 95. Pt. III, p. 26. 1911.
or spring-grain aphis—
F. M. Webster and W. J. Phillips. Ent. Bul. 110, pp. 153. 1912.
prevention and periodical outbreaks. W. R. Walton. F.B. 1217, pp. 11. 1921.
outbreaks in 1921. D. B. 1103, pp. 15-18. 1922.
parasite, description. F.B. 1217, pp. 7-8, 10. 1921; Sec. Cir. 55, p. 2. 1916.
similarity to oat aphid, injuries. D.B. 112, pp. 1, 4, 12. 1914.
See also Grain aphid, spring.
Green clover worm—
enemies, parasitic and others. D.B. 1336, pp. 16-18. 1925.
See also Plathypena scabra.
"Green dolphin." See Pea aphid.
"Green" duck, production, value of Pekin duck. F.B. 697, p. 2. 1915.
Green gram. See Mung bean.

Green manure(s)—
acidity in terms of lime requirements. D.B. 6, pp. 4-5. 1913.
air-dried, experiments with acid soils. J.A.R., vol. 13, pp. 183-187. 1918.
and barnyard, value in wheat growing. D.B. 1094, pp. 30, 31. 1922.
and lime, value to soil. F.B. 921, p. 23. 1918.
Arizona experiments. W.I.A. Cir. 7, pp. 17-18. 1915.
bacteriological effects, and yields. S.R.S. Rpt.. 1916, Pt. I, pp. 37, 163. 1918.
comparison with—
fertilizers for potatoes. B.P.I. Cir. 127, pp. 7-9. 1913.
stable manure, studies. S.R.S. Syl. 34, p. 9. 1918.
crops—
adaptable—
to Gulf Coast region. Soils Cir. 43, p. 9. 1911.
with effects, on oat yield, of different crops. F.B. 436, pp. 14-15, 18, 30. 1911.
and fertilizer practice—
on Norfolk sand. Soils Cir. 44, pp. 14-15. 1911.
on Orangeburg sandy loam. Soils Cir. 46, pp. 8-9, 12, 14. 1911.
composition. F.B. 1250, p. 15. 1922.
cost-accounting method. Sec. Cir. 132, p. 13. 1919.
effects. D.C. 73, pp. 14. 1920; D.C. 209, pp. 12-13. 1922; F.B. 245, pp. 12-15. 1906; F.B. 1250, pp. 18-20. 1922.
fertilization. F.B. 1250, pp. 21-22. 1922.
for—
alfalfa field, importance. F.B. 339, pp. 9, 11-12. 1908.
alkali land. F.B. 446, rev., pp. 15-16. 1920.
California orchards. Roland McKee. B.P.I. Bul. 190, pp. 40. 1910.
Norfolk sandy loam. Soils Cir. 45, pp. 6-7, 9. 1911.
strawberry culture. F.B. 1026, pp. 27-28. 1919; F.B. 1028, pp. 12-13. 1919.
wheat lands, handling and results. B.P.I. Bul. 178, pp. 13-16. 1910.
growing in California, Yuma experiment farm. W.I.A. Cir. 12, pp. 13-15. 1916.
growth and weight per acre, different legumes. B.P.I. Bul. 190, pp. 25-27. 1910.
handling methods. B.P.I. Bul. 190, pp. 11-15. 1910.
necessity for new lands, Nevada. B.P.I. Bul. 157, pp. 22, 23, 29, 32. 1909.
New Jersey farms. F.B. 472, pp. 9-11, 16, 17, 23, 30. 1911.
nonleguminous, list. F.B. 1250, pp. 43-45. 1922.
promising. B.P.I. Bul. 190, pp. 27-32. 1910.
regional distribution. F.B. 1250, p. 27. 1922; S.R.S. Syl. 34, pp. 14-15. 1918.
suitable. F.B. 398, pp. 6, 7-8. 1910; F.B. 1250, pp. 27-28. 1922.
tests by San Antonio Experiment Farm. B.P.I. Cir. 13, p. 11. 1908.
turning under, time and method. F.B. 1250, pp. 29-32. 1922.
use—
at Akron, Colo., station. D.B. 1304, p. 23. 1925.
in Guam, and cover crops. Guam A.R., 1918, pp. 38-40. 1919.
varieties, experiments, Umatilla Experiment Farm. B.P.I. [Misc.], "The work * * * Umatilla * * *," pp. 11-12. 1914.
decomposition rate. F.B. 1250, p. 13. 1922.
effect on—
crop yields. S.R.S. Syl. 34, pp. 9-10. 1918.
germination of seed. J.A.R., vol. 5, No. 25, pp. 1161-1176. 1916; Work and Exp., 1914, pp. 248-249. 1915.
growth of citrus plants. J.A.R., vol. 2, pp. 108-113. 1914.
inorganic soil constituents, studies. J. A. R., vol. 9, pp. 255-268. 1917.
Leonardtown loam, Maryland. Soils Cir. 15, pp. 9-11. 1905.
oats, discussion. D.B. 218, pp. 12-37, 40, 42. 1915.

Green manure(s)—Continued.
  effect on—continued.
    soil, studies. S.R.S. Rpt., 1916, Pt. I, pp. 37, 272. 1918.
  fertilizer experiments in Hawaii. Hawaii A.R., 1920, pp. 49–51. 1921.
  followed by lime, use and value. Soils Cir. 47, p. 7. 1911.
  for—
    forest nurseries. D.B. 479, p. 83. 1917.
    sweet potatoes, need of lime. F.B. 324, pp. 7, 9. 1908.
    tobacco. Y.B., 1905, p. 224. 1906; Y.B. Sep. 378, p. 224. 1906.
  function, and effect. S.R.S., Syl. 34, pp. 2–4. 1918.
  growing studies. D.B. 355, pp. 58–59. 1916.
  in Guam, value of legumes. Guam A.R., 1921, p. 12. 1923.
  in Porto Rico, fertilizers. P.R. An. Rpt., 1913, pp. 18–19. 1914.
  legumes, chemical studies, Hawaii. Alice R. Thompson. Hawaii Bul. 43, p. 26. 1917.
  limestone requirements, experiments. J.A.R., vol. 13, pp. 174–187. 1918.
  necessity in sugar-beet growing. F.B. 567, p. 22. 1914.
  need on Susquehanna fine sandy loam. Soils Cir. 51, pp. 7, 9, 10. 1912.
  nitrification in citrus soils, comparison with dried blood. J.A.R., vol. 9, pp. 187–200. 1917.
  oxidation necessary to beneficial effects. Soils Bul. 47, pp. 13, 21. 1907.
  plants used in Guam. Guam Bul. 2, p. 9. 1922.
  profits, time for turning under, and moisture requirements. S.R.S. Syl. 34, pp. 11–14. 1918.
  relation to—
    soil acidity. J. W. White. J.A.R., Vol. 13, pp. 171–197. 1918.
    use of fertilizers. F.B. 398, pp. 7–8. 1910.
  relative value of crops for. D.B. 214, pp. 15, 19. 1915.
  residual value of turned-under crop. S.R.S. Syl. 34, p. 10. 1918.
  results of use at Akron Field Station. D.B. 1304, p. 23. 1925.
  treatment of crimson clover for best results. F.B. 356, p. 10. 1909.
  turning under. B.P.I. Bul. 190, pp. 12–13. 1910.
  use—
    and value. B.P.I. Doc. 629, p. 6. 1911.
    in—
      growing sweet potatoes. F.B. 999, p. 8. 1919.
      improvement of Norfolk fine sand. Soils Cir. 23, pp. 5–6, 9, 11, 15. 1911.
      improving grass soils. Soils Bul. 75, pp. 40, 49, 50. 1911.
    utilization in Guam. Guam A.R., 1917, p. 27. 1918.
  value—
    and use—
      as nitrogen source. S.R.S. Doc. 30, pp. 5–6. 1916.
      in Columbia River Valley. B.P.I. Cir. 60, pp. 18–20. 1910.
    in—
      hemp growing. Y.B., 1913, p. 315. 1914; Y.B. Sep. 628, p. 315. 1914.
      preparation of lawns. F.B. 494, pp. 21, 26. 1912.
      preparing corn land. F.B. 414, pp. 13–14. 1910.
      rice growing. Hawaii Bul. 31, p. 17. 1914.
    of—
      bur clover. B.P.I. Bul. 267, p. 12. 1913; F.B. 693, p. 9. 1915.
      button clover. F.B. 730, pp. 5–6. 1916.
      cowpeas. F.B. 1153, pp. 20–23. 1920; F.B. 245, pp. 12–15. 1906; Sec. [Misc.], Spec., "Cowpeas * * * Cotton Belt," pp. 1, 5. 1915.
      crimson clover. F.B. 550, p. 3. 1913.
      field peas and management. F.B. 690, pp. 17–18. 1915.
      hairy vetch. D.B. 876, pp. 10, 24, 30. 1920.
      Hungarian vetch. D.B. 1174, p. 6. 1923.
      jack bean and benefit to soil. B.P.I. Cir. 110, p. 33. 1913.

Green manure(s)—Continued.
  value—continued.
    of—continued.
      legumes. D.B. 721, pp. 27–28. 1918; F.B. 981, pp. 13–16, 37. 1918; F.B. 1125, rev., p. 29. 1920; Guam Bul. 4, pp. 4–5. 1922; S.R.S. Syl. 24, pp. 6–7 1917; S.R.S. Syl. 25, pp. 7–8. 1917.
      pigeon peas. Hawaii Bul. 46, pp. 4, 20–22.
      purple vetch. F.B. 967, p. 6. 1918.
      rye. Sec. Cir. 90, p. 30. 1918; Y.B., 1918, pp. 177–178. 1919; Y.B. Sep. 769, pp. 11–12. 1919.
      sweet clover. D.C., 169, pp. 14–17, 20. 1921.
      velvet beans and use. B.P.I. Bul. 141, pp. 26–28. 1909; F.B. 1276, pp. 18–19. 1922.
      velvet beans, use. B.P.I. Bul. 141, pp. 26–28. 1909; F.B. 1276, pp. 18–19. 1922.
      vetches. F.B. 515, pp. 8, 11, 16, 20, 27. 1912; F.B. 529, p. 8. 1913.
    on Knox silt loam. Soils Cir. 33, p. 7. 1911.
Green manuring—
  C. V. Piper and A. J. Pieters. F.B. 1250, pp. 45. 1922.
  choice of legume for. F.B. 214, pp. 24–26. 1905.
  comparison with summer fallow and dry farming. Y.B., 1907, p. 466. 1908; Y.B. Sep. 461, p. 466. 1908.
  definition. F.B. 1250, pp. 2, 3–4. 1922.
  for sugar beets. Rpt. 80, pp. 156–157. 1905.
  illustrated lecture. A. J. Pieters. S.R.S. Syl. 34, pp. 24. 1918.
  leguminous crops for. C. V. Piper. F.B. 278, pp. 27. 1907.
  physical and chemical effects. F.B. 1250, pp. 4–6. 1922.
  value, relation to nitrogen fixation by root nodules. F.B. 315, p. 12. 1908.
Green Mountain oil, misbranding. Chem. N.J. 3797, p. 355. 1915.
Greenacres irrigation district, Idaho, location, organization, and work. O.E.S. Bul. 216, pp. 37–40. 1911.
GREENAMYRE, H. H.: "The composite type on the Apache National Forest." For. Bul. 125, pp. 32. 1913.
Greenbay, Wis., milk supply, statistics, officials, prices, and ordinances. B.A.I. Bul. 46, pp. 42, 164. 1903.
Greenbrier—
  control in cranberry fields. F.B. 1401, p. 12. 1924.
  danger to goats. B.A.I. Bul. 27, pp. 45–46. 1906.
  destruction by birds. Biol. Bul. 15, p. 74. 1901.
GREENE, C. T.—
  "The cambium miner in river birch." J.A.R., vol. 1, pp. 471–474. 1914.
  "Two new cambium miners. (Diptera)." J.A.R., vol. 10, pp. 313–318. 1917.
GREENE, J. S.: "Acquirement of water rights in the Arkansas Valley in Colorado." O.E.S. Bul. 140, pp. 83. 1903.
GREENE, MABEL—
  "Boys' and girls' club work, 1923." Hawaii A.R., 1923, pp. 15–16. 1924.
  report of Club Leader, 1924. Hawaii A.R., 1924, pp. 21–24. 1925.
GREENE, S. W.—
  "Fattening steers on velvet beans." With Arthur T. Semple. D.B. 1333, pp. 27. 1925.
  "The cut-over pine lands of the South for beef-cattle production." With F. W. Farley. D.B. 827, pp. 51. 1921.
Greenheart—
  African, two species inferior to true greenheart. For. Cir. 211, p. 11. 1913.
  construction, uses, and durability. For. Cir. 211, p. 6. 1913.
  description. C. D. Mell and W. D. Brush. For. Cir. 211, pp. 12. 1913.
  logging and transportation. For. Cir. 211, pp. 7–8. 1913.
  substitutes. For. Cir. 211, pp. 11–12. 1913.
  tests for shrinkage and strength. D.B. 676, p. 19. 1919.
  West Indian, Porto Rico, description and uses. D.B. 354, p. 83. 1916.

Greenhouse(s)—
  and grounds, experiments and investigations Sec. [Misc.], "Program * * * 1915," p. 145. 1914.
  ants infesting. F.B. 740, pp. 5, 7. 1916.
  beds, scraping to control strawberry rootworm. F.B. 1344, p. 10. 1923.
  completion and use, Sitka Experiment Station. Alaska A.R., 1915, pp. 38–39. 1916.
  construction—
    and details in cucumber growing. F.B. 254, pp. 22–25. 1906.
    and heating. James H. Beattie. F.B. 1318, pp. 38. 1923.
  crops, cost, acreage, and management. Y.B. 1904, pp. 165, 166, 168. 1905; Y.B. Sep. 340, pp. 165, 166, 168. 1905.
  cucumber—
    mosaic control. S. P. Doolittle. D.C. 321, pp. 6. 1924.
    production. James H. Beattie. F.B. 1320, pp. 30. 1923.
    use of bees in pollinating flowers. Ent. Bul. 75, pp. 99–102. 1911.
  damage by white ants, and preventive methods F.B. 759, pp. 12, 14, 20. 1916.
  experiments—
    mosaic-disease transmission. J.A.R., vol. 19, pp. 326, 333, 335. 1920.
    on the rust resistance of oat varieties. John H. Parker. D.B. 629, pp. 16. 1918.
    with atmospheric nitrogen fertilizers and related compounds. F. E. Allison and others. J.A.R., vol. 28, pp. 971–976. 1924.
  ferns, injury by caterpillars, control suggestions. Ent. Bul. 125, pp. 8–11. 1913.
  fumigation—
    efficiency of hydrocyanic-acid gas. F.B. 699, p. 1. 1916.
    equipment. D.B. 513, pp. 2–4. 1917; F.B. 1431, pp. 19–20. 1924.
    for control of violet fly. Ent. Bul. 67, p. 48. 1907.
    guide. F.B. 880, pp. 13–18. 1917.
    preparation for. F.B. 880, p. 4. 1917.
    time, chemicals required, use and formula. D.B. 513, pp. 4–8. 1917.
    with hydrocyanic acid, effects on plants. Ent. Cir. 163, p. 1. 1912; F.B. 880, pp. 1–20. 1917; J.A.R., vol. 11, pp. 319–338. 1917.
  infestation with—
    insects, methods. F.B. 880, p. 10. 1917.
    strawberry rootworm and beetle. F.B. 1344, pp. 3–4. 1923.
  insects injurious to ornamental plants. C.A. Weigel and E. R. Sasscer. F.B. 1362, pp. 81. 1924.
  leaf-tyer. See Leaf-tyer, greenhouse.
  lettuce—
    growing—
      James H. Beattie. F.B. 1418, pp. 22. 1924.
      diseases and their causes. J.A.R., vol. 13, pp. 261–279. 1918.
    rot, cause, studies. J.A.R., vol. 13, pp. 372–373, 380–387, 388. 1918.
  lumber treatment. F.B. 744, p. 32. 1916.
  manure as a summer mulch, treatment. F.B. 305, p. 9. 1907.
  pests, descriptions, injuries, and remedies. Ent. Bul. 27, pp. 1–114. 1901.
  plants—
    injury by common red spider. Ent. Cir. 104, pp. 1, 3. 1909.
    ornamental—
      fumigation with hydrocyanic-acid gas. E. R. Sasscer and A. D. Borden. F.B. 880, pp. 20. 1917.
      insects injurious. C.A. Weigel and E. R. Sasscer. F.B. 1362, pp. 81. 1924.
    protection against strawberry rootworm. F.B. 1344, p. 14. 1923.
  quarantine—
    experiments on mosaic disease transmission. J.A.R., vol. 19, pp. 132, 133–135. 1920.
    for citrus plants. D.C. 299, pp. 2–9. 1924.
  root-knot control. B.P.I. Bul. 217, pp. 44–48, 74. 1911; F.B. 648, pp. 12–13. 1915; F.B. 1345, pp. 14–17. 1923.

Greenhouse(s)—Continued.
  rose—
    aphid, infestation and control. D.B. 90, pp. 8–9, 15. 1915.
    fumigation with hydrocyanic-acid gas. F.B. 1344, pp. 8–9. 1923.
    treatment for rose aphid. D.B. 90, p. 15. 1914.
  size, cubical, determination method. F.B. 880, p. 5. 1917.
  soils—
    protozoa studies. J.A.R., vol. 4, pp. 516–542. 1915.
    sterilization. F.B. 186, pp. 8–11. 1904; F.B. 996, p. 15. 1918; Work and Exp., 1919, p. 63. 1921.
  spraying and fumigation, directions. F.B. 1306, pp. 5–36. 1923.
  spraying, nozzle and tip, description. Ent. Cir. 104, pp. 8–9. 1909.
  stock, damage from white ants and control. F.B. 1037, pp. 9–10, 14, 15–16. 1919.
  sweet potatoes, inoculation with dry rot, experiments. B.P.I. Bul. 281, pp. 16–19, 37. 1913.
  temperature—
    and—
      moisture studies of Gibberella saubinetii. J.A.R., vol. 23, pp. 844–858. 1923.
      ventilation in cucumber growing. F.B. 1320, p. 20. 1923.
    charts, description and illustrations. J.A.R. vol. 26, pp. 188–190. 1923.
  thrips. See Thrips, greenhouse.
  tomatoe(s)—
    James H. Beattie. F.B. 1431, pp. 25. 1924.
    growing. F.B. 334, pp. 16–17. 1908.
    heating system. F.B. 1431, pp. 5–6. 1924.
    soil sterilization. F.B. 1431, pp. 13–14. 1924.
    ventilators. F.B. 1431, p. 6. 1924.
    water systems. F.B. 1431, p. 7. 1924.
  utilization in summer. F.B. 133, pp. 18–19. 1901.
  walks of concrete. F.B. 1431, pp. 4–5. 1924.
  white fly—
    A. W. Morrill. Ent. Cir. 57, pp. 9. 1905.
    control. F.B. 1320, p. 24. 1923.
    description, habits, and control. F.B. 880, pp. 11, 13, 15. 1917; F.B., 1362, pp. 21–22. 1924.
    on tomatoes. F.B. 1431, pp. 19–20. 1924.
  wilt control, experiments. D.B. 828, pp. 40, 43. 1920.
  woodwork, injury by termites, and protection methods. D.B. 333, pp. 15, 24–25, 29. 1916.
  work in Alaska, florist's stock and nursery stock. Alaska A. R., 1921, pp. 15, 44. 1923.
  See also Forcing houses.
Greenideini, genera, description and key. D.B. 826, pp. 7, 37–38. 1920.
Greening—
  of foods, use of copper salts in. F.I.D. 148, pp. 2. 1912; F.I.D. 149, p. 1. 1912; F.I.D. 192, pp. 2. 1908.
  vegetables with copper salts, regulations. F.I.D. 102, p. 1. 1908.
GREENLEE, A. D.—
  "A wheatless ration for the rapid increase of flesh on young chickens." With others. D.B. 657, pp. 12. 1918.
  "Deterioration of eggs as shown by changes in the moisture content." Chem. Cir. 83, pp. 7. 1911.
  "The prevention of breakage of eggs in transit when shipped in carlots." With others. D.B. 664, pp. 31. 1918.
  "The refrigeration of dressed poultry in transit." With others. D.B. 17, pp. 35. 1913.
Greens—
  canned, use in omelet, recipe. S.R.S. Doc. 31, p. 4. 1916.
  canning directions. F.B. 839, pp. 18–19, 30. 1917; S.R.S. Doc. 17, p. 2. 1915.
  cooking recipes. F.B. 712, p. 22. 1916.
  dasheen, preparation for table. B.P.I. Doc. 1110, p. 11. 1914.
  drying directions. D.C. 3, pp. 11, 15. 1919.
  fermentation and dry salting, directions, and table use. F.B. 881, pp. 9, 10, 11, 13. 1917.
  processing, directions and time table. F. B. 839, pp. 30–31, 1917; F. B. 1211, pp. 45–48, 49. 1921.
  See also Potherbs.

Greensand—
 deposits, distribution, nature, and chemical composition. J.A.R. vol. 15, pp. 484-485. 1918.
 from three sources, analyses. J.A.R. vol. 23, pp. 223-225. 1923.
 poisonous, cause of toxicity. J. W. Kelly. J.A.R., vol. 23, pp. 223-228. 1923.
 potash source, location and amount. D.C. 61, p. 6. 1919.
 potassium availability, effect of composts. A. G. McCall and A. M. Smith. J.A. R., vol. 19, pp. 239-256. 1920.
Greensboro, N. C., milk supply, details and statistics. B.A.I. Bul. 70, pp. 6-7, 25-26. 1905.
Greenshank—
 breeding and migration range. Biol. Bul. 35, p. 54. 1910.
 range, occurrence, and names. M.C. 13, p. 60. 1923.
Greenville, Miss., trade center for farm products, statistics. Rpt. 98, pp. 288, 324. 1913.
Greenwing. See Teal, green winged.
Greenwood, Miss., trade center for farm products, statistics. Rpt. 98, pp. 288, 324. 1913.
GREGG, W. R.—
 "Instructions for aerological observers." With others. W.B. [Misc.]. "Instructions for aerological * * *," pp. 115. 1921.
 "Weather and agriculture." With others. Y.B., 1924, pp. 457-558. 1925.
GREGORY, W. B.—
 "Cost of pumping from wells for the irrigation of rice in Louisiana and Arkansas." O.E.S. Bul. 201, pp. 39. 1908.
 "Mechanical tests of pumps and pumping plants used for irrigation and drainage in Louisiana, in 1905 and 1906." O.E.S. Bul. 183, pp. 72. 1907.
 "Rice irrigation in Louisiana and Texas in 1903 and 1904." O.E.S. Bul., 158, pp. 509-544. 1905.
 "Tests of drainage pumping plants in the Southern States." D.B. 1067, pp. 54. 1910.
 "The selection and installation of machinery for small pumping plants." O.E.S. Cir. 101, pp. 40. 1910.
Greigia sphacelata—
 importation and description. No. 35956, B.P.I. Inv. 36, p. 30. 1915.
 introduction into Hawaii from Chile. Hawaii A.R., 1911, p. 40. 1912.
Grenadine sirup, definition of expression. Chem. N.J. 2477, pp. 1-3. 1913.
Grevillea—
 banksii, importations and descriptions. No. 36705, B.P.I. Inv. 37, p. 54. 1916; No. 50332, B.P.I. Inv. 63, p. 57. 1923.
 laurifolia, importation, and description. No. 42837, B.P.I. Inv. 47, p. 73. 1920.
 lavandulacea, importation and description. No. 47189, B.P.I. Inv. 58, p. 36. 1922.
 robusta. See Oak, silk.
 spp., importations and descriptions. Nos. 40041-40046, B.P.I. Inv. 42, pp. 58-59. 1918.
Grewia—
 monticola, importations and descriptions. Nos. 50153-50154, B.P.I. Inv. 63, p. 40. 1923.
 multiflora, importations and description. No. 47689, B.P.I. Inv. 59, pp. 7, 47. 1922.
 stylocarpa, importation and description. No. 54393, B.P.I. Inv. 70, p. 24. 1923.
Griddle cakes—
 corn meal, recipes. F.B. 1236, p. 14. 1923.
 recipes—
  and directions. F.B. 1136, pp. 30-31. 1920; F.B. 1450, pp. 8, 11. 1925.
  with wheat flour. F.B. 955, p. 18. 1918.
 soy-bean flour, recipe. Sec. Cir. 113, p. 3. 1918.
GRIES, C. G.—
 "Imports and exports of agricultural products." With others. Y.B., 1922, pp. 949-982. 1923; Y.B. Sep. 880, pp. 949-982. 1923.
 "Statistics of crops other than grain crops, 1922." With others. Y.B. 1923, pp. 666-794. 1923; Y.B. Sep. 884, pp. 666-794. 1923.
 "Statistics of grain crops, 1922." With others. Y.B., 1922, pp. 569-665. 1923; Y.B. Sep. 881, pp. 569-665. 1923.
GRIES, J. M.: "Better utilization of lumber in buildings." M.C. 39, pp. 55-59. 1925.
Griess tests for nitrites. Chem. N.J. 722, pp. 22, 26, 28, 39, 44, 46, 83, 84, 100. 1911.

Griess-Ilosvay method, determination of nitrous nitrogen. Chem. Bul. 152, pp. 113-114. 1912.
GRIFFEE, FRED—
 "Comparative vigor of F_1 wheat crosses and their parents." J.A.R., vol. 22, pp. 53-63. 1921.
 "Correlated inheritance of botanical characters in barley and manner of reaction to Helminthosporium sativum." J.A.R., vol. 30, pp. 915-935. 1925.
GRIFFEN, A. M.: "Soil survey of—
 Escambia County, Fla." With others. Soil Sur. Adv. Sh. 1906, pp. 32. 1907; Soils F.O., 1906, pp. 335-362. 1908.
 Madison County, Ky." With Orla L. Ayrs. Soil Sur. Adv. Sh., 1905, pp. 20. 1906; Soils F.O., 1905, pp. 659-678. 1907.
 Madison County, N. Y." With others. Soil Sur. Adv. Sh., 1906, pp. 51. 1907; Soils F.O., 1906, pp. 119-165. 1908.
GRIFFIN, E. L.—
 "Absorption and retention of hydrocyanic acid by fumigated food products." With E. A. Back. D.B. 1307, pp. 8. 1924.
 "Absorption and retention of hydrocyanic acid by fumigated food products." With others. D.B. 1149, pp. 16. 1923.
 "Pine-oil and pine-distillate product emulsions: Method of production, chemical properties, and disinfectant action." With L. P. Shippen. D.B. 989, pp. 16. 1921.
GRIFFITH, D.C.: "Cotton ginning information for farmers." With others. F.B. 764, pp. 24. 1916.
GRIFFITH, G. E.: "Forest protection, a national necessity." For. [Misc.], "Forest protection, a national * * *," pp. 4. 1924.
GRIFFITH, J. P., report of Porto Rico Experiment Station, assistant horticulturist, 1920. P.R. An. Rpt., 1920, pp. 19-23. 1921.
GRIFFITHS, DAVID—
 "A protected stock range in Arizona." B.P.I. Bul. 177, pp. 28. 1910.
 "Behavior under cultural conditions of species of cacti known as Opuntia." D.B. 31, pp. 24. 1913.
 "Commercial Dutch-bulb culture in the United States." With H. E. Juenemann. D.B. 797, pp. 50. 1919.
 "Feeding prickly pears to stock in Texas." B.A.I. Bul. 91, pp. 23. 1906.
 "Forage conditions and problems in eastern Washington, eastern Oregon, northeastern California, and northwestern Nevada." B.P.I. Bul. 38, pp. 52. 1903.
 "Forage conditions on the northern border of the Great Basin." B.P.I. Bul. 15, pp. 60. 1902.
 "Native pasture grasses of the United States." With others. D.B. 201, pp. 52. 1915.
 "Prickly pears as a feed for dairy cows." With others. J.A.R., vol. 4, pp. 405-450. 1915.
 "Prickly pear as stock feed." F.B. 1072, pp. 24. 1920.
 "Production of grape-hyacinth bulbs." D.B. 1327, pp. 16. 1925.
 "Range improvement in Arizona." B.P.I. Bul. 4, pp. 31. 1901.
 "Range investigations in Arizona." B.P.I. Bul. 67, pp. 62. 1904.
 "Summary of recent investigations of the value of cacti as stock food." With R. F. Hare. B.P.I. Bul. 102, Pt. I, pp. 7-18. 1907.
 "The Madonna Lily." D.B. 1331, pp. 18. 1925.
 "The ornamental value of the saltbushes." B.P.I. Cir. 69, pp. 6. 1910.
 "The prickly pear and other cacti as food for stock." B.P.I. Bul. 74, pp. 48. 1905.
 "The prickly pear as a farm crop." B.P.I. Bul. 124, pp. 37. 1908.
 "The production of Narcissus bulbs." D.B. 1270, pp. 31. 1924.
 "The production of the Easter lily in northern climates." D.B. 962, pp. 31. 1921.
 "The production of tulip bulbs." D.B. 1082, pp. 48. 1922.
 "The reseeding of depleted range and native pastures." B.P.I. Bul. 117, pp. 27. 1907.
 "The 'spineless' prickly pears." B.P.I. Bul. 140, pp. 24. 1909.
 "The thornless prickly pears." F.B. 483, pp. 20. 1912.

GRIFFITHS, DAVID—Continued.
"The tuna as food for man." With R. F. Hare. B.P.I. Bul. 116, pp. 73. 1907.
"Yields of native prickly pear in southern Texas." D.B. 208, pp. 11. 1915.

GRIFFITHS, M. A.—
"Experiments with flag smut of wheat and the causal fungus, *Urocystis tritici*." J.A.R., vol. 27, pp. 425–450. 1924.
"Flag smut of wheat and its control." With W. H. Tisdale. F.B. 1213, pp. 6. 1921.
"Varietal susceptibility of oats to loose and covered smuts." With others. D.B. 1275, pp. 40. 1925.

Grill, electric, for table cooking. Y.B., 1919, pp. 237–238. 1920; Y.B. Sep. 799, pp. 237–238. 1920.

Grillo. See Cricket.

Grimaldi grottoes, animal remains. B.A.I. An. Rpt., 1910, pp. 164, 165, 166. 1912.

GRIMES, A. M.—
"Handling and loading southern new potatoes." F.B. 1050, pp. 20. 1919.
"Lining and loading cars of potatoes for protection from cold." With H. S. Bird. Mkts. Doc. 17, pp. 26. 1918.
"Loading American grapes." With H. S. Bird. Mkts. Doc. 14, pp. 28. 1918.

GRIMES, E. J.: "Soil survey of—
Delaware County, Ind." With Lewis A. Hurst. Soil Sur. Adv. Sh., 1913, pp. 31. 1915; Soils F.O., 1913, pp. 1379–1405. 1916.
Hamilton County, Ind." With others. Soil Sur. Adv. Sh., 1912, pp. 32. 1914; Soils F.O., 1912, pp. 1445–1472. 1915.
Jones County, Ga." With others. Soil Sur. Adv. Sh., 1913, pp. 44. 1915; Soils F.O., 1913, pp. 475–514. 1916.
Miller County, Ga." With Risden T. Allen. Soil Sur. Adv. Sh., 1913, pp. 34. 1914; Soils F.O., 1913, pp. 515–544. 1916.
Starke County, Ind." With others. Soil Sur. Adv. Sh., 1915, pp. 42. 1917; Soils F.O., 1915, pp. 1385–1422. 1919.
Tipton County, Ind." With Lewis A. Hurst. Soil Sur. Adv. Sh., 1912, pp. 32. 1914; Soils F.O., 1912, pp. 1495–1520. 1915.
Warren County, Ind." With E. H. Stevens. Soil Sur. Adv. Sh., 1914, pp. 39. 1916; Soils F.O., 1914, pp. 1595–1629. 1919.

GRIMES, W. E.—
"A study of farm organization in central Kansas." With others. D.B. 1926, pp. 75. 1925.
"More profit for the wheat farmers in central Kansas." With Jesse W. Tapp. F.B. 1440, pp. 14. 1924.

Grindelia—
scaley, habitat, range, description, uses, collection, and prices. B.P.I. Bul. 219, pp. 37–38. 1911.
See also Gum plant.

Grinder—
alfalfa meal, types, description. F.B. 1229, pp. 30–31. 1921.
peanut-butter, description. D.C. 128, p. 11. 1920.

Grinding—
lap for preparing rock specimens for testing. Rds. Bul. 44, p. 15. 1912.
peanuts for peanut butter, machinery. D.C. 128, pp. 10–12, 13–14. 1920.
velvet beans, methods, cost, and price of meal. F.B. 962, pp. 28–30. 1918.

GRINDLEY, H. S.—
"Analysis of commercial meat extracts." With H. H. Mitchell. Chem. Bul. 116, pp. 50. 1908.
"Experiments on losses in cooking meat." With others. O.E.S. Bul. 102, pp. 64. 1901.
"Experiments on losses in cooking meat, 1900–1903." With Timothy Mojonnier. O.E.S. Bul. 141, pp. 96. 1904.
"Nitrogen metabolism of two-year-old steers." With Sleeter Bull. J.A.R., vol. 18, pp. 241–254. 1919.
"Organic and inorganic phosphorus in foods." With E. L. Ross. Chem. Bul. 137, pp. 142–144. 1911.
"Phosphorus metabolism of lambs fed a ration of alfalfa, hay, corn, and linseed meal." With others. J.A.R., vol. 4, pp. 459–473. 1915.

GRINDLEY, H. S.—Continued.
"Studies of the effect of different methods of cooking upon the thoroughness and ease of digestion of meat at the University of Illinois." With others. O.E.S. Bul. 193, pp. 100. 1907.
"Studies on the influence of cooking upon the nutritive value of meats at the University of Illinois, 1903–1904." With A. D. Emmett. O.E.S. Bul. 162, pp. 230. 1905.

GRINNELL, HENRY—
"Prolonging the life of telephone poles." Y.B., 1905, pp. 455–464. 1906; Y.B. Sep. 395, pp. 455–464. 1906.
"Seasoning of telephone and telegraph poles." For. Cir. 103, pp. 16. 1907.

Grip remedy, misbranding—
Dr. Higbee's cough, cold, and grip powders. Chem. N.J. 962, p. 2. 1911.
"Smith's quininets." Chem. N.J. 965, p. 2. 1911.

Grippe tablets—laxative, misbranding. Chem. N.J. 769, pp. 2. 1911.

GRISWOLD, LEWIS: "Soil survey of Acadia Parish, La." With Thomas D. Rice. Soil Sur. Adv. Sh., 1903, pp. 25. 1904; Soils F.O., 1903, pp. 461–485. 1904.

Grit—
and mineral matter for chickens. F.B. 225, pp. 26–27. 1905.
chicken feed, necessity. F.B. 225, pp. 26–27. 1905; F.B. 287, rev., pp. 18, 27. 1921; F.B. 357, pp. 13, 14, 18, 33. 1909; F.B. 1067, p. 12. 1919.
feeding to chickens, importance. F.B. 1105, p. 7, 1920.
gizzard of fowl, function. B. F. Kaupp. J.A.R., vol. 27, pp. 413–416. 1924.
hopper for poultry. F.B. 316, p. 32. 1908.
poultry foods. Opinion 72. Chem. S.R.A. 7, p. 530. 1914.

Grits—
corn, table and brewers', analyses. D.B. 215, pp. 14–15. 1915.
German—
adulteration and misbranding. Chem. S.R.A. Sup. 3, pp. 136–137. 1915.
misbranding. Chem. N.J. 1612, p. 1. 1912.
misbranding. Chem. N.J. 1934, p. 1. 1913.
rice, feeding value. F.B. 412, pp. 17–18. 1910.
uses and description. D.B. 215, p. 5. 1915.
value as hen feed. F.B. 889, p. 18. 1917.

Groats—
use as bait for poisoning ground squirrels. F.B. 484, pp. 14–15. 1912.
use as food. F.B. 420, p. 18. 1910.

Groceries—
care in the home. Thrift Leaf. 13, p. 3. 1919.
consumption on farms, value and relation to other foods. D.B. 410, pp. 9, 10, 14–16, 18–19, 26. 1916.
storage for home use. F.B. 375, pp. 34–37. 1909.

Grocer's—
itch, result of tyroglyphid mites. Rpt. 108, pp. 112, 115. 1915.
sugar stocks reported, 1916, 1917. Sec. Cir. 96, pp. 7–54. 1918.

GROFF, FRAZIER: "Occurrence of sterile spikelets in wheat." With A. E. Grantham. J.A.R., vol. 6, No. 6, pp. 235–250. 1916.

Grosbeaks—
attraction and protection, methods. F.B. 456, pp. 13–14. 1911.
black-headed—
description, range and habits. F.B. 513, p. 14. 1913.
distribution, and food habits. Biol. Bul. 32, pp. 60–77. 1908; D.B. 107, pp. 37–38. 1914; F.B. 456, pp. 9–10. 1911.
enemy of codling moth. Y.B., 1911, pp. 241, 243. 1912; Y.B. Sep. 564, pp. 241, 243. 1912.
food habits, relation to agriculture, California. Biol. Bul. 34, pp. 93–96. 1910.
injury to fruit, control methods. Biol. Bul. 32, pp. 62–66. 1908.
blue, distribution and food habits. Biol. Bul. 32, pp. 78–85. 1908; F.B. 456, pp. 11–12. 1911.
cardinal—
distribution and food habits. F.B. 456, p. 9. 1911.

Grosbeaks—Continued.
cardinal—continued.
protection by law. Biol. Bul. 12, rev., p. 41. 1902.
See also Cardinal.
description, range and habits. F.B. 513, pp. 14–15. 1913.
destruction of insects. F.B. 456, pp. 7–12. 1911.
food habits—
W. L. McAtee. Biol. Bul. 32, pp. 92. 1908.
and occurrence in Arkansas. Biol. Bul. 38, p. 67. 1911.
winter and summer. D.B. 1249, pp. 3–9. 1924.
gray, description and food habits. Biol. Bul. 32, pp. 28–33. 1908; F.B. 456, p. 12. 1911; F.B. 755, pp. 14–15. 1916.
injury to grain, peas, and fruit, control methods. F.B. 456, pp. 12–13. 1911.
Kamchatkan pine, occurrence in Pribilof Islands. N.A. Fauna 46, p. 88. 1923.
migration habits and routes. D.B. 185, pp. 24, 30. 1915.
pine—
Alaska, range and habits. N.A. Fauna 24, p. 72. 1904; N.A. Fauna 30, p. 90. 1909.
Kodiak, range and habits. N.A. Fauna 21, p. 47. 1901.
Porto Rican, occurrence, habits, and food. D.B. 326, pp. 124–125. 1916.
protection by law. Biol. Bul. 12, rev., pp. 38, 40, 41. 1902.
range and habits. N.A. Fauna 22, pp. 117–118, 123. 1902.
rose-breasted, description, range, and habits. Biol. Bul. 32, pp. 33–59. 1908; F.B. 456, pp. 7–9. 1911; F.B. 513, p. 15. 1913.
value to agriculture. W. L. McAtee. F.B. 456, pp. 14. 1911.
varieties, Athabaska-Mackenzie region. N.A. Fauna 27, pp. 413–415, 448. 1908.
Grosella, destruction by predaceous fly, Cuba. Ent. Bul. 67, p. 117. 1907.
GROSS, C. R.: "Commercial dehydration of fruits and vegetables." With others. D.B. 1335, pp. 40. 1925.
GROSS, D. L.: "Soil survey of—
Howard County, Nebr." With others. Soil Sur. Adv. Sh., 1920, pp. 965–1004. 1924; Soils F.O., 1920, pp. 965–1004. 1925.
Madison County, Nebr." With others. Soil Sur. Adv. Sh., 1920, pp. 201–248. 1923; Soils F.O., 1920, pp. 201–248. 1925.
GROSS, W. E.: "Soil survey of Bedford County, Pa." With Charles J. Mann. Soil Sur. Adv. Sh., 1911, pp. 60. 1913; Soils F.O., 1911, pp. 175–230. 1914.
GROSSENBACHER, J. G.: "Experiments on the decay of Florida oranges." B.P.I. Cir. 124, pp. 17–28. 1913.
Grossularia—
quarantine. See Blister rust quarantine; Currant quarantine; Gooseberry quarantine; Ribes quarantine; White-pine blister rust quarantine.
spp., importations, special permits. F.H.B. S.R.A. 61, p. 33. 1919.
GROTLISCH, V. E.—
"Turpentine and rosin: Distribution of the world's production, trade, and consumption." D.C. 258, pp. 13. 1923.
"Turpentine: Its sources, properties, uses, transportation, and marketing, with recommended specifications." D.B. 898, pp. 51. 1920.
Ground—
beetles—
destruction by crows. D.B. 621, pp. 16–18, 42, 43, 58. 1918.
enemy of striped cucumber beetle. F.B. 1322, p. 7. 1923.
enemy of sugar-beet wire worms. Ent. Bul. 123, p. 47. 1914.
native, beneficial work in control of insect pests. Y.B., 1911, pp. 458–465. 1912; Y.B. Sep. 583, pp. 458–465. 1912.
slender seed-corn—
F. M. Webster. Ent. Cir. 78, pp. 6. 1906.
W. J. Phillips. Ent. Bul, 85, pp. 13–28. 1911; Ent. Bul. 85, Pt. II, pp. 13–28. 1909.

Ground—Continued.
cherry—
growing in Hawaii, 1921, and uses. Hawaii A.R. 1921, pp. 2, 23. 1922.
importation and description. No. 33811, B.P.I. Inv. 31, p. 57. 1914; No. 42528, B.P.I. Inv. 47, p. 25. 1920.
leaf spot, occurrence and description, Texas. B.P.I. Bul. 226, pp. 96, 110. 1912.
hele. See Speedwell, common.
hog—
bounties paid by different States. F.B. 1238, pp. 10, 14, 18. 1921.
See also Marmot; Woodchuck.
holly. See Pipsissewa.
itch, cattle. See Foul foot.
laurel. See Arbutus, trailing.
pearl, insect enemy of sugar cane, in Virgin Islands, control studies. Vir. Is. A. R., 1921, pp. 20, 21–24. 1922.
peas. See Peanuts.
rot—
sweet-potato. See Pox; Soil rot.
watermelon, symptoms, cause, and control. F.B. 821, p. 18. 1917; F.B. 1277, pp. 4, 8–9. 1922.
squirrel. See Squirrel, ground.
swampy, favorable to development of anthrax. B.A.I. An. Rpt., 1909, p. 218. 1911; F.B. 439, p. 7. 1911.
water. See Water, ground.
wood industry, future supplies, studies. D.B. 343, pp. 66–67. 1916.
Groundberry. See Wintergreen.
Grounding, machinery to eliminate static electricity. D.C. 28, pp. 6–8. 1919.
Groundnut—
growing experiments with daylight of different lengths. J.A.R., vol. 23, pp. 892–893, 897. 1923.
Price's, importation and description. No. 47360, B.P.I. Inv. 59, p. 11. 1922.
See also Peanuts.
Grounds, county fairs, suggestions. O.E.S. Cir. 109, pp. 15–17. 1911.
Grouse—
Alaska—
description and habits. N.A. Fauna 24, pp. 64–65. 1904.
increase. D.C. 260, p. 3. 1923.
and wild turkeys of the United States, economic value. Sylvester D. Judd. Biol. Bul. 24, pp. 55. 1905.
blue, Yukon Territory. N.A. Fauna 30, p. 86. 1906.
conditions, past and present. Y.B., 1910, pp. 244, 248, 252, 253. 1911; Y.B. Sep. 533, pp. 244, 248, 252, 253. 1911.
diseases, history, and description. B.A.I. Cir. 109, pp. 1–3. 1907.
distribution, usefulness, general habits, and species. Biol. Bul. 24, pp. 7–8, 20–44. 1905.
food—
habits, value to farmer. Y.B., 1907, p. 172. 1908; Y.B. Sep. 443, p. 172. 1908.
plants for coverts. Y.B., 1909, p. 194. 1910; Y.B. Sep. 504, p. 194. 1910.
gray ruffed, value as game in Alaska. N.A. Fauna 30, pp. 37, 86–87. 1909; Y.B., 1907, p. 482. 1908; Y.B. Sep. 462, p. 482. 1908.
hunting laws, Montana and Idaho. For. [Misc.], "Trespass on national * * *," pp. 28, 44. 1922.
increase in Alaska. D.C. 225, p. 5. 1922.
plants desirable for food, list. D.B. 715, p. 5. 1918.
range and habits. N.A. Fauna 21, pp. 42, 74–75. 1901; N.A. Fauna 22, pp. 102–104. 1902.
ruffed—
common name, distribution, and food habits. F.B. 497, pp. 12–13. 1912.
comparison to Hungarian partridge in size. Y.B., 1909, p. 252. 1910; Y.B. Sep. 510, p. 252. 1910.
description, range, and habits. F.B. 513, p. 29. 1913.
diminution in numbers, 1907. Y.B., 1909, p. 594. 1910; Y.B. Sep. 469, p. 594. 1910.

Grouse—Continued.
ruffed—continued.
occurrence, in Arkansas. Biol. Bul. 38, p. 34. 1911.
Ohio, open season, new law. F.B. 418, p. 8. 1910.
sage, hunting laws in Montana. For. [Misc.], "Trespass on national * * *," p. 28. 1922.
sharp-tailed, Alaska and Yukon territory. N.A. Fauna 30, pp. 37, 87. 1909.
sooty, value as game in Alaska. Y.B., 1907, p. 482. 1908; Y.B. Sep. 462, p. 482. 1908.
spread of mistletoe seed in forests. D.B. 360, p. 34. 1916.
spruce, Alaska, range and habits. N.A. Fauna 24, pp. 64-65. 1904; N.A. Fauna 30, pp. 36, 59, 86. 1909.
value as game birds in Alaska, decrease. Biol. Doc. 110, p. 8. 1919.
varieties, Athabaska-Mackenzie region. N.A. Fauna 27, pp. 336-350. 1908.
Yukon Territory, description and occurrence. N.A. Fauna 30, pp. 30, 86-87. 1909.
See also Prairie hen.
Grouseberry. See Wintergreen.
Grout—
filler for brick pavements. D.B. 246, pp. 16-17. 1915.
preparation for brick roads. D.B. 373, pp. 17-19, 32-33. 1916.
Grove(s)—
citrus—
locality, site selection, protection, and soils. F.B. 1122, pp. 7-11. 1920.
management. F.B. 1343, pp. 19-37. 1923.
management, planting, pruning, and cultivation. F.B. 1122, pp. 23-42. 1920.
sugar, discussion. For. Bul. 59, pp. 25-35. 1905.
See also Orchards.
Grove City Creamery—
community development and results. D.C. 139, pp. 4-9, 11-12. 1920.
records, 1919. An. Rpts., 1919, pp. 95, 97, 99. 1920; B.A.I. Chief Rpt., 1919, pp. 23, 25, 27. 1919.
Growers' cooperative associations, advantages. Y.B., 1912, pp. 355-359. 1913; Y.B. Sep. 597, pp. 355-359. 1913.
Growing season, average length in various sections, map. Y.B., 1921, p. 419. 1922; Y.B. Sep. 878, p. 13. 1922.
Growth—
effect of chlorosis. J.A.R., vol. 21, No. 3, pp. 164-169. 1921.
phenomena—
relation to length of day and water supply. J.A.R., vol. 23, pp. 914-917. 1923.
system of logarithmic curves and formulas, use. J.A.R., vol. 21, No. 11, pp. 803-804, 805-816. 1921.
plant, stimulation by cold. Frederick V. Coville. J.A.R., vol. 20, pp. 151-160. 1920.
promotion, substance produced by Azotobacter. O. W. Hunter. J.A.R., vol. 23, pp. 825-831. 1923.
rates in maize. J.A.R., vol. 29, pp. 311-312. 1924.
relation to sap concentration. Howard S. Reed. J.A.R., vol. 21, No. 2, pp. 81-98. 1921.
small on cut-over land, disposal. F.B. 974, pp. 4-6. 1918.
tables, incense cedar trees, height, diameter, volume, and growth rate. D.B. 604, pp. 22-27. 1918.
Grubs—
cattle—
control. F.B. 1073, p. 22. 1919.
See also Ox warble.
common white. John J. Davis. F.B. 543, pp. 20. 1913; F.B. 940, pp. 28. 1918.
destruction by skunks. F.B. 587, pp. 10-11. 1914.
green June beetles, control methods. D.B. 891, pp. 38-42, 47, 48, 49. 1922.
in the head—
comparison with gid symptoms. B.A.I. Cir. 165, p. 12. 1910.
sheep—
cause and distribution. B.A.I. An. Rpt., 1910, pp. 453-456. 1912; B.A.I. Cir. 193, pp. 453-456. 1912.

Grubs—Continued
in the head—continued.
sheep—continued.
description and control. F.B. 1150, pp. 17-19. 1920; F.B. 1330, pp. 17-19. 1923.
infestation of cattle, treatment. B.A.I. [Misc.], "Diseases of cattle," rev., pp. 522-524. 1912.
injury to hides. F.B. 1055, pp. 6, 8, 40. 1919.
root, enemy of St. Croix sugar cane, control. Vir. Is. Bul. 2, p. 22. 1921.
sheep, symptoms similar to loco disease. B.A.I. Bul. 112, pp. 66-72, 92. 1909.
similar to white grubs, habits. F.B. 543, pp. 12-13. 1913.
soil, control in sugar-cane cultivation. Vir. Is. A.R., 1920, pp. 14, 18-19. 1921.
white—
bird enemies, Southeastern States. F.B. 755, pp. 3-37. 1916.
control—
by carbon disulphide. F.B. 799, p. 15. 1917.
by use of disease organism. Work and Exp., 1914, p. 138. 1915.
directions for years 1913, 1914. F.B. 543, pp. 19-20. 1913.
in greenhouses. F.B. 1306, p. 23. 1923.
in strawberry growing. F.B. 854, p. 8. 1917.
methods. News L., vol. 3, No. 36, pp. 2-3. 1916.
description—
enemies and remedies. Ent. Bul. 27, pp. 74-76. 1901.
life history, enemies, and control. F.B. 543, pp. 1-20. 1913; F.B. 835, rev., pp. 16-18. 1920; F.B. 940, rev., pp. 1-28. 1918.
destruction by—
birds, mammals and insects. F.B. 940, pp. 12-14. 1918.
crows. D.B. 621, pp. 13, 14, 25, 42, 43, 57, 82. 1918.
detection and control in grain fields. F.B. 835, pp. 16-18. 1917.
enemy of violets, description. Ent. Bul. 27, p. 76. 1901.
eradication in lawns. F.B. 940, pp. 26-27. 1918.
infestation with—
intestinal worm of hogs. F.B. 543, p. 17. 1913.
thorn-headed worm. F.B. 940, p. 22. 1918.
injury to—
corn, control studies. Y.B., 1921, pp. 186-187. 1922; Y.B. Sep. 872, pp. 186-187. 1922.
cranberries, and control. F.B. 860, p. 42. 1917.
nursery stock, and control methods. D.B. 479, pp. 74-75. 1917.
plants, habits and control. F.B. 856, pp. 16-17, 30, 42. 1917.
strawberries, and control. F.B. 1028, pp 11, 13. 1919.
sugar beets on sod land. D.B. 721, pp. 17, 48. 1918.
larvae in soil, fumigation in vacuum, experiments. J.A.R., vol. 15, pp. 134-136. 1918.
parasites, description. F.B. 543, pp. 14-15. 1913.
seasonal table of broods. F.B. 940, p. 28. 1918.
sugar-beet enemies, description and control studies. D.B. 995, pp. 18, 48-49. 1921.
See also Grubworm.
GRUBB, E. G.: "Potato culture on irrigated farms in the East." F.B. 386, pp. 13. 1910.
Grubbing—
larkspur on ranges, methods and results. F.B. 826, pp. 4-20, 23. 1917.
poison plants, directions. F.B. 1166, p. 14. 1920.
Grüber-Widal test, glanders, diagnosis. B.A.I. An. Rpt., 1906, p. 34. 1908.
Grubworm—
habits, life history, and control. Y.B. 1908, pp. 381-382. 1909; Y.B. Sep. 488, pp. 381-382. 1909.
injury to potatoes, and control. Sec. Cir. 92, pp. 32-33. 1918.
outbreaks, life history, and control. F.B. 940, pp. 1-28. 1918.
See also Grubs, white.
Gruel, cereal, absorption of water and nutritive value. F.B. 249, pp. 24-26. 1906.

Gruel, stains, removal from textiles. F.B. 861, p. 35. 1917.
Grugru nut, importation and description. No. 50467, B.P.I. Inv. 63, pp. 4, 70. 1923.
Gruidae. See Cranes.
Grumichama, importation and description. No. 36968, B.P.I. Inv. 38, pp. 7, 16. 1917; No. 54777, B.P.I. Inv. 70, pp. 3, 19. 1923.
Grumixama, description and uses. D.B. 445, pp. 19-20. 1917.
Grunkorn, preparation and use. D.B. 1197, p. 8. 1924.
GRUNSKY, C. E.: "Water appropriations from Kings River." O.E.S. Bul. 100, pp. 259-325. 1901.
Grus spp. See Crane.
Gryllidae, destruction by crows. D.B. 621, p. 21. 1918.
Gryllotalpa—
 borealis. See Cricket, northern mole.
 spp., resemblance to mole cricket of West Indies. P.R. Bul. 23, pp. 4-5. 1918.
Guabiroba—
 description of tree and fruit. D.B. 445, pp. 29-30. 1917.
 importations and descriptions. Nos. 29427-29429, B.P.I. Bul. 233, pp. 20-21. 1912; No. 37491, B.P.I. Inv. 38, p. 64. 1917; No. 37834, B.P.I. Inv. 39, pp. 11, 52. 1917; No. 44784, B.P.I. Inv. 51, pp. 7, 67. 1922.
Guabiyu, importation and description. No. 47987, B.P.I. Inv. 60, p. 24. 1922.
Guacimilla tree, description. D.B. 354, p. 66. 1916.
Guada bean, importation and description. No. 35578, B.P.I. Inv. 35, p. 56. 1915.
Guadalupe River, Texas, description, drainage area, and discharge. O.E.S. Bul. 222, pp. 23-24. 1910.
Guadiloba, importation and description. No. 37064, B.P.I. Inv. 38, p. 32. 1917.
Guadua—
 angustifolia, characteristics. D.B. 1329, p. 36. 1925.
 importation and description. No. 42066, B.P.I. Inv. 46, pp. 8, 52. 1919.
Guaiac, use in plant culture experiments. Soils Bul. 56, pp. 13, 25, 45-46. 1909.
Guaiacum—
 guatemalense, importation and description. No. 51407, B.P.I. Inv. 65, p. 14. 1923.
 sp. See also Guayacan.
Guajacum officinale. See Guayacán.
Guam—
 Agana swamp, reclamation, methods. O.E.S. An. Rpt., 1907, p. 411. 1908.
 climate—
  and soils. Guam Bul. 1, pp. 4-7. 1921; Guam Bul. 2, pp. 3-4. 1922.
  temperature records. Guam A.R., 1914, pp. 17-18. 1915.
 clubs, boys' and girls', plans for 1921. W. J. Green. Guam Ext. Cir. 1, pp. 2. 1920.
 corn—
  growing—
   experiments, methods, and prices. Guam A.R., 1912, pp. 22-24. 1913.
   for club members. W. J. Green. Guam Cir. 3, pp. 13. 1923.
   variety tests in Hawaii. Hawaii A.R., 1920, pp. 14, 26, 28-29. 1921.
 Cotot stock farm—
  grasses growing and livestock feeding. Guam Bul. 1, pp. 9, 10, 15, 21, 23, 25, 26, 37. 1921.
  report—
   1915. Guam A.R., 1915, pp. 11-12. 1916.
   1916. Guam A.R., 1916, pp. 40-41. 1917.
 cows, weight and milking capacity, improvement. Guam A.R., 1912, pp. 8, 10, 11, 12, 15, 18. 1913.
 crops growing, 1916, experiments. Guam A.R., 1916, pp. 6-26. 1917.
 Experiment Station—
  annual report—
   1907. H. L. V. Costenoble. O.E.S. An. Rpt. 1907, pp. 406-414. 1908.
   1909. John B. Thompson. O.E.S. An. Rpt., 1909, pp. 94-95. 1910.
   1910. John B. Thompson. O.E.S. An. Rpt., 1910, pp. 123, 503-512. 1911.

Guam—Continued.
 Experiment Station—Continued.
  annual report—continued.
   1911. J. B. Thompson and David I. Fullaway. Guam A.R., 1911, pp. 35. 1912; O.E.S. An. Rpt., 1911, pp. 95-97. 1912.
   1912. J. B. Thompson. Guam A.R., 1912, pp. 29. 1913.
   1913. J. B. Thompson. Guam A.R., 1913, pp. 24. 1914; O.E.S. An. Rpt., 1913, pp. 41-42. 1915.
   1914. J. B. Thompson and L. B. Barber. Guam A.R., 1914, pp. 27. 1915.
   1915. A.C. Hartenbower and others. Guam A.R., 1915, pp. 43. 1916.
   1916. A. C. Hartenbower and others. Guam A.R., 1916, pp. 58. 1917.
   1917. C. W. Edwards and Glen Briggs. Guam A.R., 1917, pp. 62. 1918.
   1918. C. W. Edwards and others. Guam A.R., 1918, pp. 61. 1919.
   1919. C. W. Edwards and others. Guam A.R., 1919, pp. 52. 1921.
   1920. C. W. Edwards and others. Guam A.R., 1920, pp. 79. 1921.
   1921. C. W. Edwards and others. Guam A.R., 1921, pp. 43. 1923.
   1922. C. W. Edwards and others. Guam A.R., 1922, pp. 20. 1924.
   1923. C. W. Edwards. Guam A.R., 1923, pp. 12. 1925.
  list of workers—
   1922. S.R.S. [Misc.], "List of workers * * * 1922," Pt. II, p. 12. 1922.
   1923. M.C. No. 4, Pt. II, p. 13. 1923.
   1924. M.C. 17, p. 13. 1924.
  work, program for 1915. Sec. [Misc.], "Program of work * * * 1915," p. 258. 1914.
 farming—
  conditions, crops, livestock, and population. Guam A.R., 1919, pp. 45-47. 1921.
  methods and principal crops, discussion. Guam A.R., 1911, pp. 26-27. 1912.
 forage crops, 1916, experiments. Guam A.R., 1916, pp. 16-25. 1917.
 fruit growing, 1911. Guam A.R., 1911, pp. 15-25. 1912.
 garden clubs, rules for members. Guam Cir. 2, pp. 2, 3. 1921.
 gardeners' planting table. Guam Bul. 2, p. 12. 1922.
 Governor, executive order—
  in regard to animal breeding. Guam A.R., 1917, p. 7. 1918.
  on compulsory labor. Guam A.R., 1919, pp. 21-23. 1921.
  on copra regulations. Guam A.R., 1919, p. 42. 1921.
 grasses—
  growing for pasture. Guam Cir. 1, pp. 1-10. 1921.
  introduction of Para and paspalum. Glen Briggs. Guam Bul. 1, pp. 44. 1921.
 imports and exports, 1910. O.E.S. An. Rpt., 1910, pp. 510-512. 1911.
 Industrial Fair, 1921, exhibits, entries, and scores. Guam A.R., 1921, pp. 29-30, 32, 35. 1923.
 leguminous crops. Glen Briggs. S.R.S. Guam Bul. 4, pp. 29. 1922.
 livestock—
  breeding experiments, studies. Guam A.R., 1912, pp. 8-22. 1913.
  experiments, 1917. Guam A.R., 1917, pp. 5-17. 1918.
  industry, 1918. Guam A.R., 1918, pp. 5-29. 1919.
 location, description, soils, climate, and promising lines of work. O.E.S. An. Rpt., 1908, pp. 28-32. 1909.
 meteorological observations, 1918. Guam A.R., 1918, pp. 59-61. 1919.
 plants, economic and insects affecting, list. Guam A.R., 1911, pp. 27-32. 1912.
 shipments, farm and forest products—
  from U. S.—
   1902-1904. Guam Bul. 37, pp. 30-33. 1905.
   1904-1906. Stat. Bul. 54, pp. 27-29. 1907.
   1905-1907. Stat. Bul. 71, p. 27. 1909.

INDEX TO PUBLICATIONS, 1901–1925 — 1093

Guam—Continued.
 shipments, farm and forest products—contd.
  to and from U. S.—
   1901–1908, tables. Stat. Bul. 77, pp. 17, 18, 19, 20, 34. 1910.
   1901–1909, 1907–1909, tables. Stat. Bul. 83, pp. 16, 18, 19, 20, 25. 1910.
   1901–1910, 1908–1910, tables. Stat. Bul. 91, pp. 16, 18, 19, 20, 25. 1911.
   1901–1911, tables. Stat. Bul. 96, pp. 17, 18, 19, 25. 1912.
 soils, testing and analyses, results. Guam A.R., 1917, pp. 28–29. 1918.
 sorghums, growing. Glen Briggs. Guam Bul. 3, pp. 28. 1922.
 vegetable growing in. Glen Briggs. Guam Bul. 2, pp. 60. 1922.
Guanabana, importation and description. No. 38762, B.P.I. Inv. 40, p. 25. 1917.
Guama—
 description and uses, Porto Rico. D.B. 354, p. 71 1916
 growing in Hawaii. Hawaii A.R., 1921, p. 20 1922.
 honey plant, Porto Rico. P.R. Bul. 15, p. 11. 1914; P.R. Cir. 13, p. 28. 1911.
 insect enemies, control. P.R.An. Rpt., 1914, pp. 33–34. 1915.
 use as coffee shade, objections on account of ants infesting P.R.Cir. 15, p. 24. 1912.
Guanidine—
 origin, effects on wheat plants. Soils Bul. 47, pp. 27, 38. 1907.
 soil constituent, wheat-growing tests, tables Soils Bul. 87, pp. 58–63. 1912.
Guanine—
 determination in processed fertilizer bases, methods. D.B. 158, pp. 12, 23. 1914.
 effects upon wheat plants. Soils Bul. 47, pp. 27, 38. 1907.
 isolation and identification from heated soils. Soils Bul. 89, pp. 20, 25. 1912.
Guano—
 bat—
  deposits in Porto Rico, analyses and fertilizer value. P.R. An. Rpt., 1914, pp. 10, 13–14. 1916.
 of Porto Rico, and their fertilizing value. P. L. Gile and J. O. Carrero P.R. Bul. 25, pp. 66. 1918.
 Porto Rican—
  application methods, crops, and soils on which to be used. P.R. Bul 25, pp. 60–61. 1918.
  chemical analyses, methods, variation of material, etc. P.R. Bul. 25, pp. 8–19, 61. 1918.
  fertilizer and monetary value, study. P.R. An. Rpt., 1916, p. 11. 1918.
  potash content. P.R. Bul. 25, pp. 18–19. 1918.
  study, analyses, and value as fertilizers. P.R. An. Rpt., 1911, pp. 16–18. 1912.
  valuation. P.R. Bul. 25, pp 53–55, 56, 63. 1918.
 use as fertilizer for sugar cane in Porto Rico, experiments. P.R. Bul. 9, pp. 25–26. 1910.
 caves, discovery in Guam. Guam A.R., 1920, p. 46. 1921.
 comparison with phosphate rocks, various sources. Soils Bul. 69, p. 47. 1910.
 deposits in—
  Guam, analyses. Guam A.R., 1919, p. 36. 1921.
  Hawaiian Islands, source and value. Y.B., 1911, p. 162. 1912; Y.B. Sep. 557, p. 162. 1912.
  Porto Rico, analysis. S.R.S. Rpt., 1915, Pt. I, p. 234. 1917.
 fertilizer—
  composition and value. Soils Bul. 41, pp. 1–12. 1907.
  use in control of beet wireworms, experiments. Ent. Bul. 123, p. 61. 1914.
 fish, preparation and value. F.B. 320, pp. 5–9. 1908.
 imports—
  1900–1923. Y.B., 1923, p. 1188. 1924; Y.B. Sep. 906, p. 1188. 1924.
  1924. Y.B., 1924, p. 1168. 1925.

Guano—Continued.
 tree, Porto Rico, description and uses. D.B. 354, pp. 34, 84. 1916.
 use in acid phosphate, description, source, and value. D.B. 144, pp. 2, 4. 1914.
Guapino, importation and description. No. 38862, B.P.I. Inv. 40, p. 38. 1917
Guar—
 description, origin, value, and drought-resistance. Y.B., 1908, pp. 251–252. 1909; Y.B. Sep. 478, pp. 251–252. 1909.
 forage-crop experiments in Texas. B P.I. Cir. 106, p. 26. 1913.
 importations and descriptions. No. 37725, B.P.I. Inv. 39, pp. 27–28. 1917; Nos. 49864, 49899–49902, B.P.I. Inv. 63, pp. 2, 14, 19. 1923; Nos. 51371–51373, 51598–51601, 51696, B.P.I. Inv. 65, pp. 5, 9, 30, 37. 1923.
Guara. See Ibis.
Guaraguao, tree, Porto Rico, occurrence, description, and uses. D B. 354, pp. 29, 31, 78. 1916.
Guarana—
 causing paralysis. Chem. N.J. 1455, p. 19. 1912
 importations and descriptions. No. 46863, B.P.I. Inv. 57, pp. 7, 43. 1922; No. 54305, B.P.I. Inv. 68, p. 48. 1923; No. 55738, B.P.I. Inv. 72, p. 3, 28. 1924.
Guaranty(ies)—
 food and—
  drug inspection, Attorney General's opinion. See [Misc.], "Hearing * * * commission * * *," pp 6–11. 1906.
 drugs—
  act, regulation 6. Sec. Cir. 21, rev., pp. 5–6. 1922.
  regulations, amendment. Chem. F.I.D. 153, pp. 1–2. 1914.
 legend(s)—
  change in form. Chem. F.I.D. 99, pp. 2. 1908.
  food and drugs act, abolishment, history, requirements. News L., vol. 1, No. 41, pp. 1–2 1914.
  use on labels and containers. Chem. F.I.D. 167, p. 1. 1916.
  on imported products, F.I.D. 62. Chem. F.I.D. 60–64, pp. 2–3. 1907.
 regulation, F.I.D. 153. Chem. S.R.A. 4, pp. 201–202, 203–205. 1914.
 regulation 20, insecticide act, and general information. I. and F. Bd. S.R.A. 5, pp. 61–64. 1914; I. and F. Bd. S.R.A. 15, pp. 211–214. 1917; Sec. Cir. 34, amdt. 3, pp. 2. 1914.
 serial number. Chem. F.I.D. 96, pp. 2. 1908.
Guate, importation and food use. No. 45811. B.P.I. Inv. 54, p. 25. 1922.
Guatemala—
 Alta Vera Paz region, description, climate, and fruits. D.B. 743, pp. 3–4, 14, 17, 29–31. 1919.
 Antigua region, description, elevation, and fruits. D.B. 743, pp. 3, 17, 27. 1919.
 avocado varieties. Wilson Popenoe. D.B. 743, pp. 69. 1919.
 climatic zones, and climatic conditions. D.B. 743, pp. 6, 8, 26–32. 1919.
 coffee production, exports. Stat. Bul. 79, pp. 10, 40–42. 1912.
 cotton—
  culture. O. F. Cook. Y.B., 1904, pp. 475–488. 1905; Y.B. Sep. 361, pp. 475–488. 1905.
  protecting kelep, social organization and breeding habits. O. F. Cook. Ent. T.B. 10, pp. 55. 1905.
 explorations by Wilson Popenoe, and importations. B.P.I. Inv. 49, pp. 5–97. 1921.
 grass growing in—
  Guam. Guam A.R., 1919, pp. 25–26. 1921.
  Virgin Islands. Vir. Is. A.R., 1920, p. 18. 1921.
 highlands, avocado growing, elevation and soils. D.B. 743, pp. 10–36. 1919.
 nursery-stock inspection. F.H.B.S.R.A. 7, p. 64. 1914; F.H.B.S.R.A. 20, p. 73. 1915; F.H.B.S. R.A. 32, p. 119. 1916.
 potatoes, production, 1909–1913, 1921–1923. Stat. Bul. 10, p. 19. 1925.
 yautias and taros, description and use as food. B.P.I. Bul. 164, pp. 21, 34. 1910.
 zacaton, occurrence and spread. D.B. 309, pp. 8–11. 1915.
Guatemalan cotton-boll-weevil ant, kelep, report. O. F. Cook. Ent. Bul. 49, pp. 15. 1904.

Guava—
  beetle, Porto Rico, description. Ent. Bul. 30, pp. 97-98. 1901.
  berry, importation and description. No. 41057. B.P.I. Inv. 44, p. 34. 1918.
  canning directions. F.B. 853, pp. 16, 28. 1917.
  China, restricted growth. B.P.I. Bul. 204, p. 47. 1911.
  Cuban, composition, chemical. Chem. Bul. 87, pp. 16-17. 1904.
  cultivation in Porto Rico. P.R. An. Rpt., 1907, pp. 23-24. 1908.
  description and use. Chem. Bul. 87, pp. 16-17. 1904.
  drying directions. D.C. 3, p. 23. 1919.
  fruit fly—
    description. Sec. [Misc.], "A manual * * * insects * * *," p. 118. 1917.
    infestation and parasitism, Hawaii, 1916. J.A.R., vol. 12, pp. 105, 107. 1918; J.A.R., vol. 25, pp. 2-4. 1923; D.B. 536, pp. 12, 13, 24, 45-46. 1918; D.B. 640, p. 30. 1918.
  fungous parasite, Glomerella cingulata or psidii, studies. B.P.I. Bul. 252, pp. 49-50. 1913.
  growing, in—
    Bahia, uses. D.B. 445, p. 18. 1917.
    California, experiments. B.P.I. Chief Rpt., 1910, p. 86. 1910; An. Rpts., 1910, p. 356. 1911.
    manganiferous soils. Hawaii Bul. 26, p. 25. 1912.
  hardy, in India, importation and description. No. 34418. B.P.I. Inv. 33, p. 17. 1915.
  honey source in Hawaii. P.R. Bul. 15, p. 12. 1914; Hawaii Bul. 17, p. 9. 1908.
  importation(s) and description(s). No. 28811, B.P.I. Bul. 223, pp. 53-54. 1911; Nos. 28909-28911, B.P.I. Bul. 227, pp. 8, 13-14. 1911; Nos. 35979, 36063, 36072, 36157, B.P.I. Inv. 36, pp. 33, 47, 49, 60. 1915; Nos. 37835, 37897, 37922, 38342, B.P.I. Inv. 39, pp. 52, 64, 67, 120. 1917; No. 40343, B.P.I. Inv. 42, p. 109. 1918; Nos. 42387, 42544, 42545, 42858, B.P.I. Inv. 47, pp. 10, 27, 75. 1920; Nos. 47508, 47509, B.P.I. Inv. 59, p. 24. 1922; Nos. 50903, 51038-51040, B.P.I. Inv. 64, pp. 32, 46. 1923.
  injury by—
    greenhouse thrips. Ent. Cir. 151, p. 7. 1912.
    insects, Porto Rico, control methods. P.R. An. Rpt., 1910, p. 31. 1911.
    red-banded thrips. Ent. Bul. 99, Pt. II, p. 25. 1912.
  insect pests, list. Sec. [Misc.], "A manual * * * insects * * *," pp. 112-118, 131-132. 1917.
  insects, Aleyrodes. Ent. T.B. 12, Pt. V, p. 92. 1907.
  jelly making, directions. F.B. 388, p. 29. 1910.
  juice, sterilization. F.B. 388, p. 29. 1910.
  new and valuable species, introduction. B.P.I. Bul. 205, pp. 8, 45. 1911.
  paste, directions for making. F.B. 853, p. 30. 1917.
  Peruvian, importation and description. No. 43998, B.P.I. Inv. 50, p. 14. 1922.
  pollen, type, shape of grains. Chem. Bul. 110, p. 76. 1908.
  Porto Rican, importation and description. No. 45579, B.P.I. Inv. 53, p. 61. 1922.
  processing, directions and time table. F.B. 1211, pp. 42, 49. 1921.
  shot-hole borer, control. P.R. An. Rpt., 1914, p. 33. 1915.
  trees—
    description and uses, Porto Rico. D.B. 354, p. 71. 1916.
    planting for coffee shade, value. P.R. Cir. 15, p. 23. 1912.
    value for windbreaks and shade in citrus groves. P.R. An. Rpt., 1920, pp. 25-27. 1921.
  uses, propagation. Y.B., 1905, pp. 451-453. 1906; Y.B. Sep. 394, pp. 451-453. 1906.
  varieties, recommendations for various fruit districts. B.P.I. Bul. 151, p. 60. 1909.
Guayabana, importations and description. Nos. 42988, 42998, B.P.I. Inv. 47, p. 85. 1920.
Guayabita, importation and description. No. 40993, B.P.I. Inv. 44, p. 28. 1918.

Guayacan—
  importations and descriptions. No. 44441, B.P.I. Inv. 50, p. 75. 1922; No. 44858, B.P.I. Inv. 51, pp. 6, 81. 1922; No. 47900, B.P.I. Inv. 60, pp. 2, 12. 1922.
  tree, Porto Rico, occurrence, description, and value. D.B. 354, pp. 34, 75. 1916.
  See also Guaiacum guatemalense.
Guayo, importation and description. No. 34400, Inv. 33, p. 15. 1915.
Guayule—
  importations and descriptions. No. 34413, B.P.I. Inv. 33, p. 16. 1915; No. 51700, B.P.I. Inv. 65, pp. 37-38. 1923.
  plant—
    imports—
      1906-1910. Y.B., 1910, p. 657. 1911; Y.B. Sep. 553, p. 657. 1911.
      1907-1909, quantity and value. Stat. Bul. 82, p. 64. 1910.
      1908-1910, value by country from which consigned. Stat. Bul. 90, p. 67. 1911.
    rubber production, experiments in Texas. O.E.S. Bul. 222, p. 31. 1910.
Guazuma, description and uses in Porto Rico. D.B. 354, p. 85. 1916.
GUDEMAN, EDWARD—
  "Determination of fat and acidity in gluten feeds." Chem. Bul. 73, pp. 42-47. 1903.
  "The determination of glucose." Chem. Bul. 73, pp. 65-69. 1903.
Guelder-rose, wild. See Cramp-bark tree.
Guepina spp., description. D.B. 175, pp. 45-46. 1915.
GUERNSEY, J. E.—
  "Reconnaissance soil survey of the—
    central-southern area, California." With others. Soil Sur. Adv. Sh., 1917, pp. 136. 1921; Soils F.O., 1917, pp. 2405-2534. 1923.
    lower San Joaquin Valley, Calif." With others. Soil Sur. Adv. Sh., 1915, pp. 157. 1918; Soils F.O., 1915, pp. 2583-2733. 1919.
    middle San Joaquin Valley, Calif." With others. Soil Sur. Adv. Sh., 1916, pp. 115. 1919; Soils F.O., 1916, pp. 2421-2529. 1921.
  "Soil survey of the—
    Anaheim area, California." With others. Soil Sur. Adv. Sh., 1916, pp. 79. 1919; Soils F.O., 1916, pp. 2271-2345. 1921.
    Honey Lake area, California." With others. Soil Sur. Adv. Sh., 1915, pp. 64. 1917; Soils F.O., 1915, pp. 2255-2314. 1919.
    San Fernando Valley area, California." With others. Soil Sur. Adv. Sh., 1915, pp. 61. 1918; Soils F.O., 1915, pp. 2451-2507. 1919.
Guernsey—
  Bailwick Herdbook, recognition in purebred records. B.A.I.O. 278, amdt. 3, p. 1. 1923.
  Breeders' Association, Grove City, Pa. Y.B., 1918, p. 162. 1919; Y.B. Sep. 765, p. 12. 1919.
GUERRERO, JOAQUIN, report of Guam Experiment Station, agronomy and horticulture report—
  1921. Guam A.R., 1921, pp. 8-26. 1923.
  1922. Guam A.R., 1922, pp. 7-18. 1924.
  1923. Guam A.R., 1923, pp. 4-12. 1925.
Guettarda uruguensis, importation and description. No. 41302, B.P.I. Inv. 44, pp. 60-61. 1918.
Guiana—
  British—
    coconut bud-rot investigations. B.P.I. Bul. 228, pp. 17-18, 34. 1912.
    greenheart exports, notes and statistics. For. Cir. 211, pp. 5, 7, 8-9. 1913.
    nursery stock inspection. F.H.B.S.R.A. 7, p. 52. 1914; F.H.B.S.R.A. 20, p. 60. 1915; F.H.B.S.R.A. 32, p. 105. 1916.
    rubber plantations, leaf disease conditions. D.B. 1286, pp. 7-8. 1924.
    sugar industry, 1894-1914. D.B. 473, pp. 31-32. 1917.
  Dutch, rubber plantations, leaf disease, conditions. D.B. 1286, p. 8. 1924.
Guides—
  Alaska, regulations. Biol. S.R.A. 61, pp. 5-6. 1924.
  hunting, in Kenai Peninsula, list and regulations. Sec. [Misc.], "Report of the governor * * *, 1915," pp. 6, 13, 17-18. 1916.

Guignardia—
  bidwellii—
    fungus causing black rot of grape. B.P.I. Bul. 155, pp. 8-10. 1909.
    occurrence on plants in Texas, and description. B.P.I. Bul. 226, p. 33. 1912.
    studies. J.A.R., vol. 23, pp. 747, 748. 1923.
    See also Black-rot.
  vaccinii—
    cause of cranberry disease, control. D.B. 714, pp. 6, 8-9, 19. 1918; F.B. 1081, pp. 5-7. 1920.
    temperature studies. J.A.R., vol. 11, pp. 525, 529. 1917.
Guilandina bouduc. See Nicker nut.
Guilielma—
  speciosa. See Pupunha.
  utilis—
    importation and description. No. 43702, B.P.I. Inv. 49, p. 65. 1921; Nos. 50679, 51051, 51091-51092, B.P.I. Inv. 64, pp. 1-2, 11, 48, 52. 1923.
    See also Pejibaye.
Guillemot—
  Athabaska-Mackenzie region. N.A. Fauna 27, p. 260. 1908.
  Mandt, range and habits. N.A. Fauna 22, p. 77. 1902.
  pigeon—
    description, habits, and food. N.A. Fauna 46, pp. 25-26. 1923.
    range and habits. N.A. Fauna 21, p. 38. 1901; N.A. Fauna 24, p. 52. 1904.
Guinea corn, name for sorghum in English West Indies, description. P.B.I. Bul. 175, pp. 31, 41. 1910.
Guinea fowl—
  Andrew S. Weiant. F.B. 858, pp. 24. 1917.
  Andrew S. Weiant; revised by Alfred R. Lee. F.B. 1391, pp. 13. 1924.
  and its use as food. C. F. Langworthy. F.B. 234, pp. 24. 1905.
  breeding stock, and eggs for hatching, prices. F.B. 858, p. 4. 1917.
  brooding by artificial means, difficulty. F.B. 858, pp. 11-14. 1917.
  description of—
    chicks, habits, and feed. F.B. 234, pp. 10, 12, 13. 1905.
    eggs. F.B. 234, pp. 20-23, 24. 1905; D.B. 471, pp. 1, 6. 1917.
  destruction of grasshoppers. Ent. Bul. 67, p. 109. 1907.
  economic use—
    and self-feeding value on farms. Sec. Cir. 107, pp. 8-9. 1918.
    and value. Sec. Cir. 107, pp. 8-9. 1918.
  feeding. F.B. 234, pp. 12-14. 1905; F.B. 858, p. 13. 1917.
  food-value and composition of flesh. F.B. 234, pp. 21-23. 1905.
  incubation methods and time. F.B. 585, p. 3. 1914; F.B. 858, pp. 10-11. 1917.
  killing for market. F.B. 858, p. 15. 1917.
  marketing. F.B. 234, pp. 14-18. 1905; F.B. 858, pp. 14-15. 1917; F.B. 1377, p. 9. 1924.
  number, 1909. D.B. 467, p. 2. 1916.
  occurrence in Porto Rico, and description. D.B. 326, pp. 14, 34. 1916.
  origin, quality of flesh and food value. D.B. 467, pp. 4-5, 21. 1916.
  Pearl, description and crosses. F.B. 858, pp. 5-6. 1917.
  rearing and marketing. F.B. 262, pp. 25-26. 1906.
  roosting habits. F.B. 858, pp. 8, 15. 1917.
  sex marks. F.B. 858, p. 7. 1917.
  usefulness against potato beetle. Ent. Bul. 82, p. 88. 1912.
  varieties and description. F.B. 234, pp. 8-10. 1905; F.B. 858, pp. 4-6. 1917.
Guinea grass—
  description—
    and value for cotton States. F.B. 509, pp. 12-13. 1912; F.B. 1125, rev., pp. 13-14. 1920.
    habits and uses. F.B. 1433, p. 29. 1925.
  forage-crop experiments in Texas. B.P.I. Cir. 106, p. 25. 1913.
  growing—
    as forage crop in Guam. Guam A.R., 1911, p. 12. 1912.

Guinea grass—Continued.
  growing—continued.
    in Hawaii, composition, habits, and value. Hawaii Bul. 36, pp. 11, 13, 25, 39, 41. 1915.
    in Porto Rico, and value for cattle. P.R. Bul. 29, pp. 10, 12. 1922.
  habits of growth, value as forage and soiling crop. F.B. 300, pp. 11-13. 1907.
  pasture, carrying capacity. F.B. 1125, rev., p. 14. 1920.
  value in Virgin Islands. Vir. Is. A.R., 1919, p. 14. 1920.
Guinea pigs—
  breeding—
    experiments. F.B. 525, pp. 10-11. 1913; J.A.R., vol. 26, pp. 163-180. 1923.
    study of blood complement. S.R.S. Rpt., 1916, Pt. I, pp. 52, 268. 1918.
  caffein elimination, experiments. Chem. Bul. 157, pp. 18-19, 21, 22. 1912.
  characters, life history and growth. D.B. 1090, pp. 9-18. 1922.
  color and albinism, discussion. D.B. 905, pp. 16-18, 20. 1920.
  decline in vigor, effect of inbreeding. D.B. 1090, pp. 1-36. 1922.
  diseases and enemies. F.B. 525, p. 12. 1913.
  feeding with frozen trichina larvae, experiments. J.A.R., vol. 5, No. 18, pp. 823, 850. 1916.
  gossypol feeding experiments. J.A.R., vol. 5, No. 7, pp. 265-276, 278-283. 1915.
  immunization tests with glanders vaccine. D.B. 70, pp. 4-5. 1914.
  inbreeding—
    and crossbreeding, effects. Sewall Wright. D.B. 1090, pp. 63. 1922; D.B. 1121, pp. 61. 1923.
    experiments. News L., vol. 6, No. 24, pp. 12-13. 1919.
  injury by caffein, experiments. Chem. Bul. 148, pp. 12, 15, 17, 43-53, 95. 1912.
  inoculation—
    for diagnosis of glanders. B.A.I. An. Rpt., 1910, p. 351. 1912; B.A.I. Cir. 191, p. 351. 1912.
    with—
      anthrax serum, experiments. J.A.R., vol. 8, pp. 41-44. 1917.
      with *Bacillus necrophorus.* B.A.I. An. Rpt., 1904, p. 111. 1905; B.A.I. Bul. 63, p. 25. 1905; B.A.I. Bul. 67, p. 26. 1905; B.A.I. Cir. 198, p. 2. 1912.
      blood from tuberculous cattle. B.A.I. Bul. 116, pp. 10-23. 1909.
      clots from anthrax-infected hides. J.A.R., vol. 4, pp. 74-81, 85-87. 1915.
      Coccidioides immitis, experiments. J.A.R., vol. 14, p. 537. 1918.
      milk infected with abortion bacteria. J.A.R., vol. 5, No. 19, pp. 873-875. 1916.
      tubercle bacilli. B.A.I. An. Rpt., 1906, pp. 119-156. 1908.
      poultry tuberculosis, experiments and results. B.A.I. An. Rpt., 1908, pp. 168-170. 1910.
  introduction on Laysan Island. Biol. Bul. 42, p. 10. 1912.
  lesions caused by bacillus of infectious abortion. B.A.I. An. Rpt., 1911, pp. 141-142, 155-157. 1913; B.A.I. Cir. 216, pp. 141-142, 155-157. 1913.
  lupine poisoning, experiments. D.B. 405, pp. 7, 9, 12-13. 1916.
  otocephaly, factors determining. Sewall Wright and Orson N. Eaton. J.A.R., vol. 26, pp. 161-182. 1923.
  phosphorus feeding experiments. Chem. Bul. 123, pp. 10, 11. 1909.
  poisoning, experiments with *Claviceps paspali.* J.A.R., vol. 7, pp. 404-405. 1916.
  raising. David E. Lantz. F.B. 525, pp. 12. 1913.
  septicemia immunity. B.A.I. Bul. 36, p. 19. 1902.
  serum, method of obtaining, study. B.A.I. Bul. 136, pp. 14-16. 1911.
  susceptibility to—
    spotted fever. Ent. Bul. 105, pp. 8, 9, 24. 1911.
    tuberculosis. B.A.I. Bul. 86, pp. 8-9. 1906.
  tolerance of strychnine and lethal dose. D.B. 1023, p. 3. 1921.

Guinea pigs—Continued.
  toxicity tests with dugaldin. D.B. 947, pp. 23, 29. 1921.
  tubercle bacilli, human and bovine, virulence B.A.I. Bul. 52, Pt. I, pp. 1–30. 1904.
Guiraca caerulea. See Grosbeak, blue.
Guisquil. See Chayote.
Guizotia abyssinica, importations and descriptions. No. 44789, B.P.I. Inv. 51, p. 69. 1922; No. 50155, B.P.I. Inv. 63, p. 41. 1923; No. 51638, B.P.I. Inv. 65, p. 34. 1923.
Gulf—
  and South Atlantic States, fig growing. H. P. Gould. F.B. 1031, pp. 45. 1919.
  cotton, distribution, description, and various names. F.B. 591, pp. 13–16. 1914.
  regions—
    Norfolk fine sandy loam, cropping, value. Soils Cir. 22, pp. 12–13. 1911.
    true yams, cultivation. Robert A. Young. D.B. 1167, pp. 16. 1923.
    strip, Texas, fauna and flora. N.A. Fauna 25, pp. 16–18. 1905.
Gulf coast—
  and South Atlantic region, strawberry culture. George M. Darrow. F.B. 1026, pp. 40. 1919.
  Horticultural Society, value to citrus industry. F.B. 1343, p. 4. 1923.
  Reclamation and Drainage Association, organization. Off. Rec., vol. 1, No. 14, p. 5. 1922.
  region—
    east of Mississippi River, land for general farming, selection. W. E. Tharp. Soils Cir. 43, pp. 11. 1911.
    economic conditions, soils and crops. F.B. 986, pp. 4–6. 1918.
    grasses and forage plants. S. M. Tracy. F.B. 300, pp. 15. 1907.
    swamp-land drainage, Southern Louisiana. D.B. 652, pp. 1–67. 1918. D.B. 71, pp. 1–82. 1914.
Gulf coastal plain—
  and Atlantic Plains, soils studies. Soils Bul. 78, pp. 15–72. 1911.
  description and pomological features. D.B. 1189, pp. 18–20, 75–77. 1923.
  rice prairies, location, climate, and soils. F.B. 1092, pp. 3–5. 1920.
  soil character and agricultural value, by series. Soils Bul. 55, pp. 95–118. 1909.
  soil studies. Soils Bul. 78, pp. 15–72. 1911.
  soils, description, area, and uses. Soils Bul. 78, pp 17–47, 56–57, 64–72 1911; Soils Bul. 96, pp. 221–301. 1913.
Gulf of Mexico, bird reservations, work, in 1921. Biol. Chief Rpt., 1921, p. 25. 1921.
Gulf States—
  alfalfa growing, directions. F.B. 1283, pp. 21–22. 1922.
  chayotes, growing and uses. D.C. 286, pp. 1–2. 1923.
  citrus—
    fruit growing—
      E. D. Vosbury. F.B. 1122, pp. 46. 1920.
      P. H. Rolfs. F.B. 238, pp. 48. 1906.
    fruits—
      culture. E. D. Vosbury and T. Ralph Robinson. F.B. 1343, pp. 42. 1923.
      handling and shipping. H. J. Ramsey. F.B. 696, pp. 28. 1915.
    groves, sites, soils, and varieties. P. H. Rolfs. F.B. 538, pp. 15. 1913.
    tree propagation. P. H. Rolfs. F.B. 539, pp. 16. 1913.
  corn, conserving from weevils. E. A. Back F.B. 1209, pp. 36. 1919.
  logging conditions, 1905. Y.B., 1905, pp. 484–485. 1906; Y.B. Sep. 398, pp. 484–485. 1906.
  Peruvian alfalfa, possibilities. D.C. 93, p. 7. 1920.
  rotundifolia grape growing. B.P.I. Bul. 273, p. 18. 1913.
  soils and their uses. Y.B., 1911, pp. 231–235. 1912; Y.B. Sep. 563, pp. 231–235. 1912.
  termites, occurrence and damage. D.B. 333, pp. 14, 15, 16, 17, 19. 1916.
  trucking industry, acreage and crops. Y.B., 1916, pp. 442–444, 448. 1917; Y.B. Sep. 702, pp. 8–10, 14. 1917.

Gulf States—Continued.
  west of Florida, citrus industry, history. F.B. 1343, pp. 3–5, 10. 1923.
Gull(s)—
  Alaska, abundance and habits. N.A. Fauna 24, pp. 53–54. 1904.
  Athabaska-Mackenzie region. N.A. Fauna 27, pp. 262–271. 1908.
  banded, returns, 1920–1923. D.B. 1268, pp. 6–7. 1924.
  beneficial habits, insect destruction. Y.B., 1908, p. 194. 1909; Y.B. Sep. 474, p. 194. 1909.
  breeding grounds, Great Plains, description. Y.B., 1917, pp. 198–200. 1918; Y.B. Sep. 723, pp. 4–6. 1918.
  California, habits, migration, and range. D.B. 107, pp. 5–6. 1914; D.B. 292, pp. 41–42. 1915.
  distribution, breeding and migration, occurrence in Arkansas. Biol. Bul. 38, pp. 14–15. 1911.
  enemies of wild ducks. D.B. 936, pp. 17, 19. 1921.
  eye parasites of. B.A.I. Bul. 60, p. 47. 1904.
  food habits and value in destruction of insects. F.B. 497, pp. 19–22. 1912.
  Franklin's, description, range and habits. D.B. 292, pp. 2, 54–57. 1915; F.B. 497, pp. 19–21. 1912; F.B. 513, p. 31. 1913.
  herring—
    Alaska and Yukon Territory. N.A. Fauna 30, pp. 33, 84. 1909.
    distribution and migration habits. D.B. 292, pp. 36–40. 1915.
  ivory, occurrence—
    in Pribilof Islands. N.A. Fauna 46, p. 31. 1923.
    migration, and range. D.B. 292, pp. 14–16. 1915.
  laughing—
    economic status. Biol. Chief Rpt., 1924, p. 17. 1924.
    occurrence—
      in Porto Rico, and food habits. D.B. 326, p. 45. 1916.
      migration and range. D.B. 292, pp. 51–54. 1915.
  mice-eating habits. Biol. Bul. 31, p. 53. 1907.
  monument at Salt Lake City. D.B. 292, p. 2. 1915.
  North American, distribution and migration (and other birds). Wells W. Cooke. D.B. 292, pp. 72. 1915.
  Pribilof Islands, description, habits, and food. N.A. Fauna 46, pp. 31, 33–37. 1923.
  protection by law. Biol. Bul. 12, rev., pp. 35–36, 39, 40, 41, 42. 1902.
  range and habits. D.B. 292, pp. 22–68. 1915; N.A. Fauna 21, pp. 39, 72. 1901; N.A. Fauna 22, pp. 78–80. 1902; N.A. Fauna 24, pp. 53, 54. 1904.
  Ross's, habits, migration, and range. D.B. 292, pp. 62–65. 1915.
  Sabines'—
    habits, migration, and range. D.B. 292, pp. 65–68. 1915.
    occurrence in Pribilof Islands, and food habits. N.A. Fauna 46, pp. 36–37. 1923.
Gullet diseases, cattle, symptoms and treatment. B.A.I. [Misc.], "Diseases of cattle," rev., pp. 22–24. 1912.
Gully(ies)—
  control and reclamation. C. E. Ramser. F.B. 1234, pp. 44. 1922.
  erosion, description, and control methods. Y.B. 1916, pp. 115, 131–133. 1917; Y.B. Sep. 688, pp. 9, 25–27. 1917.
  field, elimination, methods. F.B. 342, p. 6. 1909.
  formation, causes, varieties, and progress. Y.B. 1913, pp. 209, 210, 211. 1914; Y.B. Sep. 624, pp. 209, 210, 211. 1914.
  increase and bridging difficulties. F.B. 1234, pp. 35–38. 1922.
  injurious results. F.B. 1234, pp. 3–4. 1922.
  occurrence, damage, cause and types. F.B. 1234, pp. 2–8. 1922.
  plowing and seeding, for reclamation, methods. F.B. 1234, pp. 12–13. 1922.
  prevention by tree planting. F.B. 1177, rev., p. 20. 1920.

Gully(ies)—Continued.
  reclaiming by—
    planting trees. F.B. 1071, pp. 31-33. 1920.
    use of spacing, dams. F.B. 1234, pp. 43-44. 1922.
  reclamation—
    methods. Y.B. 1916, pp. 130, 131-133. 1917; Y.B. Sep. 688, pp. 24, 25-27. 1917.
    with soil-saving dams, methods. F.B. 1234, pp. 42-44. 1922.
  See also Erosion.
Gullying, prevention methods. F.B. 1234, p. 9. 1922.
Gulo luscus. See Wolverine.
GUM, JOHN P.: "Soil survey of—
  Sussex County, Del." With others. Soil Sur. Adv. Sh., 1920, pp. 1531-1565. 1924; Soils F.O., 1920, pp. 1531-1565. 1925.
  Wayne County, N.Y." With others. Soil Sur. Adv. Sh., 1919, pp. 273-348. 1923; Soils F.O., 1919, pp. 273-348. 1925.
Gum (tree)—
  acacia, description. D.B. 9, pp. 32-33. 1913.
  black—
    and tupels, sources of honey in North Carolina. D.B. 489, p. 12. 1916.
    characteristics. For. Bul. 103, pp. 17-19. 1911.
    grinder runs, tables. D.B. 343, p. 120. 1916.
    injury from gipsy moth. D.B. 204, p. 15. 1915.
    logging on cove lands, directions. For. Cir. 118, pp. 11-13. 1907.
    quality tests, table. D.B. 343, p. 145. 1916
    testing for pulp manufacture. D.B. 343, pp. 47, 52, 53, 55, 67. 1916.
  blue—
    distribution and description. For. Bul. 87, pp. 15, 18-19. 1911.
    growing in Pajaro Valley, California. Soils F.O., 1908, pp. 1337-1338, 1358. 1911; Soil Sur. Adv. Sh., 1908, pp. 11-12, 32. 1910.
    in New South Wales, distribution, and description. For. Bul. 87, pp. 15, 26-27. 1911.
    plantations, establishment, cost. For. Cir. 210, pp. 3-4. 1912
    planting in California. For. Cir. 179, p. 6. 1910.
    range, cultivation, and uses. For. Cir. 59, pp. 1-6. 1907; For. Cir. 59, rev., pp. 1-13. 1907.
    source of cineol. B.P.I. Bul. 235, p. 12. 1912.
  consumption in Arkansas, amount and value. For. Bul. 106, pp. 7-39. 1912.
  cotton, characteristics. For. Cir. 103, pp. 14-16. 1911.
  description, key, and list of common kinds. D.C. 223, pp. 6, 10. 1922.
  diseases caused by mistletoe and by fungi. B.P.I. Bul. 149, pp. 15, 57. 1909.
  gray, distribution and description. For. Bul. 87, pp. 15, 28-29. 1911.
  honey source, dates of blooming periods. D.B. 685, pp. 41-42, 50-51, 53. 1918.
  injury by sapsuckers. Biol. Bul. 39, pp. 39, 53, 79-80, 86. 1911.
  insect pests, list. F.B. 1169, p. 96. 1921; Sec. [Misc.], "A manual of insects * * *," pp. 97-100. 1917.
  lemon, description, habits, and uses. For. Cir. 59, rev., p. 12. 1907.
  Louisiana, stumpage value. For. Bul. 114, p. 16. 1912.
  lumber production—
    1918, and States producing. D.B. 845, pp. 25-26, 45. 1920.
    1920 and value, by States. D.B. 1119, p. 46. 1923; Y.B., 1922, p. 924. 1923.
  preservation, characteristics, and results of treatment. D.B. 606, pp. 21, 22, 24, 25, 28, 33. 1918.
  preservative treatment, results. F.B. 744, pp. 17, 25, 28. 1916.
  red—
    Alfred K. Chittenden. For. Bul. 58, pp. 7-39. 1905.
    affected by yellow butt-rot, description. B.P.I. Bul. 114, p. 9. 1907.
    comparison with black walnut, and prices. D.B. 909, pp. 5, 41. 1921.
    cooperage stock, slack, production and value, 1906. For. Cir. 123, pp. 4-7. 1907.
    diseases, description. B.P.I. Bul. 114, pp. 8-10. 1907.

Gum (tree)—Continued.
  red—continued.
    distillation yields of alcohol and acetic acid. D.B. 129, pp. 7-16. 1914.
    distribution, description. For. Bul 87, pp. 15, 24-25. 1911.
    drying by leaf-evaporation experiments. B.P.I. Bul. 114, p. 27. 1907.
    heartwood, decay, length of life as ties. B.P.I. Bul. 114, p. 31. 1907.
    lumber—
      cut and value, 1906, several States. For. Cir. 122, pp. 20-21. 1907.
      production, 1905, United States. For. Bul. 74, p. 23. 1907.
      production, 1913, species and range. D.B. 232, pp. 16, 31-32. 1915.
      production, 1916, by States, mills reporting, and lumber value. D.B. 673, p. 23. 1918.
      production, 1917, and value, by States. D.B. 768, pp. 23, 38, 42. 1919.
    mechanical properties of wood. W. Kendrick Hatt. For. Bul. 58, pp. 40-54. 1905.
    production, 1899-1914, and estimates, 1915. D.B. 506, pp. 13-15, 22. 1917.
    quantity used in manufacture of wooden products. D.B. 605, p. 9. 1918.
    range, cultivation, and uses. For. Cir. 59, rev., p. 13. 1907.
    sap-rot and other diseases. Hermann von Schrenk. B.P.I. Bul. 114, pp. 37. 1907.
    soil requirements and growth habits. For. Bul. 43, rev., p. 44. 1907.
    spacing in forest planting. F.B. 1177, rev., p. 22. 1920.
    strength tests. For. Cir. 32, pp. 14-17. 1904.
    stumpage value, 1907. For. Cir. 122, p. 41. 1907.
    susceptibility to sap-stains. D.B. 1128, p. 29. 1923.
  use—
    as substitute for mahogany, identification key and description. D.B. 1050, pp. 1, 4, 15. 1922.
    in manufacture of firearms. D.B. 909, p. 70 1921.
    utilization for veneer. D.B. 884, p. 11. 1920.
  See also Liquidambar.
  sour, seed distribution, by crows. D.B. 621, pp. 54, 69, 70. 1918.
  sugar, range, cultivation, and uses. For. Cir. 59, pp. 1-6. 1907; rev., pp. 1-12. 1907.
  sweet—
    characters. F.B. 468, p. 40. 1911.
    description—
      and key. D.C. 223, pp. 4, 8. 1922.
      and regions suited to. F.B. 1208, p. 37. 1922.
      use as street tree, and regions adapted to. D.B. 816, pp. 19, 41. 1920.
    source of borneol. B.P.I. Bul. 235, p. 12. 1912.
    See also Gum, red; Liquidambar.
  tests for mechanical properties, results. D.B. 556, pp. 29, 39. 1917; D.B. 676, p. 19. 1919.
  tree—
    bug, description. Sec. [Misc.], "A manual of insects * * *," p. 97. 1917.
    weevil, description. Sec. [Misc.], "A manual of insects * * *," p. 98. 1917.
  utilization on farms. F.B. 1071, pp. 16, 21. 1920.
  varieties, occurrence in South Carolina, yield and description. For. Bul. 56, pp. 8, 12, 16-27, 42-43. 1905.
  volume table and growth rate. F.B. 715, pp. 4, 6, 9, 34, 35. 1916; For. Bul. 36, pp. 148, 190, 192, 194. 1910.
  water, characteristics. For. Bul. 103, pp. 16-17. 1911.
  See also Eucalyptus spp.; Gumwood.
Gum(s)—
  arabic—
    from Acacia scorpioides, importation. No. 43642. B.P.I. Inv. 49, pp. 54-55. 1921.
    imports—
      1855-1868, 1884-1908. Stat. Bul. 51, p. 24. 1909.
      1907-1909, quantity and value, by countries from which consigned. Stat. Bul. 82, p. 64. 1910.

Gum(s)—Continued.
   arabic—continued.
      tree—
         description, distribution and introduction. B.P.I. Bul. 205, p. 21. 1911.
         importations and descriptions. No. 38524, B.P.I. Inv. 39, pp. 11, 141. 1917; No. 48064, B.P.I. Inv. 60, p. 37. 1922; No. 54799, B.P.I. Inv. 70, pp. 3, 22. 1923.
         occurrence and uses. D.B. 9, pp. 27, 31, 32. 1913.
      citrus, nature, origin, and relation to wounds, chemicals, etc., J.A.R. vol. 24, pp. 223–230. 1923.
      exudation from chipped long-leaf pine, rate. D.B. 1064, pp. 9, 40–41. 1922.
      flooded, distribution and description. For. Bul. 87, pp. 15, 25–26. 1911.
      flow in trees, protective character. J.A.R., vol. 24, p. 229. 1923.
      formation—
         on citrus trees, relation to disease development. J.A.R., vol. 24, pp. 222–230. 1923.
         relation to parasitic organisms. J.A.R., vol. 24, p. 229. 1923.
      frankincense, description and importation. No. 32019, B. P. I. Bul. 261, pp. 18–19. 1912.
      imports—
         1851–1908. Stat. Bul. 51, pp. 24–27. 1909.
         1906–1910 and 1851–1910. Y.B., 1910, pp. 657, 686–687. 1911; Y.B. Sep. 553, pp. 657, 686–687. 1911.
         1907–1909, quantity and value, by countries from which consigned. Stat. Bul. 82, pp. 64–67. 1910.
         1907–1911 and 1851–1911. Y.B., 1911, pp. 660, 690–691. 1912; Y.B. Sep. 588, pp. 660, 690–691. 1912.
         1908–1910, quantity and value, by countries from which consigned. Stat. Bul. 90, pp. 68–71. 1911.
         1908–1912 and 1851–1912. Y.B., 1912, pp. 717, 749–750. 1913; Y.B. Sep. 615, pp. 717, 749–750. 1913.
         1913–1915 and 1852–1913. Y.B., 1915, pp. 542–543, 555, 561. 1916; Y.B. Sep. 685, pp. 542–543, 555, 561. 1916.
         1916, statistics. Y.B., 1916, pp. 709, 722, 729. 1917; Y.B. Sep. 722, pp. 3, 16, 23. 1917.
         1917 and exports, statistics. Y.B., 1917, pp. 762, 785. 1918; Y.B., Sep. 762, pp. 6, 29. 1918.
         1918, statistics. Y.B. 1918, pp. 630, 643, 650–651. 1919; Y.B. Sep. 794, pp. 6, 19, 26–27. 1919.
         1919–1921, and 1852–1921. Y.B., 1922, pp. 951, 961, 968, 981. 1923; Y.B. Sep. 880, pp. 951, 961, 968, 981. 1923.
         1922–1924. Y.B., 1924, p. 1067. 1925.
      Indian—
         detection in mixture with tragacanth gum, methods. Chem. Cir. 94, pp. 1–2. 1912.
         use in "Creamthick" misbranding. Chem. N.J. 2848, pp. 78–82. 1914.
         volatile acidity, compared with gum tragacanth. W. O. Emery. Chem. Cir. 94, pp. 5. 1912.
      karaya, examination, new method. An. Rpts., 1919, p. 217. 1920; Chem. Chief Rpt., 1919, p. 7. 1919.
      of Buchanania tree, value. B.P.I. Inv. 48, pp. 7, 13. 1921.
      peppermint, eucalypt tree, description and uses. No. 38723, B.P.I. Inv. 40, p. 19. 1917.
      pine. See Oleoresin.
      plant—
         habitat, range, description, uses, collection, and prices. B.P.I. Bul. 219, p. 37. 1911.
         See also Yerba santa.
      resemblance to tyloses. J.A.R., vol. 1, p. 449. 1914.
      shellac, imports, 1914, quantity, value, and source. D.B. 296, p. 48. 1915.
      trade with foreign countries, exports and imports. D.B. 296, pp. 47–48, 49. 1915.
      tragacanth—
         adulteration—
            and misbranding. Chem. N.J. 572, p. 1. 1910; Chem. N.J. 2436, p. 9. 1913.
            determination, studies. An. Rpts., 1911, p. 435. 1912; Chem. Chief Rpt., 1911, p. 21. 1911.

Gum(s)—Continued.
   tragacanth—continued.
      adulteration—continued.
         with Indian gum, detection methods, studies. Chem. Cir. 94, p. 2. 1912.
         volatile acidity, compared with Indiam gum. W. O. Emery. Chem. Cir. 94, pp. 5. 1912.
      tree-banding, description, and use. D.B. 899, pp. 8–9, 10. 1920.
      turpentine—
         yield in relation to chipping height. J.A.R., vol. 30, pp. 85–88. 1925.
         See also Turpentine.
      use—
         for coating chocolates and other confections. F.I.D. 119, p. 1. 1910.
         in varnish, classification. Chem. Bul. 130, p. 139. 1910.
      weed—
         description, occurrence in Washington saltwater bogs, eastern Puget Sound Basin. Soil Sur. Adv. Sh., 1909, p. 32. 1911; Soils F.O., 1909, p. 1544. 1912.
         native vegetation of Belle Fourche region. D.B. 1039, p. 4. 1922.
         seed, description. F.B. 428, pp. 21, 22. 1911.
      See also Naval stores.
Gumbo—
   recipes and directions. F.B. 232, rev., pp. 8–9. 1918.
   soil—
      burnt-roads, experimental. Rds. Chief Rpt., 1908, pp. 14–15. 1908; An. Rpts., 1908, pp. 754–755. 1909.
      characteristics, history, and use in road building in Middle West. Rds. Cir. 91, pp. 7–9, 13, 22. 1910.
      description and analysis. B.P.I. Cir. 59, p. 4. 1910.
      description of Pierre clay of South Dakota, Belle Fourche area. Soil Sur. Adv. Sh., 1907, pp. 20–22. 1910; Soils F.O., 1907, pp. 896–898. 1910.
      drainage problem. Soils Cir. 41, pp. 8–9. 1911.
      of the Belle Fourche reclamation project, water penetration. O. R. Mathews. D.B. 447, pp. 12. 1916.
      road-building value and disadvantages. D.B. 724, p. 3. 1919.
      treatment with lime, Kansas, Shawnee County. Soil Sur. Adv. Sh., 1911, pp. 25, 27. 1913; Soils F.O., 1911, pp. 2079, 2081. 1914.
      water capacity and productivity. D.B. 447, p. 3. 1916.
   spots, occurrence in Kansas, Greenwood County, cause and remedy. Soil Sur. Adv. Sh., 1912, pp. 21, 22. 1914; Soils F.O., 1912, pp. 1838, 1839. 1915.
   use in road building in Minnesota, experiments. Rds. Bul. 40, pp. 21–22. 1911.
   weed, injurious in South Dakota fields. D.B 297, p. 3. 1915.
Gumhar, importation and description. No. 43656, B.P.I. Inv. 49, p. 57. 1921.
Gumi, importations and descriptions. Nos. 55771–55772, B.P.I. Inv. 72, pp. 3, 33. 1924.
Gumming—
   disease of peach, remedy. Y.B., 1908, p. 209. 1909; Y.B. Sep. 475, p. 209. 1909.
   sugar-cane, description and control. B.P.I. Cir. 126, p. 7. 1913.
Gummosis, citrus—
   Howard S. Fawcett. J.A.R., vol. 24, pp. 191–236 1923.
   caused by—
      Botrytis cinerea, and other fungi. J.A.R., vol. 24, pp. 214–222. 1923.
      Pythiacystis citrophthora. J.A.R., vol. 24, 3, pp 191–213. 1923.
Gumwood(s)—
   exports, 1922–1924. Y.B., 1924, p. 1047. 1925.
   maceration, directions. For. Bul. 103, p. 6. 1911.
   North American, distinguishing characteristics, based on the anatomy of the secondary wood. George B. Sudworth and Clayton D. Mell. For. Bul. 103, pp. 20. 1911.
Gun(s)—
   automatic, legislation prohibiting use. Biol. Cir. 73, pp. 17, 19. 1910.

INDEX TO PUBLICATIONS, 1901–1925 1099

Gun(s)—Continued.
  dusting machines, hand and saddle, description and cost. F.B. 1319, pp. 11–14. 1923.
  size allowed in hunting. Y.B., 1918, p. 311. 1919; Y.B. Sep. 785, p. 11. 1919.
  spray, comparison with spray rod. D.B. 1035, p. 13. 1922.
Guncotton, manufacture from linters, process. D.C. 175, p. 9. 1921.
Gundelia tournefortii—
  importation and description. No. 51142, B.P.I. Inv. 64, pp. 4, 64. 1923.
  useful vegetable for arid regions. B.P.I. Bul. 180, p. 35. 1910.
Gunnera chilensis—
  importations and descriptions. Nos. 35957, 35958, B.P.I. Inv. 36, p. 30. 1915.
  See also Nalca.
Gunnison project, Colorado, water turned on Uncompahgre Valley. Soils Bul. 93, p. 35. 1913.
Gunny sacks, use with oil for hog-lice control. News L., vol. 3, No. 36, p. 4. 1916.
Gunstocks—
  manufacture from black walnut, demands and value. D.B. 909, pp. 59, 60, 68–70, 76–79, 88. 1921.
  use of Circassian walnut wood. For. Cir. 212, pp. 5, 7. 1913.
GUNTER, EMIL: "Soil survey of the Ocala area Florida." With others. Soil Sur. Adv. Sh., 1912, pp. 60. 1913; Soils F.O., 1912, pp. 669–724. 1915.
GURJAR, A. M.: "Respiration of stored wheat." With C. H. Bailey. J.A.R., vol. 12, pp. 685–713. 1918.
Gut, imports, 1907–1909, value, by countries from which consigned. Stat. Bul. 82, p. 27. 1910.
Gutierrezia—
  Artemisia type of vegetation, description. B.P.I. Bul. 201, pp. 60–62, 90, 91. 1911.
  sarothrae—
    occurrence—
      description and soil indications. B.P.I. Bul. 201, pp. 45, 60–61, 66, 68–69. 1911.
      on sagebrush and shadscale land, Utah. J.A.R., Vol. 1, pp. 379, 385, 399. 1914.
    See Turpentine weed.
  sp. See Snakeweed.
Gutta—
  joolalong, imports, 1907–1909, quantity and value, by countries from which consigned. Stat. Bul. 82, p. 65. 1910.
  percha—
    imports—
      1858–1868, 1890–1908. Stat. Bul. 51, p. 26. 1909.
      1907–1909, quantity and value, by countries from which consigned. Stat. Bul. 82, p. 65. 1910.
      1908–1910, quantity and value, by countries from which consigned. Stat. Bul. 90, p. 69. 1911.
    See also Gums; Rubber.
Gutters—
  concrete pavement, construction method. D.B. 249, p. 17. 1915.
  construction, directions, cost, and specifications. D.B. 724, pp. 18–24, 78–81. 1919.
  macadam roads, grades and specifications. F.B. 338, pp. 12, 32–33. 1908.
  road, construction. D.B. 463, p. 8. 1917.
Guttie, cattle, causes, symptoms, and treatment. B.A.I. [Misc.] "Diseases of cattle," rev., pp. 43–45. 1912.
Guttie. See also Peritoneal hernia.
Guying—
  limbs of trees, directions. F.B. 1178, pp. 25–27. 1920.
  See also Tree surgery.
Gymnocladus dioicus. See Coffee tree.
Gymnoconia—
  interstitialis. See Rusts, orange.
  sp., infection of Rubus. J.A.R., vol. 25, pp. 209–242, 495–500. 1923.
  two life cycles, discussion. J.A.R., vol. 25, pp. 492–494. 1923.
Gymnonychus californicus. See Leaf worm, pear.
Gymnopogon—
  spp., description, distribution, and uses. D.B. 772, pp. 17, 185–187, 188. 1920.

Gymnopogon—Continued.
  spp., importation and description. Nos. 38125–38126, B.P.I. Inv. 39, pp. 90–91. 1917.
Gymnosoma fuliginosa, parasite of—
  conchuela. Ent. Bul. 86, p. 64. 1910.
  grain bug, description. D.B. 779, pp. 28–31. 1919.
Gymnospermae, description and range, on Pacific slope. For. [Misc.], "Forest trees of the Pacific * * *," pp. 19–197. 1908.
Gymnosporangium—
  Asiatic species, establishment in Oregon. H. S. Jackson. J.A.R., vol 5, No. 22, pp. 1003–1010. 1916.
  blasdaleanum, cause of incense cedar rust. D.B. 604, p. 29. 1918; For. [Misc.], "Forest diseases common, * * *," pp. 35–37. 1914.
  japonicum—
    description and comparison with other species. J.A.R., vol. 1, pp. 353–356. 1914.
    occurrence and relationships. J.A.R., vol. 5, No. 22, pp. 1004–1006. 1916.
  junipera-virginianae. See Cedar rust.
  koreaensis, occurrence and favorite plants. J.A.R. vol. 5, No. 22, pp. 1003–1009. 1916.
  myricatum. See Rust, bayberry.
  spp.—
    description and comparison. J.A.R., vol. 1, pp. 354–356. 1914.
    occurrence on—
      plants in Texas, and description. B.P.I. Bul. 226, pp. 30, 63, 70, 112. 1912.
      Utah juniper. For. Cir. 197, p. 9. 1912.
Gynerium spp., description. D.B. 772, p. 63. 1920.
Gynocardia—
  odorata—
    importation and description. No. 51668, B.P.I. Inv. 65, p. 36. 1923.
    similarity to chaulmoogra tree. D.B. 1057, pp. 5, 6, 23–24. 1922.
  oil, chemistry of. D.B. 1057, pp. 9–10. 1922.
Gynostemma pedatum, importation and description. No. 47844, B.P.I. Inv. 59, p. 67. 1922.
Gynura spp., importation(s) and description(s). Nos. 39018, 39116, B.P.I. Inv. 40, pp. 59, 77. 1917; Nos. 47416, 47512, 47690, B.P.I. Inv. 59, pp. 16, 24, 47. 1922.
Gypona spp., description. Ent. Bul. 108, pp. 62–63. 1912.
Gyposphila spp., description, cultivation, and characteristics. F.B. 1171, pp. 38–40. 1921.
Gypsum—
  against black alkali. Soils Bul. 35, pp. 27, 30, 36, 38, 54, 65, 170. 1906.
  application to soil for control of little leaf disease. J.A.R., vol. 8, pp. 396–397. 1917.
  deposits, soluble salts. J.A.R., vol. 10, pp. 334, 350–351. 1917.
  description, distribution, and use in road building. Rds. Cir. 91, pp. 11–12. 1910.
  determination in commercial fertilizers. D.B. 97, pp. 1–10, 11. 1914.
  effect on—
    alkali soil. D.C. 267, pp. 25–26. 1923.
    availability of potassium. J.A.R., vol. 20, pp. 616–617. 1921.
    fertility elements of Palouse silt loam. Lewis W. Erdman. J.A.R., vol. 30, pp. 451–462. 1925.
    formation of sodium carbonate. J.A.R., vol. 10, pp. 549–550. 1917.
    growth of rice. J.A.R., vol. 20, pp. 40–42. 1920.
    potash availability in orthoclase soils. J.A.R., vol. 8, pp. 21–28. 1917.
    potash solubility in soils. Paul R. McMiller. J.A.R., vol. 14, pp. 61–66. 1918.
    sodium sulphate in soils. J.A.R., vol. 4, pp. 208–211, 216. 1915.
  Great Basin, occurrence, and analyses. D.B. 61, pp. 65–66. 1914.
  sand analysis, from bed of Lake Lucero, N. Mex. Soils Cir. 61, p. 3. 1912.
  solubility in—
    soil moisture, Saharan soils. B.P.I. Bul. 53, p. 74. 1904.
    water. Soils Bul. 33, pp. 9, 28–32. 1906.
  use—
    and value in agriculture. F.B. 921, p. 20. 1918.
    as fertilizer for red clover, quantity. F.B. 455, p. 13. 1911.

36167°—32——70

Gypsum—Continued.
  use—continued.
    in growing purple vetch. F.B. 967, p. 8. 1918.
    in reclamation of alkali soils. O.E.S. Cir. 103,
      p. 28. 1911; Soils Bul. 34, p. 16. 1906.
    on clover. B.P.I. Cir. 28, pp. 9–10. 1909.
    on Hungarian vetch. D.B. 1174, p. 8. 1923.
    wheat soils, tests. Soils Bul. 66, pp. 9, 17, 18.
      1910.
  See also Land plaster.
Gypsy moth. See Gipsy moth.
Gypsy-weed. See Bugleweed.
Gyrfalcon—
  American, occurrence in Pribilof Islands, and
    food habits. N.A. Fauna 46, pp. 82–83. 1923.
  occurrence, Athabaska-Mackenzie region. N.A.
    Fauna 27, p. 361. 1908.
  range and habits. N.A. Fauna 22, p. 107. 1902;
    N.A. Fauna 24, p. 68. 1904.
  white, range and habits. N.A. Fauna 22, p. 107.
    1902.
Gyrococcus flacidifex. See Wilt disease, gipsy
  moth.
Gyromitra esculenta, description. D.B. 175, p. 55. 1915.

H-and-H water, misbranding. See *Indexes, Notices
  of Judgment in bound volumes and in separates
  published as supplements to Chemistry Services and
  Regulatory Announcements.*
Haarlem oil capsules, misbranding. Chem. N.J.
  987, pp. 3. 1911.
HAAS, A. R. C.—
  "Growth and composition of orange trees in
    sand and soil cultures." With H. S. Reed.
    J.A.R., vol. 24, pp. 801–814. 1923.
  "Some relations between the growth and com-
    position of young trees and the concentration
    of the nutrient solution." With H. S. Reed.
    J.A.R., vol. 28, pp. 277–284. 1924.
  "The pseudo-antagonism of sodium and calcium
    in dilute solutions." With H. S. Reed. J.A.R.,
    vol. 24, pp. 753–758. 1923.
Haber process, nitrogen conversion, advantages
  and disadvantages. Y.B. 1919, p. 120. 1920;
  Y.B. Sep. 803, p. 120. 1920.
Habia melanocephala. See Grosbeak, black-headed.
Habichuela—
  cimorrona, wild legume, value as cover crop,
    Porto Rico. P.R. Bul. 19, p. 23. 1916.
  parada, wild legume, value as cover crop, Porto
    Rico. P.R. Bul. 19, p. 24. 1916.
Habit-forming—
  agents, danger in indiscriminate sale and use.
    L. F. Kebler. F.B. 393, pp. 19. 1910.
  drugs, labeling, provisions to prevent misuse.
    Y.B., 1913, pp. 127–128. 1914; Y.B. Sep. 619,
    pp. 127–128. 1914.
Habrocytus—
  languriae, parasite of clover stem borer. D.B.
    889, pp. 19–20. 1920.
  medicaginis, parasite of alfalfa seed chalcid fly,
    life history. J.A.R., vol. 7, pp. 147–154. 1916;
    D.B. 812, p. 18. 1920.
  n. sp., parasite of Recurvaria milleri. J.A.R.,
    vol. 2, no. 3, p. 138. 1921.
  piercei, enemy of boll weevil. Ent. Bul. 100,
    pp. 34, 42, 45, 52, 54–68. 1912.
  spp., parasite of cigar case-bearer. Ent. Bul. 80,
    Pt. I, p. 41. 1909.
Habronema muscae—
  parasite of horse transmitted by house fly, life
    history. B.H. Ransom. B.A.I. Bul. 163,
    pp. 36. 1913.
  transmission to horse by house fly. B.A.I.S.A.
    54, p. 76. 1911.
Hackberry—
  butterflies, description, habits, and control.
    F.B. 1169, pp. 49–50. 1921.
  characteristics, occurrence in Kansas and Ne-
    braska. For. Bul. 66, pp. 28, 37. 1905.
  Chinese, use of galls as food. B.P.I. Bul. 204,
    p. 50. 1911.
  consumption in Arkansas, amount and value.
    For. Bul. 106, pp. 7, 10, 21, 38. 1912.
  description—
    and key. D.C. 223, pp. 5, 9. 1922; For. Cir.
      75, pp. 1–3. 1907.
    and regions suited to. F.B. 1208, pp. 19–20.
      1922.

Hackberry—Continued.
  description—continued.
    associates, uses, and planting detail. F.B.
      888, pp. 5, 13, 19. 1917.
    range, and—
      adaptability to Great Plains. F.B. 1312, p.
        9. 1923.
      occurrence on Pacific slope. For. [Misc.],
        "Forest trees for the Pacific * * *," pp.
        323–325. 1908.
      use as street trees, and regions adapted to.
        D.B. 816, pp. 18, 19, 25. 1920.
    diseases in Texas, occurrence and description.
      B.P.I. Bul. 226, pp. 69, 110, 111. 1912.
    freedom from gipsy-moth injury. D.B. 204, p.
      15. 1915.
    fruiting season and use as bird food. F.B. 912,
      pp. 11, 13. 1918.
    gall insects, habits and control. F.B. 1169, pp.
      91–92. 1921.
    importation of seeds by Bureau of Plant Indus-
      try. B.P.I. Bul. 223, p. 59. 1911.
    infestation with May beetles. F.B. 543, pp. 10,
      19. 1913.
    injury by—
      insects. F.B. 1169, p. 96. 1921.
      sapsuckers. Biol. Bul. 39, pp. 36, 75–76. 1911.
      mistletoe injury. B.P.I. Bul. 166, pp. 10, 16, 18,
        20, 21, 22, 29. 1910.
    occurrence in Colorado, description. N.A.
      Fauna 33, p. 228. 1911.
    planting directions, uses. For. Bul. 99, p. 11.
      1911.
    preservation, characteristics, and results of treat-
      ment. D.B. 606, pp. 24, 27, 28, 32. 1918.
    quantity used in manufacture of wooden products.
      D.B. 605, p. 15. 1918.
    tests for mechanical properties, results. D.B.
      556, pp. 29, 39. 1917; D.B. 676, p. 19. 1919.
    use in forest planting. For. Bul. 65, pp. 21, 31,
      34, 37, 39. 1905.
    uses, rate of growth in Kansas. For. Cir. 161,
      pp. 23, 24, 44. 1909.
  See also Celtis occidentalis.
Hackmatack. See Tamarack.
Haddock—
  cold storage holdings, 1918, by months (and other
    fish). D.B. 792, pp. 35–37. 1919.
  dried, adulteration. Chem. N. J. 3190, p. 381.
    1914.
Hadena fractilinea. See Stalk-borer, lined.
Hadrobracon hebetor—
  enemy to Indian-meal moth. Ent. Cir. 142, p. 3.
    1911.
  parasite of fig moth and other moths. Ent. Bul.
    104, p. 30. 1911.
Hadronotus anasae, parasite enemy of squash-bug.
  Ent. Bul. 86, p. 91. 1910.
HADWEN, SEYMOUR: "Reindeer in Alaska."
  With Lawrence J. Palmer. D.B. 1089, pp. 74.
  1922.
Haemanthus fascinator, importation and description.
  No. 35702. B.P.I. Inv. 36, pp. 13–14. 1915.
Haemaphysalis—
  chordeilis. See Tick, bird.
  leporis-palustris. See Tick, rabbit.
  spp.—
    description and life history. Ent. Bul. 72, pp.
      52–54. 1907; Ent. Bul. 106, pp. 89–102. 1912;
      Rpt. 108, pp. 58, 62, 69. 1915.
    transmitters of diseases of turkeys and of dogs.
      Y.B., 1910, p. 229. 1911; Y.B. Sep. 531, p.
      229. 1911.
Haematobia serrata. See Horn fly.
Haematoloechus similigenus, description. B.A.I.
  Bul. 35, p. 20. 1902.
Haematopinus—
  eurysternus. See Louse, cattle, short-nosed.
  ovillus, description and control on sheep. F.B.
    1150, pp. 5, 6, 7–8. 1920.
  suis. See Louse, hog.
Haematopus—
  bachmani, occurrence in Pribilof Islands. N.A.
    Fauna 46, p. 81. 1923.
  spp. See Oyster-catcher.
Haematoxylum brasiletto, importation and descrip-
  tion. No. 44456, B.P.I. Inv. 51, p. 15. 1922.
Haematoxylon campechianum—
  injury by sapsuckers. Biol. Bul. 39, p. 44. 1911.
  See also Logwood.

INDEX TO PUBLICATIONS, 1901-1925   1101

Haemogamasus spp., description. Rpt. 108, pp. 74, 78. 1915.
Haemogregarines, description, occurrence, and transmission. B.A.I. An. Rpt., 1910, p. 491. 1912. B.A.I. Cir. 194, p. 491. 1912.
Haemonchus contortus—
   hematoxins, experimental results. J.A.R., vol. 22, pp. 418-420, 427. 1921.
   life history. B.A.I. An. Rpt., 1908, pp. 270-271. 1910; B.A.I. Cir. 157, pp. 2-3. 1910.
   See also Stomach worms.
Haemonogus contortus, description, occurrence in sheep, and treatment. F.B. 1150, pp. 38-42. 1920.
Haemosporida, description, occurrence and transmission. B.A.I. An. Rpt., 1910, pp. 488-492. 1912; B.A.I. Cir. 194, pp. 488-492. 1912.
Hagerstown—
   clay, soils of the eastern United States, uses. Jay A. Bonsteel. Soils Cir. 64, pp. 12. 1912.
   loam—
      areas, uses, and crop yields. Y.B., 1911, pp. 229-230, 236. 1912; Y.B. Sep. 563, pp. 229-230, 236. 1912.
      description, tests with slag fertilizer. D.B. 143, pp. 9, 11. 1914.
      soils of the eastern United States, uses. Jay A. Bonsteel. Soils Cir. 29, pp. 18. 1911.
      testing with vanillin in pots of wheat. D.B. 164, pp. 3-4. 1915.
   silty loam, effect of potash fertilizers, experiments. William Frear and E. S. Erb. J.A.R., vol. 15, pp. 59-81. 1918.
Hagerstown, Md., experiments against Lepidoptera species. J.A.R., vol. 18, pp. 475-481. 1920.
HAHN, C. S., report of Rampart Experiment Station, Alaska, 1921. Alaska A. R., 1921, pp. 33-44. 1923.
HAHN, G. G.—
   "A chlorosis of conifers corrected by spraying with ferrous sulphate." With others. J.A.R., vol. 21, No. 3, pp. 153-171. 1921.
   "A nursery blight of cedars." With others. J.A.R., vol. 10, pp. 533-540. 1917.
   "Hypertrophied lenticels on the roots of conifers and their relation to moisture and aeration." With others. J.A.R., vol. 20, pp. 253-266. 1920.
HAHN, W. L., explorations in Pribilof Islands. N.A. Fauna 46, p. 3. 1923.
Hahto soy bean, distribution and trial. An. Rpts., 1919, p. 158. 1920, B.P.I. Chief Rpt., 1919, p. 22. 1919.
Haiku substation—
   and demonstration farm. F. G. Krauss. Hawaii A.R., 1921, pp. 52-62. 1922.
   Hawaii, hog feeding, experiments and practices. Hawaii Bul. 48, pp. 3, 26-34. 1923.
Hail—
   damage, in dry farming. B.P.I. Bul. 188, p. 16. 1910.
   injury to fruit growing, Great Plains area. F.B 727, pp. 3, 6, 29-30. 1916.
   injury to stone fruits on the market. F.B. 1435, p. 10. 1924.
   insurance—
      companies, origin, development, and number. D.B. 912, pp. 2-11. 1920.
      laws, State. D.B. 912, pp. 6-10. 1920.
      on farm crops in the United States. V. N. Valgren. D.B. 912, pp. 32. 1920.
      risks and premiums, several States. D.B. 1043, p. 16. 1922.
      specifications in large-scale farm contract. D.C. 351, p. 32. 1925.
   losses caused by, 1909-1918. D.B. 1043, pp. 6, 7, 8, 9, 10, 11. 1922.
   prevention with explosives, study. An. Rpts., 1901, pp. 6-9. 1901.
   records, 1895-1914. At. Am. Agr. Adv. Sh., 5, Pt. II, Sec. A, p. 44. 1922.
   risks, amount and distribution in various States. D.B. 912, pp. 11-16, 25-29. 1920.
Hailstorms, injurious effects on beet seed. Y.B., 1909, p. 176. 1910; Y.B. Sep. 503, p. 176. 1910.
HAINES, G.: "Range investigations by experiment stations." With others. O.E.S. An. Rpt., 1922 pp. 113-126. 1924.

HAINESWORTH, R. G.—
   "A graphic summary of American agriculture." With others. Y.B., 1915, pp. 329-403. 1916; Y.B. Sep. 681, pp. 329-403. 1916.
   "A graphic summary of seasonal work on farm crops." With others. Y.B., 1917, pp. 537-589. 1918; Y.B. Sep. 758, pp. 55. 1918.
   "A graphic summary of world agriculture." With others. Y.B., 1916, pp. 531-553. 1917; Y.B. Sep. 713, pp. 23. 1917.
   "Seedtime and harvest." With others. D.C. 183, pp. 53. 1922.
Hair(s)—
   and scalp remedy, Swissco, misbranding. Chem., S.R.A. Sup. 2, pp. 104, 108-109. 1915.
   animal, imports, 1913-1915, and exports. Y.B., 1915, pp. 542, 548. 1916; Y.B. Sep. 685, pp. 542, 548. 1916.
   balls—
      formation from crimson clover hay, danger to livestock. F.B. 579, p. 5. 1914; F.B. 1125, rev., p. 34. 1920.
      in stomach of cattle, cause and description. B.A.I. Cir. 68, rev., p. 8. 1908; B.A.I. [Misc.], "Diseases of cattle," rev., p. 31. 1912.
   balsam, Wells, misbranding. Chem. N.J. 1228, pp. 2. 1912.
   cattle, description and uses. B.A.I. [Misc.], "Diseases of cattle," rev., pp. 332-334. 1912.
   certification and disinfection, regulations. Joint Order No. 1, pp. 4-5. 1916.
   coloring, misbranding, "Eau sublime." Chem. N.J. 434, pp. 2. 1910.
   damage by carpet beetles. F.B. 1346, pp. 1, 2, 4, 6, 7, 8. 1923.
   dye, misbranding, walnut oil. Chem. N.J. 1677, pp. 2. 1912.
   exports, 1922-1924. Y.B., 1924, p. 1043. 1925.
   food, misbranding. Chem. N.J. 3762, pp. 616-617. 1915.
   grass—
      silvery, description, and growth on prairie, eastern Puget Sound Basin, Wash. Soils F.O., 1909, p. 1544. 1912; Soil Sur. Adv. Sh., 1909, p. 32. 1911.
      slender, description, habits, and forage value. D.B. 545, pp. 17-19, 58, 59. 1917.
      tufted, description, habits, and forage value. D.B. 545, pp. 16-17, 58, 59. 1917; D.B. 772, pp. 13, 114-116. 1920.
   grower, misbranding (Mrs. Gervaise Graham's Cactico). Chem. N.J. 715, pp. 2. 1911.
   imports—
      1907-1909, value, by countries from which consigned. Stat. Bul. 82, p. 27. 1910.
      1910, quantity and value, by countries from which consigned. Stat. Bul. 90, pp. 27, 28-29. 1911.
      1911-1913, and exports. Y.B., 1913, pp. 494, 501. 1914; Y.B. Sep. 361, pp. 494, 501. 1914.
      1918, and exports, statistics. Y.B., 1918, pp. 628, 636. 1919; Y.B. Sep. 794, pp. 4, 12. 1919.
      1922-1924. Y.B., 1924, p. 1061. 1925.
   plant, detection in adulterated drugs. Chem. Bul. 122, pp. 138, 139. 1909.
   reindeer, utilization. D.B. 1089, p. 17. 1922.
   stinging, characteristics of certain beans. B.P.I. Bul. 179, pp. 9-10, 15. 1910.
   stock in United States, June 30, 1918. News L., vol. 5, No. 52, p. 10. 1918.
   structure, uses in animal body. B.A.I. [Misc.], "Diseases of cattle," rev., p. 321. 1912.
   tonic—
      misbranding—
         Fagrets'. Chem. N.J. 1673, p. 1. 1912.
         (Mexican). Insect. N.J. 111, Insect. S.R.A. 5, p. 77. 1914.
      quinine, misbranding. Chem. N.J. 2567, pp. 2. 1913.
   wheat in flour, significance in microscopical examination of. George L. Keenan. D.B. 1130, pp. 8. 1923.
Hairbird—
   protection by law. Biol. Bul. 12, rev., pp. 38, 40. 1902.
   See also Sparrow, chipping.
Hairweed. *See* Dodder.

Hairworm—
   cabbage. F. H. Chittenden. Ent. Cir. 62, rev., pp. 6. 1905.
   parasites of codling-moth larvae, description and number. D.B. 189, pp. 47–48. 1915.
Hairy—
  root—
   aerial form, stem tumors. B.P.I. Cir. 3, p. 11. 1908.
   and crown gall—
    diseases of the apple tree. George G. Hedgcock. B.P.I. Bul. 90, Pt. II, pp. 7. 1906.
    of the apple tree, field studies. George G. Hedgcock. B.P.I. Bul. 186, pp. 108. 1910.
   apple—
    inoculations on various plants. B.P.I. Bul. 213, pp. 101–105. 1911.
    tree, studies. B.P.I. Bul. 186, pp. 32–41. 1910; B.A.I. Bul. 90, pp. 1–7. 1906.
   beet disease. See Curly-top.
   communicability of the disease in orchard and nursery, experiments. B.P.I. Bul. 186, pp. 48, 51, 53, 54. 1910.
   development, experiments. B.P.I. Bul. 186, pp. 16–30, 71. 1910.
   history, distribution, and description. B.P.I. Bul. 186, pp. 11, 12, 13, 14–15. 1910.
   relation of crown gall. B.P.I. Bul. 213, pp. 100–105. 1911.
   See also Crown gall.
   vetch. See Vetch.
Haiti—
   coffee production—
    1916. Sec. [Misc.], Spec. "Geography * * * world's agriculture," p. 94. 1917.
   exports. Stat. Bul. 79, pp. 10, 53–55. 1912.
   honey, importation into United States, analysis and composition. Chem. Bul. 154, pp. 7–9, 11–12, 13–16. 1912.
   road-building rock tests, results. D.B. 1132, p. 45. 1923.
Hake, cold-storage holdings, 1918, by months. D.B. 792, pp. 35–37. 1919.
Hakea—
   rostrata, importation and descriptions. No. 45868, B.P.I. Inv. 54, p. 33. 1922; No. 46357, B.P.I. Inv. 56, p. 11. 1922.
   spp., importations and description. Nos. 40047–40053, B.P.I. Inv. 42, pp. 59–60. 1918; Nos. 42600–42604, B.P.I. Inv. 47, pp. 35–36. 1920.
Halacarus spp., description. Rpt. 108, p. 55. 1915.
HALBERSLEBEN, D. L.—
   "Influence of the specific gravity of hens' eggs on fertility, hatching power, and growth of chicks." With F. E. Mussehl. J.A.R., vol. 23, pp. 717–720. 1923.
   "Nutrient requirements of growing chicks: Nutritive deficiencies of corn." With others. J.A.R., vol. 22, pp. 139–149. 1921.
HALE, HARRISON: "Feeding chlorinated milk to the albino rat." With J. W. Read. J.A.R., vol. 30, pp. 889–892. 1925.
HALE, H. M.—
   "Consumption of tanbark in 1905." For. Cir. 42, pp. 4. 1906.
   "Cross-ties purchased by the steam railroads of the United States in 1905." For. Cir. 43, pp. 6. 1906.
   "Forest products of the United States." With R. S. Kellogg. For. Bul. 74, pp. 69. 1907.
   "Wood used for distillation in 1905." For. Cir. 50, pp. 3. 1906.
   "Wood used for pulp in 1905." For. Cir. 44, pp. 11. 1906.
   "Wood used for tight cooperage stock in 1905." For. Cir. 53, pp. 8. 1907.
   "Wood used for veneer in 1905." For. Cir. 51, pp. 4. 1906.
HALE, W. R.—
   "The open shed compared with the closed barn for dairy cows." With others. D.B. 736, pp. 15. 1918.
   "Values of various new feeds for dairy cows." With others. D.B. 1272, pp. 16. 1924.
Halesia carolina—
   injury by sapsuckers. Biol. Bul. 39, p. 49. 1911.
   monticola. See also Silverbell, mountain.
Haliaeetus spp. See Eagle.

Halibut—
   catch and waste, Pacific coast. D.B. 150, pp. 69–70. 1915.
   catching, packing, and shipping to market. Y.B., 1915, pp. 155–158. 1916; Y.B. Sep. 665, pp. 155–158. 1916.
   cold storage holdings, 1918, by months. D.B. 792, pp. 40–41. 1919.
Halimodendron halodendron—
   hedge plant from China. Inv. No. 30415, B.P.I. Bul. 233, p. 85. 1912.
   See also Salt tree.
Halisidota caryae—
   control and life history. F.B. 1270, pp. 48–49. 1922.
   spraying experiments. D.B. 278, pp. 14–15. 1915.
   See also Moth, hickory tiger.
HALL, A. G.: "Drainage of Jefferson County, Tex." With others. D.B. 193, pp. 40. 1915.
HALL, E. C.: "Soil survey of—
   Cowley County, Kans." With others. Soil Sur. Adv. Sh., 1915, pp. 46. 1917; Soils F.O., 1915, pp. 1921–1962. 1919.
   Early County, Ga." With David D. Long. Soil Sur. Adv. Sh., 1918, pp. 43. 1921; Soils F.O., 1918, pp. 419–457. 1924.
   Habersham County, Ga." With David D. Long. Soil Sur. Adv. Sh., 1913, pp. 48. 1915; Soils F.O., 1913, pp. 401–444. 1916.
   Hillsborough County, Fla." With others. Soil Sur. Adv. Sh., 1916, pp. 42. 1918; Soils F.O., 1916, pp. 749–786. 1921.
   Jeff Davis County, Ga." With others. Soil Sur. Adv. Sh., 1913, pp. 34. 1914; Soils F.O., 1913, pp. 445–474. 1916.
   Laclede County, Mo." With others. Soil Sur. Adv. Sh., 1911, pp. 45. 1912; Soils F.O., 1911, pp. 1635–1675. 1914.
   Laurens County, Ga." With others. Soil Sur. Adv. Sh., 1915, pp. 41. 1916; Soils F.O., 1915, pp. 621–657. 1919.
   Mahaska County, Iowa." With J. Ambrose Elwell. Soil Sur. Adv. Sh., 1919, pp. 40. 1922; Soils F.O., 1919, pp. 1543–1578. 1925.
   Mississippi County, Ark." With others. Soil Sur. Adv. Sh., 1914, pp. 42. 1916; Soils F.O., 1914, pp. 1329–1362. 1919.
   Oconee, Morgan, Greene, and Putnam Counties, Ga." With others. Soil Sur. Adv. Sh., 1919, pp. 61. 1922; Soils F.O., 1919, pp. 889–945. 1925.
   Orangeburg County, S. C." With others. Soil Sur. Adv. Sh., 1913, pp. 39. 1915; Soils F.O., 1913, pp. 267–301. 1916.
   Pike County, Mo." With A. T. Sweet. Soil Sur. Adv. Sh., 1912, pp. 44. 1914; Soils F.O., 1912, pp. 1711–1750. 1915.
   Ringgold County, Iowa." With W. E. Tharp and F. B. Howe. Soil Sur. Adv. Sh., 1916, pp. 29. 1918; Soils F.O., 1916, pp. 1905–1929. 1921.
   Roger Mills County, Okla." With others. Soil Sur. Adv. Sh., 1914, pp. 32. 1916; Soils F.O., 1914, pp. 2137–2164. 1919.
   St. Johns County, Fla." With others. Soil Sur. Adv. Sh., 1917, pp. 37. 1920; Soils F.O., 1917, pp. 665–697. 1923.
   Stewart County, Ga." With others. Soil Sur. Adv. Sh., 1913, pp. 66. 1915; Soils F.O., 1913, pp. 545–606. 1916.
   Stoddard County, Mo." With others. Soil Sur. Adv. Sh., 1912, pp. 38. 1914; Soils F.O., 1912, pp. 1751–1784. 1915.
   Turner County, Ga." With David D. Long. Soil Sur. Adv. Sh., 1915, pp. 28. 1916; Soils F.O., 1915, pp. 659–682. 1919.
   Wapello County, Iowa." With E. I. Angell. Soil Sur. Adv. Sh., 1917, pp. 43. 1919; Soils F.O., 1917, pp. 1751–1789. 1923.
HALL, F. H.: "The Farmers' Institute with relation to normal schools." O.E.S. Bul. 213, pp. 51–53. 1909.
HALL, L. D.—
   "Cooperative livestock shipping associations." With S. W. Doty. F.B. 718, pp. 16. 1916.
   "Federal supervision of livestock markets." Y.B., 1919, pp. 239–248. 1920; Y.B., Sep. 809, pp. 239–248. 1920.
   "Methods and cost of marketing livestock and meats." With others. Rpt. 113, pp. 98. 1916.

HALL, M. B.: "The distribution of northwestern boxed apples." With others. D.B. 935, pp. 27. 1921.
HALL, M. C.—
"A comparative study of methods of examining feces for evidences of parasitism." B.A.I. Bul. 135, pp. 36. 1911.
"A test of raw onions in the diet as a control measure for worms in dogs." With others. J.A.R., vol. 30, pp. 155-159. 1925.
"Carbon tetrachlorid for the removal of parasitic worms, especially hookworms." J.A.R., vol. 21, No. 2, pp. 157-175. 1921.
"Carbon trichloride as an anthelmintic and the relation of its solubility to anthelmintic efficacy." With Eloise B. Cram. J.A.R., vol. 30, pp. 949-953. 1925.
"Critical tests of miscellaneous anthelmintics." With Jacob E. Shillinger. J.A.R., vol. 29, pp. 313-332. 1924.
"Efficacy of some anthelmintics." With Winthrop D. Foster. J.A.R., vol. 12, pp. 397-447. 1918.
"Gastrointestinal parasites." B.A.I., [Misc.], "Diseases of the horse," rev., pp. 90-94. 1916; rev., pp. 90-94. 1923.
"Methods for the eradication of gid." B.A.I. Cir. 165, pp. 29. 1910.
"Miscellaneous tests of carbon tetrachlorid as an anthelmintic." With Jacob E Shillinger. J.A.R., vol. 23, pp. 163-192. 1923.
"Our present knowledge of the distribution and importance of some parasitic diseases of sheep and cattle in the United States." B.A.I. An. Rpt., 1910, pp. 419-463. 1912; B.A.I. Cir. 193, pp. 44. 1912.
"Parasites and parasitic diseases of dogs." D.C. 338, pp. 28. 1925.
"Parasites and parasitic diseases of sheep." F.B. 1150, pp. 53. 1920; F.B. 1330, pp. 54. 1923.
"Some important facts in the life history of the gid parasite and their bearing on the prevention of the disease." B.A.I. Cir. 159, pp. 7. 1910.
"Some laboratory methods for parasitological in, vestigations." With Eloise B. Cram. J.A.R., vol. 30, pp. 773-776. 1925.
"Test of raw onions in the diet as a control measure for worms in dogs." With others. J.A.R., vol. 30, pp. 155-159. 1925.
"The action of anthelmintics on parasites located outside of the alimentary canal." With Brayton Howard Ransom. B.A.I. Bul. 153, pp. 23. 1912.
"The dog as a carrier of parasites and disease." D.B. 260, pp. 27. 1915.
"The gid parasite and allied species of the cestode genus *Multiceps*. Pt. I." B.A.I. Bul. 125, pp. 68. 1910.
"The sheep industry." With others. Y.B., 1923, pp. 229-310. 1924; Y.B. Sep. 894, pp. 229-310. 1924.
HALL, M. R.: "The relation of the southern Appalachian Mountains to the development of water power." With others. For. Cir. 144, pp. 54. 1908.
HALL, R. H.: "Soil survey of—
Callaway County, Mo." With others. Soil Sur. Adv. Sh., 1916, pp. 38. 1919; Soils F.O., 1916, pp. 1971-2004. 1921.
Cowley County, Kans." With others. Soil Sur. Adv. Sh., 1915, pp. 46. 1917; Soils F.O., 1915, pp. 1921-1962. 1919.
HALL, S. A.: "The manufacture of Camembert cheese." With Kenneth J. Matheson. D.B. 1171, pp. 28. 1923.
HALL, W. L.—
"Forest extension in the middle West." Y.B., 1900, pp. 145-156. 1901; Y.B. Sep. 212, pp. 145-156. 1901.
"Practicability of forest planting in the United States." Y.B., 1902, pp. 133-144. 1903; Y.B. Sep. 270, pp. 133-144. 1903.
"Progress in saving forest waste." Y.B., 1910, pp. 255-264. 1911; Y.B. Sep. 534, pp. 255-264. 1911.
"Surface conditions and stream flow." With Hu Maxwell. For. Cir. 176, pp. 16. 1910.
"The forests of the Hawaiian Islands." For. Bul. 48, pp. 29. 1904.

HALL, W. L.—Continued.
"The hardy catalpa." With Hermann Von Schrenk. For. Bul. 37, pp. 58. 1902.
"The timber resources of Nebraska." Y.B., 1901, pp. 207-216. 1902; Y.B. Sep. 236, pp. 207-216. 1902.
"The waning hardwood supply and the Appalachian forests." For. Cir. 116, pp. 16. 1907.
"Tree planting on rural school grounds." F.B. 134, pp. 32. 1901.
"Uses of commercial woods of the United States: Pt. 1. Cedars, cypresses, and sequoias." With Hu Maxwell. For. Bul. 95, pp. 62. 1911.
"Uses of commercial woods of the United States: Pt. II. Pines." With Hu Maxwell. For. Bul. 99, pp. 96. 1911.
HALLER, C. R.: "Foreign material in spring wheat." With R. H. Black. F.B. 1287, pp. 22. 1922.
HALLIGAN, J. E.: "Sugar and molasses." With C. A. Browne. Chem. Bul. 116, pp. 68-76. 1908.
"Hallimasch." *See* Mushroom, honey.
HALLOCK, D. J.: "Soil survey of Ontario County, New York." With others. Soil Sur. Adv. Sh., 1910, pp. 55. 1912; Soils F.O., 1911, pp. 93-143. 1912.
Hall's catarrh medicine, misbranding. Chem. N.J. 11491. 1923.
HALLSTED, A. L.: "Methods of winter-wheat production at the Fort Hays branch station." With John S. Cole. D.B., 1094, pp. 31, 1922.
Halo-blight—
oat, description, spread, and control. Charlotte Elliott. J.A.R., vol. 19, pp. 139-172. 1920.
plants susceptible, other than oats. J.A.R., vol. 19, p. 162. 1920.
Halogens, testing for volatility and toxicity. J.A.R. vol. 10, pp. 366-371. 1917.
Halos, sun and moon, weather indications, proverbs. Y.B., 1912, pp. 376-377. 1913; Y.B. Sep. 599, pp. 376-377. 1913.
HALPIN, J. G.: "Observations on an outbreak of favus." With B. A. Beach. J.A.R., vol. 15, pp. 415-418. 1918.
Halstad dairy farms, Minnesota, cost of producing dairy products. Stat. Bul. 88, pp. 1-84. 1911.
Halter—
pulling, signs for detection. F.B. 779, p. 3. 1917.
rope, directions for making. F.B. 1135, pp. 10-11. 1920.
Haltica chalybea. *See* Altica sp.; Flea beetle.
Halticus citri—
alfalfa enemy, history, habits, injuries, and control. D.B. 964, pp. 27. 1921.
See also Flea-hopper, garden.
Ham(s)—
adulteration. Chem. N.J. 3792, p. 349. 1915.
analyses, sound and sour, comparison. B.A.I. Bul. 132, pp. 18-19. 1911.
and cheese maggot, enemy of stored products. Hawaii A.R., 1907, p. 48. 1908.
and shoulders, exports, statistics. Y.B., 1921, p. 759. 1922; Y.B. Sep. 867, p. 23. 1922.
beetle—
control suggestions. J.A.R., vol. 30, pp. 859-861. 1925.
Necrobia rufipes, study. Perez Simmons and George W. Ellington. J.A.R., vol. 30, pp. 845-863. 1925.
canned, composition and characteristics. Chem. Bul. 13, Pt. X, pp. 1438-1441. 1902.
choice, preparation, curing, and cooking. F.B. 479, pp. 19-22. 1912.
commercial stocks in the United States, Aug. 31, 1917. Sec. Cir. 101, pp. 1-6. 1918.
cooking directions. F.B. 1186, p. 26. 1921.
curing—
for destruction of trichinae. D.B. 880, pp. 22-26. 1920.
methods—
and brine formula. News L., vol. 6, No. 20, p. 8. 1918.
and care. B.A.I. Bul. 132, pp. 8-10. 1911.
with sugar and with substitutes, experiments. D.B. 928, pp. 4-12. 1920.
Denmark, imports and exports. B.A.I. An. Rpt., 1906, pp. 245-246. 1908.
examination, microscopical, bacteriological, and chemical. B.A.I. Bul. 132, pp. 15-16. 1911.

Ham(s)—Continued.
exports—
1902-1904. Stat. Bul. 36, p. 38. 1905.
by destinations, 1919-1924. Y.B., 1924, p. 925. 1925.
from Denmark. Rpt. 109, pp. 74, 75, 220, 230. 1916.
infection with souring bacillus, methods, discussion. B.A.I. Bul. 132, pp. 33-42. 1911.
package form, notice of hearing. Chem. S.R.A. 16, p. 26. 1916.
pickle-cured, records of treatment. D.B. 1086, pp. 18-19. 1922.
pork, cutting methods. D.C. 300, p. 6. 1924.
prices, 1913-1924. Y.B., 1924, p. 918. 1925.
pumping needle, description, possible infection with souring bacillus. B.A.I. Bul. 132, pp. 9, 41-42. 1911.
Smithfield—
curing methods, and preservatives. F.B. 913, p. 18. 1917.
preparation. F.B. 479, p. 21. 1912.
sour, causes, cooperative studies. News L., vol. 2, No. 48, pp. 6-7. 1915.
souring—
bacillus, transmission methods, discussion. B.A.I. Bul. 132, pp. 33-42. 1911.
bacteriological study. C.N. McBryde. B.A.I. Bul. 132, pp. 55. 1911.
investigations. B.A.I.S.R.A. 212, p. 126. 1925.
prevention, suggestions. B.A.I. Bul. 132, pp. 50-53. 1911.
statistics, 1901-1903. B.A.I. Bul. 47, pp. 259-278. 1904.
thermometer, description, use, possible infection with souring bacillus. B.A.I. Bul. 132, pp. 8-9, 35-41. 1911.
trier, description, and use in detection of sour hams. B.A.I. Bul. 132, p. 12. 1911.
with cream sauce, recipe for making. F.B. 391, p. 27. 1910.
wrapped, not considered in "package form." Chem. S.R.A. 21, p. 74. 1918.
Hamamelis virginianum. See Witch-hazel.
HAMBLETON, JAMES I.: "The effect of weather upon the change in weight of a colony of bees during the honey flow." D.B. 1339, pp. 52. 1925.
Hamburg steak, cooking, recipe. F.B. 391, p. 33. 1910.
HAMILTON, D. J., experiments with tubercle bacilli. B.A.I. An. Rpt., 1906, p. 118. 1908.
HAMILTON, H. E.: "Soil survey of Henry County, Tenn." With others. Soil Sur. Adv. Sh., 1922, pp. 77-109. 1925.
HAMILTON, JOHN—
"Agricultural fair associations and their utilization in agricultural education and improvement." O.E.S. Cir. 109, pp. 23. 1911.
"Agricultural instruction for adults in continental countries." O.E.S. Bul. 163, pp. 32. 1905.
"Agricultural instruction for adults in the British Empire." O.E.S. Bul. 155, pp. 96. 1905.
"Cooperative credit associations." O.E.S. Bul. 256, pp. 36-41. 1913.
"Farmers' institute and agricultural extension work in the United States in 1913." D.B. 83, pp. 41. 1914.
"Farmers' institute work in the United States, 1923." An. Rpts., 1923, p. 567. 1923; S.R.S. An. Rpt., 1923, p. 15. 1923.
"Farmers' institutes and agricultural extension work in the United States, 1911." O.E.S. An. Rpt., 1911, pp. 343-388. 1912.
"Farmers' institutes and agricultural extension work in the United States, 1912." O.E.S. An. Rpt., 1912, pp. 333-383. 1913.
"Farmers' institutes for women." O.E.S. Cir. 85, pp. 16. 1909.
"Farmers' institutes for young people." With J. M. Stedman. O.E.S. Cir. 99, pp. 40. 1910.
"Farmers' institutes in the United States, 1903." O.E.S. Doc. 711, pp. 20. 1904.
"Form of organization for farmers' institutes." O.E.S. Bul. 165, pp. 78-94. 1907.
"Form of organization for movable schools of agriculture." O.E.S. Cir. 79, pp. 8. 1908.
"History of farmers' institutes in the United States." O.E.S. Bul. 174, pp. 96. 1906.
"Legislation relating to farmers' institutes in the United States." O.E.S. Bul. 241, pp. 47. 1911.

HAMILTON, JOHN—Continued.
"Legislation relating to farmers' institutes in the United States and the Province of Ontario, Canada." O.E.S. Bul. 135, pp. 35. 1903.
"List of State directors of farmers' institutes and farmers' institute lecturers of the United States." O.E.S. Cir. 51, pp. 14. 1903; rev., pp. 23. 1904; rev., pp. 32. 1905; O.E.S. Cir. 114, pp. 14. 1911; rev., pp. 13. 1913.
"Progress in agricultural education extension." O.E.S. Cir. 98, pp. 12. 1910.
"Syllabus of illustrated lecture on farm homes." With George Nox McCain. O.E.S. F.I.L. 12, pp. 25. 1912.
"The farmers' institutes"—
1903. Y.B., 1903, pp. 149-158. 1904; Y.B. Sep. 312, pp. 149-158. 1904.
1907. O.E.S. An. Rpt., 1907, pp. 307-354. 1908.
1908. O.E.S. An. Rpt., 1908, pp. 289-335. 1909.
1909. With J. M. Stedman. O.E.S. An. Rpt., 1909, pp. 327-359. 1910.
1910. O.E.S. An. Rpt., 1910, pp. 387-424. 1911.
"The occurrence of lactase in the alimentary tract of the chicken." With H. H. Mitchell. J.A.R., vol. 27, pp. 605-608. 1924
"The status of agricultural extension in the United States and in other countries." O.E.S. Bul. 231, pp. 20-30. 1910.
"The transportation companies as factors in agricultural extension." O.E.S. Cir. 112, pp. 14. 1911.
HAMILTON, T. S.: "The utilization of lactose by the chicken." With L. E. Card. J.A.R., vol. 27, pp. 597-604. 1924.
Hamilton, Ohio, milk supply, statistics, officials, and prices. B.A.I. Bul. 46, pp. 42, 141. 1903.
Hamitermes tubiformans, occurrence and habits. D.B. 333, pp. 12-13. 1916.
HAMMAR, A. G.—
"Life history of the codling moth in northwestern Pennsylvania." Ent. Bul. 80, Pt. VI, pp. 71-111. 1910.
"Life-history studies on the codling moth in Michigan." Ent. Bul. 115, Pt. I, pp. 86. 1912.
"The cigar casebearer." Ent. Bul. 80, Pt. II, pp. 33-44. 1909.
"The grape-berry moth." With Fred Johnson. Ent. Bul. 116, Pt. II, pp. 15-71. 1912.
"The grape root-worm, with special reference to investigations in the Erie grape belt from 1907-1909." With Fred Johnson. Ent. Bul. 89, pp. 100. 1910.
HAMMATT, R. F.: "Forestry and agriculture." For. [Misc.], "Forestry and * * *," pp. 4. 1919.
HAMMETT, F. S.: "Reactions of the phosphorus o the thickened root of the flat turnip." With others. J.A.R., vol. 11, pp. 359-370. 1917.
Hammock lands, description—
and vegetation, Ocala area, Florida. Soil Sur. Adv. Sh., 1912, pp. 21-22, 24, 44, 52. 1913; Soils F.O., 1912, pp. 685-686, 688. 708, 716. 1915.
in Bienville Parish, La. Soil Sur. Adv. Sh., 1908, p. 22. 1909; Soils F.O., 1908, p. 860. 1911.
HAMMON, J. B.: "Soil survey of the—
El Centro area, California." With others. Soil Sur. Adv. Sh., 1918, pp. 59. 1922; Soils F.O., 1918, pp. 1633-1687. 1924.
Grass Valley area, California." With E. B. Watson. Soil Sur. Adv. Sh., 1918, pp. 40. 1921; Soils F. O., 1918, pp. 1689-1724. 1924.
HAMMOND, W. F.: "A note on the feeding value of coconut and peanut meals for horses." With George M. Rommel. B.A.I. Cir. 168, pp. 2. 1911.
Hampers—
peach, used in shipping. F.B. 1266, pp. 14-15. 1922.
potatoes, objections to. F.B. 1050, p. 15. 1919.
shapes and sizes, variation, need of standard. F.B. 1434, pp. 11-12. 1924.
sizes recommended by the Bureau of Markets. F.B. 1196, pp. 14-16. 1921.
sweet potato, description. D.B. 1206, p. 23. 1924.
Hampton Institute, Va.—
aid to extension work among negroes. D.C. 190, pp. 3, 9, 19. 1921.
instruction in agriculture. Y.B., 1907, pp. 210-211. 1908; Y.B. Sep. 445, pp. 210-211. 1908.

HAND, W. F., report as referee on phosphoric acid. Chem. Bul. 132, pp. 7-16. 1910.
Hand—
grenade extinguishers, description, and use in control of farm fires. F.B. 904, p. 15. 1918.
picking—
cutworm control. D.B. 703, p. 12. 1918.
ineffectiveness in boll-weevil control. F.B. 1262, pp. 26-27. 1922.
HANBURY, D. T., explorations in Athabaska-Mackenzie region, 1899-1902. N.A. Fauna 27, pp. 83-84. 1908.
Hancock project, irrigation in North Dakota, proposed work. O.E.S. Bul. 219, p. 27. 1909.
Handbook—
agricultural statistics for field agents. Crop Est. [Misc.], "Field agents * * *," pp. 116. 1914.
cheese inspection under food products inspection law. C. W. Fryhofer and Roy C. Potts. Sec. Cir. 157, pp. 16. 1923.
forest-fire prevention, for school children of California. M.C. 7, pp. 24. 1923.
woodsman's. Henry Solon Graves. For. Bul. 36, Pt. I, pp. 148. 1902; Pt. II, pp. 148. 1902.
Handicraft(s)—
clubs, farm and home. O. H. Benson. S.R.S. Doc. 26, pp. 3. 1915.
farm—
and home, clubs, demonstrations and results. D.C. 152, p. 30. 1921.
exercises for rural schools. H. O. Sampson. D.B. 527, pp. 38. 1917.
gainful, farm women. Rpt. 106, pp. 20-21, 43, 49. 1915.
Handle(s)—
ash, prices and marketing of raw material. D.B. 523, pp. 28-29, 48, 49. 1917.
implement, injury by powder-post beetles. F.B. 778, pp. 4-8. 1917.
manufacture, utilization of sycamore. D.B. 884, pp. 9, 10, 16, 24. 1920.
stock—
hardwood trees most valuable for. F.B. 1123, p. 4. 1921.
insect injury, cause and prevention. Ent. Cir. 128, pp. 2, 3, 5, 6. 1910.
specifications, and species most in demand. F.B. 715, pp. 6, 33. 1916.
woods in demand by manufacturers. Y.B., 1914, p. 449. 1915; Y.B. Sep. 651, p. 449. 1915.
tool, bamboo for. D.B. 1329, p. 18. 1925.
use of—
hickory wood. For. Cir. 187, p. 4. 1911.
maple in manufacture. D.B. 12, pp. 40-41, 54, 56. 1913.
wood in Arkansas. For. Bul. 106, p. 15. 1912.
Handling—
strawberries, importance and effect in rhizopus control. D.B. 686, pp. 2-3. 1918.
sweet potato, care requirements, and methods. F.B. 714, p. 25. 1916.
Hands, harvest labor, classes, sources, and characteristics. D.B. 1020, pp. 15-22 1922.
HANDY, R. B.: "List by titles of publications of the United States Department of Agriculture from 1840 to June, 1901, inclusive." With Minna A. Cannon. Pub. Bul. 6, pp. 216. 1902.
HANFORD, C. H. (Judge), decision on misbranding of canned apricots. Chem. N.J. 112-116. 1909.
HANNA, G. D., explorations in Pribilof Islands. N.A. Fauna 46, pp. 3, 4. 1923.
HANSEN, A. A.—
"Canada thistle and methods of eradication." F.B. 1002, pp. 15. 1918.
"Chicory: Control and eradication." D.C. 108, pp. 4. 1920.
"Cocklebur." D.C. 109, pp. 6. 1920.
"Dodder." F.B. 1161, pp. 21. 1920.
"Eradication of Bermuda grass." F.B. 945, pp. 12. 1918.
"Lawn penny wort: A new weed." D.C. 165, pp. 6. 1921.
"Poison ivy and poison sumac and their eradication." With C. V. Grant. F.B. 1166, pp. 16. 1920.
"The hawkweeds, or paintbrushes." D.C. 130, pp. 7. 1920.

HANSEN, A. W. "Effects of time and temperature of digestion on acidity and nitrous nitrogen of flour." With A. L. Winton. Chem. Bul. 152, pp. 114-116. 1912.
HANSEN, DAN—
"Experiments in the production of crops on alkali land on the Huntley reclamation project, Montana." D.B. 135, pp. 19. 1914.
"The work of the Huntley Reclamation Project Experiment Farm in—
1912." B.P.I. Cir. 121, pp. 19-28. 1913.
1913." B.P.I. [Misc.], "The work of the Huntley * * *, 1913," pp. 14. 1914.
1914." W.I.A. Cir. 2, pp. 23. 1915.
1915." W.I.A. Cir. 8, pp. 24. 1916.
1916." W.I.A. Cir. 15, pp. 25. 1917.
1917." W.I.A. Cir. 22, pp. 29. 1918.
1918." D.C. 86, pp. 32. 1920.
1919." D.C. 147, pp. 27. 1921.
1920." D.C. 204, pp. 31. 1921.
1921." D.C. 275, pp. 27. 1923.
1922." D.C. 330, pp. 32. 1925.
HANSEN, N. E.—
alfalfa explorations in Siberia, 1908. Rpt. 87, pp. 23-24. 1908.
explorations for securing rare seeds and plants. B.P.I. Cir. 100, p. 18. 1912.
kaoliang introductions, notes. B.P.I. Bul. 253, pp. 31, 37-39, 43. 1913.
"The wild alfalfas and clovers of Siberia, with a perspective view of the alfalfas of the world." B.P.I. Bul. 150, pp. 31. 1909.
HANSEN, ROY: "Nodule bacteria of leguminous plants." With F. Löhnis. J.A.R., vol. 20, pp. 543-556. 1921.
HANSON, C. H.: "A successful rural cooperative laundry." Y.B., 1915, pp. 189-194. 1916; Y.B. Sep. 668, pp. 189-194. 1916.
HANSON, K. B.: "Anthelmintic efficiency of carbon tetrachlorid in the treatment of foxes." With H. L. Van Volkenberg. J.A.R., vol. 28, pp. 331-337. 1924.
HANSON, L. P.: "Soil survey of Portage County, Wisconsin." Soil Sur. Adv. Sh., 1915, pp. 52. 1917; Soils F.O., 1915, pp. 1489-1536. 1919.
HANSON, PETER: "Soil survey of Pottawattamie County, Iowa." With others. Soil Sur. Adv. Sh., 1914, pp. 30. 1916; Soils F.O., 1914, pp. 1885-1910. 1919.
HANSON, W. K.: "Report on investigations of the pink bollworm of cotton in Mexico." With others. D.B. 918, pp. 64. 1921.
Hanus iodin solution, use in analyses of oils, preparation. Chem. Bul. 77, pp. 21, 22, 23, 24, 25. 1905.
HANZAWA, J., studies of Rhizopus nigricans. D.B. 531, pp. 4-6, 7. 1917.
Haplomys spp., key and description. N.A. Fauna 28, pp. 228-252. 1909.
Haplophyton cimicidum, description and importation. No. 29503, B.P.I. Bul. 233, p. 28. 1912.
Hapu. See Tree fern.
HARASZTHY, AGOSTIN, introduction of raisin into California. D.B. 349, p. 1. 1916.
HARBAUGH, W. H.—
"Diseases of the heart, blood vessels, and lymphatics." B.A.I. [Misc.], "Diseases of cattle," rev., pp. 70-84. 1904; rev., pp. 70-84. 1908; rev., pp. 71-85. 1912; rev., pp. 73-86. 1923.
"Diseases of the nervous system." B.A.I. [Misc.], "Diseases of cattle," rev., pp. 99-110. 1904; rev., pp. 99-110. 1908; rev., pp. 101-112. 1912; rev., pp. 101-112. 1923.
"Diseases of the respiratory organs." B.A.I. [Misc.], "Diseases of the horse," rev., pp. 104-141. 1903; rev., pp. 104-141. 1907; rev., pp. 104-141. 1911; rev., pp. 95-133. 1916; rev., pp. 95-133. 1923.
Harbors, village, planning. F.B. 1441, p. 7.1925.
HARCOURT, R.: "The separation of vegetable proteids." Chem. Bul. 137, pp. 149-151. 1911; Chem. Bul. 81, pp. 93-103. 1904.
HARD, H. A.: "Soil survey of Barnes County, N. Dak." With others. Soil Sur. Adv. Sh., 1912, pp. 47. 1914; Soils F.O., 1912, pp. 1921-1963. 1915.
Hardening plants, relation to frost injury. J.A.R., vol. 15, pp. 83-112. 1918.

Hard-hack, description, eastern Puget Sound Basin, Wash. Soil Sur. Adv. Sh., 1909, p. 30. 1911; Soils F.O., 1909, p. 1542. 1912.
HARDIN, G. H.: "Influence of salts of the alkalis on the optical determination of sucrose." With C. A. Browne. Chem. Bul. 137, pp. 167-168. 1911.
Hardiness, plant, factors, discussion. J.A.R., vol. 15, pp. 93-94. 1918.
HARDING, H. A.: "Bang method of control of tuberculosis." O.E.S. Bul. 212, pp. 98-101. 1909.
HARDING, President—
proclamation on Arbor Day, 1922. D.C. 265, pp. 10-11. 1923.
visit to Alaska stations. Alaska A.R., 1923, p. 1. 1925.
HARDING, T. S.: "The chemical composition of American grapes grown in the Central and Eastern States." With others. D.B. 452, pp. 20. 1916.
HARDISON, R. B.: "Soil survey of—
Ashe County, N. C." With S.O. Perkins. Soil Sur. Adv. Sh., 1912, pp. 32. 1914; Soils F.O., 1912, pp. 341-368. 1915.
Bladen County, N. C." With others. Soil Sur. Adv. Sh., 1914, pp. 35. 1915; Soils F.O., 1914, pp. 623-653. 1919.
Bullock County, Ga." With others. Soil Sur. Adv. Sh., 1910, pp. 52. 1911; Soils F.O., 1910, pp. 453-500. 1912.
Columbus County, N. C." With others. Soil Sur. Adv. Sh., 1915, pp. 42. 1917; Soils F.O., 1915, pp. 423-460. 1919.
Davidson County, N.C." With L. L. Brinkley. Soil Sur. Adv. Sh., 1915, pp. 39. 1917; Soils F.O. 1915, pp. 461-495. 1917.
Granville County, N. C." With David D. Long. Soil Sur. Adv. Sh., 1910, pp. 44. 1912; Soils F.O., 1910, pp. 341-380. 1912.
Halifax County, N. C." With L. L. Brinkley. Soil Sur. Adv. Sh., 1916, pp. 47. 1918; Soils F.O., 1916, pp. 343-385. 1921.
Orangeburg County, S. C." With others. Soil Sur. Adv. Sh., 1913, pp. 39. 1915; Soils F.O., 1913, pp. 267-301. 1916.
Pender County, N. C." With others. Soil Sur. Adv. Sh., 1912, pp. 45. 1914; Soils F.O., 1912, pp. 369-409. 1915.
Pitt County, N. C." With others. Soil Sur. Adv. Sh., 1909, pp. 35. 1910; Soils F.O., 1909, pp. 389-419. 1912.
Randolph County, N.C." With S. O. Perkins. Soil Sur. Adv. Sh., 1913, pp. 34. 1915; Soils F.O., 1913, pp. 201-230. 1916.
Richmond County, N. C." With others. Soil Sur. Adv. Sh., 1911, pp. 48. 1912; Soils F.O., 1911, pp. 387-430. 1914.
Rowan County, N. C." With R. C. Jurney. Soil Sur. Adv. Sh., 1914, pp. 47. 1915; Soils F.O., 1914, pp. 473-515. 1919.
Scotland County, N. C." With others. Soil Sur. Adv. Sh., 1909, pp. 32. 1911; Soils F.O., 1909, pp. 421-448. 1912.
the Marianna area, Florida." With others. Soil Sur. Adv. Sh., 1909, pp. 30. 1910; Soils F.O., 1909, pp. 619-644. 1912.
Hardpan—
blasting, methods and results. O.E.S. Bul. 217, pp. 25-27. 1909.
cause and control on Volusia silt loam. Soils Cir. 63, pp. 4, 5, 8, 9. 1912.
depths, in California, Imperial area. Soil Sur. Adv. Sh., 1903, pp. 1240-1241. 1904; Soils F.O., 1903, pp. 1240-1241. 1904.
drainage above and below. D.B. 190, pp. 20-21. 1915.
dynamiting directions, California, Colusa area. Soil Sur. Adv. Sh., 1907, pp. 47. 1909; Soils F.O., 1907, p. 969. 1909.
effect on—
alkali reclamation. Soils Bul. 34, pp. 25-27. 1906.
movement of water in the soil. O.E.S. Bul. 203, pp. 32-37. 1908.
holes for drainage of surface soils, date culture. B.P.I. Bul. 53, pp. 51, 78, 79, 83. 1904.
in apple orchards, objections. D.B. 140, pp. 47, 48-49. 1915.

Hardpan—Continued.
in California—
Madera area, treatment. Soil Sur. Adv. Sh., 1910, pp. 37-39. 1911; Soils F.O., 1910, pp. 1747-1749. 1912.
Marysville area, description and treatment. Soil Sur. Adv. Sh., 1909, pp. 50-51. 1911; Soils F.O., 1909, pp. 1734-1735. 1912.
Modesto-Turlock area, causes. Soil Sur. Adv. Sh., 1908, pp. 44-48. 1909; Soils F.O., 1908, pp. 1268-1272. 1911.
Sacramento Valley, occurrence and management. Soil Sur. Adv. Sh., 1913, pp. 47, 48, 124, 144. 1915; Soils F.O., 1913, pp. 2337, 2338, 2414, 2434. 1916.
lime, effect upon formation of black alkali. J.A.R. vol. 10, pp. 586-588. 1917.
piney woods, management for pecan growing. F.B. 1129, p. 14. 1920.
relation to sugar beet growing. F.B. 567, p. 2. 1914.
soils—
calcareous, in Porto Rico, analyses. P.R. An. Rpt., 1910, pp. 21-22. 1911.
effect on water movements. O.E.S. Bul. 203, pp. 32-37. 1908.
sugar-beet growing, unfavorable factor. D.B. 721, pp. 7-8. 1918.
treatment—
by subsoiling. F.B. 494, p. 25. 1912.
in planting fruit trees, California, Colusa area. Soil Sur. Adv. Sh., 1907, p. 47. 1909; Soils F.O., 1907, pp. 969, 985. 1909.
in vineyards, note. B.P.I. Bul. 172, p. 30, 1910.
Hardwood(s)—
adaptation to Great Plains, lists and description. F.B. 1312, pp. 5, 6-15. 1923.
association with shortleaf pine in natural stands. D.B. 244, pp. 5-6. 1915.
characteristics and treatment, results. D.B. 606, pp. 18-34. 1918.
cuttings, forms and use. F.B. 157, pp. 11-12. 1902.
decay, caused by fungi, description. D.B. 1128, pp. 37-39. 1923.
depletion. For. [Misc.], "Timber depletion * * *," pp. 25-27. 1920.
discolorations, chemical. D.B. 1128, p. 23. 1923.
disease survey. B.P.I. Chief Rpt., 1925, pp. 24-25. 1925.
distillation—
destructive—
apparatus and products. For. Cir. 114, pp. 2-4. 1907.
yields. L. F. Hawley and R. C. Palmer. D.B. 129, pp. 16. 1914.
yields. R. C. Palmer. D.B. 508, pp. 8. 1917.
material used and products, 1906 and 1907. Y.B., 1908, p. 557. 1909.
products—
laboratory work. D.C. 231, pp. 33-37. 1922.
markets for. R. C. Palmer. For. Serv. Inv. No. 2, pp. 43-48. 1913.
yield increase. For. [Misc.], "Forest products * * * Madison * * *," p. 33. 1922.
wood used, 1906, by States. For. Cir. 121, p. 3. 1907.
distribution, eastern United States. D.B. 285, pp. 2-10. 1915.
drying schedule. D.B. 1136, pp. 33-34, 38-43. 1923.
durability, relative. J.A.R., vol. 1, pp. 462-464. 1914.
eastern, volume tables. For. [Misc.], "Volume tables * * *," Pt. III, pp. 104. 1925.
forest, northern, composition, growth, and management. E.H. Frothingham. D.B. 285, pp. 80. 1915.
grading as source of waste. M.C. 39, p. 43. 1925.
growth in diameter and height, by kinds. F.B. 1123, pp. 4, 5. 1921.
identification, guidebook. For. [Misc.], "Guidebook for * * *," pp. 79. 1917.
industry, economic position. M.C. 39, p. 44. 1925.

Hardwood(s)—Continued.
Lake States, utilization. M.C. 39, pp. 45–46. 1925.
loblolly pine forests. For. Bul. 64, pp. 10–27. 1905.
Louisiana, areas, conditions and amount. For. Bul. 114, pp. 15–18, 19–21. 1912.
lumber—
by kinds and by States, 1899–1906. For. Cir. 116, pp. 4–5. 1907.
classification for protection against insects. Ent. Cir. 128, p. 6. 1910.
drying problem. D.B. 509, pp. 1–2. 1917.
kiln-drying. Frederick Dunlap. For. Cir. 48, pp. 19. 1906.
production, 1913, details by States, table. D.B. 232, pp. 31–32. 1915.
names. D.B. 606, pp. 6–7. 1918.
northern, composition, management, and growth. E. H. Frothingham. D.B. 285, pp. 80. 1915.
Pacific coast, varieties and uses. For. Bul. 75, pp. 30–31. 1911.
penetrations and absorptions. D.B. 606, pp. 11–16, 17. 1918.
plantation establishment on farms. F.B. 1123, pp. 7–12. 1921.
planting—
in Nebraska. M.C. 16, p. 7. 1925.
methods and directions. For. Misc., S–18, pp. 4, 8, 9. 1916.
region, central, forest planting, species for. D.B. 153, pp. 4, 35. 1915.
requirements of soil and moisture. M.C. 16, p. 5. 1925.
resistance to creosote injections. Clyde H. Teesdale and J. D. MacLean. D.B. 606, pp. 36. 1918.
seasoned, powder-post damage by Lyctus beetles. A. D. Hopkins and T. E. Snyder. F.B. 778, pp. 20. 1917.
seasoning rate. For. Bul. 118, pp. 9–17. 1912.
second-growth—
in Connecticut. Earl H. Frothingham. For. Bul. 96, pp. 70. 1912.
stand, yield per acre, New England. Y.B., 1910, p. 166. 1911; Y.B. Sep. 525, p. 166. 1911.
shortage, industries affected. For. Cir. 116, pp. 10–12. 1907.
southern, a working plan and its results. John Foley. Y.B., 1901, pp. 471–476. 1902; Y.B. Sep. 249, pp. 471–476. 1902.
stands—
chestnut type, annual growth, tables. For. Bul. 96, pp. 42–43. 1912.
even-aged, yield, factors influencing, yield tables. For. Bul. 96, pp. 30–42. 1912.
percentage of various kinds. For. Cir. 166, p. 12. 1909.
structures, definition of terms. D.B. 606, pp. 2–4. 1918.
stumpage estimates. For. Cir. 166, p. 12. 1909.
supply(ies)—
depletion, discussion. Sec. Cir. 140, pp. 10–11. 1919.
for soda-pulp, provision for. D.B. 1241, p. 69. 1924.
in U. S. For. Cir. 97, p. 11. 1907.
testing for shrinkage, hardness, and weight. D.B. 676, pp. 13–27. 1919.
timber—
Louisiana area, cut, and value. For. Bul. 114, pp. 14–18, 19, 20, 21, 23. 1912.
standing, effect of forest fires. For. Cir. 216, pp. 1–6. 1913.
trees, volume tables, estimates from. F.B. 1210, pp. 27, 30–33. 1921.
tyloses occurrence. J.A.R., vol. 1, pp. 445, 447, 451–457. 1914.
use for pulpwood, sources. D.B. 1241, pp. 25, 43, 44, 47, 56. 1924.
value for various purposes. F.B. 1123, p. 4. 1921.
volume tables. D.B. 285, pp. 47–79. 1915; F.B. 715, p. 22. 1916.
waning supply and the Appalachian forests. William L. Hall. For. Cir. 116, pp. 16. 1907.
wastes, source of potash. Y.B., 1917, pp. 254–255. 1918; Y.B. Sep. 728, pp. 4–5. 1918.
White Mountain forests, value, uses, and cut of 1899 and 1907. For. Cir. 168, pp. 12–13. 1909.

HARDY, J. I.—
"A method of determining grease and dirt in wool." With others. D.B. 1100, pp. 20. 1922.
"Further studies on the influence of humidity upon the strength and elasticity of wool fiber." J.A.R., vol. 19, pp. 55–62. 1920.
"Influence of humidity upon the strength and the elasticity of wool fiber." J.A.R., vol. 14, pp. 285–296. 1918.
HARE, B. B.—
"Agricultural cooperation for farm insurance." O.E.S. Bul. 256, pp. 51–55. 1913.
"Statistics of land-grant colleges and agricultural experiment stations—
1911." O.E.S. An. Rpt., 1911, pp. 231–275. 1912.
1912." O.E.S. An. Rpt., 1912, pp. 233–277. 1913.
HARE, C. L., report—
as referee on nitrogen. Chem. Bul. 162, pp. 12–15. 1913.
on determination of potash in fertilizers. Chem. Bul. 73, pp. 38–41. 1903.
on potash. Chem. Bul. 67, pp. 17–21. 1902.
HARE, H. A., testimony, Coca Cola and Caffeine, effects. Chem. N.J. 1455, pp. 51–53. 1912.
HARE, R. F.—
"Experiments on the digestibility of prickly pear by cattle." B.A.I. Bul. 106, pp. 38. 1908.
"Prickly pear and its fruits as a source of alcohol." Chem. Bul. 130, pp. 107–109. 1910.
"Summary of recent investigations of the value of cacti as stock food." With David Griffiths. B.P.I. Bul. 102, Pt. I, pp. 7–18. 1907.
"The tuna as food for man." With David Griffiths. B.P.I. Bul. 116, pp. 73. 1907.
Hares—
Alaska, varieties and habits. N.A. Fauna 24, p. 39. 1904.
Athabaska-Mackenzie region. N.A. Fauna 27, pp. 199–208. 1908.
Belgian—
and other rabbits, raising. David E. Lantz. F.B. 496, pp. 16. 1912.
boom in 1899, spread and decline. Y.B., 1918, p. 147. 1919; Y.B. Sep. 784, p. 5. 1919.
club work in South. S.R.S. [Misc.], "Cooperative Extension work in agriculture and home economics * * *, 1919," p. 17. 1921.
description. F.B. 1090, pp. 5–6. 1920; Y.B., 1918, pp. 149–150. 1919; Y.B. Sep. 784, pp. 7–8. 1919.
diseases, control. F.B. 496, pp. 15–16. 1912.
Flemish Giant, comparison of meat with smaller hare. F.B. 496, p. 5. 1912.
marketing, killing, dressing, and packing. F.B. 496, pp. 13–15. 1912.
selection, care, breeding, and feeding. F.B. 496, pp. 6–13. 1912.
Black Siberian, description, origin, and value of fur. F.B. 1090, pp. 11–12. 1920.
Dall, varying, range and habits. N.A. Fauna 21, p. 67. 1910.
European, in North America. James Silver. J.A.R., vol. 28, pp. 1133–1137. 1924.
MacFarlane, varying Alaska and Yukon Territory. N.A. Fauna 30, pp. 28, 56, 80. 1909.
occurrence in Alabama. N.A. Fauna 45, pp. 70–74. 1921.
of North America. N.A. Fauna 29, pp. 1–314. 1909.
range and habits. N.A. Fauna 22, pp. 21, 59. 1904; N.A. Fauna 24, pp. 22, 39. 1904.
See also Rabbit.
Hare's-tail grass, description and uses. D.B. 772, pp. 142, 143. 1920.
Harelda hyemalis. See Old squaw.
Haricot, mutton, recipe for making. F.B. 391, p. 25. 1910.
HARKER, L. E.: "A wheatless ration for the rapid increase of flesh on young chickens." With others. D.B. 657, pp. 12. 1918.
HARLAN, H. V.—
"Ash content of the awn, rachis, palea, and kernel of barley during growth and maturation." With Merritt N. Pope. J.A.R., vol. 22, pp. 433–449. 1922.
"Barley: Culture, uses, and varieties." F.B. 1464, pp. 32. 1925.
"Cultivation and utilization of barley." F.B. 968, pp. 39. 1918.

HARLAN, H. V.—Continued.
"Daily development of kernels of Haunchen barley from flowering to maturity at Aberdeen, Idaho." J.A.R., vol. 19, pp. 393-430. 1920.
"Development of barley kernels in normal and clipped spikes, and the limitations of awnless and hooded varieties." With Stephen B. Anthony. J.A.R., vol. 19, pp. 431-472. 1920.
"Effect of time of irrigation on kernel development of barley." With Stephen Anthony. J.A.R., vol. 21, pp. 29-45. 1921.
"Germination of barley pollen." With Stephen Anthony. J.A.R., vol. 18, pp. 525-536. 1920.
"Morphology of the barley grain, with reference to its enzym-secreting areas." With Albert Mann. D.B. 183, pp. 32. 1915.
"Oats, barley, rye, rice, grain sorghums, seed flax, and buckwheat." With others. Y.B., 1922, pp. 469-568. 1923; Y.B. Sep. 891, pp. 469-568. 1923.
"Occurrence of the fixed intermediate, *Hordeum intermedium haxtoni*, in crosses between *H. vulgare pallidum* and *H. distichon palmella*." With H. K. Hayes. J.A.R., vol. 19, pp. 575-592. 1920.
"Some distinctions in our cultivated barleys with reference to their use in plant breeding." D.B. 137, pp. 38. 1914.
"Tests of barley varieties in America." With others. D.B. 1334, pp. 219. 1925.
"The identification of varieties of barley." D.B. 622, pp. 32. 1918.
"The inheritance of the length of internode in the rachis of the barley spike." With H. K. Hayes. D.B. 869, pp. 26. 1920.
"Trebi barley, a superior variety for irrigated land." With others. D.C. 208, pp. 8. 1922.
"Water content of barley kernels during growth and maturation." With Merritt N. Pope. J.A.R., vol. 23, pp. 333-360. 1923.

Harlequin—
 cabbage bug—
  control. F. H. Chittenden. Ent. Bul. 103, pp. 10. 1908; F.B. 1061, pp. 16. 1920.
  description and control. D.C. 35, p. 11. 1919; F.B. 856, pp. 34-35. 1917.
 fruit bug, description. Sec. [Misc.], "A manual * * * insects * * *," p. 17. 1917.

Harlingen Land Water Co., irrigation system, details. O.E.S. Bul. 222, p. 54. 1910.

Harmolita—
 (Isosoma), genus, jointworm flies of, life history and habits, studies, with recommendations for control. W. J. Phillips. D.B. 808, pp. 27. 1920.
 spp.—
  infestation of wild grasses, description and habits. D.B. 808, pp. 19-23. 1920.
  life history and control. D.B. 808, pp. 1-27. 1920.
  See also Jointworm; Strawworm.
 tritici—
  host of *Homoporus chalcidiphagus*. J.A.R., vol. 21, pp. 415-420. 1921.
  parasites. J.A.R., vol. 21, pp. 405-426. 1921.

Harness—
 care of. F.B. 667, pp. 14-15. 1915.
 cleaning and oiling. F.B. 1183, rev., p. 14. 1920.
 fitting, adjusting, and repairing, school exercises. F.B. 638, pp. 6-7. 1915.
 galls, description and treatment. B.A.I. [Misc.], "Diseases of the horse," pp. 448, 470. 1903.
 horse—
  cost on Corn Belt farms. F.B. 1298, p. 11. 1922.
  description and requirements. B.A.I. Bul. 37, pp. 21-26. 1902.
  fitting and care, details and directions. F.B. 1419, pp. 13-15. 1924.
  requirements. F.B. 1368, pp. 17-18. 1923.
 leather—
  tanning directions. D.C. 230, pp. 6-19. 1922.
  tanning, oiling, and finishing. F.B. 1334, pp. 12-15, 20. 1923.
 repair outfit. F.B. 347, pp. 21-22, 31-32. 1909; F.B. 1419, p. 14. 1924.
 ropes used in breaking colts. F.B. 667, pp. 2, 3, 5, 9, 10, 13, 14. 1915.
 selection and care, directions. F.B. 1183, rev., pp. 12-15. 1920; rev., pp. 13-16. 1922.

Harney National Forest, S. Dak., map. For. Maps. 1924.

Harpachne schimperi, importation and description. No. 51594, B.P.I. Inv. 65, p. 29. 1923.

Harpaline ground beetle, enemy of potato beetle. Ent. Bul. 82, Pt. I, p. 4. 1909.

Harpalus—
 pennsylvanicus, destruction by birds. Biol. Bul. 15, p. 47. 1901.
 spp., enemies of plum curculio. Ent. Bul. 103, p. 153. 1912.

HARPER, H. J.—
 "Soil survey of—
  Blackhawk County, Iowa." With W. E. Tharp. Soil. Sur. Adv. Sh., 1917, pp. 44. 1919; Soils F.O., 1917, pp. 1557-1594. 1923.
  Fayette County, Iowa." With others. Soil Sur. Adv. Sh., 1919, pp. 40. 1922; Soils F.O., 1919, pp. 1459-1494. 1925.
 "The ammonia content of soil and its relation to total nitrogen, nitrates, and soil reaction." J.A.R., vol. 31, pp. 549-553. 1925.

HARPER, J. N.—
 report of South Carolina Experiment Station, work and expenditures—
 1906. O.E.S. An. Rpt., 1906, pp. 153-154. 1907.
 1907. O.E.S. An. Rpt. 1907, pp. 166-168. 1908.
 1908. O.E.S. An. Rpt., 1908, pp. 167-168. 1909.
 1909. O.E.S. An. Rpt.,1909, pp. 180-182. 1910.
 1910. O.E.S. An. Rpt., 1910, pp. 233-236. 1911.
 1911. O.E.S. An. Rpt., 1911, pp. 194-198. 1912.
 1912. O.E.S. An. Rpt., 1912, pp. 199-201. 1913.
 1913. O.E.S. An. Rpt., 1913, pp.78-79. 1915.
 1914. O.E.S. An. Rpt., 1914, pp. 209-223. 1915.
 1915. S.R.S. Rpt. Pt. I, pp. 239-242. 1916.
 1916. S.R.S. Rpt., 1916, Pt. I, pp. 244-248. 1918.
 "Syllabus of illustrated lecture on tobacco growing." O.E.S.F.I.L. 9, pp. 15. 1907.

Harpyrynchus spp.—
 description and habits. Rpt. 108, pp. 26, 27, 28. 1915.
 See Thrasher.

HARRELL, DAVID: "Selling purebred stock to south America." With H. P. Morgan. Y.B., 1919, pp. 369-380. 1920; Y.B. Sep. 818, pp. 369-380. 1920.

HARRINGTON, G. L.: "Soil survey of the—
 Bitterroot Valley area, Montana." With E. C. Eckmann. Soil Sur. Adv. Sh., 1914, pp. 72. 1917; Soils F.O., 1914, pp. 2463-2530. 1919.
 San Fernando Valley area, California." With others. Soil Sur. Adv. Sh., 1915, pp. 61. 1917; Soils F.O., 1915, pp. 2451-2507. 1919.

HARRINGTON, G. T.—
 "A new and efficient respirometer for seeds and other small objects: Directions for its use." J.A.R., vol. 23, pp. 101-116. 1923.
 "After-ripening and germination of apple seeds." With Bertha C. Hite. J.A.R., vol. 23, pp. 153-161. 1923.
 "Agricultural value of impermeable seeds." J.A.R., vol. 6, No. 20, pp. 761-796. 1916.
 "Catalase and oxidase content of seeds in relation to their dormancy, age, vitality, and respiration." With William Crocker. J.A.R., vol. 15, pp. 137-174. 1918.
 "Forcing the germination of freshly harvested wheat and other cereals." J.A.R., vol. 23, pp. 79-100. 1923.
 "Hard clover seed and its treatment in hulling." F.B. 676, pp. 8. 1915.
 "Resistance of seeds to desiccation." With William Crocker. J.A.R., vol. 14, pp. 525-532. 1918.
 "Respiration of apple seeds." J.A.R., vol. 23, pp. 117-130. 1923.
 "Structure, physical characteristics, and composition of the pericarp and integument of Johnson grass seed in relation to its physiology." With Wm. Crocker. J.A.R., vol. 23, pp. 193-222. 1923.

HARRINGTON, H. H., report of Texas Experiment Station, work and expenditures—
 1907. O.E.S. An. Rpt., 1907, pp. 171-174. 1908.
 1908. O.E.S. An. Rpt., 1908, pp. 172-175. 1909.
 1909. O.E.S. An. Rpt., 1909, pp. 187-189. 1910.
 1910. O.E.S. An. Rpt., 1910, pp. 242-245. 1911.

HARRINGTON, J. B.: "The mode of inheritance of resistance to *Puccinia graminis* with relation to seed color in crosses between varieties of Durum wheat." With O. S. Aamodt. J.A.R., vol. 24, pp. 979–996. 1923.

HARRIS, F. S.—
"Effect of alkali salts in soils on the germination and growth of crops." J.A.R., vol. 5, No. 1, pp. 1–53. 1915.
"Effect of irrigation water and manure on the nitrates and total soluble salts of the soil." With N. J. Butt. J.A.R., vol. 8, pp. 333–359. 1917.
"Effectiveness of mulches in preserving soil moisture." With H. H. Yao. J.A.R., vol. 23, pp. 727–742. 1923.
"Factors affecting the evaportaion of moisture from the soil." With J. P. Robinson. J.A.R., vol. 7, pp. 439–461. 1916.
"Movement and distribution of moisture in the soil." With H. W. Turpin. J.A.R., vol. 10, pp. 113–155. 1917.
report of Utah Experiment Station, work and expenditures, 1917. S.R.S. Rpt., 1917, Pt. I, pp. 255–259. 1918.
"Soil factors affecting the toxicity of alakli." With D. W. Pittman. J.A.R., vol. 15, pp. 287–319. 1918.
"Toxicity and antagonism of various alkali salts in the soil." With others. J.A.R., vol. 24, pp. 317–338. 1923.

HARRIS, H. L.: "Legislation on preservatives in food." Chem. Bul. 116, pp. 16–20. 1908.

HARRIS, J. A.—
"Freezing-point lowering of the leaf sap of the horticultural types of *Persea Americana*." With W. Popenoe. J.A.R., vol. 7, pp. 261–268. 1916.
"Permanence of differences in the plots of an experimental field." With C. S. Scofield. J.A.R., vol. 20, pp. 335–356. 1920.
"Practical universality of field heterogeneity as a factor influencing plot yields." J.A.R., vol. 19, pp. 279–314. 1920.
"The chlorid content of the leaf tissue fluids of Egyptian and Upland cotton." With others. J.A.R., vol. 28, pp. 695–704. 1924.
"The osmotic concentration, specific electrical conductivity, and chlorid content of the tissue fluids of the indicator plants of Tooele Valley, Utah." With others. J.A.R., vol. 27, pp. 893–924. 1924.
"The tissue of Egyptian and Upland cottons and their F$_1$, Hybrid." With others. J.A.R., vol. 27, pp. 267–328. 1924.
"Uses and supply of wood in Arkansas." With Hu Maxwell. For. Bul. 106, Pt. I, pp. 7–26. 1912.

Harrisburg, Pa., milk supply, statistics, officials, and prices. B.A.I. Bul. 46, pp. 32, 148. 1903.

HARRISON, F. C.: "The duration of the life of the tubercle bacillus in cheese." B.A.I. An. Rpt., 1902, pp. 217–218. 1903.

HARTWELL, B. L., report of Rhode Island Experiment Station, work—
1913. O.E.S. An. Rpt., 1913, pp. 77–78. 1915.
1914. O.E.S. An. Rpt., 1914, pp. 206–209. 1915.

Harrisina americana. See Skeletonizer, grape leaf.

HARRISON, G. J.: "Selective fertilization in cotton." With Thomas H. Kearney. J.A.R., vol. 27, pp. 329–340. 1924.

HARRISON, R.B.: "Soil survey of Rowan County, North Carolina." With R. C. Jurney. Soil Sur. Adv. Sh., 1914, pp. 47. 1915; Soils F.O., 1914, pp. 473–515. 1919.

HARRISON, W. T.: "Ascaris sensitization." With others. J.A.R., vol. 28, pp. 577–582. 1924.

Harrison Act, narcotics, citations and regulations. Chem. [Misc.], "Food and drug manual," pp. 80–85, 117. 1920.

Harrison Chief (horse), description and pedigree. B.A.I. An. Rpt., 1907, pp. 95, 134. 1909; B.A.I. Cir. 137, pp. 95, 134. 1908.

Harrows—
alfalfa, description. S.R.S. Syl. 20, pp. 14–15. 1916.
care and repair. F.B. 946, pp. 6–9. 1918.
corn culture, descriptions and use. D.B. 320, p. 16. 1916.

Harrows—Continued.
cost per acre and per day, relation to service tables. D.B. 338, pp. 9–11. 1916.
day's work by kinds in central Illinois. D.B. 814, pp. 9–11. 1920.
disk, value in sugar-beet farming. D.B. 721, pp. 36–37. 1918.
early cotton, description. F.B. 314, p. 26. 1908.
for smoothing lawn soils, description. F.B. 494, p. 25. 1912.
kinds, need in dry farming. F.B. 769, p. 8. 1916.
spike-tooth, day's work. D.B. 3, pp. 14–16, 43. 1913.
use in—
corn cultivation. F.B. 729, p. 15. 1916.
cotton crop, advantages. F.B. 319, p. 13. 1908.
cultivating alfalfa. F.B. 1283, pp. 26–27. 1922.
preparing land after deep plowing. F.B. 326, pp. 7, 19. 1908.
reseeding experiments, description, use methods. D.B. 4, pp. 5–6, 17–19. 1913.
value, life, repair cost, and acreage worked. D.B. 757, pp. 17, 19. 1919.
weeder, for dry farms, description. F.B. 465, pp. 9–11. 1911.

Harrowing—
alfalfa, advantages. F.B. 215, p. 17. 1905; F.B. 342, pp. 14–16. 1909.
beans, advantages, dangers, and time. F.B. 561, p. 6. 1913.
beets, farm practice, Michigan and Ohio. D.B. 748, pp. 16–18, 33. 1919.
California sugar-beet districts, methods and harrow varieties. D.B. 760, pp. 17–20. 1919.
corn land, advantages. F.B. 981, pp. 28, 31, 33. 1918.
cotton land, time and crew. D.B. 896, pp. 26, 32. 1920.
dates for various crops, North Dakota. D.B. 757, pp. 25–26. 1919.
day's work—
for implements, horses, and men. D.B. 412, pp. 2, 4–5. 1916.
in New York and Illinois, comparison. D.B. 814, pp. 30–31. 1920.
with different kinds of harrow. D.B. 3, pp. 14–17. 1913.
fields for control of wind erosion. F.B. 323, pp. 17–18. 1908.
grain-sorghum crop. F.B. 1137, pp. 18, 21. 1920.
labor-saving practices. F.B. 1042, pp. 8–9. 1919.
old meadows, beneficial effects. B.P.I. Bul. 117, p. 19. 1907.
pastures for eradication of quack-grass, directions. F.B. 464, pp. 9–11. 1911.
peach orchard and kind of harrow. Y.B., 1902, pp. 620–621. 1903.
practices in Colorado, sugar-beet districts, various crops. D.B. 917, pp. 15–17. 1921.
quack grass, practices. F.B. 1307, pp. 20–21. 1923.
saving labor by larger teams and implements. F.B. 989, p. 7. 1918.
spring, for winter wheat on Idaho dry farms, advantages and disadvantages. F.B. 769, pp. 19–20. 1916.
statistics of day's work with horses. Y.B., 1922, p. 1048. 1923; Y.B. Sep. 890, p. 1048. 1923.
sugar beet—
methods and cost. D.B. 735, pp. 16–17. 1918.
practices and cost, Utah and Idaho. D.B. 693, pp. 21–22. 1918.
tractor—
in the Dakotas. F.B. 1035, p. 18. 1919.
on Corn Belt farms. F.B. 1093, pp. 5, 10, 12, 15. 1920.
use of tractors and horses on Corn Belt farms. F.B. 1295, pp. 6–8. 1923.
wheat in dry farming, experiments and results. D.B. 1173, pp. 44–46. 1923.
work done by tractors and by horses on Corn Belt farms. D.B. 997, pp. 15, 20–22, 27, 34, 37. 1921.

HARSCH, R. M.: "Pure cultures of wood-rotting fungi on artificial media." With W. H. Long. J.A.R., vol. 12, pp. 33–82. 1918.

HART, E. B.—
"Bacteria concerned in the production of the characteristic flavor in cheese of the Cheddar type." With others. J.A.R., vol. 2, pp. 167–192. 1914.

HART, E. B.—Continued.
"Experiments in the cold curing of cheese." With others. B.A.I. Bul. 49, pp. 71–88. 1903.
"Physiological effect on growth and reproduction of rations, balanced from restricted sources." With others. J.A.R., vol. 10, pp. 175–198. 1917.
"Relation of sulphur compounds to plant nutrition." With W. E. Tottingham. J.A.R., vol. 6, No. 6, pp. 233–250. 1915.
"Relation of the action of certain bacteria to the ripening of cheese of the Cheddar type." With others. J.A.R., vol. 2, pp. 193–216. 1914.
"The bacteriology of Cheddar cheese." With others. B.A.I. Bul. 150, pp. 52. 1912.
"The cold curing of cheese." With others. B.A.I. Bul. 49, pp. 88. 1903.

HART, G. H.—
"Eradicating cattle ticks in California." With William M. MacKellar. B.A.I. An. Rpt., 1909, pp. 283–300. 1911; B.A.I. Cir. 174, pp. 18. 1911.
"Eradicating cattle ticks in California." With William M. MacKellar. B.A.I. Cir. 174, pp. 18. 1911.
"Instructions for preparing and shipping pathological specimens for diagnosis." B.A.I. Cir. 123, pp. 10. 1908.
"Malta fever and the Maltese goat importation." With John R. Mohler. B.A.I. An. Rpt., 1908, pp. 279–295. 1910.
"Preparation of pathological specimens for diagnosis." B.A.I. An. Rpt., 1906, pp. 197–206. 1908.
"Rabies and its increasing prevalence." B.A.I. Cir. 129, pp. 26. 1908.

HART, R. A.—
"Drainage district assessments." With George R. Boyd. D.B. 1207, pp. 70. 1924.
"The drainage of irrigated farms." F.B. 805, pp. 31. 1917.
"The drainage of irrigated lands." D.B. 190, pp. 34. 1915.

HARTENBOWER, A. C., report of Guam Experiment Station, agronomist—
1915. Guam A.R., 1915, pp. 7–23. 1916.
1916. With others. Guam A.R., 1916, pp. 58. 1917.

HARTER, L. L.—
"A comparison of the pectinase produced by different species of Rhizopus." With J. L. Weimer. J.A.R., vol. 22, pp. 371–377. 1921.
"A dry rot of sweet potatoes caused by *Diaporthe batatatis*. With Ethel C. Field. B.P.I. Bul. 281, pp. 38. 1913.
"A hitherto unreported disease of okra." J.A.R., vol. 14, pp. 207–212. 1918.
"A physiological study of *Mucor racemosus* and *Diplodia tubericola*—two sweet potato storage-rot fungi." J.A.R., vol. 30, pp. 961–969. 1925.
"Amylase of *Rhizopus tritici* with a consideration of its secretion and action." J.A.R., vol. 20, pp. 761–786. 1921.
"Cabbage diseases." With L. R. Jones. F.B. 925, pp. 30. 1918; F.B. 925, rev., pp. 30. 1921; F.B. 1351, pp. 29. 1923.
"Control of the black-rot and stem-rot of the sweet potato." B.P.I. Cir. 114, pp. 15–18. 1913.
"Diseases of cabbage and related crops and their control." F.B. 488, pp. 32. 1912.
"Fruit-rot, leaf-spot and stem-blight of the eggplant caused by *Phomopsis vexans*." J.A.R., vol. 2, pp. 331–338. 1914.
"Glucose as a source of carbon for certain sweet potato storage-rot fungi." With J. L. Weimer. J.A.R., vol. 21, pp. 189–210. 1921.
"Hydrogen-ion changes induced by species of Rhizopus and by *Botrytis cinerea*." With J. L. Weimer. J.A.R., vol. 25, pp. 155–164. 1923.
"Influence of temperature on the infection and decay of sweet potatoes by different species of Rhizopus." With J. I. Lauritzen. J.A.R., vol. 30, pp. 793–810. 1925.
"Influence of the substrate and its hydrogen-ion concentration on pectinase production." With J. L. Weimer. J.A.R., vol. 24, pp. 861–877. 1923.
"Podblight of the Lima bean caused by *Diaporthe phaseolorum*." J.A.R., vol. 11, pp. 473–504. 1917.

HARTER, L. L.—Continued.
"Pythium rootlet rot of sweet potatoes." J.A.R., vol. 29, pp. 53–55. 1924.
"Respiration and carbohydrate changes produced in sweet potatoes by *Rhizopus tritici*. With J. L. Weimer. J.A.R., vol. 21, pp. 627–635. 1921.
"Respiration of sweet potato storage-rot fungi when grown on a nutrient solution." With J. L. Weimer. J.A.R., vol. 21, pp. 211–226. 1921.
"Some physiological variations in strains of *Rhizopus nigricans*." With J. L. Weimer. J.A.R., vol. 26, pp. 363–371. 1923.
"Species of Rhizopus responsible for the decay of sweet potatoes in the storage house and at different temperatures in infection chambers." With J. I. Lauritzen. J.A.R., vol. 24, pp. 441–456. 1923.
"Storage rots of economic aroids." J.A.R., vol. 6, No. 15, pp. 549–571. 1916.
"Studies in the physiology of parasitism, with special reference to the secretion of pectinase by *Rhizopus tritici*." With J. L. Weimer. J.A.R., vol. 21, pp. 609–625. 1921.
"Susceptibility of the different varieties of sweet potatoes to decay by *Rhizopus nigricans* and *Rhizopus tritici*." With J. L. Weimer. J.A.R. vol. 22, pp. 511–515. 1921.
"Sweet-potato diseases." F.B. 714, pp. 26. 1916; F.B. 1059, pp. 24. 1919.
"Sweet-potato scurf." J.A.R., vol. 5, No. 17, pp. 787–792. 1916.
"Sweet-potato storage rots." With others. J.A.R., vol. 15, pp. 338–368. 1918.
"Temperature relations of eleven species of Rhizopus." With J. L. Weimer. J.A.R., vol. 24, pp. 1–40. 1923.
"The comparative tolerance of various plants for the salts common in alkali soils." With T. H. Kearney. B.P.I. Bul. 113, pp. 22. 1907.
"The decay of cabbage in storage: Its cause and prevention." B.P.I. Cir. 39, pp. 8. 1909.
"The foot-rot of the sweet potato." J.A.R., vol. 1, pp. 251–274. 1913.
"The influence of a mixture of soluble salts, principally sodium chlorid, upon the leaf structure and transpiration of wheat, oats, and barley." B.P.I. Bul. 134, pp. 19. 1908.
"The influence of temperature on the infection and decay of sweet potatoes by different species of Rhizopus." With J. I. Lauritzen. J.A.R., vol. 30, pp. 793–810. 1925.
"The variability of wheat varieties in resistance to toxic salts." B.P.I. Bul. 79, pp. 48. 1905.
"Wound-cork formation in the sweet potato." With J. L. Weimer. J.A.R., vol. 21, pp. 637–647. 1921.

Hartford, Conn., milk supply, statistics, officials, prices and ordinances. B.A.I. Bul. 46, pp. 30, 54. 1903.

HARTLEY, C. P.—
"A more profitable corn-planting method." F.B. 400, pp. 14. 1910.
"Better seed corn." F.B. 1175, pp. 14. 1920.
"Broomcorn." F.B. 174, pp. 30. 1903.
"Corn cultivation." F.B. 414, pp. 32. 1910.
"Corn growing." F.B. 199, pp. 32. 1904.
"Corn growing under droughty conditions." With L. Zook. F.B. 773, pp. 24. 1916.
"Crossbreeding corn." With others. B.P.I. Bul. 218, pp. 72. 1912.
"Harvesting and storing corn." F.B. 313, pp. 32. 1907.
"Have you a more productive corn than first-generation corn No. 182?" B.P.I. Doc. 589, pp. 4. 1911.
"How to grow an acre of corn." F.B. 537, pp. 21. 1913.
"Illustrated lecture on corn production." With H. B. Hendrick. S.R.S. Syl. 21, pp. 24. 1916.
"Improvement of corn by seed selection." Y.B., 1902, pp. 539–552. 1903; Y.B. Sep. 287, pp. 539–552. 1903.
"Injurious effects of premature pollination; with general notes on artificial pollination and the setting of fruit without pollination." B.P.I. Bul. 22, pp. 39. 1902.
"Pop corn for the home." With J. G. Willier. F.B. 553, pp. 13. 1913.

HARTLEY, C. P.—Continued.
"Pop corn for the market." With J. G. Willier. F.B. 554, pp. 16. 1913; rev., pp. 12. 1920.
"Preparing seed corn for planting." F.B. 584, pp. 4-5. 1914.
"Progress in methods of producing higher yielding strains of corn." Y.B. 1909, pp. 309-320. 1910; Y.B. Sep. 515, pp. 309-320. 1910.
"Seed corn." F.B. 415, pp. 12. 1910.
"The cultivation of corn." Y.B., 1903, pp. 175-192. 1904; Y.B. Sep. 310, pp. 175-192. 1904.
"The production of good seed corn." F.B. 229, pp. 23. 1905.
"The seed-corn situation." B.P.I. Cir. 95, pp. 13. 1912.

HARTLEY, CARL—
"A chlorosis of conifers corrected by spraying with ferrous sulphate." With others. J.A.R., vol. 21, No. 3, pp. 153-171. 1921.
"A nursery blight of cedars." With others. J.A.R., vol. 10, pp. 533-540. 1917.
"Hypertrophied lenticels on the roots of conifers and their relation to moisture and aeration." With others. J.A.R., vol. 20, pp. 253-266. 1920.
"Seedling diseases of conifers." With others. J.A.R., vol. 15, pp. 521-558. 1918.
"Stem lesions caused by excessive heat." J.A.R., vol. 14, pp. 595-604. 1918.
"Damping-off in forest nurseries." D.B. 934, pp. 99. 1921.
"Injury by disinfectants to seeds and roots in sandy soils." D.B. 169, pp. 35. 1915.
"The blights of coniferous nursery stock." D.B. 44, pp. 21. 1913.
"The control of damping-off of coniferous seedlings." With Roy G. Pierce. D.B. 453, pp. 32. 1917.

HARTMANN, B. G.—
"Concord grape juice, manufacture and chemical composition." With L. M. Tolman. D.B. 656, pp. 27. 1918.
"Development of sugar and acid in grapes during ripening." With others. D.B. 335, pp. 28. 1916.
"Proposed method of malic acid determination in grape juices." With J. R. Eoff, jr. Chem. Bul. 162, pp. 74-77. 1913.
"Proposed method of tartaric acid determination in wines and grape juices." With J. R. Eoff, jr. Chem. Bul. 162, pp. 71-74. 1913.
report on determination of glycerol in wine. Chem. Bul. 132, p. 84. 1910.
"The chemical composition of American grapes grown in the Central and Eastern States." With others. D.B. 452, pp. 20. 1916.

HARTMAN, R. D.: "The lead-cable borer or 'short-circuit beetle' in California." With others. D.B. 1107, pp. 56. 1922.

HARTMAN, R. E.—
"Influence of soil environment on the root rot of tobacco." With James Johnson. J.A.R., vol. 17, pp. 41-86. 1919.
"Investigations of potato wart." With others. D.B. 1156, pp. 22. 1923.
"The adaptability and use of wart-immune varieties of the potato in the quarantine areas of Pennsylvania." D.B. 1156, pp. 17-19. 1923.

HARTWELL, B. L.—
"Reactions of the phosphorus of the thickened root of the flat turnip." With others. J.A.R., vol. 11, pp. 359-370. 1917.
report of Rhode Island Experiment Station, work and expenditures—
1912. O.E.S. An. Rpt., 1912, pp. 106-198. 1913.
1915. S.R.S. Rpt., 1915, Pt. I, pp. 235-239.
1916. S.R.S. Rpt., Pt. I, pp. 241-244. 1918.
1917. S.R.S. Rpt., 1917, Pt. I, pp. 236-241. 1918.

Harvard University—
Bussey Institution, advanced instruction and research. O.E.S. An. Rpt., 1908, p. 57. 1909.
historical notes on early scientific studies. O.E.S. Bul. 196, p. 19. 1907.

Harvest—
and—
marketing of tomatoes. F.B. 220, pp. 13-17. 1905.

Harvest—Continued.
and—continued.
seedtime—
J. R. Covert. Y.B., 1910, pp. 488-494. 1911.
Oliver E. Baker and others. D.C. 183, pp. 53. 1922.
dates, various crops, graphs and maps. Y.B., 1917, pp. 550-589. 1918; Y.B. Sep. 758, pp. 16-55. 1918.
dates—
for crops. Y.B., 1922, p. 988. 1923; Y.B. Sep. 887, p. 988. 1923.
notes on methods. D.B. 271, pp. 9, 11, 18, 19, 26, 34. 1915.
food crops, labor supply. G. I. Christie. Sec. Cir. 115, pp. 8. 1918.
hands, mobilization and distribution. D.B. 1230, pp. 30-32. 1924.
hay, use of sweep-rake. F.B. 838, pp. 1-12. 1917.
ice on farm. B.A.I. [Misc.], "Ice. Do you * * *," pp. 4. 1918.
labor—
character. D. B. 1020, pp. 14-22. 1922.
demand fluctuations. D.B 1020, pp. 3-14. 1922.
demand in the wheat belt. Don D. Lescohier D.B. 1230, pp. 46. 1924.
distribution and transportation. D.B. 1020, pp. 14, 26-29. 1922.
for food crops, finding. G. I. Christie. Sec. Cir. 115, pp. 8. 1918.
forecasting demands. D.B. 1020, pp. 22-24. 1922.
hiring in New Jersey. D.B. 1285, pp. 4-5. 1925.
in wheat belt—
conditions affecting demand. Don D. Lescohier. D.B. 1230, pp. 46. 1924.
sources of supply and conditions of employment. Don D. Lescohier. D.B. 1211, pp. 27. 1924.
mobilization, need of reliable publicity. D.B. 1020, pp. 22-26. 1922.
problems in the Wheat Belt. D. D. Lescohier. D.B. 1020, pp. 35. 1922.
saving by hogging down crops, farming system for Corn Belt. J. A. Drake. F.B. 614, pp. 16. 1914.
machinery, manufacture and sale, 1920, by kinds. D.C. 212, p. 8. 1922.
maps, preparation. An. Rpts., 1917, p. 476. 1918; Farm M. Chief Rpt., 1917, p. 4. 1917.
mites—
description and habits. Rpt. 108, pp. 41-43. 1915.
or "chiggers." F.H. Chittenden. Ent. Cir. 77, pp. 6. 1906.
See also Chiggers.
monthly, of crops, percentages. Y.B. 1921, p. 774. 1922; Y.B. Sep. 871, p. 5. 1922.
seasonal work on farm crops, graphic summary. D.C. 183, pp. 1-53. 1922.
wages—
New Jersey truck farms. D.B. 1285, pp. 29-31. 1925.
rates, comparison with other rates, tables. Stat. Bul. 99, pp. 57-64. 1912.
Wheat Belt. D.B. 1020, pp. 30-34. 1922.
weather forecasts—
1921. W.B. Chief Rpt., 1921, pp. 8-9. 1921.
1923. An. Rpts., 1923, p. 107. 1923; W.B. Chief Rpt., 1923, p. 5. 1923.
wheat crop of world, percentage by months. News L., vol. 1, No. 3, p. 2. 1913.

Harvest Aid (horse), pedigree and description. D.C. 153, pp. 5, 9. 1921.

Harvester(s)—
bean—
cost per acre and per day, relation to service. D.B. 338, pp. 19-20. 1916.
description. F.B. 289, pp. 14-15. 1907; F.B. 425, p. 8. 1910; F.B. 886, p. 7. 1917; F.B. 1153, p. 6. 1920.
beet, description. Rpt. 86, pp. 24-25, 38. 1908.
combined with thresher, use in harvesting wheat. Y.B., 1919, pp. 143, 146, 147. 1920; Y.B. Sep. 804, pp. 143, 146, 147. 1920.
corn—
description. O.E.S. Bul. 173, pp. 11-16, 46. 1907.
description, days' work, and cost use. F.B. 992, pp. 10-12. 1918.

Harvester(s)—Continued.
  corn—continued.
    use in harvesting sweet-clover seed. F.B. 836, pp. 16–17. 1917.
  hemp, description, need for improvement. Y.B., 1913, pp. 324–326. 1914; Y.B. Sep. 628, pp. 324–326. 1914.
  sugar-beet, description and use methods. D.B. 721, pp. 38–39. 1918; D.B. 995, p. 39. 1921.
  thresher, use—
    and value in dry farming, description. F.B. 769, pp. 10–13. 1916.
    in wheat harvest. Y.B., 1921, p. 93. 1922; Y.B. Sep. 873, p. 93. 1922.
  wheat, methods of use. Y.B., 1921, pp. 92, 93. 1922; Y.B. Sep. 873, pp. 92, 93. 1922.
Harvesting—
  alfalfa—
    and clover, for control of clover stem-borer. D.B. 889, pp. 22–23. 1920.
    cutting and curing, directions. F.B. 339, pp. 22–23. 1908; S.R.S. Syl. 20, pp. 13–14. 1916.
    on New Jersey farms. F.B. 472, p. 30. 1911.
    seed. B.P.I. Cir. 24, pp. 19–20. 1909; F.B. 495, pp. 14–18. 1912.
    time and methods. Rpt. 96, pp. 43–46. 1911.
  alsike clover seed. F.B. 1151, pp. 24–25. 1920.
  apples—
    details and costs. D.B. 446, pp. 26–32. 1917.
    for market. F.B. 1080, pp. 3–10. 1919.
    in Colorado, practices, and cost. D.B. 500, pp. 34–39. 1917.
    season, relation to internal browning. J.A.R., vol. 24, pp. 168–169. 1923.
  asparagus, and packing for market. F.B. 829, pp. 9–12. 1917.
  avocados—
    importance of maturity stage. D.B. 1073, pp. 2, 15–22. 1922.
    in Hawaii. Hawaii Bul. 25, pp. 27–28. 1911; Hawaii Bul. 51, p. 12. 1924.
  barley—
    for grain or hay, methods. F.B. 968, pp. 21–23. 1918.
    in Southern States. F.B. 427, p. 10. 1910.
    time and method. F.B. 443, pp. 30–32. 1911.
  bean crop, time, method, and machinery. F.B. 289, pp. 14–16, 23–25. 1907; F.B. 425, p. 8. 1910; F.B. 561, pp. 6–8. 1913; F.B. 907, pp. 10–11. 1917.
  beans for seed. F.B. 969, pp. 8–10. 1918.
  beets—
    directions, and implements. Rpt. 90, pp. 21, 22. 1909.
    lifting, pulling, and topping, labor requirements. D.B. 963, p. 39. 1921.
    methods involving loss, suggestions for improvement. B.P.I. Bul. 260, pp. 64–65. 1912.
    seed. Y.B., 1909, p. 182. 1910; Y.B. Sep. 503, p. 182. 1910.
  blackberries. F.B. 1399, pp. 10–11. 1924.
  bluegrass seed. B.P.I. Bul. 84, pp. 12–14. 1905.
  brome grass for hay, straw, and seed. B.P.I. Bul. 111, Pt. V, p. 11. 1907.
  broomcorn—
    brush, time and methods. F.B. 768, pp. 8–9. 1916.
    curing, and baling for market. F.B., 174, pp. 16–21. 1903; Rpt. 98, pp. 34–36. 1913.
    time and methods. F.B. 958, pp. 11–12. 1918.
    waste prevention. F.B. 836, pp. 47–48. 1920; D.B. 1019, p. 3. 1922.
  buckwheat. F.B. 1062, pp. 15–16. 1919.
  bulbs. D.B. 797, pp. 13–14. 1919.
  bur clover seed. B.P.I. Bul. 267, pp. 14–16. 1913.
  button clover seed. F.B. 730, p. 8. 1916.
  cabbage, time and methods. F.B. 433, pp. 11–12, 16–17, 20. 1911; F.B. 1423, pp. 2–6. 1924.
  camphor, method. Y.B., 1910, p. 455. 1911; Y.B. Sep. 551, p. 455. 1911.
  Canada bluegrass seed. F.B. 402, pp. 13–15. 1910.
  cantaloupes for long distance shipping. F.B. 1145, p. 4. 1921.
  celery, directions. F.B. 1269, pp. 22–24. 1922.
  cereal and forage crops, dates. Stat. [Misc.], "Dates * * * sowing * * *," pp. 1–7. 1911.
  chalcid-fly infested alfalfa fields, as means of fly control. F.B. 636, p. 6. 1914.

Harvesting—Continued.
  citrus fruits—
    by cooperative agencies, operations and expense. D.B. 1261, pp. 3–6. 1924.
    methods. F.B. 696, pp. 5, 6–11. 19115; F.B. 1122, p. 42. 1920; F.B. 1447, pp. 41–42. 1925.
    need of careful handling. F.B. 1343, pp. 37–38. 1923.
  clover—
    for seed. B.P.I. Cir. 28, pp. 10–12. 1909; F.B. 323, pp. 20–21. 1908.
    machinery. B.P.I. Cir. 28, p. 11. 1909.
  corn—
    and storing. C. P. Hartley. F.B. 313, pp. 32. 1907.
    cutting with harvester. Y.B., 1921, pp. 180, 181. 1922; Y.B. Sep. 872, pp. 180, 181. 1922.
    day's work. D.B. 3, pp. 35–37. 1913; D.B. 814, pp. 14–17. 1920.
    directions. S.R.S. Syl. 21, pp. 15–19. 1916.
    for seed. F.B. 229, pp. 21–22. 1905.
    for silage. F.B. 556, pp. 5–6. 1913; F.B. 578, pp. 4, 5–7. 1914.
    Kentucky methods. F.B. 546, p. 7. 1913.
    labor requirements. D.B. 1296, pp. 34–35. 1925.
    machinery. C. J. Zintheo. F.B. 303, pp. 32. 1907.
    methods—
      in Guam. Guam Cir. 3, pp. 5–6. 1922.
      in Kansas, Greenwood County. Soil Sur. Adv. Sh., 1912, p. 13. 1914; Soils F.O., 1912, p. 1831. 1915.
      on New Jersey farms. F.B. 472, pp. 17–18. 1911.
      percentages, by States. Y.B., 1918, p. 675. 1919; Y.B. Sep. 795, p. 11. 1919.
      relation to soil fertility. F.B. 313, p. 27. 1907.
    use of horses and tractors on Corn Belt farms. F.B. 1295, p. 11. 1923.
  cowpeas—
    and threshing, time, and methods. Sec. [Misc.] Spec.; "Cowpeas * * * Cotton Belt," pp. 2–3. 1915.
    dates. F.B. 1308, p. 12. 1923.
    for hay and for seed. F.B. 318, pp. 8–10, 19–22. 1908.
    for seed, time, and methods. F.B. 1153, pp. 3–7. 1920.
    hay. F.B. 1153, pp. 12–15. 1920.
  cranberries—
    cost, mechanical and hand picking, etc., Plymouth County, Mass. Soil Sur. Adv. Sh., 1911, p. 18. 1912; Soils F.O., 1911, p. 44. 1914.
    methods. D.B. 714, pp. 9, 14. 1918; D.B. 960, pp. 1–2, 7–12. 1921; F.B. 227, p. 18. 1905; F.B. 1402, pp. 2–11. 1924.
  crimson clover for—
    hay, time and methods. F.B. 579, pp. 2–5. 1914.
    seed. F.B. 1411, pp. 4–9. 1924.
  crops—
    movements north and south. Stat. Bul. 85, pp. 112–131. 1912.
    with livestock—
      details. M.C. 12, pp. 8, 25. 1924.
      for saving farm labor. J. A. Drake. F.B. 1008, pp. 16. 1918.
  cucumbers, directions. F.B. 1320, pp. 26–27. 1923.
  currants and gooseberries. F.B. 1398, pp. 24–26. 1924.
  dairy farm. F.B. 355, p. 17. 1909.
  dasheens—
    and storing, directions. Y.B., 1916, p. 207. 1917; Y.B. Sep. 689, p. 9. 1917.
    digging, cleaning, and grading. B.P.I. Cir. 127, p. 31. 1913; F.B. 1396, pp. 14–17, 19. 1924.
  dates—
    and sowing. Stat. [Misc.], "Dates of sowing * * *," pp. 7. 1911.
    for various crops. Y.B., 1919, pp. 727. 1920; Y.B. Sep. 830, pp. 727. 1920.
    for various crops in North Dakota. D.B. 757, pp. 25–26. 1919.
    New Hampshire farms. F.B. 337, p. 22. 1908.

Harvesting—Continued.
  dewberry. F.B. 728, pp. 13-14. 1916; F.B. 1403, p. 12. 1924.
  drug plants, general directions, implements. F.B. 663, pp. 6-8. 1915; rev., pp. 8-9. 1920.
  early apples, methods. B.P.I. Bul. 194, pp. 20-21. 1911.
  edible canna. Hawaii Bul. 54, pp. 6, 8-10. 1924.
  emmer and spelt. F.B. 1429, pp. 8, 11-12. 1924.
  farm crops, duty of city men to help. News L., vol. 5, No. 48, pp. 1, 2. 1918.
  feterita. B.P.I. Cir. 122, pp. 28-29. 1913.
  field—
    experiments. O.E.S.F.I.L. 6, pp. 14, 15, 19. 1905.
    peas for hay and seed, time and methods. F.B. 690, pp. 9-10. 1915.
  figs. Y.B., 1900, pp. 93-95. 1901; Y.B. Sep. 196, pp. 93-95. 1901; D.B. 732, pp. 22-23. 1918.
  flax—
    cutting, shocking, and threshing. F.B. 785, pp. 16-19. 1917.
    grown with wheat. B.P.I. Cir. 114, p. 5. 1913.
    methods. F.B. 669, pp. 10-11. 1915.
    seed. F.B. 274, p. 23. 1907; F.B. 1328, pp. 14-15. 1924.
  flowers of Dutch bulbs. D.B. 797, p. 11. 1919.
  ginseng, directions. F.B. 551, pp. 12-13. 1913.
  grain—
    Argentina methods and implements. Y.B., 1915, pp. 289-290, 292. 1916; Y.B. Sep. 677, pp. 289-290, 292. 1916.
    day's work. D.B. 3, pp. 33-35, 44. 1913.
    grown under irrigation. F.B. 399, p. 22. 1910; F.B. 1103, pp. 26-27. 1920.
    hay, and potatoes, day's work for each. D.B. 3, pp. 28-38, 44. 1913.
    Maryland and Virginia, shocking and stacking. F.B. 786, pp. 12, 14. 1917.
    Montana dry lands, methods. F.B. 749, pp. 7-10. 1916.
    saving labor by larger teams and implements. F.B. 989, p. 12. 1918.
    sorghum. F.B. 686, pp. 6-8. 1915; F.B. 965, pp. 11-12. 1918; F.B. 1137, p. 21. 1920.
    use of horses and tractors on Corn Belt farms. F.B. 1295, pp. 9-11. 1923.
    with binder, day's work, central Illinois. D.B. 814, pp. 21-23. 1920.
  grapes—
    directions. D.B. 861, p. 9. 1920.
    Ohio practices, relation to grape-berry moth control. D.B. 837, pp. 3-4. 1920.
  hairy vetch, for seed, and threshing, methods. D.B. 876, pp. 14-19, 28. 1920.
  hay—
    day's work. D.B. 3, pp. 28-32, 44. 1913.
    with sweep-rake. Arnold P. Yerkes and H. B. McClure. F.B. 838, pp. 12. 1917.
  hemp, methods and tools. B.P.I. Cir. 57, pp. 1-5. 1910; Y.B., 1913, pp. 323-326. 1914; Y.B. Sep. 625, pp. 323-326. 1914.
  horsemint for thymol production. D.B. 372, pp. 5-6. 1916.
  Hungarian vetch for hay and seed. D.B. 1174, pp. 8-9. 1923.
  ice, methods, and tools. F.B. 475, pp. 7-11. 1911; F.B. 1078, pp. 6-14. 1920.
  immature products, disadvantages. Y.B., 1916, pp. 105-106. 1917; Y.B. Sep. 686, pp. 7-8. 1917.
  insect flowers, details. D.B. 824, pp. 6-8. 1920.
  kafir, methods, and machinery. F.B. 552, pp. 15-16. 1913.
  kelp. D.B. 150, pp. 62-63. 1915; D.B. 1191, pp. 35-40. 1923; Rpt. 101, pp. 20, 47-49, 57, 109. 1915.
  kudzu hay, directions. D.C. 89, p. 6. 1920.
  legumes in Guam. Guam Bul. 4, pp. 8-9, 1922.
  lemon crop, methods in Italy. B.P.I. Bul. 160, pp. 30-31. 1909.
  lemon grass, methods, cost, and yield. D.B. 442, pp. 4-6. 1917.
  Lespedeza or Japan clover, time, and yield of hay and seed. F.B. 441, pp. 14-16. 1911.
  lettuce, greenhouse growing. F.B. 1418, pp. 15-17. 1924.
  loganberries, methods and time. F.B. 998, pp. 15-19. 1918.

Harvesting—Continued.
  machinery—
    manufacture and sale. Y.B. 1922, pp. 1024-1025. 1923; Y.B. Sep. 887, pp. 1024-1025. 1923.
    uses in dry farming. F.B. 769, pp. 10-13. 1916.
    machines, demand for binder twine. Y.B., 1918, pp. 358-359. 1919; Y.B. Sep. 790, pp. 4-6. 1919.
  mangoes. P.R. Bul. 24, pp. 24-25. 1918.
  meadow fescue—
    directions. D.C. 9, pp. 3-4. 1919.
    seed. F.B. 361, p. 10. 1909.
  methods in South Carolina, Lexington County. Soil Sur. Adv. Sh., 1922, p. 159. 1925.
  millet for hay and seed. F.B. 793, pp. 19-20. 1917.
  milo, methods. F.B. 322, p. 17. 1908; F.B. 1147, p. 14. 1920.
  muscadine grapes. F.B. 709, p. 19. 1916.
  Narcissus flowers. D.B. 1270, p. 17. 1924.
  Natal grass, directions. F.B. 726, pp. 8-10. 1916.
  oats—
    irrigation States, cutting, shocking, stacking, and threshing. F.B. 892, pp. 17-22. 1917.
    methods. F.B. 424, pp. 25-29. 1910; F.B. 1119, pp. 18-20. 1920.
  olives, directions. F.B. 1249, pp. 34-36. 1922.
  onions—
    management. D.B. 1325, p. 11. 1925; F.B. 354, pp. 21-23, 31. 1909; F.B. 384, p. 8. 1910.
    relation to storage rots. F.B. 1060, p. 16. 1919.
    seed and sets. F.B. 434, pp. 9, 18-19. 1911.
  oranges, methods and costs. D.B. 63, pp. 5-6, 19-24. 1914; D.B. 1237, pp. 15-17, 37-38. 1924.
  paprika peppers. D.B. 43, p. 17. 1913.
  Para grass, and yields under different treatment. Guam Bul. 1, pp. 16-21. 1921.
  peaches, methods in various States. F.B. 1266, pp. 3-7. 1922.
  peanuts—
    and stacking. Y.B. 1917, pp. 114-115. 1918; Y.B. Sep. 748, pp. 4-5. 1918.
    methods and tools. F.B. 356, pp. 19-22. 1909; F.B. 431, pp. 17-22. 1911; F.B. 1127, pp. 15-16. 1920; O.E.S.F.I.L. 13, pp. 11-15. 1912; Sec. Cir. 81, pp. 1-4. 1917; B.P.I. Cir. 88, p. 4. 1911.
  pears, directions. F.B. 482, pp. 22-23. 1912.
  peas for—
    canning directions. Chem. Bul. 125, pp. 9-10. 1909; F.B. 1255, pp. 14-18. 1922.
    seed. B.P.I. Bul. 184, pp. 31-32. 1910.
  perfumery plants. B.P.I. Bul. 195, pp. 31-34. 1910.
  Persian walnuts, cleaning, curing, and bleaching. B.P.I. Bul. 254, pp. 93-100. 1913.
  pigeon pea—
    hay. Hawaii Bul. 46, pp. 9-10. 1921.
    for seed and threshing. Hawaii Bul. 46, pp. 13-15. 1921.
  pineapple, time and methods. F.B. 1237, pp. 21-22. 1921; P.R. Bul. 8, pp. 15, 29-30. 1909.
  plums, in Northwest prune growing. F.B. 1372, pp. 55-59. 1924.
  pop corn, methods. F.B. 554, pp. 11-12. 1913; rev., pp. 8-9. 1920.
  potatoes—
    and grading methods. D.B. 784, pp. 6-7. 1919; F.B. 1190, pp. 23-25. 1921.
    date and method in Southern States. F.B. 1205, pp. 22-24, 28, 37. 1921.
    day's work. D.B. 3, pp. 37-38. 1913; Stat. Bul. 10, pp. 12-13. 1925.
    early, to control powdery scab. J.A.R., vol. 7, pp. 228-229. 1916.
    in irrigation districts. F.B. 953, pp. 19-20. 1918.
    late crop. F.B. 1064, pp. 32-35. 1919.
    Maine, injuries to crop. Sec. Cir. 48, pp. 3-4. 1915.
    New Jersey farms and yield per acre. F.B. 472, pp. 21-22. 1911.
    time and methods. B.P.I. Doc. 884, p. 7. 1913; Sec. Cir. 92, pp. 13, 16, 22, 25. 1918.
    varieties most favored. F.B. 407, pp. 20-21. 1910.

Harvesting—Continued.
  practices—
    in Colorado, sugar-beet districts, various crops. D.B. 917, pp. 33–40. 1921.
    relation to farm income. F.B. 1121, pp. 14, 18–19. 1920.
  prickly pears—
    methods and cost. J.A.R., vol. 4, pp. 430–431. 1915; F.B. 483, pp. 16–17. 1912; F.B. 1072, pp. 16–17, 20–21. 1920.
    spineless. B.P.I. Bul. 140, pp. 14–15. 1909.
  proso, method. F.B. 1162, p. 13. 1920.
  raisin grapes, and drying. D.B. 349, pp. 11–12. 1916.
  raspberries, picking and handling methods. F.B. 887, pp. 33–34. 1917.
  red-clover seed. F.B. 1339, pp. 21–22. 1923.
  rice—
    Arkansas, Lonoke County. Soil Sur. Adv. Sh., 1921, p. 1285. 1925.
    directions. F.B. 417, pp. 19–20, 29. 1910; F.B. 688, pp. 10–11. 1915; F.B. 1141, p. 15. 1920; F.B. 1240, p. 17. 1924.
    methods to prevent damage. F.B. 1420, pp. 10–17. 1924.
    shocking and threshing. F.B. 1092, pp. 19–20. 1920.
  rotundifolia grapes, methods. B.P.I. Bul. 273, pp. 33–35. 1913.
  rye—
    crop, cutting, shocking, threshing, and yield. F.B. 894, pp. 11–13. 1917.
    time and method. F.B. 756, pp. 13–14. 1916.
  saltbush for soiling and for seed. D.B. 617, p. 10. 1919.
  sharing expenses, on tenant farms. D.B. 650, p. 18. 1918.
  sorghum—
    for fodder. F.B. 1125, rev., pp. 24–25. 1920.
    for hay. F.B. 458, p. 19. 1911.
    for sirup manufacture. F.B. 477, pp. 12–14. 1912; F.B. 1389, pp. 6–7. 1924.
    in Guam. Guam Bul. 3, p. 21. 1922.
    time and methods. F.B. 1158, pp. 16–20. 1920.
  soy bean(s)—
    for hay and for seed. D.C. 120, pp. 2–3. 1920; F.B. 514, pp. 18–20. 1912; F.B. 1125, rev., p. 38. 1920; S.R.S. Syl. 35, pp. 12–13. 1919.
    methods and implements. F.B. 372, pp. 18–19. 1909; F.B. 931, pp. 15–20. 1918.
    seed. W. J. Morse. F.B. 886, pp. 8. 1917.
  specifications in large-scale farm contract. D.C. 351, p. 30. 1925.
  spinach, methods. F.B. 1189, pp. 3–6. 1921.
  statistics of day's work for various crops. Y.B., 1922, pp. 1061–1062, 1071, 1072. 1923; Y.B. Sep. 890, pp. 1061–1062, 1071, 1072. 1923.
  stecklings, details. F.B. 1152, pp. 7–9. 1920.
  strawberries—
    in Eastern States. F.B. 1028, pp. 36–38. 1919.
    in South Atlantic and Gulf States. F.B. 1026, pp. 32–34. 1919.
    in Western States, and shipping. F.B. 1027, pp. 22–23. 1919.
    methods, time, and quality. F.B. 664, pp. 14–15. 1915; F.B. 901, p. 14. 1917.
  Sudan grass. D.B. 981, pp. 34–37, 65. 1921; D.C. 50, p. 3. 1919; F.B. 605, pp. 11–12. 1914; F.B. 1126, pp. 14–16. 1920.
  sugar beets—
    and storing for sirup making. F.B. 823, pp. 6–8. 1917.
    methods—
      and practices. D.B. 199, pp. 1–2. 1915; F.B. 568, pp. 16–18, 20. 1914; F.B. 567. pp. 19–20. 1914; Rpt. 80, pp. 155–156. 1905.
      implements, and cost. D.B. 721, pp. 38–39. 1918; D.B. 748, pp. 26–30, 31. 1919; F.B. 392, pp. 33–37. 1910; Rpt. 92, p. 14. 1910.
    practices and cost, Utah and Idaho. D.B. 693, p. 33. 1918.
    seed. F.B. 1152, p. 18. 1920; Y.B., 1916, p. 409. 1917; Y.B. Sep. 695, p. 11. 1917.
  sugar-cane—
    in Louisiana, Iberia Parish. Soil Sur. Adv. Sh., 1911, p. 12. 1912; Soils F.O., 1911, p. 1136. 1914.
    in Porto Rico, methods, losses in weight. P.R. Bul. 9, pp. 35–38. 1910.

Harvesting—Continued.
  sugar-cane—continued.
    time and methods. D.B. 486, pp. 24–26. 1917.
    tolls. F.B. 1034, pp. 19–21. 1919.
  sunflowers, methods. D.B. 1045, pp. 12–13. 1922.
  sweet clover seed crop, and threshing. H. S. Coe. F.B. 836, p. 23. 1917.
  sweet corn for seed. B.P.I. Bul. 184, pp. 18–19. 1910.
  sweet potatoes—
    directions. F.B. 324, pp. 26–28. 1908; F.B. 520, pp. 11–13. 1912; F.B. 970, pp. 21–22. 1918; F.B. 999, pp. 21–23. 1919; F.B. 1267, pp. 9–10, 1922; F.B. 1442, pp. 15–16. 1925.
    time and methods. F.B. 548, pp. 11–12. 1913; S.R.S. Syl. 26, pp. 6–7. 1917.
  tea, time, method, and cost. B.P.I. Bul. 234, pp. 20–22. 1912.
  timothy hay, season, equipment, and yields. F.B. 502, pp. 25–28, 32. 1912; F.B. 990, pp. 18–24. 1918.
  tobacco—
    methods. B.P.I. Bul. 138, pp. 13–14. 1908; B.P.I. Bul. 143, pp. 30–33, 36–50. 1909; D.B. 16, pp. 28–30. 1913; D.B. 79, pp. 3–9. 1914; F.B. 343, pp. 21–23. 1909; F.B. 523, pp. 6–10. 1913; F.B. 571, pp. 7–13. 1914; F.B. 571, rev., pp. 10–11, 17–20. 1920; Stat. Cir. 18, pp. 7–16. 1901.
    Pennsylvania districts, directions. F.B. 416, pp. 15–17. 1910; rev., pp. 13–15. 1921.
  tomatoes, methods. B.P.I. Doc. 883, pp. 7–8. 1913; D.B. 392, pp. 5–6. 1916; F.B. 220, pp. 13, 17. 1905; F.B. 1291, pp. 6–10. 1922.
  tractor, use on Corn Belt farms. F.B. 1093, pp. 5, 10, 12, 15. 1920.
  tulips, methods. D.B. 28, pp. 17–18. 1913.
  tuna, methods. B.P.I. Bul. 116, pp. 17–19. 1907.
  vanilla beans and curing. Y.B., 1908, p. 335. 1909; Y.B. Sep. 485, p. 335. 1909.
  velvet beans—
    method. F.B. 962, p. 27. 1918.
    necessity for hand picking, labor and cost. F.B. 1276, pp. 20–21. 1922.
  vetch, for hay and for seed. F.B. 515, pp. 12–13, 20. 1912; F.B. 967, pp. 9–10. 1918.
  wheat—
    cost, by different methods. A. P. Yerkes and L. M. Church. D.B. 627, pp. 22. 1918.
    delay, cause of moth infestation. F.B. 1156, pp. 14–15. 1920.
    effect on grain. Y.B., 1906, pp. 208–210. 1907; Y.B. Sep. 417, pp. 208–210. 1907.
    labor and power requirements. D.B. 1198, pp. 9–10. 1924; D.B. 1296, pp. 17–20. 1925.
    methods. F.B. 596, pp. 10–12. 1914; F.B. 678, pp. 14–16. 1915; F.B. 885, pp. 13–14. 1917; O.E.S.F.I.L. 11, pp. 17–18. 1910; S.R.S. Syl. 11, rev., pp. 15–16. 1918; Y.B., 1919, pp. 143–146. 1920; Y.B. Sep. 804, pp. 143–146. 1920.
    methods, effect on quality. B.P.I. Cir. 68, pp. 3–5. 1910.
  rye or oats, day's work. D.B. 1292, p. 27. 1925.
  use of combined harvester, acreage and costs. D.B. 627, pp. 18–21. 1918.
  willow, directions and cost. F.B. 341, pp. 15–18, 23–27, 45. 1909; F.B. 622, pp. 22–24. 1914.
  winter barley, shocking, threshing, and storing. F.B. 518, pp. 14–15. 1912.
  yams—
    and shipping for market. D.B. 1167, pp. 8–9. 1923.
    precautions. P.R. Bul. 27, p. 11. 1921.
HARVEY, R. B.—
  "Catalase, hydrogen-ion concentration, and growth in the potato wart disease." With Freeman Weiss. J.A.R., vol. 21, pp. 589–592. 1921.
  "Frost injury to tomatoes." With R. C. Wright. D.B. 1099, pp. 10. 1922.
  "Hardening process in plants and developments from frost injury." J.A.R., vol. 15, pp. 83–112. 1918.
  "Physiological study of the parasitism of *Pythium debaryanum* Hesse on the potato tuber." With L. A. Hawkins. J.A.R., vol. 18, pp. 275–298. 1919.
  "The freezing point of potatoes as determined by the thermoelectric method." With R. C. Wright. D.B. 895, pp. 7. 1920.

INDEX TO PUBLICATIONS, 1901–1925   1115

HASEMAN, L.: "*Ornix geminatella*, the unspotted tentiform leaf miner of apple." J.A.R., vol. 6, No. 8, pp. 289–296. 1916.
Hash, recipes. F.B. 391, pp. 26, 31. 1910.
Hashish, manufacture from hemp tops. B.P.I. Bul. 248, p. 51. 1912; Y.B., 1913, p. 301. 1914; Y.B. Sep. 628, p. 301. 1914.
HASKELL, C. G.: "Irrigation practice in rice growing." F.B. 673, pp. 12. 1915.
HASKELL, E. S.—
"A farm-management survey in Brooks County, Ga." D.B. 648, pp. 60. 1918.
"Systems of hog farming in the Southeastern States." F.B. 985, pp. 40. 1918.
HASKINS, H. D.—
"Phosphoric acid." With A. J. Patten. Chem. Bul. 152, pp. 10–25. 1912; Chem. Bul. 162, pp. 9–12. 1913.
"Preliminary studies on the analysis of basic slag for available phosphoric acid." Chem. Bul. 116, pp. 114–115. 1908.
HASSALL, ALBERT—
"Bibliography of surra and allied trypanosomatic diseases." B.A.I. Bul. 42, pp. 131–152. 1902.
"Index-catalogue of medical and veterinary zoology * * * authors," Pts. I–XXXVI. With Ch. Wardell Stiles. B.A.I. Bul. 39, pp. 2276. 1902-1912.
"Notes on parasites, 58–62." With Ch. Wardell Stiles. B.A.I. Bul. 35, pp. 19–24. 1902.
"Spurious parasitism due to partially digested bananas." With Ch. Wardell Stiles. B.A.I. Bul. 35, pp. 56–57. 1902.
"The determination of generic types and a list of roundworm genera, with their original and type species." With Ch. Wardell Stiles. B.A.I. Bul. 79, pp. 150. 1905.
HASSE, C. H.: "*Pseudomonas citri*, the cause of citrus canker." J.A.R., vol. 4, pp. 97–100. 1915.
HASSELBRING, HEINRICH—
"Behavior of sweet potatoes in the ground." J.A.R., vol. 12, pp. 9–17. 1918.
"Carbohydrate transformations in sweet potatoes." With L. A. Hawkins. J.A.R., vol. 5, No. 13, pp. 543–560. 1915.
"Effect of different oxygen pressures on the carbohydrate metabolism of the sweet potato." J.A.R., vol. 14, pp. 273–284. 1918.
"Physiological changes in sweet potatoes during storage." With Lon A. Hawkins. J.A.R., vol. 3, pp. 331–342. 1915.
"Respiration experiments with sweet potatoes." With Lon A. Hawkins. J.A.R., vol. 5, No. 12, pp. 509–517. 1915.
Hasselmann process, use in tie preservation, table. For. Cir. 209, p. 10. 1912.
HASTINGS, E. G.—
"A comparison of the acid test and the rennet test for determining the condition of milk for the Cheddar type of cheese." With Alice C. Evans. B.A.I. Cir. 210, pp. 6. 1913.
"Bacteria concerned in the production of the characteristic flavor in cheese of the Cheddar type." With others. J.A.R., vol. 2, pp. 167–192. 1914.
"Relation of the action of certain bacteria to the ripening of cheese of the Cheddar type." With others. J.A.R., vol. 2, pp. 193–216. 1914.
"The bacteriology of Cheddar cheese." With others. B.A.I. Bul. 150, pp. 52. 1912.
HASTINGS, M. M.—
"A cold-storage evaporimeter." B.A.I. Cir. 149, pp. 8. 1909.
"The egg trade of the United States." B.A.I. Cir. 140, pp. 34. 1909.
HASTINGS, S. H.—
"A lister attachment for a cotton planter." B.P.I.C.P. and B.I. Cir. 2, pp. 3. 1917.
"Experiments in subsoiling at San Antonio." With C. R. Letteer. B.P.I. Cir. 114, pp. 9–14. 1913.
"Forage-crop experiments at the San Antonio Field Station." B.P.I. Cir. 106, pp. 27. 1913.
"Grain-sorghum production in the San Antonio region of Texas." With Carleton R. Ball. B.P.I. Bul. 237, pp. 30. 1912.
"Horticultural experiments at the San Antonio Field Station, Southern Texas." With R. E. Blair. D.B. 162, pp. 26. 1915.

HASTINGS, S. H.—Continued.
"Report on the work of the San Antonio Experiment Farm in—
1907." With Frank B. Headley. B.P.I. Cir. 13, pp. 16. 1908.
1908." With Frank B. Headley. B.P.I. Cir. 34, pp. 17. 1909.
1912." B.P.I. Cir. 120, pp. 7–20. 1913.
1913." B.P.I. [Misc.], "The work * * * San Antonio, 1913, pp. 15. 1914.
1914." W.I.A. Cir. 5, pp. 16. 1915.
1915." W.I.A. Cir. 10, pp. 17. 1916.
"The importance of thick seeding in the production of milo in the San Antonio region." D.B. 188, pp. 21. 1915.
Hasty pudding. *See* Mush, corn meal.
Hasu-imo, description, value as food. B.P.I. Bul. 164, p. 28. 1910.
HASWELL, JOHN R.: "Community tile drainage construction." Y.B., 1919, pp. 79–93. 1920; Y.B. Sep. 822, pp. 79–93. 1920.
HATCH, C. F.: "Manufacture and utilization of hickory, 1911." For. Cir. 187, pp. 16. 1911.
HATCH, K. L.: "Simple exercises illustrating some applications of chemistry to agriculture." O.E.S. Bul. 195, pp. 22. 1908.
Hatch—
Act—
and amendments, text and rulings. O.E.S. Cir. 111, rev., pp. 8–11, 17–19, 24–25. 1912; S.R.S. [Misc.], "Federal legislation * * * agricultural colleges * * *," rev., pp. 13–15, 22, 28–29. 1916.
application to experiment stations. O.E.S. Cir. 68, pp. 4–6. 1912.
disbursements, 1888–1916. S.R.S. Rpt., 1916, Pt. I, p. 308. 1918.
disbursements by States, 1913. Work and Exp., 1913, pp. 102–105, 110. 1915.
establishing experiment stations, text and rulings. O.E.S. [Misc.], "Federal legislation, regulations, and rulings affecting agricultural colleges and experiment stations," rev., to July 1, 1914, pp. 8–10, 20–21, 26, 27–28. 1914; rev., to Dec. 21, 1914, pp. 8–10, 23–24, 29, 31. 1915; rev., pp. 10–12, 17–20, 23–26. 1916.
for Experiment Stations and amendment, text and administration. D.C. 251, pp. 20–21, 27, 49, 50. 1923; rev., pp. 19–21. 1925.
text, and amendment, 1888. O.E.S. Cir. 68, rev., pp. 4–6. 1912.
fund—
limitation from extension work use, ruling of department. D.C. 251, p. 27. 1925.
use and discussion. O.E.S. Bul. 212, pp. 105–120. 1909.
Hatch-spot egg, description. D.B. 565, p. 13. 1918.
Hatcheries, fish, public, Washington. D.C. 138, pp. 18, 43, 45, 49. 1920.
Hatching—
chickens—
directions. F.B. 287, pp. 28–31. 1907; F.B. 1106, p. 8. 1920.
early. B.A.I.A.H. G.-28, pp. 8. 1918.
in summer, objections. B.A.I.A.H. G.-28, pp. 4–5. 1919.
methods on Kansas farms. B.A.I. Bul. 141, pp. 26–27. 1914.
natural and incubator methods. F.B. 287, rev., pp. 22–24. 1921; F.B. 1040, rev., pp.10–11. 1919; S.R.S. Syl. 17, pp. 5–6. 1916.
early, importance, and effect on thrift and vigor of chickens. Sec. Cir. 107, pp. 11–12. 1918; B.A.I.A.H. G.-28, pp. 1–8. 1919.
egg testing. F.B. 236, pp. 27–29. 1905.
eggs—
management at close of period. F.B. 236, p. 30. 1905.
poor hatches, causes. F.B. 585, p. 15. 1914.
pheasant eggs, directions. F.B. 390, pp. 26–28. 1910.
quality of eggs, hereditary character. F.B. 405, pp. 18–19. 1910.
record blank. B.A.I.A.H. G-28, p. 7. 1918.
seasons in various localities. F.B. 1363, p. 4. 1923.
silkworm eggs. F.B. 165, pp. 13–16. 1913.
turkeys, time management. Y.B., 1916, p. 415. 1917; Y.B. Sep. 700, p. 5. 1917.
See also Incubation.

Hatchtown Dam, Utah, details of construction.
O.E.S. Bul. 249, Pt. I, pp. 20, 26, 49. 1912.
Hats—
freshening, reblocking and trimming, suggestions.
F.B. 1089, pp. 6-7. 1920.
Panama, palm growing and distribution in Porto
Rico. An. Rpts., 1916, p. 310. 1917; S.R.S.
Rpt., 1916, p. 14. 1916.
selection and care of. F.B. 1089, pp. 19-20, 21,
26-27. 1920.
Hatstand tree, importation and description. Nos.
45603, 45604, B.P.I. Inv. 53, p. 67. 1922.
HATT, W. K.—
"Experiments on the strength of treated timber."
For. Cir. 39, pp. 31. 1906.
"Holding force of railroad spikes in wooden ties."
For. Cir. 46, pp. 7. 1906.
"Instructions to engineers of timber tests." For.
Cir. 38, pp. 55. 1906.
"Progress report on the strength of structural
timber." For. Cir. 32, pp. 28. 1904.
"Second progress report on the strength of structural timber." For. Cir. 115, pp. 39. 1907.
"Strength of packing boxes of various woods."
For. Cir. 47, pp. 8. 1906.
"The mechanical properties of red gum wood."
For. Bul. 58, pp. 40-54. 1905.
HATTON, J. H.: "Live-stock grazing as a factor in
fire protection on the national forests." D.C.
134, pp. 11. 1920.
Hau—
Kuahiwi, importation and description. No.
42879, B.P.I. Inv. 47, p. 78. 1920.
tree, uses, Hawaii. Ent. Bul. 75, Pt. V, p. 54.
1909.
HAUCK, C. W.—
"American fruit and produce auctions." With
Admer D. Miller. D.B. 1362, pp. 36. 1925.
"Preparation of cabbage for market." F.B. 1423,
pp. 14. 1924.
Haulage, roads other than rail, amount and cost.
An. Rpts., 1908, p. 145. 1909; Sec. A.R., 1908,
p. 143. 1908.
Hauling—
apples—
and loading on cars. F.B. 1080, pp. 36-40. 1919.
methods. Mkts. Doc. 4, pp. 24, 29. 1917.
Payette Valley, Idaho. D.B. 636, pp. 26-27.
1918.
to packing houses. F.B. 1204, p. 12. 1921.
beets—
labor-saving practices. F.B. 1042, pp. 16-18.
1919.
methods and costs. D.B. 726, pp. 42-45. 1918.
time and labor requirements. D.B. 963, pp.
39-40. 1921.
cordwood, carload, lots, capacity, weights per
cord, etc. D.B. 753, pp. 16-17. 1919.
corn, cotton, and wheat, mileage and cost. Y.B.,
1918, p. 712. 1919; Y.B. Sep. 795, p. 48. 1919.
cost—
as factor in lumbering losses. M.C. 39, p. 31.
1925.
on public roads. Y.B., 1914, p. 212. 1915;
Y.B. Sep. 638, p. 212. 1915.
saving on improved roads. D.B. 393, pp. 8,
21-27, 33-36, 42-44, 50-51, 59-62, 66-68, 77, 85-86.
1916; F.B. 505, pp. 3-12. 1912.
crops—
from farms to shipping points, costs. Frank
Andrews. Stat. Bul. 49, pp. 63. 1907.
time for several distances. S. B. 5, p. 83.
1925.
effect of grades on pull required. D.B. 463, pp.
12-13. 1917.
farm products, statistics of day's work. D.B.
3, pp. 40-42. 1913; Y.B., 1922, pp. 1052, 1059,
1066, 1067, 1073. 1923; Y.B. Sep. 890, pp. 1052,
1059, 1066, 1067, 1073. 1923.
hay to barn, day's work. D.B. 3, pp. 30-31.
1913.
logs, methods, horse and engine, costs. D.B. 440,
pp. 34-41, 44-64. 1917.
manure—
and straw, labor requirements. D.B. 1296, p.
53. 1925.
day's work. D.B. 1292, p. 12. 1925.
labor requirements in southwestern Minnesota.
D.B. 1271, pp. 66-67. 1924.

Hauling—Continued.
milk and cream, relative cost. F.B. 201, pp. 5-6.
1904.
motor truck, by Eastern farmers, amount and
cost. D.B. 910, pp. 10-13, 15-16, 33 1920;
F.B. 1201, pp. 12-14. 1921.
oats, to shipping points, cost. D.B. 755, p. 9.
1919.
on farms, use of trucks, comparison with horses.
D.B. 931, pp. 14-16. 1921; D.B. 1254, pp. 13-14.
1924; D.B.1314, pp. 8-9. 1923; Y.B., 1924,
pp. 16-184. 1925.
oranges and lemons, cost. D.B. 1261, p. 6. 1924.
peaches from orchards and from packing houses.
F.B. 1266, pp. 8-10, 31-32. 1922.
potatoes from field to cellar, day's work. D.B.
3, p. 38. 1913.
pulpwood, distances, by States. D.B. 758, pp.
5, 15. 1919.
red raspberries, methods in Puyallup Valley,
Wash. D.B. 274, pp. 12-13, 26. 1915.
return loads, importance in saving expense.
D.B. 1254, p. 13. 1924.
sugar beets—
California areas, methods and cost. D.B. 760,
pp. 29-30. 1919.
methods and costs. D.B. 748, pp. 3, 28-30.
1919.
tractor, impracticability, road injury, and heavy
cost. F.B. 963, p. 17. 1918; F.B. 1035, pp.
18-19. 1919.
truck—
cost per mile. D.B. 931, p. 30, 1921; D.B. 1254,
pp. 23-24. 1924.
saving of time and labor. D.B. 1254, pp. 11-13,
16-18. 1924; F.B. 1201, pp. 9-11, 18-19. 1921;
F.B. 1314, pp. 7-8, 9-10. 1923.
use of tractors and horses on Corn-Belt farms.
D.B. 997, pp. 15, 27, 32-36. 1921; F. B. 1295,
pp. 11-12. 1923.
wagon and motor-truck, cost, 1906, 1916. Y.B.,
1921, p. 791. 1922; Y.B. Sep. 871, p. 22. 1922.
wheat, rye or oats in bundle, day's work. D.B.
1292, p. 27. 1925.
See also Transportation.
Havana—
malarial conditions, effect of sanitary work.
Ent. Bul. 78, p. 17. 1909; Ent. Bul. 88, pp. 92-
93. 1910.
yellow fever conditions, effect of antimosquito
measures. Ent. Bul. 78, p. 20. 1909.
Haverhill, Mass., milk supply, statistics, officials,
prices, and ordinances. B.A.I. Bul. 46, pp. 36,
94, 191. 1903.
Haw (tree)—
black—
description, range, and occurrence, Pacific
slope. For. [Misc.], "Forest trees for Pa-
cific * * *," pp. 347-349. 1908.
injury by sapsuckers. Biol. Bul. 39, p. 50.
1911.
leaf spot, occurrence and description, Texas.
B.P.I. Bul. 226, p. 58. 1912.
names, range, description, bark, prices, and
uses. B.P.I. Bul. 139, pp. 48-49. 1909.
Chinese, importation and description. Nos.
40604, 40605, B.P.I. Inv. 43, p. 54. 1918.
injury by pith-ray flecks. For. Cir. 215, p. 10.
1913.
tests for mechanical properties, results. D.B.
556, pp. 29, 39. 1917; D.B. 676, p. 19. 1919.
variety, Palestine, use of dwarf pear stock.
B.P.I. Bul. 205, pp. 7, 15-16. 1911.
See also Hawthorn.
Haw (eyelid)—
cattle, inflammation, and enlargement. B.A.I.
[Misc.], "Diseases of cattle," rev., p. 366. 1912;
rev., p. 354. 1923.
horse tumor, description, and treatment. B.A.I.
[Misc.], "Diseases of the horse," p. 261. 1903.
Hawaii—
acacia growing and uses. D.B. 9, pp. 1, 3, 22, 29.
1913.
acid lime fruit in. W. T. Pope. Hawaii Bul. 49,
pp. 20. 1923.
agricultural—
college and experiment stations, organization—
1905. O.E.S. Bul. 161, pp. 20-21. 1905.
1906. O.E.S. Bul. 176, p. 23. 1907.
1907. O.E.S. Bul. 197, p. 23. 1908.

INDEX TO PUBLICATIONS, 1901-1925   1117

Hawaii—Continued.
  agricultural—continued.
    college and experiment stations—continued.
      1910, and studies. O.E.S. Bul. 224, pp. 19-20. 1910.
      See also Agriculture, workers, list.
    Experiment Station publications, July 1, 1901 to December 31, 1911, index. A. T. Longley. Hawaii [Misc.], "Index to publications * * *," pp. 38. 1912.
    fair, success of exhibits. Hawaii A.R., 1918, pp. 6-7, 15-16, 31. 1919.
    investigations 1905, report. J. G. Smith. O.E.S. Bul. 170, pp. 66. 1906.
    resources and capabilities. William C. Stubbs. O.E.S. Bul. 95, pp. 100. 1901.
    statistics, 1909, 1919, 1920. D.B. 987, p. 64. 1921.
  avocado—
    in. J. E. Higgins and others. Hawaii Bul. 25, pp. 48. 1911.
    varieties. B.P.I. Bul. 77, pp. 26-27. 1905.
  banana culture in. J. E. Higgins. Hawaii Bul. 7, pp. 53. 1904.
  bean-weevil parasites, introduction experiments. Hawaii A.R., 1910, pp. 20-21. 1911.
  bee keeping. O.E.S. Bul. 170, p. 40. 1906.
  bird reservations, details and summary. Biol. Cir. 87, pp. 9-16. 1912.
  black wattle, cultivation, use, and value. Hawaii Bul. 11, pp. 16. 1906.
  cane-sugar production—
    1912-1914, and shipments to United States. Y.B., 1915, pp. 497, 498, 564. 1916; Y.B. Sep. 683, pp. 497, 498. 1916; Y.B. Sep. 685, pp. 564. 1916.
    1913-1918. Y.B., 1918, p. 567. 1919; Y.B. Sep. 792, p. 63. 1919.
  Castner forage-crop station, work, 1919, summary and report. Hawaii A.R., 1919, pp. 15, 47-49. 1920.
  Ceara rubber tree in. J. G. Smith and Q. Q. Bradford. Hawaii Bul. 16, pp. 20. 1908.
  chemical studies, on efficiency of legumes as green manures. Alice R. Thompson. Hawaii Bul. 43, pp. 26. 1917.
  chicken diseases. T. F. Sedgwick. Hawaii Bul. 1, pp. 23. 1901.
  citrus fruits in. J. E. Higgins. Hawaii Bul. 9, pp. 31. 1905.
  clean-culture campaign against fruit flies, failure and causes. D.B. 640, pp. 31-33. 1918.
  climatic conditions—
    1920. Hawaii A.R., 1920, pp. 40-42. 1921.
    relation to Mediterranean fruit fly. D B. 536, pp. 9-15. 1918; J.A.R., vol. 3, pp. 324-328. 1915.
  coffee production, exports. Stat. Bul. 79, pp. 10, 64-67. 1912.
  College and Experiment Stations, list of workers, 1922. M.C. 4, pp. 13-14. 1923.
  college of agriculture and mechanic arts, establishment. O.E.S. An. Rpt., 1907, p. 282. 1908.
  cotton, quarantine regulations. F.H.B. Quar. 47, pp. 1-4. 1920; F.H.B.S.R.A. 17, pp. 46-49. 1915.
  crops, miscellaneous, 1911. Hawaii A.R., 1911, pp. 14-16, 62-63. 1912.
  drug laws. Chem. Bul. 98, pp. 59-62. 1906; Chem. Bul. 98, rev., Pt. I, pp. 93-97. 1909.
  edible canna in. H. L. Chung and J. C. Ripperton. Hawaii Bul. 54, pp. 16. 1924.
  Experiment Station—
    annual report—
      1901. Jared G. Smith. O.E.S. An. Rpt., 1901, pp. 361-379. 1902.
      1902. Jared G. Smith. O.E.S. An. Rpt., 1902, pp. 309-330. 1903.
      1903. Jared G. Smith. O.E.S. An. Rpt., 1903, pp. 391-418. 1904.
      1904. Jared G. Smith. O.E.S. An. Rpt., 1904, pp. 361-382. 1904.
      1905. Jared G. Smith. O.E.S. Bul. 170, pp. 66. 1906.
      1906. Jared G. Smith and others. Hawaii A.R., 1906, pp. 88. 1907.
      1907. Jared G. Smith and others. Hawaii A.R., 1907, pp. 90. 1908.
      1908. E. V. Wilcox and others. Hawaii A.R., 1908, pp. 75. 1909.

Hawaii—Continued.
  Experiment Station—Continued.
    annual report—continued.
      1909. E. V. Wilcox and others. Hawaii A.R., 1909, pp. 76. 1910.
      1910. E. V. Wilcox and others. Hawaii A.R., 1910, pp. 64. 1911.
      1911. E. V. Wilcox and others. Hawaii A.R., 1911, pp. 63. 1912.
      1912. E. V. Wilcox and others. Hawaii A.R., 1912, pp. 91. 1913.
      1913. E. V. Wilcox and others. Hawaii A.R., 1913, pp. 53. 1914.
      1914. E. V. Wilcox and others. Hawaii A.R., 1914, pp. 73. 1915.
      1915. J. M. Westgate and others. Hawaii A.R., 1915, pp. 73. 1916.
      1916. J. M. Westgate and others. Hawaii A.R., 1916, pp. 46. 1917.
      1917. J. M. Westgate and others. Hawaii A.R., 1917, pp. 56. 1918.
      1918. J. M. Westgate and others. Hawaii A.R., 1918, pp. 55. 1919.
      1919. J. M. Westgate and others. Hawaii A.R., 1919, pp. 73. 1920.
      1920. J. M. Westgate and others. Hawaii A.R., 1920, pp. 72. 1921.
      1921. J. M. Westgate and others. Hawaii A.R., 1921, pp. 65. 1922.
      1922. J. M. Westgate and others. Hawaii A.R., 1922, pp. 23. 1924.
      1923. J. M. Westgate and others. Hawaii A.R., 1923, pp. 16. 1924.
      1924. J. M. Westgate and others. Hawaii A.R., 1924, pp. 24. 1925.
    program of work for 1915. Sec. [Misc.], "Program of work * * * 1915," p. 257. 1914.
    work and expenditures—
      1908. O.E.S. An. Rpt., 1908, pp. 19-23, 84-88. 1909.
      1909. O.E.S. An. Rpt., 1909, pp. 95-98. 1910.
      1910. O.E.S. An. Rpt., 1910, pp. 73, 124-127. 1911.
      1911. O.E.S. An Rpt., 1911, pp. 20-23, 52, 97-99. 1912.
      1912. O.E.S. An. Rpt., 1912, pp. 19-20, 101-106. 1913.
      1913. O.E.S. An. Rpt., 1913, pp. 42-43. 1915.
      1914. O.E.S. An. Rpt., 1914, pp. 93-96. 1915.
      1915. S.R.S. Rpt., 1915, Pt. I, pp. 99-102. 1917.
      1916. An. Rpts., 1916, pp. 306, 308-309. 1917; S.R.S. An. Rpt., 1916, pp. 10, 12-13. 1916.
      1917. S.R.S. Rpt., 1917, Pt. I, pp. 97-99. 1918.
      1918. An. Rpts., 1918, pp. 346-348. 1919; S.R.S. An. Rpt., 1918, pp. 12-14. 1918; Work and Exp., 1918, pp. 38, 53, 56. 1920.
      1919. An. Rpts., 1919, pp. 362-363. 1920; S.R.S. An. Rpt., 1919, pp. 10-11. 1919.
      1920. An. Rpts., 1920, pp. 456, 459-460. 1921.
      1921. S.R.S. An. Rpt., 1921, pp. 2-3, 19-21. 1921.
      1922. An. Rpts., 1922, pp. 426, 428-431. 1922; S.R.S. An. Rpt., 1922, pp. 14, 16-19. 1922.
      1923. An. Rpts., 1923, pp. 586-588. 1924.
  farm—
    conditions, changes since 1778, and developments. Y.B., 1915, pp. 132-133, 141, 143. 1916; Y.B. Sep. 663, pp. 132-133, 141, 143. 1916.
    products, receipts from shipments. Y.B. 1924, p. 1072. 1925.
  farmers' institutes—
    history. O.E.S. Bul. 174, p. 26. 1906.
    work—
      1902. O.E.S. Bul. 120, p. 33. 1902.
      1903. O.E.S. Bul. 135, Rev., pp. 12-13. 1903.
      1904. O.E.S. An. Rpt., 1904, p. 637. 1905.
      1906. O.E.S. An. Rpt., 1906, p. 326. 1907.
      1907. O.E.S. An. Rpt., 1907, p. 322. 1908.
      1908. O.E.S. An. Rpt., 1908, p. 309. 1909.
  feeding stuffs, deficiency in lime. F.B. 329, p. 24. 1908.
  fertilizer experiments. P.R. Bul. 9, pp. 32-33. 1910.
  fish introduction to combat mosquitoes. Ent. Bul. 88, pp. 12, 68-69, 113. 1910.

Hawaii—Continued.
food—
    drying as method of preservation. Maxwell O. Johnson. Hawaii Bul. 7, Emergency Series V, pp. 31. 1918.
    laws—
        1903. Chem. Bul. 83, Pt. I, pp. 34–36. 1904.
        1905. Chem. Bul. 69, Pt. II, pp. 141–145. 1905.
        1907. Chem. Bul. 112, pt. 1, p. 52. 1908.
        1908. Chem. Cir. 16, p. 9. 1908.
    forest resources. For. Bul. 83, p. 61. 1910.
    fruit(s)—
        and nuts, composition, analytical study and data. Hawaii A.R., 1914, pp. 27, 62–73. 1915.
        and vegetables, quarantine against Mediterranean fruit fly and melon fly, regulations, etc. F.H.B.S.R.A. 2, pp. 2-4, 6-8. 1914.
    fly—
        Mediterranean, work and parasitism in 1919 and 1920. J.A.R. vol. 25, pp. 1–7. 1923.
        parasites, interrelations. J.A.R. vol. 12, pp. 285–296. 1918.
        parasitism, by fruits, and by months, 1917. J.A.R., vol. 14, pp. 606–609. 1918.
        work and parasitism during 1918. J.A.R., vol. 18, pp. 441–446. 1920.
    growing experiments. O.E.S. Bul. 170, pp. 59–64. 1906.
    marketing. J. E. Higgins. Hawaii Bul. 14, pp. 44. 1907.
    production and exportation, 1900, 1914, 1915. D.B. 483, p. 40. 1917.
    quarantine—
        for fruit flies, and exceptions. D.B. 643, pp. 29–30. 1918.
        regulations for fruit and vegetables. F.H.B. Quar. 13, rev., pp. 1-4. 1917.
fur animals, laws. F.B. 706, p. 5. 1915.
game laws—
    1902. F.B. 160, pp. 13, 31, 41, 52, 54, 56. 1902.
    1903. F.B. 180, pp. 10, 32, 37, 44, 46, 48. 1903.
    1904. F.B. 207, pp. 18, 42, 50, 60. 1904.
    1905. F.B. 230, pp. 9, 16, 37. 1905.
    1906. F.B. 265, p. 15. 1906.
    1907. F.B. 308, pp. 6, 13, 35. 1907.
    1908. F.B. 336, p. 15. 1908.
    1917. F.B. 911, p. 9. 1917.
    1922. F.B. 1288, p. 14. 1922.
    1923. F.B. 1375, p. 16. 1923.
    1924–25. F.B. 1444, p. 10. 1924.
    1925–26. F.B. 1466, p. 16. 1925.
game-protection. See Game officials.
Glenwood substation, work—
    1915. Hawaii A. R., 1915, pp. 17, 51–57. 1916.
    1916. Hawaii A. R., 1916, pp. 12, 39–43. 1917.
    1918. Hawaii A. R., 1918, pp. 51–55. 1919.
    1919, summary and report. Hawaii A.R., 1919, pp. 15–16, 68–73. 1920.
grain—
    and animal shipments from the United States. Stat. Bul. 89, pp. 20–22. 1911.
    supervision district and headquarters. Mkts. S.R.A. 14, p. 34. 1916.
grasses and forage plants. C. K. McClelland. Hawaii Bul. 36, pp. 43. 1915.
Guatemalan avocado in. W. T. Pope. Hawaii Bul. 51, pp. 24. 1924.
Haiku, demonstration, and experiment farm work—
    1915. Hawaii A.R., 1915, pp. 16, 17, 46, 47, 48–49. 1916.
    1916. Hawaii A.R., 1916, pp. 33–36. 1916.
    1919. Hawaii A.R., 1919, pp. 60–67. 1920.
hibiscus, ornamental. E. V. Wilcox and V. S. Holt. Hawaii Bul. 29, pp. 60. 1914.
Hilo, agricultural work. Hawaii A.R., 1911, pp. 8, 32–35. 1912.
hogs, number and value, 1910 and 1920. Hawaii Bul. 48, pp. 1–2. 1923.
home extension work, boy scouts and boys' clubs. Hawaii A.R., 1920, p. 16. 1921.
honey—
    crop, 1908. Ent. Bul. 75, p. 44. 1911; Ent. Bul. 75, Pt. V, p. 44. 1909.
    shipments to United States. D.B. 685, pp. 33, 35. 1918.
    types, composition. D. L. Van Dine and Alice R. Thompson. Hawaii Bul. 17, pp. 21. 1908.

Hawaii—Continued.
hunting laws. Biol. Bul. 19, pp. 18, 19, 27, 29, 60. 1904.
importation of reptiles. James Wilson. Biol. Cir. 36, p. 1. 1902.
imported cabbage webworm, occurrence, history, habits, enemies, and control methods. Ent. Bul. 109, Pt. III, pp. 32–43. 1912.
injury to fruit industry by Mediterranean fruit and melon flies. D.B. 640, p. 1. 1918.
insect(s)—
    beneficial and injurious, introduction. Ent. Bul. 60, pp. 58–65. 1906.
    injurious—
        list. O.E.S. Bul. 170, pp. 46–50. 1906.
        revised list. Hawaii A.R., 1908, pp. 29–37. 1908.
        to cabbage, list. Ent. Bul. 109, Pt. III, pp. 32–43. 1912.
    injury, conditions favoring. Hawaii A.R., 1907, pp. 26–27. 1908.
    of cotton in. David T. Fullaway. Hawaii Bul. 18, pp. 27. 1909.
insecticides in use. D. L. Van Dine. Hawaii Bul. 3, pp. 25. 1903; rev., pp. 21. 1904.
irrigation, use of pumps. Jared G. Smith. O.E.S. Bul. 133, pp. 249–258. 1903.
jack beans, growing and uses. B.P.I. Cir. 110, pp. 32–33. 1913.
Kalaheo homestead demonstration work. Hawaii A.R., 1915, pp. 16, 17. 1916.
laws, nursery stock shipments. Ent. Cir. 75, rev., p. 3. 1909.
legislation protecting birds. Biol. Bul. 12, rev., pp. 87–88, 137. 1902.
legislature, appropriations for market service, 1915. Y.B., 1915, pp. 145–146. 1916; Y.B. Sep. 663, pp. 145–146. 1916.
leguminous crops. Hawaii Bul. 23, pp. 31. 1911.
limus, list. Hawaii A.R., 1906, pp. 86–88. 1907.
litchi in. J. E. Higgins. Hawaii Bul. 44, pp. 21. 1917.
livestock admission, sanitary requirements. B.A.I.A.-36, pp. 12–14. 1920; M.C. 14, pp. 13–14. 1924.
mango in. J. E. Higgins. Hawaii Bul. 12, pp. 32. 1906.
marketing produce, aid to farmers. E. V. Wilcox. Y.B., 1915, pp. 131–146. 1916; Y.B. Sep. 663, pp. 131–146. 1916.
Maui, farm demonstration work on homesteads. Hawaii A. R., 1915, pp. 16, 48–50. 1916.
Mediterranean fruit fly—
    data. J.A.R., vol. 3, pp. 311–331. 1915.
    in. E. A. Back and C. E. Pemberton. D.B. 536, pp. 119. 1918.
    introduction and spread. Ent. Cir. 160, pp. 6–8, 10. 1912.
    work and parasitism during 1918. J.A.R., vol. 18, pp. 441–446. 1920; J.A.R., vol. 20, pp. 423–438. 1920.
melon fly in. E. A. Back and C. E. Pemberton. D.B. 491, pp. 64. 1917.
military posts, cooperation of experiment station. Hawaii A. R., 1916, pp. 6–7. 1917.
milk supply and laws. B.A.I. Bul. 46, pp. 34, 60–61. 1903.
milking methods, suggestions. Hawaii Bul. 8, pp. 1–15. 1905.
mosquito—
    control. O.E.S. Bul. 170, pp. 43–46. 1906.
    in. D. L. Van Dine. Hawaii Bul. 6, pp. 30. 1904.
Oahu Island, manganiferous soils, occurrence, location and character. Hawaii Bul. 26, pp. 42–56. 1912.
occurrence of sugar-cane root disease caused by *Tylenchus similis*. J.A.R., vol. 4, pp. 561, 562, 567. 1915.
papaya in. J. E. Higgins and V. S. Holt. Hawaii Bul. 32, pp. 44. 1914.
passengers, warning under plant quarantine act. F.H.B. [Misc.], "Warning to passengers * * *" (in English, Spanish, and Portuguese), pp. 2. 1914; F.H.B.Quar. 13, amdt. 1, p. 1. 1915.
pasture lands on farms. D.B. 626, pp. 15, 28. 1918.
pineapple soils, chemical character. P.R. Bul. 11, p. 18. 1911.

INDEX TO PUBLICATIONS, 1901–1925   1119

Hawaii—Continued.
- pink bollworm—
  - of cotton, quarantine establishment. F.H.B. Quar. 9, p. 1. 1913.
  - studies. J.A.R., vol. 9, pp. 353–362. 1917.
- plants—
  - and plant products, quarantine prohibition or restrictions. F.H.B. [Misc.], "Plants * * * prohibited * * *," p. 4. 1922.
  - diseases. O.E.S. Bul. 170, pp. 64–65. 1906.
- potatoes—
  - diseases and their control. C. W. Carpenter. Hawaii Bul. 45, pp. 42. 1920.
  - importations, regulations. F.H.B. [Misc.], "Plants * * * prohibited * * *," p. 6. 1922; F.H.B. [Misc.], "Potato regulations," p. 7. 1921.
  - protection against plant imports from United States. F.H.B.S.R.A. 71, p. 175. 1922; F.H.B.S.R.A. 74, p. 53. 1923.
- quarantines—
  - against insect pests. F.H.B. An. Rpt. 1921, pp. 10–11, 17. 1921.
  - against Mediterranean fruit fly. Ent. Cir. 160, pp. 7, 17. 1912; F.H.B.S.R.A. 73, pp. 120–124. 1923.
  - plants and plant products. F.H.B. [Misc.], "Plants and plant * * *," pp. 4. 1922; F.H.B. Quar. 51, pp. 1–3. 1921; F.H.B. S.R.A. 71, p. 107. 1922.
  - protection against plant pests. F.H.B.S.R.A. 71, p. 107. 1922.
- rainfall, records and notes. Hawaii Bul. 36, pp. 8–10, 16. 1915.
- red-banded thrips, occurrence. Ent. Bul. 99, Pt. II, pp. 18, 20. 1912.
- rice soils, fertilization and management. W. P. Kelley. Hawaii Bul. 31, pp. 23. 1914.
- Schofield Barracks, army post, work of experiment station. Hawaii A.R., 1916, pp. 6–7. 1917.
- seaweeds. Minnie Reed. Hawaii A.R., 1906, pp. 61–88. 1907.
- shipments, farm and forest products—
  - from United States—
    - 1904–1906. Stat. Bul. 54, pp. 14–18, 35–38. 1910.
    - 1905–1907. Stat. Bul. 71, pp. 19–22. 1910.
  - to and from United States—
    - 1901–1908, tables. Stat. Bul. 77, pp. 16, 17, 19, 20, 27–30. 1910.
    - 1901–1909, 1907–1909, tables. Stat. Bul. 83, pp. 17, 18, 19, 20, 26–29. 1910.
    - 1901–1910, 1908–1910, tables. Stat. Bul. 91, pp. 16, 18, 19, 20, 26–29. 1911.
    - 1901–1911, tables. Stat. Bul. 96, pp. 17, 18, 20, 26–29. 1912.
    - 1913–1915. Y.B., 1915, p. 564. 1916; Y.B. Sep. 685, p. 564. 1916.
    - 1914–1916. Y.B., 1916, p. 731. 1917; Y.B. Sep. 722, p. 25. 1917.
    - 1915–1917. Y.B., 1917, p. 788. 1918; Y.B. Sep. 762, p. 32. 1918.
    - 1917–1919. Y.B., 1919, p. 709. 1920; Y.B. Sep. 829, p. 709. 1920.
    - 1918–1919. Y.B., 1920, p. 32. 1921; Y.B. Sep. 864, p. 32. 1921.
  - to United States—
    - 1905–1907. Stat. Bul. 70, pp. 13, 14. 1909.
    - 1906–1908. Stat. Bul. 76, p. 15. 1907.
    - 1907–1909. Stat. Bul. 82, pp. 14, 15. 1910.
    - 1908–1910. Stat. Bul. 90, pp. 15, 16–17. 1911.
    - 1909–1911. Stat. Bul. 95, pp. 15, 16–17. 1912.
- sisal cultivation. Frank E. Conter. Hawaii Bul. 4, pp. 31. 1903.
- soils—
  - effect of heat on. W. P. Kelley and W. T. McGeorge. Hawaii Bul. 30, pp. 38. 1913.
  - entry hearing. F.H.B.S.R.A. 74, pp. 41–42. 1923.
  - organic nitrogen—
    - E. C. Shorey. Hawaii A.R., 1906, pp. 37–59. 1907.
    - W. P. Kelley and A. R. Thompson. Hawaii Bul. 33, pp. 22. 1914.
  - particles, composition. W. T. McGeorge. Hawaii Bul. 42, pp. 12. 1917.
  - studies and analyses. Hawaii A. R., 1915, pp. 13–14, 29, 33–36. 1916.

Hawaii—Continued.
- soils—continued.
  - survey, progress. Hawaii A.R., 1913, pp. 29–30. 1914.
- starch extraction work. Hawaii A.R., 1921, pp. 4, 38–40, 55–57. 1922.
- substations—
  - and demonstration farms, work, 1912. Hawaii A.R., 1912, pp. 8–10, 83–87. 1913.
  - operations. Hawaii A.R., 1913, pp. 50–53. 1914.
  - report of work, 1915. Hawaii A.R., 1915, pp. 16–17, 46. 1916.
- sugar—
  - acreage and production. Sec. [Misc.], Spec. "Geography * * * world's agriculture," pp. 72, 73, 76. 1918.
  - campaign of 1912–1913, comparison, table. F.B. 598, p. 12. 1914.
  - industry—
    - acreage, yield, and management. Ent. Bul. 93, pp. 9–10. 1911.
    - progress, 1903–1914. D.B. 473, pp. 4, 16–17. 1917.
  - made, and cane used for sugar, 1910–1913, by islands. D.B. 66, p. 20. 1914.
  - production—
    - 1856–1921, and 1913–1920. Y.B., 1921, pp. 657, 661. 1922; Y.B. Sep. 869, pp. 77, 81. 1922.
    - 1912–1913, factories operated and cane used F.B. 598, p. 12. 1914.
    - 1913–1914. F.B. 665, pp. 5–6. 1915.
    - 1913–1916. Y.B. 1916, pp. 645, 647. 1917; Y.B. Sep. 720, pp. 35, 37. 1917.
    - 1921. Y.B. 1922, pp. 778, 782, 784. 1923; Y.B. Sep. 884, pp. 778, 782, 784. 1923.
    - and shipments to United States, 1901–1913. D.B. 66, pp. 17, 19. 1914.
    - and shipments, yield and value. Y.B., 1917, p. 451. 1918; Y.B. Sep. 756, p. 7. 1918.
  - shipments to United States, 1918. Sec. Cir. 86, p. 10. 1918.
  - statistics, 1901–1912. D.B. 66, pp. 3, 4, 7, 14, 17, 19, 20. 1914.
- sugar-cane—
  - acreage and yield, 1910–1912. D.B. 66, pp. 7, 14. 1914.
  - borer, damage. Ent. Bul. 38, pp. 102–104. 1902.
  - diseases. B.P.I. Cir. 126, pp. 5–7, 9–10, 12–13. 1913.
  - diseases and leafhopper, control methods. P.R. Bul. 9, p. 39. 1910.
  - insects—
    - D. L. Van Dine. Ent. Bul. 93, pp. 54. 1911.
    - control by imported parasites. Y.B., 1916, pp. 278–281. 1917; Y.B. Sep. 704, pp. 6–9. 1917.
  - leaf-hopper—
    - D. L. Van Dine. Hawaii Bul. 5, pp. 29. 1904.
    - habits and injuries. Ent. Cir. 165, pp. 4–5. 1912.
  - tests of resistance to mosaic disease. D.B. 829, p. 3. 1919.
- sweet potato—
  - in. H. L. Chung. Hawaii Bul. 50, pp. 20. 1923.
  - insects attacking. David T. Fullaway. Hawaii Bul. 22, pp. 31. 1911.
- Tantalus substation, plants, miscellaneous. Hawaii A.R., 1916, pp. 8, 20–21. 1917.
- taro—
  - description and uses. B.P.I. Bul. 164, pp. 15, 25, 26. 1910.
  - root rot. T. F. Sedgwick. Hawaii Bul. 2, pp. 21. 1902.
- territorial marketing division—
  - establishment and results. Y.B., 1915, pp. 134–145. 1916; Y.B. Sep. 663, pp. 134–145. 1916.
  - report of work, 1916. Hawaii A.R., 1916, pp. 43–46. 1917.
- tobacco—
  - cultivation. J. G. Smith and C. R. Blacow. Hawaii Bul. 15, pp. 29. 1908.
  - experiments, 1905. O.E.S. Bul. 170, pp. 13–22. 1906.
  - insects. D. T. Fullaway. Hawaii Bul. 34, pp. 20. 1914.

1120   UNITED STATES DEPARTMENT OF AGRICULTURE

Hawaii—Continued.
  trade with United States—
    1919-1921. Y.B., 1922, p. 969. 1923; Y.B. Sep. 880, p. 969. 1923.
  forest products, 1902-1904. Stat. Bul. 37, pp. 7, 8, 9, 10, 15-20, 40-43. 1905.
  unmailable packages, instructions to postmasters. F.H.B.S.R.A. 3, pp. 20, 21. 1914.
  water-works system, installation capacity and cost. Hawaii A.R., 1907, pp. 9-10. 1908.
  weed eradication with arsenical sprays, studies. J.A.R., vol. 5, No. 11, pp. 459-463. 1915.
  See also Hawaiian Islands.
Hawaiian—
  beekeeping, survey. Ent. Bul. 75, Pt. V, pp. 43-58. 1909.
  beet webworm. H. O. Marsh. Ent. Bul. 109, Pt. I, pp. 15. 1911.
  bird reservation, work, 1911. An. Rpts., 1911, p. 544. 1912; Biol. Chief Rpt., 1911, p. 14. 1911.
  cotton, quarantine regulations. F.H.B. Quar. 23, pp. 1-4. 1915.
  feeding stuffs, composition. E. C. Shorey. Hawaii Bul. 13, p. 23. 1906.
  feeds, composition and value. Hawaii Bul. 36, pp. 10-12. 1915.
  ships, inspection, disinfection, baggage declaration, quarantine regulations. F.H.B. Quar. 13, rev., p. 3. 1917.
  soil(s)—
    ammonification and nitrification. W. P. Kelley. Hawaii Bul. 37, pp. 52. 1915.
    effect of heat. W. P. Kelley and W. T. McGeorge. Hawaii Bul. 30, pp. 38. 1913.
    fertilizers, effect on physical properties. W. T. McGeorge. Hawaii Bul. 38, pp. 31. 1915.
    organic nitrogen of. W. P. Kelley and Alice R. Thompson. Hawaii Bul. 33, pp. 22. 1914.
    particles, composition. W. T. McGeorge. Hawaii Bul. 42, pp. 12. 1917.
    phosphate fertilizers and availability. W. T. McGeorge. Hawaii Bul. 41, pp. 45. 1916.
    phosphoric-acid determination. Hawaii Bul. 41, pp. 42-45. 1916.
  weevils, injuries to—
    bananas. F.H.B.S.R.A. 50, p. 34. 1918.
    sugar-cane and bananas, proposed quarantine. F.H.B.S.R.A. 49, pp. 17-18. 1918.
Hawaiian Islands—
  bee industry, extent on each island. Ent. Bul. 75, Pt. V, pp. 45-47. 1909.
  bird reservation—
    1903-1911, conditions and protection recommendations. Biol. Bul. 42, pp. 25-30. 1912.
    1911, description. Y.B., 1911, pp. 155-164. 1912; Y.B. Sep. 557, pp. 155-164. 1912.
  description, location, and climate. Ent. Bul. 93, p. 9. 1911.
  extension activities, enlargement, 1919. Hawaii A.R., 1919, pp. 58-59. 1920.
  forests. William L. Hall. For. Bul. 48, pp. 29. 1904.
  fruit fly, Mediterranean. D.B. 640, pp. 1, 5. 1918.
  map, showing relation to spread of fruit fly. D.B. 536, pp. 8-9. 1918.
  Mediterranean fruit fly, distribution and spread. D.B. 536, pp. 1-119. 1918.
  sisal industry, progress and problems. Y.B., 1918, pp. 364-365. 1919; Y.B. Sep. 790, pp. 10-11. 1919.
  soils of. W. P. Kelley and others. Hawaii Bul. 40, pp. 35. 1915.
Hawaiian Sugar Planters' Experiment Station, work and expenditures—
  1908. O.E.S. An. Rpt., 1908, pp. 86-88. 1909.
  1910. O.E.S. An Rpt., 1910, pp. 126-127. 1911.
HAWBAKER, C. C.—
  "Marketing berries and cherries by parcel post." With Charles A. Burmeister. D.B. 688, pp. 18. 1918.
  "Parcel post business methods." With John W. Law. F.B. 922, pp. 20. 1918.
HAWES, A. F.—
  "Cooperative marketing of woodland products." F.B. 1100, pp. 15. 1920.
  "Emergency fuel from the farm woodland." Sec. Cir. 79, pp. 8. 1917.
Hawfinch, Japanese, description and range. N.A. Fauna 46, p. 87. 1923.

Hawks—
  and owls from standpoint of farmer. A. K. Fisher. Biol. Cir. 61, pp. 18. 1907.
  banded, returns, 1920 to 1923. D.B. 1268, p. 29. 1924.
  beneficial habits. Biol. Bul. 31, pp. 43-46. 1910; Y.B., 1908, p. 192. 1909; Y.B. Sep. 474, p. 192. 1909.
  bounties paid by different States. F.B. 1238, pp. 10-24. 1921.
  bounty laws, objections. Y.B., 1917, p. 249. 1918; Y.B. Sep. 725, p. 17. 1918.
  broad-winged, beneficial food habits. Biol. Bul. 38, p. 39. 1911.
  chicken, protection and exception from. Biol. Bul. 12, rev., pp. 39, 42, 43. 1902.
  control by kingbirds. F.B. 630, p. 23. 1915.
  Cooper's—
    description, range, and habits. Biol. Bul. 38, p. 39. 1911; F.B. 513, p. 28. 1913.
    occurrence, destruction of birds and poultry. F.B. 497, pp. 26-27. 1912; Y.B., 1908, p. 192. 1909; Y.B. Sep. 474, p. 192. 1909.
    protection, exception from. Biol. Bul. 12, rev., pp. 33, 38, 41, 42. 1902.
  description, range and habits. F.B. 513, pp. 27-28. 1913; N.A. Fauna 21, pp. 42, 75-76. 1901; N.A. Fauna 22, pp. 105-108. 1902.
  distribution, destruction of birds, poultry. F.B. 497, pp. 26-29. 1912.
  duck—
    Alaska and Yukon Territory. N.A. Fauna 30, pp. 38, 61, 88. 1909.
    enemy of wild ducks in Utah. D.B. 936, p. 17. 1921.
    harmful food habits. Biol. Bul. 38, p. 40. 1911.
    occurrence in Porto Rico and food habits. D.B. 326, p. 32. 1916.
    protection and exception from. Biol. Bul. 12, rev., pp. 43-44. 1902.
  enemies of crows. D.B. 621, p. 71. 1918.
  eye parasites of, list. B.A.I. Bul. 60, pp. 45, 46. 1904.
  fish. See Osprey.
  handling, directions. M.C. 18, p. 19. 1924.
  injurious species. Y.B., 1908, p. 192. 1909; Y.B. Sep. 474, p. 192. 1909.
  marsh—
    Alaska, occurrence. N.A. Fauna 30, p. 37. 1909.
    range and habits. Biol. Bul. 38, pp. 37-41. 1911; N.A. Fauna 24, p. 67. 1904.
    night, protection and exception from. Biol. Bul. 12, rev., p. 43. 1902.
  occurrence in—
    Alaska. N.A. Fauna 24, pp. 67-70. 1904.
    Porto Rico, and food habits. D.B. 326, pp. 32-33. 1916.
    Pribilof Islands. N.A. Fauna 46, pp. 81, 83. 1923.
  pigeon—
    Alaska and Yukon Territory. N.A. Fauna 30, pp. 38, 61, 88. 1909.
    harmful food habits. Biol. Bul. 38, p. 40. 1911.
    occurrence in Porto Rico, and food habits. D.B. 326, p. 32. 1916.
    protection and exception from. Biol. Bul. 12, rev., pp. 33, 42, 43-44. 1902.
    range and habits. N.A. Fauna 24, pp. 68-69. 1904.
  protection and exception from. Biol. Bul. 12, rev., pp. 38-42, 43-44. 1902.
  red-shouldered—
    beneficial food habits. Biol. Bul. 38, p. 38. 1911.
    value as destroyer of insects. Biol. Bul. 12, rev., p. 33. 1902.
  red-tailed, description, range, and habits. Biol. Bul. 38, p. 38. 1911; F.B. 513, p. 27. 1913.
  relation to farmer. Biol. Cir. 61, pp. 1-18. 1907.
  relation to starlings. D.B. 868, p. 53. 1921.
  rough-legged—
    Alaska and Yukon Territory. N.A. Fauna 24, p. 68. 1904; N.A. Fauna 30, pp. 38, 88. 1909.
    food habits. F.B. 497, pp. 27-28. 1912.
  sharp-shinned—
    Alaska and Yukon Territory. N.A. Fauna 24, pp. 67. 1904; N.A. Fauna 30, pp. 37, 88. 1909.
    harmful food habits, occurrence and migration. Biol. Bul. 38, pp. 37-38. 1911.

INDEX TO PUBLICATIONS, 1901–1925 — 1121

Hawks—Continued.
  sharp-shinned—continued.
    Porto Rican, habits and food. D.B. 326, pp. 8, 33. 1916.
  poultry destruction. Y.B., 1908, p. 192. 1909; Y.B. Sep. 474, p. 192. 1909.
  protection, and exception from. Biol. Bul. 12, rev., pp. 33, 38, 41, 42, 43–44. 1902.
  sparrow—
    description, range, and habits. F.B. 513, p. 27. 1913.
    distribution and habits. F.B. 497, pp. 28–29. 1912.
    food habits, similarity to California shrike. Biol. Bul. 30, p. 34. 1909.
    in Yukon Territory, note. N.A. Fauna 30, p. 88. 1909.
    Porto Rican—
      breeding and food habits. Biol. Bul. 38, pp. 40–41. 1911; D.B. 326, pp. 31–32. 1916.
      enemy of mole cricket. P.R. Bul. 23, p. 19. 1918.
  Swainson's, value as destroyer of insects. Biol. Bul. 12, rev., p. 33. 1902.
  value in rat control. F.B. 1302, p. 10. 1923.
  varieties, Athabaska-Mackenzie region. N.A. Fauna 27, pp. 351–366. 1908.
HAWKER, H. W.: "Soil survey of—
  Bell County, Tex." With others. Soil Sur. Adv. Sh., 1916, pp. 46. 1918; Soils F.O., 1916, pp. 1239–1280. 1921.
  Clinton County, Iowa." With F. B. Howe. Soil Sur. Adv. Sh., 1915, pp. 64. 1917; Soils F.O., 1915, pp. 1647–1706. 1921.
  Coahoma County, Miss." With others. Soil Sur. Adv. Sh., 1915, pp. 29. 1916; Soils F.O., 1915, pp. 973–997. 1919.
  Erath County, Tex." With others. Soil Sur. Adv. Sh., 1920, pp. 37. 1923; Soils F.O., 1920, pp. 371–408. 1925.
  Freestone County, Tex." With others. Soil Sur. Adv. Sh., 1918, pp. 58. 1921; Soils F.O., 1918, pp. 831–884. 1924.
  Lincoln County, Mo." With others. Soil Sur. Adv. Sh., 1917, pp. 44. 1920; Soils F.O., 1917, pp. 1483–1522. 1923.
  Mitchell County, Ga." With others. Soil Sur. Adv. Sh., 1920, pp. 37. 1922; Soils F.O., 1920, pp. 1–37. 1925.
  Morrill County, Nebr." With others. Soil Sur. Adv. Sh., 1917, pp. 69. 1920; Soils F.O., 1917, pp. 1853–1917. 1923.
  Muscatine County, Iowa." With H. W. Johnson. Soil Sur. Adv. Sh., 1914, pp. 64. 1916; Soils F.O., 1914, pp. 1825–1884. 1919.
  Muskogee County, Okla." With others. Soil Sur. Adv. Sh., 1913, pp. 43. 1915; Soils F.O., 1913, pp. 1853–1891. 1916.
  Payne County, Okla." With W. B. Cobb. Soil Sur. Adv. Sh., 1916, pp. 39. 1919; Soils F.O., 1916, pp. 2005–2039. 1921.
  Putnam County, Fla." With others. Soil Sur. Adv. Sh., 1914, pp. 52. 1916; Soils F.O., 1914, pp. 997–1044. 1919.
  Red River County, Tex." With others. Soil Sur. Adv. Sh., 1919, pp. 53. 1923; Soils F.O., 1919, pp. 153–206. 1925.
  Talbot County, Ga." With R. A. Winston. Soil Sur. Adv. Sh., 1913, pp. 40. 1914; Soils F.O., 1913, pp. 607–642. 1916.
  Tarrant County, Tex." With others. Soil Sur. Adv. Sh., 1920, pp. 46. 1924; Soils F.O., 1920, pp. 859–905. 1925.
  the Fort Lauderdale area, Florida." With Mark Baldwin. Soil Sur. Adv. Sh., 1915, pp. 52. 1915; Soils F.O., 1915, pp. 751–798. 1919.
HAWKINS, L. A.—
  "A method of fumigating seed." With E. A. Sasscer. D.B. 186, pp. 5. 1915.
  "A physiological study of grapefruit ripening and storage." J.A.R., vol. 22, pp. 263–279. 1921.
  "Borax as a disinfectant for citrus fruits." With William R. Barger. J.A.R., vol. 30, pp. 189–192. 1925.

HAWKINS, L. A.—Continued.
  "Carbohydrate transformations in sweet potatoes." With Heinrich Hasselbring. J.A.R., vol. 5, pp. 543–560. 1915.
  "Effect of certain species of Fusarium on the composition of the potato tuber." J.A.R., vol. 6, No. 5, pp. 183–195. 1916.
  "Effect of temperature on the resistance to wounding of certain small fruits and cherries." With Charles E. Sando. D.B. 830, pp. 6. 1920.
  "Experiments in the control of grape anthracnose." B.P.I. Cir. 105, pp. 8. 1913.
  "Experiments in the control of potato leak." D.B. 577, pp. 5. 1917.
  "Grape-spraying experiments in Michigan in 1909." B.P.I. Cir. 65, pp. 15. 1910.
  "Growth of parasitic fungi in concentrated solutions." J.A.R., vol. 7, pp. 255–260. 1916.
  "Internal browning of the Yellow Newtown apple." With others. D.B. 1104, pp. 24. 1922.
  "Investigations on the mosaic disease of the Irish potato." With others. J.A.R., vol. 17, pp. 247–273. 1919.
  "Physiological changes in sweet potatoes during storage." With Heinrich Hasselbring. J.A.R., vol. 3, pp. 331–342. 1915.
  "Physiological study of the parasitism of *Pythium debaryanum* Hesse on the potato tuber." With Rodney B. Harvey. J.A.R., vol. 18, pp. 275–298. 1919.
  "Respiration experiments with sweet potatoes." With Heinrich Hasselbring. J.A.R., vol. 5, No. 12, pp. 509–517. 1915.
  "Some changes in Florida grapefruit in storage." With J. R. Magness. J.A.R., vol. 20, pp. 357–373. 1920.
  "Some factors influencing the efficiency of bordeaux mixture." B.P.I. Bul. 265, pp. 29. 1912.
  "The control of black-rot of the grape." With others. B.P.I. Bul. 155, pp. 42. 1909.
  "The disease of potatoes known as 'leak.'" J.A.R., vol. 6, No. 17, pp. 627–640. 1916.
  "Transportation of citrus fruits from Porto Rico." With R. G. Hill. D.B. 1290, pp. 20. 1924.
Hawkweed(s)—
  aphid, occurrence on plum trees, description and control. F.B. 1128, pp. 20, 47–48. 1920.
  description and eradication. D.C. 130, pp. 3–7. 1920; F.B. 660, p. 28. 1915.
  field, control in bluegrass pastures. D.B. 397, p. 16. 1916.
  or paintbrushes. Albert A. Hansen. D.C. 130, pp. 7. 1920.
  seeds, description. B.P.I. Bul 84, p. 34. 1905; F.B. 428, pp. 27, 28. 1911.
HAWLEY, C. R.: "Cost of producing field crops, 1923." With M. R. Cooper. D.C. 340, pp. 28. 1925.
HAWLEY, L. F.—
  "Distillation of resinous wood by saturated steam." With R. C. Palmer. For. Bul. 109, pp. 31. 1912.
  "Wood turpentines." For. Bul. 105, pp. 69. 1913.
  "Yields from the destructive distillation of certain hardwoods." With R. C. Palmer. D.B. 129, pp. 16. 1914.
Hawthorn—
  blotch, occurrence in Texas, and description. B.P.I. Bul. 226, p. 69. 1912.
  characters. F.B. 468, p. 40. 1911; For. [Misc.], "Forest trees for Pacific * * *," p. 347. 1908.
  Chinese—
    importations and descriptions. Nos. 35456, 35641, B.P.I. Inv. 35, pp. 6, 47, 62. 1915; Nos. 41952, 41953, 42017, B.P.I. Inv. 46, pp. 38, 43. 1919.
    large-fruited, value as fruit. Y.B., 1915, pp. 216–217. 1916; Y.B. Sep. 671, pp. 216–217. 1916.
  description and key. D.C. 223, p. 4. 1922.
  diseases in Texas, occurrence and description. B.P.I. Bul. 226, pp. 69–70, 109. 1912.
  distribution in Hudson Bay region. N.A. Fauna 22, p. 12. 1902.

Hawthorn—Continued.
  importations and descriptions. Nos. 30062, 30289-30295, B.P.I. Bul. 233, pp. 55, 73. 1912; Nos. 32014, 32233, B.P.I. Bul. 261, pp. 17, 45. 1912; Nos. 34135, 34136, B.P.I. Inv. 32, p. 15. 1914; No. 35095, B.P.I. Inv. 34, p. 40. 1915; Nos. 37955, 38176, 38283-38284, 38487, B.P.I. Inv. 39, pp. 10, 72, 99, 112, 136. 1917; Nos. 38796, 38844, B.P.I. Inv. 40, pp. 29, 35. 1917; Nos. 39557, 39585, B.P.I. Inv. 41, pp. 40, 46. 1917; No. 42313, B.P.I. Inv. 46, p. 76. 1919; No. 43557, B.P.I. Inv. 49, p. 42. 1921; No. 44388, B.P.I. Inv. 50, p. 65. 1922; Nos. 45818, 45820, B.P.I. Inv. 54, p. 26. 1922; No. 52362, B.P.I. Inv. 66, p. 15. 1923; Nos. 54077-54081, 54164, B.P.I. Inv. 68, pp. 27, 35. 1923; Nos. 55932, 55988, 56087, B.P.I. Inv. 73, pp. 18, 26, 36. 1924.
  injury by sapsuckers. Biol. Bul. 39, p. 42. 1911.
  insect pests, list. Sec. [Misc.], "A manual * * * insects, * * *," pp. 132-133. 1917.
  occurrence in Wyoming, distribution and growth. N.A. Fauna 42, p. 71. 1917.
  sawfly leaf miner, life history, habits, and control. J.A.R., vol. 5, No. 12, pp. 519-528. 1915.
  spraying for sawfly leaf miner. J.A.R., vol. 5, No. 11, p. 528. 1915.
HAWTHORNE, H. W.—
  "A five-year farm management survey in Palmer Township, Washington County, Ohio, 1912-1916." D.B. 716, pp. 53. 1918.
  "A method of analyzing the farm business." With H. M. Dixon. F.B. 1139, pp. 40. 1920.
  "An economic study of farming in Sumter County, Ga." With H. M. Dixon. D.B. 492, pp. 64. 1917.
  "Farm maagement and farm organization in Sumter County, Ga." With others. D.B. 1034, pp. 97. 1922.
  "Farm organization and management in Clinton County, Indiana, 1910, and 1913-1919." With H. M. Dixon. D.B. 1258, pp. 68. 1924.
  "Farm profits—figures from the same farms for a series of years." With H. M. Dixon. D.B. 920, pp. 56. 1921.
  "Hog production and marketing." With others. Y.B., 1922, pp. 181-280. 1923; Y.B. Sep. 882, pp. 181-280. 1923.
  "Successful farming on eighty-acre farms in Central Indiana." With Lynn Robertson. F.B. 1421, pp. 22. 1924.
  "Successful farming on 160-acre farms in Central Indiana." With Lynn Robertson. F.B. 1463, p. 30. 1925.
  "The family living from the farm." D.B. 1338, pp. 31. 1925.
Hay—
  C. V. Piper, and others. Y.B., 1924, pp. 285-376. 1925; Y.B. Sep. 916, pp. 91. 1925.
  acreage—
    1918, and acreage and production since 1909, Southern States. S.R.S. Doc. 96, pp. 11, 14. 1919.
    1919, map. Y.B., 1921, p. 447. 1922; Y.B. Sep. 878, p. 41. 1922.
    and—
      crop condition, May 1, 1918, estimates. News L., vol. 5, No. 42, pp. 1, 6. 1918.
      production, 1925. Sec. A.R., 1925, pp. 3, 102, 103. 1925.
      production, North Carolina, Haywood County. Soil Sur. Adv. Sh., 1922, pp. 207, 208. 1925.
      production in Southern States, 1909-1919. D.C. 85, p. 17. 1920.
      yield per farm. D.B. 320, p. 10. 1916.
    growing, harvesting, etc., southwestern Minnesota. D.B. 1271, pp. 11, 36-45. 1924.
    in leading States and counties, map. Sec. [Misc.], Spec. "Geography * * * world's agriculture," p. 105. 1918.
    increase, need for 1918, and increase suggestions. Sec. Cir. 103, p. 15. 1918.
    per cent in clover in 1890, 1909, 1919. F.B. 1365, p. 3. 1924.
    production—
      and value by kinds. S.B. 11, pp. 3-16. 1925.
      and value, 1913, estimate. F.B. 570, pp. 7, 8, 25. 1913.
      and value, 1913, 1914, by States, estimates. F.B. 645, p. 34. 1914.

Hay—Continued.
  acreage—continued.
    production—continued.
      in Nebraska, Nance County. Soil Sur. Adv. Sh. 1922, pp. 230, 232-233. 1925.
    required per head of livestock. Y.B., 1907, pp. 390-391, 393-396. 1908; Y.B. Sep. 456, pp. 390-391, 393-396. 1908.
    under irrigation, Colorado, Cache la Poudre Valley, 1916, 1917. D.B. 1026, p. 43. 1922.
    yield, prices, and marketing, 1923. Y.B., 1923, pp. 814-835. 1924; Y.B. Sep. 901, pp. 814-835. 1924.
  adaptability to—
    Marion silt loam, eastern United States. Soils Cir. 59, pp. 4-5, 8. 1912.
    Penn loam, eastern United States. Soils Cir. 56, pp. 6, 7. 1912.
    Volusia loam, eastern United States. Soils Cir. 60, pp. 4, 6, 8, 9, 10. 1912.
  adulteration. See also Indexes, Notices of Judgment in bound volumes and in separates published as supplements to Chemistry Service and Regulatory Announcements.
  alfalfa—
    acreage, by States, 1899-1924. S.B. 11, p. 5. 1925.
    adulteration. See also Indexes, Notices of Judgment, in bound volumes and in separates published as supplements to Chemistry Service and Regulatory Announcements.
    analysis, comparison of drying methods. B.P.I. Cir. 116, pp. 28. 1913.
    and—
      clover, curing hints. F.B. 704, pp. 22-24. 1916.
      clover, steer feeding, value. F.B. 1218, pp. 16-18, 19, 21, 26-27. 1921.
      seed, yield from cultivated rows. B.P.I. Cir. 24, p. 21. 1909.
      wheat, production in Oregon, Medford area. Soil Sur. Adv. Sh., 1911, pp. 12-15. 1913; Soils F.O., 1911, pp. 2294-2297. 1914.
    arsenate-sprayed, harmfulness to animals. News L., vol. 2, No. 42, p. 2. 1915.
    artificial curing. B.P.I. Cir. 116, pp. 27-31. 1913.
    comparison—
      of varieties in yields. B.P.I. Cir. 119, pp. 27-28. 1913.
      with beet-top silage as stock feed. F.B. 1095, pp. 11-12, 13. 1919.
    content of phosphorus. J.A.R., vol. 4, p. 465. 1915.
    cost of production by items. S.B. 11, p. 43. 1925.
    crop, western South Dakota, soil requirements, value. F.B. 1163, pp. 9-11, 14. 1920.
    cutting, curing, stacking, and baling. F.B. 215, pp. 22-25. 1905; F.B. 704, pp. 22-24. 1916; F.B. 1229, pp. 2, 5-10. 1921.
    digestibility when fed singly or in combination. J.A.R., vol. 13, pp. 611-618. 1918.
    eelworm infestation, danger. D.C. 297, pp. 5-7. 1923.
    effect on milk flow, studies. J.A.R., vol. 5, No. 13, pp. 561, 568. 1915.
    feed value—
      and uses. F.B. 362, pp. 17-19. 1909; F.B. 1229, pp. 2, 12-16. 1921; S.R.S.Syl. 20, p. 15. 1916.
      at different periods of growth. B.A.I. Cir. 86, pp. 250-251. 1905.
    feeding box for hogs. F.B. 504, pp. 9-10. 1912.
    grades, official. F.B. 362, p. 24. 1909.
    growing—
      for eradication of bindweed. F.B. 368, p. 14. 1909.
      in Oregon, Medford area, yields, price. Soil Sur. Adv. Sh., 1911, pp. 14-15. 1913; Soils F.O., 1911, pp. 2296-2297. 1914.
    handling in mills. F.B. 1229, pp. 35-38. 1921.
    harvesting—
      cutting and curing. S.R.S. Syl. 20, pp. 13-14. 1916.
      practices in Colorado. D.B. 917, pp. 35-37. 1921.

Hay—Continued.
  alfalfa—continued.
    hog feeding, value. B.A.I. Bul. 47, pp. 172-177. 1904; B.A.I. Cir. 63, pp. 301-303. 1904; B.P.I. Bul. 111, Pt. IV, pp. 9-10. 1907; D.B. 68, pp. 21, 26. 1914; F.B. 331, pp. 9-10, 22. 1908; F.B. 411, pp. 9-10. 1910.
    irrigation—
      experiments, yield, value, cost, and profit, 1910-1912. D.B. 10, pp. 6-10. 1913.
      projects, comparison with other hay. B.P.I. Cir. 83, pp. 6-7. 1911.
    making and baling in unfavorable weather. F.B. 943, pp. 29-30. 1918.
    management. F.B. 339, pp. 22-26. 1908.
    net-energy values. J.A.R., vol. 15, pp. 269-286. 1918.
    prices—
      at main markets, monthly. S.B. 11, pp. 63-66, 81-84. 1925.
      monthly and yearly at Kansas City, 1911-1921. F.B. 1265, p. 12. 1922.
    production—
      and uses. F.B. 1283, pp. 27-29. 1922.
      by States, 1899-1924. Stat. Bul. 11, p. 26. 1925.
    reduction by alfalfa weevil. Ent. Bul. 112, p. 30. 1912.
    shrinkage—
      determination. W.I.A. Cir. 8, p. 12. 1916; D.B. 873, pp. 2-3. 1920.
      studies, Kansas Experiment Station. D.B. 873, pp. 2-3. 1920.
    source of calcium in dairy feed. D.B. 945, p. 7. 1921.
    spontaneous combustion, note. F.B. 339, p. 26. 1908.
    steer feeding, value. F.B. 1218, pp. 16-18, 19, 21, 26-27. 1921.
    use—
      as orchard mulch, comparison with manure. D.B. 499, pp. 9, 12, 17, 19, 20, 21, 24, 27. 1917.
      in fattening calves in Alabama, experiments. B.A.I. Bul. 147, pp. 9-15, 20, 21, 28, 30-31, 32, 33, 34, 35, 36. 1912.
      in lamb feeding, metabolism studies. J.A.R., vol. 4, pp. 459-473. 1915.
    value as—
      dairy feed in semiarid region. Y.B., 1912, pp. 467, 468. 1913; Y.B. Sep. 606, pp. 467, 468. 1913.
      money crop, comparison with alfalfa seed. F.B. 495, pp. 26-27. 1912.
      varieties, growing under irrigation. D.C. 339, pp. 20-21. 1925.
    yield—
      and value. B.A.I. Cir. 86, pp. 253-255. 1905; F.B. 310, pp. 12, 16, 21. 1907.
      by States, 1899-1924. S.B. 11, p. 17. 1925.
      from cultivated rows. B.P.I. Cir. 24, p. 21. 1909.
      in northern Great Plains under different culture. D.B. 1244, pp. 29-31. 1924.
      relation to variations in soil. J.A.R., vol. 19, pp. 286-291. 1920.
    Yuma Project, acreage, production, yield, and value in 1911-1920. D.C. 221, pp. 7-9, 10. 1922.
  alsike-clover, composition, comparison with red clover. F.B. 1151, p. 9. 1920.
  analyses—
    comparative value as feed. F.B. 431, p. 35. 1911.
    oat, barley, timothy, and oats and hay, comparison. F.B. 420, pp. 16, 17, 24. 1910.
    peanut, comparison to other hays. F.B. 356, p. 36. 1909.
    timothy and Natal grass, comparison. F.B. 726, p. 12. 1916.
  and—
    clover, specifications in large-scale farm contract. D.C. 351, p. 30. 1925.
    grain farm, plan. F.B. 370, pp. 10-12. 1909.
    straw, importations from Europe and West Indies, regulations, 1909. B.A.I. An. Rpt., 1909, pp. 347, 379, 380. 1911.
  Arabian alfalfa, comparison with other varieties. B.P.I. Cir. 119, pp. 27-28. 1913.

Hay—Continued.
  area, and position in American agriculture. Y.B., 1922, pp. 470, 562, 563, 564. 1923; Y.B. Sep. 891, pp. 470, 562, 563, 564. 1923.
  areas under cultivation, percentage of certain States. F.B. 362, pp. 9-10. 1909.
  arid regions, nutritive value. F.B. 374, pp. 12-16. 1909.
  artificial curing. B.P.I. Cir. 116, pp. 27-31. 1913.
  Association, National, grades of hay, rules. F.B. 362, pp. 23-25. 1909.
  baled—
    moisture content. D.B. 353, pp. 31-32, 37. 1916.
    protection and storing. F.B. 1049, pp. 33-34. 1919.
    veneering, law violation, F.I.D. 206. Chem. S.R.A. 19, p. 54. 1917.
  bales—
    defects. D.B. 977, pp. 5-7. 1921.
    size demanded in the markets. Rpt. 98, pp. 79, 81-91, 94, 99, 101. 1913.
    sizes and weights. D.B. 978, pp. 1-7. 1921; F.B. 1049, pp. 13-14, 32-33. 1919.
  baling—
    costs and labor requirements. D.B. 977, pp. 20-21. 1921; F.B. 1049, pp. 26-28. 1919.
    crews, duties, size and management. F.B. 1049, pp. 18, 24-26. 1919.
    day's work. D.B. 3, pp. 28-32. 1913.
    faulty methods, effects on quality. D.B. 977, pp. 5-7, 15. 1921.
    from stacks, losses. F.B. 362, p. 26. 1909.
    from the field, advantages. F.B. 1049, pp. 31-32. 1919.
    from the windrow. D.B. 578, pp. 37-49. 1918.
    methods—
      H. B. McClure. F.B. 1049, pp. 35. 1919.
      and value of using hay truck. F.B. 956, pp. 14-16. 1918.
    size and weight of bales, Southern markets. F.B. 677, pp. 18-19, 20, 21. 1915.
  barley—
    curing and analysis. F.B. 427, p. 11. 1910.
    use and feeding value. F.B. 968, pp. 21-22. 1918.
  bean, comparison with cowpea hay. D.B. 119, p. 29. 1914.
  Bermuda grass, value. F.B. 814, pp. 13, 19. 1917; F.B. 945, p. 7. 1918.
  bluegrass, Canada, value and yield. F.B. 402, pp. 10, 16-17. 1910.
  box, fireless cooker, construction and use. F.B. 296, pp. 16-19. 1907.
  brome grass, value, and management. B.P.I. Bul. 111, pp. 57-58. 1907.
  brown, feed value, discussion. F.B. 1229, pp. 10-12. 1921.
  bur clover, value and management. F.B. 693, p. 10. 1915.
  button clover, value. F.B. 730, pp. 5-6. 1916.
  Canadian field peas, value. B.P.I. Bul. 111, Pt. IV, p. 15. 1907.
  caps, uses—
    H. B. McClure. F.B. 977, pp. 16. 1918.
    in curing hay. F.B. 472, p. 30. 1911; F.B. 677, p. 5. 1915.
  certificate and disinfection, regulations. Joint Order No. 1, pp. 5-6. 1916.
  chute in barn, suggestions. F.B. 1393, p. 15. 1924.
  clover—
    acreage by States, 1899-1924. Stat. Bul. 11, pp. 6-7. 1925.
    (red), and maize meal, energy value. Henry Prentiss Armsby and J. August Fries. B.A.I. Bul. 74, pp. 64. 1905.
    and timothy, as flesh makers, comparison. F.B. 405, p. 17. 1910.
    chicken feeding, amount per 100 chickens. F.B. 357, p. 33. 1909.
    composition and—
      comparison of red clover and alsike. F.B. 1151, p. 9. 1920.
    digestibility. J.A.R., vol. 7, pp. 380-382. 1916.
    cost of production, table. Stat. Bul. 48, p. 47. 1906.
    curing methods. F.B. 451, pp. 9-10. 1911; F.B. 704, pp. 22-24. 1916.

Hay—Continued.
  clover—continued.
    feeding value. F.B. 362, pp. 9, 17, 27, 28. 1909; J.A.R., vol. 31, pp. 482-483. 1925.
    grades, official. F.B. 362, p. 24. 1909.
    Japan, harvesting methods and yield. F.B. 441, pp. 14-15. 1911.
    loss in stacking. F.B. 704, p. 23. 1916.
    mixed with timothy, acreage, production, and yield. S.B. 11, pp. 7, 19, 28, 44. 1925.
    moldy, dangers to stock. F.B. 362, p. 27. 1909.
    mowing and loading, labor costs. D.B. 578, pp. 6-25, 33. 1918.
    prices at main markets, monthly. S.B. 11, pp. 67-70, 81-83. 1925.
    production by States, 1899-1924. S.B. 11, pp. 27-28. 1925.
    shrinkage, studies. D.B. 873, pp. 4-8. 1920.
    steer feeding, value. F.B. 1218, pp. 16-18, 19, 21, 26-27. 1921.
    value and uses. Y.B., 1924, pp. 318-320. 1925.
    with corn silage, value as feed. F.B. 504, pp. 7-8. 1912.
    yield by States, 1899-1924. S.B. 11, pp. 18-19. 1925.
  cocking, and hand loading, cost. F.B. 977, p. 16. 1918.
  color requirements. Y.B., 1924, pp. 361-364. 1925.
  comparison with crimson clover seed as money crop. F.B. 646, pp. 11-12. 1915.
  composition and—
    comparative value. F.B. 485, pp. 27-28, 30. 1912.
    energy values, per 100 pounds. F.B. 346, pp. 7-8, 14-15. 1909; B.A.I. Bul. 74, pp. 8-9. 1905.
    maintenance value, calorimeter experiments. B.A.I. An. Rpt., 1906, pp. 275-279. 1908.
  condition—
    and stock, for May, 1914. F.B. 598, pp. 6, 16, 21. 1914.
    suitable for baling. F.B. 1049, pp. 14-17. 1919.
  consignment method of marketing. F.B. 1265, pp. 2-7. 1922.
  consuming territory, location and preferences. D.B. 979, p. 50. 1921.
  cost—
    in milk production. Y.B., 1922, p. 349. 1923; Y.B. Sep. 879, p. 58. 1923.
    of—
      labor in making. D.B. 578, pp. 1-50. 1918.
      production. Stat. Bul. 48, pp. 47-49, 83. 1906.
      production, items. Y.B., 1924, pp. 366-376. 1925.
      production, labor, and material requirements, by States. Y.B., 1921, pp. 814-815, 828. 1922; Y.B. Sep. 876, pp. 11-12, 25. 1922.
  cowpea—
    analysis, comparison with bean hay. D.B. 119, p. 29. 1914.
    and—
      cowpea mixtures, planting and cutting, directions. F.B. 318, pp. 8-13, 27. 1908; F.B. 1148, pp. 18-21. 1920.
      sorghum, cultural directions. B.P.I. Doc. 485, p. 3. 1909.
    cattle feed, value. D.B. 762, pp. 17-32. 1919; Y.B., 1913, p. 277. 1914; Y.B. Sep. 627, p. 277. 1914.
    cutting, curing, feed value, and yields. F.B. 312, p. 11. 1907; F.B. 1153, pp. 12-17. 1920.
    directions for making. F.B. 1125, rev., p. 36. 1920.
    feed for hogs. F.B. 411, pp. 9-10. 1910.
    feeding value. B.P.I. Bul. 111, Pt. IV, p. 15. 1907; F.B. 1125, rev., p. 37. 1920.
    fertility removal from soil. S.R.S. Doc. 30, p. 4. 1916.
    growing—
      and curing. F.B. 222, pp. 13-17. 1905.
      experiments. F.B. 222, pp. 13-17. 1905.
      in Georgia, Jasper County. Soil Sur. Adv. Sh., 1916, pp. 9, 12, 19-41. 1918; Soils F.O., 1916, pp. 651, 654, 661-683. 1921.
    labor requirements per acre, Georgia farms. Farm M. Cir. 3, pp. 27, 28, 30. 1919.

Hay—Continued.
  cowpea—continued.
    mixtures, planting directions. F.B. 318, pp. 11-13, 27. 1908.
    planting, cutting, and curing. F.B. 318, pp. 8-10. 1908.
    southern studies. F.B. 222, pp. 13-17. 1905.
    value—
      and comparison with alfalfa as feed. D.C. 115, p. 1. 1920.
      and comparison with cotton-seed meal and hulls. B.A.I. Bul. 131, p. 31. 1911.
      and comparison with soy-bean hay. D.C. 120, p. 1. 1920.
      for feed for work stock and poultry. Sec. Spec., "Cowpeas * * * Cotton Belt," pp. 1, 4. 1915.
    yields of varieties, by States. F.B. 1153, p. 17. 1920.
  crabgrass, Georgia, Chatham County, value and yield, notes. Soil Sur. Adv. Sh., 1911, pp. 9, 19-33. 1912; Soils F.O., 1911, pp. 567, 577-591. 1914.
  crimson clover—
    cutting and curing. F.B. 312, p. 10. 1907.
    danger of hair balls in horses and mules. F.B. 579, p. 5. 1914.
    feed value for cows, comparison with other clovers. News L., vol. 5, No. 28, p. 3. 1918.
    harvesting time, curing methods, and feeding value. F.B. 579, pp. 2-5. 1914.
    quality and caution. F.B. 1125, rev., p. 34. 1920.
  crop(s)—
    1907, tonnage and value. Y.B., 1907, p. 14. 1908.
    1909, and value. Sec. A.R., 1909, p. 11. 1909; Y.B., 1909, p. 11. 1910.
    acreage and—
      importance. Y.B., 1923, pp. 345-349, 352. 1924; Y.B. Sep. 895, pp. 345-349, 352. 1924.
      production, graphic summary, maps. Y.B., 1915, pp. 362-367. 1916; Y.B. Sep. 681, pp. 362-367. 1916.
    and forage, progress in improvement. Y.B., 1902, pp. 227-228. 1903.
    cotton States, permanent and temporary meadows. F.B. 1125, rev., pp. 51-56. 1920.
    destruction by pocket gophers. Biol. Cir. 52, p. 1. 1906.
    fall-seeded, acreage recommendations, 1917-1918. Sec. Cir. 75, p. 12. 1917.
    fertilizers and lime. F.B. 1170, pp. 10-12. 1920.
    for southern farms. B.P.I Doc. 555, pp. 3-5. 1910.
    grasses and legumes, Lowndes County, Mississippi. Soil Sur. Adv. Sh., 1911, pp. 16, 17, 24-25, 27, 36. 1912; Soils F.O., 1911, pp. 1094, 1095, 1102-1103, 1105, 1114. 1914.
    growing and yield on Meadow soil. Soils Cir. 68, pp. 13, 16, 17. 1912.
    importance in Wisconsin, Fond du Lac County. Soil Sur. Adv. Sh., 1911, p. 10. 1913; Soils F.O., 1911, p. 1428. 1914.
    in rotation, directions for planting and fertilizing. Y.B., 1908, pp. 417-418. 1909; Y.B. Sep. 490, pp. 417-418. 1909.
    in South Dakota, cost and yield per acre. O.E.S. Bul. 210, p. 26. 1909.
    in western South Dakota, soil requirement and value. F.B. 1163, pp. 9-11, 14. 1920.
    labor requirement, schedule. Y.B., 1911, pp. 282-283. 1912; Y.B. Sep. 567, pp. 282-283. 1912.
    legumes, directions for Southern farmers. B.P.I. Doc. 632, pp. 4-7. 1910.
    Natal grass, southern perennial. S.M. Tracy. F.B. 726, pp. 16. 1916.
    of the United States, 1866-1906. Stat. Bul. 63, pp. 34. 1908.
    requirements, studies. F.B. 509, pp. 36-40. 1912.
    southern dairy. F.B. 151, pp. 32-34. 1902.
    under irrigation, Washington. O.E.S. Bul. 214, p. 23. 1909.
    yields, prices, exports, and value. Y.B., 1902, pp. 810-814. 1903.
    See also Soil surveys *for various counties and areas.*

Hay—Continued.
cultivated grasses of secondary importance, F.B. 1433, pp. 3-39. 1925.
curing—
and handling, effect on digestibility. F.B. 362, p. 18. 1909.
artificially. Y.B., 1924, pp. 336-339. 1925.
improper methods, effects on quality. D.B. 977, p. 3. 1921.
labor-wasting and labor-saving. F.B. 987, pp. 8, 12. 1918.
methods. D.B. 873, p. 20. 1920; F.B. 943, pp. 3-8, 11-13, 28, 29. 1918.
on trucks. H. B. McClure. F.B. 956, pp. 19. 1918.
tedding, cocking, and sweating, special devices. F.B. 677, pp. 3-6. 1915.
terms used by growers. D.B. 873, p. 29. 1920.
cutting—
Arizona ranges, experiments and cost. D.B. 367, pp. 23-28. 1916.
curing and storing, studies. F.B. 499, pp. 6-10. 1912.
time, effect on appearance. D.B. 977, p. 2. 1921.
time, relation to water content. D.B. 873, p. 19. 1920.
dealers in terminal markets. D.B. 979, pp. 24-45. 1921.
defects from faulty curing and baling. D.B. 977, pp. 3-7. 1921.
destruction by meadow mice. J.A.R. vol. 27, p. 533. 1924.
digestibility, determination. B.A.I. Bul. 74, pp. 10-14. 1905.
dodder infested, spread of dodder by seed and stems. F.B. 1161, pp. 10-11. 1921.
dry-land growing, experiments, and yields. D.C. 339, p. 28. 1925.
early cutting and use of oats. D.B. 755, p. 5. 1919.
emergency forage crops, suitability. Sec. Cir. 36, pp. 1-3. 1911.
energy—
available. B.A.I. Bul. 74, pp. 38-40. 1905.
in 100 pounds, comparison with other feeds. D.B. 459, pp. 8, 11, 20-24. 1916.
estimates, 1910-1922. M. C. 6, p. 11. 1923.
exports—
1864-1908. Stat. Bul. 75, pp. 47-48. 1910.
1921, statistics. Y.B., 1921, pp. 747, 749. 1922; Y.B. Sep. 867, pp. 11, 13. 1922.
and imports, 1902 and 1914. D.B. 296, p. 45. 1915.
farm(s)—
equipment, articles and prices. F.B. 816, p. 11. 1917.
management, manure and crop rotation. F.B. 312, pp. 7-10. 1907.
one horse, equipment, expenses and receipts. F.B. 312, p. 12. 1907.
southern, successful. Harmon Benton. F.B. 312, pp. 16. 1907.
value per acre by States and territories, 1900-1905. Stat. Bul. 43, pp. 14, 16, 18, 29, 39. 1906.
farming—
in Southern Arizona, description, acreage, and income. D.B. 654, pp. 2, 21-25, 42-47. 1918.
profitable in southwestern Pennsylvania. Y.B., 1909, pp. 328, 331. 1910; Y.B. Sep. 516, pp. 328, 331. 1910.
feed—
for cattle, energy value, notes and tables. J.A.R., vol. 3, pp. 437-487. 1915.
for chickens. F.B. 287, p. 23. 1907.
for hogs. F.B. 411, pp. 9-10. 1910.
value—
and cost, comparison with other feeds. D.B. 1024, pp. 7-16. 1922.
for calves. D.B. 1042, pp. 7-11. 1922.
for sheep, kinds recommended. F.B. 929, pp. 20-21. 1918.
for steers. F.B. 1218, p. 18. 1921.
feeding value—
and yield. Y.B., 1924, pp. 305, 324-326. 1925.
computation. J.A.R., vol. 31, pp. 472-478, 481-483. 1925.
effect of development of grass. F.B. 990, pp. 19-20. 1918.

Hay—Continued.
feeding value—continued.
for goats, requirements. B.A.I. Bul. 68, pp. 35, 36. 1905.
fertilizer tests. Chem. Bul. 152, pp. 19, 21, 23, 1912; F.B. 362, pp. 14-15, 23. 1909; Soils Bul. 67, pp. 18-27. 1910.
fever—
and catarrh remedy, misbranding. Chem. N.J. 323, p. 1. 1910.
caused by weeds. Y.B., 1917, p. 207. 1918; Y.B. Sep. 732, p. 5. 1918.
field-pea—
cutting, time and methods. F.B. 690, pp. 9-10. 1915.
feeding value, comparisons with other hays. F.B. 690, pp. 16-17. 1915.
forecast, general and by States, September, 1913. F.B. 558, pp. 12, 17. 1913.
freight rates, 1913 and 1923. Y.B. 1923, p. 1171. 1923; Y.B. Sep. 906, p. 1171. 1924.
gain in weight in stack and barn. D.B. 873, p. 7. 1920.
grades. See Grades.
grain—
and grasses, growing in California, San Diego region. Soil Sur. Adv. Sh., 1915, p. 14. 1918; Soils F.O., 1915, p. 2518. 1919.
growing at—
Copper Center station, Alaska. O.E.S. An. Rpt., 1904, pp. 327-328. 1905.
Kodiak station, Alaska. Alaska A.R., 1910, p. 62. 1911.
growing in—
Alaska, Fairbanks Experiment Station. Alaska A.R., 1920, p. 43. 1922.
California, Anaheim County. Soil Sur. Adv. Sh., 1916, pp. 13, 15, 18, 27-53. 1919; Soils F.O., 1916, pp. 2279, 2281, 2293-2319. 1921.
California, central southern area. Soil Sur. Adv. Sh., 1917, pp. 33, 43-122. 1921; Soils F.O., 1917, pp. 2431, 2441-2550. 1923.
California, San Diego region. Soil Sur. Adv. Sh., 1915, pp. 13-14, 33, 36, 40, 50, 70, 76, 1917; Soils F.O., 1915, pp. 2517-2518, 2537, 2540, 2544, 2554, 2574, 2580. 1919.
California, San Joaquin Valley. Soil Sur. Adv. Sh., 1915, pp. 18, 64, 79, 136, 143. 1918; Soils F.O., 1915, pp. 2594, 2640, 2655, 2712, 2716. 1919.
northern Great Plains, experiments. D.B. 1244, pp. 43-44, 47. 1924.
growing on Truckee-Carson project. B.P.I. Cir. 78, p. 12. 1911.
grasses for cotton States, descriptions. F.B. 1125, rev., pp. 5-23. 1920.
growers, losses from—
shrinkage. D.B. 873, pp. 3-4, 24-27, 32, 38. 1920.
unfavorable weather. F.B. 956, p. 4. 1918.
growing—
and—
harvesting in Missouri, Marion County. Soil Sur. Adv. Sh., 1910, p. 10. 1911; Soils F.O., 1910, p. 1300. 1912.
uses on Chester loam, Pennsylvania. Soils Cir. 55, p. 7. 1912.
and yield—
in Massachusetts, Plymouth County. Soil Sur. Adv. Sh., 1911, pp. 24, 25, 33, 34. 1912; Soils F.O., 1911, pp. 50, 51, 59, 60. 1914.
in Missouri, Cape Girardeau County. Soil Sur. Adv. Sh., 1910, pp. 18-19, 30, 35. 1912; Soils F.O., 1910, pp. 1230-1231, 1242, 1247. 1912.
in New England, dairy farms. F.B. 337, pp. 10-11, 12, 13, 14, 17. 1908.
in New York, Jefferson County, importance of crop. Soil Sur. Adv. Sh., 1911, pp. 17, 26-76. 1913; Soils F.O., 1911, pp. 107, 126-173. 1914.
in West Virginia, Morgantown area. Soil Sur. Adv. Sh., 1911, pp. 11, 21, 23, 26, 30, 37. 1912; Soils F.O., 1911, pp. 1333, 1343, 1345, 1348, 1352, 1359. 1914.
on Clyde loam. Soils Cir. 37, p. 10. 1911.
on Dekalb silt loam. Soils Cir. 38, p. 13. 1911.
on Volusia silt loam. Soils Cir. 63, pp. 8, 10-11, 13. 1912.

Hay—Continued.
  growing—continued.
    demonstrations, 1922. Coop. Ext. Work 1922, p. 4. 1924.
    experiments in Alaska. D.B. 50, pp. 14, 17, 18, 20, 21, 22, 26. 1914.
    for market in the South. C. V. Piper and others. F.B. 677, pp. 22. 1915.
    hand and machine labor, comparison, time and cost. Stat. Bul. 94, pp. 61, 64–65. 1912.
    in Alabama—
      Barbour County. Soil Sur. Adv. Sh., 1914, pp. 13, 37, 40, 42. 1916; Soils F.O., 1914, pp. 1079, 1103, 1106, 1108. 1919.
      Clay County. Soil Sur. Adv. Sh., 1915, pp. 9. 1916; Soils F.O., 1915, pp. 831. 1921.
      Coffee County. Soil Sur. Adv. Sh., 1909, pp. 13, 34, 45, 47, 48. 1911; Soils F.O., 1909, pp. 809, 830, 841, 843, 844. 1912.
      Crenshaw County. Soil Sur. Adv. Sh., 1921, pp. 387–405. 1924.
      Fayette County. Soil Sur. Adv. Sh., 1917, pp. 9, 10, 16–38. 1920; Soils F.O., 1917, pp. 703, 704, 710–732. 1923.
      Houston County. Soil Sur. Adv. Sh., 1920, pp. 320, 331–336. 1923; Soils F.O., 1920, pp. 320, 331–336. 1925.
      Lawrence County. Soil Sur. Adv. Sh., 1914, pp. 13, 21–47. 1916; Soils F.O., 1914, pp. 1163, 1171–1197. 1919.
      Limestone County, acreage, methods, and yields. Soil Sur. Adv. Sh., 1914, pp. 12, 22–36. 1916; Soils F.O., 1914, pp. 1124, 1134–1148. 1919.
      Lowndes County. Soil Sur. Adv. Sh., 1916, pp. 11, 12, 25–64. 1918; Soils F.O., 1916, pp. 793, 794, 807–846. 1921.
      Marengo County. Soil Sur. Adv. Sh., 1920, pp. 561, 585–593. 1923; Soils F.O., 1920, pp. 561, 585–593. 1925.
      Monroe County. Soil Sur. Adv. Sh., 1916, pp. 21, 24, 41–49. 1919; Soils F.O., 1916, pp. 867, 870, 887–895. 1921.
      Morgan County. Soil Sur. Adv. Sh., 1918, pp. 10–13, 20–43. 1921; Soils F.O., 1918, pp. 578–583, 588–611. 1924.
      Pickens County. Soil Sur. Adv. Sh., 1916, pp. 10, 18, 23, 28, 30, 32, 39. 1917; Soils F.O., 1916, pp. 905, 906, 914–935. 1921.
      St. Clair County. Soil Sur. Adv. Sh., 1917, pp. 11, 19–42. 1920; Soils F.O., 1917, pp. 797, 805–828. 1923.
      Shelby County. Soil Sur. Adv. Sh., 1917, pp. 11–12, 24–53. 1920; Soils F.O., 1917, pp. 743–744, 756–784. 1923.
    in Alaska—
      Kenai Peninsula region. Soil Sur. Adv. Sh., 1916, pp. 71, 78, 85, 905. 1918; Soils F.O., 1916, pp. 103, 110, 117, 130. 1921.
      prices per ton, 1906. Alaska A.R., 1906, pp. 15–16. 1907.
      use of various plants, yields, prices, etc. Alaska A.R., 1913, pp. 40, 42–43, 49, 50, 52, 54, 56–59. 1914.
    in Arkansas—
      Hempstead County. Soil Sur. Adv. Sh., 1916, pp. 9, 21, 25–47. 1918; Soils F.O., 1916, pp. 1193, 1203–1235. 1921.
      Jefferson County. Soil Sur. Adv. Sh., 1915, pp. 12–13. 1916; Soils F.O., 1915, pp. 1170–1171. 1919.
      Perry County. Soil Sur. Adv. Sh., 1920, pp. 497–499, 514–532. 1923.
    in California—
      Big Valley. Soil Sur. Adv. Sh., 1920, pp. 1008, 1018–1029. 1924.
      Healdsburg area. Soil Sur. Adv. Sh., 1915, pp. 17, 41, 48, 53. 1917; Soils F.O., 1915, pp. 2211, 2235, 2242, 2247. 1919.
      Honey Lake area. Soil Sur. Adv. Sh., 1915, pp. 11–12, 40, 46. 1917; Soils F.O., 1915, pp. 2261–2262, 2289, 2295. 1919.
      Los Angeles area. Soils F.O., 1916, pp. 2361, 2374–2412. 1921. Soil Sur. Adv. Sh., 1916, pp. 19, 32–70. 1919.
      lower San Joaquin Valley. Soil Sur. Adv. Sh., 1915, pp. 17, 64, 112. 1918; Soils F.O., 1915, pp. 2594, 2641, 2691. 1919.

Hay—Continued.
  growing—continued.
    in California—continued.
      Pasadena area. Soil Sur. Adv. Sh., 1915, pp. 11, 15–16, 29, 34, 46, 54. 1917. Soils F.O., 1915, pp. 2321, 2325–2326, 2339, 2344, 2356, 2364. 1919.
      Riverside area. Soil Sur. Adv. Sh., 1915, pp. 16–17, 35, 40, 45, 50, 54, 70, 78, 88. 1917; Soils F.O., 1915, pp. 2378–2379, 2397, 2402, 2407, 2412, 2416, 2432, 2440, 2450. 1919.
      San Fernando Valley area. Soil Sur. Adv. Sh., 1915, pp. 14, 31–34, 39, 45–56. 1917; Soils F.O., 1915, pp. 2460–2461, 2476, 2479, 2494, 2497, 2507. 1919.
      San Francisco Bay region. Soil Sur. Adv.Sh., 1914, pp. 16, 34–105. 1917; Soils F.O., 1914, pp. 2688, 2706–2775. 1919.
      upper San Joaquin Valley. Soil Sur. Adv. Sh., 1917, pp. 21–22. 1921; Soils F.O., 1917, pp. 2549–2550. 1923.
      Ventura area. Soil Sur. Adv. Sh., 1917, pp. 13, 19, 31–69. 1920; Soils F.O. 1917, pp. 2329, 2335, 2347–2385. 1923.
      Willits area. Soil Sur. Adv. Sh., 1918, pp. 9, 18–26. 1920; Soils F.O., 1918, pp. 1729, 1738–1746. 1924.
    in central Northwest. Y.B., 1921, pp. 105, 106. 1922; Y.B. Sep. 873, pp. 105, 106. 1922.
    in Connecticut, Windham County. Soil Sur. Adv. Sh., 1911, pp. 12, 18, 20. 1912; Soils F.O., 1911, pp. 76, 82, 84. 1914.
    in Delaware—
      Kent County. Soil Sur. Adv. Sh., 1918, pp. 9, 11, 19–26. 1920; Soils F.O., 1918, pp. 49, 51, 59–66. 1924.
      New Castle County. Soil Sur. Adv. Sh., 1915, pp. 10, 19–32. 1917; Soils F.O., 1915, pp. 274, 276, 284, 285, 289, 291. 1919.
      Sussex County. Soil Sur. Adv. Sh., 1920, pp. 1535, 1547–1558. 1924.
    in Florida—
      Flagler County. Soil Sur. Adv. Sh., 1918, pp. 10, 18, 39–40. 1922; Soils F.O., 1918, pp. 540, 548, 569–570. 1924.
      Orange County. Soil Sur. Adv. Sh., 1919, p. 6. 1922; Soils F.O., 1919, p. 952. 1925.
      St. Johns County. Soil Sur. Adv. Sh., 1917, pp. 11, 19, 21. 1920; Soils F.O., 1917, pp. 671, 679, 681. 1923.
    in Georgia—
      Sumter County, acreage and yields. D.B. 1034, pp. 12, 15, 18, 20. 1922.
      Terrell County. Soil Sur. Adv. Sh., 1914, pp. 14, 23–34, 44. 1915; Soils F.O., 1914, pp. 870, 879–890, 900. 1919.
    in Idaho—
      Kootenai County. Soil Sur. Adv. Sh., 1919, pp. 9, 21–40. 1923; Soils F.O., 1919, pp. 9, 21–40. 1925.
      Latah County. Soil Sur. Adv. Sh., 1915, pp. 11–12, 18, 23. 1917; Soils F.O., 1915, pp. 2185–2186, 2192, 2197. 1919.
      Nez Perce and Lewis Counties. Soil Sur. Adv. Sh., 1917, pp. 14, 16, 23. 1920; Soils F.O., 1917, pp. 2130, 2132, 2139. 1923.
    in Illinois, McLean County. Soil Sur. Adv. Sh., 1903, pp. 787, 791, 796. 1904; Soils F.O. 1903, pp. 787, 791, 796. 1904.
    in Indiana—
      Adams County. Soil Sur. Adv. Sh., 1921, pp. 4, 5, 12–18. 1923.
      Clinton County. D.B. 1258, pp. 11–18. 1924.
      Decatur County. Soil Sur. Adv. Sh., 1919, pp. 5, 11–31. 1922; Soils F.O. 1919, pp. 1290, 1297–1317. 1925.
      Elkhart County. Soil Sur. Adv. Sh., 1914, pp. 9, 13–23. 1916; Soils F.O., 1914, pp. 1575, 1579–1589. 1919.
      Grant County. Soil Sur. Adv. Sh., 1915, pp. 11–12, 22. 1917; Soils F.O., 1915, pp. 1359–1360, 1370. 1919.
      Hamilton County, methods and yield. Soil Sur. Adv. Sh., 1912, pp. 12, 21, 24, 26, 29. 1914; Soils F.O., 1912, pp. 1452, 1461, 1464, 1467. 1915.
      Lake County. Soil Sur. Adv. Sh., 1917, pp. 11, 14, 21–43, 46. 1921; Soils F.O., 1917, pp. 1145–1146, 1148, 1155–1177, 1180. 1923.

Hay—Continued.
growing—continued.
in Indiana—continued.
Porter County. Soil Sur. Adv. Sh., 1916, pp. 11, 12, 13, 21-41. 1919; Soils F.O., 1916, pp. 1701-1704, 1711-1733. 1921.
Starke County. Soil Sur. Adv. Sh., 1915, p. 12. 1917; Soils F.O., 1915, p. 1392. 1919.
Warren County, acreage, methods, and yields. Soil Sur. Adv. Sh., 1914, pp. 9, 12, 17, 22. 1916; Soils F.O., 1914, pp. 1599-1601, 1607-1622. 1919.
White County, acreage, methods, and yields. Soil Sur. Adv. Sh., 1915, pp. 12, 15, 22, 23, 31, 32, 35, 36. 1917; Soils F.O., 1915, p. 1456. 1919.
in Iowa—
Adair County. Soil Sur. Adv. Sh., 1919, pp. 9, 11, 16, 19, 20, 23. 1921; Soils F.O., 1919, pp. 1409, 1411, 1416, 1419, 1420, 1423. 1925.
Benton County. Soil Sur. Adv. Sh., 1921, p. 1225. 1925; Soils F.O. 1921, p. 1226. 1926.
Blackhawk County. Soil Sur. Adv. Sh., 1917, pp. 20, 21, 23, 25, 40, 41. 1919; Soils F.O., 1917, pp. 1570, 1571, 1573, 1575, 1581, 1582. 1923.
Boone County. Soil Sur. Adv. Sh., 1920, pp. 139, 140, 149-165. 1923; Soils F.O., 1920, pp. 139, 140, 149-165. 1925.
Buena Vista County. Soil Sur. Adv. Sh., 1917, pp. 11, 15, 22-31. 1919; Soils F.O., 1917, pp. 1601, 1605, 1612-1624. 1923.
Cedar County. Soil Sur. Adv. Sh, 1919, pp. 10, 11, 12. 1921; Soils F.O., 1919, pp. 1432, 1433, 1434. 1925.
Clay County. Soil Sur. Adv. Sh., 1916, pp. 11-12, 21-41. 1918; Soils F.O., 1916, pp. 1839, 1849-1869. 1921.
Clinton County, acreage, yields. Soil Sur. Adv. Sh., 1915, pp. 15, 17, 31-61. 1917; Soils F.O., 1915, pp. 1657, 1658, 1659-1660, 1676. 1919.
Dallas County. Soil Sur. Adv. Sh., 1920, pp. 1159, 1170-1189. 1924; Soils F.O., 1920, pp. 1159, 1170-1189. 1925.
Delaware County. Soil Sur. Adv. Sh., 1922, pp. 7, 16, 18, 22, 29. 1925.
Dickinson County. Soil Sur. Adv. Sh., 1920, pp. 601-603, 613-636. 1923; Soils F.O., 1920, pp. 601-603, 613-636. 1925.
Dubuque County. Soil Sur. Adv. Sh., 1920, pp. 348, 349, 354-369. 1923; Soils F.O., 1920, pp. 348, 349, 354-369. 1925.
Emmet County. Soil Sur. Adv. Sh., 1920, pp. 413, 414, 426-439. 1923; Soils F.O., 1920, pp. 413, 414, 426-439. 1925.
Fayette County. Soil Sur. Adv. Sh., 1919, pp. 11, 12, 15, 16, 23-40. 1922; Soils F. O., 1919, pp. 1465, 1466, 1469, 1470, 1477-1494. 1925.
Greene County. Soil Sur. Adv. Sh., 1921, pp. 284, 293-299. 1924.
Grundy County. Soil Sur Adv. Sh., 1921, p. 1045. 1925; Soils F.O., 1921, p. 1045. 1926.
Hamilton County. Soil Sur. Adv. Sh., 1917, pp. 9, 10, 17-28. 1920; Soils F.O., 1917, pp. 1633, 1634-1635, 1641-1652. 1923.
Hardin County. Soil Sur. Adv. Sh., 1920, pp. 723-724, 736-752. 1923; Soils F.O., 1920, pp. 723-724, 736-752. 1925.
Henry County. Soil Sur. Adv. Sh., 1917, pp. 10, 11, 19-30. 1919; Soils F.O., 1917, pp. 1660, 1661, 1669-1680. 1923.
Jefferson County. Soil Sur. Adv. Sh., 1922, pp. 211, 312, 315. 1925.
Johnson County. Soil Sur. Adv. Sh., 1919, pp. 11, 13, 25-49. 1922; Soils F.O., 1919, pp. 1501, 1503, 1515-1539. 1925.
Lee County, methods and yields. Soil Sur. Adv. Sh., 1914, pp. 13, 18-34. 1916; Soils F.O., 1914, pp. 1916, 1918, 1924-1940. 1919.
Linn County. Soil Sur. Adv. Sh., 1917, pp. 12-13. 1920; Soils F.O., 1917, pp. 1692-1693. 1923.
Louisa County. Soil Sur. Adv. Sh., 1918, pp. 11, 13, 16, 24-45. 1921; Soils F.O., 1918, pp. 1025, 1027-1028, 1030, 1038-1059. 1924.

Hay—Continued.
growing—continued.
in Iowa—continued.
Madison County. Soil Sur. Adv. Sh., 1918, pp. 10, 11, 12, 23-37. 1921; Soils F.O., 1918, pp. 1070, 1071, 1072, 1082-1096. 1924.
Mahaska County. Soil Sur. Adv. Sh., 1919, pp. 12-15, 23-39. 1922; Soils F.O., 1919, pp. 1550-1553, 1561-1577. 1925.
Marshall County. Soil Sur. Adv. Sh., 1918, pp. 11, 21-34. 1921; Soils F.O., 1918, pp. 1107, 1117-1131. 1924.
Mills County. Soil Sur. Adv. Sh., 1920, pp. 107-113, 119-134. 1923; Soils F. O., 1920, pp. 107-113, 119-134. 1925.
Mitchell County. Soil Sur. Adv. Sh., 1916, pp. 8, 9, 10, 30. 1918; Soils F.O., 1916, pp. 1878, 1879, 1890-1902. 1921.
Montgomery County. Soil Sur. Adv. Sh., 1917, pp. 9, 11, 19-27. 1919; Soils F.O., 1917, pp. 1729, 1731, 1739-1747. 1923.
Muscatine County, acreage, yields. Soil Sur. Adv. Sh., 1914, pp. 14, 27, 29, 33, 37-57. 1916; Soils F.O., 1914, pp. 1832-1835, 1847-1877. 1919.
O'Brien County. Soil Sur. Adv. Sh., 1921, pp. 217-218, 228-245. 1924.
Page County. Soil Sur. Adv. Sh., 1921, p. 354. 1924.
Palo Alto County. Soil Sur. Adv. Sh., 1918, pp. 12, 13, 20-33. 1921; Soils F.O., 1918, pp. 1140, 1141, 1148-1161. 1924.
Pottawattamie County. Soil Sur. Adv. Sh., 1914, pp. 10, 17-27. 1916; Soils F.O., 1914, pp. 1890, 1897-1907. 1919.
Ringgold County. Soil Sur. Adv. Sh., 1916, pp. 9, 10, 12, 18, 19, 20, 25. 1918; Soils F.O., 1916, pp. 1909-1912, 1917-1927. 1921.
Scott County. Soil Sur. Adv. Sh., 1915, pp. 10, 11, 21, 25, 32, 37, 39. 1917; Soils F.O., 1915, pp. 1713, 1723, 1743. 1919.
Sioux County, acreage and yields. Soil Sur. Adv. Sh., 1915, pp. 12-13, 24, 32. 1917; Soils F.O., 1915, pp. 1754-1755, 1763, 1766, 1774. 1919.
Van Buren County. Soil Sur. Adv. Sh., 1915, pp. 10, 17, 21, 30, 31. 1917; Soils F.O., 1915, pp. 1786, 1793, 1797, 1806, 1807. 1919.
Wapello County. Soil Sur. Adv. Sh., 1917, pp. 10-14, 20-42. 1919; Soils F.O., 1917, pp. 1756-1757, 1758-1760, 1766-1788. 1923.
Wayne County. Soil Sur. Adv. Sh., 1918, pp. 10, 11, 16-23. 1920; Soils F.O., 1918, pp. 1234, 1235, 1240-1247. 1924.
Webster County, acreage, methods, and yields. Soil Sur. Adv. Sh., 1914, pp. 13, 23, 27, 39. 1916; Soils F.O., 1914, pp. 1793, 1803-1820. 1919.
Winnebago County. Soil Sur. Adv. Sh., 1918, pp. 9-10, 19, 22, 27. 1921; Soils F.O., 1918, pp. 1253, 1254, 1263, 1266, 1271. 1924.
Worth County. Soil Sur. Adv. Sh., 1922, pp. 275, 286, 292, 300. 1925.
Woodbury County. Soil Sur. Adv. Sh., 1920, pp. 763, 769-783. 1923; Soils F.O., 1920, pp. 763, 769-783. 1925.
in Kansas—
Cherokee County, methods and yields. Soil Sur. Adv. Sh., 1912, pp. 12, 18, 21, 22, 26, 27, 32, 34, 40. 1914; Soils F.O., 1912, pp. 1798, 1801, 1802, 1806, 1807, 1812, 1814, 1820. 1915.
Cowley County. Soil Sur. Adv. Sh., 1915, pp. 10, 24, 27, 29, 30. 1917; Soils F.O., 1915, pp. 1926, 1939, 1950, 1955. 1919.
Leavenworth County. Soil Sur. Adv. Sh., 1919, pp. 213, 215, 218, 229-267. 1923; Soils F.O., 1919, pp. 213, 215, 218, 229-267. 1925.
in Kentucky—
Garrard County. Soil Sur. Adv. Sh., 1921, pp. 513, 516, 527-541. 1924.
Jessamine County, acreage and yields. Soil Sur. Adv. Sh., 1915, pp. 8, 13, 14. 1916; Soils F.O., 1915, pp. 1270, 1275, 1279, 1282. 1919.
labor, seasonal requirements. D.B. 678, p. 8. 1918.

Hay—Continued.
  growing—continued.
    in Kentucky—continued.
      Logan County. Soil Sur. Adv. Sh., 1919, pp. 12, 20–38, 55. 1922; Soils F.O., 1919, pp. 1208, 1216–1234, 1251. 1925.
      Muhlenberg County. Soil Sur. Adv. Sh. 1920, pp. 942, 943, 944, 949–958, 964. 1924; Soils F.O., 1920, pp. 942, 943, 944, 949–958, 964. 1925.
      Shelby County. Soil Sur. Adv. Sh., 1916, pp. 12, 18–19, 36–52. 1919; Soils F.O., 1916, pp. 1422, 1424–1425, 1428–1429, 1449–1463. 1921.
    in Louisiana—
      La Salle Parish. Soil Sur. Adv. Sh., 1918, pp. 9, 25–38. 1920; Soils F.O., 1918, pp. 681, 697–710. 1924.
      Lincoln Parish. Soil Sur. Adv. Sh., 1909, pp. 14–15. 1910; Soils F.O., 1909, pp. 930–931. 1912.
      Sabine Parish. Soil Sur. Adv. Sh., 1919, pp. 11, 14, 15, 26, 34–59. 1922; Soils F.O., 1919, pp. 1047, 1050, 1062, 1070–1095. 1925.
      Webster Parish. Soil Sur. Adv. Sh., 1914, pp. 11, 18–37. 1916; Soils F.O., 1914, pp. 1245, 1252–1271. 1919.
    in Maine—
      Aroostook area. Soil Sur. Adv. Sh., 1917, pp. 14–15, 25–39. 1921; Soils F.O., 1917, pp. 16–17, 27–41. 1923.
      Cumberland County, acreage and yields. Soil Sur. Adv. Sh., 1915, pp. 18, 40, 54, 61, 64, 69, 72, 77, 81. 1917; Soils F.O., 1915, pp. 49, 50, 51, 54, 79, 86, 113, 115, 122. 1919.
    in Maryland—
      Allegany County, 1879–1919. Soil Sur. Adv. Sh., 1921, pp. 1068, 1069, 1078. 1925.
      Baltimore County. Soil Sur. Adv. Sh., 1917, pp. 9, 19–41. 1919; Soils F.O., 1917, pp. 275, 285–308. 1923.
      Carroll County. Soil Sur. Adv. Sh., 1919, pp. 10, 13, 18–36. 1922; Soils F.O., 1919, pp. 612, 615, 620–638. 1925.
      Charles County. Soil Sur. Adv. Sh., 1918, pp. 9–10, 12, 14, 20–41, 46. 1922; Soils F.O., 1918, pp. 81–82, 85, 86, 92–113, 118. 1924.
      Frederick County. Soil Sur. Adv. Sh., 1919, pp. 9–14, 26–75, 79. 1922; Soils F.O., 1919, pp. 649–654, 666–715, 719. 1925.
      Howard County. Soil Sur. Adv. Sh., 1916, pp. 9, 18–30. 1917; Soils F.O., 1916, pp. 283, 292–306. 1921.
      Montgomery County, acreage and yields. Soil Sur. Adv. Sh., 1914, pp. 9, 11, 17, 19, 21, 26, 28, 30–36. 1916; Soils F.O., 1914, pp. 397, 399, 405–425. 1919.
      Somerset County. Soil Sur. Adv. Sh., 1920, pp. 1291–1292, 1301–1310. 1924; Soils F.O., 1920, pp. 1291–1292, 1301–1310. 1925.
      Washington County. Soil Sur. Adv. Sh., 1917, pp. 11, 20–45. 1919; Soils F.O., 1917, pp. 315, 324–348. 1923.
      Wicomico County. Soil Sur. Adv. Sh., 1921, pp. 1016, 1017. 1925.
    in Massachusetts—
      Norfolk, Bristol, and Barnstable Counties. Soil Sur. Adv. Sh., 1920, pp. 1047, 1049, 1052, 1063–1109. 1924.; Soils F.O., 1920, pp. 1047, 1049, 1052, 1063–1109. 1925.
      Plymouth County, yield. Soil Sur. Adv. Sh., 1911, pp. 24, 25, 33, 34. 1912; Soils F.O., 1911, pp. 50, 51, 59, 60. 1914.
    in Michigan—
      Calhoun County. Soil Sur. Adv. Sh., 1916, pp. 11, 12, 25–51. 1919; Soils F.O., 1916, pp. 1635, 1636, 1642, 1649–1675. 1921.
      Genesee County, soils and yields. Soil Sur. Adv. Sh., 1912, pp. 10, 15–32. 1914; Soils F.O., 1912, pp. 1378, 1383–1400. 1915.
      Ontonagon County. Soil Sur. Adv. Sh., 1921, pp. 79, 80, 88–95. 1923.
      St. Joseph County. Soil Sur. Adv. Sh., 1921, pp. 53, 54, 60–67. 1923.
    in Minnesota—
      Anoka County. Soil Sur. Adv. Sh., 1916, pp. 9, 10, 17–25. 1918; Soils F.O., 1916, pp. 1812, 1819–1831. 1921.

Hay—Continued.
  growing—continued.
    in Minnesota—continued.
      Pennington County. Soil Sur. Adv. Sh., 1914, pp. 9, 10. 1916; Soils F.O., 1914, pp. 1731, 1732. 1919.
      Stevens County. Soil Sur. Adv. Sh., 1919, pp. 10–12, 21–31. 1922; Soils F.O., 1919, pp. 1382–1384, 1393–1403. 1925.
    in Mississippi—
      Chickasaw County, acreage and yields. Soil Sur. Adv. Sh., 1915, pp. 9, 10, 26, 32. 1917; Soils F.O., 1915, pp. 942, 943, 944, 954. 1919.
      Clay County. Soil. Sur. Adv. Sh., 1909, pp. 11, 12, 23, 27. 1911; Soils F.O., 1909, pp. 855, 856, 863, 881. 1912.
      Hinds County. Soil Sur. Adv. Sh., 1916, pp. 11, 28, 37, 39. 1918; Soils F.O., 1916, pp. 1013, 1030, 1039, 1041. 1921.
      Lee County, acreage and production. Soil Sur. Adv. Sh., 1916, p. 9. 1918; Soils F.O., 1916, p. 1049. 1921.
      Lowndes County, crops and yields. Soil Sur. Adv. Sh., 1911, pp. 16, 17, 24–25, 27, 36. 1912; Soils F.O., 1911, pp. 1094, 1095, 1102–1103, 1105, 1114. 1914.
      Newton County. Soil Sur. Adv. Sh., 1916, pp. 9, 29, 30, 31, 38. 1918; Soils F.O., 1916, pp. 1085, 1106, 1107, 1108, 1115. 1921.
      Smith County. Soil Sur. Adv. Sh., 1920, pp. 449, 464–491. 1923; Soils F.O., 1920, pp. 449, 464–491. 1925.
    in Missouri—
      Andrew County. Soil. Sur. Adv. Sh., 1921, p. 822. 1925.
      Buchanan County, methods and yields. Soil Sur. Adv. Sh., 1915, pp. 10, 12, 15, 24, 26–27, 36, 37, 41. 1917; Soils F.O., 1915, pp. 1816–1817, 1819–1820, 1828, 1845. 1919.
      Caldwell County. Soil Sur. Adv. Sh., 1921, pp. 328, 337–347. 1924.
      Callaway County. Soil Sur. Adv. Sh., 1916, pp. 12, 20–37. 1919; Soils F.O., 1916, pp. 1978, 1986–2001. 1921.
      DeKalb County. Soil Sur. Adv. Sh., 1914, pp. 10, 16. 1917; Soils F.O., 1914, pp. 2010, 2016–2023. 1919.
      Grundy County. Soil Sur. Adv. Sh., 1914, pp. 13, 20–32. 1916; Soils F.O., 1914, pp. 1983, 1990–2002. 1919.
      Harrison County, notes. Soil Sur. Adv. Sh., 1914, pp. 10–11, 18–33. 1916; Soils F.O., 1914, pp. 1848–1849, 1956–1971. 1919.
      Johnson County, acreage and yields. Soil Sur. Adv. Sh., 1914, pp. 10–11, 19, 20, 21, 25, 30. 1916; Soils F.O., 1914, pp. 2032–2033, 2040–2054. 1919.
      Knox County. Soil Sur. Adv. Sh., 1917, pp. 8, 9, 18–28. 1921; Soils F.O., 1917, pp. 1458, 1459, 1468–1478. 1923.
      Laclede County, acreage and yield. Soil Sur. Adv. Sh., 1911, pp. 10, 23–43. 1912; Soils F.O., 1911, pp. 1640, 1653–1673. 1914.
      Lafayette County. Soil Sur. Adv. Sh., 1920, pp. 817, 823–837. 1923; Soils F.O., 1920, pp. 817, 823–837. 1925.
      Lincoln County. Soil Sur. Adv. Sh., 1917, pp. 11–13, 36, 39. 1920; Soils F.O., 1917, pp. 1489–1490, 1512, 1516. 1923.
      Newton County. Soil Sur. Adv. Sh., 1915, pp. 13, 33. 1917; Soils F.O., 1915, pp. 1859, 1879. 1919.
      Ozark region, acreage and production. D.B. 941, pp. 18, 19, 25, 42–51. 1921.
      Pettis County, composition and yields. Soil Sur. Adv. Sh., 1914, pp. 11, 21, 37. 1916; Soils F.O., 1914, pp. 2063, 2071–2092. 1919.
      Reynolds County. Soil Sur. Adv. Sh., 1918, pp. 10, 18–28. 1921; Soils F.O., 1918, pp. 1312, 1320–1330. 1924.
      St. Louis County. Soil Sur. Adv. Sh., 1919, pp. 523–525, 543, 552. 1923; Soils F.O., 1919, pp. 523–525, 543, 552. 1925.
      Shelby County. Soil Sur. Adv. Sh., 1903, pp. 887–888. 1904; Soils F.O., 1903, pp. 887–888. 1904.
      Stoddard County, yields. Soil Sur. Adv. Sh., 1912, pp. 15, 17. 1914; Soils F.O., 1912, pp. 1761, 1763. 1915.

Hay—Continued.
　growing—continued.
　　in Missouri—continued.
　　　Illinois, O'Fallon area. Soil Sur. Adv. Sh., 1904, pp. 841, 842. 1905; Soils F.O., 1904, pp. 841, 842. 1905.
　　in Nebraska—
　　　Antelope County. Soil Sur. Adv. Sh., 1921, p. 765. 1924.
　　　Banner County. Soil Sur. Adv. Sh., 1919, pp. 15, 17, 26–59. 1921; Soils F.O., 1919, pp. 1627, 1629, 1638–1672. 1925.
　　　Box Butte County. Soil Sur. Adv. Sh., 1916, pp. 11, 23, 25, 26, 29, 31. 1918; Soils F.O., 1916, pp. 2047, 2054–2069. 1921.
　　　Cass County. Soil Sur. Adv. Sh., 1913, pp. 12, 13, 22–37. 1914; Soils F.O., 1913, pp. 1932, 1933, 1942–1957. 1916.
　　　Cheyenne County. Soil Sur. Adv. Sh., 1918, pp. 11–13, 29, 33–37. 1920; Soils F.O., 1918, pp. 1411–1413, 1429, 1433–1437. 1924.
　　　Dakota County. Soil Sur. Adv. Sh., 1919, pp. 11, 13, 23–39. 1921; Soils F.O., 1919, pp. 1681, 1683, 1693–1709. 1925.
　　　Dawes County. Soil Sur. Adv. Sh., 1915, pp. 13, 20, 27, 28, 33, 36, 37, 38, 39. 1917; Soils F.O., 1915, pp. 1970, 1979, 1980, 1983, 1985, 1991, 1994, 1996. 1919.
　　　Deuel County. Soil Sur. Adv. Sh., 1921, pp. 714, 716. 1924.
　　　Dodge County. Soil Sur. Adv. Sh., 1916, pp. 11, 13, 22, 30–51. 1918; Soils F.O., 1916, pp. 2077, 2079, 2088–2118. 1921.
　　　Fillmore County. Soil Sur. Adv. Sh., 1916, pp. 10, 12, 18–24. 1918; Soils F.O., 1916, pp. 2126, 2128, 2134–2140. 1921.
　　　Gage County, acreage and yields. Soil Sur. Adv. Sh., 1914, pp. 12, 22, 25, 29, 37. 1916; Soils F.O., 1914, pp. 2330, 2340–2357. 1919.
　　　Howard County. Soil Sur. Adv. Sh., 1920, pp. 969–1001. 1924; Soils F.O., 1920, pp. 969–1001. 1925.
　　　Johnson County. Soil Sur. Adv. Sh., 1920, pp. 1259, 1261, 1270–1284. 1924; Soils F.O., 1920, pp. 1259, 1261, 1270–1284. 1925.
　　　Madison County. Soil Sur. Adv. Sh., 1920, pp. 206, 207–208, 217–245. 1923; Soils F.O., 1920, pp. 206, 207–208, 217–245. 1925.
　　　Morrill County. Soil Sur. Adv. Sh., 1917, pp. 12, 29–63. 1920; Soils F.O., 1917, pp. 1860, 1877–1911. 1923.
　　　Nemaha County, acreage and yields. Soil Sur. Adv. Sh., 1914, pp. 10, 11–12, 21, 26, 32, 33. 1916; Soils F.O., 1914, pp. 2294, 2295, 2305–2317. 1919.
　　　Pawnee County. Soil Sur. Adv. Sh., 1920, pp. 1322–1323, 1332–1347. 1924; Soils F.O., 1920, pp. 1322–1323, 1332–1347. 1925.
　　　Perkins County. Soil Sur. Adv. Sh., 1921, p. 891. 1925; Soils F.O., 1921, p. 891. 1925.
　　　Phelps County. Soil Sur. Adv. Sh., 1917, p. 11. 1919; Soils F.O., 1917, p. 1925. 1923.
　　　Polk County, acreage and yields. Soil Sur. Adv. Sh., 1915, pp. 10, 17, 20, 26, 27. 1917; Soils F.O., 1915, pp. 2005, 2006, 2013, 2016. 1919.
　　　Redwillow County. Soil Sur. Adv. Sh., 1919, pp. 12, 13, 26–45. 1921; Soils F.O., 1919, pp. 1720, 1721, 1734–1753. 1925.
　　　Richardson County. Soil Sur. Adv. Sh., 1915, pp. 10, 11, 26, 29, 30, 31. 1917; Soils F.O., 1915, pp. 2033–2034, 2043, 2048, 2054, 2057. 1919.
　　　sand hills. B.P.I. Cir. 80, pp. 8–23. 1911.
　　　Seward County, acreage and yields. Soil Sur. Adv. Sh., 1914, pp. 11–12, 20, 25, 29. 1916; Soils F.O., 1914, pp. 2259, 2268–2284. 1919.
　　　Sheridan County. Soil Sur. Adv. Sh., 1918, pp. 11, 13, 25–58. 1921; Soils F.O., 1918, pp. 1447, 1449, 1461–1494. 1924.
　　　Sioux County. Soil Sur. Adv. Sh., 1919, pp. 11, 25, 32, 38. 1922; Soils F.O. 1919, pp. 1766–1767, 1778, 1783, 1786. 1925.
　　　Thurston County. Soil Sur. Adv. Sh., 1914, pp. 11–12, 23–39. 1916; Soils F.O., 1914, pp. 2220, 2231–2246. 1919.
　　　Washington County. Soil Sur. Adv. Sh., 1915, pp. 12, 23, 25, 26, 29. 1917; Soils F.O., 1915, pp. 2066, 2077, 2079, 2080, 2083. 1919.

Hay—Continued.
　growing—continued.
　　in Nebraska—continued.
　　　Wayne County. Soil Sur. Adv. Sh., 1917, pp. 11, 14, 15, 16. 1919; Soils F.O., 1917, pp. 1963, 1966, 1967, 1968. 1923.
　　in New England, necessity and economic importance. Y.B., 1913, p. 104. 1914; Y.B. Sep. 617, p. 104. 1914.
　　in New Hampshire, Nashua area. Soil Sur. Adv. Sh., 1909, pp. 11–12, 21, 22, 25. 1910; Soils F.O., 1909, pp. 81–82, 91, 92, 95. 1912.
　　in New Jersey—
　　　Belvidere area. Soil Sur. Adv. Sh., 1917, pp. 12–14, 25–66. 1920; Soils F.O., 1917, pp. 132–134, 145–186. 1923.
　　　Bernardsville area. Soil Sur. Adv. Sh., 1919, pp. 418, 429–457. 1923; Soils F.O., 1919, pp. 418, 429–457. 1925.
　　　Camden County, acreage and value. Soil Sur. Adv. Sh., 1915, p. 10. 1917; Soils F.O., 1915, p. 160. 1919.
　　　Chatsworth area. Soil Sur. Adv. Sh., 1919, pp. 475–477, 488, 498–500. 1923; Soils F.O., 1919, pp. 475–477, 488, 498–500. 1925.
　　　Millville area. Soil Sur. Adv. Sh., 1917, pp. 13, 16, 28–43. 1921; Soils F.O., 1917, pp. 201, 204, 216–231. 1923.
　　in New York—
　　　Chautauqua County, yields. Soil Sur. Adv. Sh., 1914, pp. 14, 24, 27, 30, 32, 33, 35, 40, 46, 47, 49, 55. 1916; Soils F.O., 1914, pp. 280, 290–321. 1919.
　　　Chenango County. Soil Sur. Adv. Sh., 1918, pp. 9, 10, 17–33. 1920; Soils F.O., 1918, pp. 15, 16, 23–39. 1924.
　　　Clinton County, acreage and yields. Soil Sur. Adv. Sh., 1914, pp. 9–10, 16, 17, 19, 23, 24, 25, 32. 1916; Soils F.O., 1914, pp. 241, 248–260, 267. 1919.
　　　Cortland County. Soil Sur. Adv. Sh., 1916; pp. 10, 11, 16, 17, 18, 19, 21–24. 1917; Soils F.O., 1916, pp. 199, 206–214. 1921.
　　　Jefferson County, yields and importance of crop. Soil Sur. Adv. Sh., 1911, pp. 17, 26–76. 1913; Soils F.O., 1911, pp. 107, 116–166. 1914.
　　　Monroe County. Soil Sur. Adv. Sh., 1910, pp. 15, 23, 24, 30, 31, 33, 34, 36, 38. 1912; Soils F.O., 1910, pp. 51, 59, 60, 67, 68, 69, 71. 1912.
　　　Oneida County. Soil Sur. Adv. Sh., 1913, pp. 19–50. 1915; Soils F.O., 1913, pp. 53–84. 1916.
　　　Orange County, acreage and yields. Soil Sur. Adv. Sh., 1912, pp. 15, 25–53. 1914; Soils F.O., 1912, pp. 67, 77–105. 1915.
　　　Oswego County. Soil Sur. Adv. Sh., 1917, pp. 10, 11, 19–38. 1919; Soils F.O., 1917, pp. 52, 53, 61–80. 1923.
　　　Saratoga County. Soil Sur. Adv. Sh., 1917, pp. 9, 10–39. 1919; Soils F.O., 1917, pp. 91, 92–121. 1923.
　　　Schoharie County, acreage and yields. Soil Sur. Adv. Sh., 1915, pp. 9, 16, 17, 18, 20, 23, 26, 27. 1917; Soils F.O., 1916, pp. 129, 137, 140, 147, 148, 152. 1919.
　　　Tompkins County. Soil Sur. Adv. Sh., 1921, p. 1574. 1924.
　　　Washington County. Soil Sur. Adv. Sh., 1909, pp. 23, 32, 37, 39, 40, 43, 45, 47, 49, 53, 55. 1911; Soils F.O., 1909, pp. 123, 132, 137, 139, 140, 143, 145, 147, 149, 153, 155. 1912.
　　　Wayne County. Soil Sur. Adv. Sh., 1919, pp. 281, 282, 299–344. 1923; Soils F.O., 1919, pp. 281, 282, 299–344. 1925.
　　　White Plains area. Soil Sur. Adv. Sh., 1919, pp. 22–38, 43. 1922; Soils F.O., 1919, pp. 584–600, 605. 1925.
　　　Yates County. Soil Sur. Adv. Sh., 1916, pp. 8–9, 11, 16–32. 1918; Soils F.O., 1916, pp. 223, 230–247. 1921.
　　in North Carolina—
　　　Alleghany County, acreage and yields. Soil Sur. Adv. Sh., 1915, pp. 9, 10, 17, 21, 23, 24. 1917; Soils F.O., 1915, pp. 344, 351, 355, 357, 358. 1919.
　　　Ashe County. Soil Sur. Adv. Sh., 1912, pp. 9, 17, 19, 20, 24, 30. 1914; Soils F.O., 1912, pp. 345, 353, 355, 356, 360, 366. 1915.

Hay—Continued.
  growing—continued.
    in North Carolina—continued.
      Cherokee County. Soil Sur. Adv. Sh., 1921, p. 309. 1924.
      Cleveland County. Soil Sur. Adv. Sh., 1916, pp. 11, 18-34. 1918; Soils F.O., 1916, pp. 315, 322-339. 1921.
      Davidson County. Soil Sur. Adv. Sh., 1915, p. 9. 1917; Soils F.O., 1915, p. 465. 1919.
      Guilford County. Soil Sur. Adv. Sh., 1920, pp. 171, 172, 181-197. 1923; Soils F.O., 1920, pp. 171, 172, 181-197. 1925.
      Lincoln County, acreage and yields. Soil Sur. Adv. Sh., 1914, pp. 10, 17, 18, 19, 21, 23, 25, 32. 1916; Soils F.O., 1914, pp. 564-565, 571-586. 1919.
      Orange County. Soil Sur. Adv. Sh., 1918, p. 11. 1921; Soils F.O., 1918, p. 227. 1924.
      Wayne County. Soil Sur. Adv. Sh., 1915, p. 10. 1916; Soils F.O., 1915, p. 502. 1919.
    in North Dakota—
      Bottineau County. Soil Sur. Adv. Sh., 1915, pp. 12, 22, 23, 26, 27, 35, 36. 1917; Soils F.O., 1915, pp. 2136-2137, 2146-2147, 2150. 1919.
      Dickey County, acreage and yields. Soil Sur. Adv. Sh., 1914, pp. 11, 22, 24, 26, 29, 41. 1916; Soils F.O., 1914, pp. 2417, 2428-2459. 1919.
      Sargent County. Soil Sur. Adv. Sh., 1917, pp. 13, 18-39. 1920; Soils F.O., 1917, pp. 2011, 2016-2037. 1923.
      Traill County. Soil Sur. Adv. Sh., 1918, pp. 11, 15, 24, 25, 34, 41. 1920; Soils F.O., 1918, pp. 1367, 1371, 1380, 1381, 1390, 1397. 1924.
      western. Soil Sur. Adv. Sh., 1908, p. 29. 1910; Soils F.O., 1908, p. 1177. 1911.
    in northwest Texas. Soil Sur. Adv. Sh., 1919, pp. 14-21, 32, 37-46. 1922; Soils F.O., 1919, pp. 1112-1119, 1130, 1135-1144. 1925.
    in Ohio—
      Geauga County. Soil Sur. Adv. Sh., 1915, p. 11. 1916; Soils F.O., 1915, p. 1289. 1919
      Hamilton County, acreage, varieties, and yields. Soil Sur. Adv. Sh., 1915, pp. 10, 21, 24-35. 1917; Soils F.O., 1915, pp. 1322, 1332, 1334, 1338, 1340, 1350. 1919.
      Mahoning County. Soil Sur. Adv. Sh., 1917, pp. 9, 11, 19-38. 1919; Soils F.O., 1917, pp. 1045, 1047, 1055-1075. 1923.
      Marion County. Soil Sur. Adv. Sh., 1916, pp. 9-11, 18-25. 1918; Soils F.O., 1916, pp. 1555-1557, 1563-1580. 1921.
      Miami County. Soil Sur. Adv. Sh., 1916, pp. 9, 25-43. 1918; Soils F.O., 1916, pp. 1587, 1603-1621. 1921.
      Paulding County, yields. Soil Sur. Adv. Sh., 1914, pp. 11, 17, 19, 21, 22, 24, 27. 1915; Soils F.O., 1914, pp. 1551, 1557-1567. 1919.
      reconnaissance. Soil Sur. Adv. Sh., 1912, pp. 35, 41, 90, 111. 1915; Soils F.O., 1912, pp. 1273, 1279, 1328, 1349. 1915.
      Sandusky County. Soil Sur. Adv. Sh., 1917, pp. 10, 11, 12. 1920; Soils F.O., 1917, pp. 1084, 1085, 1086. 1923.
      Trumbull County, acreage and conditions. Soil Sur. Adv. Sh., 1914, pp. 11, 12. 1916; Soils F.O., 1914, pp. 1461, 1472-1500. 1919.
    in Oklahoma—
      Kay County. Soil Sur. Adv. Sh., 1916, pp. 10, 22, 23, 25, 27. 1917; Soils F.O., 1915, pp. 2098, 2099, 2110, 2115, 2118, 2121, 2125, 2127. 1919.
      Payne County. Soil Sur. Adv. Sh., 1916, pp. 9-10, 21-38. 1919; Soils F.O., 1916, pp. 2009, 2010, 2018-2039. 1921.
    in Oregon—
      Benton County. Soil Sur. Adv. Sh., 1920, pp. 1435-1437, 1446-1472. 1924; Soils F.O., 1920, pp. 1435-1437, 1446-1472. 1925.
      Josephine County. Soil Sur. Adv. Sh., 1919, pp. 354, 355, 377, 378, 383, 387, 403. 1923; Soils F.O., 1919, pp. 354, 355, 377, 378, 383, 387. 1925.
      Medford area. Soil Sur. Adv. Sh., 1911, p. 63. 1913; Soils F.O., 1911, p. 2345. 1914.
      Multnomah County. Soil Sur. Adv. Sh., 1919, pp. 52, 67-94. 1922; Soils F.O., 1919, pp. 52, 53-54, 67-94. 1925.

Hay—Continued.
  growing—continued.
    in Oregon—continued.
      Umatilla Experiment Farm. W.I.A. Cir. 26, pp. 5, 6. 1919.
      Yamhill County. Soil Sur. Adv. Sh., 1917, pp. 12, 13, 39-55. 1920; Soils F.O., 1917, pp. 2266, 2267, 2293-2309. 1923.
    in Pennsylvania—
      Blair County, acreage and yields. Soil Sur. Adv. Sh., 1915, pp. 10, 11, 27, 32, 37, 40, 44. 1917; Soils F.O., 1915, pp. 202, 203. 1919.
      Cambria County. Soil Sur. Adv. Sh., 1915, pp. 19, 21, 23, 26. 1917; Soils F.O., 1915, pp. 245, 247, 258, 262, 267. 1921.
      Clearfield County. Soil Sur. Adv. Sh., 1916, pp. 11, 12, 25, 27. 1919; Soils F.O., 1916, pp. 257, 258, 267-276. 1921.
      Greene County, Soil Sur. Adv. Sh, 1921, p. 1257. 1925.
      Lancaster County, acreage, yields. Soil Sur. Adv. Sh., 1914, pp. 10, 12, 21-61. 1916; Soils F.O., 1914, pp. 332, 334, 343-387. 1919.
      Lehigh County. Soil Sur. Adv. Sh., 1912, pp. 15, 25-50. 1914; Soils F.O., 1912, pp. 115, 125-150. 1915.
      Mercer County. Soil Sur. Adv. Sh., 1917, pp. 10, 19-28, 31-34. 1919; Soils F.O., 1917, pp. 240, 249-258, 261-264. 1923.
      Mercer County and vicinity. D.B. 853, p. 26. 1920.
      southeastern. Soil Sur. Adv. Sh., 1912, pp. 19, 21, 33-95. 1914; Soils F.O., 1912, pp. 259, 261, 273-335. 1915.
      Washington County. Soil Sur. Adv. Sh., 1910, pp. 12, 19, 27, 32. 1911; Soils F.O., 1910, pp. 274, 281, 289, 292. 1912.
      York County, practices. Soil Sur. Adv. Sh., 1912, pp. 14-15. 1914; Soils F.O., 1912, pp. 164-165. 1915.
    in South Carolina—
      demonstration work. B.P.I. Cir. 110, pp. 3-5. 1913.
      Newberry County. Soil Sur. Adv. Sh., 1918, pp. 10, 12, 19-42. 1921; Soils F.O., 1918, pp. 382, 384, 391-414. 1924.
      Spartanburg County. Soil Sur. Adv. Sh, 1921, p. 415. 1924.
    in South Dakota—
      acreage, production, and yield. D.C. 60, pp. 5-6, 10. 1919.
      Union County. Soil Sur. Adv. Sh., 1921, pp. 478, 480, 488-505. 1924.
    in Tennessee—
      Henry County. Soil Sur. Adv. Sh., 1922, p. 84. 1925.
      Shelby County. Soil Sur. Adv. Sh., 1916, pp. 11, 23, 24, 34. 1919; Soils F.O., 1916, pp. 1385, 1397, 1398, 1408. 1921.
    in Texas—
      Dallas County. Soil Sur. Adv. Sh., 1920, pp. 1218-1219, 1228-1247. 1924; Soils F.O., 1920, pp. 1218-1219, 1228-1247. 1925.
      Denton County. Soil Sur. Adv. Sh., 1918, pp. 7, 8, 10, 53. 1922; Soils F.O., 1918, pp. 779, 780, 782, 825. 1924.
      Eastland County, 1909, acreage. Soil Sur. Adv. Sh., 1916, p. 10. 1918; Soils F.O., 1916, pp. 1286, 1295-1311. 1921.
      Red River County. Soil Sur. Adv. Sh., 1919, pp. 160, 169-202. 1923; Soils F.O., 1919, pp. 160, 169-202. 1925.
      Taylor County. Soil Sur. Adv. Sh., 1915, pp. 11, 13. 1918; Soils F.O., 1915, pp. 1133, 1135. 1919.
      Washington County, yields. Soil Sur. Adv. Sh., 1913, pp. 10, 16, 22, 30. 1915; Soils F.O., 1913, pp. 1050-1051, 1056, 1062, 1070. 1916.
    in United States and Europe, composition and acreage. Sec. [Misc.], Spec. "Geography world's agriculture," pp. 103-108. 1917.
    in various States, acreage in relative importance. F.B., 1289, pp. 3, 6, 12, 19, 21, 22, 25. 1923.
    in Vermont, Windsor County. Soil Sur. Adv. Sh., 1916, pp. 9, 10, 16-22. 1919; Soils F.O., 1916, pp. 179, 186-191. 1921.

INDEX TO PUBLICATIONS, 1901-1925 1131

Hay—Continued.
growing—continued.
in Virginia—
Fairfax County. Soil Sur. Adv. Sh., 1915, pp. 10, 11, 19, 21, 24, 27, 29. 1917; Soils F.O., 1915, pp. 304, 305, 313, 315, 318, 324, 326. 1919.
Frederick County. Soil Sur. Adv. Sh., 1914, pp. 12, 13, 27, 32, 34, 39, 42, 43, 46. 1916. Soils F.O., 1914, pp. 436, 451-470. 1919.
Pittsylvania County. Soil Sur. Adv. Sh., 1918, pp. 11, 13, 27. 1922; Soils F.O., 1918, pp. 127, 129, 143. 1924.
in Washington—
southwestern, yields. Soil Sur. Adv. Sh., 1911, pp. 48-122. 1913; Soils F.O., 1911, pp. 2138-2212. 1914.
Spokane County. Soil Sur. Adv. Sh., 1917, pp. 20, 21, 40-100. 1921; Soils F.O., 1917, pp. 2170, 2171, 2190-2250. 1923.
Stevens County, soils and yields. Soil Sur. Adv. Sh., 1913, pp. 27-29. 1915; Soils F.O., 1913, pp. 2185-2186. 1916.
Wenatchee area. Soil Sur. Adv. Sh., 1918, pp. 10, 14-18, 44, 50, 84. 1922; Soils F.O., 1918, pp. 1550, 1554-1558, 1584, 1590, 1624. 1924.
Western Puget Sound Basin. Soil Sur. Adv. Sh., 1910, pp. 32, 37, 53, 54, 68, 69, 71, 72, 79, 82, 86, 87, 88, 94, 95, 97, 101, 103, 104. 1912; Soils F.O., 1910, pp. 1516, 1521, 1537, 1538, 1552, 1553, 1555, 1556, 1563, 1566, 1570, 1571, 1572, 1578, 1579, 1581, 1587, 1588. 1912.
in West Virginia—
Barbour and Upshur Counties. Soil Sur. Adv. Sh. 1917, p. 12. 1919; Soils F.O., 1917, p. 1000. 1923.
Braxton and Clay Counties. Soil Sur. Adv. Sh., 1918, pp. 11, 12, 25-36. 1920; Soils F.O., 1918, pp. 891, 892, 905-916. 1924.
Fayette County. Soil Sur. Adv. Sh., 1919, pp. 11, 12, 18-27. 1921; Soils F.O., 1919, pp. 1181, 1182, 1188-1197. 1925.
Huntington area, yields. Soil Sur. Adv. Sh., 1911, pp. 13, 14, 27, 29, 35, 38, 39. 1912; Soils F.O., 1911, pp. 1295, 1296, 1309, 1311, 1317, 1320, 1321. 1914.
Jefferson, Berkeley, and Morgan Counties. Soil Sur. Adv. Sh., 1916, pp. 15, 18, 31-72. 1918; Soils F.O., 1916, pp. 1489, 1492, 1505-1546. 1921.
Kanawha County. Soil Sur. Adv. Sh., 1912, pp. 17-28. 1914; Soils F.O., 1912, pp. 1191-1202. 1915.
Lewis and Gilmer Counties, methods and yields. Soil Sur. Adv. Sh., 1915, pp. 11, 12, 15, 23-32. 1917; Soils F.O., 1915, pp. 1243, 1244, 1247, 1255-1264. 1919.
McDowell and Wyoming Counties, acreage and yields. Soil Sur. Adv. Sh., 1914, pp. 9, 10-11, 19-29. 1916; Soils F.O., 1914, pp. 1431, 1441-1451. 1919.
Morgantown area, yields, etc. Soil Sur. Adv. Sh., 1911, pp. 11, 21, 23, 26, 30, 37. 1912; Soils F.O., 1911, pp. 1333, 1343, 1345, 1348, 1352, 1359. 1914.
Nicholas County. Soil Sur. Adv. Sh., 1920, pp. 7, 14-28. 1922; Soils F.O., 1920, pp. 45, 52-66. 1925.
Raleigh County, yields. Soil Sur. Adv. Sh., 1914, pp. 11, 17-20, 24-29. 1916; Soils F.O., 1914, pp. 1403, 1408-1422. 1919.
Spencer area. Soil Sur. Adv. Sh., 1909, pp. 11, 18, 19, 21, 23, 27, 30. 1910; Soils F.O., 1909, pp. 1181, 1188, 1189, 1191, 1193, 1197, 1200. 1912.
Tucker County. Soil Sur. Adv. Sh., 1921, pp. 1335, 1336. 1925.
Webster County. Soil Sur. Adv. Sh., 1918, pp. 10, 16-21. 1920; Soils F. O., 1918, pp. 926, 932-937. 1924.
in Wisconsin—
Adams County. Soil Sur. Adv. Sh., 1920, pp. 1125, 1135-1145. 1924; Soils F.O., 1920, pp. 1125, 1135-1145. 1925.
Buffalo County, acreage and yields. Soil Sur. Adv. Sh., 1913, pp. 11, 20, 24, 26, 32, 39, 40. 1915; Soils F.O., 1913, pp. 1447, 1456, 1460, 1462, 1468, 1475, 1476. 1916.
Columbia County, yields. Soil Sur. Adv. Sh., 1911, pp. 10-11, 26-54. 1913; Soils F.O., 1911, pp. 1370-1371, 1388-1414. 1914.

Hay—Continued.
growing—continued.
in Wisconsin—Continued.
Dane County. Soil Sur. Adv. Sh., 1913, pp. 13, 26-70. 1915; Soils F. O., 1913, pp. 1495, 1508-1552. 1916.
Door County. Soil Sur. Adv. Sh., 1916, pp. 10, 33-37. 1918; Soils F.O., 1916, pp. 1744, 1767-1771. 1921.
Fond du Lac County, yields. Soil Sur. Adv. Sh., 1911, pp. 10, 18, 24-36. 1913; Soils F.O., 1911, pp. 1428, 1436, 1442-1454. 1914.
Jackson County. Soil Sur. Adv. Sh., 1918, pp. 9, 10, 12, 17-20, 26, 33-38, 43. 1922; Soils F.O., 1918, pp. 945, 946, 948, 953-956, 962, 969-974. 1924.
Jefferson County, acreage and yield. Soil Sur. Adv. Sh., 1912, pp. 11-12, 30, 47. 1914; Soils F.O., 1912, pp. 1561-1562, 1588, 1602. 1915.
Juneau County, yields. Soil Sur. Adv. Sh., 1911, pp. 11, 22-50. 1913; Soils F.O., 1911, pp. 1469, 1480-1508. 1914.
Kenosha and Racine Counties. Soil Sur. Adv. Sh., 1919, pp. 6, 7, 21-54. 1922; Soils F.O., 1919, pp. 1325, 1326, 1339-1373. 1925.
Kewaunee County yields. Soil Sur. Adv. Sh., 1911, pp. 11, 21-42. 1913; Soils F.O., 1911, pp. 1519, 1529-1550. 1914.
La Crosse County, yields. Soil Sur. Adv. Sh., 1911, pp. 10, 18, 24-38. 1913; Soils F.O. 1911, pp. 1566, 1574, 1580-1594. 1914.
Milwaukee County. Soil Sur. Adv. Sh., 1916, pp. 11, 17-29. 1918; Soils F.O., 1916, pp. 1785, 1791-1803. 1921.
north-central, south part. Soil Sur. Adv. Sh., 1915, pp. 15-16, 17, 35. 1917; Soils F.O., 1915, pp. 1595-1596, 1597, 1615. 1919.
north-central, north part. Soil Sur. Adv. Sh., 1914, pp. 19, 21, 35, 39, 43, 50, 58, 60, 67, 68. 1916; Soils F.O., 1914, pp. 1669, 1671, 1685, 1689, 1693, 1700, 1708, 1710, 1717, 1718. 1919.
northeastern, methods, crops, and yields. Soil Sur. Adv. Sh., 1913, pp. 18, 22, 43, 46, 57, 62, 74, 80, 87, 90. 1915; Soils F.O., 1913, pp. 1574, 1578, 1599, 1602, 1613, 1618, 1630, 1636, 1643, 1646. 1916.
Outagamie County. Soil Sur. Adv. Sh., 1918, pp. 10, 18-33. 1921; Soils F.O., 1918, pp. 986, 994-1009. 1924.
Portage County. Soil Sur. Adv. Sh., 1915, pp. 10, 11, 19, 22-34, 40. 1917; Soils F.O., 1915, pp. 1494, 1495, 1503, 1506-1518, 1524. 1919.
Rock County. Soil Sur. Adv. Sh., 1917, pp. 9, 10, 19-47. 1920. Soils F.O., 1917, pp. 1187, 1188, 1197-1225. 1923.
Viroqua area. Soil Sur. Adv. Sh., 1903, p. 12. 1904; Soils F.O., 1903, p. 814. 1904.
Walworth County. Soil Sur. Adv. Sh., 1920, pp. 1385, 1386, 1399-1424. 1924; Soils F.O., 1920, pp. 1385, 1386, 1399-1424. 1925.
Waupaca County. Soil Sur. Adv. Sh., 1917, pp. 9, 10, 20, 24, 27, 29, 33-38. 1920; Soils F.O., 1917, pp. 1235, 1236, 1246, 1250, 1253, 1255, 1259-1264. 1923.
Waushara County. Soil Sur. Adv. Sh., 1909, pp. 18, 19, 23, 24, 25, 27, 28, 29, 30. 1911; Soils F.O., 1909, pp. 1216, 1217, 1221, 1222, 1223, 1225, 1226, 1227, 1229. 1912.
Wood County. Soil Sur. Adv. Sh., 1915, pp. 10, 11. 1917; Soils F.O., 1915, pp. 1541, 1542, 1543, 1582. 1919.
Wyoming and Colorado. O.E.S. Bul. 157, p. 22. 1905.
labor—
and materials, requirements in various States. D.B. 1000, pp. 40-45. 1921.
requirements. D.B. 1181, pp. 7, 23-24, 28, 61. 1924.
leading States. F.B. 362, p. 9. 1909.
location, acreage and farm land, 1910. Y.B., 1915, pp. 335, 361. 1916; Y.B. Sep. 681, pp. 335, 361. 1916.
methods, New Jersey farms, top-dressing. F.B. 472, pp. 22-24. 1911.
on—
Clyde soils, yields. D.B. 141, pp. 21, 24, 26, 27, 29, 31, 36, 42, 46. 1914.

36167°—32——72

Hay—Continued.
  growing—continued.
    on—continued.
      Miami soils, yields. D.B. 142, pp. 19, 21, 22, 29, 35, 38, 39, 48, 53. 1914.
      native pastures, mowing experiments. D.B. 1170, pp. 33-34. 1923.
      poor lands. F.B. 1170, pp. 6-7. 1920.
      Sassafras soils, yield. D.B. 159, pp. 25, 30. 1915.
      sheep farms, practices. F.B. 1051, pp. 17, 18, 19, 26. 1919.
      Wabash silt loam. Soils Cir. 40, p. 11. 1911.
    opportunities in the South. Y.B., 1908, p. 356. 1909; Y.B. Sep. 487, p. 356. 1909.
  handling—
    and storing in markets, methods. F.B. 508, pp. 25-29. 1912; Rpt. 98, pp. 81-85, 92-93, 97-98, 100. 1913.
    at shipping points, weighing, inspection, storing, and loading. D.B. 977, pp. 21-27. 1921.
    methods and implements. F.B. 1021, pp. 12-24. 1919.
    special devices. F.B. 677, pp. 5, 13-15. 1915.
  harvest date and acreage, 1909, graphs. Y.B., 1917, p. 569. 1918; Y.B. Sep. 758, p. 35. 1918.
  harvest methods west of Cascade Mountains F.B. 271, pp. 9-11, 19-22. 1906.
  harvesting—
    day's work. D.B. 3, pp. 28-32, 44. 1913.
    in Louisiana, on hill farms, labor requirements. D.B. 961, pp. 4, 27. 1921.
    with the sweep-rake. Arnold P. Yerkes and H. B. McClure. F.B. 838, pp. 12. 1917.
  hauling—
    from farm to shipping points, costs. Stat. Bul. 49, pp. 23-24, 38. 1907.
    labor-saving and labor-wasting. F.B. 987, pp. 10-11, 13-17. 1918.
    to barn, day's work. D.B. 3, pp. 30-31. 1913.
  Hungarian vetch, value, yield, and harvesting. D.B. 1174, pp. 5-6, 8. 1923.
  importance—
    for young calves. F.B. 381, pp. 15, 16, 17, 19. 1909.
    in South, kinds, injury, and loss. F.B. 956, pp. 3-4. 1918.
  importations—
    from Europe and West Indies, regulations, 1909. B.A.I. An. Rpt., 1909, pp. 347, 379, 380. 1911.
    regulations. Joint Order 2, p. 6. 1917.
  imported—
    disinfection order with other articles. B.A.I.O. 256, p. 4. 1917.
    from Belgium (and straw). B.A.I.O. 129, amdt. 2, p. 1. 1908.
  imports—
    1907-1909, quantity and value, by countries from which consigned. Stat. Bul. 82, p. 44. 1910.
    1908-1910, quantity and value, by countries from which consigned. Stat. Bul. 90, p. 47. 1911.
    1909-1911, by countries from which consigned. Stat. Bul. 95, p. 50. 1912.
    1910-1924, by countries of origin. Stat. Bul. 11, p. 56. 1925.
    and exports—
      1906-1910. Y.B., 1910, pp. 660, 670. 1911; Y.B. Sep. 554, pp. 660, 670. 1911.
      1919-1921. Y.B., 1922, pp. 953, 959, 961. 1923; Y.B. Sep. 880, pp. 953, 959, 961. 1923.
    statistics. Y.B., 1921, pp. 741, 749. 1922; Y.B. Sep. 867, pp. 5, 13. 1922.
  infusion solution, use in protozoa studies. J.A.R., vol. 4, pp. 514, 534-539, 544-549, 552. 1915.
  injury—
    by Canada thistle, prevention. F.B. 545, p. 7. 1913.
    by smelter fumes, analyses showing arsenic content. B.A.I. An. Rpt., 1908, pp. 241-242. 1910.
    in curing. F.B. 508, pp. 10-11. 1912.
  Inspection—
    and grading. H. B. McClure and G. A. Collier. D.B. 980, pp. 16. 1921.
    Federal, important features. B.A.E. [Misc.], "Handbook of official * * *," pp. 37-47. 1925.

Hay—Continued.
  inspection—continued.
    methods. D.B. 980, pp. 7-13. 1921; F.B. 508 pp. 27-28. 1912; Rpt. 98, pp. 83-85, 93, 97, 101. 1913.
    regulations. B.A.E.S.R.A. 77, pp. 6. 1923; B.A.E.S.R.A. 86, pp. 6. 1924.
  inspectors, appointment and supervision. D.B. 980, pp. 5-6. 1921.
  kinds, use as roughage for horses. F.B. 1030, pp. 16-17, 18, 19. 1919.
  kudzu, value for—
    cattle and horses. Y.B., 1908, p. 250. 1909; Y.B. Sep. 478, p. 250. 1909.
    stock feeding. D.C. 89, p. 6. 1920.
  labor—
    and seed requirements on farms in southwestern Minnesota. D.B. 1271, pp. 36-41. 1924.
    income, relation to crop area, studies in eastern Pennsylvania. D.B. 341, pp. 38-40. 1916.
  lands—
    increase in value, 1900-1905, table. F.B. 362, pp. 13-14. 1909.
    tenants, and renting methods. D.B. 850, pp. 7-8. 1920.
  legumes—
    acreage—
      1919, map. Y.B., 1921, p. 453. 1922; Y.B. Sep. 878, p. 47. 1922.
      1919-1924, by States. Stat. Bul. 11, p. 9. 1925.
    in South, comparison with alfalfa. D.B. 827, p. 35. 1921.
    protein value. F.B. 320, pp. 14-15, 26. 1908.
    stacking, mowing, and losses. F.B. 704, pp. 23-24. 1916.
    value as feed and fertilizer. F.B. 362, pp. 9, 14, 15, 18. 1909.
    yield by States, 1919-1924. S.B. 11, p. 21. 1925.
  leguminous—
    need with wheat feedstuffs. J.A.R., vol. 10, pp. 190-192, 196. 1917.
    production in United States, 1920. Y.B., 1922, p. 333. 1923; Y.B. Sep. 879, p. 333. 1923.
    value as cattle feed, protein content. F.B. 320, pp. 14-15, 26. 1908.
  Lespedeza, value and production. F.B. 1143, pp. 9, 10. 1920.
  loader—
    description and use. F.B. 472, p. 34. 1911; F.B. 943, pp. 15-16, 19-22, 26-27. 1918.
    types, day's work. D.B. 814, pp. 26-27. 1920.
  loading—
    and unloading, day's work. D.B. 814, pp. 25-29. 1920.
    by hand, costs. D.B. 578, pp. 4-12. 1918.
    hauling and storing, methods and cost. D.B. 641, pp. 8-9. 1918.
    methods, comparison. D.B. 578, pp. 12-22. 1918; F.B. 987, pp. 10-11, 13-17. 1918; F.B. 1009, pp. 3-4, 11-16. 1919.
    on cars, methods and unfair practices. D.B. 979, pp. 4-11, 22-24. 1921.
  loose, selling from barn or stack. D.B. 977, pp. 12-13. 1921.
  loss(es)—
    and damage claims of shippers and buyers. F.B. 1265, pp. 24-25. 1922.
    by shrinkage, importance to producers and dealers. D.B. 873, pp. 1, 3-4, 24-28, 32-33. 1920.
    extent and causes, 1909-1921. Y.B., 1922, p. 692. 1923; Y.B. Sep. 884, p. 692. 1923.
    from specified causes, in various localities, 1909-1918. D.B. 1043, pp. 6-7, 9, 11. 1922.
    of dry matter, causes. D.B. 873, pp. 15-18. 1920.
  low grade, causes for inferiority, value to producer for home feed. F.B. 362, pp. 19-23, 27. 1909.
  machinery, work and costs. D.B. 641, pp. 12-14. 1918.
  market(s)—
    Harry B. McClure. F.B. 508, pp. 38. 1912.
    classes, demands, requirements, and selling methods. Rpt. 98, pp. 76-101. 1913.
    distribution. F.B. 502, p. 30. 1912.
    growing in the South. C. V. Piper and others. F.B. 677, pp. 22. 1915.
    receipts and shipments, 1910-1921. Y.B., 1921, pp. 602-603. 1922; Y.B. Sep. 869, pp. 22-23. 1922.

Hay—Continued.
market(s)—continued.
reports. Mkts. Chief Rpt., 1917, p. 31. 1917. An. Rpts., 1917, p. 461. 1918.
requirements, East, West, and South. D.B. 979, pp. 46–49. 1921.
shrinkage. H.B. McClure. D.B. 873, pp. 33. 1920.
statistics, prices, and production, 1910–1921. D.B. 982, pp. 205–209. 1921.
value and conditions affecting. Harry B. McClure. F.B. 362, pp. 29. 1909.
weighing. G. A. Collier and H. B. McClure. D.B. 978, pp. 30. 1921.
marketing—
at country points. H. B. McClure and G. A. Collier. D.B. 977, pp. 28. 1921.
bibliography. M.C. 35, p. 23. 1925.
business methods. G.A. Collier. F.B. 1265, pp. 25. 1922.
by—
feeding to cattle. F.B. 1008, p. 13. 1918.
producers, methods and costs. D.B. 977, pp. 11–21. 1921; F.B. 502, pp. 30–31. 1912.
improvement, suggestions. D.B. 979, p. 52. 1921.
methods, demands, classes, requirements. Rpt. 98, pp. 76–101. 1913.
Southern States and requirements. F.B. 677, pp. 20, 21. 1915.
through terminal markets. G.A. Collier and H. B. McClure. D.B. 979, pp. 52. 1921.
meadow—
comparison with alfalfa and grain. J.A.R., vol. 6, No. 19, pp. 756–757. 1916.
fescue, quality and yield. F.B. 361, p. 12. 1909.
measurement in—
ricks or stacks. B.P.I. Cir. 131, pp. 19–24. 1913.
stacks. M.C. 12, p. 42. 1924; Y.B., 1924, pp. 339–342. 1925.
measuring in ricks or stacks. H. B. McClure and W. J. Spillman. Sec. Cir. 67, pp. 10. 1916.
milkweed, poisonous character. D.B. 800, pp. 4, 7, 13, 39. 1920.
millet—
harvesting. F.B. 793, p. 19. 1917.
Sudan grass, and other, acreage, etc., by States. Y.B., 1924, p. 779. 1925.
mixed, feeding to steers, effect on pasture gains. D.C. 166, pp. 5, 7, 10. 1921.
mixtures—
undesirable, effect on sale. D.B. 977, p. 8. 1921.
with—
soy beans and other crops. S.R.S. Syl. 35, p. 11. 1919.
sweet clover. F.B. 797, pp. 32–33. 1917.
moldy, danger in feeding. F.B. 362, p. 27. 1909.
mowing, labor-wasting and labor-saving. F.B. 987, p. 5. 1918.
Natal grass—
harvesting. F.B. 726, pp. 8–10. 1916.
yield and quality, comparison with timothy. F.B. 726, pp. 10–12. 1916.
native, acreage and importance. Y.B., 1923, pp. 352–353. 1924; Y.B. Sep. 895, pp. 352–353. 1924.
necessity in South, and possibilities. B.A.I. An. Rpt., 1906, p. 247. 1908; B.A.I. Cir. 124, p. 2. 1908.
need of annual crop in middle latitudes. Y.B. 1907, p. 388. 1908; Y.B. Sep. 456, p. 388. 1908.
nutritive value, digestibility, palatability, and aroma. F.B. 362, pp. 16–19, 28. 1909.
oat—
feed value. F.B. 1119, p. 21. 1920.
nutritive value in feeding livestock. F.B. 420, pp. 16, 17, 18, 21, 24. 1910.
value as feed. F.B. 436, pp. 28, 29–30. 1911.
orchard grass, value. B.P.I. Bul. 100, Pt. VI, p. 9. 1907.
organizations and their influence on the market. Rpt. 98, p. 85. 1913.
pasturage and forage crops, review. Y.B., 1902, pp. 721–722. 1903; Y.B. Sep. 278, pp. 721–722. 1903.

Hay—Continued.
pea-vine—
composition and value. Chem. Bul. 125, p. 32. 1909.
curing and use. B.P.I. Cir. 45, pp. 9–11. 1910; F.B. 1255, pp. 21, 23–24. 1922.
use in fattening calves in Alabama, experiments. B.A.I. Bul. 147, pp. 22, 23–26, 38, 39, 40. 1912.
peanut-vine—
curing, and analysis. F.B. 356, pp. 20–22, 36, 37. 1909.
feed value and yield. F.B. 356, pp. 27, 31, 36–38. 1909; F.B. 1127, pp. 25–26. 1920; Y.B., 1917, p. 124. 1918; Y.B. Sep. 748, p. 14. 1918.
use and value in Alabama, Conecuh County. Soil Sur. Adv. Sh., 1912, p. 12. 1914; Soils F.O., 1912, p. 376. 1915.
value as feed, comparison with other hays. F.B. 431, p. 35. 1911.
value as stock food, price per ton, etc. O.E.S.F. I.L. 13, pp. 18–19. 1912.
percentage of crop baled, by States. Y.B. 1918, p. 686. 1919; Y.B. Sep. 795, p. 22. 1919.
pigeon pea, harvesting, curing, and threshing. Hawaii Bul. 46, pp. 9–15. 1921.
plant(s)—
new drought-resistant, Sudan grass. C.V. Piper. B.P.I. Cir. 125, pp. 20. 1913.
of Eastern United States, list and characteristics. F.B. 1170, pp. 12–13. 1920.
planting intentions and outlook for 1924. M.C. 23, pp. 3, 4, 13–14. 1924.
plug track, sales. D.B. 979, pp. 34–36, 37. 1921.
plugging in loading cars. D.B. 979, pp. 9, 22. 1921.
prairie—
labor requirements in Kansas. D.B. 1296, pp. 40–41. 1925.
loading, stacking, and baling, labor costs. D.B. 578, pp. 27, 32, 35–49. 1918; D.B. 943, p. 28. 1918.
preparation, methods, effect on market prices. D.B. 977, pp. 2–9. 1921.
press—
cost and use. F.B. 677, pp. 16–17. 1915; F.B. 1049, pp. 28–31. 1919.
operating details. F.B. 1049, pp. 17–24. 1919.
types in use, and sizes. F.B. 508, pp. 17–20, 21. 1912; F.B. 578, pp. 38–49. 1918; F.B. 1049, pp. 4–12. 1919.
price(s)—
1865–1905. F.B. 362, p. 13. 1909.
1911–1921, monthly and yearly, at Chicago and Kansas City. F.B. 1265, pp. 11–13. 1922.
1924, farm and market. Y.B., 1924, pp. 784–789, 1174. 1925.
comparison with milk and feed. Y.B., 1922, p. 382. 1923; Y.B. Sep. 879, p. 87. 1923.
producers, classes. F.B. 508, p. 6. 1912; Rpt. 98, pp. 77, 94, 101. 1913.
production—
1920. An. Rpts., 1920, p. 3. 1921; Sec. A.R. 1920, p. 3. 1920.
and—
portion fed. Y.B., 1923, pp. 336–338. 1924; Y.B. Sep. 895, pp. 336–338. 1924.
value, comparison with other crops. F.B. 990, pp. 27–28. 1918.
cost—
per acre. Stat. Bul. 73, pp. 41–44, 67. 1909.
total and relation to yield. D.B. 641, pp. 14–15. 1918.
extension work, 1920. S.R.S. Rpt. pp. 5, 14. 1922.
from logged-off land in Oregon and Washington, method. F.B. 462, p. 17. 1911.
in—
Alaska, 1911, value. Alaska A.R., 1911, pp. 28–29, 49–50, 52–53, 54, 59–61. 1912.
Alaska, 1915, kinds and yield. Alaska A.R., 1915, pp. 76–77. 1916.
California, San Francisco Bay region, increase. Soil Sur. Adv. Sh., 1914, p. 16. 1917; Soils F.O., 1914, p. 2688. 1919.
cotton States, 1909–1915. Sec. Cir. 56, p. 4. 1916.
Iowa, Des Moines County. Soil Sur. Adv. Sh., 1921, pp. 1097, 1099–1100. 1925.

Hay—Continued.
  production—continued.
    in—continued.
      Iowa, Jasper County. Soil Sur. Adv. Sh., 1921, pp. 1132-1134. 1925; Soils F.O., 1921, pp. 1132-1134. 1927.
      Michigan, Lenawee County, 1860-1910. D.B. 694, p. 5. 1918.
      Missouri, crop area, and yield per acre, 1914. D.B. 633, pp. 3, 4, 5, 6. 1918.
      Missouri, Harrison County, sources and yields. Soil Sur. Adv. Sh., 1914, pp. 10-11, 18, 22-23. 1916; Soils F. O., 1914, pp. 1948-1949, 1956, 1960-1971. 1919.
      West Virginia, Lewis and Gilmer Counties. Soil Sur. Adv. Sh., 1915, pp. 11, 12, 15, 22, 26. 1917; Soils F.O., 1915, pp. 1243, 1244, 1247, 1254, 1258. 1919.
      Wisconsin, Juneau County. Soil Sur. Adv. Sh., 1911, p. 11. 1913; Soils F.O., 1911, p. 1469. 1914.
      Wisconsin, Kewaunee County. Soil Sur. Adv. Sh., 1911, p. 11. 1913; Soils F.O., 1911, p. 1519. 1914.
    meadow conditions, etc., May 1, estimates, amount fed on producing farms, with comparisons. F.B. 598, pp. 6, 16. 1914.
    per acre, variations since 1886. An. Rpts., 1910, p. 711. 1911; Stat. Chief Rpt., 1910, p. 21. 1910.
    per capita, and yield per acre, map. Y.B., 1921, p. 432. 1922; Y.B. Sep. 878, p. 26. 1922.
    value, results of calorimeter experiments. B.A.I. An. Rpt., 1906, pp. 281-282. 1908.
  protection from rain and weather losses, by caps. F.B. 977, pp. 10-12. 1918.
  protein and carbohydrates, relative amounts in different kinds. F.B. 362, p. 17. 1909.
  purple vetch, feed value. F.B. 967, pp. 5-6. 1918.
  quack grass and other grasses, chemical composition. F.B. 1307, pp. 26-29. 1923.
  quality, terms used. D.B. 873, pp. 30-32. 1920.
  quarantine regulations, for foot-and-mouth disease, May, 1915. B.A.I.O. 238, pp. 2, 3, 11. 1915; B.A.I.O. 238, amdts. 1, 7, pp. 4, 5. 1915.
  rabbit feed, directions for preparing. F.B. 496, pp. 9-10. 1912.
  range, cost, and measurement method. D.B. 367, pp. 27-28. 1916.
  rations, horse requirements. F.B. 1298, p. 6. 1922.
  red clover—
    analysis. B.A.I. Bul. 101, p. 8. 1908.
    available energy. H. P. Armsby and J. A. Fries. B.A.I. Bul. 101, pp. 61. 1908.
    composition, comparison with alsike clover. F.B. 1151, p. 9. 1920.
    energy values. J.A.R., vol. 7, pp. 379-387. 1916.
    energy values, with maize meal. H. P. Armsby and J. A. Fries. B.A.I. Bul. 74, pp. 64. 1905.
    field-cured, yields. B.P.I. Bul. 95, pp. 34, 38, 39, 40. 1906.
    harvesting and stacking. F.B. 455, pp. 21-23. 1911; F.B. 1339, pp. 11-14. 1923.
  replacement, measure of value of pastures. D.R.P. Cir. 2, p. 3. 1916.
  requirements—
    for—
      1919-1920, and available stocks. Sec. Cir. 125, p. 13. 1919.
      horses, cattle and hogs, daily and annual. Y.B., 1907, pp. 389-398. 1908; Y.B. Sep. 456, pp. 389-398. 1908.
      kind, quality and type of bales, southern markets. F.B. 677, p. 21. 1915.
  Rhodes grass—
    cuttings, acre yield, and quality. F.B. 1048, pp. 10-11. 1919.
    value and yield in Gulf coast regions. Y.B., 1912, p. 498. 1913; Y.B. Sep. 609, p. 498. 1913.
  sale—
    contracts, form, value. D.B. 977, pp. 17-19. 1921.
    direct to consumers. D.B. 979, pp. 11-14. 1921.
    methods at terminal markets. D.B. 979, pp. 31-37. 1921.
    terms between producer and shipper. D.B. 977, pp. 14-19. 1921.

Hay—Continued.
  sandwiched, description. D.B. 977, p. 7. 1921; F.B. 508, p. 12. 1912.
  saving by use of beet-top silage. F.B. 1095, p. 5. 1919.
  selling—
    agencies, methods and terms. D.B. 979, pp. 11-22. 1921.
    by grade on the farm. D.B. 977, pp. 19-20. 1921.
    in stacks. D.B. 977, pp. 12-13. 1921.
  settling rate. Sec. Cir. 67, p. 9. 1916.
  shipment(s)—
    from markets, monthly 1899-1924. S.B. 11, pp. 52-55. 1925.
    regulations regarding foot-and-mouth disease. B.A.I.O. 229, amdt. 6, pp. 2. 1914.
  shippers—
    at terminal markets. D.B. 979, pp. 29-30. 1921.
    methods of buying and selling in country. D.B. 977, pp. 9-11, 14-19. 1921, D.B. 979, pp. 2-24. 1921.
  shipping methods. Rpt. 98, pp. 80-81. 1913.
  shrinkage—
    and—
      heating after baling. F.B. 1049, pp. 32, 34. 1919.
      loss of weight after baling. F.B. 508, p. 22. 1912; D.B. 353, pp. 32-35, 37. 1916.
    determination, factors affecting. D.B. 873, pp. 8-14. 1920.
    in mow. F.B. 149, pp. 14-15. 1902.
    in storage. F.B. 149, pp. 14-15. 1902.
    measurement rules, limitations. D.B. 873, pp. 21-23. 1920.
  Siberian alfalfa, value for stock. B.P.I. Bul. 150, pp. 9, 11, 14, 15. 1909.
  soils, Virginia, location. D.B. 46, pp. 4, 5, 14, 15, 17. 1913.
  sorghum—
    cutting and curing. F.B. 246, pp. 26-32. 1906.
    feed value. F.B. 1125, rev., p. 25. 1920.
    harvesting, curing, storing, and marketing. F.B. 458, pp. 19-21. 1911.
    time of cutting, experiments and results. D.B. 1260, pp. 85-87. 1924.
    use and value. F.B. 246, pp. 32-33. 1906; F.B. 458, pp. 1-20. 1911; F.B. 1158, pp. 20-21. 1920.
  source of calcium in feed. D.B. 945, pp. 7, 15. 1921.
  southern crops, analyses. F.B. 427, p. 11. 1910.
  soy-bean—
    cutting, and curing value. F.B. 372, pp. 14-15. 1909.
    feeding value. S.R.S. Syl. 35, pp. 4-5, 11. 1919.
    growing, cutting, curing, and feeding value. F.B. 973, pp. 18, 19, 25-27. 1918.
    harvesting. F.B. 514, pp. 19-20. 1912.
    value and price. F.B. 931, pp. 8, 22. 1918; F.B. 973, p. 27. 1918; S.R.S. Doc. 43, pp. 3-4. 1917.
    yield and value, comparison with cowpeas. D.C. 120, p. 1. 1920.
  spontaneous combustion, causes and process. F.B. 485, p. 24. 1912; F.B. 508, p. 11. 1912; F.B. 873, pp. 17, 33. 1920; F.B. 943, p. 7. 1918; F.B. 1229, pp. 9, 11. 1921.
  stackers—
    cost. F.B. 1009, p. 10. 1919.
    description and use. F.B. 943, pp. 16-17, 22-23, 27. 1918.
    labor saving, use in East and South. H. B. McClure. F.B. 1009, pp. 23. 1919.
    types and use. F.B. 1021, pp. 22-24. 1919.
    See also Stackers.
  standards—
    establishment. Sec. A.R., 1925, pp. 44-45. 1925.
    for timothy, clover, etc. B.A.E. [Misc.], "United States grades for timothy * * *," rev., pp. 4. 1924.
    official, handbook. Edward C. Parker and K. B. Seeds. B.A.E. [Misc.], "Handbook of official * * *," pp. 48. 1925.
    standing, marketing. D.B. 977, p. 11. 1921.
  statistics—
    1924. Y.B., 1924, pp. 768-789, 1047, 1174. 1925.
    1924 (with feed). S.B. 11, pp. 114. 1925.

INDEX TO PUBLICATIONS, 1901-1925   1135

Hay—Continued.
  statistics—continued.
    acreage, production, value, etc., 1849-1922, and 1921-22. Y.B., 1922, pp. 684-695. 1923; Y.B. Sep. 884, pp. 684-695. 1923.
    graphic showing of average production, United States. Stat. Bul. 78, p. 26. 1910.
    receipts and shipments at trade centers. Rpt. 98, pp. 289, 339-342. 1913.
    storage, practices to prevent undue shrinkage. D.B. 873, p. 20. 1920.
    storing methods. F.B. 99, pp. 24-25. 1918.
    straight sales method of marketing. F.B. 1265, pp. 7-9. 1922.
  substitute for, in feeds. F.B. 210, pp. 23-24. 1904; M.C. 12, p. 36. 1924.
  Sudan-grass—
    comparison with millet and sorgo. F.B. 1126, p. 9. 1920.
    composition and—
      comparison with other hays. D.B. 981, pp. 41-46. 1921.
      composition and digestibility. J.A.R., vol. 14, pp. 176-185. 1918.
    in South and West, yield and value. News L., vol. 2, No. 10, pp. 3-4. 1914.
    production, seeding date and rate, and harvesting. D.B. 981, pp. 26-41. 1921.
    quality, yields, and feed value. F.B. 1126, pp. 9, 10, 16-17, 20-21. 1920.
    value—
      and yield in dry regions. Y.B., 1912, pp. 501-503. 1913; Y.B. Sep. 609, pp. 501-503. 1913.
      as feed for live stock. D.B. 981, pp. 43-46, 65. 1921; F.B. 1126, rev., p. 14. 1920.
  supply, conditions of cutting, curing, and baling. F.B. 508, pp. 8-12. 1912.
  sweet-clover—
    composition, comparison with other forage feeds. F.B. 485, pp. 27-28, 30. 1912.
    cutting methods, curing, and handling. F.B. 485, pp. 21-24. 1912; F.B. 820, pp. 12-20. 1917.
    use and value. F.B. 1005, pp. 7-8, 11, 14, 15, 18, 19, 21. 1919.
  tagging for weight, effect on prices. F.B. 508, pp. 22-23. 1912.
  tame—
    acreage and yield in eastern United States. F.B. 1170, p. 3. 1920.
    production. S.B. 11, pp. 16, 36-37. 1925.
  tedder, cost per acre and per day, relation to service table. D.B. 338, pp. 18-19. 1916.
  test for winter feeding of cattle. F.B. 479, p. 18. 1912.
  timothy—
    acreage by States 1909-1924. S.B. 11, pp. 7, 11, 28, 32. 1925.
    adulteration and misbranding. Chem. N.J. 1813, p. 1. 1912.
    analysis, comparison—
      in value with mountain bunch grass. D.B. 545, p. 8. 1917.
      with Natal grass. F.B. 726, p. 12. 1916.
    available energy. Henry Prentiss Armsby and J. August Fries. B.A.I. Bul. 51, pp. 77. 1903.
    baling, methods and cost. F.B. 502, pp. 28-29. 1912.
    cost of production, table. Stat. Bul. 48, pp. 47, 49. 1906.
    digestibility and composition, comparisons. B.A.I. Bul. 128, pp. 26-30, 35-36, 56, 69-77, 92, 95-99, 116-117, 127-129, 131-136, 143-145, 149-152, 158, 159-160, 161-166, 172-174, 176-177, 185-186, 191-192, 193-197, 199, 201-202, 227-230. 1911.
    feed for cattle, energy value, notes and tables. J.A.R., vol. 3, pp. 437-484. 1915.
    feeding value. F.B. 362, pp. 17, 27, 28. 1909.
    for seed, production, cost per acre. Stat. Bul. 73, pp. 48-49. 1909.
    grades, official. F.B. 362, pp. 23-24. 1909.
    harvesting, season, equipment, and yields. F.B. 990, pp. 18-24. 1918.
    loss in weight or feeding value during storage. F.B. 990, pp. 25-26. 1918.
    manures, requirement. F.B. 366, pp. 6-10. 1909.
    mixed with clover, acreage by States. S.B. 11, pp. 7, 19. 1925.

Hay—Continued.
  timothy—continued.
    mowing and loading, labor costs. D.B. 578, pp. 6-25, 33. 1918.
    prices—
      at main markets, monthly. S.B. 11, pp. 74-80, 81-84. 1925.
      monthly and yearly, 1911-1921, at Chicago. F.B. 1265, p. 11. 1922.
    production, cost, and profits, comparisons. F.B. 990, pp. 27-28. 1918.
    shrinkage, studies at experiment stations. D.B. 873, pp. 4-8. 1920.
    time for cutting. F.B. 514, p. 13. 1912.
    value, and use. Y.B., 1924, pp. 308-309. 1925.
    yield—
      by States, 1909-1924. S.B. 11, pp. 19, 23. 1925.
      relation to variations in soil. J.A.R., vol. 19, p. 286. 1920.
  ton, cubic feet content. B.P.I. Cir. 131, p. 24. 1913; Sec. Cir. 67, pp. 9-10. 1916.
  top-dressing experiments, nitrate of soda. F.B. 210, pp. 6-7. 1904.
  track buying. D.B. 977, p. 11. 1921.
  trade, southern problems. F.B. 362, p. 9. 1908.
  truck, origin, description and use method. F.B. 956, pp. 6-16. 1918.
  unloading by hand and by horses. D.B. 578, pp. 6-22. 1918.
  use—
    and value of bur clover, cutting and curing. F.B. 532, p. 16. 1913.
    of velvet bean, with comparisons. F.B. 1276, p. 16. 1922; S.R.S. Doc. 44, p. 5. 1917.
    utilization of Sudan grass, yield per acre, and feeding value. F.B. 505, pp. 1-4, 5-6, 7, 9-14, 20. 1914.
  value of—
    bur clover, palatability, and comparison with alfalfa. B.P.I. Bul. 267, pp. 11-12. 1913.
    crop, comparison with wheat. Y.B., 1921, p. 80. 1922; Y.B. Sep. 873, p. 80. 1922.
    saltbush. D.B. 617, p. 10. 1919.
  varieties—
    acreage—
      production, yield, value, and estimate, by States, 1914. F.B. 611, pp. 3, 32. 1914.
      United States. Sec. [Misc.], Spec. "Geography * * * world's agriculture," p. 103. 1917.
    unsuitable for mare in foal, cautions. F.B. 803, p. 11. 1917.
  velvet-bean—
    nutritive value in rations. J.A.R., vol. 24, pp. 435, 439. 1923.
    objections to. F.B. 962, p. 19. 1918.
  vetch—
    and mixtures, mowing, curing, and handling. F.B. 529, pp. 13-14. 1913.
    as feed for cows. F.B. 360, pp. 29-30. 1909.
    growing and value. F.B. 515, pp. 12-13, 20, 27. 1912.
  warehousing, cost, advantages, and disadvantages. D.B. 977, pp. 24-25. 1921; D.B. 979, pp. 6-9. 1921.
  water—
    content, determination for measurement of shrinkage. D.B. 873, pp. 22-23. 1920.
    requirement and yields in Oregon. D.B. 1340, p. 47. 1925.
  weedy, objections. F.B. 362, pp. 19-21. 1909.
  weighing—
    and inspection. D.B. 977, p. 21. 1921; D.B. 978, pp. 13-24. 1921.
    for market. F.B. 508, pp. 26-27. 1912.
    methods. Rpt. 98, pp. 82-83, 92, 96, 97-98. 1913.
  weights, use by shippers and terminal markets. D.B. 979, pp. 21-22, 46-49, 51. 1921.
  wholesale prices, 1896-1909. Y.B., 1909, p. 504. 1910; Y.B. Sep. 524, p. 504. 1910.
  wild—
    acreage and—
      production in Nebraska, Dawson County. Soil Sur. Adv. Sh., 1922, pp. 399. 1925.
      yield on Fargo clay loam. Soils Cir. 36, p. 11. 1911.
    adaptability to San Luis Valley, Colo. Soils Cir. 52, pp. 22, 23, 26. 1912.
    classification of grasses. D.B. 772, p. 4. 1920.

Hay—Continued.
  wild—continued.
    cutting, injury to wild ducks in Utah. D.B. 936, pp. 16, 19. 1921.
    growing in Nebraska—
      Boone County. Soil Sur. Adv. Sh., 1921, p. 1178. 1925; Soils F.O., 1921, p. 1178. 1926.
      Jefferson County. Soil Sur. Adv. Sh., 1921, pp. 1448-1449, 1468. 1925.
    production, cost per acre. Stat. Bul. 73, pp. 43-44. 1909.
    yield, factors affecting. Y.B., 1924, pp. 304-307, 772, 780. 1925.
  winter barley, value. F.B. 518, p. 16. 1912.
  yellow-flowered alfalfa, yield and feeding value. D.B. 428, pp. 49-51, 64. 1917.
  yield(s)—
    and prices, by States. Y.B., 1921, p. 598, 1922; Y.B. Sep. 869, p. 18. 1922.
    benefit of cattle keeping. F.B. 704, p. 33. 1916.
    changes since 1876. Y.B., 1919, pp. 20, 22, 23. 1920.
    effect of burning pastures. J.A.R., vol. 23, pp. 639-641. 1923.
    in—
      Pennsylvania, Chester County, and selected farms. F.B. 978, pp. 3-4. 1918.
      seeding tests, Huntley Experiment Farm. W.I.A. Cir. 22, pp. 15-16. 1918.
      south-central Pennsylvania. Soil Sur. Adv. Sh., 1910, pp. 36, 38, 41, 46, 47, 56, 59, 68, 69. 1912. Soils F.O., 1910, pp. 223, 224, 226, 229, 232, 234, 235, 237, 241. 1912.
      specified countries, and prices. Rpt. 109, pp. 165-168, 301-302, 306. 1916.
    on important American soils. Y.B., 1911, pp. 225, 228, 229, 230, 236. 1912; Y.B., Sep. 563, pp. 225, 228, 229, 230, 236. 1912.
    per acre—
      1925. D.B. 1338, pp. 4-5. 1925.
      estimate, June 1, by States. F.B. 598, p. 21. 1914.
      increase from 1865 to 1905. F.B. 362, pp. 10-13. 1909.
      increase since 1908. An. Rpts., 1919, pp. 13, 15. 1920; Sec. A.R., 1919, pp. 15, 17. 1919.
    tidal-marsh reclamations. O.E.S. Bul. 240, pp. 27, 43, 44, 51, 77, 97. 1911.
    under—
      irrigation, Oregon. O.E.S. Bul. 226, p. 48. 1910.
      various cropping schemes. B.P.I. Bul. 236, pp. 26, 31-33, 36. 1912.
  See also Forage plants.
Hayden National Forest, map. For. Map Fold. 1919.
HAYES, F(RANK) A.: "Effect of drugs on milk and fat production." With Merton G. Thomas. J.A.R., vol. 19, pp. 123-130. 1920.
HAYES, F. A.: "Soil survey of—
  Antelope County, Nebr." With others. Soil Sur. Adv. Sh., 1921, pp. 757-816. 1924.
  Banner County, Nebr." With H. L. Bedell. Soil Sur. Adv. Sh., 1919, pp. 62. 1921; Soils F.O., 1919, pp. 1617-1674. 1925.
  Boone County, Nebr." With others. Soil Sur. Adv. Sh., 1921, pp. 52. 1925.
  Box Butte County, Nebr." With J. H. Agee. Soil Sur. Adv. Sh., 1916, pp. 34. 1918; Soils F.O., 1916, pp. 2041-2070. 1921.
  Dakota County, Nebr." With H. L. Bedell. Soil Sur. Adv. Sh., 1919, pp. 42. 1921; Soils F.O., 1919, pp. 1675-1712. 1925.
  Dawes County, Nebr." With others. Soil Sur. Adv. Sh., 1915, pp. 41. 1917; Soils F.O., 1915, pp. 1963-1999. 1919.
  Dawson County, Nebr." With others. Soil Sur. Adv. Sh., 1922, pp. 391-438. 1925.
  Drew County, Ark." With others. Soil Sur. Adv. Sh., 1917, pp. 48. 1919; Soils F.O., 1917, pp. 1279-1322. 1923.
  Freestone County, Tex." With others. Soil Sur. Adv. Sh., 1918, pp. 58. 1921; Soils F.O., 1918, pp. 831-884. 1924.
  Howard County—
    Ark." With others. Soil Sur. Adv. Sh., 1917 pp. 48. 1919; Soils F.O., 1917, pp. 1355-1398. 1923.

HAYES F. A.: "Soil survey of—Continued.
  Howard County—Continued.
    Nebr." With others. Soil Sur. Adv. Sh., 1920 pp. 39. 1924; Soils F.O., 1920, pp. 965-1004 1925.
  Jefferson County, Nebr." With others. Soil Sur. Adv. Sh., 1921, pp. 1443-1485. 1925.
  Kimball County, Nebr." With others. Soil Sur. Adv. Sh., 1916, pp. 28. 1917; Soils F.O., 1916, pp. 2179-2202. 1921.
  Madison County, Nebr." With others. Soil Sur. Adv. Sh., 1920, pp. 47. 1923; Soils F.O., 1920, pp. 201-248. 1925.
  Monroe County, Ga." With others. Soil Sur. Adv. Sh., 1920, pp. 36. 1922; Soils F.O., 1920, pp. 71-102. 1925.
  Morrill County, Nebr." With others. Soil Sur. Adv. Sh., 1917, pp. 69. 1920; Soils F.O., 1917, pp. 1853-1917. 1923.
  Nance County, Nebr." With others. Soil Sur. Adv. Sh., 1922, pp. 46. 1925.
  Oconee, Morgan, Greene, and Putnam Counties, Ga." With others. Soil Sur. Adv. Sh., 1919, pp. 61. 1922; Soils F.O., 1919, pp. 889-945. 1925.
  Pawnee County, Nebr." With others. Soil Sur. Adv. Sh., 1920, pp. 33. 1924; Soils F.O., 1920, pp. 1317-1350. 1925.
  Sheridan County, Nebr." With others. Soil Sur. Adv. Sh., 1918, pp. 60. 1921; Soils F.O., 1918, pp. 1441-1496. 1924.
  Washington Parish, La. With others. Soil Sur. Adv. Sh., 1922, pp. 345-390. 1925.
HAYES, H. K.—
  "A study of rust resistance in a cross between Marquis and Kota wheats." With O. S. Aamodt. J.A.R., vol. 24, pp. 997-1012. 1923.
  "Experiments in field technic in plot tests." J.A.R., vol. 15, pp. 251-262. 1918.
  "Experiments in field technic in rod row tests." With A. C. Arny. J.A.R., vol. 11, pp. 399-419. 1917.
  "Genetics of rust resistance in crosses of varieties of Triticum vulgare with varieties of T. durum and T. dicoccum." With others. J.A.R., vol. 19, pp. 523-542. 1920.
  "Occurrence of the fixed intermediate, Hordeum intermedium haxtoni, in crosses between H. vulgare palladium and H. distichon palmella." With Harry V. Harlan. J.A.R., vol. 19, pp. 575-592. 1920.
  "Heterozygosis in evolution and in plant breeding." With E. M. East. B.P.I. Bul. 243, pp. 58. 1912.
  "The inheritance of the length of internode in the rachis of the barley spike." With Harry V. Harlan. D.B. 869, pp. 26. 1920.
HAYES, M. W.: "Value of the climate and crop and storm-warning services of the Weather Bureau to the industries of Cuba and other islands of the West Indies." W.B. Bul. 31, pp. 58-60. 1902.
HAYES, W. P.: "The reaction of certain grasses to chinch-bug attack." With C. O. Johnston. J.A.R., vol. 31, pp. 575-583. 1925.
Hayfields—
  damage by ground squirrels. F.B. 484, p. 12. 1912.
  injury by meadow mice. F.B. 484, pp. 32-33, 37. 1912.
Hayfork, use in unloading hay, comparison with hand work. D.B. 814, pp. 27-29. 1920.
Haying—
  day's work—
    conditions governing. News L., vol. 3, No. 3, pp. 1-2. 1915.
    in New York and Illinois, comparison. D.B. 814, p. 32. 1920.
  labor, normal day's work, men, horses, and wagons. D.B. 412, pp. 2, 11-12. 1916.
  machinery—
    for use on timothy. F.B. 990, pp. 21-24. 1918.
    manufacture and sale. D.C. 212, p. 8. 1922; Y.B., 1922, p. 1024. 1923; Y.B. Sep. 887, p. 1024. 1923.
  operations, description, mowing, tedding, raking, and cocking. F.B. 943, pp. 8-14. 1918.
  season—
    in Alaska. Alaska A.R., 1911, pp. 59-61. 1912.
    weather in Georgia, Alabama, and Mississippi. F.B. 956, pp. 4-6. 1918.

Haying—Continued.
  statistics of day's work for several operations.
    Y.B., 1922, pp. 1051-1053. 1923; Y.B. Sep. 890.
    pp. 1051-1053. 1923.
  use of horses and tractors on Corn-Belt farms.
    F.B. 1295, p. 9. 1923.
Haymaking—
  H. B. McClure. F.B. 943, pp. 31. 1918.
  Alaska, Kenai Experiment Station. Alaska
    Bul. 3, pp. 1-13. 1907.
  at Kenai Experiment Station. P. H. Ross.
    Alaska Bul. 3, pp. 13. 1907.
  crews—
    and labor costs, study. H. B. McClure.
      D.B. 578, pp. 50. 1918.
    size and management. F.B. 943, pp. 19-24.
      1918.
  day's work, for various operations. D.B. 814,
    pp. 23-29. 1920.
  equipment for small farm, cost. F.B. 677, pp. 12-13. 1915.
  farm practice in New York and Pennsylvania.
    D.B. 641, pp. 1-16. 1918.
  in—
    Alaska. Alaska A.R., 1918, pp. 60, 76, 77, 83, 88-89. 1920.
    Hawaii, discussion. Hawaii A.R., 1914, pp. 9, 58. 1915.
    North, special conditions and methods. F.B. 977, pp. 13-14. 1918.
    Oregon and Washington, western slope. B.P.I. Bul. 94, pp. 9-11. 1906.
    South, special conditions and methods. F.B. 977, pp. 14-16. 1918.
  labor per hour, per acre, and per ton, and costs.
    D.B. 641, pp. 10-12. 1918.
  labor saving practices. H. B. McClure. F.B. 987, pp. 20. 1918.
  loading systems. F.B. 943, pp. 14-24. 1918.
  methods to prevent undue shrinkage. D.B. 873, pp. 18-20. 1920.
  processes and practices. Y.B., 1924, pp. 320-339. 1925.
  Sudan grass, recommendations. F.B. 1126, rev., pp. 12-13. 1925.
  suggestions and practices. F.B. 1125, rev., pp. 55-56, 1920.
  systems in various localities, and costs. D.B. 578, pp. 4-49. 1918.
  time and method. F.B. 509, pp. 44-45. 1912.
  western Oregon and Washington, practices.
    F.B. 271, pp. 9-11. 1906.
  work done by tractors and by horses on Corn-Belt farms. D.B. 997, pp. 15, 23, 27, 29, 34, 36. 1921.
HAYNES, L. J., report of Publications Office, Chief, 1924. Pub. A.R., 1924, pp. 14. 1924.
HAYNES, SHEPPARD—
  "Duck raising." With Alfred R. Lee. F.B. 697, rev., pp. 22. 1923.
  "Poultry accounts." With Alfred R. Lee. F.B. 1427, pp. 6. 1924.
HAYNEY, J. G.: "Irrigation experiments at Fort Hays, Kans., 1903 and 1904." O.E.S. Bul. 158, pp. 567-583. 1905.
Hayrakes—
  and stackers, use on large farms. D.B. 757, p. 22. 1919.
  cost per acre and per day, relation of service, table. D.B. 338, p. 18. 1916.
Hayraking, labor-wasting and labor-saving. F.B. 987, pp. 6-7, 8, 14-16. 1918.
HAYS, W. M.—
  "Country life education." O.E.S. Cir. 73, pp. 13. 1907.
  "Farm management: Organization of research and teaching." With others. B.P.I. Bul. 236, pp. 96. 1912.
  "Education for country life." O.E.S. Cir. 84, pp. 40. 1909.
  "How the schools and the United States Department of Agriculture can cooperate." O.E.S. An. Rpt., 1910, pp. 342-343. 1911.
  "Progress in plant and animal breeding." Y.B., 1901, pp. 217-232. 1902; Y.B. Sep. 237, pp. 217-232. 1902.
  "Report of the Bureau of Statistics." 1905. An. Rpts., 1905, pp. 405-417. 1905.

HAYS, W. M.—Continued.
  "The cost of producing farm products." With Edward C. Parker. Stat. Bul. 48, pp. 90. 1906.
  "Variation in cross-bred wheats." O.E.S. Bul. 115, pp. 98-101. 1902.
Hays Field Station, spring wheat production, various methods, 1908-1914, yields and cost.
  D.B. 214, pp. 30-32, 37-42. 1915.
Haystackers—
  description and use. H. B. McClure. F.B. 1009, pp. 23. 1919.
  types and use. F.B. 1021, pp. 22-24. 1919.
Haystacking—
  directions. F.B. 677, pp. 14-15. 1915.
  losses, experiments. F.B. 362, pp. 25-27. 1909.
  with push rakes and stackers. D.B. 578, pp. 22-37. 1918.
Haystacks—
  building methods, losses, and cover requirement.
    F.B. 704, pp. 23-24. 1916.
  covers, description and value. F.B. 1021, p. 24. 1919.
  location and shape, and protection. F.B. 1009, pp. 19-21. 1919.
  measurement, rule. F.B. 677, pp. 15-16. 1915; F.B. 1182, p. 29. 1921; Sec. Cir. 67, pp. 1-5. 1916; Y.B., 1924, pp. 339-342. 1925.
  selling by producers. D.B. 977, pp. 12-13. 1921.
  sizes made by different methods. F.B. 1009, pp. 16-19. 1919.
  temporary or emergency. F.B. 1009, pp. 21-22. 1919.
  volume, rules for measuring. An. Rpts., 1904, p. 123. 1904.
HAYWARD, HARRY—
  "Facts concerning the history, commerce, and manufacture of butter." B.A.I. Cir. 56, pp. 14. 1904.
  report of Delaware Experiment Station, work—
    1909. O.E.S. An. Rpt., 1909, pp. 88-90. 1910.
    1910. O.E.S. An. Rpt., 1910, pp. 114-116. 1911.
    1911. O.E.S. An. Rpt., 1911, pp. 89-91. 1912.
    1912. O.E.S. An. Rpt., 1912, pp. 92-94. 1913.
    1913. O.E.S. An. Rpt., 1913, pp. 38-39. 1915.
    1914. O.E.S. An. Rpt., 1914, pp. 81-84. 1915.
HAYWOOD, J. K.—
  "A method for preparing a commercial grade of calcium arsenate." With C. M. Smith. D.B. 750, pp. 10. 1918; rev. 1923.
  "Analysis of waters and interpretation of the results." Y.B., 1902, pp. 283-294. 1903; Y.B. Sep. 272, pp. 283-294. 1903.
  "Arsenic in papers and fabrics." With H. J. Warner. Chem. Bul. 86, pp. 53. 1904.
  "Commercial feeding stuffs of the United States: Their chemical and microscopical examination." With others. Chem. Bul. 108, pp. 94. 1908.
  "Injury to vegetation and animal life by smelter wastes." Chem. Bul. 113, p. 40. 1908; Chem. Bul. 113, rev., p. 63, 1910.
  "Injury to vegetation by smelter fumes." Chem. Bul. 89, pp. 23. 1905.
  "Insecticides and fungicides." F.B. 146, pp. 16. 1902.
  "Insecticide studies," Pts. I-III. Chem. Bul. 76, pp. 63. 1903.
  "Lead arsenate." With C. C. McDonnell. Chem. Bul. 131, pp. 50. 1910.
  "Lime-sulphur-salt wash and its substitutes." Chem. Bul. 101, pp. 29. 1907.
  "Methods for the analysis of insecticides and fungicides." Chem. Cir. 10, pp. 8. 1902.
  "Mineral waters of the United States." With B. H. Smith. Pts. I-III. Chem. Bul. 91, pp. 100. 1905.
  "Official and provisional methods of analysis, A.O.A.C." With others. Chem. Bul. 107, pp. 230. 1907.
  "Paris green spraying experiments." Chem. Bul. 82, pp. 32. 1904.
  "Poisonous metals on sprayed fruits and vegetables." With others. D.B. 1027, pp. 66. 1922.
  report of Insecticide and Fungicide Board—
    1912. With others. An. Rpts., 1912, pp. 1093-1100. 1913; I. and F. Bd. A.R., 1912, pp. 10. 1912.

HAYWOOD, J. K.—Continued.
  report of Insecticide and Fungicide Board—Con.
    1913. An. Rpts., 1913, pp. 331-333. 1914; I.
      and F. Bd. A.R., 1913, pp. 3. 1913.
    1914. An. Rpts., 1914, pp. 301-304. 1914; I.
      and F. Bd. Rpt., 1914, pp. 4. 1914.
    1915. With others. An. Rpts., 1915, pp. 347-350. 1916; I. and F. Bd. A.R., 1915, pp. 4. 1915.
    1916. An. Rpts., 1916, pp. 367-369. 1917; I.
      and F. Bd. A.R., 1916, pp. 3. 1916.
    1917. An. Rpts., 1917, pp. 411-414. 1918; I.
      and F. Bd. A.R., 1917, pp. 4. 1917.
    1918. An. Rpts., 1918, pp. 425-430. 1919; I.
      and F. Bd. A.R., 1918, pp. 6. 1918.
    1919. An. Rpts., 1919, pp. 503-507. 1920; I.
      and F. Bd. A.R., 1919, pp. 5. 1919.
    1920. An. Rpts., 1920, pp. 607-612. 1921; I.
      and F. Bd. A.R., 1920, pp. 6. 1920.
    1921. I. and F. Bd. Rpt., 1921, pp. 7. 1921.
    1922. An. Rpts., 1922, pp. 595-602. 1923; I.
      and F. Bd. A.R., 1922, pp. 8. 1922.
    1923. An. Rpts., 1923, pp. 651-656. 1923; I.
      and F. Bd. A.R., 1923, pp. 6. 1923.
    1924. I. and F. Bd. A.R., 1924, pp. 6. 1924.
  on—
    arsenical insecticides. Chem. Bul. 67, pp. 96-102. 1902.
    foods and feeding stuffs, 1907. Chem. Bul. 116, pp. 62-66. 1908.
    insecticides and fungicides. Chem. Bul. 73, pp. 158-167. 1903; Chem. Bul. 81, pp. 195-205. 1904.
    waters. With W. W. Skinner. Chem. Bul. 137, pp. 42-45. 1911.
  "The chemical composition of insecticides and fungicides." Chem. Bul. 68, pp. 62. 1902.
Haze, atmospheric, cause. Y.B., 1915, p. 322. 1916; Y.B. Sep. 680, p. 322. 1916.
Hazel—
  black. See Ironwood.
  India, importation and description. No. 41812. B.P.I. Inv. 46, p. 24. 1919.
  insect pests, description and lists. Sec. [Misc.], "A manual * * * insects * * *," pp. 133-135. 1917.
  snapping. See Witch-hazel.
  Turkish, importation and description. No. 41427, B.P.I. Inv. 45, p. 27. 1918.
Hazelnut—
  Australian. See Queensland nut.
  beaked—
    distribution and growth. N.A. Fauna 42, p. 63. 1917.
    occurrence in Colorado, description. N.A. Fauna 33, p. 228. 1911.
  description, histology, and identification key. Chem. Bul. 160, pp. 26-28, 37. 1912.
  importations and descriptions. No. 35288, B.P.I. Inv. 35, pp. 7, 33. 1915; Nos. 36726, 36727, B.P.I. Inv. 37, p. 57. 1916; No. 39106, B.P.I. Inv. 40, pp. 7, 75. 1917; Nos. 39907, 39909, B.P.I. Inv. 42, pp. 6, 36. 1918; Nos. 45347, 45671-45673, 45692-45703, B.P.I. Inv. 53, pp. 28, 75, 79-80. 1922; Nos. 55987, 56086, B.P.I. Inv. 73, pp. 3, 26, 36. 1924.
  Turkish, description and importations. Nos. 51779-51780. B.P.I. Inv. 65, pp. 5, 48-49. 1923.
  varieties—
    description. B.P.I. Bul. 207, p. 83. 1911.
    recommendations for various fruit districts. B.P.I. Bul. 151, p. 54. 1909.
  weevil, description, remedies. Ent. Cir. 99, pp. 15-16. 1908.
  wild, occurrence in China, and commercial use. B.P.I. Bul. 204, p. 52. 1911.
  See also Filbert.
HAZEN, WILLIAM: "Calcium compounds in soils." With others. J.A.R., vol. 8, pp. 57-77. 1917.
HEAD, A. F.: "Soil survey of Portage County, Ohio." With others. Soil Sur. Adv. Sh., 1914, pp. 44. 1916; Soils F.O., 1914, pp. 1505-1544. 1919.
HEAD, F. E.: "School credit for home practice in agriculture." D.B. 385, pp. 27. 1916.
Head—
  maggot of sheep. See Botfly, sheep.
  scab, sheep, treatment. F.B. 1150, p. 13. 1920.
  smut. See Smut, head.
"Head on pump" calculation, formula. O.E.S. Cir. 101, pp. 14-15. 1910.

"Headache and neuralgia cure," misbranding. Chem. N.J. 568, p. 1. 1910.
Headache—
  capsules, misbranding. Chem. N.J. 2550, pp. 1-2. 1913.
  causes and treatment. For. [Misc.], "First-aid Manual * * *," pp. 74-75. 1917.
  cure—
    "Burwell's instantaneous headache cachets," misbranding. Chem. N.J. 820, pp. 2. 1911.
    Dr. Kohler's antidote, misbranding. Chem. N.J. 329, p. 1. 1910.
    Dr. Parker's Universal, misbranding. Chem. N.J. 191, pp. 2. 1910.
    Falck's one-minute, misbranding. Chem. N.J. 418, p. 1. 1910.
    La sanadora, misbranding. Chem. N.J. 1076, pp. 2. 1911.
    O. K., misbranding. Chem. N.J. 208, pp. 2. 1910.
    Ramon's pepsin, misbranding. Chem. N.J. 465, pp. 2. 1910.
    Sherman's, misbranding. Chem. N.J. 709, pp. 2. 1910.
    Stanley's infant, misbranding. Chem. N.J. 708, pp. 2. 1910.
    Wells' dime, misbranding. Chem. N.J. 630, p. 1. 1910.
    White's headease, misbranding. Chem. N.J. 941, p. 2. 1911.
  mixtures—
    analysis and recommendations. Chem. Bul. 122, pp. 100-102. 1909; Chem. Bul. 132, pp. 188, 196-202. 1910; Chem. Bul. 137, pp. 183-186. 1911; Chem. Bul. 152, pp. 236-241. 1912. Chem. Bul. 162, pp. 193-201. 1913.
    habit-forming, danger in use. F.B. 393, pp. 14-15. 1910.
    harmfulness. L.F. Kebler and others. F.B. 377, pp. 16. 1909.
  powder(s) and—
    tablets, fatal effects. Chem. Bul. 126, pp. 39, 42, 44, 45, 85. 1909.
    Dr. Peters', misbranding. Chem. N.J. 643, p. 1. 1910.
    Failing's, misbranding. Chem. N.J. 624, pp. 2. 1910.
    German, misbranding. Chem. N.J. 1350, p. 1. 1912.
    Peck's, misbranding. Chem. N.J. 1157, pp. 2. 1911.
    Sure Pop, misbranding. Chem. N.J. 633, p. 1. 1910.
    U-re-ka, misbranding. Chem. N.J. 260, p. 1. 1910.
  remedy—
    Chandler's headache buttons, misbranding. Chem. N.J. 931, p. 2. 1911.
    Dixie, misbranding. Chem. N.J. 1178, pp. 2. 1911.
    Dr. Caldwell's anti-pain tablets, misbranding. Chem. N.J. 1545, p. 1. 1912.
    Dodson's misbranding, alleged. Chem. N.J. 3494, pp. 717-718. 1915.
    Preston's hed-ake, misbranding. Chem. N.J. 258, p. 1. 1910.
    Mrs. Summers' harmless, misbranding. Chem. N.J. 631, p. 1. 1910.
  result of sulphur preservatives in food. Chem. Bul. 84, Pt. III, p. 1015. 1907.
  tablets, "Telephone," misbranding. Chem. N. J. 392, pp. 2. 1910.
  wafers—
    "Eames tonic," misbranding. Chem. N.J. 449, p. 1. 1910.
    Gessler's magic, misbranding. Chem. N.J. 1051, pp. 3. 1911.
    Nyal's, misbranding. Chem. N.J. 908, p. 2. 1911.
    Rexall, misbranding. Chem. N.J. 559, p. 1. 1910.
Headcheese, recipe. F.B. 913, pp. 21-22. 1917; F.B. 1186, pp. 21, 40. 1921; S.R.S. Doc. 80, p. 18. 1918.
HEADDEN, W. P.: "Occurrence of manganese in wheat." J.A.R., vol. 5, No. 8, pp. 349-355. 1915.
Header—
  grain, description, and use in harvesting sweet-clover seed. F.B. 836, pp. 15-16. 1917.

Header—Continued.
  use in dry-farming harvesting, description. F.B. 769, p. 10. 1916.
  wheat-harvesting, advantages, disadvantages, and costs. D.B. 627, pp. 15-18. 1918; Y.B., 1919, pp. 142, 144, 149. 1920; Y.B. Sep. 804, pp. 142, 144, 149. 1920.
Headgates—
  importance in border irrigation, uses, description, and capacity. F.B. 1243, pp. 10-16. 1922.
  lateral, irrigation canals, types, description, materials, construction methods, and cost. D.B. 115, pp. 31-39. 1914.
Heading—
  exports, 1908. For. Cir. 162, p. 14. 1909.
  peach trees, directions. F.B. 917, pp. 25-31. 1918.
  slack-cooperage, manufacture from basswood, 1919. D.B. 1007, p. 7. 1922.
  tight barrel, production, 1905-1906. For. Cir. 125, p. 4, 10. 1907.
Headlands, field plowing with tractor. F.B. 1045, pp. 6-7. 1919.
HEADLEY, F. B.—
  "Agricultural observations on the Truckee-Carson Irrigation Project." With Vincent Fulkerson. B.P.I. Cir. 78, pp. 20. 1911.
  "Agriculture on the Truckee-Carson Project; Vegetables for the home garden." With Vincent Fulkerson. B.P.I. Cir. 110, pp. 21-25. 1913.
  "Climatic conditions on the Truckee-Carson Project." B.P.I. Cir. 114, pp. 25-30. 1913.
  "Commercial truck crops on the Truckee-Carson Project." With Vincent Fulkerson. B.P.I. Cir. 113, pp. 15-22. 1913.
  "Effect on plant growth of sodium salts in the soil." With others. J.A.R., vol. 6, No. 22, pp. 857-868. 1916.
  "Fruit growing on the Truckee-Carson Project." With Vincent Fulkerson. B.P.I. Cir. 118, pp. 17-28. 1913.
  "Quality of irrigation water in relation to land reclamation." With Carl S. Scofield. J.A.R., vol. 21, pp. 265-278. 1921.
  "The work in 1918 of the Newlands (formerly the Truckee-Carson) Reclamation Project Experiment Farm." D.C. 80, pp. 18. 1920.
  "The work of the—
    Newlands Reclamation Project Experiment Farm in—
    1919." D.C. 136, pp. 21. 1920.
    1920 and 1921." With E. W. Knight. D.C. 267, pp. 26. 1923.
    1922 and 1923." With others. D.C. 352, pp. 27. 1925.
  San Antonio Experiment Farm in—
    1907." With S. H. Hastings. B.P.I. Cir. 13, pp. 16. 1908.
    1908." With S. H. Hastings. B.P.I. Cir. 34, pp. 17. 1909.
  Truckee-Carson Experiment Farm in—
    1912." B.P.I. Cir. 122, pp. 13-23. 1913.
    1913." B.P.I., "The work of the Truckee-Carson in 1913," pp. 14. 1914.
    1914." W.I.A. Cir. 3, pp. 12. 1915.
    1915." W.I.A. Cir. 13, pp. 14. 1916.
    1916." W.I.A. Cir. 19, pp. 18. 1918.
    1917." W.I.A. Cir. 23, pp. 24. 1918.
HEADLEY, ROY:
  "The uncontrollable fire." For. [Misc.], "The uncontrollable * * *," pp. 4. 1919.
Headlights, Big Lake Reservation, Arkansas, prohibition. Biol. S.R.A. 58, p. 1. 1923.
Heal-all—
  description of seed, appearance in red clover seed. F.B. 260, p. 1. 1906.
  seeds, description. F.B. 428, pp. 7, 27, 28. 1911.
HEALD, F. D.—
  "A plant disease survey in the vicinity of San Antonio, Texas." With F. A. Wolf. B.P.I. Bul. 226, pp. 129. 1912.
  "Air and wind dissemination of ascospores of the chestnut-blight fungus." With others. J.A.R. vol. 3, pp. 493-526. 1915.
  "Birds as carriers of the chestnut-blight fungus." With R. A. Studhalter. J.A.R., vol. 2, pp. 405-422. 1914.
  "Longevity of pycnospores of the chestnut-blight fungus in the soil." With M. W. Gardner. J.A.R., vol. 2, pp. 67-75. 1914.

HEALD, F. E.—
  "Correlating agriculture with the public school subjects in the Northern States." With C. H. Lane. D.B. 281, pp. 42. 1915.
  "How teachers may use—
    Farmers' Bulletin 660, Weeds: How to Control Them." S.R.S. [Misc.], "How teachers may use * * *," pp. 2. 1917.
    Farmers' Bulletin 687: Eradication of ferns from pasture lands in the eastern United States." S.R.S. [Misc.], "How teachers may use * * *," pp. 2. 1916.
    Farmers' Bulletin 711: Care and Improvement of the Wood Lot." S.R.S. [Misc.], "How teachers may use * * *," pp. 2. 1917.
    Farmers' Bulletin 743: The feeding of dairy cows." S.R.S. [Misc.], "How teachers may use * * *," pp. 2. 1916.
    Farmers' Bulletin 756: Culture of rye in Eastern States." S.R.S. [Misc.], "How teachers may use * * *," pp. 2. 1917.
    Farmers' Bulletin 771: Home-made fireless cookers." S.R.S. [Misc.], "How teachers may use * * *," pp. 2. 1917.
    Farmers' Bulletin 868: Increasing the potato crop by spraying." S.R.S. [Misc.], "How Teachers may use * * *," pp. 2. 1917.
    Farmers' Bulletin 889: Backyard poultry keeping," S.R.S. [Misc.], "How teachers may use * * *," pp. 2. 1917.
    Farmers' Bulletin 934: Home garden in the South." S.R.S. [Misc.], "How teachers may use * * *," pp. 4. 1918.
    Farmers' Bulletin 936: The city and suburban vegetable garden." S.R.S. [Misc.], "How teachers may use * * *," pp. 2. 1918.
    Farmers' Bulletin 937: Farm garden in the North." S.R.S. [Misc.], "How teachers may use * * *," pp. 4. 1918.
  "Lessons on poultry for rural schools." D.B. 464, pp. 34. 1916.
  "School credit for home practice in agriculture." D.B. 385, pp. 27. 1916.
Healing compound, black oil, misbranding. See Indexes, Notices of Judgment, in bound volumes and in separates published or supplements to Chemistry Service and Regulatory Announcements.
Health—
  and—
    digestion—
      effect of preservatives in foods. H.W. Wiley. Y.B., 1903, pp. 289-302. 1904; Y.B. Sep. 328, pp. 289-302. 1904.
      experiments with salicylic acid and salicylates. H. W. Wiley. Chem. Cir. 31, pp. 12. 1906.
    nutrition of man, influence of—
      saccharin. Christian A. Herter and Otto Folin. Rpt. 94, pp. 375. 1911.
      vegetables greened with copper salts. Alonzo E. Taylor and others. Rpt. 97, pp. 461. 1913.
  Boards, food regulations. Chem. Bul. 69, rev., pp. 114-119, 434-435, 553-568, 631-637. 1905-6.
  care of food in the home. F.B. 375, pp. 1-46. 1909.
  children, guarding by farm bureau, example. News L., vol. 6, No. 25, pp. 8-9. 1919.
  condition as affected by sodium benzoate—
    John H. Long. Rpt. 88, pp. 293-563. 1909.
    Russell H. Chittenden. Rpt. 88, pp. 9-292. 1909.
  conditions—
    care of sick and wounded in convict road camps, methods. D.B. 414, pp. 115-127. 1916.
    effects of St. Francis, Ark., drainage project. O.E.S. Bul. 230, Pt. 1, pp. 79-80. 1911.
  conservation, home demonstration work. S.R.S. Rpt., 1918, pp. 94-95. 1919.
  danger from—
    house flies. F.B. 412, pp. 11-16. 1910.
    infected milk. F.B. 1069, pp. 4, 5. 1919.
  education extension work. D.C. 349, pp. 18-20. 1925.
  effect of—
    benzoic acid and benzoates. Chem. Bul. 84, Pt.IV, pp. 1043-1294. 1908; Chem. Cir. 39, pp. 1-15. 1908.
    borax and boric acid upon. Chem. Bul. 15, pp. 26-27. 1904.

Health—Continued.
  effect of—continued.
    formaldehyde. Chem. Bul. 84, Pt. V, pp. 1295–1499. 1908; Chem. Cir. 42, pp. 1–16. 1908.
    salicylic acid and salicylates. Chem. Bul. 84, Pt. II, pp. 479–760. 1906.
    sulphurous acid and sulphites, practical tests details. Chem. Bul. 84, Pt. III, rev., pp. 761–1041. 1905; Chem. Cir. 37, pp. 1–18. 1907.
    tropical climates, causes. P.R. An. Rpt., 1912, p. 17. 1913.
  farm families, conditions, reports, and means of improvement. D.C. 148, pp. 12–14, 19–21. 1920.
  home demonstration work, results. D.C. 285, pp. 14–15. 1923.
  human—
    insects injurious in rural districts. F.B. 155, pp. 1–20. 1902.
    relation of bovine tuberculosis. B.A.I. [Misc.], "Diseases of cattle," rev., pp. 436–445. 1912.
  influence of preservatives and artificial colors. Chem. Bul. 84, pp. 1–1500. 1905.
  injury by—
    chiggers. D.B. 986, pp. 11–13. 1921.
    use of bleached flour. Chem. N.J. 382, pp. 8–45. 1910.
  insects affecting—
    control studies program for 1915. Sec. [Misc.], "Program of work * * * 1915," pp. 244–245. 1914.
    with special reference to military camps. Sec. Cir. 61, pp. 1–24. 1916.
  laws. Francis G. Caffey. Y.B., 1913, pp. 125–134. 1914; Y.B. Sep. 619, pp. 125–134. 1914.
  maintenance, farm family, per cent of cost. D.B. 1214, pp. 9, 10, 15, 23, 24–25. 1924.
  man and animals, relation of insects. An. Rpts., 1906, pp. 382–384. 1907; Ent. A.R., 1906, pp. 22–24. 1907.
  medicinal value of mineral waters. Chem. Bul. 91, pp. 12–16. 1905.
  of plants, relation of nutrition to. Albert F. Woods. Y.B., 1901, pp. 155–176. 1902; Y.B. Sep. 225, pp. 155–176. 1902.
  Office—
    fly control regulations. F.B. 1408, pp. 10–11. 1924.
    regulations for control of house flies in cities. F.B. 679, pp. 13–14. 1915.
  officials—
    county, need and duties. Y.B., 1914, pp. 129–130. 1915; Y.B. Sep. 632, pp. 43–44. 1915.
    State, manual of procedure for guidance. Chem. [Misc.], "Manual of procedure * * *," pp. 12. 1915.
  poultry, importance. F.B. 957, pp. 3–4. 1918.
  principles, teaching in the country schools. Y.B., 1919, pp. 295–299. 1920; Y.B. Sep. 812, pp. 295, 299. 1920.
  public—
    act of the United Kingdom, 1907. Chem. Bul. 143, pp. 39–40. 1911.
    and animal tuberculosis. B.A.I. Bul. 38, pp. 73–78. 1906.
    and bovine tuberculosis, reports. D.E. Salmon. B.A.I. Bul. 53, pp. 63. 1904.
    protection. D.C. 211, p. 29. 1922; For. [Misc.], "The use book, 1915," pp. 29–30. 1915.
    relation—
      bovine tuberculosis. B.A.I. [Misc.], "Diseases of cattle," rev., pp. 429–438. 1923.
      bovine tuberculosis. D.E. Salmon. B.A.I. Bul. 33, pp. 36. 1901.
      tuberculous cow. E.C. Schroeder. B.A.I. Cir. 153, pp. 38–45. 1910.
    relations of rats. Biol. Bul. 33, pp. 31–33. 1909.
  regulations—
    District of Columbia, 1907. Chem. Bul. 112, Pt. I, pp. 37–38. 1908; B.A.I. Bul. 138, pp. 39–40. 1911.
    requirements of milk production. B.A.I. An. Rpt., 1909, pp. 121–122. 1911; B.A.I. Cir. 170, pp. 121–122. 1911.
  relation of water, food, etc., for first-year classes. D.B. 540, pp. 23, 24, 25, 34, 42. 1917.
  relation to dairying. Y.B., 1922, pp. 335–337. 1923; Y.B. Sep. 879, pp. 45–47. 1923.

Health—Continued.
  rural—
    campaigns in the South. S.R.S. Rpt. * * *, 1919, pp. 21–22. 1921.
    districts, effect of insects. L.O. Howard. F.B. 155, pp. 20. 1902.
    improvement. Sec. Cir. 133, p. 11. 1919.
  service—
    control work in prevention of plague epidemics. Y.B., 1917, pp. 236, 247–248. 1918; Y.B. Sep. 725, pp. 4, 15–16. 1918.
    cooperation in convict road camp. D.B. 583, pp. 1, 3, 23, 24, 29, 46. 1918.
  See also Hygiene.
Hearing (s)—
  food and drugs act, Regulation 5. Sec. Cir. 21, rev., p. 5. 1922.
  Insecticide and Fungicide Board, report of decisions, etc. An. Rpts., 1915, pp. 348–349. 1916; I. and F. Bd. A.R., 1915, pp. 2–3. 1915.
  on—
    bird protection, regulation. Biol. S.R.A. 9, pp. 14. 1916.
    budget. Off. Rec., vol. 3, No. 50, p. 2. 1924.
    grain standards, notice. Mkts. S.R.A. 29, pp. 1–3. 1917.
    potato storage. Off. Rec., vol. 3, No. 9, p. 2. 1924.
    regulations of warehouse act, notice. Mkts. S.R.A. 27, pp. 1–2. 1917; Mkts. S.R.A. 53, pp. 1–2. 1919.
  Sun Grain and Export Co., under warehouse act. Off. Rec. vol. 1, No. 9, p. 4. 1922.
HEARN, G. W.: "Soil survey of Cheyenne County, Nebraska." With others. Soil Sur. Adv. Sh., 1918, pp. 39. 1920; Soils F.O., 1918, pp. 1405–1439. 1924.
HEARN, W. E.: "Soil survey of—
  Bigflats area, New York." With Louis Mesmer. Soil Sur. Adv. Sh., 1920, pp. 17. 1903; Soils F.O., 1902, pp. 125–142. 1903.
  Caswell County, N. C." With Frank P. Drane. Soil Sur. Adv. Sh., 1908, pp. 28. 1910; Soils F.O., 1908, pp. 317–340. 1911.
  Chowan County, N. C." With G. M. MacNider. Soil Sur. Adv. Sh., 1906, pp. 26. 1907; Soils F.O., 1906, pp. 223–244. 1908.
  Crisp County, Ga." With others. Soil Sur., Adv. Sh., 1916, pp. 24. 1917; Soils F.O., 1916, pp. 627–646. 1921.
  Edgecombe County, N. C." Soil Sur. Adv. Sh. 1907, pp. 25. 1908; Soils F.O., 1907, pp. 249–269. 1909.
  Gaston County, N. C." With others. Soil Sur. Adv. Sh., 1909, pp. 33. 1911; Soils F.O., 1909, pp. 345–373. 1912.
  Henderson County, N. C." Soil Sur. Adv. Sh., 1907, pp. 25. 1908; Soils F.O., 1907, pp. 227–247. 1909.
  Johnston County, N. C." With L. L. Brinkely. Soil Sur. Adv. Sh., 1911, pp. 52. 1913; Soils F.O., 1911, pp. 431–478. 1914.
  Lee County, Ala." With W. J. Geib. Soil Sur. Adv. Sh., 1906, pp. 26. 1907; Soils F.O., 1906, pp. 363–384. 1908.
  Mecklenburg County, N. C." With L. L. Brinkley. Soil Sur. Adv. Sh., 1910, pp. 42. 1912; Soils F.O., 1910, pp. 381–418. 1912.
  Monroe County, Ala." With others. Soil Sur. Adv. Sh., 1916, pp. 53. 1919; Soils F.O., 1916, pp. 851–899. 1921.
  Orange County, N. C." With others. Soil Sur. Adv. Sh., 1918, pp. 44. 1921; Soils F.O., 1918, pp. 221–264. 1924.
  Pender County, N. C." With others. Soil Sur. Adv. Sh., 1912, pp. 45. 1914; Soils F.O., 1912, pp. 369–409. 1915.
  Pitt County, N. C." With others. Soil Sur. Adv. Sh., 1909, pp. 35. 1910; Soils F.O., 1909, pp. 389–419. 1912.
  Richmond County, N. C." With others. Soil Sur. Adv. Sh., 1911, pp. 48. 1912; Soils F.O., 1911, pp. 387–430. 1914.
  Robeson County, N. C." With others. Soil Sur. Adv. Sh., 1908, pp. 28. 1909; Soils F.O., 1908, pp. 293–316. 1911.
  Spartanburg County, S. C." With others. Soil Sur. Adv. Sh., 1921, pp. 409–449. 1924.

HEARN, W. E.: "Soil survey of—Continued.
Cary area, North Carolina." With George N. Coffey. Soil Sur. Adv. Sh., 1901, pp. 5. 1902; Soils F.O., 1901, pp. 311-315. 1902.
Grand Island area, Nebraska." With James L. Burgess. Soil Sur. Adv. Sh., 1903, pp. 19. 1904; Soils F.O. 1903, pp. 927-945. 1904.
Lake Muttamuskeet area, North Carolina." Soil. Sur. Adv. Sh., 1909, pp. 17. 1910; Soils F.O., 1909, pp. 375-387. 1912.
Lyons area, New York." Soil Sur. Adv. Sh., 1902, pp. 20. 1903; Soils F.O., 1902, pp. 143-162. 1903.
Stanton area, Nebraska." Soil Sur. Adv. Sh., 1903, pp. 16. 1904; Soils F.O., 1903, pp. 947-962. 1904.
Transylvania County, N. C." With G. M. MacNider. Soil Sur. Adv. Sh., 1906, pp. 25. 1907; Soils F.O., 1906, pp. 281-301. 1908.
HEARNE, SAMUEL, exploration of Athabaska-Mackenzie region, 1770-71. N.A. Fauna 27, pp. 10, 54-55. 1908.
Heart—
animal, development, effect of ration. J.A.R., vol. 21, pp. 265-278. 1921.
blood vessels, and lymphatics, diseases of—
W. H. Harbaugh. B.A.I. [Misc.], "Diseases of cattle," rev., pp. 70-84. 1901; rev., pp. 70-84. 1908; rev., pp. 71-85. 1912; rev., pp. 73-86. 1923.
M. R. Trumbower. B.A.I., [Misc.], "Diseases of the horse," rev., pp. 225-250. 1903; rev., pp. 225-250. 1907; rev., pp. 225-250. 1911; rev., pp. 247-273. 1916; rev., pp. 247-273. 1923.
cattle—
effects of high altitudes on weight and size. J.A.R., vol. 15, pp. 409-411. 1918.
injury by foreign bodies. B.A.I. [Misc.], "Diseases of cattle," rev., pp. 75-76. 1904; rev., pp. 76-77. 1912; rev., pp. 78-79. 1923.
rupture, dilation, atrophy and fatty degeneration. B.A.I. [Misc.], "Diseases of cattle," rev., pp. 71-85. 1912; rev., p. 82. 1923.
clot, horse, symptoms, pathology, treatment. B.A.I. [Misc.], "Diseases of the horse," rev., pp. 244-246. 1903; rev., pp. 244-246. 1907; rev., pp. 244-246. 1911; rev., pp. 267-268. 1923.
disease, cure, misbranding. Chem. N.J. 4142. 1916.
diseased conditions, effect of the action of drugs. Chem. Cir. 81, pp. 12-13. 1911.
liverleaf. See Liverleaf.
ox, sheep, and hog, food value. D.B. 1138, pp. 27-29, 32-35, 45. 1923.
stuffed, recipe. F.B. 391, p. 29. 1910.
valves, abnormal conditions. B.A.I. [Misc.] "Diseases of cattle," rev., p. 80. 1912.
valvular disease, horse, description, B.A.I. [Misc.], "Diseases of the horse," rev., p. 235. 1903; rev., p. 235. 1907; rev., p. 235. 1911; rev., pp. 257-258. 1923.
Heart rot—
brown—
cause, growth, appearance, and effects on timber. B.P.I. Bul. 149, pp. 42-44. 1909.
fungus enemy of aspens. For. Bul. 93, p. 19. 1911.
caused by false tinder fungus. Y.B., 1907, p. 491. 1908; Y.B. Sep. 463, p. 491. 1908.
hardwood trees, three undescribed. J.A.R., vol. 1, pp. 109-128. 1913.
honeycomb of oaks, cause, description, and control. J.A.R., vol. 5, No. 10, pp. 421-428. 1915.
in western hemlock, study. J. R. Weir and E. E. Hubert. D.B. 722, pp. 37. 1918.
injury to celery, description, and control studies. D.B. 601, pp. 23-24. 1917.
jack pine, causes. D.B. 820, p. 21. 1920.
lodgepole pine, description and cause. D.B. 154, p. 21. 1915.
oaks—
and poplars, caused by Polyporus dryophilus. J.A.R., vol. 3, pp. 65-78. 1914.
caused by Fomes everhartii. B.P.I. Bul. 149, pp. 48, 76. 1909.
red, cause, description, effects, and preventive measures. B.P.I. Bul. 149, pp. 37-39, 47, 76. 1909.

Heart rot—Continued.
similar to that caused by Stereum subpileatum. J.A.R., vol. 5, No. 10, pp. 424-425. 1915.
soft, catalpa, cause, description, and prevention. B.P.I. Bul. 149, pp. 47-48. 1909.
western hemlock, control measures. D.B. 722, pp. 34-36. 1918.
white—
cause, nature, spread, and preventive measures. B.P.I. Bul. 149, pp. 25-37, 46, 76. 1909.
fungus enemy of aspens. For. Bul. 93, p. 19. 1911.
Heartwater, cattle, sheep, and goats, transmission by ticks. Ent. Bul. 72, p. 58. 1907.
Heartwood—
description. F.B. 173, pp. 13-14. 1903.
forest trees, diseases. B.P.I. Bul. 149, pp. 25-48. 1909.
freedom from powder post infestation. F.B. 778, pp. 15, 19. 1917.
rot spread. D.B. 871, pp. 20-22. 1920.
Heat—
absorption and radiation, hills and valleys. Y.B., 1912, p. 311. 1913; Y.B. Sep.593, p. 311. 1913.
accumulation in fruit under adiabatic conditions. Chem. Bul. 142, pp. 33-38. 1911.
aid in destruction of boll weevil. F.B. 1262, pp. 12, 14. 1922.
amount required for destruction of bee-disease germs, experiments. D.B. 92, pp. 1-8. 1914.
artificial, use in curing cigar-leaf tobacco. W. W. Garner. B.P.I. Bul. 241, pp. 25. 1912.
barn, production by animals, relation to ventilation. F.B. 1393, pp. 5, 9-10. 1924.
canker, flax, cause, and control experiments. D.B. 1120, pp. 3-16. 1922.
coal losses in distribution. D.B. 747, pp. 42-47. 1919.
conductivities of different materials. Soils Bul. 59, pp. 51-54. 1909.
conserving by coverings, flooding, and smudges. F.B. 1096, pp. 11-14. 1920.
control—
carpet beetles in dry cleaning and laundering. F.B. 1346, p. 12. 1923.
rice moth. D.B. 783, pp. 11-12. 1919.
determination. See Calorimeter.
drought and insect life. Ent. Bul. 31, p. 97. 1902
dry, use in—
moth control. F.B. 1353, p. 26. 1923.
treatment of cereal seeds. J.A.R., vol. 18, pp. 379-390. 1920.
effect on—
boll weevil. F.B. 1329, p. 10. 1923.
canned foods. D.B. 196, pp. 14-15. 1915.
catalytic power of soils. Soils Bul. 86, pp. 23-28. 1912.
germination of Douglas-fir seed. D.B. 1200, pp. 15-16. 1924.
Hawaiian soils. W. P. Kelley and W. T. McGeorge. Hawaii Bul. 30, pp. 38. 1913.
impermeable seeds. J.A.R., vol. 6, No. 20, pp. 775-776, 779-781. 1916.
leucocytes in milk. B.A.I. Bul. 117, pp. 13-19. 1909.
milk bacteria, different degrees and periods. B.A.I. Bul. 161, pp. 17-19, 58. 1913.
phylloxera. D.B. 903, pp. 98-100. 1921.
seeds of Noble and silver fir, western white pine, and Douglas fir, laboratory tests. J. V. Hofmann. J.A.R., vol. 31, pp. 197-199. 1925.
soil nitrogen, studies. Hawaii Bul. 30, pp. 28-37. 1913.
tobacco quality during curing process. B.P.I. Bul. 241, pp. 12-15. 1912.
trichinae. J.A.R., vol. 17, pp. 202-221. 1919.
various household insects, tests. D.B. 707, pp. 27, 29, 34-35. 1918.
virus of tobacco mosaic disease. J.A.R., vol. 6, No. 17, pp. 664-667, 672. 1916.
excessive, relative resistance of tree seedlings. Carlos G. Bates and Jacob Roeser, jr. D.B. 1263, pp. 16. 1924.
farm kitchens, studies and methods. F.B. 607, pp. 8-9. 1914.
high temperature, effect on tobacco-beetle control. D.B. 737, pp. 42-47, 69. 1919.

Heat—Continued.
  in respiration calorimeter management, measurement. Y.B., 1911, pp. 499–503. 1912; Y.B. Sep. 586, pp. 499–503. 1912.
  injury to—
    canned foods. Chem. Bul. 151, pp. 30–31. 1912.
    export corn in transportation. D.B. 764, pp. 14, 33, 38, 40, 94–96. 1919.
  losses—
    from bare piping. D.B. 747, pp. 27–28. 1919.
    in drying system. D.B. 1335, p. 22. 1925.
  measurement in cattle. J.A.R., vol. 30, pp. 404–406. 1925.
  of combustion, proposed factors. O.E.S. Bul. 159, p. 218. 1905.
  penetration in canning, studies of various vegetables. D.B. 1022, pp. 22, 27, 31, 34, 40, 49. 1922.
  production—
    bees, in winter, factors. D.B. 93, pp. 3–6, 13–15. 1914.
    by animals, relation to body weight and surface area. J.A.R., vol. 21, pp. 351–362. 1921; J.A.R., vol. 25, pp. 419–421. 1923
    cattle feeding. J.A.R., vol. 11, pp. 458–459, 470–472. 1917.
    during rest and work. O.E.S. Bul. 208, pp. 21–23. 1909.
    in cow during lactation. D.B. 1281, pp. 22–24. 1924.
    in silage fermentation and microorganisms. J.A.R., vol. 10, pp. 75–83. 1917.
    of cattle, standing or lying, differences. J.A.R., vol. 3, pp. 453–469. 1915.
    steer feeding, alfalfa hay and starch. J.A.R., vol. 15, pp. 277, 286. 1918.
  prostration—
    cattle, cause, and treatment. B.A.I. [Misc.], "Diseases of cattle," rev., pp. 108–109. 1912.
    hog, control. Hawaii Bul. 48, p. 25. 1923.
    horses, description, treatment, and prevention. B.A.I. [Misc.], "Diseases of the horse," rev., pp. 199–200. 1903; rev., pp. 199–200. 1907; rev., pp. 199–200. 1911; rev., pp. 219–220. 1923.
  quantities, theoretical analysis. D.B. 509, pp. 18–27. 1917.
  relation of windbreaks. For. Bul. 86, pp. 55–70. 1911.
  requirements—
    of date palm. B.P.I. Bul. 53, pp. 58–70. 1904.
    olive growing in dry regions. B.P.I. Bul. 192, pp. 37–40. 1911.
    plant growth. Y.B., 1901, p. 174. 1902; Y.B. Sep. 225, p. 174. 1902.
  respiration calorimeter, determination and control. J.A.R., vol. 6, No. 18, pp. 710–718. 1916.
  specific, of wood. Frederick Dunlap. For. Bul. 110, pp. 28. 1912.
  sun, effect on temperature of pigs. J.A.R., vol. 9, pp. 174–177. 1917.
  testing in canning, methods, apparatus, and experiments. D.B. 956, pp. 6–17. 1921.
  transference in soils. Harrison E. Patten. Soils Bul. 59, pp. 54. 1909.
  treatment of seed potato for control of eelworms. D.C. 136, p. 12. 1920.
  use—
    against insects—
      and other pests. P.R. Cir. 17, p. 23. 1918.
      in dried products. D.B. 1335, p. 29. 1925.
    and loss in drying. D.B. 1335, pp. 13–25. 1925.
    in control of—
      bean and pea weevils. F.B. 983, pp. 23–24. 1918.
      broad bean weevil, experiments. D.B. 807, pp. 15–16. 1920.
      flour-mill insects, directions and experiments. D.B. 872, pp. 27–39. 1920.
      tobacco beetle. F.B. 846, p. 17. 1917.
    in destruction of—
      germs of infectious bee diseases. G. F. White. D.B. 92, pp. 8. 1914.
      rose aphid. D.B. 90, p. 10. 1914.
    in prevention of concrete freezing, methods and materials. F.B. 1279, pp. 22–23. 1922.
    in seed-bed disinfection. D.B. 934, pp. 24, 67, 69, 86. 1921.

Heat—Continued.
  use—continued.
    method for clarification of apple juice. F.B. 1264, pp. 29, 50. 1922.
    on cars for protection of potatoes during shipment. Mkts. Doc. 17, pp. 15, 20, 24, 25. 1918.
    value as disinfectant. F.B. 480, pp. 8–9. 1912.
Heater(s)—
  belt, for control of insects in dried fruit. D.B. 235, pp. 7–8. 1915.
  coal, frost-protection, description, and care. F.B., 1096, pp. 28–29. 1920.
  for frost protection, experiments. F.B. 104. rev., pp. 19–26. 1910.
  oil—
    and coke, use in orchard protection. F.B. 1343, pp. 32–33. 1923.
    for orchard protection, description and use. F.B., 1096, pp. 19–28, 33–34. 1920; Y.B., 1909, pp. 360–364. 1910; Y.B. Sep. 519, pp. 360–364. 1910.
  orchard—
    description, number to acre. F.B. 542, pp. 13–15. 1913.
    testing in Nevada. B.P.I. Cir. 118, pp. 24–25. 1913.
    use and value in citrus groves. F.B. 1122, p. 38. 1920.
  pasteurizing, for milk. D.B. 890, pp. 10–16. 1920.
  type for home, selection, and operation. F.B. 1194, pp. 5–13. 1921.
Heath—
  family, injury by sapsuckers. Biol. Bul. 39, pp. 48, 87. 1911.
  mountain, Wyoming, distribution and growth. N.A. Fauna 42, pp. 74–75. 1917.
Heather, distribution. N.A. Fauna 21, pp. 21, 55. 1901.
Heating—
  beans and peas, effect of weevil attacks, and control methods. F.B. 1275, pp. 23–33. 1923.
  brooders, systems. F.B. 624, pp. 8–10. 1914.
  effects on soils, study. Soils Bul. 89, pp. 1–37. 1912.
  farm home, systems, descriptions. F.B. 270, pp. 36–39. 1906; O.E.S. F.I.L. 12, pp. 9–10. 1912; Y.B., 1909, p. 355. 1910; Y.B. Sep. 518, p. 355. 1910.
  fireplace, improvements and description. F.B. 1230, pp. 22–28. 1921.
  fuel saving. Thrift Leaf. 12, pp. 4. 1919.
  greenhouse, systems and fuel requirements. F.B. 1318, pp. 18–29, 33, 34, 36. 1923.
  house requirements. F.B. 1194, pp. 3–13. 1921.
  installation for water-spray dry kilns. D.B. 894, pp. 16–31. 1920.
  orchard—
    California lemons, method fuel, and cost. D.B. 821, pp. 3–5, 24. 1920.
    in Colorado. D.B. 500, pp. 32–33. 1917.
    methods and cost. F.B. 1096, pp. 19–36. 1920.
  plant—
    Government buildings, authorization. Sol. [Misc.], "Laws applicable * * *," Sup. 2, pp. 8–10. 1915.
    home, operating. A. M. Daniels. F.B. 1194, pp. 28. 1921.
    pipeless furnace for dwellings. F.B. 1174, pp. 1–12. 1920.
    relation to weather-tight construction of house. F.B. 1194, pp. 13–19. 1921.
    storage house for sweet potatoes. F.B. 970, pp. 23–24. 1918; F.B. 1267, pp. 5, 10–11. 1922; F.B. 1442, pp. 17–18. 1925.
    sweet-potato beds, methods. F.B. 999, pp. 10–12. 1919.
  systems—
    farmhouses, conveniences. F.B. 270, pp. 36–39. 1906.
    greenhouses. F.B. 1431, pp. 5–6. 1924.
    special suggestions. Thrift Leaf. 12, pp. 3–4. 1919.
  use of denatured alcohol. F.B. 269, pp. 5–8. 1906.
Heaves—
  cattle, causes and treatment. B.A.I. [Misc.], "Diseases of cattle," rev., pp. 97–98. 1912; rev., p. 98. 923.

INDEX TO PUBLICATIONS, 1901–1925   1143

Heaves—Continued.
  cause, symptoms and treatment. B.A.I. [Misc.], "Diseases of the horse," rev., pp. 137–139. 1911.
  remedy, adulteration and misbranding. See Indexes, Notices of Judgment, in bound volumes and in separates published as supplements to Chemistry Service and Regulatory Announcements.
HEBARD, MORGAN: "Orthoptera." N.A. Fauna 46, Pt. II, p. 140. 1923.
Hecalus lineatus, description and life history. Ent. Bul. 108, pp. 64–65. 1912.
HECK, A. F.: "Soil survey of Spokane County, Wash." With others. Soil Sur. Adv. Sh., 1917, pp. 108. 1921; Soils F.O., 1917, pp. 2155–2258. 1923.
Hedeoma pulegioides. See Pennyroyal.
Hedera helix. See Ivy, English.
HEDGCOCK, G. G.—
  "A disease of pines caused by Cronartium pyriforme." With W. H. Long. D.B. 247, pp. 20. 1915.
  "Field studies of the crown-gall and hairy-root of the apple tree." B.P.I. Bul. 186, pp. 108. 1910.
  "Field studies of the crown-gall of the grape." B.P.I. Bul. 183, pp. 40. 1910.
  "Heart rot of oaks and poplars caused by Polyporus dryophilus." With W. H. Long. J.A.R., vol. 3, pp. 65–78. 1914.
  "Identity of Peridermium fusiforme with Peridermium cerebrum." With W. H. Long. J.A.R., vol. 2, pp. 247–250. 1914.
  "Parasitism of Comandra umbellata." J.A.R., vol. 5, No. 3, pp. 133–135. 1915.
  "Piñon blister rust." With others. J.A.R., vol. 14, pp. 411–424. 1918.
  "Some stem tumors or knots on apple and quince trees." B.P.I. Cir. 3, pp. 16. 1908.
  "The cross inoculation of fruit trees and shrubs with crown-gall." B.P.I. Bul. 131, pp. 21–23. 1908.
  "The crown-gall and hairy-root diseases of the apple tree." B.P.I. Bul. 90, Pt. II, pp. 15–17. 1906.
  "The wrapping of apple grafts and its relation to the crown-gall disease." With Hermann von Schrenk. B.P.I. Bul. 100, Pt. II, pp. 13–20. 1907.
  "Two new hosts for Peridermium pyriforme." With W. H. Long. J.A.R., vol. 5, No. 7, pp. 289–290. 1915.
Hedge(s)—
  acacia, kinds. D.B. 9, p. 31. 1913.
  alkali resistance. F.B. 446, p. 30. 1911.
  Artemisia, use in Oregon. B.P.I. Doc. 495, p 11. 1909.
  bamboo, uses. D.B. 1329, p. 20. 1925.
  barberry, removal to reduce black stem-rust, results. D.C. 188, pp. 6–7. 1921.
  camphor—
    treatment for control of thrips. D.B. 1225, p. 26. 1924.
    use and value in the South. Y.B., 1910, p. 455. 1911; Y.B. Sep. 551, p. 455. 1911.
  fences, origin, distribution, disadvantages, and removal cost. D.B. 321, pp. 8–9. 1916.
  harbor for destructive insects. Ent. Cir. 113, pp. 6, 15. 1909; Y.B., 1908, p. 369. 1909; Y.B. Sep. 488, p. 369. 1909.
  injury to crops in Nebraska, Cass County. Soil Sur. Adv. Sh., 1913, p. 16. 1914; Soils F.O., 1913, p. 1936. 1916.
  Kei-apple importation, No. 34250, value, and management. B.P.I. Inv. 32, p. 26. 1914.
  ornamental, tests at field station near Mandan, N. Dak. D.B. 1301, pp. 36–37. 1925.
  osage orange, value for windbreaks and posts. For. Bul. 86, pp. 84–86, 93, 97. 1911.
  Panax, growing for windbreaks. Hawaii Bul. 51, p. 8. 1924.
  roses used for, care, and pruning. F.B 750, pp. 24–25. 1916.
  saltbushes, use and value. B.P.I. Cir. 69, p. 4. 1910.
  Severinia, resistant to citrus canker. B.P.I. Chief Rpt., 1921, p. 20. 1921.
  substitution for snow fences. F.B. 1239, p. 6. 1921.

Hedge(s)—Continued.
  trees adaptable to Kansas. For. Cir. 161, pp. 24, 31, 33, 35. 1909.
  use of—
    cacti. B.P.I. Bul. 262, p. 18. 1912.
    hau tree in Hawaii. Ent. Bul. 75, Pt. V, p. 54. 1909.
    Rustic citrange. B.P.I. Doc. 335, pp. 1–3. 1907.
  value of evergreens. F.B. 329, p. 19. 1908.
HEDGES, FLORENCE—
  "A knot of citrus trees caused by Sphaeropsis tumefaciens." With L. S. Tenny. B.P.I. Bul. 247, pp. 74. 1912.
  "A study of bacterial pustule of soybean and a comparison of Bacterium phaseoli sojense Hedges with Bacterium phaseoli EFS." J.A.R., vol. 29, pp. 229–251. 1924.
HEDRICK, U. P.: "Inheritance of certain characters of grapes." With R. D. Anthony. J.A.R., vol. 4, pp. 315–330. 1915.
Hedysarum—
  boreale—
    importation and description. No. 41555. B.P.I. Inv. 45, p. 46. 1918.
    importation and description. No. 42676. B.P.I. Inv. 47, p. 50. 1920.
  coronarium. See Sulla.
  pseudalhagi. See Camel's thorn.
  spp., importations and description, Nos. 32026, 32187–32189, 32307. B.P.I. Bul. 261, pp. 8, 20, 38–39, 54. 1912; Nos. 33303–33307, B.P.I. Inv. 31, pp. 4, 12, 84. 1914; Nos. 35444–35448, B.P.I. Inv. 35, pp. 846. 1915; Nos. 40746, 40747, B.P.I. Inv. 43, pp. 7, 75. 1918.
Heel(s)—
  contracted, horse, causes, symptoms, and treatment. B.A.I. [Misc.], "Diseases of the horse," rev., pp. 403–405. 1903; rev., pp. 403–405. 1907; rev., pp. 403–405. 1911; rev., pp. 429–432. 1923.
  fly—
    enemy of cattle. Hawaii A.R., 1907, p. 47. 1908.
    See also Botfly, ox; Warble fly.
  horse, inflammation with sebaceous secretation and treatment. B.A.I. [Misc.], "Diseases of the horse," rev., pp. 444–446. 1903; rev., pp. 444–446. 1907; rev., pp. 444–446. 1911; rev., pp. 472–473. 1923.
  shoe, requirements for health and comfort of wearer. F.B. 1183, rev., pp. 5–6. 1920.
  ulceration, cattle, cause and treatment. B.A.I. [Misc.], "Diseases of cattle," rev., pp. 349–350. 1912; rev., pp. 337–338. 1923.
Heeling in—
  apple trees from the nursery. F.B. 1360, p. 13. 1924.
  conifers, directions. D.L.A. Cir. 5, pp. 5–6. 1919; D.L.A. Cir. 6, p. 2. 1919.
  forest seedlings. D.B. 475, p. 30. 1917; For. Cir. 195, p. 7. 1912.
  nursery stock, directions. F.B. 727, pp. 9–11. 1916.
  orchard trees, directions. F.B. 631, p. 13. 1915.
  peach trees from nursery. F.B. 917, p. 13. 1918.
  trees and cuttings, directions. D.L.A. Cir. 2, p. 2. 1916; D.B. 816, p. 45. 1920; For. Cir. 61, rev., p. 2. 1907.
Hegari—
  dwarf—
    description, adaptation, and yields. D.B. 383, pp. 3, 8–15. 1916; Guam Bul. 3, pp. 4, 13–14. 1922.
    varietal experiments in Oklahoma. D.B. 1175, pp. 33–35, 36, 37. 1923.
  testing in Great Plains. D.B. 1260, pp. 19–45, 53. 1924.
HEIDEMAN, C. W. H., report of Copper Center Experiment Station, Alaska—
  1907. Alaska A.R., 1907, pp. 49–59. 1908.
  1908. Alaska A.R., 1908, pp. 48–58. 1909.
Heifers—
  breeding, early effect on growth. Work and Exp., 1914, p. 147. 1915.
  breeding, feed, and care. F.B. 1135, pp. 30–31. 1920.
  dairy, feeding and management. F.B. 1336, pp. 16–17, 18. 1923.

Heifers—Continued.
  feeding and care in baby beef breeding herd. F.B. 811, p. 14. 1917.
  handling and management. F.B. 777, p. 18. 1917.
  pasturing—
    on sweet clover, experiments, Scottsbluff, Nebraska. W.I.A. Cir. 27, pp. 18–19. 1919.
    tests of mixed grasses. W.I.A. Cir. 24, pp. 22–23. 1918.
  See also Calf; Cow.
HEILEMAN, W. H.—
  "Reclamation of alkali land at Fresno, Calif." With Thomas H. Means. Soils Cir. 11, pp. 9. 1903.
  "Reclamation of alkali land near Salt Lake City, Utah." Soils Cir. 12, pp. 8. 1904.
  "Soil survey of Lake Charles area, Louisiana." With Louis Mesmer. Soils F.O. Sep. 1901; pp. 27. 1903; Soils F.O., 1901, pp. 621–647. 1902.
Heilipus—
  apiatus, injury to camphor trees. D.B. 1225, p. 17. 1924.
  lauri, injury to avocados in Mexico. D.B. 743, p. 35. 1919.
  spp. See Avocado weevil.
HEIM, A. L.—
  "Mechanical properties of redwood." For. Cir. 193, pp. 32. 1912.
  "Tests of Rocky Mountain woods for telephone poles." With Norman de W. Betts. D.B. 67, pp. 28. 1914.
  "Tests of structural timbers." With McGarvey Cline. For. Bul. 108, pp. 123. 1912.
Heimia myrtifolia, importation and description. No. 36025, B.P.I. Inv. 36, p. 39. 1915.
HEINRICH, CARL—
  "Note on the European corn borer (Pyrausta nubialis Hübner) and its nearest American allies, with description of larvae, pupae, and one new species." J.A.R., vol. 18, pp. 171–178. 1919.
  "Some Lepidoptera likely to be confused with the pink bollworm." J.A.R., vol. 20, pp. 807–836. 1921.
  "The blackhead fireworm of cranberry on the Pacific coast." With H. K. Plank. D.B. 1032, pp. 46. 1922.
  "The greenhouse leaf-tyer, Phlyctaenia rubigalis." With others. J.A.R., vol. 29, pp. 137–158. 1924.
HEISKELL, H. L.—
  "Commercial weather map of the United States Weather Bureau." Y.B., 1912, pp. 537–539. 1913; Y.B. Sep. 612, pp. 537–539. 1913.
  "Instructions to marine meteorological observers." W.B. [Misc.], "Instructions to marine * * *," pp. 48. 1908; rev., pp. 68. 1910.
Helena, Ark., trade center for farm products, statistics. Rpt. 98, pp. 288, 324. 1913.
Helena National Forest, timber uses by small operators. Y.B., 1912, p. 407. 1913; Y.B. Sep. 602, p. 407. 1913.
Helenium—
  autumnale. See Sneezeweed.
  description and varieties. F.B. 1381, p. 61. 1924.
  tenuifolium. See Fennel.
Heleochloa spp., description, distribution, and uses. D.B. 772, pp. 15, 154, 155. 1920.
Heleodytes brunneicapillus. See Wren, cactus.
Helianthemum—
  chamaecistus, importation and description. No. 48675, B.P.I. Inv. 61, p. 35. 1922.
  formosum, importation and description. No. 40181, B.P.I. Inv. 42, p. 65. 1918.
Helianthus—
  annuus. See Sunflower.
  ciliaris. See Blueweed.
  diversicatus, infection with Plasmopara halstedii. J.A.R. vol. 5, No. 2, pp. 65–66. 1915.
  spp., growing, experiments with daylight of different lengths. J.A.R., vol. 23, pp. 875, 883. 1923.
Helichrysum—
  description, cultivation, and characteristics. F.B. 1171, pp. 36–37, 83. 1921.
  growing in window garden. B.P.I. Doc. 433, p. 4. 1909.
Helico-protein, finding in Helix pomatia. Chem. Bul. 123, p. 8. 1909.

Helicogena spp. See Snails.
Helicosporium nymphaearum, cause of leaf spot rot of pond lilies. J.A.R., vol. 8, pp. 219–232. 1917.
Helicteres ovata, importations and descriptions. No. 36706, B.P.I. Inv. 37, p. 54. 1916; No. 42432, B.P.I. Inv. 47, p. 12. 1920.
Helinaia swainsoni. See Warbler, Swainson's.
Heliograph, use in flashing fire signals. For. Bul. 82, p. 38. 1910.
Heliophila scandens, importation and description. No. 35887, B.P.I. Inv. 36, p. 19. 1915.
Heliophila unipuncta. See Army worm.
Heliopsis, description, cultivation, and characteristics. F.B. 1171, pp. 31–81. 1921.
Heliornis fulica. See Finfoot, American.
Heliothis—
  obsoleta—
    description. J.A.R., vol. 30, pp. 790–791. 1925.
    See also Bollworm; Tobacco budworm; Corn earworm.
  similarity of two species to Pectinophora gossypiella. J.A.R., vol. 20, p. 833. 1921.
Heliothrips spp.—
  parasites, studies. Ent. T.B. 23, Pt. II, pp. 41–44. 1912.
  See also Thrips.
Heliotrope, wild, description and usefulness as soil indicator, Oregon, Klamath area. Soil Sur. Adv. Sh., 1908, p. 44. 1910; Soils F.O., 1908, p. 1412. 1911.
Heliotropine, origin, effect on wheat plants. Soils Bul. 47, pp. 35, 39. 1907.
Heliotropism in parasitic insects. Ent. Bul. 100, p. 55. 1912.
Heliotropium curassavicum. See Blueweed; Heliotrope, wild.
Helix spp. See Snails.
Hellbind. See Dodder.
Hellebore—
  active and inert ingredients. I. and F. Bd. S.R.A. 1, p. 8. 1914.
  American, habitat, range, description, collection, prices and uses of roots. B.P.I. Bul. 107, p. 18. 1907.
  analysis, methods, discussion. Chem. Bul. 68, pp. 36–38. 1902; Chem. Bul. 76, p. 47. 1903.
  control for cabbage maggot. Ent. Bul. 67, p. 14. 1907.
  effect on—
    bedbugs, tests. D.B. 707, p. 4. 1918.
    plants and chickens, experiments. D.B. 245, pp. 19–20. 1915.
  false, description, habits, and forage value. D.B. 545, pp. 39–40, 58, 59. 1917.
  importations and descriptions. Nos. 53055–53056, 53101, 53146, B.P.I. Inv. 67, pp. 24, 27, 31. 1923.
  insecticide, preparation and use. D.B. 1201, pp. 9–11, 14–16, 51, 53. 1924; F.B. 1306, p. 27. 1923.
  misbranding, N.J. 867, 870. I. and F. Bd. S.R.A. 45, pp. 1080, 1082. 1923.
  other names. D.B. 245, p. 17. 1915.
  solution, use in house-fly destruction, method and cost. F.B. 408, p. 5. 1916; F.B. 679, pp. 15–17. 1915; News L., vol. 2, No. 50, pp. 1–2. 1915.
  use—
    against—
      insect pests, Porto Rico. P.R. Cir. 17, pp. 6–7. 1918.
      leaf-biting insects, formulas. F.B. 1362, p. 5. 1924.
    as insecticide. D.B. 245, p. 21. 1915; F.B. 908, p. 16. 1918.
    in insect sprays. Y.B., 1908, p. 275. 1909; Y.B. Sep. 480, p. 275. 1909.
    on manure for control of fly larvae. D.B. 245, pp. 8–10, 14–17, 19–20. 1915; F.B. 851, pp. 16–17. 1917.
HELLER, L. L.—
  "Domestic breeds of sheep in America." With E. L. Shaw. D.B. 94, pp. 59. 1914.
  "Karakul sheep." With others. Y.B., 1915, pp. 249–262. 1916; Y.B. Sep. 673, pp. 249–262. 1916.
  "The Angora goat." F.B. 573, pp. 16. 1914.
  "The management of sheep on the farm." With Edward L. Shaw. D.B. 20, pp. 52. 1913.
  "The woolgrower and the wool trade." With F. R. Marshall. D.B. 206, pp. 32. 1915.

Hellula undalis—
  description. Ent. Bul. 109, Pt. III, pp. 23–45. 1912.
  injury to radishes, Guam. Guam A.R., 1914, p. 11. 1915.
Helmitheros vermivorus. See Warbler, worm-eating.
Helminthophila spp. See Warbler.
Helminthosporium—
  gramineum—
    cause of stripe disease in barley. J.A.R., vol. 11, p. 625. 1917.
    study and inoculation experiments with grains. J.A.R., vol. 1, pp. 476–490. 1914.
    See also Yellow-leaf.
  ravenelii, spread by insects. J.A.R., vol. 5, No. 19, pp. 901, 902. 1916.
  sativum—
    description, and plants injured by. J.A.R., vol. 24, pp. 642, 690–704. 1923.
    in cereal seeds, dry-heat treatment. J.A.R., vol. 18, pp. 381–384, 387. 1920.
    infection of wheat seedlings, studies. J.A.R., vol. 26, pp. 195–218. 1923.
    influence of soil temperature and moisture. D.B. 1347, pp. 25–27. 1925.
    resistance of barley to attacks of. Fred Griffee. J.A.R., vol. 30, pp. 893–913. 1925.
    study. D.B. 1347, pp. 17–28, 32, 33, 35, 36. 1925.
    See also Spot blotch.
  some graminicolous species. Charles Drechsler. J.A.R., vol. 24, pp. 641–740. 1923.
  spp.—
    cause of—
      take-all disease of wheat. F.B. 1226, p. 7. 1921.
      wheat rosette. J.A.R., vol. 23, pp. 784–788. 1923.
      disease of rice, studies, Porto Rico. P.R. An. Rpt., 1922, pp. 16–19. 1923.
      occurrence on onion, study. J.A.R., vol. 29, pp. 508–513. 1924.
      occurrence on plants in Texas, and description. B.P.I. Bul. 226, pp. 50, 51, 54. 1912.
      on grains, studies, synopsis. J.A.R., vol. 1, pp. 484–486. 1914.
    tetramera, n. sp., fungus causing foot-rot. D.B. 1347, p. 33. 1925.
Helochara communis. See Leaf hopper, bog.
Helodromas—
  solitarius, occurrence in Arkansas. Biol. Bul. 38, p. 31. 1911.
  spp. See Sandpiper.
Helonias. See Chamaelirium.
HELPHENSTINE, R. K., JR.: "Pulpwood consumption and wood pulp production, 1916." With Franklin H. Smith. For. [Misc.], "Pulpwood consumption * * *," pp. 30. 1916.
Helygia paddisoni, description and yield. B.P.I. Bul. 223, pp. 48–49. 1911.
Hemaglobinuria—
  cattle, causes, symptoms, and treatment. B.A.I. [Misc.], "Diseases of cattle," rev., pp. 117–119. 1904.
  See also Urine, bloody; Hematuria.
Hematite, description and composition. Rds. Bul. 37, pp. 16, 20. 1911.
Hematopinus suis, injury to hog skin, cause of condemnation. B.A.I.S.R.A. 203, p. 27. 1924.
Hematoporphyrin, formation in ox muscle during autolysis. J.A.R., vol. 7, pp. 41–45. 1916.
Hematoxins, from parasitic worms. Benjamin Schwartz. J.A.R., vol. 22, pp. 379–432. 1921.
Hematuria—
  cattle—
    causes, symptoms, and treatment. B.A.I. [Misc.], "Diseases of cattle," rev., pp. 117–119. 1904.
    See also Urine, bloody; Hemaglobinuria.
  sheep, cause and treatment. F.B. 1155, pp. 31–32. 1921.
Hemerocallis. See Lily, day.
Hemerocampa—
  leucostigma—
    control and life history. F.B. 1270, p. 46. 1922.
    description, habits, and control. F.B. 1169, pp. 41–43. 1921.
    See also Tussock moth.
  vetusta, control and life history. F.B. 1270, p. 46. 1922.

Hemichionaspis minor, injury to egg plant in Porto Rico. D.B. 192, pp. 4, 10. 1915.
Hemileia vastatrix, damage to coffee. Stat. Bul. 79, p. 7. 1912.
Hemileuca—
  nevadensis, host of *Anastatus seimflavidus*. J.A.R., vol. 21, pp. 383–384. 1921.
  oliviae, host of *Anastatus semiflavidus*. J.A.R., vol. 21, pp. 373–384. 1921.
  spp.—
    classification and description. Ent. Bul. 85, Pt. V, pp. 63–65. 1910.
    See also Caterpillar, range.
Hemiptera—
  aphididae, generic classification. A. C. Baker. D.B. 826, pp. 109. 1920.
  cactus insects, lists. Ent. Bul. 113, pp. 40–42, 45, 51. 1912.
  destruction by—
    birds. Biol. Bul. 15, pp. 8, 23, 34. 1901.
    crows. D.B. 621, pp. 23–24, 61, 88. 1918.
    flycatchers, lists. Biol. Bul. 44, pp. 10, 18, 22, 27, 34, 40, 43, 48, 54, 60, 63, 66. 1912.
    starlings. D.B. 868, pp. 24, 43, 64. 1921.
  enemies of green clover worm. D.B. 1336, p. 18. 1925.
  injury to Porto Rican crops. D.B. 192, pp. 2–4. 1915.
  poisonous bites. Ent. T.B. 18, p. 50. 1910.
  See also Insects.
Hemirhipus fascicularis, enemy of locust borer. Ent. Bul. 58, p. 35. 1910.
Hemisarcoptes spp., description and habits. Rpt. 108, pp. 118, 119. 1915.
Hemiteles—
  merochoridis, parasite of *Apanteles congregatus*. F.B. 705, p. 5. 1916.
  sp.—
    parasite of alfalfa weevil. Ent. Bul. 112, p. 39. 1912.
    parasitic enemy of spotted beet webworm. Ent. Bul. 127, Pt. I, p. 9. 1913.
Hemlock—
  absorption of creosote, tests. For. Cir. 200 pp. 4, 5, 7. 1912.
  bark—
    analyses and use for tannin. Chem. Bul. 90, pp. 193, 194, 196, 201, 207, 208. 1905.
  borers, flat-headed—
    description and habits. Y.B., 1909, pp. 404–406. 1910; Y.B. Sep. 523, pp. 404–406. 1910.
    eastern, damage. D.B. 152, pp. 27–28. 1915.
  imports—
    1905. For. Bul. 74, p. 62. 1907.
    1906. For. Cir. 42, pp. 3–4. 1906.
    1907–1909, quantity and value. Stat. Bul. 82, p. 68. 1910.
  black—
    description, range, and occurrence. For. [Misc.], "Forest trees for Pacific * * *," pp. 95–99. 1908.
    occurrence, habits, and reproduction. For. Silv. Leaf. 31, pp. 4. 1908.
  board-feet volume, at different diameters and heights. D.B. 152, pp. 31–43. 1915.
  characteristics, and description of species. D.B. 680, pp. 11–19. 1918; F.B. 468, p. 39. 1911.
  characters, species on Pacific slope. For. [Misc.], "Forest trees for Pacific * * *," pp. 91–106. 1908.
  consumption for sulphite-process pulp, 1900–1916. D.B. 620, pp. 2–4. 1918; D.B. 758, pp. 3, 5, 9–11, 14. 1919.
  danger to livestock on ranges. O.E.S. An. Rpt., 1922, p. 117. 1924.
  description, and key. D.C. 223, pp. 3, 8. 1922.
  distribution. N.A. Fauna 21, pp. 11, 12, 21, 53, 54. 1901.
  eastern. E. H. Frothingham. D.B. 152, pp. 43. 1915.
  false, characteristics. D.B. 680, pp. 19–27. 1918.
  grading rules. D.C. 64, pp. 35–36. 1920.
  grinder runs, tables. D.B. 343, pp. 96–98. 1916.
  growth—
    and value in Alaska, Kenai Peninsula region. Soil Sur. Adv. Sh., 1916, pp. 37, 40, 85. 1919; Soils F. O., 1916, pp. 69, 72, 117. 1921.
    in different regions, rate. D.B. 152, pp. 24–27. 1915; F.B. 1177, p. 24. 1920.

Hemlock—Continued.
  injury by—
    bark borers. Y.B., 1909, pp. 404–406. 1910; Y.B. Sep. 523, pp. 404–406. 1910.
    gipsy moth. D.B. 204, p. 15. 1915.
    insects, fire, and wind. D.B. 152, pp. 16, 27–29. 1915.
    sapsuckers. Biol. Bul. 39, p. 26, 64, 66. 1911.
  logging on cove lands, directions. For. Cir. 118, pp. 11–13. 1907.
  looper, enemy of Douglas fir. D.B. 1200, p. 54. 1924.
  lumber—
    cut and value, 1906, several States. For. Cir. 122, pp. 15–16. 1907.
    production and value—
      1905. For. Bul. 74, p. 17. 1907.
      1916, by States, mills reporting. D.B. 673, pp. 19–20. 1918.
      1917, by States. D.B. 768, pp. 19–20, 38, 40. 1919.
      1918, and States producing. D.B. 845, pp. 22–23, 43. 1920.
      1920, by States. D.B. 1119, p. 45. 1923; Y.B., 1922, p. 921. 1923.
  mistletoe injury, northwestern forests. D.B. 360, pp. 5, 12, 13, 14, 22, 32. 1916.
  mountain—
    characteristics, occurrence, and habits. D.B. 680, pp. 16–19. 1918.
    description, range, and occurrence. For. [Misc.], "Forest trees for Pacific * * *," pp. 95–99. 1908.
  occurrence in Alaska. D.B. 50, pp. 5, 8. 1914.
  poison. See Conium; Poison hemlock.
  production—
    1899–1914, and estimates, 1915. D.B. 506, pp. 13–15, 19–20. 1917.
    in Connecticut, uses and value. For. Bul. 96, p. 17. 1912.
  quality tests, table. D.B. 343, p. 147. 1916.
  quantity used in manufacture of wooden products. D.B. 605, p. 9. 1918.
  reproduction—
    Eastern States. D.B. 152, pp. 23–24. 1915.
    on forest burns, studies. J.A.R., vol. 11, pp. 8, 13, 14, 20, 23. 1917.
    prevention by burning soil covering. For. [Misc.], "Suggestions for * * * disposal * * *," p. 10. 1907.
  seed—
    collection and drying. For. Bul. 76, p. 11. 1909.
    description, and method of dissemination. D.B. 152, pp. 19, 23. 1915.
  stand, amount and value, by States, 1889, 1899, 1907, 1912. D.B. 152, pp. 4–6. 1915.
  stumpage estimate. For. Cir. 122, pp. 38–39. 1907; For. Cir. 166, p. 9. 1909.
  supplies, outlook and provision for. D.B. 1241, pp. 68–69. 1924; For. Cir. 97, p. 11. 1907.
  tanbark, prices, different localities, and imports. For. Cir. 119, pp. 5, 9. 1907.
  testing for pulp manufacture. D.B. 343, pp. 41, 49, 50, 52, 53, 55, 58, 62, 66. 1916.
  tests for physical properties. D.B. 343, p. 131. 1916; D.B. 556, pp. 33–34, 43. 1917; D.B. 676, p. 31. 1919.
  timber(s)—
    Alaska, conditions. For. Bul. 81, pp. 14, 15. 1910.
    strength values, tables. For. Cir. 189, pp. 4, 5, 6, 7. 1912.
  treatment with creosote, tests and results. D.B. 101, pp. 15, 20, 21, 36, 37, 38, 39. 1914.
  use—
    for mechanical pulp. For. [Misc.], "Forest products * * * series * * *," pp. 29. 1912.
    in wood paving, comparative value. For. Cir. 194, pp. 4, 7, 11. 1912.
  volume tables, growth rate. For. Bul. 36, pp. 118, 130–131, 164–165, 188, 192, 193, 194. 1910.
  water. See Cicuta; Water hemlock.
  western—
    Edward T. Allen. For. Bul. 33. pp. 55. 1902.
    age when susceptible to heart-rot infection. D.B. 722, pp. 16–18. 1918.
    black check. H. E. Burke. Ent. Cir. 61, pp. 10. 1905.

Hemlock—Continued.
  western—continued.
    characteristics, occurrence, habits, and uses. D.B. 680, pp. 12–16. 1918.
    chemical study of wood and bark. Y.B., 1902, pp. 322–324. 1903.
    decay, factors relating to. D.B. 722, pp. 18–31. 1918.
    description. For. Silv. Leaf. 45, pp. 6. 1912.
    description, range and occurrence in Pacific slope. For [Misc.], "Forest trees for Pacific * * *," pp. 91–95. 1908.
    diseases infesting. For. Silv. Leaf. 45, p. 5. 1912.
    heart rot studies. James R. Weir and Ernest E. Hubert. D.B. 722, pp. 37. 1918.
    mechanical properties. O. P. M. Goss. For. Bul. 115, pp. 45. 1913.
    moisture requirements. D.B. 722, pp. 19–20, 32. 1918.
    occurrence and soil indications, Washington, eastern Puget Sound Basin. Soil Sur. Adv. Sh., 1909, p. 37. 1911; Soils F.O., 1909, p. 1547. 1912.
    physical characteristics, relation to mechanical properties. For. Bul. 115, pp. 19–32. 1913.
    quality tests, table. D.B. 343, p. 146. 1916.
    specifications and grading rules. For. Bul. 115, pp. 35–40. 1913; For. Bul. 122, p. 35. 1913.
    stand in Tongass National Forest, quality and availability. D.B. 950, pp. 8, 9, 10, 11. 1921.
    strength tests. For. Cir. 32, pp. 11–13. 1904.
    structural—
      uses. For. Bul. 115, pp. 41–43. 1913.
      value, strength, and elasticity. For. Bul. 108, pp. 20–121. 1912; For. Bul. 115, pp. 18, 31, 32, 34, 37, 38, 39. 1907.
    wood—
      analyses. D.B. 1298, p. 23. 1925.
      used for pulp, by States and processes. For. Cir. 120, pp. 4–7. 1907.
Hemoglobin—
  absorption spectra, effect of gossypol. J.A.R., vol. 26, p. 233. 1923.
  in blood of horses. J.A.R., vol. 21, pp. 678–688. 1921.
  in body, disposal by liver. J.A.R., vol. 7, pp. 44–45. 1916.
  nitric-oxide—
    preparation and use in meat color studies. J.A.R., vol. 3, pp. 213–217, 221–224. 1914.
    production by saltpeter in meat, investigations. B.A.I. An. Rpt., 1908, pp. 302–311. 1910.
Hemolysis—
  development, substances necessary, and methods. B.A.I. Bul. 136, pp. 7–16. 1911.
  discovery, study and application, in diagnosing diseases. B.A.I. An. Rpt., 1910, pp. 364–369. 1912; B.A.I. Cir. 191, pp. 364–369. 1912.
Hemoptysis, cattle, cause and treatment. B.A.I. [Misc.], "Diseases of cattle," rev., p. 98. 1912.
Hemorrhage—
  cattle, treatment. B.A.I. [Misc.], "Diseases of cattle," rev., pp. 80–81. 1904; rev., pp. 81–82. 1912; rev., pp. 83–85. 1923.
  causes and treatment. For. [Misc.], "First aid manual * * *," pp. 33–38. 1917.
  cerebral, causes, symptoms, and treatment. B.A.I. [Misc.], "Diseases of the horse," rev., pp. 200–201. 1903; rev., pp. 200–201. 1907.
Hemorrhagic septicemia—
  cause, symptoms, lesions, and treatment. B.A.I. [Misc.], "Diseases of cattle," rev., pp. 397–401. 1923.
  of sheep, cause, and symptoms. F.B. 1155, pp. 6–7. 1921.
  prevalence. B.A.I.S.R.A. 101, p. 110. 1915.
  stockyard fever, swine plague, fowl cholera, etc. Henry J. Washburn. F.B. 1018, pp. 8. 1918.
  studies. B.A.I. Chief Rpt., 1924, pp. 35–36. 1924.
  See also Cholera, chicken.
Hemorrhagica purpura, horse, symptoms, pathology and treatment. B.A.I. [Misc.], "Diseases of the horse," rev., pp. 247–248. 1903; rev., pp. 247–248. 1907.
Hemorrhoids, horse, symptoms and treatment. B.A.I. [Misc.], "Diseases of the horse," rev., pp. 66–67. 1903; rev., pp. 66–67. 1907.

Hemostasia, methods of producing. B.A.I. [Misc.], "Diseases of the horse," rev., pp. 460-461. 1903; rev., pp. 460-461. 1907.
Hemotoxins from parasitic worms. Benjamin Schwartz. J.A.R., vol. 22, pp. 379-432. 1921.
Hemp—
Lyster H. Dewey. Y.B., 1913, pp. 283-346. 1914; Y.B. Sep. 628, pp. 283-346. 1914.
acreage in 1919, map. Y.B., 1921, p. 446. 1922; Y.B. Sep. 878, p. 40. 1922.
analysis showing ingredients removed from soil. Y.B., 1913, pp. 310-312. 1914; Y.B. Sep. 628, pp. 310-312. 1914.
bale, average weight. Y.B., 1913, p. 335. 1914; Y.B. Sep. 628, p. 335. 1914.
Black Indian, habitat, range, description, collection; prices, and uses of roots. B.P.I. Bul. 107, p. 55. 1907.
Bologna, description. Y.B., 1913, p. 299. 1914; Y.B. Sep. 628, p. 299. 1914.
botanical study, history, geographical distribution. Y.B., 1913, pp. 286-303. 1914; Y.B. Sep. 628, pp. 286-303. 1914.
brakes, hand and machine, description and use. Y.B., 1913, pp. 329-333. 1914; Y.B. Sep. 628, pp. 329-333. 1914.
breaking—
discussion. Y.B., 1913, pp. 329-334. 1914; Y.B. Sep. 628, pp. 329-334. 1914.
machines, descriptions. B.P.I. Cir. 57, p. 6. 1910.
Chilean, description. Y.B., 1913, p. 301. 1914; Y.B. Sep. 628, p. 301. 1914.
Chinese—
Giant, value, seed introduction for improving varieties. An. Rpts., 1910, p. 303. 1911; B.P.I. Chief Rpt., 1910, p. 33. 1910.
importations and descriptions. Nos. 29523-29524. B.P.I. Bul. 233, p. 30. 1912; No. 31816, B.P.I. Bul. 248, p. 51. 1912.
varieties and description. Y.B., 1913, pp. 295-298. 1914; Y.B. Sep. 628, pp. 295-298. 1914.
climate and soil requirements. Y.B., 1913, pp. 305-308. 1914; Y.B. Sep. 628, pp. 305-308. 1914.
cultivation in United States. Lyster H. Dewey. B.P.I. Cir. 57, pp. 7. 1910.
culture, importance, and cost. Rpt. 73, p. 14. 1902.
Deccan, leaf forms, varieties, and changes. B.P.I. Bul. 221, pp. 11-16. 1911.
diseases—
and weeds, injurious. Y.B., 1913, pp. 315-317. 1914; Y.B. Sep. 628, pp. 315-317. 1914.
fungous. J.A.R., vol. 3, pp. 81-84. 1914.
distinction from jute, chemical reactions. Y.B., 1913, p. 344. 1914; Y.B. Sep. 628, p. 344. 1914.
effect on soils, comparison with other crops. Y.B., 1913, pp. 309-312. 1914; Y.B. Sep. 628, pp. 309-312. 1914.
experiments, growing and retting, with results. An. Rpts., 1909, p. 286. 1910; B.P.I. Chief Rpt., 1909, p. 34. 1909.
exports, 1851-1908. Stat. Bul. 75, p. 40. 1910.
fertilizers, tests. Soils Bul. 67, pp. 43-44. 1910.
fertilizing elements in an acre yield. Y.B., 1913, pp. 310-312. 1914; Y.B. Sep. 628, pp. 310-312. 1914.
fiber—
botanical description. Y.B., 1913, p. 287. 1914; Y.B. Sep. 628, p. 287. 1914.
for export, countries producing. Y.B., 1913, pp. 294, 299-300. 1914; Y.B. Sep. 628, pp. 294, 299-300. 1914.
forecast, Kentucky, September, 1913. F.B. 558, p. 14. 1913.
fungus, *Hypomyces cancri*, description. J.A.R., vol. 2, No. 4, pp. 271, 275. 1914.
great, description. Y.B., 1913, p. 295. 1914; Y.B. Sep. 628, p. 295. 1914.
growing—
climatic and soil requirements. B.P.I. Cir. 57, p. 4. 1910.
cost and returns, table. B.P.I. Cir. 57, p. 7. 1910.
details, yield and cost. Y.B., 1913, pp. 317-337. 1914; Y.B. Sep. 628, pp. 317-337. 1914.
experiments, Yuma Experiment Farm, 1912. B.P.I. Cir. 126, p. 25. 1913.

Hemp—Continued.
growing—continued.
for paper making, cost and yield, possibilities. Y.B., 1910, p. 338. 1911; Y. B. Sep. 541, p. 338. 1911.
in—
Alaska, experiments. Alaska A.R., 1917, p. 53. 1919.
Arizona, yield tests. W.I.A. Cir. 7, p. 16. 1915.
Kentucky, Garrard County. Soil Sur. Adv. Sh., 1921, pp. 513, 518-520, 527-543. 1924.
Kentucky, Scott County. Soil Sur. Adv. Sh. 1903, p. 10. 1904; Soils F.O., 1903, p. 628. 1904.
Kentucky, Shelby County. Soil Sur. Adv. Sh., 1916, pp. 12, 15, 16-18, 22, 36. 1919; Soils F.O. 1916, pp. 1422, 1425, 1427, 1432, 1446. 1921.
United States, early history. Y.B., 1913, pp. 291-294. 1914; Y.B. Sep. 628, pp. 291-294. 1914.
world, acreage and production by countries. Sec. [Misc.], Spec. "Geography * * * world's agriculture," pp. 55-56. 1918.
trial in Canal Zone. Off. Rec., vol. 4, No. 49, pp. 1-2. 1925.
hackling and baling. Y.B., 1913, pp. 334-335. 1914; Y.B. Sep. 628, pp. 334-335. 1914.
harvesting—
machinery, directions. B.P.I. Cir. 57, p. 5. 1910.
time, methods, and tools. Y.B., 1913, pp. 323-326. 1914; Y.B. Sep. 628, pp. 323-326. 1914.
hurds—
as paper making material. Lyster H. Dewey and Jason L. Merrill. D.B. 404, pp. 26. 1916.
description and preparation, methods. D.B. 404, pp. 1-2, 6. 1916.
testing for paper-making value, material tested and test characteristics. D.B. 404, pp. 11-13. 1916.
yield per acre and proportion to fiber yield. D.B. 404, p. 3. 1916.
immunity to *Thielavia basicola* J.A.R., vol. 7, p. 295. 1916.
importation(s) and description(s). No. 34291, B.P.I. Inv. 32, p. 31. 1914; Nos. 35351, 35633, B.P.I. Inv. 35, pp. 27, 61. 1915; Nos. 37721, 38140, 38466, B.P.I. Inv. 39, pp. 26, 93, 133. 1917; Nos. 39888-39889, B.P.I. Inv. 42, pp. 31-32. 1918; Nos. 41728, 42166, B.P.I. Inv. 46, pp. 16, 29. 1919; Nos. 44206, 44370, 44371, B.P.I. Inv. 50, p. 42, 62. 1922; Nos. 44712, 44804, B.P.I. Inv. 51, pp. 53, 71. 1922.
imports—
1851-1908. Y.B., 1908, p. 774. 1909; Y.B. Sep. 498, p. 774. 1909.
1870-1914, average annual value and source. D.B. 296, p. 44. 1915.
1880-1913, and average prices, diagram. Y.B. 1913, p. 339. 1914; Y.B. Sep. 623, p. 339. 1914.
1901-1924. Y.B., 1924, p. 1076. 1925.
1907-1909, quantity and value, by countries from which consigned. Stat. Bul. 82, p. 37. 1910.
improvement by seed, introduction and selection. Y.B., 1913, pp. 303-305. 1914; Y.B. Sep. 628, pp. 303-305. 1914.
Indian—
comparison with Kentucky hemp. Y.B. 1913, p. 302. 1914; Y.B. Sep. 628, p. 302. 1914.
experimental growing at Arlington testing garden. An. Rpts., 1909, p. 280. 1910; B.P.I. Chief Rpt., 1909, p. 28. 1909.
industry in the United States. Lyster H. Dewey Y.B., 1901, pp. 541-554. 1902; Y.B., Sep. 254, pp. 541-554. 1902.
insect pests, list. Sec. [Misc.], "A manual * * * insects * * *," p. 135. 1917.
introduction into Europe and America. Y.B., 1913, pp. 289-294. 1914; Y.B. Sep. 628, pp. 289-294. 1914.
investigations, new retting method. B.P.I. Chief Rpt., 1907, p. 79. 1907.
Kentucky, use of binder twine. Y.B. 1911, 199. 1912; Y.B. Sep. 560, p. 199. 1912. p.
low prices, cause of decreased acreage in Kentucky. News L., vol. 5, No. 47, p. 12. 1918.

36167°—32——73

Hemp—Continued.
  machine-broken, source of hemp hurds. D.B. 404, pp. 3–4, 6. 1916.
  Manila—
    cultivation in Hawaii. Hawaii A.R., 1907, p. 58. 1908.
    introduction and cultural notes. B.P.I. Bul. 205, pp. 12–13. 1911.
    See also Abacá.
  market, importations, mills, and duties. Y.B., 1913, pp. 337–341. 1914; Y.B. Sep. 628, pp. 337–341. 1914.
  mills, American, location. Y.B., 1913, p. 340. 1914; Y.B. Sep. 628, p. 340. 1914.
  Minnesota No. 8, improvement and comparison, 1914, 1915. News L., vol. 4, No. 18, p. 4. 1916.
  mutation, purple-leaved. B.P.I. Cir. 113, pp. 23–24. 1913.
  new variety, description. B.P.I. Bul. 208, pp. 51, 61. 1911.
  New Zealand. See Phormium.
  Philippine, production. Off. Rec., vol. 4, No. 49, pp. 1–2. 1925.
  plant, botanical description. Y.B., 1913, p. 286. 1914; Y.B. Sep. 628, p. 286. 1914.
  production—
    cost—
      items and total. Y.B. 1913, pp. 336–337. 1914; Y.B. Sep. 628, pp. 336–337. 1914.
      per acre. Stat. Bul. 73, pp. 44–45. 1909.
    importance and decline in United States. Y.B., 1913, pp. 284–285. 1914; Y.B. Sep. 628, pp. 284–285. 1914.
  retting, methods, directions, and precautions. D.B. 404, pp. 2–3. 1916; Y.B., 1913, pp. 327–329. 1914; Y.B. Sep. 628, pp. 327–329. 1914.
  rotations with—
    other crops. Y.B., 1913, pp. 312–315. 1914; Y.B. Sep. 628, pp. 312–315. 1914.
    rice in California. D.B. 1155, p. 57. 1923.
  seed—
    amount to acre. B.P.I. Cir. 57, p. 4. 1910.
    collection and cleaning. Y.B. 1913, pp. 319–320. 1914; Y.B. Sep. 628, pp. 319–320. 1914.
    composition, and effect of green manures. J.A.R., vol. 5, No. 25, pp. 1162, 1165. 1916.
    imported, germination guaranty, advice to purchasers. News L., vol. 3, No. 34, p. 6. 1916.
    sowing, amount to acre, and condition of land. B.P.I. Cir. 57, pp. 4–5. 1910.
    supply. Y.B., 1917, pp. 526–527. 1918; Y.B. Sep. 757, pp. 32–33. 1918.
  seeding, directions. B.P.I. Cir. 57, pp. 4–5. 1910.
  sisal—
    culture in United States—
      1901. Y.B., 1901, p. 364. 1902; Y.B. Sep. 242, p. 364. 1902.
      1903. Y.B., 1903, pp. 395–396. 1904; Y.B. Sep. 321, pp. 395–396. 1904.
    See also Henequen.
  smother crop for weeds. F.B. 1307, p. 21. 1923.
  sorting or grading. Y.B., 1913, pp. 333–334. 1914; Y.B. Sep. 628, pp. 333–334. 1914.
  stacking, directions. Y.B., 1913, p. 326. 1914; Y.B. Sep. 628, p. 326. 1914.
  statistics—
    1913. Y.B., 1913, pp. 284, 339. 1914; Y.B. Sep. 628, pp. 284, 339. 1914.
    graphic showing of average production, United States. Stat. Bul. 78, p. 34. 1910.
  Sunn—
    culture tests. Hawaii A.R., 1913, pp. 45–46. 1914.
    experiments in Hawaii. Hawaii A.R., 1924, p. 12. 1925.
    growing in Porto Rico, yields and value as cover crop. P.R. An. Rpt., 1920, pp. 6, 12, 16, 25–26. 1921.
    importation and description. No. 43502, B.P.I. Inv. 49, p. 37. 1921; No. 44124, B.P.I. Inv. 50, p. 32. 1922.
    rotation and cover crop, value in Porto Rico. S.R.S. An. Rpt., 1921, pp. 3, 21. 1921.
  use—
    and value in paper making, cost, and yield. B.P.I. Cir. 82, pp. 16–17. 1911.

Hemp—Continued.
  use—continued.
    in narcotic drugs. Y.B., 1913, pp. 288–289, 294, 295, 296, 301, 302, 345. 1914; Y.B. Sep. 628, pp. 288–289, 294, 295, 296, 301, 302, 345. 1914.
    waste, paper making, value and use. Chem. Cir. 41. p. 13. 1908.
  wild—
    effect of inoculation. F.B. 315, p. 11. 1908.
    use as green-manure crop. F.B. 1250, pp. 42–43. 1922.
    yield and marketing. B.P.I. Cir. 57, pp. 6–7. 1910.
  See also Henequen; Sisal.
Hemphill, R. G.: "Irrigation in northern Colorado." D.B. 1026, pp. 85. 1922.
Hempweed, growing, environment experiments. J.A.R., vol. 18, pp. 564, 577, 595, 596. 1920.
"Hen-e-ta Bone Grits," adulteration and misbranding, trial. Chem. N.J. 625, pp. 2. 1910.
Hen(s)—
  and chicks, care, coops, and protection. Sec. [Misc.] Spec., "Suggestions * * * poultry raising * * *," pp. 2–3. 1914.
  Barred Plymouth Rock, eggs, size and shape characters, tables. B.A.I. Bul. 110, Pt. III, pp. 177–198. 1914.
  breeding—
    feed and management. F.B. 355, pp. 35–38. 1909.
    feeding, and egg production, studies. Work and Exp., 1919, pp. 77–78. 1921.
    selective, effects on seasonal egg production. B.A.I. Bul. 110, Pt. II, pp. 101–112, 156. 1911.
  breeds useful in pheasant raising. F.B. 390, p. 27. 1910.
  brooding—
    chicks, confinement and management. S.R.S. Doc. 69, p. 2. 1918.
    guinea chicks. F.B. 858, pp. 11–12. 1917; F.B. 1391, pp. 9–10. 1924.
    school lesson. D.B. 258, p. 28. 1915.
  broody—
    control, time required and method. F.B. 889, p. 13. 1917.
    management. F.B. 355, p. 35. 1909; F.B. 237, p. 23. 1905.
  care while sitting, testing and rejection of infertile eggs. S.R.S. Doc. 68, pp. 2, 3. 1918.
  coops, varieties, use methods, and care. News L., vol. 5, No. 35, pp. 6–7. 1918.
  culling, directions. D.C. 18, pp. 1–8. 1919; F.B. 889, p. 21. 1917; F.B. 1331, p. 18. 1923; Y.B. 1919, pp. 310–311. 1920; Y.B. Sep. 800, pp. 4–5, 1920.
  eggs—
    incubation. Harry M. Lamon. F.B. 1106, pp. 8. 1920.
    incubation period. F.B. 585, p. 3. 1914.
    producing feeds, egg yield and weight. News L., vol. 5, No. 13, pp. 4–5. 1917.
    production, management, and discussion. B.A.I. An. Rpt., 1905, pp. 227–240. 1907.
    See also Eggs.
  expenses and profits, western Washington. D.B. 1236, pp. 14, 15, 17, 29. 1924.
  fattening—
    experiments, comparison with fattening chickens. D.B. 21, pp. 20–23. 1914.
    methods and results. B.A.I. Bul. 140, pp. 48–50. 1911.
    rations, composition and results. D.B. 1052, pp. 7, 8, 11–17, 18–22. 1922; S.R.S. Doc. 78, pp. 1–2. 1918.
  feed(s)—
    and feeding methods for winter-egg production. News L., vol. 4, No. 26, pp. 1–2. 1917; Sec. Cir. 71, pp. 2–3. 1917.
    record and egg yields, by breeds. F.B. 1067, p. 13. 1919.
  feeding—
    and care. F.B. 1105, pp. 3–8. 1920.
    directions. F.B. 287, rev., pp. 14–20. 1921; S.R.S. Syl. 17, pp. 13–15. 1915.
    for egg production—
      Harry M. Lamon and Alfred R. Lee. F.B. 1067, pp. 15. 1919.
      F.B. 1040, pp. 19–20. 1919.
    in city back yard, methods and feed. F.B. 889, pp. 15–19. 1917.

Hen(s)—Continued.
feeding—continued.
  methods at Maine Experiment Station. F.B. 357, pp. 31–33. 1909.
  flea, *Echidnophaga gallinacea*, biological notes. D. C. Parman. J.A.R., vol. 23, pp. 1007–1009. 1923.
  floor space in houses, experiments. B.A.I. An. Rpt., 1907, pp. 64, 355. 1909.
  health and egg production, indications. D.C. 31, pp. 2–4. 1919.
  home keeping, advantages. F.B. 889, pp. 3–4. 1917.
  judging for egg production. D.C. 31, pp. 2–4. 1919.
  kinds for back-yard keeping, discussion and studies. F.B. 889, pp. 4–5. 1917.
  layers, how to judge excellence. F.B. 1112, pp. 4–7, 8. 1920.
  laying, care, management and feed. F.B. 355, pp. 34–36. 1909.
laying—
  feed requirements and cost. Y.B., 1924, pp. 397–403. 1925.
  feeding directions. S.R.S. Syl. 17, pp. 13–15. 1916.
  rations. F.B. 186, pp. 23–27. 1904.
  records, seasonal and by months. Raymond Pearl and Frank M. Surface. B.A.I. Bul. 110, Pt. II, pp. 170. 1911.
  trap nests, description. B.A.I. Bul. 90, p. 36. 1906; F.B. 357, pp. 36–39. 1909.
  vitamin requirements. B.A.I. Chief Rpt., 1924, p. 32. 1924.
length of egg production service. Sec. Cir. 71, p. 2. 1917.
lice, injuries and control methods. Sec. Cir. 71, p. 4. 1917.
management for egg production. B.A.I. An.Rpt., 1905, pp. 227–240. 1907; F.B. 287, pp. 19–27. 1907; rev., pp. 14–21. 1921.
manure—
  composition, value. F.B. 192, pp. 9, 10, 14. 1904.
  infection with blackhead of turkeys. B.A.I. Cir. 119, pp. 6–9. 1907.
  preservation and value. F.B. 210, pp. 5–6. 1904.
molting—
  early, methods of promoting. F.B. 186, pp. 27–28. 1904.
  forced, effect. F.B. 412, pp. 20–26. 1910.
number necessary for each farm. Sec. Cir. 107, p. 4. 1918.
old, marketing, time, and methods. S.R.S. Doc. 78, pp. 1–2. 1918; S.R.S. Syl. 17, p. 11. 1915.
raising in back yards, methods, feeds, and profits. News L., vol. 5, No. 24, pp. 4–5. 1918.
roosts, replacing for mite control, descriptions. F.B. 801, pp. 8–9. 1917.
scratch, adulteration. See *Indexes, Notices of Judgment*, in bound volumes and in separates published as supplements to Chemistry Service and Regulatory Announcements.
selection—
  for eggs and breeding. F.B. 1112, pp. 4–8. 1920.
  qualities influencing. News L., vol. 6, No. 28, pp. 4–5. 1919.
setting—
  and care while sitting. Sec. Special, "Suggestions * * * poultry raising * * *," p. 2. 1914; S.R.S. Doc. 68, pp. 1–3. 1917.
  management. B.A.I. Cir. 208, p. 7. 1913; F.B. 357, pp. 6–7. 1909; F.B. 562, pp. 8–10. 1913; F.B. 585, pp. 4–6. 1914; F.B. 1106, pp. 4–7. 1920; F.B. 1363, pp. 4–7. 1923.
  on duck eggs, suggestions. F.B. 697, p. 13. 1915.
See also Hens, sitting.
signs of good and poor layers. D.C. 18, pp. 5–8. 1919.
sitting—
  care and feeding. B.A.I. Cir. 206, p. 2. 1912; F.B. 287, rev., p. 23. 1921; F.B. 697, pp. 1–13. 1915; F.B. 1106, pp. 3–7. 1920; O.E.S.F.I.L. 10, pp. 1–2. 1918; S.R.S. Doc. 69, pp. 1–2. 1918.
  See also Hens, setting.

Hen(s)—Continued.
surplus, marketing, time, and method. F.B. 562, p. 11. 1913.
trap nests, description and use, construction. F.B. 682, pp. 1–3. 1915; S.R.S. Doc. 66, pp. 1–3. 1917.
treatment with insect powder while brooding chicks. F.B. 624, p. 2. 1914.
tuberculous, cause of hog tuberculosis. B.A.I. Cir. 201, pp. 22–23. 1912.
use in raising chickens, directions. F.B. 624, pp. 1–5. 1914.
utilization of farm and home waste as feed. Sec. Cir. 107, pp. 6–8, 9–10. 1918.
versus incubators, results. F.B. 353, pp. 10–12. 1909.
weight, variation at different seasons. D.B. 561, pp. 36–37. 1917.
White Wyandotte, profits in five years. News L., vol. 6, No. 39, p. 11. 1919.
See also Chickens; Eggs.
Henbane—
adulteration detection. Chem. Bul. 122, p. 138. 1909.
culture and handling as drug plant, yield, and price. F.B. 663, pp. 25–26. 1915; rev., pp. 34–35. 1920.
growing, difficulties. Y.B., 1917, p. 173. 1918; Y.B. Sep. 734, p. 7. 1918.
importations and descriptions. Nos. 44703–44704, B.P.I. Inv. 51, p. 51. 1922.
imports, adulteration. Y.B., 1910, p. 212. 1911; Y.B. Sep. 529, p. 212. 1911.
leaves, adulteration and misbranding. Chem. N.J. 1674, pp. 4. 1912.
powdered, adulteration. Chem. N.J. 754, pp. 2. 1911.
seed, adulterant of poppy seed. Chem. S.R.A. 1, p. 3. 1914; Chem. S.R.A. 18, p. 43. 1916.
HENDERSON, B.—
"Buying a farm in an undeveloped region." F.B. 1385, pp. 30. 1923.
"Farm lands available for settlement." F.B. 1271, pp. 51. 1922.
HENDRICK, H. B.—
"Extension course in soils for self-instructed classes in movable schools of agriculture." With A. R. Whitson. D.B. 355, pp. 92. 1916.
"Illustrated lecture on—
  corn production." With C. P Hartley. S.R.S. Syl. 21, pp. 24. 1916.
  leguminous forage crops for the North." With Charles V. Piper. S.R.S. Syl. 25, pp. 18. 1917.
  leguminous forage crops for the South." With Charles V. Piper. S.R.S. Syl. 24, pp. 16. 1917.
  soybeans." With W. J. Morse. S.R.S. Syl. 35, pp. 16. 1919.
  the production of alfalfa east of the ninety-fifth meridian." With H. L. Westover. S.R.S. Syl. 20, pp. 17. 1916.
"Selection, preparation, and planting of the potato plat." With William Stuart. S.R.S. Doc. 86, pp. 4. 1918.
HENDRICKSON, B. H.: "Soil survey of—
Amite County, Miss." With others. Soil Sur. Adv. Sh., 1917, pp. 38. 1919; Soils F.O., 1917, pp. 833–866. 1923.
St. Martin Parish, La." With A. H. Meyer. Soil Sur. Adv. Sh., 1917, pp. 32. 1919; Soils F.O., 1917, pp. 937–964. 1923.
Sargent County, N. Dak." With others. Soil Sur. Adv. Sh., 1917, pp. 41. 1920; Soils F.O., 1917, pp. 2003–2039. 1923.
the Aroostook area, Maine." With others. Soil Sur. Adv. Sh., 1917, pp. 44, 1921; Soils F.O., 1917, pp. 7–46. 1923.
the Uinta River Valley area, Utah." With others. Soil Sur. Adv. Sh., 1921, pp. 42. 1925.
HENDRICKSON, NORMAN—
"A study of the preparation of frozen and dried eggs in the producing section." With others. D.B. 224, pp. 99. 1916.
"Accuracy in commercial grading of opened eggs." With M. K. Jenkins. D.B. 391, pp. 27. 1918.
HENDRY, M. F.: "Carbon-dioxid content of barn air." With Alice Johnson. J.A.R., vol. 20, pp. 405–408. 1920.

Henequen—
  binder twine fiber, and sisal. H. T. Edwards.
    Y.B., 1918, pp. 357–366. 1919; Y.B. Sep. 790,
    pp. 12. 1919.
  cultivation, southern Texas. O.E.S. Bul. 222,
    p. 31. 1910.
  fiber—
    production in Yucatan and Campeche. H. T.
      Edwards. D.B. 1278, pp. 20. 1924.
    sources. D.B. 930, p. 2. 1920.
  growing—
    localities and requirements. Y.B., 1918, pp.
      360–362. 1919; Y.B. Sep. 790, pp. 6–8. 1919.
    propagation, and preparation for use. Y.B.,
      1911, pp. 195–196. 1912; Y.B. Sep. 560, pp.
      195–196. 1912.
  imports, increase from 1891–1911. Y.B., 1911, p.
    200. 1912; Y.B. Sep. 560, p. 200. 1912.
  production, distribution, acreage, and uses.
    News L., vol. 3, No. 30, pp. 1–2. 1916.
  use for binder twine, different grades, and price.
    Y.B., 1911, pp. 194, 196. 1912; Y.B. Sep. 560,
    pp. 194, 196. 1912.
  value per acre. Y.B., 1918, p. 362. 1919; Y.B.
    Sep. 790, p. 8. 1919.
  See also Hemp; Sisal.
Henhouses—
  artificial light, management and value. Y.B.,
    1924, pp. 412–413. 1925.
  breeding stock, care and arrangement. F.B.
    1116, p. 9. 1920.
  care. F.B. 1105, pp. 3–4. 1920.
  colony, for use in Hawaii, description and cost.
    Hawaii A.R., 1915, pp. 55–56. 1916.
  description—
    and care, winter egg production. Sec. Cir. 71,
      pp. 1–4. 1917.
    material and cost. B.A.I. Bul. 90, pp. 27–35.
      1906; F.B. 562, pp. 5–7. 1913.
  for back yards, description, material, and cost.
    F.B. 889, pp. 7–13. 1917.
  for—
    fifty fowls, plan and materials. B.A.I. Cir. 208,
      pp. 4–5. 1913.
    large and small flocks. F.B. 1113, pp. 4–6.
      1920.
  See also Poultry houses.
HENKEL, ALICE—
  "American medicinal barks." B.P.I. Bul. 139,
    pp. 59. 1909.
  "American medicinal flowers, fruits, and seeds."
    D.B. 26, pp. 16. 1913.
  "American medicinal leaves and herbs." B.P.I.
    Bul. 219, pp. 56. 1911
  "American root drugs." B.P.I. Bul. 107, pp. 80.
    1907.
  "Golden seal." With G. Fred Klugh. B.P.I.
    Bul. 51, Pt. VI, pp. 35–46. 1909.
  "Peppermint." B.P.I. Bul. 90, Pt. III, pp. 19–
    29. 1906.
  "The cultivation and handling of goldenseal."
    With G. Fred Klugh. B.P.I. Cir. 6, pp. 19.
    1908.
  "Weeds used in medicine." F.B. 188, pp. 47.
    1904.
  "Wild medicinal plants of the United States."
    B.P.I. Bul. 89, pp. 76. 1906.
HENLEY, R. R.—
  "A constant-temperature bath for heating blood
    serum." J.A.R., vol. 21, pp. 541–544. 1921.
  "Meat extracts, their composition and identifi-
    cation." With J. A. Emery. J.A.R., vol.
    17, pp. 1–17. 1919.
  "Observations on the mechanism of the reaction
    between formaldehyde and serum proteins."
    J.A.R., vol. 29, pp. 471–482. 1924.
  "Production of clear and sterilized anti-hog-
    cholera serum." With M. Dorset. J.A.R.,
    vol. 6, No. 9, pp. 333–338. 1916.
Henna—
  importation and description. No. 39459, B.P.I.
    Inv. 41, p. 31. 1917; No. 44557, B.P.I. Inv. 51,
    p. 24. 1922; No. 45250, B.P.I. Inv. 53, p. 18.
    1922.
  perfume plant from Panama, introduction.
    B.P.I. Bul. 176, p. 13. 1910.
Hennequin. See Henequen.
HENNIS, C. M.: "Farm practices in grain farming
  in North Dakota." With Rex E. Willard.
  D.B. 757, pp. 35. 1919.

HENRICKSEN, H. C.—
  "Pineapple growing in Porto Rico." With M.
    J. Iorns. (Also Spanish ed.) P.R. Bul. 8,
    pp. 42. 1909.
  "Poultry keeping in Porto Rico." (Also Spanish
    ed.) P.R. Cir. 19, pp. 22. 1921.
  "Propagation and marketing of oranges in Porto
    Rico." (Also Spanish ed.) P.R. Bul. 4,
    pp. 24. 1904.
  report of Porto Rico Experiment Station—
    horticulturist, 1906. P.R. An. Rpt., 1906, pp.
      18–24. 1907.
    specialist in farm management—
      1917. P.R. An. Rpt., 1917, pp. 36–38. 1918.
      1918. P.R. An. Rpt., 1918, pp. 20–23. 1920.
      1919. P.R. An. Rpt., 1919, pp. 31–35. 1920.
      1920. P.R. An. Rpt., 1920, pp. 27–37. 1921.
      1921. P.R. An. Rpt., 1921, pp. 26–27. 1922.
      1922. P.R. An. Rpt., 1922, pp. 15–16. 1923.
      1923. P.R. An. Rpt., 1923, pp. 16–18. 1924.
  "The selection of seed corn in Porto Rico."
    P.R. Cir. 18, pp. 22. 1920.
  "Vegetable growing in Porto Rico." (Also
    Spanish ed.) P.R. Bul. 7, pp. 58. 1906.
HENRY, A. J.—
  "Amplification of weather forecasts." Y.B.,
    1900, pp. 107–114. 1901; Y.B. Sep. 202, pp. 107–
    114. 1901.
  "Climatology of the United States." W.B. Bul.
    Q, pp. 1012. 1906.
  "Daily river stages at river gage stations on the
    principal rivers of the United States—
    1911–1912." W.B.D.R.S., Pt. XI, pp. 380.
      1913.
    1913–1914." W.B.D.R.S., Pt. XII, pp. 400.
      1915.
    1915." W.B.D.R.S., Pt. XIII, pp. 176. 1916.
    1916." W.B.D.R.S., Pt. XIV, pp. 278. 1917.
    1917." W.B.D.R.S., Pt. XV, pp. 286. 1918.
    1918." W.B.D.R.S., Pt. XVI, pp. 288. 1919.
    1919." W.B.D.R.S., Pt. XVII, pp. 291. 1920.
  "Lightning and lightning conductors." F.B.
    367, pp. 20. 1909.
  "Loss of life in the United States by lightning."
    W.B. Bul. 30, pp. 21. 1901.
  "Recent practice in the erection of lightning con-
    ductors." W.B. Bul. 37, pp. 20. 1906.
  "Should not temperature forecasts be verified by
    the readings of maximum and minimum ther-
    mometers?" W.B. 31, pp. 134–136. 1902.
  "The floods of 1913 in the rivers of the Ohio and
    lower Mississippi valleys." W.B. Bul. Z,
    pp. 117. 1913.
  "Weather and agriculture." Y.B., 1924, pp.
    457–588. 1925.
  "Weather forecasting in the United States."
    W. B. [Misc.], "Weather forecasting in
    * * *," pp. 370. 1916.
  "Wind velocity and fluctuations of water level
    on Lake Erie." W.B. Bul. J, pp. 22. 1902.
HENRY, A. W.: "Spores in the upper air." With
  others. J.A.R., vol. 24, pp. 599–606. 1923.
HENRY, W. A. report of Wisconsin Experiment
  Station, work and expenditures, 1906. O.E.S.
  An. Rpt., 1906, pp. 167–169. 1907.
Henrylyn Irrigation Company, et al, decision of
  Judge Pope. Sol. Cir. 69, pp. 1–5. 1913.
HENSEL, B. F.: "Soil survey of—
  Phelps County, Nebraska." With others.
    Soil Sur. Adv. Sh., 1917, pp. 38. 1919; Soils
    F.O., 1917, pp. 1919–1956. 1923.
  Wayne County, Nebraska." With others.
    Soil Sur. Adv. Sh. 1917, pp. 46. 1919; Soils
    F.O., 1917, pp. 1957–2002. 1923.
HENSEL, R. L.: "Effect of burning on vegetation
  in Kansas pastures." J.A.R., vol. 23, pp. 631–644.
  1923.
HENSHAW, H. W.—
  "Birds useful against the cotton boll weevil."
    Biol. Cir. 57, pp. 4. 1907.
  "Does it pay the farmer to protect birds?" Y.B.,
    1907, pp. 165–178. 1908; Y.B. Sep. 443, pp.
    165–178. 1908.
  "Instructions for taking bird census." Biol.
    Doc. 103, pp. 3. 1916.
  "Our mid-Pacific bird reservation." Y.B., 1911,
    pp. 155–164. 1912; Y.B. Sep. 557, pp. 155–164.
    1912.

HENSHAW, H. W.—Continued.
report of Biological Survey chief—
  1910. An. Rpts., 1910, pp. 549–565. 1911; Biol. Chief Rpt., 1910, pp. 19. 1910.
  1911. An. Rpts., 1911, pp. 533–550. 1912; Biol. Chief Rpt., 1911, pp. 20. 1911.
  1912. An. Rpts., 1912, pp. 659–680. 1913; Biol. Chief Rpt., 1912, pp. 24. 1912.
  1913. An. Rpts., 1913, pp. 223–236. 1914; Biol. Chief Rpt., 1913, pp. 14. 1913.
  1914. An. Rpts., 1914, pp. 199–210. 1914; Biol. Chief Rpt., 1914, pp. 12. 1914.
  1915. An. Rpts., 1915, pp. 233–247. 1916; Biol. Chief Rpt., 1915, pp. 15. 1915.
  1916. An. Rpts., 1916, pp. 237–252. 1917; Biol. Chief Rpt., 1916, pp. 16. 1916.
"The mammals of Bitterroot Valley, Montana, in their relation to spotted fever." With Clarence Birdseye. Biol. Cir. 82, pp. 24. 1911.
"Value of swallows as insect destroyers." Biol. Cir. 56, pp. 4. 1907.
Hentriacontane, paraffin series, occurrence, description, studies. Soils Bul. 74, pp. 12–13. 1910.
Henze cooker and mash tub, potato fermentation. Chem. Bul. 130, pp. 46–48. 1910.
Hepatic fever. *See* Influenza.
Hepatica sp.—
  resistance to teliospores of *Puccinia triticina*. J.A.R., vol. 22, pp. 155–172. 1921.
  See also Liverleaf.
Hepatitis—
  cattle, symptoms and treatment. B.A.I. [Misc.], "Diseases of cattle," rev., pp. 46–47. 1904; rev., p. 47. 1912.
  horse, causes, symptoms, treatment. B.A.I. [Misc.], "Diseases of the horse" rev., pp. 72–73. 1903; rev., 72–73. 1907.
HEPBURN, J. S.—
  "Studies on chicken fat." With M. E. Pennington. Chem. Cir. 103, pp. 12. 1912.
  "Studies on chicken fat; Pt. I. The occurrence and permanence of lipase in the fat of the common fowl." With M. E. Pennington. Chem. Cir. 75, pp. 1–7. 1911.
  "Studies on chicken fat; Pt. II. The oxidation of chicken fat by means of hydrogen peroxid." Chem. Cir. 75, pp. 8–11. 1911.
  "The refrigeration of dressed poultry in transit." With others. D.B. 17, pp. 35. 1913.
Heptane, content of digger pine oleoresin. For. Bul. 119, pp. 18, 19, 21, 30, 35. 1913.
Heptylic aldehyde, examination, and formation. J.A.R., vol. 26, pp. 329, 356–358, 359. 1923.
Herb(s)—
  association with yellow-brush type of range cover. D.B. 791, pp. 23–26, 31. 1919.
  collection for medicinal use, directions. B.P.I. Bul. 219, pp. 7–8. 1911.
  Dr. Sayman's wonder, misbranding. Chem. N.J. 13191. 1925; Chem. N.J. 13702. 1925.
  drying directions. D.C. 3, pp. 16–17. 1919; F.B. 841, p. 22. 1917; O.E.S. Bul. 245, p. 77. 1912.
  extract, Quaker, misbranding. Chem. N.J. 4474, pp. 755–760. 1916.
  flavoring, use in cooking. D.B. 123, pp. 51, 59–60. 1916; F.B. 391, pp. 37–39. 1910; O.E.S. Bul. 245, pp. 68, 70. 1912.
  growing experiments in Alaska, 1915. Alaska A.R., 1915, p. 37. 1916.
  medicinal—
    American, and leaves. Alice Henkel. B.P.I. Bul. 219, pp. 56. 1911.
    collecting and selling in West Virginia, Raleigh County. Soil Sur. Adv. Sh., 1914, pp. 12. 1916; Soils F.O., 1914, pp. 1404. 1919.
    gathering, North Carolina, Haywood County. Soil Sur. Adv. Sh., 1922, p. 209. 1925.
    shipments from North Carolina, Alleghany County. Soil Sur. Adv. Sh., 1915, p. 7. 1917; Soils F.O., 1915, p. 341. 1919.
    See also Drug plants.
  tea, misbranding. See *Indexes, Notices of Judgment, in bound volumes and in separates published as supplements to Chemistry Service and Regulatory Announcements.*
Tooele Valley, Utah, physicochemical constants. J.A.R., vol. 27, pp. 898–916. 1924.

Herb(s)—Continued.
  use in cheese making. B.A.I. Bul. 105, pp. 22, 33, 34, 45, 46, 48. 1908; B.A.I. Bul. 146, pp. 24, 37, 38, 51, 52, 53. 1911.
  vinegar, uses, methods of manufacture. O.E.S. Bul. 245, pp. 68, 87. 1912.
  Wasatch Mountains, freezing-point depressions and osmotic pressures. J.A.R., vol. 28, pp. 871–875, 880–884. 1924.
Herb-trinity. *See* Liverleaf.
Herbaceous cuttings, forms and uses. F.B. 157, pp. 12–15. 1902.
Herbariums—
  forest—
    for school work, directions, notes. D.B. 863, pp. 3, 4–27. 1920.
    range, instructions for work. For. [Misc.], "Instructions for national * * *," pp. 4. 1925.
  national forest, establishment, and methods of selecting, drying, mounting, and labeling specimens. For. [Misc.], "Suggestions for * * * collections," pp. 3. 1909; rev., p. 4. 1911.
  specimens—
    collection, drying, and shipment, directions. B.P.I. Cir. 126, pp. 27–35. 1913.
    of grasses, directions for preparing. A. S. Hitchcock and Agnes Chase. B.P.I. Doc. 442, pp. 4. 1909.
HERBERT, F. B.—
  "California oak worm." With H. E. Burke. F.B. 1076, pp. 14. 1920.
  "Cypress bark-scale." D.B. 838, pp. 22. 1920.
  "The European elm scale in the West." D.B. 1223, pp. 20. 1924.
Herbicides for destruction of injurious weeds. F.B. 831, p. 11. 1917.
Herbivora—
  and carnivora, elimination of caffein. William Salant and J. B. Rieger. Chem. Bul. 157, pp. 23. 1912.
  See Animals, herbivorous.
Hercules club. *See* Ash, prickly southern.
Herds—
  accredited—
    issue and revision. Y.B., 1918, p. 217. 1919; Y.B. Sep. 782, p. 5. 1919.
    lists, tuberculosis eradication. D.C. 142, pp. 52. 1920; D.C. 143, pp. 98. 1920; D.C. 144, p. 49. 1920; F.B. 1069, pp. 19–21, 28. 1919.
    accrediting, methods and rules. Y.B., 1918, pp. 215–217. 1919; Y.B. Sep. 782, pp. 3–5. 1919.
    Ayrshire, accredited list. D.C. 142, pp. 5–6. 1920; D.C. 143, pp. 3–6. 1920.
  beef-cattle—
    breeding, importance of good cows and bulls. F.B. 1416, pp. 3–5. 1924.
    care, selection, and feeding. F.B. 1218, pp. 5–8. 1921.
    in South, management. D.B. 827, p. 20. 1921.
  breeding—
    maintenance cost in Corn Belt States. Rpt. 111, pp. 20–40. 1916.
    management on farms. F.B. 1416, p. 5. 1924.
    silage feed. F.B. 578, p. 20. 1914.
  dairy. *See* Dairy herd.
  dual-purpose, management, feeding and pasturing. F.B. 1073, pp. 5, 6, 13–16. 1919.
  eradication of tuberculosis, methods of Bang and others. B.A.I. Cir. 175, pp. 23–27. 1911.
  Galloway, cattle—
    accredited, list No. 3. D.C. 142, p. 7. 1920.
    once-tested, by States. D.C. 144, p. 8. 1920.
  goats, size and composition, range management. D.B. 749, pp. 11–18. 1919.
  management—
    aid in control of cattle abortion, methods. F.B. 790, pp. 8–10. 1917.
    beef production, Alabama. B.A.I. Bul. 131, pp. 12–13. 1911; D.B. 73, pp. 3–5, 11. 1914.
    in breeding beef cattle. F.B. 1073, pp. 5–8. 1919.
  purebred accredited, methods and rules. D.C. 54, pp. 95–96. 1919.
  range cattle, improvement by selection and breeding. D.B. 1031, pp. 55–58. 1922.
  records—
    study of butterfat production and income. D.B. 1069, pp. 12–13. 1922.

Herds—Continued.
records—continued.
use and value in dairy industry. An. Rpts., 1911, p. 211. 1912; B.A.I. Chief Rpt., 1911, p. 21. 1911.
silage requirements for winter feeding. F.B. 825, p. 5. 1917.
tested, demonstration and records, National Dairy Show. D.C. 139, pp. 7–8. 1920.
testing, directions to veterinarians. B.A.I.S.R.A. 180, pp. 50–52. 1922.
tuberculosis—
free—
accrediting. B.A.I. Chief Rpt., 1924, pp. 27–28. 1924.
benefits to owners and industry. Y.B., 1919, pp. 284–288. 1920; Y.B. Sep. 810, pp. 284–288. 1920.
spread, and eradication work. F.B. 1069, pp. 3–7, 18–25. 1919.
Herdbooks—
Argentina, requirements and control. B.A.I. Bul. 48, pp. 21–23. 1903.
cows, directions for keeping. M.C. 26, pp. 11–15. 1924.
data, value in study of fecundity inheritance. J.A.R., vol. 5, No. 25, pp. 1148–1149. 1916.
large black hogs. B.A.I.O. 278, amdt. 2, p. 1. 1923.
methods of registration, value. B.A.I. Bul. 34, pp. 30–34. 1902.
Herders—
cabins on Alaska ranges, necessity. D.B. 1089, p. 39. 1922.
goat, undesirability of Mexicans. F.B. 1203, p. 14. 1921.
help in fire control in national forests. D.C. 134, pp. 8–11. 1922.
identification cards. For. [Misc.], "The use book, 1921," p. 72. 1922.
Herding—
goats on ranges. D.B. 749, pp. 12–13. 1919.
range sheep, pasturage method. J. T. Jardine. For. Cir. 178, pp. 40. 1910.
reindeer, methods. D.B. 1089, pp. 36–37. 1922.
sheep on forest ranges. D.B. 738, p. 28. 1918. D.B. 790, pp. 50–54. 1919.
Herd's-grass. See Timothy; Redtop.
Heredity—
allowance in inbreeding of guinea pigs. D.B. 1121, pp. 10–11. 1923.
and cotton breeding. O. F. Cook. B.P.I. Bul. 256, pp. 13. 1913.
application of principles to plant breeding. B.P.I. Bul. 165, pp. 74. 1909.
color in—
livestock. D.B. 905, pp. 31–32. 1920.
Phlox drummondi. Arthur W. Gilbert. J.A.R., vol. 4, pp. 293–302. 1915.
effect on composition of wheat. Chem. Bul. 128, pp. 15–16. 1910.
fertility in swine. J.A.R., vol. 5, No. 25, pp. 1145–1160. 1916.
harnessing, to improve the Nation's livestock. D. S. Burch. Y.B., 1919, pp. 347–354. 1920. Y.B. Sep. 816, pp. 347–354. 1920.
in—
animals, basic facts. F.B. 1167, pp. 3–4, 12–16, 37. 1920.
bees, relation to swarming tendency. F.B. 1198, pp. 7, 45. 1921.
cattle, in horn and color. D.B. 905, pp. 30–31. 1920.
grape, studies. J.A.R., vol. 4, 315–330. 1915.
livestock. D.B. 905, pp. 30–32. 1920.
livestock. Mendelian theory. D.B. 905, pp. 30–33. 1920.
relation to dimorphic leaves of cotton and allied plants. O. F. Cook. B.P.I. Bul. 221, pp. 59. 1911.
reticular descent. B.P.I. Bul. 81, pp. 20–22. 1905.
swine. Edward N. Wentworth and Jay L. Lush. J.A.R., vol. 23, pp. 557–582. 1923.
teosinte hybrids. J.A.R., vol. 27, pp. 537–596. 1924.
influence in dairy breeding, care in selection of bull. F.B. 993, pp. 8–12. 1918.
materials from cotton plant. B.P.I. Bul. 256, pp. 10–13. 1913.

Heredity—Continued.
Mendelian theory, remarks. B.P.I. Bul. 256, p. 35. 1913.
natural species, manifestation. B.P.I. Bul. 256, pp. 13–15. 1913.
of a maize variation. G. N. Collins. B.P.I. Bul. 272, pp. 23. 1913.
principles—
and problems. B.A.I. An. Rpt., 1910, pp. 126–152. 1912.
application—
livestock breeding. D.B. 905, pp. 11–23. 1920; Y.B., 1919, pp. 347–354. 1920; Y.B. Sep. 816, pp. 347–354. 1920.
plant breeding. J.A.R., vol. 24, pp. 815–852. 1923.
relation to—
disease, breeding experiments. B.A.I. An. Rpt., 1906, pp. 219–222. 1908.
external conditions in cottons. B.P.I. Bul. 256, pp. 88–91. 1913.
memory, discussion. B.P.I. Bul. 256, pp. 29–30. 1913.
suppression and intensification of characters. B.P.I. Bul. 147, pp. 8–10. 1909.
sex limitations, studies. J.A.R., vol. 6, No. 4, pp. 141–142. 1916.
study—
twin-bearing in sheep. J.A.R., vol. 4, No. 6, pp. 479–510. 1915.
value of nematodes. Y.B., 1914, pp. 463–466. 1915; Y.B. Sep. 652, pp. 463–466. 1915.
See also Inheritance.
Herles's solution in sugar polarization. Chem. Bul. 152, p. 211. 1912; Chem. Cir. 90, p. 8. 1912.
HERMANN, F. C.: "Small reservoirs in Wyoming, Montana, and South Dakota." O.E.S. Bul. 179, pp. 100. 1907.
Hermann's mixture, anthelmintic, formula and effects. J.A.R., vol. 12, pp. 403–404. 1918.
Hermetia spp., description, longevity, and injury to cactus. Ent. Bul. 113, p. 38. 1912.
Hernandia peltata, importation and description. No. 38127, B.P.I. Inv. 39, p. 91. 1917.
Hernia, peritoneal—
causes and treatment. B.A.I. [Misc.], "Diseases of cattle," rev. pp. 43–45. 1904; rev., pp. 43–45. 1912; rev., pp. 41–43. 1923.
umbilical, calf, symptoms and treatment. B.A.I. [Misc.], "Diseases of cattle," p. 252. 1923.
See also Rupture.
Herodias egretta. See Egret.
Heroin—
danger in use. F.B., 393, pp. 5–6, 13. 1910.
hydrochloride tablets, adulteration. Chem. N.J. 4146. 1916; Chem. N.J. 13411. 1925. Chem. N.J. 13750. 1925; Chem. N.J. 13785. 1925.
preparations containing, amendment to Regulation 28. F.I.D. 112, p. 3. 1910.
tablets, misbranding. Chem. N.J. 13550. 1925; Chem. N.J. 13608. 1925.
Heron—
Agami, ranges. Biol. Bul. 45, p. 64. 1913.
banded, returns, 1920 to 1923. D.B. 1268, pp. 26–27. 1924.
beneficial habits, rodent destruction. Biol. Bul. 31, p. 52. 1907; Y.B., 1908, p. 193. 1909; Y.B. Sep. 474, p. 193. 1909.
black-crowned night, ranges and breeding habits. Biol. Bul. 45, pp. 60–64. 1913.
blue, protection and exception from. Biol. Bul. 12, rev., pp. 41, 44. 1902.
destruction by crows. D.B. 621, pp. 34–35. 1918.
European, ranges and breeding. Biol. Bul. 45, p. 40. 1913.
food habits, good and bad. Y.B., 1907, p. 174. 1908; Y.B. Sep. 443, p. 174. 1908.
great—
blue—
nesting habits and food, occurrence in Arkansas. Biol. Bul. 38, pp. 24–25. 1911.
range and habits. Biol. Bul. 45, pp. 33–35, 37–40. 1913; N.A. Fauna 22, p. 92. 1902.
value in destruction of gophers. Y.B., 1909, p. 217. 1910; Y.B. Sep. 506, p. 217. 1910.
West Indian, Porto Rico, habits and food. D.B. 326, p. 26. 1916.
white—
distribution and destruction in United States. Biol. Cir. 84, pp. 1–3. 1911.

Heron—Continued.
  great—continued.
    white—continued.
      ranges and breeding. Biol. Bul. 45, p. 33. 1913.
  green—
    Cuban. See Martinete.
    food habits, and occurrence in Arkansas. Biol. Bul. 38, p. 26. 1911.
    Porto Rico, breeding habits and food habits. D.B. 326, pp. 9, 21–23. 1916.
    protection, exception from. Biol. Bul. 12, rev., p. 43. 1902.
    ranges and breeding habits. Biol. Bul. 45, pp. 56–60. 1913.
  little blue—
    description and food habits. Biol. Bul. 38, pp. 25–26. 1911.
    in Porto Rico, food habits, and description. D.B. 326, pp. 13, 23–24, 25. 1916.
  Louisiana—
    in Porto Rico, range and food habits. D.B. 326, pp. 24–25. 1916.
    ranges and breeding. Biol. Bul. 45, pp. 51–52. 1913.
  migration record from birds banded in Utah. D.B. 1145, pp. 13, 14. 1923.
  night—
    black-crowned—
      food habits, and occurrence in Arkansas. Biol. Bul. 38, p. 26. 1911.
      occurrence in Porto Rico. D.B. 326, pp. 13, 21. 1916.
      enemy of wild ducks in Utah. D.B. 936, p. 17. 1921.
      protection and exception from. Biol. Bul. 12, rev., p. 43. 1902.
    yellow-crowned—
      habits and food. D.B. 326, p. 20. 1916.
      occurrence in Arkansas. Biol. Bul. 38, p. 26. 1911.
  North American, and their allies, distribution, and migration. Wells W. Cooke. Biol. Bul. 45, pp. 70. 1913.
  occurrence, habits, and food. Biol. Bul. 38, pp. 24–27. 1911.
  of northwestern coast, range and breeding. Biol. Bul. 45, p. 36. 1913.
  of Porto Rico, habits and food. D.B. 326, pp. 9, 13, 20–26. 1916.
  pileated, range and description. Biol. Bul. 45, p. 55. 1913.
  pinnated, ranges. Biol. Bul. 45, p. 29. 1913.
  protection by law. Biol. Bul. 12, rev., pp. 38, 41. 1902.
  ranges and breeding. Biol. Bul. 45, pp. 33–40, 51–52, 52–55, 55–67. 1913; N.A. Fauna 21, pp. 40, 73. 1901.
  smaller white, distribution in United States. Biol. Cir. 84, pp. 4–5. 1911.
  snowy. See Egret, snowy.
  striated, occurrence and distribution. Biol. Bul. 45, p. 60. 1913.
  Treganza, ranges and breeding. Biol. Bul. 45, p. 36. 1913.
  Ward, range. Biol. Bul. 45, p. 36. 1913.
Herpetomonas spp., description and occurrence. B.A.I. An. Rpt., 1910, p. 481. 1912; B.A.I. Cir. 194, p. 481. 1912.
Herpotrichia—
  nigra—
    cause of black-cobweb disease. For. [Misc.] "Forest * * * diseases," pp. 17, 38. 1914.
    description, host plants and habits. J.A.R., vol. 4, pp. 251–252. 1915.
  quinqueseptata, disease of Picea engelmanni. J.A.R., vol. 4, pp. 252–253. 1915.
HERR, J. A.: "Agricultural cooperation for the purchase of supplies." O.E.S. Bul. 256, pp. 42–43. 1913.
HERRICK, C. A.: "Growing experimental chickens in confinement." With others. J.A.R., vol. 25, pp. 451–456. 1923.
HERRICK, G. W.: "Observations in the life history of the cherry leaf beetle." With Robert Matheson. J.A.R., vol. 5, No. 20, pp. 943–950. 1916.
Herring—
  adulteration. Chem. N.J. 257, pp. 2. 1910; Chem. N.J. 1253, p. 1. 1912; Chem. N.J. 1260, p. 1. 1912; Chem. N.J. 2079, p. 1. 1913.

Herring—Continued.
  catch and uses, Pacific coast. D.B. 150, pp. 66–68. 1915.
  cold-storage holdings, 1918, by months. D.B. 792, pp. 42–43, 45, 76–77. 1919.
  cuttings, use for fertilizer. D.B. 2, pp. 15–16. 1913.
  kippered, preparation directions. D.B. 908, pp. 105–106. 1921.
  lake—
    classification. F.I.D. 105, p. 2. 1912.
    labeling ruling. Chem. S.R.A. 18, p. 45. 1916.
  sea—
    composition, variations. D.B. 908, pp. 15–17, 121. 1921.
    use as sardine, identification, food value, etc. D.B. 908, pp. 2–3, 5. 1921.
  source of fish meal. D.B. 378, pp. 3, 5, 6. 1916.
  substitution for whitefish. Chem. N. J. 306, pp. 2. 1910.
HERSTEIN, B.—
  "A method for testing ammonium salts." Chem. Bul. 150, Pt. VI, pp. 47–48. 1912.
  "The determination of molybdic trioxid." Chem. Bul. 150, Pt. V, pp. 44–46. 1912.
HERTENSTEIN, EARL: "Soil survey of Grant County, Indiana." With others. Soil Sur. Adv. Sh., 1915, pp. 36. 1916; Soils F. O., 1915, pp. 1353–1384. 1919.
HERTER, C. A.—
  "Influence of saccharin on digestion, metabolism, nutrition, and general health." Rpt. 94, pp. 9–227. 1911.
  studies on Bacillus bulgaricus. B.A.I. An. Rpt., 1909, pp. 138, 141. 1911; B.A.I. Cir. 171, pp. 138, 141. 1911.
  "The action of sodium benzoate on the human body." Rpt. 88, pp. 565–767. 1909.
HERTY, C. H.—
  "A new method of turpentine orcharding." For. Bul. 40, pp. 43. 1903.
  "Practical results of the cup and gutter system of turpentining." For. Cir. 34, pp. 7. 1905.
  "Relation of light chipping to the commercial yield of naval stores." For. Bul. 90, pp. 36. 1911.
Herva de passarinho, injury to orange trees in Brazil. D.B. 445, p. 11. 1917.
Herzegovina, agricultural conditions. D.B. 1234, pp. 105–106. 1924.
Herzfeld-Bohme method for detection of mineral oil, modification. F. P. Veitch and Marion G. Donk. Chem. Cir. 85, pp. 15. 1912.
HESLER, L. R.: "Progress of citrus scab." P.R. An. Rpt., 1917, pp. 30–31. 1918.
HESLER, R. S.: "Soil survey of—
  Elkhart County, Ind." With Grove B. Jones. Soil Sur. Adv. Sh., 1914, pp. 28. 1916; Soils F.O., 1914, pp. 1571–1594. 1919.
  Hamilton County, Ind." With others. Soil Sur. Adv. Sh., 1912, pp. 32. 1914; Soils F.O., 1912, pp. 1445–1472. 1915.
Hesperis sp., importation and description. No. 36119. B.P.I. Inv. 36, p. 55. 1915.
Hesperomeles oblonga, importation and description. No. 41111, B.P.I. Inv. 44, pp. 6, 39. 1918.
Hesperomys spp. See Mouse.
Hess and Doolittle method of detecting renovated butter, relation of casein monolactate and casein dilactate. Chem. Bul. 81, pp. 92–93. 1904.
HESS, O. B.—
  "Hog cholera. Prevention and treatment." With M. Dorset. F.B. 834, pp. 32. 1917.
  "Less cholera—more hogs." Y.B., 1918, pp. 191–194. 1919; Y.B. Sep. 777, pp. 6. 1919.
HESSE, B. C., "Coal-tar colors used in food products." Chem. Bul. 147, pp. 228. 1912.
Hessian fly—
  F. M. Webster. Ent. Cir. 70, pp. 16. 1906; F.B. 611, pp. 12–16. 1914; F.B. 640, pp. 20. 1915.
  avoidance by late planting. F.B. 704, p. 11. 1916.
  burning wheat stubble as remedy. Ent. Cir. 70, p. 14. 1906.
  control—
    by parasite, Polygnotus sp. Y.B., 1907, pp. 243–246, 252. 1908; Y.B. Sep. 447, pp. 243–246, 252. 1908.
    by seeding early, graph. Y.B., 1917, p. 551. 1918; Y.B. Sep. 758, p. 17. 1918.

Hessian fly—Continued.
　control—continued.
　　in Michigan, Calhoun County. Soil Sur. Adv. Sh., 1916, p. 15. 1919; Soils F.O., 1916, p. 1639. 1921.
　　in Missouri, Franklin County. Soil Sur. Adv. Sh,, 1911, p. 10. 1913; Soils F.O., 1911, p. 1608. 1914.
　　in rye crop. F.B. 894, p. 13. 1917.
　　in wheat growing. F.B. 885, pp. 8–9. 1917.
　　methods. F.B. 640, pp. 16–20. 1915; Sec. Cir. 90, p. 26. 1918; S.R.S. Syl. 11, rev., p. 17. 1918.
　　sowing season in Kentucky. F.B. 981, pp. 35–36. 1918.
　　studies in Kansas. Work and Exp., 1914, p. 112. 1915.
　damage to crops, 1920. An. Rpts., 1920, p. 310. 1921.
　description—
　　and symptoms, by seasons. D.B. 1137, pp. 4–5. 1923.
　　habits and control. B.P.I. Bul. 240, p. 12. 1912; F.B. 132, pp. 13–22. 1901; F.B. 611, pp. 12–16. 1914; F.B. 640, pp. 1–20. 1915; F.B. 835, pp. 3–6. 1917; F.B. 835, rev. pp. 3–6. 1920.
　　destruction. Ent. Cir. 71, pp. 6–7. 1906.
　　distribution and origin. F.B. 1083, pp. 3–4. 1920.
　　egg and larvae, description. F.B. 640, pp. 3–4. 1915.
　　emergence and oviposition of spring brood. O.E.S. Bul. 115, pp. 127–128. 1902.
　"flaxseeds" parasitized by Polygnotus, and results. Y.B., 1907, pp. 245, 246, 253. 1908; Y.B. Sep. 447, pp. 245, 246, 253. 1908.
　infestation of wheat, investigations by Entomology Bureau. News L., vol. 1, No. 48, pp. 3–4. 1914.
　injury to—
　　barley. F.B. 443, pp. 44–45. 1911.
　　grain and resistance. J.A.R., vol. 12, pp. 522, 527. 1918.
　　rye compared with wheat. News L., vol. 6, No. 39, pp. 3–4. 1919.
　　wheat crop, 1915, control methods. News L., vol. 2, No. 48, pp. 1–3. 1915.
　life history, investigation methods and results. D.B. 1008, pp. 1–8. 1921; F.B. 1083, pp. 7–12. 1920.
　minor parasite, Polyscelis modestus. P. R. Meyers. J.A.R., vol. 29, pp. 289–295. 1924.
　multiplication rate. W. R. McConnell. D.B. 1008, pp. 8. 1921.
　origin of name. F.B. 640, p. 2. 1915; F.B. 1083, p. 4. 1920.
　outbreak in—
　　1916, and damages. An. Rpts., 1916, p. 224. 1917; Ent. A.R. 1916, p. 12. 1916.
　　1921. D.B. 1103, pp. 9–11. 1922.
　　New York, 1901. Ent. Bul. 31, p. 22. 1902.
　parasites—
　　description. F.B. 1083, pp. 12–13. 1920.
　　life histories and rearing methods. J.A.R., vol. 6, pp. 367–382. 1916.
　　Platygaster hiemalis, development method. R. W. Leiby and C. C. Hill. J.A.R., vol. 25, pp. 337–350. 1923.
　　Platygaster vernalis. Charles C. Hill. J.A.R., vol. 25, pp. 31–42. 1923.
　　Platygaster vernalis, polyembryonic development. J.A.R., vol. 28, pp. 829–840. 1924.
　　Polyscelis modestus Gahan. P. R. Myers. J.A.R., vol. 29, pp. 289–295. 1924.
　prevention—
　　cultural methods. F.B. 1083, pp. 13–16. 1920.
　　of losses from. W. R. Walton. F.B. 1083, pp. 16. 1920.
　　seasonal development. Sec. Cir. 51, pp. 6–7. 1915.
　　situation in 1915. F. M. Webster and E. O. G. Kelly. Sec. Cir. 51, pp. 10. 1915.
　　soil conditions, as remedy. Ent. Cir. 70, p. 15. 1906.
　spring brood, time of emergence and oviposition. O.E.S. Bul. 115, pp. 127–128. 1902.
Hesteroneura sattarine, description, habits, and control. F.B. 1128, pp. 17–18, 47–48. 1920.

HESTON, J. W.: "Military instruction in land-grant colleges." O.E.S. Bul. 123, pp. 73–75. 1903.
Heteractitis incanus—
　breeding range and migration. Biol. Bul. 35, pp. 63–64. 1910.
　See Tatler, wandering.
Heterakis—
　papillosa—
　　cause of blackhead in poultry. F.B. 1337, p. 18. 1923.
　　See also Cecum worms.
　perspicillum, transmission to fowls by earthworms. S.R.S. Rpt., 1915, Pt. I, p. 122. 1917.
Heterandria formosa, use in mosquito extermination. Ent. Bul. 88, pp. 66, 67. 1910.
Heterocampa guttivitta, control by Calosoma frigidum. D.B. 417, p. 8. 1917.
Heterocordylus malinus, control and life history. F.B. 1270, pp. 11–12. 1922.
Heterodera—
　radicicola—
　　cause of—
　　　cabbage root-knot. F.B. 488, p. 16. 1912.
　　　cowpea root-knot. B.P.I. Bul. 229, p. 25. 1912.
　　　root knot, description. F.B. 925, rev., p. 13. 1921.
　　　root knot of cotton and other plants. F.B. 625, p. 9. 1914; F.B. 1187, p. 13. 1921.
　　depth distribution. J.A.R., vol. 29, pp. 93–98. 1924.
　　infestation of soil. Agr. Tech. Cir. 1, pp. 1–48. 1918.
　　synonymy. B.P.I. Bul. 217, p. 9. 1911.
　　See also Gall worm; Root-knot nematode.
　schachtii—
　　infestation of soil. Agr. Tech. Cir. 1, pp. 48. 1918.
　　resemblance to Heterodera radicicola. B.P.I. Bul. 217, pp. 8, 27, 35, 36, 37, 40–41. 1911.
　See Nematode, sugar-beet.
Heterogeneity, field, relation to crop yields. J. Arthur Harris. J.A.R, vol. 19, pp. 279–314. 1920.
Heteromeles arbutifolia—
　injury by sapsuckers. Biol. Bul. 39, pp. 41–42, 80. 1911.
　See also Christmas berry.
Heteromys—
　anomalus, description and distribution. N.A. Fauna 34, pp. 16–20. 1911.
　spp., description and distribution. N.A. Fauna 34, pp. 18–32. 1911.
Heterophragma adenophyllum, importation and description. No. 52291, B.P.I. Inv. 65, p. 85. 1923.
Heterophyes heterophyes, spread by dogs. D.B. 260, p. 23. 1915.
Heteropogon—
　contortus—
　　distribution, description, and feed value. D.B. 201, p. 26. 1915.
　　importation and description. No. 51226, B.P.I. Inv. 64, pp. 4, 77. 1923.
　　occurrence and value, Arizona ranges. D.B. 367, pp. 13, 17. 1916.
　spp., description, distribution, and uses. D.B. 772, pp. 21, 273–274. 1920.
Heteroptera—
　destruction by birds. Biol. Bul. 15, pp. 56, 71, 73, 84, 87, 95. 1901.
　in the Pribilof Islands, Alaska. N.A. Fauna 46, Pt. II., p. 145. 1923.
Heteroscelus spp. See Tattlers.
Heterospathe elata, importation and description. No. 46640, B.P.I. Inv. 57, p. 15. 1922.
Heterospilus—
　mordellistenae, parasite of timothy stem borer. Ent. Bul. 95, Pt. I, p. 9. 1911.
　prosopidis, parasite of bean weevil. Hawaii A.R., 1912, p. 25. 1913.
Heterosporium sp., occurrence on plants in Texas, and description. B.P.I. Bul. 226, p. 86. 1912.
Heterozygosis, characters affected by, interpretation of results. B.P.I. Bul. 243, pp. 31–43. 1912.
Hettinger Field Station, spring wheat production, various methods, 1912–1914, yields and cost. D.B. 214, pp. 21–23, 37–42. 1915.
HETZEL, H. C.: "Preparation of barreled apples for market." With others. F.B. 1080, pp. 40. 1919.

HETZEL, R. D., report of Oregon extension work in agriculture and home economics—
  1915. S.R.S. Rpt., 1915, Pt. II, pp. 286–293. 1916.
  1916. S.R.S. Rpt., 1916, Pt. II, pp. 319–326. 1917.
  1917. S.R.S. Rpt., 1917, Pt. II, pp. 326–333. 1919.
Heupuuco, growing and value in Hawaii. Hawaii Bul. 36, pp. 13, 19. 1915.
Hevea—
  brasiliensis. See Rubber tree.
  spruceana, importation and description. Nos. 47528–47530, B.P.I. Inv. 59, p. 27. 1922.
HEWES, L. I.—
  "Highway bonds: A compilation of data and an analysis of economic features affecting construction and maintenance of highways financed by bond issues, and the theory of highway bond calculations." With James W. Glover. D.B. 136, pp. 136. 1915; rev., pp. 78. 1917.
  "Repair and maintenance of highways." Rds. Bul. 48, pp. 71. 1913.
HEWISON, W., introduction of Sudan grass into United States. D.B. 981, pp. 2, 64. 1921.
Hewison grass, description and distribution. D.B. 981, p. 11. 1921.
Hexamerocera brasiliensis, enemy of Mediterranean fruit fly. Ent. Cir. 160, p. 16. 1912.
Hexpo, adulteration and misbranding. Insect. N.J. 734, I. and F. Bd. S.R.A. 40, p. 734. 1922.
HEYMANNS, J. F., discussion of cattle vaccination against tuberculosis. B.A.I. An. Rpt., 1910, pp. 328–329. 1912; B.A.I. Cir. 190, pp. 328–329. 1912.
Hibernation—
  alfalfa weevil, habits. J.A.R., vol. 30, pp. 479–480. 1925.
  boll weevil—
    habits. Ent. Bul. 63, pp. 1–38. 1907; F.B. 344, pp. 13–14, 22–23. 1909; F.B. 512, pp. 13–15. 1912; F.B. 1262, pp. 10–12, 14, 20, 30. 1922; F.B. 1329, pp. 8–10. 1923.
    Mexican cotton. W. E. Hinds and W. W. Yothers. Ent. Bul. 77, pp. 100. 1909.
    parasites. Ent. Bul. 100, pp. 63–64. 1912.
  chinch bug, habits. Ent. Bul. 69, pp. 9–18. 1907; Ent. Bul. 95, Pt. III, pp. 32–37. 1911; Ent. Cir. 113, pp. 5–6, 14–16. 1909; F.B. 657, pp. 5–6, 15–16, 28. 1915.
  clover leaf-hopper, habits. F.B. 737, p. 4. 1916.
  grape leaf-hopper, habits. Ent. Bul. 97, Pt. I, pp. 3–4. 1911.
  house fly, investigations. J.A.R., vol. 13, pp. 149–170. 1918.
  marmots, habits. N.A. Fauna 37, pp. 10–12. 1915.
  moth-egg parasites. J.A.R., vol. 30, pp. 649–651. 1925.
  Necrobia rufipes. J.A.R., vol. 30, p. 850. 1925.
  Phytophthora infestans in the Irish potato. I. E. Melhus. J.A.R., vol. 5, No. 2, pp. 71–102. 1915.
  snails, habits. Y.B., 1914, pp. 494, 498. 1915; Y.B., Sep. 653, pp. 494, 498. 1915.
  timothy stem-borer, habits. Ent. Bul. 95, p. 8, 1911.
  tobacco—
    hornworm, habits. Y.B., 1910, p. 286. 1911; Y.B. Sep. 537, p. 286. 1911.
    moths, relation to hornworm infestation. Ent. Cir. 123, pp. 9, 11. 1910.
Hibiscadelphus—
  giffardianus, importation and description. No. 44131, B.P.I. Inv. 50, p. 33. 1922.
  giffardianus. See also Hau Kuahiwi.
  spp., importations and descriptions, Nos. 45242–45243. B.P.I. Inv. 53, p. 16. 1922.
Hibiscus—
  boll weevil feeding experiments. J.A.R., vol. 2. pp. 237–244. 1914.
  breeding in Hawaii. Hawaii A.R. 1913, p. 26. 1914.
  cannabinus—
    leaf forms, variations. B.P.I. Bul. 221, pp. 11–16. 1911.
    See also Ambari.
  flowers, characteristics, colors, and anomalous forms. Hawaii Bul. 29, pp. 8–9, 14–16. 1913.
  growing—
    and breeding experiments, Hawaii. Hawaii A.R., 1914, pp. 17, 31–32. 1915.
    experiments with daylight of different lengths. J.A.R., vol. 23, pp. 876, 879. 1923.
  host of bagworm. F.B. 701, p. 3. 1916.

Hibiscus—Continued.
  hybridizing, directions. Hawaii Bul. 29, pp. 9–10. 1914.
  importations and descriptions. Nos. 51436–51438, 51506–51508, 51576, B.P.I. Inv. 65, pp. 17, 22, 28. 1923; No. 52856, B.P.I. Inv. 67, p. 6. 1923.
  insects and diseases. Hawaii Bul. 29, pp. 16–17. 1913.
  lasiocarpus, host of bollworm. J.A.R., vol. 20, p. 807. 1921.
  lice, control by spraying with kerosene emulsion. Hawaii Bul. 29, p. 16. 1914.
  lunarifolius, importation and description. No. 42832, B.P.I. Inv. 47, p. 72. 1920.
  mutabilis, importation and description. No. 34615, B.P.I. Inv. 33, p. 38. 1915.
  ornamental, in Hawaii. E.V. Wilcox and V. S. Holt. Hawaii Bul. 29, pp. 60. 1913.
  propagation by seeds, cuttings, or grafts. Hawaii Bul. 29, pp. 10–12. 1913.
  radiatus, importation and description. No. 38666, B.P.I. Inv. 40, p. 9. 1917.
  sabdariffa. See Roselle.
  schizopetalus, importation and description. No. 36027, B.P.I. Inv. 36, p. 40. 1915.
  seed, planting directions. Hawaii Bul. 29, p. 10. 1913.
  spp.—
    hosts of—
      boll weevil, studies. D.B. 358, pp. 4–6, 8, 10–11. 1916.
      Choanephora cucurbitarum. J.A.R., vol. 8, No. 9, pp. 320. 1917.
    importations and descriptions. Nos. 36528, 36695, B.P.I. Inv. 37, pp. 27–28, 51. 1916; No. 46459, B.P.I. Inv. 56, p. 18. 1922; Nos. 47119, 47190, B.P.I. Inv. 58, pp. 7, 26, 36. 1922; Nos. 47357, 47429, 47430, 47691, B.P.I. Inv. 59, pp. 10, 18, 47. 1922; Nos. 50007, 50156, B.P.I. Inv. 63, pp. 28, 41. 1923; Nos. 50693, 51227, 51268, B.P.I. Inv. 64, pp. 1, 14, 78, 82. 1923; Nos. 55057–55064, 55166–55211, 55444, 55481, B.P.I. Inv. 71, pp. 5, 18–19, 24–27, 43, 48. 1923.
    susceptibility to—
      boll weevil. D.B. 926, p. 6. 1921.
      pink bollworm attack. D.B. 918, pp. 32–34. 1921.
  syriacus, host of boll weevil. D.B. 231, p. 3. 1915.
  tiliaceus, Porto Rico, description and uses. D.B. 354, p. 83. 1916.
  urens, importation and description. No. 46807, B.P.I. Inv. 57, pp. 6, 37. 1922.
  varieties—
    and crosses, list and descriptions. Hawaii Bul. 29, pp. 19–60. 1913.
    cultivation for ornamental plants, Hawaii. Hawaii A.R., 1911, p. 41. 1912.
    growing in Porto Rico. P.R. An. Rpt., 1923, p. 5. 1924.
HIBSHMAN, E. K.: "The production of cigar leaf tobacco in Pennsylvania." With William Frear. F.B., 416, pp. 24. 1910; rev., pp. 20. 1921.
Hicaco, description, use, and growth in Cuba. Chem. Bul. 87, p. 28. 1904.
HICKMAN, C. W.: "Sunflower digestion experiments with cattle and sheep." With others. J.A.R., vol. 20, pp. 881–888. 1921.
HICKMAN, R. W.—
  "Country hides and skins." With others. F.B. 1055, pp. 64. 1919.
  "Diseases of digestive organs." With Leonard Pearson. B.A.I. [Misc.], "Diseases of cattle," rev., pp. 14–52. 1904.
  "Diseases of the stomach and bowels of cattle, 1908." B.A.I. Cir. 68, rev., pp. 14. 1909.
  "Epizootic cerebrospinal meningitis of horses." B.A.I. An. Rpt., 1906, pp. 165–172. 1908; B.A.I. Cir. 122, pp. 8. 1908.
  "Scabies in cattle." B.A.I. Bul. 40, pp. 23. 1902; F.B. 152, pp. 24. 1902.
  "The dehorning of cattle." F.B. 350, pp. 14. 1909.
  "The eradication of cattle tuberculosis in the District of Columbia." Y.B., 1910, pp. 231–242. 1911; Y.B. Sep. 532, pp. 231–242. 1911.
  "The Government's inspection and quarantine service relating to the importation and exportation of livestock." B.A.I. An. Rpt., 1911, pp. 83–99. 1913; Cir. 213, pp. 83–99. 1913.

Hickman (horse) pedigree. D.C. 153, pp. 12, 13. 1921.
Hickory(ies)—
aphid, little, description and life history. D.B. 100, pp. 26-3l. 1914; F.B. 1364, pp. 33-34. 1924.
aphid, little, injury to pecan trees. F.B. 843, pp. 32-33. 1917.
bark—
beetle—
brood galleries under bark of trees. Ent. Cir. 144, p. 2. 1912.
damage. Ent. [Misc.], "Work of insect * * *," rev., pp. 1-4. 1918.
description, habits, and control. F.B. 1169, pp. 72-74. 1921.
forest destruction. Ent. Bul. 58, Pt. V, p. 60. 1909. .
injury to hickory timber. For. Bul. 80, p. 32. 1910.
occurrence and control. Ent. Cir. 125, pp. 3-5. 1910.
borer, depredations, control methods, in Detroit, Mich. Y.B., 1907, p. 163. 1908; Y.B. Sep. 442, p. 163. 1908.
extract, use as flavor for maple sirup. For. Bul. 59, pp. 48-50. 1905.
big shellbark, description, occurrence, growth, and reproduction. For. Bul. 80, pp. 19, 22-32, 42, 55, 61. 1910.
bitternut—
description, occurrence, growth, and reproduction. For. Bul. 80, pp. 17, 22-27, 32, 55, 61. 1910.
planting in Indian Territory. For. Bul. 65, pp. 17, 18. 1905.
borer, painted, description, life history, and control. Y.B., 1910, pp. 349-350, 358. 1911; Y.B. Sep. 542, pp. 349-350, 358. 1911.
characteristics and reproduction. F.B. 468, p. 43, 1911; For. Bul. 98, p. 53. 1911.
Chinese, importation and description. No. 43952, B.P.I. Inv. 49, pp. 10, 103. 1921.
commercial. A. T. Boisen and J. A. Newlin. For. Bul. 80, pp. 64. 1910.
consumption in Arkansas, amount and value. For. Bul. 106, pp. 7, 9, 13, 15, 17, 18, 19, 21, 22, 26, 29, 30, 33, 38. 1912.
coppice, management. Silv. Leaf. 49, p. 4. 1909.
cossid, description—
and control on pecan. F.B. 843, pp. 35-37. 1917.
life history, and control on pecans. F.B. 1364, pp. 36-38. 1924.
creosote penetration experiments, effect of tyloses. J.A.R., vol. 1, pp. 465-466. 1914.
crown-gall inoculation from daisy. B.P.I. Bul. 213, p. 51. 1911.
curculio, description, life history, enemies, and control. D.B. 1066, pp. 11-14, 16. 1922.
description, key, and list of common kinds. D.C. 223, pp. 7, 10-11. 1922.
destruction by—
barkbeetle. Ent. Bul. 58, pp. 60, 92. 1910.
insects. Ent. [Misc.], "Work of insect * * *," rev., pp. 4. 1918; For. Cir. 187, pp. 12-13. 1911.
distillation yields of alcohol, acetic acid, etc. D.B. 129, pp. 7-16. 1914.
dying, cause and remedy. A. D. Hopkins. Ent. Cir. 144, pp. 5. 1912.
gall insects, description, habits, and control. F.B. 1169, pp. 90-91. 1921.
growth—
and reproduction, peculiarities. For. Cir. 187, p. 4. 1911.
rate in different regions. F.B. 1177, rev., p. 25. 1920.
injury by—
aphids. D.B. 100, pp. 19, 27. 1914.
bark beetle and investigation. Y.B., 1902, pp. 85-86. 1903.
borers. Y.B., 1910, pp. 349, 356-358. 1911; Y.B. Sep. 542, pp. 349, 356-358. 1911.
fungous diseases. B.P.I. Bul. 149, pp. 27, 57. 1909.
gipsy moth. F.B. 564, p. 5. 1914.
insects. F.B. 1169, p. 96. 1921.
oak pruner. Ent. Cir. 130, p. 1. 1910.
sapsuckers. Biol. Bul. 39, pp. 29-31, 68-70. 1911; F.B. 506, pp. 13-14. 1912.

Hickory(ies)—Continued.
king-nut and big shellbark. For. Silv. Leaf. 50, pp. 4. 1909.
logging on cove lands, directions. For. Cir. 118, pp. 11-13. 1907.
logs, spraying experiments. D.B. 1079, pp. 5-11. 1922.
lumber production and value by States—
1906. For. Cir. 122, pp. 25-26. 1907.
1913, species and range. D.B. 232, pp. 23-24, 31-32. 1915.
1916, mills reporting. D.B. 673, p. 32. 1918.
1917. D.B. 768, pp. 32-33, 38, 44. 1919.
1918. D.B. 845, pp. 36, 47. 1920.
1920. D.B. 1119, p. 53. 1923; Y.B., 1922, p. 927. 1923.
lumbering, prices, measurements, and waste. For. Bul. 80, pp. 10-13, 59-62. 1910.
manufacture and utilization, 1911. C. F. Hatch. For. Cir. 187, pp. 16. 1911.
mockernut—
density determinations. J.A.R., vol. 2, pp. 426-427. 1914.
description, growth, and reproduction. For. Bul. 80, pp. 21, 22-32, 37, 42-44, 55, 61. 1910.
nut(s)—
bushel weights by States. Y.B., 1918, p. 724. 1919; Y.B. Sep. 795, p. 60. 1919.
oil, digestion experiments, food weights and constituents. D.B. 630, pp. 13-15, 17. 1918.
weevil, infestation with cotton boll weevil parasites. Ent. Bul. 100, pp. 45, 48, 53, 77, 78. 1912.
nutmeg, occurrence, description, growth, and reproduction. For. Bul. 80, pp. 17, 22-27, 32, 42, 55, 61. 1910.
pale-leaf, description. For. Bul. 80, pp. 21, 23. 1910.
phylloxera—
enemy of pecan, description, life history, and control. F.B. 843, pp. 31-32. 1917.
habits and control. F.B. 1169, pp. 90-91. 1921.
pignut—
description. For. Silv. Leaf. 48, pp. 4. 1909.
description, occurrence, growth, and reproduction. For. Bul. 80, pp. 20, 22-32, 37, 42-44, 55, 61. 1910.
tyloses, appearance. J.A.R., vol. 1, pp. 445, 447, 451, 470. 1914.
See also Pignut.
pine. See Pine, bristle-cone.
preservation, characteristics, and results of treatment. D.B. 606, pp. 21, 24, 28, 31. 1918; F.B. 744, p. 17. 1916.
production—
1899-1914, and estimates, 1915. D.B. 506, pp. 13-15, 31. 1917.
in Connecticut, uses, and value. For. Bul. 96, p. 17. 1912.
quantity used in manufacture of wooden products. D.B. 605, p. 10. 1918.
seedlings, height growth. For. Bul. 80, p. 27. 1910.
shagbark, description—
and distribution. For. Cir. 62, pp. 3. 1907; For. Silv. Leaf. 49, pp. 4. 1909.
and identification key. Chem. Bul. 160, pp. 25-26, 36. 1912.
injury from gypsy moth. D.B. 204, p. 15. 1915.
occurrence, growth, and reproduction. For. Bul. 80, pp. 18, 22-32, 37, 42-44, 55, 61. 1910.
shoot curculio, description, life history and enemies. D.B. 1066, pp. 14-16. 1922.
small pignut, description. For. Bul. 80, p. 21. 1910.
source of shuckworm infestation of pecans. F.B. 1364, p. 11. 1924.
spacing in forest planting, and seed quantity per acre. F.B. 1177, rev., p. 22. 1920.
stand—
in forests of South Carolina, tables. For. Bul. 56, p. 28. 1905.
ownership, future supply, and methods of perpetuating. For. Bul. 80, pp. 7-10, 57-64. 1910.
stumpage value, 1907. For. Cir. 122, p. 36. 1907.
supply sources. For. Cir. 187, pp. 3-4. 1911.
susceptibility to powder-post damage. F.B. 778, pp. 4, 15. 1917.

INDEX TO PUBLICATIONS, 1901-1925 1157

Hickory(ies)—Continued.
  tiger-moth, orchard injury by. Dwight Isely. D.B. 598, pp. 16. 1918.
  top-working with pecan, methods. B.P.I. Bul. 251, pp. 33–38. 1912; F.B. 700, pp. 21–23. 1916.
  twig-girdler—
    description, life history, and control. F.B. 1364, pp. 43–47. 1924.
    injury to persimmon trees. F.B. 685, pp. 20–21. 1915.
    pecan enemy, description, life history, and control. F.B. 843, pp. 42–47. 1917.
  use—
    classification. For. Cir. 187, pp. 4–9. 1911.
    for airplane skids. D.B. 1128, pp. 4, 42. 1923.
    for barrel hoops, and value. For. Cir. 123, p. 8. 1907.
    for smoking meat. For. Cir. 187, pp. 7–8. 1911.
    value and uses. Y.B. 1918, pp. 318, 321. 1919; Y.B. Sep. 779, pp. 4, 7. 1919.
  varieties—
    associated with the shagbark. For. Silv. Leaf. 49, p. 2. 1909.
    description, range, growth, and reproduction. For. Bul. 80, pp. 13–33. 1910.
    volume tables and growth rate. For. Bul. 36, pp. 132–133, 189, 193. 1910.
  waste in manufacture of skewers. Y.B., 1910, p. 262. 1911; Y.B. Sep. 534, p. 262. 1911.
  water, description, occurrence, growth, and reproduction. For. Bul. 80, pp. 16, 22–27, 32, 42, 55, 61. 1910.
  weight—
    per cord, and equivalent in coal. D.B. 718, p. 59. 1918.
    uses, freight rates, and value. F.B. 715, pp. 4, 5, 6, 10, 18, 21, 34, 35, 41. 1916.
  wood tests for mechanical properites, results. D.B. 556, pp. 29–30, 39–40. 1917; D.B. 676, pp. 19–21. 1919. For. Bul. 80, pp. 41–57. 1910.
  See also Hardwoods.
Hicks, W. B.—
  "A bacteriological and chemical study of commercial eggs in the producing districts of the central West." With others. D.B. 51, pp. 77. 1914.
  "A study of the preparation of frozen and dried eggs in the producing section." With others. D.B. 224, pp. 99. 1916.
Hicksbeachia pinnatifolia, importation and description. No. 39871, B.P.I. Inv. 42, pp. 6, 30. 1918.
Hicoria—
  alba, top-working with pecan, experiments. F.B. 700, p. 21. 1916.
  aquatica, top-working with pecan, experiments. F.B. 700, p. 21. 1916.
  spp.—
    description of nuts, and identification key to species. Chem. Bul. 160, pp. 23–26, 36. 1912.
    injury by sapsuckers. Biol. Bul. 39, pp. 29–31, 70–71. 1911.
    use in top working with pecan. B.P.I. Bul. 251, pp. 33–38. 1912.
  See also Hickory.
Hidalgo Canal Co., irrigation system, details. O.E.S. Bul. 222, p. 57. 1910.
Hides—
  and skins—
    country. R. W. Hickman and others. F.B. 1055, pp. 64. 1919.
    disinfection, certification and regulations. Joint Order No. 1, pp. 7. 1916; Joint Order No. 256, pp. 4. 1917.
    international trade. Stat. Bul. 103, pp. 20–29. 1913; Y.B., 1908, pp. 717–722, 753, 764. 1909; Y.B. Sep. 498, pp. 717–722, 753, 764. 1909
    marketing, bibliography. M.C. 35, p. 27. 1925.
    production and consumption, 1900. Stat. Bul. 55, p. 99. 1907.
    shipment—
      from areas quarantined to prevent spread of foot-and-mouth disease. B.A.I.O. 156, amdt. 2, pp. 2. 1908.
      quarantine, modification, Jan. 13, 1909. B.A.I.O. 156, amdt. 10, pp. 2. 1909.
      shipping requirement, modification. B.A.I.O. 229, amdt. 2, pp. 2. 1914; B.A.I.O. 229, amdt. 3, pp. 2. 1914.

Hides—Continued.
  and skins—continued.
    tagging directions. F.B. 1055, pp. 39–52. 1919.
  anthrax spread. F.B. 784, p. 8. 1917.
  beef, handling. F.B. 1415, p. 33. 1924.
  cattle—
    exports, 1912, by countries. F.B. 615, pp. 19, 20. 1914.
    imports, 1909–1914, sources of supply. F.B. 615, pp. 17–19, 20–22. 1914.
  certification and disinfection, regulations. Joint Order No. 1, pp. 1–3. 1917.
  consumption, per capita, and percentage of production. Y.B. 1917, pp. 442–445. 1918; Y.B. Sep. 741, pp. 20–23. 1918.
  country, grades and classes. F.B. 1055, pp. 42–45. 1919.
  curing and tanning investigations. Chem. Chief Rpt., 1921, pp. 35–37. 1921.
  cutting, with other glue stock, 1907–1909, value, by countries from which consigned. Stat. Bul. 82, pp. 27–28. 1910.
  deer, value to people of Alaska. D.C. 88, p. 9. 1920; Biol. Doc. 110, p. 4. 1919.
  diseased carcasses, disinfection. B.A.I.S.R.A. 94, p. 22. 1915.
  disinfection—
    anthrax spores, bacteriological study. J.A.R. vol. 4, pp. 65–92. 1915.
    regulations. B.A.I.O. 211, amdt. 2, pp. 1–2. 1915.
    Seymour-Jones and Schattenfroh method. J.A.R., vol. 4, pp. 65–67, 82, 87, 90. 1915.
    with mercuric chloride for anthrax infection. An. Rpts., 1917, p. 116. 1917; B.A.I. Chief Rpt., 1917, p. 50. 1917.
  exports—
    1922–1924. Y.B., 1924, pp. 978, 1041. 1925.
    by country and class, 1910–1912. Y.B., 1913, pp. 458–459. 1914; Y.B. Sep. 631, pp. 458–459. 1914.
  handling—
    and control, regulations with other products. Joint Order No. 2, pp. 11. 1917.
    by packers and by farmers, comparison. F.B. 1055, pp. 5, 45–46. 1919.
  importations regulations. B.A.I.S.R.A. 107, p. 27. 1916.
  imported, disinfection order with other articles. B.A.I.O. 256, pp. 1–3. 1917.
  imports—
    1901–1924. Y.B., 1924, pp. 977, 978, 1058–1059, 1077. 1925.
    1907–1909, amount and value, by countries from which consigned. Stat. Bul. 82, pp. 28–31. 1910.
    1908–1910, amount and value, by countries from which consigned. Stat. Bul. 90, pp. 29–34. 1911.
    1917. Y.B., 1917, pp. 434–438. 1918; Y.B. Sep. 741, pp. 12–16. 1918.
    and exports—
      1904. B.A.I. An. Rpt. 1904, pp. 493–495. 1905.
      1907–1911, and 1908–1912, and imports, 1851–1912. Y.B., 1912, pp. 673–677, 714, 727, 746. 1913; Y.B. Sep. 615, pp. 673–677, 714, 727, 746. 1913.
      1909–1917. Y.B., 1918, pp. 591–592. 1919; Y.B. Sep. 793, pp. 7–8. 1919.
      1918. Y.B., 1918, pp. 628, 636, 649, 661–662. 1919; Y.B. Sep. 794, pp. 4, 12, 25, 37–38. 1919.
      1919. Y.B., 1919, pp. 648–649, 683, 691, 704, 717–718. 1920; Y.B. Sep. 828, pp. 648–649. 1920; Y.B. Sep. 829, pp. 683, 691, 707, 717–718. 1920.
      1922, and prices. Y.B., 1922, pp. 804–807, 950, 956, 967, 977. 1923; Y.B. Sep. 888, pp. 804–807. 1923; Y.B. Sep. 880, pp. 950, 956, 967, 977. 1923.
      by country and class, 1910–1912. Y.B., 1913, pp. 459–460. 1914; Y.B. Sep. 631, pp. 459–460. 1914.
    rules. News L., vol. 5, No. 25, pp. 4–5. 1918.
  infected—
    spread of anthrax. B.A.I. An. Rpt., 1909, p. 219. 1911; F.B. 439, p. 7. 1911.
    with foot-and-mouth disease, treatment. Sec. [Misc.] Spec., "Notice regarding * * *," p. 4. 1915.

Hides—Continued.
  injury by cattle ticks. B.A.I. [Misc.], "The story * * * cattle fever tick," rev., pp. 9, 10. 1922.
  international trade—
    1901–1905. Y.B., 1906, pp. 640–645. 1907; Y.B. Sep. 436, pp. 640–645. 1907.
    1902–1906. Y.B., 1907, pp. 704–709, 737, 747. 1908; Y.B. Sep. 465, pp. 704–709, 739, 747. 1908.
    1905–1909, exports and imports, 1906–1910. Y.B. 1910, pp. 621–627, 655, 666. 1911; Y.B., Sep. 553, pp. 621–627, 655, 666. 1911; Y.B. Sep. 554, pp. 621–627, 655, 666. 1911.
  losses from inperfections. F.B. 1055, pp. 6–9, 40–45. 1919.
  packer—
    and country, comparison of condition. F.B. 1055, pp. 5, 45–46. 1919.
    grades and classes. F.B. 1055, pp. 40–42, 63. 1919.
  prices—
    schedule, 1918, and range, 1898–1918. F.B. 1055, pp. 53–62. 1919.
    variations from cost of leather, causes. F.B. 1055, pp. 9–11. 1919.
  production in United States, 1917. Y.B., 1917, pp. 432–434. 1918; Y.B. Sep. 741, pp. 10–12. 1918.
  quarantine regulations, for foot-and-mouth disease, May, 1915. B.A.I.O. 238, pp. 2, 3, 10, 13. 1915.
  reindeer, tanning in Alaska, need of improved methods. D.B. 1089, p. 18. 1922.
  shipping to tanneries, regulations and caution. F.B. 1334, p. 2. 1923.
  skinning, curing, and marketing, directions for farmers. F.B. 1055, pp. 1–64. 1919.
  soaking, cleaning, liming, and drenching in tanning. D.C. 230, pp. 12–14. 1922.
  sources and supply, imports and use, 1919. F.B. 1055, pp. 3–5. 1919.
  tanning—
    at home, directions. D.C. 230, pp. 4–22. 1922; F.B. 1334, pp. 3–22. 1923.
    by tanners, cost and requirements. D.C. 230, pp. 2–3. 1922; F.B. 1334, pp. 1–2. 1923.
  tick-infested, reduced value. Y.B., 1915, p. 161. 1916; Y.B., Sep. 666, p. 161. 1916.
  See also Horsehides; Leather.
HIDINGER, L. L.—
  "A preliminary report on the drainage of the Fifth Louisiana Levee District, comprising the Parishes of East Carroll, Madison, Tensas, and Concordia." With others. O.E.S. Cir. 104, pp. 35. 1911.
  "The drainage situation in the lower Rio Grande Valley, Texas." O.E.S. Cir. 103, pp. 36. 1911.
Hien Fong essence, misbranding. Chem. N.J. 4116, pp. 172–173. 1916.
Hieracium—
  aurantiacum. See Hawkweed.
  cynoglossoides, description, habits, and forage value. D.B. 545, pp. 51–52, 58, 60. 1917.
Hierofalco rusticolus sacer. See Gyrfalcon, American.
Higacho, importation and description. No. 53754, B.P.I. Inv. 67, pp. 2, 86. 1923.
HIGGINS, A. L.: "Soil survey of—
  Bates County, Missouri." With others. Soil Sur. Adv. Sh. 1908, pp. 32. 1910; Soils F.O., 1908, pp. 1093–1120. 1911.
  Ben Hill County, Georgia." With David D. Long. Soil Sur. Adv. Sh., 1912, pp. 27. 1913; Soils F.O., 1912, pp. 495–517. 1915.
  Reno County, Kansas." With others. Soil Sur. Adv. Sh., 1911, pp. 72. 1913; Soils F.O., 1911, pp. 1991–2058. 1914.
HIGGINS, B. B.—
  "A collectotrichum leafspot of turnips. J.A.R., vol. 10, pp. 157–162. 1917.
  studies of gummosis. J.A.R., vol. 24, pp. 194, 223, 225, 227, 229, 234. 1923.
HIGGINS, C. H.: "Temperature in relation to quality of sweetcorn." With Neil E. Stevens. J.A.R., vol. 17, pp. 275–284. 1919.
HIGGINS, J. E.—
  "Citrus fruits in Hawai." Hawaii Bul. 9, pp. 31. 1905.
  "Horticultural observations in Porto Rico, Cuba, and Florida in relation to the horticulture of Hawaii." Hawaii A. R., 1915, pp. 58–73. 1916.

HIGGINS, J. E.—Continued.
  "Marketing Hawaiian fruits." Hawaii Bul. 14, pp. 44. 1907.
  report of horticulturist, Hawaii Experiment Station—
    1906. Hawaii A.R., 1906, pp. 33–36. 1907.
    1907. Hawaii A.R., 1907, pp. 52–60. 1908.
    1908. Hawaii A.R., 1908, pp. 42–50. 1909.
    1909. Hawaii A.R., 1909, pp. 47–57. 1910.
    1910. Hawaii A.R., 1910, pp. 25–40. 1911.
    1911. Hawaii A.R., 1911, pp. 25–42. 1912.
    1912. Hawaii A.R., 1912, pp. 35–44. 1913.
    1913. Hawaii A.R., 1913, pp. 22–26. 1914.
    1915. Hawaii A.R., 1915, pp. 20–27. 1916.
    1916. Hawaii A.R., 1916, pp. 13–21. 1917.
    1917. Hawaii A.R., 1917, pp. 11–25. 1918.
    1918. Hawaii A.R., 1918, pp. 13–21. 1919.
    1919. Hawaii A.R., 1919, pp. 16–40. 1920.
  "Shield budding the mango." Hawaii Bul. 20, pp. 16. 1910.
  "The avocado in Hawaii." With others. Hawaii Bul. 25, pp. 48. 1911.
  "The banana as an emergency food crop." Hawaii Bul. 6, pp. 16. 1917.
  "The banana in Hawaii." Hawaii Bul. 7, pp. 53. 1904.
  "The litchi in Hawaii." Hawaii Bul. 44, pp. 21. 1917.
  "The mango in Hawaii." Hawaii Bul. 12, pp. 32. 1906.
  "The papaya in Hawaii." With Valentine S. Holt. Hawaii Bul. 32, pp. 44. 1914.
HIGGINS, L. A.: "How the dairy cow brought prosperity in the wake of the boll weevil." Y.B., 1917, pp. 303–310. 1918; Y.B. Sep. 744, pp. 10. 1918.
HIGH, M. M.—
  "Cactus solution as an adhesive in arsenical sprays for insects." D.B. 160, pp. 20. 1915.
  "The huisache girdler." D.B. 184, pp. 9. 1915.
Highball (horse), pedigree. D.C. 153, p. 12. 1921.
Highlands—
  Guatemala, avocado growing, soils, and yields. D.B. 743, pp. 10–36. 1919.
  Massachusetts and Connecticut, soil characteristics. D.B. 140, pp. 19–21, 24–29. 1915.
Highmore, S. Dak., kaoliang varieties, testing. 1909 and 1910. B.P.I. Bul. 253, pp. 37, 60–62. 1913.
Highmore substation, drought-resistant plant-breeding experiments. B.P.I. Bul. 196, pp. 9–10, 13, 21, 24, 29, 31. 1910.
High schools. See Schools.
HIGHTOWER, G. B.: "Soil survey of Winston County, Miss." With G. A. Crabb. Soil Sur. Adv. Sh., 1912, pp. 47. 1914; Soils F.O., 1912, pp. 927–967. 1915.
Highway(s)—
  act—
    enforcement. Sol. A.R., 1924, pp. 13–14. 1924.
  Federal—
    details. M.C. 60, pp. 7–13, 21–24. 1925.
    rules and regulations for administering forest roads and trails. Sec. [Misc.], "Rules and regulations * * *," pp. 14. 1922.
  rules and regulations of Secretary. Sec. Cir. 161, pp. 14. 1922.
  text. Sec. Cir. 161, pp. 7–12. 1922.
  and highway transportation. T. Warren Allen, and others. Y.B., 1924, pp. 97–184. 1925; Y.B. Sep. 914, pp. 97–184. 1925.
  bonds—
    compilation of data and an analysis of economic features affecting construction and maintenance of highways financed by bond issues, and the theory of highway-bond calculations. Laurence I. Hewes and James W. Glover. D.B. 136, pp. 136. 1915; rev., pp. 78. 1917.
    serial, annuity, and sinking-fund, comparative studies. D.B. 136, rev., pp. 18–24. 1917.
  bridges—
    and culverts. Charles H. Hoyt and William H. Burr. Rds. Bul. 39, pp. 22. 1911; Rds. Bul. 43, pp. 21. 1912.
    steel—
      fabrication and erection, typical specifications. Rds. Cir. 100, pp. 25. 1913.
      standard specifications for. D.B. 1259, pp. 48. 1924.

Highway(s)—Continued.
  California system, report of study. Newell D.
    Darlington and others. Rds. [Misc.], "Report
    of study * * * 1920, rev., 1921," pp. 171.
    1922.
  commissions—
    duties and value, comparison with State engineer. Rds. Bul. 42, pp. 25-26. 1912.
    Federal, Secretary's opinion of. News L., vol.
      6, No. 43, pp. 1, 13-14. 1919.
    State, powers, and benefits to State roads.
      Y.B., 1910, pp. 270, 271, 273. 1911; Y.B. Sep.
      535, pp. 270, 271, 273. 1911.
  construction—
    and maintenance, Federal-aid legislation. M.C.
      60, pp. 24. 1925.
    progress—
      1920. An. Rpts., 1920, pp. 41-45. 1921; Sec.
        A.R., 1920, pp. 41-45. 1920.
      1923. Y.B., 1923, pp. 47-48. 1924.
      1924. Sec. A.R., 1924, pp. 55-56. 1924.
    resumption and extension. Sec. [Misc.], "Remarks * * * Secretary * * *," p. 13.
      1918.
  cost—
    analysis. D.B. 660, p. 10. 1918.
    keeping—
      James J. Tobin, and others. D.B. 660, pp.
        52. 1918.
      operation code, details of use. D.B. 660, pp.
        16-23. 1918.
  council, United States, composition and work.
    Ar. Rpts., 1918, pp. 40-41. 1919; Sec. A.R.,
    1918, pp. 40-41. 1918.
  departments—
    establishment in different States. Y.B., 1914,
      pp. 213, 214-215. 1915; Y.B. Sep. 638, pp.
      213, 214-215. 1915.
    in Middle Atlantic States. D.B. 386, pp. 3, 7,
      15, 21. 1916.
    State—
      administration in New England States.
        D.B. 388, pp. 2-3. 1917.
      use of war materials in road work. Rds. Chf.
        Rpt., 1921, pp. 25-30. 1921.
  drainage assessments against. D.B. 1207, pp.
    46-48. 1924.
  expenditures, and mileage, State, for the calendar
    year 1915. Sec. Cir. 63, pp. 8. 1916.
  Federal—
    aid statistics. Y.B., 1924, pp. 1184-1187. 1925
    aid to. J. E. Pennybacker and L. E. Boykin.
      Y.B., 1917, pp. 127-138. 1918; Y.B. Sep. 739,
      pp. 14. 1918.
    statistics, 1923. Y.B., 1923, pp. 1195-1197.
      1924; Y.B. Sep. 906, pp. 1195-1197. 1924.
    forest, mileage and cost, 1925. Rds. Chief Rpt.,
      1925, p. 27. 1925.
    funds, sources and amounts. D.B. 1279, pp. 3-5.
      1925.
  Great Britain and France, studies. Off. Rec.,
    vol. 3, No. 16, p. 5. 1924.
  legislation—
    discussion. Rds. Bul. 42, pp. 29-35. 1912.
    See also Laws, roads.
  materials, sampling and testing, standard and
    tentative methods. D.B. 949, pp. 98. 1921;
    D.B. 1216, pp. 96. 1924.
  McKenzie, road log. D.C. 104, pp. 24-27. 1920.
  mileage—
    and—
      expenditures, State, for the calendar year
        1915. Sec. Cir. 63, pp. 8. 1916.
      revenues, New England States, 1914. D.B.
        388, pp. 1-74. 1917.
    rural, income and expenditures, 1921 and 1922.
      Andrew P. Anderson. D.B. 1279, pp. 88.
      1925.
  model, planning, location. An. Rpts., 1917, pp.
    365-366. 1918; Rds. Chief Rpt., 1917, pp. 7-8.
    1917.
  national—
    building prior to railroad construction. Y.B.,
      1914, p. 211. 1915; Y.B. Sep. 638, p. 211.
      1915.
    Cumberland road, historical notes, southwestern Pennsylvania. Soil Sur. Adv. Sh.,
      1909, pp. 51-52. 1911; Soils F.O., 1909, pp.
      251-252. 1912.

Highway(s)—Continued.
  national—continued.
    forests, use by tourists. For. [Misc.], "Recreation uses * * *," p. 7. 1918.
  New Hampshire. Charles H. Hoyt. Rds. Bul.
    42, pp. 35. 1912.
  organizations, directory. Farm M. [Misc.],
    "Rules * * * entry * * *," pp. 72-75.
    1920.
  Rainier National Forest, description. D.C. 103,
    pp. 23-24. 1920.
  relation to milk transportation. Y.B., 1922, pp.
    356-359. 1923; Y.B. Sep. 879, pp. 64-67. 1923.
  repair and maintenance. Laurence I. Hewes.
    Rds. Bul. 48, pp. 71. 1913.
  signs, recommendations by board. Off. Rec.,
    vol. 4, No. 32, pp. 1-2. 1925.
  State—
    army road equipment. News L., vol. 6, No.
      47, pp. 1-2. 1919.
    mileage and expenditures—
      January 1, 1915. Sec. Cir. 52, pp. 6. 1915.
      1916. Sec. Cir. 74, pp. 8. 1917.
    officials, directory—
      1907. Y.B., 1907, p. 521. 1908; Y.B. Sep.
        464, p. 521. 1908.
      1908. Y.B., 1908, p. 513. 1909; Y.B. Sep.
        497, p. 513. 1909.
    progress to January 1, 1915, chart. Y.B., 1914,
      pp. 221-222. 1915; Y.B. Sep. 638, pp. 221-222.
      1915.
  systems—
    economic studies, program for 1915. Sec.
      [Misc.], "Program of work * * * 1915,"
      p. 264. 1914.
    Federal-aid mileage and usefulness. An. Rpts.,
      1923, pp. 464-465. 1923; Rds., Chief. Rpt.,
      1923, pp. 2-3. 1923.
    traffic and system, Cook County, Ill., report of
      study. Rds. [Misc.], "Report of study * * *
      pp. 96. 1925.
    types, development in Middle Atlantic States.
      D.B. 386, pp. 5-6. 1916.
  various charges, and total cost, comparisons.
    D.B. 136, rev., pp. 24-27, 70-71. 1917.
  Washington-Atlanta, construction and maintenance. An. Rpts., 1914, p. 274. 1914; Rds.
    Chief Rpt., 1914, p. 6. 1914.
  See also Roads; Soil Surveys for roads of counties
    and various localities.
Higos chumbos. See Tuna.
Hikuli. See Peyote.
Hilaria—
  cenchroides, distribution, description, and feed
    value. D.B. 201, p. 27. 1915.
  spp., description, distribution, and uses. D.B.
    772, pp. 16, 167-169, 170. 1920.
HILDEBRANDT, F. M.: "Investigations on the
  mosaic of the Irish potato." With others.
  J.A.R., vol. 17, pp. 247-273. 1919.
HILGARD, E. W.—
  "Studies of the subterranean water supply of
    the San Bernardino Valley and its utilization." O.E.S. Bul. 119, pp. 103-146. 1902.
  work on soil moisture and hygroscopic coefficient.
    J.A.R., vol. 11, pp. 150-151, 163-164. 1917.
Hilgard-Jaffa method of humus extraction, discussion. J.A.R., vol. 5, pp. 912-913. 1916.
HILL, C. C.—
  "Biological studies of the green clover worm."
    D.B. 1336, pp. 20. 1925.
  "Control of the green clover worm in alfalfa
    fields." F.B. 982, pp. 7. 1918.
  "Platygaster vernalis Myers, an important parasite of the Hessian fly." J.A.R., vol. 25, pp.
    31-42. 1923.
  "The polyembryonic development of Platygaster
    vernalis." With R. W. Leiby. J.A.R., vol. 28,
    pp. 829-840. 1924.
  "The twinning and monoembryonic development
    of Platygaster hiemalis, a parasite of the Hessian
    fly." With R. W. Leiby. J.A.R., vol 25, pp.
    337-350. 1923.
HILL, C. L.—
  "Law enforcement on the national forests, California district." With C. V. Brereton. For.
    [Misc.], "Law enforcement * * *," pp. 107.
    1920.
  "Wood paving in the United States." For. Cir.
    141, pp. 24. 1908.

HILL, D. H.: "Soil survey of Overton County, Tennessee." With Orla L. Ayrs. Soil Sur. Adv. Sh., 1908, pp. 24. 1909; Soils F.O., 1908, pp. 969-988. 1911.

HILL, G. W.—
"Biographical sketch of William Saunders." Y.B., 1900, pp. 625-630. 1901; Y.B. Sep. 224, pp. 625-630. 1901.
report of Editor, Publications Division—
1901. An. Rpts., 1901, pp. 271-324. 1901; Pub. A. R., 1901, pp. 54. 1901.
1902. An. Rpts., 1902, pp. 317-376. 1902.
1903. An. Rpts., 1903, pp. 369-438. 1903; Pub. A. R., 1903, pp. 70. 1903.
1904. An. Rpts., 1904, pp. 339-404. 1904; Pub. A.R., 1904, pp. 16. 1904.
1905. An. Rpts., 1905, pp. 327-404. 1905; Pub. A.R., 1905, pp. 78. 1905.
1906. An. Rpts., 1906, pp. 451-540. 1906; Pub. A.R., 1906, pp. 94. 1906.
1908. An. Rpts., 1908, pp. 627-702. 1909; Pub. A.R., 1908, pp. 80. 1908.

HILL, HUBERT: "Soil survey of Cabarrus County, North Carolina." With others. Soil Sur. Adv. Sh., 1910, pp. 47. 1911; Soils F.O., 1910, pp. 297-339. 1912.

HILL, I. W.—
"Boys' agricultural club work in the Southern States." With C. L. Chambers. D.C. 38, pp. 22. 1919.
"Boys' and girls' club work, 1923." With Gertrude L. Warren. D.C. 348, pp. 47. 1925.
"Girls' demonstration work: The canning clubs." With O. B. Martin. B.P.I. Doc. 870, pp. 8. 1913.
"Organization of boys' agricultural club work in the Southern States." With O. B. Martin. S.R.S. Doc. 27, pp. 10. 1915.
"Results of demonstration work in boys' and girls' clubs in 1912." With O. B. Martin. B.P.I. Doc. 865, pp. 8. 1913.

HILL, R. G.—
"The efficiency of a short-type refrigerator car." With others. D.B. 1353, pp. 28. 1925.
"Transportation of citrus fruits from Porto Rico." With Lon A. Hawkins. D.B. 1290, pp. 20. 1924.

HILL, R. R.: "Effects of grazing upon western yellow-pine reproduction in the national forests of Arizona and New Mexico." D.B. 580, pp. 27. 1917.

HILL, REYNOLDS: "Seasoning of timber." With Hermann Von Schrenk. For. Bul. 41, pp. 48. 1903.

Hillberry. See Wintergreen.
Hiller, for "laying by" sweet potatoes, description. F.B. 324, pp. 23-24. 1908.

HILLMAN, F. H.—
"Distinguishing characters of the seeds of Sudan grass and Johnson grass." D.B. 406, pp. 5. 1916.
"Dodder in relation to farm seeds." F.B. 306, pp. 27. 1907.
"Red clover." With J. M. Westgate. F.B. 455, pp. 48. 1911.
"Seed of red clover and its impurities." With Edgar Brown. F.B. 260, pp. 24. 1906.
"Testing farm seeds in the home and in the rural school." F.B. 428, pp. 47. 1911.
"The adulteration of forage plant seeds." F.B. 382, pp. 23. 1909.
"The distinguishing characters of the seeds of quack-grass and of certain wheat-grasses." B.P.I. Cir. 73, pp. 9. 1911.
"The seeds of redtop and other bent grasses." D.B. 692, pp. 15-26. 1918.
"The seeds of rescue grass and chess." B.P.I. Bul. 25, Pt. I., pp. 5-8. 1903.
"The seeds of the bluegrasses." With Edgar Brown. B.P.I. Bul. 84, pp. 38. 1905.
"Vetch seed and its adulterants." F.B. 515, pp. 23-27. 1912.

HILLS, J. L.—
"Dietary studies in Vermont farmers' families." O.E.S. Bul. 221, pp. 7-19. 1909.

HILLS, J. L.—Continued.
report of Vermont Experiment Station, work and expenditures—
1906. O.E.S. An. Rpt., 1906, pp. 160-162. 1907.
1907. O.E.S. An. Rpt., 1907, pp. 177-178. 1908.
1908. O.E.S. An. Rpt., 1908, pp. 177-178. 1909.
1909. O.E.S. An. Rpt., 1909, pp. 192-194. 1910.
1910. O.E.S. An. Rpt., 1910, pp. 249-251. 1911.
1911. O.E.S. An. Rpt., 1911, pp. 210-213. 1912.
1912. O.E.S. An. Rpt., 1912, pp. 213-216. 1913.
1913. O.E.S. An. Rpt., 1913, pp. 83-84. 1915.
1914. O.E.S. An. Rpt., 1914, pp. 228-232. 1915.
1915. S.R.S. Rpt., 1915, Pt. I, pp. 259-263. 1916.
1916. S.R.S. Rpt., 1916, Pt. I, pp. 265-270. 1918.
1917. S.R.S. Rpt., 1917, Pt. I, pp. 259-262. 1918.

HILLS, T. L.: "Influence of nitrates on nitrogen-assimilating bacteria." J.A.R., vol. 12, pp. 183-230. 1918.

Hill's Kaskara Tablets, misbranding. Chem. N.J. 13454. 1925.

Hillsides—
air drainage, relation to frost conditions. F.B. 1096, pp. 5-7, 31. 1920.
cellar for bees, advantages. F.B. 1014, pp. 8, 10, 11. 1918.
drainage methods. F.B. 524, p. 23. 1913.
erosion—
a working model for schools, directions for making. O.E.S. Cir. 117, pp. 1-117. 1912.
farm lands, prevention. O.E.S. Bul. 158, pp. 728-731. 1905.
processes. Y.B., 1913, p. 208. 1914; Y.B. Sep. 624, p. 208. 1914.
and, uses, improvement, methods on successful New York farm. D.B. 32, pp. 10-16. 1913.
orchards in irrigation experiments, Umatilla, Oreg. W.I.A. Cir. 26, pp. 20-21. 1919.
protection by trees. D.C. 265, p. 9. 1923.
utilization for wood lots. Y.B., 1914, p. 453. * 1915; Y.B. Sep. 651, p. 453. 1915.

Hilo grass, growing in Hawaii, extent and value. Hawaii Bul. 36, pp. 11, 14. 1915.

Hilo substation, Hawaii, work—
1912. Hawaii A.R., 1912, pp. 83-84. 1913.
1914. Hawaii A.R., 1914, pp. 11, 57. 1915.

HILTNER, R. S.—
"Flavoring extracts." Chem. Bul. 152, pp. 127-245. 1912; Chem. Bul. 162, pp. 82-90. 1913.
"Quick method for determining ether extract in dry powdered substances: Cocoa, coffee, spices, etc." With A. F. Leach. Chem. Bul. 137, pp. 85-86. 1911.
"Sugar and molasses." With H. P. Agee. Chem. Bul. 137, pp. 160-167. 1911.
tentative method for determination of essential oil in alcoholic solutions. Chem. Bul. 152, pp. 195-196. 1912.

Hiltons' Specific, misbranding. Chem. N.J. 3043, p. 271. 1914.

HILTS, R. W.—
"A chemical study of the ripening and pickling of California olives." With R. S. Hollingshead. D.B. 803, pp. 24. 1920.
recalculation of Juckenacks' egg-noodle tables. Chem. Bul. 152, pp. 116-117. 1912.
report as referee on spices. Chem. Bul. 152, pp. 89-95. 1912; Chem. Bul. 162, pp. 92-93. 1913.

Himantopus mexicanus—
breeding range and migration habits. Biol. Bul. 35, pp. 20-21. 1910.
See also Stilt, black-necked.

Himatione frathii, number on Laysan Island, and description. Biol. Bul. 42, p. 22. 1912.

Hindheal. See Tansy.

HINDS, W. E.—
"An ant enemy of the cotton boll weevil." Ent. Bul. 63, Pt. III, pp. 45-48. 1907.
"Carbon bisulphid as an insecticide." F.B. 145, pp. 28. 1902; F.B. 799, pp. 21. 1917.
"Habits and life histories of some flies of the family Tabanidae." Ent. T.B. 12, Pt. II, pp. 19-38. 1906.

HINDS, W. E.—Continued.
"Hibernation of the Mexican cotton boll weevil."
With W. W. Yothers. Ent. Bul. 77, pp. 100.
1909.
"Livestock, insects, injurious in vicinity of Gulf
Station." Ent. Bul. 44, pp. 57–60. 1904.
"Proliferation as a factor in the natural control of
the Mexican cotton boll weevil." Ent. Bul.
59, pp. 45. 1906.
"Some factors in the natural control of the cotton
boll weevil." Ent. Bul. 74, pp. 79. 1908.
"The Mexican cotton boll weevil." With W. D.
Hunter. Ent. Bul. 45, pp. 116. 1904.
"The Mexican cotton boll weevil: A revision and
amplification of bulletin 45 to include the most
important observations made in 1904." With
W. D. Hunter. Ent. Bul. 51, pp. 181. 1905.
HINES, EDWARD: "Avoiding waste by dimension
stock." M.C. 39, pp. 47–50. 1925.
HINSON, W. M.: "Experiments in growing Cuban
seed tobacco in Texas." With George T. Mc-
Ness. Soils Bul. 27, pp. 44. 1905.
Hip—
canker, pine, caused by *Peridermium filamento-
sum*. J.A.R., vol. 5, No. 17, pp. 782, 783. 1916.
fracture—
cattle, causes and effects. B.A.I. [Misc.],
"Diseases of cattle," rev., pp. 277–278. 1904;
rev., p. 286. 1912.
horse, injury to pelvis. B.A.I. [Misc.], "Dis-
eases of the horse," rev., pp. 317–319. 1903.
Hipolite Egg Co., case of egg adulteration, decision,
Supreme Court. Chem. N.J. 1043, pp. 8. 1911;
Sol. Cir. 45, pp. 8. 1911.
"Hippe." *See* Kefir.
Hippeastrum—
rutilum, importation and description. No.
54042, B.P.I. Inv. 68, p. 21. 1923.
spp. *See* Amaryllis.
Hippocastanaceae, family characters. For. [Misc.],
"Forest trees for Pacific * * *," p. 398. 1908.
Hippodamia—
ambigua, enemy of rose aphid. D.B. 90, p. 12.
1914.
convergens—
beneficial, enemy of bean ladybird. F.B. 1074,
p. 5. 1919.
enemy of *Pemphigus ocerifolii*. Ent. T.B. 24,
p. 11. 1912.
introduction into Porto Rico for aphid control.
P.R. An. Rpt., 1912, p. 37. 1913.
See also Ladybird, convergent.
spp., enemies of—
alfalfa weevil. Ent. Bul. 112, p. 31. 1912.
beet leaf-beetle. F.B. 1193, p. 8. 1921.
Hippomane mancinella. *See* Manzanillo.
Hippophae rhamnoides—
importation and description. No. 36743, B.P.I.
Inv. 37, p. 59. 1916.
procera, importation and description. No.
40715, B.P.I. Inv. 43, pp. 70–71. 1918.
Hippuric acid—
determination in—
poultry excrement. B.A.I. Bul. 56, pp. 81–83.
1904.
urine. Chem. Bul. 84, Pt. IV, pp. 1046–1061.
1908.
formation and excretion. Chem. Cir. 39, pp. 7–9,
14. 1908.
urine, effect of sodium benzoate. Rpt. 88, pp.
83–85. 1909.
Hiptage benghalensis, importation and description.
No. 53578, B.P.I. Inv. 67, p. 64. 1923.
Hirneola auricula-judae, description. D.B. 175, p.
45. 1915.
HIRST, C. T. "Influence of crop, season, and water
on the bacterial activities of the soil." With
others. J.A.R., vol. 9, pp. 293–341. 1917.
Hirundo erythrogaster. *See* Swallow, barn.
HISCOX, J. W.: "Report of Office of Exhibits—
1922. An. Rpts., 1922, pp. 629–632. 1922; Exh.
A.R., 1922, p. 4. 1922.
1923. An. Rpts., 1923, pp. 533–536. 1923; Pub.
A.R., 1923, pp. 19–22. 1923.
Hispa, leaf, coconut, description. Sec. [Misc.],
"A manual of insects * * *," pp. 160–161.
1917.

Hissar, use in Porto Rico. O.E.S. An. Rpt., 1909,
p. 27. 1910.
Hiss's medium, for *Bacillus coli* and typhoid bacil-
lus. B.P.I. Bul. 228, p. 91. 1912.
Histidine—
acid, occurrence in soil, description. Soils Bul
74, pp. 32–34. 1910.
determination in processed fertilizer base,
methods. D.B. 158, pp. 9, 23. 1914.
isolation and identification in soils. Soils Bul.
89, pp. 20, 25, 31. 1912.
occurrence in soils. Soils Bul. 80, pp. 17–18.
1911.
wheat-growing tests, tables. Soils Bul. 87, pp.
44–46. 1912.
Histiogaster spp., description. Rpt. 108, pp. 113,
117. 1915.
Histiostoma spp., description and habits. Rpt. 108,
pp. 113, 114–115. 1915.
Histrionicus histrionicus. *See* Duck, harlequin.
Hitch, diamond, directions for making. D.C. 4,
pp. 65, 66. 1919.
HITCHCOCK, A. S.—
"Alfalfa growing." F.B. 215, pp. 40. 1905.
"Bermuda grass." Agros. Cir. 31, pp. 6. 1901.
"Cultivated forage crops of the Northwestern
States." B.P.I. Bul. 31, pp. 28. 1902.
"Directions for preparing herbarium specimens
of grasses." With Agnes Chase. B.P.I. Doc.
442, pp. 4. 1909.
"Methods used for controlling and reclaiming
sand dunes." B.P.I. Bul. 57, pp. 36. 1904.
"North American species of Agrostis." B.P.I.
Bul. 68, pp. 68. 1905.
"North American species of Leptochloa." B.P.I
Bul. 33, pp. 24. 1903.
"Rape as a forage crop." F.B. 164, pp. 16.
1903.
"The genera of grasses of the United States, with
special reference to the economic species."
D.B. 772, pp. 307. 1920.
HITCHCOCK, F. H.—
"Agricultural exports of the United States, 1851–
1902." For. Mkts. Bul. 34, pp. 100. 1903.
"Agricultural imports of Germany, 1897–1901."
For. Mkts. Bul. 30, pp. 323. 1903.
"Agricultural imports of the United Kingdom,
1896–1900." For. Mkts. Bul. 26, pp. 227. 1902.
"Distribution of the agricultural exports of the
United States—
1896–1900." For. Mkts. Bul. 25, pp. 182. 1901.
1897–1901." For. Mkts. Bul. 29, pp. 202. 1902.
1898–1902." For. Mkts. Bul. 32, pp. 224. 1903.
"Foreign import tariffs on fruits and nuts, 1903."
For. Mkts. Bul. 36, pp. 69. 1903.
"Foreign import tariffs on grain and grain pro-
ducts, 1903." For. Mkts. Bul. 37, pp. 59.
1903.
"Foreign import tariffs on meat and meat pro-
ducts, 1903." For. Mkts. Bul. 35, pp. 64.
1903.
"Foreign markets for American agricultural
products." Rpt. 67, pp. 53. 1901.
"Foreign trade of the United States in forest
products, 1902." For. Mkts. Bul. 33, pp. 70.
1903.
"Our foreign trade in agricultural products,
1892–1901." For. Mkts. Bul. 27, pp. 67. 1902.
report of Chief, Foreign Markets Section—
1901. An. Rpts. 1901, pp. 163–169. 1901.
1902. An. Rpts. 1902, pp. 377–382. 1902.
"Sources of the agricultural imports of the United
States—
1896–1900." For. Mkts. Bul. 24, pp. 120. 1901.
1897–1901." For. Mkts. Bul. 28, pp. 132. 1903.
1898–1902." For. Mkts. Bul. 31, pp. 150. 1903.
Hitchcock berry, Hawaiian fruit, composition.
Hawaii A.R., 1914, pp. 65, 68. 1915.
HITE, B. C.: "After-ripening and germination of
apple seeds." With G. T. Harrington. J.A.R.
vol. 23, pp. 153–161. 1923.
HITE, B. H., report on phosphoric acid. Chem.
Bul. 81, p. 163. 1904.
"Hits-it," adulteration and misbranding, N. J. 784.
I. and F. Bd. S.R.A. 42, pp. 990–991. 1923.

Hives—
  modern, transferring methods. E. L. Secrist. F.B. 961, pp. 15. 1918.
  See also Beehives.
Hiving, bees, directions. F.B. 503, pp. 28–34. 1912; F.B. 1198, pp. 23–25. 1921.
HOAG, E. F.: "The national influence of a single farm community." D.B. 984, pp. 55. 1921.
HOAGLAND, D. R.—
  "Acidity and adsorption of soils as measured by the hydrogen electrode." J.A.R., vol. 7, pp. 123–145. 1916.
  "Effect of season and crop growth on the physical state of the soil." With J. C. Martin. J.A.R., vol. 20, pp. 397–404. 1920.
  "Organic constituents of Pacific Coast kelps." J.A.R., vol. 4, pp. 39–58. 1915.
  "Relation of carbon dioxid to soil reaction as measured by the hydrogen electrode." With L. T. Sharp. J.A.R., vol. 12, pp. 139–148. 1918.
  "Relation of the concentration and reaction of the nutrient medium to the growth and absorption of the plant." J.A.R., vol. 18, pp. 73–117. 1919.
  "Relation of the soil solution to the soil extract." With others. J.A.R., vol. 20, pp. 381–395. 1920.
  "The freezing-point method as an index of variations in the soil solution due to season and crop growth." J.A.R., vol. 12, pp. 369–395. 1918.
HOAGLAND, RALPH—
  "Antineuritic vitamin in poultry flesh and eggs." With Alfred R. Lee. J.A.R., vol. 28, pp. 461–472. 1924.
  "Changes in fresh beef during cold storage above freezing." With others. D.B. 433, pp. 100. 1917.
  "Coloring matter of raw and cooked salted meats." J.A.R., vol. 3, pp. 211–226. 1914.
  "Effect of autolysis upon muscle creatin." With C. N. McBryde. J.A.R., vol. 6, No. 14, pp. 535–547. 1916.
  "Formation of hematoporphyrin in ox muscle during autolysis." J.A.R., vol. 7, pp. 41–45. 1916.
  "Substitutes for sucrose in curing meats." D.B. 928, pp. 28. 1920.
  "Sugar-cane culture at Cairo, Ga." With R. D. Stubbs. Chem. Bul. 75, pp. 26–32. 1903.
  "The action of saltpeter upon the color of meat." B.A.I. An. Rpt., 1908, pp. 301–314. 1910.
  "The chemical composition of edible viscera from meat-producing animals." With Wilmer C. Powick. J.A.R., vol. 28, pp. 339–346. 1924.
  "Vitamin A in beef, pork, and lamb." With George G. Snider. J.A.R., vol. 31, pp. 201–221. 1925.
  "Vitamin B in the edible tissues of the ox, sheep, and hog." D.B. 1138, pp. 48. 1923.
HOARD, W. D.: "Dairy herd records (from 1899 to 1908, inclusive)." B.A.I. Bul. 164, pp. 57. 1913.
Hoarhound, drug use, with price, description and range. F.B. 188, 32–34. 1904.
Hobble, witch. *See* Cramp bark tree.
HOBBY, W. P., Governor, proclamations on pink bollworm, in Texas and Mexico. F.H.B., S.R.A. 49, pp. 12–14, 14–15. 1918.
Hoboken, N. J., milk supply, statistics, officials, prices, and ordinances. B.A.I. Bul. 46, pp. 30, 116. 1903.
Hobs-grub, name for Dioscorea. B.P.I. Bul. 189, p. 25. 1910.
HOBSON, ASHER: "Sales methods and policies of a growers' national marketing agency." With J. Burton Chaney. D.B. 1109, pp. 36. 1923.
HOBSON, I. L.—
  "Boys' and girls' club work, 1922." With Gertrude L. Warren. D.C. 312, pp. 52. 1924.
  "Organization and results of boys' and girls' club work, Northern and Western States, 1919." With George E. Farrell. D.C. 152, pp. 35. 1921.
HOCHBAUM, H. W.: "Methods and results of cooperative extension work." D.C. 316, pp. 40. 1924.
Hock—
  capped, causes, symptoms, and treatment. B.A.I. [Misc.], "Diseases of the horse," rev., pp. 359–362. 1903.
  fracture, cattle, treatment. B.A.I. [Misc.], "Diseases of cattle," rev., p. 278. 1904; rev., p. 287. 1912.
  horse leg, formation and defects. F.B. 779, pp. 21–23. 1917.

Hodge flytraps, description. F.B. 734, pp. 8–10. 1916.
HODGES, J. A.: "A Study of farm organization in central Kansas." With others. D.B., 1296, pp. 75. 1925.
Hodgkin's disease. *See* Pseudo-leukemia, hogs.
HODGKISS, H. E.: "Effects of sprays on aphis eggs." Ent. Bul. 67, pp. 29–31. 1907.
Hodson, E. R.—
  "Engelmann spruce in the Rocky Mountains, with special reference to growth, volume and reproduction." With J. H. Foster. For. Cir. 170, pp. 23. 1910.
  "Extent and importance of the chestnut bark disease." For. [Misc.], "Extent * * * chestnut bark disease," pp. 8. 1908.
Hoe—
  horse—
    description and use in corn and tobacco culture. F.B. 414, p. 39. 1910.
    for use in cultivation of currants and gooseberries. F.B. 1024, p. 11. 1919.
    use in vineyard culture. Ent. Bul. 89, p. 61. 1910.
  tobacco, description and use. F.B. 416, rev., p. 11. 1921.
  wheel, onion culture. F.B. 354, p. 18. 1909.
HOEFUAGEL, K.: "Experiments concerning tuberculosis." With C. H. H. Spronck. B.A.I. Bul. 53, pp. 45–46, 62. 1904.
Hoeing—
  beets, contract forms. D.B. 963, pp. 37–39. 1921.
  cotton—
    in Arkansas, reduction methods. F.B. 1000, pp. 21–22. 1918.
    time and crew. D.B. 896, p. 35. 1920.
  potatoes, day's work. S.B. 10, p. 11. 1925.
  sugar beets, practices and costs—
    Michigan and Ohio. D.B. 748, pp. 25–26. 1919.
    Utah and Idaho. D.B. 693, pp. 31–33. 1918.
HOFER, GEORGE—
  "Protection of mesquite cordwood and posts from borers." With F. C. Craighead. F.B. 1197, pp. 12. 1921.
  "The aspen borer and how to control it." F.B. 1154, pp. 11. 1920.
HOFFECKER, ELWOOD: "Soil survey of Kent County, Del." With others. Soil Sur. Adv. Sh., 1918, pp. 32. 1920; Soils F.O., 1918, pp. 45–72. 1924.
HOFFER, G. N.—
  "Accumulation of aluminum and iron compounds in corn plants and its probable relation to rootrots." With R. H. Carr. J.A.R., vol. 23, pp. 801–824. 1923.
  "Control of the root, stalk, and ear rot diseases of corn." With James R. Holbert. F.B. 1176, pp. 24. 1920.
  "Corn rootrot and wheatscab." With others. J.A.R., vol. 14, pp. 611–612. 1918.
HOFFMAN, J. V.—
  "Laboratory tests on effect of heat on seeds of noble and silver fir, western white pine, and Douglas fir." J.A.R., vol. 31, pp. 197–199. 1925.
  "Natural reproduction from seed stored in the forest floor." J.A.R., vol. 11, pp. 1–26. 1917.
  "Sowing, best time for silver fir in the nursery." J.A.R., vol. 31, pp. 261–266. 1925.
  "The natural regeneration of Douglas fir in the Pacific Northwest." D.B. 1200, pp. 63. 1924.
HOFFMAN, W. F.—
  The osmotic concentration, specific electrical conductivity, and chlorid content of the tissue fluids of the indicator plants of Tooele Valley, Utah. J.A.R. vol. 27, pp. 893–924. 1924.
  "The tissue fluids of Egyptian and Upland cottons and their F_1 hybrid." With others. J.A.R., vol. 27, pp. 267–328. 1924.
Hoff's prescription, misbranding. Chem. N.J. 4268, p. 390. 1916.
Hog(s)—
  abortion, infectious, study in 1923. Work and Exp., 1923, pp. 79–81. 1925.
  actinomycosis, notice. B.A.I. S.R.A. 94, p. 22. 1915.
  admission, sanitary requirements, various States. B.A.I. Cir. A-28, pp. 44. 1917.

Hog(s)—Continued.
  aid in harvesting peanuts, and profitableness. S.R.S. Doc. 45, p. 7. 1917.
  air requirement per day. F.B. 190, pp. 23, 24. 1904.
  alfalfa ration. B.A.I. Cir. 86, pp. 261-265. 1905.
  and seed corn farm, successful. W. J. Spillman. F.B. 272, pp. 16. 1906.
  ante-mortem inspection, requirements. B.A.I. S.R.A. 112, pp. 68-69. 1916.
  anthrax treatment, tests of simultaneous method. D.B. 340, pp. 13-15. 1915.
  as scavengers. B.A.I. Bul. 47, pp. 15-16. 1904.
  auction sales, advantages. Y.B., 1922, p. 239. 1923; Y.B. Sep. 882, p. 239. 1923.
  autopsy records, tuberculosis infection. B.A.I. Bul. 88, pp. 38-42. 1906.
  bacon type, breeds and description. F.B. 765, pp. 12-14. 1917; F.B. 1455, p. 17. 1925.
  basal katabolism, estimation and comparisons. J.A.R., vol. 13, pp. 52-53, 55. 1918.
  bedding, materials preferred. F.B. 465, p. 19. 1911.
  Berkshire—
    breeding in Guam, adaptability. Guam A.R., 1913, pp. 11-12. 1914.
    crossing with Duroc-Jersey, in heredity studies. J.A.R., vol. 23, pp. 559, 561, 556-574. 1923.
    fecundity, comparison with other breeds. J.A.R., vol. 5, No. 25, pp. 1147-1148. 1916.
    origin and description. B.A.I. Bul. 47, pp. 21-30. 1904; D.B. 646, p. 3. 1918; F.B. 411, pp. 42-43. 1910; F.B. 765, pp. 6-7. 1917; F.B. 1263, pp. 11, 12. 1922.
    score card. B.A.I. Bul. 76, pp. 18-20. 1905.
  bleeding, for serum production. B.A.I. An. Rpt., 1910, pp. 406-407. 1912.
  blood—
    free from *Bacillus cholerae suis*, inoculation experiments. B.A.I. Bul. 72, pp. 34-41. 1905.
    morphology studies. J.A.R., vol. 9, pp. 131-140. 1917.
    serum, bacteriolytic power. B.M. Bolton. B.A.I. Bul. 95, pp. 62. 1907.
  body composition. D.B. 459, p. 3. 1916.
  breed(s)—
    adaptability to garbage feeding. F.B. 1133, p. 11. 1920.
    and books of record, list. B.A.I.O. 288, p. 5. 1924.
    and types, school studies. S.R.S. Doc. 58, pp. 3, 4-5. 1917.
    certification regulations. B.A.I.O. 175, amdt. 6, p. 1. 1911; B.A.I.O. 186, pp. 5, 6. 1912; B.A.I.O. 293, pp. 1-3, 5-6. 1925.
    difference in fattening capacity. B.A.I. An. Rpt., 1903, pp. 304-309. 1904; B.A.I. Cir. 63, pp. 304-309. 1904.
    fecundity, comparison. J.A.R. vol. 5, No. 25, pp. 1147-1148. 1916.
    influence on feeding powers and carcasses. B.A.I. Bul. 47, pp. 178-193. 1904.
    lard type. B.A.I. Bul. 47, pp. 19-30. 1904.
    origin and description. F.B. 411, pp. 40-46. 1910; F.B. 765, pp. 1-16. 1917; F.B. 1455, pp. 19-22. 1925; Y.B., 1922, pp. 193-199. 1923; Y.B. Sep. 882, pp. 193-199. 1923.
    production, care, and profits, Rio Grande irrigation district, Texas, studies. D.B. 665, pp. 11-12, 13-14, 15-16. 1918.
    selection by farmers, influences governing. F.B. 765, pp. 2, 3. 1917.
  breeders—
    associations (and other livestock), directory. Y.B., 1917, pp. 596-603. 1918; Y.B. Sep. 742, pp. 4-11. 1918.
    books of record. B.A.I.O. 136, p. 13. 1906.
  breeding—
    animals, preservation necessity. Sec. Cir. 84, pp. 11-12. 1918.
    association certification, January, 1909. B.A.I.O. 136, amdt. 6, p. 1. 1906.
    community work, increase by pig clubs. Y.B., 1917, pp. 376-377. 1918; Y.B. Sep. 753, pp. 8-9. 1918.
    cooperative associations and centers in Denmark. D.B. 1266, pp. 34, 81. 1924.
    crate, simple. J. H. Zeller. F.B. 966, pp. 4. 1918.

Hog(s)—Continued.
  breeding—continued.
    experiments for study of heredity. J.A.R., vol. 23, pp. 557-581. 1923.
    for May pigs, time and conditions favoring. News L., vol. 5, No. 24, p. 5. 1918.
    in Guam, progress. Guam A. R., 1918, pp. 18-23. 1919.
    in Porto Rico, experiments. P.R. An. Rpt., 1910, p. 43. 1911.
    selection of stock. B.A.I. Bul. 47, pp. 19-35, 60-61. 1904.
    stock—
      garbage-fed, comparison with grain-fed. Sec. Cir. 80, p. 8. 1917.
      requirements, and effect on pigs. D.B. 646, pp. 13-14. 1918.
      selection, characteristics. O.E.S.F.I.L. 16, pp. 4-5. 1914.
  butchering methods, outfit. News L., vol. 3, No. 9, pp. 1-2, 4. 1915.
  buying—
    for garbage feeding, comparison with raising. F.B. 1133, pp. 12, 25. 1920.
    subject to post-mortem, desirability. Y.B., 1909, p. 234. 1910; Y.B. Sep. 508, p. 234. 1910.
  carcasses, cleaning equipment, public patent. B.A.I.S.R.A. 203, p. 27. 1924.
  care before killing. F.B. 913, p. 5. 1917.
  casings, adulteration. Chem. N.J. 3150, p. 356. 1914.
  castration. S. S. Buckley. F.B. 1357, pp. 8. 1923.
  cattle, and sheep feeding in Europe. Willard John Kennedy. B.A.I. Bul. 77, pp. 78. 1905.
  characteristics inherited, size of litter, shape of ears, color, etc., J.A.R., vol. 23, pp. 558-581. 1923.
  Cheshire, score card. B.A.I. Bul. 76, p. 20. 1905.
  Chester White—
    fecundity, comparison with other breeds. J.A.R., vol. 5, No. 25, pp. 1147-1148. 1916.
    origin, early name, description, and weight. B.A.I. Bul. 47, pp. 21-30. 1904; D.B. 646, p. 4. 1918; F.B. 411, pp. 45-46. 1910; F.B. 765, pp. 9-10. 1917; F.B. 1236, pp. 9-10, 12. 1922.
    score card. B.A.I. Bul. 76, pp. 21-24. 1905.
  cholera—
    affected—
      carcasses, disposition. B.A.I.O. 150, amdt. 5, pp. 2. 1913.
      handling methods after inspection. B.A.I. S.R.A. 137, p. 70. 1918.
    See also Cholera, hog.
  classes for market and breeding. Sec. Cir. 83, p. 5. 1917.
  classification at county fairs. F.B. 822, p. 10. 1917.
  cleaning, scalding, and scraping, directions. F.B. 1186, pp. 6-8. 1921.
  clubs for North and West, enrollment and work. D.C. 192, pp. 23-25. 1921.
  color inheritance. D.B. 905, p. 32. 1920; J.A.R., vol. 23, pp. 562-574. 1923.
  comparison with ox, as a meat producer. B.A.I. Bul. 47, p. 15. 1904.
  condemnation under inspection, 1907-1924. Y.B., 1924, p. 965. 1925.
  condition powders, formula. F.B. 379, p. 19. 1909; F.B. 384, pp. 30-31. 1917.
  conditions, April 1, 1915, losses from disease and exposure. F.B. 672, pp. 16-19. 1915.
  contagious diseases in foreign countries. B.A.I. An. Rpt., 1904, pp. 461-468. 1905.
  corn—
    feeding, importance in use of crop. Y.B., 1921, pp. 164, 224, 225. 1922; Y.B. Sep. 872, pp. 164, 224, 225. 1922.
    requirements. F.B. 370, pp. 12, 23. 1909.
  correlations with corn. Sewall Wright. D.B. 1300, pp. 59. 1925.
  cost for serum and other veterinary expenses. F.B. 985, pp. 33-34. 1918.
  cots, construction. F.B. 296, pp. 27-29. 1907; F.B. 334, pp. 31-32. 1908.
  crate, directions for making. D.C. 46, pp. 2. 1919.

Hog(s)—Continued.
  cutting up carcass, directions. F.B. 913, pp. 9-13. 1917; F.B. 1186, pp. 8-12. 1921.
  Danish breeds, early and modern. B.A.I. Chief Rpt., 1906, pp. 224-227. 1908.
  decrease, 1899-1909. An. Rpts., 1914, p. 6. 1914; Sec. A.R., 1914, p. 8. 1914.
  destruction of—
    periodical cicada. Ent. Bul. 71, pp. 91, 103, 104, 128. 1907.
    stable flies. F.B. 1097, p. 14. 1920.
  dipping for—
    destruction of vermin. F.B. 874, pp. 34-36. 1917.
    lice and mange, directions. D.B., 1085, pp. 15-20, 24. 1920; rev., pp. 12, 15-20. 1923.
  diseased, interstate movement, regulations. B.A.I.O. 263, p. 25. 1919.
  diseases—
    ailments and abnormal conditions. F.B. 1244, pp. 1-26. 1923.
    caused by protozoan parasites. B.A.I. An. Rpt., 1910, pp. 479, 496. 1912; B.A.I. Cir. 194, pp. 479, 496. 1912.
    causes and losses resulting. Y.B., 1922, pp. 215-219. 1923; Y.B. Sep. 882, pp. 215-219. 1923.
    control—
      dips and disinfectants. F.B. 465, pp. 19-20. 1911.
      methods. D.R.P. Cir. 1, pp. 12-25. 1915; F.B. 985, p. 38. 1918; O.E.S. F.I.L. 16, pp. 3-4. 1914; Sec. Cir. 84, pp. 18-24. 1918.
    dangers from dishwater, glass or fermented garbage. Sec. Cir. 80, p. 8. 1917.
    description and control. D.B. 646, pp. 22-25, 1918; F.B. 566, pp. 9-10. 1913.
    emphysema and urticaria, investigations. B.A.I. An. Rpt., 1907, pp. 45-46. 1909.
    infectious, description and control. F.B. 1244; pp. 1-7. 1923.
    inspection of remedies. B.A.I. Chief Rpt., 1924, p. 31. 1924.
    lesions resembling tuberculosis. B.A.I. An. Rpt., 1907, pp. 241-243. 1908; B.A.I. Cir. 144, pp. 241-243. 1909; B.A.I. Cir. 201, pp. 34-36. 1912.
    prevention and treatment. B.A.I. Bul. 47, pp. 64-66. 1904; F.B. 205, pp. 36-38. 1904.
    relation to garbage feeding, precautions. F.B. 1133, pp. 19-21, 26. 1920; Sec. Cir. 80, pp. 7-8. 1917.
    similar to cholera, symptoms. F.B. 384, pp. 12-13. 1917.
    spread—
      and prevention by sanitation. F.B. 874, pp. 28-32. 1917.
      by dogs. D.B. 260, pp. 5-8, 14, 18, 23. 1915.
      treatment, and disinfection of quarters. F.B. 874, p. 33. 1917.
  disinfection—
    of pens and stables. B.A.I. Cir. 144, pp. 243-244. 1909; F.B. 379, p. 18. 1909; Y.B., 1909, pp. 237-238. 1910; Y.B. Sep. 508, pp. 237-238. 1910.
    use in tuberculosis prevention. B.A.I. Cir. 201, pp. 37-38. 1912.
  disposal of irrigated crops through use of, experiments. J. A. Holden. D.B. 488, pp. 25. 1917.
  distribution in United States and leading States. Sec. [Misc.], Spec. "Geography * * * world's agriculture," p. 132. 1917.
  domestic trade. B.A.I. Bul. 47, pp. 252-258. 1904.
  driving to market. Rpt. 98, pp. 117-118. 1913; Y.B., 1922, p. 228. 1923; Y.B. Sep. 882, p. 228. 1923.
  Duroc-Jersey—
    crossing with Berkshire in heredity studies. J.A.R., vol. 23, pp. 559, 561, 566-574. 1923.
    fecundity, comparison with other breeds. B.A.I. Cir. 95, pp. 9-12. 1906; J.A.R., vol. 5, pp. 1147-1148. 1916.
    origin and description. B.A.I. Bul. 47, pp. 21-30. 1904; D.B. 646, p. 3. 1918; F.B. 411, pp. 44-45. 1910; F.B. 765, pp. 7-9. 1917; F.B. 1263, pp. 5-6, 8. 1922.

Hog(s)—Continued.
  economic importance on the farm. O.E.S.F.I.L. 16, pp. 9-10. 1914.
  enemies of—
    mole crickets. P.R. Bul. 23, p. 19. 1918.
    white grubs. F.B. 835, rev., pp. 16, 18. 1920.
    wild ducks in Utah. D.B. 936, p. 18. 1921.
  English—
    breeds in America. B.A.I. Bul. 47, p. 11. 1904.
    crossing with old Danish breeds. B.A.I. An Rpt., 1906, pp. 225-226. 1908.
  entry to Argentina, requirements. B.A.I.S.R.A. 196, p. 74. 1923.
  Essex, origin and description. F.B. 765, p. 15, 1917; F.B. 1263, pp. 20-21. 1922.
  estimates, for 1911-1923. M.C. 6, p. 19. 1922.
  European allied countries, decrease since 1914. Sec. [Misc.], "Report * * * agricultural commission * * *," pp. 4, 28, 49, 54, 56. 1919.
  exhibition at fairs, fitting, showing, and judging. F.B. 1455, pp. 1-22. 1925.
  experiments with milk artificially infected with tubercle bacilli, results. B.A.I. Bul. 86, pp. 10-19. 1906.
  exports—
    1851-1908. Number and value. Stat. Bul. 75, p. 23. 1910.
    1895-1913. Rpt. 109, pp. 72, 224, 226-228. 1916.
    1897-1906, by countries to which consigned. B.A.I. An. Rpt., 1907, pp. 346, 388-390. 1909.
    1902-1904. Stat. Bul. 36, p. 27. 1905.
    1910-1925. Y.B., 1924, pp. 911, 1041. 1925.
    from nine countries of surplus production. Rpt. 109, pp. 72, 216-229. 1916.
    shipping regulations. B.A.I.O. 264, pp. 9, 17-18, 19. 1919.
  extension work in 1923. D.C. 347, pp. 12-13. 1925.
  external parasites. Earl C. Stevenson. B.A.I. Bul. 69, pp. 44. 1905.
  farm(s)—
    location and equipment for garbage feeding. F.B. 1133, pp. 9-10. 1920.
    middle south, cropping system. Y.B., 1907, pp. 395-398. 1908; Y.B. Sep. 456, pp. 395-398. 1908.
    plan, pasture crops and possible returns. F.B. 370, pp. 23-27. 1909.
    value—
      and purchasing power, 1867-1921, and 1909-1921. D.B. 999, pp. 7-9, 59, 62, 65. 1921.
      increase, 1900-1909, 1910, 1911, 1912. B.A.I. Cir. 201, p. 7. 1912.
  farming—
    in Arizona, acreage, and income. D.B. 654, pp. 33-34. 1918.
    possibilities on Houston black clay. Soils Cir. 50, p. 11. 1911.
    systems in Southeastern States. E. S. Haskell. F.B. 985, pp. 40. 1918.
    types, cost, and risks. Y.B., 1908, pp. 362-363. 1909; Y.B. Sep. 487, pp. 362-363. 1909.
  fat, effect of cottonseed meal. B.A.I. An. Rpt., 1910, p. 91. 1912.
  fattening—
    after—
      cattle, number per head, and results of feeds. F.B. 320, pp. 27-28. 1908.
      cattle, tankage feeding, supplemental. F.B. 316, pp. 28-30. 1908.
      cowpea pasture. F.B. 318, p. 13. 1908.
      experiments with various feeds. F.B. 411, pp. 13-39. 1910.
      failure following steers fed on velvet beans. D.B. 1333, p. 26. 1925.
      finishing after pasture crops are exhausted. F.B. 411, pp. 38-39. 1910.
      in Alabama diversification farm. F.B. 310, p. 11. 1907.
    on—
      corn, experiments. F.B. 411, pp. 6-8. 1910.
      field-pea pasture, gains. F.B. 690, pp. 16-17. 1915.
      grain and green feed. F.B. 334, pp. 20-22. 1908.
      mixed grains. Y.B., 1922, pp. 511-512, 524, 532-533. 1923; Y.B. Sep. 891, pp. 511-512, 524, 532-533. 1923.

Hog(s)—Continued.
　fattening—continued.
　　on—continued.
　　　peanuts, Henry County, Alabama. Soil Sur. Adv. Sh., 1908, p. 11. 1909; Soils F.O., 1908, p. 489. 1911.
　　　peanuts, methods. F.B. 431, p. 36. 1911; F.B. 336, pp. 33, 37. 1909; Y.B., 1917, pp. 123–124. 1918; Y.B. Sep. 748, pp. 13–14. 1918.
　　　standing corn, results of experiments. F.B. 229, p. 21. 1908.
　　　use of small sweet potatoes. F.B. 520, p. 11. 1912.
　feed(s)—
　　alfalfa. F.B. 339, p. 30. 1908.
　　and—
　　　feeding methods, studies. Work and Exp., 1919, pp. 74–76. 1921.
　　　forage crops. F.B. 985, pp. 11–32. 1918.
　　　labor requirements, southwestern Minnesota. D.B. 1271, pp. 58–61. 1924.
　　　management. F.B. 272, pp. 7–8, 11–13. 1906.
　　　pasture, experiments, Huntley Experiment Farm. D.C. 86, pp. 21–25. 1920.
　　corn—
　　　and soy beans, value. B.P.I. Bul. 111, Pt. IV, p. 16. 1907.
　　　grinding. F.B. 276, p. 25, 1907.
　　cotton-seed meal. F.B. 251, pp. 30–32. 1906.
　　dry vs. soaked, experiments. B.A.I. Bul. 47, pp. 85–88. 1904.
　　Hawaii, use of fern-tree trunk and soy-bean meal. Hawaii A.R., 1912, pp. 15, 63. 1913.
　　home-grown, in South. F.B. 405, pp. 14–16. 1910.
　　methods of preparation. B.A.I. Bul. 47, pp. 77–96. 1904.
　　millet seed. F.B. 210, pp. 30–31. 1904.
　　needs of Hawaii, and experimental crops, 1916. Hawaii A.R., 1916, p. 41. 1917.
　　requirements. D.B. 1296, pp. 47–49. 1925.
　　requirements, daily and annual. Y.B., 1907, pp. 396–397. 1908; Y.B. Sep. 456, pp. 396–397. 1908.
　　use of—
　　　alfalfa. B.A.I. Chief Rpt., 1904, pp. 261–265. 1905.
　　　cassava. F.B. 167, pp. 27–28. 1903.
　　　value—
　　　　in making compost. Y.B., 1917, pp. 283–284. 1918; Y.B. Sep. 733, pp. 3–4. 1918.
　　　　of salmon fish scrap. News L., vol. 3, No. 33, pp. 7–8. 1916.
　feeder, marketing. An. Rpts., 1919, pp. 83–84. 1920; B.A.I. Chief Rpt., 1919, pp. 11–12. 1919.
　feeding—
　　after steers, profits. D.B. 761, pp. 14, 16. 1919; F.B. 1073, p. 20. 1919.
　　and—
　　　care, Oregon, experiments. W.I.A. Cir. 1, pp. 8–9. 1915.
　　　grazing, number equivalent to 1,000-pound steer. F.B. 812, p. 8. 1917.
　　　grazing, useful habits on livestock farms. F.B. 812, pp. 7, 9, 10. 1917.
　　　management. F.B. 874, pp. 13–28. 1917.
　　apple by-products, experiments. D.B. 1166, pp. 24, 26, 29. 1923.
　　box, directions. F.B. 504, pp. 9–10. 1912.
　　buttermilk, value and results. B.A.I. An. Rpt., 1910, pp. 301–304. 1912; B.A.I. Cir. 188, pp. 301–304. 1912.
　　comfrey, tests. B.P.I. Cir. 47, pp. 6–7. 1910.
　　comparisons of grains, experiments. Y.B., 1922, pp. 485, 499, 511. 1923; Y.B. Sep. 891, pp. 485, 499, 511. 1923.
　　cooperative experiments, Huntley farm, various rations. D.C. 204, pp. 22–26. 1921.
　　cottonseed—
　　　and corn, studies. O.E.S. An. Rpt., 1908, pp. 343, 346. 1909.
　　　meal, danger of poisoning. B.A.I. Bul. 47, pp. 115–119. 1904; F.B. 1179, p. 13. 1923.
　　cowpeas, value. F.B. 1153, pp. 10, 18, 19. 1920.
　　crops and methods in Pacific Northwest. D.B. 68, pp. 1–27. 1914.
　　cull beans, experiments. F.B. 305, pp. 25–28. 1907.

Hog(s)—Continued.
　feeding—continued.
　　dasheens, use and value. Y.B., 1916, p. 206. 1917; Y.B. Sep. 689, p. 8. 1917.
　　directions. M.C. 12, pp. 25–29. 1924.
　　dried, pressed potatoes, experiments. D.B. 596, pp. 1–11. 1917.
　　experiments. Work and Exp., 1914, pp. 73, 99, 114, 181, 188, 198, 219. 1915.
　　experiments—
　　　at Belle Fourche Experiment Farm, 1918. D.C. 60, pp. 19–22, 25–32. 1919.
　　　at Huntley Experiment Farm, 1917–1921, results. D.C. 275, pp. 17–21. 1923.
　　　at Huntley Experiment Farm, 1919. D.C. 147, pp. 13–23. 1921.
　　　at Huntley Experiment Farm, 1922. D.C. 330, pp. 27–31. 1925.
　　　at Newlands Farm. D.C. 352, pp. 15–18. 1925.
　　　at Umatilla Experiment Farm, 1920–1922. D.C. 342, pp. 8–13. 1925.
　　　in Guam. Guam A.R., 1923, pp. 2–3. 1925.
　　　in South. F.B. 405, pp. 14–16. 1910.
　　　results. S.R.S. Rpt., 1915, Pt. I, pp. 71, 93, 114, 191, 256. 1917.
　　　with fermented cottonseed meal. F.B. 384, pp. 9–11. 1910.
　　　with velvet beans and other feeds. F.B. 962, pp. 35–36, 39. 1918.
　　fish meal, experiments and results. D.B. 378, pp. 2, 5, 6, 7, 12–15. 1916.
　　for disposal of city garbage. F. G. Ashbrook and J. D. Rebout. Sec. Cir. 80, pp. 8. 1917.
　　for hardening flesh, experiments. F.B. 809, pp. 13–14. 1917.
　　for meat production. Henry Prentiss Ormsby. B.A.I. Bul. 108, pp. 89. 1908.
　　forage crops in Kansas and Oklahoma. F.B. 331, pp. 1–24. 1908.
　　garbage to. F. G. Ashbrook and A. Wilson. F.B. 1133, pp. 26. 1920.
　　grain sorghums, and rations suggested. F.B. 724, pp. 5, 11, 13–14. 1916.
　　grain with alfalfa pasture. B.P.I. Bul. 111, Pt. IV, p. 8. 1907.
　　ground oats and oat pasture. F.B. 420, pp. 20, 22. 1910.
　　in—
　　　Europe, with cattle and sheep. William John Kennedy. B.A.I. Bul. 77, pp. 78. 1905.
　　　following baby beeves. F.B. 811, p. 22. 1917.
　　　Iowa, Woodbury County. Soil Sur. Adv. Sh., 1920, pp. 764, 769–783. 1923; Soils F.O., 1920, pp. 764, 769–783. 1923.
　　　the South. Dan T. Gray. F.B. 411, pp. 47. 1910.
　　industry, Hungary. B.A.I. An. Rpt., 1910, p 402. 1912.
　　labor-saving methods. Sec. Cir. 122, pp. 7–9. 1918.
　　legumes, value in Guam. Guam Bul. 4, p. 9. 1922.
　　methods—
　　　Kansas and Oklahoma. B.P.I. Bul. 111, pp. 34, 35, 36, 38, 41, 43, 47–50. 1907; F.B. 331, pp. 8, 10, 16, 18–24. 1908.
　　　producing tuberculosis infection. F.B. 781, pp. 5–10. 1917.
　　offal from slaughterhouse, cause of transmission of parasites. Y.B., 1905, p. 153. 1906.
　　on—
　　　alfalfa hay. F.B. 504, pp. 9–10. 1912; F.B. 1229, pp. 15–16. 1921.
　　　alfalfa pasture, experiments. D.C. 339, pp. 39–43, 44–46. 1925.
　　　avocados. D.B. 743, p. 5. 1919.
　　　corn alone, cost per pound. F.B. 405, p. 16. 1910.
　　　corn with forage of different kinds, cost and profits. F.B. 331, pp. 8–22. 1908.
　　　cottonseed products, danger of poisoning. F.B. 1179, pp. 2, 6, 13. 1920.
　　　dairy farms. Y.B. 1922, p. 209. 1923; Y.B. Sep. 882, p. 209. 1923.
　　　injured sweet potatoes, for control of weevils. F.B. 1020, p. 18. 1919.
　　　pasture, experiments. D.C. 339, pp. 39–48. 1925.

Hog(s)—Continued.
feeding—continued.
on—continued.
peanuts, value. Sec. [Misc.] Spec. "Peanut growing * * *," p. 7. 1915; F.B. 1127, p. 27. 1920.
pigeon-pea rations. Hawaii Bul. 46, pp. 18. 1920. 1921.
rice bran, suggestions. F.B. 412, pp. 19-20. 1910.
skim milk, cause of tuberculosis. B.A.I. An. Rpt., 1907, pp. 37, 217, 222-224, 231. 1909; B.A.I. Cir. 144, pp. 37, 217, 222-224, 231. 1909.
skim milk, profits. Y.B., 1918, p. 275. 1919; Y.B. Sep. 787, p. 7. 1919; B.A.I. Doc. A-31, p. I. 1918.
soft corn. D.C. 333, pp. 2-3. 1924.
soy-bean meal, comparison with feeding middlings. S.R.S. Syl. 35, pp. 3-4. 1919.
soy beans, experiments. F.B. 973, pp. 21, 29. 1918.
sugar-beet pulp. Rpt. 90, p. 33. 1909.
sunflower silage, experiments and results. D.B. 1045, p. 29. 1922.
sweet-clover pasture, comparison with other pastures. F.B. 820, pp. 10-12. 1917.
whey from cheese factories. Y.B., 1917, p. 151. 1918; Y.B. Sep. 737, p. 7. 1918.
pasture, grain, and dry-lot experiments, Montana. W.A.I. Cir. 22, pp. 12-14, 22-29. 1918.
preparation of corn. F.B. 479, pp. 11-12. 1912.
principles. B.A.I. Bul. 47, pp. 73-77. 1904; B.P.I. Bul. 111, pp. 47-50. 1907; B.A.I. Cir. 316, pp. 28-30. 1908.
relation to tuberculosis infection. Y.B. 1909, pp. 228-232, 235. 1910; Y.B. Sep. 508, pp. 228-232, 235. 1910.
shorts as supplement for alfalfa pasture. W.I.A. Cir. 9, pp. 12-13. 1916.
supplements to corn. F.B. 316, pp. 25-28. 1908.
trough, construction, school exercise. D.B. 527, pp. 32-33. 1917.
tuberculosis infection methods. B.A.I. An. Rpt., 1907, pp. 37, 58, 222-229. 1909; B.A.I. Cir. 144, pp. 37, 58, 222-229. 1909; B.A.I. Cir. 201, pp. 13-23, 36-38, 39-40. 1912.
use—
and value of surplus potatoes. D.B. 47, pp. 10, 12. 1913.
of cull sweet potatoes. F.B. 324, pp. 28, 38. 1908.
value of—
milo. F.B. 322, p. 20. 1908.
protein and mineral matter. B.A.I. Bul. 47, pp. 239-240. 1904.
skim milk and whey. B.A.I. Doc. A-31, p. 1. 1917.
soy beans, experiments. F.B. 372, pp. 15-16, 22. 1909.
with—
cultures of *Bacillus cholerae suis*, experiments. B.A.I. Bul. 72, pp. 26-30. 1905.
flesh of tuberculous fowls, experiments. B.A.I. An. Rpt., 1908, pp. 168, 175. 1910.
Para grass, tests. Guam Bul. 1, pp. 24-25. 1921.
steers, profits and experiments in Alabama. B.A.I. Bul. 103, p. 14. 1908.
tubercle-infected butter, experiments. B.A.I. Cir. 153, p. 40. 1910.
fencing and housing. B.A.I. Bul. 47, pp. 18-19. 1904.
fertility inheritance. J.A.R., vol. 5, No. 25, pp. 1145-1160. 1916.
finishing in dry lot, on corn tankage, and alfalfa. D.C. 204, pp. 25-26. 1921.
fish-meal-fed, carcass test. D.B. 610, pp. 8-9. 1917.
fitting, showing, and judging. E.Z. Russell. F.B. 1455, pp. 22. 1925.
flea infestation and control. F.B. 897, pp. 7, 11. 1917.
following—
calves. D.B. 631, p. 12. 1918.
calves in fattening pen, directions. F.B. 1416, p. 12. 1924.
cattle, advantages, and management. F.B. 588, pp. 17-19. 1914; F.B. 1382, p. 16. 1924.

Hog(s)—Continued.
following—continued.
steers, value of paved feeding lot. F.B. 588, p. 10. 1914.
food, misbranding. See *Indexes, Notices of Judgment, in bound volumes and in separates published as supplements to Chemistry Service and Regulatory Announcements*.
foot-and-mouth disease—
quarantine—
areas and regulations. B.A.I.O. 234, pp. 11. 1915; B.A.I.O. 238, pp. 13. 1915.
order. B.A.I.O. 231, pp. 12 and amdts. 1915; B.A.I.O. 232, pp. 13 and amdts. 1915.
slaughter. B.A.I. Chief Rpt., 1924, p. 21. 1924.
forage—
crops—
for different seasons. B.P.I. Bul. 111, pp. 45-46. 1907.
in Kansas and Oklahoma. C.E. Quinn. B.P.I. Bul. 111, Pt. IV, pp. 24. 1907; F.B. 331, pp. 24. 1908.
sorghum and peanuts, Lauderdale County, Miss. Soil Sur. Adv. Sh., 1910, pp. 16-17. 1912; Soils F.O., 1910, pp. 744-745. 1912.
freedom from tuberculosis in certain localities, reasons. Y.B., 1909, p. 234. 1910; Y.B. Sep. 508, p. 234. 1910.
freight rates—
1910, Pacific Coast States. Stat. Bul. 89, pp. 63, 65. 1911.
1911. Y.B., 1911, p. 652. 1912; Y.B. Sep. 588, p. 652. 1912.
1912. Y.B., 1912, p. 707. 1913; Y.B. Sep. 615, p. 707. 1913.
1922, relation to marketing. Y.B., 1922, pp. 252, 253. 1923; Y.B. Sep. 882, pp. 252, 253. 1923.
1924. Y.B., 1923, pp. 1173, 1176. 1924; Y.B., Sep. 906, pp. 1173, 1176. 1924.
between western cities. D.R.P. Cir. 1, p. 11. 1915.
gain(s)—
of 100 pounds, equivalent in corn. Y.B., 1922, pp. 225-227. 1923; Y.B. Sep. 882, pp. 225-227. 1923.
on alfalfa pasture without supplementary feeds. D.B. 752, pp. 6-8. 1919.
on garbage feeding. F.B. 1133, pp. 5-6, 16, 17, 25. 1920.
on peanuts, quality of pork. F.B. 1125, rev., p. 47. 1920.
garbage-fed—
precautions and regulations. B.A.I.S.A. 42, p. 65. 1910; F.B. 379, p. 15. 1909.
relation to disease, comparison of raw and cooked garbage. Sec. Cir. 80, pp. 7-8. 1917.
grading up, improvement in color, type, and meat. D.B. 905, pp. 44, 60. 1920.
grain crops and pasture for, in Pacific Northwest. Byron Hunter. D.B. 68, pp. 27. 1914.
grasshopper destruction. F.B. 691, rev., p. 18. 1920.
grazing—
crops in Gulf coast region. F.B. 986, pp. 11-12, 14, 15, 17, 25. 1918.
in Louisiana forests, injuries. For. Bul. 114, pp. 10, 13, 27. 1912.
in national forests, permits and fees. For. [Misc.], rev., "Grazing section," pp. 32, 33, 38. 1921.
on alfalfa, Yuma Experiment Farm, results. D.C. 75, pp. 74-76. 1920.
on Sudan grass. F.B. 1126, pp. 18, 19. 1920.
permits, national forests, 1917. For. A.R., 1917, pp. 16, 17. 1917; An. Rpts., 1917, pp. 178, 179. 1917.
system, suggestions. F.B. 985, pp. 28-32. 1918.
growing—
and feeding on irrigation farms. Y.B., 1916, pp. 187-189. 1917; Y.B. Sep. 690, pp. 11-13. 1917.
on reclamation projects, experiments and results. An. Rpts., 1917, pp. 151-152. 1918; B.P.I. Chief Rpt., 1917, pp. 21-22. 1917.
grubworm control. F.B. 940, pp 15-23. 1918.
Guam—
breeding and feeding. Guam A.R., 1921, pp. 3-5. 1923.

INDEX TO PUBLICATIONS, 1901–1925   1167

Hog(s)—Continued.
 Guam—Continued.
  description, common names, and improvement. Guam A.R., 1912, pp. 13–14, 15–21. 1913.
 Hampshire—
  origin and description. D.B. 646, p. 4. 1918; F.B. 765, pp. 10–12. 1917; F.B. 1263, pp. 12–13, 15. 1922.
  thin rind, certification. B.A.I.O. 136, amdt. 6, p. 1. 1909; B.A.I. Bul. 76, pp. 29–31. 1905.
 handling in transit, hot-weather precautions. News L., vol. 5, No. 46, p. 7. 1918.
 hauling to market, cost. Stat. Bul. 49, pp. 25–26. 1907; Y.B., 1908, p. 230. 1909; Y.B. Sep. 477, p. 230. 1909.
 healthy, fattening methods. F.B. 479, p. 19. 1912.
 herd, foundation. F.B. 205, pp. 19–23. 1904; F.B. 874, pp. 8–13. 1917.
 hosts of spotted-fever tick. Ent. Bul. 105, pp. 30, 32. 1911.
 houses—
  J. A. Warren. F.B. 438, pp. 29. 1911.
  A-shaped, construction details and materials. Sec. Cir. 102, pp. 6–8. 1918.
  advantages of separation in disease control. F.B. 874, p. 32. 1917.
  box-shaped, construction, details, and materials. Sec. Cir. 102, pp. 3–6. 1918.
  construction, directions. F.B. 411, pp. 8–9. 1910; F.B. 635, pp. 11. 1915; O.E.S.F.I.L. No. 8, p. 16. 1907.
  description. B.A.I. Bul. 47, pp. 16–18. 1904; F.B. 273, pp. 11–14. 1905.
  directions for building. B.A.I. Bul. 47, pp. 16–18. 1904; D.R.P. Cir. 1, pp. 10–11. 1915; O.E.S.F.I.L. 8, p. 16. 1907; F.B. 273, pp. 11–14. 1906; F.B. 334, pp. 31–32. 1908.
  disinfection. F.B. 874, p. 33. 1917.
  inexpensive portable, description. D.R.P. Cir. No. 1, pp. 10–11. 1915.
  isolated, advantages. F.B. 874, p. 32. 1917.
  location, kinds, and description. D.B. 646, pp. 6–7. 1918.
  movable. J. D. McVean and R. D. Hutton. Sec. Cir. 102, pp. 8. 1918.
  portable, construction. F.B. 411, pp. 8–9. 1910; F.B. 465, p. 18. 1918; F.B. 566, pp. 11–13. 1913.
  ventilation study in 1923. Work and Exp., 1923, pp. 92, 93. 1925.
 hyperimmunized, inspection, instructions. B.A.I.S.R.A. 139, p. 91. 1919.
 hyperimmunizing for production of cholera serum, methods. B.A.I. Bul. 102, pp. 7–12, 18–23. 1908.
 immunity from cholera after recovery from that disease. B.A.I. Bul. 72, pp. 10–12. 1905.
 immunization—
  at stockyards, regulations. B.A.I.O. 263. 1919.
  from cholera. B.A.I. Cir. 43, pp. 3. 1904.
 immunized, from public stockyards, care of. B.A.I.S.R.A. 147, p. 73. 1919.
 immunizing to prevent spread of cholera. Y.B., 1919, pp. 199–200, 204. 1920; Y.B. Sep. 798, pp. 199–200, 204. 1920.
 importance as sources of food and income. Y.B., 1922, pp. 181–184. 1923; Y.B. Sep. 882, pp. 181–184. 1923.
 importations to Chile from United States, and possibilities. D.C. 228, p. 35. 1922.
 imported—
  breeds, certification regulations. B.A.I.O. 175, pp. 4, 5. 1910.
  inspection and quarantine regulations. B.A.I. An. Rpt., 1911, pp. 84, 85, 86, 87, 88. 1913; B.A.I. Cir. 213, pp. 84, 85, 86, 87, 88. 1913; B.A.I.O. 266, pp. 6, 16, 21. 1919.
 imports—
  1918–1920. Y.B., 1921, p. 737. 1922; Y.B. Sep. 867, p. 1. 1922.
  by various countries, statistics. Rpt. 109, pp. 231–260. 1916.
  statistics, 1921. Y.B., 1921, p. 737. 1922; Y.B. Sep. 867, p. 1. 1922.
 improvement by use of purebred sires. D.C. 235, pp. 14, 15, 19, 20. 1922.

Hog(s)—Continued.
 improvement work of boys' and girls' clubs, 1921. S.R.S. Rpt., 1921, p. 10. 1923.
 in South, sanitary care, food and housing, dips. F.B. 465, pp. 17–20. 1911.
 in Texas—
  destruction by bears. N.A. Fauna 25, p. 188. 1905.
  number and value, 1907. O.E.S. Bul. 222, p. 13. 1910.
 in United States. O.E.S.F.I.L. 16, pp. 1–16. 1914.
 inbreeding studies. Work and Exp., 1919, pp. 35, 36. 1921.
 increase—
  comparison with other livestock. D.B. 488, pp. 2, 24. 1917.
  on farms. An. Rpts., 1918, p. 128. 1919; B.A.I. Chief Rpt., 1918, p. 58. 1918.
  relation to increase in grain crop. Sec. Cir. 84, pp. 4–10. 1918.
 industry—
  George M. Rommel. B.A.I. Bul. 47, pp. 298. 1904.
  Danish. B.A.I. An. Rpt., 1906, pp. 223–246. 1908.
  details. George M. Rommel. B.A.I. Bul. 47, pp. 298. 1904.
  development and changes since 1790, and outlook. Y.B., 1922, pp. 186–192, 275–279. 1923; Y.B. Sep. 882, pp. 186–192, 275–279. 1923.
  factors influencing. D.B. 1300, pp. 27–52. 1925.
  Hungary, injury by hog cholera. B.A.I. An. Rpt., 1910, pp. 401–402. 1912.
 infection—
  from tuberculous fowls. B.A.I. An. Rpt., 1908, pp. 166–168, 174. 1910.
  with—
   hog cholera, reporting. B.A.I.S.R.A. 97, p. 55. 1915.
   tuberculosis. F.B. 1069, pp. 11–12. 1919.
   tuberculosis from diseased cattle. Y.B., 1908, pp. 225–226. 1909; Y.B. Sep. 476, pp. 225–226. 1909.
   tuberculosis, most frequent methods. B.A.I. Cir. 114, p. 220. 1909; Y.B., 1909, pp. 228–231. 1910; Y.B. Sep. 508, pp. 228–231. 1910.
 infestation with tapeworm, method. B.A.I. An. Rpt., 1911, pp. 101–117. 1913; B.A.I. Cir. 214, pp. 101–117. 1913.
 influenza—
  cause, symptoms, and control. F.B. 1244, pp. 5–6. 1923.
  symptoms and losses. Y.B., 1922, p. 218. 1923; Y.B. Sep. 882, p. 218. 1923.
 injury—
  by mange, description. F.B. 1085, pp. 7–10, 11. 1920.
  from lice, control method. News L., vol. 3, No. 36, pp. 1, 4. 1916.
 inoculation—
  against cholera—
   experiments B.A.I. Bul. 72, pp. 13–98. 1905.
   extent of practice. Y.B., 1918, p. 192. 1919; Y.B. Sep. 777, p. 4. 1919.
   preservation of virus, etc. B.A.I. An. Rpt., 1911, p. 74. 1913.
   supervision. B.A.I.O. 245, amdt. 1, p. 1. 1917.
  methods—
   and practical tests. F.B. 379, pp. 19–22, 1909; F.B. 834, pp. 22, 25. 1917.
   regulation. B.A.I.O. 245, pp. 1–2. 1918.
  with—
   Heymann's capsules, experiments. B.A.I. An. Rpt., 1910, pp. 341–342. 1912. B.A.I. Cir. 190, pp. 341–342. 1912.
   pure cultures of Bacillus cholerae suis. B.A.I. Bul. 72, pp. 13–26. 1905
 insect pests, control work. D.R.P. Cir. 1, pp. 23–25. 1915.
 inspection—
  and condemnations, 1907–1914. Y.B., 1914, pp. 639, 640. 1915; Y.B. Sep. 656, pp. 639, 640. 1915.
  for hog cholera, regulations. B.A.I.O. 211, amdt. 4, p. 1. 1917.

Hog(s)—Continued.
  inspection—continued.
    regulations. B.A.I.O. 276, pp. 13, 16, 17, 18-20, 21, 22. 1922.
    internal organs, appearance after death by hog cholera. F.B. 379, pp. 10-15. 1909.
    introduction into Alaska. Alaska A. R., 1914, pp. 28-29, 32, 51. 1915.
  isolation from tubercular cattle for tuberculosis control. News L., vol. 4, No. 29, pp. 1-2. 1917.
  jaundice, cause, symptoms, and treatment. F.B. 1244, pp. 9-10. 1923.
  judging—
    score card blanks. D.B. 646, pp. 9-11. 1918; B.A.I. Bul. 61, pp. 82-96. 1904.
    suggestions for pig-club members. Sec. Cir. 83, pp. 1-14. 1917.
  Kentucky Red Berkshire, description and distribution. F.B. 1263, p. 20. 1922.
  kidney disease, embryonal adenosarcoma, study. B.A.I. An. Rpt., 1907, pp. 247-257. 1909.
  killing and—
    curing—
      in Hawaii, directions. Hawaii Bul. 48, pp. 41-42. 1923.
      pork. F. G. Ashbrook and G. A. Anthony. F.B 913, pp. 40. 1917.
    dressing. D.B. 646, pp. 15-17. 1918; F.B. 183, pp. 17-20. 1903; F.B. 1186, pp. 5-9. 1921.
  labor and feed requirements on farms in southwestern Minnesota. D.B. 1271, pp. 58-61. 1924.
  lard type—
    characteristics. F.B. 765, pp. 4-12. 1917; F.B. 1455, p. 17. 1925. Sec. Cir. 83, p. 4. 1917.
    comparative score card of different breeds. B.A.I. Bul. 47, pp. 20-30. 1904.
  Large Black—
    desirability of breed. O.E.S. Bul. 196, p. 43. 1907.
    herdbook. B.A.I.O. 278, amdt. 2, p. 1. 1923.
    origin, distribution, description, etc. F.B. 765, p. 16. 1917; F.B. 1263, p. 22. 1922.
  Large Yorkshire breed. F.B. 411, pp. 40-41. 1910.
  lesions resembling those of tuberculosis. B.A.I. An. Rpt., 1907, pp. 241-243. 1909; B.A.I. Cir. 144, pp. 241-243. 1909.
  lice—
    and mange, control and eradication methods. Marion Imes. F.B. 1085, pp. 28. 1920; F.B. 1085, rev., pp. 28. 1923.
    and other parasites, control. F.B. 985, p. 38. 1918.
    See also Lice, hog.
  live, hauling from farm to shipping points, costs. Stat. Bul. 49, pp. 25-39. 1907.
  livers, foreign material, cause and prevention in slaughtering. B.A.I.S.A., No. 52, p. 65. 1911.
  losses—
    1888-1924. Y.B., 1924, p. 897. 1925.
    1913, and conditions, April, 1914. F.B. 590, pp. 1-3, 17. 1914.
    decrease by control of cholera. O. B. Hess. Y.B., 1918, pp. 191-194. 1919; Y.B., Sep. 777, pp. 6. 1919.
    from—
      cholera, 1894 to 1917, by States, 1913-1917. F.B. 834, pp. 3-6, 7. 1917.
      cholera, prevention, methods, and cost. D.B. 584, pp. 13-17. 1917.
      diseases, and in shipment. Y.B., 1922, pp. 216-218, 255, 266, 267. 1923; Y.B. Sep. 882, pp. 216-218, 255, 266, 267. 1923.
      tuberculosis, 1917-1919. Y.B., 1919, pp. 279-282. 1920; Y.B. Sep. 810, pp. 279-282. 1920.
    in European countries during war. Y.B., 1918, pp. 293, 294, 296, 297. 1919; Y.B. Sep. 773, pp. 7, 8, 10, 11. 1919.
    yearly from disease, diagram. Y.B., 1918, p. 708. 1919; Y.B. Sep. 795, p. 44. 1919.
  lot, sanitation. F.B. 874, pp. 28-30. 1917.
  louse. See Louse, hog.
  lung, prohibition of use for food. B.A.I.S.A. 34, p. 9. 1910; B.A.I.S.A. 36, p. 24. 1910.
  lung, use as fish food and bait. B.A.I.S.A. 60, p. 23. 1912.
  lymph glands, anatomical notes. B.A.I. An. Rpt., 1910, pp. 376-400. 1912; B.A.I. Cir. 192, pp. 376-400. 1912.

Hog(s)—Continued.
  mammary system, heredity variations. J.A.R., vol. 23, pp. 577-581. 1923.
  management—
    breeding, feeding, and marketing in Nebraska. D.R.P. 1, pp. 6-12. 1915.
    details. George M. Rommel and F. G. Ashbrook. F.B. 874, pp. 38. 1917.
    for flea control. D.B. 248, p. 24. 1915.
    in feeding garbage. F.B. 1133, pp. 9-10, 13-15, 25. 1920.
    in preparation of hog-cholera serum. B.A.I. An. Rpt., 1910, pp. 403-407, 411-412. 1912.
    on Alabama diversification farm. F.B. 310, p. 9. 1907.
    on dairy farm. F.B. 355, p. 20. 1909.
    to prevent outbreak of cholera. F.B. 558, p. 5. 1913.
  mange—
    and lice control and eradication. Marion Imes. F.B. 1085, pp. 28. 1920; rev., pp. 28. 1923.
    See also Mange; Scabies.
  Mangolicza, breeding and use in Hungary. B.A.I. An. Rpt., 1910, pp. 402, 411. 1912.
  manure production. F.B. 192, pp. 7-14. 1914.
  market—
    classification. F.B. 222, pp. 24-25. 1905.
    heavier weight recommended. Sec. Cir. 84, p. 12. 1918.
    prices—
      1906. B.A.I. An. Rpt., 1906, pp. 311-312. 1908.
      1908, and range, 1897-1908, Chicago. B.A.I. An. Rpt., 1908, p. 396. 1910.
      and shipments, 1910-1920. D.B. 982, pp. 40-57, 62-69. 1921.
  marketing—
    1900-1918. Y.B. 1918, p. 704. 1919; Y.B. Sep. 795, p. 40. 1919.
    1923. Y.B., 1923, pp. 977-980. 1924; Y.B. Sep. 902, pp. 977-980. 1924.
    bibliography. M.C. 35, p. 25. 1925.
    cooperative demonstrations, Southern States. Y.B., 1919, pp. 211-217. 1920; Y.B. Sep. 808, pp. 211-217. 1920.
    history, methods, problems, and cost. Y.B., 1922, pp. 227-268. 1923; Y.B. Sep. 882, pp. 227-268. 1923.
    increase, 1917-1918. News L., vol. 6, No. 40, p. 3. 1919.
    live-weight prices, comparison with dressedweight. F.B. 809, p. 15. 1917.
    methods, by States and by sections. Rpt. 98., pp. 117-118. 1913; Rpt. 113, pp. 10-11, 13-14, 15. 1916.
  marking—
    for shipment, methods. F.B. 718, pp. 9-10, 11. 1916.
    in cooperative shipments. F.B. 1292, p. 8. 1923.
  meal, misbranding. Chem. N.J. 12488. 1924.
  measurement, determination of surface area. Albert G. Hogan and Charles I. Skouby. J.A.R., vol. 25, pp. 419-430. 1923.
  meat—
    disposal after use of hogs in serum production. B.A.I. An. Rpt., 1910, p. 412. 1912.
    fattening methods and feeds. D.B. 646, pp. 12-13. 1918.
    inspection regulations. B.A.I.O. 211, amdt. 4, p. 2. 1917.
    inspection, relation to tuberculosis. B.A.I. An. Rpt., 1907, pp. 238-241. 1909; B.A.I. Cir. 144, pp. 238-241. 1909; B.A.I. Cir. 201, pp. 32-34. 1912.
    yields, per 100 pounds. D.C. 241, pp. 10, 12. 1924.
  minor breeds, description. F.B. 765, pp. 14-16. 1917; F.B. 1263, pp. 19-22. 1922.
  mixture, misbranding. See Indexes, Notices of Judgment in bound volumes and in separates published as supplement to Chemistry Service and Regulatory Announcements.
  movement interstate, rules. B.A.I.O. 292, pp. 22-24. 1925.
  mule-foot, description. F.B. 765, p. 15. 1917.
  muscle and viscera, vitamin content, studies. D.B. 1138, pp. 14-19, 25-31, 38-42, 45. 1923.

INDEX TO PUBLICATIONS, 1901-1925   1169

Hog(s)—Continued.
  native American breeds. B.A.I. Bul. 47, p. 11. 1904.
  numbers—
    1840-1910 in United States and world countries. Sec. [Misc.], Spec. "Geography * * * world's agriculture," pp. 130-134. 1917.
    1850-1924. D.C. 241, pp. 2-3. 1924.
    1867-1906, farm value, with exports. Y.B. 1906, p. 662. 1907; Y.B. Sep. 436, p. 662. 1907.
    1910, and estimate 1915, by States, map. Y.B. 1915, p. 398. 1916; Y.B. Sep. 681, p. 398. 1916.
    September 1, 1914, condition, estimate, with comparisons, by States. F.B. 620, pp. 15, 28. 1914.
    January 1, 1917, and comparison with other farm animals. D.B. 646, p. 1. 1918.
    1923, prices and marketing. Y.B., 1923, pp. 945-980. 1924; Y.B. Sep. 902, pp. 945-980. 1924.
    and—
      sales in Missouri, Harrison County. Soil Sur. Adv. Sh., 1914, p. 12. 1916; Soils F.O., 1914, p. 1950. 1919.
      value, 1912, in different sections of United States. O.E.S.F.I.L. 16, p. 1. 1914.
      value, January, 1919. Y.B., 1919, p. 197. 1920; Y.B. Sep. 798, p. 197. 1920.
    changes in European countries since 1914. Y.B., 1919, pp. 409-423. 1920; Y.B. Sep. 821, pp. 409-423. 1920.
    grazed on national forests, and fees, 1920, 1921. For. A.R., 1921, pp. 23, 24. 1921.
    in—
      Argentina. Y.B., 1914, p. 381. 1915; Y.B. Sep. 648, p. 381. 1915.
      Austria, and requirements. D.B. 1234, pp. 61-63. 1924.
      United States, and foreign countries. Y.B., 1924, pp. 897, 898, 986-990. 1925.
      United States and various countries, and relation to population. Rpt. 109, pp. 14, 55-67. 192-215. 1916.
      various countries, comparison. Rpt. 109, pp. 63-66, 67. 1916.
      world countries, 1916, graphs and tables. Y.B., 1916, pp. 551, 659-662. 1917; Y.B. Sep. 713, p. 21. 1917; Y.B. Sep. 721, pp. 1-4. 1917.
      world countries, 1918. Y.B., 1918, pp. 587-591. 1919; Y.B. Sep. 793, pp. 3-7. 1919.
      world countries, 1919. Y.B., 1919, pp. 644-648. 1920; Y.B. Sep. 828, pp. 644-648. 1920.
      world countries, 1921. Y.B., 1921, pp. 675-680. 1922; Y.B. Sep. 870, pp. 1-6. 1922.
      world countries, 1922. Y.B., 1922, pp. 795-801. 1923; Y.B. Sep. 888, pp. 795-801. 1923.
      world countries, before and after war. Sec. Cir. 142, pp. 23, 24. 1919.
    increase—
      in Georgia. D.B. 1034, p. 49. 1922.
      in South, 1880-1920. Y.B., 1921, p. 338. 1922; Y.B. Sep. 877, p. 338. 1922.
      needed to win war, per cent for various States. News L. vol. 5, No. 14, pp. 2-3. 1917.
    on—
      farms, 1840-1920, statistics and discussion. Y.B., 1922, pp. 186-192. 1923; Y.B., Sep. 882, pp. 186-192. 1923.
      farms, January 1, 1915, estimates by States, with comparisons. F.B. 651, p. 19. 1915.
      farms, southwestern Minnesota. D.B. 1271, pp. 12-13. 1924.
      North Platte reclamation project. D.R.P. Cir. 1, pp. 5, 6. 1915.
      160-acre farms in Indiana. F.B. 1463, pp. 3, 10. 1925.
  slaughtered under Federal inspection. B.A.I. An. Rpt., 1909, pp. 319-320. 1911.
  weight, value, and distribution, estimates. F.B. 575, pp. 3, 4, 8, 11, 12, 19-20, 23, 37. 1914.
  offered for immunization, inspection and treatment. B.A.I.S.R.A. 139, pp. 93-95. 1919.
  other than for slaughter, transportation regulations. B.A.I.O. 263, p. 27. 1919.
  outlook for 1924. M.C. 23, pp. 16-17. 1924.
    control. Hawaii Bul. 48, pp. 11, 25. 1923.

Hog(s)—Continued.
  parasites—
    control methods. F.B. 1437, pp. 29-30. 1925.
    internal, prevalence in Guam. Guam A.R., 1918, pp. 19, 20. 1919.
  pasture(s)—
    alfalfa—
      and Bermuda grass. F.B. 310, pp. 10, 12, 16, 20, 24. 1907.
      value, number per acre, cost per pound of gain. B.P.I. Bul. 111, Pt. IV, pp. 6-9. 1907; F.B. 331, pp. 6-9. 1908.
    and feed, peanuts, Alabama, Conecuh County. Soil Sur. Adv. Sh., 1912, pp. 13, 18, 33. 1914; Soils F.O., 1912, pp. 761, 766, 781. 1915.
    and grain crops for, in the Pacific Northwest. Byron Hunter. D.B. 68, pp. 27. 1914; F.B. 599, pp. 27. 1914.
    change for sanitary effects. F.B. 874, p. 38. 1917.
    crops for dry-land, at Huntley, Mont. A. E. Seamans. D.B. 1143, pp. 24 1923.
    crops, months available and number of hogs per acre, table. B.P.I. Bul. 111, Pt. IV, p. 20. 1907.
    fed, immunity from tuberculosis. B.A.I. An. Rpt., 1907, p. 217. 1909; B.A.I. Cir. 144, p. 217. 1909.
    for Southern States. Lyman Carrier and F. G. Ashbrook. F.B. 951, pp. 20. 1918.
    meadow fescue and other plants, comparison. F.B. 361, p. 13. 1909.
    number to acre, different forage crops. F.B. 331, pp. 6, 11, 12, 14, 16, 17, 19-20, 23. 1908.
    rape, use and value. Sec. [Misc.], Spec., "Rape * * * forage * * *," pp. 2, 3. 1914.
    requirements. F.B. 370, pp. 23, 25. 1909.
  pasturing—
    bindweed eradication. F.B. 368, pp. 14-16. 1909.
    cropping systems for Southern States. F.B. 951, pp. 18-20. 1918.
    for control of grain insects. F.B. 835, pp. 13, 17. 1917.
    Huntley project, experiments, 1913. B.P.I. [Misc.], "Work of the Huntley * * * project * * * 1913," pp. 6-8. 1914.
    in—
      grain fields, gain in weight, profits. F.B. 599, pp. 7-9. 1914.
      Hawaii, cropping systems and crops. Hawaii Bul. 48, pp. 31-34. 1923.
      meadows, methods, advantages. F.B. 599, pp. 2-3. 1914.
      orchards to destroy plum curculio. Ent. Bul. 103, pp. 158, 159, 167. 1912.
      Texas, crop utilization experiments. W.A.I. Cir. 16, pp. 1, 19-21. 1917.
    on alfalfa—
      D.C. 330, pp. 29-30. 1925; F.B. 1021, pp. 27-32. 1919; F.B. 1229, pp. 19-21. 1921.
      and corn in rotation experiments. W.A.I. Cir. 24, pp. 14-16, 19-21. 1918.
      Belle Fourche experiment farm, South Dakota, 1913-1916. W.I.A. Cir. 14, pp. 16-18. 1916; W.I.A. Cir. 9, pp. 11-13. 1916; D.C. 60, pp. 19-21, 25-32. 1919.
      Huntley Experiment Farm, Montana. W.I.A. Cir. 8, pp. 9-10. 1916.
      Scottsbluff Experiment Farm, Nebraska. W.I.A. Cir. 27, pp. 15-17. 1919; W.I.A. Cir. 11, pp. 12-13. 1916; D.C. 173, pp. 12-14. 1921; D.C. 289, pp. 29-30. 1924.
      Truckee-Carson Experiment Farm, Nevada. W.I.A. 13, pp. 6-7. 1916.
      Umatilla Experiment Farm, Oregon. W.I.A. Cir. 1, pp. 4, 8-9. 1915.
      Yuma Experiment Farm, Arizona. 1910-1920. W.I.A. Cir. 25, pp. 21-23. 1919; D.C. 221, pp. 35, 36-37. 1922.
    on—
      bluegrass and swee clover. F.B. 1005, pp. 17, 19, 23. 1919.
      corn and alfalfa, irrigated crops. W.I.A. Cir. 2, pp. 8-9. 1915.
      corn, Huntley experiment farm, Montana, results. D.C. 275, pp. 15-17. 1923.
      cowpeas. F.B. 1153, p. 18. 1920.

Hog(s)—Continued.
pasturing—continued.
on—continued.
dry-land crops. D.B. 1143, pp. 3-17. 1923; D.C. 204, pp. 17-20. 1921; D.C. 330, pp. 18-21, 29-31. 1925.
field peas and wheat. W.I.A. Cir. 19, p. 13. 1918.
grub-infested land. F.B. 875, p. 9. 1917.
irrigated alfalfa, gains. D.C. 339, pp. 31-32. 1925.
irrigated crops, alfalfa, corn, and rape, results. W.I.A. Cir. 22, pp. 12-14. 1918.
irrigated crops, with supplementary rations. W.I.A. Cir. 6, pp. 7-9. 1915.
mountain farms, crops, management. F.B. 905, pp. 23-25. 1918.
quack grass. F.B. 1307, p. 24. 1923.
soy-bean mixtures with other crops. S.R.S. Syl. 35, pp. 11, 12. 1919.
sweet clover. F.B. 485, pp. 25, 29. 1912.
weevil-infested alfalfa. F.B. 741, pp. 14-15. 1916.
use in control of cutworms. F.B. 739, p. 3. 1916.
utilization of irrigated field crops. F. D. Farrell. D.B. 752, pp. 37. 1919.
peanut-fattened, cause of soft and oily pork. D.B. 1086, pp. 1-3. 1922.
points for judging, description. B.A.I. Bul. 76, pp. 17-40. 1905; Sec. Cir. 83, pp. 6-7. 1917.
poisoning by—
cocklebur. D.B. 1245, pp. 27-28. 1924; D.B. 1274, pp. 7-18. 1924; D.C. 283, p. 3, 4. 1923.
death camas, feeding experiments and results. D.B. 1240, pp. 4, 6, 7, 11. 1924.
Poland China—
description. B.A.I. Bul. 47, pp. 20-30. 1904.
fecundity, comparison with other breeds. B.A.I. Cir. 95, pp. 5-9. 1906; J.A.R., vol. 5, No. 25, pp. 1147-1148. 1916.
origin and description. D.B. 646, p. 3. 1918; F.B. 411, pp. 43-44. 1910; F.B. 765, pp. 5-6. 1917; F.B. 1263, pp. 7-9. 1922.
score card. B.A.I. Bul. 76, pp. 31-38. 1905.
Spotted, description and weight. F.B. 1263, pp. 14, 15-16. 1922.
post-mortem examination for cholera, directions. F.B. 379, pp. 9-15. 1909; F.B. 834, pp. 9-19. 1917.
potato-fed, meat quality. D.B. 596, pp. 6-10. 1917.
powder, misbranding. See Indexes, Notices of Judgment, in bound volumes and in separates published as supplements to Chemistry Service and Regulatory Announcements.
prices—
1910-1914. Rpt. 113, pp. 65-66, 68. 1916.
1917, and pork per cent of meat consumption. D.C. 241, pp. 16-19. 1922.
and price fixing by committee. News L., vol. 6, No. 14, pp. 6-7. 1918.
California and Oregon, 1909-1910. Stat. Bul. 89, pp. 57-59. 1911.
Chicago—
1900-1911. B.A.I. An. Rpt., 1911, pp. 270, 271-272. 1913.
and Omaha, 1892-1907. B.A.I. An. Rpt., 1907, p. 378. 1909.
comparison with—
corn prices, 1910-1914, and 1918. Y.B., 1918, p. 678. 1919; Y.B. Sep. 795, p. 678. 1919.
pork prices. Rpt. 109, pp. 143-152, 157-158, 163-164, 279-301. 1916.
farm—
and market. Y.B., 1924, pp. 911-916, 918, 1175. 1925.
and wholesale, comparisons in different States. D.B. 999, p. 18. 1921.
city, and export, comparison. Stat. Bul. 101, pp. 70-71. 1913.
increase—
1915-1917. News L., vol. 6, No. 33, p. 7. 1919.
in East, and causes. News L., vol. 3, No. 47, pp. 1, 3. 1916.
live weight, comparison with dressed-weight. F.B. 809, p. 15. 1917.
pack and weight, data, source. D.B. 1300 pp. 3-11, 14-20. 1925.

Hog(s)—Continued.
prices—continued.
to farmers, 1912-1915. News L., vol. 2, No. 42, p. 1. 1915.
variations and comparisons. Y.B., 1922, pp. 240-245, 256-260. 1923; Y.B. Sep. 882, pp. 240-245, 256-260. 1923.
wholesale—
during Civil War and World War periods. D.B. 999, pp. 16, 35. 1921.
leading cities, United States, 1902-1906. Y.B., 1906, p. 663. 1907; Y.B. Sep. 436, p. 663. 1907.
production—
1916 and 1917 and decrease in 1917. Sec. Cir. 84, pp. 3-4. 1918.
and marketing. E. Z. Russell and others. Y.B., 1922, pp. 181-280. 1923; Y.B. Sep. 882 pp. 181-280. 1923.
cost—
1922. Y.B., 1922, pp. 220-227. 1923; Y.B. Sep. 882, pp. 220-227. 1923.
in Georgia, 1916. F.B. 985, pp. 6, 7, 8, 11, 13, 32-34, 35. 1918.
in—
Australia and New Zealand. Y.B., 1914, p. 423. 1914; Y.B. Sep. 650, p. 423. 1914.
Lenawee County, Mich., 1860-1910. D.B. 694, p. 5. 1918.
various farming systems and localities. Y.B., 1922, pp. 199-214. 1923; Y.B. Sep. 882, pp. 199-214. 1923.
increase—
by cholera control work. O. B. Hess. Y.B., 1918, pp. 191-194. 1919; Y.B. Sep. 777, pp. 6. 1919.
in South, 1915-1918. News L., vol. 5, No. 50, pp. 1, 6. 1918.
necessary. Sec. Cir. 84, pp. 1-24. 1918.
1918, and suggestions. Sec. Cir. 103, pp. 8-9. 1918.
marketing, 1925. Sec. A.R., 1925, pp. 9-10. 1925.
practices. F.B. 1437, pp. 1-30. 1925.
sanitation, situation. Sec. A.R., 1925, pp. 1, 8, 9-10, 13, 45, 69-70. 1925.
successful examples in Georgia. F.B. 985, pp. 5, 6-11. 1918.
profits in feeding on garbage. F.B. 1133, pp. 21-24. 1920.
protection—
from insects and diseases. Sec. [Misc.], Spec., "How southern farmers * * *," pp. 3-4. 1914.
sanitary principles. F.B. 590, pp. 5-6. 1914.
protein requirement, studies. B.A.I. Bul. 143, pp. 96-97. 1912.
pseudo-leukemia, post-mortem appearances. An. Rpts., 1909, p. 223. 1910; B.A.I. Chief Rpt., 1909, p. 33. 1909.
purebred—
certifications, 1909. B.A.I. An. Rpt., 1909, p. 348. 1911.
demand, result of pig-club work. Y.B., 1917, pp. 374-377. 1918; Y.B. Sep. 753, pp. 6-9. 1918.
numbers on farms. Y.B., 1922, pp. 194-196. 1923; Y.B. Sep. 882, pp. 194-196. 1923.
record books. B.A.I. An. Rpt., 1910, pp. 551, 552. 1912; B.A.I.O. 175, pp. 4, 5. 1911.
raising—
and fattening, use and value of small grains and alfalfa, comparison studies. News L., vol. 2, No. 28, pp. 2-3. 1915.
and management on farms south of middle latitude. Y.B., 1907, pp. 395-398. 1908; Y.B. Sep. 456, pp. 395-398. 1908.
benefits to farmer. B.A.I. Bul. 47, pp. 14-16, 237-239. 1904.
conditions suitable. B.A.I. Bul. 47, pp. 12-14. 1904.
equipment. Sec. Cir. 30, p. 7. 1909.
expenses other than feeds. F.B. 985, pp. 32-34. 1918.
feeds, rates, feeding methods and cost, experiments. O.E.S.F.I.L. 16, pp. 6-9. 1914.
in Alabama—
Clay County. Soil Sur. Adv. Sh., 1915, p. 10. 1916; Soils F.O., 1915, p. 832. 1921.
Conecuh County, feeds. Soil Sur. Adv. Sh., 1912, pp. 13, 18. 1914; Soils F.O., 1912, pp 761, 766. 1915.

INDEX TO PUBLICATIONS, 1901–1925   1171

Hog(s)—Continued.
 raising—continued.
  in Alabama—Continued.
   Wilcox County. Soil Sur. Adv. Sh., 1916, pp. 11, 32–67. 1918; Soils F.O., 1916, pp. 945, 966–1001. 1921.
  in Alaska—
   1904. B.P.I. Bul. 82, p. 21. 1905.
   1915, experiments, prices, etc. Alaska A.R., 1915, pp. 16–17, 54, 86. 1916.
   1922. Alaska A.R., 1922, p. 10. 1923.
   Fairbanks Experiment Station. Alaska A.R., 1923, pp. 35, 27. 1925.
   Kenai Peninsula region. Soil Sur. Adv. Sh., 1916, pp. 70, 110. 1919; Soils F.O., 1916, p. 142. 1921.
   possibilities. Soil Sur. Adv. Sh., 1914, pp. 91, 155, 184, 186. 1915; Soils F.O., 1914, pp. 125, 189, 218, 220. 1919.
  in Argentina. B.A.I. Bul. 48, p. 13. 1903; D.C. 228, pp. 8–14. 1922.
  in Brazil, breeds, description, feed and feeding. D.C. 228, pp. 28–30. 1922.
  in California, upper San Joaquin Valley. Soil Sur. Adv. Sh., 1917, pp. 30–31. 1921; Soils F.O. 1917, pp. 2558–2559. 1923.
  in Denmark for bacon trade. D.B. 1266, pp. 33–34. 1924.
  in Europe. B.A.I. Bul. 77, pp. 88–98. 1905.
  in Florida—
   Flager County. Soil Sur. Adv. Sh., 1918, pp. 10, 11–12, 18, 24, 40. 1922; Soils F.O. 1918, pp. 540, 541–542, 548, 554, 570. 1924.
   Orange County. Soil Sur. Adv. Sh., 1919, p. 5. 1922; Soils F.O., 1919, p. 951. 1925.
  in Georgia—
   Brooks County, 1915–16. Soil Sur. Adv. Sh., 1916, pp. 14–15. 1918; Soils F.O., 1916, pp. 597–599. 1921.
   Brooks County, and cost of feeding. D.B. 648, pp. 10, 40–41, 57–59. 1918.
   Colquitt County. Soil Sur. Adv. Sh., 1914, p. 11. 1915; Soils F.O., 1914, p. 967. 1919.
   Laurens County, importance of industry. Soil Sur. Adv. Sh., 1915, p. 14. 1916; Soils F.O., 1915, pp. 630, 631. 1919.
   Mitchell County. Soil Sur. Adv. Sh., 1920, pp. 4, 5, 6, 7. 1922; Soils F.O., 1920, pp. 4, 5, 6, 7. 1925.
   Pulaski County. Soil Sur. Adv. Sh., 1918, p. 10. 1920; Soils F.O., 1918, p. 518. 1924.
   Tatnall County. Soil Sur. Adv. Sh., 1914, p. 13. 1915; Soils F.O., 1914, p. 825. 1919.
   Turner County. Soil Sur. Adv. Sh., 1915, pp. 10–11. 1916; Soils F.O., 1915, pp. 664–665. 1919.
   Wilkes County. Soil Sur. Adv. Sh., 1915, pp. 9, 12. 1916; Soils F.O., 1915, pp. 723, 726. 1919.
  in Guam, 1916. Guam A.R., 1916, pp. 50–52. 1917.
  in Hawaii. F. G. Krauss. Hawaii Bul. 48, pp. 43. 1923.
  in Hungary statistics, pre-war and 1921. D.B. 1234, pp. 31, 34–35. 1924.
  in Indiana—
   Lake County. Soil Sur. Adv. Sh., 1917, pp. 12, 22, 40. 1921; Soils F.O., 1917, pp. 1146, 1156, 1174. 1923.
   Warren County. Soil Sur. Adv. Sh., 1914, p. 10. 1916; Soils F.O., 1914, p. 1600. 1919.
   Wells County, importance and numbers. Soil Sur. Adv. Sh., 1915, pp. 10, 28. 1917; Soils F.O., 1915, pp. 1428, 1446. 1919.
   White County. Soil Sur. Adv. Sh., 1915, pp. 13, 23, 32. 1917; Soils F.O., 1915, pp. 1457, 1467, 1476. 1919.
  in Iowa—
   Boone County. Soil Sur. Adv. Sh., 1920, pp. 141, 149–165. 1923; Soils F.O., 1920, pp. 141, 149–165. 1925.
   Clay County. Soil Sur. Adv. Sh., 1916, pp. 10, 13, 23, 34–35. 1918; Soils F.O., 1916, pp. 1838, 1841, 1849–1869. 1921.
   Clinton County. Soil Sur. Adv. Sh., 1915, pp. 13, 14, 19–20, 63. 1917; Soils F.O., 1915, pp. 1656, 1657, 1661–1662, 1705. 1919.

Hog(s)—Continued.
 raising—continued.
  in Iowa—continued.
   Dallas County. Soil Sur. Adv. Sh., 1920, pp. 1160, 1172–1178, 1181, 1189. 1924; Soils F.O., 1920, pp. 1160, 1172–1178, 1181, 1189. 1925.
   Dickinson County. Soil Sur. Adv. Sh., 1920, pp. 603, 605, 613–636. 1923; Soils F.O., 1920, pp. 603, 605, 613–636. 1925.
   Dubuque County. Soil Sur. Adv. Sh., 1920, pp. 350, 356, 369. 1923; Soils F.O., 1920, pp. 350, 356, 369. 1925.
   Emmet County. Soil Sur. Adv. Sh., 1920, pp. 416, 426–435. 1923; Soils F.O., 1920, pp. 416, 426–435. 1925.
   Fayette County. Soil Sur. Adv. Sh., 1919, pp. 9, 11, 14–15, 40. 1922; Soils F.O., 1919, pp. 1463, 1465, 1468–1469, 1494. 1925.
   Green County. Soil Sur. Adv. Sh., 1921, pp. 287, 293. 1924.
   Hamilton County. Soil Sur. Adv. Sh., 1917, p. 12. 1920; Soils F.O., 1917, p. 1636. 1923.
   Jasper County. Soil Sur. Adv. Sh., 1921, pp. 1133, 1135. 1925.
   Linn County. Soil Sur. Adv. Sh., 1917, pp. 13–14, 38, 39. 1920; Soils F.O., 1917, pp. 1693–1694, 1718, 1719. 1923.
   Louisa County. Soil Sur. Adv. Sh., 1918, pp. 12–13. 1921; Soils F.O., 1918, pp. 1026–1027. 1924.
   Madison County. Soil Sur. Adv. Sh., 1918, pp. 13–14, 23, 26, 28. 1921; Soils F.O., 1918, pp. 1073–1074, 1082, 1085, 1086. 1924.
   Mahaska County. Soil Sur. Adv. Sh., 1919, pp. 14–15, 28, 35, 36. 1922; Soils F.O., 1919, pp. 1551, 1552, 1561, 1566. 1925.
   Mills County. Soil Sur. Adv. Sh., 1920, pp. 109, 111–112, 120, 123–127. 1923; Soils F.O., 1920, pp. 109, 111–112, 120, 123–127. 1925.
   Montgomery County. Soil Sur. Adv. Sh., 1917, pp. 10, 11, 12, 19, 23. 1919; Soils F.O., 1917, pp. 1729, 1730, 1731, 1739, 1743. 1923.
   Muscatine County, effects of hog cholera, and control. Soil Sur. Adv. Sh., 1914, pp. 14, 20. 1916; Soils F.O., 1914, pp. 1834, 1840. 1919.
   O'Brien County, importance. Soil Sur. Adv. Sh., 1921, p. 219. 1924.
   Page County. Soil Sur. Adv. Sh., 1921, p. 355. 1924.
   Palo Alto County. Soil Sur. Adv. Sh., 1918, pp. 14, 22, 28. 1921; Soils F.O., 1918, pp. 1142, 1150, 1156. 1924.
   Polk County. Soil Sur. Adv. Sh., 1918, pp. 14, 31, 37, 43, 51, 60, 64. 1921; Soils F.O., 1918, pp. 1174, 1185, 1191, 1197, 1203, 1211, 1220, 1224. 1924.
   Ringgold County. Soil Sur. Adv. Sh., 1916, pp. 10, 17–27. 1918; Soils F.O., 1916, pp. 1910, 1917–1927. 1921.
   Sioux County. Soil Sur. Adv. Sh., 1915, pp. 14, 21, 23, 36. 1917; Soils F.O., 1915, pp. 1756, 1763, 1765, 1778. 1919.
   Wayne County. Soil Sur. Adv. Sh., 1918, pp. 10, 19. 1920; Soils F.O., 1918, pp. 1234, 1243. 1924.
  in Kansas—
   and Oklahoma. B.P.I. Bul. 111, Pt. IV, pp. 1–24. 1907; F.B. 331, pp. 1–24. 1908.
   Cowley County. Soil Sur. Adv. Sh., 1915, pp. 11, 30. 1917; Soils F.O., 1915, pp. 1927, 1946. 1919.
   Leavenworth County. Soil Sur. Adv. Sh., 1919, pp. 216, 229, 243, 248, 255. 1923; Soils F.O., 1919, pp. 216, 229, 243, 248, 255. 1925.
  in Louisiana—
   Rapides Parish. Soil Sur. Adv. Sh., 1916, pp. 13, 39. 1918; Soils F.O., 1916, pp. 1129, 1155. 1921.
   Sabine Parish. Soil Sur. Adv. Sh., 1919, pp. 12, 13. 1922; Soils F.O., 1919, pp. 1048, 1051. 1925.
   Webster Parish. Soil Sur. Adv. Sh., 1914, pp. 12, 14, 30, 34, 36. 1916; Soils F.O., 1914, pp. 1246, 1248, 1264, 1268, 1270. 1919.

Hog(s)—Continued.
  raising—continued.
    in Maryland—
      Charles County. Soil Sur. Adv. Sh., 1918, pp. 11, 32, 46. 1922; Soils F.O., 1918, 83, 84, 98. 1924.
      Frederick County. Soil Sur. Adv. Sh., 1919, pp. 9, 11, 39, 57, 76. 1922; Soils F.O., 1919. pp. 649, 651, 679, 697, 716. 1925.
    in Minnesota—
      Anoka County. Soil Sur. Adv. Sh., 1916, pp. 11, 17-25. 1918; Soils F.O., 1916, pp. 1813, 1819-1827. 1921.
      Stevens County. Soil Sur. Adv. Sh., 1919, pp. 10, 12, 21, 23, 29, 31. 1922; Soils F.O., 1919, pp. 1382, 1384, 1393, 1395, 1401, 1403. 1925.
    in Mississippi—
      Hinds County. Soil Sur. Adv. Sh., 1916, pp. 10-13, 21, 38. 1918; Soils F.O., 1916, pp. 1012-1015, 1023, 1040. 1921.
      Newton county. Soil Sur. Adv. Sh., 1916, pp. 9, 11, 18, 25, 39, 42. 1918; Soils F.O., 1916, pp. 1085, 1087, 1094, 1101, 1115, 1118. 1921.
    in Missouri—
      Buchanan County, importance. Soil Sur. Adv. Sh., 1915, pp. 10, 11. 1917; Soils F.O., 1915, pp. 1814, 1815. 1919.
      Harrison County, breeds. Soil Sur. Adv. Sh., 1914, p. 12. 1916; Soils F.O., 1914, p. 1950. 1919.
      Ozark region. D.B. 941, p. 32. 1921.
      Pemiscot County, possibilities. Soil Sur. Adv. Sh., 1910, p. 17. 1912; Soils F.O., 1910, p. 1329. 1912.
      Perry County. Soil Sur. Adv. Sh., 1913, pp. 13, 33. 1915; Soils F.O., 1913, pp. 1793, 1913. 1916.
    in Nebraska—
      Boone County. Soil Sur. 1921, pp. 1179-1180. 1925.
      Dakota County. Soil Sur. Adv. Sh., 1919, pp. 13, 16, 28, 32, 33, 36. 1921; Soils F.O., 1919, pp. 1683, 1686, 1698, 1702, 1703, 1706. 1925.
      Dawes County. Soil Sur. Adv. Sh., 1915, pp. 13, 33. 1917; Soils F.O., 1915, pp. 1971, 1991. 1919.
      Gage County, breeds, and extent of industry. Soil Sur. Adv. Sh., 1914, p. 15. 1916; Soils F.O., 1914, p. 2333. 1919.
      Howard County. Soil Sur. Adv. Sh., 1920, pp. 971, 990, 998, 1000. 1924; Soils F.O., 1920, pp. 971, 990, 998, 1000. 1925.
      Jefferson County. Soil Sur. Adv. Sh., 1921, p. 1450. 1925.
      Johnson County. Soil Sur. Adv. Sh., 1920, pp. 1262, 1271-84. 1924; Soils F.O., 1920, pp. 1262, 1271-84. 1925.
      Madison County. Soil Sur. Adv. Sh., 1920, pp. 209, 218-245. 1923; Soils F.O., 1920, pp. 209, 218-245. 1925.
      North Platte reclamation project. D.C. 289, p. 6. 1924.
      Pawnee County. Soil Sur. Adv. Sh., 1920. pp. 1324, 1334-1347. 1924; Soils F.O., 1920, pp. 1324, 1334-1347. 1925.
      Seward County, importance of industry. Soil Sur. Adv. Sh., 1914, p. 13. 1916; Soils F.O., 1914, p. 2261. 1919.
      Thurston County, importance of industry. Soil Sur. Adv. Sh., 1914, p. 14. 1916; Soils F.O., 1914, p. 222. 1919.
      Wayne County. Soil Sur. Adv. Sh., 1917, pp. 17, 27, 33, 35, 42, 46. 1919; Soils F.O., 1917, pp. 1969, 1979, 1985, 1987, 1994, 1998. 1923.
    in Nevada, Newlands Farm. D.C. 352, p. 20. 1925.
    in New Jersey, Bernardsville area. Soil Sur. Adv. Sh., 1919, pp. 415, 416, 436, 445, 453. 1923; Soils F.O., 1919, pp. 415, 416, 436, 445, 453. 1925.
    in New York, Chautauqua County, increase since 1870. Soil Sur. Adv. Sh., 1914, p. 16. 1916; Soils F.O., 1914, p. 282. 1919.

Hog(s)—Continued.
  raising—continued.
    in North Carolina—
      Anson County. Soil Sur. Adv. Sh., 1915, pp. 15, 18. 1917; Soils F.O., 1915, pp. 369, 371 1919.
      Wayne County. Soil Sur. Adv. Sh., 1915, p. 10. 1916; Soils F.O., 1915, p. 502. 1919.
    in Oklahoma, Canadian County. Soil Sur. Adv. Sh., 1917, pp. 13, 24, 29, 35, 39, 50, 57. 1919; Soils F.O., 1917, pp. 1407, 1418, 1423, 1429-1433, 1444, 1451. 1923.
    in Pacific Northwest, pasture and grain crops, feeding. D.B. 68, pp. 1-27. 1914.
    in Pennsylvania, survey of Chester County. D.B. 341, p. 49. 1916.
    in Porto Rico, and feeding. P.R. An. Rpt., 1921, p. 4. 1922.
    in South Dakota, Belle Fourche reclamation farm. D.C. 60, pp. 6, 7. 1919.
    in Southern States, experiment, Alabama diversification farm. F.B. 310, p. 6. 1907.
    in Texas—
      Denton County. Soil Sur. Adv. Sh., 1918, pp. 11, 27, 57. 1922; Soils F.O., 1918, pp. 784, 799, 829. 1924.
      northwest. Soil Sur. Adv. Sh., 1919, pp. 17, 74. 1922; Soils F.O., 1919, pp. 1115, 1172. 1925.
      San Saba County. Soil Sur. Adv. Sh., 1916, pp. 16-17, 33, 43. 1917; Soils F.O., 1916, pp. 1326-1327, 1348, 1353. 1921.
    in the South. S. A. Knapp. Sec. Cir. 30, pp. 8. 1909.
    in Uruguay, breed and feeding. D.C. 228, pp. 14, 15. 1922.
    in Virginia—
      Frederick County, breeds. Soil Sur. Adv. Sh., 1914, pp. 11-12. 1916; Soils F.O., 1914, pp. 435-436. 1919.
      Pittsylvania County. Soil Sur. Adv. Sh., 1918, pp. 11, 20. 1922; Soils F.O., 1918, pp. 127, 136. 1924.
    in Washington—
      Franklin County, on dry farms. Soil Sur. Adv. Sh., 1914, p. 31. 1917; Soils F.O., 1914, p. 2557. 1919.
      Wenatchee area. Soil Sur. Adv. Sh., 1918, p. 17. 1922; Soils F.O., 1918, p. 1557. 1924.
    in Wisconsin—
      Fond du Lac County, importance. Soil Sur. Adv. Sh., 1911, p. 12. 1913; Soils F.O., 1911, p. 1430. 1914.
      Jackson County. Soil Sur. Adv. Sh., 1918, pp. 17, 42, 43. 1922; Soils F.O., 1918, pp. 953, 978, 979. 1924.
      La Crosse County. Soil Sur. Adv. Sh., 1911, pp. 12-13. 1913; Soils F.O., 1911, pp. 1568-1569. 1914.
    increase in cotton region, and improvement. F.B. 985, pp. 3-5. 1918.
    lectures, syllabus. O.E.S. Cir. 100, pp. 21-23, 40-42. 1911.
    location of farm and number of hogs. F.B. 874, pp. 6-8. 1917.
    on—
      cut-over lands in Lake States. D.B. 425, pp. 7, 8-9. 1916.
      reclamation projects, conditions and profits. News L., vol. 3, No. 15, pp. 2-3. 1915.
      sandy lands, pasture crops. F.B. 716, pp. 4, 5, 7, 26-27. 1916.
      shares on rented dairy farms. F.B. 1272, p. 13. 1922.
    sections of United States adapted to. F.B. 874, pp. 5-6. 1917.
    stimulation by pig-club work. Y.B., 1917, pp. 371-384. 1918; Y.B. Sep. 753, pp. 1-16. 1918.
    system on 160-acre farms in Indiana. F.B. 1463, pp. 4-14. 1925.
    value in general farming. F.B. 325, p. 29. 1908.
    with trucking and dairy industries, profitableness. News L., vol. 4, No. 41, pp. 7-8. 1917.
  ration—
    of dried-pressed potato, quantity and composition. D.B. 596, pp. 1-3. 1917.
    requirement, studies. B.A.I. Bul. 47, pp. 89-96. 1904; B.A.I. Bul. 143, pp. 51-55. 1912.

INDEX TO PUBLICATIONS, 1901-1925   1173

Hog(s)—Continued.
ratios—
to population in different regions. Y.B., 1923, p. 326. 1924; Y.B. Sep. 895, p. 326. 1924.
with corn, 1910-1921. Y.B., 1921, p. 729. 1922: Y.B. Sep. 870, p. 55. 1922.
razorback, injury to longleaf pine. D.B. 1061, pp. 46-47. 1922.
receipts—
and—
pack at trade centers, 1903-1904. Stat. Bul. 38, p. 31. 1905.
shipments at stock centers, 1906. B.A.I. An. Rpt., 1906, pp. 320-322. 1908.
shipments at trade centers. Rpt. 98, pp. 289, 343-348. 1913.
at—
principal markets, August, 1918, with comparisons. News L., vol. 6, No. 9, pp. 9-10. 1918.
stockyards, December, 1917 and 1918. Y.B., 1918, pp. 394-397. 1919; Y.B. Sep. 788, pp. 18-21. 1919.
on farms—
about Grove City, Pa. D.B. 853, p. 24. 1920.
January 1, 1920, map. Y.B., 1921, p. 484. 1922; Y.B. Sep. 878, p. 78. 1922.
relation of weight to feed. M.C. 32, pp. 33-34, 36. 1924.
remedy, misbranding. See *Indexes, Notices of Judgment, in bound volumes and in separates published as supplements to Chemistry Service and Regulatory Announcements.*
requirements—
1919-1920 for pork production. Sec. Cir. 125, p. 18. 1919.
feed and pasture. F.B. 370, pp. 12, 23, 25. 1909.
for farm family, and acreage for feed. F.B. 1015, pp. 12-13, 14, 15. 1919.
restocking after outbreak of hog cholera. F.B. 384, p. 30. 1917.
roundworms—
infestation. B.A.I. Bul. 158, pp. 1-47. 1912.
studies. B.A.I. Chief Rpt., 1924, pp. 38-39. 1924.
sanitary requirements (and other livestock). B.A.I. Doc. A-36, pp. 1-67. 1920.
sanitation system in Ohio. Off. Rec., vol. 4, No. 39, p. 5. 1925.
score cards for lard and bacon, for rural school use. D.B. 132, pp. 32-33. 1915.
selection for—
butchering—
and treatment. F.B. 1186, pp. 3-4. 1921.
health, condition, quality, and age. F.B. 913, pp. 3-4. 1917.
production of serum. B.A.I. An. Rpt., 1910, p. 411. 1912.
self-feeder. F. G. Ashbrook and R. E. Gongwer. F.B. 906, pp. 12. 1917.
septicemia, symptoms, diagnosis, and control. D.B. 674, pp. 1, 6, 7-9. 1918.
serums, testing for tuberculosis by complement fixation. J.A.R., vol. 8, pp. 16-17. 1917.
shelters, description, and arrangement. F.B. 272, pp. 9-10. 1906; F.B. 566, pp. 13-14. 1913.
shipments—
by producers and by cooperative organizations. Y.B., 1922, pp. 234-236, 265-267. 1923; Y.B. Sep. 882, pp. 234-236, 265-267. 1923.
from North Platte reclamation project, 1914. D.R.P. Cir. 1, p. 12. 1915.
in hot weather, suggestions. F.B. 1292, p. 27. 1923.
reports, December, 19, 1918. Y.B., 1918, pp. 384-387. 1919; Y.B. Sep. 788, pp. 8-11. 1919.
sick—
symptoms of different diseases. F.B. 379, pp. 8-9, 15-17. 1909.
with cholera, symptoms, and treatment of herd. F.B. 834, pp. 7-8, 18-27, 32. 1917.
skins, black spots, notice to inspectors. B.A.I. S.R.A. 186, p. 114. 1922.
slaughter—
1884-1914, at principal places, numbers. Rpt. 109, p. 307. 1916.
1907-1918, and number condemned for tuberculosis. F.B. 1069, p. 9. 1919.

Hog(s)—Continued.
slaughter—continued.
1909, consumption, and export. B.A.I. An. Rpt., 1911, pp. 254-256. 1913.
1924, by States. Y.B. 1924, pp 917, 919-920, 969, 971-972. 1925.
and post-mortem inspection, details. B.A.I. An. Rpt., 1906, pp. 85-86. 1908; B.A.I. Cir 125, pp. 25-26. 1908.
in West, 1887-1911, tables. Stat. Bul. 101, pp. 49-51. 1913.
under Federal inspection, 1917, 1918. Sec. Cir. 123, p. 4. 1918.
slaughtered for meat in United States, 1907. B.A.I. Cir. 154, p. 4. 1910; B.A.I. An. Rpt., 1908, p. 86. 1910.
sores from rape pasture, treatment. B.P.I. Bul. 111, Pt. IV, p. 14. 1907.
South American countries, breeds, conditions and demands. Y.B., 1919, pp. 374-379. 1920; Y.B. Sep. 818, pp. 374-379. 1920.
southern, pork comparison to Corn-Belt hogs. F.B. 809, p. 14. 1917.
spraying and rubbing for control of lice. F.B. 874, p. 36. 1917.
standardization, need in marketing. Y.B., 1922, pp. 261-264. 1923; Y.B. Sep. 882, pp. 261-264. 1923.
statistics—
1840-1920. Y.B., 1922, p. 192. 1923; Y.B. Sep. 882, p. 192. 1923.
1867-1907. Stat. Bul. 64, pp. 81-145. 1908; Y.B., 1906, pp. 662-663. 1907; Y.B. Sep. 436. pp. 662-663. 1907.
1900. B.A.I. Bul. 47, pp. 248-285. 1904.
number and value—
1907-1911 and exports. Y.B., 1911, pp. 645-647, 668. 1912; Y.B. Sep. 588, pp. 645-647, 668. 1912.
1908-1912, and exports. Y.B., 1912; pp. 666-669, 726. 1913; Y.B. Sep. 615, pp. 666-669, 726. 1913.
1911-1913, and exports. Y.B., 1913, pp. 479-480, 501. 1914; Y.B. Sep. 361, pp. 479-480, 501. 1914.
1912-1916. Y.B., 1916, pp. 691-693. 1917; Y.B. Sep. 721, pp. 33-35. 1917.
1917, and prices. Y.B., 1917, pp. 743-745. 1918; Y.B. Sep. 761, pp. 37-39. 1918.
1918, and prices. Y.B., 1918, pp. 622-625. 1919; Y.B. Sep. 793, pp. 38-41. 1919.
1919, imports and exports. Y.B., 1919, pp. 675-677, 682, 691. 1920; Y.B. Sep. 828, pp. 675-677. 1920; Y.B. Sep. 829, pp. 682, 691. 1920.
1920, breeds. Y.B., 1920, pp. 55-58. 1921; Y.B. Sep. 863, pp. 55-58. 1921.
1921, exports and imports. Y.B., 1921, pp. 722-729. 1922; Y.B. Sep. 870, pp. 48-55. 1922.
1922, exports and imports. Y.B., 1922, pp. 889-908, 949, 955. 1923; Y.B. Sep. 888, pp. 889-908. 1923; Y.B. Sep. 880, pp. 949, 955. 1923.
numbers, by geographic divisions, 1840-1916. Rpt. 109, pp. 209-211. 1916.
stock, supply in important States, September, 1913. F.B. 558, p. 13. 1913.
stocker—
garbage feeding. Y.B., 1919, pp. 199-200. 1920; Y.B. Sep. 798, pp. 199-200. 1920.
shipping back to farms from stockyards. Y.B., 1919, p. 200. 1920; Y.B. Sep. 798, p. 200. 1920.
stockyard receipts, thirty-six cities, June, 1917, 1918. News L. vol. 5, No. 51, p. 15. 1918.
stomach, lesions associated with certain round worms. B.A.I. Bul. 158, pp. 34-36. 1912.
supply to Danish bacon factories, payment basis. D.B. 1266, pp. 39-41. 1924.
surface area, measurement and calculation. J.A.R., vol. 25, p. 427. 1923.
surveys, work. Y.B., 1923, pp. 22-23. 1924
susceptibility to—
avian tuberculosis, and means of spread. F.B. 1200, p. 11. 1921.
foot-and-mouth disease, and cause of spread. D.C. 325, pp. 2, 4, 6, 11-13. 1924; F.B. 666, pp. 1, 3, 5, 7, 10, 11. 1915.
symptoms, hemorrhagic septicemia. F.B. 1018. p. 5. 1918.

Hog(s)—Continued.
   tagging—
      experiment, results. Y.B., 1909, pp. 234–235. 1910; Y.B. Sep. 508, pp. 234–235. 1910.
      suggestions. B.A.I. An. Rpt., 1907, pp. 216, 218. 1909; B.A.I. Cir. 144, pp. 216, 218. 1909.
   Tamworth—
      breed. F.B. 411, pp. 41–42. 1910.
      crossing with wild, in heredity studies. J.A.R., vol. 23, pp. 559, 565, 566, 574, 581. 1923.
      description, weight, and association secretary. F.B. 765, pp. 12–13. 1917.
      origin and description. D.B. 646, p. 4. 1918; F.B. 1263, pp. 16–17, 19. 1922.
      score card. B.A.I. Bul. 76, p. 38. 1905.
   tapeworm, spread by dogs to humans. D.B. 260, p. 23. 1915.
   tariff duties on, summary. Y.B., 1922, pp. 279–280. 1923; Y.B. Sep. 882, pp. 279–280. 1923.
   temperature records before and after tuberculin injection. B.A.I. Bul. 88, pp. 21–37. 1906.
   tests to show influence of breed on feeding powers. B.A.I. Bul. 47, pp. 178–193. 1904.
   tonic, homemade, formula. F.B. 874, pp. 13–14. 37. 1917; F.B. 1202, p. 53. 1921.
   transportation—
      cost, 1908. Y.B., 1908, p. 242. 1909; Y.B. Sep. 477, p. 242. 1909.
      study. Y.B., 1924, pp. 174–177. 1925.
      to market, driving and hauling. Rpt. 98, pp. 117–118. 1913.
   treatment—
      for roundworms. B.A.I. Bul. 158, p. 37. 1912.
      of herds for prevention of cholera. F.B. 384, pp. 25–27. 1917.
   tuberculin—
      test, and some methods of infection with tuberculosis. E. C. Schroeder and J. R. Mohler. B.A.I. Bul. 88, pp. 51. 1906.
      testing. D.C. 249, p. 25. 1922; F.B. 781, p. 11. 1917; F.B. 1069, pp. 25, 30. 1919.
   tuberculous—
      disposition. F.B. 781, pp. 15–16. 1917.
      interstate movement, prohibition. B.A.I. [Misc.], "Notice regarding * * * swine * * *," p. 1. 1907; B.A.I.O. 210, amdt. 1, pp. 1–2. 1914.
      lymph glands inspection, instructions. B.A.I.S.R.A. 87, p. 95. 1914.
   types—
      and breeds, origin, and description. D.B. 646, pp. 2–5. 1918; O.E.S.F.I.L. 16, pp. 10–13. 1914.
      lard and bacon, description. Sec. Cir. 83, pp. 3–5. 1917.
   unloading in transit, for feed. B.A.I.S.R.A. 119, p. 37. 1917.
   use—
      and value as labor savers in hogging down crops in Corn Belt. J. A. Drake. F.B. 614, pp. 16. 1914.
      for destroying white grubs, precaution. F.B. 543, pp. 14, 17. 1913.
      in crop disposition, Scottsbluff, 1916, with comparisons. W.I.A. Cir. 18, pp. 11–12. 1918.
      in production of serums. B.A.I.O. 276, pp. 18–20, 21, 23–33. 1922.
      of self-feeders, advantages to farmers, methods. F.B. 906, pp. 6–9. 1917.
      of tankage and bone meal. F.B. 276, pp. 21–24. 1907.
   usefulness in eradication of Bermuda grass. F.B. 945, pp. 2, 11. 1918.
   uselessness in June beetle control. D.B. 891, p. 46. 1922.
   utilization of waste on farms. Sec. Cir. 84, pp. 13–14. 1918.
   vaccination, serum-simultaneous method, experiments. B.A.I. Bul. 102, pp. 12–89. 1908.
   value—
      as labor savers, experiments. F.B. 704, p. 36. 1916.
      comparison with cattle and sheep. Y.B., 1921, p. 228. 1922; Y.B. Sep. 874, p. 228. 1922.
      for using up waste grain and cowpeas. F.B. 326, p. 21. 1908.
      on farms—
         graph. Y.B., 1921, p. 163. 1922; Y.B. Sep. 872, p. 163. 1922.

Hog(s)—Continued.
   value—continued.
      on farms—continued.
         utilization of waste feed, and increasing profits. F.B. 874, pp. 3, 5. 1917.
      per hundredweight, 1900–1909. Y.B., 1909, p. 227. 1910; Y.B. Sep. 508, p. 227. 1910.
   vermin, prevention, and destruction. B.A.I. Bul. 47, pp. 66–67. 1904; F.B. 205, pp. 38–40. 1904.
   Victoria—
      description. B.A.I. Bul. 47, pp. 21–30. 1904.
      origin—
         and description. F.B. 765, p. 16. 1917.
         description and weight. F.B. 1263, p. 21. 1922.
   viscera edible, and average yield of blood. D.B. 1138, p. 22. 1923.
   vitamin requirement in feed, and sources of supply. O.E.S. An. Rpt., 1922, pp. 82–83. 1924.
   wallows—
      advantages and disadvantages. F.B. 874, p. 36. 1917.
      medicated, description, construction, and use. F.B. 1085, pp. 14–15, 20–22. 1920.
      relation to cholera. Sec. Cir. 30, p. 6. 1909.
   weight, 1921, and 12-year average at principal markets. Y.B., 1921, p. 729. 1922; Y.B. Sep. 870, p. 55. 1922.
   wild, crossing with Tamworth and Berkshire, in heredity studies. J.A.R., vol. 23, pp. 558, 566. 1923.
   world production and localities where centralized. Y.B. 1922, p. 183. 1923; Y.B. Sep. 882, p. 183. 1923.
   worms—
      control methods. D.R.P. Cir 1, pp. 24–25. 1915; F.B. 566, p. 9. 1913; F.B. 874, pp. 37–38. 1917; F.B. 1437, pp. 29–30. 1925; Hawaii Bul. 48, p 26. 1923.
      lesions resembling tuberculosis. B.A.I. An. Rpt., 1907, pp. 241–242. 1908; B.A.I. Cir. 144, pp. 241–242. 1909; B.A.I. Cir. 201, p. 35. 1912.
      symptoms and treatment. F.B. 384, p. 12. 1917; F.B. 1244, pp. 23–24. 1923; J.A.R., vol. 12, pp. 400, 421–438, 442. 1918.
   Yorkshire—
      Large, description. F.B. 411, pp. 40–41. 1910; F.B. 765, pp. 13–14. 1917.
      Large, score card. B.A.I. Bul. 76, pp. 39–40. 1905.
      origin and types. D.B. 646, p. 5. 1918; F.B. 1263, pp. 18–19. 1922.
      Small, description. F.B. 765, pp. 15–16. 1917.
   See also Pigs; Sow; Swine
HOGAN, A. G.—
   "Determination of the surface area of cattle and swine." With Charles I. Skouby. J.A.R., vol. 25, pp. 419–430. 1923.
   "Influence of the plane of nutrition on the maintenance requirement of cattle." With others. J.A.R., vol 22, pp. 115–121. 1921.
HOGAN, J. B.: "Soil survey of Grenada County, Miss." With W. E. Tharp. Soil Sur. Adv. Sh., 1915, pp. 32. 1917; Soils F.O., 1915, pp. 999–1026. 1919.
Hogged-off area, determination for various crops, methods. F.B. 599, pp. 9–10. 1914.
Hogging—
   down—
      corn—
         advantages. F.B. 329, p. 21. 1908.
         Huntley experiment farm, gains. W.I.A. Cir 8, p. 11. 1916; W.I.A. Cir. 22, p. 13. 1918.
         irrigation farming. D.C. 339, pp. 32–33, 46–48. 1925.
         method and results. F.B. 331, pp. 22–24. 1908.
         method of fattening hogs, advantages. B.P.I. Bul. 111, Pt. IV, pp. 22–24. 1907.
         South Dakota. Belle Fourche experiment farm, results. W.I.A. Cir. 9, pp. 13–14. 1916.
         value as method of feeding hogs. Work and Exp., 1914, p. 110. 1915.
   crops—
      a Corn-Belt labor-saving farming system. J. A. Drake. F.B. 614, pp. 16. 1914.

Hogging—Continued.
 down—continued.
  crops—continued.
   advantages. Y.B., 1922, pp. 182, 205. 1923; Y.B. Sep. 882, pp. 182, 205. 1923.
   as labor saver on farm, studies. News L., vol. 2, No. 18, pp. 1-2. 1914.
   saving in feeding hogs. Sec. Cir. 122, p. 8. 1918.
  off—
   alfalfa and corn, results on Scottsbluff experiment farm, 1913. B.P.I. Doc. 1081, pp. 9-11. 1914.
   corn—
    advantages. Sec. Cir. 91, p. 11. 1918.
    experiments. D.C. 147, pp. 22-23. 1921.
    results, Belle Fourche experiment farm. D.C. 60, pp. 21-22, 28-29. 1919.
    value in eradication of white grubs. F.B. 940, pp. 15-23. 1918.
   crops—
    advantages, crops, and acreage. D.B. 68, pp. 5-10, 20, 25, 27. 1914.
    value for reclamation projects. D.R.P. Cir. 1, p. 2. 1915.
   grain fields, methods, kinds, and advantages. F.B. 599, pp. 5-10. 1914.
   irrigated crops, results in pork production. D.B. 752, pp. 25-33, 36-37. 1919.
   rape and corn, experiments and results. W.I.A. Cir. 22, pp. 13-14. 1918.
Hognut, synonym of hickory mockernut. For. Bul. 80, p. 21. 1910.
Hogshead—
 fish, number per 1,000 pounds. D.B. 908, pp. 115-116. 1921.
 tobacco, breaking for samples. B.P.I. Bul. 268, pp. 9, 32, 37, 41, 53, 60. 1913.
Hogpens—
 description. B.A.I. Bul. 47, p. 18. 1904.
 disinfection. B.A.I. An. Rpt., 1907, p. 243. 1909; B.A.I. Cir. 144, p. 243. 1909.
 tor receiving, regulation. B.A.I.O. 265, amdt. 2, p. 2. 1921.
Hogweed. See Fleabane, Canada.
"Hoi," native name for Hawaiian Dioscorea. B.P.I. Bul. 264, p. 7. 1912.
Hoisting, equipment for—
 cotton. D.B. 801, p. 6. 1919.
 pit silos. F.B. 825, pp. 10-12. 1917.
Hoitcost, description, method of making. B.A.I. Bul. 68, p. 25. 1905.
Holarrhena antidysenterica, importation and description. No. 53579, B.P.I. Inv. 67, p. 64, 1923.
Holbellia latifolia, importation and description. No. 47692, B.P.I. Inv. 59, pp. 7, 48. 1922.
HOLBERT, J. R.—
 "Anchorage and extent of corn root system." With Benjamin Koehler. J.A.R., vol. 27, pp. 71-78. 1923.
 "Control of the root, stalk, and ear rot diseases of corn." With George N. Hoffer. F.B. 1176, pp. 24. 1920.
 "Early vigor of maize plants and yield of grain as influenced by the corn-root, stalk, and ear-rot diseases." With others. J.A.R., vol. 23, pp. 583-630. 1923.
 "The black-bundle disease of corn." With Charles S. Reddy. J.A.R., vol. 27, pp. 177-206, 1924.
 "Wheat scab and corn rootrot caused by *Gibberella saubinetii* in relation to crop successions." With others. J.A.R., vol. 27, pp. 861-880. 1924.
Holcocera confamulella, n. sp., description. J.A.R. vol. 20, pp. 818-819. 1921.
HOLCOMBE, A. A.: "Diseases of the fetlock, ankle, and foot." B.A.I. [Misc.], "Diseases of the horse," rev., pp. 369-430. 1903; rev., pp. 369-430. 1907; rev., pp. 369-430. 1911; rev., pp. 395-457. 1916; rev., pp. 395-457. 1923.
Holcus—
 halepensis. See Johnson grass.
 lanatus—
  distribution, description and feed value. D.B. 201, p. 27. 1915.
  susceptibility to stem rusts, studies. J.A.R., vol. 10, pp. 465-488. 1917.
 See Velvet grass.

Holcus—Continued.
 sorghum—
  importations and descriptions. Nos. 33281, 33424, 33425, 33518, 33669, 33670, B.P.I. Inv. 31, pp. 4, 9, 21, 28, 42, 82. 1914; Nos. 34114, 34293, 34294, B.P.I. Inv. 32, pp. 11, 31. 1914; Nos. 50779-50829, 51228, B.P.I. Inv. 64, pp. 25-28, 78. 1923.
  See also Sorgo; Sorghum.
 spp.—
  description, distribution, and uses. D.B. 772, pp. 21, 266-269. 1920.
  importations and descriptions. Nos. 49801-49803, 49967-49968, 50008-50019, 50077-50079, 50233-50236, 50378, 50531, B.P.I. Inv. 63, pp. 3, 7, 25, 28-29, 33, 47, 64, 77. 1923; Nos. 51439, 51509, 51377-51381, 51609-51611, 51618-51622, 51952-52166, B.P.I. Inv. 65, pp. 17, 22, 31, 32, 69-77. 1923.
HOLDEN, J. A.—
 "Experiments in the disposal of irrigated crops through the use of hogs. D.B. 488, pp. 25. 1917.
 "The work of the Scottsbluff Reclamation Project Experiment Farm in—
  1917." W.I.A. Cir. 27, pp. 28. 1919.
  1918 and 1919." D.C. 173, pp. 36. 1921.
  1920 and 1921." D.C. 289, pp. 38. 1923.
HOLDEN, P. G.: "American system of agricultural extension—Methods and equipment." O.E.S. Bul. 231, pp. 67-72. 1910.
Holder process, milk pasteurization. B.A.I. Bul 126, pp. 21-22, p. 46. 1910; B.A.I. Cir. 184, pp. 9-10. 1912.
Holders, kitchen, directions for making. D.C. 2, pp. 6-7. 1919; S.R.S. Doc. 83, pp. 4-5. 1918.
Holisidota caryae. See Moth, hickory tiger.
HOLLAND, D. J., opinion on—
 adulteration and misbranding of vanilla extract (Heinle's). Chem. N.J. 389, pp. 4. 1910.
 constitutionality of food and drugs act. Sol. Cir. 29, pp. 4. 1910.
 seizure of original package of asafoetida. Sol. Cir. 41, pp. 7. 1911.
HOLLAND, E. B.—
 "Analyses of condensed milk." With P. H. Smith. Chem. Bul. 116, pp. 54, 55, 56, 57. 1908.
 "Determination of fatty acids in butter fat: 1." With J. P. Buckley, jr. J.A.R., vol. 12, pp. 719-732. 1918.
 "Determination of fatty acids in butter fat: 2." With others. J.A.R., vol. 24, pp. 365-398 1923.
 "Determination of stearic acid in butter fat." With others. J.A.R., vol. 6, No. 3, pp. 101-113 1916.
 "Stability of olive oil." With others. J.A.R., vol. 13, pp. 353-366. 1918.
Holland—
 meat products, quarantine for noninspection B.A.I.S.R.A. 105, p. 2. 1916.
 drainage projects, areas and cost. D.B. 304, pp. 4-5, 16, 24, 37. 1915; O.E.S. An. Rpt., 1908, pp. 408, 417. 1909; O.E.S. Bul. 243, pp. 10, 25. 1911.
 nursery—
  conditions. F.B. 453, p. 13. 1911.
  stock inspection, officials. F.H.B.S.R.A. 7, p. 64. 1914; F.H.B.S.R.A. 11, p. 88. 1915; F.H.B.S.R.A. 20, pp. 73-74. 1915; F.H.B. S.R.A. 32, p. 119. 1916.
 potato importations, prohibition. F.H.B.S.R.A. 4, pp. 24-25. 1914; F.H.B.S.R.A. 6, p. 50. 1914.
 reclaimed land, value. Ent. Bul. 88, p. 53. 1910
 restrictions on plants from America, modification. F.H.B.S.R.A. 78, p. 25. 1924.
 See also Netherlands.
Hollarrhena antidysenterica, importation and description. No. 47692. B.P.I. Inv. 59, p. 47. 1922.
HOLLAWAY, T. E.: "Larval characters and distribution of two species of Diatraea." J.A.R. vol. 6, No. 16, pp. 621-626. 1916.
Holliday Creek system, irrigation plant, details O.E.S. Bul. 222, p. 65. 1910.
HOLLINGSHEAD, R. S.—
 "A chemical study of the ripening and pickling of California olives." With R. W. Hilts. D.B. 803, pp. 24. 1920.

HOLLINGSHEAD R. S—Continued.
"Chemical analyses of Logan blackberry (Loganberry) juices." D.B. 773, pp. 12. 1919.

HOLLISTER, N.—
"A systematic account of the prairie dogs." N.A. Fauna 40, pp. 37. 1916.
"A systematic synopsis of the muskrats." N.A. Fauna 32, pp. 47. 1911.

Hollow-heart, potato, cause and control. F.B. 1367, pp. 34–35. 1924.

HOLLOWAY, T. E.—
"Field observations on sugar-cane insects in the United States in 1912." Ent. Cir. 171, pp. 8. 1913.
"Insects liable to dissemination in shipments of sugar cane." Ent. Cir. 165, pp. 8. 1912.
"The sugar-cane moth borer." With U. C. Loftin. D.B. 746, pp. 74. 1919.

Holly—
  characters. F.B. 468, p. 41. 1911.
  Chinese, importation and description. Nos. 34525, 34527, 34546, Inv. 33, pp. 5, 31, 32. 1915.
  description and key. D.C. 223, pp. 5, 9. 1922.
  family, injury by sapsuckers. Biol. Bul. 39, pp. 45, 80, 83. 1911.
  fruiting season and use as bird food. F.B. 844, pp. 12, 13. 1917; F.B. 912, p. 11. 1918.
  ground. See Pipsissewa.
  importations and descriptions. Nos. 39667, 39668, B.P.I. Inv. 41, pp. 57–58. 1917; No. 44335, B.P.I. Inv. 50, p. 59. 1922; No. 55682, B.P.I. Inv. 72, pp. 3, 18. 1924.
  mountain, occurrence in Colorado, description. N.A. Fauna 33, p. 234. 1911.
  quantity used in manufacture of wooden products. D.B. 605, p. 17. 1918.
  spineless, importation and description. No. 34836, B.P.I. Inv. 34, pp. 6, 18. 1915.
  tests for mechanical properties, results. D.B. 556, pp. 31, 40. 1917; D.B. 676, p. 21. 1919.

Hollyhock—
  description, and adaptations. F.B. 1381, pp. 61–63. 1924.
  growing in Alaska. Alaska A.R., 1918, p. 33. 1920.
  leaf spot, occurrence and description, Texas. B.P.I. Bul. 226, p. 86. 1912.

HOLM, G. E.: "Notes on the composition of the sorghum plant." With others. J.A.R., vol. 18, pp. 1–31. 1919.

HOLM, THEO.: "Anatomical structure of the olive." B.P.I. Bul. 192, pp. 47–53. 1911.

HOLMAN, H. P.—
"Painting on the farm." F.B. 1452, pp. 33. 1925.
"The care of leather." With others. F.B. 1183, rev., pp. 22. 1924.
"Waterproofing and mildewproofing cotton duck." With others. F.B. 1157, pp. 13. 1920.

HOLMES, A. D.—
"Digestibility of hard palates of cattle." With C. F. Langworthy. J.A.R., vol. 6, No. 17, pp. 641–648. 1916.
"Digestibility of certain miscellaneous animal fats." D.B. 613, pp. 27. 1919.
"Digestibility of cod-liver, java-almond, tea-seed, and watermelon-seed oils, deer fat, and some blended hydrogenated fats." With Harry J. Deuel, jr. D.B. 1033, pp. 15. 1922.
"Digestibility of protein supplied by soy-bean and peanut press-cake flours." D.B. 717, pp. 28. 1918.
"Digestibility of some animal fats." With C. F. Langworthy. D.B. 310, pp. 23. 1915.
"Digestibility of some by-product oils." D.B. 781, pp. 16. 1919.
"Digestibility of some seed oils." D.B. 687, pp. 20. 1918.
"Digestibility of some vegetable fats." With C. F. Langworthy. D.B. 505, pp. 20. 1917.
"Digestibility of very young veal." With C. F. Langworthy. J.A.R., vol. 6, No. 16, pp. 577–588. 1916.
"Experiments in the determination of the digestibility of millets." With C. F. Langworthy. D.B. 525, pp. 11. 1917.
"Experiments on the digestibility of fish." D.B. 649, pp. 15. 1918.

HOLMES A. D.—Continued.
"Experiments on the digestibility of wheat bran in a diet without wheat flour." D.B. 751, pp. 20. 1919.
"Fats and their economical use in the home." With H. L. Lang. D.B. 469, pp. 27. 1916.
"Studies of the digestibility of some nut oils." D.B. 630, pp. 15. 1918.
"Studies on the digestibility of some animal fats." With C. F. Langworthy. D.B. 507, pp. 20. 1917.
"Studies on the digestibility of the grain sorghums." With C. F. Langworthy. D.B. 470, pp. 31. 1916.
"The digestibility of the dasheen." With C. F. Langworthy. DB. 612, pp. 12. 1917.

HOLMES, E. S., jr.—
"Rates of charge for transporting garden truck, with notes on the growth of the industry." With Edward G. Ward, jr. Stat. Bul. 21, pp. 86. 1901.
"Statistics on the fruit industry of California." Stat Bul. 23, pp. 11. 1901.
"Wheat growing and general agricultural conditions in the Pacific Coast region of the United States." Stat. Bul. 20, pp. 44. 1901.
"Wheat ports of the Pacific Coast." Y.B., 1901, pp. 567–580. 1902; Y.B. Sep. 256, pp. 567–580. 1902.
report of statistician (acting), 1903. An. Rpts., 1903, pp. 439–445. 1903; Stat. Chief Rpt., 1903, pp. 7. 1903.

HOLMES, G. K.—
"Argentine beef." F.B. 581, pp. 30–40. 1914.
"Causes affecting farm values." Y.B. 1905, pp. 511–532. 1906; Y.B. Sep. 400, pp. 511–532. 1906.
"Changes in farm values, 1900–1905." Stat. Bul. 43, pp. 46. 1906.
"Cold storage and prices." Stat. Bul. 101, pp. 116. 1913.
"Cold storage business features." Stat. Bul. 93, pp. 86. 1913.
"Colonial cotton." F.B. 581, pp. 40–43. 1914.
"Consumers' fancies." Y.B., 1904, pp. 417–434. 1905; Y.B. Sep. 357, pp. 417–434. 1905.
"Cotton crop of the United States, 1790–1911." Stat. Cir. 32, pp. 9. 1912.
"Estimated farm production of 1913." F.B. 570, pp. 5–23. 1913.
"Foreign trade in farm and forest products, 1903." Stat. Cir. 15, pp. 20. 1903.
"Foreign trade in farm and forest products, 1904." Stat. Cir. 16, pp. 19. 1905.
"Hides and skins: Production, foreign trade, supply, and consumption." Y.B., 1917, pp. 425–446. 1918; Y.B. Sep. 741, pp. 24. 1918.
"Hog production and marketing." With others. Y.B., 1922, pp. 181–280. 1923; Y.B. Sep. 882 pp. 181–280. 1923.
"Hop crop of the United States, 1790–1911." Stat. Cir. 35, pp. 8. 1912.
"List of agricultural fairs and exhibitions in the United States." Ent. Bul. 102, pp. 68. 1913.
"Local conditions as affecting farm values, 1900–1905." Stat. Bul. 44, pp. 88. 1906.
"Meat situation in the United States: Part I. Statistics of livestock, meat production, and consumption prices, and international trade for many countries." Rpt. 109, pp. 307. 1916.
"Meat supply and surplus, with consideration of consumption and exports." Stat. Bul. 55, pp. 100. 1907.
"Movement from city and town to farms." Y.B. 1914, pp. 257–274. 1915; Y.B. Sep. 641, pp. 257–274. 1915.
"Potatoes: Acreage, production, foreign trade, supply, and consumption." D.B. 695, pp. 24. 1918.
"Practices in crop rotation." Y.B., 1902, pp. 519–532. 1903 Y.B. Sep. 289, pp. 519–532. 1903.
report of chief of Division of Foreign Markets, 1903. An. Rpts., 1903, pp. 447–453. 1903; For. Mkts. Chief Rpt., 1903, pp. 7. 1903.
"Supply and wages of farm labor." Y.B., 1910, pp. 189–200. 1911; Y.B. Sep. 528, pp. 189–200. 1911.
"Supply of farm labor." Stat. Bul. 94, pp. 81. 1912.

HOLMES, G. K.—Continued.
"Systems of marketing farm products and demand for such products at trade centers. Rpt. 98, pp. 391. 1913.
"The Nation's farm surplus." Y.B., 1903, pp. 479–490. 1904; Y.B. Sep. 304, pp. 479. 1904.
"The sheep industry." With others. Y.B., 1923, pp. 229–310. 1924; Y.B. Sep. 894, pp. 229–310. 1924.
"Three centuries of tobacco." Y.B., 1919, pp. 151–175. 1920; Y.B. Sep. 805, pp. 151–175. 1920.
"Tobacco crop of the United States, 1612–1911." Stat. Cir. 33, pp. 12. 1912.
"Wages of farm labor." Stat. Bul. 99, pp. 72. 1912.
"Wool: Production, foreign trade, supply, and consumption." Y.B., 1917, pp 401–424. 1918; Y.B. Sep. 751, pp. 26. 1918.

HOLMES, J. A.: "Road building with convict labor in the Southern States." Y.B., 1901, pp. 319–332. 1902; Y.B Sep. 240, pp. 319–332. 1902.

HOLMES, J. G.: "Soil survey—
around Imperial, Calif." With Thos. H. Means Soils Cir. 9, pp. 20. 1902.
of the Imperial area, California." With others. Soil Sur. Adv. Sh., 1903, pp. 30. 1904; Soils F.O., 1903, pp. 1219–1248. 1904.

HOLMES, J. S.—
"Condition of cut-over long-leaf pine lands in Mississippi." With J. H. Foster. For Cir. 149, pp. 8. 1908.
"Suggestion for disposal of brush on national forests." For. [Misc.], "Suggestions for disposal * * *," pp. 15 1907

HOLMES, L. C.—
"Reconnoissance soil survey of the—
central-southern area, California." With others. Soil Sur. Adv. Sh., 1917, pp. 136. 1921; Soils F.O., 1917, pp. 2405–2534. 1923.
middle San Joaquin Valley, Calif." With others. Soil Sur. Adv. Sh., 1916, pp. 115. 1919; Soils F.O., 1916, pp. 2421–2591. 1921.
Sacramento Valley, Calif." With J. W. Nelson and party. Soil Sur. Adv. Sh., 1913, pp. 148. 1915; Soils F.O., 1913, pp. 2297–2438. 1916.
San Diego region, California." With R. L. Pendleton. Soil Sur. Adv. Sh., 1915, pp 77 1918; Soils F.O., 1915, pp. 2509–2581. 1919.
San Francisco Bay region, California." With J. W. Nelson. Soil Sur. Adv. Sh., 1914, pp. 112. 1917; Soils F.O., 1914, pp. 2679–2784. 1919.
"Soil survey of—
Barnes County, N Dak." With others. Soil Sur. Adv. Sh., 1912, pp. 47. 1914; Soils F.O., 1921, pp. 1921–1963. 1915
the—
Anaheim area, California." With others. Soil Sur. Adv. Sh., 1916, pp. 79. 1919; Soils F.O., 1916, pp. 2271–2345. 1921.
Colusa area, California." With others. Soil Sur. Adv. Sh., 1907, pp. 50 1908; Soils F.O., 1907, pp. 927–972. 1909.
Fresno area, California." With others Soil Sur. Adv. Sh., 1912, pp. 82. 1914; Soils F.O., 1912, pp. 2089–2166. 1915.
lower San Joaquin Valley, Calif." With others. Soil Sur. Adv. Sh., 1915, pp. 157. 1918; Soils F.O., 1915, pp. 2583–2733. 1919.
Madera area, California." With others. Soil Sur. Adv. Sh., 1910, pp. 43. 1911; Soils F.O., 1910, pp. 1717–1753. 1912.
Marysville area, California." With others Soil Sur. Adv. Sh., 1909, pp 56. 1911; Soils F.O., 1909, pp. 1689–1740. 1912.
Medford area, Oregon." With others. Soil Sur. Adv. Sh., 1911, pp. 74. 1913; Soils F.O., 1911, pp. 2287–2356. 1914.
Mesilla Valley, N. Mex.-Tex." With J. W Nelson. Soil Sur. Adv. Sh., 1912, pp. 39 1914; Soils F.O., 1912, pp. 2011–2045. 1915
middle Rio Grande Valley area, New Mexico." With others. Soil Sur. Adv. Sh., 1912, pp. 52. 1914; Soils F O., 1912, pp. 1965–2010. 1915.

HOLMES, L. C.—Continued.
"Soil survey of—Continued.
the—continued.
Modesto-Turlock area, California, with a brief report on a reconnoissance soil survey of the region east of the area." With others. Soil Sur. Adv. Sh., 1908, pp. 70. 1909; Soils F.O., 1908, pp. 1229–1294 1911.
Portersville area, California." With others. Soil Sur. Adv. Sh., 1908, pp. 40. 1909. Soils F.O., 1908, pp. 1295–1330. 1911.
Red Bluff area, California." With E. C. Eckmann. Soil Sur. Adv. Sh., 1910, pp. 60. 1912; Soils F.O., 1910, pp 1601–1656 1912.
Redding area, California." With Macy H Lapham. Soil Sur. Adv. Sh., 1907, pp. 31. 1908; Soils F.O., 1907, pp. 973–999. 1909.
San Fernando Valley area, California." With others. Soil Sur. Adv. Sh., 1915, pp. 61 1918; Soils F.O., 1915, pp. 2451–2507 1919.

HOLMES, R. S.: "The chemical composition of soil colloids." With W. O. Robinson. D.B. 1311, pp. 42. 1924.

HOLMES, T. S.: "Suggestions for the disposal of brush in the national forests." For. [Misc.], "Suggestions for disposal * * *," pp. 15 1907

Holmskioldia sanguinea—
importation and description No. 36254, B.P.I. Inv. 36, p. 67. 1915.
See also Mandarin vine.

Holodiscus dumosus, occurrence in Colorado, description. N.A. Fauna 33, p. 233. 1911.

Holoquiscalus brachypterus See Blackbird, Porto Rican.

Holothyrus spp., classification and description Rpt. 108, pp. 70–71. 1915.

HOLROYD, H. B.—
"Tests of vehicle and implement woods." With H. S. Betts. For. Cir. 142, pp. 29. 1908.
"The utilization of tupelo." For. Cir. 40, pp. 16. 1906.

Holston soils, Virginia, description, uses, and location. D.B. 46, pp. 17–18, 19, 20, 21. 1913; Soils Cir. 53, pp. 12–14. 1912

HOLT, V S.—
"Ornamental hibiscus in Hawaii." With E. V. Wilcox. Hawaii Bul. 29, pp. 60. 1914.
"The avocado in Hawaii." With others Hawaii Bul. 25, pp. 48. 1911.
"The papaya in Hawaii." With J. E. Higgins. Hawaii Bul. 32, pp. 44. 1914.

Holt, basket willow, location, preparation, and care. F.B. 341, pp. 11–15, 19–27, 44–45. 1909; For Cir 155, pp. 7–8, 13. 1909.

Holy Cross Mountain, Colo., description and—
ascent. D.C. 29, pp. 3, 7. 1919.
surroundings. For. [Misc.], "Vacation * * * Colorado * * *," pp. 17–18. 1919.

Holy Cross National Forest, vacation trips. D.C 29, pp. 15 1919.

Holy grass. See Seneca grass.

Holyoke, Mass., milk supply, statistics, officials, and prices. B.A.I. Bul. 46, pp 36, 93, 209. 1903.

Homalocenchrus—
oryzoides, distribution, description, and feed value. D.B. 201, p. 27. 1915.
spp., description, distribution, and uses D.B. 772, pp. 18, 204–206, 207. 1920.

Homalodisca triquetra See Sharpshooter, glassy winged.

Homalomyia—
brevis, description and habits. F.B. 459, p. 6 1911.
canicularis, resemblance to house fly, description. F.B. 459, pp. 6–7. 1911.
group, larvae, description, and occurrence in food. Ent. T.B. 22, pp. 28–29. 1912.

HOME, F. B.: "Soil survey of Bremer County, Iowa." With others. Soil Sur. Adv. Sh., 1913, pp. 37. 1914; Soils F.O., 1913, pp. 1689–1721. 1916.

Home(s)—
adornment, planting of flowers, shrubs, grass, and trees. O.E.S. Bul. 123, pp. 116–117. 1903; Y.B., 1902, pp. 501–518. 1903; Y.B. Sep. 284, pp. 18. 1903.

Home(s)—Continued.
  and farm drying of fruits and vegetables. Joseph S. Caldwell. F.B. 984, pp. 61. 1918.
  Argentine ant control, methods, and experiments. Ent. Bul. 122, pp. 87-88. 1913.
  baking. Charlotte Chatfield. F.B. 1450, pp. 14. 1925.
  beautification—
    advice to farm women. S. R. S. Rpt. 1920, p. 9. 1922.
    demonstration work, 1921. D.C. 248, pp. 30-31. 1922.
    importance in rural communities. Y.B., 1914, pp. 133-135. 1915; Y.B. Sep. 632, pp. 47-49. 1915.
    needs, and methods. F.B. 1087, pp. 1-65. 1920.
    uses for bamboo. D.B. 1329, pp. 16-19. 1925.
  bread and bread making. Caroline L. Hunt and Hannah L. Wessling. F.B. 807, pp. 26. 1917.
  building, economy and simplicity. M.C. 39, p. 9. 1925.
  buildings, modern conveniences, useful hints. O.E.S. F.I.L. 8, pp. 4-10. 1907.
  business methods for. Thrift Leaf. 18, pp. 4. 1919.
  canning—
    club(s)—
      instructions to save fruit and vegetable waste, boys' and girls' club work. O. H. Benson. S.R.S. Doc. 17, pp. 6. 1915.
      mother-daughter organization, suggestions. O. H. Benson. S.R.S. Doc. 20, pp. 6. 1917.
      work, results. D.C. 66, pp. 28-29, 36. 1920.
    effects of altitude changes. F.B. 839, p. 12. 1917.
    in tin and mechanical sealing, directions, boys' and girls' club work. O. H. Benson and George E. Farrell. S.R.S. Doc. 97, pp. 8. 1919.
    instructions—
      O. H. Benson. S.R.S. Doc. 18, pp. 6. 1915.
      additional recipes. George E. Farrell. S.R.S. Doc. 12, pp. 6. 1917.
      soups and meats. George E. Farrell. S.R.S. Doc. 9, pp. 4. 1915.
    of—
      fruits and vegetables. F.B. 1211, pp. 51. 1921.
      fruits and vegetables. Mary E. Creswell and Ola Powell. F.B. 853, pp. 42. 1917.
      meats and sea foods with the steam-pressure canner. Franz P. Lund. S.R.S. Doc. 80, rev., pp. 30. 1919.
      soups. S.R.S. Doc. 9, pp. 1-4. 1915.
      one-period cold-pack method. O. H. Benson. F.B. 839, pp. 39. 1917.
      vegetables in. J. F. Breazeale. F.B. 359, pp 16. 1910.
  care—
    and use of milk in. George M. Whitaker and others. F.B. 413, pp. 20. 1910.
    of food in—
      F.B. 1374, pp. 13. 1923.
      Mary Hinman Abel. F.B. 375, pp. 46. 1909.
  clubs for improvement, progress in 1921. D.C. 255, pp. 15, 20-21. 1923.
  conditions, improvement by work of boys' and girls' clubs. D.C. 66, pp. 34-36. 1920.
  conveniences—
    and equipment, demonstration work, 1921. D.C. 248, pp. 28-29. 1922.
    and related problems. O.E.S. An. Rpt., 1907, pp. 362-366. 1908.
    for laborers' houses on farms. Y.B., 1918, pp. 348-352, 355. 1919; Y.B. Sep. 789, pp. 4-8, 11. 1919.
    for sewage disposal, various conditions. Y.B., 1916, pp. 350-370. 1917; Y.B. Sep. 712, pp. 4-24. 1917.
    in cooking, studies. O.E.S. An. Rpt., 1909, pp. 379-380. 1910.
    installment in South. S. R. S. Rpt., 1919, pp. 21, 29. 1921.
    introduction, results of demonstration work. Y.B., 1920, pp. 116, 117, 120, 122. 1921; Y.B. Sep. 833, pp. 116, 117, 120, 122. 1921.
    suggestions. F.B. 317, pp. 5-10. 1908.

Home(s)—Continued.
  country, water supply, plumbing, and sewage disposal for. Robert W. Trullinger. D.B. 57, pp. 46. 1914.
  curing of meat, results of ham and bacon clubs. Y.B., 1917, p. 378. 1918; Y.B. Sep. 753, p. 10. 1918.
  demonstration—
    activities of agents. D.C. 285, pp. 7-23. 1923.
    agents' work in North and West. D.C. 148. pp. 3, 6, 16-24. 1920.
    and canning club work. O. B. Martin and Mary E. Creswell. S.R.S. Doc. 28, pp. 8. 1915.
    county agents, work in 1921. S. R. S. Rpt. 1921, pp. 6-7, 14, 16-21. 1923.
    girls clubs in South, number and work, 1916. S.R.S. Rpt., 1916, Pt. II, pp. 28-30. 1917.
    included in farm bureau work. S.R.S. Doc. 89, pp. 20-21. 1919.
    nature and purpose, development and status. D.C. 285, pp. 1-4, 24-25. 1923.
    North and West, 1916, progress of work, and outlook. S.R.S. Rpt., 1916, Pt. II, pp. 157-161. 1917.
    results in the South. O. B. Martin and Ola Powell. Y.B., 1920, pp. 111-126. 1921; Y.B. Sep. 833, pp. 111-126. 1921.
    work—
      1922. Grace E. Frysinger. D.C. 314, pp. 44. 1924.
      addition to farm bureau program. D.C. 30, pp. 20-21. 1919.
      among negroes. D.C. 190, pp. 13-16. 1921; D.C. 355, pp. 15-18. 1925.
      in North and West. S.R.S. An. Rpt., 1921, pp. 5, 44-48. 1921.
      in Northern and Western States, status and results, 1919. Florence E. Ward. D.C. 141, pp. 25. 1921.
      in Northern and Western States, status and results, 1920. Florence E. Ward. D.C. 178, pp. 30. 1921.
      in Northern and Western States, status and results, 1921. Florence E. Ward. D.C. 285, pp. 26. 1923.
      in South, 1910-1921. D.C. 248, pp. 11-15, 23-31, 35. 1922.
      in South, effect on community and county. Bradford Knapp and Mary E. Creswell. Y.B., 1916, pp. 251-266. 1917; Y.B. Sep. 710, pp. 16. 1917.
      in Southern States. S.R.S. Doc. 28, pp. 1-8. 1915.
      of county agents in North and West, 1917. S.R.S. Rpt., 1917, Pt. II, pp. 170-171. 1919.
      of county agents, North and West, 1921. D. C. 244, pp. 24-25, 40. 1922.
      of county agents in South, 1917. S.R.S. Rpt., 1917, Pt. II, pp. 24, 32-36. 1919.
      principal lines, and results. D.C. 178, pp. 6-25. 1921.
      projects and results, 1925. Ext. A.R., 1925, pp. 46-59. 1925.
      results. S. R. S. Rpt., 1922, pp. 2, 6-7, 8, 9. 1924.
      with farm women and girls. An. Rpts., 1918, pp. 355-356, 366-367. 1919; S.R.S. An. Rpt., 1918, pp. 21-22, 32-33. 1918.
      See also Girls' clubs.
  demonstrators, southern, uniformity and simplicity of traveling dresses. News L., vol. 5, No. 51, pp. 8-9. 1918.
  drying, fruits and vegetables. Franz [Frantz] P. Lund. D.C. 3, pp. 23. 1919.
  economical use of meat in. C. F. Langworthy and Caroline L. Hunt. F.B. 391, pp. 43. 1910.
  economics—
    and agriculture, extension work, cooperative. S.R.S. Doc. 90, pp. 8. 1918.
    club work—
      activities. D.C. 192, pp. 13-21. 1921.
      Northern and Western States. D.C. 152, pp. 23-30. 1921.
    cooperative extension work in South. S.R.S. Doc. 28, pp. 1-8. 1915.
    county agents and funds available, 1914-1917, by States. News L., vol. 4, No. 22, pp. 4-5 1917.

INDEX TO PUBLICATIONS, 1901-1925   1179

Home(s)—Continued.
 economics—continued.
  extension work—
   Sec. Cir. 47, pp. 7-8. 1915; S.R.S. Doc. 90, pp. 1-8. 1918.
   and women county agents. S.R.S. Doc. 40, pp. 25-26. 1917.
   report, 1915, with agriculture. A. C. True. S.R.S. Rpt., 1915, Pt. II, pp. 364. 1917.
   report, 1916, with agriculture. A. C. True. S.R.S. Rpt., 1916, Pt. II, pp. 406. 1917.
   report, 1917, with agriculture. A. C. True. S.R.S. Rpt., 1917, Pt. II, pp. 416. 1919.
   report, 1918, with agriculture. A. C. True. S.R.S. Rpt., 1918, pp. 158. 1919.
   report, 1919, with agriculture. A. C. True. S.R.S. Rpt., 1919, pp. 63. 1921.
   report 1920, with agriculture. A. C. True. S.R.S. Rpt., 1920, pp. 53. 1922.
   report, 1921, with agriculture. A. C. True. S.R.S. Rpt., 1921, pp. 46. 1923.
   report, 1922, with agriculture. A. C True. S.R.S. Rpt., 1922, pp. 35. 1924.
   scope and growth. S.R.S. Doc. 40, rev., pp. 28-29. 1919.
  first-year course for southern agricultural schools. Louise Stanley. D.B. 540, pp. 58. 1917.
  in college course. Isabel Bevier. O.E.S. Bul. 184, pp. 91-95. 1907.
  investigations, program for 1915. Sec. [Misc.], "Program of work * * * 1915," pp. 258-259. 1914.
  organization, officials and work. Sec. [Misc.], "List of workers * * *," Pt. I, p. 39. 1918.
  study—
   in agricultural extension. O.E.S. Bul. 231, pp. 45-46, 47-48, 59-60. 1910.
   in school garden work in Ohio. O.E.S. Bul 252, pp. 14-15. 1912.
   increase by work of women's clubs. D.B. 719, pp. 7, 10-11. 1918.
  teaching in country schools. Y.B., 1919, pp. 297-298. 1920; Y.B. Sep. 812, pp. 297-298 1920.
  work in—
   North and West, 1916. S.R.S. Rpt., 1916, Pt. II, pp. 157-161. 1917.
   the South. Sec. Cir. 56, p. 13. 1916.
 extension work, record system for county workers. D.C. 107, rev., pp. 6-8. 1924.
 farm—
  accounting systems. F.B. 964, pp. 1-11. 1918.
  aid by extension agents, 1920. Coop. Ext. Wk., 1920, pp. 8-9. 1922.
  beautifying by improvement of grounds, lecture. S.R.S. Syl. 28, pp. 1-13. 1917.
  comforts and conveniences. W. R. Beattie. Y.B., 1909, pp. 345-356. 1910; Y.B. Sep. 518, pp. 345-356. 1910.
  conveniences—
   O.E.S.F.I.L. 12, pp. 10-11. 1912.
   Madge J. Reese. F.B. 927, pp. 32. 1918.
  electric light and power. A. M. Daniels. Y.B., 1919, pp. 223-238. 1920; Y.B. Sep. 799, pp. 223-238. 1920.
  electricity, requirements for light and power. Y.B., 1918, pp. 222-225, 236-238. 1919; Y.B. Sep. 770, pp. 4-7, 18-20. 1919.
  heating and lighting. Y.B., 1909, pp. 355-356. 1910; Y.B. Sep. 518, pp. 355-356. 1910.
  hygienic conditions and comfort. F.B. 317, p. 9. 1908.
  labor conditions and means of improvement. D.C. 148, pp. 7-10, 19, 24. 1920.
  lighting systems, comparative safety, and cost. F.B. 517, pp. 21-24. 1912.
  location, details. O.E.S.F.I.L. 12, pp. 4-8. 1912.
  modern conveniences for. Elmina T. Wilson. F.B. 270, pp. 48. 1906.
  planning for comfort and convenience. F.B. 317, pp. 5-10. 1908; F.B. 1132, pp. 4-12. 1920.
  sewage disposal system for seven-room house F.B. 527, pp. 19-24. 1913.
  surroundings improvement, semiarid region. B.P.I. Bul. 215, p. 38. 1911.
  syllabus of illustrated lecture. John Hamilton and George Knox McCain. O.E.S.F.I.L. 12, pp. 25. 1912.

Home(s)—Continued.
 farmers'—
  comforts and conveniences in. W.R. Beattie. Y.B., 1909, pp. 346-356. 1910; Y.B. Sep. 518, pp. 346-356. 1910.
  conditions and conveniences, owners and tenants. Y.B., 1923, pp. 581-582. 1924; Y.B. Sep. 897, pp. 581-582. 1924.
 fruit—
  garden—
   Y.B., 1901, p. 433. 1902.
   preparation and care. L. C. Corbett. F.B 154, pp. 20. 1902.
   growing, Great Plains area. F.B. 727, pp. 1-40 1916.
 garden—
  and canning clubs, yield, cost, and profits, 1915. News L., vol. 4, No. 8, pp. 4-5. 1916.
  city. W. R. Beattie. F.B. 1044, pp. 40. 1919
  diseases and insects, boys' and girls' club work W. W. Gilbert. D.C. 35, pp. 31. 1919.
  for club members. Glen Briggs. Guam Cir. 2, pp. 15. 1921.
  in the South. H. C. Thompson. F.B. 647 pp. 28. 1915.
  insect and disease control. C. P. Close. S.R.S. Doc. 52, pp. 10. 1917.
  plan and tools, boys' and girls' club work. C. P. Close. S.R.S. Doc. 84, pp. 7. 1919.
  southern. H. C. Thompson. F.B. 647, pp. 28. 1915.
  Southern States, importance in farming program. S.R.S. Doc. 96, p. 6. 1919.
  vegetables, cultural—
   advice for planting. F.B. 934, pp. 24-44. 1918
   directions, boys' and girls' club work. C. P. Close. S.R.S. Doc. 49, pp. 7. 1917.
 grounds—
  beautifying. L. C. Corbett. F.B. 185, pp. 24. 1904.
  farm, planting and care, syllabus of illustrated lecture. S. W. Fletcher. O.E.S.F.I.L. 14. pp. 16. 1912.
  improvement, course for southern schools. D.B. 592, pp. 15-16. 1917.
 heating—
  plant, operation. A. M. Daniels. F.B. 1194, pp. 28. 1921.
  saving fuel. Thrift Leaf. 12, pp. 4. 1919.
 improvement demonstration. D.C. 141, p. 21. 1920; D.C. 312, pp. 14-16. 1924.
 improvement, work of demonstration agents Coop. Ext. Wk., 1919, pp. 20-21, 29. 1921.
 in Alaska, choice of location. B.P.I. Bul. 82, pp. 26-29. 1914.
 industries for farm women. Rpt. 104, pp. 20-21 43, 49. 1915.
 laundering. Lydia Ray Balderston. F.B. 1099 pp. 32. 1920.
 life, benefits of women's rural organizations D.B. 719, pp. 5-8. 1918.
 lights, distribution and location. Y.B. 1919, pp. 230-234. 1920; Y.B. Sep. 799, pp. 230-234. 1920.
 making—
  and using cottage cheese. Kenneth J. Matheson and Jessie M. Hoover F.B. 1451, pp. 14. 1925.
  national forests, encouragement, securing land. For. [Misc.], "The use book." pp. 10, 16, 27 1907.
 management—
  and conveniences, demonstration work. D.C 141, pp. 14-16, 23. 1920.
  demonstration results. D.C. 178, pp. 18-20. 1921; D.C. 314, pp. 35-37. 1924.
  importance of scientific data. O.E.S. Cir 110, pp. 29-31. 1911.
 manufacture and use of unfermented grape juice. George C. Husmann. F.B. 175, pp. 16. 1903.
 meat supply, hog slaughter on farms. Y.B., 1922, pp. 269-270. 1923; Y.B. Sep. 882, pp. 269-270. 1923.
 milling, for corn, cost and value of outfit. News L., vol. 5, No. 5, p. 7. 1917.
 nursing, demonstration work and county nurses. D.C. 141, p. 19. 1920.
 ornamentation, use of herbaceous perennials. F.B. 1381, pp. 4-16. 1924.

36167°—32——75

Home(s)—Continued.
  peanut butter, manufacture and uses in cooking. D.C. 128, pp. 13–16. 1920.
  plumbing repairs, simple. George M. Warren. F.B. 1460, pp. 14. 1925.
  practice in agriculture, school credit for. F. E. Heald. D.B. 385, pp. 27. 1916.
  productive activities. D.C. 314, pp. 37–38. 1924.
  projects—
    in agriculture, secondary courses in. H. P. Barrows. D.B. 346, pp. 20. 1916.
    pupils of agricultural schools, reports. D.B. 213, pp. 5–6, 11–12. 1915.
    work, dairy school studies. D.B. 763, pp. 3–5. 1919.
  rebuilding with profits from canning club work. Y.B., 1916, pp. 254–255. 1917; Y.B. Sep. 710, pp. 4–5. 1917.
  rented, percentage of farm dwellings. Y.B., 1923, p. 510. 1924; Y.B. Sep. 897, p. 510. 1924.
  savings, comforts, and economy. News L., vol. 6, No. 41, pp. 1–2. 1919.
  seed testing, and rural school. F. H. Hillman. F.B. 428, pp. 47. 1911.
  storage of vegetables. James H. Beattie. F.B. 879, pp. 22. 1917.
  summer—
    permits in national forests, New Mexico. D.C. 240, p. 9. 1922.
    sites in the Cascade National Forest. D.C. 104, pp. 9–17. 1920.
  supplies—
    furnished by the farm. W. C. Funk. F.B. 1082, pp. 19. 1920.
    production—
      as first principle of safe farming. Sec. Cir. 56, pp. 3, 5–6, 7. 1916.
      on farms, Georgia, Brooks County. D.B. 648, pp. 32–36. 1918.
      on the cotton farm. F.B. 1015, pp. 1–16. 1919.
  tanning—
    R. W. Frey and others. D.C. 230, pp. 22. 1922.
    of leather and fur skins. R. W. Frey and others. F.B. 1334, pp. 29. 1923.
  temperature, requirements and control. F.B. 1194, pp. 13–26. 1921.
  value, proportion to income. Thrift Leaf. 18, p. 4. 1919.
  vegetable garden. W. H. Beattie. F.B. 255, pp. 48. 1906.
  vinegar making, directions. F.B. 1424, pp. 1–29. 1924.
  vinegar making in. S.R.S. Doc. 99, pp. 8. 1919.
  vineyard, northern, conditions. W. H. Ragan. F.B. 156, pp. 24. 1902.
  woodlands, forestry lessons. Wilbur R. Mattoon and Alvin Dille. D.B. 863, pp. 46. 1920.
  work, seasonal suggestions. F.B. 1202, pp. 5–49. 1921.
  See also Dwellings.
Home Economics Bureau—
  program. Y.B., 1923, p. 39. 1924.
  report of chief. Louise Stanley. Home Ec. A.R., 1924, pp. 5. 1924.
Home Economics Office, work—
  1917. An. Rpts., 1917, pp. 355–357. 1918; S.R.S. An. Rpt., 1918, pp. 33–35. 1917.
  1918. An. Rpts., 1918, pp. 369–371. 1919; S.R.S. An. Rpt., 1918, pp. 35–37. 1918.
  1919. An. Rpts., 1919, pp. 387–389. 1920.
  1921. S.R.S. An. Rpt., 1921, pp. 6, 55–59. 1921.
  1922. An. Rpts., 1922, pp. 448, 454–459. 1923; S.R.S. An. Rpt., 1922, pp. 36, 42–47. 1922.
  1923. An. Rpts., 1923, pp. 561–562, 609–614. 1924; S.R.S. An. Rpt., 1923, pp. 9–10, 57–62. 1923.
Homeria collina, importation and description. No. 48676, B.P.I. Inv. 61, p. 35. 1922.
Homestead(s)—
  acquisition, suggestions, and documents. News L., vol. 2, No. 20, pp. 4–5. 1914.
  act—
    relation to reclamation policies. D.B. 1257, pp. 3–4. 1924.
    result on timber of public lands. Y.B., 1907, p. 278. 1908; Y.B. Sep. 466, p. 278. 1908
  Alaskan—
    acreage, numbers, and farm operations. Alaska A.R., 1918, pp. 21, 81–84, 90–93. 1920.

Homestead(s)—Continued
  Alaskan—Continued.
    application, soldiers, rights. B.P.I. Bul. 82, pp. 30–35. 1905.
    claims, national forests, regulations. For. [Misc.], "The use book * * *," pp. 27–30. 1908.
    communities, Hawaii, unsatisfactory conditions. Y.B., 1915, p. 133. 1916; Y.B. Sep. 663, p. 133 1916.
    development in western range States, relation to meat production. Rpt. 110, pp. 7–10, 52, 56, 63, 67, 72, 77, 82, 87, 96. 1916.
    entry(ies)—
      Alaska, laws. Alaska Cir. 1, pp. 11–12, 29. 1916; rev., pp. 6–9. 1923; Soil Sur. Adv. Sh., 1916, p. 91. 1919; Soils F.O., 1916, p. 123. 1921.
      national forests, applications and listing. An. Rpts., 1910, pp. 367–369. 1911; For. A.R., 1910, pp. 7–9. 1910.
      Oregon lands. O.E.S. Bul. 209, pp. 20–21. 1909.
      proceedings and cost, Nevada, Truckee-Carson project. B.P.I. Bul. 157, p. 11. 1909.
      reclamation projects, law, in Fallon area, Nevada. Soil Sur. Adv. Sh., 1909, pp. 16–17, 42. 1911; Soils F.O., 1909, pp. 1488–1489, 1516. 1912.
    exemption law, Texas, provisions and results, remarks. D.B. 1068, pp. 12–15. 1922.
    forest, regulations and laws. For. Misc., L–1, pp. 4–8. 1915.
    Hawaii, demonstration and cooperation work. Hawaii A.R., 1915, pp. 16, 17, 46, 48, 50. 1916.
    inducement to farm residents. Y.B., 1914, p. 262. 1915; Y.B. Sep. 641, p. 262. 1915.
    land, terms of entry. O.E.S. Bul. 211, p. 12. 1909.
    law—
      application, discussion. D.B. 1001, pp. 46–51. 1922.
      Kinkaid, results. B.P.I. Cir. 80, pp. 3–4. 1911.
      national forests. For. [Misc.], "Red book," pp. 35–37. 1907.
      provisions and decisions. Sol. [Misc.], "Laws applicable * * *," sup. 2, pp. 21–30. 1913.
    national forests—
      For. [Misc.], "Homesteads * * *," pp. 12. 1917.
      laws and decisions. Sol. [Misc.], "National * * * manual," pp. 34–36, 41–52, 112. 1916.
      regulations. For. [Misc.], "Use book, 1913," pp. 61–66. 1913.
    substation, Hawaii, work, 1914. Hawaii A.R., 1914, p. 12. 1915.
    tree-planting plans, western Kansas and adjacent regions. For. Cir. 161, pp. 26–29. 1909.
    See also Public domain; Public lands.
Homesteaders—
  Alaska—
    difficulties confronting. D.B. 50, pp. 27–28, 31. 1914.
    Fairbanks station, conditions and crops. Alaska A.R., 1919, pp. 53–54. 1920.
  availability of grazing lands. D.B. 1001, p. 5. 1922.
Homesteading—
  in national forests of New Mexico. D.C. 240, pp. 8, 11, 13, 17. 1922.
  laws regulating. D.B. 1001, pp. 18–20. 1922.
Hominy—
  canning methods. D.B. 196, p. 78. 1915; D.B. 1084, p. 33. 1922; F.B. 839, pp. 16, 29. 1917.
  chop, feed for cattle, energy value, notes and tables. J.A.R., vol. 3, pp. 438–484. 1915.
  coarse, cooking in fireless cooker, directions. U.S. Food Leaf. 19, p. 3. 1918.
  composition, preparation, and digestibility. F.B. 298, pp. 14, 19, 24. 1907.
  exports, 1922–1924. Y.B., 1924, p. 1044. 1925.
  feed—
    for—
      cattle, energy values with maize. Henry Prentiss Armsby and J. August Fries. J.A.R., vol. 10, pp. 599–613. 1917.
      cows, results. D.B. 1272, p. 14. 1924.
      hogs, comparison with corn meal, Indiana. O.E.S. An. Rpt., 1912, p. 113. 1913.

Hominy—Continued.
  feed—continued.
    for—continued.
      pigs, value. B.A.I. Bul. 47, pp. 111-112. 1904.
    manufacture and composition. J.A.R., vol. 10, pp. 599-600. 1917.
    meaning of term, opinion 59. Chem. S.R.A. 6, pp. 420-421. 1914.
    misbranding. Chem. N.J. 1900, p. 1. 1913.
    prices at main markets. S.B. 11, pp. 95-96. 104-109. 1925.
  feeding value, computation. J.A.R., vol. 31, pp. 479-480. 1925.
  food use and cooking recipes. U. S. Food Leaf., 19, pp. 4. 1918.
  meal, nutritive value as dairy feed, analysis. F.B. 743, p. 15. 1916.
  mills, corn-oil production, operations and cost. D.B. 904, pp. 16, 19. 1920.
  packing season. Chem. Bul. 151, pp. 35, 74-75. 1912; D.B. 196, p. 17. 1915.
  preparation—
    and cooking. F.B. 1236, pp. 17-20. 1923.
    Indian method. Y.B., 1918, p. 131. 1919; Y.B. Sep. 776, p. 11. 1919.
  use in South. D.B. 215, p. 3. 1915.
Homodontomys, subgenus of wood rats. N.A. Fauna 31, pp. 86-94. 1910.
Homoeosis and brachysm, discussion. J.A.R., vol. 3, pp. 396-398. 1915.
Homogenizer, use in—
  making condensed milk. Y.B., 1912, p. 338. 1913; Y.B. Sep. 595, p. 338. 1913.
  manufacture of cream from butter and skim milk. F.I.D. 132, p. 1. 1911.
Homoiceltis aspera, importation and description. No. 41391, B.P.I. Inv. 45, p. 22. 1918.
Homoporus chalcidiphagus, parasite of wheat jointworm, description. Ent. Cir. 106, p. 9. 1909; J.A.R., vol. 21, pp 405-426. 1921; F.B. 1006, p. 11. 1918.
Homoptera—
  destruction by birds. Biol. Bul. 15, pp. 23, 84, 87, 95. 1901.
  occurrence in Pribilof Islands, Alaska N.A Fauna 46, Pt. II, pp. 143-144. 1923
Honduras, Central America—
  agricultural education. O.E.S An. Rpt., 1911, p. 289. 1912.
  coconut bud-rot investigations. B.P.I. Bul. 228, p. 16. 1912.
  coffee production exports. Stat. Bul. 79, pp. 10, 46-47. 1912.
  insects, notes. Ent. Bul. 30, pp. 82-83. 1901.
  livestock industry. B.A.I. An. Rpt., 1910, pp. 285-295. 1912.
  orange pest, described as *Aleurodicus manni* A. C. Baker. J.A.R., vol. 25, pp. 253-254. 1923.
  palm weevil, injuries. Ent. Bul. 38, pp. 23-25. 1902.
  topography, climate, products, and forage. B.A.I. An. Rpt., 1910, pp. 288-289 1912.
Honey(s)—
  adulterants and their detection. Chem. Bul. 110, pp. 56-68. 1908; Ent. Bul. 75, Pt. I, pp. 1, 16-18. 1907.
  adulteration—
    and misbranding. Chem. N.J. 18-21, pp. 7. 1908; Chem. N.J. 3401-3404, 3406, pp 619-621, 622-626. 1915.
    laws prohibiting F.B. 397, p 42. 1910.
  algaroba—
    analysis and composition. Hawaii Bul. 17, pp. 9, 13-16. 1908.
    characteristics. Ent. Bul. 75, Pt. V, pp. 47, 51, 52. 1909.
    composition, and extraction methods, Hawaii Ent. Bul. 75, pp. 47-48, 51, 52. 1911; Ent. Bul. 75, Pt. V, pp. 47-48, 51, 52. 1909.
    source, yield and composition. Hawaii Bul. 17, pp 8, 13. 1908; Hawaii Bul. 23, p. 21. 1911.
  American—
    chemical analysis and composition. C. A. Browne and W. J. Young. Chem. Bul. 110, pp. 93. 1908.
    identification of pollens. Chem. Bul. 110, pp. 78-88. 1908.

Honey(s)—Continued.
  analysis, methods, tabulation of results. Chem Bul. 110, pp. 14-56. 1908; Ent. Bul. 75, pp. 16-17. 1911.
  and fig cakes, adulteration and misbranding. Chem. N.J. 1745, pp. 2. 1912.
  ball. *See* Buttonbush
  bees. *See* Bees; Honeybees.
  blends, honeydew and pure floral, variations. Chem. Bul. 110, pp. 55-56. 1908.
  boiling for use as bee food F.B. 1084, pp. 13-14. 1920.
  bottled, directions. Ent. Bul. 75, Pt. I, p. 13. 1907.
  bricks, cost and table use. Ent. Bul. 75, Pt. I, p. 14. 1907.
  cakes, recipe. F.B. 712, p. 25. 1916.
  "candied," production and packing. Ent. Bul. 75, Pt. I, p. 13. 1907.
  caring for crop. F.B. 1039, pp. 36-40. 1919.
  characteristics from various sources and localities D.B. 685, pp. 54-58. 1918.
  club, production in Kansas. News L., vol. 6. No. 34, pp. 9-10. 1919.
  color—
    grading E. L. Sechrist. D.C 364, pp. 8, 1925.
    percentage. D.B. 685, pp. 29-30. 1918.
  comb—
    Geo. S. Demuth. F.B. 503, pp. 47. 1912.
    care of. F.B. 1039, p. 37. 1919.
    commercial production. George S Demuth F.B. 1039, pp. 40. 1919.
    damage by wax moths. Ent. Bul. 75, pp. 20-21 1911; Ent. Bul. 75, Pt. II, pp. 20-21. 1907
    grading and purity F.B. 653, p. 10. 1915
    production—
      and marketing. F.B. 397, pp. 32-36. 1910; F.B. 447, pp. 36-39. 1911.
      swarm control, directions. F.B. 503, pp 6-18. 1912; F.B. 1215, pp. 20, 22-23. 1922.
      removing from hive, grading, packing, and marketing. F.B. 503, pp. 43-47. 1912.
  composition, granulation not a sign of adulteration. Ent. Bul. 75, Pt. I, pp. 10-11. 1909.
  consumption in Massachusetts, 1906 Ent. Bul 75, Pt. VII, p. 87. 1909.
  contaminated, cause of disease in bees. F.B. 397, pp. 23, 39. 1910.
  cookery recipes. F.B. 653, pp. 11-26. 1915.
  crop reduction, causes. D.B. 1349, p. 2. 1925.
  definition of term. Chem. Bul. 110, p. 10. 1908; F.B. 653, p. 3. 1915; Hawaii Bul. 17, pp. 8-9 1908.
  disinfection before feeding to bees. Ent Bul. 75, pp. 29, 32, 39. 1911; Ent. Bul. 75, Pts. III, IV, pp. 29, 32, 39. 1908.
  early use, sources. F.B. 653, pp. 1-2. 1915.
  eater, Laysan, occurrence on Laysan Island, number and description. Biol. Bul. 42, p. 22. 1912.
  environment, influence upon composition. Chem. Bul. 110, pp. 51-55. 1908.
  exports—
    1869-1908. Stat. Bul. 75, pp. 26-27. 1909.
    from Porto Rico, 1897, 1901-1914. P.R. Bul. 15, pp. 6, 9. 1914.
  extracted—
    marketing suggestions. F.B. 1222, p. 24. 1922.
    packing, barrels, bottles, tins, and other packages. Ent. Bul. 75, Pt. I, p. 12. 1907.
    production, swarm control, directions. F.B. 1215, pp. 20, 21-22. 1922.
    purity assured by pure-food laws. F.B. 653, pp. 3, 9, 10. 1915.
  extracting—
    outfit, all regions. F.B. 1216, p. 23. 1922.
    room and portable house, requirements. Ent. Bul. 75, Pt. I, p. 6. 1907.
  extraction and bottling. F.B. 397, pp. 6, 31-32. 1910; F.B. 447, pp. 34-36. 1911.
  extractor, description and use methods. Ent Bul. 75, Pt. I, p. 7. 1907; F.B. 653, p. 3. 1915.
  flavor, causes and control methods. D.B. 685, pp. 54-58. 1918; F.B. 653, pp. 6-7. 1915.
  flow—
    effect on flight of bees. D.B. 1328, pp. 23-25. 1925.
    lack, effect on bee larvae growth. D.B. 1222, p. 9. 1924.

Honey(s)—Continued.
  flow—continued.
    possibilities in June, studies. F.B. 1216, pp. 18–19. 1922.
    relation to swarming. F.B. 1198, pp. 14, 21–23, 38. 1921.
    work of bees in securing and maintaining. F.B. 1039, pp. 14–20. 1919.
  flower products, use as food. O.E.S. Bul. 245, p. 50. 1912.
  food value, comparisons. D.B. 975, p. 31; 1921; F.B. 653, pp. 4–7. 1915; F.B. 1383, p. 28. 1924; Sec. Cir. 136, p. 11. 1919.
  forms in which produced. D.B. 685, pp. 26–28. 1918.
  frames, infected, cleaning. F.B. 1084, p. 13. 1920.
  gathering—
    by bees, relation of weather. James I. Hambleton. D.B. 1339, pp. 52. 1925.
    uncapping and extracting. Ent. Bul. 75, pp. 5–7. 1911; Ent. Bul. 75, Pt. I, pp. 5–7. 1907.
  gin, and orange, adulteration and misbranding. Chem. N.J. 2239, pp. 2. 1913.
  glucose detection. Chem. Bul. 122, pp. 180–183. 1909.
  grades, requisites and description. D.C. 364, pp. 2–5. 1925; F.B. 1039, pp. 38–39. 1919.
  granulation. Ent. Bul. 75, pp. 9–12, 13. 1911; Ent. Bul. 75, Pt. I, pp. 9–12, 13. 1907.
  grass. See Molasses grass.
  handling, directions and apparatus. P.R. Cir. 13, pp. 22–25. 1911.
  harvest, preparation. F.B. 397, p. 30. 1910.
  Hawaiian—
    D. L. Van Dine and Alice R. Thompson. Hawaii Bul. 17, pp. 21. 1908.
    characteristics. Chem. Bul. 110, pp. 52–55. 1908; Ent. Bul. 75, pp. 47, 50–54. 1911; Hawaii Bul. 17, p. 11. 1908.
    conditions of marketing. Hawaii Bul. 17, pp. 11–12. 1908.
    study and analyses. Hawaii A.R., 1907, pp. 14–15, 39–41. 1908.
  heating for destruction of bacterial disease. Ent. Bul. 75, Pt. I, p. 12. 1907
  honeydew—
    analysis. Hawaii Bul. 17, pp. 10, 16–17. 1908.
    and glucose, distinction. Chem. Bul. 110, pp. 62–63. 1908.
    description and—
      chemical composition. Ent. Bul. 75, pp. 50–53. 1911; Ent. Bul. 75, Pt. V, pp. 50–53. 1909.
      comparison with floral honey. Ent. Bul. 93, pp. 21–22. 1911.
    labeling. Item 222. Chem. S.R.A. 20, p. 63. 1917.
    source, analyses and uses. O.E.S. An. Rpt., 1907, pp. 20, 92. 1908.
    undesirable as winter food for bees. D.B. 93, pp. 11, 12. 1914; F.B. 397, pp. 25, 31. 1910.
  house, use in comb-honey production, description. F.B 503, pp. 6–7. 1912; F.B. 1039, pp. 4–5. 1919.
  identification of pollen from various flowers. Chem. Bul. 110, pp. 78–88. 1908.
  imported from Cuba, Mexico, and Haiti, chemical analysis and composition. A. H. Bryan and others. Chem. Bul. 154, pp. 21. 1912.
  imports—
    1855–1908. Ent. Bul. 75, pp. 65–67. 1911.
    1907–1909, amount and value, by countries from which consigned. Stat. Bul. 82, p. 26. 1910.
    1911–1917. D.B. 685, pp. 33–35. 1918.
    1914–1915. D.B. 325, pp. 6–8. 1915.
    and exports—
      1855–1908. Ent. Bul. 75, pp. 65–67. 1911; Ent. Bul. 75, Pt. VI, pp. 65–67. 1909.
      1903–1907. Y.B., 1907, pp. 737, 747. 1908; Y.B. Sep. 465, pp. 737, 747. 1908.
      1906–1910. Y.B., 1910, pp. 654–665. 1911; Y.B. Sep. 553, pp. 654–665. 1911.
      1908–1912. Y.B., 1912, pp. 713, 726. 1913; Y.B. Sep. 615, pp. 713, 726. 1913.
      1911–1913. Y.B., 1913, pp. 493, 501. 1914; Y.B. Sep. 361, pp. 493, 501. 1914.
      1911–1917. D.B. 685, pp. 32–35. 1918.
      1913–1915. Y.B., 1915, pp. 541, 548. 1916; Y.B. Sep. 685, pp. 541, 548. 1916.

Honey(s)—Continued.
  imports—continued.
    and exports—continued
      1917–1919. Y.B., 1919, pp. 683, 691. 1920; Y.B. Sep. 829, pp. 683, 691. 1920.
      1921. Y.B., 1921, pp. 737, 743. 1922; Y.B. Sep. 867, pp. 1, 7. 1922.
    increased need. Sec. Cir. 87, pp. 1–8. 1918.
  industry, extent and importance, United States. D.B. 685, pp. 4–5. 1918.
  infected, spread of American foulbrood. F.B. 1084, pp. 8, 9, 10, 13–14. 1920.
  infection with—
    European foulbrood, period of virulence. D.B. 810, pp. 23–24, 33. 1920.
    Nosema apis, period of virulence. D.B. 780, pp. 39–40. 1919.
  labor required to obtain one kilogram. Chem. Bul. 110, p. 11. 1908.
  laws—
    European countries, affecting American export. Chem. Bul. 61, pp. 32–38. 1901.
    State. Chem. Bul. 69, rev., pp. 66, 82, 210, 318, 395, 429, 686. 1905; Chem. Bul. 112, Pt. I, pp. 118, 127–128. 1908.
  locust. See Locust, honey.
  losses, causes. Y.B., 1917, pp. 397, 398–400. 1918; Y.B. Sep. 747, pp. 5, 6–8. 1918.
  maple, preparation. D.B. 466, p. 42. 1917.
  market reports. An. Rpts., 1917, p. 461. 1918; Mkt. Chief Rpt., 1917, p. 31. 1917.
  marketing—
    bibliography. M.C. 35, p. 44. 1925.
    methods. D.B. 489, pp. 8–9, 14–16. 1916; D.B. 685, pp. 30–35. 1918; F.B. 1215, p. 26. 1922; F.B. 1216, p. 25. 1922; F.B. 1222, pp. 23–24. 1922.
  misbranding. See also Indexes, Notices of Judgment in bound volumes and in separates published as supplements to Chemistry Service and Regulatory Announcements.
  normal and abnormal composition, value. Ent. Bul. 75, Pt. I, p. 14. 1907.
  packages, form used, Porto Rico. P.R. Bul. 15, p. 17. 1914.
  physical characteristics. Chem. Bul. 110, p. 40. 1908.
  plant(s)—
    buckwheat. Y.B., 1922, p. 549. 1923; Y.B. Sep. 891, p. 549. 1923.
    California, chaparral, list. For. Bul. 85, p. 39. 1911.
    introduction into Hawaii. Ent. Bul. 75, Pt. V, p. 54. 1909.
    Massachusetts, list. Ent. Bul. 75, pp. 92–96. 1911; Ent. Bul. 75, Pt. VII, pp. 92–96. 1909.
    New Zealand, importations and descriptions. Nos. 47930, 48151, B.P.I. Inv. 60, pp. 16, 48. 1922.
    occurrence in Guam, varieties and descriptions. Guam A.R., 1913, pp. 21–22. 1914.
    Porto Rico. P.R. Bul. 15, pp. 11–15. 1914; P.R. Cir. 13, pp. 27–29. 1911.
    sources of nectar and pollen, lists. D.B. 685, pp. 39–54. 1918.
    study, necessity in bee industry. Ent. Bul. 75, Pt. VI, p. 77. 1909.
    supplying—
      Hawaiian, list. Hawaii A.R., 1908, pp. 24–27. 1908.
      largely in Maryland. D.B. 1328, p. 7. 1925.
    value of basswood. For. Cir. 63, p. 2. 1907.
  poison bait for mealy bugs, ants, etc., formula. F.B. 1306, p. 22. 1923.
  poisoning, cause, and effects. Chem. Bul. 116, p. 19. 1908.
  producing plants, kinds and distribution. News L., vol. 6, No. 1, pp. 14, 15. 1918.
  production—
    1914, estimate, comparison, 1909, 1913. F.B. 620, p. 7. 1914.
    1917. D.B. 685, p. 58. 1918.
    annual average in United States. Sec. Cir. 87, p. 3. 1918.
    apparatus. F.B. 1039, pp. 4–13. 1919.
    decrease, causes. P.R. Cir. 16, pp. 3–5. 1918.
    dependent on size of colony. Ent. Bul. 55, p. 7. 1905.
    extraction, shipping, and grading. F.B. 397, pp. 30–36. 1910; F.B. 447, pp. 33–39. 1911.
    important factors. D.B. 1349, p. 37. 1925.

Honey(s)—Continued.
 production—continued.
  in—
   California, central southern area. Soil Sur. Adv. Sh., 1917, p. 34. 1921; Soils F.O., 1917, p. 2432. 1923.
   Nebraska, Boone County. Soil Sur. Adv. Sh., 1921, p. 1180. 1925.
   North Carolina, types, yields, and prices. D.B. 489, pp. 6-7, 8, 13-16. 1916.
   Porto Rico, yield per hive, and exports. P.R. Bul. 15, pp. 9-11. 1914.
   Texas, destruction by bears. N.A. Fauna 25, p. 190. 1905.
   United States. News L., vol. 6, No. 1, pp. 14, 15. 1918.
   United States, and honeybees. S. A. Jones. D.B. 685, pp. 61. 1918.
  increase, bee breeding to improve stock. P.R. Cir. 16, pp. 3-5. 1918.
  quantity per colony of bees, southwest Texas. Soil Sur. Adv. Sh., 1911, pp. 35-36. 1912; Soils F.O., 1911, pp. 1203-1204. 1914.
  removing from hive. Ent. Bul. 75, Pt. I, p. 5. 1907.
  ripening—
   importance, natural and artificial methods, discussion. Ent. Bul. 75, Pt. I, pp. 7-9. 1907; Ent. Bul. 75, pp. 7-9. 1911.
   necessity. P.R. Bul. 15, p. 19. 1914.
  shipping and marketing. F.B. 1039, pp. 39-40. 1919.
  sources—
   and plants valuable in North Carolina. D.B. 489, pp. 10-13. 1916.
   in—
    buckwheat region. F.B. 1062, pp. 21-22. 1919; F.B. 1216, pp. 10-11. 1922.
    Hawaii. Ent. Bul. 75, Pt. V, pp. 47-54. 1909.
    Massachusetts. Ent. Bul. 75, Pt. VII, pp. 89-96. 1909.
    the tulip-tree region. F.B. 1222, pp. 5, 10-11. 1922.
  standards. Chem Bul. 69, rev., Pts. I-IX, pp. 17, 67, 83, 187, 213, 306, 318, 429, 443, 545, 563, 591, 597, 633, 667, 686. 1905-6; Ent. Bul. 75, pp. 8, 51. 1911; For. Bul. 59, p. 54. 1905; Sec. Cir. 136, p. 11. 1919.
  statistics—
   1911. Ent. Bul. 75, pp. 62-69, 79. 1911.
   receipts monthly at San Francisco. Rpt. 98, p. 348. 1913.
  yields—
   and production, exports and imports, 1918. D.B. 685, pp. 21-24, 26-27, 29-33, 36-37. 1918.
   imports, and exports, 1914-1915. D.B. 325, pp. 3-8, 11-12. 1915.
 storage by swarms, per year, and daily average. P.R. An. Rpt., 1912, p. 38. 1913.
 structures present. Chem. Bul. 110, p. 71. 1908.
 sugar supply, wasted. Y.B., 1917, pp. 395-400. 1918; Y.B. Sep. 747, pp. 1-8. 1918.
 supply—
  and prices, 1913-1917. D.B. 685, pp. 35-39. 1918.
  relation to wintering of bees. F.B. 1012, pp. 2, 3-4, 18-19, 24. 1918; F.B. 1014, pp. 5-6. 1918.
  testing for beekeepers. Ent. Bul. 75, pp. 16-18. 1911.
 type(s)—
  in buckwheat region. F.B. 1216, pp. 9-10. 1922.
  variations in source and composition. Ent. Bul. 75, Pt. I, p. 14-15. 1907.
 uncapping for extraction. Ent. Bul. 75, Pt. I, p. 6. 1907.
 uses—
  and value. News L., vol. 2, No. 37, pp. 6-7. 1915.
  as sugar substitute, recipes. F.B. 535, p. 10. 1913; News L., vol. 5, No. 43, pp. 9, 10. 1918; Sec. Cir. 86, p. 31. 1918.
  in—
   ant-poison sirup. D.B. 377, p. 18. 1916.
   cooking, comparison with sugar, recipes. Food Thrift Ser. No. 4, pp. 7-8. 1917.
   natural state and in cooked food, methods. F.B. 653, pp. 10-11. 1915.
   vinegar making. F.B. 276, p. 28. 1907; F.B. 1424, p. 4. 1924.

Honey(s)—Continued.
 value—
  and yield from sweet clover. F.B. 820, pp. 1-32. 1917.
  as source of sugar. Y.B., 1917, p. 459. 1918; Y.B. Sep. 756, p. 15. 1918.
  vetch, value of. F.B. 529, p. 16. 1913.
 yields—
  per colony, 1899-1917, and total production since 1859. D.B. 685, pp. 21-25. 1918.
  results of management. Y.B., 1917, pp. 396-400. 1918; Y.B. Sep. 747, pp. 4-8. 1918.
Honey Lake Basin, California, irrigation problems. O.E.S. Bul. 100, p. 71. 1901.
Honeybee(s)—
 alimentation, general details. Ent. T.B. 18, pp. 84-106. 1910.
 anatomy. R. E. Snodgrass. Ent. T.B. 18, pp. 162. 1910.
 and honey production in the United States. S. A. Jones. D.B. 685, pp. 61. 1918.
 behavior in pollen collecting. D.B. Casteel. Ent. Bul. 121, pp. 36. 1912.
 brood—
  food, source and uses. Ent. T.B. 18, pp. 91-94, 98-101. 1910.
  rearing cycle. W. J. Nolan. D.B. 1349, pp. 56. 1925.
  rearing, relation to honey production. D.B. 1349, pp. 33-35. 1925.
 circulatory system, details. Ent. T.B. 18, pp. 107-111. 1910.
 cotton pollinator in Arizona. D.B. 1134, pp. 36, 37, 64. 1923.
 destruction by birds, discussion. Biol. Bul. 34, pp. 32-33, 47, 52. 1910; Biol. Bul. 44, pp. 7-50. 1912; D.B. 326, pp. 76, 79. 1916.
 egg laying, study. D.B. 1349, pp. 35-36. 1925.
 eyes, anatomical details. Ent. T.B. 18, pp. 27, 29, 127-130. 1910.
 fat body and cenocytes. Ent. T.B. 18, pp. 119-121. 1910.
 fertilization of clover, studies. An. Rpts., 1908, p. 546. 1909; Ent. A.R., 1908, p. 24. 1908.
 flight activities. A. E. Lundie. D.B. 1328, pp. 38. 1925.
 food, natural constituents. Ent. T.B. 18, pp. 89, 91-94, 98, 101. 1910.
 "glands of Nassanoff," description and function. Ent. T.B. 18, p. 83. 1910.
 heat production in winter. R. D. Milner and Geo. S. Demuth. D.B. 988, pp 18. 1921.
 larva, morphology. James A. Nelson. J.A.R., vol. 28, pp. 1167-1214. 1924.
 legs, anatomical details. Ent. T.B. 18, pp. 66-69. 1910.
 life history, habits, queens, workers, and drones. O.E.S. Bul. 204, pp. 11-12. 1909.
 pollen collecting, behavior in. D. B. Casteel. Ent. Bul. 121, pp. 36. 1912.
 pollination—
  agent. Ent. Bul. 75, Pt. VI, pp. 69-71. 1909.
  of alfalfa flowers. B.P.I. Cir. 24, p. 8. 1909.
  of coffee and fruit blossoms. P.R. Bul. 15, p. 20. 1914.
 queen migrations within the hive, study. D.B. 1349, pp. 30-32. 1925.
 races, characteristics and advantages. F.B. 397, pp. 12-13. 1910.
 sense organs and nervous system, discussion and details. Ent. T.B. 18, pp. 32-39, 83, 122-130. 1910.
 statistics—
  1914-1915. Samuel A. Jones. D.B. 325, pp. 12. 1915.
  for May, 1914. F.B. 598, pp. 8-9, 17. 1914.
 usefulness in cross-pollination of red clover. D.B. 289, pp. 3-4, 5, 18-20. 1915.
 wax—
  scales, manipulation. D. B. Casteel. Ent. Cir. 161, pp. 13. 1912.
  secretion and comb building, details. Ent. T.B. 18, pp. 71-72. 1910.
 wings, articulation and action. Ent. T.B. 18, pp. 59-66. 1910.
 See also Bees.
Honeyberry, importation and description. No. 35212, B.P.I. Inv. 35, p. 23. 1915.

Honeycomb—
  bacteria. Ent. T.B. 14, pp. 13-15. 1906.
  building, foundation. F.B. 133, pp. 23-25. 1901.
  heart-rot. See Heart-rot, honeycomb.
  shaking treatment for foulbrood, directions and cost. F.B. 442, pp. 14-17. 1911.
Honeycombing, wood—
  causes. D.B. 552, p. 11. 1917.
  in kiln drying. D.B. 1136, p. 25. 1923.
Honeydew—
  comparison with floral nectar. Chem. Bul. 110, p. 13. 1908.
  deposit by terrapin scale, cause of sooty mold. D.B. 351, pp. 3, 47-49, 62, 66. 1916.
  description, injurious effect on hops. Ent. Bul. 111, pp. 21-22. 1913.
  elm scale. D.B. 1223, p. 5. 1924.
  excretion by—
    grape mealybug. F.B. 1220, pp. 36, 38. 1921.
    soft scales, and collection by Argentine ants. F.B. 928, pp. 4-5, 8, 9. 1918.
  exudation by *Claviceps paspali*. J.A.R., vol. 7, pp. 403-404. 1916.
  food—
    of army worm moths. J.A.R., vol. 6, No. 21, p. 799. 1916.
    of coffee ants, source. P.R. An. Rpt., 1912, p. 35. 1913.
    preferred by Argentine ants. D.B. 965, p. 7. 1921.
  formation by aphids. F.B. 914, p. 3. 1918.
  Hawaiian, analysis of dextrins. Chem. Bul. 110, pp. 54-55. 1908.
  honey. See Honey, honeydew.
  insect(s)—
    and extra-floral, sources in Hawaii. Ent. Bul. 75, pp. 49-54. 1911.
    keeping by Argentine ants. F.B. 1101, p. 4. 1920.
  on clover seed, treatment. B.P.I. Cir. 28, p. 12. 1909.
  origin and effects. F.B. 1169, pp. 76, 83. 1921.
  secretion by—
    aphids. D.B. 826, pp. 77-79. 1920.
    black scale, injury to citrus fruit. Ent. Bul. 79, p. 15. 1909.
  insects. D.C. 40, pp. 8, 9. 1919.
  leaf hopper, and relation to beekeeping, Hawaii. Ent. Bul. 93, pp. 18, 20-22. 1911.
  leaf hopper, spread of smut on sugar-cane. Ent. Cir. 165, pp. 4-5. 1912.
  mealybugs, and deposit of smut. D.B. 1040, p. 3. 1922.
  woolly white fly. F.B. 1011, pp. 5-7. 1919.
  sources and analyses. Chem. Bul. 110, pp. 12-14. 1908.
Honeysuckle—
  Chinese varieties, importation and description. Nos. 38814-38816. B.P.I. Inv. 40, p. 32. 1917.
  crown-gall, transference to daisy, experiments. B.P.I. Bul. 213, p. 53. 1911.
  distribution—
    N.A. Fauna 21, p. 13. 1901; N.A. Fauna 22, p. 16. 1902.
  and growth in Wyoming. N.A. Fauna 42, p. 78. 1917.
  family, injury by sapsuckers. Biol. Bul. 39, pp. 50, 89. 1911.
  fruiting season and use as bird food. F.B. 844, pp. 12, 13. 1917; F.B. 912, pp. 12, 14. 1918.
  importations and descriptions. Nos. 35187-35190, B.P.I. Inv. 35, pp. 9, 19. 1915; Nos. 36748-36752, B.P.I. Inv. 37, p. 60. 1916; Nos. 37545, 37643, 37644, B.P.I. Inv. 38, pp. 72, 91. 1917; Nos 39915, 40184-40187, B.P.I. Inv. 42, pp. 6, 38, 86-87. 1918; Nos. 40585, 40689-40691, 40695, B.P.I. Inv. 43, pp. 50, 67, 68. 1918; Nos. 41946, 42315-42317, B.P.I. Inv. 54, pp. 37, 76. 1919; Nos. 42619, 42692, B.P.I. Inv. 47, pp. 39, 53. 1920; Nos. 43696-43699, 43732, 43735, 43742, 43854, 43940, 43941, B.P.I. Inv. 49, pp. 64, 71, 87, 101. 1921; Nos. 44394, 44395, B.P.I. Inv. 50, p. 66. 1922; Nos. 44537, 44903, B.P.I. Inv. 51, pp. 21, 88. 1922; Nos. 47708, 47709, B.P.I. Inv. 59, p. 50. 1922; Nos. 48310, 48311, B.P.I. Inv. 60, pp. 6, 69-70. 1922; No. 49947, B.P.I. Inv. 63, p. 23. 1923; Nos. 53707-53716, B.P.I. Inv. 67, pp. 3, 80-81. 1923; No. 54058, B.P.I. Inv. 68, pp. 3, 24. 1923.

Honeysuckle—Continued.
  involucred, fly, occurrence in Colorado, description. N.A. Fauna 33, p. 245. 1911.
  Japanese, use on lawns as substitute for grass. F.B. 494, pp. 35, 36, 48. 1912.
  pollen, type, shape of grains, etc. Chem. Bul. 110, p. 76. 1908.
  tree variety, importation and description. No. 42850, B.P.I. Inv. 47, p. 74. 1920.
Honeywort, importations and description. Nos. 53039, 53093-53095, 53136, B.P.I. Inv. 67, pp. 22, 27, 31. 1923.
Hong Kong, fruit markets, varieties of fruit and conditions. D.C. 146, pp. 5, 6, 7. 1920.
Honohono—
  composition and feed value. Hawaii Bul. 50, p. 19. 1923; Hawaii Bul. 36, pp. 11, 32, 34. 1915.
  growing in Hawaii, value as feed for dairy cattle. Hawaii A.R., 1915, pp. 17, 51-52. 1916.
Honolulu—
  baggage inspection by horticultural board inspectors. F.H.B.S.R.A. 73, p. 124. 1923.
  climatic conditions. D.B. 536, pp. 9-10. 1918.
  milk supply, statistics, officials, prices, and laws. B.A.I. Bul. 46, pp. 34, 60-61. 1903.
Hood, C. E.—
  "Gipsy moth tree-banding material: How to make, use, and apply it." With C. W. Collins. D.B. 899, pp. 18. 1920.
  "Life history of *Eubiomyia calosomae*, a tachinid parasite of Calosoma beetles." With C. W. Collins. J.A.R., vol. 18, pp. 483-498. 1920.
  "The insect enemies of the cotton boll weevil." With others. Ent. Bul. 100, pp. 99. 1912.
Hood, S. C.—
  "Commercial production of thymol from horsemint (*Monarda punctata*)." D.B. 372, pp. 12. 1916.
  "Possibility of the commercial production of lemon-grass oil in the United States." D.B. 442, pp. 12. 1917.
  "The cultivation of camphor in the United States." With R. H. True. Y.B., 1910, pp. 449-460. 1911; Y.B. Sep. 551, pp. 449-460. 1911.
  "The production of sweet-orange oil and a new machine for peeling citrus fruits." With G. A. Russell. D.B. 399, pp. 19. 1916.
Hood method of burning stumps. F.B. 974, p. 14. 1918.
Hood River Valley, Oreg. description, soil, and climate. D.B. 518, pp. 5-11. 1917.
Hoodwort. See Skullcap.
Hoofbound, horse, causes, symptoms, and treatment. B.A.I. [Misc.], "Diseases of the horse," rev., pp. 403-405. 1911.
Hoofs—
  certification and disinfection, regulations. Joint Order No. 1, pp. 3-4. 1916.
  goat, care of. B.A.I. Bul. 68, pp. 14, 34. 1905.
  horse—
    growth and—
      care. F.B. 179, pp. 11-15. 1903.
      characteristics. B.A.I. [Misc.], "Diseases of the horse," rev., pp. 371, 403, 569-575. 1911.
    injury by rats. Biol. Bul. 33, p. 29. 1909.
    physiological movements. B.A.I. [Misc.], "Diseases of the horse," rev., pp. 556-557. 1903.
    unshod, care. B.A.I. [Misc.], "Diseases of the horse," rev., pp. 558. 1903; rev., pp. 571-572. 1911.
    See also Foot, horse.
  imported, disinfection order. B.A.I. O. 256, p. 4. 1917.
  imports—
    1907-1909 (with bones and horns), value by countries from which consigned. Stat. Bul. 82, p. 26. 1910.
    1909-1913, and exports value (with bones, etc.). D.B. 798, pp. 20-23. 1919.
  loss, cattle, treatment. B.A.I. [Misc.], "Diseases of cattle," rev., p. 336. 1904; rev., p. 348. 1912; rev., p. 336. 1923.
  sheep, effect of foot-rot. B.A.I. Bul. 63, p. 10. 1905.
  split, cattle, treatment. B.A.I. [Misc.], "Diseases of cattle," rev., p. 338. 1904; rev., p. 350. 1912; p. 338. 1923.

INDEX TO PUBLICATIONS, 1901-1925   1185

HOOKER, C. W., report as Entomologist, Porto Rico Experiment Station, 1912. P.R. An. Rpt., 1912, pp. 34-38. 1913.
HOOKER, W. A.—
"Information concerning the North American fever tick, with notes on other species." With W. D. Hunter. Ent. Bul. 72, pp. 87. 1907.
"Range investigations by experiment stations." With others. O.E.S. An. Rpt., 1922, pp. 113-126. 1924.
"Station work on infectious abortion." Work and Exp., 1923, pp. 75-82. 1925.
"The life-history and bionomics of some North American ticks." With others. Ent. Bul. 106, pp. 239. 1912.
"The tobacco thrips, a new and destructive enemy of shade-grown tobacco." Ent. Bul. 65, pp. 24. 1907.
"The tobacco thrips and remedies to prevent 'white veins' in wrapper tobacco." Ent. Cir. 68, pp. 5. 1906.
Hooker's cockroach and water-bug exterminator, analysis. Chem. Bul. 76, pp. 47-48. 1903.
Hook's law, fiber testing. J.A.R., vol. 4, p. 383. 1915.
Hookworm(s)—
cattle—
and sheep, different varieties. O.E.S. An. Rpt., 1911, p. 196. 1912.
description and treatment. B.A.I. [Misc.], "Diseases of cattle," rev., pp. 511-512. 1908; rev., p. 536. 1912; F.B. 366, pp. 17-19. 1909.
parasitic stages in life history. Benjamin Schwartz. J.A.R., vol. 29, pp. 451-458. 1924.
See also *Bustomum phlebotomum.*
control by—
carbon tetrachloride, tests. J.A.R., vol. 23, pp. 163, 168-174, 180-185. 1923.
various anthelmintics, notes. J.A.R., vol. 12, pp. 399-438, 441-443. 1918.
dog—
description and control. D.C. 338, pp. 19-22. 1925.
See also *Ancylostoma caninum.*
efficacy of carbon tetrachloride against. J.A.R., vol. 21, No. 2, pp. 157-175. 1921.
fox, treatment with carbon tetrachloride. D.B. 1151, p. 57. 1923; J.A.R., vol. 28, pp. 331-337. 1924.
lambs, control. An. Rpts., 1916, pp. 127-128. 1917; B.A.I. Chief Rpt., 1916, pp. 61-62. 1916.
larvae, penetration into human skin. J.A.R., vol. 25, p. 360. 1923.
man—
See *Necator americanus.*
Old World. See *Ancylostoma duodenale.*
pig and chicken ingestion, comparison of results. O.E.S. An. Rpt., 1922, p. 75. 1924.
remedy(ies)—
remarks. J.A.R., vol. 30, p. 949. 1925.
value of carbon tetrachloride. Off. Rec., vol. 2, No. 50, p. 6. 1923.
sheep, description, life history, and control. F.B. 1150, pp. 45-47. 1920; F.B. 1330, pp. 45-47. 1923.
spread, cause, and control methods. F.B. 463, pp. 11, 32. 1911.
Hoop-and-sack, weevil picking method, value. D.B. 382, p. 6. 1916.
Hoops—
barrel, bamboo for. D.B. 1329, p. 25. 1925.
barrel, tests, results. D.B. 86, p. 4. 1914.
cheese, description and use. F.B. 1191, pp. 13-15. 1921.
production. Y.B., 1924, pp. 1022, 1023. 1925.
Hooper's anodyne, misbranding. Chem. N.J. 12755. 1925.
HOOTON, F. O.: "Soil survey of Fayette County, Alabama." With others. Soil Sur. Adv. Sh., 1917, pp. 40. 1920; Soils F.O., 1917, pp. 699-734. 1923.
HOOVER, G. W.—
"Medicinal plants and drugs." Chem. Bul. 137, pp. 181-183. 1911.
report as associate referee on medicated soft drinks. Chem. Bul. 162, pp. 204-208. 1913.
HOOVER, HERBERT, statement as Food Administrator, on price fixing. News L., vol. 5, No. 31, pp. 1, 7-8. 1918.

HOOVER, J. M.—
"Educational milk-for-health campaigns." D.C. 250, pp. 36. 1923.
"Making and using cottage cheese in the home." With Kenneth J. Matheson. F.B. 1451, pp. 14. 1925.
"Posters prepared by school children in milk-for-health campaigns." M.C. 21, pp. 8. 1924.
HOOVER, L. G.: "The chayote: Its culture and uses." D.C. 286, pp. 11. 1923.
Hop(s)—
acreage—
and production. Sec. [Misc.], Spec., "Geography * * * world's agriculture," p. 102. 1918.
value and yield—
1913, estimate. F.B. 570, pp. 15, 16, 19. 1913.
1923. Y.B., 1923, pp. 836-838. 1924; Y.B. Sep. 901, pp. 836-838. 1924.
1924. Y.B., 1924, pp. 790, 791. 1925.
American, influence of arsenic on foreign prices. D.B. 568, pp. 1-2. 1917.
and malt extract, adulteration and misbranding. Chem. N.J. 3526, p. 29. 1915.
aphid—
control by quassin spray solution. D.B. 165, pp. 1-8. 1915.
injury to plums and prunes, control methods. Ent. Bul. 111, pp. 31, 37. 1913; F.B. 804, pp. 21-22. 1917; F.B. 1128, pp. 18, 47-48. 1920.
spraying experiments. Ent. Cir. 166, pp. 2-3. 1913.
spread, responsibility of ants. Ent. Bul. 111, p. 19. 1913.
in Pacific region. William B. Parker. Ent. Bul. 111, pp. 43. 1913.
area and production, Germany, 1907-1910. Stat. Cir. 25, p. 12. 1911.
aroma, relation to geographical source, study J.A.R., vol. 2, pp. 115-159. 1914.
arsenic—
content, determination. Chem. Cir 102, p. 11. 1912.
presence in. W. W. Stockberger and W. D. Collins. D.B. 568, pp. 7. 1917.
"bastard" vines, description and injury to yield. B.P.I. Cir. 56, p. 11. 1910.
beds, details of construction. F.B. 255, pp. 12-15. 1906.
changes in physical appearance, experiments. D.B. 282, pp. 3-4. 1915.
clean cultivation for control of flea beetle. Ent Bul. 66, pp. 89-90. 1910.
consumption and—
marketing, 1908-1918. Y.B., 1918, p. 709. 1919; Y.B. Sep. 795, p. 45. 1919.
movement, 1906-1914. F.B. 641, p. 6. 1914.
prices, 1906-1913. F.B. 563, p. 6. 1913.
cream of, misbranding. Chem. N.J. 1841, pp. 2. 1913; Chem. N.J. 4045, p. 1. 1916; Chem. N.J. 4051, pp. 2. 1916.
crop—
reduction, causes B.P.I. Cir. 56, pp. 4-5, 11. 1910.
United States, 1790-1911. George K. Holmes Stat. Cir. 35, pp. 8. 1912.
crown-gall inoculation experiments B.P.I. Bul 213, pp. 48, 73, 85-90. 1911.
dried, arsenic sources in certain samples. W. W. Stockberger. B.P.I. Bul. 121, Pt. IV, pp 41-46. 1908.
exports—
1851-1908. Stat. Bul. 75, pp. 8, 47-48. 1910.
1901-1924. Y.B., 1924, pp. 1047, 1075. 1925.
1902-1904. Stat. Bul. 36, p. 68. 1905.
fields, treatment for control of flea beetle. Ent Bul. 66, Pt. VI, pp. 89-91. 1909.
flea-beetle—
description, life history, control, and bibliography. Ent. Bul. 66, pp. 7-92. 1910.
life history and control. William B. Parker. Ent. Bul. 82, Pt. IV, pp. 33-58. 1912.
parasite. Ent. Bul. 66, p. 82. 1910.
Foundling, importation and description. No 42024, B.P.I. Inv. 46, pp. 5, 44. 1919.
growers, international agreement on standards, movement. B.P.I. Cir. 33, pp. 10-11. 1909.

Hop(s)—Continued.
  growing—
    and curing. W. W. Stockberger. F.B. 304, pp. 39. 1907.
    in California—
      Healdsburg area. Soil Sur. Adv. Sh., 1915, pp. 11, 16–17. 1917; Soils F.O., 1915, pp. 2210, 2248, 2252. 1919.
      Marysville area, prices. Soil Sur. Adv. Sh., 1909, p. 18. 1911; Soils F.O., 1909, p. 1702. 1912.
      San Francisco Bay region. Soil Sur. Adv. Sh., 1914, p. 25. 1917; Soils F.O., 1914, p. 2697. 1919.
      Ukiah area, details and cost. Soil Sur. Adv. Sh., 1914, pp. 15, 16–17, 41, 45. 1916; Soils F.O., 1914, pp. 2639, 2640–2641, 2642, 2665. 1919.
    in New York—
      Monroe County, and decline of industry. Soil Sur. Adv. Sh., 1910, p. 13. 1912; Soils F.O., 1910, p. 51. 1912.
      Oneida County, acreage and yields. Soil Sur. Adv. Sh., 1913, pp. 9, 11, 18–19. 1915; Soils F.O., 1913, pp. 43, 45, 52–53. 1916.
      Schoharie County, history and yields. Soil Sur. Adv. Sh., 1915, pp. 8, 9, 10, 16, 17, 18, 28. 1917; Soils F.O., 1915, pp. 129, 130. 1919.
    in Oregon, Washington County. Soil Sur. Adv. Sh., 1919, pp. 13, 32, 35, 36, 41. 1923; Soils F.O., 1919, pp. 1843, 1862, 1865, 1866, 1871. 1925.
    in Washington—
      eastern Puget Sound Basin, decline. Soil Sur. Adv. Sh., 1909, p. 27. 1911; Soils F.O., 1909, p. 1537. 1912.
      southwestern. Soil Sur. Adv. Sh., 1911, pp. 32, 115, 136. 1913; Soils F.O., 1911, pp. 2122, 2205, 2226. 1914.
    in Wisconsin—
      Jefferson County, history and abandonment. Soil Sur. Adv. Sh., 1912, p. 10. 1914; Soils F.O., 1912, p. 1560. 1915.
      Juneau County, decline of industry. Soil Sur. Adv. Sh., 1911, p. 10. 1913; Soils F.O., 1911, p. 1468. 1914.
      Waukesha County, decline. Soil Sur. Adv. Sh., 1910, p. 10. 1912; Soils F.O., 1910, p. 1178. 1912.
    risks as single crop. Y.B., 1908, p. 357. 1909; Y.B. Sep. 487, p. 357. 1909.
  imports—
    1865–1911. Stat. Cir. 35, pp. 6–8. 1912.
    1901–1924. Y.B., 1924, p. 1076. 1925.
    1907–1909, quantity and value, by countries from which consigned. Stat. Bul. 82, p. 44. 1910.
    1908–1910, quantity and value, by countries from which consigned. Stat. Bul. 90, p. 47. 1911.
    1910–1921. Y.B., 1921, p. 636. 1922; Y. B. Sep. 869, p. 56. 1922.
    and exports—
      1906–1910. Y.B., 1910, pp. 660, 670, 677. 1911; Y.B. Sep. 554, pp. 660, 670, 677. 1911.
      1919–1921 and 1852–1921. Y.B., 1922, pp. 953, 959, 961, 964, 965, 974. 1923; Y.B. Sep. 880, pp. 953, 959, 961, 964, 965, 974. 1923.
  industry, decline in New York, Livingston County. Soil Sur. Adv. Sh., 1908, pp. 18, 60. 1910; Soils F.O., 1908, pp. 84, 126, 164. 1911.
  injury by—
    flea beetles. Ent. Bul. 66, pp. 71, 73–76. 1910.
    red spider, Sacramento Valley, Calif. William B. Parker. Ent. Bul. 117, p. 41. 1913.
  insect pests, description and list. Sec. [Misc.], "A manual * * * insects * * *," pp. 135–137. 1917.
  irrigated crops, Yakima Valley, Wash. O.E.S. Bul. 188, pp. 62–63. 1907.
  irrigation experiment and yield, Oregon. O.E.S. Bul. 226, pp. 56–57. 1910; O.E.S. Cir. 78, pp. 19–21. 1908.
  kiln, use for black raspberries. F.B. 213, pp. 28–33. 1905.
  losses in yield from imperfect stands, causes and control. B.P.I. Cir. 112, pp. 25–32. 1913.
  lupulin content, studies, Oregon Experiment Station. O.E.S. An. Rpt., 1912, p. 186. 1913.

Hop(s)—Continued.
  marketing, bibliograpy M.C. 35, p. 44. 1925.
  marketing methods and cost. Rpt. 98, pp. 102–104. 1913.
  midge, description. Sec. [Misc.], "A manual * * * insects * * *," p. 135. 1917.
  mildew—
    cause and control, studies. S.R.S., Rpt. 1915, Pt. I, pp. 54, 201. 1917.
    control by lime-sulphur spray. F.B. 435, p. 15. 1911.
  odor, relation to geographical source of hops. J.A.R., vol. 2, pp. 116, 155–156, 157. 1914.
  oil, alcohol and esters, identity with myrcenol and its esters. J.A.R., vol. 2, pp. 151–154. 1914.
  oils, various sources, chemical and physical properties. J.A.R., vol. 2, pp. 119–147, 157. 1914.
  picking—
    testing ripeness. F.B. 304, pp. 17–19. 1907.
    women's wages and efficiency. Stat. Bul. 94, pp. 27, 29. 1912.
  plants, number per acre, and variation of stands in four years. B.P.I. Cir. 112, pp. 27–31. 1913.
  preparation for experimental studies. D.B. 282, pp. 2, 18. 1915.
  prices, wholesale. Y.B., 1924, p. 793. 1925.
  principal countries, supply, foreign trade, and consumption, with statistics of beer brewing. Eugene Merritt. Stat. Bul. 50, pp. 34. 1907.
  production—
    decrease, 1916–1918. News L., vol. 6, No. 23, p. 2. 1919.
    imports and exports, annual and average, by countries. Stat. Cir. 31, pp. 21–22, 29, 30. 1912.
  quality, effect of sprays. Ent. Bul. 111, p. 30. 1913.
  red spider in the Sacramento Valley, Calif. William B. Parker. Ent. Bul. 117, pp. 41. 1913.
  replanting defective hills, directions. B.P.I. Cir. 112, pp. 31–32. 1913.
  resin content, determination, studies. B.P.I. Bul. 271, pp. 15–16, 20–21. 1912; D.B. 282, pp. 1–19. 1915.
  rootborer, hosts and description. Sec. [Misc], "A manual * * * insects * * *," p. 135. 1917.
  spraying for aphid and red spider. Ent. Cir. 166, pp. 1–4. 1913.
  sprouts, use as greens. D.B. 123, p. 16. 1916.
  stand—
    per acre and yield, comparison. B.P.I. Cir. 56, pp. 4–5, 10–11. 1910.
    relation to yield. W. W. Stockberger and James Thompson. B.P.I. Cir. 112, pp. 25–32. 1913.
  statistics—
    1790–1911, production, value, exports, imports, and consumption. Stat. Cir. 35, pp. 1–8. 1912.
    acreage, production—
      and value, 1921–1922. Y.B., 1922, pp. 749–751. 1923; Y.B. Sep. 884, pp. 749–751. 1923.
    prices, and exports, and imports, 1851–1912. Y.B., 1912, pp. 640–642, 720, 732, 742–743. 1913; Y.B. Sep. 614, 640–642. 1913; Y.B. Sep. 615, pp. 720, 732, 742–743. 1913.
    prices, exports, and imports, 1915. Y.B., 1915, pp. 491–492, 544, 552, 557, 558, 563. 1916; Y.B. Sep. 683, pp. 491–492. 1916; Y.B. Sep. 685, pp. 544, 552, 557, 558, 568. 1916.
    prices, exports, and imports, 1916. Y.B., 1916, pp. 637–639. 1917; Y.B., Sep. 720, pp. 27–29. 1917.
    prices, exports, and imports, 1917. Y.B., 1917, pp. 685–687, 764, 772, 779, 781, 792. 1918; Y.B. Sep. 760, pp. 33–35. 1918; Y.B. Sep. 762, pp. 8, 16, 23, 25, 36. 1918.
    prices, exports, and imports, 1918. Y.B., 1918, pp. 552–556. 1919; Y.B. Sep. 792, pp. 48–52. 1919.
    prices, exports, and imports, 1919. Y.B., 1919, pp. 609–613, 687, 695, 702, 703, 713. 1920; Y.B. Sep. 827, pp. 609–619. 1920; Y.B. Sep. 829, pp. 687, 695, 702, 703, 713. 1920.
    graphic showing of average production, world. Stat. Bul. 78, p. 66. 1910.

INDEX TO PUBLICATIONS, 1901–1925 1187

Hop(s)—Continued.
  statistics—continued.
    receipts and shipments at trade centers. Rpt. 98, pp. 289, 348–349. 1913.
    storage, physical changes, studies. B.P.I. Bul. 271, pp. 8–11, 20. 1912.
    sulphured and unsulphured—
      cold and open storage, soft resins, studies. G. A. Russell. D.B. 282, pp. 19. 1915.
      effects of refrigeration. W. W. Stockberger and Frank Rabak. B.P.I. Bul. 271, pp. 21. 1912.
    sun-dried, superiority over kiln-dried. D.B. 568, p. 7. 1917.
  tonic, misbranding. Chem. N.J. 1420, p. 1. 1912; Chem. N.J. 4051. 1916.
  trade—
    international—
      1901–1910. Stat. Bul. 103, pp. 30–31. 1913.
      1909–1921. Y.B., 1922, p. 751. 1923; Y.B. Sep. 884, p. 751. 1923.
    with foreign countries, exports, and imports. D.B. 296, p. 45. 1915.
  use as potherb. O.E.S. Bul. 245, p. 29. 1912.
  valuation—
    German schedule. B.P.I. Cir. 33, p. 5. 1909.
    new standards, necessity. W. W. Stockberger. B.P.I. Cir. 33, pp. 11. 1909.
  wild, importation and description. No. 40758. B.P.I. Inv. 43, p. 76. 1918.
  world acreage and production, by countries, 1909–1922. Y.B., 1922, p. 749. 1923; Y.B. Sep. 884, p. 749. 1923.
  yards, pasturing for control of flea beetle. Ent. Bul. 66, p. 90. 1910.
yeast, spontaneous, preparation. F.B. 410, p. 25. 1910.
yie.d—
  average of four States, 1880, 1890, and 1900. B.P.I. Cir. 56, p. 3. 1910.
  conditions influencing. W. W. Stockberger and James Thompson. B.P.I. Cir. 56, pp. 12. 1910.
  per hill, experimental acre. B.P.I. Cir. 56, pp. 6, 8–10. 1910.
  relation of stand. B.P.I Cir. 112, pp. 25–32. 1913.
  variations, studies. J.A.R., vol. 19, p. 295. 1920.
Hop hornbeam. See Ironwood.
Hopcream, misbranding. Chem. N.J. 1497, pp. 2. 1912.
Hopi maize. See Corn, Pueblo varieties.
HOPKINS, A. D.—
  "Catalogue of exhibits of insect enemies of forests and forest products at the Louisiana Purchase Exposition, St. Louis, Mo., 1904." Ent. Bul. 48, pp. 56. 1904.
  "Classification of the Cryphalinae, with descriptions of new genera and species." Rpt. 99, pp. 75. 1915.
  "Contributions toward a monograph of the bark weevils of the genus Pissodes." Ent. T.B. 20, Pt. I, pp. 1–68. 1911.
  "Contributions toward a monograph of the scolytid beetles: I. The genus Dendroctonus." Ent. T.B. 17, Pt. I, pp. 164. 1909.
  "Damage to the wood of fire-killed Douglas fir, and methods of preventing losses, in western Washington and Oregon." Ent. Cir. 159, pp. 4. 1912.
  "Insect damage to standing timber in the national parks." Ent. Cir. 143, pp. 10. 1912.
  "Insect depredations in North American forests and practical methods of prevention and control." Ent. Bul. 58, Pt. V, pp. 57–101. 1909.
  "Insect enemies of forest reproduction." Y.B. 1905, pp. 249–256. 1906; Y.B. Sep. 381, pp. 249–256. 1906.
  "Insect enemies of the pine in the Black Hills Forest Reserve." Ent. Bul. 32, pp. 24. 1902.
  "Insect enemies of the spruce in the Northeast." Ent. Bul. 28, pp. 78. 1901.
  "Insect injuries to forest products." Ent. Cir. 128, pp. 9. 1910; Y.B., 1904, pp. 381–398. 1905; Y.B. Sep. 355, pp. 381–398. 1905.
  "Insect injuries to hardwood forest trees." Y.B., 1903, pp. 313–328. 1904; Y.B. Sep. 327, pp. 313–328. 1904.

HOPKINS, A. D.—Continued.
  "Insect injuries to the wood of dying and dead trees." Ent. Cir. 127, pp. 3. 1910.
  "Insect injuries to the wood of living trees." Ent Cir. 126, pp. 4. 1910.
  "Insects in their relation to the reduction of future supplies of timber, and general principles of control." Ent. Cir. 129, pp. 10. 1910.
  "Insects which kill forest trees: Character and extent of their depredations and methods of control." Ent. Cir. 125, pp. 9. 1910.
  "Notable depredations by forest insects." Y.B., 1907, pp. 149–164. 1908; Y.B. Sep. 442, pp. 149–164. 1908.
  "Ornaments and blemishes in wood caused by insects and birds." Biol. Bul. 39, pp. 57–58. 1911.
  "Pinhole injury to girdled cypress in the South Atlantic and Gulf States." Ent. Cir. 82, pp. 5. 1907.
  "Powder-post damage by Lyctus beetles to seasoned hardwood." With T. E. Snyder. F.B. 778, pp. 20. 1917.
  "Powder-post injury to seasoned wood products." Ent. Cir. 55, pp. 5. 1903.
  "Practical information on the scolytid beetles of North American forests: I. Barkbeetles of the genus Dendroctonus." Ent. Bul. 83, Pt. I, pp. 164. 1909.
  "Preliminary classification of the superfamily Scolytoidea." Ent. T.B. 17, Pt. II, pp. 165–232. 1915.
  "Some insects injurious to forests." With others. Ent. Bul. 58, Pts. I–V, pp. 101. 1910.
  "Some of the principal insect enemies of coniferous forests in the United States." Y.B., 1902, pp. 265–282. 1903; Y.B. Sep. 268, pp. 265–282. 1903.
  "Southern pine beetle." Ent. Bul. 83, Pt. I, pp. 56–72. 1909.
  "Study of forest entomology in America." Ent. Bul. 37, pp. 5–33. 1902.
  "Suggestions to correspondents for the collection of specimens (of insects) and making of observations." Ent. [Misc.], "Suggestions to correspondents * * *," p. 1. 1908.
  "The Black Hills beetle." Ent. Bul. 56, pp. 24. 1905.
  "The dying hickory trees: Cause and remedy." Ent. Cir. 144, pp. 5. 1912.
  "The dying of pine in the Southern States: Cause, extent, and remedy." F.B. 476, pp. 15. 1911.
  "The locust borer and methods for its control." Ent. Cir. 83, pp. 8. 1907.
  "The mountain pine beetle, Black Hills beetle, and Jeffrey pine beetle." Ent. Bul. 83, Pt. I, pp. 80–103. 1909.
  "The redwood." With others. For. Bul. 38, pp. 40. 1903.
  "The southern pine beetle: A menace to the pine timber of the Southern States." F.B. 1188, pp. 15. 1921.
  "The white-pine weevil." Ent. Cir. 90, pp. 8. 1907.
HOPKINS, C. G.—
  "Methods of corn breeding." O.E.S. Bul. 123, pp. 91–98. 1903.
  "Separation of alkalies in soil analysis by the official method." Chem. Bul. 67, pp. 43–44. 1902.
  "Soils, fertilizers and ash; argument for uniform basis of chemical elements." Chem. [Misc.], "Preliminary report on unification * * *," pp. 2–4. 1905.
Hopkins host-selection principles as related to certain cerambycid beetles. F. C. Craighead. J.A.R., vol. 22, pp. 189–220. 1921.
Hopkinsville, tobacco market and trade center. B.P.I. Bul. 268, pp. 39, 44, 45, 46, 57, 62. 1913.
Hoplocampa—
  cookei. See Sawfly, cherry fruit.
  sawfly genus, studies. S.A. Rohwer. Ent. T.B. 20, Pt. IV, pp. 139–148. 1911.
  spp., description. Sec. [Misc.], "A manual * * * insects * * *," p. 23, 177. 1917.
Hoploderma spp., description and habits. Rpt. 108 pp.102, 103. 1915.
Hopperburn, cause, description, and prevention. F.B. 1225, pp. 3, 4, 6–11, 13–16. 1921; F.B. 1349, pp. 10–11, 17. 1923.

1188   UNITED STATES DEPARTMENT OF AGRICULTURE

Hopperdozer—
 construction, cost, and use. Ent. Cir. 84, p. 8. 1907; F.B. 637, pp. 9-10. 1915; F.B. 691, pp. 11-13, 15. 1915; F.B. 737, pp. 6-8. 1916.
 cultivated field, plan for construction and use. Ent. Bul. 30, pp. 17-19. 1901.
 description and use in grasshopper control. F.B. 691, rev., pp. 14-17. 1920; F.B. 747, pp. 14-15, 17. 1916; Y.B. 1915, p. 265. 1916; Y.B. Sep. 674, p. 265. 1916.
 use—
  in control of—
   beet leaf hopper. B.P.I. Bul. 181, p. 35. 1910.
   grain leaf hopper. D.B. 254, pp. 15-16. 1915.
   leaf hoppers. Ent. Bul. 108, pp. 37, 59, 82, 84, 86, 90, 100, 103. 1912.
   leaf hoppers on potatoes. F.B. 868, p. 13. 1917.
   on sugar-beet leaf hoppers. Ent. Bul. 66, Pt. IV, p. 48. 1909.
Hoppers—
 dry mash, for poultry, directions for making. D.C. 13, pp. 7-8. 1919; D.C. 17, p. 5. 1919; F.B. 1111, p. 5. 1920.
 feed—
  poultry, construction, school exercise. D.B. 527, pp. 27-29. 1917.
  use for attracting birds. F.B. 912, p. 7. 1918.
 poultry feeding, construction. F.B. 316, pp. 30-32. 1908.
Hopvines, irrigation and fertilization, effect on red spider. Ent. Bul. 117, pp. 32-33. 1913.
Hopyards, injury by termites. D.B. 333, p. 16. 1916.
Hordeae genera, key and descriptions of grasses. D.B. 772, pp. 11-12, 87-106. 1920.
Hordeum—
 distichon palmella, crosses with *H. vulgare pallidum*, occurrence of fixed intermediate. Harry V. Harlan and H. K. Hayes. J.A.R., vol. 19, pp. 575-592. 1920.
 intermedium haxtoni, occurrence in barley crosses. J.A.R., vol. 19, pp. 575-592. 1920.
 sativum—
  forage value and association in meadows. J.A.R., vol. 6, No. 19, pp. 748-750, 752. 1916.
  inoculations with *Puccinia graminis*. J.A.R., vol. 15, pp. 236, 240, 242. 1918.
  susceptibility to stem rusts, studies. J.A.R., vol. 10, pp. 430-490. 1917.
  See also Squirreltail grass.
 sativum, infection with *Ustilago nuda*. J.A.R., vol. 29, pp. 263-284. 1924.
 spp.—
  description, distribution, and uses. D.B. 772, pp. 12, 98-101, 102. 1920.
  distribution, description, and feed value. D.B. 201, pp. 28-29. 1915.
  effect of time of irrigation on development of kernels. J.A.R., vol. 21, pp. 29-45. 1921.
  importation and description. No. 34314, B.P.I. Inv. 32, p. 34. 1914; Nos. 49807, 49808, B.P.I. Inv. 63, p. 7. 1923.
  relation of seed-coat injury and viability to susceptibility to molds and fungicides. J.A.R., vol. 21, No. 2, pp. 99-122. 1921.
  resistance to aecidiospores of *Puccinia triticina*. J.A.R., vol. 22, pp. 163-172. 1921.
  See also Barley.
 vulgare pallidum, cross with *H. distichon palmella*. J.A.R., vol. 19, pp. 575-592. 1920.
Horehound—
 American water. See Bugleweed.
 balsam, misbranding. Chem. N.J. 4125. 1916.
 culture and handling as drug plant, yield and price. B.P.I. Bul. 219, p. 23. 1911; F.B. 663, p. 26. 1915; rev., p. 35. 1920; F.B. 188, pp. 32-34. 1904.
 syrup compound, misbranding. Chem. N.J. 3971. 1915.
Horistonotus—
 curiatus. See Wireworm, cotton.
 uhlerii—
  control. S.R.S. Rpt., 1915, Pt. I, pp. 50, 240. 1917.
  See also Wireworm, corn-and-cotton.
Hormaphidini, genera, description and key. D.B. 826, pp. 9, 83-84. 1920.
Hormiguilla, injuries to trees in Porto Rico. P.R. An. Rpt., 1914, p. 42. 1916.

Horn(s)—
 bull, training, trimming and polishing. F.B. 1412, pp. 20-21. 1924.
 calf—
  prevention. F.B. 777, p. 14. 1917.
  training and polishing. F.B. 1135, pp. 26-27. 1920.
 cattle—
  fractures, treatment. B.A.I. [Misc.], "Diseases of cattle," rev., pp. 282-283. 1912; rev., p. 277. 1923.
  presence or absence in crossbreds, discussion. J.A.R., vol. 15, pp. 45-48. 1918.
 certification and disinfection, regulations. Joint Order No. 1, pp. 3-4. 1916.
 fly(ies)—
  C. L. Marlatt. Ent. Cir. 115, pp. 13. 1910.
  cattle pest, habits and control. B.A.I. [Misc.], "Diseases of cattle," rev. pp. 504-505. 1923.
  description, life history, and control. Ent. Cir. 115, pp. 1-13. 1910; Y.B., 1912, p. 390. 1913; Y.B. Sep. 600, p. 390. 1913.
  differentiation from stable fly F.B. 540, p. 14. 1913.
  effect on cattle. F.B. 267, pp. 28-29. 1906.
  injury to—
   animals and control by repellents. D.B. 131, pp. 3-23. 1914.
   cattle, description of larvae. Ent. T.B. 22, pp. 11, 24. 1912.
   cattle, life history, and prevention. B.A.I. [Misc.], "Diseases of cattle," rev., pp. 496-497. 1908; rev., pp. 519-520. 1912.
   livestock and control work in Hawaii. Hawaii A.R., 1908, pp. 18-21. 1908.
  introduction and damages occasioned. Ent. Cir. 115, pp. 1-4. 1910.
  parasites and natural enemies. Ent. Cir. 115, pp. 6-7. 1910.
 hollow, cause and symptoms, caution against local treatment. B.A.I. Cir. 68, p. 5. 1905; B.A.I. [Misc.], "Diseases of cattle," rev., p. 28. 1912.
 imported, disinfection order. B.A.I.O. 256, p. 4. 1917.
 imports—
  1907-1909 (with bones and hoofs), value, by countries from which consigned. Stat. Bul. 82, p. 26. 1910.
  and exports, value, 1909-1913 (with bones, hoofs, etc.). D.B. 798, pp. 20-23. 1919.
 powder, use as fertilizer. D.B. 479, p. 81. 1917.
 prevention in dairy calves. F.B. 1336, p. 12. 1923.
 reindeer, growth and shedding habits, and utilization. D.B. 1089, pp. 7-9, 17. 1922.
 removal. See Dehorning.
Hornbeam—
 hop, injury from gipsy moth. D.B. 204, p. 15. 1915.
 injury by—
  pith-ray flecks. For. Cir. 215, p. 10. 1913.
  sapsuckers. Biol. Bul. 39, pp. 31, 71. 1911.
 insect pests, list. Sec. [Misc.], "A manual * * * insects * * *," p. 137. 1917.
 oriental, importation and description. N. 44844, B.P.I. Inv. 51, p. 78. 1922.
 quantity used in manufacture of wooden products. D.B. 605, p. 15. 1918.
 tests for mechanical properties, results. D.B. 556, pp. 31, 40. 1917; D.B. 676, p. 21. 1919.
Hornblende, description, composition, and value. D.B. 348, pp. 6, 7. 1919; Rds. Bul. 37, pp. 18, 25, 27. 1911.
HORNE, W. D.—
 determination of moisture in sirups and molasses. Chem. Bul. 116, pp. 22-23. 1908.
 "Temperature corrections in raw sugar polarizations." Chem. Bul. 152, pp. 207-210. 1912.
 Horne's method, sugar polarization. Chem. Bul. 152, p. 211. 1912; Chem. Cir. 90, p. 9. 1912.
Hornet stings, horse, treatment. B.A.I. [Misc.], "Diseases of the horse," rev., p. 454. 1903.
Horntails, genotypes of sawflies and wood wasps. Ent. T.B. 20, pt. 2, pp. 69-109. 1911.
Hornworms—
 grape, description and control. F.B. 1220, pp. 34-35. 1921.
 injuries to tobacco, control treatment, experiments, and cost. F.B. 867, pp. 1-11. 1917.
 northern—
  description and remedies. Y.B., 1910, pp. 284-288. 1911; Y.B. Sep. 537, pp. 284-288. 1911.

Hornworms—Continued.
　northern—continued.
　　tobacco, description and control. Ent. Cir. 123, pp. 6, 10–16. 1910.
　septicemia. G.F. White. J.A.R., vol. 26, pp. 677–486. 1923.
　southern—
　　description, life history, and remedies. Y.B., 1910, pp. 284–288. 1911; Y.B. Sep. 537, pp. 284–288. 1911.
　　tobacco, description, life history, and control. Ent. Cir. 123, pp. 6–8, 10–16. 1910.
　tobacco—
　　arsenate of lead as insecticide against. A. C. Morgan and D. C. Parman. Ent. Cir. 173, pp. 10. 1913.
　　control—
　　　Ent. Bul. 67, p. 108. 1907.
　　　use of cobalt solution. F.B. 343, pp. 19–20. 1909.
　　description, life history, and control. Ent. Cir. 123, pp. 6–16, 17. 1910; Hawaii Bul. 10, pp. 10–12. 1905.
　　enemies of southern field crops. Y.B., 1911, pp. 202, 203. 1912; Y. B. Sep. 561, pp. 202, 203. 1912.
　　in Hawaii, rarity, description, and control. Hawaii Bul. 34, pp. 13–15. 1914.
　　injuries, description, life history, and control. Y.B., 1910, pp. 281, 284–288. 1911; Y.B. Sep. 537, pp. 281, 284–288. 1911.
　　insecticides—
　　　recommendations for use of powdered lead arsenate in dark-tobacco district. A. C. Morgan. F.B. 867, pp. 11. 1917; F.B. 1356, pp. 8. 1923.
　　　use of lead arsenate. A. C. Morgan and D. C. Parman. Ent. Cir. 173, pp. 10. 1913.
　　　use of lead arsenate in dark-tobacco district. A. C. Morgan and D. C. Parman. F.B. 595, pp. 8. 1914.
　　remedies. B.P.I. Doc. 427, pp. 6, 17, 20, 21. 1908.
　　tomato, description and control. D. C. 40, pp. 5–6. 1919, D.C. 35, pp. 25–26. 1919; F.B. 856, pp. 67–68. 1917; F.B. 1338, p. 23. 1923; S.R.S. Doc. 95, pp. 5–6. 1919.
Horse(s)—
　abscesses, acute and cold, description and treatment. B.A.I. [Misc.], "Diseases of the horse," rev., pp. 474–477. 1903.
　admission, sanitary requirements, various States. B.A.I. Doc. A–28, pp. 44. 1917.
　affected with glanders, interstate movement, notice regarding. James Wilson. B.A.I. [Misc.], "Notice regarding * * *," p. 1. 1907.
　age—
　　effect upon market price. B.A.I. Bul. 37, p. 15. 1902.
　　estimation, methods. D.B. 487, pp. 24–25. 1917.
　　groups, on farms and ranges, 1923–1924. S.B. 5, p. 4. 1925.
　air requirement per day. F.B. 190, pp. 23–24. 1904.
　American—
　　carriage—
　　　breeding work, 1916. An. Rpts., 1916, p. 82. 1917; B.A.I. Chief Rpt., 1916, p. 16. 1916.
　　　breeding, work of department. An. Rpts., 1918, p. 83. 1918; B.A.I. Chief Rpt., 1918, p. 13. 1918.
　　　classification work, 1910. B.A.I. An. Rpt., 1910, p. 27. 1912.
　　　utility, development. J. O. Williams. D.C. 153, pp. 22. 1921.
　　　value of blood. B.A.I. An. Rpt., 1907, pp. 88–100. 1909; B.A.I. Cir. 137, pp. 88–100. 1908.
　anasarca, description, treatment. B.A.I. [Misc.], "Diseases of the horse," rev., pp. 508–512. 1903.
　anatomy, description of bones, muscles and tendons. B.A.I. [Misc.], Diseases of the horse," rev., pp. 276–279. 1903; rev., pp. 276–279. 1907; rev., pp. 276–279. 1911.
　ancient types, classification, description, changes, development of breeds. B.A.I. An. Rpt., 1910, pp. 163–174. 1912.

Horse(s)—Continued.
　and—
　　mule(s)—
　　　marketing, bibliography. M.C. 35, p. 25. 1925.
　　　raising in the South, suggestions for. George M. Rommel. B.A.I. An. Rpt., 1906, pp. 347–361. 1908; B.A.I. Cir. 124, pp. 15. 1908.
　　　receipts and shipments at stock centers, 1906. B.A.I. An. Rpt., 1906, pp. 320–322. 1908.
　　　tractors in the winter wheat belt, Oklahoma, Kansas, Nebraska. H. R. Tolley and W. R. Humphries. D.B. 1202, pp. 60. 1924.
　anemia, investigations in Nevada. J.A.R., vol. 30, pp. 683–691. 1925.
　anthrax—
　　description, history, causes, symptoms and treatment. B.A.I. [Misc.], "Diseases of the horse," rev., pp. 528–531. 1903.
　　infection, symptoms, and treatment. B.A.I. Cir. 71, rev., pp. 7–9. 1904.
　　treatment, tests of simultaneous method. D.B. 340, pp. 14, 15. 1915.
　Arabian—
　　certification of book of record, October 2, 1909. B.A.I.O. 136, amdt. 10, p. 1. 1909.
　　characteristics, and club directory. F.B. 952, pp. 4–5. 1918.
　　endurance test comparison with Morgan and thoroughbreds. D.C. 199, rev., p. 19. 1923.
　　probable ancestry. B.A.I. An. Rpt., 1910, pp. 163, 166, 170, 174. 1912.
　army—
　　breeding, stallions purchased. B.A.I.S.A. 69, pp. 5–6. 1913.
　　description. B.A.I. Bul. 37, p. 29. 1902.
　　in Civil war. B.A.I. An. Rpt., 1910, pp. 106–107. 1912; B.A.I. Cir. 186, pp. 106–107. 1911.
　　purchases of 3-year-old colts, 1917. Y.B., 1917, pp. 350–353. 1918; Y.B. Sep. 754, pp. 12–15. 1918.
　　supply, United States and foreign countries. B.A.I. An. Rpt., 1910, pp. 103–124. 1912; B.A.I. Cir. 186, pp. 103–124. 1911.
　　types, specifications. Y.B., 1917, pp. 348–349. 1918; Y.B. Sep. 754, pp. 10–11. 1918.
　arterial diseases, symptoms and treatment. B.A.I. [Misc.], "Diseases of the horse," rev., pp. 240–246. 1903.
　artillery, description. B.A.I. Bul. 37, p. 21. 1902.
　average farm life and selling cost, Michigan and Pennsylvania. News L. vol. 3, No. 32, p. 7. 1916.
　bad habits, detection and treatment. F.B. 667, pp. 10, 12–13. 1915; F.B. 779, pp. 3–5, 25. 1917.
　basal katabolism, estimation and comparisons. J.A.R., vol. 16, pp. 53–55. 1918.
　bedding requirements, various materials. J.A.R., vol. 14, p. 189. 1918.
　Belgian draft—
　　breed recognition. B.A.I.O. 206, pp. 3, 4. 1913.
　　importations—
　　　October 1 to December 31, 1911, certificates. B.A.I. [Misc.], "Animals imported * * *," pp. 3–8. 1912.
　　　1912, certificates. B.A.I. [Misc.], "Animals imported * * *," pp. 3–16. 1913.
　　　1913. B.A.I. [Misc.], "Animals imported * * *," pp. 3–17. 1914.
　　　1914, list. B.A.I. [Misc.], "Animals imported * * *," pp. 3–9. 1915.
　　　1915 and certificates. B.A.I. [Misc.], "Animals imported * * *," p. 1. 1916.
　　origin, importation, distribution, and description. F.B. 619, pp. 3–6. 1914.
　bighead, cause, symptoms, lesions, and treatment. B.A.I. [Misc.], "Diseases of the horse," rev., pp. 554–558. 1907.
　bladder diseases, causes and symptoms. B.A.I. [Misc.], "Diseases of the horse," rev., pp. 87–103. 1911.
　blind staggers, outbreak in various States, description, cause and prevention. F.B. 499, pp. 19–20. 1912.
　blindness, detection. F.B. 779, p. 9. 1917.

Horse(s)—Continued.
  blood—
    and spleen iron content, in infectious anemia. Lewis H. Wright. J.A.R., vol. 26, pp. 239–242. 1923.
    counts. J.A.R., vol. 21, pp. 678–688. 1921.
    vessels, anatomy and physiology. B.A.I. [Misc.], "Diseases of the horse," rev., pp. 227–228. 1903; rev., pp. 227–228. 1907; rev., pp. 227–228. 1911.
  bluegrass region, 1840–1910. D.B. 482, pp. 6, 7. 1917.
  bog spavin, description and treatment. B.A.I. [Misc.], "Diseases of the horse," rev., p. 331. 1911.
  boils, treatment. B.A.I. [Misc.], "Diseases of the horse," rev., p. 439. 1911.
  bones, composition and nourishment. B.A.I. [Misc.], "Diseases of the horse," rev., pp. 276–279. 1911.
  bots. See Botfly; Bots.
  Boulonnais, origin, and description. F.B. 619, p. 9. 1914.
  bowel twisting, symptoms and treatment. "Diseases of the horse," rev., p. 56. 1907.
  brain—
    anatomy and physiology. B.A.I. [Misc.], "Diseases of the horse," rev., p. 190–192. 1907.
    diseases, description, causes, and treatment. B.A.I. [Misc.], "Diseases of the horse," rev., pp. 193–208. 1907.
    examination for dourine. J.A.R., vol. 18, pp. 148–149, 153. 1919.
  breaking—
    and training. F.B. 1368, pp. 1–21. 1923.
    to drive and to ride, directions. F.B. 667, pp. 6–12. 1915; F.B. 1368, pp. 14–15. 1923.
  breed(s)—
    certification regulations. B.A.I.O. 288, pp. 4, 5. 1924; B.A.I.O. 293, pp. 1–6. 1925.
    development in America. D.C. 153, pp. 1–22. 1921.
    light and draft types. Sec. [Misc.], Spec., "Horse and mule raising * * *," p. 1. 1914.
    recognition, record books. B.A.I.O. 206, pp. 3, 4–5. 1913; B.A.I.O. 278, p. 8. 1922.
  breeders—
    associations, directory, and other livestock. F.B. 952, pp. 5–16. 1918; Y.B., 1917, pp. 596–603. 1918; Y.B., Sep. 742, pp. 4–11. 1918.
    need of care in selection of stallions. Y.B., 1916, pp. 289, 294, 298. 1917; Y.B. Sep. 692, pp. 1, 6, 10. 1917.
  breeding—
    American, development. B.A.I. An. Rpt., 1907, pp. 85–87. 1909; B.A.I. Cir. 137, pp. 85–87. 1908.
    and sex, effect upon market price. B.A.I. Bul. 37, p. 15. 1902.
    and stallion legislation. Charles C. Glenn. Y.B., 1916, pp. 289–299. 1917; Y.B. Sep. 692, pp. 11. 1917.
    Argentina, and some noted horses. B.A.I. An. Rpt., 1908, pp. 326–327. 1910.
    cannon bone size, studies. J.A.R., vol. 7, pp. 361–371. 1916.
    decline, effect upon market. B.A.I. Bul. 37, p. 12. 1902.
    experiments—
      history and object. D.C. 153, pp. 4–6. 1921.
      in Alaska, 1915, and proposed work. Alaska A.R., 1915, pp. 26, 54, 81. 1916.
      in Guam, 1915. Guam A.R., 1915, pp. 15, 23. 1916.
      in Guam, 1916, feeding and pasturing. Guam A.R., 1916, p. 41. 1917.
      program for, 1915. Sec. [Misc.], "Program of work * * * 1915," pp. 69–71. 1914.
    for army, European methods, and plan for United States. B.A.I. An. Rpt., 1910, pp. 103–105, 114–121. 1912; B.A.I. Cir. 186, pp. 103–105, 114–121. 1911.
    for the United States army— B.A.I. Cir. 178, pp. 13. 1911.
      H. H. Reese. Y.B., 1917, pp. 341–356. 1918; Y.B. Sep. 754, pp. 18. 1918.
    hunter type, care and management of foals and colts. B.A.I. Cir. 87, pp. 220–222. 1905.
    importance of soundness and appearance. D.B. 905, pp. 61–62. 1920.

Horse(s)—Continued.
  breeding—continued.
    importation laws and regulations. B.A.I. An. Rpt., 1905, pp. 147–151. 1907.
    in—
      Denmark, Federal aid and cooperative associations. D.B. 1266, pp. 78–80. 1924.
      Europe, for army remounts. B.A.I. An. Rpt., 1910, pp. 103–105. 1912; B.A.I. Cir. 186, pp. 103–105. 1912.
      Guam. Guam A.R., 1914, pp. 18–22. 1915.
      Ireland, methods. B.A.I. Cir. 87, pp. 199–225. 1905.
      Nebraska, Boone County. Soil Sur. Adv. Sh., 1921, p. 1180. 1925.
    methods at Morgan Horse Farm, Middlebury, Vt. B.A.I. Cir. 163, pp. 13–14. 1910.
    old and young parents, comparison of offspring. J.A.R., vol. 7, pp. 361–371. 1916.
    on grain farms, profits. F.B. 704, pp. 37–38. 1916.
    selection of sires. B.A.I. Cir. 87, pp. 207–208. 1905.
    stallion legislation in United States. F.B. 425, pp. 12–18. 1910.
    suggestions for farmers. H. H. Reese. F.B. 803, pp. 22. 1917; rev., pp. 20. 1923.
  bruises, description and treatment. B.A.I. [Misc.], "Diseases of the horse," rev., p. 464. 1911.
  burns and scalds, treatment. B.A.I. [Misc.], "Diseases of the horse," pp. 455–456, 471–473. 1911.
  calk wounds, treatment. B.A.I. [Misc.], "Diseases of the horse," rev., p. 379. 1903.
  callosities, description and treatment. B.A.I. [Misc.], "Diseases of the horse," rev., pp. 448–449. 1911.
  cannon bone—
    acute periostitis, causes and treatment. B.A.I. [Misc.], "Diseases of the horse," rev., pp. 286–289. 1911.
    size in offspring, relation to age of parents. J.A.R., vol. 7, pp. 361–371. 1916.
  capped hock, causes, symptoms, and treatment. B.A.I. [Misc.], "Diseases of the horse," pp. 359–362. 1911.
  carriage—
    American, classification—
      George M. Rommel. B.A.I. Cir. 113, pp. 4. 1907.
      and judging. B.A.I. An. Rpt., 1907, pp. 61–63, 120–124. 1909; B.A.I. Cir. 137, pp. 120–124. 1908.
    breeding, influence of saddle horse and standardbred strains. B.A.I. Cir. 137, pp. 89–100. 1908; B.A.I. An. Rpt., 1907, pp. 89–100. 1909.
    requirements from market standpoint. F.B. 334, p. 23. 1908.
  cartilaginous quittor, causes, symptoms, and treatment. B.A.I. [Misc.], "Diseases of the horse," rev., pp. 389–391. 1911.
  certified, breeds and books of record, lists. B.A.I.O. 186, pp. 3, 6. 1912.
  choking, symptoms and treatment. B.A.I. [Misc.], "Diseases of the horse," rev., pp. 47–49. 1907.
  chorea, description and treatment. B.A.I. [Misc.], "Diseases of the horse," rev., p. 207. 1907.
  classes profitably produced, discussion. Y.B., 1902, pp. 456–468. 1903.
  Cleveland Bay, characteristics, and club directory. F.B. 952, pp. 15–16. 1918.
  clubfoot, description. B.A.I. [Misc.], "Diseases of the horse," rev., p. 372. 1907.
  Clydesdale—
    breed recognition. B.A.I.O. 206, pp. 3, 4. 1913.
    breeding in Canada, success. F.B. 419, p. 20. 1910.
    origin, importation, distribution, and description. F.B. 619, pp. 10–12. 1914.
    probable ancestry. B.A.I. An. Rpt., 1910, pp. 167, 170, 172. 1912.
  coach—
    description. B.A.I. Bul. 37, pp. 24–26. 1902.
    French, characteristics, and club directory. F.B. 952, pp. 12–14. 1918.

INDEX TO PUBLICATIONS, 1901–1925 1191

Horse(s)—Continued.
  coach—continued.
    German, characteristics and club directory. F.B. 952, pp. 14–15. 1918.
  cold in head, symptoms and treatment. B.A.I. [Misc.], "Diseases of the horse," rev., pp. 107–108. 1903; rev., pp. 107–108. 1907; rev., pp. 107–108. 1911.
  collar, ill fitting, cause of brain congestion. B.A.I. [Misc.], "Diseases of the horse," rev., p. 197. 1903; rev., p. 198. 1907; rev., p. 198. 1911.
  color, effect upon market price. B.A.I. Bul. 37, p. 15. 1902.
  color inheritance. D.B. 905, pp. 31–32. 1920.
  conformation, points desirable and undesirable, indications. B.A.I. An. Rpt., 1906, pp. 252–254. 1908; B.A.I. Bul. 37, p. 16–17. 1902; B.A.I. Cir. 124, pp. 6–9. 1908.
  congestion, active and passive. B.A.I. [Misc.], "Diseases of the horse," rev., p. 54. 1903.
  constipation, treatment. B.A.I. [Misc.], "Diseases of the horse," rev., p. 54. 1903.
  contagious diseases, methods of spread. B.A.I. [Misc.], "Diseases of the horse," rev., pp. 489, 517, 520, 525, 529, 532–538, 549. 1903.
  cost of—
    keeping—
      on farms. Y.B., 1921, p. 805. 1922; Y.B. Sep. 876, p. 2. 1922.
      variations on farms in Ohio, Illinois, and New York. D.B. 560, pp. 14–16. 1917.
      using on Corn-Belt farms. M. R. Cooper and J. O. Williams. F.B. 1298, pp. 16. 1922.
  cutaneous quittor, causes and symptoms. B.A.I. [Misc.], "Diseases of the horse," rev., pp. 381–384. 1903; rev., pp. 381 384. 1907; rev., pp. 381–384. 1911.
  cuts, description, and treatment. B.A.I. [Misc.], "Diseases of the horse," rev., pp. 362–364. 1903; rev., pp. 362–364, 373. 1908; rev., pp. 362–364. 1907; rev., pp. 362–364. 1911.
  cystic calculus, symptoms, treatment and prevention. B.A.I. [Misc.], "Diseases of the horse," rev., pp. 100–102. 1903; rev., pp. 100–102. 1907; rev., pp. 100–102. 1911.
  danger from sticktight fleas. D.B. 248, pp. 24–25. 1915.
  day's work in various farm operations. D.B. 412, pp. 2–14. 1916.
  decrease in European countries during war. Y.B., 1919, pp. 408, 411, 416, 424. 1920; Y.B. Sep. 821, pp. 408, 411, 416, 424. 1920.
  defects constituting unsoundness. F.B. 803, pp. 6–8. 1917; rev., pp. 4–6. 1923.
  depreciation—
    and appreciation, various States. D.B. 560, pp. 10–12. 1917.
    in logging operations. D.B. 440, pp. 18, 20. 1917.
    lessening methods. F.B. 1298, pp. 8–9. 1922.
    rate, calculation method. D.B. 341, pp. 95–96. 1916.
  dermal mycosis associated with sarcoptic mange. B.A.I. An. Rpt., 1907, pp. 259–277. 1909.
  digestive tract, examination for disease symptoms. B.A.I. [Misc.], "Diseases of the horse," rev., pp. 21–24. 1903.
  dipping for skin diseases. B.A.I. An. Rpt., 1907, p. 277. 1909.
  diseases—
    caused by—
      Bacillus necrophorus. B.A.I. Bul. 67, p. 21 1905
      protozoa, spread by dogs. D.B. 260, p. 22. 1915.
      protozoan parasites. B.A.I. An. Rpt., 1910, pp. 474, 477, 478, 479, 493, 497. 1912; B.A.I. Cir. 194, pp. 474, 477, 478, 479, 493, 497. 1912.
    description and control. Y.B., 1919, pp. 72, 73, 77. 1920; Y.B. Sep. 802, pp. 72, 73, 77. 1920.
    special report. Leonard Pearson and others. B.A.I. [Misc.], "Diseases of the horse," rev., pp. 600. 1903; rev., pp. 608. 1907; rev., pp. 614. 1911; rev., pp. 629. 1916; rev., pp. 629 1923.
    spread by dogs. D.B. 260, pp. 5–8, 18, 22, 24. 1915.
    transmission by ticks and other mites. Rpt. 108, pp. 62, 68, 131. 1915.

Horse(s)—Continued.
  displacement by—
    tractors—
      D.B. 174, pp. 4–5, 37–39, 43, 44. 1915; F.B. 719, pp. 21–22. 1916; F.B. 963, pp. 26–27. 1918; F.B. 1004, pp. 24–25. 1918; F.B. 1035, p. 29. 1919; F.B. 1093, pp. 5, 17–20 1920; F.B. 1201, pp. 21–23. 1921.
      in Corn Belt. S.B. 5, p. 82. 1925.
    trucks. D.B. 910, pp. 35–36. 1920; D.B. 931, pp. 31–32. 1921; D.B. 1254, p. 26. 1924; F.B. 1314, p. 17. 1923.
  disposition and intelligence, effect upon market price. B.A.I. Bul. 37, p. 16. 1902.
  distribution in world countries. Sec. [Misc.], Spec. "Geography * * * world's agriculture," p. 111. 1917.
  domestic, origin and ancestry. B.A.I. An. Rpt., 1910, pp. 141, 161–174. 1912.
  dourine—
    J. R. Mohler and H. W. Schoening. F.B. 1146, pp. 12. 1920.
    cause and suppression. John R. Mohler. B.A.I. Bul. 142, pp. 38. 1911.
    infected, quarantine regulations. B.A.I.O. 245, p. 27. 1916; B.A.I.O. 263, p. 24. 1919; B.A.I.O. 273, pp. 26–27. 1921; B.A.I.O. 292, pp. 21–22. 1925.
    studies of spinal fluid and spinal cord. J.A.R., vol. 26, pp. 497–505. 1923.
  draft—
    breeds—
      description and points of value in breeding. B.A.I. An. Rpt., 1906, p. 258. 1908; B.A.I. Cir. 124, pp. 12–13. 1908.
      of. G. Arthur Bell. F.B. 619, pp. 16. 1914; rev., pp. 14. 1924.
    description and demand. B.A.I. Bul. 37 pp 17–21. 1902.
    development in United States. B.A.I. An Rpt., 1910, pp. 107–108 1912; B.A.I. Cir. 186, pp. 107–108. 1911
    points of excellence. F.B. 619, pp. 2–3. 1914; rev., pp. 1–3. 1924.
    quality and conformation, studies. F.B. 451, pp. 15–19. 1911.
    requirements from market standpoint. F.B. 334, p. 23. 1908.
  driving, maintenance ration. F.B. 162, pp. 15–16. 1903.
  eczema, description and treatment B.A.I. [Misc.], "Diseases of the horse," rev., pp. 437–438. 1903.
  effect of—
    dourine on nerve tissues and other structures. J.A.R., vol. 18, pp. 145–154. 1919.
    horsetail weeds. F.B. 273, p. 16. 1906.
  efficiency as power units, determination. Sec. Cir. 149, p. 8. 1920.
  erysipelas, cause, symptoms, treatment. B.A.I. [Misc.], "Diseases of the horse," rev., pp. 446–448. 1903.
  estimates, 1911–1923. M.C. 6, p. 18. 1923
  exclusion from landing at U. S. ports, from Asia and Africa. B.A.I.O. 174, p. 1. 1910.
  exports—
    1851–1908, number and value. Stat. Bul. 75, p. 23. 1910.
    1897–1906, by countries to which consigned. B.A.I. An. Rpt., 1907, pp. 346, 390–393. 1909
    1902–1904. Stat. Bul. 36, p. 27. 1905.
    effect of war. F.B. 651, pp. 3–4 1915.
    Europe and Canada, 1914–1915. B.A.I.S.R.A. 100, p. 97. 1915.
    inspection, Aug., 1914–May, 1915. B.A.I.S.R.A. 98, p. 69. 1915.
    shipping regulations. B.A.I.O. 264, pp. 6, 9–10, 14, 19, 21. 1919.
  express, description. B.A.I. Bul. 37, pp. 19–20. 1902.
  eye, examination, directions. B.A.I. [Misc.], "Diseases of the horse," rev., pp. 254–255. 1903.
  face bones, fractures and treatment. B.A.I. [Misc.], "Diseases of the horse," rev., pp. 312–313. 1903.
  famous American, description, records, and pedigree. B.A.I. An. Rpt., 1907, pp. 88–143. 1908; B.A.I. Cir. 137, pp. 88–143. 1908.

Horse(s)—Continued.
farm—
and driving, maintenance ration. F.B. 162, pp. 15–16. 1903.
annual depreciation, and cost of new stock. B.P.I. Cir. 132, pp 4, 5. 1913
cost of—
feeding. Stat. Bul. 73, pp. 64–65, 69. 1909.
keeping and cost of horse labor. M. R. Cooper. F.B. 560, pp. 23. 1917.
labor, reduction by good management. B.P.I. Bul. 259, pp. 21–22, 27, 64. 1912.
keeping, and cost of labor per hour. Stat. Bul. 73, pp. 19–22, 64, 66, 69. 1909.
mixed rations for. F.B. 162, pp. 19–22. 1903.
number, reduction by use of tractors. F.B. 1296, pp. 1–4. 1922; F.B. 1299, p. 8. 1922.
power, development of practical methods of expanding. Sec. Cir. 149, p. 8. 1920.
prices, decrease, 1911–1914. News L., vol. 2, No. 5, pp. 2–3. 1914.
ratios to population in various regions. Y.B., 1923, pp. 325–326. 1924; Y.B. Sep. 895, pp. 325–326. 1924.
statistics of day's work. Y.B., 1922, pp. 1046, 1048–1049. 1923; Y.B. Sep. 890, pp. 1046, 1048–1049. 1923.
value—
and purchasing power, 1867–1921 and 1909–1921. D.B. 999, pp. 7–9, 59, 62, 65. 1921.
at different ages. D.B. 413, pp. 11–12. 1916.
work, care and management. J. O. Williams and Earl B. Krantz. F.B. 1419, pp. 18. 1924.
farming—
Virginia, cropping system. Y.B., 1907, pp. 389–392. 1908; Y.B. Sep. 456, pp. 389–392. 1908.
requirements and profits. Y.B., 1908, p. 364. 1909; Y.B. Sep. 487, p. 364. 1909.
fat, digestibility, dietary experiments. D.B. 613, pp. 10–12. 1919.
fattening for market, experiments. F.B. 405. pp. 16–18. 1910.
feed—
adulteration. See *Indexes, Notices of Judgment, in bound volumes and in separates published as supplements to Chemistry Service and Regulatory Announcements.*
alfalfa. F.B. 339, p. 30. 1908.
algaroba meal, Hawaii. Hawaii A.R., 1914, pp. 12, 19. 1915.
and bedding, use of rye. Y.B., 1918, pp. 180, 182. 1919; Y.B. Sep. 769, pp. 14, 15. 1919.
and labor requirements, southwestern Minnesota. D.B. 1271, pp. 46–49. 1924.
Arab, balanced, misbranding. Chem. N.J. 1654, pp. 2–3. 1912.
corno, alleged misbranding. Chem. N.J. 990, pp. 11. 1911.
kinds and amounts per animal, by States. Y.B., 1921, p. 840. 1922; Y.B. Sep. 876, p. 37. 1922.
peerless, misbranding. Chem. N.J. 1176, pp. 2. 1911.
requirements—
daily and annual. Y.B., 1907, pp. 389–390, 392, 394. 1908; Y.B. Sep. 456, pp. 389–390, 392, 394. 1908.
for maintenance and work. B.A.I. Bul. 143, pp. 22–26. 1912; D.B. 459, pp. 14, 18. 1916; F.B. 170, pp. 37–42. 1903.
protein and energy value. F.B. 346, pp. 16–20. 1909.
"Sugarota," misbranding. Chem. N.J. 810, pp. 2. 1911.
value of velvet bean mixture, experiments. F.B. 1276, p. 27. 1922.
feeding—
G. A. Bell. F.B. 1030, pp. 24. 1919.
and management, first three years. F.B. 803, rev., pp. 17–19. 1923.
cost per year in cities and on farms. F.B. 1093, p. 18. 1920.
directions. M.C. 12, pp. 11–15. 1924.
experiments—
F.B. 162, pp. 15–22. 1903.
with zygadenus. D.B. 125, pp. 7, 34. 1915.
kinds and cost, Illinois, Ohio, and New York. D.B. 560, pp. 4–8. 1917.

Horse(s)—Continued.
feed—continued.
on—
alfalfa. F.B. 162, pp. 16–19. 1903; F.B. 316. p. 25. 1908; F.B. 1229, pp. 14–15. 1921.
apple by-products, experiments. D.B. 1166. pp. 23, 24, 27, 33. 1923.
barley. F.B. 133, pp. 29–30. 1901.
beet molasses. Y.B., 1908, p. 448. 1909; Y.B. Sep. 493, p. 448. 1909.
bleached oats, experiment. B.P.I. Cir. 74. p. 10. 1911.
cottonseed products, danger of poisoning. D.B. 929, pp. 1–10. 1920; F.B. 1179, pp. 2, 13. 1920.
cowpea hay, experiments. F.B. 318, p. 14. 1908; F.B. 1153, p. 16. 1920.
farms in North Dakota, methods and cost D.B. 757, pp. 15–16. 1919.
fish meal, experiments. D.B. 378, p. 4. 1916.
larkspur, experiments. D.B. 365, pp. 52–55. 59. 1916.
grain sorghums, value F.B. 724, pp. 5, 13. 1916; Y.B., 1913, p. 237. 1914; Y.B. Sep. 625, p. 237. 1914.
legumes, value in Guam. Guam Bul. 4, p. 9. 1922.
millet hay, dangers and injurious results. F.B. 793, p. 21. 1917.
molasses from beet-sugar factories. Rpt. 90, pp. 27–28. 1909.
oats, value and ration. Y.B., 1922, pp. 483 485. 1923; Y.B. Sep. 891, pp. 483, 485. 1923.
Para grass, tests. Guam Bul. 1, p. 23. 1921.
pea-vine hay, value. B.P.I. Cir. 45, pp. 10–11. 1910.
pine nuts. For. Bul. 99, p. 80. 1911
silage, directions, precautions. F.B. 556, pp. 17–19. 1913; F.B. 578, pp. 17–19. 1914.
Sudan grass hay, value. B.P.I. Cir. 126, p. 6. 1913.
principles. C. F. Langworthy. F.B. 170, pp. 44. 1903.
rate and cost on successful New York farm D.B. 32, p. 22. 1913.
recent experiments, digest. C.F. Langworthy. O.E.S. Bul. 125, pp .52. 1903.
selection and balancing of rations. F.B. 1030, pp. 1–24. 1919.
tests. F.B. 222, pp. 19–24. 1905.
unbalanced rations, results. S.R.S. Rpt.. 1916, Pt. I, pp. 40, 249. 1918.
value of—
coconut and peanut meals. George M. Rommel and W. F. Hammond. B.A.I. Cir. 168, pp. 2. 1911.
oats and oat hay. F.B. 420, pp. 19, 21, 24. 1910.
with barium salts, experiments. B.P.I. Bul. 246, pp. 25–26, 31. 1912.
feet—
handling and trimming, directions. F.B. 667, pp. 5–6. 1915.
nail wounds, treatment. F.B. 259, p. 30. 1906.
flatfoot, description. B.A.I. [Misc.], "Diseases of the horse," rev., p. 372. 1903; rev., p. 372. 1907; rev., p. 372. 1911; rev., p. 398. 1923.
foot—
anatomy. B.A.I. [Misc.], "Diseases of the horse," rev., pp. 369–372, 559. 1907; F.B. 179, pp. 7–11. 1903.
and leg conformation, indications. B.A.I. An. Rpt., 1906, p. 253. 1908; B.A.I. Cir. 124. pp. 7–8. 1908.
examination and preparation for shoeing. B.A.I. [Misc.], "Diseases of the horse," pp. 569–572. 1907.
white, objections, and reason for. O.E.S. Bul. 196, p. 44. 1907.
sand-cracks, cause and treatment. B.A.I. [Misc.], "Diseases of the horse," rev., pp. 405–408. 1903; rev., pp. 405–408. 1907; rev., pp. 405–408. 1911; rev., pp. 432–435. 1923.
forage poisoning, studies. S.R.S. Rpt., 1915, Pt. I, pp. 58, 129, 160. 1917.
fore parts, judging for soundness of animal. F.B. 779, pp. 7–17. 1917.

INDEX TO PUBLICATIONS, 1901–1925   1193

Horse(s)—Continued.
  forelegs, conformation desirable. F.B. 779, pp. 13–17. 1917.
  forest, origin and description. B.A.I. An. Rpt., 1910, pp. 163, 165–167. 1912.
  freedom from sneezeweed poisoning. B.A.I. Doc. A–9, p. 2. 1916.
  freight rates—
    1911. Y.B., 1911, p. 652. 1912; Y.B. Sep. 588, p. 652. 1912.
    1912. Y.B., 1912, p. 707. 1913; Y.B. Sep. 615, p. 707. 1913.
    Pacific coast states, 1910. Stat. Bul. 89, pp. 63, 65. 1911.
  French Draft—
    breed recognition. B.A.I.O. 206, p. 3. 1913.
    names, origin, and description. F.B. 619, p. 9. 1914.
  frog bruise, causes, symptoms, and treatment. B.A.I. [Misc.], "Diseases of the horse," rev., p. 399. 1911.
  frostbites, symptoms and treatment. B.A.I. [Misc.], "Diseases of the horse," rev., pp. 379–380. 1903.
  gaits, description and defects. F.B. 779, pp. 23–25, 1917.
  generative organs, diseases. B.A.I. [Misc.], "Diseases of the horse," rev., pp. 142–189. 1903.
  gid occurrence. B.A.I. Bul. 125, Pt. I, pp. 20, 31–33, 34, 36, 40. 1910.
  glanders—
    diagnosis by various methods. B.A.I. Cir. 191, pp. 345–370. 1912; B.A.I. An. Rpt., 1910, pp. 345–370. 1912.
    ophthalmic test. B.A.I. Doc. A–1, pp. 5. 1914.
  grazing—
    adaptability of forest ranges. D.B. 791, pp. 29–32, 41–44, 52, 53. 1919.
    in forests, injury to pine seedlings. D.B. 1105, pp. 127–128. 1923.
    in New Mexico national forests. D.C. 240, pp. 7, 11, 13, 15, 16, 18, 19, 21. 1922.
    on Sudan grass. F.B. 1126, pp. 18, 19. 1920.
    permits, national forests, 1917. An. Rpts., 1917, pp. 178, 179. 1918; For. A.R., 1917, pp. 16, 17. 1917.
  grooming, equipment and directions. F.B. 1419, pp. 11–12. 1924.
  Gudbrandsdal, origin of breed. J.A.R., vol. 7, p. 362. 1916.
  gullet diseases, symptoms and treatment. B.A.I. [Misc.], "Diseases of the horse," rev., pp. 46–49. 1903; rev., pp. 47–49. 1907; rev., pp. 47–49. 1911.
  Habronema muscae infestation, transmission by house fly. B.A.I.S.A. 54, p. 76. 1911.
  hackney—
    breed recognition. B.A.I.O. 206, pp. 3, 4. 1913.
    characteristics, and club directory. F.B. 952, pp. 11–12. 1918.
    importations and certificates issued, 1915. B.A.I. [Misc.], "Animals imported * * * 1916," pp. 2–3. 1916.
  harness—
    and saddle, description. B.A.I. Bul. 37, pp. 2–29. 1902.
    fitting and care, details, and directions. F.B. 1419, pp. 13–15. 1924.
  hauling power, comparison with motor trucks. S.B. 5, p. 83. 1925.
  head and face conformation, indications. B.A.I. An. Rpt., 1906, pp. 252, 253. 1908; B.A.I. Cir. 124, p. 7. 1908.
  heart, anatomy and physiology. B.A.I. [Misc.], "Diseases of the horse," pp. 225–228. 1903.
  hides. See Hides; Horsehides.
  hind legs, conformation desirable, defects, etc. F.B. 779, pp. 20–23. 1917.
  hind quarters, judging for soundness of animal. F.B. 779, pp. 18–23. 1917.
  hock, curb, symptoms and treatment. B.A.I. [Misc.], "Diseases of the horse," pp. 349–350. 1903; rev., pp. 349–350. 1907; rev., pp. 349–350. 1911.
  Honduras, description and conditions. B.A.I., An. Rpt., 1910, pp. 290, 291. 1912.
  hoof, care and growth. F.B. 179, pp. 11–15. 1903.
  host of cattle tick. Ent. Bul. 72, p. 35. 1907.

Horse(s)—Continued.
  host of spotted-fever tick. Ent. Bul. 105, pp. 28, 30, 33. 1911.
  Hungary, statistics pre-war and 1920–21. D.B. 1234, pp. 31, 36–37. 1924.
  hunter—
    breeding—
      beneficial factors. B.A.I. Cir. 87, pp. 212–217. 1905.
      feeding and management. B.A.I. Cir. 87, pp. 218–221. 1905.
    description. B.A.I. Bul. 37, pp. 27–28. 1902.
    production in Ireland. Willard John Kennedy. B.A.I. Cir. 87, pp. 225. 1905.
    sources of demand. B.A.I. Cir. 87, pp. 223–225. 1905.
    training, importance. B.A.I. Cir. 87, pp. 222–223. 1905.
  hybrid, breeding experiments. O.E.S. Bul. 196, p. 46. 1907.
  idle, maintenance ration, suggestion. F.B. 1030, p. 22. 1919.
  immunity to larkspur poisoning. F.B. 988, pp. 11, 14. 1918.
  immunization tests with glanders vaccine. D.B. 70, pp. 6–8. 1914.
  importation—
    from—
      Europe. B.A.I.O. 259, amdt. 3, p. 1. 1919.
      Great Britain. B.A.I.O. 266, amdt. 2, p. 1. 1919.
    to Great Britain, regulations. B.A.I.S.A. 79, pp. 104–105. 1913.
  imported—
    breeds—
      certification regulations. B.A.I.O. 175, pp. 3, 5. 1910.
      Government encouragement. George M. Rommel. B.A.I. An. Rpt., 1905, pp. 147–159. 1907.
    inspection and quarantine regulations. B.A.I. Cir. 213, pp. 84–86, 88. 1913; B.A.I.O. 180, pp. 26. 1911; B.A.I.O. 209, pp. 23. 1914; B.A.I.O. 259, pp. 22. 1918; B.A.I.O. 266, pp. 3–5, 14–18. 1919.
  imports—
    1851–1908. Stat. Bul. 74, p. 21. 1910.
    1902–1904. Stat. Bul. 35, pp. 14, 26. 1902.
    1907–1909, number and value, by countries from which consigned. Stat. Bul. 82, pp. 19–20. 1910.
    1908–1910, number and value, by countries from which consigned. Stat. Bul. 90, pp. 20–21. 1911.
    1918–1920. Y.B., 1921, p. 737. 1922; Y.B. Sep. 867, p. 1. 1922.
    and exports, 1904–1908. Y.B., 1908, pp. 752, 763. 1909; Y.B. Sep. 498, pp. 752, 763. 1909.
    by countries from which consigned, 1909–1911. Stat. Bul. 95, pp. 20–21. 1912.
    in Australia, registration. B.A.I.O. 175, amdt. 2, p. 1. 1911.
    in Austria, numbers and requirements. D.B. 1234, pp. 61–63. 1924.
  increased numbers to save man labor. F.B. 989, pp. 5–15. 1918.
  infectious anemia—
    cause, symptoms, and treatment. B.A.I. An. Rpt., 1908, pp. 225–229. 1910.
    in Nevada, study. Lewis H. Wright. J.A.R., vol. 30, pp. 683–691. 1925.
    or swamp fever. John R. Mohler. B.A.I. Cir. 138, pp. 4. 1909.
  inflammation, causes, kinds, symptoms and treatment. B.A.I. [Misc.], "Diseases of the horse," rev., pp. 487–493. 1903.
  influenza, description, causes, symptoms, and control remedy. News L., vol. 6, No. 14, pp. 1–2. 1918.
  injury by—
    caffein effects. Chem. Bul. 148, pp. 17, 91. 1912.
    dourine to nerve tissues and other structures. J.A.R., vol. 18, pp. 145–154. 1919.
    rats. Biol. Bul. 33, p. 29. 1909.
  inoculation with anthrax serum, experiments. J.A.R., vol. 8, pp. 44–45, 50–51. 1917.
  inspected for export to Europe and Canada. B.A.I.S.R.A. 101, p. 107. 1915.

Horse(s)—Continued.
  interfering—
    and speedy cuts, causes, symptoms and treatment. B.A.I. [Misc.], "Diseases of the horse," rev., pp. 362-364, 373. 1903; rev., 1907; rev., 1911.
    cause, symptoms, and treatment. B.A.I. [Misc.], "Diseases of the horse," rev. pp. 362-364, 374. 1903; rev., pp. 362-364, 374, 1907; rev., pp. 362-364, 374. 1911.
    relation of shoeing. F.B. 179, pp. 27-29. 1903.
  joints, punctured wounds, danger and treatment. B.A.I. [Misc.], "Diseases of the horse," rev., pp. 467-468. 1903; rev., 1907; rev., 1911.
  judging—
    as subject of instruction in secondary schools. H. P. Barrows. D.B. 487, pp. 31. 1917.
    by fore parts, body, and hind parts. F.B. 779, pp. 7-23. 1917.
    by general appearance, temperament, and quality. F.B. 779, pp. 5-7. 1917.
    score cards and use methods. B.A.I. Bul. 61, pp. 11-39. 1904; D.B. 487, pp. 7-9, 11, 23-24, 29. 1917.
  keeping in Alaska, Kenai Peninsula region. Soil Sur. Adv. Sh., 1916, p. 111. 1919; Soils F.O., 1916, p. 143. 1921.
  kicking—
    remedies. F.B. 1368, pp. pp. 7, 16. 1923.
    treatment. F.B. 667, pp. 10, 13. 1915.
  killed by panthers, Texas. N.A. Fauna 25, p. 162. 1905.
  labor—
    calculating for certain crops. D.B. 1181, pp. 58-59, 60. 1921.
    cost—
      and cost of keeping farm horses. M. R. Cooper. D.B. 560, pp. 23. 1917.
      as factor in wheat production and profits. D.B. 1198, pp. 5-10, 15, 16, 19. 1924; Y.B. 1921, pp. 116, 117, 120. 1922; Y.B. Sep. 873, pp. 116, 117, 120. 1922.
      comparison with tractor. Y.B. 1921, pp. 805, 807. 1922; Y.B. Sep. 876, pp. 2, 4. 1922.
      per day on farms. D.B. 997, pp. 44-45. 1921.
      dairy farm, cost per hour. Stat. Bul. 88, p. 18. 1911.
      distribution on Corn Belt farms, relation to tractors. F.B. 1093, pp. 20-25. 1920.
      efficiency, relation to size of farm. D.B. 659, pp. 26-29, 1918.
      on farms, cost statistics, Minnesota farms. Stat. Bul. 94, pp. 70-72. 1912.
      orcharding, requirements and cost. D.B. 29, pp. 13-14. 1913.
    requirements—
      by various crops, and availability by months. D.C. 83, pp. 19-21. 1920.
      for crops on farms in southwestern Minnesota. D.B. 1271, pp. 19, 21, 22, 26, 30, 33, 37, 40, 43. 1924.
    seasonal distribution—
      and costs in Colorado, diagrams. D.B. 917, pp. 6-42, 44-45. 1921.
      on the farms. Y.B., 1911, pp. 276, 277, 280-284. 1912; Y.B. Sep. 567, pp. 276, 277, 280-284. 1912.
      statistics, by months, in several States. Y.B., 1922, p. 1078. 1923; Y.B. Sep. 890, p. 1078. 1923.
  lameness, cause and treatment. B.A.I. [Misc.], "Diseases of the horse" rev., pp. 274-368. 1903.
  larkspur poisoning. F.B. 531, p. 12. 1913.
  lice, treatment. B.A.I. [Misc.], "Diseases of the horse", rev., pp. 454-455. 1903; rev., p. 455. 1907; rev., p. 455. 1911.
  light—
    breeds. H. H. Reese. F.B. 952, pp. 16. 1918.
    development of American breed. D.C. 153, pp. 3-4. 1921.
    medium, or heavy work, rations. F.B. 1030, pp. 23-24. 1919.
    usefulness on farms, value of good blood. Y.B., 1917, pp. 355-356. 1918; Y.B. Sep. 754, pp. 17-18. 1918.
  loads, effect of grades in roads. D.B. 463, pp. 12-13. 1917.

Horse(s)—Continued.
  loco poisoning, symptoms, treatment. B.A.I. Bul. 112, pp. 92-95, 110-112. 1909; B.P.I. Bul. 121, Pt. III, p. 38. 1908; F.B. 380, pp. 11, 13-14. 1909; F.B. 1054, pp. 12, 13, 16-17. 1919.
  London vanner. B.A.I. Bul. 37, p. 19. 1902.
  losses from—
    disease 1888-1922. Y.B., 1922, p. 813. 1923; Y.B. Sep. 888, p. 813. 1923.
    stable fly, character of injuries. F.B. 540, pp. 9-12. 1913.
  lost in fire fighting, reimbursement. Sol. [Misc.], Laws applicable * * * Agriculture," sup. 2, p. 60. 1915.
  lumber-mill teams, care and handling. D.B., 718, p. 6. 1918.
  lymphatic system, diseases, description and treatment. B.A.I. [Misc.], "Diseases of the horse," rev., pp. 248-250. 1903; rev., pp. 249-250. 1907; rev., pp. 249-250. 1911.
  maladie du coit, regulations to prevent spread. B.A.I. Chief Rpt., 1905, pp. 328, 335. 1905.
  mange, varieties, causes and treatment. B.A.I. [Misc.], "Diseases of the horse," rev., pp. 450-452. 1903; rev., pp. 451-453. 1907; rev., pp. 451-453. 1911.
  manure—
    production—
      F.B. 192, pp. 7-14. 1904.
      per year, composition, amount and value. S.R.S. Doc. 30, pp. 2-3. 1916.
    See also Manure.
  market—
    and breeding purposes, selection, and judging. W. J. Kennedy. Y.B., 1902, pp. 455-468. 1903; Y.B. Sep. 286, pp. 455-468. 1903.
    classes—
      George M. Rommel. B.A.I. Bul. 37, pp. 29. 1902.
      and grades. F.B. 334, pp. 22-25. 1908.
      effect of bicycle, electric cars, motor carriages, etc. B.A.I. Bul.37, pp. 11-12. 1902.
      statistics, numbers, prices, receipts, etc. 1910-1920 (and mules). D.B. 982, pp. 99-101. 1921.
    marketing—
      in Pacific Coast States, numbers, rates and methods. Stat. Bul. 89, pp. 19-26, 58, 59, 61, 63, 65, 91-94. 1911.
      methods. Rpt. 98, pp. 118-119. 1913.
  meat—
    act, text. B.A.I. O. 211, rev., p. 72. 1922.
    See also Meat, horse.
  medicine, administration methods. B.A.I. [Misc.], "Diseases of the horse," rev., pp. 28-33. 1903; rev., 1907; rev., 1911.
  meningitis—
    causes, symptoms, and treatment. B.A.I. An. Rpt., 1906, pp. 165-172. 1908.
    epizootic cerebrospinal. R. W. Hickman. B.A.I. Cir. 122, pp. 8. 1908.
  Millers' disease, cause. J.A.R. vol. 10, p. 185. 1917.
  minor classes, description and demand. B.A.I. Bul. 37, pp. 29-30. 1902.
  Mongolian, description and characteristics. B.A.I. An. Rpt., 1910, pp. 144, 163, 170, 171. 1912.
  Morgan—
    breeding—
      at the United States Morgan Horse Farm. H. H. Reese. D.C. 199, pp. 13. 1921; rev., pp. 2200. 1923.
      best methods to revive the breed. B.A.I. Cir. 163, pp. 10-14. 1910.
      in Guam, adaptability. Guam A.R., 1913, pp. 6-7. 1914.
      Vermont, stud records. B.A.I. An. Rpt., 1907, pp. 110-120. 1909; B.A.I. Cir. 137, pp. 110-120. 1908.
    characteristics and club directory. F.B. 952, pp. 9-11. 1918.
    decline, causes. B.A.I. Cir. 163, pp. 3-4. 1910.
    influence of breed on saddle horse. B.A.I. An. Rpt. 1907, p. 88. 1909; B.A.I. Cir. 137, p. 88. 1908.
    origination of breed in America. B.A.I. An. Rpt., 1907, p. 85. 1909; B.A.I. Cir. 137, p. 85. 1908.
    pedigree. D.C. 199, p. 18. 1921.

Horse(s)—Continued.
  Morgan—Continued.
    regeneration. George M. Rommel. B.A.I. Cir. 163, pp. 14. 1910.
    mules, and motor vehicles, year ended March 31, 1924, with comparable data for earlier years. S.B. 5, pp. 95. 1925.
    muscles and tendons, diseases, description and treatment. B.A.I. [Misc.], "Diseases of the horse," rev. pp. 340-353. 1903; rev. 1907; rev. 1911.
  mycotic lymphangitis, cause, symptoms, and treatment. B.A.I. An. Rpt., 1908, pp. 229-234. 1910; B.A.I. Cir. 155, pp. 5. 1910.
  native types, preservation. George M. Rommel. B.A.I. An. Rpt., 1907, pp. 85-143. 1909; B.A.I. Cir. 137, pp. 59. 1908.
  nettle—
    leaf spot, occurrence and description, Texas. B.P.I. Bul. 226, p. 96. 1912.
    (*Solanum carolinense*) relation to leafspot of tomato (*Septoria lycopersici*). Fred J. Pritchard and W. S. Porte. J.A.R., vol. 21, pp. 501-506. 1921.
    See also *Solanum carolinense*.
  Nivernais, origin and description. F.B. 619, p. 9. 1914.
  number—
    and—
      farm value, 1867-1906. Y.B., 1906, pp. 648-650. 1907; Y.B. Sep. 436, pp. 648-650. 1907.
      purpose on 160-acre hog farms in Indiana. F.B. 1463, p. 16. 1925.
      value, Jan. 1, 1920, and colts on farms, graph and maps. Y.B., 1921, pp. 470, 471, 472, 474. 1922; Y.B. Sep. 878, pp. 64, 65, 66, 68. 1922.
    by States, 1915. Y.B., 1915, p. 390. 1916; Y.B. Sep. 681, p. 390. 1916.
    comparison—
      on unit basis with other livestock, 1840-1920. S.B. 5, p. 6. 1925.
      with motor vehicles. S.B. 5, pp. 1-95. 1925.
    in—
      Cotton Belt States, comparison with mules. F.B. 1341, p. 1. 1923.
      principal countries. Y.B., 1917, p. 432. 1918; Y.B. Sep. 741, p. 10. 1918.
      United States and foreign countries. Sec. [Misc.], Spec., "Geography * * * world's agriculture," pp. 109-113. 1917.
      western South Dakota, 1905, 1909. Soil Sur. Adv. Sh., 1909, p. 67. 1911; Soils F.O., 1919, p. 1463. 1912.
    in world countries—
      1910-1916, graphs and tables. Y.B., 1916, pp. 548, 659-662. 1917; Y.B. Sep. 713. p. 18. 1917; Y.B. Sep. 721, pp. 1-4. 1917.
      1918. Y.B., 1918, pp. 587-591. 1919; Y.B. Sep. 793, pp. 3-7. 1919.
      1919. Y.B., 1919, pp. 644-648. 1920; Y.B. Sep. 828, pp. 644-648. 1920.
      1921. Y.B., 1921, pp. 675-680. 1922. Y.B. Sep. 870, pp. 1-6. 1922.
      1922. Y.B., 1922, pp. 795-801. 1923; Y.B. Sep. 888, pp. 795-801. 1923.
    on farms—
      1867-1909, value. Y.B., 1908, pp. 723-725. 1909; Y.B. Sep. 498, pp. 723-725. 1909.
      Jan. 1, 1915, estimates by States, with comparisons. F.B. 651, p. 14. 1915.
      and ranges, 1840-1920. S.B. 5, p. 2. 1925.
      and value decrease. M.C. 23, p. 22. 1924.
      Rio Grande district, Texas, cost and value, comparison with mules. D.B. 665, p. 6. 1918.
      southwestern Minnesota. D.B. 1271, p. 12. 1924.
    per plow, by States. Y.B., 1918, p. 705. 1919; Y.B., Sep. 795, p. 41. 1919.
    prices and marketing, 1923. Y.B., 1923, pp. 1025-1030. 1924; Y.B. Sep. 903, pp. 1025-1030. 1924.
    value and distribution, estimates. F.B. 575, pp. 2, 8, 21-22, 23, 38. 1914.
  oil, uses and value. D.B. 769, p. 40. 1919.
  omnibus, description. B.A.I. Bul. 37, p. 20. 1902.

Horse(s)—Continued.
  osteoporosis, cause, symptoms, lesions, and treatment. B.A.I. [Misc.], "Diseases of the horse," rev., pp. 554-558. 1907; rev., pp. 559-564. 1911.
  parasites, treatment with carbon bisulphide, experiments. B.A.I. Bul. 153, p. 12. 1912.
  parasitic insects and diseases. B.A.I. [Misc.], "Diseases of the horse," rev., pp. 450-455. 1903; rev., pp. 451-455. 1907; rev., pp. 451-455. 1911.
  pasturing on—
    alfalfa. F.B. 1021, pp. 28-29. 1919; F.B. 1229, p. 19. 1921.
    Paspalum grass. Guam Bul. 1, p. 38. 1921.
  pedigree record book, certification. B.A.I.O. 136, Amdt. 8, p. 1. 1909.
  Percheron—
    breed recognition. B.A.I.O. 206, pp. 3, 4. 1913.
    breeding animals, demand in France and England. Y.B. 1918, pp. 300, 301. 1919; Y.B. Sep. 773, pp. 14, 15. 1919.
    Canadian National Records, certification. B.A.I.O. 186, Amdt. 1, p. 1. 1912.
    importations and certificates, 1915. B.A.I. [Misc.], "Animals imported * * * 1915," p. 3. 1916.
    origin, importation, distribution, and description. F.B. 619, pp. 6-9. 1914.
    probable ancestry. B.A.I. An. Rpt., 1910, p. 167. 1912.
    plateau, origin and description. B.A.I. An. Rpt., 1910, pp. 167-170. 1912.
  pneumonia, edematous, causes, symptoms, course, and treatment. B.A.I. [Misc.], "Diseases of the horse," rev., pp. 519-523. 1903; rev., pp. 520-523. 1907; rev., pp. 519-524. 1911; rev., pp. 521-527. 1923.
  points and score cards. B.A.I. Bul. 76, pp. 8-9. 1905.
  poisoning by—
    death camas, symptoms and results. D.B. 125, pp. 7, 29, 44. 1915; D.B. 1012, pp. 9-10. 1922; F.B. 1273, pp. 4, 11. 1922.
    field horsetail. F.B. 162, pp. 22-23. 1903.
    lupines. D.B. 405, pp. 3, 14, 20, 35-36. 1916.
    Mexican milkweed. D.B. 969, p. 16. 1921.
    plants on the range, symptoms and prevention. D.B. 1245, pp. 5, 11, 14-21, 25. 1924.
    smelter fumes, symptoms and post-mortem notes. B.A.I. An. Rpt., 1908, pp. 247-252, 254-257. 1910.
    whorled milkweed. D.B. 800, pp. 8-15. 1920; D.C. 101, pp. 1, 2. 1920.
  power problem on the farm. Oscar A. Juve. Y.B. 1919, pp. 485-495. 1920; Y.B. Sep. 825, pp. 485-495. 1920.
  Prejvalsky, description, origin, and characteristics. B.A.I. An. Rpt., 1910, pp. 163, 170-172. 1912.
  presses, use in baling hay. F.B. 1049, pp. 5-8. 1919.
  prices—
    farm and wholesale, comparisons in different States. D.B. 999, p. 18. 1921.
    in Argentina. B.A.I. Bul. 48, pp. 19, 21, 36. 1903.
    on farm. Y.B., 1924, pp. 984, 985, 1175. 1925.
  protection—
    against foreign diseases, quarantine precautions. Y.B., 1918, pp. 244-245. 1919; Y.B. Sep. 783, pp. 8-9. 1919.
    from flies—
      by repellents, experiments. D.B. 131, pp. 6, 8-21. 1914.
      treatment. B.A.I. [Misc.], "Diseases of the horse," rev., pp. 453-454. 1903; rev., p. 454. 1907; rev., p. 454. 1911; rev., pp. 481-482. 1923.
  protein requirement, studies. B.A.I. Bul. 143, p. 97. 1912.
  purebred—
    foreign books of record, recognized breeds. B.A.I.O. 175, pp. 3, 5. 1911.
    numbers on farms, by States. S.B. 5, p. 8. 1925.
    quarantine for maladie du coit, regulations. B.A.I.O. 143, pp. 20-21. 1907.

Horse(s)—Continued.
rabies—
definition, symptoms, treatment, and fatal results. B.A.I. [Misc.], "Diseases of the horse," rev., pp. 221, 543–545. 1903; rev., pp. 222, 545–547. 1907; rev., pp. 222–223, 547–550. 1911; rev., pp. 244–245, 559–562. 1923.
two cases, details, and symptoms. B.A.I. Cir. 120, pp. 6–9. 1908.
raising—
in—
Algeria. B.P.I. Bul. 80, p. 83. 1905.
Argentina, grades, prices. D.C. 228, p. 11. 1922.
California, upper San Joaquin Valley. Soil Sur. Adv. Sh., 1917, p. 31. 1921; Soils F.O., 1917, p. 2559. 1923.
Maryland, Charles County. Soil Sur. Adv. Sh., 1918, pp. 11. 1922; Soils F.O., 1918, pp. 83. 1924.
Iowa, Fayette County. Soil Sur. Adv. Sh., 1919, pp. 9, 12, 14, 15. 1922; Soils F.O., 1919, pp. 1465, 1466, 1468, 1469. 1925.
Maryland, Frederick County. Soil Sur. Adv. Sh. 1919, pp. 11, 15. 1922; Soils F.O., 1919, pp. 651, 655. 1925.
Minnesota, Stevens County. Soil Sur. Adv. Sh., 1919, p. 12. 1922; Soils F.O., 1919, p. 1384. 1925.
Nebraska, Morrill County. Soil Sur. Adv. Sh., 1917, pp. 14, 25, 26, 31, 35, 37, 42, 47. 1920; Soils F.O., 1917, pp. 1862, 1873, 1874, 1879, 1883, 1885, 1890, 1895. 1923.
South, and mules. Sec. [Misc.], Spec., "Horse * * * raising * * *," pp. 4. 1914.
South Dakota, Belle Fourche Reclamation Farm. D.C. 60, pp. 6, 7. 1919.
Tennessee, Sumner County. Soil Sur. Adv. Sh., 1909, pp. 11, 12, 17. 1910; Soils F.O., 1909, pp. 1155–1156, 1161. 1912.
Texas, Denton County. Soil Sur. Adv. Sh., 1918, p. 12. 1922; Soils F.O., 1918, p. 784. 1924.
Uruguay, breeds, lack of demand. D.C. 228, p. 20. 1922.
Washington, Wenatchee area. Soil Sur. Adv. Sh., 1918, p. 17. 1922; Soils F.O., 1918, p. 1557. 1924.
lectures, syllabus. O.E.S. Cir. 100, pp. 8–12, 33–34. 1911.
range, marketing methods. B.A.I. Bul. 37, pp. 30–32. 1902.
rations—
computation principles and method. F.B. 1030, pp. 5–21. 1919.
containing cottonseed meal, suggestions. D.B. 929, pp. 9–10. 1920.
daily, suggestions. F.B. 1030, pp. 22–24. 1919.
digestible nutrients and energy. F.B. 170, pp. 31–33. 1903.
for trial. F.B. 1030, pp. 9–10. 1919.
for using farm wastes. F.B. 873, pp. 11–12. 1917.
requirements. B.A.I. Bul. 143, pp. 55–63. 1912.
substitutes for oats. F.B. 425, pp. 18–19. 1910.
receipts and shipments, 1904. B.A.I. An. Rpt., 1904, pp. 524–552. 1904.
registry associations. Y.B., 1920, p. 511. 1921; Y.B. Sep. 866, p. 511. 1921.
requirements for 1919–1920, and supply. Sec. Cir. 125, pp. 16–17. 1919.
respiratory organs, diseases, causes, and treatment. B.A.I. [Misc.], "Diseases of the horse," rev., pp. 104–141. 1903; rev., pp. 104–141. 1907; rev., pp. 104–141. 1911; rev., pp. 95–133. 1923.
roadster, description. B.A.I. Bul. 37, pp. 23–24. 1902.
roaring, cause, description, and remedy. B.A.I. [Misc.], "Diseases of the horse," rev., pp. 117–119. 1903; rev., pp. 117–119. 1907; rev., pp. 117–119. 1911; rev., pp. 108–110. 1923.
saddle—
American—
characteristics, and club directory. F.B. 952, pp. 8–9. 1918.
description. B.A.I. An. Rpt., 1902, pp. 62–78. 1903.

Horse(s)—Continued.
saddle—continued.
American—Continued.
lack of score card. B.A.I. Bul. 76, p. 94. 1905.
blood in American carriage horses. B.A.I. An. Rpt., 1907, pp. 89–93. 1909; B.A.I. Cir., 137, pp. 89–93. 1908.
demand—
and points in selection. Y.B., 1902, pp. 466–468. 1903.
and value. B.A.I. Cir. 87, pp. 224–225. 1905.
in Brazil. D.C. 228, p. 33. 1922.
description and requirements. B.A.I. Bul. 37, pp. 26–29. 1902.
for cattle ranch. F.B. 1395, pp. 17–18. 1925.
hunter type, demand. B.A.I. An. Rpt., 1904, p. 224. 1905.
origination of breed in America. B.A.I. An. Rpt., 1907, p. 85. 1909; B.A.I. Cir., 137, p. 85. 1908.
proper size. B.A.I. An. Rpt., 1902, p. 77. 1903.
requirements from market standpoint. F.B. 334, p. 23. 1908.
sanitary requirements, and other livestock. B.A.I. Doc. A-36, pp. 1–67. 1920.
scarcity, causes. B.A.I. Bul. 37, pp. 12–14. 1902.
school lessons. D.B. 258, pp. 16–17. 1915.
Scotch or Glasgow vanner, description. B.A.I. Bul. 37, p. 19. 1902.
selecting and judging for market and breeding purposes. W. J. Kennedy. Y.B., 1902, pp. 455–468. 1903; Y.B. Sep. 286, pp. 455–468. 1903.
serum, preparation, and diagnosis tests. results. J.A.R., vol. 11, pp. 67, 72. 1917.
shipments, reports, Dec. 19, 1918, and mules. Y.B. 1918, pp. 384–387. 1919; Y.B. Sep. 788, pp. 8–11. 1919.
Shire—
breed recognition. B.A.I.O. 206, pp. 3, 4 1913.
experimental breeding in Iowa. B.A.I. An. Rpt. 1908, p. 55. 1910.
importations—
1911. B.A.I. [Misc.], "Animals imported * * * 1911," pp. 9–20. 1911.
1913. B.A.I. [Misc.], "Animals imported * * * 1913," pp. 40–43. 1914.
1914. B.A.I. [Misc.], "Animals imported * * * 1914," pp. 19–20. 1915.
origin, description, importation, and distribution. F.B. 619, pp. 12–14. 1914.
probable ancestry. B.A.I. An. Rpt. 1910, pp. 167, 170, 172. 1912.
shows, Government aid and supervision, Denmark. B.A.I. Bul. 129, pp. 34, 35, 36. 1911.
sickness, African, fatal disease, need of quarantine precautions. Y.B., 1918, p. 245. 1919; Y.B. Sep. 783, p. 9. 1919.
Siwalik, origin, description, and characteristics. B.A.I. An. Rpt., 1910, pp. 172–174. 1912.
skin diseases, description and treatment. B.A.I. [Misc.], "Diseases of the horse," rev., pp. 431–458. 1903; rev., 1907; rev., 1911.
slaughter for food, Germany and France, number. B.A.I. An. Rpt., 1911, pp. 265, 266. 1913.
sound, selection—
suggestions for. H. H. Reese. F.B. 779, pp. 27. 1917.
teaching by use of Farmers' Bulletin 779. E. A. Miller. S.R.S. [Misc.], "How teachers may use * * *," pp. 2. 1917.
soundness—
importance as a market feature. B.A.I. Bul. 37, p. 16. 1902.
requirements by breeders. F.B. 803, pp. 6–8. 1917.
South American countries, breeds, exhibits. Y.B., 1919, pp. 377, 378, 379. 1920; Y.B. Sep. 818, pp. 377, 378, 379. 1920.
standard bred—
as a carriage horse. B.A.I. An. Rpt., 1907, pp. 93–100. 1909; B.A.I. Cir. 137, pp. 93–100. 1908.
breed recognition. B.A.I.O. 206, p. 4. 1913.
Canadian National Records, registration, regulations. B.A.I.O. 175, amdt. 5, p. 1. 1911.
characteristics, and club directory. F.B. 952, pp. 6–7. 1918.

INDEX TO PUBLICATIONS, 1901–1925   1197

Horse(s)—Continued.
standard bred—continued.
  importations and certificates, 1915. B.A.I. [Misc.], "Animals imported * * * 1915," p. 4. 1916.
  origination of breed in America. B.A.I. An. Rpt., 1907, p. 85. 1909; B.A.I. Cir. 137, p. 85. 1908.
  popularity. B.A.I. An. Rpt., 1907, pp. 101–103. 1909; B.A.I. Cir. 137, pp. 101–103. 1908.
  statistics—
    1867–1907, by States and by years. Stat. Bul. 64, pp. 5–24, 95–145. 1908.
    for different countries. Y.B., 1911, pp. 619–622. 1912; Y.B. Sep. 588, pp. 619–622. 1912.
    graphic showing of average numbers, world. Stat. Bul. 78, p. 42. 1910.
    numbers, value, imports and exports—
      1892–1911 and 1907–1911. Y.B., 1911, pp. 626–628, 656, 668. 1912; Y.B. Sep. 588, pp. 626–628, 656, 668. 1912.
      1908–1912. Y.B., 1912, pp. 666–669, 677–680, 712, 726. 1913; Y.B. Sep. 615, pp. 666–669, 677–680, 712, 726. 1913.
      1911–1913. Y.B., 1913, pp. 455–458, 461–463, 493, 501. 1914; Y.B. Sep. 361, pp. 455–458, 461–463, 493, 501. 1914.
      1913–1915. Y.B., 1915, pp. 507–510, 514–518, 540, 548, 565, 571. 1916; Y.B. Sep. 684, pp. 507–510, 514–518. 1916; Y.B. Sep. 685, pp. 540, 548, 565, 571. 1916.
      1916. Y.B., 1916, pp. 666–670, 707, 715, 732. 1917; Y.B. Sep. 721, pp. 8–12. 1917; Y.B. Sep. 722, pp. 1, 9, 26. 1917.
      1917. Y.B., 1917, pp. 709–713, 717–721, 759, 768, 789, 794. 1918; Y.B. Sep. 761, pp. 3–7, 11–15. 1918; Y.B. Sep. 762, pp. 3, 12, 33, 38. 1918.
      1918. Y.B., 1918, pp. 596–601, 627, 635, 659, 660. 1919; Y.B. Sep. 793, pp. 12–17. 1919; Y.B. Sep. 794, pp. 3, 11, 30, 36. 1919.
      1919. Y.B., 1919, pp. 653–657, 682, 691, 710, 716. 1920; Y.B. Sep. 828, pp. 653–657. 1920; Y.B. Sep. 829, pp. 682, 691, 710, 716. 1920.
      1920. Y.B., 1920, pp. 25–30. 1921; Y.B. Sep. 863, pp. 25–30. 1921.
      1921. Y.B., 1921, pp. 684–689, 737, 743, 757, 764. 1922; Y.B. Sep. 870, pp. 10–15. 1922; Y.B. Sep. 867, pp. 1, 7, 21, 28. 1922.
      1922. Y.B., 1922, pp. 811–817, 913, 949, 955, 969, 977. 1923; Y.B. Sep. 888, pp. 811–817, 913. 1923; Y.B. Sep. 880, pp. 949, 955, 969, 977. 1923.
    receipts and shipments at trade centers. Rpt. 98, pp. 289, 349–353. 1913.
  Steppe, description, origin, and characteristics. B.A.I. An. Rpt., 1910, pp. 163, 170–172. 1912.
  stomach and intestines, diseases. B.A.I. [Misc.], "Diseases of the horse," rev., pp. 49–72. 1903; rev. 1907; rev. 1911.
  stone in bladder, symptoms and treatment. B.A.I. [Misc.], "Diseases of the horse," rev., pp. 100–102. 1903; rev., pp. 100–102. 1907; rev., pp. 100–102. 1911; rev., pp. 159–162. 1923.
  strangles, causes, symptoms, treatment. B.A.I. [Misc.], "Diseases of the horse," rev., pp. 513–515. 1903; rev., pp. 512–516. 1907; rev., pp. 513–516. 1911.
  Suffolk—
    breed recognition. B.A.I.O. 206, pp. 3, 4. 1913.
    importations, 1914, list. B.A.I. [Misc.], "Animals imported * * *," pp. 20–21. 1915.
    origin, importation, distribution, and description. F.B. 619, pp. 14–16. 1914.
  supply of European countries and United States. Y.B., 1918, pp. 294, 296, 297, 299–301. 1919; Y.B. Sep. 773, pp. 8, 10, 11, 13–15. 1919.
  surra—
    description, symptoms, diagnosis, and treatment. B.A.I. [Misc.], "Diseases of the horse," rev., pp. 546–551. 1903; rev., pp. 548–553. 1907; rev., pp. 554–559. 1911; rev., pp. 572–577. 1923.
    symptoms, fatal results. B.A.I. An. Rpt., 1909, pp. 88, 89, 90. 1911; B.A.I. Cir. 169, pp. 88, 89, 90. 1911.
  susceptibility to—
    glanders, spread, and symptoms. B.A.I. Doc. A–13, pp. 3–5, 7–9. 1917.

Horse(s)—Continued.
susceptibility to—continued.
    hemorrhagic septicemia. D.B. 674, pp. 3, 4. 1918.
  suspensory ligament, rupture, symptoms, and treatment. B.A.I. [Misc.], "Diseases of the horse," rev., pp. 377–378. 1903; rev., pp. 377–378. 1907; rev., pp. 377–378. 1911; rev., pp. 371–372. 1923.
  swamp fever, cause, nature, and treatment. B.A.I. An. Rpt., 1907, pp. 32–34. 1909.
  teeth—
    diseases. B.A.I. [Misc.], "Diseases of the horse," rev., pp. 42–44. 1903; rev. 1907; rev. 1911.
    indication of age. F.B. 779, p. 7. 1917.
  temperature, normal. Y.B., 1914, p. 166. 1915; Y.B. Sep. 635, p. 166. 1915.
  tendon sheaths, wounds, treatment. B.A.I. [Misc.], "Diseases of the horse," rev., pp. 468–469. 1903; rev., p. 469. 1907; rev., p. 469. 1911.
  tetanus, cause and symptoms. B.A.I. Bul. 121, pp. 8–9. 1909.
  Texas, number and value, 1907. O.E.S. Bul. 222, p. 13. 1910.
  thoroughbred—
    characteristics, and club directory. F.B. 952, pp. 5–6. 1918.
    endurance test, comparison with Arabs and Morgans. D.C. 199, rev., p. 19. 1923.
    importations and certificates, 1915. B.A.I. [Misc.], "Animals imported * * * 1916," pp. 4–7. 1916.
  three-toed, description. B.A.I. An. Rpt., 1910, pp. 167–168. 1912.
  thrombosis, cause, symptoms, and treatment. B.A.I. [Misc.], "Diseases of the horse," rev. pp., 365–367. 1903; rev. 1907; rev. 1911.
  throwing, directions. F.B. 667, pp. 13–14. 1915.
  tick—
    infested—
      from Mexico, dipping and inspection, regulation. B.A.I.O. 142, amdt. 10. 1910.
      interstate movement, regulations. B.A.I.O. 263, p. 15. 1919; B.A.I.O. 273, amdt. 3, p. 1. 1924.
    See also Tick.
  ticky, shipment rule. B.A.I.O. 292, p. 13. 1925.
  training for use on sweep-rakes, methods. F.B. 838, p. 9. 1917.
  transportation—
    rates. Y.B., 1907, p. 731. 1908; Y.B. Sep. 465, p. 731. 1908.
    violation of 28-hour law, decision. Sol. Cir. 12. pp. 1–4. 1909; Sol. Cir. 73, pp. 1–4. 1913.
  treatment for—
    external parasites. B.A.I. Chief Rpt., 1924, p. 39. 1924.
    glanders. B.A.I. [Misc.], "Directions for using," p. 1. 1907.
    lice. Off. Rec., vol. 4, No. 11, p. 3. 1925.
  trotting, origin of breed in America. B.A.I. An. Rpt., 1907, p. 85. 1909; B.A.I. Cir. 137, p. 85. 1908.
  ulcers caused by smelter fumes, description. B.A.I. An Rpt., 1908, pp. 247–250. 1910.
  unbranded, range, sources of trouble and loss. D.B. 1001, p. 33. 1922.
  unsoundness, estimation methods. D.B. 487, pp. 26–29. 1917.
  urinary and sexual organs, examination for disease symptoms. B.A.I. [Misc.], "Diseases of the horse," rev., pp. 26–27. 1903; rev., 1907; rev., 1911.
  use—
    for hauling in place of trucks, reasons for. D.B. 1254, pp. 13–14. 1924.
    in—
      Corn Belt, comparisons. S.B. 5, p. 81. 1925.
      fall and with machinery to save labor on farms. Sec. Cir. 122, pp. 5–7. 1918.
      production of anthrax serum. D.B. 340, pp. 5, 6, 8–9, 16. 1915.
      saving man labor in beet fields. F.B. 1042, pp. 4–18. 1919.
      trenching machines, disadvantages. Y.B., 1919, pp. 87–88. 1920; Y.B. Sep. 822, pp. 87–88. 1920.

Horse(s)—Continued.
  use—continued.
    in—continued.
      Utah Lake Valley, number per farm, and crop acres per horse. D.B. 582, p. 14. 1918.
      Utah, number, efficiency, etc., on farms. D.B. 117, p. 13. 1914.
      working corn, acreage per horse in Corn Belt. F.B. 1093, p. 20. 1920.
  influence of the tractor. L. A. Reynoldson. F.B. 1093, pp. 26. 1920.
  of repellents and protective devices against bots. D.B. 597, pp. 42–45, 49. 1918.
    on Corn Belt farms. L. A. Reynoldson and H. R. Tolley. F.B. 1295, pp. 14. 1923.
  value as economic animal not decreased by machinery. Y.B., 1910, p. 191. 1911; Y.B. Sep. 528, p. 191. 1911.
  vein diseases, description and treatment. B.A.I. [Misc.], "Diseases of the horse," rev., pp. 246–248. 1903; rev., 1907; rev., 1911.
  venomous stings and bites, treatment. B.A.I. [Misc.], "Diseases of the horse," rev., pp. 454, 455, 470. 1903; rev., 1907; rev., 1911.
  vesicular stomatitis, with cattle. John R. Mohler. D.B. 662, pp. 11. 1918.
  vices causing rejection. F.B. 779, p. 25. 1917.
  war requirements of United States. B.A.I. An. Rpt., 1910, pp. 37–38, 113–114. 1912; B.A.I. Cir. 186, pp. 37–38, 113–114. 1911.
  water requirements, different conditions. F.B. 170, pp. 25–27. 1903; F.B. 592, p. 2. 1914; F.B. 1448, p. 7. 1925.
  watering eye, treatment. B.A.I. [Misc.], "Diseases of the horse," rev., p. 261. 1903.
  weight, by States. Y.B., 1918, p. 704. 1919; Y.B. Sep. 795, p. 40. 1919.
  Welsh Pony, imported for breeding, list, Jan.–March, 1911. B.A.I. [Misc.], "Animals imported * * *," p. 16. 1911.
  wheat belt, and tractors. H. R. Tolley and W. R. Humphries. D.B. 1202, pp. 60. 1924.
  wild, anatomical variations for different ages and habitats. B.A.I. An. Rpt., 1910, pp. 163–174. 1912.
  winter feeding, school lesson. D.B. 258, pp. 14, 15. 1915.
  work—
    breeds, Great Britain, valuable in points. O.E.S Bul. 196, p. 46. 1907.
    care and management on the farm. J. O. Williams and Earl B. Krantz. F.B. 1419, pp. 18. 1924.
    care of shoulders. F.B. 432, p. 12. 1911.
    efficiency, relation to size of farm and profits. D.B. 41, pp. 27, 40, 42. 1914.
    farm wintering. F.B. 384, pp. 11–12. 1910.
  variola, description, causes, symptoms, and treatment. B.A.I. [Misc.], "Diseases of the horse," rev., pp. 523–528. 1903; rev., pp. 524–529. 1907; rev., pp. 524–529. 1911; rev., pp. 535–540. 1923.
  work—
    feed requirements. D.B. 1296, pp. 51–53. 1925; F.B. 355, p. 40. 1909; F.B. 374, pp. 25–26. 1909; F.B. 1030, pp. 9, 11. 1919.
    keeping and feeding costs in Ohio, Indiana, and Illinois. D.B. 997, pp. 40–45. 1921.
    maintenance cost. Stat. Bul. 94, pp. 70, 71. 1912.
    numbers, labor, and cost, comparison with tractors. D.B. 997, pp. 10, 12–13, 26–45. 1921.
    rations on farms. F.B. 370, pp. 11, 18, 28. 1909.
  working rating, determination, project, outline. Sec. Cir. 149, p. 7. 1920.
  worm medicines and tonics. B.A.I. [Misc.], "Diseases of the horse," rev., pp. 60, 61. 1903; rev., 1907; rev., 1911.
  worms, control by carbon tetrachloride tests. J.A.R., vol. 23, pp. 178–179. 1923.
  wounds, treatment. B.A.I. [Misc.], "Diseases of the horse," rev., pp. 459–481. 1903; 1907; rev. 1911.
  zebra hybrids, breeding attempts, and results. B.A.I. An. Rpt., 1909, pp. 230, 231. 1911.
  See also Livestock.
Horse bean (tree), characters, species on Pacific slope. For. [Misc.], "Forest trees for Pacific * * *," pp. 371–376. 1908.

Horse beans—
  Roland McKee. F.B. 969, pp. 12. 1918.
  adulteration. Chem. N.J. 2934, pp. 157–158. 1914.
  alkali tolerance. F.B. 446, rev., pp. 12, 13, 14, 16. 24. 1920.
  description of plant, flowers, and seed. F.B. 969, pp. 3–4. 1918.
  diseases and insects, control. F.B. 969, pp. 11–12. 1918.
  effect on water extract of soil. J.A.R., vol. 20, pp. 663–667. 1921.
  feed value, and increased production urged by Agriculture Department. News L., vol. 6, No. 9, p. 15. 1918.
  green manure, crop. B.P.I. Bul. 178, pp. 15, 16. 1910; B.P.I. Bul. 190, pp. 30–31. 1910; F.B. 1250, p. 42. 1922.
  harvesting, threshing, and yield per acre. F.B. 69, pp. 8–10. 1918.
  hogging-off irrigated land, results in pork production. D.B. 752, pp. 32–33, 37. 1919.
  importations by Bureau of Plant Industry. B.P.I. Bul. 223, pp. 13, 14, 36. 1911.
  misnomer for broad bean. D.B. 807, p. 2. 1920.
  similarity to jack bean, description. L.C. 92, p. 4. 1920.
  use—
    and value for legumes and food, studies. S.R.S. Syl. 34, p. 20. 1918.
    as vegetable. F.B. 969, pp. 4–6. 1918.
  water requirements, experiments. O.E.S. Bul. 177, pp. 56–60. 1907.
  wormy, adulteration. Chem. S.R.A. 14, p. 11. 1915.
  See also Beans, broad.
Horse-chestnut—
  Bengal, importation and description. No. 39102, B.P.I. Inv. 40, pp. 7, 74. 1917.
  borer, description and plant hosts. Sec. [Misc.], "A manual * * * insects * * *," p. 138. 1917.
  Chinese, importations, and description. Nos. 40037–40039. B.P.I. Inv. 42, pp. 6, 57–58. 1918; No. 45532, B.P.I. Inv. 53, pp. 5, 48. 1922.
  currant-blight occurrence. J.A.R., vol. 27, pp. 838–839. 1924.
  description and regions suited to. F.B. 1208, p. 21. 1922.
  importation and description. No. 44376, B.P.I. Inv. 50, p. 64. 1922.
  injurious to cattle. B.A.I. [Misc.], "Diseases of cattle," rev. p. 64. 1923.
  insects injurious. F.B. 1169, p. 97. 1921; Sec. [Misc.], "A manual * * * insects * * *," pp. 137–138. 1917.
  leaf blotch, disease control. S.R.S. Rpt., 1916, pt. 1, p. 201. 1918.
  names, range, description, bark, prices and uses. B.P.I. Bul. 139, pp. 37–38. 1909.
  use as shade tree on streets. D.B. 816, p. 26. 1920.
  value as ornamental for Plains region. F.B. 888, p. 14. 1917.
  See also Buckeye.
Horse-radish—
  adulteration and misbranding. Chem. N.J. 4070. 1916.
  Bohemian, value, growing in New Jersey. An. Rpts., 1912, p. 119. 1913; Sec. A.R., 1912, p. 119. 1912; Y.B., 1912, p. 119. 1913.
  cultural directions and use. D.B. 503, p. 15–16. 1917; F.B. 934, p. 34. 1918; F. B. 937, pp. 39–40. 1918.
  description, and use as condiment. D.B. 503, pp. 15–16. 1917; F.B. 295, pp. 41–42. 1907.
  drying directions. D.C. 3, p. 13. 1919.
  enemies, insect list. Ent. Bul. 109, Pt. VII, p. 71. 1913
  European varieties, methods of cultivation. F.S. and P.I. Cir. 1, pp. 8. 1901.
  flea beetle, life history and distribution. F. H. Chittenden and Neale F. Howard. D.B. 535, pp. 16. 1917.
  growing in Guam, directions. Guam Bul. 2, pp. 12, 41. 1922.
  insect pests, list. Sec. [Misc.], "A manual * * * insects * * *," p. 138. 1917.

Horse-radish—Continued.
  prepared, adulteration and misbranding. Chem.
    N.J. 1774, pp. 2. 1912.
  replanting, for avoidance of flea beetle. D.B.
    555, p. 14. 1917.
  sauce, recipes. F. B. 391, p. 38. 1910; F.B. 526,
    p. 21. 1913.
  spraying for—
    control of flea beetle. D.B. 535, pp. 13-14.
      1917.
    webworm control. D.B. 966, p. 9. 1921.
  treatment for control of harlequin cabbage bug.
    F.B. 1061, p. 11. 1920.
  use as relish. O.E.S. Bul. 245, pp. 47, 67. 1912.
  webworm—
    H. O. Marsh. Ent. Bul. 109, Pt. VII, pp. 71-
      76. 1913.
    European. F. H. Chittenden. D.B. 966, pp.
      10. 1921.
  tree, importations and descriptions. No. 33576,
    B.P.I. Inv. 31, p. 33. 1914; Nos. 43761, 43777,
    B.P.I. Inv. 49, pp. 74, 75. 1921; No. 46386,
    B.P.I. Inv. 56, p. 14. 1922; Nos. 52176, 52293,
    B.P.I. Inv. 65, pp. 77, 86. 1923.
Horseflesh, use to supplement beef. Y.B., 1918,
  p. 146. 1919; Y.B. Sep. 784, p. 4. 1919.
Horseflies—
  biology, relation to western agriculture. J. L.
    Webb and R. W. Wells. D.B. 1218, pp. 36.
    1924.
  black. See Gadfly.
  damage, habits, and description. News L.,
    vol. 3, No. 1, pp. 1-2. 1915.
  habits and life histories. Ent. T.B. 12, Pt. II,
    pp. 19-36. 1906.
  parasitic habits. D.B. 1218, pp. 31-32. 1924.
  poisoning. D.B. 1218, pp. 34-35. 1924.
  responsibility for anthrax spread, control
    methods. News L., vol. 3, No. 1, pp. 1-2.
    1915.
Horsefoot (plant). See Coltsfoot.
Horsehair, prices and imports. S.B. 5, p. 68. 1925.
Horsehides—
  imports and consumption. Y.B., 1917, pp. 436,
    437, 443. 1918; Y.B. Sep. 741, pp. 14, 15, 21.
    1918.
  salting and curing, folding and tagging. F.B.
    1055, pp. 30-39. 1919.
Horseman, qualities essential to, and hints for
  guidance. F.B. 1419, pp. 2, 17. 1924.
Horsemint—
  composition before and after distillation. D.B.
    372, pp. 4-5. 1916.
  cultural directions, harvesting and distillation.
    D.B. 372, pp. 3-7. 1916.
  description, habits, and forage value on range.
    D.B. 545, pp. 46-47, 58, 60. 1917.
  distillation and uses. B.P.I. Bul. 235, pp. 7, 8.
    1912.
  growing in Florida, value as source of thymol.
    B.P.I. Chief Rpt., 1911, p. 28. 1911; An. Rpts.,
    1911, p. 276. 1912.
  (Monarda punctata), thymol production, com-
    mercial. S. C. Hood. D.B. 372, pp. 12. 1916.
  yield per acre and cost of growing. D.B. 372,
    pp. 10-12. 1916.
Horsepower—
  calculation from stream flow. Y.B., 1918,
    pp. 232-235. 1919; Y.B. Sep. 770, pp. 14-17.
    1919.
  definition of term, determination methods in gas
    tractors. News L., vol. 3, No. 25, pp. 2-3.
    1916.
  hours, work animals, table (with average weight
    of horses and mules). D.B. 1348, p. 71. 1925.
  on farm, necessity in South. B.P.I. Doc. 485,
    p. 2. 1909.
  problem on the farm. Oscar A. Juve. Y.B.,
    1919, pp. 485-495. 1920; Y.B. Sep. 825, pp. 485-
    495. 1919.
  pumping plants, calculation, formula. O.E.S.
    Cir. 101, pp. 8-9. 1910.
  rating, methods with different powers. Y.B.,
    1915, p. 103. 1916; Y.B. Sep. 660, p. 103. 1916.
  requirements for raising water, determination
    method. F.B. 941, pp. 55-56. 1918.
  standard foot-pounds. D.B. 718, p. 61. 1918.
  water courses, waste and need of conservation.
    F.B. 327, p. 10. 1908.

Horsepox, description, causes, symptoms, and
  treatment. B.A.I. [Misc.], "Diseases of the
  horse," rev., pp. 523-528. 1903; rev., pp. 524-529.
  1907; rev., pp. 523-529. 1911; rev., pp. 535-540.
  1923.
Horseshoe(s)—
  discussion. F.B. 179, pp. 17-26. 1903.
  kinds and perculiarities. B.A.I. [Misc.], "Dis-
    eases of the horse," rev., pp. 567-574. 1903;
    rev., pp. 574-581. 1907; rev., pp. 580-587. 1911;
    rev., pp. 598-605. 1923.
Horseshoeing—
  John W. Adams. B.A.I. [Misc.], "Diseases
    of the horse," rev., pp. 552-574. 1903; rev.,
    pp. 559-581. 1907; rev., pp. 565-587. 1911;
    rev., pp. 583-605. 1923; F.B. 179, p. 30. 1903.
  cost on farms. D.B. 560, pp. 9-10. 1917; F.B.
    1298, p. 11. 1922.
  examination and preparation of hoof. B.A.I.
    [Misc.], "Diseases of the horse," rev., pp. 562-
    565. 1903; rev., pp. 569-572. 1907; rev., pp. 575-
    578. 1911; rev., pp. 594-597. 1923.
  relation to interfering. F.B. 179, pp. 27-29. 1903.
Horsetails—
  control in cranberry fields. F.B. 1401, p. 12.
    1924.
  effect on digestion in horses. F.B. 273, p. 16.
    1906.
  soil indicators in California, Pajaro Valley.
    Soil Sur. Adv. Sh., 1908, p. 13. 1910; Soils
    F.O., 1908, p. 1339. 1911.
Horseweed. See Fleabane.
HORSTMAN, EDWARD: "Diplomacy in the field."
  B.A.I.S.R.A. 134, pp. 39-41. 1918.
Horticultural—
  Board. See Federal Horticultural Board.
  exhibitions and garden competitions. F. L.
    Mulford. D.C. 62, pp. 38. 1919.
  experiments at the San Antonio field station,
    southern Texas. Stephen H. Hastings and
    R. E. Blair. D.B. 162, pp. 26. 1915.
  societies. See Yearbooks and Farmers' directories.
  study, tests of fruit, at Mandan, N. Dak. D.B.
    1337, p. 8. 1925.
Horticulture—
  agriculture, and allied subjects, courses in. F.
    W. Rane. O.E.S. Bul. 164, pp. 77-89. 1906.
  and agriculture, relation of meadow mice. D. E.
    Lantz. Y.B., 1905, pp. 363-376. 1906; Y.B.
    Sep. 388, pp. 363-376. 1906.
  demonstration work among negroes. D.C. 355,
    p. 11. 1925.
  course for southern schools. D.B. 592, pp. 5-22.
    1917.
  experiments on San Antonio farm, 1917. W.I.A.
    Cir. 21, pp. 20-22. 1918.
  extension work, 1923, summary and results.
    D.C. 346, pp. 10-14. 1925.
  four-year course, syllabus. O.E.S. Cir. 91, pp.
    7-9. 1909.
  in—
    Guam, 1917, report. Guam A.R., 1917, pp. 5,
      29-44. 1918.
    Hawaii—
      report, 1913. Hawaii A.R., 1913, pp. 22-28.
        1914.
      report, 1915. Hawaii A.R., 1915, pp. 12-13,
        20-27. 1916.
      work, 1914, investigations. Hawaii A.R.,
        1914, pp. 16-17, 29-35. 1915.
    Porto Rico, Cuba, and Florida, comparison
      with Hawaii. Hawaii A.R., 1915, pp. 58-73.
      1916.
  instruction in high schools, greenhouse and field.
    Y.B., 1912, p. 479. 1913; Y.B. Sep. 607, p. 479.
    1913.
  progress in Alaska. Alaska A.R., 1922, pp.
    10-12. 1923.
  scale insects dangerous to. O.E.S. Bul. 99, p. 171.
  school lessons. D.B. 258, pp. 7-8, 11-12, 24-26, 31,
    35-36. 1915.
  teachers' courses, England. O.E.S. Bul. 204,
    pp. 34-37. 1909.
  See also Fruit growing; Gardening.
Horticulturist—
  Guam Experiment Station, report for—
    1917. Glen Briggs. Guam A.R., 1917, pp.
      17-44. 1918.
    1918. Glen Briggs. Guam A.R., 1918, pp.
      29-59. 1919.

1200　　UNITED STATES DEPARTMENT OF AGRICULTURE

Horticulturist—Continued.
　Guam Experiment Station, report for—Contd.
　　1919. Glen Briggs. Guam A.R., 1919. pp. 20-44. 1921.
　　1920. Glen Briggs. Guam A.R., 1920, pp. 15-64. 1921.
　Hawaii, report of work—
　　1906. J.E. Higgins. Hawaii A.R., 1906, pp. 33-36. 1907.
　　1907. J.E. Higgins. Hawaii A.R., 1907, pp. 52-60. 1908.
　　1908. Hawaii A.R., 1908, pp. 42-50. 1909.
　　1909. J.E. Higgins. Hawaii A.R., 1909, pp. 47-57. 1910.
　　1910. J.E. Higgins. Hawaii A.R., 1910, pp. 25-40. 1911.
　　1911. J.E. Higgins. Hawaii A.R., 1911, pp. 25-42. 1912.
　　1912. J. E. Higgins. Hawaii A.R., 1912, pp. 35-44. 1913.
　　1913. J. E. Higgins. Hawaii A.R., 1913, pp. 22-26. 1914.
　　1914. C. J. Hunn. Hawaii A.R., 1914, pp. 29-35. 1915.
　　1915. J. E. Higgins. Hawaii A. R.,1915, pp. 20-27. 1916.
　　1917. J. E. Higgins. Hawaii A.R., 1917, pp. 11-25. 1918.
　Porto Rico, report of work—
　　1910. T. B. McClelland. P.R. An. Rpt., 1910, pp. 39-40. 1911.
　　1911. T. B. McClelland. P.R.A.R. An. Rpt., 1911, pp. 28-31. 1912.
　　1912. T. B. McClelland. P.R. An. Rpt., 1912, pp. 23-30. 1913.
　　1913. T. B. McClelland. P. R. An. Rpt., 1913, pp. 22-25. 1914.
　　1914. T. B. McClelland. P.R. An. Rpt., 1914, pp. 23-26. 1915.
　　1915. T. B. McClelland. P.R. An. Rpt., 1915, pp. 30-33. 1916.
　　1916. T. B. McClelland. P.R. An. Rpt., 1916, pp. 21-24. 1918.
　　1917. T. B. McClelland. P.R. An. Rpt., 1917, pp. 40. 1918.
　　1918. T. B. McClelland. P.R. An. Rpt., 1918, pp. 10-14. 1920.
　　1919. T. B. McClelland. P.R. An. Rpt., 1919, pp. 16-21. 1920.
　　1920. T. B. McClelland. P.R. An. Rpt., 1920, pp. 15-19. 1921.
　　1921. T. B. McClelland. P.R. An. Rpt., 1921, pp. 10-14. 1922.
　　1922. T. B. McClelland. P.R. An. Rpt., 1922, pp. 4-8. 1923.
　　1923. T. B. McClelland. P.R. An. Rpt., 1923, pp. 4-7. 1924.
Horton, A. H.: "The relation of the southern Appalachian Mountains to inland water navigation." With M. O. Leighton. For. Cir. 143, pp. 38. 1908.
Horton, J. R.—
　"Control of the Argentine ant in orange groves." F.B. 928, pp. 20. 1918.
　"Control of the citrus thrips in California and Arizona." F.B. 674, pp. 15. 1915.
　"Fig-tree three-lined borer." J.A.R., vol. 11, pp. 371-382. 1917.
　"Katydids injurious to oranges in California." With C. E. Pemberton. D.B. 256, pp. 24. 1915.
　"The Argentine ant in relation to citrus groves." D.B. 647, pp. 74. 1918.
　"The chinch bug and its control." With A. F. Satterthwait. F.B. 1223, pp. 35. 1922.
　"The citrus thrips." D.B. 616, pp. 42. 1918.
　"The orange thrips." With P. R. Jones. Ent. Bul. 99, Pt. I, pp. 1-16. 1911.
Hortvet, Julius—
　"Methods for the examination of maple products." Chem. Cir. 23, pp. 8. 1905.
　report as referee on wine. Chem. Bul. 132, pp. 71-85. 1910.
Hortvet-Sellier, modified apparatus for volatile acid determination in wines and vinegars, description. Chem. Cir. 44. pp. 1-2. 1909.
Hose—
　for watering truck crops under frames, description. F.B. 460, p. 17. 1911.

Hose—Continued.
　garden—
　　home-made, lengths and joints. F.B. 899, pp. 28-29. 1917.
　　mending, method and supplies. F.B. 1460, p. 13. 1925.
　houses for cotton warehouses, construction. D.B. 801, pp. 60, 64. 1919.
　solid-stream sprayer, description. D.B. 480, pp. 4-5. 1917.
　spray, description and use. F.B. 908, p. 71. 1918; F.B. 933, pp. 12-14. 1918; F.B. 1169, p. 26. 1921.
　system, citrus-grove irrigation in Florida, description. D.B. 462, pp. 38-41. 1917.
　use in surface irrigation. F.B. 899, pp. 28-29. 1917.
　water capacity at various pressures. D.B. 718, p. 38. 1918.
Hosford, G. W.—
　"The decay of Florida oranges while in transit and on the market." With others. B.P.I. Cir. 19, pp. 8. 1908.
　"The decay of oranges while in transit from California." With others. B.P.I. Bul. 123, pp. 79. 1908.
Hosmer, R. S.: "A forest working plan for Township 40 * * * Hamilton County, New York State forest preserve." For. Bul. 30, pp. 64. 1901.
Hospital—
　insane, Bayview, Baltimore, dietary studies. O.E.S. Bul. 223, pp. 17-46. 1910.
　rural, model. F.B. 1441, p. 44. 1925.
Host—
　plants, list for western grass-stem sawfly. D.B. 841, pp. 8-9. 1920.
　selection principle, application to beetles. J.A.R., vol. 22, pp. 189-220. 1921.
Hot—
　air treatment for destruction of fig moth larvae in figs. Ent. Bul. 104, pp. 59-63. 1911.
　boxes, relation to dust explosions in grain separators. D.B. 379, pp. 6, 8. 1916.
　water—
　　control of wheat nematodes. D.B. 842, pp. 19-24, 33, 36, 37. 1920.
　　effect on clothes moths and carpet beetles, tests. D.B. 707, pp. 23, 29-35. 1918.
　　farmhouse plumbing. F.B. 1426, pp. 23-30. 1924.
　　heating systems for greenhouses, gravity and other. F.B. 1318, pp. 19-29. 1923.
　　management in heating, suggestions. Thrift Leaf. 12, p. 4. 1919.
　　soil disinfection control of root-knot nematode and parasitic soil fungi. L. P. Byars and W. W. Gilbert. D.B. 818, pp. 14. 1920.
　treatment for—
　　cabbage seed, directions. D.C. 311, p. 4. 1924.
　　destruction of fig-moth larvae in figs. Ent. Bul. 104, pp. 55-59. 1911.
　　smuts of wheat, oats, and barley. B.P.I. Bul. 152, pp. 19-33, 37-38. 1909; F.B. 250, pp. 9, 12, 16. 1906.
　　smutty seed of millet. F.B. 793, p. 26. 1917.
　　sorghum smut. B.P.I. Cir. 8, p. 7. 1908.
　treatment of—
　　grain seed for disease control. F.B. 419, pp. 16-18. 1910.
　　seed for bunt prevention. D.B. 1210, pp. 14, 15, 16. 1924.
　　sorghum head smut, experiments. J.A.R., vol. 2, No. 5, pp. 349-355. 1914.
　use—
　　for control of root-knot in seed dasheens. F.B. 1345, pp. 21-22. 1923.
　　in control of nematodes on wheat. D.B. 734, p. 14. 1918.
　　in moth control. F.B. 1353, p. 26. 1923.
　　on citrus-root nematodes. J.A.R., vol. 2, p. 230. 1914.
Hot Springs Farm, Alaska, description and crop production. Alaska A.R., 1908, p. 21. 1909.
Hotbeds—
　Alaska, construction and use. Alaska Bul. 2, pp. 22-24. 1905.
　concrete, for growing early tomatoes. F.B. 1338, pp. 8-9. 1923.

Hotbeds—Continued.
    construction and care. D.C. 27, pp. 7–10. 1919;
        F.B. 195, pp. 14–17. 1904; F.B. 255, pp. 12–15.
        1906; F.B. 818, pp. 11–12. 1917; F.B. 1171, pp.
        15–18. 1921; S.R.S. Doc. 98, pp. 13–14. 1919.
    early vegetable growing. F.B. 937, pp. 12–14.
        1918.
    kiln-heated, description. F.B. 324, pp. 11–12.
        1908.
    preparation for control of sweet-potato stem rot.
        S.R.S. Syl. 26, pp. 13–14. 1917.
    small garden, directions. F.B. 1044, pp. 13–14.
        1919.
    sweet potatoes, forcing. F.B. 324, pp. 10–12.
        1908.
    sweet potatoes, sterilization for control of rots.
        B.P.I. Cir. 114, pp. 16–18. 1913.
    use—
        in tomato growing, description and location.
            B.P.I. Doc. 883, pp. 1–3. 1913; F.B. 435,
            pp. 9–10. 1911; F.B. 642, pp. 1–5. 1915;
            F.B. 1338, pp. 6–9. 1923; S.R.S. Doc. 92,
            pp. 7–10. 1919.
        in vegetable gardens, description. F.B. 647,
            pp. 8–9, 27. 1915; F.B. 936, pp. 18–21. 1918;
            S.R.S. Syl. 27, pp. 6–8. 1917.
        on small farms near Washington, D. C. D.B.
            848, pp. 15–16. 1920.
    value for starting plants, directions. F.B. 934,
        pp. 10–11. 1918.
Hotel—
    rates to—
        Department of Agriculture employees, list.
            A. Zappone. Accts. [Misc.], "List of hotels
            * * *," pp. 19. 1910.
        Government employees. B.A.I.S.R.A. 191,
            pp. 32–34. 1923; B.A.I.S.R.A. 201, pp. 9–11.
            1924.
    room, Government employees, joint occupancy,
        regulation. B.A.I.S.R.A. 112, p. 75. 1916.
HOTIS, R. P.—
    "Unit requirements for producing market milk
        in Delaware." With J. B. Bain. D.B. 1101,
        pp. 16. 1922.
    "Unit requirements for producing market milk
        in Vermont." With others. D.B. 923, pp. 18.
        1921.
Hotzkor, importation and description. No. 49372,
    B.P.I. Inv. 62, pp. 1, 31–32. 1923.
HOUGHTON, H. W.: "The Maine sardine indus-
    try." With others. D.B. 908, pp. 127. 1921.
Hounds, use in patrolling fenced pasture. For.
    Cir. 178, pp. 7, 22. 1910.
House(s)—
    bird. See Bird houses.
    bulb, description, and management. D.B. 1082,
        pp. 18–25, 36. 1922.
    bunk, for farm workers. News L., vol. 6, No. 38,
        pp. 4, 5, 6. 1919.
    centipede. C. L. Marlatt. Ent. Cir. 48, pp. 4.
        1902.
    chickens. See Chicken house.
    cleaning—
        control of carpet beetle, directions. F.B. 626,
            p. 3. 1914.
        implements, description and care of. F.B.
            1180, pp. 4–11. 1921.
        made easier. Sarah J. MacLeod. F.B. 1180, pp.
            31. 1921.
        saving time and money, hints. Thrift Leaf.
            No. 4, pp. 4. 1919.
        use and methods in buffalo moth control.
            News L., vol. 2, No. 23, pp. 3–4. 1915.
    construction, western hemlock, suitability. For.
        Bul. 115, p. 43. 1913.
    construction, western larch, suitability. For.
        Bul. 122, pp. 42–43. 1913.
    designing, purposes. F.B. 126, pp. 1–6. 1901.
    drying, for crude drugs, size and description.
        F.B. 1231, pp. 12–15. 1921.
    farm—
        laborers', plans with grounds. Y.B., 1918, pp.
            352–356. 1919; Y.B. Sep. 789, pp. 8–12. 1919.
        machinery. F.B. 504, pp. 22–24. 1912.
        requisites, construction, heating, and ventila-
            tion. O.E.S.F.I.L. 12, pp. 8–12. 1912.
        workers. E. B. McCormick. Y.B., 1918, pp.
            347–356. 1919; Y.B. Sep. 789, p. 12. 1919.
        tenant, plans. News L., vol. 6, No. 26, pp.
            12–13, 14, 15. 1919.
        See also Farmhouse.

House(s)—Continued.
    finches, sale as reedbirds. Biol. Bul. 12, rev., p.
        26. 1902.
    flea infestation, control measures. F.B. 683, pp.
        8, 10, 11–13. 1915.
    flies. See Flies; Musca domestica.
    fox breeding. F.B. 328, p. 12. 1908.
    frame, methods of support. F.B. 126, pp. 25–27.
        1901.
    fumigation with hydrocyanic-acid gas, directions
        and precautions. Ent. Cir. 163, pp. 1–8. 1912.
    grass, Hawaii, use of pili or twisted beard grass.
        Hawaii Bul. 36, p. 27. 1915.
    heating requirements. F.B. 1194, pp. 3–13. 1921.
    hog. See Hog houses.
    ice. See Ice houses.
    inclosures, and fences in hog raising. F.B. 205,
        pp. 5–19. 1904.
    infestation with—
        Argentine ants, and prevention methods.
            F.B. 1101, pp. 3, 7–8, 9–11. 1920.
        fleas, sources and control. F.B. 897, pp. 6–7,
            10, 11, 13. 1917.
    model, demonstration, suggestions by farm
        women. Rpt. 105, pp. 37, 39, 40, 41, 43, 45, 46,
        47. 1915.
    planning and furnishing, demonstration work,
        results. D.C. 285, pp. 17–18. 1923.
    plaster, and shingle, description. O.E.S.F.I.L. 8,
        p. 4. 1907.
    potato, insulated frame, description and cost.
        F.B. 847, pp. 19–23, 25. 1917.
    poultry. See Poultry houses.
    protection against ants, methods. F.B. 740, pp.
        10–11, 12. 1916.
    rural, numbering, and road naming. Rds. Bul.
        21, p. 19. 1901.
    seed corn storage, value. Rpt. 98, p. 139. 1913.
    shingle, description. O.E.S.F.I.L. 8, p. 4. 1907.
    storage. See Storage houses.
    tenant, need on farms for increase of labor supply.
        Sec. Cir. 115, p. 8. 1918.
    thick-walled, importance in Southwest. B.P.I.
        Cir. 132, pp. 14–15, 18. 1913.
    use, income value to farm families, with food and
        fuel. D.B. 410, pp. 36. 1916.
    weather-tight constructions, relation to heating
        plant. F.B. 1194, pp. 13–19. 1921.
Household—
    accounts, on farm—
        W. C. Funk. F.B. 964, pp. 11. 1918.
        usefulness. Y.B., 1917, p. 167. 1918; Y.B. Sep.
            735, p. 17. 1918.
    appliances, electrical power requirements. Y.B.,
        1918, pp. 224, 236. 1919; Y.B. Sep. 770, pp. 6, 18.
        1919.
    equipment, selection. H. W. Atwater. Y.B.,
        1914, pp. 339–362. 1915; Y.B. Sep. 646, pp. 339–
        362. 1915.
    expenditures, records, methods of keeping. F.B.
        964, pp. 3–9. 1918.
    expense-accounts contest, rules, etc. O.E.S. Bul.
        255, p. 46. 1913.
    goods—
        classification. D.B. 1214, pp. 6–8. 1924.
        employees, transfer at Government expense,
            regulations. B.A.I.S.R.A. 99, pp. 90–91.
            1915; B.A.I.S.R.A. 117, p. 18. 1917.
    insects—
        control—
            by carbon disulphide. F.B. 799, pp. 19–20.
                1917.
            tests of various insecticides. D.B. 707, pp. 1–
                36. 1918.
        hydrocyanic-acid gas against. L. O. Howard.
            Ent. Cir. 46, pp. 7. 1902.
        silverfish. C. L. Marlatt. F.B. 681, pp. 4.
            1915.
        See also Insects.
    pest—
        Argentine ant. E. R. Barber. F.B. 1101, pp.
            11. 1920.
        book lice or psocids. F.B. 1104, pp. 1–4. 1920.
        control, directions. F.B. 1180, pp. 26–30. 1921.
        fleas, description and control. F.B. 683, pp. 1–15.
            1915.
        importance of Argentine ant. D.B. 377, pp.
            5–6. 1916.
    records, farm accounts, daily and month. D.B.
        994, pp. 15, 18, 34–35. 1921.

Household—Continued.
thrift—
general principles. Thrift Leaf. No. 1, pp. 4. 1919.
seven steps towards saving. Thrift Leaf. No. 2, pp. 4. 1919.
Housekeeper—
assistance by Department of Agriculture. Y.B., 1913, pp. 143-162. 1914; Y.B. Sep. 621, pp. 143-162. 1914.
egg-supply problem. D.B. 471, pp. 17-21. 1917.
Houseleek, variation due to environment. B.A.I. An. Rpt., 1910, p. 140. 1912.
Housewives—
hot-weather helps for, homemade. News L., vol. 3, No. 38, pp. 2-3. 1916.
responsibility for food conservation, suggestions. News L., vol. 4, No. 46, pp. 6-7. 1917.
town and city, cooperation in marketing of canning-club products. Mkts. Doc. 5, p. 4. 1917.
Housework, farm, management, suggestions. F.B. 432, p. 12. 1911.
Housing, conditions, cotton farms, dwelling, size, value, size and health of family. D.B. 1068, pp. 50-53. 1922.
HOUSTON, D. F.—
address—
at conference of editors of agricultural journals. Sec. [Misc.], "Remarks of D. F. Houston * * * Nov. 20, 1918," pp. 19. 1918.
before—
association of agricultural colleges and experiment stations. Sec. Cir. 147, pp. 11. 1919.
bankers joint conference, February, 1919. Sec. Cir. 131, pp. 11. 1919.
livestock association, Jan. 22, 1919. Sec. [Misc.], "Address * * * before American livestock * * *," pp. 16. 1919.
National Association of Commissioners of Agriculture, Nov. 11, 1919. Sec. Cir. 146, pp. 12. 1919.
the Governors' Conference, 1918. Sec. Cir. 133, pp. 15. 1919.
Trans-Mississippi Congress. Omaha, Feb. 20, 1919. Sec. Cir. 130, pp. 19. 1919.
"Arbor Day, 1919." Sec. [Misc.], "Arbor Day, 1919," pp. 2. 1919.
"Crop reports, regulations." Effective January 1, 1918. Sec. [Misc.], "Crop reports * * *," pp. 4. 1918.
"Crop reports, regulations." Effective January 1, 1919. Sec. [Misc.], "Crop reports * * *," pp. 5. 1919.
"Crop report regulations." Effective January 1, 1920. Sec. [Misc.], "Crop report regulations," pp. 5. 1920.
"Food crops must be increased." Sec. [Misc.], "Food crops must * * *," pp. 3. 1917.
"Food production report * * *." Sec. [Misc.], "Food production report * * *," pp. 3. 1917.
"Importation of meat and products, Notice No. 2." B.A.I. [Misc.], "Importations * * * meat * * *," pp. 2. 1915.
"Individual accountability: and property lost, stolen, damaged or destroyed." Adv. Com. F. and B.M. [Misc.], "Property regulations * * *," amdt. 1," pp. 2. 1916.
"Need of strong departments (of agriculture) in the States. Sec. [Misc.], "Need of strong * * *," pp. 8. 1919.
"Purchase from Government employees prohibited." Adv. Com. F. and B.M. [Misc.], "Property regulations * * *, amdt. 2," p. 1. 1920.
regulations on—
cotton, importation from Mexico. F.H.B. [Misc.], "Rules and regulations * * * cotton * * * Mexican," pp. 14. 1917.
cottonseed products, importations. F.H.B. [Misc.], "Rules and regulations * * * cottonseed * * * products," pp. 5. 1917.
potatoes, foreign, admission under restriction. F.H.B. [Misc.], "Order concerning admission of foreign potatoes * * *," p. 1. 1914.
potatoes, importation. F.H.B. [Misc.], "Regulations governing the importation * * *," pp. 10. 1913.

HOUSTON, D. F.—Continued.
"Report of the Secretary of Agriculture—
1913." An. Rpts., 1913, pp. 7-60. 1914; Sec. A.R., 1913, pp. 58. 1913; Y.B., 1913, pp. 9-74. 1914.
1914." An. Rpts., 1914, pp. 3-46. 1915; Sec. A.R., 1914, pp. 48. 1914; Y.B., 1914, pp. 9-64. 1915.
1915." An. Rpts., 1915, pp. 3-53. 1916; Sec. A.R., 1915, pp. 55. 1915; Y.B., 1915, pp. 9-72. 1916.
1916." An. Rpts., 1916, pp. 3-46. 1917; Sec. A.R., 1916, pp. 48. 1916; Y.B., 1916, pp. 9-61. 1917.
1917." An. Rpts., 1917, pp. 3-44. 1917; Sec. A.R., 1917, pp. 46. 1917; Y.B., 1917, pp. 9-61. 1918.
1918." An. Rpts., 1918, pp. 3-54. 1919; Sec. A.R., 1918, pp. 54. 1918; Y.B., 1918, pp. 9-73. 1919.
1919." An. Rpts., 1919, pp. 3-46. 1920; Sec. A.R., 1919, pp. 48. 1919; Y.B., 1919, pp. 9-59. 1920.
"Steps to victory, Dec. 6, 1917." Sec. [Misc.], Steps to victory, pp. 22. 1918.
"The farm labor problem." News L., vol. 5, No. 22, pp. 1-2. 1918.
"The farmers' achievements." Sec. [Misc.], "The business of agriculture * * *," pp. 3-16. 1918.
"The food production outlook." Sec. [Misc.], pp. 2. 1918.
"Why we went to war." Sec. [Misc.], "Why we went * * *," pp. 23. 1918.
Houston—
black clay—
areas, uses, crop yields, etc. Y.B., 1911, pp. 233-235, 236. 1912; Y.B. Sep. 563, pp. 233-235, 236. 1912.
eastern United States, uses—XXVII. Jay A. Bonsteel. Soils Cir. 50, pp. 14. 1912.
clay—
alfalfa, culture and management. M. A. Crosby. Sec. A.R. 96, pp. 32-48. 1911.
and associated soils. Hugh H. Bennett. Sec. Rpt. 96, pp. 5-31. 1911.
eastern United States, uses—XXVI. Jay A. Bonsteel. Soils Cir. 49, pp. 11. 1911.
Houston, Tex.—
market for late potatoes. F.B. 1317, p. 32. 1923.
milk supply, statistics, officials, prices, and laws. B.A.I. Bul. 46, pp. 38, 157, 178. 1903.
trade center for farm products, statistics. Rpt. 98, pp. 288, 325. 1913.
Hoven—
sheep, cause and treatment. F.B. 1155, pp. 28-29. 1921.
See also Bloating.
Hovenia dulcis—
importation and description. No. 40718, B.P.I. Inv. 43, p. 71. 1918.
See also Raisin tree.
Hover, chicken—
construction and use. F.B. 624, pp. 8-9. 1914.
See also Coop.
HOWARD, B. J.—
"A preliminary study of the effects of cold storage on eggs, quail, and chickens." With others. Chem. Bul. 115, pp. 117. 1908.
"Commercial feeding stuffs of the United States: Their chemical and microscopical examination." With others. Chem. Bul. 108, pp. 94. 1908.
"Decomposition and its microscopical detection in some food products." Y.B., 1911, pp. 297-308. 1912; Y.B. Sep. 569, pp. 297-308. 1912.
"Fruits and fruit products: Chemical and microscopical examination." With others. Chem. Bul. 66, rev., pp. 114. 1902.
"Microscopical examination of fruits and fruit products." Chem. Bul. 66 rev., pp. 107-114. 1905.
"Microscopical examinations of starches." Chem. Bul. 130, pp. 136-138. 1910.
"Microscopical studies on tomato products." With Charles H. Stephenson. D.B. 581, pp. 24. 1917.
"Notes on the microscopical examination of Sicilian sumac and its adulterants." Chem. Bul. 117, pp. 26-32. 1908.

HOWARD, B. J.—Continued.
"Progress in micro-chemical tests for alkaloids." With C. H. Stephenson. Chem. Bul. 137, pp. 189-190. 1911.
"Some forms of food adulteration and simple methods for their detection." With W. D. Bigelow. Chem. Bul. 100, pp. 59. 1906.
"Studies on apples." With others. Chem. Bul. 94, Pts. I-III, pp. 100. 1905.
"The sanitary control of tomato-canning factories." With Charles H. Stephenson. D.B. 569, pp. 29. 1917.
"The use of the microscope in the detection of food adulteration." Y.B., 1907, pp. 379-384. 1908; Y.B. Sep. 455, pp. 379-384. 1908.
"Tomato ketchup under the microscope; with practical suggestions to insure a cleanly product." Chem. Cir. 68, pp. 14. 1911.

HOWARD, L. O.—
"Circular of information in regard to the work in silk culture." Ent. [Misc.], "Circular of information * * *," p. 1. 1905.
"Collection and preservation of insects and other material for use in the study of agriculture." F.B. 606, pp. 18. 1914.
"Economic loss to the people of the United States through insects that carry disease." Ent. Bul. 78, pp. 40. 1909.
"Experimental work with fungous diseases of grasshoppers." Y.B., 1901, pp. 459-470. 1902; Y.B. Sep. 248, pp. 459-470. 1902.
"House fleas." Ent. Cir. 108, pp. 4. 1909.
"House flies." Ent. Cir. 71, pp. 9. 1906; F.B. 459, pp. 16. 1911.
"House flies." With R. H. Hutchinson. F.B. 679, pp. 22. 1915.
"How insects affect the health in rural districts." F.B. 155, pp. 20. 1902.
"Hydrocyanic-acid gas against household insects." Ent. Cir. 46, pp. 7. 1902.
"Hydrocyanic-acid gas against household insects." With C. H. Popenoe. Ent. Cir. 163, pp. 8. 1912; F.B. 699, pp. 8. 1916.
"Insects as carriers and spreaders of disease." Y.B., 1901, pp. 177-192. 1902; Y.B. Sep. 235, pp. 177-192. 1902.
"New genera and species of Apheliniinae, with a revised table of genera." Ent. T.B. 12, Pt. IV, pp. 69-98. 1907.
"Preventive and remedial work against mosquitoes." Ent. Bul. 88, pp. 126. 1910.
"Remedies and preventives against mosquitoes." F.B. 444, pp. 15. 1911.
report as Entomologist for—
1904. An. Rpts., 1904, pp. 271-289. 1904; Ent. A.R., 1904, pp. 17. 1904.
1905. An. Rpts., 1905, pp. 273-302. 1906; Ent. A.R., 1905, pp. 30. 1905.
1906. An. Rpts., 1906, pp. 363-396. 1907; Ent. A.R., 1906, pp. 36. 1906.
1907. An. Rpts., 1907, pp. 443-483. 1908; Ent. A.R., 1907, pp. 45. 1907.
1908. An. Rpts., 1908, pp. 527-569. 1909; Ent. A.R., 1908, pp. 47. 1908.
1909. An. Rpts., 1909, pp. 491-531. 1910; Ent. A.R. 1909, pp. 45. 1909.
1910. An. Rpts., 1910, pp. 509-548. 1911; Ent. A.R., 1910, pp. 44. 1910.
1911. An. Rpts., 1911, pp. 495-532. 1912; Ent. A.R. 1911, pp. 42. 1911.
1912. An. Rpts., 1912, pp. 617-658. 1913; Ent. A.R., 1912, pp. 46. 1912.
1913. An. Rpts., 1913, pp. 209-222. 1914; Ent. A.R., 1913, pp. 14. 1913.
1914. An. Rpts., 1914, pp. 183-198. 1915; Ent. A.R., 1914, pp. 15. 1914.
1915. An. Rpts., 1915, pp. 211-231. 1916; Ent. A.R., 1915, pp. 21. 1915.
1916. An. Rpts., 1916, pp. 213-236. 1917; Ent. A.R., 1916, pp. 24. 1916.
1917. An. Rpts., 1917, pp. 227-250. 1917; Ent. A.R., 1917, pp. 24. 1917.
1918. An. Rpts., 1918, pp. 235-256. 1918; Ent. A.R., 1918, pp. 24. 1918.
1919. An. Rpts., 1919, pp. 247-273. 1920; Ent. A.R., 1919, pp. 27. 1919.
1920. An. Rpts., 1920, pp. 307-342. 1921; Ent. A.R., 1920, pp. 36. 1920.
1921. Ent. A.R., 1921, pp. 33. 1921.

HOWARD, L. O.—Continued.
report as Entomologist for—Continued.
1922. An. Rpts., 1922, pp. 299-330. 1922; Ent. A.R. 1922, pp. 32. 1922.
1923. An. Rpts., 1923, pp. 381-417. 1923; Ent. A.R., 1923, pp. 37. 1923.
1924. Ent. A.R., 1924, pp. 30. 1924.
1925. Ent. A.R., 1925, pp. 35. 1925.
"Smyrna fig culture in the United States." Y.B., 1900, pp. 79-106. 1901; Y.B. Sep. 196, pp. 79-106. 1901.
"Some directions for the preparation of insect specimens." Ent. [Misc.], "Some directions * * *," pp. 2. 1912.
"Some facts about malaria." F.B. 450, pp. 13. 1911.
"Some miscellaneous results of the work of the Division of Entomology." Ent. Bul. 30, pp. 98. 1901.
"The bagworm." With F. H. Chittenden. Ent. Cir. 97, pp. 10. 1908.
"The bagworm, an injurious shade-tree insect." With F. H. Chittenden. F.B. 701, pp. 12. 1916.
"The brown-tail moth and how to control it." F.B. 264, pp. 22. 1906.
"The carpet beetle or 'buffalo moth.'" F.B. 626, pp. 4. 1914.
"The catalpa sphinx." With F. H. Chittenden. Ent. Cir. 96, pp. 7. 1907; F.B. 705, pp. 10. 1916.
"The gipsy and brown-tail moths and their European parasites." Y.B., 1905, pp. 123-138. 1906; Y.B. Sep. 373, pp. 123-138. 1906.
"The gipsy moth and how to control it." F.B. 275, pp. 24. 1907.
"The green-striped maple worm." With F. H. Chittenden. Ent. Cir. 110, pp. 7. 1909.
"The house fly." With R. H. Hutchison. F.B. 851, pp. 24. 1917.
"The house fly and how to suppress it." With F. C. Bishopp. F.B. 1408, pp. 17. 1924.
"The importation into the United States of the parasites of the gipsy moth and the brown-tail moth. Progress report." With W. F. Fiske. Ent. Bul. 91, pp. 312. 1911.
"The laws in force against injurious insects and foul brood in the United States." With A. F. Burgess. Ent. Bul. 61, pp. 222. 1906.
"The leopard moth." With F. H. Chittenden. Ent. Cir. 109, pp. 8. 1909.
"The leopard moth: A dangerous imported insect enemy of shade trees." With F. H. Chittenden. F.B. 708, pp. 12. 1916.
"The parasites reared or supposed to have been reared from the eggs of the gipsy moth." Ent. T.B. 19, Pt. I, pp. 1-12. 1910.
"The practical use of the insect enemies of injurious insects." Y.B., 1916, pp. 272-288. 1917; Y.B. Sep. 704, pp. 16. 1917.
"The United States Department of Agriculture and silk culture." Y.B., 1903, pp. 137-148. 1904; Y.B. Sep. 313, pp. 137-148. 1904.
"The yellow fever mosquito." F.B. 547, pp. 16. 1913; F.B. 1354, pp. 14. 1923.

HOWARD, N. F.—
"Studies of the Mexican bean beetle in the Southeast." With L. L. English. D.B. 1243, pp. 51. 1924.
"The horse-radish flea-beetle: Its life history and distribution." With F. H. Chittenden. D.B. 535, pp. 16. 1917.
"The Mexican bean beetle in the East." F.B. 1407, pp. 14. 1924.

HOWARD, N. O.: "The control of sap-stain, mold, and incipient decay in green wood, with special reference to vehicle stock." D.B. 1037, pp. 55. 1922.

HOWARD, S. T.: "Cotton dusting machinery". With others. F.B. 1319, pp. 20. 1923.

HOWE, F. B.: "Soil survey of—
Bremer County, Iowa." With others. Soil Sur. Adv. Sh., 1913, pp. 37. 1914; Soils F.O., 1913, pp. 1689-1721. 1916.
Clinton County, Iowa." With H. W. Hanker. Soil Sur. Adv. Sh., 1915, pp. 64. 1917; Soils F.O., 1915, pp. 1647-1706. 1919.
Linn County, Iowa." With others. Soil Sur. Adv. Sh., 1917, pp. 44. 1920; Soils F.O., 1917, pp. 1685-1724. 1923.

HOWE, F. B.: "Soil survey of—Continued.
Ringgold County, Iowa". With E. C. Hall and W. E. Tharp. Soil Sur. Adv. Sh., 1916, pp. 29. 1918; Soils F.O., 1916, pp. 1905-1929. 1921.
Tompkins County, New York." With others. Soil Sur. Adv. Sh., 1920, pp. 1567-1622. 1924: Soils F.O., 1920, pp. 1567-1622. 1925.
Webster County, Iowa." With J. O. Veatch. Soil Sur. Adv. Sh., 1914, pp. 44. 1916; Soils F.O., 1914, pp. 1785-1824. 1919.

HOWE, F. W.—
"Boys' and girls' agricultural clubs." F.B. 385 pp. 23. 1910.
"Free publications of the Department of Agriculture classified for the use of teachers." With Dick J. Crosby. O.E.S. Cir. 94, pp. 35. 1910.
"School lessons on corn." With Dick J. Crosby. F.B. 409, pp. 29. 1910.

HOWE, R. W.—
"Insect injury to cotton seedlings." With B. R. Coad. J.A.R., vol. 6, No. 3, pp. 129-140. 1916.
"Studies of the Mexican cotton boll weevil in the Mississippi Valley." D.B. 358, pp. 32. 1916.

HOWELL, A. B.: "Individual and age variation in *Microtus montanus yosemite*." J.A.R., vol. 28, pp. 977-1016. 1924.

HOWELL, A. H.—
"A biological survey of Alabama." N.A. Fauna 45, Pt. I-II, pp. 88. 1921.
"Birds of Arkansas." Biol. Bul. 38, pp. 100. 1911.
"Birds that eat the cotton boll weevil." Biol. Bul. 25, pp. 22. 1906.
"Destruction of the cotton boll weevil by birds in winter." Biol. Cir. 64, pp. 5. 1908.
"Revision of the American flying squirrels." N.A. Fauna 44, pp. 64. 1918.
"Revision of the American harvest mice (genus *Reithrodontomys*). N.A. Fauna 36, pp. 97. 1914.
"Revision of the American marmots." N.A. Fauna 37, pp. 80. 1915.
"Revision of the American pikas (genus *Ochotona*) N.A. Fauna 47, pp. 57. 1924.
"Revision of the skunks of the genus Chincha (Mephitis)." N.A. Fauna 20, pp. 62. 1901.
"Revision of the skunks of the genus Spilogale." N.A. Fauna 26, pp. 55. 1906.
"The relation of birds to the cotton boll weevil." Biol. Bul. 29, pp. 31. 1907.

HOWELL, S. P.: "T.N.T. as a blasting explosive." With Charles E. Munroe. D.C. 94, pp. 24. 1920.

HOYT, C. H.—
"Highway bridges and culverts." With William H. Burr. Rds. Bul. 39, pp. 22. 1911; Rds. Bul. 43, pp. 21. 1912.
"New Hampshire highways." Rds. Bul. 42, pp. 35. 1912.

Huantuc, importation, and description. No. 54049. B.P.I. Inv. 68, p. 23. 1923.
Huauhtli, importation and description. No. 46310. B.P.I. Inv. 56, pp. 1, 6. 1922; No. 47859, B.P.I. 59, p. 68. 1922.
Huauhtzontli, importations and descriptions. No. 45535, B.P.I. Inv. 53, pp. 8, 49. 1922; Nos. 45721-45723, B.P.I. Inv. 54, pp. 4, 10-11. 1922; No. 46311, B.P.I. Inv. 56, pp. 1, 7. 1922; Nos. 46632, 46633, 46713, B.P.I. Inv. 57, pp. 7, 14, 23. 1922; No. 46956, B.P.I. Inv. 58, p. 11. 1922.

HUBBARD, PREVOST—
"Bitumens and their essential constituents for road construction and maintenance." Rds. Cir. 93, pp. 16. 1911.
"Bituminous dust preventives and road binders." Y.B., 1910, pp. 297-306. 1911; Y.B. Sep. 538, pp. 297-306. 1911.
"Coke-oven tars of the United States." Rds. Cir. 97, pp. 11. 1912.
"Dust preventives." Rds. Bul. 34, pp. 64. 1908.
"Effect of controllable variables upon the penetration test for asphalts and asphalt cements." With F. P. Pritchard. J.A.R., vol. 5, No. 17, pp. 805-818. 1916.
"Methods for the examination of bituminous road materials." With Charles S. Reeve. D.B. 314, pp. 48. 1915; Rds. Bul. 38, pp. 45. 1911.
"Naphthalene in road tars." With Clifton N. Draper. Rds. Cir. 96, pp. 12. 1911.

HUBBARD, PREVOST—Continued.
"Relation between the properties of hardness and toughness of road-building rock." With F. H. Jackson, jr. J.A.R. vol. 5, No. 19, pp. 903-907. 1916.
"The decomposition of the feldspars." With Allerton S. Cushman. Rds. Bul. 28, pp. 29. 1907.
"The results of physical tests of road-building rock." With F. H. Jackson, jr. D.B. 370, pp. 100. 1916.
"The results of physical tests of road-building rock in 1916 and 1917." With Frank H. Jackson, jr. D.B. 670, pp. 30. 1918.
"The results of physical tests of road-building rock in 1916, including all compression tests." With Frank H. Jackson, jr. D.B. 537, pp. 23. 1917.
"Typical specifications for bituminous road materials." With Charles S. Reeve. D.B. 691, pp. 60. 1918.
"Typical specifications for nonbituminous road materials." With Frank H. Jackson, jr. D.B., 704, pp. 40. 1918.

HUBBARD, W. F.—
"Maple sugar and sirup." F.B. 252, pp. 36. 1906.
"Production of maple sirup and sugar." With others. F.B. 1366, pp. 35. 1924.
"The basket willow." F.B. 341, pp. 45. 1909; For. Bul. 46, pp. 9-61. 1904.
"The maple sugar industry." With William F. Fox. For. Bul. 59, pp. 5-45. 1905.
"The production of maple sirup and sugar." With A. Hugh Bryan. F.B. 516, pp. 46. 1912.

HUBBARD, WALES: "Regulations relating to industrial alcohol distilleries." Chem. Bul. 130, pp. 152-161. 1910.

Hubbard-Carmick pycnometer, description. D.B. 949, p. 37. 1921.

HUBERT, E. E.—
"A serious disease in forest nurseries caused by *Peridermium filamentosum*." With James R. Weir. J.A.R., vol. 5, No. 17, pp. 781-785. 1916.
"A study of heart-rot in western hemlock." With James R. Weir. D.B. 722, pp. 39. 1918.
"A study of the rots of western white pine." With James R. Weir. D.B. 799, pp. 24. 1919.
"Effect of kiln drying, steaming, and air seasoning on certain fungi in wood." D.B. 1262, pp. 20. 1924.
"Forest disease surveys." With James R. Weir. D.B. 658, pp. 23. 1918.
"The diagnosis of decay in wood." J.A.R., vol. 29, pp. 523-567. 1924.
"The red stain in the wood of boxelder." J.A.R., vol. 26, pp. 449-458. 1923.

HUCKER, G. J.: "Microscopic study of bacteria in cheese." J.A.R., vol. 22, pp. 93-100. 1921.

Huckleberry(ies)—
acidity indicator, in Indiana—
Starke County. Soil Sur. Adv. Sh., 1915, p. 37. 1917; Soils F.O., 1915, p. 1417. 1919.
White County. Soil Sur. Adv. Sh., 1915, pp. 31, 41. 1917; Soils F.O., 1915, pp. 1481, 1485. 1919.
canning directions. S.R.S. Doc. 12, p. 3. 1917.
distribution. N.A. Fauna 21, pp. 13, 21, 56. 1901.
dried, adulteration. Chem. N.J. 3960. 1915.
drying directions. D.C. 3, p. 20. 1919; F.B. 841, p. 23. 1917.
evergreen, soil requirements, Washington, Eastern Puget Sound Basin. Soil Sur. Adv. Sh., 1909, p. 37. 1911; Soils F.O., 1909, p. 1549. 1912.
family, injury by sapsuckers. Biol. Bul. 39, pp. 48, 87. 1911.
fruiting season and use as bird food. F.B. 844, pp. 12, 13. 1917; F.B. 912, pp. 12, 13. 1918.
garden, comparison with wonderberry, home growing. B.P.I. Cir. 110, p. 25. 1913.
high, description, habits, and forage value on range. D.B. 545, pp. 46, 58, 60. 1917.
honey source, value. Ent. Bul. 75, Pt. VII, pp. 93, 95. 1906; rev., pp. 93, 95. 1911.
importation and description. No. 41730, B.P.I. Inv. 46, p. 17. 1919.
juice, extraction, sterilization, et pexc.,eriments. D.B 2.41, pp. 14-15, 19. 1915.

Huckleberry (ies)—Continued.
  occurrence in Colorado, description. N.A. Fauna 33, p. 243. 1911.
  respiration studies. Chem. Bul. 142, pp. 14, 26. 1911.
  shipments by States, and by stations, 1916. D.B. 667, pp. 9, 101. 1918.
  shipping by parcel post, 1915, containers, crates, care, etc., experiments- D.B. 688, pp. 11-12. 1918. *See also* Blueberries.
Hucksters, restrictions. D.B. 1002, p. 12. 1921.
HUDSON, C. S.—
  "A new method for measuring the electrolytic dissociation of water." Chem. Cir. 45, pp. 2. 1909.
  "A relation between the chemical constitution and the optical rotary power of the sugar lactones." Chem. Cir. 49, pp. 8. 1910.
  "A theory of the influence of acids and alkalis on the activity of invertase." Chem. Cir. 60, pp. 3. 1910.
  "Sugar-cane juice clarification for sirup manufacture." With J. K. Dale. D.B. 921, pp. 15. 1920.
  "The destruction of the enzym invertase by acids, alkalis, and hot water." With H. S. Paine. Chem. Cir. 59, pp. 5. 1910.
  "The effect of alcohol on invertase." With H. S. Paine. Chem. Cir. 58, pp. 8. 1910.
  "The hydrolysis of salicin by the enzym emulsion." With H. S. Paine. Chem. Cir. 47, pp. 8. 1909.
  "The influence of acids and alkalis on the activity of invertase." With H. S. Paine. Chem. Cir. 55, pp. 7. 1910.
  "The quantitative determination of cane sugar by the use of invertase." Chem. Cir. 50, pp. 8. 1910.
HUDSON. E. R.—
  "Rules and specifications for the grading of lumber adopted by the various lumber manufacturing associations of the United States." For. Bul. 71, pp. 144. 1906.
  "Use of dead timber in the national forests." For. Cir. 113, pp. 4. 1907.
HUDSON, E. W.—
  "Growing Egyptian cotton in the Salt River Valley, Arizona." F.B. 577, pp. 8. 1914.
  "Preparation of land for Egyptian cotton in the Salt River Valley, Arizona." B.P.I. Cir. 110, pp. 17-20. 1913.
Hudson Bay region, biological investigations. Edward A. Preble. N.A. Fauna, 22, pp. 140. 1902.
Hudson River, silt carried per year. Y.B., 1913, p. 212. 1914; Y.B. Sep. 624, p. 212. 1914.
Hudsonian zone—
  Athabaska-Mackenzie region. N.A. Fauna 27, pp. 51-52. 1908.
  New Mexico, physical features, climate, fauna, and flora. N.A. Fauna 35, pp. 50-51. 1913.
  Oregon, characteristic vegetation. J.A.R., vol. 3, pp. 96-100, 101. 1914.
Hufelandia anay, importations and descriptions. No. 43432, 43433, B.P.I. Inv. 49, pp. 6, 20, 21. 1921.
HUGHES, H. D.—
  patentee of Ames scarifying machine for public use. F.B. 797, p. 20. 1917.
  "Red-clover seed production: Pollination studies." With others. D.B. 289, pp. 31. 1915.
HUIDEKOPER, R. S.—
  "Fundamental principles of disease." B.A.I. [Misc.], "Diseases of the horse," rev., pp. 27-43. 1916; rev., pp. 27-43. 1923.
  "General diseases." B.A.I. [Misc.], Diseases of the horse," rev., pp. 482-545. 1903; rev., pp. 482-545. 1907; rev., pp. 482-545. 1911; rev., pp. 507-582. 1916; rev., pp. 507-582. 1923.
  "Glanders and farcy." B.A.I. Cir. 78, pp. 12. 1905; B.A.I. Doc. A-13, pp. 12. 1917.
Huigan, importation and description. No. 42878, B.P.I. Inv. 47, p. 78. 1920.
Huisache—
  girdler. M. M. High. D.B. 184, pp. 9. 1915.
  tree, origin, distribution, description, and insect enemies. D.B. 184, pp. 1-2. 1915.
HULBERT, L. S.: "Legal phases of cooperative associations." D.B. 1106, pp. 74. 1922; rev., pp. 72. 1923.

HULL, J. P. D.: "Soil survey of—
  Howard County, Maryland." With Wm. T. Carter, jr. Soil Sur. Adv. Sh., 1916, pp. 34. 1917; Soils F.O., 1916, pp. 279-308. 1921.
  Montgomery County, Maryland." With Wm. T. Carter, jr. Soils Sur. Adv. Sh., 1914, pp. 39. 1916; Soils F.O., 1914, pp. 393-427. 1919.
Huller—
  clover—
    effect upon hardness of seed. F.B. 676, pp. 4-6. 1915.
    use in threshing sweet-clover seed. F.B. 836, p. 21. 1917.
  rice, machinery used in modern mills. D.B. 330, pp. 9-10, 30. 1916.
Hulling—
  clover seed, method. F.B. 676, pp. 3-4. 1915; F.B. 1339, p. 22. 1923.
  hard clover seed, and its treatment. George T. Harrington. F.B. 676, pp. 8. 1915.
  machines, rice, description. D.B. 570, pp. 2, 3. 1917; F.B. 417, p. 23. 1910.
Hulls—
  castor beans, use as fertilizer, precautions. J.A.R. vol. 23, pp. 706-707. 1923.
  cotton, uses. Sec. Cir. 88. pp. 19, 20. 1918.
  cottonseed—
    steer fattening, comparison with other feeds. D.B. 762, pp. 4-16. 1919.
    use as feed for cattle. F.B. 1179, p. 6. 1920; Y.B., 1913, p 273. 1914; Y.B. Sep. 627, p. 273, 1914.
  grain—
    composition, effect of sodium hydroxid. J.A.R., vol. 27, pp. 254-258. 1924.
    hydrolysis, experiments. J.A.R., vol. 27, pp. 252-262. 1924.
  grape—
    analyses for acids. J.A.R., vol. 1, p. 514. 1914.
    seed, tannin extraction, yield and value. D.B. 952, pp. 17, 18. 1921.
  peanut—
    analyses and use in feed mixtures. D.B. 1096, pp. 4, 6, 7, 9, 10. 1922.
    feed, fuel, and fertilizer. F.B. 356, p. 33. 1909.
  rice—
    chemical composition and use. D.B. 330, pp. 25-26, 28-29. 1916; D.B. 570, pp. 5, 10, 11-13. 1917.
    value as feed. F.B. 412, p. 18. 1910.
  velvet-bean, composition and deleterious effect in rations. J.A.R., vol. 24, pp. 437-439. 1923.
Human—
  anthrax, infection and treatment. B.A.I. Cir. 71, rev., pp. 9-10. 1904.
  body—
    condition as affected by sodium benzoate. Christian Herter. Rpt. 88, pp. 565-767. 1909.
    efficiency as a machine, influence of muscular and metal work on metabolism. Francis G. Benedict and Thorne M. Carpenter. O.E.S. Bul. 208, pp. 100. 1909.
    food needs and selection. F.B. 808, p. 14. 1917.
    metabolism of matter and energy. W. O. Atwater and others. O.E.S. Bul. 109, pp. 147. 1902.
    relations to food and work, calorimeter studies. Y.B., 1910, pp. 313-316. 1911; Y.B. Sep. 539, pp. 313-316. 1911.
  diseases—
    carriers and sources. Y.B., 1916, pp. 347-348. 1917. Y.B. Sep. 712, pp. 1-2. 1917.
    spread by—
      dogs. D.B. 260, pp. 3-11, 15-20, 22-24. 1915.
      flies. Ent. Bul. 30, pp. 39-45. 1901.
      ticks and other mites. Rpt. 108, pp. 15, 42, 62, 63, 64, 65, 67, 68, 106, 107, 112, 113. 1915.
      transmission by bedbugs. F.B. 754, pp. 9-10. 1916.
  injuries due to insect powder, instances. D.B. 824, pp. 14-16. 1920.
  parasites, two trematodes (*Monostomulum lentis* and *Agamodistomum ophthalmobium*) in the eye. Ch. Wardell Stiles. B.A.I. Bul. 35, pp. 24-35. 1902.
  poisoning by death camas. F.B. 1273, pp. 4, 11. 1922.

Humboldt Valley mouse plague, 1907–1908. Y.B., 1908, pp. 302, 304, 309. 1909; Y.B. Sep. 482, pp. 302, 304, 309. 1909.
HUME, A. N.: "Seed flax as farm crop in 1925." With others. D.C. 341, pp. 14. 1925.
Humerus, fractures and treatment. B.A.I. [Misc.] "Diseases of the horse," rev., p. 321. 1903; rev., pp. 320–321. 1907; rev, p. 320. 1911.
Humic acid, definition and study. Soils Bul. 53, pp. 14, 19, 23–24. 1909.
Humid—
region—
definition. D.B. 1001, p. 6. 1922.
experiments with sugar beets in 1904. Chem. Bul. 96, pp. 6–29. 1905.
importance of dry weather in cotton production and weevil control. B.P.I. Bul. 220, pp. 18–19. 1911.
irrigation possibilities and need. Milo B. Williams. Y.B., 1911, pp. 309–320. 1912; Y.B. Sep. 570, pp. 309–320. 1912.
natural conditions governing. D.B. 1001, pp. 6–8, 9–11. 1922.
reservoirs, types. F.B. 828, pp. 29–31. 1917.
sugar-beet experiments. Chem. Bul. 95, pp. 6–22. 1905.
sections, United States, irrigation investigations, 1903, report. Edward B. Voorhees and others O.E.S. Bul. 148, pp. 45. 1904.
Humidifier—
for lemon curing rooms. A. D. Shamel. D.B. 494, pp. 11. 1917.
use in—
climatic chambers of greenhouses, description. J.A.R., vol. 25, pp. 18–19. 1923.
connection with heaters. F.B. 1194, pp. 25–26. 1921.
private homes and living rooms. D.B. 494, pp. 9–10. 1917.
Humidity—
atmospheric—
effect on evaporation of soil moisture. J.A.R., vol. 7, pp. 447–449. 1916.
in Central Rocky Mountains, relation to forest types. D.B. 1233, pp. 63–72, 135. 1924.
relation to—
cheese making. B.A.I. Bul. 115, pp. 37–38, 46. 1909.
forests, study and measurement. D.B. 1059, pp. 143–146. 1922.
resistence of Saidy date. D.B. 1125, pp. 32–33. 1923.
California, Imperial Valley area, record. Soil Sur. Adv. Sh., 1903, pp. 1223–1224. 1904; Soils F.O., 1903, pp. 1223–1224. 1904.
cheese, relation to ventilation. D.B. 1171, pp. 22–23. 1923.
control—
in water-spray dry kiln, principle and operation. D.B. 894, pp. 8, 9, 27–29, 31, 40. 1920.
room, description and management. J.A.R., vol. 14, pp. 292–294. 1918.
data for for eststations, central Rocky Mountains. D.B. 1233, pp. 63–72, 135. 1924.
determination in rooms. F.B. 1194, pp. 23–24. 1921.
diagram, use in drying lumber, methods and construction. For. Bul. 104, pp. 11–19. 1912.
effect on—
citrus canker. J.A.R., vol. 20,, pp. 447–506. 1920.
development of—
Cladosporium citri. J.A.R., vol. 21, pp. 250–252. 1921.
powdery dry-rot of potatoes in storage. J.A.R., vol. 6, No. 21, pp. 825–827. 1916.
diseases of apples in storage. J.A.R., vol. 11, pp. 287–318. 1917.
formaldehyde injury to seed wheat. J.A.R., vol. 20, pp. 223–231. 1920.
fungi growth and reproduction, experiments. J.A.R., vol. 5, No. 16, pp. 730–734. 1916.
Fusaria rots of Irish potatoes. J.A.R., vol. 22, pp. 65–80. 1921.
grain-dust explosions. D.B. 681, pp. 44–45. 1918.
milling of wheat and yield of products. D.B. 1013, pp. 2, 5–8. 1921.
urediniospores of Pucinnia graminis. J.A.R., vol. 16, pp. 70–71. 1919.

Humidity—Continued.
effect on—continued.
viability of vegetable seed, control. P.R. Bul. 20, pp. 5, 26–29. 1916.
the strength and elasticity of wool fiber. J. I. Hardy. J.A.R., vol. 19, pp. 55–62. 1920.
influence on—
keeping quality of apples in storage. F.B. 852, p. 9. 1917.
strength and elasticity of wool fiber. J.A.R., vol. 14, pp. 285–296. 1918.
kiln measurement and control. D.B. 1136, pp. 14–20. 1923.
management in curing lemons. B.P.I. Bul. 232, pp. 14–15. 1912.
measurement instruments, discussion. D.B. 509, p. 7. 1917.
readings in evaporation studies. J.A.R., vol. 10, p. 241. 1917.
records, 1876–1880, 1888–1913. Atl. Am. Agr., Adv. Sh., 2, Pt. II, Sec. A. pp. 45–47. 1922.
regulation in—
drying lumber. For. Bul. 104. pp. 7–8. 1912.
Forest Service kiln, description. D.B. 509, pp. 10–12. 1917.
regulator. William Mansfield Clark. B.A.I. Cir. 211, pp. 6. 1913.
relation—
of windbreaks. For. Bul. 86, pp. 70–73. 1911.
to—
apple scald. J.A.R., vol. 16, pp. 200–201. 1919; J.A.R., vol. 18, pp. 211–212. 1919.
deterioration of sugars in storage. J.A.R., vol. 20, pp. 642–653. 1921.
freezing of fruit buds. J.A.R., vol. 20, pp. 655–662. 1921.
freezing rate in orchards. F.B. 1096, pp. 37–38. 1920.
gas injury of citrus trees. F.B. 1321, pp. 1, 43–45. 1923.
growth of Penicillium and Aspergillus. J.A.R., vol. 21, p. 105. 1921.
honey flow of bees. D.B. 1339, pp. 34–36. 1925.
injury by arsenical sprays. J.A.R., vol. 24, pp. 528–530, 535. 1923.
insect development, with temperature, studies. J.A.R., vol. 5, pp. 1183–1191. 1916.
moldiness in butter. J.A.R., vol. 3, pp. 304–306, 309. 1915.
quality of stored meats. D.B. 433, pp. 4, 97–98. 1917.
white fly development. Ent. Bul. 120, pp. 31–33. 1913.
relative, and temperature data. William B. Stockman. W.B. Bul. 0, pp. 29. 1905.
requirements—
in heated houses. F.B. 1194, pp. 19–26. 1921.
of potatoes in storage. F.B. 847, pp. 6, 27. 1917.
See also Moisture.
Humidor, banana ripening experiments, description and use. J.A.R., vol. 3, pp. 193–194. 1914.
Humin nitrogen, determination in casein-starch mixtures. J.A.R., vol. 12, pp. 3–6. 1918.
Humming bird—
Anna's, food habits. F.B. 506, pp. 16–17. 1912.
destruction of sorghum midge and other insects. Ent. Bul. 85, Pt. IV, p. 57. 1910.
food, animal and vegetable. F.B. 506, pp. 15–17. 1912.
migration habits and rapid flight. D.B. 185, p. 35. 1915.
occurrence in Porto Rico, and food habits. D.B. 326, pp. 70–72. 1916.
protection by law. Biol. Bul. 12, rev., pp. 38, 39, 40, 41, 42. 1902.
ruby-throated—
description and food habits. F.B. 506, pp. 15–16. 1912.
occurrence in Arkansas. Biol. Bul. 38, p. 52. 1911.
rufous, range, and habits. N.A. Fauna 21, pp. 46, 76. 1901.
varieties in Athabaska-Mackenzie region. N.A. Fauna 27, pp. 390–391. 1908.
HUMPHREY, C. J.—
"Control of decay in pulp and pulp wood." With others. D.B. 1298, pp. 80. 1925.

HUMPHREY, C. J.—Continued.
"The toxicity to fungi of various oils and salts, particularly those used in wood preservation." With Ruth M. Fleming. D.B. 227, pp. 38. 1915.
"Timber storage conditions in the Eastern and Southern States with reference to decay problems." D.B. 510, pp. 43. 1917.

HUMPHREY, H. B.—
"Cereal diseases and the national food supply." Y.B., 1917, pp. 481-495. 1918; Y.B. Sep. 755, pp. 16. 1918.
"Stripe rust (*Puccinia glumarum*) of cereals and grasses in the United States." With others. J.A.R., vol. 29, pp. 209-227. 1924.
"Studies in the physiology and control of bunt, or stinking smut, of wheat." With Horace M. Woolman. D.B. 1239, pp. 30. 1924.
"Summary of literature on bunt, or stinking smut, of wheat." With Horace M. Woolman. D.B. 1210, pp. 44. 1924.
"Take-all and flag smut." With Aaron G. Johnson. F.B. 1063, pp. 8. 1919.
"Take-all of wheat and its control." With others. F.B. 1226, pp. 12. 1921.

HUMPHREY, H. N.—
"Cost of fencing farms in the North Central States." D.B. 321, pp. 32. 1916.
"Labor requirements of dairy farms as influenced by milking machines." D.B. 423, pp. 17. 1916.
"Minor articles of farm equipment." With A. P. Yerkes. F.B. 816, pp. 15. 1917.

HUMPHREY, J. R.—
"A system of accounting for fruit-shipping organizations." With G. A. Nahstoll. D.B. 590, pp. 60. 1918.
"A system of accounts for cotton warehouses." With Roy L. Newton. D.B. 520, pp. 32. 1917.
"A system of accounts for farmers' cooperative elevators." With W. H. Kerr. D.B. 236, pp. 30. 1915.
"A system of accounts for live-stock shipping associations." With W. H. Kerr. D.B. 403, pp. 15. 1916.
"A system of accounts for primary grain elevators." With W. H. Kerr. D.B. 362, pp. 30. 1916.
"Accounting records for country creameries." With G. A. Nahstoll. D.B. 559, pp. 37. 1917.
"Lumber accounting and opening the books in primary grain elevators." With W. H. Kerr. Mkts. Doc. 2, pp. 12. 1916.
"Patronage dividends in cooperative grain companies." With W. H. Kerr. D.B. 371, pp. 11. 1916.

HUMPHREYS, W. J.—
"New problems of the weather." Y.B., 1906, pp. 121-124. 1907; Y.B. Sep. 410, pp. 121-124. 1907.
"Some useful weather proverbs." Y.B., 1912, pp. 373-382. 1913; Y.B. Sep. 599, pp. 373-382. 1913.

Humphreys' Curative Marvel, misbranding. Chem. N.J. 4617, S.R.A. Sup. 23, pp. 163-164. 1917.

HUMPHRIES, W. R.—
"Planning the farmstead." F.B. 1132, pp. 24. 1920.
"Tractors and horses in the winter wheat belt, Oklahoma, Kansas, Nebraska." With H. R. Tolley. D.B. 1202, pp. 60. 1924.

Humulene, identification in hop oil. J.A.R., vol. 2, pp. 154-155, 158. 1914.

Humus—
addition to soil for erosion prevention. D.B. 512, pp. 3-4. 1916.
aid to run-down farm soil, methods of obtaining. F.B. 704, pp. 3-4. 1916.
arid soil, nitrogen content. J.A.R., vol. 5, No. 20, pp. 909-916. 1916.
conservation, crop rotations, dry-land farming. Y.B., 1907, pp. 463-468. 1908; Y.B. Sep. 461, pp. 463-468. 1908.
decomposition in soils, stimulation by lime. F.B. 921, p. 9. 1918.
depletion in soil by pineapple growing. F.B. 1237, pp. 31-32. 1921.

Humus—Continued.
determination—
and description. Hawaii A.R., 1906, pp. 41-43. 1907.
in—
commercial fertilizers. D.B. 97, pp. 1-10, 12. 1914.
forest soils. D.B. 1059, pp. 126-128. 1922.
mulches of alfalfa and manure. J.A.R., vol. 12, pp. 507-513. 1918.
effect on—
orange production. J.A.R., vol. 12, pp. 505-518. 1918.
water—
holding capacity of a silt-loam soil. J.A.R., vol. 16, pp. 263-278. 1919.
storage capacity of soils. B.P.I. Doc. 503, rev., p. 3. 1913.
Hawaiian soils, nitrogen content, studies and tables. Hawaii Bul. 33, pp. 14-19. 1914.
increase—
by rotation crops. Y.B., 1908, pp. 409, 412, 414. 1909; Y.B. Sep. 490, pp. 409, 412, 414. 1909.
in soil, methods. F.B. 245, pp. 11. 1906.
necessity on hard lands, Nevada. B.P.I. Bul. 157, pp. 20, 22, 24, 33. 1909.
need in strawberry growing, sources. F.B. 854, p. 8. 1917.
nitrogen—
determination methods, comparison. J.A.R., vol. 5, No. 20, pp. 912-913. 1916.
in Hawaiian soils, determination, and percentage. Hawaii Bul. 33, pp. 12-21. 1914.
relation to—
activity of soil bacteria and molds. B.P.I. Bul. 266, pp. 7, 9, 29, 41-42, 45-46. 1913.
catalytic power of soils. Soils Bul. 86, pp. 29, 30. 1912.
soil fertility. F.B. 245, p. 6. 1906.
requirements for red clover, studies. News L., vol. 3, No. 32, pp. 4-5. 1916.
saline, preparation from kelp. Rpt. 100, p. 19. 1915.
soil—
composition, general review and study of work. Soils Bul. 53, pp. 14-53. 1909.
decomposition rate, study of methods. Chem. Bul. 122, pp. 191-196. 1909.
effect on root rot of tobacco, studies. J.A.R., vol. 17, pp. 73-76. 1919.
increase under mulched-basin irrigation. D.B. 499, pp. 26-28. 1917.
necessity, methods of increase. F.B. 245, pp. 6, 11. 1906.
relation to leaf mottling of citrus trees. J.A.R., vol. 6, No. 19, pp. 731-734, 739. 1916.
solutions, preparation for nitrogen studies. Hawaii Bul. 33, pp. 13-14. 1914.
sources, importance in soil improvement. F.B. 986, pp. 7-9. 1918.
supply—
for corn land, sources. F.B. 729, p. 3. 1916.
value of alfalfa-growing combination with dairying. B.P.I. Doc. 495, pp. 5-6. 1909.
unsuitability for sea-island cotton. F.B. 787, p. 4. 1916.
value in—
growing corn. F.B. 1149, pp. 3, 5, 18. 1920.
tobacco growing, sources. D.B. 16, pp. 5-6. 1913.

Hungarian goulash, recipe for making. F.B. 391, p. 30. 1910.

Hungary—
agricultural situation. D.B. 1234, pp. 7-43. 1924.
Budapest, serum institute, location, capacity, work, and staff. B.A.I. An. Rpt., 1910, pp. 402-409, 413. 1912.
cows and other cattle, numbers. B.A.I. Doc. A-37, p. 54. 1922.
crops—
acreage and production—
1908-1912. Stat. Cir. 39, pp. 10-12. 1912.
1910-11. Stat. Cir. 28, p. 14. 1912.
production, May-June, 1912. Stat. Cir. 37, p. 14. 1912.
food laws affecting American exports. Chem. Bul. 61, pp. 24-25. 1901.
forest resources. For. Bul. 63, pp. 13-15. 1910.
grain trade. Stat. Bul. 69, pp. 9-13. 1908.

Hungary—Continued.
  hemp growing and yield. Y.B., 1913, pp. 294, 299, 336. 1914; Y.B. Sep. 628, pp. 294, 299, 336. 1914.
  hog-cholera serum preparation. Adolph Eichhorn. B.A.I. An. Rpt., 1910, pp. 401–413. 1912.
  potato production, 1909–1913, 1921–1923. S.B. 10, p. 19. 1925.
  sugar industry, 1903–1914. D.B. 473, pp. 41–43. 1917.
  tuberculous carcasses, disposition, legal provisions B.A.I.S.A. 72, pp. 29–30. 1913.
  wheat acreage, percentage of total land area, and increase since 1884. Y.B., 1909, pp. 262, 263, 264. 1910; Y.B. Sep. 511, pp. 262, 263, 264. 1910.
  wines, laws affecting American export. Chem. Bul. 61, pp. 24–25. 1901.
HUNGERFORD, C. W.—
  "Rust in seed wheat and its relation to seedling infection." J.A.R., vol. 19, pp. 257–278. 1920.
  "Specialized varieties of *Puccinia glumarum* and hosts for variety *tritici*." With C. E. Owens. J.A.R., vol. 25, pp. 363–402. 1923.
  "Stripe rust (*Puccinia glumarum*) of cereals and grasses in the United States." With others. J.A.R., vol. 29, pp. 209–227. 1924.
  "Studies on the life history of stripe rust *Puccinia glumarium*." J.A.R., vol. 24, pp. 607–620. 1923.
HUNN, C. J.—
  report of—
    acting horticulturist, Hawaii Experiment Station, 1914. Hawaii A.R., 1914, pp. 29–35. 1925.
    assistant horticulturist, Hawaii Experiment Station—
      1912. Hawaii A.R., 1912, pp. 45–50. 1913.
      1913. Hawaii A.R., 1913, pp. 27–28. 1914.
  "The avocado in Hawaii." With others. Hawaii Bul. 25, pp. 48. 1911.
  "The production of peas for canning." F.B. 1255, pp. 24. 1922.
HUNT, C. L.—
  "A week's food for an average family." F.B. 1228, pp. 27. 1921.
  "Boys' and girls' club work; recipes for canned vegetables." S.R.S. Doc. 31, pp. 4. 1916.
  "Bread and bread making in the home." With Hannah L. Wessling. F.B. 807, pp. 26. 1917.
  "Cheese and its economical use in the diet." With C. F. Langworthy. F.B. 487, pp. 40. 1912.
  "Corn meal as a food and ways of using it." With C. F. Langworthy. F.B. 565, pp. 24. 1914.
  "Economical use of meat in the home." With C.F. Langworthy. F.B. 391, pp. 43. 1910.
  "Food for young children." F.B. 717, pp. 20, 1916; F.B. 717, rev., pp. 22. 1920.
  "Fresh fruits and vegetables as conservers of other staple foods." F.B. 871, pp. 11. 1917.
  "Good proportions in the diet." F.B. 1313, pp. 24. 1923.
  "Honey and its uses in the home." With Helen W. Atwater. F.B. 653, pp. 26. 1915.
  "How to select foods. I. What the body needs." With Helen W. Atwater. F.B. 808, pp. 14. 1917.
  "How to select foods. II. Cereal foods." With Helen W. Atwater. F.B. 817, pp. 23. 1917.
  "How to select foods. III. Foods rich in protein." With Helen W. Atwater. F.B. 824, pp. 19. 1917.
  "Mutton and its value in the diet." With C. F. Langworthy. F.B. 526, pp. 32. 1913.
  "School lunches." With Mabel Ward. F.B. 712, pp. 27. 1916.
  "The care of milk and its use in the home." With others. F.B. 413, pp. 20. 1910.
  "Use of corn, kafir, and cowpeas in the home." With C. F. Langworthy. F.B. 559, pp. 12. 1913.
HUNT, G. M.—
  "The preservative treatment of farm timbers." F.B. 744, pp. 32. 1916.
  "Piñon blister rust." With others. J.A.R., vol. 14, pp. 411–424. 1918.

HUNT, G. M.—Continued.
  "Steam and chemical soil disinfection, with special reference to potato wart." With others. J.A.R., vol. 31, pp. 301–363. 1925.
HUNT, T. F.—
  "Agricultural needs of the Allies during 1920." Sec. [Misc.], "Report of agricultural * * *," pp. 64–79. 1919.
  "American system of agricultural extension— Qualifying teachers." O.E.S. Bul. 231, pp. 79–86. 1910.
  discussion of—
    field demonstration work. O.E.S. Bul. 199, pp. 48–52. 1908.
    rural economics and farm management. O.E.S. Cir. 115, pp. 3–4. 1912.
  report—
    of the Pennsylvania State College Agricultural Experiment Station—
      1907. O.E.S. An. Rpt., 1907, pp. 159–162. 1908.
      1908. O.E.S. An. Rpt., 1908, pp. 159–161. 1909.
      1909. O.E.S. An. Rpt., 1909, pp. 173–175. 1910.
      1910. O.E.S. An. Rpt., 1910, pp. 225–228. 1911.
      1911. O.E.S. An. Rpt., 1911, pp. 185–187. 1912.
    on California Experiment Station, work—
      1913. Work and Exp., 1913 pp. 33–34. 1915.
      1914. Work and Exp., 1914, pp. 67–71. 1915.
      1915. Work and Exp., 1915, pp. 72–77. 1917.
  "Soil survey of—
    Berks County, Pa." Soil Sur. Adv. Sh., 1909, pp. 47. 1911.
    Erie County, Pa." Soil Sur. Adv. Sh., 1910, pp. 52. 1911.
HUNTER, A. C.—
  "Microorganisms in decomposing oysters." With Bernard A. Linden. J.A.R., vol. 30, pp. 971–976. 1925.
  "A pink yeast causing spoilage in oysters." D.B. 819, pp. 24. 1920.
HUNTER, BYRON—
  "Bean growing in eastern Washington and Oregon, and northern Idaho." With Lee W. Fluharty. F.B. 907, pp. 16. 1917.
  "Clover-seed production in the Willamette Valley, Oregon." B.P.I. Cir. 28, pp. 15. 1909.
  "Dry farming for better wheat yields." F.B. 1047, pp. 24. 1919.
  "Farm methods of applying land plaster in western Oregon and western Washington." B.P.I. Cir. 22, pp. 14. 1909.
  "Farm practice in the Columbia Basin uplands." F.B. 294, pp. 30. 1907.
  "Farm practice with forage crops in western Oregon and western Washington." B.P.I. Bul. 94, pp. 39. 1906.
  "Forage-crop practices in western Oregon and western Washington." F.B. 271, pp. 39. 1906.
  "Hints to settlers on the Umatilla project, Oregon." B.P.I. Doc. 495, pp. 12. 1909.
  "Pasture and grain crops for hogs in the Pacific Northwest." D.B. 68, pp. 27. 1914; F.B. 599, pp. 27. 1914.
  "Profitable management of general farms in the Willamette Valley, Oregon." With S. O. Jayne. D.B. 705, pp. 24. 1918.
  "Suggestions to settlers on the sandy soils of the Columbia River valley". With S. O. Jayne. B.P.I. Cir. 60, pp. 23. 1910.
  "The utilization of logged-off land for pasture in western Oregon and western Washington." With Harry Thompson. F.B. 462, pp. 20. 1911.
HUNTER, C. A.: "Bacteriological and chemical studies of different kinds of silage." J.A.R., vol. 21, pp. 767–789. 1921.
HUNTER, O. W.
  Bacteriological studies of alfalfa silage. J.A.R., vol. 15, pp. 571–592. 1918.
  "Microorganisms and heat production in silage fermentation." J.A.R., vol. 10, pp. 75–83. 1917.
  "Production of a growth-promoting substance by Azotobacter." J.A.R., vol. 23, pp. 825–831. 1923.

HUNTER, O. W.—Continued.
"Protein synthesis of Azotobacter." J.A.R., vol. 24, pp. 263-274. 1923.
"Stimulating the growth of Azotobacter by aration." J.A.R., vol. 23, pp. 665-677. 1923.
HUNTER, W. D.—
"A practical demonstration of a method for controlling the cattle tick." With J. D. Mitchell. B.A.I. Cir. 148, pp. 4. 1909.
"Controlling the boll weevil in cotton seed and at ginneries." F.B. 209, pp. 31. 1904.
"Information concerning the Mexican cotton boll weevil." F.B. 189, pp. 29. 1904.
"Information concerning the North American fever tick, with notes on other species." With W. A. Hooker. Ent. Bul. 72, pp. 87. 1907.
"Methods of controlling the boll weevil." F.B. 163, pp. 16. 1903.
"Note on the occurrence of the North American fever tick on sheep." Ent. Cir. 91, pp. 3. 1907.
"Present status of the cotton boll weevil in the United States." Y.B., 1904, pp. 191-204. 1905; Y.B. Sep. 341, pp. 191-204. 1905.
"Relation between rotation systems and insect injury in the South." Y.B. 1911, pp. 201-210. 1912; Y.B. Sep. 561, pp. 201-210. 1912.
"Some of the more important ticks of the United States." With F. C. Bishopp. Y.B., 1910, pp. 219-230. 1911; Y.B. Sep. 531, pp. 219-230. 1911.
"Some recent studies of the Mexican cotton boll weevil." Y.B., 1906, pp. 313-324. 1907; Y.B. Sep. 425, pp. 313-324. 1907.
"The boll weevil problem." F.B. 344, pp. 46. 1909; F.B. 512, pp. 46. 1912.
"The boll-weevil problem." With B. R. Coad. F.B. 1262, pp. 31. 1922; F.B. 1329, pp. 30. 1923.
"The boll-weevil problem with special reference to means of reducing damage." F.B. 848, pp. 40. 1917.
"The control of the boll weevil." F.B. 500, pp. 14. 1912.
"The control of the boll weevil: Including results of recent investigations. F.B. 216, pp. 32. 1905.
"The cotton stainer." Ent. Cir. 149, pp. 5. 1912.
"The cotton worm or cotton caterpillar." Ent. Cir. 153, pp. 10. 1912.
"The fight against the pink bollworm in the United States." Y.B., 1919, pp. 355-368. 1920; Y.B. Sep. 817, pp. 355-368. 1920.
"The insect enemies of the cotton boll weevil." With others. Ent. Bul. 100, pp. 99. 1912.
"The Mexican cotton boll weevil." With W. E. Hinds. Ent. Bul. 45, pp. 116. 1904.
"The Mexican cotton boll weevil: A revision and amplification of Bulletin 45, to include the most important observations made in 1904." With W. E. Hinds. Ent. Bul. 51, pp. 181. 1905.
"The most important step in the control of the boll weevil." Ent. Cir. 95, pp. 8. 1907.
"The most important step in the cultural system of controlling the boll weevil." Ent. Cir. 56, pp. 7. 1904.
"The movement of the Mexican cotton boll weevil in 1911." Ent. Cir. 146, pp. 4. 1912.
"The movement of the cotton boll weevil in 1912." With W. D. Pierce. Ent. Cir. 167, pp. 3. 1913.
"The movement of the cotton boll weevil, in 1914.' With W. D. Pierce. Ent. [Misc.], "The movement of * * * ," pp. 2. 1915.
"The periodical cicada in 1902." Ent. Cir. 44, pp. 4. 1902.
"The pink bollworm." Ent. [Misc.], "The pink bollworm," pp. 6. 1914.
"The pink bollworm, with special reference to steps taken by the Department of Agriculture to prevent its establishment in the United States." D.B. 723, pp. 27. 1918.
"The principal cactus insects of the United States." With others. Ent. Bul. 113, pp. 71. 1912.
"The present status of the Mexican cotton boll weevil in the United States." Y.B., 1901, pp. 369-380. 1902; Y.B. Sep. 243, pp. 369-380. 1902.

HUNTER, W. D.—Continued.
"The Rocky Mountain spotted fever tick." With F. C. Bishopp. Ent. Bul, 105, pp. 47. 1911.
"The spread of the cotton boll weevil in 1915." With W. D. Pierce. Ent. [Misc.], "The spread of * * *," pp. 2. 1916.
"The spread of the cotton boll weevil in 1916." With W. D. Pierce. Ent. [Misc.], "The spread of the * * *," pp. 2. 1916.
"The spread of the cotton boll weevil in 1917." With W. D. Pierce. Ent. [Misc.], "The spread of * * *," pp. 2. 1917.
"The status of the cotton boll weevil in 1909." Ent. Cir. 122, pp. 12. 1910.
"The status of the Mexican cotton boll weevil in the United States." Y.B., 1903, pp. 205-214. 1904; Y.B. Sep. 316, pp. 205-214. 1904.
"The use of Paris green in controlling the cotton boll weevil." F.B. 211, pp. 23. 1904.
"Two destructive Texas ants." Ent. Cir. 148, pp. 7. 1912.
"What can be done in destroying the cotton boll weevil during the winter." Ent. Cir. 107, pp. 4. 1909.
Hunterellus hookeri, parasite of dog tick. Ent. Bul. 106, p. 43. 1912.
Hunters—
age limits, requirements. F.B. 692, p. 54. 1915; F.B. 774, pp. 53-54. 1916.
Alaska, waste of meat from slaughtered game. D.C. 88, pp. 2-3. 1920.
Biological Survey, work, results. Y.B., 1920, pp. 290, 292, 296-300. 1921; Y.B. Sep. 845, pp. 290, 292, 296-300. 1921.
directions for handling deer. D.C. 4, pp. 67-69. 1919.
Government, work against predatory animals. An. Rpts., 1922, pp. 333-336. 1923; Biol. Chief Rpt., 1922, pp. 3-6. 1922.
hiring in Alaska. Biol. S.R.A. 53, p. 2. 1923.
killing predatory animals, value of work. D.C. 135, p. 5. 1920.
licenses of, 1922. Y.B. 1923, p. 1198. 1924; Y.B. Sep. 906, p. 1198. 1924.
Hunting—
accidents, laws to control or lessen. D.B. 22, p. 2. 1913.
antelope, discussion. D.B. 1346, pp. 8-9. 1925.
bag limits, Federal regulations. D.B. 22, pp. 6-7, 47-50. 1913; D.B. 1049, pp. 16, 18. 1922; F.B. 265, pp. 40-49. 1906; F.B. 308, pp. 4, 41-48. 1907; F.B. 1466, pp. 9-10. 1925.
birds, vicious practices to be controlled by law. Y.B., 1917, pp. 202-203. 1918; Y.B. Sep. 723, pp. 8-9. 1918.
closed season for shore birds and woodcock. Y.B., 1914, pp. 292-294. 1915; Y.B. Sep. 642, pp. 292-294. 1915.
elk, control laws, necessity. D.C. 51, pp. 13-14, 16, 23-24, 32-33, 34. 1919.
excessive, limitations in different States. D.B. 1049, pp. 15-18. 1922.
foxes and bears, Texas. N.A. Fauna 25, pp. 180-181, 188, 190, 192. 1905.
grounds, public, notable examples. D.B. 1049, pp. 29-31. 1922.
guides, Alaska, list and regulation. Biol. Cir. 90, pp. 11, 14. 1913.
in—
Alaska, notes. Y.B., 1902, pp. 469-482. 1903; Y.B. Sep. 462, pp. 469-482. 1903.
Cascade National Forest. D.C. 104, pp. 3, 4, 15. 1920.
Colorado—
Holy Cross Forest. D.C. 29, p. 11. 1919.
San Isabel National Forest. D.C. 5, p. 11. 1919.
Sopris National Forest. D.C. 6, pp. 5-6. 1919.
national forests—
Sol. [Misc.], "Laws * * * national forests," pp. 15, 109. 1916.
regulations. F.B. 1138, p. 64. 1920; F.B. 1288, p. 59. 1922; F.B. 1375, p. 54. 1923.
Oregon, national forests. D.C. 4, pp. 3-51. 1919.
White Mountain National Forest. D.C. 100, p. 9. 1921.

Hunting—Continued.
  laws—
    by States and Provinces. F.B. 1466, pp. 11-46. 1925.
    for—
      game protection in various sections. D.B. 1049, pp. 26-29. 1922.
      national forests, digest. For. [Misc.], "Trespass on national * * *," pp. 10-12. 1922.
    States, effect of migratory bird treaty act. Y.B., 1918, pp. 309-310. 1919; Y.B. Sep. 785, pp. 9-10. 1919.
    summary for States and Provinces—
      1918. F.B. 1010, pp. 6-44. 1918.
      1919. F.B. 1077, pp. 7-47. 1919.
    See also Game laws.
  licenses—
    as source of game-protection fund. Biol. Bul. 28, pp. 34-40. 1907.
    early laws. Biol. Bul. 19, pp. 9-10. 1904.
    fees—
      and fines, special disposition, various States. Biol. Bul. 28, pp. 36-37. 1907.
      receipts from. D.B. 1049, pp. 11-12. 1922.
    foreign countries, variations in game laws. Biol. Bul. 19, pp. 51-54. 1904.
    legislation—
      1921, review. F.B., 1235, pp. 6, 9. 1921.
      1923, review. F.B. 1375 p. 6. 1923.
    number and increase. Biol. Chief Rpt., 1924, p. 37. 1924.
    statistics of. T. S. Palmer. Biol. Cir. 54, pp. 24. 1906.
    their history, objects, and limitations. T. S. Palmer. Biol. Bul. 19, pp. 72. 1904.
    See also Game laws.
  permits for control of injurious birds. Y.B., 1918, pp. 314-315. 1919; Y.B. Sep. 785, pp. 14-15. 1919.
  regulations on—
    Cold Springs Reservation, Oregon. Biol. S.R.A. 57, p. 1. 1923.
    Pisgah National Game Preserve. D.C. 161, p. 3. 1921.
    restrictions under migratory bird treaty act. Biol. S.R.A. 55, pp. 7-13. 1923.
  seasons—
    definitions of open and close. Biol. Cir. 43, pp. 1-8. 1904.
    migratory birds, various zones, explanation of proposed regulations. Biol. Cir. 93, pp. 4-5. 1913.
  trespass, national forests, Reg. T-7. For. [Misc.], "The use book, 1921," pp. 71-72. 1922.
  wolves, in Texas. N.A. Fauna 25, pp. 172, 176. 1905.
  See also Game.
Huntington soils, Virginia, description, uses, and location. D.B. 46, pp. 17, 19, 21. 1913.
Huntington, W. Va., tobacco market. B.P.I. Bul. 268, p. 53. 1913.
Huntley, Montana—
  corn varieties testing. D.B. 307, pp. 9-10, 19. 1915.
  crop yields, stimulation by manure, experiments. J.A.R., vol. 15, pp. 493-503. 1918.
  dry-land pasture crops for hogs. A. E. Seamans. D.B. 1143, pp. 24. 1923.
Huntley experiment farm—
  climatic and agricultural conditions, 1912. B.P.I. Cir. 121, pp. 21-22. 1913.
  heterogeneity of fields, studies. J.A.R., vol. 19, pp. 286-291, 298. 1920.
  work, 1912. Dan Hansen. B.P.I. Cir. 121, pp. 19-28. 1913.
Huntley reclamation project—
  climatic and agricultural conditions—
    1912. B.P.I. Cir. 121, pp. 19-22. 1913.
    1913. B.P.I. [Misc.], "The work of the Huntley * * *, 1913," pp. 14. 1914.
    1914. W.I.A. Cir. 2, pp. 2-3. 1915.
    1915. W.I.A. Cir. 8, pp. 1-4. 1916.
    1916. W.I.A. Cir. 15, pp. 2-5. 1917.
    1917. W.I.A. Cir. 22, pp. 5-8. 1918.
    1918. D.C. 86, pp. 3-6. 1920.
    1919. D.C. 147, pp. 4-7. 1921.
    1920. D.C. 204, pp. 4-8. 1921.
    1921. D.C. 275, pp. 2-7. 1923.
    1922. D.C. 330, pp. 2-7. 1925.

Huntley reclamation project—Continued.
  crop production under irrigation. Sec. [Misc.], "The work of the Huntley * * *, 1913," p. 138. 1914.
  cropping experiment, records, 1911-1917. J.A.R., vol. 20, pp. 339-354. 1920.
  crops on alkali land, experiments. Dan Hansen. D.B. 135, pp. 19. 1914.
  description, area, and important crops. D.B. 735, pp. 2-3. 1918.
  dry-land studies. Sec. [Misc.], "The work of the Huntley * * *, 1913," p. 136. 1914.
  irrigated pastures, experiments. D.R.P. Cir. 2, pp. 1-16. 1916.
  spring wheat production, various methods, 1913-1914, yields and costs. D.B. 214, pp. 14-15, 37-42. 1915.
  work on alfalfa rotations. D.B. 881, pp. 1-13. 1920.
  Experiment Farm, work in—
    1913. Dan Hansen. B.P.I. [Misc.], "The work of Huntley * * *, 1913," pp. 14. 1914.
    1914. Dan Hansen. W.I.A. Cir. 2, pp. 23. 1915.
    1915. Dan Hansen. W.I.A. Cir. 8, pp. 24. 1916.
    1916. Dan Hansen. W.I.A. Cir. 15, pp. 25. 1917.
    1917. Dan Hansen. W.I.A. Cir. 22, pp. 29. 1918.
    1918. Dan Hansen. D.C. 86, pp. 32. 1920.
    1919. Dan Hansen. D.C. 147, pp. 27. 1921.
    1920. Dan Hansen. D.C. 204, pp. 31. 1921.
    1921. Dan Hansen. D.C. 275, pp. 27. 1923.
    1922. Dan Hansen. D.C. 330, pp. 32. 1925.
Hura crepitans, Porto Rico, description and uses. D.B. 354, p. 80. 1916.
HURD, A. M.—
  "Acidity of corn and its relation to vegetative vigor." J.A.R., vol. 25, pp. 457-469. 1923.
  "Hydrogen-ion concentration and varietal resistance of wheat to stemrust and other diseases." J.A.R., vol. 23, pp. 373-386. 1923.
  "Injury to seed wheat resulting from drying after disinfection with formaldehyde." J.A.R., vol. 20, pp. 209-244. 1920.
  "Seed-coat injury and viability of seeds of wheat and barley as factors in susceptibility to molds and fungicides." J.A.R., vol. 21, No. 2, pp. 99-122. 1921.
  "The course of acidity changes during the growth period of wheat with special reference to stemrust resistance. J.A.R., vol. 27, pp. 725-735. 1924.
HURD, W. D., report of Massachusetts, extension work in agriculture and home economics—
  1915. S.R.S. An. Rpt. 1915, Pt. II, pp. 222-228. 1916.
  1916. S.R.S. An. Rpt. 1916. Pt. II, pp. 240-249. 1917.
  1917. S.R.S. An. Rpt. 1917, Pt. II, pp. 243-251. 1919.
HURD, W. E.: "Tropical storms of eastern North Pacific Ocean, with pilot chart of Central American waters." W.B. [Misc.], "Tropical storms of eastern * * *." Folder. 1923.
Hurdles—
  sheep. F.B. 810, pp. 23-25. 1917.
  stock judging, construction, school exercise. D.B. 527, p. 33. 1917.
  use in pasturing sheep. F.B. 1051, p. 23. 1919.
Hurricane—
  Galveston, 1900, forecast by Weather Bureau. An. Rpts., 1901, pp. 12-14. 1901.
  Georgia-North Carolina coast, 1911. An. Rpts., 1912, pp. 270-271. 1913; W.B. Chief Rpt., 1912, pp. 12-13. 1912.
  Key West, description, work of Weather Bureau. Y.B., 1909, pp. 47-48. 1910.
  Porto Rico and St. Kitts. William H. Alexander. W.B. Bul. 32, pp. 79. 1902.
  Savannah-Charleston, Aug. 27-28, 1911, charts with explanation. Willis L. Moore. W.B. [Misc.], "Savannah-Charleston hurricane * * *." (Folder.) 1911.
  West Indies. Oliver L. Fassig. W.B. Bul. X, pp. 28. 1913.

HURSH, C. R.: "Morphological and physiological studies on the resistance of wheat to Puccinia graminis tritici. J.A.R., vol. 27, pp. 381–412. 1924.
HURST, L. A.: "Soil survey of—
Autauga County, Ala." With C. S. Waldrop. Soil Sur. Adv. Sh., 1908, pp. 43. 1910; Soils F.O., 1908, pp. 515–553. 1911.
Blue Earth County, Minn." With H. H. Bennett. Soil Sur. Adv. Sh., 1906, pp. 55. 1907; Soils F.O., 1906, pp. 813–863. 1908.
Caddo Parish, La." Soil Sur. Adv. Sh., 1906, pp. 36. 1907; Soils F.O., 1906, pp. 427, 458. 1908.
Calhoun County, Ala." With Philip H. Avary. Soils F.O., 1908, pp. 615–659. 1911. Soil Sur. Adv. Sh., 1908, pp. 49. 1910.
Coffee County, Ala." With A. D. Cameron. Soil Sur. Adv. Sh., 1909, pp. 51. 1911; Soils F.O., 1909, pp. 801–847. 1912.
Dale County, Ala." With others. Soil Sur. Adv. Sh., 1910, pp. 39. 1911; Soils F.O. 1910, pp. 605–639. 1912.
Delaware County, Ind." With E. J. Grimes. Soil Sur. Adv. Sh., 1913, pp. 31. 1915; Soils F.O., 1913, pp. 1379–1405. 1916.
Grant County, Ind." With others. Soil Sur. Adv. Sh., 1915, pp. 36. 1917; Soils F.O., 1915, pp. 1353–1384. 1919.
Hamilton County, Ind." With others. Soil Sur. Adv. Sh., 1912, pp. 32. 1914; Soils F.O., 1912, pp. 1445–1472. 1915.
Oktibbeha County, Miss." With W. E. McLendon. Soil Sur. Adv. Sh., 1907, pp. 40. 1908; Soils F.O., 1907, pp. 467–502. 1909.
Pender County, N. C." With others. Soil Sur. Adv. Sh., 1912, pp. 45. 1914; Soils F.O., 1912, pp. 369–409. 1915.
Robertson County, Tenn." With others. Soil Sur. Adv. Sh., 1912, pp. 26. 1914; Soils F.O., 1912, pp. 1127–1148. 1915.
Russell County, Ala." With others. Soil Sur. Adv. Sh., 1913, pp. 50. 1915; Soils F.O., 1913, pp. 875–920. 1916.
Aroostook area, Me." With others. Soil Sur. Adv. Sh., 1917, pp. 44. 1921; Soils F.O., 1917, pp. 7–46. 1923.
the Bellingham area, Wash." With A. W. Mangum. Soil Sur. Adv. Sh., 1907, pp. 39. 1909; Soils F.O., 1907, pp. 1015–1049. 1909.
Tipton County, Ind." With E. J. Grimes. Soil Sur. Adv. Sh., 1912, pp. 32. 1914; Soils F.O., 1912, pp. 1495–1520. 1915.
Washington County, Ala." With others. Soil Sur. Adv. Sh., 1915, pp. 51. 1917; Soils F.O., 1915, pp. 891–937. 1919.
York County, Pennsylvania." With others. Soil Sur. Adv. Sh., 1912, pp. 95. 1914; Soils F.O., 1912, pp. 155–245. 1915.
HURTT, L. C.: "Increased cattle production on southwestern ranges." With James T. Jardine. D.B. 588, pp. 32. 1917.
"Husk meal," uses and value. F.B. 412, p. 18. 1910.
Huskers—
and shredders combined, description. F.B. 303, pp. 27–29. 1907.
corn, description and illustration. O.E.S. Bul. 173, pp. 39–42, 46. 1907.
Husking—
corn—
day's work, with and without mechanical picker. D.B. 814, pp. 17–19. 1920.
methods. F.B. 313, pp. 17–20. 1907; S.R.S. Syl. 21, pp. 17–18, 19. 1916.
saving labor by machinery. F.B. 989, p. 14. 1918.
pins and hooks. F.B. 313, p. 18. 1907.
Husks—
corn, protection against earworms, characters desired. F.B. 1310, p. 15. 1923. J.A.R., vol. 11, pp. 549–550, 561–567. 1917.
long, protection against weevils. F.B. 1029, pp. 9, 10, 16, 20. 1919.
Husmann, G. C.—
"Currant-grape growing: A promising new industry." D.B. 856, pp. 16. 1920.

Husmann, G. C.—Continued.
"Grape investigations in the vinifera regions of the United States, with reference to resistant stocks, direct producers and viniferas." B.P.I. Bul. 172, pp. 86. 1910.
"Grape propagation, pruning, and training" F.B. 471, pp. 29. 1911.
"Grape, raisin, and wine production in the United States." Y.B., 1902, pp. 407–420. 1903; Y.B. Sep. 281, pp. 407–420. 1903.
"Home manufacture and use of unfermented grape juice." F.B. 175, pp. 16. 1903.
"Manufacture and use of unfermented grape juice." F.B. 644, pp. 16. 1915.
"Muscadine grapes." With Charles Dearing. F.B. 709, pp. 28. 1916.
"Some uses of the grapevine and its fruit." Y.B., 1904, pp. 363–380. 1905; Y.B. Sep. 354, pp. 363–380. 1905.
"Testing grape varieties in the vinifera regions of the United States." D.B. 209, pp. 157. 1915.
"The manufacture and preservation of unfermented grape must." B.P.I. Bul. 24, pp. 19. 1902.
"The muscadine grapes." With Charles Dearing. B.P.I. Bul. 273, pp. 64. 1913.
"The raisin industry." D.B. 349, pp. 15. 1916.
Hutch(es)—
Belgian hare, directions for making. F.B. 496, pp. 7–9. 1912.
rabbit—
illustration. Y.B., 1918, p. 151. 1919; Y.B. Sep. 784, p. 9. 1919.
plans and directions. F.B. 1090, pp. 13–17. 1920.
HUTCHINS, L. M.: "Oxygen-supplying power of the soil as indicated by color changes in alkaline pyrogallol solution." With B. E. Livingston. J.A.R., vol. 25, pp. 133–140. 1923.
HUTCHINS, W. A.: "Irrigation district operation and finance." D.B. 1177, pp. 56. 1923.
HUTCHINSON, W. L., report of Mississippi Experiment Station, work—
1906. O.E.S. An. Rpt., 1906, pp. 121–122. 1907.
and expenditures—
1907. O.E.S. An. Rpt., 1907, pp. 123–125. 1908.
1908. O.E.S. An. Rpt., 1908, pp. 120–122. 1909.
1909. O.E.S. An. Rpt., 1909, pp. 132–134. 1910.
HUTCHISON, R. H—
"A maggot trap in practical use; an experiment in housefly control." D.B. 200, pp. 15. 1915.
"Experiments during 1915, in the destruction of fly larvae in horse manure." With F.C. Cook. D.B. 408, pp. 20. 1916.
"Experiments in the destruction of fly larvae in horse manure." With others. D.B. 118, pp. 26. 1914.
"Further experiments in the destruction of fly larvae in horse manure." With others. D.B. 245, pp. 22. 1915.
"House flies." With L. O. Howard. F.B. 679, pp. 22. 1915.
"Notes on the preoviposition period of the house fly, Musca domestica L." D.B. 345, pp. 14. 1916.
"Overwintering of the house fly." J.A.R., vol. 13, pp. 149–170. 1918.
"The house fly." With L. O. Howard. F.B. 851, pp. 24. 1917.
"The migratory habit of the house fly larvae as indicating a favorable remedial measure. An account of progress." D.B. 14, pp. 11. 1914.
HUTTON, F. Z.: "Soil survey of—
Berkley County, S. C." With others. Soil Sur. Adv. Sh., 1916, pp. 42. 1918; Soils F.O., 1916, pp. 483–520. 1921.
Coahoma County, Miss." With others. Soil Sur. Adv. Sh., 1915, pp. 29. 1916; Soils F.O., 1915, pp. 973–997. 1919.
Drew County, Ark." With others. Soil Sur. Adv. Sh., 1917, pp. 48. 1919; Soils F.O., 1917, pp. 1279–1322. 1923.
Greene County, Mo." With others. Soil Sur. Adv. Sh., 1913, pp. 38. 1915; Soils F.O., 1913, pp. 1723–1756. 1916.

36167°—32——77

HUTTON, F. Z.—Continued.
　Lamoure County, N. Dak." With others. Soil Sur. Sh., 1914, pp. 53. 1917; Soils F.O. 1914, pp. 2361-2409. 1919.
　Newberry County, S. C." With others. Soil Sur. Adv. Sh., 1918, pp. 46. 1921; Soils F.O., 1918, pp. 377-418. 1924.
　Ripley County, Mo." With H. H. Krusekopf. Soil Sur. Adv. Sh., 1915, pp. 36. 1917; Soils F.O., 1915, pp. 1889-1920. 1919.
　Sargent County, N. Dak." With others. Soil Sur.Adv. Sh., 1917, pp. 41. 1920; Soils F.O., 1917, pp. 2003-2039. 1923.
　Simpson County, Miss." With others. Soil Sur. Adv. Sh., 1919. pp. 34. 1921; Soils F.O., 1919, pp. 1011-1040. 1925.
　Smith County, Tex." With others. Soil Sur. Adv. Sh., 1915, pp. 51. 1917; Soils F.O., 1915, pp. 1079-1125. 1919.
　Traill County, N. Dak." With Earl Nichols. Soil Sur. Adv. Sh., 1918, pp. 47. 1920; Soils F.O., 1918, pp. 1361-1403. 1924.
HUTTON, J. G.: "Soil survey of Beadle County, S. Dak." With others. Soil Sur. Adv. Sh., 1920, pp. 1475-1499. 1924; Soils F.O., 1920, pp. 1475-1499. 1925.
HUTTON, R. E.: "Movable hog houses." With J. D. McVean. Sec. Cir. 102, pp. 8. 1918.
Hvid gjedeost, goats' milk, description and process. B.A.I. Bul. 105, p. 27. 1908; B.A.I. Bul. 146, p. 30. 1911.
Hyacinth(s)—
　bulbs—
　　cleaning and drying. D.B. 797, p. 20. 1919.
　　grape, production. David Griffiths. D.B. 1327, pp. 16. 1925.
　　insects, control. F.B. 1362, pp. 22-25. 1924.
　　scooping and scoring for propagation. D.B. 797, pp. 24-26. 1919.
　diseases, description and control. D.B. 797, pp. 35-36. 1919.
　grape—
　　diseases. D.B. 1327, pp. 11-12. 1925.
　　packing for shipment. D.B. 1327, p. 7. 1925.
　　soils. D.B. 1327, pp. 4-5. 1925.
　　varieties and uses. D.B. 1327, pp. 2-3. 1925.
　growing—
　　in United States with other bulbs. D.B. 797, pp. 1-50. 1919.
　　methods and experiments at Bellingham, Wash. D.B. 28, pp. 4-13. 1913.
　planting—
　　depth. D.B. 797, p. 9. 1919.
　　indoors, directions for school use. D.B. 305, pp. 12, 21. 1915.
　propagation and planting at Bellingham. D.B. 28, pp. 5-13. 1913.
　treatment after flowering. D.B. 797, pp. 10, 11. 1919.
Hyadaphis rylostei. See Carrot, wild, aphid.
Hyaline casts, presence in urine. Chem. Bul. 84, Pt. V, p. 1373. 1908.
Hyalopeplus pellucidus, description and life history. Hawaii A.R. 1911, pp. 23-24, 1912.
Hyalopterus arundinis—
　description, habits, and control. F.B. 804, p. 22. 1917; F.B. 1128, pp. 19-20, 47-48. 1920.
　See also Plum aphid.
Hybosis, injury to cotton by plant lice. B.P.I. Cir. 120, p. 30. 1913.
Hybrid(s)—
　alfalfas—
　　description. B.P.I. Bul. 258, pp. 18-19, 23-39. 1913.
　　medicago sativa x medicago falcata, description. B.P.I. Bul. 169, pp. 10-12, 33-35. 1910.
　　value as forage. Y.B., 1908, p. 253. 1909; Y.B. Sep. 478, p. 253. 1909.
　animal, effect of cross-breeding on fertility. D.B. 905, pp. 10-11, 14. 1920.
　bean, inheritance of length of pod. J.A.R., vol. 5, No. 10, pp. 405-420. 1915.
　blackberry—
　　raspberry, work, Washington Experiment Station. S.R.S. Rpt. 1915, Pt. I, p. 267. 1917.
　　tip rooting. F.B. 643, p. 3. 1915.
　　value. F.B. 1399, p. 16. 1924.
　blueberry—
　　results of experiments. D.B. 334, p. 16. 1915.

Hybrid(s)—Continued.
　blueberry—continued.
　　values. D.B. 974, pp. 1-2, 5, 18, 23. 1921.
　Chinese wood-oil and Hawaii kukui nut. Hawaii A.R. 1916, pp. 8, 19. 1917.
　chinkapin-chestnut, testing. Y.B., 1916, p. 141. 1917; Y.B. Sep. 687, p. 7. 1917.
　citrus—
　　breeding for resistance to cold and drought. B.P.I. Cir. 116, pp. 5-7. 1913.
　　citrus-canker organism, overwintering. J.A.R., vol. 14, pp. 523-524. 1918.
　　susceptibility—
　　　and resistance to citrus canker. J.A.R., vol. 14, pp. 348-351. 1918.
　　　to citrus scab, comparisons. J.A.R., vol. 24, pp. 955-959. 1923.
　　two new types: citrangequats and limequats. Walter T. Swingle and T. Ralph Robinson. J.A.R., vol. 23, pp. 229-238. 1923.
　cotton—
　　primitive character, reappearance. O. F. Cook. B.P.I. Cir. 18, pp. 18. 1908.
　　suppressed and intensified characters. O. F. Cook. B.P.I. Bul. 147, pp. 27. 1909.
　　upland-Egyptian, segregation and correlation of characters. Thomas H. Kearney. D.B. 1164, pp. 58. 1923.
　date, desirability for California seacoast. B.P.I. Bul. 53, pp. 97, 124, 125. 1904.
　degeneration, discussion. B.P.I. Bul. 256, pp. 60-64, 96. 1913.
　dewberry, description and localities where grown. F.B. 728, p. 17. 1916; F.B. 1403, p. 17. 1924.
　fig, Yuma experiment farm, 1913. B.P.I. [Misc.], "The work of the Yuma * * * 1913," pp. 11-12. 1914.
　first-generation—
　　maximum vigor, discussion. Y.B., 1910, pp. 319-320. 1911; Y.B. Sep. 540, pp. 319-320. 1911.
　　value in corn. G. N. Collins. B.P.I. Bul. 191, pp. 45. 1910.
　grapes—
　　description. B.P.I. Bul. 273, p. 60. 1913.
　　immune to crown-gall, list. B.P.I. Bul. 183, pp. 19-20. 1910.
　　phylloxera-resistant, tests in California. D.B. 209, p. 16. 1915.
　maize, comparison with parents, new method. J.A.R., vol. 3, pp. 85-91. 1914.
　oak-walnut, description. S.R.S. Rpt., 1915, Pt. I, p. 76. 1917.
　oats, description of crosses between naked and hulled oats. J.A.R., vol. 10, pp. 297-311. 1917.
　offspring, inheritance of parental character, quantitative studies. W. J. Spillman. O.E.S. Bul. 115, pp. 88-98. 1902.
　oranges, origin and description. Y.B. 1906, pp. 337-346. 1907; Y.B. Sep. 427, pp. 337-346. 1907.
　papaya, possibilities. B.P.I. Cir. 119, pp. 12-13. 1913.
　pears, value and productivity. F.B. 482, pp. 5-6. 1912.
　pheasant-bantam, experiment. Rhode Island. O.E.S. An. Rpt., 1909, p. 179. 1910.
　pineapples, history, description. Y.B., 1905, pp. 281-290. 1906; Y.B. Sep. 383, pp. 281-290. 1906.
　plant—
　　early investigations. B.P.I. Bul. 243, pp. 8-17. 1912.
　　water requirements, studies. J.A.R., vol. 4, pp. 391-402. 1915.
　plums—
　　American. D.B. 179, pp. 27-70. 1915.
　　use in inoculation experiments with brown-rot. J.A.R., vol. 5, No. 9, pp. 369-370, 375, 379-381. 1915.
　quagga-horse, breeding experiments. B.A.I. An. Rpt., 1910, pp. 129-131. 1912.
　raspberry—
　　blackberry, susceptibility to rust. J.A.R., vol. 24, pp. 885-887. 1923.
　　experiments and studies. F.B. 887, p. 42. 1917.
　　salmonberries, growing in Alaska. Alaska A.R., 1912, p. 26. 1913.
　sand cherry-plum, growing in Great Plains area. F.B. 727, pp. 34-35. 1916.

Hybrid(s)—Continued.
  seed, corn, increased yields. G. N. Collins.
    Y.B., 1910, pp. 319-328. 1911; Y.B. Sep. 540,
    pp. 319-328. 1911.
  sorghum, description and yields. D.B. 698, pp.
    45-52, 83. 1918.
  sterility, causes. J.A.R., vol. 12, pp. 656-665.
    1918.
  strawberries, Alaska, experiments and results.
    Alaska A.R., 1912, pp. 10-13. 1913.
  Sudan grass and sweet sorghums. Y.B., 1912, p.
    504. 1913; Y.B. Sep. 609, p. 504. 1913.
  sweet—
    corn—
      breeding for earworm resistance. J.A.R.,
        vol. 11, pp. 550-551. 1917.
      waxy endosperm, inheritance. B.P.I. Cir.
        120, pp. 21-27. 1913.
    potato, in Hawaii. Hawaii A.R., 1919, p. 46.
      1920.
  teosinte-maize—
    description. J.A.R., vol. 19, pp. 1-38. 1920.
    heredity, studies. J.A.R., vol. 27, pp. 537-596.
      1924.
  tobacco, immunity to mosaic disease of tobacco.
    J.A.R., vol. 7, pp. 481-483, 484. 1916.
  velvet beans, descriptions. F.B. 962, pp. 7, 9.
    1918; F.B. 1276, pp. 7-8. 1922.
  walnut—
    injury by walnut aphids. D.B. 100, pp. 1-2,
      19, 27. 1914.
    value as grafting stock for Persian walnuts.
      B.P.I. Bul. 254, pp. 15-16. 1913.
  wheat species, study, genetic and cytological.
    Karl Sax and E. F. Gaines. J.A.R., vol. 28,
    pp. 1017-1032. 1924.
  yak with cattle, proposed experiments in Alaska.
    Alaska A.R., 1915, pp. 17, 81. 1916.
  Zea-euchlaena, indication of corn ear structure.
    J.A.R., vol. 17, pp. 127-135. 1919.
  zebra, breeding. E. H. Riley. B.A.I. An. Rpt.
    1909, pp. 229-232. 1911.
  See also *under specific animals and plants.*
Hybridization—
  alfalfa, experiments. B.P.I. Bul. 169, pp. 33-35.
    1910.
  corn, experiments. D.B. 971, pp. 2-18. 1921.
  cotton, suppression and intensification of characters. O. F. Cook. B.P.I. Bul. 147, pp. 27.
    1909.
  effects in corn. Y.B., 1909, pp. 313-314. 1910;
    Y.B. Sep. 515, pp. 313-314. 1910.
  Egyptian cotton, relation to mutation, discussion.
    J.A.R., vol. 2, pp. 288, 295-299. 1914.
  hibiscus, directions. Hawaii Bul. 29, pp. 9-10.
    1914.
  Mendelian theory, discussion. B.P.I. Cir. 53, pp.
    11-15. 1910.
  pineapples, experiments, and difficulties. Y.B.,
    1905, pp. 281-285. 1906; Y.B. Sep. 383, pp. 281-
    285. 1906.
  plants, influence on water requirements. J.A.R.,
    vol. 4, pp. 391-402. 1915.
  soy beans. B.P.I. Bul. 197, pp. 20-23. 1910.
  yellow-flowered alfalfa, methods. D.B. 428, pp.
    57-59, 65. 1917.
  wheat, experiments at Chico, Calif. D.B. 1172,
    pp. 23-24, 33. 1923.
  See also Crossbreeding; Cross-fertilization; Cross-
    pollination; Hybridizing.
Hydatid—
  disease—
    cause, dangerous nature, and spread by dogs.
      D.B. 260, pp. 5-8. 1915.
    danger to human beings, and prevention. F.B.
      1330, pp. 32-33. 1923.
  See also Gid disease.
  hog liver, description, dog infection. B.A.I.
    [Misc.], "Diseases of cattle," rev., p. 514. 1908;
    rev., pp. 538-539. 1912.
  parasite—
    description, and development in dog. F.B.
      1150, pp. 31-33. 1920.
    in sheep, life history, and prevention. F.B.
      1330, pp. 31-33. 1923.
HYDE, JOHN, report of statistician—
  1901. An. Rpts., 1901, pp. 341-344. 1901; Stat.
    Chief Rpt., 1901, pp. 4. 1901.
  1902. An. Rpts., 1902, pp. 401-402. 1902; Stat.
    Chief Rpt., 1902, pp. 2. 1902.

HYDE, JOHN, report of statistician—Continued.
  1904. An. Rpts., 1904, pp. 405-412. 1904; Stat.
    Chief Rpt., 1904, pp. 8. 1904.
Hydnaceae, classification, key to genera, and description of species. D.B. 175, pp. 43-44. 1915.
Hydnocarpus—
  alpina, importation and description. No. 44896.
    B.P.I. Inv. 51, p. 87. 1922.
  anthelminthica—
    description and habitat. D.B. 1057, pp. 10-12.
      1922.
    importation and description. No. 51773.
      B.P.I. Inv. 65, pp. 4, 47. 1923.
    See also Maikrabao.
  castanea, description, habitat, and use. D.B.
    1057, pp. 12-14. 1922.
  curtisii, description. D.B. 1057, p. 14. 1922.
  kurzii, importation and description. B.P.I. Inv.
    48, pp. 6, 30. 1921.
  oil, chemistry of. D.B. 1057, p. 9. 1922.
  spp., importations and descriptions. Nos.
    52465, 52468, 52514. B.P.I. Inv. 66, pp. 4, 30, 31,
    36. 1923; Nos. 52859, 53472-53473, B.P.I. Inv. 67,
    pp. 2, 6, 53. 1923.
  wightiana, importation and description. No.
    51363, B.P.I. Inv. 65, p. 8. 1923; No. 54319,
    B.P.I. Inv. 68, pp. 50-51. 1923.
Hydnocera spp., enemies of boll weevil. Ent. Bul.
  100, pp. 12, 41, 47, 68. 1912; Ent. Bul. 114, p. 138.
  1912.
Hydnum—
  erinaceus—
    cause of—
      butt rot in oaks. D.B. 89, p. 4. 1914; J.A.R.,
        vol. 1, pp. 109, 111, 112. 1913.
      injury to Emory oak. For. Cir. 201, p. 11.
        1912.
    See also Fungus, coral.
  omnivorum, relation to *Ozonium omnivorum*.
    J.A.R., vol. 30, pp. 476-477. 1925.
  spp.—
    description. D.B. 175, pp. 43-44. 1915.
    occurrence in formation of fairy rings. J.A.R.,
      vol. 11, pp. 195, 215. 1917.
Hydrachna spp., description. Rpt. 108, pp. 48, 49,
  53. 1915.
Hydranassa tricolor. See Heron, Louisiana.
Hydrangea—
  habitat, range, description, collection, prices and
    uses of roots. B.P.I. Bul. 107, p. 41. 1907.
  paniculata praecox, importation and description.
    No. 45733, B.P.I. Inv. 54, pp. 5, 13. 1922.
  petiolaris, importation and description. No.
    52937, B.P.I. Inv. 67, pp. 5, 16. 1923.
  robusta, importations and descriptions. No.
    47694, B.P.I. Inv. 59, p. 48. 1922; No. 50367,
    B.P.I. Inv. 63, p. 62. 1923; No. 55681, B.P.I.
    Inv. 72, p. 18. 1924.
  spp., importations and descriptions. Nos. 42189,
    42190, B.P.I. Inv. 46, p. 64. 1919; Nos. 43689-
    43691, 43848, B.P.I. Inv. 49, pp. 63, 86. 1921.
Hydrants—
  distributing in irrigation system. D.B. 906, pp.
    44-54. 1921.
  yard system, fire control in cotton warehouses.
    D.B. 801, pp. 63-65. 1919.
Hydrastine, content of goldenseal roots. B.P.I.
  Cir. 6, p. 17. 1908.
Hydrastis—
  canadensis. See also Goldenseal.
  tablets, adulteration and misbranding. Chem.
    N.J. 4324, pp. 454-455. 1916.
Hydration, capacity of gluten from strong and weak
  flours. J.A.R., vol. 13, pp. 389-418. 1918.
Hydraulic—
  computations, equivalents in cubic measure, table.
    F.B. 813, p. 18. 1917.
  dam construction, materials, equipment, details
    and cost. O.E.S. Bul. 249, Pt. I, pp. 67-95.
    1912.
  dredge, use in construction of levees, cost. D.B.
    300, pp. 33-35. 1916.
  rams—
    description. F.B. 1448, pp. 21-22. 1925.
    for lifting water. F.B. 899, p. 8. 1917; Y.B.,
      1909, p. 349. 1910; Y.B. Sep. 518, p. 349.
      1910.

Hydraulic—Continued.
 rams—continued.
  installation—
   and operation. Y.B., 1914, pp. 153-155. 1915; Y.B. Sep. 634, pp. 153-155. 1915.
   on farms. D.C. 270, p. 10. 1924.
   value in raising water, description, and use methods. F.B. 941, pp. 37-45. 1918.
Hydremia, sheep, cause, symptoms and treatment. F.B. 1155, pp. 19-20. 1921.
Hydrocarbons—
 paraffin, occurrence, description, studies. Soils Bul. 74, pp. 11-12. 1910.
 testing for volatility and toxicity. J.A.R., vol. 10, pp. 366-371. 1917.
Hydrocephalus—
 calf, treatment in calving. B.A.I. [Misc.], "Diseases of cattle," rev., pp. 176-177. 1904; rev., pp. 181-182. 1912.
 horse, causes, symptoms and treatment. B.A.I. [Misc.], "Diseases of the horse," rev., pp. 203-204. 1903; rev., 1907; rev., 1911.
Hydrochelidon nigra surinamensis. See Tern, black.
Hydrochloa spp., description, distribution, and uses. D.B. 772, pp. 18, 211, 213. 1920.
Hydrochloric acid—
 determination methods, table. Chem. Bul. 105, pp. 77, 80. 1907.
 disinfectant for anthrax, experiments. J.A.R., vol. 4, pp. 82-89. 1915.
 distribution. Soils Bul. 52, pp. 38, 41. 1908.
 effect on—
  plant growth in black alkali soil. J.A.R., vol. 24, p. 330. 1923.
  pyrites in phosphate rock. Chem. Bul. 122, p. 146. 1909.
  soil acidity and calcium content, experiments. J.A.R., vol. 26, pp. 98-99, 104-105, 113. 1923.
  wheat at different stages of growth. J.A.R., vol. 23, pp. 57-62. 1923.
 injury to roots and seeds in sandy soils. D.B. 169, pp. 3, 23-27, 34, 35. 1915.
 preparation in cheese factory, directions. B.A.I. Bul. 165, pp. 34-37. 1913.
 presence in soils, effect on Azotobacter content. J.A.R., vol. 24, pp. 294-295. 1923.
 solutions, solubility of carbon dioxide. Soils Bul. 49, p. 11, 1907.
 test. Chem. Bul. 90, pp. 159, 163, 168, 170, 171, 172, 173, 174, 178. 1905.
 use in—
  pasteurized milk for cheese making. B.A.I. Bul. 165, pp. 15-17, 30-31. 1913.
  sulphur determinations. J.A.R., vol. 25, pp. 327-330, 333. 1923.
  termite control. D.B. 1232. p. 23. 1924.
  testing milk and cream. D.B. 1114, p. 2. 1922.
  treatment of beet seed for fungous infection. J.A.R., vol. 4, p. 138. 1915.
Hydrocotyle—
 diseases, Texas, occurrence and description. B.P.I. Bul. 226, p. 96. 1912.
 rotundifolia. See Pennywort, lawn.
Hydrocyanic acid—
 absorption, and retention, by food products in fumigation—
  Pt. I. E. L. Griffin, and others. D.B. 1149, pp. 16. 1923.
  Pt. II. E. L. Griffin and E. A. Back. D.B. 1307, pp. 8. 1924.
 content of—
  cassava, studies in Hawaii. Hawaii A.R., 1916, pp. 10, 24. 1917.
  sorghum, effect of climatic factors. J.A.R., Vol. 6, No. 7, pp. 261-272. 1916.
  sorghum, effect of nitrate applications. J.A.R. vol. 27, pp. 717-723. 1924.
 determination—
  method. J.A.R., vol. 4, p. 184. 1915.
  modification of the Francis-Conwell method. Paul Menaul and C. T. Dowell. J.A.R., vol. 18, pp. 447-450. 1920.
 effect on catalytic power of soils. Soils Bul. 86, pp. 20-22. 1912.
 fumigation—
  chemistry of. Ent. Bul. 90, Pt. III, pp. 91-105. 1911; J.A.R., vol. 11, pp. 319-338. 1917.
  of citrus fruits, conditions influencing injury. R. S. Woglum. D.B. 907. pp. 43. 1920.

Hydrocyanic acid—Continued.
 gas—
  characteristics, preparation, and precautions in use. Ent. Cir. 112, pp. 7-11, 13-19. 1910.
  chemical studies. Ent. Bul. 90, pp. 91-105. 1912.
  chemicals and generation methods. Ent. Bul. 90, pp. 104-105. 1911; F.B. 923, pp. 10-16. 1918.
  effect on insects. D.B. 893, pp. 4-7, 10. 1920.
  extermination of household insects. Ent. Bul. 31, p. 80. 1902; O.E.S. Bul. 99, p. 166. 1901.
  formula for one hundred feet of space. Ent. Cir. 163, p. 3. 1912.
 fumigation—
  at high temperature, experiments. Ent. Bul. 104, p. 37. 1911.
  control of Mediterranean flour moth. F. H. Chittenden. Ent. Cir. 112, pp. 22. 1910.
  details and instructions. D.B. 872, pp. 11-27. 1920.
  formula and directions. Ent. Cir. 112, pp. 8-12. 1910.
  in California. R. S. Woglum and C. C. McDonnell. Ent. Bul. 90, pp. 113. 1911.
  in greenhouse. Ent. Bul. 64, p. 58. 1909; Ent. Cir. 151, p. 8. 1912.
  of Cattleya orchids. J.A.R., vol. 15, pp. 263-268. 1918.
  of cherry trees for sawfly leaf miner. J.A.R., vol. 5, No. 12, p. 528. 1915.
  of citrus trees, California. Ent. Bul. 90, pp. 1-81. 1911.
  of cotton. F.H.B.S.R.A. 74, pp. 38-39. 1923.
  of grain borers. experiments. Ent. Bul. 96, pt. 3, pp. 38-42, 45. 1911.
  of greenhouse lettuce. F.B. 1418, p. 21. 1924.
  of ornamental greenhouse plants. E. R. Sasscer and A. D. Borden. F.B. 880, pp. 20. 1917.
  of rose greenhouses. F.B. 1344, pp. 8-9, 13. 1923.
  of soil. J.A.R., vol. 11, pp. 421-436. 1917.
  of tobacco for control of beetle. F.B. 846, pp. 19-20. 1917.
  subterranean larvae, experiments. J.A.R., vol. 15, pp. 133-136. 1918.
 generation—
  effect of nitrates. Ent. Bul. 90, p. 103. 1912.
  methods and dosage. Ent. Bul. 27, pp. 20-26. 1901; Ent. Bul. 76, pp. 25-27, 35. 1908; Ent. Bul. 79, pp. 30-40. 1909; Ent. Bul. 90, pp. 91-96. 1911; F.B. 1321, pp. 11-31, 56. 1923.
 handling precautions. F.B. 1321, pp. 12-13, 38, 58. 1923.
 manufacturing tests of cotton fumigated with. William S. Dean. D.B. 366, pp. 12. 1916.
 storing in drums. Ent. Bul. 79, p. 55. 1909.
 tests in apple fumigation. Ent. Bul. 84, pp. 16-26, 27-30. 1909.
 use against—
  bedbugs. Ent. Cir. 47, p. 6. 1902.
  foul brood of bees, experiment. Ent. Bul. 98, p. 62. 1912.
  household insects. L. O. Howard. Ent. Cir. 46, rev., pp. 7. 1902.
  household insects. L. O. Howard and C. H. Popenoe. Ent. Cir. 163, pp. 8. 1912; F.B. 699, pp. 8. 1916.
  insect pests in Porto Rico. P.R. Cir. 17, pp. 21-22. 1918.
  insects attacking stored grain. F.B. 424, pp. 42-43. 1910.
  insects in dried fruits. D.B. 1335, pp. 28-29. 1925.
  mealy bug. F.B. 862, p. 6. 1917.
  stored grain insects. Ent. Cir. 142, pp. 4-5. 1911.
 use for exterminating household insects. W. R. Beattie. Ent. Bul. 31, pp. 80-84. 1902.
 use in control of—
  bean weevils. J.A.R., vol. 28, pp. 347-355. 1924.
  bedbug, danger warning. F.B. 754, p. 11. 1916.
  carpet beetles. F.B. 626, p. 4. 1914; F.B. 1346, p. 11. 1923.

Hydrocyanic acid—Continued.
gas—continued.
use in control of—continued.
cigarette beetle. Hawaii Bul. 34, pp. 19-20. 1914.
fern caterpillars. Ent. Bul. 125, p. 11. 1913.
fleas. D.B. 248, p. 27. 1915.
moths. F.B. 1353, p. 20. 1923.
peach-tree borer, experiments. D.B. 796, pp. 3, 22. 1919.
pink bollworm, experiments. D.B. 918, pp. 50-51. 1921.
potato-tuber moth, method and danger. Ent. Cir. 162, pp. 3-5. 1912; F.B. 557, pp. 4-5. 1913.
rat mites. D.C. 294, p. 4. 1923.
rats. Biol. Bul. 33, p. 49. 1909.
rats and mice. F.B. 896, p. 19. 1917.
rice moth. D.B. 783, pp. 10-11, 12-13. 1919.
roaches. F.B. 658, p. 13. 1915.
rose aphid, precaution. D.B. 90, p. 15. 1914.
termites. D.B. 333, p. 31. 1916.
white fly. An. Rpts., 1907, pp. 467, 470. 1908.
white fly, use, and materials. Ent. Cir. 111, pp. 7-10. 1909.
use in fumigation of—
baled cotton, directions. F.H.B.S.R.A. 21, pp. 82-85. 1915.
grain in sacks. F.B. 1260, p. 47. 1922.
greenhouses, notes and directions. F.B. 1306, pp. 5-36. 1923.
mushroom houses. F.B. 789, pp. 9, 11. 1917.
nursery stock. F.B. 908, p. 43. 1918.
plants, value. F.B. 1321, pp. 1-2. 1923.
use in protection of chick-peas in 240-pound sacks. J.A.R., vol. 28, pp. 649-660. 1924.
water proportion. Ent. Bul. 79, pp. 34-38. 1909.
in—
cassava, with starch and other properties. Charles C. Moore. Chem. Bul. 106, pp. 30. 1907.
Sudan grass. C. O. Swanson. J.A.R., vol. 22, pp. 125-138. 1921.
liquid gas, properties, vaporizing, and dosage. F.B. 1321, pp. 22-27, 56. 1923.
presence in Holcus grasses. D.B. 772, p. 269. 1920.
sorghum—
J.A.R., vol. 4, pp. 179-185. 1915.
studies and experiments. J.A.R., vol. 16, pp. 175-181. 1919.
See also Cyanogenesis.
Hydroelectric power permits, examination by solicitor. An. Rpts., 1912, p. 911. 1913; Sol. A.R., 1912, p. 27. 1912.
Hydrogen—
absorption by soils. Soils Bul. 51, pp. 30-31. 1908.
concentration of ions in wheat, relation to disease resistance. Annie May Hurd. J.A.R., vol. 23, pp. 373-386. 1923.
dioxide, determination methods and results. Chem. Bul. 150, pp. 8-14. 1912.
electrode—
description and use in determining acidity. J.A.R., vol. 15, pp. 118-122. 1918.
determination of acidity in wheat. J.A.R., vol. 16, pp. 1-13. 1919.
indication of soil reaction, studies. J.A.R., vol. 12, pp. 19-31. 1918.
use in measurement of soil acidity. J.A.R., vol. 7, pp. 123-145. 1916; J.A.R., vol. 26, pp. 84-87, 91. 1923.
ferment in cellulose destruction, studies. B.P.I. Bul. 266, pp. 15-22. 1913.
gas, presence in cheese fermentation. B.A.I. Bul. 151, pp. 13, 16, 18, 31. 1912.
peroxide—
adulteration and misbranding. See also *Indexes, Notices of Judgment, in bound volumes and in separates published as supplements to Chemistry Service and Regulatory Announcements.*
decomposition by soils. Soils Bul. 86, pp. 1-31. 1912.
effect on—
seeds. B.P.I. Cir. 67, pp. 9-11. 1910.

Hydrogen—Continued.
peroxide—continued.
effect on—continued.
virus of tobacco mosaic disease. J.A.R., vol. 6, No. 17, pp. 655-657, 671. 1916.
Marchand's, alleged adulteration and misbranding. Chem. N.J. 2558, pp. 1-2, 3. 1913.
oxidation of chicken fat. Chem. Cir. 75, pp. 8-11. 1911.
relation to Kreis test for rancidity. J.A.R., vol. 26, pp. 333-334. 1923.
remedy for bedbug bites. F.B. 754, p. 9. 1916.
use in—
plant culture experiments. Soils Bul. 56, pp. 13, 25, 45. 1909.
removal of stains from textiles. F.B. 861, pp. 8, 10, 14, 16, 22. 1917.
sterilizing milk. F.B. 348, p. 24. 1909; F.B. 490, p. 23. 1912.
treatment of roup. Y.B., 1911, pp. 190, 191. 1912; Y.B. Sep. 559, pp. 190, 191. 1912.
Hydrogen-ion—
changes induced by species of *Rhizopus* and by *Botrytis cinerea*. J. L. Weimer and L. L. Harter. J.A.R., vol. 25, pp. 155-164. 1923.
concentration—
changes in tempering of wheat. J.A.R., vol. 20, pp. 272-275. 1920.
effect on development of nodules on legumes. J.A.R., vol. 22, p. 30. 1921.
equilibrium in solution, effect of seeds upon. Willem Rudolfs. J.A.R., vol. 30, pp. 1021-1026. 1925.
in potato wart disease. J.A.R., vol. 21, pp. 559-592. 1921.
of—
cell sap, relation to photoperiodism. J.A.R., vol. 27, pp. 122-149. 1924.
medium, effect on growth of storage-rot fungi. J.A.R., vol. 21, pp. 201-204. 1921.
Rhizopus spp., and pectinase production. J.A.R., vol. 26, pp. 369-370. 1923.
sap of normal and mottled orange leaves. J.A.R., vol. 20, pp. 186-187. 1920.
solutions, effect on growing plants. J.A.R., vol. 21, pp. 707-725. 1921.
produced by growing seedlings in acid solution. J.A.R., vol. 27, pp. 207-217. 1924.
relation to nitrogen growth and fixation. J.A.R., vol. 24, pp. 759-767. 1923.
rôle in development of pigment in Fusarium. Christos P. Sideris. J.A.R., vol. 30, pp. 1011-1019. 1925.
substrate, effect on pectinase production. J.A.R., vol. 24, pp. 861-878. 1923.
See also Acidity.
determination in soils, methods. J.A.R., vol. 24, p. 909. 1923.
Hydrograph, use and cost. D.B. 1059, pp. 145, 146. 1922.
Hydrolysis, casein-starch mixtures, effect of time of digestion. J.A.R., vol. 12, pp. 1-7. 1918.
Hydrolytic ratio, soils, and soil acidity. J.A.R., vol. 11, pp. 659-672. 1917.
Hydrometer—
bitumen testing for specific gravity. D.B. 949, p. 36. 1921.
description and use. F.B. 908, pp. 20, 24, 25. 1918.
outfit, description. F.B. 1285, p. 10. 1922.
readings of fruit juices. F.B. 1424, p. 27. 1924.
use in testing density of sirup. F.B. 1389, pp. 18-19. 1924.
Hydrophobia—
plant cure found in Mexico. Ent. Bul. 64, p. 30. 1911; Ent. Bul. 64, Pt. IV, p. 30. 1908.
sheep, cause, symptoms and treatment. F.B. 1155, pp. 15-16. 1921.
See also Rabies.
Hydrophyllum appendiculatum, resistance to teliospores of *Puccinia triticina*. J.A.R., vol. 22, pp. 155-172. 1921.
Hydropneumatic system for farmhouse water supply. Y.B., 1914, pp. 150-151. 1915; Y.B. Sep. 634, pp. 150-151. 1915.
Hydropogon aciculatus, growing in manganiferous soils. Hawaii Bul. 26, p. 24. 1912.
Hydrosulphite, effect on polarization of dextrose, levulose, and sucrose. Chem. Bul. 116, pp. 76-77. 1908.

Hydroxylamine method, camphor determination. Chem. Bul. 162, pp. 208–209. 1913.
Hydroxyls, testing for volatility and toxicity. J.A.R., vol. 10, pp. 366–371. 1917.
Hydrozone, adulteration and misbranding. See also *Indexes, Notices of Judgment, in bound volumes and in separates published as supplements to Chemistry Service and Regulatory Announcements.*
Hygenique fluid, misbranding. N.J. 463, 464, 465, I. and F. Bd. S.R.A. 26, pp. 588–596. 1919.
Hygiene—
 use of community buildings. F.B. 1274, pp. 8–9, 28, 30, 32. 1922.
 See also Health; Public Health Service; Sanitation.
Hygrobates spp., description. Rpt. 108, pp. 50, 52. 1915.
Hygrometers, use in kilns. D.B. 1136, pp. 16–20, 63. 1923.
Hygrometry, elementary principles, discussion. D.B. 509, pp. 5–7. 1917.
Hygrophorus spp., description. D.B. 175, pp. 23–24. 1915.
Hygroscopic coefficient—
 determination, use of moisture equivalent. J.A.R., vol. 6, No. 21, pp. 833–846. 1916; J.A.R., vol. 11, pp. 147–166. 1917.
 of soils—
  determination methods. J.A.R., vol. 7, pp. 345–359. 1916.
  relation to water-holding capacity. J.A.R., vol. 9, pp. 27–71. 1917.
  relation to moisture content of loess soil. J.A.R., vol. 14, pp. 453–480. 1918.
Hylastes genus, synonymy. Ent. T.B. 17, Pt. II, p. 221. 1915.
Hylastinus obscurus—
 European clover root enemy. Ent. Cir. 119, pp. 1–5. 1910.
 See Clover root-borer.
Hylemyia cilicrura. See Maggot, seed-corn.
Hylene toxicity to insects, experiments. J.A.R., vol. 9, pp. 372–380. 1917.
Hylesinus spp., flight period and control spraying. D.B. 1079, pp. 5–10. 1922.
Hyletastes spp., description. Rpt. 108, pp. 80, 81. 1915.
Hylocereus—
 polyrhizus, importation and description. No. 49014, B.P.I. Inv. 61, p. 66. 1922; No. 54973, B.P.I. Inv. 71, p. 8. 1923.
 spp., importations and descriptions. Nos. 51565, 51763, B.P.I. Inv. 65, pp. 27, 45. 1923.
Hylocichla spp.—
 habitat, food habits, and economic importance. D.B. 280, pp. 5–23. 1915.
 See also Thrush.
Hylotrupes ligneus—
 flight period and control by spraying. D.B. 1079, pp. 5–10. 1922.
 host selection. J.A.R., vol. 22, pp. 207–210. 1921.
 See also Cedar tree borer.
Hymendictyon excelsum, importation and description. No. 36044, B.P.I. Inv. 36, p. 42. 1915.
Hymenia—
 fascialis—
  description and synonymy, distribution, and life history. Ent. Bul. 109, pp. 12–15. 1911.
  parasites. Ent. Bul. 109, Pt. I, p. 7. 1911.
  See Beet webworm, Hawaiian.
  (*Zinckenia*) *fascialis*, injury to vegetables in Porto Rico. D.B. 192, p. 8. 1915.
 genus, description. Ent. Bul. 109, Pt. I, p. 13. 1911.
 perspectalis—
  synonyms. Ent. Bul. 127, pt. 1, pp. 1–2. 1913.
  See also Beet webworm, spotted.
 pharsiusalis, synonym for *Hymenia perspectalis.* Ent. Bul. 127, pt. 1, p. 1. 1913.
Hymenocallis, bulbs, importation and description. No. 46974, B.P.I. Inv. 58, p. 13. 1922.
Hymenochaete rubiginosa, cause of pocketed rot in oaks and chestnuts. J.A.R., vol. 5, p. 424. 1915.
Hymenolepis caroica. See Tapeworm.
Hymenoptera—
 characteristics, general notes. Ent. T.B., 18, pp. 14, 40, 46, 50, 54, 55, 57, 59, 60–62, 69, 77, 92, 131. 1910.

Hymenoptera—Continued.
 destruction by—
  birds. Biol. Bul. 15, pp. 8, 10, 20, 21. 1901.
  crows. D.B. 621, pp. 24–25, 89. 1918.
  fly catchers, lists. Biol. Bul. 44, pp. 7–66. 1912.
 detection in stomach of bird. Biol. Bul. 15, p. 14. 1901.
 enemies of green clover worm, list. D.B. 1336, p. 16. 1925.
 in the Pribilof Islands, Alaska. N.A. Fauna 46, Pt. II, pp. 229–236. 1923.
 injury to Porto Rican crops. D.B. 192, pp. 9–10. 1915.
 on cactus, lists. Ent. Bul. 113, pp. 45, 46, 49–50, 52. 1912.
 parasite enemies of boll weevil. Ent. Bul. 100, pp. 10, 41–42, 48–68. 1912.
 parasitic, on—
  brown-tail moth caterpillar, description. Ent. Bul. 91, pp. 295–296. 1911.
  gipsy-moth, caterpillar enemies, description, studies, etc. Ent. Bul. 91, pp. 188–202. 1911.
Hymenoxys floribunda. See Pingue; Rubber plant.
Hyocyamus—
 muticus, importation—
  and description. No. 53543, B.P.I. Inv. 67, p. 59. 1923.
  restrictions. F. I. D. 198, Chem. S.R.A. 19, pp. 51–52. 1917.
 niger—
  susceptibility to mosaic disease of tobacco. J.A.R., vol. 7, pp. 485, 486. 1916.
  See also Henbane.
Hypera punctata—
 destruction by starling. D.B. 868, pp. 16–17, 42, 62, 63. 1920.
 See Clover-leaf weevil.
Hyperallus caliroae, parasite of the peach and plum leaf sawfly. Ent. Bul. 97, Pt. V, pp. 101–102. 1911.
Hyperaspis—
 apicalis. See Ladybird beetles.
 signati, enemy of cottony maple scale. Ent. Bul. 67, pp. 50–52. 1907.
 spp., enemies of terrapin scale. D.B. 351, pp. 62, 63–65, 66. 1916.
 undulata, ladybird beetle, enemy of spring grain aphid. Ent. Cir. 93, rev., p. 6. 1909.
Hyperchiria io. See Moth, io.
Hyperchlorhydria, influence of saccharin upon. Rpt. 94, pp. 100–102. 1911.
Hypericum—
 canariense, importation and description. No. 55754, B.P.I. Inv. 72, p. 30. 1923.
 spp.—
  importations and descriptions. Nos. 39117, 39118, B.P.I. Inv. 40, p. 77. 1917.
  See also St. John's-wort.
Hyperplasia, appearance in mosaic tomato fruits. Max W. Gardner. J.A.R., vol. 30, pp. 871–888. 1925.
Hyperplatys maculatus, host selection. J.A.R., vol. 22, pp. 217–219. 1921.
Hypertrophy—
 cattle, effects. B.A.I. [Misc.], "Diseases of cattle," rev., pp. 79, 125. 1904; rev., pp. 80, 128. 1912.
 cranberry, fungus causing, description and treatment. B.P.I. Bul. 110, pp. 35–37. 1907.
 lenticels on the roots of conifers and their relation to moisture and aeration. Glenn G. Hahn and others. J.A.R., vol. 20, pp. 253–266. 1920.
 See also False-blossom.
Hyphaene—
 coriacea, importation and description. No. 42368. B.P.I. Inv. 46, p. 84. 1919.
 thebiaca, seed, importation and description. No. 34219, B.P.I. Inv. 32, p. 25. 1914.
Hyphantria cunea—
 control method. F.B. 1270, pp. 39–42. 1922.
 description, habits, and control. F.B. 1169, pp. 40–41. 1921.
 host of tachinids. Ent. T.B. 12, Pt. VI, pp. 112–113. 1908.
 See Webworm, fall.
Hypholoma spp.—
 description. D.B. 175, pp. 34–35. 1915.
 relation to citrus gummosis. J.A.R., vol. 24, pp. 222, 232. 1923.

INDEX TO PUBLICATIONS, 1901-1925 1217

Hypoaspis spp., description and habits. Rpt. 108, pp. 85, 86. 1915.
Hypochaeris radicata. See Cat's ear; Dandelion, false.
Hypochlorite(s)—
and chloramins, in milk and cream, detection of. Philip Rupp. D.B. 1114, pp. 5. 1922.
solutions, value as disinfectants. J.A.R., vol. 20, pp. 86-110. 1920.
Hypochlorous acid, value as disinfectant. J.A.R., vol. 20, pp. 86-110. 1920.
Hypochnus—
spp., forms of Rhizoctonia. J.A.R., vol. 4, pp. 151, 152, 153. 1915.
See also Rhizoctonia.
Hypocthonius spp., description. Rpt. 108, pp. 96, 101. 1915.
Hypoderma—
deformans—
description, biology, parasitism, effects, and control. J.A.R., vol. 6, No. 8, pp. 277-288. 1916.
growth on western yellow pine. J.A.R., vol. 6, No. 8, pp. 277-288. 1916.
lineata. See Botfly; Warble fly.
spp., larval stages. J.A.R., vol. 21, pp. 439-457. 1921.
Hypodermella laricis, growth on larches, injury in Northwest. D.B. 360, p. 27. 1916.
Hypodermic tablets, soluble, adulteration and misbranding. Chem. N.J. 3051. 1914.
Hypomyces—
cancri, description and habitat. J.A.R., vol. 2, p. 271. 1914.
ipomoeae, description and habitat. J.A.R., vol. 2, pp. 270-275. 1914.
Hypopteromalus genus, table and descriptions of species. Ent. T.B. 19, Pt. II, p 21. 1910.
Hypopus, description. Rpt. 108, pp. 110-112, 125. 1915.
Hypostena variabilis, parasitic on lesser clover-leaf weevil. Ent. Bul. 85, p. 11. 1911.
Hypothenemus genus, synonymy. Ent. T.B. 17, Pt. II, pp. 221-222. 1915.
Hypoxanthine—
determination in processed fertilizer bases, methods. D.B. 158, pp. 12, 23. 1914.
identification in soils. Soils Bul. 89, pp. 25, 28, 29. 1912.
occurrence in soils. Soils Bul. 80, p. 18. 1911.
soil constituent, wheat-growing tests. Soils Bul. 87, pp. 31-35. 1912.
Hypsopygia costalis. See Clover-hay worm.
Hyptis—
longipes, importation and description. No. 37921, B.P.I. Inv. 39, p. 67. 1917.
suaveolens, importation and description. No. 47696, B.P.I. Inv. 59, p. 48. 1922.
Hyrundo erythrogastra. See Swallow, barn.
HYSLOP, J. A.—
"Summary of insect conditions throughout the United States during 1921." D.B. 1103, pp. 51. 1922.
"The alfalfa looper in the Pacific Northwest." Ent. Bul. 95, Pt. VII, pp. 109-118. 1912.
"The false wireworms of the Pacific Northwest." Ent. Bul, 95, Pt. V, pp. 73-87. 1912.
"The legume pod moth. The legume pod maggot." Ent. Bul. 95, Pt. VI, pp. 89-108. 1912.
"The smoky crane-fly." Ent. Bul, 85, Pt. VII, pp. 119-132. 1910.
"Wireworms attacking cereal and forage crops." D.B. 156, pp. 34. 1915.
"Wireworms destructive to cereal and forage crops." F.B. 725, pp. 12. 1916.
Hyssop, importation and description. No. 32238, B.P.I. Bul. 261, p. 46. 1912.
Hystrix—
hystrix, resistance to aeciospores of *Puccinia triticina.* J.A.R., vol. 22, pp. 163-172. 1921.
spp., description, distribution, and uses. D.B. 772, pp. 12, 96-98, 99. 1920.

I-beam culverts, designing, data. Rds. Bul. 45, pp. 25-26. 1913.
Iba, importation and description. No. 48179, B.P.I. Inv. 60, p. 52. 1922.
Ibajhai, importation and description. No. 29336, B.P.I. Bul. 233, p. 12. 1912.

Iberia, cattle types and origin. B.A.I. An. Rpt., 1910, pp. 220-221. 1912.
Ibex, characteristics. B.A.I. Bul. 27, p. 11. 1906.
Ibididae, host of eye parasite. B.A.I. Bul. 60, p. 45. 1904.
Ibis—
Cayenne ranges. Biol. Bul. 45, p. 24, 1913.
glossy, range and breeding habits. Biol. Bul. 45, pp. 17-19. 1913.
protection by law. Biol. Bul. 12, rev., p. 38. 1902.
ranges and breeding. Biol. Bul. 45, pp. 14-24. 1913.
sacred, eye parasite of. B.A.I. Bul. 60, p. 45. 1904.
scarlet, range. Biol. Bul. 45, pp. 16-17. 1913.
white—
occurrence, Porto Rico. D.B. 326, p. 27. 1916.
ranges and breeding habits. Biol. Bul. 45, pp. 14-16. 1913.
white-faced glossy—
migration record from birds banded in Utah. D.B. 1145, p. 14. 1923.
range and breeding habits. Biol. Bul. 45, pp. 19-22. 1913.
wood, occurrence in Arkansas. Biol. Bul. 38, pp. 23-24. 1911.
wood, range and breeding habits. Biol. Bul. 45, pp. 22-24. 1913.
Icaco, importations and descriptions. No. 43000, B.P.I. Inv. 47, p. 86. 1920; No. 50218, B.P.I. Inv. 63, p. 46. 1923.
Ice—
action in soil formations. Soils Bul. 68, p. 17. 1911.
adulteration. Chem. N.J. 299, p. 1. 1910.
and mechanical refrigeration, comparison. B.A.I. Bul. 85, p. 20. 1906.
box—
dairy, construction and cost, details. F.B. 353, pp. 29-31. 1909.
location, model farmhouse. F.B. 317, p. 6. 1908.
bunkers—
refrigerator cars, description and efficiency. D.B. 17, pp. 22-24, 35. 1913.
use in cooling cold-storage rooms, description. D.B. 98, pp. 17-20. 1914.
caves, in Oregon national forests, location. D.C. 4, p. 19. 1919.
chests—
care, importance of cleanliness. F.B. 375, pp. 29-30. 1909.
description, construction method. F.B. 475, pp. 19-20. 1911.
club, farm districts, method of working. Rpt. 103, p. 65. 1915.
consumption, by refrigerator cars, experiment, results. D.B. 1353, pp. 6-12, 13-17, 19-21, 26. 1925.
cost on farm. F.B. 623, pp. 5-6. 1915.
cutting methods, and details. F.B. 1078, pp. 10-12. 1920.
dairy—
farm, and ice houses. John T. Bowen and Guy M. Lambert. F.B. 623, pp. 24. 1915.
requirements per cow. F.B. 623, pp. 7-8. 1915.
for household use. F.B. 309, pp. 5-7. 1907.
ground, at Fort Simpson. N.A. Fauna 27, p. 39. 1908.
harvesting—
and storing on the farm. John T. Bowen. F.B. 1078, pp. 31. 1920.
for farm use. F.B. 623, pp. 6-7. 1915.
methods. F.B. 475, pp. 7-11. 1911.
houses—
L. C. Corbett. F.B. 476, pp. 20. 1911.
description and specifications. F.B. 623, pp. 8-23. 1915; F.B. 475, pp. 12-18. 1911; F.B. 913, pp. 29-39. 1917; F.B. 1078, pp. 14-20. 1920; F.B. 1202, p. 50. 1921.
directions for building. Y.B., 1910, pp. 279-280. 1911; Y.B. Sep. 536, pp. 279-280. 1911.
insulated and uninsulated, specifications. F.B. 1078, pp. 20-31. 1920.
infection sources, discussion. F.B. 309, pp. 5-7. 1907.
laws, State—
1907. Chem.Bul. 112, Pt. I, p. 149. 1908.
1908. Chem. Bul. 121, p. 28. 1909.

Ice—Continued.
laws, State—Continued.
Wisconsin. Chem. Bul. 69, rev., Pt. VIII, p. 687. 1906.
machine, selection for retail meat market. M.C. 54, pp. 22–23. 1925.
making plant, use in freezing cider for concentration. Y.B., 1914, pp. 238–242. 1915; Y.B. Sep. 639, pp. 238–242. 1915.
manufacture by creameries. B.A.I. An. Rpt., 1910, p. 306. 1912; B.A.I. Cir. 188, p. 306. 1912.
manufacturing in metal cans. F.B. 475, pp. 11–12. 1911.
necessity in caring for dairy products, quantity, storage, etc. Y.B., 1910, pp. 279–280. 1911; Y.B. Sep. 536, pp. 279–280. 1911.
natural and artificial combined, method of obtaining. F.B. 475, p. 12. 1911.
packing in ice houses, methods. F.B. 1078, pp. 12–13. 1920.
plants—
local for farm-slaughtered meats. Rpt. 113, pp. 61–62. 1916.
southern, as local market, various States. F.B. 809, pp. 11–12. 1917.
pond, farm, construction. F.B. 623, p. 23. 1915.
production, use of farm reservoirs, capacity of ponds. F.B. 828, p. 27. 1917.
quantity, requirement for dairy farmer, per cow. F.B. 1078, p. 14. 1920.
regulations. Chem. Bul. 69, rev., Pts. I–IX, pp. 67, 94, 96, 167, 233, 243, 268, 271, 403, 485, 538, 687, 749. 1905–1906.
sources, water supply, and freezing method. F.B. 1078, pp. 3–6. 1920.
storage for country use, methods. News L., vol. 2, No. 27, pp. 3–4. 1915.
storing on farm. B.A.I. Dairy [Misc.]. "Ice. Do you * * *" pp. 4. 1920; F.B. 623, pp. 8–10. 1915.
storm, New England, November, 1921, results. An. Rpts., 1922, p. 69. 1922; W.B. Chief Rpt., 1922, p. 3. 1922.
supply—
necessity in saving dairy products. Sec. Cir. 123, p. 11. 1918.
source, storage, principles. F.B. 475, pp. 6–7. 1911.
tank for cooling milk and cream on farm. F.B. 623, p. 4. 1915.
thickness, relation to handling. F.B. 1078, p. 6. 1920.
thrift in use of. Thrift Leaf. 14, pp. 3–4. 1919.
use—
by dairymen, importance in early spring. D.B. 973, p. 2. 1923.
in—
cooling milk, cost. B.A.I. An Rpt., 1909, p. 129. 1911; B.A.I. Cir. 170, p. 129. 1911; D.B. 744. pp. 20–21. 1919.
milk cooling, requirements of tanks. F.B. 976, pp. 11–12. 1918.
milk plants, objections. D.B. 890, p. 36. 1920.
packing spinach, and effect on keeping quality. F.B. 1189, pp. 6, 11–15. 1921.
refrigeration cars. Y.B., 1900, pp. 446, 447, 563. 1901.
water, use in acidity testing in grain products. J.A.R., vol. 18, pp. 35–47. 1919.
wetting down for harvest. F.B. 1078, pp. 7–8. 1920.
See also Refrigeration.
Ice cream—
acidity tests. D.B. 303, p. 3. 1915.
adulteration. See Indexes to bound volumes of Chemistry Notices of Judgment.
bacteria—
determination. S. Henry Ayers and W. T. Johnson, jr. D.B. 563, pp. 16. 1917.
number and groups. D.B. 303, pp. 4–14. 1915.
bacterial counts, variation in samples. D.B. 563, pp. 3–15. 1917.
cones, adulteration. See Indexes, Notices of Judgment, in bound volumes, and in separates published as supplements to Chemistry Service and Regulatory Announcements.
consumption in southern cities. B.A.I. An. Rpt. 1907, pp. 313, 317. 1909; F.B. 349, pp. 12, 16. 1909.

Ice cream—Continued.
grading. B. D. White. Y. B., 1910, pp. 278–280. 1911; Y.B. Sep. 536, pp. 278–280. 1911.
grape. use of unfermented grape juice, recipe. F.B. 644, p. 15. 1915.
industry, development in the United States. M. Mortensen. B.A.I. Dairy [Misc.], "World's dairy congress, 1923," pp. 466–474. 1924.
ingredients—
best combinations, need of standard. D.B. 1161, p. 8. 1923.
proportioning by balance method, with other frozen products. O. E. Williams. D.B. 1123, pp. 13. 1922.
laws, State, 1907. Chem. Bul. 112, Pt. I, pp. 117, 150. 1908; Chem. Bul. 112, Pt. II, pp. 60, 61, 130. 1908.
manufacture—
cost and profits, comparison to butter making. B.A.I. An. Rpt., 1910, pp. 299–301. 1912; B.A.I. Cir. 188, pp. 299–301. 1912.
in Great Britain. B.A.I. Dairy [Misc.], "World's dairy congress, 1932," p. 241. 1924.
manufacturers, sugar stocks reported, 1916, 1917. Sec. Cir. 96, pp. 15, 22, 25, 26, 32, 34, 45–47. 1918.
palatability, effect of composition. Owen E. Williams and George R. Campbell. D.B. 1161, pp. 8. 1923.
powder misbranding (cream-x-cel-o). Chem. N.J. 402, p. 1. 1910.
problems. Session 10. B.A.I. Dairy [Misc.], "World's dairy congress, 1923," pp. 465–510. 1924.
production, 1909–1921 and by months, 1920. B.A.I. Doc., A–37, p. 39. 1922.
purity standards. Sec. Cir. 136, p. 6. 1919; B.A.I. Doc., A–8, pp. 2–3. 1916.
recipes. F.B. 717, p. 10. 1916.
retail, bacteriological study. S. Henry Ayers and William T. Johnson, jr. D.B. 303, pp. 24. 1915.
sandy—
Chester D. Dahle. B.A.I. Dairy [Misc.], "World's dairy congress, 1923," pp. 500–510. 1924.
crystals, separation and identification. Harper F. Zoller and Owen E. Williams. J.A.R., vol. 21, pp. 791–796. 1921.
stains, removal from textiles. F.B. 861, p. 19. 1917.
standardization of mix. Willes Barnes Combs. B.A.I. Dairy [Misc.], "World's dairy congress, 1923," pp. 488–500. 1924.
statistics. B.A.I. Dairy [Misc.], "World's dairy congress, 1923," pp. 465, 467. 1924.
thickeners, detection. Chem. Bul. 116, pp. 24–25. 1908.
tubercle bacilli, occurrence. B.A.I. An. Rpt., 1907, pp. 189–193. 1909; B.A.I. Cir. 143, pp. 189–193. 1909.
use—
and food value. D.C. 26, p. 10. 1919.
of homogenized butter and skimmed milk. F.I.D. 132, p. 1. 1911.
Iceland—
ponies, probable ancestry. B.A.I. An. Rpt., 1910, pp. 165, 166, 168. 1912.
spar, solubility by acids. Soils Bul. 49, p. 56. 1907.
Iceless refrigerator, for farm home, description, operation, and care. F.B. 927, pp. 14–17. 1918.
Icerya purchasi. See Scale, cottony cushion.
Ichnanthus apiculatus, description. Agros. Cir. 30, pp. 1–2. 1901.
Ichneumon—
apium mellificarium, cause of bee disease, discussion. Ent. Bul. 98, p. 15. 1912.
extremis, enemy of Florida fern caterpillar. Ent. Bul. 125, p. 10. 1913.
fly, parasite of roach eggs, description. F.B. 658, p. 11. 1915.
koebeli, enemy of cutworms, Hawaii. Hawaii Bul. 27, p. 9. 1912; Hawaii Bul. 34, p. 8. 914.
Ichneumonid, oak worm parasite, description. F.B. 1076, p. 10. 1920.
Ichneumonidae—
list and classification, with their hosts. Hawaii A.R., 1912, p. 29. 1913.
usefulness as insect destroyers. Biol. Bul. 15, p. 10. 1901.

Ichthulin, discovery in carp eggs. Chem. Bul. 123, p. 8. 1909.
Icings—
composition and use. O.E.S. Bul. 200, p. 72. 1908.
recipes, use of honey. F.B. 653, p. 25. 1915.
Icteria virens. See Chat, yellow-breasted.
Icteridae—
hosts of eye parasite. B.A.I. Bul. 60, pp. 49-50. 1904.
plumage and habits. Biol. Bul. 13, p. 7. 1900.
Icterohematuria—
sheep, occurrence and treatment. F.B. 1155, p. 18. 1921.
See also Carceag.
Icterus—
hog, cause, symptoms and treatment. F.B. 1244, pp. 9-10. 1923.
sheep, cause, symptoms and treatment. F.B. 1155, p. 18. 1921.
See also Jaundice.
Icterus—
hypomelas, boll weevil control in Cuba. Ent. Bul. 74, p. 22. 1907.
icterus, occurrence in Porto Rico, and decrease of species. D.B. 326, pp. 14, 116-117. 1916.
spp. See Oriole.
Ictinia mississippiensis. See Kite, Mississippi.
Ictrogen, poisonous principle in lupines, effects. D.B. 405, pp. 6-7, 37-38. 1916.
Idaho—
Aberdeen substation, barley kernel development studies. Harry V. Harlan. J.A.R., vol. 19, pp. 393-430, 454-472. 1920.
Agricultural college—
and experiment station, organization—
1905. O.E.S. Bul. 161, p. 21. 1905.
1907. O.E.S. Bul. 176, p. 23. 1907.
1908. O.E.S. Bul. 197, p. 24. 1908.
1910. O.E.S. Bul. 224, pp. 20-21. 1910.
See also Agriculture, workers list.
agricultural extension work, statistics. D.C. 253, pp. 3, 4, 7, 10-11, 17, 18. 1923.
alfalfa—
acreage in 1919. F.B. 1283, p. 3. 1922.
weevil—
infestation, map of district. F.B. 741, pp. 2, 3. 1916.
outbreaks in 1921. D.B. 1103, p. 21. 1922.
alsike clover, growing and seed production. F.B. 1151, pp. 14, 22, 23, 24-25. 1920.
antelope in, number and distribution. D.B. 1346, pp. 30-32. 1925.
apple(s)—
growing, areas, production, and varieties. D.B. 485, pp. 7, 31, 33, 44-47. 1917.
production, packing, and marketing. D.B. 935, pp. 1-27. 1921.
barley—
breeding studies and experiments. D.B. 137, pp. 3, 20-22. 1914.
crops, 1882-1906, acreage, production and value. Stat. Bul. 59, pp. 14-26, 35. 1907.
bee—
and honey statistics—
1914-1915. D.B. 325, pp. 9, 10, 11, 12. 1915.
1918. D.B. 685, pp. 7, 10, 13, 15, 17, 18, 20, 22, 24, 27, 30, 31. 1918.
disease, occurrence. Ent. Cir. 138, p. 6. 1911.
beet-sugar—
industry, progress—
1900. Rpt. 69, pp. 106-108. 1901.
1903. Sec. [Misc.], "Progress of the * * *." 1903, pp. 22-25, 138-139. 1903.
1906. Rpt. 84, pp. 65-72. 1907.
1907. Rpt. 86, pp. 43-44, 73. 1908.
1908. Rpt. 90, pp. 30-31, 46, 52. 1909.
1909. Rpt. 92, pp. 29-31. 1910.
1910-11. B.P.I. Bul. 260, pp. 15, 19, 20, 21, 29, 30, 69, 72. 1912.
production, 1912-1917. Sec. Cir. 86, p. 17. 1918.
beets—
fields, water rights and costs. F.B. 392, p. 43. 1910.
production cost, 1918-1919, results of surveys. D.B. 963, pp. 1-41. 1921.
bird protection. See Bird protection, officials.
Boise, road-binding experiment. D.B. 105, p. 41. 1914.

Idaho—Continued.
Boise reclamation project dams, details. O.E.S. Bul. 249, Pt. I, pp. 20, 27-29, 45, 47-48. 1912.
border-method irrigation, practices. F.B. 1243, pp. 30-32. 1922.
bounty laws, 1907. Y.B., 1907, p. 561. 1908; Y.B. Sep. 473, p. 561. 1908.
cabbage flea-beetle, occurrence and injuries to crops. D.B. 902, pp. 4, 6. 1920.
canals, concrete-lined, capacity, cost, and other data. D.B. 126, pp. 40-41, 62-65, 81-82, 83. 1915.
cantaloupe shipments, 1914. D.B. 315, pp. 17, 18. 1915.
central—
grazing effect upon western yellow pine reproduction. W. N. Sparhawk. D.B. 738, pp. 31. 1918.
growth on cut-over and virgin western yellow pine lands. J.A.R., vol. 28, pp. 1139-1148. 1924.
climate, area, and topography. O.E.S. Bul. 216, pp. 7-19. 1909.
club wheat, growing methods. F.B. 1303, pp. 3, 4. 1923.
consolidated rural schools, conditions and projects. O.E.S. Bul. 232, pp. 25, 26, 27, 45, 66, 71. 1910.
convict road work, laws. D.B. 414, p. 199. 1916.
cooperative organizations, statistics. D.B. 547, pp. 12, 15, 27, 36, 39. 1917.
corn—
crops—
1882-1906, acreage, production, and value. Stat. Bul. 56, pp. 15-27, 36. 1907.
1882-1915, and prices. D.B. 515, p. 15. 1917.
growing, methods. F.B. 227, pp. 8-10. 1905.
production, movements, consumption, and prices. D.B. 696, pp. 15, 16, 28, 30, 33, 36, 38, 41, 45. 1918.
credits, farm-mortgage loans, costs and sources. D.B. 384, pp. 2, 3, 6, 8, 10, 12. 1916.
cropping systems. D.B. 625, pp. 1-12. 1918.
Deer Flat, bird reservation, report, 1915. An. Rpts., 1915, p. 241. 1916; Biol. Chief Rpt., 1915, p. 9. 1915.
demurrage provisions, regulations. D.B. 191, pp. 4, 25. 1915.
drug laws. Chem. Bul. 98, pp. 63-66. 1906; Chem. Bul. 98, rev., Pt. I, pp. 98-101. 1909.
dry farming region and practices. F.B. 1047, pp. 1-24. 1919.
drying raspberries on bushes for picking, method. F.B. 887, p. 34. 1917.
early settlement, historical notes. See Soil surveys *for various counties and areas.*
emmer and spelt, growing experiments. D.B. 1197, p. 46. 1924.
evaporation experiments. O.E.S. Bul. 248, pp. 39-42, 50, 67, 72. 1912.
Experiment Station, work—
and expenditures—
1904. O.E.S. An. Rpt., 1904, pp. 84-85. 1905.
1906. O.E.S. An. Rpt., 1906, pp. 99-101. 1907.
1907. O.E.S. An. Rpt., 1907, pp. 95-96. 1908.
1908. O.E.S. An. Rpt., 1908, pp. 88-90. 1909.
1909. O.E.S. An. Rpt., 1909, pp. 98-100. 1910.
1910. O.E.S. An. Rpt., 1910, pp. 63, 127-130. 1911.
1911. O.E.S. An. Rpt., 1911, pp. 19-102. 1912.
1912. O.E.S. An. Rpt., 1912, pp. 106-108. 1913.
1913. O.E.S. An. Rpt., 1913, pp. 20, 25, 26, 43-44. 1915.
1914. O.E.S. An. Rpt., 1914, pp. 96-98. 1915.
1915. S.R.S. Rpt., 1915, Pt. I, pp. 102-106. 1917.
1916. S.R.S. Rpt., 1916, Pt. I, pp. 102-106. 1918.
1917. S.R.S. Rpt., 1917, Pt. I, pp. 99-103. 1918.
1918, notes. S.R.S. Rpt., 1918, pp. 37, 40, 59, 66, 70-80. 1920.
on sunflower silage. D.B. 1045, pp. 6, 12, 22, 23. 1922.

1220   UNITED STATES DEPARTMENT OF AGRICULTURE

Idaho—Continued.
 extension work—
  funds allotment, and county-agent work.
    S.R.S. Doc. 40, pp. 4, 5, 9, 14, 23, 25, 28. 1918.
  in agriculture and home economics—
    1915. S.R.S. Rpt., 1915, Pt. II, pp. 191–194. 1917.
    1916. S.R.S. Rpt., 1916, Pt. II, pp. 196–200. 1917.
    1917. S.R.S. Rpt., 1917, Pt. II, pp. 205–209. 1919.
  statistics. D.C. 306, pp. 3, 5, 9, 14, 20, 21. 1924.
 fairs, number, kind, location, and dates. Stat. Bul. 102, pp. 13, 14, 21–22. 1913.
 Idaho Falls, potato-shipping territory, and methods. F.B. 1317, pp. 19, 20, 23. 1923.
 farm(s)—
  animals, statistics, 1883–1907. Stat. Bul. 64, p. 140. 1908.
  sheep-raising practices. F.B. 1051, pp. 15, 19, 23–27, 29. 1919.
  value(s)—
   changes, 1900–1905. Stat. Bul. 43, pp. 11–17, 30–46. 1906.
   income, and tenancy classification. D.B. 1224, pp. 82–84. 1924.
 farmers' institute(s)—
  history. O.E.S. Bul. 174, p. 27. 1906.
  legislation. O.E.S. Bul. 241, p. 12. 1911.
  work—
   1906. O.E.S. An. Rpt., 1906, p. 327. 1906.
   1907. O.E.S. An. Rpt., 1907, p. 323. 1908.
   1908. O.E.S. An. Rpt., 1908, pp. 309–310. 1909.
   1909. O.E.S. An. Rpt., 1909, p. 344. 1910.
   1910. O.E.S. An. Rpt., 1910, p. 403. 1911.
   1911. O.E.S. An. Rpt., 1911, p. 370. 1912.
   1912. O.E.S. An. Rpt., 1912, p. 363. 1913.
 field crops, irrigation experiments. O.E.S. Cir. 65, pp. 11–15. 1906.
 food—
  laws—
   1903. Chem. Bul. 83, Pt. I, pp. 37–44. 1904.
   1905. Chem. Bul. 69, Pt. II, pp. 146–156. 1905.
   1907. Chem. Bul. 112, Pt. I, p. 53. 1908.
   1908, enforcement. Chem. Cir. 16, rev., p. 9. 1908.
  legislation—
   Chem. Cir. 16, pp. 7, 22. 1904; rev., p. 9. 1908.
   1907. Chem. Bul. 112, pt. 1, p. 53. 1908.
 forests—
  area, 1918. Y.B., 1918, p. 717. 1919; Y.B. Sep. 795, p. 53. 1919.
  conditions and needs. Sec. Cir. 183, pp. 27, 28. 1921.
  fires, statistics. For. Bul. 117, p. 28. 1912.
  reserves—
   For. Bul. 67, pp. 90. 1905.
   See also Forests, national.
  slash disposal. J. A. Larsen and W. C. Lowdermilk. D.C. 292, pp. 20. 1924.
 forestry laws—
  parallel classification. For. Law Leaf. 8, pp. 5. 1915.
  summary, 1921. D.C. 239, p. 8. 1922.
 fruit—
  growers' associations. Rpt. 98, pp. 212–219. 1913.
  growing, irrigation practices. O.E.S. Bul. 108, pp. 1–54. 1902.
 fur animals, laws—
  1915. F.B. 706, pp. 5–6. 1916.
  1916. F.B. 783, pp. 7, 27. 1916.
  1917. F.B. 911, pp. 9, 31. 1917.
  1918. F.B. 1022, pp. 8–9, 30, 31. 1918.
  1919. F.B. 1079, pp. 4, 12. 1913.
  1920. F.B. 1165, p. 10. 1920.
  1921. F.B. 1238, p. 9. 1921.
  1922. F.B. 1293, p. 7. 1922.
  1923–24. F.B. 1387, pp. 9–10. 1923.
  1924–25. F.B. 1445, pp. 7–8. 1924.
  1925–26. F.B. 1469, p. 10. 1925.
 game—
  and bird reservations, details and summary. Biol. Cir. 87, pp. 9, 10, 12, 15, 16. 1912.

Idaho—Continued.
 game—continued.
  laws—
   1902. F.B. 160, pp. 13, 31, 41. 1902.
   1903. F.B. 180, pp. 10, 22, 33, 37, 44, 53. 1903.
   1904. F.B. 207, pp. 18, 42, 50, 60. 1904.
   1905. F.B. 230, pp. 9, 16, 30, 37, 42. 1905.
   1906. F.B. 265, pp. 15, 29, 42. 1906.
   1907. F.B. 308, pp. 6, 13, 28, 35, 42. 1907.
   1908. F.B. 336, pp. 15, 31, 39, 44, 50. 1908.
   1909. F.B. 376, pp. 6, 12, 20, 33, 39, 42, 46. 1909.
   1910. F.B. 418, pp. 13, 26, 32, 36, 40. 1910.
   1911. F.B. 470, pp. 10, 18, 31, 37, 41, 46. 1911.
   1912. F.B. 510, pp. 13–14, 25–26, 27, 32, 33, 37, 39, 43. 1912.
   1913. D.B. 22, pp. 20, 25, 39, 45, 48, 53. 1913; rev., pp. 19, 25, 39, 45, 48, 53. 1913.
   1914. F.B. 628, pp. 10, 11, 16–17, 28–29, 30, 36, 37, 40, 47. 1914.
   1915. F.B. 692, pp. 3, 4, 8, 9, 27, 40, 46, 51, 57. 1915.
   1916. F.B. 774, pp. 24, 38, 45, 51, 57. 1916.
   1917. F.B. 910, pp. 15, 50. 1917.
   1918. F.B. 1010, pp. 13, 61. 1918.
   1919. F.B. 1077, pp. 15, 53, 72, 73. 1919.
   1920. F.B. 1138, pp. 16–17. 1920.
   1921. F.B. 1235, pp. 18–19, 55. 1921.
   1922. F.B. 1288, pp. 15, 53, 66, 67. 1922.
   1923–24. F.B. 1375, pp. 16–17. 1923.
   1924–25. F.B. 1444, pp. 10–11. 1924.
   1925–26. F.B. 1466, pp. 16–17. 1925.
  protection. See Game officials.
  value, estimate by fish and game warden. D.B. 1049, pp. 12, 13. 1922.
 Georgetown area, phosphate deposits, description and analyses. Soils Bul. 69, pp. 13–16. 1910.
 Gooding Experiment Station—
  experiments on water requirements. D.B. 339, pp. 24–28, 43. 1916.
  irrigated pastures, experiments. D.R.P. Cir. 2, pp. 1–16. 1916.
 grain—
  dust explosions in threshers and separators. D.B. 379, pp. 1, 3. 1916.
  supervision districts, counties. Mkts. S.R.A. 14, pp. 32, 34. 1916.
 grape shipments, 1916–1919. D.B. 861, pp. 3, 49. 1920.
 grazing effects on western yellow pine reproduction. W. N. Sparhawk. D.B. 738, pp. 31. 1918.
 growth of industries, relation of forest reserves. For. Bul. 67, pp. 28–32. 1905.
 hay crops, 1882–1906, acreage, production, and value. Stat. Bul. 63, pp. 13–25, 34. 1908.
 herds, lists of tested and accredited. D.C. 54, pp. 21, 27. 1919; D.C. 142, pp. 17, 30, 47–49. 1920; D.C. 143, pp. 7, 21, 66. 1920; D.C. 144, pp. 9, 16, 19. 1920.
 hog cholera, control, experiments, and results. D.B. 584, pp. 8, 10. 1917.
 hog raising, pasture and grain crops, feeding methods. D.B. 68, pp. 1–27. 1914.
 Hot Springs area, phosphate deposits, description and analyses. Soils Bul. 69, pp. 20–22. 1910.
 hunting laws. Biol. Bul. 19, pp. 18, 19, 27, 29, 31, 64. 1904.
 insecticide and fungicide laws. I. and F. Bd. S.R.A. 13, pp. 108–109. 1916.
 irrigated land, acreage. D.B. 339, pp. 53–54. 1916.
 Irrigation Co., work in Idaho. O.E.S. Bul. 216, pp. 49–50. 1909.
 irrigation—
  districts, and their statutory relations. D.B. 1177, pp. 4, 5, 10–18, 26, 27, 28, 29, 43, 44, 46–47. 1923.
  history and methods. O.E.S. Bul. 168, pp. 49–62. 1906.
  in. D. W. Ross. O.E.S. Bul. 104, pp. 221–239. 1902.
  in. James Stephenson, jr. O.E.S. Bul. 216, pp. 59. 1909.
  projects under the Carey Act. Sec. Cir. 124, pp. 5, 6–7. 1919.
 State laws. D.B. 1257, pp. 15, 17. 1924.
 water—
  distribution. D. W. Ross. O.E.S. Bul. 119, pp. 199–223. 1902.

INDEX TO PUBLICATIONS, 1901–1925   1221

Idaho—Continued.
  irrigation—continued.
    water—continued.
      economical use, experiments. Don H. Bark. D.B. 339, pp. 58. 1916.
  jack rabbit extermination campaign. Y.B., 1917, p. 232. 1918; Y.B. Sep. 724, p. 10. 1918.
  lands—
    classes and descriptions. O.E.S. Bul. 216, pp. 23–27. 1909.
    expense to new settlers. O.E.S. Cir. 65, pp. 5–8. 1906.
  lard supply, wholesale and retail, August 31, 1917, tables. Sec. Cir. 97, pp. 14–32. 1918.
  laws—
    contagious diseases of domestic animals, control. B.A.I. Bul. 54, pp. 14–17. 1902–3.
    foulbrood of bees. Ent. Bul. 61, pp. 188–190. 1906.
    nursery stock, interstate shipment, digest. Ent. Cir. 75, rev., p. 3. 1909; F.H.B.S.R.A. 57, pp. 113, 114, 115. 1919.
    on dogs, digest. F.B. 935, p. 13. 1918; F.B. 1268, p. 13. 1922.
    relating to contagious animal diseases. B.A.I. Bul. 43, pp. 24–31. 1901.
    restricting fruit and plant introduction. Ent. Bul. 84, p. 38. 1909.
  legislation—
    protecting birds. Biol. Bul. 12, rev., pp. 88, 137. 1902.
    relative to tuberculosis. B.A.I. Bul. 28, p. 16. 1901.
  livestock—
    admission, sanitary requirements—
      1917. B.A.I. Doc. A-28, pp. 10–11. 1917.
      1920. B.A.I. Doc. A-36, pp. 14–16. 1920.
      1924. M.C. 14, pp. 15–17. 1924.
    production, from reports of stockmen. Rpt. 110, pp. 5–27, 32–33, 47–48, 62–66. 1916.
  lumber—
    cut, 1920, 1870–1920, value, and kinds. D.B. 1119, pp. 27, 30–35, 43–61. 1923.
    production, 1918, by mills, by woods, and lath and shingles. D.B. 845, pp. 6–10, 13, 16, 20–24, 29, 31, 40, 42–47. 1920.
  marketing activities and organization. Mkts. Doc. 3, pp. 2–3. 1916.
  milk laws, 1903. B.A.I. Bul. 46, p. 61. 1903.
  Minidoka area, irrigation under reclamation act. Soil Sur. Adv. Sh., 1907, pp. 8, 18–20. 1908; Soils F.O., 1907, pp. 922–924. 1909.
  Minidoka National Forest, tree seeds, sowing, and results. For. Bul. 98, p. 46. 1911.
  Minidoka project, hints to settlers. Alex McPherson. B.P.I. Doc. 452, pp. 4. 1909.
  Montpelier area, phosphate deposits, description and analyses. Soils Bul. 69, pp. 17–19. 1910.
  Nampa-Meridian irrigation district, irrigation, water supply system. O.E.S. Bul. 229, p. 51. 1910.
  national forests—
    location, date, and area, 1913. For. [Misc.], "Use book, 1913," pp. 85–86. 1933.
    western white pine seed production, studies. D.B. 210, pp. 5–11. 1915.
  northern—
    bean growing. F.B. 561, pp. 1–12. 1913; F.B. 907, pp. 1–16. 1917.
    reproduction after logging, some factors affecting. J.A.R., vol. 28, pp. 1149–1157. 1924.
  oats—
    crops, 1882–1906, acreage, production, and value. Stat. Bul. 58, pp. 13–25, 34. 1907.
    growing, varietal experiments. D.B. 823, pp. 55, 60, 63–64, 67. 1920.
    tests, Sixty-day and other varieties. F.B. 395, pp. 24–25. 1910.
  officials, dairy, drug, feeding stuffs, and food. See Dairy officials; Drug officials.
  onions, production and varieties. D.B. 1325, p. 11. 1925.
  pasture lands on farms. D.B. 626, pp. 15, 29. 1918.
  Payette-Boise project, size and capacity. Y.B., 1908, p. 177. 1909.
  Payette National Forest, grazing sheep, studies. D.B. 738, pp. 2–25. 1918.

Idaho—Continued.
  Payette Valley, apple production, cost. S. M. Thomson and G. H. Miller. D.B. 636, pp. 36. 1918.
  peaches—
    shipping season, area of production. D.B. 298, pp. 4, 5, 6, 11. 1915; D.B. 806, pp. 4–9, 28–29 1919.
    varieties, names and ripening dates. F.B. 918, p. 7. 1918.
  pear growing, distribution and varieties. D.B. 822, p. 13. 1920.
  phosphate rock deposits and forms. Y.B., 1917, pp. 178, 179, 180. 1918; Y.B. Sep. 730, pp. 4, 5, 6. 1918.
  plant inspection, terminal establishment. F.H.B.S.R.A. 77, pp. 164–165. 1924.
  plum growing, for prunes. F.B. 1372, pp. 2–3, 4, 10, 17, 21–25, 40. 1924.
  pocket gophers, occurrence and description. N.A. Fauna 39, pp. 9, 23–28, 43, 108–114, 127, 128. 1915.
  potato—
    crops, 1882–1906, acreage, production, and value. Stat. Bul. 62, pp. 15–17, 36. 1908.
    production and yield, 1909, in five leading counties. F.B. 1064, p. 5. 1919.
    storage, typical storage house, plans and cost. F.B. 847, pp. 9, 10, 14, 15, 17, 21–23, 26. 1917.
    under irrigation, acreage, production and practices. F.B. 953, pp. 4, 5, 9, 12. 1918.
  quail protection laws. D.B. 1049, p. 17. 1922.
  Raft River water district, irrigation conditions, 1904. William Francis Bartlett. O.E.S. Bul. 158, pp. 279–302. 1905.
  rainfall, map, and table. B.P.I. Bul. 188, pp. 36, 52–53. 1910.
  reforestation, choice of sites, methods, and species. D.B. 475, pp. 25, 37, 38, 39, 56–57, 60, 63. 1917.
  reservoirs, timber and rock-fill dams, details. O.E.S. Bul. 249, pt. 2, pp. 25, 52–64. 1912.
  rivers used for irrigation. O.E.S. Bul. 216, pp. 13–19. 1909.
  roads—
    bond-built, details. D.B. 136, pp. 34, 39, 63, 81, 85. 1915.
    building-rock tests—
      1916, results, table. D.B. 370, p. 23. 1916.
      1916 and 1917. D.B. 670, p. 8. 1918.
    conditions, mileage, costs, and bonds. D.B. 389, pp. 2, 3, 4, 5, 6, 7, 14–16. 1917.
    laws and mileage. Y.B., 1914, pp. 214, 222. 1915; Y.B. Sep. 638, pp. 214, 222. 1915.
    mileage and expenditures—
      1904. Rds. Cir. 64, pp. 1–2. 1906.
      1909. Rds. Bul. 41, pp. 17, 40, 42, 57. 1912.
      1915. Sec. Cir. 52, pp. 2, 4, 6. 1915.
      1916. Sec. Cir. 74, pp. 4, 5, 7, 8. 1917.
    national forest, work by department, 1913–1914. D.B. 284, pp. 55, 56. 1915.
    preservation, and dust prevention, experiments at Boise, 1914, report. D.B. 257, pp. 37–38. 1915.
  rural credit law. Off. Rec., vol. 2, No. 46, p. 1. 1923.
  rye crops, 1882–1906, acreage, production, and value. Stat. Bul. 60, pp. 13–18, 22–25, 34. 1908.
  San Jose scale, occurrence. Ent. Bul. 62, p. 22. 1906.
  school lands, exchange for national forest lands. An. Rpts., 1913, p. 179. 1914; For. A.R., 1913, p. 45. 1913.
  sheep—
    feeding, tests with beet-top silage. F.B. 1095, p. 12. 1919.
    numbers, map. Sec. [Misc.] Spec. "Geography * * * world's agriculture," p. 138. 1918.
  shipments of fruits and vegetables, and index to station shipments. D.B. 667, pp. 6–13, 21. 1918.
  Silver Creek grazing allotment, description. D.B. 738, pp. 4–5. 1918.
  Snake River, irrigation. H. G. Raschbacher. O.E.S. Cir. 65, pp. 16. 1906.
  soil and alkali surveys. Soils Bul. 35, pp. 81, 110. 1906.
  soil survey of—
    Ada County. See Boise area.
    Bannock County. See Portneuf area.

Idaho—Continued.
  soil survey of—continued.
    Bingham County. See Blackfoot area.
    Blackfoot area. W.E. McLendon. Soil Sur. Adv. Sh., 1903, pp. 22. 1904; Soils F.O., 1903, pp. 1027–1044. 1904.
    Boise area. Charles A. Jensen and B. A. Olshausen. Soil Sur. Adv. Sh., 1901, pp. 26. 1903; Soils F.O., 1901, pp. 421–446. 1902.
    Canyon County. See Boise area.
    Cassia County. See Minidoka area.
    Fremont County. See Blackfoot area.
    Kootenai County. H. C. Lewis and A. W. Denecke, jr. Soil Sur. Adv. Sh., 1919, pp. 45. 1923; Soils F.O., 1919, pp. 1–45. 1925.
    Latah County. J. H. Agee, and others. Soil Sur. Adv. Sh., 1915, pp. 24. 1917; Soils F.O., 1915, pp. 2179–2198. 1919.
    Lewis County. See Nez Perce and Lewis Counties.
    Lewiston area. Louis Mesmer. Soils F.O. Sep., 1902, pp. 21. 1902; Soils F.O., 1902, pp. 689–709. 1903.
    Lincoln County. See Minidoka area.
    Minidoka area. A. T. Strahorn, and C. W. Mann. Soil Sur. Adv. Sh., 1907, pp. 22. 1908; Soils F.O., 1907, pp. 909–926. 1909.
    Nez Perce County—
      See Nez Perce and Lewis Counties and Lewiston area.
      and Lewis Counties. J. H. Agee and P. P. Peterson. Soil Sur. Adv. Sh., 1907, pp. 37. 1920; Soils F.O., 1907, pp. 1221–2153. 1923.
    Portneuf area. H. G. Lewis and P. P. Peterson. Soil Sur. Adv. Sh., 1918, pp. 52. 1921; Soils F.O., 1918, pp. 1497–1544. 1924.
    Twin Falls area. Mark Baldwin and F. O. Youngs. Soil Sur. Adv. Sh., 1921, pp. 1367–1394. 1925.
  soils—
    moisture distribution, studies. D.B. 1221, pp 4, 7–11, 16–21. 1924.
    resemblance to those of Palestine. B.P.I. Bul. 180, p. 11. 1910.
  south-central, national forests. For. [Misc.], "The national * * * Idaho." (Folder.) 1922.
  South Fork grazing allotment, description. D.B. 738, p. 5. 1918.
  southern—
    dry farms, grain growing on. L. C. Aicher. F.B. 769, pp. 23. 1916.
    growing irrigated grain. L. C. Aicher. F.B. 1103, pp. 28. 1920.
    potato diseases, and soil fungi, studies. J.A.R., vol. 13, pp. 73–100. 1918.
    potato growing experiments, clean seed on new land. J.A.R., vol. 6, No. 15, pp. 573–575. 1916.
  spotted-fever tick, occurrence. Ent. Bul. 105, p. 17. 1911.
  stallions, number, classes, and legislation controlling. Y.B., 1916, pp. 290, 291, 293, 295, 296. 1917; Y.B. Sep. 692, pp. 2, 3, 5, 7, 8. 1917.
  standard containers. F.B. 1434, p. 17. 1924.
  streams, measurements. O.E.S. Bul. 216, pp. 19–21. 1909.
  subirrigation of alfalfa. F.B. 373, pp. 36–38. 1909.
  sugar-beets—
    growing, farm practice, and cost. D.B. 693, pp. 1–44. 1918.
    industry, condition in 1904. Rpt. 80, pp. 54–56, 110–112. 1905.
    nematode infestation, surveys. F.B. 1248, p. 3. 1922.
    seed, growing. F.B. 1152, pp. 3–21. 1920.
  Swedish Select oat, experiments and results. B.P.I. Bul. 182, p. 21. 1910.
  timber—
    conditions, 1917. Rpt. 114, pp. 11, 13, 16, 26–27, 48, 64. 1917.
    Protective Association, fire control work. M.C. 19, pp. 13–14. 1924.
  timothy and clover, production, 1909, acreage and yield. F.B. 502, pp. 7–8. 1912.
  Trebi barley, growing experiments and yields. D.C. 208, pp. 3–8. 1922.
  trespass laws for national forests, digest. For. [Misc.], "Trespass on national * * *," pp. 37–53. 1922.

Idaho—Continued.
  trucking industry, acreage and crops. Y.B., 1916, pp. 456–465. 1917; Y.B. Sep. 702, pp. 22–31. 1917.
  use of water from Wood River. Jay D. Stannard. O.E.S. Bul. 133, pp. 71–100. 1903.
  wage rates, farm labor, 1866–1909. Stat. Bul. 99, pp. 29–43, 68–70. 1912.
  waste and irrigated land, survey. D.B. 339, pp. 52–55. 1916.
  water—
    laws. O.E.S. Bul. 158, p. 67. 1905.
    power development. O.E.S. Bul. 216, pp. 19–21. 1909.
    rights, cost. D.B. 913, pp. 3, 6. 1920; O.E.S. Cir. 65, p. 2. 1906.
    supply, records, by counties. Soils Bul. 92, pp. 48–49. 1913.
  weather records, 1910–1913. D.B. 339, pp. 6–9. 1916.
  western, forest-fire situation, and old burns. M.C. 19, pp. 3–4, 13–14. 1924.
  wheat—
    crops, 1866–1906, acreage, production, and value. Stat. Bul. 57, pp. 13–25, 35. 1907; rev., pp. 13–25, 35, 39. 1908.
    growing—
      importance. D.B. 769, p. 16. 1916; D.B. 1074, p. 210. 1922; F.B. 1301, p. 3. 1923.
      under irrigation, Marquis and other kinds. D.B. 400, p. 37. 1916.
    production, 1881 to 1920. D.B. 514, p. 15. 1917; D.B. 1173, p. 2. 1923.
  winds, prevailing. J.A.R., vol. 30, p. 602. 1925.
  wool handling method. Y.B., 1914, pp. 330, 331. 1915; Y.B. Sep. 645, pp. 330, 331. 1915.
  yellow pine, area, annual cut, and stumpage. D.B. 1003, pp. 7–12, 12–13.
  Zygadenus sp., occurrence and distribution. D.B. 1012, pp. 3, 15, 16. 1922.
  See also Pacific Northwest.
Idaho, (horse) history and pedigree. B.A.I. An. Rpt., 1907, pp. 108, 134. 1909; B.A.I. Cir. 137, pp. 108, 134. 1908.
IDDINGS, E. J.: "Quantity and composition of ewe's milk; its relation to the growth of lambs." With Ray E. Neidig. J.A.R., vol. 17, pp. 19–32. 1919.
Idiocerus athinsonii. See Mango hopper.
Ignition, gas engines, testing. F.B. 1013, pp. 6–10, 16. 1919.
Ilama, importations and descriptions. No. 34050, B.P.I. Inv. 31, pp. 7, 78–79. 1914; No. 36632, B.P.I. Inv. 37, p. 42. 1916; No. 39567, B.P.I. Inv. 41, p. 41. 1917; No. 45548, B.P.I. Inv. 53, pp. 7, 51. 1922; No. 46781, B.P.I. Inv. 57, pp. 5, 33. 1922; No. 51404, B.P.I. Inv. 65, p. 14. 1923.
Ilang-ilang—
  importations and descriptions. No. 38652, B.P.I. Inv. 39, pp. 159–160. 1917; No. 42360, B.P.I. Inv. 46, p. 83. 1919.
  introduction. B.P.I. Bul. 176, p. 15. 1910.
Ilex—
  fargesii, importation and description. No. 52644, B.P.I. Inv. 66, p. 54. 1923.
  spp.—
    importations and descriptions. Nos. 47697–47699, B.P.I. Inv. 59, pp. 8, 48. 1922; No. 51788, B.P.I. Inv. 65, p. 49. 1923.
    in Porto Rico, description and uses. D.B. 354, p. 81. 1916.
Iliau, sugar cane disease, in Hawaii. B.P.I. Cir. 126, pp. 5–7. 1913.
Illinois—
  agricultural college—
    and experiment station, organization—
      1905. O.E.S. Bul. 161, pp. 22–23. 1905.
      1906. O.E.S. Bul. 176, pp. 23–25. 1907.
      1907. O.E.S. Bul. 197, pp. 24–26. 1908.
      1910. O.E.S. Bul. 224, pp. 21–22. 1910.
      1912. O.E.S. Bul. 247, pp. 23–24. 1912.
    See also Agriculture, workers list.
  agricultural extension work, statistics. D.C. 253, pp. 3, 4, 7, 10–11, 17, 18. 1923.
  alfalfa growing and uses. F.B. 1021, pp. 1–32. 1919.
  alsike clover growing. F.B. 1151, pp. 12, 13. 1920.

Illinois—Continued.
  apple growing, region, varieties, and production. D.B. 485, pp. 6, 19, 44–47. 1917; Y.B. 1918, pp. 370, 373, 378. 1919; Y.B. Sep. 767, pp. 6, 9, 14. 1919.
  appropriations for experiment station and college work, buildings. O.E.S. An. Rpt., 1911, pp. 55, 102, 108, 277, 318, 328. 1912.
  associations, milk producers' and fruit growers. Rpt. 98, pp. 219–221. 1913.
  barberry occurrence and eradication work. D.C. 188, pp. 6, 10, 15–18, 20, 24–25. 1921.
  barley crops, 1866–1906, acreage, production, and value. Stat. Bul. 59, pp. 7–26, 30. 1907.
  bees—
    and honey statistics—
      1914–1915. D.B. 325, pp. 3, 5, 9, 10, 11, 12. 1915.
      1918. D.B. 685, pp. 6, 9, 12, 14, 16, 18, 19, 21, 24, 26, 29, 31. 1918.
    diseases, occurrence. Ent. Cir. 138, p. 7. 1911.
  beef cattle, production details, tables and discussion. Rpt. 111, pp. 11, 15–25, 30, 33–48, 50, 52–55, 61–64. 1916.
  beet-sugar industry progress—
    1900. Rpt. 69, pp. 45–46. 1901.
    1903. [Misc.], "Progress of the sugar-beet industry * * *," pp. 38–39. 1904.
    1904. Rpt. 80, pp. 59–61. 1905.
    1906. Rpt. 84, p. 72. 1907.
    1907. Rpt. 86, pp. 44, 74. 1908.
    1908. Rpt. 90, pp. 46, 62. 1909.
    1909. Rpt. 92, p. 41. 1910.
    1910–11. B.P.I. Bul. 260, pp. 15, 21, 22, 29, 72. 1912.
  bird(s)—
    protection. See Bird protection, officials.
    reports, 1916–1920. D.B. 1165, pp. 18–19, 27. 1923.
  bounty laws, 1907. Y.B., 1907, p. 561. 1908; Y.B. Sep. 473, p. 561. 1908.
  bovine tuberculosis, appropriation for tuberculin tests, penalties. B.A.I. Bul. 28, pp. 16–17. 1901.
  boys' and girls' agricultural clubs, work. F.B. 385, p. 9. 1910.
  Brimfield community building, financing, details. F.B. 1173, pp. 18–19. 1921; F.B. 1192, pp. 7, 12. 1921; F.B. 1274, pp. 22–25. 1922.
  broomcorn, acreage and production. F.B. 958, pp. 4, 5, 19. 1918.
  buckwheat crops, 1866–1906, acreage, production, and value. Stat. Bul. 61, pp. 5–17, 21. 1908.
  cantaloupe shipments, 1914. D.B. 315, pp. 17, 18. 1915.
  cattle industry, historical notes. Y.B., 1921, pp. 233–235. 1922; Y.B. Sep. 874, pp. 233–235. 1922.
  cedar nursery blight. J.A.R., vol. 10, pp. 534, 537, 539. 1917.
  cement factories, potash content and loss. D.B. 572, p. 4. 1917.
  central—
    farm surveys, crops and yields. F.B. 370, pp. 8–33. 1909; F.B. 1385, pp. 4, 14. 1923; Sec. Cir. 57, pp. 1, 2, 4, 5. 1916.
    standard day's work, implements and crews, reports from 600 farms in Corn Belt area. H. R. Tolley and L. M. Church. D.B. 814, pp. 32. 1920.
  Chicago, school garden work, methods and courses. O.E.S. Bul. 252, pp. 15–18. 1912.
  chinch-bug—
    control experiments. Ent. Bul. 107, p. 11. 1911, outbreak in 1921. D.B. 1103, p. 13. 1922.
  cities, milk supply. F.B. 366, pp. 22, 24. 1909.
  Coal Creek, drainage district and levee, description. O.E.S. Bul. 243, pp. 16–18, 20, 26–29, 36–37. 1911.
  cold-storage legislation. Chem. Bul. 115, pp. 113–114. 1908.
  concrete pavement, 1912, cost. D.B. 294, pp. 26–27. 1915.
  convict road work, laws. D.B. 414, p. 200. 1916.
  Cook County, highway traffic and the highway system. Rds. [Misc.], "Report of study * * *," pp. 96. 1925.
  cooperative organizations, statistics, details, and laws. D.B. 547, pp. 12, 15, 27, 28, 29, 36, 69. 1917.

Illinois—Continued.
  corn—
    acreage and yield. Sec. [Misc.] Spec. "Geography * * * world's agriculture," p. 32. 1917.
    black-bundle disease, investigations. J.A.R., vol. 27, pp. 177–189, 194–202. 1924.
    Breeders' Association, organization, object, and results. Y.B., 1907, p. 235. 1908; Y.B. Sep. 466, p. 235. 1908.
    crops, 1866–1906, acreage, production and value. Stat. Bul. 56, pp. 7–27, 31. 1907.
    earworm outbreaks, 1921. D.B. 1103, pp. 7, 9. 1922.
    growing, practices, and farm conditions in Moultrie County. D.B. 320, pp. 28–31. 1916.
    planting dates. F.B. 414, p. 20. 1910.
    production, movements, consumption, and prices. D.B. 696, pp. 15, 16, 20, 28, 29, 33, 36 38, 41, 46. 1918.
    yields and prices. 1866–1915. D.B. 515, p. 8. 1917.
  court decisions on nonresident license laws. Biol. Bul. 19, pp. 47, 48. 1904.
  credits, farm-mortgage loans, costs and sources. D.B. 384, pp. 2, 3, 4, 7, 10, 14. 1916.
  crop—
    areas, comparison with Pennsylvania, table. D.B. 341, p. 18. 1916.
    planting and harvesting dates, important crops. Stat. Bul. 85, pp. 21, 33, 41, 56, 77, 87, 105. 1912.
  crow roosts, location and numbers of birds. Y.B., 1915, pp. 90, 92. 1916; Y.B. Sep. 659, pp 90, 92. 1916.
  cucumbers, growing in greenhouses. F.B. 1320, p. 1. 1923.
  dairy—
    cows, number and value. Sec. [Misc.], Spec. "Geography * * * world's agriculture," p. 124. 1918.
    farms—
      methods and labor requirements, studies. D.B. 423, pp. 2–10. 1916.
      renting practices, studies. F.B. 1272, pp. 4, 7, 14. 1922.
      industry in vicinity of Chicago. B.A.I. Bul. 138, pp. 8–10, 14–15. 1911.
  demurrage provisions, regulations. D.B. 191, pp. 3, 25. 1915.
  drainage—
    by pumping, conditions, and cost. D.B. 304, pp. 6–29, 30, 32, 37, 53, 56. 1915.
    law. O.E.S. Cir. 76, p. 22. 1907.
  drug laws. Chem. Bul. 98, pp. 67–70. 1906; rev., pp. 102–106. 1909.
  early settlement, historical notes. See Soil surveys for various counties and areas.
  East St. Louis, tests of soft or oily pork, results. D.B. 1086, pp. 3–40. 1922.
  Experiment Station—
    corn growing, date of seeding experiments. D.B. 1014, p. 2. 1922.
    line on acid lands, results. F.B. 1365, pp. 6, 8. 1924.
    report of work—
      1906. O.E.S. An. Rpt., 1906, pp. 101–103. 1906.
      1907. O.E.S. Doc. 1130, pp. 96–98. 1908.
    work and expenditures—
      1908. O.E.S. An. Rpt., 1908, pp. 90–93. 1909.
      1909. O.E.S. An. Rpt., 1909, pp. 100–104. 1910.
      1910. O.E.S. An. Rpt., 1910, pp. 130–134. 1911.
      1911. O.E.S. An. Rpt., 1911, pp. 102–105. 1912.
      1912. O.E.S. An. Rpt., 1912, pp. 109–111. 1913.
      1913. O.E.S. An. Rpt., 1915, pp. 21, 44–45. 1915.
      1914. O.E.S. An. Rpt., 1914, pp. 98–103. 1915.
      1915, results. S.R.S. Rpt., 1915, Pt. I, pp. 106–111. 1917.
      1916. S.R.S. Rpt., 1916, Pt. I, pp. 106–111. 1918.
      1917. S.R.S. Rpt., 1917, Pt. I, pp. 103–107. 1918.

Illinois—Continued.
Experiment Station—Continued.
work and expenditures—continued.
1918. S.R.S. Rpt., 1918, pp. 33, 46, 53, 56, 63, 70–80. 1920.
experiments with first-generation corn hybrids. B.P.I. Bul. 191, pp. 13–17. 1910.
extension work—
funds allotment, and county-agent work. S.R.S. Doc. 40, pp. 4, 5, 9, 14, 23, 25, 28. 1918.
in agriculture and home economics—
1915. S.R.S. Rpt., 1915, Pt. II, pp. 195–198. 1917.
1916. S.R.S. Rpt., 1916, Pt. II, pp. 200–205. 1917.
1917. S.R.S. Rpt., 1917, Pt. II, pp. 209–214. 1919.
statistics. D.C. 306, pp. 3, 5, 9, 14, 20, 21. 1924.
fairs, number, kind, location, and dates. Stat. Bul. 102, pp. 13, 14, 22–25. 1913.
farm(s)—
animals, statistics, 1867–1907. Stat. Bul., 64, p. 114. 1908.
capital, incomes, expenses, profits, and studies. D.B. 41, pp. 1–42. 1914.
cost records for horses, with New York and Ohio. D.B. 560, pp. 23. 1917.
income, sources and amounts, comparison with eastern Pennsylvania farms, table. D.B. 341, pp. 24–30. 1916.
labor hours in day, and use of horses, by months. Y.B., 1922, pp. 1075, 1077, 1078. 1923; Y.B. Sep. 890, pp. 1075, 1077, 1078. 1923.
leasing, provisions. D.B. 650, pp. 3, 4, 13, 16, 17, 18, 19. 1918.
management survey, with Indiana and Iowa. E. H. Thomson and H. M. Dixon. D.B. 41, pp. 42. 1914.
owning motor trucks, reports. D.B. 931, pp. 3, 4. 1921.
practices, comparison with New York, in day's work. D.B. 814, pp. 30–32. 1920.
products, value, relation to tenantry. Y.B., 1916, p. 335. 1917; Y.B. Sep. 715, p. 15. 1917.
seasonal labor distribution. Y.B., 1917, p. 544. 1918; Y.B. Sep. 758, p. 10. 1918.
survey, data on farms, size and income. Y.B. 1913, pp. 94–96. 1914; Y.B. Sep. 617, pp. 94–96. 1914.
value, changes, 1900–1905. Stat. Bul. 43, pp. 11–17, 29–46. 1906.
value, income, and tenancy classification. D.B. 1224, pp. 84–87. 1924.
farmers' institutes—
for young people. O.E.S. Cir. 99, p. 17. 1910.
history. O.E.S. Bul. 174, pp. 28–30. 1906.
laws. O.E.S. Bul. 135, rev., pp. 13–15. 1903; O.E.S. Bul. 241, pp. 12–15. 1911.
work—
1904. O.E.S. An. Rpt., 1904, pp. 637–640. 1904.
1906. O.E.S. An. Rpt., 1906, pp. 328–330. 1906.
1907. O.E.S. An. Rpt., 1907, pp. 323–325. 1908.
1908. O.E.S. An. Rpt., 1908, p. 310. 1909.
1909. O.E.S. An. Rpt., 1909, p. 344. 1910.
1910. O.E.S. An. Rpt., 1910, p. 404. 1911.
1911. O.E.S. An. Rpt., 1911, pp. 50, 370. 1912.
1912. O.E.S. An. Rpt., 1912, p. 364. 1913.
ferns, injury by Florida fern caterpillar. Ent. Bul. 125, pp. 9–10. 1913.
fertilizer prices, 1919, by counties. D.C. 57, pp. 5, 8. 1919.
field work of Plant Industry, 1924. M.C. 30, pp. 19–20. 1925.
flax acreage, 1899, 1909, 1913. D.B. 322, p. 4. 1916.
food laws—
1904. Chem. Cir. 16, pp. 8, 22. 1904.
1905. Chem. Bul. 69, Pt. II, pp. 157–172. 1905.
1907. Chem. Bul. 112, Pt. I, pp. 54–68. 1908.
forest—
fires, statistics. For. Bul. 117, p. 28. 1912.
planting—
R. S. Kellogg. For. Cir. 81, pp. 32, 1907; rev. 1910.

Illinois—Continued.
forest—continued.
planting—continued.
conditions and suggestions. D.B. 153, pp. 5, 17, 25, 27–33. 1915.
needs, acreage, and conditions. Y.B., 1909, p. 341. 1910; Y.B. Sep. 517, p. 341. 1910.
forestry laws, 1921, summary. D.C. 239, pp. 8–9. 1922.
fruit spraying experiments. B.P.I. Cir. 27, pp. 9–10, 12–15. 1909.
funds for cooperative extension work, sources. S.R.S. Doc. 40, pp. 4, 5, 9. 1917.
fur animal, laws—
1915. F.B. 706, p. 6. 1916.
1916. F.B. 783, p. 7. 1916.
1917. F.B. 911, p. 9. 1917.
1918. F.B. 1022, p. 9. 1918.
1919. F.B. 1079, pp. 4, 12. 1919.
1920. F.B. 1165, p. 11. 1920.
1921. F.B. 1238, p. 10. 1921.
1922. F.B. 1293, p. 7. 1922.
1923–24. F.B. 1387, p. 10. 1923.
1924–25. F.B. 1445, p. 8. 1924.
1925–26. F.B. 1469, pp. 10–11. 1925.
game—
farm maintenance and work, 1912. D.B. 1049, p. 47. 1922.
laws—
1902. F.B. 160, pp. 13, 31, 38, 41, 45, 52. 1902.
1903. F.B. 180, pp. 10, 22, 29, 33, 38, 53. 1903.
1904. F.B. 207, pp. 18, 33, 38, 42, 50, 60. 1904.
1905. F.B. 230, pp. 18, 33, 38, 42, 50, 60. 1905.
1906. F.B. 265, p. 15, 29, 37, 43. 1906.
1907. F.B. 308, p. 6, 13, 28, 35, 42. 1907.
1908. F.B. 336, p. 15, 31, 39, 44, 50. 1908.
1909. F.B. 376, pp. 6, 10, 12, 20, 33, 39, 42, 47. 1909.
1910. F.B. 418, pp. 14, 27, 32, 36, 41. 1910.
1911. F.B. 470, pp. 10, 18, 31, 37, 41, 46. 1911.
1912. F.B. 510, pp. 10, 14, 25–26, 27, 32, 33, 37, 43. 1912.
1913. D.B. 22, pp. 12, 20, 25, 39, 45, 48, 53. 1913; rev., pp. 12, 19, 25, 39, 45, 48, 53. 1913.
1914. F.B. 628, pp. 10, 11, 13, 17, 28–29, 30, 35, 36, 37, 41, 47. 1914.
1915. F.B. 692, pp. 2, 3, 5, 6, 7, 8, 10, 27, 40, 46, 50, 52, 57. 1915.
1916. F.B. 774, pp. 24, 38, 45, 48, 51, 57. 1916.
1917. F.B. 910, pp. 16, 47, 51. 1917.
1918. F.B. 1010, pp. 6, 14, 45, 61. 1918.
1919. F.B. 1077, pp. 16, 49, 53, 72, 73. 1919.
1920. F.B. 1138, pp. 17–18. 1920.
1921. F.B. 1235, p. 19, 55. 1921.
1922. F.B. 1288, pp. 6, 16, 53, 66, 67. 1922.
1923–24. F.B. 1375, pp. 17, 49. 1923.
1924–25. F.B. 1444, pp. 11, 36. 1924.
1925–26. F.B. 1466, pp. 17–18, 44. 1925.
relating to domesticated deer. F.B. 330, p. 19. 1908.
protection. See Game officials.
grain supervision districts. Mkts. S.R.A. 14, pp. 10–11, 20, 21, 22, 23. 1916.
hay crops, 1866–1906, acreage, production, and value. Stat. Bul. 63, pp. 5–25, 29. 1908.
hemp growing, early history. Y.B., 1913, p. 293. 1914.
herds, lists of tested and accredited cows. D.C. 54, pp. 3, 11, 21, 26, 27, 52, 75, 78. 1919. D.C. 142, pp. 6–18, 30–49. 1920; D.C. 143, pp. 3, 7, 23, 67. 1920; D.C. 144, pp. 3, 7, 9–21, 48–49. 1920.
highway department, establishment and work Y.B., 1914, pp. 214–215, 222. 1915; Y.B. Sep. 638, pp. 214–215, 222. 1915.
hog(s)—
number. Sec. [Misc.] Spec. "Geography * * * world's agriculture," p. 132. 1918.
production cost, and shipments. F.B., 1922, pp. 220–223, 231. 1923; Y.B. Sep. 882, pp. 220–223, 231. 1923.
home economics clubs, results. D.C. 152, pp. 24, 26. 1921.
horse labor on farm, daily distribution, by operations. Y.B., 1919, 486, 490, 494, 495. 1920; Y.B. Sep. 825, pp. 486, 490, 494, 495. 1920.
hunting laws. Biol. Bul. 19, pp. 13, 16, 18, 19, 27, 29, 31, 34, 61. 1904.

INDEX TO PUBLICATIONS, 1901–1925 1225

Illinois—Continued.
Kane County—
milk production. B.A.I. Bul. 138, p. 9. 1911.
share-rented dairy farms, regions studied. D.B. 603, pp. 2, 5–6. 1918.
Kenilworth Community—
Association, organization and by-laws. F.B. 1192, pp. 27–28. 1921.
building, description and plans. F.B. 1173, p. 17. 1921.
land utilization on farms, survey. F.B. 745, pp. 13, 14, 16, 17. 1916.
lard supply, wholesale and retail, Aug. 31, 1917, tables. Sec. Cir. 97, pp. 13–31. 1918.
law(s)—
for turpentine sale. D.B. 898, p. 40. 1920.
on community buildings. F.B. 1192, pp. 29–31. 1921.
on dog control, digest. F.B. 935, p. 13. 1918; F.B. 1268, p. 13. 1922.
legislation relative to tuberculosis. B.A.I. Bul. 28, pp. 16–25. 1901.
livestock—
admission sanitary requirements—
1917. B.A.I. Doc. A.–28, p. 11. 1917.
1920. B.A.I. Doc. A.–36, pp. 16–17. 1920.
1924. M.C. 14, pp. 17–18. 1924.
associations. Y.B., 1920, pp. 518–519. 1921. Y.B. Sep. 866, pp. 518–519. 1921.
Livingston and Knox Counties, tractors on farms, reports. D.B. 997, pp. 6–11, 18, 27–37, 40–42, 61. 1921.
lumber—
cut, 1870–1920, value, and kinds. D.B. 1119, pp. 27, 30–35, 51–58. 1923.
production, 1918, by mills, by woods, and lath and shingles. D.B. 845, pp. 6–10, 14, 16, 42–47. 1920.
statistics. Rpt. 116, pp. 6, 9–11. 1918.
maple sugar and sirup, production. F.B. 516, pp. 44–46. 1912.
McHenry County, milk production. B.A.I. Bul. 138, pp. 8–9. 1911.
McLean community house, description and plans. F.B. 1173, pp. 19–20. 1921.
Meadow soil, areas and location. Soils Cir. 68, p. 20. 1912.
meat inspection, report. Sec. Cir. 58, pp. 4–10. 1916.
Memphis silt loam, area and location. Soils Cir. 35, pp. 3, 19. 1911.
milk—
production, investigations and canvasses, summaries. B.A.I. Bul. 164, pp. 39–40, 43, 45, 46, 47, 48, 49, 50, 51, 53, 54, 55. 1913.
supply and laws. B.A.I. Bul. 46, pp. 26, 30, 34, 40, 61–69. 1903; F.B. 227, p. 27. 1905.
muck and peat areas, location. Soils Cir. 65, p. 15. 1912.
nursery stock, laws, interstate shipment, digest. F.H.B.S.R.A. 57, pp. 113, 114, 115. 1919.
oat—
acreage and production, map. Sec. [Misc.] Spec. "Geography * * * world's agriculture," p. 37. 1917.
crops—
1866–1906, acreage, and value. Stat. Bul. 58, pp. 5–25, 29. 1907.
1900–1909, acreage and value. F.B. 420, pp. 8, 9, 10. 1910.
growing, varietal experiments. D.B. 823, pp. 16–20, 66. 1920.
tests, Kherson and Sixty-day, with other varieties. F.B. 395, pp. 16–17. 1910.
testing, methods, yields per acre, and comparisons. D.B. 99, pp. 4–7, 24. 1914.
Odin field, subsoiling experiments. J.A.R., vol. 14, p. 518. 1918.
officials, dairy, drug, feeding stuffs, and food. See Dairy officials; drug officials.
pasture lands on farms. D.B. 626, pp. 14, 29–31. 1918.
peach(es)—
varieties, names and ripening dates. F.B. 918, p. 7. 1918.
shipping season, area of production. D.B. 298, pp. 4, 5, 6, 11. 1915; D.B. 806, pp. 4–9, 15. 1919.
pear growing, distribution, and varieties. D.B. 822, p. 8. 1920.

Illinois—Continued.
Pekin-LaMarsh levee and drainage district, pumping tests. O.E.S. Bul. 243, pp. 25, 27–29. 1911.
pheasant raising, and results. F.B. 390, p. 16. 1910.
pig-club work, results. D.C. 152, p. 21. 1921.
plum curculio, control work, experiments. Ent. Bul. 103, pp. 170, 171, 181, 191–193. 1912.
pop corn, production and value, 1909. F.B. 554, pp. 6–7. 1909.
potato crops—
1866–1906, acreage, production, and value. Stat. Bul. 62, pp. 7–27, 31. 1908.
1909, by counties. F.B. 1064, p. 4. 1919.
rainfall records, 1900–1910. O.E.S. Bul. 243, pp. 28–29. 1911.
rat invasion, 1903–1904. Biol. Bul. 33, p. 17. 1909.
raw rock phosphate, field experiments, and results. D.B. 699, pp. 30–43. 1918.
road(s)—
bond-built, details. D.B 136, pp. 39, 49–51, 64, 84, 85. 1915.
building-rock tests—
1916 and 1917. D.B. 370, pp. 23–26. 1916; D.B. 670, pp. 8, 24. 1918.
1916–1921, results. D.B. 1132, pp. 11–12, 46–47, 51. 1923.
1923, results. D.B. 1132, pp. 11–12, 46–47, 51. 1923.
conditions, mileage, costs and bonds. D.B. 389, pp. 2, 3, 4, 5, 6, 7, 16–19. 1917.
materials, tests. Rds. Bul. 44, pp. 38–39. 1912.
mileage and expenditures—
1904. Rds. Cir. 70, pp. 4. 1907.
1909. Rds. Bul. 41, pp. 17, 40, 42, 58. 1912. January 1, 1915. Sec. Cir. 52, pp. 2, 4, 6. 1915.
1916. Sec. Cir. 74, pp. 4, 5, 7, 8. 1917.
rock-crushing methods. Y.B., 1910, p. 273. 1911; Y.B. Sep. 535, p. 273. 1911.
Rock River, diminished flow. For. Bul. 44, pp. 7–27. 1903.
rye crops, 1866–1906, acreage, production, and value. Stat. Bul. 60, pp. 5–25, 29. 1908.
San Jose scale, occurrence. Ent. Bul, 62, p. 23. 1906.
school conditions, attendance, cost. O.E.S. Bul. 252, pp. 17, 43, 86. 1910.
share rented dairy farms, studies. D.B. 603, pp. 1–15. 1918.
sheep-raising methods, description of fence posts. F.B. 1181, pp. 11–12. 1921.
shipment of fruits and vegetables, and index to station shipments. D.B. 667, pp. 6–13, 21–22. 1918.
soil survey of—
Calhoun County. See O'Fallon area.
Clay County. George N. Coffey and others. Soils F.O. Sep., 1902, pp. 16. 1903; Soils F.O., 1902, pp. 533–548. 1903.
Clinton County. Jay A. Bonsteel and others. Soils F.O. Sep., 1902, pp. 16. 1903. Soils F.O. 1902, pp. 491–505. 1903.
Jersey County. See O'Fallon area.
Jo Daviess County. See Dubuque area, Iowa.
Johnson County. George N. Coffey and C. W. Ely. Soil Sur. Adv. Sh., 1903, pp. 20. 1904; Soils F.O., 1903, pp. 721–736. 1904.
Knox County. George N. Coffey and others. Soil Sur. Adv. Sh., 1903, pp. 20. 1904; Soils F.O., 1903, pp. 737–752. 1904.
McLean County. George N. Coffey and others. Soil Sur. Adv. Sh., 1903, pp. 25. 1904; Soils F.O. 1903, pp. 777–797. 1904.
O'Fallon area. Elmer O. Fippin and J. A. Drake. Soil Sur. Adv. Sh., 1904, pp. 31. 1905; Soils F.O., 1904, pp. 815–843. 1905.
St. Clair County. George N. Coffey and others. Soils F.O. Sep., 1902, pp. 26. 1903; Soils F.O., 1902, pp. 507–532. 1903.
Sangamon County. George N. Coffey and others. Soil Sur. Adv. Sh., 1903, pp. 21. 1904; Soils F.O., 1903, pp. 703–719. 1904.
Tazewell County. Jay A. Bonsteel and others. Soils F.O. Sep., 1902, pp. 25. 1903; Soils F.O., 1902, pp. 465–489. 1903.
Will County. Charles J. Mann and Mark Baldwin. Soil Sur. Adv. Sh., 1912, pp. 37. 1914; Soils F.O., 1912, pp. 1521–1553. 1915.

Illinois—Continued.
soil survey of—continued.
Winnebago County. George N. Coffey and others. Soil Sur. Adv. Sh., 1903, pp. 27. 1904; Soils F.O., 1903, pp. 753-775. 1904.
soils—
analyses for plant food. Chem. Bul. 90, pp. 112-125. 1905.
Knox silt loam, location, area, and crops grown. Soils Cir. 33, pp. 3-17. 1911.
Marshall silt loam location, area, and crops grown. Soils Cir. 32, pp. 3, 10, 11, 13, 15, 18. 1911.
Wabash—
clay, areas, location and uses. Soils Cir. 41, pp. 11, 16. 1911.
silt loam, location, areas, and uses. Soils Cir. 40, p. 15. 1911.
stallions, numbers, classes, and legislation controlling. Y.B., 1916, pp. 290, 291, 293, 295, 296. 1917; Y.B. Sep. 692, pp. 2, 3, 5, 7, 8. 1917.
standard containers. F.B. 1434, p. 17. 1924.
State forestry laws. Jeannie S. Peyton. For. Misc. S-17,pp. 6. 1916; For. Leaf. 16, pp. 6. 1916.
strawberry shipments, 1914, 1915. D.B. 237, p. 7. 1915; F.B. 1028, p. 6. 1919.
sugar-beet growing, details. Rpt. 90, p. 46. 1909.
threshing ring success, examples. Y.B., 1918, pp. 265-267. 1919; Y.B. Sep. 772, pp. 21, 23. 1919.
tomato—
pulping statistics. D.B. 927, pp. 3, 4, 24. 1921.
shipping sections. F.B., 1291, p. 4. 1922.
tractor—
experience, under Corn Belt conditions. Arnold P. Yerkes. F.B. 963, pp. 30. 1918.
investigations, 1918. F.B. 1095, pp. 3-5. 1920.
on farms, size, acreage, life, use, and repairs. F.B. 719, pp. 6-12, 13, 15, 17, 18, 20, 22, 23. 1916.
traveling library, method of handling. O.E.S. Bul. 199, pp. 57-58. 1908.
trucking industry, acreage and crops. Y.B., 1916, pp. 455-465. 1917; Y.B. Sep. 702, pp. 21-31. 1917.
wage rates, farm labor, 1840-1909. Stat. Bul. 99, pp. 17, 21, 29-43, 68-70. 1912.
walnut, stand and quality. D.B. 909, pp. 9, 10, 11, 18, 21, 23. 1921; D.B. 933, pp. 7, 10, 31. 1921.
water supply, records, by counties. Soils Bul. 92, pp. 49-53. 1913; Y.B., 1911, pp. 483-489. 1912; Y. B. Sep. 585, pp. 483-489. 1912.
wheat—
crops, acreage, production and value. Stat. Bul. 57, pp. 5-25, 29. 1907; rev., pp. 5-25, 29, 37. 1908.
diseases, control work. F.H.B.S.R.A. 64, p. 86. 1919.
flag smut outbreak and distribution. F.B. 1063, pp. 2-4. 1919; F.B. 1213, pp. 2, 3. 1921.
production—
1866-1915. D.B. 514, p. 8. 1917.
1902-1904. Stat. Bul. 38, p. 18. 1905.
periods. Y.B. ,1921, pp. 88, 93, 94, 96. 1922. Y.B. Sep. 873, pp. 88, 93, 94, 96. 1922.
rosette outbreak, distribution, and investigations. J.A.R., vol. 23, pp. 773-797. 1923.
take-all disease outbreak. F.B. 1063, pp. 2-4. 1919; F.B. 1226, pp. 2-4. 1921.
varieties grown. F.B. 616, p. 8. 1914; F. B. 1168, p. 11. 1921. D.B. 1074, p. 210. 1922.
Winnetka, community building, with church control, description, cost, and uses. F.B. 1274, pp. 29-32. 1922.
Winnetka community house, description and plan. F.B. 1173, pp. 32-33. 1921.
See also Corn Belt.
Illinois River—
overflowed lands, reclamation. O.E.S. Bul. 158, p. 668-675. 1905.
pumping districts, area, power, and summary. D.B. 304, pp. 58-59. 1915.
Illiteracy, white, negro, native and foreign. Atl. Am. Agr. Adv. Sh. 3, Pt. 9, Sec. 1, pp. 10-11. 1919.
Illosporium malifoliorum, cause of frog-eye disease. J.A.R., vol. 2, p. 57. 1914.

Imbu—
description of tree and fruit, value and uses. D.B. 445, pp. 34-35. 1917.
importation and description. No. 37018, B.P.I. Inv. 38, pp. 7, 27. 1917; No. 37861-37862, B.P.I. Inv. 39, pp. 11, 58-59. 1917; No. 37906, B.P.I. Inv. 39, p. 65. 1917.
Imburana, importation and description. No. 37906, B.P.I. Inv. 39, p. 65. 1917.
IMES, MARION—
"Cattle lice and how to eradicate them." F.B. 909, pp. 27. 1918.
"Cattle scab and methods of control and eradication." F.B. 1017, pp. 29. 1919.
"Hog lice and mange." F.B. 1085, pp. 28. 1920; rev., pp. 28. 1923.
"Sheep scab." F.B. 713, pp. 36. 1916.
"The sheep tick and its eradication by dipping." F.B. 798, pp. 31. 1917.
"The spinose ear tick, and methods of treating infested animals." F.B. 980, pp. 8. 1918.
"Immaturity," use of term applied to grapefruit and oranges. Chem. S. R. A. 15, p. 22. 1915.
Immigrants, placing on farms. Stat. Bul. 94, p. 36. 1912.
Immigration—
bureaus, and officials, 1922, by States. D.B. 1271, p. 49. 1922.
from Argentina, cause of decrease. Rpt. 75, p. 10. 1903.
relation of railroads. Stat. Bul. 100, pp. 18-27. 1912.
relation to supply of farm labor. Rpt. 82, pp. 10-13. 1906; Y.B., 1910, pp. 191-192. 1911; Y.B. Sep. 528, pp. 191-192. 1911.
Immigration Bureau, placing of laborers. Stat. Bul. 94, pp. 36, 37-38. 1912.
Immortelle, importation and description. No. 34819, B.P.I. Inv. 34, p. 16. 1915.
Immunity, selective breeding to secure. B.A.I. An. Rpt., 1906, pp. 220-222. 1908.
Immunization—
cattle, with Texas fever. B.A.I. Bul. 78, pp. 39-42. 1905.
study with special reference to septicemia. B.A.I. Bul. 36, pp. 19-23. 1902.
tests with glanders vaccine. John R. Mohler and Adolph Eichhorn. D.B. 70, pp. 13. 1914.
Imo. See Dasheen.
Imodon, importation and description. Inv. No. 30414. B.P.I. Bul. 233, p. 85. 1912.
Impact—
bending, wood, discussion. D.B. 556, pp. 15-16. 1917.
test for—
rocks, Page method and machine. Rds. Bul. 44, pp. 9-12, 21-23. 1912.
timber, machine and method. For. Cir. 38, rev., pp. 24, 54, 55. 1909.
Impaction—
diseases, cattle, Alaska, symptoms and control. Alaska A.R., 1916, pp. 59-60. 1918.
rumen of sheep, cause, symptoms, and treatment. F.B. 1155, p. 28. 1921.
Impatiens—
balsamina—
description, cultivation, and characteristics. F.B. 1171, pp. 48-49, 79. 1921.
See also Jewelweed.
longipus, importation and description. No. 39669. B.P.I. Inv. 41, p. 58. 1917.
sp.—
crown-gall inoculation from daisy and peach. B.P.I. Bul. 213, pp. 36, 65. 1911.
resistance to teliospores of Puccinia triticina. J.A.R., vol. 22, pp. 155-172. 1921.
Imperata—
cylindrica, importation and description. No. 47700, B.P.I. Inv. 59, p. 49. 1922.
spp., description, distribution, and uses. D.B. 772, pp. 21, 252, 254. 1920.
Imperial Canal, irrigation system, details. O.E.S. Bul. 222, p. 72. 1910.
Imperial Valley—
Durango cotton—
growing. B.P.I. Cir. 121, pp. 3-12. 1913.
handling and marketing. J. G. Martin and G. C. White. D.B. 458, pp. 23. 1917.
irrigation conditions. J. E. Roadhouse. O.E.S. Bul. 158, pp. 175-194. 1905.
location and description. D.B. 324, p. 2. 1915

INDEX TO PUBLICATIONS, 1901-1925   1227

Impetigo, cattle, causes and treatment. B.A.I. [Misc.], "Diseases of cattle," rev., p. 327-328. 1904; rev., pp. 339-340. 1912; rev., pp. 327-328. 1923.
Imphee. *See* Sorghum.
Implement(s)—
  alfalfa-seed growing. B.P.I. Cir. 24, pp. 14, 15, 17, 19, 20. 1909.
  and vehicle woods, tests of. H.B. Holroyd and H. S. Betts. For. Clr. 142, pp. 29. 1908.
  basket willow harvesting. F.B. 341, pp. 15-18. 1909.
  beet—
    culture under irrigation. F.B. 392, pp. 15-18, 31-33, 34-35. 1910.
    growing, planting, cultivation, and harvesting. Rpt. 90, p. 22. 1909.
  boll-weevil control. F.B. 344, pp. 29-34, 44-45. 1909.
  corn—
    cultivation, descriptions and uses. D.B. 320, pp. 11-65. 1916; Guam Cir. 3, p. 5. 1922.
    growing in Southeastern States, description. F.B. 729, pp. 9-11, 14-17. 1916; F.B. 1149, pp. 4, 10-12, 14-18. 1920.
  cotton and corn cultivation, recommendations. B.P.I. Doc. 344, pp. 1-2, 3-4, 5-6. 1908.
  disinfection for eelworm infection. D.C. 297, p. 7. 1923.
  for use in making concrete posts. F.B. 403, p. 22. 1910.
  house-cleaning, description and care. F.B. 1180, pp. 4-11. 1921.
  insect-killing. F.B. 1169, pp. 16-17. 1921.
  irrigation—
    farming. F.B. 373, pp. 14-29. 1909; O.E.S. Bul. 215, p. 39. 1909.
    of grain farm, description. F.B. 399, pp. 7, 8, 11. 1910.
  manufacture from—
    ash. D.B. 523, pp. 32, 50. 1917.
    elm. D.B. 683, pp. 24, 25, 39, 41, 42, 43. 1918.
    pine. For. Bul. 99, pp. 20, 25. 1911.
    slash pine lumber. F.B. 1256, p. 14. 1922.
  onion culture. F.B. 354, pp. 11, 17-19. 1909.
  peanut harvesting, picking and threshing. Y.B., 1917, pp. 115, 116. 1918; Y.B. Sep. 748, pp. 5, 6. 1918.
  pineapple cultivation. P.R. Bul. 8, p. 18. 1909.
  plaster distributors, description. B.P.I. Cir. 22, pp. 5-14. 1909.
  power requirements, measurement project, outline. Sec. Cir. 149, p. 8. 1920.
  silage-making. F.B. 578, pp. 7-10. 1914.
  stump removing, description and use. B.P.I. Cir. 25, pp. 6-9, 12-13. 1909.
  sugar-beet, description and use. D.B. 721, pp. 35-39. 1918; D.B. 748, pp. 13-22, 36, 37. 1919; Rpt. 86, pp. 24-25, 38. 1908.
  sweet potato—
    growing, description. F.B. 324, pp. 8, 18, 19, 21, 22, 24, 27. 1908.
    harvesting. F.B. 520, pp. 11-12. 1912.
  tobacco culture. B.P.I. Bul. 138, pp. 12, 13. 1908; F.B. 343, pp. 16-19, 1909; F.B. 416, p. 13. 1910.
  value per farm, and use, North Dakota. D.B. 757, pp. 7, 12, 17-24. 1919.
  vineyard, phylloxera spread. D.B. 903, pp. 115-116. 1921.
  weed cutting, description. F.B. 368, pp. 12-13. 1909.
  See also Farm implements.
Import(s)—
  1851-1909, value by years. Stat. Bul. 82, pp. 9-10. 1910.
  1902, 1903, 1904, detailed by articles and countries, table. Stat. Bul. 35, pp. 26-80. 1905.
  agricultural—
    of—
      Austria, needs and sources. D.B. 1234, pp. 66-67. 1924.
      Germany, 1897-1901. Frank H. Hitchcock. For. Mkts. Bul. 30, pp. 323. 1903.
      Netherlands. Stat. Bul. 72, pp. 53. 1909.
      the United States, sources, 1896-1900. Frank H. Hitchcock. For. Mkts. Bul. 24, pp. 120. 1901.
      the United States, sources, 1897-1901. Frank H. Hitchcock. For. Mkts. Bul. 28, pp. 132. 1902.

Import(s)—Continued.
  agricultural—continued.
    of—continued.
      the United States, sources, 1898-1902. Frank H. Hitchcock. For. Mkts. Bul. 31, pp. 150. 1903.
    products—
      1852-1913. Y.B., 1913, pp. 493-500, 507, 510-512, 513. 1914; Y.B. Sep. 361, pp. 493-500, 507, 510-512, 513. 1914.
      1914. Y.B., 1914, pp. 651-661, 666, 669-671, 673, 674, 683-687. 1915; Y.B. Sep. 657, pp. 651-661, 666, 669-671, 673, 674, 683-687. 1915.
      1915. Y.B. 1915, pp. 540, 547, 554, 555, 558, 561, 571-576. 1916. Y.B. Sep. 685, pp. 540, 547, 554, 555, 558, 561, 571-576. 1916.
      1916, and exports. Y.B., 1916, pp. 707-743. 1917; Y. B. Sep. 722, pp. 37. 1917.
      1917 and exports. Y.B., 1917, pp. 759-799. 1918; Y.B. Sep. 762, pp. 43. 1918.
      1918. Y.B., 1918, pp. 627-635, 642-643, 647-651, 660-665. 1919; Y.B. Sep. 794, pp. 1-11, 18-19, 23-27, 36-41. 1919.
      1920. Y.B., 1920, pp. 3-11, 19-21, 24-27, 29-30, 39-44. 1921; Y.B. Sep. 864, pp. 3-11, 19-21, 24-27, 29-30, 39-44. 1921.
      1922-1924. Y.B., 1924, pp. 1058-1068. 1925.
    annual average, by countries. Stat. Cir. 31, pp. 1-30. 1912.
  and exports, agricultural, 1897-1901. For. Mkts. Cir. 24, pp. 16. 1902.
  animals—
    and meats, 1915. B.A.I.S.R.A. 101, p. 107. 1915; B.A.I.S.R.A. 104, p. 131. 1916.
    for breeding, certification regulations. B.A.I. Cir. 177, pp. 1-3. 1911.
  cattle—
    1911-1920. Y.B. 1921, pp. 737, 764. 1922; Y.B. Sep. 867, pp. 1, 28. 1922.
    and meat, Federal inspection law. Chem. Bul. 69, Pt. I, pp. 2-7. 1902.
    from Canada and Mexico, 1880-1918. D.C. 7, p. 5. 1919.
    meat and meat food products, 1913, 1914. B.A.I.S.R.A. 80, p. 110. 1913; B.A.I.S.R.A. 82, p. 25. 1914; B.A.I.S.R.A. 83, p. 38. 1914.
  cereals, European countries. Stat. Bul. 69, pp. 8-10, 14, 16, 18, 20, 22, 26, 29, 33, 36, 38, 41, 42, 43, 47, 49, 51, 52, 55, 56, 58, 61-63. 1908.
  control, comparison of work in the United Kingdom and the United States. Chem. Bul. 143, pp. 16-18. 1911.
  dairy products—
    1910-1918. Sec. Cir. 123, p. 12. 1918.
    1914-1919. Sec. Cir. 142, p. 21. 1919.
    decrease since 1914. Sec. Cir. 85, pp. 3-5. 1918.
  detained, notice publications. Chem. S.R.A. 21, p. 68. 1918.
  enforcement of food and drugs act, procedure, regulation 29. Sec. Cir. 21, rev., pp. 17-21. 1922.
  farm—
    and forest products—
      1851-1910, value by years. Stat. Bul. 90, pp. 9-10. 1911.
      1851-1911, value by years. Stat. Bul. 95, pp. 9-10. 1912.
    1901-1903, by countries to which consigned. Stat. Bul. 31, pp. 66. 1905.
    1902-1904, by countries from which consigned. Stat. Bul. 35, pp. 108. 1905.
    1903. Stat. Cir. 15, pp. 2, 4-5, 7, 13-19. 1903.
    1903-1905, by countries to which consigned. Stat. Bul. 45, pp. 62. 1906.
    1904, statistics. Stat. Cir. 16, pp. 3-5, 6, 13-19. 1905.
    1904-1906, by countries from which consigned. Stat. Bul. 52, pp. 58. 1907.
    1905-1907, by countries from which consigned. Stat. Bul. 70, pp. 62. 1909.
    1906-1908, by countries from which consigned. Stat. Bul. 76, pp. 65. 1909.
    1907-1909, by countries from which consigned. Stat. Bul. 82, pp. 74. 1910.
    1908-1910, by countries from which consigned. Stat. Bul. 90, pp. 80. 1911.
    1909-1911, by countries from which consigned. Stat. Bul. 95, pp. 83. 1912.

Import(s)—Continued.
farm—continued.
and other products, 1851-1908, with balance of trade, United States. Stat. Bul. 77, pp. 10-11. 1910.
products—
1851-1908 per capita, quantity and value. Stat. Bul. 74, pp. 7-9. 1910.
1890-1907, comparison with total imports. Stat. Bul. 70, p. 9. 1909.
1912-1915, countries of origin. Y.B., 1915, pp. 571-576. 1916; Y.B. Sep. 685, pp. 571-576. 1916.
origin, table. Y.B., 1914, pp. 683-687. 1915; Y.B. Sep. 657, pp. 683-687. 1915.
fertilizer ingredients, 1909-1918, and values. D.B. 798, pp. 19-21, 24-25. 1919.
flaxseed, of world countries, 1911-1920. Y.B., 1921, pp. 574-575. 1922; Y.B. Sep. 868, pp. 68-69. 1922.
food—
and drugs—
adulterated or misbranded, action by the department. Y.B., 1910, p. 207. 1911; Y.B. Sep. 529, p. 207. 1911.
regulations. Chem. [Misc.], "Food and drug manual * * *." pp. 78-135. 1920; Sec. Cir. 21, pp. 12-15. 1906.
animals—
1907-1923. D.C. 241, pp. 17, 18. 1924.
1915, 1916. B.A.I.S.R.A. 98, p. 69. 1915; B.A.I.S.R.A. 117, p. 3. 1917.
or drug products, declaration requirement, regulation 28. Sec. Cir. 21, rev., pp. 16-17. 1922.
forest products—
1851-1908. Stat. Bul. 51, pp. 23-31. 1909.
1851-1911. Y.B., 1911, pp. 659-662, 688, 690-691. 1912; Y.B. Sep. 588, pp. 659-662, 688, 690-691. 1912.
1901-1903. Stat. Bul. 31, pp. 1-66. 1905.
1903-1905. Stat. Bul. 45, pp. 1-62. 1906.
1904-1908. For. Cir. 162, pp. 19-21. 1909.
1906. For. Cir. 110, pp. 20-28. 1907.
1907. For. Cir. 153, pp. 17-26. 1908.
1908, quantity and value. For. Cir. 162, pp. 19-29. 1909.
1910, by countries. For. Bul. 83, pp. 73-88. 1910.
1914, and other dates. Y.B., 1914, pp. 653-655, 671, 673, 687. 1915; Y.B. Sep. 657, pp. 653-655, 671-673, 687. 1915.
quantity and kinds. For. [Misc.], "Timber depletion * * *." pp. 58-59. 1920.
from Guam, 1910. O.E.S. An Rpt., 1910, pp. 510-512. 1911.
fruit, Australia and New Zealand. D.C. 145, pp. 5-6, 15. 1921.
hides and skins—
1913-1915. Y.B., 1916, pp. 664-665. 1917; Y.B. Sep. 721, pp. 6-7. 1917.
1917. Y.B., 1917, pp. 434-438. 1918; Y.B. Sep. 741, pp. 12-16. 1918.
1919. F.B. 1055, p. 4. 1919.
1921, by world countries. Y.B., 1921, p. 681. 1922; Y.B. Sep. 870, p. 7. 1922.
and other animal products, handling, regulations. B.A.I.O. 286, pp. 12. 1924.
horses, mules, and cattle, 1892-1911. Y.B., 1911, pp. 628-629, 656. 1912; Y.B. Sep. 588, pp. 628-628, 656. 1912; Y.B. Sep. 588, pp. 628-629, 656. 1912.
insect flowers and powder, at New York, 1885-1887, 1913, 1914, 1917. D.B. 824, pp. 3-4. 1920.
labeling, acts of the United Kingdom, 1887-1891. Chem. Bul. 143, pp. 20-21. 1911.
livestock, inspection and quarantine. B.A.I.O. 266, pp. 24. 1919.
meats—
animals, into fifteen deficiency countries. Rpt. 109, pp. 231-260. 1916.
and meat products—
1911-1920, world countries. Y.B., 1921, p. 682. 1922; Y.B. Sep. 870, 1921, p. 8. 1922.
1912-1914. F.B. 575, pp. 26-27. 1914.
1913. Y.B., 1913, pp. 348-350. 1914; Y.B. Sep. 629, pp. 348-350. 1914.
1914. B.A.I.O. 211, pp. 69-81. 1914; B.A.I.S.R.A. 87, p. 99. 1914; B.A.I.S.R.A. 88, p. 109. 1914; B.A.I.S.R.A. 92, p. 159. 1915.

Import(s)—Continued.
meats—continued.
and meat products—continued.
1915. B.A.I.S.R.A. 94 p. 23. 1915; B.A.I.S.R.A. 100, p. 97. 1915; B.A.I.S.R.A. 117, p. 3. 1917.
January, 1917. B.A.I.S.R.A. 118, p. 23. 1917.
November, 1918. B.A.I.S.R.A. 140, p. 102. 1919.
July, 1922. B.A.I.S.R.A. 184, p. 94. 1922.
by fifteen principal countries. Rpt. 109, pp. 15, 98-114, 231-262. 1916.
discussion and tables. Rpt. 109, pp. 15, 100, 103, 106, 108, 109, 246-247, 258-260, 262, 1916.
mohair, goat hair, and goatskins, 1900-1905. B.A.I. Bul. 27, rev., pp. 72-73. 1906.
oils and fats, 1912-1918. D.B. 769 (Sup.), pp. 2, 3. 1919.
plants, mail entry, quarantine regulations. F.H.B.S.R.A. 51, pp. 45-46. 1918; F.H.B.S.R.A. 71, p. 172. 1922; F.H.B.S.R.A. 75, p. 78. 1923.
seed—
1914-1918, effects of the war. Y.B., 1918, pp. 195-197. 1919; Y.B. Sep. 775, pp. 3-5. 1919.
and plants, from July, 1906, to December, 1907. B.P.I. Bul. 132, pp. 1-192. 1908.
substances intended for technical purposes. F.I.D. 36, p. 4. 1905.
tanning materials, 1906. For. Cir. 119, p. 8. 1907.
tariffs, foreign, on—
fruits and nuts, 1903. Frank H. Hitchcock. For. Mkts. Bul. 36, pp. 69. 1903.
grain and grain products, 1903. Frank H. Hitchcock. Stat. Bul. 37, pp. 59. 1903.
meat and meat products, 1903. Frank H. Hitchcock. For. Mkts. Bul. 35, pp. 64. 1903.
terms, definitions. Stat. Bul. 35, pp. 5-6. 1905.
transportation facilities. D.B. 296, p. 50. 1915.
values, farm products, 1851-1908, by countries from which consigned. Stat. Bul. 74, pp. 11-19. 1910.
vegetable—
oils, 1912-1921. Y.B., 1921, p. 799. 1922; Y.B. Sep. 871, p. 30. 1922.
seed. Stat. Bul. 2, pp. 94-95. 1924.
volatile oils. B.P.I. Bul. 195, pp. 45-47. 1910.
See also under specified article; Tariff.
Importation(s)—
and inspection of tea. M.C. 9, pp. 12. 1923.
avocado, under test in United States, description. Hawaii Bul. 25, pp. 38-41. 1911.
basket-willow materials. For. Cir. 155, pp. 8-10. 1909.
border, minor, F.I.D. 60. F.I.D. 60-64, p. 1. 1907.
flax fiber and linens, 1881-1914, and 1904-1913. F.B. 669, pp. 3, 18. 1915.
food products, inspection, regulations. F.I.D. 4, pp. 11-15. 1905.
fruits and vegetables from Hawaii, by Agriculture Department, quarantine regulations. F.H.B.Quar. 13, rev., p. 4. 1917.
game, Federal laws. Biol. Doc. 107, pp. 1-2. 1917.
meats and meat food products, instructions. B.A.I.S.A. 78, pp. 88-89, 91-92, 93. 1913.
nursery stock—
entry under Plant Quarantine No. 37, explanations. F.H.B.S.R.A. 64, pp. 82-84. 1919.
from countries contiguous to United States, permit regulations. F.H.B., Quar. 37, pp. 10-11. 1921.
permits. F.H.B., Quar. 37, pp. 4-6, 10-11 1921.
handling methods. B.P.I. Bul. 206, pp. 51-53. 1911.
plants and seed, 1920-1921. F.H.B An. Rpt., 1921, pp. 13-14. 1921.
rules and regulations. F.H.B.S.R.A. 27, pp. 45-54. 1916.
seed, and plants, permits, regulations. F.H.B. Quar. 37, rev., pp. 5-7, 9-11. 1923.
plants, regulations. F.H.B.S.R.A. 74, pp. 18-26. 1923.
potato, regulations, December, 1913, rev., December, 1915. F.H.B.S.R.A. 23, pp. 91-98. 1916.
private. F.I.D. 88; pp. 2. 1908.

Importation(s)—Continued.
  quail from northeastern Mexico, regulations, amendment. Biol., S.R.A. 19, p. 1. 1918.
  reptiles into Hawaii. James Wilson. Biol. Cir. 36, p. 1. 1902.
  seed act of August 24, 1912. Sec. Cir. 42, pp. 6. 1913.
Imported—
  game, sale of, decision of the Supreme Court of the United States. T. S. Palmer. Biol. Cir. 67, pp. 12. 1908.
  meat act, amendment and text. B.A.I.O. 211, rev., Amdt. 1, pp. 1-2. 1923.
Importers—
  notice, cotton entries. F.H.B.S.R.A. 24, pp. 7-9. 1916.
  of—
    animals for breeding purposes, information for—
      George M. Rommel. B.A.I. Cir. 50, pp. 16. 1903.
      G. Arthur Bell. B.A.I. Cir. 177, pp. 3. 1911.
    food products, suggestions. Chem. Cir. 18, pp. 16. 1904.
    recleaned goods, notice. Chem. S.R.A. 13, p. 3. 1915.
Inarching—
  avocado and mango. Hawaii A. R., 1912, pp. 37, 39. 1913.
  mango, directions. P.R. Bul. 24, pp. 11-12. 1918.
  persimmons, experiments, San Antonio Experiment Farm. B.P.I. Cir. 120, p. 16. 1913.
Inbreeding—
  and—
    crossbreeding, of guinea pigs, effects on: I. Decline in vigor; II. Differentiation among inbred families. Sewall Wright. D.B. 1090, pp. 63. 1922.
    relationship, approximate method of calculating coefficients from livestock pedigrees. Sewall Wright and Hugh C. McPhee. J.A. R., vol. 31, pp. 377-383. 1925.
  animal, objects and results, precautions. F.B. 1167, pp. 20-24. 1920.
  cattle—
    and swine, experiments and results. S.R.S. Rpt., 1916, pt. 1, pp. 87, 108. 1918.
    in Australia. B.A.I. Dairy [Misc.], "World's dairy congress, 1923," pp. 1401-1405. 1924.
  corn—
    cultural tendencies. B.P.I. Bul. 141, Pt. IV, pp. 37-40. 1909.
    effect on productiveness, study. D.B. 1354, pp. 1-19. 1925.
  dairy cattle, discussion. B.A.I. Dairy [Misc.], "World's dairy congress 1923," pp. 1379-1383. 1924.
  foxes. D.B. 1151, pp. 35-36. 1923.
  hogs, danger. F.B. 874, pp. 31-32. 1917.
  livestock, purpose and effects on offspring. D.B. 905, pp. 37-42. 1920.
  relation to otocephaly. J.A.R. vol. 26, pp. 163-168. 1923.
Incarvilla sinensis, importation and description. No. 35760., B.P.I. Inv. 37, p. 62. 1916.
INCE, J. W.: "Soil survey of Dickey County, N. Dak." With others. Soil Sur. Adv. Sh., 1914. pp. 56. 1916; Soils F.O., 1914, pp 2411-2462. 1919.
Incineration, garbage, method, and wastefulness of practice. Y.B., 1914, pp. 302, 309. 1915; Y.B. Sep. 643, pp. 302, 309. 1915.
Inclosures, for fur-bearing animals, description, directions. Y.B., 1916, pp. 496-498. 1917; Y.B. Sep. 693, pp. 8-10. 1917.
Income—
  dairy, relation to calving season. D.B. 1071, pp. 7-9. 1922.
  farm—
    and forestry. Wilbur R. Mattoon. F.B. 1117, pp. 35. 1920.
    determining from accounts. F.B. 511, rev., pp. 34-37. 1920.
    Georgia, Sumter County, white and colored owners and tenants. D.B. 1034, pp. 32, 33, 34-35. 1922.
    Iowa, 1913, 1915, 1918, 1919. D.B. 874, pp. 20-33. 1920.
    nature and uncertainty. Y.B., 1921, pp. 1-6. 1922; Y.B. Sep. 875, pp. 1-6. 1922.

Income—Continued.
  farm—continued.
    ratio to farm capital. Y.B., 1923, pp. 576-577. 1924; Y.B. Sep. 897 pp. 576-577. 1924.
    relation to—
      crop yields. Farm M. Cir. 3, pp. 10-12. 1919.
      forestry. Wilbur R. Mattoon. F.B. 1117, pp. 35. 1920.
      size of farm and race of operator. D.B. 648, pp. 18-20. 1918.
      size of farm, capital, diversity. Y.B., 1913, pp. 95-107. 1914; Y.B. Sep. 617, pp. 95-107. 1914.
    tillable land on cut-over lands, Lake States. D.B. 425, pp. 9-10, 14-18. 1916.
    sources in Georgia, Brooks County. D.B. 648, pp. 11-13. 1918.
    variations in Georgia cotton farms. F.B. 1121, pp. 5-8, 28-29. 1920.
  land, relation to land value. Clyde R. Chambers. D.B. 1224, pp. 132. 1924.
  sources, relation to type of farming, Oregon, Willamette Valley. D.B. 705, pp. 7-8. 1918.
  tax—
    farmers', accounting, method. F.B. 1139, p. 5. 1920.
    relation to cooperative associations. D.B. 1106, rev., pp. 52-54. 1923.
Incorporation, importance and advantages, to farmers' organization. D.B. 541, pp. 2-3. 1918.
Incubation—
  and incubators. Richard H. Wood, jr. F.B. 236, pp. 31. 1905.
  effect on eggs, changes. D.B. 51, pp. 13-17, 49-51. 1914; F.B. 309, pp. 24-26. 1907.
  goose eggs, period and details. F.B. 767, pp. 10-11, 16. 1917.
  guinea eggs, natural and artificial. F.B. 858, pp. 10-11. 1917; F.B. 1391, pp. 8-9. 1924.
  hen's eggs—
    Harry M. Lamon. F.B. 585, pp. 16. 1914. F.B. 1106, pp. 8. 1920.
    natural and artificial—
      F.B. 281, pp. 24-28. 1907; F.B. 353, pp. 10-12. 1909; F.B. 528, pp. 8-9. 1913; F.B. 1040, pp. 10-11. 1919; S.R.S. Syl. 17, pp. 5-6. 1915.
      Alfred R. Lee. F.B. 1363, pp. 18. 1923.
    methods on Kansas farms. B.A.I. Bul. 141, pp. 26-27. 1911.
  ostrich eggs, methods and directions. B.A.I. An. Rpt., 1909, pp. 235-236. 1911; B.A.I. Cir. 172, pp. 235-236. 1911.
  periods for various fowls. D.B. 905, p. 7. 1920; F.B. 1202, p. 54. 1921.
  turkey eggs, methods, and period. F.B. 465, pp. 22-23. 1911; F.B. 791, pp. 13-16. 1917; F.B. 1409, pp. 11-12. 1924.
Incubator(s)—
  and incubation. Richard H. Wood, jr. F.B. 236, pp. 31. 1905.
  cleaning and disinfection. Y.B., 1911, pp. 181-183, 187, 192. 1912; Y.B. Sep. 559, pp. 181-183, 187, 192. 1912; F.B. 585, p. 15. 1914; F.B. 1363, p. 17. 1923.
  description of parts. F.B. 236, pp. 8-19. 1905.
  management. F.B. 236, pp. 21-31. 1905; F.B. 357, pp. 8-10. 1909; F.B. 697, pp. 12-14. 1915.
  setting up and operating, temperature, and handling eggs. F.B. 1363, pp. 11-13. 1923.
  types and selection. F.B. 585, pp. 6, 14, 15, 16. 1914; F.B. 1363, pp. 7-9. 1923.
  use and importance. Richard H. Wood. B.A.I. An. Rpt., 1904, pp. 286-315. 1905.
Indemnity, livestock—
  payment to owners for condemned animals. F.B. 1069, pp. 30-31. 1919; Y.B., 1919, p. 281. 1920; Y.B. Sep. 810, p. 281. 1920.
  sanitation ruling. Off. Rec., vol. 4, No. 29, p. 3. 1925.
Independence project, irrigation in North Dakota, proposed work. O.E.S. Bul. 219, p. 26. 1909.
Index—
  card, experiment station literature. O.E.S. Cir. 47, pp. 2. 1902; O.E.S. Cir. 47, rev., pp. 2. 1904; O.E.S. Cir. 107, pp. 2. 1911.
  catalogue, medical and veterinary zoology. Pts. 1-36. Ch. Wardell Stiles and Albert Hassall. B.A.I. Bul. 39, pp. 2276. 1912.

1230 UNITED STATES DEPARTMENT OF AGRICULTURE

Index—Continued.
Coccidae recently described, catalogues. E. R. Sasscer. Ent. T.B. 16, Pt. VII, pp. 99–116. 1913.
Entomology Bulletins Nos. 1-30. Nathan Banks. Ent. Bul. 36, pp. 64. 1902.
Farmers' Bulletins, by subjects. Pub. Cir. 4, pp. 29. 1907; rev., pp. 31. 1908; rev., pp. 34. 1909.
Farmers' Bulletins Nos. 1-1000. Charles H. Greathouse. Pub. [Misc.], "Index * * * 1-1000," pp. 811. 1920.
food and drugs. Pub. Cir. 5, pp. 12. 1908.
generum mammalium. T. S. Palmer. Biol. N.A. Fauna 23, pp. 984. 1904.
numbers, farm prices—
1909-1921. M.C. 6, p. 22. 1923.
1923. Y.B. 1923, pp. 1192-1194. 1924; Y.B. Sep. 906, pp. 1192-1194. 1924.
1924. Y.B., 1924, pp. 1176-1179. 1925.
Plant Industry Bureau Bulletins Nos. 1-100. J. E. Rockwell. B.P.I. Bul. 101, pp. 102. 1907.
plant-industry subjects in Yearbooks of department. J. E. Rockwell. B.P.I. Cir. 17, pp. 55. 1908.
refractive, of beeswax. L. Feldstein. Chem. Cir. 86, pp. 3. 1911.
Yearbooks, Department of Agriculture—
1894-1900. Charles H. Greathouse. Pub. Bul. 7, pp. 196. 1902.
1901-1905. Charles H. Greathouse. Pub. Bul. 9, pp. 166. 1908.
1906-1910. Charles H. Greathouse. Pub. Bul. 10, pp. 146. 1913.
Indexing—
accounts of farm, method. F.B. 572, rev., p. 11. 1920.
agricultural literature, report of committee. O.E.S. Cir. 54, pp. 2. 1903.
India—
agricultural production, comparison with United States. Y.B., 1921, pp. 407, 408. 1922; Y.B. Sep. 878, pp. 1, 2. 1922.
barley acreage and exports. Sec. [Misc.] Spec. "Geography * * * world's agriculture," pp. 41, 44. 1917.
British—
agricultural statistics, 1910-1920. D.B. 987, pp. 12-14. 1921.
cotton area, 1909-1911. Stat. Cir. 24, p. 15. 1911.
crop area, 1911. Stat. Cir. 26, pp. 11-12. 1912.
forest resources. For. Bul. 83, pp. 27-29. 1910.
sugar industry, 1903-1914. D.B. 473, pp. 61-62. 1917.
wheat and—
flaxseed acreage, 1910-1912. Stat. Cir. 28, pp. 5-6. 1912; Stat. Cir. 37, p. 6. 1912.
flour, area, production, and exports. Stat. Cir. 19, p. 7. 1911.
bubonic plague, ravages, transmission by rats. Biol. Bul. 33, pp. 31-32. 1909.
buffaloes, numbers. Sec. [Misc.] Spec. "Geography * * * world's agriculture," p. 129. 1917.
castor beans and oil, exports, 1911-1918. D.B. 867, p. 4. 1920.
cattle—
and buffaloes, numbers. B.A.I. Doc. A-37, p. 54. 1922; F.B. 1361, pp. 1-4. 1923.
numbers, maps. Sec. [Misc.] Spec. "Geography * * * world's agriculture," pp. 121, 128. 1917.
citrus fruits, description, varieties, and conditions. Ent. Bul. 120, pp. 47-48. 1913.
coconut bud rot, occurrence. B.P.I. Bul. 228, pp. 19-20. 1912.
corn acreage, map. Sec. [Misc.] Spec. "Geography * * * world's agriculture," p. 30. 1917.
cotton—
acreage and production. Sec. [Misc.] Spec. "Geography * * * world's agriculture," pp. 50, 51, 52, 54. 1917.
area, 1915, with comparisons. F.B. 629, p. 11. 1914.

India—Continued.
cotton—continued.
production, history, soils, and districts where grown. Atl. Am. Agr. Adv. Sh. 4, Pt. 5, Sec. A, p. 6. 1919.
crop yields, relation to soil heterogeneity, studies. J.A.R., vol. 19, pp. 291-294. 1920.
crops and livestock statistics, 1911-1913, graphs. Y.B., 1916, pp. 533, 536-553. 1917; Y.B. Sep. 713, pp. 3, 6-23. 1917.
dairy industry—
development. Taraknath Das. B.A.I. Dairy [Misc.], "World's dairy congress, 1923," pp. 358-366. 1924.
importance of development. William Smith. B.A.I. Dairy [Misc.], "World's dairy congress, 1923," pp. 117-1122. 1924.
flax acreage and production of seed. Sec. [Misc.] Spec. "Geography * * * world's agriculture," pp. 57, 60. 1917.
flaxseed production and exports. Y.B., 1922, pp. 534-535. 1923; Y.B. Sep. 891, pp. 534-535. 1923.
goats, numbers, maps. Sec. [Misc.] Spec. "Geography * * * world's agriculture," pp. 142, 145. 1917.
grain sorghums, acreage and varieties. Y.B., 1913, p. 222. 1914; Y.B. Sep. 625, p. 222 1914.
hemp growing and uses. Y.B., 1913, pp. 289, 301-302. 1914; Y.B. Sep. 628, pp. 289, 301-302. 1914.
need of mosquito work for prevention of disease. Ent. Bul. 88, pp. 104-105. 1910.
quarantine against cotton-boll weevil. Ent. Bul. 114, p. 168. 1912.
rice—
acreage. Sec. [Misc.] Spec. "Geography * * * world's agriculture," pp. 46-47, 49. 1918.
crop, importance. F. B. 1195, p. 3. 1921.
production, 1900-1921. Y.B., 1922, pp. 513, 514. 1923; Y.B. Sep. 891, pp. 513, 514. 1923.
rubber. See Rubber.
sheep, numbers, map. Sec. [Misc.] Spec. "Geography * * * world's agriculture," p. 137. 1918.
sorghum(s)—
and millet acreage, map. Sec. [Misc.] Spec. "Geography * * * world's agriculture," p. 45. 1917.
grain, production, acreage, and uses. Y.B., 1922, pp. 525, 527. 1923; Y.B. Sep. 891, pp. 525, 527. 1923.
varieties, description, yield and value. B.P.I. Bul. 175, pp. 21-23. 1910.
source of castor bean gray-mold disease. J.A.R., vol. 23, pp. 701-702. 1923.
sugar—
cane diseases. B.P.I. Cir. 126, pp. 3-5, 7-9. 1913.
production, consumption and cane acreage. Sec. [Misc.] Spec. "Geography * * * world's agriculture." pp. 73, 76. 1918.
tea acreage. Sec. [Misc.] Spec. "Geography * * * world's agriculture," pp. 93, 96. 1917.
tobacco acreage, production, and exports. Sec. [Misc.] Spec. "Geography * * * world's agriculture," pp. 62, 65. 1917.
uses of the bamboo. D.B. 1329, pp. 15-16. 1925.
wheat acreage, production and trade, 1909-1917, and war conditions. Y.B., 1917, pp. 463, 470, 475. 1918; Y.B. Sep. 752, pp. 5, 12, 17. 1918.
white flies on citrus, occurrence and description. J.A.R., vol. 6, No. 12, pp. 459-463, 466 469. 1916.
Indian(s)—
Affairs, transfer of Commissioner's duties to Agriculture Department. Off. Rec., vol. 1, No. 2, p. 1. 1922.
allotments on national forests. Sol. [Misc.] "Laws * * * forests," pp. 91-92. 1916.
cattle. See Cattle, Brahman.
cooperation in work of testing station at Sacaton, Ariz. D.C. 277, pp. 1-35. 1923.
cotton picking in Southwest, supply of labor. D.B. 311, p. 2. 1915; D.B. 332, pp. 16-17. 1916; D.B. 742, pp. 14, 16. 1919.
employment in beet growing. Rpt. 90, p. 65. 1909.
grass, description. D.B. 772, pp. 269-270. 1920.

INDEX TO PUBLICATIONS, 1901–1925 1231

Indian(s)—Continued.
Guatemalan, agriculture practices, crop varieties. D.B. 743, p. 12. 1919.
in Alaska, Kenai Peninsula region, conditions and needs. Soil Sur. Adv. Sh., 1916, pp. 46–48. 1919, Soils F.O., 1916, pp. 78–83. 1919.
industrial conditions and needs in central Alaska. Soil Sur. Adv. Sh., 1914, pp. 97–99, 176. 1915; Soils F.O., 1914, pp. 131–133, 210. 1919.
irrigation—
New Mexico, historical notes. O.E.S. Bul. 215, p. 19. 1911.
service, relation to irrigation districts. D.B. 1177, pp. 35–36. 1923.
labor, value in cotton picking, Arizona. F.B. 577, p. 8. 1914.
lands—
acreage leased for farming and grazing. Y.B., 1923, p. 523. 1924: Y.B. Sep. 897, p. 523. 1924.
for dry farming station, provision, March 4, 1915. Sol. [Misc.], "Laws applicable * * * Agriculture," sup. 3, p. 21. 1915.
meal moth and "weevil-cut" peanuts. C. H. Popenoe. Ent. Cir. 142, pp. 6. 1911.
methods of corn growing, and uses. Y.B., 1918, pp. 123–132. 1919; Y.B. Sep. 776, pp. 3–12. 1919.
pea. See Cowpea.
physic, habitat, range, description, collection, prices, and uses of roots. B.P.I. Bul. 107, p. 42. 1907.
potato. See Potato, Indian.
reservation(s)—
Arizona and New Mexico, corn growing, studies. J.A.R., vol. 1, pp. 298–300. 1914.
Gila River, cooperative testing station. D.C. 277, pp. 1–3. 1923.
grazing lands, acreage and use. Rpt. 110, p. 22. 1916.
national parks and monuments, and national and State forests. For. [Misc.], "National forests * * *." (Map.) 1924.
New Mexico, acreage. O.E.S. Bul. 215, p. 16. 1909.
retransfer of forest lands. For. A.R., 1912, p. 15. 1912; An. Rpts., 1912, p. 473. 1913.
work of Government representatives, notification of agents. Sec. [Misc.], "Presence of Government representatives * * *," p. 1. 1902.
sage. See Boneset.
schools teaching agriculture. O.E.S. Cir. 83, pp. 10, 26–27. 1909; O.E.S. Cir. 106, pp. 27–28. 1911; rev., p. 31. 1912.
summer, cause and description, discussion. For. Bul. 117, p. 21. 1912.
tobacco. See Lobelia.
tribes, Illinois, use of moth as emblem on totem. Y.B., 1913, pp. 76–77. 1914; Y.B. Sep. 616, pp. 76–77. 1914.
use of wild rice, gathering and cooking. F.B. 1195, p. 21. 1921.
Indian Head Experimental Farm, Canada, soil studies. B.P.I. Bul. 130, pp. 17–42. 1908.
"Indian River," use of name as applied to oranges. F.I.D. 115, pp. 1–2. 1910.
Indian Territory—
bollworm investigation. F.B. 290, 20–23, 28. 1907.
corn crops, 1901–1906, acreage, production, and value. D.B. 515, p. 6. 1917; Stat. Bul. 56, pp. 25–27, 35. 1907.
cotton crop, movement, 1899–1904. Stat. Bul. 34, pp. 20–21, 43. 1905.
drug laws. Chem. Bul. 98, pp. 71–92. 1906; rev., 1909.
farm—
animals, statistics, 1884–1907. Stat. Bul. 64, p. 130. 1908.
value, changes, 1900–1905. Stat. Bul. 43, pp. 11–17, 29–46. 1906.
game laws—
1902. F.B. 160, p. 31. 1902.
1903. F.B. 180, pp. 10, 22, 29, 33, 38, 44, 46, 53. 1903.
1904. F.B. 207, pp. 18, 33, 38, 42, 50, 60. 1904.
1905. F.B. 230, pp. 9, 16, 37, 42. 1905.
1906. F.B. 265, p. 29. 1906.
1907. F.B. 308, p. 28. 1907.

Indian Territory—Continued.
hay crops, 1901–1906, acreage, production, and value. Stat. Bul. 63, pp. 23–25, 32. 1908.
oat crops, 1866–1906, acreage, production, and value. Stat. Bul. 58, pp. 23–25, 34. 1907.
potato crops, 1901–1906, acreage, production, and value. Stat. Bul. 62, pp. 24–27, 35. 1908.
quail-disease outbreak. B.A.I. An. Rpt., 1907, p. 44. 1909.
soil survey of the Tishomingo area. Thomas D. Rice and Orla Ayrs. Soil Sur. Adv. Sh., 1906, pp. 28. 1907; Soils F.O., 1906; pp. 539–562. 1908.
wheat crops—
1866–1906 acreage, production, and value. Stat. Bul. 57, pp. 23–25, 32. 1907; Stat. Bul. 57, rev., pp. 23–25, 32. 1908.
1901–1906, yields and prices. D.B. 514, p. 16. 1917.
See also Oklahoma.
Indiana—
agricultural—
colleges and experiment station—
organization, 1905. O.E.S. Bul. 161, pp. 23–24. 1905.
organization, 1906. O.E.S. Bul. 176, pp. 25–26. 1907.
organization, 1907. O.E.S. Bul. 197, pp. 26–28. 1908.
organization, 1910. O.E.S. Bul. 224, pp. 23–24. 1910.
See also Agriculture, workers, list.
extension work, statistics. D.C. 253, pp. 3, 4, 7, 10–11, 17, 18. 1923.
organizations, directory. Farm M. [Misc.], "Directory * * * agricultural * * *," pp. 25–26. 1920.
alfalfa growing and uses. F.B. 1021, pp. 1–32. 1919.
alsike-clover growing. F.B. 1151, pp. 12, 23. 1920.
apple growing, areas, production, and varieties. D.B. 485, pp. 5, 18–19, 44–47. 1917.
barberry occurrence, and eradication work. D. C. 188, pp. 6, 7, 10, 15–18, 20, 25, 26. 1921.
barley crops, 1866–1906, acreage, production, and value. Stat. Bul. 59, pp. 7–26, 30. 1907.
bee(s)—
and honey statistics—
1914–1915. D.B. 325, pp. 3, 9, 10, 11, 12. 1915.
1918. D.B. 685, pp. 6, 9, 12, 14, 16, 18, 19, 21, 24, 26, 29, 31. 1918.
diseases, occurrence. Ent. Cir. 138, p. 8. 1911.
beef-cattle growing, details, tables and discussion. Rpt. 111, pp. 10, 15–25, 30, 33–48, 52–55, 61–64. 1916.
beet-sugar industry, progress—
1900. Rpt. 69, pp. 64–65. 1901.
1903. [Misc.], "Progress * * * beet-sugar industry * * * 1903," p. 38. 1904.
1910–11. B.P.I. Bul. 260, pp. 15, 21, 22, 29, 72. 1912.
bird—
protection. See Bird protection, officials.
reports from observers, 1914–1919. D.B. 1165, pp. 24–25. 1923.
sanctuary, Woollen's Garden. D.B. 396, pp. 19–20. 1916.
black lands, in Boone County, reclamation and value. Soil Sur. Adv. Sh., 1912, pp. 7, 9, 16, 18–21. 1914; Soils F.O., 1912, pp. 1411, 1413, 1420, 1422–1425. 1915.
blueberry culture, cost, yield and profits per acre. B.P.I. Cir. 122, p. 11. 1913; D.B. 334, pp. 15–16. 1915.
bounty laws, 1907. Y.B., 1907, p. 561. 1908; Y.B. Sep. 473, p. 561. 1908.
buckwheat crops, 1866–1906, acreage, production, and value. Stat. Bul. 61, pp. 5–17, 21. 1908.
cantaloupe shipments, 1914. D.B. 315, pp. 17–18. 1915.
cement factories, potash content and loss. D.B. 572, p. 4. 1917.
central, successful farming on—
eighty-acre farms. H. W. Hawthorne and Lynn Robertson. F.B. 1421, pp. 22. 1924.
160-acre farms. Lynn Robertson and H. W. Hawthorne. F.B. 1463, pp. 30. 1925.
chinch-bug outbreaks in 1921. D.B. 1103, p. 12. 1922.

1232   UNITED STATES DEPARTMENT OF AGRICULTURE

Indiana—Continued.
  Clinton County—
    farms, profits and losses. D.B. 920, pp. 3, 5, 22–41. 1920.
    uses of land, 1910 and 1913–1919, study. D.B. 1258, pp. 11–19. 1924.
  consolidated schools, conditions, attendance and cost. O.E.S. Bul. 232, pp. 10–11, 31, 43, 71–80. 1910.
  convict road work, laws. D.B. 414, p. 200. 1916.
  cooperative organizations, statistics, details, and laws. D.B. 547, pp. 13, 15, 34, 69. 1917.
  corn—
    acreage and yield. Sec. [Misc.] Spec. "Geography * * * world's agriculture," p. 32. 1918.
    acreage and yield. Sec. [Misc.] Spec. "Geography * * * world's agriculture," p. 32. 1917.
    crops, 1866–1906, acreage, production, and value. Stat. Bul. 56, pp. 7–27, 31. 1907.
    earworm outbreaks, 1921. D.B. 1103, pp. 7, 9. 1922.
    growing, practices, and farm conditions in Tipton County. D.B. 320, pp. 22–24. 1916.
    hybrids, first-generation, experiments. B.P.I. Bul. 191, p. 12. 1910.
    production, movements, consumption, and prices. D.B. 696, pp. 15, 16, 20, 28, 29, 33, 36, 38, 41, 46. 1918.
    yields and prices, 1866–1915. D.B. 515, p. 8. 1917.
  Corn Belt farms, size, comparison in three counties. D.B. 1258, p. 10. 1924.
  crop—
    planting and harvesting data. Stat. Bul. 85, pp. 21, 33, 55, 66, 68, 77, 86, 105. 1912.
    statistics in Boone County, 1880, 1890, 1900, 1910. Soil Sur. Adv. Sh., 1912, p. 10. 1914; Soils F.O., 1912, p. 1415. 1915.
  crow roosts, location, and numbers of birds. Y.B., 1915, pp. 90, 92. 1916; Y.B. Sep. 659, pp. 90, 92. 1916.
  dairying costs. Y.B., 1923, pp. 346, 347, 348. 1923; Y.B. Sep. 879, pp. 55, 56, 57. 1923.
  demurrage provisions, regulations. D.B. 191, pp. 3, 25. 1915.
  drainage—
    law. O.E.S. Cir. 76, pp. 17, 20. 1907.
    of marsh land, example showing increase of value. O.E.S. An. Rpt., 1907, p. 396. 1908.
  drug laws. Chem. Bul. 98, pp. 73–74. 1906; rev., Pt. I, pp. 107–111. 1909.
  early settlement, historical notes. See Soil surveys for various counties and areas.
  emmer and spelt, growing experiments. D.B. 1197, p. 22. 1924.
  Experiment Station—
    sugar-beet experiments. Chem. Bul. 64, pp. 12–15. 1901; Chem. Bul. 74, pp. 11–14, 29. 1903; Chem. Bul. 76, pp. 11–12. 1903; Chem. Bul. 95, pp. 8–13. 1905.
    wheat seeding tests, Stoner wheat. D. B. 357, p. 27. 1916.
    work and expenditures—
      1906. Arthur Goss. O.E.S. An. Rpt., 1906, pp. 103–104. 1907.
      1907. Arthur Goss. O.E.S. An. Rpt., 1907, pp. 98–101. 1908.
      1908. Arthur Goss. O.E.S. An. Rpt., 1908, pp. 93–95. 1909.
      1909. Arthur Goss. O.E.S. An. Rpt., 1909, pp. 104–107. 1910.
      1910. Arthur Goss. O.E.S. An. Rpt., 1910, pp. 134–138. 1911.
      1911. Arthur Goss. O.E.S. An. Rpt., 1911, pp. 105–109. 1912.
      1912. Arthur Goss. O.E.S. An. Rpt., 1912, pp. 111–115. 1913.
      1913. Arthur Goss. O.E.S. An. Rpt., 1913, pp. 45–46. 1915.
      1914. Arthur Goss. O.E.S. An. Rpt., 1914, pp. 103–106. 1915.
      1915. Arthur Goss. S.R.S. An. Rpt., 1915, Pt. I, pp. 111–116. 1917.
      1916. Arthur Goss. S.R.S. An. Rpt., 1916, Pt. I, pp. 111–116. 1918.
      1917. Arthur Goss. S.R.S. An. Rpt., 1917, Pt. I, pp. 107–111. 1918.
  experiments in liming soils. F.B. 1365, pp. 8–9. 1924.

Indiana—Continued.
  extension work—
    agricultural education, organization. O.E.S. Cir. 98, pp. 8–9, 10. 1910.
    funds allotment, and county-agent work. S.R.S. Doc. 40, pp. 4, 5, 9, 14, 23, 25, 28. 1918.
    in agriculture and home economics—
      1915. G. I. Christie. S.R.S. An. Rpt., 1915, Pt. II, pp. 198–206. 1916.
      1916. G. I. Christie. S.R.S. An. Rpt., 1916, Pt. II, pp. 205–215. 1917.
      1917. G. I. Christie. S.R.S. An. Rpt., 1917, pp. 214–222. 1919.
  fairs, number, kind, location, and dates. Stat. Bul. 102, pp. 13, 14, 25–28. 1913.
  farm(s)—
    animals, statistics, 1867–1907. Stat. Bul. 64, p. 113. 1908.
    capital, incomes, expenses, and profits. D.B. 41, pp. 1–42. 1914.
    labor, wage rates, 1845, and 1866–1909. Stat. Bul. 99, pp. 21, 29–43, 68–70. 1912.
    leasing provisions. D.B. 650, pp. 4, 5, 9, 10, 14, 15, 17, 18, 19, 28. 1918.
    management survey, with Illinois and Iowa. E. H. Thomson and H. M. Dixon. D.B. 41, pp. 42. 1914.
    mortgage loans, credits, costs, and sources. D.B. 384, pp. 2, 3, 4, 7, 9, 10, 12. 1916.
    organization and management in Clinton County, 1910 and 1913–1919. H. W. Hawthorne and H. M. Dixon. D.B. 1258, pp. 68. 1924.
    owning motor trucks, reports. D.B. 931, pp. 3, 4. 1921.
    sandy-land, management. F.B. 716, pp. 1–29. 1916.
    survey, data on farms, size and income. Y.B., 1913, pp. 94–96. 1914; Y.B. Sep. 617, pp. 94–96. 1914.
    value—
      changes, 1900–1905. Stat. Bul. 43, pp. 11–17, 29–46. 1906.
      income, and tenancy classification. D.B. 1224, pp. 87–89. 1924.
  farmers' institutes—
    for young people. O.E.S. Cir. 99, pp. 17–18. 1910.
    history. O.E.S. Bul. 174, pp. 30–36. 1906.
    laws. O.E.S. Bul. 135, rev., pp. 15–16. 1903; O.E.S. Bul. 241, pp. 16–17. 1911.
    work—
      1902. O.E.S. Bul. 120, p. 21. 1902.
      1904. O.E.S. An. Rpt., 1904, pp. 640–642. 1905.
      1906. O.E.S. An. Rpt., 1906, p. 330. 1906.
      1907. O.E.S. An. Rpt., 1907, pp. 325–326. 1908; O.E.S. Bul. 199, pp. 21–22. 1908.
      1908. O.E.S. An. Rpt., 1908, p. 311. 1909.
      1909. O.E.S. An. Rpt., 1909, p. 344. 1910.
      1910. O.E.S. An. Rpt., 1910, p. 405. 1911.
      1911. O.E.S. An. Rpt., 1911, p. 371. 1912.
      1912. O.E.S. An. Rpt., 1912, p. 364. 1913.
  fertilizer prices, 1919, by counties. D.C. 57, pp. 4, 5, 8. 1919.
  field work of Plant Industry Bureau, 1924. M.C. 30, pp. 20–21. 1925.
  food laws—
    1903. Chem. Bul. 83, Pt. I, pp. 45–47. 1904.
    1905. Chem. Bul. 69, Pt. II, pp. 173–193. 1905.
    1907. Chem. Bul. 112, Pt. I, pp. 69–82. 1908.
    1908. Chem. Cir. 16, pp. 8, 22, 27. 1904.
  forest—
    fires, statistics. For. Bul. 117, p. 28. 1912.
    planting—
      and trees adaptable. Y.B., 1909, p. 339. 1910; Y.B., Sep. 517 p. 339. 1910.
      conditions and suggestions. D.B. 153, pp. 4, 5, 20, 28, 31–34. 1915.
  forestry laws—
    1915. Jeannie S. Peyton. For. Leaf. 13, pp. 5. 1915; For. Misc. S–14, pp. 5. 1915.
    1921, summary. D.C. 239, p. 9. 1922.
  funds for cooperative extension work, sources. S.R.S. Doc. 40, pp. 4, 5, 9, 14. 1917.
  fur animals, laws—
    1915. F.B. 706, p. 6. 1915.
    1916. F.B. 783, p. 7. 1916.
    1917. F.B. 911, pp. 10, 31. 1917.
    1918. F.B. 1022, pp. 9, 31. 1918.

INDEX TO PUBLICATIONS, 1901–1925   1233

Indiana—Continued.
fur animals, laws—continued.
1919. F.B. 1079, p. 13. 1919.
1920. F.B. 1165, p. 11. 1920.
1921. F.B. 1238, p. 10. 1921.
1922. F.B. 1293, p. 8. 1922.
1923–24. F.B. 1387, pp. 10–11. 1923.
1924–25. F.B. 1445, p. 8. 1924.
1925–26. F.B. 1469, p. 11. 1925.
game—
laws—
1902. F.B. 160, pp. 13, 31, 38, 41, 45. 1902.
1903. F.B. 180, pp. 10, 22, 29, 33, 38, 44, 46. 1903.
1904. F.B. 207, pp. 18, 33, 38, 42, 50. 1904.
1905. F.B. 230, pp. 9, 16, 37, 42. 1905.
1906. F.B. 265, pp. 15, 29, 37, 43. 1906.
1907. F.B. 308, pp. 6, 13, 28, 36, 42. 1907.
1908. F.B. 336, pp. 15–16, 31, 40, 44, 50. 1908.
1909. F.B. 376, pp. 6, 12, 21, 33, 39, 42, 47. 1909.
1910. F.B. 418, pp. 14, 27, 32, 36, 40. 1910.
1911. F.B. 470, pp. 10, 18, 31, 37, 41, 46. 1911.
1912. F.B. 510, pp. 14, 25–26, 27, 33, 37, 43. 1912.
1913. D.B. 22, pp. 12, 20, 26, 39, 45, 48, 53. 1913; rev., pp. 12, 19, 26, 39, 45, 48, 53. 1913.
1914. F.B. 628, pp. 10, 11, 17, 28–29, 31, 37, 41, 44, 47. 1914.
1915. F.B. 692, pp. 3, 6, 10, 27. 40, 46, 50, 52, 57. 1915.
1916. F.B. 774, pp. 24, 38, 45, 48, 51, 57. 1916.
1917. F.B. 910, pp. 16, 47, 51. 1917.
1918. F.B. 1010, pp. 14, 45. 1918.
1919. F.B. 1077, pp. 16, 49, 54. 1919.
1920. F.B. 1138, p. 18. 1920.
1921. F.B. 1235, pp. 20, 55. 1921.
1922. F.B. 1288, pp. 16–17, 53. 1922.
1923–24. F.B. 1375, pp. 17–18, 49. 1923.
1924–25. F.B. 1444, pp. 11–12, 36. 1924.
1925–26. F.B. 1466, pp. 18, 44. 1925.
for domesticated deer. F.B. 330, p. 19. 1908.
protection. *See* Game protection, officials.
refuges, 1899–1915, conditions and results. D.B. 1049, pp. 32–33. 1922.
grain supervision districts and counties. Mkts. S.R.A. 14, pp. 9, 11, 20. 1916.
hay crops, 1866–1906, acreage, production, and value. Stat. Bul. 63, pp. 5–25, 29. 1908.
hemp growing. B.P.I. Cir. 57, p. 4. 1910.
herds, lists of tested and accredited. D.C. 54, pp. 4, 6, 9, 11, 22, 28, 52, 78. 1919; D.C. 142, pp. 4–8, 14–18, 30, 40–49. 1920; D.C. 143, pp. 3, 7, 24, 68. 1920; D.C. 144, pp. 3, 8–9, 16, 22, 49. 1920.
hog(s)—
cholera control experiments, results. D.B. 584, pp. 8, 10, 11, 12. 1917.
number. Sec. [Misc.], Spec. "Geography * * * world's agriculture," p. 132. 1917.
shipments, 1918. Y.B., 1922, p. 231. 1923; Y.B. Sep. 882, p. 231. 1923.
home projects, work in school. D.B. 346, p. 3. p. 3. 1916.
hunting laws. Biol. Bul. 19, pp. 18, 19, 27, 29, 62, 64. 1904.
Kankakee River Valley, drainage of agricultural lands. O.E.S. Cir. 80, pp. 23. 1909.
land utilization on farms, survey studies. F.B. 745, pp. 14, 16. 1916.
lard supply, wholesale and retail, 1917, tables. Sec. Cir. 97, pp. 13–31. 1918.
law(s)—
against Sunday shooting. Biol. Bul. 12, rev., p. 63. 1902.
on—
dog control, digest. F.B. 935, pp. 13–14. 1918; F.B. 1268, p. 14. 1922.
nursery stock interstate shipment, digest. F.H.B.S.R.A. 57, pp. 113, 114, 115. 1919.
slaughterhouses, sanitary requirements. B.A.I. An. Rpt., 1908, p. 88. 1910; B.A.I. Cir. 154, p. 6. 1910.
tobacco inspection. B.P.I. Bul. 268, p. 32. 1913.
relating to contagious animal diseases. B.A.I. Bul. 43, pp. 31–34. 1901.
livestock admission, sanitary requirements. B.A.I. Doc.A.-28, pp. 11–12. 1917; B.A.I. Doc. 36, pp. 17–18. 1920; M.C. 14, pp. 18–20. 1924.

Indiana—Continued.
lumber—
cut, 1920, 1870–1920, value, and kinds. D.B. 1119, pp. 27, 30–35, 44–58. 1923.
production, 1918, by mills, by woods, and lath and shingles. D.B. 845, pp. 6-10, 13, 16, 22, 25, 30, 33–38, 42–47. 1920.
statistics, 1918. Rpt. 116, pp. 9–11. 1918.
maple—
sap sirup, investigations, tabulation of results. Chem. Bul. 134, pp. 20–21, 67. 1910.
sugar—
analysis, results, table. D.B. 466, p. 13. 1917.
and sirup, production for many years. F.B. 516, pp. 44–46. 1912.
marketing activities and organization. Mkts. Doc. 3, p. 3. 1916.
Meadow soil, areas and location. Soils Cir. 68, p. 20. 1912.
meat inspection, report. Sec. Cir., 58, pp. 4–10. 1916.
Miami soils, crop uses and adaptations. D.B. 142, pp. 51–58. 1914.
milk—
production, investigations, canvasses, and summaries. B.A.I. Bul. 164, pp. 24, 42, 45, 46, 47, 48, 49, 50, 51, 52, 53, 55. 1913.
supply and laws. B.A.I. Bul. 46, pp. 26, 30, 34, 40, 69–73, 171, 179. 1903.
Montgomery County, work of club leader, 1918. D.C. 66, pp. 15–16. 1920.
muck—
and peat areas, location. Soils Cir. 65, p. 15. 1912.
land farms, management. F.B. 761, pp. 1–26. 1916.
northwestern, market milk, requirements and cost of producing. J. B. Bain and R. J. Posson. D.B. 858, pp. 31. 1920.
oat—
acreage, and production. Sec. [Misc.], Spec. "Geography * * * world's agriculture," p. 37. 1917.
crop—
1866–1906, acreage, production, and value. Stat. Bul. 58, pp. 5–25, 29. 1907.
1900–1909, acreage and yield. F.B. 420, pp. 8, 9, 10. 1910.
growing, varietal experiments. D.B. 823, pp. 14–15, 19, 66. 1920.
testing, methods, yields per acre, comparisons. D.B. 99, pp. 22, 25. 1914.
tests, Kherson, and Sixty-day, and other varieties. F.B. 395, pp. 14–15. 1910.
officials, dairy, drug, feeding stuffs and food. *See* Dairy officials; Drug officials.
onions, production and movement. D.B. 1325, p. 9. 1925.
pasture lands on farms. D.B. 626, pp. 14, 32–34. 1918.
pea. *See* Cowpeas.
peach industry, season, and shipments. D.B. 298, pp. 4, 5, 11. D.B. 806, pp. 4–8, 14–15. 1919.
pear growing, distribution and varieties. D.B. 822, p. 7. 1920.
peppermint growing. F.B. 694, p. 2. 1915.
perfumery-plant industries. B.P.I. Bul. 195, pp. 9, 30, 35, 37. 1910.
pig-club work, 1915. Y.B., 1915, pp. 179, 185. 1916; Y.B. Sep. 667, pp. 179, 185. 1916.
pop corn, production and value, 1909. F.B. 554, pp. 6–7. 1913.
potato crops—
1866–1906, acreage, production and value. Stat. Bul. 62, pp. 7–27, 31. 1908.
1909, by counties. F.B. 1064, p. 5. 1919.
Purdue University, experiments in steer feeding, results. F.B. 1218, pp. 14–15, 16. 1921.
raw rock-phosphate, field experiments, and results. D.B. 699, pp. 43–46. 1918.
road(s)—
bond-built, details. D.B. 136, pp. 39, 51, 64–66, 81, 84, 85. 1915.
building rock, tests—
1912. Rds. Bul. 44, pp. 40–42. 1912.
1916, results, table. D.B. 370, pp. 26–29. 1916.
1916–1917. D.B. 670, pp. 8–9, 24. 1918.

Indiana—Continued.
  road(s)—continued.
    building rock, tests—continued.
      1916–1921, results. D.B. 1132, pp. 11–12, 47, 51. 1923.
    mileage and expenditures—
      1904. Rds. Cir. 66, pp. 1–4. 1907.
      1909. Rds. Bul. 41, pp. 18–19, 40, 42, 59–63. 1912.
      1914. costs and bonds. D.B. 389, pp. 2, 7, 19–21, VII–VIII, XXXVI–XXXVII, LXVI–LXVIII. 1917.
      January 1, 1915. Sec. Cir. 52, pp. 2, 4, 6. 1915.
      1916. Sec. Cir. 74, pp. 5, 7, 8. 1917.
  rye crops, 1866–1906, acreage, production, and value. Stat. Bul. 60, pp. 5–25, 29. 1908.
  San Jose scale, occurrence. Ent. Bul. 62, p. 23. 1906.
  sandy lands, location and conditions. F.B. 716, p. 5. 1916.
  Seymour, farmers' clubhouse, description and plan. F.B. 1173, p. 36. 1920.
  shipments of fruits and vegetables, and index to station shipments. D.B. 667, pp. 6–13, 22–23. 1918.
  soil survey of—
    Adams County. Grove B. Jones and others. Soil Sur. Adv. Sh., 1921, pp. 20. 1923.
    Allen County. Grove B. Jones and Cornelius Van Duyne. Soil Sur. Adv. Sh., 1908, pp. 30. 1909; Soils F.O., 1908, pp. 1067–1092. 1911.
    Benton County. Grove B. Jones and J. Bayard Brill. Soil Sur. Adv. Sh., 1916, pp. 20. 1917; Soils F.O., 1916, pp. 1679–1694. 1921.
    Boone County. W. E. Tharp and E. J. Quinn. Soil Sur. Adv. Sh., 1912, pp. 39. 1914; Soils F.O., 1912, pp. 1409–1443. 1915.
    Boonville area. A. W. Mangum and N. P. Neill. Soil Sur. Adv. Sh., 1904, pp. 27. 1905; Soils F.O., 1904, pp. 727–749. 1905.
    Clinton County. W. E. Tharp and others. Soil Sur. Adv. Sh., 1914, pp. 28. 1915; Soils F.O., 1914, pp. 1631–1654. 1919.
    Decatur County. Mark Baldwin and others. Soil Sur. Adv. Sh., 1919, pp. 32. 1922; Soils F.O., 1919, pp. 1287–1305. 1925.
    Delaware County. Lewis A. Hurst and E. J. Grimes. Soil Sur. Adv. Sh., 1913, pp. 31. 1915; Soils F.O., 1913, pp. 1379–1405. 1916.
    Elkhart County. G.B. Jones and R. S. Hesler. Soil Sur. Adv. Sh., 1914, pp. 28. 1916; Soils F.O. 1914, pp. 1571–1594. 1919.
    Grant County. Lewis A. Hurst, and others. Soil Sur. Adv. Sh., 1915, pp. 36. 1917; Soils F.O., 1915, pp. 1353–1384. 1919.
    Greene County. W. E. Tharp and Charles J. Mann. Soil Sur. Adv. Sh., 1906, pp. 39. 1907; Soils F.O., 1906, pp. 755–789. 1908.
    Hamilton County. Lewis A. Hurst and others. Soil Sur. Adv. Sh., 1912, pp. 32. 1914; Soils F.O., 1912, pp. 1445–1472. 1915.
    Hendricks County. W. E. Tharp and J. E. Quinn. Soil Sur. Adv. Sh., 1913, pp. 38. 1915; Soils F.O., 1913, pp. 1407–1440. 1916.
    Lake County. T. M. Bushnell and Wendell Barrett. Soil Sur. Adv. Sh., 1917, pp. 48. 1921; Soils F.O., 1917, pp. 1139–1182. 1923.
    Madison County. R. T. Avon Burke and La Mott Ruhlen. Soil Sur. Adv. Sh., 1903, pp. 19. 1904; Soils F.O., 1903, pp. 687–701. 1904.
    Marion County. W. J. Geib and Frank C. Schroeder. Soil Sur. Adv. Sh., 1907, pp. 24. 1908; Soils F.O., 1907, pp. 793–812. 1909.
    Marshall County. Frank Bennett and Charles W. Ely. Soil Sur. Adv. Sh., 1904, pp. 22. 1905; Soils F.O., 1904, pp. 689–706. 1905.
    Montgomery County. Grove B. Jones and C. H. Orahood. Soil Sur. Adv. Sh., 1912, pp. 26. 1914; Soils F.O., 1912, pp. 1473–1494. 1915.
    Newton County. N. P. Neill and W. E. Tharp. Soil Sur. Adv. Sh., 1905, pp. 37. 1906; Soils F.O., 1905, pp. 747–779. 1907.
    Porter County. T. M. Bushnell and Wendell Barrett. Soil Sur. Adv. Sh., 1916, pp. 47. 1919; Soils F.O., 1916, pp. 1695–1737. 1921.
    Posey County. Herbert W. Marean. Soils F.O. Sep., 1902, pp. 20. 1903; Soils F. O., 1902, pp. 441–463. 1903.

Indiana—Continued.
  soil survey of—continued.
    Scott County. A. W. Mangum and N. P. Neill. Soil Sur. Adv. Sh., 1904, pp. 24. 1905; Soils F.O., 1904, pp. 707–726. 1905.
    Spencer County. See Boonville area.
    Starke County. E. J. Grimes and others. Soil Sur. Adv. Sh., 1915, pp. 42. 1917; Soils F.O., 1915, pp. 1385–1422. 1919.
    Tippecanoe County. N. P. Neill and W. E. Tharp. Soil Sur. Adv. Sh., 1905, pp. 37. 1906; Soils F.O., 1905, pp. 781–813. 1907.
    Tipton County. Lewis A. Hurst and E. J. Grimes. Soil•Sur. Adv. Sh., 1912, pp. 32. 1914; Soils F.O., 1912, pp. 1495–1520. 1915.
    Warren County. E. J. Grimes and E. H. Stevens. Soil Sur. Adv. Sh., 1914, pp. 43. 1916; Soils F.O., 1914, pp. 1595–1629. 1919.
    Warrick County. See Boonville.
    Wells County, W. E. Tharp and W. E. Wiley. Soil Sur. Adv. Sh., 1915, pp. 29. 1917; Soils F.O., 1915, pp. 1423–1447. 1919.
    White County. T. M. Bushnell and C. P. Ernie. Soil Sur. Adv. Sh., 1915, pp. 43. 1917; Soils F.O., 1915, pp. 1449–1487. 1919.
  soils—
    Carrington silt loam, acreage, location, and crops adapted. Soils Cir. 57, pp. 7, 8, 10. 1912.
    Clyde loam, area and location. Soils Cir. 37, pp. 3, 16. 1911.
    Dekalb silt loam, area and location. Soils Cir. 38, pp. 3, 17. 1911.
    Knox silt loam, location, area, and crops grown. Soils Cir. 33, pp. 3, 4, 5, 9, 11, 13, 17. 1911.
    management of Decatur County. A. T. Wiancko and S. D. Conner. Soil Sur. Adv. Sh., 1919, pp. 21–32. 1922; Soils F.O., 1919, pp. 1307–1318. 1925.
    Marshall silt loam, location, area, and crops grown. Soils Cir. 32, pp, 3, 10, 11, 13, 18. 1911.
    Miami clay loam, location, area, and crops grown. Soils Cir. 31, pp. 3, 9, 11, 13, 17. 1911.
    Wabash silt loam, location, areas, and uses. Soils Cir. 40, p. 15. 1911.
  stallions, number, classes and legislation controlling. Y.B., 1916, pp. 290, 291, 293, 295, 296. 1917; Y.B. Sep. 692, pp. 2, 3, 5, 7, 8. 1917.
  standard containers. F.B. 1434, p. 17. 1924.
  strawberry shipments, 1914, 1915. F.B. 1028, p. 6. 1919; D.B. 237, p. 7. 1915.
  Sudan grass, growing experiments. B.P.I. Cir. 125, p. 15. 1913.
  Swedish Select oat, experiments and results. B.P.I. Bul. 182, p. 20. 1910.
  take-all disease of wheat, outbreak and losses. F.B. 1063, pp. 2–4. 1919.
  taxes, analysis of farm tax dollar, graph. Y.B. 1924, p. 276. 1925.
  threshing ring success, example. Y.B., 1918, p. 267. 1919; Y.B. Sep. 772. p. 23. 1919.
  tile drainage. O.E.S. Bul. 158, pp. 731, 743. 1905.
  tobacco—
    growing—
      and industry, details, and statistics. B.P.I. Bul. 244, pp. 19, 81–85. 89–91. 1912.
      historical notes and present conditions. Y.B., 1922, pp. 401–402, 405–407, 411. 1923; Y.B. Sep. 885, pp. 401–402, 405, 407, 411. 1923.
    marketing, inspection, and sales. B.P.I. Bul. 268, pp. 37, 43, 44, 45, 53. 1913.
    production and yield of Burley type. B.P.I. Cir. 48, p. 8. 1910.
  tomato-pulping statistics. D.B. 927, pp. 3, 4, 24. 1921.
  tractors on farms in Madison and Montgomery Counties, reports. D.B. 997, pp. 6–11, 18, 27–37, 40–42, 61. 1921.
  trucking industry, acreage and crops. Y.B. 1916, pp. 446, 447, 455–465. 1917; Y.B Sep. 702, pp. 12, 13, 21–31. 1917.
  walnut, stand and quality. D.B. 909, pp. 9, 10, 13, 18, 19, 21, 23. 1921; D.B. 933, pp. 7, 10, 22–27. 1921.
  water supply, records, by counties. Soils Bul. 92, pp. 53–57. 1913.

Indiana—Continued.
well records, depth of water tables (with other States). Y.B. 1911, pp. 483–489. 1912; Y.B. Sep. 585, pp. 483–489. 1912.
wheat—
crops—
1866–1906, acreage, production, and value. Stat. Bul. 57, pp. 5–25, 29. 1907; rev., pp. 5–25, 29, 37. 1908.
1866–1915, yields and prices. D.B. 514, p. 8. 1917.
production periods. Y.B., 1921, pp. 89, 90, 91. 1922; Y.B. Sep. 873, pp. 89, 90, 91. 1922.
rosette, outbreak and observations. J.A.R., vol. 23, pp. 773, 775. 1923.
take-all disease, outbreak. F.B. 1226, pp. 2–4. 1921.
varieties grown. F.B. 616, pp. 8–9, 11. 1914; F.B. 1168, pp. 12, 15. 1921.
Yellow River, drainage problem. O.E.S. Cir. 80, pp. 13–15. 1909.
See also Corn Belt.
Indiana Cooperative Canal Company irrigation system, details. O.E.S. Bul. 222, p. 51. 1910.
"Indiana," (horse,) description, pedigree, and progeny. D.C. 153, p. 16. 1921.
Indianapolis—
dairy inspection, results. B.A.I. Cir. 153, p. 12. 1910.
market statistics for livestock, 1910–1920. D.B. 982, pp. 18, 53, 85. 1921.
milk supply, laws. B.A.I. Bul. 46, pp. 171–173. 1903.
trade center for farm products, statistics, 1913. Rpt. 98, pp. 287–290. 1913.
Indicator—
leavening, use in bread making. S.R.S. Doc. 64, pp. 5, 7, 10. 1917.
plants—
of Tooele Valley, Utah, tissue fluids, compositions. J. A. Harris and others. J.A.R., vol. 27, pp. 893–924. 1924.
use in range management. D.B. 791, pp. 2–54, 73–76. 1919.
soil, vegetation of Tooele Valley, Utah. T. H. Kearney and others. J.A.R., vol. 1, pp. 365–417. 1914.
Indies, Dutch, East—
and West, agricultural statistics, 1911–1919. D.B. 987, pp. 23–24. 1921.
tobacco, high grade. B.P.I. Bul. 244, p. 10. 1912.
Indigestion—
acute, causes and treatment. For [Misc.], "First-aid manual * * *," pp. 78–79. 1917.
calf, symptoms, prevention and treatment. B.A. [Misc.], "Diseases of cattle," rev. pp. 34, 250–251. 1904; rev., pp. 34–35, 258–259. 1912; pp. 253–254. 1923.
cattle, causes, symptoms and treatment. B.A.I. Cir. 68, rev., pp. 8–11. 1908; B.A.I. [Misc.], "Diseases of cattle," rev., pp. 29–33. 1904; rev., pp. 27–33. 1912.
horse, symptoms and treatment. B.A.I. [Misc.], "Diseases of the horse," rev., pp. 61–62. 1903; rev., 1907; rev., 1911.
sheep, cause, symptoms and treatment. F.B. 1155, p. 28. 1921.
Indigo—
area, production and exports, British India, 1891–1912. Stat. Cir. 36, p. 14. 1912.
bird—
protection by law. Biol. Bul. 12, rev., pp. 38, 40, 41. 1902.
See also Bunting.
bush, description, range, and occurrence on Pacific slope. For. [Misc.], "Forest trees for Pacific * * *", pp. 377–378. 1908.
carmin, arsenic content, determination method. Chem. Cir. 102, p. 10. 1912.
disulphoacid, analysis method. Chem. Bul. 147, pp. 224–225. 1912.
dodder, occurrence in Texas. B.P.I. Bul. 226, p. 97. 1912.
dye, Chinese, importation and use. No. 42808; B.P.I. Inv. 47, p. 68. 1920.
exports, 1851–1908. Stat. Bul. 75, p. 47. 1910.
false, Wyoming, distribution and growth. N.A. Fauna 42, p. 72. 1917.

Indigo—Continued.
growing in Florida, St. Johns County, in early days. Soil Sur. Adv. Sh., 1917, p. 9. 1920; Soils F.O., 1917, p. 669. 1923.
importations and descriptions. Nos. 37068, 37391, B.P.I. Inv. 38, pp. 32, 56. 1917; No. 38155, B.P.I. Inv. 39, p. 95. 1917; Nos. 41909, 41929, 42028, 42173–42176, 42181, B.P.I. Inv. 46, pp. 33, 35, 45, 60, 61. 1919; No. 43379, B.P.I. Inv. 48, p. 47. 1921; No. 45309, B.P.I. Inv. 53, p. 24. 1922; Nos. 50368, 50369, B.P.I. Inv. 63, p. 62. 1923.
imports—
1903–1907. Y.B., 1907, p. 743. 1908; Y.B. Sep. 465, p. 743. 1908.
1906–1910. Y.B., 1910, p. 660. 1911; Y.B. Sep. 553, p. 660. 1911.
1907–1909, quantity and value, by countries from which consigned. Stat. Bul. 82, p. 44. 1910.
1908–1910, quantity and value, by countries from which consigned. Stat. Bul. 90, p. 47. 1911.
1908–1912. Y.B., 1912, p. 720. 1913; Y.B. Sep. 615, p. 720. 1913.
1913–1915. Y.B., 1915, p. 544. 1916; Y.B. Sep. 685, p. 544. 1916.
1916. Y.B., 1916, p. 711. 1917; Y.B. Sep. 722, p. 5. 1917.
1917. Y.B., 1917, p. 764, 776. 1918; Y.B. Sep. 762, pp. 8, 20. 1918.
1918, statistics. Y.B., 1918, pp. 631, 643. 1919; Y.B. Sep. 794, pp. 7, 19. 1919.
insects attacking. Ent. T. B. 12, Pt. V., p. 94. 1907.
poisonous to stock. B.A.I. Bul. 112, p. 41. 1909.
wild, habitat, range, description, collection, prices, and uses of roots. B.P.I. Bul. 107, p. 43. 1907.
Indigofera—
australis, importation(s) and description(s). No. 47152, B.P.I. Inv. 58, p. 33. 1922; Nos. 55600, 55683, 55748, B.P.I. Inv. 72, pp. 3, 9, 18, 29. 1924.
dosna, importation and description. No. 39119, B.P.I. Inv. 40, pp. 6, 78. 1917.
geradiana, importation and description. No 40183. B.P.I. Inv. 42, pp. 85–86. 1918.
kirilowii, importation and description. No. 44285, B.P.I. Inv. 50, p. 52. 1922.
spp., importations and descriptions. Nos. 30020, 30021, 30093, B.P.I. Bul. 233, pp. 49, 58. 1912 Nos. 41908–41909, 41929, 42173–42176, B.P.I. Inv. 46, pp. 32, 33, 35, 45, 60, 61. 1919; Nos. 43776, 43850, B.P.I. Inv. 49, pp. 75, 86. 1921; Nos. 45309, 45479, B.P.I. Inv. 53, pp. 24, 38. 1922.
Indols, detection in canned meats. Chem. Bul. 13, Pt. X, pp. 1393–1394. 1902.
Industrial alcohol, sources and manufacture. H. W. Wiley. F.B. 268, pp. 47. 1906.
Industrial Relations Commission, United States, investigations of Texas bonus problems. D.B. 1068, pp. 1–60. 1922.
Industries—
relation of agriculture. Secretary Wilson. Sec. Cir. 23, pp. 8. 1907.
special, need in irrigation farming. Y.B., 1911, pp. 374–376, 380, 382. 1912; Y.B. Sep. 576, pp. 374–376, 380, 382. 1912.
use of hickory in. For. Bul. 80, pp. 7–9, 45–46, 59. 1910.
Inedible-products, establishments, declaration for inspection. B.A.I.O. 211, pp. 10–11. 1914.
Infants—
bowel troubles, cause. F.B. 413, p. 5. 1910.
breast-fed, immunity from diarrhea. F.B. 412, p. 12. 1910.
cure, Dr. Moffett's teethina, misbranding. Chem. N.J. 1019, pp. 2. 1911.
feeding—
care of milk and dangers from bacteria. F.B. 490, pp. 19, 21. 1912.
necessity of milk. F.B. 363, pp. 18, 25–26, 37. 1909; F.B. 1207, pp. 3–14, 32. 1921; F.B. 1359, pp. 5–6, 15. 1923.
use of condensed, evaporated, and dried milks. B.A.I. Dairy. [Misc.], "World's dairy congress, 1923," pp. 149–161. 1924.
foods—
analysis, methods. Chem. Bul. 65, pp. 41–43. 1902.

1236 UNITED STATES DEPARTMENT OF AGRICULTURE

Infants—Continued.
foods—continued.
milk of Canarium nuts. F.B. 332, pp. 10, 20. 1908.
moisture determination, calcium carbide method, comparison with other method. Chem. Cir. 97, p. 7. 1912.
requirements from one day to eighteen months of age. B.A.I. Dairy. [Misc.], "World's dairy congress, 1923," pp. 153–158. 1924.
use of Java almond oil emulsion. B.P.I. Inv. 48, p. 5. 1921.
mortality—
in England and Wales. B.A.I. Dairy. [Misc.] "World's dairy congress, 1923," pp. 557–560. 1924.
relation to milk supply. B.A.I. Bul. 138, pp. 29, 38. 1911.
remedy—
"Kopp's baby's friend," misbranding. Chem. N.J. 1068, p. 1. 1911.
"white drops," misbranding. Chem. N.J. 3154, p. 358. 1914.
See also Children.
Infantile paralysis. See Paralysis, infantile.
Infection—
modes, relation of tuberculous lesions. E. C. Schroeder and W. E. Cotton. B.A.I. Bul. 93, pp. 19. 1906.
natural, of fruit, methods, sources, and incubation period. D.B. 395, pp. 40–43. 1917.
Inflammation—
brain of horse and its membranes. B.A.I. [Misc.], "Diseases of the horse," rev., pp. 192–197. 1903; rev., pp. 192–197. 1907; rev., pp. 192–197. 1911.
eyelids of horse, causes, description, treatment. B.A.I. [Misc.], "Diseases of the horse," pp. 257–259. 1903; rev., pp. 257–259. 1907; rev., pp. 257–259. 1911.
lymphatic glands, horse, symptoms, treatment. B.A.I. [Misc.], "Diseases of the horse," rev., pp. 249–250. 1903; rev. 1907; rev. 1911.
navicular bone, causes, symptoms, treatment. B.A.I. [Misc.], "Diseases of the horse," rev., pp. 408–411. 1903; rev., pp. 409–411. 1907; rev., pp. 409–411. 1911.
skin of horse, cause, symptoms, treatment. B.A.I. [Misc.], "Diseases of the horse," rev., pp. 434–439. 1903; rev. 1907; rev. 1911.
stomach, or intestines, of poultry, description, and control treatment. F.B. 957, p. 47. 1918.
Inflorescence—
cauliflower type, in corn, causes. J.A.R., vol. 9, pp. 393–394. 1917.
ramose, inheritance in maize. J. H. Kempton. D.B. 971, pp. 20. 1921.
Influenza—
hog, cause, symptoms, and control. F.B. 1244, pp. 5–6. 1923.
horse, description, symptoms, complications, and treatment. B.A.I. [Misc.], "Diseases of the horse," rev., pp. 498–508. 1903; rev. 1907; rev. 1911.
legislation. B.A.I. Bul. 28, pp. 75, 172. 1901.
Information—
distribution to farmers, improved methods. An. Rpts., 1914, pp. 32–35. 1914; Sec. A.R., 1914, pp. 34–37. 1914.
helpful, to farmer, transmission methods. Y.B., 1920, pp. 106–110. 1921; Y.B. Sep. 832, pp. 106–110. 1921.
Office. See Publications Division.
Service—
reorganization. Y.B., 1922, pp. 56, 57. 1923; Y.B. Sep. 883, pp. 56, 57. 1923.
work in 1925. Sec. A.R., 1925, p. 97. 1925.
Informational work—
coordination, order. Off. Rec. vol. 4, No. 15, p. 4. 1925.
importance. Sec. Cir. 153, pp. 9–10, 11–12. 1920.
Infusorial earth—
description, and value in filtration. D.B. 241, pp. 3, 14–17. 1915; Y.B., 1914, pp. 235, 242. 1914; Y.B. Sep. 639, pp. 235, 242. 1914.
use in making sirup. D.B. 1370, pp. 36–37. 1925.
See also Diatomaceous earth.

Inga—
laurina—
importation and description. No. 52511, B.P.I. Inv. 66, p. 36. 1923.
use as coffee shade, infestation with ants. P.R. An. Rpt., 1911, p. 30. 1912.
See also Guama.
spp.—
description and uses. D.B. 354, p. 71. 1916.
importation and description. No. 45351, B.P.I. Inv. 53, pp. 6, 29. 1922.
vera. See Guava.
Inginhousia triloba—
description. B.P.I. Bul. 221, p. 27. 1911.
See also Thurberia thespesioides.
INGERSOLL, E. H.: "Effect of nitrates and nitrites on the turmeric test for boric acid." With T. M. Price. Chem. Bul. 137, pp. 115–116. 1911.
INGERSON, H. G.—
"Control of the grape-berry moth in northern Ohio." With G. A. Runner. D.B. 837, pp. 26. 1920.
"Life history of the grape-berry moth in northern Ohio." D.B. 911, pp. 38. 1920.
"The striped peach worm." D.B. 599, pp. 16. 1918.
INGLE, M. J.: "Development of sugar and acid in grapes during ripening." With others. D.B. 335, pp. 28. 1916.
INGLING, W. H.—
"Agricultural cooperation for the preparation and sale of products." O.E.S. Bul. 256, pp. 47–51. 1913.
report of Monmouth County farmers' exchange. Freehold, N. J. Rpt. 98, pp. 231–233. 1913.
INGRAM, D. E.: "A twig blight of Quercus prinus and related species." J.A.R., vol. 1, pp. 339–346. 1914.
INGRAM, J. W.: "Hot water treatment of sugar cane for insect pests—a precaution." With P. A. Yoder. D.C. 303, pp. 4. 1923.
Inheritance—
characters in crossbred cattle, studies. J.A.R., vol. 15, pp. 1–58. 1918.
internode in rachis of barley spike. H. K. Hayes and Harry V. Harlan. D.B. 869, pp. 26. 1920.
studies on earliness in wheat. Victor H. Florell. J.A.R., vol. 29, pp. 333–347. 1924.
syndactylism, black, dilution in swine. J.A. Detlefsen and W. J. Carmichael. J.A.R., vol. 20, pp. 595–604. 1921.
wheat, in Kota-Hard Federation crosses, and segregation, for rust and drought resistance. J. Allen Clark. J.A.R., vol. 29, pp. 1–47. 1924.
See also Heredity.
Inifuk. See Awn grass.
Injection(s)—
Brown's, misbranding. Chem. N.J. 4143, pp. 226–227. 1916.
medicinal, directions for cattle. B.A.I. [Misc.], "Diseases of cattle," rev., pp. 11–13, 219, 220. 221, 228–230. 1904; rev., pp. 11–13, 226, 227–228. 1912.
Injecto. See Sapote.
Injector, carbon bisulphide, description and use. Ent. Cir. 63, p. 5. 1905.
Injunction, definition, and court rulings. D.B. 1106, pp. 50–52. 1922.
Ink(s)—
branding meat, formula. B.A.I.S.R.A. 175, pp. 31–32. 1922.
canceling and stamping—
investigation methods. E. E. Ewell. Chem. Cir. 12, pp. 6. 1903.
testing methods. Chem. Bul. 109, p. 36. 1908.
plant importation and description. No. 42854, B.P.I. Inv. 47, p. 75. 1920.
rubber-stamp testing methods. Chem. Bul. 109, pp. 35–36. 1908.
Shanzhi, importation of Coriaria plant from Equador. No. 42817. B.P.I. Inv. 47, p. 70. 1920.
stains, removal from textiles. F.B. 761, pp. 20–22. 1917.
typewriter, castor-oil ingredient. D.B. 867, p. 39. 1920.
writing, testing methods. Chem. Bul. 109, pp. 29–30. 1908.

INDEX TO PUBLICATIONS, 1901-1925   1237

Inkberry—
  Chinese, infestation with Mediterranean fruit fly in Hawaii. D.B. 536, pp. 24, 27. 1918.
  importation and description. No. 41810, B.P.I. Inv. 46, p. 24. 1919.
Inking pads, test. Chem. Bul. 109, pp. 39-40. 1908; rev., 56-57. 1910.
Inkulu, importation and description. No. 48454, B.P.I. Inv. 61, pp. 1, 10. 1922; Nos. 49586-49587, B.P.I. Inv. 62, pp. 2, 56. 1923.
Inland navigation, relation of the southern Appalachian Mountains. M. O. Leighton and A. H. Horton. For. Cir. 143, pp. 38. 1908.
Inocarpus edulis. See Chestnut, Tahiti.
Inoculation—
  abortion bacillus into cow's udder, experiments. J.A.R., vol. 9, pp. 12-14. 1917.
  alfalfa—
    on sandy lands. F.B. 716, pp. 12, 13. 1916.
    soils. F.B. 339, pp. 17-18. 1908; F.B. 1283, pp. 13-14, 20, 21. 1922.
  animals, with organism of coccidioidal granuloma. J.A.R., vol. 14, pp. 536-539. 1918.
  apple—
    leaves, with leaf-spot fungi, experiments. J.A.R., vol. 2, pp. 57-66. 1914.
    "rough-bark" disease, experiments. B.P.I. Bul. 280, pp. 8-10. 1913.
    with bitter-rot infection, experiments. D.B. 684, pp. 7-8, 10-17. 1918.
  apricots with *Monochaetia* sp., experiments. J.A.R., vol. 26, pp. 52-54. 1923.
  artificial, necessity in bur-clover growing, methods. F.B. 532, pp. 14-15. 1913.
  bees, with apiary bacteria. J.A.R., vol. 8, pp. 412-418. 1917; Ent., Cir. 157, pp. 3-12. 1912.
  beet leaves, with *Phoma betae*, experiments. J.A.R., vol. 4, pp. 171-173. 1915.
  blackberry with orange rusts, methods and results. J.A.R., vol. 25, pp. 219-223. 1923.
  blackleg, methods. B.A.I. Cir. 31, rev., pp. 16-17. 1915.
  blood, for Texas fever immunity. B.A.I. [Misc.], "Diseases of cattle," rev., pp. 483-486. 1908; rev., pp. 469-470. 1904; rev., pp. 507-510. 1912.
  cattle—
    against tuberculosis, studies. F.B. 473, p. 20. 1911.
    foot-and-mouth disease. B.A.I. [Misc.], "Diseases of cattle," rev., pp. 381, 384, 386. 1904; rev., pp. 397, 402. 1912.
    for rinderpest. B.A.I. [Misc.], "Diseases of cattle," rev., pp. 379-380. 1904; rev., p. 395. 1912.
  cauliflower plants, with spot-disease bacterium, experiments. B.P.I. Bul. 225, pp. 7-9. 1911.
  cereals with timothy rust. J.A.R., vol. 5, No. 5, pp. 211-216. 1915.
  cheese—
    use of molds in making Camembert and Roquefort. B.A.I. Bul. 82, pp. 18, 20, 21, 23, 25-26. 1906.
    with molds for ripening and flavor. B.A.I. Bul. 71, pp. 18-22, 27-29. 1905.
  citrus—
    fruits—
      with cultures of *Colletotrichum gloeosporioides*. D.B. 924, pp. 9-10. 1921.
      with scab culture, experiments. D.B. 1118, pp. 22-27. 1923.
      with gum-forming organisms. J.A.R. vol. 24, pp. 198-210, 211-213, 214-218, 221-222. 1923.
  clover, directions. D.B. 705, p. 23. 1918.
  conifer(s)—
    seedlings, experiments. J.A.R., vol. 15, pp. 526-530, 531-548. 1918.
    with *Corticium vagum*, experiments. D.B. 934, pp. 28-34. 1921.
    with *Pythium debaryanum*, experiments. D.B. 934, pp. 41-54. 1921.
  coniferous stems, with damping-off fungi. Annie Rathbun-Gravatt. J.A.R., vol. 30, pp. 327-339. 1925.
  corn, with *Gibberella saubinetii*. J.A.R. vol. 23, pp. 843-844. 1923.
  cowpeas, necessity. F.B. 1148, p. 12. 1920.
  crimson clover, needs and methods. F.B. 550, p. 8. 1913; F.B. 1142, p. 13. 1920.

Inoculation—Continued.
  crown gall—
    cause of changes in plant structures. J.A.R. vol. 6, No. 4, pp. 179-182. 1916.
    experiments with Schizomycetes from various plants. B.P.I. Bul. 213, pp. 25-95, 133-139. 1911.
    into tomato stems, experiments. J.A.R., vol. 25, pp. 120-125. 1923.
  cucumbers with *Bacterium lachrymans*, experiments. J.A.R., vol. 5, No. 11, pp. 467-469. 1915.
  cucurbits, with—
    anthracnose spores, experiments. D.B. 727, pp. 22-24. 1918.
    mosaic virus, experiments. D.B. 879, pp. 30-40. 1920.
  directions for using inoculating material. B.P.I. [Misc.] "Directions for using * * *," (sheet A), p. 1. 1907.
  for—
    anthrax, description of vaccine, and precautions. B.A.I. [Misc.], "Diseases of cattle," rev., p. 445. 1904; rev., p. 463. 1912.
    glanders, various animals, results. B.A.I. Doc. A-13, pp. 3-5. 1917.
    gray mold of castor bean, experiments. J.A.R., vol. 23, pp. 702-704. 1923.
    halo-blight, experiments and results. J.A.R. vol. 19, pp. 145-147. 1920.
    nasturtium wilt, experiments. J.A.R., vol. 4, pp. 452-456. 1915.
    olive-tubercle, experiments. B.P.I. Bul. 131, Pt. IV, pp. 25, 27, 37. 1908.
    pecan diseases, experiments. J.A.R., vol. 1, pp. 307-309, 314-316, 321-325, 331-332, 335. 1914.
    wheat mosaic, studies. D.B. 1361, pp. 7-8. 1925.
  fruit—
    experiments with *Cladosporium carpophilum*, methods. D.B. 395, pp. 21-31, 62. 1917.
    with rots, experiments. J.A.R., vol. 8, pp. 143-150. 1917.
  grains, with fungi from barley, oats and wheat. J.A.R., vol. 1, pp. 476-481. 1914.
  grapes, with crown gall, experiments and results. B.P.I. Bul. 183, pp. 22-25. 1910.
  grasses with timothy rust. B.P.I. Bul. 224, pp. 9, 10, 11. 1911.
  guinea pigs—
    for diagnosis of glanders. B.A.I. An. Rpt., 1910, p. 351. 1912; B.A.I. Cir. 191, p. 351. 1912.
    with clots from anthrax-infected hides. J.A.R., vol. 4, pp. 74-81, 85-87. 1915.
    with tuberculous butter and cheese, experiments. B.A.I. An. Rpt., 1909, pp. 182-184, 188-189. 1911.
  hairy vetch, importance in fertilizer, value. B.P.I. Cir. 15, p. 2. 1908.
  hogs—
    at stockyards, recommendation. Y.B., 1919, p. 200. 1920; Y.B. Sep. 798, p. 200. 1920.
    for cholera, results. B.A.I. Bul. 72, pp. 13-98 1905; F.B. 384, pp. 16-18. 1917.
    methods and practical tests. F.B. 379, pp. 19-22. 1909.
  human, with bovine bacilli. B.A.I. Bul. 33, pp. 11-20. 1901.
  influence on fermentation of sauerkraut. O. R. Brunkow and others. J.A.R., vol. 30, pp. 955-960. 1925.
  insects with *Sorosporella uvella*, methods. J.A.R., vol. 18, pp. 430-437. 1920.
  Kalmia latifolia, with leaf-blight experiments. J.A.R., vol. 13, pp. 201-203. 1918.
  land, in alfalfa growing. D.C. 115, p. 4. 1920.
  legume(s)—
    Karl F. Kellerman and T. R. Robinson. F.B. 240; pp. 7. 1905.
    and litmus reaction of soils. Karl F. Kellerman and T. R. Robinson. B.P.I. Cir. 71, pp. 11. 1910.
    conditions affecting. B.P.I. Bul. 100, pp. 73-83. 1907.
    cultures, relation to bean wilt, study. J.A.R., vol. 24, pp. 749-752. 1923.
    field tests and results with different crops. F.B. 315, pp. 14-20. 1908.

Inoculation—Continued.
 legume(s)—continued.
  methods—
   Karl F. Kellerman. B.P.I. Cir. 63, pp. 5. 1910.
   and cost. F.B. 704,pp. 24-26. 1916.
   progress in. Karl F. Kellerman and T. R. Robinson. F.B. 315, pp. 20. 1908.
  peas, with legume bacteria. F.B. 1255, pp. 11-12. 1922.
  pine seedlings, with Phycomycetes, results. D.B. 934, pp. 61-64. 1921.
  pineapple, with fungus disease, experiments, results. B.P.I. Bul. 171, pp. 30-32. 1910.
  plants with—
   Bacterium tabacum. J.A.R., vol. 12, pp. 451-453. 1918.
   cane, experiments. J.A.R., vol. 24, pp. 248-255. 1923.
   wilt fungi, experiments. J.A.R., vol. 12, pp. 539-543. 1918.
  potato(es)—
   to hasten freezing. D.B. 895, pp. 2-3, 6. 1920.
   with *Fusarium radicicola*, experiments. J.A.R., vol. 6, No. 9, pp. 300-306. 1916.
   with mosaic disease. J.A.R., vol. 17, pp. 253-255. 1919.
  red clover, directions. F.B. 1339, p. 10. 1923.
  seed, as means of infection of barley with *Ustilago nuda.* W. H. Tisdale and V. F. Tapke. J.A.R., vol. 29, pp. 263-284. 1924.
  seedlings, with—
   Phytophthora spp., experiments. D.B. 934, pp. 59-61. 1921.
   Rheosporangium aphanidermatus. D.B. 934, pp. 55-59. 1921.
  simultaneous, hog cholera, directions and precautions. F.B. 379, pp. 20-21. 1909.
  soil—
   by transfer, danger of disseminating weeds and insect pests. F.B. 315, p. 14. 1908.
   effect on composition of soybeans and cowpeas. F.B. 244, pp. 9-10. 1906.
   for—
    alfalfa. B.P.I. Cir. 80, pp. 20-21. 1911; F.B. 374, pp. 5-7. 1909; S.R.S. Syl. 20, p. 8. 1916.
    beans, methods and caution. F.B. 907, pp. 7-8, 15-16. 1917.
    bur clover. B.P.I. Bul. 267, p. 14. 1913.
    clover. F.B. 323, pp. 14-15. 1908.
    horse beans. F.B. 969, p. 8. 1918.
    leguminous plants. F.B. 124, pp. 7-10. 1901.
    purple vetch. F.B. 967, p. 7. 1918.
    soybeans. F.B. 931, p. 12. 1918; S.R.S. Syl. 35, p. 8. 1919.
    sweet clover. F.B. 1005, p. 4. 1919.
    vetch, necessity and methods. D.B. 876, p. 8. 1920; F.B. 515, pp. 11-12, 19, 27. 1912; F.B. 529, pp. 10-13. 1913.
   with—
    legume bacteria. S.R.S. Syl. 24, pp. 2-3. 1917; S.R.S. Syl. 25, pp. 2-3. 1917.
    nitrogen-fixing bacteria. D.B. 355, pp. 41-42, 45. 1916.
    nodules from bur clover. F.B. 730, pp. 5-6. 1916.
    Pythium debarynum, experiments. D.B. 934, pp. 41-54. 1921.
  sorghum, with head smut, experiments. J.A.R., vol. 2, pp. 360-367. 1914.
  soy beans—
   method and value. S.R.S. Doc. 43, p. 2. 1917.
   necessity for successful growth. F.B. 973, pp. 6-8. 1918.
  sugar-cane—
   mosaic by insect carriers. E. W. Brandes. J.A.R., vol. 23, pp. 279-284. 1923.
   with mosaic virus, experiments. J.A.R., vol. 19, pp. 136-137. 1920.
  sweet clover, need and methods. F.B. 485, pp. 18-19. 1912; F.B. 797, pp. 27-29. 1917.
  test for glanders. B.A.I. [Misc.], "Diseases of the horse," rev., p. 542. 1903; rev., p. 542. 1907; rev., p. 542. 1911.
  timothy, with rust, *Puccinia graminis*, experiments. J.A.R., vol. 6, No. 21, pp. 813-816. 1916.

Inoculation—Continued.
 tobacco—
  leaves with mosaic disease, experiments. D.B 40, pp. 10-26. 1914; J.A.R., vol. 10, pp. 615-618, 620-621. 1917.
  with angular leaf spot disease, experiments. J.A.R., vol. 16, pp. 222-224. 1919.
 tomatoes, with *Phoma destructiva*, experiments. J.A.R., vol. 4, pp. 2-12. 1915.
 use of mold powder in Roquefort cheese, preparation methods. D.B. 970, pp. 9, 12, 28. 1921.
 velvet beans, experiments. F.B. 1276. pp. 10-11. 1922.
 vetch, on sandy lands. F.B. 716, pp. 12, 13. 1916.
 wheat with—
  Gibberella saubinetii. J.A.R., vol. 23, pp. 843-844. 1923.
  Puccinia graminis tritici, experiments, results. D.B. 1046, pp. 4-24. 1922.
 with—
  Bacillus necrophorus, experiments, sheep and other animals. B.A.I. Bul. 63, pp. 19-25. 1905; B.A.I. Bul. 67, pp. 22-32. 1905.
  Cronartium pyriforme. D.B. 247, pp. 5-8. 1915.
  frost necrosis, potatoes, and other plant products. D.B. 916, pp. 3, 7-14. 1921.
  fungus of chestnut oak twig blight. J.A.R., vol. 1, pp. 341-343. 1914.
  Phomopsis vexans, various vegetables, experiments. J.A.R., vol. 2, pp. 333-335, 337. 1914.
Inodes—
 exul. See Palmetto.
 texana—
  importation and description. No. 42280, B.P.I. Inv. 46, p. 72. 1919.
  occurrence in Texas. B.P.I. Cir. 113, p. 11. 1913.
 uresana, description. B.P.I. Cir. 113, p. 12. 1913.
Insect(s)—
 adaptation to cone-producing habits of host trees. D.B. 95, pp. 5-6. 1914.
 affecting—
  cotton plant, means of combating them. W. Dwight Pierce. F.B. 890, pp. 28. 1917.
  health—
   in rural districts. L. O. Howard. F.B. 155, pp. 29. 1902.
   of men or animals engaged in military operations. Sec. Cir. 61, pp. 24. 1916.
  man and animals, list. F.B. 801, p. 27. 1917.
  rice crop. J. L. Webb. F.B. 1086, pp. 11. 1920.
  stored grain and grain products, remedies. Ent. Bul. 96, Pt. I, pp. 1-7. 1911; F.B. 127, pp. 36-37. 1901.
 agency in spread of—
  coconut bud-rot. B.P.I. Bul. 228, pp. 10, 11, 13, 15, 16, 22, 23, 32, 35, 47-52, 61, 147-148. 1912.
  potato brown rot. D.C. 281, pp. 3-4. 1923.
 alfalfa—
  habits and control. F.B. 1283, pp. 33-35. 1922.
  seed crop, description and control methods. F.B. 495, pp. 29-31. 1912.
  anatomical details. Ent. T.B. 18, pp. 10-26, 108. 1910.
 and—
  diseases of the home garden, boys' and girls' club work. W. W. Gilbert. D.C. 35, pp. 31. 1919.
  fungous enemies of—
   apples, fruit, and foliage. A. L. Quaintance and W. M. Scott. F.B. 492, pp. 48. 1912.
   grape, east of the Rocky Mountains. A. L. Quaintance and C. L. Shear. F.B. 284, pp. 48. 1907.
   mites, attacking citrus trees in Florida, spraying for control. W. W. Yothers. D.B. 645, pp. 19. 1918; F.B. 933, pp. 39. 1918.
 apple—
  description and control. F.B. 908, pp. 76-84. 1918.
  more important. A. L. Quaintance and E. H. Siegler. F.B. 1270, pp. 95. 1923.
  spraying directions. Y.B., 1908, p. 272. Y.B. Sep. 480, p. 272, 1909.
 artichoke, in Louisiana. D.B. 703, pp. 1-5. 1918.
 asparagus, control. F.B. 829, pp. 15-16. 1917.
 associated with horse-radish flea-beetle. D.B. 535, p. 13. 1917.

Insect(s)—Continued.
  association with—
    aspen borer. F.B. 1154, pp. 9–10. 1920.
    pink corn worm. D.B. 363, pp. 13, 14–15. 1916.
  attacking—
    loco weeds, list. Ent. Bul. 64, Pt. V, pp. 41–42. 1908.
    metals, review. D.B. 1107, pp. 1–9. 1922.
    pines. Ent. Bul. 37, p. 103. 1902.
    stems of growing wheat, rye, barley, and oats, with methods of prevention and suppression. F. M. Webster. Ent. Bul. 42, pp. 62. 1903.
  avocado, habits and control. Hawaii Bul. 51, pp. 14–15. 1924.
  bark-boring—
    depredations in Europe and North America. Y.B., 1907, pp. 154–157, 160–164. 1908; Y.B. Sep. 442, pp. 154–157, 160–164. 1908.
    injuries to forests and forest products. Y.B., 1910, pp. 341–358. 1911; Y.B. Sep. 542, pp 341–358. 1911.
  barley injuries. F.B. 427, pp. 13–14. 1910.
  bean beetle, destruction of pest. D.B. 1243, pp. 26–27. 1924.
  beneficial—
    enemies of—
      army worm. Ent. Bul. 66, Pt. V, pp. 63–65. 1909.
      bark beetles. Ent. Bul. 83, Pt. I, pp. 26–27. 1909.
    importation(s)—
      and results. Ent. Bul. 120, pp. 13–14, 52. 1913; Rpt. 87, pp. 51–52. 1908.
      into California. C. L. Marlatt. Ent. Bul. 44, pp. 50–56. 1904.
      into Hawaii, and results. Y.B., 1916, pp. 278–281. 1917; Y.B. Sep. 704, pp. 6–9. 1917.
    in home garden. D.C. 35, pp. 26, 31. 1919.
    introduction and sending abroad. Y.B., 1907, pp. 89–90. 1908.
    parasitic and predatory. An. Rpts., 1920, pp. 309, 314, 315, 327–328, 333. 1921.
    to garden vegetables. F.B. 1371, pp. 45–46. 1924.
    transfer from one country to another, early attempts. Ent. Bul. 91, pp. 23–46. 1911.
  bird food, classification and microscopic examination. Biol. Bul. 15, pp. 8–11, 13–15, 20–23, 32, 34–35, 45–48. 1901.
  bites, treatment. For. [Misc.], "First-aid manual * * *," p. 67. 1917.
  biting—
    description and control. F.B. 908, pp. 4, 8, 73–74. 1918.
    external, food poisons. F.B. 126, pp. 5–14. 1901.
    insecticides, description, formulas and directions. Y.B., 1908, pp. 271–276. 1909; Y.B. Sep. 480, pp. 271–276. 1909.
  boll weevil enemies, list and description. Ent. Bul. 114, pp. 136–145. 1912.
  boring, bark, wood, and twigs, description and control. F.B. 1169, pp. 52–74, 95–99. 1921.
  cactus, of United States. W. D. Hunter and others. Ent. Bul. 113, pp. 71. 1912.
  cage, description. D.B. 19, pp. 31–32. 1914.
  carriers—
    and spreaders of disease. L. O. Howard. Y.B. 1901, pp. 177–192. 1902; Y.B. Sep. 235, pp. 177–192. 1902.
    of—
      cabbage diseases. F.B. 925, p. 4. 1918.
      cucumber mosaic, control. D.C. 321, pp. 2, 4–5. 1924.
      mosaic disease of tobacco. D.B. 40, pp. 27–28, 33. 1914.
      Phoma betae. J.A.R., vol. 4, pp. 173–174. 1915.
      plant diseases. F.B. 925, rev., pp. 4, 14. 1921; F.B. 1351, p. 2. 1923.
      pollen in cotton fertilization in Arizona. D.B. 1134, pp. 34–38, 64. 1923.
      squash disease. J.A.R., vol. 8, pp. 326–327. 1917.
      sugar-cane mosaic, mechanics of inoculation. J.A.R., vol. 23, pp. 279–284. 1923.
    carrying of—
      cucurbit wilt, experiments. D.B. 828, pp. 3–4, 13–14, 41, 42. 1920.
      mosaic. J.A.R., vol. 31, pp. 11–18, 29–30. 1925.

Insect(s)—Continued.
  catching in light traps, methods and species. J.A.R., vol. 14, pp. 1, 35–149. 1918.
  caterpillar enemies, description, and habits. Ent. Cir. 133, pp. 7–9. 1911.
  cattle, control. D.B. 827, pp. 47–48. 1921.
  cause of heating in grain, effect of fumigation upon. E. A. Back and R. T. Cotton. J.A.R., vol. 28, pp. 1103, 1114. 1924.
  cereal and forage—
    crops—
      F. M. Webster. Y.B., 1908, pp. 367–388. 1909; Y.B. Sep. 488, pp. 367–388. 1909.
      injuries, 1907. Y.B., 1907, pp. 542–543. 1908; Y.B. Sep. 472, pp. 542–543. 1908.
    papers—
      Pts. I–VIII. F. M. Webster and others. Ent. Bul. 85, pp. 162. 1909–1910.
      Pts. I–VII. W. J. Phillips and others. Ent. Bul. 95, pp. 128. 1911–1912.
  chicken(s)—
    remedies, tests by Insecticide Board, No. 58. I. and F. Bd. S.R.A. 48, pp. 1125–1126. 1924.
    treatment. F.B. 287, p. 47. 1907.
  citrus—
    control by fumigation, details and cost. F.B. 923, pp. 28–30. 1918.
    danger of introduction into United States. D.B. 134, pp. 26–27. 1914.
  fruit(s)—
    description, distribution, and control by fumigation. Ent. Bul. 79, pp. 1–73. 1909.
    enemies. Ent. Bul. 90, pp. 7–10, 53–64, 89–90. 1912.
    in Mediterranean countries. H. J. Quayle. D.B. 134, pp. 35. 1914.
    scale, value of hydrocyanic-acid gas for control. News L., vol. 5, No. 45, pp. 3, 8. 1918.
    spraying in Florida. D.B. 645, pp. 1–19. 1918; F.B. 933, pp. 1–39. 1918.
    trees, remedies and treatment. Hawaii Bul. 9, pp. 25–27. 1905.
  classes, and poisons required for control. S.R.S. Doc. 52, p. 3. 1917.
  clover, injuries caused. F.B. 1365, p. 20. 1924.
  coffee and coffee shade. P.R. An. Rpt., 1914, pp. 31, 42–43. 1916.
  collection—
    and—
      observation, suggestions to correspondents. A. D. Hopkins. Ent. [Misc.], "Suggestions to correspondents * * *, p. 1. 1908.
      preservation in study of agriculture. C. H. Land and Nathan Banks. F.B. 606, pp. 18. 1914.
    bottle device. D.B. 902, p. 10. 1920.
  conditions, summary for United States, 1921. J. A. Hyslop. D.B. 1103, pp. 51. 1922.
  control—
    by—
      benzene derivatives, experiments. J.A.R., vol. 9, pp. 371–381. 1917.
      birds. Y.B. 1920, pp. 259–268. 1921; Y.B. Sep. 843, pp. 259–268. 1921.
      enemies, parasitic and predaceous. F.B. 908, pp. 60–61. 1918.
      insect powder. D.B. 824, pp. 13–14. 1920.
      natural enemies. F.B. 1169, p. 6. 1921.
      nicotine dust, method. F.B. 1282, p. 7. 1922.
      quassiin extracts, experiments. J.A.R., vol. 10, pp. 518–526. 1917.
    community action needed. F.B. 1156, pp. 2, 20. 1920.
    in—
      dried foods. F.B. 841, pp. 24–25. 1917.
      flour mills. E. A. Back. D.B. 872, pp. 40. 1920.
      home gardens, methods. F.B. 936, pp. 33–34. 1918; S.R.S. Doc. 52, pp. 1–10. 1917.
      trees and timber. Ent. Bul. 58, pp. 78–84, 93–94. 1910.
    methods. F.B. 1262, pp. 29–30. 1922.
    on—
      cucumbers to prevent mosaic disease. D.B. 879, pp. 29–30, 43–47, 64. 1920.
      trees, by gipsy moth tree-banding material. D.B. 899, pp. 16–17, 18. 1920.
    projects, felled western yellow pine, deterioration. J. S. Boyce. D.B. 1140, pp. 8. 1923.

Insect(s)—Continued.
  corn—
    control. Sec. Cir. 91, pp. 12-13. 1918; S.R.S. Syl. 21, p. 21. 1916.
    in Guam, description and control. S.R.S. Guam A.R., 1920, pp. 39-40. 1921.
  cotton—
    control before planting, method. F.B. 890,p. 4. 1917.
    habits and control measures. Sec. Cir. 88, pp. 13-17. 1918.
    in Hawaii. David T. Fullaway. Hawaii Bul. 18, pp. 27. 1909.
    in Texas. E. Dwight Sanderson. Ent. Bul. 57, pp. 63. 1906; F.B. 223, pp. 24. 1905.
    lessons for schools. M.C. 43, pp. 24-26. 1925.
  cranberry, description, injuries, history, and control. F.B. 860, pp. 4-42. 1917.
  crop pests, injuries and control method. F.B. 856, pp. 14-22. 1917.
  cruciferous, enemies. Ent. Bul. 109, Pt. III, pp. 31-32. 1912.
  cucumber, relation to overwintering of mosaic disease. D.B. 879, pp. 56-59. 1920.
  currant and gooseberry, description and control. F.B. 908, pp. 98-99. 1918; F.B. 1398, pp. 13-16. 1924; S.R.S. Doc. 94, pp. 5-6. 1919.
  damage—
    cause of forest fires. For. Bul. 82, pp. 14, 19. 1910.
    to—
      cones and seeds of Pacific coast conifers. J. M. Miller. D.B. 95, pp. 7. 1914.
      forest trees. D.B. 863, p. 21. 1920.
      grain. B.P.I. Bul. 199, pp. 14, 16. 1910.
      mine props, methods of prevention. T. E. Snyder. Ent. Cir. 156, pp. 4. 1912.
      standing timber in national parks. A. D. Hopkins. Ent. Cir. 143, pp. 10. 1912.
      truck crops and control. Ent. A.R., 1924, pp. 16-20. 1924.
      woodlands, prevention. F.B. 1117, p. 23. 1920.
  dangerous, introduction by importation, manual. W. Dwight Pierce. Sec. [Misc.], "A manual * * * insects * * *," pp. 256. 1917.
  deciduous—
    fruit—
      and insecticides, papers. Pts. I-III. A. G. Hammar and others. Ent. Bul. 115, pp. 186. 1912-1913.
      and insecticides, papers. Pts. I-IX. Dudley Moulton and others. Ent. Bul. 68, pp. 117. 1907-1909.
      and insecticides, papers. Pts. I-VIII. E. L. Jenne and others. Ent. Bul. 80, pp. 167. 1909-1911.
      and insecticides, papers. Pts. I-VII. Fred Johnson and others. Ent. Bul. 97, pp. 132. 1911-12.
      and insecticides, papers. Pts. I-V. Fred Johnson and others. Ent. Bul. 116, pp. 117. 1912-13.
      papers. F. E. Brooks and B. R. Leach. D.B. 730, pp. 40. 1918.
    trees, and control. F.B. 908, pp. 76-99. 1918.
  defense against Argentine ant attack. D.B. 647, pp. 49-51. 1918.
  defoliating, depredations, Europe and North America. Y.B., 1907, pp. 149-154, 158-160. 1908; Y.B. Sep. 442, pp. 149-154, 158-160. 1908.
  depredations—
    America, early records. Y.B., 1913, pp. 77-79. 1914; Y.B. Sep. 616, pp. 77-79. 1914.
    North American forests, prevention and control methods. A.D. Hopkins. Ent. Bul. 58, Pt. V., pp. 57-101. 1909.
  destroyer—
    and disinfectant, Heine's, analysis. Chem. Bul. 68, p. 57. 1902.
    value of swallows. H. W. Henshaw. Biol. Cir. 56, pp. 4. 1907.
  destruction—
    by—
      birds. Biol. Bul. 30, pp. 17-100. 1907; F.B. 497, pp. 7-30. 1912; F.B. 513, pp. 7-31. 1913; Y.B., 1907, pp. 166-170, 171, 175. 1908; Y.B. Sep. 443, pp. 166-170, 171, 175. 1908.
      birds in California, lists. Biol. Bul. 34, pp. 16-96. 1910.

Insect(s)—Continued.
  destruction—continued.
    by—continued.
      crows. D.B. 621, pp. 12-25, 57-62, 81-82. 1918; F.B. 1102, pp. 7-10, 13-14. 1920.
      fire. F.B. 908, p. 53. 1918.
      flycatchers, lists. Biol. Bul. 44, pp. 6-66. 1912.
      grosbeaks. F.B. 456, pp. 7-12. 1911.
      jarring. F.B. 908, pp. 52-53. 1918.
      lacewing fly, list. J.A.R., vol. 6, No 14, pp. 516-517. 1916.
      poultry, food value. J.A.R., vol. 10, pp. 633-637. 1917.
      robins and bluebirds. D.B. 171, pp. 31. 1915.
      woodpeckers. Biol. Bul. 37, pp. 1-64. 1911.
    in large buildings, use of hydrocyanic-acid gas. W. G. Johnson. O.E.S. Bul. 99, pp. 166-171. 1901.
  destructive—
    annual loss of crops in U. S. C. L. Marlatt. Y.B., 1904, pp. 461-474. 1905; Y.B. Sep. 360, pp. 461-474. 1905.
    of peach slug, description. Ent. Bul. 97, Pt V, pp. 100-102. 1911.
    reproduction methods. Y.B., 1908, pp. 371-372. Y.B. Sep. 488, pp. 371-372. 1909.
    to codling moth. Y.B., 1907, p. 443. 1908; Y.B. Sep. 460, p. 443. 1908.
    to spruce forests, control. For. Cir. 131, p. 11. 1907.
  destructiveness, causes and sources. Y.B., 1908, pp. 368-370. 1909; Y.B. Sep. 488, pp. 368-370. 1909.
  development, relation to temperature and humidity, studies. W. Dwight Pierce. J.A.R., vol. 5, No. 25, pp. 1183-1911. 1916.
  dewberry, injury. F.B. 1403, pp. 13-14. 1924.
  disease carriers, economic loss to the people of the United States. L. O. Howard. Ent. Bul. 78, pp. 40. 1909.
  diseases, beneficial effects. Ent. Bul. 58, Pt. V, p. 86. 1909.
  dried-fruit, control in California. William B. Parker. D.B. 235, pp. 15. 1915.
  effect(s) of—
    crude petroleum. O.E.S. Bul. 99, p. 176. 1901.
    hydrocyanic-acid gas, various concentrations. J.A.R., vol. 11, pp. 421-423, 428. 1917.
    weather. Y.B., 1908, pp. 385-387. 1909; Y.B. Sep. 488, pp. 385-387. 1909.
  eggs—
    and larvae, effect of cold storage, experiments. J.A.R., vol. 5, No. 15, pp. 659-665. 1916.
    clusters, exposure to X rays, experiments. J.A.R., vol. 6, No. 11, pp. 386-388. 1916.
    destruction by birds. F.B. 630, pp. 4, 5. 1915.
    destruction by volatile organic compounds. J.A.R., vol. 12, pp. 579-587. 1918.
  enemies—
    and diseases of—
      home garden, control, how teachers may use publications on. Alvin Dille. D.C. 68, pp. 4. 1919.
      home vegetable garden, control. W. A. Orton and F. H. Chittenden. F.B. 856, pp. 72. 1917.
      tomato. F. H. Chittenden. S.R.S. Doc. 95, pp. 18. 1919.
    of—
      acacia. D.B. 9, pp. 4-5. 1913.
      alfalfa caterpillar. D.B. 124, pp. 19-26. 1914.
      asparagus beetles. F.B. 837, pp. 7-8. 1917.
      avocado red spider. D.B. 1035, pp. 9-11. 1922.
      boll weevil. Ent. Bul. 114, pp. 136-145. 1912; F.B. 512, pp. 15-16, 36. 1912.
      broomcorn. F.B. 174, pp. 26-28. 1903.
      celery, control. F.B. 148, pp. 18-20. 1902.
      chinch bugs. F.B. 657, p. 10. 1915.
      chrysanthemums. Charles A. Weigel. F.B. 1306, pp. 36. 1923.
      citrus fruits. Ent. Bul. 90, Pt. I, pp. 7-10. 1911.
      citrus mealy bug. D.B. 134, p. 22. 1914.
      citrus thrips. D.B. 616, pp. 25-27. 1918.
      codling moth. Ent. Bul. 80, p. 110. 1912; Ent. Bul. 115, pp. 73-76. 1912.
      conifer forests. Ent. Bul. 56 .p. 10. 1905.

INDEX TO PUBLICATIONS, 1901–1925   1241

Insect(s)—Continued.
 enemies—continued.
  of—continued.
   coniferous forests in United States. A. D. Hopkins. Y.B., 1902, pp. 265–282. 1903; Y.B. Sep. 268, pp. 265–282. 1903.
   cotton boll weevil. W. Dwight Pierce and others. Ent. Bul. 100, pp. 99. 1912.
   cucumber beetles. F.B. 1038, pp. 9–10. 1919.
   dried fruits. D.B. 1335, pp. 27–29. 1925.
   fall army worm. F.B. 752, pp. 9–11. 1916.
   false wireworms. J.A.R., vol. 26, p. 562. 1923.
   forest and forest products, Louisiana Purchase Exposition, St. Louis, 1904, catalogue of exhibits. A. D. Hopkins. Ent. Bul. 48, pp. 56. 1904.
   forest reproduction. Y.B., 1905, pp. 249–256. 1906.
   grape leaf hoppers. D.B. 19, pp. 32–33. 1914.
   grasshoppers. F.B. 691, pp. 6–9. 1915; rev., 8–10. 1920.
   green June beetle, list and description. D.B. 891, pp. 31–36. 1922.
   growing wheat. C. L. Marlatt. F.B. 132, pp. 38. 1901.
   hop aphids, list. Ent. Bul. 111, pp. 22–23. 1913.
   injurious insects, practical use. L. O. Howard. Y.B., 1916, pp. 273–288. 1917; Y.B. Sep. 704, pp. 16. 1917.
   leaf hoppers. Ent. Bul. 108, pp. 32–35. 1912.
   lesser bud moth. D.B. 113, p. 11. 1914.
   little-known cutworm, list. Ent. Bul. 109, Pt. IV, p. 51. 1912.
   Madonna lily and remedy. D.B. 1331, p. 15. 1925.
   mealy bug. Ent. Bul. 90, p. 63. 1912; F.B. 862, pp. 10–11. 1917.
   Mediterranean fruit fly. Ent. Cir. 160, pp. 15–16. 1912.
   melon aphid. F.B. 914, pp. 8–9. 1918.
   millet, control. F.B. 793, pp. 27–28. 1917.
   mole crickets. P.R. Bul. 23, pp. 16–18. 1918.
   oats, control. F.B. 436, p. 27. 1911.
   orchards, Pacific northwest. F.B. 153, pp. 13–14. 1902.
   peach. Y.B., 1905, pp. 325–348. 1906; Y.B. Sep. 386, pp. 325–348. 1906.
   pine in Black Hills Forest Reserve. A. D. Hopkins. Ent. Bul. 32, pp. 24. 1902.
   pink bollworm. D.B. 723, pp. 14–15. 1918.
   potato beetle. Ent. Bul. 82, pp. 85–87. 1912.
   red clover, control. F.B. 455, pp. 37–39. 1911.
   red spider, list. D.B. 416, pp. 34–58. 1917; Ent. Bul. 117, p. 19. 1913; Ent. Cir. 150, pp. 14–16. 1913; Ent. Cir. 172, pp. 14–16. 1913.
   rice, control. Sec. Cir. 89, p. 22. 1918.
   roselle. F.B. 307, p. 16. 1907.
   rye. F.B. 756, p. 15. 1916.
   scale. Ent. Bul. 62, pp. 62–69. 1906.
   scales and aphids, relations with Argentine ant. D.B. 647, pp. 48–52. 1918.
   sharp-headed grain leaf hopper. D.B. 254, pp. 14–15. 1915.
   southern corn rootworm, list. F.B. 950, pp. 8–9. 1918.
   spruce in Northeast. A. D. Hopkins. Ent. Bul. 28, pp. 80. 1901.
   striped beet caterpillar, list. Ent. Bul. 127, Pt. II, pp. 17–18. 1913.
   sugar beet, brief account. F. H. Chittenden. Ent. Bul. 43, pp. 71. 1903.
   sugar beets, control. F.B. 392, p. 40. 1910.
   sweet pea, control methods. F.B. 532, pp. 9, 12–13. 1913.
   tent caterpillar. F.B. 662, pp. 7–8. 1915.
   termites. D.B. 333, p. 9. 1916.
   tobacco beetles, list. D.B. 737, pp. 32–37. 1919.
   tobacco bud worm. F.B. 819, p. 6. 1917.
   tobacco flea-beetle. F.B. 1352, p. 5. 1923.
   tobacco, in Florida, 1906. Ent. Bul. 67, pp. 106–112. 1907.
   tobacco in Hawaii. D. L. Van Dine. Hawaii Bul. 10, pp 10. 1905.

Insect(s)—Continued.
 enemies—continued.
  of—continued.
   tobacco in United States. A. C. Morgan. Y.B., 1910, pp. 281–296. 1911; Y.B. Sep. 537, pp. 281–296. 1911.
   tomato. F.B. 220, p. 24. 1905; S.R.S. Doc. 95, pp. 1–18. 1919.
   velvet beans. F.B. 962, p. 37. 1918; S.R.S. Doc. 44, p. 6. 1917.
   walnut aphids. D.B. 100, pp. 35–40. 1914.
   white grubs. F.B. 543, pp. 14–15. 1913; F.B. 940, pp. 13–14. 1918.
  exterminator—
   misbranding. N.J. 179, I. and F. Bd. S.R.A. 10, p. 48. 1915.
   nonpoisonous, analysis. Chem. Bul. 76, pp. 51–52. 1903.
  feeding habits, relation to control methods. F.B. 908, pp. 4–6, 8. 1918.
  field-crop, control, farm practice. F. M. Webster. Y.B., 1905, pp. 465–476. 1906; Y.B. Sep. 396, pp. 465–476. 1906.
  flowers—
   Dalmatian, characteristics, and chemical analyses. D.B. 824, pp. 25, 26, 31, 35, 48–59. 1920.
   importation at New York, 1885–1887, 1913, 1914, and 1917. D.B. 824, pp. 3–4. 1920.
   See also Insect powder.
  food of—
   birds on a Maryland farm. Biol. Bul. 17, pp. 21–49. 1902.
   bobwhite and quail. Biol. Bul. 21, pp. 15, 37–45, 49, 60, 61. 1905.
   grebes. D.B. 1196, pp. 3, 9, 13–23. 1924.
   horned larks. Biol. Bul. 23, pp. 22–27, 35. 1905.
   mallard ducks. D.B. 720, pp. 8–10, 13, 16, 26–32. 1918.
   meadow lark. Y.B., 1912, pp. 281–283. 1913; Y.B. Sep. 590, pp. 281–283. 1913.
   shoal-water ducks. D.B. 862, pp. 8, 15, 21, 26, 30, 36, 46–48, 58–65. 1920.
   starlings. D.B. 868, pp. 15–25, 39, 41–43, 44, 60–65. 1921.
   vireos. D.B. 1355, pp. 1–44. 1925.
  forest. See Forest insects.
  fruit—
   deciduous—
    and insecticides, papers on. E. L. Jenne and others. Ent. Bul. 80, pp. 167. 1912.
    description and control, papers. Ent. Bul. 68, pp. 1–117. 1907–1909.
   in—
    Canal Zone, studies. Ent. A.R., 1921, pp. 24–25. 1921.
    Pacific Northwest. F.B. 153, pp. 1–39. 1902.
    tropical and subtropical, investigations. An. Rpts., 1918, pp. 247–249. 1918; Ent. A.R., 1918, pp. 15–17. 1918.
  fumigant, para-dichlorobenzene. A. B. Duckett. D.B. 167, pp. 7. 1915.
  fumigation—
   experiments with various gases. D.B. 893, pp. 2–7, 10–11, 13. 1920.
   in greenhouses. D.B. 513, pp. 11–20. 1917.
  fungi, and other pests in Porto Rico, control. R. H. Van Zwaluwenburg and H. E. Thomas. P.R. Cir. 17, pp. 30. 1918.
  gall-making, description, habits, and control. F.B. 1169, pp. 88–94. 1921.
  garden, control, mechanical. F.B. 856, p. 12. 1917.
  grain—
   crops, detection and control. W. R. Walton. F.B. 835, pp. 24. 1917; rev., 1920.
   See Grain insects.
  grape—
   control by cultural methods. D.B. 730, pp. 16, 27. 1918; F.B. 908, pp. 91–98. 1918.
   injurious to fruit, foliage, canes, and roots. F.B. 1220, pp. 3–47. 1921.
  greenhouse—
   control. F.B. 1306, pp. 5–36. 1923.
   injurious to plants. C. A. Weigel and E. R. Sasscer. F.B. 1362, pp. 81. 1924.
   growth rate of larvae, comparisons. D.B. 1222, pp. 13–14. 1924.
  habits of feeding, relation to type of insecticide. P.R. Cir. 17, pp. 3–4. 1918.

Insect(s)—Continued.
  hibernating habits, study. Y.B., 1908, pp. 374–384. 1909; Y.B. Sep. 488, pp. 374–384. 1909.
  honey-gathering, influence on alfalfa-seed production. F.B. 495, p. 9. 1912.
  honeydew, sources of honey. Ent. Bul. 75, Pt. V, pp. 50–53. 1909.
  hosts of *Apanteles melanoscelus*. D.B. 1028, p. 13. 1922.
  house, control by paradichlorobenzene. D.B. 167, pp. 4, 5, 6. 1915.
  household—
    control—
      by carbon disulphide. F.B. 799, pp. 19–20. 1917.
      tests of various insecticides. D.B. 707, pp. 1–36. 1918.
    hydrocyanic-acid gas against. L. O. Howard and C. H. Popenoe. Ent. Cir. 163, pp. 8. 1912; F.B. 699, pp. 8. 1916.
    hydrocyanic-acid gas treatment. Ent. Bul. 31, p. 80. 1902.
    injurious—
      the silverfish. C. L. Marlatt. F.B. 681, pp. 4. 1915.
      the silverfish or "slicker." E. A. Back. F.B. 902, pp. 4. 1917.
    See also Ants; Bedbugs; Flies; Roaches.
  identification in stomachs of rough-winged swallows. D.B. 619, pp. 3–28. 1918.
  influence—
    of weather, 1900, observations, District of Columbia. Ent. Bul. 30, pp. 63–75. 1901.
    on potato yields. D.B. 47, pp. 7–8, 12. 1913.
  importations dangerous, manual of. W. Dwight Pierce. Sec. [Misc.], "A manual * * * insects * * *," pp. 256. 1917.
  imported plant, in containers, fumigation experiments. J.A.R., vol. 15, p. 264. 1918.
  infestation of—
    corn ears, relation to shuck characters. D.B. 708, pp. 2–8. 1918.
    greenhouses, introduction and spread. D.B. 513, pp. 9–10. 1917.
    man, protection of body, directions. Sec. Cir. 61, pp. 17–19, 23. 1916.
  infesting dried fruits, importance, and life history. D.B. 235, pp. 2–5. 1915.
  injurious—
    and foulbrood, laws in United States. L. O. Howard and A. F. Burgess. Ent. Bul. 61, pp. 222. 1906.
    attacking Florida avocado, names and description. F.B. 1261, pp. 4–30. 1922.
    destruction by—
      birds. Biol. Bul. 32, pp. 13–27, 32–33, 42, 58–59, 67–77, 81–92. 1908; F.B. 506, pp. 6–35. 1912; F. B. 755, pp. 2–37. 1916.
      grouse. Biol. Bul. 24, pp. 14, 15, 22, 30, 38, 50. 1905.
      skunks. F.B. 587, p. 11. 1914.
    importations of plants and seeds. An. Rpts., 1908, pp. 559–560. 1909; Ent. A.R., 1908, pp. 37–38. 1908.
    in—
      Alaska, control studies. Alaska A.R., 1915; pp. 41–42. 1916.
      Colorado. Ent. Bul. 38, pp. 35–38. 1902.
      Hawaii, revised list. Hawaii A.R., 1908, pp. 29–37. 1908; O.E.S. Bul. 170, pp. 46–56. 1906.
      Russia, laws. Ent. Bul. 38, pp. 65–66. 1902.
      Virgin Islands, control methods. Vir. Is. A.R., 1920, pp. 20–34. 1921.
    insect enemies of, practical use. L. O. Howard. Y.B., 1916, pp. 273–288. 1917; Y.B. Sep. 704, pp. 16. 1917.
    natural enemies. Ent. Bul. 91, pp. 16–46. 1911.
    parasitic enemies, work by department. Y.B., 1911, pp. 453, 460–463. 1912; Y.B., Sep. 583, pp. 453, 460–463. 1912.
    plant introductions, control methods. Y.B., 1916, pp. 137–138. 1917; Y.B., Sep. 687, pp. 3–4. 1917.
    principal, in—
      1902. F. H. Chittenden. Y.B., 1902, pp. 726–733. 1903; Y.B. Sep. 299, pp. 726–733. 1903.

Insect(s)—Continued.
  injurious—continued.
    principal, in—continued.
      1903. F. H. Chittenden. Y.B., 1903, pp. 563–566. 1904; Y.B. Sep. 335, pp. 563–566. 1904.
      1904. F. H. Chittenden. Y.B., 1904, pp. 600–605. 1905; Y.B. Sep. 368, pp. 600–605. 1905.
      1905. Y.B., 1905, pp. 628–636. 1906; Y.B. Sep. 408, pp. 628–636. 1906.
      1906. Y.B., 1906, pp. 508–517. 1907; Y.B. Sep. 438, pp. 508–517. 1907.
      1907. Y.B., 1907, pp. 541–552. 1908; Y.B. Sep. 472, pp. 541–552. 1908.
      1908. Y.B., 1908, pp. 567–580. 1909; Y.B. Sep. 499, pp. 567–580. 1909.
    spread of peanut leaf spot, studies and records. J.A.R., vol. 5, No. 19, pp. 897–901, 902. 1916.
    to—
      animals, control at army camps. Sec. Cir. 61, p. 24. 1916.
      ash trees. D.B. 299, p. 25. 1915; D.B. 523, p. 26. 1917.
      aspen trees. D.B. 1291, pp. 16–17. 1925.
      avocado trees, description and control. Hawaii Bul. 25, pp. 21–26. 1911.
      barley, varieties, and description. F.B., 443, pp. 44–45. 1911.
      basket willlow, control. F.B. 341, pp. 22–23. 1909.
      bees. Ent. Bul. 75, Pt. VII, pp. 103–104. 1911.
      black walnuts. D.B. 909, p. 6. 1921.
      boll weevil. F.B. 1329, p. 11. 1923.
      cacti. B.P.I. Bul. 262, p. 16. 1912; D.B. 31, p. 20. 1913.
      canna, control. Hawaii Bul. 54, p. 7. 1924.
      cereal and forage crops, list. F.B., 733, p. 8. 1916.
      chestnuts, Appalachian region, manner of attack. Ent. Bul. 37, p. 24. 1902.
      chrysanthemums. F.B. 1311, p. 16. 1923.
      chrysanthemums, description and control. F.B. 1306, pp. 1–36. 1923.
      citrus fruits and methods for combating them. W. V. Tower. P.R. Bul. 10, pp. 35. 1911; P.R. Bul. 10, pp. 36 (Spanish ed.). 1912.
      citrus fruits, species, life history, and habits. P.R. Bul. 10, pp. 8–15. 1911.
      citrus trees, relation to Argentine ant. D.B. 647, pp. 15–48. 1918.
      clover seed, control. F.B. 405, p. 10. 1910.
      coffee, control. P.R. An. Rpt., 1913, p. 23. 1914.
      corn. D. T. Fullaway. Hawaii Bul. 27, pp. 20. 1912.
      corn, control methods. F.B. 773, pp. 20–21. 1916.
      corn in Guam. Guam Cir. 3, pp. 12–13. 1922.
      corn in storage, and control. F.B. 1029, pp. 5–36. 1919.
      corn, list. F.B. 1310, p. 7. 1923.
      cotton. D.C. 74, pp. 21–22. 1920; F.B. 223, pp. 5–23. 1905; J.A.R., vol. 6, No. 3, pp. 129–140. 1916. F.B., 890, pp. 4–26. 1917.
      cotton stalks and roots, list. F.B. 890, pp. 22–24. 1917.
      cranberry culture. John B. Smith. F.B. 178, pp. 32. 1903.
      crops in Arizona, Yuma, losses. W.I.A. Cir. 25, p. 12. 1919.
      crucifers, Hawaii. Hawaii A.R., 1914, pp. 43–50. 1915.
      currants and gooseberries, and their control. F.B. 1024, pp. 18–20, 25–26. 1919.
      dasheens. F.B. 1396, p. 24. 1924.
      deciduous shade trees and their control. Jacob Kotinsky. F.B. 1169, pp. 100. 1921.
      Douglas fir, control. D.B. 1200, pp. 53–54. 1924.
      Dutch bulbs. D.B. 797, pp. 33–34. 1919.
      fig, description and control. F.B. 1031, p. 32. 1919.
      fig tree. F.B. 342, pp. 24–25. 1909.
      forest and forest products. Pts. I–II. Thomas E. Snyder. Ent. Bul. 94, pp. 95. 1910, 1915.

INDEX TO PUBLICATIONS, 1901-1925   1243

Insect(s)—Continued.
  injurious—continued.
    to—continued.
      forest plantations. D.B. 475, p. 49. 1917.
      forests. Parts I–V. A. D. Hopkins and J. L. Webb. Ent. Bul. 58, pp. 114. 1910.
      forests, additional data on locust borer. A. D. Hopkins. Ent. Bul. 58, Pt. III, pp. 31–40. 1907.
      forests, depredations in North America, prevention and control methods. A. D. Hopkins. Ent. Bul. 58, Pt. V, pp. 57–114. 1909.
      forests, locust borer. A. D. Hopkins. Ent. Bul. 58, Pt. I, pp. 16. 1906.
      forests, losses. For. Cir. 171, p. 11. 1909.
      forests, southern pine sawyer. J. L. Webb. Ent. Bul. 58, Pt. IV, pp. 41–56. 1909.
      forests, western pine-destroying barkbeetle. J. L. Webb. Ent. Bul. 58, Pt. II, pp. 1–30. 1906.
      health of man and domestic animals. Ent. A.R., 1925, pp. 27–28. 1925.
      hibiscus, control. Hawaii Bul. 29, pp. 16–17. 1914.
      home garden, publications, use by teachers. D.C. 68, pp. 1–4. 1919.
      horse beans, control. F.B. 969, pp. 11–12. 1918.
      human health in rural districts. F.B. 155, pp. 1–20. 1902.
      jack pine. D.B. 820, p. 21. 1920.
      leguminous plants, Hawaii. Hawaii A.R., 1911, pp. 10, 17–24. 1912.
      limes, description and control. Hawaii Bul. 47, pp. 10–12. 1923.
      livestock in United States. F. C. Bishopp. Y.B., 1912, pp. 383–396, 1913; Y.B. Sep. 600, pp. 383–396. 1913.
      loblolly pine. D.B. 11, p. 10. 1914.
      loco plants. F.B. 1054, p. 19. 1919.
      loco weeds. F. H. Chittenden. Ent. Bul. 64, Pt. V, pp. 33–42. 1908.
      mango in Florida, methods of combating. G. F. Moznette. F.B. 1257, pp. 22. 1922.
      mealybugs, description. D.B. 1117, pp. 3–4. 1922.
      milo. F.B. 322, p. 21. 1908; F.B. 1147, p. 18. 1920.
      mushrooms. C. H. Popenoe. Ent. Cir. 155, pp. 10. 1912.
      nursery stock, life histories, habits, and control. D.B. 479, pp. 73–76. 1917.
      oaks. Ent. Bul. 37, pp. 23–24. 1902.
      oats. F.B. 424, pp. 42–43. 1910.
      okra, control. F.B. 232, rev., pp. 6–7. 1918.
      olives. F.B. 1249, pp. 39–41. 1922.
      onions. F. H. Chittenden. Y.B., 1912, pp. 319–334. 1913; Y.B. Sep. 594, pp. 319–334. 1913.
      orchards, control. O.E.S. Bul. 178, pp. 43–49. 1907.
      orchards in Truckee-Carson project. B.P.I. Cir. 78, p. 18. 1911.
      ornamental greenhouse plants. C. A. Weigel and E. R. Sasscer. F.B. 1362, pp. 81. 1924.
      Para grass. Guam Bul. 1, p. 28. 1921.
      peanuts, control. F.B. 356, p. 38. 1909.
      pears, control. F.B. 482, pp. 21–22. 1912; F.B. 1056, pp. 14–23, 28–34. 1919.
      peas, control. F.B. 1255, p. 20. 1922.
      pigeon peas. Hawaii Bul. 46, pp. 22–23. 1921.
      pine forests. D.B. 308, pp. 26–27. 1915; Ent. Bul. 37, pp. 20–21, 103–105. 1902.
      potatoes, control. D.B. 784, pp. 19, 20. 1919; F.B. 953, pp. 14–15. 1918; F.B. 1064, pp. 30–31. 1919; F.B. 1190, pp. 21–22. 1921.
      rice, Guam, description and control. Guam A.R., 1918, pp. 36–38. 1919.
      roses, observations. Ent. Bul. 27, rev., pp. 100–102. 1901.
      shade trees, combating. F.B. 296, pp. 19–21. 1907.
      shelter-belt trees, control. D.L.A. Cir. 4, pp. 3–4. 1919.

Insect(s)—Continued.
  injurious—continued.
    to—continued.
      sorghum, description and control. F.B. 1158, pp. 30–32. 1920.
      southern field crops, list. Y.B. 1911, pp. 202–203. 1912; Y.B. Sep. 561, pp. 202–203. 1912.
      spruce. Ent. Bul. 28, pp. 1–80. 1901; Ent. Bul. 37, pp. 21–22. 1902.
      stock, Gulf station. James S. Hine. Ent. Bul. 44, pp. 57–60. 1904.
      stored goods, cold-storage experiments. J.A.R., vol. 5, No. 15, pp. 657–659. 1916.
      stored grain, control by carbon bisulphide. F.B. 799, pp. 1, 10–12, 21. 1917.
      stored peanuts. Ent. Cir. 142, p. 2. 1911.
      strawberries. F.B. 1026, pp. 7–8, 13, 36. 1919; F.B. 1027, p. 25. 1919; F.B. 1028, pp. 11, 13. 1919.
      sugar beets, description. Rpt. 69, pp. 83–85. 1901.
      sugar-cane. F.B. 1034, p. 26. 1919; P.R. Bul. 9, p. 39, 1910.
      sweetpotatoes, control. Hawaii Bul. 50, pp. 11–13. 1923.
      tobacco, control in Granville County, N. C. Soil Sur. Adv. Sh., 1910, p. 15. 1912; Soils F.O., 1910, p. 351. 1912.
      tomatoes, control. D.B. 392, p. 15. 1916; D.C. 40, pp. 3–9. 1919; F.B. 435, p. 11. 1911; F.B. 1338, pp. 22–24. 1923; S.R.S. Doc. 98, pp. 11–12. 1919.
      tomatoes, list. S.R.S. Doc. 95, pp. 3–9. 1919.
      trees. Biol. Bul. 37, pp. 7, 12–13. 1911; D.B. 275, p. 12. 1916.
      tropical and subtropical fruits. An. Rpts., 1914, pp. 196–197. 1914; Ent. A.R., 1914, pp. 14–15. 1914.
      truck crops. Parts I–VII. F. H. Chittenden and others. Ent. Bul. 66, pp. 108. 1907–1909; Ent. Bul. 82, pp. 108. 1908–1912.
      truck in frames, control. F.B. 460, p. 27. 1911.
      vegetable crops. F. H. Chittenden. Ent. Bul. 33, pp. 117. 1902.
      vegetable crops in Porto Rico, summary. D.B. 192, pp. 10–11. 1915.
      vegetable garden, control, illustrated lecture. S.R.S. Syl. 27, pp. 11–12. 1917.
      vegetables in home garden. D.C. 35, pp. 1–31. 1919.
      violet, rose, and other ornamental plants. F. H. Chittenden. Ent. Bul. 27, pp. 114. 1901; rev., 1901.
      western yellow pine. D.B. 1105, pp. 3, 134. 1923.
      wheat, control. Sec. Cir. 90, p. 26. 1918.
      wood of trees, control. Ent. Bul. 58, Pt. V, pp. 60–62. 1909; Ent. Cir. 126, pp. 1–3. 1910.
  injury(ies)—
    in South, relation to rotation systems. Y.B., 1911, pp. 201–210. 1912; Y.B. Sep. 561, pp. 201–210. 1912.
    primary and secondary. F.B. 1169, p. 4. 1921.
    to—
      cottonwood trees. D.B. 24, p. 15. 1913.
      Emory oak. For. Cir. 201, p. 11. 1912.
      fire-killed Douglas fir timber, methods. For. Bul. 112, pp. 6–7. 1912.
      forest products. A. D. Hopkins. Ent. Cir. 128, pp. 9. 1910; Y.B. 1904, pp. 381–398. 1905; Y.B. Sep. 355, pp. 381–398. 1905.
      forests, aid of fires. D.C. 358, pp. 6–7. 1925.
      forests, control and prevention. Ent. Bul. 58, pp. 6, 8, 11–13, 28, 56, 71–95. 1910.
      green logs, prevention, spray-solution experiments. F. C. Craighead. D.B. 1079, pp. 11. 1922.
      hardwood-forest trees. A. D. Hopkins. Y.B. 1903, pp. 313–328. 1904; Y.B. Sep. 327, pp. 313–328. 1904.
      incense-cedar trees, and control method. D.B. 604, pp. 30–31. 1918.
      lodgepole pine, control methods, work and cost. D.B. 234, p. 47. 1915.
      long-leaf pine, and control studies. D.B. 1061, p. 48. 1922.

Insect(s)—Continued.
 injury(ies)—continued.
  to—continued.
   lumber, prevention methods. For. Cir. 192, pp. 15–16. 1911.
   papaya. Hawaii Bul. 32, p. 44. 1914.
   scrub pine, control methods. For. Bul. 94, pp. 15–16, 25. 1911.
   spruce trees, list. D.B. 544, pp. 27–29. 1918.
   standing timber in national parks. A. D. Hopkins. Ent. Cir. 143, pp. 10. 1912.
   stems of growing wheat, barley, and oats, prevention and suppression methods. F. M. Webster. Ent. Bul. 42, pp. 62. 1903.
   strawberries, varieties resistant. F.B. 1043, pp. 21–22. 1919.
   sugar beets, list, description and control studies. D.B. 995, pp. 18, 48–49, 57–58. 1921.
   sugar-cane, control studies. D.B. 486, pp. 31–32. 1917.
   sugar pine, kinds, description, and damage. D.B. 426, pp. 6–7. 1916.
   wood of dying or dead trees. A. D. Hopkins. Ent. Cir. 127, pp. 3. 1910.
   wood of living trees. A. D. Hopkins. Ent. Cir. 126, pp. 4. 1910.
   timber in Crater National Forest. For. Cir. 100, p. 12. 1911.
   wheat, by seasons. D.B. 1137, p. 7. 1923.
   wood lots, control studies. F.B. 711, pp. 17, 18. 1916.
   yellow pine. D.B. 418, pp. 12–13. 1917.
  inoculation with *Sorosporella uvella*, methods. J.A.R., vol. 18, pp. 430–437. 1920.
  killing—
   by carbon disulphide. F.B. 799, pp. 1, 10–12, 21. 1917.
   on seed cane by hot-water treatment. D.C. 337, pp. 1–3. 1925.
  kinds mistaken for boll weevil. Ent. Bul. 114, pp. 29–30. 1912.
  laboratory study, methods and materials. D.B. 1016, pp. 4, 6, 9. 1922.
  leaf-chewing, tree pests, habits and description. F.B. 1169, pp. 31–52, 95–100. 1921.
  legs, anatomical details. Ent. T.B. 18, pp. 21–22, 66–69. 1910.
  lemon, control. Y.B., 1907, p. 355. 1908; Y.B. Sep. 453, p. 355. 1908.
  life history—
   forms and habits. F.B. 1169, p. 5. 1921.
   value in economic entomology. Ent. Bul. 67, p. 81. 1907.
  lime fruit, pests and control. Hawaii Bul. 49, pp. 10–12. 1923.
  litchi, description and control. Hawaii Bul. 44, pp. 15–16. 1917.
  living, food of Argentine ant. D.B. 647, pp. 13–14. 1918.
  loco weed, enemies. B.A.I. Bul. 112, pp. 106–108. 1909.
  losses caused by, 1909–1918. D.B. 1043, pp. 6, 7, 8, 9, 10, 11. 1922.
  material, presence in soil. Soils Bul. 90, p. 15. 1912.
  migrating, in grain fields, traps. F.B. 835, pp. 6–7 10, 11. 1917.
  misconceptions and superstitions of ancient times. Y.B., 1913, pp. 75–77. 1914; Y.B. Sep. 616, pp. 75–77. 1914.
  mosaic disease, transmission, experiments. J.A.R., vol. 19, pp. 133–136. 1920.
  mushroom. F.B. 342, pp. 28–29. 1909.
  natural enemies of fruit-tree leaf-roller, list. Ent. Bul. 116, Pt. V, p. 102. 1913.
  needle-devouring, injuries to Douglas fir. D.B. 1200, p. 54. 1924.
  nicotine poisoning, experiments and studies. J.A.R., vol. 7, pp. 89–113. 1916.
  nursery stock, distribution. Nathan Banks. Ent. Bul. 34, pp. 46. 1902.
  occurrence in decayed and dry cotton bolls, list, and control. F.B. 890, p. 24. 1917.
  of—
   central Alberta. Ent. Bul. 67, pp. 125–126. 1907.
   Georgia. Ent. Bul. 60, pp. 77–82. 1906; Ent. Bul. 67, pp. 101–106. 1097.

Insect(s)—Continued.
 of—continued.
  Hawaii—
   injury to cabbage, list. Ent. Bul. 109, Pt. III, pp. 32–43. 1912.
   injury to field crops, control methods. Hawaii A.R., 1910, pp. 21–24. 1911.
   injury to fruit, control methods. Hawaii A.R., 1910, pp. 26–27, 31, 35–36. 1911.
   lists. Hawaii A.R., 1913, pp. 18–21. 1914.
  Laysan Island, injury and control methods. Biol. Bul. 42, pp. 10–11. 1912.
  Maryland, 1905, report. Ent. Bul. 60, pp. 82–84. 1906.
  Massachusetts, 1901. O.E.S. Bul. 115, pp. 119–120. 1902.
  New Hampshire, 1905. Ent. Bul. 60, pp. 74–76. 1906.
  New Jersey, 1906. John B. Smith. Ent. Bul. 67, pp. 34–37. 1907.
  New York. Ent. Bul. 37, p. 102. 1902; Ent. Bul. 60, pp. 89–90. 1906; Ent. Bul. 67, pp. 39–43. 1907.
  Ohio. Ent. Bul. 37, pp. 115–121. 1902; Ent. Bul. 60, pp. 71–74. 1906.
  Porto Rico—
   bird enemies. D.B. 326, pp. 7–11. 1916.
   control methods. P.R. Cir. 17, pp. 1–30. 1918.
   injurious and beneficial, report. P.R. An. Rpt., 1912, pp. 34–38. 1913.
  Pribilof Islands, list and field notes. N.A. Fauna 46, Pt. II, pp. 130–138. 1923.
  Texas, 1905. Ent. Bul. 60, pp. 67–69. 1906.
 onion, control. F.B. 354, p. 35. 1909.
 orchard, spraying information. A. L. Quaintance. Y.B., 1908, pp. 267–288. 1909; Y.B. Sep. 480, pp. 267–288. 1909.
 outbreaks, how to detect and save grain crops. W. R. Walton. F.B. 835, pp. 24. 1917; rev., 1920.
 oviposition response. Charles H. Richardson. D.B. 1324, pp. 18. 1925.
 paper destruction. Rpt. 89, p. 16. 1909.
 parasites—
  historical notes. J.A.R., vol. 18, pp. 400–405. 1920.
  of periodical cicada. Ent. Bul. 71, pp. 129–138. 1907.
 parasitic—
  and predacious, aid in aphid control. F.B. 804, pp. 33–34. 1917.
  of horse, and diseases caused by them. B.A.I. [Misc.], "Diseases of the horse," rev., pp. 450–455. 1903; rev. pp. 451–455. 1907; rev., pp. 451–455. 1911.
  relation of grosbeaks. Biol. Bul. 32, pp. 86–92. 1908.
 parasitism, value to American farmer. F. M. Webster. Y.B., 1907, pp. 237–256. 1908; Y.B. Sep. 447, pp. 237–256. 1908.
 peach, description and control. F.B. 908, pp. 87–91. 1918.
 pear, description and control. F.B. 908, pp. 84–86. 1918.
 pecan, control. John B. Gill. F.B. 843, pp. 48. 1917; F.B. 1364, pp. 49. 1924.
 pests—
  chicken, precautions. O.E.S. F.I.L. 10, pp. 17–18. 1909; rev., 1910.
  citrus, control by fumigation. R. S. Woglum. F.B. 1321, pp. 59. 1923.
  control—
   information for fruit growers. F.B. 908, pp. 1–99. 1918.
   measures, 1925. Sec. A.R., 1925, pp. 64–65, 71–72, 74. 1925.
   methods and importance. F.B. 127, pp. 38–41. 1901.
   work, 1896–1908. Rpt. 87, pp. 81–82. 1908.
  destruction—
   by thrushes. Y.B., 1913, pp. 138–140. 1914; Y.B., Sep. 620, pp. 138–140. 1914.
   value of predaceous beetles. A. F. Burgess and C. W. Collins. Y.B. 1911, pp. 453–466. 1912; Y.B. Sep. 583, pp. 453–466. 1912.
  identification, instructions. F.B. 835, pp. 1–24. 1917.
  importation, control. Y.B., 1917, pp. 185–196. 1918; Y.B. Sep. 731, pp. 1–14. 1918.
  imported, notes. Ent. Bul. 31, p. 93. 1902.

INDEX TO PUBLICATIONS, 1901-1925   1245

Insect(s)—Continued.
  pests—continued.
    insecticides, and spraying apparatus, information for fruit growers. A. L. Quaintance and E. H. Siegler. F.B. 908, pp. 99. 1918.
    instruction for farm women. Rpt. 103, pp. 85, 1915; Rpt. 104, pp. 75-78, 85. 1915; Rpt. 105, pp. 69, 82. 1915; Rpt. 106, pp. 72, 85. 1915.
    interception on imported orchids. J.A.R., vol. 15, p. 263. 1918.
    introduced, losses caused to farmers. Y.B., 1917, pp. 185-186. 1918; Y.B. Sep. 731, pp. 3-4. 1918.
    national control. Ent. Bul. 60, pp. 95-106. 1906.
    of—
      peach, control. F.B. 317, p. 39. 1918.
      pineapple fields, injuries and control. F.B. 1237, pp. 26-27. 1921.
      sugar-cane. Y.B., 1923, pp. 179-181. 1924; Y.B. Sep. 893, pp. 39-41. 1924.
      sugar-cane, hot-water treatment. P.A. Yoder and J. W. Ingram. D.C. 303, pp. 4. 1923.
      Yuma project, injuries and control studies, in 1917-1920. D.C. 221, pp. 12-13. 1922.
    relation—
      of food habits to remedies. F.B. 127, pp. 5-7. 1901.
      to weather conditions. D.B. 1103. pp. 3-4, 12, 15, 17-18, 21, 23, 26-28, 34, 35, 36, 37, 41, 48. 1922.
    photographs, methods of obtaining. Ent. Bul. 94, pt. 2, pp. 82-83. 1915.
    physiology, importance in economic entomology. Ent. Bul. 67, p. 81. 1907.
    pine—
      depredations, notable, historical account. 1908; Y.B., 1907, pp. 149-152, 155-157, 159, 162-163; Y.B. Sep. 442, pp. 149-152, 155-157, 159, 162-163. 1908.
      enemies in Black Hills Forest Reserve. A.D. Hopkins. Ent. Bul. 32, pp. 24. 1902.
    pineapple, control. P.R. Bul. 8, p. 38. 1909.
    pinning and spreading, directions. F.B. 606, pp. 9-12. 1914.
    plant—
      control in Guam, formulas and directions. Guam Bul. 2, pp. 18-21. 1922.
      importation prevention, relation of Agriculture Department to national law. Sec. Cir. 37, pp. 1-11. 1911.
      losses, and cooperative work, various States. Sec. Cir. 103, p. 20. 1918.
    plum and cherry, description and control. F.B. 908, pp. 91-94. 1918.
    pollination of—
      alfalfa flowers. B.P.I. Cir. 24, pp. 8-10. 1909.
      common vetch. D.B. 1289, pp. 13-14. 1925.
      Hungarian vetch. D.B. 1174, pp. 10-11. 1923.
      mango, list. D.B. 542, pp. 5-7. 1917.
      red-clover. F.B. 1339, pp. 22-23.
      sweet clover. D.B. 844, pp. 14-22. 1920.
    potato, control. F.B. 1205, pp. 20-21, 22, 36. 1921; Sec. Cir. 92, pp. 30-34. 1918.
    poultry—
      control on sitting hens. F.B. 1106, p. 4. 1920.
      habits and control. F.B. 287, rev., p. 37. 1921.
      prevention and treatment. F.B. 305, pp. 30-32. 1907.
    powder(s)—
      C. C. McDonnell and others. D.B. 824, pp. 100. 1920.
      adulteration—
        and misbranding. I. and F. Bd. S.R.A. 8, pp. 11-12. 1915; I. and F. Bd. S.R.A. 24, pp. 514-515. 1913; I. and F. Bd. S.R.A. 43, pp. 817-818. 1923; I. and F. Bd. S.R.A. 47, p. 2. 1924; I. and F. Bd. S.R.A. 46, pp. 1092-1093. 1923.
        history and detection methods. D.B. 824, pp. 16-65. 1920.
        with powdered daisy flowers. R. C. Roark and G. L. Keenan. D.B. 795, rev., pp. 10. 1923.
      analysis methods. Chem. Bul. 68, pp. 31, 38-40, 50, 56. 1902; Chem. Bul. 76, pp. 13-19. 1903; D.B. 795, rev., p. 1. 1923, D.B. 824, pp. 32-45, 59-62. 1920.
      chemical analyses and comparisons. D.B. 824, p. 40. 1928.

Insect(s)—Continued.
  powder(s)—continued.
    effect on insects and on animals. D.B. 824, pp. 13-16. 1920.
    flowers, growing and use, harvesting, marketing, and prices. F.B. 663, rev., pp. 35-36. 1920.
    Lee's, analysis. Chem. Bul. 68, p. 31. 1902; I. and F. Bd. N.J. 15, p. 1. 1913.
    manganese content. J.A.R., vol. 11, pp. 77-82. 1917.
    manufacture, location, and details. D.B. 824, pp. 10-13. 1920.
    microscopical examination and characteristics. D.B. 824, pp. 23-32, 45. 1920.
    misbranding. I. and F. Bd. N.J. 42, pp. 2. 1913; I. and F. Bd. N.J. 53, pp. 2. 1913; I. and F. Bd. N.J. 54, pp. 2. 1913.
    origin, use, and history. D.B. 824, pp. 2-4. 1920.
    P. D. Q., analysis. Chem. Bul. 68, pp. 49-50. 1902.
    Persian, adulteration and misbranding. I. and F. Bd. N.J. 72, pp. 2. 1914.
    principle ingredient as insecticide, investigations. D.B. 824, pp. 65-81. 1920.
    use—
      against dog parasites. D.C. 338, p. 14. 1925.
      as fumigant against mosquitoes. Ent. Bul. 88, pp. 30-32. 1910.
      in flea control. D.B. 248, pp. 24, 26, 27, 28. 1915.
      on sitting hens. F.B. 1106, p. 4. 1920; S.R.S. Doc. 69, p. 1. 1917; Sec. Cir. 71, p. 4. 1917.
      valuation, ether-extraction method. D.B. 824, pp. 37-38, 42-43. 1920.
  predacious, enemies of—
    codling-moth larvae. D.B. 189, p. 46. 1915.
    grape rootworm. Ent. Bul. 89, pp. 50-51 1910.
  predatory—
    affecting scale-feeding Coccinellidae, discussion. Ent. Bul. 37, pp. 84-90. 1902.
    enemies of horseflies. D.B. 1218, pp. 32-33. 1924.
  prevention and remedy in dried fruits. D.B. 1335, pp. 27-29. 1925.
  preying upon southern green plant bug. D.B. 689, pp. 22-23. 1918.
  Pribilof Islands, Alaska, occurrence and description. N.A. Fauna 46, Pt. II, pp. 139-236. 1923.
  problems, cranberry, and suggestions for solving them. H.B. Shammell. F.B. 860, pp. 45. 1917.
  protection for farm homes. Y.B., 1909, p. 352. 1910; Y.B. Sep. 518, p. 352. 1910.
  raspberry, list, control information, and source. F.B. 887, p. 35. 1917.
  relation to—
    birds. Y.B., 1908, pp. 343-350. 1909; Y.B. Sep. 486, pp. 343-350. 1909.
    cabbage diseases. F.B. 488, p. 7. 1912.
    fruit setting. J.A.R., vol. 17, pp. 105, 107, 109, 110, 123. 1919.
    mistletoe injury. D.B. 360, pp. 28-30. 1916.
    mottling disease of sugar-cane, Porto Rico, studies. An. Rpts., 1921, pp. 23-25. 1922.
    spinach-blight transmission. J. A. McClintock and Loren B. Smith. J.A.R., vol. 14, pp. 1-60. 1918.
    spinach-blight transmission. J.A.R., vol. 14, pp. 1-60. 1918.
  resistance to pyrethrum. D.B. 824, p. 14. 1920.
  rice—
    description and control. F.B. 1092, pp. 24-25. 1920.
    field. F.B. 1086, pp. 3, 9. 1920.
  rose, control. F.B. 750, pp. 29-31. 1916.
  sap-sucking, on trees, description and control. F.B. 1169, pp. 74-88, 95-100. 1921.
  scale. See Scale insects.
  shade-tree—
    control—
      by sprays. D.B. 1079, pp. 1-4. 1922.
      principles. F.B. 1169, pp. 10-14. 1921.
    list under names of trees. F.B. 1169, pp. 95-100. 1921.
  similar to—
    European corn borer. F.B. 1294, pp. 27-31. 1922.

Insect(s)—Continued.
　similar to—continued.
　　oriental peach moth. J.A.R., vol. 13, pp. 64–65. 1918.
　　plum curculio. Ent. Bul. 103, pp. 28–29. 1912.
　　tobacco beetle, varieties and description. D.B. 737, pp. 27–30. 1919.
　social organization, types. Ent. T.B. 10, pp. 23–32. 1905.
　specimen(s)—
　　boxes, description. F.B. 606, pp. 12–14. 1914.
　　directions for preparation. L. O. Howard. Ent. [Misc.], "Some directions * * *," pp. 2. 1912.
　　packing and shipment, directions. F.B. 1169, pp. 9–10. 1921.
　spontaneous generation, ancient belief, work disproving. Y.B., 1913, pp. 76, 78. 1914; Y.B. Sep. 616, pp. 76, 78. 1914.
　spraying—
　　experiments, with arsenicals. D.B. 1147, pp. 24–50. 1923.
　　with arsenicals and cactus solution, experiments. D.B. 160, pp. 2–12, 19. 1915.
　spread of—
　　angular leaf spot of cotton. J.A.R., vol. 8, pp. 464–466. 1917.
　　apple bitter rot. D.B. 684, pp. 3, 23. 1918.
　　chestnut-bark disease. F.B. 467, pp. 9, 10, 24. 1911.
　　fungus infection in honeydew. J.A.R., vol. 7, p. 403. 1916.
　　mosaic disease of potato. J.A.R., vol. 19, pp. 326–332. 1920.
　　peanut leaf spot, studies and records. J.A.R., vol. 5, No. 19, pp. 897–901, 902. 1916.
　　plant diseases. J.A.R., vol. 8, pp. 458–460. 1917.
　spruce enemies, in Northeast. A. D. Hopkins. Ent. Bul. 28, pp. 48. 1901.
　stomach poison, lime-sulphur, experiments. E. W. Scott and E. H. Siegler. Ent. Bul. 116, Pt. IV, pp. 81–90. 1913.
　stored—
　　corn, control methods. F.B. 313, pp. 17, 26. 1907.
　　products—
　　　control by para-dichlorobenzene. D.B. 167, pp. 3, 4, 5. 1915.
　　　fumigation with carbon tetrachloride. Ent. Bul. 96, Pt. IV, pp. 53–57. 1911.
　　　investigation. F. H. Chittenden. Ent. [Misc.], "Investigation of insects * * *," p. 1. 1909.
　　　papers. Pts. I–VI. F. H. Chittenden and C. H. Popenoe. Ent. Bul. 96, pp. 106. 1911–12.
　studies for southern rural schools. D.B. 305, pp. 8–59. 1915.
　subterranean, remedies. F.B. 127, pp. 32–36. 1901.
　sucking—
　　control by contact sprays. F.B. 1169, pp. 11–14. 1921.
　　description and control. F.B. 908, pp. 5, 8, 73–74. 1918.
　　injury to Porto Rican crops. D.B. 192, pp. 2–4. 1915.
　　insecticide formulas and directions. Y.B., 1908, pp. 276–280. 1909; Y.B. Sep. 480, pp. 276–280. 1909.
　　nature of remedies. F.B. 127, pp. 5–7, 14–32. 1901.
　sugar beet, injuries and control measures. D.B. 721, pp. 14, 17, 47–48. 1918.
　sugar-cane—
　　control methods, suggestions. Ent. Bul. 93, pp. 22–34, 39–40, 42, 44–45. 1911; Sec. Cir. 86, p. 15. 1918.
　　dissemination liability in shipments. T. E. Hollaway. Ent. Cir. 165, pp. 8. 1912.
　　Hawaii. D. R. Van Dine. Ent. Bul. 93, pp. 54. 1911.
　　in United States in 1912, field observations. T. E. Holloway. Ent. Cir. 171, pp. 8. 1913.
　　occurrence in Virgin Islands, and control. Vir. Is. A. R.,1922, p. 16. 1923.
　　susceptible to white-fungus disease. Ent. Bul. 107, p. 20. 1911.

Insect(s)—Continued.
　susceptibility to cyanide fumes, variance. Ent. Cir. 163, p. 2. 1912.
　sweet potato, in Hawaii. David T. Fullaway. Hawaii Bul. 22, pp. 31. 1911.
　temperature studies, methods. J.A.R., vol. 24, No. 4, pp. 275–282. 1923.
　tobacco—
　　control methods—
　　　F.B. 343, pp. 12, 19–20. 1909; F.B. 416, p. 22. 1910.
　　　A. C. Morgan. Ent. Cir. 123, pp. 17. 1910.
　　in Hawaii. D. T. Fullaway. Hawaii Bul. 34, pp. 20. 1914.
　transmission of—
　　cane mosaic, tests and results. J.A.R., vol. 24, pp. 251–255. 1923.
　　cucurbit mosaic disease. D.B. 879, pp. 43–47. 1920.
　　diseases. Y.B., 1910, pp. 219, 221, 223, 225–227, 229, 230. 1911; Y.B. Sep. 531, pp. 219, 221, 223, 225–227, 229, 230. 1911.
　　protozoan parasites. B.A.I. An. Rpt., 1910, pp. 467, 478, 473–478, 481, 489, 490, 491. 1912. B.A.I. Cir. 194, pp. 467, 473–478, 481, 489, 490, 491. 1912.
　　wilt disease of cucurbits. J.A.R., vol. 6, No. 11, pp. 417–434. 1916.
　tree, control by spraying. F.B. 1209, pp. 32–33. 1921.
　truck-crop—
　　control in the Virgin Islands, natural and artificial. Vir. Is. Bul. 4, pp. 3–35. 1923.
　　dusting with nicotine sulphate. Roy E. Campbell. D.C. 154, pp. 15. 1921.
　　in Louisiana, Pt. I–III. Thomas H. Jones. D.B. 703, pp. 19. 1918.
　　miscellaneous notes. F. H. Chittenden. Ent. Bul. 66, Pt. VII, pp. 93–97. 1909.
　　notes. F. H. Chittenden. Ent. Bul. 82, Pt. VII, pp. 85–93. 1911.
　useful—
　　against chinch bug. F.B. 1223, p. 14. 1922.
　　destruction by ants. Ent. Bul. 64, Pt. IX, p. 74. 1910.
　　destruction by birds. Y.B., 1908, pp. 345–347. 1909; Y.B. Sep. 486, pp. 345–347. 1909.
　　enemies of army worm. Ent. Bul. 66, p. 64. 1910.
　　importation. Rpt. 79, pp. 68–69. 1904.
　　introduction by department, 1896–1908. An. Rpts., 1908, pp. 161–162. 1909; Sec. A. R., 1908, pp. 159–160. 1908.
　　usefulness in destruction of injurious insects, list. F.B. 868, p. 4. 1917.
　varieties, enemies of bedbugs. F.B. 754, pp. 4, 10–11. 1916.
　vegetable—
　　and truck crop, papers. Pts I–II. F. H. Chittenden and H. O. Marsh. Ent. Bul. 127, pp. 18. 1913.
　　control directions. F.B. 818, pp. 26–27. 1917.
　　injuries and disease spreading. F.B. 856, p. 5. 1917.
　　papers. Pts. I–VII. F. H. Chittenden and H. O. Marsh. Ent. Bul. 109, pp. 1–84. 1911–1913.
　venomous, camp pests, description and control. Sec. Cir. 61, pp. 21–23. 1916.
　walnut, description. B.P.I. Bul. 254, p. 93. 1913.
　water cress, description. Ent. Bul. 66, pp. 11–20, 96–97. 1910.
　wheat—
　　control. S.R.S. Syl. 11 rev., p. 17. 1918.
　　growing and stored, control. F.B. 885, pp. 8–10. 1917.
　willow, injury. D.B. 316, pp. 7–8. 1915.
　wood-boring—
　　damage to—
　　　chestnut telephone and telegraph poles. Ent. Bul. 94, Pt. I, pp. 1–12. 1910.
　　　telephone and telegraph poles. T. E. Snyder. Ent. Cir. 134, pp. 6. 1911.
　　prevention of damage to storm-felled pine timber. Ent. [Misc.], "Preliminary information on * * *," pp. 2. 1908.
　See also Ants; Termites.
Insectary, codling-moth, description. D.B. 932, pp. 8–9. 1921; D.B. 1235, p. 6. 1924.

INDEX TO PUBLICATIONS, 1901–1925 — 1247

Insecticidal properties, testing plants for. N. E. McIndoo and A. F. Sievers. D.B. 1201, pp. 62. 1924.
Insecticide(s)—
act, 1910—
administration. Sol. [Misc.], "A brief statutory history * * *," pp. 17, 20. 1916.
application to sulphur. I. and F. Bd. S.R.A. 6, pp. 81–83. 1914.
enforcement, rules and regulations. Sec. Cir. 34, pp. 14. 1910; rev., pp. 14. 1910; rev., pp. 15. 1917.
instructions regarding the collection of samples under. Sec. [Misc.], "Instructions regarding collection * * *," pp. 10. 1911.
adulteration and misbranding. I and F. Bd. N.J. 44, pp. 2. 1913; I. and F. Bd. N.J. 45, pp. 2. 1913; I. and F. Bd. N.J. 52, pp. 2. 1913; I and F. Bd. N.J. 54, pp. 2. 1913; I. and F. Bd. N.J. 59, pp. 2. 1913; I. and F. Bd., S.R.A. 19, pp. 329–378. 1918.
analysis—
methods. Chem. Bul. 67, pp. 87–96. 1902; Chem. Bul. 76, pp. 23–56. 1903; Chem. Bul. 81, pp. 195–205. 1904; Chem. Cir. 10, pp. 1–8. 1902.
report of referees. Chem. Bul. 67, pp. 97–102. 1902; Chem. Bul. 116, pp. 123–131. 1908; Chem. Bul. 152, pp. 70–85. 1912; Chem. Cir. 38, p. 3. 1908; Chem. Cir. 52, pp. 3–4. 1910; Chem. Cir. 90, pp. 70, 85. 1912.
and fungicide(s)—
J. K. Haywood. F.B. 146, pp. 16. 1902.
act, status in 1920. An. Rpts., 1920, pp. 52–53. 1921; Sec. A.R., 1920, pp. 52–53. 1920.
analysis methods. J. K. Haywood. Chem. Cir. 10, pp. 8. 1902.
chemical composition. J. K. Haywood. Chem. Bul. 68, pp. 62. 1902.
methods of analysis. Chem. Bul. 73, pp. 158–169. 1903.
application(s)—
by use of airplanes, experiments and tests. D.B. 1204, pp. 1–2, 9–40. 1924.
San Jose scale. Ent. Bul. 62, pp. 72–79. 1906.
arsenate of lead, use against tobacco horn worms in dark tobacco districts. A. C. Morgan. F.B. 595, pp. 8. 1914; F.B. 1356, pp. 8. 1923.
arsenical—
analysis, methods. Chem. Bul. 67, pp. 96–104. 1902.
composition, application, and results. J.A.R., vol. 24, No. 6, pp. 502–511. 1923.
investigations and experiments. D.B. 1147, pp. 1–58. 1923.
sprays, formulae. Ent. Bul. 41, pp. 80–85. 1903.
bean-beetle control, experiments. D.B. 1243, pp. 30–46. 1924.
biting insects, formulas. P.R. Bul. 10, pp. 23–24. 1911.
blister-beetle control. D.B. 967, pp. 21–25. 1921.
Board. See Insecticide and Fungicide Board.
boll-weevil, investigations. Ent. Bul. 114, pp. 149–151. 1912.
bollworm, application methods. Ent. Bul. 50, pp. 131–132. 1905.
bourbon, misbranding. I. and F. Bd. S.R.A. 9, pp. 26–27. 1915.
Car-Sul, misbranding. Insect. N.J. 97, I. and F. Bd. S.R.A. 3, p. 43. 1914.
carbon bisulphide, use—
W. E. Hinds. F.B. 145, pp. 28. 1902; F.B. 799, pp. 21. 1917.
against, grain moths. F.B. 415, p. 10. 1910.
citrus spraying, formulas and schedules. F.B. 933, pp. 16–23, 30–32. 1918.
classification, based on type of insect, details. F.B. 908, pp. 8, 73. 1918; Y.B., 1908, pp. 273–280. 1909; Y.B. Sep. 480, pp. 273–280. 1909.
combinations with nicotine dust. F.B. 1282, pp. 6–7. 1922.
combining with fungicides for vineyards. Ent. Bul. 89, pp. 84, 90. 1910.
"Conkey's lice liquid and bug and moth killer," misbranding. I. and F. Bd. N.J. 20, pp. 2. 1914.
contact—
flour paste as a spreader. Ent. Cir. 166, pp. 1–5. 1913.

Insecticide(s)—Continued.
contact—continued.
for sucking insects, preparation. F.B. 1306, pp. 27–29. 1923.
formulas and use, directions. P.R. Cir. 17, pp. 9–18. 1918.
physical properties governing efficacy. William Moore and S. A. Graham. J.A.R., vol. 13, pp. 523–538. 1918.
studies. Charles H. Richardson and C. R. Smith. D.B. 1160, pp. 16. 1923.
use—
against harlequin cabbage-bug nymphs. F.B. 1061, p. 12. 1920.
of quassia extract. N. E. McIndoo and A. F. Sievers. J.A.R., vol. 10, pp. 497–531. 1917.
of quassin. William B. Parker. D.B. 165, pp. 8. 1915.
"Dead stuck," misbranding. Insect. N.J. 104, 105, I. and F. Bd. S.R.A. 5, pp. 68–69. 1914.
deciduous fruit insects, papers. Fred Johnson and others. Ent. Bul. 97, pp. 132. 1913.
Derris, use and efficiency. N. E. McIndoo and others. J.A.R., vol. 17, pp. 177–200. 1919.
dust, use in control of cotton boll-weevil. F.B. 1098, pp. 1–31. 1920.
first use against insect pests. Y.B. 1913, pp. 81. 1914; Y.B. Sep. 616, pp. 81. 1914.
formulas—
directions. F.B. 127, pp. 1–41. 1901; F.B. 856, pp. 6–12. 1917; S.R.S. Doc. 52, pp. 3–10. 1917.
useful against red spider. Ent. Cir. 150, pp. 11–12. 1912; F.B. 735, p. 10. 1916.
"French Bordeaux mixture," adulteration and misbranding. I. and F.Bd. N.J. 30, pp. 2. 1913.
fruits, deciduous, papers. Pts. I–IX. Dudley Moulton and others. Ent. Bul. 68, pp. 117. 1909.
fungicides, and disinfectants, report. Chem. Bul. 90, pp. 95–104. 1905.
hydrocyanic-acid gas, methods of use, caution. Ent. Bul. 27, pp. 20–22, 23–24, 26. 1901.
important. C. L. Marlatt. F.B. 127, pp. 41. 1901.
in use in Hawaii. D. L. Van Dine. Hawaii Bul. 3, pp. 25. 1903; rev. 1904.
information for fruit growers. A. L. Quaintance and E. H. Siegler. F.B. 908, pp. 99. 1918.
insect enemies of grape. F.B. 284, pp. 26–28. 1907.
investigations—
and tests. D.B. 278, pp. 1–47. 1915.
program for 1915. Sec. [Misc.], "Program of work * * *, 1915," pp. 271–272. 1914.
Kill Bug, misbranding. N.J. 142, I. and F. Bd. S.R.A. 8, p. 7. 1915.
"Kill-Em," misbranding. N.J. 198, I. and F. Bd. S.R.A. 11, p. 86. 1915.
laboratory—
manufacture of gipsy moth tree-banding material. D.B. 899, p. 2. 1920.
organization and duties. Chem. Cir. 14, p. 10. 1908.
law(s)—
interstate commerce, passage. O.E.S. An. Rpt. 1910, p. 71. 1911.
State. Chem. Bul. 76, pp. 57–63. 1903.
lead arsenate, for tobacco hornworm control. F.B. 867, pp. 1–11. 1917.
lime-salt-sulphur wash, experiments. Chem. Bul. 101, pp. 1–29. 1907; F.B. 227, pp. 19–22. 1905.
liquid—
analysis, results. Chem. Bul. 68, pp. 55–59. 1902.
labeling, opinion 31. I. and F. Bd. S.R.A. 3, pp. 33–34. 1914.
locust, formulas and use methods. Sec. Cir. 127, pp. 9–10. 1919.
making and use. F.B. 1371, pp. 41–44, 1924.
miscellaneous investigations. E. W. Scott and E. H. Siegler. D.B. 278, pp. 47. 1915.
"nico-fume liquid," adulteration and misbranding. I. and F. Bd. N.J. 28, pp. 2. 1913.
nicotine—
dusts, loss of nicotine during storage. D.B. 1312, pp. 1–15. 1925.

1248   UNITED STATES DEPARTMENT OF AGRICULTURE

Insecticide(s)—Continued.
  nicotine—continued.
    effects on insects, studies. J.A.R., vol. 7, pp. 89–122. 1916.
    use in control of plantbug. F.B. 856, p. 20. 1917.
  nonarsenical stomach-poison, studies. William Moore and F. L. Campbell. J.A.R., vol. 28, pp. 395–402. 1924.
  notes. A. F. Burgess. Ent. Bul. 60, p. 154. 1906.
  orchard and nursery inspection, Illinois. O.E.S. Bul. 99, p. 172. 1901.
  para-dichlorobenzene, directions for use. D.B. 167, pp. 1–7. 1915; News L., vol. 2, No. 31, pp. 2–3. 1915.
  Paris green-mash. Hawaii Bul. 10, p. 5. 1905.
  pear insects, formulas and use. F.B. 1056, pp. 17, 21–23, 28–34. 1919.
  "Peterman's roach food," misbranding. I. and F. Bd. N.J. 29, pp. 3. 1913.
  pine-tar, analysis. Chem. Bul. 76, p. 50. 1903.
  plant, misbranding. N. J. 848, I. and F. Bd. S.R.A. 44, p. 1054. 1923.
  potato beetles, experiments in Virginia, 1908. Ent. Bul. 82, pp. 4–6. 1912.
  preparation—
    F.B. 1306, pp. 25–36. 1923; F.B. 1362, pp. 4–10. 1924.
    for Pacific Northwest. F.B. 153, pp. 16–20. 1902.
  properties of fatty-acid series. E. H. Siegler and C. H. Popenoe. J.A.R., vol. 29, pp. 259–261. 1924.
  quack. F.B. 153, pp. 22–23. 1902.
  relation to insects. P.R. Bul. 10, p. 8. 1911.
  self-boiled lime-sulphur mixture. B.P.I. Cir. 1, pp. 16–17. 1908; Ent. Cir. 124, p. 14. 1910.
  solid, analysis. Chem. Bul. 68, pp. 47–55. 1902.
  spraying formulas, for use against red spider. Ent. Cir. 104, pp. 6–8. 1909.
  studies. Pts. I–III. J. K. Haywood. Chem. Bul. 76, pp. 63. 1903.
  sulphur dioxide, uses. Ent. Bul. 60, pp. 139–153. 1906.
  "Tarola," misbranding. I. and F. Bd. N.J. 27, p. 1. 1913.
  testing, report of committee. Ent. Bul. 60, p. 28. 1906.
  tobacco by-products. Y.B., 1922, p. 454. 1923; Y.B. Sep. 885, p. 454. 1923.
  toxic value(s)—
    and prevention of burning. S.R.S. Rpt., 1916, Pt. I, pp. 44, 230. 1918.
    of the arsenates, experiments. J.A.R., vol. 10, pp. 199–207. 1917.
  toxicity, properties governing. J.A.R., vol. 13, pp. 525–538. 1918.
  types and relation to feeding habits of insects. P.R. Cir. 17, pp. 3–4. 1918.
  use—
    against—
      alfalfa caterpillar, cost prohibition. D.B. 124, pp. 37–38. 1914.
      Argentine ant, experiments. Ent. Bul. 122, pp. 81–841 1913.
      beet leaf-beetle, experiments. D.B. 892, p. 19. 1920.
      boll weevil, experiments. Ent. Bul. 114, pp. 149–151. 1912.
      cabbage webworm. Ent. Bul. 109, Pt. III, pp. 38–40, 41, 42–43. 1912.
      Colorado potato beetle, formulas. Ent. Bul. 109, Pt. V, pp. 53–56. 1912.
      gipsy moth. Ent. Bul. 87, pp. 17, 64–68. 1910.
      grape scale. James F. Zimmer. Ent. Bul. 97, Pt. VII, pp. 115–124. 1912.
      Hawaiian beet webworm. Ent. Bul. 109, Pt. I, pp. 7–11. 1911.
      red spider, list. D.B. 416, pp. 63–66. 1917.
      San Jose scale, experiments. Ent. Bul. 37, pp. 37, 48. 1902; Ent. Bul. 60, pp. 137–138. 1906; F.B. 650, rev., pp. 12–22. 1919.
      sucking insects. F.B. 127, pp. 14–32. 1901; P.R. Bul. 10, pp. 24–31. 1911.
      termites. D.B. 333, pp. 28, 29, 30, 32. 1916.
      tobacco hornworm, comparison of Paris green and arsenate of lead. F.B. 595, pp. 2–4. 1914.
      tobacco hornworm, comparisons, cost. Ent. Cir. 173, pp. 1, 2–7, 10. 1913.

Insecticide(s)—Continued.
  use—continued.
    against—continued.
      tobacco thrips, formulas. Ent. Bul. 65, pp. 17–22. 1907.
      wireworm formulas. D.B. 78, pp. 25–28, 29. 1914.
    in—
      control of chicken lice and dog flea, experiments. W. S. Abbott. D.B. 888, pp. 15. 1920.
      Hawaii. D. L. Van Dine. Hawaii Bul. 3, pp. 21. 1904.
      home garden, directions. D.C. 35, pp. 28–31. 1919.
      insect and plant-disease control in Canal Zone. Rpt. 95, pp. 16–17, 18. 1912.
      of flower heads, general discussion. D.B. 795, pp. 2–10. 1919.
    value of quassin. D.B. 165, pp. 8. 1915.
    with—
      Bordeaux mixture. F.B. 243, p. 10. 1906.
      fungicides, table for mixing. P.R. Cir. 17, p. 23. 1918.
    with cactus solution as adhesive, experiments and studies. D.B. 160, pp. 1–20. 1915.
    "Wonder fly killer," adulteration and misbranding. I. and F. Bd. N.J. 26, pp. 2. 1913.
    wormseed oil. D.B. 1332, p. 12. 1925.
  See also Fungicides.
Insecticide and Fungicide Board—
  report—
    1912. M. Dorset and others. An. Rpts., 1912, pp. 1093–1100. 1913; I. and F. Bd. Rpt., 1912, pp. 10. 1912.
    1913. J. K. Haywood. An. Rpts., 1913, pp. 331–333. 1914; I. and F. Bd. Rpt., 1913, pp. 3. 1913.
    1914. J. K. Haywood. An. Rpts., 1914, pp. 301–304. 1914; I. and F. Bd. Rpt., 1914, pp. 4. 1914.
    1915. J. K. Haywood and others. An. Rpts., 1915, pp. 347–350. 1916; I. and F. Bd. Rpt., 1915, pp. 4. 1915.
    1916. J. K. Haywood. An. Rpts., 1916, pp. 367–369. 1917; I. and F. Bd. Rpt., 1916, pp. 3. 1916.
    1917. J. K. Haywood. An. Rpts., 1917, pp. 411–414. 1918; I. and F. Bd. Rpt., 1917, pp. 4. 1917.
    1918. J. K. Haywood. An. Rpts., 1918, pp. 425–430. 1919; I. and F. Bd. Rpt., 1918, pp. 6. 1918.
    1919. J. K. Haywood. An. Rpts., 1919, pp. 503–507. 1920; I. and F. Bd. Rpt., 1919, pp. 5 1919.
    1920. J. K. Haywood. An. Rpts., 1920, pp. 607–612. 1921; I. and F. Bd. Rpt., 1920, pp. 6. 1920.
    1921. J. K. Haywood. I. and F. Bd. Rpt., 1921, pp. 7. 1921.
    1922. J. K. Haywood. An. Rpts., 1922, pp. 595–602. 1923; I. and F. Bd. Rpt., 1922, pp. 8. 1922.
    1923. J. K. Haywood. An. Rpts., 1923, pp. 651–656. 1923; I. and F. Bd. Rpt., 1923, pp. 6. 1923.
    1924. J.K. Haywood. I. and F. Bd. A.R,. 1924, pp. 6. 1924.
  See also Agriculture, workers' list.
Inspection—
  animals—
    ante-mortem and post-mortem, details. Y.B. 1916, pp. 80–87. 1917; Y.B. Sep. 714, pp. 4–11. 1917.
    for—
      Canada. B.A.I.S.A. 34, p. 11. 1910; B.A. I.S.A. 47, p. 15. 1911.
      export regulations. B.A.I.O. 264, pp. 6–7, 22–23. 1919.
      export to Canada, regulation. B.A.I.S.A. 65, p. 74. 1912.
      imported, regulations, April 15, 1907. B.A.I.O. 142, pp. 21. 1907.
  apiary—
    benefit to beekeeping industry. F.B. 442, pp. 19–20. 1911.
    report of meeting at San Antonio, Tex., November, 1906. Ent. Bul. 70, pp. 79. 1907.

INDEX TO PUBLICATIONS, 1901–1925 1249

Inspection—Continued.
apiary—continued.
status, 1909. Ent. Bul. 75, p. 75. 1911; Ent. Bul. 75, Pt. VI, p. 75. 1909.
application for, regulation 5. Sec. Cir. 160, pp. 2–3. 1922.
beef, for tapeworm cysts, or measles. B.A.I. An. Rpt. 1911, pp. 111–113. 1913; B.A.I. Cir. 214, pp. 111–113. 1913.
bees, laws in States and territories. Ent. Bul. 61, pp. 184–200. 1906; Ent. Bul. 75, p. 75. 1909.
butter, under the food products inspection law. Mkts. S.R.A. 51, pp. 1–23. 1919.
canned meats, by Government officials. Y.B., 1911, pp. 388–389. 1912; Y.B. Sep. 577, pp. 388–389, 1912.
canneries, fruit and vegetable. F.B. Linton and others. D.B. 1084, pp. 38. 1922.
cattle from Canada, regulation. B.A.I.O. 266, amdt. 6, pp. 2. 1921.
certificates, cotton warehouse, description and use. D.B. 520, pp. 3–4, 12, 15. 1917.
cheese—
factories, results in quality of product. Y.B. 1916, p. 153. 1917; Y.B. Sep. 699, p. 9. 1917.
whole milk, American, handbook. C.W. Fryhofer and Roy C. Potts. Sec. Cir. 157, pp. 16. 1923.
collection of samples under insecticide act of 1910, instructions regarding. Sec. [Misc.], "Instructions regarding collection * * *," pp. 10. 1911.
corn for export, Argentina. Rpt. 75, pp. 39–40. 1903.
cotton—
in field, for judging uniformity of fiber. D.B. 60, pp. 16–18. 1914.
regulations. Sec. Cir. 137, pp. 8–11, 1919; Sec. Cir. 159, pp. 6–8. 1922.
standards of United States. Mkts. S.R.A. 16, pp. 8–11. 1916.
dairy—
farms, score-cards directions for use, and advantages. B.A.I. Cir. 139, pp. 6–20. 1909; B.A.I. Cir. 142, pp. 168–177. 1909; B.A.I. Bul. 46, pp. 196–210. 1903.
in cities, and control. B.A.I. Dairy [Misc.], "World's dairy congress, 1923," pp. 518–520. 1924.
products—
and grading. Chem. Bul. 104, p. 16. 1906; Y.B., 1922, pp. 371–375. 1923; Y.B. Sep. 879, pp. 77–80. 1923.
See also Dairy laws.
score-card system. Clarence B. Lane and George M. Whitaker. B.A.I. Cir. 139, pp. 32. 1909; B.A.I. Cir. 199, pp. 32. 1912.
dogs, imported. B.A.I.O. 176, pp. 1–2. 1910.
drugs, imported, Federal laws. Chem. Bul. 98, rev., pp. 13–14. 1909.
eggs, under pure-food laws. B.A.I. Cir. 140, p. 28. 1911.
factory, under food and drugs act, methods, reports, and forms. Chem. [Misc.], "Food and drug manual," pp. 25–27. 1920.
farm products, in marketing associations. Y.B., 1914, pp. 195, 209. 1915; Y.B. Sep. 637, pp. 195, 209. 1915.
fats from carcasses inspected and passed. B.A.I. [Misc.], "Circular letter to inspectors * * *," p. 1. 1909.
Federal, farm produce, establishment and work, 1917–1919. Y.B. 1919, pp. 320, 331–334. 1920; Y.B. Sep. 811, pp. 320, 331–334. 1920.
fire insurance risks. D.B. 530, pp. 10, 24. 1917.
food—
and drugs—
and identification of inspectors. F.I.D. 69, pp. 2. 1907.
instructions for. Chem. [Misc.], "Instructions to food * * *," pp. 55. 1910.
manual of instruction. Chem. [Misc.], "Food and drug inspection * * *," pp. 168. 1911.
procedure in Chemistry Bureau. D.C. 137, pp. 9–10, 15–18. 1920.
products, imported. R. E. Doolittle. Y.B. 1910, pp. 201–212. 1911; Y.B. Sep. 529, pp. 201–212. 1911.

Inspection—Continued.
food—continued.
products—
law, rules and regulations. Sec. Cir. 82, pp. 1–8. 1917; Sec. Cir. 120, pp. 1–8. 1918; Sec. Cir. 151, pp. 1–8. 1920; Sec. Cir. 160, pp. 1–6. 1922.
service, aid to sweet-potato growers. D.B. 1206, pp. 43–45. 1924.
service, organization and extension. Mkts. S.R.A. 28, pp. 1–3. 1917.
See also Food inspection.
foxes imported for breeding purposes. B.A.I.O. 266, amdt. 7, pp. 1–2. 1921.
fruits—
service establishment and work on apples. D.B. 1253, p. 2. 1924.
vegetables, and other products, regulations. B.A.E.S.R.A. 85, pp. 6. 1924.
grain. See Grain inspection.
hay. See Hay inspection.
hog meat, relation to tuberculosis. B.A.I. An. Rpt., 1907, pp. 238–241. 1909; B.A.I. Cir. 144, pp. 238–241. 1909; B.A.I. Cir. 201, pp. 32–34. 1912.
imported meat and meat food products, regulations governing. B.A.I.O. 202, pp. 1–30. 1913.
insecticides, nursery and orchard, Illinois. O.E. S. Bul. 99, p. 172. 1909.
instructions to supervisors and inspectors. Mkts. S.R.A. 26, pp. 1–36. 1917.
lard substitute, opinion of J. A. Fowler. Sol. Cir. 38, pp. 1–9. 1910.
livestock—
farm-to-farm, New Zealand. Y.B. 1914, p. 437. 1915; Y.B. Sep. 650, p. 437. 1915.
for movement. B.A.I.O. 292, pp. 6–7. 1925.
imported into United States, regulations. B.A.I.O. 180, pp. 1–26. 1911; B.A.I.O. 209, pp. 1–23. 1914; B.A.I.O. 259, pp. 1–22. 1918; B.A.I.O. 266, pp. 1–24. 1919.
meat—
and—
animals, work, 1908. Rpt. 87, pp. 17–18. 1908.
meat products for Navy, special mark, order. B.A.I.O. 211, amdt. 11, p. 1. 1919.
meat products, imported from various countries, August-December, 1913. F.B. 575, pp. 27–28. 1914.
food products, laboratory inspection, instructions concerning. B.A.I. [Misc.], "Instructions concerning laboratory * * *." p. 1. 1907.
See also Meat inspection.
methods for carload shipments at terminals. D.B. 267, p. 5. 1915.
nursery—
and orchard, work of Illinois Agricultural Experiment Station. S. A. Forbes. O.E.S. Bul. 99, pp. 172–176. 1901.
stock—
certificate as condition of entry. F.H.B. S.R.A. 27, pp. 50–51. 1916.
countries maintaining, lists, and seals. F.H.B.S.R.A. 7, pp. 51–66. 1914; F.H.B. S.R.A. 20, pp. 59–79. 1915; F.H.B.S.R.A. 32, pp. 103–122. 1916; F.H.B.S.R.A. 44, pp. 111–112. 1917.
for chestnut-bark disease. F.B. 467, pp. 17–18, 20, 24. 1911.
orange picking, crews and foremen. D.B. 63, pp. 19–24. 1914.
parcel-post shipments of plants and plant products, States. F.H.B.S.R.A. 74, pp. 44–45. 1923.
paving brick. D.B. 373, pp. 5–8, 34–40. 1916.
plant(s)—
and plant products, terminal. F.H.B.S.R.A. 76, pp. 120–121. 1923.
introductions, records and regulations. Y.B. 1916, pp. 137–138. 1917; Y.B. Sep. 687, pp. 3–4. 1917.
need of laws. F.B. 453, pp. 14–15. 1911.
products, at New Orleans. F.H.B.S.R.A. 61, p. 32. 1919.
terminal—
instructions to Arizona postmasters. F.H.B. S.R.A. 46, p. 138. 1918.

1250   UNITED STATES DEPARTMENT OF AGRICULTURE

Inspection—Continued.
  plant(s)—continued.
    terminal—continued.
      Montana, list and inspection points. F.H.B. S.R.A. 21, pp. 85–86. 1915.
      New Orleans, La. F.H.B.S.R.A. 60, pp. 18–19. 1919.
    under gipsy moth quarantine notice. F.H.B., S.R.A. 6, pp. 48–49. 1914.
    port, service, enlargement, need. An. Rpts., 1919, pp. 531–532. 1920; F.H.B. An. Rpt., 1919, pp. 27–28. 1919.
  potatoes. *See* Potatoes, inspection.
  procedure, invoices of food or drugs. Y.B., 1910, pp. 204–208. 1911; Y.B. Sep. 529, pp. 204–208. 1911.
  produce—
    advantages. H. E. Kramer and G. B. Fiske. Y.B., 1919, pp. 319–334. 1920; Y.B. Sep. 811, pp. 319–334. 1920.
    shipments, cost and certificates. Y.B., 1918, pp. 284–285. 1919; Y.B. Sep. 768, pp. 10–11. 1919.
  ranges, details and directions. D.B. 790, pp. 76–82. 1919.
  renovated butter, work of Dairy Division. B.A.I. Cir. 162, p. 4. 1910.
  reports, meats, regulations. B.A.I.O. 211, p. 55. 1914.
  sanitary conditions, District of Columbia, suggestions. Ent. Bul. 78. pp. 33–34. 1909.
  seed, in 1923. D.C. 343, pp. 9–10. 1925.
  service—
    meat market, results of work. Y.B., 1919, p. 248. 1920; Y.B. Sep. 809, p. 248. 1920.
    shipping-point, value and work. Y.B., 1923, pp. 29–31. 1924.
  shade trees, necessity in control of borers. F.B. 708, pp. 9–10. 1916.
  sheep, for necrobacillosis, instructions. B.A.I. S.A. No. 30, pp. 80, 81. 1909.
  Smyrna figs, by the Bureau of Entomology. Ent. Bul. 104, pp. 21–28. 1911.
  State—
    and municipal, need to supplement Federal work. Y.B., 1916, pp. 94–95. 1917; Y.B. Sep. 714, pp. 18–19. 1917.
    means of sweet potato stem-rot control. F.B. 714, p. 7. 1916.
  stockyard permits. Sec. Cir. 156, pp. 5–7. 1922.
  strawberries, at loading sheds, methods, and description of sheds. F.B. 979, pp. 22–25, 27. 1918.
  tea, and importation. M.C. 9, pp. 12. 1923.
  terminal, of plants, Arizona, California, and Montana. F.H.B.S.R.A. 23, p. 99. 1916.
  tobacco, State laws. B.P.I. Bul. 268, pp. 7–10, 13, 31–33, 34, 57–58, 61. 1913.
  tomatoes, at packing house and market. F.B. 1291, pp. 29–31. 1922.
  turpentine in barrels, grading and measuring. D.B. 898, pp. 10–13. 1920.
  watermelons, loaded cars, results. F.B. 1277, p. 28. 1922.
  wheat, discussion of details. Y.B., 1921, pp. 129–130. 1922; Y.B. Sep. 873, pp. 129–130. 1922.
Inspector(s)—
  boll-weevil and pink bollworm, appointment. F.H.B.S.R.A. 75, pp. 68–69. 1923.
  cannery reports, purpose, and form. D.B. 1084, pp. 17–20. 1922.
  corn, requirements, opinion. Mkts. S.R.A. 13, pp. 6–7. 1916.
  duties and qualification in meat inspection work. B.A.I. An. Rpt., 1906, pp. 93–94. 1908; B.A.I. Cir. 125, pp. 33–34. 1908.
  Federal, farm produce, type of work, and certificate. Y.B., 1919, pp. 320–321, 324–328. 1920; Y.B. Sep. 811, pp. 320–321, 324–328. 1920.
  foods and drugs—
    duties. Y.B., 1907, p. 326. 1908; Y.B. Sep. 451, p. 326. 1908.
    instructions regarding meat inspection. Chem. S.R.A. 2, pp. 22–23. 1914.
  grain—
    duties and fees, regulations and opinions. Mkts. S.R.A. 17, pp. 15–33. 1916.
    reports on grain markets. Mkts. S.R.A. 44, p. 124. 1919.

Inspector(s)—Continued.
  hay, appointment and supervision. D.B. 980, pp. 5–6. 1921.
  livestock, disinfection and fumigation work. D.C. 325, pp. 24–25. 1924.
  meat, qualifications and duties. Y.B., 1916, pp. 95–96. 1917; Y.B., Sep. 714, pp. 19–20. 1917.
  peanut, regulations. B.A.E.S.R.A. 81, pp. 17–22. 1923.
  port, instructions to. F.H.B.S.R.A. 78, pp. 25–26. 1924.
  veterinary, examination, regulations governing entrance. B.A.I. Cir. 150, pp. 11. 1909; Sec. Cir. 128, pp. 11. 1921.
  warehouse, regulations. Sec. Cir. 154, pp. 19–24. 1920.
Institute(s)—
  boys' and girls', report at Farmers' Institute Workers meeting, 1907. O.E.S. Bul. 199, pp. 37–39. 1908.
  farmers'. *See* Farmers' Institutes.
  junior, nature and advantages. D.C. 66, p. 18. 1920.
  summer, holding in barns, orchards, or fields, paper. O.E.S. Bul. 225, pp. 33–35. 1910.
  teaching, methods of making effective. O.E.S. Bul. 231, pp. 54–60. 1910.
Instruction. *See* Education.
Instruments—
  for—
    dehorning cattle. B.A.I. An. Rpt., 1907, p. 304. 1909; F.B. 350, pp. 8–10. 1909.
    humidity measurement. D.B. 509, p. 7. 1917.
    making weather observations on the farm. Dewey A. Seeley. Y.B., 1908, pp. 433–442. 1909; Y.B. Sep. 492, pp. 433–442. 1909.
    use on cows after calving. B.A.I. [Misc.] "Diseases of cattle," rev., p. 243. 1904; rev., p. 251. 1912.
  meteorological use and exposure in frost protection. F.B. 1096, pp. 42–48. 1920.
  musical, manufacture, use of elm lumber. D.B. 683, pp. 23, 40, 41, 42, 43. 1918.
  shelter, farm weather instruments, description. Y.B., 1908, p. 435. 1909; Y.B. Sep. 492, p. 435. 1909.
  snow survey work. Y.B. 1911, p. 393. 1912; Y.B. Sep. 578, p. 393. 1912.
  special, useful to woodsman. For. Bul. 36, pp. 95–111. 1910.
  surgical, operations on cattle, descriptions. B.A.I. [Misc.], "Diseases of cattle," rev., pp. 51–52, 143, 208–209, 243, 303. 1904; rev., pp. 51–52, 145–146, 214–215, 251, 314. 1912; rev., pp. 45, 146, 213, 302. 1923.
Insular—
  experiment stations—
    appropriation, text and administration. D.C. 251, pp. 23, 49. 1923.
    See also under Alaska; Guam; Hawaii; Porto Rico.
  possessions—
    food increase, work and studies of experiment stations. News L., vol. 5, No. 22, p. 3. 1917.
    statistics of sugar. D.B. 66, pp. 1–25. 1914.
Insulation—
  beehives; studies and tests. D.C. 222, pp. 1–10. 1922.
  cold storage, purpose, importance, and kinds. D.B. 98, pp. 49–57. 1914; F.B. 852, pp. 20–23. 1917.
  for ice packing. F.B. 623, pp. 11–12. 1915.
  ice house, methods and materials. F.B. 1078, pp. 17–19. 1920.
  steam piping, saving of fuel. D.B. 747, pp. 27–28, 46. 1919.
Insurance—
  applications for. D.B. 530, pp. 8–9, 23–24, 29. 1917.
  companies—
    farmers', number, amount, and losses by divisions. Y.B., 1916, pp. 424–428. 1917; Y.B., Sep. 697, pp. 4–8. 1917.
  fire—
    farmers' mutual, organization and management. V.N. Valgren. D.B. 530, pp. 34. 1917.
    farmers' mutual, prevailing plans and practices among. V. N. Valgren. D.B. 786, pp. 16. 1919.

Insurance—Continued.
companies—continued.
fire—continued.
local farmers' mutual, a system of records for. V. N. Valgren. D.B. 840, pp. 23. 1920.
costs—
in wheat production. D.B. 1198, pp. 12, 14, 19. 1924.
saving by cooperative action. Y.B., 1916, pp. 428, 430-432. 1917; Y.B. Sep. 697, pp. 8, 10-12. 1917.
cotton—
effect of warehouses on rates. D.B. 277, pp. 5-7, 28-37. 1915.
gin, reduction of rates for good grounding system. D.C. 271, p. 4. 1923.
in warehouses, practices, discussion, and rates. Y.B., 1918, pp. 423-426. 1919; Y.B. Sep. 763, pp. 27-30. 1919.
crop—
principles. D.B. 1043, pp. 18-26. 1922.
risks, losses, and principles of protection. V. N. Valgren. D.B. 1043, pp. 27. 1922.
farm, agricultural cooperation. B. B. Hare. O.E.S. Bul. 256, pp. 51-55. 1913.
farmers—
fire and crop. Y.B., 1923, pp. 34-35. 1924.
mutual, in many States. Y.B., 1914, p. 121. 1915; Y.B. Sep. 632, p. 35. 1915.
fire—
and life, business thrift. Thrift Leaf. 18, p. 4. 1919.
farmers' mutual. V. N. Valgren. Y.B., 1916, pp. 421-433. 1917; Y.B. Sep. 697, pp. 13. 1917.
hail—
on farm crops, in the United States. V. N. Valgren. D.B. 912, pp. 32. 1920.
risks by States, graph. Y.B., 1924, p. 250. 1925.
specifications in large-scale farm contract. D.C. 351, p. 32. 1925.
liabilities. D.B. 530, pp. 13-14, 24-25. 1917.
livestock, remarks. Y.B., 1924, pp. 244-245. 1925.
milk production, costs. D.B. 1101, pp. 9-10, 15. 1922.
motor-truck loads, policy provisions. D.B. 770, pp. 29-31. 1919.
mutual, aid to farmers in development. Y.B., 1315, p. 272. 1916; Y.B. Sep. 675, p. 272. 1916.
necessity in cooperative elevators. D.B. 236, p. 4. 1915.
rates, cotton warehouses. D.B. 216, pp. 19-22. 1915.
sugar-beet production, California, cost. D.B. 760, p. 40. 1919.
wheat land, cost. D.B. 943, pp. 13, 14, 42-43. 1921.
See also Fire protection.
Interbreeding. See Crossbreeding; Hybridization.
Intercropping—
blackberry growing. F.B. 643, p. 4. 1915; F.B. 998, p. 8. 1918.
corn and cotton for soil improvement. F.B. 986, pp. 19-20, 28. 1918.
currants and gooseberries. F.B. 1398, pp. 8-10. 1924.
pecan orchards, general practice. B.P.I. Cir. 112, p. 5. 1913.
prune growing in Northwest. F.B. 1372, pp. 48-49. 1924.
use of strawberries. F.B. 1026, pp. 24-25. 1919; F.B. 1027, p. 21. 1919; F.B. 1028, p. 30. 1919.
value in first-year raspberry plantations. F.B. 887, p. 15. 1917.
Interest—
charges, accounting methods in farm management. Sec. Cir. 132, p. 13. 1919.
collection on farm loans. D.B. 1048, pp. 19-20, 25. 1922.
compound, increase, various periods and rates, tables. For. Bul. 36, pp. 205-208. 1910.
farm loan, decrease under Federal land-bank system. F.B. 792, pp. 5-7, 10. 1917.
investment, cost in wheat growing. D.B. 1198, pp. 14, 18, 19, 20, 21. 1924.
motor-truck transportation, estimation. D.B. 770, pp. 12-13. 1919; D.B. 1254, p. 19. 1924.

Interest—Continued.
on farm equipment, formulae for calculating. W. J. Spillman. Sec. Cir. 53, pp. 4. 1915.
rates—
conditions governing in farm loans. F.B. 593, pp. 6-7. 1914.
on—
cattle loans, factors affecting. Y.B., 1918, pp. 104-105, 108. 1919; Y.B. Sep. 764, pp. 6-7, 10. 1919.
farm loans, by States. D.B. 384, pp. 2-6. 1916; D.B. 409, pp. 2-6. 1916; D.B. 1047, pp. 10-20. 1922.
farm loans, factors influencing. Y.B., 1924, pp. 209-213, 218-219, 222, 230. 1925.
Federal farm loans and on second mortgages. D.B. 968, pp. 18-20. 1921.
short-time loans, by States. Y.B., 1921, p. 778. 1922; Y.B. Sep. 871. p. 9. 1922.
Intermountain region—
forest planting. C. F. Korstian and F. S. Baker. D.B. 1264, pp. 57. 1925.
meaning of national forests to. Frederick S. Baker. M.C. 47, pp. 21. 1925.
Internal revenue taxes on tobacco. Y.B., 1922, pp. 459-464. 1923; Y.B. Sep. 885, pp. 459-464. 1923.
Internode, barley spike length in rachis, inheritance. H. K. Hayes and Harry V. Harlan. D.B. 869, pp. 26. 1920.
Interstate—
commerce, game regulation, Lacey Act. F.B. 1077, pp. 62-64. 1919; F.B. 1288, pp. 56-58. 1922.
projects, drainage, valley of Red River of North. D.B. 1017, pp. 59-86. 1922.
water rights. O.E.S. Bul. 158, pp. 295-299. 1904.
Intestinal—
diseases caused by sewage-polluted shellfish. Chem. Bul. 156, pp. 1-44. 1912.
fever, hogs. See Cholera, hog.
parasites of cattle, description and treatment. B.A.I. [Misc.], "Diseases of cattle," rev., pp. 510-512. 1908; rev., pp. 534-536. 1912.
Intoxicants. See Alcohol; Liquor.
Intoxication, caffein, acute and chronic, experiments on small animals. Chem. Bul. 148, pp. 18-91, 95-96. 1912.
Intsia bijuga, importation and description. No. 42369, B.P.I. Inv. 46, p. 84. 1919.
Inula—
butannica, use as substitute for arnica, Item 208. Chem. S.R.A. 20, p. 57. 1917.
eupatorioides, importation and description. No. 47701, B.P.I. Inv. 59, p. 49. 1922.
helenium—
ingredient of "Subculoyd Inula and Echinacea." J.A.R., vol. 20, p. 65. 1920.
See also Elecampane.
Inulase, experimental work with Penicillium and Aspergillus molds. B.A.I. Bul. 120, pp. 28, 56-57. 1910.
Inundation, basket-willow holts, advantages. F.B. 341, p. 19. 1909.
Invalids, diet, importance of milk. Sec. Cir. 85, p. 9. 1918.
Inventions—
employees, patents applied for. An. Rpts., 1920, pp. 583, 604-605. 1920.
military, disposition. B.A.I.S.R.A. 132, p. 30. 1918.
Inventory(ies)—
farm—
J. S. Ball. F.B. 1182, pp. 31. 1920.
directions for—
determining values and depreciation. F.B. 511, pp. 9-15. 1912; rev., pp. 10-20. 1920.
making. F.B. 572, rev., pp. 6-9. 1920; Sec. Cir. 132, p. 14. 1919.
preparation of books. F.B. 1182, pp. 4-7. 1920.
property, uses and examples. Y.B., 1917, pp. 159-161. 1918; Y.B. Sep. 735, pp. 9-11. 1918.
sample for western New York. F.B. 1182, pp. 25-28. 1920.
property for boys and girls. Thrift Leaf. 20, p. 4. 1919.
Invertase—
activity—
influence of acids and alkalis—
C. S. Hudson and H. S. Paine. Chem. Cir. 55, pp. 7. 1910.

Invertase—Continued.
　activity—continued.
　　influence of acids and alkalis—continued.
　　　theory. C. S. Hudson. Chem. Cir. 60, pp. 3. 1910.
　　of mold spores, as affected by concentration and amount of inoculum. N. Kopeloff and S. Byall. J.A.R., vol. 18, pp. 537–542. 1920.
　　destruction by acids, alkalis, and hot water. C. S. Hudson and H. S. Paine. Chem. Cir. 59, pp. 5. 1910.
　　effect of alcohol. C. S. Hudson and H. S. Paine. Chem. Cir. 58, pp. 8. 1910.
　　in apple pulp, study. J.A.R., vol. 5, No. 3, pp. 109–111. 1915.
　　numerical formula for the determination of cane sugar. Chem. Cir. 50, pp. 2–4. 1910.
　　precipitation by alcohol. Chem. Cir. 58, pp. 7–8. 1910.
　　presence in mold spores, studies. J.A.R., vol. 18, pp. 195–209. 1919.
　　process, sirup making, prevention of crystallization. H. S. Paine and C. F. Walton, jr. D.B. 1370, pp. 61–68. 1925.
　　study of. J.A.R., vol. 30, p. 964. 1925.
　　tests on various substances. Chem. Cir. 50, pp. 6–7. 1910.
　　use in quantitative determination of cane sugar. C. S. Hudson. Chem. Cir. 50, pp. 8. 1910.
Invigorator "Sporty days," misbranding. Chem. N.J. 791, pp. 2. 1911.
Invoices—
　food and drugs—
　　inspection procedure. Y.B., 1910, pp. 204–208. 1911; Y.B. Sep. 529, pp. 204–208. 1911.
　　regulations. Chem. [Misc.], "Food and drug manual," pp. 100–105. 1920.
　hay, directions for making. F.B. 1265, pp. 18–19. 1922.
Inyo National Forest, California, location, description, and area. D.C. 185, p. 19. 1921.
Io moth, occurrence on cotton. Ent. Bul. 57, p. 37. 1906; F.B. 890, pp. 15–16. 1917.
Iodine—
　absorption numbers, various oils. Chem. Bul. 77, pp. 20–25. 1905.
　determination in saline solutions, methods. Soils Bul. 94, pp. 51–52. 1913.
　disinfection use. F.B. 1448, pp. 11–12. 1925.
　estimation in organic compounds, methods and results. Chem. Cir. 65, pp. 1–5. 1910.
　forms in kelp. J.A.R., vol. 4, p. 52. 1915.
　lack, cause of goiter. M.C. 12, p. 4. 1924.
　manufacture from seaweeds. O.E.S. An. Rpt., 1906, pp. 83, 84. 1907.
　number—
　　determination of non-volatile ether extract of paprika. Chem. Bul. 122, pp. 213–214. 1909.
　　of butterfat, variations for individual cows. B.A.I. Bul. 156, p. 23. 1913; B.A.I. Bul. 157, pp. 12, 15, 19, 21–27. 1913.
　　of milk in lactation studies. B.A.I. Bul. 155, pp. 62–63. 1913.
　recovery from kelp. Y.B., 1912, p. 535. 1913; Y.B. Sep. 611, p. 535. 1913; Rpt. 100, p. 57. 1915.
　remedy for chicken pox. F.B. 1040, p. 26. 1919.
　stains, removal from textiles. F.B. 861, pp. 22–23. 1917.
　test for starch. O.E.S. Bul. 200, p. 13. 1908.
　tincture—
　　adulteration and misbranding. See Indexes, Notices of Judgment, in bound volumes and in separates published as supplements to Chemistry Service and Regulatory Announcements.
　　use in treatment of insect bites. F.B. 754, p. 9. 1916; Sec. Cir. 61, pp. 20, 22. 1916.
　use in—
　　chicken diseases. F.B. 1337, pp. 8, 23, 27. 1923.
　　control of flea bites, use warning. F.B. 897, p. 15. 1917.
　　treatment of—
　　　caterpillar stings. D.C. 288, p. 14. 1923.
　　　roup. Y.B., 1911, p. 191. 1912; Y.B. Sep. 559, p. 191. 1912.
Iodoform—
　estimation of presence of iodin in. Chem. Cir. 65, pp. 4–5. 1910.
　use as anthelmintic, effects. J.A.R., vol. 12, pp. 405–406. 1918.

Ionone, manufacture from oil of lemon grass. D.B. 442, pp. 1, 11. 1917.
Ionornis martinicus. See Gallinule, purple.
IORNS, M. J.—
　"Pine-apple growing in Porto Rico." With H. C. Henricksen. (Also Spanish edition.) P.R. Bul. 8, pp. 42. 1905.
　"Picking and packing citrus fruits." P.R. Cir. 8, pp. 18. 1909.
　report of horticulturist, Porto Rico Experiment Station—
　　1907. P.R. An. Rpt., 1907, pp. 20–30. 1908.
　　1908. P.R. An. Rpt., 1908, pp. 17–22. 1909.
Iota sp., infesting soils of swamps and meadows. Y.B., 1914, p. 479. 1915; Y.B. Sep. 652, p. 479. 915.
Iowa—
　Agricultural College and experiment stations—
　　1907. O.E.S. Bul. 176, pp. 27–29. 1907.
　　organization—
　　　1905. O.E.S. Bul. 161, pp. 24–26. 1905.
　　　1908. O.E.S. Bul. 197, pp. 28–31. 1908.
　　　1910, and studies. O.E.S. Bul. 224, pp. 24–26. 1910.
　　　1912. O.E.S. Bul. 247, p 25–27. 1912.
　　See also Agriculture, workers, list.
　alfalfa growing and uses. F.B. 1021, pp. 1–32. 1919.
　Algona creamery, an experiment in community dairying. Y.B., 1916, pp. 209–216. 1917; Y.B. Sep. 707, pp. 1–8. 1917.
　Ames station, sweet-clover seed production studies. D.B. 844, pp. 2–25. 1920.
　apple growing, areas, production and varieties. D.B. 485, pp. 6, 21, 44–47. 1917.
　barberry occurrence and eradication work. D.C. 188, pp. 15–18, 26–27. 1921.
　barley crops, 1866–1906, acreage, production, and value. Stat. Bul. 59, pp. 7–26, 31. 1907.
　bee and honey statistics, 1914–15. D.B. 325, pp. 3, 5, 9, 10, 11, 12. 1915; D.B. 685, pp. 7, 9, 13–31. 1918.
　bee diseases, occurrence. Ent. Cir. 138, p. 9. 1911.
　beef-cattle industry, details, tables, and discussion. Rpt. 111, pp. 11–12, 15–25, 27, 30, 33–48, 52–55, 61–64. 1916.
　beet-sugar industry progress in—
　　1900. Rpt. 69, p. 65. 1901.
　　1903. Misc., "Progress of the beet-sugar industry * * *, 1903," pp. 25–26. 1903.
　　1904. Rpt. 80, pp. 56–59. 1905.
　　1907. Rpt. 86, pp. 45, 74. 1908.
　　1909. Rpt. 92, pp. 41–42. 1910.
　　1910–11. B.P.I. Bul. 260, pp. 23, 29, 72. 1912.
　bird protection. See Bird protection.
　bounty laws, 1907. Y.B., 1907, pp. 561–562. 1908; Y.B. Sep. 473, pp. 561–562. 1908.
　boys' and girls' agricultural clubs, work. F.B. 385, p. 9. 1910; O.E.S. 251, pp. 17–18. 1912.
　buckwheat crops, 1866–1906, acreage, production and value. Stat. Bul. 61, pp. 5–17, 22. 1908.
　butter—
　　analyses. B.A.I. Bul. 149, pp. 15, 17–19. 1912.
　　makers' state license, requirement. Y.B., 1916, p. 212. 1917; Y.B. Sep. 707, p. 4. 1917.
　　State brand and law requirements. D.B. 456, pp. 32–33, 37. 1917.
　cedar nursery-blight. J.A.R., vol. 10, pp. 534, 539. 1917.
　cement factories, potash content and loss. D.B. 572, p. 4. 1917.
　consolidated schools, conditions, cost, and attendance. O.E.S. Bul. 232, pp. 38, 43, 48. 1910.
　convict road work, laws. D.B. 414, pp. 200–201. 1916.
　cooperative organizations, statistics, details, and laws. D.B. 547, pp. 6, 13, 16, 27, 28, 29, 30, 35, 36, 38, 69. 1917.
　corn—
　　crops—
　　　1866–1906, acreage, production, and value. Stat. Bul. 56, pp. 7–27, 32. 1907.
　　　1866–1915, yields and prices. D.B. 515, p. 9. 1917.
　　　1918, acreage and yield. Sec. [Misc.], Spec. "Geography * * *, world's agriculture," p. 32. 1917.

INDEX TO PUBLICATIONS, 1901–1925   1253

Iowa—Continued.
  corn—continued.
    growing, practices and farm conditions in Tama County. D.B. 320, pp. 31–32. 1916.
    production, movements, consumption, and prices. D.B. 696, pp. 15, 16, 20, 28, 29, 33, 36, 38, 41, 46. 1918.
  credits, farm-mortgage loans, costs, and sources. D.B. 384, pp. 2, 3, 4, 7, 8, 10, 11, 12, 14. 1916.
  crop—
    planting and harvesting dates. Stat. Bul. 85, pp. 23, 35, 43, 57, 69, 79, 88, 91. 1912.
    selection, growing season and frost. Y.B., 1921, pp. 104–106. 1922; Y.B. Sep. 873, pp. 104–106. 1922.
  crow roosts, location, and numbers of birds. Y.B., 1915, pp. 92–93. 1916; Y.B. Sep. 659, pp. 92–93. 1916.
  dairy—
    cows, number and value. Sec. [Misc.], Spec. "Geography * * *, world's agriculture," p. 124. 1917.
    products, law, 1903. Chem. Bul. 83, Pt. I, p. 48. 1904.
  demurrage provisions, regulations. D.B. 191, pp. 3, 25. 1915.
  ditch cleaning, details of machinery and cost. D.B. 300, pp. 21–22, 27, 36. 1916.
  drainage—
    by pumping, conditions, and cost. D.B. 304, pp. 6–7, 29, 30, 32, 41, 45–53. 1915.
    experiments on water flow. D.B. 832, pp. 2, 6, 36–45, 59. 1920.
    law. O.E.S. Cir. 76, p. 17. 1907.
    of swamp lands, cost. Y.B., 1918, p. 140. 1919; Y.B. Sep. 781, p. 6. 1919.
  drug laws. Chem. Bul. 98, pp. 75–77. 1906; Chem. Bul. 98 rev., Pt. 1, pp. 112–117. 1909.
  early settlement, historical notes. See Soil surveys for various counties and areas.
  Experiment Station—
    cheese curing experiments. B.A.I. Bul. 85, p. 27. 1906.
    sugar-beet experiments—
      1900. Chem. Bul. 64, p. 15. 1901.
      1901. Chem. Bul. 74, pp. 14–16, 31. 1903.
      1903. Chem. Bul. 95, pp. 13–15. 1905.
    work and expenditures, report—
      1908. C.F. Curtiss. O.E.S. An. Rpt., 1908, pp. 96–98. 1908.
      1909. C.F. Curtiss. O.E.S. An. Rpt., 1909, pp. 107–110. 1910.
      1910. C.F. Curtiss. O.E.S. An. Rpt., 1910, pp. 138–141. 1911.
      1911. C. F. Curtiss. O.E.S. An. Rpt., 1911, pp. 109–112. 1912.
      1912. C. F. Curtiss. O.E.S. An. Rpt., 1912, pp. 115–117. 1913.
      1913. C. F. Curtiss. O.E.S. An. Rpt., 1913, pp. 46–47. 1915.
      1914. C. F. Curtiss. O.E.S. An. Rpt., 1914, pp. 107–111. 1915.
      1915. C. F. Curtiss. S.R.S. Rpt., 1915, Pt. I, pp. 116–121. 1917.
      1916. C. F. Curtiss. S.R.S. Rpt., 1916, Pt. I, pp. 116–121. 1918.
      1917. C. F. Curtiss. S.R.S. Rpt., 1917, 1917, Pt. I, pp. 111–117. 1918.
      1918. S.R.S. Rpt., 1918, pp. 32, 34, 36, 39, 40, 41, 42, 57, 63, 66, 70–80. 1920.
  extension work—
    funds allotment, and county-agent work. S.R.S. Doc. 40, pp. 4, 5, 9, 14, 23, 25, 28. 1918.
    in agriculture and home economics, report—
      1915. R. K. Bliss. S.R.S. Rpt., 1915, Pt. II, pp. 206–211. 1917.
      1916. R. K. Bliss. S.R.S. Rpt., 1916, Pt. II, pp. 215–223. 1917.
      1917. R. K. Bliss. S.R.S. Rpt., 1917, Pt. II, pp. 222–229. 1919.
    statistics—
      1923. D.C. 253, pp. 3, 4, 7, 10–11, 17, 18. 1923.
      1924. D.C. 306, pp. 3, 5, 10, 14, 20, 21. 1924.
  fairs, number, kind, location, and dates. Stat. Bul. 102, pp. 13, 14, 28–31. 1913.
  farm(s)—
    animals, statistics, 1867–1907. Stat. Bul. 64, p. 118. 1908.
    capital, incomes, expense and profits, studies. D.B. 41, pp. 1–42. 1914.

Iowa—Continued.
  farm(s)—continued.
    family, food, fuel, housing, value, and details. D.B. 410, pp. 7–35. 1916.
    grain and hay, labor distribution, seasonal. Y.B., 1917, p. 544. 1918; Y.B. Sep. 758, p. 10. 1918.
    labor distribution. D.B. 1000, p. 55. 1921.
    lands, values. L. C. Gray and O. G. Lloyd. D.B. 874, pp. 45. 1920.
    leasing, provisions. D.B. 650, pp. 4, 10, 14, 17, 19, 28. 1918.
    management survey, with Indiana and Illinois. E. H. Thomson and H. M. Dixon. D.B. 41, pp. 42. 1914.
    owning motor trucks, reports. D.B. 931, pp. 3, 4. 1921.
    survey, data on farms, size and income. Y.B., 1913, pp. 94–96. 1914; Y.B. Sep. 617, pp. 94–96. 1914.
    valuations, comparison with Newton, Mass. Y.B., 1916, pp. 371, 373. 1917; Y.B. Sep. 712, pp. 25, 27. 1917.
    values—
      1900–1905, changes. Stat. Bul. 43, pp. 11–17, 29–46. 1906.
      1924. F.B. 1385, p. 12. 1924.
    income, and tenancy classification. D.B. 1224, pp. 89–92. 1924.
  farmers' institutes—
    for young people. O.E.S. Cir. 99, p. 18. 1910.
    history. O.E.S. Bul. 174, pp. 36–38. 1906.
    laws. O.E.S. Bul. 135, p. 16. 1903.
    legislation. O.E.S. Bul. 241, pp. 17–18. 1911.
    work—
      1904. O.E.S. An. Rpt., 1904, pp. 642–643. 1905.
      1906. O.E.S. An. Rpt., 1906, p. 331. 1907.
      1907. O.E.S. Bul. 199, p. 22. 1908.
      1908. O.E.S. An. Rpt., 1908, p. 312. 1909.
      1909. O.E.S. An. Rpt., 1909, p. 345. 1910.
      1910. O.E.S. An. Rpt., 1910, p. 405. 1911.
      1911. O.E.S. An. Rpt., 1911, p. 371. 1912.
      1912. O.E.S. An. Rpt., 1912, p. 364. 1913.
  farmers' living, cost. F.B. 635, pp. 1, 2, 3, 21. 1914.
  field work of Plant Industry, December, 1924. M.C. 30, pp. 21–22. 1925.
  flax acreage, 1899, 1909, 1913. D.B. 322, p. 4. 1916.
  flour and sugar economy, June and July, 1918, work of canning and drying clubs, etc. News L., vol. 6, No. 6, pp. 8, 9. 1918.
  food laws—
    1905. Chem. Bul. 69, Pt. II, pp. 194–200. 1905.
    1906. Chem. Bul. 104, pp. 21–26. 1906.
    1907. Chem. Bul. 112, Pt. I, pp. 83–96. 1908.
    1908. Chem. Cir. 16, rev., pp. 10–11. 1908.
  forest—
    fires, statistics. For. Bul. 117, p. 29. 1912.
    planting, conditions and suggestions. D.B 153, pp. 12, 13, 20, 21, 24–33. 1915.
  fur animal laws—
    1915. F.B. 706, p. 6. 1915.
    1916. F.B. 783, pp. 7–8. 1916.
    1917. F.B. 911, p. 10. 1917.
    1918. F.B. 1022, pp. 9–10. 1918.
    1919. F.B. 1079, p. 13. 1919.
    1920. F.B. 1165, p. 11. 1920.
    1921. F.B. 1238, p. 10. 1921.
    1922. F.B. 1293, p. 8. 1922.
    1923–24. F.B. 1387, p. 11. 1923.
    1924–25. F.B. 1445, p. 8. 1924.
    1925–26. F.B. 1469, p. 11. 1925.
  game laws—
    1902. F.B. 160, pp. 13, 31, 41, 45, 52, 54. 1902.
    1903. F.B. 180, pp. 10, 22, 33, 38, 44, 46. 1903.
    1904. F.B. 207, pp. 18, 33, 50. 1904.
    1905. F.B. 230, pp. 16, 30, 37, 42. 1905.
    1906. F.B. 265, pp. 8, 15, 29, 37, 43. 1906.
    1907. F.B. 308, pp. 6, 14, 28, 36, 42. 1907.
    1908. F.B. 336, pp. 16, 31, 40, 50. 1908.
    1909. F.B. 376, pp. 6, 12, 21, 34, 39, 42, 47. 1909.
    1910. F.B. 418, pp. 14, 27, 32, 36, 41. 1910.
    1911. F.B. 470, pp. 10, 19, 31, 37, 41, 47. 1911.
    1912. F.B. 510, pp. 14, 25–26, 27, 33, 37, 40, 43. 1912.
    1913. D.B. 22, pp. 12, 20, 26, 39, 45, 48, 53. 1913; rev. pp. 12, 19, 26, 39, 45, 48, 53. 1913.

Iowa—Continued.
  game laws—continued.
    1914. F.B. 628, pp. 10, 11, 17, 28–29, 31, 36, 37. 41, 44, 47. 1914.
    1915. F.B. 692, pp. 5, 6, 10, 27, 40, 46, 50, 52, 58. 1915.
    1916. F.B. 774, pp. 25, 38, 45, 48, 51, 58. 1916.
    1917. F.B. 910, pp. 17, 47, 51. 1917.
    1918. F.B. 1010, pp. 15, 45, 61. 1918.
    1919. F.B. 1077, pp. 17, 49, 72, 73. 1919.
    1920. F.B. 1138, pp. 18–19. 1920.
    1921. F.B. 1235, pp. 20–21, 56, 69. 1921.
    1922. F.B. 1288, pp. 17, 53, 67. 1922.
    1923–24. F.B. 1375, pp. 18, 49. 1923.
    1924–25. F.B. 1444, pp. 12, 36. 1924.
    1925–26. F.B. 1466, pp. 18, 44. 1925.
  grain supervision districts and counties. Mkts. S.R.A. 14, pp. 16, 18, 20, 21. 1916.
  grape shipments, 1916–1919 and destinations. D.B. 861, pp. 3, 46, 55–61. 1920.
  hail-insurance companies and amount of risks. D.B. 912, pp. 6, 14, 15. 1920.
  harvest-labor distribution, 1921. D.B. 1230, p. 31. 1924.
  hay crops, 1866–1906, acreage, production, and value. Stat. Bul. 63, pp. 5–25, 30. 1908.
  haymaking methods and costs. D.B. 578, pp. 8, 17, 18–21, 33. 1918; F.B. 943, pp. 26–27. 1918.
  herds, lists of tested and accredited. D.C. 54, pp. 4, 11, 22, 26, 28, 53, 75, 79. 1919; D.C. 142, pp. 8, 14, 17, 18, 31, 40, 41, 47–49. 1920; D.C. 143, pp. 3, 7, 24, 69. 1920; D.C. 144, pp. 4, 7, 9, 16, 23, 49. 1920.
  highway-department establishment, road mileage and control. Y.B., 1914, pp. 214, 222, 224. 1915; Y.B. Sep. 638, pp. 214, 222, 224. 1915.
  hog(s)—
    cholera—
      control experiments, results. D.B. 584, pp. 8, 9, 10, 11, 12. 1917.
      prevention by use of serum, field tests, 1907. B.A.I. An Rpt., 1908, pp. 177–217, 221–222. 1910.
    number. Sec. [Misc.], Spec. "Geography * * * world's agriculture, p. 132. 1917.
    production, numbers on farms, and shipments. Y.B., 1922, pp. 202, 220–223, 231. 1923; Y.B. Sep. 882, pp. 202, 220–223, 231. 1923.
    raising, practice of hogging down crops. F.B. 704, p. 36. 1916.
    vaccination tests. Y.B., 1908, p. 331. 1909; Y.B. Sep., 484, p. 331. 1909.
  horse labor on farm, daily distribution by operations. Y.B., 1919, pp. 486, 490, 494, 495. 1920; Y.B. Sep. 825, pp. 486, 490, 494, 495. 1920.
  hunting laws. Biol. Bul. 19, pp. 13, 19, 27, 62. 1904.
  insecticide and fungicide laws. I. and F. Bd. S.R.A. 21, pp. 438–441. 1918.
  land—
    utilization on farms, survey studies. F.B. 745, pp. 14, 16. 1916.
    values—
      in Des Moines County. Soil Sur. Adv. Sh., 1921, p. 1104. 1925.
      studies. An. Rpts., 1920, p. 571. 1921.
  lard supply, wholesale and retail, August 31, 1917, tables. Sec. Cir. 97, pp. 13–31. 1918.
  law(s)—
    against Sunday shooting. Biol. Bul. 12, rev., p. 63. 1902.
    on—
      community buildings, monuments, and memorials. F.B. 1192, pp. 31–32. 1921.
      dogs, digest. F.B. 935, p. 14, 1918; F.B. 1268, p. 14. 1922.
      nursery stock, interstate shipment, digest. F.H.B.S.R.A. 57., pp. 113, 114. 1919.
      restricting fruit and plant shipment. Ent. Bul. 84, p. 38. 1909.
  leading corn State, 1911–1920. Y.B., 1921, p. 198. 1922. Y.B., Sep. 872, p. 198. 1922;
  legislation—
    protecting birds. Biol. Bul. 12, rev., pp. 15, 30, 39, 43, 45, 48, 90, 137. 1902.
    relative to tuberculosis. B.A.I. Bul. 28, pp. 32–34. 1901.
  Lespedeza, Korean, growing and testing. D.C. 317, p. 11. 1924.

Iowa—Continued.
  livestock—
    admission, sanitary requirements. B.A.I. Doc. A–28, pp. 12–13. 1917; B.A.I. Doc. A–36, pp. 18–20. 1920; M. C. 14, pp. 20–24. 1924.
    comparison with Southern States. Y.B., 1914, p. 18. 1915.
    cooperative marketing development. D.B. 1150, p. 1. 1923.
    shipping associations, early organization. F.B. 1292, p. 2. 1923.
  Logan, stock show and social center building, description. F.B. 1173, pp. 23–24. 1921.
  Louisa-Des Moines drainage district, pumping-plant arrangement. O.E.S. Bul. 243, pp. 39–40. 1911.
  lumber—
    cut, 1920, 1870–1920, value, and kinds. D.B. 1119, pp. 27, 30–35, 52, 54, 56, 58. 1923.
    production, 1918, by mills, by woods, and lath and shingles. D.B. 845, pp. 6–10, 14, 16, 37, 42–47. 1920.
    statistics. Rpt. 116, pp. 6, 9–11, 34, 37–38. 1918.
  maple sugar and sirup, production for many years. F.B. 516, pp. 44–46. 1912.
  marketing activities and organization. Mkts. Doc. 3, p. 3. 1916.
  milk—
    production, investigations, canvasses, and summaries. B.A.I. Bul. 164, pp. 14, 35–36, 42–55. 1913.
    supply and laws. B.A.I. Bul. 46, pp. 30, 34, 40, 73–77. 1903.
  muck areas, location. Soils Cir. 65, p. 15. 1912.
  Muscatine Island levee district, area, description, and cost. O.E.S. Bul. 158, pp. 678–680. 1904.
  oats—
    crops—
      1866–1906, acreage, production and value. Stat. Bul. 58, pp. 5–25, 30. 1907.
      1900–1909, acreage and value. F.B. 420, pp. 8, 9, 10. 1910.
      1918, acreage and production. Sec. [Misc.], Spec. "Geography * * * world's agriculture," p. 37. 1917.
    crown-rust epidemics, sources. D.B. 1162, pp. 2–14, 17. 1923.
    growing, varietal experiments. D.B. 823, pp. 26–27, 29, 30, 67. 1920.
    Swedish Select, experiments and results. B.P.I. Bul. 182, pp. 18–19, 29. 1910.
    testing, methods, yields per acre, and comparisons. D.B. 99, pp. 7–11, 24. 1914.
    tests, Kherson and Sixty-day, with other varieties. F.B. 395, p. 18. 1910.
  officials, dairy, drug, feeding stuffs, and food. See Dairy officials; Drug officials.
  onion production. D.B. 1325, p. 10. 1925.
  pasture land on farms. D.B. 626, pp. 14, 34–36. 1918.
  peach varieties, names and ripening dates. F.B. 918, p. 8. 1918.
  pear growing, distribution, and varieties. D.B. 822, p. 8. 1920.
  Plant-Introduction Garden, Ames. An. Rpts., 1911, p. 336. 1912; B.P.I. Chief Rpt., 1911, p. 88. 1911.
  pop corn, production and value, 1909. F.B. 554, pp. 6–7, 13. 1913.
  potato—
    acreage, production and yield, map. Sec. [Misc.], Spec. "Geography * * * world's agriculture," p. 69. 1917.
    crops—
      1866–1906, acreage, production, and value. Stat. Bul. 62, pp. 7–27, 32. 1908.
      1909, production by counties. F.B. 1064, p. 4. 1919.
  prosperity from diversified agriculture. Sec. Cir. 50, p. 5. 1915.
  quail-protection laws. D.B. 1049, p. 17. 1922.
  quarantine areas, foot-and-mouth disease. May, 1915. B.A.I.O. 238, p. 4. 1915; B.A.I O. 238, amdts. 2, 3, 4, 8, p. 2. 1915.
  rainfall, and irrigation possibilities. Y.B., 1911, p. 312, 1912; Y.B. Sep. 570, p. 312. 1912.
  road(s)—
    bond-built, amount of bonds, and rate. D.B. 136, pp. 6, 40, 66, 85. 1915.

Iowa—Continued.
  road(s)—continued.
    building-rock tests—
      1916 and 1917. D.B. 370, p. 30. 1916; D.B. 670, pp. 9, 24. 1918.
      results, 1916–1921. D.B. 1132, pp. 12, 47, 51. 1923.
    experiments—
      1910, supplemental report. Rds. Cir. 98, p. 42. 1912.
    use of split-log drag. F.B. 321, p. 12. 1908.
    materials, tests. Rds. Bul. 44, p. 43. 1912.
    mileage and expenditures—
      1904. Rds. Cir. 43, pp. 1–4. 1906.
      1909. Rds. Bul. 41, pp. 19, 40, 42, 63–65. 1912.
      1914. D.B. 389, pp. 2, 3, 4, 5, 6, 7, 21–23. 1917.
      1915. Sec. Cir. 52, pp. 2, 4, 6. 1915.
      1916. Sec. Cir. 74, pp. 5, 7, 8. 1917.
    preservation, and dust prevention—
      1914, report. D.B. 257, p. 38. 1915.
      1916, reports. D.B. 586, pp. 67–68. 1918.
    situation, 1901. Rds. Bul. 21, p. 64. 1901.
    surfacing experiments, 1910. D.B. 407, p. 67. 1916.
  rye crops, 1866–1906, acreage, production, and value. Stat. Bul. 60, pp. 5–25, 30. 1908.
  San Jose scale, occurrence. Ent. Bul. 62, p. 23. 1906.
  shipments of fruits and vegetables, and index to station shipments. D.B. 667, pp. 6–13, 23–24. 1918.
  shipping associations, results obtained, 1921. D.B. 1150, pp. 28–29. 1923.
  soil survey of—
    Adair County. Clarence Lounsbury, and others. Soil Sur. Adv. Sh., 1919, pp. 25. 1921; Soils F.O., 1919, pp. 1405–1425. 1925.
    Benton County. Clarence Lounsbury and others. Soil Sur. Adv. Sh., 1921, pp. 30. 1925.
    Blackhawk County. W. E. Tharp and Horace J. Harper. Soil Sur. Adv. Sh., 1917, pp. 44, 1919; Soils F.O., 1917, pp. 1557–1594. 1923.
    Boone County. A. M. O'Neal, jr., and A. M. DeYoe. Soil Sur. Adv. Sh., 1920, pp. 135–166. 1923; Soils F.O., 1920, pp. 135–166. 1925.
    Bremer County. Mark Baldwin and others. Soil Sur. Adv. Sh., 1913, pp. 37. 1914; Soils F.O., 1913, pp. 1689–1721. 1916.
    Buena Vista County. L. Vincent Davis and H. W. Warner. Soil Sur. Adv. Sh., 1917, pp. 37. 1919; Soils F.O., 1917, pp. 1595–1627. 1923.
    Cedar County. A. M. O'Neal, jr., and others. Soil Sur. Adv. Sh., 1919, pp. 31. 1921; Soils F.O., 1919, pp. 1427–1457. 1925.
    Cerrro Gordo County. Herbert W. Marean and Grove B. Jones. Soil Sur. Adv. Sh., 1903, pp. 25. 1904; Soils F.O., 1903, pp. 853–873. 1904.
    Clay County. E. H. Smies and T. H. Benton. Soil Sur. Adv. Sh., 1916, pp. 45. 1918; Soils F.O., 1916,, pp. 1833–1873. 1921.
    Clinton County. H. W. Hawker and F. B. Howe. Soil Sur Adv Sh., 1915, pp. 64. 1917; Soils F.O., 1915, pp. 1647–1706. 1919.
    Dallas County. Clarence Lounsbury and P. E. Nordaker. Soil Sur. Adv. Sh., 1920, pp. 1153–1192. 1924; Soils F.O., 1920, pp. 1153–1192. 1925.
    Delaware County. Clarence Lounsbury and Bryan Boatman. Soil Sur. Adv. Sh., 1922, pp. 32. 1925.
    Des Moines County. T. H. Benton and E. P. Lowe. Soil Sur. Adv. Sh., 1921, pp. 36. 1925.
    Dickinson County. J. Ambrose Elwell and J. L. Boatman. Soil Sur. Adv. Sh., 1920, pp. 41. 1923; Soils F.O., 1920, pp. 599–639. 1925.
    Dubuque area. Elmer O. Fippin. Soils F.O. Sep., 1902, pp. 22. 1903; Soils F.O., 1902, pp. 571–592. 1903.
    Dubuque County. J. O. Veatch and C. L. Orrben. Soil Sur. Adv. Sh., 1920, pp. 345–369. 1923; Soils F.O., 1920, pp. 345–369. 1925.
    Emmet County. D. S. Gray and F. W. Reich; Soil Sur Adv. Sh., 1920, pp. 409–443. 1923. Soils F.O., 1920, pp. 409–443. 1925.

Iowa—Continued.
  soil survey of—continued.
    Fayette County. A. H. Meyer and others. Soil Sur. Adv. Sh., 1919, pp. 40. 1922; Soils F.O., 1919, pp. 1459–1494. 1925.
    Greene County. A. W. Goke and C. L. Orrben. Soil Sur. Adv. Sh., 1921, pp. 281–303. 1924.
    Grundy County. E. Malcolm Jones and W.E. Carson. Soil Sur. Adv. Sh., 1921, pp. 23. 1925.
    Hamilton County. Knute Espe and Lawrence E. Lindley. Soil Sur. Adv. Sh., 1917, pp. 30. 1920; Soils F.O., 1917, pp. 1629–1654. 1923.
    Hardin County. T. H. Benton and W. W. Strike. Soil Sur. Adv. Sh., 1920, pp. 717–757. 1923; Soils F.O., 1920, pp. 717–757. 1925.
    Henry County. A. H. Meyer and T. H. Benton. Soil Sur. Adv. Sh., 1917, pp. 32. 1919; Soils F.O., 1917, pp. 1655–1683. 1923.
    Jackson County. See Dubuque area.
    Jasper County. D. S. Gray and others. Soil Sur. Adv. Sh., 1921, pp. 42. 1925.
    Jefferson County. C. B. Boatwright and C. L. Orrben. Soil Sur. Adv. Sh., 1922, pp. 307–343. 1925.
    Johnson County. W. E. Tharp and G. H. Artis. Soil Sur. Adv. Sh., 1919, pp. 52. 1922; Soils F.O., 1919, pp. 1495–1542. 1925.
    Jones County. See Dubuque area.
    Lee County. L. V. Davis and Martin E. Sar. Soil Sur. Adv. Sh., 1914, pp. 36. 1916; Soils F.O., 1914, pp. 1911–1942. 1919.
    Linn County. Frank B. Howe and others. Soil Sur. Adv. Sh., 1917, pp. 44. 1920; Soils F.O., 1917, pp. 1685–1724. 1923.
    Louisa County. L. Vincent Davis and J. Ambrose Elwell. Soil Sur. Adv. Sh., 1918, pp. 50. 1921; Soils F.O. 1918, pp. 1019–1064. 1924.
    Madison County. T. H. Benton and Hugh B. Woodrooffe. Soil Sur. Adv. Sh., 1918, pp. 40. 1921; Soils F.O., 1918, pp. 1065–1100. 1924.
    Mahaska County. E. C. Hall and J. Ambrose Elwell. Soil Sur. Adv. Sh., 1919, pp. 40. 1922; Soils F.O., 1919, pp. 1543–1578. 1925.
    Marshall County. A. H. Meyer and E. I. Angell. Soil Sur. Adv. Sh., 1918, pp. 35. 1921; Soils F.O., 1918, pp. 1101–1131. 1924.
    Mills County. Grove B. Jones and N. J. Russell. Soil Sur. Adv. Sh., 1920, pp. 103–134. 1923; Soils F.O., 1920, pp. 103–134. 1925.
    Mitchell County. W. E. Tharp and Knute Espe. Soil Sur. Adv. Sh., 1916, pp. 34. 1918; Soils F.O., 1916,pp. 1875–1904. 1921.
    Montgomery County. A. M. O'Neal, jr., and L. L. Rhodes. Soil Sur.Adv. Sh., 1917, pp. 30. 1919; Soils F.O.,1917, pp. 1725–1750. 1923.
    Muscatine County. H. W. Hawker and H. W. Johnson. Soil Sur. Adv. Sh., 1914, pp. 64. 1916; Soils F.O., 1914, pp.1825–1884. 1919.
    O'Brien County. J. Ambrose Elwell and H. R. Meldrum. Soil Sur. Adv. Sh., 1921, pp. 213–246. 1924.
    Page County. A. M. O'Neal, jr., and R. E Devereux. Soil Sur. Adv. Sh., 1921, pp. 349–373. 1924.
    Palo Alto County. A. M. O'Neal, jr., and others. Soil Sur. Adv. Sh., 1918, pp. 36. 1921; Soils F.O., 1918, pp. 1133–1164. 1924.
    Polk County. E. H. Smies and others. Soil Sur. Adv. Sh., 1918, pp. 67. 1921; Soils F.O., 1918, pp. 1165–1227. 1924.
    Pottawattamie County. A. L. Goodman and others. Soil Sur. Adv. Sh., 1914, pp. 30. 1916; Soils F.O., 1914, pp. 1885–1910. 1919.
    Ringgold County. E. C. Hall and others. Soil Sur. Adv. Sh., 1916, pp. 29. 1918; Soils F.O., 1916, pp. 1905–1929. 1921.
    Scott County. E. H. Stevens and others. Soil Sur. Adv. Sh., 1915, pp. 43. 1917; Soils F. O., 1915, pp. 1707–1745. 1919.
    Sioux County. E. H. Smies and W. C. Bean. Soil Sur. Adv. Sh., 1915, pp. 37. 1917; Soils F.O., 1915, pp. 1747–1779. 1919.
    Story County. Herbert W. Marean and Grove B. Jones. Soil Sur. Adv. Sh., 1903, pp. 19. 1904; Soils F.O., 1903, pp. 833–851. 1904.

1256   UNITED STATES DEPARTMENT OF AGRICULTURE

Iowa—Continued.
 soil survey of—continued.
  Tama County. Charles W. Ely and others. Soil Sur. Adv. Sh., 1904, pp. 26. 1905; Soils F.O. 1904, pp. 769-790. 1905.
  Van Buren County. Clarence Lounsbury and H. W. Reid. Soil Sur. Adv. Sh., 1915, pp. 32. 1917; Soils F.O., 1915, pp. 1781-1808. 1919.
  Wapello County. E. C. Hall and E. I. Angell. Soil Sur. Adv. Sh., 1917, pp. 43. 1919; Soils F.O., 1917, pp. 1751-1789. 1923.
  Wayne County. Clarence Lounsbury and others. Soil Sur. Adv. Sh., 1918, pp. 24. 1920; Soils F.O., 1918, pp. 1229-1248. 1924.
  Webster County. J. O. Veatch and F. B. Howe. Soil Sur. Adv. Sh., 1914, pp. 44. 1916; Soils F.O., 1914, pp. 1785-1824. 1919.
  Winnebago County. W. E. Tharp and G. H. Artis. Soil Sur. Adv. Sh., 1918, pp. 31. 1921; Soils F.O., 1918, pp. 1249-1275. 1924.
  Woodbury County. J. O. Veatch and others. Soil Sur. Adv. Sh., 1920, pp. 759-784. 1923; Soils F.O., 1920, pp. 759-784. 1925.
  Worth County. D. S. Gray and A. L. Gray. Soil Sur. Adv. Sh., 1922, pp. 271-306. 1925.
  Wright County. T. H. Benton and C. O. Jaeckel. Soil Sur. Adv. Sh., 1919, pp. 42. 1922; Soils F.O., 1919, pp. 1579-1616. 1925.
 soils—
  Carrington clay loam, acreage, location, and crops adapted. Soils Cir. 58, pp. 3-11. 1912.
  climate, and drainage, in relation to forest growth. For. Cir. 154, pp. 6-7. 1908.
  Knox silt loam, location, area, and crops grown. Soils Cir. 33, pp. 3, 4, 5, 9, 11, 12, 13, 17. 1911.
  Marshall silt loam, location, area, and crops grown. Soils Cir. 32, pp. 3, 10, 11, 13, 14, 15, 18. 1911.
  Meadow, area and location. Soils Cir. 68, p. 20. 1912.
  Miami clay loam, location, area, and crops grown. Soils Cir. 31, pp. 3, 17. 1911.
  Wabash silt loam, location, areas, and uses. Soils Cir. 40, p. 15. 1911.
 stallions, number, classes, and legislation controlling. Y.B., 1916, pp. 290, 291, 293, 296, 297. 1917; Y.B., Sep. 692, pp. 2, 3, 5, 8, 9. 1917.
 standard containers. F.B. 1434, p. 17. 1924.
 strawberry shipments, 1914, 1915. D.B. 237, p. 7. 1915; F.B. 1028, p. 6. 1919.
 Stuart stock-show building, description. F.B. 1173, p. 25. 1921.
 timber—
  native and planted. Hugh P. Baker. For. Cir. 154, pp. 24. 1908.
  treatment, cost. F.B. 744, p. 26. 1916.
 tractor investigations, 1918. F.B. 1093, pp. 3-5. 1920.
 trees, varieties for windbreaks and woodlots. For. Cir. 154, pp. 15, 20. 1908.
 trucking industry, acreage and crops. Y.B., 1916, pp. 446, 447, 455-465. 1917; Y.B. Sep. 702, pp. 12, 13, 21-31. 1917.
 turpentine sale, law. D.B. 898, p. 39. 1920.
 University, cooperation in Nutting expedition to Laysan Islands. Y.B., 1911, pp. 157-158. 1912; Y.B. Sep. 557, pp. 157-158. 1912.
 wage rates, farm labor, 1840-1854, and 1866-1909. Stat. Bul. 99, pp. 17-18, 29-43, 68-70. 1912.
 walnut—
  range and estimated stand. D.B. 933, pp. 7, 11, 24, 31. 1921.
  stand and quality. D.B. 909, pp. 9, 10, 11, 20, 21, 23. 1921.
 water supply, records. Soils Bul. 92, pp. 57-64. 1913; Y.B., 1911, pp. 483-489. 1912; Y.B. Sep. 585, pp. 483-489. 1912.
 wheat—
  acreage and production, 1918-1920. D.B. 1020, p. 5. 1922.
  crops—
   1866-1906, acreage, production, and value. Stat. Bul. 57, pp. 5-25, 30 1907; rev., pp. 5-25, 30, 37. 1908.
   1866-1915, yields and prices. D.B. 514, p. 9. 1917.
  growing, success of hard varieties. Y.B., 1914, p. 404. 1915; Y.B. Sep. 649, p. 404. 1915.

Iowa—Continued.
 wheat—continued.
  production periods. Y.B., 1921, pp. 88, 90, 91, 94, 95, 96. 1922; Y.B. Sep. 873, pp. 88, 90, 91, 94, 95, 96. 1922.
  varietal studies, Marquis and other. D.B. 400, pp. 10-11. 1916.
  varieties, classification. D.B. 1074, p. 210. 1922.
 See also Corn Belt.
Iowa River, bottom land, drainage system. (Louisa County). Soil Sur. Adv. Sh., 1918, p. 46. 1921; Soils F.O., 1918, pp. 1060-1061. 1924.
Ipecac, analysis, directions, methods, and results. Chem. Bul. 105, pp. 130, 136, 138. 1907.
Ipidae, key to subfamilies, and list of genera. Ent. T.B. 17, Pt. II, pp. 224, 226. 1915.
Iphiopsis spp., description. Rpt. 108, pp. 79, 81. 1915.
Ipomoea—
 batatas. See Sweet potato.
 congesta, occurrence in Guam. Guam A.R., 1913, p. 17. 1914.
 hederacea. See Morning glory.
 reptans, importation and description. Nos. 48570, 48713, B.P.I. Inv. 61, pp. 24, 39. 1922.
 spp.—
  growing, experiments with daylight of different lengths. J.A.R., vol. 23, pp. 878-879. 1923.
  importation and description. No. 46460, B.P.I. Inv. 56, p. 18. 1922; Nos. 53609, 53843, B.P.I. Inv. 67, pp. 4, 68, 90. 1923.
  inoculations with Plenodomus destruens, experiments. J.A.R., vol. 1, pp. 256-262. 1913.
 tuberculata, importation and description. No. 28913, B.P.I. Bul. 227, p. 14. 1911.
Ips—
 genus, synonymy. Ent. T.B. 17, Pt. II, p. 220. 1915.
 spp., flight period and control by spraying. D.B. 1079, pp. 5-10. 1922.
Ira poita, importation and description. No. 41305, B.P.I. Inv. 44, p. 61. 1918.
Ireland—
 agricultural instruction for adults. O.E.S. Bul. 155, pp. 84-96. 1905.
 butter control. B.A.I. Dairy [Misc.], "World's dairy congress, 1923," pp. 753-754. 1924.
 cattle—
  breeds, origin and ancestry. B.A.I. An. Rpt., 1910, p. 226. 1912.
  concentration. Sec. [Misc.], Spec. "Geography * * * world's agriculture," p. 123. 1917.
  contagious diseases of animals, 1902-1909. B.A.I. An. Rpt., 1909, p. 336. 1911.
 cooperative creameries. B.A.I. Dairy [Misc.], World's dairy congress, 1923," pp. 928-933. 1924.
 crops, 1910-1911. Stat. Cir. 28, pp. 6-7. 1912.
 flax acreage and production of fiber. Sec. [Misc.], Spec. "Geography * * * world's agriculture," pp. 57, 59. 1917.
 forest resources (with Great Britain). For. Bul. 83, pp. 32-34. 1910.
 grain production, acreage. Stat. Bul. 68, pp. 97-99. 1908.
 hunter-horse production. Willard John Kennedy. B.A.I. Cir. 87, pp. 39. 1905.
 linen industry. F.B. 669, pp. 2, 18. 1915.
 milk handling by Belfast Cooperative Society. B.A.I. Dairy [Misc.], "World's dairy congress, 1923, pp. 880-883. 1924.
 nursery-stock inspection, seal. F.H.B.S.R.A. 7, p. 64. 1914; F.H.B.S.R.A. 20, p. 74. 1915; F.H.B.S.R.A. 32, p. 119. 1916.
 potato diseases, importance. D.B. 81, p. 9. 1914.
 potatoes, production, 1909-1913, 1921-1923. S.B. 10, p. 19. 1925.
 sheep industry, management. B.A.I. Bul. 77, pp. 85-86. 1905; B.A.I. Cir. 81; pp. 85-86. 1905.
 soils, chemical composition. Soils Bul. 57, p. 99. 1909.
 See also United Kingdom.
Iridaea spp., chemical analyses. J.A.R., vol. 4, pp. 42, 43, 45, 46, 48, 50, 51. 1915.
Iridomyrmex—
 analis, enemy of boll weevil. Ent. Bul. 100, pp. 41, 72. 1912.

Iridomyrmex—Continued.
  sp.—
    boll-weevil enemies. Ent. Bul. 114, p. 140. 1912.
  See also Ant, Argentine.
Iridoprocne bicolor—
  occurrence in Arkansas. Biol. Bul. 38, p. 71. 1911.
  See also Swallow, tree.
IRION, HARRY: "Forest statistics." With others. Y.B., 1922, pp. 931–948. 1923; Y.B. Sep. 889, pp. 931–948. 1923.
Iris—
  Buenos Airean, importation and description. No. 33997, B.P.I. Inv. 31, pp. 7, 73–74. 1914.
  clarkei, importation and description. No. 39019, B.P.I. Inv. 40, p. 59. 1917.
  description, varieties, and soil adaptations. F.B. 1381, pp. 25–29. 1924.
  ensata, importation and description. No. 36765, B.P.I. Inv. 37, p. 62. 1916.
  florentina. *See* Orris.
  insect pest. Sec. [Misc.], "A manual * * * insects * * *," p. 139. 1917.
  leaf blight, occurrence and description, Texas. B.P.I. Bul. 226, pp. 86–87. 1912.
  planting depth. D.B. 797, p. 9. 1919.
  spp., importations and descriptions. Nos. 35168–35170, B.P.I. Inv. 35, p. 16. 1915; Nos. 40514–40520, 40766, 40767, B.P.I. Inv. 43, pp. 38, 77. 1918; No. 45581, B.P.I. Inv. 53, p. 62. 1922; No. 49638, B.P.I. Inv. 62, p. 63. 1923; Nos. 53703–53706, B.P.I. Inv. 67, pp. 79–80. 1923; Nos. 55283–55292, B.P.I. Inv. 71, pp. 31–32. 1923.
  treatment for beetle larvae. D.B. 1332, pp. 11, 15–13. 1925.
  See also Blue flag.
IRISH, JOHN P., Jr.: "The work of the Delta Experiment Farm in 1912," B.P.I. Cir. 127, pp. 3–13. 1913.
Irish Agricultural Organization Society, Dublin, report. B.A.I. Dairy [Misc.], "World's dairy congress, 1923," pp. 928–933. 1924.
Irish Free State, plant entry, restrictions. F.H.B. S.R.A. 76, pp. 121–123. 1913.
Irish potatoes. *See* Potatoes.
Iron—
  absorption by—
    plants, studies. P.R. An. Rpt., 1916, p. 16. 1918.
    roots, experiments. J.A.R., vol. 9, pp. 85–88. 1917.
  accumulation in corn plants. B.P.I. Chief Rpt., 1921, pp. 23–34. 1921.
  action of fat upon, experiments. B.A.I. An. Rpt., 1909, pp. 274, 275, 276, 278, 282. 1911.
  aluminum, determination in plant ash, method. D.B. 600, pp. 18–19. 1917.
  and steel—
    manufacture. F.B. 239, pp. 9–14. 1905.
    preservation. Allerton S. Cushman. Rds. Bul. 35, pp. 40. 1909.
  arsenate, preparation and use as insecticide, investigations. D.B. 278, pp. 2, 4, 6, 7, 10, 40–41, 43. 1915.
  arsenite, with cactus solution, spraying experiments. D.B. 160, pp. 9–10, 12, 18–19. 1915.
  assimilation by rice from nutrient solutions. P. L. Gile and J. O. Carrero. J.A.R. vol. 7, pp. 503–528. 1916.
  availability—
    in soil—
      cause of lime-induced chlorosis. P. L. Gile and J. O. Carrero. J.A.R., vol. 20, pp. 33–62. 1920.
      factors governing. J.A.R., vol. 24, pp. 621–623. 1923.
      to rice plants. J.A.R., vol. 20, pp. 47–58. 1920.
  bar, prices, comparison with other building materials. Rpt. 117, pp. 13–14, 28, 19. 1917.
  cleaning directions. F.B. 1180, p. 19. 1921.
  coating with zinc, different methods. Rds. Bul. 35, pp. 17–18. 1906.
  colloidal, assimilation by rice. P. L. Gile and J. O. Carrero. J.A.R., vol. 3, pp. 205–210. 1914.
  compounds—
    accumulation in corn plant, relation to root rots. G.N. Hoffer and R. H. Carr. J.A.R. vol. 23, No. 10, pp. 801–824. 1923.

Iron—Continued.
  compounds—continued.
    availability to rice plants in calcareous and non-calcareous soils. J.A.R., vol. 20, pp. 50–54. 1920.
    in soils, importance in crop production. An. Rpts., 1907, p. 436. 1908.
    use in treatment of chlorotic plants, experiments. P.R. Bul. 11, pp. 30, 33–34, 43. 1911.
  content—
    in Hawaiian soil. Hawaii Bul. 42, pp. 8, 9. 1917.
    of blood and spleen in infectious equine anemia. Lewis H. Wright. J.A.R., vol. 26, pp. 239–242. 1923.
    of certain seeds, and manganese content. J. S. McHargue. J.A.R., vol. 23, pp. 395–399. 1923.
    of mottled leaves, studies. J.A.R., vol. 9, pp. 157–166. 1917.
  corrosion—
    Allerton S. Cushman. Rds. Bul. 30, pp. 35. 1907.
    causes and discussion. Rds. Bul. 35, pp. 8–15. 1909.
  corrugated, use in building chicken houses. F.B. 1070, pp. 14–15. 1919.
  deficiency in soil, as cause of chlorosis. J.A.R., vol. 24, pp. 621, 628. 1923.
  determination in—
    phosphate rock, methods. Chem. Bul. 116, pp. 110–111. 1908; Chem Bul. 122, pp. 140–146. 1909.
    saline solutions. Soils Bul. 94, p. 48. 1913.
    water, modified method. Chem. Bul. 152, p. 78. 1912.
  dialyzed, effect on growth of rice. J.A.R., vol. 20, pp. 42–44. 1920.
  effect on—
    chlorotic plants. J.A.R., vol 20, pp. 38–39. 1920.
    milk and butter. B.A.I. Bul. 162, pp. 38–48, 50–55, 64–69. 1913.
  galvanized, manufacture, and use for food containers. B.A.I. An. Rpt., 1909, p. 266–267. 1911.
  immobility in plants. J.A.R., vol. 7, pp. 83–87. 1916.
  in—
    food, nutrition, functions. H. C. Sherman. O.E.S. Bul. 185, pp. 80. 1907.
    green vegetables. Y.B., 1911, p. 448. 1912; Y.B. Sep. 582, p. 448. 1912.
    Hawaiian soils, effect of heat. Hawaii Bul. 30, pp. 15–16. 1913.
    industry wastes, fertilizer source. Y.B., 1917, pp. 258–260. 1918; Y.B. Sep. 728, pp. 8–10. 1918.
    manganiferous soils. Hawaii Bul. 52, p. 10. 1924.
    normal and mottled citrus leaves. J.A.R., vol. 20, pp. 166–190. 1920.
    phosphates, determination report of referee. Chem. Bul. 105, pp. 157–161. 1907.
    plants, occurrence and distribution. J.A.R., vol. 23, pp. 802, 805–806. 1923.
    solution, poisonous effect on plants. J.A.R., vol. 23, p. 226. 1923.
  iodide, sirup, adulteration and misbranding. Chem. N.J. 2534. pp. 2. 1913.
  kitchen utensils, advantages and disadvantages. Thrift Leaf. 10, p. 2. 1919.
  liquor and sumac, black dye for leather. D.C. 230, p. 17. 1922; F.B. 1334, p. 18. 1923.
  manufacture, ancient method. Rds. Bul. 35, p. 7. 1909.
  occurrence in—
    soils. D.B. 122, pp. 15, 16, 27. 1914.
    wheat and other grains. J.A.R., vol. 5, No. 8, pp. 350, 352–354. 1915.
  ore, use in road building, in Minnesota, methods. Rds. Bul. 40, p. 21. 1911.
  oxides, occurrence in phosphate rock, description. D.B. 144, pp. 8–10, 27. 1914.
  painting, value of red lead. F.B. 474, pp. 9, 12–13. 1911.
  passivity, causes, discussion. Rds. Bul. 35, pp. 14–15. 1909.
  peroxide, use in house cleaning. F.B. 1180, pp. 9, 17. 1921.

Iron—Continued.
  pipes for culverts, cast and corrugated, size, thickness, and weights. Rds. Bul. 45, pp. 11–12. 1913.
  production, relation to conservation of national resources. Rds. Bul. 35, p. 7. 1909.
  quinine, and strychnine elixir, misbranding. Chem. N.J. 2428, p. 1. 1913.
  relation to effect of ammonium sulphate on plants. J.A.R., vol. 21, pp. 701–728. 1921.
  requirements of—
    body, per cent furnished by various foods. F.B. 1383, pp. 1–2, 9–33. 1924.
    plants, experiments with chlorotic plants. P.R. Bul. 11, pp. 33–34, 40, 43. 1911.
  rust, stains, removal from textiles. F.B. 861, pp. 23–24. 1917.
  salts—
    accumulation in tissues of corn plant, effects. J.A.R., vol. 23, pp. 814–818. 1923.
    effect on—
      ammonia fixation in soils. J.A.R., vol. 9, p. 150. 1917.
      nitric nitrogen of the soil. J.A.R., vol. 16, pp. 118–119. 1919.
      rice growth, experiments. J.A.R., vol. 7, pp. 503–528. 1916.
    penetration in treated wood, determination by visual methods. For. Cir. 190, p. 5. 1911.
    use in treatment of plant chlorosis. J.A.R., vol. 7, pp. 84, 85. 1916.
  ships, building in United States, value and tonnage, 1879–1914. Rpt. 117, pp. 49–52, 72. 1917.
  soils, relation to calcium and aluminum. J.A.R., vol. 11, pp. 660–671. 1917.
  solubility in soil, increase by addition of organic matter, studies. J.A.R., vol. 9, pp. 255–268. 1917.
  solutions, injection into corn plants, experiments. J.A.R., vol. 23, pp. 810–813. 1923.
  sources in food. D.B. 975, pp. 1–10, 11–36. 1921; F.B. 1228, pp. 4, 5. 1921.
  statistics, waste of material. For. Cir. 157, p. 9. 1908.
  structural, consumption in United States, 1895–1915. Rpt. 117, pp. 16–19. 1917.
  sulphate—
    analysis. Chem. Bul. 68, p. 49. 1902.
    composition. Chem. Bul. 68, p. 49. 1902.
    effect on—
      growing chicks. J.A.R., vol. 22, pp. 145–149. 1921.
      pine seedlings. J.A.R., vol. 21, No. 3, p. 158. 1921.
    for control of chlorosis of sugar-cane. P.R. An. Rpt., 1911, p. 21. 1912.
    mixtures for spraying grapes, formulas. B.P.I. Cir. 105, p. 5. 1913.
    use—
      against weeds. F.B. 424, pp. 23–24. 1910.
      as poison against Argentine ants. D.B. 647, pp. 60–71. 1918.
      as spray for weed control in oat field, formula, rate and method. F.B. 892, pp. 16–17. 1917.
      in control of fly larvae in horse manure, tests. D.B. 118, pp. 10–11. 1914.
      in spraying troublesome weeds. F.B. 360, pp. 16, 17. 1909.
      in control of yellowing of pineapples. Hawaii A.R., 1916, pp. 9, 24. 1917.
      in weed destruction. F.B. 1294, p. 41. 1922.
  sulphide—
    mixture for apple spraying, description and formula. B.P.I. Cir. 58, pp. 8–9, 11–12, 15–18. 1910; D.B. 120, pp. 12–16. 1914.
    spray, formulas. F.B. 1120, p. 2. 1920.
    use—
      in lightning-protection equipment. F.B. 842, pp. 5–10, 26–27. 1917.
      on chlorotic cane, with stable manure, results. P.R. An. Rpt., 1917, pp. 16–20. 1918.
  wrought, manufacture and characteristics. F.B. 239, pp. 16–18. 1905.
  See also Ferric; Ferrous.
Ironbark—
  importations and descriptions. No. 36618, B.P.I. Inv. 37, p. 39. 1916; Nos. 38718, 38726, B.P.I. Inv. 40, pp. 17, 20. 1917.

Ironbark—Continued.
  location and description. For. Bul. 87, pp. 15, 27–28. 1911.
Ironing—
  boards—
    and holders. F.B. 1099, pp. 11–12. 1920.
    folding, for farm home, description. F.B. 927, p. 13. 1918.
  clothing—
    cotton, linen, silk, and woolen. F.B. 1099, pp. 19–24. 1920.
    for control of lice. Sec. Cir. 61, p. 18. 1916.
  equipment for pressing clothing. F.B. 1089, pp. 22–23. 1920.
  machines, description and use in home work. F.B. 1099, pp. 13–14. 1920.
Irons—
  electric, description. Y.B., 1919, p. 238. 1920; Y.B. Sep. 799, p. 238. 1920.
  types for use in home laundering. F.B. 1099, pp. 12–13. 1920.
Ironweed—
  description, distribution, spread, and products injured. F.B. 660, p. 28. 1915.
  spread of wireworm. Y.B., 1908, p. 411. 1909; Y.B. Sep. 490, p. 411. 1909.
Ironwood—
  importation and description. No. 39646, B.P.I. Inv. 41, pp. 54–55. 1917.
  indicator of land value, possibilities. J.A.R., vol. 28, pp. 112, 122. 1924.
  Mexican, description, range and occurrence on Pacific slope. For. [Misc.], "Forest trees for Pacific * * *," pp. 378–380. 1908.
  names, range, description, bark, prices, and uses. B.P.I. Bul. 139, pp. 15–16. 1909.
  resistance to termites. Ent. Bul. 94, Pt. II, pp. 79, 81. 1915.
  Sonora, injury to trees by sapsuckers. Biol. Bul. 39, p. 44. 1911.
  use as windbreak for avocado. Hawaii Bul. 25, p. 21. 1911.
  western, description, range and occurrence on Pacific slope. For. [Misc.], "Forest trees for Pacific * * *," pp. 331–333. 1908.
  West Indian, Porto Rico, description and uses. D.B. 354, p. 97. 1916.
  white, importation and description. No. 34177, B.P.I. Inv. 32, p. 19. 1914.
  Wyoming, distribution and growth. N.A. Fauna 42, p. 63. 1917.
Irpex fusco-violaceus, description. D.B. 175, p. 44. 1915.
Irrigated—
  areas, Utah Lake Valley, farming profits. E. H. Thomson and H. M. Dixon. D.B. 117, pp. 21. 1914.
  crops, experiments, Scottsbluff, Neb. B.P.I. Cir. 116, pp. 14–20. 1913.
  farming, Wyoming, future development. O.E.S. Bul. 205, pp. 58–60. 1909.
  farms—
    drainage. R. A. Hart. F.B. 805, pp. 31. 1917.
    western potato culture. F.B. 386, pp. 1–13. 1910.
  lands—
    alfalfa pastures, rotation systems, examples. News L., vol. 14, No. 14, pp. 4–5. 1915.
    drainage—
      R. A. Hart. D.B. 190, p. 34. 1915.
      investigations in California. O.E.S. Cir. 108, pp. 29–30. 1911.
      methods. F.B. 187, pp. 33–38. 1904; F.B. 371, p. 52. 1909.
      methods, development. C. G. Elliott. O.E.S. An. Rpt., 1910, pp. 489–501. 1911.
      San Joaquin Valley, Calif. O.E.S. Bul. 217, pp. 1–58. 1909.
      studies. D.B. 355, pp. 38–39. 1916.
    in—
      Idaho, cost and value. O.E.S. Bul. 216, pp. 58–59. 1909.
      Northwestern States, timothy production on. M. W. Evans. F.B. 502, pp. 32. 1912.
      San Joaquin Valley, Calif., drainage. Samuel Fortier and Victor M. Cone. O.E.S. Bul. 217, pp. 58. 1909.
      Wyoming, crops, information for settlers. O.E.S. Bul. 205, pp. 23–27, 45–50. 1909.

Irrigated—Continued.
  lands—continued.
    potato-growing suggestions. L. C. Corbett. B.P.I. Cir. 90, pp. 6. 1912.
    preparation and cost. O.E.S. Bul. 205, pp. 46-50. 1909.
    settlement. Carl S. Scofield. Y.B. 1912, pp. 483-494. 1913; Y.B. Sep. 608, 483-494. 1913.
  sections—
    alfalfa growing, special instructions. F.B. 339, pp. 45-46. 1908.
    sugar-beet experiments. Chem. Bul. 95, pp. 22-28. 1905; Chem. Bul. 96, 24-27. 1905.
  soils. See Soils, irrigated.
Irrigation—
  acreage—
    by crops. Y.B. 1924, pp. 1105-1107. 1925.
    by States. Y.B., 1923, p. 424. 1924; Y.B. Sep. 896, p. 424. 1924.
    requirements, sizes of pumps and engines. F.B. 899, p. 16. 1917.
  aid to farmers. News L., vol. 6, No. 27, pp. 8-9. 1919.
  alfalfa—
    Samuel Fortier. F.B. 373, pp. 48. 1909; F.B. 865, pp. 40. 1917.
    effect on yields. W.I.A. Cir. 17, pp. 18-19 1917; F.B. 215, pp. 20-22. 1905. F.B. 1283, p. 24. 1922.
    experiments, Umatilla Experiment Farm. D.C. 110, pp. 16-17. 1920.
    in Hawaii, methods, and cost per acre. Hawaii Bul. 23, p. 13. 1911.
    methods and cost. F.B. 373, pp. 1-48. 1909.
    Pomona Valley, Calif., methods and cost. O.E.S. Bul. 236, rev., pp. 81-85, 94-95. 1912.
    water capacities of various soils. J.A.R., vol. 13, pp. 5-28. 1918.
    weevil control, connection with cultivation. Ent. Bul. 112, p. 29. 1912.
  Algeria, water supply and water works. B.P.I. Bul. 80, pp. 29-38. 1905.
  alkali lands, relation to reclamation. An. Rpts., 1904, pp. 260-261. 1904.
  along Pecos River and its tributaries. W. M. Reed. O.E.S. Bul. 104, pp. 61-81. 1902.
  and drainage—
    in Louisiana in 1905 and 1906, mechanical tests of pumps and pumping plants. W. B. Gregory. O.E.S. Bul. 183, pp. 72. 1907.
  investigations—
    1904, work of year. R. P. Teele. O.E.S. Bul. 158, pp. 19-75. 1905.
    Office of Experiment Stations. R. P. Teele. O.E.S. Doc. 723, pp. 23. 1904.
    laws of Italy. Translated by R. P. Teele. O.E.S. Bul. 192, pp. 100. 1907.
    publications, list, Office of Experiment Stations, corrected to—
      June 1, 1904. O.E.S. Doc. 719, pp. 8. 1904.
      June 30, 1905. O.E.S. Doc. 816, pp. 9. 1905.
      November 30, 1905. O.E.S. Doc. 852, pp. 6. 1905.
      May, 1906. O.E.S. Doc. 875, pp. 10. 1906.
      November 1, 1906. O.E.S. Doc. 917, pp. 11. 1906.
      May 1, 1907. O.E.S. Doc. 994, pp. 11. 1904.
      October 1, 1907. O.E.S. Doc. 1046, pp. 12. 1907.
    work of Office of Experiment Stations. O.E.S. Cir. 63, pp. 31. 1905.
  and rainfall. A. Beals. Y.B., 1902, pp. 627-642. 1903; Y.B. Sep. 294, pp. 627-642. 1903.
  and water requirements of crops, evaporation losses. Samuel Fortier. O.E.S. Bul. 177, pp. 51. 1907.
  arid region, ground water, record. O.E.S. An. Rpt., 1904, pp. 450-454. 1905.
  at—
    Arizona Experiment Station Farm. A. J. McClatchie. O.E.S. Bul. 104, pp. 125-135. 1902; O.E.S. Bul. 119, pp. 87-101. 1902.
    Belle Fourche Reclamation Project Experiment farm, work, 1916. W.I.A. Cir. 14, pp. 1-28, 1917.
    Fort Hays, experiments, 1903 and 1904. O.E.S. Bul. 158, pp. 567-583. 1905.
    Gage Canal, Calif., 1900. W. Irving. O.E.S. Bul. 104, pp. 137-146. 1902.

Irrigation—Continued.
  at—continued.
    Gage Canal, Calif., 1901. W. Irving. O.E.S. Bul. 119, pp. 146-159. 1902.
    Garden City, 1904. A. E. Wright and A. B. Collins. O.E.S. Bul. 158, pp. 583-594. 1905.
    Klamath Marsh Experiment Farm, preliminary report. B.P.I. Cir. 86, pp. 5-8. 1911.
    Missouri Agricultural Experiment Station, 1903. H. J. Waters. O.E.S. Bul. 148, pp. 21-27. 1904.
  beginners, information. Samuel Fortier. F.B. 263, p. 40. 1906; F.B. 864, pp. 38. 1917.
  border—
    experiments, Oregon, Umatilla experiment farm. D.C. 110, pp. 17-19. 1920; W.I.A. Cir. 26, pp. 14-17. 1919.
    method—
      Samuel Fortier. F.B. 1243, pp. 41. 1922.
      land preparation, tools, and cost. F.B. 373, pp. 13-16. 1909; F.B. 392, pp. 22-23. 1910; F.B. 864, pp. 23-24. 1917; F.B. 865, pp. 4-7. 1917.
    practices in various States. F.B. 1243, pp. 24-41. 1922.
  brackish water, effect on crops, experiments. Hawaii A.R., 1922, pp. 17-18. 1924.
  by pumping—
    California tests, cost. O.E.S. Cir. 108, pp. 18-21. 1911.
    cost in Colorado. O.E.S. Bul. 218, pp. 30-33. 1910.
  canal(s)—
    concrete lining for. Samuel Fortier. D.B. 126, pp. 86. 1915.
    construction, materials and cost, comparisons. D.B. 115, p. 2. 1914.
    gate structures. Fred C. Scobey. D.B. 115, pp. 61. 1914.
    in—
      United States, plans of structures. O.E.S. Bul. 131, pp. 1-51. 1903.
      Wyoming, location, and ensuing development. O.E.S. Bul. 205, pp. 27-45. 1909.
    national forests, decision. Sol. Cir. 69, pp. 1-5. 1913.
    prevention of seepage losses. O.E.S. An. Rpt., 1907, pp. 370-380. 1908.
    sidehill, various States, description, and value. D.B. 194, pp. 27, 44-45. 1915.
    use of current meters, experiments. S. T. Harding. J.A.R., vol. 5, No. 6, pp. 217-232. 1915.
  channels—
    estimation charts, and description. D.B. 194, pp. 52-58. 1915.
    flow of water in. Fred C. Scobey. D.B. 194, pp. 68. 1915.
    various States, description and materials. D.B. 194, pp. 19-45, 62-68. 1915.
    water-carrying capacity, studies. D.B. 194, pp. 45-47. 1915.
  check—
    application to orchards. F.B. 404, pp. 23-24. 1910.
    method—
      description. F.B. 882, pp. 26-27. 1917; Y.B. 1909, pp. 296-297. 1910; Y.B. Sep. 514, pp. 296-297. 1910.
      implements and cost. F.B. 373, pp. 16-20. 1909; F.B. 865, pp. 8-11. 1917; O.E.S. Bul. 207, pp. 54-59, 69-70. 1909.
      preparation of land. F.B. 864, pp. 21-23. 1917; O.E.S. Bul. 158, pp. 118-126. 1905.
      use in California. F.B. 392, pp. 12, 22, 43. 1910.
    checkgates, description, and cost. O.E.S. Bul. 207, pp. 56-59, 66-67. 1909.
  citrus culture, mulched-basin system, bearing on mottle-leaf control. Lyman J. Briggs and others. D.B. 499, pp. 31. 1917.
  communication of crown-gall disease. B.P.I. Bul. 183, p. 25. 1910.
  conditions—
    in California, Madera area. Soil Sur. Adv. Sh., 1910, pp. 39-40. 1911; Soils F.O., 1910, pp. 1749-1750. 1912.
    in Imperial Valley, California. J. E. Roadhouse. O.E.S. Bul. 158, pp. 175-194. 1905.
    influencing water requirements. D.B. 1340, pp. 29-33. 1925.

Irrigation—Continued.
control of barnyard grass, experiments. D.B. 1155, pp. 49-53. 1923.
cooperative experiments at California University Farm, Davis, Calif., 1909-1912. S. H. Beckett. D.B. 10, pp. 21. 1913.
corn growing, variety testing. D.B. 307, pp. 9-10, 12, 13-14, 19. 1915.
corrugation method. James C. Marr. F.B. 1348. pp. 24. 1923.
cost—
and benefits. Rpt. 70, pp. 39-42. 1901.
North Atlantic States. O.E.S. Bul. 167, pp. 44, 46-49. 1906.
of delivery of water. O.E.S. Bul. 229, pp. 99. 1910.
per acre—
annually. Y.B. 1911, pp. 372-373. 1912. Y.B. Sep. 576, pp. 372-373. 1912.
comparison of several pumping plants. O.E.S. Bul. 183, pp. 62, 63, 64. 1907.
relation to profitable crop production. Y.B., 1911, pp. 372-373. 1912; Y.B. Sep. 576, pp. 372-373. 1912.
crops—
in Nebraska, 1913, growing and yield. B.P.I. Doc. 1081, pp. 4-18. 1914.
in Nebraska, Kimball County. Soil Sur. Adv. Sh., 1916, pp. 9, 11, 24, 25, 28. 1917; Soils F.O., 1916, pp. 2183, 2185, 2198, 2199, 2202. 1921.
requirements per acre. Y.B. 1916, pp. 509, 510. 1917; Y.B. Sep. 703, pp. 3, 4. 1917.
yield, South Dakota. O.E.S. Bul. 210, pp. 25-27. 1909.
damages by erosion, of farms and forests. Y.B., 1916, pp. 119-121. 1917; Y.B. Sep. 688, pp. 13-15. 1917.
dams, injury by gopher burrows, and fatal results. N.A. Fauna 39, p. 11. 1915.
demonstration farms, Wyoming, work, 1910. O.E.S. An. Rpt., 1910, p. 41. 1911.
designing for farm, information needed. F.B. 899, p. 35. 1917.
development—
effect of sugar-beet growing. Rpt. 84, pp. 15-19. 1907.
in South Dakota. O.E.S. Bul. 210, pp. 28-31. 1909.
Yuma project—
1912-1916. W.I.A. Cir. 20, pp. 7-8. 1918.
1912-1917. W.I.A. Cir. 25, pp. 6-7, 35. 1919.
under the Carey Act, by States. Sec. Cir. 124, pp. 5-8. 1919.
district(s)—
act. D.B. 1259, pp. 13-14. 1924.
companies, and community interests. Y.B., 1920, pp. 206-210. 1921; Y.B. Sep. 839, pp. 206-210. 1921.
farmer's water-rights. D.B. 913, p. 10. 1920.
in—
California, Modesto and Turlock, distribution and use of water. Frank Adams. O.E.S. Bul. 158, pp. 93-139. 1905.
Colorado, details. O.E.S. Bul. 218, pp. 29-30. 1910.
Idaho. O.E.S. Bul. 216, pp. 34-37. 1909.
laws, by States. O.E.S. An. Rpt., 1909, pp. 410-412. 1910.
operation and finance. Wells A. Hutchins. D.B. 1177, pp. 56. 1923.
wheat varietal studies, Marquis and other. D.B. 400, pp. 34-38. 1916.
ditches—
building. F.B. 138, pp. 12-15. 1901.
capacity and table. F.B. 1202, p. 40. 1921.
cement construction, most economical. B.P.I. Cir. 132, p. 16. 1913.
cost. F.B. 158, pp. 27-28. 1902.
damage by pocket gophers. F.B. 484, p. 38. 1912.
devices for turning water. F.B. 138, pp. 24-26. 1901.
historical notes. O.E.S. Bul. 222, p. 33. 1910.
improvement and beautifying, example. F.B. 1325, p. 26. 1923.
in South Dakota. O.E.S. Bul. 210, pp. 33-37. 1909.
protection against soil blowing. F.B. 421, pp. 18-19. 1910.

Irrigation—Continued.
ditches—continued.
sheep pasturing, experiments, Yuma, Ariz. W.I.A. Cir. 25, pp. 33-34. 1919.
small, building directions. C. T. Johnston and J. D. Stannard. F.B. 158, pp. 28. 1902.
spread of whorled milkweed. D.B. 800, pp. 7-8. 1920.
use of oil-mixed concrete, methods. D.B. 230, pp. 14-15. 1915.
water flow. D.B. 194, pp. 68. 1915.
drainage of land. D.B. 190, pp. 1-34. 1915.
duty of water—
experiments. D.C. 342, pp. 13-16. 1925.
in Idaho. D. W. Ross. O.E.S. Bul. 104, pp. 221-239. 1902.
under Gage Canal, Riverside, Calif. W. Irving. O.E.S. Bul. 104, pp. 137-146. 1902.
eastern farms, cost. F.B. 899, pp. 33-35. 1917.
economical, determination experiments. D.B. 462, p. 47. 1917.
effect(s)—
of chlorides in waters. Y.B., 1902, pp. 288-289. 1903.
of time on development of barley kernels. Harry V. Harlan and Stephen Anthony. J.A.R., vol. 21, pp. 29-45. 1921.
on—
arsenic in soils, studies and experiments. J.A.R., vol. 5, No. 11, pp. 460-463. 1915.
bacterial activities of soils. J.A.R., vol. 6, No. 23, pp. 902-923. 1916.
color of fruit. D.B. 140, p. 45. 1915.
development of western Oregon. O.E.S. Bul. 226, pp. 66-68. 1910.
humidity in beet fields. J.A.R., vol. 6, No. 1, p. 35. 1916.
nitrates and soluble salts of the soil. J.A.R., vol. 8, pp. 333-359. 1917.
pastures, Scottsbluff experiment farm. D.C. 289, pp. 37-38. 1924.
quality of crops, experiments. F.B. 210, pp. 13-15. 1904.
quality of fruit. O.E.S. Bul. 158, pp. 142-147. 1905.
soil nitrogen and bacterial activity. J.A.R., vol. 9, pp. 306-320, 321-335. 1917.
sugar beets. Chem. Bul. 95, pp. 9, 12, 13, 30-31. 1905.
Egyptian, methods and administration study. Clarence T. Johnston. O.E.S. Bul. 130, pp. 100. 1903.
electric motor, cost and efficiency. F.B. 1404, pp. 21-23. 1924.
enterprises—
acreage, percent of lands, and types of management. O.E.S. An. Rpt., 1911, pp. 39-40. 1912.
Kansas, description. O.E.S. Bul. 211, pp. 15-24. 1909.
Oregon, national, State, and private. O.E.S. Bul. 209, pp. 30-46. 1909.
South Dakota, public and private. O.E.S. Bul. 210, pp. 31-44. 1909.
Texas, details. O.E.S. Bul. 222, pp. 36-76. 1910.
evaporation losses and water requirements of crops. Samuel Fortier. O.E.S. Bul. 177, pp. 51. 1907.
experiments—
at Missouri Experiment Station. H. J. Waters. O.E.S. Bul. 119, pp. 305-311. 1902; O.E.S. Bul. 133, pp. 218-222. 1903.
in Montana, Huntley farm—
1916. W.I.A. Cir. 15, pp. 1-25. 1917.
1922. D.C. 330, pp. 10-12. 1925.
in Oregon—
Umatilla experiment farm, 1914. W.I.A. Cir. 1, pp. 6-8. 1915.
Umatilla experiment farm, 1920-1922. D.C. 342, pp. 20-21. 1925.
Willamette Valley, progress report. A. P. Stover. O.E.S. Cir. 78, pp. 25. 1908.
in Wisconsin. F. H. King. O.E.S. Bul. 119, pp. 313-352. 1902.
with—
Idaho field crops. O.E.S. Cir. 65, pp. 11-15. 1906.
tanks to find water requirements of crops. D.B. 1340, pp. 14-33. 1925.

Irrigation—Continued.
 extension—
  experiments, 1923. D.C. 344, p. 6. 1925.
  stations, demonstration. Rpt. 83, pp. 86–88. 1906.
  to humid regions, results. Y.B., 1911, pp. 309, 310, 313, 315, 319. 1912; Y.B. Sep. 570, pp. 309, 310, 313, 315, 319. 1912.
 fall—
  and spring, comparison of results, experiments. O.E.S. Cir. 95, pp. 6–8. 1910.
  annual crops. W.I.A. Cir. 9, p. 18. 1916.
  at Scottsbluff experiment farm, experiment. B.P.I. Doc. 1081, pp. 15–16. 1914.
  effect on crop yield—
   W.I.A. Cir. 4, pp. 12–13. 1915.
  at Belle Fourche, S. Dak. F. D. Farrell and Beyer Aune. D.B. 546, pp. 15. 1917.
  experiments with crops, Scottsbluff Reclamation Project Experiment Farm. Fritz Knorr. D.B. 133, pp. 17. 1914.
  in Nebraska, crop yields. B.P.I. Cir. 116, pp. 18–19. 1912.
 farm(s)—
  by pumping. P. E. Fuller. Y.B., 1916, pp. 507–520. 1917; Y.B. Sep. 703, pp. 14. 1917.
  Colorado, Cache la Poudre Valley, various crops. D.B. 1026, pp. 51–68, 83–84. 1922.
  extension work. D.C. 270, pp. 7–8. 1924.
  numbers and demand for land. Y.B., 1918, p. 437. 1919; Y.B. Sep. 771, p. 7. 1919.
  small tracts, aid of county agents. D.C. 244, pp. 30–31. 1922.
  value per acre by States and Territories, 1900–1905. Stat. Bul. 43, pp. 14, 16, 18. 1906.
 farmers. Samuel Fortier. Y.B., 1920, pp. 203–216. 1921; Y.B. Sep. 839, pp. 203–216. 1921.
 farming—
  advantages, discussion. Y.B., 1911, pp. 380–381. 1912; Y.B. Sep, 576, pp. 380–381. 1912.
  conditions, crops, and industries, needs. Y.B., 1916, pp. 177–198. 1917; Y.B. Sep. 690, pp. 1–22. 1917.
  in Colorado, cost of raising various crops. O.E.S. Bul. 218, pp. 40–44. 1910.
  in New Mexico, future development. O.E.S. Bul. 215, pp. 40–42. 1909.
  on Belle Fourche project, crops, yields, and value. D.C. 339, pp. 4–26. 1925.
  outlook for 1911. Carl S. Scofield. Y.B., 1911, pp. 371–382. 1912; Y.B. Sep. 576, pp. 311–382. 1912.
 from—
  Big Thompson River. John E. Field. O.E.S. Bul. 118, pp. 75. 1902.
  Jordan River. R. P. Teele. O.E.S. Bul. 124, pp. 39–91. 1903.
  Logan River. George L. Swendsen. O.E.S. Bul. 104, pp. 179–194. 1902.
  Los Angeles River, Calif., investigations. O.E.S. Bul. 100, pp. 327–351. 1901.
  Pecos River. W. M. Reed. O.E.S. Bul. 104, pp. 61–81. 1902.
  San Joaquin River. Frank Soulé. O.E.S. Bul. 100, pp. 215–258. 1901.
  Snake River, Idaho. H. G. Raschbacher. O.E.S. Cir. 65, pp. 16. 1906.
  Spanish Fork River. O.E.S. Bul. 124, pp. 157–170. 1903.
  Virgin River, agriculture in basin. Frank Adams. O.E.S. Bul. 124, pp. 207–265. 1903.
 furrow—
  citrus orchards, unsatisfactory results. D.B. 499, pp. 3–4, 13. 1917.
  distribution of water in soil. R. H. Loughridge. O.E.S. Bul. 203, pp. 63. 1908.
  effect on the distribution of nitric nitrogen in soils. J.A.R., vol. 9, pp. 204–234. 1917.
  preparation of land. F.B. 864, pp. 19–20. 1917.
 garden, dry-farming regions. F.B. 329, p. 13. 1908.
 gates and valves, types and cost. D.B. 906, pp. 53–54. 1921.
 Government projects, water rights and cost. F.B. 864, p. 8. 1917.
 historical notes, Texas. O.E.S. Bul. 222, pp. 32–34. 1910.
 importance in papaya growing. Hawaii Bul. 32, p. 10. 1914.

Irrigation—Continued.
 in—
  Alaska, Copper Valley. Alaska A.R., 1907, p. 28. 1908.
  America, history, area, and development. O.E.S. Bul. 235, pp. 9–12. 1911.
  Arizona—
   R. H. Forbes. O.E.S. Bul. 235, pp. 83. 1911.
   Benson area. Soil Sur. Adv. Sh., 1921, pp. 254, 260, 267, 270, 274. 1924.
   middle Gila Valley area. Soil Sur. Adv. Sh., 1917, pp. 30–31. 1920; Soils F.O., 1917, pp. 2112–2113. 1923.
   Salt River Valley. W. H. Code. O. E. S. Bul. 86, pp. 83–135. 1902.
   Salt River Valley, 1900. O.E.S. Bul. 104, p. 83. 1902; Bul. 119, p. 51. 1902.
   San Simon area. Soil Sur. Adv. Sh., 1921, pp. 588, 589. 1924.
   Yuma reclamation project, development. D.C. 75, pp. 6–9, 13–14, 30, 77. 1920.
  Arkansas, Prairie County. Soils F.O., 1906, pp. 658–659. 1908.
  Bear River Valley, Utah, 1901. Arthur P. Stover. O.E.S. Bul. 119, pp. 243–298. 1902.
  California—
   F. W. Roeding. O. E. S. Bul. 237, pp. 62. 1911.
   Anaheim County. Soil Sur. Adv. Sh., 1916. pp. 72–74. 1919; Soils F.O., 1916, pp. 2283–89, 2294–2335, 2338–40. 1921.
   Butte Valley, natural reservoirs. Soil Sur. Adv. Sh., 1907, pp. 15–16. 1909; Soils F.O., 1907, pp. 1011–1012. 1909.
   central southern area. Soil Sur. Adv. Sh., 1917, pp. 124–127. 1921; Soils F. O., 1917, pp. 2522–2525. 1923.
   Colusa area. Soil Sur. Adv. Sh., 1907, pp. 41–43. 1909; Soils F.O., 1907, pp. 963–965. 1909.
   cooperative investigations, progress report. S. Fortier. O.E.S. Cir. 59, pp. 23. 1904.
   cooperative investigations, second progress report. Frank Adams. O.E.S. Cir. 108, pp. 39. 1911.
   development and history. O.E.S. Bul. 237, pp. 33–38. 1911.
   duty of water under Gage Canal. O.E.S. Bul. 104, pp. 137–146. 1902.
   El Centro area, development and results. Soil Sur. Adv. Sh., 1918, pp. 9, 12, 48–51. 1922; Soils F.O., 1918, pp. 1637, 1640, 1676–1679. 1924.
   from San Joaquin River. Frank Soulé. O.E.S. Bul. 100, pp. 215–258. 1901.
   Fresno area. Soil Sur. Adv. Sh., 1912, pp. 72–78. 1914; Soils F.O., 1912, pp. 2156–2162. 1915.
   Grass Valley area, origin and extent. Soil Sur. Adv. Sh., 1918, pp. 37–39. 1921; Soils F.O., 1918, pp. 1721–1723. 1924.
   Honey Lake area, history and development. Soil Sur. Adv. Sh., 1915, pp. 55–61. 1917; Soils F.O., 1915, pp. 2305–2311, 2314. 1919.
   Imperial Valley, conditions. J. E. Roadhouse. O.E.S. Bul. 158, pp. 175–194. 1905.
   Los Angeles. Soil Sur. Adv. Sh., 1916, pp. 72–74. 1919; Soils F.O., 1916, pp. 2379–2411, 2414–2416. 1921.
   lower San Joaquin Valley, methods. Soil Sur. Adv. Sh., 1915, pp. 148–152, 157. 1918; Soils F.O., 1915, pp. 2724–2728, 2733. 1919.
   Marysville area, extent and methods. Soil Sur. Adv. Sh., 1909, pp. 51–53. 1911; Soils F.O., 1909, pp. 1735–1737. 1912.
   Merced area, development and use. Soil Sur. Adv. Sh., 1914, pp. 10–11, 13–14, 65–66. 1916; Soils F.O., 1914, pp. 2790–2791, 2793–2794, 2845–2846. 1919.
   middle San Joaquin Valley, methods and extension. Soil Sur. Adv. Sh., 1916, pp. 106–108. 1919; Soils F. O., 1916, pp. 2520–2522. 1921.
   Modesto-Turlock area, extent, and cost. Soil Sur. Adv. Sh., 1908, pp. 59–63. 1909; Soils F.O., 1908, pp. 1283–1287. 1911.
   Modesto-Turlock districts, distribution and use of water. Frank Adams. O.E.S. Bul. 158, pp. 93–139. 1905.

Irrigation—Continued.
 in—continued.
  California—Continued.
   Pajaro Valley. Soil Sur. Adv. Sh., 1908, pp. 40-45. 1910; Soils F.O., 1908, pp. 1366-1371. 1911.
   Pasadena area, sources, and methods. Soil Sur. Adv. Sh. 1915, pp. 51-52. 1917; Soils F.O., 1915, pp. 2361-2362, 2366. 1919.
   Portersville area, description, methods, and cost. Soil Sur. Adv. Sh., 1908, pp. 36-39, 40. 1909; Soils F.O., 1908, pp. 1326-1329, 1330. 1911.
   problems of Honey Lake Basin. William E. Smythe. O.E.S. Bul. 100, pp. 71-113. 1901.
   Red Bluff area. Soil Sur. Adv. Sh., 1910, pp. 15-17, 60. 1912; Soils F.O., 1910, pp. 1611-1613, 1656. 1912.
   Riverside area. Soil Sur. Adv. Sh., 1915, pp. 10-11, 84-86. 1917; Soils F.O., 1915, pp. 2373, 2446-2448. 1919.
   Sacramento Valley. Samuel Fortier and others. O.E.S. Bul. 207, pp. 99. 1909.
   Salinas Valley, problems. Charles D. Marx. O.E.S. Bul. 100, pp. 193-213. 1901.
   San Diego region. Soil Sur. Adv. Sh., 1915, pp. 44, 61, 73-74, 77. 1917; Soils F.O., 1915, pp. 2548, 2565, 2577-2578, 2581. 1919.
   San Fernando Valley area. Soil Sur. Adv. Sh., 1915, pp. 59-60. 1917; Soils F.O., 1915, pp. 2483-2485, 2505-2506. 1919.
   San Francisco Bay region, methods and crops. Soil Sur. Adv. Sh., 1914, pp. 108-110. 1917; Soils F. O. 1914, pp. 2780-2782. 1919.
   San Joaquin Valley. Victor M. Cone. O.E.S. Bul. 239, pp. 62. 1911.
   Santa Clara Valley. S. Fortier. O.E.S. Bul. 158, pp. 77-91. 1905.
   Shasta Valley area. Soil Sur. Adv., Sh., 1919, pp. 103, 107, 121-142, 149-150. 1923; Soils F.O., 1919, pp. 103, 107, 121-142, 149-150. 1925.
   sugar-beet districts, methods and water systems. D.B. 760, pp. 24-27. 1919.
   Tule River Basin. O.E.S. Bul. 119, pp 159-189. 1902.
   utilization of resources. Frank Adams. O.E.S. Bul. 254, pp. 95. 1913.
   water appropriation from Kings River. C. E. Grunsky. O.E.S. Bul. 100, pp. 259-325. 1901.
   water rights on Los Angeles River. O.E.S. Bul. 100, pp. 327-351. 1901.
   water storage, southern problems on torrential streams. O.E.S. Bul. 100, pp. 353-395. 1901.
   water-supply systems on typical enterprises. O.E.S. Bul. 229, pp. 11-27. 1910.
   Woodland area. Soil Sur. Adv. Sh., 1909, pp. 54-55. 1911; Soils F.O., 1909, pp. 1684-1686. 1912.
   Yuma experiment farm. W.I.A. Cir. 12, pp. 8-23. 1916.
  Canal Zone, necessity and methods. Rpt. 95, pp. 37-38. 1912.
  canals in, Arizona, water supply system. O.E.S. Bul. 229, pp. 63-66. 1910.
  Colorado—
   C. W. Beach and P. J. Preston. O.E.S. Bul. 218, pp. 48. 1910.
   Arkansas Valley. O.E.S. Bul. 119, p. 287. 1902.
   Grand Junction area. Soil Sur. Adv. Sh., 1905, pp. 23-28. 1906; Soils F.O., 1905, pp. 967-972. 1907.
   Grand Valley. O.E.S. Bul. 119, p. 265. 1902.
   near Rockyford, 1904. A.E. Wright. O.E.S. Bul. 158, pp. 609-623. 1905.
   northern. Robert G. Hemphill. D.B. 1026, pp. 85. 1922.
   San Luis Valley, value, systems, and methods. Soils Cir. 52, pp. 15-20, 22-23, 25-26. 1912.
   Uncompahgre Valley area. Soil Sur. Adv. Sh., 1910, pp. 22-25. 1912; Soils F.O., 1910, pp. 1460-1463. 1912.
   water-supply systems on typical canals. O.E.S. Bul. 229, pp. 37-48. 1910.
  Columbia River Valley, directions for grading. B.P.I. Cir. 60, pp. 7-11. 1910.

Irrigation—Continued.
 in—continued.
  field and garden. E. J. Wickson. F.B. 138, pp. 40. 1901.
  Florida—
   F. W. Stanley. D.B. 462, pp. 62. 1917.
   relation of soil types. D.B. 462, pp. 10-12. 1917.
  humid—
   region, need and possibilities. Milo B. Williams. Y.B., 1911, pp. 309-310. 1912; Y.B. Sep. 570, pp. 309-310. 1912.
   regions. Elwood Mead. O.E.S. Bul. 115, pp. 78-80. 1902.
   regions, methods. F.B. 899, pp. 3-4. 1917.
   sections of the United States, investigations in 1903, report. Edward B. Voorhees and others. O.E.S. Bul. 148, pp. 45. 1904.
  Idaho—
   D. W. Ross. O.E.S. Bul. 104, pp. 221-239. 1902.
   James Stephenson, jr. O.E.S. Bul. 216, pp. 59. 1909.
   conditions in Raft River water district, 1904. William Francis Bartlett. O.E.S. Bul. 158, pp. 279-302. 1905.
   duty of water. D. W. Ross. O. E. S. Bul. 100. pp. 221-239. 1902.
   history and methods. O.E.S. Bul. 168, pp. 49-62. 1906.
   Minidoka project. Soil Sur. Adv. Sh. 1907. pp. 8-9, 18-20. 1908; Soils F.O., 1907, pp. 912, 922-924. 1909.
   Nampa-Meridian irrigation district, water supply system. O.E.S. Bul. 229, p. 51. 1910.
   southern preparation of land, importance. F.B. 1103, pp. 7-10. 1920.
   Valley of Lost River. Albert Eugene Wright. O.E.S. Cir. 58, pp. 24. 1904.
  Imperial Valley, conditions. Soil Sur. Adv. Sh., 1920, pp. 707-710. 1923.
  Kansas—
   Don H. Bark. O.E.S. Bul. 211, pp. 28. 1909.
   experiments, 1903-4. O.E.S. Bul. 158, pp. 567-583, 585-594. 1905.
   Reno County. Soil Sur. Adv. Sh. 1911, pp. 23-24. 1913; Soils F.O., 1911, pp. 2009-2010. 1914.
   western part, importance, and source of supply. Soil Sur. Adv. Sh., 1910, p. 101. 1912; Soils F.O., 1910, p. 1439. 1912.
  Missouri, experiments. O.E.S. Bul. 119, p. 305. 1902.
  Montana—
   Samuel Fortier and others. O.E.S. Bul. 172, pp. 108. 1906.
   Bitterroot Valley area. Soil. Sur. Adv. Sh., 1914, pp. 70-71. 1917; Soils F.O., 1914, pp. 25-28. 1919.
   Bozeman Farmers' Canal Company, water-supply system. O.E.S. Bul. 229, pp. 49-51. 1910.
   investigations, 1900. Samuel Fortier. O.E.S. Bul. 104, pp. 267-292. 1902.
   investigations, 1901. Samuel Fortier. O.E.S Bul. 119, p. 225-241. 1902.
   water rights, distribution, method. O.E.S. Bul. 168, pp. 78-80. 1906.
  Nebraska—
   Deuel County. Soil Sur. Adv. Sh., 1921, p. 710. 1924.
   history and methods. O.E.S. Bul. 168, pp. 40-49. 1906.
   North Platte area. Soil Sur. Adv. Sh., 1907, pp. 24-25. 1908; Soils F.O., 1907, pp. 832-833. 1909.
   Platte County, 1900. O. V. P. Stout. O.E.S. Bul. 104, pp. 195-206. 1902.
   Platte County, under Great Eastern Canal, 1901. O. V. P. Stout. O.E.S. Bul. 119, pp. 299-304. 1902.
   Scottsbluff County, canals, data. Soil Sur. Adv. Sh., 1913, pp. 38-41. 1916; Soils F.O., 1913, pp. 2092-2095. 1916.
   western part. Soil Sur. Adv. Sh., 1911, p. 36. 1913; Soils F.O. 1911, p. 1904. 1914.

Irrigation—Continued.
in—continued.
　Nevada—
　　Fallon area. Soils F.O., 1909, pp. 1510-1512. 1912; Soil Sur. Adv. Sh., 1909, pp. 38-40. 1911.
　　history, and water rights. O.E.S. Bul. 168, pp. 73-77. 1906.
　New Jersey—
　　E. B. Voorhees. O.E.S. Bul. 119, pp. 353-364. 1902.
　　experiments in 1903. Edward B. Voorhees. O.E.S. Bul. 148, pp. 9-16. 1904.
　New Mexico—
　　Vernon L. Sullivan. O.E.S. Bul. 215, pp. 42. 1903.
　　W. M. Reed. O.E.S. Bul. 119, pp. 37-50. 1902.
　　laws. O.E.S. Bul. 168, pp. 90-91. 1906.
　　middle Rio Grande Valley area. Soil Sur. Adv. Sh., 1912, pp. 41-44. 1914; Soils F.O., 1912, pp. 1999-2002. 1915.
　　water-supply system. O.E.S. Bul. 229, pp. 61-63. 1910.
　New Mexico-Texas, Mesilla Valley. Soil Sur. Adv. Sh., 1912, pp. 37-38. 1914; Soils F.O., 1912, pp. 2043-44. 1915.
　North Atlantic States. Aug. J. Bowie, jr. O.E.S. Bul. 167, pp. 50. 1906.
　North Dakota—
　　T. R. Atkinson. O.E.S. Bul. 219, pp. 39. 1909.
　　water rights, defining. O.E.S. Bul. 168, pp. 80-84. 1906.
　　western part. Soil Sur. Adv. Sh., 1908, pp. 75-77. 1910; Soils F.O., 1908, pp. 1223-1225. 1911.
　northern Italy—
　　Part I. Elwood Mead. O.E.S. Bul. 144, pp. 100. 1904.
　　Part II. Elwood Mead. O.E.S. Bul. 190, pp. 86. 1907.
　Oklahoma, laws. O.E.S. Bul. 168, p. 90. 1906.
　Oregon—
　　John H. Lewis and Percy A. Cupper. O.E.S. Bul. 209, pp. 67. 1909.
　　and Washington, Hood River-White Salmon River area. Soil Sur. Adv. Sh., 1912, p. 19. 1914; Soils F. O., 1912, p. 2061. 1915.
　　flood-water. O.E.S. Cir. 67, pp. 12-16. 1906.
　　Hood River canal, water-supply systems. O.E.S. Bul. 229, pp. 66-68. 1910.
　　investigations. A. P. Stover. O.E.S. Cir. 67, pp. 30. 1906.
　　Klamath basin. Soil Sur. Adv. Sh., 1908, pp. 36-38. 1910; Soils F.O., 1908, pp. 1404-1406. 1911.
　　Klamath County. F. L. Kent. O.E.S. Bul. 158, pp. 257-266. 1905.
　　Medford area. Soil Sur. Adv. Sh., 1911, pp. 71-73. 1913; Soils F.O., 1911, pp. 2353-2355. 1914.
　　Umatilla project, hints to settlers. Byron Hunter. B.P.I. Doc. 495, pp. 12. 1909.
　　Umatilla project, development, 1911-1919. D.C. 110, pp. 4-5. 1920.
　　water rights, defining. O.E.S. Bul. 168, pp. 84-86. 1906.
　　western, experiments and investigations. A. P. Stover. O.E.S. Bul. 229, pp. 68. 1910.
　　Willamette Valley, progress report on experiments. A. P. Stover. O.E.S. Cir. 78, pp. 25. 1908.
　Porto Rico, system, improvement needs. P.R. An. Rpt., 1921, p. 7. 1922.
　Raft-River district, conditions, 1904. William Francis Bartlett. O.E.S. Bul. 158, pp. 279-302. 1905.
　Salt River Valley. W. H. Code. O.E.S. Bul. 104, pp. 83-125. 1902.
　Salton Basin, development. B.P.I. Bul. 53, pp. 12, 104. 1904.
　semiarid West, use of windmills. P. E. Fuller. F.B. 866, pp. 38. 1917.

Irrigation—Continued
in—continued.
　South Dakota—
　　Samuel H. Lea. O.E.S. Bul. 210, pp. 60. 1909.
　　artesian basin. A. B. Crane. O.E.S. Bul. 148, pp. 29-44. 1904.
　　Black Hills. A. B. Crane. O.E.S. Bul. 133, pp. 166-177. 1903.
　　water rights, defining. O.E.S. Bul. 168, pp. 86-90. 1906.
　　western, areas and projects. Soil Sur. Adv. Sh., 1909, pp. 76-79. 1911; Soils F.O., 1909, pp. 1472-1474. 1912.
　　southwest Texas, methods and cost. Soil Sur. Adv. Sh., 1912, pp. 110-116. 1912; Soils F.O., 1912, pp. 1278-1284. 1914.
　Texas—
　　J. C. Nagle. O.E.S. Bul. 222, pp. 92. 1910.
　　Archer County, benefits. Soil Sur. Adv. Sh., 1912, pp. 29, 51. 1914; Soils F.O., 1912, 1912, pp. 1031, 1053. 1915.
　　Brownsville area. Soil Sur. Adv. Sh., 1907, pp. 27-29, 32. 1908; Soils F.O., 1907, pp. 727-729, 732. 1909.
　　history of development. O.E.S. Bul. 222, pp. 32-35. 1910.
　　Jefferson County. Soil Sur. Adv. Sh., 1913, pp. 10, 11, 43-45. 1915; Soils F.O., 1913, pp. 1006, 1007, 1039-1041. 1916.
　　Laredo area. Soil Sur. Adv. Sh., 1906, pp. 24-26. 1908; Soils F.O., 1906, pp. 500-502. 1908.
　　Rio Grande district, necessity, details. D.B. 665, pp. 20-21. 1918.
　　San Marcos area. Soil Sur. Adv. Sh., 1906, pp. 33-35. 1906; Soils F.O., 1906, pp. 533-535. 1908.
　　south-central conditions. Soil Sur. Adv. Sh., 1913, pp. 111-115. 1915; Soils F.O., 1913, pp. 1177-1181. 1916.
　　south, methods and cost. Soil Sur. Adv. Sh., 1909, pp. 99-104. 1908; Soils F.O., 1909, pp. 1123-1128. 1912.
　　southern. Aug. J. Bowie, jr. O.E.S. Bul. 158, pp. 447-507. 1905.
　　southwest, methods and cost. Soil Sur. Adv. Sh., 1911, pp. 23-26, 39, 75-80, 96-116. 1912; Soils F.O., 1911, pp. 1191-1194, 1207, 1243-1248, 1264-1284. 1914.
　　western, investigations. Harvey Culbertson. O.E.S. Bul. 158, pp. 319-340. 1905.
　Turlock district. Frank Adams. O.E.S. Bul. 158, pp. 93-139. 1905.
　United States, testimony of Elwood Mead before the United States Industrial Commission, June 11 and 12, 1901. O.E.S. Bul. 105, pp. 47. 1901.
　Utah—
　　Ashley Valley. Soil Sur. Adv. Sh., 1920, pp. 911, 934. 1924; Soils F.O., 1920, pp. 911, 934. 1925.
　　Bear River Valley. O.E.S. Bul. 119, p. 243. 1902.
　　Cache Valley area, methods. Soil Sur. Adv. Sh., 1913, pp. 63-65. 1915; Soils F.O., 1913, pp. 2157-2159. 1916.
　　Delta area. Soil Sur. Adv. Sh., 1919, pp. 35-37. 1922; Soils F.O., 1919, pp. 1831-1833. 1925.
　　discussion. O.E.S. Bul. 124, pp. 19-37. 1903.
　　Logan-River canals. O.E.S. Bul. 104, p. 179. 1902.
　　Salt Lake City, mountain water district. E.R. Morgan. O.E.S. Bul. 133, pp. 17-70. 1903.
　　water-supply systems on typical canals. O.E.S. Bul. 229, pp. 52-60. 1910.
　Utah Lake Valley, farming profits, studies. D.B. 117, pp. 1-21. 1914.
　Washington—
　　C. L. Waller. O.E.S. Bul. 133, pp. 124-136. 1903; O.E.S. Bul. 214, pp. 64. 1909.
　　Benton County. Soil Sur. Adv. Sh., 1916, pp. 66-69. 1919; Soils F.O., 1916, pp. 2264-2267. 1921.
　　cost of preparing land. O.E.S. Bul. 158, pp. 268-272. 1905.

Irrigation—Continued.
 in—continued.
  Washington—Continued.
   Franklin County, crops, and projects. Soil Sur. Adv. Sh., 1914, pp. 63, 74, 82, 83, 90-98. 1917; Soils F.O., 1914, pp. 2616-2618. 1919.
   history. O.E.S. Bul. 214, pp. 17-18. 1909.
   Quincy area, needs, and experiments. Soil Sur. Adv. Sh., 1911, pp. 17, 19, 35-59. 1913; Soils F.O., 1911, pp. 2239, 2241, 2257-2261. 1914.
   use of water. O.E.S. Bul. 104, p. 207. 1902; O.E.S. Bul. 119, p. 191. 1902.
   Wenatchee area, use and value. Soil Sur. Adv. Sh., 1918, pp. 13, 22, 23, 44-91. 1922; Soils F.O., 1918, pp. 1553, 1562, 1563, 1584-1631. 1924.
   western Puget Sound, history, cost, and crop yields. Soil Sur. Adv. Sh., 1910, pp. 34-40. 1912; Soils F.O., 1910, pp. 1523-1524. 1912.
   Yakima Valley. S. O. Jayne. O.E.S. Bul. 188, pp. 89. 1907.
   Yakima Valley, investigations. O. L. Waller. O.E.S. Bul. 158, pp. 267-278. 1905.
  Weber Valley. Jay D. Stannard. O.E.S. Bul. 124, pp. 171-206. 1903.
  Wisconsin—
   1902. A.R. Whitson. O.E.S. Bul. 133, pp. 223-234. 1903.
   experiments. O.E.S. Bul. 119, p. 313. 1902.
  Wyoming—
   Clarence T. Johnston. O.E.S. Bul. 205, pp. 60. 1909.
   water rights, defining and acquisition O.E.S. Bul. 168, pp. 19-39. 1906.
   Wheatland. C. T. Johnston. O.E.S. Bul. 104, pp. 207-215. 1902.
   Wheatland canal. O.E.S. Bul. 229, pp. 48-49. 1910.
  Wyoming-Nebraska, Fort Laramie area. Soil Sur. Adv. Sh., 1917, pp. 10-11, 12, 14, 24-45. 1921; Soils F.O., 1917, pp. 2046-2047, 2048, 2050, 2060-2071. 1923.
  Yakima Valley, use of water. O.L. Waller. O.E.S. Bul. 104, pp. 241-266. 1902.
 information for beginners. S. Fortier. F.B., 263, pp. 40. 1906; F.B. 864, pp. 38. 1917.
 investigations—
  O.E.S. Bul. 104; pp. 13, 21. 1902; O.E.S. Bul. 119, p. 17. 1902; O.E.S. An. Rpt., 1901, p. 417. 1902.
  at New Mexico Experiment Station, Mesilla Park, 1904. J. J. Vernon. O.E.S. Bul. 158, pp. 303-317. 1905.
  for—
   1900, report. Elwood Mead and others. O.E.S. Bul. 104, pp. 334. 1902.
   1901, report. R. P. Teele and others. O.E.S. Bul. 119, pp. 401. 1902.
   1902, report. E. R. Morgan and others. O.E.S. Bul. 133, pp. 266. 1903.
   1904, report. R. P. Teele and others. O.E.S. Bul. 158, pp. 755. 1905.
  in—
   California. Elwood Mead and others. O.E.S. Bul. 100, pp. 411. 1901.
   Montana, 1900. Samuel Fortier. O.E.S. Bul. 104, pp. 267-292. 1902.
   Montana, 1901. Samuel Fortier. O.E.S. Bul. 119, pp. 225-241. 1902.
   Montana, 1902. Samuel Fortier. O.E.S. Bul. 133, pp. 137-150. 1903.
   Nevada. J. M. Wilson. O.E.S. Bul. 104, pp. 147-158. 1902.
   New Jersey. E.B. Voorhees. O.E.S. Bul. 133, pp. 235-247. 1903.
   Utah, report. R.P. Teele and others. O.E.S Bul. 124, pp. 330. 1903.
   western Texas. Harvey Culbertson. O.E.S. Bul. 158, pp. 319-340. 1905.
   Yakima Valley, Wash., 1904. O. L. Waller. O.E.S. Bul. 158, pp. 267-278. 1905.
   on Cache Creek, Calif. J. M. Wilson. O.E.S. Bul. 100, pp. 155-191. 1901.
   on Sand Creek, Albany County, Wyo. Burton P. Fleming. O.E.S. Bul. 133, pp. 101-122. 1903.

Irrigation—Continued.
 investigations—continued.
  organization work and publications.
   1909. O.E.S. Cir. 87, pp. 12. 1909.
   rev., May, 1909. O.E.S. Doc. 1188, pp. 12. 1909.
   rev., June 18, 1909. O.E.S. Doc. 1180, pp. 5. 1909.
   Salt River Valley, 1901. W. H. Code. O.E.S. Bul. 119, pp. 51-87. 1902.
   ten-year review. R. P. Teele. O.E.S. An. Rpt., 1908, pp. 355-405. 1909.
 land—
  available for opening, area. Y.B., 1918, p. 437. 1919; Y.B. Sep. 771, p. 7. 1919.
  preparation, cost. O.E.S. Bul. 209, p. 58. 1909.
  seeding and preparation, method, and cost. O.E.S. Bul. 188, pp. 50-56. 1907.
  South Dakota, 1908, summary. O.E.S. Bul. 210, p. 24. 1909.
 laws of—
  California, needs, discussion. O.E.S. Cir. 108, pp. 7-12. 1911.
  Colorado. O.E.S. Bul. 218, pp. 34-38. 1910. 1910.
  Idaho and Wyoming. O.E.S. An. Rpt., 1910, pp. 468, 472, 474. 1911.
  Idaho, provisions. O.E.S. Bul. 158, pp. 280-285. 1905.
  Italy. Translated by R. P. Teele. O.E.S. Bul. 192, pp. 100. 1907.
  North Dakota. O.E.S. Bul. 219, pp. 28-38. 1909.
  Washington. O.E.S. Bul. 188, pp. 18-23. 1907.
  Wyoming. O.E.S. Bul. 205, pp. 50-57. 1909
 legislation, recent—
  R. P. Teele. O.E.S. An. Rpt., 1909, pp. 399-414. 1910.
  in Western States. O.E.S. Cir. 108, p. 10.1911.
 measuring devices. D.B. 906, pp. 31-41. 1921.
 methods—
  Samuel Fortier. Y.B., 1909, pp. 293-308. 1910; Y.B. Sep. 514, pp. 293-308. 1910.
  and adaptation to local conditions. F.B. 1243, pp. 3-5. 1922.
  comparison and description. O.E.S. Cir. 67, pp. 5-12. 1906.
  cost of water. O.E.S. Bul. 209, p. 58. 1909.
  description, preparation of land, and cost. F.B. 392, pp. 12-24. 1910.
  for—
   date trees in Africa. D.B. 271, pp. 20-21. 1915.
   different crops. F.B. 864, pp. 26-34. 1917.
   sugar beets. Rpt. 69, pp. 28-29. 1901.
  in—
   California, Imperial area. Soil Sur. Adv. Sh., 1903, pp. 1244, 1245, 1247, 1248. 1904; Soils F.O., 1903, pp. 1244, 1245, 1247, 1248. 1904.
   California, Victorville area. Soil Sur. Adv. Sh., 1921, p. 632. 1924.
   humid region. Y.B., 1911, pp. 317-318. 1912; Y.B. Sep. 570, pp. 317-318. 1912.
   Louisiana, Acadia Parish. Soil Sur. Adv. Sh., 1903, pp. 477-478, 480-481. 1904; Soils F.O., 1903, pp. 477-478, 480-481. 1904.
   Louisiana, Lake Charles area. Soils F.O. Sep. 1901, pp. 640-646. 1903; Soils F. O., 1901, pp. 640-646. 1902.
   Montana, Billings area. Soils F.O. Sep. 1902, pp. 674-675, 676, 681-686. 1903; Soils F.O., 1902, pp. 674-675, 676, 681-686. 1903.
   Nebraska, Sioux County. Soil Sur. Adv. Sh. 1919, p. 13. 1922; Soils F.O., 1919, p. 1769. 1925.
   New Mexico. O.E.S. Bul. 215, pp. 37-39. 1909.
   North Atlantic States. O.E.S. Bul. 167, pp. 44-46. 1906.
   Oregon, comparison. W.I.A. Cir. 17, pp. 20-22. 1917.
   southern Idaho. F.B. 1103, pp. 14-18. 1920.
   western Oregon. O.E.S. Bul. 226, pp. 28-34. 1910.
   western Texas. O.E.S. Bul. 158, pp. 334-335. 1905.
  of applying water. F.B. 138, pp. 26-38. 1901.
 on—
  Belle Fourche project, South Dakota. B.P.I. Doc. 453, p. 6. 1909.

Irrigation—Continued.
   methods—continued.
      on—continued.
         reclamation projects. B.P.I. Chief Rpt., 1917, p. 23. 1917; An. Rpts., 1917, p. 153. 1918.
         Umatilla experiment farm, 1912. B.P.I. Cir. 129, p. 31. 1913.
         unfavorable to crop. F.B. 399, pp. 20–21. 1910.
      mulched-basin system, for citrus orchards. D.B. 499, pp. 1–31. 1917.
      necessity—
         and value for home gardens, methods. F.B. 936, p. 33. 1918.
         in semiarid regions. Y.B., 1905, pp. 423–430. 1906; Y.B., Sep. 393, pp. 423–430. 1906.
      need in—
         western Oregon. O.E.S. Bul. 226, pp. 7–8, 19–27, 59. 1910.
         wheat growing and precautions. S.R.S. Syl. 11, rev., pp. 13–14. 1918.
      objections alleged. O.E.S. Bul. 158, pp. 171–174. 1905.
      of—
         apple—
            orchards, for control of spot diseases, experiments. J.A.R., vol. 12, pp. 109–138. 1918.
            orchards in Idaho, Payette Valley. D.B. 636, pp. 21–22. 1918.
            orchards, Oregon, Hood River Valley. D.B. 518, pp. 29–31. 1917.
            trees, effect on yields, Oregon. W.I.A. Cir. 17, pp. 19–20. 1917.
            trees, relation to scald development. J.A.R., vol. 16, p. 198. 1919.
         avocado, water requirements. Hawaii Bul. 51, p. 10. 1924.
         barley, effect on yield, experiments. F.B. 443, pp. 29–30. 1911.
         beets, labor requirements. D.B. 963, pp. 35–36. 1921.
         celery, methods and principles. F.B. 1269, pp. 13–15. 1922.
         citrus—
            fruits. Hawaii Bul. 9, p. 15. 1905.
            groves, value for protection from frost. F.B. 542, p. 17. 1913.
            orchards, in Gulf States. F.B. 1122, pp. 35–36. 1920.
            orchards, methods, cost and returns, Portersville area, California. Soil Sur. Adv. Sh., 1908, pp. 14–18. 1909; Soils F. O., 1908, pp. 1304–1308. 1911.
            orchards, practices and management. F.B. 1447, pp. 27–29. 1925.
         Colorado orchards, methods and cost. D.B. 500, pp. 23–26. 1917.
         corn, times and method. F.B. 773, pp. 19–20. 1916.
         cotton—
            in Arizona. F.B. 1432, pp. 8–12. 1924.
            overwatering, indications and causes. J.A.R., vol. 23, p. 943. 1923.
            principles for California, San Joaquin Valley. D. C. 164, pp. 12–15. 1921; D.C. 357, pp. 15–19. 1925.
         cranberry marshes, Wisconsin. A.R. Whitson. O.E.S. Bul. 158, pp. 625–642. 1905.
         date palm—
            amount of water necessary. B.P.I. Bul. 53, pp. 44–50. 1904.
            in nursery and in permanent garden. F.B. 1016, pp. 10, 12–13. 1919.
         Egyptian cotton in Arizona. B.P.I. Cir. 29, pp. 14–15. 1909; F.B. 577, pp. 5–7. 1914.
         flax, rotations and yields. F.B. 1328, pp. 8–9. 1924.
         fruit—
            gardens in dry regions. B.P.I. Bul. 130, pp. 65–67. 1908.
            gardens, methods. F.B. 1001, pp. 21–22. 1919.
            Great Plains area. F.B. 727, pp. 27–28. 1916.
            relation to yield, size, quality, and commercial suitability. E. J. Wickson. O.E.S. Bul. 158, pp. 141–174. 1905.
         grain. Walter W. McLaughlin. F.B. 399, pp. 23. 1910; F.B. 863, pp. 22. 1917.
         grain methods and results. F.B. 399, pp. 4–14. 1910; F.B. 863, pp. 1–22. 1917.

Irrigation—Continued.
   of—continued.
      lemon groves in Italy. B.P.I. Bul. 160, pp. 26–27. 1909.
      lettuce in greenhouse. F.B. 1418, p. 15. 1924.
      Logan blackberry. F.B. 998, pp. 9–10. 1918.
      long-staple cotton, experiments. B.P.I. Cir. 96, pp. 7–8, 21. 1912.
      long-staple cotton, southern California. B.P.I. Cir. 121, pp. 10–11. 1913.
      oats—
         in western Great Plains and basin areas. D. B. 823, pp. 60–66. 1920.
         suggestions. F.B. 424, pp. 24–25. 1910.
      olive orchards, and drainage requirements. F.B. 1249, pp. 26–30. 1922.
      onions. F.B. 354, pp. 20–21. 1909; F.B. 384, p. 7. 1910.
      orchards—
         Samuel Fortier. F.B. 404, pp. 36. 1910; F.B. 882, pp. 40. 1917.
         deciduous. F.B. 144, p. 12. 1901.
         in California, Pomona Valley, methods. O.E.S. Bul. 236, pp. 65–78. 1911.
         in Nevada. B.P.I. Cir. 118, pp. 23–24. 1913.
         in Washington, development, methods and costs. D.B. 446, pp. 5, 16–17. 1917.
         in Washington, Quincy area, possibilities and cost. Soil Sur. Adv. Sh., 1911, pp. 19, 46, 55–59. 1913; Soils F.O., 1911, pp. 2239, 2266, 2275–2281. 1914.
         in Yakima Valley, methods, time, and labor, cost per acre. D.B. 614, pp. 35–38. 1918.
         method. F.B. 882, pp. 12–27. 1917.
      Pima cotton, necessity for moisture control. D.B. 1018, pp. 2–4. 1922.
      plum, in Northwest prune growing. F.B. 1372, pp. 41–44. 1924.
      Porto Rico sugar-cane, value, methods, and cost. P.R. Bul. 9, pp. 18–20. 1910.
      potatoes—
         in Nebraska, Scottsbluff experiment farm, 1912–1916. W.I.A. Cir. 18, p. 16. 1918.
         method. B.P.I. Cir. 90, p. 4. 1912.
      Rhodes grass, necessity. F.B. 1048, pp. 8–10. 1919.
      rice—
         better methods, discussion. Sec. Cir. 89, pp. 13–15. 1918.
         canal companies and acreage, list. O.E.S. Bul. 222, pp. 48–49. 1910.
         experiments. D.B. 1356, pp. 21–26. 1925.
         in Arkansas, Lonoke County, wells as supply. Soil Sur. Adv. Sh., 1921, pp. 1284–1285. 1925.
         in Arkansas, Prairie County. Soil Sur. Adv. Sh., 1906, p. 34. 1907; Soils F.O., 1906, p. 658. 1908.
         in California experiments. D.B. 1155, pp. 16–20. 1923; F.B. 688, pp. 7–9. 1915.
         in Louisiana and Arkansas, cost of pumping from wells. W. B. Gregory. O.E.S. Bul. 201, pp. 39. 1908.
         in Louisiana and Texas, 1903 and 1904. W. B. Gregory. O.E.S. Bul. 158, pp. 509–544. 1905.
         in Louisiana and Texas, methods. F.B. 417, pp. 28–29. 1910.
         in United States. Frank Bond and G. H. Keeney. O.E.S. Bul. 113, pp. 77. 1902.
         lands, preparation for. F.B. 1141, pp. 7–8, 13–14. 1920; F.B. 1240, pp. 6–8. 1924.
         methods. F.B. 417, pp. 10–11, 14–15. 1910.
         on prairie lands of Arkansas. C. E. Tait. O.E.S. Bul. 158, pp. 545–565. 1905.
         on uplands of Louisiana and Texas. O.E.S. Bul. 113, p. 11. 1902.
         soils, Louisiana and Arkansas. Soils Cir. 54, p. 6. 1912.
         sources of water, methods and time of applying. F.B. 1092, pp. 5–8, 17–18. 1920; F.B. 1240, p. 3. 1924.
         southwestern Louisiana, experiments. D.B. 1356, pp. 19–26. 1925.
      strawberries—
         experiments. F.B. 169, pp. 10–14. 1903.
         in Eastern States, overhead and surface. F.B. 1028, pp. 32–33. 1919.
         in South Atlantic and Gulf States. F.B. 1026, pp. 29–30. 1919.

Irrigation—Continued.
  of—continued.
    strawberries—continued.
      in Western States. F.B. 1027, pp. 11-12, 20-21. 1919.
    Sudan grass, yields, comparison with alfalfa. F.B. 1126, pp. 9-10. 1920.
    sugar beets—
      C. O. Townsend. F.B. 567, pp. 26. 1914.
      F. W. Roeding. F.B. 392, pp. 52. 1910.
      cost of water. D.B. 726, pp. 46, 47. 1918.
      effect on sugar content, discussion. Chem. Bul. 64, pp. 22-23. 1901.
      experiments, study. Chem. Bul. 78, pp. 25-34. 1903.
      in California, Pomona Valley. O.E.S. Bul. 236, p. 85. 1911.
      in Colorado, acreage, labor, and cost. D.B. 726, pp. 35-37. 1918.
      methods. D.B. 721, pp. 18-21. 1918; D.B. 735, pp. 22-26. 1918; D.B. 995, pp. 21-22. 1921.
      need, and value to crop. J.A.R., vol. 4, pp. 249-250. 1915.
      practices and cost, Utah and Idaho. D.B. 693, pp. 29-30. 1918.
    sweet potatoes. Hawaii Bul. 50, p. 7. 1923.
    timothy, methods, time and quantity. F.B. 502, pp. 17-20, 32. 1912.
    tobacco, factor in controlling thrips. Ent. Bul. 65, p. 16. 1907.
    tomatoes. F.B. 1338, p. 19. 1923.
    trees, fruit and nut, Pomona Valley, Calif., methods, value, and cost. O.E.S. Bul. 236, pp. 78-81. 1911.
    vegetables in Guam. Guam Bul. 2, p. 16. 1922.
  on—
    gumbo soils, experiments, Belle Fourche project. D.B. 447, pp. 6-11. 1916.
    Hagerstown loam, early establishment of systems. Soils Cir. 29, pp. 10-11. 1911.
    Laramie Plains. O.E.S. Bul. 104, pp. 215-220. 1902.
    Yuma project, development, in 1912-1920. D.C. 221, pp. 5-7. 1922.
  orchard, in Santa Clara Valley, Calif. O.E.S. Bul. 158, pp. 79-80. 1905.
  organization for. D.B. 1340, pp. 6-12. 1925.
  overhead—
    and underground, methods in Florida, Hillsborough County. Soil Sur. Adv. Sh., 1916, pp. 14, 26, 31. 1918; Soils F.O., 1916, pp. 758, 770, 775. 1921.
    by sprinklers, description and cost. F.B. 1269, p. 13. 1922.
    citrus orchards, value in frost protection. Hawaii A.R., 1915, p. 69. 1916.
    for vegetable gardens. S.R.S. Syl. 27, p. 11. 1917.
  nitrates, distribution in soils. J.A.R., vol. 9, pp. 239-242. 1917.
  use in—
    Florida, Ocala area. Soil Sur. Adv. Sh., 1912, pp. 11, 17. 1913; Soils F.O., 1912, pp. 675, 681. 1915.
    New Jersey, Milville area. Soil Sur. Adv. Sh., 1917, p. 23. 1921; Soils F.O., 1917, p. 211. 1923.
  pasture—
    carrying capacity. D.C. 330, pp. 24-25. 1925.
    reclamation projects, requirements. D.R.P. Cir. 2, pp. 10, 13. 1916.
  permanent borders, preparation and surveys. F.B. 1243, pp. 5-8. 1922.
  pipe systems, design. D.B. 906, pp. 23-54. 1921.
  pipes, problems, estimate diagrams, and tables. D.B. 376, pp. 66-73. 1916.
  plants—
    design and equipment, studies. D.B. 462, pp. 58-62, 1917; O.E.S. Bul. 167, pp. 15-43. 1906; O.E.S. Bul. 201, pp. 1-39. 1908.
    operation, sizes and costs. O.E.S. Bul. 158, p. 90. 1905.
    southern Texas, detailed description. O.E.S. Bul. 158, pp. 373-474. 1905.
  practical. C. T. Johnston and J. D. Stannard. Y.B., 1900, pp. 491-513. 1901; Y.B. Sep. 201, pp. 491-513. 1901.

Irrigation—Continued.
  practice—
    in—
      Colorado, sugar-beet districts. D.B. 917, pp. 27-33. 1921.
      Oregon, investigations. A. P. Stover. O.E.S. Cir. 67, pp. 30. 1906.
      Pacific coast fruit growers. E. J. Wickson. O.E.S. Bul. 108, pp. 54. 1902.
    preparation—
      of land—
        R. P. Teele. Y.B., 1903, pp. 239-250. 1904; Y.B. Sep. 318, pp. 239-250. 1904.
        methods. F.B. 263, pp. 19-28. 1906; F.B. 864, pp. 16-26. 1917; O.E.S. Bul. 158, pp. 50-51. 1905.
      methods of applying water. O.E.S. Bul. 145, pp. 84. 1904.
      steps. Y.B., 1909, pp. 294-295. 1910; Y.B. Sep. 514, pp. 294-295. 1910.
    problems—
      for farmers. Carl S. Scofield. Y.B., 1909, pp. 197-208. 1910; Y.B. Sep. 505, pp. 197-208. 1910.
      Honey Lake Basin, Calif. W. E. Smythe. O.E.S. Bul. 100, pp. 71-113. 1901.
      Salinas Valley, Calif. Charles D. Marx. O.E.S. Bul. 100, pp. 193-213. 1901.
    projects—
      and snow surveys. Alfred H. Thiessen. Y.B., 1911, pp. 391-396. 1912; Y.B. Sep. 578, pp. 391-396. 1912.
      Belle Fourche, S. Dak.—
        hints to settlers. B.P.I. Doc. 453, pp. 1-7. 1909.
        suggestions to settlers. Beyer Aune. B.P.I. Cir. 83, pp. 14. 1911.
      Colorado, 1910. O.E.S. Bul. 218, p. 34. 1910.
      failures and their causes. Sec. Cir. 124, pp. 8-13. 1919.
      Idaho. O.E.S. Bul. 216, pp. 32-34, 41-53. 1909.
      Minidoka, Idaho, hints to settlers. B.P.I. Doc. 452, pp. 1-4. 1909.
      North Platte, Nebr., hints to settlers. B.P.I. Doc. 454, pp. 1-4. 1909.
      premature settlement or slow settlement, disastrous. Sec. Cir. 124, pp. 11-12, 14. 1919.
      Reclamation Service. O.E.S. Bul. 215, pp. 28-33. 1909.
      Scottsbluff experiment farm, 1916. W.I.A. Cir. 18, pp. 9-11. 1918.
      Sun River, Mont., hints to settlers. B.P.I. Doc. 462, pp. 1-7. 1909.
      Williston, N. Dak., farming, suggestions. B.P.I. Doc. 455, pp. 1-4. 1909.
      Wyoming, information for prospective settlers. O.E.S. Bul. 205, pp. 27-60. 1909.
    progess, 1902, review. Elwood Mead. Y.B., 1902, pp. 735-737. 1903.
    protection of fruit from frost. Y.B., 1909, p. 396. 1910; Y.B. Sep. 522, p. 396. 1910.
    publications, list, Office of Experiment Stations, corrected to—
      June 30, 1905. O.E.S. Doc. 816, pp. 1-9. 1905.
      November 30, 1905. O.E.S. Doc. 852, pp. 1-6. 1905.
      October 1, 1907. O.E.S. Doc. 1046, pp. 1-12. 1907.
      July, 1909. O.E.S. Doc. 1188, pp. 1-12. 1909.
    pumping—
      from wells. Paul A. Ewing. F.B. 1404, pp. 28. 1924.
      plants—
        in Colorado, Nebraska, and Kansas. O. V. P. Stout. O.E.S. Bul. 158, pp. 595-608. 1905.
        mechanical tests. O.E.S. Bul. 181, pp. 1-72. 1907.
        Pomona Valley, Calif., number, description, and kind. O.E.S. Bul. 236, pp. 43-55. 1911.
    pumps and pumping plants, mechanical tests. J. N. LeConte. O.E.S. Bul. 158, pp. 195-255. 1905.
    quantity of water. D.B. 1340, p. 32. 1925.
    reclamation projects, cost, 1904-1906. O.E.S. An. Rpt., 1909, p. 36. 1910.

Irrigation—Continued.
 relation—
  of forests. For. Cir. 35, pp. 10, 19–22. 1905.
  to—
   cross-fertilization of wheat. B.P.I. Bul. 274, p. 19. 1913.
   dry farming. Elwood Mead. Y.B., 1905, pp. 423–438. 1906; Y.B. Sep. 393, pp. 423–438. 1906.
   surface accumulation of alkali. Soils Bul. 35, pp. 13–21. 1906.
   tuber production. D.B. 958, pp. 24–25. 1921.
   yield, size, quality, and commercial suitability of fruits. E. J. Wickson. O.E.S. Bul. 158, pp. 141–174. 1905.
 requirements—
  of arable lands of Great Basin. Samuel Fortier. D.B. 1340, pp. 55. 1925.
  various crops, Yuma Experiment Farm. W.I.A. Cir. 12, p. 15. 1916.
 reservoir(s)—
  for farms. F.B. 828, pp. 3–6, 18–24, 27–36. 1917.
  in Rocky Mountain States. Y.B. 1901, p. 415. 1902.
  system of the Cache La Poudre Valley. E. S. Nettleton. O.E.S. Bul. 92, pp. 48. 1901.
 results, 1901, summary. R. P. Teele. O.E.S. Bul. 119, pp. 17–36. 1902.
 rights of way, national forests, laws and decisions. Sol. [Misc.], "Laws * * * national forests," pp. 81–83, 88–89. 1916.
 rotation experiments, Huntley farm project, 1920, with comparisons. D.C. 204, pp. 9–11. 1921.
 salt water, injurious to rice. O.E.S. Bul. 158, pp. 510–513. 1905.
 season(s)—
  in grain growing. F.B. 863, pp. 15–18. 1917.
  relation of soil and climatic conditions. F.B. 399, pp. 14–18. 1910.
 semiarid regions, and crop returns per acre. O.E.S. An. Rpt., 1908, pp. 394–398. 1909; O.E.S. Doc. 1221, pp. 394–398. 1909.
 Skinner system, use in New Jersey, Millville area. Soil Sur. Adv. Sh., 1917, p. 23. 1921; Soils F.O., 1917, p. 211. 1923.
 small—
  pumping plants, installation and cost. O.E.S. Cir. 101, pp. 1–40. 1910.
  reservoirs in Wyoming, Montana, and South Dakota. O.E.S. Bul. 179, pp. 1–100. 1907.
  systems, use of cement pipe. F.B. 317, pp. 12–15. 1908.
  water supplies. O.E.S. Cir. 92, pp. 5–6. 1910.
 soil—
  and alkali surveys in irrigated districts. Soils Bul. 35, pp. 60–139. 1906.
  conditions under, remarks. B.P.I. Chief Rpt., 1924, pp. 38–39. 1924.
  management. F.B. 266, p. 19. 1906.
  preparation, and cost. O.E.S. Bul. 215, pp. 37–38. 1909.
 sources, in California, Ukiah area. Soil Sur. Adv. Sh., 1914, p. 19. 1916; Soils F.O., 1914, p. 2643. 1919.
 spray—
  Milo B. Williams. D.B. 495, pp. 40. 1917.
  types of systems, description. D.B. 495, pp. 14–15. 1917.
 spread of eelworm disease. D.C. 297, pp. 5–7. 1923.
 sprinkling for truck crops. F.B. 460, pp. 16–17. 1911.
 State, engineer, relation. R. P. Teele. O.E.S. Bul. 168, pp. 99. 1906.
 statistics. Y.B., 1924, pp. 1104–1108. 1925.
 storm-water reservoirs, fruit and garden, Great Plains. B.P.I. Bul. 130, p. 66. 1908.
 Strawberry Valley project, Utah, description, and water cost. D.B. 117, p. 19. 1914.
 studies, percolation investigations, character of soil. O.E.S. Bul. 203, pp. 12–13, 38, 53–54, 56. 1908.
 summer, of Pima cotton. R. D. Martin and H. F. Loomis. J.A.R., vol. 23, pp. 927–946. 1923.
 supplemental—
  experiments in Wyoming, 1905–1908. O.E.S. Cir. 92, pp. 1–51. 1910.

Irrigation—Continued.
 supplemental—continued.
  with small water supplies at Cheyenne, Wyo., experiments. John H. Gordon. O.E.S. Cir. 95, pp. 11. 1910.
 supplies, relation to mountain snowfall. Y.B., 1910, pp. 408–410. 1911; Y.B. Sep. 547, pp. 408–410. 1911.
 surface, for eastern farms. F. W. Stanley. F.B. 899, pp. 36. 1917.
 survey act, purpose. D.B. 1257, pp. 5–6. 1924.
 systems—
  damage by ground squirrels. F.B. 484, pp. 13–14. 1912.
  Florida, description. D.B. 462, pp. 19–47. 1917.
  for forest nursery, comparison with sprinkling. D.B. 479, pp. 10–11, 13–14. 1917.
  on Stony Creek, Calif. R. T. Clarke and C. W. Landis. O.E.S. Bul. 133, pp. 151–164. 1903.
  spray, installation methods and cost. D.B. 495, pp. 35–40. 1917.
 tidal, in date-palm culture. B.P.I. Bul. 53, p. 48. 1904.
 time of application, experiments. D.B. 1340, pp. 19–29. 1925.
 times and frequency, influence on peaches, experiments. F.B. 882, pp. 38–39. 1917.
 Truckee-Carson project, agricultural observations. F. B. Headley and Vincent Fulkerson. B.P.I. Cir. 78, pp. 20. 1911.
 under—
  canals from Logan River. George L. Swendsen. O.E.S. Bul. 104, pp. 179–194. 1902.
  Carey Act—
   A. P. Stover. O.E.S. An. Rpt., 1910, pp. 461–488. 1911.
   provisions. Guy Irvin. Sec. Cir. 124, pp. 14. 1918.
  Great Eastern Canal, Platte County, Nebr., 1900. O. V. P. Stout. O.E.S. Bul. 104, pp. 195–206. 1902.
  underground, concrete pipes, cost. O.E.S. Cir. 108, p. 22. 1911.
 units and forms of expression. D.B. 1340, pp. 3–4. 1925.
 use—
  and value—
   in Florida, Orange County. Soil Sur. Adv. Sh., 1919, pp. 3, 6, 13. 1922; Soils. F. O., 1919, pp. 949, 952, 959. 1925.
   of St. Francis, Arkansas, reservoir water. O.E.S. Bul. 230, Pt. I, p. 81. 1911.
  in alfalfa seed production. F.B. 495, pp. 20, 24, 25–26. 1912.
  in—
   control of hop flea-beetle. Ent. Bul. 66, p. 88. 1910.
   control of western cabbage flea-beetle. D.B. 902, p. 19. 1920.
   field-mouse destruction. F.B. 352, p. 18. 1909.
   potato culture. William Stuart and others. F.B. 953, pp. 24. 1918.
  of—
   alkaline and saline waters for. Thomas H. Means. Soils. Cir. 10, pp. 4. 1903.
   concrete pipe. F. W. Stanley and Samuel Fortier. D.B. 906, pp. 54. 1921.
   current wheels for lifting water. O.E.S. Bul. 146, pp. 38. 1904.
   small water supplies. Y.B., 1907, pp. 409–424. 1908; Y.B. Sep. 458, pp. 409–424. 1908.
   underground water, Pomona, Calif. C. E. Tait. O.E.S. Bul. 236, pp. 99. 1911.
   windmills in semiarid West. P. E. Fuller. F.B. 394, pp. 44. 1910.
  Utah Lake drainage system. O.E.S. Bul. 124, pp. 93–155. 1903.
 value in—
  caterpillar-control in alfalfa growing. F.B., 1094, pp. 12–13, 16. 1920.
  raspberry growing. F.B. 887, p. 15. 1917.
 vegetative succession under. J. Francis Macbryde. J.A.R., vol. 6, No. 19, pp. 741–760. 1916.
 waste by bad grading of fields. B.P.I. Bul. 260, p. 64. 1912.

1268 UNITED STATES DEPARTMENT OF AGRICULTURE

Irrigation—Continued.
  water—
    distribution—
      duties of ditch tenders. O.E.S. Bul. 158, pp. 129–134. 1905.
      Idaho. D. W. Ross. O.E.S. Bul. 119, pp. 199–223. 1902.
      losses, investigations, Experiment Stations Office. O.E.S. [Misc.], "Organization and work * * *," pp. 28–29. 1909.
      measurement—
        and application. O.E.S. Bul 236, pp. 64–85. 1911.
        farmer's short-box flume. D.B. 1110, pp. 1–14. 1922.
        studies. J.A.R., vol. 9, pp. 97–129. 1917.
      requirements—
        for grain. F.B. 399, pp. 18–20. 1910.
        for oats, and use in dry-land States. F.B. 892, p. 17. 1917.
        for sugar beets, and use methods. D.B. 995, pp. 19–22. 1921.
        Yuma experiment farm, 1916. W.I.A. Cir. 20, pp. 31–32. 1918.
      right contracts. D.B. 1340, p. 36. 1925.
      rights of western farmers. D.B. 913, pp. 14. 1920.
      supply, methods of obtaining. F.B. 263, pp. 7–10. 1906; F.B. 864, pp. 5–8. 1917.
      use, Washington, 1901. O. L. Waller. O.E.S. Bul. 119, pp. 191–198. 1902.
      wood pipe for conveying. S. O. Jayne. D.B. 155, pp. 40. 1914.
      See also Water.
  weir, new, description, construction, and advantages. J.A.R., vol. 5, No. 24, pp. 1127–1143. 1916.
  western, investigations, program, 1915. Sec. [Misc.], "Program of work * * *, 1915." pp. 137–139. 1914.
  wheat culture, necessities, studies. O.E.S. F.I.L. 11, pp. 16–17. 1910.
  winter—
    compared with summer following. O.E.S. Cir. 92, p. 25. 1910.
    description and value, experiments. F.B. 882, p. 40. 1917.
    management, and value. F.B. 399, p. 15. 1910; O.E.S. Bul. 211, p. 28. 1909.
  with—
    rainfall. Edward A. Beals. Y.B., 1902, pp. 627–642. 1903; Y.B. Sep. 294, pp. 627–642. 1903.
    sewage and with marsh water. An. Rpts., 1908, p. 735. 1909; O.E.S. Dir. Rpt., 1908, p. 21. 1908.
  work—
    of Department of Agriculture. Elwood Mead. O.E.S. Cir. 48, pp. 4. 1901.
    of Yuma experiment farm, 1916. W.I.A. Cir. 20, pp. 1–40. 1918.
    review for 1904. R. P. Teele. O.E.S. Bul. 158, pp. 19–75. 1905.
  See also Drainage; Reclamation; Subirrigation.
irrigators—
  prospective instructions. O.E.S. Bul. 219, pp. 33–38. 1909.
  water delivery to. Frank Adams. O.E.S. Bul. 229, pp. 99. 1910.
IRVING, W.: "Duty of water under Gage Canal, Riverside, Calif.—
  1900." O.E.S. Bul. 104, pp. 137–146. 1902.
  1901." O.E.S. Bul. 119, pp. 146–159. 1902.
Irvingia malayana, importation and description. No. 52494, B.P.I. Inv. 66, p. 33. 1923.
ISAACSON, HAAKON: "Some aspects of the physiology of the mammary glands." B.A.I. Dairy [Misc.], "World's dairy congress, 1923," pp. 1018–1027. 1924.
Isachne—
  arundinacea, importations and descriptions. Nos. 51187, 51197, B.P.I. Inv. 64, pp. 69, 71. 1923.
  miliacea, occurrence in Guam. Guam A.R., 1913, p. 16. 1914.
Ischaemum—
  binatum, importation and description. No. 37014. B.P.I. Inv. 38, pp. 6, 25–26. 1917.
  latifolium, importation and description. No. 51095, B P.I. Inv. 64, p. 54. 1923.

Ischaemum—Continued.
  spp., occurrence in Guam. Guam A.R., 1913, p. 16. 1914.
Iseilema laxum, importation and description. No. 33447, B.P.I. Inv. 31, p. 23. 1914.
ISELY, DWIGHT—
  "Control of the grape-berry moth in the Erie-Chautauqua grape belt." D.B. 550, pp. 44. 1917.
  "Grapevine flea-beetles." D.B. 901, pp. 27. 1920.
  "Grapevine looper." D.B. 900, pp. 15. 1920.
  "Orchard injury by the hickory tiger moth." D.B. 598, pp. 16. 1918.
  "The cherry leaf beetle, a periodically important enemy of cherries." With R. A. Cushman. D.B. 352, pp. 28. 1916.
Isinglass, fish by-product. Chem. Bul. 133, p. 25. 1911.
Isinglass, use in refining vinegar. S.R.S. Doc. 99, p. 5. 1919.
Island possessions of United States—
  agricultural investigations. Walter H. Evans. Y.B., 1901, pp. 503–526. 1902; Y.B. Sep. 252, pp. 503–526. 1902.
  See also Guam; Hawaii; Philippine Islands; Porto Rico; Virgin Islands.
Islands, Windward, nursery stock inspection. F.H.B.S.R.A. 7, p. 66. 1914; F.H.B.S.R.A. 20, p. 77. 1915; F.H.B.S.R.A. 32, p. 122. 1916.
Islay trees, injury by sapsuckers. Biol. Bul. 39, pp. 43, 81. 1911.
Isle of Wight disease—
  description and study. D.B. 780, p. 52. 1919; D.C. 318, pp. 3–9, 1922; D.C. 287, pp. 2–8. 1923; Ent. Bul. 98, pp. 13, 79–80, 87–89, 92. 1912.
  occurrence in European countries. D.C. 287, pp. 11–25. 1923.
Isocoma spp. See Goldenrod, rayless.
Isoelectric points for plant tissue, further studies. William J. Robbins and Irl T. Scott. J.A.R., vol. 31, pp. 385–399. 1925.
Isophrictis similiella, similarity to Pectinophora gossypiella. J.A.R., vol. 20, pp. 813–814. 1921.
Isopogon anemonefolius, importations and description. Nos. 40054, 40055, B.P.I. Inv. 42, pp. 60–61. 1918.
Isosoma—
  description, distribution, enemies, and remedies. Ent. Bul. 42, pp. 9–40. 1903.
  galls, infestation by Hessian-fly parasites, experiments. J.A.R., vol. 6, No. 10. pp. 373, 377. 1916.
  grande. See Strawworm, wheat.
  hairy-faced, description. Ent. Bul. 42, pp. 36–38. 1903.
  hordei. See Jointworm, barley.
  spp.—
    See Harmolita spp.; Jointworms, straw.
    Webster's, description. Ent. Bul. 42, pp. 35–36. 1903.
Isoquercitrin in cotton varieties. J.A.R., vol. 13, pp. 346, 347, 348. 1918.
Isotoma axillaris, importation and description. No. 44834, B.P.I. Inv. 51, p. 76. 1922.
ISRAELSEN, O. W.: "Studies on capacities of soils for irrigation water, and on a new method of determining volume weight." J.A.R., vol. 13, pp. 1–36. 1918.
ISSAJEFF, T. W.—
  "Investigations in the manufacture and curing of cheese. VII. Directions for making the Camembert type of cheese." B.A.I. Bul. 98, pp. 21. 1907.
  "The Camembert type of soft cheese in the United States." With others. B.A.I. Bul. 71, pp. 29. 1905.
Istle—
  imports—
    1885, 1905, 1914, value and source. D.B. 296, p. 44. 1915.
    1907–1909, quantity and value, by countries from which consigned. Stat. Bul. 82, p. 38. 1910.
    1912–1915. Y.B., 1915, p. 542. 1916; Y.B. Sep. 685, p. 542. 1916.
    1918, statistics. Y.B. 1918, p. 629. 1919; Y.B. Sep. 794, p. 5. 1919.
    1922–1924. Y.B., 1924, p. 1066. 1925.
  See also Ixtle.

INDEX TO PUBLICATIONS, 1901–1925 1269

Italian—
  clover. See Clover, crimson.
  millet. See Millet, foxtail.
  rice, occurrence in rice fields and control. F.B. 1240, p. 25. 1924.
Italy—
  agricultural—
    conditions, 1918, report of commission. Sec. [Misc.] "Report * * * agricultural commission," pp. 18, 20–34, 71. 1919.
    education, progress, 1912. O.E.S. An. Rpt., 1912, p. 293. 1913.
    statistics 1911–1920. D.B. 987, pp. 33–36. 1921.
  bee-disease survey. D.C. 287, pp. 20–21. 1923.
  beet-sugar production, exports, and imports, 1910–1916. Sec. Cir. 86, p. 8. 1918.
  calf-feeding experiments. F.B. 381, pp. 20–21. 1909.
  canning factories, use of tomato waste. D.B. 632, pp. 1–3. 1917.
  cattle breeds, origin and ancestry, and spread in northern Europe. B.A.I. An. Rpt., 1910, pp. 219–220. 1912.
  cereal production, 1910–1911, and wheat imports, 1906–1910. Stat. Cir. 25, pp. 10–11. 1911.
  cheese trade. D.C. 71, p. 18. 1919.
  citrus fruit industry, location, methods, and production. D.B. 134, pp. 31–33. 1914.
  citrus trees, insect pests. Ent. Bul. 120, pp. 16, 49–51. 1913.
  climate unfavorable to fruit-fly development. J.A.R., vol. 3, pp. 326, 327. 1915.
  climatic conditions—
    comparison with those of western Oregon. O.E.S. Bul. 226, pp. 25–26. 1910.
    relation to citrus-fruit insects. D.B. 134, pp. 34–35. 1914.
  clover seed, unsatisfactory quality. Y.B., 1919, p. 345. 1920; Y.B. Sep. 815, p. 345. 1920.
  consignments of alfalfa-weevil parasites to United States. Ent. Bul. 112, pp. 34–39. 1912.
  corn—
    acreage and production, map. Sec. [Misc.], Spec. "Geography * * * world's agriculture." p. 33. 1917.
    imports, 1906–1910, by countries of origin. Stat. Cir. 26, p. 9. 1912.
    crops, areas, and production, 1909–1912. Stat. Cir. 39, pp. 6–7. 1912.
  dairy—
    animals, statistics, types, and breeds. B.A.I. Dairy [Misc.], "World's dairy congress, 1923," pp. 1416–1423. 1924.
    instruction. Giuseppe Fascetti. B.A.I. Dairy [Misc.], "World's dairy congress, 1923," pp. 649–654. 1924.
    statistics, 1871–1920. B.A.I. Doc. A–37 pp. 54–55. 1922.
  decree regulating sale of articles containing poison. Chem. Bul. 86, p. 49. 1904.
  drainage work, cost and results. Ent. Bul. 88, p. 59. 1910.
  food laws affecting American exports. Chem. Bul. 61, pp. 25–26. 1901.
  forest resources. For. Bul. 83, pp. 50–51. 1910; For. Cir. 140, pp. 25–26. 1908.
  fruit(s)—
    area, production, exports, and imports. D.B. 483, pp. 24–26. 1917.
    growing, apples, pears, quinces, and pome granates. Sec. [Misc.], Spec. "Geography * * * world's agriculture," pp. 77, 83. 1917.
  gipsy-moth outbreaks. Ent. Cir. 164, pp. 8–9. 1913.
  grain production, acreage. Stat. Bul. 68, pp. 70–72. 1908.
  grape—
    acreage and production. Sec. [Misc.], Spec. "Geography * * * world's agriculture," pp. 84, 86, 87. 1917.
    crown-gall studies. B.P.I. Bul. 183, p. 8. 1910.
  hay acreage, 1918. Sec. [Misc.], Spec. "Geography * * * world's agriculture," p. 106. 1918.
  hemp—
    acreage and production, map. Sec. [Misc.] Spec. "Geography * * * world's agriculture," p. 56. 1917.

Italy—Continued.
  hemp—continued.
    growing, varieties. Y.B., 1913, pp. 294, 299–300, 328. 1914; Y.B. Sep. 628, pp. 294, 299–300, 328. 1914.
  irrigation—
    and drainage laws. Translated by R. P. Teele. O.E.S. Bul. 192, pp. 100. 1907.
    conditions, comparison with those of western Oregon. O.E.S. Bul. 226, pp. 25–26. 1910.
  laws—
    food colors. Chem. Bul. 147, p. 35. 1912.
    on fruit and plant introduction. Ent. Bul. 84, p. 35. 1909.
  lemon industry. B.P.I. Bul. 160, pp. 7–33. 1909.
  livestock—
    conditions, 1919, and food demands. Y.B., 1919, pp. 414–416. 1920; Y.B. Sep. 821, pp. 414–416. 1920.
    statistics, 1916. Rpt. 109, pp. 30, 36, 47, 51, 59, 62, 202, 213. 1916.
  malarial conditions. Ent. Bul. 78, pp. 8–9, 11–12, 14–15. 1909.
  meat—
    consumption. Rpt. 109, pp. 128, 130, 133, 271–273. 1916.
    imports, statistics. Rpt. 109, pp. 101–114, 238–239, 252, 259, 261. 1916.
  milk handling, different methods. Giuseppe Fascetti. B.A.I. Dairy [Misc.], "World's dairy congress, 1923," pp. 883–887. 1924.
  mulberry scale, control by—
    parasite. Y.B., 1916, pp. 286–287. 1917; Y.B. Sep. 704, pp. 14–15. 1917.
    parasites sent from United States. An. Rpts., 1909, p. 499. 1910; Ent. A.R., 1909, p. 13. 1909.
  mules and asses, numbers. Sec. [Misc.], Spec. "Geography * * * world's agriculture," pp. 114, 116. 1917.
  northern, irrigation—
    Part I, Elwood Mead. O.E.S. Bul. 144, pp. 100. 1904.
    Part II, Elwood Mead. O.E.S. Bul. 190, pp. 86. 1907.
  olive acreage and crop, 1911. B.P.I. Bul. 192, pp. 19, 34–43. 1911; Stat. Cir. 24, p. 10. 1911; Stat. Cir. 28, pp. 9–10. 1912.
  pioneer work in mosquito extermination. Ent. Bul. 88, p. 104. 1910.
  Po Valley, irrigation. O.E.S. Cir. 78, pp. 12–14. 1908.
  potatoes—
    acreage, production and yield. Sec. [Misc.] Spec. "Geography * * * world's agriculture," p. 68. 1917.
    production, 1909–1913, 1921–1923. S.B. 10, p. 19. 1925.
  publications on agricultural cooperation, list. M.C. 11, p. 54. 1923.
  responsibility of barberry for rust invasions. D.C. 269, p. 9. 1923.
  rice acreage, map. Sec. [Misc.], Spec. "Geography * * * world's agriculture," pp. 46, 47. 1917.
  siphon spillways, use on canals, examples. D.B. 831, pp. 15, 20, 21, 31–32, 37. 1920.
  statistics, crops and livestock, 1911–1913, graphs. Y.B., 1916, pp. 533, 537–549. 1917; Y.B. Sep. 713, pp. 3, 7–19. 1917.
  sugar industry, 1903–1914. D.B. 473, pp. 48–50. 1917.
  trade with United States. D.B. 296, pp. 5, 10–47. 1915.
  water laws. O.E.S. Bul. 190, pp. 62–79. 1907.
  wheat—
    acreage, production and trade, 1909–1917, and war conditions. Y.B., 1917, pp. 463, 470, 473, 475. 1918; Y.B. Sep. 752, pp. 5, 12, 15, 17. 1918.
    and other crops, May–June, 1912. Stat. Cir. 37, p. 11. 1912.
    downy-mildew occurrence, host plants, and destructiveness. D.C. 186, p. 5. 1921.
    imports, 1885–1905. Stat. Bul. 66, pp. 44–47. 1908.
Itch—
  mites, description and habits. Rpt. 108, pp. 128–133. 1915.
  See also Mange; Scab; Scabies.

1270 UNITED STATES DEPARTMENT OF AGRICULTURE

Itching, cattle, causes and treatment. B.A.I. [Misc.], "Diseases of cattle," rev., pp. 322–323. 1904; rev., pp. 334–335. 1912.
Ithycerus noveboracensis, control and life history. F.B. 1270, p. 32. 1922.
Ithyphallus impudicus, description. D.B. 175, p. 48. 1915.
Itoniididae, habits and control. F.B. 1169, pp. 91, 93. 1921.
Itoplectis masculator, parasite of alfalfa weevil. Ent. Bul. 112, p. 39. 1912.
"Itsa," misbranding. I. and F. Bd. S.R.A. 43, N.J. 806, p. 1013. 1923.
Iva axillaris. See Marsh elder.
Ivanhoe Reservoir, Calif., slope lining with oil, details. O.E.S. Bul. 249, Pt. I, p. 62. 1912.
IVEY, J. E.—
"Study of some poultry feed mixtures with reference to their potential acidity and their potential alkalinity: I." With B. F. Kaupp. J.A.R., vol. 20, pp. 141–149. 1920.
"Time required for food to pass through the intestinal tract." With B. F. Kaupp. J.A.R., vol. 23, pp. 721–725. 1923.
Ivira, importations and description. No. 31558, B.P.I. Bul. 248, p. 24. 1912.
IVORY, EDWARD P.: "Standard grading specifications for yard lumber." With others. D.C. 296, pp. 75. 1923.
Ivory—
in bulk, injury by rats on shipboard. Biol. Bul. 33, p. 29. 1909.
nut palm—
growing in Hawaii, source of vegetable ivory. Hawaii A.R., 1919, p. 38. 1920.
importations and descriptions. No. 47007, B.P.I. Inv. 58, p. 18. 1922; No. 47513, B.P.I. Inv. 59, p. 24. 1922.
plum. See Wintergreen.
vegetable—
analyses, and calorific value. J.A.R., vol. 7, pp. 302–305. 1916.
importations and description. No. 43374, B.P.I. Inv. 48, p. 47. 1921; No. 47513, B.P.I. Inv. 59, p. 24. 1922.
imports—
1860–1908. Stat. Bul. 51, p. 27. 1909.
1906–1910. Y.B., 1910. p. 657. 1911; Y.B. Sep. 553, p. 657. 1911.
1907–1909, quantity and value, by countries from which consigned. Stat. Bul. 82, p. 68. 1910.
1908–1910, quantity and value, by countries from which consigned. Stat. Bul. 90, p. 71. 1911.
statistics. Y.B., 1921, pp. 739, 749. 1922; Y.B. Sep. 867, pp. 3, 13. 1922.
meal, use and value as feeding stuff. J.A.R., vol. 7, pp. 301–320. 1916.
Ivy—
English—
diseases, Texas, occurrence and description. B.P.I. Bul. 226, p. 67. 1912.
use on lawns as grass substitute. F.B. 494, pp. 35, 36, 48. 1912.
Japanese, leaf-spot, occurrence and description. B.P.I. Bul. 226, p. 70. 1912.
poisoning. See Poisoning, ivy.
Ixerba brexioides. See Tawari.
Ixobrychus spp. See Bittern.
Ixodes—
hexagonus—
description. B.A.I. Bul. 78, p. 15. 1905.
See also Tick, European dog.
ricinus—
description. B.A.I. Bul. 78, p. 14. 1905.
See also Tick, castor bean, European.
spp.—
description, life history, habits, and control. Ent. Bul. 106, pp. 76–88. 1912; Ent. Bul. 72, pp. 54–58. 1907; Rpt. 108, pp. 66, 69. 1915.
occurrence in Montana. Ent. Bul. 105, p. 31. 1911.
Ixodidae, subfamilies and genera, description of species. Ent. Bul. 72, pp. 46–64. 1907.
Ixodiphagus texanus, parasitic on rabbit tick. Ent. Bul. 106, p. 43. 1912.
Ixodoidea, of United States, revision. Nathan Banks. Ent. T.B. 15, pp. 61. 1908.

Ixophorus unisetus, description and importation No. 50650, B.P.I. Inv. 64, pp. 1, 8. 1923.
Ixora ferrea. See Ironwood, West Indian.
Ixoreus naevius meruloides. See Robin, Oregon.
Ixtle—
fiber, derivation. Inv. No. 29521, B.P.I. Bul. 233, p. 29. 1912.
See also Istle.

JABINE, THOMAS: "Soil survey of—
Adams County, Ind." With others. Soil Sur. Adv. Sh., 1921, pp. 20. 1923.
Choctaw County, Miss." With A. C. Anderson and E. Malcolm Jones. Soil Sur. Adv. Sh., 1920, pp. 249, 286. 1923; Soils F.O., 1920, pp. 249–286. 1925.
Jabiru, breeding, ranges. Biol. Bul. 45, pp. 24–25. 1913.
JABLONOWSKY, JOSEF, shipments of useful parasites from Hungary. An. Rpts., 1909, p. 496. 1910; Ent. A.R., 1909, p. 10. 1909.
Jaborandi leaves, adulteration. Chem. Bul. 80, p. 13. 1904.
Jaboticaba—
description of tree and fruit, use, and varieties. D.B. 445, pp. 25–29. 1917.
importation(s) and description(s). Nos. 36702, 36709, 36888, B.P.I. Inv. 37, pp. 6, 52, 54, 78. 1916; Nos. 37034, 37080, B.P.I. Inv. 38, pp. 29, 36. 1917; Nos. 37837–37839, B.P.I. Inv. 39, pp. 52–53, 1917; No. 42031, B.P.I. Inv. 46, p. 46. 1919; No. 44410, B.P.I. Inv. 50, p. 68. 1922; No. 45750, B.P.I. Inv. 54, pp. 14–15. 1922; Nos. 51266–51267, B.P.I. Inv. 64, p. 82. 1923; No. 51830, B.P.I. 65, p. 55. 1923; No. 54969, B.P.I. Inv. 71, p. 7. 1923.
Jacana, occurrence, distribution, and migration. Biol. Bul. 35, p. 100. 1910; M.C. 13, p. 73. 1923.
Jacaranda, importation and description, Inv. No. 29491, B.P.I. Bul. 233, p. 27. 1912.
Jacaratia mexicana, imporation and description. No. 55469. B.P.I. Inv. 71, p. 46. 1923.
Jack beans, value as cover crop. Guam A.R., 1918, p. 39. 1919.
Jack fruit—
Bahia, description and uses. D.B. 445, p. 19. 1917.
composition. Hawaii A.R., 1914, pp. 64, 66. 1915.
growing in Porto Rico. P.R. An. Rpt., 1922, p. 8. 1923.
importation and description. No. 38890, B.P.I. Inv. 40, p. 43. 1917; No. 51012, B.P.I. Inv. 64, pp. 41–42. 1923.
See also Breadfruit.
Jackdaw, protection, exception from. Biol. Bul. 12, rev., pp. 38, 43–44. 1902.
Jacks—
selection—
care, and feed in mule production. F.B. 1341, pp. 4–6. 1923.
for breeding mules. B.A.I. An. Rpt., 1906, p. 259. 1908.
See also Asses; Horses; Mules.
Jacksnipe, occurrence in Pribilof Islands. N.A. Fauna 46, p. 65. 1923.
JACKSON, A. M.: "Alunite and kelp as potash fertilizers." With J. J. Skinner. Soils Cir. 76, pp. 5. 1913.
JACKSON, D.: "The poultry industry." With others. Y.B., 1924, pp. 377–456. 1925; Y.B. Sep. 917, pp. 377–456. 1925.
JACKSON, E. R.—
"Agricultural training courses for employed teachers, with a suggested reading course in agriculture based on farmers' bulletins." D.B. 7, pp. 17. 1913.
"Forest nurseries for schools." With Walter M. Moore. F.B. 423, pp. 24. 1910.
"Forestry in nature study." F.B. 468, pp. 43. 1911.
JACKSON, F. H., Jr.—
"Influence of grading on the value of fine aggregate used in Portland cement concrete road construction." J.A.R., vol. 10, pp. 263–274. 1917.
"Methods for the determination of the physical properties of road-building rock." D.B. 347, pp. 28. 1916.

JACKSON, F. H., Jr.—Continued.
"Relation between the properties of hardness and toughness of road-building rock." With Prevost Hubbard. J.A.R., vol. 5, No. 19, pp. 903-907. 1916.
"The expansion and contraction of concrete and concrete roads." With A. T. Goldbeck. D.B. 532, pp. 31. 1917.
"The physical testing of rock for road building, including the material used, and the results obtained." With Albert T. Goldbeck. Rds. Bul. 44, pp. 96. 1912.
"The results of physical tests of road-building rock." With Prevost Hubbard. D.B. 370, pp. 100. 1916.
"The results of physical tests of road-building rock in 1916 and 1917." With Prevost Hubbard. D.B. 670, pp. 30. 1918.
"The results of the physical tests of road-building rock in 1916, including all compression tests." With Prevost Hubbard. D.B. 537, pp. 23. 1917.
"Typical specifications for nonbituminous road materials." With Prevost Hubbard. D.B. 704, pp. 40. 1918.
JACKSON, H. H. T.: "A review of the American moles." N.A. Fauna 38, pp. 98. 1914.
JACKSON, H. S.—
"Aecial stage of the orange leafrust of wheat, *Puccinia triticina* Eriks." With E. B. Mains. J.A.R., vol. 22, pp. 151-172. 1921.
"Aecial stages of the leaf rusts of rye and of barley in the United States." With E. B. Mains. J.A.R., vol. 28, pp. 1119-1126. 1924.
"An Asiatic species of Gymnosporangium established in Oregon." J.A.R., vol. 5, No. 22, pp. 1003-1010. 1916.
"The composite life history of *Puccinia podophylli* Schw." With others. J.A.R., vol. 30, pp. 65-79. 1925.
JACKSON, WILLIAM: "A handbook for better feeding of livestock." With E. W. Sheets. M.C. 12, pp. 48. 1924; pp. 49, rev., 1925.
Jackson, Mich., milk supply, statistics, prices and ordinances. B.A.I. Bul. 46, pp. 36, 102. 1902.
Jackson Hole, Wyoming, description, climate and maps. Biol. Bul. 40, pp. 9-11. 1911.
Jacksonville, Fla., milk-supply details and statistics. B.A.I. Bul. 46, pp. 34, 59. 1903; B.A.I. Bul. 70, pp. 6-7, 31-32. 1905; Rpt. 98. pp. 288, 325. 1913.
JACOB, K. D.: "Chemical and biological studies with cyanamid and some of its transformation products." With others. J.A.R., vol. 28, pp. 37-69. 1924.
JACOBS, B. R.: "Graham flour: A study of the physical and chemical differences between graham flour, and imitation graham flours." With J. A. LeClerc. Chem. Bul. 164, pp. 57. 1913.
JACOBS, KATHERINE: "Bibliography on the marketing of agricultural products." With others. M.C. 35, pp. 56. 1925.
Jacob's ladder. *See* Celandine.
Jad salts, misbranding. See *Indexes to Notices of Judgment, in bound volumes and in separates published as supplements to Chemistry Service and Regulatory Announcements.*
Jadera haematoloma, life history. Ent. Bul. 57, p. 47. 1909.
JAECKEL, C. O.: "Soil survey of—
Geneva County, Ala." With others. Soil Sur. Adv. Sh., 1920, pp. 287-314. 1924; Soils F.O., 1920, pp. 287-314. 1925.
Wright County, Iowa." With T. H. Benton. Soil Sur. Adv. Sh., 1919, pp. 42. 1922; Soils F.O., 1919, pp. 1579-1616. 1925.
Jaeger—
occurrence in Athabaska-Mackenzie region, varieties and description. N.A. Fauna 27, pp. 260-262. 1908.
Pribilof Islands, habits and food. N.A. Fauna 46, pp. 29-31. 1923.
range and habits. N.A. Fauna 21, p. 72. 1901; N.A. Fauna 22, pp. 78-79. 1902; N.A. Fauna 24, pp. 22, 52. 1904; D.B. 292, pp. 9-14. 1915.
JAFFA, M. E.—
"Further investigations among fruitarians at the California Agricultural Experiment Station, 1901-2." O.E.S. Bul. 132, pp. 81. 1903.

JAFFA, M. E.—Continued.
"Nutrition investigations among fruitarians and Chinese at the California Agricultural Experiment Station, 1899-1901." O.E.S. Bul. 107, pp. 43. 1901.
"Nuts and their uses as food." F.B. 332, pp. 28. 1908; Y.B., 1906, pp. 295-312. 1907; Y.B. Sep. 424, pp. 295-312. 1907.
report on soils. Chem. Bul. 67, pp. 28-36. 1902.
table of food value of walnuts. B.P.I. Bul. 254, p. 103. 1913.
"Tea and coffee." Chem. Bul. 137, pp. 105-108. 1911; Chem. Bul. 152, pp. 163-167. 1912.
Jagera speciosa, importation and description. No. 51806, B.P.I. Inv. 65, p. 52. 1923.
JAGGER, I. C.—
"A transmissible mosaic disease of lettuce." J.A.R., vol. 20, pp. 737-740. 1921.
"Bacterial leafspot disease of celery." J.A.R., vol. 21, pp. 185-188. 1921.
"*Sclerotinia minor*, n. sp., the cause of a decay of lettuce, celery, and other crops." J.A.R., vol. 20, pp. 331-334. 1920.
Jaguar, Texas, occurrence and habits. N.A. Fauna 25, pp. 163-166. 1906.
Jak-fruit. *See* Breadfruit; Jack fruit.
JAKL, V.E.: "Instructions for aerological observers." With others. W.B. [Misc.], "Instructions for aerological * * *," pp. 115. 1921.
Jalap—
adulteration and misbranding, court decision, southern New York district, U. S. *vs.* Lehn & Fink. Sol. Cir. 49, pp. 1-5. 1911.
importations and descriptions. No. 33961, B.P.I. Inv. 31, p. 71. 1914; Nos. 44917, 44918, B.P.I. Inv. 51, p. 90. 1922.
Jam—
analyses and composition tables. Chem. Bul. 66, rev., pp. 53-72. 1905; Chem. Bul. 152, pp. 168-169. 1912.
Anderson's compound, misbranding. Chem. N.J. 499, p. 1. 1910.
Brazilian fruits adapted to. D.B. 445, pp. 20, 23, 31, 34. 1917.
cherry and strawberry adulteration. Chem. N.J. 1235, pp. 3. 1912.
compounds, misbranding. See also *Indexes, Notices of Judgment, in bound volumes and in separates published as supplements to Chemistry Service and Regulatory Announcements.*
cranberry, misbranding. Chem. N.J. 1406, p. 1. 1912.
currants and gooseberries, directions for making. F.B. 1398, pp. 32-33. 1924.
desert kumquat, use in Australia. J.A.R., vol. 2, p. 96. 1914.
directions for making. F.B. 853, pp. 28-31. 1917. S.R.S. Doc. 22, p. 11. 1916; S.R.S. Doc. 22, rev., p. 12. 1919.
grape, adulteration. Chem. N.J. 1249, p. 1. 1912.
laboratory preparation and analyses. Chem. Bul. 66, rev., pp. 50-53. 1905.
making—
in Hawaii, fruits used. Hawaii A.R., 1920, p. 36. 1921.
lesson outlines for first year, and correlative studies. D.B. 540, p. 15. 1917.
manufacture from apple pomace. D.B. 1166, pp. 2, 3. 1923.
muscadine grapes, directions and suitable varieties. F.B. 859, p. 20. 1917; F.B. 1454, p. 17. 1925.
peach, misbranding. Chem. N.J. 1398, p. 1. 1912.
quince and strawberry, adulteration. Chem. N.J. 698, pp. 2. 1910.
raspberry—
adulteration and misbranding. Chem. N.J. 12703. 1925; Chem. N.J. 13668. 1925.
directions. F.B. 887, pp. 43-44. 1917.
regulations. Chem. Bul. 69, rev., Pts. I-IX, pp. 163, 443. 1905.
sodium-benzoate determination. Chem. Bul. 132, p. 149. 1910.
strawberry—
and—
combinations. F.B. 1026, pp. 38, 39. 1919; F.B. 1027, pp. 27-28. 1919; F.B. 1028, p. 48. 1919.

Jam—Continued.
  strawberry—continued.
    and—continued.
      quince, adulteration and misbranding. Chem. N.J. 698, pp. 2. 1910.
      raspberry, misbranding. Chem. N.J. 3905, pp. 503–504. 1915.
  See also Fruit products.
Jamaica—
  black-fly infestation. D.B. 885, pp. 3–5, 6–7, 14, 52. 1920.
  citrus, disease prevalence, not caused by *Sphaeropsis tumefaciens.* B.P.I. Bul. 247, pp. 9–10, 68. 1912.
  coconut bud-rot investigations. B.P.I. Bul. 228, pp. 11, 14–15, 29–30. 1912.
  coffee production, exports. Stat. Bul. 79, pp. 10, 57. 1919.
  ginger, adulteration and misbranding. Chem. N.J. 2378, pp. 2. 1913; Chem. N.J. 2386, pp. 2, 1913.
  hay and straw importation—
    into United States, regulations, Mar. 23, 1909; B.A.I.O. 159, p. 1. 1909.
    revocation of B.A.I.O. 159, June 1, 1909. B.A.I.O. 162, p. 1. 1909.
  inspectors of plants, list. F.H.B., S.R.A. 11, p. 88. 1915.
  occurrence of *Tylenchus similis* on banana roots. J.A.R., vol. 4, pp. 562, 567. 1915.
  quarantine restrictions on pineapples. F.H.B. Quar. 56, p. 5. 1923.
  trees resembling greenheart, description. For. Cir. 211, p. 12. 1913.
  yautias, description. B.P.I. Bul. 164, pp. 17, 18, 21. 1910.
  sorrel. See Roselle.
Jamaica Bay oyster beds, insanitary conditions; data on water and oysters. Chem. Bul. 156, pp. 28–42. 1912.
Jambolam, importations and descriptions. No. 43217, B.P.I. Inv. 48, p. 28. 1921; Nos. 50525, 50608, B.P.I. Inv. 63, pp. 76, 85. 1923; Nos. 50922, 51100, B.P.I. Inv. 64, pp. 34, 55. 1923.
Jambu tree, importation from India, description and uses, No. 34669. B.P.I. Inv. 33, p. 46. 1915.
JAMES, D. L.: "Suggestions for the marketing of cottage cheese." D.C. 1, pp. 14. 1919.
JAMES, E. W.—
  "Drainage methods and foundations for county roads." With others. D.B. 724, pp. 86. 1918.
  "Highways and highway transportation." With others. Y.B. 1924, pp. 97–184. 1925; Y.B. Sep. 914, pp. 97–184. 1925.
James River, silt carried per year. Y.B. 1913, p. 214. 1914; Y.B. Sep. 624, p. 214. 1914.
Jamestown weed—
  pod weevil, infestation with boll-weevil parasites. Ent. Bul. 100, pp. 45, 47, 51, 71, 79. 1912.
  See also Jimson weed.
JAMIESON, C. O.—
  "A bacterium causing a disease of the sugar-beet and nasturtium leaves." With Nellie A. Brown. J.A.R., vol. 1, pp. 189–210. 1913.
  "*Phoma destructiva*, the cause of a fruit rot of the tomato." J.A.R., vol. 4, pp. 1–20. 1915.
JAMIESON, G. S.—
  "Hog production and marketing." With others. Y.B., 1922, pp. 181–280. 1923; Y.B. Sep. 882, pp. 181–280. 1923.
  "The constituents of chufa 'oil,' a fatty oil from the tubers of *Cyperus esculentus* Linné." With W. F. Baughman. J.A.R., vol. 26, pp. 77–82. 1923.
JANES, P. R.: "How to control the pear thrips." With S. W. Foster. Ent. Cir. 131, pp. 24. 1911.
Jangli, importation and use. No. 39571, B.P.I. Inv. 41, p. 42. 1917.
Japan—
  agricultural—
    education progress, 1910. O.E.S. An. Rpt., 1910, p. 329. 1911.
    explorations. Y.B., 1902, pp. 159–164. 1903; Y.B. Sep. 261, pp. 159–164. 1903.
    statistics, 1911–1919. D.B. 987, pp. 36–39 1921.
  as market for American purebredd livestock. B.A.I. An. Rpt., 1907, p. 350. 1909.

Japan—Continued.
  barley acreage, map. Sec. [Misc.], Spec. "Geography * * * world's agriculture," p. 44. 1917.
  beans—
    food use. D.B. 119, pp. 5–6. 1914.
    See also Soy bean.
  camphor industry. Y.B., 1910, p. 450. 1911; Y.B. Sep. 551, p. 450. 1911.
  citrus white-flies, occurrence and description. J.A.R., vol. 6, No. 12, pp. 466, 469. 1916.
  clover. See Clover, Japan; Lespedeza.
  cotton waste, packing in shipments, restrictions. F.H.B.S.R.A. 41, pp. 69–70. 1917.
  dairy farming. Masayoshi Sato. B.A.I. Dairy [Misc.], "World's dairy congress, 1923," pp. 1437–1451. 1924.
  dairy statistics, 1899–1919. B.A.I. Doc. A.-37, pp. 55–56. 1922.
  dietary experiments, results. O.E.S. Bul. 159, pp. 101–128. 1905.
  distribution of *Endothia parasitica.* D.B. 380, pp. 58–76. 1917.
  drier, test. Chem. Bul. 109, p. 10. 1908.
  farm products, shipments to United States, 1905–1907. Stat. Bul. 70, pp. 7, 10. 1909.
  food staples and manner of use. O.E.S. Bul. 159, pp. 18–35. 1905.
  forest resources. For. Bul. 83, pp. 30–31. 1910.
  fruit—
    growing and trade with China, competition with United States. D.C. 146, pp. 4, 7–8, 23–25. 1920.
    production, exports and imports, 1909–1913, 1914. D.B. 483, pp. 37–38. 1917.
    stocks, cuttings, buds, and scions, quarantine. F.H.B. Quar. 44, pp. 2. 1920.
  grain-smut studies and experiments. B.P.I. Bul. 152, pp. 11, 19. 1909.
  hemp growing and retting. Y.B. 1913, pp. 295, 298, 329. 1914; Y.B. Sep. 628, pp. 295, 298, 329. 1914.
  livestock statistics. Rpt. 109, pp. 31, 36, 47, 51, 59, 62, 202, 213. 1916.
  nursery-stock inspection. F.H.B.S.R.A. 7, p. 64. 1914.; F.H.B.S.R.A. 20, p. 74. 1915; F.H.B. S.R.A. 32, p. 119. 1916.
  paper plants, species for. B.P.I. Bul. 42, p. 11. 1903.
  plant introductions from. David G. Fairchild. B.P.I. Bul. 42, pp. 24. 1903.
  potatoes, production, 1909–1913, 1921–1923. S.B. 10, p. 20. 1925.
  quarantine restrictions on oranges. F.H.B. Quar. 56, p. 4. 1923.
  rice—
    acreage, map. Sec. [Misc.], Spec. "Geography * * * world's agriculture," p. 49. 1917.
    crop, importance. F.B. 1195, p. 3. 1921.
    production, 1905–1910. Stat. Cir. 25, pp. 15–16. 1911.
    seeding and irrigation. Y.B., 1909, pp. 301–302. 1910; Y.B. Sep. 514, pp. 301–302. 1910.
  San Jose scale, report. Ent. Bul. 31, p. 41. 1902.
  Satsuma orange—
    group, description of varieties. Tyozaburo Tanaka. B.P.I.C.P. and B.I. Cir. 5, pp. 10. 1918.
    growing. B.P.I. Doc. 457, pp. 6–7. 1909.
  seaweed industry, income and possibilities. O.E.S. An. Rpt. 1906, pp. 85–88. 1907.
  source of citrus canker, introductions. Y.B., 1916, pp. 267, 271. 1917; Y.B. Sep. 711, pp. 1, 5. 1917.
  soy beans—
    culture, yield, cost, price, and trade. D.B. 439, pp. 4–5. 1916.
    fermentation methods and results. D.B. 1152, pp. 2, 3–5, 6, 18, 21. 1923.
    production, uses, and preparations. Y.B., 1917, pp. 101–102, 106–110. 1918; Y.B. Sep. 740, pp. 3–4, 8–12. 1918.
  sugar industry, 1904–1914. D.B. 473, pp. 65–66. 1917.
  taros and dasheens, description and uses. B.P.I. Bul. 164, pp. 11, 27–28. 1910.
  tea acreage. Sec. [Misc.], Spec. "Geography * * * world's agriculture," pp. 93, 96. 1917.

Japan—Continued.
  tobacco acreage and production. Sec. [Misc.], Spec. "Geography * * * world's agriculture," pp. 61, 62. 1917.
  trade with United States. D.B. 296, pp. 5, 19–48. 1915.
  uses of the bamboo. D.B. 1329, pp. 15–16. 1925.
  work against mosquitoes for prevention of malaria, 1904–1905. Ent. Bul. 88, pp. 102–104. 1910.
Japanese—
  bamboos and their introduction into America. David G. Fairchild. B.P.I. Bul. 43, pp. 36. 1903.
  bantams, breeds, varieties, and descriptions. F.B. 1251, pp. 8, 19–20. 1921.
  beetle(s)—
    control in New Jersey. News L., vol. 6, No. 33, pp. 13–14. 1919.
    destruction of larvae—
      in roots of perennial plants. B. R. Leach and J. P. Johnson. D.B. 1332, pp. 18. 1925.
      on commercial scale. D.B. 1332, pp. 15–16. 1925.
    feeding habits which influence its control. Loren B. Smith. D.B. 1154, pp. 12. 1923.
    habits and food plants, studies. D.B. 1154, pp. 1–12. 1923.
    injuries, and quarantine hearing. F.H.B.-S.R.A. 55, pp. 80–81. 1918.
    injurious to apple tree. Hawaii A.R., 1907, p. 45. 1908.
    insecticides, testing. J.A.R., vol. 28, pp. 396–402. 1924.
    larvae poisoning with wormseed-oil emulsion. D.B. 1332, pp. 7–9. 1925.
    outbreaks in 1921. D.B. 1103, pp. 44–46. 1922.
    quarantine—
      nursery-stock movement. F.H.B.S.R.A. 78, pp. 10–15, 22, 29. 1924.
      of sweet corn in New Jersey, regulations. F.H.B.S.R.A. 56, pp. 91–92. 1918.
      revision, April 9, 1924. F.H.B. Quar. 48, rev. 3, pp. 11. 1924.
      revision, March 21, 1925. F.H.B. Quar. 48, rev., pp. 12. 1925.
    rose, history, and remedies. Hawaii Bul. 10, pp. 13–14. 1905.
    study and control work, 1924–1925. Ent. A.R. 1925, pp. 5–9. 1925.
  food materials, fuel value, digestibility. O.E.S. Bul. 159, pp. 205–209, 216–224. 1905.
  grass, paper-making experiments. Y.B., 1910, p. 338. 1911; Y.B. Sep. 541, p. 338. 1911.
  navy rations, studies. O. E. S. Bul. 159, pp. 98–101. 1905.
  plum. See Plum, Japanese.
Jaragua grass, importations and descriptions. Nos. 54447, 54557, B.P.I. Inv. 69, pp. 10, 26. 1923; No. 54679, B.P.I. Inv. 70, pp. 1, 5–6. 1923.
JARDINE, J. T.—
  "Coyote-proof inclosures in connection with range lambing grounds." For. Bul. 97, pp. 32. 1911.
  "Coyote-proof pasture experiment, 1908." For. Cir. 160, pp. 40. 1909.
  "Increased cattle production on southwestern ranges." With L. C. Hurtt. D.B. 588, pp. 32. 1917.
  "Improvement and management of native pastures in the West." Y.B., 1915, pp. 299–310. 1916; Y.B. Sep. 678, pp. 299–310. 1916.
  "Livestock production in the eleven far western range States." With Will C. Barnes. Rpt. 110, pp. 100. 1916.
  "Preliminary report on grazing experiments in a coyote-proof pasture." With Frederick V. Coville. For. Cir. 156, pp. 32. 1903.
  "Range and cattle management during drought." With Clarence L. Forsling. D.B. 1031, pp. 84. 1922.
  "Range management on the national forests." With Mark Anderson. D.B. 790, pp. 98. 1919.
  "The pasturage system for handling range sheep." For. Cir. 178, pp. 40. 1910.
JARDINE, W. M.—
  "Dry-land grains." B.P.I. Cir. 12, pp. 14. 1908.

JARDINE, W. M.—Continued.
  "Notes on dry farming." B.P.I. Cir. 10, pp. 6. 1908.
  report of Kansas Experiment Station, work and expenditures—
    1913. O.E.S. An. Rpt., 1913, pp. 47–48. 1913.
    1914. O.E.S. An. Rpt., 1914, pp. 111–116. 1915.
    1915. S.R.S. Rpt., 1915, Pt. I, pp. 121–126. 1916.
    1916. S.R.S. Rpt., 1916, Pt. I, pp. 122–126. 1918.
    1917. S.R.S. Rpt., 1917, Pt. I, pp. 117–124. 1918.
JARDINE, W. M., Secretary—
  address—
    to Cooperative Institute. Off. Rec., vol. 4, No. 30, pp. 1, 7. 1925.
    to land-grant colleges. Off. Rec., vol. 4, No. 47, pp. 1, 3. 1925.
    to merchants. Off. Rec., vol. 4, No. 21, pp. 1, 8. 1925.
    to milk cooperatives. Off. Rec., vol. 4, No. 48, pp. 1–2. 1925.
  remarks on—
    bulb quarantine. Off. Rec., vol. 4, No. 52, pp. 1–2. 1925.
    business efficiency in farming. Off. Rec., vol. 4, No. 27, pp. 1–2, 7. 1925.
  report on farm industry. Off. Rec., vol. 4, No. 49, pp. 1, 6. 1925.
  suggestions on wheat seeding, 1925. Off. Rec., vol. 4, No. 43, pp. 1, 8. 1925.
  talk on adjusted production. Off. Rec., vol. 4, No. 28, pp. 1–7. 1925.
Jarrah—
  blocks, street paving, use and cost. For. Cir. 141, p. 6. 1908.
  distribution and description. For. Bul. 87, pp. 15, 20. 1911.
JARRELL, T. D.: "Waterproofing and mildewproofing of cotton duck." With others. F.B. 1157, pp. 13. 1920.
Jarring—
  beetles from grapevines. F.B. 1220, pp. 13, 23. 1921.
  boll weevil, results of doubtful value. F.B. 500, pp. 6, 14. 1912.
  control of cotton stainer. Ent. Cir. 149, pp. 4, 5. 1912.
  curculios, record of experiment, Georgia, 1910. F.B. 440, pp. 16–17. 1911.
  grape leafhoppers, directions. D.B. 19, pp. 35–36. 1914.
  insects, for destruction. F.B. 908, pp. 52–53. 1918.
  Mexican conchuela. Ent. Bul. 64, Pt. I, pp. 13, 14. 1905; Ent. Bul. 64, pp. 13, 14. 1911.
  peach trees—
    before and after dusting for curculios. D.B. 1205, pp. 3–7, 11–14. 1924.
    value in curculio control, time and method. D.C. 216, pp. 14–15. 1922.
  remedy for plum curculio. Ent. Cir. 73, pp. 6–8. 1906.
  use against grape rootworm. Ent. Bul. 89, p. 60. 1910.
Jars—
  automatic seal, description. F.B. 1211, p. 22. 1921.
  breakage in canning process, causes. S.R.S. Doc. 33, p. 3. 1917.
  canning—
    kinds recommended. F.B. 359, pp. 8–10. 1910.
    testing methods. News L., vol. 3, No. 48, p. 3. 1916.
  crockery, use for canning, description, and use methods. F.B. 839, p. 34. 1917.
  glass—
    mechanical sealer, description and use. S.R.S. Doc. 97, p. 8. 1919.
    use for canning, description and use methods. F.B. 839, p. 33. 1917; F.B. 1211, pp. 21–23. 1921.
    kind for grape juice. F.B. 1454, p. 5. 1925.
  sterilizing. F.B. 853, p. 13. 1917.

Jasmine—
  importations and descriptions. Nos. 38154, 38248,
    B.P.I. Inv. 39, pp. 95–107. 1917; Nos. 38826,
    39120, B.P.I. Inv. 40, pp. 33, 78. 1917; No.
    40705, B.P.I. Inv. 43, p. 69. 1918; Nos. 43634,
    43635, 43802–43807, B.P.I. Inv. 49, pp. 10, 53,
    79–80. 1921; No. 44740, B.P.I. Inv. 51, p. 57.
    1922; Nos. 49639, 49674, B.P.I. Inv. 62, pp. 63, 69.
    1923; No. 55684, B.P.I. Inv. 72, p. 18. 1924.
  yellow, habitat, range, description, collection,
    prices, and uses of roots. B.P.I. Bul. 107, p. 51.
    1907.
  See also Cape jasmine.
Jasminum sambac, infestation with citrus white fly.
  Ent. Bul. 120, pp. 26, 43–44, 46. 1913.
Jassids. See Leaf hopper.
Jatropha—
  curcas—
    importations and descriptions. No. 43657,
      B.P.I. Inv. 49, p. 57. 1921; Nos. 50021, 50239,
      B.P.I. Inv. 63, pp. 29, 48. 1923.
    See also Physic nut.
  stimulosa, chemical analysis. Paul Menaul.
    J.A.R., vol. 26, pp. 259–260. 1923.
  urens. See Chaya.
Jatuba, importation and description. No. 37924,
  B.P.I. Inv. 39, p. 68. 1917.
Jaumea, description, and occurrence in salt-water
  bogs, eastern Puget Sound Basin, Washington.
  Soil Sur. Adv. Sh., 1909, p. 32. 1911; Soils F.O.,
  1909, p. 1544. 1912.
Jaundice—
  hog, cause, symptoms, and treatment. F.B.
    1244, pp. 9–10. 1923.
  malignant, dog, transmission by tick. Ent. Bul.
    72, p. 53. 1907.
  sheep, cause, symptoms, and treatment. F.B.
    1155, p. 18. 1921.
Java—
  almond oil. See Oil, Java-almond.
  coffee production, exports. Stat. Bul. 79, pp. 10,
    88–90. 1912.
  expenditures for forest investigations. Sec. Cir.
    183, pp. 32, 33. 1921.
  sugar—
    industry, 1903–1914. D.B. 473, pp. 2, 4, 5,
      62–64. 1917.
    production and cane acreage. Sec. [Misc.],
      Spec. "Geography * * * world's agriculture," pp. 72, 73, 76. 1917.
    production and exports, discussion. Sec. Cir.
      86, pp. 8–9. 1918.
  uses of the bamboo. D.B. 1329, p. 15. 1925.
  white-fly investigations. Ent. Bul. 120, p. 24.
    1913.
  yautias and taros, description. B.P.I. Bul. 164,
    pp. 22, 23, 26, 27. 1910.
Javaland coffee, misbranding. Chem N.J. 1233, pp.
  2. 1912.
Javelle water, preparation, and use in removing
  stains. F.B. 861, pp. 7–35. 1917.
Javillo tree, Porto Rico, description and uses. D.B.
  354, p. 80. 1916.
Jaw, diseased, cattle. See Actinomycosis.
Jay—
  Alaska, range and habits. N.A. Fauna 24, p. 71.
    1904; N.A. Fauna 30, pp. 40, 61–62, 89. 1909.
  blue—
    banded, returns, 1920–1923. D.B. 1268, p. 32.
      1924.
    description, range and food habits. F.B. 513,
      p. 21. 1913; F. B. 630, pp. 19–20. 1915;
      F.B. 775, pp. 18–19. 1916.
    enemy of—
      codling moth. Y.B., 1911, p. 241. 1912;
        Y.B. Sep. 564, p. 241. 1912.
      pecan leaf case-bearer. D.B. 571, pp. 14–15.
        1917.
    food habits—
      and occurrence in Arkansas. Biol. Bul. 38,
        p. 55. 1911.
      brown-tail moth destruction. Y.B., 1907, p.
        171. 1908; Y.B. Sep. 443, p. 171. 1908.
    protection by law. Biol. Bul. 12, rev., pp. 39,
      40, 41. 1902.
  California—
    description, range, and habits. F.B. 513, p. 21.
      1913; F.B. 630, pp. 20–21. 1915.
    enemy of codling moth. Y.B., 1911, p. 241.
      1912; Y.B. Sep. 564, p. 241. 1912.

Jay—Continued.
  family, food habits, relation to agriculture.
    Biol. Bul. 34, pp. 47–56. 1910.
  food habits. D.B. 107, p. 14. 1914.
  long-crested, food habits. D.B. 107, p. 14. 1914.
  Pacific coast, description, range, and food habits.
    F.B. 630, pp. 20–21. 1915.
  protection and exception from. Biol Bul. 12,
    rev., pp. 39, 43–44. 1902.
  range and habits. N.A. Fauna 21, pp. 18, 46, 77,
    1901; N.A. Fauna 22, p. 115. 1902; F.B. 513, p.
    21. 1913.
  Steller, food habits, relation to agriculture. Biol.
    Bul. 34, pp. 47–49. 1910.
  varieties, occurrence, Athabaska-Mackenzie
    region. N.A. Fauna 27, pp. 400–403. 1908.
  Woodhouse's food habits. D.B. 107, p. 14. 1914.
JAYNE, S. O.:—
  "Irrigation in the Yakima Valley, Wash."
    O.E.S. Bul. 188, pp. 89. 1907.
  "Profitable management of general farms in the
    Willamette Valley, Oreg." With Byron
    Hunter. D.B. 705, pp. 24. 1918.
  "Sheep on irrigated farms in the Northwest."
    F.B. 1051, pp. 32. 1919.
  "Suggestions to settlers on the sandy soils of the
    Columbia River Valley." With Byron Hunter
    B.P.I. Cir. 60, pp. 23. 1910.
  "Wood pipe for conveying water for irrigation."
    D.B. 155, pp. 40. 1914.
Jaywood (horse), pedigree. D.C. 153, p. 13. 1921.
JEAN, S. L.: "Health of our school children."
  B.A.I. Dairy [Misc.], "World's dairy congress,
  1923," pp. 114–121. 1924.
JEFFERS, L. M.: "A portable farm granary." With
  others. Mkts. Doc. 11, pp. 8. 1918.
Jefferson soils, southwestern Pennsylvania, area
  and location. Soil Sur. Adv. Sh., 1909, pp. 44–46.
  1911; Soils F.O., 1909, pp. 244–246. 1912.
Jefferson Memorial and Interstate Good Roads
  Convention, held at Charlottesville, Va., April 2–4,
  1902, proceedings. Rds. Bul. 25, pp. 60. 1902.
Jefferson National Forest, Mont., map. For. Maps.
  1923.
Jelly(ies)—
  adulteration and misbranding. See *Indexes
    to Notices of Judgment in bound volumes and
    in separates published as supplements to Chemistry Service and Regulatory Announcements.*
  adulterations, detection. Chem. Bul. 100, pp.
    56–57. 1906.
  analyses, composition, and tables. Chem. Bul.
    66, rev., pp. 73–84. 1905; Chem. Bul. 152, pp.
    168–169. 1912.
  apple—
    adulteration and misbranding. Chem. N.J.
      238, p. 2. 1910; Chem. N.J. 1393, p. 1. 1912;
      Chem. N.J. 2526, p. 1. 1913; Chem. N. J.
      12816. 1925; Chem. N.J. 13431. 1925; Chem.
      N.J. 13611. 1925.
    pectin, adulteration, and misbranding. Chem.
      N.J. 13513. 1925.
  application of term, food inspection opinion.
    Chem. S.R.A. 5, p. 312. 1914.
  barberry, quality. No. 43980. B.P.I. Inv. 50, p.
    11. 1922.
  beans, confectionery, adulteration. Chem. N.J.
    1733, p. 1. 1922.
  Brazilian fruits adapted to. D.B. 445, pp. 18, 23,
    28, 30, 34, 35. 1917.
  canned fruit, and preserves. Maria Parloa.
    F.B. 203, pp. 32. 1905.
  care in the home. Thrift Leaf. 13, p. 4. 1919.
  cherry juice. D.B. 350, p. 23. 1916.
  "Columbine fruit compound," adulteration and
    misbranding. Chem. N.J. 811, pp. 2. 1911.
  compound
    description and composition. Chem. Bul. 66,
      rev., pp. 81–84. 1905.
    misbranding. Chem. N.J. 872, pp. 2. 1911.
  content of pectin, labeling. Chem. S.R.A. 20,
    p. 63. 1917.
  currant—
    and gooseberries, directions for making. F.B.
      1398, pp. 31–32. 1924.
    food-value comparisons, chart. D.B. 975, p. 31.
      1921.
    Greek labeling. Item 220. Chem. S.R.A. 20,
      p. 62. 1917.

Jelly(ies)—Continued.
fruit, misbranding. Chem. N.J. 1172, pp. 2. 1911; Chem. N.J. 1207, pp. 2. 1912.
Gelee, adulteration and misbranding. Chem. N.J. 2082, pp. 2. 1913.
grape—
  adulteration and misbranding. Chem. N.J. 3779, p. 336. 1915.
  from muscadine grapes, directions. F.B. 859, pp. 9–16. 1917.
  making with pectin. F.B. 1454, p. 13. 1925.
  skin, making from waste pomace, yield and value. D.B. 952, pp. 10–15. 1921.
  sugar test and acid test. F.B. 1454, pp. 12–13. 1925.
Japanese quince, use of apples, recipe. News L., vol. 4, No. 17, p. 4. 1916.
laws and standards. Chem. Bul. 69, rev., Pts. I–IX, pp. 163, 171, 212, 275, 306, 319, 443, 456, 504, 545, 562, 597, 633, 667, 691, 745. 1905–6.
making—
  apple and citrus pectin extracts, uses. Minna C. Denton and others. D.C. 254, pp. 11. 1923.
  avoidance of crystallization. F.B. 1454, pp. 8, 9, 10. 1925.
  bag with rack. F.B. 1454, p. 12. 1925.
  by canneries. Y.B., 1916, p. 247. 1917; Y.B. Sep. 705, p. 11. 1917.
  directions. F.B. 853, p. 38. 1917; F.B. 1454, p. 12. 1925.
  experiments with beet sugar and with cane sugar. Rpt. 90, pp. 72–74. 1909.
  from—
    grape skins in pomace, directions. D.B. 952, pp. 10–13. 1921.
    tropical fruits, tests. Hawaii A.R., 1924, pp. 16–17. 1925.
  fruits suitable, and methods. News L., vol. 5, No. 1, pp. 5–6, 7. 1917.
  Hawaiian fruits. J. C. Ripperton. Hawaii Bul. 47, pp. 24. 1923.
  mistakes to avoid. F.B. 853, p. 39. 1917.
  principles. F.B. 388, pp. 29–32. 1910; F.B. 853, pp. 36–41. 1917.
  proportions of acid, sugar, and citrus pectin. D.B. 1323, pp. 12–15. 1925.
  use of beet sugar and cane sugar, comparison. F.B. 329, pp. 30–32. 1908.
  without sugar. F.B. 388, pp. 30, 32. 1910.
manufacture from—
  apple pomace, methods. D.B. 1164, pp. 2, 3, 34. 1923; F.B. 1264, pp. 25–26. 1922.
  rotundifolia grapes. B.P.I. Bul. 273, p. 39. 1913.
misbranding, apple strawberry and apple raspberry. Chem. N.J. 1947, pp. 2. 1913.
muscadine grape. F.B. 1454, pp. 8–14. 1925.
plant, introduction from Florida to Guam, experiments. Guam A.R., 1913, p. 18. 1914.
preparation—
  from limus. O.E.S. An. Rpt., 1906, p. 82. 1907.
  of fruit juices, method. Food Thrift Ser. 5, p. 5. 1917.
quince, misbranding. Chem. N.J. 3905, p. 1. 1915.
raspberry, adulteration. Chem. N.J. 1235, pp. 3. 1912.
red color, adulteration. Chem. N.J. 2928. 1914.
roselle, recipe. Hawaii A.R., 1907, p. 56. 1908.
score card. D.B. 132, p. 36. 1915; D.C. 254, p. 11. 1923.
stock, use in making grape jelly. F.B. 1454, pp. 10, 11, 12, 13, 14. 1925.
storing. F.B. 853, p. 39. 1917.
strawberry and raspberry, adulteration. Chem. N.J. 1742, pp. 2. 1912.
sugar-glucose, misbranding. Chem. N.J. 580, p. 1. 1910.
test in cooking, directions. F.B. 859, p. 16. 1917.
testing. F.B. 853, p. 38. 1917.
use of—
  muscadine grapes. F.B. 709, p. 23. 1916.
  pectin, opinion 221. Chem. S.R.A. 20, p. 63. 1918.
varieties, preparation methods. D.C. 232, p. 12. 1922.

Jelly-end rot, description and cause. J.A.R., vol. 5, No. 5, pp. 194–195. 1915.
Jemez Mountains, New Mexico, location, description. N.A. Fauna 35, pp. 57–58. 1913.
JENKINS, A. E.—
  "A fungous disease of hemp." With Vera K. Charles. J.A.R., vol. 3, pp. 81–84. 1914.
  "Brown canker of roses, caused by *Diaporthe umbrina*." J.A.R., vol. 15, pp. 593–600. 1918.
  "Occurrence of the currant cane blight fungus on other hosts." With Neil E. Stevens. J.A.R., vol. 27, pp. 837–844. 1924.
  "*Sclerotinia carunculoides*, the cause of a serious disease of the mulberry." With Eugene A. Siegler. J.A.R., vol. 23, pp. 833–836. 1923.
JENKINS, E. H., report of Connecticut experiment stations, work—
  1907. O.E.S. An. Rpt., 1907, pp. 82–85. 1908.
  1909. O.E.S. An. Rpt., 1909, pp. 85–87. 1910.
  1910. O.E.S. An. Rpt., 1910, pp. 109–112. 1911.
  1911. O.E.S. An. Rpt., 1911, pp. 84–87. 1912.
  1912. O.E.S. An. Rpt., 1912, pp. 86–92. 1913.
  1913. O.E.S. An. Rpt., 1913, pp. 36–38. 1915.
  1914. O.E.S. An. Rpt., 1914, pp. 75–81. 1915.
JENKINS, J. M.—
  "Experiments in rice production in southwestern Louisiana." With Charles E. Chambliss. D.B. 1356, pp. 32. 1925.
  "Some new varieties of rice." With Charles E. Chambliss. D.B. 1127, pp. 18. 1923.
  "Straighthead of rice and its control." With W. H. Tisdale. F.B. 1212, pp. 16. 1921.
JENKINS, M. K.—
  "A bacteriological and chemical study of commercial eggs in the producing districts of the central West." With others. D.B. 51, pp. 77. 1914.
  "A study of the preparation of frozen and dried eggs in the producing section." With others. D.B. 224, pp. 99. 1916.
  "Accuracy in commercial grading of opened eggs." With N. Hendrickson. D.B. 391, pp. 27. 1918.
  "Commercial preservation of eggs by cold storage." D.B. 775, pp. 36. 1919.
  "Efficiency of commercial egg candling." With C. A. Bengtson. D.B. 702, pp. 22. 1918.
  "How to candle eggs." With others. D.B. 565, pp. 20. 1918.
  "The installation and equipment of an egg-breaking plant." With M. E. Pennington. D.B. 663, pp. 26. 1918.
  "The refrigeration of dressed poultry in transit." With others. D.B. 17, pp. 35. 1913.
JENKINS, M. T.: "Early vigor of maize plants and yield of grain as influenced by the corn root, stalk, and ear rot diseases," With others. J.A.R., vol. 23, pp. 583–630. 1923.
JENKS, C. W., importation of Angora goats. B.A.I. Bul. 27, p. 21. 1906.
JENNE, E. L.—
  "The codling moth in the Ozarks." Ent. Bul. 80, Pt. I, pp. 32. 1909.
  "The one-spray method in the control of the codling moth and the plum curculio." With others. Ent. Bul. 80, Pt. VII, pp. 113–146. 1910.
  "The plum curculio." With A. L. Quaintance. Ent. Bul. 103, pp. 250. 1912.
Jennet, gestation period. F.B. 1167, p. 9. 1920.
JENNINGS, D. S.: "Soil survey of the—
  Ashley Valley, Utah." With others. Soil Sur. Adv. Sh., 1920, pp. 907–937. 1924; Soils F.O., 1920, pp. 907–937. 1925.
  Delta area, Utah." With others. Soil Sur. Adv. Sh., 1919, pp. 38. 1922; Soils F.O., 1919, pp. 1801–1834. 1925.
  Uinta River Valley area, Utah." With others. Soil Sur. Adv. Sh., 1921, pp. 42. 1925.
JENNINGS, H.: "Soil survey of—
  Baldwin County, Ala." With others. Soil Sur. Adv. Sh., 1909, pp. 74. 1911; Soils F.O., 1909, pp. 705–774. 1912.
  Dougherty County, Ga." With others. Soil Sur. Adv. Sh., 1912, pp. 63. 1913; Soils F.O., 1912, pp. 573–631. 1915.
  Jasper County, Miss." With E. L. Worthen. Soil Sur. Adv. Sh., 1907, pp. 36. 1908; Soils F.O., 1907, pp. 525–556. 1909.

JENNINGS, H.: "Soil survey of—Continued.
Robertson County, Tenn." With others. Soil Sur. Adv. Sh., 1912, pp. 26. 1914; Soils F.O., 1912, pp. 1127–1148. 1915.
Sussex County, N. J." With others. Soil Sur. Adv. Sh., 1911, pp. 62. 1913; Soils F.O., 1911, pp. 329–386. 1914.
the Freehold area, New Jersey." With others. Soil Sur. Adv. Sh., 1913, pp. 51. 1916; Soils F.O., 1913, pp. 95–141. 1916.
the Middlebourne area, West Virginia." With others. Soil Sur. Adv. Sh., 1907, pp. 32. 1909; Soils F.O., 1907, pp. 165–192. 1909.

JENNINGS, R. D.—
"Alfalfa on Corn-Belt farms." With others. F.B. 1021, pp. 32. 1919.
"The sheep industry." With others. Y.B., 1923, pp. 229–310. 1924; Y.B. Sep. 894, pp. 229–310. 1924.

JENSEN, C. A.—
"Composition of citrus leaves at various stages of mottling." J.A.R., vol. 9, pp. 157–166. 1917.
"Effect of decomposing organic matter on the solubility of certain inorganic constituents of the soil." J.A.R., vol. 9, pp. 253–368. 1917.
"Further studies on the properties of unproductive soils." With others. Soils Bul. 36, pp. 71. 1907.
"Hints to settlers on the Belle Fourche project, South Dakota." B.P.I. Doc. 453, pp. 4. 1909.
"Humus in mulched basins, relation of humus content to orange production and effect of mulches on orange production." J.A.R., vol. 12, pp. 505–518. 1918.
"Mottle leaf of citrus trees in relation to soil conditions." With others. J.A.R., vol. 6, No. 19, pp. 721–740. 1916.
"Relation of inorganic soil colloids to plowsole in citrus groves in Southern California." J.A.R., vol. 15, pp. 505–519. 1918.
"Seasonal nitrification as influenced by crops and tillage." B.P.I. Bul. 173, pp. 31. 1910.
"Soil survey of the Billings area, Montana." With N. P. Neill. Soils F.O. Sep., 1902, pp. 21. 1903; Soils F.O., 1902, pp. 665–685. 1903.
"The mulched-basin system of irrigated citrus culture and its bearing on the control of mottle-leaf." With others. D.B. 499, pp. 31. 1917.

JENSEN, LOUISE: "Infection experiments with timothy rust." With E. C. Stakman. J.A.R., vol. 5, No. 5, pp. 211–216. 1915.

JENSEN, N. K.: "The dairy industry of Denmark: Education as the true foundation." B.A.I. Dairy [Misc.], "World's dairy congress, 1923," pp. 635–638. 1924.

Jensen's—
formula, fly repellent. D.B. 131, pp. 9, 12, 23. 1914.
reductase, test of milk, technique. B.A.I. An. Rpt., 1911, p. 215. 1913.

JEPHCOTT, HARRY—
"Fat in commercial casein." With Norman Ratcliffe. B.A.I. Dairy [Misc.], "World's dairy congress, 1923," pp. 1271–1276. 1924.
"The attainment of bacterial purity in the manufacture of dried milk." With others. B.A.I. Dairy [Misc.], "World's dairy congress, 1923," pp. 1265–1271. 1924.

JEPSON, W. L.: "Tanbark oak and the tanning industry." For. Bul. 75, pp. 5–23. 1911.

Jequirity, importation, and description. No. 35139, B.P.I. Inv. 35, p. 12. 1915; No. 36238, B.P.I. Inv. 37, p. 14. 1916; No. 41933, B.P.I. Inv. 46, pp. 8, 36. 1919.

JERDAN, S. S.—
"A comparison of concentrates for fattening steers in the South." With others. D.B. 761, pp. 16. 1919.
"Five year's calf-feeding work in Alabama, and Mississippi." With W. F. Ward. D.B. 631, pp. 54. 1918.

Jerome (horse), pedigree. D.C. 153, p. 13. 1921.
Jersey mark. See Scurf, sweet-potato.

Jersey City, N. J.—
market statistics for livestock, 1910–1920. D.B. 982, pp. 17, 52, 84. 1921.
milk supply, statistics, officials, prices, etc. B.A.I. Bul. 46, pp. 26, 114. 1903.

Jerusalem—
artichoke. See Artichoke, Jerusalem.
"corn"—
introduction in 1874. Y.B., 1922, p. 527. 1923; Y.B. Sep. 891, p. 527. 1923.
See also Sorghums; Durra, white.
oak. See Wormseed, American.
pea. See Mung bean.
rye. See Polish wheat.
wheat, early history, other names, misrepresentations by seedsmen, warnings. News L., vol. 3, No. 40, pp. 1–2. 1916.

JESNESS, O. B.—
"Cooperative marketing." F.B. 1144, pp. 27. 1920.
"Cooperative marketing: Where? When? How?" With C. E. Bassett. Y.B., 1917, pp. 385–393. 1918; Y.B. Sep. 738, pp. 11. 1918.
"Cooperative organization by-laws." With C. E. Bassett. D.B. 541, pp. 23. 1918.
"Cooperative purchasing and marketing organizations among farmers in the United States." With W. H. Kerr. D.B. 547, pp. 82. 1917.
"Producers' cooperative milk-distributing plants." With others. D.B. 1095, pp. 44. 1922.
"The organization of cooperative grain elevator companies." With J. H. Mehl. D.B. 860, pp. 40. 1920.

Jessamine—
orange, importation, and description. No. 40392. B.P.I. Inv. 43, p. 13. 1918.
See also Jasmine.

JESSEE, W. B.: "Illustrated lecture on swine in the United States." O.E.S.F.I.L. 16, pp. 16. 1914.

JESSUP, L. T.: "The drainage of irrigated shale land." With Dalton G. Miller. D.B. 502, pp. 40. 1917.

Jewelweed, growing, experiments with daylight of different lengths. J.A.R., vol. 23, p. 878. 1923.

Jicaco, insect pests, list. Sec. [Misc.], "A manual * * * insects * * *." pp. 109, 139. 1917.

Jigger. See Chigger.

Jimson weed—
as fumigant against mosquitoes. Ent. Bul. 88, p. 37. 1910.
description, distribution, spread, and products injured. F.B. 660, p. 28. 1915.
flowers, and cobalt solution, remedy for hornworms. Hawaii Bul. 10, p. 12. 1905.
trap crop for tobacco beetles. Hawaii Bul. 10, p. 7. 1905.
drug use, with price, description and range. D.B. 26, p. 13. 1913; F.B. 188, pp. 37–38. 1904.
habitat, range, description, uses, collection and prices. B.P.I. Bul. 219, p. 30. 1911.
planting as decoy for tobacco hornworm moth. F.B. 343, pp. 19–20. 1909.
poisoning for control of hornworm moth. Ent. Cir. 123, p. 16. 1910.
See also Stramonium.

Joazeiro, description of tree and fruit. D B 445, p. 35. 1917.

Jobbers, fruit and vegetable, methods. D.B. 267, pp. 19–20. 1915.

JOBBINS-POMEROY, A. W.: "Notes on five North American buffalo gnats of the genus Simulium." D.B. 329, pp. 48. 1916.

Jobo—
fruit, infestation with mango fruit fly. P.R. An. Rpt., 1912, p. 36. 1913.
occurrence in Porto Rico, description and uses. D.B. 354, pp. 39, 49, 81. 1916.
value as honey plant, and other uses. P.R. Bul. 15, p. 12. 1914.

Job's-tears—
description—
cultivation, and characteristics. F.B. 1171, pp. 52, 81. 1921.
of plant. D.B. 772, pp. 287–288. 1920.

Job's-tears—Continued.
   importations and descriptions. No. 30715, B.P.I. Bul. 242, pp. 9, 34. 1912; Nos. 36994, 37120, 37227, 37609, B.P.I. Inv. 38, pp. 21, 40, 48, 84. 1917; Nos. 37945-37946, 38473-38476, B.P.I. Inv. 39, pp. 71, 134. 1917; Nos. 38868-38880, 39286, B.P.I. Inv. 40, pp. 39-40, 96. 1917; No. 41900, B.P.I. Inv. 46, p. 31. 1919; No. 43378, B.P.I. Inv. 48, p. 47. 1921; Nos. 44571, 44843, B.P.I. Inv. 51, pp. 26, 77. 1922; No. 45767, B.P.I. Inv. 54, p. 17. 1922; Nos. 47426-47428, 47618, B.P.I. Inv. 59, pp. 17, 38. 1922; Nos. 48012, 48081, B.P.I. Inv. 60, pp. 3, 27, 39. 1922; Nos. 48703, 48860-48875, B.P.I. Inv. 61, pp. 38, 57-58. 1922; Nos. 49345, 49516, B.P.I. Inv. 62, pp. 28, 48. 1923; Nos. 49798, 50143, B.P.I. Inv. 63, pp. 2, 6, 40. 1923; No. 55413, B.P.I. Inv. 71, p. 40. 1923; No. 55656, B.P.I. Inv. 72, p. 15. 1924.
   See also Ma-yuen.
Jockey stick, use in breaking colts. F.B. 1368. p. 11. 1923.
JODIDI, S. L.—
   "Nitrogen metabolism in normal and in blighted spinach." With others. J.A.R., vol. 15, pp. 385-404. 1918.
   "Physiological and biochemical studies on cereals. IV. On the presence of amino acids and polypeptides in the ungerminated rye kernel." With J. G. Wangler. J.A.R., vol. 30, pp. 989-994. 1925.
   "Physiological studies on cereals. III. The occurrence of polypeptides and amino acids in the ungerminated maize kernel." With J. G. Wangler. J.A.R., vol. 30; pp. 587-592. 1925.
Jodina rhombitolia, importation and description. No. 48677, B.P.I. Inv. 61, p. 35. 1922.
JOFFE, JACOB: "Oxidation of sulphur by microorganisms in black alkali soils." With others. J.A.R., vol. 24, pp. 297-305. 1923.
JOHANN, HELEN—
   "Fundamentals for taxonomic studies of Fusarium." With others. J.A.R., vol. 30, pp. 833-843. 1925.
   "Production of conidia in *Gibberella saubinetii*." With J. G. Dickson. J.A.R., vol. 19, pp. 235-237. 1920.
Johne's disease—
   cattle—
      cause and description. B.A.I. Dairy [Misc.], "World's dairy congress, 1923," pp. 1465-1466. 1924.
      characteristics and importance. B.A.I. An. Rpt. 1907, p. 411. 1909.
      See also Dysentery, chronic bacterial.
   Johnin, use in testing cattle for Johne's disease. B.A.I. Dairy [Misc.], "World's dairy congress, 1923," p. 1466. 1924.
Johnnycake, feed for chicks, recipe. D.C. 14, p. 5, 1919; F.B. 355, p. 28. 1909; F.B. 1108, p. 6. 1920; F.B. 1376, p. 13. 1924; S.R.S. Syl. 17, p. 8. 1916.
JOHNS, C. O.—
   "Chemistry of the cotton plant, with special reference to Upland cotton." With others. J.A.R., vol. 13, pp. 345-352. 1918.
   "Nutritive value of mixtures of proteins from corn and various concentrates." With others. J.A.R., vol. 24, pp. 971-978. 1923.
JOHNSON, A. A.: "County schools of agriculture and domestic economy in Wisconsin." O.E.S. Bul. 242, pp. 24. 1911.
JOHNSON, A. G.—
   "Bacterial-blight of barley." With others. J.A.R., vol. 11, pp. 625-643. 1917.
   "Bacterial blight of rye." With C. S. Reddy and James Godkin. J.A.R., vol. 28, pp. 1039-1040. 1924.
   "Corn rootrot and wheatscab." With others. J.A.R., vol. 14, pp. 611-612. 1918.
   "Stripe rust (*Puccinia glumarum*) of cereals and grasses in the United States." With others. J.A.R., vol. 29, pp. 209-227. 1924.
   "Take-all and flag smut." With Harry B. Humphrey. F.B. 1063, pp. 8. 1919.
   "Take-all of wheat and its control." With others. F.B. 1226, pp. 12. 1921.
   "The rosette disease of wheat and its control." With others. F.B. 1414., pp. 10. 1924.

JOHNSON, A. G.—Continued.
   "Treatment of cereal seeds by dry heat." With D. Atanasoff. J.A.R., vol. 18, pp. 379-390. 1920.
   "Wheat scab and its control." With James G. Dickson. F.B. 1224, pp. 16. 1921.
JOHNSON, ALICE: "Carbon-dioxid content of barn air." With Mary F. Hendry. J.A.R., vol. 20, pp. 405-408. 1920.
JOHNSON, E. C.—
   "A study of some imperfect fungi isolated from wheat, oat, and barley plants." J.A.R., vol. 1, pp. 475-490. 1914.
   "Handling the 1918 wheat harvest in Kansas." Sec. Cir. 121, pp. 7. 1918.
   report of Kansas extension work in agriculture and home economics—
      1916. S.R.S. Rpt., 1916, Pt. II, pp. 223-233. 1917.
      1917. S.R.S. Rpt. 1917, Pt. II, pp. 230-238. 1919.
   "The loose smuts of barley and wheat." With E. M. Freeman. B.P.I. Bul. 152, pp. 48. 1909.
   "The rusts of grains in the United States." With E. M. Freeman. B.P.I. Bul. 216, pp. 87. 1911.
   "The smuts of wheat, oats, barley, and corn." F.B. 507, pp. 32. 1912.
   "Timothy rust in the United States." B.P.I. Bul. 224, pp. 20. 1911.
JOHNSON, E. L.: "Relation of sheep to climate." J.A.R., vol. 29, pp. 491-500. 1924.
JOHNSON, E. R.: "Farming the logged-off uplands in western Washington." With E. D. Strait. D.B. 1236, pp. 36. 1924.
JOHNSON, ELMER—
   "Care and repair of farm implements: No. 5, Grain separators." F.B. 1036, pp. 20. 1919.
   "Cotton dusting machinery." With others. F.B. 1319, pp. 20. 1923.
   "Dusting cotton from airplanes." With others. D.B. 1204, pp. 40. 1924.
   "Dusting machinery for cotton boll weevil control." With B. R. Coad. F.B. 1098, pp. 31. 1920.
JOHNSON, F. R.:"Tree planting in the Great Plains region." With F. E. Cobb. F.B. 1312, pp. 33. 1923.
JOHNSON, FRED—
   "Demonstration spraying for the codling moth." With others. Ent. Bul. 68, Pt. VII, pp. 69-76. 1908.
   "Grape root-worm investigations in 1907." Ent. Bul. 68, Pt. VI, pp. 61-68. 1908.
   "Spraying experiments against the grape leafhopper in the Lake Erie Valley." Ent. Bul. 97, Pt. I, pp. 1-12. 1913.
   "Spraying experiments against the grape leafhopper in the Lake Erie Valley in 1911." Ent. Bul. 116, Pt. I, pp. 13. 1912.
   "The grape-berry moth." With A. G. Hammar. Ent. Bul. 116, Pt. II, pp. 15-71. 1912.
   "The grape leafhopper in the Lake Erie Valley." D.B. 19, pp. 47. 1914.
   "The grape root-worm, with special reference to investigations in the Erie grape belt from 1907-1909." With A. G. Hammar. Ent. Bul. 89, pp. 100. 1910.
   "The plum curculio." With A. A. Girault. Ent. Cir. 73, pp. 10. 1906.
   "Vineyard spraying experiments against the rose-chafer in the Lake Erie Valley." Ent. Bul. 97, Pt. III, pp. 53-64. 1911.
JOHNSON, H. W.: "Soil survey of Muscatine County, Iowa." With H. W. Hawker. Soil Sur. Adv. Sh., 1914, pp. 64. 1916; Soils F.O., 1914, pp. 1825-1884. 1919.
JOHNSON, J. M.: "Farm management in Catawba County, N. C." With E. D. Strait. D.B. 1070, pp. 23. 1922.
JOHNSON, J. P.: "Emulsions of wormseed oil and carbon disulfide for destroying larvae of the Japanese beetle in the roots of perennial plants." With B. R. Leach. D.B. 1332, pp. 18. 1925.
JOHNSON, JAMES—
   "A bacterial leafspot of tobacco." J.A.R., vol. 23, pp. 481-493. 1923.

JOHNSON, JAMES—Continued.
"Fusarium-wilt of tobacco." J.A.R., vol. 20, pp. 515-536. 1921.
"Host plants of *Thielavia basicola*." J.A.R., vol. 7, pp. 289-300. 1916.
"Influence of soil environment on the root rot of tobacco." With R. E. Hartman. J.A.R., vol. 17, pp. 41-86. 1919.
"Strains of White Burley tobacco resistant to root-rot." With R. H. Milton. D.B. 765, pp. 11. 1919.
"Tobacco diseases and their control." D.B. 1256, pp. 56. 1924.

JOHNSON, M. O.—
"Drying as a method of food preservation in Hawaii." Hawaii Bul. 7, pp. 31. 1918.
"Manganese chlorosis of pineapples: Its cause and control." Hawaii Bul. 52, pp. 38. 1924.
report of chemical division, Hawaii Experiment Station—
  1916. Hawaii A.R., 1916, pp. 21-26. 1917.
  1917. Hawaii A.R., 1917, pp. 25-27. 1918.
  1918. Hawaii A.R., 1918, pp. 21-26. 1919.
  1919. With Kim A. Ching. Hawaii A.R., 1919, pp. 40-44. 1920.

JOHNSON, P. M.: "Life-history studies of the Colorado potato beetle." With Anita M. Ballinger. J.A.R., vol. 5, No. 20, pp. 917-926. 1916.

JOHNSON, R. P. A.: "Basic grading rules and working stresses for structural timbers." With J. A. Newlin. D.C. 295, pp. 23. 1923.

JOHNSON, T. C., report of Virginia Truck Experiment Station—
  1908. O.E.S. An. Rpt., 1908, pp. 180-181. 1909.
  1909. O.E.S. An. Rpt., 1909, pp. 197-198. 1910.
  1910. O.E.S. An. Rpt., 1910, pp. 257-258. 1911.
  1911. O.E.S. An. Rpt., 1911, p. 216. 1912.
  1912. O.E.S. An. Rpt., 1912, pp. 219-220. 1913.
  1913. O.E.S. An. Rpt., 1913, p. 85. 1915.
  1914. O.E.S. An. Rpt., 1914, pp. 236-237. 1915.

JOHNSON, W. G.: "Recent results with hydrocyanic-acid gas for the destruction of insects in large buildings." O.E.S. Bul. 99, pp. 166-171. 1901.

JOHNSON, W. T., Jr.—
"Ability of colon bacilli to survive pasteurization." With S. Henry Ayers. J.A.R., vol. 3, pp. 401-410. 1915.
"Ability of streptococci to survive pasteurization." With S. Henry Ayers. J.A.R., vol. 2, pp. 321-330. 1914.
"A bacteriological study of retail ice cream." With S. Henry Ayers. D.B. 303, pp. 24. 1915.
"A study of the alkali-forming bacteria found in milk." With others. D.B. 782, pp. 39. 1919.
"Cooling hot-bottled pasteurized milk by forced air." With others. D.B. 420, pp. 38. 1916.
"Pasteurizing milk in bottles and bottling milk pasteurized in bulk." With S. Henry Ayers. D.B. 240, pp. 27. 1915.
"Removal of garlic flavor from milk and cream." With S. Henry Ayers. F.B. 608, pp. 4. 1914.
"Study of the bacteria which survive pasteurization." With S. Henry Ayers. B.A.I. Bul. 161, pp. 66. 1913.
"The alcohol test in relation to milk." With S. Henry Ayers. D.B. 202, pp. 35. 1915.
"The bacteriology of commercially pasteurized and raw market milk." With S. Henry Ayers. B.A.I. Bul. 126, pp. 98. 1910.
"The determination of bacteria in ice cream." With S. Henry Ayers. D.B. 563, pp. 16. 1917.

Johnson grass—
adulterant of Sudan grass, studies. News L., vol. 3, No. 31, pp. 1, 2. 1916.
agency in spread of sorgum midge, remedy. Ent. Bul. 85, pp. 55, 58. 1911.
analytical key and description of seedlings. D.B. 461, p. 20. 1917.
and cowpeas, mixture for hay, seed quantity per acre. F.B. 318, pp. 12, 27. 1908.
comparison with—
  Rhodes grass and Sudan grass. Y.B., 1912, pp. 498, 501, 503. 1913; Y.B. Sep. 609, pp. 498, 501, 503. 1913.
  Sudan grass. F.B. 1126, pp. 3-6. 1920.
crossing with sorghums, results. D.B. 981, pp. 13-16. 1921.

Johnson grass—Continued.
description—
  and value for cotton States. F.B. 1125, rev., p. 9. 1920.
  distribution, spread, and products injured. F.B. 660, p. 28. 1915. D.B. 772, pp. 267-269. 1920.
diseases, Texas, occurrence and description. B.P.I. Bul. 226, pp. 51-52, 110. 1912.
eradication—
  cost per acre. B.P.I. Cir. 34, p. 16. 1909.
  experiments, San Antonio experiment farm. B.P.I. Cir. 13, pp. 9-11. 1908.
  for control of flea-beetle. D.B. 436, pp. 20-21 1917.
  method. J. S. Cates and W. J. Spillman. F.B. 279, pp. 16. 1907.
  method in Texas, Robertson County. Soil Sur. Adv. Sh., 1907, p. 17. 1909; Soils F.O., 1907, p. 603. 1909.
extermination. W.J. Spillman. B.P.I. Bul., Pt. III, pp. 14-22. 1905.
forage-crop experiments in Texas. B.P.I. Cir. 106, p. 24. 1913.
growing—
  in Guam, description and uses. Guam Bul. 3, pp. 12-13. 1922.
  in Hawaii, composition, value and objections. Hawaii Bul. 36, pp. 11, 13, 27, 42. 1915.
  with cowpeas for hay. F.B. 1148, pp. 19-20. 1920.
growth on old ranges, southwest. B.P.I. Bul. 117, p. 17. 1907.
hay, feed value for fattening beef cattle. B.A.I. Bul. 159, pp. 15-17, 19. 1912.
history and use as forage. F.B. 1433, pp. 6-8. 1925.
in Texas, south-central, use as hay, disadvantages. Soil Sur. Adv. Sh., 1913, pp. 30, 33, 40, 55, 68. 1915; Soils F.O., 1913, pp. 1106-7, 1110, 1121, 1129, 1139. 1916.
investigations, 1901. Carleton R. Ball. B.P.I. Bul. 11, pp. 24. 1902.
poisonous action. A.C. Crawford. B.P.I. Bul. 90, pp. 31-34. 1906.
seed(s)—
  catalase and oxidase content. J.A.R., vol. 15, pp. 143-169. 1918.
  characters. D.B. 981, pp. 55-57. 1921.
  comparison with Sudan grass. D.B. 406, pp. 1, 4. 1916; D.B. 981, pp. 55-57. 1921; J.A.R. vol. 23, pp. 202-220. 1923.
  description and comparison with Sudan grass seed. F.B. 1126, p. 23. 1920.
  description and determination method. News L., vol. 3, No. 36, pp. 1-2. 1916.
  germination temperatures. J.A.R., vol. 23- pp. 297, 299, 305-313. 1923.
  structure, physiological characteristics, and composition of pericarp and integument in relation to its physiology. George T. Harrington and William Crocker. J.A.R., vol. 23, pp. 193-222. 1923.
spread prevention. D.B. 981, p. 64. 1921.
testing for forage crop, Guam. O.E.S. An. Rpt., 1910, p. 505. 1911.
use as forage crop in cotton region, description. F.B. 509, p. 9. 1912.
value as hay—
  and silage, Texas, Archer County. Soil Sur. Adv. Sh., 1912, pp. 11, 14. 1914; Soils F.O., 1912, pp. 1013, 1016. 1915.
  method of cropping. F.B. 312, p. 15. 1907.
  yield and price, on Houston clay soils. Soils Cir. 49, p. 8. 1911.
  yield on Houston Black clay. Soils Cir. 50, p. 10. 1911.
value for market hay in Cotton Belt. F.B. 667, pp. 6-7. 1915.
weed pest in alfalfa, Yuma project. W.I.A. Cir. 12, p. 7. 1916.

Johnsorgo, hybrid, description and value. D.B. 981, pp. 15-16. 1921.

JOHNSTIN, RUTH: "Homemade apple and citrus pectin extracts and their use in jelly making." With others. D.C. 254, pp. 11. 1923.

JOHNSTON, C. O.: "The reaction of certain grasses to chinch-bug attack." With Wm. P. Hayes. J.A.R., vol. 31, pp. 575-583. 1925.

JOHNSTON, C. T.—
"Discussion of investigations for 1900." O.E.S. Bul. 104, pp. 21–59. 1902.
"Egyptian irrigation: A study of irrigation methods and administration in Egypt." O.E.S. Bul. 130, pp. 100. 1903.
"How to build small irrigation ditches." With J. D. Stannard. F.B. 158, pp. 28. 1902.
"Irrigation in Wyoming." O.E.S. Bul. 205, pp. 60. 1909.
"Practical irrigation." With J. D. Stannard. Y.B., 1900, pp. 491–513. 1901; Y.B. Sep. 201, pp. 491–513. 1901.
"The use of water for irrigation at Wheatland, Wyo." O.E.S. Bul. 104, pp. 207–215. 1902.

JOHNSTON, F. A.—
"Arsenite of zinc and lead chromate as remedies against the Colorado potato beetle." Ent. Bul. 109, Pt. V, pp. 53–56. 1912.
"Asparagus-beetle egg parasite." J.A.R., vol. 4, pp. 303–314. 1915.

JOHNSTON, J. R.—
"The bud rot of the coconut palm." B.P.I. Cir. 36, pp. 5. 1909.
"The history and cause of the coconut bud rot." B.P.I. Bul. 228, pp. 175. 1912.

Joint—
calf, inflammation, causes, symptoms, prevention, and treatment. B.A.I. [Misc.], "Diseases of cattle," rev., p. 250. 1912; rev., p. 251. 1923.
contraction and expansion, prevention in concrete, methods. F.B. 1279, p. 23. 1922.
disease, septic, occurrence in lambs, cause and treatment. F.B. 1155, pp. 13–14. 1921.
disease. *See also* Arthritis.
horse, diseases, description, and treatment. B.A.I. [Misc.], "Diseases of the horse," rev., pp. 329–339. 1903; rev., pp. 329–339. 1907; rev., pp. 329–339. 1911.
ill—
calves, symptoms, prevention, and treatment. B.A.I. [Misc.], "Diseases of cattle," rev., p. 248. 1904; rev., p. 256, 1912; rev., p. 251. 1923.
lambs, cause, symptoms, and prevention. F.B. 1155, pp. 13–14. 1921.
See also Arthritis, infectious.
Jointgrass, control in rice field. D.B. 1155, p. 54. 1913.

Jointworm—
(*Isosoma tritici* Fitch). F. M. Webster. Ent. Cir. 66, pp. 5. 1905.
barley—
description and life history. D.B. 808, pp. 11–13. 1920.
straw infestation, cause of disease to man. Ent. Cir. 118, pp. 5–6. 1910.
control in grain and grass fields. D.B. 808, pp. 23–26. 1920.
description, distribution, enemies, and remedies. Ent. Bul. 42, pp. 23–29. 1903.
flies, life history and control. W. J. Phillips. D.B. 808, pp. 27. 1920.
grass, history and injurious habits. D.B. 808, pp. 16–17, 18–19. 1920.
parasites, beneficial action. Ent. Bul. 67, p. 97. 1907.
parasites, life-history studies of three. W. J. Phillips and F. W. Poos. J.A.R., vol. 21, pp. 405–426. 1921.
rye, description and life history. D.B. 808, pp. 13–14. 1920.
straw—
destruction by *Pediculoides ventricosus*. Ent. Cir. 118, pp. 5–6, 13, 17, 22. 1910.
infestation by mites, causing disease to man. Ent. Cir. 118, pp. 5–8, 13, 15–18. 1910.
wheat—
and its control. W. J. Phillips. F.B. 1006, pp. 14. 1918.
habits, natural enemies, remedy. F.B. 132, pp. 26–29. 1901.
injury to grain, life history, and control. D.B. 808, pp. 2–5, 23–25. 1920.
oviposition, time. Y.B., 1908, p. 374. 1909; Y.B. Sep. 488, p. 374. 1909.
parasite, description and work. F.B. 1006, pp. 11–12. 1918.
See also Harmolita tritici.

Joliet, Ill., milk-supply statistics, officials, prices, and ordinances. B.A.I. Bul. 46, pp. 34, 67–68. 1903.

Jonathan spot, apple, description—
and effects of storage conditions. J.A.R.,-vol. 11, pp. 288–294. 1917.
cause and control. F.B. 1160, p. 6. 1920.

JONES, C. H.—
"Nitrogen." Chem. Bul. 137, pp. 14–16. 1911.
"Nitrogen determination." With J. W. Kellogg. Chem. Bul. 132, pp. 16–19. 1910.
"Phosphoric acid." Chem. Bul. 73, pp. 16–17. 1903.

JONES, C. P.: "Determination of sulphur compounds in dry lime-sulphur." J.A.R., vol. 25, pp. 323–336. 1923.

JONES, C. R.: "The cotton bollworm." With F. C. Bishopp. F.B. 290, pp. 32. 1907.

JONES, C. S.: "Establishing the swine industry on the North Platte reclamation project." With F. D. Farrell. D.R.P. Cir. 1, pp. 26, 1915.

JONES, D. B.—
"Growth-promoting value of the proteins of the palm kernel, and the vitamin content of palm-kernel meal." With A. J. Finks. J.A.R., vol. 25, pp. 165–169. 1923.
"Nutritive value of mixtures of proteins from corn and various concentrates." With others. J.A.R., vol. 24, pp. 971–978. 1923.
"Vitamin A content of fresh eggs." With Joseph C. Murphy. J.A.R., vol. 29, pp. 253–257. 1924.

JONES, D. W.: "The European earwig and its control." D.B. 566, pp. 12. 1917.

JONES, E. M.: "Soil survey of—
Alcorn County, Miss." With E. P. Lowe. Soil Sur. Adv. Sh., 1921, pp. 673–705. 1924.
Chickasaw County, Miss." With C. S. Waldrop. Soil Sur. Adv. Sh., 1915, pp. 38. 1917; Soils F.O., 1915, pp. 939–972. 1919.
Choctaw County, Miss." With others. Soil Sur. Adv. Sh., 1920, pp. 249–286. 1923; Soils F.O., 1920, pp. 249–286. 1925.
Clarke County, Miss." With A. L. Goodman. Soil Sur. Adv. Sh., 1914, pp. 41. 1915; Soils F.O., 1914, pp. 1201–1237. 1919.
Coahoma County, Miss." Soil Sur. Adv. Sh., 1915, pp. 29. 1916; Soils F. O., 1915, pp. 973–997. 1919.
Covington County, Miss." With others. Soil Sur. Adv. Sh., 1917, pp. 36. 1919; Soils F.O., 1917, pp. 867–902. 1923.
Grundy County, Iowa." With W. E. Carson. Soil Sur. Adv. Sh., 1921, pp. 23. 1925.
Jones County, Miss." With A. L. Goodman. Soil Sur. Adv. Sh., 1913, pp. 35. 1915; Soils F.O., 1913, pp. 921–951. 1916.
Lamar County, Miss." With others. Soil Sur. Adv. Sh., 1919, pp. 42. 1922; Soils F.O., 1919, pp. 973–1010. 1925.
Lafayette County, Miss." With A. L. Goodman. Soil Sur. Adv. Sh., 1912, pp. 29. 1914; Soils F.O., 1912, pp. 831–854. 1915.
Lauderdale County, Miss." With others. Soil Sur. Adv. Sh., 1910, pp. 56. 1912; Soils F.O., 1910, pp. 733–784. 1912.
Lee County, Miss." With W. E. Tharp. Soil Sur. Adv. Sh., 1916, pp. 40. 1918; Soils F.O. 1916, pp. 1045–1080. 1921.
Lincoln County, Miss." With A. L. Goodman. Soil Sur. Adv. Sh., 1912, pp. 29. 1913; Soils F.O., 1912, pp. 855–879. 1915.
Newton County, Miss." With A. L. Goodman. Soil Sur. Adv. Sh., 1916, pp. 43. 1918; Soils F.O., 1916, pp. 1081–1119. 1921.
Noxubee County, Miss." With others. Soil Sur. Adv. Sh., 1910, pp. 46. 1911; Soils F.O., 1910, pp. 785–826. 1912.
Pearl River County, Miss." With G. W. Musgrave. Soil Sur. Adv. Sh., 1918, pp. 38. 1920. Soils F.O., 1918, pp. 615–648. 1924.

JONES, E. S.—
"Influence of temperature, moisture, and oxygen on spore germination of *Ustilago avenae.*" J.A.R. vol. 24, pp. 577–597. 1923.
"Influence of temperature on the spore germination of *Ustilago zeae.*" J.A.R., vol. 24, pp. 593–597. 1923.

JONES, E. S.—Continued.
"Relation of certain soil factors to the infection of oats by loose smut," With Lucille K. Bartholomew. J.A.R., vol. 24, pp. 569–575. 1923.

JONES, F. R.—
"A mycorrhizal fungus in the roots of legumes and some other plants." J.A.R., vol. 29, pp. 459–470. 1924.
"Crownwart of alfalfa caused by *Urophlyctis alfalfae*." With Charles Drechsler. J.A.R., vol. 20, pp. 295–324. 1920.
"Effect of soil temperature upon the development of nodules on the roots of certain legumes." With W. B. Tisdale. J.A.R., vol 22, pp. 17–31. 1921.
"Root rot of peas in the United States caused by *Aphanomyces euteiches* (n. sp.)." With Charles Drechsler. J.A.R., vol. 30, pp. 293–325. 1925.
"Stem and rootrot of peas in the United States caused by species of Fusarium." J.A.R., vol. 26, pp. 459–476. 1923
"The leaf-spot diseases of alfalfa and red clover caused by the fungi *Pseudopeziza medicaginis* and *Pseudopeziza trifolii*, respectively." D.B. 759, pp. 38. 1919.
"Yellow-leafblotch of alfalfa caused by the fungus *Pyrenopeziza medicaginis*." J.A.R., vol. 13, pp. 307–333. 1918.

JONES, F. S.: "Bovine mastitis." B.A.I. Dairy [Misc.], "World's dairy congress, 1923," pp. 1468–1473. 1924.

JONES, G. B: "Soil survey of—
Allen County, Ind." With Cornelius Van Duyne. Soil Sur. Adv. Sh., 1908, pp. 30. 1909; Soils F.O., 1908, pp. 1067–1092. 1911.
Benton County, Ind." With J. Bayard Brill. Soil Sur. Adv. Sh., 1916, pp. 20. 1917; Soils F.O., 1916, pp. 1679–1694. 1921.
Butts and Henry Counties, Ga." With others. Soil Sur. Adv. Sh., 1919, pp. 28. 1922; Soils F. O., 1919, pp. 831–854. 1925.
Elkhart County, Ind." With R. S. Hesler. Soil Sur. Adv. Sh., 1914, pp. 28. 1916; Soils F.O., 1914, pp. 1571–1594. 1919.
Henry County, Ala." With others. Soil Sur. Adv. Sh., 1908; pp. 35. 1909; Soils F.O., 1908, pp. 483–513. 1911.
Hernando County, Fla." With T. M. Morrison. Soil Sur. Adv. Sh., 1914. pp. 30. 1915; Soils F.O., 1914, pp. 1045–1070. 1919.
Hillsborough County, Fla." With others. Soil Sur. Adv. Sh., 1916, pp. 42. 1918; Soils F.O., 1916. pp. 749–786. 1921.
Jefferson County, Fla." With others. Soil Sur. Adv. Sh., 1907, pp. 39. 1908; Soils F.O., 1907, pp. 345–379. 1909.
Laurens County, Ga." With others. Soil Sur. Adv. Sh., 1915, pp. 41. 1916; Soils F.O., 1915, pp. 621–657. 1919.
Logan County, Ky." With others. Soil Sur. Adv., Sh., 1919, pp. 56. 1922; Soils F.O., 1919, pp. 1201–1252. 1925.
Mills County, Iowa." With N. J. Russell. Soil Sur. Adv. Sh., 1920, pp. 103–134. 1923; Soils F.O., 1920, pp. 103–134. 1925.
Montgomery County, Ind." With C. H. Orahood. Soil Sur. Adv. Sh., 1912, pp. 26. 1914; Soils F.O., 1912, pp. 1473–1494. 1915.
Morgan County. Ala." With others. Soil Sur. Adv. Sh., 1918, pp. 46. 1921; Soils F.O., 1918, pp. 573–614. 1924.
Muhlenberg County, Ky." With others. Soil Sur. Adv. Sh., 1920, pp. 939–964. 1924; Soils F.O. 1920, pp. 939–964. 1925.
Muskogee County, Okla." With others. Soil Sur. Adv. Sh., 1913, pp. 43. 1915; Soils F.O., 1913, pp. 1853–1891. 1916.
Niagara County, N. Y." With others. Soil Sur. Adv. Sh., 1906, pp. 53. 1908; Soils F.O., 1906, pp. 69–117. 1908.
Oklahoma County, Okla." With W. E. MacLendon. Soil Sur. Adv. Sh., 1906, pp. 27. 1907; Soils F.O., 1906, pp. 563–585. 1908.
Pinellas County, Fla." With T. M. Morrison. Soil Sur. Adv. Sh., 1913. pp. 31. 1914; Soils F.O., 1913, pp. 719–745. 1916.
Plymouth County, Mass." With W. E. McLendon. Soil Sur. Adv. Sh., 1911, pp. 41 1912; Soils F.O., 1911, pp. 31–67. 1914.

JONES, G. B: "Soil survey of—Continued.
Racine County, Wis." With O. L. Ayrs. Soil Sur. Adv. Sh., 1903, pp. 25. 1907; Soils F. O. 1906, pp. 791–811. 1908.
St. Johns County, Fla." With others. Soil Sur. Adv. Sh., pp. 37. 1920; Soils F.O., 1917, pp. 665–697. 1923.
Sumter County, S. C." With others. Soil Sur. Adv. Sh., 1907, pp. 27. 1908; Soils F.O., 1907, pp. 299–321. 1909.
the Brazoria area, Tex." With Frank Bennett, jr. Soils F.O. Sep. 1902, pp. 16; Soils F.O., 1902, pp. 349–364. 1903.
the Fort Payne area, Ala." With M. E. Carr. Soil Sur. Adv. Sh. 1903, pp. 17. 1904; Soils F.O., 1903, pp. 355–371. 1904.
the Jacksonville area, Fla." With James E. Ferguson. Soil Sur. Adv. Sh., 1910, pp. 26. 1911; Soils F.O., 1910, pp. 583–604. 1912.
the Marianna area, Fla." With others. Soil Sur. Adv. Sh., 1909, pp. 30. 1910; Soils F.O., 1909, pp. 619–644. 1912.
Waukesha County, Wis." With others. Soil Sur. Adv. Sh., 1910, pp. 48. 1912; Soils F.O., 1910, pp. 1173–1216. 1912.
Wayne County, Miss." With others. Soil Sur. Adv. Sh., 1911, pp. 35. 1913; Soils F.O., 1911, pp. 1051–1081. 1914.
Windsor County, Vt." With J. A. Kerr. Soil Sur. Adv. Sh., 1916, pp. 24. 1919; Soils F.O., 1916, pp. 175–194. 1921.

JONES, J. M.—
"How the whole county demonstrated." With Bradford Knapp. Y.B., 1915, pp. 225–248. 1916; Y.B. Sep. 672, pp. 225–248. 1916.
report of Virginia extension work in agriculture and home economics, 1917. S.R.S. Rpt., 1917, Pt. II, pp. 145–155. 1919.

JONES, JAMES W.—
"Beet-top silage and other by-products of the sugar beet." F.B. 1095, pp. 24. 1919.
"Farm practice in growing sugar beets for three districts in Utah and Idaho, 1914–1915." With others. D.B. 693, pp. 44. 1918.

JONES, JENKIN W.—
"Cereal experiments on the Cheyenne Experiment Farm, Archer, Wyoming." D.B. 430, pp. 40. 1916.
"Grains for the Utah dry lands." With Aaron F. Bracken. F.B. 883, pp. 22. 1917.
"How to grow rice in the Sacramento Valley." F.B. 1240, pp. 27. 1924.
"Rice experiments at the Biggs rice field station in California." D.B. 1155, pp. 60. 1923.

JONES, L. A.—
"A report on the methods and cost of reclaiming the overflowed lands along the Big Black River, Miss." With others. D.B. 181, pp. 39. 1915.
"report upon the Cypress Creek drainage district, Desha and Chicot Counties, Ark." With others. D.B. 198, pp. 20. 1915.
"Work of Copper Center Experiment Station, Alaska." Alaska A.R., 1911, pp. 65–66. 1912.

JONES, L. H.: "Effect of ammonium sulphate upon plants in nutrient solutions supplied with ferric phosphate and ferrous sulphate as sources of iron." With John W. Shive. J.A.R., vol. 21, pp. 701–728. 1921.

JONES, L. R.—
"Bacterial-blight of barley." J.A.R., vol. 11, 625–643. 1917.
"Bacterial leafspot of clovers." With others. J.A.R., vol. 25, pp. 471–490. 1923.
"Cabbage diseases." With L. L. Harter. F.B. 925, pp. 30. 1918; rev. 1921. F.B. 1351, pp. 29. 1923.
"Disease resistance of potatoes." B.P.I. Bul. 87, pp. 39. 1905.
"Fusarium resistant cabbage: Progress with second early varieties." With others. J.A.R., vol. 30, pp. 1027–1034. 1925.
"Investigations of the potato fungus *Phytophthora infestans*." With others. B.P.I. Bul. 245, pp. 100. 1912.
"Relation of soil temperature and other factors to onion smut infection." With J. C. Walker. J.A.R., vol. 22, pp. 235–262. 1921.
report on Swedish Select oat test in Wisconsin. B.P.I. Bul. 182, pp. 29–30. 1910.

JONES, L. R.—Continued.
"Section on horticulture and botany." O.E.S. Bul. 115, pp. 52–54. 1902.
JONES, P. R.—
"Additional observations on the lesser apple worm." With S. W. Foster. Ent. Bul. 80, Pt. III, pp. 45–50. 1909.
"How to control pear thrips." With S. W. Foster. Ent. Cir. 131, pp. 24. 1911.
"Life history of the codling moth in the Santa Clara Valley of California." With W. M. Davidson. Ent. Bul. 115, Pt. III, pp. 113–181. 1913.
"Some new California and Georgia Thysanoptera." Ent. T.B. 23, Pt. I, pp. 24. 1912.
"Tests of sprays against the European fruit lecanium and the European pear scale." Ent. Bul. 80, Pt. VIII, pp. 147–160. 1910.
"The grape-leaf skeletonizer." Ent. Bul. 68, Pt. VIII, pp. 77–90. 1909.
"The orange thrips." With J. R. Horton. Ent. Bul. 99, Pt. I, pp. 1–16. 1911.
"The life history and habits of the pear thrips in California." With S. W. Foster. D.B. 173, pp. 52. 1915.
JONES, S. A.—
"Honeybees and honey production in the United States." D.B. 685, pp. 61. 1918.
"Honeybees: Wintering, yields, imports, and exports of honey." D.B. 325, pp. 12. 1915.
JONES, S. C.—
"Soil survey of—
Adams County, Ind." With others. Soil Sur. Adv. Sh., 1921, pp. 20. 1923.
Decatur County, Ind." Soil Sur. Adv. Sh., 1919, pp. 32. 1922; Soils F.O., 1919, pp. 1287–1305. 1925.
JONES, T. H.—
"Insects affecting vegetable crops in Porto Rico." D.B. 192, pp. 11. 1915.
"Life history of *Pemphigus populi-transversus.*" With C. P. Gillette. J.A.R., vol. 14, pp. 577–594. 1918.
"Miscellaneous truck-crop insects in Louisiana. I. Insects injurious to the globe artichoke in Louisiana. II. The granulated cutworm, an important enemy of the vegetable crop. III. Experiments in controlling the tomato fruit-worm with arsenicals." D.B. 703, pp. 19. 1918.
"The eggplant leaf-miner *Phthorimaea glochinella* Zeller." J.A.R., vol. 26, pp. 567–570. 1923.
"The eggplant tortoise beetle." D.B. 422, pp. 8. 1916.
"The southern green plant-bug." D.B. 689, pp. 27. 1918.
"The sweet potato leaf folder." D.B. 609, pp. 12. 1917.
JONES, W. J., Jr., report as referee on foods and feeding stuffs. Chem. Bul. 162, pp. 170–182. 1913.
Jonquil—
variety of Narcissus. D.B. 797, p. 39. 1919.
See also Narcissus.
JONSON, TOR, work on taper curves for tree-volume tables. J.A.R., vol. 30, pp. 615, 616. 1925.
Joplin, Mo., milk supply, statistics, officials, prices, and ordinances. B.A.I. Bul. 46, pp. 36, 108. 1903.
JORDAN, H. V.—
"Soil survey of—
Andrew County, Mo." With A. T. Sweet. Soil Sur. Adv. Sh., 1921, pp. 817–850. 1925.
Caldwell County, Mo." With William De Young. Soil Sur. Adv. Sh., 1921, pp. 323–348. 1924.
Lafayette County, Mo." With William De Young. Soil Sur. Adv. Sh., 1920, pp. 813–837. 1923; Soils F.O., 1920, pp. 813–837. 1925.
JORDAN, W. H.—
method for estimation of metabolic nitrogen. J.A.R., vol. 9, p. 407. 1917.
report of Geneva Experiment Station—
work, 1906. O.E.S. An. Rpt., 1906, pp. 135–137. 1907.
work and expenditures—
1908. O.E.S. An. Rpt., 1908, pp. 139–142. 1909.
1909. O.E.S. An. Rpt., 1909, pp. 154–156. 1910.
1910. O.E.S. An. Rpt., 1910, pp. 199–202. 1911.

JORDAN, W. H.—Continued.
report of Geneva Experiment Station—contd.
work and expenditures—continued.
1911. O.E.S. An. Rpt., 1911, pp. 161–164. 1912.
1912. O.E.S. An. Rpt., 1912, pp. 167–170. 1913.
1913. O.E.S. An. Rpt., 1913, pp. 67–68. 1915.
1914. O.E.S. An. Rpt., 1914, pp. 175–180. 1915.
1915. S.R.S. Rpt., 1915, Pt. I, pp. 199–203. 1916.
1916. S.R.S. Rpt., 1916, Pt. I, pp. 203–208. 1918.
1917. S.R.S. Rpt., 1917, Pt. I, pp. 198–203. 1918.
"Relation of experiment stations to work in instruction, with special reference to its popular phase." O.E.S. Bul. 212, pp. 112–116, 117. 1909.
"The authority of science." O.E.S. Bul. 196, pp. 61–66. 1907.
Jordan River, irrigation. R. P. Teele. O.E.S. Bul. 124, pp. 39–91. 1903.
Jornada Range Reserve, N. Mex., description, range, and types. D.B. 1031, pp. 4–41, 43–53. 1922.
Joseph's coat, description, cultivation, and characteristics. F.B. 1171, pp. 30–81. 1921.
Joshua tree, description, range, and occurrence on Pacific slope. For. [Misc.], "Forest trees for Pacific * * *," pp. 201–203. 1908.
Joss, E. C.: "Meat production in Australia and New Zealand." Y.B., 1914, pp. 421–438. 1915; Y.B. Sep. 650, pp. 421–438. 1915.
Journal(s)—
agricultural, relation of farmers' institutes. J. H. Connell. O.E.S. Bul. 213, pp. 59–62. 1909.
Agricultural Research—
preparation of articles for. Sec. [Misc.], "Preparation of articles * * *," pp. 8. 1914; rev., pp. 8. 1917.
purpose. Off. Rec., vol. 1, No. 44, p. 1. 1922.
transfer. Off. Rec., vol. 4, No. 5, p. 2. 1925.
Jua fruit, importations and descriptions. Nos. 37900, 37907, 37923. B.P.I. Inv. 39, pp. 7, 64, 65, 68. 1917.
Jubæa chilensis—
importation and description. No. 47578. B.P.I. Inv. 59, p. 34. 1922.
See also Palmae Chile.
Judas trees—
characteristics, species on Pacific slope, etc. For. [Misc.], "Forest trees for Pacific * * *," pp. 367–368. 1908.
See also Red bud.
JUDD, S. D.—
"Birds of a Maryland farm." Biol. Bul. 17, pp. 116. 1902.
"The bob-white and other quails of the United States in their economic relations." Biol. Bul. 21, pp. 66. 1905.
"The economic value of the bobwhite." Y.B., 1903, pp. 193–204. 1904; Y.B. Sep. 309, pp. 193–204. 1904.
"The food of nestling birds." Y.B., 1900, pp. 411–436. 1901; Y.B. Sep. 194, pp. 26. 1901.
"The grouse and wild turkeys of the United States, and their economic value." Biol. Bul. 24, pp. 55. 1905.
"The relation of sparrows to agriculture." Biol. Bul. 15, pp. 98. 1901.
Judges—
community fairs, selection, duties, and scope. F.B. 870, p. 8. 1917.
county fairs, selection. F.B. 822, p. 5. 1917.
Judging—
animal, qualifications of judge. F.B. 1068, p. 4. 1919.
beef cattle. E. H. Thompson. F.B. 1068, pp. 23. 1919.
butter, methods. Mkts. S.R.A. 51, pp. 11–13. 1919.
calf, in selecting for breeding purposes. F.B. 1135, pp. 6–8. 1920.
cattle, dairy breeds, scales of points. Henry E. Alvord. B.A.I. Cir. 48, pp. 14. 1904.
contests, livestock, value, and methods. Sec. Cir. 83, pp. 11–13. 1917.

Judging—Continued.
   cotton, with score card. M.C. 43, pp. 2–4. 1925.
   dairy cows, practice for secondary schools. D.B. 434, pp. 16–20. 1916.
   livestock, club contests, value of work. Y.B., 1917, p. 380. 1918; Y.B. Sep. 753, p. 12. 1918.
   mules, points and score cards. F.B. 1341, pp. 14–17. 1923.
   potatoes, lesson for rural schools. D.B. 784, pp. 10–12. 1919.
   rules in horticultural exhibits, flowers, fruits, and vegetables. D.C. 62, pp. 26–31. 1919.
   seed corn, and buying. F.B. 225, pp. 9, 10. 1905.
   sheep. G. H. Bedell. F.B. 1199, pp. 23. 1921.
   sheep, subject of instruction in secondary schools. H. P. Barrows. D.B. 593, pp. 31. 1917.
   swine, suggestions for pig club members. J. D. McVean and F. G. Ashbrook. Sec. Cir. 83, pp. 14. 1917.
Judicial—
   districts, Alaska, location. Alaska Cir. 1, rev., pp. 15–16. 1923.
   notice, regulations of Department of Agriculture. Sol. Cir. 22, pp. 8. 1909.
Judith Basin Field Station, spring-wheat production, various methods, 1909–1914, yields and costs. D.B. 214, pp. 11–14, 37–42. 1915.
JUENEMANN, H. E.: "Commercial Dutch-bulb culture in the United States." With David Griffiths. D.B. 797, pp. 50. 1919.
Juga bean, Africa, importation and description. No. 38985, B.P.I. Inv. 40, p. 53. 1917.
Juglandaceae—
   family, characters, and habits. For. [Misc.], "Forest trees for Pacific * * *," p. 206. 1908.
   injury by sapsuckers. Biol. Bul. 39, pp. 29–31. 1911.
   nuts, characteristics, uses, descriptions, and key. Chem. Bul. 160, pp. 15–26, 36. 1912.
Juglans—
   cathayensis. See Butternut, Chinese.
   regia, importations and descriptions. Inv. Nos. 30331, 30407, B.P.I. Bul. 233, pp. 77, 84. 1912.
   spp.—
      concentration of cell sap. J.A.R., vol. 21, pp. 83–85. 1921.
      importations and descriptions. Nos. 45768, 45774, 45775, 45799, 45922, B.P.I. Inv. 54, pp. 17, 18, 22, 41. 1922.
      See also Walnuts.
Juice(s)—
   blending from different apple varieties for quality improvement, group suggestions. F.B. 1264, pp. 11–15, 52. 1922.
   extraction for jelly making. F.B. 853, p. 37. 1917.
   unfermented, currants and gooseberries. F.B. 1398, p. 33. 1924.
Jujube—
   Chinese—
      C. C. Thomas and C. G. Church. D.B. 1215, pp. 31. 1924.
      description, varieties, and uses. Y.B., 1915, pp. 211–212. 1916; Y.B. Sep. 671, pp. 211–212. 1916.
      importation and description. Inv. No. 30411, B.P.I. Bul. 233, p. 85. 1912.
      dragon's-claw, description. B.P.I. Bul. 204, p. 40. 1911.
      grafting on stock of *Zizyphus* spp., recommendation. B.P.I. Bul. 180, p. 14. 1910.
      growing—
         experimental, uses and value. Y.B., 1916, p. 139. 1917; Y.B. Sep. 687, p. 5. 1917.
         in Texas, San Antonio experiment farm. D.C. 209, p. 35. 1922.
         in Texas, variety testing. D.B. 162, pp. 20–21, 26. 1915.

Jujube—Continued.
   importations and descriptions. Nos. 28926–28928, B.P.I. Bul. 227, pp. 15–16. 1911; No. 34162, B.P.I. Inv. 32, p. 17. 1914; Nos. 35253–35257, 35260, 35287, 35601–35609, B.P.I. Inv. 35, pp. 7, 28–29, 33, 59. 1915; Nos. 36852–36854, B.P.I. Inv. 37, p. 74. 1916; Nos. 37069, 37070, 37475, 37476, 37484, 37489, B.P.I. Inv. 38, pp. 8, 33, 62, 63, 64. 1917; Nos. 37659, 37668, 38187, 38243–38247, 38249–38253, 38258–38261, B.P.I. Inv. 39, pp. 9, 15, 16, 102, 106, 108, 109. 1917; No. 39194, B.P.I. Inv. 40, p. 90. 1917; Nos. 40506, 40877, 40878, B.P.I. Inv. 43, pp. 6, 36, 93. 1918; No. 40899, B.P.I. Inv. 44, p. 9. 1918; No. 44203, B.P.I. Inv. 50, p. 41. 1922; No. 44687, B.P.I. Inv. 51, p. 48. 1922; Nos. 49910, 50194–50198, 50343, B.P.I. Inv. 63, pp. 3, 20, 44, 59. 1923; Nos. 55056, 55485, B.P.I. Inv. 71, pp. 3, 18, 49. 1923.
   Indian, importation and description. No. 41443, B.P.I. Inv. 45, pp. 29–30. 1918; No. 46720, B.P.I. Inv. 57, pp. 8, 24. 1922.
   seeds, cleaning and germination. D.B. 1215, pp. 11–12. 1924.
   wild, description. B.P.I. Bul. 204, p. 40. 1911.
   See also Date, Chinese.
JULL, M. A.—
   "The poultry industry." With others. Y.B., 1924, pp. 377–456. 1925; Y.B. Sep. 917, pp. 377–456. 1925.
   "The relation of antecedent egg production to the sex ratio of the domestic fowl." J.A.R., vol. 28, pp. 199–224. 1924.
   "The relationship between the weight of eggs and the weight of chicks according to sex." With J. P. Quinn. J.A.R., vol. 31, pp. 223–226. 1925.
   "The shape and weight of eggs in relation to the sex of chicks in the domestic fowl." With J. P. Quinn. J.A.R., vol. 29, pp. 195–201. 1924.
   "Turkey raising." With Alfred R. Lee. F.B. 1409, pp. 22. 1924.
Jumbo Reservoir Dam failure, causes. O.E.S. Bul. 249, Pt. I, pp. 21, 25. 1912.
Junco—
   carrier of chestnut-blight fungus. J.A.R., vol. 2, pp. 409, 413, 414. 1914.
   food habits and distribution. Biol. Bul. 15, pp. 80–82. 1901.
   in Yukon Territory, notes. N.A. Fauna 30, pp. 63, 90. 1909.
   injury to pine seedlings. D.B. 1105, p. 134. 1923.
   nesting habits. Biol. Bul. 15, pp. 30, 34. 1901.
   occurrence in Pribilof Islands. N.A. Fauna 46, p. 96. 1923.
   slate-colored—
      food habits and occurrence in Arkansas. Biol. Bul. 38, p. 65. 1911.
      range, and habits. N.A. Fauna 22, p. 122. 1902; N.A. Fauna 24, p. 75. 1904.
   spp.—
      range and habits. N.A. Fauna 21, pp. 47, 78. 1901.
      See also Snowbird.
Juncus spp.—
   forage value and association in meadows. J.A.R. vol. 6, No. 19, pp. 750, 752, 755. 1916.
   See also Rush.
June beetle, green—
   F. H. Chittenden and D. E. Fink. D.B. 891, pp. 52. 1922.
   control by natural agencies. D.B. 891, pp. 31–37. 1922.
   grape enemy, description, life history, and control. F.B. 1220, pp. 11–13. 1921.
   habits of adults. D.B. 891, pp. 26–28. 1922.
   injury to lawns, control by carbon bisulphide. F.B. 543, p. 20. 1913.
   larvae in soil, fumigation in vacuum, experiments. J.A.R., vol. 15, pp. 134–136. 1918.
   See also June bug.

INDEX TO PUBLICATIONS, 1901–1925

June berry(ies)—
common, occurrence in Colorado, and description. N.A. Fauna 33, p. 235. 1911.
fruiting season and use as bird food. F.B. 844, pp. 11, 13, 15. 1917; F.B. 912, pp. 11, 12, 14. 1918.
growing, Great Plains area. F.B. 727, p. 38. 1916.
stock for hardy fruits, northern Great Plains. D.C. 58, pp. 7, 8. 1919.
tests at field station near Mandan, N. Dak. D.B. 1301, p. 21. 1925; D.B. 1337, p. 9. 1925.
use in attracting birds. Y.B., 1909, pp. 186, 189, 195. 1910; Y.B. Sep. 504, pp. 186, 195. 1910.

June bug—
destruction by crows. D.B. 621, pp. 15, 58. 1918.
habits, life history, and control. Y.B., 1908, pp. 381–382. 1909; Y.B. Sep. 488, pp. 381, 382. 1909.
See also June beetle, green.

"June drop" citrus, preventive cover crop. F.B. 1447, p. 25. 1925.

June grass—
mountain, description, habits and forage, value. D.B. 545, pp. 20–21, 58, 59. 1917.
mountain. See also *Koeleria cristata*.
prairie, palatability for cattle. D.B. 1170, p. 37. 1923.

Jungle fowl, parent stock of chickens. F.B. 390, p. 11. 1910.

Juniper(s)—
alligator history, characteristics, and occurrence. D.B. 207, pp. 30–32. 1915.
and cypress trees of the Rocky Mountain region. George B. Sudworth. D.B. 207, p. 36. 1915.
berries—
adulteration. Chem. S.R.A. 21, p. 70. 1918.
and hypophosphites, misbranding—Gin cucurbita. Chem. N.J. 1672, p. 1. 1912.
gin, misbranding. Chem. N.J. 2519, p. 1. 1913.
oil, adulteration. Chem. N.J. 2943. 1914.
blister mite, description. Sec. [Misc.], "A manual * * * insects * * *," p. 139. 1917.
California, description, range, and occurrence, on Pacific slope. For. [Misc.], "Forest trees for Pacific * * * ," pp. 187–190. 1908.
characters. F.B. 468, p. 40. 1911.
class and family relationship. D.B. 207, pp. 3–4. 1915.
common, other names, history, characteristics, occurrence, habits, age. D.B. 207, pp. 13–15. 1915.
creeping, occurrence in Colorado and description. N.A. Fauna 33, p. 222. 1911.
description and key. D.C. 223, pp. 4, 8. 1922.
drooping, other name, history, characteristics, occurrence, habits, and age. D.B. 207, pp. 32–35. 1915.
dwarf—
description, range, and occurrence on Pacific slope. For. [Misc.], "Forest trees for Pacific * * * ," pp. 176–178. 1908.
reproduction on forest burns, studies. J.A.R., vol. 11, pp. 10, 20. 1917.
fruiting season and use as bird food. F.B. 844, p. 13. 1917; F.B. 912, pp. 11, 13. 1918.
generic characteristics, and distribution. D.B. 207, pp. 11–35. 1915.
grafting on arbor-vitae in China. Y.B., 1915, p. 218. 1916; Y.B. Sep. 671, p. 218. 1916.
importations and description. Nos. 34141–34145, B.P.I. Inv. 32, p. 15. 1914; Nos. 40677–40680, B.P.I. Inv. 43, pp. 65–66. 1918; No. 44234, B.P.I. Inv. 50, p. 44. 1922; No. 45500, B.P.I. Inv. 53, p. 41. 1922; No. 52378, B.P.I. Inv. 66, p. 18. 1923; No. 54919, B.P.I. Inv. 70, pp. 3, 29. 1923.
injury by sapsuckers. Biol. Bul. 39, p. 27, 66. 1911.
insect pests, list. Sec. [Misc.], "A manual * * * insects * * * ," pp. 139–140. 1917.
key to species. D.B. 207, p. 36. 1915.
logs, spraying experiments. D.B. 1079, pp. 5–11. 1922.
low mountain, occurrence in Colorado, and description. N.A. Fauna 33, pp. 221–222. 1911.
names, habitat, description, collection uses, and prices. D.B. 26, pp. 2–3. 1913.

Juniper(s)—Continued.
New Mexico, importation and description. No. 43633, B.P.I. Inv. 49, p. 53. 1921.
occurrence in—
Colorado and description. N.A. Fauna 33, pp. 220–222. 1911.
Wyoming, distribution and growth. N.A. Fauna 42, pp. 59–60. 1917.
resistance to smelter fumes. Chem. Bul. 113, rev., pp. 23, 24, 36, 44, 57. 1910.
Rocky Mountain, occurrence in Colorado, and description. N.A. Fauna 33, pp. 220–221. 1911.
occurrence in Rocky Mountain region. D.B. 207, pp. 1–36. 1915.
one-seed, synonym, history, characteristics, occurrence, habits, and age. D.B. 207, pp. 20–23. 1915.
Siberian, importation and description. No. 32236, B.P.I. Bul. 261, p. 45. 1912; No. 35310, B.P.I. Inv. 35, pp. 9, 36. 1915.
tar, Forrest's, misbranding. Chem. S.R.A. Sup. 19, pp. 653–655. 1916.
Teneriffe, importation and description. No. 41463, B.P.I. Inv. 45, p. 33. 1918.
Utah—
description, range and occurrence on Pacific slope. For. [Misc.], "Forest trees for Pacific * * * ," pp. 186–187. 1908.
distribution, climatic requirements, and characteristics. For. Cir. 197, pp. 3–10. 1912.
in central Arizona. Frank J. Phillips and Walter Mulford. For. Cir. 197, pp. 19. 1912.
occurrence with sagebrush and other sand-hill plants. J.A.R., vol. 1, pp. 386–387. 1914.
other name, history, characteristics, occurrence, habits, and age. D.B. 207, pp. 26–28. 1915.
yield per acre, utilization, and management. For. Cir. 197, pp. 18–19. 1912.
varieties, descriptions. Nos. 38803, 38804, 39185. B.P.I. Inv. 40, pp. 30, 89. 1917.
western—
description, range, and occurrence, on Pacific slope. For. [Misc.], "Forest trees for Pacific * * * ," pp. 181–185. 1908.
other name, history, characteristics, occurrence, habits, and age. D.B. 207, pp. 15–17. 1915.

Juniperus—
cedrus, seed importation. Inv. No. 30092, B.P.I. Bul. 233, p. 58. 1912.
spp.—
importations and description. Nos. 34141–34145, B.P.I. Inv. 32, p. 15. 1914.
injury by sapsuckers. Biol. Bul. 39, p. 27, 65–66. 1911.
nursery-blight susceptibility. J.A.R., vol. 10, pp. 534, 538, 539. 1917.
susceptibility to dry rot. B.P.I. Bul. 214, p. 12. 1911.
See also Cedar; Juniper.

Junket—
cheese variety, manufacturing method. F.B. 487, p. 20. 1912.
preparation and food value. F.B. 363, p. 38. 1909.
recipe. F.B. 717, p. 9. 1916.
tablets, use in making cottage cheese. B.A.I. Doc. A.I. 17, p. 2. 1912.
use and value of milk, formula. F.B. 1207, p. 31. 1921.

JURNEY, R. C.: "Soil survey of—
Bertie County, N. C." With S. O. Perkins. Soil Sur. Adv. Sh., 1918, pp. 34. 1920; Soils F.O., 1918, pp. 163–192. 1924.
Bladen County, N. C." With others. Soil Sur. Adv. Sh., 1914, pp. 35. 1915; Soils F.O., 1914, pp. 623–653. 1919.
Cherokee County, N. C." With others. Soil Sur. Adv. Sh., 1921, pp. 305–322. 1924.
Columbus County, N. C." With others. Soil Sur. Adv. Sh., 1915, pp. 42. 1917; Soils F.O., 1915; pp. 423–460. 1919.
Forsyth County, N. C." With Risden T. Allen. Soil Sur. Adv. Sh., 1913, pp. 28. 1914; Soils F.O., 1913., pp. 177–200. 1916.
Guilford County, N. C." With others. Soil Sur. Adv. Sh., 1920, pp. 167–199. 1923; Soils F.O., 1920, pp. 167–199. 1925.
Harnett County, N. C." With S. O. Perkins. Soil Sur. Adv. Sh., 1916, pp. 37. 1917; Soils F.O., 1916, pp. 387–419. 1921.

JURNEY, R. C.—Continued.
  Haywood County, N. C." With others. Soil Sur. Adv. Sh., 1922. pp. 203-224. 1925.
  Kay County, Okla." With N. M. Kirk. Soil Sur. Adv. Sh., 1915, pp. 40. 1917; Soils F.O. 1915, pp. 2093-2128. 1919.
  Moore County, N. C." With others. Soil Sur. Adv. Sh., 1919, pp. 44. 1922; Soils F.O., 1919, pp. 723-762. 1925.
  Onslow County, N.C." With others. Soil Sur. Adv. Sh., 1921, pp. 101-127. 1923.
  Rapides Parish, Louisiana." With others. Soil Sur. Adv. Sh., 1916, pp. 43. 1918. Soils F.O., 1916, pp. 1121-1159. 1921.
  Rowan County, N. C." With R. B. Hardison. Soil Sur. Adv. Sh., 1914, pp. 47. 1915; Soils F.O., 1914, pp. 473-515. 1919.
  Stanly County, N. C." With S. O. Perkins. Soil Sur. Adv. Sh., 1916, pp. 34. 1918; Soils F.O., 1916, pp. 453-482. 1921.
  Wilkes County, N. C." With S. O. Perkins. Soil Sur. Adv. Sh., 1918; pp. 39. 1921; Soils F. O., 1918, pp. 293-327. 1924.
Just system of desiccating milk. Y.B., 1912, p. 343. 1913; Y.B. Sep. 595, p. 343. 1913.
Justice, Department of, communications on laws relating to agriculture. Sol. A.R., 1907, pp. 8-19. 1907.
Justicia adhatoda, importation and description. No. 53580. B.P.I. Inv. 67, p. 64. 1923.
"Justin," Morgan horse, history and description. B.A.I. Cir. 163, pp. 6-10. 1910.
Jute—
  area, production and exports, British India, 1891-1912. Stat. Cir. 36, pp. 11-12. 1912.
  bagging, standard for cotton baling. Sec. Cir. 88, pp. 29, 30. 1918.
  competition with hemp, comparisons and tests. Y.B., 1913, pp. 343-346. 1914; Y.B. Sep. 628, pp. 343-346. 1914.
  importations and descriptions. No. 38141, B.P.I. Inv. 39, pp. 93-94. 1917; No. 39361, B.P.I. Inv. 41, pp. 6, 17. 1917; No. 43808, B.P.I. Inv. 49, p. 80. 1921; No. 45809, B.P.I. Inv. 54, p. 24. 1922.
  imports—
    1885, 1914, value and source. D.B. 296, p. 44. 1915.
    1901-1924. Y.B., 1924, pp. 1066, 1076. 1925.
    1906-1910 and 1851-1910. Y.B., 1910, pp. 656, 680-681. 1911; Y.B. Sep. 553, pp. 656, 680-681 1911.
    1907-1909 (with jute butts), quantity and value, by countries from which consigned. Stat. Bul. 82, p. 38. 1910.
    1907-1911, and 1851-1911. Y.B., 1911, pp. 659, 684-685. 1912; Y.B. Sep. 588, pp. 659, 684-685. 1912.
    1908-1910, quantity and value by countries from which consigned. Stat. Bul. 90, p. 40. 1911.
    1911-1913 and 1852-1913. Y.B., 1913, pp. 495, 510. 1914; Y.B. Sep. 361, pp. 495, 510. 1914.
    1913-1915 and 1852-1915. Y.B., 1915, pp. 542, 558, 573. 1916; Y.B. Sep. 685, pp. 542, 558-573. 1916.
  Malta, importations and descriptions. Nos. 52890-52892, B.P.I. Inv. 67, p. 9. 1923.
Jutland, origin of the Danish hog industry. B.A.I. An. Rpt., 1906, pp. 224, 225, 226. 1908.
JUVE O. A.—
  "Cost data for farm products." Y.B., 1921, pp. 804-845. 1922; Y.B. Sep. 876, pp. 42. 192.2
  "Farm operations." Y.B. 1922, pp. 1045-1078. 1923; Y.B. Sep. 890, pp.1045-1078. 1923.
  "Forest statistics." With others. Y.B., 1922, pp. 914-948. 1923.; Y.B. Sep. 889, pp. 914-948. 1923.
  "Imports and exports of agricultural products." With others. Y.B., 1922, pp. 949-982. 1923; Y.B. Sep. 880, pp. 949-982. 1923.
  "Labor and material requirements of field crops." With L. A. Moorehouse. D.B. 1000, pp. 56. 1921.
  "Live stock, 1922." With others. Y.B., 1922, pp. 795-913. 1923; Y.B. Sep. 888, pp. 795-913. 1923.

JUVE, O. A.—Continued.
  "Miscellaneous agricultural statistics, 1922." With others. Y.B., 1922, pp. 983-1044. 1924; Y.B. Sep. 887, pp. 983-1044. 1924.
  "Oats, barley, rye, rice, grain, sorghums, seed flax, and buckwheat." With others. Y. B., 1922, pp. 469-568. 1923; Y.B. Sep. 891, pp. 469-568. 1923.
  "Our forage resources." With others. Y.B., 1923, pp. 311-414. 1924; Y.B. Sep. 895, pp. 311-414. 1924.
  "Statistics of crops other than grain crops, 1922." With others. Y.B., 1923, pp. 666-794. 1924; Y.B. Sep. 884. pp. 666-794. 1924.
  "Statistics of grain crops, 1922." With others. Y.B., 1922, pp. 569-665. 1923; Y.B. Sep. 881, pp. 569-665. 1923.
  "The dairy industry." With others. Y.B., 1922, pp. 281-394. 1923; Y.B. Sep. 879, pp. 98. 1923.
  "The horse power problem on the farm." Y.B. 1919, pp. 485-495. 1920; Y.B. Sep. 825, pp. 485-495. 1920.

KADEL, B. C.—
  "Instructions for erecting and using Weather Bureau nephoscope." W.B. Cir. I, pp. 10. 1920.
  "Instructions for the installation and operation of class 'A' evaporation stations." W.B. Cir. L, rev., pp. 30. 1919.
  "Instructions for the installation of class 'A' evaporation stations." W.B. Cir. L, pp. 26. 1915.
Kafeka, misbranding. Chem. N.J., 2493, pp. 4. 1913.
Kafir(s)—
  acreage—
    and production in Southern States, 1915-1919. D.C. 85, p. 19. 1920.
    1879-1919, in South. Y.B., 1921, p. 337. 1922; Y.B. Sep. 877, p. 337. 1922.
    1909. Sec. [Misc.], Spec. "Geography * * * world's agriculture," p. 102. 1917.
    in 1923, yield, prices, marketing. Y.B., 1923, p. 730. 1924; Y.B. Sep. 899, p. 730. 1924.
  adaptability to western Kansas. Soil Sur. Adv. Sh., 1910, pp. 94-95. 1912; Soils F.O. 1910, pp. 1432-1433. 1912.
  advantages for silage. Y.B., 1913, p. 267. 1914; Y.B. Sep. 627, p. 267. 1914.
  African origin, and adaptability to United States. B.P.I. Bul. 175, pp. 13-15. 1910.
  alkali tolerance. F.B. 446, rev. pp. 12, 13, 19. 1920.
  analysis, comparison with corn and other grains. F.B. 724, p. 4. 1916.
  and milo, production and value, leading States, 1909. Y.B., 1914, p. 647. 1915; Y.B. Sep. 656, p. 647. 1915.
  as a grain crop. Carleton R. Ball and Benton E. Rothgeb. F.B. 552, pp. 19. 1913.
  bean. See Cowpea.
  Blackhull—
    chemical composition, and value as poultry feed. F.B. 686, pp. 3-5, 10-11. 1915.
    root system and leaf area, studies. J.A.R., vol. 6, No. 9, pp. 318-329. 1916.
    use as food. F.B. 389, p. 16. 1910.
    value for poultry feed. News L., vol. 3, No. 4, p. 8. 1915.
    water content, studies. J.A.R., vol. 10, pp. 11-46. 1917.
    water requirement, studies, and results. J.A.R. vol. 6, No. 13, pp. 480-482, 484. 1916.
  bushel weights, by States. Y.B., 1918, p. 724. 1919; Y.B. Sep. 795, p. 60. 1919.
  carnival, Kansas, 1911, description. Y.B. 1913, p. 238. 1914; Y.B. Sep. 625, p. 238. 1914.
  chemical composition, description, and uses. F.B. 686, pp. 2-5, 7, 8. 1915.
  comparison with—
    milo and feterita. D.B. 1129, pp. 3-7. 1922.
    sorghum seed as source of alcohol. F.B. 429, p. 17. 1911.
  composition, comparison with corn. F.B. 972, p. 5. 1918.

Kafir(s)—Continued.
 cost of production, labor and material requirements per acre. Y.B., 1921, pp. 812, 826. 1922; Y. B. Sep. 876, pp. 9, 23. 1922.
 crosses with other sorghums, seed color of progeny. J.A.R., vol. 27, pp. 55-63. 1923.
 cultivation in semiarid regions. B.P.I. Bul. 215, p. 33. 1911.
 date of seeding, and spacing, experiments. D.B. 1175, pp. 44-48, 59-64. 1923.
 Dawn, growing in Texas Panhandle, date of seeding, and spacing. D.B. 976, pp. 18-20, 22, 30-36, 37, 41, 42. 1922.
 definition—
  seed importation regulations. B.P.I.S.R.A. 1, p. 1. 1914.
  under seed-importation act. Sec. Cir. 42, p. 3. 1913.
 description—
  introduction and crop value. Y.B., 1913, pp. 221, 224, 227, 229-231, 234-236. 1914. Y.B. Sep. 625, pp. 221, 224, 227, 229-231, 234-236. 1914.
  varieties and yields. D.B. 772, p. 267. 1920; F.B. 1137, pp. 4-8, 12-13. 1920.
 dry-land use. B.P.I. Cir. 12, p. 6. 1908.
 dwarf—
  breeding for drought resistance. Y.B., 1913, p. 229. 1914; Y.B. Sep. 625, p. 229. 1914.
  selection and description. No. 34911, B.P.I. Inv. 34, pp. 7, 25. 1915.
 feed for hogs, comparison with corn. B.A.I. Bul. 47, pp. 103-104. 1904.
 food use and value, experiments. F.B. 552, p. 19. 1913.
 forecast, by States, September, 1913. F.B. 558, p. 17. 1913.
 growing—
  and yield in Kansas, Shawnee County. Soil Sur. Adv. Sh., 1911, pp. 17, 26. 1913; Soils F.O., 1911, pp. 2071, 2080. 1914.
  at Akron Field Station. D.B. 1304, pp. 19-20. 1925.
  directions, western Texas and Oklahoma. B.P.I. [Misc.], "Field instructions * * * Texas-Oklahoma." pp. 11-15. 1913.
 in Great Plains area, cultural practices and yields. D.B. 268, pp. 19-21. 1915.
 in Guam, and yields. Guam A.R., 1920, pp. 21, 22. 1921.
 in Kansas—
  acreage and yield, increase. Y.B., 1913, pp. 227, 229, 231-236. 1914; Y.B. Sep. 625, pp. 227, 229-231-236. 1914.
  Cowley County. Soil Sur. Adv. Sh., 1915, pp. 10, 13, 22, 26-32. 1917; Soils F.O., 1915, 1926, 1929, 1938, 1942-1948. 1919.
  Greenwood County, yields. Soil Sur. Adv. Sh., 1912, pp. 13-14, 28-33, 33. 1914; Soils F.O., 1912, pp. 1831-1832, 1839-1846, 1851. 1915.
  Jewell County, yields. Soil Sur. Adv. Sh., 1912, pp. 20, 34. 1914; Soils F.O., 1912, pp. 1868, 1882. 1915.
  Reno County, yield. Soil Sur. Adv. Sh., 1911, pp. 15, 29-61. 1913; Soils F.O., 1911, pp. 2001, 2015-2047. 1914.
 in Oklahoma—
  Canadian County. Soil Sur., Adv. Sh., 1917, pp. 11, 21-55. 1919; Soils F.O., 1917, pp. 1405, 1415-1449. 1923.
  Kay County. Soil Sur. Adv. Sh., pp. 21, 22, 26, 27, 30. 1917; Soils F.O., 1915, pp. 2109, 2110, 2114, 2115, 2118. 1919.
  Payne County. Soil Sur. Adv. Sh., 1916, pp. 9, 11, 20-37. 1919. Soils F.O. 1916, pp. 2009, 2011, 2018-2039. 1921.
  Roger Mills County, yields. Soil Sur. Adv. Sh., 1914, pp. 11, 13, 17, 21, 24, 25. 1916; Soils F.O., 1914, pp. 2143, 2149-2157. 1919.
 in southern Great Plains, methods, cost, and yield. D.B. 242, pp. 8, 15-18, 19. 1915.
 in Texas—
  Archer County, methods and yields. Soil Sur. Adv. Sh., 1912, pp. 13-14, 25, 30, 33, 46. 46. 1914; Soils F.O., 1912, pp. 1015-6, 1027, 1032, 1035, 1048. 1915.
  Lubbock County. Soil Sur. Adv. Sh., 1917, pp. 10, 19, 22, 25. 1920; Soils F.O., 1917, pp. 970, 979, 982, 985. 1923.

Kafir(s)—Continued.
 dwarf—continued.
  in Texas—continued.
   Panhandle, yields and uses. Soil Sur Adv. Sh., 1910, pp. 26, 32, 39, 51. 1911; Soils F.O., 1910, pp. 982, 988, 995, 1007. 1912.
 growth under varying weather conditions. J.A. R., vol. 13, pp. 139-146. 1918.
 Guinea, cultivation and use, West Indies. B.P. I. Bul. 175, pp. 31, 41. 1910.
 harvesting time. D.C. 183, p. 32. 1922; Y.B., 1917, p. 568. 1918; Y.B. Sep. 758, p. 34. 1918.
 importations and descriptions. Nos. 50809-50829, B.P.I. Inv. 64, pp. 27-28. 1923.
 injury by sorghum webworm in 1921. D.B. 1103, pp. 24, 25. 1922.
 introduction from Africa and cost of production. B.P.I. Cir. 100, p. 21. 1912; Y.B., 1922, pp. 527-528, 554. 1923; Y.B. Sep. 891, pp. 527-528, 554. 1923.
 kernel—
  description, measurement, and composition. D.B. 634, pp. 1-4. 1918.
  physical and chemical studies. George L. Bidwell. D.B. 634, pp. 6. 1918.
 locality where grown. F.B. 1289, pp. 5, 20, 21. 1923.
 meal, cooking methods, and recipes. F.B. 559, pp. 6-7. 1913.
 mush, digestibility tests. D.B. 470, pp. 22-23, 28-30. 1916.
 nitrogen absorption, comparison with corn. J.A. R., vol. 24, pp. 50-51. 1923.
 origin and description. F.B. 559, p. 6. 1913.
 poultry feed, value. F.B. 972, p. 15. 1918.
 prices—
  1910-1921. D.B. 982, p. 205. 1921.
  farm and market. Y.B., 1924, pp. 662, 663. 1925.
 production—
  1911-1913, by States, comparison. F.B. 563, pp. 3, 14. 1913.
  in Barton County, Missouri, value as forage. Soil Sur. Adv. Sh., 1912, p. 10. 1914; Soils F.O. 1912, p. 1614. 1915.
  receipts at Kansas City, monthly and yearly, 1909-1921. Y.B., 1922, p. 665. 1923; Y.B., Sep. 881, p. 665. 1923.
 Schrock, description, adaptation, and yields. D.B. 383, pp. 7-15. 1916.
 seed—
  bed, preparation methods, and time. F.B. 552, pp. 11-12. 1913.
  selection—
   growing, importance and methods. F.B. 552, p. 12. 1913.
   instructions. B.P.I. [Misc.], "Field instructions * * * Texas and Oklahoma." pp. 12-13. 1913.
  seeding tests in Texas, rate and yield. B.P.I. Bul. 283, pp. 35, 79. 1913.
 smut inoculations, experiments. D.B. 1284, pp. 25-28. 1925.
 sorghum varieties, importation, and description. No. 47009, B.P.I. Inv. 58, p. 19. 1922.
 subsoiling, effects on yields, experiments. J.A.R., vol. 14, pp. 497, 500, 503. 1918.
 Sunrise—
  Dawn, and Reed, date-of-seeding experiments. D.B. 1175, pp. 44-48. 1923.
  spacing experiments in Oklahoma. D.B. 1175, pp. 59-64. 1923.
 testing—
  for moisture, directions. B.P.I. Cir. 72, rev. p. 12. 1914.
  in Great Plains. D.B. 1260, pp. 17-47, 51-53. 1924.
 transpiration, comparison with corn, studies. J.A.R., vol. 13, pp. 579-604. 1918.
 use—
  for feed. F.B. 552, pp. 18-19. 1913.
  for food. D.B. 470, pp. 2-3. 1916.
  for silage. F.B. 556, p. 5. 1913.
  in the home. F.B. 559, pp. 6-7. 1913.
 value as supplement for wheat food and for corn as animal feed. Sec. Cir. 103, p. 14. 1918.
 varietal experiments in Oklahoma. D.B. 1175, pp. 23-30, 36, 37. 1923.

Kafir(s)—Continued.
 varieties—
  classification, description, and yields. D.B. 698, pp. 19, 53–74, 88. 1918; F.B. 288, pp. 8–15. 1907; F.B. 552, pp. 5–10. 1913.
  growing in—
   Guam, description and tests. Guam Bul. 3, pp. 3–6, 13, 14. 1922.
   Oklahoma Woodward Field Station. D.B. 1175, pp. 23–30, 36, 37, 44–48, 59–64. 1923.
  yields, 1908–1912. F.B. 552, pp. 17–18. 1913.
 white—
  introduction and growing in Georgia, 1876–1886. Y.B., 1913, p. 224–225. 1914; Y.B. Sep. 625, p. 224–225. 1914.
  seed, first distribution by department. Y.B., 1913, p. 225. 1914; Y.B. Sep. 625, p. 225. 1914.
  yields and feed value. F.B. 1158, pp. 8, 14, 22–25, 27. 1920.
 See also Sorghum.
Kageneckia oblonga. See Guayo.
Kahweh, Arabic name for coffee. Stat. Bul. 79, p. 5. 1912.
Kainit—
 and acid phosphate, value for crimson clover. F.B. 550, p. 6. 1913.
 determination in commercial fertilizers. D.B. 97, pp. 1–10, 11. 1914.
 effect on—
  corn yield. Soils Bul. 64, pp. 24, 26, 28. 1910.
  potato yield. Soils Bul. 65, p. 15. 1910.
 imports—
  1912–1923. Y.B., 1923, p. 1187; Y.B. Sep. 906, p. 1187. 1924.
  1924. Y.B., 1924, p. 1168. 1925.
 use in—
  control of—
   corn and cotton diseases in North Carolina, Rowan County. Soil Sur. Adv. Sh., 1914, p. 12. 1915; Soils F.O., 1914, p. 501. 1919.
   fly larvae in horse manure, tests. D.B. 118, p. 9. 1914.
   root-knot, experiments. B.P.I. Bul. 217, pp. 56, 57. 1911.
  fertilizers for destruction of fly larvae. D.B. 408, pp. 6–7. 1916.
  preserving poultry manure. F.B. 384, p. 5. 1910.
  wireworm control, experiments. D.B. 78, p. 27. 1914.
Kairine, effects in febrile conditions and in health, experiments. Chem. Cir. 81, p. 7. 1911.
Kaiserblume, description, cultivation, and characteristics. F.B. 1171, pp. 32–33, 80. 1921.
Kaiserling method of tissue preservation. B.A.I. An. Rpt., 1906, p. 204. 1908; B.A.I. Cir. 123, p. 8. 1908.
Kaka, importations and descriptions. No. 36065, B.P.I. Inv. 36, pp. 6, 47. 1915; Nos. 41691–41702, 41779–41793, 42138–42165, B.P.I. Inv. 46, pp. 10, 21, 58. 1919; Nos. 42553–42565, 42674, 42675, B.P.I. Inv. 47, pp. 28, 50. 1920; 44108, 44362, B.P.I. Inv. 50, pp. 30, 62. 1922; No. 45503, B.P.I. Inv. 53, p. 41. 1922; Nos. 45871–45875, B.P.I. Inv. 54, p. 33. 1922; No. 47323, B.P.I. Inv. 58, p. 50. 1922; Nos. 54681, 54741, B.P.I. Inv. 70, pp. 6, 15. 1923; Nos. 55659–55661, B.P.I. Inv. 72, pp. 2, 15. 1924.
Kaki. See Persimmon.
Kakonakona, Hawaiian grass, growing and value. Hawaii Bul. 36, pp. 13, 22. 1915.
Kala-azar—
 cause and transmission, evolution of parasite. B.A.I. An. Rpt., 1910, pp. 494, 495. 1912. B.A.I. Cir. 194, pp. 494, 495. 1912.
 infantile, transmission by fleas. D.C. 338, p. 15. 1925.
 spread by fleas and dogs. D.B. 248, p. 15. 1915.
Kalanchae marmorata, importation and description. No. 43658, B.P.I. Inv. 49, p. 57. 1921.
Kalanzo, importation and description. No. 43227, B.P.I. Inv. 48, pp. 6, 30. 1921.
Kalapat, importation and description. No. 46736, B.P.I. Inv. 57, p. 27. 1922.
Kalaw tree. See Chaulmoogra tree.
Kale—
 alkali resistance. F.B. 446, rev., pp. 12, 13, 16, 20. 1920.
 canned, preparation for table use. S.R.S. Doc. 31, pp. 3–4. 1916.

Kale—Continued.
 cooking directions. D.B. 123, p. 17. 1916; F.B. 256, pp. 16–17. 1906.
 cultural directions, and varieties. F.B. 647, pp. 16–17. 1915; F.B. 255, p. 34. 1906; F.B. 934, p. 34. 1918; F.B. 937, pp. 16, 19, 23, 40. 1918; F.B. 1044, p. 32. 1919.
 fertilizer requirements. F.B. 360, p. 31. 1909.
 growing—
  and yield, in Oregon, Marshfield area. Soil. Sur. Adv. Sh., 19.9, p. 10. 1911; Soils F.O., 1909, p. 1608. 1912.
  as truck, Atlantic coast, value of crop. Y.B., 1912, p. 431. 1913; Y.B. Sep. 603, p. 431. 1913.
  in—
   Alaska, at Sitka station. Alaska A.R., 1910, pp. 17–18. 1911.
   northern Great Plains, experiments. D.B. 1244, p. 44. 1924.
   Virginia, Norfolk area. Soil Sur. Adv. Sh., 1903, pp. 234, 239. 1904; Soils F.O., 1903, pp. 234, 239. 1904.
   Virginia trucking districts. D.B. 1005, pp. 4, 5, 14, 24, 29–32, 37–41, 68, 70. 1922.
 injury by—
  little-known cutworm. Ent. Bul. 109, pt. 4, p. 48. 1912.
  webworm. Ent. Bul. 109, Pt. III, pp. 24, 30. 1912.
 Jersey, importation and description. No. 44829, B.P.I. Inv. 51, p. 75. 1922; No. 46475, B.P.I. Inv. 56, p. 19. 1922.
 marrow, importation and description. No. 37807, B.P.I. Inv. 39, pp. 8, 46. 1917.
 seed, growing, localities, acreage, yield, production, and consumption. Y.B., 1918, pp. 202, 206, 207. 1919; Y.B. Sep. 775, pp. 10, 14, 15. 1919.
 seed saving. F.B. 884, p. 10. 1917; F.B. 1390, p. 8. 1924.
 shipments by States, and by stations, 1916. D.B. 667, pp. 12, 178. 1918.
 thousand-headed—
  culture and feeding in Oregon and Washington, western slope. B.P.I. Bul. 94, pp. 33–35. 1906.
  digestibility. F.B. 360, pp. 30–31. 1909.
  forage for dairy cows, Pacific Northwest. F.B. 271, pp. 33–34. 1906.
  growing in Hawaii, use of stable manure, feed yield per acre. Hawaii A.R., 1917, p. 45. 1918.
  growing in western Oregon. F.B. 271, pp. 33–35, 38. 1906.
 use as potherb. O.E.S. Bul. 245, pp. 29–30. 1912.
 use for sheep pastures. D.B. 20, p. 41. 1913.
 value as hog feed. D.B. 68, pp. 15, 17, 18–19. 1914.
Kalios tree, importation and description. No. 35455, B.P.I. Inv. 35, p. 47. 1915.
KALMBACH, E. R.—
 "Birds in relation to the alfalfa weevil." D.B. 107, pp. 64. 1914.
 "Common birds of southeastern United States in relation to agriculture." With others. F.B. 755, pp. 40. 1916.
 "Economic value of the starling in the United States." With I. N. Gabrielson. D.B. 868, pp. 66. 1921.
 "Homes for birds." With W. L. McAtee. F.B. 1456, pp. 22. 1925.
 "The crow and its relation to man." D.B. 621, pp. 93. 1918.
 "The crow in its relation to agriculture." F.B. 1102, pp. 20. 1920.
 "Winter crow roosts." Y.B., 1915, pp. 83–100. 1916; Y.B. Sep. 659, pp. 83–100. 1916.
Kalmia—
 glauca, distribution. N.A. Fauna 21, p. 21. 1901.
 latifolia—
  leaf-blight occurrence. J.A.R., vol. 13, pp. 199–212. 1918.
 See also Laurel, mountain.
Kalotermes. See Ants, white; Termites.
Kalsin Bay, Alaska, executive order, April 1, 1912. O.E.S. An. Rpt., 1912, p. 18. 1913.
Kamala—
 ground, adulteration and misbranding. Chem. N.J. 1011, p. 1. 1911.

Kamala—Continued.
　purity standard. F. I. D. 197, Chem. S.R.A. 19, p. 51. 1917.
　use in control of tapeworms and bladderworms. F.B. 1330, pp. 21, 26, 35, 37. 1923.
Kamani—
　ball—
　　infestation by Mediterranean fruit fly. J.A.R., vol. 3, pp. 313, 314, 316. 1915.
　　nuts, infestation with Mediterranean fruit flies. D.B. 536, pp. 13, 15, 17, 19, 24, 25. 1918.
　Hawaiian—
　　composition and uses. Hawaii A.R., 1914, pp. 65, 68. 1915.
　　fruit-fly infestation, and parasitism. J.A.R., vol. 12, pp. 105, 106, 107. 1918.
　winged. See Almond, tropical.
Kameel-doorn, importations and descriptions. No. 29046, B.P.I. Bul. 227, pp. 8, 28–29. 1911.
Kamerun grass—
　importations and descriptions. Nos. 50010–50011, 50079, B.P.I. Inv. 63, pp. 28, 33. 1923; Nos. 50783, 50785, 50795, 50801–50802, B.P.I. Inv. 64, pp. 25, 26. 1923; Nos. 52052–52087, B.P.I. Inv. 65, p. 74. 1923.
　origin, description, and yields. D.B. 981, pp. 8–10. 1921.
KAMINSKY, G. N.: "The Russian dairy industry." B.A.I. Dairy [Misc.], "World's dairy congress, 1923," pp. 949–958. 1924.
Kanagi, importation and description. No. 39571, B.P.I. Inv. 41, p. 42. 1917.
Kanari, importation and description. No. 48981, B.P.I. Inv. 61, p. 61. 1922.
Kandela, importation and description. Nos. 34916–34919, B.P.I. Inv. 34, pp. 6, 26–27. 1915.
Kangaroo grass, importation and description. Nos. 41748, 41759, B.P.I. Inv. 46, pp. 18, 19. 1919; No. 54044, B.P.I. Inv. 68, p. 22. 1923; No. 54737, B.P.I. Inv. 70, pp. 2, 14. 1923.
Kangaroo skins, imports and consumption. Y.B., 1917, pp. 438, 443. 1918; Y.B. Sep. 741, p. 16, 21. 1918.
Kaniksu National Forest, Idaho, seed collection, 1911. Y.B., 1912, pp. 437–442. 1913; Y.B., Sep. 604, pp. 437–442. 1913.
Kankakee River Valley, Indiana, drainage area. O.E.S. Cir. 80, pp. 8–9, 10–11. 1909.
Kankakee Valley (Ill.), drainage project. O.E.S. An. Rpt., 1907, pp. 39–40. 1908.
Kansas—
　agricultural college and experiment station, organization—
　　1905. O.E.S. Bul. 161, pp. 26–28. 1905.
　　1906. O.E.S. Bul. 176, pp. 29–31. 1907.
　　1907. O.E.S. Bul. 197, pp. 31–33. 1908.
　　1910. O.E.S. Bul. 224, pp. 26–28. 1910.
　　1911. O.E.S. Bul. 247, pp. 27–29. 1912.
　agricultural college workers. See also Agriculture, workers list.
　agricultural extension work, statistics. D.C. 253, pp. 3, 4, 7, 10–11, 17, 18. 1923.
　alfalfa—
　　acreage in 1919. F.B. 1283, p. 3. 1922.
　　hay, shrinkage in various stages of curing, data. D.B. 873, pp. 2–3. 1920.
　　seed-growing experiments. B.P.I. Cir. 24, pp. 10, 13, 18. 1909.
　　variety tests, and results. B.P.I. Bul. 169, p. 21.
　and Nebraska—
　　native legumes in, number and distribution. Joseph Allen Warren. B.P.I. Cir. 70, pp. 8. 1910.
　　sand hills, forestation. Carlos G. Bates and Roy G. Pierce. For. Bul. 121, pp. 49. 1913.
　　western, forest belts. Royal S. Kellogg. For. Bul. 66, pp. 44. 1905.
　and Oklahoma, forage crops for hogs. C. E. Quinn. F.B. 331, pp. 24. 1908.
　antelope, number and distribution. D.B. 1346, pp. 32–33. 1925.
　apple growing, localities, varieties, and production. Y.B., 1918, pp. 370, 373, 378. 1919; Y.B. Sep. 767, pp. 6, 9, 14. 1919; D.B. 485, pp. 6, 23–24, 44–47. 1917.
　Argonia, Dixon Township Building, history, description, and uses. F.B. 1173, pp. 14, 15. 1921; F.B. 1274, pp. 17–18. 1922; D.B. 825, pp. 28–30. 1920.

Kansas—Continued.
　barley crops, 1866–1906, acreage, production and value. Stat. Bul. 59, pp. 7–26, 32. 1907.
　Barton County, wheat-growing area. D.B. 850, p. 2. 1920.
　bean-growing experiments. D.B. 119, pp. 6–7. 1914.
　bee and honey statistics, 1914–15. D.B. 325, pp. 3, 9, 10, 11, 12. 1915; D.B. 685, pp. 7–24. 1918.
　bee diseases, occurrence. Ent. Cir. 138, p. 10. 1911.
　beef-cattle raising, details, tables, and discussion. Rpt. 111, pp. 13, 15–27, 30, 33–48, 52–55, 61–64. 1916.
　beet-sugar industry, progress—
　　1903. [Misc.], "Progress of the sugar-beet industry * * * 1903," pp. 26–31. 1904.
　　1904. Rpt. 80, pp 68–74. 1905.
　　1906. Rpt. 84, pp. 73–75. 1907.
　　1907. Rpt. 86, pp. 46, 75. 1908.
　　1908. Rpt. 90, pp. 46, 62–63. 1909.
　　1909. Rpt. 92, pp. 42–43. 1910.
　　1910–11. B.P.I. Bul. 260, pp. 15, 19, 21, 29, 72. 1912.
　bird protection. See Bird protection, officials.
　birds, reports from observers, 1914–1920. D.B. 1165, pp. 11–12. 1923.
　blister beetles in, results of work. F. B. Milliken. D.B. 967, pp. 26. 1921.
　bounty laws, 1907. Y.B., 1907, p. 562. 1908; Y.B. Sep. 473, p. 562. 1908.
　broomcorn, acreage and production. F.B. 958, pp. 4, 5, 19. 1918.
　buckwheat crops, 1866–1906, acreage, production, and value. Stat. Bul. 61, pp. 5–17, 23. 1908.
　cabbage flea-beetle, occurrence and injuries to crops. D.B. 902, pp. 4, 7. 1920.
　cedar-nursery blight, extent. J.A.R., vol. 10, pp. 534, 535, 539. 1917.
　cement factories, potash content and loss. D.B. 572, p. 4. 1917.
　central—
　　farm organization, studies. W. E. Grimes and others. D.B. 1296, pp. 75. 1925.
　　wheat farmers, need of more profit. Jesse W. Tapp and W. E. Grimes. F.B. 1440, pp. 14. 1924.
　chinch-bug studies, 1907–1911. Ent. Bul. 95, Pt. III, pp. 26–36, 41–46, 46–47. 1911.
　climate—
　　in Great Plains area. D.B. 242, pp. 3–5. 1915.
　　similarity to the Crimea. Y.B., 1914, pp. 398–399. 1915; Y.B. Sep. 649, pp. 398–399. 1915.
　　soils, and native vegetation. D.B. 1260, pp. 4–9. 1924.
　climatic data. J.A.R., vol. 6, No. 9, pp. 311–314. 1916.
　Colby Cooperative Station, establishment. B.P.I. Chief Rpt., 1914, p. 17. 1914; An. Rpts., 1914, p. 117. 1914.
　community preserve, description and history. F.B. 1388, pp. 21–22. 1924.
　convict road-work, laws. D.B. 414, p. 201. 1916.
　cooperative organizations, statistics, details, and laws. D.B. 547, pp. 13, 15, 27, 28, 29, 35, 36, 38, 70. 1917.
　corn—
　　acreage and yield. Sec. [Misc.], Spec. Geography * * * world's agriculture," p. 32. 1917.
　　crops—
　　　1866–1906, acreage, production, and value. Stat. Bul. 56, pp. 7–27, 33. 1907.
　　　1866–1915, yields and prices. D.B. 515, p. 11. 1917.
　　　1904–1913, acreage and yield, decrease. Y.B., 1913, pp. 226, 227–236. 1914; Y.B. Sep. 625, pp. 226–236. 1914.
　　growing, practices, and farm conditions in Russel County. D.B. 320, pp. 63–66. 1916.
　　planting date. F.B. 414, p. 20. 1910.
　　production costs. B.P.I. Bul. 130, pp. 47–49. 1908.
　　production, movements, consumption, and prices. D.B. 696, pp. 15, 16, 28, 29, 33, 36, 41, 47. 1918.
　coyotes, bounties paid. Biol. Bul. 20, pp. 9–10. 1905.
　cream-separator investigation. F.B. 201, pp. 18–20. 1904.

1288   UNITED STATES DEPARTMENT OF AGRICULTURE

Kansas—Continued.
  crop losses from rodents. Y.B., 1917, p. 226.
    1918; Y.B. Sep. 724, p. 4. 1918.
  crop planting and harvesting dates. Stat. Bul.
    85, pp. 25, 36, 45, 59, 71, 80, 92. 1912.
  crops on irrigated lands. O.E.S. Bul. 211, pp. 12–
    13, 20. 1909.
  crow roosts, location, and numbers of birds.
    Y.B., 1915, pp. 87, 90, 93. 1916; Y.B. Sep. 659,
    pp. 87, 90, 93. 1916.
  demurrage provisions, regulations, etc. D.B. 191,
    pp. 3, 12, 13, 16, 25. 1915.
  drainage law. O.E.S. Cir. 76, p. 18. 1907.
  drought experience, 1871–1881. Y.B., 1913,
    pp. 225–226. 1914; Y.B. Sep. 625, pp. 225–226.
    1914.
  drug laws. Chem. Bul. 98, pp. 78–80. 1906;
    Chem. Bul. 98, rev., Pt. I, pp. 118–124. 1909.
  early settlement, historical notes. See Soil surveys for various counties and areas.
  eastern—
    farms owning motor trucks, reports. D.B. 931,
      pp. 3, 4. 1921.
    milo growing. F.B. 322, pp. 11, 22. 1908.
    wheat varieties grown. F.B. 1168, pp. 9–11.
      1921.
  egg—
    demonstration, car work and itinerary, 1914.
      Y.B., 1914, pp. 365, 378, 379. 1915; Y.B. Sep.
      647, pp. 365, 378, 379. 1915.
    grading and losses, 1916–1918. News. L., vol. 6,
      No. 37, p. 10. 1919.
    industry, conditions, and investigations. Y.B.,
      1911, pp. 469–478. 1912; Y.B. Sep. 584, pp.
      469–478. 1912.
    production, losses. B.A.I. Bul. 141, pp. 11–12.
      1911.
  Ellis County, acreage of all crops, 1874–1920.
    D.B. 1094, pp. 1–7, 29. 1922.
  emmer and spelt growing experiments. D.B.
    1197, pp. 21–22, 32. 1924; F.B. 466, pp. 11–13.
    1911.
  Experiment Station—
    corn growing, date of seeding, experiments.
      D.B. 1014, p. 3. 1922.
    hay shrinkage, experiments, and studies.
      D.B. 873, pp. 2–3, 5, 6, 21, 27. 1920.
    pasture-burning experiments. J.A.R., vol. 23,
      pp. 631–644. 1923.
    steer-feeding experiments, results. F.B. 1218,
      pp. 15–16. 1921.
    studies of wheat-rust resistance. D.B. 1046,
      pp. 1–32. 1922.
    work—
      1906. C. W. Birkett. O.E.S. An. Rpt., 1906,
        pp. 107–108. 1907.
      1907. C. W. Burkett. O.E.S. An. Rpt.,
        1907, pp. 103–106. 1908.
        pp. 103–106. 1908.
    work and expenditures—
      1908. E. H. Webster. O.E.S. An. Rpt.,
        1908, pp. 98–101. 1909.
      1909, report. E. H. Webster. O.E.S. An.
        Rpt., 1909, pp. 110–112. 1910.
      1910. E. H. Webster. O.E.S. An. Rpt.,
        1910, pp. 141–145. 1911.
      1911. E. H. Webster. O.E.S. An. Rpt.,
        1911, pp. 112–115. 1912.
      1912. E. H. Webster. O.E.S. An. Rpt.,
        1912, pp. 118–121. 1913.
      1913. W. M. Jardine. O.E.S. An. Rpt.,
        1913, pp. 47–48. 1915.
      1914. W. M. Jardine. O.E.S. An. Rpt.,
        1914, pp. 111–116. 1915.
      1915. W. M. Jardine. S.R.S. Rpt., 1915,
        Pt. I, pp. 121–126. 1916.
      1916. W. M. Jardine. S.R.S. Rpt., 1916,
        Pt. I, pp. 122–126. 1918.
      1917. W. M. Jardine. S.R.S. Rpt., 1917,
        pt. 1, pp. 117–124. 1918.
      1918. S.R.S. Rpt., 1918, pp. 33, 51, 56,
        64, 66, 70–80. 1920.
  extension work—
    in agriculture and home economics—
      1915. J. H. Miller. S.R.S. Rpt., 1915, Pt. II,
        pp. 211–218. 1917.
      1916. E. C. Johnson. S.R.S. Rpt., 1916,
        Pt. I, pp. 223–233. 1917.

Kansas—Continued.
  extension work—continued.
    in agriculture and home economics—contd.
      1917. E. C. Johnson. S.R.S. Rpt., 1917,
        Pt. II, pp. 230–238. 1919.
    statistics. D.C. 306, pp. 3, 5, 10, 14, 20, 21.
      1924.
  fairs, number, kind, location, and dates. Stat.
    Bul. 102, pp. 13, 14, 31–32. 1913.
  farm—
    animals, statistics, 1867–1907. Stat. Bul. 64,
      p. 123. 1908.
    family, food, fuel, and housing, value, and
      details. D.B. 410, pp. 7–35. 1916.
    labor, wage rates, 1855–1909. Stat. Bul. 99,
      pp. 18, 29–43, 68–70. 1912.
    leases, provisions. D.B. 650, pp. 3, 4, 5, 12, 18,
      28. 1918.
    mortgage loans, credits, costs, and sources.
      D.B. 384, pp. 2–11. 1916.
    values, changes, 1900–1905. Stat. Bul. 43, pp.
      11–17, 29–46. 1906.
    values, income and tenancy classification. D.B.
      1224, pp. 93–94. 1924.
  farmers' institutes—
    for young people. O.E.S. Cir. 99, p. 18. 1910.
    history. O.E.S. Bul. 174, pp. 38–41. 1906.
    laws. O.E.S. Bul. 135, p. 16. 1903.
    legislation. O.E.S. Bul. 241, pp. 18–20. 1911.
    work—
      1904. O.E.S. An. Rpt., 1904, p. 643. 1905.
      1906. O.E.S. An. Rpt., 1906, p. 331. 1907.
      1907. O.E.S. An. Rpt., 1907, pp. 328–329.
        1908.
      1908. O.E.S. An. Rpt., 1908, p. 312. 1909.
      1909. O.E.S. An. Rpt., 1909, p. 345. 1910.
      1910. O.E.S. An. Rpt., 1910, p. 405. 1911.
      1911. O.E.S. An. Rpt., 1911, pp. 50, 371. 1912.
      1912. O.E.S. An. Rpt., 1912, pp. 364–365.
        1913.
  farmers'—
    living, cost. F.B. 635, pp. 1–21. 1914.
    loans, kinds of security. Y.B., 1921, p. 121.
      1922; Y.B. Sep. 873, p. 121. 1922.
    meetings to fix wages. D.B. 1020, pp. 30, 3.
      1922.
  field stations—
    barley growing, methods, cost, and yields.
      D.B. 222, pp. 24–26, 29–31. 1915.
    corn growing, methods, cost, and yields. D.B.
      219, pp. 23–25, 27–31. 1915.
    corn, milo, and kafir, growing cost and yield.
      D.B. 242, pp. 8, 9, 13, 15–16, 19. 1915.
    oats growing, cost, and yields. D.B. 218, pp.
      30–35, 39–41. 1915.
    subsoiling and deep tilling, experiments.
      J.A.R., vol. 14, No. 11, pp. 496–498, 505–506.
      1918.
    wheat-growing methods, yields, and cost. D.B.
      595, pp. 22–25, 33. 1917.
  flax acreage, 1899, 1909, 1913. D.B. 322, p. 4. 1916.
  floods—
    in Marais des Cygnes Valley, description and
      prevention methods. O.E.S. Bul. 234, pp.
      10–11, 14–27. 1911.
    in Neosho Valley, prevention of injury. J. O.
      Wright. O.E.S. Bul. 198, pp. 44. 1908.
    losses, 1909. An. Rpts., 1909, p. 170. 1910;
      W.B. Chief Rpt., 1909, p. 20. 1909.
  food(s)—
    and food control, July 1, 1905. Chem. Bul. 69,
      (rev.), Pt. III, pp. 201–204. 1905.
    laws—
      1906. Chem. Bul. 104, pp. 27–28. 1906.
      1907. Chem. Bul. 112, Pt. I, pp. 97–102. 1908.
      enactment, 1903. Chem. Bul. 83, Pt. I, p. 49.
        1904.
  forage crops for hogs. B.P.I. Bul. 111, pp. 31–50.
    1907; B.P.I. Bul. 111, Pt. IV, p. 24. 1907; F.B.
    331, pp. 1–24. 1908.
  forest—
    fires, statistics. For. Bul. 117, p. 29. 1912.
    legislation, 1907. Y.B., 1907, p. 575. 1908
      Y.B. Sep. 470, 1907, p. 15. 1908.
    planting in prairie region. D.B. 153, pp. 3–4.
      1915.
    trees, species adaptable, and planting details.
      F.B. 888, pp. 5–15, 19. 1917; For. Bul. 121,
      pp. 37–38. 1913.

INDEX TO PUBLICATIONS, 1901-1925   1289

Kansas—Continued.
Fort Hays—
and Garden City, crop rotation, experiments. B.P.I. Bul. 187, pp. 1-78. 1910.
irrigation experiments, 1903 and 1904. J. G. Haney. O.E.S. Bul. 158, pp. 567-583. 1905.
funds for cooperative extension work, sources. S.R.S. Doc. 40, pp. 4, 5, 9, 14. 1917.
fur animals, laws—
1915. F.B. 706, p. 6. 1915.
1916. F.B. 783, p. 8. 1916.
1917. F.B. 911, pp. 10, 31. 1917.
1918. F.B. 1022, pp. 10, 31. 1918.
1919. F.B. 1079, p. 13. 1919.
1920. F.B. 1165, pp. 11-12. 1920.
1921. F.B. 1238, p. 11. 1921.
1922. F.B. 1022, pp. 10, 31. 1922.
1923-24. F.B. 1387, p. 11. 1923.
1924-25. F.B. 1445, pp. 8-9. 1924.
1925-26. F.B. 1469, p. 11. 1925.
game laws—
1902. F.B. 160, pp. 13, 32, 41, 52, 54. 1902.
1903. F.B. 180, pp. 10, 22, 33, 44, 53. 1903.
1904. F.B. 207, pp. 18, 42, 60. 1904.
1905. F.B. 230, pp. 9, 17, 30, 37, 43. 1905.
1906. F.B. 265, pp. 15, 29, 37, 43. 1906.
1907. F.B. 308, pp. 6, 14, 28, 36, 42. 1907.
1908. F.B. 336, pp. 16, 31, 40, 44, 50. 1908.
1909. F.B. 376, pp. 6, 21, 34, 39, 42, 47. 1909.
1910. F.B. 418, pp. 14, 27, 36, 41. 1910.
1911. F.B. 470, pp. 10, 19, 31, 37, 41, 47. 1911.
1912. F.B. 510, pp. 14, 25-26, 27, 32, 33, 37, 43. 1912.
1913. D.B. 22, pp. 12, 20, 21, 26, 39, 45, 48, 53. 1913; D.B. 22, rev., pp. 12, 19, 20, 21, 26, 39, 45, 48, 53. 1913.
1914. F.B. 628, pp. 10, 11, 12, 17, 28-29, 31, 36, 37, 41, 47. 1914.
1915. F.B. 692, pp. 2, 5, 21, 27, 40, 46, 50, 52, 58. 1915.
1916. F.B. 774, pp. 25, 38, 45, 48, 51, 58. 1916.
1917. F.B. 910, pp. 17, 47, 51. 1917.
1918. F.B. 1010, pp. 15, 45, 61, 70. 1918.
1919. F.B. 1077, pp. 17, 49, 54, 72, 73. 1919.
1920. F.B. 1138, p. 19. 1920.
1921. F.B. 1235, pp. 21, 56. 1921.
1922. F.B. 1288, pp. 17, 53, 66, 67. 1922.
1923-24. F.B. 1375, pp. 18, 49. 1923.
1924-25. F.B. 1444, pp. 12, 36. 1924.
1925-26. F.B. 1466, pp. 18-19, 44. 1925.
game protection. See Game protection, officials.
Garden City—
climatic conditions, 1914, 1915. J.A.R., vol. 6, No. 13, pp. 474-476. 1916.
corn and sorghum, comparative studies. J.A.R., vol. 6, No. 9, pp. 311-332. 1916; J.A.R., vol. 6, No. 13, pp. 473-484. 1916; J.A.R., vol. 13, pp. 579-604. 1918.
experiments in sugar production from maize B.P.I. Cir. 111, pp. 3-4. 1913.
irrigation, 1904. A.E. Wright and A. B. Collin O.E.S. Bul. 158, pp. 585-594. 1905.
sugar-beet laboratory. B.P.I. Bul. 260, p. 12. 1912.
water rights and duty of water, beet irrigation. F.B. 392, p. 42. 1910.
Garden City Nursery, description. For. Bul. 121, pp. 23-25. 1913.
Glenwood, mother-daughter canning club, achievements. S.R.S. Doc. 20, p. 6. 1917.
grain—
aphid pest in 1907. Ent. Cir. 93, rev., pp. 9-13 1909.
investigations, cooperative, at McPherson, 1904-1909. Victor L. Cory. B.P.I. Bul. 240, pp. 22. 1912.
smut experiments. B.P.I. Bul. 152, pp. 30-33 1909.
supervision districts, counties. Mkts. S.R.A. 14, pp. 18, 23-24, 30-31, 32. 1916.
grape shipments, 1916-1919, and destinations. D.B. 861, pp. 3, 46, 55-61. 1920.
green-bug outbreaks in 1921. D.B. 1103, pp. 15, 16. 1922.
hail-insurance companies and amount of risks. D.B. 912, pp. 6, 14, 15, 26, 28, 29. 1920.
hay crops, 1866-1906, acreage, production, and value. Stat. Bul. 63, pp. 5-25, 31. 1908.
haymaking methods and costs. D.B. 578, pp. 26, 27-29, 45. 1918.

Kansas—Continued.
herds, lists of tested and accredited. D.C. 54, pp. 6, 22, 28, 53, 75, 77. 1919; D.C. 142, pp. 4-49. 1920; D.C. 143, pp. 3, 7, 25, 69. 1920; D.C., 144, pp. 4-25. 1920.
highway department, establishment and road mileage, Y.B., 1914, pp. 215, 222. 1915; Y.B. Sep. 638, pp. 215, 222. 1915.
hog-cholera control experiments, results. D.B. 584, pp. 8-13. 1917.
home-economics club work, results. D.C. 152, pp. 24, 28. 1921.
honey production by clubs. News L., vol. 6, No. 34, pp. 9-10. 1919.
insect pests, 1901. Ent. Bul. 30, pp. 84-85. 1901.
irrigated crops, yield. O.E.S. Bul. 158, pp. 573-574, 579-583, 593. 1905.
irrigation—
Don H. Bark. O.E.S. Bul. 211, pp. 28. 1909.
by windmill, cost and returns in western localities, table. F.B. 394, pp. 37-38. 1910.
districts and their statutory relations. D.B. 1177, pp. 4, 5, 11, 14, 16, 19, 26, 43, 48. 1923.
enterprises, description. O.E.S. Bul. 211, pp. 15-24. 1909.
experiments, 1903-4. O.E.S. Bul. 158, pp. 567-583, 585-594. 1905.
pumping plants (with Colorado and Nebraska.) O. V. P. Stout. O.E.S. Bul. 158, pp. 595-608. 1905.
reservoir for farm use, dimensions and details. O.E.S. Bul. 249, Pt. I, p. 66. 1912.
Karakul-sheep breeding. Y.B., 1915, pp. 249, 256. 1916; Y.B. Sep. 673, pp. 249, 256. 1916.
Kaw-Valley potatoes, shipping methods. F.B. 1316, pp. 29-30. 1923.
labor demand, formula for computing. D.B. 1230, pp. 2, 23-24. 1924.
lands, irrigated, settlement, cost and requirement. O.E.S. Bul. 211, pp. 25-27. 1909.
lard supply, wholesale and retail, August 31, 1917, tables. Sec. Cir. 97, pp. 13-31. 1918.
law(s)—
against Sunday shooting. Biol. Bul. 12, rev., p. 63. 1902.
for turpentine sale. D.B. 898, p. 40. 1920.
nursery stock, interstate shipment, digest. F.H.B.S.R.A. 57, pp. 113, 114, 115. 1919; Ent. Cir. 75, rev., p. 3. 1909.
on—
community buildings. F.B. 1192, pp. 32-33, 38. 1921.
dog control, digest. F.B. 935, p. 14. 1918; F.B. 1268, p. 14. 1922.
relating to contagious animal diseases. B.A.I. Bul. 43, pp. 34-36. 1901.
legislation relative to tuberculosis. B.A.I. Bul. 28, pp. 34-36. 1901.
legumes—
native, number, and distribution. B.P.I. Cir. 70, pp. 1-8. 1910.
wild, number and distribution with Nebraska. Joseph Allen Warren. B.P.I. Cir. 31, pp. 9. 1909.
lettuce disease, description and cause. J.A.R., vol. 13, pp. 372-373, 380-387, 388. 1918.
livestock admission, sanitary requirements. B.A.I. Doc. A-28, pp. 13-14. 1917; B.A.I. Doc. A-36, p. 20. 1920; M.C. 14, pp. 24-25. 1924.
location, general description, crops, and climate. O.E.S. Bul. 211, pp. 7-8. 1909.
lumber—
cut, 1870-1920, value, and kinds. D.B. 1119, pp. 27, 30-35, 56, 58. 1923.
production, 1918, by mills, by woods, and lath and shingles. D.B. 845, pp. 6-10, 14, 16, 37, 42-47. 1920; Rpt. 116, pp. 6-11, 35-38. 1918.
maple sugar, production. F.B. 516, p. 45. 1912.
maple-tree injury by green-striped worm. Ent. Cir. 110, pp. 3-5. 1909.
marketing activities and organization. Mkts. Doc. 3, p. 3. 1916.
Marysville gymnasium and social center, description and plans. F.B. 1173, pp. 30-31. 1921.
McPherson County, description, settlement, and farm organization. D.B. 1296, pp. 1-75. 1925.
meadow fescue, seed production and value as crop. F.B. 361, pp. 9-12, 18, 20-22. 1909.

Kansas—Continued.
  milk supply and laws. B.A.I. Bul. 46, pp. 30, 34, 78, 199. 1903.
  milo, growing and yields. F.B. 1147, pp. 6, 9. 1920.
  mining industry and resources in Cherokee County. Soil Sur. Adv. Sh., 1912, pp. 7, 11. 1914; Soils F.O., 1912, pp. 1787, 1791. 1915.
  National Forest and nursery. O.E.S. Bul. 211, p. 11. 1909.
  national forests, location, date and area, January 31, 1913. For. [Misc.], "Use book, 1913," p. 86. 1913.
  Nebraska, and Oklahoma, winter wheat belt, utilization of tractors and horses. H. R. Tolley and W. R. Humphries. D.B. 1202, pp. 60. 1924.
  Neosho Valley, flood—
    investigations. Pub. [Misc.], "Investigations of Neosho Valley * * *," p. 1. 1908.
    protection, improvements, character and cost. O.E.S. Bul. 198, pp. 25–42. 1908.
  oat—
    crops—
      1866–1906, acreage, production, and value. Stat. Bul. 58, pp. 5–25, 31. 1907.
      1900–1909, acreage and yield. F.B. 420, pp. 8, 9. 1910.
    growing, varietal experiments. D.B. 823, pp. 28, 29, 30, 33, 51, 52, 67. 1920.
    Swedish Select, weight, comparison with other oats. B.P.I. Bul. 182, pp. 33, 34–35. 1910.
    tests, Kherson and Sixty-day, with other varieties. F.B. 395, pp. 22–23. 1910.
  Ottawa, river channel improvement, plans and cost. O.E.S. Bul. 234, pp. 39–41, 42. 1911.
  overflowed lands—
    drainage investigations. O.E.S. An. Rpt., 1910, pp. 48–49. 1911.
    Marais des Cygnes Valley, reclamation report. S. H. McCrory and others. O.E.S. Bul. 234, pp. 53. 1911.
  pasture land on farms. D.B. 626, pp. 15, 37–39. 1918.
  pastures burning, effect on vegetation. R. L. Hensel. J.A.R., vol. 23, pp. 631–644. 1923.
  peach—
    growing, production districts, and varieties. D.B. 806, pp. 4, 5, 8, 18. 1919.
    industry, season, and shipments, 1914. D.B. 298, pp. 4, 5, 11. 1916.
    varieties, names and ripening dates. F.B. 918, p. 8. 1918.
  pear growing, distribution and varieties. D.B. 822, p. 9. 1920.
  plum curculio, occurrence and distribution. Ent. Bul. 103, pp. 22, 24. 1912.
  pop corn, production and value, 1909. F.B. 554, pp. 6–7. 1913.
  potato crop—
    1866–1906, acreage, production, and value. Stat. Bul. 62, pp. 7–27, 33. 1908.
    1909, by counties. F.B. 1064, p. 5. 1919.
    early, location, season, varieties, and shipments. F.B. 1316, pp. 3, 4, 5. 1923.
  Potwin, community club organization and by-laws. F.B. 1192, pp. 26–27. 1921.
  poultry—
    and eggs, increase in value, 1903–1907. B.A.I. Cir. 140, p. 5. 1909.
    industry, conditions, and investigations. B.A.I. Bul. 141, pp. 21–39. 1911.
  prairie dogs, destruction. F.B., 227, p. 24. 1905.
  Pure Seed-growers' Association. News L., vol. 6, No. 39, pp. 6–7. 1919.
  quail-protection laws. D.B. 1049, p. 17. 1922.
  quarantine—
    areas, foot-and-mouth disease, May, 1915. B.A.I.O. 238, p. 4. 1915; B.A.I. amdts. 2, 5, 7, p. 2. 1915.
    for cattle scabies, release, May 15, 1909. B.A.I. O. 152, amdt. 2, p. 1. 1909.
    for cattle scabies, release, 1912. B.A.I.O. 167, amdt. 4, p. 2. 1912.
    for Texas fever, area, April 15, 1912. B.A.I.O. 187, amdt. 1, p. 2. 1912.
  rainfall—
    annual, 1868–1907. Y.B., 1908, p. 297. 1909; Y.B. Sep. 481, p. 297. 1909.

Kansas—Continued.
  rainfall—continued.
    map and table. B.P.I. Bul. 188, pp. 37, 53–54. 1910.
    record, 1898–1908, in the Marais des Cygnes Valley. O.E.S. Bul. 234, pp. 14–18, 44–52. 1911.
    record, 1903–1909, at McPherson. B.P.I. Bul. 240, pp. 10–11. 1912.
  reservoirs, types. F.B. 828, pp. 6, 19–21. 1917.
  road(s)—
    bond-built, details. D.B. 136, pp. 40, 52, 67, 81, 85. 1915.
    building—
      experiments, 1908, report. Rds. Cir. 90, pp. 10–12, 15–19. 1909; Rds. Cir. 92, pp. 30–31. 1910; Rds. Cir. 98, pp. 44–46. 1912.
      rock tests, 1916–1921, results. D.B. 1132, pp. 12–13, 51. 1923.
      rock tests, 1916 and 1917. D.B. 670, p. 9. 1918; D.B. 370, p. 30. 1916.
    conditions, mileage, costs and bonds. D.B. 389, pp. 2, 3, 4, 5, 6, 7, 24–25. 1917.
    maintenance—
      cost, with and without drag. F.B. 321, p. 12. 1908.
      experiments, supplementary report. D.B. 407, pp. 69–71. 1916.
    mileage and expenditures—
      1904. Maurice O. Eldridge. Rds. Cir. 63, pp. 4. 1906.
      1909. Rds. Bul. 41, pp. 19–20, 40, 42, 65–67. 1912.
      1915. Sec. Cir. 52, pp. 2, 4, 6. 1915.
      1916. Sec. Cir. 74, pp. 5, 7, 8. 1917.
    preservation—
      and dust prevention experiments, 1913, report. D.B. 105, pp. 44–45. 1914.
      and dust prevention, experiments, 1914, report. D.B. 257, pp. 43–44. 1915.
      and dust prevention, 1916, reports. D.B. 586, pp. 75–76. 1918.
    sand-clay and earth, experiments and results. Rds. Cir. 91, pp. 1–31. 1910.
  rural schools, Norton County, cost and plans. Y.B., 1905, pp. 264–266. 1906; Y.B. Sep. 382, pp. 264–266. 1906.
  rye crops, 1866–1906, acreage, production, and value. Stat. Bul. 60, pp. 5–25, 31. 1908.
  salt deposits, occurrence, composition. Soils Bul. 94, pp. 39–40, 65. 1913.
  San Jose scale, occurrence. Ent. Bul. 62, p. 24. 1906.
  sand hills, forestation, with Nebraska. Carlos G. Bates and Roy G. Pierce. For. Bul. 121, pp. 49. 1913.
  seed-corn beetle, 1906 outbreak. Ent. Cir. 78, p. 5. 1909.
  semiarid, climate and winds. B.P.I. Bul. 215, pp. 11, 12, 13, 15. 1911.
  settlement work by railroads. Stat. Bul. 100, pp. 19–20. 1912.
  shipments of fruits and vegetables, and index to station shipments. D.B. 667, pp. 6–13, 24. 1918.
  silos, use, increase and cost. O.E.S. Bul. 231, pp. 58–59. 1910.
  soil survey of—
    Allen County. J. A. Drake and W. E. Tharp. Soil Sur. Adv. Sh., 1904, pp. 24. 1905; Soils F.O., 1904, pp. 875–894. 1905.
    Atchison County. See Platte County, Mo.
    Brown County. James L. Burgess and others. Soil Sur. Adv. Sh., 1905, pp. 20. 1906; Soils F.O., 1905, pp. 911–926. 1907.
    Butler County. See Wichita area.
    Cherokee County. Percy O. Wood and R. I. Throckmorton. Soil Sur. Adv. Sh., 1912, pp. 42. 1914; Soils F.O., 1912, pp. 1785–1822. 1915.
    Cowley County. E. C. Hall and others. Soil Sur. Adv. Sh., 1915, pp. 46. 1917; Soils F.O., 1915, pp. 1921–1962. 1919.
    Crawford County. See Parsons area.
    Finney County. See Garden City area.
    Garden City area. James L. Burgess and George N. Coffey. Soil Sur. Adv. Sh., 1904, pp. 33. 1905; Soils F.O., 1904, pp. 895–923. 1905.
    Gray County. See Garden City area.

INDEX TO PUBLICATIONS, 1901–1925   1291

Kansas—Continued.
 soil survey of—continued.
  Greenwood County. W. C. Byers and others. Soil Sur. Adv. Sh., 1912, pp. 34. 1914; Soils F.O., 1912, pp. 1823–1852. 1915.
  Jewell County. A. E. Kocher and others. Soil Sur. Adv. Sh., 1912, pp. 44. 1914; Soils F.O., 1912, pp. 1853–1892. 1915.
  Labette County. See Parsons area.
  Leavenworth County. E. H. Smies and G. Y. Blair. Soil Sur. Adv. Sh., 1919, pp. 207–271. 1923; Soils F.O., 1919, pp. 207–271. 1925.
  Montgomery County. F. V. Emerson and C. S. Waldrop. Soil Sur. Adv. Sh., 1913, pp. 36. 1915; Soils F.O., 1913, pp. 1893–1924. 1916.
  Parsons area. J. A. Drake. Soil Sur. Adv. Sh., 1903, pp. 23. 1904; Soils F.O., 1903, pp. 891–909. 1904.
  Reno County. William T. Carter, jr., and others. Soil Sur. Adv. Sh., 1911, pp. 72. 1913; Soils F.O., 1911, pp. 1991–2058. 1914.
  Riley County. William T. Carter, jr., and Howard C. Smith. Soil Sur. Adv. Sh., 1906, pp. 35. 1908; Soils F.O., 1906, pp. 911–941. 1908.
  Russell area. A. W. Mangum and J. A. Drake. Soil Sur. Adv. Sh., 1903, pp. 20. 1904; Soils FO., 1903, pp. 911–926. 1904.
  Russell County. See Russell area.
  Sedgwick County. See Wichita area.
  Shawnee County. W. C. Byers and R. I. Throckmorton. Soil Sur. Adv. Sh., 1911, pp. 41. 1913; Soils F.O., 1911, pp. 2059–2095. 1914.
  Wichita area. J. E. Lapham and B. A. Olshausen. Soils F.O. Sep., 1902, pp. 20. 1903; Soils F.O., 1902, pp. 623–642. 1903.
 soils—
  Marshall silt loam, location, area, and crops grown. Soils Cir. 32, pp. 3, 7, 10, 11, 12, 18. 1911.
  moisture equivalents and hygroscopic coefficients. J.A.R., vol. 6, No. 21, p. 836. 1916.
  use in beet inoculation experiments. J.A.R., vol. 4, pp. 154–159. 1915.
  Wabash clay, areas, location, and uses. Soils Cir. 41, pp. 11, 16. 1911.
  Wabash silt loam, location, areas, and uses. Soils Cir. 40, p. 15. 1911.
 sorghum—
  grain, acreage and value. F.B. 686, pp. 11–15. 1915.
  grain, introduction and growing. Y.B., 1922, pp. 525–529. 1923; Y.B. Sep. 891, pp. 525–529. 1923.
  growing, experiments. J.A.R., vol. 6, No. 7, pp. 262, 263–271. 1916.
  growing for grain and forage. F.B. 1158, pp. 3, 5, 10–11, 14–15, 23, 26. 1920.
  varietal tests and results of cultural experiments. D.B. 383, pp. 8–15. 1916; D.B. 1260, pp. 13–23, 58, 72, 76–78, 82–86. 1924.
  webworm outbreaks in 1921. D.B. 1103, pp. 24–25. 1922.
 southwestern, subsoil water, field records. Soils Bul. 93, pp. 13–34, 40. 1913.
 spraying experiments for codling moth and plum curculio. Ent. Bul. 115, Pt. II, pp. 102–107. 1912.
 standard containers. F.B. 1434, p. 17. 1924.
 stallions, number, classes, and legislation controlling. Y.B., 1916, pp. 290, 291, 293, 295, 296. 1917; Y.B. Sep. 692, pp. 2, 3, 5, 7, 8. 1917.
 straw stacks as breeding place for stable fly. F.B. 540, p. 21. 1913.
 strawberry shipments, 1914, 1915. D.B. 237, p. 7. 1915; F.B. 1028, p. 6. 1919.
 Sudan, grass growing, experiments. B.P.I. Cir. 125, p. 20. 1913; D.B. 981, pp. 7-52. 1921.
 sugar-beet webworm, studies. Ent. Bul. 109, Pt. VI, pp. 57–70. 1912.
 termites, occurrence and damages. D.B. 333, pp. 12, 16, 19, 21–22, 23, 29. 1916.
 tractors—
  and horses on farms. D.B. 1202, pp. 1–60. 1924.
  investigations, 1918. F.B. 1093, pp. 3–5. 1920.
  on farms, size to acreage. F.B. 719, pp. 9–10. 1916.

Kansas—Continued.
 tree-planting work. D.C. 265, p. 3. 1923; For. Bul. 65, pp. 25–28. 1905; For. Cir. 161, p. 18. 1909.
 tree-stock supplies. F.B. 1312, p. 32. 1923.
 trucking industry, acreage and crops. Y.B., 1916, pp. 455–465. 1917; Y.B. Sep. 702, pp. 21–31. 1917.
 walnut range and estimated stand. D.B. 909, pp. 9–21. 1921; D.B. 933, pp. 7–27. 1921.
 Wamego, farmers' park, description. F.B. 1388, pp. 5–6. 1924.
 water—
  rights, officials. D.B. 913, p. 3. 1920.
  supply, records, by counties. Soils Bul. 92, pp. 64–70. 1913; O.E.S. Bul. 211, pp. 8–11. 1909.
 western—
  description, soil and climatic conditions. D.B. 836, pp. 2–10. 1920.
  forest belts, with Nebraska. Royal S. Kellogg. For. Bul. 66, pp. 44. 1905.
  forest planting. Royal S. Kellogg. For. Bul. 52, pp. 52. 1904; For. Cir. 161, pp. 51. 1909.
  forest-planting suggestions. For. Cir. 99, pp. 1–14. 1907.
  precipitation. W.B. Abs. D. 2, pp. 6. 1907.
  soil survey, reconnaissance. George N. Coffey, Thomas D. Rice, and party. Soil Sur. Adv. Sh., 1910, pp. 104. 1912; Soils F.O., 1910, pp. 1345–1442. 1912.
  windmill irrigation, data. F.B. 866, pp. 29–32. 1917.
 wheat—
  acreage and yield. Sec. [Misc.], Spec. "Geography * * * world's agriculture," p. 18. 1917.
  acreage, production, and costs. D.B. 1198, pp. 3–24, 29–33. 1924.
  crop—
   1866–1915, yields and prices. D.B. 514, p. 11. 1917.
   1918–1920, acreage and production, 1918–1920. D.B. 1020, p. 5. 1922.
   acreage, production, and value. Stat. Bul. 57, pp. 5–25, 31. 1907; Stat. Bul. 57, rev., pp. 5–25, 31, 38. 1908.
   losses, causes and extent, 1909–1919. D.B. 1020, p. 13. 1922.
  environment studies. J.A.R., vol. 1, pp. 275–291. 1914.
  growing—
   cost data (with other States). D.B. 943, pp. 1–59. 1921.
   for environment experiments (and other States). Chem. Bul. 128, pp. 1–18. 1910.
   soft red, winter varieties. F.B. 1305, pp. 3, 4, 5. 1922.
   success of hard winter wheats. Y.B., 1914, pp. 398–405. 1915; Y.B. Sep. 649, pp. 398–405. 1915.
  harvest, 1918, handling. Edward C. Johnson. Sec. Cir. 121, pp. 7. 1918.
  harvest labor, amounts used, and wages. D.B. 1230, pp. 5–14, 24–29, 30–43. 1924.
  production—
   1874–1920, by counties. D.B. 1094, pp. 3–7, 8. 1922.
   1902–1904. Stat. Bul. 38, p. 18. 1905.
   cost. B.P.I. Bul. 130, pp. 47–49. 1908.
   periods. Y.B., 1921, pp. 90–96. 1922; Y.B. Sep. 873, pp. 90–96. 1922.
  thrips prevalence. J.A.R., vol. 4, pp. 219, 221. 1915.
  varieties adapted. F.B. 616, pp. 3, 7–8. 1914.
  yield, variation with rainfall. B.P.I. Bul. 188, pp. 26, 29. 1910.
 white-fungus disease, artificial use, results, with notes on approved methods of fighting chinch bugs. Frederick H. Billings and Pressley A. Glenn. Ent. Bul. 107; pp. 58. 1911.
 See also Corn Belt; Great Plains.
Kansas City—
 freight rates on wheat. Y.B., 1921, p. 135. 1922; Y.B. Sep. 873, p. 135. 1922.
 fruits and vegetables, market statistics, 1919–1920. D.B. 982, pp. 224, 225, 249, 252, 254, 255, 257, 259, 261–264. 1921.

36167°—32——82

Kansas City—Continued.
grain, market statistics—
1910-1920. D.B. 982, pp. 156-214. 1921.
1920-1921. D.B. 1083, pp. 11-58. 1922.
horses and mules, range of prices. Stat. Bul. 5, pp. 53-62. 1925.
livestock—
market statistics, 1910-1920. D.B. 982, pp. 3-4, 8, 9, 14, 29, 40, 44, 49, 57, 64, 70, 73, 74, 79, 94-95, 100. 1921.
movement, 1908. Y.B., 1908, p. 234. 1909; Y.B. Sep. 477, p. 234. 1909.
lumber, retail trade, costs. Rpt. 116, pp. 22-24, 25, 26, 27, 51, 53, 67, 73. 1918.
milk supply, statistics, officials, prices and ordinances. B.A.I. Bul. 46, pp. 26, 30, 78, 107, 179, 199. 1903.
potato-market methods. F.B. 1317, p. 29. 1923.
seeds, market prices, 1920-1923, tables. S.B. 2, pp. 22-60. 1924.
trade center for farm products, statistics. Rpt. 98, pp. 287-290. 1913.
wheat grading and prices, 1875-1912. Y.B., 1914, p. 402. 1915; Y.B. Sep. 649, p. 402, 1915.
wheat prices and discounts by grades. Y.B., 1921, pp. 144, 145. 1922; Y.B. Sep. 873, pp. 144, 145. 1922.
Kansas River Valley, flood-damaged lands, reclamation by forest planting. George L. Clothier. For. Cir. 27, pp. 5. 1904.
Kanudo. *See* Udo.
Kaoliang(s)—
Blackhull, date-of-seeding experiments. D.B. 1175, p. 49. 1923.
bread, digestion tests. D.B. 470, pp. 16-18. 1916.
description, forms, uses, and value. Y.B., 1913, pp. 221-223, 230. 1914; Y.B. Sep. 625, pp. 221-223, 230. 1914.
food use and value. B.P.I. Bul. 253, pp. 11-13, 15-17. 1913.
grain sorghums, new group. Carleton R. Ball. B.P.I. Bul. 253, pp. 64. 1913.
importations and description. Nos. 39423, 39440-39442. B.P.I. Inv. 41, pp. 26, 29. 1917; Nos. 40663-40667, B.P.I. Inv. 43, p. 63. 1918.
introduction, classification and value. B.P.I. Bul. 253, pp. 21-64. 1913; F.B. 686, p. 1. 1915.
Manchu, growing in Texas Panhandle, date of seeding, and spacing. D.B. 976, pp. 20-21, 22, 23. 1922.
Manchu Brown, value. Y.B., 1913, p. 230. 1914; Y.B. Sep. 625, p. 230. 1914.
mush, digestion tests. D.B. 470, pp. 26-30. 1916.
names, culture, and uses in eastern Asia. B.P.I. Bul. 253, pp. 7-21. 1913.
origin, description, and yields. F.B. 1137, p. 11. 1920.
seed, quantity per acre, method of planting, and yield. B.P.I. Bul. 253, pp. 11, 62. 1913.
smut inoculations, experiments. D.B. 1284, pp. 22-25. 1925.
stalks, uses. B.P.I. Bul. 253, pp. 11, 15, 17, 18, 19, 20. 1913.
testing in Great Plains. D.B. 1260, pp. 29-47. 1924.
varietal experiments in Oklahoma. D.B. 1175, pp. 30-33, 36-37. 1923.
varieties—
classification, description, and yields. D.B. 698, pp. 19, 74-85, 88. 1918; B.P.I. Bul. 253, pp. 45-56. 1913.
growing in Guam, description and yields. Guam Bul. 3, pp. 9, 14. 1922.
Kaolin—
absorption of salt solutions. Soils Bul. 52, p. 31. 1908.
composition and description. Rds. Bul. 37, pp. 21, 22, 26, 27. 1911.
emulsions. J.A.R., vol. 31; pp. 60, 61, 63, 64. 1925.
use in nicotine dust. F.B. 1282, pp. 4, 5. 1922.
Kapoc. *See* Kapok.
Kapok—
fiber, imports—
1911, 1914, cotton substitute, source. D.B. 296, p. 44. 1915.
1918. Y.B., 1918, p. 629. 1919; Y.B. Sep. 794, p. 5. 1919.

Kapok—Continued.
importations and descriptions. No. 31393, B.P.I. Bul. 248, pp. 13-14. 1912; No. 34619, B.P.I. Inv. 33, p. 39. 1915; Nos. 35907, 35908, B.P.I. Inv. 36, p. 24. 1915; No. 45557, B.P.I. Inv. 53, pp. 53-54. 1922; No. 46522, B. P. I. Inv. 56, p. 23. 1922; No. 49442, B. P. I. Inv. 62, p. 37. 1923; Nos. 50136, 50224, B. P.I. Inv. 63, pp. 39, 47. 1923; Nos. 50745-50746. B.P.I. Inv. 64, pp. 21-22. 1923.
Karaka, importations and descriptions. No. 44745, B.P.I. Inv. 51, p. 58. 1922; No. 46764, B.P.I. Inv. 57, p. 30. 1922.
Karanda, importations and descriptions. No. 51005, B.P.I. Inv. 64, p. 40. 1923; No. 54043, B.P.I. Inv. 68, p. 22. 1923.
Karatas plumieri, importation and description. No. 36260, B.P.I. Inv. 37, p. 9. 1916.
Karbo cream, misbranding. I. and F. Bd. S.R.A. 24, pp. 501-503. 1919.
Karbo Kresolate, analysis. Chem. Bul. 76, p. 55. 1903.
KARRAKER, P. E.—
"Effect on soil moisture of changes in the surface tension of the soil solution brought about by the addition of soluble salts." J.A.R., vol. 4, pp. 187-192. 1915.
"Soil survey of Muhlenberg County, Ky." With others. Soil Sur. Adv. Sh., 1920, pp. 939-964. 1924; soils F.O., 1920, pp. 939-964. 1925.
Karree, boom, importation and description. No. 46810, B.P.I. Inv. 57, pp. 6, 38. 1922.
Karst, Austria, reclamation by reforestation. Sec. Cir. 183, p. 10. 1921.
Kassod tree, importations and descriptions. No. 54924, B.P.I. Inv. 70, p. 30. 1923; No. 55025, B.P.I. Inv. 71, p. 13. 1923.
KASTLE, J. H.—
"Effect of certain grain rations on the growth of the white leghorn chick." With others. J.A.R., vol. 16, pp. 305-312. 1919.
report of Kentucky Experiment Station, work and expenditures—
1912. O.E.S. An. Rpt., 1912, pp. 121-124. 1913.
1913. O.E.S. An Rpt., 1913, pp. 48-50. 1915.
1914. O.E.S. An. Rpt., 1914, pp. 116-120. 1915.
1915. S.R.S. Rpt., 1915, P.I., pp. 126-130. 1917.
1916. S.R.S. Rpt., 1916, P.I., pp. 126-131. 1918.
Katabolism—
basal, of cattle and other species. Henry Prentiss Armsby and others. J.A.R., vol. 13, pp. 43-57. 1918.
effect of fasting, purpose, and protein ratio in various animals. B.A.I. Bul. 143, pp. 8-16. 1912.
See also Metabolism.
Katinga, importations and descriptions. No. 46647, B.P.I. Inv. 57, p. 16. 1922; No. 51775, B.P.I. Inv. 65, p. 48. 1923.
Katydid(s)—
angular-winged, injuries, distribution, and food plants. D.B. 256, pp. 14-15. 1915.
cranberry, description, injury, and control. F.B. 178, pp. 26-29. 1903; F.B. 860, pp. 25-26. 1917.
fork-tailed, life history and habits. D.B. 256, pp. 5-14. 1915.
injurious to oranges in California. J.R. Horton and C. E. Pemberton. D.B. 256, pp. 24. 1915.
spread of peanut leaf spot. J.A.R., vol. 5, No. 19, pp. 898, 900, 902. 1916.
Kauai Demonstration Farm, Hawaii. O.E.S. An. Rpt., 1912, pp. 20, 56, 103. 1913.
KAUPP, B. F.—
"Fowl typhoid, its dissemination and control." With R. S. Dearstyne. J.A.R., vol. 28, pp. 75-78. 1924.
"Mineral content of southern poultry feeds and mineral requirements of growing fowls." J.A.R., vol. 14, pp. 125-134. 1918.
"Study of some poultry feed mixtures with reference to their potential acidity and their potential alkalinity: I." With J. E. Ivey. J.A.R., vol. 20, pp. 141-149. 1920.
"The function of grit in the gizzard of the fowl." J.A.R., vol. 27, pp. 413-416. 1924.

KAUPP, B. F.—Continued.
"Time required for food to pass through the intestinal tract." With J. E. Ivey. J.A.R., vol. 23, pp. 721-725. 1923.
Kauri gum. *See* Copal.
Kava, utilization in Mexican drink. B.P.I. Inv. 39, pp. 11, 113. 1917.
Kavalai, importation and description. No. 40895, B.P.I. Inv. 43, p. 97. 1918.
Kawakamia cyperi, cause of sedge disease, description and control. B.P.I. Bul. 171, pp. 7-9. 1910.
KEARNEY, T. H.—
"Agricultural explorations in Algeria." With Thomas H. Means. B.P.I. Bul. 80, pp. 98. 1905.
"Agriculture without irrigation in the Sahara Desert." B.P.I. Bul. 86, pp. 27. 1905.
"Breeding new types of Egyptian cotton." B.P.I. Bul. 200, pp. 39. 1910.
"Community production of Egyptian cotton in the United States." With others. D.B. 332, pp. 30. 1916.
"Cotton as a crop for the Yuma reclamation project." With others. B.P.I. Doc. 1009, pp. 6. 1913.
"Cotton culture in the southwestern United States." B.P.I. Doc. 362, pp. 3. 1908.
"Crops used in the reclamation of alkali lands in Egypt." With Thomas H. Means. Y.B., 1902, pp. 573-588. 1903; Y.B. Sep. 291, pp. 573-588. 1903.
"Date varieties and date culture in Tunis." B.P.I. Bul. 92, pp. 110. 1906.
"Dry-land olive culture in northern Africa." B.P.I. Bul. 125, pp. 48. 1908.
"Egyptian cotton as affected by soil variations." B.P.I. Cir. 112, pp. 17-24. 1913.
"Egyptian cotton in the southwestern United States." With William A. Peterson. B.P.I. Bul. 128, pp. 71. 1909.
"Experiments with Egyptian cotton in 1908." With William A. Peterson. B.P.I. Cir. 29, pp. 22. 1909.
"Fiber from different pickings of Egyptian cotton." B.P.I. Cir. 110, pp. 37-39. 1913.
"Heritable variations in an apparently uniform variety of cotton." J.A.R., vol. 21, pp. 227-242. 1921.
"Indicator significance of vegetation in Tooele Valley, Utah." With others. J.A.R., vol. 1, pp. 365-417. 1914.
"Inheritance of petal spot in Pima cotton." J.A.R., vol. 27, pp. 491-512. 1924.
"Mutation in Egyptian cotton." J.A.R., vol. 2, pp. 287-302. 1914.
"Non-inheritance of terminal bud abortion in Pima cotton." J.A.R., vol. 28, pp. 1041-1042. 1924.
"Production of American Egyptian cotton." With others. D.B. 742, pp. 30. 1919.
"Seed selection of Egyptian cotton." D.B. 38, pp. 8. 1913.
"Segregation and correlation of characters in an upland-Egyptian cotton hybrid." D.B. 1164, pp. 58. 1923.
"Selective fertilization in cotton." With George J. Harrison. J.A.R., vol. 27, pp. 329-340. 1924.
"Self-fertilization and cross-fertilization in Pima cotton." D.B. 1134, pp. 68. 1923.
"Some mutual relations between alkali soils and vegetation." With Frank K. Cameron. Rpt. 71, pp. 78. 1902.
"Tests of Pima Egyptian cotton in the Salt River Valley, Arizona." D.R.P. Cir. 1, pp. 4. 1916.
"The choice of crops for alkali land." F.B. 446, pp. 32. 1911; rev., 1920.
"The comparative tolerance of various plants for the salts common in alkali soils." With L. L. Harter. B.P.I. Bul. 113, pp. 22. 1907.
"The salt content of cotton fiber." With C. S. Scofield. J.A.R., vol. 28, pp. 293-295. 1924.
"The uniformity of Pima cotton." D.C. 247, pp. 6. 1922.
"The water economy of dry land crops." With H. L. Shantz. Y.B., 1911, pp. 351-362. 1912; Y.B. Sep. 574, pp. 351-362. 1912.
"The wilting coefficient for plants in alkali soils." B.P.I. Cir. 109, pp. 17-25. 1913.

KEBLER, L. F.—
"Adulterated drugs and chemicals." Pts. I-III. Chem. Bul. 80, pp. 47. 1904.
"Analysis of beef, iron, and wine." With E. A. Ruddiman. Chem. Bul. 137, pp. 194-197. 1911.
"Analysis of the Mexican plant *Tecoma mollis* H.B.K." With A. Seidell. Chem. Cir. 24, pp. 6. 1904.
"Character of samples of beeswax submitted with bids." With F. M. Boyles. Chem. Bul. 150 pp. 49-51. 1912.
"Drug legislation in the United States." With Earl T. Ragan. Chem. Bul. 98, pp. 217. 1906; Chem. Bul. 98, rev., pp. 343. 1909.
"Examination of hydrogen dioxid solutions." With others. Chem. Bul. 150, Pt. I, pp. 5-23. 1912.
"Habit-forming agents: Their indiscriminate sale and use a menace to public welfare." F.B. 393, pp. 19. 1910.
"Harmfulness of headache mixtures." With others. F.B. 377, pp. 16. 1909.
report on Coca-Cola manufacture, use and effects. Chem. N.J. 1455, pp. 20-22, 22-23. 1912.
report on medicinal plants and drugs. Chem. Bul. 116, pp. 81-87. 1908; Chem. Bul. 152, pp. 234-236. 1912; Chem. Bul. 162, pp. 188-193. 1913.
"The adulteration of drugs." Y.B., 1903, pp. 251-258. 1904; Y.B. Sep. 331, pp. 251-258. 1904.
"The harmful effects of acetanilid, antipyrin, and phenacetin." With others. Chem. Bul. 126, pp. 85. 1909.
"The purity of glycerin." With H. C. Fuller. Chem. Bul. 150, Pt. II, pp. 24-25. 1912.
"The testing of chemical reagents." Chem. Bul. 137, pp. 50-51. 1911.
Ked. *See* Tick, sheep.
Kedzie formula for arsenite of lime. Y.B., 1908, p. 275. 1909; Y.B. Sep. 480, p. 275. 1909; Ent. Bul. 89, p. 83. 1910; F.B. 492, p. 43. 1912.
KEENAN, G. L.—
"Insect powder." With others. D.B. 824, pp. 100. 1920.
"Significance of wheat hairs in microscopical examination of flour." D.B. 1130, pp. 8. 1923.
"The adulteration of insect powder with powdered daisy flowers (*Chrysanthemum leucanthemum* L.)." With R. C. Roark. D.B. 795, pp. 12. 1919; D.B. 795, rev. pp. 10. 1923.
"The microscopical examination of flour." With Mary A. Lyons. D.B. 839, pp. 32. 1920.
KEENEY, G. H.: "Irrigation of rice in the United States." With Frank Bond. O.E.S. Bul. 113, pp. 77. 1902.
KEEFER, C. A., report of Tennessee extension work in agriculture and home economics—
1915. S.R.S. Rpt., 1915, Pt. II, pp. 114-120. 1916.
1916. S.R.S. Rpt., 1916, Pt. II. pp. 123-130. 1917.
1917. S.R.S. Rpt., 1917, Pt. II, pp. 125-134. 1919.
Kefir—
chemical analysis. B.A.I. An. Rpt., 1909, p. 149. 1911; B.A.I. Cir. 171, p. 149. 1911.
composition and food value. F.B. 363, pp. 9, 41, 44. 1909; F.B. 1359, pp. 11, 14. 1923.
description, analysis, and directions for making. B.A.I. An. Rpt., 1909, pp. 147-151. 1911; B.A.I. Cir. 171, pp. 147-151. 1911; D.B. 319, pp. 16-17. 1916.
fermented-milk product, food use and preparation. F.B. 1207, pp. 28-29. 1921.
"grains"—
description, process of multiplication. B.A.I. An. Rpt., 1909, pp. 147-148, 149. 1911; B.A.I. Cir. 171, pp. 147-148, 149. 1911.
nature, action in milk. D.B. 319, pp. 14-15. 1916.
imitation, directions for making. D.B. 319, pp. 17-18. 1916.
See also Koumiss.
Kei apple, importation and description. No. 34250, B.P.I. Inv. 32, p. 26. 1914.

Keifer's insecticide, adulteration and misbranding. I. and F. Bd. S.R.A. 25, pp. 536–538. 1919.

KEITH, C. S.: "Reducing lumber seasoning losses." M.C. 39, pp. 37–40. 1925.

KEITH, M. H.: "Phosphorus metabolism of lambs fed a ration of alfalfa hay, corn, and linseed meal." With others. J.A.R., vol. 4, pp. 459–473. 1915.

KEITHLEY, J. R.—
"Farm butter making." F.B. 541, pp. 28. 1913.
"The commercial significance of the variable constituents of creamery butter." B.A.I. Dairy [Misc.], "World's dairy congress, 1923," pp. 997–1004. 1924.
"The manufacture of butter for storage." With others. B.A.I. Bul. 148, pp. 27. 1912.

KEITT, G. W.—
"Inoculation experiments with species of coccomyces from stone fruits." J.A.R., vol. 13, pp. 539–569. 1918.
"Peach scab and its control." D.B. 395, pp. 66. 1917.
"Studies of spore dissemination of Venturia inaequalis (Cke.) Wint., in relation to seasonal development of apple scab." With C. N. Frey. J.A.R., vol. 30, pp. 529–540. 1925.

Kelep—
cotton-protecting, of Guatemala, breeding habits and social organization. O. F. Cook. Ent. T.B. 10, pp. 55. 1905.
(Guatemalan cotton-boll weevil ant), report on habits. O. F. Cook. Ent. Bul. 49, pp. 15. 1904.
weevil-eating, efficiency in protection to cotton. B.P.I. Bul. 88, pp. 34–36. 1906.

Kelis, cattle, causes, symptoms, and treatment. B.A.I. [Misc.], "Diseases of cattle," rev., pp. 343–344. 1912; rev., pp. 331–332. 1923.

KELLERMAN, K. F.—
"A method of destroying or preventing the growth of algae and certain pathogenic bacteria in water supplies." With George T. Moore. B.P.I. Bul. 64, pp. 44. 1904.
"Bacteriological studies of the soils of the Truckee-Carson Irrigation Project." With E. R. Allen. B.P.I. Bul. 211, pp. 36. 1911.
"Conditions affecting legume inoculation." With T. R. Robinson. B.P.I. Bul. 100, Pt. VIII, pp. 73–83. 1907.
"Cooperative work for eradicating citrus canker." Y.B., 1916, pp. 267–272. 1917; Y.B. Sep. 711, pp. 6. 1917.
"Copper as an algicide and disinfectant in water supplies." With George T. Moore. B.P.I. Bul. 76, pp. 55. 1905.
"Farm water supplies of Minnesota." With H. A. Whittaker. B.P.I. Bul. 154, pp. 87. 1909.
"Inoculation of legumes." With T. R. Robinson. F.B. 240, p. 7. 1905.
"Legume inoculation and the litmus reaction of soils." With T. R. Robinson. B.P.I. Cir. 71, pp. 11. 1910.
"Methods of legume inoculation." B.P.I. Cir. 63, pp. 5. 1910.
"Nitrogen-gathering plants." Y.B., 1910, pp. 213–218. 1911; Y.B. Sep. 530. pp. 213–218. 1911.
"Progress in legume inoculation." With T. R. Robinson. F.B. 315, pp. 20. 1908.
"Relation of bacterial transformations of soil nitrogen to nutrition of citrus plants." With R. C. Wright. J.A.R., vol. 2, pp. 101–113. 1914.
report as acting chief of Bureau of Plant Industry, 1918. An. Rpts., 1918, pp. 135–164. 1918; B.P.I. Chief Rpt., 1918, pp. 30. 1918.
"Soil bacteriology as a factor in crop production." B.P.I. Cir. 113, pp. 3–10. 1913.
"Testing cultures of nodule-forming bacteria." B.P.I. Cir. 120, pp. 3–5. 1913.
"The disinfection of sewage effluents for the protection of public water supplies." With others. B.P.I. Bul. 115, pp. 47. 1907.
"The effect of copper upon water bacteria." With T. D. Beckwith. B.P.I. Bul. 100, Pt. VII, pp. 57–71. 1907.
"The excretion of cytase by Penicillium pinophilum." B.P.I. Cir. 118, pp. 29–31. 1913.

KELLERMAN, K. F.—Continued.
"The functions and value of soil bacteria." Y.B., 1909, pp. 219–226. 1910; Y.B. Sep. 507, pp. 219–226. 1910.
"The relation of crown-gall to legume inoculation." B.P.I. Cir. 76, pp. 6. 1911.
"The use of Congo red in culture media." B.P.I. Cir. 130, pp. 15–17. 1913.

KELLERMAN, MAUDE: "Citropsis, a new tropical African genus allied to citrus." With Walter T. Swingle. J.A.R., vol. 1, pp. 419–436. 1914.

Kellermannia yuccogena, occurrence on yucca, Tex. B.P.I. Bul. 226, p. 106. 1912.

KELLETER, P. D.: "The control of forest fires at McCloud, Calif." With A. W. Cooper. For. Cir. 79, pp. 16. 1907.

KELLEY, M. A. R.—
"Beef-cattle barns." With E. W. Sheets. F.B. 1350, pp. 17. 1923.
"Principles of dairy-barn ventilation." F.B. 1393, pp. 22. 1924.

KELLEY, W. P.—
"A study of the composition of the rice plant." With Alice R. Thompson. Hawaii Bul. 21, pp. 51. 1910.
"Ammonification and nitrification in Hawaiian soils." Hawaii Bul. 37, pp. 52. 1915.
"Composition of normal and mottled citrus leaves." With A. B. Cummins. J.A.R., vol. 20, pp. 161–191. 1920.
"Effect of nitrifying bacteria on the solubility of tricalcium phosphate." J.A.R., vol. 12, pp. 671–683. 1918.
"Nitrification in semiarid soils." J.A.R., vol. 7, pp. 417–437. 1916.
"Rice soils of Hawaii." Hawaii Bul. 31, pp. 23. 1914.
"The assimilation of nitrogen by rice." Hawaii Bul. 24, pp. 20. 1911.
"The biochemical decomposition of nitrogenous substances in soils." Hawaii Bul. 39, pp. 25. 1915.
"The effect of heat on Hawaiian soils." With William McGeorge. Hawaii Bul. 30, pp. 38. 1913.
"The effect of manganese on pineapple plants, and the ripening of the pineapple fruit." With E. V. Wilcox. Hawaii Bul. 28, pp. 20. 1912.
"The function and distribution of manganese in plants and soils." Hawaii Bul. 26, pp. 56. 1912.
"The organic nitrogen of Hawaiian soils." With Alice R. Thompson. Hawaii Bul. 33, pp. 22. 1914.
"The soils of the Hawaiian Islands." With others. Hawaii Bul. 40, pp. 35. 1915.
report of chemist, Hawaii Experiment Station—
1909. Hawaii A.R., 1909, pp. 58–65. 1910.
1910. Hawaii A.R., 1910, pp. 41–50. 1911.
1911. Hawaii A.R., 1911, pp. 43–53. 1912.
1913. Hawaii A.R., 1913, pp. 29–34. 1914.
1914. Hawaii A.R., 1914, pp. 25–28. 1915.

Kellner method of calculating food values of feeding stuffs. B.A.I. Dairy [Misc.], "World's dairy congress, 1923," pp. 1081–1089, 1091. 1924.

KELLOGG, E. H.: "Nitrogen metabolism in normal and in blighted spinach." With others. J.A.R., vol. 15, pp. 385–404. 1918.

KELLOGG, J. W., "Nitrogen determination." With C. H. Jones. Chem. Bul. 132, pp. 16–19. 1910.

KELLOGG, R. S.—
"Exports and imports of forest products. 1906." For. Cir. 110, pp. 28. 1907.
"Forest belts of western Kansas and Nebraska." For. Bul. 66, pp. 44. 1905.
"Forest planting in Illinois." For. Cir. 81, pp. 32. 1907; rev. 1910.
"Forest planting in western Kansas." For. Bul. 52, pp. 52. 1904; For. Cir. 161, pp. 51. 1909.
"Forest products of the United States." With H. M. Hale. For. Bul. 74, pp. 69. 1907.
"The drain upon the forests." For. Cir. 129, pp. 16. 1907.
"The forests of Alaska." For. Bul. 81, pp. 24. 1910.
"The forests of the United States: Their use." With others. For. Cir. 171, pp. 25. 1909.
"The lumber cut of the United States in 1905." For. Cir. 52, pp. 23. 1906.

KELLOGG, R. S.—Continued.
"The timber supply of the United States." For. Cir. 97, pp. 16. 1907; For. Cir. 166, pp. 24. 1909.
"Timber used in the mines of the United States in 1905." For. Cir. 49, pp. 8. 1906.

KELLY, ERNEST—
"A plan for a small dairy house." With Karl E. Parks. F.B. 689, pp. 4. 1915.
"City milk plants: Construction and arrangement." With Clarence E. Clement. D.B. 849, pp. 35. 1920.
"Farm dairy houses." With K. E. Parks. F.B. 1214. pp. 14. 1921.
"Inspection of milk supplies." With C. S. Leete. D.C. 276 pp. 37. 1923.
"Medical milk commissions and certified milk." D.B. 1, pp. 28. 1913.
"Milk and cream contests." With others. D.B. 356, pp. 24. 1916.
"Milk and cream contests." With George B. Taylor. D.C. 53, pp. 24. 1919.
"Milk and cream contests. How to conduct them, and how to prepare samples for competition." B.A.I. Cir. 205, pp. 28. 1912.
"Milk for midshipmen." Y.B., 1920, pp. 463-470. 1921; Y.B. Sep. 857, pp. 463-470. 1921.
"Milk plant equipment." With Clarence E. Clement. D.B. 890, pp. 42. 1920.
"Straining milk." With James A. Gamble. F.B. 1019, pp. 16. 1919.
"The control of bulk milk in stores." B.A.I. Cir. 217, pp. 10. 1913.
"The effect of silage on the flavor and odor of milk." With James A. Gamble. D.B. 1097, pp. 24. 1922.

KELLY, E. O. G.—
"A new sarcophagid parasite of grasshoppers." J.A.R., vol. 2, pp. 435-446. 1914.
"A new wheat thrips." J.A.R., vol. 4, pp. 219-224. 1915.
"Chinch bug investigations west of the Mississippi River." With T. H. Parks. Ent. Bul. 95, Pt. III, pp. 23-52. 1911.
"Controlling the garden webworm in alfalfa fields." With T. S. Wilson. F.B. 944, pp. 7. 1918.
"The Hessian fly situation in 1915." With F. M. Webster. Sec. Cir. 51, pp. 10. 1915.
"The maize billbug." Ent. Bul. 95, Pt. II, pp. 11-22. 1911.
"The southern corn leaf-beetle." D.B. 221, pp. 11. 1915.

KELLY, H. A.—
"Mulberry silkworm culture." Ent. Bul. 39, pp. 32. 1903.
"Silkworm culture." F.B. 165, pp. 32. 1903.

KELLY, J. W.—
"Ash absorption by spinach from concentrated soil solution." With others. J.A.R., vol. 16, pp. 15-25. 1919.
"Ash content in normal and in blighted spinach." With others. J.A.R., vol. 15, pp. 371-375. 1918.
"Poisonous properties of *Bikukulla cucullaria* (Dutchman's-breeches) and *B. canadensis* (squirrel-corn)." With others. J.A.R., vol. 23, pp. 69-78. 1923.
"Probable cause of the toxicity of the so-called poisonous greensand." J.A.R., vol. 23, pp. 223-228. 1923.

Kelp(s)—
absorption of potassium salts. Soils Bul. 94, p. 21. 1913.
ammonification and nitrification, comparison with dried blood and cottonseed meal. J.A.R., vol. 4, pp. 23-37. 1915.
analyses, methods and results. Rpt. 100, pp. 15-19, 23-27, 38, 40, 48, 52-54, 62-65. 1915.
and alunite as potash fertilizers. J. J. Skinner and A. M. Jackson. Soils Cir. 76, pp. 5. 1913.
and fish scrap, fertilizer production, details and cost. D.B. 150, pp. 52-66. 1915.
beds—
areas and tonnage. Rpt. 100, pp. 30-31, 46-47, 72, 73-104, 111-121. 1915.
maps, description and tables. Rpt. 100, pp. 31-32, 69-104, 109, 111-121. 1915.
Pacific, as a source of potassium salts. Rpt. 100, pp. 9-32. 1915.

Kelp(s)—Continued.
black rot, cause, description, and prevention. D.B. 1191, pp. 32-35, 40. 1924.
chemical composition and fertilizer value. D.B. 150, pp. 53, 57-64. 1915.
deposits, potash value and recovery methods. D.C. 61, p. 6. 1919; Y.B., 1916, pp. 308-310. 1917; Y.B. Sep. 717, pp. 8-10. 1917.
distillation products, comparison with Douglas fir and oak. J.A.R., vol. 4, pp. 55-56. 1915.
drying method. Rpt. 100, pp. 27-28. 1915.
feeding value, studies. J.A.R., vol. 4, pp. 53-54. 1915.
food for birds, in Pribilof Islands. N.A. Fauna 46, p. 15. 1923.
giant—
occurrence and description. Rpt. 100, pp. 13-18, 41-46, 66-69. 1915; D.B. 150, pp. 53-64. 1915.
of Pacific coast, nitrogen availability. J.A.R., vol. 4, pp. 21-38. 1915.
groves, location and yield. D.B. 150, pp. 55-59. 1915.
harvesting, methods, devices and cost. Rpt. 100, pp. 20, 47-49, 57, 109. 1915.
leaching in sea water. Rpt. 100, pp. 22-25, 65. 1915.
market demands, and companies interested. Rpt. 100, pp. 28-30, 47-49. 1915.
potash source, early development and growth of giant kelp, *Macrocystis pyrifera*. R. P. Brandt and J. W. Turrentine. D.B. 1191, pp. 40. 1923.
Puget Sound region, annual crop. Rpt. 100, p. 56. 1915.
relation to salinity of water. Rpt. 100, pp. 50-52, 62. 1915.
source of potash. Frank K. Cameron and others. Rpt. 100, pp. 122. 1915.
source of potash in Alaska, Kenai Peninsula region. Soil Sur. Adv. Sh., 1916, p. 116. 1919; Soils F.O., 1916, p. 148. 1919.
use as potash fertilizer and alunite. J. J. Skinner and A. M. Jackson. Soils Cir. 76, pp. 5. 1913.

KELSER, R. A.—
"Destruction of tetanus antitoxin by chemical agents." With W. N. Berg. J.A.R., vol. 13, pp. 471-495. 1918.
"Immunity studies of anthrax serum." With others. J.A.R., vol. 8, pp. 37-56. 1917.
"Improved methods of immunization against symptomatic anthrax (blackleg)." J.A.R., vol. 14, pp. 252-262. 1918.

Kemiko insecticides. N.J. No. 873, 878, I. and F. Bd. S.R.A. 45, pp. 1084-1086. 1923.
Kemp, presence in mohair, causes and objections. B.A.I. An. Rpt. 1900, pp. 312-315. 1901; B.A.I. Bul. 27, pp. 54-55. 1901; F.B. 137, p. 23. 1901.

KEMPFER, W. H.: "Preservative treatment of poles." For. Bul. 84, pp. 55. 1911.

KEMPTON, F. E.—
"Progress of barberry eradication." D.C. 188, pp. 37. 1921.
"The common barberry and how to kill it." With Noel F. Thompson. D.C. 356, pp. 4. 1925.

KEMPTON, H. B.: "The planting of white pine in New England." For. Bul. 45, pp. 40. 1903.

KEMPTON, J. H.—
"A brachytic variation in maize." D.B. 925, pp. 28. 1921.
"A dominant lethal chlorophyll mutation in maize." J.A.R., vol. 29, pp. 307-309. 1924.
"A teosinte-maize hybrid." With G. N. Collins. J.A.R., vol. 19, pp. 1-38. 1920.
"An improved method of artificial pollination of corn." With G. N. Collins. B.P.I. Cir. 89, pp. 7. 1912.
"Breeding sweet corn resistant to the corn earworm." With G. N. Collins. J.A.R., vol. 11, pp. 549-572. 1917.
"Correlation among quantitative characters in maize." J.A.R., vol. 28, pp. 1095-1102. 1924.
"Effects of cross-pollination on the size of seed in maize." With G. N. Collins. B.P.I. Cir. 124, pp. 9-15. 1913.
"Floral abnormalities in maize." B.P.I. Bul. 278, pp. 18. 1913.
"Inheritance of dwarfing in maize." J.A.R., vol. 25, pp. 297-322. 1923.

KEMPTON, J. H.—Continued.
"Inheritance of ramose inflorescence in maize." D.B. 971, pp. 20. 1921.
"Inheritance of the crinkly, ramose, and brachytic character of maize in hybrids with teosinte." J.A.R., vol. 27, pp. 537-596. 1924.
"Inheritance of waxy endosperm in hybrids of sweet corn." With G. N. Collins. B.P.I. Cir. 120, pp. 21-27. 1913.
"Inheritance of waxy endosperm in maize." D.B. 754, pp. 99. 1919.
"The rate of growth of green and albino maize seedlings." J.A.R., vol. 29, pp. 311-312. 1924
Kenai Experiment Station, Alaska—
cattle transfer to Kodiak. Alaska Cir. 1, p. 19. 1916.
dairy practice. P. H. Ross. Alaska A.R., 1907, pp. 62-74. 1908.
haymaking. P. H. Ross. Alaska Bul. 3, pp. 13. 1907.
work—
1899-1908, and discontinuance. Alaska A.R., 1908, p. 20. 1908.
1901. H. P. Nielsen. O.E.S. An Rpt., 1901, pp. 254-263. 1902.
1902, report. H. P. Nielsen. O.E.S. An. Rpt., 1902, pp. 246-254. 1903.
1903. H. P. Nielsen. O.E.S. An. Rpt., 1903, pp. 354-361. 1904.
1905. O.E.S. An. Rpt., 1905, p. 47. 1906.
1906. P. H. Ross. Alaska A.R., 1906, pp. 18-34, 47-52. 1907.
1907. P. H. Ross. Alaska A.R., 1907, pp. 25-26, 62-73. 1908.
Kenai Peninsula, Alaska, licensed guides, list and regulation. Biol. Cir. 90, pp. 11, 14. 1913.
KENDALL, J. C., report of New Hampshire—
Experiment Station, work and expenditures—
1910. O.E.S. An. Rpt., 1910, pp. 189-193. 1911.
1911. O.E.S. An. Rpt., 1911, pp. 152-155. 1912.
1912. O.E.S. An. Rpt., 1912, pp. 159-161. 1913.
1913. O.E.S. An. Rpt., 1913, pp. 62-63. 1915.
1914. O.E.S. An. Rpt., 1914, pp. 159-163. 1915.
1915. S.R.S. Rpt., 1915, Pt. I, pp. 181-184. 1917.
1916. S.R.S. Rpt., 1916, Pt. I, pp. 186-190. 1918.
1917. S.R.S. Rpt., 1917, Pt. I, pp. 181-184. 1918.
extension work in agriculture and home economics—
1915. S.R.S. Rpt., 1915, Pt. II, pp. 255-262. 1917.
1916. S.R.S. Rpt., 1916, Pt. II, pp. 284-288. 1917.
1917. S.R.S. Rpt., 1917, Pt. II, pp. 287-291. 1919.
KENDRICK, J. B.—
"Bacterial spot of tomato." With Max W. Gardner. J.A.R., vol. 21, No. 2, pp. 123-156. 1921.
"Soybean mosaic." With Max W. Gardner. J.A.R., vol. 22, pp. 111-114. 1921.
"Soy bean mosaic, seed transmission and effect of yield." With Max W. Gardner. J.A.R., vol. 27, pp. 91-98. 1923.
"Turnip mosaic." With Max W. Gardner. J.A.R., vol. 22, pp. 123-124. 1921.
"Varietal resistance in winter wheat to the rosette disease." With others. J.A.R., vol. 26, pp. 261-270. 1923.
KENEALY, JAMES—
"Lightning recorders and their utility in forecasting thunderstorms." W.B. Bul. 31, pp. 76-78. 1902.
"Weather Bureau stations and their duties." Y.B., 1903, pp. 109-120. 1904; Y.B. Sep. 301, pp. 109-120. 1904.
KENNARD, D. C.—
"Green feed versus antiseptics as a preventive of intestinal disorders of growing chicks." With others. J.A.R., vol. 20, pp. 869-873. 1921.
"Meat scraps versus soybean proteins as a supplement to corn for growing chicks." With others. J.A.R., vol. 18, pp. 391-398. 1920.

KENNEDY, CORNELIA—
"The nuritive properties of wild rice." J.A.R., vol. 27, pp. 219-224. 1924.
"Vitamins in preserved milks." B.A.I. Dairy [Misc.], "World's dairy congress, 1923," pp. 198-206. 1924.
KENNEDY, W. J.—
"Cattle, sheep, and hog feeding in Europe." B.A.I. Bul. 77, pp. 98. 1905.
"Dairy methods in Great Britain, Ireland, Denmark, Holland, Channel Islands, France, Austria-Hungary, Germany, and Switzerland." B.A.I. Cir. 76, pp. 31. 1905.
"Hunter-horse production in Ireland." B.A.I. Cir. 87, pp. 39. 1905.
"Selecting and judging horses for market and breeding purposes." Y.B., 1902, pp. 455-468. 1903; Y.B. Sep. 286, pp. 455-468. 1903.
"The sheep industry of England, Scotland, Ireland, and France." B.A.I. Cir. 81, pp. 17. 1905.
KENNEDY, WILLIAM, explorations in Athabaska-Mackenzie region, 1851-52. N.A. Fauna 27, pp. 66-67. 1908.
Kennedya—
comptoniana, importation and description. No. 47191. B.P.I. Inv. 58, p. 36. 1922.
monophylla, importations and descriptions. No. 44325. B.P.I. Inv. 50, p. 58. 1922; No. 51065, B.P.I. Inv. 64, p. 50. 1923; Nos. 51757-51758, B.P.I. Inv. 65, p. 45. 1923; No. 55601, B.P.I. Inv. 72, p. 9. 1924.
rubicunda, importation and description. No. 52367, B.P.I. Inv. 66, p. 16. 1923.
spp., importations and descriptions. Nos. 45790, 45791, B.P.I. Inv. 54, pp. 20-21. 1922.
Kennels—
disinfection by fire. B.A.I. Bul. 35, p. 17. 1902.
treatment against parasites. D.C. 338, p. 12. 1925.
KENNICOTT, ROBERT, explorations in Athabaska-Mackenzie region, 1859-1862. N.A. Fauna 27, pp. 10, 70-71. 1908.
KENSETT, THOMAS, invention of tin cans for food canning. Y.B., 1911, p. 384. 1912; Y.B. Sep. 577, p. 384. 1912.
KENT, F. L.: "Irrigation in Klamath County, Oreg." O.E.S. Bul. 158, pp. 257-266. 1905.
Kent sheep. See Sheep, Romney Marsh.
Kentucky—
agricultural college and experiment station, organization—
1905. O.E.S. Bul. 161, pp. 28-29. 1905.
1906. O.E.S. Bul. 176, pp. 31-33. 1907.
1907. O.E.S. Bul. 197, pp. 33-35. 1908.
1910. O.E.S. Bul. 224, pp. 28-30. 1910.
1911. O.E.S. Bul. 247, pp. 30-31. 1912.
agricultural college, workers. See Agriculture, workers list.
alsike-clover growing. F.B. 1151, pp. 13, 15, 21. 1920.
and Tennessee—
farm practices, increase of crop yields. J. H. Arnold. F.B. 981, pp. 38. 1918.
tobacco cultivation. W. H. Scherffius and others. F.B. 343, pp. 28. 1909.
and West Virginia, corn-crop management. J. H. Arnold. F.B. 546, pp. 7. 1913.
apple growing, areas, production, and varieties. D.B. 485, pp. 5, 27-28, 44-47. 1917.
barley—
crops, 1866-1906, acreage, production and value. Stat. Bul. 59, pp. 7-26, 32. 1907.
rotation. F.B. 518, pp. 10-11. 1912.
bee—
and honey statistics. D.B. 325, pp. 6-19. 1915; D.B. 685, pp. 7-31. 1918.
diseases, occurrence. Ent. Cir. 138, p. 10. 1911.
beekeeping, number of farms, and value of bees. Ent. Bul. 75, Pt. VI, p. 63. 1909.
bird protection. See Protection, officials.
bluegrass—
region—
advantages in feeding stock. F.B. 329, p. 24. 1908.
farming. D.B. 482, pp. 29. 1917.
livestock handling. J. H. Arnold. F.B. 812, pp. 14. 1917.

Kentucky—Continued.
bluegrass—continued.
  region—continued.
    ten dairy farms in, business methods. J. H. Arnold. D.B. 548, pp. 12. 1917.
    See also Bluegrass.
  boll-weevil dispersion line, 1922. D.C. 266, pp. 2, 3. 1923.
  Bowling Green, road-binding experiments, 1907. D.B. 105, p. 46. 1914.
  buckwheat crops, 1866–1892, acreage, production, and value. Stat. Bul. 61, pp. 5–13, 23. 1908.
  Burley-tobacco district. Stat. Cir. 18, p. 9. 1909.
  cantaloupe shipments, 1914. D.B. 315, pp. 17, 18. 1915.
  cattle-tick—
    conditions, 1911. B.A.I. An. Rpt., 1910, pp. 256, 257. 1912; B.A.I. Cir. 187, pp. 256, 257. 1912.
    eradication laws. D.C. 184, pp. 22–28. 1921.
  cement factories, potash content and loss. D.B. 572, p. 5. 1917.
  Christian County, farm demonstration work. Y.B., 1915, pp. 225–237. 1916; Y.B. Sep. 672, pp. 225–237. 1916.
  cities, dairy products, consumption and prices, 1905–6. B.A.I. An. Rpt., 1907, pp. 315–317. 1909; F.B. 349, pp. 14–16. 1909.
  climate, hemp-growing region. Y.B., 1913, pp. 305–307. 1914; Y.B. Sep. 628, pp. 305–307. 1914.
  convict road-work, laws. D.B. 414, pp. 201–202. 1916.
  cooperative—
    marketing work. Sec. Cir. 56, p. 12. 1916.
    organizations, statistics, and details. D.B. 547, pp. 13, 15, 35, 40. 1917.
  corn—
    acreage and yield. Sec. [Misc.], Spec. "Geography * * * world's agriculture," p. 32. 1917.
    crop—
      1866–1906, acreage, production, and value. Stat. Bul. 56, pp. 7–27, 33. 1907.
      1866–1915, yields and prices. D.B. 515, p. 11. 1917.
      management, with West Virginia. G. H. Arnold. F.B. 546, pp. 7. 1913.
    growing—
      labor requirements of man and horse. D.B. 385, p. 23. 1916.
      practices, and farm conditions in Christian County. D.B. 320, pp. 39–41. 1916.
      production, movements, consumption, and prices. D.B. 696, pp. 15, 16, 20, 28, 29, 33, 36, 38, 41, 47. 1918.
  crop planting and harvesting dates. Stat. Bul. 85, pp. 25, 37, 60, 66, 80, 106. 1912.
  crow roosts, location and numbers of birds. Y.B., 1915, p. 93. 1916; Y.B. Sep. 659, p. 93. 1916.
  dark tobacco district. Stat. Cir. 18, pp. 10–12. 1909.
  demurrage provisions, regulations. D.B. 191, pp. 3, 23, 26. 1915.
  drug laws. Chem. Bul. 98, pp. 81–88. 1906; Chem. Bul. 98, rev., Pt. I, pp. 125–132. 1909.
  early potatoes, shipping methods. F.B. 1316, p. 29. 1923.
  early settlement, historical notes. See Soil surveys for various counties and areas.
  Experiment Station—
    beet-sugar experiments—
      1900. Chem. Bul. 64, pp. 16–17. 1901.
      1902. Chem. Bul. 78, pp. 12–14. 1903.
      1903. Chem. Bul. 95, pp. 15–17. 1905.
    director, food control, authorization by law. Chem. Bul. 121, pp. 16–18. 1909.
    sorghum-feeding experiments. F.B. 1158, pp. 24–25. 1920.
    wheat seeding tests, Stoner wheat. D.B. 357, pp. 25–26. 1916.
    work, 1906. M. A. Scovell. O.E.S. An. Rpt., 1906, pp. 108–110. 1907.
    work and expenditures—
      1907. M. A. Scovell. O.E.S. An. Rpt., 1907, pp. 106–108. 1908.
      1908. M. A. Scovell. O.E.S. An. Rpt., 1908, pp. 102–104. 1909.
      1909. M. A. Scovell. O.E.S. An. Rpt., 1909, pp. 113–114. 1910.

Kentucky—Continued.
Experiment Station—Continued.
  work and expenditures—Continued.
    1910. M. A. Scovell. O.E.S. An. Rpt., 1910, pp. 146–148. 1911.
    1911. M. A. Scovell. O.E.S. An. Rpt., 1911, pp. 115–117. 1912.
    1912. J. H. Kastle. O.E.S. An. Rpt., 1912, pp. 121–124. 1913.
    1913. J. H. Kastle. O.E.S. An. Rpt., 1913, pp. 48–50. 1915.
    1914. J. H. Kastle. O.E.S. An. Rpt., 1914, pp. 116–120. 1915.
    1915. J. H. Kastle. S.R.S. Rpt., 1915, Pt. I, pp. 126–130. 1917.
    1916. J. H. Kastle. S.R.S. Rpt., 1916, Pt. I, pp. 126–131. 1918.
    1917. A. M. Peter. S.R.S. Rpt., 1917, Pt. I, pp. 124–128. 1918.
    1918. S.R.S. An. Rpt., 1918, pp. 45, 56, 59, 64, 68, 70–80. 1920.
  extension work in agriculture and home economics—
    1915. Fred Mutchler. S.R.S. Rpt., 1915, Pt. II, pp. 64–71. 1916.
    1916. Fred Mutchler. S.R.S. Rpt., 1916, Pt. II, pp. 67–74. 1917.
    1917. Fred Mutchler. S.R.S. Rpt., 1917, Pt. II, pp. 68–77. 1919.
  extension work, statistics. D.C. 253, pp. 4, 8, 10–11, 17, 18. 1923; D.C. 306, pp. 3, 5, 10, 14, 20, 21. 1924.
  fairs, number, kind, location, and dates. Stat. Bul. 102, pp. 13, 14, 33–34. 1913.
  famous horses, description and pedigrees, discussion. B.A.I. Cir. 137, pp. 89–97. 1908; B.A.I. An. Rpt., 1907, pp. 89–97. 1909.
  farm—
    animals, statistics, 1867–1907. Stat. Bul. 64, p. 124. 1908.
    leases, provisions. D.B. 650, pp. 6, 9, 19. 1918.
    mortgage loans, credits, costs and sources. D.B. 384, pp. 2, 3, 5, 7, 10. 1916.
    practices to increase crop yields, with Tennessee. With J. H. Arnold. F.B. 981, pp. 38. 1918.
    values, changes, 1900–1905. Stat. Bul. 43, pp. 11–17, 29–46. 1906.
    values, income, and tenancy classification. D.B. 1224, pp. 95–96. 1924.
  farmers' institutes—
    for young people. O.E.S. Cir. 99, pp. 18–19. 1910.
    history. O.E.S. Bul. 174, pp. 41–42. 1906.
    legislation. O.E.S. Bul. 241, p. 20. 1911.
    work—
      1902. O.E.S. Bul. 120, p. 23. 1902.
      1904. O.E.S. An. Rpt., 1904, pp. 643–644. 1905.
      1906. O.E.S. An. Rpt., 1906, p. 332. 1907.
      1907. O.E.S. An. Rpt., 1907, p. 329. 1908.
      1908. O.E.S. An. Rpt., 1908, p. 313. 1909.
      1909. O.E.S. An. Rpt., 1909, pp. 345–346. 1910.
      1910. O.E.S. An. Rpt., 1910, p. 406. 1911.
      1911. O.E.S. An. Apt., 1911, p. 372. 1912.
      1912. O.E.S. An. Rpt., 1912, p. 365. 1913.
  fertilizer prices, 1919, by counties. D.C. 57, pp. 4, 6, 10. 1919.
  food laws, 1905. Chem. Bul. 69, rev., Pt. III, pp. 205–214. 1905.
  food legislation and officials. Chem. Cir. 16, pp. 9, 22, 27. 1904.
  forest fires, statistics. For. Bul. 117, p. 29. 1912.
  fruits—
    statistics and shipments 1910, 1914, 1920, 1921. D.B. 1189, pp. 3–7. 1923.
    with West Virginia, and Tennessee. George M. Darrow. D.B. 1189, pp. 82. 1923.
  fur animals, laws—
    1915. F.B. 796, p. 7. 1915.
    1916. F.B. 783, p. 8. 1916.
    1917. F.B. 911, p. 10. 1917.
    1918. F.B. 1022, p. 10. 1918.
    1919. F.B. 1079, p. 14. 1919.
    1920. F.B. 1165, p. 12. 1920.
    1921. F.B. 1238, p. 11. 1921.
    1922. F.B. 1293, p. 9. 1922.
    1923–24. F.B. 1387, p. 11. 1923.
    1924–25. F.B. 1445, p. 9. 1924.
    1925–26. F.B. 1469, p. 12. 1925.

Kentucky—Continued.
 game laws—
  1902. F.B. 160, pp. 13, 45. 1902.
  1903. F.B. 180, pp. 11, 22, 38, 53. 1903.
  1904. F.B. 207, pp. 19, 33, 42, 50, 60. 1904.
  1905. F.B. 230, pp. 17, 30, 37, 43. 1905.
  1906. F.B. 265, pp. 8, 16, 29, 43. 1906.
  1907. F.B. 308, pp. 14, 28, 36, 42. 1907.
  1908. F.B. 336, pp. 16, 32, 40, 50. 1908.
  1909. F.B. 376, pp. 6, 21, 34, 39, 42, 47. 1909.
  1910. F.B. 418, pp. 7, 10, 14, 27, 36, 41. 1910.
  1911. F.B. 470, pp. 19, 31, 37, 41, 47. 1911.
  1912. F.B. 510, pp. 4, 5, 7, 14, 25–26, 27, 33, 36, 37, 39, 43. 1912.
  1913. D.B. 22, pp. 20, 26, 39, 45, 48, 53. 1913; D.B. 22, rev., pp. 20, 26, 39, 45, 48, 53. 1913.
  1914. F.B. 628, pp. 10, 11, 17, 28–29, 30, 31, 37, 39, 41, 47. 1914.
  1915. F.B. 692, pp. 27–28, 46, 52, 58. 1915.
  1916. F.B. 774, pp. 8, 25, 38, 45, 48, 51, 58. 1916.
  1917. F.B. 910, pp. 18, 47. 1917.
  1918. F.B. 1010, pp. 15, 45, 61. 1918.
  1919. F.B. 1077, pp. 18, 49, 72, 73. 1919.
  1920. F.B. 1138, p. 19. 1920.
  1921. F.B. 1235, pp. 21–22, 56, 68, 69. 1921.
  1922. F.B. 1288, pp. 18, 53, 66, 67. 1922.
  1923–24. F.B. 1375, pp. 19, 49. 1923.
  1924–25. F.B. 1444, pp. 12–13, 36. 1924.
  1925–26. F.B. 1466, pp. 19, 44. 1925.
 game protection. See Game protection, officials.
 girls' canning clubs, records and work. S.R.S. Doc. 28, pp. 1–4. 1915.
 good roads, organization. Rds. Bul. 21, p. 18. 1901.
 grain supervision districts, counties. Mkts. S.R.A. 14, pp. 8, 9, 10, 23. 1916.
 grazing industry in bluegrass region (with other States). D.B. 397, pp. 1–18. 1916.
 hay crops, 1866–1906, acreage, production and value. Stat. Bul. 63, pp. 5–25, 31. 1908.
 hemp growing, history improvement, and details. Y.B., 1913, pp. 292, 302–307, 317–321, 323, 326, 327, 330, 334, 340. 1914; Y.B. Sep. 628, pp. 292–340. 1914.
 hemp production. B.P.I. Cir. 57, p. 4. 1910; Sec. [Misc.], Spec. "Geography * * * world's agriculture." 1918
 herds, lists of tested and accredited. D.C. 54, pp. 4, 22, 29, 53, 74, 76, 79. 1919; D.C. 142, pp. 15, 18, 31, 42, 47–49. 1920; D.C. 143, pp. 26, 70. 1920; D.C. 144, pp. 4, 10, 17, 25, 49. 1920.
 highway department establishment, and road mileage. Y.B., 1914, pp. 215, 222. 1915; Y.B. Sep. 638, pp. 215, 222. 1915.
 hog cholera, control experiments, results. D.B. 584, pp. 8, 10. 1917.
 horse, description and pedigree. B.A.I. Cir. 137, pp. 94, 109, 135. 1908; B.A.I. An. Rpt., 1907, pp. 94, 109, 135. 1909.
 hunting laws. Biol. Bul. 19, pp. 19, 27, 32, 36, 63, 65. 1904.
 insecticide and fungicide laws. I. and F. Bd. S.R.A. 13, pp. 110–113. 1916; I. and F. Bd. S.R.A. 21, pp. 441–442. 1918.
 Jefferson County, farm types and organization. J. H. Arnold and Frank Montgomery. D.B. 678, pp. 24. 1918.
 lard supply, wholesale and retail, Aug. 31, 1917, tables. Sec. Cir. 97, pp. 13–31. 1918.
 law(s)—
  against Sunday shooting. Biol. Bul. 12, rev., p. 63. 1902.
  livestock, sanitary, control. D.C. 184, pp. 22–28. 1921.
  on—
   dogs, digest. F.B. 935, p. 14. 1918; F.B. 1268, pp. 14–15. 1922.
   nursery stock, interstate shipment, digest. F.H.B.S.R.A. 57, pp. 113, 114, 115. 1919; Ent. Cir. 75, rev., p. 3. 1909.
   sale of certified milk. D.B. 1, p. 10. 1913.
   tobacco inspection. B.P.I. Bul. 268, pp. 31, 32. 1913.
  legislation—
   protecting birds. Biol. Bul. 12, rev., pp. 23, 30, 36, 39, 91, 137. 1902.
   relative to tuberculosis. B.A.I. Bul. 28, pp. 36–38. 1901.

Kentucky—Continued.
 livestock admission, sanitary requirements. B.A.I. Doc. A–28, p. 14. 1917; B.A.I. Doc. A–36, p. 21. 1920; M.C. 14, pp. 25–27. 1924.
 livestock associations. Y.B., 1920, p. 521. 1921; Y.B. Sep. 866, p. 521. 1921.
 Louisville, milk-supply conditions. F.B. 366, pp. 22–24. 1909.
 lumber cut, 1920, 1870–1920, value, and kinds. D.B. 1119, pp. 27, 30–35, 44–58. 1923.
 lumber production, 1918, by mills, by woods, and lath and shingles. D.B. 845, pp. 6–10, 13, 16, 22, 26, 28, 30, 33–38. 1920.
 maple sugar and sirup, production. F.B. 516, pp. 44–46. 1912.
 marketing activities and organization. Mkts. Doc. 3, p. 3. 1916.
 milk supply and laws. B.A.I. Bul. 46, pp. 26, 34, 79–80, 169. 1903; F.B. 349, pp. 21, 24. 1909.
 muck areas, location. Soils Cir. 65, p. 15. 1912.
 Negro extension work and workers, 1908–1921; D.C. 190, pp. 6–9, 22. 1921.
 oat—
  acreage, production, and value, 1866–1906. Stat. Bul. 58, p. 31. 1907.
  crops, 1866–1906, acreage, production, and value. Stat. Bul. 58, pp. 5–25, 31. 1907.
  tests, Sixty-Day and other varieties. F.B. 395, p. 15. 1910.
  testing, methods, yields per acre, and comparisons. D.B. 99, pp. 22–23, 25. 1914.
 onions, production and shipments. D.B. 1325, p. 10. 1925.
 overflowed lands, drainage investigations, 1910. O.E.S. An. Rpt., 1910, p. 49. 1911.
 pasture land on farms. D.B. 626, pp. 15, 29–42. 1918.
 peach growing, production, districts, and varieties. D.B. 806, pp. 4, 5, 7, 8, 9, 24. 1919; D.B 298, pp. 4–11. 1915.
 pear growing, distribution and varieties. D.B. 822, p. 11. 1920.
 phosphate rock deposits and forms. D.B. 699, pp. 46–50. 1918; Y.B., 1917, pp. 178, 179. 1918; Y.B. Sep. 730, pp. 4, 5. 1918; Soils Bul. 81, pp. 24–30. 1912.
 pig-club work. Y.B., 1915, pp. 179, 184. 1916; Y.B. Sep. 667, pp. 179, 184. 1916.
 potato crop—
  1866–1906, acreage, production, and value. Stat. Bul. 62, pp. 7–27, 33. 1908.
  early, location, season, varieties, and shipments. F.B. 1316, pp. 3, 4, 5. 1923.
 poultry, community breeding, organization and work. Y.B., 1918, pp. 110–111. 1919; Y.B. Sep. 778, pp. 4–5. 1919.
 quarantine for—
  sheep, Aug. 16, 1909. B.A.I.O. 146, amdt 4, p. 1. 1909.
  sheep scabies, prevention of spread, Sept. 7, 1911. B.A.I.O. 146, amdt. 11, rule 3, p. 1. 1911.
 road(s)—
  binding experiment with Kentucky rock asphalt. Rds. Cir. 92, pp. 31–32. 1910.
  bond-built, details. D.B. 136, pp. 40, 67, 81, 85. 1915.
  building, rock-tests—
   1916 and 1917. D.B. 670, pp. 10, 24. 1918; D.B. 370, p. 31. 1916.
   1916–1921. D.B. 1132, pp. 13, 47, 51. 1923.
  experiments, 1907, supplemental report. Rds. Cir. 98, p. 47. 1912.
  maintenance, supplementary report. D.B. 407, p. 71. 1916.
  materials, tests. Rds. Bul. 44, p. 43. 1912.
  mileage and expenditures—
   1904. Rds. Cir. 58, pp. 4. 1906.
   1909. Rds. Bul. 41, pp. 20, 40, 42, 67–69. 1912.
   1914. D.B. 387, pp. 3–8, 20–23. 1917.
   1915. Sec. Cir. 52, pp. 2, 4, 6. 1915.
   1916. Sec. Cir. 74, pp. 4, 5, 7, 8. 1917.
  preservation, and dust prevention—
   1914, report. D.B. 257, p. 44. 1915.
   1916, reports. D.B. 586, pp. 76–78. 1918.
  work by Department, 1913–14. D.B. 284, p. 21. 1915.
 rye crops, 1866–1906, acreage, production, and value. Stat. Bul. 60, pp. 5–25, 31. 1908.
 San Jose scale, occurrence. Ent. Bul. 62, p. 24. 1906.

INDEX TO PUBLICATIONS, 1901-1925   1299

Kentucky—Continued.
Shelby County, soils, chemical composition. S. D. Averitt. Soil Sur. Adv. Sh., 1916, pp. 55-67. 1919; Soils F.O., 1916, pp. 1465-1477. 1921.
shipments of fruits and vegetables, and index to station shipments. D.B. 667, pp. 6-13, 24. 1918.
soil survey of—
Christian County. Risden T. Allen and T. M. Bushnell. Soil Sur. Adv. Sh., 1912, pp. 34. 1914; Soils F.O., 1912, pp. 1149-1178. 1915.
Garrard County. J. A. Kerr and S. D. Averitt. Soil Sur. Adv. Sh., 1921, pp. 509-550. 1924.
Jessamine County. Risden T. Allen. Soil Sur. Adv. Sh., 1915, pp. 20. 1916; Soils F.O., 1915, pp. 1267-1282. 1919.
Logan County. L. R. Schoenmann and others. Soil Sur. Adv. Sh., 1919, pp. 56. 1922; Soils F.O., 1919, pp. 1201-1252. 1925.
McCracken County. Thomas D. Rice. Soil Sur. Adv. Sh., 1905, pp. 20. 1906; Soils F.O., 1905, pp. 679-694. 1907.
Madison County. A. M. Griffen and Orla L. Ayrs. Soil Sur. Adv. Sh., 1905, pp. 24. 1906; Soils F.O., 1905, pp. 659-678. 1907.
Mason County. R. T. Avon Burke. Soil Sur. Adv. Sh., 1903, pp. 19. 1904; Soils F.O., 1903, pp. 631-645. 1904.
Muhlenberg County. J. A. Kerr and others. Soil Sur. Adv. Sh., 1920, pp. 939-964. 1924; Soils F.O., 1920, pp. 939-964. 1925.
Rockcastle County. R. T. Avon Burke and others. Soil Sur. Adv. Sh., 1910, pp. 36. 1911; Soils F.O., 1910, pp. 1017-1048. 1912.
Scott County. R. T. Avon Burke. Soil Sur. Adv. Sh. 1903, pp. 16. 1904; Soils F.O., 1903, pp. 619-630. 1905.
Shelby County. Cornelius Van Duyne and others. Soil Sur. Adv. Sh., 1916, pp. 57. 1919; Soils F.O., 1916, pp. 1415-1464. 1921.
Union County. Hubert W. Marean. Soils F.O. Sep., 1902, pp. 425-440. 1903; Soils F.O., 1902, pp. 425-440. 1903.
Warren County. Thomas D. Rice and W. J. Geib. Soil Sur. Adv. Sh., 1904, pp. 19. 1905; Soils F.O., 1904, pp. 527-541. 1905.
soils—
Clarksville silt loam, location and areas. Soils Cir. 30, p. 15. 1911.
Dekalb silt loam, area and locality. Soils Cir. 38, pp. 3, 17. 1911.
Hagerstown clay, acreage, location, and crop adaptations. Soils Cir. 64, pp. 3, 4, 8, 9, 12. 1912.
Knox silt loam, location, area, and crops grown. Soils Cir. 33, pp. 3, 4, 9, 11, 12, 13, 17. 1911.
Meadow, areas, location, and adaptations. Soils Cir. 68, pp. 14, 20. 1912.
Memphis silt loam, area and location. Soils Cir. 35, pp. 3, 19. 1911.
Wabash silt loam, location, areas, and uses. Soils Cir. 40, p. 15. 1911.
standard containers. F.B. 1434, p. 17. 1924.
strawberry—
culture, with Tennessee and West Virginia. George M. Darrow. F.B. 854, pp. 24. 1917.
growers, association. Rpt. 98, pp. 221-224. 1913.
growing, labor requirements, man and horse. D.B. 385, p. 25. 1916.
shipments, 1914, 1915. D.B. 237, p. 8. 1915; F.B. 854, p. 4. 1917; F.B. 1028, p. 6. 1919.
Sudan-grass growing, experiments. B.P.I. Cir. 125, p. 16. 1913.
sweet clover, production. F.B. 485, pp. 34-35. 1912.
tanning materials, consumption, 1906. For. Cir. 119, p. 6. 1907.
tight-cooperage production, 1905, 1906. For. Cir. 125, pp. 5-6. 1907.
tobacco—
acreage and production notes. Sec. [Misc.], Spec. "Geography * * * world's agriculture," pp. 61, 62, 63. 1917.
conditions, 1911. Stat. Cir. 27, pp. 5-6. 1912.
crop, 1912. Stat. Cir. 43, pp. 2, 3, 6-7. 1913.
cultivation, with Tennessee. W. H. Scherffius and others. F.B. 343, pp. 28. 1909.

Kentucky—Continued.
tobacco—continued.
growing and industry, details. B.P.I., Bul. 244, pp. 17, 19, 20, 32, 33-37, 41-49, 70-85, 85-91, 99. 1912; Y.B., 1922, pp. 401-427. 1923; Y.B. sep. 885, pp. 401-427. 1923.
hornworms, control experiments. F.B. 1356, pp. 1-5. 1923.
marketing, inspection and sales. B.P.I. Bul. 268, pp. 36, 38, 39, 43-46, 50-53, 56-61. 1913.
production—
and yield. B.P.I. Cir. 48, pp. 7, 8. 1910.
by districts, 1888. B.P.I. Bul. 268, p. 46. 1913.
tomato-pulping statistics. D.B. 927, pp. 3, 4, 24. 1921.
trucking industry, acreage and crops. Y.B., 1916, pp. 445, 448, 455-465. 1917; Y.B. Sep. 702, pp. 11, 14, 21-31. 1917.
wage rates, farm labor, 1845 and 1866-1909. Stat. Bul. 99, pp. 21, 29-43, 68-70. 1912.
walnut range and estimated stand. D.B. 909, pp. 9-23. 1921; D.B. 933, pp. 7, 11. 1921.
water supply, records. Soils Bul. 92, pp. 71-75. 1913; Y.B., 1911, pp. 483-489. 1912; Y.B. Sep. 585, pp. 483-489. 1912.
wheat—
acreage and varieties. D.B. 1074, p. 211. 1922.
crops, acreage, production and value. Stat. Bul. 57, pp. 5-25, 31. 1907; Stat. Bul. 57, rev., pp. 5-25, 31, 38. 1908.
downy-mildew occurrence. D.C. 186, pp. 3, 5. 1921.
varieties adapted. F.B. 616, p. 8. 1914; F.B. 1168, p. 11. 1921.
yields and prices, 1866-1915. D.B. 514, p. 11. 1917.
Keokuk, Iowa, milk supply, statistics, officials, prices, etc. B.A.I. Bul. 46, pp. 40, 77. 1903.
KEPHART, L. W.—
"Annual white sweet clover and strains of the biennial form." With A. J. Pieters. D.C. 169, pp. 21. 1921.
"Growing crimson clover." F.B. 1142, pp. 20. 1920.
"Hairy-vetch seed production in the United States." With Roland McKee. D.B. 876, pp. 32. 1920.
"Quackgrass." F.B. 1307, pp. 32. 1923.
Kephir. See Kefir.
Keratitis, cattle, causes, symptoms, and treatment. B.A.I. [Misc.], "Diseases of cattle," rev., pp. 357-359. 1912; rev. pp. 345-347. 1923.
KERBEY, McFALL—
"Open types of public markets." D.B. 1002, pp. 18. 1921.
"Self-service in the retailing of food products." With F. E. Chaffee. D.B. 1044, pp. 52. 1922.
Kerf, loss percentage at sawmill. M.C. 39, p. 94. 1925.
Kermes pubescens, description, habits, and control. F.B. 1169, pp. 79-80. 1921.
Kernel—
barley—
development—
effect of time of irrigation. Harry V. Harlan and Stephen Anthony. J.A.R., vol. 21, pp. 29-45. 1921.
in Hannchen variety, studies at Aberdeen, Idaho. Harry V. Harlan. J.A.R., vol. 19, pp. 393-430, 454-472. 1920.
in normal and clipped spikes, etc. Harry V. Harlan and Stephen B. Anthony. J.A.R., vol. 19, No. 9, pp. 431-472. 1920.
variations, studies. D.B. 137, pp. 4, 28-30, 35. 1914.
corn—
characters of different kinds. P.R. Cir. 18, pp. 4-9, 12-13. 1920.
length, relation to yield. J.A.R., vol. 21, pp. 421-438. 1921.
fruit—
commercial products. B.P.I. Bul. 133, pp. 11-27. 1908.
oil-digestion experiments. D.B. 350, pp. 2-19. 1916; D.B. 781, pp. 4-8, 10-12. 1919.
grain, development studies. J.A.R., vol. 23, p. 333. 1923.

Kernel—Continued.
   milo and feterita, physical and chemical study. George L. Bidwell and others. D.B. 1129, pp. 8. 1922.
   nut, resembling almonds. Chem. Bul. 160, pp. 12–15, 37. 1912.
   oils, extraction, character, yield and value. B.P.I. Bul. 133, pp. 13–27. 1908.
pastes, definition and standard for enforcement of food and drugs act. F.I.D. 197, p. 1. 1925.
peach, apricot, and prune, as by-products of the fruit industry. Frank Rabak. B.P.I. Bul. 133, pp. 34. 1908.
smut(s)—
   broomcorn—
      description and control. F.B. 958, pp. 9, 17–18. 1918.
      treatment with formalin. F.B. 768, p. 6. 1916.
   covered and loose, of sorghums. D.B. 1284, pp. 3–10, 12–43, 44–48. 1925.
   damage to Sudan grass, and control. F.B. 1126, rev. p. 20. 1925.
   sorghum, description and control. F.B. 1158, p. 29. 1920; Guam Bul. 3, p. 26. 1922; Sec. [Misc.] Spec. "Sorghum for forage * * *," p. 2. 1914.
   spot, laboratory cultures, results. D.B. 1102, pp. 8–10. 1922.
   spot, pecan, cause and control. F.B. 1364, pp. 14–19. 1924; F.B. 1129, p. 18. 1920; J.A.R., vol. 1, pp. 330–338. 1914.
   wheat—
      changes during development, factors affecting. J.A.R., vol. 24, pp. 944–947. 1923.
      characters, use in classifying varieties. D.B. 1074, pp. 38–45. 1922.
      condition, relation to rate of respiration. J.A.R., vol. 12, pp. 694–701, 709. 1918.
      in cattle rations, effect on reproduction. J.A.R., vol. 10, pp. 189–190, 193. 1917.
      injury by stripe rust, effect on germination. J.A.R. vol. 24, pp. 613–614. 1923.
      location of respiration. J.A.R., vol. 12, pp. 687–688. 1918.
Kerosene—
   control of apple-tree borers, injury to trees. D.B. 847, p. 37. 1920.
   danger of farm fires, cautions, and control. F.B. 1904, pp. 5–6. 1918.
   emulsion—
      adulteration and misbranding. Insect. N.J. 197, 200. I. and F. Bd.S.R.A. 11, pp. 84–85, 88–89. 1915.
      control of—
         blister mites on apple and pear trees. Ent. Bul. 67, p. 46. 1907.
         grape enemies, formula. F.B. 1220, pp. 67–68. 1921.
         insects on parsnip, parsley, and celery. Ent. Bul. 82, Pt. II, pp. 13, 19. 1909.
         for chicken houses, formula and use. F.B. 530, p. 6. 1913; F.B. 1337, p. 3. 1923.
         formula, directions for different strengths. Ent. Cir. 114, pp. 3–5. 1909.
         formulas. Ent. Cir. 121, pp. 13–14. 1910; Ent. Cir. 124, p. 16. 1916; F.B. 723, pp. 11–12. 1916; F.B. 856, pp. 8–9. 1917; F.B. 908, pp. 28–29. 1918; F.B. 1362, pp. 7–8. 1924; P.R. Bul. 10, pp. 27–29. 1911; P.R. Cir. 17, p. 10. 1918.
         ingredients, Insect. N.J. 23. I. and F.Bd. S.R.A.–2, p. 27. 1914.
         misbranding. I. and F.Bd.N.J. 32, pp. 2. 1914.
         mixture with arsenicals, composition and toxicity. D.B. 1147, pp. 17–18, 51. 1923.
         poisoned, for termite control. D.B. 1232, p. 24. 1924; F.B. 1037, p. 16. 1919.
         spraying in Pacific Northwest. F.B. 153, pp. 8, 9. 1902.
         use against—
            aphids. F.B. 804, pp. 38–39. 1917.
            apple enemies. F.B. 1270, p. 83. 1923.
            beet leaf hopper. B.P.I. Bul. 181, p. 35. 1910.
            beet wireworms. Ent. Bul. 123, pp. 52, 54–55. 1914.
            chicken mites, methods. F.B. 801, pp. 7, 10. 1917.

Kerosene—Continued.
   emulsion—continued.
      use against—continued.
         chinch bugs. Ent. Bul. 107, p. 52. 1911.
         flea beetle. Ent. Bul. 66, Pt. VI, pp. 85–87. 1909.
         fleas. F.B. 897, pp. 10–11. 1917.
         fly larvae in horse manure, tests. D.B. 118, pp. 1, 8. 1914.
         green plant bugs. D.B. 689, p. 24. 1918; Ent. Cir. 63, rev., pp. 7, 19. 1905.
         hog lice, formula and use. D.R.P. Cir. 1, p. 24. 1915.
         hop flea beetle. Ent. Bul. 66, pp. 85–87. 1910.
         insect pests. Hawaii Bul. 49, pp. 10–11. 1923.
         June beetle. D.B. 891, pp. 40–41, 47. 1922.
         leaf blister mite. Ent. Cir. 154, p. 5. 1912; F.B. 723, pp. 5–6. 1916.
         leaf hoppers. Ent. Bul. 66, Pt. IV, pp. 43, 47, 52. 1909.
         melon aphid. F.B. 914, pp. 12–13. 1918.
         onion maggots. Y.B., 1912, p. 331. 1913; Y.B. Sep. 594, p. 331. 1913.
         parsnip leaf miner. Ent. Bul. 82, p. 13. 1912.
         pear borer. D.B. 887, p. 8. 1920.
         pecan leaf case bearer. D.B. 571, pp. 15–16, 25. 1917.
         rose insects. F.B. 750, p. 31. 1916.
         spring grain aphid. Ent. Bul. 110, p. 138. 1912.
         sucking insects. F.B. 1169, pp. 12–13. 1921; Guam Bul. 2, pp. 19–20. 1922.
         tobacco insects. Ent. Cir. 68, pp. 3–5. 1906; Ent. Bul. 65, pp. 18–21. 1907; Y.B., 1910, pp. 291, 292, 293. 1911; Y.B. Sep. 537, pp. 291, 292, 293. 1911.
         white ants. F.B. 759, p. 19. 1916.
      use as spray in control of red spider. F.B. 735, p. 10. 1916.
   use in—
      control of poultry diseases, formula, and use method. F.B. 957, pp. 5–6. 1918.
      forest nurseries. D.B. 479, pp. 75–76. 1917.
      greenhouse spraying, precautions. Ent. Bul. 64, Pt. VI, p. 58. 1909.
   use on—
      apple roots, experiments. D.B. 730, pp. 37–38. 1918.
      cattle for horn flies, directions for mixing. Ent. Cir. 115, p. 8. 1910.
      greenhouse plants. Ent. Cir. 151, p. 9. 1912; F. B. 880, p. 11. 1917.
   engines, use in traction plowing. B.P.I. Bul. 170, pp. 29–30. 1910.
   fly repellent, formulas and experiments. D.B. 131, pp. 9–11, 20. 1914.
   fuel use for farm tractors, quantity per acre plowed, and cost. F.B. 1035, pp. 19–21. 1919.
   in kerosene emulsion, determination method. Chem. Bul. 105, p. 165. 1911.
   insecticide, value, application. F.B. 127, pp. 16–21. 1901.
   mantle lamps, efficiency and economy. F.B. 517, pp. 21–22. 1912.
   nicotine oleate, insecticide, preparation and use. F.B. 1306, pp. 28–29, 35. 1923; F.B. 1362, p. 7. 1924.
   pure, use—
      as insecticide, precautions. Y.B., 1908, p. 278. 1909; Y.B. Sep. 480, p. 278. 1909.
      on San Jose scale. F.B. 650, p. 23. 1915.
   repellent of house flies. Ent. Cir. 71, pp. 6–7. 1906.
   soap emulsion, use against—
      insect pests. D.C. 35, pp. 5, 11, 21, 29. 1919.
      pea aphid. F.B. 856, p. 54. 1917.
      red spider. Ent. Cir. 104, pp. 7, 10. 1909.
   spray, control of—
      cranberry scale-insects. F.B. 860, p. 37. 1917.
      fleas. Sec. Cir. 61, p. 20. 1916.
      formula, for control of citrus black fly. D.B. 885, p. 46. 1920.
   supply of United States, discussion. D.B. 174, pp. 20–21. 1915.
   tests as wood preservative. D.B. 145, pp. 9–20. 1915.
   treatment of harlequin cabbage bug. Ent. Cir. 103, pp. 8–10. 1908.

Kerosene—Continued.
use—
and value in mosquito destruction. F.B. 444, pp. 6, 9, 12, 13–14. 1911.
as repellent against Gastrophilus larvae. D.B. 597, p. 49. 1918.
as tractor fuel, comparison with gasoline. D.B. 174, pp. 14, 18–19, 43. 1915.
for lighting, directions. Thrift Leaf. 9, pp. 2–3. 1919.
in cattle-tick eradication. Y.B. 1913,, p. 268. 1914; Y.B. Sep. 627, p. 268. 1914.
in chicken houses. Ent. Cir. 92, pp. 4, 6. 1907.
in control of—
ants. Ent. Bul. 67, p. 17. 1907; F.B. 1037. pp. 2, 13, 14, 16. 1919.
bedbugs, effectiveness. D.B. 707, pp. 2–3, 7. 1918.
beet wireworms, experiments. Ent. Bul. 123, pp. 52, 54. 1914.
cattle lice, directions. F.B. 909, p. 9. 1918.
chinch bugs. Ent. Bul. 95, pp. 38, 51. 1911; F.B. 657, pp. 18–21, 27. 1915; F.B. 909, p. 9. 1918.
cotton stainer. Ent. Cir. 149, pp. 4, 5. 1912.
dog parasites. D.C. 338, p. 14. 1925.
flies. F.B. 459, pp. 10–14. 1911; Y.B., 1912, p. 387. 1913; Y.B. Sep. 600, p. 387. 1913.
hen mites. F.B. 889, pp. 19–20. 1917.
insect pests. D.C. 40, p. 5. 1919.
mosquitoes. Ent. Bul. 88, pp. 7, 8, 11, 14, 21, 47, 75–79, 93, 99, 101, 108. 1910; F.B. 1354, p. 13. 1923.
moth, precautions. F.B. 1353, p. 27. 1923.
powder-post beetles. For. Cir. 187, p. 13. 1911.
termites. D.B. 333, pp. 28, 29. 1916.
traveling cutworms. News L., vol. 3, No. 12, pp. 1–2. 1915.
white ants in timbers. F.B. 759, pp. 15, 16. 1916.
wireworms, experiments. D.B. 78, pp. 26–27. 1914.
in denaturing alcohol. Chem. Bul. 130, pp. 78, 81. 1910.
in house cleaning. F.B. 1180, p. 8. 1921.
in killing common barberry. D.C. 332, pp. 1–4. 1925; D.C. 356, p. 4. 1925.
in lumber preservation. Ent. Bul. 58, pp. 82, 83, 84. 1910; Ent. Cir. 128, pp. 6–7. 1910.
in treatment of lumber for powder-post beetles. F.B. 778, pp. 18–19. 1917.
with hopper-dozers for destruction of grasshoppers. Y.B., 1915, p. 265. 1916; Y.B. Sep., 674, p. 265. 1916.
whitewash, aphid-egg destruction. Ent. Bul. 67, p. 30. 1907.
See also Petroleum.
KERR, G A., report on tannin. Chem. Bul. 81, pp. 221–227. 1904.
KERR, J. A.: "Soil survey of—
Fayette County, W. Va." Soil Sur. Adv. Sh., 1919, pp. 30. 1921; Soils F.O., 1919, pp. 1175–1200. 1925.
Florence County, S. C." With others. Soil Sur. Ad. Sh., 1914, pp. 36. 1916; Soils F.O., 1914, pp. 697–728. 1919.
Garrard County, Ky." With S. D. Averitt. Soil Sur. Adv. Sh., 1921, pp. 509–550. 1924.
Lehigh County, Pa." With W. T. Carter, jr. Soil Sur. Adv. Sh., 1912, pp. 53. 1914; Soils F.O., 1912, pp. 109–153. 1915.
Meriwether County, Ga." With Mark Baldwin. Soil Sur. Adv. Sh., 1916, pp. 31. 1917; Soils F.O., 1916, pp. 687–713. 1921.
Muhlenberg County, Ky." With others. Soil Sur. Adv. Sh., 1920, pp. 939–964. 1924; Soils F.O., 1920, pp. 939–964. 1925.
Roger Mills County, Okla." With others. Soil Sur. Adv. Sh., 1914, pp 32. 1916; Soils F.O., 1914, pp. 2137–2164. 1919.
Union County, S. C." With others. Soil Sur. Adv. Sh., 1913, pp. 36. 1916; Soils F.O., 1913, pp. 303–334. 1916.
Union County, S. Dak." With others. Soil Sur. Adv. Sh., 1921, pp. 473–508. 1924.
Washington County, Ga." With others. Soil Sur. Adv. Sh., 1915, pp. 39. 1916; Soils F.O., 1915, pp 683–717. 1919.

KERR, J. A: " Soil survey of—Continued.
Windsor County, Vt." With Grove B. Jones. Soil Sur. Adv. Sh., 1916, pp. 24. 1919; Soils F.O., 1916, pp. 175–194. 1921.
KERR, R. H.: "The detection of phytosterol in mixtures of animal and vegetable fats." B.A.I Cir. 212, pp. 4. 1913.
KERR, W. H.—
"A federated cooperative cheese manufacturing and marketing association." With Hector Macpherson. Y.B., 1916, pp. 145–157. 1917; Y.B. Sep. 699. pp. 13. 1917.
"A survey of typical cooperative stores in the United States." With others. D.B. 394, pp. 32. 1916.
"A system of accounting for cooperative fruit associations." With G. A. Nahstoll. D.B. 225, pp. 25. 1915.
"A system of accounts for farmers' cooperative elevators." With John R. Humphrey. D.B. 236, pp. 30. 1915.
"A system of accounts for live-stock shipping associations." With John R. Humphrey. D.B. 403, pp. 15. 1916.
"A system of accounts for primary grain elevators." With John R. Humphrey. D.B. 362, pp. 30. 1916.
"Business essentials for cooperative fruit and vegetable canneries." Y.B., 1916, pp. 237–249. 1917; Y.B. Sep. 705, pp. 13. 1917.
"Business practice and accounts for cooperative stores." With J. A. Bexell. D.B. 381, pp. 56. 1916.
"Cooperative marketing, and financing of marketing associations." With others. Y.B., 1914, pp. 185–210. 1915; Y.B. Sep. 637, pp. 185–210. 1915.
"Cooperative organization business methods." With G. A. Nahstoll. D.B. 178, pp. 24. 1915.
"Cooperative purchasing and marketing organizations among farmers in the United States." With O. B. Jesness. D.B. 547, pp. 82. 1917.
"Lumber accounting and opening the books in primary grain elevators." With John R. Humphrey. Mkts. Doc. 2, pp. 12. 1916.
"Patronage dividends in cooperative grain companies." With John R. Humphrey. D.B. 371, pp. 11. 1916.
"The community egg circle." With C. E. Bassett. F.B. 656, pp. 7. 1915.
Ketchup—
adulteration. See Indexes, Notices of Judgment, in bound volumes and in separates published as supplements to Chemistry Service and Regulatory Announcements.
analyses. Chem. Bul. 137, pp. 128–134. 1911; Chem. Bul. 152. pp. 118–122. 1912; Chem. Bul. 162, pp. 124–129. 1913.
compound, adulteration. Chem. N.J. 1054, p. 1. 1911; Chem. N.J. 1761, p. 1. 1912; Chem. N.J. 1724, p. 1. 1912.
examination for decomposition organisms. Y.B., 1911. pp. 300, 303–304. 1912; Y.B. Sep. 569, pp. 300, 303–304. 1912.
grape, directions for making. F.B. 859, p. 18. 1917.
mushroom, recipe. F.B. 342, p. 28. 1909.
packages, statement of contents. Chem. S.R.A. 9, p. 688. 1914.
recipes. F.B. 521, p. 13. 1913.
sodium-benzoate determination, methods. Chem. Bul. 132, pp. 138–148. 1910.
tomato—
analyses, comparisons. Chem. Bul. 162, p. 127. 1913; Chem. Cir. 78, pp. 6–11. 1911.
benzoic acid and cinnamic acid detection. Chem. Bul. 122, pp. 69–78. 1909.
chemical analyses. Chem. Cir. 78, pp. 6–11. 1911.
directions for making. S.R.S. Doc. 22, p. 12 1916.
manufacturing without preservatives, experiments. Chem. Bul. 119, pp. 15–22. 1909.
recipe. S.R.S. Doc. 22, rev., p. 14. 1919.
seizure, decision of Judge Knappen. Sol. Cir. 47, pp. 7. 1911.
spoilage experiments. A. W. Bitting. Chem. Bul. 119, pp. 37. 1909.

Ketchup—Continued.
   tomato—continued.
      under the microscope; with practical suggestions to secure a cleanly product. B. J. Howard. Chem. Cir. 68, pp. 14. 1911.
   use as food, note. O.E.S Bul. 245, p. 88. 1912.
   See also Catsup.
Ketones, in essential oils, quantitative determination. Chem. Bul. 137. pp. 186–187. 1911.
Kettle Moraine, Wisconsin, Kewaunee County, location, area, topography. Soil Sur. Adv. Sh , 1911, pp. 5–6. 1913; Soils F.O., 1911, pp. 1513–1514. 1914.
Kettles, copper, use in cooking meats and products, prohibition, instructions. B.A.I.S.A. 71, p. 17. 1913.
Keurboom, importation and uses. No. 46818. B.P.I. Inv 57, p. 39. 1922.
Key West, hurricane, October 11, 1909, description, Weather Bureau warnings. An. Rpts., 1909, pp. 165–170. 1909; W.B. Chief Rpt., 1909, pp. 15–20 1910.
Keyser, Val, report of committee on boys' and girls' institutes. O.E.S. Bul. 225, pp. 19–24. 1910.
Khans, fig growing, and methods of control of fig moth. Ent. Bul. 104, pp. 47–48, 52–63. 1911.
Khat, growing, commercial importance in Abyssinia. B.P.I. Bul. 223, pp. 55–56. 1911.
Khaya senegalensis, importation and description. No. 48466, B.P.I. Inv. 61, p. 11. 1922.
Khaya spp. See Mahogany, African.
KHAZANOFF, AMRAM: "A new tumor of the apricot." J.A.R., vol. 26, pp. 45–60. 1923.
Kiawe bean. See Algarobe bean.
"Kickapoo" cough cure, misbranding. Chem. N.J. 826, pp. 2. 1911.
Kidding—
   care of does and kids. D.B. 749, pp. 18–20. 1919.
   corral method and staking method. F.B. 137, pp. 35–37. 1901; B.A.I. An. Rpt., 1900, pp. 335–340. 1901; B.A.I. Bul. 27, pp. 32–36. 1901.
Kidney(s)—
   canning recipe. S.R.S. Doc. 80, p. 18. 1918.
   cattle, anatomy, description and uses. B.A.I. [Misc.]. "Diseases of cattle," rev., pp. 114–115, 142. 1904; rev., pp. 117–118, 145–146. 1912; rev., pp. 116–118. 1923.
   cure—
      De Witt's, misbranding. Chem S.R.A., Sup. 19, pp. 699–700. 1916.
      "Kurakoff," misbranding. Chem. N.J. 750. pp. 1–2. 1911.
   development, effect of ration J.A.R., vol. 21, pp. 297–309. 1921.
   disease—
      fur animals, cause and prevention. Y.B., 1916, p. 502. 1917; Y.B. Sep. 693, p. 14. 1917.
      result of sulphur in food. Chem. Bul. 84, Pt III, pp. 824, 1022. 1907; Chem. Cir. 82, pp. 11, 17. 1907.
      relation to phosphorus in body. Chem. Bul. 123. pp. 16. 1909.
   hog. disease, embryonal adenosarcoma, study, B.A.I. An. Rpt., 1907, pp. 247–257. 1909.
   inflammation. See Nephritis.
   ox, sheep, and hog, food value. D.B. 1138, pp. 29–35, 45. 1923.
   parasites, of cattle, detection. B.A.I. [Misc.], "Diseases of cattle," rev., pp. 125. 1904; rev., pp. 127–128. 1912; rev., pp. 127. 1923.
   remedy, misbranding. Chem. N.J. 4154. 1916.
   removal, effect on excretory power of other organs. Chem. Bul. 166, pp. 1–31. 1913.
   stone, symptoms, description and treatment. B.A.I. [Misc.]. "Diseases of cattle," rev., pp. 136, 137–139, 143. 1904; rev., pp. 139, 140–142, 146. 1912.
   worm, giant, description, and spread by dogs. D.B. 260, p. 24. 1915.
Kids—
   Angora, care and management. B.A I. Bul. 27, pp. 32–36. 1901; F.B. 137, pp. 36–40. 1901; F.B. 573, pp. 13–15. 1914.
   Angora, castration. B.A.I. Bul. 27, pp. 35–36. 1901; D.B. 749, p. 24. 1919.
   fat-digestibility experiments. D.B. 613, pp 6–8. 1919.
   number on farms and ranges, January 1, 1920, map. Y.B., 1921, p. 486. 1922; Y.B. Sep. 878, p. 80. 1922.

Kids—Continued.
   number slaughtered, 1909. F.B. 1055, p. 4. 1919.
   raising, customs in Switzerland. B.A.I. Bul. 68, pp. 75–76. 1905.
   range, handling and care. D.B. 749, pp. 18–26. 1919; F.B. 920, pp. 28–30. 1918.
   See also Goats.
KIEFER, FRANCIS: "Timber resources of the national forests in Arkansas." For. Bul. 106, Pt. II, pp. 27–36. 1912.
KIERNAN, J. A.—
   "The accredited-herd plan in tuberculosis eradication. Y.B., 1918, pp. 215–220. 1919; Y.B. Sep. 782, pp. 8. 1919.
   "The toll of tuberculosis in live stock." With L. B. Ernest. Y.B., 1919, pp. 277–288. 1920; Y.B. Sep. 810, pp. 277–288. 1920.
   "Tuberculosis eradication under the accredited-herd plan. Herd list, No. 3." D.C. 142, pp. 52. 1920.
   "Tuberculosis in live stock." With Alexander E. Wight. F.B. 1069, pp. 31. 1919.
Kieselguhr, use in filtration of crude sirup, and cost. D.B. 1158, pp. 15, 17, 18, 26, 29, 31. 1923.
Kieselguhr. See also Earth, diatomaceous; Earth, infusorial.
Kiffy, importation and description. No. 55792, B.P.I. Inv. 72, pp. 3, 35. 1924.
Kigelia pinnata. See Sausage tree.
Kikuyu grass—
   description and value for cotton States. F.B. 1125, rev., pp. 17–18. 1920
   importation and description. No. 41055, B.P.I. Inv. 44, pp. 8, 34. 1918; No. 48818, B.P.I. Inv. 61, p. 51. 1922.
   introduction and value for pasture. F.B. 1125, pp. 17–18. 1920.
"Kil-em" insecticide misbranding. Insect. N.J. 198. I. and F. Bd. S.R.A. 11, p. 86. 1915.
Kil-tone, fruit, adulteration and misbranding. Insect. N.J. 853 I. and F. Bd. S.R.A. 45, pp. 1059–1069. 1923.
KILGORE, B. W.—
   report on phosphoric acid, 1907. Chem. Bul. 116, p. 109. 1908.
   report of North Carolina—
      Experiment Station, work—
         1906. O.E.S. An. Rpt., 1906, pp. 139–141. 1907.
         1907. O.E.S. An. Rpt., 1907. p. 148. 1908.
         1908. O.E.S. An. Rpt., 1908, p. 148. 1909.
         1909. O.E.S. An. Rpt., 1909, pp. 162–163. 1910.
         1910. O.E.S. An. Rpt., 1910, pp. 209–210. 1911.
         1911. O.E.S. An. Rpt., 1911, pp. 171–172. 1912.
         1912. O.E.S. An. Rpt. 1912, pp. 176–177. 1913.
      Experiment Station, work and expenditures—
         1913. O.E.S. An. Rpt., 1913, pp 68–69. 1915.
         1914. O.E.S. An. Rpt., 1914, pp. 180–183. 1915.
         1915. S.R.S. Rpt., 1915, Pt. I, pp. 204–207. 1916.
         1916. S.R.S. Rpt., 1916, Pt. I, pp. 208–212. 1918.
         1917. S.R.S. Rpt., 1917, Pt. I, pp. 203–207. 1918.
      extension work in agriculture and home economics—
         1915. S.R.S. Rpt., Pt. II, pp. 91–100. 1916.
         1916. S.R.S. Rpt., 1916, Pt. II, pp. 97–105. 1917.
         1917. S.R.S. Rpt., 1917, Pt. II, pp. 99–109. 1919.
      "Soil survey of Mecklenburg County, N. C." With others. Soil Sur. Adv. Sh. 1910, pp. 42. 1912; Soils F.O., 1910, pp. 381–418. 1912.
Kill-o-scale, spraying experiments. Ent. Bul. 67, pp. 30, 47. 1907.
KILLAND, T. K.—
   "Report of the northern Great Plains Field Station for the 10-year period 1913–1922, inclusive." With others. D.B. 1301, pp. 80. 1925.
   "Work of the northern Great Plains Field Station in 1923." With others. D.B. 1337, pp. 18. 1925.
Killarney, pedigree. D.C., 153, pp. 13, 14. 1921.

INDEX TO PUBLICATIONS, 1901–1925   1303

Killdeer—
  Antillean, occurrence in Porto Rico, and food habits. D.B. 326, pp. 39–40. 1916.
  description, range, and habits. Biol Bul. 35, pp. 85–88. 1910; D.B. 107, pp. 6–7. 1914; F.B. 497, pp. 16–18. 1912; F.B. 513, p. 30. 1913; N.A. Fauna 22, p. 101. 1902.
  occurrence in—
    Arkansas. Biol. Bul. 38, p. 33. 1911.
    Nebraska. D.B. 794, p. 35. 1920.
  protection by law. Biol. Bul. 12, rev., pp. 38, 40. 1902.
  range, occurrence and names. M.C. 13, p. 69. 1923.
Killebrew, J. P.—
  "Tobacco crop, 1911, by types and districts." Stat. Cir. 27, pp. 8. 1912.
  "Tobacco crop, 1912, by types and districts." Stat. Cir. 43, pp. 8. 1913.
  "Tobacco districts and types." Stat. Cir. 18, pp. 16. 1909.
  "Tobacco report, July 1, 1911." Stat. Cir 22, pp. 8. 1911.
  "Tobacco report, July 1, 1912." Stat. Cir. 38, pp. 7. 1912.
Killifishes, use in mosquito destruction. Ent. Bul. 88, pp. 52, 66. 1910.
Killough, H. B.: "What makes the price of oats." D.B. 1351, pp. 40. 1925.
Kiln(s)—
  air circulation, production, control, and testing. D.B. 1136, pp. 20–23. 1923.
  burning, limestone and oyster shells. F.B. 921, pp. 5, 6, 26–28. 1918.
  dry—
    for lumber, operation, and principles. D.B. 894, p. 8. 1920.
    for lumber seasoning. Y.B., 1920, pp. 443–447. 1921; Y.B. Sep. 856, pp. 443–447. 1921.
    humidity-regulated and recirculating, drying theory. Harry D. Tiemann. D.B. 509, pp. 28. 1917.
  water spray—
    construction, material and details. D.B. 894, pp. 10–16. 1920.
    design and installation. L. V. Teesdale. D.B. 894, pp. 47. 1920.
  drying—
    broomcorn, in curing. D.B. 1019, pp. 9–10. 1922.
    effects on timber, studies, Forest Products Laboratory. For. [Misc.], "Forest products * * * laboratory, pp. 17–18. 1922.
    handbook. Rolf Thelen. D.B. 1136, pp. 64. 1923.
    hardwood lumber. Frederick Dunlap. For. Cir. 48, pp. 19. 1906.
    loblolly pine lumber, directions. D.B. 11, p. 44. 1914.
    lumber, demonstration course, details and cost. M.C. 8, pp. 2–9, 20. 1923; M.C. 29, pp. 2–9. 1924.
    schedules for hardwoods and softwoods. D.B. 1136, pp. 31–45. 1923.
    southern pine lumber. For. Cir. 164, pp. 10–11. 1909.
    timber, work of laboratory. D.C. 231, pp. 17–18. 1922.
    value with dimension stock. M.C. 39, p. 48, 1925.
    See also Seasoning.
  evaporator for drying fruits. D.B. 1141, pp. 8–17. 1923.
  Forest Service, theory and description. D.B. 509, pp. 10–13, 23–27. 1917.
  fruit-drying, description and types. F.B. 903, pp. 5–15. 1917.
  hay curing, testing, 1909–1913. B.P.I. Cir. 116, pp. 28–31. 1913.
  hops, types, and descriptions. F.B. 304, pp. 26–31. 1907.
  lumber, description. D.B. 509, pp. 7–8. 1917; D.B. 552, pp. 22–25. 1917; For. Cir. 164, pp. 10–11. 1909; M.C. 39, p. 39. 1925.
  seed-drying, description, heating and ventilation. D.B. 475, pp. 6–12. 1917.
  use in food drying. Sec. Cir. 126, p. 7. 1919.
  wood, types, and description. D.B. 1136, pp. 45–53. 1923.

Kimball, H. H.—
  address on variations in insolation and in polarization of blue sky-light during 1903 and 1904. W.B. [Misc.], "Proceedings, third convention * * *," pp. 69–77. 1904.
  "Tables for computing time of moonrise and moonset." W.B. [Misc.], "Tables for computing * * *," pp. 29. 1916.
Kimberly, A. E.: "The disinfection of sewage effluents for the protection of public water supplies." With others. B.P.I. Bul. 115, pp. 47. 1907.
Kincer, J. B.—
  "Climate: Precipitation and humidity." Atl. Am. Agr. Adv. Sh. 2, Pt. II, sec. A, pp. 48. 1922.
  "Weather and agriculture." With others. Y.B., 1924, pp. 457–588. 1925.
King, C. J.—
  "Comparison of Pima cotton with upland varieties in Arizona." With others. J.A.R., vol. 28, pp. 937–954. 1924.
  "Cotton rootrot in Arizona." J.A.R., vol. 23, pp. 525–527. 1923.
  "Crop tests at the cooperative testing station, Sacaton, Arizona." D.C. 277, pp. 40. 1923.
  "Habits of the cotton rootrot fungus." J.A.R., vol. 26, pp. 405–418. 1923.
  "Water-stress behavior of Pima cotton in Arizona." D.B. 1018, pp. 24. 1922.
King, C. L.: "Economic and social factors in price conciliation in the milk industry." B.A.I. Dairy [Misc.], "World's dairy congress," 1923, pp. 869–875. 1924.
King, D. W.: "The use of the split-log drag on earth roads." F.B. 321, pp. 14. 1908.
King, F. H.—
  "Irrigation experiments in Wisconsin." O.E.S. Bul. 119, pp. 313–352. 1902.
  "Some results of investigations in soil management." Y.B., 1903, pp. 159–174. 1904. Y.B. Sep. 311, pp. 159–174. 1904.
King, F. V.—
  "A bibliography relating to soil alkalies." With others. D.B. 1314, pp. 40. 1925.
  "Report on drainage and prevention of overflow in the Valley of the Red River of the North." With P. T. Simons. D.B. 1017, pp. 89. 1922.
King, K. M.: "The corn earworm: Its ravages on field corn, and suggestions for control." With W. J. Phillips. F.B. 1310, pp. 18. 1923.
King, L. H.: "Investigations in soil management." Soils Bul. 26, pp. 205, 1905.
King's formula, misbranding. Chem. N.J. 13627. 1925.
King-devil, weed, description and eradication. D.C. 130, pp. 5, 6–7. 1920.
King-head—
  milling tests, comparison with wheat, rye, cockle, and vetch. D.B. 328, p. 10. 1915.
  occurrence in wheat. F.B. 1287, p. 9. 1922.
  seed, occurrence in wheat, and effect on flour. D.B. 328, pp. 7–8, 12–13, 15–19. 1915.
King ventilation system. F.B. 190, pp. 23, 29–31. 1904.
King Hill Irrigation and Power Co., work in Idaho. O.E.S. Bul. 216, pp. 50–51. 1909.
Kingbird—
  Arkansas—
    food habits, relation to agriculture in California. Biol. Bul. 34, pp. 32–34. 1910.
    occurrence, description, habits, and food. Biol. Bul. 44, pp. 19–22. 1912; D.B. 107, p. 9. 1914; F.B. 506, pp. 18–19. 1912.
  Cassin's, food habits similar to Arkansas kingbird. Biol. Bul. 34, p. 34. 1910.
  enemy of—
    codling moth. Y.B., 1911, p. 240. 1912; Y.B. Sep. 564, p. 240. 1912.
    occurrence, habits, and food. Biol. Bul. 44, pp. 22–24. 1912.
    crows. D.B. 621, p. 72. 1918.
  Florida, migration. Biol. Bul. 18, p. 14. 1904.
  food habits, and occurrence in Arkansas. Biol. Bul. 38, p. 53. 1911.
  gray, occurrence in Porto Rico, habits and food. D.B. 326, pp. 10–11, 75–78. 1916.

Kingbird—Continued.
   occurrence—
      description, habits, and food. Biol. Bul. 15, p. 21. 1901; Biol. Bul. 44, pp. 11-19. 1912; F.B. 513, pp. 22-23. 1913; F.B. 630, pp. 23-24, 1915; N.A. Fauna 22, p. 113. 1902.
      in Athabaska-Mackenzie region. N.A. Fauna 27, p. 391. 1908.
   protection by law. Biol. Bul. 12, rev., pp. 38, 39, 42. 1902.
   See also Flycatchers.
Kingfisher, belted—
   food habits, and occurrence in Arkansas. Biol. Bul. 38, p. 45. 1911.
   occurrence in—
      Alaska and Yukon Territory. N.A. Fauna 30, pp. 39, 89. 1909.
      Porto Rico, and food habits. D.B. 326, pp. 66-67. 1916.
   protection and exception from. Biol. Bul. 12, rev., pp. 30, 43-44. 1902.
   range and habits. N.A. Fauna 21, pp. 44, 76. 1901; N.A. Fauna 22, p. 11. 1902; N.A. Fauna 24, p. 70. 1904.
KINGHORNE, J. W.—
   "Better poultry through community breeding associations." Y.B., 1918, pp. 109-114. 1919; Y.B. Sep. 778, pp. 8. 1919.
   "General instructions and method of procedure in organizing poultry clubs." B.A.I., Doc. A.-29, pp. 4. 1918.
   "Illustrated poultry primer." With Harry M. Lamon. F.B. 1040, pp. 28. 1919.
   "Lice, mites, and cleanliness." With D. M. Green. F.B. 1110, pp. 10. 1920.
   "Management of growing chicks." F.B. 1111, pp. 8. 1920.
   "Preserving eggs." F.B. 1109, pp. 8. 1920.
   "Preserving eggs for home use." D.C. 36, pp. 13-14. 1919.
   "Selection and preparation of fowls for exhibition." F.B. 1115, pp. 11. 1920.
Kinglets—
   European, enemies of codling moth. Y.B., 1911, p. 244. 1912; Y.B. Sep. 564, p. 244. 1912.
   golden-crowned, western, food habits. Biol. Bul. 30, p. 84. 1907.
   occurrence in Arkansas. Biol. Bul. 38, p. 89. 1911.
   protection by law. Biol. Bul. 12, rev., pp. 40, 42. 1902.
   range and habits. N.A. Fauna 21, pp. 50, 80. 1901; N.A. Fauna 22, p. 129. 1912; Biol. Bul. 30, pp. 80-84. 1907.
   ruby-crowned—
      description, range and habits. F.B. 513, p. 8. 1913.
      enemy of codling moth. Y.B., 1911, p. 243. 1912; Y.B. Sep. 564, p. 243. 1912.
      food habits. Biol. Bul. 30, pp. 81-84. 1907; F.B. 506, pp. 34-35. 1912.
      occurence in Alaska. N.A. Fauna 30, p. 43. 1907.
Kings River, California, water appropriations from. C. E. Grunsky. O.E.S. Bul. 100, pp. 259-325. 1901.
Kingsland, Daniel, discussion of chilled meat trade in Argentina. B.A.I. Bul. 48, pp. 56-57. 1903.
Kinkaid Act of 1911, tree distribution under. For. Misc., S-18, pp. 13. 1911. Rev., 1916; rev., 1918.
KINMAN, C. F.—
   "Citrus fertilization experiments in Porto Rico." (Also Spanish edition.) P.R. Bul. 18, pp. 33. 1915.
   "Cover crops for Porto Rico." (Also Spanish edition.) P.R. Bul. 19, pp. 32. 1916.
   "Experiments on the supposed deterioration of vegetables in Porto Rico, with suggestions for seed preservation." With T. B. McClelland. (Also Spanish edition.) P.R. Bul. 20, pp. 30. 1916.
   "Olive growing in the southwestern United States." F.B. 1249, pp. 43. 1922.
   "Plum and prune growing in the Pacific States." F.B. 1372, pp. 60. 1924.
   report of horticulturist, Porto Rico Experiment Station—
      1909. P.R. An. Rpt., 1909, pp. 19-23. 1910.
      1910. P.R. An. Rpt., 1910, pp. 25-30. 1911.
      1911. P.R. An. Rpt., 1911, pp. 24-27. 1912.

KINMAN, C. F.—Continued.
   report of horticulturist, Porto Rico Experiment Station—continued.
      1912. P.R. An. Rpt., 1912, pp. 23-27. 1913.
      1913. P.R. An. Rpt., 1913, pp. 16-21. 1914.
      1914. P.R. An. Rpt., 1914, pp. 17-22. 1915.
      1915. P.R. An. Rpt., 1915, pp. 25-29. 1916.
      1916. P.R. An. Rpt., 1916, pp. 17-21. 1918.
      1917. P.R. An. Rpt., 1917, pp. 20-24. 1918.
   "The mango in Porto Rico." (Also Spanish edition.) P.R. Bul. 24, pp. 30. 1918.
   "Yam culture in Porto Rico." P.R. Bul. 27, pp. 22. 1921.
Kinne's headache cure. Chem. N.J. 346, pp. 2. 1910.
Kino tree, description and importation. No. 43189, B.P.I. Inv. 48, p. 25. 1921.
Kinsely, A. L., report on potash, 1907. Chem. Bul 116, pp. 118-123. 1908.
KINSEY, F. S.: "Packing apples in boxes." With Raymond R. Pailthorp. F.B. 1457, pp. 22. 1925.
KINSMAN, C. D.: "An appraisal of power used on farms in the United States." D.B. 1348, pp. 76. 1925.
Kiosk(s)—
   installing and equipping, instructions for. C.F. Marvin. W.B. [Misc.], "Instructions for installing * * *," rev., pp. 9. 1912.
   Weather Bureau, description and work. C. F. Marvin. W.B. [Misc.], "Weather Bureau kiosk," pp. 6. 1914.
KIPP, H. A.—
   "Report on the Belzoni drainage district in Washington County, Miss." O.E.S. Bul. 244, pp. 55. 1912.
   "The drainage of Jefferson County, Tex." With others. D.B. 193, pp. 40. 1915.
Kipskins—
   description and grades. F.B. 1055, pp. 42, 44. 1919.
   imports, 1922-1924. Y.B., 1924, p. 1059. 1925.
Kirby Plantation, Texas, irrigation system, details. O.E.S. Bul. 222, p. 52. 1910.
Kiri oil tree, importation and description. No. 40673. P.P.I. Inv. 43, p. 64. 1918.
KIRK, N. M.: "Soil survey of—
   Bradford County, Fla." With others. Soil Sur. Adv. Sh., 1913, pp. 36. 1914; Soils F.O., 1913, pp. 643-674. 1916.
   Chesterfield County, S. C." With others. Soil Sur. Adv. Sh., 1914, pp. 45. 1915; Soils F.O., 1914, pp. 655-695. 1919.
   Clay County, Ga." With William G. Smith Soil Sur. Adv. Sh., 1914, pp. 46. 1916; Soils F.O., 1914, pp. 919-960. 1919.
   Coahoma County, Miss." With others. Soi, Sur. Adv. Sh., 1915, pp. 29. 1916; Soils F.O.l 1915, pp. 973-997. 1919.
   Goodhue County, Minn." With others. Soil Sur. Adv. Sh., 1913, pp. 34. 1915; Soils F.O., 1913, pp. 1659-1683. 1916.
   Hillsborough County, Fla." With others. Soil Sur. Adv. Sh., 1916, pp. 42. 1918; Soil F.O., 1916, pp. 749-786. 1921.
   Kay County, Okla." With R. C. Jurney. Soil Sur. Adv. Sh., 1915, pp. 40. 1917; Soils F.O., 1915, pp. 2093, 2128. 1919.
   Lafayette Parish, La." With A. H. Meyer. Soil Sur. Adv. Sh., 1915, pp. 32. 1916; Soils F.O., 1915, pp. 1051-1078. 1919.
   Lowndes County, Ga." With David D. Long. Soil Sur. Adv. Sh., 1917, pp. 36. 1920; Soils F.O., 1917, pp. 633-664. 1923.
   Oconee, Morgan, Greene, and Putnam Counties, Ga." With others. Soil Sur. Adv. Sh., 1919, pp. 61. 1922; Soils F.O., 1919, pp. 889-945. 1925.
   Pennington County, Minn." With others. Soil Sur. Adv. Sh., 1914, pp. 28. 1916; Soils F.O., 1914, pp. 1727-1750. 1919.
   Pierce County, Ga." With E. T. Maxon. Soil Sur. Adv. Sh., 1918, pp. 29. 1920; Soils F.O., 1918, pp. 487-511. 1924.
   Pittsylvania County, Va." With others. Soi, Sur. Adv. Sh., 1918, pp. 46. 1922; Soils F.Ol 1918, pp. 121-162. 1924.
   Ramsey County, Minn." With William G. Smith. Soil Sur. Adv. Sh., 1914, pp. 37. 1916; Soils F.O., 1914, pp. 1751-1783. 1919.

KIRK, N. M.: "Soil survey of—Continued.
Screven County, Ga." With others. Soil Sur. Adv. Sh., 1920, pp. 34. 1924; Soils F.O., 1920, pp. 1623-1657. 1925.
Wake County, N. C." With others. Soil Sur. Adv. Sh., 1914, pp. 45. 1916; Soils F.O., 1914, pp. 517-557. 1919.
Wayne County, N. Y." With others. Soil Sur. Adv. Sh., 1919, pp. 273-348. 1923; Soils F.O., 1919, pp. 273-348. 1925.
KIRKALDY, G. W., description of *Perkinsiella sacchariceda.* Ent. Bul. 93, pp. 13-14. 1911.
Kirke's insecticides, adulteration and misbranding. I. and F. Bd., S.R.A. 25, pp. 556-568. 1919.
KIRKLAND, A. H.: "Usefulness of the American toad." F.B. 196, pp. 16. 1904.
KIRKPATRICK, E. L.: "Family living in farm homes." With others. D.B. 1214, pp. 36. 1924.
Kirsenneh, importation and description. No. 28761, B.P.I. Bul. 233, pp. 7, 47-48. 1911.
Kisselo mleko. *See* Yogurt.
KISSER, A. K.: "Homemade silos." With others. F.B. 589, pp. 47. 1914.
Kissling method, nicotine determination. B.A.I. Bul. 133, pp. 6-8. 1911.
KITCHEN, C. W.—
"Marketing and distribution of western muskmelons in 1915." With O. W. Schleussner. D.B. 401, pp. 38. 1916.
"The distribution of northwestern boxed apples." With others. D.B. 935, pp. 27. 1921.
Kitchen—
"bouquet," use as flavoring, recipe. F.B. 391, p. 38. 1910.
cabinet, homemade, for farm home, description. F.B. 927, pp. 3-4. 1918.
equipment for grape-sirup making. F.B. 1454, p. 4. 1925.
farm—
as a work shop. Anna Barrows. F.B. 607, pp. 20. 1914.
conveniences. F.B. 270, pp. 11-14. 1906.
improvements, suggestions. F.B. 270, pp. 11-14. 1906.
lighting, ventilating, and heating. F.B. 607, pp. 7-9. 1914.
planning for convenience to women, suggestions. Rpt. 104, pp. 8-15, 92. 1915.
relation to other parts of house. F.B. 607, pp. 2-6. 1914.
fuel saving. U. S. Food Leaf. No. 12, pp. 1-4. 1918.
improvement, results of home demonstration work. Y.B., 1921, pp. 117, 120, 123, 124. 1921; Y.B. Sep. 833, pp. 117, 120, 123, 124. 1921.
location, size, floors, walls, and equipment. D.C. 189, rev., pp. 1-4. 1923.
model, size, arrangement. F.B. 317, pp. 6-7. 1908; F.B. 342, pp. 30-32. 1909.
outfit for road-building crew of ten men. For. Misc., O-6, p. 64. 1915.
plan contest, rules. O.E.S. Bul. 255, pp. 45-46. 1913.
score card. D.C. 189, rev., p. 4. 1923.
sink drainage. F.B. 1227, p. 26. 1922.
utensils—
and—
food, handling. F.B. 375, pp. 38-44. 1909.
furniture, selection and arrangement. Y.B., 1914, pp. 357-360. 1915; Y.B. Sep. 646, pp. 357-360. 1915.
choice, use, and care of. Thrift Leaf. 10, pp. 4. 1919.
Japanese. O.E.S. Bul. 159, p. 46. 1905.
waste, value, and utilization method. News L., vol. 4, No. 39, p. 12. 1917.
well-arranged, importance to housekeepers, description. News L., vol. 2, No. 16, pp. 1-4. 1914.
well-planned. Ruth Van Deman. D.C. 189, pp. 8. 1921; D.C. 189, rev., pp. 4. 1923.
Kite—
food habits, beneficial. Biol. Bul. 31, p. 45. 1907.
Mississippi, food habits, and occurrence in Arkansas. Biol. Bul. 38, p. 7. 1911.
scissortail, protection by law. Biol. Bul. 12, Rev. p. 41. 1902.
swallow-tailed—
description and food habits. F.B. 755, p. 37. 1916.

Kite—Continued.
swallow-tailed—continued.
habits and food, occurrence in Arkansas. Biol. Bul. 38, p. 36. 1911.
Kite, use in systematic exploration of atmosphere. A. Lawrence Rotch. W. B. Bul. 31, pp. 66-67. 1902.
Kittiwake(s)—
occurrence in Athabaska-Mackenzie region. N.A. Fauna 27, p. 263. 1908.
Pacific, range and habits. N.A. Fauna 21, pp. 39, 72. 1901; N.A. Fauna 24, p. 53. 1904.
range and habits. D.B. 2v2, pp. 4, 5, 16-22. 1915; N.A. Fauna 22, p. 79. 1902; N.A. Fauna 46, pp. 31-33. 1923.
KITTREDGE, J. Jr.: "Timber: Mine or crop?" With others. Y.B., 1922, pp. 83-180. 1923; Y.B. Sep. 886, pp. 83-180. 1923.
Kjeldahl method, certified milk. D.B. 1, pp. 33-34. 1913.
Kjeldahl-Gunning method for total nitrogen determination. Chem. Bul. 152, p. 184. 1912.
Klamath Forest Protective Association, insect-control work. D.B. 1140, p. 2. 1923.
Klamath Marsh Experiment Farm, preliminary report. Carl S. Scofield and Lyman J. Briggs. B.P.I. Cir. 86, pp. 10. 1911.
Klamath National Forest, California—
and Oregon, map. For. Maps. 1923; For. Maps. 1925.
and Oregon, map and directions to campers and travelers. For. Map. [Fold.] 1915.
location, description, and area. D.C. 185, pp. 9-12. 1921.
Klamath project, Keno canal spillway, description. D.B. 831, pp. 8-9. 1920.
KLAPHAAK, P. J.: "Cultivated and wild hosts of sugar-cane or grass mosaic." With E. W. Brandes. J.A.R., vol. 24, pp. 247-262. 1923.
Klebbs-Loffler bacillus, cause of human diphtheria, discovery. B.A.I. Bul. 67, pp. 11, 30. 1905.
KLEBS, GEORGE, experiments with sempervivum flower formation. J.A.R., vol. 23, pp. 872, 920. 1923.
KLEIN, L. A.: "Methods of eradicating cattle ticks." B.A.I. Cir. 110, pp. 16. 1907.
KLEIN, M. A.: "Comparison of the nitrifying powers of some humid and some arid soils." With others. J.A.R., vol. 7, pp. 47-82. 1916.
Kleinhovia hospita, importation and description. No. 54985, B.P.I. Inv. 71, p. 10. 1923.
KLETT, FREDERICK, method of making phosphoric acid-potash fertilizer. D.B. 143, p. 2. 1914.
Klewbug. *See* Curlew bug.
KLINE, M. A.: "Some notes on the direct determination of the hygroscopic coefficient." With others. J.A.R , vol. 11, pp. 147-166. 1917.
KLOTZ, L. J.: "The nitrogen constituents of celery plants in health and disease." With G. H. Coons. J.A.R., vol. 31, pp. 287-300. 1925.
KLUGH, G. F.—
"Golden seal." With Alice Henkel. B.P.I. Bul. 51, Pt. VI, pp. 35-46. 1905.
"The cultivation and handling of golden seal." With Alice Henkel. B.P.I. Cir. 6, pp. 19. 1908.
KNAB, FREDERICK: "Papaya fruit fly." With W. W. Yothers. J.A.R., vol. 2, pp. 447-454. 1914.
KNAPP, BRADFORD—
"Boys' demonstration work: The corn club." With O. B. Martin. B.P.I. Doc. 644, rev., pp. 12. 1913.
"Diversified agriculture and the relation of the banker to the farmer." Sec. Cir. 50, pp. 15. 1915.
"Emergency crops for overflowed lands in the Mississippi Valley." B.P.I. Doc. 756, pp. 8. 1912.
"Fall breaking and the preparation of the seed bed." B.P.I. Doc. 503, rev., pp. 8. 1913; B.P.I. [Misc.], "Fall breaking * * *," pp. 8, rev. 1913.
"Field instructions for farmers' cooperation work in western Texas and Oklahoma." P.B.I. [Misc.], "Field instructions for * * *," pp. 15. 1913.
"How the whole county demonstrated." With Jesse M. Jones. Y.B., 1915, pp. 225-248, 1916; Y.B. Sep. 672, pp. 225-248. 1916.

KNAPP, BRADFORD—Continued.
"Marketing and purchasing demonstrations in the South." Y.B., 1919, pp. 205-222. 1920; Y.B. Sep. 808, pp. 205-222. 1920.
"Results of boys' demonstration work in corn clubs in 1911." With O. B. Martin. B.P.I. Doc. 741, pp. 7. 1912.
"Safe farming." Sec. Cir. 56, pp. 16. 1916.
"Safe farming and what it means for the South in 1918." S.R.S. Doc. 82, pp. 7. 1918.
"Safe farming in the Southern States in 1919." S.R.S. Doc. 96, pp. 16. 1919.
"Safe farming in the Southern States in 1920." D.C. 85, pp. 19. 1920.
"Selection of cotton and corn seed on southern farms." B.P.I. Doc. 747, pp. 8. 1912.
"Some results of the farmers' cooperative demonstration work." Y.B., 1911, pp. 285, 296. 1912; Y.B. Sep. 568, pp. 285, 296. 1912
"The corn crop in the Southern States." B.P.I. Doc. 730, pp. 12. 1912.
"The effect of home demonstration work on the community and the county in the South." With Mary E. Creswell. Y.B., 1916, pp. 251-266. 1917; Y.B. Sep. 710, pp. 16. 1917.
KNAPP, G. O.: "A classification of ledger accounts for creameries." With others. D.B. 865, pp. 40. 1920.
KNAPP, J. B.—
"Fire-killed Douglas fir: A study of its rate of deterioration, usability, and strength." For. Bul. 112, pp. 18. 1912.
"Properties and uses of Douglas fir: Part I. Mechanical properties. Part II. Commercial uses." With McGarvey Cline. For. Bul. 88, pp. 75. 1911.
KNAPP, S. A.—
"Agricultural methods for boll-weevil districts." B.P.I. Doc. 136, pp. 8. 1905.
biographical sketch. Beverly T. Galloway. Y.B., 1911, pp. 151-154. 1912; Y.B. Sep. 556, pp. 151-154. 1912.
"Boys' demonstration work: The corn clubs." With O. B. Martin. B.P.I. Doc. 644, pp. 7 1911.
"Cotton, the greatest of cash crops." Sec. Cir. 32, pp. 10. 1910.
"Crops for southern farms: The corn crop." B.P.I. Doc. 632. pp. 7. 1910.
"Deep fall plowing and the seed bed." B.P.I. Doc. 403, pp. 7. 1908.
"Demonstration work in cooperation with southern farms." F.B. 319, pp. 22. 1908.
"Demonstration work on southern farms." F.B. 422, pp. 19. 1910.
"Economize? Cut down the expenses of the farm." B.P.I. Doc. 355, rev., pp. 5. 1910.
"Fall breaking and the preparation of the seed bed." B.P.I. Doc. 503, pp. 8. 1909.
"Familiar talks on farming: Cultivation of the crops." B.P.I. Doc. 365, pp. 3 1908.
"Familiar talks on farming: Diversification." B.P.I. Doc. 383, pp. 4. 1908.
"Familiar talks on farming: More teams and greater economy." B.P.I. Doc. 371, pp. 3. 1908.
"Farm fertilizers." B.P.I. Doc. 631, pp. 8. 1911.
"Farmers' cooperative demonstration work." Y.B., 1909, pp. 153-160. 1910; Y.B. Sep. 501, pp. 153-160. 1910.
"Farmers' cooperative demonstration work in its relation to rural improvement." B.P.I. Cir. 21, pp 20. 1908.
"Field instructions for farmers' cooperative demonstration work." B.P.I. Doc. 344, pp. 7. 1908; B.P.I. Doc. 523, pp. 8, 1909; rev., 1911.
"Field instructions for farmers' cooperative demonstration work: Commercial fertilizers— their uses and cost." B.P.I. Doc 366, pp. 4. 1908; B.P.I. Doc. 441, pp. 4. 1909.
"Hog raising in the South." Sec. Cir. 30, pp. 8. 1909.
"Recent foreign explorations, as bearing on the agricultural development of the Southern States." B.P.I Bul. 35, pp. 44. 1903.
"Results of boys' demonstration work in corn clubs in 1910." With O.B Martin. B.P.I. Doc. 647, pp. 7. 1911.
"Rice culture." F.B. 417, pp. 30. 1910.

KNAPP, S. A.—Continued.
"Seed selection for southern farms." With D N. Barrow. B.P.I. Doc. 386, pp. 8. 1908.
"Southern farm notes: The corn crop." B.P.I. Doc. 555, pp. 5. 1910.
"Suggestions for setting permanent pastures with Bermuda grass as a basis." B.P.I. Doc. 578, pp. 4. 1910.
"The causes of southern rural conditions, and small farm as remedy." Y.B., 1908, pp. 311-320. 1909; Y.B. Sep. 483, pp. 311-320. 1909.
"The corn crop." B.P.I. [Misc.] "The corn crop." pp. 8. 1911.
"The mission of cooperative demonstration work in the South." Sec. Cir. 33, pp. 8. 1910.
"The production of cotton under boll-weevil conditions." B.P.I. Doc. 619, pp. 8. 1911.
"The selection of cotton and corn seed for southern farms." B.P.I. Doc. 485 (b), pp. 8. 1909.
"The work of the community demonstration farm at Terrell. Tex." B.P.I. Bul. 51, Pt. II. pp. 9-14. 1905.
Knapsack, spray pumps, description. F.B 908, p. 62. 1918; F.B. 1169, p. 20. 1921.
Knapweed, Russian, adulterant of alfalfa. D.B. 138, p. 5. 1914; F.B. 1283, p. 7. 1922; S.R.S. Syl. 20, p. 10. 1916.
Knautia arvensis, susceptibility to *Puccinia triticina*. J.A.R. vol. 22, pp. 152-172. 1921
KNIGHT, C. S., report of Nevada extension work in agriculture and home economics 1915. S.R.S An. Rpt., Pt. II, pp. 253-255 1917.
KNIGHT, E. W.—
"The work of the Newlands Reclamation Project Experiment Farm in—
1920 and 1921." With F. B. Headley. D.C. 267, pp. 26. 1923.
1922 and 1923." With others. D.C. 352, pp. 27 1925.
KNIGHT, H. G., report of Wyoming Experiment Station, work and expenditures—
1910. O.E.S. An. Rpt., 1910 pp. 267-269. 1911.
1911. O.E.S. An. Rpt., 1911, pp. 227-230. 1912.
1912. O.E.S. An. Rpt., 1912, pp. 229-231. 1913.
1913. O.E.S. An. Rpt., 1913, pp. 89-90. 1915.
1914. O.E.S. An. Rpt., 1914, pp. 250-253. 1915.
1915. S.R.S. Rpt., 1915, Pt. I, pp. 282-285. 1915.
1916. S.R.S. Rpt., 1916, Pt. I, pp. 293-297. 1918.
1917. S.R.S. Rpt., 1917, Pt. I, pp. 282-285. 1918.
KNIGHT, H. L.: "Dietary studies in public institutions in Baltimore." With others. O.E.S. Bul. 223, pp. 15-98. 1910.
Knitted articles, washing methods Thrift Leaf., No. 8, p. 4. 1919.
Knives—
cheese, description. B.A.I. Bul. 122, p. 24 1910.
curd, description and use in cheese making. F B. 1191, p. 7. 1921.
egg-breaking, description and use, and racks. D.B. 663, pp. 12, 16. 1918.
for killing chickens, requirements. Chem. Cir, 61, pp. 12, 15. 1910; rev., pp. 3-4, 7-13. 1915.
seed-cutting, spread of mosaic disease. J.A.R , vol. 19, pp 332 333. 1920.
steel, care of. Thrift Leaf. 10, p. 3. 1919.
KNOBEL, E. W.: "Soil survey of—
Barry County, Mo." With A. T. Sweet. Soil Sur. Adv. Sh., 1916, pp. 44. 1918; Soils F.O., 1916, pp. 1931-1970. 1921.
Dunklin County, Mo." With others. Soil Sur. Adv. Sh., 1914, pp. 47. 1916; Soils F.O., 1914, pp. 2095-2135. 1919.
Harrison County, Mo." With E. S. Vanatta. Soil Sur. Adv. Sh., 1914, pp. 36. 1916; Soils F.O., 1914, pp. 1943-1974. 1919.
Lincoln County, Mo." With others. Soil Sur. Adv. Sh., 1917, pp. 44. 1920; Soils F.O., 1917, pp. 1483-1522. 1923.
Lonoke County." With others. Soil Sur. Adv. Sh., 1921, pp. 1279-1327. 1925.
McHenry County, N. Dak." With others. Soil Sur. Adv. Sh., 1921, pp. 45. 1925.
Marengo County, Ala." With others. Soil Sur. Adv. Sh., 1920, pp. 555-597. 1923; Soils F.O., 1920, pp. 555-597. 1925.
Newton County, Mo." With others. Soil Sur. Adv. Sh., 1915, pp. 41. 1917; Soils F.O., 1915, pp. 1851-1887. 1919.

KNOBEL, E. W: "Soil survey of—Continued.
Nodaway County, Mo." With others. Soil Sur. Adv. Sh., 1913, pp. 31. 1915; Soils F.O., 1913, pp. 1757-1783. 1916.
Pike County, Miss." With others. Soil Sur. Adv. Sh., 1918, pp. 32. 1921; Soils F.O., 1918, pp. 649-676. 1924.
St. Francois County, Mo." With others. Soil Sur. Adv. Sh., 1918, pp. 32. 1921; Soils F.O., 1918, pp. 1333-1360. 1924.
the Aroostook area, Me." With others. Soil Sur. Adv. Sh., 1917, pp. 44. 1921; Soils F.O., 1917, pp. 7-46. 1923.
Washington Parish, La." With others. Soil Sur. Adv. Sh., F.O., 1922, pp. 345-390. 1925.

KNORR, FRITZ—
"Experiments with crops under fall irrigation at the Scottsbluff Reclamation Project Experiment Farm." D.B. 133, pp. 17. 1914.
"The work of the Scottsbluff Experiment Farm in—
1912." B.P.I. Cir. 116, pp. 11-21. 1913.
1913." B.P.I. [Misc.], "The work of the Scottsbluff . . . 1913." Pp. 19. 1914.
1914. W.I.A. Cir. 6, pp. 19. 1915.
1915." W.I.A. Cir. 11, pp. 22. 1916.
1916." W.I.A. Cir. 18, pp. 18. 1918.

KNORR, G. W., "Consolidated rural schools and organization of county system." O.E.S. Bul. 232, pp. 99. 1910.

KNORR, L., preparation of antipyrin. Chem. Bul. 80, p. 31. 1904.

Knorr fat extraction apparatus, improvements. H. L. Walter and C. E. Goodrich. Chem. Cir. 69, pp. 4. 1911.

Knot—
migration habits. Y.B., 1914, pp. 276, 290. 1915; Y.B. Sep. 642, pp. 276, 290. 1915.
range and habits. Biol. Bul. 35, pp. 31-33. 1910; M.C. 13, p. 52. 1923; N.A. Fauna 22, p. 95. 1902

Knotgrass, use on shady lawns. F.B. 494, p. 34. 1912.

Knots—
Douglas fir, infection by various rots, and decay. D.B. 1163, pp. 8-10, 13, 15, 17. 1923.
effect on strength values of timbers. For. Bul. 108, pp. 24, 52, 53, 60-61. 1912.
lumber, classification and definitions. D.C. 296, pp. 63-64. 1923; For. Cir. 164, pp. 18-20. 1909.
tying, school exercises. D.B. 592, p. 20. 1917; F.B. 638, pp. 1-4. 1915.
western hemlock, effect on strength of timbers. For. Bul. 115, pp. 20-22. 1913.
western larch, effect on strength of timbers. For. Bul. 122, pp. 18-20. 1913.
wood, loosening in drying. D.B. 1136, p. 25. 1923.

Knotweed—
description, and appearance in red clover seed. F.B. 260, p. 20. 1906.
destruction by birds. Biol. Bul. 15, pp. 26-27. 1901.
diseases, Texas, occurrence and description. B.P.I. Bul. 226, p. 97. 1912.
Douglas, indicator and forage value. D.B. 791, pp. 24, 45, 46, 47, 48, 53. 1919.
seeds—
description. F.B. 428, pp. 23, 24. 1911.
destruction by birds. Biol. Bul. 30, p. 19. 1907.

KNOX, S. A.: Plow bottom invention, description. J.A.R., vol. 12, pp. 179-181. 1918.

Knox silt loam, soils of the eastern United States and their use—XI. Jay A. Bonsteel. Soils Cir. 33, pp. 17. 1911.

Knoxville, Tenn., milk-supply details and statistics. B.A.I. Bul. 70, pp. 6-7, 40. 1905.

Koa tree, occurrence and value. D.B. 9, pp. 1, 29, 30. 1913.

Koca Nola beverage, adulteration and misbranding. Chem. N.J. 202, pp. 5. 1910.

KOCH, G. P.—
"Activity of soil protozoa." J.A.R., vol. 5, No. 11, pp. 477-488. 1915.
"Soil protozoa." J.A.R., vol. 4, No. 6, pp. 511-559. 1915.

KOCHER, A. E.: "Soil survey of—
Benton County, Wash." With A. T. Strahorn. Soil Sur. Adv. Sh., 1916, pp. 72. 1919; Soils F.O., 1916, pp. 2203-2270. 1922.
Butler County, Ala." With H. L. Westover. Soil Sur. Adv. Sh., 1907, pp. 33. 1909; Soils F.O., 1907, pp. 437-465. 1909.
Franklin County, Tex." With W. S. Lyman. Soil Sur. Adv. Sh., 1908, pp. 32. 1909; Soils F.O., 1908, pp. 925-952. 1911.
Hinds County, Miss." With A. L. Goodman. Soil Sur. Adv. Sh., 1916, pp. 42. 1918; Soils F.O., 1916, pp. 1007-1044. 1921.
Jewell County, Kans." With others. Soils Sur. Adv. Sh., 1912, pp. 44. 1914; Soils F.O., 1912, pp. 1853-1892. 1915.
Josephine County, Oreg." With E. F. Torgerson. Soil Sur. Adv. Sh., 1919, pp. 349-408. 1923; Soils F.O., 1919, pp. 349-408. 1925.
Marion County, Ala." With others. Soil Sur. Adv. Sh., 1907, pp. 24. 1908; Soils F.O. 1907, pp. 381-400. 1909.
Monroe County, Miss." With others. Soil Sur. Adv. Sh., 1908, pp. 48. 1910; Soils F.O., 1908, pp. 799-842. 1911.
Reno County, Kans." With others. Soil Sur. Adv. Sh., 1911, pp. 72. 1913; Soils F.O., 1911, pp. 1991-2058. 1914.
south-central Texas, reconnoissance." Others. Soil Sur. Adv. Sh., 1913, pp. 117. 1915, Soils F.O., 1913, pp. 1073-1183. 1916.
southwest Texas, reconnoissance." With others. Soil Sur. Adv. Sh., 1911, pp. 117. 1912; Soils F.O., 1911, pp. 1175-1285. 1914.
Taylor County, Tex." With others. Soil Sur. Adv. Sh., 1915, pp. 40. 1918; Soils F.O., 1915, pp. 1127-1162. 1919.
the Brawley area, California." With others. Soil Sur. Adv. Sh., 1920, pp. 76. 1923; Soils F.O., 1920, pp. 641-716. 1924.
the El Centro area, California." With others. Soil Sur. Adv. Sh., 1918, pp. 59. 1922; Soils F.O., 1918, pp. 1633-1687. 1924.
the Henderson area, Texas." With Charles W. Ely. Soil Sur. Adv. Sh., 1906, pp. 26. 1907; Soils F.O., 1906, pp. 459-480. 1908.
the Jamestown area, North Dakota." With Thomas A. Caine. Soil Sur. Adv. Sh., 1903; pp. 22. 1904; Soils F. O., 1903, pp. 1005-1026. 1904.
the McKenzie area, North Dakota." With R. P. Stevens. Soil Sur. Adv. Sh., 1907, pp. 25. 1908; Soils F.O., 1907, pp. 859-879. 1909.
the Ventura area, California." With others. Soil Sur. Adv. Sh., 1917, pp. 87. 1920; Soils F.O., 1917, pp. 2321-2403. 1923.
the Victorville area, California." With Stanley W. Cosby. Soil Sur. Adv. Sh., 1921, pp. 50. 1924.
the Wenatchee area, Washington." Soil Sur. Adv. Sh., 1918, pp. 91. 1922; Soils F.O., 1918, pp. 1545-1631. 1924.
Yamhill County, Oreg." With others. Soil Sur. Adv. Sh., 1917, pp. 66. 1920; Soils F.O., 1917, pp. 2259-2320. 1923.

Kochia—
characteristics and growth in Utah. J.A.R., vol. 1, pp. 388-394, 415. 1914.
scoparia—
description, cultivation, and characteristics. F.B. 1171, pp. 31-32, 80. 1921.
importations and description. Nos. 48572-48573, B.P.I. Inv. 61, p. 24. 1922.
spp., description and cultivation. D.B. 1346, pp. 25-26. 1925.
vestita—
and associated plants, description and indications. J.A.R., vol. 1, pp. 388-394. 1914.
See also Sage, white.

Kodiak Island, increase of settlers, 1916. Alaska A. R., 1915, pp. 81-82. 1916.

Kodiak Livestock and Breeding Station, Alaska, report—
1907. M. D. Snodgrass. Alaska A.R., 1907, pp. 8-12, 59-61. 1908.
1908. M. D. Snodgrass. Alaska A.R., 1908, pp. 18, 58-64. 1909.
1909. M. D. Snodgrass. Alaska A.R., 1909, pp. 24-26, 57-65. 1910.

Kodiak Livestock and Breeding Station, Alaska, report—Continued.
1910. M. D. Snodgrass. Alaska A.R., 1910, pp. 40-43, 59-65. 1911.
1911. M. D. Snodgrass. Alaska A.R., 1911, pp. 30-33, 53-65. 1912.
1912. M. D. Snodgrass. Alaska A.R., 1912, pp. 38-44, 67-77. 1913.
1913. M. D. Snodgrass. Alaska A.R., 1913, pp. 21-24, 48-60. 1914.
1914. M. D. Snodgrass. Alaska A.R., 1914, pp. 39-42, 66-78. 1915.
1915. M. D. Snodgrass. Alaska A.R., 1915, pp. 22-26, 69-82. 1916.
1916. M. D. Snodgrass. Alaska A.R., 1916, pp. 10-15, 53-66. 1918.
1917. Hiram E. Pratt. Alaska A.R., 1917, pp. 30-31, 72-81. 1919.
1918. H. E. Pratt. Alaska A.R., 1918, pp. 84-90. 1920.
1919. W. T. White. Alaska A.R., 1919, pp. 14-18, 55-65. 1920.
1920. W. T. White. Alaska A.R., 1920, pp. 58-63. 1922.
1921. W. T. White. Alaska A.R., 1921, pp. 6-7, 44-46. 1923.

KOEBER, JAMES: "Soil survey of the Honey Lake area, California." With others. Soil Sur. Adv. Sh., 1915, pp. 64. 1917; Soils F.O., 1915, pp. 2255-2314. 1919.

KOEHLER, ARTHUR—
"Guidebook for identification of woods used for ties and timbers." For. [Misc.]. "Guidebook for * * *," pp. 79. 1917.
"The identification of true mahogany, certain so-called mahoganies, and some common substitutes." D.B. 1050, pp. 18. 1922.

KOEHLER, BENJAMIN—
"Anchorage and extent of corn root systems." With James H. Holbert. J.A.R., vol. 27, pp. 71-78. 1923.
"Early vigor of maize plants and yield of grain as influenced by the corn root, stalk, and ear rot diseases." With others. J.A.R., vol. 23, pp. 583-630. 1923.
"Wheat scab and corn rootrot caused by *Gibberella saubenetii* in relation to crop successions." With others. J.A.R. vol. 27, pp. 861-880. 1924.

Koeleria—
cristata—
description, habits, and forage value. D.B. 201, p. 29. 1915; D.B. 545, pp. 20-21, 58, 59. 1917.
susceptibility to stem rusts. notes. J.A.R., vol. 10, pp. 456-488. 1917.
glomerata. See Pili, mountain.
spp., description, distribution, and uses. D.B. 772, pp. 13, 106-107, 108. 1920.

Koelreuteria—
apiculata, importation and description. No. 50642, B.P.I. Inv. 63, p. 89. 1923.
formosana importation and description. No. 43947, B.P.I. Inv. 49, p. 102. 1921.

KOESTLER, G.—
"Rennin reaction of some types of milk." B.A.I. Dairy [Misc.]. "World's dairy congress, 1923," pp. 300-302. 1924.
"Studies on the milk secretion during the last part of the lactation period." B.A.I. Dairy [Misc.], "World's dairy congress, 1923," pp. 1034-1035, 1924.

Koettstorfer number. See Saponification number.

Kohl-rabi—
canning directions. F.B. 359, p. 14. 1910.
composition and food value. D.B. 503, pp. 3, 12-13. 1917.
cultural directions and variety. F.B. 255, p. 34. 1906; F.B. 647, p. 17. 1915; F.B. 934, pp. 34-35. 1918; F.B. 936, pp. 45. 1918; F.B. 937, pp. 40-41. 1918; S.R.S. Doc. 49, p. 6. 1917.
drying directions. D.C. 3, p. 12. 1919.
freezing points. D.B. 1133, pp. 6, 7, 8. 1923.
growing in Alaska. Alaska A.R., 1919, pp. 23. 1920.
growing in Nevada, for home garden. B.P.I. Cir. 110, p. 23. 1913.
importation and description. No. 36770, B.P.I. Inv. 37, p. 63. 1916.
injury by—
melon fly, Hawaii. D.B. 491, p. 17. 1917.

Kohl-rabi—Continued.
injury by—continued.
webworm. Ent. Bul. 109, Pt. 111, pp. 30, 32. 1912.
insect pests, list. Sec. [Misc.], "A manual of insects," pp. 48-50. 1917.
planting, directions for club members. D.C. 48, p. 9. 1919.
seed growing and saving, directions. F.B. 884, p. 10. 1917; F.B. 1390, p. 8. 1924.
use—
and value as food. D.B. 123, pp. 17, 31. 1916; F.B. 295, p. 39. 1907.
and varieties. F.B. 309, p. 14. 1907.
as potherb. O.E.S. Bul. 245, pp. 29, 46. 1912.

Kohler's antidote misbranding (headache cure). Chem. N.J. 329, p. 1. 1910.
Kohlmeise, protection by law. Biol. Bul. 12, rev., p. 41. 1902.
Kohlrausch bridge, use in calorimeter, description. J.A.R., vol. 5, No. 8, p. 325. 1915.
Koji—
beverage, manufacture, use of *Aspergillus oryzae*. B.A.I. Bul. 120, p. 10. 1910.
use in soy-bean fermentation, manufacture and apparatus. D.B. 1152, pp. 3-5, 9-12. 1923.

Kokia drynarioides—
importation and description. No. 39354. B.P.I. Inv. 41, pp. 6, 15. 1917; No. 47223, B.P.I. Inv. 58, pp. 8, 43. 1922.
See also Kokio.

Kokio, importation and description. No. 47561, B.P.I. Inv. 59, p. 31. 1922; No. 50624, B.P.I. Inv. 63, p. 86. 1923.

KOKJER, T. E.: "Soil survey of—
Dawes County, Nebr." With others. Soil Sur. Adv. Sh., 1915, pp. 41. 1917; Soils F.O., 1915, pp. 1963-1999. 1919.
Polk County, Nebr." With J. M. Snyder. Soil Sur. Adv. Sh., 1915, pp. 30. 1917; Soils F.O., 1915, pp. 2001-2026. 1919.

Koko wood, quantity used in manufacture of wooden products. D.B. 605, p. 17. 1918.

Kola—
bitter, description and uses. Inv. No. 29362, B.P.I. Bul. 233, pp. 8, 15. 1912.
cordial, misbranding. Chem. N.J. 909, p. 2. 1911.
insect pests, list. Sec. [Misc.], "A manual of insects * * *," p. 140. 1917.
nut, importations, and descriptions. Nos. 42358, 42359, B.P.I. Inv. 46, pp. 82-83. 1919.
nut products, danger in use. F.B. 393, pp. 6-8. 1910.
syrup, adulteration and misbranding. Chem. N.J. 784, pp. 2. 1911.

"Kola-ade," adulteration and misbranding. Chem. N.J. 310, p. 1. 1910.

KOLB, F. W.: "Soil survey of—
Cleburne County, Ala." With others. Soil Sur. Adv. Sh., 1913, pp. 38. 1915; Soils F.O. 1913, pp. 793-826. 1916.
Conecuh County, Ala." With others. Soil Sur. Adv. Sh., 1912, pp. 48. 1914; Soils F.O., 1912, pp. 753-796. 1915.
Escambia County, Ala." With others. Soil Sur. Adv. Sh., 1913, pp. 51. 1915; Soils F.O., 1913, pp. 827-873. 1916.

KOLBE, L. A.: "Soil survey of—
Bates County, Mo." With others. Soil Sur. Adv. Sh., 1908, pp. 32. 1910; Soils F.O., 1908, pp. 1093-1120. 1911.
Center County, Pa." With others. Soil Sur. Adv. Sh., 1908, pp. 52. 1910; Soils F.O., 1908, pp. 245-292. 1911.
Escambia County, Fla." With others. Soil Sur. Adv. Sh., 1906, pp. 32. 1907; Soils F.O., 1906, pp. 335-362. 1908.
Iberia Parish, La." With Charles J. Mann. Soil Sur. Adv. Sh., 1911, pp. 90. 1912; Soils F.O., 1911, pp. 1129-1174. 1914.
Lincoln Parish, La." With Charles J. Mann. Soil Sur. Adv. Sh., 1909, pp. 33. 1910; Soils F.O., 1909, pp. 921-949. 1912.
Rice County, Minn." With R. T. Avon Burke. Soil Sur. Adv. Sh., 1909, pp. 39. 1911; Soils F.O., 1909, pp. 1269-1303. 1912.
the Medford area, Oreg." With others. Soil Sur. Adv. Sh., 1911, pp. 74. 1913; Soils F.O., 1911, pp. 2287-2356. 1914.

KOLBE, L. A: "Soil Survey of—Continued.
 the Uncompahgre Valley, Colo." With J. W. Nelson. Soil Sur. Adv. Sh., 1910, pp. 51. 1911; Soils F.O., 1910, pp. 1443–1489. 1912.
Kolla similis, mosaic, transmission to plants. J.A.R., vol. 24, pp. 251–253. 1923.
Kolos-monostor, description. B.A.I. Bul. 105, p. 29. 1908; B.A.I. Bul. 146, p. 32. 1911.
Kolotemitidae, classification, description and habits. J.A.R., vol. 26, pp. 281, 283–285. 1923.
Kondot, growing in Guam, directions. Guam Bul. 2, pp. 12, 37. 1922.
KONEW, D., method of glanders diagnosis, by precipitation. B.A.I., An. Rpt., 1910, pp. 362–364. 1912; B.A.I. Cir. 191, pp. 362–364. 1912.
Konig method for treating crude fiber. Chem. Bul. 81, pp. 38–42. 1904.
Konker-tree. See Horse-chestnut.
Konut fat, analytical data. Chem Bul. 77, pp. 23, 24. 1905.
Koon land-plaster distributer, description. B.P.I. Cir. 22, pp. 5–9. 1909.
Koordersiodendron pinnatum, importation and description. No. 47208, B.P.I. Inv. 58, pp. 39–40. 1922.
Kootenai National Forest, Mont.—
 map. For. Maps. 1924.
 protest of farmers against elimination. Y.B. 1914, p. 65. 1915; Y.B. Sep. 633, p. 65. 1915.
Kopak, imports, 1922–1924. Y.B., 1924, p. 1066. 1925.
KOPELOFF, LILLIAN: "Do mold spores contain enzymes?" With Nicholas Kopeloff. J.A.R., vol. 18, pp. 195–209. 1919.
KOPELOFF, NICHOLAS—
 "Do mold spores contain enzymes?" With Lillian Kopeloff. J.A.R., vol. 18, pp. 195–209. 1919.
 "Further studies in the deterioration of sugars in storage." With others. J.A.R., vol. 20, pp. 637–653. 1921.
 "Invertase activity of mold spores, as affected by concentration and amount of inoculum." With S. Byall. J.A.R., vol. 18, pp. 537–542. 1920.
 "Separation of soil protozoa." With others. J.A.R., vol. 5, No. 3, pp. 137–140. 1915.
Kopsia arborea, importation and description. No. 54550, B.P.I. Inv. 69, p. 24. 1923.
Korea—
 agricultural—
  education, progress. O.E.S. An. Rpt., 1907, p. 251. 1908.
  statistics, 1911–1917. D.B. 987, pp. 39–40. 1921.
 grain sorghums, kaoliang group, value and uses. Y.B., 1913, p. 222. 1914; Y.B. Sep. 625, p. 222. 1914.
Korean grass, value. Soils Bul. 75, p. 18. 1911; F.B. 494, p. 31. 1912.
Kornfalfa feed, misbranding. Chem. N.J., 1678, p. 1. 1912.
KORNICKE, F. A., work in classification of barley varieties. D.B. 622, pp. 3–4, 31. 1918.
KORSTIAN, C. F.—
 "A chlorosis of conifers corrected by spraying with ferrous sulphate." With others. J.A.R., vol. 21, No. 3, pp. 153–171. 1921.
 "Control of snow molding in coniferous nursery stock." J.A.R., vol. 24, pp. 741–748. 1923.
 "Density of cell sap in relation to environmental conditions in the Wasatch Mountains of Utah." J.A.R., vol. 28, pp. 845–907. 1924.
 "Forest planting in the intermountain region." With F. S. Baker. D.B. 1264, pp. 57. 1925.
 "Growth on cut-over and virgin western yellow pine lands in central Idaho." J.A.R., vol. 28, pp. 1139–1147. 1924.
 "The western yellow pine mistletoe." With W. H. Long. D.B. 1112, pp. 36. 1922.
Kory tree, importation and description. Inv. No. 30007, B.P.I. Bul. 233, p. 48. 1912.
KOSER, S. A.: "A bacteriological study of canned ripe olives." J.A.R., vol. 20, pp. 375–379. 1920.
Kosher—
 beef, preparation, and classes of beef used. D.B. 1246, p. 45. 1924.
 cheese, description. B.A.I. Bul. 105, p. 29. 1908; B.A.I. Bul. 146, p. 32. 1911.
 Gouda cheese, description. B.A.I. Bul. 105, p. 29. 1908; B.A.I. Bul. 146, p. 32. 1911.

Kosher—Continued.
 killing, improvement, recommendation. Sec. Cir. 58, p. 9. 1916.
 skin, description. F.B. 1055, pp. 41, 42. 1919.
Kosteleyzkya spp., food plants of—
 Gelechia hibiscella. J.A.R., vol. 20, pp. 810–811. 1921.
 Meskea thyridinae. J.A.R., vol. 20, pp. 828–829. 1921.
Kot shue, importation and description. Inv. No. 30424, B.P.I. Bul. 233, p. 86. 1912.
KOTINSKY, JACOB: "Insects injurious to deciduous shade trees, and their control." F.B. 1169, pp. 100. 1921.
KOTOK, E. I.—
 "Fire and the forest." (California Pine Region.) With S. B. Show. D.C. 358, pp. 20. 1925.
 "Forest fires in California, 1911–1920." With S. B. Show. D.C. 243, pp. 80. 1923.
 "The rôle of fire in the California pine forests." With S. B. Show. D.B. 1294, pp. 80. 1924.
Koume vine—
 importation and uses. No. 55504, B.P.I. Inv. 71, p. 52. 1923.
 seeds, oil source, analysis. Inv. No. 55504, B.P.I. Inv. 71, p. 52. 1923.
Koumiss—
 chemical changes, study. F.B. 320, p. 30. 1908.
 composition and food value. D.B. 319, pp. 18, 19. 1916; F.B. 363, pp. 9, 41, 44. 1909; F. B.1207, pp. 28–29. 1921; F.B. 1359, pp. 11, 14. 1923.
 description—
  and analysis. B.A.I. An. Rpt., 1909, pp. 151–153. 1911; B.A.I. Cir. 171, pp. 151–153. 1911; F.B. 490, p. 18. 1912.
  manufacture from cow's milk. Y.B., 1907, p. 191. 1908; Y. B. Sep. 444, p. 191. 1908.
 directions for making. D.C. 72, p. 8. 1919; F.B. 348, p. 19. 1909.
 standard. Chem. Bul. 69, Pt. II (Rev.), p. 183. 1905.
 See also Kefir.
Koussin, use in control of tapeworms. F.B. 1330, p. 22. 1923.
Kraft pulp, use of southern pine in manufacture, description. D.B. 72, pp. 1–2. 1914.
KRAMER, H. E.: "Why produce inspection pays." With G. B. Fiske. Y.B., 1919, pp. 319–334. 1920; Y.B. Sep. 811, pp. 319–334. 1920.
KRANTZ, E. B.: "Care and management of farm work horses." With J. O. Williams. F.B. 1419, pp. 18. 1924.
KRANTZ, F. A.: "Permanence of variety in the potato." J.A.R., vol. 23, pp. 947–962. 1923.
Krassan, importations and description. Nos. 43566, 43968, B.P.I. Inv. 49, pp. 45, 107. 1921.
KRAUS, E. J.—
 "A revision of the powder-post beetles of the family Lyctidae of the United States and Europe." Ent. T.B. 20, Pt. III, pp. 111–129. 1911.
 directions for budding walnuts. B.P.I. Bul. 254, pp. 71–74. 1913.
Krausers' meat-smoke preparation, misbranding, Insect. N. J. 130. I. and F. Bd. S.R.A. 7, pp. 102–103. 1915.
KRAUSS, F. G.—
 "Leguminous crops for Hawaii." Hawaii Bul. 23, pp. 31. 1911.
 "Methods of milking." Hawaii Bul. 8, pp. 15. 1905.
 "Peanuts—how to grow and use them." Hawaii Ext. Bul. 5, pp. 12. 1917.
 report of—
  agronomist, Hawaii Experiment Station—
   1909. Hawaii A.R., 1909, pp. 66–76. 1910.
   1910. Hawaii A.R., 1910, pp. 51–64. 1911.
  Hawaii Experiment Station and demonstration farm—
   1921. Hawaii A.R., 1921, pp. 52–62. 1922.
   1922. Hawaii A.R., 1922, pp. 20–22. 1924.
  Hawaii Experiment Station, extension division—
   1915. Hawaii A.R., 1915, pp. 45–50. 1916.
   1916. Hawaii A.R., 1916, pp. 32–39. 1917.
   1917. Hawaii A.R., 1917, pp. 28–33. 1918.
   1918. Hawaii A.R., 1918, pp. 26–35. 1919.
   1919. Hawaii A.R., 1919, pp. 56–67. 1920.
   1920. Hawaii A.R., 1920, pp. 62–67. 1921.
   1921. Hawaii A.R., 1921, pp. 41–46. 1922.

KRAUSS, F. G.—Continued.
report of—continued.
Hawaii Experiment Station, Haiku substation—
1920. Hawaii A.R., 1920, pp. 40-62. 1921.
Hawaii Experiment Station, Haleakala substation and demonstration farm, 1921. Hawaii A.R., 1921, pp. 62-65. 1922.
Hawaii Experiment Station, rice investigations, 1907. Hawaii A.R., 1907, pp. 67-90. 1908.
"Swine raising in Hawaii." Hawaii Bul. 48, pp. 43. 1923.
"The pigeon pea (*Cajanus indicus*), its culture and utilization in Hawaii." Hawaii Bul. 46, pp. 23. 1921.

Kraut—
production, sources of cabbage supply, factories, and consumption. D.B. 1242, pp. 26-27, 28. 1924.
See also Sauerkraut.

Kreatine and kreatinine, constituents of meat extracts. Chem. Bul. 114, pp. 39-40. 1908.

Kreatinine—
determination, constants. Chem. Bul. 114, p. 39. 1908; Chem. Bul. 132, pp. 160-164. 1910.
See also Creatinine.

Kreis test, rancidity. J.A.R., vol. 26, pp. 324, 327, 331, 333-334, 349, 360. 1923.

KREMERS, EDWARD: "Agricultural alcohol: Studies of its manufacture in Germany." D.B. 182, pp. 36. 1915.

Kreo, adulteration and misbranding. N.J. 925, I. and F. Bd. S.R.A. 47, pp. 23-24. 1924.

Kreol, misbranding, "Mulford's." Insect. N.J. 127, I. and F. Bd. S.R.A. 7, pp. 98-99. 1915.

Kresapol antiseptic, misbranding. Insect. N.J. 194, I. and F. Bd. S.R.A. 11, pp. 80-81. 1915.

KRESS, OTTO: "Control of decay in pulp and pulpwood." With others. D.B. 1298, pp. 80. 1925.

KRESSMAN, F. W.—
"Osage orange waste as a substitute for fustic dyewood." Y.B., 1915, pp. 201-204. 1916; Y.B. Sep. 670, pp. 201-204. 1916.
"The manufacture of ethyl alcohol from wood waste." D.B. 983, pp. 100. 1922.

Kretol, misbranding. Insect. N.J. 108, I. and F. Bd. S.R.A. 5, pp. 73-74. 1914; Insect. N.J. 129, I. and F. Bd. S.R.A. 7, pp. 100-102. 1915.

Kretti wood, substitute for greenheart, description. For. Cir. 211, p. 11. 1913.

Kriss, Max—
"A comparison of direct and indirect calorimetry in investigations with cattle." J.A.R., vol. 30, pp. 393-406. 1925.
"An improved method of computation of net-energy values of feeding stuffs." J.A.R., vol. 31, pp. 469-484. 1925.
"Observations on the body temperature of dry cows." With Henry Prentiss Armsby. J.A.R., vol. 21, pp. 1-28. 1921.
"Some fundamentals of stable ventilation." With Henry Prentiss Armsby. J.A.R., vol. 21, pp. 343-368. 1921.

KRIZENECKY, JAROSLAV: "Organized effort to improve dairying in Czechoslovakia." B.A.I. Dairy [Misc.], "World's dairy congress, 1923," pp. 593-603. 1924.

KROUT, W. S.—
"Control of lettuce drop by the use of formaldehyde." J.A.R., vol. 23, pp. 645-654. 1923.
"Treatment of celery seed for the control of septoria blight." J.A.R., vol. 21, pp. 369-372. 1921.

KRUEGER, O. M.: "Soil survey of—
Howard County, Nebr." With others. Soil Surv. Adv. Sh., 1920, pp. 965-1004. 1924; Soils F.O., 1920, pp. 965-1004. 1925.
Jefferson County, Nebr." With others. Soil Sur. Adv. Sh., 1921, pp. 1443-1485. 1925.
Madison County, Nebr." With others. Soil Sur. Adv. Sh., 1920, pp. 201-248. 1923; Soils F.O., 1920, pp. 201-248. 1925.

KRUG, W. H.—
"Chemical studies of some forest products of economic importance." Y.B., 1902, pp. 321-332. 1903; Y.B. Sep. 276, pp. 321-332. 1903.
"Outline of work on foods and feeding stuffs for 1901." Chem. Cir. 7, pp. 3. 1901.

KRUSEKOPF, H. H.: "Soil survey of—
Atchison County, Mo." With C. J. Mann. Soil Sur. Adv. Sh., 1909, pp. 36. 1910; Soils F.O., 1909, pp. 1305-1336. 1912.
Barton County, Mo." With F. S. Bucher. Soil Sur. Adv. Sh., 1912, pp. 28. 1914; Soils F.O., 1912, pp. 1609-1632. 1915.
Callaway County, Mo." With others. Soil Sur. Adv. Sh., 1916, pp. 38. 1919; Soils F.O., 1916, pp. 1971-2004. 1921.
Cape Girardeau County, Mo." With H. G. Lewis. Soil Sur. Adv. Sh., 1910, pp. 48. 1912; Soils F.O., 1910, pp. 1217-1260. 1912.
Cass County, Mo." With F. S. Bucher. Soil Sur. Adv. Sh., 1912, pp. 28. 1914. Soils F.O., 1912, pp. 1663-1686. 1915.
Chariton County, Mo." With others. Soil Sur. Adv. Sh., 1918, pp. 34. 1921; Soils F.O., 1918, pp. 1277-1306. 1924.
De Kalb, County, Mo." With others. Soil Sur. Adv. Sh., 1914, pp. 25. 1916; Soils F.O., 1914, pp. 2005-2025. 1919.
Dunklin County, Mo." With others. Soil Sur. Adv. Sh., 1914, pp. 47. 1916; Soils F.O., 1914, pp. 2095-2135. 1919.
Greene County, Mo." With others. Soil Sur. Adv. Sh., 1913, pp. 38. 1915; Soils F.O., 1913, pp. 1723-1756. 1916.
Horry County, S. C." With others. Soil Sur. Adv. Sh., 1918, pp. 52. 1920; Soils F.O., 1918, pp. 329-376. 1924.
Jackson County, Mo." With others. Soil Sur. Adv. Sh., 1910, pp. 37. 1912; Soils F.O., 1910, pp. 1261-1293. 1912.
Knox County, Mo." With H. I. Cohn. Soil Sur. Adv. Sh., 1917, pp. 32. 1921; Soils F.O., 1917, pp. 1455-1482. 1923.
Laclede County, Mo." With others. Soil Sur. Adv. Sh., 1911, pp. 45. 1912; Soils F.O., 1911, pp. 1635-1675. 1914.
Macon County, Mo." With F. S. Bucher. Soil Sur. Adv. Sh., 1911, pp. 28. 1913; Soils F.O., 1911, pp. 1677-1700. 1914.
Pemiscot County, Mo." With others. Soil Sur. Adv. Sh., 1910, pp. 32. 1912; Soils F.O., 1910, pp. 1317-1344. 1912.
Pettis County, Mo." With R. F. Rogers. Soil Sur. Adv. Sh., 1914, pp. 41. 1916; Soils F.O., 1914, pp. 2057-2093. 1919.
Reynolds County, Mo." With others. Soil Sur. Adv. Sh., 1918, pp. 30. 1921; Soils F.O., 1918, pp. 1307-1332. 1924.
Ripley County, Mo." With others. Soil Sur. Adv. Sh., 1915, pp. 36. 1917; Soils F.O., 1915, pp. 1889-1920. 1919.
St. Francois County, Mo." With others. Soil Sur. Adv. Sh., 1918, pp. 32. 1921; Soils F.O., 1918, pp. 1333-1360. 1924.
St. Louis County, Mo." With D. B. Pratapas. Soil Sur. Adv. Sh., 1919, pp. 517-562. 1923; Soils F.O., 1919, pp. 517-562. 1925.
Stoddard County, Mo." With others. Soil Sur. Adv. Sh., 1912, pp. 38. 1914; Soils F.O., 1912, pp. 1751-1784. 1915.
Texas County, Mo." With others. Soil Sur. Adv. Sh., 1917, pp. 37. 1919; Soils F.O., 1917, pp. 1523-1555. 1923.

"Krysol compound," misbranding. I. and F. Bd. N.J. 12, pp. 2. 1913.

Kubia. *See* Cowpeas.

KUBIER, J. E.: "Soil survey of—
Adams County, Wis." With others. Soil Sur. Adv. Sh., 1920, pp. 1121-1152. 1924; Soils F.O., 1920, pp. 1121-1152. 1925.
Kenosha and Racine Counties, Wis." With others. Soil Sur. Adv. Sh., 1919, pp. 58. 1922; Soils F.O., 1919, pp. 1319-1376. 1925.

Kudzu—
C. V. Piper. D.C. 89, pp. 7. 1920.
description—
and value for Cotton States. F.B. 1125, rev., pp. 45-47. 1920.
uses, and introduction. Y.B., 1908, pp. 249-251. 1909; Y.B. Sep. 478, pp. 249-251. 1909.
feeding value. D.C. 89, p. 6. 1920.
growing in—
Guam. Guam Bul. 4, pp. 27, 29. 1922.
Hawaii, experiments. Hawaii A.R., 1921, pp. 4, 32. 1922.

Kudzu—Continued.
 growth habits, planting methods, and grazing value. F.B. 1125, rev., pp. 45-46. 1920.
 importation and description. No. 47579, B.P.I. Inv. 59, p. 35. 1922.
 ornamental use, recommendation. F.B. 467, p. 21. 1911.
 propagation, planting, and uses. D.C. 89, pp. 5-7. 1920.
Kuehneola hibisci, occurrence on plants in Texas, description. B.P.I. Bul. 226, p. 87. 1912.
KUHLMAN, A. K.: "Soil survey of Waushara County, Wis." With others. Soil Sur. Adv. Sh., 1909, pp. 33. 1911; Soils F.O., 1909, pp. 1203-1231. 1912.
Kuhn's rheumatic remedy, misbranding. Chem. N.J. 11480. 1923.
Kukaipuaa. *See* Crabgrass.
Kukui nut—
 composition. Hawaii A.R., 1914, pp. 65, 68. 1915.
 hybrid with Chinese oil wood, experiment, Hawaii. Hawaii A.R., 1916, pp. 8, 19. 1917.
 use as food in Hawaii. O.E.S. An. Rpt., 1906, p. 68. 1907.
Kukui oil industry, yield in Hawaii. Hawaii A.R., 1914, p. 19. 1915.
Kulthi—
 growing in Hawaii for green manure. Hawaii A.R., 1916, pp. 10, 27. 1917.
 introduction, characteristics and value. Y.B., 1908, pp. 258-259. 1909; Y.B. Sep. 478, pp. 258-259. 1909.
Kummel, misbranding. Chem. N.J. 1672, p. 3. 1912; Chem. N.J. 2138, p. 2. 1913; Chem. N.J. 2309, p. 2. 1913; Chem. N. J. 2910, p. 1. 1914.
Kumiss. *See* Koumiss; Kefir.
Kumquat(s)—
 adaptability to Gulf States, and varieties. F.B. 1343, pp. 9, 15. 1923.
 Australian desert, importation and description. No. 42465, B.P.I. Inv. 47, p. 18. 1920.
 candied, preparation and use. Y.B., 1912, pp. 513-514. 1913; Y.B. Sep. 610, pp. 513-514. 1913.
 citrus canker, occurrence. J.A.R., vol. 6, No. 2, p. 70. 1916.
 comparison with Australian desert kumquat. J.A.R., vol. 2, p. 87. 1914.
 desert—
  Australian, food uses. J.A.R., vol. 2, pp. 95-96. 1914.
  hardiness, value as breeding material. B.P.I. Cir. 116, p. 7. 1913.
 growing in Gulf States. F.B. 1122, p. 12. 1920.
 growing in Texas, uses, and marketing. F.B. 374, pp. 8-9. 1909.
 hardiest citrus fruit. B.P.I. Cir. 46, p. 6. 1909.
 immunity to scab. J.A.R., vol. 30, pp. 1087, 1090. 1925.
 importations and descriptions. No. 36985, B.P.I. Inv. 38, pp. 18-19. 1917; Nos. 37712, 37808, B.P.I. Inv. 39, pp. 10, 25, 46. 1917; Nos. 55580, 55581, B.P.I. Inv. 72, p. 6. 1924.
 injury by southern green plant bug. D.B. 689, p. 13. 1918.
 oval, use in citrus hybrids. J.A.R., vol. 23, pp. 230-235, 237. 1923.
 resistance to cold and to disease. J.A.R. vol. 23, pp. 229, 232. 1923.
 strawberry jelly, recipe. F.B. 1026, p. 39. 1919.
 susceptibility to citrus canker. J.A.R., vol. 14, pp. 342, 343. 1918; J.A.R., vol. 19, pp. 344, 347, 358, 361. 1920.
 trees, inoculations with citrus-knot fungus. B.P.I. Bul. 247, pp. 44-47, 50-51, 57-59, 66. 1912.
 use for hybridizing. J.A.R., vol. 23, pp. 229-238. 1923.
 varieties—
  for the Gulf States. F.B. 1122, p. 20. 1920.
  recommendations for various fruit districts. B.P.I. Bul. 151, p. 56. 1909.
Kunde. *See* Cowpeas.
KUNKEL, L. O.—
 "A contribution to the life history of *Spongospora subterranea*." J.A.R., vol. 4, pp. 265-278. 1915.
 "A new host for the potato wart disease." With C. R. Orton. D.C. 111, pp. 17-18. 1920.
 "Further data on the orange rusts of Rubus." J.A.R., vol. 19, pp. 501-512. 1920.

KUNKEL, L. O.—Continued.
 "Potato wart." With others. D. C. 111, pp. 19. 1920.
 "The behavior of American potato varieties in the presence of the wart." With C. R. Orton. D.C. 111, pp. 10-17. 1920.
 "Tissue invasion by *Plasmodiophora brassicae*." J.A.R., vol. 14, pp. 543-572. 1918.
 "Wart of potatoes: A disease new to the United States." C.T. and F.C.D. Inv. Cir. 6, pp. 14. 1919.
Kunkelia sp., blackberry infection. J.A.R., vol. 25, pp. 219-240. 1923.
Kunzia tridentata—
 occurrence in Colorado and description. N.A. Fauna 33, pp. 233-234. 1911.
See also Bitter brush.
"Kurakoff," misbranding. N. J. 750, pp. 2. 1911.
Kurrajong, importation and description. No.49002, B.P.I. Inv. 61, p. 64. 1922.
KURTZWEIL, CARL: "Genetics of rust resistance in crosses of varieties of *Triticum vulgare* with varieties of *T. durum* and *T. dicoccum*." With others. J.A.R., vol. 19, pp. 523-542. 1920.
Kuruba. *See* Passion fruit.
KUSKA, J. B.: "Winter wheat in the Great Plains area: Relation of cultural methods to production." With others. D.B. 595, pp. 36. 1917.
Kutter's formula for water flow. D.B. 376, pp. 8-9, 56-57. 1916.
Kwas varieties, description and classification. B.P.I. Bul. 179, pp. 20-21. 1910.
Kyanizing, wood, for prevention of termite injury. D.B. 1231, pp. 13, 15, 16. 1924.
Kydia calycina, importation and description. No. 47702, B.P.I. Inv. 59, p. 49. 1922; No. 52292, B.P.I. Inv. 65, p. 85. 1923.
KYLE, C. H.—
 "Association between number of kernel rows, productiveness, and deleterious characters in corn." With Hugo F. Stoneberg. J.A.R., vol. 31, pp. 83-99. 1925.
 "Corn culture in the Southeastern States." F.B. 729, pp. 20. 1916; F.B. 1149, pp. 19. 1920.
 "Cross-breeding corn." With others. B.P.I. Bul. 218, pp. 72. 1912.
 "Directions to cooperative corn breeders. B.P.I. Doc. 564, pp. 10. 1910.
 "How to reduce weevil waste in southern corn." F.B. 915, pp. 8. 1918.
 "Shuck protection for ear corn." D.B. 708, pp. 16. 1918.
Kyllinga spp., occurrence in Guam. Guam A.R., 1913, p. 16. 1914.
Kynurenic acid, determination in poultry urine. B.A.I. Bul. 56, pp. 85-86. 1904.

LAABS, F. W.: "Factors controlling the moisture content of cheese curds." With others. B.A.I. Bul. 122, pp. 61. 1910.
LAAKE, E. W.:—
 "Dispersion of flies by flight." With F. C. Bishopp. J.A.R. vol. 21, pp. 729-766. 1921.
 "Distinguishing characters of the larval stages of the ox-warbles, *Hypoderma lineatum*, with description of a new larval stage." J.A.R., vol. 21, pp. 439-457. 1921.
 "Further observations on the molts of the ox bots, *Hypoderma bovis* De Geer and *H. lineatum* Villers." J.A.R., vol. 28, pp. 271-274. 1924.
Label(s)—
 approval. Chem. F.I.D. 41, p. 1. 1906.
 attachment, etc., decisions. Chem. F.I.D. 17, pp. 21-22. 1905.
 botanical specimens, directions. D.C. 76, pp. 7-8. 1920.
 Camembert cheese, requirements. B.A.I. An. Rpt., 1907, p. 342. 1909; B.A.I. Cir. 145, p. 342. 1909.
 cannery, description and requirements. Chem. Bul. 151, pp. 26-27. 1912; D.B. 196, pp. 12-13. 1915.
 criticism, Opinion 157. Chem. S.R.A. 16, p. 29. 1916.
 dairy products, for interstate commerce, opinion of Attorney General. Sec. [Misc.], "Opinion of Attorney General * * *," pp. 5. 1903.
 food—
  and drugs, law requirements. News L., vol. 6, No. 40, pp. 10-11. 1919.

1312   UNITED STATES DEPARTMENT OF AGRICULTURE

Label(s)—Continued.
   food—continued.
      imitations, Regulation 19. Sec. Cir. 21, rev., p. 11. 1922.
      products, requirements, statement in detail, regulations 14, 15, 16, 17, 18, 27, 30. Sec. Cir. 21, rev., pp. 8–10, 15, 21–22. 1922.
     form, decision, F.I.D. 52. Chem. F.I.D. 49–53; pp. 3–4. 1907.
     illegible or concealed, decision. Chem. F.I.D. 22, p. 25. 1905.
     lard compounds, order. B.A.I.O. 211, amdt. 11, p. 1. 1919.
     meat—
       and meat production, inspection amendment. B.A.I.O. 211, rev., amdt. 3, pp. 1–3. 1925.
       inspection, filing, approval, etc., regulations. B.A.I. S.A. 79, pp. 102–103. 1913.
       inspection, regulations. B.A.I.S.R.A. 198, pp. 86–87. 1923; B.A.I.S.R.A. 203, p. 27. 1924; B.A.I.O. 150, pp. 23–28. 1908; B.A.I.O. 211, amdt. 2, p. 1. 1924.
       stamping, new method in use. B.A.I. An. Rpt., 1907, p. 12. 1909.
     misleading names, regulation. Chem. F.I.D. 33, p. 1. 1905.
     neck, Opinion 74. Chem. S.R.A. 8, p. 634. 1914.
     on detachable wrappers. F.I.D. 31, pp. 1. 1905.
     plant material shipments, importance as records. D.C. 323, pp. 2, 11. 1924.
     printed on tin plate, use. F.I.D. 30, p. 4. 1905; F.I.D. 35, pp. 2–4. 1905.
     removal of guaranty legend and serial numbers, opinion. I. and F. Bd. S.R.A. 14, p. 154. 1916.
     seed corn, 4-H brand. S.R.S. Doc. 25, p. 1. 1915.
     seed, information important to farmer. Y.B., 1919, p. 344. 1920; Y.B. Sep. 815, p. 344. 1920.
     statement of quantity of added substance. F.I. D. 18, pp. 22–23. 1905.
     statements regarding health laws of other countries. F.I.D. 20, p. 24. 1905.
     stock, use, Inf. 33. Chem. S.R.A. 12, p. 754. 1915.
     time extension. Chem. S.R.A. 14, p. 9. 1915.
     trade, meat inspection, law and regulations. B.A.I. An. Rpt., 1906, pp. 378–381. 1908.
     use in exhibits of flowers, fruits, and vegetables. D.C., 62, pp. 24–25. 1919.
     use of guaranty legends and serial numbers. F.I.D. 167, p. 1. 1916.
     viruses, serums, etc., regulations. B.A.I.O. 265, amdt. 1, pp. 2, 4. 1920.
   Labeling—
     advice, Insecticide Board, 28. I. and F. Bd. S.R.A. 3, pp. 31–32. 1914.
     after arrival in this country. F.I.D. 21, p. 25. 1905.
     articles already packed and branded, decision. F.I.D. 43, pp. 3–4. 1906.
     artificially treated waters, food inspection opinion. Chem. S.R.A. 5, p. 313. 1914.
     canned—
       fruit and vegetables, time, methods, and labels. S.R.S. Doc. 22, rev., pp. 5, 8. 1919.
       goods. F.B. 853, p. 26. 1917.
       peas, food inspection opinion. Chem. S.R.A. 5, p. 313. 1914.
       salmon and whitefish. F.I.D. 105, pp. 2. 1909.
       sirup, and crating, details, and cost. D.C 149, pp. 17, 18. 1920.
     chlorinated lime or bleaching powder. Opinion 39. I. and F. Bd. S.R.A. 7, pp. 94–95. 1915.
     cordials. F.I.D. 125, p. 1. 1910.
     corn sirup containing refiner's sirup. F.I.D. 87, p. 1. 1908.
     drugs, for habit-forming substances. F.B. 393, p. 4. 1910.
     food(s)—
       and drug products "manufactured for," "prepared for," etc. F.I.D. 68, pp. 3–5. 1907.
       entered for sale to outgoing ships. F.I.D. 32, pp. 1–2. 1905.
       laws, European countries, affecting American exports. Chem. Bul. 61, pp. 7–39. 1901.
       imported—
         food products, proposed regulations governing. Chem. Cir. 21, pp. 2. 1901; F.I.D. 5, pp. 17. 1904; F.I.D. 6, pp. 17. 1905; F.I.D. 26, pp. 3. 1905.

Labeling—Continued.
   imported—continued.
     sardines, suspending regulations. F.I.D. 11, pp. 18–19. 1905.
   imports, acts of the United Kingdom, 1887–1891. Chem. Bul. 143, pp. 20–21. 1911.
   insecticides and fungicides, March, 1914–October, 1916. I. and F. Bd. S.R.A. 15, pp. 194–211, 214–226. 1917.
   maraschino and maraschino cherries. F.I.D. 141, pp. 2. 1912.
   meat and meat product containers, regulations. B.A.I.O. 211, pp. 41–48. 1914; B.A.I.O. 211, rev., pp. 33–40. 1922; B.A.I.S.A. 60, p. 26. 1912; B.A.I. Cir. 125, pp. 24, 29. 1908.
   meat, German regulations. B.A.I. Bul. 50, p. 36. 1903.
   misbranding, amendments to regulations 17 and 19. F.I.D. 84, pp. 1–3. 1907.
   mixtures of bran and screenings. Chem. S.R.A. 1, p. 5. 1914.
   naval stores, regulations. M.C. 22, pp. 6–7. 1924.
   seeds, agreement of seedsmen. Y.B., 1919, pp. 344–345. 1920; Y.B. Sep. 815, pp. 344–345. 1920.
   seeds, directions. F.B. 884, pp. 14–15. 1917; F.B. 1390, p. 13. 1924.
   soda lye. I. and F. Bd. S.R.A. 8, p. 3. 1915.
   use of glucose indicated. F.I.D. 23, p. 26. 1905.
   waters, medicinal and table. F.I.D. 94, pp. 2–3. 1908.
   whisky(ies)—
     blends, compounds, and imitations. F.I.D. 44–45, pp. 2–3. 1906; F.I.D. 65, pp. 16. 1907.
     compounds. F.I.D. 98, pp. 2. 1908.
     sold under distinctive names, decision of the Attorney General. F.I.D. 127, pp. 6. 1910.
     wines. F.I.D. 109, p. 1. 1909.
   See alo *article labeled.*
Labidarge konou, synonyms. Ent. Tech. Bul. 20, Pt. II, p. 105. 1911.
Labidocarpus spp., classification and description. Rpt. 108, p. 127. 1915.
Labidophorus spp., description and habits. Rpt. 108, pp. 114, 115. 1915.
Labidostomma spp., description. Rpt. 108, pp. 103–104. 1915.
Lablab
   spp., description. D.B. 318, pp. 4–6. 1915.
   See also *Stizolobium capitatum;* Bean, Bonavist.
La Blanca Agricultural Co., irrigation system, details. O.E.S. Bul. 222, p. 56. 1910.
Labor—
   agricultural, Porto Rico conditions. P.R. An. Rpt., 1916, p. 9. 1918.
   apple—
     orchard, costs, Washington. D.B. 446, pp. 9–10, 13, 14–26, 31–32. 1917.
     orchard maintenance, details and cost. D.B. 518, pp. 19–40. 1917.
     packing, Idaho. D.B. 636, p. 27. 1918.
     picking, paying basis. F.B. 1080, pp. 9–10. 1919.
   average man-hour per acre for various crops. D.B. 1348, p. 59. 1925.
   beet—
     growing, cost, amount, and sources. Y.B., 1906, pp. 269–274. 1907.
     growing, difficulties, and kinds. D.B. 721, pp. 39, 41–43. 1918.
     production, requirements in various operations. D.B. 963, pp. 22–40. 1921.
     sugar industry. Rpt. 86, pp. 20–24. 1908.
   canneries, importance of supply and management. Y.B., 1916, pp. 239–240. 1917; Y.B. Sep. 705, pp. 3–4. 1917.
   cause of losses in lumber industry, remarks. M.C. 39, p. 18. 1925.
   charges against crops. D.B. 648, p. 43. 1918.
   child—
     citations from letters. Rpt. 105, pp. 22–23. 1915.
     on New Jersey farm. D.B. 1285, pp. 13, 15–20, 21–23. 1925.
   chore hours per farm, by States. Y.B., 1921, p. 841. 1922; Y.B. Sep. 876, p. 38. 1922.
   citrus-fruit handling, management. B.P.I. Bul. 123, pp. 14–15. 1908.
   citrus industry, situation. F.B. 1447, pp. 41–42. 1925.

INDEX TO PUBLICATIONS, 1901–1925　　　　1313

Labor—Continued.
　colored—
　　dependability in Georgia, Mitchell County, and wages. Soil Sur. Ad. Sh., 1920, p. 10. 1922; Soils F.O., 1920, p. 10. 1925.
　　on Southern plantations. D.B. 1269, pp. 21–22, 37, 74. 1924.
　compulsory, Guam, executive orders. Guam A.R., 1919, pp. 21–23, 1921.
　conditions—
　　and systems, Georgia, Brooks County. D.B. 648, pp. 14–17, 24–27, 43–45. 1918.
　　in—
　　　Alaska. Alaska Cir. 1, pp. 14–15. 1916.
　　　Canal Zone, character of population. Rpt. 95, pp. 45–46. 1912.
　　　Idaho, Payette Valley. D.B. 636, p. 6. 1918.
　　　Michigan, Cass County. Soil Sur. Adv. Sh., 1906, p. 12. 1907; Soils F.O., 1906, p. 736. 1908.
　　　Tennessee, Coffee County. Soil Sur. Adv. Sh., 1908, p. 15. 1910; Soils F.O., 1908, p. 999. 1911.
　　Negro, help by Service League. News L., vol. 6, No. 2, pp. 6–7. 1918.
　　on farms—
　　　and department studies. News L., vol. 5, No. 30, pp. 5–6. 1918.
　　　cost per acre. Stat. Bul. 48, pp. 10–11, 56–59, 82. 1906.
　convict. See Convict labor.
　corn and alfalfa, conflict, and management. F.B. 1021, pp. 8–12. 1919.
　corn oil refining, cost. D.B. 1010, p. 20. 1922.
　cost(s)—
　　accounting methods. Sec. Cir. 132, pp. 10, 11. 1919.
　　and requirements in baby-beef production. Y.B., 1921, pp. 267–268. 1922; Y.B. Sep. 874, pp. 267–268. 1922.
　　apple growing, Payette Valley, Idaho. D.B. 636, pp. 30–31. 1918.
　　dairying and sheep raising, comparison. F.B. 929, pp. 11, 13. 1918.
　　factor in corn production. Y.B., 1921, pp. 192–193. 1922; Y.B. Sep. 872, pp. 192–193. 1922.
　　for sirup making. D.B. 1370, p. 56. 1925.
　　fruit shipping, records and pay roll, forms. D.B. 590, pp. 11, 16, 58, 59. 1918.
　　in—
　　　apple production, western New York. D.B. 851, pp. 4, 18, 21, 27, 30, 40–41. 1920.
　　　care of horses. D.B. 560, pp. 8–9. 1917.
　　　cotton production. D.B. 896, pp. 9–10, 40. 1920; Y.B., 1921, pp. 361, 362. 1922; Y.B. Sep. 877, pp. 361, 362. 1922.
　　　fattening chickens for market, per pound of gain. D.B. 21, pp. 4, 5, 7, 9, 10, 12, 13, 14, 21, 26, 30, 32–55. 1914.
　　　growing small grains, table. Y.B., 1922, pp. 555–560. 1923; Y.B. Sep. 891, pp. 552–560. 1923.
　　　growing various crops, Colorado. D.B. 917, pp. 44–45. 1921.
　　　irrigation farming. Y.B., 1911, pp. 372–373. 1912; Y.B. Sep. 576, pp. 372–373. 1912.
　　　logging, at one operation. D.B. 711, pp. 253–256. 1918.
　　　Maryland, Frederick County. Soil Sur. Adv. Sh., 1919, pp. 15–16. 1922; Soils F.O., 1919, pp. 655–656. 1925.
　　　milk production. D.B. 972, pp. 10–11, 16. 1921; D.B. 1101, pp. 8–9, 14, 15, 16. 1922.
　　　sugar-beet production, California areas. D.B. 760, pp. 37–38. 1919.
　　increase in—
　　　South. B.P.I. Cir. 130, p. 4. 1913.
　　　Southwest. B.P.I. Cir. 132, pp. 11–12. 1913.
　　of tractor plowing. B.P.I. Bul. 170, pp. 20–21, 31–32. 1910; F.B. 963, pp. 20–21. 1918.
　　of weed control. Y.B., 1917, p. 206. 1918; Y.B. Sep. 732, p. 4. 1918.
　　on cotton farms, Texas, Ellis County, man and horse. D.B. 659, pp. 46, 48–49. 1918.
　　on dairy farms, studies. D.B. 423, pp. 6–10. 1916.
　　on farms—
　　　1920, by States. Y.B., 1922, p. 1005. 1923; Y.B. Sep. 887, p. 1005. 1923.

Labor—Continued.
　costs(s)—continued.
　　on farms—continued.
　　　Georgia, Sumter County. D.B. 1034, pp. 25, 26, 27, 28. 1922.
　　　raising dairy cows. D.B. 49, pp. 8–9, 11–13, 20, 23. 1914.
　　　various kinds of farm work, value of records. Y.B., 1917, pp. 162, 163. 1918; Y.B. Sep. 735, pp. 12, 13. 1918.
　　cotton, requirements in California. D.B. 533, pp. 9–11. 1917.
　　crews for planting conifers. F.B. 1453, p. 31. 1925.
　　crop growing, comparison of soy beans with corn. F.B. 931, p. 21. 1918.
　　dairy—
　　　cost and saving appliances. Sec. Cir. 142, p. 22. 1919.
　　　farm, cost per cow, yearly by States. D.B. 501, pp. 4, 10–11, 18, 19. 1917.
　　　herd, cost of man and horse per hour. Stat. Bul. 88, pp. 17–18. 1919.
　　　open sheds and closed barns, comparison. D.B. 736, pp. 10–12. 1918.
　　　per cent of cost in milk production, Louisiana. D.B. 955, pp. 8–9, 11, 13. 1921.
　　　rates and distribution in milk production. D.B. 858, pp. 20–22. 1920.
　　days available, and requirements of various crops. D.C. 83, pp. 19, 20. 1920.
　　day's work in growing potatoes. Stat. Bul. 10, pp. 10–13. 1925.
　　distribution—
　　　advantage of sheep farming. F.B. 1181, pp. 16, 17. 1921.
　　　by farms, relation to program of the farm. D.B. 1271, pp. 68–75. 1924.
　　　by seasons, in Cotton Belt. Y.B., 1921, p. 345. 1922; Y.B. Sep. 877, p. 345. 1922.
　　　in growing sweet clover. F.B. 1005, pp. 10–11. 1919.
　　efficiency—
　　　conditions affecting, Chester County, Pa. D.B. 528, pp. 3–4. 1917.
　　　in use, and means of saving. F.B. 1121, pp. 21–27. 1920.
　　　increase by elimination of lost motion. B.P.I. Bul. 260, pp. 61–62. 1912.
　　　relation to—
　　　　labor income on farms. F.B. 1139, pp. 24–25. 1920.
　　　　size of farms, Georgia. D.B. 492, p. 51. 1917.
　　　work units, man or horse, studies, table. F.B. 661, pp. 11–12. 1915.
　　employment for returning war and navy men, studies. Sec. Cir. 130, pp. 9–10. 1919.
　　enactment of compulsory-work laws, various States. News L., vol. 6, No. 2, p. 7. 1918.
　　exchange in farm work. D.B. 1271, pp. 78–79. 1924.
　　expenditures—
　　　1909, graph. Y.B., 1917, p. 549. 1918; Y.B. Sep. 758, p. 15. 1918.
　　　for wages, per farm, in 1919, map. Y.B., 1921, p. 496. 1922; Y.B. Sep. 878, p. 90. 1922.
　　expense in fattening beef cattle. F.B. 1218, p. 27. 1921.
　　extension work in South, organizations and results. S.R.S. Rpt., 1916, Pt. II, pp. 24–25, 27. 1917.
　　factory system, rise and effects. Y.B., 1913, p. 239. 1914; Y.B. Sep. 626, p. 239. 1914.
　　farm—
　　　amount per day by farm tractor. F.B. 719, pp. 16–18. 1916.
　　　as factor in cost and profits of wheat growing. Y.B., 1921, pp. 115–118, 120. 1922; Y.B. Sep. 873, pp. 115–118, 120. 1922.
　　　average man-hour per acre, table. D.B. 1348, p. 59. 1925.
　　　cheap, influence of community organization. Y.B., 1914, pp. 95–96. 1915; Y.B. Sep. 633, pp. 95–96. 1915.
　　　conditions in allied countries since 1914. Sec. [Misc.], "Report * * * commission to Europe," pp. 10–11, 32–34. 1919.
　　　conditions in southern New Hampshire. B.P.I. Cir. 75, pp. 6, 8, 9, 11, 16. 1911.

Labor—Continued.
farm—continued.
cost—
and conditions, successful New York farm. D.B. 32, pp. 21-22. 1913.
in Michigan, Wexford County. Soil Sur. Adv. Sh., 1908, p. 12. 1909; Soils F.O., 1908, p. 1058. 1911.
in Texas, Denton County. Soil Sur. Adv. Sh., 1918, p. 15. 1922; Soils F.O., 1918, p. 787. 1924.
per month, day, and hour. Stat. Bul. 73, pp. 16-19, 65-66. 1909.
county agent work in North and West. S.R.S. Rpt., 1918, pp. 85-86. 1919.
day's length, by States, and by seasons. Y.B., 1922, pp. 1075, 1077. 1923; Y.B. Sep. 890, pp. 1075, 1077. 1923.
decrease in time and cost, per unit of product, discussion. Sec. Cir. 38, p. 3. 1911.
distribution—
by 10-day periods, various sections. Y.B., 1917, pp. 543-546. 1918; Y.B. Sep. 758, pp. 9-12. 1918.
for various crops. D.B. 1292, p. 7. 1925; D.C. 183, pp. 3-4. 1922.
earning capacity, different sections. B.P.I. Cir. 21, pp. 5-7, 12. 1908.
economical use, suggestions. F.B. 432, p. 11. 1911.
efficiency—
relation to size of farm, studies in Chester County, Pa. D.B. 341, pp. 60, 61, 63-64. 1916.
survey of Chester County, Pa. D.B. 341, pp. 80-81. 1916.
employment—
season, and harvest. D.B. 1285, pp. 2-6. 1925.
service, establishment by Labor Department. F.B. 665, pp. 9-13. 1915.
graphic summary of seasonal work on farm crops. D.C. 183, pp. 1-53. 1922; Y.B., 1917, pp. 537-589. 1918; Y.B. Sep. 758, pp. 1-55. 1918.
help of railroads. Stat. Bul. 100, p. 32. 1912.
homes, hired-help conditions, reports. D.C. 148, p. 10. 1920.
hours of employment. F.B. 355, pp. 8-9. 1909.
hours per acre, on land and stock, discussion. Y.B., 1913, p. 100. 1914; Y.B. Sep. 617, p. 100. 1914.
importance of supply. M.C. 32, pp. 45-49. 1924.
improvement suggestions. D.B. 1285, pp. 36-37. 1925.
in—
Alabama, Choctaw County. Soil Sur. Adv. Sh., 1921, p. 982. 1925.
Algeria. B.P.I. Bul. 80, pp. 50-51. 1905.
Idaho, Twin Falls area. Soil Sur. Adv. Sh., 1921, p. 1374. 1925.
Indiana, Clinton County, data for 1910 and 1913-1919. D.B. 1258, pp. 26-27. 1924.
Iowa, Worth County. Soil Sur. Adv. Sh., 1922, p. 277. 1925.
Louisiana, Caddo Parish. Soil Sur. Adv. Sh., 1906, pp. 8-9. 1907; Soils F.O., 1906, D.B. 430-431. 1908.
Massachusetts, 1921. Josiah C. Folsom. D.B. 1220, pp. 26. 1924.
Mississippi, Montgomery County. Soil Sur. Adv. Sh., 1906, p. 11. 1907; Soils F.O., 1906, pp. 390-391. 1908.
Mississippi, Pontotoc County. Soil Sur. Adv. Sh., 1906, p. 9. 1907; Soils F.O., 1906, p. 409. 1908.
Missouri, Andrew County. Soil Sur. Adv. Sh., 1921, p. 824. 1925.
Nebraska, Antelope County. Soil Sur. Adv. Sh., 1921, p. 769. 1924.
Nebraska, Jefferson County. Soil Sur. Adv. Sh., 1921, p. 1452. 1925.
New York, cost. F.B. 454, p. 22. 1911.
North Carolina, Cumberland County. Soil Sur. Adv. Sh., 1922, p. 117. 1925.
North Carolina, Haywood County. Soil Sur. Adv. Sh., 1922, p. 210. 1925.
United States, wages. James H. Blodgett. Stat. Bul. 26, pp. 62. 1903.

Labor—Continued.
farm—continued.
in—continued.
western New York, normal day's work, implements, workmen, and crews. H. H. Mowry. D.B. 412, pp. 16. 1916.
income on cut-over lands, Michigan, Wisconsin, and Minnesota. D.B. 425, pp. 5-6, 14-18. 1916.
income, relation to size of farm, capital, diversity. Y.B., 1913, pp. 95-107. 1914; Y.B. Sep. 617, pp. 95-107. 1914.
man and horse, comparison in Arkansas, and Louisiana. D.B. 529, pp. 4-5. 1917.
miscellaneous requirements, relation to crops and livestock. D.B. 1271, pp. 66-79. 1924.
mobilizing for harvesting farm crops, methods in Kansas. News L., vol. 5, No. 44, p. 2. 1918.
need and wages paid. News L., vol. 6, No. 39, p. 13. 1919.
normal day's work, western New York. H. H. Mowry. D.B. 412, pp. 16. 1916.
number persons to one thousand acres, by countries. Y.B. 1923, pp. 475-476. 1924; Y.B. Sep. 896, pp. 475-476. 1924.
organization necessity and methods. News L., vol. 4, No. 45, pp. 2-3. 1917.
permanent supply needed. Sec. Cir. 115, pp. 7-8. 1918.
placing, work of Department of Labor. Rpt. 103, pp. 99-100. 1915; Rpt. 104, pp. 99-100. 1915; Rpt. 105, pp. 87-88. 1915; Rpt. 106, pp. 90-91. 1915.
power cost, tractor and horse, comparison. Y.B., 1921, pp. 805, 807. 1922; Y.B. Sep. 876, pp. 2, 4. 1922.
prices in—
North Carolina, Pender County. Soil Sur. Adv. Sh., 1912, p. 13. 1914; Soils F.O., 1912, p. 377. 1915.
Pennsylvania, York County. Soil Sur. Adv. Sh., 1912, pp. 20-21. 1913; Soils F.O., 1912, pp. 170-171. 1915.
problem—
Clarence Ousley. Sec. Cir. 112, pp. 10. 1918.
handling plans. F.M. Cir. 2, pp. 31. 1917.
provision, cooperation. A. L. Cance. O.E.S. Bul. 256, pp. 55-58. 1913.
records in farm accounting. D.B. 994, pp. 3, 5, 31-32, 41. 1921.
relation to crop selection. Y.B., 1921, p. 105. 1922; Y.B. Sep. 873, p. 105. 1922.
report of advisory committee on labor. Sec. Cir. 112, pp. 9-10. 1918.
requirements—
and management. B.P.I. Bul. 259, pp. 14-15, 16-17, 33, 65, 77. 1912.
for various operations in central Kansas. D.B. 1296, pp. 11-65. 1925.
relation to crop systems. F.B. 1000, p. 24. 1918.
relation to power supply. D.B. 1348, pp. 20-42. 1925.
saving by harvesting crops with livestock. J. A. Drake. F.B. 1008, pp. 16. 1918.
seasonal—
distribution. W. J. Spillman. Y.B., 1911, pp. 269-284. 1912; Y.B. Sep. 567, pp. 269-284. 1912.
distribution in Chester County, Pa. George A. Billings. D.B. 528, pp. 29. 1917.
fluctuations. D.B. 1285, pp. 7-8. 1925.
situation in 1918, discussion. Sec. Cir. 90, pp. 20-22. 1918.
sources for New Jersey. D.B. 1285, pp. 8-12. 1925.
sources, suggestions. F.M. Cir. 2, pp. 3-5. 1917.
standard day's work in central Illinois. H. R. Tolley and L. M. Church. D.B. 814, pp. 32. 1920.
standards, on hill farms of Louisiana. M. Bruce Oates and L. A. Reynoldson. D.B. 961, pp. 27. 1921.
statistics—
hiring methods, wages and classes. Y.B., 1918, pp. 695-698. 1919; Y.B. Sep. 795, pp. 31-34. 1919.

INDEX TO PUBLICATIONS, 1901–1925 1315

Labor—Continued.
farm—continued.
statistics—continued.
of day's work on corn and other crops. Y.B., 1922, pp. 1046–1078. 1923; Y.B. Sep. 890, pp. 1046–1078. 1923.
supply—
George K. Holmes. S.B. 94, pp. 81. 1912.
and cost. See Soil Surveys for various States, counties, and areas.
and wages. George K. Holmes. Y.B., 1910, pp. 189–200. 1911; Y.B. Sep. 528, pp. 189–200. 1911.
available, 1919–1920. Sec. Cir. 125, pp. 23–24. 1919.
work of Departments of Agriculture and Labor. Y.B., 1917, pp. 41–43, 65. 1918.
system of employment. F.B. 432, pp. 9–10. 1911.
wage(s)—
1866–1899. Stat. Bul. 22, pp. 47. 1901.
1866–1909, statistics. George K. Holmes. Stat. Bul. 99, pp. 72. 1912.
1866–1919. Y.B., 1919, pp. 738–739. 1920. Y.B. Sep. 830, pp. 738–739. 1920.
1910–1921, supply and demand, 1919–1922. Y.B., 1921, pp. 784–785, 786. 1922; Y.B. Sep. 871, pp. 15–16, 17. 1922.
1914, with comparisons. F.B. 665, pp. 8–9, 20–21. 1915.
1923. Y.B., 1923, pp. 1148–1150. 1924; Y.B., Sep. 906, pp. 1148–1150. 1924.
1924. Y.B., 1924, pp. 1116–1120. 1925.
and hours. F.B. 584, pp. 7–10, 16–19. 1914.
in Iowa, 1914–1918. D.B. 874, p. 38. 1920.
in twenty-one regions, United States. D.B. 320, p. 9. 1916.
increase, 1896–1908. Rpt. 87, p. 97. 1908.
per month and per day, with supplementary wages, discussion. Y.B., 1910, pp. 194–198. 1911; Y.B. Sep. 528, pp. 194–198. 1911.
women, reports, and means of improving conditions. D.C. 148, pp. 7–10, 19, 24. 1920.
farmers', United States, income from. F.B. 570, pp. 2–5. 1913.
field crops—
cost per acre, Minnesota counties. B.P.I. Bul. 236, p. 41. 1912.
requirements in various States. D.B. 1000, pp. 5–50. 1921.
hand—
and machine, comparison in cost. Stat. Bul. 94, pp. 59–70. 1912.
California sugar-beet production, cost per acre, contracts. D.B. 760, pp. 23, 24. 1919.
supplementing on farms by horse and power machinery. News L., vol. 5, No. 30, pp. 5–6. 1918.
harvest. See Harvest.
hay baling, management and costs. F.B. 1049, pp. 18, 24–26, 27. 1919.
haymaking—
crews, costs, study. H. B. McClure. D.B. 578, pp. 50. 1918.
day's work. S.B. 11, pp. 40–42. 1925.
hours and cost for various operation. D.B. 641, pp. 4–12. 1918.
haystacking, distribution and management. F.B. 1009, pp. 11–16. 1919.
hemp harvesting, amount required of men and teams. B.P.I. Cir. 57, p. 5. 1910.
horse—
by months, Ohio, Illinois, and New York. D.B. 560, pp. 19–21. 1917.
cost—
and cost of keeping farm horses. M. R. Cooper. D.B. 560, pp. 23. 1917.
per day in Alaska. Alaska A.R., 1911, p. 29. 1912.
per day on farms. D.B. 997, pp. 44–45. 1921.
per hour. D.B. 560, pp. 18–19. 1917; Stat. Bul. 73, pp. 22, 66. 1909.
distribution on Corn-Belt farms, relation to tractors. F.B. 1093, pp. 20–25. 1920.
on farms, daily distribution, by operations. Y.B., 1919, pp. 485–495. 1920; Y.B. Sep. 825, pp. 485–495. 1920.
orcharding, requirements and cost. D.B. 29, pp. 13–14. 1913.
relation to feed, cost. D.B. 560, pp. 16–18. 1917.

Labor—Continued.
hours—
per day, man and horse. Stat. Bul. 73, pp. 57–58. 1909; Stat. Bul. 88, p. 28. 1911.
wages, and cost of board, Minnesota farms. F.B. 366, pp. 30–32. 1909.
household, on farms, value per family and per person, various States. D.B. 410, pp. 33–34. 1916.
in—
Alaska, requirements and wages. Alaska Cir. 1, rev., pp. 10–11. 1923.
Arizona, San Simon area. Soil Sur. Adv. Sh. 1921, p. 590. 1924.
Arkansas, Lonoke County. Soils Sur. Adv. Sh., 1921, p. 1289. 1925.
Colorado, in apple growing, rate for men and horses. D.B. 500, pp. 11–12. 1917.
Kansas wheat harvest, cooperative aid of farm specialists in obtaining. Sec. Cir. 121, pp. 1–7. 1918.
Mississippi Delta, relation to boll-weevil control. D.B. 564, pp. 44–51. 1917.
Nebraska, Deuel County. Soil Sur. Adv. Sh., 1921, p. 720. 1924.
Rio Grande district, Texas, nationality, cost, and supervision. D.B. 665, pp. 22–23. 1918.
South Carolina, Anderson County, wages. D.B. 651, p. 6. 1918.
South Carolina, Spartanburg County. Soil Sur. Adv. Sh., 1921, p. 419. 1924.
Southern States, injury by mosquito. News L., vol. 1, No. 35, pp. 1–2. 1914.
Yakima Valley orchards, total cost to harvest time. D.B. 614, pp. 48–49. 1918.
income(s)—
and farm income, averages in various locations. Y.B., 1919, p. 740. 1920; Y.B. Sep. 830, p. 740. 1920.
comparison of various Corn-Belt farms. News L., vol. 3, No. 9, pp. 3–4. 1915.
dairy farms, Massachusetts and Wisconsin, comparison. Y.B., 1913, pp. 101–103. 1914; Y.B. Sep. 617, pp. 101–103. 1914.
definition and comparison on large and small farms. Y.B., 1915, pp. 113–114. 1916; Y.B. Sep. 661, pp. 113–114. 1916.
farmer's—
comparison with salaries of city men, studies. F.B. 661, p. 9. 1915.
determination method. F.B. 782, pp. 15–16. 1917.
factors affecting, study of farms in various localities. F.B. 1139, pp. 14–15, 17–27. 1920.
graded by educational advantages. O.E.S. An. Rpt., 1910, pp. 340–341. 1911.
in Indiana, 1913–1918. D.B. 920, pp. 23, 33–35, 38–40. 1920.
in Ohio, 1912–1918. D.B. 920, pp. 5, 8, 17–20. 1920.
in the United States, census figures. B.P.I. Cir. 132, pp. 3–4. 1913.
in Wisconsin, 1913–1918. D.B. 920, pp. 5, 42, 48, 50–53, 54. 1920.
on—
cut-over lands, Michigan, Wisconsin, and Minnesota. D.B. 425, pp. 5–6, 14–18. 1916.
farms, relations of size, capital, diversity, and organization. Y.B., 1913, pp. 95–107. 1914; Y.B. Sep. 617, pp. 95–107. 1914; D.C. 307, pp. 3, 8. 1924.
160-acre farms in Indiana, 1910–1919. F.B. 1463, pp. 1–2. 1925.
Pennsylvania farms, studies. D.B. 853, pp. 9, 18, 19, 20, 22, 31. 1920.
small farms near Washington, D. C. D.B. 848, pp. 2, 9–11, 18. 1920.
owner and tenant farms, Chester County, Pa. D.B. 341, pp. 70–71. 1916.
record keeping, instructions. D.B. 1338, p. 26. 1925; F.B. 1139, pp. 16, 39. 1920.
relation to—
crop area, size of farm, studies, eastern Pennsylvania. D.B. 341, pp. 30–60. 1916.
renting method, Yazoo-Mississippi Delta. D.B. 337, pp. 10–12. 1916.

1316 UNITED STATES DEPARTMENT OF AGRICULTURE

Labor—Continued.
  income(s)—continued.
    use of term. D.B. 341, p. 59. 1916; D.B. 337, pp. 8–9. 1916.
  logging, classes, conditions and wages. D.B. 440, pp. 4–8, 14, 37, 40, 50, 65, 84. 1917; D.B. 711, pp. 48–50, 54. 1918.
  lumbering—
    conditions and wages. D.B. 440, pp. 4–8, 15, 37, 40, 50, 65, 84. 1917.
    costs per 1,000 feet. D.B. 440, pp. 21, 41, 42, 44, 61, 64, 67, 68, 70, 72, 76–77, 80, 83–84, 96–99. 1917.
    small operations. D.B. 718, pp. 5–7, 38–39. 1918.
  man—
    and horse—
      sugar-beet growing, costs. D.B. 726, pp. 4, 13–14, 30–32, 45. 1918.
      total on farms, southwestern Minnesota. D.B. 1271, pp. 66–75. 1924.
      utilization plan. D.B. 1271, pp. 84, 90, 93, 96. 1924.
    distribution on farm. D.B. 1296, pp. 55–56. 1925.
    farm-tractor operation, cost per acre plowed. F.B. 1035, pp. 22–23. 1919.
    on farm, better use of. H. R. Tolley and A. P. Yerkes. F.B. 989, pp. 15. 1918.
    power per acre, effectiveness in United States and comparison with foreign countries. News L., vol. 6, No. 6, p. 7. 1918.
    saving in sugar-beet fields. L. A. Moorhouse and T. H. Summers. F.B. 1042, pp. 19. 1919.
  management on—
    dairy farms. F.B. 337, p. 21. 1908.
    farms, classification of tasks. D.B. 1271, pp. 75–78. 1924.
  maps and graphs, list. Y.B., 1917, pp. 541–542. 1918; Y.B. Sep. 758, pp. 7–8. 1918.
  milk—
    plants in cities. D.B. 849, pp. 27, 30. 1920.
    production, cost. D.B. 919, pp. 5–19. 1920; D.B. 923, pp. 4, 6, 10–11, 18. 1921.
  movement(s)—
    between farms and cities. Y.B., 1914, pp. 269–272. 1915; Y.B. Sep. 641, pp. 269–272. 1915.
    from southern plantations, and methods of holding. D.B. 1269, pp. 44–52. 1924.
  needs on farms, discussion by farm women. Y.B., 1914, pp. 313–315. 1915; Y.B. Sep. 644, pp. 313–315. 1915.
  olive growing, Tunis. B.P.I. Bul. 125, pp. 24, 34, 35. 1908.
  on—
    Indiana farms. F.B. 1421, pp. 16, 22. 1924.
    large or small farms, Provo area, modification for greater profit. D.B. 582, pp. 18, 22–27. 1918.
    muck farms, Indiana and Michigan, cost and income. F.B. 761, pp. 16–18. 1916.
    North Dakota farms, distribution and cost. D.B. 757, pp. 2, 9, 10–11, 33, 35. 1919.
    plantations, classes, wages, etc. D.B. 1269, pp. 19–38, 70–71. 1924.
    tenant farms, sharing expense. D.B. 650, pp. 19–20. 1918.
  packing-houses, quality and wages. D.B. 1261, pp. 14–28. 1924.
  percentage replaced by power equipment. D.B. 1348, pp. 51–52. 1925.
  practices in wheat growing, summary. D.B. 1198, pp. 30–35. 1924.
  problem—
    berry picking in Washington, studies. D.B. 274, p. 20. 1915.
    hogging down crops in Corn Belt, studies. F.B. 614, pp. 1–2, 5–7, 11, 13–16. 1914.
    in Mississippi, Smedes area. Soil Sur. Adv. Sh., 1902, p. 344. 1903; Soils F.O., 1902, p. 344. 1903.
    influence on commercial development of turpentine operations with western pines. D.B. 229, pp. 45–46. 1915.
    orcharding, West Virginia. D.B. 29, p. 12. 1913.
  productivity, relations to farm areas, machinery, horse labor, and cost. Stat. Bul. 94, pp. 48–72. 1912.

Labor—Continued.
  program, management on farm. D.B. 1296, pp. 57–60. 1925; F.B. 572, rev., pp. 13–14, 18. 1920.
  records—
    boys' and girls' clubs, specimens. D.B. 385, pp. 26–27. 1916.
    value in farm accounts, forms. F.B. 511, pp. 22–26. 1912.
  relations to—
    lumber industry. Rpt. 114, pp. 8, 63–64, 71. 1917.
    waste in lumbering. M.C. 39, pp. 30, 31. 1925.
  requirements—
    and distribution in tobacco growing. Y.B., 1922, pp. 413, 427–428. 1923; Y.B. Sep. 885, pp. 413, 427–428. 1923.
    for—
      certain crops on muck lands. F.B. 761, pp. 3, 4–6. 1916.
      cotton growing. Atl., Am. Agr. Adv. Sh. 4, Pt. V, Sec. A, p. 15. 1919.
      crop production, southwestern Minnesota. D.B. 1271, pp. 18–45, 84–85, 87, 90, 93, 96. 1924.
      crops and livestock, Minnesota farms. D.B. 1271, pp. 13–66. 1924.
      different crops and localities. D.B. 385, pp. 21–25. 1916.
      livestock production, southwestern Minnesota. D.B. 1271, pp. 45–66, 86, 94. 1924.
    in—
      building macadam roads. F.B. 338, pp. 10–11, 24. 1908.
      certain farm operations, Louisiana hill farms. D.B. 961, pp. 2–5, 11–27. 1921.
      harvesting food-crops. Sec. Cir. 115, pp. 1–8. 1918.
      planting and harvesting celery. F.B. 1269, pp. 11–12, 24. 1922.
      sirup making on farms. F.B. 1034, p. 30. 1919.
      sugar-beet production, California areas. D.B. 760, p. 48. 1919.
      sweet-potato sirup production. D.B. 1158, pp. 15, 26. 1923.
      wheat production and prices. D.B. 943, pp. 12–36. 1921; D.B. 1198, pp. 5–10, 15, 16, 19. 1924.
    of Arkansas crops. A. D. McNair. D.B. 1181, pp. 63. 1924.
    of dairy farms as influenced by milking machines. Harold N. Humphrey. D.B. 423, pp. 17. 1916.
    on cotton farms, comparison with other types. D.B. 1034, pp. 38–39. 1922.
    on farms in North Central States, on 185 farms. D.B. 920, pp. 11, 27, 45. 1920.
    on 160-acre hog farm in Indiana. F.B. 1463, p. 17. 1925.
  rice growing, wages in different countries. F.B. 417, p. 20. 1910.
  road preservation, cost. Rds. Cir. 90, pp. 2, 10. 1909.
  saving—
    appliances for farm home. Y.B., 1919, pp. 234–238. 1920; Y.B. Sep. 799, pp. 234–238. 1920.
    by use of—
      electric appliances. Y.B., 1919, pp. 223–227, 234–238. 1920; Y.B. Sep. 799, pp. 223–227, 234–238. 1920.
      motor trucks. D.B. 910, pp. 34–35. 1920; D.B. 1254, pp. 25–26. 1924; F.B. 1201, p. 21. 1921.
      tractors. F.B. 1278, p. 19. 1922.
    conveniences, for farm homes. F.B. 927, pp. 1–32. 1918.
    devices—
      for milk plants. D.B. 890, p. 32. 1920.
      in beet-sugar industry. Rpt. 86, pp. 24–25, 36–37. 1908.
    introduction, work of county agents. S.R.S. Doc. 28, pp. 7–8. 1915.
    needs of farm women. Rpt. 104, pp. 22–30. 1915.
    due to use of tractors on farms. D.B. 997, pp. 60–61. 1921.

Labor—Continued.
saving—continued.
in—
dimensioning stock at source. M.C. 39, p. 51. 1925.
farmstead plan. F.B. 1132, p. 12. 1920.
haymaking, practices. H. B. McClure. F.B. 987, pp. 20. 1920.
livestock production. Sec. Cir. 122, pp. 14. 1918.
sugar-beet growing. News L., vol. 6, No. 42, pp. 4–5. 1919.
increase by work of women's clubs. D.B. 719, pp. 6–7. 1918.
machinery, farms, profitable use. F.B. 326, pp. 19, 22. 1908.
on Corn Belt farms by tractors. F.B. 1296, pp. 4–6. 1922; F.B. 1299, p. 8. 1922.
on farms, factors. F.B. 1042, pp. 3–4. 1919.
seasonal—
distribution, Colorado crops, diagrams. D.B. 917, pp. 6–42. 1921.
distribution on Corn Belt farms. F.B. 1021, pp. 8–10. 1919.
divisions required by crops in Jefferson County, Ky. D.B. 673, pp. 7–9. 1918.
sheep raising, requirements and cost. Y.B., 1917, pp. 315–316. 1918; Y.B. Sep. 750, pp. 7–8. 1918.
shortage—
and relief as result of county-agent work. S.R.S. Doc. 88, pp. 18–19. 1918.
relation to cotton acreage. D.C., 85, pp. 6, 12. 1920.
silage making. F.B. 578, pp. 11–12. 1914.
skilled, beet-sugar factories. Rpt. 69, pp. 15–16. 1901.
standards on hill farms of Louisiana. M. Bruce Oates and L. A. Reynoldson. D.B. 961, pp. 27. 1921.
strawberry picking, grading, and handling, conditions and problem studies. F.B. 979, pp. 4–10, 25. 1918.
sugar-beet—
culture. [Misc.] "Progress sugar-beet industry * * * 1903," pp. 103–107. 1904.
farm, importance of problem, kinds, and cost. D.B. 995, pp. 40–41, 42–44. 1921.
growing, requirements. D.B. 748, pp. 3, 10, 11, 19, 20, 23, 25, 28, 33, 45. 1919; Y.B., 1923, pp. 197–198. 1924; Y.B. Sep. 893, pp. 61–64. 1924.
kind, and cost. D.B. 735, pp. 29–30. 1918.
production—
costs and requirements. D.B. 693, pp. 14, 35–36, 39–40. 1918.
in California. D.B. 760, p. 3. 1919.
summary of requirements. D.B. 735, pp. 36–37. 1918.
sugar-cane growing, requirements. Y.B., 1923, pp. 164–177. 1924; Y.B. Sep. 893, pp. 18–36. 1924.
supervision on southern plantations by overseers and leaders. D.B. 1269, pp. 42–44. 1924.
supply—
and cost in—
Iowa, Benton County. Soil Sur. Adv. Sh., 1921, p. 1228. 1925.
Iowa, Grundy County. Soil Sur. Adv. Sh., 1921, p. 1047. 1925.
Nebraska, Boone County. Soil Sur. Adv. Sh., 1921, p. 1182. 1925.
western Nebraska. Soil Sur. Adv. Sh., 1911, p. 34. 1913; Soils F.O., 1911, p. 1902. 1914.
immigration, relation. Rpt. 82, pp. 10–13. 1906.
for beet fields, 1904. Rpt. 80, pp. 36–40. 1905.
for Egyptian-cotton growing. D.B. 742, pp. 8, 14, 15–16. 1919.
in Alaska, conditions and needs. D.B. 950, pp. 13–14. 1921.
on farms, aid of county agents. D.C. 37, p. 15. 1919.
taxes, value in States, 1904. Rds. Bul. 32, p. 17. 1907.
team and hand, freeing for other uses, by motor-truck association. F.B. 1032, p. 20. 1919.
tenant farming—
Scotland County, N.C. D.B. 320, p. 45. 1916.
Yazoo-Mississippi Delta, management. D.B. 337, pp. 10–12. 1916.

Labor—Continued.
threshing rings, advantages and saving. Y.B., 1918, pp. 257–259. 1919; Y.B. Sep. 772, pp. 13–15. 1919.
truck-farm in New Jersey, 1922. Josiah C. Folsom. D.B. 1285, pp. 1–38. 1925.
tulip-bulb production, cost of growing 1 acre. D.B. 1082, pp. 30–33. 1922.
28-hour law, penalties assessed. An. Rpts., 1920, p. 597. 1920.
unpaid, value in farm living. D.B. 1214, pp. 9–10. 1924.
unskilled, positions under Department of Agriculture, regulations governing appointments. Theodore Wilson and James Wilson. [Misc.], "Regulations governing appointments * * *," pp. 4. 1902.
utilization—
in dairying and distribution during day, by months. Y.B., 1922, pp. 284, 350, 351. 1923; Y.B. Sep. 879, pp. 4, 59, 60. 1923.
in off seasons, by work in woodlots. D.B. 481, pp. 33, 37. 1917.
on farms, as test of efficiency. D.C. 83, pp. 14–25. 1920; Farm M. Cir. 3, pp. 19–37. 1919.
value—
in Billings region, computation. D.B. 735, p. 7. 1918.
per farmer, for year, Utah Lake Valley. D.B. 582, pp. 14–15. 1918.
wages—
and income, southern Arizona, irrigated farms. D.B. 654, pp. 17–18, 21–58. 1918.
comparison with farm prices. News L., vol. 6, No. 38, pp. 5–6. 1919.
for motor-truck expense, estimation. D.B. 770, pp. 11–12. 1919.
in Iowa. Soil Sur. Adv. Sh., 1921, p. 357. 1924.
in terms of farm produce. F.B. 570, p. 21. 1913.
on farms, comparison with corn prices. Y.B., 1921, p. 193. 1922; Y.B. Sep. 872, p. 193. 1922.
waste prevention by use of improved machinery. Y.B., 1908, pp. 196, 200. 1909; Y.B. Sep. 475, pp. 196, 200. 1909.
work stock, utilization and cost in Georgia, Brooks County. D.B. 648, pp. 24–27, 32, 44–45. 1918.
See also Child labor; Wages.
Labor, Department of—
farm labor supply and branch offices. Farm M. Cir. 2, pp. 4–5. 1917.
work in placing farm labor. Rpt. 103, pp. 99–100. 1915; Rpt. 104, pp. 99–100. 1915; Rpt. 105, pp. 87–88. 1915; Rpt. 106, pp. 90–91. 1915.
Laboratory(ies)—
equipment for school studies of soils and crops. D.B. 521, p. 35. 1917.
equipment for teaching home economics. D.B. 540, pp. 7–8. 1917.
equipment for milk and cream contests. D.C. 53, pp. 11–13. 1919.
exercises, farm mechanics, for agricultural high schools. Daniel Scoates. F.B. 638, pp. 26. 1915.
exercises, school garden. F.B. 218, pp. 12–31. 1905.
Forest Products—
at Madison, Wis. D.C. 231, pp. 47. 1922.
at Madison, Wis., experiments on, analysis, refining, and composition of wood turpentines. L. F. Hawley. For. Bul. 105, pp. 69. 1913.
hydraulic, Fort Collins, Colorado, equipment and methods. J.A.R., vol. 5, No. 23, pp. 1053–1059. 1916.
investigations, alkali and soils, by Bureau of Soils. Soils Bul. 35, pp. 139–168. 1906.
milk, equipment, sample, analysis, and pasteurization. D.C. 276, pp. 28–35. 1923.
road-material, exhibit at Buffalo Exposition. Chem. Bul. 63, pp. 25–29. 1901.
temperature control methods. John T. Bowen. D.B. 951, pp. 16. 1921.
thrips, California, history of work. D.B. 173, pp. 1–2. 1915.

Laboratory(ies)—Continued.
  wood-testing, establishment at Madison, Wis.
    Y.B., 1910, p. 264. 1911; Y.B. Sep. 534, p. 264.
    1911.
  wood utilization, location, scope of work. For.
    [Misc.], "The use book, 1908," p. 96. 1908.
Laborers—
  care of, problem of farm women. Y.B., 1914, pp.
    313–314. 1915; Y.B. Sep. 644, pp. 313–314. 1915.
  farm—
    ability to become tenants and owners. Stat.
      Bul. 94, pp. 79–80. 1912; Y.B., 1910, p. 199.
      1911; Y.B. Sep. 528, p. 199. 1911.
    decrease in number. Y.B., 1921, pp. 5, 12.
      1922; Y.B. Sep. 875, pp. 5, 12. 1922.
    earnings and savings. D.B. 1285, pp. 25–27.
      1925.
    geographic distribution, changes since 1870.
      Stat. Bul. 94, pp. 29–30. 1912.
    hours of labor per day. Stat. Bul. 73, pp. 57–58.
      1909.
    housing with city conveniences. Y.B., 1918,
      pp. 347–356. 1919; Y.B. Sep. 789, pp. 1–12.
      1919.
    number, by States, 1920. Y.B., 1924, pp.
      1122–1123. 1925.
    number, races, sexes, statistics, and tables.
      Stat. Bul. 94, pp. 11, 14, 17–20, 30, 31, 32, 35.
      1912.
    perquisites in New Jersey. D.B. 1285, pp.
      31–32. 1925.
    qualifications required. Stat. Bul. 94, p. 78.
      1912.
  foreign-born, element in agricultural labor. Stat.
    Bul. 94, pp. 31–36. 1912.
  harvest, sources, motives, characteristics, and
    occupations. D.B. 1020, pp. 14–22. 1922.
  hours, wages, and cost of board, Minnesota
    farms. F.B. 366, pp. 30–32. 1909.
  Mexican, pink bollworm spread. D.B. 918,
    p. 35. 1921.
  opportunity for food production on small lots.
    W. C. Funk. D.B. 602, pp. 12. 1918.
  sugar-beet, migrations during season, nationality,
    etc. Rpt. 86, pp. 21–24. 1908.
Labrador, nutrition work. Marion R. Moseley.
  B.A.I. [Misc.], "World's dairy congress, 1923,"
  pp. 837–844. 1924.
Lac insects, use of Acacia as host plants. D.B. 9,
  pp. 9, 32. 1913.
Laccase action in plants, relation to manganese.
  J.A.R., vol. 5, No. 8, pp. 349, 354. 1915.
Lace leather, tanning directions. D.C. 230, pp.
  19–22. 1922.
Lace bug—
  avocado, injury and control. F.B. 1261, pp.
    17–18, 30. 1922.
  eggplant—
    David E. Fink. D.B. 239, pp. 7. 1915.
    description and control. F.B. 856, pp. 10, 49.
      1917.
    enemies, natural. D.B. 239, p. 7. 1915.
  sycamore, description, habits, and control.
    F.B. 1169, pp. 74–75. 1921.
Lacebark tree, importation and description. No.
  37136, B.P.I. Inv. 38, p. 42. 1917.
Lacewing—
  defense against Argentine ant attack. D.B. 647,
    pp. 49. 1918.
  enemy of—
    citrus thrips. D.B. 616, p. 25. 1918.
    walnut aphids. D.B. 100, pp. 36–37. 1914.
  green—
    California, history, description, life history and
      habits. J.A.R., vol. 6, No. 14, pp. 515–525.
      1916.
    enemy of European elm scale. D.B. 1223, p.
      12. 1924.
  larvae—
    aid in aphid control. F.B. 804, p. 34. 1917.
    enemy of aphids. J.A.R., vol. 6, No. 14, pp.
      519–522. 1916.
Lacey Act—
  cases, 1904, review by Secretary. Rpt. 79, pp.
    74–75. 1904.
  game protection, relation to local laws. Biol.
    Bul. 24, p. 12. 1905.

Lacey Act—Continued.
  regulating interstate commerce in game, text.
    Biol. S.R.A. 62, pp. 12–13. 1924. F.B. 910,
    pp. 57–58. 1917; F.B. 1010, pp. 51–52. 1918;
    F.B. 1077, pp. 62–64. 1919; F.B. 1235, pp. 58–
    59. 1921; F.B. 1288, pp. 56–58. 1922; F.B.
    1375, pp. 52–53. 1923.
  relation to game laws of States, 1908. F.B. 336,
    pp. 5, 27, 28. 1908.
  status in 1920. An. Rpt., 1920, p. 55. 1921;
    Sec. A.R., 1920, p. 55. 1920.
  violation, decision, syllabus of. Sol. Cir. 39, pp.
    5. 1910.
LACHMAN, HENRY: "A monograph on the manu-
  facture of wines in California." Chem. Bul. 72,
  pp. 25–40. 1903.
Lachnina, description and key. D.B. 826, pp. 15–
  17. 1920.
Lachnosterna spp.—
  destruction by Pyrophorus luminosus. D.B.
    156, p. 3. 1915.
  life history, habits, and injuries. F.B. 543, pp.
    8–11. 1913.
  See also Grubworm; Grubs, white; June beetle;
    June bug.
Lachnus juglandicola, same as Chromaphis juglan-
  dicola. D.B. 100, p. 2. 1914.
Lacon rectangularis, injury to wheat, note. D.B.
  156, p. 24. 1915.
LACQUER—
  iron preservation, formula. Rds. Bul. 35, p. 34.
    1909.
  tree, importation and description. No. 31639,
    B.P.I. Bul. 248, pp. 9, 32. 1912; No. 35302,
    B.P.I. Inv. 35, p. 35. 1915.
Lacquered metals, cleaning methods. F.B. 1180,
  p. 20. 1921.
La Crosse, Wis., milk supply, statistics, officials,
  and prices. B.A.I. Bul. 46, pp. 38, 163. 1903.
Lactarius spp.—
  description. D.B. 175, pp. 20–22. 1915; F. B.
    796, pp. 9–10. 1917.
  See also Mushrooms.
Lactase—
  experimental work with Penicillium and Asper-
    gillus molds. B.A.I. Bul. 120, pp. 31, 63. 1910.
  occurrence in the alimentary tract of the chicken.
    T.S. Hamilton and H. H. Mitchell. J.A.R.,
    vol. 27, pp. 605–608. 1924.
Lactation—
  period—
    effect on fatty acids in butter fat. J.A.R.,
      vol. 24, p. 379. 1923.
    in goats. B.A.I. Bul. 68, pp. 21–22. 1905.
    last part, milk secretion studies. G. Koestler,
      B.A.I., [Misc.], "World's dairy congress
      1923," pp. 1034–1035. 1924.
  stage, effect on milk composition and properties.
    C.H. Eckles and Roscoe H. Shaw. B.A.I.
    Bul. 155, pp. 88 1913.
Lacterene. See Casein.
Lactic—
  bacilli. See Bacterium casei.
  starter, cheese making, effects on ripening. B.A.I.
    Bul. 71, pp. 19, 23, 29. 1905.
Lactic-acid—
  bacilli, detailed study. B.A.I. Bul. 150, pp. 40–
    48. 1912.
  bacteria—
    classification. B.A.I. [Misc.], "World's dairy
      congress," 1923, pp. 1123–1127. 1924.
    classification methods. Lore A. Rogers and
      Brooks J. Davis. B.A.I. Bul. 154, pp. 30.
      1912.
    description and varieties. B.A.I. An. Rpt.
      1909, pp. 142, 143, 153–155. 1911; B.A.I. Cir.
      171, pp. 142, 143, 153–155. 1911.
    effect on milk, study of life processes. F.B.
      348, pp. 14–15. 1909; F.B. 490, pp. 12–14.
      1912.
    enzymic action. B.A.I. Bul. 150, pp. 25–31.
      1912.
    presence in ripened cheese. B.A.I. Bul. 71,
      pp. 22–24, 29. 1905.
    with special reference to Bacillus acidophilus
      type. B.A.I. [Misc.], "Worlds' dairy con-
      gress, 1923," pp. 1136–1144. 1924.
    See also Streptococci, milk; Bacterium casei.

INDEX TO PUBLICATIONS, 1901–1925 — 1319

Lactic-acid—Continued.
 beneficial to digestion. F.B. 363, pp. 22, 40, 41. 1909.
 commercial, use in making buttermilk and whipped cream. F.B. 384, pp. 19, 21. 1910.
 culture tablets, testing and use. B.A.I. An. Rpt., 1909, pp. 133, 141–142, 143. 1911; B.A.I. Cir. 171, pp. 133, 141–142, 143. 1911.
 determination in ketchup, method. Chem. Cir. 78, pp. 9–11. 1911.
 development in cheese and butter. F.B. 381, p. 32. 1909.
 effect of oxidizing agent. Chem. Cir. 78, pp. 11–13. 1911.
 influence on—
  flavor of butter. B.A.I. Bul. 114, p. 17. 1909.
  quality of cheese of the Cheddar type. C. F. Doane. B.A.I. Bul. 23, pp. 201 1910.
 kinds in cheese, analysis, tables and discussion. J.A.R., vol. 2, pp. 206–213. 1914.
 normal constituent of sisal plant. Hawaii A.R., 1912, pp. 58–59. 1913.
 presence in—
  milk after pasteurization and use of cultures. B.A.I. Bul. 161, pp. 9–10, 52–53, 61. 1913.
  soils, effect on Azotobacter content. J.A.R., vol. 24, p. 296. 1923.
 production from corncobs. Work and Exp., 1919, p. 30. 1921.
 relation to increase of blackleg disease. B.A.I. Cir. 31, rev., pp. 5, 13. 1911.
 streptococci, thermal-death point. J.A.R., vol. 2, p. 328. 1914.
 therapeutic value. B.A.I. An. Rpt., 1909, pp. 134–141. 1911; B.A.I. Cir. 171, pp. 134–141. 1911.
 use in food products. Chem. S.R.A. 14, p. 10. 1915.
Lacto—
 preparation, formulas. F.B. 457, pp. 21–23. 1911.
 recipe, frozen buttermilk mixture. B.A.I. Cir. A–22, p. 2. 1917.
Lactobacillus bulgaricus, use in cheese making. B.A.I. [Misc.], "World's dairy congress, 1923," p. 288. 1924.
Lactometers, accuracy tests, experiments, tables. B.A.I. Bul. 134, pp. 15–19. 1911.
Lactones, sugar, chemical constitution and optical rotary power, relations. C. S. Hudson. Chem. Cir. 49, pp. 8. 1910.
Lactose—
 calculation table. Chem. Bul. 107, rev., pp. 243–251. 1912; Chem. Cir. 82, pp. 3–6. 1911.
 crystallization, factors influencing, and experiments. B.A.I. [Misc.], "World's dairy congress, 1923," pp. 477–488, 505–510. 1924.
 decomposition by certain bacteria, formation of lactic acid. B.A.I. An. Rpt., 1909, p. 143. 1911. B.A.I. Cir. 171, p. 143. 1911.
 determination—
  in—
   cocoa. Chem. Bul. 137, pp. 98–100. 1911.
   milk chocolate, Dubois method. Chem. Bul. 132, pp. 135–136. 1910.
   unsweetened condensed milk. Chem. Bul. 105, p. 109. 1907.
  methods. J.A.R., vol. 27, pp. 599–602. 1924.
 fermentation—
  in milk, studies. D.B. 782, pp. 16–17. 1919.
  use in classification of lactic-acid bacteria. B.A.I. Bul. 154, pp. 21, 28. 1912.
 oxidation in butter, studies. B.A.I. Bul. 162, pp. 57–64. 1913.
 utilization by chickens. T. S. Hamilton and L. E. Card. J.A.R., vol. 27, pp. 598–604. 1924.
 See also Sugar milk.
Lactuca—
 root, description. Chem. S.R.A. 21, p. 70. 1918.
 spp. *See* Lettuce.
LADD, C. E.—
 "A system of farm cost accounting." F.B. 572, pp. 15. 1914.
 "A system of farm cost accounting." With J. S. Ball. F.B. 572, rev., pp. 23. 1920.
LADD, E. F., report on colors, 1907. Chem. Bul. 116, pp. 9–10. 1908.
Ladders, types used in picking apples. F.B. 1080, pp. 7–8. 1919.

La Derma remedies, misbranding. See *Indexes, Notices of Judgment, in bound volumes, and in separates published as supplements to Chemistry Service and Regulatory Announcements.*
Lading, bills of—
 regulations, memorandum 279. Adv. Com. F. and B. M., "Fiscal regulations * * *," amdt. 3, p. 3. 1919.
 wheat trade, sample form. Rpt. 98, p. 74. 1913.
Ladles, butter, use in farm butter-making. F.B. 541, pp. 25–26. 1913.
La Donna Canal Company irrigation system, details. O.E.S. Bul. 222, p. 56. 1910.
LADSON, H. H.:
 "*Bacterium abortus* infection of bulls." With others. J.A.R., vol. 17, pp. 239–246. 1919.
Lady beetle—
 defense against Argentine ants. D.B. 647, pp. 49–51. 1918.
 destruction of cottony cushion scale in citrus groves. Ent. Bul. 120, pp. 13–14. 1913.
 enemy of—
  citrus thrips. D.B. 616, p. 26. 1918.
  European elm scale. D.B. 1223, p. 12. 1924.
  lacebug. D.B. 239, p. 7. 1915.
 See also Ladybird; Ladybug.
Ladybird(s)—
 aid in aphid destruction and control. F.B. 804, p. 34. 1917.
 ashy-gray, description, and life history. D.B. 100, pp. 38–39. 1914.
 Asiatic—
  control of San Jose scale, attempts. Y.B., 1911, p. 462. 1912; Y.B., Sep. 583, p. 462. 1912.
  habits, life history, and introduction into United States. Ent. Bul. 62, pp. 65–69. 1906.
  importation and present status. Ent. Bul 37, pp. 78–84. 1902.
  importation and value as a scale enemy, review by Secretary. Rpt. 79, pp. 68–69. 1904.
  introduction from China and failure to survive. Ent. Cir. 124, p. 9. 1910.
  natural enemy of San Jose scale, introduction. Y.B. 1902, pp. 169–174. 1903; Y.B. Sep. 261, pp. 169–174. 1903.
 Australian—
  control of cottony cushion scale. Y.B. 1911, p. 461. 1912; Y.B. Sep. 583, p. 461. 1912.
  introduction and beneficial results. Y.B., 1916, pp. 273–278. 1917; Y.B. Sep. 704, pp. 1–6. 1917.
 bean—
  F.H. Chittenden and H.O. Marsh. D.B. 843, pp. 24. 1920.
  and its control. F.H. Chittenden. F.B. 1074, pp. 7. 1920.
  in Colorado, in 1919. A.C. Mallory. D.B. 843, pp. 21–24. 1920.
  injury to beans, and control. F.B. 856, p. 28. 1917.
 beneficial insects, preservation. D.C. 35, p. 31. 1919.
 black, destruction of common red spider. Ent. Cir. 104, p. 6. 1909.
 control of—
  plant lice, Hawaii. Hawaii Bul. 27, p. 10. 1912.
  San Jose scale. F.B. 650, rev., pp. 7–10. 1919.
 convergent—
  control of oat aphid. D.B. 112, pp. 14, 15. 1914.
  enemy of spring grain aphid. Ent. Bul. 110, p. 129. 1912.
  danger from fumigation, experiments. Ent. Bul. 90, Pt. I, pp. 77–78. 1911.
 destruction—
  by birds. Biol. Bul. 30, pp. 38, 39, 40, 41, 48, 58, 61, 64, 72, 82, 98. 1907.
  by parasite, *Centistes americana*. Ent. Bul. 93, p. 45. 1911.
  of insects in avocado orchards. Hawaii Bul. 25, p. 18. 1911.
  of San Jose scale. Ent. Cir. 124, pp. 9–10. 1910.
  of scales, oystershell, and scurfy. Ent. Cir. 121, pp. 6, 9. 1910.
 enemy of—
  alfalfa weevil. Ent. Bul. 112, p. 31. 1912.
  aphids in Porto Rico. D.B. 192, p. 3. 1915.
  artichoke aphid. D.B. 703, p. 2. 1918.

Ladybird(s)—Continued.
  enemy of—continued.
    asparagus beetles. Ent. Cir. 102, p. 6. 1908.
    avocado red spider. D.B. 1035, p. 10. 1922.
    beet leaf beetle. D.B. 892, pp. 16–17. 1920; F.B. 1193, p. 8. 1921.
    citrus scale insects, occurrence in Mediterranean countries. D.B. 134, pp. 15, 17, 18. 1914.
    corn earworm. F.B. 1310, p. 11. 1923.
    mealy bug. F.B. 862, pp. 11. 1917.
    melon aphid. F.B. 914, pp. 8, 9. 1918.
    oat aphid. D.B. 112, p. 14. 1914.
    onion thrips. F.B. 1007, p. 7. 1919; Y.B., 1912, p. 322. 1913; Y.B. Sep. 594, p. 322. 1913.
    red spider. Ent. Bul. 117, p. 19. 1913; Ent. Cir. 150, p. 9. 1912; Ent. Cir. 172, p. 16. 1913. San Jose scale. Ent. Bul. 37, pp. 84–87. 1902; F.B. 650, pp. 11–12. 1915.
    scale insects. Ent. Bul. 62, pp. 9, 62–69. 1906.
    spring grain aphid or green bug. Ent. Bul. 110, pp. 128–129. 1912.
    white fly, discovery in India and attempted importations. Ent. Bul. 120, pp. 19, 36–37, 38, 40. 1913.
    yellow clover aphid. Ent. T.B. 25, Pt. II, p. 39. 1914.
  injury by fumigation. Ent. Bul. 90, p. 77. 1912.
  introduction into the United States, early attempts. Ent. Bul. 91, pp. 22–23, 24–27, 29–30, 31, 36–38, 46. 1911.
  native, beneficial work in control of insect pests. Y.B., 1911, pp. 454–458. 1912; Y.B. Sep. 583, pp. 454–458. 1912.
  9-spotted, enemy of the spring grain aphid. Ent. Bul. 110, p. 129. 1912.
  pitiful, enemy of San Jose scale, description. Ent. Cir. 124, p. 9. 1910.
  rejection by birds. Biol. Bul. 15, p. 46. 1901.
  South African, enemy of spring grain aphid. Ent. Bul. 110, p. 129. 1912.
  spotted, enemy of—
    asparagus beetles. F.B. 837, pp. 7–8. 1917.
    the spring grain aphid. Ent. Bul. 110, p. 129. 1912.
  squash, similarity to bean ladybird. D.B. 843, p. 6. 1920.
  two-spotted, enemy of insect pests. Y.B., 1911, pp. 454–457. 1912; Y.B. Sep. 583, pp. 454–457. 1912.
  usefulness against rose aphid. D.B. 90, p. 12. 1914.
  value—
    as enemy of sugar-cane leaf hopper. Ent. Bul. 93, pp. 28, 32. 1911.
    in destruction of mealy bugs. Ent. Bul. 93, p. 45. 1911.
  See also Lady beetle; Ladybug.
Ladybug—
  control of cranberry fireworm. D.B. 1032, p. 31. 1922.
  See also Ladybird; Lady beetle.
Lady's-slipper—
  description, cultivation, and characteristics. F.B. 1171, pp. 48–49, 79. 1921.
  habitat, range, description, collection, prices and uses of roots. B.P.I. Bul. 107, p. 23. 1907.
Lady's-thumb seeds, description. F.B. 260, p. 20. 1906; F.B. 428, pp. 7, 23, 24. 1911.
Laelaps spp., description and habits. Rpt. 108, pp. 74, 80, 84. 1915.
Laemophloeus minutus—
  control in flour mills. D.B. 872, pp. 27–39. 1920.
  fumigation with carbon tetrachloride, experiments. Ent. Bul. 96, Pt. IV, pp. 54, 56. 1911.
Laetilia coccidivora, enemy of terrapin scale. D.B. 351, p. 63. 1916.
Lafourche drainage district, Louisiana, description, rainfall, and run-off. J.A.R., vol. 11, pp. 253, 261, 262, 266, 269, 272. 1917.
Lagenaria vulgaris—
  food use among Japanese. O.E.S. Bul. 159, p. 35. 1905.
  importation and description. Inv. Nos. 30222, 30223, 30306. B.P.I. Bul. 233, pp. 68, 74. 1912.
  See also Gourd.
Lagenorhyncus obliquidens. See Porpoise, striped.

Lagerstroemia—
  parviflora, importations and descriptions. No. 47703, B.P.I. Inv. 59, p. 49. 1922; Nos. 53581–53582, B.P.I. Inv. 67, p. 65. 1923.
  spp., importations and descriptions. Nos. 52512, 52750, B.P.I. Inv. 66, pp. 5, 36, 70. 1923.
  speciosa—
    importations and descriptions. No. 44074. B.P.I. Inv. 50, p. 24. 1922; No. 45912, B.P.I. Inv. 54, p. 40. 1922.
  See also Crape myrtle.
Lagging, mine, description and prices. F.B. 715, p. 10. 1916.
Lagochirus araneiformis. See Longicorn beetle; Cane borer.
Lagomorpha, occurrence in Alabama. N.A. Fauna 45, pp. 70–74. 1921.
Lagomys princeps. See Pika.
Lagopus spp. See Ptarmigan.
La Gloria Canal Company irrigation system, details. O.E.S. Bul. 222, p. 54. 1910.
Lagorotis—
  diprioni, parasite of Neodiprion lecontei. J.A.R., vol. 20, pp. 757–758. 1921.
  virginiana, parasite of Neodiprion lecontei. J.A.R., vol. 20, pp. 757–758. 1921.
Laguna district, Mexico, research station for study of pink bollworm. D.B. 918, pp. 1–4. 1921.
Laguna Dam, irrigation in southern Arizona. D.B. 654, p. 13. 1918.
Laguncularia racemosa, injury by sapsuckers. Biol. Bul. 39, p. 48. 1911.
Lagurus spp., description, distribution, and uses. D.B. 772, pp. 14, 142, 143. 1920.
Lahontan Basin, Nevada, location and description B.P.I. Bul. 157, pp. 7–8. 1909; D.B. 54, pp. 11–18. 1914; Soils Bul. 94, pp. 11, 89–90. 1913.
LAKE, E. R.: "The Persian walnut industry of the United States." B.P.I. Bul. 254, pp. 112. 1913.
Lake(s)—
  ancient, of Great Basin. D.B. 1340, p. 4. 1925.
  and-rail shipments, butter, etc., advantages of system. News L., vol. 3, No. 3, pp. 1, 3. 1915.
  availability for Florida irrigation. D.B. 462, p. 18. 1917.
  California, location and size. O.E.S. Bul. 237, pp. 26–27. 1911.
  channels, Great Lake region, minimum depth, 1909. Stat. Bul. 81, pp. 55–56. 1910.
  dwellers, Switzerland, architecture and agriculture, historical notes. B.A.I. An. Rpt., 1910, p. 217. 1912.
  Great Basin region, list, elevation, and drainage. D.B. 61, pp. 7, 9, 67, 75. 1914.
  Pike National Forest. D.C. 41, pp. 10–11. 1919.
  salt—
    potash sources, location and supply. Y.B., 1920, pp. 369–372. 1921; Y.B. Sep. 851, pp. 369–372. 1921.
    source of potash, location and yield. D.C. 61, pp. 4–5. 1919.
  sandhill regions, Nebraska, and list of duck-food plants. D.B. 794, pp. 40, 77. 1920.
  terraces, soil, character and agricultural value, by series. Soils Bul. 55, pp. 153–164. 1909.
  vessels, Great Lakes, size, tonnage, and cost. Stat. Bul. 81, pp. 60–64. 1910.
  waters, analyses, comparison with river waters. D.B. 61, pp. 27–30, 80. 1914.
Lake Chelan—
  Washington, description. D.C. 138, pp. 6–8. 1920.
  water power. O.E.S. Bul. 214, p. 14. 1909.
Lake Erie—
  grape belt, invasion of cherry leaf beetle, 1915. D.B. 352, pp. 4–5. 1916.
  transportation rates, farm products. Y.B., 1911, pp. 651, 655. 1912; Y.B. Sep. 588, pp. 651, 655. 1912.
  water losses through seepage. Y.B., 1911, pp. 488–489. 1912; Y.B. Sep. 585, pp. 488–489. 1912.
Lake Erie Valley—
  grape leaf hopper, studies. Fred Johnson. D.B. 19, pp. 47. 1914.
  spraying experiments for grape leaf hopper. Ent. Bul. 97, Pt. I, pp. 1–12. 1911; Ent. Bul. 116, Pt. I, pp. 13. 1912.
  vineyard conditions, 1900–1909. Ent. Bul. 89, pp. 57–59. 1910.

INDEX TO PUBLICATIONS, 1901-1925

Lake Loveland Reservoir dam outlets, construction details and cost. O.E.S. Bul. 249, Pt. I, p. 46. 1912.
Lake States—
celery growing. F.B. 1269, p. 4. 1922.
clearing land, cost and methods. Harry Thompson and Earl D. Strait. D.B. 91, pp. 25. 1914.
dry-pine barrens, immunity of jack pine from diseases. D.B. 212, p. 7. 1915.
farms, plan for location of windbreaks. For. Bul. 86, pp. 98-99. 1911.
forest, acreage and output. M.C. 15, p. 4. 1924.
forest planting, suggestions. For. Cir. 100, pp. 1-15. 1907; For. Cir. 195, pp. 1-15. 1912.
hardwood forests, composition and management. D.B. 285, pp. 1-80. 1915.
hardwoods, utilization. M.C. 39, pp. 45-46. 1925.
lumber cut, percentage of total, 1850-1914. Rpt. 114, p. 6. 1917.
need of forest experiment stations. Sec. Cir. 183, pp. 22-23. 1921.
paper industry and pulp requirements and sources. D.B. 1241, pp. 44-47. 1924.
Norway pine in. Theodore S. Woolsey, jr., and Herman H. Chapman. D.B. 139, pp. 42. 1914.
windbreaks, composition and direction. F.B. 788, pp. 12-13. 1917.
See also Great Lakes; Great Lake States.
Lake Traverse-Bois de Sioux drainage project. D.B. 1017, pp. 59-72. 1922.
Lallemantia iberica, importation and description. Inv. No. 29932, B.P.I. Bul. 233, p. 42. 1912.
La Lometa Canal Company, irrigation system, details. O.E.S. Bul. 222, p. 57. 1910.
Lamarckia aurea, distribution, description, and feed value. D.B. 201, p. 29. 1915.
LAMB, A. R.—
"Rape as material for silage." With John M. Evvard. J.A.R., vol. 6, No. 14, pp. 527-533. 1916.
"The relative influence of microorganisms and plant enzyms on the fermentation of corn silage." J.A.R., vol. 8, pp. 361-380. 1917.
LAMB, G. N.—
"Basket willow culture." F.B. 622, pp. 34. 1914.
"Willows: Their growth, use, and importance." D.B. 316, pp. 52. 1915.
LAMB, W. H.: "Key to common kinds of trees." F.B. 468, pp. 39-43. 1911.
Lamb—
and mutton—
and their use in the diet. F.B. 1324, pp. 14. 1923.
cold-storage holdings, 1915-1924. Stat. Bul. 4, p. 16. 1925.
farm slaughtering and use of. C. G. Potts. F.B. 1172, pp. 32. 1920.
beef, and pork, vitamin A in. Ralph Hoagland and George G. Snider. J.A.R., vol. 31, pp. 201-221. 1925.
carcass, cutting up, directions. F.B. 1172, pp. 15-16. 1920.
care, and management. D.B. 20, pp. 26-33. 1913.
cooking recipes. F.B. 1172, pp. 20-32. 1920; F.B. 1324, pp. 6-13. 1923.
cuts—
and grades. F.B. 435, p. 19. 1911; F.B. 1199, p. 23. 1921.
wholesale, description. D.C. 300, p. 5. 1924.
frozen, storage holdings, 1918, by localities, and by months. D.B. 792, pp. 12-15. 1919
use—
as meat, percentage of total meat consumption. F.B. 1172, pp. 3-4. 1920.
in the diet. F.B. 1324, pp. 1-14. 1923.
vitamin A in. J.A.R., vol. 31, pp. 215-219, 220. 1925.
See also Meats; Mutton.
Lamb mint. *See* Spearmint; Peppermint.
Lamb(s)—
blood poisoning in New Zealand. B.A.I. An. Rpt., 1901, p. 233. 1902.
care under different systems. For. Cir. 178, pp. 33-40. 1910.
castrating and docking. G. H. Bedell and E. W. Baker. F.B. 1134, pp. 14. 1920.
chilled, reviving. F.B. 1155, p. 36. 1921.

Lamb(s)—Continued.
clubs, farmers', Tennessee, cooperative marketing plans. News L., vol. 1, No. 22, pp. 3-4. 1914.
destruction by crows. D.B. 621, p. 40. 1918.
destruction by eagles. Biol.Bul. 27, pp. 14, 20, 26. 1901.
dipping for scab. F.B. 713, pp. 17, 27. 1916.
diseases—
causes and treatment. F.B. 1155, pp. 12-14, 20, 21, 25, 26, 27, 36. 1921.
control. F.B. 840, pp. 15-16. 1917.
disowned, treatment. F.B. 840, p. 15. 1917.
docking and castrating, time and methods. D.B. 573, pp. 13-14. 1917.
earliness and age uniformity, advantages. D.B. 996, pp. 6-7. 1921.
early—
development for control of stomach worms. D.C. 47, pp. 8-9. 1919.
market industry, distribution. Y.B., 1923, pp. 248-251. 1924; Y.B. Sep. 894, pp. 248-251. 1924.
spring, production in South, methods, cost, and profits. F.B. 457, pp. 16-20. 1911.
ewe, value in starting sheep flocks. News L., vol. 5, No. 11, p. 3. 1917.
farm—
neglect of castration and dockage, cause of loss in marketing. F.B. 1134, pp. 4-6. 1920.
quality on market. F.B. 1134, p. 4. 1920.
fattening—
cost of different methods. Y.B., 1923, pp. 272-274. 1924; Y.B. Sep. 894, pp. 272-274. 1924.
cost per head, by States. Y.B., 1921, pp. 842-844. 1922; Y.B. Sep. 876, pp. 39-41. 1922.
cottonseed in rations. F.B. 1179, p. 17. 1923.
emmer value. F.B. 466, p. 17. 1911.
feed lot. F.B. 810, pp. 17-18. 1917.
on alfalfa and corn. F.B. 504, pp. 8-9. 1912.
on cull wheat and weeds. F.B. 704, p. 35. 1916.
on field-pea pasture, gains. F.B. 690, p. 14. 1915.
feeding—
and rearing. M.C. 12, pp. 30-31. 1924.
comparative value of feeds, cost and profit. F.B. 466, pp. 17-18. 1911.
experiments—
in Nebraska, cost and profit. D.C. 173, pp. 34-36. 1921.
Scottsbluff Experiment Farm. D.C. 289, pp. 31-33. 1924.
with non-proteins. B.A.I. Bul. 139, pp. 13, 14, 17-19, 31. 1911.
metabolism studies. J.A.R., vol. 4, pp. 459-473. 1915.
methods, pasture, dry-lot, and forage crops. F.B. 840, pp. 23-24. 1917.
on cottonseed products, rations, and results. F.B. 1179, pp. 14, 17. 1920.
on kafir grain and cottonseed meal. F.B. 724, p. 11. 1916.
tests with sweet clover, grass and alfalfa hay. F.B. 485, p. 29. 1912.
flushing ewes for yield increase. D.B. 996, pp. 1-14. 1921.
grading for market, requirements. F.B. 360, pp. 18-21, 24-26. 1909.
grazing on temporary pastures. F.B. 1181, pp. 6-11, 13, 15. 1921.
growth—
during first year, nature and rate. E. G. Ritzman. J.A.R., vol. 11, pp. 607-624. 1917.
effect of shearing. F.B. 162, pp. 25-26. 1903.
relation to—
ewes' milk, quantity and composition. Ray E. Neidig and E. J. Iddings. J.A.R., vol. 17, pp. 19-32. 1919.
fat content of mother's milk. J.A.R., vol. 8, pp. 29-36. 1917.
habits in inclosed pastures. For. Cir. 178, pp. 10-22. 1910.
improvement campaign. B.A.E. Chief Rpt., 1924, pp. 26-27. 1924.
Karakul, skins removal, time and method for best results. Y.B., 1915, pp. 261-262. 1916; Y.B. Sep. 673, pp. 261-262. 1916.
late and early, advantages and disadvantages. F.B. 929, p. 27. 1918.

Lamb(s)—Continued.
  liver disease caused by *Bacillus necrophorus*.
      F.B. 1155, p. 12. 1921.
  losses—
    from stomach worms. B.A.I. An. Rpt., 1910,
      pp. 445, 447. 1912; B.A.I. Cir. 193, pp. 445,
      447. 1912.
    in lambing season, causes and prevention.
      F.B. 374, pp. 22-24. 1909.
  marketing—
    advantages of castration and docking. F.B.
      1134, pp. 4-8. 1920.
    clubs, Tennessee. F.B. 809, pp. 7-8. 1917.
    on Minidoka project, May 1-Dec. 31, 1916,
      methods, weights, and prices. D.B. 573, pp.
      24, 25. 1917.
  milk sickness, cause and control. For. Bul. 97,
      pp. 26-27. 1911.
  mutton, for South, care and profits. News L.,
      vol. 2, No. 19, pp. 1-2. 1914.
  number—
    on farms, and number registered, January 1,
      1920, maps. Y.B., 1921, pp. 484, 485. 1922;
      Y.B. Sep. 878, pp. 78, 79. 1922.
    slaughtered, 1909. F.B. 1055, p. 4. 1919.
  outlook for 1924. M.C. 23, pp. 20-21. 1924.
  parasitic infection, prevention. B.A.I. An.
      Rpt., 1906, pp. 207-212. 1908.
  pasturing on—
    alfalfa, corn, and beet tops, gains. W.I.A. Cir.
      24, pp. 16-17, 19. 1918.
    corn, experiments. D.C. 339, pp. 35-36. 1925.
  prices—
    1906. B.A.I. An. Rpt., 1906, pp. 316, 317, 318.
      1908.
    1910-1914. Rpt. 113, pp. 66, 68. 1916.
    1925. Sec. A.R. 1925, p. 10. 1925.
    at Chicago, 1893-1922. Y.B., 1923, pp. 286, 302.
      1924; Y.B. Sep. 894, pp. 286, 302. 1924.
    comparison, American and European—
      1906-1907. B.A.I. An. Rpt. 1907, pp. 399-400.
        1909.
      1907-1909. B.A.I. An. Rpt., 1909, pp. 309-
        310. 1911.
      1911-1913. Y.B., 1913, p. 485. 1914; Y.B.
        Sep. 361, p. 485. 1914.
    comparison with cattle and hogs, 1913-1922.
      Y.B., 1922, p. 242. 1923; Y.B. Sep. 882, p.
      242. 1923.
    on farm—
      1924. Y.B., 1924, pp. 942, 944. 1925.
      city, and export, comparison. Stat. Bul. 101,
        pp. 70-71. 1913.
  production—
    cost in western range States. Rpt. 110, pp.
      45-48, 50. 1916.
    of good carcass, essentials. F.B. 1134, p. 3.
      1920.
  protection from—
    flies. F.B. 857, pp. 17-18. 1917.
    infestation by internal parasites. F.B. 1330,
      pp. 2, 41-42, 44, 47, 51, 53. 1923.
    worm infestation. F.B. 1150, pp. 41-42, 44-45.
      1920.
  raising, bare-lot method to avoid nodule disease.
      F.B. 281, pp. 28-29. 1907.
  range crop, effect of drought. F.B. 1428, pp. 1-2.
      1925.
  retention of meconium, treatment. F.B. 1155,
      p. 30. 1921.
  saving on sheep ranges. News L., vol. 6, No. 28,
      pp. 4-5. 1919.
  shearing effect on growth. F.B. 162, p. 25. 1903.
  slaughtering and use on farm, and of mutton.
      F.B. 1172, pp. 1-32. 1920.
  stomach worms, prevention methods. B.A.I.
      An. Rpt., 1908, pp. 269-278. 1910; B.A.I. Cir.
      157, pp. 1-10. 1910.
  suckling, ewes-milk value. S.R.S. Rpt. 1917,
      Pt. I, pp. 27, 181. 1918.
  suckling-pen method of worm prevention, details.
      B.A.I. An. Rpt., 1908, pp. 274-275. 1910;
      B.A.I. Cir. 157, pp. 6-7. 1910.
  tapeworm feeding experiments. J.A.R., vol. 1,
      pp. 23-26, 27, 58. 1913.
  tobacco feeding for worms, unsuccessful. B.A.I.
      Cir. 157, pp. 9-10. 1910; B.A.I. An. Rpt., 1908,
      pp. 277-278. 1910.

Lamb(s)—Continued.
  trade conditions, receipts and prices, December,
      1918. Y.B., 1918, p. 382. 1919; Y.B. Sep. 788,
      p. 6. 1919.
  treatment for stomach worms, directions. D.C.
      47, pp. 4-6. 1919.
  twin—
    and singles, value comparisons. D.B. 996,
      pp. 10-14. 1921.
    production, effect of ewe's age and breed, and
      age of sire. D.B. 996, pp. 7-9. 1921.
  weaning, directions. F.B. 840, pp. 18-19. 1917.
  weight and growth, variations of breeds and ewes.
      J.A.R., vol. 17, pp. 27-31. 1919.
  winter-fed, losses, study, and experiments. F.B.
      469, pp. 9-10. 1911.
  winter, production, methods. F.B. 374, p. 25.
      1909.
  woolless, cause and treatment. F.B. 1155, pp.
      20-21. 1921.
  yields, flushing and other means of increasing.
      F. R. Marshall and C. G. Potts. D.B. 996,
      pp. 14. 1921; D.B. 996, rev., pp. 15. 1923.
  young, care, and management. F.B. 840, pp.
      15-17, 22-23. 1917; For. Bul. 97, pp. 20-28.
      1911.
  See also Sheep; Wethers.
Lambert, G. M.: "Ice houses and the use of ice on
    the dairy farm." With John T. Bowen. F.B.
    623, pp. 24. 1915.
Lambert, H. D.: "Soil survey of Alleghany
    County, N.C." With R. T. Avon Burke. Soil
    Sur. Adv. Sh., 1915, pp. 26. 1917; Soils F. O., 1915,
    pp. 339-360. 1919.
Lambertia formosa, importation and description.
    No. 40056, B.P.I. Inv. 42, p. 61. 1918.
Lambing—
  difficult, treatment. F.B. 1155, pp. 33-34. 1921.
  grounds, on range, coyote-proof inclosures.
      James T. Jardine. For. Bul. 97, pp. 32. 1911.
  increase, methods, and effect on profits. F.B.
      929, pp. 14, 15, 28. 1918.
  pens and creeps for sheep raising, on farms. F.B.
      810, pp. 22-23. 1917.
  range sheep, in coyote-proof pasture. For. Cir.
      160, pp. 36-37. 1909.
  time, care of mother and lamb, cleanliness. D.B.
      573, pp. 12-13. 1917.
Lamblia intestinalis, spread by dogs. D.B. 260,
    p. 22. 1915.
Lamblia spp., description and occurrence. B.A.I.
    Cir. 194, p. 483. 1912. B.A.I. An. Rpt., 1910,
    p. 483. 1912.
Lamb's lettuce, occurrence on Washington prairie
    land, eastern Puget Sound Basin. Soil Sur. Adv.
    Sh., 1909, p. 33. 1911; Soils F.O., 1909, p. 1545.
    1912.
Lamb's-quarters—
  description, distribution, spread, and products
      injured. F.B. 660, p. 28. 1915.
  destruction by birds. Biol. Bul. 15, p. 27. 1901.
  host of beet leaf beetle. D.B. 892, pp. 7-8. 1920.
  infestation with root louse. J.A.R., vol. 4, p. 241.
      1915.
  seeds—
    description. B.P.I. Bul. 84, p. 35. 1905; F.B.
      428, pp. 7, 24. 1911.
    description, appearance in red clover seed. F.B.
      260, p. 21. 1906.
  value as forage. F.B. 320, p. 17. 1908.
  See also Pigweed.
Lambskins—
  Persian, values of various grades. Y.B., 1915,
      pp. 251-252, 253, 257-259. 1916; Y.B. Sep. 673,
      pp. 251-252, 253, 257-259. 1916.
  quality, results of crossing Karakul sheep with
      other breeds. Y.B., 1915, pp. 252, 258-260.
      1916; Y.B. Sep. 673, pp. 252, 258-260. 1916.
  See also Skins.
Lameness, causes and treatment. A. Liautard.
    B.A.I. [Misc.], "Diseases of the horse," rev.,
    pp. 274-368. 1903; rev., pp. 274-368. 1907; rev.,
    pp. 274-368. 1911; rev., pp. 298-394. 1916; rev.,
    pp. 238-324. 1923.
Lamidae, classification and description. Ent.
    T.B. 20, Pt. V, pp. 152-153. 1912.
Laminaria andersonii, analyses. J.A.R., vol. 4, pp.
    41, 43, 45, 46, 51. 1915.
Laminitis. See Founder.

INDEX TO PUBLICATIONS, 1901–1925   1323

Laminosioptes spp., description and habits. Rpt. 108, p. 133. 1915.
LAMON, H. M.—
"Feed cost of egg production." With Alfred R. Lee. D.B. 561, pp. 42. 1917.
"Feeding hens for egg production." With Alfred R. Lee. F.B. 1067, pp. 15. 1919.
"Goose raising." With Alfred R. Lee. F.B. 767, pp. 16. 1917.
"Hints to poultry raisers." B.A.I. Cir. 206, pp. 5. 1912; F.B. 528, pp. 12. 1913.
"Illustrated lecture on the production of poultry and eggs on the farm." S.R.S. Syl. 17, pp. 22. 1915.
"Incubation of hens' eggs." F.B. 1106, pp. 8. 1920.
"Illustrated poultry primer." With Jos. Wm. Kinghorne. F.B. 1040, pp. 28. 1919.
"Natural and artificial brooding of chickens." F.B. 624, pp. 14. 1914.
"Natural and artificial incubation of hens' eggs." F.B. 585, pp. 16. 1914.
"The care of the farm egg." With Charles L. Opperman. B.A.I. Bul. 160, pp. 53. 1913.
"The handling and marketing of eggs." Y.B., 1911, pp. 467–478. 1912; Y.B. Sep. 584, pp. 467–478. 1912.
"The improvement of the farm egg." With Charles L. Opperman. B.A.I. Bul. 141, pp. 43. 1911.
"The organization of boys' and girls' poultry clubs." F.B. 562, pp. 12. 1913.
"The organization of girls' poultry clubs." B.A.I. Cir. 208, pp. 11. 1913.
Lampblack—
by-product of straw gas. D.B. 1203, p. 7. 1923.
manufacture from rosin. D.B. 229, p. 10. 1915.
rust prevention, tests. Rds. Bul. 35, pp. 32–34. 1909.
Lamprey, occurrence in Athabaska-Mackenzie region. N.A. Fauna 27, p. 503. 1908.
Lamps—
blast, ignition of precipitates without use of. Percy H. Walker and J. B. Wilson. Chem. Cir. 101, pp. 8. 1912.
brooder, precautions. F.B. 357, pp. 12–13. 1909.
care of, directions. Thrift Leaf. 9, pp. 2–3. 1919.
electric, temperatures, table. D.C. 171, p. 7. 1921.
incubator, care of. F.B. 1363, p. 12. 1923; F.B. 236, pp. 9–12. 1905.
kerosene, care of. F.B. 1180, p. 24. 1921.
mantle, for kerosene, alcohol, or gasoline, efficiency. F.B. 517, pp. 21, 22. 1912.
LAMSON-SCRIBNER, F.—
"New or little known grasses." Agros. Cir. 30, pp. 8. 1901.
"Our native pasture plants." Y.B., 1900, pp. 581–598. 1901; Y.B. Sep. 223, pp. 581–598. 1901.
"Range grass and forage plant experiments at Highmore, S. Dak." Agros. Cir. 33, pp. 5. 1901.
"Records of seed distribution and cooperative experiments with grasses and forage plants." B.P.I. Bul. 10, pp. 23. 1902.
LANCASTER, S. C.: "Practical road building in Madison Co., Tennessee." Y.B., 1904, pp. 323–340. 1905; Y.B. Sep. 350, pp. 323–340. 1905.
Lancaster, Pa., milk supply, statistics, officials, prices, and laws. B.A.I. Bul. 46, pp. 38, 148–149. 1903.
Lanceweed, in Porto Rico, description and uses. D.B. 354, pp. 69, 70. 1916.
Lancewood trees, injury by sapsuckers. Biol. Bul. 39, p. 38. 1911.
Land(s)—
abandoned—
eastern United States, area and outlook. Y.B., 1918, pp. 437, 441. 1919; Y.B. Sep. 771, pp. 7, 11. 1919.
utilization for timber growing. An. Rpts., 1922, pp. 196–198. 1922; For. Rpt., 1922, pp. 2–4. 1922.
abandonment in older States, statistics. F.B. 406, p. 8. 1910.
acid, utilization by means of acid-tolerant crops. Frederick V. Coville. D.B. 6, pp. 13. 1913.

Land(s)—Continued.
acquired under act of March 1, 1911 (36 Stat. 961), mineral resources development and utilization, rules and regulations permitting. For. [Misc.], "Rules and * * *," pp. 19. 1917.
acreage—
in crops per work horse or mule, leading States. Sec. [Misc.], Spec. "Geography * * * world's agriculture," pp. 109–110. 1917.
in crops, United States and other countries, per capita. Y.B., 1916, p. 531. 1917; Y.B. Sep. 713, p. 1. 1917.
in forage and other crops. Y.B., 1923, pp. 311–414. 1924; Y.B. Sep. 895, pp. 311–414. 1924.
per capita and relation of crops to population, graphs. Y.B., 1921, p. 431. 1922; Y.B. Sep. 878, p. 25. 1922.
adaptability to alfalfa. F.B. 373, pp. 7–9. 1909.
additional, renting by farm owners, profits. F.B. 1088, p. 23. 1920.
agricultural—
and forest in the national forests, classification and segregation, principles and procedure governing. For. [Misc.], "Principles and procedures * * *," pp. 23. 1914.
in eastern Colorado, plant indications. B.P.I. Bul. 201, pp. 24–60. 1911.
in national forests, laws and decisions. Sol. [Misc.], "Laws * * * forest * * *," pp. 19, 34–40. 1916.
in United States—
acreage, comparison with European countries. For. Cir. 159, pp. 6–7. 1909.
by States. News L., vol. 1, No. 25, pp. 2–3. 1914.
in various countries. Y.B., 1919, pp. 748–749. 1920; Y.B. Sep. 830, pp. 748–749. 1920.
tying up by speculators, methods and examples. D.B. 638, pp. 12–16. 1918.
alfalfa-seed production. F.B. 495, pp. 19–26. 1912.
alkali—
choice of crops. Thomas H. Kearney. F.B. 446, pp. 32. 1911.
in Egypt, reclamation, crops used. Thomas H. Kearney and Thomas H. Means. Y.B., 1902, pp. 573–588. 1903; Y.B. Sep. 291, pp. 573–588. 1903.
in Salt Lake Valley, Utah, reclamation. Clarence W. Dorsey. Soils Bul. 43, pp. 28. 1907.
treatment after drainage. D.B. 190, pp. 29–31. 1915.
alluvial—
formation and fertility. Soils Bul. 68, pp. 18, 21. 1911.
lower Mississippi Valley, and their drainage. O.E.S. An. Rpt., 1908, pp. 407–417. 1909.
Appalachian, acquisition, legal work, 1913. An. Rpts., 1913, pp. 301, 317–318. 1914; Sol. A.R., 1913, pp. 3, 19–20. 1913.
arable, in United States. O. E. Baker and H. M. Strong. Y.B., 1918, pp. 433–441. 1919; Y.B. Sep. 771, pp. 11. 1919.
arctic waste, utilization for beaver farming. D.B. 1078, p. 29. 1922.
arid—
areas in United States. For. Cir. 159, pp. 7–8. 1909.
claims in national forests, regulations. For. [Misc.], "The use book, 1908," p. 30. 1908.
grazing—
description and definitions. D.B. 1001, pp. 5–6. 1922.
improvement of conditions, legislation and methods proposed. D.B. 1001, pp. 44–45. 1922.
of the southwestern States, relation of land tenure to use of. E. O. Wooton. D.B. 1001, pp. 72. 1922.
in South Dakota, climatic conditions. D.C. 339, pp. 1–3. 1925.
in West, reclamation, beet-sugar, and related industries. Rpt. 82, pp. 7–13. 1906.
reclamation work, 1896–1908. Rpt. 87, pp. 92–93. 1908.
wheat experiments, with hard red winter varieties. D.B. 1276, pp. 1–48. 1925.
See also Desert.
ash covered, reclamation in Alaska. Alaska A.R., 1914, pp. 40, 68, 72. 1915.

36167°—32——84

Land(s)—Continued.
  banks, Federal. *See* Banks.
  Belle Fourche Experiment Farm, preparation for experiments. D.B. 1039, p. 11. 1922.
  breaking for cotton, time and crew. D.B. 896, pp. 25–26. 1920.
  Carey Act, acreages, and purchasing conditions. D.B. 1271, pp. 39–40. 1922.
  changes in use, past and future. For. Cir. 159, pp. 4–15. 1909.
  citrus, purchase, suggestions to prospective growers. F.B. 1343, pp. 5–8, 38–40. 1923.
  claims, national forests, administration. Sol. [Misc.], "Laws * * * forests * * *," pp. 31–35. 1916.
  classes, in—
    Michigan, acreage, and value. D.B. 91, pp. 2, 3. 1914.
    Minnesota, acreage, and value. D.B. 91, p. 3. 1914.
    Wisconsin, acreage, and value. D.B. 91, pp. 2, 3. 1914.
  classification—
    bibliography. D.B. 1001, p. 69. 1922.
    for forest or agricultural adaptability, methods and value. D.B. 638, pp. 23–25. 1918.
    Olympic National Forest. For. Bul. 89, pp. 8, 9–10. 1911.
  on national forests—
    changes in areas and lines. An. Rpts., 1917, pp. 167–169. 1918; For. A.R., 1917, pp. 5–7. 1917.
    laws and decisions. Sol. [Misc.], "Laws * * * forests * * *," pp. 36–40. 1916.
    use in determining drainage assessments. D.B. 1207, pp. 3, 56–57. 1924.
    work of Soils Bureau. An. Rpts., 1918, p. 226. 1919; Soils A.R., 1918, p. 2. 1918.
  cleaning and preparation for wheat-scab control. F.B. 1224, p. 15. 1921.
  clearing—
    Earl D. Strait. F.B. 974, pp. 30. 1918.
    after drainage, costliness and need of cooperation. Y.B., 1918, pp. 140–144. 1919; Y.B. Sep. 781, pp. 6–10. 1919.
    and grading for citrus-fruit orchards, methods and cost per acre. F.B. 882, pp. 7–9. 1917.
    and preparation, central Alaska, details and cost. Soil Sur. Adv. Sh., 1914, pp. 92, 168–171. 1915; Soils F.O., 1914, pp. 126, 202–205. 1919.
    by—
      Angora goats, use and value. F.B. 573, pp. 2, 4, 6. 1914.
      blasting stumps, methods. D.C. 191, pp. 1–15. 1921.
      settlers, cause of forest fires, and prevention. Y.B., 1910, pp. 416, 419. 1911; Y.B. Sep. 548, pp. 416, 419. 1911.
    destructive methods, Porto Rico. D.B. 354, pp. 13–14, 28, 29, 45, 55. 1916.
    details and directions. F.B. 974, pp. 1–30. 1918.
    extension work, 1923. D.C. 344, pp. 7–8. 1923.
    fires and our timber supply. For. [Misc.], "Land clearing * * *," pp. 16. 1922.
    for—
      alfalfa irrigation, cost, and implements. F.B. 373, pp. 10–12. 1909.
      farms, waste of timber. Y.B., 1922, pp. 84–86. 1923; Y.B. Sep. 886, pp. 84–86. 1923.
      irrigated orchards, methods and cost. F.B. 404, pp. 9–10. 1910.
      irrigation. Y.B., 1909, p. 295. 1910; Y.B. Sep. 514, p. 295. 1910.
      pecan planting, cost. B.P.I. Cir. 112, p. 5. 1913.
    in Alabama, Baldwin County. Soil Sur. Adv. Sh., 1909, p. 17. 1911; Soils F.O., 1909, p. 717–718. 1912.
    in Alaska—
      Kenai Peninsula, methods. Soil Sur. Adv. Sh., 1916, pp. 111–113. 1918; Soils F.O., 1916, pp. 143–145. 1921.
      methods and cost. Alaska A.R., 1914, pp. 29, 35, 51, 55. 1915; Alaska Bul. 1, pp. 8–10. 1902.

Land(s)—Continued.
  clearing—continued.
    in—
      Florida, Pinellas County for citrus growing and cost. Soil Sur. Adv. Sh., 1913, pp. 11, 19. 1914; Soils F.O., 1913, pp. 725, 733. 1916.
      Georgia, Colquitt County, methods and cost. Soil Sur. Adv. Sh., 1914, pp. 10, 37. 1915; Soils F.O., 1914, pp. 966, 993. 1919.
      Lake States, cost and method. Harry Thompson and Earl D. Strait. D.B. 91, pp. 25. 1914.
      Michigan, Ontonagon County, cost. Soil Sur. Adv. Sh., 1921, pp. 82, 89–91, 93, 98. 1923.
      New Mexico, cost. O.E.S. Bul. 215, p. 38. 1909.
      South Carolina, Georgetown County, cost. Soil Sur. Adv. Sh., 1911, p. 15. 1912; Soils F.O., 1911, p. 523. 1914.
    in Texas—
      Corpus Christi area, cost. Soil Sur. Adv. Sh. 1908, p. 15. 1909; Soils F.O., 1908, p. 909. 1911.
      cost per acre. O.E.S. Bul. 222, pp. 83–84. 1910.
      southwest, cost. Soil Sur. Adv. Sh., 1911, p. 40. 1912; Soils F.O., 1911, p. 1207. 1914.
    in Washington—
      cost. O.E.S. Bul. 214, pp. 58–59. 1909.
      Franklin County, method and cost. Soil Sur. Adv. Sh., 1914, p. 32. 1917; Soils F.O., 1914, p. 2558. 1919.
      Quincy area, cost. Soil Sur. Adv. Sh., 1911, pp. 17, 44. 1913; Soils F.O., 1911, pp. 2239, 2266. 1914.
      southwestern, cost. Soil Sur. Adv. Sh., 1911, p. 29. 1913; Soils F.O., 1911, p. 2119. 1914.
      western part, cost and methods. Harry Thompson. B.P.I. Bul. 239, pp. 60. 1912.
    in Wisconsin, north part of north-central, cost. Soil Sur. Adv. Sh., 1914, pp. 24, 26, 45. 1916; Soils F.O., 1914, pp. 1674, 1676, 1695. 1919.
    logged-off, methods and cost in Pacific Northwest. Harry Thompson. B.P.I. Cir. 25, pp. 16. 1909.
    methods and cost. F.B. 381, pp. 5–9. 1909.
    of mesquite for control of conchuela on cotton. Ent. Bul. 86, p. 67. 1910.
    of stumps, on cut-over lands, methods and cost. D.B. 425, pp. 13, 21, 23. 1916.
    use of stump-boring outfit, cost per acre. F.B. 600, pp. 4, 5. 1914.
    use of T. N. T. D.C. 94, pp. 13–15, 17, 24. 1920.
    value of goats. B.A.I. An. Rpt., 1900, pp. 293–308. 1901; B.A.I. An. Rpt., 1901, pp. 459–464. 1902; B.A.I Bul. 27, pp. 41–46. 1901; F.B. 137, pp. 12–17. 1901; F.B. 150, p. 7. 1902.
  corners lost or obliterated, restoration, instructions. For. [Misc.], "Field program, 1913," p. 93. 1913.
  cost-accounting methods. Sec. Cir. 132, p. 13. 1919.
  cost, as factor in wheat profits. Y.B., 1921, pp. 116, 118. 1922; Y.B. Sep. 873, pp. 116, 118. 1922.
  cotton, selection and preparation. F.B. 577, pp. 1–3. 1914.
  cultivation, value in wild-onion eradication, methods. F.B. 610, pp. 3–5. 1914.
  cut-over—
    accumulation and use, problem. Rpt. 114, pp. 91–94. 1917.
    acreage of stumpage, various sections. F.B. 974, p. 1. 1918.
    clearing method and cost. Soils Cir. 43, pp. 8–9. 1911.
    in Alabama, Mobile County, cost per acre. Soil Sur. Adv. Sh., 1911, pp. 16, 40. 1912; Soils F.O., 1911, pp. 870, 894. 1914.
    in Michigan, Wisconsin, and Minnesota, farming on. J. C. McDowell and W. B. Walker. D.B. 425, pp. 24. 1916.
    in Mississippi, George County. Soil Sur. Adv Sh., 1922, pp. 41, 44, 45. 1925.

INDEX TO PUBLICATIONS, 1901-1925   1325

Land(s)—Continued.
  cut-over—continued.
    injury to forestry interests from speculation. D.B. 638, pp. 12-16. 1918.
    reforestation, results in forests of southwest. D.B. 1105, pp. 68-82. 1923.
    reproduction of pine. D.B. 1061, pp. 5-6. 1922.
  delta, in San Joaquin Valley, location, description, area, and crop production. O.E.S. Bul. 239, pp. 59-60. 1911.
  denuded—
    reforestation with longleaf pine, possibilities, and growth rate. D.B. 1061, pp. 6-13, 36-44. 1922.
    renovation crops, Porto Rico. P.R. An. Rpt. 1916, p. 7. 1918.
  desert. See Desert.
  distribution to returned soldiers. Sec. Cir. 133, pp. 8-9. 1919.
  Douglas-fir, suitability to agriculture, speculatively owned, Washington-Oregon. D.B. 638, p. 13. 1918.
  drainable, description, and acreage by States. D.B. 1271, pp. 15-20. 1922.
  drainage—
    by means of pumps. S. M. Woodward. O.E.S. Bul. 243, pp. 44. 1911.
    by means of pumps. S. M. Woodward and C. W. Okey. D.B. 304, pp. 60. 1915.
    excavating machinery, use. D. L. Yarnell. D.B. 300, pp. 39. 1916.
  in Alaska. Alaska Bul. 1, pp. 10-13. 1902.
  dry-farming, location, acreage, description, grazing, and cropping possibilities. D.B. 1271, pp. 26-33. 1922.
  economics, project of Farm Management Office. Y.B., 1919, pp. 37, 38. 1920.
  eroded—
    reclamation. D.B. 180, pp. 14-17, 23. 1915; Y.B., 1916, pp. 131-134. 1917; Y.B. Sep. 688, pp. 25-28. 1917.
    sections in South, distribution and soil varieties. D.B. 180, pp. 17-20. 1915.
  exchange, in national forests and States. An. Rpts., 1915, pp. 178-179. 1916; For. A. R., 1915, pp. 20-21. 1915.
  exploration in newly-settled irrigation regions. Y.B., 1912, pp. 484, 486-487, 491-492. 1913; Y.B. Sep. 608, pp. 484, 486-487, 491-492. 1913.
  farm—
    value. See Soil surveys for various States, counties, and areas.
    See Farm land.
  Federal—
    in Western States, national forests, and other. F.B. 1395, p. 6. 1925.
    unappropriated, by States. Y.B., 1923, p. 522. 1924; Y.B. Sep. 897, p. 522. 1924.
  flood-damaged, reclamation. F.B. 202, pp. 5-8. 1904.
  for experiment stations, purchase or rental rulings. O.E.S. Cir. 111, rev., pp. 21-22. 1912.
  forest. See Forest lands.
  French, source of naval stores and timber, forestation work. Sec. Cir. 183, pp. 10, 22. 1921.
  future use in the United States. Raphael Zon. For. Cir. 159, pp. 15. 1909.
  grant(s)—
    colleges. See Colleges, land-grant.
    funds, use as loans to farmers. D.B. 384, p. 12. 1916.
    New Mexico, acreage. O.E.S. Bul. 215, p. 16. 1909.
    railroad and State, discussion. D.B. 1001, p. 17. 1922.
    railroad, by United States since 1850. Stat. Bul. 100, pp. 8-10. 1912.
  grasshopper-infested, treatment by plowing and disking. F.B. 691, rev., pp. 10-11, 19. 1920.
  grazing—
    adaptation of permit system. D.B. 1001, pp. 56-62. 1922.
    Indian allotments, legal regulations. D.B. 1001, p. 20. 1922.
    use, control laws, methods, and areas. D.B. 1001, pp. 25-27. 1922.
  grub-infested, control treatment. F.B. 835, rev., pp. 16-18. 1920.
  gullied, reclamation. D.B. 512, p. 38. 1917.

Land(s)—Continued.
  hill, erosion, preventive method. W.B. Mercier. O.E.S. Doc. 706, pp. 7. 1911.
  homestead laws governing. D.B. 1271, pp. 34-37. 1922.
  idle—
    and costly timber. W.B. Greeley. F.B. 1417, pp. 22. 1924.
    area adapted to reforestation. Y.B., 1920, pp. 152-153, 156-158. 1921; Y.B. Sep. 835, pp. 152-153, 156-158. 1926.
    area and classes. Y.B., 1923, pp. 418-419. 1924; Y.B. Sep. 896, pp. 418-419. 1924.
    effect on industry. Y.B., 1922, pp. 93-103. 1923; Y.B. Sep. 886, pp. 93-103. 1923.
    settlement activities, Secretary's report. News L., vol. 6, No. 20, pp. 1-2. 1918.
    in Washington, Oregon, and Idaho, adaptability for beans. F.B. 907, pp. 3-4, 15. 1917.
    utilization for sheep raising. Y.B., 1917, pp. 314, 317, 318, 319. 1918; Y.B. Sep. 750, pp. 6, 9, 10, 11. 1918.
  improved—
    acreage in crops, pastures, etc., by States, graphs and maps. Y.B., 1915, pp. 329, 336, 343, 360. 1916; Y.B. Sep. 681, pp. 329, 336-343, 360. 1916.
    area in farms, crops, operation and value, maps. Y.B., 1921, pp. 423, 424, 492, 499. 1922; Y.B. Sep. 878, pp. 17, 18, 86, 94. 1922.
    in United States and foreign countries. Y.B., 1909, pp. 259, 260, 262, 264. 1910; Y.B. Sep. 511, pp. 259, 260, 262, 264. 1910.
    per cent in clover alone and in timothy and clover, 1900-1920. F.B. 1365, p. 4. 1924.
    percentage by divisions and States, census, 1910. F.B. 745, pp. 3-4. 1916.
    improvement and prices in Texas, Denton County. Soil Sur. Adv. Sh., 1918, pp. 15-16, 28-30, 40, 44, 55. 1922; Soils F.O. 1918, pp. 787-788, 901-904, 915, 916, 918. 1924.
  in Alaska—
    clearing methods, and cost. Alaska A.R., 1913, pp. 13, 16, 19-20, 38. 1914.
    homestead entry law, Kenai Peninsula. Soil Sur. Adv. Sh., 1916, p. 91. 1918; Soils F.O., 1916, p. 123. 1921.
  in California, San Francisco Bay region, price increase. Soil Sur. Adv. Sh., 1914, p. 29. 1917; Soils F.O., 1914, p. 2701. 1919.
  in Idaho, expense to new settlers. O.E.S. Cir. 65, pp. 5-8. 1906.
  in Lake region—
    colonization agencies unusual. D.B. 1295, pp. 74-85. 1925.
    selling misrepresentations. D.B. 1295, pp. 62-65. 1925.
  in Mississippi, Pearl River County, clearing, cost per acre. Soil Sur. Adv. Sh., 1918, p. 10. 1920; Soils F.O., 1918, p. 620. 1924.
  in national forests—
    classification, and elimination of farm lands. An. Rpts., 1914, pp. 132-135, 176. 1914; For. A. R., 1914, pp. 4-7, 1914; Soils Chief Rpt., 1914, p. 2. 1914.
    exchange for private and State lands. For. A.R., 1913, pp. 44-46. 1913; An. Rpts., 1913, pp. 178-180. 1914.
    exchanges and transfers. Sol. [Misc.], "Laws applicable * * * agriculture," Sup. 4, pp. 32-40. 1917.
    laws for, selection, classification. Sol. [Misc.], "Laws applicable * * * Agriculture," Sup. 2, pp. 31-32. 1915.
    regulations—
      and cooperative agreement. For. [Misc.], "Field program, January, 1911," pp. 96-102. 1911.
      for claims, settlement and administrative sites. For. [Misc.], "Regulations of Secretary * * * administrative sites," pp. 56. 1912.
    special uses, regulations, and instructions, manual. For. [Misc.], "The national forest * * *," pp. 35. 1911.
  in Oregon, prices per acre. O.E.S. Bul. 209, pp. 22, 23, 24, 27, 31, 32, 34. 1909.
  in Rio Grande district, Texas, titles, prices, and rental methods. D.B. 665, pp. 21, 23. 1918.

Land(s)—Continued.
  in St. Croix, preparation for cane planting, economy, suggestions, methods, and time. Vir. Is. Bul. 2, pp. 10-14. 1921.
  in Wyoming, classification. O.E.S. Bul. 205, pp. 17-19. 1909.
  income, relation to land value. Clyde R. Chambers. D.B. 1224, pp. 132. 1924.
  Indian, purchasing or leasing, conditions governing. D.B. 1271, pp. 40-44, 51. 1922.
  injury by—
    alkali salts. F.B. 446, rev., pp. 3-4. 1920.
    erosion, loss of fertility, and lowering water level. Y.B. 1916, pp. 117-119. 1917; Y.B. Sep. 688, pp. 11-13. 1917.
  irrigable—
    area and development. Y.B., 1918, p. 437. 1919. Y.B. Sep. 771, p. 7. 1919.
    development and improvement, cost, and conditions governing. D.B. 1271, pp. 23-26. 1922.
    location, description, and acreage by States. D.B. 1271, pp. 20-26. 1922.
  irrigated—
    1910. Y.B., 1911, pp. 371, 381. 1912; Y.B. Sep. 576, pp. 371, 381. 1912.
    acreage and quantity of water used and wasted. Y.B., 1909, p. 294. 1910; Y.B. Sep. 514, p. 294. 1910.
    acreage by States. Y.B., 1923, p. 424. 1924; Y.B. Sep. 896, p. 424. 1924.
    alkali crusts. J.A.R., vol. 10, pp. 578-580. 1917.
    and irrigable, acreage in 1919, map. Y.B., 1921, p. 429. 1922; Y.B. Sep. 878, p. 23. 1922.
    development, percentage of crops, various kinds. Y.B., 1916, pp. 178-179. 1917; Y.B. Sep. 690, pp. 2-3. 1917.
    diversity of conditions. Y.B., 1909, pp. 199-200. 1910; Y.B. Sep. 505, pp. 199-200. 1910.
  drainage—
    needs and beneficial results. F.B. 805, pp. 3-8. 1917.
    of. R. A. Hart. D.B. 190, pp. 34. 1915.
    experiments with various cereals, Belle Fourche farm. D.B. 1039, pp. 45-69, 71, 72. 1922.
  in—
    Provo area (Utah Lake Valley), farm management and farm profits. L. G. Connor. D.B. 582, pp. 40. 1918.
    San Joaquin Valley, Calif., location, and area. O.E.S. Bul. 239, pp. 20-58. 1911.
    Texas, products. O.E.S. Bul. 222, pp. 30-32. 1910.
    West, alfalfa staple crop. B.P.I. Bul. 118, p. 7. 1907.
  settlement—
    Carl S. Scofield. Y.B., 1912, pp. 483-494. 1913; Y.B. Sep. 608, pp. 483-494. 1913.
    cost and opportunities in Oregon. O.E.S. Bul. 209, pp. 56-59. 1909.
    cost and requirements in Kansas. O.E.S. Bul. 211, pp. 25-27. 1909.
    underdrainage, beneficial results. F.B. 805, pp. 8-9. 1917.
  laws, Alaskan. B.P.I. Bul. 82, pp. 29-35. 1905.
  laying out for bulb planting, methods. D.B. 1082, pp. 3-4. 1922.
  leveling—
    for cotton growing. D.C. 164, pp. 5-6. 1921.
    for irrigation, cost. O.E.S. Bul. 211, p. 26. 1909.
    tools, descriptions. F.B. 392, p. 17. 1910.
  logged-off—
    area, nature of stumpage, in Washington, Oregon, and California. B.P.I. 25, pp. 4-6. 1909.
    clearing for farming in the Pacific Northwest, cost. Harry Thompson. B.P.I. Cir. 25, pp. 16. 1909.
    clearing, methods and cost in western Washington. Harry Thompson. B.P.I. Bul. 239, pp. 60. 1912.
    farming in western Washington. Harry Thompson. D.B. 1236, pp. 36. 1924.
    in Oregon and Washington, area and distribution F.B. 462, pp. 5-6. 1911.
    preparation for pasture burning. F.B. 462, pp. 8-10. 1911.

Land(s)—Continued.
  logged-off—continued.
    prices and uses. Rpt. 114, pp. 20-21, 91-93. 1917.
    utilization for pasture in western Oregon and western Washington. Byron Hunter and Harry Thompson. F.B. 462, pp. 20. 1911.
    value, cost of clearing and improving. D.B. 91, pp. 4, 5-23. 1914.
  marsh—
    drainage and reclamation, projects and machinery. News L., vol. 3, No. 15, pp. 1, 4. 1915.
    treatment and crops grown. O.E.S. Bul. 240, p. 56. 1911.
  mortgage banks, discussion by Secretary in annual report. News L., vol. 2, No. 20, pp. 2-3. 1914.
  new—
    clearing. Franklin Williams, jr. F.B. 150, pp. 24. 1902.
    crop experiments with flax. D.B. 883, pp. 129. 1920.
    in Idaho, diseases occurring in potatoes. J.A.R., vol. 6, No. 15, pp. 573-575. 1916.
    water requirements compared with old land. F.B. 399, pp. 19-20. 1910.
  newly cleared—
    acidity, causes and changes. D.B. 6, pp. 2-3. 1913.
    blowing of soils, control methods. F.B. 421, pp. 15-17. 1910.
  nonagricultural, eastern Colorado, plant indications. B.P.I. Bul. 201, pp. 60-62. 1911.
  nonarable, United States, extent. Y.B., 1918, pp. 434-435, 438. 1919; Y.B. Sep. 771, pp. 4-5, 8. 1919.
  oat, preparation and care. F.B. 436, pp. 18, 23, 31. 1911.
  overflowed—
    and swamp, in the United States, ownership and reclamation. J. O. Wright. O.E.S. Cir. 76, pp. 23. 1907.
    drainage work, nature and cost, value of lands. O.E.S. Bul. 158, pp. 703-714. 1905.
    Marias des Cygnes Valley, Kansas, reclamation report. S. H. McCrory and others. O.E.S. Bul. 234, pp. 53. 1911.
    Mississippi Valley, emergency crops for. Bradford Knapp. O.E.S. Doc. 756, pp. 8. 1912.
  reclamation—
    by pump drainage. D.B. 304, pp. 1-60. 1915.
    methods and costs, along the Big Black River, Mississippi, report. Lewis A. Jones and others. D.B. 181, pp. 39. 1915.
  rootworm occurrence and depredations. D.B. 8, pp. 6, 8. 1913.
  rotations with vetch. F.B. 529, pp. 16-17. 1913.
  ownership—
    advantages, capitalization. Y.B., 1916, pp. 336-337. 1917; Y.B. Sep. 715, pp. 16-17. 1917.
    concentration. Y.B., 1923, pp. 529-539. 1924; Y.B. Sep. 897, pp. 529-539. 1924.
    pastoral, tenure in Australia. D.B. 313, pp. 6-8. 1915.
  pasture in West, condition and causes of deterioration. Y.B., 1915, pp. 300-303. 1916; Y.B. Sep. 678, pp. 300-303. 1916.
  permits, national forests, authorization. Sol. [Misc.], "Laws applicable * * * Agriculture," Sup. 3 p. 26. 1915.
  pine, clearing, relation of wood distillation. D.B. 1003, pp. 51-53. 1921.
  plaster—
    and lime, different effects on soil acidity. Ent. Bul. 82, Pt. I, pp. 2, 6, 7. 1909.
    beneficial effect on jack-pine sandy lands. F.B. 325, pp. 23, 24. 1908.
    composition, value as fertilizer for clover. B.P.I. Cir. 22, pp. 3-5. 1909.
    distributors, and description. B.P.I. Cir. 22, pp. 5-12. 1909.
    farm method of application in western Oregon and western Washington. Byron Hunter. B.P.I. Cir. 22, pp. 14. 1909.
    sowing by hand, disadvantages. B.P.I. Cir. 22, pp. 4, 14. 1909.

INDEX TO PUBLICATIONS, 1901–1925 1327

Land(s)—Continued.
plaster—continued.
use—
in preserving poultry manure. F.B. 384, p. 5. 1910.
on clover. B.P.I. Cir. 28, pp. 9–10. 1909.
on clover land. F.B. 405, p. 11. 1910.
See also Gypsum.
plow, value, by States—
1916–1919. Y.B., 1918, p. 699. 1919; Y.B. Sep. 795, p. 35. 1919.
1917–1920. Y.B., 1919, p. 741. 1920; Y.B. Sep. 830, p. 741. 1920.
1919–1922. Y.B., 1921, p. 786. 1922; Y.B. Sep. 871, p. 17. 1922.
1920–1923. Y.B., 1922, p. 998. 1923; Y.B. Sep. 887, p. 998. 1923.
1921. D.B. 1000, pp. 53–54. 1921.
1923. Y.B., 1923, pp. 1146–1147. 1924. Y.B. Sep. 906, pp. 1146–1147. 1924.
policy, Australia and United States, comparison. Y.B., 1914, p. 321. 1915; Y.B. Sep. 645, p. 321. 1915.
poor grassy, injury to rice, symptoms. F.B. 1212, p. 9. 1921.
poor, hay plants for. F.B. 1170, pp. 6–7. 1920.
poor, utilization as woodlots. D.B. 481, pp. 19, 25, 29, 30, 34, 39–43. 1917.
preparation for—
barley. F.B. 443, pp. 21–24. 1911.
beets. D.B. 963, pp. 28–32. 1921.
border irrigation, methods. F.B. 1243, pp. 16–22. 1922.
corn planting. News L., vol. 4, No. 24, pp. 1, 2. 1917.
grain on dry farming, clearing and tillage. F.B. 800, pp. 12–13. 1917.
growing tomatoes. F.B. 1338, pp. 12–13. 1923.
irrigation—
clearing, fencing, and seeding, cost 10 acres, Oregon. B.P.I. Doc. 495, pp. 3–4. 1909.
cost. F.B. 373, pp. 15, 18, 20, 28. 1909; F.B. 864, pp. 16–26. 1917; O.E.S. Bul. 158, pp. 268–272. 1905; O.E.S. Bul. 209, p. 58. 1909; O.E.S. Bul. 210, pp. 53–54. 1909; O.E.S. Bul. 222, pp. 83–84. 1910.
cost, Modesto-Turlock area, California. Soil Sur. Adv. Sh., 1908, p. 49. 1909; Soils F.O., 1908, p. 1273. 1911.
cost, western Oregon. O.E.S. Bul. 226, p. 30. 1910.
in alfalfa growing. F.B. 865, pp. 3–22. 1917.
methods and cost, beet growing. F.B. 392, pp. 11–24. 1910.
potatoes, plowing and harrowing. F.B. 1064, pp. 7–9. 1919.
rice irrigation, cost. O.E.S. Bul. 222, pp. 39–47. 1910.
sea-island cotton, various cultures. F.B. 787, pp. 15–18. 1916.
small grains, Texas Panhandle. F.B. 738, pp. 8–9. 1916.
sugar beets, farm practices, Colorado. D.B. 726, pp. 14–27. 1918.
sugar-cane growing. D.B. 486, pp. 15–16. 1917; F.B. 1034, p. 13. 1919.
sweet potatoes, cultivation and fertilizers. Hawaii Bul. 50, pp. 5–6. 1923.
prices in—
Georgia, Mitchell County. Soil Sur. Adv. Sh., 1920, pp. 14, 15, 18–22, 25, 30–36. 1922; Soils F.O., 1920, pp. 14, 15, 18–22, 25, 30–36. 1925.
Pennsylvania, Greene County. Soil Sur. Adv. Sh., 1921, pp. 1259, 1260. 1925.
Texas, northwest. Soil Sur. Adv. Sh., 1919, pp. 13, 33–41, 46, 49, 61, 65–67, 75. 1922; Soils F.O., 1919, pp. 1111, 1131–1146, 1159, 1164–1165. 1925.
private, forest reserve limits. For. [Misc.], "The use book, 1910," pp. 49–53. 1910.
problem, legal phase, remarks. D.B. 1068, pp. 12–15. 1922.
productive, and nonproductive, percentage on farms. F.B. 745, pp. 3–4. 1916.
productivity maintenance, effect on farm business. F.B. 1088, pp. 15–16. 1920.
purchase for—
Appalachian forests, directions and restrictions. D.C. 313, pp. 2–3. 1924.

Land(s)—Continued.
purchase for—continued.
national forests under the act of March 1, 1911, the Weeks' Law. D.C. 313, pp. 15. 1924.
qualities, study by prospective buyers. Y.B., 1915, pp. 147–148. 1916; Y.B. Sep. 664, pp. 147–148. 1916.
railroad, purchasing conditions and prices, irrigation improvements. D.B. 1271, pp. 44–45. 1922.
range. *See* Range lands.
reclaimed, value for agricultural purposes. Ent. Bul. 88, pp. 53–62. 1910.
reclamation policies in the United States. R. P. Teele. D.B. 1257, pp. 40. 1924.
reform in Hungary. Digby A. Willson. D.B. 1234, pp. 39–42. 1924.
rental—
as factor of cost in crop production. Stat. Bul. 73, pp. 25, 53. 1909.
prices, and conditions in Maryland, Frederick County. Soil Sur. Adv. Sh., 1919, pp. 16, 26–75. 1922; Soils F.O., 1919, pp. 656, 666–715. 1925.
renting without buildings. D.B. 850, pp. 9–10. 1920.
resources, United States, conservation. For. Cir. 159, pp. 1–15. 1909.
resting, rotation system in North Carolina. D.B. 1070, pp. 18–19. 1922.
restoration to public domain from national forests and opening to entry. Sol. [Misc.], "Laws * * * forest," pp. 12, 95–96. 1916.
rice, preparation for irrigation. F.B. 1240, pp. 6–8. 1924.
sales in—
Iowa, terms. D.B. 874, pp. 14–33. 1920.
San Luis Valley, Colo., methods and objections. Soils Cir. 52, pp. 16–18, 25. 1912.
salt marsh, reclamation. F.B. 320, pp. 9–12. 1908.
sandy—
clearing and seeding, suggestions for settlers. B.P.I. Cir. 60, pp. 11–13. 1910.
farm, management, northern Indiana and southern Michigan. J. A. Drake. F.B. 716, pp. 29. 1916.
injury by winds and necessity of windbreaks. F.B. 323, pp. 15–17. 1908.
jack-pine, extent, character, and management. F.B. 323, pp. 5–9. 1908.
peach orchard, use of fertilizers. Y.B., 1902, p. 623. 1903; Y.B. Sep. 290, p. 623. 1903.
rotations, and cropping systems. F.B. 716, pp. 15–21. 1916.
scarcity of resources, discussion and data. Y.B., 1923, pp. 433–443. 1924; Y.B. Sep. 896, pp. 433–443. 1924.
seeding and preparation for irrigation, method, and cost. O.E.S. Bul. 188, pp. 50–56. 1907.
seekers, two classes. Y.B., 1912, pp. 484–485. 1913; Y.B. Sep. 608, pp. 484–485. 1913.
seeped, drainage methods. O.E.S. An. Rpt., 1910, pp. 489–501. 1911.
selection for corn in Kentucky and West Virginia. F.B. 546, p. 5. 1913.
semiarid regions, preparation for corn growing, method. F.B. 773, pp. 10–12. 1916.
settlement—
and colonization in the Great Lakes States. J. D. Black and L. C. Gray. D.B. 1295, pp. 88. 1925.
in California. D.B. 1257, pp. 20–23, 34. 1924.
national forests, regulations. For. [Misc.], "Field program, 1913," pp. 95–96. 1913.
ownership and tenancy, discussion. An. Rpts., 1918, pp. 45–49. 1919; Sec. A.R., 1918, pp. 45–49. 1918; Y.B., 1918, pp. 62–66. 1919.
State supervision and requirements. Y.B., 1912, pp. 492–493. 1913; Y.B. Sep. 608, pp. 492–493. 1913.
sheep raising, bill. Off. Rec., vol. 1, No. 6, p. 2. 1922.
sod—
early plowing and deep cultivation for wireworm control. News L., vol. 4, No. 46, p. 1. 1917.
wireworm control by fall plowing, note. News L., vol. 5, No. 5, p. 8. 1917.

Land(s)—Continued.
  speculation, responsible for much unprofitable land. Y.B., 1915, pp. 151–154. 1916; Y.B. Sep. 664, pp. 151–154. 1916.
  State—
    acreage, leased for farming and grazing. Y.B., 1923, p. 524. 1924; Y.B. Sep. 897, p. 524. 1924.
    and private, grazing use, cooperation with Forest Service. An. Rpts., 1909, pp. 393–394, 399. 1910; For. A.R., 1909, pp. 25–26, 31. 1909.
    and school, purchase, conditions, area, by States D.B. 1271, pp. 37–39. 1922.
    exchange with national forests. An. Rpts., 1917, p. 188. 1918; For. A.R., 1917, p. 26. 1917.
    raw or undeveloped, acquisition by purchase, conditions. D.B. 1271, pp. 37–48. 1922.
  sugar-cane, in Porto Rico, preparation, and cultivation. P. R. Bul. 9, p. 14. 1910.
  suitability for cultivation, or forests, discussion, and comparisons. D.B. 638, pp. 7–8. 1918.
  swamp—
    and overflowed in the United States, ownership and reclamation. J. O. Wright. O.E.S. Cir. 76, pp. 23. 1907.
    and wet, area in United States. Y.B., 1918, pp. 137–138. 1919; Y.B. Sep. 781, pp. 3–4. 1919.
    claimed by States to June 30, 1906, amount, location, and value. O.E.S. Cir. 76, pp. 6–9. 1907.
    drainage, need for organization. News L., vol. 6, No. 41, pp. 6–7. 1919.
  tenure—
    Austria, strip system and its difficulties. D.B. 1234, pp. 56–59. 1924.
    effect on grazing industry. D.B. 1001, pp. 15–27. 1922.
    European policies. Off. Rec., vol. 1, No. 41, pp. 1–2. 1922.
    relation to—
      capital and rents, bluegrass region. D.B. 482, pp. 14–15. 1917.
      plantation organization. C. O. Brannen. D.B. 1269, pp. 78. 1924.
      utilization of land. F.B. 745, pp. 15–16. 1916.
  tillage, use in erosion control. D.B. 180, pp. 10–11. 1915.
  timbered, national forests, disadvantage of private ownership. Y.B., 1914, pp. 71–72. 1915; Y.B. Sep. 633, pp. 71–72. 1915.
  titles, Canal Zone, tenures, need of legislation. Rpt. 95, p. 46. 1912.
  trespass, Oregon and California Railroad lands, prevention, appropriation. Sol. [Misc.], "Laws applicable * * * Agriculture," Sup. 2, p. 68. 1915.
  undeveloped—
    acreage in Michigan, Wisconsin, and Minnesota. Y.B., 1915, p. 151. 1916; Y.B. Sep. 664, p. 151. 1916.
    availability for farms, area, description, and location. F.B. 1271, pp. 1–33. 1922.
    farm buying. F.B. 1385, pp. 1–30. 1923.
    sale by private companies, need for personal inspection. D.B. 1271, pp. 46–47. 1922.
  undrained, area in United States. Y.B., 1918, pp. 137–138. 1919; Y.B. Sep. 781, pp. 3–4. 1919.
  unimproved, burden on income of farm. D.B. 425, pp. 11–13. 1916.
  unprofitable, cause, and control methods. Y.B., 1915, pp. 147–154. 1916; Y.B. Sep. 664, pp. 147–154. 1916.
  unused, settlement and utilization, study. Sec. Cir. 146, p. 7. 1919.
  use—
    cost in wheat growing. D.B. 943, pp. 13, 14, 41–42. 1921.
    in 1920 and possible use, graph. Y.B., 1921, p. 430. 1922; Y.B. Sep. 878, p. 24. 1922.
    problem, discussion. Y.B., 1922, pp. 89–108, 138–158. 1923; Y.B. Sep. 886, pp. 89–108, 138–158. 1923.
  utilization—
    efficiency factor in farming. F.B. 745, pp. 2, 17. 1916.
    for crops, pasture and forest. L. C. Gray and others. Y.B., 1923, pp. 415–506. 1924; Y.B. Sep. 896, pp. 415–506. 1924.

Lands—Continued.
  utilization—continued.
    in Czechoslovakia. D.B. 1234, pp. 70–72, 83–84. 1924.
    in Hungary, crop area, production and yields. D.B. 1234, pp. 8–13, 39–42. 1924.
    in Porto Rico. D.B. 354, pp. 13–14. 1916.
    policy. Y.B., 1923, pp. 72–74. 1924.
    studies. News L., vol. 6, No. 43, pp. 1–2. 1919; F.B. 745, pp. 12–15. 1916.
  valuation for farm inventory, basis. F.B. 1182, pp. 9–12, 21. 1921.
  value(s)—
    crop prices and wages, trend, 1909–1917, diagram. Y.B., 1918, p. 698. 1919; Y.B. Sep. 795, p. 34. 1919.
    effect of road improvements, various counties. D.B. 393, pp. 19–21, 32–33, 41–42, 49–50, 58–59, 66, 75–76, 78–79, 83–85. 1916.
    factor in determining profitable systems of farming. Stat. Bul. 73, pp. 51–57. 1909.
    in—
      Maryland, Anne Arundel County. Soil Sur. Adv. Sh., 1909, p. 18. 1910; Soils F.O., 1909. p. 280. 1912.
      North Carolina, Pender County. Soil Sur. Adv. Sh., 1912, p. 14. 1914; Soils F.O., 1912, p. 378. 1915.
      Oregon and Washington, Hood River-White Samon River area. Soil Sur. Adv. Sh., 1912, p. 15. 1914; Soils F.O., 1912, p. 2057. 1915.
      Tennessee, Coffee County. Soil Sur. Adv. Sh., 1908, p. 15. 1910; Soils F.O., 1908, p. 999. 1911.
      United States, by States. D.B. 874, pp. 3–4. 1920.
    increase, by careful and profitable farming. D.B. 713, p. 9. 1918.
    inflation in irrigated sections. Y.B., 1912, pp. 486–487. 1913; Y.B. Sep. 608, pp. 486–487. 1913.
    on farms, Missouri, Ozark region. D.B. 941, pp. 15, 17, 42–51. 1921.
    relation to—
      cost of wheat production. D.B. 1198, pp. 21–22. 1924.
      crop yield. D.B. 757, p. 29. 1919.
      land income. Clyde R. Chambers. D.B. 1224, pp. 132. 1924.
      scarcity. Y.B., 1923, pp. 439–442. 1924; Y.B. Sep. 896, pp. 439–442. 1924.
      water supply. M.C. 47, p. 5. 1925.
    varieties for alfalfa seed production. F.B. 495, pp. 19–21. 1912.
  washed, reclamation. F.B. 342, pp. 6–8. 1909.
  waste—
    alongside fences. D.B. 321, pp. 31, 32. 1916.
    and wasted land on farms. James S. Ball. F.B. 745, pp. 18. 1916.
    forest production, possibility. For. Cir. 172, pp. 6, 11. 1909.
    use for timber production, need, and returns. Y.B., 1922, pp. 138–156. 1923; Y.B. Sep. 886, pp. 138–156. 1923.
  wet—
    benefit of tile drainage. Y.B., 1919, pp. 92–93. 1920; Y.B. Sep. 822, pp. 92–93. 1920.
    drainage, Effingham County, Georgia. F. G. Eason. O.E.S. Cir. 113, pp. 24. 1911.
    drainage, importance, and methods. News L., vol. 3, No. 12, pp. 1, 5. 1915.
    prairie, reclamation, southern Louisiana. O.E.S. An. Rpt., 1909, pp. 415–439. 1910.
  worn-out—
    and abandoned, relation to soil erosion. D.B. 512, pp. 1–2, 38. 1917.
    causes, reclamation methods, etc. B.P.I. Doc. 706, pp. 1–7. 1911.
    in South, causes. S.R.S. Doc. 41, p. 1. 1917.
  See also Homesteads; Public Domain; Public Lands; Reclamation projects.
Land Economics Division, work, 1924. B.A.E. Chief Rpt., 1924, pp. 44–46. 1924.
Landings, freight transportation, description and location. D.B. 74, pp. 5–6. 1914.
LANDIS, C. W.: "Irrigation systems on Stony Creek, Calif." O.E.S. Bul. 133, pp. 151–164. 1903.
Landlord(s)—
  assistance and supervision on rented dairy farms. F.B. 1272, p. 9. 1922.

INDEX TO PUBLICATIONS, 1901-1925   1329

Landlord(s)—Continued.
  black lands, residences, and tenant supervision. D.B. 1068, pp. 21-22. 1922.
  farm—
    contracts with tenants. Y.B., 1923, pp. 583-589. 1924; Y.B. Sep. 897, pp. 583-589. 1924.
    duties and privileges under leases. F.B. 1164, pp. 12-28, 34-35. 1920.
    income from farms, ratio to capital. Y.B., 1923, pp. 576-577. 1924; Y.B. Sep. 897, pp. 576-577. 1924.
    method of acquiring farms. Y.B., 1923, pp. 535-538. 1924; Y.B. Sep. 897, pp. 535-538. 1924.
    profits, relation to tenant's labor income, Yazoo-Mississippi Delta. D.B. 337, pp. 12-13. 1916.
    use of term. Y.B., 1923, p. 524. 1924; Y.B. Sep. 897, p. 524. 1924.
Landolphia kirkii, importation and description. No. 52583, B.P.I. Inv. 66, p. 45. 1923.

Landscape—
  engineering, national forests. Frank A. Waugh. Forestry [Misc.], "Landscape * * * forests," pp. 38. 1918.
  gardening—
    experiments at field station near Mandan, N. Dak. D.B. 1301, pp. 38-41. 1925.
  See also Gardening.

Landslides—
  description and causes. Y.B., 1916, p. 115. 1917; Y.B. Sep. 688, p. 9. 1917.
  type of erosion, cause. Y.B., 1913, p. 210. 1914; Y.B. Sep. 624, p. 210. 1914.

LANE, C. B.—
  "A city milk and cream contest as a practical method of improving the milk supply." With Ivan C. Weld. B.A.I. Cir. 117, pp. 28. 1907.
  "Competitive exhibitions of milk and cream * * * Pittsburgh." With Ivan C. Weld. B.A.I. Cir. 151, pp. 36. 1909.
  "Dairy contests." B.A.I. Cir. 151, pp. 23-25. 1909.
  "Improved methods for the production of market milk by ordinary dairies." With Karl E. Parks. B.A.I. An. Rpt., 1908, pp. 365-376. 1910; B.A.I. Cir. 158, pp. 12. 1910.
  "Market milk investigations. II. The milk and cream exhibit at the National Dairy Show, 1906." B.A.I. Bul. 87, pp. 21. 1906.
  "Medical milk commissions and the production of certified milk in the United States." B.A.I. Bul. 104, pp. 43. 1908.
  "Records of dairy cows in the United States." B.A.I. Bul. 75, pp. 184. 1905.
  "Records of dairy cows: Their value and importance in economic milk production." B.A.I. Cir. 103, pp. 38. 1907.
  "The cold storage of cheese. (Experiments of 1903-4)." B.A.I. Bul. 83, pp. 26. 1906.
  "The milking machine as a factor in dairying. I. Practical studies of a milking machine." B.A.I. Bul. 92, pp. 9-32. 1907.
  "The score-card system of dairy inspection." With George M. Whitaker. B.A.I. Cir. 139, pp. 32. 1909.

LANE, C. H.—
  "Arkansas State agricultural schools." O.E.S. Bul. 250, pp. 20. 1912.
  "Collection and preservation of insects and other material for use in the study of agriculture." With Nathan Banks. F.B. 606, pp. 18. 1914.
  "Collection and preservation of plant material for use in the study of agriculture." With H. B. Derr. F.B. 586, pp. 24. 1914.
  "Correlating agriculture with the public-school subjects in the Northern States." With F. E. Heald. D.B. 281, pp. 42. 1915.
  "Correlating agriculture with the public-school subjects in the Southern States." With E. A. Miller. D.B. 132, pp. 41. 1915.
  "Lessons on corn for rural elementary schools." D.B. 653, pp. 19. 1918.
  "Lessons on cotton for the rural common schools." D.B. 294, pp. 16. 1915.
  "Progress in agricultural education, 1912." O.E.S. An Rpt., 1912, pp. 279-332. 1913.
  "School lessions on corn." F.B. 617, pp. 15. 1914.

LANE, R. C.: "Instructions for Aerological observers." With others. W.B. [Misc.], "Instructions for aerological * * *," pp. 115. 1921.

LANG, H. L.—
  "A study of the electrolytic method of silver cleaning." With C. F. Walton, jr. D.B. 449, pp. 12. 1916.
  "Fats and their economical use in the home." With A. D. Holmes. D.B. 469, pp. 27. 1916.
  "Preservation of vegetables by fermentation and salting." With L. A. Round. F.B. 881, pp. 15. 1917.
  "Removal of stains from clothing and other textiles." With Anna H. Whittelsey. F.B. 861, pp. 35. 1917.

LANGFORD, E. W.—
  "Production and marketing of dairy products in England." B. A. I. Dairy [Misc.], "World's dairy congress, 1923," pp. 143-146. 1924.
  "Work of the National Farmers' Union in connection with milk organization in England." B. A. I. Dairy [Misc.], "World's dairy congress, 1923," pp. 699-706. 1924.

Langsat, importations and descriptions. No. 45616, B.P.I. Inv. 53, p. 70. 1922; No. 45817, B.P.I. Inv. 54, pp. 25-26. 1922; Nos. 47194-47195, B.P.I. Inv. 58, p. 37. 1922; No. 51769, B.P.I.Inv. 65, p. 46. 1923.

Languas galanga. *See* Galangale.
Languria mozardi. *See* Clover stem borer.

LANGWORTHY, C. F.:—
  "A digest of recent experiments on horse feeding." O.E.S. Bul. 125, pp. 52. 1903.
  "A new respiration calorimeter for use in the study of problems of vegetable physiology." With R. D. Milner. Y.B., 1911, pp. 491-504. 1912; Y.B., Sep. 586, pp. 491-504. 1912.
  "A respiration calorimeter partly automatic, for the study of metabolic activity of small caliber." With R. D. Milner. J.A.R., vol. 6, No. 18, pp. 703-720. 1916.
  "A summary of recent American work on feeding stuffs." O.E.S. An. Rpt., 1903, pp. 513-537. 1904.
  "An improved respiration calorimeter for use in experiments with man." With R. D. Milner. J.A.R., vol. 5, pp. 299-348. 1915.
  "Animal nutrition problems in relation to the work of the experiment stations." O. E. S. An. Rpt., 1908, pp. 337-354. 1909.
  "Cheese and its economical use in the diet." With Caroline L. Hunt. F.B. 487, pp. 40. 1912.
  "Cheese and other substitutes for meat in the diet." Y.B., 1910, pp. 359-370. 1911; Y.B. Sep. 543, pp. 359-370. 1911.
  "Corn meal as a food and ways of using it." With Caroline L. Hunt. F.B. 565, pp. 24. 1914.
  "Dietary studies in public institutions in Baltimore." With others. O.E.S. Bul. 223, pp. 15-98. 1910.
  "Digestibility of hard palates of cattle." With A. D. Holmes. J.A.R., vol. 6, pp. 641-648. 1916.
  "Digestibility of raw starches and carbohydrates." With Alice Thompson Merrill. D.B. 1213, pp. 16. 1924.
  "Digestibility of some animal fats." With A. D. Holmes. D.B. 310, pp. 23. 1915.
  "Digestibility of some vegetable fats." With A. D. Holmes. D.B. 505, pp. 20. 1917.
  "Digestibility of very young veal." With A. D. Holmes. J.A.R., vol. 6, No. 16, pp. 577-588. 1916.
  "Economical use of meat in the home." With Caroline L. Hunt. F.B. 391, pp. 43. 1910.
  "Eggs and their value as food." D.B. 471, pp. 30. 1917.
  "Experiments in the determination of the digestibility of millets." With A. D. Holmes. D.B. 525, pp. 11. 1917.
  "Food and diet in the United States." Y.B., 1907, pp. 361-378. 1908; Y.B. Sep. 454, pp. 361-378. 1908.
  "Food customs and diet in American homes." O.E.S. Cir. 110, pp. 32. 1911.
  "Forage crops for pigs." F.B. 124, pp. 25-27. 1901; F.B. 334, pp. 20-22. 1908.
  "Fruit and its uses as food." Y.B., 1905, pp. 307-324. 1906; Y.B. Sep. 385, pp. 307-324. 1906.

LANGWORTHY, C. F.—Continued.
"Green vegetables and their uses in the diet."
Y.B., 1911, pp. 439–452. 1912; Y.B. Sep. 582,
pp. 439–452. 1912.
"Hog production and marketing." With others.
Y.B., 1922, pp. 181–280. 1923; Y.B., Sep. 882,
pp. 181–280. 1923.
"Investigations on the nutrition of man in the
United States." With R. D. Milner. O.E.S.
Doc. 713, pp. 20. 1904.
"Maple sirup and sugar." F.B. 124, pp. 21–24.
1901.
"Mutton and its value in the diet." With
Caroline L. Hunt. F.B. 526, pp. 32. 1913.
"Origin and development of the nutrition investigations of the Office Experiment Stations."
O. E. S. An. Rpt., 1910, pp. 449–460. 1911.
"Potatoes and other root crops as food." F.B.
295, pp. 45. 1907.
"Potatoes, sweet potatoes, and other starchy roots as food." D.B. 468, pp. 29. 1917.
"Principles of horse feeding." F.B. 170, pp. 44.
1903.
"Progress report of investigations in human nutrition, in the United States, 1905–1909."
O.E.S. An. Rpt., 1909, pp. 361–397. 1910.
"Raisins, figs, and other dried fruits and their use." Y.B., 1912, pp. 505–522. 1913; Y.B. Sep.
610, pp. 505–522. 1913.
"Relation of nutrition investigations to questions of home management." O.E.S. An. Rpt.,
1907, pp. 355–367. 1908.
report as chief of Home Economics Office. An.
Rpts., 1923, pp. 609–614. 1924.
"Some results obtained in studying ripening bananas with the respiration calorimeter."
With R. D. Milner. Y.B., 1912, pp. 293–308.
1913. Y.B. Sep. 592, pp. 293–308. 1913.
"Studies on the digestibility of some animal fats." With A. D. Holmes. D.B. 507, pp. 20.
1917.
"Studies on the digestibility of the grain sorghums." With A. D. Holmes. D.B. 470,
pp. 31. 1916.
"Sugar." With others. Y.B., 1923, pp. 151–228.
1924; Y.B. Sep. 893, pp. 98. 1924.
"The dairy industry." With others. Y.B.,
1922, pp. 281–394. 1923; Y.B. Sep. 879, pp. 98.
1923.
"The digestibility of the dasheen." With A. D.
Holmes. D.B. 612, pp. 12. 1917.
"The functions and uses of food." O.E.S. Cir.
46, pp. 10. 1901.
"The guinea fowl and its use as food." F.B. 234,
pp. 24. 1905.
"The nutrition investigations of the office of experiment stations and their results." O.E.S.
An. Rpt., pp. 359–372. 1907.
"The poultry industry." With others. Y.B.,
1924, pp. 377–456. 1925; Y.B. Sep. 917, pp.
377–456. 1925.
"The respiration calorimeter, and the results of experiments with it." With R. D. Milner.
Y.B., 1910, pp. 307–318. 1911; Y.B. Sep. 539,
pp. 307–318. 1911.
"The respiration calorimeter; application to the study of problems of vegetable physiology."
With R. D. Milner. O.E.S. Cir. 116, pp. 3.
1912.
"The respiration calorimeter; recent improvements and new applications." With R. D.
Milner. O.E.S. Doc. 1409, pp. 601–606. 1911.
"The value of potatoes as food." Y.B., 1900, pp.
337–348. 1901; Y.B. Sep. 213, pp. 337–348.
1901.
"Turnips, beets, and other succulent roots, and their use as food." D.B. 503, pp. 19. 1917.
"Use of corn, kafir, and cowpeas in the home."
With Caroline L. Hunt. F.B. 559, pp. 12.
1913.
"Use of fruit as food." F.B. 293, pp. 40. 1907.
"What the Department of Agriculture is doing for the housekeeper." Y.B., 1913, pp. 143–162.
1914; Y.B. Sep. 621, pp. 143–162. 1914.
LANGWORTHY, H. V.: "Some factors influencing the longevity of soil micro-organisms subjected to desiccation with special reference to soil solution." With Ward Giltner. J. A. R. vol. 5,
No. 20, pp. 927–942. 1916.

Laniidae, hosts of eye parasite. B.A.I. Bul. 60, p.
49. 1904.
Lanius spp. *See* Butcher bird; Shrike.
Lanivireo—
  flavifrons, distribution and food habits. D.B.
  1355, pp. 1, 2–3, 15–18, 28–42. 1925.
  solitarius, food habits and range. D.B. 1355, pp.
  2–3, 18–21, 28–42. 1925.
  spp. *See* Vireos.
Lanmu, importation and description. No. 40616,
B.P.I. Inv. 43, p. 55. 1918.
Lanno, importation and description. No. 48285,
B.P.I. Inv. 60, p. 67. 1922.
Lanolin, extraction from wool, uses and value.
Chem. Chief Rpt., 1921, pp. 38–39. 1921.
Lansing, Mich., milk supply, statistics, officials,
and prices. B.A.I. Bul 46, pp. 40, 103. 1903.
Lansingburg, N. Y., milk supply, statistics,
officials, prices, etc. B.A.I. Bul. 46, pp. 32, 131.
1903.
Lansium domesticum. *See* Langsat.
Lantana—
  camara, growing in manganiferous soils. Hawaii
  Bul. 26, p. 25. 1912.
  introduction into Hawaii, development into pest.
  Ent. Bul. 75, p. 54. 1911.
Lantern—
  slides—
    alfalfa growing, list. S.R.S. Syl. 20, pp. 16–17.
    1916.
    and pictures for school collections. F.B. 606,
    pp. 17–18. 1914.
    cattle tick eradication work, list. S.R.S. Syl.
    22, pp. 12–14. 1916.
    dairy records. S.R.S. Syl. 30, p. 9. 1917.
    department loans to school teachers. D.B. 763,
    p. 3. 1919.
    Forest Service, utilization. D.C. 211, pp. 43–
    44. 1922.
    forestry subjects, loaning to educational agencies. F.B. 1117, p. 33. 1920.
    leguminous forage crops, lists. S.R.S. Syl. 24,
    pp. 15–16. 1917; S.R.S. Syl. 25, pp. 17–18.
    1917.
    list. S.R.S. Syl. 34, pp. 23–24. 1918.
    milk production. S.R.S. Syl. 18, pp. 17–18.
    1915.
    on nutrition work in Labrador. B. A. I. Dairy
    [Misc.], "World's dairy congress, 1923," pp.
    838, 839, 840, 841, 842. 1924.
    road lecture, list. S.R.S. Syl. 29, pp. 11–12.
    1917.
    soy beans, growing and uses. S.R.S. Syl. 35,
    pp. 15–16. 1919.
    teaching the use of milk in the diet. B.A.I.
    Dairy [Misc.], "World's dairy congress, 1923,"
    pp. 672–674. 1924.
    See also Lists for various subjects found in Syllabi
    of illustrated lectures.
  use in experiments for detection of soil grains.
  Soils Bul. 82, pp. 33–35. 1911.
LANTZ, D. E.—
"An economic study of field mice (Genus *Microtus*)." Biol. Bul. 31, pp. 64. 1907.
"Bounty laws in force in the United States,
July 1, 1907." Y.B., 1907, pp. 560–565. 1908;
Y.B. Sep. 473, pp. 560–565. 1908.
"Cottontail rabbits in relation to trees and farm crops." F.B. 702, pp. 12. 1916.
"Coyotes in their economic relations." Biol.
Bul. 20, pp. 28. 1905.
"Deer farming in the United States." F.B. 330,
pp. 20. 1908.
"Destroying rodent pests on the farm." Y.B.,
1916, pp. 381–398. 1917. Y.B. Sep. 708, pp.
18. 1917.
"Directions for destroying pocket gophers."
Biol. Cir. 52, pp. 4. 1906.
"Economic value of North American skunks."
F.B. 587, pp. 22. 1914.
"Field mice as farm and orchard pests." F.B.
670, pp. 10. 1915.
"House rats and mice." F.B. 896, pp. 24. 1917.
"How to destroy rats." F.B. 369, pp. 20. 1909.
"Laws relating to fur-bearing animals, 1915."
F.B. 706, pp. 24. 1916.
"Laws relating to fur-bearing animals, 1916."
F.B. 783, pp. 28. 1916.
"Laws relating to fur-bearing animals, 1917."
F.B. 911, pp. 31. 1917.

LANTZ, D. E.—Continued.
"Laws relating to fur-bearing animals, 1918." F.B. 1022, pp. 32. 1918.
"Meadow mice in relation to agriculture and horticulture." Y.B., 1905, pp. 363-376. 1906; Y.B. Sep. 388, pp. 363-376. 1906.
"Methods of destroying rats." F.B. 297, pp. 8. 1907.
"Pocket gophers as enemies of trees." Y.B., 1909, pp. 209-218. 1910; Y.B. Sep. 506, pp. 209-218. 1910.
"Raising Belgian hares and other rabbits." F.B. 496, pp. 16. 1912.
"Raising deer and other large game animals in the United States." Biol. Bul. 36, pp. 62. 1910.
"Raising guinea pigs." F.B. 525, pp. 12. 1913.
"Rodent pests of the farm." F.B. 932, pp. 23. 1918.
"The brown rat in the United States." Biol. Bul. 33, pp. 54. 1909.
"The house rat: The most destructive animal in the world." Y.B., 1917, pp. 235-251. 1918; Y.B. Sep. 725, pp. 19. 1918.
"The muskrat." F.B. 396, pp. 38. 1910.
"The muskrat as a fur bearer." F.B. 869, pp. 23. 1917.
"The rabbit as a farm and orchard pest." Y.B., 1907, pp. 329-342. 1908; Y. B. Sep. 452, pp. 329-342. 1908.
"The relation of coyotes to stock raising in the West." F.B. 226, pp. 24. 1905.
"Use of poisons for destroying noxious mammals." Y.B., 1908, pp. 421-432. 1909; Y.B. Sep. 491, pp. 421-432. 1909.
Laos apple, importation and description. No. 52900, B.P.I. Inv. 67, pp. 4, 11. 1923.
Lapageria rosea. See Bellflower, Chilean; Copigue; Copihue.
Laparotomy, cattle, directions. B.A.I. [Misc.], "Diseases of cattle," rev., pp. 204-205. 1904; rev., pp. 209-211. 1912.
Lapeyrousa cruenta, importation and description. No. 45321, B.P.I. Inv. 53, p. 25. 1922.
LAPHAM, J. E.—
"Soil survey of—
Barnwell County, S. C." With others. Soil Sur. Adv. Sh., 1912, pp. 49. 1914; Soils F.O., 1912, pp. 411-455. 1915.
Jackson County, Mo." With others. Soil Sur. Adv. Sh., 1910, pp. 37. 1912; Soils F. O., 1910, pp. 1261-1293. 1912.
Montgomery County, Tenn." With M. F. Miller. Soils F.O. Sep., 1901, pp. 12. 1903. Soils F.O., 1901, pp. 341-355. 1902.
the Asheville area, North Carolina." With F. N. Meeker. Soil Sur. Adv. Sh., 1903, pp. 19. 1904; Soils F.O., 1903, pp. 279-297. 1904.
the Norfolk area, Virginia." Soil Sur. Adv. Sh., 1903, pp. 20. 1904; Soils F.O., 1903, pp. 233-253. 1904.
the Stuttgart area, Arkansas." Soils F.O. Sep., Sh., 1902, pp. 12. 1903; Soils F. O., 1902, pp. 611-622. 1903.
the Wichita area, Kansas." With B. A. Olshausen. Soils F.O. Sep., 1902, pp. 20. 1903; Soils F.O., 1902, pp. 623-642. 1903.
"Soils of the United States." With others. Soils Bul. 96, pp. 791. 1913.
LAPHAM, M. H.:—
"Soil survey of—
the Colusa area, California." With others. Soil Sur. Adv. Sh., 1907, pp. 50. 1909. Soils F.O., 1907, pp. 927-972. 1909.
the Healdsburg area, California." With others. Soil Sur. Adv. Sh., 1915, pp. 59. 1917; Soils F.O., 1915, pp. 2199-2253. 1919.
the Pasadena area, California." With others. Soil Sur. Adv. Sh., 1915, pp. 56. 1917; Soils F.O., 1915, pp. 2315-2336. 1919.
the Redding area, California." With L. C. Holmes. Soil Sur. Adv. Sh., 1907, pp. 31. 1908; Soils F.O., 1907, pp. 973-999. 1909.
western North Dakota." With others. Soil Sur. Adv. Sh., 1908, pp. 80. 1910; Soils F.O. 1908, pp. 1155-1228. 1911.
"Soils of the San Luis Valley, Colo." Soils Cir. 52, pp. 26. 1912.
"Soils of the United States." With others. Soils Bul. 96, pp. 791. 1913.

Laphygma frugiperda—
injury to vegetables in Porto Rico. D.B. 192, pp. 7, 10, 11. 1915.
See also Grassworm, southern; Army worm, fall.
Laplanders, reindeer herding in Alaska. D.B. 1089, pp. 2, 17. 1922.
La Pom, adulteration and misbranding. See *Indexes to Notices of Judgment, in bound volumes, and in separates published as supplements to Chemistry Service and Regulatory Announcements.*
Lapwing—
breeding and migration range. Biol. Bul. 35, p. 77. 1910.
range and names. M.C. 13, p. 67. 1923.
Laramie—
Plains, irrigation. W. H. Fairfield. O.E.S. Bul. 104, pp. 215-220. 1902.
Valley irrigation district, Wyoming, reclamation work. O.E.S. Bul. 205, pp. 33-34. 1909.
Laranja. See Orange.
Laranja da Terra, use as citrus stock for grafting Bahai navel orange. (No. 30605.) B.P.I. Bul. 242, pp. 9, 23. 1912; B.P.I. Bul. 153, p. 8. 1909.
Larch—
alpine—
characteristics, occurrence and habits. D.B. 680, pp. 8-11. 1918.
description, range, and occurrence on Pacific slope. For. [Misc.] "Forest trees * * * Pacific * * *," pp. 71-73. 1908.
occurrence, reproduction. For. Silv. Leaf. 35. pp. 1-2. 1908.
American—
injury by sawfly. F.B. 1259, p. 10. 1922.
See also Tamarack.
beetle, eastern, description, habits, and control. Ent. Bul. 83, Pt. I, pp. 103-106. 1909.
characteristics, and description of species. D.B. 680, pp. 2-11. 1918.
characters. F.B. 468, p. 39. 1911.
characters, species on Pacific slope. For.[Misc.], "Forest trees for Pacific * * *," pp. 68-77. 1908.
Chinese, importations and description. No. 43851, B.P.I. Inv. 49, pp. 10, 86. 1921; No. 44392, B.P.I. Inv. 50, p. 66. 1922.
description and key. D.C. 223, pp. 3, 8. 1922.
destruction by—
forest insects. Y.B., 1907, pp. 153-154, 158. 1908; Y.B. Sep. 442, pp. 153-154, 158. 1908.
larch worm. Ent. Bul. 58, pp. 60, 92. 1910.
European—
characteristics, and reproduction, notes. For. Bul. 98, p. 53. 1911.
description. For. Cir. 70, pp. 3. 1906.
growth, spacing, planting methods, and products. Y.B. 1911, pp. 260, 261, 262, 267. 1912; Y.B. Sep. 566, pp. 260-262, 267. 1912.
injury to trees by sapsuckers. Biol. Bul. 39, p. 26. 1911.
planting, uses, yield and value. D.B. 153, pp. 9, 12, 13, 16, 17, 18, 19, 22, 25-27, 35. 1915; For. Cir. 195, pp. 11-12. 1912.
value of products, cost of planting, habits of growth. For. Cir. 81, pp. 11-13, 32. 1910.
foliage analyses, showing injury by smelter fumes. Chem. Bul. 89, pp. 17, 18. 1905.
fungous enemies. D.B. 317, p. 11. 1916.
grading rules. D.C. 64, p. 38. 1920.
importation and description. No. 42194, B.P.I. Inv. 46, p. 65. 1919.
injury by—
eastern larch beetle. Ent. Bul. 83, Pt. I, p. 105. 1909.
fungous rots. D.B. 658, pp. 8, 9, 10, 16, 17, 20. 1918.
gipsy moth. D.B. 204, p. 14. 1915.
mistletoe, Blue Mountain forests, Oregon. D.B. 317, pp. 3-10. 1916.
western bark borer. Y.B., 1910, pp. 344-345, 357. 1911; Y.B. Sep. 542, pp. 344-345, 357. 1911.
insect pests, list. Sec. [Misc.], "A manual of insects * * *," pp. 82-84. 1917.
Korean, importations and description. Nos. 39994-39995, B.P.I. Inv. 42, pp. 48-49. 1918.
Kurile, importation and description. No. 35171, B.P.I. Inv. 35, pp. 16-17. 1915.

Larch—Continued.
  lumber—
    mistletoe burls, effect on merchantability.
      D.B. 317, pp. 22–23. 1916.
    production and value—
      1899–1914, and estimates, 1915. D.B. 506, pp.
        13–15, 25–26. 1917.
      1906, by States. For. Cir. 122, p. 25. 1907.
      1913, species and range. D.B. 232, pp. 17,
        30–31. 1915.
      1916, by States, mills reporting. D.B. 673,
        p. 25. 1918.
      1917, by States. D.B. 768, pp. 25–26, 38, 41.
        1919.
      1918, by States. D.B. 845, pp. 29, 44. 1920.
      1920, by States. D.B. 1119, p. 48. 1923.
    mistletoe infection, comparison of 45 trees, Whitman National forest. D.B. 317, pp. 18–22. 1916.
    needle, miner, description. Sec. [Misc.], "A manual of insects * * *," p. 82. 1917.
    quantity used in manufacture of wooden products. D.B. 605, p. 11. 1918.
  Siberian—
    importations and description. Nos. 33317–33318, 33645, B.P.I. Inv. 31, pp. 5, 14, 39. 1914; No. 36163, B.P.I. Inv. 36, pp. 6, 60–61. 1915; No. 36728, B.P.I. Inv. 37, p. 58. 1916.
    transpiration studies. J.A.R., vol. 24, pp. 120–145. 1923.
  tests for—
    pulp manufacture. D.B. 343, pp. 41, 48, 49, 50, 52, 53, 55, 67. 1916.
    mechanical properties, results. D.B. 556, pp. 34, 43. 1917; D.B. 676, p. 31. 1919.
    timbers, strength values, tables. For. Cir. 189, pp. 4, 5, 6, 7. 1912.
  use as crossties, quantity and value. D.B. 549, pp. 2, 3, 4, 5, 6, 7. 1917.
  use in wood paving, comparative value. For. Cir. 194, pp. 4, 5, 7, 11. 1912.
  volume tables, and growth rate. For. Bul. 36, pp. 166–169, 189, 193. 1910.
  western—
    bark borer, life history, habits, and control. Y.B., 1910, pp. 344–345, 357. 1911; Y.B. Sep. 542, pp. 344–345, 357. 1911.
    characteristics, occurrence, habits, and uses. D.B. 680, pp. 5–8. 1918; For. Bul. 98, p. 56. 1911.
    description. For. Silv. Leaf. 14, pp. 4. 1907.
    description, range and occurrence on Pacific slope. For. [Misc.], "Forest trees for Pacific * * *," pp. 68–71. 1908.
    grinder runs, table. D.B. 343, p. 103. 1916.
    mechanical properties. O. P. M. Goss. For. Bul. 122, pp. 45. 1913.
    mistletoe injury, northwestern forests. D.B. 360, pp. 1–37. 1916.
    occurrence, habits, and reproduction. For. Silv. Leaf. 14, pp. 1–4. 1907.
    physical characteristics, relation to mechanical properties. For. Bul. 115, pp. 18–32. 1913.
    quality tests, table. D.B. 343, p. 134. 1916.
    specifications and grading rules, tests. For. Bul. 122, pp. 38–40. 1913.
    strength tests, results. For. Bul. 108, pp. 20–117. 1912; For. Bul. 115, pp. 10, 40. 1913.
    structural uses. For. Bul. 122, pp. 41–43. 1913.
    treatment with creosote, tests and results. D.B. 101, pp. 15, 26–27, 36, 37, 39. 1914.
  worm—
    depredations, Europe and North America. Y.B., 1907, pp. 153, 158. 1908; Y.B. Sep. 442, pp. 153, 158. 1908.
    forest destruction, northeast and Canada. Ent. Bul. 58, Pt. V, p. 60. 1909.
    occurrence. Ent. Cir. 125, p. 3. 1910.
  See also Tamarack.
Lard—
  action on different metals, experiments. B.A.I. An. Rpt., 1909, pp. 275–277. 1911.
  addition of lard stearin. B.A.I.O. 211, amdt. 7, p. 1. 1919.
  adulteration. See also Indexes, Notices of Judgment in bound volumes and in separates published as supplements to Chemistry Service and Regulatory Announcements.
  annual production estimate, 1907–1921. D.C. 241, pp. 12–14. 1922.

Lard—Continued.
  beef-fat detection—
    method. James A. Emery. B.A.I. Cir. 132, pp. 9. 1908.
    work and results. Chem. Bul. 152, pp. 96–100. 1912.
  cold-storage holdings, 1916–1923, and monthly production. S.B. 1, p. 17. 1923.
  compounds—
    detection methods. B.A.I. Cir. 132, pp. 1–9. 1908.
    exports, 1919–1921, and 1852–1921. Y.B., 1922, pp. 956, 963, 970. 1923; Y.B. Sep. 880, pp. 956, 963, 970. 1923.
    labels, order. B.A.I.O. 211, amdt. 12, p. 1. 1919.
  consumption, 1907–1924. Y.B., 1924, p. 967. 1925.
  consumption per capita, 1907–1923. D.C. 241, pp. 19–20. 1924; Y.B., 1923, p. 283. 1924; Y.B. Sep. 894, p. 283. 1924.
  cottonseed oil, detection. Y.B., 1904, pp. 359–362. 1905; Y.B. Sep. 353, pp. 359–362. 1905.
  description, uses, and purity. D.B. 469, p. 10. 1916.
  digestion experiments. D.B. 310, pp. 5–8. 1915.
  exports—
    1851–1908, total and per capita. Stat. Bul. 75, pp. 6, 13, 35. 1910.
    1852–1915 and destination. Y.B., 1915, pp. 549, 556, 566. 1916; Y.B. Sep. 685, pp. 549, 556, 566. 1916.
    1890–1906. Stat. Bul. 55, pp. 8, 11, 23–26. 1907.
    1901–1924. Y.B., 1924, pp. 1042, 1074. 1925.
    1907–1923. D.C. 241, pp. 16–19. 1924.
    and imports, 1907–1921. D.C. 241, pp. 14–15, 16. 1922.
    distribution. Rpt. 67, pp. 15–16. 1901.
    to Europe, 1904. Stat. Bul. 39, pp. 7, 22–26. 1905.
  firmness, effect of various feeds. B.A.I. Bul. 47, pp. 224–228. 1904.
  food—
    standard. Sec. Cir. 136, p. 4. 1919.
    value and uses. Y.B., 1922, pp. 184, 186. 1923; Y.B. Sep. 882, pp. 184, 186. 1923.
    value comparisons, chart. D.B. 975, pp. 10, 32. 1921.
  foreign trade, 1907–1923. D.C. 241, pp. 16–19. 1924.
  freight rates—
    1911. Y.B., 1911, p. 653. 1912; Y.B. Sep. 588, p. 653. 1912.
    ocean 1910. Y.B., 1910, p. 651. 1911; Y.B. Sep. 553, p. 651. 1911.
  grades. F.B. 435, p. 20. 1911.
  holdings, comparison of 1917 and 1918. Sec. Cir. 97, p. 11. 1918.
  hydrogenated, labeling. B.A.I.S.R.A. 144, p. 34. 1919.
  importance, production, and exports. D.B. 769, pp. 32–33. 1919.
  inspection requirements. B.A.I.O., 211, rev., amdt. 3, p. 3. 1925.
  lard-oil and compounds, exports, 1902–1904. Stat. Bul. 36, pp. 43–45. 1905.
  laws, State—
    1907. Chem. Bul. 112, Pt. I, pp. 42, 49, 66–67. 1908; Pt. II, pp. 61, 100, 131. 1908.
    1908. Chem. Bul. 121, pp. 29, 66. 1909.
    Texas, 1907. Chem. Bul. 112, Pt. II, pp. 100–101. 1908.
  leaf removal from hog carcass. F.B. 913, p. 9. 1917.
  oil, as adulterant of olive oil, analytical data, and table. Chem. Bul. 77, pp. 15, 16, 17, 20, 21, 23, 24, 25, 27, 28, 42, 43, 44. 1903.
  oil, manufacturing methods. D.B. 769, p. 33. 1919.
  per capita consumption, 1907–1921. D.C. 241, pp. 16–19. 1922.
  potato-fed hogs, quantity and quality. D.B. 596, pp. 8–9. 1917.
  prices, 1913–1924. Y.B., 1924, p. 918. 1925.
  production, 1907–1923. D.C. 241, pp. 15, 16. 1924.
  production—
    and demands. Y.B., 1922, pp. 270–273, 276. 1923; Y.B. Sep. 882, pp. 270–273, 276. 1923.
    increase, methods, and necessity. D.B. 769, pp. 33–34. 1919.

Lard—Continued.
  purity standards. Sec. Cir. 136, p. 4. 1919.
  rendering—
    at butchering time, methods. F.B. 913, pp. 13–14. 1917.
    directions. F.B. 1186, pp. 13–15. 1921.
  sale, laws. Chem. Bul. 69, rev., Pts. I–IX, pp. 42, 108, 121, 168, 174, 196, 200, 209, 216, 256, 275, 306, 308, 318, 479, 539, 563–564, 592, 628, 751. 1905–6.
  standards. Chem. Bul. 69, rev., Pts. I–IX, pp. 13, 181, 213, 275, 318, 442, 563, 592, 597, 633, 667, 691. 1905–6.
  statistics—
    1924. Y.B., 1924, pp. 918, 921, 923, 926, 929, 966, 967, 1042, 1074. 1925.
    production and consumption. B.A.I. Bul. 47, pp. 258–285. 1904.
  stock(s)—
    increase, January 1, 1918, to January 1, 1919. News L., vol. 6, No. 33, p. 10. 1919.
    warehouses and dealers, Aug. 31, 1917, by States, tables. Sec. Cir. 97, pp. 12–32. 1918.
    wholesale and retail, distribution. Sec. Cir. 97, pp. 3–10. 1918.
    storage holdings, 1918, by localities and by months. D.B. 792, pp. 25–27, 28. 1919.
  substitute(s)—
    adulteration. Chem. N.J. 3938. 1915.
    adulteration with water, ruling. Chem. S.R.A. 18, p. 45. 1916.
    industry, consumption of fats and oils, 1912–1918. D.B. 769, p. 6. 1919.
    inspection, opinion of J. A. Fowler. Sol. Cir. 38, pp. 1–9. 1910.
    production and constituents. Y.B., 1922, pp. 270–272. 1923; Y.B. Sep. 882, pp. 270–272. 1923.
    use of peanut oil. Y.B., 1917, pp. 299–300. 1918; Y.B. Sep. 746, pp. 13–14. 1918.
    vegetable oils and imported oleo stearin. Sol. Cir. 56, pp. 1–4. 1911.
  supply, extent and distribution, Aug. 31, 1917. Sec. Cir. 97, p. 32. 1918.
  worm, injury to hogs. Guam A. R., 1915, p. 33. 1916.
Lardizabala biternata, importation and description. No. 35960, B.P.I. Inv. 36, p. 31. 1915.
Laredo soils, South Texas, distribution, description, and uses. Soil Sur. Adv. Sh., 1909, pp. 69–76. 1910; Soils F.O., 1909, pp. 1093–1100. 1912.
Largus succinctus. See Plant-bug, bordered.
Laria—
  pisorum. See Pea weevil.
  rufimana, synonyms. Ent. Bul. 96, Pt. V, p. 60. 1912.
  rufimana. See also Bean weevil, broad.
  spp., weevils having boll-weevil parasites. Ent. Bul. 100, pp. 43, 45, 49, 50, 51, 52, 67, 73–74. 1912.
Laridae—
  hosts of eye parasite. B.A.I. Bul. 60, p. 47. 1904.
  occurrence on Laysan Island, numbers and description. Biol. Bul. 42, pp. 13–15. 1912.
Larimer and Weld canal, Colorado, description and capacity. D.B. 1026, pp. 30–34. 1922.
Larimer County Canal, Colorado, description and capacity. D.B. 1026, pp. 34–37. 1922.
Lariophagus texanus, enemy of boll weevil. Ent. Bul. 100, pp. 42, 45, 52, 54–68, 73–80. 1912; Ent. Bul. 114, p. 142. 1912.
Larix—
  decidua, injury by sapsuckers. Biol. Bul. 39, p. 26. 1911.
  laricina, influence of cold in stimulating growth. J.A.R., vol. 20, pp. 151–160. 1920.
  spp.—
    food of *Dendroctonus* beetles. Ent. T. B. 17, Pt. I, p. 79. 1915.
    injury by *Rhizina inflata*. J. A. R., vol. 4, pp. 93, 94. 1915.
    susceptibility to dry rot. B.P.I. Bul. 214, p. 12. 1911.
  See also Larch; Tamarack.
Lark—
  Alaska horned—
    occurrence in Yukon Territory, and Alaska. N.A. Fauna 30, pp. 39–40, 61, 89. 1909.
    range, and habits. N.A. Fauna 24, p. 71. 1904.
  desert horned, food habits. D. B. 107, pp. 10–11. 1914.

Lark—Continued.
  field—
    boll-weevil destruction in winter. Biol Cir. 64, p. 3. 1908.
    protection by law. Biol. Bul. 12, rev., p. 38. 1902.
  horned—
    description, range, and habits. F.B. 513, p. 22. 1913.
    food, animal and vegetable. F.B. 506, pp. 23–25. 1912; Biol. Bul. 23, pp. 12–33. 1905.
    food habits, relation to agriculture. Biol. Bul. 23, pp. 7–12. 1905; Biol. Bul. 34, pp. 44–47. 1910.
    food of young. Biol. Bul. 23, pp. 23–30. 1905.
    occurrence in Athabaska-Mackenzie region. N.A. Fauna 27, pp. 398–399. 1908.
    protection by law. Biol. Bul. 12, rev. p. 40. 1902.
    range and habits. N.A. Fauna 22, pp. 114–115. 1902.
    relation to agriculture. W. L. McAtee. Biol. Bul. 23, pp. 37. 1905.
    sale as reedbirds. Biol. Bul. 12, rev., p. 26. 1902.
    prairie, horned, habits, and occurrence in Arkansas. Biol. Bul. 38, p. 55. 1911.
  protection by law. Biol. Bul. 12, rev., pp. 38, 39, 40, 41. 1902.
  shore, protection by law. Biol. Bul. 12, rev., pp. 38, 40. 1902.
LARKIN, W. J., Jr.—
  "A portable farm granary." With others. Mkts. Doc. 11, pp. 8. 1918.
  "Notes on grain pressures in storage bins." D.B. 789, pp. 16. 1919.
Larkin grant, California, (Colusa area) historical notes. Soil Sur. Adv. Sh., 1907, p. 13. 1909; Soils F.O., 1907, p. 935. 1909.
Larkspur(s)—
  as poisonous plants. Albert C. Crawford. B.A.I. Bul. 111, Pt. I, pp. 5–12. 1907.
  common names in different countries. D.B. 365, p. 13. 1916.
  culture and handling as drug plant, yield, and price. F.B. 663, p. 27. 1915.
  danger to livestock on ranges. O.E.S. An. Rpt., 1922, pp. 117, 119. 1924.
  description—
    and varieties. F.B. 1381, pp. 45–48. 1924.
    cultivation, and characteristics. F.B. 1171, pp. 33–35. 1921.
    distribution, and poisoning of livestock. D.B. 575, pp. 8–11. 1918.
  disease, bacterial leaf-spot, cause and control. J.A.R., vol. 28, pp. 261–270. 1924.
  eradication—
    by grubbing, methods, and results. F.B. 826, pp. 4–20, 23. 1917.
    directions. F.B. 988, p. 14. 1918.
    methods. F.B. 720, pp. 3–4. 1916.
    on stock ranges. B.A.I. Doc. A–34, pp. 6. 1918.
  feeding to livestock, experiments. D.B. 365, pp. 29–61. 1916.
  fencing to protect cattle, experiments. F.B. 826, pp. 21–22, 23. 1917.
  growing and uses, harvesting, marketing, and prices. F.B. 663, rev., p. 36. 1920.
  hybrid, importation, and description. No. 45559, B.P.I. Inv. 53, p. 54. 1922.
  indicator value on ranges. D.B. 791, pp. 39, 41. 1919.
  injury to stock, distribution, and description. F.B. 531, pp. 5–10. 1913.
  or "poison weed." C. Dwight Marsh and others. F.B. 531, pp. 15. 1913; F.B. 988, pp. 15. 1918.
  poisoning—
    losses from. D.B. 365, pp. 11–13. 1916.
    of livestock. C. Dwight Marsh and others. D.B. 365, pp. 91. 1916.
    symptoms and control treatment. D.B. 365, pp. 61–66. 1916; D.B. 575, pp. 11–12. 1918; D.B. 1245, pp. 7–12, 32–35. 1924; F.B. 536, pp. 3–4. 1913; F.B. 988, pp. 12–14. 1918.
  poisonous species. D.B. 365, pp. 14–16. 1916.
  poisonous—
    to cattle, preventive methods. F.B. 1395, p. 42. 1925.

1334   UNITED STATES DEPARTMENT OF AGRICULTURE

Larkspur(s)—Continued.
tall—
  description and habitat. D.B. 365, pp. 14–15. 1916; F.B. 826, p. 19. 1917.
  eradication on cattle ranges in the national forests. A. E. Aldous. F.B. 826, pp. 23. 1917.
  toxicity, relation to parts of plant and age of plants. D.B. 365, pp. 74–82. 1916.
  use in fly-larvae destruction in manure, experiments. D.B. 245, pp. 14, 21. 1915.
  varieties of the Western United States, descriptions. F.B. 988, pp. 4–10. 1918.
Larrea tridentata. See Creosote bush.
LARRIMER, W. H.—
  "Behavior of *Phytophaga destructor* Say, under conditions imposed by emergence cages." J.A.R., vol. 31, pp. 567–574. 1925.
  "Symptoms of wheat rosette compared with those produced by certain insects." With Harold H. McKinney. D.B. 1137, pp. 8. 1923.
LARSEN, J. A.—
  "Girdling as a means of removing undesirable species in the western white-pine type." With Donald R. Brewster. J.A.R., vol. 31, pp. 267–274. 1925.
  "Natural reproduction after forest fires in northern Idaho." J.A.R., vol. 30, pp. 1177–1197. 1925.
  "Slash disposal in western white pine forests in Idaho." With W. C. Lowdermilk. D.C. 292, pp. 20. 1924.
  "Some factors affecting reproduction after logging in northern Idaho." J.A.R., vol. 28, pp. 1149–1157. 1924.
LARSEN, L. T.: "Sugar pine." With T. D. Woodbury. D.B. 426, pp. 40. 1916.
LARSON, A. O.—
  "Fumigation of bean weevils *Bruchus obtectus* and *B. quadrimaculatus.*" J.A.R., vol. 28, pp. 347–356. 1924.
  "Insecticidal effect of cold storage on bean weevils." Perez Simmons. J.A.R., vol. 27, pp. 99–105. 1923.
  "Longevity and fecundity of *Bruchus quadrimaculatus* Fab. as influenced by different foods." With C. K. Fisher. J.A.R., vol. 29, pp. 297–305. 1924.
  "Notes on the biology of the four-spotted bean weevil, *Bruchus quadrimaculatus* Fab." With Perez Simmons. J.A.R., vol. 28, pp. 609–616. 1923.
LARSON, C. W.: "The dairy industry." With others. Y.B., 1922, pp. 281–394. 1923; Y.B. Sep. 879, pp. 98. 1923.
Larus spp. *See* Gulls.
Larvae—
  cerambycoid, preliminary synopsis. Ent. T.B. 20, Pt. V, pp. 149–155. 1912.
  classification. F.B. 1169, p. 5. 1921.
  dipterous—
    bearing on classification of flies. Ent. T.B. 22, pp. 13, 37. 1912.
    structure and infestation of human food. Nathan Banks. Ent. T.B. 22, pp. 44. 1912.
  gastrophilus, prepupation and pupal periods. D.B. 597, pp. 16–23. 1918.
  lepidopterous, resembling the European corn borer, William O. Ellis. J.A.R., vol. 30, pp. 777–792. 1925.
  subterranean, fumigation experiments. J.A.R., vol. 15, pp. 133–136. 1918.
  See also *under names of adult form.*
Larval disease, destruction of alfalfa caterpillars. Ent. Cir. 133, pp. 9–10. 1911.
Larvicide—
  action of nicotine sulphate, discussion. D.B. 938, pp. 10–14. 1921.
  testing, in treatment of fly larvae in horse manure. D.B. 118, pp. 8–21. 1914.
  use in mosquito destruction, formula, and cost. Ent. Bul. 88, pp. 72–80. 1910; F.B. 444, pp. 14–15. 1911; P.R. Cir. 17, pp. 16–17. 1918.
Laryngitis, cattle, symptoms and treatment. B.A.I. [Misc.], "Diseases of cattle," rev., pp. 91–92. 1904; rev., pp. 92–93. 1912; rev., pp. 93–94. 1923.
La sanadora, cure for rheumatism, headache, etc., misbranding. Chem. N.J. 1076, pp. 2. 1911.

Las Animas River, irrigation projects, New Mexico. O.E.S. Bul. 215, pp. 12, 24. 1909.
Las Islitas Irrigation Company, irrigation system, details. O.E.S. Bul. 222, pp. 61–62. 1910.
LASH, ELMER: "Tuberculin testing of live stock." With L. B. Ernest. D.C. 249, pp. 28. 1922.
Lasiacis spp., description, distribution, and uses. D.B. 772, pp. 20, 232–236. 1920.
Lasianthus—
  biermanni, importation and description. No. 47704, B.P.I. Inv. 59, p. 49. 1922.
  spp., importation and description. No. 51801, B.P.I. Inv. 65, p. 51. 1923.
Lasioderma serricorne—
  description and injury to tobacco. D.B. 737, p. 28. 1919.
  See also Cigarette beetle.
Lasiodiplodia triflorae, cause of gummosis of plum. J.A.R., vol. 24, p. 227. 1923.
Lasius—
  alienus, enemy of *Pemphigus acerifolii.* Ent. T.B. 24, p. 11. 1912.
  niger—
    americanus, attendant on corn root aphid. Ent. Bul. 85, Pt. VI, p. 105. 1910.
    See Ant, red.
  spp., relation to the corn root aphid. Ent Bul. 85, pp. 105, 115–116. 1911.
Laspeyresia—
  caryana—
    description and control. F.B. 843, pp. 9–13. 1917; F.B. 1364, pp. 7–11. 1924.
    See also Pecan shuckworm.
  molesta, n. sp.—
    description and life history. J.A.R., vol. 7, pp. 373–378. 1916.
    important new insect enemy of the peach. A. L. Quaintance and W. B. Wood. J.A.R., vol. 7, pp. 373–378. 1916.
    See also Peach moth, oriental.
  pomonella. See Codling moth.
  prunivora, control and life history. F.B. 1270, pp. 10–11. 1922.
  spp.—
    pests of different fruits. J.A.R., vol. 7, p. 373. 1916.
    similar to oriental peach moth. J.A.R., vol. 13, pp. 64–65. 1918.
  tristigana, similarity to *Pectinophora gossypiella.* J.A.R., vol. 20, pp. 824–825. 1921.
LASSALLE, L. J.: "Equipment and costs for making sirup on a large scale." With J. J. Munson. D.B. 1370, pp. 39–57. 1925.
Lassen National Forest, Calif.—
  location, description, and area. D.C. 185, pp. 14–15. 1921.
  map. For. Maps. 1924.
  map and directions to hunters and campers, North half. For. Map Fold. 1915.
  map and directions to hunters and campers, south half. For. Map Fold. 1915.
  north half: Information for mountain travelers, map. For. Rec. Map. 1916.
  south half: Information for travelers, map. For. Rec. Map. 1916.
Lasts, manufacture, use of maple. D.B. 12, pp. 37–28. 1913.
Latania—
  commersonii, importation and description. No. 45960, B.P.I. Inv. 54, p. 50. 1922. No. 51131, B.P.I. Inv. 64, p. 61. 1923.
  spp., importations and descriptions. Nos. 51720–51722, B.P.I. Inv. 65, p. 40. 1923.
Latax lutris. See Otter, sea.
Late blight. *See* Blight.
Latex, rubber tree, coagulation methods. Hawaii Bul. 16, p. 17. 1908.
Lath—
  boxes in furrow-irrigation construction. F.B. 392, pp. 19–21. 1910.
  cost and selling price, country yards. Rpt. 116, p. 52. 1918.
  imports, 1922–1924. Y.B., 1924, p. 1067. 1925.
  machines, prices. D.B. 718, p. 16. 1918.
  production, in—
    1870–1922, by States. Y.B., 1923, pp. 1073–1076. 1924; Y.B. Sep. 904, pp. 1673–1076. 1924.
    1905. For. Bul. 74, p. 29. 1907.

Lath—Continued.
  production, in,—continued.
    1906, by States. For. Bul. 77, p. 37. 1908;
      For. Cir. 122, p. 31. 1907; For. Cir. 129, p. 12.
      1907.
    1907, and woods used. For. Cir. 166, p. 20.
      1909.
    1912, 1915-1916, by States, mills reporting, and
      lath value. D.B. 673, pp. 35-36. 1918.
    1915, and mills reporting, by States. D.B. 506,
      pp. 37-41. 1917.
    1915-1917. D.B. 768, pp. 36-37, 44. 1919.
    1918. D.B. 673, pp. 35-36. 1918.
    1918, number of mills, and amount by States.
      D.B. 845, pp. 39-40, 47. 1920.
    1920 by States. D.B. 1113, pp. 56-59, 61. 1923.
    Louisiana, 1903. For. Bul. 114, p. 23. 1912.
  shades for ginseng beds, construction details.
    F.B. 551, pp. 8-9. 1913.
  substitutes, production and use. Rpt. 117, pp.
    37-39, 71. 1917.
  use in shading plants, construction, and effects.
    D.B. 974, pp. 12, 15. 1921.
LATHAM, J. S.: "Milk transport in England."
  B. A. I Dairy [Misc.], "World's dairy congress,
  1923," pp. 806-811. 1924.
Latheticus—
  genus, description. Ent. Bul. 96, Pt. II, p. 25.
    1911.
  oryzae. See Flour beetle, long-headed.
Lathromeris fidiae, parasite on grape rootworm.
  Ent. Bul. 89, p. 56. 1910.
LATHROP, E. C.—
  "Examination of soils for organic constituents,
    especially dihydroxystearic acid." With Os-
    wald Schreiner. Soils Bul. 80, pp. 33. 1911.
  "Psilocybe as a fermenting agent in organic de-
    bris." With Charles Thom. J.A.R., vol.
    30, pp. 625-628. 1923.
  "The chemistry of steam-heated soils." With
    Oswald Schreiner. Soils Bul. 89, pp. 37. 1912.
  "The nitrogen of processed fertilizers." D.B.
    158, pp. 24. 1914.
LATHROP, F. H.: "Influence of temperature and
  evaporation upon the development of *Aphis
  pomi* Degeer." J.A.R., vol. 23, pp. 969-987.
  1923.
Lathyrus spp.—
  importations and descriptions. Nos. 29440,
    29933-29945, B.P.I. Bul. 233, pp. 21, 43. 1912;
    Nos. 32190, 32192, 32193, B.P.I. Bul. 261, p. 29.
    1912; Nos. 33290, 33404, B.P.I. Inv. 31, pp. 4, 10,
    19. 1914; No. 36105, B.P.I. Inv. 36, p. 53. 1915;
    Nos. 40311-40324, 40334-40336, 40349-40350,
    B.P.I. Inv. 42, pp. 104-106, 108, 110. 1918;
    Nos. 42076-42080, B.P.I. Inv. 46, pp. 54-55.
    1919; Nos. 43518, 43954, B.P.I. Inv. 49, pp. 38, 103.
    1921; Nos. 44691-44695, B.P.I. Inv. 51, pp. 49-50.
    1922.
  sulphureus, importation and description. No.
    43188, B.P.I. Inv. 48, p. 25. 1921.
  See also Vetch.
LATIMER, H. B.: "Postnatal growth of the body,
  systems, and organs of the single-comb White
  Leghorn chicken." J.A.R., vol. 29, pp. 363-397.
  1924.
LATIMER W. J.: "Soil survey of—
  Barbour and Upshur Counties, W. Va." With
    Hugh H. Bennett. Soil Sur. Adv. Sh., 1917,
    pp. 47. 1919; Soils F.O., 1917, pp. 993-1039.
    1923.
  Berkley County, S. C." With others. Soil
    Sur. Adv. Sh., 1916, pp. 42. 1918; Soils F.O.,
    1916, pp. 483-520. 1921.
  Boone County, W. Va." Soil Sur. Adv. Sh.,
    1913, pp. 26. 1915; Soils F.O., 1913, pp. 1295-
    1316. 1916.
  Braxton and Clay Counties, W. Va." With
    Charles N. Mooney. Soil Sur. Adv. Sh., 1918,
    pp. 39. 1920; Soils F.O., 1918, pp. 885-919. 1924.
  Chatham County, Ga." With Floyd S. Bucher.
    Soil Sur. Adv. Sh., 1911, pp. 34. 1912; Soils
    F.O., 1911, pp. 563-592. 1914.
  Chesterfield County, S. C." With others.
    Soil Sur. Adv. Sch., 1914, pp. 45. 1915. Soils
    F.O., 1914, pp. 655-695. 1919.
  Dorchester County, S. C." With others. Soil
    Sur. Adv. Sch., 1915, pp. 45. 1917; Soils F.O.
    1915, pp. 545-585. 1919.

LATIMER, W. J.: "Soil survey of—Continued.
  Frederick County, Md." With others. Soil
    Sur. Adv. Sh., 1919, pp. 82. 1922; Soil F.O.,
    1919, pp. 641-722. 1925.
  Henrico County, Va." With M. W. Beck.
    Soil Sur. Adv. Sh., 1913, pp. 38. 1914; Soils
    F O., 1913, pp. 143-176. 1916.
  Horry County, S. C." With others. Soil Sur.
    Adv. Sh., 1918, pp. 52. 1920; Soils F.O., 1918,
    pp. 329-376. 1924.
  Jeff Davis County, Ga." With others. Soil
    Sur. Adv. Sh., 1913, pp. 34. 1914; Soils F. O.,
    1913, pp. 445-474. 1916.
  Jefferson, Berkeley, and Morgan Counties, W.
    Va." Soil Sur. Adv. Sh., 1916, pp. 74. 1918;
    Soils F.O., 1916, pp. 1479-1548. 1921.
  Kanawha County, W. Va." With N. W. Beck.
    Soil Sur. Adv. Sh., 1912, pp. 30. 1914; Soils
    F.O., 1912, pp. 1179-1204. 1916.
  Kershaw County, S. C." With others. Soil
    Sur. Adv. Sh., 1919, pp. 71. 1922; Soils F.O.,
    1919, pp 763-829. 1925.
  Lee County, S. C." With others. Soil Sur.
    Adv. Sh., 1907, pp. 27. 1908; Soils F.O., 1907,
    pp. 323-343. 1909.
  Lewis and Gilmer Counties, W. Va." Soil Sur.
    Adv. Sh., 1915, pp. 34. 1917; Soils F.O., 1915,
    pp. 1237-1266. 1919.
  Lexington County, S.C." With others. Soil
    Sur. Adv. Sh., 1922, pp. 50. 1925.
  Logan and Mingo Counties, W. Va." Soil Sur.
    Adv. Sh., 1913, pp. 30. 1915; Soils F.O., 1913,
    pp. 1317-1342. 1916.
  McDowell and Wyoming Counties, W. Va."
    Soil Sur. Adv. Sh., 1914, pp. 32. 1916; Soils
    F.O., 1914, pp. 1427-1454. 1919.
  Marlboro County, S. C." With others. Soil
    Sur. Adv. Sh., 1917, pp. 73. 1919; Soils F.O.,
    1917, pp. 469-537. 1923.
  Monroe County, Miss." With others. Soil Sur.
    Adv. Sh., 1908, pp. 48. 1910; Soils F.O., 1908,
    pp. 799-842. 1911.
  Newberry County, S. C." With others. Soil
    Sur. Adv. Sh., 1918, pp. 46. 1921; Soils F.O.,
    1918, pp. 377-418. 1924.
  Norfolk, Bristol, and Barnstable Counties,
    Mass." With others. Soils F.O., 1920, pp.
    1033-1120. 1925.
  Oconee County, S. C." With W. E. McLendon.
    Soil Sur. Adv. Sh., 1907, pp. 32. 1908; Soils F.O.
    1907, pp. 271-298. 1909.
  Preston County, W. Va." Soil Sur. Adv. Sh.,
    1912, pp. 43. 1914; Soils F.O., 1912, pp. 1205-
    1243. 1915.
  Raleigh County, W. Va." Soil Sur. Adv. Sh.,
    1914, pp. 34. 1916; Soils F.O., 1914, pp. 1397-1426.
    1919.
  Spartanburg County, S. C." With others.
    Soil Sur. Adv. Sh., 1921, pp. 409-449. 1924.
  Sumter County, S. C." With others. Soil Sur.
    Adv. Sh., 1907, pp. 27. 1908; Soils F.O., 1907,
    pp. 299-321. 1909.
  the Clarksburg area, West Virginia." With
    Charles N. Mooney. Soil Sur. Adv. Sh., 1910,
    pp. 32. 1912; Soils F.O., 1910, pp. 1049-1076.
    1912.
  the Conway area, South Carolina." With Cor-
    nelius Van Duyne. Soil Sur. Adv. Sh., 1909,
    pp. 34. 1910; Soils F.O., 1909, pp. 473-502.
    1912.
  the Huntington area, West Virginia." Soil Sur.
    Adv. Sh., 1911, pp. 44. 1912; Soils F.O., 1911,
    pp. 1287-1326. 1914.
  the Morgantown area, West Virginia." With
    Charles N. Mooney. Soil Sur. Adv. Sh., 1911,
    pp. 42. 1912; Soils F.O., 1911, pp. 1327-1364.
    1914.
  the Ocala area, Florida." With others. Soil
    Sur. Adv. Sh., 1912, pp. 60. 1913; Soils F.O.,
    1912, pp. 669-724. 1915.
  the Parkersburg area, West Virginia." With
    F. N. Meeker. Soil Sur. Adv. Sh., 1908, pp. 36.
    1909; Soils F.O., 1908, pp. 1019-1050. 1911.
  the Point Pleasant area, West Virginia." With
    Charles N. Mooney. Soil Sur. Adv. Sh., 1910,
    pp. 50. 1911; Soils F.O., 1910, pp. 1077-1122.
    1912.
  the Spencer area, West Virginia." With F. W.
    Meeker. Soil Sur. Adv. Sh., 1909, pp. 32. 1910;
    Soils F.O., 1909, pp. 1175-1202. 1912.

LATIMER, W. J.: "Soil survey of—Continued.
Tuscaloosa County, Ala." With others. Soil Sur. Adv. Sh., 1911, pp. 74. 1912; Soils F.O., 1911, pp. 933-1002. 1914.
Latin America. *See* Central America.
Latrines, sanitary treatment at military camps for disease prevention. Sec. Cir. 61, p. 6. 1916.
LATSHAW, W. L.—
"Elemental composition of the corn plant." With E. C. Miller. J.A.R., vol. 27, pp. 845-860. 1924.
"Relation of the calcium content of some Kansas soils to the soil reaction as determined by the electrometric titration." With others. J.A.R. vol. 20, pp. 855-868. 1921.
LATTA, W. C.—
"Farmers' institute objects and perfection methods." O.E.S. Bul. 238, pp. 36-39. 1911.
"The special province of the Farmer's Institute meeting in extension work." O.E.S. Bul. 256, pp. 22-24. 1913.
Latuca sativa. See Lettuce.
Latvia, potato, production, 1909-1913, 1921-1923. Stat. Bul. 10, p. 19. 1925.
Lauan, red. *See* Mahogany, Philippine.
Laubenheimer wine, so-called, adulteration and misbranding. Chem. N.J. 1701, pp. 2. 1912.
Laudanum, misbranding. Chem. N.J. 226, p. 1. 1910; Chem. N.J. 333, p. 1. 1910; Chem. N.J. 459, p. 1. 1910; Chem. N.J. 1063, p. 2. 1912.
Launaea asplenifolia, suspected aecial host of *Puccinia triticina*. J.A.R., vol. 22, pp. 153-172. 1921.
Laundering—
hints and recipes. Thrift Leaf. No. 5, pp. 4. 1919.
home. Lydia Ray Balderston. F.B. 1099, pp. 32. 1920.
See also Washing.
Laundry(ies)—
appliances, use of beech in manufacture. D.B. 12, pp. 5-6. 1913.
charges, allowance to employees. Adv. Com. F. and B. M. [Misc.], "Fiscal regulations * * *," amdt. 3, p. 5. 1916.
commercial, types of service. F.B. 1099, p. 32. 1920.
community or municipal. F.B. 1099, pp. 29-32. 1920.
cooperative—
need in rural districts, comments. Rpt. 103, pp. 62, 63, 64, 65, 66. 1915; Rpt. 104, pp. 31, 32. 1915.
rural, successful. C. H. Hanson. Y.B. ,1915, pp. 189-194. 1916; Y.B. Sep. 668, pp. 189-194. 1916.
disinfection, of clothing. F.B. 1099, pp. 22-23. 1920.
equipment, description and needs for home work, F.B. 1099, pp. 5-14. 1920.
lesson outlines for first-year classes, and correlative studies. D.B. 540, pp. 11, 12, 14, 16, 20, 33, 37, 38, 45, 47, 48, 52, 53. 1917.
methods, saving labor and materials. Thrift Leaf. No. 5, pp. 4. 1919.
power, for the farm, cost of equipment. F.B. 353, pp. 31-32. 1909.
room—
equipment, farm home. Y.B., 1909, pp. 352-353. 1910; Y.B. Sep. 518, pp. 352-353. 1910.
location, construction, and conveniences. F.B. 1099, pp. 3-4. 1920.
soap, use in soap sprays. F.B. 908, p. 38. 1918.
subvouchers, regulations. B.A.I.S.R.A. 182, p. 77. 1922.
supplies, general, directions and list. F.B. 1099, pp. 25-29. 1920.
tubs, cement, mending directions. F.B. 1460, p. 13. 1925.
LAUR, ERNST: "International organization for the utilization of milk." B. A. I. Dairy [Misc.], "World's dairy congress," 1923, pp. 270-272. 1924.
Lauraceae—
injury by sapsuckers. Biol. Bul. 39, pp. 38-39, 78. 1911.
Porto Rico, description and uses. D.B. 354, p. 70. 1916.
Laurel—
Alexandrian, importation and description. No. 52595, B.P.I. Inv. 66, p. 47. 1923.
black, description and poisonous effects. D.B. 1245, pp. 23-24. 1924.

Laurel—Continued.
California—
description, range, and occurrence on Pacific slope. For. [Misc.], "Forest trees for Pacific * * *," pp. 327-331. 1908.
occurrence of cineol. B.P.I. Bul. 235, p. 12. 1912.
cherry, importations and descriptions. Nos. 37615, 37631, B.P.I. Inv. 38, pp. 85, 89. 1917; No. 55685, B.P.I. Inv. 72, p. 18. 1924.
Chilean, importation and description. No. 54633, B.P.I. Inv. 69, pp. 4, 30. 1923.
distribution and growth in Wyoming. N.A. Fauna 42, p. 75. 1917.
dwarf, distribution. N.A. Fauna 21, p. 13. 1901.
evergreen, introduction, description and uses. B.P.I. Bul. 205, p. 39. 1911.
goat poisoning. B.A.I. Bul. 27, p. 45. 1901; B.A.I. An. Rpt., 1901, p. 463. 1902.
importation and description. No. 49272, B.P.I. Inv. 62, p. 18. 1923.
injury by sapsuckers. Biol. Bul. 39, pp. 38, 78, 79. 1911.
mountain—
effect on sheep. B.P.I. Bul. 121, pp. 26-29. 1908.
habitat, range, description, uses, collection, and prices. B.P.I. Bul. 219, p. 17. 1911.
leaf blight, description, and cultural studies. J.A.R., vol. 13, pp. 199-212. 1918.
poisonous plant. Albert C. Crawford. B.P.I. Bul. 121, Pt. II, pp. 21-35. 1908.
oil, fly repellent, formulas and experiments. D.B. 131, pp. 11, 21, 24. 1914.
poisoning—
cattle, treatment. B.A.I. [Misc.], "Diseases of cattle," rev., p. 66. 1904; rev., p. 67. 1912; rev., p. 65. 1923.
goats and other animals, treatment. F.B. 137, pp. 15, 46. 1901.
sheep, description, distribution, symptoms, and treatment. D.B. 575, pp. 16-17. 1918.
symptoms and control treatment. D.B. 575, p. 17. 1918.
quantity used in manufacture of wooden products. D.B. 605, p. 17. 1918.
sabino—
importation and description. No. 30912, B.P.I. Bul. 242, p. 51. 1912.
occurrence in Porto Rico, description and uses. D.B. 354, p. 68. 1916.
swamp, description, eastern Puget Sound Basin, Wash. Soil Sur. Adv. Sh., 1909, p. 30. 1911; Soils F.O., 1909, p. 1542. 1912.
tests for mechanical properties, results. D.B. 556, pp. 31, 40. 1917; D.B. 676, p. 21. 1919.
varieties, description, and poisonous effects. D.B. 1245, pp. 23-25. 1924.
Laurel Green, analysis. Chem. Bul. 68, pp. 26-27. 1902; Chem. Bul. 76, p. 41. 1903.
Laurelia sempervirens—
importation and description. No. 35967, B.P.I. Inv. 36, p. 31. 1915.
See also Laurel, Chilean.
LAURITZEN, J. I.—
"Species of Rhizopus responsible for the decay of sweet potatoes in the storage house and at different temperatures in infection chambers." With L. L. Harter. J.A.R., vol. 24, pp. 441-456. 1923.
"The influence of temperature on the infection and decay of sweet potatoes by different species of Rhizopus." With L. L. Harter. J.A.R., vol. 30, pp. 793-810. 1925.
Laurocerasus—
acuminata, importation and description. No. 47705, B.P.I. Inv. 59, p. 49. 1922.
ilicifolia—
importation and description. No. 39584, B.P.I. Inv. 41, p. 45. 1917.
injury by sapsuckers. Biol. Bul. 39, p. 43. 1911.
spp., importations and descriptions. Nos. 44092, 44393, B.P.I. Inv. 50, pp. 27, 66. 1922.
Laurus benzoin. See Spicebush.
Lava—
analysis in Hawaii. Hawaii A.R., 1913, pp. 30-31. 1914.
plateau basins and tributaries, description. D.B. 54, pp. 23-31. 1914.

INDEX TO PUBLICATIONS, 1901-1925 1337

Lava—Continued.
  soils, eastern Washington, description. Soils Bul. 93, p. 7. 1913.
Lavandula—
  spica, source of camphor and borneol. B.P.I. Bul. 235, p. 12. 1912.
  vera. See Lavender.
Lavatera assurgentiflora, importation and description. No. 51391, B.P.I. Inv. 65, p. 11. 1923.
Lavender—
  culture and handling as drug plant, yield, and price. F.B. 663, pp. 27-28. 1915.
  flowers, oil, adulteration. Chem. N.J. 2129, p. 1. 1913; Chem. N.J. 2133, p. 1. 1913; Chem. N.J. 2541, pp. 2. 1913; Chem. N.J. 2890, pp. 2. 1914.
  growing and uses, harvesting, marketing, and prices. F.B. 663, rev., pp. 36-37. 1920.
  oil, adulteration and misbranding. Chem. N.J. 2535, pp. 2. 1913.
  sea, importation and description. No. 48030, B P.I. Inv. 60, p. 31. 1922.
  source of aromatic oil. B.P.I. Bul. 195, pp. 8, 10-11, 13, 26, 30, 40, 41, 42, 44. 1910.
  use as deterrent of mosquitoes. Ent. Bul. 88, p. 26. 1910.
Law, J. W.: "Parcel post business methods." With C. C. Hawbaker. F.B. 922, pp. 20. 1918.
Law, James—
  "Abortion, or slinking the calf." B.A.I. Cir. 67, pp. 11. 1905.
  "Diseases following parturition." B.A.I. [Misc.] "Diseases of cattle," rev., pp. 210-243. 1904; rev., pp. 210-243. 1908; rev., pp. 216-251. 1912; rev., pp. 214-246. 1923.
  "Diseases of the eye." B.A.I. [Misc.], "Diseases of the horse," rev., pp. 251-273. 1903; rev., pp. 251-273. 1907; rev., pp. 251-273. 1911; rev., pp. 274-297. 1916; rev., pp. 274-297. 1923.
  "Diseases of the generative organs." B.A.I. [Misc.], "Diseases of cattle," rev., pp. 144-209. 1904; rev., pp. 144-209. 1908; rev., pp. 147-215. 1912; rev., pp. 147-213. 1923.
  "Diseases of the generative organs." B.A.I. [Misc.], "Diseases of the horse," rev., pp. 142-189. 1903; rev., pp. 142-189. 1907; rev., pp. 142-189. 1911; rev., pp. 164-209. 1916; rev., pp. 164-209. 1923.
  "Diseases of the skin." B.A.I. [Misc.], "Diseases of the horse," rev., pp. 431-458. 1903; rev., pp. 431-458. 1907; rev., pp. 431-458. 1911; rev., pp. 458-483. 1916; rev., pp. 458-483. 1923.
  "Diseases of the urinary organs." B.A.I. [Misc.], "Diseases of cattle," rev., pp. 111-143. 1904; rev., pp. 111-143. 1908; rev., pp. 113-146. 1912; rev., pp. 113-146. 1923.
  "Diseases of the urinary organs." B.A.I. [Misc.], "Diseases of the horse," rev., pp. 75-103. 1903; rev., pp. 75-103. 1907; rev., pp. 75-103. 1911; rev., pp. 134-163. 1916; rev., pp. 134-163. 1923.
  "Diseases of young calves." B.A.I. [Misc.], "Diseases of cattle," rev., pp. 244-260. 1904; rev., pp. 244-260. 1908; rev., pp. 252-268. 1912; rev., pp. 247-263. 1923.
Law(s)—
  affecting fiscal regulations of Department. Adv. Com. F. and B.M. [Misc.], "Fiscal regulations * * *," pp. 77-100. 1915.
  agricultural—
    colleges and experiment stations, Federal. O.E.S. Cir. 68, pp. 1-21. 1906.
    new, 1910, mention and discussion. O.E.S. An. Rpt., 1910, pp. 70-71. 1911.
    of Sixty-seventh Congress. Off. Rec., vol. 2, No. 11, p. 1. 1923.
  Alaska, for fish canning. Soil Sur. Adv. Sh., 1916, pp. 127-129. 1919; Soils F.O., 1916, pp. 159-161. 1921.
  Alaska, homestead entry, salient provisions. Soil Sur. Adv. Sh., 1916, p. 91. 1919; Soils F.O., 1916, p. 123. 1921.
  antitrust, rulings not within Department's jurisdiction, cautions. D.B. 541, p. 13. 1918.
  apiary inspection, desirability of State action. F.B. 397, pp. 39, 42. 1910.
  apple grading, various States. F.B. 1080, p. 21. 1919; Rpt. 98, p. 55. 1913.

Laws—Continued.
  applicable to Department of Agriculture—
    August 28, 1912-March 4, 1913. Sol. [Misc.], "Laws applicable * * * Agriculture," Sup. 1, pp. 61. 1913.
    August 28, 1912-October 24, 1914. Sol. [Misc.], "Laws applicable * * * Agriculture," Sup. 2, pp. 128. 1915.
    October 25, 1914, to March 4, 1915. Sol. [Misc.], "Laws applicable * * * Agriculture." Sup. 3, pp. 71. 1915.
    December 6, 1915, to September 8, 1916. Sol [Misc.], "Laws applicable * * * Agriculture," Sup. 4, pp. 137. 1917.
  arsenical papers, fabrics, etc. Chem. Bul. 86, pp. 45-53. 1904.
  auction, essential points. D.B. 1362, pp. 31-33. 1925.
  authorizing appropriations for department since 1839, references. Accts. Chief Rpt., 1909, pp. 19-41. 1909; An. Rpts., 1909, pp. 567-590. 1910.
  automobile registration and fees, in force, January 1, 1916, by States. Sec. Cir. 59, pp. 12-15. 1916.
  barberry eradication. Y.B., 1918, pp. 98-99. 1919; Y.B. Sep. 796, pp. 26-27. 1919.
  bee importation, Porto Rico. P.R. An. Rpt., 1911, p. 33. 1912.
  beekeeping. F.B. 397, p. 42. 1910; F.B. 447, pp. 45-46. 1911.
  beneficial to farmers, discussion. Y.B., 1916, pp. 10-11, 63, 68, 72-74. 1917. Y.B. Sep. 698, pp. 1, 6, 10-12. 1917; Sec. Cir. 146, p. 8. 1919.
  bird protection. See Bird protection laws.
  boll-weevil control, quarantine. Ent. Bul. 114, pp. 164-168. 1912.
  bounty—
    definition. F.B. 1293, p. 2. 1922.
    in force, United States, July 1, 1907. Y.B., 1907, pp. 560-565. 1908; Y.B. Sep. 473, pp. 560-565. 1908.
  bovine tuberculosis, States and Territories, 1901. D. E. Salmon. B.A.I. Bul. 28, pp. 173. 1901.
  brown-tail moths and gipsy moths, Massachusetts. F.B. 264, pp. 20-21. 1906.
  Bureau of Animal Industry and livestock. B.A.I.O. 273, rev., pp 30-35. 1923.
  butter, various States. B.A.I. Cir. 56, p. 198. 1904.
  California workmen's compensation. D.B. 440, p. 6. 1917.
  chestnut-bark disease control, Pennsylvania. F.B. 467, pp. 14-17. 1911.
  coal-tar dyes, use in food Chem. Bul. 147, pp. 35-42. 1912.
  cold storage, opinions. Chem. Bul. 115, pp. 108-117. 1908.
  community cotton-growing, possibilities. D.B. 1111, pp. 28-30. 1922.
  cooperation, digest for States. D.B. 547, pp. 61-78. 1917.
  cooperative associations. D.B. 1106, rev. pp. 1-72, 1923.
  cotton planting time in St. Croix Vir. Is. Bul. 1, pp. 8-9. 1921.
  county, regulating fumigation in southern California. F.B. 1321, p. 57. 1923.
  dairy—
    Chicago, discussion. B.A.I. Bul. 138, pp. 24, 25. 1911.
    District of Columbia. B.A.I. Bul. 138, pp. 35-38. 1911.
    recommendations. B.A.I. An. Rpt. 1907, pp 158-159. 1909.
    various States, for creamery and testers' license. B.A.I. Dairy [Misc.], "World's dairy congress, 1923," pp. 768-773. 1924.
  decisions on national forests. An. Rpts. 1920, pp. 586-587. 1920.
  demurrage, State codes, special provisions. D.B. 191, pp. 10-12, 14-17, 24-27. 1915.
  denatured alcohol, texts. Chem. Bul. 130, pp 147-149. 1910; F.B. 429, pp. 6-8. 1911.
  dog, State, digest. F.B. 935, pp. 6-32. 1918; F.B. 652, pp. 9-11. 1915; F.B. 1268, pp. 10-24. 1922.

Law(s)—Continued.
  drainage—
    and conservancy, Minnesota. D.B. 1017, p. 86. 1922.
    assessment. D.B. 1207, p. 8. 1924.
    district, bonds. Y.B., 1918, pp. 139-140. 1919; Y.B. Sep. 781, pp. 5-6. 1919.
    farm outlets, North Carolina. O.E.S. Bul. 246, pp. 21-22. 1912.
    necessity, and methods of enforcing. O.E.S. Cir. 76, pp. 11-23. 1907.
    North Dakota and South Dakota. D.B. 1017, p. 86. 1922.
    State, general principles. O.E.S. An. Rpt. 1907, pp. 392-396. 1908.
  elk protection, need of enforcement. D.C 51, pp. 16, 23-24, 32, 33, 34. 1919.
  enforcement—
    national forest, California district. Paul G. Redington. For. [Misc.], "Law enforcement * * *," pp. 102. 1923.
    report of solicitor. Sol. A.R. 1924, pp. 1-16. 1924.
  farm, hints on fencing, tenancy, and game. F.B. 1202, p. 50. 1921.
  farmers' institutes, State and Federal. O.E.S. Bul. 135, pp. 1-35. 1903.
  Federal—
    aid roads, 1921. Sec. A.R., 1921, pp. 42-44. 1921.
    denatured alcohol. F.B. 268, pp. 5-7. 1906.
    enforcement. Chem. Cir 16, rev., pp. 2-4. 1908.
    governing manufacture and sale of cider. F.B. 1264, pp. 53-56. 1922.
    shipment of game. Biol. Doc. 107, pp. 2. 1917.
    State, and Territorial, for the control of contagious diseases of animals. B.A.I. Bul. 54, pp. 46. 1902 and 1903.
  fertilizer control, various States. Soils Bul. 58, pp. 6, 9, 11, 17-39. 1910.
  fire, necessity in States. For. Bul. 82, pp. 18, 34. 1910.
  fiscal, of department. Adv. Com. F. and B.M. [Misc.], "Fiscal regulations * * *," pp. 93-122. 1917.
  food—
    and drugs, enforcement manual. Chem. [Misc.], "Food and drug manual," pp. 155. 1920; Y.B., 1910, pp. 201-203. 1911; Y.B. Sep. 529, pp. 201-203. 1911.
    inspection, of Oct. 1, 1918, rules and regulations of the Secretary of Agriculture. Sec. Cir. 120, pp. 8. 1918.
    products inspection—
      and digest of regulations. Mkts. S.R.A. 51, pp. 2-3. 1919.
      of July 24, 1919, rules and regulations of the Secretary of Agriculture. Sec. Cir. 144, pp. 10. 1919
      of May 31, 1920, rules and regulations of the Secretary of Agriculture. Sec. Cir 151, pp. 8. 1920.
    See also Food laws.
  for assistance of farm women, suggestions Rpt. 106, pp. 64-67. 1915.
  for handling feeds, uniformity need for various States. D B. 1124, pp. 18-20 1922.
  foreign—
    food colors. Chem. Bul. 147, pp. 37-40. 1912.
    pure-food, affecting exports, summary. Chem. [Misc.], "Summary of pure-food * * *," pp. 2. 1903.
  forest(s)—
    administration. Sol. Cir. 52, pp. 1-7. 1911.
    land taxation, cooperation needed in drafting. Sec. Cir. 148, pp. 9-10. 1919.
    national For. [Misc.], "The use book," pp. 157-184. 1906. Adm. Ed. pp. 213-256. 1908.
    national and State. For. Rpt., 1904, p. 174. 1904.
    national, with decisions and opinions. Sol. [Misc.], "Laws * * * forests * * *," pp. 151. 1916.
  forestry—
    different States. Y.B., 1907, pp. 574-576. 1908. Y.B. Sep. 470, pp. 14-16. 1908.
    Federal, need for protection of timber supply. D.C. 112, pp. 9-14. 1920.
    for game reserves. M.C. 36, p. 9. 1925.

Law(s)—Continued.
  forestry—continued.
    of—
      Colorado. Jeannie S. Peyton. For. Law Leaf. 21, pp. 9. 1917.
      Illinois. Jeannie S. Peyton For. Misc., S-17, pp. 6. 1916.
      Indiana. Jeannie S. Peyton. For. Misc., S-14, pp. 5. 1915.
      Louisiana. For. Bul. 114, pp. 37-39. 1912.
      Minnesota. Jeannie S. Peyton. For. Misc., S-15, pp. 14. 1915.
      Montana. Jeannie S. Peyton. For. Misc. S-16, pp. 6. 1916.
      New Jersey Jeannie S. Peyton. For. Misc. S-12, pp. 7. 1915.
      Porto Rico, historical notes and suggestions D.B. 354, pp. 15, 36, 39, 52-55. 1916.
      States, of 1921. Jeannie S. Peyton. D.C. 239, pp. 28. 1922.
      Vermont. Jeannie S. Peyton. For. Law Leaf. No. 24, pp. 17. 1920.
      Washington. Jeannie S. Peyton. For. Misc. S-13, pp. 8. 1915.
      West Virginia. Jeannie S. Peyton. For Law Leaf. 22, pp. 10. 1917.
  foulbrood, State and territorial. Ent. Bul. 61, pp. 184-200. 1906.
  fox protection, various States. D.B. 301, pp. 32-34. 1915.
  fruit(s)—
    evaporated. F. B. 291, p. 33. 1907.
    evaporated and dried, restrictions, of sulphur. F. B. 903, pp. 59-60. 1917.
    importation, Australia and New Zealand D.C. 145, pp. 6-7. 1921.
    introduction, foreign and United States. Ent. Bul. 84, pp. 33-39. 1909.
  fur animals. See Fur animals, laws.
  game. See Game laws.
  glanders, need in United States. B.A.I. Doc. A-13, p. 12. 1917.
  hail insurance, various States. D.B. 912, pp. 6-10. 1920.
  health. Francis G. Caffey. Y.B., 1913, pp. 125-134. 1914; Y.B. Sep. 619, pp. 125-134. 1914.
  homestead entries in national forests. For. Misc. L-1, pp. 6-8. 1915.
  hunting—
    discrimination against nonresidents. Biol Bul. 19, pp. 10-12. 1904.
    evasions. Biol. Bul. 19, pp. 31-32. 1904.
    for game protection in various sections D.B. 1049, pp. 26-29 1922.
    provisions important to game preservation. Y.B., 1917, pp. 101-103. 1918; Y.B. Sep. 723, pp. 7-9. 1918.
    summary for States and provinces, 1918 F.B. 1010, pp. 6-44. 1918.
  injurious insects and foulbrood, State and territorial. L. O. Howard and A. F. Burgess. Ent. Bul. 61, pp. 22 1906.
  insecticide—
    1910, rules and regulations for enforcing. Sec. Cir. 34, pp. 1-14. 1910; rev., pp. 1-14. 1913.
    and fungicide, State officials enforcing. I. and F. Bd. S.R.A. 21, p. 450. 1918.
    composition and sale, State. Chem. Bul. 76, pp. 57-63. 1903.
  irrigation—
    administration. O.E.S. Bul. 216, pp. 53-57. 1909.
    adoption by States. An. Rpts., 1912, p. 224. 1913; Sec. A.R., 1912, p. 224. 1912; Y.B., 1912. p. 224. 1913.
    and drainage of Italy. Translated by R. P. Teele. O.E.S Bul 192, pp. 100. 1907.
    in—
      California, needs, discussion. O.E.S. Cir. 108, pp. 7-12. 1911.
      Colorado. O.E.S. Bul. 218, pp. 34-38. 1910.
      Idaho and Wyoming. O.E.S. An. Rpt., 1910, pp. 468-472, 474. 1911.
      Washington O.E.S. Bul. 188, pp. 18-23. 1907.
    influence upon waste of water. O.E.S An Rpt., 1907, pp. 385-386. 1908.
    of northwest territories of Canada and of Wyoming. O.E.S. Bul. 96, pp. 90. 1901.

Law(s)—Continued.
  leaflets for States, list. For. Law Leaf. 21, p. 9. 1917; For. Law Leaf. 22, p. 10. 1917.
  livestock—
    imported, inspection and quarantine. B.A.I. Cir. 213, pp. 84–86. 1913.
    inspection and quarantine, text. B.A.I.O. 266, pp. 22–24. 1919.
    movement, enforcement. Chief B.A.I. Rpt., 1924, pp. 23–24. 1924.
    movement interstate for prevention of spread of disease, texts. B.A.I.O. 292, pp. 29–34. 1925.
    quarantine and twenty-eight hour violation. B.A.I.S.R.A. 136, pp. 65–66. 1918.
    relation to tick eradication in South. B.A.I. Cir. 187, pp. 259–260, 262, 264. 1912; B.A.I. An. Rpt., 1910, pp. 259–260, 262, 264. 1912.
    violations, convictions. B.A.I.S.R.A. 104, pp. 135–136. 1916.
    violations, convictions, December, 1914. B.A.I.S.R.A. 92, pp. 182–183. 1915.
  local, enforcement on national forest ranges, Reg. G–27. For. [Misc.], "The use book, 1921," p. 69. 1922.
  meat—
    inspection—
      1890–1906. B.A.I. Cir. 125, pp. 11–19. 1908.
      amendment, June 30, 1906. B.A.I. Chief Rpt., 1906, pp. 52–56. 1906.
      and regulations. Y.B., 1916, pp. 77–78. 1917; Y.B. Sep. 714, pp. 1–2. 1917.
      Australia and New Zealand. Y.B., 1914, pp. 429–430. 1915; Y.B. Sep. 650, pp. 429–430. 1915.
      Imperial German. B.A.I. Cir. 32, pp. 18. 1901.
      livestock quarantine, and twenty-eight-hour, violations and prosecutions. B.A.I.S.R.A. 137, p. 76. 1918.
      necessity in States and cities. B.A.I. An. Rpt., 1910, pp. 241–244. 1912; B.A.I. Cir. 185, pp. 241–244. 1912.
      new, and its bearing upon the production and handling of meat. George P. McCabe. B.A.I. Cir. 100, pp. 16. 1907.
      State and Federal, need. B.A.I. An. Rpt., 1908, pp. 83–96. 1910; B.A.I. Cir. 154, pp. 1–14. 1910.
      See also Meat inspection regulations; Meat laws.
  migratory-bird—
    of 1913, and its repeal in 1918. Y.B., 1918, pp. 305–306. 1919; Y.B. Sep. 785, pp. 1–16. 1919.
    protection, regulations. Biol. S.R.A. 11, pp. 6. 1916.
    violations and convictions. An. Rpts., 1922, pp. 364–365. 1922; Biol. Chief Rpt., 1922, pp. 34–35. 1922.
  milk—
    city ordinances, text. B.A.I. Bul. 46, pp. 165–187. 1903.
    control, in stores, need in many cities. B.A.I. An. Rpt., 1911, pp. 238–239. 1913; B.A.I. Cir. 217, pp. 238–239. 1913.
    faults and difficulties. B.A.I. Bul. 46, pp. 15–19. 1903.
    inspection—
      and control, necessity. B.A.I. Dairy [Misc.], "World's dairy congress, 1923," pp. 524–525. 1924.
      District of Columbia. B.A.I. Cir. 153, p. 9. 1910.
    production, handling, and sale, objects and form. D.C. 276, pp. 5–8. 1923.
    See also Milk inspection; Milk laws.
  muskrats, protection. F.B. 869, pp. 19–22. 1917.
  narcotics, importation, 1914. Chem. [Misc.] "Food and drug manual," pp. 80–85. 1920.
  nursery stock interstate shipment, digest for States. F.H.B.S.R.A. 57, pp. 112–115. 1919; Ent. Cir. 75, rev., pp. 1–9. 1909.
  of—
    New Hampshire, on public service commission. Rds. Bul. 42, pp. 15–16. 1912.
    New Jersey, for drainage of salt marshes. Ent. Bul. 88, pp. 48–50. 1910.
    New Mexico, on cotton gins. F.H.B.S.R.A. 74, pp. 4–6. 1923.

Law(s)—Continued.
  of—continued.
    Oregon, water control and use. O.E.S. Bul. 209, pp. 46–55. 1909.
    Wisconsin, county schools of agriculture and domestic economy. O.E.S. Bul. 242, pp. 22–24. 1911.
    Wyoming, irrigation water, control and use. O.E.S. Bul. 205, pp. 50–57. 1909.
  pasteurization of milk. B.A.I.An. Rpt., 1907, p. 246. 1909; B.A.I. Cir. 144, p. 246. 1909.
  plant introduction, foreign and United States. Ent. Bul. 84, pp. 33–39. 1909.
  postal, relating to transmission of drugs. Chem. Bul. 98, rev., Pt. I, pp. 25–27. 1909.
  preparation and examination by Solicitor. An Rpts., 1918, pp. 393–394, 396, 405. 1918; Sol. A.R., 1918, pp. 1–2, 4, 13. 1918.
  prevention of spread of white-pine blister rust. D.B. 957, pp. 81, 82, 90. 1922.
  public service in general. Sol. [Misc.], "Laws * * * agriculture," Sup. 2, pp. 97–111. 1915.
  pure-food, of European countries affecting American exports. W. D. Bigelow. Chem. Bul. 61, pp. 39. 1901.
  pure-seed, State, and seed importation act. Y.B., 1917, p. 501. 1918; Y.B. Sep. 757, p. 7. 1918.
  quarantine—
    and meat-inspection, violations and prosecutions. B.A.I.S.R.A. 184, pp. 96–97. 1922.
    and twenty-eight hour, violations and convictions, August, 1914. B.A.I.S.R.A. 88, p. 110. 1914.
    See also Quarantine.
  rabies eradication, necessity for action in States. B.A.I. An. Rpt., 1909, p. 215. 1911; F.B. 449, pp. 21–22. 1911.
  regulatory, prosecutions for violations. S.R.A. B.A.I. 187, p. 138. 1922.
  relating to—
    fur animals—
      1922. George A. Lawyer and Frank L. Earnshaw. F.B. 1293, pp. 30. 1922.
      for the season 1924–25. Frank G. Ashbrook and Frank L. Earnshaw. F.B. 1445, pp. 22. 1924.
      for the season 1925–26. Frank G. Ashbrook and Frank L. Earnshaw. F.B. 1469, pp. 29. 1925.
    fur-bearing animals—
      1915. D. E. Lantz. F.B. 706, pp. 24. 1916
      1916. D. E. Lantz. F.B. 783, pp. 28. 1916.
      1917. David E. Lantz. F.B. 911, pp. 31. 1917.
      1918. David E. Lantz. F.B. 1022, pp. 32. 1918.
      1919. George A. Lawyer and Frank L. Earnshaw. F.B. 1079, pp. 32. 1919.
      1920. George A. Lawyer and others. F.B. 1165, pp. 32. 1920.
      1921. George A. Lawyer and Frank L. Earnshaw. F.B. 1238, pp. 32. 1921.
    road—
      American colonies, 1632–1735, historical notes. Y.B., 1910, pp. 265–267. 1911; Y.B. Sep. 535, pp. 265–267. 1911.
      enacted 1906. Y.B., 1906, pp. 521–523. 1907.
      enacted 1907. Y.B., 1907, pp. 597–607. 1908.
      enacted in 1908. Y.B., 1908, pp. 590–596. 1909.
      State, essential features, and compilation. Y.B., 1914, pp. 214–215, 224–225. 1915; Y.B. Sep. 638, pp. 214–215, 224–225. 1915.
      various States, discussion. Y.B., 1910, pp. 270–274. 1911; Y.B. Sep. 535, pp. 270–274. 1911.
    seed adulteration, directing Secretary of Agriculture to publish list of tests and names of dealers. Sec. Cir. 15, pp. 1–5. 1906.
    sheep scab, Federal. F.B. 159, pp. 42–47. 1903.
    smelter control, Germany. B.A.I. An. Rpt., 1908, p. 238. 1910.
    State—
      and court decisions, relating to cattle-tick eradication. Harry Goding. D.C. 184, pp. 71. 1921.
      and territories, relating to contagious and infectious diseases of animals, 1901. B.A.I. Bul. 43, pp. 72. 1902.
      automobile licenses and revenues, January, 1917. Sec. Cir. 73, pp. 1–4, 12–15. 1917.

Law(s)—Continued.
State—Continued.
  bird protection, 1870-1918, and effect of treaty act, Y.B., 1918, pp. 303-305, 309-310. 1919; Y.B. Sep. 785, pp. 3-5, 9-10. 1919.
  certified milk, definition and sale. D.B. 1, pp. 9-10. 1913; B.A.I. Bul. 104, p. 20. 1908.
  cooperation, digest. D.B. 547, pp. 67-77. 1917.
  cooperative drainage. D.B. 190, p. 33. 1915.
  dog control, necessity and suggestions. Sec. Cir. 93, pp. 12-13, 14. 1918.
  food and drugs, stimulation by Federal act. An. Rpts., 1917, pp. 210-211. 1918; Chem. Chief Rpt., 1917, pp. 12-13. 1917.
  for control of crows. D.B. 621, pp. 80-81. 1918.
  for control of white-pine blister rust, need. F.B. 742, p. 15. 1916.
  for eradication of barberry. D.C. 188, pp. 9-10. 1921.
  forestry of 1921. Jennie S. Peyton. D.C. 239, pp. 28. 1922.
  insecticide and fungicide. I. and F. Bd. S.R.A. 13, pp. 101-152. 1916.
  meat inspection, need to supplement Federal laws. B.A.I. An. Rpt., 1906, pp. 94-95. 1908. B.A.I. Cir. 125, pp. 34-35. 1908.
  nursery stock shipments. Ent. Cir. 75, pp. 1-7. 1906.
  on community buildings. F.B. 1192, pp. 28-39. 1921.
  on currants and gooseberries in relation to blister rust. F.B. 1398, pp. 33-36. 1924.
  on irrigation districts. D.B. 1257, pp. 14-20, 39. 1924.
  paint and turpentine. D.B. 898, pp. 38-41. 1920.
  paint labeling. F.B. 474, p. 14. 1911.
  personal credit unions, recommendation. Y.B., 1919, p. 57. 1920.
  potato quarantine and inspection, necessity. D.B. 81, pp. 18-19. 1914.
  prohibiting certain food colors. Chem. Bul. 147, pp. 41-42. 1912.
  regarding irrigation, discussion. D.B. 1177, pp. 11-54. 1923.
  relating to fur-bearing animals. F.B. 1165, pp. 4, 6-25. 1920.
  requiring study of agriculture in rural schools. O.E.S. Bul. 232, p. 17. 1910.
  tobacco inspection. B.P.I. Bul. 268, pp. 7-10, 13, 31-33, 34, 57-58, 61. 1913.
  tuberculosis control, discussion. B.A.I. An. Rpt., 1908, pp. 161, 164. 1910.
  tax, forest lands. Y.B., 1922, pp. 165-166. 1923; Y.B. Sep. 886, pp. 165-166. 1923.
  tetanus antitoxin, labeling. B.A.I. Bul. 121, pp. 14, 21. 1909.
Texas—
  landlords' lien, and homestead exemption, provisions. D.B. 1068, pp. 12-15. 1922.
  leasing grazing lands. For. Bul. 62, pp. 41-50. 1905.
  tobacco inspection. B.P.I. Bul. 268, pp. 7, 8-11, 13, 20, 31, 32, 33, 34, 57, 61. 1913.
  transportation of cattle, 28-hour, decision. Sol. Cir. 21, pp. 1-10. 1909.
  tree distribution, Kinkaid Act, 1911. M.C. 16, p. 1. 1925.
  trespass, Forest Service, district 1, digest. For. [Misc.], "Trespass on * * *," pp. 125. 1922.
  turpentine sale, various States. D.B. 898, pp. 38-41. 1920.
28-hour—
  amendment suggestions. D.B. 589, pp. 17-18. 1918.
  decision. Sol. Cir. 12, pp. 1-4. 1909.
  effectiveness. D.B. 589, pp. 13-17. 1918.
  enactment and purpose. D.B. 589, pp. 2-3. 1918.
  judicial interpretation. Sol. Cir. 11, pp. 1-4. 1908.
  text. D.B. 589, pp. 18-19. 1918.
  violation. D.B. 589, p. 17. 1918; Rpt. 87, p. 11. 1908; Sol. Cir. 25, pp. 1-3. 1909; Sol. Cir. 26, pp. 1-2. 1909.
  violations—
    and penalties, January, 1918. B.A.I.S.R.A. 130, pp. 12-13. 1918.

Law(s)—Continued.
State—Continued.
  prosecution by solicitor—
    1912. An. Rpts., 1912, pp. 926, 1012, 1075-1076. 1913; Sol. A.R., 1912, pp. 42, 128, 191-192. 1912.
    1914. An. Rpts., 1914, pp. 287, 290, 299. 1914; Sol. A.R., 1914, pp. 7, 10-19. 1914.
    1915. An. Rpts., 1915, pp. 330, 334, 337, 338, 339, 340, 341. 1916; Sol. A.R., 1915, pp. 4, 8, 11, 12, 13, 14, 15. 1915.
    1917. An. Rpts., 1917, pp. 383, 384, 385-386, 396, 398-405. 1918; Sol. A.R., 1917, pp. 3, 4, 5-6, 16, 18-25. 1917.
    1918. An. Rpts., 1918, pp. 397, 401, 417-420. 1919; Sol. A.R., 1918, pp. 5, 9, 15-28. 1918.
    1919. An. Rpts., 1919, pp. 475, 477, 481, 482-492. 1920; Sol. A.R., 1919, pp. 7, 9, 13, 15-24. 1919.
    1922. An. Rpts., 1922, pp. 583-591, 593. 1922; Sol. A.R., 1922, pp. 1-9, 11. 1922.
  prosecutions and results. B.A.I.S.R.A. 87, pp. 100-101. 1914.
  quarantine and 28-hour. B.A.I.S.R.A. 117, pp. 17-18. 1917; B.A.I.S.R.A. 141, pp. 5-6. 1919.
  under B.A.I. regulations and convictions. See B.A.I. Service Announcements.
  under food and drugs act, interstate prodecure. Chem. [Misc.], "Food and drug manual," pp. 28-73. 1920.
  violators and penalties. News L., vol. 2, No. 49, p. 7. 1915.
  virus, serum-toxin, extract from Agriculture Department act, Mar. 4, 1913. B.A.I.O. 276, pp. 34-35. 1922.
warehouse—
  act, amendments. Off. Rec., vol. 2, No. 14, pp. 1-2. 1923; vol. 2, No. 40, pp. 1-2. 1923.
  act, provisions and benefits. Off. Rec., vol. 2, No. 40, pp. 1-2. 1923.
  inspection—
    cotton warehouses, regulations. Sec. Cir. 143, pp. 1-41. 1919.
    grain warehouse regulations. Sec. Cir. 141, pp. 1-46. 1919.
water—
  arid region, evolution. O.E.S. Bul. 105, pp. 10-13. 1901.
  control—
    and use, Oregon. O.E.S. Bul. 209, pp. 46-55. 1909.
    and use, South Dakota. O.E.S. Bul. 210, pp. 46-51. 1909.
    and use, Texas. O.E.S. Bul. 222, pp. 77-83. 1910.
    in New Mexico. O.E.S. Bul. 215, pp. 20, 33-36. 1909.
    in North Dakota. O.E.S. Bul. 219, pp. 28-38. 1909.
  in Italy. O.E.S. Bul. 190, pp. 62-79. 1907.
  rights, on Los Angeles River, Calif. O.E.S. Bul. 100, pp. 332-335. 1901.
  rights, State. O.E.S. Bul. 158, pp. 63-68. 1905.
Weeks. See Weeks law.
work of Packers and Stockyards Administration, docket Nos. 1-27. An. Rpts., 1923, pp. 679-687. 1924; Pac. and S. Ad. Rpt., 1923, pp. 23-31. 1923.
work, solicitor's office, summary. An. Rpts., 1918, pp. 393-398. 1919; Sol. A.R., 1918, pp. 1-6. 1918.
See also Legislation; names of laws.
La Wall method, modified by Doyle, for capsicum detection in ginger extract. Chem. Bul. 152, p. 145. 1912; Chem. Cir. 90, p. 13. 1912.
LAWLER, P. H.: "The poultry industry of Petaluma, Calif." B.A.I. Cir. 92, p. 7. 1906.
Lawn(s)—
  L. C. Corbett. F.B. 248, pp. 20. 1906.
  Bermuda grass and Italian rye grass. F.B. 945, p. 6. 1918.
  bluegrass, department grounds, infestation with "green bug." Ent. Bul. 110, pp. 37, 38, 138. 1912.
  care of. B.P.I. Doc. 2022, pp. 6. 1921.
  competitions, rules, judging, and premiums. D.C., 62, pp. 35-38. 1919.
  damage by field mice. Biol. Bul. 31, p. 27. 1907.

Lawn(s)—Continued.
  dandelion removal. F.B. 186, pp. 18-20. 1904.
  establishing, directions. F.B. 248, pp. 14-17. 1906.
  farm, advantages, establishment and maintenance. S.R.S. Syl. 28, pp. 5-6. 1917.
  farm home, preparation, care, and cost. O.E.S. F.I.L. 14, pp. 11-13. 1912.
  grasses—
    classification. D.B. 772, p. 5. 1920.
    of secondary importance. F.B. 1433, pp. 10, 12, 26, 37, 39. 1925.
    recommendation. F.B. 248, pp. 9-13. 1906.
  grubworms, eradication. F.B. 940, pp. 26-27. 1918.
  importance in beautifying the farmstead, suggestions. F.B. 1087, pp. 35-39. 1920.
  injury by—
    green June beetles. D.B. 891, pp. 9-11, 16, 17, 48. 1922.
    white grubs, and treatment. F.B. 543, p. 20. 1913.
  maintenance. F.B. 248, pp. 17-18. 1906.
  making—
    and maintaining—
      R. A. Oakley. B.P.I. [Misc.], "Making and maintaining * * *," p. 1. 1914.
    directions. D.C. 49, pp. 6. 1919; F.S. and P. I. [Misc.], "Making and maintaining * * *," pp. 5. 1915; rev., pp. 6. 1917; rev., pp. 6. 1921.
    soil building, management and maintenance. Soils Bul. 75, pp. 36-54. 1911.
    time and method. News L., vol. 4, No. 7, pp. 3-4. 1916.
  management, general directions. D.C. 49, pp. 3-6. 1919.
  mowing, rolling, and watering, directions. D.C. 49, pp. 4-5. 1919.
  pennywort: A new weed. Albert A. Hansen. D.C. 165, pp. 6. 1921.
  permanent, in South, grasses suitable, study and experiments. F.B. 469, pp. 5-6. 1911.
  plants other than grasses. F.B. 494, pp. 35-36, 48. 1912.
  preparation, maintenance, and fertilization. F.B. 494, pp. 1-48. 1912.
  quackgrass with other grasses. F.B. 1307, p. 30. 1923.
  removal of dandelions. F.B. 186, pp. 18-19. 1904.
  roses adapted for. F.B. 750, pp. 2-8. 1916.
  shady, grass suitable. D.C. 49, p. 6. 1919.
  soils—
    Oswald Schreiner and J. J. Skinner. Soils Bul. 75, pp. 55. 1911.
    and lawns. Oswald Schreiner and others. F.B. 494, pp. 48. 1912.
    grading and preparation. F.B. 248, pp. 6-8. 1906.
    top-dressing with lime, manure, etc., directions. Soils Bul. 75, pp. 17, 40, 53, 54. 1911.
  trees—
    and shrubs, relation, suggestions. F.B. 248, pp. 19-20. 1906.
    fertilizer formula. Y.B. 1907, p. 484. 1908; Y.B. Sep. 463, p. 484. 1908.
    mixture of evergreens and deciduous kinds. F.B. 329, pp. 16-19. 1908.
  walks and drives, suggestions. F.B. 248, pp. 18-19. 1906.
  weeds, description and control. D.C. 165, pp. 1-6. 1921.
LAWRENCE, J. V.—
  "The chlorid content of the leaf tissue fluids of Egyptian and Upland cotton." With others. J.A.R., vol. 28, pp. 695-704. 1924.
  "The osmotic concentration, specific electrical conductivity, and chlorid content of tissue fluids of the indicator plants of Tooele Valley, Utah." With others. J.A.R., vol. 27, pp. 893-924. 1924.
  "The tissue fluids of Egyptian and upland cottons and their F_1 hybrid." With others. J.A.R., vol. 27, pp. 267-328. 1924.
LAWRENCE, Z. W.—
  "The chlorid content of the leaf tissue fluids of Egyptian and Upland cotton." With others. J.A.R., vol. 28, pp. 695-704. 1924.

LAWRENCE, Z. W.—Continued.
  "The tissue fluids of Egyptian and Upland cottons and their F_1 hybrid." With others. J.A.R., vol. 27, pp. 267-328. 1924.
Lawrence, Mass., milk supply, statistics, officials, and prices. B.A.I. Bul. 46, pp. 30, 91. 1903.
LAWSON, H. W.: "Varieties of cheese: Descriptions and analyses." With C. F. Doane. B.A.I. Bul. 105, pp. 72. 1908; B.A.I. Bul. 146, p. 78. 1911; D.B. 608, pp. 80. 1918.
Lawsonia inermis. See Henna.
LAWYER, G. A.:—
  "Federal protection of migratory birds." Y.B., 1918, pp. 303-316. 1919; Y.B. Sep. 785, pp. 16. 1919.
  "Game laws for 1917." With others. F.B. 910, pp. 70. 1917.
  "Game laws for 1918." With Frank L. Earnshaw. F.B. 1010, pp. 70. 1918.
  "Game laws for 1919." With Frank L. Earnshaw. F.B. 1077, pp. 80. 1919.
  "Game laws for 1920." With Frank L. Earnshaw. F.B. 1138, pp. 84. 1920.
  "Game laws for 1921." With Frank L. Earnshaw. F.B. 1235, pp. 80. 1921.
  "Game laws for 1922." With Frank L. Earnshaw. F.B. 1288, pp. 80. 1922.
  "Game laws for the season 1923-1924." With Frank L. Earnshaw. F.B. 1375, pp. 70. 1923.
  "Game laws for the season 1924-25." With Frank L. Earnshaw. F.B. 1444, pp. 38. 1924.
  "Game laws for the season 1925-26. With Frank L. Earnshaw. F.B. 1466, pp. 46. 1925.
  "Laws relating to fur animals, 1922." With Frank L. Earnshaw. F.B. 1293, pp. 30. 1922.
  "Laws relating to fur animals for the season 1923-24." With Frank L. Earnshaw. F.B. 1387, pp. 34. 1923.
  "Laws relating to fur-bearing animals, 1919." With others. F.B. 1079, pp. 32. 1919.
  "Laws relating to fur-bearing animals, 1920." With others. F.B. 1165, pp. 32. 1920.
  "Laws relating to fur-bearing animals, 1921." With Frank L. Earnshaw. F.B. 1238, pp. 32. 1921.
  "Directory of officials and organizations concerned with the protection of birds and game, 1921." With Frank L. Earnshaw. D.C. 196, pp. 20. 1921.
  "Directory of officials and organizations concerned with the protection of birds and game, 1922." With Frank L. Earnshaw. D.C. 242, pp. 20. 1922.
  "Directory of officials and organizations concerned with the protection of birds and game, 1923." With Frank L. Earnshaw. D.C. 298, pp. 16. 1923.
  "Directory of officials and organizations concerned with the protection of birds and game, 1924." With Talbot Denmead. D.C. 328, pp. 16. 1924.
LAXA, OTAKAR: "On the presence of lecithin in milk and in the mammary gland." B.A.I. Dairy [Misc.], "World's dairy congress, 1923," pp. 1168-1170. 1924.
Laxative—
  Boro Pepsin, misbranding. Chem. N.J. 1232, p. 1. 1912.
  cold and grippe tablets, misbranding. Chem. N.J., 769, pp. 2. 1911.
Laxton berry, Loganberry hybrid, description distribution, and value. F. B. 998, p. 23. 1918.
Layering—
  grape, directions. F.B. 471, pp. 6-7. 1911; F.B. 709, pp. 6-7. 1916.
  propagation of plants. F.B. 157, pp. 15-16. 1902.
  propagation of plants, methods, school exercises. F.B. 408, pp. 27-29. 1910.
  roses for new roots. F.B. 750, p. 27. 1916.
Laysan Island—
  animals, description and lists. Biol. Bul. 42, pp. 9-11, 13-23. 1912.
  arrest of poachers. Biol. Bul. 42, pp. 26-28. 1912.
  bird reservation, expedition, 1913, report of conditions. An. Rpts., 1913, pp. 232-233, 236. 1914; Biol. Chief Rpt., 1913, pp. 10-11, 14. 1913.
  destruction of albatross by poachers. Biol. Bul. 42, pp. 7-8, 12-13, 26-28. 1912.

Laysan Island—Continued.
   expedition, under joint auspices of the United States Department of Agriculture and the University of Iowa, report. Homer R. Dill and William Alanson Bryan. Biol. Bul. 42, pp. 30. 1912.
   history, description, birds, and plume hunters. Y.B., 1911, pp. 158–164. 1912; Y.B. Sep. 557, pp. 158–164. 1912.
   insects, list. Hawaii A.R., 1913, pp. 18–19. 1914.
   water and food supply. Biol. Bul. 42, p. 9. 1912.
LAYTON, M. H.: "Soil survey of—
   Antelope County, Nebr." With others. Soil Sur. Adv. Sh., 1921, pp. 757–816. 1924.
   Boone County, Nebr." With others. Soil Sur. Adv. Sh., 1921, pp. 52. 1925.
   Dawson County, Nebr." With others. Soil Sur. Adv. Sh., 1922, pp. 391–438. 1925.
LEA, S. H.: "Irrigation in South Dakota." With Samuel Fortier. O.E.S. Bul. 210, pp. 60. 1909.
LEACH, A. E.—
   determination of commercial glucose in some saccharine products. Chem. Bul. 81, pp. 73–74. 1904.
   "Quick method for determining ether extract in dry powdered substances: Cocoa, coffee, spices, etc." With R. S. Hiltner. Chem. Bul. 137, pp. 85–86. 1911.
   report on dairy products. Chem. Bul. 81, pp. 25–30. 1904.
LEACH, B. R.:—
   "Emulsions of wormseed oil and carbon disulfide for destroying larvae of the Japanese beetle in the roots of perennial plants." With J. P. Johnson. D.B. 1332, pp. 18. 1925.
   "Experiments in the control of the root form of the woolly apple aphis." D.B. 730, pp. 29–40. 1918.
   "The apple leaf-sewer." D.B. 435, pp. 16. 1916.
LEACH, J. G.: "New biological forms of *Puccinia graminis*." With others. J.A.R., vol. 16, pp. 103–105. 1919.
Leaching experiments, Klamath Marsh Experiment Farm, preliminary report. B.P.I. Cir. 86, pp. 7–9. 1911.
Lead—
   acetate—
      adulterant of Wells' hair balsam. Chem. N.J. 1228, pp. 2. 1912.
      price, composition, and comparison with lead nitrate. Chem. Bul. 131, pp. 13, 14, 22. 1910.
   action of fats upon, experiments. B.A.I. An. Rpt., 1909, pp. 276, 277, 278, 279–280, 282. 1911.
   arsenate—
      addition to lime-sulphur for control of insects. F.B. 435, pp. 14,15. 1911.
      adulteration and misbranding. I. and F. Bd. S.R.A. 24, pp. 510–512. 1919.
      adulteration and misbranding—
         Insect. N.J. 77, 78, 87. I and F. Bd. S.R.A. 1, pp. 15–16, 22–23. 1914.
         Insect. N.J. 145. I and F. Bd. S.R.A. 8, pp. 9–11. 1915.
         Insect. N.J. 183. I. and F. Bd. S.R.A 11, pp. 56–58. 1915.
         Insect. N. J. 183, 195. I and F. Bd. S.R.A. 11, pp. 56–58, 81–82. 1915.
         Insect. N. J. 727, 729, 749. I. and F. Bd. S.R.A. 40, pp. 928, 930, 959. 1922.
         Insect. N.J. 899. I. and F. Bd. S.R.A. 46, p. 1108. 1923.
         N.J. 918, 924. I and F. Bd. S.R.A. 47, pp. 16, 21. 1924.
      orchard brand atomic sulphur combined with arsenate of lead. I and F. Bd. N. J. 67, pp. 2. 1914.
      amount on leaves from spraying. J.A.R. vol. 31, pp. 79, 80. 1925.
      analysis, methods, and results. Chem. Bul. 105, pp. 165–168. 1907; Chem. Bul. 116, pp. 128–129. 1908; Chem. Bul. 122, p. 108. 1909; Chem. Bul. 132, pp. 45–46. 1910; Chem. Bul. 137, pp. 36–38. 1911.
      and meal, use in control of tobacco bollworm, and rate. F.B. 872, p. 14. 1917.
      and pink arsenoid, analysis. Chem. Bul. 76, p. 44. 1903.
      application—
         method, time, and grade. F.B. 867, pp. 9–10. 1917.

Lead—Continued.
   arsenate—continued.
      application—continued.
         to tobacco plant, method, conditions, results. F.B. 595, pp. 3–5. 1914.
      basic, value as insecticide, experiments. J.A.R. vol. 10, pp. 199–206. 1917.
      Bordeaux powder and paste. Insect. N.J. 134–135. I and F. Bd. S.R.A. 7, pp. 105–106. 1915.
      calculation in Bordeaux mixture. F.B. 994, pp. 7–8. 1918.
      colloidal, preparation, and properties. F. J. Brinley. J.A.R., vol. 26, pp. 373–374. 1923.
      combination with nicotine spray. D.C. 154, pp. 13, 14, 15. 1921.
      commercial, analysis, methods, and results. Chem. Bul. 131, pp. 6–10. 1910.
      comparison with—
         arsenite of lime for grape rootworm. Ent. Bul. 89, pp. 68–70. 1910.
         calcium arsenate. D.B. 750, rev., p. 1. 1923.
         nicotine sulphate for spraying apples. D.B. 938, pp. 15–18. 1921.
      Paris green in tobacco-hornworm control, and use. Ent. Cir. 173, pp. 1, 2–7, 8–10. 1913; Hawaii Bul. 10, p. 12. 1905.
      composition—
         and action. J. K. Haywood and C. C. McDonnell. Chem. Bul. 131, pp. 50. 1910.
         mixtures, and toxicity, studies. D.B. 1147, pp. 4–7, 10, 12, 13–23, 28–48, 51. 1923.
         preparation, and use as insecticide. J.A.R., vol. 24, pp. 504–506, 514, 519, 520. 1923.
         use. Chem. Bul. 76, p. 44. 1903.
         value for use in spraying, formulas. Y.B., 1908, pp. 271–273, 274. 1909; Y.B. Sep. 480, pp. 271–273, 274. 1909.
      control of—
         apple insects. F.B. 1270, p. 83. 1923.
         apple leaf sewer. D.B. 435, pp. 11–12. 1916.
         asparagus beetles. Ent. Bul. 66, pp. 8–9, 93–94. 1910.
         bacterial wilt of cucurbits. J.A.R., vol. 6 No. 11, pp. 429–433. 1916.
         bean leaf beetle. F.B. 856, pp. 28–29. 1917
         beet flea beetle. F.B. 856, p. 29. 1917.
         beet wireworms, experiments. Ent. Bul. 123, pp. 60–61. 1914.
         blister beetles. F.B. 856, p. 18. 1917.
         cabbage webworm. Ent. Bul. 109, Pt. III, pp. 40–42. 1912.
         catalpa sphinx, directions. F.B. 705, pp. 6–7. 1916.
         cherry leaf beetle. J.A.R., vol. 5, No. 20 p. 949. 1916.
         codling moth on walnut trees. Ent. Bul. 80, Pt. V, p. 70. 1910.
         cotton boll weevil. Ent. Bul. 114, pp. 150–151. 1912; F.B. 500, p. 11. 1912; F.B. 344, pp. 40–41. 1909.
         cotton bollworm on hairy vetch. D.B. 876, p. 32. 1920.
         cotton insects, methods and outfit. F.B. 890, pp. 8–9, 10, 15–16, 18, 19, 27. 1917.
         cotton leafworm test. D.B. 1204, p. 32. 1924.
         cotton worm, and precautions in use. Ent. Cir. 153, pp. 7–10. 1912.
         fall army worm. Sec. Cir. 40, rev., p. 2. 1912.
         flea-beetles, formula. D.B. 436, pp. 18, 19. 1917; D.B. 901, p. 23. 1920.
         gipsy moth. Ent. Bul. 87, pp. 17, 64–68. 1910.
         grape insects. F.B. 1220, pp. 7, 9, 19, 22, 24, 27, 29, 35, 42, 65, 67, 74. 1921; Ent. Bul. 116, Pt. II, pp. 27, 54–65. 1912.
         leaf roller. D.B. 914, p. 12. 1920.
         lesser bud-moth. D.B. 113, pp. 12, 14–15. 1914.
         moths, formula. F.B. 564, pp. 12, 15, 16–17. 1914.
         pecan insects. F.B. 843, pp. 6, 9, 21, 23, 24. 1917.
         pecan leaf case-bearer. D.B. 571, pp. 19–23, 25–26. 1917.
         radish insects. F.B. 856, pp. 60–61. 1917.
         sweet-potato flea-beetles. F.B. 856, pp. 64, 68. 1917.
         tobacco hornworms. F.B. 1356, pp. 1–7. 1923.

Lead—Continued.
  arsenate—continued.
    control of—continued.
      tobacco insects in seed bed. F.B. 343, p. 12. 1909.
      tomato weevil. D.C. 282, p. 8. 1923.
      velvet-bean caterpillar. F.B. 1276, p. 27. 1922.
      wireworm, experiments. D.B. 78, pp. 25–26, 28. 1914.
    danger to soil of orchards. Ent. Cir. 122, p. 12. 1910.
    determination of lead as lead chromate. Chem. Bul. 137, pp. 40–42. 1911.
    dosage for tobacco hornworms, grade, and cost. F.B. 867, p. 8. 1917; F.B. 1356, pp. 5–7. 1923.
    effect of soap. R. M. Pinckney. J.A.R., vol. 24, pp. 87–95. 1923.
    efficiency in vineyard spraying. D.B. 837, pp. 15–17, 22, 24. 1920.
    electro, adulteration amd misbranding. I. and F. Bd. S.R.A. 9, pp. 17, 18–20. 1915.
    experiments, spraying for yellow-bear caterpillar. Ent. Bul. 82, Pt. V, pp. 63, 65. 1910.
    formula—
      and directions for mixing at home. Chem. Bul. 131, pp. 19–22. 1910; F.B. 1362, p. 4. 1924.
      and kinds. J.A.R., vol, 24, pp. 88–90. 1923; P. R. Bul. 10, p. 23. 1911.
      and use as poison insecticide. F.B. 908, pp. 9–10, 73–75. 1918; S.R.S. Doc. 52, pp. 4, 5, 6–10. 1917.
      use and comparison with Paris green. F.B. 856, pp. 9–10, 56. 1917.
      "home made," analysis of chemicals, and directions for mixing. Chem. Bul. 131, pp. 12–24. 1910.
    hornworm insecticide, application, dosage, and cost. F.B. 595, pp. 5–7. 1914.
    in Bordeaux mixtures, formulas, notice to manufacturers. I. and F. Bd. S.R.A. 20, pp. 379–382. 1918.
    influence on nitrogen-fixing organisms of soil. J.A.R., vol. 6, No. 11, pp. 390–413. 1916.
    insecticidal value, comparison with cuprous cyanide. J.A.R., vol. 28, p. 399. 1924.
    insecticide—
      against tobacco hornworms. A. C. Morgan, and D. C. Parman. Ent. Cir. 173, pp. 10. 1913.
      against tobacco hornworms in the dark tobacco districts. A. C. Morgan and D. C. Parman. F.B. 595, pp. 8. 1914.
      preparation and use. F.B. 1306, pp. 26, 35. 1923.
    manufacture, effects of different grades. Ent. Bul. 67, pp. 18, 46. 1907.
    misbranding, "Sherwin-Williams dry powdered." I. and F. Bd. N.J. 63, pp. 2. 1914.
    paste form, adulteration and misbranding. I. and F. Bd. S.R.A. 16, pp. 236–240. 1917.
    physical properties. Chem. Bul. 131, p. 23. 1910.
    powdered—
      efficacy against boll weevil. Ent. Bul. 114, pp. 150–151. 1912; Ent. Cir. 122, pp. 10–12. 1910.
      use in control of cotton bollworm, use, and cautions. F.B. 872, pp. 11–12. 1917.
    preparation. F.B. 1326, p. 14. 1924.
    recommendation for katydid control on oranges. D.B. 256, p. 24. 1915.
    solution, use in control of sweet-potato flea-beetle. F.B. 856, pp. 6, 68. 1917.
    spray, for—
      alfalfa weevil, rate. News L., vol. 2, No. 42, p. 2. 1915.
      apples, experiments and results. B.P.I. Cir. 58, pp. 12, 16, 19. 1910.
      army worm, experiments. Ent. Bul. 66, Pt. V., pp. 66, 67, 68. 1909.
      asparagus beetle. Ent. Bul. 66, Pt. VII, pp. 93–94. 1909.
      cherries, experiments. Ent. Bul. 116, Pt. III, p. 79. 1913.
      codling moth. Y.B., 1907, p. 444. 1908; Y.B. Sep. 460, p. 444. 1908.

Lead—Continued.
  arsenate—continued.
    spray, for—continued.
      codling moth on pears, experiments. Ent. Bul. 97, pp. 32–51. 1913.
      control of puss caterpillar. D.C. 288, p. 14. 1923.
      cucumber beetle. F.B. 1322, pp. 11–12. 1923.
      gipsy-moth control. D.B. 250, pp. 35–36. 1915.
      grape leaf skeletonizer. Ent. Bul. 68, Pt. VIII, p. 88. 1909.
      grapevines, results. D.B. 730, pp. 15–16. 1918.
      oak worm, formula. F.B. 1076, pp. 2, 11. 1920.
      peach and plum slug, recommendation. Ent. Bul. 97, Pt. V, p. 102. 1911.
      peach trees, experiments and directions for use. Ent. Bul. 103, pp. 18–19, 185–189, 202–212, 213. 1912.
      pear insects, dust formulas. F.B. 1056, pp. 17, 21, 22, 23, 29, 31–34. 1919.
      shade trees and fruit trees. Ent. Bul. 67, pp. 18, 36, 47. 1907.
      tobacco insects. Ent. Cir. 123, pp. 3, 5. 1910.
      trees infested with sugar-cane root borer. J.A.R., vol. 4, p. 263. 1915.
      western cabbage flea-beetle. D.B. 902, pp. 15–17, 20. 1920.
    spray, injury of peaches. F.B. 1435, pp. 15–16. 1924.
    substituting calcium arsenate. D.B. 750, p. 1. 1918.
    Swift's, composition and value. Chem. Bul. 68, p. 29. 1902.
    theoretical composition. Chem. Bul. 131, pp. 17–19. 1910.
    triplumbic and diplumbic, difference, value as insecticide. F.B. 595, pp. 5–6. 1914.
    use against—
      alfalfa weevil. F.B. 741, pp. 12, 16. 1916.
      bean lady birds. D.B. 843, p. 16. 1920.
      beet-sugar webworm. Ent. Bul. 109, Pt. VI, p. 65. 1912.
      biting insects, formula. Guam Bul. 2, p. 18. 1922.
      cherry leaf beetle. D.B. 352, pp. 20–21, 23, 24. 1916.
      cranberry spanworm. Ent. Bul. 66, p. 26. 1910.
      cucumber beetles. F.B. 1038, pp. 13–14. 1919.
      curculios. D.B. 1066, p. 16. 1922.
      fern caterpillar. Ent. Bul. 125, p. 11. 1913.
      flea beetle. Ent. Bul. 66, Pt. VI, pp. 83–84. 1909.
      Hawaiian beet webworm. Ent. Bul. 109, Pt. I, pp. 8–9, 10. 1911.
      hop flea beetle. Ent. Bul. 66, pp. 83–84. 1910.
      injurious insects, formula. D.C. 35, pp. 7, 8, 11, 12, 13, 16, 23, 25, 26, 28–29. 1919; D.C. 40, pp. 5–7. 1919.
      insect pests, Porto Rico, directions. P.R. Cir. 17, p. 6. 1918.
      maple worms. Ent. Cir. 110, p. 7. 1909.
      pear leaf worm. D.B. 438, pp. 18–22. 1916.
      pecan nut case-bearer. D.B. 1303, pp. 11–12. 1925.
      potato beetle, various methods. Ent. Bul. 82, Pt. I, pp. 4–5, 6. 1909.
      potato insects, formula. F.B. 1349, pp. 4–6, 8, 9. 1923.
      rose chafer. F.B. 721, pp. 6, 7. 1916.
      striped garden caterpillar. Ent. Bul. 66, p. 32. 1910.
      tobacco budworm, efficiency. F.B. 819, pp. 8, 9. 1917.
      tobacco flea-beetle. F.B. 1425, pp. 7–11. 1924.
      tobacco hornworms. Ent. Cir. 173, pp. 1–10. 1913; F.B. 867, pp. 4–8, 10. 1917.
      tobacco insects. Y.B., 1910, pp. 283, 288, 293, 295. 1911; Y.B. Sep. 537, pp. 283, 288, 293, 295. 1911.
      tomato insects. F.B. 1338, pp. 23, 24. 1923.

Lead—Continued.
  arsenate—continued.
    use and value—
      in control of Colorado potato beetle. F.B. 856, pp. 9, 17, 56. 1917.
      in control of sugar-beet insects. D.B. 995, p. 48. 1921.
      in spraying for rose-chafer control. Ent. Bul. 97, Pt. III, p. 64. 1911.
    use as—
      insecticide, investigations, and comparisons. D.B. 278, pp. 4–18, 22–25, 28–34, 38–39, 42. 1915.
      poison for Argentine ants. D.B. 647, pp. 60–71. 1918.
    use in—
      Bordeaux mixture for grape rootworm. Ent. Bul. 68, pp. 66, 68. 1907.
      disinfection of sweet-potato slips. F.B. 1020, pp. 21, 24. 1919.
      lime-sulphur mixture. B.P.I. Cir. 27, p. 6. 1909.
      poison baits for grain insects. F.B. 835, pp. 10, 15, 24. 1917.
      solid-stream spraying, proportions. D.B. 480, pp. 7–13, 15. 1917.
      spraying alfalfa. F.B. 1185, p. 19. 1920.
      spraying army worm. Ent. Bul. 66, pp. 65–69. 1910.
      spraying cranberry insects, formula and use methods. F.B. 860, pp. 12–14, 18, 19, 20, 41. 1917.
      spraying grape-berry moth, proportions D.B. 550, pp. 15–26, 37–39, 40. 1917.
      spraying, grapevines. D.B. 900, p. 13. 1920.
      spraying sawfly. F.B. 1259, p. 11. 1922.
      sprays for apple orchards. F.B. 492, pp. 9, 15, 19, 25, 31, 42–43. 1912.
      sprays for avocado insects. Hawaii Bul. 25, pp. 24, 26. 1911.
      sprays for fall army worm. F.B. 752, pp. 13, 16. 1916.
      vegetable garden. F.B. 818, pp. 26–27. 1917.
    use on—
      cabbage worms, directions. F.B. 766, p. 11. 1916.
      peaches, directions. F.B. 440, pp. 35–37. 1911.
      rose insects. F.B. 750, p. 30. 1916.
      tobacco for control of flea-beetles. F.B. 1352, pp. 8, 9. 1923.
    use with—
      Bordeaux mixture for mango spraying. F.B. 1257, p. 6. 1922.
      self-boiled lime-sulphur in spraying peach trees. Ent. Cir. 120, p. 4. 1910.
      vegetables in control of little-known cutworm. Ent. Bul. 109, Pt. IV, p. 49. 1912.
    value in—
      control of insect pests. An. Rpts., 1915, pp. 215, 217, 226. 1916; Ent. A.R., 1915, pp. 5, 7, 16. 1915.
      orchard spraying, note. O.E.S. An. Rpt., 1910, p. 241. 1911.
    with—
      cactus solution, spraying experiments. D.B. 160, pp. 5–6, 13–14. 1915.
      lime-sulphur as stomach poison for insects, experiments. Ent. Bul. 116, Pt. IV, pp. 81–90. 1913.
  arsenite—
    composition. F.B. 908, p. 14. 1918.
    dangers in use, formula for spray. Y.B., 1908, p. 275. 1909; Y.B. Sep. 480, p. 275. 1909.
    use in sprays. F.B. 908, p. 14. 1918.
  cable borer or "short-circuit beetle" in California. H. E. Burke and others. D.B. 1107, pp. 56. 1922.
  chamber process, sulphuric acid manufacture. D.B. 283, pp. 9–14, 27–39. 1915.
  chromate—
    coating, use in coffee adulteration. Chem. N.J. 50, pp. 2. 1909.
    determination in lead arsenate. Chem. Bul. 137, pp. 40–42. 1911.
    poisoning—
      by means of. Chem. Bul. 76, pp. 7–12. 1903.
      danger, cases. Chem. Bul. 76, pp. 7–12. 1903.

Lead—Continued.
  chromate—continued.
    preparation and testing as insecticide. D.B. 278, pp. 12, 13–15. 1915.
    use against Hawaiian beet webworm. Ent. Bul. 109, Pt. I, pp. 9, 10. 1911.
    use as remedy against the Colorado potato beetle. Ent. Bul. 109, Pt. V, pp. 53–56. 1912.
    use in control of beet wireworms, experiments. Ent. Bul. 123, pp. 52, 58. 1914.
  dry, defecation in raw sugar analysis. W. D. Horne. Chem. Bul. 132, pp. 184–186. 1910.
  estimation in fat, method. B.A.I. An. Rpt., 1909, p. 273. 1911.
  foil, stains, removal from textiles. F.B. 861, p. 24. 1917.
  hydrogen arsenate, value as insecticide, experiments. J.A.R., vol. 10, pp. 199–206. 1917.
  iron-preservation experiments. Rds. Bul. 35, p. 23. 1909.
  mining, importance, in Kansas, Cherokee County. Soil Sur. Adv. Sh., 1912, pp. 7, 11. 1914; Soils F.O., 1912, pp. 1787, 1791. 1915.
  nitrate, price, composition, and comparison with lead acetate. Chem. Bul. 131, pp. 13, 15, 22. 1910.
  number, determination in—
    asafetida. Chem. Bul. 162, pp. 217–218. 1913.
    maple sirup, method and tabulation. Chem. Bul. 134, pp. 17, 67–76. 1910; D.B. 466, pp. 9–11, 31–34, 44. 1917; Chem. Cir. 53, pp. 1–2. 1910.
  oleate, source, use in waterproofing duck, and cost. F.B. 1157, pp. 11–13. 1920.
  pigments, precautions in use. F.B. 474, pp. 21–22. 1911.
  poisoning—
    cattle, symptoms and treatment. B.A.I. [Misc.], "Diseases of cattle," rev., pp. 58–59. 1912.
    in waterfowl. Alexander Wetmore. D.B. 793, pp. 12. 1919.
  presence in food products, food inspection opinion. Chem. S.R.A. 5, pp. 312–313. 1914.
  red—
    coating forest seeds for protection from rodents. For. Bul. 98, p. 39. 1911.
    use in treating seed for protection from crows. D.B. 621, p. 77. 1918.
    value for metal painting and drying effect on linseed oil. F.B. 474, pp. 9, 12–13. 1911.
  salts, effect on plant growth, experiments. D.B. 149, p. 12. 1914.
  sheathing, destruction by termites. J.A.R., vol. 26, p. 285. 1923.
  spraying, amount remaining on fruits and vegetables. D.B. 1027, pp. 48, 49. 1922.
  sulphate, leather weighting. Chem. Bul. 165, p. 9. 1913.
  white—
    description and cost, amount in gallon of paint. F.B. 474, pp. 14, 15, 16. 1911.
    testing methods. Chem. Bul. 109, pp. 11–12. 1908.
    tree protection against rabbits. B.P.I. Bul. 157, p. 28. 1909.
Leaf(ves)—
  and corm disease of gladioli caused by Bacterium marginatum. Lucia McCulloch. J.A.R., vol. 29, pp. 159–177. 1924.
  and herbs, medicinal, American. Alice Henkel. B.P.I. Bul. 219, pp. 56. 1911.
  and-pod-spot, pea, control. F.B. 856, p. 55. 1917.
  aphid—
    corn, and corn root aphid. F. M. Webster. Ent. Cir. 86, pp. 3. 1907.
    food plants, descriptions and bibliography. Ent. T.B. 12, Pt. VIII, pp. 144–156. 1909.
  areas, corn and sorghums, comparative studies. J.A.R., vol. 6, No. 9, pp. 311–332. 1916.
  beetle(s)—
    bean, habits and treatment. D.C. 35, pp. 6–7. 1919.
    bean, injuries, and control. F.B. 856, pp. 28–29. 1917.
    beet—
      F. H. Chittenden and H. O. Marsh. D.B. 892, pp. 24. 1920.

Leaf (ves)—Continued.
  beetle(s)—continued.
    beet—continued.
      and its control. F. H. Chittenden. F.B. 1193, pp. 8. 1921.
      food plants. D.B. 892, pp. 7–8. 1920.
    cherry—
      control. F.B. 908, p. 93. 1918.
      development studies, Pennsylvania, 1915. D.B. 352, pp. 13–18. 1916.
      life history and control. J.A.R., vol. 5, No. 20, pp. 943–950. 1916.
    corn, southern. E. O. G. Kelly. D.B. 221, pp. 11. 1915.
    cottonwood, description and control. F.B. 1169, p. 50. 1920.
    crucifer, description. Sec. [Misc.], "A manual * * * insects * * *," p. 91. 1917.
    destruction by birds. Biol. Bul. 15, pp. 32, 95. 1901.
    elm, description, evidence, habits, and control. F.B. 1169, pp. 38–39. 1921.
    elm, similarity to beet leaf beetle, note. D.B. 892, p. 1. 1920.
    great elm, remarks. Ent. Bul. 54, pp. 81–82. 1905.
    occurrence on cotton. F.B. 890, p. 22. 1917.
    poplar, description and control. F.B. 1169, pp. 50–51. 1920.
    strawberry, life history, development, habits, and control. F.B. 1344, pp. 4–14. 1923.
    syneta, description, habits, and control. F.B. 1056, pp. 14–17. 1919.
    water cress—
      and water cress sow bug. F. H. Chittenden. Ent. Bul. 66, Pt. II, pp. 10. 1907.
      description, life history, food plants, and control. Ent. Bul. 66, pp. 16–20. 1910.
    willow, description and control. F.B. 1169, p. 51. 1920.
  blight—
    cabbage, description, distribution, and control methods. F.B. 488, p. 31. 1912.
    cabbage, nature. B.P.I. Cir. 39, p. 6. 1909.
    celery, cause and control. F.B. 1371, pp. 20–21, rev., 1927.
    celery, symptoms and control. F.B. 856, pp. 39–40. 1917.
    cotton, cause and description. F.B. 1187, p. 30. 1921.
    mountain laurel, description and cultural studies. J.A.R., vol. 13, pp. 199–212. 1918.
    occurrence in Texas, and description. B.P.I. Bul. 226, pp. 30, 40, 51, 54, 59–62, 67, 73, 75, 78, 79, 80, 82, 83, 86, 106. 1912.
    sweet-potato, cause, description, and distribution. F.B. 714, pp. 18–19. 1916; F.B. 1059, p. 17. 1919.
    strawberry, description. F.B. 1458, p. 5. 1925.
    treatment. F.B. 243, pp. 19, 20, 21, 22, 23. 1906.
    white-pine, description, and causes. B.P.I. Cir. 35, pp. 5–9. 1909.
    See also Leaf spot.
  blister, forest trees, injury and control. B.P.I. Bul. 149, p. 21. 1909.
  blister-mite—
    A. L. Quaintance. Ent. Cir. 154, pp. 6. 1912.
    pear and apple. A. L. Quaintance. F.B. 722, pp. 8. 1916.
    pear, control by winter spraying, lime-sulphur. Y.B., 1908, p. 270. 1909; Y.B. Sep. 480, p. 270. 1909.
  blotch—
    occurrence on plants in Texas, and description. B.P.I. Bul. 226, pp. 26, 88. 1912.
    potato, occurrence and description. B.P.I. Bul. 245, pp. 15, 84. 1912.
    roses, description and control. F.B. 750, pp. 33–34. 1916.
    yellow, alfalfa, caused by *Pyrenopeziza medicaginis*. Fred Reuel Jones. J.A.R., vol. 13, pp. 307–330. 1918.
    yellow, alfalfa, description and control. F.B. 1283, p. 32. 1922.
  bug, cotton, life habits, and control. Ent. Bul. 57, pp. 44–46. 1906; Ent. Bul 86, pp. 15, 20, 92. 1910.
  bugs, descriptions. Sec. [Misc.], "A manual of insects * * *," pp. 37. 1917.

Leaf (ves)—Continued.
  case-bearer. See Case-bearer.
  characteristics in desert plants. Y.B., 1911, pp. 354, 355. 1912; Y.B. Sep. 574, pp. 354, 355. 1912.
  collection for medicinal use, directions. B.P.I. Bul. 219, pp. 7–8. 1911.
  crumpler, apple, description, habits, injuries, and control. F.B. 1270, p. 49. 1923.
  curl—
    beet, several types, description. B.P.I. Bul. 181, pp. 28–29. 1910.
    distinction from leaf cut. B.P.I. Cir. 120, pp. 29–31. 1913.
    injury to fruit trees in connection with winter-killing. F.B. 227, p. 14. 1905.
    juvenile, of cotton, causes, and control methods. B.P.I. Cir. 96, pp. 13–15. 1912.
    potato, causes, and description. B.P.I. Bul. 245, pp. 17–18. 1912.
    raspberry. See Yellows, raspberry.
  cut—
    cotton seedling, cause, and control. B.P.I. Cir. 120, pp. 29–34. 1913; D.B. 332, p. 26. 1916; D.B. 742, p. 25. 1919.
    distinction from leaf-curl. B.P.I. Cir. 120, pp. 29–34. 1913.
    cutter, morning-glory, description, distribution, enemies, and remedies. Ent. Bul. 27, pp. 102–108. 1901.
  decomposition, effect on soil. D.B. 6, pp. 2–3. 1913.
  destruction by kelps. Ent. T. B. 10, p. 11. 1905.
  disease(s)—
    coffee, control work, Porto Rico. P.R. An. Rpt., 1918, pp. 11–12. 1920.
    control by lime-sulphur sprays. F.B. 435, p. 14. 1911.
    Engelmann spruce, description. J.A.R., vol. 4, pp. 251–254. 1915.
    melon, cause and control by Bordeaux spraying. F.B. 856, p. 50. 1917.
    red gum. B.P.I. Bul. 114, p. 10. 1907.
    rubber, description, cause, spread, and control. D.B. 1286, pp. 9–15. 1924.
    South American, conditions in Trinidad and the Guianas. D.B. 1286, pp. 6–8. 1924.
    South American, of Para rubber. R. D. Rands. D.B. 1286, pp. 19. 1924.
    sugar beet and nasturtium, bacterium causing. Nellie A. Brown and Clara O. Jamieson. J.A.R., vol. 1, pp. 189–210. 1913.
  dried, use for seasoning and beverages. Y.B., 1911, p. 443. 1912; Y.B. Sep. 582, p. 443. 1912.
  drug, adulteration and misbranding, senna, coca, stramonium, henbane. Chem. N. J. 1674, pp. 4. 1912.
  excretions, relation to arsenical injury to plants. C. M. Smith. J.A.R., vol. 26, pp. 191–194. 1923.
  feeders, cranberry, descriptions, and remedies. F.B. 178, pp. 9–21. 1903.
  folder—
    corn, habits and control. Guam Cir. 3, p. 13. 1922.
    grape. J. F. Strauss. D.B. 419, pp. 16. 1916.
    grape, description, life history, and control. F.B. 284, pp. 22–27. 1907; F.B. 1220, pp. 18–20. 1921; F.B. 908, p. 97. 1918; D.B. 419, p. 4. 1916.
    parasites. D.B. 419, pp. 8–12. 1916; D.B. 914, pp. 10–12. 1920.
    sweet-potato. Thomas H. Jones. D.B. 609, pp. 12. 1917.
  forest trees—
    acidity of different kinds. D.B. 6, p. 2. 1913.
    lime content of different kinds. D.B. 6, p. 4. 1913.
  grapevine and sugar maple, mineral composition. J.A.R., vol. 5, No. 12, pp. 536–538. 1915.
  green and chlorotic, ash content and enzyms, examination. P.R. Bul. 11, pp. 34–42. 1911.
  hardwood trees, description. D.B. 863, pp. 5–8, 39–42. 1920.
  hopper(s)—
    affecting cereals, grasses, and forage crops. Herbert Osborn. Ent. Bul. 108, pp. 123. 1912.

Leaf(ves)—Continued.
 hopper(s)—continued.
  apple, description, distribution, life history, and control. D.B. 805, pp. 2-20. 29-32. 1919; F.B. 1270, pp. 27-28. 1923.
  apple, description, habits, injuries, and control. F.B. 1270, pp. 27-28. 1923.
  attacking loco weeds. Ent. Bul. 64, p. 41. 1911; Ent. Bul. 64, Pt. V, p. 41. 1908.
  beet—
   cause of curly-top disease, description, habits, and control. B.P.I. Bul. 181, pp. 13-18, 22-23, 33-36. 1910.
   description, food plants, distribution, life history, and control. Ent. Bul. 66, pp. 35-44. 1910; J.A.R., vol. 28, pp. 316-317. 1924.
   description, habitat, injury to beets, control. Rpt. 92, pp. 81-87. 1910.
   food plants. B.P.I. Bul. 181, p. 22. 1910.
   life history and habits, studies. C. F. Stahl. J.A.R., vol. 20, pp. 245-252. 1920.
   relations of temperature and moisture. Ent. Bul. 66, Pt. IV, pp. 42, 43, 45. 1909.
   studies. J.A.R., vol. 14, pp. 393-394. 1918.
  black-faced, description, life history, and control. Ent. Bul. 108, pp. 77-79. 1912.
  bog, description, and life history. Ent. Bul. 108, pp. 60-61. 1912.
  cane, spread of mosaic disease. D.B. 829, p. 19. 1919.
  carrier of curly-top disease of sugar beets. D.B. 721, pp. 46, 48. 1918.
  clover—
   control in the Central States. Edmund H. Gibson. F.B. 737, pp. 8. 1916.
   description, life history, and control. Ent. Bul. 108, pp. 17-18, 48, 49, 103-106. 1912.
   control by fungous disease. D.B. 922, p. 17. 1920.
   control by natural enemies. Ent. Bul. 108, pp. 22-35. 1912.
  corn, carrier of mosaic disease. J.A.R., vol. 23, pp. 280-283. 1923.
  description, habits, crops affected, and control. Ent. Bul. 108, pp. 16-50. 1912.
  destructive, description, life history, and control. Ent. Bul. 108, pp. 15, 18, 86-94. 1912.
  geminate, description. Ent. Bul. 108, p. 96. 1912.
  grain, sharp-headed. Edmund H. Gibson. D.B. 254, pp. 16. 1915.
  grape—
   description, life history, and control by spraying. D.B. 19, pp. 12-32. 1914; Ent. Bul. 97, pp. 1-12. 1913; F.B. 908, pp. 95-96. 1918; F.B. 1220, pp. 13-18. 1921; F.B. 284, pp. 19-27. 1907.
   food plants, list. D.B. 19, pp. 3-4. 1914.
   in Lake Erie Valley. Fred Johnson. D.B. 19, pp. 47. 1914.
   in Lake Erie Valley, spraying experiments against. Fred Johnson. Ent. Bul. 97, Pt. I, pp. 1-12. 1911.
   in Lake Erie Valley, spraying experiments, 1911. Fred Johnson. Ent. Bul. 116, Pt. I, pp. 13. 1912.
   injury. J.A.R., vol. 26, pp. 419-424. 1923.
   insect enemies, check on spread. D.B. 19, pp. 32-33, 34. 1914.
   parasites and predaceous enemies. D.B. 19, pp. 32-33. 1914.
   three-banded, distribution, life history, and control. J.A.R., vol. 26, pp. 420-424. 1923.
  habits and remedy. Ent. Bul. 30, pp. 75-78. 1901.
  inimical, description, life history, and control. Ent. Bul. 108, pp. 72-77. 1912.
  injury to—
   corn, in Hawaii, life history, and control. Hawaii Bul. 27, pp. 10-11. 1912.
   corn in Porto Rico, cause. D.B. 192, pp. 2, 10. 1915.
   cotton. F.B. 890, pp. 23-24. 1917.
   potatoes, and control. Sec. Cir. 92, p. 34. 1918.
  irrorate, description, and control. Ent. Bul. 108, pp. 94-96. 1912.
  parasites attacking. D.B. 254, p. 14. 1915; Ent. Bul. 108, pp. 33, 86, 106. 1912.

Leaf(ves)—Continued.
 hopper(s)—continued.
  potato—
   and its control. J. E. Dudley, jr. F.B. 1225, pp. 16. 1921.
   control. F.B. 1190, p. 21. 1921; F.B. 1349, pp. 10-11. 1923.
   injury to potato and other plants. F.B. 1225, pp. 4, 6-11. 1921.
   outbreaks in 1921. D.B. 1103, pp. 37-39. 1922.
  rose, description, habits, injuries, and control. D.B. 805, pp. 20-33. 1919; F.B. 1270, pp. 26-27. 1923.
  Say's, description, life history, and control. Ent. Bul. 108, pp. 44, 84-86. 1912.
  sharp-nosed, description, and life history. Ent. Bul. 108, pp. 69-70. 1912.
  shovel-nosed, description, and life history. Ent. Bul. 108, pp. 65-68. 1912.
  similar to—
   apple leaf hopper, habits. D.B. 805, pp. 6-7. 1919.
   sugar-beet leaf hopper, description. Ent. Bul. 66, pp. 49-52. 1910.
  six-spotted, description, and life history. Ent. Bul. 108, pp. 18, 97-100. 1912.
  sugar beet, relation to curly-leaf disease. Ent. Bul. 66, pp. 33-52. 1910.
  sugar-cane—
   control by parasite, Panagrus optabilis. Y.B. 1916, pp. 278-280. 1917; Y.B. Sep. 704, pp. 6-8. 1917.
   control experiments. Ent. Bul. 93, pp. 22-23. 1911.
   descriptions. Sec. [Misc.], "A manual of insects * * *," pp. 198, 206. 1917; Ent. Cir. 165, pp. 4-5. 1912.
   Hawaiian, description, life history, and control. Ent. Bul. 93, pp. 12-34. 1911.
   in Hawaii. D. L. Van Dine. Hawaii Bul. 5, pp. 29. 1904.
   parasites, introduction into Hawaii, discussion. Ent. Bul. 93, pp. 29-34. 1911.
   source of honeydew. Ent. Bul. 75, pp. 50-53. 1911.
   spread method. Ent. Cir. 165, p. 4. 1912.
   value as source of Hawaiian honey. Hawaii Bul. 17, p. 10. 1908.
  testing for disease transmission. J.A.R., vol. 19, pp. 134, 135, 137. 1920.
  two, injurious to apple nursery stock. A. J. Ackerman. D.B. 805, pp. 35. 1919.
  yellow-faced, description, and life history. Ent. Bul. 108, pp. 71-72. 1912.
  yellow-headed, description, food plants, and control. Ent. Bul. 108, pp. 52-60. 1912.
 infesting thrips, injury and control methods. F.B. 1261, pp. 21-29, 30. 1922.
 little, disease of grapevine, description, symptoms, and control. J.A.R., vol. 8, pp. 381-398. 1917.
 maturity, effect on stomatal movement, studies. J.A.R., vol. 5, No. 22, pp. 1012-1020, 1037. 1916.
 medicinal—
  American, and herbs. Alice Henkel. B.P.I. Bul. 219, pp. 56. 1911.
  harvesting, general direction. F.B. 663, rev., p. 8. 1920.
 miner—
  apple, unspotted, tentiform. J.A.R., vol. 6, No. 8, pp. 289-296. 1916.
  celery, control methods. Ent. Bul. 82, Pt. II, p. 13. 1909.
  citrus, description. Sec. [Misc.], "A manual of insects * * *," p. 58. 1917.
  coconut, description. Sec. [Misc.], "A manual of insects * * *," p. 160. 1917.
  coffee—
   description. Sec. [Misc.], "A manual of insects * * *," p. 62. 1917.
   life history and control. P.R. An. Rpt., 1914, pp. 32-33. 1915.
   control on young trees. D.L.A. Cir. 4, p. 3. 1919.
   description, habits, injuries, and control. F.B. 1270, pp. 54-57. 1923.
   eggplant, description, distribution, habits, and natural control. J.A.R., vol. 26, pp. 567-570. 1923.

Leaf(ves)—Continued.
  miner—continued.
    grain, description. Sec. [Misc.], "A manual of insects * * *," p. 125. 1917.
    hop, description. Sec. [Misc.], "A manual of insects * * *," p. 136. 1917.
    injurious to dock, two species of Pegomyia. J.A.R., vol. 16, pp. 229-244. 1919.
    injury to—
      cabbage in Hawaii. Ent. Bul. 109, Pt. III, pp. 32-33. 1912.
      legumes, Hawaii, habits and control. Hawaii A.R., 1911, p. 20. 1912.
    locust, description, habits, and control. F.B. 1169, pp. 43-44. 1921.
    parsnip, description, biological notes, and control methods. Ent. Bul. 82, pp. 9-13. 1912.
    sawfly, cherry and hawthorn, life history and control. J.A.R., vol. 5, No. 12, pp. 517-523. 1915.
    serpentine—
      food plants, Europe and America. J.A.R., vol. 1, pp. 63-64. 1913.
      injury to crucifers, Hawaii, life history. Hawaii A.R., 1914, pp. 48-49. 1915.
      parasites, descriptions. J.A.R., vol. 1, pp. 76-82. 1913.
    spike-horned, an enemy of grains and grasses. Philip Luginbill and T. D. Urbahns. D.B. 432, pp. 20. 1916.
    spinach, description. Sec. [Misc.], "A manual of insects * * *," p. 42. 1917.
    tentiform, apple, life history and control. J.A.R., vol. 6, No. 8, pp. 290-295. 1916.
    trumpet—
      apple enemy, description, food, seasonal history distribution, and control. Ent. Bul. 68, pp. 23-30. 1907.
      of apple. A. L. Quaintance. Ent. Bul. 68, Pt. III, pp. 23-30. 1907.
  mold—
    of plants, occurrence in Texas, and description. B.P.I. Bul. 226, pp. 79, 87, 103. 1912.
    onion, cause and description. F.B. 1060, p. 12. 1919.
    See also White rust.
  moth, coconut, description. Sec. [Misc.], "A manual * * * insects," p. 159. 1917.
  mottling, wheat, intracellular bodies associated with. J.A.R., vol. 26, pp. 605-608. 1923.
  mottling. *See also* Mottle leaf.
  pine, characteristics of various species, Rocky Mountain region. D.B. 460, pp. 2, 8, 13, 16, 20, 22, 24, 27, 31, 34, 37, 40, 44, 46. 1917.
  prints directions for making. F.B. 468, pp. 26-27. 1911.
  roll—
    diseases, various kinds. D.B. 64, pp. 26-27. 1914.
    net-necrosis, and spindling-sprout of Irish potato. E. S. Schultz and Donald Folsom. J.A.R., vol. 21, pp. 47-80. 1921.
    potato—
      American type, study, results. J.A.R., vol. 15, pp. 564-568. 1918.
      appearance and effect on yield. F.B. 1436, pp. 5-6. 1924.
      description, and control measures. B.P.I. Cir. 109, pp. 7-10. 1913; D.B. 64, pp. 18-37. 1914; F.B. 544, p. 14. 1913.
      description and effect. Sec. Cir. 92, p. 28. 1918.
      distinction between true and false. D.B. 64, pp. 26-27. 1914.
      European type, study, results. J.A.R. vol. 15, pp. 561-564. 1918.
      histological studies. Ernst F. Artschwager. J.A.R., vol. 15, pp. 559-570. 1918.
      note. Hawaii Bul. 45, p. 40. 1920.
      relation to phloem necrosis. J.A.R., vol. 24, pp. 243-245. 1923.
      transmission. J.A.R., vol. 25, pp. 54, 61, 63-64, 95, 102, 105. 1923.
      wilt, and related diseases. D.B. 64, p. 48. 1914.
    roller—
      apple, description, habits, injuries and control. F.B. 1270, pp. 15-17. 1923.
      avocado, injury and control. F.B. 1261, pp. 20-21, 30. 1922.

Leaf(ves)—Continued.
  roller—continued.
    banana, enemy of banana. Hawaii A.R., 1907, p. 45. 1908.
    canna, description, and life history. Ent. Bul. 54, pp. 54-58. 1905.
    canna, larger. F. H. Chittenden. Ent. Cir. 145, pp. 10. 1912.
    fruit-tree. John B. Gill. Ent. Bul. 116, Pt. V, pp. 91-105. 1913.
    palm, enemy of coconut palm. Hawaii A.R., 1907, p. 45. 1908.
    parasites, Hawaii, introduced species. Ent. Bul. 93, pp. 42-43. 1911.
    red-banded—
      F.H. Chittenden. D.B. 914, pp. 14. 1920.
      description, habits, injuries, and control. F.B. 1270, pp. 21-22. 1923.
      enemies, list and description. D.B. 914, pp. 10-12. 1920.
    strawberry, control. Ent. A.R., 1921, pp. 13, 14. 1921.
    sugar-cane—
      Hawaiian, description. Sec. [Misc.], "A manual * * * insects * * *," pp. 203-204. 1917.
      Hawaiian, occurrence and control. Ent. Bul. 93, pp. 41-43. 1911.
    sulphur, similarity to red-banded leaf-roller. D.B. 914, pp. 3, 4, 6. 1920.
  rot, coffee disease, description, and control. P.R. Bul. 17, pp. 8-11, 29. 1915.
  rotted, source of bitter-rot infection. D.B. 684, pp. 18, 23. 1918.
  rusts—
    of rye and barley, aecial stages. J.A.R., vol. 28, pp. 1119-1126. 1924.
    orange, of wheat, *Puccinia triticina*, aecial stage, H. S. Jackson and E. B. Mains. J.A.R., vol. 22, pp. 151-172. 1921.
    resistance in varieties of rye. J.A.R., vol. 25, pp. 243-252. 1923.
  scab, occurrence on elm trees, Texas, and description. B.P.I. Bul. 226, p. 66. 1912.
  seasoning for removal of sap. B.P.I. Bul. 114, p. 27. 1907.
  sewer, apple—
    B. R. Leach. D.B. 435, pp. 16. 1916.
    description, habits, injuries and control. F.B. 1270, pp. 50-51. 1923.
  shedding, relation to length of day. J.A.R., vol. 23, pp. 903-905, 919. 1923.
  sorgo, feeding value. F.B. 1389, p. 26. 1924.
  source of perfumery. B.P.I. Bul. 195, pp. 9, 10, 11, 14, 16, 38, 39, 42. 1910.
  spot—
    alfalfa—
      and red clover, caused by the fungi *Pseudopeziza medicaginis* and *Pseudopeziza trifolii*, respectively. Fred Reuel Jones. D.B. 759, pp. 38. 1919.
      description and control. F.B. 339, p. 41. 1908; F.B. 1283, p. 32. 1922.
      overwintering and spread, studies. D.B. 759, pp. 28-35. 1919.
    alternaria, of cauliflower. J.A.R., vol. 29, pp. 421-441. 1924.
    angular—
      cotton, control. Y.B. 1921, p. 357. 1922; Y.B. Sep. 877, p. 357. 1922.
      cotton, dissemination and control. J.A.R., vol. 8, No. 12, pp. 457-475. 1917.
      cucumber, dissemination, overwintering, and control. J.A.R., vol. 15, pp. 201-220. 1918.
      description and control by spraying. F.B. 856, p. 47. 1917.
      tobacco, description and cause. J.A.R., vol. 16, pp. 219-228. 1919.
    apple—
      caused by *Sphaeropsis malorum*. W. M. Scott and James B. Rorer. B.P.I. Bul. 121, Pt. V, pp. 47-53. 1908.
      description, cause, and control. F.B. 492, pp. 35-36. 1912.
      experiments and studies. J.A.R., vol. 2, pp. 57-66. 1914.
      spraying experiments, results of different sprays. B.P.I. Cir. 54, pp. 9, 13. 1910.

Leaf(ves)—Continued.
spot—continued.
bacterial, of—
clovers. L. R. Jones and others. J.A.R., vol. 25, pp. 471–490. 1923.
delphinium. Mary K. Bryan. J.A.R., vol. 28, pp. 261–270. 1924.
geranium, occurrence and cause. J.A.R., vol. 23, pp. 361–372. 1923.
Martynia. Charlotte Elliott. J.A.R., vol. 29, pp. 483–490. 1924.
beet—
cause, and relation to stomatal movement. J.A.R., vol. 5, No. 22, pp. 1011–1038. 1916.
cause, description, distribution, spread, and injuries. F.B. 618, pp. 1–11. 1914.
control by siloing diseased leaves. F.B. 567, p. 24. 1914.
description and control. D.C. 35, p. 7. 1919.
injury, and control by use of Bordeaux mixture. F.B. 856, p. 30. 1917.
black, cabbage, description, cause, and control. F.B. 925, p. 28. 1918; rev., pp. 28–29. 1921.
brown, nature, occurrence on pecans, and control. F.B. 1129, pp. 10–11. 1920; J.A.R., vol. 1, pp. 312–319, 338. 1914.
cauliflower, characteristics. B.P.I. Bul. 225, pp. 9–15. 1911.
celery—
description. J.A.R., vol. 21, pp. 185–188. 1921.
effect on nitrogen constituents, experiments. J.A.R., vol. 31, pp. 291–294. 1925.
cherry—
control. John W. Roberts and Leslie Pierce. F.B. 1053, pp. 8. 1919.
experiments. B.P.I. Cir. 27, pp. 12–15. 1909.
clematis, cause and control. J.A.R., vol. 4, pp. 331–342. 1915.
clover, history and distribution J.A.R., vol. 25, pp. 472–473. 1923; F.B. 455, p. 40. 1911.
coffee—
control methods and host plants. P.R. Bul. 28, pp. 7, 11–12. 1921.
description, cause, and control. P.R. Bul. 17, pp. 11–15, 29. 1915.
(*Stilbella flavida*) in Porto Rico. T. B. McClelland. P.R. Bul. 28, pp. 12. (Also Spanish edition.) 1921.
See also *Stilbella flavida*.
cotton, cause and description. F.B. 1187, p. 30. 1921.
cottony, occurrence on osage orange. B.P.I. Bul. 226, p. 75. 1912.
cucumber, caused by *Stemphylium cucurbitacearum*. J.A.R., vol. 13, pp. 295–306. 1918.
currant, description and treatment. F.B. 1024, pp. 21–22. 1919.
eggplant, fungus causing, and description. J.A.R., vol. 2, pp. 331–338. 1914.
forest trees, causes and control. B.P.I. Bul. 149, pp. 20–21. 1909.
garden vegetables, treatment and prevention. F.B. 1371, rev., pp. 12, 23–24, 37. 1927.
gooseberry, description and control. F.B. 1024, p. 22. 1919.
hairy vetch, description. D.B. 876, p. 32. 1920.
horse bean, control by use of resistant varieties. F.B. 969, p. 11. 1918.
injury to—
celery, description, and control studies. D.B. 601, p. 24. 1917.
field pea, control measures. F.B. 690, pp. 20–21. 1915.
sugar beets and beet tops. F.B. 618, pp. 9–11, 18. 1914.
sugar beets, varieties, descriptions, and control. D.B. 995, pp. 17–18, 47–48. 1921.
Macrosporium, control on watermelons. F.B. 1277, p. 30. 1922.
muskmelon, description and treatment. D.C. 35, p. 15. 1919.
oats, cause, description, and control. J.A.R., vol. 24, pp. 663–667. 1923.
of plants, Texas, occurrence and description. B.P.I. Bul. 226, pp. 24, 27, 28, 30–34, 37, 38, 40, 42–45, 47–51, 54, 55, 57–61, 64–71, 74–82, 84–86, 88–97, 102–106. 1912.

Leaf(ves)—Continued.
spot—continued.
papery, ginseng, description and control. B.P.I. Bul. 250, pp. 20–21. 1912; F.B. 736, pp. 14–15. 1916.
peanut, cause, and control. F.B. 356, pp. 38–39. 1909.
peanut, dissemination by air and wind, tests. J.A.R., vol. 5, pp. 895–897. 1916.
pineapple, description, cause, and remedy. P.R. Bul. 8, pp. 40–41. 1909.
potato, description, studies. B.P.I. Bul. 245, pp. 15–16. 1912.
red, of cowpea. B.P.I. Bul. 229, p. 25. 1912.
red, of cranberry, description, cause, and control. F.B. 1081, pp. 13–14. 1920.
rice, cause, description, and control. J.A.R., vol. 24, pp. 643, 724–728. 1923.
roses, description and control. F.B. 750, p. 33. 1916.
rot, pond lilies, caused by *Helicosporium nymphaearum*. Frederick V. Rand. J.A.R., vol. 8, pp. 219–232. 1917.
stone fruits, inoculation experiments. J.A.R., vol. 13, pp. 539–569. 1918.
strawberry—
description and control. F.B. 1458, pp. 2–5. 1925.
injury, and varieties resistant. F.B. 1043, p. 21. 1919.
Texas, occurrence and description. B.P.I. Bul. 226, p. 34. 1912.
sugar beet—
cause and control. B.P.I. Cir. 121, pp. 13–17. 1913; D.B. 721, pp. 46–47. 1918.
disease. C. O. Townsend. F.B. 618, pp. 18. 1914.
effect on yield of sugar. Rpt. 86, p. 85. 1908.
life history, data, and studies in Colorado. J.A.R., vol. 6, No. 1, pp. 39–49. 1916.
sweet-potato, description, cause, and distribution. F.B. 714, p. 19. 1916; F.B. 1059, pp. 17–18. 1919.
tobacco, bacterial, cause and description. James Johnson. J.A.R., vol. 23, pp. 481–493. 1923.
tobacco, description and control. F.B. 571, rev., pp. 23–24. 1920; J.A.R., vol. 16, pp. 224–225. 1919.
tomato—
control. Fred J. Pritchard and W. S. Porte. D.B. 1288, pp. 19. 1924.
description and control. D.C. 35, p. 25. 1919; D.C. 40, pp. 13–14. 1919; S.R.S. Doc. 95, pp. 13–14, 18. 1919; F.B. 1338, pp. 24–25. 1923.
injuries and control by Bordeaux spraying. F.B. 856, p. 69. 1917.
See also *Septoria lycopersici*.
turnip, caused by *Colletotrichum* sp. J.A.R., vol. 10, pp. 157–162. 1917.
vegetables, under market, storage, and transit conditions. B.P.I. [Misc.], "Handbook of the * * *," pp. 27, 28, 29, 30–31, 33, 36. 1919.
white, of cowpea. B.P.I. Bul. 229, p. 25. 1912.
See also Black rot.
structure, wheat, oats, and barley, effect of alkali salts. L. L. Harter. B.P.I. Bul. 134, pp. 19. 1908.
temperature of crop plants, observations. E. C. Miller and A. R. Saunders. J.A.R., vol. 26, pp. 15–43. 1923.
tip-blight, occurrence on plants in Texas, and description. B.P.I. Bul. 226, pp. 59, 65, 71. 1912.
tipburn, potato, description and control. Hawaii Bul. 45, p. 34. 1920.
tyer—
celery, injuries to vegetables, and control. F.B. 856, p. 40. 1917.
greenhouse—
description, distribution, and remedies. Ent. Bul. 27, pp. 7–26. 1901.
Phlyctaenia rubigalis (Guenee). C. A. Weigel and others. J.A.R., vol. 29, pp. 137–158. 1924.
injury to tomatoes, control. F.B. 1431, p. 21. 1924.

INDEX TO PUBLICATIONS, 1901–1925   1349

Leaf(ves)—Continued.
  value as fertilizer, utilization in compost heap. B.P.I. Doc. 631, pp. 3, 4. 1911.
  weevil—
    alfalfa, introduction into United States on nursery stock, need of control legislation. Sec. Cir. 37, p. 3. 1911.
    clover—
      D. G. Tower and F. A. Fenton. D.B. 922, pp. 18. 1920.
      description, and control methods. D.B. 922, pp. 16–18. 1920; F.B. 455, p. 39. 1911; F.B. 1339, pp. 27–28. 1923.
      lesser, history, distribution, description and control. Ent. Bul. 85, pp. 1–12. 1911.
      similarity to alfalfa weevil, habits. Ent. Bul. 112, pp. 15, 25. 1912.
    coffee, description and habits. P.R. An. Rpt., 1914, pp. 42–43. 1916.
    orange—
      in Porto Rico. P.R. An. Rpt., 1907, pp. 31–32. 1908.
      injury to citrus fruits, description, and control methods. P.R. Bul. 10, pp. 8–9. 1911.
  worm—
    cotton. See Army worm; cotton leaf worm.
    pear—
      R. L. Nougaret and others. D.B. 438, pp. 24. 1916.
      description and control. F.B. 1056, p. 23. 1919.
League of American Sportsmen, services in protecting birds. Biol. Bul. 12, rev., pp. 64, 65. 1902.
League of Nations, stand on calendar. Off. Rec., vol. 3, No. 22, p. 1. 1924.
Leak—
  cottony, of cucumbers, caused by *Pythium aphanidermatum.* Charles Drechsler. J.A.R., vol. 30, pp. 1035–1042. 1925.
  potato—
    cause and control. Hawaii Bul. 45, p. 40. 1920.
    confusion with blackleg tuber-rot. J.A.R., vol. 22, pp. 81–92. 1921.
    control experiments. Lon A. Hawkins. D.B. 577, pp. 5. 1917.
    See also Tuber-rot; Potato tuber-rot.
  rot, strawberry, cause and control. D.B. 531, pp. 7–9, 11. 1917.
  strawberries—
    description, and control. F.B. 1458, p. 10. 1925.
    fungi causing. J.A.R., vol. 6, No. 10, p. 361. 1916.
LEAPER, V. C.: "Soil survey of Walworth County, Wis." With others. Soil Sur. Adv. Sh., 1920, pp. 1381–1430. 1924; Soils F.O., 1920, pp. 1381–1430. 1925.
Leasburg diversion dam project, New Mexico, description. O.E.S. Bul. 215, pp. 30–31. 1909.
Lease(s)—
  assumptions underlying contracts. D.B. 650, pp. 28–33. 1918.
  contract(s)—
    desirable features. Y.B., 1916, pp. 345–346. 1917; Y.B. Sep. 715, pp. 25–26. 1917.
    farm. L. C. Gray, and Howard A. Turner. F.B. 1164, pp. 36. 1920.
    farm tenancy, study. Farm M. Chief Rpt., 1917, p. 3. 1917; An. Rpts., 1917, p. 475. 1918.
    kinds and fundamental principles. F.B. 1164, pp. 2, 4–6, 28–33. 1920.
    used in renting farms on shares. E. V. Wilcox. D.B. 650, pp. 36. 1918.
  farm—
    contract of Amenia and Sharon Land Company in large-scale farming in wheat belt. D.C. 351, pp. 26–34. 1925.
    data concerning. D.B. 850, pp. 10–11. 1920.
    points to be considered, and problems, discussion. F.B. 1164, pp. 6–28, 30–33. 1920.
    lands, public and private, nature. Y.B., 1923, pp. 523–529. 1924; Y.B. Sep. 897, pp. 523–529. 1924.
    long and short, advantages. F.B. 1164, pp. 12–15. 1920.
    public land, Texas, Washington, and Wyoming. For. Bul. 62, pp. 40–63. 1905.
    regulations. Adv. Com. F. and B.M. [Misc.], "Fiscal regulations * * *," pp. 26–27. 1917.

Lease(s)—Continued.
  share, special problems, discussion. F.B. 1164, pp. 24–28, 30–33. 1920.
  stock-share, sample form. D.B. 650, pp. 24–27. 1918.
  tenant, in large-scale farming. D.C. 351, pp. 15–16. 1925.
  terms, suggestions. D.B. 650, pp. 33–36. 1918.
Leather—
  analysis, methods. Chem. Bul. 132, pp. 189–192. 1910; Chem. Bul. 137, pp. 171–179. 1911; Chem. Bul. 152, pp. 221–233. 1912.
  bag and bookbinding, requirements and care. F.B. 1183, pp. 17–18. 1920; F.B. 1183, rev., pp. 19–20. 1922.
  beetle, injury to tobacco. D.B. 737, p. 29. 1919.
  bleaching, injurious effects, and prevention. Chem. Bul. 165, pp. 12–13, 14. 1913.
  buying by the side, prices and classes. D.C. 230, pp. 3–4. 1922.
  care of. F. P. Veitch and others. F.B. 1183, pp. 18. 1920; rev., pp. 22. 1922.
  conservation necessity. F.B. 1183, pp. 3–4. 1920.
  cost, disproportion to prices of hides and skins. F.B. 1055, pp. 9–11. 1919.
  demand for various uses. F.B. 1183, rev., pp. 3–4. 1922.
  destruction by—
    carpet beetles. F.B. 1346, p. 8. 1923.
    rats. Biol. Bul. 33, p. 26. 1909.
  dye, formulas. F.B. 1183, rev., p. 21. 1922; F.B. 1334, pp. 14, 18, 20. 1923.
  dyeing, use of osage orange wood. Y.B., 1915, p. 203. 1916; Y.B. Sep. 670, p. 203. 1916.
  exports and consumption. Y.B., 1917, pp. 441, 443. 1918; Y.B. Sep 741, pp. 19, 21. 1918.
  identification. Chem. Cir. 110, pp. 1–2. 1913.
  imports and exports, 1904. B.A.I. An. Rpt., 1904, pp. 495–497. 1905.
  investigation methods and results. D.B. 1168, pp. 2–22. 1923.
  investigations: The composition of some sole leathers. F. P. Veitch and J. S. Rogers. Chem. Bul. 165, pp. 20. 1913.
  lace, tanning directions. D.C. 230, pp. 19–22. 1922.
  mildewing, prevention. F.B. 1183, p. 18. 1920; rev., p. 22. 1922.
  misbranding, as to tanning material used. Chem. Bul. 165, pp. 13–14. 1913.
  oiling directions. F.B. 1183, pp. 8–9, 14, 16, 17. 1920.
  Russian, use of tannin from willows. D.B. 316, p. 35. 1915.
  shoe, wearing qualities. F. P. Veitch and others. D.B. 1168, pp. 25. 1923.
  shortage, and means of reducing. F.B. 1183, pp. 3–4. 1920.
  sole—
    analyses and list of tanners. Chem. Bul. 165, pp. 15–20. 1913.
    and harness, tanning directions. D.C. 230, pp. 6–19. 1922.
    bleaching, injury and prevention. Chem. Bul. 165, pp. 12–13, 14. 1913.
    composition, and changes during wear. D.B. 1168, pp. 12–22. 1923.
    normal, composition. Chem. Bul. 165, pp. 7–8. 1913.
  stains, removal from textiles. F.B. 861, p. 25. 1917.
  substitutes, making, use of castor oil. D.B. 867, pp. 36–37. 1920.
  tanning at home, directions. F.B. 1334, pp. 3–22. 1923.
  tanning studies by Chemistry Bureau. D.C. 137, pp. 19–20. 1922.
  Trades Chemists, report on meeting, 1901. Chem. Bul. 67, pp. 147–149. 1902.
  treatment with castor oil, value. D.B. 867, p. 37. 1920.
  waste from imperfections in hides and skins. F.B. 1055, pp. 6–9. 1919.
  weighting, materials, used, detection and prevention. Chem. Cir. 165, pp. 8–12, 14. 1913.
Leatherfruit, description and uses. Y.B., 1912, p. 511. 1913; Y.B. Sep. 610, p. 511. 1913.
Leatherjackets. See Crane-fly, smoky; Daddy-long-legs.

Leatherwood, fruiting season and use as bird food. F.B. 844, pp. 12, 13. 1917.
Leatherwood. See Moosewood.
Leave of absence—
  accrued, and in excess, on separation from service, Memorandum 307. Adv. Com. F. and B. M. [Misc.], "Administrative regulations," amdt. 5, pp. 5–6. 1920.
  accrued, regulations, Memorandum 283. Adv. Com. F. and B. M. [Misc.], "Administrative regulations," amdt. 3, pp. 3. 1919.
  allowance to employees on separation from Agriculture Department. B.A.I.S.R.A. 140, p. 103. 1919.
  consolidated record, memorandum of Secreatry. Off. Rec., vol. 1, No. 1, pp. 9–10. 1922.
  emergency appointees, and employees entering Army or Navy. B.A.I.S.R.A. 130, p. 14. 1918.
  employees in Alaska, Hawaii, Porto Rico, and Guam, authorization. Sol. [Misc.], "Laws applicable * * * Agriculture," Sup. 2, p. 7. 1915.
  exception of Sundays, holidays, and half-holidays. Chief Clk. [Misc.], "Circular letter on leave * * *," p. 1. 1907.
  military, regulations. Mem. 307. Adv. Com. F. and B. M. [Misc.], "Administrative regulations," amdt. 5, pp. 6–7. 1920.
  restrictions. Mem. 303. Adv. Com. F. and B. M. [Misc.], "Administrative regulations," amdt. 5, pp. 1–2. 1920.
  rules, change. Off. Rec., vol 4, No. 46, p. 4. 1925.
Leavening agent—
  adulteration. Chem. N.J. 2939, p. 1. 1914.
  bread making, Europe. F.B. 389, p. 25. 1910.
Leavitt, Sherman: "Tri-local experiments on the influence of environment on the composition of wheat." With J. A. LeClerc. Chem. Bul. 128, pp. 18. 1910.
Lebanon, Pa., milk supply, statistics, officials, and prices. B.A.I. Bul. 46, pp. 42, 151. 1903.
Lebbek tree, importations and descriptions. No. 39636, B.P.I. Inv. 41, p. 52. 1917; No. 42809, B.P.I. Inv. 47, p. 68. 1920; No. 50713, B.P.I. Inv. 64, p. 17. 1923; Nos. 51901–51902, B.P.I. Inv. 65, p. 66. 1923.
Leben, Egyptian, description and bacteria effecting. B.A.I. An. Rpt., 1909, pp. 153, 155. 1911; B.A.I. Cir. 171, pp. 153, 155. 1911.
Lebertia spp. description. Rpt. 108, pp. 49, 50, 52. 1915.
Lebia—
  grandis, enemy of potato beetle. Ent. Bul. 82, Pt. I, p. 4. 1908.
  ornata, enemy of cherry leaf beetle. D.B. 352, p. 19. 1916.
  viridis, enemy of flea-beetles, description and habits. D.B. 901, p. 22. 1920.
Lecanium—
  host selection of two species. J.A.R., vol. 22, p. 191. 1921.
  nigrofasciatum, description, habits, and control. F.B. 1169, pp. 81–82. 1921.
  peach, description, life history, and treatment. Y.B., 1905, pp. 340–341. 1906; Y.B. Sep. 340–341. 1906.
Lecco, lithium separation method. Chem. Bul. 153, p. 16. 1912.
LeChatelier specific-gravity test and apparatus. D.B. 949, pp. 9–10. 1921.
Lechuguilla, feeding to range stock, description and value. D.B. 728, pp. 8–9, 13, 15 1918.
Lecithin—
  composition, production and study of metabolism. Chem. Bul. 123, pp. 6, 9–13. 1909.
  compounds arising from. Soils Bul. 47, pp. 22–26. 1907.
  decomposition, relation to fishy flavor of butter. B.A.I. Dairy [Misc.], "World's dairy congress, 1923," pp. 977–98]. 1924.
  feeding experiments. Chem. Bul. 123, p. 11. 1909.
  presence in milk and in the mammary gland. B.A.I. Dairy [Misc.], "World's dairy congress, 1923," pp. 1168–1170. 1924.
LeClair, C. A.—
  "Influence of growth of cowpeas upon some physical, chemical, and biological properties of soil." J.A.R., vol. 5, No. 10, pp. 439–448. 1915.

LeClair, C. A.—Continued.
  "Soil survey of Juneau County, Wis." With others. Soil. Sur. Adv. Sh., 1911, pp. 54. 1913; Soils F.O. 11, pp. 1463–1512. 1914.
LeClerc, J. A.—
  "Chemical studies of American barleys and malts." With Robert Wahl. Chem. Bul. 124, pp. 75. 1909.
  "Effect of lime upon the sodium chlorid tolerance of wheat seedlings." With J. F. Breazeale. J.A.R., vol. 18, pp. 347–356. 1920.
  "Effect of various inorganic nitrogen compounds, applied at different stages of growth, on the yield, composition, and quality of wheat." With J. Davidson. J.A.R., vol. 23, pp. 55–68. 1923.
  "Environmental influence on physical and chemical characteristics of wheat." With P. A. Yoder. J.A.R., vol. 1, pp. 275–291. 1913.
  "Graham flour: A study of the physical and chemical differences between Graham flour and imitation Graham flour." With B. R. Jacobs. Chem. Bul. 164, pp. 57. 1913.
  "Malting." Chem. Bul. 130, pp. 36–42. 1910.
  "Plant food removed from growing plants by rain or dew." Y.B., 1908, pp. 389–402. 1909; Y.B. Sep. 489, pp. 389–402. 1909.
  report on dairy products. Chem. Bul. 67, pp. 105–111. 1902.
  "The chemical analyses of wheat-flour substitutes and of the breads made therefrom." With H. L. Wessing. D.B. 701, pp. 12. 1918.
  "The effect of climatic conditions on the composition of durum wheat." Y.B., 1906, pp. 199–212. 1907; Y.B. Sep. 417, pp. 199–212. 1907.
  "The growth of wheat seedlings as affected by acid or alkaline conditions." With J. F. Breazeale. Chem. Bul. 149, pp. 18. 1912.
  "The peanut a great American food." With H. S. Bailey. Y.B., 1917, pp. 289–301. 1918; Y.B. Sep. 746, pp. 15. 1918.
  "Translocation of plant food and elaboration of organic plant material in wheat seedlings." With J. F. Breazeale. Chem. Bul. 138, pp. 32. 1911.
  "Tri-local experiments on the influence of environment on the composition of wheat." With Sherman Leavitt. Chem. Bul. 128, pp. 18. 1910.
Le Conte, J. N.—
  "Mechanical tests of pumping plants in California." With C. E. Tait. O.E.S. Bul. 181, pp. 72. 1907.
  "Mechanical tests of pumps and pumping plants used for irrigation." O.E.S. Bul. 158, pp. 195–255. 1905.
Lecture(s)—
  expenses of authorized. Sol. [Misc.], "Laws applicable * * * agriculture," supp. 2, p. 6. 1915.
  farm women needs, discussion. Rpt. 105, pp. 54–57. 1915.
  illustrated, on soy beans. W. J. Morse and H. B. Hendrick. S.R.S. Syl. 35, pp. 16. 1919.
  roads office, different States. An. Rpts. 1907, pp. 727–730. 1908.
  use of community building. F.B. 1274, pp. 17–18, 24, 26, 28, 32. 1922.
Lecturers, farmer's institutes, qualities, and number. O.E.S. Bul. 251, pp. 9–10, 31–33. 1912.
Ledger—
  accounts, cotton ginneries, assets, and liabilities. D.B. 985, pp. 20–36. 1921.
  accounts, creameries, classification. George O. Knapp and others. D.B. 865, pp. 40. 1920.
  mercantile, use and forms for fruit shipping. D.B. 590, pp. 4, 18–24, 32. 1918.
  patronage dividends, methods. D.B. 271, pp. 6–8. 1916.
Ledum groenlandicum. See Labrador tea.
Lee, A. R.—
  "A simple trap nest for poultry." F.B. 682, pp. 3. 1915.
  "Antineuritic vitamin in poultry flesh and eggs." With Ralph Hoagland. J.A.R., vol. 28, pp. 461–472. 1924.
  "Care of baby chicks." F.B. 1108, pp. 8. 1920.
  "Care of mature fowls." F.B. 1105, pp. 8. 1920.
  "Duck raising." F.B. 697, pp. 23. 1915; rev., pp. 22. 1923.

LEE, A. R.—Continued.
"Fattening poultry." B.A.I. Bul. 140, pp. 60. 1911.
"Feed cost of egg production." With Harry M. Lamon. D.B. 561, pp. 42. 1917.
"Feeding hens for egg production." With Harry M. Lamon. F.B. 1067, pp. 15. 1919.
"Goose raising." With Harry M. Lamon. F.B. 767, pp. 16. 1917.
"Homing pigeons: Their care and training." F.B. 1373, pp. 14. 1924.
"Natural and artificial brooding of chickens." F.B. 1376, pp. 17. 1924.
"Natural and artificial incubation of hens' eggs." F.B. 1363, pp. 18. 1923.
"Ostrich industry in the United States." B.A.I. An. Rpt., 1909, pp. 233–238. 1911; B.A.I. Cir. 172, pp. 233–238. 1911.
"Poultry." Sec. Cir. 122, pp. 12–14. 1918.
"Poultry accounts." With Sheppard Haynes. F.B. 1427, pp. 6. 1924.
"Poultry house construction." F.B. 574, pp. 20. 1914. F.B. 1413, pp. 28. 1924.
"Poultry houses." F.B. 1113, pp. 8. 1920.
"Squab raising." F.B. 684, pp. 16. 1915.
"Standard varieties of chickens." Revision by Rob R. Slocum. F.B. 1347, pp. 18. 1923.
"Standard varieties of chickens. I. The American class." F.B. 1347, rev., pp. 18. 1923.
"The commercial fattening of poultry." D.B. 21, pp. 55. 1914.
"The guinea fowl." Revision by Andrew S. Weiant. F.B. 1391, pp. 13. 1924.
"The poultry industry." With others. Y.B., 1924, pp. 377–456. 1925.
"Turkey raising." With Morley A. Jull. F.B. 1409, pp. 22. 1924.
"Winter egg production." Sec. Cir. 71, pp. 4. 1917.

LEE, H. A.—
"A new bacterial citrus disease." J.A.R., vol. 9, pp. 1–8. 1917.
"Behavior of the citrus canker organism in the soil." J.A.R., vol. 19, pp. 189–206. 1920.
"Further data on the susceptibility of rutaceous plants to citrus canker." J.A.R., vol. 15, pp. 661–666. 1919.

LEE, L. L.: "Soil survey of—
the Belvidere area, New Jersey." With others. Soil Sur. Adv. Sh., 1917, pp. 72. 1920; Soils. F.O., 1917, pp. 125–192. 1923.
the Bernardsville area, New Jersey." With others. Soil Sur. Adv. Sh., 1919, pp. 409–468. 1923; Soils F.O. 1919, pp. 409–468. 1925.
the Camden area, New Jersey." With A. L. Patrick. Soil Sur. Adv. Sh., 1915, pp. 45. 1917; Soils F.O., 1915, pp. 155–195. 1919.
the Chatsworth area, New Jersey." With others. Soil Sur. Adv. Sh., 1919, pp. 469–515. 1923; Soils F.O., 1919, pp. 469–515. 1925.
the Freehold area, New Jersey." With others. Soil Sur. Adv. Sh., 1913, pp. 51. 1916; Soils F.O., 1913, pp. 95–141. 1916.
the Millville area, New Jersey." With others. Soil Sur. Adv. Sh., 1917, pp. 46. 1921; Soils F.O., 1917, pp. 193–234. 1923.
Winn Parish, Louisiana." With others. Soil Sur. Adv. Sh., 1907, pp. 37. 1909; Soils F.O., 1907, pp. 557–589. 1909.

LEE, ORA, Jr.: "Soil survey of—
Madison County, N. Y." With others. Soil Sur. Adv. Sh., 1906, pp. 51. 1907; Soils F.O., 1906, pp. 119–165. 1908.
Monroe County, Miss." With others. Soil Sur. Adv. Sh., 1908, pp. 48. 1910; Soils F.O., 1908, pp. 799–842. 1911.
Montgomery County, N. Y." With Clarence Lounsberry. Soil Sur. Adv. Sh., 1908, pp. 42. 1909; Soils F.O., 1908, pp. 159–196. 1911.
Montgomery County, Va." With R. A. Winston. Soil Sur. Adv. Sh., 1907, pp. 37. 1908; Soils F.O., 1907, pp. 193–225. 1909.
Ontario County, N. Y." With others. Soil Sur. Adv. Sh., 1910, pp. 55. 1912; Soils F.O., 1910, pp. 93–143. 1912.
the Brownsville area, Texas." With A. W. Mangum. Soil Sur. Adv. Sh., 1907, pp. 32. 1908; Soils F.O., 1907, pp. 705–732. 1909.

LEE, ORA, Jr.: "Soil survey of—Continued.
the Laredo area, Texas." With A. W. Mangum. Soil Sur. Adv. Sh., 1906, pp. 28. 1908; Soils F.O., 1906, pp. 481–504. 1908.
the Orono area, Maine." Soil Sur. Adv. Sh., 1909, pp. 38. 1910; Soils F.O., 1909, pp. 41–74. 1912.
the Scranton area, Miss." With others. Soil Sur. Adv. Sh., 1909, pp. 38. 1910; Soils F.O., 1909, pp. 887–920. 1912.

LEE, W. D.—
"Reconnaissance soil survey of Ontonagon County, Mich." With others. Soil Sur. Adv. Sh., 1921, pp. 73–100. 1923.
"Soil survey of—
Cherokee County, N. C." With others. Soil Sur. Adv. Sh., 1921, pp. 305–322. 1924.
Guilford County, N. C." With others. Soil Sur. Adv. Sh., 1920, pp. 167–199. 1923; Soils F.O., 1920, pp. 167–199. 1925.
Haywood County, N. C." With others. Soil Sur. Adv. Sh., 1922, pp. 203–224. 1925.
Onslow County, N. C." With others. Soil Sur. Adv. Sh., 1921, pp. 101–127. 1923.

LEE, W. H.: "Certified milk." B.A.I. Dairy [Misc.], "World's dairy congress, 1923," pp. 582–585. 1924.

Leeches—
cattle, treatment. B.A.I. [Misc.], "Diseases of cattle," rev., p. 519. 1923.
disease carrier to fishes and frogs. B.A.I. An. Rpt., 1910, pp. 473, 491. 1912; B.A.I. Cir. 194, p. 473, 491. 1912.
use by Indians. Ent. Bul. 72, p. 63. 1907.

Leek(s)—
cultural directions, and use. D.C. 48, p. 9. 1909; F.B. 354, p. 30. 1909; F.B. 937, p. 41. 1918; S.R.S. Doc. 49, p. 6. 1917.
drying directions. D.C. 3, p. 13. 1919.
importations and descriptions. Nos. 44247, 44294, 44313–44315, B.P.I. Inv. 50, pp. 47, 54, 57. 1922.
insect pests, list. Sec. [Misc.], "A manual of insects," pp. 157–158. 1917.
susceptibility to *Urocystis cepulae*. J.A.R., vol. 31, p. 275. 1925.
use as food, and cooking directions. D.B. 123, p. 21. 1916; O.E.S. Bul. 245, p. 34. 1912.

Lee's hazel antiseptic, cones, misbranding. See *Indexes, Notices of Judgment, in bound volumes and in separates published as supplements to Chemistry Service and Regulatory Announcements.*

LEETE, C. S.—
"Continuous flow holders used in pasteurization, especially in regard to the time factor, from a bacteriologist's standpoint." B.A.I. Dairy [Misc.], "World's dairy congress, 1923," pp. 1212–1218. 1924.
"Inspection of milk supplies." With Ernest Kelly. D.C. 276, pp. 37. 1923.

Leeward Islands, nursery stock inspection, officials. F.H.B.S.R.A. 7, p. 64. 1914; F.H.B.S.R.A. 20, p. 74. 1915; F.H.B.S.R.A. 32, p. 120. 1916.

LE FEBER, JOHN: "Problems by which the city milk dealer is confronted." B.A.I. Dairy [Misc.], "World's dairy congress, 1923," pp. 851–855. 1924.

LE FEVRE, C. C., report on salol determination by bromin solutions. Chem. Bul. 162, pp. 203–204. 1913.

LE FEVRE, EDWIN—
"Fermented pickles." F.B. 1159, pp. 23. 1920.
"Flora of corn meal." With Charles Thom. J.A.R., vol. 22, pp. 179–188. 1921.
"Making fermented pickles." F.B. 1438, pp. 17. 1924.
"Making vinegar in the home and on the farm." F.B. 1424, pp. 29. 1924.

LEFFERTS, D. C., report of Redlands Orange Growers' Association, California. Rpt. 98, pp. 185–187. 1913.

Leg—
mange—
chicken. See also Scaly leg.
disease of fowls and birds, cause, symptoms, and treatment. F.B. 530, pp. 34–35. 1913.
weakness. See Rickets.

Legal—
proceedings—
food and drugs act violations, 1909. An. Rpts., 1909, pp. 741-759. 1910; Sol. A. R., 1909, pp. 7-25. 1909.
quarantine law violations, 1909. An. Rpts., 1909, pp. 777-781. 1910; Sol. A.R., 1909, pp. 43-47. 1909.
28-hour law violations, 1909. An. Rpts., 1909, pp. 759-773. 1910; Sol. A.R., 1909, pp. 25-39. 1909.
services, laws applicable. Sol. [Misc.], "Laws applicable * * * Agriculture," Sup. 2, p. 111. 1915.
standards dairy products in different States. B.A.I. An. Rpt., 1910, p. 511. 1912.
work. *See* Law; Legislation; Solicitor's report.
Leggett's killer, analysis. Chem. Bul. 68, p. 56. 1902.
Legislation—
adverse to private-game preserves, various States. Biol. Cir. 72, pp. 8-10. 1910.
agricultural. Off. Rec., vol. 1, No. 40, pp. 1-2. 1922; vol. 2, No. 10, pp. 1-2. 1923; vol. 3, No. 9, pp. 1, 2, 5, 7. 1924.
agricultural colleges and experiment stations. O.E.S. Cir. 111, pp. 1-24. 1911.
Agriculture Department. Sol. [Misc.], "A brief statutory history * * *," pp. 26. 1916.
aid to agriculture. Sec. Cir. 133, pp. 3-4, 9-10. 1919.
amendments and recommendations. An. Rpts., 1920, pp. 49-57. 1921; Sec. A.R., 1920, pp. 49-57. 1920.
antinarcotic. F.B. 393, p. 3. 1910.
bird protection—
Hawaiian Islands, needs. Y.B., 1911, p. 164. 1912; Y.B. Sep. 557, p. 164. 1912.
other than game birds. T. S. Palmer. Biol. Bul. 12, rev., pp. 143. 1902.
boll-weevil restrictions. Ent. Bul. 114, pp. 164-168. 1912.
bounty, destruction of noxious animals, 1905. Y.B., 1905, p. 621. 1906; Y.B. Sep. 405, p. 621. 1906.
bovine tuberculosis, digest of laws in force and a transcript of the laws, rules, and regulations, and proclamations for the several States and Territories. D. E. Salmon. B.A.I. Bul. 28, pp. 173. 1901.
Canadian, for the protection of birds. Biol. Bul. 12, rev., pp. 127-133. 1902.
cold storage, discussion. Chem. Bul. 115, pp. 108-112. 1908.
control laws for arid lands, need of. D.B. 1001, pp. 2-3, 4. 1922.
crow control. D.B. 621, pp. 80-81. 1918.
drug, State and Federal. Lyman F. Kebler and Earl T. Ragan. Chem. Bul. 98, pp. 217. 1906; rev., pp. 343. 1909.
enforcement of food laws, State, Federal, and Canadian. Chem. Cir. 16, pp. 1-29. 1904.
farm in New Hampshire. Off. Rec., vol. 4, No. 19, p. 3. 1925.
farm-mortgage loans, desirability. D.B. 384, pp. 15-16. 1916.
farmers' institutes, United States and the Province of Ontario, Canada. John Hamilton. O.E.S. Bul. 135, pp. 35. 1903.
Federal—
affecting agricultural colleges and experiment stations. O.E.S. Cir. 68, pp. 20. 1906; O.E.S. Cir. 68, pp. 21, rev., 1908; O.E.S. Cir. 111, pp. 24. 1911; O.E.S. Cir. 111, rev., pp. 26. 1912.
affecting land-grant colleges and experiment stations. D.C. 251, pp. 50. 1923; D.C. 251, rev., pp. 56. 1925.
for road building and maintenance, and the distribution of surplus war materials. M.C. 60, pp. 20. 1925.
regulations and rulings, affecting agricultural colleges and experiment stations. O.E.S. An. Rpt., 1903, pp. 254-270. 1904.
fertilizer—
California. Chem. Bul. 90, pp. 230-231. 1905.
report of committee, Association Official American Chemists, 1906. Chem. Bul. 105, pp. 174-176. 1907.

Legislation—Continued.
fertilizer—continued.
suggestions. Chem. Bul. 122, pp. 185-187. 1909.
food—
and drug, progress, 1907. Y.B., 1907, pp. 553-556. 1908.
and food control. Chem. Bul. 69, rev., Pts. I-IX, pp. 778. 1906.
during the year ended June 30, 1907. W. D. Bigelow. Chem. Bul. 112, Pt. I, pp. 155. 1908. Chem. Bul. 112, Pt. II, pp. 155. 1908.
during the year ended June 30, 1908. W. D. Bigelow and N. A. Parkinson. Chem. Bul. 121, pp. 85. 1909.
enforcement, officials of United States and Canada. Chem. Cir. 16, rev., pp. 1-39. 1910.
forest—
by States, 1907. Y.B., 1907, pp. 574-576. 1908; Y.B. Sep. 470, pp. 574-576. 1908.
needs of States. D.B. 364, pp. 1-3. 1916.
ownership and control, need. Sec. Cir. 134, pp. 9-11. 1919.
West Virginia, table of acts. For. Law Leaf. 22, pp. 1, 10. 1917.
forestry—
in States, review of 1921. D.C. 239, pp. 1-28. 1922.
State and Federal. For. A.R. 1925, pp. 4-6. 1925.
fruit inspection, Pacific Northwest. F.B. 153, pp. 15-16. 1902.
game—
1925, review. F.B. 1466, pp. 1-7. 1925.
and court decisions. Y.B., 1908, pp. 588-590. 1909; Y.B. Sep. 500, pp. 588-590. 1909.
bills failing to pass. F.B. 376, pp. 15-16. 1909.
in Arkansas, discussion. Biol. Bul. 38, pp. 10-11. 1911.
helpful to farmers—
1916. Y.B., 1916, pp. 10-11, 63, 68, 72-74. 1917; Y.B. Sep. 698, pp. 1, 6, 10-12. 1917.
1919. Past action and future steps. An. Rpts., 1919, pp. 42-45. 1920; Sec. A.R., 1919, pp. 44-47. 1919.
1922. Y.B., 1922, pp. 12-13, 47-49. 1923; Y.B. Sep. 883, pp. 12-13, 47-49. 1923.
hog tuberculosis, control, recommendation. B.A.I. Cir. 201, pp. 39-40. 1912.
hunting license—
index of laws, United States and Canada, 1872-1904. Biol. Bul. 19, pp. 55-56. 1904.
summary. Biol. Bul. 19, pp. 19-23. 1904.
industrial alcohol. John G. Capers. Chem. Bul. 130, pp. 146-152. 1910.
insect pests, discussion. Ent. Bul. 60, pp. 95-106. 1906.
irrigation, recent—
R. P. Teele. O.E.S. An. Rpt., 1909, pp. 399-414. 1910.
in Western States. O.E.S. Cir. 108, p. 10. 1911.
land-grant college and experiment station. D.C. 251, pp. 1-56. 1925.
milk supply of Pittsburg. B.A.I. Cir. 151, pp. 20-23. 1909.
nursery importations, enforcements, Federal and State officials. Sec. Cir. 37, pp. 10-11. 1911.
plant diseases, quarantine. B.P.I. Cir. 129, pp. 17-19. 1913.
preservatives in food. Chem. Bul. 116, pp. 16-20. 1908.
recommendations for 1926. Sec. A.R., 1925, pp. 21-23. 1925.
regulations, effect on irrigation work. D.B. 1340, pp. 33-36. 1925.
results and needs. Sec. A.R., 1925, pp. 21-30, 48, 76-79, 82, 87-89. 1925.
road improvement, different States. Y.B., 1901, p. 679. 1902; Y.B., 1902, p. 734. 1903; Y.B., 1903, p. 569. 1904; Y.B., 1904, p. 610. 1905; Y.B., 1905, p. 624. 1906.
rural credit, preparation. Off. Rec., vol. 1, No. 52, p. 1. 1922.
stallion, requirements and effects. Y.B., 1916, pp. 289-293, 294-299. 1917; Y.B., Sep. 692, pp. 1-5, 6-11. 1917.

INDEX TO PUBLICATIONS, 1901-1925 1353

Legislation—Continued.
State—
affecting Experiment Stations. O.E.S. An. Rpt., 1922, pp. 8-9. 1921.
agricultural education, 1906, 1907, 1908. O.E.S. An. Rpt., 1908, pp. 273-277. 1909.
health laws, necessity. Y.B., 1913, pp. 133-134. 1914; Y.B. Sep, 619, pp. 133-134. 1914.
regarding standard sized containers. An. Rpts., 1916, p. 390. 1917; Mkts. Chief Rpt., 1916, p. 6. 1916.
sugar. Y.B., 1923, pp. 221-226. 1924; Y.B. Sep. 893, pp. 89-95. 1924.
tetanus antitoxin. B.A.I. Bul. 121, p. 22. 1909.
tidal marsh drainage. O.E.S. Bul. 240, pp. 68-72, 79-80. 1911.
tuberculosis. B.A.I. Bul. 28, pp. 7-173. 1901.
water rights, review. O.E.S. An. Rpt., 1908, pp. 357-362. 1909.
See also Laws.
Legume(s)—
acreage in South, 1879-1919. Y.B., 1921, p. 337. 1922; Y.B. Sep. 877, p. 337. 1922.
adaptability to dry farming. F.B. 329, p. 12. 1908.
adaptation to Guam, climate, soil, and effect on soil. Guam Bul. 4, pp. 5-6. 1922.
alfalfa and clovers, fertilizer experiments in Porto Rico. P.R. An. Rpt., 1921, p. 22. 1922.
alkali tolerance. F.B. 446, rev., pp. 13, 21-24. 1920.
and cheese combinations, nutritive value. Y.B., 1910, p. 369. 1911; Y.B. Sep. 543, p. 369. 1911.
bacteria—
cultures, preparation, distribution, and use. F.B. 315, pp. 1-20. 1908.
discovery, value to agriculture. Y.B., 1916, p. 67. 1917; Y.B. Sep. 698, p. 5. 1917.
identification, cultural and biochemical characteristics. J.A.R., vol. 14, pp. 319-320. 1918.
beneficial bacteria for. F.B. 214, pp. 1-48. 1905.
characteristics, nodules and nodule bacteria. S.R.S. Syl. 24, pp. 1-2. 1917; S.R.S. Syl. 25, pp. 1-2. 1917.
chemical analysis of plant ash. D.B. 600, pp. 9, 14. 1917.
chemical composition. O.E.S. Bul. 159, pp. 40, 43. 1905.
classification, value as nitrogen gatherers. B.P.I. Cir. 60, p. 19. 1910.
composition, rich in lime and mineral matter. F.B. 329, p. 23. 1908.
cooking lessons for first-year classes, and correlative studies. D.B. 540, pp. 39, 40. 1917.
crops, other than soy beans, comparisons. F.B. 931, p. 6. 1918.
crossing, experiments and results. B.P.I. Bul. 167, pp. 23-25. 1910.
cultivation and value in Virgin Islands. Vir. Is. An. Rpt., 1924, pp. 5-6. 1925.
culture experiments. Hawaii A.R., 1913, pp. 43-49. 1914.
curing for hay. F.B. 677, pp. 4-5. 1915.
demonstration work among negroes. D.C. 355, pp. 9-10. 1925.
digestibility—
and nutritive value, studies at University of Tennessee, 1901-1905. Chas. E. Wait. O.E.S. Bul. 187, pp. 55. 1907.
investigations. D.B. 717, pp. 2-3. 1918; O.E.S. Bul. 159, pp. 190-192. 1905.
distribution, importance to agriculture. Y.B., 1908, p. 245. 1909; Y.B. Sep. 478, p. 245. 1909.
dry farming. F.B. 388, p. 11. 1910.
experiments in Hawaii. Hawaii A.R., 1913, pp. 43-49. 1914.
feed—
crops, production and importance. Y.B., 1923, pp. 359-365. 1924; Y.B. Sep. 895, pp. 359-365. 1924.
value and tests. Guam Bul. 4, pp. 2-3, 9-10, 28. 1922.
fertilizers, proportions and directions. S.R.S. Doc. 30, p. 12. 1916.
fertilizing constituents. F.B. 973, p. 31. 1918; F.B. 1153, p. 22. 1920.
forage crop—
cultivation, practices in western Oregon and Washington. F.B. 271, pp. 14-25, 38. 1906.

Legume(s)—Continued.
forage crop—continued.
tests at Arlington Experimental Farm. Rpt. 73, p. 18. 1902.
value. F.B. 147, pp. 22-34. 1902.
fungus in roots. J.A.R., vol. 29, pp. 459-470. 1924.
green manure—
chemical studies, Hawaii. Alice R. Thompson. Hawaii Bul. 43, pp. 26. 1917.
experiments with acid soils. J.A.R., vol. 13, pp. 175-187. 1918.
in growing corn. F.B. 1149, p. 5. 1920.
in rice soils. Hawaii Bul. 31, p. 17. 1914.
need in Hawaii. Hawaii A.R., 1915, pp. 14, 32-33, 40. 1916.
green, use as food, and cooking directions. D.B. 123, pp. 43-44. 1916.
growing—
and testing, Hawaii, 1916. Hawaii A.R., 1916, pp. 9, 27, 36. 1917.
failure, causes. F.B. 326, pp. 16-17. 1908.
for soil improvement and catch crops. F.B. 981, pp. 13-16. 1918.
in Alaska—
experiments and varieties. Alaska A.R., 1913, pp. 31-32, 40-43. 1914.
experiments with alfalfa, vetch, and peas. Alaska A.R., 1917, pp. 26-27, 36-39, 65-67, 75. 1919.
in Corn Belt. Sec. [Misc.], "Grain farming in * * *," pp. 17-22. 1916.
in Cotton Belt. Y.B., 1921, p. 346. 1922; Y.B. Sep. 877, p. 346. 1922.
in Guam, cultural directions, planting and harvesting. Guam Bul. 4, pp. 6-9. 1922.
in Hawaii—
for hog pastures. Hawaii Bul. 48, pp. 31, 33. 1923.
variety testing and yields. Hawaii A.R., 1915, pp. 40-41. 1916.
in manganiferous soils, observations and experiments. Hawaii Bul. 26, pp. 24-25, 27. 1912.
in Maryland, Frederick County. Soil Sur. Adv. Sh., 1919, pp. 27, 29, 36, 73. 1922; Soils F.O., 1919, pp. 667, 669, 676, 713. 1925.
in Missouri, kind and value. D.B. 633, pp. 22-24. 1918.
in North Dakota, McHenry County. Soil Sur. Adv. Sh., 1921, p. 942. 1925.
in Oregon, yields, and variety tests. W.I.A. Cir. 17, pp. 4, 7, 11, 22-27. 1917.
in Porto Rico—
practices. P.R. An. Rpt., 1923, pp. 4-5, 8. 1924.
value in reclamation of worn-out lands. P.R. An. Rpt., 1914, p. 9. 1915.
in South to increase crop yields. F.B. 1121, pp. 8-14. 1920.
in Virgin Islands. Vir. Is. A.R., 1923, p. 4. 1924.
nitrogen gains, pot experiment. Chem. Bul. 152, pp. 59-60. 1912.
on—
acid soils, plants suitable. D.B. 6, pp. 9-11. 1913.
cotton lands for green manure. D.B. 659, pp. 32-34. 1918.
relation to use of fertilizers. F.B. 398, pp. 6-7. 1910.
to improve poor land. Y.B., 1915, pp. 119-120. 1916; Y.B. Sep. 661, pp. 119-120. 1916.
with—
crimson clover. F.B. 550, p. 15. 1913.
nonlegumes, experiments. O.E.S. An. Rpt., 1910, pp. 82, 203. 1911.
oats. F.B. 424, pp. 12-13. 1910.
growth and weight per acre, California orchards. B.P.I. Bul. 190, pp. 25-27. 1910.
hay. See Hay, legume.
heating, effect of insect injuries, and control methods. F.B. 1275, pp. 23-33. 1923.
importance in Japanese diet. O.E.S. Bul. 159, p. 137. 1905.
importations, and descriptions. Nos. 46322-46328, 46338-46354, 46358-46373, 46490-46499, 46502-46521, 46525-46530, B.P.I. Inv. 56, pp. 2, 9, 11, 21, 22, 23. 1922.
improvement work in 1923. D.C. 343, pp. 4-5. 1925.

Legume(s)—Continued.
  in corn rotations, necessity and value. F.B. 406, p. 12. 1910; Y.B., 1911, pp. 328–333, 335, 336. 1912; Y.B. Sep. 572, pp. 328–333, 335, 336. 1912.
  injury by—
    boron in soils. J.A.R., vol. 5, No. 19, p. 887. 1916.
    legume pod moth, experimental planting. Ent. Bul. 95, Pt. VI, pp. 89–104. 1912.
  inoculation—
    Karl F. Kellerman and T. R. Robinson. F.B. 240, pp. 8. 1905.
    and the litmus reaction of soils. Karl F. Kellerman and T. R. Robinson. B.P.I. Cir. 71, pp. 11. 1910.
    conditions affecting. Karl F. Kellerman and T. R. Robinson. B.P.I. Bul. 100, Pt. VIII, pp. 15. 1907; B.P.I. Bul. 100, pp. 73–83. 1907.
    cultures, relation to bean wilt, study. J.A.R., vol. 24, pp. 749–752. 1923.
    distribution of cultures by Department of Agriculture. B.P.I. Cir. 63, p. 5. 1910.
    field tests and results with different soils and crops. F.B. 315, pp. 10, 14–20. 1908.
    for green-manure crops. B.P.I. Bul. 190, p. 14. 1910.
    methods. Karl F. Kellerman. B.P.I. Cir. 63, pp. 5. 1910.
    progress. Karl F. Kellerman and T. R. Robinson. F.B. 315, pp. 20. 1908.
    studies for schools. D.B. 521, pp. 29–31, 32. 1917.
    when desirable and when useless. F.B. 315, p. 13. 1908.
    with bacteria. B.P.I. Chief Rpt., 1924, pp. 35–36. 1924.
  insects injuring, Hawaii. Hawaii A.R., 1911, pp. 10, 17–24. 1912.
  mixture with Sudan grass—
    for hay, yields and value. D.B. 981, pp. 37–41. 1921.
    yields and forage value. F.B. 1126, pp. 10–11. 1920.
  native—
    in Nebraska and Kansas, number and distribution, additional notes. Joseph Allen Warren. B.P.I. Cir. 70, pp. 8. 1910.
    in Nebraska and Kansas, number and distribution of, notes on. Joseph Allen Warren. B.P.I. Cir., 31, pp. 9. 1909.
    to Guam description. Guam Bul. 4, pp. 25–28. 1922.
  nematode-resistant. F.B. 315, p. 12. 1908.
  new importations. B.P.I. Bul. 153, pp. 7, 8. 1909; B.P.I. Bul. 168, pp. 7, 16, 21. 1909.
  new, need in United States. Y.B., 1908, p. 245. 1909; Y.B. Sep. 478, p. 245. 1909.
  nitrogen—
    content, above ground, in roots, and in whole plant. Hawaii Bul. 43, pp. 13–19. 1917.
    fixing in soils, studies. D.B. 355, pp. 42–43, 45. 1916.
    forming bacteria, source of fertilizer. Y.B., 1919, p. 116. 1920; Y.B. Sep. 803, p. 116. 1920.
    gain from atmosphere. Hawaii Bul. 43, pp. 20–24. 1917.
    value, list. S.R.S. Syl. 34, pp. 15–22. 1918.
  nodule bearing, importations. Nos. 44040, 44113, 44143, B.P.I. Inv. 50, pp. 7, 18, 30, 34. 1922.
  nodule development, effect of soil temperature. Fred Reuel Jones and W. B. Tisdale. J.A.R. vol. 22, pp. 17–31. 1921.
  nutrients, proportions in Japanese diet. O.E.S. Bul. 159, p. 137. 1905.
  Palestine, importations, value as cover crop for California oranges. Inv. Nos. 28761–28762. B.P.I. Bul. 223, pp. 7, 47–48. 1911.
  percentage of crops, and effect on farm yields and profits. D.B. 625, pp. 4–6. 1918.
  planting—
    for economical feeding of dairy stock. Sec. Cir. 85, p. 14. 1918.
    in Cotton Belt for feed and soil fertility. F.B. 1379, pp. 1–2. 1923.
    in pecan orchards. D.B. 756, pp. 9–10. 1919.
    with Para grass. Guam Bul. 1, p. 14. 1921.
    with sorghums in Guam. Guam Bul. 3, p. 20. 1922.

Legume(s)—Continued.
  pod maggot, description, and parasites. Ent. Bul. 95, Pt. VI, pp. 105–108. 1912.
  preference for green-manure crops, selection importance. F.B. 1250, pp. 32–33. 1922.
  preparation as food for children. F.B. 717, rev., pp. 14–15. 1920.
  production—
    in Hawaii, varieties, kinds, and description. Hawaii A.R., 1917, pp. 29–30, 49. 1918.
    principal kinds. F.B. 278, pp. 7, 15–27. 1907.
  propagation by cuttings. B.P.I. Bul. 102, pp. 33–37. 1907.
  relation to farm income and crop yields, Oregon farms. D.B. 705, pp. 11–12, 15–18. 1918.
  root nodules, differences, investigations. O.E.S., An. Rpt., 1910, p. 146. 1911.
  root tubercles, studies and general history. O.E.S. Bul. 194, pp. 87–92. 1907.
  rotation with various grains, studies in Hawaii. Hawaii A. R., 1910, pp. 55–57. 1911.
  seed(s)—
    characters. F.B. 428, p. 15. 1911.
    coats, investigations, historical summary. D.B 844, pp 26–35. 1920.
    description, general. F.B. 382, p. 15. 1909.
    impermeability, studies. J.A.R. vol. 6, No. 20, pp. 761–796. 1916.
    supply, importance, and sections producing. Y.B., 1917, pp. 509–517. 1918; Y.B. Sep. 757, pp. 15–23. 1918.
    weights, moisture and nitrogen content. Hawaii Bul. 43, p. 5. 1917.
  silage combinations, value. J.A.R. vol. 6, No. 14, pp. 528, 529, 530, 533. 1916.
  soils adapted, and fertilizer requirements. D.B. 355, p. 84. 1916.
  suitability for hay and green manure in crop rotation, cooperative experiments. B.P.I. Cir. 84, pp. 15–20. 1911.
  toleration of alkali in soil. Soil Sur. Adv. Sh., 1921, p. 278. 1924.
  transpiration studies, Akron, Colorado. J.A.R., vol. 7, pp. 158–203, 207–208. 1916.
  use and value—
    in grain farming, varieties and description. F.B. 704, pp. 2, 17–26. 1916.
    in hog feed. News L., vol. 6, No. 2, pp. 1–2. 1918.
    of the velvet bean. F.B. 451, pp. 10–15. 1911.
  use as—
    companion crops in corn growing in South. B.P.I. Doc. 730, pp. 8–12. 1912.
    cover crops for citrus orchards. F.B. 1447, p. 25. 1925.
    food, studies. O.E.S. Bul. 245, pp. 55–58, 60–62. 1912.
    forage crop in cotton region. F.B. 509, pp. 21–33. 1912.
    green manure. S.R.S. Syl. 24, pp. 6–7. 1917; S.R.S. Syl. 25, pp. 7–8. 1917.
    green manure, chemical studies, Hawaii, 1917. Hawaii A.R., 1917, pp. 27, 29–33, 49. 1918.
    use for soil improvement in Gulf-coast region. F.B. 986, pp. 10–17. 1918.
  use in—
    cotton States for hay, pasture, and green manure. F.B. 1125, rev., pp. 28–47. 1920.
    feeding dairy cows, to save grain. B.A.I. Doc. A–25, p. 1. 1917.
    fertilizing soil for potato growing. F.B. 386, p. 5. 1910.
    maintenance of soil fertility. F.B. 406, pp. 11–12. 1910.
    rotation with wheat. Y.B., 1921, p. 97. 1922; Y.B. Sep. 873, p. 97. 1922.
  value—
    and uses. Guam Bul. 4, pp. 1–5. 1922.
    as cover crops and shade, Porto Rico, experiments. P.R. An. Rpt., 1914, pp. 9, 20–22. 1915.
    as fertilizer in wheat growing. F.B. 596, pp. 3, 4, 5. 1914.
    as meat substitute, digestibility. Y.B., 1910, pp. 360, 363–364. 1911; Y.B. Sep. 543, pp. 360, 363–364. 1911.
    for cover crop in avocado orchards. Hawaii Bul. 51, p. 10. 1924.
    in crop rotation systems, kinds and selection. F.B. 787, pp. 10–12. 1916.

Legume(s)—Continued.
  value—continued.
    in farm rotation. B.P.I. Cir. 31, p. 8. 1909.
    in soil-renovation for corn crops. F.B. 319, pp. 16–17. 1908.
    varietal tests, Yuma Experiment Farm, in 1919–1920. D.C. 221, pp. 27–28. 1922.
  varieties—
    forage-crop experiments in Texas. B.P.I. Cir. 106, p. 23. 1913.
    growing in Alaska, experiments. Alaska A.R., 1911, pp. 43–44. 1912.
    testing in Guam. Guam Bul. 4, pp. 10–24. 1922.
  water requirement in Colorado, 1911, experiments. B.P.I. Bul. 284, pp. 29–33. 1913.
  water requirements. J.A.R., vol. 3, pp. 27–36, 55, 56, 59–60. 1914.
  wild, distribution, factors influencing. B.P.I. Cir. 31, p. 7. 1909.
  wild, Porto Rico, value for cover crops, description. P.R. Bul. 19, pp. 21–25. 1916.
  winter—
    for Cotton Belt, introduction. Y.B., 1908, p. 48. 1909.
    for winter cover crops in South. News L., vol. 1, No. 4, pp. 3–4. 1913.
    list, and value. News L., vol. 5, No. 6, pp. 6–7. 1917.
    use in South. An. Rpts., 1908, p. 399. 1909; B.P.I. Chief Rpt., 1908, p. 127. 1908.
  See also Alfalfa; Beans; Clover; Cowpeas; Peas.
Legumelin, properties, discussion. A.O.A.C. report, 1903. Chem. Bul. 81, p. 101. 1904.
Legumin, properties, discussion. A.O.A.C. report, 1903. Chem. Bul. 81, pp. 98–100. 1904.
Leguminosae—
  family characters. For. [Misc.], "Forest trees for the Pacific * * *," pp. 361–362. 1908.
  plants susceptible to *Thielavia basicola*. J.A.R., vol. 7, pp. 293, 294. 1916.
  Porto Rico, description and uses. D.B. 354, pp. 71–75. 1916.
  value as nitrogen-gathering plants. Y.B., 1910, pp. 214, 215, 216, 218. 1911; Y.B. Sep. 530, pp. 214, 215, 216, 218. 1911.
Leguminous—
  cover crops, injury to pineapples. P.R. Bul. 19, pp. 28–29. 1916.
  crops—
    Algeria. B.P.I. Bul. 80, pp. 79–84. 1905.
    beneficial bacteria for. Geo. T. Moore and T. R. Robinson. F.B. 214, pp. 48. 1905.
    for green manuring. C. V. Piper. F.B. 278, pp. 30. 1907.
    growing for improvement of sandy soils. F.B. 329, pp. 6–10. 1908.
    necessity for improvement of soil. Y.B., 1908, pp. 409, 412, 419. 1909; Y.B. Sep. 490, pp. 409, 412, 419. 1909.
    utilization. S.R.S. Syl. 24, p. 6. 1917; S.R.S. Syl. 25, pp. 6–7. 1917.
    value for corn land. F.B. 414, pp. 13–14. 1910.
  food crops, acreage limited by bean and pea weevils. F.B. 983, pp. 18–20. 1918.
  forage crops—
    for the North, illustrated lecture. Charles V. Piper and H. B. Hendrick. S.R.S. Syl. 25, pp. 18. 1917.
    for the South, illustrated lecture. Charles V. Piper and H. B. Hendrick. S.R.S. Syl. 24, pp. 16. 1917.
    new, search for. C. V. Piper. Y.B. 1908, pp. 245–260. 1909; Y.B. Sep. 478, pp. 245–260. 1909.
  forage plants—
    clover and other, handling of seeds, remarks. Y.B., 1901, pp. 236–243. 1902.
    Hawaii, list and description. Hawaii Bul. 36, pp. 29–32. 1915.
    vegetative propagation. J. M. Westgate and George W. Oliver. B.P.I. Bul. 102, Pt. IV, pp. 7. 1907.
  plants—
    nitrogen gathering, process, explanation. F.B. 271, pp. 13–14. 1906.
    nodule bacteria. F. Löhnis and Roy Hansen. J.A.R., vol. 20, pp. 543–556. 1921.
    soil inoculation. F.B. 124, pp. 7–10. 1901.

Leguminous—Continued.
  plants—continued.
    value as soil renovators, discussion. B.P.I. Bul. 94, pp. 13–14. 1906.
    pollen, type and shape of grains. Chem. Bul. 110, pp. 73–74. 1908.
    shade trees, need on denuded lands, Porto Rico. P.R. An. Rpt., 1914, pp. 8, 12. 1916.
Lehigh Valley Railroad Co., 28-hour law violation, decision, 1911. An. Rpts. 1911, p. 775. 1912; Sol. Cir. 65, pp. 1–3. 1912; Sol. Cir. 75, pp. 1–4. 1913; Sol. A.R., 1911, p. 19. 1911.
Lehmann-Bean test, certified milk. D.B. 1, p. 32. 1913.
LEIBY, R. W.—
  "The polyembryonic development of *Platygaster vernalis*." With C. C. Hill. J.A.R., vol. 28, pp. 829–840. 1924.
  "The twinning and monoembryonic development of *Platygaster hiemalis*, a parasite of the Hessian fly." With C. C. Hill. J.A.R., vol. 25, pp. 337–350. 1923.
LEIDIGH, A. H.—
  "Cereal experiments in the Texas Panhandle." With John F. Ross. B.P.I. Bul. 283, pp. 79. 1913.
  "Milo as a dry-land grain crop." With Carleton R. Ball. F.B. 322, pp. 23. 1908.
Leighton, Alan—
  "Factors influencing the crystallization of lactose." With Philip Norman Peter. B.A.I. Dairy [Misc.], "World's dairy congress, 1923," pp. 477–488. 1924.
  "Factors influencing the heat coagulation of milk and the thickening of condensed milk." With Edgar F. Deysher. B.A.I. Dairy [Misc.], "World's dairy congress, 1923," pp. 1276–1284. 1924.
LEIGHTON, GERALD: "The present position of milk administration in Scotland." With Archibald Stalker. B.A.I. Dairy [Misc.], "World's dairy congress, 1923," pp. 1336–1340. 1924.
LEIGHTON, HENRY: "Road materials of southern and eastern Maine." With Edson S. Bastin. Rds. Bul. 33, pp. 56. 1908.
LEIGHTON, M. O.—
  "The relation of the southern Appalachian Mountains to inland water navigation." With A. H. Horton. For. Cir. 143, pp. 38. 1908.
  "The relation of the southern Appalachian Mountains to the development of water power." With others. For. Cir. 144, pp. 54. 1908.
LEIGHTY, C. E.—
  "Alaska and Stoner, or 'Miracle' wheats: Two varieties much misrepresented." With Carleton R. Ball. D.B. 357, pp. 29. 1916.
  "American export corn in Europe." With others. B.P.I. Cir. 55, pp. 42. 1910.
  "Buckwheat." F.B. 1062, pp. 24. 1919.
  "Culture of rye in the eastern half of the United States." F.B. 756, pp. 16. 1916.
  "Electrochemical treatment of seed wheat." With J. W. Taylor. D.C. 305, pp. 7. 1924.
  "Emmer and spelt." With John H. Martin. F.B. 1429, pp. 13. 1924.
  "Experiments with emmer, spelt, and einkorn." With John H. Martin. D.B. 1197, pp. 60. 1924.
  "Flag smut of wheat." With others. D.C. 273, pp. 7. 1923.
  "Genetic behavior of the spelt form in crosses between *Triticum spelta* and *Triticum sativum*." With Sarkis Boshnakian. J.A.R., vol. 20, pp. 335–364. 1921.
  "Hairy neck wheat segregates from wheat-rye hybrids." With J. W. Taylor. J.A.R., vol. 28, pp. 567–576. 1924.
  "Oats, barley, rye, rice, grain sorghums, seed flax, and buckwheat." With others. Y.B., 1922, pp. 469–568. 1923; Y.B. Sep. 891, pp. 469–568. 1923.
  "Resistance in rye to leaf rust, *Puccinia dispersa* Erikss." With E. B. Mains. J.A.R., vol. 25, pp. 243–252. 1923.
  "Rye growing in the Southeastern States." F. B. 894, pp. 16. 1917.
  "Rye in the Cotton Belt," Sec. [Misc.] Spec. "Rye * * * Cotton Belt," pp. 4. 1914.
  "The blooming of wheat flowers." With W. J. Sando. J.A.R., vol. 27, pp. 231–244. 1924.

LEIGHTY, C. E.—Continued.
"The common white wheats." With others. F.B. 1301, pp. 42. 1923.
"The corn crop." With others. Y.B., 1921, pp. 161–226. 1922; Y.B. Sep. 872, pp. 161–226. 1922.
"The culture of winter wheat in the eastern United States." F.B. 596, pp. 12. 1914.
"The place of rye in American agriculture." Y.B., 1918, pp. 169–184. 1919; Y.B. Sep. 769, pp. 17. 1919.
"The rosette disease of wheat and its control." With others. F.B. 1414, pp. 10. 1924.
"The soft red winter wheats." With J. H. Martin. F.B. 1305, pp. 54. 1922.
"Varietal resistance in winter wheat to the rosette disease." With others. J.A.R., vol. 26, pp. 261–270. 1923.
"Varieties of winter wheat adapted to the Eastern United States." F.B. 1168, pp. 18. 1921.
"Wheat growing in the Southeastern States." F.B. 885, pp. 14. 1917.
"Wheat production and marketing." With others. Y.B., 1921, pp. 77–160. 1922; Y.B. Sep. 873, pp. 77–160. 1922.
"Winter wheat in the Cotton Belt." Sec. [Misc.] Spec. pp. 6. 1914.
"Winter wheat varieties for the eastern United States." F.B. 616, pp. 14. 1914.
Leipzig milk supply, investigations. B.A.I. An. Rpt., 1908, p. 150. 1910.
Leishmania parasite, description, life cycle, and disease caused. B.A.I. An. Rpt., 1910, pp. 494, 495. 1912; B.A.I. Cir. 194, pp. 494, 495. 1912.
Leishmania spp., protozoa dangerous to man, spread by dogs. D.B. 260, pp. 22–23. 1915.
LEITCH, R. H.—
"Experiments in the manufacture of rennet extract." B.A.I. [Misc.], "World's dairy congress, 1923," pp. 339–341. 1924.
"The use of selected lactic ferments in the manufacture of hard-pressed cheese." B.A.I. Dairy [Misc.] "World's dairy congress, 1923," pp. 321–327. 1924.
Leitchee, Chinese, grafting. An. Rpts., 1909, p. 362. 1910; B.P.I. Chief Rpt., 1909, p. 110. 1909.
Lekvar (Hungarian compound), adulteration and misbranding. Chem. N.J. 1788. 1912; Chem. N.J. 2945. 1914.
Leland (horse), pedigree. D.C. 153, p. 14. 1921.
Lema trilineata. See Flea beetle, 3-lined.
Lemai. See Breadfruit.
Lemming—
periodic visitations. Biol. Bul. 31, p. 6. 1907.
pied, Nelson, range and habits. N.A. Fauna 24, pp. 22, 37. 1904.
Pribilof, occurrence in Pribilof Islands. N.A. Fauna 46, p. 112. 1923.
range and habits. N.A. Fauna 22, pp. 54–58. 1902.
varieties, Athabaska-Mackenzie region, habits. N.A. Fauna 27, pp. 181–183. 1908.
Yukon, notes. N.A. Fauna 30, pp. 26, 80. 1909.
See also Mouse, field.
Lemmus minusculus, range and habits. N.A. Fauna 24, pp. 36–37. 1904.
Lemmus spp. See Lemming.
Lemna spp. See Duckweed.
Lemon(s)—
acids, percentage in different sorts of fruit. B.P.I. Cir. 26, pp. 8–9. 1909.
adulteration and misbranding. See also *Indexes, Notices of Judgment, in bound volumes and in separates published as supplements to Chemistry Service and Regulatory Announcements.*
American, keeping qualities, some factors affecting. R. H. True and A. F. Sievers. B.P.I. Cir. 26, pp. 17. 1909.
American, status of industry. G. H. Powell. Y.B. 1907, pp. 343–360. 1908; Y.B. Sep. 453, pp. 343–360. 1908.
and citral, flavor, alleged misbranding. Chem. N.J. 895, pp. 3. 1911.
Arizona, plantings and industry. F.B. 1447, pp. 5–6. 1925.
balm. See Melissa.
blue mold, cause and control. B.P.I. Cir. 26, pp. 4, 14, 16–17. 1909; Y.B., 1907, p. 351. 1908; Y.B. Sep. 453, p. 351. 1908.

Lemon(s)—Continued.
blue mold, losses of market fruit. B.P.I. Cir. 26, pp. 4, 14, 16–17. 1909.
brown rot, appearance and results. B.P.I. Cir. 26, pp. 4, 16. 1909.
Buddha's Hand, description. B.P.I. Bul. 204, p. 45. 1911.
buds, seasonal distribution. J.A.R., vol. 17, pp. 154–156. 1919.
by-products, industry in Italy, production, equipment and cost. B.P.I. Bul. 160, pp. 35–50. 1909.
California—
composition. E. M. Chace and others. D.B. 993, pp. 18. 1922.
harvesting. B.P.I. Bul. 123, pp. 1–11. 1908.
industry, beginning and growth. D.B. 993, pp. 1–2. 1922.
varieties, and time of ripening. Y.B., 1919, p. 249. 1920; Y.B. Sep. 813, p. 249. 1920.
caterpillar, description. Sec. [Misc.], "A manual of insects * * *," p. 57. 1917.
characteristics, physical and chemical. B.P.I. Cir. 26, pp. 4, 6–11. 1909.
China, varieties, scarcity, and use as ornamental plants. B.P.I. Bul. 204, p. 44. 1911.
cold-resistant species from Assam and China. J.A.R., vol. 1, pp. 1–14. 1913.
coloration hastening. F. E. Denny. J.A.R., vol. 27, pp. 757–769. 1924.
coloring—
changes in curing process, conditions influencing. B.P.I. Bul. 232, pp. 19–21, 33–34. 1912.
methods. B.P.I. Cir. 26, p. 5. 1909.
method used in California. D.B. 1159, p. 2. 1923.
compound, adulteration and misbranding. See *Indexes, Notices of Judgment, in bound volumes and in separates published as supplements to Chemistry Service and Regulatory Announcements.*
crop, handling and marketing in Italy. B.P.I. Bul. 160, pp. 28–32. 1909.
crop, picking and handling, washing, coloring, curing and storing. Hawaii Bul. 9, pp. 28–29. 1905; Y.B., 1907, pp. 357–359. 1908; Y.B. Sep. 453, pp. 357–359. 1908.
curing, forced, as practiced in California, preliminary study. Arthur F. Sievers and Rodney H. True. B.P.I. Bul. 232, pp. 38. 1912.
curing rooms, humidifier for. A. D. Shamel. D.B. 494, pp. 11. 1917.
de Matt, importation and description. Inv. No. 30225, B.P.I. Bul. 233, p. 69. 1912.
decay, causes most serious. B.P.I. Cir. 26, pp. 3–4, 15–17. 1909.
desert, Australian. See Eremocitrus.
diseases, parasitic, losses. B.P.I. Cir. 26, pp. 3–4, 14–17. 1909.
diseases, Texas, occurrence and description. B.P.I. Bul. 226, p. 27. 1912.
districts, Sicily. Chem. Cir. 46, pp. 4–5. 1909.
elixer, misbranding. Chem. S.R.A., Sup. 3, pp. 168–169. 1915.
Eureka—
and Lisbon, bud variants, inheritance of composition in fruit through vegetative propagation. E. M. Chace and others. D.B. 1255, pp. 19. 1924.
bud variation, study, citrus-fruit improvement. A. D. Shamel and others. D.B. 813, pp. 88. 1920.
comparison with Lisbon variety in hardiness. D.B. 821, pp. 27–29. 1920.
composition and investigations. D.B. 993, pp. 5–7, 10, 11, 12–18, 19. 1922.
history and variability. D.B. 813, pp. 3–6. 1920.
origin and period of production. F.B. 1447, p. 8. 1925.
strains, description, and value. D.B. 813, pp 13–23, 78. 1920.
exports, 1913–1915, and imports, 1852–1915. Y.B., 1915, pp. 551, 560. 1916; Y.B. Sep. 685, pp. 551, 560. 1916.
exports, statistics, 1921. Y.B. 1921, p. 746. 1922; Y.B. Sep. 867, p. 10. 1922.

INDEX TO PUBLICATIONS, 1901–1925   1357

Lemon(s)—Continued.
  extract(s)—
    adulteration and misbranding. Chem. N.J.
      115. 1909; Chem. N.J. 130. 1910; Chem.
      N.J. 136. 1910.
    adulterations, detection. Chem. Bul. 100, pp.
      55–56. 1906.
    analysis methods. Chem. Bul. 107, pp. 159–
      161. 1907; Chem. Bul. 132, pp. 101–108. 1910;
      Chem. Cir. 43, p. 10. 1909.
    citral determination. Chem. Bul. 122, pp. 32–
      35, 229. 1909.
    fruited, adulteration and misbranding. Chem.
      N.J. 2618, pp. 2. 1913.
    manufacture, process and cost. Y.B., 1908, p.
      340. 1909; Y.B. Sep. 485, p. 340. 1909.
    misbranding. Chem. N.J. 56, pp. 2. 1909.
    misbranding (as to presence of lemon oil).
      Chem. N.J. 71. 1909.
    misbranding, decision of Justice Van Devanter.
      Sol. Cir. 89, pp. 1–4. 1918.
    use in food. O.E.S. Bul. 245, pp. 68, 70. 1912.
  fingered, description. B.P.I. Bul. 204, p. 45.
    1911.
  flavor, imitation, adulteration and misbranding.
    Chem. N.J. 13212. 1925.
  flavored pie-filling, misbranding. Chem. N. J.
    1595, p. 1. 1912.
  forced-cured, characteristics, rind, juice, and acid.
    B.P.I. Bul. 232, pp. 11–13. 1912.
  freezing points. D.B. 1133, pp. 5, 7. 1923.
  freight rates. Y.B., 1907, p. 347. 1908; Y.B. Sep.
    453, p. 347. 1908.
  frost injuries and critical temperatures. F.B.
    1096, pp. 32, 42. 1920.
  frost-resistant, importation, description. No.
    30737, B.P.I. Bul. 242, pp. 9, 36. 1912.
  fruit and flowers, relation between. Howard S.
    Reed. J.A.R., vol. 17, pp. 153–165. 1919.
  fruit-fly infestation, discussion. D.B. 134, pp.
    7–9, 10. 1914.
  fumigated, absorption of hydrocyanic acid. D.B.
    1149, pp. 3, 7. 1923.
  fumigation experiments, time suitable. Ent.
    Bul. 90, Pt. I, pp. 65–66. 1911.
  grading—
    and packing. D.B. 1261, pp. 12–14. 1924.
    by size, shape, and weight. B.P.I. Cir. 26,
      p. 6. 1909.
    packing, Italy. B.P.I. Bul. 160, pp. 31–32.
      1909.
  grove—
    culture, fertilizing, pruning, and protection.
      Y.B., 1907, pp. 351–354. 1908; Y.B. Sep. 453,
      pp. 351–354. 1908.
    Italy, description, cultivation, and yield.
      B.P.I. Bul. 160, pp. 23–28. 1909.
  growers' receipts in California, 1917–1921. D.B.
    1261, pp. 28–30. 1924.
  growing—
    in California—
      Anaheim County. Soil Sur. Adv. Sh., 1916,
        pp. 13–14, 34–59. 1919; Soils F.O., 1916,
        pp. 2279–2280, 2300–2325. 1921.
      Los Angeles area. Soil Sur. Adv. Sh., 1916,
        p. 18. 1919; Soils F.O., 1916, p. 2360. 1921.
      Pasadena area, details, varieties, and yields.
        Soil Sur. Adv. Sh., 1915, pp. 11–13, 34. 1917;
        Soils F.O., 1915, pp. 2321–2323, 2344. 1919.
      Riverside area, methods and cost. Soil Sur.
        Adv. Sh., 1915, pp. 12–13, 53, 64. 1917;
        Soils F.O., 1915, pp. 2374–2375, 2397, 2416,
        2425, 2450. 1919.
      San Diego region. Soil Sur. Adv. Sh., 1915,
        pp. 14, 46. 1917; Soils F.O., 1915, pp. 2518,
        2550. 1919.
      Ventura area. Soil Sur. Adv. Sh., 1917,
        pp. 17, 48–69. 1920; Soils F.O., 1917, pp.
        2333–2334, 2364–2385. 1923.
    in Florida—
      decrease and limitations. F.B. 1343, pp. 8–9,
        14. 1923.
      location, number, and value. F.B. 1122,
        p. 12. 1920.
    in Guam, varieties. Guam A.R., 1917, p. 39.
      1918.
    in Texas, experiments. F.B. 374, p. 8. 1909.
    picking, and curing in Portersville area, California. Soil Sur. Adv. Sh., 1908, pp. 13, 17.
      1909; Soils F.O., 1908, pp. 1303, 1307. 1911.

Lemon(s)—Continued.
  growth of *Glomerella cingulata*, studies. B.P.I.
    Bul. 252, pp. 24–26. 1913.
  gum, distribution and description. For. Bul 87,
    pp. 15–17. 1911.
  harvesting—
    methods and costs. D.B. 1237, pp. 15–17, 37–38.
      1924.
    seasons, terms applied. B.P.I. Bul. 160,
      pp. 22–23. 1909.
  Ichang—
    importation(s) and description. No. 45534,
      B.P.I. Inv. 53, pp. 5, 48. 1922; Nos. 45931,
      45936, 45939, 45945, 45951, B.P.I. Inv. 54,
      pp. 2–3, 43, 44, 45, 46, 47. 1922.
    value as stock for citrus-fruit grafting. J.A.R.,
      vol. 1, pp. 1, 13. 1913.
  immunity to wither tip from Gloeosporium infestation. J.A.R., vol. 30, pp. 630–635. 1925.
  importance of industry, United States and California. D.B. 815, pp. 1–2. 1920.
  importation—
    commercial handling. B.P.I. Bul. 160, pp.
      13–15. 1909.
    from South Africa. No. 36654, B.P.I. Inv. 37,
      p. 45. 1916.
  imports—
    1851–1908. Y.B., 1908, p. 776. 1909; Y.B. Sep.
      498, p. 776. 1909.
    1898–1908, distribution. B.P.I. Bul. 160,
      pp. 11–12. 1909.
    1901–1924. Y.B., 1924, pp. 1061, 1077. 1925.
    1903, 1913, quantity, value, and source. D.B.
      296, p. 43. 1915.
    1907–1909, quantity and value, by countries
      from which consigned. Stat. Bul. 82, p. 40.
      1910.
    1908–1910, quantity and value, by countries
      from which consigned. Stat. Bul. 90, p. 43.
      1911.
    1910, 1915. D.B. 483, p. 7. 1917.
    and exports—
      1852–1913. Y.B., 1913, pp. 497,504, 512. 1914;
        Y.B. Sep. 361, pp. 497, 504, 512. 1914.
      1852–1921. Y.B., 1922, pp. 952, 958, 967. 1923;
        Y.B. Sep. 880, pp. 952, 958, 967. 1923.
  industry—
    American, status. G. Harold Powell. Y.B.,
      1907, pp. 343–360. 1908; Y.B. Sep. 453, pp.
      343–360. 1908.
    American, status. Y.B., 1907, pp. 343–360,
      1908; Y.B. Sep. 453, pp. 343–360. 1908.
    in California—
      origin, location, and history. D.B. 1237,
        pp. 1–4. 1924.
      shipments, 1887–1918, acreage. D.B. 813,
        pp. 1–3. 1920.
    in Florida, failure caused by citrus scab. D.B.
      1118, p. 1. 1923.
    in Italy. B.P.I. Bul. 160, pp. 7–33. 1909.
  infestation by Mediterranean fruit fly. D.B. 536,
    pp. 24–32. 1918; J.A.R., vol. 3, pp. 313–317,
    320–324, 326, 329. 1915.
  injury by—
    citrus thrips. D.B. 616, p. 9. 1918.
    mealybug, prevention. F.B. 862, pp. 1–16.
      1917.
  inoculations with citrus-knot fungus. B.P.I.
    Bul. 247, p. 67. 1912.
  insect—
    and fungous troubles. Y.B., 1907, pp. 354–356
      1908; Y.B. Sep. 453, pp. 354–356. 1908.
    pests, descriptions, and lists. Sec. [Misc.], "A
      manual of * * * insects * *," pp. 57,
      117, 1917.
  Italian, and their by-products: I. The Italian
    lemon industry. G. Harold Powell. II. The
    by-products of the lemon in Italy. E. M.
    Chase. B.P.I. Bul. 160, pp. 57. 1909.
  jelly with pectin, directions. D.C. 254, pp. 7–8.
    1923.
  juice—
    extraction, and sterilization. D.B. 241, pp. 15–
      16, 19. 1915.
    Italy, exports, 1898–1908. B.P.I. Bul. 160, pp.
      17–19. 1909.
    use in removal of stains from textiles. F.B. 861,
      pp. 10, 15, 24, 26, 33. 1917.
    uses and value. D.C. 232, pp. 1–8. 1922.

Lemon(s)—Continued.
keeping, relation to structure, texture, and curing method. B.P.I. Cir. 26, pp. 12–15. 1909.
leaves—
  composition. J.A.R., vol. 20, pp. 167–174. 1920.
  iron content, percentage in young and old. J.A.R., vol. 7, p. 85. 1916.
Lisbon—
  bud variation, study in citrus-fruit improvement. A. D. Shamel and others. D.B. 815, pp. 70. 1920.
  comparison with Eureka variety in hardiness. D.B. 821, pp. 27–29. 1920.
  history, variety variations, etc., investigations. D.B. 815, pp. 2–3. 1920.
  origin and period of production. F.B. 1447, p. 8. 1925.
losses from parasitic diseases. B.P.I. Cir. 26, pp. 3–4, 14–17. 1909.
marketing, 1923. Y.B., 1923, pp. 740, 741. 1924; Y.B., Sep. 900, pp. 740, 741. 1924.
mixture, adulteration and misbranding. Chem. N.J. 3079. 1914; Chem. N.J. 3276. 1914.
mottled leaves, composition. J.A.R., vol. 9, pp. 160–161. 1917.
new, description. B.P.I. Bul. 207, p. 57. 1911.
oil—
  adulteration and misbranding. See *Indexes to Notices of Judgment in bound volumes, and in separates, published as supplements to Chemistry Service and Regulatory Announcements.*
  as repellent to root aphid. Ent. Bul. 85, Pt. VI, p. 107. 1910; Ent. Bul. 85, p. 107. 1911.
  determination in extract. Chem. Bul. 107, p. 160. 1907.
  examination methods. Chem. Bul. 132, pp. 108–109. 1910; Chem. Bul. 137, pp. 72–73. 1911.
  extracting methods. Y.B., 1908, pp. 337–339. 1909; Y.B. Sep. 485, pp. 337–339. 1909.
  from cull lemons, value as by-product. D.B. 1237, p. 37. 1924.
  imports, 1898–1908. B.P.I. Bul. 160, p. 17. 1909.
  imports, 1910 and 1914, amount, value, and source. D.B. 296, p. 35. 1915.
  machine made, method in Italy. B.P.I. Bul. 160, pp. 48–49. 1909.
  manufacture in Italy, factories, preparation of fruit. B.P.I. Bul. 160, pp. 44–47. 1909.
  occurrence of pinene. E. M. Chace. Chem. Cir. 46, pp. 24. 1909.
  presence in extract, misbranding. Chem. N.J. 56, pp. 2. 1909.
  sources. Y.B., 1908, p. 337. 1909; Y.B. Sep. 485, p. 337. 1909.
  terpeneless, misbranding and alleged adulteration. Chem. N.J. 1933, pp. 2. 1913.
  terpenes, detection, new method, development. An. Rpts., 1909, p. 424. 1910; Chem. Chief Rpt., 1909, p. 14. 1909.
  use in treatment of corn seed before planting. Ent. Bul. 85, pp. 24–26, 107. 1911.
oleum, misbranding. Chem. N.J. 4323. 1916.
orchards, frost—
  injury, danger and protection. F.B. 1447, pp. 17, 37–39. 1925.
  protection. A. D. Shamel and others. D.B. 821, pp. 20. 1920.
peel—
  extract, misbranding. Chem. N.J. 806, pp. 6. 1911; Chem. N.J. 2135, pp. 3. 1913.
  pectin extraction, directions. D.C. 254, pp. 3–5. 1923.
picking—
  and handling. Y.B., 1907, pp. 357–360. 1908; Y.B. Sep. 453, pp. 357–360. 1908.
  and hauling, costs. D.B. 1261, pp. 5–6. 1924.
  dates, California, and sizes of fruits. D.B. 813, pp. 63, 72. 1920.
plantings in California, by counties. F.B. 1447, p. 3. 1925.
pooling in packing house. D.B. 1261, pp. 9–10. 1924.
preparing for market, methods. B.P.I. Cir. 26, p. 5. 1909.
prices at auction. Y.B., 1924, p. 675. 1925.

Lemon(s)—Continued.
production—
  and imports. Y.B., 1907, pp. 343, 345–346. 1908; Y.B. Sep. 453, pp. 343, 345–346. 1908.
  cost in Italy. B.P.I. Bul. 160, pp. 32–33. 1909.
  in Italy, 1913–1914, and exports. D.B. 483, p. 24. 1917.
  in Pomona Valley, Calif., cost. O.E.S. Bul. 236, rev., pp. 92, 93, 94. 1912.
  in United States, 1909. D.B. 483, pp. 2, 4. 1917.
Products Exchange Co., by-products manufacture. D.B. 1261, pp. 2, 3. 1924.
protection from frost. Y.B., 1907, pp. 353–354. 1908; Y.B. Sep. 453, pp. 353–354. 1908.
resistance to—
  alkali. Soils Bul. 35. p. 40. 1906.
  fruit fly, Hawaii. Hawaii A.R., 1916, p. 19. 1917.
  injury from fumigation. Ent. Bul. 90, pp. 65–66. 1912.
respiration studies. Chem. Bul. 142, pp. 15, 19, 25. 1911.
retail price, percentage received by growers and exchanges. D.B. 1261, p. 34. 1924.
sales department of Fruit Growers Exchange, method. D.B. 1237, pp. 26–28. 1924.
San Antonio, importations and description. No. 33761, B.P.I. Inv. 31, p. 51. 1914.
seasonal differences, discussion. D.B. 993, pp. 14–17, 18. 1922.
seedlings, effect of salts and organic extracts. J.A.R., vol. 18, pp. 267–274. 1919.
seedlings, growing in solutions of sodium and calcium, experiments. J.A.R., vol. 24, pp. 753–757. 1923.
shade-tree strain, origin, and improvement by top working. Y.B., 1919, pp. 257–258. 1920; Y.B. Sep. 813, pp. 257–258. 1920.
shipments—
  by carloads, and by States, 1920–1923. S. B. 8, pp. 32–33. 1925.
  by States, and by stations, 1916. D.B. 667, pp. 8, 96–97. 1918.
  distribution by seasons and localities. Y.B., 1907, pp. 347–349. 1908; Y.B. Sep. 453, pp. 347–349. 1908.
  from California, growth, 1890–1922. D.B. 1237, pp. 4, 5. 1924.
silver mite, characteristics. Ent. Bul. 79, p. 14. 1909; F.B. 172, pp. 38–41. 1903.
soda-water flavor, adulteration and misbranding. Chem. N.J. 3047. 1914.
soils, relation to mottle-leaf disease. J.A.R., vol. 6, No. 19, pp. 735–738. 1916.
spraying with fungous infection for control of white fly. Ent. Bul. 102, pp. 47–68. 1912.
statistics—
  imports—
    1851–1911. Y.B., 1911, pp. 662, 687. 1912; Y.B. Sep. 588, pp. 662, 687. 1912.
    and exports. 1917. Y.B., 1917, pp. 763, 771, 782. 1918; Y.B. Sep. 762, pp. 7, 15, 26. 1918.
    and exports, 1918. Y.B., 1918, pp. 631, 639, 649. 1919; Y.B. Sep. 794, pp. 7, 15, 25. 1919.
  receipts and shipments at trade centers. Rpt. 98, pp. 289, 353, 362. 1913.
  shipments and prices, 1918–1922. Y.B., 1922, pp. 745–746. 1923; Y.B. Sep. 884, pp. 745–746. 1923.
stems, loss in curing, relation to coloring. B.P.I. Bul. 232, pp. 34–37, 38. 1912.
strains of leading varieties, comparisons. F.B. 1447, pp. 11–12. 1925.
structure, relation to keeping qualities. B.P.I. Cir. 26, pp. 12–13. 1909.
susceptibility to—
  citrus canker. J.A.R., vol. 14, pp. 344, 345, 353, 354. 1918; J.A.R., vol. 19, pp. 349, 353, 360. 1920.
  citrus scab. D.B. 1118, p. 3. 1923; J.A.R., vol. 24, pp. 955–958. 1923; J.A.R., vol. 30, p. 1087. 1925.
sweating, method. B.P.I. Cir. 26, p. 5. 1909.
Szechwan, importation. No. 42606, B.P.I. Inv. 47, p. 36. 1920.
terpene and citral misbranding. Chem. N.J. 3334. 1915; Chem. N.J. 4047. 1916.

Lemon(s)—Continued.
  treatment with—
    borax to prevent rot, experiments. J.A.R., vol. 28, pp. 962-968. 1924.
    ethylene effect on color, experiments and cost. J.A.R., vol. 27, pp. 761-767. 1924.
  trees—
    inoculations with citrus knot fungus. B.P.I. Bul. 247, pp. 44-49, 50-51, 65. 1912.
    performance records, making and use. F.B. 794, pp. 5-13. 1917.
    protection from frost. B.P.I. Bul. 160, pp. 27-28. 1909.
    records, presentation of data. D.B. 813, pp. 25-78. 1920.
    top-working, improvement, or replacing, desirability. D.B. 815, pp. 67-68, 70. 1920.
  types, comparison of rind, juice, and acid. B.P.I. Bul. 232, pp. 11-13. 1912.
  use in making apple butter. F.B. 900, p. 5. 1917.
  use of juice, against cattle ticks. Guam A.R., 1915, p. 30. 1916.
  varieties—
    and strains. Y.B., 1919, pp. 255-258. 1919; Y.B. Sep. 813, pp. 255-258. 1919.
    composition, investigation and results. D.B. 993, pp. 3-18. 1922.
    for the Gulf States, description. F.B. 1122, pp. 18-19. 1920.
    important in California. D.B. 813, p. 2. 1920.
    in Hawaiian orchards. Hawaii A.R., 1911, p. 39. 1912.
    recommendations for various fruit districts. B.P.I. Bul. 151, p. 57. 1909.
    Verdelli, description and production. B.P.I. Bul. 160, pp. 22-23. 1909.
    Villa Franca, composition, investigation. D.B. 993, pp. 9-10, 11, 12-18, 18. 1922.
  washing before curing and storing. Y.B. 1907, p. 358. 1908; Y.B. Sep. 453, p. 358. 1908.
  waste, use in making pectin. D.B. 1323, pp. 1-20. 1925.
  water. See Passiflora fruit.
  wild, compound with cascara and castor oil, misbranding. Chem. N.J. 32. 1908.
  yields, tests of individual trees and plots. J.A.R., vol. 12, pp. 250, 255-263. 1918.
  See also Citrus; Limes.
Lemon grass—
  harvesting, methods, cost, and yield. D.B. 442, pp. 4-6. 1917.
  importations and descriptions. Nos. 29456, 29535, B.P.I. Bul. 233, pp. 22, 31. 1912; No. 30672, B.P.I. Bul. 242, p. 31. 1912; No. 32326, B.P.I. Bul. 261, p. 56. 1912; Nos. 40896, 41271, B.P.I. Inv. 44, pp. 9, 57. 1918; No. 42048, B.P.I. Inv. 46, p. 49. 1919.
  oil production, possibility in United States. S.C. Hood. D.B. 442, pp. 12. 1917.
Lemonade—
  berry, occurrence in chaparral. For. Bul. 85, p. 34. 1911.
  buttermilk, recipe. B.A.I. Cir. 171, p. 147. 1911; B.A.I. Doc. A.-22, p. 1. 1917; D.C. 72, p. 7. 1919.
  powder, adulteration and misbranding. Chem. N.J. 279, pp. 2. 1910.
  sirup, adulteration. See Indexes notices of judgment, in bound volumes and in separates published as supplements to Chemistry service and Regulatory Announcements.
Lencine, origin, effect on wheat seedlings. Soils Bul. 47, pp. 22, 38. 1907.
Lengli, importation and description. No. 41325, B.P.I. Inv. 45, pp. 5, 13. 1918.
Lenticels—
  bark, in fruit trees, injury through. J.A.R., vol. 8, pp. 290-292. 1917.
  hypertrophied, on roots of conifers, relation to moisture and aeration. Glenn G. Hahn and others. J.A.R., vol. 20, pp. 253-266. 1920.
Lentil—
  importations and descriptions. No. 32194, B.P.I. Bul. 261, pp. 39-40. 1912; Nos. 38435-38436, B.P.I. Inv. 39, p. 130. 1917; No. 43519, B.P.I. Inv. 49, p. 38. 1921; No. 45308, B.P.I. Inv. 53, p. 23. 1922.
  use as food, and cooking directions. D.B. 123, p. 43. 1916. O.E.S. Bul. 245 pp. 55-57. 1912.

Lentil—Continued.
  varieties, forage-crop experiments in Texas. B.P.I. Cir. 106, p. 25. 1913.
  weevil, description, life history, and control. F.B. 983, pp. 15-16, 20-24. 1918.
Lentinus—
  lepideus, cause of decay in timber, studies. D.B. 1053, pp. 3-41. 1922; J.A.R., vol. 12, pp. 64, 77, 78. 1918.
  lepideus, infestation of lumber in storage. D.B. 510, p. 33. 1917.
  spp., description. D.B. 175, pp. 25-26. 1915.
Lentiscus, adulterant of sumac, description. Chem. Bul. 117, p. 29. 1908.
Lenzites—
  brown, cause of brown rot in softwoods. D.B. 1128, p. 39. 1923.
  sepiaria, description, classification, development, and spread. B.P.I. Bul. 214, pp. 14-20. 1911.
  sepiaria, timber rot caused by. Perley Spaulding. B.P.I. Bul. 214, pp. 46. 1911.
  spp.—
    cause of decay in timber, studies. D.B. 1053, pp. 3-41. 1922.
    infestation of lumber in storage. D.B. 510, pp. 6, 32. 1917.
    slash rotting in Arkansas. D.B. 496, pp. 4, 7, 8, 14. 1917.
  vialis, injury to heartwood of red gum. B.P.I. Bul. 114, p. 31. 1907.
Leominster, Mass., apple production. D.B. 140, p. 34. 1915.
LEONARD, L. T.—
  "An influence of moisture on bean wilt." J.A.R., vol. 24, pp. 749-752. 1913.
  "Effect of moisture on seed-borne bean diseases." J.A.R., vol. 28, pp. 489-497. 1924.
Leonardius spp., classification and description. Ent. T. B. 27, Pt. I, pp. 33-41. 1913.
Leonardtown loam, constituents, water-soluble. Soils Bul. 22, pp. 28-29. 1903.
Leonotis nepetaefolia, importation and description. No. 47846, B.P.I. Inv. 59, p. 67. 1922.
Leonurus cardiaca. See Motherwort.
Leopard, Texas, occurrence, food, and habits. N.A. Fauna 25, pp. 166-167. 1905.
Leopard tree, importation and description. No. 52798, B.P.I. Inv. 66, pp. 3, 76. 1923.
Leotia spp., description. D.B. 175, p. 55. 1915.
Lepargyrea canadensis. See Buffalo berry.
Lepidium virginicum, infection with Peronospora parasitica. J.A.R., vol. 5, No. 2, pp. 60-62. 1915.
Lepidoptera—
  confusion with pink bollworm. Carl Heinrich. J.A.R., vol. 20, pp. 807-836. 1921.
  control by light traps. W. B. Turner. J.A.R. vol. 18, pp. 475-481. 1920.
  destruction by—
    birds. Biol. Bul. 15, pp. 8, 60, 64, 71, 73, 84, 90, 93, 94. 1901.
    crows. D.B. 621, pp. 22-23, 60-61, 88. 1918.
    flycatchers, lists. Biol. Bul. 44, pp. 10, 17, 27, 33, 54, 57. 1912.
  enemies of—
    boll weevil. Ent. Bul. 100, pp. 41, 69. 1912.
    cottonwood, description. Ent. Bul. 37, p. 108. 1902.
  female, taken by light traps. W. B. Turner. J.A.R., vol. 14, pp. 135-149. 1918.
  in Pribilof Islands, Alaska. N.A. Fauna 46, Pt. II, pp. 147-149. 1923.
  injury to Porto Rican crops. D.B. 192, pp. 6-9. 1915.
  on cactus, lists. Ent. Bul. 113, pp. 44-45, 46, 52. 1912.
Lepidosaphes—
  beckii—
    enemy of citrus fruits, description. Ent. Bul. 90, Pt. I, p. 8. 1911.
    See also Scale, purple.
  ulmi—
    description, habits, and control. F.B. 1169, p. 77. 1921; F.B. 1270, p. 65. 1922.
    See also Scale, oyster-shell.
Lepiota—
  procera. See Mushroom, parasol.
  spp., description. D.B. 175, pp. 10-11. 1915.
  spp., formation of fairy rings. J.A.R., vol. 11, pp. 195, 198, 203, 204, 233. 1917.

Lepisanthes eriolepis, importation and description. No. 54925, B.P.I. Inv. 70, p. 30. 1923.
Lepisma saccharina. See Silverfish.
Leplotaenia multifida. See Carrot, wild.
Leporidae. See Hares; Rabbits; *Lepus* spp.
Leprosy—
  Havana, relations of rats and fleas. Ent. Bul. 67, pp. 118-119. 1907.
  remedy, source, importation. No. 43227, B.P.I. Inv. 48, pp. 6, 30. 1921.
  spread by fleas. D.B. 248, p. 16. 1915.
  transmission by house flies. F.B. 412, p. 11. 1910.
  treatment with chaulmoogra oil and kindred oils. D.B. 1057, pp. 1-3, 5-6. 1922.
Leptilon canadense. See Fleabane, Canada.
Leptinol syrup, misbranding. See *Indexes to Notices of Judgment in bound volumes, and in separates published as supplements to Chemistry Service and Regulatory Announcements.*
Leptinotarsa decemlineata. See Potato beetle, Colorado.
Leptochloa—
  North American species. A. S. Hitchcock. B.P.I. Bul. 33, pp. 24. 1903.
  spp., distribution, description, and feed value. D.B. 201, p. 30. 1915; D.B. 772, pp. 16, 171-173. 1920.
Leptocoris trivittatus, description, habits, and control. F.B. 1169, pp. 75-76. 1921.
Leptocorisa varicornis. See Rice bug.
Leptodermis oblonga, importations and description. No. 39681. B.P.I. Inv. 41, p. 59. 1917.
Leptoglossus—
  oppositus, cotton-boll injury. Ent. Bul. 57, p. 47. 1906.
  spp. See Plant-bug, leaf-footed.
Leptognathus spp., description. Rpt. 108, p. 56. 1915.
Leptoloma spp., description, distribution, and uses. D.B. 772, pp. 20, 218, 219. 1920.
Leptospermum scoparium nichollis, importation and description. No. 53928, B.P.I. Inv. 68, p. 10. 1923.
Leptosphaeria herpotrichoides, parasite on wheat. D.B. 1347, pp. 29-30. 1925.
Leptothrips mali. See Thrips, black.
Leptothyrium—
  carpophilum, occurrence on plants in Texas, and description. B.P.I. Bul. 226, p. 29. 1912.
  pomi, cause of sooty fungus and flyspeck. F.B. 492, p. 37. 1912.
Leptotila spp. See Dove.
Lepturidae, classification and description. Ent. T.B. 20, Pt. V, pp. 154-155. 1912.
Lepturus spp., description, distribution, and uses. D.B. 772, pp. 12, 103, 105. 1920.
Leptus spp.—
  same as *Trombicula* spp. J.A.R., vol. 26, p. 402. 1923.
  See Chiggers; Mites.
Lepus—
  genus, hares, groups and species. N.A. Fauna 29, pp. 59-158. 1909.
  subgenus, circumpolar hares, characters and distribution. N.A. Fauna 29, pp. 39-40. 1909.
  spp. See Rabbit; Hare; Cottontail.
LESCOHIER, D. D.—
  "Conditions affecting the demand for harvest labor in the wheat belt." D.B. 1230, pp. 46. 1924.
  "Harvest labor problems in the wheat belt." D.B. 1020, pp. 35. 1922.
  "Sources of supply and conditions of employment of harvest labor, in the wheat belt." D.B. 1211, pp. 27. 1924.
Lesions—
  hog diseases, resembling tuberculosis. B.A.I. An. Rpt., 1907, pp. 241-242. 1909; B.A.I. Cir. 144, pp. 241-242. 1909; B.A.I. Cir. 201, pp. 26-30. 1912.
  tuberculous, hog, description and comparison with those of cattle. B.A.I. An. Rpt., 1907, pp. 234-238. 1909; B.A.I. Cir. 144, pp. 234-238. 1909.
Lespedeza—
  as a forage crop. Lyman Carrier. F.B. 1143, pp. 15. 1920.

Lespedeza—Continued.
  cattle feed, value and characteristics. Y.B., 1913, pp. 266, 277. 1914; Y.B. Sep. 627, pp. 266, 277. 1914.
  description. F.B. 455, p. 37. 1911.
  description, and value for cotton States. F.B. 1125, rev., p. 34. 1920.
  destruction by smoky crane-fly. Ent. Bul. 85, p. 126. 1911.
  distribution. Y.B., 1923, p. 387. 1924; Y.B. Sep. 895, p. 387. 1924.
  fertilizers. F.B. 1143, pp. 5-6. 1920.
  formosa, importation, and description. No. 43693, B.P.I. Inv. 49, p. 63. 1921.
  growing—
    and use. S.R.S. Syl. 24, p. 10. 1917.
    for market hay in Cotton Belt. F.B. 677, p. 8. 1915.
    in Arkansas—
      Drew County. Soil Sur. Adv. Sh., 1917, pp. 12, 25, 31, 37, 39, 42. 1919; Soils F.O., 1917, pp. 1286, 1299, 1305, 1311, 1313, 1316. 1923.
      Lonoke County. Soil Sur. Adv. Sh., 1921, pp. 1286, 1288. 1925.
      place in rotations. F.B. 1000, pp. 10, 13, 15, 17, 18. 1918.
    in Louisiana—
      East Feliciana Parish. Soil Sur. Adv. Sh., 1912, p. 13. 1913; Soils F.O., 1912, p. 977. 1915.
      Webster Parish. Soil Sur. Adv. Sh., 1914, pp. 11, 19, 31, 37. 1916; Soils F.O., 1914, pp. 1245, 1253, 1265, 1271. 1919.
    in Mississippi—
      Choctaw County. Soil Sur. Adv. Sh., 1920, pp. 257, 261, 277-282. 1923; Soils F.O., 1920, pp. 257, 261, 277-282. 1925.
      Wilkinson County, hay and seed yields. Soil Sur. Adv. Sh., 1913, p. 13. 1915; Soils F.O., 1913, p. 961. 1916.
  Korean—
    a new forage crop. A. J. Pieters and G. P. Van Eseltine. D.C. 317, pp. 15. 1924.
    seeds, growth, habits, and range. D.C. 317, pp. 7-10. 1924.
    mixture with carpet grass. F.B. 1130, p. 10. 1920.
    native, growing in Louisiana, Washington Parish. Soil Sur. Adv. Sh., 1922, p. 352. 1925.
  pastures, value. F.B. 1143, pp. 9-11. 1920.
  seed, harvesting, method, time, and yield. F.B. 441, pp. 15-16. 1911; F.B. 1143, pp. 6-9. 1920.
  seed, viability, and impurities. F.B. 1143, pp. 6-9. 1920.
  seeding from hay, practices in South. F.B. 1125, p. 34. 1920.
  stipulacea. See Lespedeza, Korean.
  striata—
    history, growing and value. F.B. 1143, pp. 3-15. 1920.
    origin and use as a crop. F.B. 441, p. 5. 1911.
    uses and value. F.B. 1143, pp. 9-14. 1920.
  uses as forage crop in cotton region. F.B. 509, pp. 26-27. 1912
  value as—
    forage crop in South. Y.B., 1917, pp. 306, 310. 1918; Y.B. Sep. 744, pp. 6, 10. 1918.
    grazing in forest lands of Missouri, Reynolds County. Soil Sur. Adv. Sh., 1918, pp. 10, 20. 1921; Soils F.O., 1918, pp. 1312, 1322. 1924.
    hay crop. D.B. 827, p. 34. 1921.
    value on southern pastures, injuries and protection. D.B. 827, pp. 22, 25, 27, 28, 34. 1921.
  varieties, Chinese, description. Nos. 38808, 38809, B.P.I. Inv. 40, p. 31. 1917.
  See also Clover, Japan.
LESTOUR, EDOUARD, invention of smudge boxes for orchard protection. Y.B., 1909, p. 358. 1910; Y.B. Sep. 519, p. 358. 1910.
Letranychus bimaculatus. See Red spider.
LETT, W. L.: "Soil survey of—
  Baldwin County, Ala." With others. Soil Sur. Adv. Sh., 1909, pp. 74. 1911; Soils F.O., 1909, pp. 705-774. 1912.
  Bibb County, Ala." With W. E. Tharp. Soil Sur. Adv. Sh., 1908, pp. 51. 1910; Soils F.O., 1908, pp. 661-707. 1911.
  Cullman County, Ala." With W. E. Tharp. Soil Sur. Adv. Sh., 1908, pp. 34. 1910; Soils F.O., 1908, pp. 585-614. 1911.

INDEX TO PUBLICATIONS, 1901-1925   1361

Lett, W. L.—Continued.
   Lamar County, Ala." With E. R. Allen. Soil Sur. Adv. Sh., 1908, pp. 32. 1909; Soils F.O., 1908, pp. 455-482. 1911.
   Pike County, Ala." With others. Soil Sur. Adv. Sh., 1910, pp. 67. 1911; Soils F.O., 1910, pp. 641-703. 1912.
Letteer, C. R.—
   "Experiments in crop production on fallow lands at San Antonio." D.B. 151, pp. 10. 1914.
   "Experiments in sub-soiling at San Antonio." With S. H. Hastings. B.P.I. Cir. 114, pp. 9-14. 1913.
   "Growing grain sorghums in the San Antonio district of Texas." F.B. 965, pp. 12. 1918.
   "The work of the San Antonio Experiment Farm in 1916." W.I.A. Cir. 16, pp. 23. 1917.
   "The work of the San Antonio Experiment Farm in 1917." W.I.A. Cir. 21, pp. 28. 1918.
   "The work of the San Antonio Experiment Farm in 1918." D.C. 73, pp. 38. 1920.
Letters—
   filing, directions for extension workers. D.C. 107, p. 9. 1920.
   from farm women, discussion of conditions on farms. Y.B., 1914, pp. 311-318. 1915; Y.B. Sep. 644, pp. 311-318. 1915.
Lettuce—
   absorption of boron and distribution, studies. J.A.R., vol. 5, No. 19, pp. 882, 887, 888. 1916.
   acreage, etc., by States. Y.B., 1924, p. 699. 1925.
   American varieties. W. W. Tracy, jr. B.P.I. Bul. 69, pp. 103. 1904.
   anthracnose, caused by *Marssonina panattoniana*. E. W. Brandes. J.A.R., vol. 13, pp. 261-280. 1918.
   bottom-rot. F.B. 1418, p. 19. 1924.
   composition, and preparation for table. D.B. 123, pp. 5, 9, 12, 13, 17. 1916.
   crates and boxes, types used in different localities. F.B. 1196, pp. 30-31. 1921.
   crossing, experiments and results. B.P.I. Bul. 167, pp. 8-10. 1910.
   cultural directions and good varieties. F.B. 818, pp. 28-29. 1917; F.B. 934, p. 35. 1918; F.B. 937, pp. 16, 19, 23, 41-42. 1918; F.B. 1044, p. 34. 1919; S.R.S. Doc. 49, p. 6. 1917.
   damage by root knot. F.B. 648, p. 8. 1915.
   decay, *Sclerotinia minor* as cause, with celery and other crops. Ivan C. Jagger. J.A.R., vol. 20, pp. 331-334. 1920.
   diseases—
      and their causes. J.A.R., vol. 13, pp. 261-262. 1918.
      bacterial, studies. Nellie A. Brown. J.A.R., vol. 13, pp. 367-388. 1918.
      caused by *Bacterium viridilividum*. Nellie A. Brown. J.A.R., vol. 4, pp. 475-478. 1915.
      occurring under market, storage, and transit conditions. B.P.I. [Misc.], "Handbook of the * * *," pp. 35-37. 1919.
   drop—
      control. F.B. 460, pp. 25-26. 1911.
      control by use of formaldehyde. Webster S. Krout. J.A.R., vol. 23, pp. 645-654. 1923.
      injury to lettuce, control investigations and experiments, 1913-1914, 1914-1915. D.B. 601, pp. 1-18, 27-28. 1917.
   duck, food of wild ducks. D.B. 936, p. 12. 1921.
   fertilizer formula for southern farmers. Soils Cir. 19, p. 14. 1902.
   Florida, handling and precooling. D.B. 601, pp. 1-18, 27-28. 1917.
   food-value comparisons, chart. D.B. 975, pp. 6, 14. 1921.
   freezing points. D.B. 1133, pp. 6, 7, 8. 1923.
   freight rates, 1913 and 1923. Y.B., 1923, p. 1170, 1924; Y.B. Sep. 906, p. 1170. 1924.
   fumigation effects, studies. J.A.R., vol. 11, p. 330. 1917.
   germination and heading, disease, study. O.E.S. An. Rpt. 1922, pp. 33, 43. 1924.
   growing—
      acreage and states, 1910. Y.B., 1916, pp. 449, 450, 463. 1917; Y.B. Sep. 702, pp. 15, 16, 29. 1917.

Lettuce—Continued.
   growing—continued.
      as truck—
         Atlantic coast region. Y.B., 1912, pp. 422, 423, 425, 428, 429, 430. 1913; Y.B. Sep. 603, pp. 422, 423 425, 428, 429, 430. 1913.
         crop. Y.B., 1907, p. 427. 1908; Y.B. Sep. 459, p. 427. 1908.
         details, fertilizers and returns, near Savannah, Ga. Soils Ci . 19, pp. 13-14. 1909.
         directions and varieties recommended for home gardens. F.B. 936, pp. 45-46. 1918; Soils Cir. 19, pp. 13-14. 1909.
      in Alaska—
         experiments. Alaska A.R., 1910, pp. 18, 58. 1911.
         Kenai Peninsula region. Soil Sur. Adv. Sh., 1916, pp. 71 96. 1919; Soils F.O., 1916, pp. 103, 128. 1919.
         varieties. Alaska A.R., 1920, pp. 33, 64-66. 1922.
      in California, Imperial Valley, Brawley area. Soil Sur. Adv Sh., 1920, pp. 651, 655, 668-681, 695-698. 1923 Soils F.O., 1920, pp. 651, 655, 668-681, 695-698. 1925.
      in central Alaska. Soil Sur. Adv. Sh., 1914, pp. 81, 159. 1915; Soils F.O., 1914, pp. 115, 194. 1919.
      in Florida, Orange County. Soil Sur. Adv. Sh., 1919, pp. 5, 6, 7, 23, 25. 1922; Soils F.O., 1919, pp. 951, 952, 953, 969, 971. 1925.
      in frames, directions. F.B. 460, pp. 19-20. 1911.
      in greenhouses—
         James H. Beattie. F.B. 1418, pp. 22. 1924.
         directions. F.B. 1320, pp. 5-6. 1923.
         diseases, causes, and control. J.A.R., vol. 13, pp. 261-279. 1918.
      in Guam, directions. Guam Bul. 2, pp. 12, 41. 1922; Guam Cir. 2, p. 10. 1921.
      in New York, Wayne County. Soil Sur. Adv. Sh., 1919, pp. 284, 344. 1923; Soils F.O., 1919, pp. 284, 344. 1925.
      in North Carolina—
         New Hanover County. Soil Sur. Adv. Sh., 1906, pp. 30-32. 1906; Soils F.O., 1906, pp. 270-272. 1908.
         Pender County. Soil Sur. Adv. Sh., 1912, pp. 11-12. 914; Soils F.O., 1912, pp. 375-376. 1915.
      in Porto Rico from imported seed, experiments. P.R. Bul. 20, pp. 23-26. 1916.
      methods and varieties. F.B. 647, p. 17. 1915.
      on Norfolk fine sandy loam. Soils Cir. 22, pp. 9-10. 1911.
      under glass. Y.B., 1904, p. 166. 1905; Y.B. Sep. 340, p. 166. 1905.
   handling investigations and experiments, 1913-1915. D.B. 601, pp. 1-18, 27-28. 1917.
   home garden, cultural hints. F.B. 255, p. 35. 1906.
   importations and description. Nos. 44729, 44730, B.P.I. Inv. 51, p. 57. 1922.
   injury by—
      anthracnose, symptoms, causes, and spread. J.A.R., vol. 12, pp. 264-271. 1918.
      downy mildew. J.A.R., vol. 23, pp. 990-991. 1923.
      little-known cutworm. Ent. Bul. 109, Pt. IV, pp. 48, 49. 1912.
   insect pests, list. Sec. [Misc.], "A manual * * * insects * * *," pp. 140-141. 1917.
   insects and diseases attacking, and control measures. F.B. 856, pp. 49-50. 1917.
   leaves, cure for dietary sterility. B.A.I. Dairy [Misc.], "World's dairy congress, 1923," pp. 1030, 1031. 1924.
   market statistics, 1919 and 1920. D.B. 982, p. 232. 1921.
   marketing—
      1923. Y.B., 1923, p. 755. 1924; Y.B. Sep. 900, p. 755. 1924.
      bibliography. M.C. 35, p. 42. 1925.
      practices. F.B. 460, p. 28. 1911.
   mildew, downy, in California. D. G. Milbrath. J.A.R., vol. 23, pp. 989-994. 1923.
   mildew, in greenhouse growing. F.B. 1418, p. 19. 1924.
   mosaic disease, transmissable. Ivan C. Jagger. J.A.R., vol. 20, pp. 737-740. 1921.

1362 UNITED STATES DEPARTMENT OF AGRICULTURE

Lettuce—Continued.
  planting, directions for club members. D.C. 48, p. 9. 1919.
  plants, soil disinfection experiments. D.B. 818, pp. 7-8, 9, 12. 1920.
  poisoning by nicotine sulphate spray, causes. J.A.R., vol. 10, pp. 47-50. 1917.
  prickly, description—
    and spread, Washington, eastern Puget Sound Basin. Soil Sur. Adv. Sh., 1909, p. 41. 1911; Soils F.O., 1909, p. 1551. 1912.
    distribution, spread, and products injured. F.B. 660, p. 28. 1915.
  root knot, description. B.P.I. Cir. 91, pp. 11, 14. 1912.
  rot, study and descriptions. J.A.R., vol. 13, pp. 367-388. 1918.
  seed—
    demand and supply. Y.B., 1917, pp. 534-535. 1918; Y.B. Sep. 757, pp. 40-41. 1918.
    for head-lettuce growing. F.B. 1418, pp. 9-10. 1924.
    germination—
      effect of hydrocyanic-acid gas. J.A.R., vol. 11, pp. 423-425. 1917.
      variation in percentage comparison tables. B.P.I. Cir. 101, pp. 7-8. 1912.
    growing, localities, acreage, yield, production, and consumption. Y.B., 1918, pp. 202, 206, 207. 1919; Y.B. Sep. 775, pp. 10, 14, 15. 1919.
    saving, directions. F.B. 884, pp. 7-8. 1917; F.B. 1390, p. 6. 1924.
  shading experiments in Louisiana. B.P.I. Bul. 279, pp. 15-16, 25, 28. 1913.
  shipments by States—
    1916, and by stations. D.B. 667, pp. 12, 180-181. 1918.
    1917-1922. Y.B., 1922, pp. 771-774. 1922; Y.B. Sep. 884, pp. 771, 774. 1922.
  soup, recipe. F.B. 871, p. 9. 1917.
  spiny, infestation by bean thrips. Ent. Bul. 118, pp. 21, 24-25, 26, 30-31. 1912.
  susceptibility to *Bacterium aptatum*. J.A.R., vol. 1, pp. 194, 210. 1913.
  tree, importation and description. No. 54500, B.P.I. Inv. 69, p. 17. 1923.
  types demanded by eastern and western markets. Y.B., 1907, pp. 139-140. 1908; Y.B. Sep. 441, pp. 139-140. 1908.
  use as salad and potherb, studies. O.E.S. Bul. 245, pp. 21, 22, 23, 25, 29. 1912.
  use with cheese in food. F.B. 487, pp. 29, 34, 35. 1912.
  value as salad plant, composition and preparation. Y.B. 1911, pp. 441, 442, 446. 1912; Y.B. Sep. 582, pp. 441, 442, 446. 1912.
  varieties, susceptibility to downy mildew. J.A.R., vol. 23, pp. 992-993. 1923.
  variety testing, Yuma Experiment Farm. D.C. 75, p. 53. 1920.
  white fly, in greenhouse, fumigation. F.B. 1418, p. 21. 1924.
  yield and price. Y.B., 1924, p. 699. 1925.
Leucadendron—
  melliferum, importation, and description. No. 32090, B.P.I. Bul. 261, p. 60. 1912.
  repens. See Sugar bush.
Leucaena glauca—
  injurious to horses in Guam. Guam A.R., 1918, p. 10. 1919.
  See also Tangantangan.
Leucarctia acraea. See Moth, salt marsh caterpillar.
Leucaspia indica. See Scale, mango.
Leucine—
  determination in processed fertilizer base, methods. D.B. 158, pp. 10-11, 23. 1914.
  soil constituent, wheat-growing tests, tables. Soils Bul. 87, pp. 54-56. 1912.
  solution, use in plant-culture experiments. Soils Bul. 56, p. 43. 1909.
Leucinodes exemptalis, synonym for *Hellula undalis*. Ent. Bul. 109, Pt. III, p. 28. 1912.
Leucite—
  bearing rock, analysis. Soils Cir. 71, p. 2. 1912.
  potash source—
    location and amount. D.C. 61, p. 6. 1919.
    valuable deposits in Wyoming. Y.B. 1912, p. 528. 1913; Y.B. Sep. 611, p. 528. 1913.

Leucocasia gigantea, description and use. B.P.I. Bul. 164, p. 28. 1910.
Leucocrossuromys, technical descriptions. N.A. Fauna 40, pp. 23-34. 1916.
Leucocytes—
  counts in normal pigs' blood. J.A.R., vol. 9, pp. 131-140. 1917.
  counts under muscular exercise. J.A.R., vol. 9, pp. 169-172. 1917.
  fat phagocytosis. Masayoshi Sato. B.A.I. Dairy [Misc.], "World's dairy congress, 1923," pp. 1152-1153. 1924.
  in blood—
    of horses. J.A.R., vol. 21, pp. 678-688. 1921.
    study. B.A.I. Bul. 119, p. 14. 1909.
  in milk—
    methods of determination and the effect of heat upon their number. H. C. Campbell. B.A.I. Bul. 117, pp. 19. 1909.
    significance. B.A.I. Cir. 153, pp. 51-52. 1910.
    number found in samples of pasteurized market milk. B.A.I. An. Rpt., 1909, pp. 174, 175. 1911.
  pigs, counts under muscular exercise. J.A.R., vol. 9, pp. 170-172, 173. 1917.
  presence in urine. Chem. Bul. 84, pp. 1372-1373. 1908.
Leucomeris spectabilis, importation and description. No. 53583, B.P.I. Inv. 67, p. 65. 1923.
Leucomitra, subgenus. See Skunk, hooded.
Leucopis—
  bella, enemy of citrophilus mealybug. D.B. 1040, p. 19. 1922.
  grandicornis, enemy of plant lice, Hawaii. Hawaii Bul. 27, p. 10. 1912.
Leucoptera coffeella. See Leaf miner, coffee.
Leucopus group of *Peromyscus* spp., key and description. N.A. Fauna 28, pp. 112-141. 1909.
Leuco-rosolic acid, use in plant culture experiments. Soils Bul. 56, p. 21. 1909.
Leucorrhea—
  cow, symptoms and treatment. B.A.I. [Misc.], "Diseases of cattle," rev., pp. 219-220. 1904; rev., p. 224. 1923.
  mare, treatment. B.A.I. [Misc.], "Diseases of the horse," p. 187-188. 1903; rev., p. 188. 1907; rev., pp. 183-184. 1911.
Leucosceptrum canum, importation and description. No. 39646, B.P.I. Inv. 41, p. 54. 1917.
Leucosticte—
  Aleutian, range, and habits. N.A. Fauna 24, p. 72. 1904.
  gray-crowned, occurrence in—
    Alaska and Yukon Territory. N.A. Fauna 30, pp. 40, 62. 1909.
    Athabaska-Mackenzie region. N.A. Fauna 27, p. 417. 1908.
  spp. See Finch.
Leucotermes—
  flavipes—
    biological studies (with other species). Ent. Bul. 94, Pt. II, pp. 13-85. 1915.
    See Ants, white.
  lucifugus, infestation with nematode parasite. J.A.R., vol. 6, No. 3, pp. 115, 121-127. 1916.
  spp.—
    enemy of larger corn-stalk borer. F.B. 1025, p. 10. 1919.
    habits and control, Porto Rico. P.R. An. Rpt., 1914, p. 44. 1916.
    See also Termites.
  virginicus, biological studies (with other species). Ent. Bul. 94, Pt. II, pp. 13-85. 1915.
Leucothoe davisiae. See Laurel, black.
Leucuma mammosa. See Sapote.
Leukaspis bambusae, pest of bamboo. D.B. 1329, p. 41. 1925.
LEUKEL, R. W.: "Investigations on the nematode disease of cereals caused by *Tylenchus tritici*." J.A.R., vol. 27, pp. 925-956. 1924.
Levee(s)—
  aid in reclamation. Rpt. 70, pp. 43-45. 1901.
  building, use of excavating machinery, and for ditch digging. J. O. Wright. O.E.S. Cir. 74, pp. 40. 1907.
  construction—
    and care. O.E.S. Bul. 243, pp. 13-16. 1911.
    and maintenance. O.E.S. Bul. 158, pp. 691-700. 1905.

INDEX TO PUBLICATIONS, 1901–1925 1363

Levee(es)—Continued.
  construction—continued.
    hydraulic dredge, use and cost. D.B. 300, pp. 33–35. 1916.
    in Mississippi, methods and cost. D.B. 181, pp. 30, 32–35. 1915.
    description, location, design, construction, and maintenance. D.B. 304, pp. 9–13. 1915.
  dredging, drainage work in Arkansas, cost. O.E.S. Cir. 86, pp. 18–19. 1909.
  failures, causes. O.E.S. Bul. 158, pp. 700–703. 1905.
  field, rice irrigation, location, building, and cost. F.B. 673, pp. 6–12. 1915.
  injury by ground squirrels. Biol. Cir. 76, p. 7. 1910.
  irrigation, construction. O.E.S. Bul. 158, pp. 123–126. 1905.
  Louisiana wet lands. D.B. 652, pp. 23, 27, 31, 34, 39–42. 1918.
  Mississippi River—
    effect on river stages during flood periods. Samuel C. Emery. W.B. Bul. 38, pp. 21. 1910.
    in southern Louisiana. D.B. 71, pp. 19, 24, 29, 35, 37, 42, 46, 49, 53, 60. 1914.
    natural, Mississippi, process of formation. O.E.S. An. Rpt., 1909, pp. 416–419. 1910.
  Neosho River, building and cost. O.E.S. Bul. 198, pp. 23–44. 1908.
  pasturing, advantages. O.E.S. Bul. 243, p. 15. 1911.
  protection—
    against floods. O.E.S. Bul. 198, pp. 13–14, 23–24. 1908.
    use of cottonwood. For. Cir. 77, p. 2. 1910.
  rice-land irrigation, construction. F.B. 1240, pp. 6–7. 1924.
  specifications and cost, Kansas, overflowed lands. O.E.S. Bul. 234, pp. 20–40. 1911.
  system, Yuma reclamation project, description. D.C. 75, p. 4. 1920.
  tidal-marsh reclamations, descriptions. O.E.S. Bul. 240, pp. 21, 31, 37, 48, 55, 59–61, 75–76, 81, 90–92. 1911.
  See also Aboideau.
Level(s)—
  farm, homemade, descriptions, and use. S.R.S. Doc. 41, pp. 6–7. 1917; F.B. 864, p. 14. 1917.
  homemade, for surveying, directions for making and use. F.B. 638, p. 23. 1915.
  road building, description. For. Misc., O–6, p. 17. 1915.
  terrace, forms and directions for use. B.P.I. Doc. 706, pp. 6–7. 1911; S.R.S. Doc. 41, pp. 6–7. 1917.
Leveler—
  description. O.E.S. Bul. 226, p. 30. 1910.
  use in irrigation construction, description, and types. F.B. 865, pp. 12, 13, 14. 1917.
  use on irrigated land, sugar-beet growing. D.B. 693, p. 20. 1918.
Leveling—
  fields for irrigation. D.B. 721, pp. 9, 21, 37. 1918.
  fields, practice, Colorado, sugar-beet districts. D.B. 917, pp. 17–18. 1921.
  frame, seed bed, forest nursery. D.B. 479, p. 17. 1917.
  land, cost for irrigation work. O.E.S. Bul. 211, p. 26. 1909.
  land methods and implements. O.E.S. Bul. 226, pp. 29–30. 1910.
  sugar beets, practices and cost, Idaho and Utah. D.B. 693, pp. 20–21. 1918.
LEVINE, B. S.: "Waterproofing and mildewproofing cotton duck." With others. F.B. 1157, pp. 13. 1920.
LEVINE, M. N.—
  "A statistical study of the comparative morphology of biologic forms of *Puccinia graminis.*" J.A.R., vol. 24, pp. 539–568. 1923.
  "A third form of *Puccinia graminis* on wheat." With E. C. Stakman. J.A.R., vol. 13, pp. 651–654. 1918.
  "Biologic forms of *Puccinia graminis* on varieties of *Avena* spp." With others. J.A.R., vol. 24, pp. 1013–1018. 1923.

LEVINE, M. N.—Continued.
  "Effect of certain ecological factors on the morphology of the urediniospores of *Puccinia graminis.*" With E. C. Stakman. J.A.R., vol. 16, pp. 43–77. 1919.
  "New biological forms of *Puccinia graminis.*" With others. J.A.R., vol. 16, pp. 103–105. 1919.
  "Plasticity of biological forms of *Puccinia graminis.*" With others. J.A.R., vol. 15, pp. 221–250. 1918.
  "*Puccinia graminis poae* Erikss. and Henn. in the United States." With E. C. Stakman. J.A.R., vol. 28, pp. 541–548. 1924.
Levinseniella, new name for Levinsenia. B.A.I. Bul. 35, pp. 19–24. 1902.
Levisticum officinale. *See* Lovage.
Levulose—
  characteristics. F.B. 535, p. 9. 1913.
  determination in presence of dextrose and sucrose, methods. Chem. Bul. 90, pp. 10–14. 1905.
  polarization, effect of hydrosulphite and rongalite. Chem. Bul. 116, pp. 76–77. 1908.
LEWALLEN, W. M.: "Studies on the biology of the Texas-fever tick. (Supplementary report.)" With H. W. Graybill. B.A.I. Bul. 152, pp. 13. 1912.
LEWIS, H. G.: "Soil survey of—
  Bell County, Tex." With W. T. Carter, jr., and H. W. Hawker. Soil Sur. Adv. Sh., 1916, pp. 46. 1918; Soils F.O., 1916, pp. 1239–1280. 1921.
  Cape Girardeau County, Mo." With H. Krusekopf. Soil Sur. Adv. Sh., 1910, pp. 48. 1912; Soils F.O., 1910, pp. 1217–1260. 1912.
  Carroll County, Ga." With others. Soil Sur. Adv. Sh., 1921, pp. 129–154. 1924.
  Cleburne County, Ala." With others. Soil Sur. Adv. Sh., 1913, pp. 38. 1915; Soils F.O., 1913, pp. 793–826. 1916.
  Franklin County, Mo." With E. S. Vannata. Soil Sur. Adv. Sh., 1911, pp. 35. 1913; Soils F.O., 1911, pp. 1603–1633. 1914.
  Geauga County, Ohio." With others. Soil Sur. Adv. Sh., 1915, pp. 37. 1916; Soils F.O., 1915, pp. 1283–1315. 1919.
  Kootenai County, Idaho." With W. A. Denecke, jr. Soil Sur. Adv. Sh., 1919, pp. 45. 1923; Soils F.O., 1919, pp. 45. 1925.
  Lamar County, Miss." With others. Soil Sur. Adv. Sh., 1919, pp. 42. 1922; Soils F.O., 1919, pp. 973–1010. 1925.
  Lawrence County, Ala." With J. F. Stroud. Soil Sur. Adv. Sh., 1914, pp. 50. 1916; Soils F.O., 1914, pp. 1155–1200. 1919.
  Lubbock County, Tex." With J. O. Veatch. Soil Sur. Adv. Sh., 1917, pp. 32. 1920; Soils F.O., 1917, pp. 965–992. 1923.
  Miller County, Mo." With F. V. Emerson. Soil Sur. Adv. Sh., 1912, pp. 28. 1914; Soils F.O., 1912, pp. 1687–1710. 1915.
  Oconee, Morgan, Greene, and Putnam Counties, Ga." With others. Soil Sur. Adv. Sh., 1919, pp. 61. 1922; Soils F.O., 1919, pp. 889–945. 1925.
  Paulding County, Ohio." With Carl W. Shiffler. Soil Sur. Adv. Sh., 1914, pp. 29. 1915. Soils F.O., 1914, pp. 1545–1569. 1919.
  Pemiscot County, Mo." With others. Soil Sur. Adv. Sh., 1910, pp. 32. 1912; Soils F.O., 1910, pp. 1317–1344. 1912.
  Pike County, Miss." With others. Soil Sur. Adv. Sh., 1918, pp. 32. 1921; Soils F.O., 1918, pp. 649–676. 1924.
  Portage County, Ohio." With others. Soil Sur. Adv. Sh., 1914, pp. 44. 1916; Soils F.O., 1914, pp. 1505–1544. 1919.
  San Saba County, Tex." With others. Soil Sur. Adv. Sh., 1916, pp. 57. 1917; Soils F.O., 1916, pp. 1315–1377. 1921.
  Screven County, Ga." With others. Soil Sur. Adv. Sh., 1920, pp. 1623–1657. 1924; Soils F.O., 1920, pp. 1623–1657. 1925.
  Smith County, Tex." With others. Soil Sur. Adv. Sh., 1915, pp. 51. 1917; Soils F.O., 1915, pp. 1079–1125. 1919.
  Stoddard County, Mo." With others. Soil Sur. Adv. Sh., 1912, pp. 38. 1914; Soils F.O., 1912, pp. 1751–1784. 1915.
  the Portneuf area, Idaho." With P. P. Peterson. Soil Sur. Adv. Sh., 1918, pp. 51. 1921; Soils F.O., 1918, pp. 1497–1544. 1924.

Lewis, H. G.—Continued.
Tompkins County, N. Y." With others. Soil Sur. Adv. Sh., 1920, pp. 1567-1622. 1924; Soils F.O., 1920, pp. 1567-1622. 1925.
Lewis, J. H.: "Irrigation in Oregon." With Percy A. Cupper. O.E.S. Bul. 209, pp. 67. 1909.
Lewis, L. L., report of Oklahoma Experiment Station, work and expenditures—
 1913. O.E.S. An. Rp., 1913, pp. 71-72. 1915.
 1914. O.E.S. An. Rp.., 1914, pp. 191-194. 1915.
Lewis, R. H.: "Toughness of bituminous aggregates." With Charles S. Reeve. J.A.R., vol. 10, pp. 319-330. 1917.
Lewiston irrigation district, location and work. O.E.S. Bul. 216, pp. 40-41. 1909.
Lewiston, Me., milk supply, statistics, officials, laws, prices. B.A.I. Bul. 46, pp. 40, 82. 1903.
Lexington, Ky.—
 milk supply, statistics, officials and prices. B.A.I. Bul. 46, pp. 34, 80. 1903.
 tobacco market and trade center. B.P.I. Bul. 268, pp. 34, 51-52. 1913.
Lexington Mill and Elevator Co., bleached flour hearings. Chem. N.J. 722, pp. 100. 1911.
Leycesteria—
 belliana, importation and description. No. 55686, B.P.I. Inv. 72, p. 18. 1924.
 formosa, importation and description. No. 52864, B.P.I. Inv. 67, p. 7. 1923.
Liability ratings, forests, use in planning fire protection. J.A.R., vol. 30, pp. 693-762. 1925.
Liacarus spp., description. Rpt. 108, pp. 96, 98. 1915.
Liano, importation and description. No. 51461, B.P.I. Inv. 65, pp. 2, 19. 1923.
Liard River valley, description, climate, and seasonal events. N.A. Fauna 27, pp. 30-32. 1908.
Liatris graminifolia. See Blazing star.
Liautard, A.: "Lameness: Its causes and treatment." B.A.I., [Misc.], "Diseases of the horse," rev., pp. 274-368. 1903; rev., pp. 274-368. 1907; rev., pp. 274-368. 1911; rev., pp. 298-394. 1916; rev., pp. 298-394. 1923.
Libas, importation and description. No. 37381. B.P.I. Inv. 38, p. 54. 1917.
Libellula pulchella, destruction by birds. Biol. Bul. 15, p. 94. 1901.
Liberty—
 loan, primer of questions and answers, by Treasury Department. News L., vol. 5, No. 12, pp. 1-2. 1917.
 tree, name applied to black walnut. Y.B., 1918, p. 319. 1919; Y.B. Sep. 779, p. 5. 1919.
Libia grandis, enemy of potato beetle. Ent. Bul. 82, p. 4. 1912.
Libocedrus decurrens. See Cedar, incense.
Librarian, annual report—
 1901. Josephine A. Clark. An. Rpts., 1901, pp. 171-173. 1901; Lib. A.R., 1901, pp. 3. 1901.
 1902. Josephine A. Clark. An. Rpts., 1902, pp. 235-239. 1902; Lib. A.R., 1902, pp. 5. 1902.
 1903. Josephine A. Clark. Lib. A.R., 1903, pp. 5. 1903; An. Rpts., 1903, pp. 455-459. 1903.
 1904. Josephine A. Clark. Lib. A.R., 1904, pp. 5. 1904; An. Rpts., 1904, pp. 413-417. 1904.
 1905. Josephine A. Clark. An. Rpts., 1905, pp. 419-422. 1905. Lib. A.R., 1905, pp. 4. 1905.
 1906. Josephine A. Clark. Lib. A.R., 1906, pp. 8. 1906; An. Rpts., 1906, pp. 553-556. 1907.
 1907. C. R. Barnett. An. Rpts., 1907, pp. 645-648. 1908; Lib. A.R., 1907, pp. 8. 1907.
 1908. C. R. Barnett. An. Rpts., 1908, pp. 713-716. 1909; Lib. A.R., 1908, pp. 8. 1908.
 1909. C. R. Barnett. An. Rpts., 1909, pp. 669-682. 1909; Lib. A.R., 1909, pp. 16. 1909.
 1910. C. R. Barnett. An. Rpts., 1910, pp. 723-734. 1911; Lib. A.R., 1910, pp. 16. 1910.
 1911. C. R. Barnett. An. Rpts., 1911, pp. 657-684. 1912; Lib. A.R., 1911, pp. 31. 1911.
 1912. C. R. Barnett. An. Rpts., 1912, pp. 799-817. 1913; Lib. A.R., 1912, pp. 22. 1912.
 1913. C. R. Barnett. An. Rpts., 1913, pp. 263-270. 1914; Lib. A.R., 1913, pp. 8. 1913.
 1914. C. R. Barnett. An. Rpts., 1914, pp. 245-253. 1914; Lib. A.R., 1914, pp. 9. 1914.
 1915. C. R. Barnett. An. Rpts., 1915, pp. 283-293. 1916; Lib. A.R., 1915, pp. 11. 1915.

Librarian, annual report—Continued.
 1916. C. R. Barnett. An. Rpts., 1916, pp. 285-296. 1917; Lib. A.R., 1916, pp. 12. 1916.
 1917. C. R. Barnett. An. Rpts., 1917, pp. 309-321. 1918; Lib. A.R., 1917, pp. 13. 1917.
 1918. C. R. Barnett. An. Rpts., 1918, pp. 319-334. 1919; Lib. A.R., 1918, pp. 16. 1918.
 1919. C. R. Barnett. An. Rpts., 1919, pp. 337-352. 1920; Lib. A.R., 1919, pp. 16. 1919.
 1920. C. R. Barnett. An. Rpts., 1920, pp. 427-444. 1921; Lib. A.R., 1920, pp. 18. 1920.
 1921. C. R. Barnett. Lib. A.R., 1921, pp. 16. 1921.
 1922. C. R. Barnett. An. Rpts., 1922, pp. 395-412. 1923; Lib. A.R., 1922, pp. 18. 1922.
 1923. C. R. Barnett. An. Rpts., 1923, pp. 537-552. 1924; Lib. A.R., 1923, pp. 16. 1923.
 1924. C. R. Barnett. Lib. A.R., 1924, pp. 15. 1924.
 1925. C. R. Barnett. Lib. A.R., 1925, pp. 16. 1925.
Library(ies)—
 agricultural, relation of Department Library. An. Rpts., 1909, pp. 680-681. 1910; Lib. A.R., 1909, pp. 14-15. 1909.
 book pest, silverfish. F.B. 902, p. 3. 1917.
 books and periodicals, exchange. Adv. Com. F. and B.M. [Misc.], "Property Regulations," p. 28. 1916.
 circulating, appreciation in Iowa. News L., vol. 6, No. 39, p. 11. 1919.
 department—
  accessions—
   October–December, 1900. Lib. Bul. 34, pp. 28. 1901.
   January–March, 1901. Lib. Bul. 35, pp. 29. 1901.
   April–June, 1901. Lib. Bul. 36, pp. 24. 1901.
   July–September, 1901. Lib. Bul. 38, pp. 35. 1901.
   October–December, 1901. Lib. Bul. 39, pp. 24. 1902.
   January–March, 1902. Lib. Bul. 40, pp. 67. 1902.
   April–June, 1902. Lib. Bul. 43, pp. 37. 1902.
   July–September, 1902. Lib. Bul. 44, pp. 51. 1902.
   October–December, 1902. Lib. Bul. 45, pp. 72. 1903.
   January–March, 1903. Lib. Bul. 46, pp. 67. 1903.
   April–June, 1903. Lib. Bul. 47, pp. 56. 1903.
   July–September, 1903. Lib. Bul. 48, pp. 45. 1903.
   October–December, 1903. Lib. Bul. 49, pp. 64. 1904.
   January–March, 1904. Lib. Bul. 50, pp. 62. 1904.
   April–June, 1904. Lib. Bul. 51, pp. 56. 1904.
   July–September, 1904. Lib. Bul. 52, pp. 45. 1904.
   October–December, 1904. Lib. Bul. 53, pp. 66. 1905.
   January–March, 1905. Lib. Bul. 54, pp. 59. 1905.
   April–June, 1905. Lib. Bul. 56, pp. 76. 1905.
   July–September, 1905. Lib. Bul. 57, pp. 47. 1905.
   October–December, 1905. Lib. Bul. 58, pp. 64. 1906.
   January–March, 1906. Lib. Bul. 59, pp. 77. 1906.
   April–June, 1906. Lib. Bul. 60, pp. 64. 1906.
   July–September, 1906. Lib. Bul. 61, pp. 61. 1906.
   October–December, 1906. Lib. Bul. 62, pp. 56. 1907.
   January–March, 1907. Lib. Bul. 63, pp. 64. 1907.
   April–June, 1907. Lib. Bul. 64, pp. 75. 1907.
   July–September, 1907. Lib. Bul. 65, pp. 56. 1907.
   October–December, 1907. Lib. Bul. 66, pp. 63. 1908.
   January–March, 1908. Lib. Bul. 67, pp. 72. 1908.
   April–June, 1908. Lib. Bul. 68, pp. 52. 1908.
   July–September, 1908. Lib. Bul. 69, pp. 51. 1908.

INDEX TO PUBLICATIONS, 1901-1925   1365

Library(ies)—Continued.
  department—continued.
    accessions—continued.
      October-December, 1908. Lib. Bul. 70, pp. 61. 1909.
      January-March, 1909. Lib. Bul. 71, pp. 81. 1909.
      April-June, 1909. Lib. Bul. 72, pp. 90. 1909.
      July-September, 1909. Lib. Bul. 73, pp. 63. 1909.
      October-December, 1909. Lib. Bul. 74, pp. 68. 1910.
      1913-1922. An. Rpts., 1922, pp. 395-397, 409. 1922; Lib. A.R., 1922, pp. 1-3, 15. 1922.
      1916-1925. Lib. A.R., 1925, pp. 11-14. 1925. See also *each issue of Official Record*.
    appropriations and expenditures—
      1911-1920. An. Rpts., 1920, pp. 442-443. 1921.
      1916-1925. Lib. A.R., 1925, p. 15. 1925.
    catalogue of periodicals and other serial publications (1901-1905). Lib. Bul. 37, Sup. 1, pp. 217. 1907.
    growth from 1868-1908. An. Rpts., 1908, pp. 129, 178. 1909; Sec. A. R., 1908, pp. 127, 177. 1908.
    historical sketch, origin, and appropriations. An. Rpts., 1912, pp. 812-815. 1913; Lib. A.R. 1912, pp. 16-19. 1912.
    laws applicable, and appropriations, 1915. Sol. [Misc.], "Laws applicable * * * agriculture," sup. 3, p. 47. 1915.
    list of duplicates. Lib. [Misc.], "List of duplicates * * *," pp. 13. 1910.
    loans, interlibrary, rules. Lib. "Rules for interlibrary loans." (Folder.) 1914.
    periodicals currently received, list. Lib. Bul. 75, pp. 72. 1909.
    publications—
      duplicate, available for exchange, November 2, 1905. Lib. [Misc.], "Duplicate publications * * *," pp. 9. 1905.
      duplicate, available for exchange, March 12, 1906. Lib. [Misc.], "Duplicate publications * * *," pp. 19. 1906.
      list, February 27, 1911. Pub. Cir. 18, pp. 3. 1911.
    report of Librarian. See Librarian, annual report.
    salaries and general expenses, 1915, appropriations. Sol. [Misc.], "Laws applicable * * * agriculture," sup. 2, pp. 79-80. 1915.
    scheme of classification. Lib. [Misc.], "Library * * * scheme of classification," pp. 31. 1906; rev., pp. 51. 1916.
    desiderata, list, 1905. Lib. [Misc.], "List of desiderata," pp. 11. 1905.
  farm mechanics, collection by school. F.B. 638, p. 25. 1915.
  of Congress, cards prepared for, by department library. An. Rpts., 1912, pp. 806, 816-817. 1912; Lib. A.R., 1912, pp. 10, 21-22. 1912.
  of Congress, cooperation with department library, An. Rpts., 1909, pp. 579-680. 1910; Lib. A.R. 1909, pp. 13-14. 1909.
  public, designation as depositories of public documents. Y.B., 1910, p. 479. 1911.
  public, example of beautiful setting, Eagle Rock, California. F.B. 1325, pp. 11-12. 1923.
  rural, for benefit of farm women, discussion. Rpt. 105, pp. 47-54. 1915.
  rural, planning. F.B. 1441, pp. 42-43. 1925.
  traveling, discussion. O.E.S. Bul. 199, pp. 57-65. 1908.
  use of community building. F.B. 1274, pp. 17, 31, 32. 1922.
  work of farm women's organizations. D.B. 719, p. 9. 1918.
Librocedrus decurrens. See Cedar, incense.
Libyan Oases, home of Saidy date, character, and early history. D.B. 1125, p. 3. 1923.
Licania platypus. See Sansapote.
Lice—
  and mites on poultry. Nathan Banks. Ent. Cir. 92, pp. 8. 1907.
  annoyance to setting hens, control method. News L., vol. 4, No. 39, p. 8. 1917.
  book. See Book lice; Psocids.

Lice—Continued.
  control—
    by plant insecticides. D.B. 1201, pp. 26-52. 1924.
    by sabadilla seeds. D.B. 707, p. 5. 1918.
    methods, and necessity in chicken coops, and houses. S.R.S. Doc. 77, pp. 2-3. 1918.
    on turkeys. F.B. 791, p. 26. 1917.
    on young chicks. F.B. 1108, p. 3. 1920.
  dipping as control measure, Angora goats. F.B. 1203, pp. 24-25. 1921.
  eggs, destruction by various volatile compounds. J.A.R., vol. 12, pp. 579-580. 1918.
  eradication on pigeons. H. P. Wood. D.C. 213, pp. 4. 1922.
  exterminator, Fleck's, analysis. Chem. Bul. 68, p. 54. 1902.
  exterminators, composition. Chem. Bul. 68, p. 50, 51, 54, 55, 56, 58. 1902.
  injury to—
    hens, and control. F.B. 624, pp. 2-3. 1914; F.B. 889, p. 19. 1917; Sec. Cir. 71, p. 4. 1917.
    man, description and control. Sec. Cir. 61, pp. 16-19. 1916.
  killer—
    Aphine, adulteration and misbranding. Insect. N.J. 116. I. and F.Bd. S.R.A. 6, pp. 86-87. 1914.
    bourbon, misbranding. I. and F. Bd. S.R.A. 9, pp. 27-28. 1915.
    Lee's adulteration and misbranding, N. J. 110. I. and F.Bd. S.R.A. 5, pp. 75-77. 1914.
    Lee's, analysis. Chem. Bul. 68, pp. 55-56. 1902.
  liquid, notice to manufacturers. I. and F. Bd. S.R.A. 8, pp. 1-2. 1915.
  poultry, dangers in use of certain liquids. B.A.I. Bul. 110, Pt. I, p. 18. 1909; Ent. Bul. 67, p. 82. 1907.
  "Pratt's liquid," misbranding. Insect. N.J. 126. I. and F.Bd. S.R.A. 7, p. 98. 1915.
  killing with dips. F.B. 276, pp. 25-26. 1907.
  life history, distribution, agents in transmitting tapeworms. Y.B., 1905, pp. 145, 161. 1906; Y.B. Sep. 374, pp. 145, 161. 1906.
  on calves, control. F.B. 1073, p. 21. 1919; F.B. 1135, pp. 12-13. 1920.
  on canary, description and control. F.B. 770, p. 17. 1916.
  on cattle—
    and how to eradicate them. Marion Imes. F.B. 909, pp. 27. 1918.
    control by dipping. B.A.I. Bul. 40, p. 13. 1902.
    description, and treatment. B.A.I. [Misc.] "Diseases of cattle," rev., pp. 500-501. 1904; rev., pp. 524-526. 1912; rev., pp. 512-513. 1923; F.B. 909, pp. 1-27. 1918; News L., vol. 5, No. 39, pp. 5-6. 1918.
    eradication methods, summary. F.B. 909, pp. 8-11. 1918.
  on chickens—
    control. B.A.I. Cir. 206, p. 4. 1912; D.B. 888, pp. 2-9. 1920; F.B. 287, rev., p. 37. 1921; F.B. 528, p. 11. 1913; F.B. 1040, p. 25. 1919; F.B. 1331, pp. 16-17. 1923; F.B. 1337, pp. 34-35. 1923; F.B. 1376, p. 3. 1924; S.R.S. Doc. 71, pp. 1-4. 1918; S.R.S. Syl. 17, p. 16. 1915.
    control by derris powder, experiments. J.A.R., vol. 17, p. 192. 1919.
    injuries to turkeys, poults, and ducks, control method. F.B. 801, pp. 12, 17-18, 19-26. 1917.
    precautions. O.E.S.F.I.L. 10, p. 17. 1909; rev. 1910.
    prevention. F.B. 1337, pp. 34-35. 1923.
    treatment. F.B. 287, p. 48. 1907.
    varieties, injuries, food habits, and control. F.B. 801, pp. 11-17, 19-26. 1917.
  on colts, detection and eradication. F.B. 803, p. 19. 1917; F.B. 803, rev., p. 17. 1923.
  on dogs—
    descriptions and control. D.C. 338, pp. 13-14. 1925.
    spread of disease. D.B. 260, p. 16. 1915.
  on ducks and geese, description and control methods. F.B. 801, pp. 18-19, 19-26. 1917.
  on fur seal, occurrence in the Pribilof Islands, Alaska. N.A. Fauna 46, Pt. II, p. 142. 1923.

Lice—Continued.
  on goats—
    control. B.A.I. An. Rpt., 1900, p. 352. 1901; B.A.I. Bul. 27, p. 66. 1901; F.B. 137, p. 45. 1901.
    use of dipping or washing for control. F.B. 920, p. 31. 1918.
  on guineas—
    and peafowl, description, and control treatment. F.B. 801, p. 19-26. 1917.
    prevention. F.B. 858, pp. 12-13. 1917; F.B. 1391, p. 10. 1924.
  on hogs—
    control by coal-tar dips. F.B. 465, p. 20. 1911.
    control methods. D.R.P. Cir. 1, pp. 23-24. 1915; F.B. 874, pp. 33-36. 1917; F.B. 985, p. 38. 1918; F.B. 1437, p. 30. 1925; Hawaii Bul. 48, p. 25. 1923.
    description, distribution, habits, and control. D.B. 1085, pp. 3-5, 12-28. 1920.
    distribution, nature, habits, and control. D.B. 646, p. 22. 1918; F.B. 1085, rev., pp. 3-5, 12-27. 1923.
    eradication method. Sec. Cir. 30, p. 6. 1909.
    history, description, and control. B.A.I. Bul. 69, pp. 9-21, 29-34. 1905.
    treatment, oiling, spraying, and dipping. D.B. 1085, pp. 12-20. 1920.
  on pigeons—
    description, and control methods. F.B. 801, pp. 19-26. 1917.
    various species, effectiveness of sodium fluorid against. D.C. 213, p. 4. 1922.
  on poultry—
    and treatment by use of powders and dips. F.B. 957, pp. 40-41. 1918.
    control by sodium fluoride. P.R. Cir. 17, p. 7. 1918.
    control methods. F.B. 435, pp. 20-21. 1911; F.B. 801, p. 27. 1917; News L., vol. 6, No. 35, pp. 5-6. 1919.
    description, habits, and control. D.C. 16, pp. 2-3, 5-6. 1919; Ent. Cir. 92, pp. 1-8. 1907; F.B. 1110, pp. 3-6, 9. 1920.
  on reindeer, treatment. D.B. 1089, p. 67. 1922.
  on sheep—
    comparison with scab mites. F.B. 713, p. 10. 1916.
    description, symptoms, and treatment. F.B. 1330, pp. 5-8. 1923.
  on turkeys—
    control. F.B. 1409, pp. 21-22. 1924.
    description, habits, and control methods. F.B. 801, pp. 17-18, 19-26. 1917.
  paint, misbranding. I. and F. Bd. S.R.A. 24, pp. 521-522. 1919.
  poison, "Conkey's lice liquid," misbranding. I. and F. Bd. N.J. 20, pp. 2. 1914.
  powder—
    cypress. N.J. 166, I. and F. Bd. S.R.A. 10, pp. 33-34. 1915.
    "Hall's black diamond," misbranding. N.J. 187, I. and F. Bd. S.R.A. 11, pp. 67-68. 1915.
    ingredients, labeling, etc., opinions. I. and F. Bd. S.R.A. 15, pp. 195-199, 207-209. 1917.
    misbranding. Insect. N.J. 467, 475, I. and F. Bd. S.R.A. 26, pp. 598, 607. 1919.
    use against chicken lice. D.C. 16, p. 5. 1919; F.B. 1110, p. 5. 1920.
    use in poultry-disease prevention, formula, and application methods. F.B. 530, pp. 5-6. 1913.
  sucking and biting, habits and control on livestock. Y.B., 1912, pp. 395-396. 1913; Y.B. Sep. 600, pp. 395-396. 1913.
  transmission of typhus fever. Sec. Cir. 61, p. 17. 1916.
  wood. See Ants, white; Termites.
  See also Louse.
License(s)—
  automobile registrations, and revenues in the United States, 1916. Sec. Cir. 73, pp. 15. 1917.
  biological products, manufacture, list. B.A.I. S.R.A. 98, pp. 78-81. 1915.
  cotton warehouses. Sec. Cir. 94, pp. 6-9. 1918; Sec. Cir. 143, pp. 6-8. 1919.
  creamery, laws in different States. Howard Wilbur Gregory. B.A.I. Dairy [Misc.], "World's dairy congress, 1923," pp. 768-773. 1924.

License(s)—Continued.
  fees, hunting, receipts from. D.B. 1049, pp. 11-12. 1922.
  for selling milk, conditions in various cities. B.A.I. Bul. 46, p. 23. 1903.
  game shipping, number issued in Alaska, fiscal year, 1921, dates, fees, and trophies. D.C. 225, pp. 6, 7. 1922.
  grain, cancellation, regulations. Sec. Cir. 70, pp. 1-2. 1917; Sec. Cir. 70, rev., pp. 24-26. 1920.
  grain warehouses. Sec. Cir. 141, pp. 6-9. 1919.
  hunting—
    adoption and changes in fees, table. Biol. Bul. 19, pp. 19-23. 1904.
    Alaska, number issued in fiscal year, 1921, dates, fees, and specimen numbers. D.C. 225, pp. 6, 7. 1922.
    and shipping, game. D.B. 22, pp. 8, 50-59. 1913; D.C. 88, pp. 16-18. 1920; F.B. 336, pp. 46-55. 1908; F.B. 376, pp. 44-52. 1909; F.B. 418, pp. 37-47. 1910; F.B. 470, pp. 7, 43-52. 1911; F.B. 774, pp. 54-62. 1916.
    comparison of statistics. Biol. Bul. 19, pp. 37-41. 1904.
    early laws. Biol. Bul. 19, pp. 9-10. 1904.
    enforcement of penalties. Biol. Bul. 19, pp. 43-44. 1904.
    exemptions. Biol. Bul. 19, pp. 30-32. 1904.
    fees charged. Biol. Bul. 19, pp. 25-30. 1904.
    foreign countries. Biol. Bul. 19, pp. 51-54. 1904.
    forms. Biol. Bul. 19, pp. 24-25. 1904.
    history, objects, and limitations. T. S. Palmer. Biol. Bul. 19, pp. 72. 1904.
    legislation, 1921. F.B. 1235, pp. 6, 9. 1921.
    limitations of system. Biol. Bul. 19, pp. 42-44. 1904.
    nonresident, issued in 1902-03. Biol. Bul. 19, p. 35. 1904.
    special privileges. Biol. Bul. 19, p. 42. 1904.
  inspectors', suspension, and cancellation, 1918. Mkts. S.R.A. 38, pp. 20-22. 1918.
  laws, stallions, various States, studies. News L., vol. 3, No. 27, pp. 2-3. 1916; F.B. 425, pp. 12-18. 1910.
  market-hunting. Biol. Bul. 19, pp. 14-15. 1904.
  milk dealers, forms of application. B.A.I. Bul. 46, pp. 188-189, 190-195, 200-203. 1903.
  milk distribution, revocable system. B.A.I. Dairy [Misc.], "World's dairy congress, 1923," pp. 1345-1346. 1924.
  motor-truck transportation expense, estimation. D.B. 770, p. 14. 1919.
  nonresidents, constitutionality, chief grounds of attack. Biol. Bul. 19, p. 46. 1904.
  stockyard—
    number issued and canceled. Y.B., 1919, pp. 242-243. 1920; Y.B. Sep. 809, pp. 242-243. 1920.
    regulations. Sec. Cir. 116, pp. 1-14. 1918.
  system, stockyards and stock dealers, proclamation by President. News L., vol. 5, No. 47, pp. 2-3. 1918.
  testers', laws in different States. Howard Wilbur Gregory. B.A.I. Dairy [Misc.], "World's dairy congress, 1924," pp. 768-773. 1924.
  trapping for fur animals, legislation, 1923. F.B. 1387, pp. 2-3. 1923.
  warehouse, regulations. Mkts. S.R.A. 27, pp. 11-14. 1917; Mkts. S.R.A. 53, pp. 4-7. 1919; B.A.E. S.R.A. 81, pp. 2-4. 1923; Sec. Cir. 154, pp. 6-9. 1920.
  wool warehouses, regulations. Sec. Cir. 150, pp. 6-9, 24-25. 1920.
Lichee. See Litchi; Lechee.
Lichen(s)—
  acids, resemblance to penicillic acid. B.P.I. Bul. 270, p. 18. 1913.
  Alaska range, feed value for reindeer. D.B. 1089, pp. 20, 22-27. 1922.
  formations, occurrence and indications. B.P.I. Bul. 201, pp. 20, 22, 62, 83. 1911.
  pecan, control. F.B. 1129, p. 20. 1920.
  spraying tests. Ent. Bul. 80, pp. 148, 151, 152, 156. 1912.
  use in agriculture study, collection methods. F.B. 586, p. 24. 1914.
Lichi. See Litchi. Lychee.

INDEX TO PUBLICATIONS, 1901–1925 — 1367

Licicides, ineffectiveness against pigeon lice in bath water. D.C. 213, p. 3. 1922.
"Licks" for cattle feeding, addition of lime and sulphur ingredients. F.B. 329, pp. 25–26. 1908.
Licorice—
culture and handling as drug plant, yield, and price. F.B. 663, p. 28. 1915.
growing and uses, harvesting, marketing, and prices. F.B. 663, rev., p. 37. 1920.
root imports—
1855–1911. Y.B., 1911, pp. 663, 684–685. 1912; Y.B. Sep. 588, pp. 663, 684–685. 1912.
1901–1924. Y.B., 1924, p. 1076. 1925.
1907–1909, quantity and value, by countries from which consigned. Stat. Bul. 82, p. 44. 1910.
1908–1910, quantity and value, by countries from which consigned. Stat. Bul. 90, p. 47. 1911.
Licreso Liquor Cresolis Compound, adulteration, and misbranding. Insect N.J. 896. I. and F. Bd. S.R.A. 46, p. 1106. 1923.
Licuala rumphii, importation and description. No. 51132, B.P.I. Inv. 64, p. 62. 1923; B.P.I. Inv. 65, p. 41. 1923.
Lidgerwood, overhead system of yarding, equipment, and cost. D.B. 711, pp. 123–134. 1918.
Lien law, landlord's, provisions and object. D.B. 1068, p. 12. 1922.
LIEFSNER, F. W.: "The by-products of rice milling." With J. B. Reed. D.B. 570, pp. 16. 1917.
Lieu, selections, National Forests, laws. Sol. [Misc.], "Laws * * * forests," pp. 77–78, 113. 1916.
Life—
insurance companies, farm-mortgage loans. D.B. 384, p. 11. 1916; Y.B., 1924, pp. 195, 196–197. 1925.
loss in United States by lightning. Alfred J. Henry. W.B. Bul. 30, pp. 21. 1901.
zones—
and crop zones, study. An. Rpt., 1906, pp. 398–400. 1907.
foxes, North America, map. D.B. 1151, p. 5. 1923; F.B. 795, pp. 7–8. 1917.
geographic distribution, work of Biological Survey. Biol. Chief Rpt., 1905, pp. 303–304. 1905.
in Alabama, birds, mammals, and plants. N.A. Fauna 45, pp. 10–16. 1921.
in Athabaska-Mackenzie region, arctic, Hudsonian, Canadian. N.A. Fauna 27, pp. 49–54. 1908.
in Texas, description. N.A. Fauna 25, pp. 11, 16–38. 1905.
in Wyoming, investigations. Merritt Carey. N.A. Fauna 42, pp. 95. 1917.
"Life malt," adulteration and misbranding. Chem. S.R.A. 5, sup., p. 326. 1914.
Ligaa, stock for jujube, importation. No. 35416, B.P.I. Inv. 35, pp. 7, 43. 1915.
LIGHT, FRED, versus United States, Supreme Court decision sustaining power of Congress to create national forests. Sol. Cir. 52, pp. 1–7. 1911.
Light(s)—
artificial, effect on plant growth. J.A.R., vol. 18, pp. 597–601. 1920.
artificial, prohibition of use in hunting, in Alaska. Biol. S.R.A. 45, p. 1. 1922.
barrels, use in trapping cabbage webworm. Ent. Bul. 109, Pt. III, p. 43. 1912.
blue sky, variations in insolation and in polarization during 1903 and 1904. H. H. Kimball. W.B. [Misc.], "Proceedings, third convention * * *," pp. 69–77. 1904.
conditions essential to cotton classification. D.C. 278, pp. 34–35. 1924.
effect on—
chicken growing, study in 1923. Work and Exp., 1923, pp. 62–63. 1925.
fumigation. Ent. Bul. 90, Pt. I, pp. 71–72. 1911.
fungi growth and reproduction, experiments. J.A.R., vol. 16, pp. 720–725. 1916.
Fusarium cultures. J.A.R., vol. 24, pp. 350, 352. 1923.
kelp growth. D.B. 1191, p. 28. 1923.
olive oil, experiments. J.A.R., vol. 13, pp. 356–365. 1918.

Light(s)—Continued.
plant growth, study in 1923. Work and Exp., 1923, pp. 24–25. 1925.
Rhizopus spp., activities. J.A.R., vol. 25, pp. 157–160. 1923.
stomatal movement. J.A.R., vol. 5, pp. 1011, 1020–1021, 1037. 1916.
urediniospores of *Puccinia graminis*. J.A.R., vol. 16, pp. 71–72. 1919.
electric—
and power, from small streams. A. M. Daniels. Y.B., 1918, pp. 221–238. 1919; Y.B. Sep. 770, pp. 20. 1919.
location in house, directions. Y.B., 1919, pp. 230–234. 1920; Y.B. Sep. 799, pp. 230–234. 1920.
unprotected, as dust explosion and fire hazard. David J. Price and Hylton R. Brown. D.C. 171, pp. 7. 1921.
farm families, consumption and sources. D.B. 410, p. 31. 1916.
importance in tree growth and development, study. D.B. 1059, pp. 39–59. 1922.
in relation to tree growth. Raphael Zon and Henry S. Graves. For. Bul. 92, pp. 59. 1911.
in the farm home, and power. A. M. Daniels. Y.B., 1919, pp. 223–238. 1920; Y.B. Sep. 799, pp. 223–238. 1920.
insect attraction, experiments with sugar-cane borer. D.B. 746, pp. 45–47. 1919.
intensities—
and tree growth. For. Bul. 92, pp. 8–11. 1911.
at various latitudes. For. Bul. 92, p. 7. 1911.
effect on various plants, experiments. B.P.I. Bul. 279, pp. 14–20. 1913.
moth attraction, use in control of leopard moth. F.B. 708, p. 9. 1916.
relation to—
fumigation. Ent. Bul. 90, pp. 71–72. 1912.
fungous growth, studies. D.B. 227, p. 8. 1915.
gas injury of citrus trees. F.B. 1321, pp. 41–42. 1923.
other factors of environment of growing plants. J.A.R., vol. 23, pp. 910–914. 1923.
plant—
growth studies. Y.B., 1921, p. 27. 1922; Y.B. Sep. 875, p. 27. 1922.
injury by fumigation. D.B. 907, pp. 4–27, 33–37. 1920.
requirements—
cow stables. B.A.I. An. Rpt., 1909, pp. 120, 123. 1911.
of Douglas fir. D.B. 1200, pp. 4–5. 1924.
transmission—
in soil tests. Soils Bul. 91, pp. 17–28. 1913.
measurement in use of spectrophotometer. J.A.R., vol. 26, pp. 384–387. 1923.
traps, use—
for control of beetles. F.B. 543, p. 19. 1913.
in female-Lepidoptera capture. J.A.R., vol. 14, pp. 135–149. 1918.
unattractive to boll weevil. F.B. 1262, p. 27. 1922.
use in traps for—
Lepidoptera. W.B. Turner. J.A.R., vol. 18, pp. 475–481. 1920.
moths, description. J.A.R., vol. 18, pp. 475–476. 1920.
use to attract leafhoppers. Ent. Bul. 108, p. 20. 1912.
Lighthouse—
Board, whitewash formula. F.B. 474, p. 20. 1911.
danger to migrating birds. D.B. 185, pp. 21, 29, 32–33. 1915.
reservations, woodland management. For. A.R. 1914, p. 32. 1914; An. Rpts., 1914, p. 160. 1914.
Service, cooperation with Forest Service. Sol. [Misc.], "Laws applicable * * *," Sup. 3, p. 30. 1915.
Lighting—
apparatus, use with dusting machinery. F.B. 1098, pp. 23–25. 1920.
appliances for frost protection in orchard. Y.B., 1909, p. 363. 1910; Y.B. Sep. 519, p. 363. 1910.
country homes, needs of farm women. Rpt. 104, pp. 43–44. 1915.

Lighting—Continued.
  equipment for cotton dusting. F.B. 1319, p. 17. 1923.
  farm home, electrical power requirements, estimating. Y.B., 1918, pp. 222–224, 236. 1919; Y.B. Sep. 770, pp. 4–6, 18. 1919; Y.B., 1919, pp. 227–234. 1920; Y.B. Sep. 799, pp. 227–234. 1920.
  farm kitchens, methods. F.B. 607, p. 7. 1914.
  farmhouse, methods and cost. F.B. 517, pp. 21–24. 1912; Y.B., 1909, p. 356. 1910; Y.B. Sep. 518, p. 356. 1910.
  fixtures, selection. Y.B., 1914, p. 348. 1915; Y.B. Sep. 646, p. 348. 1915.
  kitchen, needs and method. D.C. 189, p. 5. 1921.
  market for retail meats. M. C. 54, pp. 13–14. 1925.
  See also Acetylene; Electricity.
Lightning—
  and lightning conductors. Alfred J. Henry. F.B. 367, pp. 20. 1909.
  arresters, grounding. F.B. 842, p. 22. 1917.
  cause of—
    fires, comparison with other causes. M. C. 19, p. 7. 1924.
    forest fires. For. Bul. 117, pp. 9–11, 23–39. 1912.
    forest fires, number in California. M.C. 7, pp. 11–12. 1923.
    loss of life in United States. Alfred J. Henry. W.B. Bul. 30, p. 21. 1901.
    spiketop in conifer trees. D.B. 360, pp. 8, 13. 1916.
  conductors—
    and lightning. Alfred J. Henry. F.B. 367, pp. 20. 1909.
    erection, recent practice. Alfred J. Henry. W.B. 37, p. 20. 1906.
    materials and directions for installing. F.B. 842, pp. 5–28. 1917.
  danger of fire, control by lightning rods. F.B. 904, pp. 10–11. 1918.
  effects on trees and soils. For. Bul. 111, pp. 7–12. 1912.
  fires in California forests, data, 1911–1920. D.C. 243, pp. 11–19, 68–70. 1923.
  geographic distribution. For. Bul. 111, pp. 18–19. 1912.
  in relation to forest fires. Fred G. Plummer. For. Bul 111, pp. 39. 1912.
  injury to—
    forest trees. D.B. 275, pp. 11, 31. 1916; D.C. 134, pp. 6–7. 1929.
    ginseng beds. F.B. 736, p. 17. 1916.
    incense cedar. D.B. 871, pp. 40–41. 1920.
    sugar pine. D.B. 426, pp. 4–5. 1916.
    tobacco. D.B. 1256, p. 41. 1924.
    trees, description. D.B. 1128, pp. 17–19. 1923.
    western yellow pine. For. Bul. 101, p. 18. 1911.
  nature and kinds. F.B. 842, pp. 4–5. 1917; For. Bul. 111, pp. 5–7. 1912.
  phenomena, causes, and protection of farm buildings. F.B. 367, pp. 1–20. 1909.
  protection—
    against, for cotton warehouses. D.B. 801, p. 73. 1919.
    against, modern methods. Roy N. Covert. F.B. 842, pp. 32. 1917.
    materials and installation methods. F.B. 842, pp. 5–24. 1917.
    systems, specifications for installing. F.B. 842, pp. 24–28. 1917.
  recorders, utility in forecasting thunder storms. James Kenealy. W.B. Bul. 31, pp. 76–78. 1902.
  relation to pitch seams in Douglas fir. D.B. 255, pp. 12–15. 1915.
  rods—
    control of fire danger on farms, installation. F.B. 904, pp. 10–11. 1918.
    information. News L., vol. 1, No. 48, pp. 1–2. 1914.
    materials and directions for installing. F.B. 842, pp. 5–28. 1917.
    questions and answers. News L., vol. 2, No. 51, pp. 2, 7–8. 1915.
  stroke, cattle, symptons and treatment. B.A.I. [Misc.], "Diseases of cattle," rev., pp. 108–109. 1904; rev., pp. 111–112. 1912.
  zones, description, and location. For. Bul. 111, p. 19. 1912.

Lightwood, distillation experiments. Chem. Bul. 159, pp. 8–24. 1913.
Ligniera graminis, infection method, description. J.A.R., vol. 14, p. 569. 1918.
Lignite, presence in soil. Soils Bul. 90, pp. 15–16. 1912.
Lignocellulose, density, comparison with that of wood. J.A.R., vol. 2, p. 423. 1914.
Lignoceric acid, description and analyses, studies. Soils Bul. 74, pp. 19–20. 1910.
Lignum-vitae—
  quantity used in manufacture of wooden products. D.B. 605, p. 15. 1918.
  substitute, use of greenheart. For. Cir. 211, p. 6. 1913.
Ligularia spp., importations and descriptions. Nos. 36761, 36762, B.P.I. Inv. 37, p. 62. 1916.
Ligusticum oreganum. See Celery, wild.
Ligustrum—
  confusum, importation and description. No. 55687, B.P.I. Inv. 72, p. 19. 1924.
  spp., injury by sapsuckers. Biol. Bul. 39, p. 49. 1911.
  spp. See also Privets.
  vulgare, susceptibility to Puccinia triticina. J.A. R., vol. 22, pp. 152–172. 1921.
Ligyrus rugiceps. See Sugar-cane beetle.
Lilac—
  California, injury to trees by sapsuckers. Biol. Bul. 39, pp. 46, 84. 1911.
  description, range and occurrence on Pacific slope. For. [Misc.], "Forest trees for Pacific * * *" pp. 411–412. 1908.
  diseases, Texas, occurrence and description. B.P.I. Bul. 226, pp. 70–71. 1913.
  importations and descriptions. No. 37647, B.P.I. Inv. 39, p. 13. 1917; Nos. 38828–38830, B.P.I. Inv. 40, pp. 33–34. 1917; Nos. 43729, 43922, B.P.I. Inv. 49, pp. 69, 95. 1921; Nos. 45920, 45921, B.P.I. Inv. 54, p. 41. 1922; No. 52713, B.P.I. Inv. 66, p. 63. 1923.
  wild, occurrence in chaparral, undesirable qualities. For. Bul. 85, pp. 9, 11, 30–31, 41. 1911.
Liliaceae, family, characters, and habits. For. [Misc.], "Forset trees for Pacific, * * *," p. 200. 1908.
Liliaceous pollen, type, and shape of grains. Chem. Bul. 110, p. 76. 1908.
Lilima, honey, source in Hawaii. Hawaii Bul. 17, p. 9. 1908.
Lilium—
  brownii, importation and description. No. 48716, B.P.I. Inv. 61, p. 39. 1922.
  candidum. See Lily, Madonna.
  excelsum, growing and handling. D.B. 1331, p. 13. 1925.
  giganteum, importation and description. No. 41687, B.P.I. Inv. 46, p. 9. 1919.
  longiflorum, crossing with Lilium multiflorum. Hawaii A.R., 1912, p. 49. 1913.
  regale, immunity to rust. D.B. 1331, p. 14. 1925.
  spp., importation and description. Nos. 45322, 45569, 45584, B.P.I. Inv. 53, pp. 25, 59, 63. 1922.
  testaceum. See Lilium excelsum.
Lily—
  Benguet, importations and descriptions. No. 41316. B.P.I. Inv. 45, p. 9. 1918; Nos. 45569, 45570. B.P.I. Inv. 53, p. 59. 1922; No. 50311, B.P.I. Inv. 63, p. 54. 1923.
  Bermuda—
    crossing with Philippine lily, and propagation of hybrids. Y.B., 1907, pp. 143–144. 1908; Y.B. Sep. 441, pp. 143–144. 1908.
    disease caused by lack of resting season. Y.B., 1901, p. 173. 1902; Y.B. Sep. 225, p. 173. 1902.
    growing, in Hawaii. Hawaii A.R., 1912, pp. 49, 85. 1913.
    hybridizing. Y.B., 1907, p. 143. 1908; Y.B. Sep. 441, p. 143. 1908.
    infestation by mites, and injury. Rpt. 108, pp. 112, 116. 1915.
  bulb(s)—
    destruction by parasitic fungi, studies. B.P.I. Bul. 266, p. 23. 1913.
    digestion experiment. O.E.S. Bul. 159, pp. 169, 171. 1905.
    Easter, production in United States. George W. Oliver. B.P.I. Bul. 120, pp. 20. 1908.

INDEX TO PUBLICATIONS, 1901–1925   1369

Lily—Continued.
 calla, soft rot. C. O. Townsend. B.P.I. Bul. 60, pp. 47. 1904.
 Chinese, planting in house, directions. D.B. 305, p. 30. 1915.
 culture improvement. Y.B., 1907, pp. 143–144. 1908; Y.B. Sep. 441, pp. 143–144. 1908.
 day, importation and description. No. 36860, B.P.I. Inv. 37, p. 75. 1916.
 digging suggestions. D.B. 1331, p. 10. 1925.
 Easter—
  bulbs, insect, control. F.B. 1362, pp. 23–25. 1924.
  bulbs, production in United States. George W. Oliver. B.P.I. Bul. 120, pp. 20. 1908.
  forcing, cost reducing by. D.B. 962, pp. 30–31. 1921.
  freezing point of cut flowers. D.B. 1133, pp. 7, 8. 1923.
  home production. An. Rpts., 1923, p. 287. 1923; B.P.I. Chief Rpt., 1923, p. 33. 1923.
  immunity to rust. D.B. 1331, p. 14. 1925.
  industry, establishment. An. Rpts., 1908, p. 372. 1909; B.P.I. Chief Rpt., 1908, p. 100. 1908.
  planting in permanent beds. D.B. 962, pp. 29–30. 1921.
  production in northern climates. David Griffiths. D.B. 962, pp. 31. 1921.
  production on a vegetative basis. D.B. 962, pp. 16–21. 1921.
  propagation from seed. George W. Oliver. B.P.I. Bul. 39, pp. 24. 1903.
  propagation methods. D.B. 962, pp. 1–3, 21–24. 1921.
  seedlings, growing and handling. D.B. 962, pp. 6–16, 21–22. 1921.
 handling bulbs. D.B. 1331, p. 10. 1925.
 importations and descriptions. Nos. 36261, 36570, 36627, 36678, B.P.I. Inv. 37, pp. 9, 33, 42, 48. 1916; Nos. 45322, 45584, B.P.I. Inv. 53, pp. 25, 63. 1922; No. 46660, B.P.I. Inv. 57, p. 18. 1922; Nos. 49641, 49731, B.P.I. Inv. 62, pp. 4, 64, 76. 1923; Nos. 52924–52926, B.P.I. Inv. 67, p. 14. 1923; Nos. 55609–55610, 55730, 55751–55752, 55756, 55760, 55778–55780, B.P.I. Inv. 72, pp. 11, 26, 30, 32, 33. 1924.
 Madonna—
  David Griffiths. D.B. 1331, pp. 18. 1925.
  enemies. D.B. 1331, pp. 13–15. 1925.
  planting and cultivation. D.B. 1331, pp. 8–9. 1925.
 market for. D.B. 1331, p. 16. 1925.
 Nankeen, growing and handling. D.B. 1331, p. 13. 1925.
 of the Valley—
  description and culture. F.B. 1381, p. 67. 1924.
  import regulations. F.H.B.S.R.A. 64, p. 82. 1919.
 Pah huh, importation and description. No. 34378, B.P.I. Inv. 33, p. 12. 1915.
 Philippine, crossing with Bermuda, and propagation of hybrids. Y.B., 1907, pp. 143–144. 1908; Y.B. Sep. 441, pp. 143–144. 1908.
 seed, production as crop. D.B. 1331, pp. 7–8. 1925.
 soil treatment, study of effects. P.R. An. Rpt., 1910, pp. 17–19. 1911.
 varieties, description and climate adaptations. F.B. 1381, pp. 48–50. 1924.
Limacodes cippus, similarity to *Euclea indetermina.* Ent. Bul. 124, p. 8. 1913.
Limao—
 do matto, description. D.B. 445, p. 32. 1917.
 importation, and description. No. 41387, B.P.I. Inv. 45, p. 21. 1918.
Limax maximus. See Slugs, garden.
Limberneck—
 poultry, control methods. F.B. 530, p. 36. 1913; F.B. 957, p. 47. 1918; F.B. 1040, p. 27. 1919.
 turkey, cause, and control. F.B. 791, p. 26. 1917; F.B. 1409, p. 21. 1924.
Limbs—
 artificial—
  manufacture, woods used and quantity. D.B. 605, pp. 8–17. 1918.
  use of willow wood in manufacture, and species. D.B. 316, pp. 32–34. 1915.

Limbs—Continued.
 bones, fracture, cattle, treatment. B.A.I. [Misc.] "Diseases of cattle," rev., p. 278. 1904; rev., p. 287. 1912; rev., pp. 281–282. 1923.
Limbs, tree—
 guying directions. F.B. 1178, pp. 25–27. 1920.
 removal, and treatment of scars. F.B. 1178, pp. 6–11. 1920; Y.B., 1913, pp. 169–171. 1914; Y.B. Sep. 622, pp. 169–171. 1914.
 splitting, prevention. F.B. 1284, p. 32. 1922.
Lime—
 acetate—
  production, 1906. For. Cir. 121, pp. 4–5. 1907.
  yield from various hardwoods, results of distillation. D.B. 129, pp. 9–10, 12, 13–15. 1914.
  yield per cord from certain hardwoods. D.B. 129, pp. 9–15. 1914; D.B. 508, pp. 3–7. 1917; For. Cir., 114, pp. 3, 4. 1907.
 addition to—
  arsenical sprays, effects. J.A.R., vol 24, p. 526. 1923.
  lead arsenate and results of experiments on foliage. Chem. Bul. 131, pp. 27, 35, 42. 1910.
  toxic extracts, effect on citrus seedlings. J.A.R. vol. 18, p. 270. 1919.
 air-slaked, use—
  as insecticide and as seed preservative. P.R. Cir. 17, pp. 18–19. 1918.
  in chicken houses. Y.B., 1911, pp. 180, 184–185. 1912; Y.B. Sep. 559, pp. 180, 184–185. 1912.
 analyses of various samples in Porto Rico. P.R. An. Rpt., 1910, pp. 23–24. 1911.
 and—
  copper sulphate, use on damping off of conifer seedlings. B.P.I. Cir. 4, p. 6. 1908.
  magnesia, effect of various ratios on plant growth. P.R. An. Rpt., 1911, pp. 18–19. 1912.
  magnesia, relation to plant growth. Oscar Loew and D. W. May. B.P.I. Bul. 1, pp. 53. 1901.
  plaster, different effects on soil acidity. Ent. Bul. 82, Pt. I, pp. 2, 6, 7. 1908.
 sulphur—
  dip for cattle mange, formula and use. B.A.I. Bul. 40, pp. 11–13. 1902.
  dip for scabies eradication value. Y.B., 1915, p. 163. 1916; Y.B. Sep. 666 p. 163. 1916.
  dip, forumlas. B.A.I.O. 292, pp. 17, 21. 1925; F.B. 159, pp. 21–27. 1903.
  dip, sheep scab, preparation. F.B. 713, pp. 23–25. 1916.
  use against currant gall mite. Ent. Bul. 67, p. 121. 1907.
 application to land, methods. F.B. 281, pp. 7–8. 1907; F.B. 921, pp. 21–23. 1918.
 arsenate—
  spray—
   for codling moth. Y.B., 1907, p. 445. 1908; Y.B. Sep. 460, p. 445. 1908.
   formula and use. F.B. 908, pp. 10–12, 73–75. 1918.
   formula for bean ladybird. F.B. 1074, pp. 6, 7. 1919.
  use—
   against cucumber beetle. F.B. 1038, pp. 14–15. 1919.
   and value as substitute for Paris green. News L., vol. 6, No. 21, p. 7. 1918.
   in sprays for cost reduction. News L., vol. 4, No. 44, p. 3. 1917.
 arsenite—
  comparison with arsenate of lead for grape rootworm. Ent. Bul. 89, pp. 68–70. 1910.
  composition. F.B. 908, p. 14. 1918.
  formulas for sprays, and dangers in use. P.R. Bul. 10, pp. 23–24. 1911; Y.B., 1908, pp. 274, 275. 1909; Y.B. Sep. 480, pp. 274, 275. 1909.
  grape insects, control experiments. Ent. Bul. 116, Pt. II, pp. 54–57. 1912.
  Kedzie formula for use in apple spraying. Ent. Bul. 89, p. 83. 1910. F.B. 492, p. 43. 1912.
  preparation and use as insecticide, investigation. D.B. 278, pp. 2, 4, 6, 7, 8, 10, 11, 41. 1915.
 bad effects on tobacco root-rot soils. B.P.I. Cir. 7, p. 7. 1908.
 burned, ground, or hydrated, agricultural use. F.B. 921, pp. 6–7. 1918.

Lime—Continued.
   burning—
      industry in Virginia, Frederick County. Soil Sur. Adv. Sh., 1914, pp. 10, 19. 1916; Soils F.O., 1914, pp. 434, 443. 1919.
      method, simple and economical, directions and cost. B.P.I. Cir. 130, pp. 19–23. 1913.
      on the farm, method, and cost. F.B. 435, pp. 6–8. 1911.
      Sitka Station. O.E.S. Bul. 169, pp. 9–10. 1906.
   cake, uses and value as fertilizer. Sec. Cir. 86, p. 26. 1918; Y.B., 1908, p. 449. 1909; Y.B. Sep. 493, p. 449. 1909.
   carbonate—
      cause of chlorosis in pineapples. O.E.S. An. Rpt., 1911, pp. 26, 190. 1912.
      effect on—
         ammonification and nitrification. Hawaii Bul. 37, pp. 39–42, 43–45. 1915.
         availability of iron in soil. J.A.R., vol. 20, pp. 47–49. 1920.
         crops under different cropping systems. J.A.R., vol. 6, No. 24, pp. 964–968. 1916.
      forms used in liming soils and effects. F.B. 921, pp. 3–5, 13–14, 16–20. 1918.
      in soil, effect on growth and composition of plants. P.R. An. Rpt., 1913, pp. 14–15. 1914.
      influence on plant growth and ash composition, studies, experiments, and methods. P.R. Bul. 16, pp. 1–45. 1914.
      injurious effects on pineapple plants. P.R. Bul. 11, pp. 1–45. 1911.
      occurrence in phosphate rock, description. D.B. 144, pp. 10–11, 27. 1914.
      use in sirup making. F.B. 477, p. 21. 1912; F.B. 758, pp. 7, 9–10. 1916.
      See also Whiting.
   cause of—
      chlorosis in plants. J.A.R., vol. 20, pp. 33–62. 1920.
      potato scab. F.B. 544, pp. 5–6. 1913.
   chloride—
      disinfectant for foot-and-mouth disease. F.B. 666, p. 14. 1915.
      preparation and use as disinfectant, advantages and disadvantages. F.B. 345, p. 11. 1909; F.B. 926, pp. 11–12. 1918; F.B. 1448, p. 11. 1925.
      solution—
         formula. B.A.I.O. 210, amdt. 5, p. 2. 1915.
         use in treatment of foot-rot of sheep. B.A.I. Bul. 63, p. 36. 1905.
      use—
         as disinfectant. B.A.I. [Misc.], "Diseases of cattle, rev.," p. 361–362. 1904; rev. pp. 361, 375. 1912.
         as stable disinfectant, formula. F.B. 480, pp. 10, 14. 1912; F.B. 954, p. 7. 1918.
         in control of crawfish. Y.B., 1911, p. 324. 1912; Y.B. Sep. 571, p. 324. 1912.
         in control of water-cress sowbug, suggestion. Ent. Bul. 66, p. 14. 1910.
         in fly-larvae destruction in manure, experiments. D.B. 245, p. 6. 1915.
         in house-fly control. F.B. 459, pp. 10–14. 1911.
         value in disinfection. B.A.I. [Misc.], "Diseases of cattle," rev., pp. 363–364. 1923.
   chlorinated—
      adulteration, and misbranding—
         N.J. 825, I. and F. Bd. S.R.A. 43, pp. 1031–1032. 1923.
         N.J. 834, I. and F. Bd. S.R.A. 44, pp. 1044. 1923.
      dilution as car disinfectant. B.A.I.O. 292, p. 5. 1925.
      ingredients. Insect. Notice 18. I. and F. Bd. S.R.A. 2, p. 25. 1914.
      labeling. Opinion 39. Insect. I. and F. Bd. S.R.A. 7, pp. 94–95. 1915.
      use as disinfectant, principles, advice to manufacturers. I. and F. Bd. S.R.A. 15, pp. 219–220. 1917.
   citrate—
      imports, 1894–1908. B.P.I. Bul. 160, p. 16. 1909.
      manufacture, methods in Italy. B.P.I. Bul. 160, pp. 43, 49–50. 1909.

Lime—Continued.
   citrate—continued.
      preparation methods, apparatus. D.C. 232, pp. 7–8. 1922; Hawaii Bul. 49, pp. 15–16. 1923.
   classification for use in making lime-sulphur. F.B. 1285, p. 4. 1922.
   content in Hawaiian soil. Hawaii Bul. 42, pp. 8, 10. 1917.
   danger to blueberry. B.P.I. Bul. 193, pp. 20–23. 1910.
   determination in—
      commercial fertilizers. D.B. 97, pp. 1–10, 13. 1914.
      coral soil. D.B. 600, pp. 14–15. 1917.
      insecticides. Chem. Bul. 90, pp. 104–106. 1905.
      plant ashes, methods. P.R. An. Rpt., 1912, pp. 21–22. 1913.
   disinfection of yards. B.A.I. An. Rpt., 1907, p. 244. 1909; B.A.I. Cir. 144, p. 244. 1909.
   dissolving by secretions of termites. J.A.R., vol. 26, p. 286. 1923.
   "drowned," note. B.P.I. Cir. 27, p. 6. 1909.
   effect on—
      action of toxic greensand. J.A.R., vol. 23, pp. 227–228. 1923.
      ammonification and nitrification. Hawaii Bul. 37, pp. 16–20. 1915.
      bacterial activities of soil, and crop production. J.A.R. vol. 5, No. 18, pp. 867–869. 1916.
      catalytic power of soils. Soils Bul. 86, pp. 18. 1912.
      clover. F.B. 237, pp. 5–7. 1905.
      decomposition of manures in soil. J.A.R., vol. 11, pp. 677–698. 1917.
      different crops on acid soils. F.B. 133, pp. 6–7. 1901.
      forage plants. O.E.S. An. Rpt., 1911, p. 192. 1912.
      growth of rice. J.A.R., vol. 20, p. 44–47. 1920.
      Hawaiian soils, experiments. Hawaii A.R., 1912, pp. 52–56. 1913.
      humus formation. J.A.R., vol 12, pp. 507–513. 1918.
      humus formation in soils of Washington, Stevens County. Soil Sur. Adv. Sh., 1913, pp. 126–127. 1915; Soils F.O., 1913, pp. 2284–2285. 1916.
      land and on clover growth. F.B. 1365, pp. 6–9. 1924.
      Leonardtown loam, Maryland. Soils Cir. 15, pp. 7–8. 1905.
      nitrates, nitrification, and bacteria of acid soils. J.A.R., vol. 16, pp. 30–32, 33–35. 1919.
      nitrification in soils. J.A.R., vol. 7, p. 419. 1916.
      oxidation of organic compounds in soils. S.R.S. Rpt., 1916, Pt. I, pp. 38, 258. 1918.
      plant decay and on nitrification. F.B. 1250, p. 14. 1922.
      potash availability in orthoclase soils. J.A.R., vol. 8, pp. 21–28. 1917.
      reaction of soil. J.A.R., vol. 24, pp. 931, 932, 936. 1923.
      sodium-chloride tolerance of wheat seedlings. J. A. LeClerc and J. F. Breazeale. J.A.R., vol. 18, pp. 347–356. 1920.
      soil, alone and with fertilizer salts. Soils Bul. 48, pp. 33–37. 1908.
      soil reaction. J.A.R., vol. 12, pp. 25, 27–28. 1918.
      soil, school studies. D.B. 521, p. 21. 1917.
      solubility of potash in soil-forming minerals. J.A.R., vol. 14, pp. 297–316. 1918.
   egg preservation, description and use. News L., vol. 6, No. 2, p. 4. 1918.
   excess, effect on composition of lime-sulphur dips. D.B. 451, pp. 9–11. 1916.
   fertilizer use in—
      forest nurseries. D.B. 479, p. 82. 1917.
      Maryland, Charles County. Soil Sur. Adv. Sh., 1918, pp. 9, 15, 30, 38. 1922; Soils F.O., 1918, pp. 81, 87, 102, 110. 1924.
   fertilizing value of different forms. F.B. 124, p. 12, 1901. Soils Bul. 48, pp. 33–37, 57. 1908.
   food supply by milk and other foods, comparison. D.C. 129, p. 3. 1920.
   for laying hens. M.C. 12, p. 35. 1924.
   forms for use on land. F.B. 704, pp. 5–6. 1916.

Lime—Continued.
  function in soil. Y.B., 1901, p. 162. 1902; Y.B. Sep. 225, p. 162. 1902.
  fungicides misbranding. N.J. 284, 294, I. and F. Bd. S.R.A. 17, pp. 304, 313. 1917.
  gas, use in June-beetle control. D.B. 891, p. 45. 1922.
  hardpan, effect upon formation of black alkali. J.A.R., vol. 10, pp. 586–588. 1917.
  Hawaiian soils—
    effect of heat. Hawaii Bul. 30, pp. 18–20. 1913.
    needs and effects. Hawaii A.R., 1916, pp. 22–23. 1917.
  home production by farmers. C. C. Fletcher. Y.B., 1919, pp. 335–341. 1920; Y.B. Sep. 814, pp. 335–341. 1920.
  hydroxide, action on soils. F.B. 921, p. 15. 1918.
  induced chlorosis and availability of iron in soil, cause. P. L. Gile and J. O. Carrero. J.A.R., vol. 20, pp. 33–62. 1920.
  injuries to blueberries. B.P.I. Cir. 122, pp. 6, 9. 1913.
  injurious to—
    ginseng soils. F.B. 736, pp. 9, 18. 1916.
    strawberry roots. F.B. 1026, p. 28. 1919; F.B. 1028, p. 32. 1919.
  iron protection, value in water-soaked soil. Rds. Bul. 35, p. 35. 1909.
  loss from soils, study of causes. O.E.S. Bul. 194, pp. 34–40. 1907.
  magnesia ratio as influenced by concentration. P. L. Gile. P.R. Bul. 12, pp. 24. 1913.
  magnesia, ratio in Hawaiian soils. Hawaii Bul. 37, pp. 8, 35–38, 51. 1915.
  malate, by-product of cider, production and value. Y.B., 1914, pp. 234, 236–238. 1915; Y.B. Sep. 639, pp. 234, 236–238. 1915.
  manuring principles. P.R. Cir. 10, pp. 15. 1909.
  marling associations, cooperative, in Denmark. D.B. 1266, p. 71. 1924.
  milk of—
    directions for making and use. F.B. 926, p. 11. 1918.
    food value. F.B. 1359, p. 3. 1923.
    need in food. U. S. Food Leaf, No. 11, p. 2. 1918.
    preparation and use in whipping cream. D.B. 1075, pp. 18–19. 1922.
    use in clarification of sirup. D.B. 1370, pp. 29–30, 32–33. 1925.
  mixing for calcium arsenate, and proportion used. D.B. 750, pp. 4–7. 1918.
  necessity—
    and value for peanut growing. S.R.S. Doc. 45, p. 3. 1917.
    for growing peanuts, method of using. F.B. 431, p. 11. 1911.
    in animal feeds. Hawaii Bul. 36, p. 12. 1915.
    in culture of snails. Y.B., 1914, p. 702. 1915; Y.B. Sep. 653, p. 702. 1915.
    in growing sweet clover, on acid soils. F.B. 797, pp. 14–17. 1917.
    in soil, relation to iron and aluminum salts. J.A.R., vol. 23, pp. 809, 819, 821. 1923.
  on acid soils—
    in South Carolina, Newberry County. Soil Sur. Adv. Sh., 1918, pp. 14, 19, 21–38. 1921; Soils F.O., 1918, pp. 386, 391, 393–410. 1924.
    quantity per acre. F.B. 366, pp. 6, 10. 1909.
  on soils in New York, Chautauqua County. Soil Sur. Adv. Sh., 1914, p. 56. 1916; Soils F.O. 1914, p. 322. 1919.
  occurrence in soils, various localities. F.B. 921, p. 7. 1918.
  oil wash, control of peach borer, formula, and experiments. Ent. Bul. 97, pp. 83–85, 86. 1913.
  oxalate, calculi of cattle, description. B.A.I. [Misc.], "Diseases of cattle," rev., p. 135. 1904; B.A.I. [Misc.], "Diseases of cattle," rev., p. 138. 1912.
  oxide, forms used in liming soils. F.B. 921, pp. 6–7, 14–20. 1918.
  phosphate, adulteration. Chem. N.J. 3520. 1915.
  phosphate, amorphous. See Phosphate, rock.
  powdered, repellent of slugs in mushroom beds. F.B. 789, p. 12. 1917.
  powdered, use in control of weevils in cowpeas. F.B. 1148, p. 24. 1920.

Lime—Continued.
  presence in manganiferous soils, amount and form. Hawaii Bul. 52, p. 11. 1924.
  production and value as fertilizer, 1908–1922. Y.B., 1923, pp. 1184–1185. 1924; Y.B. Sep. 906, pp. 1184–1185. 1924.
  production by farmers at home. C. C. Fletcher. Y.B., 1919, pp. 335–341. 1920; Y.B. Sep. 814, pp. 335–341. 1920.
  relation to—
    rosette disease of pecans. J.A.R., vol. 3, pp. 159–162, 163, 168, 172, 174. 1914.
    sand-drown disease of tobacco. J.A.R., vol. 23, pp. 38–39. 1923.
  requirements—
    acid soils, Veitch method. J.A.R., vol. 11, pp. 665–667. 1917.
    and sources, in Alaska, Kenai Peninsula region. Soil Sur. Adv. Sh., 1916, pp. 115–116. 1919; Soils F.O., 1916, pp. 147–148. 1919.
    in feeding stuffs. F.B. 329, pp. 22–26. 1908.
    in Gulf coast region. F.B. 986, p. 18. 1918.
    of sandy lands, sources of supply. F.B. 716, pp. 3, 23. 1916.
    of sandy soils. F.B. 329, p. 9. 1908.
  of soils—
    determination method. J.A.R., vol. 24, p. 937. 1923.
    estimation by electrometric method. J.A.R., vol. 7, pp. 130–132. 1916.
    in Alabama, Russell County. Soil Sur. Adv. Sh., 1913, pp. 15–16. 1915; Soils F.O., 1913, pp. 885–886. 1916.
    in central Alaska. Soil Sur. Adv. Sh., 1914, pp. 95–96, 171–173. 1915; Soils F.O., 1914, pp. 129–130, 205–207. 1919.
    in Maryland, Montgomery County. Soil Sur. Adv. Sh., 1914, pp. 12, 17, 34. 1916; Soils F.O., 1914, pp. 400, 405, 422. 1919.
  to increase crop yields. F.B. 981, pp. 11, 32. 1918.
  resin spray, formula for use on avocado. Hawaii Bul. 25, p. 25. 1911.
  responsibility for alkaline soils in ginseng beds, danger. B.P.I. Bul. 250, pp. 30–31, 42. 1912.
  Russell River, importation. No. 55447, B.P.I. Inv. 71, pp. 3, 44. 1923.
  salts—
    effect on sodium bicarbonate formation. J.A.R., vol. 10, pp. 561–562. 1917.
    in food or water, cause of calculi in cattle. B.A.I. [Misc.], "Diseases of cattle," rev., p. 129. 1904; rev., p. 132. 1912; rev., pp. 131–132. 1923.
    soluble, effect upon the formation of sodium carbonate. J.A.R., vol. 10, pp. 547–549. 1917.
  school lesson in use on soil. D.B. 258, pp. 12–13. 1915.
  sink region, in Georgia, Lowndes County, description. Soil Sur. Adv. Sh., 1917, p. 6. 1920; Soils F.O., 1917, pp. 634–635. 1923.
  slaked, use as disinfectant. B.A.I. [Misc.], "Diseases of cattle," rev., p. 361. 1904; rev., p. 375. 1912.
  sludge, sugar-beet by-product, use and value as fertilizer. D.B. 721, p. 49. 1918; D.B. 995, pp. 49–50. 1921.
  soil—
    improvement demonstration work. An. Rpts., 1917, p. 349. 1918; S.R.S. An. Rpt., 1917, p. 27. 1917.
    requirements, experiments at Arlington farm, 1912. D.B. 441, p. 4. 1916.
    treatment for, coffee-root disease, cost and results. P.R. Bul. 17, pp. 18–20. 1915.
    treatment for damping-off control tests, and objections. D.R. 453, pp. 12, 16, 18, 28, 29, 1917.
  solubility—
    and its soil relations. J.A.R., vol. 16, pp. 259–261. 1919.
    in solutions of sodium salts, experiments. J.A.R., vol. 10, pp. 563–565. 1917.
    in water and in aqueous solutions. Soils Bul. 49, pp. 20–36. 1907.
  solution, use in preserving eggs. F.B. 1109, p. 4. 1920.
  spots, removal from textiles. F.B. 861, p. 25. 1917.

36167°—32——87

Lime—Continued.
 spreading—
  day's work. D.B. 3, pp. 24–26, 44. 1913.
  methods. F.B. 259, pp. 7–9. 1906.
 sulphur—
  addition to arsenical sprays, effects. J.A.R., vol. 24, pp. 521, 524–525, 535. 1923.
  and arsenate of lead formula for avocado. Hawaii Bul. 25, p. 26. 1911.
  and salt, "Horicum," misbranding. I. and F. Bd. N.J. 31, pp. 2. 1914.
  and salt wash. C. L. Marlatt. Ent. Cir. 52, pp. 8. 1903.
  and salt wash, formula, experiment. Ent. Bul. 30, pp. 34–37. 1901; Ent. Bul. 37, pp. 33–35, 1902.
  and tobacco extract, spray for orange thrips, experiments. Ent. Bul. 99, pp. 12–13. 1911.
  animal dips, chemical composition. Robert M. Chapin. D.B. 451, pp. 16. 1916.
  arsenic dip, making, directions. F.B. 798, pp. 20–22. 1917.
  as a fungicide. F.B. 435, pp. 12–16. 1911.
  buhach mixture, use in flea control. D.B. 248, p. 26. 1915.
  comparison with nicotine sulphate for spraying apples. D.B. 938, pp. 15–16. 1921.
  concentrate(s)—
   commercial and homemade. F.B. 723, pp. 13–14. 1916.
   formulas, manufacturing methods and cost. News L., vol. 2, No. 41, pp. 3, 8. 1915.
   homemade. E. W. Scott. D.B. 197, pp. 6. 1915.
   preparation, uses, and designs for plants. E. H. Siegler and A. M. Daniels. F.B. 1285, pp. 42. 1922.
  concentrated—
   dilution table. F.B. 650, p. 20. 1915.
   injury to tender foliage, Insect. N.J. 19. I. and F. Bd. S.R.A. 2, p. 26. 1914.
   label false and misleading, Insect. N.J. 20. I. and F. Bd. S.R.A. 2, p. 26. 1914.
   cooking and straining. F.B. 605, pp. 17–19. 1915; F.B. 908, pp. 19–27. 1918.
  dip(s)—
   animal, chemical composition. Robert M. Chapin. D.B. 451, pp. 16. 1916.
   for cattle scab, formula and use. F.B. 1017, pp. 19–21. 1919.
   for control of hog lice and mange. F.B. 1085, pp. 18–20. 1920.
   for hogs, formula and use. F.B. 465, pp. 19–20. 1911; F.B. 874, p. 35. 1917.
   sulphur determination. Chem. Bul. 132, p. 48. 1910.
  dipping baths, field test. Robert M. Chapin. D.B. 163, pp. 7. 1915.
  dry, investigations. An. Rpts., 1923, pp. 655–656. 1923; I. and F. Bd. A.R. 1923, pp. 5–6. 1923.
  formulas. F.B. 1202, pp. 56, 60. 1921; F.B. 1285, pp. 5–6. 1922; P.R. Cir. 17, pp. 14–16, 27. 1918.
  fungicides, preparation, use against black-rot of grape. B.P.I. Cir. 65, pp. 5–14. 1910.
  mixing with emulsified mineral oils for sprays. D.B. 1217, pp. 1–5. 1924.
  mixture(s)—
   for summer spraying. F.B. 908, pp. 24–27. 1918.
   for summer spraying of orchards. W. M. Scott. B.P.I. Cir. 27, pp. 17. 1909.
   injury to peach, experiments. B.P.I. Cir. 27, pp. 7–8. 1909.
   preparation. B.P.I. Cir. 27, p. 6. 1909.
   self-boiled, promising fungicide. W. M. Scott. B.P.I. Cir. 1, pp. 18. 1908.
   spray for orchards in summer. W. M. Scott. B.P.I. Cir. 27, pp. 17. 1909.
   with arsenicals, composition and toxicity. D.B. 1147, pp. 14–16, 33–36, 51. 1923.
  preparations, substitution for Bordeaux mixture in treatment of apple diseases. W. M. Scott. B.P.I. Cir. 54, pp. 15. 1910.
  salt—
   Hammond's, misbranding. Insect. N.J. 136. I. and F. Bd. S.R.A. 7, pp. 106–107. 1915.

Lime—Continued.
 sulphur—continued.
  salt—continued.
   mixture, analysis. Chem. Bul. 107, p. 34. 1907; Chem. Bul. 107, rev., p. 34, 1912; F.B. 227, pp. 19–22. 1905.
   soda wash, study. Chem. Bul. 99, pp. 35–39. 1906.
   wash and its substitutes. J. K. Haywood. Chem. Bul. 101, pp. 29. 1907.
   wash, for San Jose scale. Y.B., 1905, p. 337. 1906; Y.B. Sep. 386, p. 337. 1906.
   wash, formulas, experiments, and use. F.B. 127, pp. 22–23. 1901; F.B. 227, pp. 19–22. 1905; F.B. 243, pp. 14–17. 1906; F.B. 484, p. 42. 1912.
   wash, use in Maryland, report of experiments. Ent. Bul. 37, pp. 37–40. 1902.
  self-boiled—
   control of brown-rot, stone fruits. Y.B., 1908, p. 210. 1909; Y.B. Sep. 475, p. 210. 1909.
   directions and use. F.B. 1410, pp. 8–9. 1924.
   distinction from lime-sulphur concentrate. F.B. 1285, p. 1. 1922.
   for grape scale, formula. Ent. Bul. 97, Pt. VII, p. 120. 1912.
   formula and application, fruit diseases. F.B. 435, pp. 13, 14. 1911.
   formula, experiments and results on apples. B.P.I. Cir. 58, pp 7, 10, 15. 1910.
   formula for use on avocado. Hawaii Bul. 25, p. 25. 1911.
   preparation, use, and cost. F.B. 440, pp. 33–38. 1911.
   use as fungicide, preparation, cost, experiments, and results. B.P.I. Bul. 174, pp. 14–26. 1910.
   use with arsenate of lead in spraying peach trees. Ent. Cir. 120, p. 4. 1910.
   wash, directions for making. Ent. Bul. 103, pp. 212–213. 1912; Ent. Cir. 124, pp. 14–15. 1910.
  solution—
   adulteration and misbranding. Insect. N.J. 206, I and F. Bd. S.R.A. 14, pp. 162–163. 1916.
   composition and analysis methods. Chem. Bul. 162, pp. 38–43. 1913.
   concentrated, directions for use. Ent. Cir. 124, p. 13. 1910.
   control of citrus scab. D.B. 1118, pp. 28–34. 1923.
   experiments for katydid control on oranges. D.B. 256, pp. 20–24. 1915.
   ingredients, active and inert. I. and F. Bd. S.R.A. 1, p. 1. 1914.
   misbranding. N.J. 89, I. and F. Bd. S.R.A. 3, p. 37. 1914.
   misbranding. N.J. 119, 122. I. and F. Bd. S.R.A. 9, pp. 88–89, 90. 1914.
   misbranding. N.J. 175, I. and F. Bd. S.R.A. 10, pp. 42–43. 1915.
   misbranding ("Modoe"). N.J. 88, I. and F. Bd. S.R.A. 1, pp. 23–24. 1914.
   spraying schedule for citrus pests. F.B. 933, p. 32. 1918.
   use in control of red spider on hops. Ent. Bul. 117, pp. 22–24. 1913.
   use in spraying citrus pests. D.B. 645, pp. 15, 16. 1918.
   with calcium arsenates, reaction. J.A.R., vol. 13, pp. 289–292. 1918.
  spray—
   advantages and disadvantages, value and uses. F.B. 1285, pp. 1–2. 1922.
   and dust, for control of gray mold of castor bean. J. A.R., vol. 23, pp. 707–711. 1923.
   avocado red spider, formula. D.B. 1035, pp. 12, 15. 1922.
   control of pear diseases, directions. .B. 1056, pp. 8–13, 18, 25–28, 30–34. 1919.
   directions for use against sucking insects. F.B. 1169, pp. 11–12. 1921.
   experiments. Ent. Cir. 52, pp. 1–8. 1903; Ent. Bul. 67, p. 29. 1907.
   flour-paste spreader. Ent. Cir. 166, pp. 1–2, 5. 1913.
   for apple bitter-rot. Y.B., 1907, p. 577. 1908; Y.B. Sep. 467, p. 577. 1908.

Lime—Continued.
  sulphur—continued.
    spray—continued.
      for apple trees for blotch canker, results. J.A.R., vol. 25, pp. 409–412. 1923.
      for apples, formulas, and schedule. F.B. 492, pp. 23, 25, 31, 35, 38–40. 1912.
      for cherries, formula and directions. F.B. 1053, pp. 5–8. 1919.
      for control of lesser bud-worm. D.B. 113, pp. 11–15. 1914.
      for mite control on potatoes. Hawaii Bul. 45, pp. 13, 32. 1920.
      for powdery mildew of apples. D.B. 712, pp. 10–12, 21–24, 25–27. 1918.
      for red spider. Ent. Cir. 104, pp. 8, 10. 1909.
      formulas and directions for making. B.P.I. Bul. 155, p. 13. 1909; B.P.I. Cir. 54, pp. 6, 8, 15. 1910; F.B. 908, pp. 18–27. 1918; P.R. Bul. 10, pp. 29–30. 1911.
      homemade. F.B. 1285, pp. 2–3. 1922.
      use on terrapin scale. D.B. 351, pp. 83–85. 1916.
    stomach poison for insects, experiments. Ent. Bul. 116, Pt. IV, pp. 81–90. 1913.
    substitute for Bordeaux mixture in spraying peaches. O.E.S. An. Rpt., 1911, p. 85. 1912.
    use against—
      apple enemies. F.B. 1270, p. 83. 1923.
      brown rot of prunes and cherries. D.B. 368, pp. 4, 5, 6, 7, 8, 9, 10. 1916.
      Hawaiian beet webworm. Ent. Bul. 109, Pt. I, pp. 9, 10. 1911.
      leaf blister mite. F.B. 723, p. 6. 1916.
      San Jose scale. F.B. 650, rev., pp. 13–19. 1919.
    use as—
      dip in sheep-scab control. News L., vol. 3, No. 39, pp. 1, 2. 1916.
      fungicide. F.B. 435, pp. 12–16. 1911.
    use in—
      control of Colorado potato beetle. Ent. Bul. 109, Pt. V, pp. 53–56. 1912.
      control of fly larvae in horse manure, tests. D.B. 118, p. 12. 1914.
      control of hog mange, and methods. D.B. 646, p. 22. 1918.
      control of pecan leaf case-bearer. D.B. 571, pp. 15–19, 25. 1917.
      fly larvae destruction in manure, experiments. D.B. 245, p. 6. 1915.
      spraying apple powdery mildew. F.B. 1120, pp. 12, 13. 1920.
    use on roses. F.B. 750, p. 35. 1916.
    value as spray for fruit trees, injury to potatoes. F.B. 856, p. 10. 1917.
    wash(es)—
      tests, formulas. Ent. Bul. 60, pp. 136–138. 1906.
      commercial use on scale insects. Ent. Cir. 121, p. 15. 1910.
      control of insects and fungous diseases. Y.B., 1908, pp. 269–271. 1909; Y.B. Sep. 480, pp. 269–271. 1909.
      for dipping nursery trees, formula. Ent. Bul. 67, p. 26. 1907.
      for dormant trees, formula. Y.B., 1908, p. 276. 1909; Y.B. Sep. 480, p. 276. 1909.
      for grape scale, formula and directions. Ent. Bul. 97, p. 120. 1913.
      for pear scale. Ent. Bul. 67, pp. 90–93. 1907.
      for protection of orchard trees against rabbits. Y.B., 1907, p. 340. 1908; Y.B. Sep. 452, p. 340. 1908.
      for San Jose scale. A. L. Quaintance. Y.B., 1906, pp. 429–446. 1907; Y.B. Sep. 433, pp. 429–446. 1907.
      formula. Ent. Cir. 121, pp. 14–15. 1910; Ent. Cir. 124, pp. 12–15. 1910; F.B. 650, pp. 15–23. 1915; F.B. 723, p. 13. 1916.
      preparation outfits, time of application. Y.B., 1906, pp. 438–443. 1907; Y.B. Sep. 433, pp. 438–443. 1907.
      self-boiled, formula and directions. Y.B., 1908, p. 277. 1909; Y.B. Sep. 480, p. 277. 1909.
      tests, formulas. Ent. Bul. 60, pp. 136–138. 1906.

Lime—Continued.
  sulphur—continued.
    wash(es)—continued.
      use in control of leaf blister mite. Ent. Cir. 154, p. 6. 1912.
      use in control of walnut aphids. D.B. 100, pp. 40–45. 1914.
    supply for farmers, results of extension work. D.C. 316, p. 10. 1924.
    supply to human body by milk. D.C. 121, pp. 2–3. 1921; Y.B. 1922, pp. 286–287. 1923; Y.B. Sep. 879, pp. 5–6. 1923.
    treatment of sewage, insufficiency. Chem. Bul. 156, pp. 31, 32. 1912.
  use—
    after green-manuring crop. Soils Cir. 45, p. 6. 1911.
    against asparagus beetle. F.B. 837, p. 9. 1917.
    against club-root of cabbage. O.E.S. An. Rpt., 1911, p. 215. 1912.
    against slugs and snails in garden. D.C. 35, pp. 5, 10, 29. 1919.
    and application on New Jersey farms. F.B. 472, pp. 13, 29, 37. 1911.
    and handling on soils of Erie County, Pa. Soil Sur. Adv. Sh., 1910, pp. 27–31. 1911; Soils F.O., 1910, pp. 167–171. 1912.
    and value—
      against garden diseases and insects, cautions. F.B. 856, p. 10. 1917.
      as fertilizer on Penn loam, eastern United States. Soils Cir. 56, p. 5. 1912.
      as fertilizer on Volusia loam, eastern United States, rate per acre. Soils Cir. 60, pp. 5–6, 7–8. 1912.
      for preserving eggs. F.B. 1109, p. 4. 1920.
      in alfalfa growing in Alabama and Mississippi. Rpt. 96, pp. 37–38. 1911.
      in purifying swamp lands. Soils Cir. 69, p. 9. 1912.
      in vegetable gardens, use methods and rate. F.B. 936, pp. 24–25. 1918.
      on farm, southwestern Pennsylvania. Soils F.O., 1909, pp. 258–259. 1912; Soil Sur. Adv. Sh., 1909, pp. 58–59. 1911.
    as disinfectant. F.B. 926, pp. 10–12. 1918.
    as fertilizer—
      for cotton. B.P.I. Doc. 344, pp. 3, 4. 1908.
      for peanuts. O.E.S.F.I.L. 13, pp. 7, 8. 1912.
      for red clover, quantity. F.B. 455, p. 13. 1911.
      for sugar-cane in Porto Rico, experiments. P.R. Bul. 9, pp. 23–26. 1910.
      on Hagerstown loam. Soils Cir. 29, pp. 8–9. 1911.
    as fungicide, Porto Rico. P.R. Cir. 17, p. 26. 1918.
    as insecticide in control of cabbage webworm. Ent. Bul. 109, Pt. III, pp. 39, 40. 1912.
    as neutralizer in dairy products, detection of. H. J. Wichmann. D.B. 524, pp. 23. 1917.
    by truck growers in Virginia, Accomac and Northampton Counties. Soil Sur. Adv. Sh., 1917, pp. 31, 43, 55, 56. 1920; Soils F.O., 1917, pp. 377, 389, 401, 402. 1923.
    effect, and value on Porto Rican soil. P.R. Bul. 13, pp. 9–10, 13–14, 15, 20, 23. 1913.
    for calcium arsenate, composition, proportion, and slaking directions. D.B. 750, rev., pp. 2–4. 1923.
    in alfalfa growing. F.B. 339, p. 10. 1908; F.B. 374, pp. 5–7. 1909.
    in barley growing. F.B. 427, p. 8. 1910; F.B. 443, p. 16. 1911.
    in clarification of sorghum sirup, precautions. F.B. 477, pp. 20–21. 1912.
    in control of—
      bean and pea weevil. F.B. 983, p. 24. 1918.
      cabbage clubroot. F.B. 856, p. 39. 1917.
      fungous disease of peonies. B.P.I. Bul. 171, p. 12. 1910.
      garden slugs. F.B. 856, p. 22. 1917.
      velvet-bean larva. F.B. 1276, p. 27. 1922.
    in feed of poultry, experiments. S.R.S. Rpt., 1916, Pt. I, pp. 41, 292. 1918.
    in Georgia, Talbot County, need, and rate. Soil Sur. Adv. Sh., 1913, p. 13. 1914; Soils F.O., 1913, p. 615. 1916.
    in gipsy moth tree-banding material. D.B. 899, p. 4. 1920.

Lime—Continued.
　use—continued.
　　in grass soils, directions. Soils Bul. 75, pp. 14, 17, 32, 42, 43, 45, 49. 1911.
　　in growing—
　　　alfalfa. D.C. 115, pp. 3–4. 1920.
　　　clover, experiments, Ohio Experiment Station. F.B. 237, pp. 5–7. 1905.
　　　Narcissus bulbs. D.B. 1270, p. 15. 1924.
　　　purple vetch. F.B. 967, p. 8. 1918.
　　　soy beans. F.B. 931, p. 15. 1918.
　　　sweet potatoes, suggestions. F.B. 999, p. 8. 1919.
　　in—
　　　Japanese food, with tuber of *Hydrosme rivieri*. O.E.S. Bul. 159, p. 35. 1905.
　　　legume inoculation. B.P.I. Bul. 100, pp. 74–76. 1907.
　　　making sorghum sirup. F.B. 135, pp. 22, 34, 36, 37. 1901.
　　　nematode control. F.B. 772, pp. 16, 19. 1916.
　　　nicotine dust. F.B. 1282, pp. 4, 5. 1922.
　　　oat growing. F.B. 424, p. 9. 1910.
　　　packing seed corn, Porto Rico. P.R. Cir. 18, p. 22. 1920.
　　　peanut culture. F.B. 356, p. 13. 1909; F.B. 1127, pp. 6–7. 1920.
　　　preserving eggs. B.A.I.A. H. G-25, p. 4. 1918; D.C. 15, pp. 3, 5. 1919; D.C. 36, p. 14. 1919.
　　　prevention of house flies. Ent. Cir. 71, pp. 5–8. 1906.
　　　road building. Rds. Cir. 98, pp. 16–17, 37, 43, 44. 1912.
　　　sirup making. F.B. 1389, pp. 12–13. 1924.
　　　soil improvement, methods. F.B. 704, pp. 5–6. 1916.
　　　sugar manufacture. Soils Bul. 49, pp. 32–35. 1907.
　　　tanning leather. D.C. 230, pp. 6, 7–8, 11, 13, 19, 20. 1922.
　　　treatment of Portsmouth sandy loam. Soils Cir. 17, pp. 8–9. 1905.
　　on acid soils—
　　　in Missouri, St. Louis County. Soil Sur. Adv. Sh., 1919, pp. 530, 532, 541, 545. 1923; Soils F.O., 1919, pp. 530, 532, 541, 545. 1925.
　　　in Pennsylvania, Mercer County, methods. Soil Sur. Adv. Sh., 1917, pp. 13, 21, 23, 26. 1919; Soils F.O., 1917, pp. 243, 251, 253, 254. 1923.
　　　in Tennessee, Jackson County. Soil Sur. Adv. Sh., 1913, p. 11. 1915; Soils F.O., 1913, pp. 1274–1275. 1916.
　　on—
　　　Alaska soils, Kenai Peninsula, and sources of supply. Soil Sur. Adv. Sh., 1916, pp. 115–116. 1918; Soils F.O., 1916, pp. 147–148. 1921.
　　　alfalfa soil. S.R.S. Syl. 20, pp. 5–7. 1916.
　　　cranberry bogs. F.B. 227, p. 18. 1905.
　　　garden soils, directions. F.B. 1044, p. 9. 1919.
　　　grain crops, distribution, methods, and use. F.B. 968, p. 13. 1918.
　　　Hungarian vetch. D.B. 1174, p. 8. 1923.
　　　land, caution. B.P.I. Cir. 130, p. 22. 1913.
　　　Marion silt loam, eastern United States, rate per acre. Soils Cir. 59, pp. 9–10. 1912.
　　　marsh lands. O.E.S. Bul. 240, pp. 48, 55, 77. 1911.
　　　meadow lands. F.B. 1170, pp. 11–12. 1920.
　　　millet, experiments. F.B. 793, p. 26. 1917.
　　　mountain soils, preparation from limestone. F.B. 905, pp. 21–22. 1918.
　　　Norfolk sand, methods of application. Soils Cir. 44, pp. 8, 9, 15. 1911.
　　　oats. F.B., 436, p. 16. 1911.
　　　old orchards, effects. S.R.S. Syl. 31, pp. 12–13. 1918.
　　　pineapple soils. P.R. Bul. 8, pp. 39, 40. 1909.
　　　rice lands, precaution. F.B. 1092, p. 17. 1920.
　　　Sassafras soils. D.B. 159, pp. 36, 39. 1915.
　　on soils—
　　　demonstration work, and results. Y.B., 1915, pp. 230–231, 242. 1916; Y.B. Sep. 672, pp. 230–231, 242. 1916.
　　　general remarks. F.B. 398, pp. 10–11. 1910.

Lime—Continued.
　use—continued.
　　on soils—continued.
　　　in New York, Chatauqua County. Soil Sur. Adv. Sh., 1914, pp. 56–57. 1916; Soils F.O., 1914, pp. 322–323. 1919.
　　　in Pennsylvania, York County. Soil Sur. Adv. Sh., 1912, pp. 18–19. 1914; Soils F.O., 1912, pp. 168–169. 1915.
　　　in West Virginia, Preston County. Soil Sur. Adv. Sh., 1912, pp. 15, 23, 24, 37, 42. 1914; Soils F.O., 1912, pp. 1215, 1223, 1224, 1238, 1242. 1915.
　　　methods, and value. B.P.I. Doc. 692, p. 14. 1911.
　　　study course. D.B. 355, pp. 62–68. 1916.
　　on—
　　　sugar-beet soil. F.B. 567, pp. 24–25. 1914.
　　　sweet clover. F.B. 1005, pp. 4, 16, 22, 24. 1919.
　　　timothy, effect on growth. F.B. 990, pp. 15–16. 1918.
　　　truck crops under frames. F.B. 460, p. 14. 1911.
　　　vanilla beans. P.R. An. Rpt., 1914, p. 32. 1916.
　　　wheat field, effect on "take-all" disease. J.A.R., vol. 25, pp. 354–356. 1923.
　　　to increase hay yields. Soils Cir. 55, p. 6. 1912.
　　　to neutralize poison effects of disinfectants in soil. D.B. 169, pp. 20–23, 32, 35. 1915.
　　　to prevent dampness in cellars. Y.B., 1919, p. 449. 1920; Y.B. Sep. 824, p. 449. 1920.
　　with green manures—
　　　for sweet potatoes. F.B. 324, pp. 7, 9. 1908.
　　　for winter barley. F.B. 518, p. 9. 1912.
　　　in Maryland, Easton area. Soil Sur. Adv. Sh., 1907, pp. 14, 27, 35, 38. 1909; Soils F.O., 1907, pp. 130, 143, 151, 154. 1909.
　　　on Norfolk fine sand. Soils Cir. 23, p. 6. 1911.
　　with slag in road building. Rds. Cir. 92, p. 8. 1910.
　value—
　　as fertilizer in Virginia, Pittsylvania County. Soils Sur. Adv. Sh., 1918, p. 21. 1922; Soils F.O., 1918, p. 137. 1924.
　　as fertilizer in wheat growing. F.B. 596, pp. 3–4. 1914.
　　for crimson clover, application to soils. F.B. 550, pp. 7–8. 1913.
　　for lawns. F.B. 494, pp. 14, 27, 46. 1912.
　　in control of rice water-weevil. Ent. Cir. 152, p. 17. 1912.
　　in tobacco growing, use methods, etc. D.B. 16, pp. 15–16. 1913.
　　to garden soil. F.B. 818, pp. 15–16. 1917.
　　to soils. Y.B., 1919, pp. 335, 341. 1920; Y.B. Sep. 814, pp. 335, 341. 1920.
　waste—
　　beet-sugar factories, value as fertilizer. Rpt. 90, pp. 25–41. 1909.
　　use and value as fertilizer. F.B. 568, pp. 19–20. 1914.
　water, egg preservation, directions. D.B. 471, p. 22. 1917.
　wheat soils, tests. Soils Bul. 66, pp. 9, 17, 18. 1910.
　with green manure crops, method of application. Soils Cir. 47, p. 7. 1911.
　with slag, use in road binding, experiments, and cost. Rds. Cir. 94, p. 48, 53. 1911.
　See also Calcium; Limestone.
Lime(s), (fruit)—
　adaptability to Gulf States, and varieties. F.B. 1343, pp. 9, 14. 1923.
　and their hybrids, susceptibility to citrus canker. J.A.R., vol. 19, pp. 350, 353, 358, 361. 1920.
　Australian desert—
　　description and uses. Inv. Nos. 29537, 29660, B.P.I. Bul. 233, pp. 9, 31, 35. 1912.
　　hardiness, and value for breeding. An. Rpts., 1911, p. 268. 1912; B.P.I. Chief Rpt., 1911, p. 20. 1911.
　See also Eremocitrus.
Bergamot—
　growing and uses in Guam. Guam. A.R., 1911, p. 25. 1912.
　source of volatile oil. B.P.I. Bul. 195, pp. 12, 21–22, 44. 1910.

Lime(s), (fruit)—Continued.
   commercial products. Hawaii Bul. 49, pp. 15-16. 1923.
   composition. Hawaii Bul. 49, pp. 14-15. 1923.
   Cuban—
      composition, chemical. Chem. Bul. 87, pp. 13-14. 1904.
      growth and use. Chem. Bul. 87, pp. 13-14. 1904.
   culture and uses. Hawaii Bul. 9, pp. 30-31. 1905.
   culture, tillage, fertilizer, propagation, and planting. Hawaii Bul. 47, pp. 4-9. 1923.
   finger—
      importations and descriptions. No. 51011, B.P.I. Inv. 64, p. 41. 1923; No. 55588, B.P.I. Inv. 72, p. 7. 1924.
      propagation by inarching. B.P.I. Bul. 202, pp. 9, 13, 40. 1911.
   fruit, acid, in Hawaii. W. T. Pope. Hawaii Bul. 49, pp. 20. 1923.
   growing in—
      California. F.B. 1447, p. 7. 1925.
      Florida, location, number of trees, and value. F.B. 1122, p. 12. 1920.
   hybridization, effects. Y.B., 1905, pp. 279-281. 1906.
   hybridizing with Citropsis, experiments. J.A.R,. vol. 1, pp. 435-436. 1914.
   importations and descriptions. No. 32460, B.P.I. Bul. 282, p. 24. 1913; Nos. 35695-35698, B.P.I. Inv. 36, pp. 12-13. 1915; Nos. 37772-37773, 37787, B.P.I. Inv. 39, pp. 39, 42. 1917; No. 43961, B.P.I. Inv. 49, p. 105. 1921.
   infestation by Mediterranean fruit fly. J.A.R., vol. 3, pp. 313, 315-318, 320-322, 329. 1915.
   juice—
      examination, methods. Chem. Bul. 105, p. 19. 1907.
      raw and concentrated, preparation. Hawaii Bul. 49, p. 15. 1923.
   Kusaie—
      growing in Hawaii, description. Hawaii A.R., 1921, p. 16. 1922.
      origin and description. Hawaii Bul. 49, p. 2. 1923.
   new hybrids, history, and description. Y.B., 1905, pp. 279-281. 1906; Y.B. Sep. 383, pp. 279-281. 1906.
   Ogeechee, importation, and description. No. 42277, B.P.I. Inv. 46, p. 71. 1919.
   orange, Brazil, description. D.B. 445, p. 15. 1917.
   Rangpur, origin and description. Hawaii Bul. 49, pp. 3-4. 1923.
   recipes for using. Hawaii Bul. 49, pp. 16-19. 1923.
   seedless, importation and description. No. 29124, B.P.I. Bul. 227, pp. 9, 37. 1911.
   shipments by States, and by stations, 1916. D.B. 667, pp. 8, 98. 1918.
   spineless, importation. No. 29123, B.P.I. Bul. 227, pp. 9, 36. 1911.
   susceptibility to—
      citrus canker. J.A.R., vol. 14, pp. 343, 346, 353, 354. 1918.
      scab. J.A.R., vol. 30, p. 1087. 1925.
      wither tip and its control. J.A.R., vol. 30, pp. 629-635. 1925.
   sweet, importation, use as stock for grafting Jaffa orange. No. 30620, B.P.I. Bul. 242, pp. 9, 24. 1912.
   Tahiti, description. Hawaii Bul. 49, p. 4. 1923.
   tree(s)—
      importations, January 1 to March 31, 1914. No. 37084, B.P.I. Inv. 38, p. 35. 1917.
      injury by black fly. D.B., 885, pp. 8-15, 19-21, 25-28. 1920.
      inoculations with citrus-knot fungus. B.P.I. Bul. 247, pp. 39-44, 47, 50-64. 1912.
      susceptibility to citrus canker. J.A.R., vol. 19, pp. 203, 204. 1920.
   use in citrus hybrids. J.A.R., vol. 23, pp. 230, 235-238. 1923.
   varieties—
      for the Gulf States, description. F.B. 1122, p. 19. 1920.
      recommendations for various fruit districts. B.P.I. Bul. 151, p. 57. 1909.
   West Indian
      description and composition. Hawaii Bul. 47, pp. 2-3, 14. 1923.

Lime(s), (fruit)—Continued.
   West Indian—Continued.
      fungus gall, study. B.P.I. Bul. 213, p. 164. 1911.
      wither tip, control by spraying with copper mixtures. J.A.R., vol. 30, p. 629. 1925.
   See also Citrus; Lemons.
Lime berry, susceptibility to citrus canker. J.A.R.. vol. 19, p. 343. 1920.
Limecake, beet-sugar refuse, analysis and fertilizer value. Rpt. 90, pp. 32, 33, 37, 39. 1909.
Limelo, susceptibility to citrus canker. J.A.R., vol. 14, p. 350. 1918.
Limekiln(s)—
   construction and directions. B.P.I. Cir. 130, pp. 19-20. 1913.
   establishment, benefit to New York farmers. News L., vol. 4, No. 11, p. 7. 1916.
   on farm, directions, and cost. F.B. 435, pp. 6-8, 1911.
   preparation of lime for agriculturaluse. F.B. 435, pp. 6-8. 1911; F.B. 921, pp. 5, 6, 26-28. 1918.
Limequat—
   hybrid, origin and characteristics. B.P.I. Cir. 116, pp. 6-7. 1913.
   origin and characteristics, fruits and trees. J.A.R., vol. 23, pp. 235-238. 1923.
   susceptibility to citrus canker. J.A.R., vol. 14, p. 350. 1918; J.A.R. , vol. 19, pp. 356, 358. 1920.
Limestone—
   analyses, Porto Rico. P.R. An. Rpt., 1910, pp. 23-24. 1911.
   burning—
      for agricultural lime, directions, and cost B.P.I. Cir. 130, pp. 19-20. 1913.
      or crushing for use on farm. F.B. 981, p. 32. 1918.
   crushed, use on soil, demonstration work. Y.B., 1915, pp. 230-231. 1916; Y.B. Sep. 672, pp. 230-231. 1916.
   deposits in Pennsylvania, south-central, uses and value. Soil Sur. Adv. Sh., 1910, pp. 12, 23, 74. 1912; Soils F.O., 1910, pp. 200, 211, 262. 1912.
   description and preparation for agricultural use. F.B. 921, pp. 3-4. 1918.
   determination in commercial fertilizers. D.B. 97, pp. 1-10, 11. 1914.
   effect on—
      ammonification and nitrification. Hawaii Bul. 37, pp. 42-43, 46. 1915.
      bacteria of soil. J.A.R., vol. 12, pp. 469-474, 484-493. 1918.
      yields of rice. D.B. 1356, p. 18. 1925.
      yields of wheat. News L., vol. 7, No. 5, p. 13. 1919.
   grinding and burning for lime, directions. Y.B., 1919, pp. 336-340. 1920; Y.B. Sep. 814, pp. 336-340. 1920.
   grinding and burning on farm. F.B. 921, pp. 26-28. 1918.
   losses in transformation to soils, table. J.A.R., vol. 13, p. 609. 1918.
   muck soils, requirements per acre. F.B. 366, p. 6. 1909.
   origin, classification, and mineral constituents. Rds. Bul. 37, pp. 13, 14-23, 26. 1911.
   phosphatic—
      fusion with feldspar in production of fertilizer. D.B. 143, pp. 4-7. 1914.
      mixture with slags in fertilizer manufacture. Soils Bul. 95, pp. 9-18. 1913.
   requirements of manured soils, changes, study. J.A.R., vol. 13, pp. 174-187. 1918.
   road-building, physical tests, results, 1916, 1917. D.B. 670, pp. 2-28. 1918.
   road use to increase cementing power of granite. Rds. Bul. 28, p. 15-16. 1907.
   soils—
      character and agricultural value, by series. Soils Bul. 55, pp. 138-143. 1909.
      forage crops rich in lime benefit to stock. F.B. 329, p. 24. 1908.
      Kentucky and Tennessee, description and uses. F.B. 981, pp. 4-7. 1918.
   substitution for lime in making calcium arsenate. D.B. 750, p. 9. 1918.
   use in—
      barley growing. F.B. 427, p. 9. 1910.

Limestone—Continued.
use in—continued.
   making calcium arsenate, experiments. D.B. 750, rev., p. 8. 1923.
   road building. Rds. Bul. 44, p. 29. 1912.
   use on acid soils. D.B. 355, p. 66. 1916.
   valley—
      and upland soils—
         description and use. D.B. 46, pp. 1, 13-15. 1913; Soils Bul. 78, pp. 169-182. 1911; Soils Bul. 96, pp. 85-108. 1913.
         in eastern United States. Soils Bul. 78, pp. 169-182. 1911.
      soil, Hagerstown loam, extent, area, and uses. Y.B., 1911, pp. 229-230, 236. 1912; Y.B. Sep. 563, pp. 229-230, 236. 1912.
      value in road building. D.B. 348, pp. 19, 25. 1916; D.B. 370, pp. 6, 13-100. 1916.
   See also Calcium; Lime.
Limewash, use against poultry diseases, formula. F.B. 957, pp. 5-6. 1918.
Limewater—
   addition to milk, to improve digestibility. F.B. 363, p. 21. 1909.
   egg preservation, method. B.A.I. Doc. A-30, p. 2. 1917; F.B. 287, rev., p. 32. 1921; F.B. 889, p. 22. 1917; F.B. 1331, p. 19. 1923; S.R.S. Doc. 75, p. 2. 1918.
   preparation, school exercises. O.E.S. Bul. 185, p. 11. 1907; O.E.S. Bul. 195, p. 11. 1908.
   saturated, preparation. D.B. 866, pp. 8, 43-44. 1920.
   sprays, Pickering. See Sprays, Pickering.
   test, school exercises. O.E.S. Bul. 185, p. 15. 1907.
Limicolae. See Shore bird.
Liming—
   acid soils—
      calculation of quantity. P.R. An. Rpt., 1912, pp. 16, 20. 1913.
      directions. F.B. 1365, pp. 13-15. 1924.
      effect on crops. F.B. 133, pp. 6-7. 1901.
   crimson clover, suggestions. F.B. 1142, p. 12. 1920.
   effect on efficiency of phosphates, Porto Rico. J.A.R., vol. 25, pp. 184-186. 1923.
   fertilizer experiments in Hawaii. Hawaii A.R., 1920, pp. 44-48. 1921.
   injurious to potato crop. F.B. 337, p. 23. 1908.
   process in sirup making. D.B. 1370, pp. 29-30. 1925.
   relation to inoculation of soil with legume bacteria. J.A.R., vol. 30, p. 95. 1925.
   soils—
      directions. S.R.S. Doc. 30, p. 14. 1916.
      filter-press cake from beet-sugar factories, value. D.C. 257, pp. 1-3. 1923.
      for alfalfa. D.C. 115, pp. 3-4. 1920; F.B. 1283, pp. 10-12, 21. 1922.
      form, quantity and application method, study. D.B. 355, pp. 62-68. 1916.
      in 1923. D.C. 343, pp. 10-11. 1925.
      principles. Edmund C. Shorey. F.B. 921, pp. 30. 1918.
      terms used, definitions. F.B. 921, pp. 28-29. 1918.
      value in weed control. D.B. 78, pp. 24-25. 1914.
Limnaea—
   (Galba) bulimoides, susceptibility to various salt solutions. J.A.R., vol. 20, pp. 196-208. 1920.
   spp., intermediate hosts of flukes. J.A.R., vol. 20, pp. 195-208. 1920.
Limnerium—
   blackburni, parasitic enemy of—
      cabbage worms. Hawaii A.R., 1914, p. 47. 1915.
      splitworm. Hawaii Bul. 34, p. 11. 1914.
   hawaiiense, parasitic enemy of Hymenia fascialis. Ent. Bul. 109, Pt. I, p. 7. 1911.
   sp., parasite of alfalfa caterpillar. D.B. 124, pp. 20-21. 1914.
   tibiator, enemy of cabbage webworm, and other insects. Ent. Bul. 109, Pt. III, p. 31. 1912.
   validum—
      larva, development. Ent. T.B. 19, Pt. V., pp. 83-90. 1912.
      parasitized by Perilampus hyalinus. Ent. T.B. 19, Pt. IV, pp. 34, 36, 43-44, 49, 52-54, 63. 1912.

Limnesia spp., description and occurrence. Rpt. 108, pp. 49, 51. 1915.
Limnobium spongia. See Frogbit.
Limnochares spp., description and habits. Rpt. 108, pp. 49, 50. 1915.
Limnodea—
   arkansana, distribution, description, and feed value. D.B. 201, p. 30. 1915.
   spp., description, distribution, and uses. D.B. 772, pp. 14, 134-136. 1920.
Limon—
   real, importation and description. Nos. 41714, 41956. B.P.I. Inv. 46, p. 13. 1919; No. 44087, B.P.I. Inv. 50, p. 26. 1922.
   susceptibility to citrus canker. J.A.R., vol. 14, pp. 345, 353. 1918.
Limonada, adulteration. See Indexes, Notices of Judgment in bound volumes and in separates, published as supplements to Chemistry Service and Regulatory Announcements.
Limonada Gaseosa, adulteration. Chem. N.J. 12454. 1924.
Limoncilla tree, Porto Rico, description and uses. D.B. 354, pp. 28, 89. 1916.
Limonene content of western pine oleoresins. For. Bul. 119, pp. 13, 16-17, 35. 1913.
Limonia—
   lacourtiana, similarity to Citropsis gabunensis. J.A.R., vol. 1, p. 431. 1914.
   spp., reference to new genus, Citropsis. J.A.R., vol. 1, pp. 420-421, 427-428, 431-432, 434. 1914.
Limonite, composition and description. Rds. Bul. 37, pp. 22-23, 27. 1911.
Limonium spp., importations and descriptions. Nos. 55043-55044, B.P.I. Inv. 71, p. 16. 1923.
Limonius—
   californicus. See Wireworm, sugar-beet.
   confusus. See Wireworm, confused.
Limosa sp. See Godwits.
Limothrips, key and description of new species. Ent. T.B. 23, Pt. I, pp. 8-10. 1912.
Limpkin—
   occurrence in Porto Rico, and food habits. D.B. 326, pp. 37-38. 1916.
   range and nesting season. D.B. 128, p. 13. 1914.
Limus—
   preparation and serving as food, native methods. Hawaii A.R., 1906, pp. 65-71. 1907.
   use as medicine in Hawaii. O.E.S. An. Rpt., 1906, p. 76. 1907.
   use in making gelatin, glue, mucilage, and jellies. Hawaii A.R., 1906, pp. 80-82. 1907.
Linaceae. See Flax.
LINCOLN, F. C.—
   "Instructions for banding birds." M.C. 18, pp. 28. 1924.
   "Instructions for bird banding." D.C. 170, pp. 19. 1921.
   "Returns from banded birds, 1920 to 1923." D.B. 1268, pp. 56. 1924.
Lincoln, Nebr., milk supply, statistics, officials and prices. B.A.I. Bul. 46, pp. 36, 110. 1903.
Lincoln National Forest, N. Mex., map. For. Maps. 1925.
LINDBERG, H: "Report of work at the Sitka Station." Alaska A.R., 1921, pp. 7-15. 1923.
LINDEGREN, C. C.—
   "Further studies on the toxicity of juice extracted from succulent onion scales." With others. J.A.R., vol. 30, pp. 175-187. 1925.
   "Further studies on the relation of onion scale pigmentation to disease resistance." With J. C. Walker. J.A.R., vol. 29, pp. 507-514. 1924.
   "Further studies on the toxicity of juice extracted from succulent onion scales." With others. J.A.R., vol. 30, pp. 175-187. 1925.
   "Phytophthora rot of pears and apples." With Dean H. Rose. J.A.R., vol. 30, pp. 463-468. 1925.
LINDEN, B. A.: "Microorganisms in decomposing oysters." With Albert C. Hunter. J.A.R., vol. 30, pp. 971-975. 1925.
Linden—
   American, names, habitat, description, collection, uses, and prices. D.B. 26, pp. 10-11. 1913.
   beetle, leaf-mining species, and description. Ent. Bul. 38, pp. 83-84. 1902.
   borer, description, habits, and control. F.B. 1169, p. 57. 1921.

Linden—Continued.
Chinese, importation, and description. No. 38810, B.P.I. Inv. 40, pp. 7, 31. 1917.
description—
and regions suited to. F.B. 1208, pp. 21-22. 1922.
use as street tree and regions adapted to. D.B. 816, pp. 17, 18, 19, 27. 1920.
honey source, value. Ent. Bul. 75, pp. 91, 93, 94. 1911.
injury by sapsuckers. Biol. Bul. 39, p. 47. 1911.
insects injurious. F.B. 1169, p. 97. 1921; Sec. [Misc.], "A manual of * * * insects * * *," p. 141. 1917.
See also Basswood; Telia.
Lindera benzoin. *See* Spicebush.
LINDLEY, L. E.: "Soil survey of Hamilton County, Iowa." With Knute Espe. Soil Sur. Adv. Sh., 1917, pp. 30. 1920; Soils F.O., 1917, pp. 1629-1654. 1923.
LINDQUIST, R. C.: "Efficient methods of retailing meat." M.C. 54, pp. 44. 1925.
LINDSEY, J. B.: "Chemical composition, digestibility and feeding value of vegetable-ivory meal." With C. L. Beals. J.A.R., vol. 7, pp. 301-320. 1916.
Line—
breeding—
dairy stock, cooperative work. Y.B., 1916, p. 315. 1917; Y. B. Sep. 718, p. 5. 1917.
definitions. D.B. 905, p. 43. 1920.
principles. B.A.I. An. Rpt., 1910, p. 179. 1912.
See also Breeding.
selection work with potatoes. O. B. Whipple. J.A.R., vol. 19, pp. 543-573. 1920.
LINEBURG, BRUCE: "The feeding of honeybee larvae." D.B. 1222, Pt. II, pp. 25-37. 1924.
Linen—
imports, 1904-1913, value. F.B. 669, pp. 3, 18. 1915.
textiles, quality, use, and testing directions. F.B. 1089, pp. 9, 10, 11, 12. 1920.
uses in household equipment. Y.B., 1914, pp. 354, 355. 1915; Y.B. Sep. 646, pp. 354, 355. 1915.
LINFIELD, F. B., report of Montana Experiment Station, work—
1906. O.E.S. An. Rpt., 1906, pp. 125-127. 1907.
and expenditures—
1907. O.E.S. An. Rpt., 1907, pp. 128-130. 1908.
1908. O.E.S. An. Rpt., 1908, pp. 125-127. 1909.
1909. O.E.S. An. Rpt., 1909, pp. 138-141. 1910.
1910. O.E.S. An. Rpt., 1910, pp. 179-182. 1911.
1911. O.E.S. An. Rpt., 1911, pp. 143-145. 1912.
1912. O.E.S. An. Rpt., 1912, pp. 149-152. 1913.
1913. O.E.S. An. Rpt., 1913, pp. 59-60. 1915.
1914. O.E.S. An. Rpt., 1914, pp. 151-154. 1915.
1915. O.E.S. An. Rpt., 1915, pp. 168-174. 1917.
1915. S.R.S. Rpt., 1915, Pt. I, pp. 168-174. 1916.
1916. S.R.S. Rpt., 1916, Pt. I, pp. 172-177. 1918.
1917. S.R.S. Rpt., 1917, Pt. I., pp. 167-171. 1918.
Linguatula—
rhinaria. *See* Tongueworm.
taenioides, hog, diagnosis. B.A.I. An. Rpt., 1907, p. 241. 1909; B.A.I. Cir. 144, p. 241. 1909; B.A.I. Cir. 201, pp. 34, 35. 1912.
Lingue, importations, and description. No. 34157. B.P.I. Inv. 32, p. 16. 1914; No. 34387, B.P.I. Inv. 33, pp. 6, 14. 1915; No. 35974, 35975, B.P.I. Inv. 36, p. 32. 1915; No. 42875, B.P.I. Inst. 47, p. 77. 1920.
Liniment—
Great Penetrating, Classe's, misbranding. Chem. S.R.A. Sup. 19, pp. 670-671. 1916.
Jone's, misbranding. Chem. N.J. 4138, p. 10. 1916.
Minard's, misbranding. Chem. S.R.A. Sup. 19, pp. 642-643. 1916.

Liniment—Continued.
misbranding. See *Indexes, Notices of Judgment, in bound volumes and in separates published as supplements to Chemistry Service and Regulatory Announcements.*
Montague's, misbranding. Chem. N.J. 3802, p. 1. 1915.
Sloan's, misbranding. See *Indexes, Notices of Judgment, in bound volumes and in separates published as supplements to Chemsitry Service and Regulatory Announcements.*
Smith's agricultural, misbranding. Chem. N.J. 3117, p. 1. 1914.
vegetable compound, misbranding. Chem. N.J. 4128. 1916.
LINK, G. K. K.—
"Anthracnose of muskmelons." With F. C. Meier. D.C. 217, pp. 4. 1922.
"Bacterial spot of cucumbers." With F. C. Meier. D.C. 234, pp. 5. 1922.
"Botrytis rot of the globe artichoke." With others. J.A.R., vol. 29, pp. 85-92. 1924.
"Control of potato-tuber diseases." With Michael Shapovalov. F.B. 1367, pp. 38. 1924.
"Fusarium tuber rot of potatoes." With F. C. Meier. D.C. 214, pp. 8. 1922.
"Handbook of the diseases of vegetables occurring under market, storage, and transit conditions." With Max W. Gardner. B.P.I. [Misc.], "Handbook of the * * *," pp. 73. 1919.
"Late-blight tuber rot of the potato." With F. C. Meier. D.C. 220, pp. 5. 1924.
"Phoma rot of tomatoes." With F. C. Meier. D.C. 219, pp. 5. 1922.
"Potato brown-rot." With F. C. Meier. D.C. 281, pp. 6. 1923.
"Powdery dry rot of potato." With W. A. Orton. C.T. and F.C.D. Inv. Cir. 1, pp. 4, 1918.
Linkage, heredity units, discussion. D.B. 905, pp. 15-16, 20-23, 25-27. 1920.
Linkwood (horse), pedigree. D.C. 153, pp. 14, 15. 1921.
Linnaea americana. *See* Twinflower.
Linnaemya picta, enemy of little-known cutworm. Ent. Bul. 109, Pt. IV, p. 51. 1912.
Linnet—
food habits, injury to fruits, seed eating. Biol. Bul. 30, pp. 13-23. 1907.
protection by law. Biol Bul. 12, rev., pp. 38, 39, 41, 42. 1902.
See also Finch, house.
LINNEY, C. E.—
"Climate and vegetation." W.B. Bul. 31, pp. 98-104. 1902.
"Records in court." W.B. Bul. 31, pp. 180-182. 1902.
Linognathus—
pedalis, description and control on sheep. F.B. 1150, pp. 5, 6, 7-8. 1920.
vituli. *See* Louse, cattle, long-nosed.
Linoleum, description, use, directions for laying, and caring for. F.B. 1219, pp. 32-35. 1921.
Linoma alba, importation and description. No. 43583. B.P.I. Inv. 49, p. 47. 1921.
Linoma alba. *See also* Palm.
Linopodes antennaepes, description and habitat. Rpt. 108, p. 21. 1915.
Linseed—
by-products, analysis methods. J.A.R., vol. 23, pp. 997-1005. 1923.
cake—
and meal, misbranding. See *Indexes, Notices of Judgment, in bound volumes, and in separates published as supplements to Chemistry Service and Regulatory Announcements.*
use as sheep feed. D.B. 20, p. 44. 1913.
value as feed for milch goats. B.A.I. Bul. 68, p. 36. 1905.
meals—
analysis, results. Chem. Bul. 108, pp. 24-27. 1908; Rpt. 112, p. 20. 1916.
comparison with cottonseed meal as sheep feed. F.B. 1179, p. 18. 1923.
composition. Chem. Bul. 108, pp. 24-27. 1908.
content of phosphorus. J.A.R., vol. 4, p. 465. 1915.

Linseed—Continued.
   meals—continued.
      decomposition in soils, effect of bacterial action. Hawaii Bul. 39, pp. 7-12, 20. 1915.
      feed for—
         cattle, energy value. J.A.R., vol. 3, p. 478. 1915.
         sheep, comparison with cottonseed meal. F.B. 1179, pp. 17-18. 1920.
      for balancing hog rations. B.A.I. Bul. 47, pp. 113-114. 1904.
      importance and value as feed stuff. Rpt. 112, p. 17. 1916.
      infestation by fig moth. Ent. Bul. 104, pp. 16, 19. 1911.
      manufacture, method. Chem. Bul. 108, p. 10. 1908.
      misbranding. Chem. N.J. 728, p. 1. 1911.
      nutritive value as dairy feed, analysis. F.B. 743, p. 14. 1916.
      prices, 1910-1923. Y.B., 1923, pp. 1154, 1155. 1924; Y.B. Sep. 906, pp. 1154, 1155. 1924.
      prices at main markets. S.B. 11, pp. 97-98, 104-109. 1925; Y.B., 1924, p. 648. 1925.
      production and portion fed. Y.B., 1923, p. 359. 1924; Y.B. Sep. 895, p. 359. 1924.
      protein concentrate for steer feeding, value and cost. F.B. 1218, pp. 20-21, 22, 26-27, 33. 1921.
      starch determination, corrected, revised method. J.A.R., vol. 23, pp. 1001-1005. 1923.
      use—
         as horse feed. F.B. 1030, p. 14. 1919.
         in lamb feeding, metabolism studies, (with other feeds). J.A.R., vol. 4, pp. 459-473. 1915.
         in sheep feeding, comparison with cottonseed meal. F.B. 1179, p. 18. 1920.
      value in wintering sheep. News L., vol. 5, No. 14, p. 6. 1917.
   oil—
      adulteration and misbranding. Chem. N.J. 2149, p. 1. 1913; Chem. N.J. 2336, p. 1. 1913.
      analytical data. Chem. Bul. 77, pp. 23, 24, 44, 46. 1905.
      and meal, manufacture, uses and value. Y.B., 1922, pp. 535, 544-546. 1923; Y.B. Sep. 891, pp. 535, 544-546. 1923.
      effect of certain pigments, with note on manganese content of raw linseed oil. E. W. Boughton. Chem. Cir. 111, pp. 7. 1913.
      exports, 1922-1924. Y.B., 1924, p. 1045. 1925.
      exports and imports, 1913-1920, by world countries. Y.B., 1921, p. 803. 1922; Y.B. Sep. 871, p. 34. 1922.
      imports—
         1912-1914, amount and sources. D.B. 296, p. 34. 1915.
         1913-1920, by world countries. Y.B., 1921, p. 803. 1922; Y.B. Sep. 871, p. 34. 1922.
         1922-1924. Y.B., 1924, p. 1063. 1925.
         1925. D.C. 341, p. 2. 1925.
      manufacture, uses, and value. Y.B., 1922, pp. 535, 544-545. 1923; Y.B. Sep. 891, pp. 535, 544-545. 1923.
      manufacturing methods, output increase, and substitutes. D.B. 769, pp. 27-28. 1919.
      prices—
         and trade. Y.B., 1923, pp. 715-716. 1924; Y.B. Sep. 899, pp. 715-716. 1924.
         at New York, 1910-1922. Y.B., 1921, p. 573. 1922; Y.B. Sep. 868, p. 67. 1922.
         at New York, 1924. Y.B., 1924, p. 648. 1925.
      production—
         and exports, 1922. Off. Rec., vol. 2, No. 43, p. 2. 1923.
         exports, and imports, 1914, 1917. D.B. 769, p. 27. 1919.
         imports and exports, 1912-1921. Y.B., 1921, p. 799. 1922; Y.B. Sep. 871, p. 30. 1922.
      properties, tests of varieties. D.B. 883, pp. 17-20. 1920.
      raw, manganese content. Chem. Cir. 111, p. 7. 1913.
      source and demand. F.B. 1328, p. 1. 1924.
      substitutes in cresol solutions. An. Rpts., 1919, p. 127. 1920; B.A.I. Chief Rpt., 1919, p. 55. 1919.
      testing methods. Chem. Bul., 109, pp. 5-8. 1908.

Linseed—Continued.
   meals—continued.
      trade, international, 1913-1921. Y.B., 1922, p. 1032. 1923; Y.B. Sep. 887, p. 1032. 1923.
      use as food in Asia, palatability. B.P.I. Bul. 248, p. 51. 1912.
      use in preservation of wood. Ent. Cir. 128, p. 7. 1910.
      value as wood preservative, and application. F.B. 744, pp. 10, 23. 1916.
      yield per acre of flax, and analytical data. D.B. 883, pp. 14, 15, 17-20, 25. 1920.
   See also Flaxseed.
Lint, H. C.—
   "Separation of soil protozoa." With others. J.A.R., vol. 5, No. 3, pp. 137-140. 1915.
   "Soil survey of Reno County, Kans." With others. Soil Sur. Adv. Sh., 1911, pp. 72. 1913; Soils F.O., 1911, pp. 1991-2058. 1914.
Lint—
   cotton—
      and seed characters, comparisons. J.A.R., vol. 28, pp. 950-952. 1924.
      cost, relation to acreage and yield. D.B. 896, pp. 16-17. 1920.
      effect of cotton spacing, experiments. F.B. 601, pp. 8-11. 1914.
      Egyptian and hybrid varieties, description. B.P.I. Bul. 156, pp. 12, 16, 19, 20, 47-48. 1909.
      foreign, mailing prohibition. F.H.B.S.R.A. 22, pp. 89-90. 1915.
      hybrids, improvement and deterioration. B.P.I. Bul. 147, pp. 14-15. 1909.
      important types. Y.B., 1921, pp. 328-330, 370-372, 380. 1922; Y.B. Sep. 877, pp. 328-330, 370-372, 380. 1922.
      importation regulations—
         1915. F.H.B.S.R.A. 15, pp. 26-34. 1915; F.H.B.S.R.A. 17, p. 49. 1915; F.H.B.S.R.A. 19, p. 57. 1915; F.H.B.S.R.A. 31, pp. 97-98. 1916. S.R.S. [Misc.] "Rules and regulations governing * * *," pp. 10. 1915.
         July 8, 1915. F.H.B. [Misc.], "Rules and regulations governing * * *," regulation 6, amdt. 2, p. 1. 1915.
         February 1, 1916. F.H.B. [Misc.], "Rules and regulations governing * * *," regulation 6, amdt. 2, p. 1. 1915.
      length, crops of 1916 and 1917. W. L. Pryor. D.B. 733, pp. 8. 1918.
      measurement methods. B.P.I. Bul. 163, p. 15. 1910.
      picker waste, instructions. F.H.B., S.R.A. 21, pp. 81-82. 1915.
      prices calculated from seed cotton prices and lint percentages. D.B. 375, pp. 6-18. 1916; F.B. 775, pp. 7-8. 1916.
      quarantine regulations, amendment, and letters. F.H.B., S.R.A. 18, pp. 53-54. 1915.
      relation to hybridization. B.P.I. Bul. 256, pp. 54-62. 1913.
      standard of selection. An. Rpts., 1908, p. 333. 1909; B.P.I. Chief Rpt., 1908, p. 61. 1908.
      weighing and measuring in selecting seed. B.P.I. Cir. 92, pp. 17, 18. 1912.
      yields under single stalk culture. D.B. 526, pp. 27-30. 1918.
   hemp growing, description. Y.B., 1913, p. 318. 1914; Y.B. Sep. 628, p. 318. 1914.
   index, estimation by planters, methods. D.B. 644, pp. 3, 11, 12. 1918.
   index for judging cotton varieties. B.P.I. Cir. 11, pp. 12-15. 1909.
   Kapok, uses and cost of picking. Guam A.R., 1920, pp. 34, 35. 1921.
   percentage—
      and lint index of cotton and methods of determination. G. S. Meloy. D.B. 644, pp. 12. 1918.
      determination in cotton. F.B. 1465, pp. 2-3. 1925.
      of seed cotton, prices resulting. F.B. 775, p. 6. 1916.
   See also Linters.
Lintels, reinforcement of concrete, and methods. F.B. 1279, pp. 23-24. 1922.

INDEX TO PUBLICATIONS, 1901–1925   1379

Linters—
  A. M. Agelasto. D.C. 175, pp. 10. 1921.
  baling, sampling, and marketing. D.C. 175, pp. 6–7. 1921.
  prices, fluctuations since 1912. D.C. 175, pp. 7–8. 1921.
  production and uses. Y.B., 1921, pp. 376, 381–382, 393, 395. 1922; Y.B. Sep. 877, pp. 376, 381–382, 393, 395. 1922.
  quality, color, length of fiber, and percentage of cotton crop. D.C. 175, pp. 4–6. 1921.
  source, production, and uses. Sec. Cir. 88, pp. 5, 19, 20. 1918.
  standardization need. D.C. 175, p. 10. 1921.
  See also Lint.
Linto, varieties, importations and description. Nos. 33819–33822, B.P.I. Inv. 31, pp. 6, 58–59. 1914.
LINTON, F. B.: "Inspection of fruit and vegetable canneries." With others. D.B. 1084, pp. 38. 1922.
Linum usitatissimum. See Flax, Sigger.
Liodontomerus spp., parasites of chalcid fly, habits. D.B. 812, pp. 17, 18. 1920; J.A.R., vol. 16, pp. 165–170. 1919.
Liomys spp., description and distribution. N.A. Fauna 34, pp. 32–63. 1911.
Lions, glanders outbreak caused by feeding on diseased horse flesh. B.A.I. Chief Rpt., 1911, p. 42. 1911; An. Rpts., 1911, p. 232. 1912.
Liopus alpha, host selection. J.A.R., vol. 22, pp. 194–220. 1921.
Lip-and-leg ulceration—
  control methods. B.A.I. Cir. 160, pp. 6–11. 1910.
  control remedies on Minidoka project. D.B. 573, pp. 23. 1917.
  of cattle, sheep, and swine, interstate transportation, regulation. B.A.I. [Misc.], "Notice regarding the interstate movement * * * lip-and-leg ulceration," p. 1. 1911.
  of sheep—
    cause and symptoms. B.A.I. Cir. 160, pp. 13–35. 1910; F.B. 1155, pp. 8–11. 1921.
    description, treatment, and control. A. D. Melvin and John R. Mohler. B.A.I. Cir. 160, pp. 35. 1910.
    prevention. B.A.I.O. 165, rule 8, rev. 1, pp. 4. 1909.
    quarantine regulations, August 12, 1909. B.A.I. An. Rpt., 1909, pp. 381–384. 1911; B.A.I.O. 163, amdt. 1, p. 1. 1909.
    quarantine release, Wyoming. B.A.I.O. 181, rule 9, p. 1. 1911.
    treatment. F.B. 1155, pp. 9–11. 1921.
    various names. B.A.I. Cir. 160, pp. 5, 12. 1910.
  See also Necrobacillosis.
Lipase—
  determination in eggs, method and results. Chem. Cir. 104, pp. 3, 6–7. 1912.
  experimental work with Penicillium and Aspergillus molds. B.A.I. Bul. 120, pp. 22–23, 48–49. 1910.
  hydrolysis of chicken fat. Chem. Cir. 103, pp. 4–5. 1912.
  occurrence and permanence in chicken fat. Chem. Cir. 75, pp. 1–7. 1912.
  presence in butter. J.A.R., vol. 11, pp. 444. 1917.
  testing in milk, effect of pasteurization. B.A.I. An. Rpt., 1910, pp. 318–321, 325. 1912; B.A.I. Cir. 189, pp. 318–321, 325. 1912.
Lipidosaphis ulmi. See Scale, oyster-shell.
LIPMAN, C. B.—
  "Antagonism between anions as affecting barley yields on a clay-adobe soil." With W. F. Gericke. J.A.R., vol. 4, pp. 201–218. 1915.
  "Comparison of the nitrifying powers of some humid and some arid soils." With others. J.A.R., vol. 7, pp. 47–82. 1916.
LIPMAN, J. G.—
  "A review of investigations in soil bacteriology." With Edward B. Voorhees. O.E.S. Bul. 194, pp. 108. 1907.
  report of New Jersey Experiment Station, work and expenditures—
    1911. O.E.S. An. Rpt., 1911, pp. 155–158. 1912.
    1912. O.E.S. An. Rpt., 1912, pp. 161–164. 1913.
    1913. O.E.S. An. Rpt., 1913, pp. 63–64. 1915.
    1914. O.E.S. An. Rpt., 1914, pp. 163–167. 1915.
    1915. S.R.S. Rpt., 1915, Pt. I, pp. 185–188. 1916.
    1916. S.R.S. Rpt., 1916, Pt. I, pp. 190–195. 1918.

LIPMAN, J. G.—Continued.
  report of New Jersey Experiment Station—Con.
    1917. S.R.S. Rpt., 1917, Pt. I, pp. 184–189. 1918.
  report on—
    determination of carbonates in soils. Chem. Bul. 132, pp. 30–31. 1910.
    fixation of atmospheric nitrogen by bacteria. Chem. Bul. 81, pp. 146–160. 1904.
    "Soils." Chem. Bul. 137, pp. 25–30. 1911.
    "Soils." With G. S. Fraps. Chem. Bul. 152, pp. 50–56. 1912.
Lipoma, cattle, description and treatment. B.A.I. [Misc.], "Diseases of cattle," rev., p. 314. 1904; rev., p. 326. 1912; rev., p. 314. 1923.
Liponyssus spp.—
  description. Rpt. 108, p. 78. 1915.
  See also Mites.
Lippia—
  leaf spot, occurrence and description, Texas. B.P.I. Bul. 226, p. 71. 1912.
  or fog fruit, as lawn plant and soil binder for arid regions. F.B. 169, pp. 8–9. 1903.
"Lipping" dwarf pears, to make half standards. F.B. 482, p. 7. 1912.
Lips, cattle, wounds and snake bites, symptoms, treatment. B.A.I. [Misc.], "Diseases of cattle," rev., p. 16. 1904; rev., pp. 16–17. 1912.
Liqueur(s)—
  benzaldehyde determination. Chem. Bul. 152, pp. 192–195. 1912.
  crème de menthe, misbranding. N.J. 1730, p. 1. 1912.
  curaçao, misbranding. Chem. N.J. 746, p. 1. 1911.
  "Della stella," adulteration. Chem. N.J. 1703, p. 1. 1912; Chem. N.J. 1704, p. 1. 1912.
  See also Liquor.
Liquid—
  extractor, continuous, apparatus, description. Chem. Cir. 80, pp. 1–2. 1911.
  manures, danger in use on heavy soil. Y.B., 1902, pp. 558, 563–566. 1903.
  rate of movement through capillary tubes, paper. Soils Bul. 52, pp. 53–54. 1908.
Liquidambar—
  formosana, importation and description. No. 34583. B.P.I. Inv. 33, pp. 5, 35. 1915; No. 44666, B.P.I. Inv. 51, p. 40. 1922.
  rose bug injury. Ent. Bul. 67, p. 48. 1907.
  styraciflua—
    injury by sapsuckers. Biol. Bul. 39, pp. 39, 79–80. 1911.
  See also Gum, red.
Liquor(s)—
  acid, description, composition, and yield. D.B. 1003, pp. 35–37, 68. 1919.
  adulteration—
    report of referee, 1901. Chem. Bul. 67, pp. 75–77. 1902.
    sale and laws. Chem. Bul. 98, rev., Pt. I, p, p. 33, 84, 92, 97, 106, 111, 151, 157–158, 162, 178 184, 192, 235–236, 254, 294, 306, 310, 343. 1909.
  alcoholic—
    exports, 1851–1908. Stat. Bul. 75, pp. 49–53. 1910.
    imports—
      1907–1909, quantity and value, by countries from which consigned. Stat. Bul. 82, pp. 45–47. 1910.
      1908–1910, quantity and value, by countries from which consigned. Stat. Bul. 90, pp. 47–50. 1911.
    imports and exports—
      1903–1907. Y.B., 1907, pp. 743, 752. 1908; Y.B. Sep. 465, pp. 743, 752. 1908.
      1906–1910. Y.B., 1910, pp. 660, 670. 1911; Y.B. Sep. 553, pp. 660, 670. 1911.
      1907–1911. Y.B., 1911, pp. 663–664, 673–674. 1912; Y.B. Sep. 588, pp. 663–664, 673–674. 1912.
      1908–1912. Y.B., 1912, pp. 720–721, 732–733. 1913; Y.B. Sep. 615, pp. 720–721, 732–733. 1913.
      1911–1913. Y.B., 1913, pp. 497, 505. 1914; Y.B. Sep. 361, pp. 497, 505. 1914.
      1913–1915. Y.B., 1915, pp. 545, 552. 1916; Y.B. Sep. 685, pp. 545, 552. 1916.
      1916. Y.B., 1916, pp. 711, 719. 1917; Y.B. Sep. 722, pp. 5, 13. 1917.

Liquor(s)—Continued.
  alcoholic—continued.
    imports and exports—continued.
      1917. Y.B., 1917, pp. 764, 772. 1918; Y.B. Sep. 762, pp. 8, 16. 1918.
      1918. Y.B., 1918, pp. 632, 640, 643. 1919; Y.B. Sep. 794, pp. 8, 16, 19. 1919.
      1919. Y.B., 1919, pp. 687, 695. 1920; Y.B. Sep. 829, pp. 687-695. 1920.
    imports by countries from which consigned, 1909-1911. Stat. Bul. 95, pp. 51-54. 1912.
    proof strength, standards. Chem. Bul. 130, pp. 15-17. 1910.
    trade with foreign countries, discussion. D.B. 296, pp. 36-38. 1915.
  black, resinous waste wood. Chem. Bul. 159, pp. 17-23. 1913.
  chocolate, adulteration and misbranding. See Indexes, Notices of Judgment, in bound volumes and in separates published as supplements to Chemistry Service and Regulatory Announcements.
  compound, definition in relation to special tax. Chem. Bul. 98, rev., Pt. I, p. 19. 1909.
  cresolis compositus—
    adulteration and misbranding. Insect. N.J. 128, I. and F. Bd. S.R.A. 7, pp. 99-100. 1915.
    adulteration and misbranding. N.J. 913, I. and F. Bd. S.R.A. 47, p. 12. 1924.
    use as disinfectant for stables. B.A.I. An. Rpt., 1906, p. 171. 1908; B.A.I. Cir. 122, p. 7. 1908.
    See also Cresolis.
  distilled—
    analysis, methods. Chem. Bul. 107, pp. 95-101. 1907; Chem. Cir. 43, pp. 11-12. 1909.
    benzaldehyde determination. Chem. Bul. 152, pp. 192-195. 1912.
    report of referee. Chem. Bul. 105, pp. 20-21. 1907; Chem. Bul. 122, pp. 25-27. 1909; Chem. Bul. 162, pp. 165. 1913.
    exports, 1902-1904. Stat. Bul. 36, pp. 68-75. 1905.
  fermented—
    and distilled, analysis, changes in provisional methods, 1902-1905. Chem. Cir. 29, pp. 17-20. 1906.
    and distilled, analysis method. Chem. Bul. 65, p. 81. 1902.
  Greek, misbranding. Chem. N.J. 3121. 1914.
  imports, value, and extent of misbranding. Y.B., 1910, p. 211. 1911; Y.B. Sep. 529, p. 211. 1911.
  Italian, misbranding. Chem. S.R.A. Sup. 19, pp. 635-637. 1916.
  malt—
    analysis, suggestions. Chem. Bul. 73, pp. 155-156. 1903.
    exports, 1895, 1900, and 1914, value and demand. D.B. 296, p. 37. 1915.
    imports, 1908-1910, quantity and value, by countries from which consigned. Stat. Bul. 90, pp. 48-49. 1911.
    imports, 1909-1911, by countries from which consigned. Stat. Bul. 95, p. 52. 1912.
    standards. Chem. [Misc.], "Purity of food * * *," pp. 3-4. 1906.
  production and cooperage demands. Rpt. 117, p. 57. 1917.
  so-called, adulteration and misbranding. Chem. S.R.A. Sup. 4, p. 238. 1915.
  spiritous, standards. Chem. [Misc.], "Purity of food * * *," pp. 4-7. 1906.
  See also Alcohol; Intoxicants; Liqueur.
Liriodendron tulipifera—
  host of Hyperplatys maculatus. J.A.R., vol. 22, pp. 217-219. 1921.
  immunity to Neoclytus erythrocephalus. J.A.R., vol. 22, pp. 213-215. 1921.
  injury by sapsuckers. Biol. Bul. 39, pp. 77-78, 89-90. 1911.
  See also Poplar, yellow; Tulip tree.
Lissorhoptrus simplex. See Rice root maggot; Rice water-weevil.
Lister—
  attachment—
    cotton planter, description, and advantages. B.P.I.C.P. and B.I. Cir. 2, pp. 2-3. 1917.

Lister—Continued.
  attachment—continued.
    for a cotton planter. Stephen H. Hastings. B.P.I.C.P. and B.I. Cir. 2, pp. 3. 1917.
    corn planting, description. F.B. 414, pp. 21-22. 1910.
    description and use. F.B. 266, p. 15. 1906.
    manufacture and sale, 1920. D.C. 212, pp. 4-5. 1922.
  use in—
    corn planting, Missouri, Atchison County. Soil Sur. Adv. Sh., 1909, pp. 10, 21. 1910; Soils F.O., 1909, pp. 1310, 1321. 1912.
    dry-farming. B.P.I. Bul. 215, p. 29. 1911.
    planting corn. F.B. 729, pp. 9-10. 1916; F.B. 1149, pp. 10-11, 13. 1920; S.R.S. Syl. 21, p. 9. 1916.
    use on seed bed, semiarid regions, directions. B.P.I. [Misc.], "Field Instructions," pp. 6-8. 1913.
Listing—
  as substitute for plowing. D.B. 268, pp. 12, 15, 18, 19, 22-23. 1915.
  corn, comparison with disk-furrow planting. F.B. 317, pp. 18-19. 1908.
  experiments in Wyoming at Sheridan Field Station. D.B. 1306, pp. 13-14. 1925.
  grain-sorghum crop, experiments. F.B. 1137, pp. 18, 21. 1920.
  wheat, experiments. Y.B., 1919, pp. 130-133, 149-150. 1920; Y.B. Sep. 804, pp. 130-133, 149-150. 1920.
Listronotus latisculus. See Parsley stalk weevil.
Listrophoridae, classification and description. Rpt. 108, pp. 18, 126-128. 1915.
Listrophorus spp., classification and description. Rpt. 108, p. 127. 1915.
Litchi—
  chinensis, botanical status, and relationships. Hawaii Bul. 44, pp. 20-21. 1917.
  Chinese, inarching. An. Rpts., 1916, p. 150. 1917; B.P.i. Chief Rpt., 1916, p. 14. 1916.
  description and value of fruit, shipment of seeds. Hawaii A.R., 1915, pp. 12, 20-21. 1916.
  fruit, description, analysis, preparation and uses. Hawaii Bul. 44, pp. 3-4, 13-15. 1917.
  growing in Hawaii, description. Hawaii A.R., 1910, pp. 38-39. 1911; Hawaii A.R., 1919, pp. 29-30. 1920.
  importations and descriptions. No. 38779, B.P.I. Inv. 40, pp. 6, 27-28. 1917; Nos. 40915, 40916, 40973, 40974, B.P.I. Inv. 44, pp. 12-13, 23, 30. 1918; Nos. 43034, 43284, B.P.I. Inv. 48, pp. 12-13, 38. 1921.
  in Hawaii. J. E. Higgins. Hawaii Bul. 44, pp. 21. 1917.
  nut, description and use. F.B. 332, p. 9. 1908.
  nuts, infestation with Mediterranean fruit-fly. D.B. 536, pp. 24, 38. 1918.
  preserved, dried, and canned, description and directions. Hawaii Bul. 44, pp. 14-15. 1917.
  propagation by seedling-inarch method. B.P.I. Bul. 202, pp. 36-38, 40. 1911.
  propagation, seeds, layering, budding, and grafting. Hawaii Bul. 44, pp. 7-11. 1917.
  seeds, packing and shipping experiments. Hawaii A.R., 1916, pp. 16-17. 1917.
  seeds, shipment, and germination after refrigeration. Hawaii A.R., 1915, pp. 20-21. 1916.
  soil and culture requirements, propagation, and yield. Hawaii Bul. 44, pp. 6-13. 1917.
  varieties, names, and description. Hawaii Bul. 44, pp. 18-20. 1917.
  See also Lychee.
Literary societies for young people, work of rural high school. Y.B., 1910, p. 187. 1911; Y.B. Sep. 527, p. 187. 1911.
Literature. See Books; Textbooks.
Lithia water—
  adulteration and misbranding. Chem. N.J., 59. 1909.
  Buffalo, misbranding. Sol. Cir. 78, pp. 1-4. 1914.
  contents, decision re misbranding. Sol. Cir. 78. pp. 1-4. 1914.
  Londonderry, misbranding. Chem. N.J. 822, pp. 3. 1911.
  Royal, misbranding. N.J. 1032, p. 1. 1911.
  Tuckahoe, misbranding. Chem. N.J. 424, p. 1. 1910.

Lithium—
  chloride solutions, solubility of carbon dioxide.
    Soils Bul. 49, p. 14. 1907.
  determination—
    W. W. Skinner and W. D. Collins. Chem.
      Bul. 153, pp. 38. 1912.
    and comparison with potash as fertilizer.
      D.B. 600, pp. 3, 16, 17. 1917.
    in saline solutions, method. Soils Bul. 94, pp.
      49–50. 1913.
    in water, modified method. Chem. Bul. 152,
      pp. 80–81. 1912.
  occurrence in soils. D.B. 122, pp. 3, 12–13, 27.
    1914.
Lithocarpus cornea, importation and description.
  No. 47365, B.P.I. Inv. 59, p. 12. 1922.
Lithocolletes—
  blancardella, control and life history. F.B. 1270,
    p. 55. 1922.
  geminatella, identity with *Ornix geminatella*.
    J.A.R., vol. 6, No. 8, p. 289. 1916.
Lithopone—
  testing methods. Chem. Bul. 109, pp. 16–17.
    1908.
  use in interior painting. F.B. 474, p. 11. 1911.
Lithospermum purpureo-coeruleum, susceptibility to
  Puccinia triticina. J.A.R., vol. 22, pp. 152–172.
    1921.
Lithrea—
  caustica, importation, and description. Nos.
    33697–33698, 33880–33881. B.P.I. Inv. 31. p.
    44, 64. 1914.
  caustica. See also Litre.
  molleoides, description and importation. Nos.
    43233, 43271, B. P. I. Inv. 48, pp. 31, 36. 1921.
Lithuania, potato production, 1909–1913, 1921–1923.
  S.B. 10, p. 19. 1925.
Litigation—
  effect on water use in irrigation. D.B. 1340, pp.
    35–36. 1925.
  See also Legal proceedings; *also under subjects of
    litigation.*
Litmus—
  in milk, action of cultures from different sources.
    J.A.R., vol. 1, p. 503. 1914.
  paper, use in testing acidity of sorgo sirup. F.B.
    1389, p. 13. 1924.
  paper, use in testing soil acidity. D.B. 355, pp.
    64, 67. 1916; F.B. 921, pp. 24–26. 1918; J.A.R.,
    vol. 8, p. 76. 1917.
  substitute for use in milk cultures. Wm. Mansfield Clark and Herbert A. Lubs. J.A.R., vol.
    10, pp. 105–111. 1917.
Litoco. *See* Rattan.
Litre, importation and description. No. 54634,
  B.P.I. Inv. 69, pp. 4, 30. 1923.
Litsea laurifolia, importation and description. No.
  42370, B.P.I. Inv. 46, pp. 84–85. 1919.
Litsea zeylandica, importation and description.
  No. 42618, B.P.I. Inv. 47, p. 39. 1920.
Litter—
  for poultry, suggestions. F.B. 1113, p. 8. 1920.
  relation to quality and keeping of manure. F.B.
    192, pp. 16, 21. 1904.
  use to save manure, analysis of various kinds
    bedding. S.R.S. Doc. 30, pp. 3–4. 1916.
  See also Bedding.
LITTLE, R. E.: "Status of trade associations in the
  dairy industry from the standpoint of economics."
  B.A.I. Dairy [Misc.], "World's dairy congress,
  1923," pp. 256–265. 1924.
Little Colorado River, Arizona, irrigation, and farm
  practices. O.E.S. Bul. 235, pp. 77–78. 1911.
Little Rock, Ark.—
  milk supply statistics, officials and prices. B.A.I.
    Bul. 46, pp. 34, 47. 1903.
  trade center for farm products, statistics. Rpt.
    98, pp. 288–290, 325, 336, 341, 356, 385. 1913.
Liver—
  Aid, misbranding. Chem. N.J. 3984, pp. 621–622.
    1915.
  cattle, effects of Texas fever. B.A.I. [Misc.],
    "Diseases of cattle," rev., pp. 466, 486. 1908;
    rev., p. 463. 1904; rev., pp. 485–486. 1912.
  congestion. *See* Jaundice.
  cure, De Witt's, misbranding. Chem. S.R.A.
    Sup. 19, pp. 699–700. 1916.
  disease, poultry, cause and control. F.B. 530,
    p. 36. 1913.

Liver—Continued.
  fluke. *See* Fluke, liver.
  function with reference to uric acid. B.A.I. Bul.
    56, pp. 11–14. 1904.
  importation, German regulations. B.A.I. Bul.
    50, p. 46. 1903.
  injury by tapeworms. D.B. 260, pp. 14–15. 1915.
  ox, sheep, and hog, food value. D.B. 1138, pp.
    23–27, 32–35, 45. 1923.
  parasite-infested, food-producing animals, instructions for inspection. B.A.I. S.A. 33, pp.
    2–3. 1910.
  pastes, canning recipe. S.R.S. Doc. 80, p. 20.
    1918.
  poultry—
    glycogenic function. B.A.I. Bul. 56, pp. 23–24.
      1904.
    organ of uric acid production. B.A.I. Bul. 56,
      pp. 11–13. 1904.
  pudding and pastes, canning, recipes. S.R.S.
    Doc. 80, rev., pp. 19–20. 1919.
  reaction to worm destroyers. J.A.R., vol. 30, p.
    950. 1925.
  sausage, canning directions. F.B. 1186, p. 42.
    1921.
  sheep, enlarged, description, postmortem, and
    microscopic examination. B.A.I. An. Rpt.,
    1910, pp. 416–418. 1912.
  sirup, Thacher's, misbranding. Chem. S.R.A.,
    Sup. 18, pp. 505–508. 1916.
Liverleaf, habitat, range, description, uses, collection, and prices. B.P.I. Bul. 219, p. 10. 1911.
Liverpool—
  Cotton Association, agreement. Off. Rec., vol.
    2, No. 28, pp. 1, 8. 1923.
  cotton standards, comparison with United States
    standards. F.B. 802, pp. 25–26. 1917; Mkts.
    S.R.A. 16, pp. 13–15. 1916.
  freight rates on wheat. Y.B., 1921, pp. 136, 137.
    1923; Y.B. Sep. 873, pp. 136, 137. 1922.
  prices of wheat. Y.B., 1921, pp. 145, 146. 1922;
    Y.B. Sep. 873, pp. 145, 146. 1922.
Livestock—
  acreage of tilled crops per head, Georgia farms.
    Farm M. Cir. 3, pp. 15–19. 1919.
  addition to attractiveness of farm life. Y.B.,
    1916, pp. 471–473. 1917; Y.B. Sep. 694, pp. 5–7.
    1917.
  adjustment to crops, suggestions. D.B. 1271,
    pp. 79–99. 1924.
  admission, State sanitary requirements. B.A.I.
    [Misc.], "State sanitary requirements * * *."
    pp. 23. 1911; rev. pp. 42. 1915; B.A.I. Doc.
    A–28, pp. 44. 1917; B.A.I. Doc. A–36, pp. 67.
    1920; M.C. 14, pp. 91. 1924.
  advertising in Iowa, Buchanan County. News
    L., vol. 7, No. 5, p. 12. 1919.
  aid in furnishing market for farm crops. News L.,
    vol. 5, No. 25, p. 8. 1918.
  "alkali disease" in Pecos Valley. C. Dwight
    Marsh and Glenwood C. Roe. D.C. 180, pp. 8.
    1921.
  American, foreign restrictions. B.A.I. Cir. 125,
    p. 9. 1908.
  American types and blood lines, importance.
    B.A.I. An. Rpt., 1907, p. 351. 1909.
  and—
    crop estimates, 1910–1922. M.C. 6, pp. 30.
      1923.
    crop farming, requirements in equipment and
      labor. Y.B., 1908, pp. 359–361. 1909; Y.B.
      Sep. 487, pp. 359–361. 1909.
    grain, marketing in the Pacific coast region.
      Frank Andrews. Stat. Bul. 89, pp. 94. 1911.
    meat, marketing, bibliography. M.C. 35, pp.
      23–26. 1925.
    meat, marketing, methods and cost, situation
      in United States. Part V. Louis D. Hall
      and others. Rpt. 113, pp. 98. 1916.
    miscellaneous agricultural statistics, 1913.
      Y.B., 1913, pp. 455–514. 1914; Y.B. Sep. 631,
      pp. 455–514. 1914.
    population, trend, 1850–1922. D.C. 241, pp.
      1–4. 1922.
    poultry expositions, in Uruguay, locations,
      description, scope, and exhibits. D.C. 228,
      pp. 20–21. 1922.
    products, farm value, 1915, and comparisons
      with estimated farm values. D.B. 713, pp.
      1–11. 1918.

Livestock—Continued.
 April movement, 1918, with comparisons. News L., vol. 5, No. 43, p. 4. 1918.
 associations—
  and the markets. B.A.I. An. Rpt., 1904, pp. 513-558. 1905.
  early work of Belleville community, New York. D.B. 984, p. 46. 1921.
  national and State, and allied organizations. Y.B., 1917, pp. 595-603. 1918; Y.B. Sep. 742, pp. 11. 1918.
  organization and rules governing. For. [Misc.], "The use book, 1921," pp. 14-16. 1922.
  regulations—
   July 1, 1906. B.A.I.O. 136, pp. 13. 1906.
   June 11, 1908. B.A.I.O. 136, amdt. 2, p. 1. 1908.
  suggestion for law protecting sheep, from dogs. F.B. 652, p. 11. 1915.
 Belle Fourche Experiment Farm—
  number, value, and shipments, 1922. D.C. 339, pp. 7-9. 1925.
  production shipments, and value, 1913-1916. W.I.A. Cir. 14, pp. 6-8. 1917.
 bedding, water-holding capacity, and manure saved. J. W. Whisenand. J.A.R., vol. 14, pp. 187-190. 1918.
 better feeding, handbook. E. W. Sheets and William Jackson. M.C. 12, pp. 48. 1924.
 "better sires-better stock" campaign. B.A.I. [Misc.], "Enrollment blank for better * * *," pp. 4. 1923.
 bloating, prevention. M.C. 12, p. 6. 1924.
 bluegrass region, labor and power units, requirements. D.B. 482, pp. 10, 13. 1917.
 breeders—
  Nebraska, pledge for maximum production. News L., vol. 6, No. 6, p. 8. 1918.
  organization of cooperative associations in Minnesota, work of farm bureau. News L., vol. 6, No. 6, p. 9. 1918.
 breeding—
  and feeding—
   Hawaii, experiments. Hawaii A.R., 1921, pp. 8, 44, 51, 57-60. 1922.
   investigations. D. E. Salmon. Y.B., 1904, pp. 527-538. 1905. Y.B. Sep. 366, pp. 527-538. 1905.
   on farm. Y.B., 1902, p. 357. 1902.
  essentials. F.B. 1167, pp. 1-3. 1920.
  facilities furnished by breeding stables at county fairs. O.E.S. Cir. 109, p. 20, 1911.
  in Guam, experiments, 1915. Guam A.R., 1915, pp. 15-16, 23-24. 1916.
  in Hawaii, progress. Hawaii A.R., 1914, pp. 10, 59. 1915.
  in Porto Rico, horses, cattle, and sheep. P.R. An. Rpt., 1913, pp. 30-31. 1914.
  industry, value of organization. F.B. 1090, p. 34. 1920.
  maternal impressions, discussion. F.B. 1167, pp. 35-36. 1920.
  principles. Sewall Wright. D.B. 905, pp. 67. 1920.
  station, Kodiak, Alaska, establishment and report. Alaska A.R., 1907, pp. 8-12, 59-62. 1908.
  system, purposes and results. D.B. 905, pp. 42-46. 1920.
 breeds—
  additional recognition, regulation. B.A.I.O. 278, pp. 2-6. 1922.
  certification regulations. B.A.I.O. 293, pp. 1-6. 1925.
  method of reckoning. B.A.I. Bul. 34, p. 27. 1901.
  recognition regulation. B.A.I.O. 278, pp. 2-6. 1922.
  standardizing. News L., vol. 6, No. 46, p. 13. 1919.
 buying with farm, desirability. F.B. 1088, p. 22. 1920.
 Canadian—
  inspection for export, 1910. B.A.I. An. Rpt., 1910, pp. 68-69. 1912.
  price increase, 1914-1918. News L., vol. 6, No. 40, p. 2. 1919.
 carcasses, condemnation, causes, report by months. See Bureau of Animal Industry Service and Regulatory Announcements.

Livestock—Continued.
 care—
  and feeding—
   in winter. News L., vol. 5, No. 14, p. 2. 1917.
   on Pennsylvania farms. F.B. 978, p. 7. 1918.
  labor—
   power and requirements. D.B. 1348, p. 60. 1925.
   requirements. D.B. 385, p. 25. 1916.
 carloads, pro-rating. Off. Rec., vol. 2, No. 32, p. 5. 1923; Off. Rec., vol. 2, No. 33, p. 5. 1923.
 carrying by auto trucks. News L., vol. 7, No. 10, pp. 15-16. 1919.
 cars, feed and water, inadequacy and abandonment. D.B. 589, pp. 15-16. 1918.
 cars, infected, reports, and regulations. B.A.I. S.A., No. 35, p. 20. 1910.
 census, Argentina, 1908. B.A.I. An. Rpt., 1908, p. 317. 1910.
 classes, rations of cottonseed products. F.B. 1179, pp. 8-14. 1920.
 classification at county fairs. S. H. Ray. F.B. 822, pp. 12. 1917.
 club(s)—
  demonstrations. D.C. 312, pp. 20-24. 1924.
  meat production increase. D.C. 66, pp. 24-27. 1920.
  membership demonstrations, and results. D.C. 152, pp. 15-23. 1921.
  progress. D.C. 255, pp. 2, 23-27. 1923.
  work, 1923. D.C. 348, pp. 23-29. 1925.
 commerce in, amendment to bill. Off. Rec., vol. 1, No. 13, p. 2. 1922.
 commission rates. Off. Rec. vol. 2, No. 25, p. 3. 1923.
 commissioner, duties in South America. News L., vol. 6, No. 42, p. 8. 1919.
 commissioner's bond requirements. Off. Rec. vol. 2, No. 26, p. 4. 1923.
 condemnations, causes. B.A.I. Chief Rpt., 1924, pp. 16-18. 1924.
 condemned, indemnity to owners. B.A.I. An. Rpt., 1908, pp. 105, 106. 1910.
 condition(s)—
  at Yuma, Arizona. W.I.A. Cir. 25, pp. 11-12, 21-23, 33. 1919.
  created by the war. Y.B., 1918, pp. 289-294, 296-298. 1919; Y.B. Sep. 773, pp. 3-8, 10-12. 1919.
  in Alaska. Alaska A.R. 1917, pp. 31, 71, 77-80. 1919.
  in Europe. Turner Wright and George A. Bell. Y.B., 1919, pp. 407-424. 1920; Y.B. Sep. 821, pp. 407-424. 1920.
  in European allied countries, and needs. Sec. [Misc.], "Report * * * commission to Europe," pp. 4, 13, 24-28, 48-63. 1919.
  in Florida, Putnam county. Soil Sur. Adv. Sh., 1914, pp. 10, 16. 1916; Soils F.O., 1914, pp. 1002, 1008. 1919.
  in Montana, Huntley Experiment Farm—
   1914. W.I.A. Cir. 2, pp. 4-5. 1915.
   1919. D.C. 147, pp. 4, 7, 13-27. 1921.
   1920. D.C. 204, pp. 8-9. 1921.
  in Nebraska, North Platte Reclamation Project, 1911-1919. D.C. 173, pp. 10-11. 1921.
  losses from diseases and exposure. F.B. 672, pp. 16-19. 1915.
  of industry in Brazil. D.C. 228, pp. 24-33. 1922.
 Conference, 1915, deliberations and recommendation. An. Rpts., 1917, pp. 24-25. 1918; Sec. A.R., 1917, pp. 26-27. 1917.
 conformation, study importance. F.B. 143, pp. 8-10. 1902.
 consignments by—
  dealer-shippers. Rpt. 113, pp. 9-14, 22-23. 1916.
  owners to markets. Rpt. 113, pp. 9-14, 21. 1916.
 consumption of farm crops. B.A.I. Dairy [Misc.], "World's dairy congress, 1923," p. 40. 1924.
 contagious diseases, control work. Y.B., 1919, pp. 69-78. 1920; Y.B. Sep. 802, pp. 69-78. 1920.

Livestock—Continued.
control on—
New Mexico ranges. D.B. 211, pp. 33-34. 1915.
ranges to avoid erosion. Bul. 675, pp. 29-30. 1918.
cooperative—
associations, location, number and work. D.B. 547, pp. 12, 36. 1917.
handling and shipping, advantages. F.B. 809, pp. 5-9. 1917.
shipping associations, consignments, and costs. Rpt. 113, pp. 9-14, 23-26. 1916.
work of county agents, 1915. S.R.S. Doc. 32, pp. 14-16, 18-19. 1917.
cost of production studies. B.A.E. Chief Rpt., 1924, pp. 9-10. 1924.
counting in national forest grazing, Regulation G-22. For. [Misc.], "The use book, 1921," pp. 65-66. 1922.
crops, conversion into meat and dairy products. Y.B., 1916, pp. 468-469, 474. 1917; Y.B. Sep. 694, pp. 2-3, 8. 1917.
crossbreeding, results. D.B. 905, pp. 42, 44, 62. 1920.
cycle, by months, diagrams. Y.B., 1918, pp. 705-707. 1919; Y.B. Sep. 795, pp. 41-43. 1919.
damage to woodlands. D.B. 863, p. 21. 1920.
danger from alsike clover. F.B. 1151, p. 23. 1920.
danger from poison bran in grasshopper districts. F.B. 1140, p. 11. 1920.
decline of industry in Europe on account of war. Y.B., 1919, p. 9. 1920.
decrease—
by drought in Australia, 1898-1902. Y.B., 1914, p. 424. 1915; Y.B. Sep. 650, p. 424. 1915.
due to settlement entries in range States. Rpt. 110, p. 10. 1916.
in numbers on farms, 1918. News L., vol. 6, No. 12, p. 2. 1918.
demonstration work—
among negroes. D.C. 355, pp. 11-12. 1925.
in 1918. S.R.S. Rpt., 1918, pp. 38, 40, 64, 109. 1919.
in Kentucky and Virginia, results. Y.B., 1915, pp. 232-233, 242-244. 1916; Y.B. Sep. 672, pp. 232-233, 242-244. 1916.
in Southern States, appropriations. Sol. [Misc.], "Laws applicable * * * Agriculture," Sup. 3 pp. 19-20. 1915.
in tick-freed States. News L., vol. 3, No. 23, p. 2. 1916.
destruction by—
bears in Alaska. Alaska A.R., 1914, pp. 41-42, 78. 1915.
floods, Neosho Valley, Kans. O.E.S. Bul. 198, pp. 11, 12. 1908.
magpies. Off. Rec., vol. 3, No. 31, p. 8. 1924.
ocelots and wild cats in Texas. N.A. Fauna 25, pp. 167, 170, 171. 1905.
wild animals. Biol. Chief Rpt., 1924, pp. 2-8. 1924.
wolves and coyotes, Texas. N.A. Fauna 25, pp. 172, 173, 174. 1905.
destruction for foot-and-mouth disease. F.B. 666, pp. 5, 6, 7. 1915.
development of industry in Georgia, Mitchell County. Soil Sur. Adv. Sh., 1920, pp. 7, 36. 1922; Soils F.O., 1920, pp. 7, 36. 1922.
dip and disinfectant, adulteration and misbranding. N.J. 778, 794, 799, 800. I. and F. Bd., S.R.A. 42, pp. 984-985, 1001-1002, 1005-1007. 1923.
dip misbranding, disinfectall, N.J. 148. I. and F. Bd., S.R.A. 8, pp. 13-14. 1915.
dipping for—
diseases, progress. Y.B., 1915, pp. 160, 162, 163. 1916; Y.B. Sep. 666, pp. 160, 162, 163. 1916.
spotted-fever ticks. Ent. Bul. 105, pp. 37-41. 1911.
disease(s)—
and pests, prevention, control, and eradication, appropriation proposed. News L., vol. 5, No. 41, p. 1. 1918.
caused by *Bacillus necrosis*. B.A.I. An. Rpt., 1904, pp. 90-107. 1905.

Livestock—Continued.
disease(s)—continued.
control, acts of Congress relating to. B.A.I.O. 210, pp. 32-33. 1914; B.A.I.O. 245, pp. 28-34. 1916; B.A.I.O. 281, pp. 17-18. 1923.
control, need, and fundamental features. B.A.I. Dairy [Misc.], "World's dairy congress, 1923," pp. 28-31, 33. 1924.
eradication influence of Federal meat inspection. Y.B., 1915, pp. 278-280. 1916; Y.B. Sep. 676, pp. 278-280. 1916.
in Guam, investigations, 1915. Guam A.R., 1915, pp. 25-34. 1916.
in Porto Rico. An. Rpts., 1908, pp. 237-238. 1909; B.A.I. Chief Rpt., 1908, pp. 23-24. 1908; B.A.I. An. Rpt., 1908, pp. 29-30. 1910.
prevention by sanitation and feeding methods. News L., vol. 4, No. 46, pp. 2-3. 1917.
prevention measures. B.A.I. Bul. 35, pp. 13-14. 1902.
quarantine, some results. Y.B., 1918, pp. 239-246. 1919; Y.B. Sep. 783, pp. 1-10. 1919.
report for 1920. An. Rpts., 1920, pp. 30-31. 1921; Sec. A.R., 1920, pp. 30-31. 1920.
research work, 1924. B.A.I. Chief Rpt., 1924, pp. 35-36. 1924.
research work, 1925. B.A.I. Chief Rpt., 1925, pp. 30-32. 1925.
spread by crows. D.B. 621, p. 68. 1918.
spread by dog parasites. D.B. 260, pp. 5-14, 18, 22-24. 1915.
suppression and prevention, laws, text. B.A.I.O. 273, pp. 34-40. 1921; rev., p. 32. 1923.
work of experiment stations, results. O.E.S. An. Rpt., 1922, pp. 70-75. 1924.
diseased, quarantine rules. B.A.I.O. 263, pp. 2-3. 1919.
disinfection, regulations. B.A.I. An. Rpt., 1905, pp. 322-329. 1907.
disposal at yards, reports to be made. Sec. Cir. 156, pp. 9, 11. 1922.
distribution—
local. Rpt. 113, pp. 51-63, 72-98. 1916.
on ranges, riding and salting. D.B. 1031, pp. 52-53. 1922.
on owner and tenant farms, Lenawee County, Mich., by kinds. D.B. 694, pp. 2, 10-11. 1918.
domestic, importation into United States, regulations. B.A.I.O. 281, pp. 18. 1923.
drifting, grazing trespass, decision in case of Thomas Shannon. For. [Misc.], "Instructions * * * trespass," pp. 6. 1909.
drifting preferable to driving, on ranges. F.B. 720, pp. 8, 9. 1916.
driving and hauling. Rpt. 98, pp. 105-108. 1913; Rpt. 113, p. 20. 1916.
driveways on forest ranges. D.B. 790, pp. 55-56. 1919.
drought relief work in 1919. George M. Rommel. Y.B., 1919, pp. 391-405. 1920; Y.B. Sep. 820, pp. 391-405. 1920.
ear-tick infestation, symptoms and treatment. F.B. 980, pp. 3-8. 1918.
eating loco weeds, habit and results. F.B. 1054, pp. 11-13. 1919.
effect of good breeding. F.B. 326, p. 20. 1908.
effect on corn market, studies. News L., vol. 5, No. 18, pp. 1-2. 1917.
enemies, hunting down. W. B. Bell. Y.B., 1920, pp. 289-300. 1921; Y.B. Sep. 845, pp. 289-300. 1921.
enterprises—
in bluegrass region, 1840-1910. D.B. 482, pp. 6, 7. 1917.
on southern plantations, development. D.B. 1269, pp. 57-59. 1924.
estimates—
1910-1922, and crops. M.C. 6, pp. 30. 1923.
methods. Stat. Cir. 17, rev., pp. 19, 20. 1915.
See also Crop and livestock estimates.
Exchange, Chicago, cooperation with Federal supervisors. Y.B., 1919, p. 245. 1920; Y.B. Sep. 809, p. 245. 1920.
exclusion, forest protection. For. [Misc.], "The use book, 1921," p. 9. 1922.
Exhibition, International, Chicago, entries, 1900-1908. B.A.I. An. Rpt., 1908, pp. 346-351. 1910.

Livestock—Continued.
  exhibitions—
    educational value. George M. Rommell. Y.B., 1902, pp. 259-264. 1903; Y.B. Sep. 267, pp. 259-264. 1903.
    value as aid to education. D.B. 593, pp. 26-29. 1917.
  exhibits—
    at fairs, rules. F.B. 822, pp. 6-7. 1917.
    by department, 1922. An. Rpts., 1922, pp. 629, 632. 1922; Exh. A.R. 1922, pp. 1, 4. 1922.
  expense and profits of keeping. B.P.I. Bul. 259, pp. 11, 12. 1912.
  experimental work on Yuma Experiment Farm, 1916-1920. D.C. 221, pp. 36-37. 1922.
  experiments, in Nevada, Newlands farm. D.C. 352, pp. 15-18, 19-26. 1925.
  exportation, inspection regulations, and ports. B.A.I. An. Rpt., 1911, pp. 96-99. 1913; B.A.I. Cir. 213, pp. 96-99. 1913.
  exports—
    1898-1907, numbers and values. B.A.I. An. Rpt., 1907, pp. 385-395. 1909.
    1920. An. Rpts., 1920, p. 11. 1921; Sec. A.R., 1920, p. 11. 1920.
    prohibitory enactments, various countries. Y.B., 1906, pp. 251-257. 1907; Y.B. Sep. 421, pp. 251-257. 1907.
  Exposition—
    Argentine International, description. D.C.228, pp. 11-13. 1922.
    International champion steers, 1902-1911, description. F.B. 486, pp. 5-9. 1912.
  extension—
    of industry 1850-1920. Y.B., 1923, pp. 440-441. 1924; Y.B. Sep. 896, pp. 440-441. 1924.
    work of specialists. S.R.S. Rpt., 1918, pp. 64-65, 109-110. 1919.
  fairs, plan for conducting. O.E.S. Bul. 225, pp. 36-38. 1910.
  farm(s)—
    accounts, keeping methods. F.B. 782, pp. 16-18. 1917.
    and management in Argentina, description. B.A.I. An. Rpt., 1908, pp. 318-329. 1910.
    and ranges, kinds, number, and value, 1914, 1917, 1918. News L., vol. 5, No. 30, p. 8. 1918.
    area, capital and income, comparison with general crops. D.B. 41, pp. 29-34. 1914.
    at Jeanette, La., steer feeding. D.B. 1318, pp. 1-13. 1925.
    concrete construction. F.B. 481, pp. 32. 1912.
    cropping systems. Y.B., 1907, pp. 385-398. 1908; Y.B. Sep. 456, pp. 385-398. 1908.
    in—
      Corn Belt, rotations with sweet clover. F.B. 1005, pp. 14-25. 1919.
      western Washington, numbers and values, 1915-1921. D.B. 1236, pp. 10, 13. 1924.
    mountain, success, example. F.B. 981, pp. 29-30. 1918.
    quality and management as efficiency test. D.C. 83, pp. 10, 13. 1920.
    relation to profit and loss. D.B. 920, pp. 11, 13, 21, 26, 38, 40, 43, 45, 54. 1920.
    value—
      census, 1910. Y.B., 1913, p. 489. 1914; Y.B. Sep. 361, p. 489. 1914.
      in Canada, 1918. News L., vol. 6, No. 38, p. 2. 1919.
    of general-purpose woven-wire fences. News L., vol. 3, No. 30, p. 4. 1916.
    per acre by States and Territories, 1900-1905. Stat. Bul. 43, pp. 12, 14, 15-16, 17, 18, 30-31. 1906.
  farming—
    abandoned lands of New York, recommendations. B.P.I. Cir. 64, pp. 11-12. 1910.
    advantages, need in Southern States. Sec. Cir. 50, pp. 13-14. 1915.
    conditions in North Dakota, McKenzie area. Soil Sur. Adv. Sh., 1907, pp. 9-11. 1908; Soils F.O., 1907, pp. 863-864. 1909.
    in various localities, and relative importance. F.B. 1289, pp. 14, 15, 18, 20, 21, 28. 1923.
    system, aid to distribution of labor. Sec. Cir. 115, p. 8. 1918.

Livestock—Continued.
  farming—continued.
    systems. Y.B., 1908, pp. 359-364. 1909; Y.B. Sep. 487, pp. 359-364. 1909.
  fattening, alfalfa as feed, value. B.A.I. Cir. 86, pp. 258-261. 1905.
  feed and labor requirements, southwestern Minnesota. D.B. 1271, pp. 45-66, 86, 94. 1924.
  feeding—
    and pasture, Huntley Experiment Farm. D.C. 86, pp. 21-32. 1920.
    barley, use and value. F.B. 968, pp. 3, 6-7, 28-29. 1918.
    experiments with—
      alfalfa meal. F.B. 384, pp. 12-14. 1910.
      cowpea seed and hay. F.B. 1153, pp. 10, 15-17. 1920.
    farm waste, utilization. S. H. Ray. F.B. 873, pp. 12. 1917.
    handbook. E. W. Sheets and William Jackson. M.C. 12, pp. 48. 1924; rev., pp. 49. 1925.
    importance of lime and other mineral matter. F.B. 329, p. 25. 1908.
    in Hawaii, problems. Hawaii A.R., 1918, pp. 32, 51-52, 54. 1919.
    in Maryland, Montgomery County. Soil Sur. Adv. Sh., 1914, pp. 10, 17, 20. 1916; Soils F.O., 1914, pp. 398, 415, 418. 1919.
    in transit, requirements and charges. Rpt. 113, pp. 33-34. 1916.
    infected screenings, objections. D.B. 734, p. 15. 1918.
    on—
      alfalfa, comparison with other feeds. F.B. 339, pp. 28-30. 1908; S.R.S. Syl. 20, p. 15. 1916.
      beet by-products. B.P.I. Bul. 260, pp. 24-27, 34, 35. 1912; D.B. 748, pp. 41-42. 1919; F.B. 392, p. 39. 1910; Y.B., 1908, pp. 444-448, 450. 1909.
      bluegrass, practice and cost. F.B. 812, pp. 7-10. 1917.
      cottonseed products. E. W. Sheets and E.H. Thompson. F.B. 1179, pp. 18. 1920; rev. 1924.
      cull potatoes. Off. Rec., vol. 1, No. 43, p. 1. 1922.
      distillery slop. F.B. 410, pp. 34-40. 1910.
      edible canna, comparison with other feeds. Hawaii Bul. 54, pp. 12-13. 1924.
      fish meal, use and value. D.B. 378, pp. 1-23. 1916; D.B. 908, pp. 111-115. 1921.
      grain farm, importance. F.B. 704, p. 13. 1916.
      grain sorghums. Geo. A. Scott. F.B. 724, pp. 15. 1916.
      grain sorghums, use and value. F.B. 972, pp. 3-8, 14-15. 1918; Y.B., 1922, p. 531. 1923; Y.B. Sep. 891, p. 531. 1923.
      hairy-vetch straw. D.B. 876, p. 24. 1920.
      kafir and milo, value, equivalent in corn. B.P.I. [Misc.], "Field instructions," p. 14. 1913.
      loco weed and barium salts, experiments. B.P.I. Bul. 246, pp. 11-36. 1912.
      meat by-products. F.B. 388, pp. 24-25. 1910.
      mesquite meal. D.B. 1194, pp. 3, 5, 17. 1923.
      milo grain. F.B. 322, p. 20. 1908.
      mixed grains. Y.B., 1922, pp. 483, 485, 499, 533. 1923; Y.B. Sep. 891, pp. 483, 485, 499, 533. 1923.
      New Mexico ranges, value and importance. D.B. 211, pp. 35-36. 1915.
      oats, barley, rye, and buckwheat. Y.B., 1922, pp. 483, 485, 499, 511, 553. 1923; Y.B. Sep. 891, pp. 483, 485, 499, 511, 553. 1923.
      oats, oat straw, and oat hay. F.B. 1119, pp. 20-21. 1920.
      oats, value as grain, hay, pasture, and soiling. F.B. 420, pp. 19-22, 24. 1910; F.B. 436, pp. 27-30. 1911.
      pea-vine hay and silage. F.B. 1255, pp. 2, 24. 1922.
      peanuts and velvet beans in Georgia, Colquitt County. Soil Sur. Adv. Sh., 1914, pp. 15, 16. 1915; Soils F.O., 1914, pp. 971, 972. 1919.
      prickly-pear preparation. F.B. 1072, pp. 18-19. 1920.
      proso, use and value. F.B. 1162, p. 14. 1920.

Livestock—Continued.
feeding—continued.
on—continued.
residues from starch roots. Hawaii A.R., 1921, pp. 55-56. 1922.
rye, value and methods of use. Y.B., 1918, pp. 180-181. 1919; Y.B. Sep. 769, pp. 14-15. 1919.
shocked corn. Stat. Bul. 73, pp. 33-34. 1909.
sorghum hay. F.B. 458, pp. 1-20. 1911.
soy-bean hay, value and comparisons. F.B. 973, pp. 26-27. 1918; S.R.S. Syl. 35, pp. 2-5, 11. 1919.
Sudan-grass hay and pasture. D.B. 981, pp. 43-49, 65. 1921.
sugar beets and their by-products. Rpt. 86, pp. 17-20. 1908.
sweet clover. F.B. 485, pp. 26-30. 1912; F.B. 704, pp. 20-21. 1916.
sweet potatoes, composition and value. F.B. 517, pp. 16-18. 1912; Hawaii Bul. 50, pp. 15, 19. 1923.
velvet beans, value, composition, and results. F.B. 962, pp. 30-36, 38-39. 1918.
wheat, comparison with corn. Y.B. 1923, pp. 129-130. 1924.
once a day. F.B. 704, p. 38. 1916.
profitable winter employment for farmers. F.B. 1008, p. 15. 1918.
rations, balanced, calculation method. D.B. 637, pp. 1-19. 1918.
systems in different types of farming. F.B. 370, pp. 11, 18, 25, 28. 1909.
use of—
emmer and spelt. F.B. 1429, p. 12. 1924.
sugar-beet by-products. F.B. 1095, pp. 1-24. 1919; Rpt. 86, pp. 16-20, 41-58. 1908.
surplus potatoes. D.B. 47, pp. 9-10, 12. 1913.
value and increase of grain sorghum. F.B. 686, pp. 6, 9-10. 1915.
value of feterita. B.P.I. Cir. 122, p. 31. 1913.
watering, etc., 28-hour law enforcement. B.A.I.S.A. 74, pp. 58-59. 1913; News L., vol. 5, No. 15, p. 5. 1917.
winter employment for farm labor. Y.B. 1911, p. 271. 1912; Y.B. Sep. 567, p. 271. 1912.
feedstuffs, in Hawaii. Hawaii A.R., 1912, pp. 14-15, 24, 63. 1913.
field-inspection work. B.A.I. Chief Rpt., 1924, pp. 20-25. 1924.
foot-and-mouth disease—
in Texas. Off. Rec., vol. 4, No. 44, p. 3. 1925.
outbreak, 1924. Sec. A.R. 1924, pp. 16-17. 1924.
forecasts, considerations, 1923. Y.B., 1923, pp. 22-24. 1924.
foreign—
competition with United States. News L., vol. 6, No. 29, pp. 1-2. 1919.
statistics. D.B. 987, pp. 1-69. 1921.
trade, opportunities and obstacles. B.A.I. An. Rpt., 1907, pp. 347-349. 1909.
freight rates—
1881-1910. Y.B., 1910, p. 650. 1911; Y.B. Sep. 553, p. 650. 1911.
and length of haul, various sections. Rpt. 113, pp. 29-31. 1916.
Pacific coast. Stat. Bul. 89, pp. 59-71. 1911.
function in agriculture. George M. Rommel. Y.B., 1916, pp. 467-475. 1917; Y.B. Sep. 694, pp. 9. 1917.
grade—
comparison with scrubs. Y.B., 1919, pp. 351-352. 1920; Y.B. Sep. 816, pp. 351-352. 1920.
definition. Y.B., 1919, p. 349. 1920; Y.B. Sep. 816, p. 349. 1920.
improvement increase in meat production. Rpt. 110, pp. 22-23, 52, 58, 60, 64, 66, 71, 76, 79, 86, 88, 91, 96. 1916.
improvement, on ranges. Y.B., 1906, pp. 235-237. 1907; Y.B. Sep. 419, pp. 235-237. 1907.
grading up—
by crossbreeding. F.B. 143, pp. 42-44. 1902.
experiments and examples. D.B. 905, pp. 46, 56, 60-61. 1920; F.B. 1167, pp. 29-32. 1920.
principles and results. Y.B., 1919, pp. 348, 351-352. 1920; Y.B. Sep. 816, pp. 348, 351-352. 1920.

Livestock—Continued.
grazing—
and feeding, in Nebraska, Banner County. Soil Sur. Adv. Sh., 1919, pp. 15, 17, 26-59. 1921; Soils F.O., 1919, pp. 1627, 1629, 1638-1672. 1925.
crops, Gulf coast region. F.B. 986, pp. 11-12, 14, 15, 17, 25, 26. 1918.
in bluegrass region. D.B. 397, pp. 1-18. 1916.
in California forests, number. M.C. 7, p. 6. 1923.
in Canada, bluegrass pastures, use and yield. F.B. 402, pp. 8-10. 1910.
in forest reserves. For. [Misc.], "The use book, 1910," pp. 84. 1910.
in national forests—
number. D.B. 34, p. 1. 1913.
regulations. For. [Misc.], "The use book, 1913," pp. 33-59. 1913.
in slash-pine woods. F.B. 1256, pp. 6-7. 1922.
on forest reserves, inspection and dipping. An. Rpts., 1905, pp. 206-207. 1906.
on national forests—
authority of Secretary of Agriculture. For. [Misc.], "The use book, 1921," p. 1. 1922.
factor in fire protection. John H. Hatton. D.C. 134, pp. 11. 1920.
importance. M.C. 47, pp. 12-14. 1925.
numbers, regulations. For. A.R. 1924, pp. 20-25. 1924.
use of yellow pine forests in Oregon. D.B. 418, p. 31. 1917.
handling in Kentucky bluegrass region. F.B. 812, pp. 1-14. 1917.
harvesting crops with, saving farm labor. J. A. Drake. F.B. 1008, pp. 16. 1918.
heredity, Mendelian theory. D.B. 905, pp. 30-33. 1920.
heredity of form and function. D.B. 905, pp. 34-42. 1920.
humane treatment in official establishments. B.A.I.S.R.A. 125, p. 102. 1917.
importance—
in dry-land farming. D.B. 1143, pp. 1-2. 1923.
in increasing crop yields. F.B. 981, pp. 11-12, 29, 31. 1918.
on sugar-beet farms. D.B. 721, pp. 29-30, 39, 40-41. 1918.
importation—
and exportation. Government inspection and quarantine service. Richard W. Hickman. B.A.I. Cir. 213, pp. 17. 1913.
for exhibition purposes. B.A.I. An. Rpt., 1906, pp. 375, 404. 1908.
inspection and quarantine service. B.A.I. An. Rpt., 1911, pp. 83-99. 1913; B.A.I. Cir. 213, pp. 83-99. 1913.
of Canadian sheep. B.A.I.O. 173, p. 1. 1910.
imported, inspection and quarantine regulations. B.A.I.O. 266, pp. 24. 1919; B.A.I. Cir. 213, pp. 84-86. 1913.
imported, pedigree certificates, importance to breeders. News-L. vol. 1, No. 3, p. 4. 1913.
imports and exports, 1911-1913. Y.B., 1913, pp. 455-514. 1914. Y.B. Sep. 361, pp. 455-514. 1914.
improvement—
aid by county agents. An. Rpts., 1919, pp. 369-370. 1920.
by better-sires crusade. B.A.I. [Misc.], "Better sires * * *," pp. 16. 1919.
by breeding, discussion. Y.B., 1901, pp. 219-222. 1902.
by grading up and crossbreeding. F.B. 1167, pp. 31-32. 1920.
by selection and close breeding. D.B. 905, p. 2. 1920.
county agents' work, 1919, results. D.C. 106, pp. 14-16. 1920.
heredity principles. D. S. Burch. Y.B., 1919, pp. 347-354. 1920; Y.B. Sep. 816, pp. 347-354. 1920.
in Alabama, Fayette County. Soil Sur. Adv. Sh., 1917, pp. 10-11. 1920; Soils F.O., 1917, pp. 704-705. 1923.
in Guam. An. Rpts., 1912, p. 837. 1913; O.E.S. Chief Rpt., 1912, p. 23. 1912.
in Guam, purebreds, importation. Guam A.R. 1920, pp. 5, 15, 67. 1921.

Livestock—Continued.
 improvement—continued.
  in North and West, work of county agents. D.C. 37, pp. 13-14. 1919.
  in Porto Rico, and tick eradication. P.R. An. Rpt., 1918, pp. 9, 17, 21, 23. 1920.
  in South, work of county agents. S.R.S. An. Rpt., 1921, pp. 29-30. 1921.
  incentives, and methods used. D.C. 235, pp. 16-20. 1922.
  methods. M.C. 33, pp. 1-20. 1925.
  work of county agents, results, 1920-21. D.C. 244, p. 40. 1922.
 in—
  Argentina—
   sanitary regulations. B.A.I. Bul. 48, pp. 37-43. 1903.
   statistics, 1888, 1895, 1903. B.A.I. Bul. 48, pp. 57-58. 1903.
   statistics, 1895 and 1908. Stat. Cir. 30, pp. 11-12. 1912.
  Austria, statistics—
   1900-1910. Stat. Cir. 28, p. 13. 1912.
   1910, 1920. D.B. 1234, pp. 61-63. 1924.
  British India, statistics, 1909-1910. Stat. Cir. 36, p. 15. 1912.
  Canada, certification regulation. B.A.I.O. 278, pp. 5, 6. 1922.
  Czechoslovakia, statistics. D.B. 1234, pp. 79. 83. 1924.
  Denmark, statistics, 1893-1909. Stat. Cir. 28, p. 12. 1912.
  England and Wales, estimate, 1914, with comparisons. F.R. 620, p. 16. 1914.
  Great Britain. Robert Wallace. O.E.S. Bul. 196, pp. 42-47. 1907.
  Guam—
   breeding experiments, and studies. Guam A.R., 1912, pp. 8-22. 1913.
  industry. Guam A.R., 1914, pp. 18-27. 1915.
  interstate commerce, sanitary work. An. Rpts. 1918, pp. 111-112. 1919; B.A.I. Chief Rpt., 1918, pp. 41-42. 1918.
  Kentucky, Jefferson County, statistics and distribution on farms. D.B. 678, pp. 5, 17, 18, 23, 24. 1918.
  Portland, Oreg., receipts and shipments, 1910. Stat. Bul. 89, pp. 22-26. 1911.
  Porto Rico—
   conditions, 1912. P.R. An. Rpt., 1912, pp. 39-44. 1913.
   diseases and conditions. Rpt. 87, p. 20. 1908.
   experiments. O.E.S. Bul. 171, pp. 18-19. 1906.
   report, 1908. P.R. An. Rpt., 1908, pp. 37-39. 1909.
  South Carolina, numbers and status, January 1, 1915. D.B. 651, pp. 27-30. 1918.
  Southern States, specimens raised in tick-free localities. S.R.S. Syl. 22, pp. 9, 10. 1916.
  Switzerland, statistics, 1866-1911. Stat. Cir. 28, p. 10. 1912.
  transit, loss and damage claims. Rpt. 113, pp. 34-35. 1916.
  United States, outlook. F.B. 575, pp. 1-29, 34-39. 1914.
  world, statistics, 1905. Y.B., 1905, pp. 732-736. 1906; Y.B. Sep. 404, pp. 732-736. 1906.
 inbreeding, objects and results, precautions. D.B. 905, pp. 37-42. 1930; F.B. 1167, pp. 20-24. 1920.
 increase—
  experiments by Forest Service on fenced-in ranges. D.B. 1001, pp. 38-39. 1922.
  in—
   1915-1917, responsibility for corn shortage. News L., vol. 5, No. 4, p. 8. 1917.
   Canada, 1914-1918. News L., vol. 6, No. 25, p. 6. 1919.
   Southern States, 1917. S.R.S. Rpt., 1917, Pt. II, pp. 46-158. 1919.
   Southern States. Y.B., 1919, pp. 210, 214, 216. 1920; Y.B. Sep. 808, pp. 210, 214, 216. 1920.
  on farms—
   and homesteads, reasons for. Rpt. 110, pp. 14-15, 54, 58, 66, 70, 75, 79, 85, 89, 97. 1916.

Livestock—Continued.
 increase—continued.
  on farms—continued.
   growing sugar-beets. B.P.I. Bul. 260, pp. 34, 37, 42. 1912.
   January 1, 1914, to January 1, 1915. News L., vol. 2, No. 26, p. 1. 1915.
  increased supplies, plans for securing. Sec. Cir. 123, pp. 13-14. 1918.
 industry—
  adaptability to irrigation farming. Y.B., 1911, pp. 375, 380, 381. 1912; Y.B. Sep. 576, pp. 375, 380, 381. 1912.
  at Alaska experiment stations. An. Rpts., 1917, p. 332. 1918; S.R.S. An. Rpt., 1917, p. 10. 1917.
  committee, appointment, duties, and resolutions adopted by. News L., vol. 5, No. 7, pp. 1-3. 1917.
  conditions in western North Dakota. Soils F.O., 1908, pp. 1186-1188. 1911; Soil Sur. Adv. Sh., 1908, pp. 38-40. 1910.
  demonstrations on reclamation projects. B.P.I. Chief Rpt., 1921, pp. 49-51. 1921.
  dependence upon public range management. An. Rpts., 1923, pp. 60-64, 75-77, 319-320, 323-324. 1923; Sec. A.R. 1923, pp. 60-64, 75-77. 1923; For. A.R., 1923, pp. 31-32, 35-36. 1923.
  development following tick eradication. S.R.S. Syl. 22, pp. 8-11. 1916.
  importance in Iowa, Wayne County. Soil Sur. Adv. Sh., 1918, pp. 10, 19. 1920; Soils F.O., 1918, pp. 1234, 1243. 1924.
  in Alaska—
   1914. Alaska A.R., 1914, pp. 40-42, 51, 66-78. 1915.
   1921, progress. Alaska A.R., 1921, pp. 22-23, 31, 45-46. 1923.
  in Argentina. B.A.I. An. Rpt., 1908, pp. 315-333. 1910; B.A.I. Bul. 48, pp. 1-72. 1903.
  in Arizona, Yuma reclamation project. D.C. 75, pp. 19-21, 74-76. 1920.
  in Australia and New Zealand, production and marketing. Y.B., 1914, pp. 422-427. 1915; Y.B. Sep. 650, pp. 422-427. 1915.
  in East and West, comparison. Y.B., 1915, p. 332. 1916; Y.B. Sep. 681, p. 332. 1916.
  in Guam, progress, 1911. O.E.S. An. Rpt., 1911, pp. 29-30, 96. 1912.
  in Honduras. B.A.I. An. Rpt., 1910, pp. 285-295. 1912.
  in Illinois, Will County, importance and value. Soil Sur. Adv. Sh., 1912, p. 12. 1914; Soils F.O., 1912, p. 1528. 1915.
  in Iowa—
   Dickinson County. Soil Sur. Adv. Sh., 1920, pp. 605-606, 613-636. 1923; Soils F.O., 1920, pp. 605-606, 613-636. 1925.
   Hardin County. Soil Sur. Adv. Sh., 1920, pp. 723, 726-727. 1923; Soils F.O., 1920, pp. 723, 726-727. 1925.
   Jasper County. Soil Sur. Adv. Sh., 1921, pp. 1135-1136. 1925.
  in Kansas, Greenwood County, importance. Soil Sur. Adv. Sh., 1912, pp. 14-15. 1914; Soils F.O., 1912, pp. 1832-1833. 1915.
  in Louisiana, Iberia Parish. Soil Sur. Adv. Sh., 1911, pp. 22-24. 1912; Soils F.O., 1911, pp. 1146-1148. 1914.
  in Minnesota, southwestern, report of survey. D.B. 1271, pp. 8-10, 12-13. 1924.
  in Missouri—
   Atchison County. Soil Sur. Adv. Sh., 1909, pp. 13, 35. 1910; Soils F.O., 1909, pp. 1313, 1335. 1912.
   Barton County, importance. Soil Sur. Adv. Sh., 1912, p. 12. 1914; Soils F.O., 1912, p. 1616. 1915.
   Cape Girardeau County. Soil Sur. Adv. Sh., 1910, pp. 20-22, 48. 1912; Soils F.O., 1910, pp. 1232-1234, 1260. 1912.
   Cedar County. Soil Sur. Adv. Sh., 1909, pp. 10, 13-14, 35. 1911; Soils F.O., 1909, pp. 1342, 1345-1346, 1365. 1912.
   Harrison County, value. Soil Sur. Adv. Sh., 1914, pp. 12-13, 21, 25. 1916; Soils F.O., 1914, pp. 1950-1951, 1959, 1963. 1919.

INDEX TO PUBLICATIONS, 1901–1925   1387

Livestock—Continued.
  industry—continued.
    in Missouri—continued.
      Laclede County, importance. Soil Sur. Adv. Sh., 1911, pp. 9, 11–12, 44. 1912; Soils F.O., 1911, pp. 1639, 1641–1642, 1674. 1914.
      Macon County, importance. Soil Sur. Adv. Sh., 1911, pp. 11,14. 1913; Soils F.O., 1911, pp. 1683, 1686. 1914.
      Ripley County, importance. Soil Sur. Adv. Sh., 1915, pp. 13, 34. 1917; Soils F.O., 1915, pp. 1897, 1918. 1919.
    in Porto Rico, conditions and drawbacks. P.R. An. Rpt., 1914, p. 10. 1915.
    in South America. L. B. Burke and E. Z. Russell. D.C. 228, pp. 36. 1922.
    in Tennessee, Sumner County. Soil Sur. Adv. Sh., 1909, pp. 11, 12, 17, 19. 1910; Soils F.O., 1909, pp. 1155, 1156, 1161, 1163. 1912.
    in Texas—
      San Saba County. Soil Sur. Adv. Sh., 1916, pp. 14–17. 1917; Soils F.O., 1916, pp. 1324–1327. 1921.
      south-central, conditions, 1910. Soil Sur. Adv. Sh., 1913, pp. 35–37. 1915; Soils F.O., 1913, pp. 1101–1103. 1916.
      southwest. Soil Sur. Adv. Sh., 1911, pp. 26–27. 1912; Soils F. O., 1911, pp. 1194–1195. 1914.
    in U. S., 1906, miscellaneous information. B.A.I. An. Rpt., 1906, pp. 309–326. 1908.
    in Virgin Islands, report. Vir. Is. A.R., 1923, pp. 1, 4–5. 1924.
    in Wisconsin, Iowa County. Soil Sur. Adv. Sh., 1910, pp. 8, 10, 17, 27. 1912; Soils F.O., 1910, pp. 1150, 1152, 1159, 1169. 1912.
    in Wisconsin, north part of northcentral. Soil Sur. Adv. Sh., 1914, pp. 22–23. 1916; Soils F.O., 1914, pp. 1672–1673. 1919.
    increase in South. Y.B., 1911, pp. 288, 291–292. 1912; Y.B. Sep. 568, pp. 288, 291–292. 1912.
    injury by land policy. Sec. A.R., 1925, pp. 28–30. 1925.
    miscellaneous information—
      1906. B.A.I. An. Rpt., 1906, pp. 309–326. 1908.
      1907. B.A.I. An. Rpt., 1907, pp. 375–417. 1909.
      1908. B.A.I. An. Rpt., 1908, pp. 393–430. 1910.
      1909. B.A.I. An. Rpt. 1909, pp. 301–342. 1911.
      1911. B.A.I. An. Rpt., 1911, pp. 269–300. 1913.
    on farms, change by use of tractors. F.B. 1296, p. 9. 1922.
    on farms, Lake States, cut-over lands. D.B. 425, pp. 7–9. 1916.
    on southern mountain farms. F.B. 905, pp. 8, 9, 16, 18, 25. 1918.
    on Yuma Experiment Farm, 1911–1916. W.I.A. Cir. 20, pp. 10–12. 1918.
    prices, etc., address of Dr. Mohler. News L., vol. 7, No. 10, pp. 1, 11. 1919.
    progress in Guam. Guam A.R., 1921, pp. 1–7. 1923.
    Report prepared for the Commission of the United States to the Brazil Centennial Exposition. John R. Mohler. B.A.I. [Misc.], "Livestock industry of * * *." 1922. (In English, Spanish, and Portuguese.)
    review, 1906. A. D. Melvin. Y.B., 1906, pp. 492–498. 1907.
  influence and value on farm success. D.B. 713, p. 5. 1918.
  injury—
    and destruction by insect pests. Y.B., 1912, pp. 383–396. 1913; Y.B. Sep. 600, pp. 383–396. 1913.
    by cocklebur. D.C. 109, p. 5. 1920.
    by horseflies. D.B. 1218, pp. 3–4. 1924.
    by smelter fumes in Northwest. B.A.I. An. Rpt., 1908, pp. 237–268. 1910.
    by spinose ear-tick and screw-worm fly. Y.B., 1910, p. 223. 1911; Y.B. Sep. 531, p. 223. 1911.
    from stable fly. F.B. 540, pp. 9–12. 1913.
    to farm woodlands. F.B. 1071, pp. 22–23. 1920.
    to sugar pine. D.B. 426, p. 5. 1916.
    to western yellow pine by excessive grazing. For. Bul. 101, p. 17. 1911.

Livestock—Continued.
  insect enemies in United States. F. C. Bishopp. Y.B., 1912, pp. 383–396. 1913; Y.B. Sep. 600, pp. 383–396. 1913.
  insects injurious in vicinity of Gulf Station. James S. Hine. Ent. Bul. 44, pp. 57–60. 1904.
  inspection—
    and quarantine, from all parts, except North America. B.A.I., An. Rpt., 1911, pp. 323–335. 1913; B.A.I.O., 180, amdt. 1, pp. 2. 1912.
    and their productions, regulations. B.A.I. An. Rpt., 1905, pp. 321–329. 1907.
    in the field. B.A.I. [Misc.], "Instructions concerning * * *," pp. 28. 1915.
    regulations, 1904. B.A.I. An. Rpt., 1904, pp. 559–602. 1905.
    regulations, 1905. B.A.I. An. Rpt., 1905, pp. 345, 346. 1907.
    regulations, 1906. B.A.I. An. Rpt., 1906, pp. 346, 347, 349, 350, 351, 381, 393. 1908.
    revocation of Reg. 39. B.A.I.O. 259, amdt. 4, p. 1. 1919.
  international exhibition, Chicago, Ill.—
    Canadian cattle. B.A.I.O. 184, p. 1. 1911.
    Canadian sheep. B.A.I.O. 185, p. 1. 1911.
  international exposition, 1910, work of agricultural colleges. O.E.S. An. Rpt., 1910, pp. 360–364. 1911.
  interstate—
    and foreign commerce in, regulation act. Sec. Cir. 156, pp. 13–29. 1922.
    commerce, regulations, Apr. 15, 1907. B.A.I.O. 143, pp. 31. 1907.
    movement, regulations. B.A.I.O. 210, pp. 36. 1914; B.A.I.O. 210, amdt. 5, pp. 2. 1915; B.A.I.O. 210, amdt. 6, pp. 2. 1916; B.A.I.O. 245, pp. 34. 1916; B.A.I.O. 245, amdt. 2, p. 1. 1917. B.A.I.O. 263, pp. 37. 1919; B.A.I.O. 273, pp. 40, 1921; B.A.I.O. 273, rev., pp. 35. 1923.
    movement, sanitation, etc. B.A.I. Chief Rpt., 1924, pp. 23, 24, 25. 1924; Off. Rec., vol. 4, No. 15, p. 3. 1925.
    transportation, 28-hour law, regulating, purpose, requirements, and enforcement. Harry Goding and A. Joseph Raub. D.B. 589, pp. 20. 1918.
  introduction into Porto Rico, improvement, etc., experiments. P.R. An. Rpt., 1910, pp. 41–43. 1911.
  introduction on sandy lands, Indiana and Michigan. F.B. 716, pp. 3–4, 25–27. 1916.
  investigations, Guam, 1916. Guam A.R. 1916, pp. 39–58. 1917.
  investment on farms, Missouri, Ozark region. D.B. 941, pp. 15, 17, 42–51. 1921.
  irrigated lands, Nebraska, hints to settlers. B.P.I. Doc. 454, pp. 3–4. 1909.
  judging—
    contests—
      club demonstrations. D.C. 312, p. 21. 1924.
      rules, and blanks. O.E.S. Bul. 255, pp. 36–37. 1913.
      use of community building. F.B. 1274, p. 17. 1922.
      value and methods. Sec. Cir. 83, pp. 11–13. 1917.
      value of work. Y.B., 1917, p. 380. 1918; Y.B. Sep. 753, p. 12. 1918.
    course, Iowa State College. O.E.S. Cir. 83, p. 18. 1909.
    demonstration at fairs. D.B. 487, pp. 29–30. 1917.
    directions. F.B. 143, pp. 10–17. 1902.
    farmers' institute work. O.E.S. Bul. 120, p. 113. 1902.
  keeping in South. Y.B., 1913, pp. 281–282. 1914; Y.B. Sep. 627, pp. 281–282. 1914.
  keeping on farm on yields of grain, hay, and oats. F.B. 704, pp. 33–34. 1916.
  kinds—
    and number on 160-acre farms in Indiana. F.B. 1463, p. 3. 1925.
    and number, Palmer Township, Ohio, 1912–1916. D.B. 716, pp. 40–41, 46. 1918.
  management, etc. in labor-saving system in Corn Belt. F.B. 614, pp. 4–6. 1914.
  raising in Texas, Eastland County, 1910. Soil Sur. Adv. Sh., 1916, pp. 10–11. 1918; Soils F.O., 1916, pp. 1286–1287. 1921.

Livestock—Continued.
  labor and feed requirements on farms in southwestern Minnesota. D.B. 1271, pp. 45-66. 1924.
  larkspur poisoning. C. Dwight Marsh and others. D.B. 365, pp. 91. 1916.
  laws—
    and regulations of United States. B.A.I. Dairy [Misc.], "World's dairy congress, 1923," pp. 32-33. 1924.
    relation to tick eradication. B.A.I. Cir. 187, pp. 259-260, 262, 264. 1912; B.A.I. An. Rpt., 1910, pp. 259-260, 262, 264. 1912.
    violations and convictions. See also *Bureau of Animal Industry, Service and Regulatory Announcements.*
    violations and fines, 1924. Off. Rec., vol. 3, No. 31, p. 4. 1924.
  loading—
    and bedding, on cars, cost. Rpt. 113, p. 33. 1916.
    and unloading improvement. D.B. 589, p. 16. 1918.
    daily reports. Y.B., 1918, pp. 384-390. 1919; Y.B. Sep. 788, pp. 8-14. 1919.
  loan bill. Off. Rec., vol. 3, No. 10, p. 2. 1924.
  loan inspectors. Off. Rec., vol. 2, No. 14, p. 2. 1923.
  losses—
    1913, and conditions, April, 1914. F.B. 590, pp. 1-3, 6-8, 15-17. 1914.
    caused by—
      disease. Y.B., 1918, pp. 239-240. 1919; Y.B. Sep. 783, pp. 3-4. 1919.
      magpies. Off. Rec. vol. 3, No. 30, p. 3. 1924.
      poisonous weeds. Y.B., 1917, p. 207. 1918; Y.B. Sep. 732, p. 5. 1918.
    from—
      cicuta poisoning, experiments. D.B. 69, pp. 6-7, 9-17, 19-23. 1914.
      flies. D.B. 131, pp. 2-5. 1914.
      foot-and-mouth disease. F.B. 666, pp. 2-3. 1915.
      larkspur poisoning. D.B. 365, pp. 11-13. 1916.
      plant poisoning, prevention. C. Dwight Marsh. F.B. 720, pp. 11. 1916.
      poisonous weeds, kinds and number. News L., vol. 5, No. 52, pp. 12, 15. 1918.
      predatory animals, and saving by hunters. Y.B., 1920, pp. 289-292, 295, 298. 1921. Y.B. Sep. 845, pp. 289-292, 295, 298. 1921.
      smelter fumes in Deer Lodge Valley, Mont., 1902-1906. B.A.I. An. Rpt., 1908, p. 242. 1910.
      tuberculosis, 1908. B.A.I. An. Rpt. 1908, pp. 101-104. 1910.
      tuberculosis, 1917-1919. Y.B., 1919, pp. 279-282. 1920; Y.B. Sep. 810, pp. 279-282. 1920.
      zygadenus poisoning. D.B. 125, pp. 6-7. 1915.
    on range, 1924. For. A.R., 1925, p. 32. 1925.
  maggots injurious to, description, habits, and control. F.B. 857, pp. 1-20. 1917.
  management—
    East and West, contrast. Y.B., 1921, p. 414. 1922; Y.B. Sep. 878, p. 8. 1922.
    in Missouri, Ozark region. D.B. 941, pp. 20, 28-34. 1921.
    on tenant farm. F.B. 437, pp. 10-11. 1911.
  market(s)—
    boycott. Off. Rec. vol. 3, No. 18, p. 3. 1924.
    centralized. Rpt. 113, pp. 36-41, 68-71. 1916.
    needs. F.B. 560, pp. 20-23. 1913.
    news service. Mkts. Chief Rpt., 1919, pp. 21-23. 1919. An. Rpts., 1919, pp. 447-449. 1920.
    overcharges. News L., vol. 7, No. 8, p. 4. 1919.
    packers, buyers, license requirements, proclamation of President Wilson. News L., vol. 6, No. 8, p. 3. 1918.
    prices, 1898-1909. B.A.I. An. Rpt., 1909, pp. 302-305. 1911.
    reporting methods. Off. Rec., vol. 1, No. 31, p. 3. 1922.
    reports—
      1917. An. Rpts., 1917, pp. 459-460. 1918; Mkts. Chief Rpt., 1917, pp. 29-30. 1917.
      classification and standards. An. Rpts., 1923, pp. 158-162. 1924; B.A.E. Chief Rpt., 1923, pp. 28-32. 1923.

Livestock—Continued.
  market(s)—continued.
    reports—continued.
      commendation by farmers. News L., vol. 6, No. 18, pp. 23-24. 1918.
      Federal (and meats). James Atkinson. Y.B., 1918, pp. 379-398. 1919; Y.B. Sep. 788, pp. 22. 1919.
      supply and demand. Sec. A.R., 1924, pp. 28-29. 1924.
      stabilization. News L., vol. 6, No. 40, pp. 13-14. 1919.
      statistics, prices and shipments. D.B. 982, pp. 2-21, 25-101. 1921.
      supervision, by Government. Louis D. Hall. Y.B., 1919, pp. 239-248. 1920; Y.B. Sep. 809, pp. 239-248. 1920.
    marketing—
      Charles S. Plumb. F.B. 184, pp. 40. 1903.
      1900-1915, at American cities. Rpt. 109, p. 306. 1916.
      1900-1922, and prices, 1916-1922. Y.B., 1921, p. 734. 1922; Y.B. Sep. 870, p. 60. 1922.
      1915-1922, receipts at stockyards. Y.B., 1922, pp. 834-836, 879-881, 899-901, 913. 1923; Y.B. Sep. 888, pp. 834-836, 879-881, 899-901, 913. 1923.
      1924, report of Packers and Stockyards Administration. Pack. and S. Ad. Rpt., 1924, pp. 1-32. 1924.
      and—
        distribution, cost factors. Rpt. 113, pp. 16-63. 1916.
        market news, work. An. Rpts., 1920, pp. 537-539. 1921.
      at principal markets, 1900-1919, cattle, hogs, and sheep. Y.B., 1919, p. 679. 1920; Y.B. Sep. 828, p. 679. 1920.
      expense memorandum. Mkts. [Misc.], "Memorandum of livestock * * *," blank forms. 1921.
      in—
        Pacific coast region, with grain. Frank Andrews. Stat. Bul. 89, pp. 94. 1911.
        the South, improvement suggestions. S. W. Doty. F.B. 809, pp. 16. 1917.
      local. Rpt. 113, pp. 51-63, 72-98. 1916.
      methods. Rpt. 98, pp. 105-119. 1913.
      methods—
        and cost (with meats). Louis D. Hall and others. Rpt. 113, pp. 98. 1916.
        by States and by sections. Rpt. 113, pp. 9-15, 21, 23, 26, 51, 57, 60. 1916.
        study, Markets Office. Mkts. Doc. 1, pp. 9-10. 1915.
      on foot, difficulties to farmers. F.B. 809, p. 5. 1917.
      savings by department. Sec. A.R., 1924, p. 58. 1924.
      school work. S.R.S. Doc. 72, pp. 8-9. 1917.
      supervision—
        in 1920. An. Rpts., 1920, pp. 18-19. 1921; Sec. A.R., 1920, pp. 18-19. 1920.
        State and Federal regulations. An. Rpts., 1923, pp. 664-672. 1923; Pack. and S. Ad. Rpt., 1923, pp. 8-16. 1923.
    marking, shipping, and selling. F.B. 718, pp. 8-11. 1916.
    meat production, and consumption prices, and international trade for many countries, statistics, in United States: Part I. George K. Holmes. Rpt. 109, pp. 307. 1916.
    mortality, April report. News L., vol. 1, No. 34, pp. 2-3. 1914.
    movement—
      interstate, regulations. B.A.I.O. 292, pp. 34. 1925.
      in grazing and feeding sections. Y.B., 1918, p. 391. 1919; Y.B. Sep. 788, p. 15. 1919.
    number—
      affected by foot-and-mouth disease, and value. F.B. 651, pp. 4-5. 1915.
      and kind—
        for sugar-beet farm. D.B. 995, pp. 41-42. 1921.
        in Georgia, Brooks County, 1915. Soil Sur. Adv. Sh., 1916, pp. 13-15. 1918; Soils F.O., 1916, pp. 597-599. 1921.

Livestock—Continued.
    number—continued.
        and kind—continued.
            in North Carolina, Stanly County, 1910. Soil Sur. Adv. Sh., 1916, pp. 9–10. 1918; Soils F.O., 1916, pp. 457–458. 1921.
            on Minidoka reclamation project, 1916. D.B. 573, pp. 4, 6. 1917.
            and production, standards for Indiana hog farms. F.B. 1463, p. 26. 1925.
            and value, Jan. 1, 1920, graph and map. Y.B., 1921, pp. 470, 495. 1922; Y.B. Sep. 878, pp. 64, 89. 1922.
            graphs and tables. Y.B. 1916, pp. 548–553, 659–662. 1917; Y.B. Sep. 713, pp. 18–23. 1917; Y.B. Sep. 721, pp. 1–4. 1917.
            in Georgia, 1911–1920. D.B. 1034, p. 49. 1922.
            in United Kingdom, 1907–1910. Stat. Cir. 25, p. 8. 1911.
            in world countries—
                1906. Y.B., 1906, pp. 632–637. 1907; Y.B. Sep. 436, pp. 632–637. 1907.
                1910. Y.B., 1910, pp. 615–620. 1911; Y.B. Sep. 553, pp. 615–620. 1911.
                1917. Y.B., 1917, pp. 709–713. 1918; Y.B. Sep. 761, pp. 3–7. 1918.
                1918. Y.B., 1918, pp. 587–591. 1919; Y.B. Sep. 793, pp. 3–7. 1919.
                1922. Y.B. 1922, pp. 795–801. 1923; Y.B. Sep. 888, pp. 795–801. 1923.
            maps and discussion. Sec. [Misc.], Spec. "Geography * * * world's agriculture," pp. 109–147. 1917.
            on farms—
                1870–1910, and ranges. Y.B., 1912, p. 677. 1913; Y. B. Sep. 615, p. 677. 1913.
                1910–1919, and exports, statistics. An. Rpts., 1919, pp. 7, 10. 1920; Sec. A.R., 1919, pp. 9, 12, 1919.
                January 1, 1915, estimates. F.B. 651, pp. 1–2, 14–19. 1915.
                1920. An. Rpts., 1920, pp. 3, 8. 1921; Sec. A.R., 1920, pp. 3, 8. 1920.
            per acre, Anderson County, S. C., 1840–1910. D.B. 651, pp. 24, 27–30. 1918.
            per acre on farms, 21 regions, United States. D.B. 320, p. 9. 1916.
            supported by different forage crops. Y.B., 1923, p. 342. 1924; Y.B. Sep. 895, p. 342, 1924.
        oak poisoning. B.A.I Doc. A–32, pp. 3. 1918.
        on—
            Ohio farms, list and value. B.P.I. Bul. 212, pp. 42–44, 45, 47. 1911.
            farms owning both trucks and tractors. D.B. 931, pp. 33–34. 1921.
            Oregon general farms, numbers and value per 100 acres. D.B. 705, pp. 6–7. 1918.
            Pacific coast, domestic trade, receipts and shipments. Stat. Bul. 89, pp. 11–26. 1911.
            sugar-beet farms. F.B. 567, pp. 22–23. 1914.
            southwestern ranges, saving from starvation. C. L. Forsling. F.B. 1428, pp. 22. 1925.
            Truckee-Carson project, numbers and kinds, 1916–1917. W.I.A. Cir. 23, p. 7. 1918.
            Umatilla reclamation project—
                1912–1919, numbers and kinds. D.C. 110, p. 6. 1920.
                1918, numbers, value, and increase. W.I.A. Cir. 26, pp. 5, 6–7. 1919.
                1924, number and value. D.C. 342, pp. 3–4. 1925.
        owners—
            conference and work on drought relief. Y.B. 1919, pp. 393–394. 1920; Y.B. Sep. 820, pp. 393–394. 1920.
            indemnity for tuberculous cattle. Y.B. 1921, p. 45. 1922; Y.B. Sep. 875, p. 45. 1922.
            reimbursement for slaughtered animals. F.B. 666, pp. 6, 7, 8. 1915.
        parasites, study in 1923. Work and Exp., 1923, pp. 69–70. 1925.
        pasturage, allowance on farm, 1911. F.B. 432, p. 15. 1911.
        pasture utilization in bluegrass region. D.B. 482, pp. 22–23. 1917.
        pastures in drought. News L., vol. 7, No. 3, p. 8. 1919.

Livestock—Continued.
    pasturing—
        experiments, Nebraska, Scottsbluff Experiment Farm. W.I.A. Cir. 27, pp. 15–19. 1919.
        on clover, improvement to soil. B.P.I. Cir. 28, pp. 12–14. 1909.
        on Para and Paspalum grasses. Guam Cir. 1, pp. 4, 7, 9–10. 1921.
        on rotation crops, South Dakota. W.I.A. Cir. 24, pp. 14–21. 1918.
    pedigrees, approximate method of calculating coefficients of inbreeding and relationship. Sewall Wright and Hugh C. McPhee. J.A.R., vol. 31, pp. 377–383. 1925.
    pedigrees, writing directions. D.B. 905, pp. 50–54. 1920.
    per acre, New England dairy farms. F.B. 337, p. 19. 1908.
    per 100 acres, Germany and the United States. F.B. 406, p. 10. 1910.
    percentage of total receipts from, to farm profits, Lenawee County, Mich. D.B. 694, p. 16. 1918.
    place in profitable farming. F.B. 704, p. 2. 1916.
    plant-poisoning in eastern United States. Off. Rec., vol. 3, No. 16, p. 5. 1924.
    poisoning by—
        arsenical sprays. D.B. 1316, pp. 5–6. 1925.
        Cicuta, and symptoms. B.A.I. Doc., A–15, pp. 2–3. 1917.
        cocklebur. C. Dwight Marsh and others. D.C. 283, pp. 4. 1923.
        larkspur. C. Dwight Marsh and others. D.B. 365, pp. 91. 1916.
        larkspur, symptoms and remedies. F.B. 988, pp. 1–15. 1918; Y.B., 1900, pp. 315–318. 1901.
        oleander. F.B. 384, pp. 8–9. 1910.
        sorghum forage, danger and remedy. F.B. 246, p. 32. 1906.
        sorghum, investigations. J.A.R., vol. 16, pp. 175–181. 1919.
        sprayed alfalfa, discussion. F.B. 1185, p. 20. 1920.
        stagger grass. D.B. 710, pp. 1–15. 1918.
        Sudan grass. F.B. 1126, rev., pp. 16–17. 1925.
        whorled milkweed. D.C. 101, pp. 1, 2. 1920.
        woolly-pod milkweed. D.B. 1212, pp. 1–14. 1924.
    poisoning, causes, investigations. An. Rpts., 1918, pp. 116, 117–148. 1919; B.A.I. Chief Rpt., 1918, pp. 46, 47–48. 1918.
    poisoning on ranges, prevention. D.B. 790, pp. 82–88. 1919; F.B. 720, pp. 1–11. 1916.
    poisonous plants on western ranges, description. B.P.I. [Misc.], "Principal poisonous plants * * *," pp. 13. 1914.
    powder, misbranding, N.J. 847. I. and F. Bd. S.R.A. 44, p. 1053. 1923.
    powders, composition, and use. F.B. 233, pp. 21–22. 1905.
    prevention of annoyance and losses, by stable fly. F. C. Bishopp. F.B. 1097, pp. 23. 1920.
    prices—
        1892–1907. B.A.I. An. Rpt., 1907, pp. 376–380. 1909.
        1910–1914. Rpt. 113, pp. 64–73. 1916.
        by age and classes, 1913–1919, and cycle of prices. Y.B., 1918, pp. 703, 705–707. 1919; Y.B. Sep. 795, pp. 39, 41–43. 1919.
        Pacific coast, 1870–1910. Stat. Bul. 89, pp. 57–59. 1911.
        stabilization, cooperative conference and membership. News L., vol. 6, No. 14, pp. 6–7. 1918.
        to farmers, 1912–1915. News L., vol. 2, No. 42, p. 1. 1915.
    producers complaint of rates. Off. Rec., vol. 2, Nos. 32, 33, pp. 1, 5. 1923.
    production—
        1918. Sec. Cir. 103, pp. 8–9, 10–12, 15–16, 20. 1918.
        1919. Sec. Cir. 123, pp. 14. 1918.
        1919 (and crops), suggestions. Sec. Cir. 125, pp. 1–27. 1919.
        aid by extension workers. Ext. Chief Rpt., 1925, pp. 27–31. 1925.
        and value 1912, estimates. An. Rpts., 1912, pp. 19–20. 1913; Sec. A.R., 1912, pp. 19–20. 1912; Y.B., 1912, pp. 19–20. 1913.

Livestock—Continued.
  production—continued.
    cost under western range conditions. Rpt. 110, pp. 26–50, 54, 61, 80–81, 92, 97, 98. 1916.
    extension work, 1920. S.R.S. Rpt., 1920, pp. 6–7, 17, 18. 1922.
    for export, land requirement. Y.B., 1923, pp. 456–460. 1924; Y.B. Sep. 896, pp. 456–460. 1924.
    future course for American breeders. Y.B., 1918, pp. 301–302. 1919; Y.B. Sep. 773, pp. 15–16. 1919.
    in Indiana—
      Clinton County, 1910 and 1913–1919. D.B. 1258, pp. 20–24. 1924.
      importance on 80-acre farms. F.B. 1421, pp. 11, 14, 21. 1924.
    in Nevada, Newlands reclamation project. D.C. 267, pp. 3–4. 1923.
    in Porto Rico, improvement. P.R. An. Rpt., 1920, pp. 7–9. 1921.
    in semiarid and irrigated districts. An. Rpts., 1917, pp. 80–81. 1918; B.A.I. Chief Rpt., 1917, pp. 14–15. 1917.
    in Southern States, suggestions. S.R.S. Doc. 82, pp. 4–5. 1918.
    in western range States: Part II. Will C. Barnes, and James T. Jardine. Rpt. 110, pp. 100. 1916.
    increase, 1918. Sec. Cir. 133, p. 6. 1919.
    increase, effect on farm returns. D.B. 1271, pp. 98–99. 1924.
    labor saving, suggestions. Sec. Cir. 122, pp. 14. 1918.
    necessity, plea to farmers by Agriculture Secretary. News L., vol. 6, No. 15, pp. 1, 2. 1918.
    on southern farms. D.C. 85, p. 10. 1920.
    prices, and outlook, 1925. Sec. A.R., 1925, pp. 8–10. 1925.
    requirements for 1919–1920. Sec. Cir. 125, pp. 16–21. 1919.
    with sugar-beet growing, feed utilization. Sec. Cir. 86, pp. 22–26, 33. 1918.
  products—
    from acre of staple crops. F.B. 877, pp. 5–6, 7–9. 1917.
    quarantine precautions. Y.B., 1918, pp. 241, 243, 244. 1919; Y.B. Sep. 783, pp. 3, 5, 6. 1919.
    sharing methods under lease contracts, various States. D.B. 650, pp. 12–15. 1918.
    trade practices, handling by department. An. Rpts., 1922, pp. 576–580. 1923; Pack. and S. Ad. Rpt., 1922, pp. 10–14. 1922.
  projects, suggestions and references. S.R.S. Doc. 73, pp. 6–8. 1917.
  protection—
    against blowflies. F.B. 857, pp. 10–12. 1917.
    against disease, work of county agents. S.R.S. Doc. 88, pp. 21–22. 1918.
    against lightning by grounding wire fences. F.B. 842, pp. 23–24. 1917.
    by destruction of predatory animals. News L., vol. 6, No. 15, p. 6. 1918.
    by windbreaks. For. Bul. 86, p. 13. 1911.
    during cold waves and floods. Y.B., 1909, pp. 397, 398. 1910; Y.B. Sep. 522, pp. 397, 398. 1910.
    from foreign plagues. An. Rpts., 1923, pp. 200, 227–229. 1923; B.A.I. Chief Rpt., 1923, pp. 2, 29–31. 1923.
    from stable flies, methods. F.B. 540, pp. 23–24. 1913; F.B. 1097, pp. 15–16. 1920.
    in national forests, against disease, wild animals, and poisonous plants. An. Rpts., 1910, pp. 400–402. 1911; For. A.R., 1910, pp. 40–42. 1910.
    on forest reserves. For. [Misc.], "The use book, 1910," pp. 66–70. 1910.
  purchases, and loans. Off. Rec., vol. 3, No. 1, p. 5. 1924.
  purebred—
    advantages to poultry keepers. Y.B., 1919, pp. 308–310. 1920; Y.B. Sep. 800, pp. 2–4. 1920.

Livestock—Continued.
  purebred—continued.
    and scrub, comparisons. D. S. Burch. Y.B., 1920, pp. 331–338. 1921; Y.B. Sep. 848, pp. 331–338. 1921.
    certification regulations. B.A.I.O. 278, amdt. 4, p. 1. 1924.
    comparison with scrubs. Off. Rec., vol. 3, No. 7, p. 5. 1924.
    export-trade development. B.A.I. An. Rpt., 1907, pp. 345–352. 1909.
    in the United States. (In Portugese.) Mkts. [Misc.], "O gado de puro sangre * * *," pp. 63. 1919; rev., pp. 64. 1920.
    in the United States. (In Spanish.) Mkts. [Misc.], "Ganado de puro * * *," pp. 63. 1919; rev., pp. 64. 1920.
    introduction, result of county-agent work. S.R.S. Doc. 88, p. 18. 1918.
    purchasing by farm bureaus. News L., vol. 6, No. 45, p. 3. 1919.
    selling to South America. David Harrell and H. P. Morgan. Y.B., 1919, pp. 369–380. 1920; Y.B. Sep. 818, pp. 369–380. 1920.
    utility value. D. S. Burch. D.C. 235, pp. 22. 1922.
  quality, test of efficiency in farm management. F.M. Cir. 3, p. 13. 1919.
  quarantine—
    act of Congress, Mar. 3, 1905, text. B.A.I. An. Rpt. 1905, pp. 348–349. 1907.
    act, text. B.A.I.O. 273, rev., p. 33. 1923.
    enforcement and violations. An. Rpts., 1917, pp. 402–404. 1917; Sol. A.R., 1917, pp. 22–24. 1917.
    laws—
      enforcement, and list of cases, 1911. An. Rpts., 1911, pp. 38, 778–781, 866–879. 1912; Sol. A.R., 1911, pp. 22–25. 110–123. 1911; Y.B., 1911, p. 36. 1912.
      enforcement, and list of cases, 1912. An. Rpts., 1912, pp. 920–921, 994–1004. 1913; Sol. A.R., 1912, pp. 36–37, 110–120. 1912.
      results. Y.B., 1918, pp. 239–246. 1919; Y.B. Sep. 783, pp. 10. 1919.
      violations and penalties. B.A.I.S.R.A. 136, pp. 65–66. 1918; B.A.I.S.R.A. 184, pp. 96–97. 1922.
    station—
      Buenos Aires, Argentina, regulations. Y.B. 1913, pp. 355–356. 1914; Y.B. Sep. 629, pp. 355–356. 1914.
      East Alburg, Vt., Dec. 1, 1907. B.A.I.O. 142, amdt. 2, p. 1. 1907.
      Maine. B.A.I.O. 209, amdt. 8, pp. 2. 1917.
  raisers' advisory boards, cooperation with Forest Service. An. Rpts., 1909, pp. 391–392, 1910; For. A.R., 1909, pp. 23–24. 1909.
  raising—
    and feeding in—
      Iowa, Grundy County. Soil Sur. Adv. Sh., 1921, p. 1046. 1925.
      Missouri, Buchanan County. Soil Sur. Adv. Sh., 1915, pp. 9–12, 24, 45. 1917; Soils F.O., 1915, pp. 1813–1815, 1828, 1849. 1919.
    and marketing. News L., vol. 7, No. 10, pp. 1, 11. 1919.
    and pasturing in California, upper San Joaquin Valley. Soil Sur. Adv. Sh., 1917, pp. 30–31, 54–112. 1921; Soils F.O., 1917, pp. 2545, 2549, 2558, 2644. 1923.
    as a side line in grain farming. F.B. 704, pp. 33–38. 1916.
    combination with grain farming. D.B. 1244, p. 51. 1924.
    development, for increasing meat supply. Y.B., 1916, pp. 27–30. 1917.
    in Alabama—
      Bullock County. Soil Sur. Adv. Sh., 1913, pp. 13–14. 1915; Soils F.O., 1913, pp. 755–756. 1916.
      Choctaw County. Soil Sur. Adv. Sh., 1921, p. 981. 1925.
      Marengo County. Soil Sur. Adv. Sh., 1920, pp. 562, 570–593. 1923; Soils F.O., 1920, pp. 562, 570–593. 1925.
      Monroe County. Soil Sur. Adv. Sh., 1916, pp. 13–14, 47. 1919; Soils F.O., 1916, pp. 457–458, 491. 1921.

INDEX TO PUBLICATIONS, 1901–1925   1391

Livestock—Continued.
 raising—continued.
  in Alabama—Continued.
   Washington County. Soil Sur. Adv. Sh., 1915, pp. 11-12. 1917; Soils F.O., 1915, pp. 897-898. 1919.
   Wilcox County. Soil Sur. Adv. Sh., 1916, pp. 11, 42, 50, 55. 1916; Soils F.O., 1916, pp. 945, 976, 984, 989. 1919.
  in Alaska—
   1912. Alaska A.R., 1912, pp. 38-43, 56, 67-72. 1913.
   1916, experiments and results. Alaska A.R. 1916, pp. 13, 16, 49, 55, 58-62. 1918.
   1922. Alaska A.R., 1922, pp. 7-10. 1923.
   1923. Alaska Cir. 1, rev., pp. 14-15. 1923.
   central, possibilities. Soil Sur. Adv. Sh., 1914, pp. 79-80, 88-92, 103, 155, 166-167, 184, 186, 192, 194. 1915; Soils F.O., 1914, pp. 113, 122-126, 137, 189, 200-201, 218, 220, 226, 228. 1919; Alaska Cir. 1, pp. 18-20. 1916.
   Kenai Peninsula region, possibilities and progress. Soil Sur. Adv. Sh., 1916, pp. 70, 78, 93, 106-111, 134, 141. 1919; Soils F.O., 1916, pp. 102-103, 110, 124-125, 138-143, 166, 173. 1921.
   needs, suggestions. O.E.S. Bul. 169, pp. 20-21, 65-66. 1906.
   possibilities, review by Secretary. Rpt. 79, pp. 84-85. 1904.
  in Algeria. B.P.I. Bul. 80, pp. 87-90. 1905.
  in Argentina—
   and export. Stat. Bul. 39, pp. 65-67. 1905.
   profits of importers. B.A.I. Bul. 48, pp. 27-30. 1903.
  in Arizona—
   kinds, number, and value, January 1, 1910. O.E.S. Bul. 235, p. 21. 1911.
   middle Gila Valley area. Soil Sur. Adv. Sh., 1917, pp. 12, 14. 1920; Soils F.O., 1917, pp. 2094, 2096. 1923.
   San Simon area. Soil Sur. Adv. Sh., 1921, pp. 584, 588, 589. 1924.
  in Arkansas—
   Lonoke County. Soil Sur. Adv. Sh., 1921, p. 1289. 1925.
   Perry County. Soil Sur. Adv. Sh., 1923, pp. 500-501, 508, 511. 1923; Soils F.O., 1923, pp. 500-501, 508, 511. 1925.
   Yell County. Soil Sur. Adv. Sh., 1915, pp. 10, 11, 12. 1917; Soils F.O., 1915, pp. 1204, 1206, 1216. 1919.
  in California—
   Big Valley. Soil Sur. Adv. Sh., 1920, pp. 1008-1009, 1015-1632. 1924; Soils F.O., 1920, pp. 1008-1009, 1015-1032. 1925.
   lower San Joaquin Valley. Soil Sur. Adv. Sh., 1915, pp. 27-29, 112, 136, 146. 1918. Soils F.O., 1915, pp. 2603-2605, 2688, 2712, 2722. 1919.
   middle San Joaquin Valley. Soil Sur. Adv. Sh., 1916, p. 34. 1919; Soils F.O., 1916, pp. 2448-2449. 1921.
   Pasadena area. Soil Sur. Adv. Sh., 1915, pp. 16-17. 1917; Soils F.O., 1915, pp. 2326-2327. 1919.
   San Joaquin Valley. Soil Sur. Adv. Sh., 1915, pp. 27-29. 1918; Soils F.O., 1915, pp. 2603-2605. 1919.
   Yuma Experiment Farm, number and value. W.I.A. Cir. 12, pp. 6-7. 1916.
  in Canada, 1911. Stat. Cir. 23, p. 6. 1911.
  in Canal Zone, extent of industry, obstacles. Rpt. 95, pp. 17-18, 45. 1912.
  in Chile, kinds, and quality. D.C. 228, pp. 33-35. 1922.
  in Colorado, Uncompahgre Valley area. Soil Sur. Adv. Sh., 1910, pp. 12, 16-18. 1912; Soils F.O., 1910, pp. 1450, 1454-1456. 1912.
  in Corn Belt. News L., vol. 3, No. 52, pp. 1-2. 1916; Sec. [Misc.], "Grain farming in * * *, pp. 33-38. 1916.
  in Delaware, New Castle County. Soil Sur. Adv. Sh., 1915, pp. 10-11. 1917; Soils F.O., 1915, pp. 274-275. 1919.
  in Florida—
   Flagler County. Soil Sur. Adv. Sh., 1918, p. 8. 1922; Soils F.O., 1918, p. 539. 1924.

Livestock—Continued.
 raising—continued.
  in Florida—Continued.
   Hernando County. Soil Sur. Adv. Sh., 1914, pp. 8-9. 1915; Soils F.O., 1914, pp. 1048-1049. 1919.
   Hillsborough County. Soil Sur. Adv. Sh., 1916, p. 13. 1918; Soils F.O., 1916, pp. 756-757. 1919.
   Ocala area. Soil Sur. Adv. Sh., 1912, pp. 12, 14. 1913; Soils F.O., 1912, pp. 676, 678. 1915.
   Orange County. Soil Sur. Adv. Sh., 1919, pp. 5, 25. 1922; Soils F.O., 1919, pp. 951, 971. 1925.
  in Georgia—
   Brooks County, value, and income. D.B. 648, pp. 10-11, 40-41, 56-59. 1918.
   Lowndes County. Soil Sur. Adv. Sh., 1917, p. 12. 1920; Soils F.O., 1917, p. 640. 1923.
   Terrell County. Soil Sur. Adv. Sh., 1914, pp. 15-16, 60. 1915; Soils F.O., 1914, pp. 871-872, 916. 1919.
  in Great Plains, feeding and feeds. D.B. 291, p. 18. 1916.
  in Gulf coast area, Texas, extent of industry. Soil Sur. Adv. Sh., 1910, pp. 62-63. 1911; Soils F.O., 1910, pp. 916-917. 1912.
  in Hawaii. Hawaii A.R., 1922, pp. 19, 23. 1924.
  in Idaho—
   Kootenai County. Soil Sur. Adv. Sh., 1919, pp. 9, 11-12, 21-27. 1923.
   Nez Perce and Lewis Counties. Soil Sur. Adv. Sh., 1917, pp. 15, 16. 1920; Soils F.O., 1917, pp. 2131, 2132. 1923.
   southern part, relation to agriculture. F.B. 1103, pp. 3-4. 1920.
   Twin Falls area. Soils Sur. Adv. Sh., 1921, p. 1373. 1925.
  in Indiana—
   Benton County. Soil Sur. Adv. Sh., 1916, pp. 10, 11. 1917; Soils F.O., 1916, pp. 1684, 1685. 1921.
   Elkhart County. Soil Sur. Adv. Sh., 1914, p. 10. 1915; Soils F.O., 1914, p. 1576. 1919.
   Grant County. Soil Sur. Adv. Sh., 1915, pp. 13-14 1917; Soils F.O., 1915, pp. 1361-1362. 1921.
   Hendricks County. Soil Sur. Adv. Sh., 1913, p. 11. 1915. Soils F.O., 1913, p. 1413. 1916.
   Lake County. Soil Sur. Adv. Sh., 1917, pp. 12-13, 22, 24, 33, 40, 41. 1921; Soils F.O., 1917, pp. 1146-1147, 1156, 1158, 1167, 1174, 1175. 1923.
   Porter County. Soil Sur. Adv. Sh., 1916, pp. 11, 12-13, 15, 32. 1919; Soils F.O., 1916, pp. 1701, 1702-1703, 1705, 1722. 1919.
   Wells County. Soil Sur. Adv. Sh., 1915, p. 10. 1917; Soils F.O., 1915, p. 1428. 1919.
  in Iowa—
   Adair County. Soil Sur. Adv. Sh., 1919, pp. 8, 10, 21. 1921; Soils F.O., 1919, pp. 1408, 1410, 1421. 1925.
   Benton County. Soil Sur. Adv. Sh., 1921, p. 1226. 1925; Soils F.O., 1921, p. 1226. 1926.
   Clinton County, conditions. Soil Sur. Adv. Sh., 1915, pp. 13-20, 31, 63. 1917; Soils F.O., 1915, pp. 1655-1662, 1673, 1705. 1919.
   Delaware County. Soil Sur. Adv. Sh., 1922, p. 7-8. 1925.
   Des Moines County. Sur. Sur. Adv. Sh., 1921, pp. 1101-1102. 1925; Soils F.O., 1921, pp. 1101-1102. 1927.
   Henry County. Soil Sur. Adv. Sh., 1917, pp. 12-13, 22, 26. 1919; Soils F.O., 1917, pp. 1662-1663, 1672, 1676. 1923.
   Jefferson County. Soil Sur. Adv. Sh., 1922, pp. 313, 327. 1925.
   Lee County. Soil Sur. Adv. Sh., 1914, p. 11. 1916; Soils F.O., 1914, p. 1917. 1919.
   Louisa County. Soil Sur. Adv. Sh., 1918, pp. 12-13, 24, 28, 32. 1921; Soils F.O., 1918, pp. 1026-1027, 1038, 1042, 1046. 1924.
   Marshall County. Soil Sur. Adv. Sh., 1918, pp. 14, 23. 1921; Soils F.O., 1918, pp. 1110, 1119. 1924.

Livestock—Continued.
raising—continued.
  in Iowa—Continued.
    Mills County. Soil Sur. Adv. Sh., 1920, pp. 109, 111–112, 120, 123–127, 133. 1923; Soils F.O., 1920, pp. 109, 111–112, 120, 123–127, 133. 1925.
    Mitchell County. Soil Sur. Adv. Sh., 1916, pp. 10–11. 1918. Soils F.O., 1916, pp. 1880–1881. 1921.
    Muscatine County. Soil Sur. Adv. Sh., 1914, pp. 12, 13, 14, 19. 1916; Soils F.O., 1914, pp. 1832, 1833, 1834, 1839. 1919.
    Polk County. Soil Sur. Adv. Sh., 1918, pp. 14, 31–64. 1921; Soils F.O., 1918, pp. 1174, 1191–1224. 1924.
    Pottawattamie County, numbers and breeds. Soil Sur. Adv. Sh., 1914, p. 13. 1916; Soils F.O., 1914, p. 1893. 1919.
    Scott County. Soil Sur. Adv. Sh., 1915, pp. 10, 12, 23, 25, 29, 41. 1917; Soils F.O., 1915, pp. 1712, 1714, 1725, 1727, 1731, 1743. 1919.
    Sioux County. Soil Sur. Adv. Sh., 1915, pp. 14–15, 21, 34, 36. 1917; Soils F.O., 1915, pp. 1756–1757, 1763, 1776, 1778. 1919.
    Van Buren County. Soil Sur. Adv. Sh., 1915, pp. 9, 10–11, 21, 31. 1917; Soils F.O., 1915, pp. 1785, 1786–1787, 1797, 1807. 1919.
    Wapello County. Soil Sur. Adv. Sh., 1917, pp. 12, 20, 22, 27–38. 1919; Soils F.O., 1917, pp. 1757–1758, 1766, 1768, 1773–1784. 1923.
    Webster County. Soil Sur. Adv. Sh., 1914 pp. 10, 15. 1916; Soils F.O., 1914, pp. 1790, 1795. 1919.
    Woodbury County. Soil Sur. Adv. Sh., 1920, pp. 764, 769–783. 1923; Soils F.O., 1920, pp. 764, 769–783. 1925.
    Worth County. Soil Sur. Adv. Sh., 1922, p. 276. 1925.
    Wright County. Soil Sur. Adv. Sh., 1919, pp. 14–15, 27. 1922; Soils F.O., 1919, pp. 1588–1589, 1601. 1925.
  in Kansas—
    central part, labor and feed requirements. D.B. 1296, pp. 42–53. 1925.
    Cowley County. Soil Sur. Adv. Sh., 1915, pp. 11, 21, 23, 27, 43. 1917. Soils F.O., 1915, pp. 1927–1928, 1939, 1943. 1919.
    Jewell County, importance. Soil Sur. Adv. Sh., 1912, pp. 12, 43. 1914; Soils F.O., 1912, pp. 1860, 1891. 1915.
    Shawnee County. Soil Sur. Adv. Sh., 1911, pp. 12–13. 1913; Soils F.O., 1911, pp. 2066–2067. 1914.
  n Kentucky—
    Jessamine County. Soil Sur. Adv. Sh., 1915, 1915, pp. 8, 17. 1916; Soils F.O., 1915, pp. 1270, 1279. 1919.
    Muhlenberg County. Soil Sur. Adv. Sh., 1920, pp. 945, 949, 964. 1924; Soils F.O., 1920, pp. 945, 949, 964. 1925.
    Scott County. Soil Sur. Adv. Sh., 1903, pp. 7, 13–14. 1904; Soils F.O., 1903, pp. 621, 627, 628. 1904.
    Shelby County. Soil Sur. Adv. Sh., 1916, pp. 23–24, 42. 1919; Soils F.O., 1916, pp. 1433–1434, 1452. 1921.
  in Louisiana—
    East Feliciana Parish. Soil Sur. Adv. Sh., 1912, pp. 17–19. 1913; Soils F.O., 1912, pp. 931–983. 1915.
    Iberia Parish, possibilities. Soil Sur. Adv. Sh., 1911, pp. 22–24. 1912; Soils F.O., 1911, pp. 1146–1148. 1914.
    Rapides Parish. Soil Sur. Adv. Sh., 1916, pp. 12–14. 1918; Soils F.O., 1916, pp. 1128–1130. 1919.
    Webster Parish. Soil Sur. Adv. Sh., 1914, pp. 13–14. 1916; Soils F.O., 1914, pp. 1247–1248. 1919.
  in Maryland, Allegany County, 1909–1919. Soil Sur. Adv. Sh., 1921, p. 1069. 1925.
  in Massachusetts, Norfolk, Bristol, and Barnstable Counties. Soil Sur. Adv. Sh., 1920, pp. 1047, 1051, 1063–1101. 1924; Soils F.O., 1920, pp. 1047, 1051, 1063–1101. 1925.
  in Michigan, St. Joseph County. Soil Sur. Adv. Sh., 1921, pp. 53–55. 1923.

Livestock—Continued.
raising—continued.
  in Minnesota—
    changes in numbers and kinds. D.B. 1271, pp. 8–10. 1924.
    Pennington County, value of products. Soil Sur. Adv. Sh., 1914, p. 9. 1916; Soils F.O., 1914, p. 1731. 1919.
  in Mississippi—
    Chickasaw County. Soil Sur. Adv. Sh., 1915, pp. 9, 10, 24, 25. 1917; Soils F.O., 1915, pp. 943, 944, 958, 959. 1919.
    Clarke County. Soil Sur. Adv. Sh., 1914, pp. 10–11, 15, 30, 32. 1915; Soils F.O., 1914, pp. 1206, 1211, 1226, 1228. 1919.
    George County. Soil Sur. Adv. Sh., 1922, p. 38. 1925.
    Noxubee County, possibilities. Soil Sur. Adv. Sh., 1910, pp. 13, 45. 1911; Soils F.O., 1910, pp. 793, 825. 1912.
    Pearl River County. Soil Sur. Adv. Sh., 1918, pp. 13–14, 23. 1920; Soils F.O., 1918, pp. 623–624, 633. 1924.
    Wilkinson County, forage crops. Soil Sur. Adv. Sh., 1913, pp. 11, 14. 1915; Soils F.O., 1913, pp. 959, 962. 1916.
  in Missouri—
    Andrew County. Soil Sur. Adv. Sh., 1921, pp. 821, 824. 1925.
    Barry County, extent and importance. Soil Adv. Sh., 1916, pp. 12–13, 14. 1918; Soils F.O., 1916, pp. 1938–1939, 1940. 1921.
    Barton County, number and value, 1912. Soil Sur. Adv. Sh., 1912, p. 12. 1914; Soils F.O., 1912, p. 1616. 1915.
    Buchanan County. Soil Sur. Adv. Sh., 1915, pp. 10–12, 24. 1917; Soils F.O., 1915, pp. 1814–1816, 1828. 1919.
    Caldwell County. Soil Sur. Adv. Sh., 1921, pp. 329–330, 335–339. 1924.
    Callaway County; Soil Sur. Adv. Sh., 1916, pp. 13, 20, 27. 1919; Soils F.O., 1916, pp. 1979, 1986, 1992. 1921.
    Carroll County. Soil Sur. Adv. Sh., 1912, pp. 13, 23. 1914; Soils F.O., 1912, pp. 1641, 1651. 1915.
    Cass County. Soil Sur. Adv. Sh., 1912, p. 15. 1914; Soils F.O., 1912, p. 1673. 1915.
    Cooper County. Soil Sur. Adv. Sh., 1909, p. 12, 1911; Soils F.O., 1909, p. 1374. 1912.
    Dekalb County, importance of industry. Soil Sur. Adv. Sh., 1914, pp. 9, 11. 1916; Soils F.O., 1914, pp. 2009, 2011. 1919.
    Greene County, shipments. Soil Sur. Adv. Sh., 1913, pp. 13–14. 1915; Soils F.O., 1913, pp. 1731–1732. 1916.
    Grundy County. Soil Sur. Adv. Sh., 1914, pp. 15, 33. 1916; Soils F.O., 1914, pp. 1985, 2003. 1919.
    Harrison county, conditions. Soil. Sur. Adv. Sh., 1914, pp. 12, 21, 25, 28. 1916; Soils F.O., 1914, pp. 1950, 1959, 1963, 1968. 1919.
    Johnson County, importance of industry. Soil Sur. Adv. Sh., 1914, pp. 12, 18, 20. 1916; Soils F.O., 1914, pp. 2034, 2040, 2042. 1919.
    Knox County. Soil Sur. Adv. Sh., 1917, pp. 7, 10. 1921; Soils F.O., 1917, pp. 1457, 1460. 1923.
    Lincoln County. Soil Sur. Adv. Sh., 1917, pp. 10, 18–24, 31. 1920; Soils F.O., 1917, pp. 1497–1502, 1509. 1923.
    Marion County. Soil Sur. Adv. Sh., 1910, pp. 12–13. 1911; Soils F.O., 1910, pp. 1302–1303. 1912.
    Miller County. Soil Sur. Adv. Sh., 1912, pp. 11–12. 1914; Soils F.O., 1912, pp. 1693–1694. 1915.
    Nodaway County, numbers and value. Soil Sur. Adv. Sh., 1913, pp. 12–13, 17. 1915; Soils F.O., 1913, pp. 1764–1765, 1769. 1916.
    Perry County. Soil Sur. Adv. Sh., 1913, pp. 12–13. 1915; Soils F.O., 1913, pp. 1792–1793. 1916.
    Pettis County, importance of industry. Soil Sur. Adv. Sh., 1914, pp. 12–13, 19. 1916; Soils F.O. 1914, pp. 2064–2065, 2071. 1919.
    Pike County. Soil Sur. Adv. Sh., 1912, p. 11. 1914; Soils F.O., 1912, p. 1717. 1915.

Livestock—Continued.
  raising—continued.
    in Missouri—Continued.
      Reynolds County. Soil Sur. Adv. Sh., 1918, pp. 11-12. 1921; Soils F.O., 1918, pp. 1313-1314. 1924.
    in Montana—
      Bitterroot Valley. Ent. Bul. 105, p. 34. 1911; Soil Sur. Adv. Sh., 1914, pp. 16-17, 30, 35. 1917; Soils F.O., 1914, pp. 2474-2475, 2488, 2293. 1919.
      irrigated sections, hints. B.P.I. Doc. 462, pp. 5-6. 1909.
      on Huntley reclamation project. D.C. 275, p. 6. 1923; D.C. 330, pp. 6-7. 1925; W.I.A. Cir. 8, p. 5. 1916; W.I.A. Cir. 15, pp. 4-5. 1917; W.I.A. Cir. 22, pp. 7-8. 1918.
    in Nebraska—
      Boone County. Soil Sur. Adv. Sh., 1921, pp. 1179, 1180. 1925.
      Box Butte County. Soil Sur. Adv. Sh., 1916, pp. 11, 18-33. 1918; Soils F.O., 1916, pp. 2047, 2054-2069. 1921.
      Chase County. Soil Sur. Adv. Sh., 1917, pp. 17-18. 1919; Soils F.O., 1917, pp. 1803-1804. 1923.
      Dakota County. Soil Sur. Adv. Sh., 1919, pp. 13, 24-36. 1921; Soils F.O., 1919, pp. 1683, 1697-1706. 1925.
      Dawes County. Soil Sur. Adv. Sh., 1915, pp. 13, 20, 21, 31, 33. 1917; Soils F.O., 1915, pp. 1969, 1970, 1978, 1989, 1997. 1919.
      Dawson County. Soil Sur. Adv. Sh., 1922, pp. 399, 400. 1925.
      Deuel County. Soil Sur. Adv. Sh., 1921, pp. 713, 717. 1924.
      Dodge County. Soil Sur. Adv. Sh., 1916, pp. 15, 23, 29, 49, 52. 1918; Soils F.O., 1916, pp. 2081, 2089, 2095, 2115, 2118. 1921.
      Fillmore County. Soil Sur. Adv. Sh., 1916, pp. 11, 12. 1918; Soils F.O., 1916, pp. 2127, 2128. 1921.
      Hall County. Soil Sur. Adv. Sh., pp. 10-11. 1918; Soils F.O., 1916, pp. 2146-2147, 2153, 2172. 1921.
      Howard County. Soil Sur. Adv. Sh., 1920, pp. 971, 982-1000. 1924; Soils F.O., 1920, pp. 971, 982-1000. 1925.
      Kimball County. Soil Sur. Adv. Sh., 1916, pp. 9, 11-12, 18, 21, 28. 1917; Soils F.O., 1916, pp. 2183, 2185-2186, 2192, 2195, 2202. 1921.
      Morrill County. Soil Sur. Adv. Sh., 1917, pp. 14, 25-64. 1920; Soils F.O., 1917, pp. 1862, 1873-1912. 1923.
      Nance County. Soil Sur. Adv. Sh., 1922, pp. 233-234. 1925.
      North Platte reclamation project. D.C. 289, pp. 6-8. 1924; W.I.A. Cir. 27, pp. 11-12, 15-19. 1919.
      Perkins County. Soil Sur. Adv. Sh., 1921, pp. 892-893. 1924.
      Phelps County. Soil Sur. Adv. Sh., 1917, pp. 13-14. 1919; Soils F.O., 1917, pp. 1927-1928. 1923.
      Polk County. Soil Sur. Adv. Sh., 1915, pp. 9, 10. 1917; Soils F.O., 1915, pp. 2005, 2006. 1919.
      Richardson County. Soil Sur. Adv. Sh., 1915, pp. 10, 13-14, 31. 1917; Soils F.O., 1915, pp. 2032, 2035-2036, 2053. 1919.
      Scotts Bluff County. Soil Sur. Adv. Sh., 1914, pp. 12, 13. 1916; Soils F.O., 1913, pp. 2066, 2067. 1916.
      Scottsbluff Experiment Farm. W.I.A. Cir. 11, pp. 5-6. 1916; W.I.A. Cir. 18, pp. 5-6. 1918.
      Sheridan County. Soil Sur. Adv. Sh., 1918, pp. 13, 22-58. 1921; Soils F.O., 1918, pp. 1447, 1458-1494. 1924.
      Sioux County. Soil Sur. Adv. Sh., 1919, p. 12. 1922; Soils F.O., 1919, p. 1768. 1925.
      Washington County. Soil Sur. Adv. Sh. 1915, pp. 14-15, 26. 1917; Soils F.O., 1915, pp. 2068-2069, 2080. 1919.
      Wayne County. Soil Sur. Adv. Sh., 1917, pp. 16-18. 1919; Soils F.O., 1917, pp. 1968-1970. 1923.
    in New Jersey, Camden area, 1909. Soil Sur. Adv. Sh., 1915, p. 10. 1917; Soils F.O., 1915, p. 160. 1919.

Livestock—Continued.
  raising—continued.
    in New Mexico—
      factors affecting. D.B. 211, pp. 1-39. 1915.
      legal status of industry. D.B. 211, p. 15-20, 33-34. 1915.
    in New York, Orange County. Soil Sur. Adv. Sh., 1912, pp. 13-15. 1914; Soils F.O., 1912, pp. 65-67. 1915.
    in Nevada, Newlands reclamation project, statistics, 1918, 1919. D.C. 136, p. 5. 1920.
    in Nevada, Truckee-Carson project, numbers and values, 1915. W.I.A. Cir. No. 13, p. 5. 1916.
    in North Carolina—
      Alleghany County. Soil Sur. Adv. Sh., 1915, Sh., 1915, pp. 11, 22, 24. 1917; Soils F.O., 1915, pp. 345, 356, 358. 1919.
      Ashe County. Soil Sur. Adv. Sh., 1912, pp. 10-11. 1914; Soils F.O., 1922, pp. 346-347. 1915.
      Haywood County. Soil Sur. Adv. Sh., 1922, pp. 207, 208. 1925.
      Union County, 1850-1910, statistics. Soil Sur. Adv. Sh., 1914, pp. 9-10. 1916; Soils F.O., 1914, p. 594. 1919.
    in North Dakota—
      Bottineau County. Soil Sur. Adv. Sh., 1915, pp. 14, 27, 52. 1917; Soils F.O., 1915, pp. 2138, 2151, 2176. 1919.
      Lamoure County. Soil Sur. Adv. Sh., 1914, p. 15. 1917; Soils F.O., 1914, p. 2371. 1919.
      numbers and value, and cost of keep. D.B. 757, pp. 6, 8, 15-17. 1919.
      Williston project, hints to settlers. B.P.I. Doc. 455, pp. 2, 4. 1909.
    in Ohio—
      Geauga County. Soil Sur. Adv. Sh., 1915, pp. 10-11. 1916; Soils F.O., 1915, pp. 1288-1289. 1919.
      Hamilton County. Soil Sur. Adv. Sh., 1915, pp. 10, 12. 1917; Soils F.O., 1915, pp. 1322, 1224. 1919.
      Marion County. Soil Sur. Adv. Sh., 1916, pp. 10, 12, 19-32. 1918; Soils F.O., 1916, pp. 1554, 1556, 1563-1576. 1921.
      Trumbull County, numbers and value. Soil Sur. Adv. Sh., 1914, p. 12. 1916; Soils F.O., 1914, p. 1462. 1919.
    in Oklahoma—
      Kay County. Soil Sur. Adv. Sh., 1915, pp. 11, 13-14, 22, 35, 39. 1917; Soils F.O., 1915, pp. 2099, 2101-2102, 2110, 2123, 2127. 1919.
      Payne County. Soil Sur. Adv. Sh., 1916, pp. 10, 11, 20-30. 1919. Soils F.O., 1916, pp. 2010, 2011, 2020-2030. 1921.
      Roger Mills County. Soil Sur. Adv. Sh., 1914, p. 13. 1916; Soils F.O., 1914, p. 2145. 1919.
    in Oregon, Umatilla reclamation project. W.I.A. Cir. 17, pp. 4-5, 7-8. 1917.
    in Pennsylvania, Chester County, importance and distribution of various kinds. D.B. 341, pp. 21-24. 1916.
    in Porto Rico, and tick eradication. P.R. An. Rpt., 1919, pp. 11, 34, 37. 1920.
    in South. Y.B., 1904, pp. 189-190. 1905; Y.B. Sep. 340, pp. 189-190. 1905.
    in South Carolina—
      Dorchester County. Soil Sur. Adv. Sh., 1915, pp. 11-12, 22, 31, 34, 35. 1917; Soils F.O., 1915, pp. 551-552, 562, 571, 574, 575. 1919.
      Greenville County, increase. Soil Sur. Adv. Sh., 1921, p. 195. 1924.
      Lexington County. Soil Sur. Adv. Sh., 1922, pp. 158-159. 1925.
      Spartanburg County. Soil Sur. Adv. Sh., 1921, p. 416. 1924.
    in South Dakota. O.E.S. Bul. 210, p. 8. 1909.
    in Tennessee—
      Henry County. Soil Sur. Adv. Sh., 1922, p. 84. 1925.
      Meigs County. Soil Sur. Adv. Sh., 1919, p. 12. 1921; Soils F.O., 1919, p. 1260. 1925.
      Putnam County. Soil Sur. Adv. Sh., 1912, pp. 11, 21, 22, 31. 1914. Soil F.O., 1912, pp. 1105, 1125. 1915.

Livestock—Continued.
  raising—continued.
    in Texas—
      and utilization of crops. W.I.A. Cir. 16, pp. 1, 19–22. 1917.
      Archer County. Soil Sur. Adv. Sh., 1912, pp. 10–12, 18, 46, 48, 51. 1914; Soils F.O., 1912, pp. 1012–1014, 1020, 1048, 1050, 1053. 1915.
      Denton County. Soil Sur. Adv. Sh., 1918, pp. 7, 8. 1922; Soils F.O., 1918, pp. 779, 780. 1924.
      Jefferson County. Soil Sur. Adv. Sh., 1913, pp. 16, 34. 1915; Soils F.O., 1913, pp. 1012, 1030. 1916.
      Laredo area. Soil Sur. Adv. Sh., 1906, p. 9. 1908; Soils F.O., 1906, p. 485. 1908.
      Lubbock County. Soil Sur. Adv. Sh., 1917, pp. 9, 11–12, 13, 26, 30. 1920; Soils F.O., 1917, pp. 969, 971–972, 973, 986, 990. 1923.
      northwest. Soil Sur. Adv. Sh., 1919, pp. 12–20, 34–39, 49–74. 1922; Soils F.O., 1919, pp. 1106–1114, 1118, 1130–1140, 1143–1152, 1167, 1172. 1925.
      Panhandle, conditions, 1899 and 1909. Soil Sur. Adv. Sh., 1910, pp. 48–50. 1911; Soils F.O. 1910, pp. 1004–1006. 1912.
      Smith County. Soil Sur. Adv. Sh., 1915, p. 13. 1917; Soils F.O., 1915, p. 1087. 1919.
      southern part. Soil Sur. Adv. Sh., 1909, pp. 86–87. 1911; Soils F.O., 1909, pp. 1110–1111. 1912.
      south-central, shipments, 1908–1912. Soil Sur. Adv. Sh., 1913, pp. 32–33. 1915; Soils F.O., 1913, pp. 1098–1099. 1916.
      Taylor County. Soil Sur. Adv. Sh., 1915, pp. 10, 40. 1918; Soils F.O., 1915, pp. 1132, 1162. 1919.
    in Utah, Uinta River Valley area. Soils Sur. Adv. Sh., 1921, pp. 1494–1495. 1925.
    in Washington, Spokane County, value, 1909. Soil Sur. Adv. Sh., 1917, pp. 21, 26. 1921; Soils F.O., 1917, pp. 2171, 2176. 1923.
    in West Virginia—
      Barbour and Upshur Counties. Soil Sur. Adv. Sh., 1917, pp. 13–14, 31, 33. 1919.; Soils F.O., 1917, pp. 1001–1002, 1019, 1021. 1923.
      Jefferson, Berkeley, and Morgan Counties. Soil Sur. Adv. Sh., 1916, pp. 17–18. 1918; Soils F.O., 1916, pp. 1491–1492. 1921.
      Lewis and Gilmer Counties. Soil Sur. Adv. Sh., 1915, pp. 11, 12–13, 21–24, 28–32. 1917; Soils F.O., 1915, pp. 1243, 1244–1245, 1253–1254, 1260–1263. 1919.
      McDowell and Wyoming Counties. Soil Sur. Adv. Sh., 1914, pp. 12, 21–30. 1916; Soils F.O., 1914, pp. 1434, 1443–1452. 1919.
      Nicholas County. Soil Sur. Adv. Sh., 1920, p. 8. 1922; Soils F.O., 1920, p. 46. 1925.
      Raleigh County, numbers and values. Soil Sur. Adv. Sh., 1914, pp. 9–10, 21–28. 1916; Soils F.O., 1914, pp. 1401–1402, 1413–1420. 1919.
      Tucker County. Soil. Sur. Adv. Sh., 1921, pp. 1336–1337. 1925.
    in Wisconsin—
      Buffalo County. Soil Sur. Adv. Sh., 1913, pp. 13, 26, 30, 32. 1915; Soils F.O., 1913, pp. 1449, 1462, 1466, 1468. 1915.
      Dane County. Soil Sur. Adv. Sh., 1913, pp. 16–17. 1915; Soils F.O., 1913, pp. 1498–1499. 1916.
      northwestern, statistics. Soil Sur. Adv. Sh., 1913, pp. 26–27. 1915; Soils F.O., 1913, pp. 1582–1583. 1916.
      Portage County. Soil Sur. Adv. Sh., 1915, pp. 11–12. 1917; Soils F.O., 1915, pp. 1495–1496. 1919.
      south part of north-central. Soil Sur. Adv. Sh., 1915, pp. 18–19, 20. 1917; Soils F.O., 1915, pp. 1598–1599, 1600. 1919.
      Viroqua area. Soil Sur. Adv. Sh., 1903, p. 7. 1904; Soils F.O., 1903, p. 801. 1904.
      Wood County. Soil Sur. Adv. Sh., 1915, pp. 12, 13. 1917; Soils F.O., 1915, pp. 1543, 1544. 1919.

Livestock—Continued.
  raising—continued.
    on cotton farm. F.B. 364, pp. 17–18. 1909.
    on grain farm in Corn Belt. F.B. 704, pp. 1–48. 1916.
    on Kansas wheat farm. D.B. 1440, pp. 7, 9–11. 1924.
    open-range methods, consequences. D.B. 1001, pp. 28–34. 1922.
    possibilities and profits, on cut-over pine lands. D.B. 1061, pp. 49–50. 1922.
    relation of coyotes. F.B. 226, pp. 1–24. 1905.
  range—
    changes in numbers since 1910, discussion. Rpt. 110, pp. 6–13, 51, 55, 59, 62, 67, 72, 76, 81, 86, 90, 94. 1916.
    conditions. Off. Rec. vol. 3, No. 41, pp. 1–3. 1924.
    effect of drought. F.B. 1428, pp. 1–3. 1925.
    experiment station. Off. Rec. vol. 3, No. 22, pp. 1–2. 1924.
    extension program for Western States. D.C. 308, pp. 2–3. 1924; D.C. 335, pp. 2–3. 1924.
    fencing and use, benefits. D.B. 1001, pp. 36–42. 1922.
    handling to prevent loss by poisoning. D.B. 1245, pp. 32–35. 1924.
    in New Mexico, improvement, suggestions. N.A. Fauna 35, p. 74. 1913.
    increased production possibilities. Rpt. 110, pp. 13–26, 53, 57, 64, 68, 74, 79, 84, 88, 89, 93. 1916.
    losses caused by poisonous plants. D.B. 1245, pp. 1–36. 1924.
    northern, some poisonous plants. Y. B., 1900, p. 305. 1901.
    protection by Government hunters. Y.B., 1920, pp. 289–293, 298. 1921; Y.B. Sep. 845, pp. 289–293, 298. 1921.
  rations—
    balanced, in Hawaii. Hawaii Bul. 2, pp. 4–5. 1917.
    computation. B.A.I. Bul. 139, pp. 47–49. 1911.
    containing beet by-products, weights. F.B. 1095, pp. 2, 4–5, 11, 22, 23. 1919.
    for wintering. News L., vol. 6, No. 26, p. 16. 1919.
  ratios to population, by countries. Y.B., 1923, pp. 320–327. 1924; Y.B. Sep. 895, pp. 320–327. 1924.
  rearing on reclamation projects. An. Rpts., 1917, pp. 151–153. 1918; B.P.I. Chief Rpt., 1917, pp. 21–23. 1917.
  receipts—
    at Chicago, regulation. Sec. Cir. 84, p. 24. 1918.
    at forty markets, December, 1919. News L., vol. 6, No. 25, p. 3. 1919.
    at leading cities, in April, 1918. News L., vol. 5, No. 43, p. 11. 1918.
    at stockyards, 1917, with comparisons with 1916. News L., vol. 5, No. 28, p. 6. 1918.
    at 34 cities, July, 1918, with comparisons. News L., vol. 6, No. 3, p. 2. 1918.
    per animal and from crop yields, relation to labor income, Lenawee County, Mich. D.B. 694, pp. 22–25. 1918.
    summary, etc., notes and blank forms. F.B. 661, pp. 5, 12–13, 22. 1915.
  record(s)—
    book. (Blank forms.) Farm M. [Misc.], "Live-stock record book," pp. 24. 1921.
    boys' and girls'. (Blank forms.) S.R.S. [Misc.], "Boys' and girls' * * *," pp. 8. 1920.
    in farm accounting. D.B. 994, pp. 10–11, 13, 20–21, 35. 1921; F.B. 511, pp. 30–35. 1912.
    keeping method, blank forms. F.B. 661, pp. 4–5, 20–22. 1915; F.B. 1139, pp. 8, 32, 34. 1920.
  reduction by—
    droughts and severe winters. Rpt. 110, p. 12. 1916.
    use of tractors. F.B. 1278, pp. 20–22. 1922.
  regulatory laws, penalties for violations, report by months. See *Bureau of Animal Industry Service and Regulatory Announcements.*

INDEX TO PUBLICATIONS, 1901–1925   1395

Livestock—Continued.
 regulatory work, statutes providing for. Sol. [Misc.] "Statutory history * * *," pp. 18, 19. 1916.
 relation to—
  destruction of wolves. For. Bul. 72, pp. 1–31. 1907.
  farm income and crop yields. D.B. 705, pp. 9–11, 19, 20. 1918.
  forage production. Y.B., 1923, pp. 326–327. 1924; Y.B. Sep. 895, pp. 326–327. 1924.
  reconstruction. G. M. Rommel. Y.B., 1918, pp. 289–302. 1919; Y.B. Sep. 773, pp. 16. 1919.
  removal for grazing trespass. For. [Misc.], "The use book, 1921," p. 2. 1922.
 rented farms, use and ownership, provisions. F. B. 1164, pp. 8, 31. 1920.
 reports and estimates. B.A.E. Chief Rpt., 1923, pp. 13–15. 1923; An. Rpts., 1923, pp. 143–145. 1923.
 requirements of sugar-beet farm, list, and feeding. D.B. 995, pp. 39–40, 41–42. 1921.
 resources of northern Great Plains. D.B. 1244, pp. 16–17. 1924.
 returns from, relation to labor income. F.B. 1139, pp. 23–24. 1920.
 roundworms, treatment. B.A.I. Bul. 35, pp. 7–14. 1902.
 runts, causes. Y.B., 1920, pp. 228, 240. 1921; Y.B. Sep. 841, pp. 228, 240. 1921.
 safety in killing barberry. D.C. 332, pp. 2, 4. 1925.
 sales—
  at auction at Palmero Show, Argentina. D.C. 228, p. 13. 1922.
  by farmers. Y.B., 1921, pp. 779, 780. 1922; Y.B. Sep. 871, pp. 10, 11. 1922.
  pavilion, building in Dickey County, N. Dak. News L., vol. 7, No. 5, p. 11. 1919.
 salting, on ranges, Reg. G-26. For. [Misc.], "The use book, 1921," p. 68. 1922.
 sanitary boards and officers. See *Yearbook indexes.*
 sanitary laws, Southern States. D.C. 184, pp. 1–71. 1921.
 seasonal suggestions. F.B. 1202, pp. 3–49. 1921.
 selection for breeding, importance. F.B. 1167, pp. 17–20. 1920.
 selling direct to packers, various sections, and costs. Rpt. 113, pp. 9–14, 26–28. 1916.
 share-owned, division on change of tenancy. F.B. 1272, pp. 16–17. 1922.
 sharing methods under lease contracts, various States. D.B. 650, pp. 12–15, 23, 24–27. 1918.
 shipments—
  directions. F.B. 1382, p. 17. 1924.
  record by Geneva County, Ala. News L., vol. 7, No. 3, p. 4. 1919.
  to Canada, certificates required. B.A.I.S.R.A. 182, p. 76. 1922.
 shipping—
  and marketing, detail records, forms. D.B. 1150, pp. 3–23. 1923.
  associations—
   accounting records and business methods. Frank Robotka. D.B. 1150, pp. 52. 1923.
   accounts system. John R. Humphrey and W. H. Kerr. D.B. 403, pp. 15. 1916.
   cooperative. S. W. Doty and L. D. Hall. F.B. 718, pp. 16. 1916.
   cooperative, organization and management. F.B. 1292, pp. 28. 1923.
  by Mississippi River boats, advantage over rail shipments. News L., vol. 5, No. 52, p. 11. 1918.
  disease prevention. B.A.I. Chief Rpt., 1925, pp. 19–20. 1925.
  regulations, definitions. B.A.I.O. 263, p. 2. 1919.
  work of solicitor. Sol. A.R., 1924, pp. 10–11. 1924.
 show, Argentina, purpose, and value. B.A.I. Bul. 48, pp. 12–21. 1903.
 shows, Argentina, 1919, and prices of champions. Y.B., 1919, pp. 377–378. 1920; Y.B. Sep. 818, pp. 377–378. 1920.
 shows, development, and influence on cattle breeding and feeding. B.A.I. An. Rpt., 1908, pp. 345–356. 1910.
 shrinkage in transit. Rpt. 113, p. 36. 1916.

Livestock—Continued.
 situation—
  September, 1919. Sec. Cir. 142, pp. 23–26. 1919.
  1921–1923, 1924, monthly statement. S.B. 3, pp. 41–42. 1924.
  1925. Sec. A.R., 1925, pp. 3–4, 68–69, 70, 74. 1925.
  in Europe, 1919. Sec. [Misc.], "Report of Agricultural * * *," pp. 4–5, 24–27, 28, 35, 48–63, 73–75. 1919.
 slaughter and indemnity in control of disease. B.A.I.O. 292, p. 22. 1925; Sec. A.R., 1924, p. 16. 1924; Sec. [Misc.], "Conference * * * foot-and-mouth * * *," pp. 33–34, 46–55, 80–81, 94, 131. 1916.
 slaughter yearly, 1910–1922. Y.B., 1922, pp. 834–835, 879–881, 899, 913. 1923; Y.B. Sep. 888, pp. 834–835, 879–881, 889, 913. 1923.
 source of profit on farms. Y.B., 1915, pp. 115, 119. 1916; Y.B. Sep. 661, pp. 115, 119. 1916.
 spread of sugar-beet nematodes in soil. F.B. 1248, p. 12. 1922.
 standardization work. B.A.E. Chief Rpt., 1924, p. 25. 1924.
 standards, revision. Off. Rec., vol. 2, No. 40, p. 3. 1923.
 State sanitary officers. B.A.I. Cir. 164, pp. 4. 1910.
 statistics—
  1902. Y.B., 1902, pp. 831–848. 1903.
  1908. Y.B., 1908, pp. 711–745, 752, 763. 1909; Y.B. Sep. 498, pp. 711–745, 752, 763. 1909.
  1910. Y.B., 1910, pp. 615–645, 653, 665. 1911; Y.B. Sep. 553, pp. 615–645. 1911; Y.B. Sep. 554, pp. 653, 665. 1911.
  1911, and miscellaneous agricultural. Y.B., 1911, pp. 615–699. 1912. Y.B. Sep. 588, pp. 615–699. 1912.
  1912, and miscellaneous agricultural products. Y.B., 1912, pp. 655–750. 1913; Y.B. Sep. 615, pp. 655–750. 1913.
  1913. Y.B., 1913, pp. 455–481, 482–486, 489, 493, 501. 1914; Y.B. Sep. 361, pp. 455–481, 482–486, 489, 493, 501. 1914.
  1914, numbers, values, products, imports, and exports. Y.B., 1914, pp. 612–640, 651, 659, 677. 1915; Y.B., Sep. 656, pp. 612–640. 1915; Y.B. Sep. 657, pp. 651, 659, 677. 1915.
  1915, and miscellaneous data. Y.B., 1915, pp. 507–539, 576–584. 1916; Y.B. Sep. 684, pp. 507–539, 576–584. 1916.
  1917, and miscellaneous data. Y.B., 1917, pp. 709–757. 1918; Y.B. Sep. 761, pp. 51. 1918.
  1918. Y.B., 1918, pp. 587–626. 1919; Y.B. Sep. 793, pp. 42. 1919.
  1919. Y.B., 1919, pp. 644–681. 1920; Y.B. Sep. 828, pp. 644–681. 1920.
  1920. Y.B., 1920, pp. 701–760. 1921; Y.B. Sep. 863, pp. 62. 1921.
  1921. Y.B., 1921, pp. 675–736. 1922; Y.B. Sep. 870, pp. 62. 1922.
  1922. Nat C. Murray and others. Y.B., 1922, pp. 795–913. 1923; Y.B. Sep. 888, pp. 795–913. 1924.
  and meats. Sec. Cir. 142, pp. 23, 24, 25. 1919.
  for—
   Arizona, Yuma reclamation project, 1911–1918. D.C. 75, p. 20. 1920.
   different countries. Y.B., 1911, pp. 619–625. 1912; Y.B. Sep. 588, pp. 619–625. 1912.
   Hungary, pre-war and 1920–21. D.B. 1234, pp. 11, 31–37. 1924.
   Montana, Huntley reclamation project and farm, 1918. D.C. 86, pp. 4, 25–26. 1920.
   Russian. Stat. Bul. 39, pp. 88–89. 1905.
   South Africa. Stat. Bul. 39, pp. 92–93. 1905.
   South Dakota, Belle Fourche Experiment Farm. D.C. 60, pp. 6–8. 1919.
   world countries, and meat. George K. Holmes. Rpt. 109, pp. 307. 1916.
   world countries, graphic showing of average production. Stat. Bul. 78, pp. 42–53. 1910.
   world countries, numbers, 1919. Y.B., 1919, pp. 644–648. 1920; Y.B. Sep. 828, pp. 644–648. 1920.
  graphic summary, maps and graphs. Y.B., 1915, pp. 388–403. 1916; Y.B. Sep. 681, pp. 388–403. 1916.

Livestock—Continued.
  statistics—continued.
    in European countries, 1913-1919, changes in number. Y.B., 1919, pp. 423-424. 1919; Y.B. Sep. 821, pp. 423-424. 1919.
    market receipts, shipments, and prices. D.B. 982, pp. 2-21, 25-101. 1921.
    number—
      on farms, Jan. 1, 1910-1918. Sec. Cir. 125, p. 6. 1919.
      value, prices, and marketing. Y.B., 1918, pp. 702-708. 1919; Y.B. Sep. 795, pp. 38-44. 1919.
  stockyard—
    charges for yardage, feed, and commission. Rpt. 113, pp. 39-41. 1916.
    reports, monthly. Y.B., 1918, pp. 393-397. 1919; Y.B. Sep. 788, pp. 17-21. 1919.
  stray or unbranded, on national forests, regulations governing. For. [Misc.], "The use book, 1921, * * *," p. 72. 1922.
  tagging, to trace disease. An. Rpts., 1908, p. 223. 1909; B.A.I. Chief Rpt., 1908, p. 9. 1908.
  testing for import. B.A.I. Chief Rpt., 1924, p. 36. 1924.
  thrift in care of. Thrift Leaf. 17, pp. 2-3. 1919.
  toll of tuberculosis. J. A. Kiernan and L. B. Ernest. Y.B., 1919, pp. 277-288. 1920; Y.B. Sep. 810, pp. 277-288. 1920.
  transportation—
    cost, and methods, primitive and modern. Y.B., 1908, pp. 227-244. 1909; Y.B. Sep. 477, pp. 227-244. 1909.
    decisions and opinions prior to twenty-eight hour law. Sol. Cir. 27, pp. 1-23. 1909.
    decision under 28-hour law. Sol. Cir. 20, pp. 1-6. 1909; Sol. Cir. 46, pp. 1-5. 1911; Sol. Cir. 48, pp. 1-4. 1911.
    demurrage provisions and exceptions. D.B. 191, pp. 5, 9, 10. 1915.
    handling, law. D.B. 589, pp. 4-9. 1918.
    improvement by train-schedule revision. D.B. 589, p. 17. 1918.
    interstate, regulations. B.A.I. [Misc.], "Regulations of the * * *," pp. 27. 1905.
    Pacific coast region. Stat. Bul. 89, pp. 71-83. 1911.
    rates, 1881-1907. Y.B., 1907, pp. 731-732. 1908; Y.B. Sep. 465, pp. 731-732. 1908.
    regulations. B.A.I.O. 210, amdt. 3, pp. 2. 1915.
    routes and markets. Y.B., 1908, pp. 232-236. 1909; Y.B. Sep. 477, pp. 232-236. 1909.
    the 28-hour law. Sec. [Misc.], "The 28-hour law, June 29, 1906," pp. 7. 1908; Sol. Cir. 25, pp. 1-3. 1909; Sol. Cir. 26, pp. 1-2. 1909.
    under foot-and-mouth quarantine, regulations. B.A.I.O. 238, pp. 1, 8-13. 1915.
    violation of 28-hour law. Sol. Cir. 1, pp. 1-5. 1907; Sol. Cir. 8, pp. 1-3. 1908.
    See also Twenty-eight hour law.
  treatment for spinose ear-tick. F.B. 980, pp. 6-8. 1918.
  trend, relation to population, 1850-1924. D.C. 241, pp. 1-5. 1924.
  tuberculin testing. L.B. Ernest and Elmer Lash. D.C. 249, pp. 28. 1922.
  tuberculosis—
    detection, control, and eradication. John A. Kiernan and Alexander E. Wight. F.B. 1069, pp. 31. 1919.
    eradication work, 1924. B.A.I. Chief Rpt., 1924, pp. 27-30. 1924.
    spread prevention, regulation amendment. B.A.I.O. 245, amdt. 4, pp. 3. 1918.
  unfavorable conditions. Sec. A.R., 1924, pp. 10-12. 1924.
  use as motive power on farms, and substitutes. Y.B., 1916, pp. 469-470. 1917; Y.B. Sep. 694, pp. 3-4. 1917.
  use in maintenance of soil fertility. F.B. 406, pp. 11-12. 1910.
  utilization—
    and cost, Georgia, Brooks County. D.B. 648, pp. 24-27, 32, 44-45. 1918.
    of crops on irrigated farms. D.C. 339, pp. 31-33. 1925.
    to save labor on farms. Sec. Cir. 122, pp. 5-7. 1918.

Livestock—Continued.
  valuation for farm inventory, classes. F.B. 1182, pp. 14-15, 22. 1921.
  values—
    1910-1919. Y.B., 1919, p. 17. 1920.
    and prices, 1914-1920. Y.B., 1919, pp. 678-679. 1920; Y.B. Sep. 828, pp. 678-679. 1920.
    and prices, 1917-1923. Y.B., 1922, pp. 912-913. 1923; Y.B. Sep. 888, pp. 912-913. 1923.
    changes, 1913-1919. News L., vol. 6, No. 34, p. 8. 1919.
  in farm fertility, maintenance. F.B. 454, pp. 21-22. 1911.
  in North Dakota, McHenry County. Soil Sur. Adv. Sh., 1921, pp. 944-945. 1925; Soils F.O., 1921, pp. 944-945. 1926.
  in Pennsylvania, Cambria County, 1910. Soil Sur. Adv. Sh., 1915, p. 11. 1917; Soils F.O., 1915, p. 245. 1921.
  in utilization of sugar-beet tops and pulp. F.B. 568, pp. 15, 18-19, 20. 1914.
  in West Virginia, Barbour and Upshur Counties. Soil Sur. Adv. Sh., 1917, p. 11. 1919; Soils F.O., 1917, p. 999. 1923.
  increase since 1897. An. Rpts., 1908, p. 183. 1909; Sec. A.R., 1908, p. 181. 1908.
  lowest and highest, since 1866, and value, January 1, 1915. F.B. 651, p. 3. 1915.
  of alfalfa for feeding and fattening on Great Plains. I.D. Graham. B.A.I. An. Rpt., 1904, pp. 242-267. 1905.
  of sweet potatoes as feed. S.R.S. Syl. 26, pp. 18-19. 1917.
  on owner and tenant farms. Y.B., 1923, pp. 570-573. 1924; Y.B. Sep. 897, pp. 570-573. 1924.
  statistics, 1923. Y.B., 1923, pp. 1011-1012. 1924; Y.B. Sep. 903, pp. 1011-1012. 1924.
  varieties, adaptability for logged-off land pastures. F.B. 462, pp. 17-19. 1911.
  varieties susceptible to mange. B.A.I. Bul. 40, p. 10. 1902.
  water requirements, daily. F.B. 592, pp. 2-3. 1914.
  watering, reservoirs. F.B. 828, pp. 24-27. 1917.
  watering, use of warm water, suggestions. F.B. 592, p. 3. 1914.
  weighing, regulation and supervision. An. Rpts. 1923, pp. 665, 670-671. 1924; Pack. and S. Ad. Rpt., 1923, pp. 9, 14-15. 1923.
  winter feed, raising. Y.B., 1906, pp. 233-235. 1907; Y.B. Sep. 419, pp. 233-235. 1907.
  wintering, need of care in April. F.B. 704, p. 35. 1916.
  work animals, number to one thousand acres, by countries. Y.B., 1923, p. 476. 1924; Y.B. Sep. 896, p. 476. 1924.
  world supply, 1923. Y.B., 1923, pp. 1031-1036. 1924; Y.B. Sep. 903, pp. 1031-1036. 1924.
  wound, use of chloroform in maggot control. News L., vol. 5, No. 26, p. 4. 1918.
  yearly marketings at various cities. F.B. 651, p. 3. 1915.
  young—
    feeding legume hay, value. F.B. 1125, rev., p. 29. 1920.
    feeding oats, advantages. F.B. 1119, p. 20. 1920.
    feeding on cottonseed products, precautions. F.B. 1179, p. 12. 1920.
    increasing growth on ranges, supplemental feeding. D.B. 1031, pp. 77-79. 1922.
  Yuma Project, development of industry in 1911-1920. D.C. 221, pp. 11-12. 1922.
  See also Cattle; Hogs; Sheep.
Living—
  cost of. See Cost of living.
  expenses, farm, owners and tenants. Y.B., 1923, pp. 580-581. 1924; Y.B. Sep. 897, pp. 580-581. 1924.
  family, from the farm. H. W. Hawthorne. D.B. 1338, pp. 31. 1925.
  standard, discussion, and factors indicating. D.B. 1214, pp. 1-4, 25-33. 1924.
LIVINGSTON, B. E.—
  "Further studies on the properties of unproductive soils." With others. Soils Bul. 36, pp. 71. 1907.

LIVINGSTON, B. E.—Continued.
"Oxygen-supplying power of the soil as indicated by color changes in alkaline pyrogallol solution." With Lee M. Hutchins. J.A.R., vol. 25, pp. 133–140. 1923.
"Studies on the properties of unproductive soil." With others. Soils Bul. 28, pp. 39. 1905.

LIVINGSTON, GEORGE—
"Announcements concerning the distribution to wool growers of dealers' excess profits on 1918 wool." Mkts. [Misc.], "Announcements concerning * * *," p. 1. 1920.
"Marketing grain at country points." With K. B. Seeds. D.B. 558, pp. 45. 1917.
report as Bureau of Markets Chief—
1919. An. Rpts., 1919, pp. 427–461. 1920; Mkts. Chief Rpt., 1919, pp. 35. 1919.
1920. An. Rpts., 1920, pp. 531–567. 1921; Mkts. Chief Rpt., 1920, pp. 37. 1920.
"Wheat standards and their application." Mkts. S.R.A. 35, pp. 12. 1918.

Livistona—
australis. See Palm, Australian fan.
jenkinsiana, importations and use. Nos. 46697, 46861, B.P.I. Inv. 57, pp. 21, 42. 1922.
spp., importations and descriptions. Nos. 45589, 45590, 45591, B.P.I. Inv. 53, pp. 64–65. 1922.
Livonia, butter control. B.A.I. Dairy [Misc.], "World's dairy Congress, 1923," p. 753. 1924.

Lixus—
musculus, characteristics, and parasites. Ent. Bul. 63, p. 43. 1911.
spp., infestation with boll-weevil parasites. Ent. Bul. 100, pp. 45, 50, 65, 75. 1912.

Lizards—
bird enemies, Southeastern States. F.B. 755, pp. 8, 10, 19, 22, 37. 1916.
lists in different life zones, Texas. N.A. Fauna 25, pp. 21, 28. 1905.
of Texas, collection. N.A. Fauna 25, pp. 38–45. 1905.
usefulness in grasshopper control. D.B. 293, p. 7. 1915.

Llacono, importation and description. No. 41188, B.P.I. Inv. 44, pp. 7, 49. 1918.

LLOYD, E. R.—
"A comparison of concentrates for fattening steers in the South." With others. D.B. 761, pp. 16. 1919.
"A comparison of roughages for fattening steers in the South." With others. D.B. 762, pp. 36. 1919.
"Fattening steers on summer pasture in the South." With others. D.B. 777, pp. 24. 1919.
report of Mississippi—
Experiment Station, work, 1912. O.E.S. An. Rpt., 1912, pp. 144–146. 1913.
Experiment Station, work and expenditures—
1913. O.E.S. An. Rpt., 1913, pp. 56–58. 1915.
1914. O.E.S. An. Rpt., 1914, pp. 143–145. 1915.
1915. S.R.S. Rpt., 1915, Pt. I, pp. 159–162. 1917.
1916. S.R.S. Rpt., 1916, Pt. I, 162–166. 1918.
1917. S.R.S. Rpt., 1917, Pt. I, pp. 156–160. 1919.
extension work in agriculture and home economics—
1915. S.R.S. Rpt., 1915, Pt. II, pp. 85–91. 1917.
1916. S.R.S. Rpt., 1916, Pt. II, pp. 89–97. 1917.
1917. S.R.S. Rpt., 1917, Pt. II, pp. 92–99. 1919.

LLOYD, O. G.: "Farm-land values in Iowa." With L. C. Gray. D.B. 874, pp. 45. 1920.

LLOYD, W. A.—
"An extension program in crop production to reinforce range livestock, dairying, and human nutrition for the Western States." D.C. 335, pp. 16. 1924.
"An extension program in range livestock, dairying, and human nutrition for the Western States." D.C. 308, pp. 14. 1924.
"County agricultural agent work in the Northern and Western States, 1916." S.R.S. Doc. 60, pp. 26. 1917.
"Statistics and results of county agricultural agent work in the Northern and Western States, 1915." S.R.S." Doc. 32, pp. 19. 1917.

LLOYD, W. A.—Continued.
"Status and results of county-agent work, Northern and Western states—
1917–1918." S.R.S. Doc. 88, pp. 24. 1918.
1918." D.C. 37, pp. 16. 1919.
1919." D.C. 106, pp. 19. 1920.
1920." D.C. 179, pp. 36. 1921.
1921." D.C. 244, pp. 42. 1922.

Load(s)—
horse, effect of grades in roads. D.B. 463, pp. 12–13. 1917.
regulators, windmills, and tests. F.B. 394, pp. 22–23. 1910.

Loading—
and handling southern new potatoes. A. M. Grimes. F.B. 1050, pp. 20. 1919.
cabbage—
for shipment. D.B. 1242, pp. 20–22. 1924.
on cars. F.B. 1423, pp. 10–12. 1924.
citrus fruit on ships, management. D.B. 1290, pp. 5–7. 1924.
eggs on cars, details, methods, and instructions. D.B. 664, pp. 5–9, 20–28. 1918.
grapes, American. H. S. Bird and A. M. Grimes. Mkts. Doc. 14, pp. 28. 1918.
hay—
day's work, by hand and by machinery. D.B. 814, pp. 25–27. 1920.
hauling and storing, methods and cost. D.B. 641, pp. 8–9. 1918.
methods and comparison. F.B. 1009, pp. 3–4, 11–16. 1919.
on cars. D.B. 977, pp. 21–22, 25–27. 1921.
on cars, methods and unfair practices. D.B. 979, pp. 4–11, 22–24. 1921.
systems. F.B. 943, pp. 14–24. 1918.
instructions, form and use, fruit shipping. D.B. 590, pp. 7, 43. 1918.
livestock in transit, improvement of yards, pens, and feeding and watering facilities. D.B. 589, pp. 13–17. 1918.
paper, objections. Rpt. 89, p. 18. 1909.
potatoes—
and handling. F.B. 1050, pp. 1–20. 1919.
on cars, directions for protection from cold. Mkts. Doc. 17, pp. 15–16, 20–22, 24–25. 1918.
precautions to prevent black heart. C.T. and F.C.D. Cir. 2, pp. 3. 1918.
tomatoes on cars. F.B. 1291, pp. 31–32. 1922.

Loam—
Carrington—
clay, soils of the eastern United States and their use—XXXIII. Jay A. Bonsteel. Soils Cir. 58, pp. 11. 1912.
silt, soils of the eastern United States and ther. use—XXXII. Jay A. Bonsteel. Soils Cir. 57, pp. 10. 1912.
soils of the eastern United States and their use—XII. Jay A. Bonsteel. Soils Cir. 34, pp. 15, 1911.
Cecil sandy, soils of the eastern United States and their use—V. Jay A. Bonsteel. Soils Cir. 27, pp. 19. 1911.
Cecil silt, of Lancaster County, S. C., manurial requirements of. F. E. Gardner and F. E. Bonsteel. Soils Cir. 16, pp. 3. 1905.
Chester, soils of the eastern United States and their use—XXX. Jay A. Bonsteel. Soils Cir. 55, pp. 10. 1912.
Clarksville silt, soils of the eastern United States and their use—VIII. Jay A. Bonsteel. Soils Cir. 30, pp. 15. 1911.
Clyde, soils of the eastern United States and their use—XV. Jay A. Bonsteel. Soils Cir. 37, pp. 16. 1911.
Crowley silt, soils of the eastern United States and their use—XXIX. Jay A. Bonsteel. Soils Cir. 54, pp. 8. 1912.
Dekalb silt, soils of the eastern United States and their use—XVI. Jay A. Bonsteel. Soils Cir. 38, pp. 17. 1911.
Fargo clay, soils of the eastern United States and their use—XIV. Jay A. Bonsteel. Soils Cir. 36, pp. 16. 1911.
Hagerstown, soils of the eastern United States and their use—VII. Jay A. Bonsteel. Soils Cir. 29, pp. 18. 1911.
Knox silt, soils of the eastern United States and their use—XI. Jay A. Bonsteel. Soils Cir. 33, pp. 17. 1911.

Loam—Continued.
   Marion silt, soils of the eastern United States and their use—XXXIV. Jay A. Bonsteel. Soils Cir. 59, pp. 10. 1912.
   Marshall silt, soils of the eastern United States and their use—X. Jay A. Bonsteel. Soils Cir. 32, pp. 18. 1911.
   Memphis silt, soils of the eastern United States and their use—XIII. Jay A. Bonsteel. Soils Cir. 35, pp. 19. 1911.
   Miami clay, soils of the eastern United States and their use—IX. Jay A Bonsteel. Soils Cir. 31, pp. 17. 1911.
   moisture movement, relation to temperature, studies. J.A.R., vol. 5, No. 4, pp. 145–147, 162–165, 167. 1915.
   Norfolk—
      fine sand, soils of the eastern United States and their use—II. Jay A. Bonsteel. Soils Cir. 23, pp. 16. 1911.
      fine sandy, soils of the eastern United States and their use—I. Jay A. Bonsteel. Soils Cir. 22, pp. 16. 1911.
      sandy, soils of the eastern United States and their use—XXII. Jay A. Bonsteel. Soils Cir. 45, pp. 14. 1911.
   Ohio, tobacco growing. Soils Bul. 29, pp. 10–14. 1905.
   Orangeburg sandy, soils of the eastern United States and their use—XXIV. Jay A. Bonsteel. Soils Cir. 47, pp. 15. 1911.
   Penn, soils of the eastern United States and their use—XXXI. Jay A. Bonsteel. Soils Cir. 56, pp. 9. 1912.
   Porters, and Porters black loam, soils of the eastern United States and their use—XVII. Jay A. Bonsteel. Soils Cir. 39, pp. 19. 1911.
   Portsmouth sandy, soils of the eastern United States and their use—III. Jay A. Bonsteel. Soils Cir. 24, pp. 12. 1911.
   road-building value and disadvantages. D.B. 724, p. 2. 1919.
   sandy, suitable for grass location in different States. F.B. 494, pp. 20–21. 1912.
   sassafras silt, soils of the eastern United States and their use—IV. Jay A. Bonsteel. Soils Cir. 25, pp. 14. 1911.
   sedimentary, soil types, description and use in road building. Rds. Cir. 91, pp. 9–10. 1910.
   soils—
      analyses, mechanical. Soils Bul. 75, p. 15. 1911.
      coastal plains, description, and uses. Soils Bul. 78, pp. 27–53. 1911.
      glacial and loessial province, description and uses. Soils Bul. 78, pp. 99–118. 1911.
      limestone valley and uplands, area and uses. Soils Bul. 78, pp. 170–177, 180–181. 1911.
      Piedmont Plateau, area, description, and uses. Soils Bul. 78, pp. 80–84, 85–89, 90–92. 1911.
      river flood plains, description, area, and uses. Soils Bul. 78, pp. 212–243. 1911.
   suitable for grass, location in different States. F.B. 494, pp. 20–21. 1912.
   Susquehanna fine sandy, soils of the eastern United States and their use—XXVIII. Jay A. Bonsteel. Soils Cir. 51, pp. 10. 1912.
   Volusia silt, soils of the eastern United States and their use—XXXVI. Jay A. Bonsteel. Soils Cir. 63, pp. 15. 1912.
   Volusia, soils of the eastern United States and their use—XXXV. Jay A. Bonsteel. Soils Cir. 60, pp. 12. 1912.
   Wabash silt, soils of the eastern United States and their use—XVIII. Jay A. Bonsteel. Soils Cir. 40, pp. 15. 1911.
Loan(s)—
   agencies, relation to farmers. D.B. 409, pp. 10–12. 1916.
   and auditing committees, cooperative credit association, selection and duties. F.B. 654, p. 12. 1915.
   associations, farm, national, organization and advantages. F.B. 792, pp. 8–10. 1917.
   associations, use in rural credit. Y.B., 1914, pp. 116, 118, 119. 1915; Y.B. Sep. 632, pp. 30, 32, 33. 1915.
   bank, to farmers on personal and collateral security. V. N. Valgren and Elmer E. Engelbert. D.B. 1048, pp. 26. 1922.

Loan(s)—Continued.
   cattle, and their value to investors. Charles S. Cole. Y.B., 1918, pp. 101–108. 1919; Y.B. Sep. 764, pp. 10. 1919.
   cooperative credit association, supervision. F.B. 654, p. 14. 1915.
   discussion by farm women. Y.B., 1914, p. 318. 1915; Y.B. Sep. 644, p. 318. 1915.
   farm-mortgage—
      amount and sources, estimates, 1920, by divisions and States. D.B. 1047, pp. 1–3, 22. 1922.
      by banks, insurance companies, and other agencies. V. N. Valgren and Elmer E. Engelbert. D.B. 1047, pp. 23. 1922.
      costs and sources in the United States. C. W. Thompson. D.B. 384, pp. 16. 1916.
      held by banks, December 31, 1920, by divisions and States. D.B. 1047, pp. 8–10. 1922.
      See also Farm loan.
   farmers—
      cheap rates, warnings. News L., vol. 2, No. 6, pp. 1–2. 1914.
      conditions, number, and amount. Y.B., 1918, pp. 46–49. 1919; Sec. A.R., 1918, pp. 32–35. 1918; An. Rpts., 1918, pp. 32–35. 1919.
      credit-rate sheet for bankers and merchants. Sec. Cir. 50, pp. 10–13. 1915.
      discussion by—
         farm women. Rpt. 106, pp. 24–59. 1915.
         Secretary. An. Rpts., 1913, pp. 25–30. 1914. Sec. A.R., 1913, pp. 23–28. 1913; Y.B., 1913. 31–37. 1914.
      in drought-stricken areas. Off. Rec. vol. 3, No. 10, pp. 1–2. 1924.
      in Southern States, forms and rates. Y.B., 1921, pp. 367–369. 1922; Y.B. Sep. 877, pp. 367–369. 1922.
      interest rates, by States. Y.B., 1921, p. 778. 1922; Y.B. Sep. 871, p. 9. 1922.
      on personal and collateral security. V. N. Valgren and Elmer E. Engelbert. D.B. 1048, pp. 26. 1922.
      sources of capital. D.B. 384, pp. 9–16. 1916.
      Trammel bill. Off. Rec. vol. 1, No. 1, p. 14. 1922.
      under cotton-growing exchange conditions. Y.B., 1912, p. 446. 1913; Y.B. Sep. 605, p. 446. 1913.
   Federal—
      farm-loan banks. Y.B., 1920, pp. 279–282. 1921. Y.B. Sep. 844, pp. 279–282. 1921.
      farm system, business. Y.B., 1924, pp. 198–207. 1925.
      land banks, terms and rates. F.B. 1385, pp. 21–24. 1923.
      on second-mortgage security, suggestions. D.B. 968, pp. 23–27. 1921.
   for drainage improvements. Y.B., 1914, pp. 255–256. 1915; Y.B. Sep. 640, pp. 255–256. 1915.
   land-bank, buying farms with. L. C. Gray and H. A. Turner. D.B. 968, pp. 27. 1921.
   methods of securing in cooperative credit associations. F.B. 654, p. 11. 1915.
   obtaining from Federal land banks, method and conditions. News L., vol. 3, No. 51, p. 2. 1916.
   personal and collateral, to farmers, seasonal fluctuation. D.B. 1048, pp. 4–6. 1922.
   poultry association, management. Y.B., 1918, p. 112. 1919; Y.B. Sep. 778, p. 6. 1919.
   seed grain, to farmers, conditions, number, and amount. An. Rpts., 1918, pp. 32–35. 1919. Sec. A.R., 1918, pp. 32–35. 1918.
   service, cooperative credit associations, description and value. F.B. 654, p. 14. 1915.
   short, interest to farmers, March, 1921. D.B. 1048, pp. 6–17, 25–26. 1922.
   to marketing associations. Y.B., 1914, pp. 202–207. 1915; Y.B. Sep. 637, pp. 202–207. 1915.
   See also Credit.
Lobelia—
   culture and handling as drug plant, yield, and price. F.B. 663, p. 28. 1915.
   danger in use. F.B. 393, p. 8. 1910.
   description—
      and suggestions for growing in window garden. B.P.I. Doc. 433, p. 5. 1909.
      cultivation, and characteristics. F.B. 1171, pp. 68–69, 81. 1921.

INDEX TO PUBLICATIONS, 1901–1925   1399

Lobelia—Continued.
  description—continued.
    distribution and feeding experiments. D.B. 1240, pp. 2–12. 1924.
  erinus microdon, importation and description. No. 46808, B.P.I. Inv. 57, pp. 6, 37. 1922.
  fulgens, importation and description. No. 45353, B.P.I. Inv. 53, p. 30. 1922.
  habitat, range, description, uses, collection, and prices. B.P.I. Bul. 219, p. 35. 1911; F.B. 663, rev., pp. 37–38. 1920.
  importation and description. No. 48271, B.P.I. Inv. 60, p. 64. 1922.
  poisonous to livestock. D.B. 575, p. 14. 1918.
  rosea, importation and descritpion—
    No. 39468, B.P.I. Inv. 41, p. 54. 1917.
    No. 50718, B.P.I. Inv. 64, pp. 18–19. 1923.
  spp., importations, and description. Nos. 50161, 50314, B.P.I. Inv. 63, pp. 3, 41, 55. 1923.
  See also Death camas.
Lobipes lobatus—
  breeding range and migration habits. Biol. Bul. 35, pp. 16–18. 1910.
  See also Phalarope, northern.
Lobocedrus, group, character, and habits, on Pacific slope. For. [Misc.], "Forest trees for Pacific * * *," p. 148. 1908.
Lobster substitute, crawfish species, labeling. Opinion 103, Chem. S.R.A. 12, p. 754. 1915.
Lobsters, canning, recipe. S.R.S. Doc. 80, rev., p. 28. 1919.
Loche, occurrence in Athabaska-Mackenzie region. N.A. Fauna 27, p. 514. 1908.
Lockjaw—
  bacilli, description and differential diagnosis of disease in cattle. B.A.I. [Misc.], "Diseases of cattle," rev., pp. 378, 412–413. 1912.
  causes, symptoms, prevention, and treatment. B.A.I. [Misc.], "Diseases of the Horse," rev., pp. 219–222. 1907; B.A.I. [Misc.], "Diseases of the Horse," rev., pp. 219–222. 1911; B.A.I. [Misc.], "Diseases of the horse," rev., pp. 219–221. 1903; B.A.I. [Misc.], "Diseases of the Horse," rev., pp. 241–244. 1923.
  See also Tetanus.
Lockport, N. Y., milk supply, statistics, officials, prices and ordinances. B.A.I. Bul. 46, pp. 40, 135. 1903.
Lockschinken, curing for destruction of trichinae. D.B. 880, pp. 30–32. 1920.
Loco—
  disease—
    causes, symptoms, experiments and results. B.A.I. Bul. 112, pp. 91–92. 1909; B.P.I. Bul. 129, pp. 1–87. 1908.
    goats, symptoms, and treatment. F.B. 137, p. 47. 1901.
    pathological lesions. B.A.I. Bul. 112, pp. 95–98. 1909.
    remedies—
      recommended in literature, 1873–1905. B.A.I. Bul. 112, pp. 15–31, 33. 1909.
      treatment of cattle and horses, with results. B.A.I. Bul. 112, pp. 73–90, 108–112. 1909.
    See also Loco-weed disease.
  weed(s)—
    and harmless species associated with them. F.B. 1054, pp. 4–10. 1919.
    barium determination, content, table. B.P.I. Bul. 246, pp. 40–47, 51–52. 1912.
    blue, description and distribution. F.B. 1054, pp. 7–9. 1919.
    danger to horses. O.E.S. An. Rpt., 1922, pp. 118, 119. 1924.
    description. B.A.I. [Misc.], "Diseases of cattle," rev., pp. 65–66. 1904; rev., pp. 66–67. 1912; rev., pp. 67–68. 1923.
    description, varieties, and poisonous effects on stock. D.B. 1245, pp. 16–21, 32. 1924.
    destruction methods. B.A.I. Bul. 112, pp. 105–108, 112, 115. 1909; F.B. 380, pp. 14–16. 1909; F.B. 720, p. 4. 1916; F.B. 1054, pp. 17–19. 1919.
    disease—
      C. Dwight Marsh. F.B. 380, pp. 16. 1909; F.B. 1054, pp. 19. 1919.
      causes, symptoms, experiments, and results. B.P.I. Bul. 129, pp. 1–87. 1908.
      of the plains. C. Dwight Marsh. B.A.I. Bul. 112, pp. 130. 1909.

Loco—Continued.
  weed(s)—continued.
    disease—continued.
      relation of barium. C. Dwight Marsh and others. B.P.I. Bul. 246, pp. 67. 1912.
      See also Loco disease.
    extracts—
      feeding experiments. B.P.I. Bul. 129, pp. 36–52. 1908.
      toxicity. B.P.I. Bul. 246, pp. 51–52. 1912.
    feeding experiments, with antidotes, and results. B.P.I. Bul. 246, pp. 11–17. 1912.
    insects injurious. F. H. Chittenden. Ent. Bul. 64, Pt. V, pp. 33–42. 1908.
    investigations—
      in the field, results. C. Dwight Marsh. B.P.I. Bul. 121, pp. 37–38. 1908.
      laboratory work on. Albert C. Crawford. B.P.I. Bul. 121, pp. 39–40. 1908.
    kinds poisonous to stock. D.B. 575, pp. 4–5. 6, 1918.
    list, and description of species. B.A.I. Bul. 112, pp. 36–40. 1909.
    methods of spread. B.A.I. Bul. 112, pp. 39–40. 1909.
    occurrence in western North Dakota. J.A.R., vol. 19, p. 67. 1920.
    on ranges, harmless to cattle and sheep. B.P.I. Bul. 177, pp. 18, 19. 1910.
    poison, virulence. B.A.I. Bul. 112, pp. 98–102, 115. 1909.
    poisoning—
      cause, and control. F.B. 536, pp. 3–4. 1913.
      comparison with barium poisoning. B.P.I. Bul. 246, pp. 34–36, 37. 1912.
      comparison with gid symptoms. B.A.I. Cir. 165, pp. 11–12. 1910.
      losses to livestock industry. B.A.I. Bul. 112, p. 104. 1909.
      symptoms, and control treatment. D.B. 575, pp. 6–8. 1918; F.B. 380, pp. 11–12. 1909.
      susceptibility, breed, and age of animal as factor. B.A.I. Bul. 112, pp. 102–103, 115. 1909.
      treatment. F.B. 380, pp. 13–14. 1909.
    purple, description. D.B. 1245, p. 18. 1924; F.B. 380, p. 6. 1909; F.B. 1054, pp. 4–5. 1919.
    varieties, description. F.B. 380, pp. 5–9. 1909.
    weevil, four-lined, description, and food plants. Ent. Bul. 64, Pt. V, p. 37. 1908.
    white, description and distribution. D.B. 1245, p. 17. 1924; F.B. 1054, pp. 5–7. 1919.
    yellow fly, description. Ent. Bul. 64, Pt. V, p. 38. 1908.
Locomotives, logging railroads, description and costs. D.B. 440, pp. 56–57, 59. 1917; D.B. 711, pp. 204–207. 1918.
Loculistroma bambusae, cause of witches' broom of bamboo, description. B.P.I. Bul. 171, pp. 9–11. 1910.
Locust(s)—
  broods, distribution and appearance. Sec. Cir. 127, pp. 5–10. 1919.
  clumsy, description, habits, and control methods. Ent. Bul. 57, pp. 24–26. 1906.
  differential, habits, and control. Ent. Bul. 57, pp. 19–24. 1906.
  differential, Mississippi Delta, depredations, 1899, control. Ent. Bul. 30, pp. 7–26. 1901.
  differential. *See also* Grasshopper, differential.
  destruction—
    by birds. Y.B., 1908, p. 345. 1909; Y.B. Sep. 486, p. 345. 1909.
    by crows. D.B. 621, pp. 20–21. 1918.
    by starlings. D.B. 868, p. 22. 1921.
    experiments with fungous diseases. Ent. Bul. 38, pp. 50–61. 1902.
  of corn in Argentina, and control methods. Y.B., 1915, p. 288. 1916; Y.B. Sep. 677, p. 288. 1916.
  grouse, injurious to tobacco seed-beds. Y.B., 1910, p. 292. 1911; Y.B. Sep. 537, p. 292. 1911.
  injurious to acacia, and control. D.B. 9, p. 5. 1913.
  killing with fungous diseases. Ent. Bul. 38, p. 50. 1902.
  plague, of Natal. Ent. Bul. 60, 171–174. pp. 1906.

Locust(s)—Continued.
  plagues, historical notes. J.A.R., vol. 10, p. 636. 1917.
  Rocky Mountain—
    destruction by birds. Biol. Bul. 15, pp. 23, 91. 1901.
    destruction by bobwhite. Biol. Bul. 21, p. 43. 1905.
    disappearance since 1880. News L., vol. 4, No. 16, p. 3. 1916.
  17-year—
    appearance in 1919, injuries and prevention. Sec. Cir. 127, pp. 1–11. 1919.
    brood 6, probable distribution, 1915. News L., vol. 2, No. 44, pp. 1–2. 1915.
    brood 10, distribution, by States and counties. Sec. Cir. 127, pp. 6–8. 1919.
    description, history, and injuries. News L., vol. 6, No. 32, p. 5. 1919.
    destruction by thrushes. Y.B., 1913, pp. 139–140. 1914; Y.B. Sep. 620, pp. 139–140. 1914.
    fruit-tree control by sacking. News L., vol. 6, No. 36, pp. 13–14. 1919.
    in 1919. Sec. Cir. 127, pp. 11. 1919.
    infestation, 1919. News L., vol 6, No. 27, pp. 16–18. 1919.
    probable occurrence in 1918, 1919, in various States, cautions. News L., vol. 5, No. 45, p. 3. 1918.
    use as chicken feed, danger. News L., vol. 6, No. 46, p. 14. 1919.
    See also Cicada, periodical.
  13-year—
    appearance in Mississippi in 1902 and 1915. News L., vol. 2, No. 44, p. 2. 1915.
    brood 18, distribution, by States and counties. Sec. Cir. 127, p. 8. 1919.
    discovery. Sec. Cir. 127, pp. 5–6. 1919.
    use as human food. Ent. Bul. 71, pp. 102–103, 148. 1907.
    years, foretelling. Sec. Cir. 127, pp. 3–9. 1919.
  yellow-winged—
    C. B. Simpson. Ent. Cir. 53, p. 3. 1903.
    alfalfa enemy. F.B. 495, p. 30. 1912.
    See also Cicada; Grasshopper.
Locust (tree)—
  beetle, leaf-mining. Ent. Bul. 38, pp. 70–83. 1902.
  beetle, leaf mining, destruction by birds. Biol. Bul. 15, pp. 24, 32, 35. 1901.
  black—
    adaptability to—
      Nevada. D.C. 267, p. 15. 1923.
      Truckee-Carson project, description, and cost. B.P.I. Cir. 78, p. 8. 1911.
    borers, destructiveness. For. Cir. 161, p. 42. 1909.
    characteristics, uses, propagation, and rate of growth. For. Cir. 161, pp. 16, 23, 24, 41–43. 1909.
    characters. F.B. 468, p. 42. 1911.
    conditions preventing borer attack. D.B. 787, pp. 4, 10. 1919.
    crossties, cost per year for maintenance. For. Bul. 118, p. 46. 1912.
    description. For. Cir. 64, pp. 4. 1907.
    description—
      and regions suited to. D.B. 816, pp. 17, 18, 19, 27. 1920; F.B. 1208, p. 22. 1922.
      range, cultivation, and uses. For. Cir. 64, pp. 1–4. 1907.
      uses, mixtures, and planting details. F.B. 888, pp. 12, 13, 19. 1917.
      value for ship-building identification. News L., vol. 5, No. 18, p. 8. 1917.
    disease caused by Fomes rimosus, description. B.P.I.Bul. 149, pp. 45–46. 1909.
    diseases, occurrence in Texas, and description. B.P.I.Bul. 226, pp. 58–59, 110, 111. 1912.
    growth in different regions, rate. F.B. 1177, rev., p. 25. 1920.
    honey source, dates of blooming periods. D.B. 685, pp. 42–43, 49, 53. 1918.
    host of Lecanium corni. J.A.R., vol. 22, pp. 191–220. 1921.
    planting—
      directions and uses. For. Cir. 99, p. 8. 1907.
      in Middle and Southern States. Y.B., 1909, pp. 339, 340. 1910; Y.B. Sep. 517, pp. 339, 340. 1910.

Locust (tree)—Continued.
  black—continued.
    planting—continued.
      uses, enemies, yield, and value. D.B. 153, pp. 9, 11, 15, 17, 19, 22, 34, 35. 1915.
      spacing in forest planting. F.B. 1177, rev., p. 22. 1920.
      use in forest planting. For. Bul. 65, pp. 24, 30, 31, 34, 35, 37, 38. 1905.
      use to prevent gullying of land in Tennessee, Meigs County. Soil Sur. Adv. Sh., 1919, p. 20. 1921; Soils F.O., 1919, p. 1268. 1925.
      usefulness for fence posts, localities suitable. Y.B., 1900, pp. 149, 151. 1901.
      value and uses in shipbuilding. Y.B., 1918, pp. 318, 320. 1919; Y.B. Sep. 779, pp. 4, 6. 1919.
      value for windbreaks, Oregon. B.P.I. Cir. 129, p. 31. 1913.
  borer—
    A. D. Hopkins. Ent. Bul. 58, Pt. I, pp. 16. 1906.
    chambers infected by fungi. B.P.I. Bul. 149, p. 45. 1909.
    conditions favoring attack, and signs of injury. D.B. 787, pp. 8–9. 1919.
    control, methods. A. D. Hopkins. Ent. Cir. 83, p. 8. 1907.
    control methods. F.B. 1312, p. 29. 1923.
    damage to locust trees. Ent. Bul. 58, Pt. V, p. 61. 1909.
    depredations. Y.B., 1907, p. 164. 1908; Y.B. Sep. 442, p. 164. 1908.
    description, life history, and control. F.B. 1169, pp. 63–65. 1921; Y.B., 1910, pp. 347–349, 358. 1911; Y.B. Sep. 542, pp. 347–349, 358. 1911.
    injurious to forests. Ent. Bul. 58, pp. 1–16, 31–40. 1910; Ent. Cir. 126, p. 2. 1910.
    protection from. F. C. Craighead. D.B. 787, pp. 12. 1919.
    resistant species, breeding, suggestions. Ent. Bul. 58, pp. 13–14, 39. 1910.
    seasonal history, habits, natural enemies, and methods of control. Ent. Bul. 58, pp. 31–40. 1910.
    treatment in shade trees. D.B. 787, pp. 11–12. 1919.
  consumption in Arkansas, amount and value. For. Bul. 106, pp. 7, 11, 16, 21, 26, 31, 39. 1912.
  description, key, and common kinds. D.C. 223, pp. 7, 10. 1922.
  freedom from gipsy moth injury. D.B. 204, p. 15. 1915.
  fungus infection. Ent. Bul. 60, p. 174. 1906.
  growth and uses, Illinois. For. Cir. 81, rev., pp. 18, 19, 20. 1910.
  growth rate. For. Bul. 36, p. 189. 1910.
  honey—
    adaptability for shelter-belt planting. D.B. 1113, p. 13. 1923.
    characteristics, uses, propagation, and rate of growth. For. Cir. 161, pp. 16, 23, 24, 30–32. 1909.
    characters. F.B. 468, p. 42. 1911.
    description. For. Cir. 74, pp. 3. 1907.
    description and adaptability to Great Plains. F.B. 1312, p. 8. 1923.
    description, associates, uses, and planting details. D.B. 816, pp. 17–19, 26. 1920; F.B. 888, pp. 5, 13, 19. 1917; F.B. 1208, p. 20. 1922.
    habits, uses, cost and yield of plantations, Nebraska. For. Cir. 45, pp. 23–24. 1906.
    importations and descriptions. No. 35616, B.P.I. Inv. 35, p. 60. 1915; No. 39978, B.P.I. Inv. 42, p. 45. 1918; Nos. 42288, 42327, B.P.I. Inv. 46, pp. 73, 78. 1919; No. 42777, B.P.I. Inv. 47, p. 63. 1920; No. 45803, B.P.I. Inv. 54, p. 23. 1922.
    infection with Glomerella cingulata, studies. P.B.I. Bul. 252, p. 34. 1913.
    insects injurious. F.B. 1169, p. 97. 1921.
    occurrence, feeding value, and composition. D.B. 1194, pp. 3, 5, 15–16, 17. 1923.
    planting directions and uses. For Cir. 99, p. 9. 1907.
    planting in sand hills. M.C. 16, pp. 5, 7. 1925.
    range, cultivation, and uses. For. Cir. 74, pp. 1–3. 1907.

Locust (tree)—Continued.
  honey—continued.
    value for posts per acre. For. Bul. 86, pp. 83–84. 1911.
    windbreaks, characteristics and value. For. Bul. 86, pp. 22, 23, 26, 27, 31, 49, 50, 53, 54, 77, 83–84, 97. 1911.
  injury by borers. Y.B., 1910, pp. 347, 348, 358. 1911; Y.B. Sep. 542, pp. 347, 348, 358. 1911; Ent. Bul. 58, pp. 2–3, 34, 61. 1910.
  injury by sapsuckers. Biol. Bul. 39, pp. 44, 81–82. 1911.
  insects, injurious. F.B. 1169, p. 97. 1921.
  leaf miner—
    description, habits, and control. F.B. 1169, pp. 43–44. 1921.
    destruction by flycatchers, notes. Biol. Bul. 44, pp. 12, 24, 31, 61. 1912.
    occurrence in Colorado, description. N.A. Fauna 33, p. 236. 1911.
  plantations on Pennsylvania Railroad, history of borer infection. D.B. 787, pp. 5–8. 1919.
  protection from borers. D.B. 787, pp. 1–12. 1919.
  quantity used in manufacture of wooden products. D.B. 605, p. 15. 1918.
  root nodules, nitrogen-gathering, description. Y.B., 1910, p. 215. 1911; Y.B. Sep. 530, p. 215. 1911.
  source of honey, value. Ent. Bul. 75, pp. 91–94. 1911.
  tests for mechanical properties, results. D.B. 556, pp. 31, 40. 1917; D.B. 676, p. 22. 1919.
  treatment for borer infection. D.B. 787, pp. 11–12. 1919.
  use in windbreak planting, recommendations and returns. F.B. 788, pp. 4, 6, 10, 12, 13, 14. 1917; B.P.I. Bul. 157, pp. 15, 28, 34. 1909; F.B. 1405, pp. 11–15. 1924.
  wood, need of shipbuilders for treenails. News L., vol. 5, No. 42, p. 5. 1918.
Locust plant. See Senna, American.
Locustidae, destruction by crows. D.B. 621, p. 21, p. 21. 1918.
Lodgepole needle-miner. See *Recurvaria milleri*.
Lodges, use of community buildings. F.B. 1274, pp. 10–11. 1922.
Loess—
  abundance in western Kansas and Nebraska. For. Bul. 66, p. 9. 1905.
  deposits in Missouri, Buchanan County, origin and productiveness. Soil Sur. Adv. Sh., 1915, pp. 19, 45. 1917; Soils F.O., 1915, p. 1823, 1849. 1919.
  description, origin, and characteristics. Soils Bul. 68, pp. 124–141. 1911.
  formation—
    and description, studies. D.B. 355, p. 8. 1916.
    in Louisiana, West Carroll Parish. Soil Sur. Adv. Sh., 1908, p. 12. 1909. Soils F.O., 1908, p. 882. 1911.
    in Mississippi, Holmes County. Soils Sur. Adv. Sh., 1908, pp. 14, 15. 1909; Soils F.O., pp. 780, 781. 1911.
    in Missouri, Cape Girardeau County, discussion. Soil Sur. Adv. Sh., 1910, p. 27. 1912; Soils F.O., 1910, p. 1239. 1912.
    in Missouri, Platte County. Soil Sur. Adv. Sh., 1911, pp. 16–17, 28. 1912; Soils F.O., 1911, pp. 1712–1713, 1724. 1914.
    in Nebraska, Cass County. Soil Sur. Adv. Sh., 1913, pp. 5, 17–19, 21, 23, 24. 1915; Soils F.O., 1913, pp. 1925, 1937–1939, 1941, 1943, 1944. 1916.
    in Nebraska, sampling for moisture content and hygroscopic coefficient. J.A.R., vol. 14, pp. 453–480. 1918.
Loessial and glacial province soils, description, area, and uses. Soils Bul. 78, pp. 95–130. 1911; Soils Bul. 96, pp. 109–164. 1913.
LOEW, OSCAR—
  cacao and coffee fermentation. P.R. An. Rpt., 1907, pp. 41–55. 1908.
  "Notes on the soils of Porto Rico." P.R. An. Rpt., 1908, pp. 40–44. 1909.
  report of physiologist of Porto Rico Experiment Station—
    1907. P.R. An. Rpt., 1907, pp. 16–19. 1908.
    1910. P.R. An. Rpt., 1910, pp. 15–19. 1911.
    1912. P.R. An. Rpt., 1912, pp. 13–17. 1913.

LOEW, OSCAR—Continued.
  "Sick soils of Porto Rico." P.R. Cir. 12, pp. 24., 1910.
  "Soil disinfection in agriculture." P.R. Cir. 11, pp. 12. 1909.
  "Some principles in manuring with lime and magnesia." P.R. Cir. 10, pp. 15. 1909.
  "Studies on acid soils of Porto Rico." P.R. Bul. 13, pp. 23. 1913.
  "The physiological rôle of mineral nutrients in plants." B.P.I. Bul. 45, pp. 70. 1903.
  "The relation of lime and magnesia to plant growth." With D. W. May. B.P.I. Bul. 1, pp. 53. 1901.
LOFTFIELD, J. V. G.: "Damage to range grasses by the Zuñi prairie dog." With Walter P. Taylor. D.B. 1227, pp. 16. 1924.
LOFTIN, U. C.—
  "Report on investigations of the pink bollworm of cotton in Mexico." With others. D.B. 918, pp. 64. 1921.
  "The sugar-cane moth borer." With T. E. Holloway. D.B. 746, pp. 74. 1919.
Log(s)—
  beetle, description. Sec. [Misc.], "A manual * * * insects * * *," p. 195. 1917.
  barking, for destruction of pine sawyer. Ent. Bul. 58, p. 55. 1910.
  basswood, sizes, prices, and uses. D.B. 1007, pp. 54–55, 57. 1922.
  black-walnut—
    approximate weights. F.B. 1459, pp. 18–19. 1925.
    cutting. F.B. 1459, pp. 14–16. 1925.
    grades and prices. D.B. 909, pp. 35–37, 55–56, 81–85. 1921.
    price factors. F.B. 1459, pp. 13–14. 1925.
  breakage waste in felling. D.B. 711, pp. 37–39. 1918.
  cabins, insect-injury prevention. Ent. Cir. 128, p. 8. 1910.
  crooked, utilization. M. C. 39, p. 46. 1925.
  dams, description. O.E.S. Bul. 249, Pt. II, p. 11. 1912.
  decay caused by fungi. D.B. 1128, pp. 39–40. 1923.
  deck, sawmill, description and use. D.B. 718, pp. 31–32. 1918.
  Douglas fir, grading. For. Bul. 88, pp. 63–64. 1911.
  driving, Washington rivers, and rates. D.B. 711, p. 240. 1918.
  exports, value, 1907. For. Cir. 166, p. 23. 1909.
  felling and bucking, methods, equipment, and costs. D.B. 440, pp. 13–18. 1917; D.B. 711, pp. 30–55. 1918.
  grading—
    and measuring, with weight for different species. F.B. 715, pp. 1–4. 1916.
    in British Columbia. D.B. 1060, p. 38. 1922.
    measuring, and protection. F.B. 1210, pp. 3–7. 1921.
  green, spray solutions for prevention of insect injury. F. C. Craighead. D.B. 1079, pp. 11. 1922.
  hauling, methods, horse and engine, costs. D.B. 440, pp. 34–41, 44–64. 1917.
  high-grade timber, methods of marketing in Southern States. F.B. 1071, pp. 5–9. 1920.
  immersing in water for destruction of insects. Ent. Bul. 58, pp. 55, 56, 79. 1910.
  imports—
    1907–1909, quantity and value, by countries from which consigned. Stat. Bul. 82, p. 70. 1910.
    1908–1910, quantity and value, by countries from which consigned. Stat. Bul. 90, p. 74. 1911.
  injury by insects, prevention. Ent. Bul. 58, Pt. V, p. 84. 1909.
  marketing, special demands of industries. F.B. 1117, p. 19. 1920.
  measure, timber units. For. Bul. 36, pp. 12–13. 1910.
  measuring, Doyle rule. D.B. 933, pp. 28–31. 1921.
  notching and felling. D.B. 718, pp. 41–43. 1918.
  odd lengths, importance in ultilization of timber. M.C. 39, p. 58. 1925.
  prices, 1909–1916. D.B. 711, pp. 28–30. 1918.

Log(s)—Continued.
  purchase by board foot. F.B. 1459, p. 13. 1925.
  roading method, equipment, and costs. D.B. 711, pp. 146–154. 1918.
  rules—
    comparison for board measure. For. Bul. 36, Pt. II, pp. 13–31. 1902.
    comparison of various methods. F.B. 715, pp. 13–14. 1916; F.B. 1210, pp. 19–21. 1921.
    for hickory. For. Bul. 80, pp. 11–12, 39. 1910.
    hardwood, for the South. For. Bul. 73, pp. 22–24. 1906.
    names, description, and tables. For. Bul. 36, pp. 14–34. 1910.
    origin and use. For. Bul. 36, Pt. II, pp. 32–67. 1902.
  sap-rot prevention tests. B.P.I. Bul. 114, pp. 17–26. 1907.
  scales, Champlain and Doyle. F.B. 1117, pp. 16–18. 1920.
  scaling and grading, practices and rules. D.B. 711, pp. 17–22. 1918; D.B. 718, pp. 51–53. 1918; For. Bul. 36, pp. 34–43. 1910.
  scaling, Doyle rule. D.B. 863, p. 37. 1920.
  selling prices, influence on stumpage appraisal in national forests. For. [Misc.], "Instructions * * * appraising stumpage * * *," pp. 33–35. 1914.
  sheets, timber tests, samples. For. Cir. 38, rev., pp. 33–45. 1909.
  Sitka spruce, piling to prevent borers. D.B. 1060, p. 22. 1922.
  sorting and rafting. D.B. 711, pp. 240–245. 1918.
  spraying to prevent insect injury. D.B. 1079, pp. 1–11. 1922.
  transportation by water. D.B. 711, pp. 238–248. 1918.
  transportation, primary, methods, equipment, and cost. D.B. 711, pp. 56–154. 1918.
  unloader, types, description and cost. D.B. 711, p. 238. 1918.
  unloading, methods and costs. D.B. 711, pp. 225–238. 1918.
  walnut—
    freight rates. F.B. 1459, pp. 18–19. 1925.
    green and air-dry, approximate weights. F.B. 1459, p. 18. 1925.
    measurement and yields, and weights. D.B. 909, pp. 83–85. 1921.
    veneer grades and prices. D.B. 909, pp. 55–56, 81–85. 1921.
  waste in bucking. D.B. 711, pp. 39–40. 1918.
  weight of different woods, green and dry, and protection. F.B. 1210, pp. 6–7, 60. 1921.
  yarding, various methods. D.B. 440, pp. 18–34. 1917.
Logalunga Reservoir, Italy, siphon spillways, description. D.B. 831, pp. 20, 31–32. 1920.
Logan River—
  irrigation under canals. George L. Swendsen. O.E.S. Bul. 104, pp. 179–194. 1902.
  water appropriation. George L. Swendsen. O.E.S. Bul. 124, pp. 301–316. 1903.
Loganberry(ies)—
  canes, training methods. F.B. 998, pp. 11–15. 1918.
  canning, inspection instruction. D.B. 1084, pp. 22–23. 1922.
  culture, and related varieties. George M. Darrow. F.B. 998, pp. 24. 1918.
  description, canning methods, effect of various sirups. D.B. 196, pp. 42–43. 1915.
  growing in young orchards, Pajaro Valley, Calif. Soil. Sur. Adv. Sh., 1908, pp. 16, 19–20. 1910; Soils F.O., 1908, pp. 1342, 1345–1346. 1911.
  insect pests, list. Sec. [Misc.], "A manual of insects * * *," p. 47. 1917.
  jelly, adulteration and misbranding (with apple). Chem. N.J., 1622, pp. 2. 1912.
  juice(s)—
    chemical analyses. R. S. Hollingshed. D.B. 773, pp. 12. 1919.
    extraction, yield, and preparation. F.B. 998, p. 21. 1918.
    labeling rulings. Chem. S.R.A. 18, p. 45. 1916.
    value as drink. News L., vol. 6, No. 45, p. 5. 1919.

Loganberry(ies)—Continued.
  origin, description, and uses. D.B. 773, pp. 1–2. 1919; F.B. 998, pp. 4–5. 1918.
  planting for permanent gardens. F.B. 1242, pp. 12–13. 1921.
  preserves, misbranding. Chem. N.J. 415, pp. 2. 1910.
  raspberry hybrid, description. B.P.I. Bul. 205, pp. 8, 25. 1911.
  shipments by States and by stations, 1916. D.B. 667, pp. 9, 101. 1918.
  See also Blackberry, Logan.
Logarithmic curves, fitting by the method of moments. J.A.R., vol. 3, pp. 411–423. 1915.
Logcock. See Woodpecker, pileated.
Logged-off—
  land, clearing and use, studies. B.P.I. Bul. 259, p. 55. 1912.
  land, description, extent, and utilization, western Washington. B.P.I. Bul. 239, pp. 7–10. 1912.
Logged-off uplands in western Washington, farming. E. R. Johnson and E. D. Strait. D.B. 1236, pp. 36. 1924.
Loggerhead. See Shrike.
Loggers, small operators, advantages in national forests. Y.B., 1912, pp. 405–416. 1913; Y.B. Sep. 602, pp. 405–416. 1913.
Logging—
  and forestry, definition of terms. For. Bul. 61, pp. 53. 1905.
  balsam fir, costs. D.B. 55, pp. 17–18. 1914.
  black walnut, methods and cost. D.B. 909, pp. 41–42, 81–85. 1921.
  brush piling and burning for fire prevention, cost. For. Bul. 82, pp. 20–25. 1910.
  California types. D.B. 440, pp. 4–5. 1917.
  camps, organization of personnel. D.B. 711, pp. 6–8. 1918.
  care in farm woods. F.B. 1177, rev., pp. 16–17. 1920.
  cause of forest fires, and prevention of danger. M.C. 7, pp. 14, 18. 1923.
  Circassian walnut. For. Cir. 212, pp. 7–8. 1913.
  conservative, avoidance of waste of wood. For. Cir. 171, pp. 18–21. 1909.
  contract, farm. For. Cir. 131, p. 11. 1907.
  costs—
    in Connecticut. For. Bul. 96, pp. 20–24. 1912.
    in Douglas-fir region. D.B. 711, pp. 25–27, 47–55, 94–115, 130–134, 153, 169–175, 184, 190–194, 200–203, 210–217, 220, 225, 237–238, 251, 253–256. 1918.
    in national forest timber sales. Y.B. 1911, pp. 365–366. 1912; Y.B. Sep. 575, D.B. pp. 365–366. 1912.
    increase by fire damage to timber. D.B. 1294, pp. 72–73. 1924.
  crews, organization. D.B. 711, pp. 6–7, 30–31, 72–74, 96, 99, 100, 102, 115, 120, 139, 143, 145. 1918.
  cypress, methods and waste. D.B. 272, pp. 11–14. 1915.
  debris, disposal. D.B. 418, p. 40. 1917.
  Douglas fir, methods. D.B. 1200, pp. 46–47. 1924.
  economy, practice. For. Cir. 131, p. 5. 1907.
  effect on forest cover and reproduction. J.A.R., vol. 28, pp. 1149–1157. 1924.
  equipment—
    and structures, classification in appraisal estimates. For. [Misc.], "Instructions * * * appraising stumpage * * *," pp. 6, 7, 8–24. 1922.
    for small sawmills. D.B. 718, pp. 53–56. 1918, operation, and costs. D.B. 440, pp. 13–65. 1917.
  general operations, methods, labor, and costs. D.B. 711, pp. 4–30, 248–252. 1918.
  greenheart, British Guiana. For. Cir. 211, pp. 7–8. 1913.
  hillsides, cause of destructive gullies. Y.B., 1913, p. 209. 1914; Y.B. Sep. 624, p. 209. 1914.
  improvements, suggestions. For. Cir. 131, pp. 9–11. 1907.
  in—
    Douglas fir region. William H. Gibbons. D.B. 711, pp. 256. 1918.
    Gulf States, conditions. Y.B., 1905, pp. 484–485. 1906; Y.B. Sep. 398, pp. 484–485. 1906.

Logging—Continued.
in—continued.
southern Appalachians, improvement. For. Cir. 118, pp. 9-15. 1907.
labor, equipment, and procedure. D.B. 718, pp. 38-56. 1918.
losses on Pacific coast. M. C. 39, pp. 29-37. 1925.
mahogany, methods. D.B. 474, pp. 14-15. 1917.
methods—
and crews. For. Cir. 131, p. 8. 1907.
in Alaska. For. Bul. 81, p. 15. 1910.
new system for control of forest fires, suggestions. For. Bul. 113, pp. 23-26. 1912.
one operation, total costs. D.B. 711, pp. 252-256. 1918.
operations, fire dangers and preventive regulation. Y.B., 1910, pp. 416-417. 1911; Y.B. Sep. 548, pp. 416-417. 1911.
plans and records. D.B. 711, p. 23. 1918.
pulpwood in Alaska, methods, costs, and requirements. D.B. 950, pp. 11-13, 14-15. 1921.
railroads, construction, details, and costs. D.B. 440, pp. 46-64. 1917.
roughness of land as cause of loss. M.C. 39, p. 30. 1925.
saving by low stumps, remarks. M.C. 39, p. 59. 1925.
Sitka spruce, methods and cost. D.B. 1060, pp. 8-10. 1922.
slash burning. D.C. 358, pp. 16-17. 1925.
southern yellow pine, waste. J. Girvin Peters. Y.B., 1905, pp. 483-494. 1906; Y.B. Sep. 398, pp. 483-494. 1906.
sugar pine, processes, and cost per thousand feet. D.B. 426, pp. 12-13. 1916.
supervision in the woods, force and costs. D.B. 440, pp. 64-65. 1917.
terms, used. For. Bul. 61, pp. 1-53. 1905.
waste—
forms and prevention. For. Cir. 131, pp. 5-6. 1907.
in—
percentages. M.C. 39, pp. 96-97. 1925.
remarks. M.C. 39, pp. 11-12. 1925.
western yellow pine distillation. D.B. 1003, pp. 1-69. 1921.
western yellow pine, in Oregon, methods. D.B. 418, pp. 32-34. 1917.
wood lot, method and necessity for care. F.B. 711, pp. 18-19. 1916.
young forest growth following. D.B. 1200, pp. 34-38. 1924.
See also Lumbering.
Logochirus araneiformis, injury to sugar-cane. Vir. Is. A.R., 1920, pp. 27-28. 1921.
Logwood—
importation and description. No. 43775, B.P.I. Inv. 49, p. 75. 1921.
injury by sapsuckers. Biol. Bul. 39, p. 44. 1911.
introduction, description, and uses. B.P.I. Bul. 205, p. 23. 1911.
value as honey plant. Ent. Bul. 75, p. 48. 1911; P.R. Bul. 15, p. 15. 1914.
LÖHNIS, F.—
"Life cycles of the bacteria." With N. R. Smith. J.A.R., vol. 6, No. 18, pp. 675-702. 1916.
"Nodule bacteria of leguminous plants." With Roy Hansen. J.A.R., vol. 20, pp. 543-556. 1921.
"Studies upon the life cycles of the bacteria—Part 2: Life history of Azotobacter." With N. R. Smith. J.A.R., vol. 23, pp. 401-432. 1923.
Lolium—
multiflorum, value for lawns. F.B. 1125, rev., pp. 19-20. 1920.
perenne, importation and description. No. 51213, B.P.I. Inv. 64, p. 76. 1923.
spp., description, distribution, and uses. D.B. 772, pp. 12, 101, 103, 104. 1920.
See also Ryegrass.
Lomalta soils, south Texas, distribution, description, and uses. Soil Sur. Adv. Sh., 1909, pp. 58-61. 1910; Soils F.O., 1909, pp. 1082-1085. 1912.
LOMANITZ, S.: "Contribution to the chemistry of decomposition of proteins and amino acids by various groups of microorganisms." With Selman A. Waksman. J.A.R., vol. 30, pp. 263-281. 1925.

LOMBARD, P. M.: "Size of potato sets; Comparisons of whole and cut seed." With others. D.B. 1240, pp. 44. 1924.
Lonchaea longicornis, infestation of yams. Ent. Bul. 82, Pt. VII, p. 90. 1911.
Lonchaea splendida larvae, infestation of citrus fruits. D.B. 134, p. 11. 1914.
Lonchocarpus formosianus, description and importations. No. 42371, B.P.I. Inv. 46, p. 85. 1919.
Lonchocarpus sp., importation and description. No. 43457, B.P.I. Inv. 49, p. 27. 1921.
London schools, nature study and gardening. O.E.S. Bul. 204, pp. 7-17. 1909.
London purple—
adulteration and misbranding. N.J. 139, I. and F. Bd. S.R.A. 8, pp. 4-6. 1915.
analysis, methods. Chem. Bul. 68, pp. 19-23. 1902; Chem. Bul. 73, pp. 161-162. 1903; Chem. Bul. 76, pp. 40-42. 1903; Chem. Bul. 81, pp. 199-200. 1904; Chem. Bul. 107, pp. 28-30. 1907; Chem. Bul. 116, pp. 124-126. 1908; Chem. Bul. 122, pp. 106-108. 1909; Chem. Bul. 132, pp. 43-45. 1910.
arsenious and arsenic oxides, determination. Chem. Bul. 137, p. 39. 1911.
composition. D.B. 1147, pp. 10, 11. 1923; F.B. 908, p. 15. 1918.
insecticide, formula. Ent. Bul. 37, pp. 51-64. 1902.
misbranding. I. and F. Bd. S.R.A. 1, pp. 14-15. 1914; I. and F. Bd. S.R.A. 25, p. 569. 1919.
preparation, and use as insecticide. J.A.R., vol. 24, p. 506. 1923.
use against insects, Porto Rico, directions. P.R. Cir. 17, pp. 5-6. 1918.
use in control of fall army worm. Sec. Cir. 40, rev., pp. 1, 2. 1912.
Londonderry lithia water, misbranding. Chem. N.J. 822, pp. 3. 1911.
Lone Star Company canal, rice irrigation, details. O.E.S. Bul. 222, pp. 40-42. 1910.
LONG, D. D.: "Soil survey of—
Ben Hill County, Ga." With Allen L. Higgins. Soil Sur. Adv. Sh., 1912, pp. 27. 1913; Soil F.O., 1912, pp. 495-517. 1915.
Bullock County, Ga." With others. Soil Sur. Adv. Sh., 1910, pp. 52. 1911; Soils F.O., 1910, pp. 453-500. 1912.
Butts and Henry Counties, Ga." With others. Soil Sur. Adv. Sh., 1919, pp. 28. 1922; Soils F.O., 1919, pp. 831-854. 1925.
Chattooga County, Ga." With A. W. Mangum. Soil Sur. Adv. Sh., 1912, pp. 57. 1913; Soils F.O., 1912, pp. 519-591. 1915.
Coweta and Fayette Counties, Ga." With others. Soil Sur. Adv. Sh., 1919, pp. 34. 1922. Soils F.O., 1919, pp. 855-888. 1925.
Crisp County, Ga." With others. Soil Sur. Adv. Sh., 1916, pp. 24. 1917; Soils F.O., 1916, pp. 627-646. 1921.
Dekalb County, Ga." With Mark Baldwin. Soil Sur. Adv. Sh., 1914, pp. 25. 1915; Soils F.O., 1914, pp. 795-815. 1919.
Dougherty County, Ga." With others. Soil Sur. Adv. Sh., 1912, pp. 63. 1913; Soils F.O., 1912, pp. 573-631. 1915.
Early County, Ga." With E. C. Hall. Soil Sur. Adv. Sh., 1918, pp. 43. 1921; Soils F.O., 1918, pp. 419-457. 1924.
Floyd County, Ga." Soil Sur. Adv. Sh., 1917, pp. 72. 1921; Soils F.O., 1917, pp. 567-632. 1923.
Glynn County, Ga." With James E. Ferguson. Soil Sur. Adv. Sh., 1911, pp. 55. 1912; Soils F.O. 1911, pp. 593-643. 1914.
Granville County, N. C." With R. B. Hardison. Soil Sur. Adv. Sh., 1910, pp. 44. 1912. Soils F.O., 1910, pp. 341-380. 1912.
Habersham County, Ga." With E. C. Hall. Soil Sur. Adv. Sh., 1913, pp. 48. 1915; Soils F.O., 1913, pp. 401-444. 1916.
Jackson County, Ga." With Mark Baldwin. Soil Sur. Adv. Sh., 1914, pp. 27. 1915; Soils F.O., 1914, pp. 729-751. 1919.
Jasper County, Ga." With M. Earl Carr. Soil Sur. Adv. Sh., 1916, pp. 43. 1918; Soils F.O., 1916, pp. 647-685. 1921.
Jones County, Ga." With others. Soil Sur. Adv. Sh., 1913, pp. 44. 1915; Soils F.O., 1913, pp. 475-514. 1916.

LONG, D. D.: "Soil survey of—Continued.
  Laclede County, Mo." With others. Soil Sur. Adv. Sh., 1911, pp. 45. 1912; Soils F.O., 1911, pp. 1635-1675. 1914.
  Lowndes County, Ga." With N. M. Kirk. Soil Sur. Adv. Sh., 1917, pp. 36. 1920; Soils F.O., 1917, pp. 633-664. 1923.
  Madison County, Ga." Soil Sur. Adv. Sh., 1918, pp. 32. 1921; Soils F.O., 1918, pp. 459-486. 1924.
  Mitchell County, Ga." With others. Soil Sur. Adv. Sh., 1920, pp. 37. 1922; Soils F.O., 1920, pp. 1-37. 1925.
  Monroe County, Ga." With others. Soil Sur. Adv. Sh., 1920, pp. 36. 1922; Soils F.O., 1920, pp. 71-102. 1925.
  Oconee, Morgan, Greene, and Putnam Counties, Ga." With others. Soil Sur. Adv. Sh., 1919, pp. 61. 1922; Soils F.O., 1919, pp. 889-945. 1925.
  Polk County, Ga." With Mark Baldwin. Soil Sur. Adv. Sh., 1914, pp. 46. 1916; Soils F.O., 1914, pp. 753-794. 1919.
  Rabun County, Ga." Soil Sur. Adv. Sh., 1920, pp. 1193-1211. 1924; Soils F.O., 1920, pp. 1193-1211. 1925.
  Scotland County, N. C." With others. Soil Sur. Adv. Sh., 1909, pp. 32. 1911; Soils F.O., 1909, pp. 421-448. 1912.
  Screven County, Ga." With others. Soil Sur. Adv. Sh., 1920, pp. 1623-1657. 1924; Soils F.O., 1920, pp. 1623-1657. 1925.
  Stewart County, Ga." With others. Soil Sur. Adv. Sh., 1913, pp. 566. 1915; Soils F.O., 1913, pp. 545-606. 1916.
  Terrell County, Ga." With Mark Baldwin. Soil Sur. Adv. Sh., 1914, pp. 62. 1915; Soils F.O., 1914, pp. 861-918. 1919.
  Turner County, Ga." With E. C. Hall. Soil Sur. Adv. Sh., 1915, pp. 28. 1916; Soils F.O., 1915, pp. 659-682. 1919.
  Wilkes County, Ga." Soil Sur. Adv. Sh., 1915, pp. 35. 1916; Soils F.O., 1915, pp. 719-749. 1919.

LONG, J. H.—
  "Investigations on the effects of—
    foods containing copper compounds on the general health and metabolism of man." Rpt. 97, pp. 209-430. 1913.
    sodium benzoate on the health and general metabolism of man." Rpt. 88, pp. 293-563. 1909.
  "Saccharin." With others. Rpt. 94, pp. 7-8. 1911.

LONG, W. H.—
  "A disease of pines caused by *Cronartium pyriforme*. With George G. Hedgcock. D.B. 247, pp. 20. 1915.
  "A honeycomb heart-rot of oaks caused by *Stereum subpileatum*." J.A.R., vol. 5, No. 10, pp. 421-428. 1915.
  "A preliminary report on the occurrence of western red-rot in *Pinus ponderosa*." D.B. 490, pp. 8. 1917.
  "An undescribed canker of poplars and willows caused by *Cytospora chrysosperma*." J.A.R., vol. 13, 331-345. 1918.
  "An undescribed species of Gymnosporangium from Japan." J.A.R., vol. 1, pp. 353-356. 1914.
  "Effect of forest fires on standing hardwood timber." For. Cir. 216, pp. 6. 1913.
  "Heart-rot of oaks and poplars caused by *Polyporus dryophilus*." With George G. Hedgcock. J.A.R., vol. 3, pp. 65-78. 1914.
  "Identity of *Peridermium fusiforme* with *Peridermium cerebrum*." With George G. Hedgcock. J.A.R., vol. 2, pp. 247-250. 1914.
  "Influence of the host on the morphological characters of *Puccinia elisiana* and *Puccinia andropogonis*." J.A.R., vol. 2, pp. 303-319. 1914.
  "Investigations of the rotting of slash in Arkansas." D.B. 496, pp. 15. 1917.
  "Pure cultures of wood-rotting fungi on artificial media." With R. M. Harsch. J.A.R., vol. 12, pp. 33-82. 1918.
  "The death of chestnuts and oak due to *Armillaria mellea*." D.B. 89, pp. 9. 1914.

LONG, W. H.—Continued.
  "The western yellow pine mistletoe." With Clarence F. Korstian. D.B. 1112, pp. 36. 1922.
  "Three undescribed heart rots of hardwood trees, especially of oak." J.A.R., vol. 1, pp. 109-128. 1913.
  "Two new hosts for *Peridermium pyriforme*." With G. G. Hedgcock. J.A.R., vol. 5, No. 7, pp. 289-290. 1915.

LONG, W. W., report of South Carolina extension work in agriculture and home economics—
  1915. S.R.S. Rpt., 1915, Pt. II, pp. 106-114. 1916.
  1916. S.R.S. Rpt., 1916, Pt. II, pp. 113-123. 1917.
  1917. S.R.S. Rpt., 1917, Pt. II, pp. 118-125. 1919.

Long Island—
  closed season for shorebirds and woodcock. Y.B. 1914, pp. 292, 293. 1915; Y.B. Sep. 642, pp. 292, 293. 1915.
  duck farms, note. F.B. 697, p. 1. 1915.
  game laws—
    1902. F.B. 160, pp. 18, 52. 1902.
    1903. F.B. 180, pp. 13, 44. 1903.
    1904. F.B. 207, p. 22. 1904.
    1905. F.B. 230, pp. 20-21. 1905.
    1906. F.B. 265, p. 19. 1906.
    1907. F.B. 308, p. 18. 1907.
    1908. F.B. 336, p. 20. 1908.
    1909. F.B. 376, pp. 25, 40. 1909.
    1910. F.B. 418, pp. 18, 33. 1910.
    1911. F.B. 470, pp. 22. 1911.
    1912. F.B. 510, p. 18. 1912.
    1913. D.B. 22, pp. 20, 30. 1913; D.B. 22, rev. pp. 20, 30. 1913.
    1914. F.B. 628, pp. 21, 32, 38, 42, 50. 1914.
    1915. F.B. 692, pp. 31, 52. 1915.
    1916. F.B. 774, p. 28. 1916.
    1917. F.B. 910, p. 28. 1917.
    1918. F.B. 1010, pp. 6, 26, 49. 1918.
    1919. F.B. 1077, pp. 3, 29, 57. 1919.
    1920. F.B. 1138, p. 31. 1920.
    1921. F.B. 1235, pp. 33, 68. 1921.
    1922. F.B. 1288, pp. 30, 66. 1922.
    1923-24. F.B. 1375, pp. 30, 60. 1923.
    1925-26. F.B. 1466, pp. 8, 27-28. 1925.
  Matinecock, Neighborhood House, origin, cost, activities, and uses. D.B. 825, pp. 11-16. 1920.

Long Island Sound drainage work against mosquitoes. Ent. Bul. 88, pp. 9, 43, 47, 84, 111. 1910.

Long-leaf. *See* Spike disease.

LONGACRE, M. Y.: "Soil survey of—
  Howard County, Ark." With others. Soil Sur. Adv. Sh., 1917, pp. 48. 1919; Soils F.O., 1917, pp. 1355-1398. 1923.
  Linn County, Iowa." With others. Soil Sur. Adv. Sh., 1917, pp. 44. 1920; Soils F.O., 1917, pp. 1685-1724. 1923.

Longan—
  cultivation in Guam. O.E.S. Doc. 1137, p. 410. 1908.
  importations and descriptions. No. 32006, B.P.I. Bul. 261, p. 16. 1912; No. 34206, B.P.I. Inv. 32, p. 23. 1914; No. 41053, B.P.I. Inv. 44, pp. 33-34. 1918; Nos. 47423, 47431, B.P.I. Inv. 59, pp. 17, 18. 1922.
  use as stock for litchi grafting, and botanical status. B.P.I. Bul. 202, pp. 37, 38. 1911; Hawaii Bul. 44, pp. 11, 20. 1917.

Longicorn beetle, enemy of St. Croix sugar-cane, control. Vir. Is. Bul. 2, pp. 22-23. 1921.

LONGLEY, A. E.—
  "Chromosomes in maize and maize relatives." J.A.R., vol. 28, pp. 673-682. 1924.
  "Cytological studies of diploid and polyploid forms in raspberries." With George M. Darrow. J.A.R., vol. 27, pp. 737-748. 1924.

LONGLEY, A. T.—
  "Index to publications of the Hawaii Agricultural Experiment Station, July 1, 1901 to December 31, 1911." Hawaii [Misc.], "Index to publications * * *," pp. 38. 1912.
  report of Territorial Marketing Division, Hawaii Experiment Station—
    1916. Hawaii A.R., 1916, pp. 43-46. 1917.
    1917. Hawaii A.R., 1917, pp. 55-56. 1918.

LONGOBARDI, CESARE: "The collection and distribution of milk and dairy products, statistics by the International Institute of Agriculture at Rome." B.A.I. Dairy [Misc.], "World's dairy congress, 1923," pp. 45-55. 1924.
Longspur—
 Alaska—
  occurrence in Pribilof Islands, habits, and food. N.A. Fauna 46, pp. 94-95. 1923.
  occurrence in Yukon Territory. N.A. Fauna 30, pp. 40, 90. 1909.
  range and habits. N.A. Fauna 21, pp. 47, 78. 1901; N.A. Fauna 24, p. 74. 1904.
 food habits, winter and summer. D.B. 1249, pp. 22-27. 1924.
 Lapland, food habits. Biol. Bul. 15, pp. 45, 54, 55. 1901.
 occurrence in—
  Arkansas. Biol. Bul. 38, pp. 61-62. 1911.
  Athabaska-Mackenzie region. N.A. Fauna 27, pp. 423-427. 1908.
 range and habits. N.A. Fauna 22, pp. 19, 61-119, 120. 1902.
LONGWELL, C. L., report of Hamilton Fruit Company, Montana. Rpt. 98, pp. 229-231. 1913.
Lonicera spp. *See* Honeysuckle.
LOOMIS, H. F.—
 colors in food products. Chem. Bul. 132, pp. 55-58. 1910.
 "Comparison of Pima cotton with upland varieties in Arizona." With others. J.A.R., vol. 28, pp. 937-954. 1924.
 "Identification of food colors." Chem. Cir. 63, pp. 69. 1911.
 "Report on colors: The solubility and extraction of colors and the color reactions of dyed fiber and aqueous and sulphuric-acid solutions." Chem. Cir. 35, pp. 51. 1907.
 report on heavy metals in foods. Chem. Bul. 162, pp. 139-145. 1913.
 "Summer irrigation of Pima cotton." With R. D. Martin. J.A.R., vol. 23, pp. 927-946. 1923.
Looms, parts manufactured from white pine. For. Bul. 99, p. 51. 1911.
Loons—
 breeding and occurrence. Biol. Bul. 38, p. 14. 1911.
 in Alaska, Athabaska-Mackenzie region, varieties, habits. N.A. Fauna 27, pp. 254-259. 1908.
 in Alaska, occurrence, descriptions of varieties. N.A. Fauna 24, pp. 51-52. 1904.
 in Pribilof Islands, description. N.A. Fauna 46, p. 17. 1923.
 protection, and exception from. Biol. Bul. 12, rev., pp. 41, 42, 44. 1902.
 range and habits. N.A. Fauna 21, pp. 38, 72. 1901; N.A. Fauna 22, pp. 75-77. 1902; N.A. Fauna 24, pp. 51-52. 1904.
Looper—
 grapevine. *See* Grapevine looper.
 injury to cabbage in Hawaii. Ent. Bul. 109, Pt. III, pp. 32-33. 1912.
 tree defoliation. F.B. 1169, p. 36. 1921.
 See also Measuring worms.
Lopez specific special compound. Chem. N.J. 816, pp. 3. 1911.
Lophocateres pusillus. *See* Siamese grain beetle.
Lophodermium—
 macrosporum, injury to foliage of Sitka spruce. D.B. 1060, p. 18. 1922.
 nervisequium, description and effects. For. [Misc.], "Forest tree diseases * * *," pp. 33, 34. 1914.
 nervisequium, occurrence on white-fir foliage. D.B. 275, pp. 28, 35. 1916.
 pinastri, cause of needle-cast disease of conifers. D.B. 44, p. 13. 1913.
Lophophora spp., use as medicine. B.P.I. Bul. 262, p. 16. 1912.
Lophophyton gallinae, cause of poultry white comb, description. F.B. 530, p. 24. 1913; F.B. 1337, p. 26. 1923.
Lophortyx californica. *See* Quail, California.
Lophyrus pini—
 depredations in European forests. Y.B., 1907, p. 153. 1908; Y.B. Sep. 442, p. 153. 1908.
 host of *Calosoma sycophanta*. Ent. Bul. 101, p. 13. 1911.

Loquat—
 attack by *Glomerella cingulata*, studies. B.P.I. Bul. 252, p. 30. 1913.
 blossoms, nectar poisonous to Argentine ant. D.B. 647, p. 9. 1918.
 Eulalia, history and description. Y.B., 1905, pp. 503-504. 1906; Y.B. Sep. 399, pp. 503-504. 1906.
 growing in Hawaii, description, varieties, and uses. Hawaii A.R., 1916, p. 21. 1917.
 importations and descriptions. No. 31770, B.P.I. Bul. 248, p. 46. 1912; Nos. 34101, 34119, B.P.I. Inv. 32, pp. 10, 12. 1914; No. 36210, B.P.I. Inv. 36, p. 66. 1915; Nos. 38496-38497, 38568, B.P.I. Inv. 39, pp. 139, 148. 1917. No. 43148, B.P.I. Inv. 48, p. 22. 1921; No. 48302, B.P.I. Inv. 60, p. 68. 1922; No. 49840, B.P.I. Inv. 63, p. 10. 1923.
 infestation—
  by Mediterranean fruit fly. D.B. 161, pp. 3-5. 1914; J.A.R., vol. 3, pp. 313, 326. 1915.
  with Mediterranean fruit fly. D.B. 536, pp. 24, 36. 1918; Ent. Cir. 160, pp. 5, 9, 11-13. 1912.
 insect pests, list. Sec. [Misc.], "A manual of * * * insects * * *," p. 142. 1917.
 new, description. B.P.I. Bul. 207, p. 45. 1911; Y.B., 1905, pp. 503-504. 1906; Y.B. Sep. 399, pp. 503-504. 1906.
 stock, value of *Photinia villosa* from China. B.P.I. Bul. 205, pp. 7, 18. 1911.
 varieties, recommendations for various fruit districts. B.P.I. Bul. 151, p. 65. 1909.
LORD, E. C. E.—
 "Examination and classification of road building, including the physical properties of rocks with reference to their mineral composition and structure." Rds. Bul. 37, pp. 28. 1911.
 "Examination and classification of rocks for road building, including the principal properties of rocks with reference to their mineral composition and structure." Rds. Bul. 31, pp. 29. 1907.
 "Relation of mineral composition and rock structure to the physical properties of road material." D.B. 348, pp. 26. 1916.
 "Ultra-microscopic examination of disperse colloids present in bituminous road materials." J.A.R., vol. 17, pp. 167-176. 1919.
Lord Baltimore (horse), pedigree. B.A.I An. Rpt., 1907, pp. 97, 136. 1909; B.A.I. Cir. 137, pp. 97 136. 1908.
Lord Brilliant (horse), history and pedigree. B.A.I An. Rpt., 1907, pp. 87, 98, 136. 1909; B.A.I. Cir. 137, pp. 87, 98, 136. 1908.
Lorenz sediment test of milk, comparison with other methods. D.B. 361, pp. 2-6. 1916.
Loroma amethystina. *See* Palm, amethyst.
Lorry, standard, for milk collection. B.A.I. Dairy [Misc.] "World's dairy congress, 1923," p. 1181. 1924.
LORY, C. A., report on Colorado extension work in agriculture and home economics, 1915. S.R.S. Rpt., 1915, Pt. II, pp. 179-183. 1917.
Los Angeles—
 market station, lines of work. Y.B., 1919, p. 96. 1920; Y.B. Sep. 797, p. 96. 1920.
 milk supply, statistics, officials, prices, and ordinances. B.A.I. Bul. 46, pp. 26, 48, 201. 1903.
Los Angeles River, Calif., study of water rights on. Edward M. Boggs. O.E.S. Bul. 100, pp. 327-351. 1901.
LOSH, A. R.: "Highway cost keeping." James J. Tobin. D.B. 660, pp. 52. 1918.
Losses—
 causes in farming. D.B. 920, pp. 20-21. 1920.
 fire—
  adjustment by mutual fire-insurance companies. D.B. 786, pp. 12-13. 1919.
  prevention methods and settlement by insurance companies. D.B. 530, pp. 17-18, 27-28. 1917.
Lotion, white, for dressing wounds of cattle, formula. B.A.I. [Misc.], "Diseases of cattle," rev., p. 297. 1904; rev., p. 307. 1912.
Lotus—
 borer (*Pyrausta penitalis* Grote), biology. George G. Ainslie and W. B. Cartwright. D.B. 1076, pp. 14. 1922.

Lotus—Continued.
  borer, parasites, description. D.B. 1076, pp. 11–12. 1922.
  nodules, occurrence. B.P.I. Cir. 31, p. 6. 1909.
  rhizome, digestion experiment. O.E.S. Bul. 159, pp. 169, 172. 1905.
  spp., importations and descriptions. Nos. 35471, 35472, B.P.I. Inv. 35, p. 50. 1915; Nos. 48634–48636, B.P.I. Inv. 61, pp. 30–31. 1922; Nos. 51856–51869, B.P.I. Inv. 65, pp. 6, 58–60. 1923.
  value on swamp lands. B.P.I. Chief Rpt., 1921, p. 27. 1921.
  yellow, borer infestation, study. D.B. 1076, pp. 2–4. 1922.
LOUGHRIDGE, R. H.: "Distribution of water in the soil in furrow irrigation." O.E.S. Bul. 203, pp. 63. 1908.
Louisiana—
  Abbeville, bamboo grove, success. D.B. 1329, pp. 18–19. 1925.
  agricultural colleges, and experiment stations organization—
    1905. O.E.S. Bul. 161, pp. 29–31. 1905.
    1906. O.E.S. Bul. 176, pp. 33–35. 1907.
    1907. O.E.S. Bul. 197, pp. 35–37. 1908.
    1910. O.E.S. Bul. 224, pp. 30–31. 1910.
    1911. O.E.S. Bul. 247, pp. 31–33. 1912.
  agricultural colleges, etc. See also Agriculture, workers list.
  agricultural extension work, statistics. D.C. 253, pp. 4, 8, 10–11, 17, 18. 1923.
  and Texas, rice irrigation, 1902. Frank Bond. O.E.S. Bul. 133, pp. 178–195. 1903.
  anthrax contagion in river lands. B.A.I. An. Rpt., 1909, pp. 226. 1911; F.B. 439, p. 14. 1911.
  areas infested with pink bollworm, quarantine regulations. F.H.B.S.R.A. 75, pp. 61–62, 64–65. 1923.
  Argentine ant, injuries and control measures. F.B. 928, pp. 3, 7–8, 9, 10–17. 1918.
  barley crops, 1871–1906, acreage, production, and value. Stat. Bul. 59, pp. 9, 17–19, 33. 1907.
  bean-growing experiments. D.B. 119, pp. 13, 21, 26. 1914.
  bee and honey statistics. D.B. 325, pp. 6, 9, 10, 11, 12. 1915; D.B. 685, pp. 7, 10–31. 1918.
  bird(s)—
    eating boll weevils, investigations, 1906, 1907. Biol. Bul. 29, pp. 23, 29. 1907.
    protection. See Bird protection, officials.
    reports from observers, 1916–1918. D.B. 1165, p. 10. 1923.
    reservations, details and summary. Biol. Cir. 87, pp. 9, 10, 15, 16. 1912.
  boll-weevil—
    control, statistics. D.B. 564, pp. 1–51. 1917; Ent. Bul. 100, pp. 20–38. 1912; F.B. 512, pp. 10, 35. 1912.
    feeding experiments with hibiscus. J.A.R., vol. 2, p. 241. 1914.
    hibernation experiments. Ent. Bul. 77, pp. 38–48. 1909.
    invasion and damage. Y.B., 1917, pp. 329–330. 1918; Y.B. Sep. 749, pp. 5–6. 1918.
    territory affected. F.B. 216, pp. 10–12. 1905; Ent. Bul. 167, p. 3. 1913.
  boys' and girls' club work. O.E.S. Bul. 251, p. 18. 1912.
  boys' pig-club work. Y.B., 1915, pp. 173, 179–183, 186, 272e. 1916; Y.B. Sep. 667, pp. 173, 179–183, 186. 1916; Y.B. Sep. 675, p. 272e. 1916.
  Breton Island, bird reservation, conditions. An. Rpts., 1912, p. 672. 1913; Biol. Chief Rpt., 1912, p. 16. 1912.
  cabbage production, acreage, yield, and shipments. D.B. 1242, pp. 12, 14, 15, 19, 51–52. 1924.
  Caddo Parish, origination of pig-club work. Y.B., 1917, p. 383. 1918; Y.B. Sep. 753, p. 15. 1918.
  camphor-scale outbreaks in 1921. D.B. 1103, pp. 31, 32. 1922.
  camphor-scale quarantine, hearing. F.H.B.S.R.A. 73, pp. 127–129. 1923.
  canals, seepage measurements. D.B. 126, pp. 24–25. 1915.
  cane-sugar—
    acreage, production, and yield. Y.B., 1917, pp. 453–456. 1918; Y.B. Sep. 756, pp. 9–12. 1918.

Louisiana—Continued.
  cane-sugar—continued.
    production—
      1911–1914. F.B. 672, pp. 4–5. 1915.
      1911–1918. Y.B., 1918, p. 576. 1919; Y.B. Sep. 792, p. 63. 1919.
      1911–1921. Y.B., 1921, p. 659. 1922; Y.B. Sep. 869, p. 79. 1922.
      1912–1914. Y.B., 1915, pp. 497, 500. 1916; Y.B. Sep. 683, pp. 497, 500. 1916.
  cantaloupe shipments, 1914. D.B. 315, pp. 17, 18. 1915.
  castor bean, gray-mold outbreak. J.A.R., vol. 23, p. 681. 1923.
  cattle—
    fever quarantine areas—
      November 1, 1911. B.A.I.O. 183, rule 1, rev., 8, p. 7. 1911.
      December 1, 1917, and releases. B.A.I.O. 255, pp. 3, 9. 1918.
      December, 1919. B.A.I.O. 269, pp. 4, 7. 1919.
      December 10, 1922. B.A.I.O. 279, pp. 3, 7. 1922.
      Vernon Parish. B.A.I.O. 262, amdt. 6, p. 1. 1919.
    tick—
      conditions, 1911. B.A.I An. Rpt., 1910, pp. 256, 257. 1912; B.A.I. Cir. 187, pp. 256, 257. 1912.
      eradication, effect. B.A.I. [Misc.], "Cattle-tick eradication," pp. 5, 7–8. 1914.
      eradication, laws. D.C. 184, pp. 28–32. 1921.
  central Delta district, characteristics. D.B. 1318 pp. 2–3. 1925.
  cities, dairy products, consumption and prices, 1905–1906. B.A.I. An. Rpt., 1907, pp. 315–317. 1909; F.B. 349, pp. 14–16. 1909.
  cities, milk-supply statistics. B.A.I. Bul. 70, pp. 6–7, 36–38. 1905.
  citrus—
    fruit growing conditions. F.B. 238, pp. 14–36. 1906; F.B. 1122, pp. 5–6, 13. 1920.
    fruit marketing. Rpt. 98, p. 58. 1913.
    fruit varieties, adaptability. F.B. 238, pp. 14, 36. 1906; F.B. 538, pp. 14–15. 1913.
    groves, ant-invaded, improvement. D.B. 647, pp. 57–60. 1918.
    groves, stock suitability. F.B. 539, p. 3. 1913.
    industry development. F.B. 1343, pp. 3, 10. 1923.
    trees, destruction by various causes. D.B. 647, pp. 4–7. 1918.
  closed season for shorebirds and woodcock. Y.B., 1914, p. 293. 1915; Y.B. Sep. 642, p. 293. 1915.
  convict road-work, laws. D.B. 414, p. 202. 1916.
  cooperative organizations, statistics. D.B. 547, pp. 13, 15, 32. 1917.
  corn—
    1866–1906, crops, acreage, production, and value. Stat. Bul. 56, pp. 7–27, 34. 1907.
    1866–1915, yields and prices. D.B. 515, p. 12. 1917.
    production movements, consumption, and prices. D.B. 696, pp. 15, 16, 20, 28, 29, 33, 36, 38, 41, 48. 1918.
    protection from weevils, cost of storage. F.B. 1029, pp. 33–36. 1919.
  cotton—
    boll-weevil control by various factors, tables. Ent. Bul. 74, pp. 16, 27–63, 75. 1907.
    crop movement, 1899–1904. Stat. Bul. 34, pp. 21–22, 44–45. 1905.
    fields, cleaning of pink bollworm, report. F.H.B.S.R.A. 78, pp. 3–8. 1924.
    prices, variations, and comparisons. D.B. 457, pp. 3, 9, 12. 1916.
    problems. B.P.I. Cir. 130, pp. 3–14. 1913.
    production—
      1916 and 1917. D.B. 733, pp. 3, 5, 6, 7–8. 1918.
      and yield. D.B. 896, pp. 3–4. 1920.
      conditions and results. Sec. Cir. 32, pp. 6, 8–9. 1910.
      under boll-weevil conditions, reports from farmers. B.P.I. Doc. 619, pp. 7, 8. 1911.
    single-stalk culture experiments, and yields. D.B. 526, pp. 6–16, 28–30. 1918.

INDEX TO PUBLICATIONS, 1901-1925   1407

Louisiana—Continued.
county organization, and expenditures for extension work, 1918. S.R.S. Rpt., 1918, pp. 30, 128-158. 1919.
credits, farm-mortgage loans, costs and sources. D.B. 384, pp. 2, 3, 5, 8, 9, 10. 1916.
crop(s)—
  acreage and production, 1909-1919. D.C. 85, pp. 14-19. 1920.
  and cultural methods. Y.B., 1905, pp. 207-210. 1906; Y.B. Sep. 377, pp. 207-210. 1906.
  pest commission, work. Ent. Bul. 60, pp. 119-127. 1906.
  planting and harvesting dates, important crops. Stat. Bul. 85, pp. 26, 48, 98. 1912.
  relation to boll-weevil damage. F.B. 848, p. 7. 1917.
crow roosts, location and numbers of birds. Y.B., 1915, p. 93. 1916; Y.B. Sep. 659, p. 93. 1916.
Crowley Experiment Station, rice varieties, development. D.B. 1127, pp. 1-18. 1923; F.B. 1092, p. 15. 1920; F.B. 1212, pp. 3, 11-16. 1921.
dairying costs. Y.B., 1922, pp. 346, 347, 348. 1923; Y.B. Sep. 879, pp. 55, 56, 57. 1923.
demonstration work, cooperative, organization, results. F.B. 319, pp. 6, 21. 1908.
demurrage-provisions regulations. D.B. 191, pp. 3, 26. 1915.
diversified farming, results. News L., vol. 6, No. 45, p. 13. 1919.
Donaldsonville fair, cattle shipments, permit. B.A.I.O. 261, pp. 2. 1918.
drainage—
  by pumping, factors affecting. D.B. 71, pp. 59-82. 1914; D.B. 304, pp. 6, 33, 37, 39. 1915.
  districts, Nos. 3 and 12, description and records. J.A.R., vol. 11, pp. 248-266. 1917.
  law. O.E.S. Cir. 76, p. 18. 1907.
  of swamp lands, Gulf coast. D.B. 71, pp. 1-82. 1914; D.B. 652, pp. 1-67. 1918.
  plants, need, and types. O.E.S. Bul. 183, pp. 70-72. 1907.
  tracts, experimental, description. O.E.S. An. Rpt., 1909, pp. 420-425. 1910.
  work, details of machinery and cost. D.B. 300, pp. 13-14, 29-30, 32-33. 1916.
drug laws. Chem. Bul. 98, pp. 84-86. 1906; Chem. Bul. 98, rev. Pt. I, pp. 133-136. 1909.
drug plants, growing. Y.B., 1917, p. 171. 1918; Y.B. Sep. 734, p. 5. 1918.
duck-shooting case, State vs. Dudley, decision of court. Biol. Cir. 73, p. 18. 1910.
early settlement, historical notes. See *Soil surveys for various parishes and areas.*
experiment stations, work and expenditures—
  1905. W. R. Dodson. O.E.S. An. Rpt., 1905, pp. 78-80. 1906.
  1906. W. R. Dodson. O.E.S. An Rpt., 1906, pp. 110-111. 1907.
  1907. W. R. Dodson. O.E.S. An. Rpt., 1907, pp. 108-111. 1908.
  1908. W. R. Dodson. O.E.S. An. Rpt., 1908, pp. 104-106. 1909.
  1909. W. R. Dodson. O.E.S. An. Rpt., 1909, pp. 114-117. 1910.
  1910. W. R. Dodson. O.E.S. An. Rpt., 1910, pp. 149-152. 1911.
  1911. W. R. Dodson. O.E.S. An. Rpt., 1911, pp. 118-121. 1912.
  1912. W. R. Dodson. O.E.S. An. Rpt., 1912, pp. 124-127. 1913.
  1913. W. R. Dodson. O.E.S. An. Rpt., 1913, pp. 50-51. 1915.
  1914. W. R. Dodson. Work and Exp., 1914, pp. 120-123. 1915.
  1915. W. R. Dodson. Work and Exp., 1915, pp. 130-134. 1917.
  1915. W. R. Dodson. S.R.S. Rpt., 1915, Pt. I, pp. 130-134. 1916.
  1916. W. R. Dodson. S.R.S. Rpt., 1916, Pt. I, pp. 131-136. 1918.
  1917. W. R. Dodson. S.R.S. Rpt., 1917, Pt. I, pp. 128-133. 1918.
  1918. W. R. Dodson. S.R.S. Rpt., 1918, pp. 70-80. 1920.
extension work in agriculture and home economics—
  1915. W. R. Dodson. S.R.S. Rpt., 1915, Pt. II, pp. 71-79. 1917.

Louisiana—Continued.
extension work in agriculture and home economics—continued.
  1917. W. R. Dodson. S.R.S. Rpt., 1917, Pt. II, pp. 77-85. 1919.
  1918. S.R.S. [Misc.], 1918, pp. 30, 37, 38, 42, 48. 1919.
extension-work statistics. D.C. 306, pp. 3, 5, 10, 14, 20, 21. 1924.
fairs, number, kind, location, and dates. Stat. Bul. 102, pp. 13, 14, 34. 1913.
farm—
  animals, statistics, 1867-1907. Stat. Bul. 64, p. 128. 1908.
  conditions, letters from women. Rpt. 103, p. 20. 1915; Rpt. 104, pp. 33, 40, 51, 52, 56, 62, 71. 1915; Rpt. 105, pp. 17, 32, 44. 1915; Rpt. 106, pp. 21, 34, 59, 61. 1915.
  labor, man and horse, record comparisons. D.B. 529, pp. 5-6. 1917.
  leases, provisions. D.B. 650, pp. 7, 12, 19. 1918.
  values—
    changes, 1900-1905. Stat. Bul. 43, pp. 11-17, 29-46. 1906.
    income, and tenancy classification. D.B. 1224, pp. 96-97. 1924.
farmers' institute—
  history. O.E.S. Bul. 174, p. 42. 1906.
  legislation. O.E.S. Bul. 241, p. 21. 1911.
  work—
    1901. O E.S. Bul. 120, p. 34. 1902.
    1904. O.E.S. An. Rpt., 1904, pp. 644-645. 1905.
    1906. O.E.S. An. Rpt., 1906, p. 332. 1907.
    1907. O.E.S. An. Rpt., 1907, p. 330. 1908.
    1909. O.E.S. An. Rpt., 1909, p. 346. 1910.
    1910. O.E.S. An. Rpt., 1910, p. 406. 1911.
    1911. O.E.S. An. Rpt., 1911, p. 372. 1912; O.E.S. Doc. 1507, p. 372. 1912.
    1912. O.E.S. An. Rpt., 1912, p. 365. 1913.
farming diversified, experiment. F.B. 299, pp. 9-13. 1907.
fertilizer prices, 1919, by counties. D.C. 57, pp. 4, 7, 11. 1919.
field work of Plant Industry, December, 1924. M.C. 30, p. 24. 1925.
fifth levee district, drainage, preliminary report. A. E. Morgan and others. O.E.S. Cir. 104, pp. 35. 1911.
fig growing. F.B. 1031, pp. 3, 4, 8, 19-21. 1919.
food laws—
  1905. Chem. Bul. 69, rev., Pt. III, pp. 215-219. 1905.
  1908. Chem. Bul. 104, pp. 29-31. 1908.
  1908. Chem. Cir. 16, rev., p. 12. 1908.
forest—
  conditions. J. H. Foster. For. Bul. 114, pp. 39. 1912.
  fires, statistics. For. Bul. 117, p. 29. 1912.
  regions, areas of different species. For. Bul. 114, pp. 8-19. 1912.
forestry laws, 1921, summary. D.C. 239, p. 10. 1922.
funds for cooperative extension work, sources. S.R.S. Doc. 40, pp. 4, 5, 9, 14. 1917.
fur animals, laws—
  1915. F.B. 706, p. 7. 1915.
  1916. F.B. 783, p. 8. 1916.
  1917. F.B. 911, pp. 11, 31. 1917.
  1918. F.B. 1022, pp. 10, 31. 1918.
  1919. F.B. 1079, p. 14. 1919.
  1920. F.B. 1165, p. 12. 1920.
  1921. F.B. 1238, p. 11. 1921.
  1922. F.B. 1293, p. 9. 1922.
  1923-24. F.B. 1387, p. 12. 1923.
  1924-25. F.B. 1445, p. 9. 1924.
  1925-26. F.B. 1469, p. 12. 1925.
game—
  estimate by conservation commission. D.B. 1049, pp. 12, 13. 1922.
  laws—
    1902. F.B. 160, pp. 13, 32, 36. 1902.
    1903. F.B. 180, pp. 11, 22, 44, 46. 1903.
    1904. F.B. 207, pp. 19, 33, 50. 1904.
    1905. F.B. 230, pp. 17, 30. 1905.
    1906. F.B. 265, pp. 8, 16, 29. 1906.
    1907. F.B. 308, pp. 14, 28. 1907.
    1908. F.B. 336, pp. 8, 16, 31, 40, 44, 50. 1908.
    1909. F.B. 376, pp. 21, 34, 39, 42, 47. 1909.
    1910. F.B. 418, pp. 4, 5, 7, 11, 14, 27, 32, 36, 41. 1910.

Louisiana—Continued.
  game—continued.
    laws—continued.
      1911. F.B. 470, pp. 19, 31, 37, 41, 47. 1911.
      1912. F.B. 510, pp. 4, 5, 6, 7, 8, 9, 10, 15, 25–26, 27, 32, 34, 37, 39, 43. 1912.
      1913. D.B. 22, pp. 20, 21, 26, 39, 45, 48, 53. 1913; D.B. 22, rev., pp. 20, 21, 26, 39, 45, 48, 53. 1913.
      1914. F.B. 628, pp. 2, 3, 4, 5, 10, 11, 12, 13, 18, 28–29, 31, 35, 36, 41, 47. 1914.
      1915. F.B. 692, pp. 28, 41, 47, 50, 52, 58. 1915.
      1916. F.B. 774, pp. 8, 25, 38, 45, 49, 51, 58. 1916.
      1917. F.B. 910, pp. 18, 47. 1917.
      1918. F.B. 1010, pp. 6, 16, 45, 47–48, 61. 1918.
      1919. F.B. 1077, pp. 18, 49, 72, 73. 1919.
      1920. F.B. 1138, p. 20. 1920.
      1921. F.B. 1235, pp. 22, 56. 1921.
      1922. F.B. 1288, pp. 18–19, 53. 1922.
      1923–24. F.B. 1375, pp. 19, 49. 1923.
      1924–25. F.B. 1444, pp. 13, 36. 1924.
      1925–26. F.B. 1466, pp. 19, 44. 1925.
    protection. See Game protection, officials.
    refuges. D.B. 1049, pp. 46–47. 1922.
  grain supervision, districts and counties. Mkts. S.R.A. 14, pp. 25, 26, 27, 28. 1916.
  hay crops, 1866–1906, acreage, production, and value. Stat. Bul. 63, pp. 5–10, 13–25, 32. 1908.
  herds, lists of tested and accredited. D.C. 54, pp. 11, 22, 29, 54, 80. 1919; D.C. 142, pp. 15, 18, 32, 42, 47–49. 1920; D.C. 143, pp. 26, 71. 1920; D.C. 144, pp. 4, 26. 1920.
  high-school fair, promotion of boys' and girls' clubs, 1914–15. News L., vol. 3, No. 4, p. 3. 1915.
  hill farms, labor standards. M. Bruce Oates and L. A. Reynoldson. D.B. 961, pp. 27. 1921.
  hill-land erosion, control method. S.R.S. Doc. 41, pp. 1, 5. 1917.
  Houston clay, areas, location, description, and uses. Soils Cir. 49, pp. 5, 11. 1911.
  hunting laws. Biol. Bul. 19, pp. 12, 15, 19, 27, 34, 63, 65. 1904.
  Iberia Experiment Farm, livestock production work. An. Rpts., 1917, pp. 127–129. 1918; B.A.I. Chief Rpt., 1917, pp. 61–63. 1917.
  insecticide and fungicide laws. I. and F. Bd., S.R.A. 13, pp. 114–116. 1916.
  interest rates on loans to farmers. Y.B., 1921, pp. 368, 778. 1922; Y.B. Sep. 877, p. 368. 1922; Y.B. Sep. 871, p. 9. 1922.
  introduction of Argentine ant. Ent. Bul. 122, pp. 12–14. 1913.
  irrigation—
    of rice. O.E.S. Bul. 113, p. 11. 1902.
    of rice, cost of pumping from wells (with Arkansas.) W. B. Gregory. O.E.S. Bul. 201, pp. 39. 1908.
    pumping plants, discharge cost. O.E.S. Bul. 158, p. 56. 1905.
  Jefferson Parish, drainage area, levees, canals, pumping plants. D.B. 71, pp. 23–28. 1914.
  La Fourche Parish—
    drainage area, levees, canals, and pumping plants. D.B. 71, pp. 28–45. 1914.
    reclamation, experimental. O.E.S. An. Rpt., 1909, pp. 421–429, 436. 1910.
  land ownership and taxation. For. Bul. 114, pp. 7–8, 32–34. 1912.
  lard supply, wholesale and retail, August 31, 1917, tables. Sec. Cir. 97, pp. 14–32. 1918.
  law(s)—
    and decisions on livestock sanitary control. D.C. 184, pp. 28–32. 1921.
    for foods and food control, revised to July 1, 1905. Chem. Bul. 69, rev., Pt. III, pp. 215–219. 1905.
    governing composition and sale of insecticides. Chem. Bul. 76, pp. 58–59. 1903.
    nursery stock interstate shipment, digest. F.H.B.S.R.A. 57, pp. 113, 114, 115. 1919; Ent. Cir. 75, rev., p. 4. 1909.
    on dogs, digest. F.B. 935, pp. 14–15. 1918; F.B. 1268, p. 15. 1922.
    on seed trees, summary. D.B. 1061, pp. 40–41. 1922.
    on tobacco inspection. B.P.I. Bul. 268, p. 31. 1913.

Louisiana—Continued.
  legislation—
    protecting birds. Biol. Bul. 12, rev., pp. 23, 36, 39, 45, 54, 91–92, 137. 1902.
    relative to tuberculosis. B.A.I. Bul. 28, p. 38. 1901.
  lettuce disease, description and cause. J.A.R., vol. 13, pp. 367, 371. 1918.
  Lincoln Parish, survey and tillage records for cotton. D.B. 511, pp. 51–53. 1917.
  livestock sanitary requirements for admission. B.A.I. Doc. A.–28, pp. 15–16. 1917; B.A.I. Doc. A.–36, pp. 22–23. 1920; M.C. 14, pp. 28–29. 1924.
  livestock associations. Y.B., 1920, p. 521. 1921; Y.B. Sep. 866, p. 521. 1921.
  lumber—
    cut—
      1870–1920, value, and kinds. D.B. 1119, pp. 27, 30–35, 43–61. 1923.
      1905. For. Cir. 52, pp. 8–10, 13, 22, 23. 1906.
      1906. For. Cir. 129, p. 6. 1907.
      1909, pine, cypress and hardwoods. For Bul. 114, pp. 21–24. 1912.
    increase since 1880. For. Cir. 166, pp. 18, 19. 1909.
    production statistics 1918, by mills, woods, lath and shingles. D.B. 845, pp. 6–10, 13, 16, 19, 22, 26, 27, 30, 32–38, 40, 42–47. 1920.
  market problems, work. Sec. Cir. 56, pp. 11, 12. 1916.
  marketing activities and organization. Mkts. Doc. 3, p. 3. 1916.
  mealybugs, effect of Argentine ant. D.B. 647, pp. 21–31. 1918.
  Mermentau dam, history, construction, and use. O.E.S. Bul. 158, pp. 519–524. 1904.
  milk production, unit requirements. J. B. Bain and others. D.B. 955, pp. 15. 1921.
  milk supply and laws. B.A.I. Bul. 46, pp. 26, 80–81. 1903.
  mosquito extermination. News L., vol. 6, No. 50, p. 15. 1919.
  muck and peat areas, location. Soils Cir. 65, p. 15. 1912.
  Negro extension work and workers, 1908–1921. D.C. 190, pp. 6–9, 22. 1921.
  New Iberia livestock experiment farm, work, 1916. An. Rpts., 1916, pp. 134–135. 1917; B.A.I. Chief Rpt., 1916, pp. 68–69. 1916.
  New Orleans—
    cotton quarantine, enforcement by State. F.H.B. Quar. No. 46, p. 7. 1920.
    drainage area, levees, and run-off. D.B. 71, p. 52. 1914.
    experiments with soil containing boron. J.A.R., vol. 5, No. 19, pp. 884, 886, 887. 1916.
  oat acreage, production, and value, 1866–1906. Stat. Bul. 58, p. 32. 1907.
  oat crops, 1866–1906, acreage, production, and value. Stat. Bul. 58, pp. 5–25, 32. 1907.
  onions, production and varieties. D.B. 1325, p. 7. 1925.
  orange culture, general account. D.B. 647, pp. 4–7. 1918.
  orange groves, distribution of Argentine ant. D.B. 647, pp. 7–8. 1918.
  Pass a Loutre, public hunting grounds. D.B. 1049, p. 30. 1922.
  pasture lands on farms. D.B. 626, pp. 15, 42–43. 1918.
  peach industry, season, and shipments, 1914. D.B. 298, pp. 4, 5, 10. 1916.
  peach varieties, names and ripening dates. F.B. 918, p. 8. 1918.
  pear growing, distribution and varieties. D.B. 822, p. 12. 1920.
  pecan-rosette occurrence. J.A.R., vol. 3, p. 149. 1914.
  perique-tobacco conditions. Stat. Cir. 18, p. 16. 1909; Stat. Cir. 27, p. 7. 1912.
  physiographic features, and land conditions. For. Bul. 114, pp. 5–8. 1912.
  pine lands, in beef cattle industry, conditions. D.B. 827, pp. 6–13, 31. 1921.
  pink bollworm—
    control, progress, 1923. F.H.B.S.R.A. 74, pp. 3, 7–11, 14. 1923.
    quarantine regulations, revision. 1923. F.H. B.S.R.A. 73, pp. 101–103. 1923.

INDEX TO PUBLICATIONS, 1901–1925   1409

Louisiana—Continued.
  pink corn worm, injury to corn. D.B. 363, pp. 2, 9, 10, 11, 12, 13. 1916.
  plant growth, effects of artificial shading. H.L. Shantz. B.P.I. Bul. 279, pp. 29. 1913.
  potato crop, 1866–1906, acreage, production, and value. Stat. Bul. 62, pp. 7–12, 14–27, 34. 1908.
  plantations, crops, acreage, location, labor, and tenancy. D.B. 1269, pp. 2–7, 69–72, 75. 1924.
  potato crop, early, location, season, varieties, and shipments. F.B. 1316, pp. 3, 4, 5. 1923.
  pumping plants, description and cost. O.E.S. Bul. 201, pp. 8–22. 1911.
  quarantine—
    against cotton-boll weevil. Ent. Bul. 114, p. 166. 1912.
    area for sheep scabies—
      1918. B.A.I.O. 257, pp. 1–2. 1918.
      1921. B.A.I.O. 272, rule 3, rev., 6, pp. 1, 2. 1921.
    area for Texas fever—
      Apr. 1, 1909. B.A.I.O. 158, rule 1, rev., 4, p. 8. 1909.
      Dec. 6, 1909. B.A.I.O. 166, p. 7. 1909.
      1915. B.A.I.O. 241, pp. 5, 9. 1915.
      1920, and releases. B.A.I.O. 271, rule 1, rev., 19, pp. 3, 8. 1920.
      1924. B.A.I.O. 290, p. 2. 1924.
  ravages by plant-bug. D.B. 689, pp. 12, 14, 26. 1918.
  raw-rock phosphate, field experiments, and results. D.B. 699, pp. 50–54. 1918.
  reclamation districts, description of several areas. D.B. 71, pp. 22–53. 1914.
  rice—
    growing—
      1839–1919, and production. Y.B., 1922, pp. 515–517, 567. 1923; Y.B. Sep. 891, pp. 515–517, 567. 1923.
      1916. D.B. 330, pp. 1, 29. 1916.
      1918. Sec. [Misc.], Spec. "Geography * * * world's agriculture," p. 47. 1917.
    irrigation—
      1903 and 1904 (and Texas). W. B. Gregory. O.E.S. 158, pp. 509–544. 1905.
      cost and profits, 1908. O.E.S. An. Rpt., 1908, pp. 399–404. 1909.
      cost of pumping from wells. O.E.S. Bul. 201, pp. 1–39. 1908.
      methods. F.B. 673, pp. 3, 12. 1915; Y.B., 1909, pp. 301–302. 1910; Y.B. Sep. 514, pp. 301–302. 1910.
      small pumping plants, suggestions. O.E.S. Cir. 101, pp. 1–40. 1910.
    prairies, location, climate, and soils. F.B. 1092, pp. 3–5. 1920.
    production, historical notes. D.B. 1356, pp. 1–3. 1925.
    straight-head, occurrence. F.B. 1212, pp. 3, 4. 1921.
  road(s)—
    bond-built, amount of bonds, and rate. D.B. 136, pp. 41, 67, 81, 85. 1915.
    building, rock, tests—
      1912. Rds. Bul. 44, p. 44. 1912.
      1915, results and table. D.B. 370, p. 32. 1916.
      1916 and 1917. D.B. 670, p. 10. 1918.
      1916–1921, results. D.B. 1132, p. 14. 1923.
    mileage and expenditures—
      1904. Rds. Cir. 73, pp. 4. 1907.
      1909, statistics. Rds. Bul. 41, pp. 21, 40, 42, 69–71. 1912.
      1914. D.B. 387, pp. 3–8, 23–26, IX–XI, XXXVI, LV. 1917.
      Jan. 1, 1915. Sec. Cir. 52, pp. 2, 4, 6. 1915.
      1916. Sec. Cir. 74, pp. 4, 5, 7, 8. 1917.
    work by department, 1913–1914. D.B. 284, pp. 23–26. 1915.
  rye crops, 1866–1892, acreage, production, and value. Stat. Bul. 60, pp. 5–8, 12–18, 32. 1908.
  St. Bernard Parish, drainage methods. D.B. 71, pp. 45–48. 1914.
  salt deposits, occurrence and composition. Soils Bul. 94, pp. 41, 65. 1913.
  San Jose scale, occurrence. Ent. Bul. 62, p. 24. 1906.
  scales, abundance, affected by Argentine ant. D.B. 647, pp. 34, 35, 36–37. 1918.

Louisiana—Continued.
  schools, agricultural education, State aid. Y.B., 1912, pp. 473. 1913; Y.B. Sep. 607, pp. 473. 1913.
  schools, agricultural, work. O.E.S. Cir. 106, rev., pp. 18, 24, 28. 1912.
  seed corn, growing by club boys. News L., vol. 6, No. 43, p. 12. 1919.
  settlement work by railroads. Stat. Bul. 100, p. 21. 1912.
  shallu sorghum, cultivation experiments. B.P.I. Cir. 50, pp. 3–4. 1910.
  sheep marketing. News L., vol. 7, No. 6, p. 8. 1919.
  shipments of fruits and vegetables, and index to station shipments. D.B. 667, pp. 6–13. 24–25. 1918.
  sirup manufacture from sugar-cane juice, methods. D.B. 921, pp. 1–3, 8, 11. 1920.
  soil survey of—
    Acadia Parish. Thomas D. Rice and Lewis Griswold. Soil Sur. Adv. Sh., 1903, pp. 25. 1904; Soils F.O., 1903, pp. 461–485. 1904.
    Bienville Parish. Thomas A. Caine. Soil Sur. Adv. Sh., 1908, pp. 36. 1909; Soils F.O. 1908, pp. 843–874. 1911.
    Caddo Parish. James L. Burgess and others. Soil Sur. Adv. Sh., 1906, pp. 36. 1907; Soils F.O., 1906, pp. 427–458. 1908.
    Calcasieu Parish. See Lake Charles area.
    Concordia Parish. Charles J. Mann and others. Soil Sur. Adv. Sh., 1910, pp. 35. 1911; Soils F.O., 1910, pp. 827–857. 1912.
    De Soto Parish. Grove B. Jones and La Mott Ruhlen. Soil Sur. Adv. Sh., 1904, pp. 25. 1905; Soils F.O., 1904, pp. 375–395. 1907.
    East Baton Rouge Parish. Charles W. Ely and others. Soil Sur. Adv. Sh., 1905, pp. 23. 1905; Soils F.O., 1905, pp. 517–535. 1907.
    East Carroll and West Carroll Parishes. E. L. Worthen and H. L. Belden. Soil Sur. Adv. Sh., 1908, pp. 28. 1909; Soils F.O., 1908, pp. 875–898. 1911.
    East Feliciana Parish. Charles J. Mann and Percy O. Wood. Soil Sur. Adv. Sh., 1912, pp. 41. 1913; Soils F.O., 1912, pp. 969–1005. 1915.
    Iberia Parish. Charles J. Mann and Lawrence A. Kolbe. Soil Sur. Adv. Sh., 1911, pp. 50. 1912; Soils F.O., 1911, pp. 1129–1174. 1914.
    Jefferson Parish. See New Orleans area.
    Lafayette Parish. A. H. Meyer and N. M. Kirk. Soil Sur. Adv. Sh., 1915, pp. 32. 1916; Soils F.O., 1915, pp. 1051–1078. 1919.
    Lake Charles area. W. H. Heileman and Louis Mesmer. Soils F.O., 1901, pp. 621–647. 1902.
    La Salle Parish. Clarence Lounsbury and R. F. Rogers. Soil Sur. Adv. Sh., 1918, pp. 42. 1920; Soils F.O., 1918, pp. 677–714. 1920.
    Lincoln Parish. Charles J. Mann and Lawrence A. Kolbe. Soil Sur. Adv. Sh., 1909, pp. 33. 1910; Soils F.O., 1909, pp. 921–949. 1912.
    Natchitoches Parish. J. A. Kerr and others. Soil Sur. Adv. Sh., 1921, pp. 1395–1441. 1925.
    New Orleans area. Thomas D. Rice and Lewis Griswold. Soil Sur. Adv. Sh., 1903, pp. 25. 1904; Soils F.O., 1903, pp. 439–459. 1904.
    Orleans Parish. See New Orleans area.
    Ouachita Parish. Thomas D. Rice. Soil Sur. Adv. Sh., 1903, pp. 20. 1904; Soils F.O., 1903, pp. 419–438. 1904.
    Plaquemines Parish. See New Orleans area.
    Rapides Parish. E. H. Smies and others. Soil Sur. Adv. Sh., 1916, pp. 43. 1918; Soils F.O., 1916, pp. 1121–1159. 1921.
    Sabine Parish. E. H. Smies and others. Soil Sur. Adv. Sh., 1919, pp. 62. 1922; Soils F.O., 1919, pp. 1041–1098. 1925.
    St. Charles Parish. See New Orleans area.
    St. John the Baptist Parish. See New Orleans area.
    St. Martin Parish. A. H. Meyer and B. H. Hendrickson. Soil Sur. Adv. Sh., 1917, pp. 32. 1919; Soils F.O., 1917, pp. 937–964. 1923.
    Tangipahoa Parish. A. M. Griffen and Thomas A. Caine. Soil Sur. Adv. Sh., 1905, pp. 27. 1906; Soils F.O., 1905, pp. 493–515. 1907.

Louisiana—Continued.
  soil survey of—continued.
    Washington Parish. A. C. Anderson, and others. Soil Sur. Adv. Sh., 1922, pp. 345-390. 1925.
    Webster Parish. A. H. Meyer and others. Soil Sur. Adv. Sh., 1914, pp. 40. 1916; Soils F.O., 1914, pp. 1239-1274. 1919.
    West Carroll Parish. *See* East and West Carroll Parishes.
    Winn Parish. Thomas A. Caine and others. Soil Sur. Adv. Sh., 1907, pp. 37. 1909; Soils F.O., 1907, pp. 557-589. 1909.
  soils—
    analyses for nitrogen and boron. J.A.R., vol. 13, pp. 452, 468. 1918.
    Meadow, areas, and location. Soils Cir. 68, p. 20. 1912.
    Memphis silt loam, area, and location. Soils Cir. 35, pp. 3, 19. 1911.
    Norfolk sand, areas, location, and uses. Soils Cir. 44, p. 19. 1911.
    Orangeburg fine sand, location and areas. Soils Cir. 48, pp. 3, 15. 1911.
    Orangeburg fine sandy loam, areas, location, and uses. Soils Cir. 46, pp. 3, 4, 9, 11, 18, 20. 1911.
    Susquehanna fine sandy loam, areas, location and crops. Soils Cir. 51, pp. 3, 4, 8, 10, 11. 1912.
    Wabash clay, areas, location, and uses. Soils Cir. 41, pp. 11, 12, 13, 16. 1911.
  sorghum midge investigations, 1908 and 1909. Ent. Bul. 85, pp. 41-44, 52. 1911.
  southeastern, market milk production, unit requirements. J. B. Bain and others. D.B. 955, pp. 15. 1921.
  southern—
    drained prairie lands, run-off. J.A.R., vol. 11, pp. 247-279. 1917.
    reclamation of wet prairie lands. O.E.S. An. Rpt., 1909, pp. 415-439. 1910.
    soils, origin, formation, and classification. D.B. 71, pp. 6-10, 14-16. 1914.
    wet lands and their drainage. Charles W. Okey. D.B. 71, pp. 82. 1914; D.B. 652, pp. 67. 1918.
  southwestern, rice—
    cultivation, methods. F.B. 417, pp. 27-29. 1910.
    production, experiments. Charles E. Chambliss and J. Mitchell Jenkins. D.B. 1356, pp. 32. 1925.
  State forestry laws. Jeannie S. Peyton. For. Law Leaf. 2, pp. 7. 1915; For. Misc. S-3, pp. 7. 1915.
  State University, teachers' courses. O.E.S. Cir. 118, pp. 15-16. 1913.
  strawberry—
    crop movements, studies, 1915. An. Rpts., 1915, pp. 372-373. 1916; Mkts. Chief Rpt., 1915, pp. 10-11. 1915.
    culture, practices, and training systems. F.B. 1026, pp. 3, 6, 8, 9, 12, 13, 14, 15, 23, 29, 33. 1919.
    shipments, 1914, 1915. D.B. 237, p. 8. 1915; D.B. 477, pp. 9-11. 1917; F.B. 1028, p. 6. 1919.
    weevil, 1905. Ent. Bul. 63, pp. 59-60. 1911.
  Sudan-grass growing experiments. B.P.I. Cir. 125, p. 15. 1913.
  sugar—
    crop, 1913, details. F.B. 590, pp. 11-12. 1914.
    industry, 1881-1912. D.B. 66, pp. 2, 3, 10, 11, 12-16. 1914.
    production, 1823-1922. Y.B., 1923, p. 155. 1924; Y.B., Sep. 893, p. 6. 1924.
    statistics. D.B. 66, pp. 2, 3, 12-15. 1914.
  sugar-cane—
    acreage and production. Sec. [Misc.], Spec. "Geography * * * world's agriculture," pp. 72, 74. 1917.
    borer, life history. H. A. Morgan. O.E.S. Bul. 115, pp. 128-129. 1902.
    damage by sugar-cane borer. T. C. Barber. Ent. Cir. 139, pp. 12. 1911.
    introduction and development of industry. Sec. Cir. 86, pp. 11, 12-13. 1918.
    production and sugar yield, 1918, estimates. News L., vol. 6, No. 6, p. 10. 1918.

Louisiana—Continued.
  sugar-cane—continued.
    root disease, relation to snails. J.A.R., vol. 28, pp. 969-970. 1924.
  sweet potato(es)—
    industry. D.B. 1206, pp. 5, 6, 7, 9-13. 1924.
    value, and losses by weevil infestation. F.B. 1020, pp. 4, 9. 1919.
    weevil outbreaks in 1921. D.B. 1103, p. 35. 1922.
  Tallulah, La.—
    studies on insect injury to cotton seedlings. J.A.R., vol. 6, No. 3, pp. 129-139. 1916.
  Tallulah Delta Laboratory—
    cotton dusting headquarters. D.C. 274, p. 3. 1923; D.B. 1204, pp. 2, 9-12, 35. 1924.
    weevil studies. D.B. 358, pp. 1-32. 1916.
    termites, occurrence and damage. D.B. 333, pp. 14, 17, 19. 1916.
  tight cooperage production, 1905-1906. For. Cir. 125, pp. 5-6. 1907.
  timber—
    stand, estimates. For. Bul. 114, pp. 19-21. 1912.
    treatment, cost and results. F.B. 744, pp. 26, 28. 1916.
  tobacco—
    crop, 1912. Stat. Cir. 43, pp. 2, 3, 8. 1913.
    growing and industry, details, and statistics. B.P.I. Bul. 244, pp. 94-98, 99. 1912.
    perique, production, methods and yield. B.P.I. Cir. 48, p. 9. 1910.
    report for July 1, 1912. Stat. Cir. 38, pp. 3, 4, 7. 1912.
  truck-crop insects. Thomas H. Jones. D.B. 703, pp. 19. 1918.
  trucking industry, acreage and crops. Y.B., 1916, pp. 443-444, 455-465. 1917; Y.B. Sep. 702, pp. 9-10, 21-31. 1917.
  turpentine, production, percentage of United States. D.B. 898, p. 2. 1920.
  Vermilion Parish, drainage system. D.B. 71, pp. 49-51. 1914.
  wage rates, farm labor, 1845 and 1866-1909. Stat. Bul. 99, pp. 21, 29-43, 68-70. 1912.
  walnut-growing experiments, results. B.P.I. Bul. 254, pp. 17-18, 102. 1913.
  walnut range and estimated stand. D.B. 933, pp. 7, 14. 1921.
  water supply, records by counties. Soils Bul. 92, pp. 75-77. 1913.
  wet lands, description, climate, and soils. D.B. 652, pp. 2-13. 1918.
  wet prairie lands, reclamation. O.E.S. An. Rpt., 1909, pp. 415-439. 1910.
  wheat—
    acreage and varieties. D.B. 1074, p. 211. 1922.
    crops, acreage, production, and value. Stat. Bul. 57, pp. 6-7, 13, 32. 1907; Stat. Bul. 57, rev., pp. 6-7, 13, 32, 38. 1908.
    varieties grown. F.B. 616, p. 6. 1914; F.B. 1168, p. 8. 1921.
    yields and prices, 1867-1882. D.B. 514, p. 12. 1917.
  wool marketing, 1916. Y.B., 1916, p. 236. 1917; Y.B. Sep. 709, p. 10. 1917.
  See also Gulf coastal plains.
Louisiana Purchase Exposition—
  catalogue of exhibit of economic entomology. E. S. G. Titus and F. C. Pratt. Ent. Bul. 47, pp. 155. 1904.
  exhibit of Angora goats. B.A.I. Bul. 27, pp. 74-75. 1906.
  exhibit of colleges of agriculture and mechanic arts and experiment stations, St. Louis, Mo., 1904, description. W. H. Beal. O.E.S. Doc. 710, pp. 23. 1904.
Louisville, Ky.—
  influence on farms in vicinity, map. D.B. 678, pp. 1-24. 1918.
  Leaf-Tobacco Exchange, organization and methods. B.P.I. Bul. 268, pp. 58-60. 1913.
  milk supply, conditions. B.A.I. Bul. 46, pp. 169-171. 1903; F.B. 366, pp. 22-24. 1909.
  seeds, market prices, 1920-1923, tables. S.B. 2, pp. 22-60. 1924.
  tobacco market and trade center. B.P.I. Bul. 268, pp. 33, 34, 36, 39-44, 45, 46, 53, 58-61, 62-63. 1913.
  trade center for farm products, statistics. Rpt. 98, pp. 287-290. 1913.

LOUNSBURY, CLARENCE: "Soil Survey of—
Adair County, Iowa." With others. Soil Sur. Adv. Sh., 1919, pp. 25. 1921; Soils F.O., 1919, pp. 1405-1425. 1925.
Archer County, Tex." With others. Soil Sur. Adv. Sh., 1912, pp. 52. 1914; Soils F.O., 1912, pp. 1007-1052. 1915.
Benton County, Iowa." With others. Soil Sur. Adv. Sh., 1921, pp. 30. 1925.
Berkley County, S. C." With others. Soil Sur. Adv. Sh., 1916, pp. 42. 1918; Soils F.O., 1916, pp. 483-520. 1921.
Buffalo County, Wis." With others. Soil Sur. Adv. Sh., 1913, pp. 50. 1915; Soils F.O., 1913, pp. 1441-1486. 1916.
Camp County, Tex." With others. Soil Sur. Adv. Sh., 1908, pp. 20. 1910; Soils F.O., 1908, pp. 953-968. 1911.
Choctaw County, Ala." With others. Soil Sur. Adv. Sh., 1921, pp. 975-1009. 1925.
Columbia County, Ark." With E. B. Deeter. Soil Sur. Adv. Sh., 1914, pp. 38. 1916; Soils F.O., 1914, pp. 1363-1396. 1919.
Dallas County, Iowa." With P. E. Nordaker. Soil Sur. Adv. Sh., 1920, pp. 39. 1924; Soils F.O., 1920, pp. 1153-1192. 1925.
Delaware County, Iowa." With Bryan Boatman. Soil Sur. Adv. Sh., 1922, pp. 32. 1925.
Ellis County, Tex." With others. Soil Sur. Adv. Sh., 1910, pp. 34. 1911; Soils F.O., 1910, pp. 931-960. 1912.
Grayson County, Tex." With others. Soil Sur. Adv. Sh., 1909, pp. 35. 1910; Soils F.O., 1909, pp. 951-983. 1912.
Iowa County, Wis." With others. Soil Sur. Adv. Sh., 1910, pp. 29. 1912; Soils F.O., 1910, pp. 1147-1171. 1912.
Jefferson County, Ark." With others. Soil Sur. Adv. Sh., 1915, pp. 39. 1916; Soils F.O., 1915, pp. 1163-1197. 1921.
La Crosse County, Wis." With others. Soil Sur. Adv. Sh., 1911, pp. 45. 1913; Soils F.O., 1911, pp. 1561-1601. 1914.
La Salle Parish, La." With R. F. Rogers. Soil Sur. Adv. Sh., 1918, pp. 42. 1920; Soils F.O., 1918, pp. 677-714. 1924.
Lonoke County, Ark." With others. Soil Sur. Adv. Sh., 1921, pp. 1279-1327. 1925.
Montgomery County, N. Y." With Ora Lee, jr. Soil Sur. Adv. Sh., 1908, pp. 42. 1909; Soils F.O., 1908, pp. 159-196. 1911.
Pope County, Ark." With E. B. Deeter. Soil Sur. Adv. Sh., 1913, pp. 51. 1915; Soils F.O., 1913, pp. 1221-1267. 1916.
Rockcastle County, Ky." With others. Soil Sur. Adv. Sh., 1910, pp. 36. 1912; Soils F.O., 1910, pp. 1017-1048. 1912.
Simpson County, Miss." With F. Z. Hutton and W. E. Tharp. Soil Sur. Adv. Sh., 1919, pp. 34. 1921; Soils F.O., 1919, pp. 1011-1040. 1925.
Union County, S. C." With others. Soil Sur. Adv. Sh., 1913, pp. 36. 1914; Soils F.O., 1913, pp. 303-334. 1916.
Van Buren County, Iowa." With H. W. Reid. Soil Sur. Adv. Sh., 1915, pp. 32. 1917; Soils F.O., 1915, pp. 1781-1804. 1919.
Waupaca County, Wis." With others. Soil Sur. Adv. Sh., 1917, pp. 51. 1920; Soils F.O., 1917, pp. 1231-1277. 1923.
Wayne County, Iowa." With others. Soil Sur. Adv. Sh., 1918, pp. 24. 1920; Soils F.O., 1918, pp. 1229-1248. 1924.
Yell County, Ark." With E. B. Deeter. Soil Sur. Adv. Sh., 1915, pp. 41. 1917; Soils F.O., 1915, pp. 1199-1235. 1919.
"Louping ill," in sheep, relation to ticks. Ent. Bul. 72, p. 56. 1907; Rpt. 108, pp. 61, 62, 69. 1915.
Louse—
bee. See Bee louse.
bird, control on canaries. F.B. 1327, p. 16. 1923.
bird, occurrence in Pribilof Islands, Alaska. N. A. Fauna 46, Pt. II, p. 141. 1923.
biting, of sheep, description and control. F.B. 1150, pp. 5, 6, 7-8. 1920.
blue, of cattle, description and treatment. B.A.I. [Misc.], "Diseases of cattle," rev., p. 525. 1912; rev., p. 480. 1904; rev., p. 501. 1908; rev., p. 512. 1923.

Louse—Continued.
body—
control by gases, fumigation experiments. D.B. 893, pp. 4, 6, 7, 10. 1920.
control experiments by Entomology Bureau. News L., vol. 6, No. 7, pp. 4, 6. 1918.
investigations and control. An. Rpts., 1918, pp. 243-244. 1918; Ent. A.R., 1918, pp. 11-12. 1918.
cattle—
biting, description, life history, and habits. F.B. 909, pp. 5-8. 1918.
long-nosed, description, life history and habits. F.B. 909, pp. 5, 6-8. 1918.
short-nosed, description life history and habits. F.B. 909, pp. 4-5, 6-8. 1918.
Solenopotes capillatus. F. C. Bishopp. J.A.R. vol. 21, pp. 797-801. 1921.
crab, infestation of man, and control. Sec. Cir. 61, p. 17. 1916.
fly. See Tick, sheep.
foot, of sheep, description and control. F.B. 1150, pp. 5, 6, 7-8. 1920; F.B. 1330, pp. 6, 7. 1923.
gall. See Gallicole.
green pea, destructive. F. H. Chittenden. Ent. Cir. 43, pp. 8. 1901.
head, occurrence in Pribilof Islands, Alaska. N.A. Fauna 46, Pt. II, p. 142. 1923.
hog, and mange, or scabies of hogs. Earle C. Stevenson. B.A.I. Bul. 69, pp. 44. 1905.
killer, instant, analysis. Chem. Bul. 68, p. 51. 1902.
ox, short-nosed, and long-nosed, description and control. Y.B., 1912, p. 395. 1913; Y.B. Sep. 600, p. 395. 1913.
paint, Dykes', analysis. Chem. Bul. 68, p. 58. 1902.
poison, misbranding. I. and F. Bd. S.R.A. 9, pp. 25-26. 1915.
powder, preparation, and use on chickens. F.B. 435, pp. 20, 21. 1911; F.B. 1337, pp. 34-35. 1923.
root. See Root louse.
sucking body, of sheep, description and control. F.B. 1150, pp. 5-6, 7-8. 1920.
sucking. See also Solenopotes capillatus.
See also Lice.
Lovage—
culture and handling as drug plant, yield and price. F.B. 663, pp. 28-29. 1915.
growing and uses, harvesting, marketing, and prices. F.B. 663, rev., p. 38. 1920.
LOVE, H. H.—
"Improved oat varieties for New York and adjacent States." With others. D.C. 353, pp. 15. 1925.
"Tests of selections from hybrids and commercial varieties of oats." With others. D.B. 99, pp. 25. 1914.
"The genetic relation between Triticum dicoccum dicoccoides and a similar morphological type produced synthetically." With W. T. Craig. J.A.R., vol. 28, pp. 515-520. 1924.
"The inheritance of pubescent nodes in a cross between two varieties of wheat." With W. T. Craig. J.A.R., vol. 28, pp. 841-844. 1924.
Love-grass, description. D.B. 772, pp. 47, 49. 1920.
Love-lies-bleeding, description, cultivation, and characteristics. F.B. 1171, pp. 30-31, 81. 1921.
Love vine. See Dodder.
LOVELAND, G. A.—
"Meteorology in colleges; to what extent is it taught at present; should it be offered as an undergraduate or as a postgraduate course?" W.B. Bul. 31, pp. 90-92. 1902.
"Should the monthly reports of the climate and crop sections contain only original matter?" W.B. Bul. 31, pp. 187-188. 1902.
LOVETT, A. L.: "Toxic values and killing efficiency of the arsenates." With R. H. Robinson. J.A.R., vol. 10, pp. 199-207. 1917.
Lovibond tintometer, use in color determinations of butterfat. B.A.I. Bul. 111, p. 11. 1909.
Lovoa swynnertonii. See Mahogany, brown.
Lowberry, rival of loganberry, introduction and description. B.P.I. Bul. 205, pp. 8, 25. 1911.
LOWDEN, F. O.: "Dairy cattle associations and their work." B.A.I. Dairy [Misc.], "World's dairy congress, 1923," pp. 65-69. 1924.

LOWDERMILK, W. C.—
 "Factors affecting reproduction of Engelmann spruce." J.A.R., vol. 30, pp. 995-1009. 1925.
 "Slash disposal in western white pine forests in Idaho." With J. A. Larsen. D.C. 292, pp. 20. 1924.
Lowe, E. P.: "Soil survey of—
 Alcorn County, Miss." With E. Malcolm Jones. Soil Sur. Adv. Sh., 1921, pp. 673-705. 1924.
 Des Moines County, Iowa." With T. H. Benton. Soil Sur. Adv. Sh., 1921, pp. 36. 1925; Soils F.O., 1921, pp. 1091-1126. 1927.
 George County, Miss." With W. E. Tharp. Soil Sur. Adv. Sh., 1922, pp. 33-75. 1925.
Lowe, W. H.—
 "Noncontagious diseases of the organs of respiration." B.A.I. [Misc.], "Diseases of cattle," rev., pp. 85-98. 1904; rev., pp. 85-98. 1908; rev., pp. 86-100. 1912; rev., pp. 87-100. 1923.
 "Surgical operations." With William Dickson. B.A.I. [Misc.], "Diseases of cattle," rev., pp. 285-303. 1904; rev., pp. 285-303. 1908; rev., pp. 295-314. 1912; rev., pp. 289-302. 1923.
Lowell, Mass., milk supply, statistics, officials, prices, and ordinances. B.A.I. Bul. 46, pp. 30, 89. 1903.
Lower California—
 northern district, fur animals, laws—
  1922. F.B. 1293, p. 28. 1922.
  1923-24. F.B. 1387, p. 31. 1923.
 northern district, game laws—
  1920. F.B. 1138, p. 52. 1920.
  1922. F.B. 1288, pp. 4, 51, 56, 79. 1922.
  1923-24. F.B. 1375, pp. 47, 52. 1923.
  1924-25. F.B. 1444, pp. 35, 38. 1924.
Lower Sonoran zone, New Mexico, physical features. N.A. Fauna 35, pp. 11-25. 1913.
Lower Yellowstone project, irrigation in North Dakota, proposed. O.E.S. Bul. 219, p. 23. 1909.
Lowlands—
 increase in use for crops. Y.B., 1918, p. 441. 1919; Y.B. Sep. 771, p. 11. 1919.
 See also Bottomlands.
Lowry process, wood preservation. For. Bul. 78, p. 17. 1909.
Lozia spp. See Crossbill.
Loxostege—
 similalis, description. J.A.R., vol. 30, pp. 787-788. 1925.
 spp. See Webworms.
Luban. See Frankincense.
Lubia baeladi, description. B.P.I. Bul. 229, p. 12. 1912.
Lubricant—
 castor oil, uses and value. D.B. 867, pp. 35-37. 1920.
 corn-oil use. D.B. 904, p. 13. 1920.
Lubs, H. A.: "A substitute for litmus for use in milk cultures." With Wm. Mansfield Clark. J.A.R., vol. 10, pp. 105-111. 1917.
Lucern—
 destruction by serpentine leaf-miner. J.A.R., vol. 1, pp. 60, 62. 1913.
 sand—
  adaptability to Nebraska conditions. B.P.I. Cir. 80, p. 18. 1911.
  description, distribution, and possibilities. B.P.I. Bul. 150, pp. 18-19, 20. 1909; F.B. 757, pp. 13-14. 1916.
  early forms, history. B.P.I. Bul. 169, pp. 14-17. 1910.
  yield per acre, hay and seed, tests. B.P.I. Bul. 169, pp. 19, 20, 21, 22, 23. 1910.
 See also Alfalfa.
Lucifuga. See Roaches; Cockroaches.
Lucilia caesar—
 description and habits. F.B. 459, p. 6. 1911.
 See also Fly, green-bottle.
Lucke, C. E.: "Tests of internal combustion engines on alcohol fuel." With S. M. Woodward. O.E.S. Bul. 191, pp. 89. 1907.
Luculia gratissima, importations and descriptions. No. 42620, B.P.I. Inv. 47, p. 39. 1920; No. 47710, B.P.I. Inv. 59, pp. 8, 50. 1922; Nos. 38945, 38986, B.P.I. Inv. 40, pp. 50, 54. 1917.
Lucuma spp.—
 importations and description. Nos. 50487-50488, B.P.I. Inv. 63, pp. 4, 72-73. 1923; No. 54653, B.P.I. Inv. 69, pp. 4, 34. 1923.

Lucuma spp.—Continued.
 seed importation and description. No. 41332, B.P.I. Inv. 45, pp. 5, 16. 1918.
 See also Sapote.
Ludlow, F. W., shearing table for goats. B.A.I. Bul. 27, p. 52. 1906.
Luetkea pectinata, distribution. N.A.Fauna 21, p. 21. 1901.
Luffa aegyptiaca. See Gourd, dishcloth; Patolas.
Luginbill, Philip—
 "Bionomics of the chinch bug." D.B. 1016, pp. 14. 1922.
 "Contribution to the knowledge of Toxoptera graminum in the South." With A. H. Beyer. J.A.R., vol. 14, pp. 97-110. 1918.
 "Corn earworm as an enemy of vetch." With A. H. Beyer. F.B. 1206, pp. 19. 1921.
 "The fall army worm or 'grass worm' and its control." With W. R. Walton. F.B. 752, pp. 16. 1916.
 "The lesser corn stalk-borer." With Geo. G. Ainslie. D.B. 539, pp. 27. 1917.
 "The southern corn root worm and farm practices to control it." F.B. 950, pp. 12. 1918.
 "The spike-horned leaf miner, an enemy of grains and grasses." With T. D. Urbahns. D.B. 432, pp. 20. 1916.
Lukosine, misbranding. See Indexes, Notices of Judgment, in bound volumes and in separates, published as supplements to Chemistry Service and Regulatory Announcements.
Lumbago. See Azoturia.
Lumbang, importations and descriptions. No. 40977, B.P.I. Inv. 44, pp. 23-24. 1918; No. 43389, B.P.I. Inv. 48, pp. 5, 49-50. 1921; No. 44061, B.P.I. Inv. 80, pp. 8, 21. 1922; No. 45480, B.P.I. Inv. 53, p. 39. 1922; Nos. 52449, 52755, B.P.I. Inv. 66, pp. 27, 71. 1923; No. 53547, B.P.I. Inv. 67, p. 60. 1923.
Lumber—
 accounting, records, and forms, with elevator accounts. Mkts. Doc. 2, pp. 12. 1916.
 air-dried and kiln-dried, investigations. An. Rpts., 1919, pp. 205-206. 1920; For. A.R., 1919, pp. 29-30. 1919.
 American, demand in France. News L., vol. 7, No. 15, p. 15. 1919.
 and forest policy, national. Henry S. Graves. Sec. Cir. 134, pp. 14. 1919.
 ash—
  prices, 1909-1916, by States, and 1896-1910 certain parts. D.B. 523, pp. 39-44. 1917.
  utilization by industries. D.B. 523, pp. 27-39, 48-52. 1917.
 Association, National Hardwood, grading rules. chestnut. F.B. 582, pp. 13, 14. 1914.
 average value, by kinds, 1899-1916. D.B. 673, p. 37. 1918.
 balsam fir, use and cut by States. D.B. 55, pp. 8, 9, 10, 11, 15-16. 1914.
 basswood, production by States, 1899, 1906-1920, value and mills reporting. D.B. 1007, pp. 12-15. 1922.
 better utilization by machinery. H. C. Atkins. M.C. 39, pp. 59-62. 1925.
 birch, yield and volume, tables. For. Cir. 163, pp. 30-37. 1909.
 "birdpeck," injury. For. Bul. 80, pp. 11, 32, 57, 59. 1910.
 black walnut, production, manufacture, and costs. D.B. 909, pp. 22-44, 79. 1921.
 board feet, from chestnut trees of different sizes. F.B. 582, p. 16. 1914.
 board measure. For. Bul. 36, pp. 13-14. 1910.
 building—
  cost in
   Kansas, 1908. O.E.S. Bul. 211, p. 26. 1909.
   Oregon. O.E.S. Bul. 209, p. 57. 1909.
  use of—
   loblolly pine. D.B. 11, pp. 11-12. 1914.
   pine. For. Bul. 99, pp. 9-10, 18, 23, 34, 45-46, 60, 64, 66, 92. 1911.
 buying and buyers, method. Rpt. 115, pp. 20-28, 91-93. 1917.
 by-products—
  opportunities in waste from mills. For. Cir. 171, p. 21. 1909.
  ratio to whole production. M.C. 39, p. 46. 1925.

INDEX TO PUBLICATIONS, 1901–1925   1413

Lumber—Continued.
chestnut oak, uses. For. Cir. 135, pp. 9–11. 1908.
chestnut—
type, yield per acre. For. Bul. 96, pp. 39–40. 1912.
value, costs, grading, and uses. F.B. 582, pp. 7–9, 12–16. 1914.
companies, progress in fire protection. For. Cir. 207, p. 14. 1912.
Congress, American, Chicago, April 16, 1919, address of Forester. Henry S. Graves. Sec. Cir. 134, pp. 14. 1919.
consumption—
annual, equivalent in standing timber. Y.B., 1922, pp. 109–114. 1923. Y.B. Sep. 886, pp. 109–114. 1923.
by United States, comparison. Off. Rec., vol. 2, No. 47, p. 5. 1923.
in Arkansas by industries. For. Bul. 106, pp. 11–21. 1912.
contents of boards, various lengths and widths. For. Bul. 36, p. 204. 1910.
costs—
in protection, taxes, insurance, and office work. D.B. 440, pp. 92–95. 1917.
increase. F.B. 1417, pp. 1–3. 1924.
of production on Pacific coast. M.C. 39, p. 32, 1925.
to consumers. Rpt. 114, pp. 33–46, 67–68. 1917.
crude and manufacture, insect injury prevention. Ent. Cir. 128, pp. 4–7. 1910.
cut—
1899, 1904, 1906, average value per M. For. Cir. 122, p. 10. 1907.
1904 to 1914, imports, exports, and consumption. Rpt. 114, p. 56. 1917.
1917, decrease from 1916, and causes. News L., vol. 5, No. 49, pp. 1, 5. 1918.
and prices, by States and by species—
1880–1906. For. Cir. 129, pp. 6–10. 1907.
1900–1907, table. For. Cir. 166, p. 19. 1909.
from minor species, production, value, and States reporting. Y.B., 1922, p. 929. 1923.
hardwood and softwood, comparison. For. Cir. 129, p. 7. 1907.
in Alaska, utilization. For. Bul. 81, pp. 15–16, 20–22. 1910.
in Arkansas, per cent manufactured, value at mill and factory. For. Bul. 106, pp. 21–23. 1912.
in Delaware, Maryland, and Virginia, yield per acre. D.B. 11, pp. 2, 45–59. 1914.
in Louisiana, 1909, pine, cypress, and hardwoods. For. Bul. 114, pp. 21–24. 1912.
of United States—
1870–1920. R. V. Reynolds and Albert H. Pierson. D.B. 1119, pp. 63. 1923.
1905. For. Bul. 74, pp. 9–29. 1907.
1905. S. R. Kellogg. For. Cir. 52, pp. 23. 1906.
1906. For. Bul. 77, pp. 11–12. 1908; For. Cir. 122, pp. 42. 1907.
total annual, and percentage, by groups of States. Rpt. 114, pp. 5–7, 93. 1917.
cutting at the mills, wasteful methods. F.B. 358, pp. 27–29. 1909.
cypress, grades and seasoning. D.B. 272, pp. 16–18. 1915.
dealers' estimates of wood substitution. Rpt. 117, pp. 21–26. 1917.
decay caused by fungi. D.B. 1128, pp. 39–40. 1923.
decay, prevention. D.B. 510, pp. 11–27, 41–42. 1917.
demand on Pacific coast for various uses. For. Bul. 75, p. 30. 1911.
displacement by other materials in buildings. Rpt. 117, pp. 73–74. 1917.
distribution, wholesale and retail, returns, and prices. Rpt. 114, pp. 29–46. 1917.
dressed, 1906, by States. For. Cir. 122, pp. 32–33. 1907.
dry kiln, water-spray type, design and installation. D.B. 894, pp. 1–47. 1920.
drying—
in kiln, methods. D.B. 552, pp. 22–28. 1917.
kiln, invention by Rolf Thelin. Off. Rec., vol. 1, No. 28, p. 7. 1922.

Lumber—Continued.
drying—continued.
methods and principles. For. Bul. 104, pp. 5–10. 1912.
new kiln, description and efficiency. D.B. 509, pp. 1–28. 1917.
schedules. D.C. 231, p. 18. 1922; D.B. 894, pp. 6–8. 1920.
economy in use of odd lengths. For. Cir. 180, pp. 5. 1910.
elm, cut in different States. D.B. 683, pp. 11–14. 1918.
elm, grades, prices, and stumpage values. D.B. 683, pp. 28–35. 1918.
even lengths, occasion of loss at mills. M.C. 39, p. 31. 1925.
exports—
1851–1908. Stat. Bul. 51, pp. 19–22. 1909.
1902–1904. Stat. Bul. 36, pp. 98–104. 1905.
1908. For. Cir. 162, pp. 10–15. 1909.
1917–1919, 1910–1919. Y.B., 1920, pp. 14, 38. 1921; Y.B. Sep. 864, pp. 14, 38. 1921.
and our forests. Henry S. Graves. Sec. Cir. 140, pp. 15. 1919.
and prices, timber depletion and concentration of timber ownership. Earle H. Clapp. For. [Misc.], "Timber depletion * * *," pp. 71. 1920.
imports, and consumption, discussion. Sec. Cir. 140, pp. 5–15. 1919.
in relation to forests. Sec. Cir. 140, pp. 1–15. 1919.
finishing, use of pine. For. Bul. 99, pp. 12–13, 19, 23, 25, 27, 35, 45–46, 64. 1911.
gipsy-moth infestation and spread, precaution. Y.B., 1916, pp. 220, 221, 223. 1917. Y.B. Sep. 706, pp. 4, 5, 7. 1917.
grades—
and amount sawed from yellow poplar, yellow birch, sugar maple and beech. Edward A. Braniff. For. Bul. 73, pp. 30. 1906.
estimating, shipping cost, and marketing. F.B. 1210, pp. 17, 27, 46, 50. 1921.
market, and prices, for shortleaf pine. D.B. 308, pp. 17–21. 1915.
grading—
as source of waste in hardwoods. M.C. 39, p. 43. 1925.
directions. D.B. 718, pp. 8–9, 53. 1918; F.B. 715, pp. 11–12. 1916.
methods. H. S. Betts. D.C. 64, pp. 39. 1920.
necessity and rules preparation. D.C. 64, pp. 3–5. 1920.
rules and specifications adopted by the various lumber manufacturing associations of the United States. E. R. Hudson. For. Bul. 71, pp. 144. 1906.
green, handling and storage for fungi control. D.B. 1037, pp. 24–32, 51. 1922.
hardness and strength, comparison of treated and untreated. For. Cir. 192, pp. 16–17, 19. 1911.
hardwood—
classification for protection against insects. Ent. Cir. 128, p. 6. 1910.
cut, by kinds and by States, 1899–1906. For. Cir. 116, pp. 4–5. 1907.
kiln-drying. Frederick Dunlap. For. Cir. 48, pp. 19. 1906.
trees most valuable for. F.B. 1123, p. 4. 1921.
waning supply and the Appalachian forests. William L. Hall. For. Cir. 116, pp. 16. 1907.
hemlock, production, value, and uses. D.B. 152, pp. 7–9, 14. 1915.
imports—
1851–1908. Stat. Bul. 51, pp. 30–31. 1909.
1907–1909, quantity and value, by countries from which consigned. Stat. Bul. 82, pp. 70–71. 1910.
1908–1910, quantity and value, by countries from which consigned. Stat. Bul. 90, pp. 74–75. 1911.
1910–1919. Y.B., 1920, pp. 7, 44. 1921; Y.B. Sep. 864, pp. 7, 44. 1921.
and exports—
1851–1911. Y.B. 1911, pp. 661, 671, 689–691. 1912; Y.B. Sep. 588, pp. 661, 671, 689–691. 1912.
1852–1921. Y.B. 1922, pp. 952, 957, 968, 975, 981. 1923. Y.B. Sep. 880, pp. 952, 957, 968, 975, 981. 1923.

Lumber—Continued.
  imports—continued.
    and exports—continued.
      1906. For. Cir. 110, pp. 1–28. 1907.
      1906–1910, and imports, 1851–1910. Y.B., 1910, pp. 658, 668, 685–687. 1911; Y.B. Sep. 553, pp. 658, 668. 1911; Y.B. Sep. 554, pp. 685–687. 1911.
      1907. For. Cir. 153, pp. 5, 6, 9–16, 19, 20, 22–26. 1908.
      1918. Y.B., 1918, pp. 630, 638, 643, 650, 651, 653–659, 665. 1919; Y.B. Sep. 794, pp. 6, 14, 19, 26, 27, 29, 35, 41. 1919.
      1924. Y.B., 1924, pp. 1017, 1021, 1078. 1925.
    by countries from which consigned, 1909–1911. Stat. Bul. 95, p. 78. 1912.
    sources for United States future requirements. Y.B., 1922, pp. 128–130. 1923; Y.B. Sep. 886, pp. 128–130. 1923.
  industry—
    address of Colonel Graves. News L., vol. 6, No. 39, pp. 1–2. 1919.
    improvements and obstacles to adoption. M.C. 39, p. 6. 1925.
    in Alabama—
      Choctaw County. Soil Sur. Adv. Sh., 1921. p. 977. 1925.
      extent. For. Bul. 68, p. 65. 1905.
    in America, historical review. M.C. 15, pp. 2–4. 1924.
    in Georgia—
      Colquitt County. Soil Sur. Adv. Sh., 1914, p. 10. 1915; Soils F.O., 1914, p. 966. 1919.
      Tatnall County. Soil Sur. Adv. Sh., 1914, p. 10. 1915; Soils F.O., 1914, p. 822. 1919.
    in Louisiana—
      conservative methods, suggestions. For. Bul. 114, pp. 28–31. 1912.
      Sabine Parish. Soil Sur. Adv. Sh., 1919, pp. 9–10. 1922; Soils F.O., 1919, pp. 1045–1046. 1925.
      Washington Parish. Soil Sur. Adv. Sh., 1922, p. 355. 1925.
    in Maine, Aroostook area. Soil Sur. Adv. Sh., 1917, pp. 11, 17. 1921; Soils F.O., 1917, pp. 13, 19. 1923.
    in Maryland, Wicomico County. Soil Sur. Adv. Sh., 1921, p. 1021. 1925.
    in Mississippi, Clarke County. Soil Sur. Adv. Sh., 1914, p. 11. 1915; Soils F.O., 1914, p. 1207. 1919.
    in Missouri, Ripley County, decline. Soil Sur. Adv. Sh., 1915, pp. 7, 33. 1917; Soils F.O., 1915, pp. 1891, 1894, 1917. 1919.
    in North Carolina—
      Anson County. Soil Sur. Adv. Sh., 1915, p. 65. 1917; Soils F.O., 1915, p. 364. 1919.
      Columbus County. Soil Sur. Adv. Sh., 1915, p. 9. 1917; Soils F.O., 1915, p. 427. 1919.
      Hertford County. Soil Sur. Adv. Sh., 1916, p. 7. 1917; Soils F.O., 1916, p. 421. 1921.
    in Pennsylvania, northeastern. Soil Sur. Adv. Sh., 1911, p. 11. 1912; Soils F.O., 1911, p. 275. 1914.
    in Porto Rico, primitive methods. D. B. 354, pp. 45–46. 1916.
    in South Carolina—
      Bamberg County, decline. Soil Sur. Adv. Sh., 1913, p. 11. 1914; Soils F.O., 1913, p. 237. 1916.
      Chesterfield County. Soil Sur. Adv. Sh., 1914, p. 6. 1915; Soils F.O., 1914, p. 656. 1919.
    in southern Appalachians, improvement in methods. For. Cir. 118, pp. 9–15. 1907.
    in Southwest, methods and cost. For. Bul. 101, pp. 43, 60–62. 1911.
    in Tennessee, Jackson County. Soil Sur. Adv. Sh., 1913, p. 7. 1915; Soils F.O., 1913, p. 1271. 1916.
    in Virginia, Frederick County. Soil Sur. Adv. Sh., 1914, p. 20. 1916; Soils F.O., 1914, p. 444. 1919.
    in Washington, southwestern, importance. Soil Sur. Adv Sh., 1911, pp. 29, 46. 1913; Soils F.O., 1911, pp. 2119, 2136. 1914.
    in Wisconsin, north-central, north part. Soil Sur. Adv. Sh., 1914, pp. 8–10. 1916; Soils F.O., 1914, pp. 1658–1660. 1919.

Lumber—Continued.
  industry—continued.
    influence of forestry. Overton W. Price. Y.B., 1902, pp. 309–312. 1903; Y.B. Sep. 274, pp. 309–312. 1903.
    instability causes. Rpt. 114. pp. 54–63. 1917.
    logging and milling methods, cost and waste. D.B. 308, pp. 11–23. 1915.
    of the State of New York, history. William F. Fox. For. Bul. 34, p. 59. 1902.
    present conditions, economic aspect. Rpt. 114, pp. 5–54. 1917.
    prices high. F.B. 1417, pp. 2–4, 12, 14–15. 1924.
    rank among manufacturing industries, per cent of wage earners, output value. D.B. 638, pp. 1–2. 1918.
    rank of various States, 1850–1904, and shifting nature. D.B. 638, pp. 3–4. 1918.
    studies—
      Pt. I. Some public and economic aspects of the lumber industry. William B. Greeley. Rpt. 114, pp. 100. 1917.
      Pt. VIII. The wholesale distribution of softwood lumber in the Middle West. Ovid M. Butler. Rpt. 115, pp. 96. 1918.
      Pt. IX. The retail distribution of softwood lumber in the Middle West. Ovid M. Butler. Rpt. 116, pp. 100. 1918.
      Pt. XI. The substitution of other materials for wood. Rolf Thelen. Rpt. 117, pp. 78. 1917.
    subsidy suggestion. M.C. 39, pp. 35–36. 1925.
    trade associations, development. For. [Misc.], "Timber depletion * * *," pp. 65–66. 1920.
    value to Southern States. D.B. 364, p. 3. 1916.
  infestation with powder-post beetles, treatment. F.B. 778, pp. 18–19. 1917.
  injury by—
    Douglas-fir pitch moth, character and prevention. D.B. 255, pp. 1–2, 7–17, 18–22. 1915.
    insects. Ent. Bul. 58, pp. 64–67. 1910.
    powder-post beetles, prevention. Y.B., 1917, p. 89. 1918.
    sapsuckers. F.B. 506, pp. 13–14. 1912; F.B. 513, p. 24. 1913.
    turpentining. D.B. 229, pp. 26–27. 1915.
  inspection—
    for powder-post infestation. F.B. 778, pp. 19–20. 1917.
    value in gipsy-moth control. Ent. Bul. 87, pp. 57–60. 1910.
  jack pine, cut and value, United States and Canada. D.B. 820, pp. 24–25. 1920.
  kiln-dried—
    1906, amount by States. For. Cir. 122, p. 32. 1907.
    storage. D.B. 1136, p. 45. 1923.
  kiln-drying—
    comparative results. M.C. 39, p. 40. 1925.
    course at Forest Products Laboratory. Off. Rec., vol. 1, No. 46, p. 2. 1922.
    demonstration courses. M.C. 29, pp. 2–9. 1924; M.C. 8, pp. 2–9, 20. 1923.
    handbook. Rolf Thelen. D.B. 1136, pp. 64. 1923.
    principles and operation. D.B. 894, pp. 8–9. 1920.
  kilns, types. D.B. 509, pp. 7–8. 1917.
  larch, mistletoe burls, effect on merchantability. D.B. 317, pp. 22–23. 1916.
  life, increase by preservative treatment. For. Bul. 78, p. 27. 1909.
  loblolly pine—
    prices, Delaware, Maryland, and Virginia, 1912 and 1901–1912. D.B. 11, pp. 13, 19–20. 1914.
    value, treatment, and hauling. For. Bul. 64, pp. 27–28. 1905.
  logging and milling methods, improvements. For. Bul. 73, pp. 20–22. 1906.
  lorry track, narrow-gauge, for small sawmills. D.B. 718, p. 32. 1918.
  losses by decay and prevention of them. M.C. 39, pp. 87–89. 1925.
  mahogany, characters, value, and uses. D.B. 474, pp. 5–12. 1917.
  manufacture—
    cost, Arkansas. D.B. 308, pp. 12–15. 1915.
    improved business methods, necessity. Rpt. 114, pp. 69–76, 100. 1917.

INDEX TO PUBLICATIONS, 1901-1925   1415

Lumber—Continued.
  marketing by small sawmills. D.B. 718, pp. 7-8. 1918.
  mill(s)—
    and—
      milling, small operations, equipment. D.B. 718, pp. 11-38. 1918.
      production reported, 1899-1913, and 1911, 1912, 1913. D.B. 232, pp. 2-9, 30-32. 1915.
      scale studies and grading rules. D.C. 231, p. 39. 1922.
    taxes. D. B. 950, p. 20. 1921.
  odd lengths, possible saving. For. Cir. 180, pp. 1-5. 1910.
  on hand, January 1, 1907, by species. For. Cir. 122, pp. 33-34. 1907.
  overproduction and completion. Rpt. 114, pp. 47-54. 1917.
  piling—
    for—
      air seasoning, directions. D.B. 1136, pp. 63-64. 1923.
      kiln drying. D.B. 894, pp. 7-8. 1920.
      kiln drying, flat and vertical. D.B. 1163, pp. 53-56. 1923.
    importance. D.B. 509, pp. 9-10. 1917.
    rules. D.B. 552, pp. 20-21. 1917.
  pine—
    cut, 1907. For. Cir. 166, p. 15. 1909.
    injury by sawyer, and losses. Ent. Bul. 58, pp. 44-45. 1910.
    mechanical properties, tests. For. Cir. 164, pp. 11-28. 1909.
    production cost, Virginia. D.B. 11, pp. 14-16, 1914.
    quality, comparison of sugar and yellow pine. D.B. 440, p. 13. 1917.
  prices—
    1865-1920, discussion. D.C. 112, pp. 6-8. 1920.
    advance, causes. Rpt. 114, pp. 41-46. 1917.
    and exports, timber depletion and concentration of timber ownership. Earle H. Clapp. For. [Misc.], "Timber depletion * * *," pp. 71. 1920.
    calculating, and relation to stumpage appraisal. For. [Misc.], "Stumpage appraisal * * *," pp. 30-32. 1922.
    comparison with other building materials. Rpt. 117, pp. 12-14, 28, 29. 1917.
    fluctuation, causes. Rpt. 114, pp. 21-23. 1917.
    imports, exports, and mill value. Y.B., 1923, pp. 1081, 1086-1088. 1924; Y.B. Sep. 904, pp. 1081, 1086-1088. 1924.
    increase. Y.B., 1922, pp. 118-123. 1923; Y.B. Sep. 886, pp. 118-123. 1923.
    range, 1887-1907. For. Cir. 97, p. 12. 1907.
    wholesale. For. [Misc.], "Wholesale * * *," folder. 1908.
  production—
    1870-1922, by States. Y.B., 1923, pp. 1063-1071. 1924; Y.B. Sep. 904, pp. 1063-1071. 1924.
    1899, 1904, 1906, by States. For. Bul. 77, pp. 12-14. 1908; For. Cir. 122, pp. 7-8. 1907.
    1899-1914, and estimates, 1915, by States. D.B. 506, pp. 13-15, 33-34. 1917.
    1899-1916, mills reporting, by States. D.B. 673, pp. 8-13. 1918.
    1906, by species. For. Bul. 77, pp. 18-34. 1908.
    1906 and 1907, by States. Y.B., 1908, p. 552. 1909.
    1907, value, and cut by species and by States. For. Cir. 166, pp. 14-20. 1909.
    1908-1917, by kinds of wood. D.B. 768, pp. 13-36. 1919.
    1913. D.B. 232, pp. 32. 1915.
    1914, kinds of wood, and mills reporting, by States. D.B. 506, pp. 42-45. 1917.
    1915, and mills reporting, by States. D.B. 506, pp. 37-41. 1917.
    1916. D.B. 673, pp. 1-35. 1918.
    1917, with lath and shingles. Franklin H. Smith and Albert H. Pierson. D.B. 768, pp. 44. 1919.
    1918, by classes of mills and by States, statistics. D.B. 845, pp. 3-15. 1920.
    1918, with lath and shingles. Franklin H. Smith and Albert H. Pierson. D.B. 845, pp. 47. 1920.
    and consumption in United States. Sec. Cir. 183, p. 34. 1921.

Lumber—Continued.
  production—continued.
    consumption, and substitution, statistics. Rpt. 117, pp. 14-29. 1917.
    decrease. D.B. 1119, pp. 3-8. 1923.
    from trees of minor species, and States reporting. D.B. 232, pp. 27-29, 31, 32. 1915.
    in Alabama, Washington County. Soil Sur. Adv. Sh., 1915, pp. 10, 11. 1917; Soils F. O. 1915, pp. 896. 1919.
    in Appalachian forests, decrease. Sec. Cir. 183, p. 26. 1921.
    in Arkansas, Jefferson County. Soil Sur. Adv. Sh., 1915, pp. 6-7. 1916; Soils F. O., 1915, pp. 1164-1165. 1919.
    in Florida, Franklin County. Soil Sur. Adv. Sh., 1915, pp. 9, 31. 1916; Soils F. O., 1915, pp. 803, 825. 1919.
    in Idaho, Nevada, and Utah, 1870-1911. M.C. 47, p. 7. 1925.
    leading species, 1899, 1904, 1906. For. Cir. 122, pp. 6-12. 1907.
    leading States since 1850. For. Cir. 168, p. 5. 1909.
    sawmill statistics. For. Cir. 107, pp. 1-2. 1907.
    total, by classes of mills and by States. D.B. 768, pp. 2-13. 1919.
  redwood, California, immunity from ants. Ent. Bul. 30, pp. 95-96. 1901.
  regions, United States, areas. Y.B. 1923, p. 1052. 1924; Y.B. Sep. 904, p. 1052. 1924.
  requirements for blanching celery, cost. F.B. 1269, pp. 20-21. 1922.
  retail, costs of distribution, city and country trade. Rpt. 116, pp. 15-61. 1918.
  salesmen, course of study in wood properties and uses. M.C. 8, pp. 18-20. 1923.
  sap stain, prevention. Howard F. Weiss and Charles T. Barnum. For. Cir. 192, pp. 19. 1911.
  sapsucker work, effects and studies. Biol. Bul. 39, pp. 56-91. 1911.
  saving by better container designs. C. Fred Yegge. M.C. 39, pp. 52-54. 1925.
  saving in railway handling. M.C. 39, p. 66. 1925.
  sawed, amount used in 1880, 1890, and 1907, in the United States. Y.B., 1910, p. 256. 1911; Y.B. Sep. 534, p. 256. 1911.
  sawing—
    and piling in small sawmills, directions. D.B. 718, pp. 35-37. 1918.
    methods that save. M.C. 39, p. 62. 1925.
  seasoning—
    and kiln drying, for fungi control. D.B. 1037, pp. 25-27, 51. 1922.
    drying, and storing, directions. D.B. 1128, pp. 2-3, 10-11, 26-28. 1923.
    in air, piling methods. D.B. 552, pp. 17-19. 1917.
    in dry kilns. Y.B., 1920, pp. 443-447. 1921; Y.B. Sep. 856, pp. 443-447. 1921.
  selection for fit uses, remarks. M.C. 39, p. 55. 1925.
  selling agencies, advantages. Rpt. 114, pp. 77-78. 1917.
  shipment in flume, brailing and accoutering, methods. D.B. 87, pp. 26-27. 1914.
  shippers, packers, and cooperage industry, need. For. Cir. 35, p. 14. 1905.
  short-length, cutting, advantages. M.C. 39, p. 58. 1925.
  short lengths and odd widths, utilization to prevent waste. Y.B., 1910, pp. 260, 262, 263. 1911; Y.B. Sep. 534, pp. 260, 262, 263. 1911.
  Sitka spruce, prices. D.B. 1060, pp. 9-10. 1922.
  slash-pine, uses for structural and other purposes. F.B. 1256, p. 14. 1922.
  small sawmills. D.B. 718, pp. 1-68. 1918.
  soda-dipped, inflammability, experiments. For. Cir. 192, pp. 17-18. 1911.
  softwood—
    distribution in the Middle West. Rpt. 116, pp. 1-100. 1918.
    sales, cost, profits, etc., 1908-1915, conditions affecting. Rpt. 115, pp. 28-41, 91-93. 1917.
    wholesale distribution in Middle West. Rpt. 115, pp. 1-96. 1917.
  sorting as a means of saving. M.C. 39, p. 61. 1925.

Lumber—Continued.
  spruce, uses and extent of industry. For. Cir. 168, pp. 7, 8–9. 1909.
  stacking methods. D.B. 510, pp. 22–27. 1917.
  standardization—
    relation to saving. M.C. 39, p. 58. 1925.
    study. Off. Rec. vol. 1, No. 7, p. 3. 1922.
  standards, suggestion for study. M.C. 39, p. 74. 1925.
  States' rank in value of production, 1840–1920. Y.B., 1922, p. 930. 1923.
  statistics—
    1924. Y.B., 1924, pp. 1014–1020. 1925.
    compilation methods. D.B. 506, pp. 4–5. 1917.
    production, by species, 1899–1920. Y.B., 1922, pp. 918–920. 1923.
    production, by States, 1870–1920. Y.B., 1922, pp. 914–917. 1923.
    value, by States, comparison of 1840, 1850, 1860, and 1920. Y.B., 1922, p. 930. 1923.
  steaming for fungi control, experiments. D.B. 1037, pp. 28–32. 1922.
  storage, sanitation. D.C. 231, pp. 41, 43. 1922.
  stored, fungi rotting. D.B. 510, pp. 30–37. 1917.
  stumpage value, determination methods. For. Bul. 96, pp. 25–26. 1912.
  substitutes in building and construction, estimates. Rpt. 117, pp. 21–26. 1917.
  sugar pine—
    grades. D.B. 426, p. 40. 1916.
    markets, uses, and annual consumption. D.B. 426, pp. 20–23. 1916.
  supply—
    and the national forests. Y.B., 1906, pp. 447–452. 1907; Y.B. Sep. 434, pp. 447–452. 1907.
    exhaustion. R. L. McCormick. For. Cir. 25, pp. 8–11. 1903.
    localities and varieties for different uses. For. Cir. 171, pp. 8–9. 1909.
  surfaced, 1906, by States. For. Cir. 122, pp. 32–33. 1907.
  sycamore—
    output and consumption, by States and mills. D.B. 884, pp. 7–8. 1920.
    prices, by States, 1899–1918, and at central markets, 1917–1919. D.B. 884, pp. 18–21. 1920.
  tanbark oak, description and uses. For. Bul. 75, pp. 24, 31–32. 1911.
  terms and abbreviations, definitions. D.B. 718, pp. 65–68. 1918.
  trade statistics, need. For. Cir. 35, p. 13. 1905.
  trade with foreign countries, 1895–1914. D.B. 296, pp. 46–47, 50. 1915.
  transportation—
    costs. Y.B., 1922, pp. 114–123. 1923; Y.B. Sep. 886, pp. 114–123. 1923.
    to common carriers. D.B. 440, pp. 86–92. 1917.
  treated, examination for creosote after long service. For. Cir. 199, pp. 1–8. 1912.
  use in cement forms. Rpt. 117, pp. 25–26. 1917.
  use in Illinois box factories, 1910. For. Cir. 177, p. 6. 1911.
  uses of lodgepole pine, value, and annual cut. D.B. 234, pp. 5–6. 1915.
  utilization—
    as a means of saving. M.C. 39, pp. 87–88. 1925.
    in buildings. John M. Gries. M.C. 39, pp. 55–59. 1925.
    in manufacture of wooden products. J. C. Nellis. D.B. 605, pp. 18. 1918.
  value—
    1899–1915. D.B. 506, pp. 36–37. 1917; D.B. 768, p. 38. 1919.
    grade, consumption, price, etc., of incense cedar. D.B. 604, pp. 2–4. 1918.
    of different woods in eastern United States. D.B. 153, pp. 23, 28, 29, 30, 31, 32. 1915.
    output, in North Carolina, Craven area. Soil Sur. Adv. Sh., 1903, p. 275. 1904; Soils F.O., 1903, p. 275. 1904.
  varieties, production in Connecticut, 1909. For. Bul. 96, pp. 15–17, 20–21. 1912.
  volume from various trees, tables. For. Bul. 36, pp. 113–186. 1910.
  volume tables and form tables. D.B., 308, pp. 56–66. 1915.
  walnut, prices and uses. For. Cir 88, rev., p. 3. 1909.

Lumber—Continued.
  waste—
    availability for pulp making. D.B. 72, pp. 2–3. 1914.
    in cutting, suggestions for greater economy. For. Cir. 118, pp. 5–9. 1907.
    in logging short-leaf pine, Arkansas. D.B. 308, pp. 15–17. 1915.
    utilization suggestions. Chem. Cir. 36, p. 46. 1909.
  weight, per 1,000 feet, for different woods, table. F.B. 715, p. 4. 1916.
  weight of different woods, green and dry. F.B. 1210, pp. 6–7. 1921.
  white pine, second growth, yield per acre, and quality. D.B. 13, pp. 21–34. 1914.
  wholesale—
    conditions in—
      in Chicago, 1880–1910. Rpt. 115, pp. 6–7. 1917.
      Middle West, report of Corporations Bureau, and discussion. Rpt. 115, pp. 3–28, 91–93. 1917.
    prices, 1886–1906. For. [Misc.], "Wholesale lumber * * *." Folder. No date.
    prices, 1886–1908. For. [Misc.], "Wholesale lumber * * *." Folder. No date.
    sellers, departments, and middlemen, methods. Rpt. 115, pp. 7–20, 91–93. 1917.
  willow, description and uses. D.B. 316, pp. 27–29. 1915.
  woodlot, value, and uses on farms. D.B. 481, pp. 24, 25, 27, 37. 1917.
  yellow pine—
    injury by forest fires to butts of trees. D.B. 418, pp. 10–11. 1917.
    utilization. D.B. 418, p. 30. 1917.
  yield—
    from walnut plantation, age, diameter, and value. D.B. 933, pp. 35–37. 1921.
    of Sitka spruce at different ages. D.B. 1060, pp. 27–28. 1922.
    per acre for ridge and slope land, southern Appalachians. For. Cir. 118, p. 20. 1907.
    regulations, National Forests, working plans. D.B. 275, pp. 2–22, 54–61. 1916.
  See also Forestry; Wood.
Lumbering—
  balsam fir, methods, difficulties, and conditions. D.B. 55, pp. 16–22. 1914.
  birch, methods and cost. For. Cir. 163, pp. 23–27. 1909.
  careless, cause of erosion of forest land. Y.B., 1913, pp. 209, 210–211. 1914; Y.B. Sep. 624, pp. 209–211. 1914.
  causes of loss. M.C. 39, pp. 33–34. 1925.
  communities, low standard of population, and causes. D.B. 638, pp. 20–21. 1918.
  conservative—
    and water supply. For. Bul. 30, p. 3. 1901.
    Sewanee, Tennessee. John Foley. For. Bul. 39, pp. 36. 1903.
  cost in Connecticut. For. Bul. 96, pp. 20–21 1912.
  cypress, methods and cost. D.B. 272, pp. 11–17. 1915.
  destructive, cause of land erosion, and control. Y.B., 1916, pp. 112, 129–130. 1917. Y.B. Sep. 688, pp. 6, 23–24. 1918.
  destructive, evil effect on towns and communities. D.B. 638, pp. 3–21. 1918.
  destructive, results. Rpt. 114, pp. 89–91. 1917.
  development in West, historical notes. M.C. 47, pp. 6–8. 1925.
  hickory, methods and possibilities. For. Cir. 187, pp. 9–12. 1911.
  importance of industry—
    North Carolina, Haywood County. Soil Sur. Adv. Sh., 1922, p. 209. 1925.
    to labor and manufacture. Rpt. 114, pp. 5–10, 63–64. 1917.
  in California, sugar and yellow-pine region. Swift Berry. D.B. 440, pp. 99 1917.
  in national forests—
    employees, qualifications and duties. For. Misc. 0–9, p. 4. 1919.
    influence on agriculture. Y.B., 1914, pp. 66–67. 1915; Y.B. Sep. 633, pp. 66–67. 1915.
  influence of St. Francis Valley drainage project, Ark. O.E.S. Bul. 230, Pt. I, pp. 81–82. 1911.

INDEX TO PUBLICATIONS, 1901–1925   1417

Lumbering—Continued.
  lodgepole pine, felling, cutting, skidding, hauling, and milling, methods. D.B. 234, pp. 10–14. 1915.
  methods. F.B. 358, pp. 22–29. 1909; For. Bul. 56, pp. 29–30. 1905.
  methods to secure reproduction of timber in forests. Y.B., 1907, pp. 284–288. 1908; Y.B. Sep. 466, pp. 284–288. 1908.
  Norway pine, methods and returns. D.B. 139. pp. 26–28. 1914.
  on national forests, cost and profits, advantages. Y.B., 1911, pp. 365–366, 368. 1912; Y.B. Sep. 575, pp. 365–366, 368. 1912.
  on private lands, cost and profits. Y.B., 1911, pp. 367–368. 1912; Y.B. Sep. 575, pp. 367–368. 1912.
  profits, remarks. M.C. 39, p. 33. 1925.
  spruce, methods. For. Cir. 168, pp. 9–11. 1909.
  suggestions, rules. For. Bul. 56, pp. 53, 56. 1905.
  wasteful, and means of prevention. For. Cir. 149, pp. 6–8. 1908; Y.B., 1910, pp. 256–263. 1911; Y.B. Sep. 534, pp. 256–263. 1911.
  white pine, development and decline. For. Bul. 99, pp. 37–43. 1911.
  yellow pine, on private lands, profits. For. Bul. 101, pp. 60–62. 1911.
Lumberman—
  and forester. Gifford Pinchot. For. Cir. 25, pp. 11–14. 1903.
  attitude toward forest fires. E. A. Sterling. Y.B., 1904, pp. 133–140. 1905. Y.B. Sep. 337, pp. 133–140. 1905.
  interest in forestry. For. Cir. 35, pp. 24–27. 1905.
  kiln-drying courses. Off. Rec., vol. 1, No. 22, p. 5. 1922.
  Maine, studies of food. C. D. Woods and E. R. Mansfield. O.E.S. Bul. 149, pp. 60. 1904.
  supplies furnished by farmers. Y.B., 1914, pp. 66–67. 1915; Y.B. Sep. 633, pp. 66–67. 1915.
Lumberyards—
  at mills, conditions. D.B. 510, pp. 11–27. 1917.
  number and volume of trade, Middle West. Rpt. 116, pp. 6–12, 28–40. 1916.
  retail, handling, conditions of timber. D.B. 510. pp. 27–30. 1917.
  sawmill, handling and treating lumber, costs. D.B. 440, pp. 80–86. 1917.
  standard grading specifications. Edward P. Ivory and others. D.C. 296, pp. 75. 1923.
LUMPKIN, JOSEPH, killing of dove, court decision. D.C. 202, pp. 1–6. 1922.
Lumpy jaw—
  cattle investigations. O.E.S. An. Rpt., 1911, p. 198. 1912.
  hog, control. Hawaii Bul. 48, p. 23. 1923.
  or actinomycosis. D. E. Salmon and Theobald Smith. B.A.I. Cir. 96, pp. 10. 1906.
  sheep, cause and treatment. F.B. 1155, p. 17. 1921.
  See also Actinomycosis.
LUMSDEN, L. L.: "The sanitary privy." With C. W. Stiles. F.B. 463, pp. 32. 1911.
LUNAK, S. E.: "Effect of varying certain cooking conditions in the production of sulphite pulp from spruce." D.B. 620, 24. 1918.
Lunch-box contest, rules. O.E.S. Bul. 255, p. 44. 1913.
Lunches—
  basket—
    for children, bills of fare, packing methods. F.B. 712, pp. 11–13. 1916.
    menus. News L., vol. 4, No. 6, pp. 4, 6. 1916.
  for anemic children, use of skim milk. F.B. 413, p. 16. 1916.
  home, for children, bills of fare. F.B. 712, p. 11. 1916.
  hot, for clubs, North and West, progress. D.C. 192, pp. 16–18. 1921.
  preparation at school, bills of fare, and methods. D.C. 66, p. 31. 1920; F.B. 712, pp. 13–16, 25–26. 1916.
  relation to other meals, dietary essentials. News L., vol. 4, No. 6, pp. 4, 6. 1916.
  school—
    Caroline L. Hunt and Mabel Ward. F.B. 712, pp. 27. 1916.
    extension work. D.C. 349, pp. 17–18. 1925.
    workmen's value of milk. News L., vol 6, No. 49, p. 7. 1919.

Luncheon sets, directions for making, sewing club work. D.C. 2, p. 18. 1919; S.R.S. Doc. 83, pp. 15–16. 1918.
LUND, F. P.—
  "Drying vegetables and fruits for home use." D.C. 3, pp. 23. 1919.
  "Home canning of meats and sea foods with the steam-pressure canner." S.R.S. Doc. 80, pp. 28. 1918.
  "Pork on the farm: Killing, curing, and canning." With others. F.B. 1186, pp. 44. 1921.
Lunda cirrhata. See Puffin, tufted.
LUNDIE, A. E.: "The flight activities of the honeybee." D.B. 1328, pp. 38. 1925.
Lung(s)—
  balsam, misbranding. Chem. N.J. 4104. 1916.
  cattle, infected, description. B.A.I. [Misc.], "Diseases of cattle," rev., pp. 370, 373–377. 1923.
  cure, misbranding and adulteration, alleged. Chem. N.J. 1912, pp. 4. 1913.
  diseases, cattle—
    noncontagious. B.A.I. [Misc.], "Diseases of cattle," rev., pp. 93–98. 1904; rev., pp. 94–100. 1912.
  See also Pneumonia; Pleuro-pneumonia; Tuberculosis.
  fever—
    legislation. B.A.I. Bul. 28, p. 109. 1901.
    See also Pneumonia.
  flukes, control by destruction of intermediate hosts. J.A.R., vol. 20, pp. 193–208. 1920.
  hog, prohibition of use for food. B.A.I.S.A. 34, p. 9. 1910.
  horse, description and function. B.A.I. [Misc.], "Diseases of the horse," pp. 119–120. 1903; rev., p. 120. 1907; rev., p. 120. 1911.
  ox and lamb, food value. D.B. 1138, pp. 37–39. 1923.
  plague—
    bovine, eradiction. Y.B., 1919, pp. 70–76. 1920.
    See also Pleuro-pneumonia.
  tonic, misbranding. Chem. N.J. 4105, p. 1. 1916; Chem. N.J. 4107, p. 1. 1916.
  trouble caused by infection with Ascaris. J.A.R. vol. 11, No. 8, pp. 397–398. 1917.
  tuberculous—
    hog, description. B.A.I. An. Rpt., 1907, pp. 236–237. 1909; B.A.I. Cir. 144, pp. 236–237. 1909.
    infection, through alimentary canal, experiments. B.A.I. Cir. 127, pp. 11–15. 1908.
Lungardia, misbranding. See Indexes, Notices of Judgment, bound volumes and in separates, published as supplements to Chemistry Service and Regulatory Announcements.
Lungworm(s)—
  cattle, description and treatment. B.A.I. [Misc.]. "Diseases of cattle," rev., p. 530. 1923; rev., pp. 515–516. 1904.
  hair, of sheep, description, life history, and control. F.B. 1330, pp. 51–53. 1923.
  hog, symptoms. F.B. 379, p. 17. 1909.
  injury to hogs in Guam, description of symptoms. Guam A.R., 1915, pp. 33–34. 1916.
  lambs, control. An. Rpts., 1916, pp. 127–128. 1917; B.A.I. Chief Rpt., 1916, pp. 61–62. 1916.
  reindeer, spread. D.B. 1089, p. 59. 1922.
  sheep, description, life history, and control. F.B. 1150, pp. 50–53. 1920.
  thread, of sheep, description, life history, and control. F.B. 1330, pp. 50–51. 1923.
LUNN, W. M.: "Effects of crops on the yields of succeeding crops in the rotation, with special reference to tobacco." With others. J.A.R., vol. 30, pp. 1095–1132. 1925.
Lupinaster—
  Alaska, growing experiments and description. Alaska A.R., 1913, pp. 18, 42–43. 1914.
  Siberian, description. B.P.I. Bul. 150, p. 24. 1909.
Lupine(s)—
  Alaska, growth. B.P.I. Bul. 82, p. 17. 1905.
  alkali resistance, experiments. Soils Bul. 35, pp. 158–163. 1906.
  Arizona. See Loco weed.
  as poisonous plants. C. D. Marsh and others. D.B. 405, pp. 45. 1916.
  bacteria, characteristics. J.A.R., vol. 14, pp. 319–321. 1918.

Lupine(s)—Continued.
   cultivation and uses. D.B. 405, pp. 1-2. 1916; F. B. 1171, pp. 45-46, 81. 1921; S.R.S. Syl. 34, p. 20. 1918.
   extraction methods. D.B. 405, pp. 8, 25. 1916.
   German, value as legume for green manure. Hawaii A. R., 1914, pp. 21, 41. 1915.
   growth on Washington prairie, eastern Puget Sound Basin. Soil Sur. Adv. Sh., 1909, p. 33. 1911; Soils F.O., 1909, p. 1545. 1912.
   importations and description. Nos. 51516, 51566, 51798, 52172, B.P.I. Inv. 65, pp. 23, 27, 51, 77. 1923; Nos. 52752-52753, B.P.I. Inv. 66, p. 71. 1923.
   injury by legume pod moth, planting experiments. Ent. Bul. 95, Pt. VI, pp. 91, 92. 1912.
   leaves, seed, pods, and fruit, toxicity. D.B. 405, pp. 30-33. 1916.
   little, value as forage-plant. F.B. 425, pp. 11, 12. 1910.
   poisoning, symptoms, and remedies. D.B. 405, pp. 9-13, 21-25, 33-38, 42. 1916; D.B. 575, pp. 15-16. 1918; D.B. 1245, pp. 13-14, 33-34. 1924.
   poisonous to sheep, seasonal toxicity. F.B. 720, pp. 2, 5, 6. 1916.
   seed, composition, and effect of green manures. J.A.R., vol. 5, No. 25, p. 1162. 1916.
   sensitiveness to lime carbonate in soil. P.R. Bul. 11, p. 28. 1911.
   transpiration studies, Akron, Colo. J.A.R., vol. 7, pp. 158-161, 165, 174-180, 191, 193. 1916.
   yellow, root nodules, nitrogen-gathering, description. Y.B., 1910, p. 215. 1911; Y.B. Sep. 530, p. 215. 1911.
Lupinosis, losses in Europe and comparison with American disease. D.B. 405, pp. 3, 4, 36-38. 1916.
Lupinus—
   arboreus, importation and description. No. 35969, B.P.I. Inv. 36, p. 32. 1915.
   arizonicus. See Locoweed.
   cruckshankii, importation and description. No. 41330, B.P.I. Inv. 45, p. 15. 1918.
   sericeus. See Lupines.
   spp., toxicity, comparisons. D.B. 405, pp. 9, 13, 27, 30. 1916.
Lupulin, distillation, study. J.A.R., vol. 2, pp. 157-158. 1914.
Luquillo Forest Reserve, Porto Rico. John C. Gifford. For. Bul. 54, p. 52. 1905.
Luquillo National Forest, creation, extent, and uses. An. Rpts., 1912, p. 534. 1913; For. A.R., 1912, p. 78. 1912.
LUSH, J. L.—
   "Inheritance in swine." With Edward N. Wentworth. J.A.R., vol. 23, pp. 559-582. 1923.
   "The possibility of sex control by artificial insemination with centrofuged spermatozoa." J.A.R., vol. 30, pp. 893-913. 1925.
Lutien tablets, misbranding. See *Indexes, Notices of Judgment, in bound volumes, and in separates, published as supplements to Chemistry Service and Regulatory Announcements.*
LUTMAN, B. F.—
   "Further observations on the osmotic pressure of the juices of the potato plant." J.A.R., vol. 26, pp. 243-256. 1923.
   "Investigations of the potato fungus, *Phytophthora infestans.*" With others. B.P.I. Bul. 245, pp. 100. 1912.
Lutra canadensis. See Otter, American.
Lutreola vison. See Mink.
Lutzia bigotii, use against mosquito larvae. Ent. Bul. 88, p. 63. 1910.
Luxemburg—
   nursery-stock inspection. F.H.B.S.R.A. 7, p. 64. 1914; F.H.B.S.R.A. 20, p. 74. 1915; F.H.B. S.R.A. 32, p. 120. 1916.
   potato production, 1909-1913, 1921-1923. S.B. 10, p.19. 1925.
Luziola spp., description, distribution, and uses. D.B. 772, pp. 18, 209, 211, 212. 1920.
Luzon Island, boys' farm school. Off. Rec. vol. 2, No. 11, p. 5. 1923.
Lycaena baetica. See Bean pod borer.

Lychee—
   cuttings, rooting tests. D.C. 310, pp. 7-8. 1924.
   importations and descriptions. Nos. 46568-46570, B.P.I. Inv. 56, p. 27. 1922; Nos. 47735-47377, B.P.I. Inv. 59, pp. 13-14. 1922; No. 48214, B.P.I. Inv. 60, p. 56. 1922; Nos. 51466-51472, B.P.I. Inv. 65, p. 19. 1912.
   See also Litchi.
Lycium—
   barbarum, hedge and soil binder, description. No. 32272, B.P.I. Bul. 261, p. 50. 1912
   pallidum. See Matrimony vine.
Lycoperdaceae, classification, key to genera and description of species. D.B. 175, pp. 48-51. 1915.
Lycoperdon spp.—
   description. D.B. 175, p. 49. 1915.
   occurrence in formation of fairy rings. J.A.R., vol. 11, pp. 195, 197, 202. 1917.
   See also Puffballs.
Lycopersicon—
   esculentum—
      host of *Bacterium exitiosum.* J.A.R., vol. 21. No. 2, pp. 123-156. 1921.
      See also Tomato.
   sp., importation and description. No. 31239. B.P.I. Bul. 242, p. 75. 1912.
Lycopus virginicus. See Bugleweed.
Lycoris spp., importations and description. Nos. 45525-45528, B.P.I. Inv. 53, pp. 5, 47. 1922.
Lyctidae family, United States and Europe, revision. Ent. T.B. 20, Pt. III, pp. 111-138. 1911.
Lyctus—
   beetles, powder-post damage to seasoned hardwood. A. D. Hopkins and T. E. Snyder. F.B. 778, pp. 20. 1917.
   planicollis, egg and manner of oviposition. J.A.R., vol. 6, No. 7, pp. 273-276. 1916.
   spp., description. F.B. 778, pp. 12-15. 1917.
   See also Powder-post beetle.
Lycurus—
   phleoides, distribution, description, and feed value. D.B. 201, pp. 30-31. 1915.
   spp., description, distribution, and uses. D.B. 772, pp. 14, 139. 1920.
Lye—
   analyses, composition. Chem. Bul .76, pp. 46-47. 1903.
   caustic, wash for orchard spraying. Y.B., 1908, p. 280. 1909; Y.B. Sep. 480, p. 280. 1909.
   soda—
      analysis methods. Chem. Bul. 116, pp. 126-127. 1908; Chem. Bul. 81, pp. 202-203. 1904; Chem. Bul. 132, pp. 46-47. 1910.
      labeling. I. and F. Bd. S.R.A. 8, p. 3. 1915.
      manufacturers, notice to. I. and F. Bd. S.R.A 17, p. 296. 1917.
   solution use—
      in dipping figs. F.B. 1031, pp. 40, 44. 1919.
      in dipping prunes for evaporation. F.B. 903 pp. 36-37. 1917.
      in preparation of fruit for drying. F.B. 984, pp. 14-15. 1918.
      on peaches and prunes for evaporation. D.B 1141, pp. 33, 47, 51. 1923.
   sulphur spray for red spider. Ent. Bul. 117, p. 25. 1913; Ent. Cir. 104, pp. 7-8, 10. 1909.
   use in—
      cattle dips, description. F.B. 603, p. 4. 1914.
      cleaning old floors. F.B. 1219, p. 16. 1921.
      house cleaning. F.B. 1180, p. 8. 1921.
      killing trees. J.A.R., vol. 31, pp. 272, 273. 1925.
      making hominy. F.B. 1236, pp. 19-20. 1923.
      preparation of fruit for drying. D.B. 1335, pp 5-6. 1925.
      softening water for washing. F.B. 1099, p. 26. 1920.
Lygidea mendax, control, and life history. F.B 1270, pp. 11-12. 1922.
Lygris diversilineata—
   synonomy. D.B. 900, p. 2. 1920.
   See also Grapevine looper.
Lygus pratensis. See Plant-bug, tarnished.
Lygyrus gibbosus. See Carrot beetle.
LYMAN, G. R.: "Potato wart in the United States." With others. D.C. 111, pp. 3-10. 1920.
LYMAN, W. S.: "Soil survey of—
   Bastrop County, Tex." With others. Soil Sur. Adv. Sh., 1907, pp. 46. 1908; Soils F.O., 1907, pp. 663-704. 1909.

LYMAN, W. S.: "Soil survey of—Continued.
Bienville Parish, La." With others. Soil Sur. Adv. Sh., 1908, pp. 36. 1909; Soils F.O., 1908, pp. 843–874. 1911.
Etowah County, Ala." With C. S. Waldrop. Soil Sur. Adv. Sh., 1908, pp. 31. 1910; Soils F.O., 1908, pp. 709–735. 1911.
Franklin County, Tex." With A. E. Kocher. Soil Sur. Adv. Sh., 1908, pp. 32. 1909; Soils F.O., 1908, pp. 925–952. 1911.
Grainger County, Tenn." With W. E. McLendon. Soil Sur. Adv. Sh., 1906, pp. 30. 1907; Soils F.O., 1906, pp. 661–686. 1908.
Madison County, Tenn." With others. Soil Sur. Adv. Sh., 1906, pp. 18. 1907; Soils F.O., 1906, pp. 687–700. 1908.
the San Marcos area, Texas." With A. W. Mangum. Soil Sur. Adv. Sh., 1906, pp. 37. 1906; Soils F.O., 1906, pp. 505–537. 1908.
Wilson County, Tex." With Frank C. Schroeder. Soil Sur. Adv. Sh., 1907, pp. 26. 1908; Soils F.O., 1907, pp. 641–662. 1909.
Lyme grass, importations and descriptions. No. 52794, B.P.I. Inv. 66, p. 75. 1923; Nos. 52880, 53046–53052, 53100, 53144, B.P.I. Inv. 67, pp. 8, 22–24, 27, 31. 1923.
Lymexylon sericeum. See Chestnut timber worm.
Lymph—
cysts, diagnosis. B.A.I. An. Rpt., 1911, p. 114. 1913; B.A.I. Cir. 214, p. 114. 1913.
glands—
animals, food-producing. John S. Buckley and Thomas Castor. B.A.I. Cir. 192, pp. 10. 1912; B.A.I. An. Rpt. 1910, pp. 371–400. 1912.
horse, inflammation and abscess, symptoms and treatment. B.A.I. [Misc.], "Diseases of the horse," p. 249. 1911.
Lymphadenitis—
caseous, of sheep—
cause, diagnosis, and treatment. F.B. 1155, p. 14. 1921.
detection in lymph glands. B.A.I. An. Rpt., 1910, pp. 382, 386, 395. 1912; B.A.I. Cir. 192, pp. 382, 386, 395. 1912.
Lymphangitis—
animal, prevalence abroad, and quarantine regulations. Y.B., 1919, pp. 72–73. 1920; Y.B. Sep. 802, pp. 72–73. 1920.
contagious forms, danger to horses. Y.B., 1918, p. 244. 1919; Y.B. Sep. 783, p. 8. 1919.
epizootic, symptoms and presence in United States. An. Rpts., 1908, p. 239. 1909; B.A.I. Chief Rpt., 1908, p. 25. 1908.
mycotic—
cause, symptoms, and treatment. John R. Mohler. B.A.I. An. Rpt., 1908, pp. 229–234. 1910; B.A.I. Cir. 155, pp. 5. 1910.
description, causes, symptoms, treatment, etc., B.A.I. [Misc.], "Diseases of the horse," rev., pp. 250, 545–547. 1911.
Lymphatic system, description, and importance in relation to disease. B.A.I. An. Rpt., 1910, pp. 371–376, 399–400. 1912; B.A.I. Cir. 192, pp. 371–376, 399–400. 1912.
LYNCH, W. D.: "Poisonous metals on sprayed fruits and vegetables." With others. D.B. 1027, pp. 66. 1922.
Lynchburg, Va.—
milk-supply details and statistics. B.A.I. Bul. 70, pp. 6–7, 23. 1905.
tobacco market and manufacturing center. B.P.I. Bul. 268, pp. 30–31. 1913.
Lynn, Mass., milk supply, statistics, officials, prices, and ordinances. B.A.I. Bul. 46, pp. 30, 90. 1903.
Lynx—
actions towards coyote-proof fence. For. Cir. 160, p. 10. 1909.
bounties paid by different States. F.B. 1238, pp. 7–23. 1921.
bounty laws, summary. F.B. 911, p. 29. 1917.
Canada—
description, occurrence in Athabaska-Mackenzie region. N.A. Fauna 27, pp. 209–311. 1908.
occurrence in—
Alaska and Yukon Territory. N.A. Fauna 30, pp. 28, 80. 1910.
Colorado, description. N.A. Fauna 33, pp. 165–167. 1911.
Montana. Biol. Cir. 82, p. 21. 1911.

Lynx—Continued.
Canada—Continued.
range and habits. N.A. Fauna 21, p. 67. 1901; N.A. Fauna 22, p. 61. 1902; N.A. Fauna 24, p. 30. 1904.
habits and control. Biol. Chief Rpt., 1924, p. 7 1924.
hunting and bounty laws, 1919. F.B. 1079, pp. 4–27. 1919.
increase in Alaska. D.C. 225, p. 5. 1922.
occurrence in Texas, habits. N.A. Fauna 25, pp. 169–171. 1905.
protection laws, summary, 1918. F.B. 1022, p. 29. 1918.
trapping directions, and casing skins. Y.B. 1919, pp. 464–465. 1920; Y.B. Sep. 823, pp. 464–465. 1920.
See also Bobcat; Wildcat, plateau.
LYON, T. L.—
"Cooperative experiments with grasses and forage plants." O.E.S. Bul. 115, pp. 71–73. 1902.
"Improving the quality of wheat.". B.P.I. Bul 78, pp. 120. 1905.
"Pasture, meadow, and forage crops in Nebraska." With A. S. Hitchcock. B.P.I. Bul 59, pp. 64. 1904.
Lyonothamnus. See Ironwood, western.
LYONS, M. A.: "The microscopical examination o flour." With George L. Keenan. D.B. 839, pp 32. 1920.
LYONS, P. F.—
"Records in court." W.B. Bul. 31, pp. 183–184. 1902.
"Should the temperature be verified by maximum and minimum readings?" W.B. Bul. 31, pp. 167–168. 1902.
Lyons Dam, Mich., construction, details, and cost. O.E.S. Bul. 249, Pt. I, pp. 92–94. 1912.
Lyperosia irritans. See Horn fly.
Lysicarpus ternifolius, importation and description No. 42826, B.P.I. Inv. 47, p. 71. 1920
Lysiloma sabicu. See Sabicu.
Lysimachia mummularia. See Moneywort.
Lysimeter—
experiments with—
arsenic in soil. J.A.R., vol. 5, No. 11, pp. 460–461. 1915.
Hawaiian soils. Hawaii A.R., 1912, pp. 52–54. 1913.
investigations, in Oregon, Umatilla Experiment Farm. O.C. 110, pp. 19–20. 1920; W.I.A. Cir. 17, pp. 14–16. 1917; W.A.I. Cir. 26, pp. 18–20. 1919.
use in percolation tests with soils. D.C. 342, pp. 21–22. 1925.
Lysine—
determination in processed fertilizer base, methods. D.B. 158, pp. 9, 23. 1914.
occurrence in soils, description. Soils Bul. 88, pp. 14–15. 1913.
presence in peanut feeds. D.B. 1096, p. 5. 1922.
Lysine humboldtiana buffoniana, occurrence in Mexico. Y.B., 1914, p. 492. 1915; Y.B. Sep. 653, p. 492. 1915.
Lysiphlebus tritici, parasite of spring grain aphid, description, introduction, and development. Ent. Cir. 93, rev., pp. 3, 8–14, 15–18. 1909; Y.B., 1907, pp. 239–242, 253. 1908; Y.B. Sep. 447, pp. 239–242, 253. 1908.
Lysol, use in control of mushroom disease, recommendation. D.B. 127, pp. 14, 15. 1914.
Lyssophobia, description of a typical case. B.A.I. An. Rpt., 1909, pp 206, 207–208. 1911; F.B. 449, pp. 13, 14–15. 1911.
LYTHGOE, H. C., report as referee on—
the adulteration of dairy products. Chem. Bul. 132, pp. 122–131. 1910; Chem. Bul. 162, pp. 167–170. 1913.
water in foods. Chem. Bul. 152, p. 167. 1912. Chem. Bul. 162, pp. 138–139. 1913.
Lythrum salicaria, susceptibility to *Puccinia tritcina.* J.A.R. vol. 22, pp. 152–172. 1921.

Maba—
importation and description. No. 36877, B.P.I. Inv. 37, p. 77. 1916.
natalensis, importation and description. No 34170, B.P.I. Inv. 32, p. 18. 1914.

MABBOTT, D. C.: "Food habits of seven species of American shoalwater ducks." D.B. 862, pp. 68. 1920.
Mabi. *See* Greenheart, West Indian.
Mabola—
description and introduction. B.P.I. Bul. 205, p. 15. 1911.
importations and descriptions. No. 38192, B.P.I. Inv. 39, p. 102. 1917; No. 44363, B.P.I. Inv. 50, p. 62. 1922; No. 53555. B.P.I. Inv. 67. pp. 4. 60. 1923.
Mabolo—
description and uses. Guam A.R., 1921, p. 24. 1923.
Philippine, source of ebony. Guam A.R., 1911. pp. 17-18, 23. 1912.
Macadam—
courses, description, directions for placing. F.B. 338, pp. 17-21. 1908.
roads. *See* Roads.
surfaces, cost. F.B. 338, pp. 22-25, 33-36. 1908.
tarred slag-limestone, road-building experiments and cost. Rds. Cir. 90, pp. 13, 15. 1909.
use in roads. Y.B., 1924, pp. 1021-1026. 1925.
water-bound, use in road experiments, reports. D.B. 257, pp. 12-16. 1915.
Macadamia—
importations and descriptions. No. 44769, B.P.I. Inv. 51, p. 62. 1922; No. 46463, B.P.I. Inv. 56, pp. 3, 18. 1922.
minor, importation and description. No. 42468, B.P.I. Inv. 47, pp. 6, 19. 1920.
nut—
description and analysis. Off. Rec., vol. 1, No. 40, p. 2. 1922.
growing in—
Hawaii. Hawaii A.R., 1922, p. 8. 1924.
Hawaii, description, culture, and value. Hawaii A.R., 1919, pp. 12, 17-18. 1920.
importation and description. No. 47918, B.P.I. Inv. 60, pp. 2, 14. 1922.
See also Queensland nut.
ernifolia—
adaptability in California and Florida. B.P.I. Bul. 176, pp. 7, 17. 1910.
growing in Hawaii, value of nut. Hawaii A.R., 1916, p. 21. 1917.
See also Queensland nut.
MCADIE, A. G.—
"Climatology of California." W.B. Bul. L, pp. 270. 1903.
"Fog studies." W.B. Bul. 31, pp. 31-35. 1901.
"Laboratory work in meteorology." W.B. [Misc.], "Proceedings, third convention * * *," pp. 11-13. 1904.
"Notes on frost," revision. F.B. 104, rev. pp. 32. 1910.
"The climate of San Francisco." W.B. Bul. 44, pp. 33. 1913.
"Wet and dry seasons in California." Y.B., 1902, pp. 187-201. 1903; Y.B. Sep. 271, pp. 187-201. 1903.
Macal. *See* Yautia.
MCALEER, H. A.—
"A wheatless ration for the rapid increase of flesh on young chickens." With others. D.B. 657, pp. 12. 1918.
"The prevention of breakage of eggs in transit when shipped in carlots." With others. D.B. 664, pp. 31. 1918.
"The refrigeration of dressed poultry in transit." With others. D.B. 17, pp. 35. 1913.
Macambira, importation and description. No. 37919, B.P.I. Inv. 39, p. 67. 1917.
Macaroni—
adulteration. See also *Indexes, Notices of Judgment, in bound volumes, and in separates, published as supplements to Chemistry Service and Regulatory Announcements*.
artificial coloring, regulations. F.I.D. 39, p. 1. 1906.
color adulteration. Chem. N.J. 2515, p. 1. 1913.
definitions and standards, F.I.D. 171. Chem. S.R.A. 21, pp. 67, 68. 1917.
digestibility and nutritive value. O.E.S. Bul. 156, pp. 55-80. 1905; O.E.S. Bul. 159, pp. 167, 168. 1905.
egg, misbranding. Chem. N.J. 652, pp. 2. 1910.
food value, chart. D.B. 975, p. 29. 1921; F.B. 1383, p. 26. 1924.

Macaroni—Continued.
imported, use of dye, Chemistry Bureau opinion. Chem. S.R.A. 3, pp. 113-114. 1914.
imports—
1851-1908. Y.B., 1908, p. 776. 1909; Y.B. Sep. 498, p. 776. 1909.
1901-1924. Y.B. 1924, p. 1077. 1925.
1907-1909 (with similar products), quantity and value by country from which consigned. Stat. Bul. 82, p. 43. 1910.
1908-1910, quantity and value, by countries from which consigned. Stat. Bul. 90, p. 46. 1911.
manufacture—
from durum wheat, and annual consumption. F.B. 534, p. 15. 1913; F.B. 1304, pp. 1, 3, 5, 7, 8, 14. 1923.
process. B.P.I. Bul. 20, pp. 24-31. 1902; O.E.S. Bul. 156, p. 61. 1905; O.E.S. Bul. 200, p. 35. 1908.
preparation and cooking. O.E.S. Bul. 200, pp. 35-36. 1908.
standards. News L., vol. 6, No. 52, p. 15. 1919.
use—
and preparation, in Japan. O.E.S. Bul. 159, pp. 20-21. 1905.
as vegetable. O.E.S. Bul. 245, p. 59. 1912.
of durum wheat. F.B. 251, pp. 14-18. 1906; Y.B., 1914, p. 413. 1915; Y.B. Sep. 649, p. 413. 1915.
wheat. *See* Wheat, macaroni.
Macaroon(s)—
adulteration and misbranding. Chem. N.J. 3275. 1914; Chem. N.J. 4034. 1916; Chem. N.J. 4311. 1916.
made with ground nuts or nut paste. F.B. 332, p. 20. 1908.
paste, labeling, Chem. Bureau opinion. Chem. S.R.A. 3, p. 110. 1914.
Macassar oil, plant producing. B.P.I. Bul. 176, p. 18. 1910.
MCATEE, W. L.—
"A biological survey of the Pribilof Islands, Alaska." With Edward A. Preble and others. N.A. Fauna 46, pp. 255. 1923.
"Attracting birds to public and semipublic reservations." D.B. 715, pp. 13. 1918.
"Bird enemies of the codling moth." Y.B., 1911, pp. 237-246. 1912; Y.B. Sep. 564, pp. 237-246. 1912.
"Birds and mammals of the Pacific Islands, Alaska." With Edward A. Preble. N.A. Fauna 46, Pt. I, pp. 1-128. 1923.
"Birds that eat scale insects." Y.B., 1906, pp. 189-198. 1907; Y.B. Sep. 416, pp. 189-198. 1908.
"Common birds of southeastern United States in relation to agriculture." With others. F.B. 755, pp. 40. 1916.
"Community bird refuges." F.B. 1239, pp. 13. 1921.
"Eleven important wild-duck foods." D.B. 205, pp. 25. 1915.
"Farm help from the birds." Y.B., 1920, pp. 253-270. 1921; Y.B. Sep. 843, pp. 253-270. 1921.
"Five important wild-duck foods." D.B. 58, pp. 19. 1914.
"Food habits of the grosbeaks." Biol. Bul. 32, pp. 92. 1908.
"Food habits of the mallard ducks of the United States." D.B. 720, pp. 36. 1918.
"Food of some well-known birds of forest, farm, and garden." F.B. 506, pp. 35. 1912.
"Homes for birds." With E. R. Kalmbach. F.B. 1456, pp. 22. 1925.
"How to attract birds in northeastern United States." F.B. 621, pp. 15. 1914; rev., pp. 16. 1921.
"How to attract birds in northwestern United States." F.B. 760, pp. 12. 1916.
"How to attract birds in the East-Central States." F.B. 912, pp. 15. 1918.
"How to attract birds in the middle Atlantic States." F.B. 844, pp. 16. 1917.
"Index to papers relating to the food of birds." Biol. Bul. 43, pp. 69. 1913.
"Insects, arachnids, and chilopods of the Pribilof Islands, Alaska." With others. N.A. Fauna 46, Pt. II, pp. 129-244. 1923.
"Local names of migratory game birds." M.C. 13, pp. 95. 1923.

McATEE, W. L.—Continued.
"Our grosbeaks and their value to agriculture." F.B. 456, pp. 14. 1911.
"Our vanishing shore birds." Biol. Cir. 79, pp. 9. 1911.
"Plants useful to attract birds and protect fruit." Y.B., 1909, pp. 185–196. 1910; Y.B. Sep. 504, pp. 185–196. 1910.
"Propagation of wild duck foods." D.B. 465, pp. 40. 1917.
"Relation of birds to grain aphides." Y.B., 1912, pp. 397–404. 1913; Y.B. Sep. 601, pp. 397–404. 1913.
"Some common game, aquatic, and rapacious birds in relation to man." With F. E. L. Beal. F.B. 497, pp. 30. 1912.
"The horned larks and their relation to agriculture." Biol. Bul. 23, pp. 37. 1905.
"The poultry industry." With others. Y.B. 1924, pp. 377–456. 1925.
"Three important wild duck foods." Biol. Cir. 81, pp. 19. 1911.
"Wild-duck foods of the sandhill region of Nebraska." D.B. 794, pp. 37–79. 1920.
"Woodpeckers in relation to trees and wood products." Biol. Bul. 39, pp. 99. 1911.
Macaw tree, importation and description. No. 40881, B.P.I. Inv. 43, p. 94. 1918.
McBETH, I. G.—
"Cellulose as a source of energy for nitrogen fixation." B.P.I. Cir. 131, pp. 25–34. 1913.
"Fixation of ammonia in soils." J.A.R., vol. 9, pp. 141–155. 1917.
"Relation of the transformation and distribution of soil nitrogen to the nutrition of citrus plants." J.A.R., vol. 9, pp. 183–252. 1917.
"The destruction of cellulose by bacteria and filamentous fungi." With F. M. Scales. B.P.I. Bul. 266, pp. 52. 1913.
"Soil survey of the Klamath reclamation project, Oregon." With A. T. Sweet. Soil Sur. Adv. Sh., 1908, pp. 45. 1910; Soils F.O., 1908, pp. 1373–1413. 1911.
MACBRIDE, J. F.: "Vegetative succession under irrigation. J.A.R., vol. 6, No. 19, pp. 741–760. 1916.
McBRYDE, C. N.—
"A bacteriological study of ham souring." B.A.I. Bul. 132, pp. 55. 1911.
"Changes in fresh beef during cold storage above freezing." With others. D.B. 433, pp. 100. 1917.
"Commercial methods of canning meats." Y.B., 1911, pp. 383–390. 1912; Y.B. Sep. 577, pp. 383–390. 1912.
"Effect of autolysis upon muscle creatin." With Ralph Hoagland. J.A.R., vol. 6, No. 14, pp. 535–547. 1916.
"Filtration experiments with *Bacillus cholerae suis*." B.A.I. Bul. 113, pp. 31. 1909.
"Further experiments concerning the production of immunity from hog cholera." With others. B.A.I. Bul. 102, pp. 96. 1908.
"Investigations concerning the sources and channels of infection in hog cholera." With others. J.A.R., vol. 13, pp. 101–131. 1918.
"Methods of canning meats, and disposal of defective cans." B.A.I. An. Rpt., 1907, pp. 279–296. 1909.
"The etiology of hog cholera." With others. B.A.I. Bul. 72, pp. 102. 1905.
"The germicidal value of liquor cresolis compositus (U. S. P.)." B.A.I. Bul. 100, pp. 24. 1907.
"Certain variations in the morphology of tubercle bacilli of bovine origin." B.A.I. Cir. 60, pp. 5. 1904.
McCABE, G. P., report as Solicitor—
1907. An. Rpts., 1907, pp. 759–776. 1908; Sol. A.R., 1907, pp. 22. 1907.
1908. An. Rpts., 1908, pp. 791–818. 1909; Sol. A.R., 1908, pp. 32. 1908.
1909. An. Rpts., 1909, pp. 739–789. 1910; Sol. A.R., 1909, pp. 55. 1909.
1910. An. Rpts., 1910, pp. 793–895. 1911; Sol. A.R., 1910, pp. 107. 1910.
1911. An. Rpts., 1911, pp. 759–948. 1912; Sol. A.R., 1911, pp. 192. 1911.
1912. An. Rpts., 1912, pp. 889–1076. 1913; Sol. A.R., 1912, pp. 192. 1912.

McCAIN, G. N.: "Syllabus of illustrated lecture on farm houses." With John Hamilton. O.E.S. F.I.L. 12, pp. 25. 1912.
McCALIP, M. A.—
"Boiling and skimming method." With C. F. Walton, jr. D.B. 1370, pp. 21–28. 1925.
"Equipment and costs for making sirup on a small scale." With C. F. Walton, jr. D.B. 1370, pp. 13–21. 1925.
McCALL, A. G.: "Effect of manure-sulphur composts upon the availability of the potassium of greensand." With A. M. Smith. J.A.R., vol. 19, pp. 239–256. 1920.
McCALL, H. F.: "Soil survey of Washington County, Maryland." With others. Soil Sur. Adv. Sh., 1917, pp. 46. 1919; Soils F.O., 1917. pp. 309–350. 1923.
McCALL, M. A.—
"Experiments in wheat production on the dry lands of the western United States." With others. D.B. 1173, pp. 60. 1923.
"The soil mulch in the absorption and retention of moisture." J.A.R., vol. 30, pp. 819–831. 1925.
McCANDLESS, J. M.—
nitrogen determination, neutral permanganate method. Chem. Bul. 162, pp. 15–16. 1913.
subreport on phosphoric acid. 1907. Chem. Bul. 16, pp. 110–113. 1908.
McCANDLISH, A. C.: "Composition and digestibility of Sudan-grass hay." With W. G. Gaessler. J.A.R., vol. 14, pp. 176–185. 1918.
McCAUGHEY, W. J.—
"The color of soils." With W. O. Robinson. Soils Bul. 79, pp. 29. 1911.
"The microscopic determination of soil-forming minerals." With W. H. Fry. Soils Bul. 91. pp. 100. 1913.
McCLAIN, J. H.—
"Eradication of cattle tick necessary for profitable dairying." F.B. 639, pp. 4. 1914.
"Illustrated lecture on how to make good farm butter." S.R.S. Syl. 19, pp. 10. 1916.
McCLATCHIE, A. J.—
"Eucalyptus cultivated in the United States." For. Bul. 35, pp. 106. 1902.
"Irrigation at the Arizona Experiment Station Farm." O.E.S. Bul. 104, pp. 125–135. 1902; O.E.S. Bul. 119, pp. 87–101. 1902.
McClellan Pass Highway, Rainier National Forest. description. D.C. 103, pp. 19–23. 1920.
McCLELLAND, C. K.—
"Diversified farming under the plantation system." With D. A. Brodie. F.B. 299, pp. 16. 1907.
"Grasses and forage plants of Hawaii." Hawaii Bul. 36, pp. 43. 1915.
report of Hawaii experiment station, agronomist—
1911. Hawaii A.R., 1911, pp. 54–63. 1912.
1912. Hawaii A.R., 1912, pp. 74–82. 1913.
1913. Hawaii A.R., 1913, pp. 35–42. 1914.
1914. With C. A. Sahr. Hawaii A.R., 1914, pp. 36–42. 1915.
McCLELLAND, T. B.—
"Coffee varieties in Porto Rico." P.R. Bul. 30, pp. 27. 1924.
"Effect of different methods of transplanting coffee." (Also Spanish edition.) P. R. Bul. 22, pp. 11. 1917.
"Experiments on the supposed deterioration of vegetables in Porto Rico, with suggestions for seed preservation." With C. F. Kinman. (Also Spanish edition.) P.R. Bul. 20, pp. 30. 1916.
"Influence of foreign pollen on the development of vanilla fruits." J.A.R., vol. 16, pp. 245–252. 1919.
report of Porto Rico Experiment Station—assistant horticulturist—
1910. P.R. An. Rpt., 1910, pp. 39–40. 1911.
1911. P.R. An. Rpt., 1911, pp. 28–31. 1912.
1912. P.R. An. Rpt., 1912, pp. 28–30. 1913.
1913. P.R. An. Rpt., 1913, pp. 22–26. 1914.
1914. P.R. An. Rpt., 1914, pp. 23–26. 1915.
1915. P.R. An. Rpt., 1915, pp. 30–33. 1916.
1916. P.R. An. Rpt., 1916, pp. 21–24. 1918.
1917. P.R. An. Rpt., 1917, pp. 40. 1918.

McCLELLAND, T. B.—Continued.
report of Porto Rico Experiment Station—contd.
horticulturist—
1918. P.R. An. Rpt., 1918, pp. 10–14. 1920.
1919. P.R. An. Rpt., 1919, pp. 16–21. 1920.
1920. P.R. An. Rpt., 1920, pp. 15–19. 1921.
1921. P.R. An. Rpt., 1921, pp. 10–14. 1922.
1922. P.R. An. Rpt., 1922, pp. 4–8. 1923.
1923. P.R. An. Rpt., 1923, pp. 4–7. 1924.
"Some profitable and unprofitable coffee lands." (Also Spanish edition.) P.R. Bul. 21, pp. 13. 1917.
"Suggestions on coffee planting for Porto Rico." (Also Spanish edition.) P.R. Cir. 15, pp. 26. 1912.
"The coffee leaf spot (*Stilbella flavida*) in Porto Rico." P.R. Bul. 28, pp. 12. 1921.
"The photoperiodism of *Tephrosia candida*." J.A.R., vol. 28, pp. 445–460. 1924.
"Vanilla: A promising new crop for Porto Rico." P.R. Bul. 26, pp. 32. 1919.

McCLINTOCK, J. A.—
"Ginseng diseases and their control." With others. F.B. 736, pp. 23. 1916.
"Peach rosette and infectious mosaic." J.A.R., vol. 24, pp. 307–316. 1923.
"Peanut-wilt caused by *Sclerotium rolfsii*." J.A.R., vol. 8, pp. 441–448. 1917.
"True nature of spinach blight, and relation of insects to its transmission." With Loren B. Smith. J.A.R., vol. 14, pp. 1–60. 1918.

McCLURE, H. B.—
"A study of haymaking crews and labor costs." D.B. 578, pp. 50. 1918.
"Baling hay." F.B. 1049, pp. 35. 1919.
"Conditions affecting the value of market hay." F.B. 362, pp. 29. 1909.
"Curing hay on trucks." F.B. 956, pp. 19. 1918.
"Farm practice in the production of hay in Steuben County, N. Y., and Washington County, Pa." D.B. 641, pp. 16. 1918.
"Growing hay in the South for market." With others. F.B. 677, pp. 22. 1915.
"Harvesting hay with the sweep-rake." With Arnold P. Yerkes. F.B. 838, pp. 12. 1917.
"Hay caps." F.B. 977, pp. 16. 1918.
"Hay stackers." F.B. 1009, pp. 23. 1919.
"Haymaking." F.B. 943, pp. 31. 1918.
"Inspection and grading of hay." With G. A. Collier. D.B. 980, pp. 16. 1921.
"Labor saving practices in haymaking." F.B. 987, pp. 20. 1918.
"Market hay." F.B. 508, pp. 38. 1912.
"Marketing hay at country points." With G. A. Collier. D.B. 977, pp. 28. 1921.
"Marketing hay through terminal markets." With G. A. Collier. D.B. 979, pp. 52. 1921.
"Measuring hay in ricks or stacks." With others. B.P.I. Cir. 131, pp. 19–24. 1913.
"Measuring hay in ricks or stacks." With W. J. Spillman. Sec. Cir. 67, pp. 10. 1916.
"The artificial curing of alfalfa hay." B.P.I. Cir. 116, pp. 27–31. 1913.
"The shrinkage of market hay." D.B. 873, pp. 33. 1920.
"The weighing of market hay." With G.A. Collier. D.B. 978, pp. 30. 1921.

McCLURE, R. W.: "Soil Survey of—
Amite County, Miss." With others. Soil Sur. Adv. Sh., 1917, pp. 38. 1919; Soils F.O., 1917, pp. 833–866. 1923.
Clearfield County, Pa." With others. Soil Sur. Adv. Sh., 1916, pp. 32. 1919; Soils F.O., 1916, pp. 251–278. 1921.
Marengo County, Ala." With others. Soil Sur. Adv. Sh., 1920, pp. 42. 1923; Soils F.O., 1920, pp. 555–597. 1925.
the Fort Laramie area, Wyoming-Nebraska." With J. O. Veatch. Soil Sur. Adv. Sh., 1917, pp. 50. 1921; Soils F.O., 1917, pp. 2041–2086. 1923.

McCOLLUM, E. V.: "Physiological effect on growth and reproduction of rations balanced from restricted sources." With others. J.A.R., vol. 10, pp. 175–198. 1917.

McCOMAS, E. W.: "Beef on the farm—slaughtering, cutting, curing." With W. H. Black. F.B. 1415, pp. 34. 1924.

McCONNELL, O. J.—
"A study of cotton market conditions in North Carolina, with a view to their improvement." With W. R. Camp. D.B. 476, pp. 19. 1917.
"Suggested improvements in methods of selling cotton by farmers." D.C. 56, pp. 8. 1919.

McCONNELL, R. G., description of—
Great Slave Lake. N.A. Fauna 27, pp. 26–27. 1908.
Liard River. N.A. Fauna 27, p. 30. 1908.

McCONNELL, W. R.: "Rate of multiplication of the Hessian fly." D.B. 1008, pp. 8. 1921.

McCOOL, M. M.—
"Determining the absolute salt content of soils by means of the freezing-point method." With George J. Bouyoucos. J.A.R., vol. 15, pp. 331–336. 1918.
"Effect of calcium sulphate on the solubility of soils." With C. E. Millar. J.A.R., vol. 19, pp. 47–54. 1920.
"Measurement of the amount of water that seeds cause to become unfree and their water-soluble material." With George J. Bouyoucos. J.A.R., vol. 20, pp. 587–593. 1921.
"Movement of soluble salts through soils." With L. C. Wheeting. J.A.R., vol. 11, pp. 531–547. 1917.
"Soil survey of De Kalb County, Mo." With others. Soil Sur. Adv. Sh., 1914, pp. 25. 1916; Soils F.O., 1914, pp. 2005–2025. 1919.

McCORMACK, H.: "Experiments on losses in cooking meat." With others. O.E.S. Bul. 102, pp. 64. 1901.

McCORMICK, E. B.—
"Care and repair of farm implements. No. 3, Plows and harrows." With L. L. Beebe. F.B. 946, pp. 9. 1918.
"Care and repair of farm implements. No. 4. Mowers, reapers, and binders." With L. L. Beebe. F.B. 947, pp. 16. 1918.
"Dust explosions and fires in grain separators in the Pacific Northwest." With David J. Price. D.B. 379, pp. 22. 1916.
"Housing the worker on the farm." Y.B., 1918, pp. 347–356. 1919; Y.B. Sep. 789, pp. 12. 1919.
"How engineering may help farm life." Y.B., 1915, pp. 101–112. 1916; Y.B. Sep. 660, pp. 101–112. 1916.
"Width of wagon tires recommended for loads of varying magnitudes on earth and gravel roads." Sec. Cir. 72, pp. 16. 1917.

McCORMICK, R. L.: "The exhaustion of the lumber supply." For. Cir. 25, pp. 8–11. 1903.

McCRAY, A. H.—
"Spore-forming bacteria of the apiary." J.A.R., vol. 8, No. 11, pp. 399–420. 1917.
"The diagnosis of bee diseases by laboratory methods." With G. F. White. D.B. 671, pp. 15. 1918.

McCREARY, A. M.—
"Crossties purchased and treated in 1915." D.B. 549, pp. 8. 1917.
"Poles purchased, 1915." D.B. 519, pp. 4. 1917.

McCRORY, S. H.—
"A preliminary report on the drainage of the Fifth Louisiana Levee District, comprising the Parishes of East Carroll, Madison, Tensas, and Concordia." With others. O.E.S. Cir. 104, pp. 35. 1911.
"A report upon the Back swamp and Jacob swamp drainage district, Robeson County, N. C." With Carl W. Mengel. O.E.S. Bul. 246, pp. 47. 1912.
"A report upon the drainage of the agricultural lands of Bolivar County, Miss." With W. J. McEathron. O.E.S. Cir. 81, pp. 28. 1909.
"A report upon the reclamation of the overflowed lands in the Marais des Cygnes Valley, Kans." With others. O.E.S. Bul. 234, pp. 54. 1911.
report on drainage investigations. An. Rpt., 1915, pp. 325–326. 1916; Rds. Chief Rpt., 1915, pp. 13–14. 1915.
"Report upon the Cypress Creek drainage district, Desha and Chicot Counties, Ark." With others. D.B. 198, pp. 20. 1915.
"The drainage movement in the United States." Y.B., 1918, pp. 137–144. 1919; Y.B. Sep. 781, pp. 10. 1919.

McCULLOCH, J. W.: "Relation of kinds and varieties of grain to Hessian-fly injury." With S. C. Salmon. J.A.R., vol. 12, pp. 519–527. 1918.
McCULLOCH, LUCIA—
"A bacterial blight of gladioli." J.A.R., vol. 27, pp. 225–230. 1924.
"A leaf and corm disease of gladioli caused by *Bacterium marginatum.*" J.A.R., vol. 29, pp. 159–177. 1924.
"A spot disease of cauliflower." B.P.I. Bul. 225, pp. 15. 1911.
"Bacterial leafspot of clovers." With others. J.A.R., vol. 25, pp. 471–490. 1923.
"Basal glumerot of wheat." J.A.R., vol. 18, pp. 543–552. 1920.
"The structure and development of crown gall: A plant cancer." With others. B.P.I. Bul. 255, pp. 60. 1912.
McDOLE, G. R.—
"Relation of movement of water in a soil to its hygroscopicity and initial moistness." With F. J. Alway. J.A.R., vol. 10, pp. 391–428. 1917.
"Relation of the water-retaining capacity of a soil to its hygroscopic coefficient." With F. J. Alway. J.A.R., vol. 9, pp. 27–71. 1917.
"Some notes on the direct determination of the hygroscopic coefficient." With others. J.A.R., vol. 11, pp. 147–166. 1917.
"Variations in the moisture content of the surface foot of a loess soil, as related to the hygroscopic coefficient." With F. R. Alway. J.A.R., vol. 14, pp. 453–480. 1918.
McDONALD, E. A.: "Opportunities for dairying. V. The Pacific Coast." Y.B., 1906, pp. 422–428. 1907; Y.B. Sep. 432, pp. 422–428. 1907.
MacDONALD, T. H.—
report as Chief of Public Roads Bureau—
1919. An. Rpts., 1919, pp. 391–426. 1920; Rds. Chief Rpt., 1919, pp. 36. 1919.
1920. An. Rpts., 1920, pp. 491–529. 1921; Rds. Chief Rpt., 1920, pp. 39. 1920.
1921. Rds. Chief Rpt., 1921, pp. 44. 1921.
1922. An. Rpts., 1922, pp. 461–503. 1923; Rds. Chief Rpt., 1922, pp. 42. 1922.
1923. An. Rpts., 1923, pp. 463–494. 1924; Rds. Chief Rpt., 1923, pp. 32. 1923.
1924. Rds. Chief Rpt., 1924, pp. 30. 1924.
1925. Rds. Chief Rpt., 1925, pp, 44. 1925.
"Road under construction. Map of detour." Rds. [Misc.], "Road under construction * * *," pp. 3. 1924.
"The Bureau of Public Roads and its exhibit." Rds. [Misc.], "Bureau of Public Roads * * *," pp. 7. 1922.
McDONNELL, C. C.—
"Chemical changes in calcium arsenate during storage." With others. D.B. 1115, pp. 28. 1922.
"Chemistry of fumigation with hydrocyanic-acid gas." Ent. Bul. 90, pp. 91–93. 1912.
"Composition and methods of analysis of lime-sulphur solutions." Chem Bul. 162, pp. 38–43. 1913.
"Determination of lead in lead arsenate or lead chromate." With R. C. Roark. Chem. Bul. 137, pp. 40–42. 1911.
"Hydrocyanic-acid gas fumigation in California. Chemistry of fumigation with hydrocyanic-acid gas." Ent. Bul. 90, Pt. III, pp. 91–105. 1911.
"Insect powder." With others. D.B. 824, pp. 100. 1920.
"Lead arsenate." With J. K. Haywood. Chem. Bul. 131, pp. 50. 1910.
"Loss of nicotine from nicotine dusts during storage." With H. D. Young. D.B. 1312, pp. 15. 1925.
"Occurrence of manganese in insect flowers and insect flower stems." With R. C. Roark. J.A.R., vol. 11, pp. 77–82. 1917.
"Poisonous metals on sprayed fruits and vegetables." With others. D.B. 1027, pp. 66. 1922.
report as referee on insecticides. Chem. Bul. 132, pp. 42–49. 1910; Chem. Bul. 137, pp. 36–40. 1911.
McDONNELL, H. B., report on methods of analysis of potash. Chem. Bul. 73, pp. 28–34. 1903; Chem. Bul. 162, pp. 16–20. 1913.

McDONOUGH, F. L.—
"The red spider on cotton." With E. A. McGregor. D.B. 416, pp. 72. 1917.
"The tobacco budworm and its control." With A. C. Morgan. F.B. 819, pp. 12. 1917.
MacDOWELL, C. H.: "Waste in industry and methods of combating it." M.C. 39, pp. 15–19. 1925.
McDOWELL, F. N.: "Soil survey of—
Anson County, N. C." With E. S. Vanatta. Soil Sur. Adv. Sh., 1915, pp. 65. 1917; Soils F.O., 1915, pp. 361–421. 1919.
Beaufort County, N. C." With others. Soil Sur. Adv. Sh., 1917, pp. 40. 1919; Soils F.O., 1917, pp. 409–442. 1923.
Cleveland County, N. C." With E. S. Vanatta. Soil Sur. Adv. Sh., 1916, pp. 37. 1919; Soils F.O., 1916, pp. 309–341. 1921.
Hertford County, N. C." With E. S. Vanatta. Soil Sur. Adv. Sh., 1916, pp. 35. 1917; Soils F.O., 1916, pp. 421–431. 1921.
Wayne County, N. C." With others. Soil Sur. Adv. Sh., 1915, pp. 51. 1916; Soils F.O., 1915, pp. 497–543. 1919.
McDOWELL, J. C.—
"Butterfat and income." Y.B., 1917, pp. 357–362. 1918; Y.B. Sep. 743, pp. 8. 1918.
"Cow tester's handbook." M.C. 26, pp. 1–22. 1924.
"Cow-testing associations and stories the records tell." F.B. 1446, pp. 22. 1925.
"Cows that make the income climb." Y.B., 1920, pp. 401–412. 1921; Y.B. Sep. 853, pp. 401–412. 1921.
"Delicious products of the dairy." B.A.I. [Misc.], "Delicious * * * dairy," pp. 11. 1918.
"Delicious products of the dairy." D.C. 26, pp. 12. 1919.
"Farming on the cut-over lands of Michigan, Wisconsin, and Minnesota." With W. B. Walker. D.B. 425, pp. 24. 1916.
"Hints to settlers on the Williston project, North Dakota." B.P.I. Doc. 455, pp. 4. 1909.
"How dairying built up a community." Y.B., 1918, pp. 153–168. 1919; Y.B. Sep. 765, pp. 18. 1919.
"Influence of age on the value of dairy cows and farm work horses." D.B. 413, pp. 12. 1916.
"Influence of season of freshening on production and income from dairy cows." D.B. 1071, pp. 10. 1922.
"Relation of production to income from dairy cows." D.B. 1069, pp. 20. 1922.
"Unprofitable acres." Y.B., 1915, pp. 149–151. 1916; Y.B. Sep. 664, pp. 149–151. 1916.
McDOWELL, M. S., report of Pennsylvania extension work in agriculture and home economics—
1915. S.R.S. Rpt., 1915, Pt. II, pp. 293–298. 1916.
1916. S.R.S. Rpt., 1916, Pt. II, pp. 327–331. 1917.
1917. S.R.S. Rpt., 1917, Pt. II, pp. 333–339. 1919.
MACE, W. A., report of Porto Rico Experiment Station, agricultural technologist—
1917. P.R. An. Rpt., 1917, pp. 38–40. 1918.
1918. P.R. An. Rpt., 1918, pp. 23–24. 1920.
1919. P.R. An. Rpt., 1919, pp. 36–37. 1920.
1920. P.R. An. Rpt., 1920, pp. 37–39. 1921.
Mace—
false, adulterant of true mace. Chem. N.J. 1537, p. 1. 1912.
ground, adulteration. See *Indexes, Notices of Judgment, in bound volumes and in separates published as supplements to Chemistry Service and Regulatory Announcements.*
use as food flavoring. O.E.S. Bul. 245, p. 68. 1912.
See also Spices.
McEATHRON, W. J.—
"Report on the drainage of the agricultural lands of Bolivar County, Miss." With S. H. McCrory. O.E.S. Cir. 81, pp. 28. 1909.
"Report on the reclamation of the overflowed lands in the Marais des Cygnes Valley, Kans." With others. O.E.S. Bul. 234, pp. 53. 1911.
McEVOY, JAMES, explorations in Athabaska-Mackenzie region, 1898. N.A. Fauna 27, pp. 81–82. 1908.
McFADDEN, C. E., invention of machine for placing tents on trees. Ent. Bul. 90, pp. 21–22. 1912.

MACFARLANE, RODERICK, description of Anderson River region. N.A. Fauna 27, pp. 47, 71–74. 1908.
MACFARLANE, WALLACE, report of Hawaii Experiment Station—
Agronomy Division, 1920. With H. L. Chung. Hawaii A.R., 1920, pp. 26–32. 1921.
Chemical Division, 1920. With Kim A. Ching. Hawaii A.R., 1920, pp. 32–37. 1921.
MCGEE, W. J.—
"Agricultural duty of water." Y.B., 1910, pp. 169–176. 1911; Y.B. Sep. 526, pp. 169–176. 1911.
"Field records relating to subsoil water." Soils Bul. 93, pp. 40. 1913.
report as referee on condiments other than spices. Chem. Bul. 152, pp. 118–122. 1912; Chem. Bul. 162, pp. 124–129. 1913.
"Soil erosion." Soils Bul. 71, pp. 60. 1911.
"Subsoil water of central United States." Y.B., 1911, pp. 479–490. 1912; Y.B. Sep. 585, pp. 479–490. 1912.
"Wells and subsoil water." Soils Bul. 92, pp. 185. 1913.
MCGEHEE, A. C.: "Soil survey of—
Elmore County, Ala." With R. A. Winston. Soil Sur. Adv. Sh., 1911, pp. 47. 1913; Soils F.O., 1911, pp. 721–763. 1914.
Randolph County, Ala." With others. Soil Sur. Adv. Sh., 1911, pp. 40. 1912; Soils F.O., 1911, pp. 897–932. 1914.
Tuscaloosa County, Ala." With others. Soil Sur. Adv. Sh., 1911, pp. 74. 1912; Soils F.O., 1911, pp. 933–1002. 1914.
MCGEHEE, T. F.: "Collection of weevils and infested squares as a means of control of the cotton-boll weevil in the Mississippi Delta." With B. R. Coad. D.B. 564, pp. 51. 1917.
MCGEORGE, W. T.—
"Absorption of fertilizer salts by Hawaiian soils." Hawaii Bul. 35, pp. 32. 1914.
"Composition of Hawaiian soil particles." Hawaii Bul. 42, pp. 12. 1917.
"Effect of fertilizers on the physical properties of Hawaiian soils." Hawaii Bul. 38, pp. 31. 1915.
"Fate and effect of arsenic applied as a spray for weeds." J.A.R., vol. 5, No. 11, pp. 459–463. 1915.
"Phosphate fertilizers for Hawaiian soils, and their availability." Hawaii Bul. 41, pp. 45. 1916.
report of Hawaii Experiment Station—
assistant chemist, 1912. Hawaii A.R., 1912, pp. 51–63. 1913.
chemical department, 1915. Hawaii A.R., 1915, pp. 29–38. 1916.
"The effect of heat on Hawaiian soils," With W. P. Kelley. Hawaii Bul. 30, pp. 38. 1913.
"The soils of the Hawaiian Islands." With others. Hawaii Bul. 40, pp. 35. 1915.
MCGIL, A., invention of forced-draft water oven for determination of solids. Chem. Bul. 66, rev., p. 11. 1905.
McGraw's remedies, misbranding. See Indexes, Notices of Judgment, in bound volumes and in separates published as supplements to Chemistry Service and Regulatory Announcements. 1923.
MCGREGOR, E. A.—
"The red spider on cotton." Ent. Cir. 150, pp. 13. 1912; Ent. Cir. 172, pp. 22. 1913.
"The red spider on cotton." With F. L. McDonough. D.B. 416, pp. 72. 1917.
"The red spider on cotton and how to control it." F.B. 735, pp. 12. 1916; F.B. 831, pp. 16. 1917.
MCGREW, T. F.—
"American breeds of fowls. I. The Plymouth rock." B.A.I. Bul. 29, pp. 32. 1901.
"American breeds of fowls. II. The Wyandotte." B.A.I. Bul. 31, pp. 30. 1901.
"Turkeys: Standard varieties and management." F.B. 200, pp. 40. 1904.
MCHARGUE, J. S.—
"A study of the proteins of certain insects with reference to their value as food for poultry." J.A.R., vol. 10, pp. 633–637. 1917.
"Common earthenware jars a source of error in pot experiments." J.A.R., vol. 26, pp. 231–232. 1923.
"Effect of certain compounds of barium and strontium on the growth of plants." J.A.R., vol. 16, pp. 183–194. 1919.

MCHARGUE, J. S.—Continued.
"Effect of different concentrations of manganese sulphate on the growth of plants in acid and neutral soils and the necessity of manganese as a plant nutrient." J.A.R., vol. 24, pp. 781–794. 1923.
"Effect of time of digestion on the hydrolysis of casein in the presence of starch." J.A.R., vol. 12, pp. 1–7. 1918.
"Iron and manganese content of certain seeds." J.A.R., vol. 23, pp. 395–399. 1923.
"The occurrence of copper, manganese zinc, nickel, and cobalt in soils, plants, and animals, and their possible function as vital factors." J.A.R., vol. 30, pp. 193–196. 1925.
Machilus nanmu, importation and description. Nos. 29456, 30039, B.P.I. Bul. 233, pp. 26, 51. 1912.
Machine(s)—
basket-willow bundling, description. F.B. 341, pp. 16–18. 1909.
bottling and capping milk, types and efficiency. D.B. 973, pp. 10–15. 1923.
brick making, description. D.B. 246, pp. 3–4. 1915.
camphor-trimming, operation methods. D.C. 78, p. 8. 1920.
concrete-pipe making, description, types. D.B. 906, pp. 8–9. 1921.
construction, various woods and quantity used. D.B. 523, pp. 35, 51. 1917; D.B. 605, pp. 8–17. 1918.
decorticating, for ramie, description. B.P.I. Cir. 103, pp. 8–9. 1912.
dusting, for cotton, description and cost. F.B. 1329, pp. 15–16. 1923.
fiber-cleaning, introduction, Philippine Islands. D.B. 930, pp. 10–15. 1920.
fiber-testing, description and use. J.A.R., vol. 4, pp. 384–390. 1915.
food drying, requirements. Sec. Cir. 126, p. 8. 1919.
for—
burning alfalfa fields. Ent. Bul. 112, pp. 29–30. 1912.
degerminating corn, description. D.B. 904, p. 5. 1920.
distributing oil on roads, discussion, with descriptions. Y.B., 1902, pp. 447–450. 1903.
henequen-fiber cleaning. Y.B., 1911, pp. 196, 197. 1912; Y.B. Sep. 560, pp. 196, 197. 1912.
increase in productiveness of labor. Y.B., 1910, pp. 190–191. 1911; Y.B. Sep. 528, pp. 190–191. 1911.
milking. See Milking machine.
paper-testing. Rpt. 89, pp. 22–25. 1909.
peach-sizing. Manley Stockton and J. F. Barghausen. D.B. 864, pp. 6. 1920.
peanut picking and cleaning. F.B. 431, pp. 23–24, 26. 1911.
power requirements, measurement, project and outline. Sec. Cir. 149, p. 8. 1920.
road-making, models, descriptions. D.B. 463, pp. 21–26. 1917; Rds. Bul. 36, pp. 10–11, 15, 18–20. 1911.
rock testing. Rds. Bul. 44, pp. 7, 9–16, 19–26. 1912.
sizing, for apples, operation and advantages. F.B. 1457, p. 3. 1925.
strawberry planting, description and use. F.B. 1026, pp. 19–20. 1919; F.B. 1028, p. 25. 1919.
stump burning, description, directions for use, and cost of operating. B.P.I. Cir. 25, pp. 12–13. 1909.
threshing. See Threshing machines.
timber testing, care and adjustment, description and illustrations. For. Cir. 38, rev., pp. 4–5, 19, 24, 25, 52–56. 1909.
tomato-sorting, description and use. D.B. 569, pp. 11–20. 1917.
trenching—
classes, description, and selecting. F.B. 698, pp. 2–18, 24–25. 1915.
types, description, capacity, and cost. F.B. 1131, pp. 4–14. 1920.
washing and ironing, description and use in home. F.B. 1099, pp. 6–9, 13–14. 1920.
wrapping and sealing for cartons, description and cost. D.B. 235, pp. 13–14, 15. 1915.

Machinery—
  advantage in corn-cutting. F.B. 992, pp. 2–3, 6–9. 1918.
  agricultural—
    manufacture and sale, 1920, by kinds. D.C. 212, pp. 8–9. 1922.
    purchase, cooperation, in Denmark. D.B. 1266, p. 74. 1924.
  alfalfa mill, description. F.B. 1229, pp. 29–35. 1921.
  American, needs in Algeria. News L., vol. 6, No. 24, pp. 8–9. 1919.
  and farm implements, course of prices for series of years. George K. Holmes. Stat. Bul. 18, p. 31. 1901.
  beet—
    growing and harvesting, improvement. Sec. Cir. 86, pp. 20–22. 1918.
    sugar factories. Rpt. 90, pp. 23–25. 1909.
  boll-weevil control, experiments. Ent. Bul. 114, pp. 151–153. 1912.
  corn—
    cultivation. D.B. 320, pp. 11–65. 1916.
    harvesting. F.B. 313, pp. 12, 14, 21, 22, 27. 1907.
    harvesting. C. J. Zintheo. O.E.S. Bul. 173, pp. 48. 1907.
  cost in farm operations in western New York. H. H. Mowry. D.B. 338, pp. 24. 1916.
  cotton—
    dusting. Elmer Johnson and others. F.B. 1319, pp. 20. 1923.
    farm in Texas, cost. D.B. 659, pp. 49–50, 52. 1918.
    gin, grounding to eliminate electricity. D.C. 28, pp. 6–7, 8. 1919.
    ginning, description. F.B. 1465, pp. 5–16. 1925.
    production, use, and necessity. Sec. Cir. 32, pp. 2–3. 1910.
  cowpea picking, mowing and threshing. F.B. 318, pp. 17–22. 1908.
  distillery, requirements and care. F.B. 410, p. 7. 1910.
  driving belts for, selection and care. F.B. 1183, pp. 15–17. 1920; rev., 1922.
  dusting, for cotton boll weevil control. E. Johnson and B. R. Coad. F.B. 1098, pp. 31. 1920.
  electrical—
    labor-saving. Y.B., 1919, pp. 223–227, 234–238. 1920; Y.B. Sep. 799, pp. 223–227, 234–238. 1920.
    manufacture, use of black walnut. D.B. 909, pp. 71, 89. 1921.
  equipment of farms, cost, relation to size of farm. Y.B. 1915, p. 114. 1916; Y.B. Sep. 661, p. 114. 1916.
  excavating, used—
    for digging ditches and building levees. J. O. Wright. O.E.S. Cir. 74, pp. 40. 1907.
    in land drainage. D. L. Yarnell. D.B. 300, pp. 39. 1916.
  farm—
    acreage service and cost, 18 kinds, western New York. D.B. 338, p. 3. 1916.
    care. F.B. 504, pp. 20–24. 1912.
    care and repair. F.B. 347, pp. 3, 4, 5, 14–17. 1909.
    cost in Oregon. O.E.S. Bul. 209, p. 57. 1909.
    cost per acre. Stat. Bul. 48, pp. 32–36, 41–54. 1906.
    depreciation—
      annual per acre. Stat. Bul. 73, pp. 22–25, 67. 1909.
      determination method. F.B. 511, p. 14. 1912.
      effect on production and income. D.B. 1348, pp. 14–17. 1925.
    efficiency, relation to size. D.B. 492, p. 51. 1917.
    electrical power requirements. Y.B., 1918, pp. 224–225, 236–238. 1919; Y.B. Sep. 770, pp. 6–7, 18–20. 1919.
    home, needs of farm women. Rpt. 104, pp. 30–34. 1915.
    importance of care and repairs. News L., vol. 5, No. 5, p. 4. 1917.
    interest charge, method of computation. D.B. 338, pp. 5–6. 1916.
    listing for inventory and value losses. F.B. 661, pp. 7, 23. 1915; F.B. 1182, pp. 16–17, 21, 31. 1921.

Machinery—Continued.
  farm—continued.
    need of careful investment. Y.B., 1908, p. 200. 1909; Y.B. Sep. 475, p. 200. 1909.
    relation—
      of value and use to size of farm survey of Chester County, Pa. D.B. 341, pp. 60, 64. 1916.
      to earning capacity of farmers, Coffee County, Ala. Soil Sur. Adv. Sh., 1909, pp. 15–16. 1911; Soils F.O., 1909, pp. 811–812. 1912.
    repairs, relation to first cost, table. D.B. 338, pp. 21–22. 1916.
    requirements of 160-acre hog farm. F.B. 1463, pp. 17–19. 1925.
    school exercises, naming parts, repairing, assembling, etc. F.B. 638, pp. 14–19. 1915.
    selection. Y.B., 1915, pp. 102–105. 1916; Y.B. Sep. 660, pp. 102–105. 1916.
    spread of sugar-beet nematodes. F.B. 1248, p. 12. 1922.
    use—
      in Argentina. Y.B., 1915, pp. 288, 292–293. 1916; Y.B. Sep. 677, pp. 288, 292–293. 1916.
      in growing wheat, cost. D.B. 1198, pp. 13, 14, 19. 1924.
      of alcohol and gasoline in engines. Charles Edward Lucke and S. M. Woodward. F.B. 277, pp. 40. 1907.
      of industrial alcohol as power. F.B. 269, pp. 11–14. 1906.
    value—
      1910. Y.B., 1913, p. 489. 1914; Y.B. Sep. 361, p. 489. 1914.
      Jan. 1, 1920, and per farm, map. Y.B., 1921, p. 494. 1922; Y.B. Sep. 878, p. 88. 1922.
      per farm, and relation to labor supply. Stat. Bul. 94, pp. 53–56. 1912.
    winter repairing, oiling, and replacement. News L., vol. 5, No. 17, p. 6. 1917.
  field crops, requirements in various States. D.B. 1000, pp. 5–50. 1921.
  flax-growing, cost. Y.B., 1922, p. 558. 1923; Y.B. Sep. 891, p. 558. 1923.
  for—
    cutting firewood. H. R. Tolley. F.B. 1023, pp. 16. 1919.
    harvesting camphor material, development and description. D.C. 78, pp. 3–8. 1920.
    use with tractors. F.B. 1297, p. 3. 1923.
  gin, principal parts, description. F.B. 764, pp. 5–18. 1916.
  harvesting—
    seed clover, description, and use. F.B. 836, pp. 5–17. 1917.
    soy beans, suggestions. F.B. 372, pp. 18–19. 1909.
  haying, use and cost. D.B. 641, pp. 12–14. 1918; Y.B., 1924, pp. 369, 370–371, 372–376. 1925.
  horse and power, use by farmers. Sec. Cir. 103, p. 18. 1918.
  housing, practices, and needs. D.B. 338, pp. 22–23. 1916.
  improved—
    introduction into Guam. Guam A.R., 1921, pp. 30–31. 1923.
    use in Maryland, Frederick County, kinds. Soil Sur. Adv. Sh.. 1919, p. 15. 1922; Soils F.O., 1919, p. 655. 1925.
  inventions by department workers. Sec. A.R. 1925, pp. 43–44. 1925.
  inventions for farm value, methods of making. F.B. 511, pp. 10, 11, 14. 1912.
  investment on farms, Missouri, Ozark region. D.B. 941, pp. 16, 17, 42–51. 1921.
  labor-saving, on farms, Southern States, comparisons. F.B. 1121, pp. 22–25. 1920.
  lumber waste in mishandling. M.C. 39, p. 18. 1925.
  macadam roads, requirements. Rds. Bul. 29, pp. 9–12. 1907.
  manufacture from slash-pine lumber. F.B. 1256, p. 14. 1922.
  manure spreader, cost and value. F.B. 316, p. 6. 1908.
  milk-pasteurization and care. B.A.I. Cir. 184, pp. 12–42. 1912.
  milk plant, selection and requirements. D.B. 890, pp. 1–2. 1920.
  mill, terms. D.B. 718, pp. 62–65. 1918.

Machinery—Continued.
  need in—
    clearing timbered land. Y.B., 1918, pp. 142, 143, 144. 1919; Y.B., Sep. 781, pp. 8, 9, 10. 1919.
    dry farming. F.B. 769, pp. 6–13. 1916.
  on Ohio farms, cost per annum and per acre. B.P.I. Bul. 212, pp. 48–53.1 911.
  on rented farms, dairy farms, ownership, and repairs. F.B. 1272, pp. 2, 10–12. 1922.
  paints for, preparation. F.B. 1452, pp. 18–19. 1925.
  pasteurizing milk in bottles, description and use. D.B. 240, pp. 7–11. 1915.
  pea harvesting, description. F.B. 690, pp. 10–12. 1915.
  peach-sizing, construction and operation. D.B. 864, pp. 1–6. 1920.
  peanut—
    factories. Y.B., 1917, pp. 116–117. 1918; Y.B. Sep. 748, pp. 6–7. 1918.
    oil manufacture. F.B. 751, pp. 6, 7. 1916.
  potato growing, description. F.B. 385, pp. 8–13. 1909.
  pulp making, description. D.B. 343, pp. 7–9. 1916.
  pumping, for irrigation, Pomona Valley, Calif., types and description. O.E.S. Bul. 236, pp. 45–55. 1911.
  rice milling, description. D.B. 330, pp. 7–14. 1916; F.B. 417, pp. 21–23. 1910.
  road-building—
    description, use, and value. D.B. 220, pp. 22–24. 1915; F.B. 338, pp. 8–10, 17. 1908; Rds. Bul. 48, pp 10–13, 38–43. 1913.
    exhibit at Alaska-Yukon-Pacific Exposition. Rds. [Misc.], "Exhibit, Office of Public Roads. * * *," pp. 19–23. 1909.
  saving man labor on farm. F.B. 989, pp. 1–15. 1918.
  soy-bean growing and handling, adaptation. D.B. 439, p. 8. 1916.
  spraying, for cotton. D.B. 731, p. 14. 1918.
  sugar-beet, Billings region, cost. D.B. 735, pp. 31–32. 1918.
  sugar-cane growing, improvement. Sec. Cir. 86, p. 14. 1918.
  trenching, tile-drain, trench construction. D. L. Yarnell. F.B. 698, pp. 27. 1915.
  use in—
    citrus-fruit fumigation, kind and description. Ent. Bul. 90, Pt. I, pp. 20–24. 1911.
    construction of tile drainage on farms. Y.B., 1919, pp. 80–92. 1920; Y.B. Sep. 822, pp. 80–92. 1920.
    cutting corn. H. R. Tolley. F.B. 992, pp. 16. 1918.
    Mississippi, George County. Soil Sur. Adv. Sh., 1922, p. 40. 1925.
    wheat—
      harvesting, description. Y.B., 1919, pp. 142–147. 1920; Y.B. Sep. 804, pp. 142–147. 1920.
      production, requirements and cost. D.B. 943, pp. 13, 14, 44. 1921.
    utilization in corn cutting. H. R. Tolley. F.B. 992, pp. 16. 1918.
    value per farm and use, North Dakota. D.B. 757, pp. 7, 12, 17–24. 1919.
  wheat cleaning. F.B. 1287, pp. 11–21. 1922.
  wood, improvement as means of saving timber. M.C. 39, pp. 59–62. 1925.
  wool, per cent idle, March 1, 1919. News L., vol. 6, No. 37, p. 4. 1919.
  See also Engines; Mechanics.
MACHLIS, J. A.: "Soil survey of—
  Beadle County, S. Dak." With others. Soil Sur. Adv. Sh., 1920, pp. 24. 1924; Soils F.O., 1920, pp. 1475–1499. 1925.
  McCook County, S. Dak." With others. Soil Sur. Adv. Sh., 1921, pp. 451–471. 1924.
  Texas County, Mo." With others. Soil Sur. Adv. Sh., 1917, pp. 37. 1919; Soils F.O., 1917, pp. 1523–1555. 1923.
  Union County, S. Dak." With others. Soil Sur. Adv. Sh., 1921, pp. 473–508. 1924.
MCILVAINE, T. C.: "Effect of reaction of solution on germination of seeds and on growth of seedlings." With Robert M. Salter. J.A.R., vol. 19, pp. 75–96. 1920.

MCINDOO, N. E.—
  "Chemical, physical, and insecticidal properties of arsenicals." With F. C. Cook. D.B. 1147, pp. 58. 1923.
  "Derris as an insecticide." With others. J.A.R., vol. 17, pp. 177–200. 1919.
  "Effects of nicotine as an insecticide." J.A.R., vol. 7, pp. 89–122. 1916.
  "Effects of nicotine sulphate as an ovicide and larvicide of the codling moth and three other insects." With others. D.B. 938, pp. 19. 1921.
  "Plants tested for or reported to possess insecticidal properties." With A. F. Sievers. D.B. 1201, pp. 62. 1924.
  "Quassia extract as a contact insecticide." With A. F. Sievers. J.A.R., vol. 10, pp. 497–531. 1917.
MACINTIRE, W. H.: "Decomposition of soil carbonates." J.A.R., vol. 3, pp. 79–80. 1914.
McINTIRE, W. H., report as referee on inorganic plant consistuents. Chem. Bul. 162, pp. 26–27. 1913.
McIVOR'S retgrass. See Wheatgrass, slender.
McKAY, A. W.—
  "Handling and transportation of cantaloupes." With others. F.B. 1145, pp. 25. 1921.
  "Loading and transporting western cantaloupes." Mkts.Doc. 10, pp. 16. 1918.
  "Operating methods and expense of cooperative citrus-fruit marketing agencies." With W. Mackenzie Stevens. D.B. 1261, pp. 35. 1924.
  "Organization and development of a cooperative citrus-fruit marketing agency." With W. MacKenzie Stevens. D.B. 1237, pp. 68. 1924.
  "The handling and storage of apples in the Pacific Northwest." With others. D.B. 587, pp. 32. 1917.
McKAY, G. L.: "Investigations in the manufacture and storage of butter. I. The keeping qualities of butter made under different conditions and stored at different temperatures." With C. E. Gray. B.A.I. Bul. 84, pp. 24. 1906.
McKAY, J. G.: "Highways and highway transportation." With others. Y.B. 1924, pp. 97–184. 1925.
McKAY, M. B.—
  "Climatic conditions as related to Cercospora beticola." With Venus W. Pool. J.A.R., vol. 6, No. 1, pp. 21–60. 1916.
  "Phoma betae on the leaves of the sugar beet." With Venus W. Pool. J.A.R., vol. 4, pp. 169–178. 1915.
  "Relation of stomatal movement to infection by Cercospora beticola." With Venus W. Pool. J.A.R., vol. 5, No. 22, pp. 1011–1038. 1916.
  "The control of the sugar-beet leaf-spot." With V. W. Pool. B.P.I.Cir. 121, pp. 13–17. 1913.
  "The stem nematode Tylenchus dipsaci on wild hosts in the Northwest." With G. H. Godfrey. D.B. 1229, pp. 10. 1924.
  "Transmission of some wilt diseases in seed potatoes." J.A.R., vol. 21, pp. 821–848. 1921.
MCKEE, CLYDE: "Seed flax as farm crop in 1925." With others. D.C. 341, pp. 14. 1925.
MCKEE, E. R.: "The French turpentining system applied to longleaf pine." D.C. 327, pp. 16. 1924.
McKEE, J. M.—
  "Reconnaissance soil survey of northeastern Pennsylvania." With others. Soil Sur. Adv. Sh., 1911, pp. 63. 1913; Soils F.O., 1911, pp. 329–386. 1914.
  "Reconnaissance soil survey of southeastern Pennsylvania." With others. Soil Sur. Adv. Sh., 1912, pp. 100. 1914; Soils F.O., 1912, pp. 247–340. 1915.
  "Soil survey of Bradford County, Pa." With others. Soil Sur. Adv. Sh., 1911, pp. 41. 1913; Soils F.O., 1911, pp. 231–267. 1914.
MCKEE, ROLAND—
  "Alfalfa seed production." With others. F.B. 495, pp. 36. 1912.
  "Alfalfa seed production: Pollination studies." With others. D.B. 75, pp. 32. 1914.
  "Arabian alfalfa." B.P.I. Cir. 119, pp. 25–30. 1913.
  "Australian saltbush." D.B. 617, pp. 12. 1919.
  "Bur clover." With Charles V. Piper. F.B. 693, pp. 15. 1915.
  "Button clover." F.B. 730, pp. 11. 1916.

INDEX TO PUBLICATIONS, 1901–1925 1427

McKee, Roland—Continued.
"Common vetch and its varieties." With Harry A. Schoth. D.B. 1289, pp. 20. 1925.
"Hairy-vetch seed production in the United States." With L. W. Kephart. D.B. 876, pp. 32. 1920.
"History and seed production of purple vetch." D.C. 256, pp. 5. 1923.
"Horse beans." F.B. 969, pp. 12. 1918.
"Hungarian vetch." With H. A. Schoth. D.B. 1174, pp. 12. 1923.
"Moisture content and shrinkage of forage, and the relation of these factors to the accuracy of experimental data." With H. N. Vinall. D.B. 353, pp. 37. 1916.
"Nonperennial medicagos: The agronomic value and botanical relationship of the species." With P. L. Ricker. B.P.I. Bul. 267, pp. 38. 1913.
"Orchard green-manure crops in California." B.P.I. Bul. 190, pp. 40. 1910.
"Purple vetch." F.B. 967, pp. 12. 1918.
"Vetches." With C. V. Piper. F.B. 515, pp. 28. 1912.
McKeesport, Pa., milk supply, statistics and officials. B.A.I. Bul. 46, pp. 38, 150. 1903.
McKeever, H. G.: "Spacing experiments with Acala cotton in Southern California." J.A.R., vol. 28, pp. 1081–1093. 1924.
MacKellar, W. M.—
"Eradicating cattle ticks in California." With George H. Hart. B.A.I. An. Rpt., 1909, pp. 283–300. 1911; B.A.I. Cir. 174, pp. 18. 1911.
"How to get the last tick." B.A.I. [Misc.], "How to get * * *," pp. 20. 1922.
McKenna, R. T.: "Average and annual production of and international trade in important agricultural products, by countries." Stat. Cir. 31, pp. 30. 1912.
McKenney, R. E. B.—
"A dangerous tobacco disease appears in the United States." With Erwin F. Smith. D.C. 174, pp. 1–6. 1921.
"Fertilizers for special crops." With A. F. Woods. Y.B., 1902, pp. 553–572. 1903; Y.B. Sep. 290, pp. 553–572. 1903.
"Suggestions to growers for treatment of tobacco blue-mold disease in the Georgia-Florida district." With Erwin F. Smith. D.C. 176, pp. 4. 1921.
"The present status of the tobacco blue-mold disease in the Georgia-Florida district." With Erwin F. Smith. D.C. 181, pp. 4. 1921.
"The wilt disease of tobacco and its control." B.P.I. Bul. 51, Pt. I, pp. 5–8. 1905.
Mackenzie, Alexander, explorations in Athabaska-Mackenzie region. N.A. Fauna 27, pp. 10, 55–57. 1908.
Mackenzie River Valley, description, climate, and seasonal events. N.A. Fauna 27, pp. 32–42. 1908.
Mackerel—
"attu," labeling. Opinion 104. Chem. S.R.A. 12, p. 755. 1915.
cold-storage holdings, 1918, by months. D.B. 792, pp. 46, 47, 49. 1919.
food value, digestion experiments. D.B. 649, pp. 6–7, 14. 1918.
McKevitt, F. B., report of California Fruit Distributors, Sacramento. Rpt. 98, pp. 187–190. 1913.
Mackie, W. W.—
"Reclamation of white-ash lands affected with alkali at Fresno, Calif." Soils Bul. 42, pp. 47. 1907.
"Relative resistance of wheat to bunt in Pacific Coast States." With others. D.B. 1299, pp. 29. 1925.
"Soil survey of the Marysville area, California." With others. Soil Sur. Adv. Sh., 1909, pp. 56. 1911; Soils F.O., 1909, pp. 1689–1740. 1912.
"Soil survey of the Pajaro Valley, California. Soil Sur. Adv. Sh., 1908, pp. 46. 1910; Soils F.O., 1908, pp. 1331–1372. 1911.
"The resistance of oat varieties to stem rust." With Ruth F. Allen. J.A.R., vol. 28, pp. 705–720. 1924.
"The soils of Butte Valley, Siskiyou County, Calif." Soil Sur. Adv. Sh., 1907, pp. 18. 1909; Soils F.O., 1907, pp. 1001–1014. 1909.

McKinney, H. H.—
"A mosaic disease of winter wheat and winter rye." D.B. 1361, pp. 11. 1925.
"Foot-rot diseases of wheat in America." D.B. 1347, pp. 40. 1925.
"Influence of soil temperature and moisture on infection of wheat seedlings by *Helminthosporium sativum*." J.A.R., vol. 26, pp. 195–219. 1923.
"Investigations of the rosette disease of wheat and its control." J.A.R., vol. 23, pp. 771–800. 1923.
"Symptoms of wheat rosette compared with those produced by certain insects." With Walter H. Larrimer. D.B. 1137, pp. 8. 1923.
"Take-all of wheat and its control." With others. F.B. 1226, pp. 12. 1921.
"The intracellular bodies associated with the rosette disease and a mosaiclike leaf mottling of wheat." With others. J.A.R., vol. 26, pp. 605–608. 1923.
"The rosette disease of wheat and its control." With others. F.B. 1414, pp. 10. 1924.
McKinney, K. B.: "Report on investigations of the pink bollworm of cotton in Mexico." With others. D.B. 918, pp. 64. 1921.
McLachlan, Argyle—
"A study of diversity in Egyptian cotton." With others. B.P.I. Bul. 156, pp. 60. 1909.
"Community production of Durango cotton of the Imperial Valley." D.B. 324, pp. 16. 1915.
"The branching habits of Egyptian cotton." B.P.I. Bul. 249, pp. 28. 1912.
"The culture of Durango cotton in the Imperial Valley." B.P.I. Cir. 121, pp. 3–12. 1913.
McLane, J. W.—
"Mottle leaf of citrus trees in relation to soil conditions." With others. J.A.R., vol. 6, No. 19, pp. 721–740. 1916.
"The moisture equivalents of soils." With others. Soils Bul. 45, pp. 25. 1907.
"The mulched-basin system of irrigated citrus culture and its bearing on the control of mottleleaf." With others. D.B. 499, pp. 31. 1917.
McLaren, John: "Forest fire control." M.C. 44, pp. 15. 1925.
McLaughlin, W. W.—
"Capillary movement of soil moisture." D.B. 835, pp. 70. 1920.
"Irrigation of grain." F.B. 399, pp. 23. 1910; F.B. 863, pp. 22. 1917.
"The capillary distribution of moisture in soil columns of small cross section." D.B. 1221, pp. 23. 1924.
McLean, J. D.—
"Relative resistance of various hardwoods to injection with creosote." With Clyde H. Teesdale. D.B. 606, pp. 36. 1918.
"Tests of the absorption and penetration of coal tar and creosote in longleaf pine." With Clyde H. Teesdale. D.B. 607, pp. 43. 1918.
McLean Liver and Kidney Balm, Notice of Judgment, reversal. An. Rpts., 1919, p. 215. 1920; Chem. Chief Rpt., 1919, p. 5. 1919.
McLendon, W. E.: "Soil survey of—
Anderson County, S. C." Soil Sur. Adv. Sh., 1909, pp. 27. 1910; Soils F.O., 1909, pp. 449–471. 1912.
Bamberg County, S. C." Soil Sur. Adv. Sh., 1913, pp. 40. 1914; Soils F.O., 1913, pp. 231–266. 1916.
Chester County, S. C." With G. A. Crabb. Soil Sur. Adv. Sh., 1912, pp. 41. 1913; Soils F.O., 1912, pp. 457–493. 1915.
Clarendon County, S. C." Soil Sur. Adv. Sh., 1910, pp. 37. 1912; Soils F.O., 1910, pp. 419–451. 1912.
Coffee County, Tenn." With C. R. Zappone, jr. Soil Sur. Adv. Sh., 1908, pp. 33. 1910; Soils F.O., 1908, pp. 989–1017. 1911.
Florence County, S. C." With others. Soil Sur. Adv. Sh., 1914, pp. 36. 1916; Soils F.O., 1914, pp. 697–728. 1919.
Franklin County, Ga." Soil Sur. Adv. Sh., 1909, pp. 22. 1910; Soils F.O., 1909, pp. 533–550. 1912.
Georgetown County, S. C." With others. Soil Sur. Adv. Sh., 1911, pp. 54. 1912; Soils F.O. 1911, pp. 513–562. 1914.

1428   UNITED STATES DEPARTMENT OF AGRICULTURE

McLendon, W. E.: "Soil survey of—Continued.
Grainger County, Tenn." With W. S. Lyman.
Soil Sur. Adv. Sh., 1906, pp. 30. 1907; Soils
F.O., 1906, pp. 661-686. 1908.
Horry County, S. C." With others. Soil Sur.
Adv. Sh., 1918, pp. 52. 1920; Soils F.O., 1918,
pp. 329-376. 1924.
Kershaw County, S. C." With others. Soil
Sur. Adv. Sh., 1919, pp. 71. 1922; Soils F.O.,
1919, pp. 763-829. 1925.
Lexington County, S. C." With others. Soil Sur.
Adv. Sh., 1922., pp. 50. 1925.
Madison County, Tenn." With others. Soil
Sur. Adv. Sh., 1906, pp. 18. 1907; Soils F.O.,
1906, pp. 687-700. 1908.
Marlboro County, S. C." With others. Soil
Sur. Adv. Sh., 1917, pp. 73. 1919; Soils F.O.,
1917, pp. 469-537. 1923.
New London County, Conn." Soil Sur. Adv.
Sh., 1912, pp. 29. 1913; Soils F.O., 1912, pp.
31-55. 1915.
Oconee County, S. C." With W. J. Latimer.
Soil Sur. Adv. Sh., 1907, pp. 32. 1908; Soils
F.O., 1907, pp. 271-298. 1909.
Oklahoma County, Okla." With G. B. Jones.
Soil Sur. Adv. Sh., 1906, pp. 27. 1907; Soils
F.O., 1906, pp. 563-585. 1908.
Oktibbeha County, Miss." With Lewis A.
Hurst. Soil Sur. Adv. Sh., 1907, pp. 40. 1908;
Soils F.O., 1907, pp. 467-502. 1909.
Plymouth County, Mass." With Grove B.
Jones. Soil Sur. Adv. Sh., 1911, pp. 41. 1912;
Soils F.O., 1911, pp. 31-67. 1914.
Richland County, S. C." With others. Soil
Sur. Adv. Sh., 1916, pp. 72. 1918; Soils F.O.,
1916, pp. 521-588. 1921.
Saluda County, S. C." Soil Sur. Adv. Sh., 1909,
pp. 33. 1910; Soils F.O., 1909, pp. 503-531. 1912.
Union County, S. C." With others. Soil Sur.
Adv. Sh., 1913, pp. 36. 1914; Soils F.O., 1913,
pp. 303-334. 1916.
Walker County, Ga." Soil Sur. Adv. Sh., 1910,
pp. 42. 1911; Soils F.O., 1910, pp. 545-582.
1912.
Windham County, Conn." Soil Sur. Adv. Sh.,
1911, pp. 29. 1912; Soils F.O., 1911, pp. 69-93.
1914.
MacLeod, S. J.: "House cleaning made easier."
F.B. 1180, pp. 31. 1921.
McMahon, Albert, report of Atlantic Fruit Distributors, Cleveland, Ohio. Rpt. 98, pp. 240-242. 1913.
MacMillan, H. G.—
"Fusarium-blight of potatoes under irrigation."
J.A.R., vol. 16, pp. 279-304. 1919.
"Sunscald of beans." J.A.R., vol. 13, pp. 647-650. 1918.
McMiller, P. R.—
"Influence of gypsum upon the solubility of
potash in soils." J.A.R., vol. 14, pp. 61-66.
1918.
"Soil survey of Stevens County, Minn." With
others. Soil Sur. Adv. Sh., 1919, pp. 32. 1922;
Soils F.O., 1919, pp. 1377-1404. 1925.
McMurdo, G. A.: "Cereal experiments at the
Akron field station, Akron, Colo." D.B. 402,
pp. 33. 1916.
McMurran, S. M.—
"Diseases of southern pecans." With J. B.
Demaree. F.B. 1129, pp. 22. 1920.
"Pecan rosette in relation to soil deficiencies."
D.B. 756, pp. 11. 1919.
"Preventing wood rot in pecan trees." F.B.
995, pp. 8. 1918.
"The anthracnose of the mango in Florida."
D.B. 52, pp. 15. 1914.
"Walnut blight in the eastern United States."
D.B. 611, pp. 8. 1917.
McMurtrey, J. E., Jr.—
"Field experiments with atmospheric-nitrogen
fertilizers." With others. D.B. 1180, pp. 44.
1923.
"Sand drown, a chlorosis of tobacco due to
magnesium deficiency, and the relation of sulphate and chlorids of potassium to the disease."
With others. J.A.R., vol. 23, pp. 27-40. 1923.
McNair, A. D.—
"Crop systems for Arkansas." F.B. 1000, pp.
24. 1918.

McNair, A. D.—Continued.
"Labor requirements of Arkansas crops." D.B.
1181, pp. 63. 1924.
"Lespedeza or Japan clover." With W. R.
Mercier. F.B. 441, pp. 19. 1911.
MacNaughton, Leslie: "Shrimp: Handling,
transportation, and uses." With Ernest D.
Clark. D.B. 538, pp. 8. 1917.
McNaughton, G. C.: "Ground-wood pulp."
With J. H. Thickens. D.B. 343, pp. 151. 1916.
McNeil, G. L.: "Dusting cotton from airplanes."
With others. D.B. 1204, pp. 40. 1924.
McNeil, H. C.: "The calcium carbide method for
determining moisture." Chem. Cir. 97, pp. 8.
1912.
McNeil, J. C.: "Legislation in reference to the milk
supply of the city of Pittsburgh." B.A.I. Cir. 151,
pp. 20-23. 1909.
McNess, G. T.—
"Dark fire-cured tobacco of Virginia and the
possibilities for its improvement." With E. H.
Mathewson. Y.B., 1905, pp. 219-230. 1906;
Y.B. Sep. 378, pp. 219-230. 1906.
"Experiments in growing Cuban seed tobacco in
Alabama." With Lewis W. Ayer. Soils Bul.
37, pp. 32. 1906.
"Experiments on growing Cuban seed tobacco in
Texas." With Walter M. Hinson. Soils Bul.
27, pp. 44. 1905.
"Improvement of Virginia fire-cured tobacco."
With others. Soils Bul. 46, pp. 40. 1907.
"Tobacco investigations in Ohio." With George
B. Massey. Soils Bul. 29, pp. 38. 1905.
MacNider, G. M.—
"Comparison of petroleum ether with ethyl ether
for determining fat in cotton products." Chem.
Bul. 137, pp. 155-157. 1911.
report as referee on feeds and feeding stuffs.
Chem. Bul. 137, pp. 152-155. 1911; Chem. Bul.
152, pp. 197-202. 1912.
"Soil survey of—
Chowan County, N. C." With W. Edward
Hearn. Soil Sur. Adv. Sh., 1906, pp. 26.
1907; Soils F.O., 1906, pp. 223-244. 1908.
Robeson County, N. C." With others. Soil
Sur. Adv. Sh., 1908, pp. 28. 1909; Soils F.O.,
1909, pp. 293-316. 1911.
Transylvania County, N. C." With W. E.
Hearn. Soil Sur. Adv. Sh., 1906, pp. 25.
1907; Soils F.O., 1906, pp. 281-301. 1908.
McNulty, J. B.—
"The open shed compared with the closed barn
for dairy cows." With others. D.B. 736,
pp. 15. 1918.
"Values of various new feeds for dairy cows."
With others. D.B. 1272, pp. 16. 1924.
Macon, Ga., milk-supply details and statistics.
B.A.I. Bul. 70, pp. 6-7, 30-31. 1905.
Macoun, John, explorations in Athabaska-Mackenzie region, 1875. N.A. Fauna 27, pp. 74, 76.
1908.
McPhee, H. C.—
"An approximate method of calculating coefficients of inbreeding and relationship from livestock pedigrees." With Sewall Wright.
J.A.R., vol. 31, pp. 377-383. 1925.
"The influence of environment on sex in hemp,
Cannabis sativa." J.A.R., vol. 28, pp. 1067-1080. 1924.
McPherson, Alex.: "Hints to settlers on the
Minidoka project, Idaho." B.P.I. Doc. 452,
pp. 4. 1909.
MacPherson, Hector—
"A federated cooperative cheese manufacturing
and marketing association." With W. H.
Kerr. Y.B., 1916, pp. 145-157. 1917; Y.B.
Sep. 699, pp. 13. 1917.
"A survey of typical cooperative stores in the
United States." With others. D.B. 394,
pp. 32. 1916.
Macrobasis—
spp. description and life history, and control.
D.B. 967, pp. 5, 7-12, 16. 1921.
unicolor. See Blister beetles.
Macrocephalus inequalis, enemy of Arizona wild
cotton weevil. D.B. 344, p. 23. 1916.
Macrocheles spp.—
boll-weevil enemies. Ent. Bul. 114, p. 137.
1912.
description. Rpt. 108, pp. 79, 81. 1915.

Macrocystis—
  pyrifera—
    analyses. J.A.R., vol. 4, pp. 41, 43, 44, 46, 50, 51, 55. 1915.
    distribution—
      description, growth, and analyses. Rpt. 100, pp. 14–67. 1915.
    life history and uses. Y.B., 1912, pp. 533–534. 1913; Y.B. Sep. 611, pp. 533–534. 1913.
    location, area, and tonnage, maps, table. Rpt. 100, pp. 70, 73–104, 111–121. 1915.
    nitrogen availability, studies. J.A.R., vol. 4, pp. 23–37. 1915.
    See also Kelp, giant.
  sp., description, growth, and composition. D.B. 150, pp. 54, 58, 59, 63. 1915.
Macrodactylus subspinosus—
  control, and life history. F.B. 1270, pp. 17–19. 1922.
  See also Rose chafer.
Macroglenes sp., parasite of corn-leaf miner. J.A.R., vol. 2, p. 29. 1914.
Macrophoma sp., occurrence on plants in Texas, and description. B.P.I. Bul. 226, p. 59. 1912.
Macrorhamphus griseus. See Dowitcher.
Macrorhoptus sphaeralciae, host of boll-weevil parasites. Ent. Bul. 100, pp. 45, 50, 76. 1912.
Macrosiphna, description and key. D.B. 826, pp. 7, 53–59. 1920.
Macrosiphum—
  granarium—
    list of hosts. J.A.R., vol. 7, pp. 478–479. 1916.
    life history. J.A.R., vol. 7, pp. 463–480. 1916.
    See also Grain, aphid, green.
  illinoisensis—
    life history. J.A.R., vol. 11, pp. 83–90. 1917.
    See also Grapevine aphid.
  liriodendri, description, habits, and control. F.B. 1169, p. 85. 1921.
  pisi—
    life history, comparison with *Callipterus trifolii.* Ent. T. B. 25, Pt. II, p. 38. 1914.
    See also Pea aphid.
  ribiellum, description, habits, and control. F.B. 1128, pp. 35, 48. 1920.
  solanifolii—
    carrier of potato mosaic. J.A.R., vol. 17, pp. 256–266. 1919.
    transmission of potato leaf-roll. J.A.R., vol. 21, pp. 53, 57–59. 1921.
    See also Potato aphid.
  rosae, enemy of rose. Hawaii A.R., 1907, p. 46. 1908.
  spp.—
    control by quassia extracts, experiments. J.A.R., vol. 10, pp. 507–528. 1917.
    description. D.B. 826, p. 57. 1920.
    spread of mosaic disease of tobacco. D.B. 40, p. 27. 1914; J.A.R., vol. 10, pp. 627–629, 630. 1917.
Macrosporium—
  parasiticum—
    cause of leaf mold of onions. F.B. 1060, p. 12. 1919.
    parasite of *Allium* spp. J.A.R., vol. 20, pp. 687–688. 1921.
  porri, parsite of *Allium* spp. J.A.R., vol. 20, pp. 687–688. 1921.
  solani, cause of collar-rot of tomato. J.A.R., vol. 21, pp. 179–184. 1921.
  sp.—
    cause of fruit rot. Guam A.R., 1917, p. 54. 1918.
    occurrence on—
      plants in Texas, and description. B.P.I. Bul. 226, pp. 43, 55. 1912.
      potatoes in Idaho soils. J.A.R., vol. 13, pp. 79, 92. 1918.
Macrotalagus, characters, and distribution. N.A. Fauna 29, pp. 40–41. 1909.
Macrotomia cephaltes, substitution for *Alkanna tinctoria.* Chem. S.R.A. 23, pp. 97–98. 1918.
Macrozanonia macrocarpa, importation and description. No. 45554, B.P.I. Inv. 53, pp. 52–53. 1922.
McVean, J. D.—
  "Movable hog houses." With R. E. Hutton. Sec. Cir. 102, pp. 8. 1918.

McVean, J. D.—Continued.
  "Pig clubs and the swine industry." Y.B., 1917, pp. 371–384. 1918; Y.B. Sep. 753, pp. 16. 1918.
  "Swine judging suggestions for pig-club members." With F. G. Ashbrook. Sec. Cir. 83, pp. 14. 1917.
McVey, K. A., remarks on effect of pumping on quality of water. F.B. 549, pp. 8–9. 1913.
McWhorter, V. O.—
  "Equipment for farm sheep raising." F.B. 810, pp. 28. 1917.
  "Karakul sheep." With others. Y.B., 1915, pp. 249–262. 1916; Y.B. Sep. 673, pp. 249–262. 1916.
  "The sheep-killing dog." F.B. 652, pp. 13. 1915.
Mad-dog—
  bite, treatment, directions for campers. D.C. 138, p. 73. 1920.
  See also Rabies.
Madagascar, livestock statistics, numbers of cattle, sheep, and hogs. Rpt. 109, pp. 31, 37, 48, 51, 59, 62, 202, 213. 1916.
Madame Dean's female pills, misbranding. Chem. N.J. 12669. 1925; Chem. N.J. 13692. 1925.
Madder—
  field, seeds, description. F.B. 428, pp. 27, 28. 1911.
  importations and descriptions. No. 43037, B.P.I. Inv. 48, p. 13. 1921; No. 48277, B.P.I. Inv. 60, p. 65. 1922; No. 49652, B.P.I. Inv. 62, p. 66. 1923.
  Indian, importation and description. No. 39656, B.P.I. Inv. 41, p. 56. 1917.
  injury to trees by sapsuckers. Biol. Bul. 39, p. 50. 1911.
  wild, description of seed, appearance in red clover seed. F.B. 260, p. 22. 1906.
Madderwort. See Wormwood.
Madhuca indica—
  importation and description. No. 46535, B.P.I. Inv. 56, p. 25. 1922.
  See also Mowra tree.
Madia madioides. See Tar weed.
Madison, Forest Products Laboratory, study of Alaskan woods. Off. Rec., vol. 1, No. 30, p. 2. 1922.
Madness. See Rabies.
Madrona—
  characters, species on Pacific slope. For. [Misc.], "Forest trees for Pacific * * *," pp. 418–422. 1908.
  description. M.C. 31, p. 13. 1925.
  description and soil requirements, eastern Puget Sound Basin, Wash. Soil Sur. Adv. Sh., 1909, pp. 36, 37. 1911; Soils F.O., 1909, pp. 1548, 1549. 1912.
  importation and description. No. 41726, B.P.I. Inv. 46, p. 16. 1919.
  injury by sapsuckers. Biol. Bul. 39, pp. 48, 87. 1911.
  tests for mechanical properties, results. D.B. 556, pp. 31, 40. 1917; D.B. 676, p. 22. 1919.
Madstones, use and composition. B.A.I. Cir. 129, pp. 9–10. 1908.
Madweed. See Skullcap.
Maesa spp., importations and description. Nos. 47711–47713, B.P.I. Inv. 59, p. 50. 1922.
Maga tree, Porto Rico, description and uses. D.B. 354, p. 84. 1916.
Magdalena Mountains, New Mexico, location, description, and climate. N.A. Fauna, 35, p. 65. 1913.
Magenta, acid, detection, fruits and fruit colors. Chem. Bul. 66, rev., p. 28. 1905.
Maggot(s)—
  cause of myiasis disease of man, treatment. Sec. Cir. 61, pp. 8–10. 1916.
  destruction by—
    starlings. D.B. 868, pp. 24–25, 65. 1921.
    use of trap, percentage. D.B. 200, pp. 4–6. 1915.
  food infestation, description and classification. Ent. T.B. 22, pp. 1–44. 1912.
  head of sheep. See Botfly, sheep.
  house-fly, control—
    by chemicals and traps. F.B. 851, pp. 16–22. 1917.

Maggot(s)—Continued.
 house-fly, control—continued.
  through migratory habit, experiments. D.B. 14, p. 11. 1914.
 injuries to—
  animals. F.B. 857, pp. 4–5. 1917.
  livestock, description, and control. F.B. 857, pp. 1–20. 1917.
  seed corn. F.B. 856, pp. 51–52. 1917.
 living, disposition by tachinid flies. Ent. T. B. 12, Pt. VI, pp. 101–102. 1908.
 parasitic, entrance into host, various stages. D.B. 1088, pp. 5–9. 1922.
 peach. See Fruit fly, Mediterranean.
 rearing for pheasant feed. F.B. 390, pp. 31–32. 1910.
 root—
  injury to vegetables in Alaska, and control. Alaska A.R., 1912, pp. 20, 66. 1913.
  loco weed, description and occurrence. Ent. Bul. 64, Pt. V, pp. 35. 1908.
  of cabbage, study in 1923. Work and Exp., 1923, p. 50. 1925.
  onion, description and control. Y.B., 1912, pp. 326–332. 1913; Y.B. Sep. 594, pp. 326–332. 1913.
  presence in Hawaii. Hawaii A. R., 1907, p. 44. 1908.
 sarcophagid, parasites of grasshoppers, description and habits. J.A.R., vol. 2, pp. 436–439. 1914.
 screw-worm fly, description, habits, and control. F.B. 1330, pp. 15–16. 1923.
 seed-corn—
  control. Ent. Bul. 1921, p. 12. 1921.
  description and control. Ent. Cir. 63, pp. 1–3, 1905.
  destruction of onions, description. Y.B., 1912, p. 327. 1913; Y.B. Sep. 594, p. 327. 1913.
  injury to beans, and control. F.B. 856, pp. 28, 42, 51. 1917.
  outbreaks in 1921. D.B. 1103, pp. 39–42. 1922.
 trap(s)—
  description and method of use. D.B. 200, pp. 3–4. 1915.
  for fly—
   control, use at army posts and military camps. Sec. Cir. 61, pp. 4–5. 1916.
   destruction, description, use methods. News L., vol. 2, No. 50, pp. 1–2. 1915.
   larvae. D.B. 14, pp. 4, 6–10. 1914; F.B. 1097, p. 21. 1920; F.B. 1408, p. 13. 1924.
  use in—
   destruction of fly larvae from horse manure. F.B. 679, pp. 17–20. 1915.
   house-fly control. R. H. Hutchison. D.B. 200, pp. 15. 1915.
 wounds on stock, treatment. F.B. 857, p. 17. 1917.

MAGISTAD, OSCAR: "Soil survey of Adams County, Wis." With others. Soil Sur. Adv. Sh., 1920, pp. 31. 1924; Soils F.O., 1920, pp. 1121–1152. 1925.

Magnesia—
 and lime—
  effect of various ratios on plant growth. P.R. An. Rpt., 1911, pp. 18–19. 1912.
  relation to plant growth. Oscar Loew and D. W. May. B.P.I. Bul. 1, pp. 53. 1901.
 citrate of, adulteration. See Indexes, Notices of Judgment, in bound volumes and in separate published as supplements to Chemistry Service and Regulatory Announcements.
 content in Hawaiian soil. Hawaii Bul. 42, pp. 9, 10. 1917.
 fertilizer sources. J.A.R., vol. 23, pp. 36–38. 1923.
 in food or water, cause of calculi in cattle. B.A.I. [Misc.], "Diseases of cattle," rev., p. 131. 1904; rev., 1912; rev., 1923.
 in Hawaiian soils, effect of heat. Hawaii Bul. 30, pp. 18–20. 1913.
 lime ratio—
  as influenced by concentration. P. L. Gile. P. R. Bul. 12, pp. 24. 1912.
  in Hawaiian soils. Hawaii Bul. 37, pp. 8, 35–38, 51. 1915.
 manuring principles, with lime. Oscar Loew. P.R. Cir. 10, pp. 15. 1909.

Magnesia—Continued.
 solubility—
  and its soil relations. J.A.R., vol. 16, pp. 259–261. 1919.
  in water and in aqueous solutions. Soils Bul. 49, pp. 57–59. 1907.
Magnesite, effect on plant growth experiments. J.A.R., vol. 6, No. 16, pp. 600–606. 1916.
Magnesium—
 absorption by barley during growth. J.A.R., vol. 18, pp. 55–62, 66, 68, 69. 1919.
 analyses, various soils. Soils Bul. 54, pp. 15–35. 1908.
 and calcium, compounds, effect on plant growth. J.A.R., vol. 6, No. 16, pp. 589–619. 1916.
 arsenates—
  composition. D.B. 1147, pp. 10–11. 1923.
  spray and dust, formulas. F.B. 1407, pp. 8, 9, 13–14. 1924.
 carbonate(s)—
  decomposition in soils. J.A.R., vol. 3, pp. 79–80. 1914.
  effect on—
   ammonification and nitrification. Hawaii Bul. 37, pp. 39–42, 43–45. 1915.
   plant growth, experiments. J.A.R., vol. 6, No. 16, pp. 598–600, 608, 609, 611, 612. 1916.
   soil bacteria. J.A.R., vol. 12, pp. 463–504. 1918.
  modifications and hydrates. Soils Bul. 49, pp. 59–61. 1907.
  occurrence in phosphate rock, description. D.B. 144, pp. 10–11. 1914.
  presence in soils, effect on Azotobacter content. J.A.R., vol. 24, pp. 293–294. 1923.
  relation to acid soils. J.A.R., vol. 18, pp. 119–125. 1919.
  solubility in water and in aqueous solutions. Soils Bul. 49, pp. 61–64. 1907.
  use in treatment of cocoas. D.B. 666, pp. 1, 3, 6, 8. 1918.
 chloride—
  effect on plant growth, experiments. J.A.R., vol. 6, No. 16, pp. 608–609. 1916.
  experiments with wheat varieties, results. B.P.I. Bul. 79, pp. 25–26. 1905.
  solution, use as dust preventive. Y.B., 1907, p. 264. 1908; Y.B., Sep. 448, p. 264. 1908.
 compounds, food requirements. Chem. Bul. 123, p. 30. 1909.
 concentration in soils, effect of moisture variation. J.A.R., vol. 18, pp. 141, 142, 143. 1919.
 content of mottled leaves, studies. J.A.R., vol. 9, pp. 157–166. 1917.
 deficiency as cause of sand drown, a chlorosis of tobacco. J.A.R., vol. 23, p. 35. 1923.
 determination in—
  plant ash, method. D.B. 600, p. 25. 1917.
  saline solutions, method. Soils Bul. 94, p. 48. 1913.
  water, modified method. Chem. Bul. 152, p. 79. 1912.
 in cropped and uncropped soils. J.A.R., vol. 20, pp. 663–667. 1921.
 in normal and mottled citrus leaves. J.A.R., vol. 20, pp. 166–190. 1920.
 in soil extract. J.A.R., vol. 20, pp. 387–394. 1920.
 income and outgo, experiments and results. O.E.S. Bul. 227, pp. 11–20. 1910.
 influence on plant growth. Y.B., 1901, p. 161. 1902; Y.B. Sep. 225, p. 161. 1902.
 limestone, composition and agricultural use. F.B. 921, p. 4. 1918.
 nitrate, as rice fertilizer, experiments. Hawaii Bul. 24, pp. 11–13. 1911.
 occurrence and metabolism in the body. O.E.S. Bul. 227, pp. 7–9. 1910.
 oxide method of ammonia determination. Chem. Bul. 132, p. 20. 1910.
 salts—
  effect on—
   ammonia fixation in soils. J.A.R., vol. 9, p. 152. 1917.
   calcium carbonate. Soils Bul. 49, p. 55. 1907.
   nitric nitrogen of the soil. J.A.R., vol. 16, pp. 115–116. 1919.
   plant growth. B.P.I. Bul. 113, pp. 9–19. 1907; J.A.R., vol. 5, No. 1, pp. 1–53. 1915.

Magnesium—Continued.
  salts—continued.
    effect on—continued.
      wheat at different stages of growth. J.A.R., vol. 23, pp. 57–62. 1923.
    mixtures, tests on plant life. Rpt. 71, pp. 29–31. 1902.
    proportions in culture solutions for buckwheat. J.A.R., vol. 14, pp. 153–154, 163–167. 1918.
    soil content, effect of sulphur and gypsum. J.A.R., vol. 30, p. 458. 1925.
    solubility in soil, increase by addition of decomposing organic matter. J.A.R., vol. 9, pp. 255–268. 1917.
    solutions, relations to pea roots, experiments. B.P.I. Bul. 231, Pt. I, pp. 1–36. 1912.
  sulphate—
    action on dried blood in sandy and clay soils. J.A.R., vol. 13, pp. 216, 221. 1918.
    effect on—
      growing chicks. J.A.R., vol. 22, pp. 145–149. 1921.
      growth of storage-rot fungi. J.A.R., vol. 21, p. 190. 1921.
      plant growth. J.A.R., vol. 6, No. 16, p. 609. 1916.
    experiments with wheat varieties, results. B.P.I. Bul. 79, pp. 23–25. 1905.
    remedy for loco-weed disease. B.A.I. Bul. 112, p. 73. 1909.
    solutions, solubility of carbon dioxide. Soils Bul. 49, p. 18. 1907.
    treatment of tetanus in horse. B.A.I. An Rpt., 1911, pp. 192–194. 1913.
    use as antidote to barium, experiments. B.P.I. Bul. 246, pp. 9, 12–13. 1912.
    use in treatment of lead poisoning in ducks. D.B. 793, p. 11. 1919.
    See also Epsom salts.
  translocation in growing beans, corn, and potatoes. J.A.R., vol. 5, No. 11, pp. 452–458. 1915.
  withdrawal from soils by crops, rate. J.A.R., vol. 12, pp. 300–301. 1918.
MAGNESS, J. R.—
  "An improved type of pressure tester for the determination of fruit maturity." With George F. Taylor. D.C. 350, pp. 8. 1925.
  "Internal browning of the Yellow Newtown apple." With others. D.B. 1104, pp. 24. 1922.
  "Investigations in the ripening and storage of Bartlett pears." J.A.R., vol. 19, pp. 473–500. 1920.
  "Physiological studies on apples in storage." With H. C. Diehl. J.A.R., vol. 27, pp. 1–38. 1923.
  "Some changes in Florida grapefruit in storage." With Lon A. Hawkins. J.A.R., vol. 20, pp. 357–373. 1920.
  "The handling, shipping, and cold storage of Bartlett pears in the Pacific Coast States." D.B. 1072, pp. 16. 1922.
Magnetism, terrestrial, work of Weather Bureau. W.B. Chief Rpt., 1908, pp. 4–5. 1908; An. Rpts., 1908, pp. 190–191. 1909.
Magnetite, description and composition. Rds. Bul. 37, pp. 16, 20. 1911.
Magnifera altissima, importation and description. No. 55812, B.P.I. Inv. 72, p. 37. 1924.
Magnolia—
  bay, preservative treatment, results. F.B. 744, pp. 17, 28. 1916.
  campbellii, importations and description. Nos. 47714–47718, B.P.I. Bul. 59, pp. 8, 50. 1922; Nos. 55688, 55723, B.P.I. Inv. 72, pp. 3, 19, 24. 1924.
  characters. F.B. 468, p. 42. 1911.
  description, key, and list of common kinds. D.B. 816, pp. 17, 19, 27. 1920; D.C. 223, pp. 6, 10. 1922; F.B. 1208, p. 22. 1922.
  globosa, importation and description. No. 45964, B.P.I. Inv. 54, p. 51. 1922.
  importation and description. No. 29358, B.P.I. Bul. 233, pp. 8, 14. 1912.
  insects injurious. F.B. 1169, p. 97. 1921.
  leaf-spot, occurrence and description, in Texas. B.P.I. Bul. 226, p. 71. 1912.
  names, range, description, bark, prices, and uses. B.P.I. Bul. 139, p. 21. 1909.
  oil, as adulterant of olive oil, analytical data, and tables. Chem. Bul. 77, pp. 23, 43, 44. 1905.

Magnolia—Continued.
  pollen, type, and shape of grains. Chem. Bul. 110, p. 76. 1908.
  quantity used in manufacture of wooden products. D.B. 605, p. 13. 1918.
  soft scale, description and control. F.B. 1169, p. 81. 1921.
  spp., injury by sapsuckers. Biol. Bul. 39, p. 37. 1911.
  splendens. See Laurel, sabino.
  tests for mechanical properties, results. D.B. 556, pp. 31, 40. 1917; D.B. 676, p. 23. 1919.
  wilsonii, Chinese, importation and description. No. 34599, Inv. 33, pp. 5, 36. 1915.
Magnoliaceae, injury by sapsuckers. Biol. Bul. 39, pp. 36–37, 77–78. 1911.
MAGOON, C. A.—
  "A study of sweet potato varieties with special reference to their canning quality." With C. W. Culpepper. D.B. 1041, pp. 34. 1922.
  "A study of the factors affecting temperature changes in the container during canning of fruits and vegetables." With C. W. Culpepper D.B. 956, pp. 55. 1921.
  "Relation of initial temperature to pressure, vacuum, and temperature changes in the container during canning operations." With C. W. Culpepper. D.B. 1022, pp. 52. 1922.
  "Scalding, precooking, and chilling as preliminary canning operations." With C. W. Culpepper. D.B. 1265, pp. 48. 1924
  "Studies upon the relative merits of sweet corn varieties for canning purposes and the relation of maturity of corn to the quality of the canned product." With C. W. Culpepper. J.A.R., vol. 28, pp. 403–443. 1924.
  "Study of the factors affecting temperature changes in the container during canning of fruits and vegetables." With C. W. Culpepper. D.B. 956, pp. 55. 1921.
Magpie—
  American, occurrence in Athabaska-Mackenzie region. N.A. Fauna 27, p. 400. 1908.
  destruction of livestock. Off. Rec., vol. 3, No. 31, p. 8. 1924.
  enemy of—
    codling moth. Y.B., 1911, p. 241. 1912; Y.B. Sep. 564, p. 241. 1912.
    wild ducks in Utah. D.B. 936, pp. 16–17. 1921.
  food habits. D.B. 107, pp. 11–14. 1914.
  protection, exception from. Biol. Bul. 12, rev., p. 44. 1902.
  range, and habits. N.A. Fauna 21, p. 77. 1901; N.A. Fauna 22, p. 115. 1902; N.A. Fauna 24, p. 71. 1904.
MAGRUDER, E. W., directions for the preparation of choice hams. F.B. 479, pp. 19–22. 1912.
MAGRUDER, G. L.—
  "Milk as the carrier of contagious disease, and the desirability of pasteurization." B.A.I. Cir. 153, pp. 7–23. 1910.
  "The dissemination of disease by dairy products, and methods of prevention." With others. B.A.I. Cir. 153, pp. 57. 1910.
Maguey—
  fibers, description and use for binder twine. Y.B. 1911, pp. 198–199. 1912; Y.B. Sep. 560, pp. 198–199. 1912.
  growing and harvesting, wasteful methods. D.B. 930, pp. 7–8. 1920.
  growing in Philippines, fiber quality. Y.B., 1918, p. 363. 1919; Y.B. Sep. 790, p. 9. 1919.
  source of manila fiber, condition of industry in Philippines. D.B. 930, pp. 3–9. 1920.
Mahaleb, stock for cherry tree, advantages. F.B. 776, p. 6. 1916.
MAHAN, C. A.: "The cultivation of tobacco in Kentucky and Tennessee." With others. F.B. 343, pp. 31. 1909.
Mahdi berry, Logan hybrid, description and origin. F.B. 998, p. 23. 1918.
Mahogany—
  African—
    identification key and description. D.B. 1050, pp. 3, 9–10. 1922.
    importations and description. No. 53474, B.P.I. Inv. 67, p. 53. 1923; No. 54920, B.P.I. Inv. 70, p. 29. 1923.
    application of name to various woods. D.B. 474, pp. 1–3. 1917.

Mahogany—Continued.
  bean, importation and description. No. 48253.
    B.P.I. Inv. 60, p. 61. 1922.
  birch. See Birch, sweet.
  birch-leaf, description, range, and occurrence on
    Pacific slope. For. [Misc.], "Forest trees
    * * * Pacific * * *," pp. 340–341. 1908.
  botanical characteristics. D.B. 474, pp. 15–19.
    1917.
  broad-leaved Honduras, use in reforesting Porto
    Rico. O.E.S. An. Rpt., 1908, p. 163. 1909.
  brown, Rhodesia, importation and description.
    No. 35459, B.P.I. Inv. 35, p. 48. 1915.
  Colombian—
    characteristics and use as substitute for true
      mahogany. George B. Sudworth and others.
      For. Cir. 185, p. 16. 1911.
    identification key and description. D.B. 1050,
      pp. 3, 12. 1922.
  common names, distribution, and characteristics.
    D.B. 474, pp. 3–8. 1917.
  consumption in Arkansas, amount and value.
    For. Bul. 106, pp. 7, 11, 13, 16, 39. 1912.
  curl-leaf, description, range, and occurrence on
    Pacific slope. For. [Misc.], "Forest trees for
    Pacific * * *," pp. 338–340. 1908.
  family, injury to trees by sapsuckers. Biol. Bul.
    39, pp. 44, 80, 82. 1911.
  growing in Porto Rico. P.R. An. Rpt., 1916, p.
    24. 1918.
  identification. Arthur Koehler. D.B. 1050, pp.
    18. 1922.
  importation and description. No. 34668, B.P.I.
    Inv. 33, p. 45. 1915.
  imports—
    1906. For. Cir. 110, p. 27. 1907.
    1908. For. Cir. 162, p. 27. 1909.
    1914, amount and value. D.B. 296, p. 47. 1915.
    1922–1924. Y.B., 1924, p. 1067. 1925.
  injury by sapsuckers. Biol. Bul. 39, p. 40, 44, 80.
    1911.
  insect pests, list. Sec. [Misc.], "A manual of
    insects * * *," p. 142. 1917.
  Liberville, identification key, and description.
    D.B. 1050, pp. 4, 13. 1922.
  lumber production, 1917, by States. D.B.
    768, pp. 35, 36. 1919.
  market value, uses, and supply. D.B. 474, pp.
    9–12. 1917.
  mountain—
    description, range, and occurrence on Pacific
      slope. For. [Misc.], "Forest trees for Pacific
      * * *," pp. 338–340. 1908.
    in Wyoming, distribution and growth. N.A.
      Fauna 42, p. 68. 1917.
    occurrence in—
      chaparral, qualities. For. Bul. 85, pp. 31–32.
        1911.
      Colorado, description. N. A. Fauna 33, pp.
        234–235. 1911.
    value for goat browsing. D.B. 749, p. 3. 1919.
  occurrence, in Porto Rico, description and uses.
    D.B. 354, pp. 31, 78. 1916.
  Philippine, identification key, and description.
    D.B. 1050, pp. 3, 10–12. 1922.
  planting of seedlings, quick method. Vir. Is..
    A.R., 1924, pp. 15–16. 1925.
  properties, comparison with black walnut. D.B.
    909, p. 5. 1921.
  quality—
    and source, determination characters. D.B.
      474, pp. 19–22. 1917.
    used in manufacture of wooden products. D.B.
      605, p. 12. 1918.
  red, distribution and description. For. Bul. 87,
    pp. 15, 21–22. 1911.
  resistance to termites. Ent. Bul. 94, Pt. II, p.
    79. 1915.
  Rhodesian, importations and description. Nos.
    49241, 49310, B.P.I. Inv. 62, pp. 2, 15, 23. 1923.
  seed, importation and description. No. 40560.
    B.P.I. Inv. 43, p. 46. 1918.
  so-called, various families. D.B. 474, p. 24. 1917.
  swamp, distribution and description. For. Bul.
    87, pp. 15, 22–24. 1911.
  Trask, description, range, and occurrence on
    Pacific slope. For. [Misc.], "Forest trees for
    Pacific * * *," pp. 337–338. 1908.

Mahogany—Continued.
  true—
    C. D. Mell. D.B. 474, pp. 24. 1917.
    characteristics and use of Columbian mahogany
      as substitute. George B. Sudworth and
      others. For. Cir. 185, pp. 16. 1911.
    importations, 1892–1910, quantity and value.
      D.B. 474, pp. 12–14. 1917.
    use for airplane propellers. D.B. 1128, pp. 4, 42.
      1923.
  white, identification key, and description. D.B.
    1050, pp. 4, 16. 1922.
  woods so-called, list and countries where origi-
    nating. D.B. 474, pp. 22–24. 1917.
Mahonia—
  description and susceptibility to black stem rust.
    D.C. 188, p. 9. 1921; Y.B., 1918, pp. 89, 91.
    1919; Y.B. Sep. 796, pp. 17, 19. 1919.
  quarantine on account of black stem rust. F.H.B.
    Quar. 38, pp. 2. 1919.
  See also Oregon, grape.
Mahwa, importations and description. Nos.
  39182–39183, B.P.I. Inv. 40, pp. 88–89. 1917;
  No. 39325, B.P.I. Inv. 41, pp. 6, 11. 1917.
"Maiden cane"—
  description and value for cotton States. F.B.
    1125, rev., pp. 18–19. 1920.
  feed value. F.B. 1125, rev., p. 18. 1920.
Maidenhair tree—
  injury by sapsuckers. Biol. Bul. 39, p. 22. 1911.
  See also Ginkgo tree.
Maihuenia poeppogii. See Opuntia maihuen.
Maikrabao, importations and description. Nos.
  52465, 52468, B.P.I. Inv. 66, pp. 4, 30, 31. 1923;
  No. 54726, B.P.I. Inv. 70, pp. 2, 12. 1923.
Mail—
  entry of plants and seeds, restrictions, reasons
    and lists. F.H.B.S.R.A. 32, pp. 125–126.
    1916.
  insured, rule change. Off. Rec., vol. 4, No. 46,
    p. 4. 1925.
  penalty clause. Off. Rec., vol. 3, No. 52, p. 5.
    1924.
  regulations—
    dangerous substances prohibited. B.A.I.S.R.A.
      92, p. 184. 1915.
    department. Adv. Com. F. and B.M. [Misc.],
      "Fiscal regulations * * *," pp. 27–28. 1917.
  sacks—
    destruction by rats. Biol. Bul. 33, p. 30. 1909.
    improper use of, prohibition. B.A.I.S.R.A.
      148, p. 92. 1919.
  service, new, establishment to Alaska. Off. Rec.,
    vol. 1, No. 2, p. 5. 1922.
  shipments—
    noninfested, release. F.H.B.S.R.A. 40, pp.
      52–53. 1917.
    prohibited nursery stock, treatment. F.H.B.
      S.R.A. 17, p. 45. 1915.
Mailing—
  plants, quarry products, restrictions in New
    England States. F.H.B.S.R.A. 54, p. 74. 1918.
  privileges under Smith-Lever Extension Act.
    D.C. 251, pp. 34–37. 1923.
  quarantine of gipsy and brown-tail moths. F.H.
    B.S.R.A. 64, p. 88. 1919.
  rural free delivery. C. H. Greathouse. Y.B.,
    1900, pp. 513–528. 1901; Y.B. Sep. 219, pp. 513–
    528. 1901.
Maine—
  agricultural—
    college, and experiment station, organization—
      1905. O.E.S. Bul. 161, pp. 31–32. 1905.
      1906. O.E.S. Bul. 176, pp. 35–36. 1907.
      1907. O.E.S. Bul. 197, pp. 37–38. 1908.
      1910. O.E.S. Bul. 224, pp. 32–33. 1910.
      1911. O.E.S. Bul. 247, p. 34. 1912.
      1912. O.E.S. Bul. 253, p. 37–38. 1913.
      See also Agriculture, workers' list.
    extension work, statistics. D.C. 253, pp. 5, 8,
      10–11, 17, 18. 1923.
  aid to agricultural schools. O.E.S. An. Rpt.,
    1911, p. 329. 1912.
Androscoggin Basin, spruce tract, description
  and annual cut. For. Cir. 131, p. 3. 1907.
apple-grading law. F.B. 1080, p. 21. 1919.
apple growing, production, and varieties. D.B.
  485, pp. 6, 14, 44–47. 1917.

INDEX TO PUBLICATIONS, 1901–1925   1433

Maine—Continued.
Aroostook County, potato—
growing, experiments with borax. D.B. 998, pp. 2–7. 1922.
shipping territory and methods. F.B. 1317, pp. 19, 23–24. 1923.
balsam fir, occurrence, yield, uses, and characteristics. D.B. 55, pp. 8, 17–18, 34–35, 37, 38, 40, 47–49, 50–56, 58, 61. 1914.
barley crops, 1866–1906, acreage, production, and value. Stat. Bul. 59, pp. 7–26, 27. 1907.
bee—
and honey statistics. D.B. 325, pp. 9, 11, 12. 1915; D.B. 685, pp. 6–30. 1918.
diseases, occurrence. Ent. Cir. 138, p. 10. 1911.
birch forests, importance commercially. For. Cir. 163, p. 11. 1909.
bird protection. See Bird protection, officials.
borax experiments with crops in 1920. D.B. 1126, pp. 5, 17–19, 21–22. 1923.
bounty laws, 1907. Y.B., 1907, p. 562. 1908; Y.B. Sep. 473, p. 562. 1908.
bovine tuberculosis, quarantine, indemnity. B.A.I. Bul. 28, pp. 38–39. 1901.
buckwheat crops, 1866–1906, acreage, production, and value. Stat. Bul. 61, pp. 5–17, 18. 1908.
Calosoma sycophanta, list of places liberated. Ent. Bul. 101, p. 89. 1911.
closed season for shorebirds and woodcock. Y.B., 1914, pp. 292, 293. 1915; Y.B. Sep. 642, pp. 292, 293. 1915.
codling moth, life history. E. H. Siegler and F. L. Simanton. D.B. 252, pp. 50. 1915.
convict road-work, laws. D.B. 414, p. 202. 1916.
cooperative organizations, statistics and details. D.B. 547, pp. 13, 15, 36, 44. 1917.
corn crops—
1866–1906, acreage, production, and value. Stat. Bul. 56, pp. 7–27, 28. 1907.
1866–1915, yields and prices. D.B. 515, p. 4. 1917.
credits, farm-mortgage loans, costs and sources. D.B. 384, pp. 2, 3, 4, 7, 10. 1916.
crop planting and harvesting dates, important crops. Stat. Bul. 85, pp. 18, 53, 67, 84. 1912.
crow roosts, location, and number of birds. Y.B., 1915, pp. 90, 93. 1916; Y.B. Sep. 659, pp. 90, 93. 1916.
dairy—
farms, cropping systems. F.B. 337, pp. 8–10. 1908.
practice. Y.B., 1910, pp. 278–279. 1911; Y.B. Sep. 536, pp. 278–279. 1911.
demurrage provisions, regulations. D.B. 191, pp. 3, 26. 1915.
drug laws. Chem. Bul. 98, pp. 87–88. 1906.
early settlement, historical notes. See Soil Surveys *for various counties and areas*.
Experiment Station—
cattle cross-breeding experimental studies. J.A.R., vol. 15, pp. 1–58. 1918.
milk studies. J.A.R., vol. 16, pp. 79, 98. 1919.
poultry—
investigations. C. D. Woods and G. M. Gowell. B.A.I. Bul. 90, pp. 42. 1906.
management, methods. Raymond Pearl. F.B. 357, pp. 39. 1909.
studies—
of dwarf-egg production. J.A.R., vol. 6, No. 25, pp. 977–1042. 1916.
of effect of borax on potatoes. D.B. 998, pp. 2–7. 1922.
of soil heterogeneity in variety tests. J.A.R., vol. 5, No. 22, pp. 1041–1049. 1916.
of tumors on fowls. J.A.R., vol. 5, No. 9, pp. 397–404. 1915.
on digestibility and nutritive value of bread, 1899–1903. C. D. Woods and L. H. Merrill. O.E.S. Bul. 143, p. 77. 1904.
work and expenditures—
1906. C. D. Woods. O.E.S. An. Rpt., 1906, pp. 111–113. 1907.
1907. C.D. Woods. O.E.S. An. Rpt., 1907, pp. 111–113. 1908.
1908. C. D. Woods. O.E.S. An. Rpt., 1908, pp. 106–109. 1909.
1909. C. D. Woods. O.E.S. An. Rpt., 1909, pp. 117–120. 1910.
1910. C. D. Woods. O.E.S. An. Rpt., 1910, pp. 153–156. 1911.

Maine—Continued.
Experiment Station—Continued.
studies—continued.
1911. C. D. Woods. O.E.S. An. Rpt., 1911, pp. 121–123. 1912.
1912. C. D. Woods. O.E.S. An. Rpt., 1912, pp. 128–130. 1913.
1913. C. D. Woods. O.E.S. An. Rpt., 1913, pp. 51–52. 1915.
1914. C. D. Woods. O. E. S. An. Rpt., 1914, pp. 123–128. 1915.
1915. C. D. Woods. S. R. S. Rpt., 1915, Pt. I., pp. 135–139. 1916.
1916. C. D. Woods. S. R. S. Rpt., 1916, Pt. I, pp. 136–141. 1918.
1917. C. D. Woods. S.R.S. Rpt., 1917, Pt. I, pp. 133–138. 1918.
1918. S.R.S. Rpt., 1918, pp. 52, 60, 70–80. 1920.
experiments with first-generation corn hybrids. B.P.I. Bul. 191, p. 13. 1910.
extension work—
funds allotment, and county-agent work. S.R.S. Doc. 40, pp. 4, 6, 10, 16, 23, 25, 28. 1918.
in agriculture and home economics—
1915. L. S. Merrill. S.R.S. Rpt., 1915, Pt. II, pp. 219–222. 1917.
1916. L. S. Merrill. S.R.S. Rpt., 1916, Pt. II, pp. 234–240. 1917.
1917. L. S. Merrill. S.R.S. Rpt., 1917, Pt. II, pp. 238–243. 1919.
statistics. D.C. 306, pp. 3, 6, 10, 14, 20, 21. 1924.
fairs, number, kind, location, and date. Stat. Bul. 102, pp. 13, 14, 34–35. 1913.
farm—
animal statistics, 1867–1907. Stat. Bul. 64, p. 95. 1908.
family, food, fuel, and housing, value, details. D.B. 410, pp. 7–35. 1916.
values, changes, 1900–1905. Stat. Bul. 43, pp. 11–17, 29–46. 1906.
farmers'—
experience with motor trucks, (with other States). D.B. 1910, pp. 1–37. 1920.
institutes—
history. O.E.S. Bul. 174, pp. 43–45. 1906.
legislation. O.E.S. Bul. 241, p. 22. 1911.
work, 1904. O.E.S. An. Rpt., 1904, p. 645. 1905.
work, 1906. O.E.S. An. Rpt., 1906, p. 333. 1907.
work, 1907. O.E.S. An. Rpt., 1907, pp. 330–331. 1908; O.E.S. Bul. 199, p. 22. 1908.
work, 1908. O.E.S. An. Rpt., 1908, p. 314. 1909.
work, 1909. O.E.S. An. Rpt., 1909, p. 346. 1910.
work, 1910. O.E.S. An. Rpt., 1910, p. 406. 1911.
work, 1911. O.E.S. An. Rpt., 1911, p. 372. 1912.
work, 1912. O.E.S. An. Rpt., 1912, p. 365. 1913.
Union, a type of cooperation. D.B. 547, pp. 44–45. 1917.
Farmington, cranberry region, temperature studies. J.A.R., vol. 11, pp. 522–523, 526–527. 1917.
fees collected for hunting licenses. Biol. Bul. 19, p. 9. 1904.
fertilizer—
control laws. Soils Bul. 58, pp. 23–25. 1910.
prices, 1919, by counties. D.C. 57, pp. 4, 5, 7. 1919.
field work of Plant Industry, December, 1924. M.C. 30, pp. 24–25. 1925.
fish meal from sardine industry, utilization. D.B. 378, pp. 2, 9–10, 18. 1916.
food—
and drug officials. Chem. S.R.A. 13, p. 8. 1915.
laws—
1905. Chem. Bul. 69, rev., Pt. III, pp. 220–223. 1902.
1907. Chem. Bul. 112, Pt. I, pp. 103–109. 1908.
enforcement. Chem. Cir. 16, rev., p. 12. 1908.
forest—
area. 1918. Y.B., 1918, p. 717. 1919; Y.B. Sep. 795, p. 53. 1919.

Maine—Continued.
　forest—continued.
　　fires, statistics. For. Bul. 117, p. 29. 1912.
　　lands, White Mountain unit. D.C. 313, pp. 6-7. 1924.
　　legislation, 1907. Y.B., 1907, p. 575. 1908; Y.B. Sep. 470, p. 15. 1908.
　forestry—
　　laws, 1921, summary. D.C. 239, pp. 10-12. 1922.
　　practical on spruce tract. Austin Cary. For. Cir. 131, pp. 15. 1907.
　funds for cooperative extension work, sources. S.R.S. Doc. 40, pp. 4, 5, 9, 14. 1917.
　fur animals, laws—
　　1915. F.B. 706, pp. 7-8. 1915.
　　1916. F.B. 783, pp. 8-9. 1916.
　　1917. F.B. 911, pp. 11, 31. 1917.
　　1918. F.B. 1022, pp. 10-11, 31. 1918.
　　1919. F.B. 1079, pp. 4, 14-15. 1919.
　　1920. F.B. 1165, pp. 12-13. 1920.
　　1921. F.B. 1238, pp. 3, 12. 1921.
　　1922. F.B. 1293, pp. 9-10. 1922.
　　1923-24. F.B. 1387, pp. 12-13. 1923.
　　1924-25. F.B. 1445, pp. 9-10. 1924.
　　1925-26. F.B. 1469, p. 12. 1925.
　game—
　　laws—
　　　1902. F.B. 160, pp. 13-14, 32, 41, 45, 52, 54. 1902.
　　　1903. F.B. 180, pp. 11, 23, 33, 38, 44, 46, 55. 1903.
　　　1904. F.B. 207, pp. 19, 33, 42, 50, 60. 1904.
　　　1905. F.B. 230, pp. 10, 17, 30, 37, 43. 1905.
　　　1906. F.B. 265, pp. 16, 29, 37, 43. 1906.
　　　1907. F.B. 308, pp. 6, 14, 28, 36, 42. 1907.
　　　1908. F.B. 336, pp. 16, 17, 31, 40, 44, 50. 1908.
　　　1909. F.B. 376, pp. 6, 12, 17, 21, 34, 38, 43, 47. 1909.
　　　1910. F.B. 418, pp. 15, 27, 32, 36, 41. 1910.
　　　1911. F.B. 470, pp. 11, 19, 32, 37, 41, 47. 1911.
　　　1912. F.B. 510, pp. 15, 25-26, 27, 34, 36, 37, 39, 40, 43. 1912.
　　　1913. D.B. 22, pp. 12, 20, 21, 27, 39, 45, 48, 54. 1913; rev., pp. 12-13, 19, 20, 26-27, 39, 45, 48, 54. 1913.
　　　1914. F.B. 628, pp. 10, 11, 12, 18, 28-29, 31, 37, 40, 41, 43, 48. 1914.
　　　1915. F.B. 692, pp. 2, 3, 4, 6, 10, 28, 41, 47, 52, 58. 1915.
　　　1916. F.B. 774, pp. 25-26, 39, 45, 51, 58. 1916.
　　　1917. F.B. 910, pp. 19, 47, 51. 1917.
　　　1918. F.B. 1010, pp. 16-17, 46, 61. 1918.
　　　1919. F.B. 1077, pp. 19, 49, 54, 72, 73. 1919.
　　　1920. F.B. 1138, pp. 20-21. 1920.
　　　1921. F.B. 1235, pp. 22-23, 56. 1921.
　　　1922. F.B. 1288, pp. 19-20, 53, 66. 1922.
　　　1923-24. F.B. 1375, pp. 1, 3, 4, 20, 49. 1923.
　　　1924-25. F.B. 1444, pp. 13-14, 36. 1924.
　　　1925-26. F.B. 1466, pp. 19-20, 44. 1925.
　　protection. See Game protection, officials.
　　records, 1894-1913. D.B. 1049, p. 19. 1922.
　　resources, income. News L., vol. 3, No. 6, pp. 2-3. 1915.
　gipsy moth—
　　and brown-tail moth—
　　　control work. F.B. 1335, p. 25. 1923.
　　　quarantine, establishment. F.H.B. Quar. No. 10, pp. 1, 2. 1913.
　　control, work and results. Ent. Bul. 87, pp. 41, 46, 47, 50-52. 1910.
　　infested area. J.A.R., vol. 4, p. 102. 1915.
　　quarantine areas, July, 1922. F.H.B. Quar. No. 45, Amdt. 3, pp. 1, 2. 1922.
　　scouting records. Ent. Bul. 119, pp. 10, 41, 50-53, 58-59. 1913.
　grain supervision district and headquarters. Mkts. S.R.A. 14, p. 1. 1916.
　hardwoods, annual cut. D.B. 285, pp. 28-31. 1915.
　hay crops, 1866-1906, acreage, production, and value. Stat. Bul. 63, pp. 5-25, 26. 1908.
　herds, lists of tested and accredited. D.C. 54, pp. 6, 10, 11, 22, 29, 55, 75, 77, 80. 1919; D.C. 142, pp. 4-49. 1920; D.C. 143, pp. 4-74. 1920; D.C. 144, pp. 4-26. 1920.
　hunting, laws. Biol. Bul. 19, pp. 18-19, 27-36. 1904.

Maine—Continued.
　insecticide and fungicide laws. I. and F. Bd. S.R.A. 13, pp. 117-120. 1916.
　lands purchase under Weeks law. D.C. 313, pp. 6-7. 1924.
　lard supply, wholesale and retail, August 31, 1917, tables. Sec. Cir. 97, pp. 13-31. 1918.
　law(s)—
　　against Sunday shooting. Biol. Bul. 12, rev., p. 63. 1902.
　　nursery-stock interstate shipment, digest. Ent. Cir. 75, rev., p. 4. 1909; F.H.B.S.R.A. 57, pp. 113, 114, 115. 1919.
　　on dog control, digest. F.B. 935, p. 15. 1918; F.B. 1268, p. 15. 1922.
　legislation—
　　protecting birds. Biol. Bul. 12, rev., pp. 18, 19, 34, 35, 36, 39, 43, 47, 48, 92-93, 137. 1902.
　　relative to tuberculosis. B.A.I. Bul. 28, pp. 38-43. 1901.
　livestock admission, sanitary requirements. B.A.I. Doc. A-28, pp. 16-17. 1917; B.A.I. Doc. A-36, pp. 23-24. 1920; M.C. 14, pp. 29-31. 1924.
　Lowelltown, designation as animal quarantine station, September 1, 1908. B.A.I.O. 142, amdt. 4. 1908.
　lumber—
　　cut, 1870-1920, value, and kinds. D.B. 1119, pp. 27, 30-35, 45-61. 1923.
　　production, 1918, by mills, by woods, and lath and shingles. D.B. 845, pp. 6-10, 13, 16, 21, 23, 23, 28, 31, 37, 40, 42-47. 1920.
　lumbermen, studies of food. C. D. Woods, and E. R. Mansfield. O.E.S. Bul. 149, pp. 60. 1904.
　maple—
　　sirup, investigations, tabulation of results. Chem. Bul. 134, pp. 22-23, 67. 1910.
　　sugar analysis results, table. D.B. 466, p. 14. 1917.
　　sugar and sirup, production, by years. F.B. 516, pp. 44-46. 1912.
　marketing, activities and organization. Mkts. Doc. 3, p. 3. 1916.
　Megantic Club game-preserve, acreage. Biol. Cir. 72, p. 5. 1910.
　meteorological data. Chem. Bul. 127, pp. 21, 35, 45, 55. 1909.
　milk supply and laws. B.A.I. Bul. 46, pp. 30, 40, 82-83. 1903.
　mineral waters, analyses. Chem. Bul. 139, pp. 30-45. 1911.
　moth control—
　　State work, area infested. F.B. 564, pp. 20-21, 24. 1914.
　　use of *Calosoma sycophanta*, 1908-1914. D.B. 251, pp. 38-39. 1915.
　　work. F.B. 845, p. 25. 1917.
　muck and peat areas, location. Soils Cir. 65, p. 15. 1912.
　North Berwick, gipsy-moth infestation, control studies. D.B. 484, Pt. II, pp. 43-48. 1917.
　oats—
　　crops, 1866-1906, acreage, production, and value. Stat. Bul. 58, pp. 5-25, 26. 1907.
　　growing, varietal experiments. D.B. 823, pp. 8, 11, 66. 1920.
　officials, dairy, drug, feeding stuffs and food. See Dairy officials; Drug officials.
　Ornithological Society, services in protecting birds. Biol. Bul. 12, rev., p. 65. 1902.
　paper industry and pulp requirements. D.B. 1241, pp. 41-42, 43. 1924.
　pasture land on farms. D.B. 626, pp. 14, 44. 1918.
　pear growing, distribution, and varieties. D.B. 822, p. 5. 1920.
　potato(es)—
　　acreage, production and yield, map. Sec. [Misc.] Spec. "Geography * * * world's agriculture * * *," p. 69. 1918.
　　club work. D.C. 152, p. 13. 1921.
　　crops, 1866-1906, acreage, production, and value. Stat. Bul. 62, pp. 7-27, 28. 1908.
　　disease—
　　　cause by Rhizoctonia. J.A.R., vol. 9, pp. 421, 425. 1917.
　　　studies. J.A.R., vol. 8, pp. 87-94. 1917.

INDEX TO PUBLICATIONS, 1901-1925 1435

Maine—Continued.
  potato(es)—continued.
    growers' association. Rpt. 98, pp. 224-225, 268-269, 277-279. 1913.
    growing—
      and diseases, and climatic relations. J.A.R., vol. 13, pp. 509-513. 1918.
      methods in different localities. F.B. 365, pp. 7-15, 16. 1909.
    handling and marketing. F.B. 753, pp. 10, 13, 17, 24. 1916.
    inspection service, Notices 2-5. F.H.B.S.R.A. 9, pp. 75-79. 1914; F.H.B.S.R.A. 12, p. 1. 1915.
    marketing. C. T. Moore and G. V. Branch. Sec. Cir. 48, pp. 7. 1915.
    powdery-scab—
      inspection work. D.B. 81, p. 8. 1914.
      introduction and spread. J.A.R., vol. 7, pp. 217-221. 1916.
    production—
      1909, by counties. F.B. 1064, p. 4. 1919.
      costs and farm practices. D.B. 1188, pp. 1-40. 1924.
    quarantine against powdery scab. News L., vol. 1, No. 40, p. 4. 1914.
    storage houses, description and cost. F.B. 847, pp. 19, 20, 25-26, 27. 1917.
  pulpwood consumption—
    1906. For. Cir. 120, pp. 5, 6, 8. 1907.
    hauling distance and imports. D.B. 758, pp. 3, 5, 6, 7, 10, 11, 13, 15. 1919.
  quarantine—
    areas for—
      brown-tail moth. July, 1922. F.H.B. Quar. No. 45, amdt, 3, p. 4. 1922.
      brown-tail moths and gipsy moths. F.H.B. S.R.A. 6, pp. 47-48 1914. F.H.B. Quar. 45, amdt. 4, pp. 1, 2, 4. 1923.
      corn borer. F.H.B. Quar. 43, amdts. 1, 3, pp. 1, 2. 1922.
      for powdery-scab of potatoes. F.H.B.S.R.A. 6, p. 50. 1914; F.H.B.S.R.A. 11, p. 90. 1915.
      stations, naming and discontinuing. B.A.I.O. 209, amdt. 8, pp. 2. 1917.
  raw-rock phosphate, field experiments, and results. D.B. 699, pp. 54-59. 1918.
  road(s)—
    bond-built, amount of bonds, and rate. D.B. 136, pp. 34, 52, 67, 85. 1915.
    building-rock, tests—
      1915 results, table. D.B. 370, pp. 32-33. 1916
      1916 and 1917. D.B. 670, pp. 10-11, 25. 1918.
      results, 1916-1921. D.B. 1132, pp. 14-15, 47, 51. 1923.
    discussion and statistics. D.B. 388, pp. 1-9, 25-29, 46-55. 1917.
    laws, and mileage. Y.B., 1914, pp. 214, 222. 1915; Y.B. Sep. 638, pp. 214, 222. 1915.
    materials—
      of southern and eastern counties. Henry Leighton and Edson S. Bastin. Rds. Bul. 33, pp. 56. 1908.
      tests. Rds. Bul. 44, pp. 44-45. 1912.
    mileage and expenditures—
      1904. Rds. Cir. 51, pp. 2. 1906.
      1909. Rds. Bul. 41, pp. 21, 40, 42, 71. 1912. Jan. 1, 1915. Sec. Cir. 52, pp. 2, 4, 6. 1915. 1916. Sec. Cir. 74, pp. 4, 5, 7, 8 1917.
    repairing, cost for macadam road. Rds. Bul. 48, p. 31. 1913.
  sardine industry. F. C. Weber and others. D.B. 908, pp. 127. 1921.
  schools, agricultural—
    education, State aid. Y.B., 1912, p. 472. 1913; Y.B. Sep. 607, p. 472. 1913.
    work. O.E.S. Cir. 106, rev., pp. 18, 24, 29. 1912.
  seed potatoes—
    in certified sacks. F.H.B.S.R.A. 11, pp. 88-89. 1915.
    quarantine regulations, warnings. F.H.B. S.R.A. 2, p. 9. 1914.
  shade trees, injury by green-striped worm. Ent. Cir. 110, p. 5. 1909.
  sheep industry, location and conditions. F.B. 929, pp. 3-6. 1918.
  shipments of fruits and vegetables, and index to station shipments. D.B. 667, pp. 6-13, 25-26. 1918.

Maine—Continued.
  soil survey of—
    Aroostook area. Lewis A. Hurst, and others. Soil Sur. Adv. Sh., 1917, pp. 44. 1921; Soils F.O., 1917, pp. 7-46. 1923.
    Aroostook County. See Aroostook and Caribou areas.
    Caribou area. H. L. Westover and R. W. Rowe. Soil Sur. Adv. Sh., 1908, pp. 40. 1910; Soils F.O., 1908, pp. 35-75. 1911.
    Cumberland County. Cornelius Van Duyne and M. W. Beck. Soil Sur. Adv. Sh., 1915, pp. 92. 1917; Soils F.O., 1915, pp. 37-134. 1919.
    Orono area. Ora Lee, jr. Soil Sur. Adv. Sh., 1909, pp. 38. 1910; Soils F.O., 1909, pp. 41-74. 1912.
    Penobscot County. See Orono area.
  southern and eastern, road materials of. Henry Leighton and Edson S Baston. Rds. Bul. 33, pp. 56. 1908.
  spruce—
    forestry. For. Cir. 131, pp. 1-15. 1907.
    forests, Androscoggin region, condition, etc. Ent. Bul. 28, pp. 11-15. 1901.
    stumpage, prices. Y.B., 1922, pp. 106, 148. 1923; Y.B. Sep. 886, pp. 106, 148. 1923.
  standard containers. F.B. 1434, p. 17. 1924.
  Swedish Select oat, experiments and results. B.P.I. Bul. 182, p. 29. 1910.
  timber—
    stand species, cut, and consumption. D.B. 1241, p. 96. 1924.
    treating, cost. F.B. 744, p. 26. 1916.
  trucking industry, acreage and crops. Y.B., 1916, pp. 457-465. 1917; Y.B. Sep. 702, pp. 23-31. 1917.
  University, teachers' courses. O.E.S. Cir. 118, p. 16. 1913.
  wage rates, farm labor, 1845 and 1866-1909. Stat. Bul. 99, pp. 20, 29-43, 68-70. 1912.
  water supply, records, by counties. Soils Bul 92, p. 77. 1913.
  wheat—
    acreage and—
      production, 1914-1919, and varieties. F.B. 1168, pp. 15, 16. 1921.
      varieties. D.B. 1074, p. 211. 1922.
    crops—
      1866-1915, yields and prices. D.B. 514, p 4. 1917.
      1907, acreage, production, and value. Stat. Bul. 57, pp. 5-25, 26. 1907; rev., pp. 5-25, 26, 36. 1908.
  wind records, 1907-1911. Ent. Bul. 119, p. 38. 1913.
  See also New England States.
MAINS, E. B.—
  "Aecial stage of the orange leaf rust of wheat, *Puccinia triticina* Eriks." With H. S. Jackson. J.A.R., vol. 22, pp. 151-172. 1921.
  "Aecial stages of the leaf rusts of rye and of barley, in the United States." With H. S. Jackson. J.A.R., vol. 28, pp. 1119-1126. 1924.
  "Resistance in rye to leaf rust, *Puccinia dispersa Erikss*." With C. E. Leighty. J.A.R., vol. 25, pp. 243-252. 1923.
  "The composite life history of *Puccinia podophylli* Schw." With others. J.A.R., vol. 30, pp 65-79. 1925.
Maiten tree, importations and descriptions. Nos. 34397, 34621, B.P.I. Inv. 33, pp. 15, 39. 1915; No. 42874, B.P.I. Inv. 47, p. 77. 1920; No. 52591, B.P.I. Inv. 66, p. 47. 1923.
Maize—
  albinistic mutation, studies of heredity. B.P.I. Bul. 272, pp. 9-21. 1913.
  analyses, discussion. Chem. Bul. 120, pp. 41-43 46-47, 64. 1909.
  billbug—
    E. O. G. Kelly. Ent. Bul. 95, Part II, pp. 11-22. 1911.
    description, life history, destructiveness and control. F.B. 1003, 11-13, 22. 1919.
  characters, correlation. J. H. Kempton. J.A.R. vol. 28, pp. 1095-1102. 1924.
  deterioration—
    determination, with incidental reference to pellagra. O. F. Black and C. L. Alsberg. B.P.I. Bul. 199, pp. 36. 1910.
    study. B.P.I. Bul. 270, pp. 1-48. 1913.

Maize—Continued.
  dominant lethal chlorophyll mutation. J. H. Kempton. J.A.R., vol. 29, pp. 307–309. 1924.
  ear, morphology of. J.A.R., vol. 17, pp. 133–134. 1919.
  feeding value, comparison with oats. Chem. Bul. 120, pp. 27–28. 1909.
  floral abnormalities. James H. Kempton. B.P.I. Bul. 278, pp. 18. 1913.
  group of cereals, digestible nutrients. Chem. Bul. 120, pp. 46–47. 1909.
  growth rate of green and albino seedlings. J. H. Kempton. J.A.R., vol. 29, pp. 311–312. 1924.
  hybridizing with teosinte. B.P.I. Cir. 107, pp. 3–4. 1913.
  hybrids—
    comparison with parents, new methods. J.A.R., vol. 3, pp. 85–91. 1914.
    with teosinte, inheritance of characters. J. H. Kempton. J.A.R., vol. 27, pp. 537–596. 1924.
  injury by flea-beetle. D.B. 436, pp. 5, 21. 1917.
  mildew, description, cause and results. J.A.R., vol. 19, pp. 97–122. 1920.
  occurrence of quercetin in Emerson's brown-husked type. Charles E. Sando and H. H. Bartlett. J.A.R., vol. 22, pp. 1–4. 1921.
  oil, as adulterant of olive oil, analytical data, and tables. Chem. Bul. 77, pp. 15, 16, 17, 20, 21, 23, 24, 25, 27, 28, 36–37, 44, 45. 1905.
  Philippine, another conidial sclerospora of. William H. Weston, jr. J.A.R., vol. 20, pp. 669–684. 1921.
  seed, size, effects of cross-pollination, studies. B.P.I. Cir. 124, pp. 9–15. 1913.
  seedlings, growth. J.A.R., vol. 29, pp. 311–312. 1924.
  smut, study of life history and ecologic relations. Alden A. Potter and Leo. E. Melchers. J.A.R. vol. 30, pp. 161–173. 1925.
  stover. See Fodder, corn.
  sugar production, preliminary report. B.P.I. Cir. III, pp. 3–9. 1913.
  teosinte hybrid, description. J.A.R., vol. 19, pp. 1–38. 1920.
  ungerminated kernel, occurrence of polypeptides and amino acids. S. L. Jodidi. J.A.R., vol. 30, pp. 587–592. 1925.
  use of name for grains, ruling. Chem. S.R.A. 18, p. 45. 1916.
  variation, heredity. G. N. Collins. B.P.I. Bul. 272, pp. 23. 1913.
  varieties—
    silk maturing before tassels. B.P.I. Cir. 107, pp. 11. 1913.
    waxy-endosperm inheritance. J. H. Kempton. D.B. 754, pp. 99. 1919.
  See also Corn, Indian.
Majagua, Porto Rico, description and uses. D.B. 354, p. 83. 1916.
"Make-man tablets," misbranding. Chem. N.J. 201, pp. 4. 1910.
Makimbira, importation and description. No. 32261, B.P.I. Bul. 261, p. 49. 1912.
Mal de caderas, horse—
  cause, symptoms, and fatal effects. B.A.I. An. Rpt., 1910, p. 478. 1912; B.A.I. Cir. 194, p. 478. 1912.
  protozoa spread by dogs. D.B. 260, p. 22. 1915.
  symptoms, ravages in South America. Y.B. 1919, p. 73. 1920; Y.B. Sep. 802, p. 73. 1920.
"Mal de goma," causes. P.R. An. Rpt., 1907, p, 24. 1908.
Mal di gomma, caused by Phytophthora terrestria. J.A.R., vol. 24, pp. 191, 210–213. 1923.
Malaceae, injury by sapsuckers. Biol. Bul. 39, pp. 40–42, 51–52, 80–81. 1911.
Malacosoma—
  americana, control, and life history. F.B. 1270, pp. 37–39. 1922.
  disstria—
    description, habits, and control. F.B. 1169, pp. 35–36. 1921.
    ravages in maple groves. For. Bul. 59, pp. 21–23. 1905.
  fragilis, eggs, host of Anastatus semiflavidus. J.A.R., vol. 21, p. 384. 1921.
  neustria. See Moth, lackey.
  spp. See Tent caterpillar.

Maladie du coit—
  prevention of spread, regulations, 1907. B.A.I. An. Rpt., 1907, p. 431. 1909.
  See also Dourine.
Malanga—
  Cuban, description. Inv. No. 29833, B.P.I. Bul. 233, p. 37. 1912.
  See also Dasheen; Taro; Yautia.
Malaria—
  control—
    measures adopted, cost, in notable cases. Ent. Bul. 78, pp. 14–17. 1909.
    precautions in mosquito-infested sections. News L., vol. 2, No. 42, pp. 1, 3. 1915.
  cure, Ferro-china antimalarico, misbranding. N.J. 1222, p. 1. 1912.
  discovery of cause, and transmission. B.A.I. Cir. 194, p. 465, 488–491. 1912; B.A.I. An. Rpt., 1910, p. 465, 488–491. 1912.
  economic loss occasioned in United States, cause, and remedy. Ent. Bul. 78, pp. 7–17. 1909.
  facts regarding. F.B. 450, pp. 1–13. 1911.
  in—
    Greece, effect on national progress. Ent. Bul. 78, pp. 9, 36–38. 1909.
    Italy. Ent. Bul. 78, pp. 8–9, 11–12, 14–15. 1909.
  infection method. F.B. 450, pp. 7–9. 1911.
  occurrence, description, and causes. F.B. 450, pp. 5–7. 1911.
  parasite, description, life history, and results. B.A.I. An. Rpt., 1910, pp. 489–491. 1912; B.A.I. Cir. 194, pp. 489–491. 1912.
  prevalence, United States and foreign countries, relation to Anopheles spp. Ent. Bul. 78, pp. 8–17. 1909.
  prevention—
    and cure, method. F.B. 450, pp. 12–13. 1911.
    by mosquito extermination. Ent. Bul. 88, pp. 88, 89–92, 98–100, 102–104, 107–113. 1910.
  protection methods. F.B. 155, pp. 6–12. 1902.
  relation to labor supply in cotton growing regions. D.B. 564, pp. 44–51. 1917.
  responsibility for crop losses, lower Mississippi Valley. D.B. 1098, pp. 1–2, 20, 21. 1922.
  some facts about. L. O. Howard. F.B. 450, pp. 13. 1911.
  symptoms, control methods. News L., vol. 2, No. 42, pp. 1, 3. 1915.
  See also Anopheles; Mosquitoes.
Malarial fever—
  cause and treatment. For [Misc.], "First-aid * * *," pp. 92–93. 1917.
  horse and sheep, conveyance by ticks. Y.B., 1918, p. 245. 1919; Y.B. Sep. 783, p. 9. 1919.
Malasambon, importation and description. No. 43268, B.P.I. Inv. 48, p. 36. 1921.
Malay chickens, varieties, description and characteristics. F.B. 1221, pp. 22–24. 1921; F.B. 1251, pp. 8, 13. 1921.
Malay States—
  agricultural experiment work, 1908. O.E.S. An. Rpt., 1908, p. 61. 1909.
  mosquito extermination, measures and results. Ent. Bul. 78, pp. 15–16. 1909; Ent. Bul. 88, pp. 89–92. 1910.
MALBOEUF, C. A., report of Northwestern Fruit Exchange, Portland, Oreg. Rpt. 98, pp. 245–250. 1913.
Malbon, use in paper making. Chem. Cir. 41, pp. 12, 19. 1908.
MALCOMSON, A.W.: "Variation of individual pigs in economy of gain." With R. C. Ashby. J.A.R., vol. 19, pp. 225–234. 1920.
MALDE, O. G.—
  "Cranberry harvesting and handling." With others. F.B. 1402, pp. 30. 1924.
  "Establishing cranberry fields." With others. F.B. 1400, pp. 38. 1924.
  "Managing cranberry fields." With others. F.B. 1401, pp. 21. 1924.
Malden, Mass., milk supply, statistics, officials, prices, and ordinances. B.A.I. Bul. 46, pp. 36, 95, 180. 1903.
Male fern. See Fern, male.
Malheur National Forest, Oreg.—
  description. D.C. 4, pp. 20–23. 1919; For. [Misc.], "An ideal vacation * * *," pp. 15–16. 1923.

INDEX TO PUBLICATIONS, 1901–1925 1437

Malheur National Forest, Oreg.—Continued.
information for mountain travelers, map. For. Maps. 1924; For. Rec. Map. 1916.
timber sale prospectus, Bear Valley Unit. For. [Misc.], "Sale prospectus * * *," pp. 22. 1922.
Malic acid—
and tartaric acid, in same solution, determination. P. B. Dunbar. Chem. Cir. 105, pp. 8. 1912.
citric acid determination. Chem. Cir. 88, p. 7. 1912.
determination—
P. B. Dunbar and R. F. Bacon. Chem. Cir. 76, pp. 12. 1911.
in—
grape juices, proposed method. Chem. Bul. 162, pp. 74–77. 1913.
maple products. Chem. Cir. 40, p. 8. 1908.
maple products, methods and results. D.B. 466, pp. 11, 34, 45. 1917.
same solution with tartaric acid. P. B. Dunbar. Chem. Cir. 105, pp. 8. 1912.
modification. David S. Pratt. Chem. Cir. 87, pp. 2. 1911.
studies. Chem. Bul. 162, pp. 60–77. 1913.
with tartaric acid in same solution, methods, etc. Chem. Cir. 105, pp. 8. 1912.
effect of oxidizing agents. Chem. Cir. 78, pp. 13–15. 1911.
maple sirup, determination method, tabulation and discussion. Chem. Bul. 134, pp. 18, 67–76, 91–92. 1910.
Mallard—
Alaska and Yukon Territory. N.A. Fauna 30, pp. 34, 84. 1909.
Athabaska-Mackenzie region. N.A. Fauna 27, pp. 277–278. 1908.
breeding—
grounds, Great Plains, description. Y.B., 1917, pp. 198–200. 1918; Y.B. Sep., 723, pp. 4–6. 1918.
range, and migration. Biol. Bul. 26, p. 22. 1906.
description, habits, and food. N.A. Fauna 46, p. 43. 1923.
food habits, records. D.B. 205, p. 24. 1915.
migration records from birds banded in Utah. D.B. 1145, pp. 4–5. 1923.
names, value, and food habits. D.B. 720, pp. 2–10. 1918.
occurrence in—
Arkansas, food habits, and decreasing numbers. Biol. Bul. 38, p. 17. 1911
Nebraska. D.B. 794, pp. 22–23. 1920.
superiority for farms, studies. News L. Vol. 6, No. 24, p. 14. 1919.
See also Ducks.
Mallein—
discovery, and method of preparation, size of dose. B. A. I. An. Rpt., 1910, p. 351. 1912; B.A.I. Cir. 191, p. 351. 1912.
distribution—
1896, 1908 An. Rpts., 1908, pp. 36, 167, 253. 1908; B.A.I. Chief Rpt., 1908, pp. 39. 1908; Sec. A.R., 1908, pp. 34, 165. 1908.
by Bureau of Animal Industry. M. Dorset. Y.B., 1906, pp. 347–354. 1907; Y.B. Sep. 428, pp. 347–354. 1907.
injections for glanders, serum reaction. D.B. 70, pp. 9, 12. 1914.
opthalmic—
for diagnosis of glanders. John R. Mohler and Adolph Eichhorn. D.B. 166, pp. 11. 1915.
use in test for glanders. B.A.I. Doc. A-1, pp. 5. 1914.
test—
animals exported to Canada. B.A.I.S.A. 34, p. 11. 1910; B.A.I.S.A. 47, p. 15. 1911.
certificates issued by registered veterinarians. B.A.I.S.R.A. 106, pp. 17–18. 1916.
for glanders. B.A.I. Doc. A-13, p. 10. 1917; B.A.I. [Misc.], "Diseases of the horse," rev., p. 542. 1903; rev., p. 544. 1907; rev., p. 544. 1911; rev., p. 556. 1923.
for glanders, subcutaneous, ophthalmic and cutaneous. B.A.I. An. Rpt., 1910, pp. 351–356. 1912; B.A.I. Cir. 191, pp. 351–356. 1912.
testing of export animals. B.A.I. An. Rpt., 1911, p. 97. 1913; B.A.I. Cir. 213, p. 97. 1913.

Mallein—Continued.
use for glanders in horses, directions. B.A.I. [Misc.], "Directions for using * * *," p. 1. 1907.
Malleo-aggressin, use as immunizing agent against glanders. D.B. 70, p. 3. 1914.
MALLINCKRODT, EDWARD, Jr.: "Dietary studies with Howard University students." O.E.S. Bul. 152, pp. 138. 1905.
MALLOCH, J. R.—
description—
and synonymy of *Agromyza pusilla*. J.A.R., vol. 1, pp. 60, 67–68. 1913.
of *Agromyza parvicornis*. J.A.R., vol. 2, p. 20. 1914.
"Diptera of the Pribilof Islands (except Tipulidae, Rhyphidae, and Calliforidae)." N.A Fauna 46, Pt. II., pp. 170–227. 1923.
"American black flies or buffalo gnats." Ent. T.B. 26, pp. 82. 1914.
MALLOCH, W. S.: "A sexual propagation as an aid in breeding rootstocks." J.A.R., vol. 29, pp. 515–521. 1924.
Mallophaga—
Pribilof Islands, Alaska. N.A. Fauna 46, Pt. II., p. 141. 1923.
See also Lice, bird.
MALLORY, A. C.: "The bean lady bird in Colorado in 1919" D.B. 843, pp. 21–24. 1920
MALLORY, A. S.: "Soil survey of Norfolk, Bristol, and Barnstable Counties, Mass." With others. Soil Sur. Adv. Sh., 1920, pp. 1033–1120. 1924; Soils F.O., 1920, pp. 1033–1120. 1925.
Mallotus nepalensis, importation and description. No. 39122, B.P.I. Inv. 40, p. 78. 1917; No. 53584, B.P.I. Inv. 67, p. 65. 1923.
Mallow—
disease similar to curly-top of beets. J.A.R., vol. 14, p. 394. 1918.
host of bagworm. F.B. 701, p. 3. 1916.
importation and description. No. 41652, B.P.I. Inv. 45, p. 57. 1918.
Indian—
importation and description. No. 44207, B.P.I. Inv. 50, p. 42. 1922.
rust occurrence, and description B.P.I. Bul. 226, pp. 96–97. 1912.
Malnutrition—
cabbage and cauliflower disease, description, distribution, and control methods. F.B. 488, pp. 25–28. 1912; F.B. 925, pp. 23–25. 1918; F.B. 925, rev., pp. 23–25. 1921.
citrous fruits. See Chlorosis.
watermelon, description. F.B. 821, p. 17. 1917.
Malojilla, ensiling in Porto Rico. P. R. An. Rpt. 1909, pp. 41–42. 1910.
Malombo, African name for taro. B.P.I. Bul. 164, p. 33. 1910.
Malpighia glabra. See also Cherry, Barbados.
Malt(s)—
adulteration and misbranding. Chem. N.J. 2626, pp. 2. 1913.
American, chemical studies. Chem. Bul. 124, pp. 1–75. 1909.
analyses, 6-row and 2-row barleys. Chem. Bul. 124, pp. 68–73. 1909.
and hop liquid food, adulteration and misbranding. Chem. N.J. 3911, 3935. 1915.
barley—
and grain sorghums, comparison. D.B. 1129, pp. 6–7. 1922.
imports, 1907–1909, quantity and value. Stat. Bul. 82, p. 43. 1910.
moisture testing, directions. B.P.I. Cir. 72, rev., p. 16. 1914.
beverage (imitation of O-U-Hopp and He-No), misbranding. Chem. S.R.A. Sup. 2, p. 86. 1915.
character and value in fermentation. F.B. 429, 24–25. 1911.
composition, and changes in barley. Chem. Bul. 130, pp. 41–42. 1910.
description and preparation. F.B. 410, pp. 19–23. 1910.
diastase, hydrolysis method for starch determination, objections. J.A.R., vol. 23, pp. 996, 999. 1923.
diastasic power, determination. Chem. Bul. 130, p. 118. 1910.
dried, value, comparison with green malt. F.B. 410, p. 23. 1910.

Malt(s)—Continued.
  extract—
    adulteration and misbranding. See *Indexes, Notices of Judgment, in bound volumes and in separates published as supplements to Chemistry Service and Regulatory Announcements.*
    effect on fat and milk production of cows. J.A.R., vol. 19, p. 123. 1920.
    imports, 1907-1909, value. Stat. Bul. 82, p. 47. 1910.
    green, preparation and value, comparison with dried malt. F.B. 410, pp. 22-23. 1910.
    import duties, European countries. Stat. Bul. 68, pp. 45-49. 1908.
  liquors—
    analysis, suggestions. Chem. Bul. 73, pp. 155-157. 1903.
    imports—
      1907-1909, quantity and value, by countries from which consigned. Stat. Bul. 82, p. 46. 1910.
      and exports, 1907-1911. Y.B., 1911, pp. 664, 674. 1912; Y.B. Sep. 588, pp. 664, 674. 1912.
    nutrine, misbranding. Chem. N.J. 2310, pp. 2. 1913.
    powdered, adulteration and misbranding. Chem. N.J. 13679. 1925.
    protein content, comparison. Chem. Bul. 124, p. 51. 1909.
    quantity used, 1907. Chem. Bul. 130, p. 95. 1910.
    saccharine, adulteration and misbranding. Chem. N.J. 2195, pp. 2. 1913.
  sprouts—
    adulteration. See *Indexes, Notices of Judgment, in bound volumes and in separates published as supplements to Chemistry Service and Regulatory Announcements.*
    extract, feeding experiments with nonproteins. B.A.I. Bul. 139, pp. 17, 19, 22-26, 40-43. 1911.
    labeling, opinion 60. Chem. S.R.A. 6, p. 421. 1914.
    manufacturer, method. Chem. Bul. 108, p. 11. 1908.
    nutritive value as dairy feed, analysis. F.B. 743, p. 15. 1916.
  sugars. See Sugars, malt.
  tonic—
    adulteration and misbranding. Chem. N.J. 2235, p. 1. 1913; Chem. N.J. 3375, p. 1. 1915.
    Wurtzburger, adulteration and misbranding. Chem. N.J. 1945, pp. 2. 1913.
  use of barley, and demand for. F.B. 968, pp. 3, 7, 26. 1918.
  See also Liquors.
Malta—
  fever—
    agglutination test. B.A.I. An. Rpt., 1911, pp. 121, 130-134. 1912; B.A.I. Cir. 215, pp. 121, 131-134. 1912.
    and the Maltese goat importation, 1905. B.A.I. An. Rpt., 1908, pp. 279-295. 1910.
    cause, original home, symptoms, and spread. B.A.I. An. Rpt., 1908, pp. 282-286. 1910.
    complement-fixation test. B.A.I. An. Rpt., 1911, pp. 121, 133-134. 1913; B.A.I. Cir. 215, pp. 121, 133-134. 1913.
    in goats—
      danger to humans, quarantine and eradication. Y.B., 1919, pp. 75-76. 1920; Y.B. Sep. 802, pp. 75-76. 1920.
      description, and danger of transmittal to man, control studies. F.B. 920, p. 35. 1918.
      diagnosis and control. John R. Mohler and Adolph Eichhorn. B.A.I. An. Rpt., 1911, pp. 119-136. 1913; B.A.I. Cir. 215, pp. 18. 1913.
      occurrence and transmission, Texas and New Mexico. An. Rpts., 1912, pp. 311, 364-365. 1913; B.A.I. Chief Rpt., 1912, pp. 15, 68-69. 1912.
      goats, destruction of herd to prevent spread of Malta fever. An. Rpts., 1907, p. 222. 1908.
  Island—
    milk-goat industry. B.A.I. Bul. 68, pp. 51-53. 1905.

Malta—Continued.
  Island—Continued.
    prevalence of Malta fever in man, efforts to control. B.A.I. An. Rpt., 1908, pp. 284-286. 1910.
    potato production 1909-1913, 1921-1923. Stat. Bul. 10, p. 19. 1925.
Malted milk. *See* Milk.
Malthas, use as road material. Rds. Bul. 38, p. 7. 1911.
Malting—
  agents and operations. Chem. Bul. 130. pp. 36-42. 1910.
  kafir, milo, and feterita. D.B. 1129, p. 5. 1922.
  starchy materials for fermentation, directions. F.B. 429, pp. 24-25. 1911.
Maltose, calculation table. Chem. Bul. 107, rev., pp. 243-251. 1907.
Malus—
  arnoldiana. *See* Crab apple.
  malus, injury by sapsuckers. Biol. Bul. 39, p. 52. 1911.
  prunifolia, grown in China. B.P.I. Bul. 204, pp. 30-31. 1911.
  sargentii, importation and description. No. 41572, B.P.I. Inv. 45, p. 49. 1918.
  spp.—
    importations and description. Nos. 51752, 51872-51875, 52305, B.P.I. Inv. 65, pp. 44, 60-61, 88. 1923.
    injury by sapsuckers. Biol. Bul. 39, pp. 41, 80-81. 1911.
  See also Apples.
Malva blanca, fiber plant from Cuba. No. 43074, B.P.I. Inv. 48, p. 16. 1921.
Malvaceae—
  as boll-weevil food, tests, summary. J.A.R. vol. 2, pp. 244-245. 1914.
  Porto Rico, description and uses. D.B. 354, pp. 83-84. 1916.
Malvaviscus drummondii, food plant of *Meskea thyridinae*. J.A.R., vol. 20, pp. 828-829. 1921.
Mambrina (horse), history and pedigree. B.A.I. An. Rpt., 1907, pp. 109, 137. 1909; B.A.I. Cir. 137, pp. 109, 137. 1909.
Mambrino King, (horse), history and pedigree. B.A.I. An. Rpt., 1907, pp. 96, 138. 1909; B.A.I. Cir. 137, pp. 96, 138. 1909.
Mamestra legetima. *See* Caterpillar, garden.
Mamey—
  description, use and growth in Cuba. Chem. Bul. 87, pp. 25-27. 1904.
  importations and descriptions. No. 42813, B.P.I. Inv. 47, p. 69, 1920; No. 44202, B.P.I. Inv. 50, p. 41. 1922; No. 44610, B.P.I. Inv. 51, p. 31. 1922; No. 47425, B.P.I. Inv. 59, p. 17. 1922.
  leaves, use as wrapping for roots in transplanting. P.R. Bul. 23, pp. 20-21. 1918.
Mamisuris striata, importation and description. No. 47847, B.P.I. Inv. 59, pp. 8, 67. 1922.
Mammalium generum index, a list of genera and families of mammals. T.S. Palmer. N.A. Fauna 23, pp. 984. 1904.
Mammals—
  aquatic, protection on reservations. Biol. Cir. 87, pp. 13-15. 1912.
  blood, observations with dark-field illumination. B.A.I. Bul. 119, pp. 5-15. 1909.
  distribution and importation. An. Rpts., 1908, pp. 118, 579-581. 1909; Biol. Chief Rpt., 1908, pp. 11-13. 1908.
  enemies of—
    field mice, protection, importance. F.B. 670, p. 9. 1915.
    gophers. Y.B., 1909, p. 217. 1910; Y.B. Sep. 506, p. 217. 1910.
    green June beetle. D.B. 891, p. 36. 1922.
  fever-tick hosts, Bitterroot Valley, Montana, destruction methods. Biol. Cir. 82, p. 5. 1911.
  foreign—
    colonization and difficulties. Y.B., 1909, pp. 249-250, 257. 1910; Y.B. Sep. 510, pp. 249-250, 257. 1910.
    imports, 1910. Biol. Cir. 80, pp. 23-24. 1911.
  genera and families, list. T. S. Palmer. N.A. Fauna 23, pp. 984. 1904.
  harmful and beneficial, of the arid interior Vernon Bailey. F.B. 335, pp. 31. 1908.
  hosts of spotted-fever tick. Ent. Cir. 136, **p. 4.** 1911.

Mammals—Continued.
  life history studies in the field, suggestions. D.C. 59, pp. 8. 1919.
  lists, different life zones, Texas. N.A. Fauna 25, pp. 20, 26, 34, 36. 1905.
  names, changes in form. N.A. Fauna 23, pp. 23-67. 1904.
  nicotine poisoning, effects. J.A.R., vol. 7, pp. 116-117. 1916.
  noxious, destruction by use of poisons. Y.B., 1908, pp. 421-432. 1909; Y.B. Sep. 491, pp. 1-12. 1909.
  of—
    Alabama, report on. N.A. Fauna 45, pp. 17-76. 1921.
    Alaska—
      east-central region. N.A. Fauna 30, pp. 13-32. 1909.
      Peninsula, base, descriptive list N.A. Fauna 24, pp. 27-50. 1904.
    Arkansas, lower Austral zone and upper Austral zone, lists. Biol. Bul. 38, p. 8. 1911.
    Athabaska-Mackenzie region. N.A. Fauna 27, pp. 126-251. 1908.
    Canada, Keewatin, descriptive list. N.A Fauna 22, pp. 39-73. 1902.
    Colorado, species, distribution and description. N.A. Fauna 33, pp. 19-20, 22-23, 24, 27, 28-29, 36-37, 44, 48, 50, 51-211. 1911.
    Montana, Bitterroot Valley, their relation to spotted fever. Henry W. Henshaw and Clarence Birdseye. Biol. Cir. 82, pp. 24. 1911.
    New Mexico, different life zones, lists. Biol. N.A. Fauna 35, pp. 18, 28, 32, 43, 47, 50, 52. 1913.
    North America, nematodes of. Edward A. Chapin. J.A.R., vol. 30, pp. 677-681. 1925.
    Pribilof Islands, measurements, habits, etc, N.A. Fauna 46, pp. 5, 102-120. 1923.
    Rocky Mountains, relation to spotted fever. An. Rpts., 1911, pp. 117-118. 1912; Sec. A.R., 1911, pp. 115-116. 1911; Y.B., 1911, pp. 115-116. 1912.
    Texas. N.A. Fauna 25, pp. 51-216. 1905.
    the Queen Charlotte Islands. N.A. Fauna 21, pp. 25-37. 1901.
    western Montana, relation to agriculture and spotted fever. Clarence Birdseye. F.B. 484, pp. 46. 1912.
    Wyoming, species characteristic of different life zones. N.A. Fauna 42, pp. 16, 19, 20, 22, 24, 25-26, 33, 34, 42-43, 48, 51. 1917.
    Yukon Territory, Ogilvie range and Macmillan River regions. N.A. Fauna 30, pp. 49-59, 72-84. 1909.
  predaceous, economic value (with birds). A.K. Fisher. Y.B., 1908, pp. 187-194. 1909; Y.B., Sep. 474, pp. 187-194. 1909.
  relation to agriculture, discussion by Secretary. Rpt.. 87. pp. 56-58. 1908.
  reservations in Alaska, description, and protection needs. Biol. Doc. 110, pp. 9-10. 1919.
  seed-eating, injury to reforestation. News L., vol. 4, No. 19, p. 4. 1916.
  small—
    destruction by crows. D.B. 621, pp. 38-40, 66, 84. 1918.
    preparation of skulls for collection. J.A.R., vol. 28, pp. 978-979. 1924.
  specimens, directions for preparing in the field. Biol. Doc. 102, pp. 4. 1915.
  susceptibility to bird tuberculosis. B.A.I. An. Rpt., 1908, pp. 165-176. 1910.
  tick infestation. Ent. Bul. 72, pp. 45-64. 1907.
  See also Animals.
Mammary gland—
  cells, relation to milk secretion. J.A.R. vol. 16, pp. 79, 94, 98. 1919.
  stimulation by massage, investigations. B.A.I. Dairy [Misc.], "World's dairy congress, 1923," pp. 1019-1020. 1924.
Mammea americana. See Mammee apple; Mamey.
Mammee—
  apple—
    importation and description. No. 35909, B.P.I. Inv. 36, p. 24. 1915.
    Porto Rico, description and uses. D.B. 354, p. 85. 1916.

Mammee—Continued.
  distribution from Maslin fig orchard, 1909. B.P.I. Doc. 438, p. 6. 1909.
  importation and description. No. 37814, B.P.I. Inv. 39, p. 48. 1917.
  insect pests. Sec. [Misc.], "A manual of insects * * *," p. 142. 1917.
Mammitis—
  cow—
    causes, symptoms, treatment, and results. F.B. 1422, pp. 5-7. 1924.
    simple and contagious, symptoms, treatment. B.A.I. [Misc.], "Diseases of cattle," rev., pp. 238-244. 1912.
  ewes, cause, symptoms, and treatment. F.B. 1155, pp. 35-36. 1921.
  sow, cause, symptoms, and treatment. F.B. 1244, p. 10. 1923.
  See also Udder inflammation.
Mammoth Reservoir, Utah, details of construction. O.E.S. Bul. 249, Pt. I, pp. 21, 49-51, 53, 58. 1912.
Mamoncillo, importations and description. Nos. 54521, 54523, B.P.I. Inv. 69, pp. 20, 21. 1923.
Man—
  basal katabolism, determination, and comparisons. J.A.R., vol. 13, pp. 50-52, 55. 1918.
  communicability of rabies to. Y.B., 1900, p. 225. 1901.
  deerfly disease, occurrence. D.B.1218, p. 4 1924.
  health and nutrition, influence of saccharin. Christian A. Herter and Otto Folin. Rpt. 94. pp. 375. 1911.
  infection with—
    cattle diseases. B.A.I. [Misc.], "Diseases of cattle," rev., pp. 394, 458. 1923.
    horse diseases. B.A.I. [Misc.], " Diseases of the horse," rev., pp. 446, 449, 525, 529, 531, 533. 1903; rev., pp. 474, 477, 557. 1923.
  infestation by nematodes. Y.B., 1914, pp. 466-467, 471. 1915; Y.B. Sep. 652, pp. 466-467, 471. 1915.
  injury by caffein experiments. Chem. Bul: 148, pp. 9, 12, 13, 14, 15, 16. 1912.
  inoculation for anthrax. J.A.R., vol. 8, p. 52. 1917.
  labor—
    calculating for certain crops. D.B. 1181, pp. 58, 59. 1924.
    on farm, better use of. H. R. Tolley and A. P. Yerkes. F.B. 989, pp. 15. 1918.
    requirements in wheat production and prices. D.B. 1198, pp. 5-10, 15, 16, 19. 1924.
  nicotine poisoning, and cause of death. J.A.R., vol. 7, pp. 116-117. 1916.
  power, saving on farms by machinery and more horses. News L., vol. 4, No. 43, p. 3. 1917.
  protection against chiggers, and treatment of bites. D.B. 986, pp. 13-15, 17-18. 1921.
  susceptibility to—
    coccidioidal granuloma, cause, and symptoms. J.A.R., vol. 14, pp. 533-534. 1918.
    glanders. B.A.I. Doc. A-13, p. 4. 1917.
  worms in, control by carbon tetrachloride, tests. J.A.R., vol. 23, pp. 185-188. 1923.
Manager—
  cooperative marketing, qualifications and duties. Y.B., 1914, pp. 192-193. 1915; Y.B. Sep. 637, pp. 192-193. 1915.
  livestock shipping association, qualifications and duties. F.B. 718, p. 8. 1916.
  report, in elevator accounts, directions and form. D.B. 811, pp. 11, 53. 1919.
Mancasellus brachyurus. See Water-cress sowbug.
Manchester, N. H., milk supply, statistics, officials, and prices. B.A.I. Bul. 46, pp. 30, 111. 1903.
Manchuria—
  agricultural education, progress, 1908. O.E.S. An. Rpt., 1908, p. 250. 1909.
  barley, tests, description, and yields, South Dakota experiments. D.B. 39, pp. 29-34. 1914.
  grain sorghums, kaoliang group, value and uses. Y.B., 1913, pp. 222-223. 1914; Y.B. Sep. 625, pp. 222-223. 1914.
  hemp-seed introduction. An. Rpts., 1908, p. 311. 1909; B.P.I. Chief Rpt., 1908, p. 39. 1908.
  sorghums, grain, production and values. Y.B., 1922, pp. 525, 527. 1923; Y.B. Sep. 891, pp. 525, 527. 1923.
  soy-bean production and trade. D.B. 439, pp. 2-4. 1916.

Manchurian—
　barleys, properties. Chem. Bul. 124, pp. 8, 18, 34-49, 60, 62. 1909.
　bean. *See* Soy bean.
　pheasant, description, origin, and value. F.B. 390, pp. 7, 9, 19. 1910.
　wheat, characteristics. D.B. 878, p. 7. 1920.
Mandan, N. Dak., northern Great Plains field station, location, and history. D.B. 883, pp. 4-7. 1920.
Mandarins—
　evaporated, sulphuring, reasons. Chem. Cir. 37, p. 4. 1907; Chem. Bul. 84, Pt. III, p. 764. 1907.
　exception from quarantine. An. Rpts., 1917, pp. 417, 430. 1918; F.H.B. An. Rpt., 1917; pp. 3, 16. 1917.
　fungous parasite, *Glomerella cingulata*, studies. B.P.I. Bul. 252, pp. 26-27. 1913.
　importations—
　　and description. No. 38101, B.P.I. Inv. 39, p. 87. 1917; Nos. 41088-41091, 41270, B.P.I. Inv. 44, pp. 37, 57. 1918; No. 45315, B.P.I. Inv. 53, p. 24. 1922; No. 49010, B.P.I. Inv. 61, p. 66. 1922.
　　regulations. F.H.B. Quar. 28, pp. 5. 1917.
　packing methods. F.B. 696, pp. 19-21. 1915.
　varieties, recommendations for various fruit districts. B.P.I. Bul. 151, p. 57. 1909.
　vine growing in Hawaii for ornamental purposes. Hawaii A.R., 1919, p. 38. 1920.
Mandioca—
　growing in Brazil, description and value in fattening hogs. D.C. 228, p. 24. 1922.
　See also Cassava.
Mangabeira, indication of good orange soil, Brazil. D.B. 445, p. 8. 1917.
Manganese—
　absorption from earthenware jars, effect on plants, J.A.R., vol. 26, pp. 231-232. 1923.
　action in soils. J. J. Skinner and M. X. Sullivan. D.B. 42, pp. 32. 1914.
　action under acid and neutral soil conditons. J. J. Skinner and F. R. Reid. D.B. 441, pp. 12. 1916.
　as a fertilizer. M. X. Sullivan and M. O. Robinson. Soils Cir. 75, pp. 3. 1912.
　catalytic power, experimental plats. Soils Bul. 42, pp. 30-31. 1914.
　chlorosis, of pineapples, cause and control. M. O. Johnson. Hawaii Bul. 52, pp. 38. 1924.
　content, Hawaiian soils. Hawaii Bul. 40, pp. 12-13. 1915; Hawaii Bul. 42, pp. 8, 10. 1917.
　content of certain seeds, and iron content. J. S. McHargue. J.A.R., vol. 23, pp. 395-399. 1923.
　determination in—
　　grain and straw, methods. J.A.R., vol. 5, No. 8, p. 351. 1915.
　　pine, oak, and roses. D.B. 600, pp. 14, 15, 17. 1917.
　　plant ash, method. D.B. 600, p. 24. 1917.
　　water, modified method. Chem. Bul. 152, pp. 78-79. 1912.
　distribution in plant organs. Hawaii Bul. 26, pp. 37-38. 1912.
　effect—
　　in aqueous extracts of soils. Soils Bul. 42, pp. 9-19. 1914.
　　on—
　　　growth of plants, studies. J.A.R., vol. 5, No. 8, pp. 349-350. 1915.
　　　pineapple plants. Hawaii Bul. 28, pp. 7-14. 1912.
　　　plants in acid and neutral soils and necessity as plant nutrient. J. S. McHargue. J.A.R., vol. 24, pp. 781-794. 1923.
　experiments. Soils Bul. 42, pp. 2-9. 1914.
　fertilizer—
　　caution. Soils Cir. 75, pp. 2, 3. 1912.
　　experiments in the field. D.B. 42, pp. 19-25. 1914; Soils Bul. 73, pp. 40-44. 1910.
　in—
　　Hawaiian soils, effect of heat. Hawaii Bul. 30, pp. 16-18. 1913.
　　plants and soils, function and distribution. W. P. Kelley. Hawaii Bul. 26, pp. 56. 1912.
　　soil, cause of pineapple chlorosis. Hawaii A.R., 1916, pp. 9, 23. 1917.
　　solution, poisonous effect on plants. J.A.R., vol. 23, p. 226. 1923.

Manganese—Continued.
　occurrence in—
　　all soils. Soils Cir. 75, p. 2. 1912.
　　plants, and possible function. J.A.R., vol. 5, No. 8, pp. 349-354. 1915.
　　soils. D.B. 122, pp. 3, 12-13, 15, 27. 1914.
　　soils, plants, and animals, and its possible function as a vital factor. J. S. McHargue. J.A.R. vol., 30 pp, 193-196. 1925.
　　wheat. William P. Headden. J.A.R., vol. 5, No. 8, pp. 349-355. 1915.
　oxidative power of experimental plats. Soils Bul. 42, pp. 25-30. 1914.
　physiological effects on plants, microscopic. Hawaii Bul. 26, pp. 28-34. 1912.
　relation to catalytic power of soils. Soils Bul. 86, pp. 28, 30. 1912.
　salts, effect on nitric nitrogen of the soil. J.A.R., vol. 16, pp. 116-118. 1919.
　soil(s)—
　　content, analyses and experiments, Hawaii. 1917. Hawaii A.R., 1917, p. 52. 1918.
　　effect on pineapple. An. Rpts., 1909, p. 697. 1910; O.E.S. Dir. Rpt., 1909, p. 19. 1910.
　　treatment, Hawaii, experiments. Hawaii A.R., 1918, pp. 24-25. 1919.
　sulphate—
　　concentrations, effect on plant growth, and necessity as nutrient. J. S. McHargue. J.A.R., vol. 24, pp. 781-794. 1923.
　　cost per ton. Soils Cir. 75, p. 3. 1912.
　use in iron, effect on corrosion. Rds. Bul. 35, pp. 9, 36. 1909.
　value as fertilizer. M. X. Sullivan and W. O. Robinson. Soils Cir. 75, pp. 3. 1913.
Mange—
　calf, treatment. F.B. 1135, pp. 13-14. 1920.
　cattle—
　　control. F.B. 1073, p. 22. 1919.
　　kinds, causes, and treatment. B.A.I. [Misc.], "Diseases of cattle," rev., pp. 513-518. 1923.
　　quarantine. B.A.I. An. Rpt., 1908, p. 11. 1910.
　　study. B.A.I. Bul. 40, pp. 1-23. 1902.
　cause in cattle. F.B. 152, pp. 7-8. 1902.
　chicken leg. *See* Scaly leg.
　chorioptic, description and treatment. B.A.I. [Misc.], "Diseases of cattle," rev., p. 481. 1904; rev., p. 504. 1908; rev., p. 528. 1912; rev., p. 517. 1923.
　demodectic—
　　cause and control. F.B. 1017, p. 14. 1919; F.B. 1085, pp. 11-12. 1920.
　　description and treatment. B.A.I. [Misc.], "Diseases of cattle," rev., p. 481. 1904; rev., p. 504. 1908; rev., p. 528. 1912; rev., pp. 517-518. 1923.
　dip, label. Insect. N.J. 24. I. and F. Bd., S.R.A. 2, p. 27. 1914.
　dogs, kinds, and causes. D.C. 338, pp. 8-10. 1925.
　fowls and pigeons, cause, symptoms, and treatment. F.B. 530, pp. 33-35. 1913.
　fox, cause and control. D.B. 301, p. 24. 1915.
　hog—
　　description and control. D.B. 646, p. 22. 1918; D.B. 1085, pp. 5-28. 1920; D.B. 1085, rev., pp. 5-27. 1923; F.B. 874, pp. 34-36. 1917; Hawaii Bul. 48, p. 26. 1923.
　　or scabies, cause, symptoms, and treatment. B.A.I. Bul. 69, pp. 23-34. 1905.
　　remedies. F.B. 1437, p. 30. 1925.
　　treatment—
　　　oiling, spraying, and dipping. D.B. 1085, pp. 12-20. 1920.
　　　with lime-sulphur dip. F.B. 465, p. 19. 1911.
　horse, varieties, causes, and treatment. B.A.I. [Misc.], "Diseases of the horse," rev., pp. 451-453. 1903; rev., pp. 451-453. 1907; rev., pp. 451-453. 1911; rev., pp. 478-480. 1923.
　psoroptic, cattle, cause, diagnosis and treatment. B.A.I. [Misc.], "Diseases of cattle," rev., pp. 480-481. 1904; rev., pp. 501-504. 1908; rev., pp. 526-528. 1912; rev. pp. 513-515. 1923.
　rabbit, cause and control. F.B. 1090, p. 32. 1920.
　remedy, misbranding. N.J. 137, I. and F. Bd., S.R.A. 7, pp. 107-108. 1915; I. and F. Bd., S.R.A. 24, pp. 507-508, 524. 1919; N.J. 833, I. and F. Bd., S.R.A. 44, p. 1043. 1923; N.J. 893, I. and F. Bd., S.R.A. 46, p. 1104. 1923.

INDEX TO PUBLICATIONS, 1901–1925   1441

Mange—Continued.
  sarcoptic—
    character, and animals affected. B.A.I. Bul. 40, p. 10. 1902.
    of hogs, cause, description, and spread. F.B. 1085, pp. 6–11. 1920; rev., pp. 6–11. 1923.
    of horses—
      associated with dermal mycosis. A. D. Melvin and John R. Mohler. B.A.I. An. Rpt., 1907, pp. 259–277. 1909.
      treatment. B.A.I. Chief Rpt., 1924, p. 39. 1924.
    (scabies) of hogs, and hog louse (*Haematopinus suis*). Earle C. Stevenson. B.A.I. Bul. 69, pp. 44. 1905.
    sheep, spread by dogs. D.B. 260, p. 24. 1915.
    susceptibility of various animals. B.A.I. Bul. 40, p. 10. 1902.
    tail, cause and description. F.B. 1017, p. 14. 1919.
  See also Scab; Scabies.
Mangel(s)—
  cost of production, table. Stat. Bul. 48, p. 50. 1906.
  feeding milk cows, experiments. F.B. 384, pp. 14–15. 1910.
  growing—
    as forage crop for hogs. F.B. 951, pp. 17–18. 1918.
    in Alaska, varieties. Alaska A.R., 1919, pp. 22, 74. 1920.
    in Nebraska, Scottsbluff Experiment Farm, variety tests. W.I.A. Cir. 27, p. 21. 1919.
    on alkali land, Nevada, experiments. D.C. 136, pp. 16–17. 1920.
  production, cost per acre. Stat. Bul. 73, pp. 45, 67. 1909.
  seed—
    growing, localities, acreage, yield, production, and consumption. Y.B., 1918, pp. 205, 206, 207. 1919; Y.B. Sep. 775, pp. 13, 14, 15. 1919.
    quantity per acre. F.B. 309, p. 11. 1907.
  value for feeding dairy cows. Stat. Bul. 73, p. 37. 1909.
  variety tests in—
    Nebraska, Scottsbluff experiment farm. D.C. 173, pp. 21–22. 1921.
    Nevada, Truckee-Carson experiment farm. B.P.I. Cir. W.I.A. 13, p. 10. 1916.
  water and yields in Nevada. D.B. 1340, p. 49. 1925.
  See Mangrove.
Mangel-wurzels—
  culture, varieties and yield. F.B. 309, pp. 10–12. 1907.
  fertilizers, tests. Soils Bul. 67, p. 57. 1910.
  See also Beet.
MANGELS, C. E.: "A study of methods of estimation of metabolic nitrogen." With others. J.A.R., vol. 9, pp. 405–411. 1917.
Mangers, standard, for dairies. News L., vol. 6, No. 27, p. 11. 1919.
Mangifera—
  caesia, importation and description. No. 44290, B.P.I. Inv. 50, pp. 8, 53. 1922.
  indica, importation and description. No. 34097, B.P.I. Inv. 32, p. 10. 1914.
  indica. See also Mango.
  odorat, importations and description. No. 45556, B.P.I. 53, p. 53. 1922; No. 51774, B.P.I. Inv. 65, pp. 4, 47. 1923.
  spp., occurrence in Guam. Guam A.R., 1913, pp. 17–18. 1914.
  verticillata. See Bauno.
Mango(es)—
  Amini, description, character, and storage tests. P.R. Bul. 24, pp. 7, 8, 10, 14, 26. 1918.
  anthracnose, in Florida. S. M. McMurran. D.B. 52, pp. 15. 1914.
  Bennett, description, characters, and storage tests. P.R. Bul. 24, pp. 7, 8, 15, 28. 1918.
  birds, occurrence in Porto Rico, habits and food. D.B. 326, pp. 72–74. 1916.
  Blanco, description, characters, and storage tests. P.R. Bul. 24, pp. 22, 28. 1918.
  blight, prevalence in Porto Rico, cause and control. Hawaii A. R., 1915, p. 72. 1916.

Mango(es)—Continued.
  blossom anomala, description, life history, and control. F.B. 1257, pp. 3–6. 1922.
  blossoming, effects of rain and wind. P.R. Bul. 24, pp. 5–6, 7. 1918.
  borer, description. Sec. [Misc.], "A manual * * * insects * * *," p. 143. 1917.
  Brindabani—
    description and yields. P.R. An. Rpt., 1919, p. 17. 1920.
    origin and description. Hawaii A.R., 1911, pp. 35–36. 1912.
  Bulbulchasm, description and characters. P.R. Bul. 24, pp. 7, 16. 1918.
  Cambodiana—
    description—
      and yields. P.R. An. Rpt., 1919, p. 16. 1920.
      characters and storage tests. P.R. Bul. 24, pp. 7, 10, 16, 27, 29. 1918.
    fruiting characteristics, description, in Porto Rico. P.R. An. Rpt., 1921, pp. 13–14. 1922.
  Cecil, history and description. Y.B., 1910, pp. 432–433. 1911; Y.B. Sep. 549, pp. 432–433. 1911.
  composition. Hawaii A.R., 1914, p. 66. 1915.
  cross-pollination experiments, Hawaii. Hawaii A.R., 1916, p. 18. 1917.
  crossbreeding experiments in Hawaii, 1917. Hawaii A.R., 1917, p. 20. 1918.
  Cuban, composition, chemical. Chem. Bul. 87, pp. 19–22. 1904
  Davey's, description, characters, and storage tests. P.R. Bul. 24, pp. 8, 17, 29. 1918.
  description—
    and use in Cuba. Chem. Bul. 87, pp. 19–22. 1904.
    of tree and fruit, yield and value, Brazil. D.B. 445, pp. 23–24, 25. 1917.
  Divine, description and storage tests. P. R. Bul. 24, pp. 18, 28. 1918.
  East Indian, testing in Florida. D.B., 1916, pp. 144. 1917.; Y.B. Sep. 687, pp. 10. 1917.
  experiments in Hawaii. Hawaii A.R. 1924, pp. 7–8. 1925.
  Fernandez, description and value for Porto Rico. P.R. An. Rpt., 1920, p. 18. 1921.
  flower and its pollination, studies and experiments. D.B. 542, pp. 2–8. 1917.
  fruit fly—
    description. Sec. [Misc.], "A manual * * * insects * * *," p. 117. 1917.
    description and plants infested. F.B. 1257, p. 21. 1922.
  fruit-setting physiology, studies. D.B. 542, p. 20. 1917.
  fruiting tests by tree girdling in Porto Rico. P.R. An. Rpt., 1921, pp. 13–14. 1922.
  growing—
    and variety testing in Porto Rico. P.R. An. Rpt., 1922, pp. 6–7. 1923.
    experiments in Hawaii. Hawaii A.R., 1920, pp. 12, 19–20. 1921.
    in—
      Florida and California. An. Rpts., 1912, pp. 422, 423, 424. 1913; B.P.I. Chief Rpt., 1912, pp. 42, 43, 44. 1912.
      Guam, varieties and insect pests. Guam A.R., 1911, pp. 18, 19, 23, 30. 1912.
      Hawaii, enemies, varieties and culture. Hawaii A.R., 1919, pp. 12, 21–28. 1920.
      Hawaii, new varieties, description, and spraying. Hawaii A.R., 1911, pp. 35–37. 1912.
      Porto Rico. P.R. An. Rpt., 1917, pp. 21–22, 1918.
      Porto Rico, Cuba, and Florida, varieties and enemies. Hawaii A.R., 1915, pp. 72–73. 1916.
      Porto Rico, grafting and transplanting. P.R. An. Rpt., 1916, pp. 19–20. 1918.
      Porto Rico, propagation, varieties, and storage. P.R. Bul. 24, pp. 1–30. 1918.
  harvesting and packing, wrapping and storage. P.R. Bul. 24, pp. 24–28. 1918.
  Hawaiian, marketing. Hawaii Bul. 14, p. 39. 1907.
  hopper, foreign pest, description and habits. F.B. 1257, p. 22. 1922.

Mango(es)—Continued.
  importations—
    and description. Nos. 28551–28582, 28691–28703, 28816–28822, B.P.I. Bul. 223, pp. 28, 42, 54–55. 1911; Nos. 29333, 29455, 29502, 29504–29512, 30085–30089, 30211, B.P.I. Bul. 233, pp. 12, 22, 28, 57, 67. 1912; Nos. 31379–31380, 31477, 31572–31573, 31732, 31936, B.P.I. Bul. 248, pp. 9, 12, 18, 26, 42, 64. 1912; Nos. 34097, 34199–34208, B.P.I. Inv. 32, pp. 10, 23. 1914; Nos. 35903, 36002, 36029–36039, 36052, 36053, 36070, B.P.I. Inv. 36, pp. 23, 36, 40, 43, 48. 1915; Nos. 36688, 36690, 36815, 36841, B. P.I. Inv. 37, pp. 6, 49, 50, 69, 72. 1916; Nos. 39309, 39485, B.P.I. Inv. 41, pp. 6–7, 9, 33. 1917; Nos. 42992–42996, B.P.I. Inv. 47, p. 85. 1920; Nos. 43216, 43224–43226, B.P.I. Inv. 48, pp. 28, 30. 1921; Nos. 51605, 51759–51761, 51771, B.P.I. Inv. 65, pp. 30, 45, 47. 1923; No. 52668, B.P.I. Inv. 66, p. 57. 1923; No. 54041, B.P.I. Inv. 68, pp. 3, 21. 1923; No. 54526, B.P.I. Inv. 69, pp. 4, 21. 1923; No. 54690, B.P.I. Inv. 70, pp. 7–8. 1923.
    by Bureau of Plant Industry. 1911. B.P.I. Bul. 223, pp. 28–29, 32, 34, 40, 42, 47, 54. 1911.
  in—
    Hawaii—
      J. E. Higgins. Hawaii Bul. 12, pp. 32. 1906.
      fruit fly infestation and parasitism. J.A.R., vol. 12, pp. 105, 106, 107. 1918.
      varieties, propagation, and insect control. Hawaii A.R., 1910, pp. 30–33. 1911.
    Porto Rico—
      G. N. Collins. B.P.I. Bul. 28, pp. 36. 1903.
      description and uses. D.B. 354, p. 80. 1916.
      growing, varieties, and insects. P.R. An. Rpt., 1911, pp. 27, 34–36. 1912.
  industry, in Florida—
    and Porto Rico. An. Rpts., 1910, p. 77. 1911; Sec. A.R., 1910, p. 77. 1910; Y.B., 1910, p. 77. 1911.
  danger from importation of mango weevil. Ent. Cir. 141, p. 1. 1911.
  infestation by Mediterranean fruit fly. D.B. 536, pp. 24, 38–40, 69. 1918; J.A.R., vol. 3, pp. 313, 314. 1915; J.A.R., vol. 18, pp. 441–442. 1920.
  infested by *Glomerella cingulata*, studies. B.P.I. Bul. 252, p. 42. 1913.
  injury by—
    black fly. D.B. 885, pp. 4, 6, 8, 10. 1920.
    greenhouse thrips. Ent. Bul. 64, pp. 44, 51. 1911; Ent. Bul. 64, Pt. VI, pp. 44, 51. 1909; Ent. Cir. 151, pp. 7, 8. 1912.
    melon fly, Hawaii. D.B. 491, p. 16. 1917
    Tarsonemus latus. Ent. Bul. 97, Pt. VI, p. 112. 1912.
    red-banded thrips. Ent. Bul. 99, Pt. II, pp. 18, 19, 20, 21, 24, 25. 1912.
  insect(s)—
    pests, list. Sec. [Misc.], "A manual * * * insects * * *," pp. 113–117, 143–147. 1917.
    and their control. G. F Moznette. F.B. 1257, pp. 22. 1922.
  Itanaraca, description. P.R. Bul. 24, pp. 18–19. 1918.
  Largo, description. P.R. Bul. 24, p. 23. 1918.
  Mangotina, description. P.R. Bul. 24, p. 22. 1918.
  Martinique, description. P.R. Bul. 24, pp. 20–21. 1918.
  Mullgoa, description. P.R. Bul. 24, p. 19. 1918.
  Mulgoba, history, description, and features recommending. Y.B., 1901, p. 389. 1902.
  new varieties, description. B.P.I. Bul. 208, pp. 44, 47, 64, 76. 1911.
  Oahu, seedless variety, origin and description. Hawaii A.R., 1911, p. 36. 1912.
  Paheri, description and characters. P.R. Bul. 24, pp. 8, 15. 1918.
  Pahutan—
    importation from Philippines, description and value. B.P.I. Bul. 176, pp. 8, 28. 1910.
    introduction, Philippines. B.P.I. Bul. 176, pp. 8, 28. 1910.
  Peters, new variety, description. Y.B., 1908, pp. 480–482. 1909; Y.B. Sep. 496, pp. 480–482. 1909.
  Pina, description. P.R. Bul. 24, p. 23. 1918.

Mango(es)—Continued.
  Pirie, growing experiments in Hawaii. Hawaii A.R., 1920, pp. 19–20. 1921.
  planting for windbreaks. Hawaii Bul. 51, p. 8. 1924.
  pollination—
    Wilson Popenoe. D.B. 542, pp. 20. 1917.
    influence of weather. D.B. 52, pp. 10–11. 1914.
  Porto Rican types, description. P.R. Bul. 24, pp. 22–23, 29, 30. 1918.
  pot culture in manganiferous soils. Hawaii Bul. 26, pp. 27, 29, 34. 1912.
  premature flowering in grafted seedlings, cause. Hawaii A.R., 1915, pp. 21–22. 1916.
  promising new, Cecil, history and description. Y.B., 1910, pp. 432–433. 1911; Y.B. Sep. 549, pp. 432–433. 1911.
  propagation—
    and transplanting experiments. Guam A.R., 1914, pp. 13–14. 1915.
    by inarching, directions and details. B.P.I. Bul. 202, pp. 14–23. 1911.
    methods, seeding, grafting, and inarching. P.R. Bul. 24, pp. 9–13. 1918.
    varieties, marketing. Y.B., 1905, pp. 444–448. 1906.
  Redondo, description. P.R. Bul. 24, p. 23. 1918.
  respiration studies. Chem. Bul. 142, pp. 15, 19, 25. 1911.
  San Parelle, description. P.R. Bul. 24, p. 20. 1918.
  Sandersha—
    description, characters and storage tests. P.R Bul. 24, pp. 7, 8, 19–20, 27. 1918.
    origin and description. Y.B., 1907, p. 314. 1908; Y.B. Sep. 450, p. 314. 1908.
  scale—
    enemies, and their control. F.B. 1257, pp. 12–21. 1922.
    insect infestation. Ent. T.B. 16, Pt. II, pp. 27, 29. 1908.
  seed—
    germination, characteristics. B.P.I. Bul. 202, p. 15. 1911.
    planting and insuring germination. P R. Bul 24, pp. 9–10. 1918.
  weevil—
    control. Hawaii A.R., 1919, pp. 22–23. 1920.
    foreign pest, description and habits. F.B. 1257, p. 22. 1922.
  seedless, description. Hawaii A.R., 1911, p. 36. 1912.
  shield budding. J.E. Higgins. O.E S. Hawaii Bul. 20, pp. 16. 1910.
  spraying for insects. F.B. 1257, pp. 6, 8, 12, 16, 18, 19, 21. 1922.
  stuffed peppers, recipe. D.C. 160, p. 7. 1921.
  Sufaida, description and characters. P.R. Bul. 24, pp. 7, 21. 1918.
  Sundersha, description, successful growing in Florida. An. Rpts., 1907, p. 337. 1908.
  Totafari, description, characters and storage tests. P.R. Bul. 24, pp. 7, 10, 21, 27. 1918.
  use as wind break, Porto Rico. P.R. An. Rpt., 1907, pp. 26, 33. 1908.
  uses, varieties, and description. Hawaii Bul. 12, pp. 20–21. 1906.
  value as honey plant, Porto Rico. P. R. Bul. 15, p. 13. 1914.
  varieties—
    description. P.R. Bul. 24, pp. 14–23, 29–30. 1918.
    flowering and fruiting habits. D.B. 542, pp. 16–20. 1917.
    importations and description. Nos. 35403–35412, B.P.I. Inv. 35, pp. 8, 42–43. 1915; Nos. 38981, 38982, B.P.I. Inv. 40, pp. 6, 53. 1917; Nos. 40911, 40920–40921, 40983, B.P.I. Inv. 44, pp. 7, 11, 13–14, 25. 1918.
    introduction into Porto Rico. O.E.S. An. Rpt., 1911, pp. 26, 189. 1912.
    Porto Rico and Cuba, description. Hawaii A.R., 1915, pp. 72, 73. 1916.
    recommendations for various fruit districts. B.P.I. Bul. 151, p. 63. 1909.
  Victoria, growing experiments in Hawaii. Hawaii A.R., 1920, pp. 19–20. 1921.
  weevil—
    description. Sec. [Misc.], "A manual * * * insects * * *," pp. 143–144. 1917.

INDEX TO PUBLICATIONS, 1901–1925   1443

Mango(es)—Continued.
  weevil—continued.
    origin, description, injury to mangoes, and control methods. Ent. Cir. 141, pp. 3. 1911.
    remedy. Hawaii Bul. 12, pp. 24–25. 1906.
    weight of different parts of fruits imported and Porto Rican types. P.R. Bul. 24, p. 23. 1918.
    wrapping, materials used, tests. P.R. Bul. 24, pp. 23, 30. 1918.
Mangold(s)—
  Alaska, growing experiments. Alaska A.R., 1913, p. 48. 1914.
  beetle, pigmy, description. Sec. [Misc.], "A manual * * * insects * * *," p. 41. 1917.
  chicken feeding. F.B. 357, p. 33. 1909.
  yields, relation to variations in soil. J.A.R., vol. 19, p. 284. 1920.
  See also Beets.
Mangosteen—
  growing in Hawaii. Hawaii A.R., 1922, p. 7. 1924.
  importations and description. No. 36095, B.P.I. Inv. 36, p. 52. 1915; No. 36977, B.P.I. Inv. 38, p. 17. 1917; No. 43285, B.P.I. Inv. 48, pp. 38–39. 1921; Nos. 43446, 43481, 43600, 43951, B.P.I. Inv. 49, pp. 24, 32, 50, 103. 1921; No. 45804, B.P.I. Inv. 54, p. 23. 1922; No. 47120, B.P.I. Inv. 58, p. 26. 1922; No. 49441, B.P.I. Inv. 62, p. 37. 1923; No. 51200. B.P.I. Inv. 64, p. 72. 1923; Nos. 51465, 51831, B.P.I. Inv. 65, pp. 19, 55. 1923; Nos. 55496, 55556, B.P.I. Inv. 71, pp. 50, 56. 1923; Nos. 55728, 55762, B.P.I. Inv. 72, pp. 26, 31. 1924.
  introduction, and propagation by inarching. B.P.I. Bul. 205, p. 43. 1911.
  new varieties, introduction. B.P.I. Bul. 176, pp. 22, 30. 1910.
  propagation by seedling-inarch and nurse-plant methods. B.P.I. Bul. 202, pp. 23–36, 40. 1911.
  seed, packing for shipment, treatment and care. B.P.I. Bul. 202, pp. 34–35. 1911.
  stock plant, use of kola varieties. B.P.I. Bul. 233, p. 8. 1912.
Mangrove—
  bark, imports—
    1907–1908. Stat. Bul. 51, p. 29. 1909.
    1907–1909, quantity and value, by countries from which consigned. Stat. Bul. 82, p. 68. 1910.
  black, value as honey—
    plant, Porto Rico. P.R. Bul. 15, p. 14. 1914.
    source, Hawaii. Ent. Bul. 75, p. 48. 1911; Ent. Bul. 75, Pt. V, p. 48. 1909.
  borer—
    injury to casaurina trees. J.A.R., vol. 16, pp. 155–164. 1919.
    predatory enemies and parasites. J.A.R., vol. 16, p. 161. 1919.
  description, uses, and forest conditions, Porto Rico. D.B. 354, pp. 25–27, 88, 95. 1916.
  importation and description. No. 36174. B.P.I. Inv. 36, p. 62. 1915.
  white—
    importation and description. No. 52754, B.P.I. Inv. 66, p. 71. 1923.
    injury by sapsuckers. Biol. Bul. 39, pp. 48, 86. 1911.
Mangum, A. W.—
  "Reconnoissance soil survey of—
    southwest Washington." With others. Soil Sur. Adv. Sh., 1911, pp. 136. 1913; Soils F.O., 1911, pp. 2097–2226. 1914.
    the eastern part of the Puget Sound Basin, Wash." With others. Soil Sur. Adv. Sh., 1909, pp. 90. 1911; Soils F.O., 1909, pp. 1517–1600. 1912.
    the western part of the Puget Sound Basin, Wash." With others. Soil Sur. Adv. Sh., 1910, pp. 116. 1912; Soils F.O., 1910, pp. 1491–1600. 1912.
  "Soil survey of—
    Chattooga County, Ga." With David D. Long. Soil Sur. Adv. Sh., 1912, pp. 57. 1913; Soils F.O., 1912, pp. 519–591. 1915.
    Monroe County, Miss." With others. Soil Sur. Adv. Sh., 1908, pp. 48. 1910; Soils F.O., 1908, pp. 799–842. 1911.

Mangum, A. W.—Continued.
  "Soil survey of—Continued.
    the—
      Bellingham area, Washington." With Lewis A. Hurst. Soil Sur. Adv. Sh., 1907, pp. 39. 1909; Soils F.O., 1907, pp. 1015–1049. 1909.
      Brownsville area, Texas." With Ora Lee, jr. Soil Sur. Adv. Sh., 1907, pp. 32. 1908; Soils F.O., 1907, pp. 705–732. 1909.
      Corpus Christi area, Texas." With H. L. Westover. Soil Sur. Adv. Sh., 1908, pp. 29. 1909; Soils F.O., 1908, pp. 899–923. 1911.
      Crookston area, Minnesota." With F. C. Schroeder. Soil Sur. Adv. Sh., 1906, pp. 31. 1907; Soils F.O., 1906, pp. 865–891. 1908.
      Laredo area, Texas." With Ora Lee, jr. Soil Sur. Adv. Sh., 1906, pp. 29. 1908; Soils F.O., 1906, pp. 481–504. 1908.
      Mount Mitchell area, North Carolina." With Thomas A. Caine. Soil Sur. Adv. Sh., 1902, pp. 13. 1903; Soils F.O., 1902, pp. 259–271. 1903.
      Quincy area, Washington." With others. Soil Sur. Adv. Sh., 1911, pp. 64. 1913; Soils F.O., 1911, pp. 2227–2286. 1914.
      San Marcos area, Texas." With W.S. Lyman. Soil Sur. Adv. Sh., 1906, pp. 37. 1906; Soils F.O., 1906, pp. 505–537. 1908.
Mangum, P. H., development of Mangum terrace system. B.P.I. Cir. 94, pp. 3, 5, 10. 1912.
Mangum terrace, description. F.B. 997, pp. 20, 39. 1918; Y.B., 1913, pp. 218–219. 1914; Y.B. Sep. 624, pp. 218–219. 1914.
Manifold, C. B.; "Soil survey of Washington Parish, La." With others. Soil Sur. Adv. Sh., 1922, pp. 345–390. 1925.
Manhatta ostrinella. See Moodna ostrinella.
Manholes—
  drainage, directions for. D.B. 190, pp. 15–16. 1915; F.B. 805, pp. 22–23. 1917.
  house sewer, frame and cover, description. F.B. 1227, p. 40. 1922.
Mani cimarrona, Porto Rico, value as cover crop. P.R. Bul. 19, pp. 21–22. 1916.
Manicoba—
  importations and descriptions. Nos. 39337–39340, B.P.I. Inv. 41, pp. 12–13. 1917.
  See also Rubber, Ceara.
Maniculatus, key and description. N.A. Fauna 28, pp. 37–112. 1909.
Manienie. See Bermuda grass.
Manienie-akiaki. See Buffalo grass.
Manihot—
  glaziovii, occurrence in Guam. Guam A.R., 1913, p. 22. 1914.
  spp., importations and descriptions. Nos. 39337–39340, B.P.I. Inv. 41, pp. 12–13. 1917.
  See also Cassava; Rubber, Ceara.
Manila—
  grass—
    description. D.B. 772, pp. 166, 167. 1920.
    importation and description. No. 34657, B.P.I. Inv. 33, p. 43. 1915.
  hemp—
    imports, 1852–1919. Y.B., 1919, pp. 684, 703, 719. 1920; Y.B. Sep. 829, pp. 684, 703, 719. 1920.
    source, growing and cleaning methods. D.B. 930, pp. 5–9. 1920.
    See also Abacá.
  imports—
    1891, 1910, 1914, value and source. D.B. 296, p. 44. 1915.
    1907–1909, quantity and value, by countries from which consigned. Stat. Bul. 82, p. 38. 1910.
    1917. Y.B., 1917, pp. 761, 781, 797. 1918; Y.B. Sep. 762, pp. 5, 25, 41. 1918.
  maguey—
    description, preparation of fiber and use. Y.B., 1911, p. 198. 1912; Y.B. Sep. 560, p. 198. 1912.
    production, distribution, and importation, 1913–1915. News L., vol. 3, No. 30, pp. 1, 2. 1916.
Manioc. See Cassava; Mandioca; Manihot.

Manisuris—
  exaltata, importation and description. No. 55068, B.P.I. Inv. 71, p. 19. 1923.
  spp., description, distribution, and uses. D.B. 772, pp. 21, 278, 279. 1920.
Manitoba—
  emmer and spelt growing, experiments. D.B. 1197, pp. 40–41. 1924.
  farmers' institute work, report, 1907. O.E.S. Bul. 199, p. 22. 1908.
  fur animals, laws—
    1915. F.B. 706, p. 21. 1915.
    1916. F.B. 783, pp. 22–23. 1916.
    1917. F.B. 911, pp. 25–26, 31. 1917.
    1918. F.B. 1022, pp. 40, 50, 65. 1918.
    1919, and officials. F.B. 1079, pp. 7, 27, 31. 1919.
    1920. F.B. 1165, p. 26. 1920.
    1921. F.B. 1238, p. 26. 1921.
    1922. F.B. 1293, p. 24. 1922.
    1923–24. F.B. 1387, p. 27. 1923.
    1924–25. F.B. 1445, pp. 19–20. 1924.
    1925–26. F.B. 1469, p. 24. 1925.
  game—
    laws—
      1902. F.B. 160, pp. 25–26, 35, 43, 46, 52, 54. 1902.
      1903. F.B. 180, pp. 16, 26, 30, 34, 40, 44, 46, 56. 1903.
      1904. F.B. 207, pp. 26, 37, 40, 45, 52, 63. 1904.
      1905. F.B. 230, pp. 13, 34, 39, 47. 1905.
      1906. F.B. 265, pp. 33, 39, 48. 1906.
      1907. F.B. 308, pp. 9, 23, 31, 37. 1907.
      1908. F.B. 336, pp. 10, 25, 35, 42, 45, 54. 1908.
      1909. F.B. 376, pp. 15, 30, 36, 41, 44, 51. 1909.
      1910. F.B. 418, pp. 23, 30, 34, 37, 46. 1910.
      1911. F.B. 470, pp. 14, 27, 35, 39. 1911.
      1912. F.B. 510, pp. 23, 30, 39, 40. 1912.
      1913. D.B. 22, pp. 17–18, 35, 42, 47, 50, 58. 1913; rev., October, 1913.
      1914. F.B. 628, pp. 3, 7, 26, 34, 36, 39, 43, 44, 53. 1914.
      1915. F.B. 692, pp. 6, 17, 36, 44, 49, 53, 62. 1915.
      1916. F.B. 774, pp. 11, 34, 42, 47, 53, 62. 1916.
      1917. F.B. 910, pp. 42, 56. 1917.
      1918. F.B. 1010, pp. 40, 50. 1918.
      1919. F.B. 1077, pp. 43, 78. 1919.
      1920. F.B. 1138, pp. 46–47. 1920.
      1921. F.B. 1235, pp. 49. 1921.
      1922. F.B. 1288, pp. 45, 72–78. 1922.
      1923–24. F.B. 1375, pp. 6, 43, 51. 1923.
      1924–25. F.B. 1444, pp. 31–32, 38. 1924.
      1925–26. F.B. 1466, p. 39. 1925.
    protection officials—
      and publications. D.C. 242, p. 12. 1922.
      directory, 1920, and organizations. D.C. 131, pp. 10, 16. 1920.
      organizations and publication. Biol. Cir. 65, pp. 8, 13. 1908.
    hunting laws. Biol. Bul. 19, pp. 15, 22, 28, 32, 58, 62. 1904.
    legislation protecting birds. Biol. Bul. 12, rev., pp. 18, 32, 33, 34, 36, 37, 42, 44, 47, 50, 128–129. 1902.
  United Grain Growers, organization and operation. D.B. 937, pp. 5, 11–12. 1921.
Manketti tree, importations and description. Nos. 50029, 50270, B.P.I. Inv. 63, pp. 3, 30, 49. 1923.
MANN, A. R., report of—
  Cornell University Experiment Station, work and expenditures, 1917. S.R.S. An. Rpt., 1917, Pt. I, pp. 193–198. 1918.
  New York, extension work in agriculture and home economics. S.R.S. An. Rpt., 1917, pp. 301–310. 1919.
MANN, ALBERT—
  "A new basis for barley valuation and improvement." B.P.I. Cir. 16, pp. 8. 1908.
  "Coloration of the seed coats of cowpeas." J.A.R., vol. 2, pp. 33–56. 1914.
  "Fungous staining of cotton fibers." B.P.I. Cir. 110, pp. 27–28. 1913.
  "Morphology of the barley grain with reference to its enzym-secreting areas." With H. V. Harlan. D.B. 183, pp. 32. 1915.
MANN, C. J.: "Soil survey of—
  Atchison County, Mo." With H. Krusekopf. Soil Sur. Adv. Sh., 1909, pp. 36. 1910; Soils F.O. 1909, pp. 1305–1336. 1912.

MANN, C. J.: "Soil survey of—Continued.
  Bates County, Mo." With others. Soil Sur. Adv. Sh., 1908, pp. 32. 1910; Soils F.O., 1908, pp. 1093–1120. 1911.
  Bedford County, Pa." With W. E. Gross. Soil Sur. Adv. Sh., 1911, pp. 60. 1913; Soils F.O., 1911, pp. 175–230. 1914.
  Concordia Parish, La." With others. Soil Sur. Adv. Sh., 1910, pp. 35. 1911; Soils F.O., 1910, pp. 827–857. 1912.
  East Feliciana Parish, La." With P. O. Wood. Soil Sur. Adv. Sh., 1912, pp. 41. 1913; Soils F.O., 1912, pp. 969–1105. 1915.
  Greene County, Ind." With W. E. Tharp. Soil Sur. Adv. Sh., 1906, pp. 39. 1907; Soils F.O., 1906, pp. 755–789. 1908.
  Iberia Parish, La." With Lawrence A. Kolbe. Soil Sur. Adv. Sh., 1911, pp 50. 1912; Soils F.O., 1911, pp. 1129–1174. 1914.
  Lincoln Parish, La." With Lawrence A. Kolbe. Soil Sur. Adv. Sh., 1909, pp. 33. 1910; Soils F.O., 1909, pp. 921–949. 1912.
  McLean County, Ill." With others. Soil Sur. Adv. Sh., 1903, pp. 21. 1904; Soils F.O., 1903, pp. 777–797. 1904.
  Pemiscot County, Mo." With others. Soil Sur. Adv. Sh., 1910, pp. 32. 1912; Soils F.O., 1910, pp. 1317–1344. 1912.
  Putnam County, Mo." With W. E. Tharp. Soil Sur. Adv. Sh., 1906, pp. 22. 1908; Soils F.O., 1906, pp. 893–910. 1908.
  Talladega County, Ala." With Charles N. Mooney. Soil Sur. Adv. Sh., 1907, pp. 40. 1908; Soils F.O. 1907, pp. 401–436. 1909.
  Thomas County, Ga." With Hugh H. Bennett. Soil Sur. Adv. Sh., 1908, pp. 64. 1909; Soils F.O., 1908, pp. 395–454. 1911.
  Will County, Ill." With Mark Baldwin. Soil Sur. Adv. Sh., 1912, pp. 37. 1914; Soils F. O. 1912, pp. 1521–1553. 1915.
MANN, C. W.—
  "Factors governing the successful storage of California table grapes." With A. V. Stubenrauch. D.B. 35, pp. 31. 1913.
  "Soil survey of—
    Chesterfield County, Va." With others. Soil Sur. Adv. Sh., 1906, pp. 32. 1908; Soils F.O., 1906, pp. 195–222. 1908.
    Niagara County, N. Y." With others. Soil Sur. Adv. Sh., 1906, pp. 53. 1908; Soils F.O., 1906, pp. 69–117. 1908.
    Prentiss County, Miss." With W. J. Geib. Soil Sur. Adv. Sh., 1907, pp. 25. 1908; Soils F.O., 1907, pp. 503–523. 1909.
    the—
      Belle Fourche area, South Dakota." With A. T. Strahorn. Soil Sur. Adv. Sh., 1907, pp. 31. 1908; Soils F.O., 1907, pp. 881–907. 1909.
      Marshfield area, Oregon." With James E. Ferguson. Soil Sur. Adv. Sh., 1909, pp. 38. 1911; Soils F.O., 1909, pp. 1601–1634. 1912.
      Minidoka area, Idaho." With A. T. Strahorn. Soil Sur. Adv. Sh., 1907, pp. 22. 1908; Soils F.O., 1907, pp. 909–926. 1909.
      Portersville area, California." With others. Soil Sur. Adv. Sh., 1908, pp. 40. 1909; Soils F.O., 1908, pp. 1295–1330. 1911.
      Woodland area, California." With others. Soil Sur. Adv. Sh., 1909, pp. 57. 1911; Soils F.O., 1909, pp. 1635–1687. 1912.
  "The relation of washing to decay in Washington naval oranges; season of 1914–15." B.P.I. [Mis.], "The relation of * * *," pp. 4. 1915.
MANN, GUSTAV, discussion of flour bleaching with nitrogen peroxide. Chem. N.J. 382, pp. 22–27. 1910.
Manna—
  American false, product of sugar pine. For. Bul. 99, p. 69. 1911.
  description, distribution, and uses. D.B. 772, p. 36. 1920.
  gum, distribution and description. For. Bul. 87, pp. 15, 29–30. 1911.
  standards. Opinion 162. Chem. S.R.A. 16, p. 30. 1916.
Manning, formula, water flow in pipes. D.B. 852, p. 66. 1920.

INDEX TO PUBLICATIONS, 1901–1925   1445

Mannite—
  occurrence in soils description. Soils Bul. 88. pp. 21–22. 1912.
  solutions, solubility of lime. Soils Bul. 49, p. 32, 1907.
Mannitol, occurrence in *Penicillium* sp. B.P.I. Bul. 270, pp. 34, 47. 1913.
MANNS, T. F.—
  "Corn rootrot studies." With Claude E. Phillips. J.A.R., vol. 27, pp. 957–964. 1924.
  "Parasitic fungi internal of seed corn." With J. F. Adams. J.A.R., vol. 23, pp. 495–524. 1923.
Man-o'-war bird—
  habits. D.B. 326, pp. 19–20. 1916.
  Laysan Island, habits and description. Biol. Bul. 42, p. 20. 1912; Y.B., 1911, p. 161. 1912; Y.B. Sep. 557, p. 161. 1912.
Manometer, use in testing pressure, temperature and vacuum. D.B. 1022, pp. 6–9. 1922.
Manozyela, synonym. Ent. T. B. 20, Pt. II, p. 104. 1911.
MANSFIELD, C. B.: "Soil survey of Crenshaw County, Ala." With others. Soil Sur. Adv. Sh., 1921, pp. 375–407. 1924.
MANSFIELD, E. R.: "Studies of the food of Maine lumbermen." With C. D. Woods. O.E.S. Bul. 149, pp. 60. 1904.
MANSFIELD, G. C.: "Report of study of California highway system." With others. Rds. [Misc.], "Report of study * * *," 1920; rev. 1921, pp. 171. 1922.
MANSON, MARSDEN: "Features and water rights of Yuba River, California." O.E.S. Bul. 100, pp. 115–154. 1901.
Manti National Forest, Utah, grazing and flood conditions, study. Robert V. R. Reynolds. For. Bul. 91, pp. 16. 1911.
Mantle dips, castor-oil coating. D.B. 867, p. 38. 1920.
Manual of procedure, for Forest Service in Washington and district offices. For [Misc.], "Manual of * * *," pp. 93. 1908.
Manufacturers, responsibility for interstate shipments, opinion 95. Chem. S.R.A. 10, p. 742. 1914.
Manufacturers—
  lists, requests to be sent to Commerce Department. Chem. S.R.A. 15, p. 21. 1915.
  mohair, value. Y.B., 1901, p. 271. 1902.
  objections to Pima cotton, tests and comparisons. D.B. 1184, pp. 5–10. 1923.
Manufacturing, cooperative, among farmers. Y.B., 1915, pp. 79–80. 1916; Y.B. Sep. 658, pp. 79–80. 1916.
Manuka—
  importation and description. No. 44848, 44849, B.P.I. Inv. 51, p. 78. 1922.
  Nicholl's, importation and description. No. 34853, B.P.I. Inv. 34, pp. 6, 20–21. 1915.
Manure(s)—
  advance use as aid in beet leaf-spot control. F.B. 618, p. 18. 1914.
  alkali soils, effect, experiments. D.C. 80, p. 17. 1920.
  ammonification in soil. J.A.R., vol. 16, pp. 313–350. 1919.
  and irrigation water, influence on the corn kernel, J. E. Greaves and D. H. Nelson. J.A.R., vol. 31, pp. 183–189. 1925.
  and nitrates, dangers of simultaneous application to crops. B.P.I. Cir. 113, p. 8. 1913.
  application—
    and utilization on successful farms. B.P.I. Bul. 260, p. 62. 1912; D.B. 1292, pp. 9, 12. 1925; F.B. 978, pp. 10–24. 1918.
    to crops preceding strawberries. F.B. 854, pp. 8, 10. 1917.
  as a summer mulch in forcing houses. F.B. 305, p. 9. 1907.
  avoidance for stem rust control. News L., vol. 5, No. 35, p. 4. 1918.
  barnyard—
    W. H. Beal. F.B. 192, pp. 32. 1904.
    care—
      and supply. F.B. 978, pp. 8–9. 1918.
      and use, school studies. D.B. 521, pp. 19–20. 1917.

Manure(s)—Continued.
  barnyard—continued.
    care—continued.
      preservation of nitrogen, methods. F.B. 192, pp. 16, 25. 1904; F.B. 242, pp. 13–15. 1906; F.B. 245, pp. 11–12. 1906.
    composting directions, Coffee County, Ala. Soil Sur. Adv. Sh., 1909, p. 26. 1911; Soils F.O., 1909, p. 822. 1912.
    credit on dairy account. D.B. 919, pp. 7–9. 1920.
    effect on—
      bacterial activities of the soil. J.A.R., vol. 6, No. 23, pp. 889–926. 1916.
      lime content of soil. O.E.S. Bul. 194, p. 36. 1907.
      quality of tobacco. F.B. 343, p. 16. 1909.
    experiments with various crops at San Antonio experiment farm. W.I.A. Cir. 5. pp. 6–8. 1915.
    for irrigated pastures. D.C. 330, p. 23. 1925.
    from fattening cattle, value to farmer. B.A.I. Bul. 159, pp. 17–18, 41. 1912.
    handling in eastern Pennsylvania. D. A. Brodie. F.B. 978, pp. 24. 1918.
    loss in summer feeding of cattle. Y.B., 1913, p. 280. 1914; Y.B. Sep. 627, p. 280. 1914.
    quantity, value, and protection from loss. S.R.S. Doc. 30, pp. 1–4. 1916.
    relation to cost of cattle raising, and value in South. Y.B., 1913, pp. 270, 274, 282. 1914; Y.B. Sep. 627, pp. 270, 274, 282. 1914.
    solid and liquid, comparison. F.B. 192, pp. 10–13. 1904.
    superiority as fertilizer for home gardens, and use rate. S.R.S. Doc. 49, p. 4. 1918.
    use—
      and care, central New Jersey. F.B. 472, pp. 11–12, 14–15, 24. 1911.
      as top dressing on winter oats. F.B. 436, pp. 15, 31. 1911.
      in New York, Tompkins County. Soil Sur. Adv. Sh., 1921, p. 1576. 1924.
      in relation to commercial fertilizers. F.B. 398, p. 8. 1910.
      on brome-grass meadows. B.P.I. Bul. 111, Pt. V, p. 7. 1907.
      on clover. F.B. 405, pp. 11, 12. 1910.
      on early potatoes, precaution. F.B. 1205, p. 9. 1921.
      on grass land. F.B. 227, pp. 5–8. 1905.
      on oats. F.B. 424, pp. 7–8. 1910.
      on successful hay farm. F.B. 312, p. 8. 1907.
    value—
      and annual production per head of cows. F.B. 511, pp. 31, 35. 1912.
      and management. B.P.I. Doc. 631, pp. 1–5. 1911; F.B. 161, pp. 5–6. 1902; F.B. 162, pp. 5–6. 1903.
      for hemp growing. Y.B., 1913, pp. 313–314. 1914; Y.B. Sep. 628, pp. 313–314. 1914.
      for Para grass. Guam Bul. 1, pp. 17–19. 1921.
      in Corn-Belt rotations. Y.B., 1911, p. 336. 1912; Y.B. Sep. 572, p. 336. 1912.
    losses and application methods. D.B. 355, pp. 54–58. 1916.
    per ton. B.A.I. Bul. 131, pp. 10, 21. 1911.
  bat—
    value as fertilizer, price per ton. P.R. Bul. 25, pp. 55–57. 1918.
    See also Guano.
  benefit to clover land. F.B. 1365, pp. 12, 16, 24. 1924.
  borax-treated—
    effect on crops, experiments. J.A.R., vol. 13, pp. 451–470. 1918; J.A.R., vol. 5, No. 19, pp. 877–890. 1916.
    warning in relation to use. D.B. 118, p. 25. 1914.
  boxes, use and value in fly control. F.B. 1097, pp. 20–21. 1920.
  calf, value, credit against cost of raising dairy cows. D.B. 49, pp. 13, 16, 18, 19, 20. 1914.
  care—
    and—
      disposal for control of flies. F.B. 679, pp. 13–15. 1915.

Manure(s)—Continued.
  care—continued.
    and—continued.
      mixing of ingredients, Erie County, Pa. Soil Sur. Adv. Sh., 1910, pp. 16, 17, 26. 1911; Soils F.O., 1910, pp. 156, 157, 166. 1912.
      value under different conditions. F.B. 588, pp. 10–12. 1914.
  carrier of plant diseases. F.B. 1351, p. 3. 1923.
  chicken, in fattening, relation to grain-fed. D.B. 21, pp. 27–28. 1914.
  compact heaping to control flies. F.B. 851, p. 22. 1917. F.B. 1408, p. 14. 1924.
  comparison—
    from different animals, amount, value. F.B. 192, pp. 8–14. 1904.
    with commercial fertilizers, experiments. D.C. 110, pp. 21–22. 1920.
  composition, comparison with kelp. D.B. 150, p. 60. 1915.
  composted, use on Norfolk fine sand. Soils. Cir. 23, pp. 6, 11, 15. 1911.
  composting for destruction of weeds. F.B. 1002, p. 15. 1918.
  conservation, advice to farmers by Assistant Secretary. News L., vol. 4, No. 50, pp. 5–6. 1917.
  corn, tests and results. Soils Bul. 64, pp. 22–23. 1910.
  cost accounting methods. Sec. Cir. 132, pp. 13, 14. 1919.
  cow—
    barn, disposal methods. F.B. 1342, pp. 13–14. 1923.
    composition and value. B.A.I. Cir. 196, p. 4. 1912; F.B. 192, pp. 8–14. 1904.
    constituents, production per day, and value. B.P.I. Doc. 631, pp. 2–3. 1911.
    milk contamination. B.A.I. An. Rpt., 1907, pp. 58, 149, 187, 188, 189. 1909; B.A.I. Cir. 143, pp. 187, 188, 189. 1909.
    source of Bacillus enteritidis sporogenes. D.B. 940, pp. 8–9, 16, 18. 1921.
    value—
      as credit against cost of keeping cow. D.B. 501, pp. 15–16. 1916; D.B. 923, pp. 7–8, 18. 1921; D.B. 955, pp. 4–6, 11. 1921; D.B. 972, pp. 7–8, 16. 1921; D.B. 1101, pp. 5–7, 15. 1922.
      on Wisconsin farms. D.B. 1144, pp. 9–10. 1923.
      per year. Stat. Bul. 88, p. 39. 1911.
  dairy—
    barns, preservation and handling. D.B. 736, pp. 11, 13. 1918.
    cows', plant food recoverable from. C.F. Wells and B. A. Dunbar. J.A.R., vol. 30, pp. 985–988. 1925.
  danger to onions of maggot infestation. Y.B. 1912, p. 331. 1913; Y.B. Sep. 594, p. 331. 1913.
  decomposition in soil. J.A.R., vol. 11, pp. 677–698. 1917.
  disposal—
    and treatment at military camps. Sec. Cir. 61, pp. 3–5. 1916.
    requirements, certified-milk production. B.A.I. Bul. 104, pp. 10, 11, 41. 1908; D.B. 1, pp. 14, 26. 1913.
    rules of District of Columbia. F.B. 412, pp. 15–16. 1910.
  dissemination of Phoma betae. J.A.R., vol. 4, pp. 173, 174. 1915.
  distribution, method. F.B. 316, pp. 5–6. 1908.
  effect on—
    bacterial—
      activities and crop production, tests. J.A.R. vol. 5, No. 18, pp. 865–867. 1916.
      flora of soils, studies and results. O.E.S. An. Rpt., 1911, p. 94. 1912.
    black alkali soil. J.A.R., vol. 24, pp. 335, 336. 1923.
    cereal rusts, studies and experiments. J.A.R., vol. 27, pp. 342–344, 355, 360–361, 371–373. 1924.
    cotton rootrot. J.A.R., vol. 21, No. 3, pp. 123–124. 1921.
    crops under different cropping systems. J.A.R., vol. 6, No. 24, pp. 956, 964–968, 973. 1916.

Manure(s)—Continued.
  effect on—continued.
    diseased pecan trees, experiments. D.B. 756, pp. 5–6. 1919.
    irrigated crops. W.I.A. Cir. 17, pp. 17–18. 1917.
    irrigated crops, comparison with alfalfa. D.B. 881, pp. 7, 12, 13. 1920.
    nitrates and soluble salts of the soil. J.A.R., vol. 8, pp. 333–359. 1917.
    soil. Soils Bul. 55, pp. 19–20, 47–58. 1909.
    soil fertility. Frank D. Gardner. Soils Bul. 48, pp. 59. 1908.
    sulphur and rock phosphate in soils, experiments. J.A.R., vol. 8, pp. 331–334. 1919.
    transpiration of wheat. Soils Bul. 28, pp. 16–37. 1905.
  yields of—
    irrigated crops. J.A.R., vol. 15, pp. 493–503. 1918.
    rice. D.B. 1356, p. 18. 1925.
  experiments in Wyoming at Sheridan Field Station. D.B. 1306, pp. 12–13, 30. 1925.
  extract—
    distribution between soil and solution. Soils Bul. 52, pp. 47–48. 1908.
    effect on soil moisture experiments. J.A.R., vol. 4, pp. 187, 190, 191. 1915.
    experiments upon poor soil. Soils Bul. 36, pp. 48–55. 1907.
  farm—
    and fertilizers. W. B. Mercier and H. L. Saveley. S.R.S. Doc. 30, pp. 14. 1916.
    composition, from different animals. F.B. 1202, p. 45. 1921.
    kinds and value for soil improvement. F.B. 924, pp. 6–7. 1918.
    price. F.B. 588, p. 12. 1914.
    use on timothy meadows. F.B. 990, pp. 13–14. 1918.
    value in Corn Belt States. Rpt. 111, pp. 33, 35, 37, 39. 1916.
  farmyard and green-crop, use and value in potato growing. B.P.I. Doc. 884, pp. 2–3. 1913.
  fermentation—
    studies. B.P.I. Bul. 266, pp. 14–17, 20. 1913.
    suggestions. F.B. 978, p. 8. 1918.
  fertility of soils as affected by. Frank D. Gardner. Soils Bul. 48, pp 59. 1908.
  fly breeding. D.B. 118, pp. 2–3. 1914.
  for—
    barley. F.B. 518, pp. 8–9. 1912; F.B. 1464, pp. 9–10. 1925.
    beets, amount, and labor requirements. D.B 963, p. 28. 1921.
    clover on sandy land. F.B. 323, p. 22. 1908.
    grass lands, quantity per acre, methods of application. F.B. 337, pp. 12, 14, 15, 17, 20. 1908
    greenhouse tomatoes. F.B. 1431, pp. 9, 10. 1924.
    muskmelons. F.B. 149, pp. 15–16. 1902.
    peanuts. Sec. [Misc.] Spec., "Peanut growing * * *," pp. 2–3. 1915.
    potato growing, tests and results. Soils Bul. 65, pp. 13, 14, 16, 18. 1910.
    sugar-beet production, California areas, cost. D.B. 760, pp. 38–39. 1919.
    timothy hay. F.B. 366, pp. 6–10. 1909.
    vegetable garden, rate. F.B. 647, pp. 6, 7, 8. 1915; F.B. 937, pp. 9–11. 1918.
    vegetables in Guam. Guam Bul. 2, pp. 8–10. 1922.
    wheat—
      effect on "take-all" disease. J.A.R., vol. 25, pp. 354–356 1923.
      soils. S.R.S. Syl. 11, rev., pp. 9–11. 1918; Soils Bul. 66, pp. 14–15, 17, 20. 1910.
  from cattle feeding, importance and value. F.B. 522, pp. 17, 19. 1913.
  goat, value—
    as fertilizer. B.A.I. Bul. 68, p. 47. 1905.
    to land. F.B. 137, p. 31. 1901.
  green. See Green manure.
  handling—
    and spreading, day's work. D.B. 3, pp. 22–24. 1913; D.B. 814, p. 29. 1920; Y.B., 1922, p. 1050. 1923; Y.B. Sep. 890, p. 1050. 1923.

Manure(s)—Continued.
  handling—continued.
    for control of horn-fly larvae. Ent. Cir. 115, p. 13. 1910.
    on farm. F.B. 355, p. 12. 1909.
  hauling—
    and distribution, central Kansas. D.B. 1296, pp. 53-54. 1925.
    and scattering in cotton growing, time, and crew. D.B. 896, pp. 20-22. 1920.
    labor saving on farm. Sec. Cir. 122, pp. 6, 11. 1918.
    on farms, southwestern Minnesota. D.B. 1271, pp. 66-67. 1924.
    to small farms from Washington, D. C. D.B. 848, p. 12. 1920.
  hen—
    composition and value. F.B. 192, pp. 9, 10, 14 1904.
    infection with blackhead of turkeys. B.A.I. Cir. 119, pp. 6-9. 1907.
    preservation and value. F.B. 210, pp. 5-6. 1904.
  hog, composition and value. F.B. 192, pp. 8-14. 1904.
  horse—
    ammonifiers in soils. J.A.R., vol. 16, pp. 319-322. 1919.
    bacteriological examination, results. S.R.S. An. Rpt., 1917, pp. 27, 265. 1918.
    breeding place of house fly. F.B. 1408, pp. 2-5. 1924.
    composition and value. F.B. 192, pp. 8-14. 1904; P.R. Cir. 15, p. 22. 1912.
    constituents, production per day, and value. B.P.I. Doc. 631, pp. 2-3. 1911.
    credit against cost of keeping horses. D.B. 560, pp. 13-14. 1917.
    destruction of fly larvae in—
      experiments. F.C. Cook, and others. D.B. 118, pp. 26. 1914.
      experiments during 1915. F.C. Cook, and R.H. Hutchison. D.B. 408, pp. 20. 1916.
      further experiments. F. C. Cook and others. D.B. 245, pp. 22. 1915.
    effect on soil ammonia. J.A.R., vol. 9, pp. 188, 189. 1917.
    treatment for control of house flies. F.B. 1408, pp. 9-15. 1924.
    treatment for fly destruction, method. News L., vol. 2, No. 50, pp. 1-2. 1915.
    use, suggestion. Soils Bul. 55, pp. 51-52. 1909.
    value to farms. F.B. 1298, p. 11. 1922.
  importance on mountain farm, methods of utilizing. F.B. 905, pp. 19-22. 1918.
  infection with wheat nematode and spread of disease. J.A.R., vol. 27, pp. 945-947. 1924.
  investigations, results, calculation, arrangement, and tabulation. Soils Bul. 48, pp. 13-23. 1908.
  kinds, value, and use methods, Billings region, Montana. D.B. 735, pp. 7-11. 1918.
  lime content and value. F.B. 921, p. 21. 1918.
  liquid—
    preparation directions, for southern rural schools. D.B. 305, p. 49. 1915.
    use method and rate for home gardens. S.R.S. Doc. 49, p. 4. 1918.
    value for vegetable garden, management. D.C. 48, p. 4. 1919.
  loss—
    by careless handling. News L., vol. 3, No. 30, pp. 1, 4. 1916.
    prevention. F.B. 186. pp. 5-6. 1904.
  management for prevention of fly breeding. F.B. 851, pp. 13-22. 1917.
  need in grain growing. F.B. 968, pp. 12-14. 1918.
  nitrogen availability, comparison of various kinds. O.E.S. Bul. 194, p. 62. 1907.
  Oregon farms, relation to crop yields. D.B. 705, p. 19. 1918.
  organic and chemical, relative efficiency. Soils Bul. 48, pp. 37, 57. 1908.
  pig, value, and relation to character of feed. B.A.I. An. Rpt., 1903, pp. 310-311. 1904; B.A.I. Cir. 63, pp. 310-311. 1904.
  pigeon, uses and value. F.B. 684, p. 13. 1915.
  pits—
    concrete, construction, and requirements. F.B. 481, pp. 21-26. 1912.

Manure(s)—Continued.
  pits—continued.
    fly-tight. F.B. 679, p. 13. 1915; F.B. 851, p. 14. 1917.
    use and value on dairy farms. F.B. 1097, p. 21. 1920.
  poultry—
    composition, value, and uses. D.B. 464, pp. 29-30. 1916; F.B. 384, pp. 5-6. 1910; Y.B. 1924, p. 431. 1925.
    production per 100 chickens, value, and uses. B.A.I. Bul. 140, p. 51. 1911.
    use of absorbents in preservation. News L. vol. 4, No. 17, p. 3. 1916.
    value, comparison with other manure. News L., vol. 4, No. 17, p. 3. 1916.
  presence—
    as element of milk contamination. D.B. 642, pp. 32-37. 1918.
    of creatinine. Soils Bul. 83, p. 20. 1911.
  production by—
    dairy herd, value and fertilizer constituents. D.B. 858, pp. 7, 9, 23-27. 1920
    one steer. F.B. 588, p. 10. 1914.
    stock, quantity and value. B.P.I. Doc. 692, pp. 2-4. 1911.
  prompt disposal for fly control. F.B. 1097, pp. 20-21. 1920.
  radioactive, composition, analyses, and field tests. D.B. 149, pp. 8-11. 1914.
  receptacles, descriptions. F.B. 412, pp. 14-15. 1910.
  relation to—
    crop yields. D.B. 757, p. 32. 1919.
    wheat-bunt development. D.B. 1210, pp. 11-12. 1924.
  requirements in wheat production, and costs. D.B. 943, pp. 12, 13, 14, 38-39. 1921.
  responsibility for dissemination of cabbage diseases. F.B. 488, pp. 8, 10. 1912.
  salts, imports, 1912-1923. Y.B., 1923, p. 1187. 1924; Y.B. Sep. 906, p. 1187. 1924.
  saving—
    by use of bedding of various kinds. J.A.R., vol. 14, pp. 187-190. 1918.
    from fattening steers. F.B. 1382, pp. 16-17. 1924.
    in Hawaii. Hawaii A.R., 1914, p. 58. 1915.
    in the Corn Belt. Sec. [Misc.], "Grain farming in * * *," pp. 38-39. 1916.
  scarcity in Provo area, drawback to beet-sugar industry. D.B. 582, pp. 23-25. 1918.
  school lesson in management. D.B. 258, p. 20. 1915.
  sheds, description and directions for building. F.B. 192, pp. 22-24. 1904.
  sheep—
    composition and value. F.B. 192, pp. 8-14. 1904.
    dried, use as top-dressing for lawns. Soils Bul. 75, pp. 40, 54. 1911.
    top-dressing for brome grass. B.P.I. Bul. 111, Pt. V, p. 7. 1907.
    value on farm. F.B. 1051, pp. 27, 32. 1919.
  source(s)—
    and use as soil builders, study course. D.B. 355, pp. 54-62. 1916.
    of tuberculous, infection of hogs. B.A.I. An. Rpt., 1907, pp. 58, 224-225. 1909; B.A.I. Cir. 144, pp. 58, 224-225. 1909.
    of weed-seed introduction to farm, control. F.B. 660, pp. 15-16. 1915.
  specifications in large-scale farm contract. D.C. 351, p. 30. 1925.
  spreaders—
    frequent use for control of insect pests. Y.B., 1912, pp. 390, 392. 1913; Y.B. Sep. 600, pp. 390, 392. 1913.
    use to save labor on farm. Sec. Cir 122, pp. 7, 11. 1918.
    value, life, repair cost, and acreage worked. D.B. 757, pp 17, 23. 1919; F.B. 316, p. 5. 1908.
  stable—
    agency in disease spread. F.B. 925, Rev., p. 5. 1921.
    application to citrus orchards. F.B. 1447, pp. 20-23, 24. 1925.
    as source of cabbage diseases. F.B. 925, p. 5. 1918.

Manure(s)—Continued.
stable—continued.
business of big cities. C. C. Fletcher. Y.B., 1916, pp. 375-379. 1917; Y.B. Sep. 716, pp. 5. 1917.
chemical values, per ton, and prices. Y.B., 1916, p. 375. 1917; Y.B. Sep. 716, p. 1. 1917.
city supply, availability to truck farms in vicinity. D.B. 678, pp. 13-14, 20, 22, 23. 1918.
composting with peat, directions. D.C. 252, pp. 7-8. 1922.
disposal to promote cleanliness of cows. B.A.I. An. Rpt., 1909, p. 123. 1911; B.A.I. Cir. 170, p. 123. 1911.
effect on—
  inorganic soil constituents studies. J.A.R., vol. 8, pp. 255-268. 1917.
  tomatoes. F.B. 334, p. 15. 1908.
experiments in growing sugar beets. Sec. [Misc.], "Progress * * * beet-sugar industry * * *," 1903, pp. 88-94. 1903.
fertilizer for strawberries. F.B. 1026, p. 28. 1919; F.B. 1028, p. 31. 1919.
fresh, cause of potato scab. F.B. 544, pp. 5-6. 1913.
handling. F.B. 242, pp. 7, 12, 13. 1906.
injurious to onions. F.B. 434, pp. 8, 14, 23. 1911.
means of spread of watermelon wilt. F.B. 1277, p. 6. 1922.
shipment, grading, storing, and treatment. Y.B., 1916, pp. 375-377. 1917; Y.B. Sep. 716, pp. 1-3. 1917.
spread of cotton wilt, precautions in use. F.B. 333, pp. 10, 12. 1908.
suitability for tobacco growing, use methods. D.B. 16, pp. 14-15. 1913.
use—
  and rate on potato plats. S.R.S. Doc. 86, p. 3. 1918.
  and value in grape growing. B.P.I. Bul. 273, p. 29. 1913.
  and value on timothy. F.B. 502, pp. 20, 32. 1912.
  for alfalfa. F.B. 310, p. 21. 1907.
  in citrus groves, precautions. F.B. 1122. pp. 33-34. 1920.
  in forcing cucumbers. F.B. 1320, pp. 10-11. 1923.
  in mushroom culture. B.P.I. Bul. 85, pp. 31, 34-36, 40-43, 45. 1905.
  in peanut culture, caution. F.B. 356, p. 12. 1909.
  of tobacco land. F.B. 416, pp. 11-12. 1910.
  on citrus groves. F.B. 542, p. 11. 1913.
  on Norfolk-sand truck lands. Soils Cir. 44, p. 8. 1911.
  on sweetpotatoes. F.B. 999, pp. 7-8. 1919.
  on tobacco. B.P.I. Doc. 427, pp. 6, 8, 11, 13, 16, 20. 1909.
value—
  F.B. 133, pp. 5. 1901.
  for crimson clover. F.B. 550, p. 7. 1913.
  for lawns. F.B. 494, pp. 8, 15, 21, 22, 26, 45. 1912.
  for onions. F.B. 354, p. 11. 1909.
  for sugar beets, use methods. D.B. 995, pp. 27-28. 1921.
  in corn growing in Kentucky and West Virginia. F.B. 546, p. 6. 1913.
storage—
  in concrete pits, advantages. F.B. 481, pp. 21-26. 1912.
  wasteful methods. F.B. 481, p. 21. 1912.
sulphur composts, effect on potassium of greensand. A. G. McCall and A. M. Smith. J.A.R., vol. 19, pp. 239-256. 1920.
tests on soils for various crops, notes. Soils Bul. 67, pp. 1-73. 1910.
top dressing—
  for crimson clover. F.B. 1142, p. 12. 1920.
  grass lands on dairy farms. F.B. 337, pp. 8, 10, 12, 14, 15, 16, 17, 18, 20, 23. 1908.
treatment—
  for fly larvae destruction, experiments. D.B. 118, pp. 3-21. 1914; D.B. 245, pp. 2-21. 1915.

Manure(s)—continued.
treatment—continued.
  for prevention of flies. B.A.I. [Misc.], "Diseases of cattle," rev., p. 478. 1904; rev., pp. 496, 497. 1908; rev., p. 520. 1912; rev., pp. 503-504. 1923.
  with chemicals to destroy fly maggots. F.B. 679, pp. 15-17. 1915; F.B. 851, pp. 16-21. 1917.
use—
and value in—
  control of flea-beetle. D.B. 436, pp. 20, 21. 1917.
  corn growing. B.P.I. Doc., pp. 3, 7. 1912.
  sugar-beet farming. D.B. 726, pp. 15-16, 46. 1918.
  sugar-cane growing. D.B. 486, pp. 13-14. 1917.
as mulch, humus formation, studies. J.A.R., vol. 12, pp. 507-513. 1918.
for crops, antiquity of practice. Soils Bul. 48, p. 7. 1908.
for sugar beets. Rpt. 80, pp. 156-157, 159-160. 1905.
in—
  Alaska, Kenai Peninsula region. Soil Sur. Adv. Sh., 1916, pp. 114-115. 1919; Soils F.O., 1916, pp. 146-149. 1921.
  barley growing. F.B. 443, pp. 13-14. 1911.
  beet growing, practices and cost. D.B. 748, pp. 3, 10-11, 34, 35. 1919.
  culture of sugar beets, quantity per acre, etc. F.B. 392, p. 39. 1910.
  growing acid limes in Hawaii. Hawaii Bul. 49, p. 5. 1923.
  growing sweet potatoes. F.B. 324, pp. 6-7, 16. 1908.
  growing tomatoes. D.B. 1288, p. 12. 1924; Y.B. 1338, pp. 13-14. 1923.
  mulched basins. D.B. 499, pp. 9, 11, 12, 17, 19, 21, 22, 24, 27. 1917.
  orange orchards in Brazil. D.B. 445, pp. 10-11. 1917.
  peanut culture, objections. O.E.S.F.I.L. 13, p. 8. 1912.
  potato growing. F.B. 1064, pp. 10-11. 1919.
  smudges for orchard protection. F.B. 401, pp. 8, 11, 12, 21. 1910.
  soil improvement. F.B. 245, pp. 11-15. 1906; F.B. 704, pp. 4-5. 1916.
  sugar-beet growing, Utah and Idaho. D.B. 693, pp. 16-17. 1918.
  tea growing. B.P.I. Bul. 234, pp. 17-18. 1912.
on winter oats. F.B. 436, pp. 14-15. 1911.
methods and results, New York farmers. News L., vol. 6, No. 13, p. 3. 1918.
on—
  alkali land. D.C. 136, pp. 16-21. 1920; Soils Bul. 35, p. 172. 1906.
  asparagus. F.B. 829, pp. 4, 5. 1917.
  crops, practices in Colorado, sugar-beet districts. D.B. 917, pp. 21-23. 1921.
  crops, Texas, results of experiments. B.P.I. Cir. 120, p. 11. 1913.
  date orchards. F.B. 1016, p. 14. 1919.
  garden soil. F.B. 1044, pp. 9-10. 1919.
  grass soils and lawns. Soils Bul. 75, pp. 14, 32, 40, 45, 49, 53, 54. 1911.
  gumbo soil, methods. B.P.I. Cir. 83, pp. 10-11. 1911.
  irrigated pastures, quantity. D.R.P. Cir. 2, pp. 14, 16. 1916.
  old orchards, rate of application, and results. S.R.S. Syl. 31, pp. 6, 11-12. 1918.
  pasture lands, value. F.B. 1051, pp. 16-17. 1919.
  potatoes. F.B. 1064, pp. 10-11. 1919.
  sandy soils. D.C. 342, pp. 17-19. 1925.
  sugar cane, objections. F.B. 1034, p. 11. 1919.
  truck crops under frames. F.B. 460, pp. 14-15. 1911.
  vegetable garden. D.C. 48, p. 3. 1919.
to increase fertility in sugar beet production. D.B. 721, pp. 26-27, 39. 1918.
with borax and colemanite, effect on wheat growing. J.A.R., vol. 10, pp. 591-595. 1917.

Manure(s)—Continued.
　value—
　　as fertilizer in wheat growing. F.B. 596, pp. 3, 4, 5. 1914.
　　comparison of horses with cattle. F.B. 170, pp. 28–30. 1903.
　for—
　　apple orchards. F.B. 1284, pp. 12–15. 1922.
　　oats, kind and application. F.B. 892, pp. 5–6. 1917.
　　sweet potatoes. S.R.S. Syl. 26, p. 4. 1917.
　from pig feeding. B.A.I. Bul. 47, pp. 238–239. 1904.
　in—
　　corn growing. F.B. 1149, p. 5. 1920.
　　grain farming in Missouri, Lincoln County. Soil Sur. Adv. Sh., 1917, pp. 13, 19, 32. 1920; Soils F.O., 1917, pp. 1491, 1497, 1510. 1923.
　　Minnesota, Stevens County. Soil Sur. Adv. Sh., 1919, pp. 10, 11, 14, 24. 1922; Soils F.O., 1919, pp. 1382, 1383, 1386, 1396. 1925.
　　orchard fertilization. F.B. 491, pp. 15, 16, 22. 1912.
　　soil improvement. F.B. 986, pp. 8–9. 1918.
　　spinach growing. J.A.R., vol. 16, pp. 16, 24. 1919.
　　vegetable garden. F.B. 934, pp. 16–17. 1918.
　per animal unit, determination method. D.B. 341, pp. 96–99. 1916.
　relation of maggot trap. D.B. 200, pp. 13–14, 15. 1915.
　variety, necessity in corn growing. F.B. 537, pp. 10–12. 1913.
　weed seeds in, vitality. F.B. 334, p. 18. 1908.
　See also Fertilizers.
Manurial—
　requirements—
　　Leonardtown loam, method of determining. Soils Cir. 15, pp. 3–7. 1905.
　　of soils, wire-basket method of determination. Frank D. Gardner. Soils Cir. 18, pp. 6. 1905.
　　of the Portsmouth sandy loam of the Darlington area, South Carolina. F. D. Gardner and F. E. Bonsteel. Soils Cir. 17, pp. 10. 1905.
　treatments, Cecil silt loam, South Carolina, results. Soils Cir. 16, pp. 4–7. 1905.
Manuring—
　apple orchards, Oregon, details and costs. D.B. 518, p. 19. 1917.
　California sugar-beet area, practices. D.B. 760, pp. 3, 11–12. 1919.
　dry-land, effect on crop yields, experiments. D.B. 1293, pp. 13–16. 1925.
　effect on crops—
　　study at San Antonio experiment farm. D.C. 209, pp. 11–12. 1922.
　　Texas, 1918, experiments. D.C. 73, pp. 13–14. 1920.
　experiments at San Antonio farm. W.I.A. Cir. 10, pp. 6–7. 1916.
　fruit, at field station near Mandan, N. Dak. D.B. 1301, p. 25. 1925.
　green. See Green manuring.
　in corn culture. O.E.S. An. Rpt., 1904, pp. 500–505. 1905.
　orchards, in Idaho. D.B. 636, pp. 14–15. 1918.
　practice and cost for Colorado apple orchards. D.B. 500, p. 15. 1917.
　wheat, importance in soil improvement. O.E.S.F.I.L. 11, pp. 12–13. 1910.
　with lime and magnesia, some principles. Oscar Loew. P.R. Cir. 10, pp. 15. 1909.
　Yakima Valley orchards, time, and rate. D.B. 614, pp. 19–21. 1918.
Manuscripts—
　for outside publications. Off. Rec., vol. 1, No. 3, p. 8. 1922.
　handling, memorandum of Secretary. Off. Rec. vol. 1, No. 1, p. 8. 1922.
Manzanilla—
　importations and description. No. 43430, B.P.I. Inv. 49, pp. 7, 19. 1921; No. 45575, B.P.I. Inv. 53, pp. 7, 60–61. 1922; Nos. 49145, 49738, B.P.I. Inv. 62, pp. 7, 77. 1923.
　tree, in Porto Rico, description and uses. D.B. 354, p. 80. 1916.

Manzanita—
　description, and soil requirements, eastern Puget Sound Basin, Wash. Soil Sur. Adv. Sh., 1909, pp. 36, 37. 1911; Soils F.O., 1909, pp. 1548, 1549. 1912.
　occurrence in—
　　chaparral, value. For. Bul. 85, pp. 9, 24, 30, 36, 37. 1911.
　　Colorado, description. N.A. Fauna 33, p. 243. 1911.
　value for goat browsing. D.B. 749, p. 3. 1919.
Manzano Mountains, N. Mex., location, description, fauna and flora. N.A. Fauna 35, pp. 69–70. 1913.
Maoutia puya, importation and description No. 47719, B.P.I. Inv. 59, p. 51. 1922.
Map(s)—
　agricultural summary, and graphs. Y.B., 1915, pp. 333–334, 335–403. 1916; Y.B. Sep. 681, pp. 333–334, 335–403. 1916.
　base, making. Soils [Misc.], "Instructions to field * * *," pp. 31–67. 1914.
　collection for school work, suggestion. F.B. 606, p. 18. 1914.
　farming types, preparation. An. Rpts., 1923, p. 138. 1923; B.A.E. Chief Rpt., 1923, p. 8. 1923.
　Federal-aid roads, filing with Secretary, regulation 4. Sec. Cir. 161, pp. 2–3. 1922.
　fire-plan, use in forest protection. For. Bul. 113, pp. 12–13. 1912.
　forest, pathological, description, value, and use. D.B. 658, pp. 2, 5–6, 9, 19–23. 1918.
　grasshopper, nature and use. Off. Rec., vol. 1, No. 21, p. 4. 1922.
　identification, world and various countries, Sec. [Misc.] Spec. "Geography * * * world's agriculture," pp. 10–11. 1918.
　kelp beds, description and tables. Rpt. 100, pp. 31–32, 69–104, 109, 111–121. 1915.
　labor, preparation, scope, and data source. D.C. 183, pp. 3–6. 1922.
　life zones and crop zones, preparation, remarks. An. Rpts., 1905, pp. 303, 304. 1905.
　paper, specifications. Rpt. 89, p. 44. 1909.
　seed production localities. F.B. 1232, pp. 16–25. 1921.
　soil survey, preparation, scope, and value. Y.B., 1920, pp. 414–415. 1921; Y.B. Sep. 854, pp. 414–415. 1921.
　Soils Bureau. See Field Operations and Advance Sheets for maps of areas surveyed.
　timberland, use in spruce forests, Maine. For. Cir. 131, pp. 13–15. 1907.
　use in dairy inspection and scoring. B.A.I. Cir. 139, pp. 26–28. 1909.
　wall, use in county extension work. D.C. 107, p. 12. 1920.
　weather, purpose, scope, interpretation, and educational value. Y.B., 1915, pp. 323–327. 1916; Y.B. Sep. 680, pp. 323–327. 1916.
　western United States, key to vegetation regions. J.A.R., vol. 28, pp. 100, 123–127. 1924.
　Wichita forest and game reserve. M.C. 36, p. 9. 1925.
Maple(s)—
　aphid, Norway, description, habits, and control. F.B. 1169, p. 84. 1921.
　ash-leaved—
　　distribution. N.A. Fauna 22, p. 12. 1902.
　　See also Box elder.
　black, description and range. For. Bul. 59, p. 23. 1905.
　black, value as sap producer, distribution. F.B. 516, p. 8. 1912.
　broadleaf—
　　For Silv. Leaf. 51, pp. 4. 1912.
　　description, range, and occurrence on Pacific slope. For. [Misc.], "Forest trees for Pacific * * *," pp. 387–389. 1908.
　　range, occurrence, growth habits, reproduction and uses. For. Silv. Leaf. 51, pp. 1–4. 1912.
　butter, adulteration, and misbranding. Chem. N.J. 3514, p. 1. 1915.
　cambium miner, description and life history. J.A.R., vol. 10, pp. 313–315. 1917.
　candy, adulteration and misbranding. Chem. N.J. 2338, p. 1. 1913.

Maple(s)—Continued.
  Chinese, importations and description. No. 34544, B.P.I. Inv. 33, pp. 5, 32. 1915; No. 44660, B.P.I. Inv. 51, p. 38, 1922.
  concrete, standard. F.I.D. 161, p. 1. 1916.
  consumption in Arkansas, amount and value. For. Bul. 106, pp. 7, 10, 15, 16, 22, 31, 39. 1912.
  cooperage stock, slack, production and value, 1906. For. Cir. 123, pp. 4-7. 1907.
  cream—
    confectionery, misbranding. Chem. N.J. 1512, pp. 2. 1912.
    preparation. D.B. 466, p. 41. 1917.
  crossties, cost per year for maintenance. For. Bul. 118, p. 46. 1912.
  defoliation by green-striped worm, protective measures. Ent. Cir. 110, pp. 1, 3-5, 7. 1909.
  description—
    key and list of common kinds. D.C. 223, pp. 6, 10. 1922.
    varieties, and regions suited to. D.B. 816, pp. 17-19, 27-31. 1920; F.B. 1208, pp. 22-26. 1922.
  diseases caused by fungi. B.P.I. Bul. 149, pp. 18, 19, 20, 24, 26, 31, 33, 37, 48, 57, 76. 1909.
  distillation yields. D.B. 129, pp. 7-16. 1914; D.B. 508, pp. 3-7. 1917.
  distribution and growth in Wyoming. N.A. Fauna 42, p. 73. 1917.
  dwarf, description, range, and occurrence on Pacific slope. For. [Misc.], "Forest trees for Pacific * * *," pp. 392-396. 1908.
  "flavo," misbranding. Chem. N.J. 806, pp. 6. 1911.
  flavor—
    adulteration, and misbranding. Chem. N.J. 3460, p. 1. 1915.
    imitation by hickory bark extract. For. Bul., 59, pp. 48-50. 1905.
  growth in different regions, rate. F.B. 1177, rev. p. 25. 1920.
  hard—
    absorption of creosote, tests. For. Cir. 200, pp. 4, 5, 7. 1912.
    immunity to gloomy scale. S.R.S. Rpt., 1916, Pt. I, p. 209. 1918.
  honey source, value. Ent. Bul. 75, pp. 91, 93, 94, 95. 1911.
  host of bagworm. F.B. 701, p. 3. 1916.
  importations and description. No. 34137, B.P.I. Inv. 32, p. 15. 1914; Nos. 38734, 38843, B.P.I. Inv. 40, pp. 22, 35. 1917; No. 39988, B.P.I. Inv. 42, p. 47. 1918; Nos. 42435, 42436, 42821, B.P.I. Inv. 47, pp. 13, 71. 1920; No. 44375, B.P.I. Inv. 50, p. 64. 1922; No. 48024, B.P.I. Inv. 60, p. 30. 1922; Nos. 50359-50361, 50526, B.P.I. Inv. 63, pp. 61, 76. 1923; No. 55669, B.P.I. Inv. 72, p. 16. 1924.
  industry, apparatus, and use methods. F.B. 516, pp. 20-30, 40-41. 1912.
  industry, history, and status, 1905. For. Bul. 59, pp. 5-19. 1905.
  injury by—
    Armillaria mellea. D.B. 89, p. 4. 1914.
    gipsy moth. D.B. 204, p. 15. 1915.
    pith-ray flecks. For. Cir. 215, p. 10. 1913.
    saddled prominent, check by parasites. Y.B., 1911, p. 460. 1912; Y.B. Sep. 583, p. 460. 1912.
    sapsuckers. Biol. Bul. 39, pp. 45-46, 58-61, 84. 1911.
  insect pests, list. Sec. [Misc.], "A manual * * * insects * * *," pp. 147-148. 1917.
  insects injurious. F.B. 1169, p. 98. 1921.
  Japanese, importations and description. Nos. 43676, 43810-43813, B.P.I. Inv. 49, pp. 61, 81. 1921.
  leaf tip-blight, occurrence and description, Texas. B.P.I. Bul. 226, pp. 71-72. 1912.
  lumber production—
    1905, by States. D.B. 74, p. 22. 1914.
    1906, value by States. For. Cir. 122, pp. 18-19. 1907.
    1913, species and range. D.B. 232, pp. 15-16, 31-32. 1915.
    1916, by States, mills reporting, and lumber value. D.B. 673, p. 22. 1918.
    1917, value by States. D.B. 768, pp. 22-23, 38, 42. 1919.
    1918, by States. D.B. 845, pp. 25, 45. 1920.

Maple(s)—Continued.
  lumber production—continued.
    1920, value, by States. D.B. 1119, p. 46. 1923 Y.B. 1922, p. 924. 1923.
  mountain, occurrence in Colorado and description. N.A. Fauna 33, pp. 237-238. 1911.
  Norway, aphid, description, habits, and control. F.B. 1169, p. 84. 1921.
  northern forests, characteristics, volume, etc. D.B. 285, pp. 6-21, 24-25, 28-33, 61-63. 1915.
  occurrence in forests of Pacific coast. For. Silv. Leaf. 51, p. 1. 1912.
  Oregon, distribution, and description. F.B. 516, p. 9. 1912.
  Oregon, range. For. Bul. 59, p. 24. 1905.
  planting in windbreak, returns from fuel. F.B. 788, p. 15. 1917.
  preservation, characteristics, and results of treatment. D.B. 606, pp. 24, 26, 28, 29, 31, 33. 1918.
  preservative treatment, results. F.B. 744, pp. 17, 28. 1916.
  production, 1899-1914, and estimate, 1915. D.B. 506, pp. 13-15, 22. 1917.
  products—
    adulteration—
      H. W. Wiley. For. Bul. 59, pp. 47-54. 1905.
      detection method. Chem. Cir. 40, pp. 11-13. 1908.
    analysis methods. A. Hugh Bryan. Chem. Cir. 40, pp. 13. 1908.
    canning and storage. F.B. 516, pp. 37-38, 40, 43-44. 1912.
    characteristics. Chem. Cir. 40, pp. 2-3. 1908.
    definitions. D.B. 466, pp. 1-2. 1917.
    examination methods. Julius Hortvet. Chem. Cir. 23. pp. 8. 1905.
    industry in—
      1910, value and rank of State. F.B. 516, p. 46. 1912.
      Ohio, Geauga County. Soil Sur. Adv. Sh., 1915, p. 12. 1916; Soils F.O., 1915, p. 1290. 1919.
    laws, State. Chem. Bul 112, Pt. I, pp. 133-134, 150. 1908; Chem. Bul. 69, rev., pp. 294, 430. 1906.
    number of States producing and production, 1917. Sec. Cir. 103, p. 10. 1918.
    packages for market. For. Bul. 59, pp. 43, 44. 1905.
    polarization. Chem. Cir. 40, pp. 7-8. 1908.
    pure, analytical figures. D.B. 466, pp. 42-46. 1917.
    regulation. Chem. Bul. 69, rev. Pts. I-IX, pp. 294, 370, 430, 485, 505, 628, 702, 752. 1905-1906.
    standards. F.I.D. 161, p. 1. 1916.
    statistics, production, yield, and price. Y.B., 1921, pp. 665-667. 1922; Y.B. Sep. 869, pp. 85-87. 1922.
    total production in United States, 1909. F.B. 535, p. 14. 1913.
    use in vinegar making. F.B. 1424, p. 5. 1924.
    value. Y.B., 1923, pp. 208-209. 1924; Y.B. Sep. 893, pp. 75-77. 1924.
    value as sugar substitutes and amounts. Sec. Cir. 86, p. 30. 1918.
  properties, supply, and uses. D.B. 12, pp. 32, 56. 1913.
  quantity used in manufacture of wooden products. D.B. 605, p. 9. 1918.
  red—
    description and use of sap. For. Bul. 59, pp. 23-24. 1905.
    distribution and description. F.B. 516, p. 8. 1912.
    stand in forests of South Carolina, table. For. Bul. 56, p. 28. 1905.
    See also Acer rubrum.
  sap—
    bacterial disease, organism, comparison with Bacterium aptatum. J.A.R., vol. 1, pp. 206-208. 1913.
    pressure, flow and sugar content. For. Bul. 59, pp. 35-36. 1905.
    use in manufacture of sugar and sirup, methods. F.B. 516, pp. 30-40. 1912.
  saplings—
    management of thicket, thinning. For. Bul. 59, pp. 30-33. 1905.
    thicket for sugar grove, management. For. Bul. 59, pp. 30-33. 1905.

INDEX TO PUBLICATIONS, 1901–1925 1451

Maple(s)—Continued.
saplings—continued.
thinning and cutting back to form groves. F.B. 1366, pp. 8–10. 1924.
scale, cottony—
J. G. Sanders. Ent. Cir. 64, pp. 6. 1905.
description and control on shade trees. F.B. 1169, p. 82. 1921.
destruction by *Hyperaspis binotata*. J.A.R., vol. 6, No. 5, p. 198. 1916.
natural enemies, observations. Ent. Bul. 67, pp. 48–52. 1907.
shoe-last blocks, drying schedule. D.B. 1136, pp. 41, 43. 1923.
silver—
For. Cir. 76, pp. 3. 1907.
characteristics, uses, and rate of growth. For. Cir. 161, pp. 23, 24, 46–47. 1909.
description and range. For. Bul. 59, p. 24. 1905.
distribution and description. F.B. 516, p. 9. 1912.
form, size and range. For. Cir. 76, p. 1–3. 1907.
growing in Great Plains. F.B. 1312, p. 15. 1923.
growth, spacing, planting methods, and products. Y.B., 1911, pp. 259, 263, 265, 267. 1912; Y.B. Sep. 566, pp. 259, 263, 265, 267. 1912.
planting, uses, yield, and value. D.B. 153, pp. 15, 19, 22, 25, 35. 1915.
value—
as ornamental for Plains region. F.B. 888, p. 14. 1917.
for cordwood. For. Bul. 86, p. 81. 1911.
of products, cost of planting, habits of growth. For. Cir. 81, pp. 15, 32. 1907; rev., 1910.
sirup. *See* Sirup, maple.
spacing in forest planting, and seed quantity per acre. F.B. 1177, rev., p. 22. 1920.
stumpage value, 1907. For. Cir. 122, pp. 40–41. 1907.
sugar—
For. Cir. 95, pp. 4. 1907.
borer—
description, habits, and control. F.B. 1169, pp. 53–55. 1921.
injury to maple trees. Ent. Bul. 67, p. 40. 1907.
description—
and range. F.B. 1366, pp. 3–4. 1924.
range, and value. For. Bul. 59, pp. 19–25. 1905; For. Cir. 95, pp. 1–4. 1907.
distribution and description. F.B. 516, pp. 6–9. 1912.
grades and amount of lumber sawed, with value tables. For. Bul. 73, pp. 25, 26, 28, 29. 1907.
groves, requirements, improvement and management. For. Bul. 59, pp. 25–35. 1905.
in northern forests, characteristics, volume, etc. D.B. 285, pp. 6–21, 52–54, 60, 65, 72–74. 1915.
injury by—
borer. Ent. Bul. 67, p. 40. 1907.
tent caterpillar. F.B. 1169, p. 35. 1921.
occurrence, and management. For. Silv. Leaf. 42, pp. 4. 1908.
planting directions. For. Cir. 195, p. 15. 1912.
sap, leaves, and stems, mineral composition. J.A.R., vol. 5, No. 12, pp. 538–541. 1915.
source of maple sugar, and maple sirup. F.B. 535, p. 14. 1912.
value as—
shade tree. For. Cir. 81, pp. 19, 32. 1907.
source of sugar supply. Y.B., 1917, p. 459. 1918; Y.B., Sep. 756, p. 15. 1918.
tests for mechanical properties, results. D.B. 556, pp. 31, 40–41. 1917; D.B. 676, p. 23. 1919.
trees—
for roadside planting. F.B. 338, p. 22. 1908.
importations and description. Nos. 47629–47632, 47831; B.P.I. Inv. 59, pp. 7, 39, 65. 1922.
tapping for sirup. Chem. Bul. 134, pp. 8, 11. 1910; F.B. 516, pp. 18–20. 1912; For. Bul. 59, pp. 37–39. 1905.
twig-pruner, description, habits, and control. F.B. 1169, pp. 70–71. 1921.
value for sugar production, comparison. Chem. Bul. 134, pp. 8, 50. 1910.

Maple(s)—Continued.
vine—
description, range, and occurrence on Pacific slope. For. [Misc.], "Forest trees for Pacific * * *," pp. 389–392. 1908.
soil requirements and indications, eastern Puget Sound Basin, Washington. Soil Sur. Adv. Sh., 1909, pp. 36, 37, 40. 1911; Soils F.O., 1909, pp. 1548, 1549, 1552. 1912.
volume table and growth rate. For. Bul. 36, pp. 119, 188, 189, 193. 1910.
weight, uses, freight rates, and value. F.B. 715, pp. 4, 6, 18, 22, 28, 34, 35, 40, 41. 1916.
windbreaks, characteristics and value. For. Bul. 86, pp. 22, 25, 27, 33, 53, 77, 81. 1911.
wood—
density determinations. J.A.R., vol. 2, pp. 426–427. 1914.
weight per cord, and equivalent in coal. D.B. 718, p. 59. 1918.
woolly aphid, description, habits, and control. F.B. 1169, pp. 86–87. 1921.
worm, green-striped—
L. O. Howard and F. H. Chittenden. Ent. Cir. 110, pp. 7. 1909.
description, habits, and control. Ent. Cir. 110, pp. 1–7. 1909; F.B. 1169, pp. 44–46. 1921.
parasites. Ent. Cir. 110, p. 5. 1909.
Maple sugar. *See* Sugar, maple.
Mapleine, misbranding. Chem. N.J. 163, pp. 7. 1910.
Maplo, adulteration and misbranding. See *Indexes, Notices of judgment, in bound volumes, and in separates published as supplements, to Chemistry Service and Regulatory Announcements.*
Maquata Basin, Mexico, date-growing region. B.P.I. Bul. 53, pp. 103, 135. 1904.
Maqui, introduction, description and value for food, and medicine. B.P.I. Bul. 205, p. 37. 1911.
Marais des Cygnes River and Valley, general description and survey. O.E.S. Bul. 234, pp. 8–14. 1911.
Marang, importations and description. No. 36256, B.P.I. Inv. 36, pp. 67–68. 1915; No. 46635, B.P.I. Inv. 57, pp. 9, 15. 1922.
Maranon. *See* Cashew.
Maranta sp.—
importation and description. No. 50684, B.P.I. Inv. 64, p. 13. 1923.
See also Arrowroot.
Maraschino—
adulteration and misbranding. Chem. N.J. 1511, pp. 2–3. 1912; Chem. N.J. 4077, p. 1. 1916.
cherries, preparation. D.B. 350, pp. 2–3. 1916.
labeling, decision. F.I.D. 141, pp. 1–2. 1912.
liqueur, origin and description. Chem. N.J. 1664, pp. 4, 5. 1912.
Marasmius—
oreades. *See* Mushroom, fairy-ring.
sacchari, cause of sugar-cane disease in St. Croix, description, and control. Vir. Is. Bul. 2, p. 23. 1921.
spp.—
causes of root disease of sugar-cane. B.P.I. Cir. 126, p. 12. 1913.
description. D.B. 175, p. 25. 1915.
formation of fairy rings. J.A.R., vol. 11, pp. 195, 197, 198, 202, 215, 233, 234. 1917.
Maravilla, importation and description. No. 33872, B.P.I. Inv. 31, pp. 6, 63. 1914.
Marble—
origin, classification, and mineral constituents. Rds. Bul. 37, pp. 14–23, 27. 1911.
value in road building and results of tests. D.B. 370, pp. 7, 15–100. 1916.
MARBURY, J. B.—
"Relation of weather conditions to growth and development of cotton." Y.B., 1904, pp. 141–150. 1905; Y.B. Sep. 338, pp. 141–150. 1905.
"Verification of weather forecasts." W.B. Bul. 31, pp. 156–158. 1902.
MARBUT, C. F.—
"Soil reconnoissance of Ozark region of Missouri and Arkansas." Soil. Sur. Adv. Sh., 1911, pp. 153. 1914; Soils F.O., 1911, pp. 1727–1873. 1914.
"Soils of the United States." With others. Soils Bul. 96, pp. 791. 1913.

MARBUT, LOUISE: "History of station work in Agricultural Economics, 1923." Work and Exp., 1923, pp. 83–87. 1925.
Marc, apple, analyses. Chem. Bul. 94, pp. 87–89. 1905.
MARCOVITCH, S.—
"The migration of the Aphididae and the appearance of the sexual forms as affected by the relative length of daily light exposure." J.A.R., vol. 27, pp. 513–522. 1924.
"The strawberry root louse in Tennessee." J.A.R., vol. 30, pp. 441–449. 1925.
MARCY, W. L.: "Flax culture." F.B. 274, pp. 38. 1907.
Mare(s)—
and foals, care, working, and feeding. News L., vol. 5, No. 12, pp. 4–5. 1917.
brood—
care. F.B. 451, pp. 20–24. 1911.
feed and management ,before and after foaling. F.B. 803, pp. 11–14, 16–17. 1917.
feeding directions. M.C. 12, p. 14. 1924.
increase by tractor use. F.B. 1035, pp. 29–30. 1919.
kinds and selection for hunter-horse production. B.A.I. An. Rpt., 1904, pp. 200–205, 208. 1905.
uniformity essential. F.B. 803, pp. 4–6. 1917.
value on farms. F.B. 704, pp. 37–38. 1916.
conformation, various classes of horses. Y.B. 1902, pp. 460–465. 1903.
dourine, symptoms and post-mortem lesions. F.B. 1146, pp. 5–9. 1920.
feed and pasture requirements. Y.B., 1907, pp. 389, 390. 1908; Y.B. Sep. 456, pp. 389, 390. 1908.
feeding—
after foaling. F.B. 803, pp. 16–17. 1917.
cottonseed meal, experiments and results. D.B. 929, pp. 4, 5, 6, 7, 8. 1920.
for breeding Army horses, specifications. Y.B., 1917, p. 348. 1918; Y. B. Sep. 754. p. 10. 1918.
gestation period. F.B. 1167, p. 9. 1920.
milk—
composition. J.A.R., vol. 16, p. 83. 1919.
composition, comparison with cow's milk. D.B. 319, pp. 19–20. 1916.
use in manufacture of kumiss, requirements. D.B. 319, p. 19. 1916.
parturition, management. F.B. 803, pp. 14–15. 1917.
pedigree and records, Wyoming Horse-Breeding Station. D.C. 153, pp. 14–22. 1921.
pregnant, care and management. F.B. 451, pp. 20–24. 1911.
profits on farms. F.B. 803, pp. 3–4. 1917.
selection for breeding, points to be considered. B.A.I. An. Rpt., 1906, pp. 252–254, 259. 1908; B.A.I. Cir. 124, pp. 6–9, 14. 1908; F.B. 803, pp. 4–7. 1917.
unsound, diseases unfitting for breeding purposes, list. F.B. 803, rev., pp. 4–6. 1923.
use as milk animals. B.A.I. An Rpt., 1909, p. 151. 1911; B.A.I. Cir. 171, p. 151. 1911.
MAREAN, H. W.: "Soil survey of—
Cobb County, Ga." With R. T. Avon Burke. Soil Sur. Adv. Sh., 1901, pp. 11. 1902; Soils F.O., 1901, pp. 317–327. 1902.
the Covington area, Georgia." Soils F.O. Sep. 1901, pp. 12. 1902; Soils F.O., 1901, pp. 329–340. 1902.
the Westfield area, New York." With R. T. Avon Burke. Soils F.O. Sep. 1901, pp. 18. 1902; Soils F.O., 1901, pp. 75–92. 1902.
Mareca spp. See Widgeon.
Margarine—
definition. Chem. Bul. 143, p. 34. 1911.
sale, act of the United Kingdom. 1907. Chem. Bul. 143, pp. 34–37. 1911.
stocks not retail, July 1, 1918. News L., vol. 6, No. 6, p. 6. 1918.
use of peanut oil. Y.B., 1917,p. 300. 1918; Y.B. Sep. 746, p. 14. 1918.
See also Oleomargarine.
Margarops fuscata fuscata. See Thrasher, pearly-eyed.
Margaropus—
annulatus—
description and habits. Rpt. 108, pp. 58, 59, 60, 61, 62, 66–67. 1915.
See also Tick fever.

Margaropus—Continued.
spp., description, habits, and control. Ent. Bul. 72, p. 49. 1907; Ent. Bul. 106, pp. 21, 28, 30, 32, 41, 111–123. 1912; Rpt. 108, pp. 58–62, 66–67. 1915.
Marigolds—
description, cultivation, and characteristics. B.P.I. Doc. 433, p. 3. 1909; F.B. 195, pp. 22, 36. 1904; F.B. 1171, pp. 58–59, 74, 81. 1921.
marsh. See Cowslip.
pot. See Calendula.
use in foods. O.E.S. Bul. 245, p. 49. 1912.
Marila affinis. See Duck, scaup, lesser.
MARIN, DON FRANCISCO, fruit introduction into Hawaii. Hawaii Bul. 51, p. 2. 1924.
Marine—
borers—
control in yellow pine piling. An. Rpts., 1913, p. 188. 1914; For. A.R. 1913, p. 54. 1913.
destruction to piling, preservation against. C. S. Smith. For. Cir. 128, pp. 15. 1908.
study of destructiveness. N.C. 39, p. 64. 1925.
meteorology, instructions to observers. Henry L. Heiskell. W.B. [Misc.], "Instructions to marine * * *," pp. 48. 1908; 3d ed., pp. 68. 1910; 4th ed., pp. 99. 1925.
paints, nature and use. F.B. 1452, p. 10. 1925.
Marinette, Wis., milk supply, statistics, officials, prices, and ordinances. B.A.I. Bul. 46, pp. 42, 164. 1903.
Marion silt loam, soils of eastern United States and their use—XXXIV. Jay A. Bonsteel. Soils Cir. 59, pp. 10. 1912.
Mariscus spp., occurrence in Guam. Guam A.R. 1913, p. 16. 1914.
Maritime—
fauna, Texas coast. N.A. Fauna 25, p. 20. 1905.
nations, conference, authorization. Off. Rec., vol. 1, No. 24, pp. 1–2. 1922.
Marjoram—
adulteration, regulation. Chem. S.R.A. 18, p. 43. 1916.
definition and standard for enforcement of food and drugs act. F.I.D. 194, p. 1. 1924.
ground, adulteration. Chem. N.J. 12826. 1925.
leaves, standards. Chem. S.R.A. 14, p. 12. 1915.
sweet—
drying and use. D.C. 3, p. 16. 1919.
value in perfumery production. B.P.I. Bul. 195, p. 42. 1910.
use as food flavoring. O.E.S. Bul. 245, p. 68. 1912.
See also Spices.
MARKELL, E. L.—
"The handling and precooling of Florida lettuce and celery." With H. J. Ramsey. D.B. 601, pp. 29. 1917.
"The handling and storage of apples in the Pacific Northwest." With others. D.B. 587, pp. 32. 1917.
Marker—
for irrigation furrows. O.E.S. Bul. 226, pp. 31–32. 1910.
homemade, for laying off rows, use in bulb planting. D.B. 797, p. 7. 1919.
Market(s)—
agencies—
and dealers, regulations under packers and stockyards act. Sec. Cir. 156, pp. 1–35. 1922.
bond requirements. Off. Rec., vol. 2, No. 26, p. 4. 1923.
Federal supervision, act of Congress. Sec.A.R., 1921, p. 15. 1921.
agricultural products, world survey work. Y.B., 1923, pp. 20–21. 1924.
Anchorage, Alaska, food receipts and value. Alaska A.R., 1923, p. 19. 1925.
apple, investigations, 1914–1915. Clarence W. Moomaw and M. M. Stewart. D.B. 302, pp. 23. 1915.
basket willow, material and manufactures. F.B. 662, pp. 31–34. 1914.
bibliography. M.C. 35, pp. 13–14. 1925.
broomcorn—
street buying and field buying. D.B. 1019, pp. 18–22. 1922.
terminal and manufacturing points. D.B. 1019, p. 30. 1922.

INDEX TO PUBLICATIONS, 1901-1925   1453

Market(s)—Continued.
butter—
  by countries. D.C. 70, pp. 8-21. 1919.
  grades, establishment in various cities. D.B. 456, pp. 17-20, 36. 1917.
cabbage, principal cities and their sources of supply. D.B. 1242, pp. 27-37, 55-57. 1924.
carlot, perishable fruits and vegetables. Y.B., 1911, pp. 170-171. 1912; Y.B. Sep. 558, pp. 170-171. 1912.
cattle—
  locations and distances in South. D.B. 827, pp. 49, 50. 1921.
  receipts and location. Y.B., 1921, pp. 280-281. 1922; Y.B. Sep. 874, pp. 280-281. 1922.
  relation to feed supplies. Rpt. 112, pp. 8-9. 1916.
  in Mexico, for pure-bred beef from United States. D. E. Salmon. B.A.I. Bul. 41, pp. 28. 1902.
  prices for various ages of cattle. B.A.I. An. Rpt., 1905, pp. 209-210. 1907.
Center. *See* Center Market.
centers, livestock trade, development and location. Y.B., 1919, pp. 239, 243. 1920; Y.B. Sep. 809, pp. 239, 243. 1920.
central, list. Sec. Cir. 120, pp. 1-8. 1918; Sec. Cir. 155, p. 6. 1921.
changes after purchase of truck. D.B. 1254, pp. 4-6, 10-11. 1924.
cheese, prices, flavor requirements. B.A.I. An. Rpt., 1905, pp. 107-109. 1907.
city—
  conditions, charges, and customs. Y.B., 1909, p. 165. 1910; Y.B. Sep. 502, p. 165. 1910.
  corn consumption. D.B. 696, pp. 23-24. 1918.
  owned, studies. News L., vol. 2, No. 52, pp. 6-7. 1915.
  preferences and fancy products. Y.B., 1918, pp. 280, 282. 1919; Y.B. Sep. 768, pp. 6, 8. 1919.
  regulations and management. Y.B., 1914, pp. 181-183. 1915; Y.B. Sep. 636, pp. 181-183. 1915.
  supplies of late potatoes, sources and handling methods. F.B. 1317, pp. 28-32. 1923.
  versus home, importance of grade of products. Y.B., 1917, pp. 322-323. 1918; Y.B. Sep. 736, pp. 4-5. 1918.
classes—
  and grades, swine. F.B. 222, pp. 24-31. 1905.
  of horses. George M. Rommel. B.A.I. Bul. 37, pp. 32. 1902.
cleanliness, importance to public health. F.B. 375, p. 20. 1909.
Connecticut wood lots, selling methods, and values. For. Bul. 96, pp. 14-29. 1912.
construction, materials and details. Y.B., 1914, pp. 175-178. 1915; Y.B. Sep. 636, pp. 175-178. 1915.
contract—
  designation by Secretary. Y.B., 1921, p. 34. 1922; Y.B. Sep. 875, p. 34. 1922.
  rules and regulations in grain futures act. M.C. 10, pp. 1-65. 1923.
cooperative, work for farmers. Sec. Cir. 56, pp. 11-12. 1916.
corn, prices, etc., factors governing. Y.B., 1921, pp. 195-208. 1922; Y.B. Sep. 872, pp. 195-208. 1922.
cotton—
  classification, location, and functions. Y.B., 1921, pp. 383-385. 1922; Y.B. Sep. 877, pp. 383-385. 1922.
  conference, Washington, 1914. F.B. 620, pp. 8-15. 1914.
  for superior fiber. F.B. 501, pp. 19-21, 22. 1912.
  futures, amendment to regulations. Sec. Cir. 46, amdt. 6, pp. 1-2. 1915.
  in North Carolina, comparison of prices. D.B. 476, pp. 6-9, 17. 1917.
  lists. Mkts. S.R.A. 6, pp. 20-32. 1916; Mkts. S.R.A. 16, pp. 11-13. 1916.
  prices, by months. Y.B., 1921, pp. 613-615. 1922; Y.B. Sep. 869, pp. 33-35. 1922.
  primary, conditions in Oklahoma, studies. Wells A. Sherman and others. D.B. 36, pp. 36. 1913.
  spot and future, classification, and prices. Atl. Am. Agr., Pt. V, Sec. A., pp. 26-27. 1919.

Market(s)—Continued.
cotton—continued.
  study in Europe. Off. Rec. vol. 4, No. 42, pp. 1, 8. 1925.
country, potato handling methods. F.B. 1317, pp. 14-18, 26-27. 1923.
crop export movement and port facilities, Atlantic and Gulf. Stat. Bul. 38, pp. 1-80. 1905.
curb—
  organization and operation by women in Miami, Florida, scope and fees. News L., vol. 6, No. 4, p. 4. 1918.
  profits to girls and women. S.R.S. Rpt., 1921, p. 32. 1921.
cypress, with prices. D.B. 272, p. 17. 1915.
demands, meeting by canneries. Y.B., 1916, pp. 247-248. 1917; Y.B. Sep. 705, pp. 11-12. 1917.
distance—
  from farms, and truck ownership. D.B. 1254, pp. 4-5. 1924.
  relation to use of motor trucks. F.B. 1201, pp. 8, 20. 1921; F.B. 1314, pp. 2-3. 1923.
distribution creamery butter, jobbers' margins and methods. D.B. 456, pp. 26-28, 36-37. 1917.
drug, importance. Y.B., 1917, pp. 174-175. 1918; Y.B. Sep. 734, pp. 8-9. 1918.
elm lumber. D.B. 683, pp. 35-37. 1918.
establishment, financing, discussion. Y.B., 1914, pp. 178-181. 1915; Y.B. Sep. 636, pp. 178-181. 1915.
European—
  Russian wheat and wheat flour. I. M. Rubinow. Stat. Bul. 66, pp. 99. 1908.
  value to American farmers. News L., vol. 6, No. 40, pp. 1-2. 1919.
exchanges, Rhode Island, scope and profits. News L., vol. 6, No. 29, p. 15. 1919.
facilities in Nebraska, Perkins County. Soil Sur. Adv. Sh., 1921, p. 885. 1925.
farm—
  and terminal prices: Wheat, corn, and oats, crop movement year, 1920-21. I. W. Strowbridge. D.B. 1083, pp. 58. 1922.
produce—
  establishment between producers and consumers, summary. D.B. 266, pp. 24-25. 1915.
  Nebraska, Jefferson County. Soil Sur. Adv. Sh., 1921, p. 1446. 1925.
  timber, and prices. F.B. 1210, pp. 41-43. 1921.
feeder shipments in 1922. F.B. 1382, pp. 2-4. 1924.
finding for black-walnut. F.B. 1459, pp. 9-11. 1925.
food inspection, location. Sec. Cir. 144, pp. 5-6. 1919.
for grain of better qualities. B.P.I. Cir. 55, p. 36. 1910.
foreign—
  American agricultural products. Rpt. 67, pp. 53. 1901.
  competition and demands. Y. B., 1922, p. 18. 1923; Y.B. Sep. 883, p. 18. 1923.
  farmer's interest in. E. G. Montgomery and C. L. Leudtke. Y.B., 1920, pp. 495-503. 1921; Y. B. 860, pp. 495-503. 1921.
  for American meat. Y.B. 1923, p. 38. 1924.
  Government aid in extension, need. Rpt. 67, pp. 44-47. 1901.
  meat tariffs. Stat. Bul. 39, pp. 1-95. 1905.
  pork supply and demand. Y.B., 1922, pp. 248-253, 273, 279. 1923; Y.B. Sep. 882, pp. 248-253, 273, 279. 1923.
  relation to dairy industry. Y.B., 1902, pp. 153-154. 1903.
  reporting. B.A.E. Chief Rpt., 1925, pp. 46-47. 1925.
  service, 1920. An. Rpts., 1920, pp. 534-535. 1921.
  situation—
    1924. Sec. A.R., 1924, pp. 14-16. 1924.
    1925. Sec. A.R., 1925, pp. 11-13. 1925.
fruit, European. Off. Rec., vol. 4, No. 34, p. 4. 1925.
game—
  European, prices comparison with American. Y.B., 1910, p. 253, 1911; Y.B. Sep. 533, p. 253. 1911.
  of to-day. Henry Oldys. Y.B., 1910, pp. 243-254. 1911. Y.B. Sep. 533, pp. 243-254. 1911.

1454   UNITED STATES DEPARTMENT OF AGRICULTURE

Market(s)—Continued.
gardening—
crops, fertilizers. F.B. 124, pp. 12-16. 1901.
in Pennsylvania, southeastern, reconnoissance. Soil Sur. Adv. Sh., 1912, pp. 18, 22, 45, 85, 89, 91. 1914; Soils F.O., 1912, pp. 258, 262, 285, 326, 329, 331. 1915.
opportunities in coal regions of Pennsylvania. Y.B., 1909, pp. 324-327. 1910; Y.B. Sep. 516, pp. 324-327. 1910.
See also Gardening; Truck growing.
gardens, irrigation, in the vicinity of eastern cities. Edward B. Voorhees. O.E.S. Bul. 148, pp. 9-16. 1904.
goldenseal. B.P.I. Cir. 6, p. 18. 1908.
grain—
futures trading—
1922-1924. Gr. Fut. Ad. A.R., 1924, pp. 18-74. 1924.
1924-1925. Gr. Fut. Ad. A.R., 1925, pp. 1-32. 1925.
receipts and shipments of oats, 1911-1915. D.B. 755, p. 10. 1919.
reports of—
corn supply, December, 1916, to April, 1917. Mkts. S.R.A. 23, pp. 47. 1917.
inspectors and others. Mkts. S.R.A. 44, pp. 124. 1919.
shipments of corn and wheat, May-October, 1917. Mkts. S.R.A. 37, pp. 82. 1918.
trading in futures. S.B. 6, pp. 1-25. 1924.
grape, changes and outlook. D.B. 861, pp. 3-4. 1920.
Hawaiian, branch at San Francisco. Y.B., 1915, pp. 144-145. 1916; Y.B. Sep. 663, pp. 144-145. 1916.
hay—
conditions affecting value. Harry B. McClure. F.B. 362, pp. 29. 1909.
eastern, western, and southern, requirements. D.B. 979, pp. 46-49. 1921.
in southern cities, methods of sale, and requirements. F.B. 677, pp. 20-21. 1915.
leading, conditions and requirements. F.B. 508, pp. 29-36. 1912.
methods, demands, grading, and inspection. Rpt. 98, pp. 88-101. 1913.
receipts, 1913-1914, and 1923-1924. Y.B., 1924, p. 254. 1925.
selling and requirements, Southern States. F.B. 677, pp. 20-21. 1915.
shrinkage. H. B. McClure. D.B. 873, pp. 33. 1920.
weighing. G. A. Collier and H. B. McClure. D.B. 978, pp. 30. 1921.
hemp—
importations, mills, and duties. Y.B., 1913, pp. 337-341. 1914; Y.B. Sep. 628, pp. 337-341. 1914.
United States. B.P.I. Cir. 57, pp. 6-7. 1910.
hog, location and annual receipts. Y.B., 1922, pp. 231-233. 1923; Y.B. Sep. 882, pp. 231-233. 1923.
home and foreign, for summer apples. B.P.I. Bul. 194, p. 22. 1911.
home-canned products. S.R.S. Doc. 17, p. 5. 1915.
horses—
and mules, classes and grades. F.B. 334, pp. 22-25. 1908.
causes of depression during 1890-1900. B.A.I. Bul. 37, pp. 11-12. 1902.
selecting and judging. W. J. Kennedy. Y.B., 1902, pp. 455-468. 1903; Y.B. Sep. 286, pp. 455-468. 1903.
hunting licenses, legislation, restrictions. Biol. Bul. 19, pp. 14-15. 1904.
in—
Alabama, Choctaw County. Soil Sur. Adv. Sh., 1921, pp. 967, 978. 1925.
Alaska, available, and population. B.P.I. Bul. 82, p. 25. 1905.
China for American fruits. C. W. Moomaw and M. L. Franklin. D.C. 146, pp. 27. 1920.
Lake Region, in settlement and colonization. D.B. 1295, p. 55. 1925.
Mississippi, Alcorn County. Soils Sur. Adv. Sh., 1921, pp. 675, 677. 1924.
Missouri, Andrew County. Soil Sur. Adv. Sh., 1921, p. 819. 1925.

Market(s)—Continued.
in—continued.
Nebraska—
Antelope County. Soil Sur. Adv. Sh., 1921, pp. 760, 761. 1924.
Deuel County. Soil Sur. Adv. Sh., 1921, p. 711. 1924.
remarks. Soil Sur. Adv. Sh., 1921, p. 885. 1924.
Nevada, irrigated crops. B.P.I. Bul. 157, pp. 12, 14. 1909.
New York, Tompkins County. Soil Sur. Adv. Sh., 1921, pp. 1571, 1578. 1924.
Pennsylvania, Greene County. Soil Sur. Adv. Sh., 1921, p. 1253. 1925.
South Carolina, Spartanburg County. Soil Sur. Adv. Sh., 1921, pp. 411, 413. 1924.
Texas, Rio Grande Valley, transportation facilities. D.B. 665, pp. 22-23. 1918.
Utah, Provo area, uncertainties, and high transportation charges, studies. D.B. 582, pp. 36-37. 1918.
Washington, valuation appeal. Off. Rec., vol. 1, No. 14, p. 2. 1922.
information—
distribution in Hawaii. Y.B., 1915, p. 139. 1916; Y.B. Sep. 663, p. 139. 1916.
official. Y.B., 1918, pp. 280, 281, 286-288. 1919; Y.B. Sep. 768, pp. 6, 7, 12-14. 1919.
sources. F.B. 1316, pp. 11-12. 1923.
inspection—
cities and numbers of establishments. B.A.I. [Misc.], "Directory . . ." p. 52. 1925.
creamery butter, scope and duties of inspectors. D.B. 456, pp. 20-21, 36. 1917.
location, map and list, by States. Y.B., 1919, pp. 333-334. 1920; Y.B. Sep. 811, pp. 333-334. 1920.
of food products. Sec. Cir. 151, pp. 4-8. 1920; News L., vol. 6, No. 30, pp. 14-15. 1919.
of meats, regulations. B.A.I.O. 211, p. 54. 1914.
points, regulation 3. Sec. Cir. 160, p. 2. 1922.
privileges of cities. An. Rpts., 1908, p. 227. 1910; B.A.I. Chief Rpt., 1908, p. 13. 1908.
knowledge of, importance. W. A. Wheeler and Frank George. Y.B., 1920, pp. 127-146. 1921; Y.B., Sep. 834, pp. 127-146. 1921.
leading, hay receipts, monthly. S.B. 11, pp. 45-51. 1925.
lily, remarks. D.B. 1331, p. 16. 1925.
livestock—
Argentina, outlook. B.A.I. Bul. 48, pp. 7-8, 23-31. 1903.
centralized. Rpt. 113, pp. 36-41, 68-71. 1916.
congestion, prevention by official reports. Y.B., 1918, p. 391. 1919; Y.B. Sep. 788, p. 15. 1919.
Federal supervision. Louis D. Hall. Y.B., 1919, pp. 239-248. 1920; Y.B. Sep. 809, pp. 239-248. 1920.
location and receipts, and disposition of animals. Y.B., 1908, pp. 235-236. 1909; Y.B. Sep. 477, pp. 235-236. 1909.
methods commonly used in South. F.B. 809, pp. 3-5. 1917.
supervision and publicity. An. Rpts., 1918, pp. 51-52. 1919; Sec. A.R., 1918, pp. 51-52. 1918.
local—
county, and State, for canning-club projects, studies. Mkts. Doc. 5, pp. 1-2. 1917.
needs and demands. Y.B., 1914, pp. 169-171. 1915; Y.B. Sep. 636, pp. 169-171. 1915.
lumber—
changing demands. Rpt. 114, pp. 80-81. 1917.
irregularity as source of waste. M.C. 39, p. 44. 1925.
prices, costs, and competition. Rpt. 114, pp. 29-54, 76-81. 1917.
mahogany, remarks. D.B. 474, p. 9. 1917.
meat—
animals and packing house products. Stat. Bul. 40, pp. 1-92. 1906.
retail—
location and management. M.C. 54, pp. 2-43. 1925.
sources of supply. Rpt. 113, pp. 51-55. 1916.
methods of finding, by fruit and vegetable producers. D.B. 266, pp. 2-7. 1915.
milk. *See* Milk, market.

INDEX TO PUBLICATIONS, 1901-1925   1455

Market(s)—Continued.
  mule, southern, possibilities. B.A.I. An. Rpt.,
    1906, pp. 250-251. 1908; B.A.I. Cir. 124, p. 5.
    1908.
  mushrooms, picking, preparation, and prices.
    B.P.I. Bul. 85, pp. 11, 12. 1905; F.B. 204, pp.
    15-16. 1904.
  news—
    for farmers, cost of service. Rpt. 98, pp. 19-20.
      1913.
    grain, service for wheat States. Off. Rec., vol.
      1, No. 26, p. 1. 1922.
    help to producers. Y.B., 1919, pp. 111-112.
      1920; Y.B. Sep. 797, pp. 111-112. 1920.
    information by Markets Bureau, necessity and
      value. News L., vol. 5, No. 2, pp. 4-5. 1917.
    perishable crops, collection and distribution by
      Markets Office. News L., vol. 3, No. 35, p.
      2. 1916.
    receiving by radio. Off. Rec., vol. 4, No. 29,
      pp. 1-2. 1925.
    reporting service in Markets Bureau, details
      and results. Y.B., 1920, pp. 128-129, 131-146.
      1921; Y.B. Sep. 834, pp. 128-129, 131-146.
      1921.
    scope and circulation. Y.B., 1919, pp. 94-95, 97,
      100, 111-112. 1920; Y.B. Sep. 797, pp. 94-95,
      97, 100, 111-112. 1920.
    service—
      branch offices, fruits and vegetables. Y.B.,
        1918, pp. 280, 281, 286-288. 1919; Y.B. Sep.
        768, pp. 6, 7, 12-14. 1919.
      enlargement, and work of 1918. An. Rpts.,
        1918, pp. 20-23, 53. 1919; Sec. A.R., 1918,
        pp. 20-23, 53. 1918; Y.B., 1918, pp. 31-36, 72.
        1919.
      extension, use of radio. Y.B., 1922, pp. 22-23.
        1923; Y.B. Sep. 883, pp. 22-23. 1923.
      importance to hog producers. Y.B., 1922, p.
        264. 1923; Y.B. Sep. 882, p. 264. 1923.
      inception, growth, and methods. News L.,
        vol. 4, No. 10, pp. 1-3. 1916.
      on hay, feed, seed, and broomcorn. An.
        Rpts., 1923, p. 157. 1924; B.A.E. Chief
        Rpt., 1923, p. 27. 1923.
      on various commodities. An. Rpts., 1922,
        pp. 507, 513-517, 518, 520, 534. 1923; Mkts.
        Chief Rpt., 1922, pp. 3, 9-13, 14, 16, 30. 1922.
  onion—
    summary of prices, handling. D.B. 1325, pp.
      56-68. 1925.
    weekly unloads, 1916-1922. D.B. 1283, pp. 48-
      49. 1925.
    wholesale features. D.B. 1325, pp. 59-60.
      1925.
  open, ownership, control, and conditions of suc-
    cess. D.B. 1002, pp. 4-10. 1921.
  parcel post, methods of obtaining customers.
    D.B. 688, p. 17. 1918.
  pineapples, handling requirements. F.B. 1237,
    pp. 22-23. 1921.
  places, management, various localities. Rpt. 98,
    pp. 14-16. 1913.
  pop corn for. C. P. Hartley and J. G. Willier.
    F.B. 554, pp. 16. 1913.
  potato, price records, use by farmers and by
    dealers. F.B. 1317, pp. 9-12, 26-27, 34. 1923.
  poultry, and poultry product. B.A.I. An. Rpt.,
    1905, pp. 256-259. 1907.
  preferences in grapes. D.B. 861, pp. 50-53.
    1920.
  preparation of silk-worm cocoons. F.B. 165, pp.
    26-27. 1903.
  prices—
    conforming to supply and demand. D.B.
      1109, p. 21. 1923.
    decline in 1920. An. Rpts., 1920, pp. 11-12.
      1921; Sec. A.R., 1920, pp. 11-12. 1920.
    of—
      cotton, relation to qualities of cotton. D.B.
        457, pp. 1-15. 1916.
      hides and skins. F.B. 1055, pp. 53-62. 1919.
      livestock, tables. B.A.I. An. Rpt., 1905, pp.
        286-290. 1907.
      meat, method of fixing, suggestions. F.B.
        391, p. 9. 1910.
    "top of market" to pig-club members. News
      L., vol. 3, No. 24, p. 4. 1916.
  problems, irrigation farmers. Y.B., 1909, pp.
    206-207. 1910; Y.B. Sep. 505, pp. 206-207. 1910.

Market(s)—Continued.
  produce—
    in Nebraska, Dawson County. Soil Sur. Adv.
      Sh., 1922, pp. 393-394. 1925.
    study. Y.B., 1918, pp. 277-288. 1919; Y.B.
      Sep. 768, pp. 1-14. 1919.
  products, quality, relation to salableness, discus-
    sion. F.B. 707, pp. 1-2. 1916.
  public—
    for farm products. D.B. 266, p. 10. 1915.
    open types. McFall Kerbey. D.B. 1002, pp.
      18. 1921.
    value in distributing fruits and vegetables.
      D.B. 267, pp. 20-21. 1915.
  pulp and paper from Tongass National Forest.
    D.B. 950, pp. 19-22. 1921.
  quotations—
    explanation and use. Y.B., 1919, pp. 98-102.
      1920; Y.B. Sep. 797, pp. 98-102. 1920.
    studies. D.B. 266, pp. 4-5. 1915.
  refrigeration of poultry. Chem. Cir. 64, pp. 27-
    29. 1910.
  relation to successful agriculture. Sec. Cir. 50,
    pp. 7-9. 1915.
  reporting service—
    for livestock, meats, and wool. B.A.E. Chief
      Rpt., 1924. pp. 23-25. 1924.
    on Pacific coast. Off. Rec., vol. 1, No. 40, p. 2,
      1922.
  reports—
    broadcasting. Sec. A.R., 1924, pp. 53-55. 1924.
    directions for use, preservation and filing.
      Y.B., 1919, pp. 104-107, 112-113. 1920; Y.B.
      Sep. 797, pp. 104-107, 112-113. 1920.
    distribution. Sec. A.R., 1924, p. 40-42. 1924.
    Federal, on livestock and meats. James Atkin-
      son. Y.B., 1918, pp. 379-398. 1919; Y.B.
      Sep. 788, pp. 22. 1919.
    on—
      fruits, vegetables, livestock, and meats, use-
        fulness. An. Rpts., 1916, pp. 388, 397.
        1917; Mkts. Chief Rpt., 1916, pp. 4, 13. 1916.
      grain, hay, and seeds, by producers and con-
        sumers. News L., vol. 5, No. 3, pp. 4-5.
        1917.
      livestock. News L., vol. 6, No. 18, pp. 23-24.
        1918.
      production, and use in hay marketing. F.B.
        1265, pp. 13-15. 1922.
      value to cabbage sellers and buyers. D.B.
        1242, pp. 42-43. 1924.
    See also under names of commodities.
  retail public. G. V. Branch. Y.B., 1914, pp.
    167-184. 1915; Y.B. Sep. 636, pp. 167-184.
    1915.
  roads, economic value, and traffic records. D.B.
    136, rev., pp. 6-10. 1917.
  sea-island cotton, Charleston and Savannah
    systems. D.B. 146, pp. 10, 14. 1914.
  selection in consigning hay, directions. F.B.
    1265, pp. 2-5. 1922.
  service—
    for grain. Sec. A.R., 1924, pp. 40-41. 1924.
    organization and credit. Sec. [Misc.], "Or-
      ganization and credit * * * market serv-
      ice, April 29, 1913," pp. 15. 1913.
  sheep, discrimination against native lambs. F.B.
    1134, pp. 4-6. 1920.
  shipping facilities, Texas, Panhandle region.
    Soil Sur. Adv. Sh., 1910, pp. 13-14. 1911; Soils
    F.O., 1910, pp. 969-970. 1912.
  southern, for dairy products. B.A.I. An. Rpt.,
    1907, pp. 308-317. 1909; F.B. 349, pp. 7-16.
    1909.
  specifications for black-walnut logs. F.B. 1459,
    p. 2. 1925.
  spot—
    cotton designation. Sec. Cir. 159, pp. 23-24.
      1922.
    designation, explanation. Mkts. S.R.A. 3, p.
      6. 1915; Sec. Cir. 46, p. 16. 1915.
    elimination of—
      Fall River, Mass. Sec. Cir. 46, amdt. 2,
        p. 1. 1915.
      Waco, Tex. Sec. Cir. 46, amdt. 1, p. 1. 1915.
    stabilization, discussion by Secretary. Sec.
      A.R., 1925, pp. 14-17. 1925.
  standardizing for, extension work. D.C. 349, p.
    25, 1925.

Market(s)—Continued.
  standards for butter, seasonal changes. D.B. 682, pp. 8-9. 1918.
  station man, duties, work, and requirements. Y.B., 1919, p. 95. 1920; Y.B. Sep. 797, p. 95. 1920.
  stations, use of. G. B. Fiske. Y.B., 1919, pp. 94-114. 1920; Y.B. Sep. 797, pp. 94-114. 1920.
  statistics—
    Carl J. West and Lewis B. Flohr. D.B. 982, pp. 279. 1921.
    for farm products at trade centers. Rpt. 98, pp. 285-391. 1913.
  stock raisers, in Southern States. D.B. 762, p. 2. 1919.
  stocks and surplus products, estimates. Y.B., 1919, pp. 40, 44. 1920.
  summer apples. B.P.I. Bul. 194, p. 22. 1911.
  supervision, branch offices. Pack. and S. Ad. Rpt., 1924, p. 6. 1924.
  supplying stocker calves, receipts and shipments. F.B. 1218, p. 8. 1921.
  surveys, grades and standards, work of Markets Office. Mkts. Doc. 1, pp. 4-6. 1915.
  sweet potatoes—
    packages and packing. S.R.S. Syl. 26, pp. 17-18. 1917.
    preferences. F.B. 1442, pp. 14-15. 1925.
  table sirup, methods. Chem. Bul. 93, pp. 15, 16, 57. 1905.
  terminal—
    farmers' elevators. D.B. 937, pp. 12-15, 17-18. 1921.
    grading Northwest wheat. Mkts. S.R.A. 48, pp. 7. 1919.
    grain mixing and grading. Y.B., 1918, p. 341. 1919; Y.B. Sep. 766, p. 9. 1919.
    hay sales, classes of dealers and methods. D.B. 979, pp. 24-45. 1921.
    livestock handling, methods. D.B. 1150, pp. 30-33. 1923.
    terms, abbreviations and phrases, meaning. Y.B., 1919, pp. 98, 102-104. 1920; Y.B. Sep. 797, pp. 98, 102-104. 1920.
  Territorial in Hawaii, establishment and results. Y.B., 1915, pp. 134-145. 1916; Y.B. Sep. 663, pp. 134-145. 1916.
  timothy hay, distribution. F.B. 502, p. 30. 1912.
  tobacco—
    European, demands as to types. F.B. 343, pp. 27-28. 1909.
    location. B.P.I. Bul. 268, pp. 1-67. 1913.
    sale of 1902 and 1903, experimental products. Soils Bul. 29, pp. 26-27. 1905.
  train service, possibilities. G. C. White and T. F. Powell. Y.B., 1916, pp. 477-487. 1917; Y.B. Sep. 701, pp. 11. 1917.
  types in various cities, description and locations. Y.B., 1914, pp. 171-175. 1915; Y.B. Sep. 636, pp. 171-175. 1915.
  values—
    Frank Andrews. Y.B., 1906, pp. 371-386. 1907; Y.B. Sep. 430, pp. 371-386. 1907.
    wheat. Y.B., 1906, pp. 381-384. 1907; Y.B. Sep. 430, pp. 381-384. 1907.
  visiting by shipper, desirability and value. D.B. 266, pp. 5-6. 1915.
  wheat—
    effect on local farm price variations. D.B. 594, pp. 14-16, 19-20. 1918.
    foreign situation. Y.B., 1923, pp. 100-102. 1924.
    principal in 1869. Y.B., 1921, p. 92. 1922; Y.B. Sep. 873, p. 92. 1922.
    receipts, shipments, and flour production, 1911-1915. D.B. 594, pp. 15-16. 1918.
  wholesale, farmers of Mercer County, N. J. News L., vol. 7, No. 5, p. 12. 1919.
  woodlot products. F.B. 715, pp. 30-32. 1916.
  world, information, collection, and distribution. Y.B., 1920, pp. 500-503. 1921; Y.B. Sep. 860, pp. 500-503. 1921.
Marketgram service, extension. An. Rpts., 1923, p. 192. 1924; B.A.E. Chief Rpt., 1923, p. 62. 1923.
Marketing—
  activities—
    Bureau of Markets. Y.B., 1917, pp. 27-29, 98. 1918.

Marketing—Continued.
  activities—continued.
    list of States lacking. Mkts. Doc. 3, p. 7. 1916.
  agency, national, sales methods and policies. Asher Hobson and J. Burton Chaney. D.B. 1109, pp. 36. 1923.
  agricultural—
    cooperative organization methods. D.B. 178, pp. 24. 1915.
    products, bibliography. Emily L. Day and others. M.C. 35, pp. 56. 1925.
  American-grown Bermuda onions, and their distribution. W. Mackenzie Stevens. D.B. 1283, pp. 56. 1925.
  and handling Durango cotton in Imperial Valley. J. G. Martin and G. C. White. D.B. 458, pp. 23. 1917.
  apples—
    from Northwest, methods, and distribution. D.B. 935, pp. 7-8, 20-26. 1921.
    in—
      Colorado, grading and selling methods. D.B. 500, p. 41. 1917.
      Oregon, Hood River Valley. D.B. 518, pp. 17-18. 1917.
      Payette Valley, Idaho. D.B. 636, pp. 27-29. 1918.
    preparation for, barreling. F.B. 1080, pp. 1-40. 1919.
    value of crop and inspection for disease. D.B. 1253, p. 24. 1924.
  asparagus, methods. C.T. and F.C.D. Cir. 7, p. 8. 1919.
  association—
    cooperative—
      influence on berry industry of Puyallup Valley, Washington. D.B. 274, p. 2. 1915.
      financing, work, 1915. An. Rpts., 1915, pp. 368-369. 1916; Mkts. Chief Rpt., 1915, pp. 6-7. 1915.
      for fruits, vegetables, and cotton, methods. News L., vol. 4, No. 52, pp. 7-8. 1917.
      management and support. News L., vol. 3, No. 5, pp. 4-5. 1915.
      nonprofit, without capital stock, suggested form of by-laws. D.B. 541, pp. 14-22. 1918.
      with capital stock, suggested form of by-laws. D.B. 541, pp. 22-23. 1918.
      financing, and cooperative marketing. C. E. Bassett and others. Y.B., 1914, pp. 185-210. 1915; Y.B. Sep. 637, pp. 185-210. 1915.
      kinds, by States. D.B. 1302, pp. 28-29, 46-48, 50-54, 59-60, 62, 63. 1924.
      members' duties and agreements. Y.B., 1914, pp. 189, 194, 196, 198-199. 1915; Y.B. Sep. 637, pp. 189, 194, 196, 198-199. 1915.
      organization, forms, finances, by-laws, and officers. F.B. 1144, pp. 16-26. 1920.
      pineapple, advantages. P.R. Bul. 8, p. 35. 1909.
    avocados—
      in Guatemala, practices. D.B. 743, pp. 21-22. 1919.
      methods. Hawaii Bul. 25, pp. 28-32. 1911; Hawaii Bul. 51, p. 13. 1924.
    barley, grades and types. Y.B. 1922, pp. 497-498. 1923; Y.B. Sep. 891, pp. 497-498. 1923.
    beans—
      cleaning, grading, hand-picking, and prices. F.B. 907, pp. 12-13. 1917.
      methods, price per hundred pounds. F.B. 561, pp. 9-10. 1913.
    beef—
      age and style of cattle. B.A.I. An. Rpt., 1905, pp. 181-186. 1907.
      calves and yearlings. F.B. 1416, pp. 1, 12. 1924.
      cattle. F.B. 1073, pp. 18-20. 1919.
    bees, Massachusetts. Ent. Bul. 75, pp. 102-103, 107. 1911.
    beet seed, methods. Y.B., 1909, pp. 182-183. 1910; Y.B. Sep. 503, pp. 182-183. 1910.
    Belgian hares, killing, dressing, packing, and prices. F.B. 496, pp. 15-16. 1912.
    bibliography, agricultural products. Emily L. Day and others. M.C. 35, pp. 56. 1925.
    black-walnut timber. F.B. 1459, pp. 1-21. 1925.

Marketing—Continued.
  broomcorn—
    G. B. Alguire. D.B. 1019, pp. 32. 1922.
    methods. F.B. 174, pp, 25-30. 1903.
    prices of various grades. F.B. 768, pp. 15. 1916: F.B. 958, pp. 3, 19. 1916.
  business practice, study by Markets Office. Mkts. Doc. 1, p. 3. 1915.
  butter—
    advertising and salesmanship, requirements. D.B. 456, pp. 35-36. 1917.
    and cream in the South. Sec. [Misc.], Spec. "Marketing butter * * *," pp. 3. 1914.
    and eggs, principal cities. Stat. Bul. 93, pp. 50-86. 1913.
    by creameries, cooperation necessity. D.B. 690, pp. 10-11, 15. 1918.
    losses from various defects. D.C. 236, inside cover page. 1922.
    value of contracts to southern creameries. Sec. Cir. 66, p. 9. 1916.
  by farmers, of certain commodities, monthly, 1914-1922. M.C. 6, pp. 23-24. 1923.
  by parcel post and express. An. Rpts., 1916, pp. 393-394. 1917; Mkts. Chief Rpt., 1916, pp. 9-10. 1916.
  cabbage—
    Alexander E. Cance and George B. Fiske. D.B. 1242, pp. 60. 1924.
    cost. D.B. 1242, pp. 46-47. 1924.
  California—
    avocados, problem. D.B. 1073, p. 2. 1922.
    lemons, methods. Y.B., 1907, p. 349. 1908; Y.B. Sep. 453, p. 349. 1908.
  Camembert cheese, methods. B.A.I. Bul. 115, pp. 49-50. 1909.
  cane sirup—
    H. S. Paine and C. F. Walton, jr. D.B. 1370, pp. 72-75. 1925.
    by farmers, difficulties. D.C. 149, pp. 5-7. 1920.
    methods and prices. F.B. 1034, pp. 31-32. 1919.
  canned—
    fruit, methods. F.B. 426, p. 26. 1910.
    goods, methods. Y.B., 1916, pp. 248-249. 1917; Y.B. Sep. 705, pp. 12-13. 1917.
    tomatoes and tomato products, methods. F.B. 521, pp. 34-35. 1913.
  canning-club products—
    Lewis B. Flohr. Mkts. Doc. 5, pp. 8. 1917.
    notable success in Chattanooga. Y.B., 1916, pp. 260-261. 1917; Y.B. Sep. 710, pp. 10-11. 1917.
  cantaloupes, in the larger cities, with car-lot supply. Wells A. Sherman and others. D.B. 315, pp. 20. 1915.
  cattle—
    methods, seasonal movements, and prices. Y.B. 1921, pp. 277-312. 1922; Y.B. Sep. 874, pp. 277-312. 1922.
    pure-bred, in Argentine. D. E. Salmon. B.A.I. Cir. 37, pp. 4. 1902.
    shrinkage in shipping. F.B. 588, pp. 17-19. 1914.
  celery, preparation, shipping. F.B. 282, pp. 32-34. 1907.
  centers, rest rooms for women. Anne M. Evans. Y.B., 1917, pp. 217-224. 1918; Y.B. Sep. 726, pp. 10. 1918.
  cheese—
    by cooperative association, business practice and costs. Y.B., 1916, pp. 151-157. 1917; Y.B. Sep. 699, pp. 7-13. 1917.
    discussion. Y.B., 1922, pp. 363-364. 1923; Y.B. Sep. 879, pp. 70-71. 1923.
    Neufchatel, cream, and pimiento, possibilities. F.B. 960, pp. 17-18. 1918.
    suggestions. B.A.I. Bul. 165, p. 51. 1913.
  cherries from Willamette Valley. D.B. 331, pp. 1-28. 1916.
  chickens—
    and eggs, hints. B.A.I. Cir. 206, p. 4. 1912.
    time and method. D.C. 352, p. 26. 1925; F.B. 562, pp. 11, 12. 1913.
  citrus fruit(s)—
    cooperative agencies—
      methods and costs. A. W. McKay and W. Mackenzie Stevens. D.B. 1261, pp. 35. 1924.

Marketing—Continued.
  citrus fruit(s)—continued.
    cooperative agencies—continued.
      organization and development. A. W. McKay and W. Mackenzie Stevens. D.B. 1237, pp. 68. 1924.
    crop of California. B.P.I. Bul. 123, pp. 11-20. 1908.
    Florida. D.B. 63, pp. 11-12. 1914.
    methods. F.B. 1122, p. 42. 1920; F.B. 1447, pp. 40-42. 1925.
    organization in Florida. Hawaii A.R., 1915, p. 69. 1916.
    promptness necessary to control rot. D.C. 293, pp. 7, 9. 1923.
    competition and cooperation. Y.B., 1918, pp. 279-280. 1919; Y.B. Sep. 768, pp. 5-6. 1919.
    conditions and methods. D.B. 267, pp. 24-26. 1915.
    cooperation, progress. Off. Rec., vol. 4, No. 27, pp. 2, 7. 1925.
  cooperative—
    O. B. Jesness. F.B. 1144, pp. 27. 1920.
    and financing of marketing associations. C. E. Bassett and others. Y.B., 1914, pp. 185-210. 1915; Y.B. Sep. 637, pp. 185-210. 1915.
  associations—
    number and growth in United States. F.B. 1144, p. 3. 1920.
    organization in North and West, 1915-1920. S.R.S. Rpt., 1921, pp. 43-44. 1921.
    origin, and rise. D.B. 1109, pp. 5-9. 1923.
    benefits, requirements, and reports of associations. Rpt. 98, pp. 17, 19, 26, 27, 54, 72, 120, 132, 162, 166-284. 1913.
    broomcorn growers. D.B. 1019, pp. 30-32. 1922.
    Chinese methods. D.C. 146, pp. 11-12. 1920.
    citrus fruit. D.B. 1237, pp. 1-68. 1924.
    demonstration work, in South, 1918. S.R.S. Rpt., 1918, pp. 41-44, 69. 1919.
    development in South, aid of county agents. D.C. 248, pp. 21-23. 1922.
    for timber. F.B. 1459, p. 10. 1925.
    in Hawaii. Hawaii A.R., 1913, pp. 10-12. 1914.
    lamb clubs, Tennessee. News L., vol. 1, No. 22, pp. 3-4. 1914.
    of cranberries. F.B. 1402, pp. 26-30. 1924.
    of hogs. Y.B., 1922, pp. 237-241, 265-267. 1923; Y.B. Sep. 882, pp. 237-241, 265-267. 1923.
    on reclamation projects, advantages. Y.B., 1916, pp. 186, 189, 193, 197. 1917; Y.B. Sep. 690, pp. 10, 13, 17, 21. 1917.
  organizations—
    aid of department. Y.B., 1915, pp. 272m-272n. 1916; Y.B. Sep., 675, pp. 272m-272n. 1916.
    among farmers in United States. D.B. 547, pp. 1-82. 1917.
    principles and organizations, suggestions. C. E. Bassett and O. P. Jesness. Y.B., 1917, pp. 385-393. 1918; Y.B. Sep. 738, pp. 11. 1918.
    purpose and possibilities. F.B. 1144, pp. 3-6. 1920.
    stores, business practice and accounts. D.B. 381, pp. 1-56. 1916.
    success, essentials and principles. F.B. 1144, pp. 8-12. 1920.
  tobacco, packing and pooling. Y.B., 1922, pp. 439-442. 1923; Y.B. Sep. 885, pp. 439-442. 1923.
  wheat in California, Oregon, Washington, and Idaho. Stat. Bul. 89, p. 87. 1911.
  woodland products. A. F. Hawes. F.B. 1100, pp. 15. 1920.
  work of county agents. D.C. 244, pp. 20-22, 39. 1922.
  cordwood, methods, municipal wood yards, and price. D.B. 753, pp. 17-21. 1919.
  corn, prices and factors governing. Y.B. 1921, pp. 195-208. 1922; Y.B. Sep. 872, pp. 195-208. 1922.
  costs—
    in 1923. Y.B., 1923, p. 980. 1924; Y. B. Sep. 902, p. 980. 1924.
    relation to profitable crop production by irrigation. Y.B., 1911, pp. 372, 373-374. 1912; Y.B., Sep. 576, pp. 372, 373-374. 1912.
    standing timber. F.B. 715, p. 30. 1916.

Marketing—Continued.
  cottage cheese—
    methods. B.A.I. Doc. A-19, p. 4. 1917; D.B. 576, pp. 8-10, 14-16. 1917; F.B. 850, pp. 11-12. 1917; F.B. 1451, p. 9. 1925.
    suggestions. Delos L. James. D.C. 1, pp. 14. 1919.
  cotton—
    and distribution. Atl. Am. Agr., Pt. V, Sec. A., pp. 24-28. 1919.
    and prices. Y.B., 1921, pp. 385-390. 1922; Y.B. Sep. 877, pp. 385-390. 1922.
    Arizona-Egyptian of Salt River Valley and handling. J. G. Martin. D.B. 311, pp. 16. 1915.
    by farmers, methods, improvement. D.C. 48, pp. 1-8. 1919.
    cooperation, advantages. D.B. 1111, pp. 22-24. 1922.
    demands, standardization, cooperation. Sec. Cir. 88, pp. 20-30. 1918.
    economies, and suggestions. D.B. 457, pp. 12-13. 1916.
    lessons. M.C. 43, pp. 9-10. 1925.
    lint and seed, time and labor. D.B. 896, pp. 38-40. 1920.
    in the seed, disadvantages. D.B. 375, pp. 1-19. 1916; D.B. 775, pp. 1-8. 1916.
    influence of storage on prices. D.B. 277, pp. 1-3. 1915.
    long-fiber. F.B. 501, rev., pp. 19-21. 1920.
    methods, and buyers for Durango varieties. D.B. 458, pp. 14-17. 1917.
    price comparison. D.B. 476, pp. 9-16, 17-18. 1917.
    relation of warehouse. Y.B., 1918, pp. 400-404. 1919; Y.B. Sep. 763, pp. 4-8. 1919.
  cowpea-seed crop. J. E. Barr. F.B. 1308, pp. 27. 1923.
  cranberries—
    expenses. D.B. 1109, pp. 27-35. 1923.
    financial assistance. F.B. 1402, pp. 29-30. 1924.
    national cooperation. D.B. 1109, pp. 7-9. 1923.
  creamery—
    butter. Roy C. Potts and H. F. Meyer. D.B. 456, pp. 38. 1917.
    of eggs. F.B. 656, p. 3. 1915.
  crops—
    Colorado sugar-beet districts. D.B. 917, pp. 40-42. 1921.
    economic needs, discussion. B.P.I. Cir. 118, pp. 3-10. 1913.
    grown in frames. F.B. 460, pp. 27-29. 1911.
    hauling, day's work. D.B. 3, pp. 40-42. 1913.
    losses, prevention methods, suggestions. Y.B., 1908, pp. 212-215. 1909; Y.B. Sep. 475, pp. 212-215. 1909.
  cucumbers, injury by cottony leak. J.A.R., vol. 30, pp. 1035-1042. 1925.
  dairy—
    and poultry products, work in 1922. An. Rpts., 1922, pp. 517-519. 1922; Mkts. Chief Rpts., 1922, pp. 13-15. 1922.
    cows, value of production records. F.B. 1446, pp. 6-7. 1925.
    products—
      and records, school lesson. D.B. 763, pp. 12-13. 1919.
      discussion. Y.B., 1922, pp. 351-375, 386-389. 1923; Y.B. Sep. 879, pp. 60-80, 91-94. 1923.
      exhibit at National Dairy Show, 1920. D.C. 139, pp. 15-16. 1920.
      information. Mkts. [Misc.], "Dairy marketing information," pp. 8. 1919.
  Danish butter by cooperative associations. D.B. 1266, pp. 24-31. 1924.
  dasheens, testing, grading, packing, and shipping. F.B. 1396, pp. 18-22. 1924.
  deciduous fruits, Pacific coast, conditions and needs. Y.B., 1909, pp. 367-369. 1910; Y.B. Sep. 520, pp. 367-369. 1910.
  demonstrations in the South. Bradford Knapp. Y.B., 1919, pp. 205-222. 1920; Y.B. Sep. 808, pp. 205-222. 1920.
  domestic and foreign. Sec. A.R., 1925, pp. 11-13, 26-28, 34-37, 42-43. 1925.
  drug plants. F.B. 663, pp. 9-10. 1915.

Marketing—Continued.
  duck, preparation, time and prices. F.B. 697, pp. 20-21. 1915.
  Durango cotton in Imperial Valley, and handling. J. G. Martin and G. C. White. D.B. 458, pp. 23. 1917.
  early potatoes, practices. F.B. 407, pp. 23-24. 1910.
  efficiency, Fruit Products Exchange, methods. D.B. 1237, pp. 40-41. 1924.
  eggs—
    Harry M. Lamon. Y.B., 1911, pp. 467-478. 1912; Y.B. Sep. 584, pp. 467-478. 1912.
    Rob R. Slocum. F.B. 1378, pp. 29. 1924.
    and—
      fowls. O.E.S.F.I.L. 10, pp. 20. 1909; rev., 1910.
      poultry, improved methods. B.A.I. An. Rpt., 1911, pp. 249-250. 1913.
      rules for handling. S.R.S. Syl. 17, pp. 17-18. 1916.
    by parcel post—
      Lewis V. Flohr. F.B. 830, pp. 23. 1917.
      methods. F.B. 656, p. 3. 1915.
      methods. F.B. 594, pp. 17-18, 20. 1914; F.B. 656, p. 3. 1915.
    candling and grading. D.B. 565, pp. 1-2. 1918.
    cooperation methods. F.B. 656, pp. 1-3. 1915.
    damages, investigations, importance. D.B. 664, pp. 2-3. 1918.
    directions. B.A.I. Cir. 208, pp. 8-10. 1913; S.R.S. Syl. 17, pp. 17-18. 1915; Y.B., 1919, pp. 316-317. 1920; Y.B. Sep. 800, pp. 10-11. 1920.
    hints on packing and shipping. F.B. 1040, pp. 22-23. 1919.
    improvement suggestions. F.B. 517, pp. 13-15. 1912.
    in Denmark, collection, selling, and exporting. D.B. 1266, pp. 47-54. 1924.
    injurious methods. Y.B., 1910, pp. 466-467, 475-476. 1911; Y.B. Sep. 552, pp. 466-467, 475-476. 1911.
    loss due to poor handling. B.A.I. Bul. 141, pp. 11-14, 31-38. 1911.
    methods. B.A.I. Cir. 140, pp. 18-25, 28-34. 1909; F.B. 562, pp. 10-11, 12. 1913.
    promptness necessary for improvement of industry. Y.B., 1911, pp. 470, 471, 476, 477. 1912; Y.B. Sep. 584, pp. 470, 471, 476, 477. 1912.
    suggestions to producers and shippers. B.A.I. Bul. 141, pp. 42-43. 1911.
    through the creamery. Rob. R. Slocum. B.A.I. An. Rpt., 1909, pp. 239-246. 1911; F.B. 445, pp. 12. 1911.
  Egyptian cotton, methods, comparisons. D.B. 332, pp. 19-20. 1916; D.B. 742, pp. 9, 10, 19. 1919.
  exchanges, coordinating demand with supply. D.B. 1109, pp. 20-21. 1923.
  export tobacco, method. B.P.I. Bul. 143, pp. 49-50. 1909.
  extension work—
    1915-1920, cost. Off. Rec., vol. 1, No. 23, p. 3. 1922.
    1923. D.C. 347, p. 17. 1925.
    1924. Ext. Dir. Rpt., 1924, p. 11. 1924.
  facilities in various States, counties, and areas. See Soil Surveys.
  farm—
    butter, methods. F.B. 541, pp. 18-19. 1913.
    cooperative associations, methods. D.B. 266, pp. 7-9. 1915.
    difficulties and improvement methods. Sec. Cir. 146, pp. 8-10. 1919.
    problems, study. Sec. Cir. 153, p. 6. 1920.
    produce—
      by trains, results and advantages. Y.B., 1916, pp. 482-484. 1917; Y.B. Sep. 701, pp. 6-8. 1917.
      help of railroads. Stat. Bul. 100, pp. 31-32. 1912.
      in Washington, D. C., D.B. 848, pp. 16-17. 1920.

Marketing—Continued.
  farm—continued.
    products—
      Mkts. [Misc.], "After Hoboken?" pp. 11. 1919.
      and demand at trade centers. George K. Holmes. Rpt. 98, pp. 391. 1913.
      assistance, work of county agents. S.R.S. Doc. 88, pp. 20-21. 1918.
      by parcel post. F.B. 830, p. 21. 1917.
      importance in farm management. B.P.I. Bul. 259, pp. 35, 53. 1912.
      needs of farm women, discussion. Rpt. 106, pp. 43-59. 1915.
      problems. Y.B., 1919, pp. 43-45. 1920.
      problems and suggestions for improvement. M.C. 32, pp. 63-94. 1924.
      recommendations by Secretary. News L., vol. 3, No. 20, pp. 1, 2-3. 1915.
      school exercises and studies. S.R.S. Doc. 72, pp. 1-12. 1917.
      seasonal suggestions for each month. F.B. 1202, pp. 4-49. 1921.
      suggestions for shippers. Y.B., 1917, pp. 324-325. 1918; Y.B. Sep. 736, pp. 6-7. 1918.
      work of women's organizations. D.B. 719, pp. 8-9. 1918.
    slaughtered meats. Rpt. 113, pp. 60-63. 1916.
    timber, lesson for rural schools. D.B. 863, pp. 18-19. 1920.
  feeds, conditions, price-controlling factors, studies and methods. D.B. 1124, pp. 15-17. 1922.
  figs, care. F.B. 342, p. 25. 1909.
  fish from Pacific coast. Y.B., 1915, pp. 155-158. 1916; Y.B. Sep. 665, pp. 155-158. 1916.
  flaxseed, and location of markets. Y.B., 1922, pp. 543-545. 1923; Y.B. Sep. 891, pp. 543-545. 1923.
  food products—
    aid of Markets Bureau. News L., vol. 5, No. 3, pp. 1, 4-5. 1917.
    in cities, methods and studies. News L., vol. 2, No. 52, pp. 6-7. 1915.
  forest products, American methods compared with French. F.B. 1100, pp. 14-15. 1920.
  fox stock and pelts. F.B. 795, pp. 29-31. 1917.
  fruit(s)—
    and produce, American auctions. D.B. 1362, pp. 1-36. 1925.
    and truck crops, cooperation. F.B. 309, pp. 20-23. 1907.
    and vegetables—
      cooperative work and studies in Rhode Island. News L., vol. 5, No. 2, pp. 4-5. 1917.
      improvement. Sec. A.R., 1924, pp. 34-37. 1924.
      school work. S.R.S. Doc. 72, pp. 2-6. 1917.
    Chinese methods. D.C. 146, pp. 9-12. 1920.
    cooperation. G. Harold Powell. Y.B., 1910, pp. 391-406. 1911; Y.B. Sep. 546, pp. 391-406. 1911.
    domestic and imported, Australia and New Zealand. D.C. 145, pp. 3-4, 8-9. 1921.
    deciduous, Pacific coast, conditions and needs. Y.B., 1909, pp. 367-369. 1910; Y.B. Sep. 520, pp. 367-369. 1910.
  garden—
    perishables, value of improved facilities. Sec. Cir. 103, p. 17. 1918.
    surplus. Mkts. Doc. 6, pp. 4-10. 1917.
  grain—
    and live stock in the Pacific coast region. Frank Andrews. Stat. Bul. 89, pp. 94. 1911.
    Argentina, transportation methods and rates. Y.B., 1915, pp. 294-295. 1916; Y.B. Sep. 677, pp. 294-295. 1916.
    at country points. George Livingston and K. B. Seeds. D.B. 558, pp. 45. 1917.
    conditions in Canada. D.B. 937, pp. 4-5. 1921.
    cooperative, a comparative study of methods, United States and in Canada. J. M. Mehl. D.B. 937, pp. 21. 1921.
    grown under irrigation, cost and table. F.B. 399, p. 22. 1910.
    Russian system. Stat. Bul. 65, pp. 14-15, 24. 1908.
  grapes, eastern. Dudley Alberton. D.B. 861, pp. 61. 1920.
  guinea fowl, preparation, demand, and prices. F.B. 234, pp. 14-18. 1905; F.B. 858, pp. 14-15. 1917; F.B. 1391, pp. 11-12. 1924.

Marketing—Continued.
  hairy-vetch seed, methods. D.B. 876, pp. 22-24, 28. 1920.
  Hawaiian fruits. J. E. Higgins. Hawaii Bul. 14, pp. 44. 1907.
  hay—
    at country points. H. B. McClure and G. A. Collier. D.B. 977, pp. 28. 1921.
    business methods. G. A. Collier. F.B. 1265, pp. 25. 1922.
    by producers, methods, and costs. D.B. 977, pp. 11-21. 1921.
    Southern States, and requirements. F.B. 677, pp. 20-21. 1915.
    methods. F.B. 502, pp. 30-31. 1912.
    shipping methods, weights, inspection, and grades. F.B. 508, pp. 23-36. 1912.
    through terminal markets. G. A. Collier and H. B. McClure. D.B. 979, pp. 52. 1921.
  henequen fiber, methods and prices. D.B. 1278, p. 18. 1924.
  hickory, methods, improvements suggested. For. Cir. 187, pp. 13-15, 16. 1911.
  hides and skins. F.B. 1055, pp. 46-51, 52. 1919.
  hogs—
    by motor truck. Off. Rec., vol. 3, No. 41, p. 4. 1924.
    history, methods, problems, and costs. Y.B., 1922, pp. 227-268. 1923; Y.B. Sep. 882, pp. 227-268. 1923.
    practices, North Platte reclamation project. D.R.P. Cir. 1, pp. 11-12. 1915.
  honey—
    buckwheat region methods. F.B. 1216, p. 25. 1922.
    in comb. F.B. 1039, p. 40. 1919.
    suggestions. D.B. 685, pp. 30-35. 1918; F.B. 1215, p. 26. 1922; F.B. 1222, pp. 23-24. 1922.
  hops, methods. F.B. 304, pp. 37-39. 1907.
  horses, methods and suggestions. B.A.I. Bul. 37, pp. 14-16. 1902.
  importance, and research work. Y.B., 1921, pp. 18-22, 28. 1922; Y.B. Sep. 875, pp. 18-22, 28. 1922.
  in Hawaii, territorial division, work, appropriations. Hawaii A.R., 1915, pp. 10-12, 45. 1916.
  inspection of meat and meat products. B.A.I.O. 211, rev., pp. 45-46. 1922.
  interstate—
    corporation. Off. Rec., vol. 3, No. 14, pp. 1-2. 1914.
    of canning-club products, State and Federal requirements. Mkts. Doc. 5, pp. 7-8. 1917.
  lambs—
    advantages of castration and docking. F.B. 1134, pp. 4-8. 1920.
    and wool, on Minidoka project, time and methods. D.B. 573, pp. 24-25. 1917.
  legislative appropriations, Hawaii, 1917. Hawaii A.R., 1917, pp. 10-11, 56. 1918.
  lettuce, harvesting and packing. F.B. 1418, pp. 15-17. 1924.
  lily, Madonna. D.B. 1331, pp. 12-13. 1925.
  livestock—
    Charles S. Plumb. F.B. 184, pp. 40. 1903.
    1924, report of Packers and Stockyards Administration. Pack. and S. Ad. Rpt., 1924, pp. 1-32. 1924.
    and meats—
      cost factors. Rpt. 113, pp. 16-63. 1916.
      methods and cost. Louis D. Hall and others. Rpt. 113, pp. 98. 1916.
    at American cities, 1900-1915. Rpt. 109, p. 306. 1916.
    by cooperative shipping associations. F.B. 1292, pp. 5-17. 1923.
    expense memorandum. Mkts. [Misc.], "Memorandum of livestock * * *." (Blank forms.) 1921.
    in—
      Australia and New Zealand. Y.B., 1914, pp. 425-426. 1915; Y.B. Sep. 650, pp. 425-426. 1915.
      Los Angeles, plan. Off. Rec., vol. 2, No. 23, p. 3. 1923.
      the South, suggestions for improvement. S. W. Doty. F.B. 809, pp. 16. 1917.

Marketing—Continued.
  livestock—continued.
    methods of selling and prorating. D.B. 1150, pp. 30-47. 1923.
    prices, 1925. Sec. A.R., 1925, pp. 8-10. 1925.
    receipts at stockyards, 1915-1922. Y.B., 1922, pp. 834-836, 879-881, 899-901, 913. 1923; Y.B. Sep. 888, pp. 834-836, 879-881, 899-901, 913. 1923.
    regulation and supervision. An. Rpts., 1923, pp. 664-672. 1923; Pack. and S. Ad. Rpt., 1923, pp. 8-16. 1923.
    report of Chicago conference, availability. News L., vol. 3, No. 37, p. 3. 1916.
    revised standards. Off. Rec., vol. 2, No. 40, p. 3. 1923.
  local crops, in Hawaii. Hawaii A.R., 1920, pp. 69-70. 1920.
  long-staple cotton, need of community action. B.P.I. Cir. 123, p. 5. 1913.
  lumber—
    concentration tendencies. For. [Misc.], "Timber depletion * * *," pp. 64-66. 1920.
    products from small mills. D.B. 718, pp. 7-8. 1918.
  Maine potatoes. C. T. More and G. V. Branch. Sec. Cir. 48, pp. 7. 1915.
  maple sugar in packages. For. Bul. 59, pp. 43-44. 1905.
  meats—
    methods of retailing. M.C. 54, pp. 1-44. 1925.
    retail agencies of distribution, methods of merchandising, and operating expenses and profits. Herbert C. Marshall. D.B. 1317, pp. 86. 1925.
  methods—
    and costs. Y.B., 1909, pp. 161-172. 1910; Y.B. Sep. 502, pp. 161-172. 1910.
    different products, studies, Markets Office. Mkts. Doc. 1, pp. 3-4, 5-7, 8-11, 13-14. 1915.
    for fruit and vegetable shippers. D.B. 266, pp. 1-28. 1915.
    successful New York farm. D.B. 32, pp. 8, 23, 24. 1913.
  milk—
    delivery costs. Mkts. [Misc.], "Costs. You know * * *," pp. 3. 1921.
    economic phases. D.B. 639, pp. 1-2. 1918.
    methods in cooperative milk plants. D.B. 1095, pp. 4-44. 1922.
    transportation, unloading, and city supplies. Y.B. 1922, pp. 351-361, 386-389. 1923; Y.B. Sep. 879, pp. 60-68, 91-94. 1923.
  mill feeds. G. C. Wheeler. D.B. 1124, pp. 20. 1922.
  moleskins, methods. F.B. 1247, p. 23. 1922.
  muskmelons in West, and distribution. O. W. Schleussner and C. W. Kitchen. D.B. 401, pp. 38. 1916.
  need of standard containers. News L., vol. 6, No. 43, p. 3. 1919.
  news—
    collection and distribution, methods. News L., vol. 4, No. 10, pp. 1-3. 1916.
    service, expansion Y.B., 1923, p. 28. 1924.
  nuts, and handling. F.B. 332, pp. 26-28. 1908.
  oats, preparation, weight, and market grades. F.B. 420, pp. 11-14. 1910.
  onions—
    Alexander E. Cance and George B. Fiske. D.B. 1325, pp. 71. 1925.
    sales methods. D.B. 1283, pp. 22-29. 1925; F.B. 354, pp. 27-29, 31, 33. 1909.
  oranges—
    Porto Rico. P.R. Bul. 4, pp. 1-24. 1904.
    Satsuma, situation. B.P.I. Doc. 457, pp. 5-6. 1909.
  organizations—
    cooperative buying and selling, and elevators. Y.B., 1915, pp. 272m-272n. 1916; Y.B. Sep. 675, pp. 272m-272n. 1916.
    in United States and Canada, examples. D.B. 937, pp. 6-18. 1921.
  parcel post—
    and express work of Markets Division. Mkts. Doc. 1, pp. 8-9. 1915.
    conditions governing, containers and time of day. News L., vol. 4, No. 12, pp. 1-2. 1916.

Marketing—Continued.
  parcel post—continued.
    for berries and cherries. C. C. Hawbaker and Charles A. Burmeister. D.B. 688, pp. 18. 1918.
    methods, rates and weights. F.B. 611, pp. 16-22. 1914.
    need of business methods. F.B. 922, pp. 1-20. 1918.
    relation of producer to consumer, adjustment. F.B. 703, p. 2. 1916.
    suggestions. Lewis B. Flohr and C. T. More. F.B. 703, pp. 19. 1916.
  peaches, cost. Off. Rec., vol. 3, No. 34, p. 2. 1924.
  peanuts, methods. F.B. 1127, p. 25. 1920; O.E.S. F.I.L. 13, pp. 16-17. 1912; S.R.S. Doc. 45, p. 1. 1917.
  pears, methods. F.B. 482, pp. 24, 25. 1912.
  pecan, discussion. F.B. 700, p. 27. 1916.
  perishable produce, waste reduction, and methods. Y.B., 1911, pp. 165-176. 1912; Y.B. Sep. 558, pp. 165-176. 1912.
  pheasants, demands, and shipping methods. F.B. 390, pp. 33-34. 1910.
  pineapples—
    in Porto Rico, Cuba, and Florida. Hawaii A.R., 1915, pp. 61-62, 64, 65, 66. 1916.
    preparation and shipping. P.R. Bul. 8, pp. 29-36. 1909.
  plant products, improvements, 1896-1908. Rpt. 87, p. 83. 1908.
  pop corn, time, methods, and prices. F.B. 554, pp. 12-13. 1913; rev., pp. 9-10, 12. 1920.
  potatoes—
    early crop. George B. Fiske and Paul Froehlich. F.B. 1316, pp. 33. 1923.
    improvement of methods, suggestions. Sec. Cir. 48, pp. 4-6. 1915; Sec. Cir. 92, pp. 36-39. 1918.
    in—
      carloads, by States, 1916-1924. S.B. 10, pp. 22-26. 1925.
      irrigation districts. F.B. 953, p. 23. 1918.
    Maine. C. T. More and G. V. Branch. Sec. Cir. 48, pp. 7. 1915.
    Southern States. F.B. 1205, pp. 25-26, 37. 1921.
    lesson for rural schools. D.B. 784, pp. 7-8. 1919.
    main crop. Wells A. Sherman and others. F.B. 1317, pp. 37. 1923.
    methods, various sections. F.B. 753, pp. 29-36. 1916.
    object lessons in different sections. F.B. 1316, pp. 19-30. 1923.
    principal markets, 1916-1924. S.B. 10, pp. 27-30. 1925.
    time and method. B.P.I. Doc. 884, p. 8. 1913.
    unloads, by cities and States of origin. S.B. 10, pp. 29-35. 1925.
  poultry—
    Rob R. Slocum. F.B. 1377, pp. 30. 1924.
    and—
      dairy products, school work. S.R.S. Doc. 72, pp. 6-8. 1917.
      eggs, simple rules. F.B. 528, p. 11. 1913.
      poultry products. F.B. 287, rev., pp. 30-32. 1921.
    by parcel post, advantages and methods. News L., vol. 5, No. 14, pp. 1, 3. 1917.
    community work, advantages. Y.B., 1918, p. 113. 1919; Y.B. Sep. 778, p. 7. 1919.
    coops and cars. B.A.I. Bul. 140, pp. 9-11. 1911.
    directions. S.R.S. Syl. 17, pp. 11-13. 1916.
    suggestions. D.B. 18, p. 8. 1919; F.B. 1112, p. 8. 1920; S.R.S. Syl. 17, pp. 11-13. 1915.
  practices of Wisconsin and Minnesota creameries. Roy C. Potts. D.B. 690, pp. 15. 1918.
  principles in rural organization. Y.B., 1913, pp. 252, 255-256. 1914; Y.B. Sep. 626, pp. 252, 255-256. 1914.
  produce, help to Hawaiian farmers. E. V. Wilcox. Y.B., 1915, pp. 131-146. 1916; Y.B. Sep. 663, pp. 131-146. 1916.
  prunes from Willamette Valley. D.B. 331, pp. 1-28. 1916.
  rabbits, cooperative work. F.B. 1090, pp. 20-21. 1920.

INDEX TO PUBLICATIONS, 1901-1925 — 1461

Marketing—Continued.
  red raspberries, in Puyallup Valley, shipping methods. D.B. 274, pp. 14-16, 36. 1915.
  reindeer meat in Alaska. D.B. 1089, pp. 16-17. 1922.
  relation to—
    plantation system, operators, croppers, and tenants. D.B. 1269, pp. 65-67. 1924.
    rural economics. S.R.S. Doc. 72, pp. 9-11. 1917.
  retail, of meats. Henry C. Marshall. D.B. 1317, pp. 86. 1925.
  rice, methods. Y.B., 1922, pp. 520, 522. 1923; Y.B. Sep. 891, pp. 520, 522. 1923.
  rye, suggestions. Y.B., 1918, pp. 181, 182. 1919; Y.B. Sep. 769, pp. 15, 16. 1919.
  sales methods and policies of a growers' national marketing agency. Asher Hobson and J. Burton Chaney. D.B. 1109, pp. 36. 1923.
  sea-island cotton, market locations, packing methods, size of bales, and price variations. F.B. 787, pp. 5-6. 1916.
  seed, hints for the farmer. George C. Edler. F.B. 1232, pp. 31. 1921.
  sheep, history, movement, and prices. Y.B., 1923, pp. 275-290. 1924; Y.B., Sep. 894, pp. 275-290. 1924.
  snails, classes and prices. Y.B., 1914, pp. 498-499. 1915; Y.B. Sep. 653, pp. 498-499. 1915.
  sorghum hay, directions. F.B. 458, p. 21. 1911.
  squabs, methods, time, and prices. F.B. 684, pp. 12-13. 1915.
  State activities, survey. Mkts. Doc. 3, pp. 7. 1916.
  steers, expense. F.B. 1218, pp. 28-29. 1921.
  strawberries—
    and distribution, 1915. O. W. Schleussner and J. C. Gilbert. D.B. 477, pp. 32. 1917.
    packages, refrigeration, and grading. F.B. 664, pp. 15-17. 1915; F.B. 979, pp. 1-27. 1918.
  surplus vegetables, methods and organized aid. Mkts. Doc. 6, pp. 4-10. 1917.
  sweet potatoes—
    grading packages. F.B. 970, pp. 26-27. 1918.
    in carloads, by States of origin. S.B. 10, pp. 44-46. 1925.
    southern grown. George O. Gatlin. D.B. 1206, pp. 48. 1924.
    suggestions. F.B. 324, pp. 28-34. 1908; F.B. 520, pp. 10-11, 14-16. 1912; F.B. 548, pp. 13-15. 1913; F.B. 999, pp. 25-26. 1919; F.B. 1442, p. 21. 1925.
  sycamore timber, suggestions. D.B. 884, p. 21. 1920.
  through middlemen, methods. Y.B., 1909, pp. 169-171. 1910, Y.B. Sep. 502, pp. 169-171. 1910.
  timber—
    cooperation. F.B. 715, pp. 45-47. 1916.
    costs. F.B. 1210, pp. 40-41. 1921.
    from wood lots, difficulties, and suggestions. F.B. 1071, pp. 4-10. 1920; F.B. 1210, pp. 1-62. 1921; Y.B., 1914, pp. 444-450. 1915; Y.B. Sep. 651, pp. 444-450. 1915.
  tobacco—
    cost. B.P.I. Bul. 268, pp. 9, 10, 17-18, 19, 51, 60-61. 1913.
    in United States. E. H. Mathewson. B.P.I. Bul. 268, pp. 67. 1913.
    methods and details. B.P.I. Bul. 244, pp. 38, 50, 54, 55, 62-70. 1912; Soils Bul. 46, pp. 39-40. 1907; Y.B., 1922, pp. 433-448. 1923; Y.B. Sep. 885, pp. 433-448. 1923.
    practices. D.B. 16, pp. 34-36. 1913; F.B. 343. pp. 26-28. 1909.
  tomatoes—
    F.B. 220, pp. 13, 17. 1905; S.R.S. Doc. 92, pp. 14-15. 1919; S.R.S., Doc. 98, p. 12. 1919.
    from the club garden. D.C. 27, pp. 14-15. 1919.
    preparation and packing methods. F.B. 1291, pp. 1-32. 1922.
    trade terms, glossary. D.B. 267, pp. 26-27. 1915.
  truck—
    crops from southeastern Atlantic coast. Soils Cir. 23, pp. 7, 10, 12, 13, 14, 15. 1911.
    discussion. O.E.S. Bul. 182, pp. 69-70. 1907.
  turkeys—
    methods. D.C. 352, p. 25. 1925; F.B. 1409, pp. 17-19. 1924; F.B. 791, pp. 22-24. 1917.

Marketing—Continued.
  turkeys—continued.
    various localities. Y.B., 1916, pp. 416-417, 419. 1917; Y.B. Sep. 700, pp. 6-7, 9. 1917.
  vanilla beans, methods. P.R. Bul. 26, pp. 30-31. 1919.
  vegetable products, cooperative method. L. C. Corbett. Y.B., 1912, pp. 353-362. 1913; Y.B. Sep. 597, pp. 353-362. 1913.
  walnut timber, methods. D.B. 909, pp. 80-85. 1921.
  weekly basket. Thrift Leaf. 16, pp. 1-4. 1919.
  wheat—
    and production. C.R. Ball and others. Y.B., 1921, pp. 77-160. 1922; Y.B. Sep. 873, pp. 77-160. 1922.
    application of dockage. F.B. 919, pp. 12. 1917.
    conditions, investigations. Mkts. S.R.A. 35, p. 2. 1918.
    costs. Y.B., 1923, pp. 126-128. 1924.
    costs and other factors. Sec. [Misc.], "The wheat situation," pp. 42-48. 1923.
    influence of nematode-gall infection. D.B. 734, pp. 8-13. 1918.
    Montana conditions. D.B. 522, p. 3. 1917.
    movements, receipts, exports, and freight rates. Y.B., 1921, pp. 122-146. 1922; Y.B. Sep. 873, pp. 122-146. 1922.
  wholesale, of—
    cabbage. D.B. 1242, pp. 37-39. 1924.
    fruits and vegetables, methods of distribution. J. H. Collins and others. D.B. 267, pp. 28. 1915.
  willow rods. F.B. 341, p. 45. 1909.
  wood, cooperation, advantages. Y.B., 1918, pp. 323-324. 1919; Y.B. Sep. 779, pp. 9-10. 1919.
  woodland products, helpful suggestions. F.B. 1117, pp. 14, 19, 35. 1920.
  woodlot products. Stanley L. Wolfe. Y.B., 1915 pp. 121-129. 1916; Y.B. Sep. 662, pp. 121-129. 1916.
  woodlot products, and measuring. Wilbur R. Mattoon and Wm. B. Barrows. F.B. 715, pp. 48. 1916.
  wool—
    clip, methods. Y.B., 1916, pp. 233-234, 235-236. 1917; Y.B. Sep. 709, pp. 7-8, 9-10. 1917.
    international trade. Y.B., 1923, pp. 290-303. 1924; Y.B. Sep. 894, pp. 290-303. 1924.
    methods of western growers, investigations. D.B. 206, pp. 24-25, 27-30. 1915.
    requirements, shearing, tying, packing, and storing. F.B. 527, pp. 9-13. 1913.
  work, expansion. An. Rpts., 1923, pp. 134, 148-151. 1923; B.A.E. Chief Rpt., 1923, pp. 4, 18-41. 1923.
  yams, methods. D.B. 1167, p. 9. 1923.
  See also Warehousing; Soil surveys for transportation facilities of counties and localities.
Markets and Crop Estimates Bureau, report of chief, 1922. Henry C. Taylor. An. Rpts., 1922, pp. 505-544. 1923; Mkts. Chief Rpt., 1922, pp. 40. 1922.
Markets and Rural Organization, Office of—
  aid to farmers. News L., vol. 3, No. 1, pp. 6-7. 1915.
  changes in appropriations, name, and work. News L., vol. 2, No. 36, p. 3. 1915.
  report of chief—
    1915. Charles J. Brand. An. Rpts., 1915, pp. 363-400. 1916; Mkts. Chief Rpt., 1915, pp. 38. 1915.
    1916. Charles J. Brand. An. Rpts., 1916, pp. 385-413. 1917; Mkts. Chief Rpt., 1916, pp. 29. 1916.
  work. Charles J. Brand. Mkts. Doc. 1, pp. 16. 1915.
Markets Bureau—
  aid to motor-truck men in development of rural routes. News L., vol. 6, No. 8, p. 2. 1918.
  branch offices in various cities, location and lines of work. Y.B., 1919, pp. 95-97. 1920; Y.B. Sep. 797, pp. 95-97. 1920.
  consolidation with others. Off. Rec., vol. 1, No. 24, pp. 1, 3. 1922.
  cooperation with States in marketing work. An. Rpts., 1917, pp. 448-450. 1918; Mkts. Chief Rpt., 1917, pp. 18-20. 1917.
  development as helpful agency to farmers. Sec. Cir. 131, p. 7. 1919.

Markets Bureau—Continued.
  duties under food inspection regulations. Sec. Cir. 82, pp. 4, 5, 7, 8. 1917.
  enforcement of standard container act. F.B. 1196, p. 7. 1921.
  exhibit, National Dairy Show, 1920. D.C. 139, pp. 3, 15–16. 1920.
  Food Products Inspection Service, establishment and work. Y.B., 1919, pp. 320, 323–328, 331–334. 1920; Y.B. Sep. 811, pp. 320, 323–328, 331–334. 1920.
  merger. Sec. A.R., 1924, p. 23. 1924.
  motion-picture films, list available. D.C. 114, p. 21. 1920.
  report of chief—
    1917. Charles J. Brand. An. Rpts., 1917, pp. 431–472. 1918; Mkts. Chief Rpt., 1917, pp. 42. 1917.
    1918. Charles J. Brand. An. Rpts., 1918, pp. 451–489. 1919; Mkts. Chief Rpt., 1918, pp. 39. 1918.
    1919. George Livingston. An. Rpts., 1919, pp. 427–461. 1920; Mkts. Chief Rpt., 1919, pp. 35. 1919.
    1920. An. Rpts., 1920, pp. 531–567. 1921; Mkts. Chief Rpt., 1920, pp. 37. 1920.
  reports on livestock and meats. Y.B., 1918, pp. 379–398. 1919; Y.B. Sep. 788, pp. 1–22. 1919.
  request for cooperation of grain shippers. Mkts. S.R.A. 40, p. 4. 1918.
  seed-reporting service. Y.B., 1918, pp. 212–214. 1919; Y.B. Sep. 775, pp. 20–22. 1919.
  tests of cotton airplane fabric. D.B. 882, pp. 16–17. 1920.
  work in livestock drought relief, details. Y.B., 1919, pp. 391–392. 1920; Y.B. Sep. 820, pp. 391–392. 1920.
  wool supervision, transfer from War Industries Board. Mkts. S.R.A. 50, p. 2. 1919.
  See also Agricultural Economics Bureau; Farm Management Bureau.
Markets, Foreign, Division of, report of chief—
  1901. Frank H. Hitchcock. An. Rpts., 1901, pp. 163–169. 1901.
  1902. Frank H. Hitchcock. An. Rpts., 1902, pp. 377–382. 1902.
  1903. George K. Holmes. An. Rpts., 1903, pp. 447–453. 1903; For. Mkts. Chief Rpt., 1903, pp. 7. 1903.
Markets Office—
  accounting system for grain elevators. D.B. 362, pp. 4–8. 1916.
  accounts system for livestock shipping associations. D.B. 403, pp. 4–13. 1916.
  branch offices for cotton futures cases inadvisable. Mkts. S.R.A. 8, p. 58. 1916.
  cooperation with Federal Farm Loan Board. F.B. 792, p. 12. 1917.
  creation, 1913, benefit to farmers. Y.B., 1916, pp. 9, 70, 72. 1917; Y.B. Sep. 698, pp. 8, 10. 1917.
  legal work. An. Rpts., 1915, pp. 327–328, 343–344. 1916; Sol. A.R., 1915, pp. 1–2, 17–18. 1915.
  report of chief, 1914. Charles J. Brand. An. Rpts., 1914, pp. 317–327. 1914; Mkts. Chief Rpt., 1914, pp. 11. 1914.
  system of accounts for elevators, instruction and forms. D.B. 236, pp. 4–30. 1915.
  work, details. Mkts. Doc. 1, pp. 1–16. 1915.
Markhamia platycalyx, importation and description. No. 47499, B.P.I. Inv. 59, p. 22. 1922.
Marking—
  chicks, directions. F.B. 1376, pp. 14, 15. 1924.
  cotton, methods. D.B. 458, pp. 8–9. 1917.
  hay bales, for weight. F.B. 1049, pp. 32–33. 1919.
  incense cedar for cutting to control dry rot. D.B. 871, pp. 52–56. 1920.
  meat and meat products, regulations. B.A.I.O. 211, pp. 36–41. 1914.
Marl—
  beds, value for cement and lime. D.B. 802, p. 21. 1919.
  beneficial effect on jack-pine sandy lands. F.B. 323, pp. 23, 24. 1908.
  composition and agricultural use. F.B. 921, p. 4. 1918.
  deposits in—
    Maryland, Washington County. Soil Sur. Adv. Sh., 1917, pp. 14, 22. 1919; Soils F.O., 1917, pp. 318–319, 326. 1923.

Marl—Continued.
  deposits in—continued.
    North Carolina, Pitt County, value and use as fertilizer. Soil Sur. Adv. Sh., 1909, pp. 31–32. 1910; Soils F.O., 1909, pp. 415–416. 1912.
    South Carolina, early investigations, history. D.B. 18, pp. 1–2. 1913.
  production and value, 1880–1922. Y.B., 1923, p. 1186. 1924; Y.B. Sep. 906, p. 1186. 1924.
  road-building value. D.B. 724, p. 3. 1919.
  use—
    as source of potassium. J.A.R., vol. 19, pp. 239–241. 1920.
    in peanut growing, methods. F.B. 431, p. 11. 1911; O.E.S.F.I.L. 13, p. 8. 1912.
    on soils, history. J.A.R., vol. 15, p. 483. 1918.
  value to soil. Y.B., 1919, pp. 336–337. 1920; Y.B. Sep. 814, pp. 336–337. 1920.
  See also Greensand; Lime.
MARLATT, C. L.—
  "A new nomenclature for the broods of the periodical cicada." Ent. Cir. 45, pp. 8. 1902.
  "Circular letters of information regarding quarantine 37." F.H.B., S.R.A. 72, pp. 23–29, 36–40. 1922.
  "Cockroaches." Ent. Cir. 51, pp. 15. 1902; F.B. 658, pp. 15. 1915.
  "Danger of general spread of the gipsy and brown-tail moths through imported nursery stock." F.B. 453, pp. 22. 1911.
  "House ants: Kinds and methods of control." F.B. 740, pp. 12. 1916.
  "Inquiry regarding production of bulbs in the United States." F.H.B.S.R.A. 72, pp. 43–44. 1922.
  "New species of diaspine scale insects." Ent. T.B. 16, Pt. II, pp. 11–32. 1908.
  nursery stock, plant, and seed quarantine 37, statement as chairman. F.H.B.S.R.A. 72, pp. 5–17. 1922.
  "Predatory insects which affect the usefulness of scale-feeding Coccinellidae." Ent. Bul. 35, pp. 84–87. 1902.
  "Preliminary report on the importation and present status of the Asiatic ladybird." Ent. Bul. 37, pp. 78–84. 1902.
  "Release of cotton samples after fumigation, methods." F.H.B.S.R.A. 72, p. 68. 1922.
  report of Federal Horticultural Board—
    1913. An. Rpts., 1913, pp. 335–345. 1914; F.H.B. An. Rpt., 1913, pp. 11. 1913.
    1914. An. Rpts., 1914, pp. 305–315. 1914; F.H.B. An. Rpt., 1914, pp. 11, 1914.
    1915. An. Rpts., 1915, pp. 351–361. 1916; F.H.B. An. Rpt., 1915, pp. 11. 1915.
    1916. An. Rpts., 1916, pp. 371–384. 19 7; F.H.B. An. Rpt., 1916, pp. 14. 1916.
    1917. An. Rpts., 1917, pp. 415–430. 1918; F.H.B.An. Rpt., 1917, pp. 16. 1917.
    1918. An. Rpts., 1918, pp. 431–449. 1919; F.H.B. An. Rpt., 1918, pp. 19. 1919.
    1919. An. Rpts., 1919, pp. 505–536. 1920; F.H.B. An. Rpt., 1919, pp. 32. 1919.
    1920. An. Rpts., 1920, pp. 613–640. 1921; F.H.B. An. Rpt., 1920, pp. 28. 1920.
    1921. F.H.B. An. Rpt., 1921, pp. 22, 1921.
    1922. An. Rpts., 1922, pp. 603–612. 1923; F.H.B. An. Rpt., 1922, pp. 26. 1922.
    1923. An. Rpts., 1923, pp. 615–650. 1924; F.H.B. An. Rpt., 1923, pp. 36. 1923.
    1924. F.H.B. An. Rpt., 1924, pp. 29. 1924.
  "Report on the gypsy moth and the brown-tail moth, July, 1904." Ent. Cir. 58, pp. 12. 1904.
  "Résumé of the search for the native home of the San José scale in Japan and China." Ent. Bul. 37, pp. 65–78. 1902.
  "San José scale: Its native home and natural enemy." Y.B., 1902, pp. 155–174. 1903; Y.B., Sep. 261, pp. 20. 1903.
  "Scale insects and mites on citrus trees." F.B. 172, pp. 43. 1903.
  "The annual loss occasioned by destructive insects in the United States." Y.B., 1904, pp. 461–474. 1905; Y.B. Sep. 360, pp. 461–474. 1905.
  "The bedbug." Ent. Cir. 47, pp. 8. 1902.
  "The bedbug." F.B. 754, pp. 12. 1916.
  "The control of the codling moth and apple scab." With W. A. Orton. F.B. 247, pp. 23. 1906.
  "The horn fly." Ent. Cir. 115, pp. 13. 1910.

MARLATT, C. L.—Continued.
"The house centipede." Ent. Cir. 48, pp. 4. 1902; F.B. 627, pp. 4. 1914.
"The lime, sulphur, and salt wash." Ent. Cir. 52, pp. 8. 1903.
"The mango weevil." Ent. Cir. 141, pp. 3. 1911.
"The national collection of Coccidae." Ent. T.B. 16, Pt. I, pp. 1-10. 1908.
"The peach-tree borer." Ent. Cir. 54, pp. 6. 1903.
"The periodical cicada." Ent. Bul. 71, pp. 181. 1907.
"The periodical cicada in—
1906." Ent. Cir. 74, pp. 5. 1906.
1907." Ent. Cir. 89, pp. 4. 1907.
1911." Ent. Cir. 132, pp. 6. 1911.
1914." Ent. [Misc.], "The periodical * * *," pp. 3. 1914.
"The principal insect enemies of growing wheat." F.B. 132, pp. 40. 1901.
"The San José or Chinese scale." Ent. Bul. 62, pp. 89. 1906.
"The scale insect and mite enemies of citrus trees." Y.B., 1900, pp. 247-290. 1901; Y.B. Sep. 207, pp. 247-290. 1901.
"The silver fish." Ent. Cir. 49, pp. 4. 1902.
"The silverfish: An injurious household insect." F.B. 681, pp. 4. 1915.
"The true clothes moths." F.B. 659, pp. 8. 1915.
"The white ant." Ent. Cir. 50, pp. 8. 1902.
"White-pine blister rust, quarantine explanation." F.H.B.S.R.A. 72, pp. 69-70. 1922.
Marlattia, description. Ent. T.B. 20, Pt. II, p. 108. 1911.
Marmalade(s)—
analysis methods. Chem. Bul. 152, pp. 168-169. 1912.
by-product of citrus fruits. An. Rpts., 1919, pp. 223, 224. 1920; Chem. Chief Rpt., 1919, pp. 13, 14. 1919.
citrus, directions for making. D.B. 1323, p. 15. 1925.
composition, table. Chem. Bul. 66, rev., p. 98. 1905.
directions for making. F.B. 853, pp. 30-31. 1917.
fig, directions. F.B. 1031, p. 42. 1919.
lesson outline for first year, and correlative studies. D.B. 540, p. 14. 1917.
manufacture from apple pomace, methods. F.B. 1264, pp. 25-26. 1922.
muscadine grapes, directions. F.B. 859, p. 20. 1917; F.B. 1454, pp. 17-18. 1925.
orange, grades, preparation methods. D.C. 232, pp. 10-12. 1922.
standards, food inspection opinion. Chem. S.R.A. 5, p. 312. 1914.
Marmara—
opuntiella, description, and injury to cactus. Ent. Bul. 113, p. 31. 1912.
pomonella, control, and life history. F.B. 1270, p. 22. 1922.
Marmosa insularis. See Opossum, pigmy.
Marmot(s)—
American, revision. Arthur H. Howell. N.A. Fauna 37, pp. 80. 1915.
carrier of disease in Pacific States. N.A. Fauna 37, p. 15. 1915.
golden-mantled, carrier of spotted-fever tick. N.A. Fauna 37, p. 15. 1915.
hoary—
description, habits, characteristics, and varieties. N.A. Fauna 37, pp. 8, 9, 56-73. 1915.
in Alaska and Yukon Territory. N.A. Fauna 30, pp. 23, 55, 78. 1909.
in Athabaska-Mackenzie region. N.A. Fauna 27, p. 160. 1908.
occurrence in Montana. Biol. Cir. 82, p. 15. 1911.
range, and habits. N.A. Fauna 21, pp. 59, 63. 1901; N.A. Fauna 24, p. 32. 1904.
occurrence in Colorado, description. N.A. Fauna 33, pp. 98-99. 1911.
yellow-footed, description, habits, characteristics, and varieties. N.A. Fauna 37, pp. 8, 9, 10, 36-56. 1915.
See also Woodchuck.

Marmota—
caligata—
and subspecies, locality and description. N.A. Fauna 37, pp. 56-73. 1915.
See also Marmot, hoary.
destruction by coyotes. Biol. Bul. 20, p. 13. 1905.
flaviventris—
and subspecies, locality, and description. N.A. Fauna 37, pp. 36-56. 1915.
See also Marmot, yellow-footed.
genus, American species and subspecies, list and key. N.A. Fauna 37, pp. 18-21. 1915.
monax—
and subspecies, locality and descriptions. N.A. Fauna 37, pp. 21-36. 1915.
See also Woodchuck.
MARR, J. C.: "The corrugation method of irrigation." F.B. 1348, pp. 24. 1923.
Marram. See Beach grass.
Marrow—
boll-weevil feeding experiments. J.A.R., vol. 2, pp. 236-237. 1914.
bone, composition and food value. D.B. 613, p. 17. 1919.
cabbage—
growing methods. F.B. 522, pp. 9-11. 1913.
description, uses, and tests. F.B. 522, pp. 7-11. 1913.
destruction by melon fly, Hawaii. D.B. 491, pp. 10-13, 17. 1917.
vegetable—
cultural directions and use. F.B. 937, p. 53. 1918.
importation and food use. No. 45772, B.P.I. Inv. 54, pp. 17-18. 1922.
See also Avocado.
Marrube. See Horehound.
MARSCHNER, F. J.: "Land utilization for crops, pasture, and forests." With others. Y.B., 1923, pp. 415-506. 1924; Y.B. Sep. 896, pp. 415-506. 1924.
MARSDEN, R. D.—
"Drainage investigations, 1909-10. O.E.S. An. Rpt., 1910, pp. 43-54. 1911.
"The economy of farm drainage." Y.B., 1914, pp. 245-256. 1915; Y.B. Sep. 640, pp. 245-256. 1915.
Marsdenia tenacissima, importation and description. No. 39685, B.P.I. Inv. 42, p. 11. 1918.
MARSH, C. D.—
"A field study on the relation of barium to the loco-weed disease. B.P.I. Bul. 246, Pt. I, pp. 7-37. 1912.
"A new sheep-poisoning plant of the Southern States." D.C. 82, pp. 4. 1920.
"Astragalus tetrapterus, a new poisonous plant of Utah and Nevada." With A. B. Clawson. D.C. 81, pp. 7. 1920.
"Cockleburs (species of Xanthium) as poisonous plants." With others. D.B. 1274, pp. 24. 1924.
"Daubentonia longifolia (coffee bean), a poisonous plant." With A. B. Clawson. J.A.R.- vol. 20, pp. 507-514. 1920.
"Eupatorium urticaefolium, as a poisonous plant." With A. B. Clawson. J.A.R., vol. 11, pp. 699-716. 1917.
"Greasewood as a poisonous plant." With others. D.C. 279, pp. 4. 1923.
"Larkspur, or 'poison weed'." With others. F.B. 531, pp. 15. 1913; F.B. 988, pp. 15. 1918.
"Larkspur poisoning of livestock." With others. D.B. 365, pp. 91. 1916.
"Livestock poisoning by cocklebur." With others. D.C. 283, pp. 4. 1923.
"Lupines as poisonous plants." With others. D.B. 405, pp. 45. 1916.
"Menziesia, a new stock-poisoning plant of the Northwestern States." B.P.I. [Misc.], "Menziesia * * *," pp. 3. 1914.
"Notes on larkspur eradication on stock ranges." With A. B. Clawson. B.A.I. Doc. A.-34, pp. 6. 1918.
"Oak-leaf poisoning of domestic animals." With others. D.B. 767, pp. 36. 1919.
"Our forage resources." With others. Y.B., 1923, pp. 311-414. 1924; Y.B. Sep. 895, pp. 311-414. 1924.

MARSH, C. D.—Continued.
"Poisonous properties of the whorled milkweeds *Asclepias pumila* and *A. verticillata* var. *geyeri*." With A. B. Clawson. D.B. 942, pp. 14. 1921.
"Poisons and poisoning." B.A.I. [Misc.], "Diseases of cattle," rev., pp. 51-72. 1923.
"Prevention of losses of livestock from plant poisoning." F.B. 720, pp. 11. 1916.
"Results of loco-weed investigations in the field." B.P.I. Bul. 121, Pt III, pp. 37-38. 1908.
"Stagger grass (*Chrosperma muscaetoxicum*) as a poisonous plant." With others. D.B. 710, pp. 15. 1918.
"Stock poisoning due to scarcity of food." F.B. 536, pp. 4. 1913.
"Stock-poisoning plants of the range." D.B. 575, pp. 24. 1918; D.B. 1245, pp. 36. 1924.
"Sweet-clover-seed screenings not injurious to sheep." With Glenwood C. Roe. D.C. 87, pp. 7. 1920.
"The 'alkali disease' of livestock in the Pecos Valley." With Glenwood C. Roe. D.C. 180, pp. 8. 1921.
"The death camas species, *Zygadenus paniculatus* and *Z. elegans*, as poisonous plants." With A. B. Clawson. D.B. 1012, pp. 25. 1922.
"The loco-weed disease." F.B. 380, pp. 16. 1909; F.B. 1054, pp. 19. 1919.
"The loco-weed disease of the plains." B.A.I. Bul. 112, pp. 130. 1909.
"The meadow death camas (*Zygadenus venenosus*) as a poisonous plant." With A. B. Clawson. D.B. 1240, pp. 14. 1924.
"The Mexican whorled milkweed (*Asclepias mexicana*) as a poisonous plant." With A. B. Clawson. D.B. 969, pp. 16. 1921.
"The sheep industry." With others. Y.B., 1923, pp. 229-310. 1924; Y.B. Sep. 894, pp. 229-310. 1924.
"The stock-poisoning death camas." With A. B. Clawson. F.B. 1273, pp. 11. 1922.
"The whorled milkweed, a plant poisonous to livestock." D.C. 101, pp. 2. 1920.
"The whorled milkweed (*Asclepias galioides*) as a poisonous plant." With others. D.B. 800, pp. 40. 1920.
"The woolly-pod milkweed (*Asclepias eriocarpa*) as a poisonous plant." With A. B. Clawson. D.B. 1212, pp. 14. 1924.
"Western sneezeweed (*Helenium hoopesii*) as a poisonous plant." With others. D.B. 947, pp. 46. 1921.
"Woolly-pod milkweed, a dangerous stock-poisoning plant." With A. B. Clawson. D.C. 272, pp. 4. 1923.
"White snakeroot or richweed as a stock-poisoning plant." With A. B. Clawson. B.A.I. Doc. A-26, pp. 7. 1918.
"Zygadenus, or death camas." With others. D.B. 125, pp. 46. 1915.

MARSH, H. O.—
"Biologic and economic notes on the yellow-bear caterpillar." Ent. Bul. 82, Pt. V, pp. 59-66. 1912.
"Biologic notes on species of Diabrotica in southern Texas." Ent. Bul. 82, Pt. VI, pp. 76-84. 1910.
"Life history of *Plutella maculipennis*, the diamond-back moth." J.A.R., vol. 10, pp. 1-10. 1917.
"Notes on a Colorado ant." Ent. Bul. 64, Pt. IX, pp. 73-78. 1910.
"The bean ladybird." With F. H. Chittenden. D.B. 843, pp. 20. 1920.
"The beet leaf-beetle." With F. H. Chittenden. D.B. 892, pp. 24. 1920.
"The Hawaiian beet webworm." Ent. Bul. 109, Pt. I, pp. 1-15. 1911.
"The horse-radish webworm." Ent. Bul. 109, Pt. VII, pp. 71-76. 1913.
"The imported cabbage webworm." With F. H. Chittenden. Ent. Bul. 109, Pt. III, pp. 23-45. 1912.
"The striped beet caterpillar." Ent. Bul. 127, Pt. II, pp. 13-18. 1913.
"The sugar-beet webworm." Ent. Bul. 109, Pt. VI, pp. 57-70. 1912.
"The western cabbage flea-beetle." With F. H. Chittenden. D.B. 902, pp. 21. 1920.

MARSH, HADLEIGH—
"Cicuta (water hemlock) as a poisonous plant." With others. B.A.I. Doc. A-15, pp. 4. 1917.
"Cicuta, or water hemlock." With others. D.B. 69, pp. 27. 1914.
"Larkspur, or 'poison weed'." With others. F.B. 531, pp. 15. 1913; F.B. 988, pp. 15. 1918.
"Larkspur poisoning of live stock." With others. D.B. 365, pp. 91. 1916.
"Lupines as poisonous plants." With others. D.B. 405, pp. 45. 1916.
"Oak-leaf poisoning of domestic animals." With others. D.B. 767, pp. 36. 1919.
"Stagger grass (*Chrosperma muscaetoxicum*) as a poisonous plant." With others. D.B. 710, pp. 15. 1918.
"Western sneezeweed (*Helenium hoopesii*) as a poisonous plant." With others. D.B. 947, pp. 46. 1921.
"Zygadenus, or death camas." With others. D.B. 125, pp 46. 1915.

Marsh(es)—
and swamp, soils of the eastern United States and their use—XL. Jay A. Bonsteel. Soils Cir. 69, pp. 74. 1912.
areas, prevalence of waste shot pellets. D.B. 793, pp. 9-10. 1919.
burning in fall and winter, injury to duck foods. D.B. 936, pp. 16, 19. 1921.
cranberry, frost and temperature conditions, investigations. Y.B., 1911, pp. 213-219. 1912: Y.B. Sep. 562, pp 213-219. 1912.
definition. D.B. 802, p. 10. 1919.
description, area, comparison with swamp, uses. Soils Cir. 69, p. 14. 1912.
drainage, examples showing results on value of land. O.E.S. An. Rpt., 1907, pp. 396-397. 1908.
duck food destruction by various agencies. D.B. 936, pp. 16-18. 1921.
elder, injurious weed in South Dakota fields. D.B. 297, p. 3. 1915.
formation. O.E.S. Bul. 240, pp. 16-18, 94-96. 1911.
grass—
description. D.B. 772, pp. 183, 184. 1920.
water and yields in Oregon. D.B. 1340, p. 47. 1925.
locks, purple, description, eastern Puget Sound Basin, Washington. Soil Sur. Adv. Sh., 1909, p. 29. 1911; Soils F.O., 1909, p. 1541. 1912.
of Great Basin, analyses. D.B. 61, pp. 39-60. 1914.
of Texas, coast, fauna. N.A.Fauna 25, p. 20. 1905.
peat materials. D.B. 802, pp. 18-19, 23-29. 1919.
reclamation, methods and cost. Soils Cir. 69, pp. 5-8. 1912.
salt, reclamation. F.B. 320, pp. 9-12. 1908.
saltwater, in South Carolina, Georgetown County, description and use. Soil Sur Adv. Sh., 1911. pp. 6, 12, 21, 50, 54. 1912; Soils F.O., 1911, pp. 514, 520, 529, 558, 562. 1914.
soils—
chemical composition, discussion. F.B. 465, p. 8. 1911.
management. D.B. 355, pp. 75-77. 1916; F.B. 465, pp. 7-9. 1911.
tidal—
and their reclamation. George M. Warren. O.E.S. Bul. 240, pp. 99. 1911.
location, acreage, and drainage cost. D.B. 1271, pp. 18-19. 1922.
utilization for muskrat farming. D.C. 135, pp. 8-9. 1920.
water, use in highland irrigation experiments. O.E.S. Dir. Rpt., 1908, p. 21. 1909; An. Rpts., 1908, p. 735. 1909.
See also Swamps.

MARSHALL, F. R.—
"Breeds of sheep for the farm." F.B. 576, pp. 16. 1914.
"Farm sheep raising for beginners." With R. B. Millin. F.B. 840, pp. 24. 1917.
"Features of the sheep industries of United States, New Zealand, and Australia, compared." D.B. 313, pp. 35. 1915.

INDEX TO PUBLICATIONS, 1901–1925 1465

MARSHALL, F. R.—Continued.
"Flushing and other means of increasing lamb yields." With C. G. Potts. D.B. 996, pp. 14. 1921; D.B. 996, rev., pp. 15. 1923.
"Karakul sheep." With others. Y.B., 1915, pp. 249–262. 1916; Y.B. Sep. 673, pp. 249–262. 1916.
"Progress in handling the wool clip: Development in the West." Y.B., 1916, pp. 227–236. 1917; Y.B. Sep. 709, pp. 10. 1917.
"Raising sheep on temporary pastures." With C. G. Potts. F.B. 1181, pp. 18. 1921.
"Sheep and intensive farming." Y.B., 1917, pp. 311–320. 1918; Y.B. Sep. 750, pp. 12. 1918.
"Suggestions from Australasia to American sheep raisers." Y.B., 1914, pp. 319–338. 1915; Y.B. Sep. 645, pp. 319–338. 1915.
"The woolgrower and the wool trade." With L. L. Heller. D.B. 206, pp. 32. 1915.
MARSHALL, H. C.: "Retail marketing of meats, agencies of distribution, methods of merchandising, and operating expenses and profits." D.B. 1317, pp. 86. 1925.
MARSHALL, R. P.: "Steam and chemical soil disinfection, with special reference to potato wart." With others. J.A.R., vol. 31, pp. 301–363. 1925.
MARSHALL, W. D.: "The distillation of stumpwood and logging waste of western yellow pine." With others. D.B. 1003, pp. 69. 1921.
MARSHALL, W. K.: "Experimental milling and baking (including chemical determinations)." With others. D.B. 1187, pp. 54. 1924.
Marshall dairy farms, Minnesota, cost of producing dairy products. Stat. Bul. 88, pp. 1–84. 1911.
Marshall silt loam—
 adsorption of potassium, experiments. J.A.R. vol. 1, pp. 184–186. 1913.
 areas, uses, and crop yields. Y.B., 1911, pp. 225–226, 235. 1912; Y.B. Sep. 563, pp. 225–226, 235. 1912.
 soils of the eastern United States and their use, X. Jay A. Bonsteel. Soils Cir. 32, pp. 18. 1911.
Marshalltown, Iowa, milk supply, statistics, officials, and prices. B.A.I. Bul. 46, pp. 40, 77. 1903.
Marshlands—
 bird life, reports from observers. D.B. 1165, pp. 24–27. 1923.
 description in Delaware, New Jersey, Massachusetts, and Canada. O.E.S. Bul. 240, pp. 19, 30, 34, 47, 67, 80, 83. 1911.
 drainage, Wisconsin. O.E.S. Bul. 158, pp. 718–728. 1905.
 fertilizer, experiments and results. O.E.S. Bul. 240, p. 77. 1911.
 grazing value. O.E.S. Bul. 240, pp. 27, 33, 97. 1911.
 reclamation, cost and profits. O.E.S. Bul. 240, pp. 27–29, 33, 44–46, 52, 57, 76–77, 91. 1911.
 reclamation in Mississippi Valley, possibilities, methods, and cost. News L., vol. 3, No. 15, pp. 1, 4. 1915.
 salt, reclamation. Thomas H. Means. Soils Cir. 8, pp. 10. 1903.
 soil management. O.E.S. An. Rpt., 1906, pp. 391–392. 1907.
 use for alsike clover. F.B. 1151, p. 18. 1920.
 value for muskrat farming. F.B. 396, p. 32. 1910.
Marshmallow—
 powder, adulteration and misbranding. Chem. N.J. 11500. 1923.
 use with grape paste. F.B. 1033, pp. 10–11. 1919.
Marsonia quercus, occurrence on oak trees, Texas, and description. B.P.I. Bul. 226, p. 74. 1912.
Marssonina panattoniana, cause of anthracnose of lettuce. W. E. Brandes. J.A.R., vol. 13, pp. 261–280. 1918.
Marsupialia, occurrence in Alabama. N.A. Fauna 45, pp. 18–20. 1921.
Marten—
 Alaska, Athabaska-Mackenzie region, description. N.A. Fauna 27, pp. 234–238. 1908.
 extermination danger, and need of protection. D.C. 135, pp. 6, 7. 1920.
 Hudson Bay, range, and habits. N.A. Fauna 22, p. 68. 1902.
 increase in Alaska. D.C. 225, p. 5. 1922.
 occurrence in—
  Alaska and Yukon Territory. N.A. Fauna 30, pp. 31, 83. 1909.

Marten—Continued.
 occurrence in—continued.
  Montana. Biol. Cir. 82, p. 23. 1911.
 pine, destruction of squirrels, relation to forest reproduction. For. Bul. 98, p. 16. 1911.
 protection—
  in Alaska, regulations. Biol. S.R.A. 56, pp. 1–3. 1923.
  laws, summary. F.B. 911, p. 29. 1917; F.B. 1022, p. 29. 1918; F.B. 1079, pp. 3–30. 1919.
 raising for fur, value and costs, dens and feeding. Y.B., 1916, pp. 492, 496, 498. 1917; Y.B. Sep. 693, pp. 4, 8, 10. 1917.
 range and habits. N.A. Fauna 24, p. 46. 1904; N.A. Fauna 21, pp. 33–34, 70. 1901.
 Rocky Mountain, occurrence in Colorado and description. N.A. Fauna 33, pp. 189–191. 1911.
MARTIN, A. L.: "State appropriation for local expenses." O.E.S. Bul. 251, pp. 33–36. 1912.
MARTIN, ARNOLD, experience with a 20-acre farm, Nebraska. F.B. 325, pp. 21–27. 1908.
MARTIN, F.O.—
"Soil survey of Bedford area, Virginia." With others. Soils F.O., Sep., 1901, pp. 19. 1903; Soils F.O., 1901, pp. 239–257. 1902.
"The centrifugal method of mechanical soil analysis." With others. Soils Bul. 24, pp. 38. 1904.
MARTIN, J. C.—
"Effect of season and crop growth on the physical state of the soil." With D. R. Hoagland. J.A.R., vol. 20, pp. 397–404. 1920.
"Effect of variation in moisture content on the water-extractable matter of soils." With A. W. Christie. J.A.R., vol. 18, pp. 139–143. 1919.
"Effect of various crops upon the water extract of a typical silty clay loam soil." With G. R. Stewart. J.A.R. vol. 20, pp. 663–667. 1921.
"Relation of the soil solution to the soil extract." With others. J.A.R., vol. 20, pp. 381–395. 1920.
MARTIN, J. F.: "Treatment of ornamental white pines infected with blister rust." With others. D. C. 177, pp. 20. 1921.
MARTIN, J. G.—
"Handling and marketing Durango cotton in the Imperial Valley." With G. C. White. D. B. 458, pp. 23. 1917.
"The handling and marketing of the Arizona-Egyptian cotton of the Salt River Valley." D. B. 311, pp. 16. 1915.
MARTIN, J. H.—
"Classification of American wheat varieties." With others. D.B. 1074, pp. 238. 1922.
"Emmer and spelt." With Clyde E. Leighty. F.B. 1429, pp. 13. 1924.
"Experiments with cereals on the Belle Fourche Experiment Farm, Newell, S. Dak." D.B. 1039, pp. 72. 1922.
"Experiments with emmer, spelt, and einkorn." With Clyde E. Leighty. D.B. 1197, pp. 60. 1924.
"Grains for western North and South Dakota." With others. F.B. 878, pp. 22. 1917.
"Growing rye in the western half of the United States." With Ralph W. Smith. F.B. 1358, pp. 19. 1923.
"Polish and poulard wheats." F.B. 1340, pp. 16. 1923.
"Proso, or hog millet." F.B. 1162, pp. 15. 1920.
"Relative resistance of wheat to bunt in Pacific Coast States." With others. D.B. 1299, pp. 29. 1925.
"The club wheats." With J. Allen Clark. F.B. 1303, pp. 18. 1923.
"The common white wheats." With others. F.B. 1301, pp. 42. 1923.
"The durum wheats." With J. Allen Clark. F.B. 1304, pp. 16. 1923.
"The hard red spring wheats." With J. Allen Clark. F.B. 1281, pp. 28. 1922.
"The hard red winter wheats." With J. Allen Clark. F.B. 1280, pp. 10. 1922.
"The soft red winter wheats." With Clyde E. Leighty. F.B. 1305, pp. 54. 1922.
"Varietal experiments with hard red winter wheats in dry areas of western United States." With J. Allen Clark. D.B. 1276, pp. 48. 1925.

MARTIN, J. H.—Continued.
"Varietal experiments with spring wheat on the northern Great Plains." With others. D.B. 878, pp. 48. 1920.

MARTIN, J. N.—
"Red-clover seed production: Pollination studies." With others. D.B. 289, pp. 31. 1915.
"Sweet clover seed." With H. S. Coe. D.B. 844, pp. 39. 1920.

MARTIN, L. H.: "Peach supply and distribution in 1914." With others. D.B. 298, pp. 16. 1915.

MARTIN, O. B.—
"Boys' demonstration work: The corn clubs." With S. A. Knapp. B.P.I. Doc. 644, pp. 7. 1911.
"Boys' demonstration work: The corn clubs." With Bradford Knapp. B.P.I. Doc. 644, rev., pp. 12. 1913.
"Canning club and home demonstration work." With Mary E. Creswell. S.R.S. Doc. 28, pp. 8. 1915.
"Development of the boys' club work." S.R.S. Doc. 29, p. 1. 1915.
"Girls' demonstration work: The canning clubs." With I. W. Hill. B.P.I. Doc. 870, pp. 8. 1913.
"Home demonstration bears fruit in the South." With Ola Powell. Y.B., 1920, pp. 111–126. 1921; Y.B. Sep. 833, pp. 111–126. 1921.
"Organization of boys' agricultural club work in the Southern States." With I. W. Hill. S.R.S. Doc. 27, pp. 10. 1915.
"Results of boys' demonstration work in corn clubs in 1910." With S. A. Knapp. B.P.I. Doc. 647, pp. 7. 1911.
"Results of boys' demonstration work in corn clubs in 1911." With Bradford Knapp. B.P.I. Doc. 741, pp. 7. 1912.
"Results of demonstration work in boys' and girls' clubs in 1912." With I. W. Hill. B.P.I. Doc. 865, pp. 8. 1913.

MARTIN, R. D.—
"Community cotton production." With O. F. Cook. F.B. 1384, pp. 21. 1924.
"Culture of Pima and upland cotton in Arizona." With O. F. Cook. F.B. 1432, pp. 14. 1924.
"Growth of fruiting parts in cotton plants." With others. J.A.R., vol. 25, pp. 195–208. 1923.
"Summer irrigation of Pima cotton." With H. F. Loomis. J.A.R., vol. 23, pp. 927–946. 1923.

MARTIN, W. H.—
"A comparative study of salt requirements for young and mature buckwheat plants in solution cultures." With John S. Shive. J.A.R., vol. 14, pp. 151–175. 1918.
"Influence of Bordeaux mixture on the rates of transpiration from abscised leaves and potted plants." J.A.R., vol. 7, pp. 529–548. 1916.

Martin—
Caribbean, occurrence in Porto Rico, habits and food. D.B. 326, pp. 88–89. 1916.
house, description and food habits. F.B. 755, pp. 28–29. 1916.
hunting laws, Montana. For. [Misc.], "Trespass on national * * *," pp. 24, 28, 46. 1922.
occurrence in Athabaska-Mackenzie region. N.A. Fauna 27, p. 451. 1908.
protection by law. Biol. Bul. 12, rev., pp. 38, 39, 41. 1902.
purple—
description, range, and habits. F.B. 513, p. 14. 1913.
migration habits. Y.B., 1910, p. 388. 1911; Y.B. Sep. 545, p. 388. 1911; D.B. 185, pp. 3, 7, 9. 1915.
occurrence, nesting habits, and food. D.B. 619, pp. 3–6, 28. 1918.
protection by law. Biol. Bul. 12, rev., pp. 40, 41. 1902.
range, and habits. N.A. Fauna 22, p. 123. 1902.
useful food habits, and occurrence in Arkansas. Biol. Bul. 38, p. 70. 1911.
relation to starlings. D.B. 868, pp. 48, 51, 58. 1921.
See also Swallow.

Martinete—
enemy of mole cricket. P.R. Bul. 23, p. 18. 1918.
Porto Rico, breeding habits and food habits. D.B. 326, pp. 9, 21–23. 1916.

MARTINI, MARY: "Tests of barley varieties in America." With others. D.B. 1334, pp. 219. 1925.

Martinizia erosa, importation and description. No. 51724, B.P.I. Inv. 65, p. 41. 1923.

Martynia—
louisiana, leafspot, bacterial. J.A.R., vol. 29, pp. 483–490. 1924.
spp. importations and description. Nos. 44886, 44887, B.P.I. Inv. 51, p. 85. 1922.
use as pickles. O.E.S. Bul. 245, p. 88. 1912.

Maruka grass, importation and description. No. 48427, B.P.I. Inv. 61, pp. 1, 7. 1922.

Marvel of Peru, description, cultivation, and characteristics. F.B. 1171, pp. 50–52, 80. 1921.

MARVIN, C. F.—
"Errors of meteorological instruments and lines along which improvement should be sought." W.B. [Misc.], "Proceedings, third convention * * *," pp. 13–37. 1904.
"Instructions for installing and equipping kiosks." W.B. [Misc.], "Instructions for installing * * *," rev pp. 9. 1912.
"Let us simplify our calendar and publish statistical data in standardized summaries." W.B. [Misc.], "Let us simplify our * * *," pp. 7. 1924.
"Modification of cotton regulations." F.H.B. [Misc.], "Rules and regulations * * *," amdt. 2, pp. 2. 1924.
report as chief of Weather Bureau—
1913. An. Rpts., 1913, pp. 63–70. 1914; W.B. Chief Rpt., 1913, pp. 8. 1913.
1914. An. Rpts., 1914, pp. 49–56. 1914; W.B. Chief Rpt., 1914, pp. 8. 1914.
1915. An. Rpts., 1915, pp. 57–76. 1916; W.B. Chief Rpt., 1915, pp. 20. 1915.
1916. An. Rpts., 1916, pp. 49–66. 1917; W.B. Chief Rpt., 1916, pp. 18. 1916.
1917. An. Rpts., 1917, pp. 47–65. 1918; W.B. Chief Rpt., 1917, pp. 19. 1917.
1918. An. Rpts., 1918, pp. 57–70. 1919; W.B. Chief Rpt., 1918, pp. 14. 1918.
1919. An. Rpts., 1919, pp. 49–72. 1920; W.B. Chief Rpt., 1919, pp. 24. 1919.
1920. An. Rpts., 1920, pp. 65–88. 1921; W.B. Chief Rpt., 1920, pp. 24. 1920.
1921. W.B. Chief Rpt., 1921, pp. 22. 1921.
1922. An. Rpts., 1922, pp. 67–97. 1923; W.B. Chief Rpt., 1922, pp. 31. 1922.
1923. An. Rpts., 1923, pp. 103–130. 1924; W.B. Chief Rpt., 1923, pp. 28. 1923.
1924. W.B. Chief Rpt., 1924, pp. 19. 1924.
"Sunshine tables." W.B. [Misc.], "Sunshine tables," Pt. I, pp. 25. 1905; Pt. II, pp. 25. 1905; Pt. III, pp. 25. 1905.
"Weather Bureau kiosk." W.B. [Misc.], "Weather Bureau kiosk," pp. 6. 1914.
"Weather conditions during past month (August-September, 1913), with relation to crops." F.B. 558, pp. 1–2. 1913.

Marvin rain gage, adaptation as a transpiration scale. J.A.R., vol. 5, No. 3, pp. 119, 126. 1915.

MARX, C. D.: "Report on irrigation problems in the Salinas Valley." O.E.S. Bul. 100, pp. 193–213. 1901.

Maryland—
Agricultural College—
location, fly prevalence, breeding places, and causes. D.B. 200, pp. 1–3. 1915.
experiments with maggot traps. News L., vol. 2, No. 50, pp. 1–2. 1915.
agricultural colleges and experiment station organization—
1906. O.E.S. Bul. 176, pp. 36–38. 1907.
1907. O.E.S. Bul. 197, pp. 39–40. 1908.
1910. O.E.S. Bul. 224, pp. 33–34. 1910.
agricultural colleges, etc. See Agriculture, workers list.
agricultural extension work, statistics. D.C. 253, pp. 5, 8, 10–11, 17, 18. 1923.
alsike, clover, growing and seed production. F.B. 1151, pp. 12, 23. 1920.
and Virginia, cereal experiments. T. R. Stanton. D.B. 336, pp. 52. 1916.

Maryland—Continued.
Annapolis, garbage feeding experiment, summary. F.B. 1133, p. 24. 1920.
Anne Arundel County, blowing soils, analysis. Soils Bul. 68, p. 30. 1911.
apiaries infested with bee louse. D.C. 334, p. 2. 1925.
anthrax outbreaks, treatment, and results. D.B. 340, pp. 13-15. 1915.
apple growing—
  areas, production, and varieties. D.B. 485, pp. 6, 24-25, 44-47. 1917.
  localities, varieties, and production. B.P.I. Bul. 194, pp. 53-87. 1911; Y.B., 1918, pp. 370, 372. 1919; Y.B. Sep. 767, pp. 6, 8. 1919.
Baltimore County, agricultural high school, community work. Y.B., 1910, pp. 182-188. 1911; Y.B. Sep. 527, pp. 182-188. 1911.
barley—
  crops, 1866-1906, acreage, production and value. Stat. Bul. 59, pp. 7-11, 13-15, 17-19, 23-26, 29. 1907.
  rotations. F.B. 518, p. 9. 1912.
bee—
  and honey statistics. D.B. 325, pp. 3, 4, 9, 10-12. 1915; D.B. 685, pp. 6, 9, 12, 14, 16, 17, 19, 21, 24, 26, 29, 31. 1918.
  diseases, occurrence. Ent. Cir. 138, p. 11. 1911.
beet-sugar progress, 1900. Rpt. 69, p. 108. 1901.
Bethesda soils analyses, boron determinations. J.A.R., vol. 13, pp. 466-467. 1918.
bird protection. See Bird protection, officials.
bounty laws, 1907. Y.B., 1907, p. 562. 1908; Y.B. Sep. 473, p. 562. 1908.
bovine tuberculosis—
  law on contagious diseases. B.A.I. Bul. 28, pp. 43-44. 1901.
  suppression. B.A.I. An. Rpt., 1911, p. 50. 1913.
buckwheat crops, 1866-1906, acreage, production, and value. Stat. Bul. 61, pp. 5-17, 20. 1908.
cantaloupe shipments, 1914. D.B. 315, pp. 17, 18. 1915.
cattle tuberculin tests, 1910, results. B.A.I. An. Rpt., 1910, pp. 72-73. 1912.
Cecil County agricultural school. O.E.S. An. Rpt., 1907, pp. 295-297. 1908.
cement factories, potash content and loss. D.B. 572, p. 5. 1917.
cereal experiments (and Virginia). T. R. Stanton. D.B. 336, pp. 52. 1916.
Chaptico, example of mosquito extermination measures. Ent. Bul. 88, p. 110. 1910.
Chevy Chase—
  experiment roads, description. D.B. 53, p. 32. 1913.
  road-binding experiments, 1911 and 1912. D.B. 105, pp. 1-17. 1914.
  road, expansion and contraction tests. D.B. 532, pp. 15-20. 1917.
College Park, emmer and spelt growing experiments. D.B. 1197, pp. 19-20. 1924.
convict road-work, laws. D.B. 414, p. 202. 1916.
cooperative bull-associations, number and work. Y.B., 1916, pp. 311, 314, 317. 1917; Y.B. Sep. 718, pp. 1, 4, 7. 1917.
cooperative organizations, statistics. D.B. 547, pp. 13, 15, 40. 1917.
corn—
  breeding, tests. B.P.I. Bul. 218, pp. 9-24, 30, 65, 66. 1912.
  crops, 1866-1906, acreage, production, and value. Stat. Bul. 56, pp. 7-27, 30. 1907.
  crops, 1866-1915, yields and prices. D.B. 515, p. 6. 1917.
  production movements, consumption, and prices. D.B. 696, pp. 14, 16, 20, 28, 29, 33, 36, 38, 40, 48. 1918.
  seed testing for new-place effects, experiments. J.A.R., vol. 12, pp. 232-242. 1918.
county game laws, 1907. F.B. 308, pp. 49-50. 1907.
county organization, and expenditures for extension work, 1918. S.R.S. Rpt., 1918, pp. 30, 128-158. 1919.
credits, farm-mortgage loans, costs, and sources. D.B. 384, pp. 2, 3, 5, 7, 10. 1916.
crop planting and harvesting dates, important crops. Stat. Bul. 85, pp. 19, 31, 54, 75, 85, 104. 1912.

Maryland—Continued.
crow roosts, location and number of birds. Y.B., 1915, pp. 88, 93. 1916; Y.B. Sep. 659, pp. 88, 93. 1916.
dairies supplying milk to Washington, D. C. B.A.I. Bul. 138, pp. 31-32. 1911.
demurrage provisions and regulations. D.B. 191, pp. 3, 26. 1915.
dewberry growing, varieties and methods. F.B. 728, pp. 2, 11. 1916.
drug laws. Chem. Bul. 98, pp. 89-92. 1906; Chem. Bul. 98, rev., Pt. I, pp. 142-146. 1909.
drug-testing garden at Bell, belladonna growing and testing. J.A.R., vol. 1, pp. 136, 142. 1913.
early settlement, historical notes. See Soil surveys for various counties and areas.
Eastern Shore—
  muskrat farming, profits on swamp lands. F.B. 396, p. 32. 1910.
  trucking industry, acreage and crops. Y.B., 1916, pp. 438, 449, 452, 455-465. 1917; Y.B. Sep. 702, pp. 4, 15, 18, 21-31. 1917.
Experiment Station—
  spraying experiments with Paris green. Chem. Bul. 82, pp. 12-15. 1904.
  wheat growing experiments with Stoner wheat. D.B. 357, pp. 19-20. 1916.
  work and expenditures—
    1906. H. J. Patterson. O.E.S. An. Rpt., 1906, 99, 113-115. 1907.
    1907. H. J. Patterson. O.E.S. An. Rpt., 1907, pp. 113-116. 1908.
    1908, report. H. J. Patterson. O.E.S. An. Rpt., 1908, pp. 109-111. 1909.
    1909. H. J. Patterson. O.E.S. An. Rpt., 1909, pp. 120-123. 1910.
    1910. H. J. Patterson. O.E.S. An. Rpt., 1910, pp. 156-159. 1911.
    1911. H. J. Patterson. O.E.S. An. Rpt., 1911, pp. 123-126. 1912.
    1912. H. J. Patterson. O.E.S. An. Rpt., 1912, pp. 130-133. 1913.
    1913. H. J. Patterson. O.E.S. An. Rpt., 1913, pp. 52-53. 1915.
    1914. H. J. Patterson. O.E.S. An. Rpt., 1914, pp. 128-131. 1915.
    1915, report. H. J. Patterson. S.R.S. Rpt., 1915, Pt. I, pp. 139-143. 1916.
    1916. H. J. Patterson. S.R.S. Rpt., 1916, Pt. I, pp. 141-145. 1918.
    1917. H. J. Patterson. S.R.S. Rpt., 1917, Pt. I, pp. 138-142. 1918.
    1918. S.R.S. Rpt., 1918, pp. 35, 37, 53, 56, 60, 64, 70-80. 1920.
export tobacco district. Stat. Cir. 18, p. 15. 1909.
extension work—
  funds allotment, and county-agent work. S.R.S Doc. 40, pp. 4, 6, 10, 16, 23, 25, 28. 1918.
  in agriculture and home economics—
    1915. Thos. B. Symons. S.R.S. Rpt., 1915, Pt. II, pp. 79-85. 1917.
    1916. Thomas B. Symons. S.R.S. Rpt., 1916, Pt. II, pp. 82-88. 1917.
    1917. Thomas B. Symons. S.R.S. Rpt., 1917, Pt. II, pp. 85-91. 1919.
  statistics. D.C. 306, pp. 3, 6, 10, 14, 20, 21. 1924.
fairs, number, kind, location, and dates. Stat. Bul. 102, pp. 13, 14, 35-36. 1913.
farm(s)—
  abandonment, causes. Rpt. 70, pp. 25-29. 1901.
  animals, statistics, 1867-1907. Stat. Bul. 64, p. 105. 1908.
  birds. Sylvester D. Judd. Biol. Bul. 17, pp. 116. 1902.
  conditions, letters from women. Rpt. 103, pp. 39, 59, 75. 1915; Rpt. 104, pp. 27, 32, 38, 44, 47, 59, 67, 77. 1915; Rpt. 105, pp. 15, 25, 63. 1915; Rpt. 106, pp. 11, 30, 48, 65. 1915.
  gapeworm investigations. D.B. 939, pp. 8-9. 1921.
  lease provisions. D.B. 650, pp. 4, 8, 10, 11, 12, 14, 16, 19. 1918.
  values, changes, 1900-1905. Stat. Bul. 43, pp. 11-17, 29-46. 1906.
farmers' experience with motor trucks (with other States). D.B. 910, pp. 1-37. 1920.

Maryland—Continued.
farmers' institutes—
for young people. O.E.S. Cir. 99, p. 19. 1910.
history. O.E.S. Bul. 174, p. 45. 1906.
laws. O.E.S. Bul. 135, pp. 18–19. 1903; O.E.S. Bul. 241, p. 23. 1911.
work—
1906. O.E.S. An. Rpt., 1906, p. 333. 1907.
1907. O.E.S. An. Rpt., 1907, p. 331. 1908.
1908. O.E.S. An. Rpt., 1908, p. 314. 1909.
1909. O.E.S. An. Rpt., 1909, p. 346. 1910.
1910. O.E.S. An. Rpt., 1910, p. 407. 1911.
1911. O.E.S. An. Rpt., 1911, p. 373. 1912.
1912. O.E.S. An. Rpt., 1912, p. 366. 1913.
fertilizer prices, 1919, by counties. D.C. 57, pp. 4, 5. 1919.
field work of Plant Industry, December, 1924. M.C. 30, pp. 25–27. 1925.
flours, baking tests. An. Rpts., 1910, p. 447. 1911; Chem. Chief Rpt., 1910, p. 23. 1910.
food laws—
1903. Chem. Bul. 83, Pt. I, pp. 50–54. 1904.
1904. Chem. Bul. 83. Pt. II, pp. 7–8. 1904.
1905. Chem. Bul. 69, rev., Pt. III, pp. 234–244. 1905.
enforcement. Chem. Cir. 16, rev., pp. 12–13. 1908.
officials. Chem. Cir. 16, rev., pp. 13, 34. 1908.
food legislation and officials. Chem. Cir. 16, pp. 10, 28. 1904.
foot-and-mouth disease—
outbreak and eradication, 1909. An. Rpts., 1909, pp. 196–197, 214. 1910; B.A.I. Chief Rpt., 1909, pp. 6–7, 24. 1909.
quarantine areas, May, 1915. B.A.I.O. 238, p. 5. 1915; amdts. 2, 4, 6, 7, 8, p. 2. 1915.
forest—
conditions and lumber requirements. Sec. Cir. 183, p. 25. 1921.
fires, statistics. For. Bul. 117, p. 29. 1912.
lands, Youghiogheny unit, location. D.C. 313, p. 7. 1924.
management of loblolly pine. D.B. 11, pp. 1–59. 1914.
funds for cooperative extension work, source. S.R.S. Doc. 40, pp. 4, 5, 9, 14. 1917.
fur animals laws—
1915. F.B. 706, pp. 8–9. 1916.
1916. F.B. 783, pp. 9–10. 1916.
1917. F.B. 911, pp. 12, 31. 1917.
1918. F.B. 1022, pp. 11, 31. 1918.
1919. F.B. 1079, pp. 15–16. 1919.
1920. F.B. 1165, pp. 13–14. 1920.
1921. F.B. 1238, pp. 12–13. 1921.
1922. F.B. 1293, pp. 10–11. 1922.
1923–24. F.B. 1387, p. 13. 1923.
1924–25. F.B. 1445, p. 10. 1924.
1925–26. F.B. 1469, p. 13. 1925.
game laws—
1902. F.B. 160, pp. 14–16, 32, 41, 45. 1902.
1903. F.B. 180, pp. 11, 23, 33, 38, 49–51, 55. 1903.
1904. F.B. 207, pp. 19, 33, 38, 42, 50, 60. 1904.
1905. F.B. 230, pp. 18, 30, 38, 43, 51–52. 1905.
1906. F.B. 265, pp. 8, 16, 30, 43, 51. 1906.
1907. F.B. 308, pp. 15, 28, 36, 43. 1907.
1908. F.B. 336, pp. 8, 17, 31, 40, 51. 1908.
1909. F.B. 376, pp. 22, 34, 39, 43, 47, 53–54. 1909.
1910. F.B. 418, pp. 7, 10, 15, 27, 32, 36, 42. 1910.
1911. F.B. 470, pp. 15, 20, 32, 38, 41, 47. 1911.
1912. F.B. 510, pp. 4, 8, 9, 10, 11, 15, 25–26, 28, 34, 37, 44. 1912.
1913. D.B. 22, pp. 20, 21, 27, 39, 45, 48, 54. 1913; D.B. 22, rev., pp. 19, 20, 21, 27, 39, 45, 48, 54. 1913.
1914. F.B. 628, pp. 2, 3, 5, 10, 11, 12, 14, 18, 28–29, 31, 37, 41, 48. 1914.
1915. F.B. 692, pp. 28, 41, 47, 50, 52, 58. 1915.
1916. F.B. 774, pp. 8–9, 26, 39, 45, 49, 51, 58. 1916.
1917. F.B. 910, pp. 19, 21, 47, 51. 1917.
1918. F.B. 1010, pp. 5, 6, 7, 17, 46, 48, 61. 1918.
1919. F.B. 1077, pp. 20, 49, 72, 73. 1919.
1920. F.B. 1138, pp. 21–23. 1920.
1921. F.B. 1235, pp. 24, 56. 1921.
1922. F.B. 1288, pp. 4, 5, 6, 20, 53, 67. 1922.
1923–24. F.B. 1375, pp. 21, 49. 1923.
1924–25. F.B. 1444, pp. 14–15, 36. 1924.
1925–26. F.B. 1466, pp. 20–21, 44. 1925.

Maryland—Continued.
game protection. See Game protection, officials.
Garrett Park, greenhouse experiments on mosaic disease transmission. J.A.R., vol. 19, pp. 132–134. 1920.
grain—
acreage, corn, wheat, oats, barley, and rye. F.B. 786, pp. 3–4. 1917.
growing—
fall sowing, time, rate, and varieties. F.B. 786, pp. 1–24. 1917.
varietal tests with small grains. D.B. 336, pp. 1–52. 1916.
supervision districts, counties. Mkts. S.R.A. 14, pp. 3, 4. 1916.
growth of tomato industry. Off. Rec., vol. 2, No. 39, p. 6. 1923.
hay crops, 1866–1906, acreage, production, and value. Stat. Bul. 63, pp. 5–25, 27. 1908.
herds, lists of tested and accredited. D.C. 54, pp. 7, 12, 31, 56, 80. 1919; D.C. 142, pp. 5, 8, 19, 32–49. 1920; D.C. 143, pp. 48, 29, 74. 1920; D.C. 144, pp. 11, 26. 1920.
high-schools, provision for agricultural education. O.E.S. An. Rpt., 1910, pp. 370, 374–376. 1911.
highway construction, laws, mileage and cost. Y.B. 1914, pp. 214, 220, 222. 1915; Y.B. Sep. 638, pp. 214, 220, 222. 1915.
honey-gathering season and plants. D.B. 1328, pp. 7–8. 1925.
hunting laws. Biol. Bul. 19, pp. 11–65. 1904.
insecticide and fungicide laws. I. and F. Bd. S.R.A. 13, pp. 120–124. 1916.
insects, 1905, report. Ent. Bul. 60, pp. 82–84. 1906.
irrigation plants. O.E.S. Bul. 167, p. 15. 1906.
lands, purchase under Weeks' law. D.C. 313, p. 7. 1924.
Lanham, corn-breeding experiments. J.A.R., vol. 11, pp. 554–559. 1917.
lard supply, wholesale and retail, August 31, 1917, tables. Sec. Cir. 97, pp. 13–31. 1918.
law(s)—
against Sunday shooting. Biol. Bul. 12, rev., p. 63. 1902.
nursery stock shipments, interstate. Ent. Cir. 75, rev., p. 4. 1909; F.H.B.S.R.A. 57, pp. 113–115. 1919.
on dog control, digest. F.B. 935, p. 15. 1918; F.B. 1268, p. 16. 1922.
tobacco inspection. B.P.I. Bul. 268, pp. 7, 8–11. 1913.
legislation—
protecting birds. Biol. Bul. 12, rev., pp. 16, 23, 25, 34, 35, 37, 39, 43, 45, 46, 48, 51–52, 53, 55, 93–94, 137. 1902.
relative to tuberculosis. B.A.I. Bul. 28, pp. 43–47. 1901.
legumes wild, distribution and abundance. B.P.I. Cir. 31, p. 9. 1909.
livestock admission, sanitary requirements. B.A.I. Doc. A-28, pp. 17–18. 1917; B.A.I. Doc. A-36, pp. 24–26, 1920; M.C. 14, pp. 31–33. 1924.
lumber—
cut, 1920, 1870–1920, value, and kinds. D.B. 1119, pp. 27, 30–35, 43, 48, 49, 56, 58. 1923.
cut, tables. D.B. 1, pp. 45, 50–56, 57–59. 1913.
production, 1918, by mills, by woods, and lath and shingles. D.B. 845, pp. 6–10, 14, 16, 19, 28, 30, 42–47. 1920.
maple-sugar analysis, results, table. D.B. 466, p. 14. 1917.
maple sugar and sirup, production for many years. F.B. 516, pp. 44–46. 1912.
marketing activities and organization. Mkts. Doc. 3, p. 4. 1916.
marl, use on soils. J.A.R., vol. 19, pp. 239, 240. 1920.
Marshall Hall, bird studies. Biol. Bul. 15, pp. 24, 30–40, 77. 1901.
meteorological data. Chem. Bul. 127, pp. 17, 32, 42, 51. 1909.
milk supply and laws. B.A.I. Bul. 46, pp. 26, 83–85, 206. 1903.
Montgomery County, road experiment, description. D.B. 53, p. 32. 1913.
Montgomery County, roads, reports, 1911–1916. Sec. Cir. 77, pp. 1–5. 1917.
motor-truck route. News L., vol. 6, No. 37, pp. 12–13. 1919.

Maryland—Continued.
  muskrat farming, success. D.C. 135, pp. 8-9. 1920; F.B. 869, pp. 16-17. 1917.
  Negro extension work and workers, 1908-1921. D.C. 190, pp. 6-9, 22. 1921.
  nut growing. F.B. 329, pp. 19-21. 1908.
  oat crops, 1866-1906, acreage, production, and value. Stat. Bul. 58, pp. 5-25, 28. 1907.
  oat tests, Sixty-day and Kherson, with other varieties. F.B. 395, p. 13. 1910.
  pasture land on farms. D.B. 626, pp. 15, 44-45. 1918.
  peach(es)—
    growing, production, districts, and varieties. D.B. 806, pp. 4, 5, 7, 8, 9, 19-20. 1919.
    industry, season, and shipments, 1914. D.B. 298, pp. 4, 5, 7, 12. 1916.
    preparation for market. F.B. 1266, pp. 4, 7, 10, 15, 16-27. 1922.
    shipping season, area of production. D.B. 298, pp. 4, 5, 12. 1915.
    varieties, names and ripening dates. F.B. 918, p. 8. 1918.
    trees, injury by bud mite, and control method. Ent. Bul. 97, pp. 105, 106, 107, 108, 114. 1913.
  pear growing, distribution and varieties. D.B. 822, pp. 9-10. 1920.
  pheasant raising, early attempts, and results. F.B. 390, p. 13. 1910.
  potato—
    crop, early, location, season, varieties, and shipments. F.B. 1316, pp. 3, 4, 5. 1923.
    crops, 1866-1906, acreage, production, and value. Stat. Bul. 62, pp. 7-27, 30. 1908.
    wart, distribution, map. D.B. 1156, p. 2. 1923.
    quarantine for foot-and-mouth disease—
      December 19, 1908. B.A.I.O. 156, amdt. 6, pp. 2. 1908.
      January 13, 1909. B.A.I.O. 156, amdt. 10, pp. 2. 1909.
      January 27, 1909. B.A.I.O. 156, amdt. 11, pp. 3. 1909.
      February 25, 1909. B.A.I.O. 157, rule 6, rev. 2, pp. 3-4. 1909.
      release, March 15, 1909. B.A.I.O. 157, amdt. 1, p. 1. 1909.
      release, April 24, 1909. B.A.I.O. 160, rule 7, p. 1. 1909.
    raw rock phosphate, field experiments, and results. D.B. 699, pp. 59-66. 1918.
  road(s)—
    bond-built, amount of bonds, and rate. D.B. 136, pp. 34, 41, 68, 81, 85. 1915.
    building—
      early colonial laws. Y.B., 1910, pp. 266, 269. 1911; Y.B. Sep. 535, pp. 266, 269. 1911.
      rock tests, 1915, results, table. D.B. 370, pp. 34-36. 1916.
      rock tests, 1916 and 1917. D.B. 670, pp. 11, 25. 1918.
      rock test, 1916-1921, results. D.B. 1132, pp. 15-16, 47, 51. 1923.
    construction and maintenance. D.B. 284, pp. 50-52, 63. 1915.
    experiments in dust prevention, report, 1913. D.B. 105, pp. 1-24, 31-36. 1914.
    laws, 1908. Y.B., 1908, p. 591. 1909.
    maintenance demonstration. An. Rpts., 1916, pp. 332-333. 1917; Rds. Chief Rpt., 1916, pp. 4, 5. 1916.
    materials, tests. Rds. Bul. 44, pp. 45-47. 1912.
    mileage and expenditures—
      1904. Rds. Cir. 50, pp. 2. 1906.
      1909. Rds. Bul. 41, pp. 22, 40, 42, 72. 1912.
      1914. D.B. 387, pp. 3-8, 26-28. 1917.
      Jan. 1, 1915. Sec. Cir. 52, pp. 2, 4, 6. 1915.
      1916. Sec. Cir. 74, pp. 4, 5, 7, 8. 1917.
    preservation and dust prevention—
      1911, progress report. Rds. Cir. 98, pp. 5-17. 1912.
      1914, experiments at Rockville and Chevy Chase, reports. D.B. 257, pp. 17-22, 25-34. 1915.
      1916, reports. D.B. 586, pp. 37-41, 49-52, 59-62. 1918.
    repairing, cost on macadam roads. Rds. Bul. 48, pp. 17, 23, 24. 1913.
    surfacing, experiments, 1915. D.B. 407, pp. 24-32, 48-54, 57-65. 1916.

Maryland—Continued.
  Rockville—
    corn growing from mutilated seed, experiments. D.B. 1011, pp. 4, 6, 7. 1922.
    Pike, road-binding experiments. D.B. 105, pp. 17-24. 1914.
  rye crops, 1866-1906, acreage, production, and value. Stat. Bul. 60, pp. 5-25, 28. 1908.
  rye growing, early history, and production, 1839-1859. Y.B., 1922, pp. 503, 504. 1923; Y.B. Sep. 891, pp. 503, 504. 1923.
  Saint Marys County—
    Leonardtown loam soil. Soils Cir. 15, pp. 1-3. 1905.
    manurial requirements of the Leonardtown loam soil. Soils Cir. 14, pp. 1-4. 1905.
  San Jose scale, occurrence. Ent. Bul. 62, p. 25. 1906.
  sawfly, occurrence, identification and history. D.B. 834, pp. 2-3. 1920.
  schools, agricultural education, State aid. O.E.S. Cir. 106, rev., pp. 28, 29. 1912; Y.B., 1912, pp. 473-474. 1913; Y.B. Sep. 607, pp. 473-474. 1913.
  shipments of fruits and vegetables, and index to station shipments. D.B. 667, pp. 6-13, 26. 1918.
  soil survey of—
    Allegany County. O. C. Bruce and A. M. Smith. Soil Sur. Adv. Sh., 1921, pp. 1060-1090. 1925.
    Anne Arundel County. J. C. Britton and C. R. Zappone, jr. Soil Sur. Adv. Sh., 1909, pp. 42. 1910; Soils F.O., 1909, pp. 271-308. 1912.
    Baltimore County. William T. Carter, jr., and others. Soil Sur. Adv. Sh., 1917, pp. 42. 1919; Soils F.O., 1917, pp. 271-308. 1923.
    Calvert County. Jay A. Bonsteel and R. T. Avon Burke. Soils F.O. Sep., 1900, pp. 24. 1901; Soils F.O., 1900, pp. 147-171. 1901.
    Caroline County. See Easton area.
    Carroll County. R. T. Avon Burke. Soil Sur. Adv. Sh., 1919, pp. 37. 1922; Soils F.O., 1919, pp. 607-639. 1925.
    Cecil County. Clarence W. Dorsey and Jay A. Bonsteel. Soils F.O. Sep., 1900, pp. 25. 1902; Soils F.O., 1900, pp. 103-124. 1901.
    Charles County. Howard C. Smith and R. C. Rose. Soil Sur. Adv. Sh., 1918, pp. 47. 1922; Soils F.O., 1918, pp. 73-119. 1924.
    Easton area. Hugh H. Bennett and others. Soil Sur. Adv. Sh., 1907, pp. 47. 1909; Soils F.O., 1907, pp. 121-163. 1909.
    Frederick County. W. J. Latimer and others. Soil Sur. Adv. Sh., 1919, pp. 82. 1922; Soils F.O., 1919, pp. 641-722. 1925.
    Harford County. W. G. Smith and J. O. Martin. Soils F.O. Sep., 1902, pp. 211-237. 1903; Soils F.O., 1901, pp. 211-237. 1902.
    Kent County. Jay A. Bonsteel. Soils F.O. Sep., 1900, pp. 14. 1901; Soils F.O., 1900, pp. 173-186. 1901.
    Kent County. Jay A. Bonsteel. Soils F.O. Sep., 1900, pp. 14. 1901; Soils F.O., 1900, pp. 173-186. 1901.
    Howard County. Wm. T. Carter, jr., and J. P. D. Hull. Soil Sur. Adv. Sh., 1916, pp. 34. 1917; Soils F.O., 1916, pp. 279-308. 1921.
    Montgomery County. W. T. Carter and J. P. D. Hull. Soil Sur. Adv. Sh., 1914, pp. 39. 1916; Soils F.O., 1914, pp. 393-427. 1919.
    Prince Georges County. Jay A. Bonsteel and party. Soils F.O. Sep., 1901, pp. 38. 1903; Soils F.O., 1901, pp. 173-210. 1902.
    Queen Annes County. See Easton area.
    St. Marys County. Jay A. Bonsteel. Soils F.O. Sep., 1900, pp. 20. 1901; Soils F.O., 1900, pp. 125-145. 1901.
    Somerset County. J. M. Snyder and J. Hall Barton. Soil Sur. Adv. Sh., 1920, pp. 1287-1316. 1924; Soils F.O., 1920, pp. 1287-1316. 1925.
    Talbot County. See Easton area.
    Washington County. R. T. Avon Burke and others. Soil Sur. Adv. Sh., 1917, pp. 46. 1919; Soils F.O., 1917, pp. 309-350. 1923.
    Wicomico County. J. M. Snyder and R. L. Gillett. Soil Sur. Adv. Sh., 1921, pp. 28. 1925.

Maryland—Continued.
soil survey of—continued.
Worcester County. F. E. Bonsteel and William T. Carter, jr. Soil Sur. Adv. Sh., 1903, pp. 29. 1904; Soils F.O., 1903, pp. 165-189. 1904.
soils—
Chester loam, areas, locations, and crops adaptable. Soils Cir. 55, pp. 3, 4, 6, 7, 9, 10. 1912.
Meadow, areas, location, and adaptations. Soils Cir. 68, pp. 12, 13, 14, 20. 1912.
moisture equivalents and hygroscopic coefficient. J.A.R., vol. 6, No. 21, p. 836. 1916.
Norfolk sand, areas, location, and uses. Soils Cir. 44, pp. 9, 19. 1911.
sassafras, location and crop adaptations. D.B. 159, pp. 3-52. 1915.
southern, chestnut growing. Raphael Zon. For. Bul. 53, pp. 3. 1904.
standard containers. F.B. 1434, p. 17. 1924.
State forestry laws. Jeannie S. Payton. For. Law Leaf. 4, pp. 6. 1915; For. Misc. S-5, pp. 6. 1915.
strawberry shipments, 1914, 1915. D.B. 237, p. 8. 1915; F.B. 1028, p. 6. 1919.
studies of codling moth, 1911, 1912, 1913. D.B. 189, pp. 2, 13-21, 40-48, 49. 1915.
Sudan-grass growing experiments. B.P.I. Cir. 125, p. 16. 1913.
sweet-potato scruf, occurrence. J.A.R., vol. 5, No. 21, p. 995. 1916.
Takoma Park, soil studies. Soils Bul. 28, pp. 11-39. 1905.
termites, occurrence and damages. D.B. 333, pp. 12, 15. 1916.
tile drainage, effects. Y.B., 1914, p. 253. 1915; Y.B. Sep. 640, p. 253. 1915.
timber treatment, cost and results. F.B. 744, pp. 26, 28. 1916.
tobacco—
conditions, 1911. Stat. Cir. 27, p. 7. 1912.
crop, 1912. Stat. Cir. 43, pp. 2, 3, 8. 1913.
districts, demands, production, and distribution. B.P.I. Bul. 244, pp. 49-55. 1912.
growing—
historical notes and present conditions. B.P.I. Bul. 244, pp. 12-16, 28, 30, 49-55. 1912; B.P.I. Cir. 48, pp. 4, 7. 1910; Y.B., 1922, pp. 400-404, 406, 407, 411-415. 1923. Y.B. Sep. 885, pp. 400-404, 406, 407, 411-415. 1923.
soils and methods. F.B. 571, pp. 14-15. 1914.
type, soils, and cultural directions. F.B. 571, rev., p. 20. 1920.
marketing, inspection, sales. B.P.I. Bul 268, pp. 8-13. 1913.
report for July 1, 1912. Stat. Cir. 38, pp. 3, 4, 7. 1912.
tomato-pulping statistics. D.B. 927, pp. 3, 4, 24. 1921.
tractors for preparing wheat fields. News L., vol. 5, No. 20, p. 6. 1917.
tuberculin testing of cattle, results. B.A.I. Chief Rpt., 1911, pp. 39-40. 1911.
wage rates, farm labor, 1845, and 1866-1909. Stat. Bul. 99, pp. 21, 29-43, 68-70. 1912.
walnut—
growing and yield. B.P.I. Bul. 254, pp. 18, 23-102. 1913.
stand and quality. D. B. 909, pp. 9, 10, 16-17, 19, 21. 1921.
range and estimated stand. D.B. 933, pp. 7, 8. 1921.
water supply, records, by counties. Soils Bul. 92, pp. 78-79. 1913.
wheat—
acreage and varieties. D.B. 1074, p. 211. 1922.
crops, acreage, production, and value. Stat. Bul. 57, pp. 5-25, 28. 1907; Stat. Bul. 57, rev., pp. 5-25, 28, 36. 1908.
environment studies. J.A.R., vol. 1, pp. 275-291. 1914.
varieties grown. F.B. 616, pp. 10, 11. 1914; F.B. 1168, pp. 13, 15. 1921.
yields and prices, 1866-1915. D.B. 514, p. 6. 1917.
Yarrow Plant Introduction Garden, work, 1916. Y.B., 1916, pp. 135, 136, 140. 1917; Y.B. Sep. 687, pp. 1, 2, 6. 1917.
See also Coastal Plains.

Marysville Canal & Improvement Co., work in Idaho. O.E.S. Bul. 216, p. 48. 1909.
"Marzipan," German confection, making with almond paste. F.B. 332, p. 20. 1908.
Mascarene grass, importation, and description. No. 41509, B.P.I. Inv. 45, pp. 7, 42. 1918.
Mash(es)—
alcohol, making and manipulation, experimental distillery. Chem. Bul. 130, pp. 63, 64-66. 1910.
chick and hen feed, formulas. S.R.S. Syl. 17, pp. 8, 13-14. 1916.
chicken feed, preparation and feeding. F.B. 1105, pp. 5-6. 1920.
description and value for hen feed, experiments. News L., vol. 5, No. 13, p. 4. 1917.
distillery, determinations of sugar, acidity, and diastase. Chem. Bul. 130, pp. 70-75. 1910.
distillery, use as cow feed. D.B. 182, pp. 2, 16, 22, 25, 28, 30, 33. 1915.
dry—
feed for young chicks, and hopper for use. D.C. 17, p. 5. 1919.
formula, for chicks. F.B. 1111, p. 5. 1920.
hopper, for feed, grit, and shell. D.C. 13, pp. 7-8. 1919.
value as hen feed, and feeding method. F.B. 889, pp. 17-18. 1917.
formula for young chicks. F.B. 1108, p. 7. 1920.
grain, preparation for distillation. Chem. Bul. 130, pp. 45, 50, 123, 126. 1910.
poisoned bran, use in control of alfalfa cutworms, cost, and formula. News L., vol. 5, No. 14, p. 8. 1917.
potato, preparation and fermentation, details. F.B. 410, pp. 11-16, 28-31. 1910; F.B. 429, pp. 25-27. 1911.
poultry feeding, composition. F.B. 1067, pp. 4, 8-9, 10-11. 1919.
preparation in alcoholic fermentation. F.B 429, pp. 23-27. 1911.
tub, use in rye fermentation. Chem. Bul. 130, p. 44. 1909.
yeast, preparation. F.B. 410, pp. 25-31. 1910.
Masicera myoidea, parasitic on European corn borer. F.B. 1046, p. 21. 1919.
MASKEW, FDK.: "Report of investigations and experiments on Fuller's rose beetle in southern California." Ent. Bul. 44, pp. 46-50. 1904.
MASLIN, E. W., work in introduction of Smyrna figs. B.P.I. Doc. 537, rev., pp. 2-4, 6. 1912; D.B. 732, pp. 21-22. 1918.
Maslin—
fig orchard, California, lease by department. B.P.I. Doc. 537, p. 2. 1910.
production in—
European countries, tables, etc., 1883-1906. Stat. Bul. 68, pp. 51-96. 1908.
France, 1910. B.P.I. Bul. 274, p. 25. 1913; Stat. Cir. 19, pp. 8-9. 1911.
MASON, A. C.—
"Biology of the papaya fruit fly, *Toxotrypana curvicauda*, in Florida." D.B. 1081, pp. 10. 1922.
"The camphor thrips." With W. W. Yothers. D.B. 1225, pp. 30. 1924.
MASON, B. B.—
"A classification of ledger accounts for creameries." With others. D.B. 865, pp. 40. 1920.
"A system of bookkeeping for grain elevators." With others. D.B. 811, pp. 48. 1919.
MASON, D. T.—
"The life history of lodgepole pine in the Rocky Mountains." D.B. 154, pp. 35. 1915.
"Utilization and management of lodgepole pine in the Rocky Mountains." D.B. 234, pp. 54. 1915.
MASON, S. C.—
"Botanical characters of the leaves of the date palm used in distinguishing cultivated varieties." D.B. 223, pp. 28. 1915.
"Dates of Egypt and the Sudan." D.B. 271, pp. 40. 1915.
"Drought resistance of the olive in the Southwestern States." B.P.I. Bul. 192, pp. 60. 1911.
"Growing Bermuda onion seed in the southwestern United States." B.P.I.C.P. and B.I. Cir. 3, pp. 6. 1917.
"Partial thermostasy of the growth center of the date palm." J.A.R., vol. 31, pp. 415-453. 1925

MASON, S. C.—Continued.
"The inhibitive effect of direct sunlight on the growth of the date palm." J.A.R., vol. 31, pp. 455-468. 1925.
"The minimum temperature for growth of the date palm and the absence of a resting period." J.A.R., vol. 31, pp. 401-414. 1925.
"The pubescent-fruited species of Prunus of the Southwestern States." J.A.R., vol. 1, pp.147-178. 1913.
"The Saidy date of Egypt: A variety of first rank adapted to commercial culture in the United States." D.B. 1125, pp. 36. 1923.
Mass selection, two forms in plant breeding. B.P.I. Bul. 146, pp. 28-29. 1909.
Massa-sauga, occurrence in Texas. N.A. Fauna 25, p. 49. 1905.
Massachusetts—
Agricultural College—
course, requirements. O.E.S. Cir. 83, pp. 12-13. 1909; O.E.S. Cir. 106, pp. 12-13. 1911; rev., pp. 15-16. 1912.
teachers' courses. O.E.S. Cir. 118, pp. 16-17. 1913.
agricultural—
colleges and experiment stations, organization—
1905. O.E.S. Bul. 161, pp. 34-35. 1905.
1906. O.E.S. Bul. 176, pp. 38-39. 1907.
1907. O.E.S. Bul. 197, pp. 40-42. 1908.
1910. O.E.S. Bul. 224, pp. 34-35. 1910.
colleges and experiment stations. See also Agriculture, workers list.
education extension, 1906. O.E.S. Bul. 196, p. 28. 1907.
extension work, statistics. D.C. 253, pp. 5, 8, 10-11, 17, 18. 1923.
high schools. O.E.S. Cir. 83, pp. 23-24. 1909; O.E.S. Cir. 106, pp. 23-24. 1911.
aid to agricultural schools. O.E.S. An. Rpt., 1911, pp. 329-330. 1912.
Amesbury, gipsy-moth infestation, control studies. D.B. 484, Pt. II, pp. 40-42. 1917.
appearance of brown-tail moth, and damages. Ent. Bul. 87, pp. 30-31. 1910.
apple—
growing, areas, production, and varieties. D.B. 485, pp. 6, 15, 44-47. 1917.
production, 1899 and 1909, comparison with other States. D.B. 140, pp. 35-37. 1915.
asparagus—
crop, acreage and value, 1909. F.B. 829, pp. 3, 4. 1917.
Growers Association, experiments at Concord. B.P.I. Bul. 263, pp. 11, 14-16. 1913.
association, cranberry growers'. Rpt. 98, pp. 225-227. 1913.
barley crops, 1866-1906, acreage, production, and value. Stat. Bul. 59, pp. 7-26, 27. 1907.
Barnstable County marsh lands, soils, description. O.E.S. Bul. 240, pp. 78-83. 1911.
bee—
and honey statistics. D.B. 325, pp. 9-12. 1915; D.B. 685, pp. 6-30. 1918.
diseases, damages, spread, and control. Ent. Bul. 75, pp. 23-32. 1911; Ent. Cir. 138, p. 11. 1911.
beekeeping—
Burton N. Gates. Ent. Bul. 75, pp. 81-109. 1911.
history 1620-1907. Ent. Bul. 75, Pt. VII, pp. 81-84. 1909.
bird protection. See Bird protection officials.
bounty laws, 1907. Y.B., 1907, p. 562. 1908; Y.B., Sep. 473, p. 562. 1908.
bovine tuberculosis, quarantine indemnity. B.A.I. Bul. 28, pp. 47-48. 1901.
boys' and girls' clubs. O.E.S. Bul. 251, p. 18. 1912.
brown-tail moth—
introduction and control work. F.B. 1335, pp. 4-6, 25-27. 1923; Y.B. 1916, pp. 218-220, 222-224. 1917; Y.B. Sep. 706, pp. 2-4, 6-8. 1917.
quarantine areas, July, 1922. F.H.B. Quar. No. 45, A-3, p. 4. 1922.
buckwheat crops, 1867-1892, acreage, production and value. Stat. Bul. 61, pp. 5-17, 18. 1908.
caterpillars, damage and control methods. Ent. Bul. 87, pp. 30-31. 1910.

Massachusetts—Continued.
closed season for shorebirds and woodcock. Y.B., 1914, pp. 292, 293. 1915; Y.B. Sep. 642, pp. 292, 293. 1915.
commission on industrial education, report. O.E.S. An. Rpt., 1907, pp. 286-288. 1908.
consolidation of rural schools, expenditures. O.E.S. Bul. 232, pp. 8-9, 32, 43. 1910.
convict road-work, laws. D.B. 414, p. 203. 1916.
cooperative associations, statistics, and laws. D.B. 547, pp. 13, 15, 40. 1917.
corn—
borer—
distribution. F.B. 1294, pp. 2, 3, 32. 1922.
food plants, and area infested. F.B. 1046, pp. 5-7. 1919.
outbreaks in 1921. D.B. 1103, p. 29. 1922.
quarantine, 1921. F.H.B. Quar. 43, rev., pp. 1, 2. 1921.
crops, 1866-1906, acreage, production, and value. Stat. Bul. 56, pp. 7-27, 28. 1907.
crops, 1866-1915, yields and prices. D.B. 515, p. 4. 1917.
production movements, consumption and prices. D.B. 696, pp. 14, 16, 27, 29, 33, 36, 38, 40, 48. 1918.
cranberry—
growing, methods, and yields. Y.B. 1911, pp. 211, 212, 213, 216, 220-221. 1912; Y.B. Sep. 562, pp. 211-213, 216, 220-221. 1912.
handling methods, yields. F.B. 1402, pp. 2-27. 1924.
spoilage investigations. D.B. 714, pp. 1-20. 1918.
credits, farm-mortgage loans, costs and sources. D.B. 384, pp. 2, 3, 4, 7, 10. 1916.
crop planting and harvesting dates, important crops. Stat. Bul. 85, pp. 18, 53, 67, 74, 84, 103. 1912.
crow roosts, location and numbers of birds. Y.B. 1915, p. 93. 1916; Y.B. Sep. 659, p. 93. 1916.
cucumbers, growing in greenhouses. F.B. 1320, pp. 1, 3. 1923.
currants and gooseberries, control by law. F.B. 1398, p. 34. 1924.
dairy farms, cropping systems. F.B. 337, pp. 15-17. 1908.
dairy farms, data, comparison with Wisconsin. Y.B., 1913, pp. 101-105. 1914; Y.B. Sep. 617, pp. 101-105. 1914.
dairy farms, milk production cost, data. D.B. 501, pp. 19-20. 1917.
dairy regulations, forms. B.A.I. Bul. 46, pp. 188-209. 1903.
damage to trees by gipsy moth in 1889-1890. Ent. Bul. 87, pp. 9-10. 1910.
deer and pheasants killed, records, 1910-1920. D.B. 1049, p. 19. 1922.
demurrage provisions, regulations. D.B. 191, pp. 3, 26. 1915.
discovery of brown-tail moth in 1897. Ent. Bul. 87, p. 20. 1910.
Dover, gipsy-moth infestation, control studies. D.B. 484, Pt. II, pp. 28-33. 1917.
drainage work against mosquitoes, and value of reclaimed land. Ent. Bul. 88, pp. 10-11, 42, 54, 58. 1910.
drug laws. Chem. Bul. 98, pp. 93-97. 1906; Chem. Bul. 98, rev., Pt. I, pp. 147-151. 1909.
early experience with barberry, and early control legislation. D.C. 269, pp. 10-12. 1923.
early settlement, historical notes. See Soil Surveys for various counties and areas.
Experiment Station—
butter analysis. B.A.I. Bul. 149, p. 8. 1912.
work and expenditures—
1906. W. P. Brooks. O.E.S. An. Rpt., 1906, pp. 115-117. 1907.
1907. W. P. Brooks. O.E.S. An. Rpt., 1907, pp. 116-118. 1908.
1908. W. P. Brooks. O.E.S. An. Rpt., 1908, pp. 111-114. 1909.
1909. W. P. Brooks. O.E.S. An. Rpt., 1909, pp. 123-125. 1910.
1910. W. P. Brooks. O.E.S. An. Rpt., 1910, pp. 159-163. 1911.
1911. W. P. Brooks. O.E.S. An. Rpt. 1911, pp. 126-130. 1912.

Massachusetts—Continued.
Experiment Station—Continued.
work and expenditures—continued.
1912. W. P. Brooks. O.E.S. An. Rpt., 1912, pp. 133–136. 1913.
1913. W. P. Brooks. O.E.S. An. Rpt., 1913, pp. 53–54. 1915.
1914. W. P. Brooks. O.E.S. An. Rpt., 1914, pp. 131–135. 1915.
1915. W. P. Brooks. S.R.S. Rpt., 1915, Pt. I, pp. 143–149. 1916.
1916. W. P. Brooks. S.R.S. Rpt., 1916, Pt. I, pp. 145–151. 1918.
1917. W. P. Brooks. S.R.S. Rpt., 1917, Pt. I, pp. 142–146. 1918.
1918. S.R.S. An. Rpt., 1918, pp. 28, 32, 56, 60, 64, 68, 70–80. 1920.
extension work in agriculture and home economics—
1915. William D. Hurd. S.R.S. Rpt., 1915, Pt. II, pp. 222–228. 1916.
1916. William D. Hurd. S.R.S. Rpt., 1916, Pt. II, pp. 240–249. 1917.
1917. William D. Hurd. S.R.S. An. Rpt., 1917, Pt. II, pp. 243–251. 1919.
extension work statistics. D.C. 306, pp. 3, 6, 10, 14, 20, 21. 1924; S.R.S. Doc. 40, pp. 4, 6, 10, 16, 23–28. 1918.
fairs, number, kind, location, and dates. Stat. Bul. 102, pp. 13, 14, 36–37. 1913.
farm—
animals, statistics, 1867–1907. Stat. Bul. 64, p. 98. 1908.
conditions, letters from women. Rpt. 103, pp. 23, 43, 56. 1915; Rpt. 104, pp. 23, 45, 52. 1915; Rpt. 105, pp. 11, 26, 48. 1915; Rpt. 106, pp. 8, 24, 43. 1915.
labor, 1921. Josiah C. Folsom. D.B. 1220, pp. 26. 1924.
land areas and values, Norfolk, Bristol, and Barnstable Counties. Soil Sur. Adv. Sh., 1920, pp. 1044–1046. 1924; Soils F.O., 1920, pp. 1044–1046. 1925.
leases, provisions. D.B. 650, pp. 10, 11, 19. 1918.
values, changes, 1900–1905. Stat. Bul. 43, pp. 11–17, 29–46. 1906.
values, income, and tenancy classification. D.B. 1224, pp. 97–98. 1924.
farmers' experience with motor trucks (with other States). D.B. 910, pp. 1–37. 1920.
farmers' institute—
history. O.E.S. Bul. 174, pp. 46–49. 1906.
legislation. O.E.S. Bul. 241, p. 24. 1911.
work—
1904. O.E.S. An. Rpt., 1904, pp. 646–647. 1905.
1906. O.E.S. An. Rpt., 1906, p. 334. 1907.
1907. O.E.S. Bul. 199, p. 22. 1908.
1908. O.E.S. An. Rpt., 1908, p. 315. 1909.
1909. O.E.S. An. Rpt., 1909, p. 346. 1910.
1910. O.E.S. An. Rpt., 1910, p. 407. 1911.
1911. O.E.S. An. Rpt., 1911, p. 373. 1912.
1912. O.E.S. An. Rpt., 1912, p. 366. 1913.
fertilizer-control laws. Soils Bul. 58, pp. 19–23. 1910.
fertilizer prices, 1919, by counties. D.C. 57, pp. 4, 5, 7. 1919.
field work of Plant Industry, December, 1924. M.C. 30, pp. 27–28. 1925.
food laws—
1903. Chem. Bul. 83, Pt. I, p. 55. 1904.
1905. Chem. Bul. 69, rev., Pt. III, pp. 245–271. 1905.
1906. Chem. Bul. 104, pp. 32–33. 1906.
food legislation. Chem. Cir. 16, pp. 10, 22. 1904.
forest—
fires, statistics. For. Bul. 117, pp. 29–30. 1912.
planting, State work. Y.B., 1909, p. 336. 1910; Y.B. Sep. 517, p. 336. 1910.
forestry laws—
For. Misc. S–22, pp. 21. 1917.
1921, summary. D.C. 239, pp. 12–14. 1922.
parallel classification. For. Law Leaf 19, pp. 21. 1917.
funds for cooperative extension work, sources. S.R.S. Doc. 40, pp. 4, 5, 9, 16. 1917.
fur animals, laws—
1915. F.B. 706, p. 9. 1916.
1916. F.B. 783, pp. 10, 27. 1916.

Massachusetts—Continued.
fur animals, laws—continued.
1917. F.B. 911, pp. 13, 31. 1917.
1918. F.B. 1022, pp. 12, 31. 1918.
1919. F.B. 1079, pp. 4, 16. 1919.
1920. F.B. 1165, p. 14. 1920.
1921. F.B. 1238, pp. 13. 1921.
1922. F.B. 1293, p. 11. 1922.
1923–24. F.B. 1387, p. 14. 1923.
1924–25. F.B. 1445, pp. 10–11. 1924.
1925–26. F.B. 1469, pp. 13–14. 1925.
game laws—
1902. F.B. 160, pp. 14–16, 32, 41, 45. 1902.
1903. F.B. 180, pp. 11, 23, 33, 44, 55. 1903.
1904. F.B. 207, pp. 19, 33, 38, 44, 60. 1904.
1905. F.B. 230, pp. 10, 18, 31, 38, 44. 1905.
1906. F.B. 265, pp. 8, 9, 16, 29, 37, 43. 1906.
1907. F.B. 308, pp. 7, 15, 28, 36, 43. 1907.
1908. F.B. 336, pp. 8, 17, 32, 40, 51. 1908.
1909. F.B. 376, pp. 6, 12, 17, 22, 34, 39, 43, 48. 1909.
1910. F.B. 418, pp. 8, 10, 15, 27, 33, 36, 42. 1910.
1911. F.B. 470, pp. 11, 20, 32, 38, 41, 48. 1911.
1912. F.B. 510, pp. 4–44. 1912.
1913. D.B. 22, pp. 13, 20, 21, 27, 40, 45, 49, 54. 1913; D.B. 22, rev., pp. 13, 19, 21, 27, 40, 45, 54. 1913.
1914. F.B. 628, pp. 3, 4, 5–6, 10, 11, 12, 18, 28–29, 31, 36, 37, 41, 44, 48. 1914.
1915. F.B. 692, pp. 3, 11, 29, 41, 47, 50, 52, 59. 1915.
1916. F.B. 774, pp. 9, 26, 39, 45, 49, 51, 58. 1916.
1917. F.B. 910, pp. 22, 48, 51. 1917.
1918. F.B. 1010, pp. 6, 19, 46, 48, 61. 1918.
1919. F.B. 1077, pp. 22, 49, 55, 72, 73. 1919.
1920. F.B., 1138, pp. 23–24. 1920.
1921. F.B. 1235, pp. 25, 56. 1921.
1922. F.B. 1288, pp. 5, 21, 53, 66, 67. 1922.
1923–24. F.B. 1375, pp. 2, 3, 7, 21–22, 49. 1923.
1924–25. F.B. 1444, pp. 15, 37. 1924.
1925–26. F.B. 1466, pp. 21–22, 44. 1925.
relating to domesticated deer. F.B. 330, p. 19. 1908.
game protection. See Game protection officials.
gipsy-moth—
conditions, 1905, description. Ent. Bul. 119, pp. 9–10. 1913.
control, methods. Ent. Bul. 87, pp. 16–20. 1910.
infested area. J.A.R., vol. 4, p. 102. 1915.
introduction and establishment, results. F.B. 1335, pp. 1–4, 5, 25, 26, 27. 1923.
introduction, injury, and control. F.B. 845, pp. 3–4, 9, 25, 26, 27. 1917.
parasite work, introduction and dispersion. D.B. 1028, pp. 1, 16–18, 21–25. 1922.
prevalence and law. F.B. 275, pp. 10–11, 19–21. 1907.
quarantine areas, July, 1922. F.H.B. Quar. No. 45, amdt. 3, pp. 1, 3. 1922.
scouting records. Ent. Bul. 119, pp. 10, 42–51, 55–60. 1913.
grain supervision, district and headquarters. Mkts. S.R.A. 14, p. 1. 1916.
Harvard canning club, record, 1918. News L., vol. 6, No. 46, p. 7. 1919.
Hatch Experiment Station, liming acid soils, results. F.B. 1365, p. 9. 1924.
hay crops, 1866–1906, acreage, production, and value. Stat. Bul. 63, pp. 5–25, 26. 1908.
herds, lists of tested and accredited. D.C. 54, pp. 4, 7, 10, 12, 31, 57. 1919; D.C. 142, pp. 4, 5, 8, 19, 33, 47–49. 1920; D.C. 143, pp. 4, 9, 30, 74. 1920; D.C. 144, pp. 4, 11, 26. 1920.
Highway Commission, work in testing road materials. Rds. Bul. 44, pp. 5, 31. 1912.
highway department, establishment and work. Y.B., 1914, pp. 214, 216–217, 222. 1915; Y.B. Sep. 638, pp. 214, 216–217, 222. 1915.
Holden Community—
building organization and by-laws. F.B. 1192, pp. 17–21. 1921.
house, origin, cost, arrangement, and uses. D.B. 825, pp. 6–11. 1920.
home economics club work, demonstrations and results. D.C. 152, pp. 24, 26, 29. 1921.
home project plan, origination and development. D.B. 346, p. 3. 1916.

INDEX TO PUBLICATIONS, 1901–1925   1473

Massachusetts—Continued.
honey and wax production, 1855–1906, and possibilities. Ent. Bul. 75, pp. 87–89. 1911.
infestation of corn-stalk borer, and proposed quarantine. F.H.B.S.R.A. 48, p. 2. 1918.
insect depredation, early records. Y.B., 1913, pp. 78, 79. 1914; Y.B. Sep. 616, pp. 78, 79. 1914.
irrigation plants. O.E.S. Bul. 167, pp. 37–42. 1906.
lard supply, wholesale and retail, August 31, 1917, tables. Sec. Cir. 97, pp. 13–31. 1918.
law(s)—
  against Sunday shooting. Biol. Bul. 12, rev., p. 63. 1902.
  contagious diseases of domestic animals, control. B.A.I. Bul. 54, pp. 18–20. 1902–3.
  for turpentine sale. D.B. 898, p. 39. 1920.
  gipsy and brown-tail moths. F.B. 264, pp. 20–21. 1906.
  governing sale of arsenical papers and fabrics. Chem. Bul. 86, p. 53. 1904.
  on community building. F.B. 1192, p. 33. 1921.
  on dog control, digest. F.B. 935, pp. 15–16. 1918; F.B. 1268, p. 16. 1922.
  on nursery stock interstate shipment, digest. Ent. Cir. 75, rev., p. 4. 1909; F.H.B.S.R.A. 57, pp. 113, 114. 1919.
  on tidal-marsh drainage, historical notes. O.E.S. Bul. 240, pp. 68–72, 79–80. 1911.
  relating to contagious animal diseases. B.A.I. Bul. 43, pp. 36–37. 1901.
legislation on cold storage. Chem. Bul. 115, pp. 112–113. 1908.
legislation protecting birds. Biol. Bul. 12, rev., pp. 14, 15, 16, 18, 19, 34, 35, 37, 39, 43, 46, 49, 52, 53, 94–95, 137. 1902.
legislation relative to tuberculosis. B.A.I. Bul. 28, pp. 47–60. 1901.
leopard moth, introduction and damages. F.B. 708, pp. 1, 3, 4. 1916.
liberation of *Calosoma sycophanta*, list of places. Ent. Bul. 101, pp. 78–88. 1911.
livestock admission, sanitary requirements. B.A.I. Doc. A–28, pp. 18–19. 1917; B.A.I. Doc. A–36, p. 26. 1920; M.C. 14, p. 33. 1924.
lumber cut, 1920, 1870–1920, value, and kinds. D.B. 1119, pp. 27, 30–35, 45, 56, 58. 1923.
lumber production, 1918, by mills, by woods, and lath and shingles. D.B. 845, pp. 6–10, 13, 16, 21, 23, 28, 42–47. 1920.
macadam roads, material, cost, and specifications. F.B. 338, pp. 8, 22–24, 28–35, 36. 1908.
maple—
  sirup, investigations, tabulation of results. Chem. Bul 134, pp. 22–23, 68. 1910.
  sugar analyses, results, table. D.B. 466, p. 15. 1917.
  sugar and sirup, production for many years. F.B. 516, pp. 44–46. 1912.
  volume tables. D.B. 285, pp. 61–63. 1915.
marketing, activities and organization. Mkts. Doc. 3, p. 4. 1916.
meat inspection, report. Sec. Cir. 58, pp. 2–4. 1916.
Mefield, gipsy-moth infestation, control studies. D.B. 484, Pt. II, pp. 38–40. 1917.
Middleboro cranberry region, temperature studies. J.A.R., vol. 11, pp. 522–523, 526–527. 1917.
milk—
  production, investigations, canvasses, and summaries. B.A.I. Bul. 151, pp. 38, 43, 15, 46, 47, 48, 49, 50, 51, 52, 54, 55. 1913.
  supply and laws. B.A.I. Bul. 46, pp. 26, 30, 36, 40, 85–98, 179, 180, 181. 1903.
  testing for butterfat composition. J.A.R., vol. 24, pp. 392–396. 1923.
mineral waters, analyses. Chem. Bul. 139, pp. 64, 89. 1911.
moth—
  control, State work, area infested. F.B. 564, pp. 21–22, 24. 1914.
  control, use of *Calosoma sycophanta*, 1909–1914. D.B. 251, pp. 21–33. 1915.
  introduction, injury, and control. F.B. 845, pp. 5, 25. 1917.
New Bedford Textile School, cotton laboratory tests. D.B. 366, pp. 7–12. 1916.

Massachusetts—Continued.
Newbury Grange Hall, description and plans. F.B. 1173, pp. 26–27. 1921.
Newton—
  population, valuation, and sewer data. Y.B. 1916, pp. 371, 373. 1917; Y.B. Sep. 712, pp. 25, 27. 1917.
  road binding experiments, 1908. D.B. 105, pp. 43–44. 1914.
oat crops, 1866–1906, acreage, production, and value. Stat. Bul. 58, pp. 5–25, 26. 1907.
onions, production and varieties. D.B. 1325, pp. 7–8. 1925.
paper industry and pulp requirements. D.B. 1241, p. 44. 1924.
pasture land on farms. D.B. 626, pp. 14, 45. 1918.
peach growing, production, districts, and varieties. D.B. 806, pp. 4, 5, 8, 11. 1919.
peach varieties, names and ripening dates. F.B. 918, p. 8. 1918.
pear growing, distribution, and varieties. D.B. 822, p. 6. 1920.
pheasant raising, and results. F.B. 390, pp. 14–15. 1910.
pig club work. Y.B., 1915, pp. 179, 185. 1916; Y.B. Sep. 667, pp. 179, 185. 1916.
pine stumpage prices. Y.B., 1922, pp. 149, 152, 154. 1923; Y.B. Sep. 886, pp. 149, 152, 154. 1923.
Pittsfield, organization of Berkshire Agricultural Society, 1810. Stat. Bul. 102, p. 11. 1913.
Plymouth County marshlands, soils, description. O.E.S. Bul. 240, pp. 67–78. 1911.
potato crops, 1866–1906, acreage, production, and value. Stat. Bul. 62, pp. 7–27, 28. 1908.
quarantine for—
  brown-tail and gipsy moths, 1914. F.H.B.S.R.A. 6, p. 48. 1914.
  control of European corn borer area, 1918. F.H.B.S.R.A., 56, pp. 92–93. 1918.
  foot-and-mouth disease, May, 1915. B.A.I.O. 238, p. 5. 1915; amdts. 3, 7, p. 3. 1915.
  gipsy moth and brown-tail moth. 1923; F.H.B. Quar. 45, amdt. 4, pp. 1, 3, 4. 1923.
raw rock phosphate, field experiments, and results. D.B. 699, pp. 66–73. 1918.
road(s)—
  binding experiments—
    1908, and 1907. Rds. Cir. 90, pp. 2–10, 19–21. 1909.
    at Newton, 1908, report. Rds. Cir. 90, pp. 2–10. 1909.
    at Wayland, 1907. Rds. Cir. 90, pp. 19–21. 1909.
  bond-built, details. D.B. 136, pp. 34–35, 41, 52, 68, 84, 85. 1915.
  building—
    and road laws. Rds. Bul. 21, p. 34. 1901.
    rock tests, 1915, results, table. D.B. 370, pp. 36–40. 1916.
    rock tests, 1916 and 1917. D.B. 670, pp. 11–12, 25. 1918.
    rock tests, 1916–1921, results. D.B. 1132, pp. 16–19, 48, 51. 1923.
  discussion and statistics. D.B. 388, pp. 1–6, 15–19, 35–40, 43–45, 64–68. 1917.
  experiments, 1908, supplemental report. Rds. Cir. 98, p. 44. 1912.
  laws, 1908. Y.B., 1908, p. 592. 1909.
  materials, tests. Rds. Bul. 44, pp. 47–50. 1912.
  mileage and expenditures—
    1904. Rds. Cir. 84, pp. 4. 1907.
    1909. Rds. Bul. 41, pp. 22–23, 40, 42, 73. 1912.
    January 1, 1915. Sec. Cir. 52, pp. 2, 4, 6. 1915.
    1916. Sec. Cir. 74, pp. 4, 5, 7, 8. 1917.
  preservation, and dust prevention, experiments at Newton, 1914, report. D.B. 257, p. 42. 1915.
  preservation, experiments, 1908. Rds. Cir. 92, pp. 29, 31. 1910.
  repair, maintenance, and cost. Rds. Bul. 48, pp. 14, 24, 29–30, 32, 57, 58–60. 1913.
  work by department, 1913–14. D.B. 264, p. 11. 1915.
rye crops, 1866–1906, acreage, production, and value. Stat. Bul. 60, pp. 5–25, 26. 1908.
San Jose scale, occurence. Ent. Bul. 62, p. 25. 1906.

Massachusetts—Continued.
  satin moth, discovery and distribution. D.C. 167, pp. 3-5, 11-14. 1921.
  satin-moth outbreaks in 1921. D.B. 1103, pp. 46-47. 1922.
  schools, agricultural, work. O.E.S. Cir. 106, rev. pp. 18, 24, 27, 28, 29, 30. 1912.
  school-garden work. O.E.S. Bul. 160, pp. 21-32. 1905.
  shipments of fruits and vegetables, and index to station shipments. D.B. 667, pp. 6-13, 27. 1918.
  soil survey of—
    Connecticut Valley. Elmer O. Fippin. Soil Sur. Adv. Sh., 1903, pp. 27. 1904; Soils F.O., 1903, pp. 39-61. 1904.
    Franklin County. *See* Connecticut Valley.
    Hampden County. *See* Connecticut Valley.
    Hampshire County. *See* Connecticut Valley.
    Norfolk, Bristol, and Barnstable Counties. W. J. Latimer and others. Soil Sur. Adv. Sh., 1920, pp. 1033-1120. 1924; Soils F.O., 1920, pp. 1033-1120. 1925.
    Plymouth County. W. E. McLendon and Grove B. Jones. Soil Sur. Adv. Sh., 1911, pp. 41. 1912; Soils F.O., 1911, pp. 31-67. 1914.
  soils, with reference to apples and peaches. D.B. 140, pp. 1-73. 1915.
  South Shore districts, production of table fowls. F.B. 1052, p. 2. 1919.
  southeastern, soil characteristics. D.B. 140, pp. 12-16. 1915.
  spring frosts, two years' study. F.B. 104, rev., pp. 31-32. 1910.
  Springfield, dairy scores, 1909. B.A.I. Cir. 199, p. 22. 1912.
  standard containers. F.B. 1434, p. 17. 1924.
  State Cranberry Experiment Station bog, study of endrot, and control. J.A.R., vol. 11, pp. 35-40. 1917.
  strawberry shipments, 1915. F.B. 1028, p. 6. 1919.
  tanning materials, consumption, 1906. For. Cir. 119, pp. 5, 68. 1907.
  temperature conditions in cranberry regions. Y.B., 1911, pp. 220-221. 1912; Y.B. Sep. 562, pp. 220-221. 1912.
  termites, occurrence and damages. D.B. 333, p. 24. 1916.
  tidal-marsh reclamations, soils, levees, and ditches. O.E.S. Bul. 240, pp. 67-83. 1911.
  tides, measurements. O.E.S.Bul. 240, p. 6. 1911.
  timber tax. Y.B., 1914, pp. 440, 441. 1915; Y.B., Sep. 651, pp. 440, 441. 1915.
  tobacco growing. Y.B., 1922, pp. 402, 409. 1923; Y.B., Sep. 885, pp. 402, 409. 1923.
  tobacco, production of cigar type. B.P.I. Cir. 48, p. 5. 1910.
  trucking industry, acreage and crops. Y.B., 1916, pp. 446, 450, 455-465. 1917; Y.B. Sep. 702, pp. 12, 16, 21-23. 1917.
  wage rates, farm labor, statistics, 1752-1865, and 1866-1909. Stat. Bul. 99, pp. 7-11, 20, 29-43, 68-70. 1912.
  walnut growing. B.P.I. Bul. 254, p. 18. 1913.
  Wareham, gipsy-moth infestation, control studies. D.B. 484, Pt. II, pp. 35-38. 1917.
  water supply, records, by counties. Soils Bul. 92, p. 79. 1913.
  wheat—
    acreage and varieties. D.B. 1074, p. 211. 1922.
    crops, acreage, production, and value. Stat. Bul. 57, pp. 5-25, 26. 1907; Stat. Bul. 57, rev., pp. 5-25, 26, 36. 1908.
    yields and prices, 1866-1887. D.B. 514, p. 4. 1917.
  wind records, 1902-1911. Ent. Bul. 119, pp. 32-36. 1913.
  Worcester, city-garbage feeding, cost and profit. F.B. 1133, pp. 21-23. 1920.
  See also New England States.
Massachusetts Bay settlements, grain growing, historical notes. Y.B., 1922, p. 503. 1923; Y.B. Sep. 891, p. 503. 1923.
Massambee, wild, aid in spread of green stinkbug, eradication. Vir. Is. Bul. 1, p. 11. 1921.
MASSEY, G. B.: "Tobacco investigations in Ohio." With George T. McNess. Soils Bul. 29, pp. 38. 1905.

Mast board, use in transplanting forest seedlings, description and use. D.B. 479, pp. 54, 55. 1917.
Mast wood, importation and description. No. 34125, B.P.I. Inv. 32, p. 13. 1914; No. 38118, B.P.I. Inv. 39, p. 90. 1917.
Mastication, children's noon meals, studies. F.B. 712, pp. 10-11. 1916.
Mastitis. *See* Mammitis.
Masuca sp., importation and description. No. 41107, B.P.I. Inv. 44, p. 38. 1918.
MASUROVSKY, BENJAMIN—
  "A study of the effects of pumpkin seeds on the growth of rats. J.A.R., vol. 27, pp. 39-42. 1923.
  "Effects of some Cucurbita seeds on animal metabolism." J.A.R., vol. 21, pp. 523-539. 1921.
Matama grain. *See* Sorghum.
Matanuska Experiment Station, Alaska—
  buildings and land clearing. Alaska A.R., 1922, pp. 13-15. 1923.
  establishment, location, and proposed work. Alaska A.R., 1915, pp. 26-28, 71. 1916.
  report—
    1917. F. E. Rader. Alaska A.R., 1917, pp. 32-34, 81-86. 1919.
    1918. F. E. Rader. Alaska A.R., 1918, pp. 8, 16-19, 71-84. 1920.
    1919. F. E. Rader. Alaska A.R., 1919, pp. 18-19, 65-78. 1920.
    1920. F. E. Rader. Alaska A.R., 1920, pp. 48-58. 1922.
    1921. F. E. Rader. Alaska A.R., 1921, pp. 2, 16-23. 1923.
Matasano, importation, and description. No. 55445, B.P.I. Inv. 71, pp. 3, 43. 1923.
Matayaba, Porto Rico, description and uses. D.B. 354, p. 82. 1916.
Matches—
  danger on farms, precautions and State laws. F.B. 904, p. 5. 1918.
  manufacture from—
    basswood and other woods. D.B. 1007, pp. 43-44. 1922.
    pine. For. Bul. 99, pp. 52, 64. 1911.
  relation to dust explosions in grain separators. D.B. 379, pp. 6, 17. 1916.
Maté—
  importations and description. Nos. 43456, 43598, 43760. B.P.I. Inv. 49, pp. 8, 26, 50, 73. 1921.
  preparation and use. B.P.I. Bul. 227, pp. 32-33. 1911.
  use of leaves for tea in South America. Y.B., 1911, p. 443. 1912; Y.B. Sep. 582, p. 443. 1912.
  See also Yerba maté.
Maternal impressions, effect on young animals. D.B. 905, p. 15. 1920.
MATHESON, K. J.—
  "How to make cottage cheese on the farm." With F. R. Cammack. F.B. 850, pp. 15. 1917.
  "Making and using cottage cheese in the home." With Jessie M. Hoover. F.B. 1451, pp. 14. 1925.
  "Manufacture of cows'-milk Roquefort cheese." D.B. 970, pp. 28. 1921.
  "Neufchatel and cream cheese: Farm manufacture and use." With F. R. Cammack. F.B. 960, pp. 35. 1918.
  "The manufacture of Camembert cheese." With S. A. Hall. D.B. 1171, pp. 28. 1923.
  "The manufacture of Neufchatel and cream cheese in the factory." With F. R. Cammack. D.B. 669, pp. 28. 1918.
MATHESON, ROBERT: "Observations on the life history of the cherry leaf beetle." With Glenn W. Herrick. J.A.R., vol. 5, No. 20, pp. 943-950. 1916.
MATHEWS, IRMA: "Organizing and maintaining institutes for young people and for women." O.E.S. Bul. 256, pp. 70-72. 1913.
MATHEWS, O. R.—
  "Dry farming in western South Dakota." F.B. 1163, pp. 16. 1920.
  "Storage of water in soil and its utilization by spring wheat." With E. C. Chilcott. D.B. 1139, pp. 28. 1923.
  "Use of water by spring wheat on the Great Plains." With others. D.B. 1004, pp. 34. 1923.

MATHEWS, O. R.—Continued.
"Water penetration in the gumbo soils of the Belle Fourche reclamation project." D.B. 447, pp. 12. 1916.
MATHEWSON, E. H.—
"Dark fire-cured tobacco of Virginia and the possibilities for its improvement." With George T. McNess. Y.B., 1905, pp. 219–230. 1906; Y.B. Sep. 378, pp. 219–230. 1906.
"Intensive methods and rotation of crops in tobacco culture." Y.B., 1908, pp. 403–420. 1909; Y.B. Sep. 490, pp. 403–420. 1909.
"Improvement of Virginia fire-cured tobacco." With others. Soils Bul. 46, pp. 10. 1907.
"The burning quality of tobacco, with suggestions for its improvement in the flue-cured types of eastern North Carolina and South Carolina." B.P.I. Doc. 629, pp. 4. 1910.
"The culture of flue-cured tobacco." D.B. 16, pp. 36. 1913.
"The export and manufacturing tobaccos of the United States, with brief reference to the cigar types." B.P.I. Bul. 244, pp. 100. 1912.
"Tobacco marketing in the United States." B.P.I. Bul. 263, pp. 67. 1913.
MATHEWSON, W. E.—
report as—
associate referee on colors. Chem. Bul. 162, pp. 53–59. 1913.
referee on colors. Chem. Bul. 137, pp. 52–56. 1911; Chem. Bul. 152, pp. 122–124. 1912.
"Separation and identification of food-coloring substances." D.B. 448, pp. 56. 1917.
"The estimation of iodin organic compounds and its separation from other halogens." With A. F. Seeker. Chem. Cir. 65, pp. 5. 1910.
"The identification of small amounts of dyestuffs by oxidation with bromin." Chem. Cir. 114, pp. 3. 1913.
"The quantitative separation and determination of subsidiary dyes in the permitted food colors." Chem. Cir. 113, pp. 4. 1913.
"The quantitative separation of mixtures of certain acid coal tar dyes." Chem. Cir. 89, pp. 7. 1912.
Matinecock Neighborhood Association, New York, community building, description, cost, and uses. F.B. 1274, pp. 18–21. 1922.
Mating—
guinea fowls. F.B. 234, p. 11. 1905.
horses in breeding. F.B. 803, pp. 9–11. 1917; F.B. 803, rev., pp. 6–8. 1923.
poultry, for eggs for hatching. F.B. 236, p. 5. 1905; F.B. 1363, pp. 2–3. 1923.
poultry, object, time, and size of matings. F.B. 1116, pp. 4–7. 1920.
time and methods on goat ranges. F.B. 1203, pp. 14, 15. 1921.
Matjeshering, preparation. D.B. 908, p. 106. 1921.
Mato de la playa, value as cover crop, Porto Rico. P.R. Bul. 19, p. 25. 1916.
Matraca, Porto Rico, value as cover crop. P.R. Bul. 19, p. 22. 1916.
Matricaria chamomilla. See Camomile, German.
Matrimony vine—
occurrence in Colorado, description. N.A. Fauna 33, p. 244. 1911.
use on terrace lawn as substitute for grass. F.B. 494, pp. 35, 48. 1912.
Matthiola incana annua, description and cultivation. F.B. 1171, pp. 54–55, 83. 1921.
Matting—
description and use. F.B. 1219, pp. 25–26. 1921.
industry, opportunities for development in United States. Rpt. 83, pp. 28–29. 1906; Rpt. 87, p. 24. 1908.
plant, introduction, review of work. B.P.I. Chief Rpt., 1908, pp. 120–121. 1908; An. Rpts., 1908, pp. 43, 392–393. 1909.
sedge, fungous disease, description and control. B.P.I. Bul. 171, pp. 7–9. 1910.
use of wire grass from Wisconsin peat lands, Wood County. Soil Sur. Adv. Sh., 1915, pp. 45, 48. 1917; Soils F.O., 1915, pp. 1577, 1580. 1919.
MATTOON, W. R.—
"Black walnut for timber and nuts." With C. A. Reed. F.B. 1392, pp. 30. 1924.
"Forest statistics." With others. Y.B., 1922, pp. 931–948. 1923; Y.B. Sep. 889, pp. 931–948. 1923.

MATTOON, W. R.—Continued.
"Forestry and farm income." F.B. 1117, pp. 35. 1920.
"Forestry lessons on home woodlands." With Alvin Dille. D.B. 863, pp. 46. 1920.
"Life history of shortleaf pine." D.B. 244, pp. 46. 1915.
"Longleaf pine." D.B. 1061, pp. 50. 1922.
"Making woodlands profitable in the Southern States." F.B. 1071, pp. 38. 1920.
"Measuring and marketing farm timber." With William B. Barrows. F.B. 1210, pp. 62. 1921.
"Measuring and marketing woodlot products." With William B. Barrows. F.B. 715, pp. 48. 1916.
"Shortleaf pine: Its economic importance and forest management." D.B. 308, pp. 67. 1915.
"Slash pine." F.B. 1256, pp. 41. 1922.
"The southern cypress." D.B. 272, pp. 74. 1915.
Mattresses, use of linters in making. D.C. 175, pp. 8–9. 1921.
Matzoon, nature, note. D.B. 319, p. 8. 1916.
"Matzos," misbranding. Chem. N.J. 954, p. 2. 1911.
Maui, crop adaptability, experiments. Hawaii A.R., 1920, pp. 16–17. 1921.
Maumene, number, oils, determination method. Chem. Bul. 13, Pt. X, p. 1427. 1902; Chem. Bul. 77, pp. 18–20. 1905.
Maurandia—
barclaiana, importation and description. No. 37883, B.P.I. Inv. 39, p. 62. 1917.
scandens, importation and description. No. 44822, B.P.I. Inv. 51, p. 74. 1922.
Mauritia flexuosa. See Mirity.
Mauritius—
bean—
description, distribution, and uses. B.P.I. Bul. 179, pp. 18–19. 1910.
importations and description. No. 36989, B.P.I. Inv. 38, p. 20. 1917; No. 45885, B.P.I. Inv. 54, p. 34. 1922.
Porto Rico, value as cover crop. P.R. Bul. 19, pp. 17–18. 1916.
fiber, description and preparation. Y.B., 1911, pp. 197–198. 1912; Y.B. Sep. 560, pp. 197–198. 1912.
sugar industry, 1893–1914. D.B. 473, p. 65. 1917.
sugar production. Sec. [Misc.], Spec. "Geography * * * world's agriculture," p. 73. 1918.
Maximilianea—
gossypium, importations and description. No. 43381, B.P.I. Inv. 48, p. 48. 1921; No. 53585, B.P.I. Inv. 67, p. 65. 1923.
sp. importation and description. No. 42718, B.P.I. Inv. 47, p. 55. 1920.
vitifolia, importations and description. No. 44821, B.P.I. Inv. 51, p. 73. 1922; No. 50602, B.P.I. Inv. 63, p. 84. 1923; No. 50664, B.P.I. Inv. 64, p. 9. 1923; No. 52412, B.P.I. Inv. 66, p. 23. 1923.
MAXON, E. T.: "Soil survey of—
Burke County, Ga." With others. Soil Sur. Adv. Sh., 1917, pp. 31. 1919; Soils F.O., 1917, pp. 539–565. 1923.
Chenango County, N. Y." With William Seltzer. Soil Sur. Adv. Sh., 1918, pp. 37. 1920; Soils F.O., 1918, pp. 11–43. 1924.
Clinton County, N. Y." With W. R. Cone. Soil Sur. Adv. Sh., 1914, pp. 37. 1916; Soils F.O., 1914, pp. 237–269. 1919.
Cortland County, N. Y." With G. L. Fuller. Soil Sur. Adv. Sh., 1916, pp. 28. 1917; Soils F.O., 1916, pp. 195–218. 1921.
Crisp County, Ga." With David D. Long. Soil Sur. Adv. Sh., 1916, pp. 24. 1917; Soils F.O., 1916, pp. 627–646. 1921.
Jefferson County, N. Y." With others. Soil Sur. Adv. Sh., 1911, pp. 83. 1913; Soils F.O., 1911, pp. 95–173. 1914.
Jefferson County, Tex." With others. Soil Sur. Adv. Sh., 1913, pp. 47. 1915; Soils F.O., 1913, pp. 1001–1043. 1916.
Laurens County, Ga." With others. Soil Sur. Adv. Sh., 1915, pp. 41. 1916; Soils F.O., 1915, pp. 621–657. 1919.

MAXON, E. T.: "Soil survey of—Continued.
  Norfolk, Bristol, and Barnstable Counties, Mass." With others. Soil Sur. Adv. Sh., 1920, pp. 1033-1120. 1924; Soils F.O., 1920, pp. 1033-1120. 1925.
  Oconee, Morgan, Greene, and Putnam Counties, Ga." With others. Soil Sur. Adv. Sh., 1919, pp. 61. 1922; Soils F.O., 1919, pp. 889-945. 1925.
  Oneida County, N. Y." With others. Soil Sur. Adv. Sh., 1913, pp. 59. 1915; Soils F.O., 1913, pp. 39-93. 1916.
  Oswego County, N. Y." With others. Soil Sur. Adv. Sh., 1917, pp. 43. 1919; Soils F.O., 1917, pp. 47-86. 1923.
  Pierce County, Ga." With N. M. Kirk. Soil Sur. Adv. Sh., 1918, pp. 29. 1920; Soils F.O., 1918, pp. 487-511. 1924.
  Saratoga County, N.Y." With others. Soil Sur. Adv. Sh., 1917, pp. 42. 1919; Soils F.O., 1917, pp. 87-124. 1923.
  Schoharie County, N. Y." With G. L. Fuller. Soil Sur. Adv. Sh., 1915, pp. 34. 1917; Soils F.O., 1915, pp. 125-154. 1919.
  Smith County, Tex." With others. Soil Sur. Adv. Sh., 1915, pp. 51. 1917; Soils F.O., 1915, pp. 1079-1125. 1919.
  Yates County, N. Y." Soil Sur. Adv. Sh., 1916, pp. 36. 1918; Soils F.O., 1916, pp. 219-250. 1921.

MAXWELL, HU—
  "Commercial woods of the United States: II. Pines." With William L. Hall. For. Bul. 99, pp. 96. 1911.
  "Uses and supply of wood in Arkansas." With J. T. Harris. For. Bul. 106, Pt. I, pp. 7-26. 1912.
  "Uses of commercial woods of the United States—Beech, birches, and maples." D.B. 12, pp. 56. 1913.
  "I. Cedars, cypresses, and sequoias." With William L. Hall. For. Bul. 95, pp. 62. 1911.
  "Surface conditions and stream flow." With Wm. L. Hall. For. Cir. 176, pp. 16. 1910.
  "Wooden and fiber boxes." With H. S. Sackett. For. Cir. 177, pp. 14. 1911.

MAY, D. W.—
  "Dairying in Porto Rico." (Also Spanish edition.) P.R. Bul. 29, pp. 19. 1922.
  "Fertilizers." (Also Spanish edition.) P.R. Cir. 6, pp. 18. 1906.
  report—
    on agricultural investigations in Porto Rico, 1905. O.E.S. Bul. 171, pp. 47. 1906.
    of agronomist in charge of Porto Rico Experiment Station—
      1916. P.R. An. Rpt., 1916, pp. 5-10. 1918.
      1917. P.R. An. Rpt., 1917, pp. 5-7. 1918.
      1918. P.R. An. Rpt., 1918, pp. 5-10. 1920.
      1919. P.R. An. Rpt., 1919, pp. 5-14. 1920.
      1920. P.R. An. Rpt., 1920, pp. 5-13. 1921.
      1921. P.R. An. Rpt., 1921, pp. 1-7. 1922.
      1922. P.R. An. Rpt., 1922, pp. 1-3. 1923.
      1923. P.R. An. Rpt., 1923, pp. 1-3. 1924.
    of Porto Rico Experiment Station—
      1904. O.E.S. An. Rpt., 1904, pp. 383-424. 1905.
      1905. O.E.S. An. Rpt., 1905, pp. 124-127. 1906.
      1906. With others. P.R. An. Rpt., 1906, pp. 32. 1907; An. Rpts., 1906, pp. 584-587. 1907.
      1907. With others. P.R. An. Rpt., 1907, pp. 55. 1908.
      1908. With others. P.R. An. Rpt., 1908, pp. 44. 1909.
      1909. With others. P.R. An. Rpt., 1909, pp. 43. 1910.
      1910. With others. P.R. An. Rpt., 1910, pp. 44. 1911.
      1911. With others. P.R. An. Rpt., 1911, pp. 44. 1912.
      1912. With others. P.R. An. Rpt., 1912, pp. 44. 1913.
      1913. With others. P.R. An. Rpt., 1913, pp. 39. 1914.
      1914. With others. P.R. An. Rpt., 1914, pp. 35. 1915.
      1915. With others. P.R. An. Rpt., 1915, pp. 45. 1916.

MAY, D. W.—Continued.
  report—continued.
    of Porto Rico Experiment Station—Contd.
      1916. With others. P.R. An. Rpt., 1916, pp. 31. 1918.
      1917. With others. P.R. An. Rpt., 1917, pp. 40. 1918.
      1918. With others. P.R. An. Rpt., 1918, pp. 24. 1920.
      1919. With others. P.R. An. Rpt., 1919, pp. 37. 1920.
      1920. With others. P.R. An. Rpt., 1920, pp. 39. 1921.
      1921. With others. P.R. An. Rpt., 1921, pp. 27. 1922.
      1922. With others. P.R. An. Rpt., 1922, pp. 18. 1923.
      1923. With others. P.R. An. Rpt., 1923, pp. 18. 1924.
      1925. With others. P.R. An. Rpt., 1925, pp. 40. 1925.
    of Porto Rico Experiment Station, work and expenditures—
      1908. O.E.S. An. Rpt., 1908, pp. 162-164. 1909.
      1909. O.E.S. An. Rpt., 1909, pp. 176-178. 1910.
      1910. O.E.S. An. Rpt., 1910, pp. 229-230. 1911.
      1911. O.E.S. An. Rpt., 1911, pp. 188-191. 1912.
      1913. O.E.S. An. Rpt., 1913, p. 76. 1915.
      1914. O.E.S. An. Rpt., 1914, pp. 203-206. 1915.
      1915. S.R.S. An. Rpt., 1915, Pt. I, pp. 232-235. 1916.
      1916. S.R.S. An. Rpt., 1916, Pt. I, pp. 238-240. 1918.
      1917. S.R.S. An. Rpt., 1917, Pt. I, pp. 234-236. 1918.
  "Sugar cane in Porto Rico." (Also Spanish Edition.) P.R. Bul. 9, pp. 40. 1910.
  "The catalase of soils." With P. L. Gile. P.R. Cir. 9, pp. 13. 1909.
  "The relation of lime and magnesia to plant growth." With Oscar Loew. B.P.I. Bul. 1, pp. 53. 1901.

MAY, EUGENE, Jr.—
  "Quarantine procedure to safeguard the introduction of citrus plants." With others. D.C. 299, pp. 15. 1924.
  "The solar propagating frame for rooting citrus and other subtropical plants." With others. D.C. 310, pp. 14. 1924.

May apple—
  from India, uses and distribution. B.P.I. Bul. 233, pp. 8, 11. 1912.
  habitat, range, description, collection, prices, and uses of roots. B.P.I. Bul. 107, p. 39. 1907.
  rust—
    expulsion of aeciospores. B. O. Dodge. J.A.R., vol. 28, pp. 923-926. 1924.
    occurrence and description. B.P.I. Bul. 226, p. 87. 1912.
    study of life history. J.A.R., vol 30, pp. 65-79. 1925.

May beetle(s)—
  and green June beetles, comparison studies. D.B. 891, pp. 3-5. 1922.
  bird enemies, Porto Rico. D.B. 326, p. 11. 1916.
  control by—
    collecting grubs and beetles. F.B. 543, pp. 18-19. 1913; F.B. 940, pp. 24-25. 1918.
    winter plowing and poisoned bait. F.B. 890, pp. 4, 6. 1917.
  description, life history, control, and injuries to young cotton. Ent. Bul. 57, pp. 16-19. 1906.
  destruction by—
    crows. D.B. 621, pp. 13, 14, 25, 42, 43, 57, 82. 1918.
    starlings. D.B. 868, pp. 19, 39, 41, 44, 61. 1921.
    thrushes. Y.B., 1913, pp. 138, 139. 1914; Y.B., Sep. 620, pp. 138, 139. 1914.
  detection in stomach of bird. Biol. Bul. 15, pp. 13, 14. 1901.
  feed value and manurial value. F.B. 940, pp. 20-22. 1916.
  injuries—
    and control experiments, Porto Rico. P.R. An. Rpt., 1912, pp. 36-37. 1913.

INDEX TO PUBLICATIONS, 1901-1925 1477

May beetle(s)—Continued.
injuries—continued.
to citrus fruits, description and control methods. P.R. Bul. 10, p. 10. 1911.
to cotton and control methods. F.B. 890, p. 6. 1917.
to pine seedlings. D.B. 1105, pp. 3, 134. 1923.
to trees and crops. F.B. 940, pp. 3-11. 1918.
life history and control. F.B. 543, pp. 8-11, 13-20. 1913.
rejected by birds. Biol. Bul. 15, p. 45. 1901.
wingless, injuries to young cotton, and truck. remedies. F.B. 223, p. 13. 1905.
See also June bug; June beetle; Grubs, white; Grubworm; Lacnosterna.
May, farm work, seasonal suggestions. F.B. 1202, pp. 18-21. 1921.
May flower. See Gravel plant; Arbutus.
Maya, powder of yoghurt. B.A.I. An. Rpt., 1909, p. 153. 1911. B.A.I. Cir. 171, p. 153. 1911.
Mayaguez, mosquito survey. W. V. Tower. P.R. Cir. 20, pp. 10. 1921.
MAYER, AUGUST: "The cattle tick and its relation to agriculture." F.B. 261, pp. 24. 1906.
MAYER, L. S.: "The productiveness of successive generations of self-fertilized lines of corn and of crosses between them." With Frederick D. Richey. D.B. 1354, pp. 19. 1925.
Mayfield, tobacco market and trade center. B.P.I. Bul. 268, pp. 44, 45, 46, 57, 62. 1913.
Mayhaw berries, use for jelly, Grady County, Ga., Soil Sur. Adv. Sh., 1908, p. 552. 1909; Soils F.O., 1908, p. 388. 1911.
MAYNADIER, G. B.—
"Reconnoissance soil survey of northwestern Pennsylvania." With others. Soil Sur. Adv. Sh., 1908, pp. 51. 1910; Soils F.O., 1908, pp. 197-243. 1911.
"Soil survey of—
Erie County, Pa." With Floyd S. Bucher. Soil Sur. Adv. Sh., 1910, pp. 52. 1911; Soils F.O., 1910, pp. 145-192. 1912.
Hancock County, Ga." With W. J. Geib. Soil Sur. Adv. Sh., 1909, pp. 27. 1910; Soils F.O., 1909, pp. 551-573. 1912.
Mobile County, Ala." With others. Soil Sur. Adv. Sh., 1911, pp. 42. 1912; Soils F.O., 1911, pp. 859-895. 1914.
Ontario County, N. Y." With others. Soil Sur. Adv. Sh., 1910, pp. 55. 1912; Soils F.O., 1910, pp. 93-143. 1912.
Pike County, Ga." With Charles N. Mooney. Soil Sur. Adv. Sh., 1909, pp. 31. 1910; Soils F.O., 1909, pp. 575-601. 1912.
the Bayfield area, Wisconsin." With others. Soil. Sur. Adv. Sh., 1910, pp. 28. 1912; Soils F.O., 1910, pp. 1123-1146. 1912.
York County, Pa." With others. Soil Sur. Adv. Sh., 1912, pp. 95. 1914; Soils F.O., 1912, pp. 155-245. 1915.
MAYO, N. S., formulas for arsenic dips for cattle. B.A.I. An. Rpt., 1910, pp. 268-269, 280-281. 1912; B.A.I. Bul. 144, pp. 8-9, 62. 1912.
Mayonnaise dressing—
misbranding. See Indexes, Notices of Judgment, in bound volumes, and in separates published as supplements to Chemistry Service and Regulatory Announcements.
recipe. D.C. 36, p. 9. 1919; F.B. 712, p. 24. 1916; F.B. 1090, p. 25. 1920; S.R.S. Doc. 16, p. 6. 1915.
Maypop—
breeding with foreign passion fruit. Y.B., 1911, p. 420. 1912; Y.B. Sep. 580, p. 420. 1912.
See also Passion fruit.
Mayten, description and importation. No. 43272. B.P.I. Inv. 48, p. 37. 1921.
Mayuen—
edible, importations and description. No. 46379, B.P.I. Inv. 56, p. 13. 1922; Nos. 47325, 47326, B.P.I. Inv. 58, pp. 9, 51. 1922; No. 48081, B.P.I. Inv. 60, pp. 4, 39-40. 1922.
importations and description. No. 45767, B.P.I. Inv. 54, p. 17. 1922; Nos. 48862-48868, B.P.I. Inv. 61, pp. 5, 57. 1922; No. 49798, B.P.I. Inv. 63, pp. 2, 6. 1923; No. 54310, B.P.I. Inv. 68, pp. 3, 50. 1923; Nos. 54454-54455. B.P.I. Inv. 69, pp. 4, 11-12. 1923; Nos. 54906-54908, B.P.I. Inv. 70, pp. 3, 27. 1923.
See also Coix lachryma-jobi.

Mayweed seeds, description. F.B. 428, pp. 7, 27, 28. 1911.
Mazama montana. See Goat, mountain.
Mazola, misbranding. Chem. N.J. 12856. 1925.
Mazun. See Yogurt.
Mazzard, use as stock for cherry tree, advantages. F.B. 776, p. 6. 1916.
MEAD, ELWOOD—
"Irrigation in humid regions." O.E.S. Bul. 115, pp. 78-80. 1902.
"Irrigation in northern Italy: Part I." O.E.S. Bul. 144, pp. 100. 1904.
"Irrigation in northern Italy: Part II." O.E.S. Bul. 190, pp. 86. 1907.
"Irrigation in the United States." O.E.S. Bul. 105, pp. 47. 1901.
"Report of irrigation investigations for 1900." With others. O.E.S. Bul. 104, pp. 334. 1902.
"Report of irrigation investigations in California." With others. O.E.S. Bul. 100, pp. 411. 1901.
"Some typical reservoirs in the Rocky Mountain States." Y.B., 1901, pp. 415-430. 1902. Y.B. Sep. 228, pp. 415-430. 1902.
"The agricultural situation in California." O.E.S. Bul. 100, pp. 17-69. 1901.
"The relation of irrigation to dry farming." Y.B 1905, pp. 423-438. 1906; Y.B. Sep. 393, pp. 423-438. 1906.
"Water rights within the States." O.E.S. Bul. 157, pp. 97-116. 1905.
"What the Department of Agriculture is doing for irrigation." O.E.S. Cir. 48, pp. 4. 1901.
MEADE, O. G.: "Cranberry harvesting and handling." With others. F.B. 1402, pp. 30. 1924.
MEADE, R. M.—
"A study of diversity in Egyptian cotton." With others. B.P.I. Bul. 156, pp. 60. 1909.
"Arrangement of parts in the cotton plant." With O. F. Cook. B.P.I. Bul. 222, pp. 26. 1911.
"Methods of securing self-pollination in cottons." B.P.I. Cir. 121, pp. 29-30. 1913.
"Single-stalk cotton culture at San Antonio." D.B. 279, pp. 20. 1915.
"Supernumerary carpels in cotton bolls." B.P.I. Cir. 111, pp. 25-28. 1913.
Meadow(s)—
Alsike clover, value. F.B. 1151, pp. 17-18. 1920.
brome grass, renewal, treatment for rotation. B.P.I. Bul. 111, pp. 54-56, 61. 1907.
death camas. See Death camas; Lobelia.
definition and classification by Soils Bureau. Soils Cir. 68, p. 3. 1912.
eradication of quack-grass. F.B. 464, pp. 7, 9-11. 1911.
fern. See Sweet fern.
fescue. See Fescue.
for the Northern States. C. V. Piper and Lyman Carrier. F.B. 1170, pp. 13. 1920.
forage crops, and pasture in Nebraska. T. L. Lyon and A. S. Hitchcock. B.P.I. Bul. 59, pp. 57. 1904.
foxtail, description, habits, and uses. D.B. 772, pp. 136, 137. 1920; F.B. 1433, pp. 40-42. 1925.
grass(es)—
classification. D.B. 772, p. 4. 1920.
rough-stalked. See Birdgrass.
seed mixture with Poa sudetica. B.P.I. Bul. 84, p. 14. 1905.
slender, analytical key and description of seedling. D.B. 461, pp. 9, 25. 1917.
tall, description, habits and forage value. D.B. 545, pp. 25-26, 58, 59. 1917.
wood, use on lawns. F.B. 494, pp. 29, 33, 39. 1912.
hay, average life in New York and Pennsylvania. D.B. 641, p. 5. 1918.
in Alaska, Kenai Peninsula region, grazing value. Soil Sur. Adv. Sh., 1916, pp. 38, 78, 89, 109, 134. 1919; Soils F.O., 1916, pp. 70, 110, 121, 141, 166. 1921.
in cotton States, plants suitable. F.B. 1125, pp. 52-54. 1920.
injury by muskrats. F.B. 869, p. 9. 1917.
irrigation in Pennsylvania. O.E.S. Bul. 167, p. 10. 1906.
mice. See Mice, meadow; Mice, field.
moist, grass mixtures, formula. F.B. 1170, p. 6. 1920.

Meadow(s)—Continued.
  mountain—
    improvement. J. S. Cotton. B.P.I. Bul. 127, pp. 29. 1908.
    protection from grasshoppers. F.B. 1140, p. 16. 1920.
    seeding to redtop and timothy. B.P.I. Bul. 117, pp. 11–13. 1907.
    mowing for control of wild oats. F.B. 833, pp. 14, 16. 1917.
  old, use of nitrate of soda as fertilizer. News L., vol. 2, No. 7, p. 4. 1914.
  pasture, and forage crops in Nebraska. T. L. Lyon and A. S. Hitchcock. B.P.I. Bul. 59, pp. 57. 1904.
  pasturing, time, extent, and methods. F.B. 502, pp. 21–22, 32. 1912.
  permanent—
    cotton region, requirements and preparation. F.B. 1125, rev., pp. 51–52. 1920.
    preparation and plant varieties. F.B. 509, pp. 37–39. 1912.
    rotation, and temporary, grasses used for. F.B. 1170, p. 1. 1920.
  plant bug—
    control. J.A.R., vol. 15, pp. 197–198. 1913.
    Miris dolabratus. Herbert Osborn. J.A.R., vol. 15, pp. 175–200. 1918.
  rue, importations and descriptions. Nos. 52886–52887, 53073–53076, 53110–53112, 53162–53171. B.P.I. Inv. 67, pp. 9, 25, 28, 33. 1923.
  soils of—
    eastern United States and their use—XXXIX. Jay A. Bonsteel. Soils Cir. 68, pp. 21. 1912.
    Virginia, description, uses, and location. D.B. 46, pp. 18, 19, 20, 21. 1913.
  temporary, plant adaptability. F.B. 509, pp. 39–40. 1912.
  tidal, injury by muskrats. F.B. 396, p. 19. 1910.
  timothy, fertilizing, pasturing, and weed control. F.B. 990, pp. 21–28. 1918.
  top-dressing. F.B. 227, pp. 5–8. 1905.
  vegetation type, indicator of land value, notes. J.A.R., vol. 28, pp. 108. 1924.
  water and yields. D.B. 1340, p. 53. 1925.
  wireworms, description, life history and control. F.B. 725, pp. 6, 8–10. 1916.
Meadow lark—
  boll-weevil destruction in winter. Biol. Bul. 25, pp. 11–12. 1905; Biol. Cir. 64, p. 3. 1908.
  damage to sprouting grain. F.B. 549, p. 16. 1913.
  description, range, and habits. F.B. 513, p. 19. 1913; F.B. 630, pp. 14–15. 1915; F.B. 755, pp. 19–21. 1916.
  Florida, enemy of boll-weevil. Biol. Bul. 22, p. 10. 1902.
  food habits, and occurrence in Arkansas. Biol. Bul. 38, p. 58. 1911.
  food habits and use as food. Biol. Bul. 12, rev., p. 27. 1902; F.B. 549, pp. 12–16. 1913.
  game bird, status. Biol. Bul. 12, rev., pp. 27–28. 1902.
  occurrence in Athabaska-Mackenzie region. N.A. Fauna 27, p. 410. 1908.
  protection by law. Biol. Bul. 12, rev., pp. 38, 39, 40, 42. 1902.
  relation to agriculture. F. E. L. Beal. Y.B., 1912, pp. 279–284. 1913; Y.B. Sep. 590, pp. 279–284. 1913.
  relation to stailings. D.B. 868, pp. 52, 53, 59. 1921.
  useful against chinch bug. F.B. 1223, p. 15. 1922.
  value as destroyer of insects. Biol. Bul. 12, rev., p. 27–28. 1902.
  western—
    enemy of boll weevil. Biol. Bul. 22, p. 11. 1905.
    food habits. Biol. Bul. 34, pp. 65–68. 1910; D.B. 107, pp. 20–22. 1914.
    range and habits. N.A. Fauna 22, p. 116. 1902.
Meadowlands—
  clearing, cost. Soils Cir. 68, pp. 8, 18. 1912.
  formation by irrigation, phases. J.A.R., vol. 6, No. 19, pp. 741–760. 1916.
Meadows, W. R.—
  "Comparative spinning tests of Meade and Sea Island cottons." With W. G. Blair. D.B. 946, pp. 5. 1921.

Meadows, W. R.—Continued.
  "Comparative spinning tests of superior varieties of cotton (grown under weevil conditions in the Southeastern States; crop of 1921)." With William G. Blair. D.B. 1148, pp. 7. 1923.
  "Economic conditions in the Sea-Island cotton industry." D.B. 146, pp. 18. 1914.
  "Preliminary manufacturing tests of the official cotton standards of United States for color for upland tinged and stained cotton." With W. G. Blair. D.B. 990, pp. 12. 1921.
  "Spinning tests of cotton compressed to different densities." With William G. Blair. D.B. 1135, pp. 19. 1923.
Meadowsweet, Wyoming, distribution and growth. N.A. Fauna 42, p. 69. 1917.
Meadville, Pa., milk supply, statistics, officials, prices, and laws. B.A.I. Bul. 46, pp. 42, 152, 189. 1903.
Meal(s)—
  adsuki bean, preparation and uses. D.B. 119, pp. 5–6. 1914.
  animal matter, composition. Chem. Bul. 108, pp. 54–55. 1908.
  cherry-kernel, composition and comparison with other feeding stuffs. D.B. 350, pp. 20–22. 1916.
  coconut and peanut, value as horse feed. George M. Rommel and W. F. Hammond. B.A.I. Cir. 168, pp. 2. 1911.
  composition and use. O.E.S. Bul. 200, pp. 53–56. 1908.
  corn—
    and cob—
      composition and value as cow feed. B.A.I. [Misc.], "Diseases of cattle," rev., pp. 261–262. 1912.
      use in fattening calves in Alabama, experiments. B.A.I. Bul. 147, pp. 9–15, 20, 21, 30, 32, 33, 34, 36. 1912.
      value for fattening cattle. F.B. 320, p. 27. 1908.
    and corn flour, use to save wheat. Sec. Cir. 117, pp. 4. 1918.
    and cottonseed—
      moisture determination. Chem. Bul. 116, pp. 36–37. 1908.
      nitrogen determination methods. Chem. Bul. 116, pp. 38–41. 1908.
  feed, definition, 288. Chem. S.R.A., 23, p. 101. 1918.
  deterioration by water content, prevention. D.B. 56, p. 1. 1914.
  energy in 100 pounds, corn and linseed, comparison. D.B. 459, pp. 8, 12, 20–24. 1916.
  exports, statistics, 1921. Y.B., 1921, pp. 747, 751. 1922; Y.B. Sep. 867, pp. 11, 15. 1922.
  fish. See Fish meal.
  food standards. Sec. Cir. 136, pp. 6–7. 1919.
  for calf, recipes and directions for use. F.B. 777, p. 11. 1917; F.B. 1336, pp. 9–10. 1923.
  gluten, manufacture, method. Chem. Bul. 108, p. 10. 1908.
  home-ground, mixture with flour, bread recipe. News L., vol. 4, No. 25, pp. 2–3. 1917.
  husk, uses, and value. F.B. 412, p. 18. 1910.
  imports, 1907–1909, quantity and value by countries from which consigned. Stat. Bul. 82, p. 43. 1910.
  insect pests, notes. F.B. 1260, pp. 18–41. 1922.
  insects, control by para-dichlorobenzene, experiments. D.B. 167, pp. 4, 5. 1915.
  kafir corn, cooking methods, recipes. F.B. 559, pp. 6–7. 1913.
  kinds used in baking. F.B. 1450, p. 3. 1925.
  mesquite, feeding to livestock. D.B. 1194, pp. 3, 5, 17. 1923.
  misbranding, as to milling process. Chem. N.J. 44. 1909.
  moisture testing, special flask. B.P.I. Cir. 72, rev., p. 16. 1914.
  nut, use as food. F.B. 332, pp. 21–22. 1908.
  oil—
    adulteration and misbranding. See *Indexes, Notices of Judgment, in bound volumes, and in separates published as supplements to Chemistry Service and Regulatory Announcements.*
    analyses. Rpt. 112, pp. 20–21. 1916.

INDEX TO PUBLICATIONS, 1901–1925   1479

Meal(s)—Continued.
  oil—continued.
    cake statistics, exports and imports. Y.B., 1918, pp. 582, 640, 643, 644. 1919; Y.B. Sep. 792, pp. 78. 1919; Y.B. Sep. 794, pp. 16, 19, 20. 1919.
    cake, uses and value as feed. F.B. 332, p. 25. 1908.
    substitute for oats in ration for horses, experiments. F.B. 425, pp. 18, 19. 1910.
    value as feed stuffs. Rpt. 112, pp. 16–21. 1916.
    various sources, composition and comparison. D.B. 439, pp. 14, 15. 1916.
  peanut, composition and feed value. D.B. 1096, pp. 4–7–, 9–11. 1922.
  raisin-seed, use as stock feed, comparison with other feedstuffs. B.P.I. Bul. 276, pp. 33–35, 36. 1913.
  rice—
    feed for pigs. B.A.I. Bul. 47, pp. 109–111. 1904.
    feeding value, note. F.B. 412, p. 18. 1910.
    seed-oil, comparisons. D.B. 927, p. 20. 1921.
    snout moth, work on loco weeds. Ent. Bul. 64, Pt. V, p. 40. 1908.
  sorghum, comparison with corn meal. F.B. 686, pp. 6, 8. 1915.
  stocks on hand, April 1, 1918. News L., vol. 5, No. 42, pp. 1–2. 1918.
  sugar, composition and value as cow feed. B.A.I. [Misc.], "Diseases of cattle," rev., pp. 261–262. 1912.
  table, low-grade or standard, analyses. D.B. 215, pp. 13–14. 1915.
  tomato-seed, composition and feeding value. D.B. 927, p. 20. 1921.
  vegetable-ivory, chemical composition, digestibility and feeding value. C. L. Beals and J. B. Lindsey. J.A.R., vol. 7, pp. 301–320. 1916.
  velvet-bean, digestibility, when fed singly or in combinations. J.A.R., vol. 13, pp. 611–618. 1918.
  water determination, flask for rapid method, description and use. D.B. 56, pp. 1–7. 1914.
  whole yellow corn, feeding experiments, results. J.A.R., vol. 24, pp. 971–972. 1923.
  worms, description and habits. F.B. 1260, pp. 24–28. 1922.
  See also Cottonseed; Linseed; Corn, etc.
Mealberry. See Bearberry.
Meals—
  planning—
    by housewife, schedules and menus. Food Thrift Ser. 3, pp. 2–3. 1917.
    for young children. F.B. 717, rev., pp. 3–6. 1920.
    relation of dietary studies. Y.B., 1913, pp. 151–157. 1914; Y.B. Sep. 621, pp. 151–157. 1914.
    to insure balanced diet. F.B. 1228, pp. 17–18. 1921; F.B. 1313, p. 14. 1923.
  preparation—
    clubs, number, membership, and results in 1921. D.C. 255, pp. 15, 17. 1923.
    demonstrations. D.C. 312, pp. 11–12. 1924.
Mealybug—
  (Pseudococcus citri Risso) and brown ant (Solenopsis geminata Fab.), control in pineapple plantations. W. V. Tower. P.R. Cir. 7, pp. 3. 1908.
  attacking sugar cane in various countries. Ent. Bul. 93, p. 43. 1911.
  avocado, description and control. Hawaii Bul. 25, pp. 22, 24–26. 1911.
  avocado, spraying in Hawaii. Hawaii A.R., 1911, p. 25. 1912.
  characteristics. F.B. 172, pp. 33–36. 1903.
  citrophilus—
    control. R.S. Woglum and A.D. Borden. D.B. 1040, pp. 20. 1922.
    description and life history. D.B. 1040, pp. 4–7. 1922.
  citrus. See Citrus mealybug.
  common, and its control in California. R. S. Woglum and J. D. Neuls. F.B. 862, pp. 16. 1917.
  common, control on citrus in California. Arthur D. Borden. F.B. 1309, pp. 11. 1923.

Mealybug—Continued.
  control—
    by natural enemies, and spread by ants. F.B. 862, pp. 10–14. 1917.
    in Hawaii. Hawaii A.R., 1921, p. 24. 1922.
    in Porto Rico. P.R. Cir. 17, p. 10. 1918.
    notes. Hawaii Bul. 29, p. 16. 1914.
  cranberry, description and injuries. F.B. 860, p. 36. 1917.
  Dactylopius calceolariae Maskell, identity. Harold Morrison. J.A.R., vol. 31, pp. 485–499. 1925.
  description and control. F.B. 862, pp. 1–16. 1917; F.B. 1306, p. 20. 1923.
  disinfection of boxes and baskets, to prevent spread. F.B. 862, pp. 15–16. 1917.
  effect on acid lime and control. Hawaii Bul. 49, pp. 10–11. 1923.
  enemy of citrus fruits, description. Ent. Bul. 90, Pt. I, p. 10. 1911.
  enemy of pineapple. Hawaii A.R., 1907, p. 44. 1908.
  fumigation, studies and experiments. Ent. Bul. 90, Pt. I, pp. 63–64. 1911.
  grape, description, life history, and control. F.B. 1220, pp. 36–38. 1921.
  gray, sugar-cane, history in Louisiana. Ent. Cir. 165, p. 7. 1912.
  influence of Argentine ant in Louisiana and California. D.B. 647, pp. 21–34. 1918.
  injury to—
    sugar-cane, distribution, and habits. D.B. 486, p. 31. 1917.
    coconut palm and sugar-cane in Guam. Guam A.R., 1911, pp. 27, 28, 29, 30. 1912.
    corn and celery in Porto Rico. D.B. 192, p. 4. 1915.
    fig trees. F.B. 1031, p. 32. 1919.
    pineapple, and control. F.B. 1237, pp. 26–27. 1921.
    sugar-cane, and pineapple. P.R. An. Rpt., 1907, pp. 36–37, 38. 1908.
  ladybird enemy, description and usefulness. Ent. Bul. 93, p. 45. 1911.
  long-tailed, injury to bamboo. D.B. 1329, p. 41. 1925.
  pink, sugar-cane, description and distribution. Ent. Cir. 165, p. 5. 1912.
  protection and spread by Argentine ants. F.B. 928, pp. 3, 5, 7. 1918.
  spread by—
    ants, in Porto Rico. P.R. An. Rpt., 1914, p. 42. 1916.
    Argentine ant. F.B. 1101, p. 4. 1920.
  sugar-cane—
    Hawaii food plants, life history, habits, and control. Ent. Bul. 93, pp. 43–45. 1911.
    infestation, studies. Ent. Cir. 171, pp. 4, 7–8. 1913.
MEANS, T. H.:
  "Agricultural explorations in Algeria." With Thomas H. Kearney. B.P.I. Bul. 80, pp. 98. 1905.
  "Crops used in the reclamation of alkali lands in Egypt." With Thomas H. Kearney. Y.B., 1902, pp. 573–588. 1903; Y.B. Sep. 291, pp. 573–588. 1903.
  "Hints to settlers on the Truckee-Carson project, Nevada." With Shober J. Rogers. B.P.I. Doc. 451, pp. 8. 1909.
  "Reclamation of alkali lands in Egypt: As adapted to similar work in the United States." Soils Bul. 21, pp. 48. 1903.
  "Reclamation of alkali land at Fresno, Calif." With W. H. Heileman. Soils Cir. 11, pp. 9. 1903.
  "Reclamation of salt marsh lands." Soils Cir. 8, pp. 10. 1903.
  "Soil survey around Imperial, Calif." With J. Garnett Holmes. Soils Cir. 9, pp. 20. 1902.
  "The use of alkaline and saline waters for irrigation." Soils Cir. 10, pp. 4. 1903.
Measles—
  in cattle—
    B. H. Ransom. B.A.I. An. Rpt., 1911, pp. 101–117. 1913; B.A.I. Cir. 214, pp. 17. 1913.
    and hogs, caused by tapeworm cysts. B.A.I. [Misc.], "Diseases of cattle," rev., p. 493. 1904; rev., pp. 514, 515. 1908; rev., pp. 539–540. 1912; rev., p. 529. 1923.

Measles—Continued.
  in cattle—continued.
    determination method in meat inspection. B.A.I.S.A., No. 51, p. 48. 1911; B.A.I.S.A., No. 54, p. 73. 1911.
    eradication methods. B.A.I. An. Rpt., 1911, pp. 116–117. 1913; B.A.I. Cir. 214, pp. 116–117. 1913.
    in reindeer, cause, and spread by dogs. D.B. 260, p. 14. 1915.
  in sheep—
    and other animals, cause and spread by dogs. D.B. 260, pp. 11–15. 1915.
    carcasses infected, disposal, rules. B.A.I.S.A. 68, p. 110. 1912.
    cause, prevalence, and experimental studies. J.A.R., vol. 1, pp. 15–58. 1913.
    description, life history, and control. F.B. 1150, pp. 26–27. 1920; F.B. 1330, pp. 26–27. 1923.
Measurements, units in cost keeping. D.B. 660, pp. 11–12, 42. 1918.
Measures—
  foreign, equivalents in United States. D.B. 987, pp. 68–69. 1921.
  shapes and sizes, need of standards. F.B. 1434, pp. 6–9. 1924.
  heaping, common usage. F.B. 1196, p. 8. 1921.
Measuring—
  and marketing farm timber. Wilbur R. Mattoon and William B. Barrows. F.B. 1210, pp. 62. 1921.
  devices for pipe in irrigation systems. D.B. 906, pp. 31–41. 1921.
  worms, cabbage and celery. Ent. Bul. 33, pp. 60–74, 83. 1902.
  worms. *See also* Loopers.
Meat(s)—
  American—
    foreign restrictions. Frank R. Rutter. Y.B., 1906, pp. 247–264. 1907; Y.B. Sep. 421, pp. 247–264. 1907.
    importation into France, special provision. B.A.I.S.R.A. 110, p. 51. 1916.
    restrictions by foreign countries, results, etc. B.A.I. Cir. 125, pp. 9–11. 1908.
  analysis methods. B.A.I. Bul. 108, pp. 8–10, 30–37. 1908; Chem. Bul. 107, pp. 106–116. 1907; Chem. Cir. 43, pp. 12–13. 1909; Chem. Bul. 132, pp. 119–120, 166. 1910.
  and—
    bone scrap, misbranding. See *Indexes, Notices of Judgment in bound volumes and, in separates published as supplements to Chemistry Service and Regulatory Announcements.*
    fish, report of associate referee, and recommendations. Chem. Bul. 162, pp. 95–109, 162. 1913.
    meat animals, imports, 1912–1914. F.B. 575, pp. 26–27. 1914.
  meat food products—
    cars for transportation, regulations. B.A.I. S.R.A. 112, pp. 70–71. 1916.
    exports, 1902–1904. Stat. Bul. 36, pp. 16, 34–49. 1905.
    imports, May, 1914. B.A.I.S.R.A. 86, p. 87. 1914.
    imports June, 1915. B.A.I.S.R.A. 99, p. 85. 1915.
    imports, December, 1915, 1916. B.A.I.S.R.A. 117, p. 3. 1917.
    imports, November, 1916. B.A.I.S.R.A. 116, p. 112. 1917.
    imports, January, 1919. B.A.I.S.R.A. 142, p. 11. 1919.
    inspection for Navy, regulation. B.A.I. S.R.A. 112, pp. 71–72. 1916.
  meat products, foreign import tariffs, 1903. Frank H. Hitchcock. For. Mkts. Bul. 35, pp. 64. 1903.
  sea foods, home canning with steam-pressure canner. Franz P. Lund. S.R.S. Doc. 80, pp. 20. 1918. S.R.S. Doc. 80, rev., pp. 30 1919.
  vegetables, combination packs, canning. S.R.S. Rpt., 1921, pp. 31–32. 1921.
animals. *See* Animals, meat.
bad, at Camp Travis, meat inspection service held blameless. News L., vol. 5, No. 52, p. 12. 1918.

Meat(s)—Continued.
  baked, use of dasheen for dressing. B.P.I. Doc. 1110, p. 10. 1914.
  bases, in meat extracts. Chem. Bul. 114, pp. 38–39. 1908.
  beaver, description, value as food, and cautions. D.B. 1078, p. 27. 1922.
  branding and labeling, inspection instructions. B.A.I.S.A. 74, pp. 52–53. 1913; B.A.I.S.A. 113, pp. 79–81. 1916.
  branding ink, formula. B.A.I.S.R.A. 175, pp. 31–32. 1922.
  browned, flavor, discussion. F.B. 391, pp. 36–37. 1910.
  butchering, handling, etc., economic suggestions. F.B. 913, pp. 28–29. 1917.
  by-products, increased value under centralized slaughtering. B.A.I. Cir. 154, pp. 11–14. 1910; B.A.I. An. Rpt., 1908, pp. 93–96. 1910.
  cakes, recipe for making. F.B. 391, p. 24. 1910.
  canned—
    composition and characteristics. Chem. Bul. 13, Pt. X, pp. 1431–1443. 1902.
    danger of food poisoning, discussion and denial. S.R.S. Doc. 80, pp. 5–6. 1918; rev., pp. 5–6. 1919.
    detection of imperfect cans. Y.B., 1911, pp. 388, 389. 1912; Y.B. Sep. 577, pp. 388, 389. 1912.
    examination method. Chem. Bul. 13, Pt. X, pp. 1393–1431. 1902.
    exports to Colombia, certificates. B.A.I.S.R.A. 203, p. 27. 1924.
    inspection. Y.B., 1911, pp. 388–389. 1912; Y.B. Sep. 577, pp. 388–389. 1912.
    manner of preparation. Chem. Bul. 13, Pt. X, pp. 1392–1393, 1442–1443. 1902.
    storage, investigation. B.A.I. An. Rpt., 1911, p. 70. 1913.
    tables, descriptive and analytic of samples and materials examined. Chem. Bul. 13, Pt. X, pp. 1444–1517. 1902.
    tin determination, results and comments. Chem. Bul. 152, pp. 214–217. 1912.
    value and usefulness. Y.B., 1911, p. 389 1912; Y.B. Sep. 577, p. 389 1912.
  canning—
    commercial methods. C. N. McBryde. Y.B., 1911, pp. 383–390. 1912; Y.B. Sep. 577, pp. 383–390. 1912.
    directions. F.B. 839, pp. 26–29, 31. 1917.
    on farms. S.R.S. Doc. 80, pp. 3–4. 1918; S.R.S. Doc. 80, rev., pp. 3–4. 1919.
  carcasses, contamination by pus from mammary glands, avoidance. B.A.I.S.R.A. 100, pp. 94–95. 1915.
  care in the home. Thrift Leaf. 13, p. 3. 1919.
  cattle slaughtered on farms, inspection regulations. B.A.I.O. 211, amdt. 14, p. 1. 1922.
  cheaper cuts, utilizing in palatable dishes, remarks and recipes. F.B. 391, pp. 28–35. 1910.
  chopped and broiled, recipe. F.B. 717, p. 11. 1916.
  chopped, starch-determination method. B.A.I. Cir. 203, pp. 2–5. 1912.
  clubs, purpose and practices. D.B. 1317, p. 43. 1925; F.B. 391, p. 18. 1910.
  cold storage—
    data from warehousemen. Chem. Bul. 115, pp. 14–15. 1908.
    holdings, 1915–1924. S.B. 4, pp. 14–19. 1925.
    holdings, 1916–1923. S.B. 1, pp. 13–17. 1923.
    holdings, 1917, review. D.B. 709, pp. 25–42. 1918.
    investigation, historical résumé. D.B. 433, pp. 5–7. 1917.
    statistics, and tables. Stat. Bul. 93, pp. 15–49. 1913.
    stocks Jan. 1, 1919. News L., vol. 6, No. 41, p. 8. 1919.
  color—
    action of saltpeter. B.A.I. An. Rpt., 1908, pp. 301–314. 1910.
    ox-aline, adulteration and misbranding. Chem. N.J. 2537, pp. 2. 1913.
    studies. J.A.R., vol. 3, pp. 211–226. 1914.
  commercial sauces, use as flavoring. F.B. 391, p. 38. 1910.

INDEX TO PUBLICATIONS, 1901-1925

Meat(s)—Continued.
  Commission, appointment by President to supervise meat markets. Y.B., 1919, pp. 241, 246. 1920; Y.B. Sep. 809, pp. 241, 246. 1920.
  composition—
    comparison with eggs. D.B. 471, pp. 6, 9-10. 1917.
    of different cuts. F.B. 391, pp. 6, 8. 1910.
  condemnation—
    1907-1913, in pounds. Y.B., 1913, p. 482. 1914; Y.B. Sep. 361, p. 482. 1914.
    discussion, and report of commission. B.A.I. An. Rpt., 1910, pp. 12-15. 1912.
    under inspection service, advisory commission. Y.B., 1915, pp. 278-279. 1916; Y.B. Sep. 676, pp. 278-279. 1916.
  condemned—
    rendering unfit for use. B.A.I. An. Rpt., 1910, p. 254. 1912. B.A.I. Cir. 185, p. 254. 1912.
    tanking, details. B.A.I. An. Rpt., 1906, p. 90. 1908; B.A.I. Cir. 125, p. 30. 1908.
    use in poultry feed allowed. B.A.I.S.R.A. 83, p. 32. 1914.
  conservation by canning and curing. B.A.I. S.R.A. 125, pp. 100-102. 1917.
  conservation, slaughter houses, directions. B.A.I. S.R.A. 122, p. 64. 1917.
  constituents, nitrogenous. Chem. Bul. 81, pp. 110-118. 1904.
  consumption—
    1907-1924. Y.B., 1924, p. 967. 1925.
    by farm families. F.B. 1082, pp. 5-8, 19. 1920.
    foreign. Stat. Bul. 55, pp. 87-98. 1907.
    in United Kingdom. News L., vol. 7, No. 1, p. 3. 1919.
    in the United States (and food animals). John Roberts. D.C. 241, pp. 21. 1922.
    in United States and other countries. Rpt. 109, pp. 16-17, 128-137, 271-275. 1916.
    in United States by sections. Y.B., 1919, p. 744. 1920; Y.B. Sep. 830, p. 744. 1920.
    on farms, relative value of meats, dairy, and poultry. D.B. 410, pp. 11-13, 14, 15, 16, 20, 26. 1916.
    per capita—
      1907-1923. D.C. 241, pp. 19-20. 1922.
      and per family. Stat. Bul. 55, pp. 69-71. 1907.
    by kinds, 1907-1923. Y.B., 1923, p. 283. 1924. Y.B. Sep. 894, p. 283. 1924.
    in United States and foreign countries. B.A.I. An. Rpt., 1911, pp. 260-267. 1913.
    in United States, Argentina, and Australia. News L., vol. 1, No. 35, pp. 4. 1914.
    in various countries. D.C. 241, pp. 18-19. 1922.
    in world countries, 1907. Y.B., 1907, p. 730. 1908; Y.B. Sep. 465, p. 730. 1908.
    proportion of mutton, beef, and pork. F.B. 1172, p. 3. 1920.
  containers, labeling regulations. B.A.I.O. 211, pp. 41-48. 1914; B.A.I.S.R.A. 201, pp. 2-3. 1924.
  containers, zinc or galvanized, use prohibited. B.A.I.S.A. 36, p. 24. 1910.
  contamination by perspiration, regulations. B.A.I.S.R.A. 100, p. 95. 1915.
  cooking—
    effect on digestion, studies, University of Illinois. H. S. Grindley and others. O.E.S. Bul. 193, pp. 100. 1907.
    experiments on losses, 1898-1900. H. S. Grindley and others. O.E.S. Bul. 102, p. 64. 1901.
    experiments on losses, 1900-1903. H. S. Grindley and Timothy Mojonnier. O.E.S. Bul. 141, pp. 95. 1904.
    experiments with, conclusions. F.B. 391, pp. 15-16. 1910.
    for use as feed, prevention of disease. F.B. 781, p. 18. 1917.
    in copper kettles, prohibition, instructions. B.A.I.S.A., No. 71, p. 17. 1913.
    in fireless cooker. F.B. 771, rev., p. 14. 1918; U.S. Food Leaf., No. 13, p. 4. 1918; O.E.S. Syl. 15, p. 7. 1914.
    influence on nutritive value. O.E.S. Bul. 162, pp. 1-230. 1905.

Meat(s)—Continued.
  cooking—continued.
    to destroy tapeworm cysts. B.A.I. An. Rpt., 1911, pp. 101, 102, 116. 1913; B.A.I. Cir. 214, pp. 101, 102, 116. 1913.
    with corn meal, recipes. F.B. 565, pp. 11, 12, 13-14. 1914.
    with macaroni and other starchy materials. F.B. 391, pp. 24-25. 1910.
    with rice, recipes. F.B. 1195, pp. 13-15. 1921.
    with vinegar, methods. F.B. 391, p. 31. 1910.
  cost of different cuts. F.B. 391, pp. 10-11. 1910.
  cost reduction by cooperative farmer's butcher shop, scope, and methods. News L., vol. 6, No. 6, pp. 15-16. 1918.
  countries of surplus, exports. Rpt. 109, pp. 69-98, 216-230. 1916.
  cured—
    production increase, 1918-1919. News L., vol. 6, No. 33, p. 15. 1919.
    shippers' certificates required of farmers, sample. F.B. 913, pp. 27-28. 1917.
    stocks reported, December 1, 1917, and December 1, 1918. Y.B., 1918, pp. 392-393. 1919; Y.B. Sep. 788, pp. 16-17. 1919.
    storage holdings, 1918, review. D.B. 792, pp. 15-25. 1919.
  curing—
    and smoking, directions. F.B. 183, pp. 29-37. 1903; F.B. 1186, pp. 15-18, 22-26. 1921.
    at home, results of ham and bacon clubs. Y.B., 1917, p. 378. 1918; Y.B. Sep. 753, p. 10. 1918.
    by electricity, special instructions to inspectors. B.A.I.S.A. 56, p. 88. 1911.
    experiments with sugar and with substitutes. D.B. 928, pp. 4-28. 1920.
    house, cost and capacity, pig-club work. Y.B., 1915, p. 185. 1916; Y.B. Sep. 667, p. 185. 1916.
    on the farm, methods and formulas. News L., vol. 2, No. 4, pp. 3-4. 1914.
    recipes. F.B. 183, pp. 30-35. 1903.
    rules, and cost. F.B. 809, pp. 10-11. 1917.
    sugar used in United States, quantity. D.B. 928, p. 1. 1920.
    use of substitute for sucrose. Ralph Hoagland. D.B. 928, pp. 28. 1920.
    with saltpeter, effects of varying amounts. B.A.I. An. Rpt., 1908, pp. 310-313. 1910.
  cuts—
    commercial. W. C. Davis. D.C. 300, pp. 9. 1924.
    proportions and relation to meat prices. F.B. 391, pp. 8-10. 1910.
  cutting in retail market. M.C. 54, pp. 24-27. 1925.
  dealers, advertising practices. D.B. 1317, pp. 32-35. 1925.
  deer and other animals, sale in Alaska. Biol. S.R.A. 53, p. 2. 1923.
  definitions and standards. Chem. [Misc.], "Food definitions and standards," pp. 1-2. 1903.
  diet, expense and suggestion for reduction. F.B. 391, pp. 16-18. 1910.
  dietary place. Stat. Bul. 55, pp. 82-87. 1907.
  digestibility, comparison of cuts. F.B. 391, pp. 7-8. 1910.
  digestion—
    by papain of papaya leaves. B.P.I. Cir. 119, p. 3. 1913.
    rapidity, experiments. O.E.S. Bul. 193, pp. 59-99. 1907.
  disease in, meaning of term. Y.B., 1916, pp. 82-83. 1917; Y.B. Sep. 714, pp. 6-7. 1917.
  dishes, flavorings used, suggestions. F.B. 391, pp. 37-39. 1910.
  distribution agencies. D.B. 1317, pp. 2-7. 1925.
  dressed, annual production, in 1907-1921, estimate. D.C. 241, pp. 12-14. 1922.
  dried, comparison with fresh, in vitamin content. D.B. 1138, pp. 8-20, 26-44. 1923.
  economical use in home. C. F. Langworthy and Caroline L. Hunt. F.B. 391, pp. 43. 1910.
  establishments—
    Federal inspection regulations. Y.B., 1913, pp. 129, 130. 1914; Y.B. Sep. 619, pp. 129, 130. 1914.
    number, 1891-1910. B.A.I. An. Rpt., 1910, p. 62. 1912.

Meat(s)—Continued.
  exports—
    1851-1906, review. Stat. Bul. 55, pp. 4-11. 1907.
    1851-1908. Stat. Bul. 75, pp. 27-36. 1910.
    1851-1912. Y.B., 1912, pp. 727, 738-739. 1913; Y.B. Sep. 615, pp. 727, 738-739. 1913.
    1852-1921. Y.B., 1922, pp. 956, 961, 970, 971. 1923; Y.B. Sep. 880, pp. 956, 961, 970, 971. 1923.
    1907-1923. D.C. 241, pp. 16-19. 1924.
    1922-1924. Y.B., 1924, pp. 1041-1042. 1925.
  and imports—
    1907-1921. D.C. 241, pp. 14-15, 16. 1922.
    Federal inspection law. Chem Bul. 69, Pt. I, pp. 2-7. 1902.
  certified, 1909. B.A.I. An. Rpt., 1909, p. 26. 1911.
  diversion for home consumption, reporting. B.A.I.S.R.A. 123, p. 82. 1917.
  from Australia—
    and New Zealand 1901-1913. Y.B., 1914, p. 432. 1915; Y.B. Sep. 650, p. 432. 1915.
    with meat products. Stat. Bul. 39, pp. 70-76. 1905.
  from—
    Mexico, with meat products. Stat. Bul. 39, pp. 82-83. 1905.
    New Zealand, with meat products. Stat. Bul. 39, pp. 83-86. 1905.
    nine countries of surplus production, Rpt. 109, pp. 14-15, 69-98, 216-230. 1916.
    Russia, with meat products. Stat. Bul. 39, pp. 90-91. 1905.
    United States, 1895-1915. Rpt. 109, pp. 76, 77, 79, 224, 226-228. 1916.
    Uruguay, with meat products. Stat. Bul. 39, pp. 94-95. 1905.
  increase, 1917-1918. News L., vol. 6, No. 40, p. 3. 1919.
  inspection—
    certificates, forms. B.A.I.S.R.A. 95, pp. 30-31. 1915.
    quantities of different classes, 1898-1906. B.A.I. An Rpt., 1906, pp. 18-19. 1908.
    requirements, 1890. B.A.I.O. 281, pp. 16-17. 1923.
    preparation, inspection, and trade, Australia and New Zealand. Y.B., 1914, pp. 427-433. 1915; Y.B. Sep. 650, pp. 427-433. 1915.
    prohibitory enactments, various countries. Y.B., 1906, pp. 251-257. 1907; Y.B. Sep. 421, pp. 251, 257. 1907.
    stamps and certificates. B.A.I.O. 211, rev., pp. 47-50. 1922.
    statistics, 1910-1923. An. Rpts., 1923, pp. 92-93. 1924; Sec. A.R., 1923, pp. 92-93. 1923.
  to—
    Europe, July, 1919. News L., vol. 7, No. 5, p. 14. 1919.
    France, regulations affecting. B.A.I.S.A. 60, p. 26. 1912.
    Great Britain, 1900-1904, comparison with other countries. An. Rpts., 1905, pp. 48-50. 1905.
    Mexico, stamp and certificate requirements. B.A.I.S.R.A. 118, p. 22. 1917.
    Switzerland, law. B.A.I.S.A. No. 38, p. 39. 1910.
  under Federal inspection, annual by 5-year periods. Y.B., 1915, pp. 277-278. 1916; Y.B. Sep. 676, pp. 277-278. 1916.
  with meat products, 1915-1919. Sec. Cir. 142, pp. 25-26. 1919.
  exportation, without certificate, for personal use. B.A.I.O. 211, amdt. 10, p. 1. 1919; B.A.I.S.R.A. 148, p. 86. 1919.
  extracts—
    analyses. Chem. Bul. 107, pp. 114-116. 1907; Chem. Bul. 114, p. 28. 1908; Chem. Bul. 116, pp. 50-51. 1908.
    analysis—
      and nutritive value. W. D. Bigelow and F. C. Cook. Chem. Bul. 114, p. 56. 1908.
      preparation of sample. Chem. Bul. 114, p. 28. 1908.
    and juices, nutritive values. Chem. Bul. 114, pp. 48-54. 1908.
    commercial, analyses. Chem. Bul. 116, pp. 50-51. 1907.

Meat(s)—Continued.
  extracts—continued.
    composition and identification. James A. Emery and Robert R. Henley. J.A.R., vol. 17, pp. 1-17. 1919.
    composition at different periods of storage. D.B. 433, pp. 38, 45, 53, 60, 68, 76, 83. 1917.
    gelatin, nutritive value. Chem. Bul. 114, pp. 44-48. 1908.
    Kjeldahl method, modification, report of referees. Chem. Cir. 90, p. 11. 1912; Chem. Bul. 152, pp. 184, 189. 1912.
    miscellaneous preparations, analysis. Chem. Bul. 114, pp. 24-27. 1908.
    preparation for analysis. Chem. Bul. 122, pp. 61-62. 1909; J.A.R., vol. 17, pp. 1-3. 1919.
    semisolid and fluid, composition, and food value. D.B. 27, pp. 3-4. 1913.
    solid, analysis. Chem. Bul. 114, pp. 14-15, 16. 1908.
  extractives, importance. F.B. 391, p. 13. 1910.
  farm—
    butchering, curing, and keeping. Andrew Boss. F.B. 183, pp. 38. 1903.
    cured, marketing—
      Rpt. 113, p. 61. 1916.
      value of refrigeration. F.B. 809, pp. 10-11. 1917.
    interstate shipment. F.B. 1415, p. 33. 1924.
    slaughtered, marketing. Rpt. 113, pp. 60-63. 1916.
  Federal-inspection-stamped, purity and safety assurance. News L., vol. 2, No. 17, p. 2. 1914
  Federal regulations, governing interstate and foreign transportation. B.A.I.O. 137, amdt. 8. September 28, 1909, p. 1. 1909.
  feed value for poultry, study. B.A.I. Bul. 56, pp. 22-23, 28, 29-30, 32, 55-57, 77, 96-98. 1904.
  firmness and appearance. D.B. 1086, pp. 9-12. 1922.
  flavor, development and improving, methods. F.B. 391, pp. 35-40. 1910.
  flesh—
    infested with actinomycosis, dangerous for food. B.A.I. [Misc.], "Diseases of cattle," rev., p. 439. 1908; rev., pp. 457. 1912; rev., p. 436. 1904; rev., pp. 447-449. 1923.
    of tuberculous cattle, use as food, discussion, B.A.I. [Misc.], "Diseases of cattle," rev. p. 420. 1908; rev., p. 417. 1904; rev., p. 436. 1912; rev., p. 429. 1923.
  fly, enemy of grasshoppers. F.B. 747, pp. 10-11. 1916.
  food(s)—
    from Holland, quarantine for non-inspection B.A.I.S.R.A. 105, p. 2. 1916.
    losses, prevention, notices. B.A.I.S.R.A. 125, pp. 100-102. 1917.
    products—
      certificates. F.I.D. 74, pp. 1-3. 1907.
      exports, certifications. B.A.I. Chief Rpt., 1911, pp. 33-34. 1911.
      imported, inspection regulations. Chem. [Misc.], "Inspection of imported meats * * *," pp. 14. 1910.
      imported, transportation regulations, decision. F.I.D. 73, p. 1. 1907.
      imports, July, 1915, with comparisons. B.A.I.S.R.A. 100, p. 97. 1915.
      imports, July, 1916. B.A.I.S.R.A. 112, p. 72. 1916.
      imports, February, 1917. B.A.I.S.R.A. 119, p. 33. 1917.
      imports in August, 1922. B.A.I.S.R.A. 185, pp. 103, 104. 1922.
      inspection, regulations. Y.B., 1916, pp. 87, 91. 1917; Y.B. Sep. 714, pp. 11, 15. 1917.
      interstate regulations. B.A.I.O. 211, amdt. 4, pp. 3-4. 1917.
      labeling, regulations. B.A.I.S.A. 60, p. 26. 1912.
      laboratory inspection, instructions concerning. B.A.I. [Misc.], "Instructions concerning laboratory * * *," p. 1. 1907.
      losses from tuberculosis. F.B. 1069, pp. 8-9, 13, 14. 1919.
      marking in inspection. B.A.I.O. 150, amdt. 4, pp. 2. 1913.
      preparation and supervision. B.A.I. An. Rpt., 1908, p. 20. 1910.

INDEX TO PUBLICATIONS, 1901-1925 — 1483

Meat(s)—Continued.
food(s)—continued.
products—continued.
starch in, determination method. T. M Price. B.A.I. Cir. 203, pp. 6. 1912.
stocks on hand, instructions concerning. A. D. Melvin. B.A.I. [Misc.], "Instructions concerning stocks * * *," pp. 6. 1906; rev., pp. 12. 1907.
transportation, regulations. F.I.D. 73, p. 1. 1907.
shipments, Argentina regulations, F.I.D. 153. Chem. S.R.A. 4, 204-205. 1914.
standards. Sec. Cir. 136, p. 3. 1919.
use, and saving by use of substitutes. Lib. Leaf. No. 6, pp. 2-4. 1918.
value—
and use in diet. Y.B., 1910, pp. 359-360. 1911.
comparison. D.B. 975, pp. 6-8, 23-24. 1921.
comparison with American cheese. B.A.I. Doc. A.-21, pp. 1-2. 1917.
comparison with milk and milk products. Sec. Cir. 85, pp. 6, 17, 21. 1918.
discussion. F.B. 391, pp. 5-8. 1910.
for—
Argentina, transportation steamships, capacity and rates. Y.B., 1913, p. 362. 1914; Y.B. Sep. 629, p. 362. 1914.
Army and Navy, double inspection for adulteration or tampering. News L., vol. 5, No. 22, p. 7. 1917.
sterilization, handling. B.A.I.S.R.A. 124, p. 95. 1917.
sterilization, shipments, regulations. B.A.I. S.R.A. 101, p. 106. 1915.
foreign markets, tariff of 14 importing nations and countries of surplus. Stat. Bul. 39, pp. 95. 1905.
foreign trade—
1904-1918. Y.B., 1918, p. 707. 1919; Y.B. Sep. 795, p. 43. 1919.
1907-1923. D.C. 241, pp. 16-19. 1924.
freezing, packing, and exporting, Australia, discussion. Stat. Bul. 39, pp. 74-76. 1905.
freight rates—
1881-1910. Y.B., 1910, pp. 649-650. 1911; Y.B. Sep. 553, pp. 649-650. 1911.
1911. Y.B., 1911, p. 652. 1912; Y.B. Sep. 588, p. 652. 1912.
and length of haul, various sections. Rpt. 113, pp. 29-31. 1916.
Chicago to New York and Cincinnati to New York. Y.B., 1092, pp. 849, 850. 1903.
imports and exports. Y.B., 1907, pp. 731, 732, 738, 748. 1908; Y.B. Sep. 465, pp. 731, 732, 738, 748. 1908.
fresh, keeping by use of ice and ice houses. F.B. 913, p. 29. 1917.
fresh, supply, daily reports, Bureau of Markets. Y.B., 1918, pp. 380-382. 1919; Y.B. Sep. 788, pp. 4-6. 1919.
frozen—
demand by European countries. Y.B., 1919, pp. 410, 412, 414, 416, 417, 419. 1920; Y. B. Sep. 821, pp. 410, 412, 414, 416, 417, 419. 1920.
establishments and trade conditions, Argentina. Y.B., 1913, pp. 351-354. 1914; Y.B. Sep. 629, pp. 351-354. 1914.
importation and sale, Swiss laws. B.A.I.S.A. 58, pp. 11-12. 1912.
monthly, amounts, 1919-1923. S.B. 1, pp. 13, 14, 15. 1923.
stocks reported, December 1, 1917, and December 1, 1918. D.B. 792, pp. 4-15. 1919; Y.B., 1918, pp. 392-393. 1919; Y.B. Sep. 788, pp. 16-17. 1919.
goat, animals slaughtered annually, price comparison with mutton. F.B. 1203, pp. 22-23. 1921.
goat, names, quality, use as food. F.B. 137, p. 29. 1901.
grading work. B.A.E. Chief Rpt., 1924, pp. 25-26. 1924.
hog, inspection, relation to tuberculosis. B.A.I. An. Rpt., 1907, pp. 238-241. 1909; B.A.I. Cir. 144, pp. 238-241. 1909.
home—
canning, recipes. S.R.S. Doc. 80, pp. 13-24. 1918; rev., pp. 13-25. 1919.

Meat(s)—Continued.
home—continued.
canning, with steam-pressure canner (and sea foods). Franz P. Lund. S.R.S., Doc. 80, pp. 28. 1918; S.R.S., Doc. 80, rev. pp. 30. 1919.
use, buying in quantity, discussion. F.B. 391, pp. 18-19. 1910.
horse—
adulterated, shipments. An. Rpts., 1912, p. 572. 1913; Chem. Chief Rpt., 1912, p. 22. 1912.
composition and characteristics. Chem. Bul. 13, Pt. X, pp. 1436-1438. 1902.
consumption per capita in Germany. B.A.I. An. Rpt., 1909, p. 314. 1911.
identification by glycogen determination. Chem. Bul. 107, p. 110. 1907.
inspection and handling, regulations. B.A.I.O. 211, amdt. 9, pp. 3. 1919; B.A.I.O. 211, rev., p. 67. 1922; B.A.I.S.R.A. 148, p. 85. 1919.
inspection, German regulations. B.A.I. Bul. 50, p. 14. 1903.
slaughter, consumption, and export. Stat. Bul. 55, p. 61. 1907.
slaughtering regulations, in New Jersey. Chem. Bul. 69, Pt. V, rev., pp. 398-399. 1906.
text of act. B.A.I.O. 211, rev., p. 72. 1922.
use as food. Chem. Bul. 13, Pt. X, pp. 1399-1403, 1436-1438. 1902.
importation—
from China, Notice 3, B.A.I.O. 211. B.A.I. [Misc.], "Importation of meat and products * * *," pp. 2. 1920.
into Germany. B.A.I. Bul. 50, pp. 18-36. 1903.
regulations, instructions to customs officers. B.A.I.S.A. 80, p. 109. 1913.
imported—
act, October 3, 1913, text. B.A.I.O. 211, pp. 85-86. 1914; rev., pp. 1, 72. 1922; rev., p. 2. 1923.
from Mexico, inspection, regulation. B.A.I.O. 202, amdt. 1, pp. 1-2. 1914.
inspection and handling, regulations governing. B.A.I.O. 202, pp. 30. 1913; B.A.I.S.A. 79, pp. 100-101. 1913.
inspection, August-December, 1913. F.B. 575, pp. 27-28. 1914.
regulations and blank forms. B.A.I.O. 211, pp. 69-81. 1914.
tariff rates, old and new. F.B. 575, p. 29. 1914.
transportation regulations, decision. F.I.D. 73, p. 1. 1907.
treatment as domestic meats, regulations. News L., vol. 1, No. 10, p. 2. 1913.
value, and amount of adulteration. Y.B., 1910, p. 209. 1911; Y.B.Sep. 529, p. 209. 1911.
imports—
1905-1910, by countries from which consigned. Stat. Bul. 90, p. 34. 1911.
1907-1909, by countries from which consigned. Stat. Bul. 82, p. 32. 1910.
1909-1911, by countries from which consigned. Stat. Bul. 95, p. 38. 1912.
1913-1914. Y.B., 1913, pp. 348-350. 1914; Y.B. Sep. 629, pp. 348-350. 1914.
1913. F.B. 581, pp. 38-39. 1914.
1921. Y.B. 1921, pp. 736, 738. 1922; Y.B. Sep. 870, p. 62. 1922; Y.B. Sep. 867, p. 2. 1922.
1922-1924. Y.B., 1924, p. 1059. 1925.
amount condemned or refused entry, 1916. An. Rpts., 1916, p. 105. 1917; B.A.I. Chief Rpt., 1916, p. 39. 1916.
and exports—
1898-1902, and prices. Y.B., 1902, pp. 855-863, 871, 873. 1903.
1906-1910, and exports 1851-1910. Y.B., 1910, pp. 655-666, 675, 677. Y.B. Sep. 554, pp. 655-666, 675, 677. 1911.
by 15 principal countries. Rpt. 109, pp. 15, 98-114, 231-262. 1916.
Canadian order. B.A.I.S.R.A. 97, p. 55. 1915.
discussion and tables. Rpt. 109, pp. 15, 100, 103, 106, 108, 109, 246-247, 258-260, 262. 1916.
from Argentina to United States by months, 1913, 1914. Y.B., 1914, p. 388. 1915; Y.B. Sep. 648, p. 388. 1915.
from Mexico, inspection regulation. B.A.I.O. 202, amdt. 1, pp. 2. 1914.

36167°—32——94

Meat(s)—Continued.
   imports—continued.
      into 13 European countries and Cuba, 1904, with percentages from United States. Y.B., 1906, pp. 637–638. 1907; Y.B. Sep. 436, pp. 637–638. 1907.
      See also *Bureau of Animal Industry, Service and Regulatory Announcements*, monthly.
   increase—
      in United States in 1918. News L., vol. 6, No. 40, pp. 2–3. 1919.
      work of Animal Industry Bureau. Y.B., 1917, pp. 33–37, 73, 74. 1918.
   industry—
      South American. A. D. Melvin. Y.B., 1913, pp. 347–364. 1914; Y.B. Sep. 629, pp. 347–364. 1914.
      United States, effect of meat production in Argentina. A. D. Melvin and G. M. Rommel. Y.B., 1914, pp. 381–390. 1915; Y.B. Sep. 648, pp. 381–390. 1915.
   infested with parasites—
      handling to control disease. D.B. 260, pp. 7–8, 11, 14, 15, 19. 1915; Ent. T. B. 22, pp. 9, 10, 21, 35. 1912.
      not transmissible, disposal, rules. B.A.I.S.A. 68, pp. 109–110. 1912.
   inspection—
      act—
         Mar. 4, 1907, text. B.A.I.O. 211, pp. 82–85. 1914.
         administration, statutory history. Sol. [Misc.], "A brief statutory history * * *," pp. 9, 18. 1916.
         status in 1920. An. Rpts., 1920, pp. 50–51. 1921; Sec. A.R., 1920. pp. 50–51. 1920.
         text. B.A.I.O., 211, rev., pp. 1, 68–72. 1922.
      address list of inspectors and others. B.A.I. [Misc.], "Address list of * * *," pp. 6. January 15, 1907.
      amendment—
         June 30, 1906. B.A.I. [Misc.], "Meat inspection amendment * * *," pp. 6. 1906.
         to regulations 1 and 16, of B.A.I.O. 211. B.A.I.O. 211, rev., pp. 1–2. 1923; B.A.I.O. 211, rev. amdt. 3, pp. 1–4. 1925.
      and handling, regulations governing. B.A.I.O. 202, pp. 30. 1913.
      ante mortem and post-mortem, report. Sec. Cir. 58, pp. 5–6. 1916.
      applications by butchers, retailers, and farmers. B.A.I.O. 211, pp. 9–10. 1914.
      benefits. Off. Rec. vol. 3, No. 40. pp. 1, 3. 1924.
      brands, labels, dies, etc., notices. B.A.I.S.R.A. 108, p. 35. 1916.
      case against Armour & Co. Sol. Cir. 83, pp. 1–3. 1915.
      certificates, foreign, requirements. B.A.I.S. R.A., 817, pp. 127–128, 130. 1922.
      certificates, importation, authorized signers. B.A.I.S.R.A. 112, pp. 73–74. 1916.
      chemicals forbidden in Germany. B.A.I. Bul. 50, p. 14. 1903.
      coal-tar colors, separation method. B.A.I. Cir. 180. pp. 1–7. 1911.
      commission, appointment by Secretary. Y.B., 1915, pp. 278–279. 1916; Y.B. Sep. 676, pp. 278–279. 1916.
      commission, personnel and powers. B.A.I. An. Rpt., 1907, pp. 361–363, 365. 1909.
      cost under different laws. B.A.I. An. Rpt., 1906, pp. 75, 78, 79. 1908. B.A.I. Cir. 125, pp. 15, 18, 19. 1908.
      definitions. B.A.I.O. 211, pp. 5–8. 1914.
      details, establishments, and animals killed, 1907–1913. Y.B., 1913, pp. 481–482. 1914; Y.B. Sep. 361, pp. 481–482. 1914.
      directions for inspection of lymph glands. B.A.I. An. Rpt., 1910, pp. 377–395. 1912; B.A.I. Cir. 192, pp. 377–395. 1912.
      directory—
         and instructions. See *Bureau of Animal Industry Service Announcements*.
         by numbers of establishments having. B.A.I. [Misc.], "Directory, by numbers B.A.I. [Misc.], "Meat inspection directory * * *," pp. 32. May 6, 1907 * * *," pp. 14. 1906; rev. pp. 32. 1907.

Meat(s)—Continued.
   inspection—continued.
      directory—continued.
         by stations, of establishments having inspection. B.A.I. [Misc.], "Directory by stations * * *," pp. 18. February 5, 1907.
      establishments and animals inspected, 1907–1914. Y.B., 1914, pp. 639–640. 1915; Y.B. Sep. 656, pp. 639–640. 1915.
      establishments, number, 1891–1908. An. Rpts., 1908, p. 227. 1909; B.A.I. Chief Rpt., 1908. p. 13. 1908.
      exemption regulations. B.A.I.S.R.A. 185, p. 103. 1922.
      exemptions. B.A.I. Chief Rpt., 1924, pp. 18–19. 1924.
      export stamps and certificates, regulations. B.A.I.O. 211, pp. 56–58. 1914.
      facilities, requirement regulations. B.A.I.O., 211, pp. 13–15. 1914.
      farms and records, notice. B.A.I.S.R.A. 119, p. 31. 1917.
      Federal—
         data for 1924. B.A.I.S.R.A. 212, pp. 125–128. 1925.
         data for 1925. B.A.I.O. 224, pp. 109–111. 1925.
      early efforts of Department of Agriculture. B.A.I. An. Rpt., 1906, pp. 67, 70–71. 1908; B.A.I. Cir. 125, pp. 7, 10–11. 1908.
      economic importance. George Ditewig. Y.B., 1915, pp. 272–280. 1916; Y.B. Sep. 676, pp. 272–280. 1916.
      extent of service. Sec. A.R., 1925, pp. 67–68. 1925.
      laws. Chem. Bul. 69, Pt. I, pp. 2–7. 1905.
      new regulations, synopsis. News L., vol. 2, No. 2, pp. 2–3. 1914.
      report by months. See *Bureau of Animal Industry Service and Regulatory Announcements*.
      reports of Drs. Moore, Ravenel, and Sedgwick. Sec. Cir. 58, pp. 10. 1916.
      scope and results. Y.B., 1915, pp. 275–280. 1916; Y.B. Sep. 676, pp. 275–280. 1916.
      statistics, 1907–1920. Y.B. Sep. 863, 1920. pp. 61–62. 1921.
      fees, German. B.A.I. Bul. 50, pp. 8–12. 1903.
      for Government branches. B.A.I. Chief Rpt., 1924, p. 19. 1924.
      for Navy, use of special mark, order. B.A.I.O. 211, amdt. 11, p. 1. 1919.
      force, organization. B.A.I.O. 211, pp. 8–9. 1914.
      foreign—
         certificates. B.A.I.O. 211, rev., pp. 59–60. 1922.
         officials signatures, facsimile. B.A.I.S.R.A. 93, pp. 5–11. 1915.
         systems, investigation. Y.B., 1913, pp. 131, 347–364. 1914; Y.B. Sep. 619, pp. 131. 1914; Y.B. Sep. 629, pp. 347–364. 1914.
      forms and instructions. B.A.I.S.R.A. 117. pp. 3–15. 1917.
      German regulations (with original text). B.A.I. Bul. 50, pp. 1–51. 1903.
      in Argentina, conditions and improvement. Y.B., 1913, pp. 347–348. 1914; Y.B. Sep. 629, pp. 347–348. 1914.
      in Canada, regulations concerning preservatives and dyes. B.A.I.S.A. 58, p. 11. 1912.
      in European countries. B.A.I. Cir. 125, pp. 37–40. 1908.
      in Germany—
         limitations of importation and shipment in transit. B.A.I. Bul. 50, pp. 14–18. 1903.
         list of inspection offices. B.A.I. Bul. 50, pp. 38–42. 1903.
      in United States, brief outline. B.A.I. An. Rpt., 1908, pp. 83–85. 1910; B.A.I. Cir. 154, pp. 1–3. 1910.
      instructions. See *Bureau of Animal Industry Service Announcements*.
      laws—
         amendment, 1906. Chem. Bul. 104, pp. 11–16. 1906.
         and regulations, legislation authorizing. Y.B., 1916, pp. 77–78. 1917; Y.B. Sep. 714, pp. 1–2. 1917.

Meat(s)—Continued.
inspection—continued.
laws—continued.
decision re contents of sausage. Sol. Cir. 74, pp. 4. 1913.
defects, discussion. B.A.I. An. Rpt., 1906, pp. 10–11. 1908.
enforcement. Sol. [Misc.], "Laws applicable * * * Agriculture," sup. 2, pp. 24–25. 1915.
Federal, 1890–1906. B.A.I. An. Rpt., 1906, pp. 71–79. 1908. B.A.I. Cir. 125, pp. 11–19. 1908.
lard substitute composed of vegetable oils and imported oleo stearin. Sol. Cir. 56, pp. 4. 1911.
new, and its bearing upon the production and handling of meat. George P. McCabe. B.A.I. Cir. 101, pp. 16. 1907.
of Australia and New Zealand. Y.B., 1914, pp. 429–430. 1915; Y.B. Sep. 650, pp. 429–430. 1915.
of Germany, enforcement of provisions. B.A.I. Bul. 50, pp. 44–50. 1903.
of Virginia. Chem. Bul. 69, rev., Pt. VIII, pp. 644–650. 1906.
opinion on inspection of lard substitute. Sol. Cir. 38, pp. 1–9. 1910.
text. B.A.I.O. 150, pp. 45–48. 1908.
trade labels, instructions. A. D. Melvin. B.A.I. [Misc.] "Instructions concerning trade labels * * *," pp. 6. 1906.
violations, prosecutions. B.A.I.S.R.A. 175, p. 39. 1922.
limitations of Federal service. B.A.I. Cir. 185, pp. 241–242. 1912; B.A.I. An. Rpt., 1910, pp. 241–242. 1912.
marks, and inscriptions. Y.B., 1916, pp. 88–91. 1917; Y.B. Sep. 714, pp. 12–15. 1917.
necessity of State and municipal control. B.A.I. An. Rpt., 1910, pp. 241–244. 1912; B.A.I. Cir. 154, pp. 1–14. 1910; B.A.I. Cir. 185, pp. 241–244. 1912.
notices, and violations of law. See *Bureau of Animal Industry, Service and Regulatory Announcements.*
official numbers, and inauguration and withdrawal. B.A.I.O. 211, pp. 11–12. 1914.
officials, foreign, signatures. See *Bureau of Animal Industry Service and Regulatory Announcements.*
regulations—
September 7, 1906. B.A.I.O. 137, amdt. 1, pp. 3. 1906.
October 1, 1906. B.A.I.O. 137, pp. 32. 1906.
11 on *Caseous lymphadenitis.* B.A.I.O. 211, amdt. 5, pp. 13. 1918.
changes. See *Bureau of Animal Industry Service Announceemnts.*
effective November 1, 1922. B.A.I.O. 211, rev., pp. 72. 1922.
for Trichinae. D.B. 880, pp. 1–2. 1920.
for tuberculosis, hog cholera and icterus. A. D. Melvin. B.A.I. [Misc.], "Instructions supplementing new meat * * *," pp. 3. 1908.
in regard to hogs and cattle. B.A.I.O. 211, amdt. 4, pp. 4. 1917.
instructions to employees and others. See *Bureau of Animal Industry Service Announcements.*
measles of cattle and swine, foreign countries. B.A.I.S.A. 74, pp. 54–57. 1913.
regarding hogs and cattle. B.A.I.O. 211, amdt. 4, pp. 1–4. 1917.
relation—
of hog tuberculosis. B.A.I. Cir. 201, pp. 32–34. 1912.
to hygiene. O.E.S. An. Rpt., 1909, p. 384. 1910.
report by months. See *Bureau of Animal Industry Service and Regulatory Announcements.*
rulings—1A. James Wilson. B.A.I. [Misc.], "Meat inspection * * *," pp. 3. 1906.
rulings—2A. James Wilson. B.A.I. [Misc.], "Meat inspection * * *," pp. 2. 1907.
sanitary requirements. B.A.I. An. Rpt., 1906, pp. 79–80. 1908.; B.A.I. Cir. 125, pp. 9–10. 1908.

Meat(s)—Continued.
inspection—Continued.
service—
disposition of tuberculous carcasses in various countries. B.A.I.S.A. 72, pp. 25–31. 1913.
Federal. A. D. Melvin. B.A.I. Cir. 125, pp. 40. 1908.
of the U. S. Department of Agriculture. George Ditewig. Y.B., 1916, pp. 77–97. 1917; Y.B. Sep. 714, pp. 21. 1917.
stamps on containers, regulation. B.A.I.O. 211, amdt. 13, p. 1. 1920.
State and municipal—
and municipal slaughterhouses. A. D. Melvin. B.A.I. An. Rpt., 1910, pp. 241–254. 1912; B.A.I. Cir. 185, pp. 241–254. 1912.
need, to supplement Federal inspection. A. M. Farrington. B.A.I. Cir. 154, pp. 14. 1910; B.A.I. An. Rpt. 1908, pp. 83–96. 1910.
suggestions. Sec. Cir. 58, pp. 9–10. 1916.
statistics—
1907–1921. Y.B., 1921, pp. 735–736. 1922; Y.B. Sep. 870, pp. 61–62. 1922.
1923–24. Off. Rec., vol. 3, No. 36, p. 2. 1924.
tags, brands and inscriptions. Y.B., 1916, pp. 80, 81, 84, 88–91. 1917; Y.B. Sep. 714, pp. 4, 5, 8, 12–15. 1917.
trade labels, law and regulations. B.A.I. An. Rpt., 1906, pp. 378–381. 1908.
See also Meat laws.
inspectors—
cooperation with local authorities, regulations. B.A.I.O. 211, p. 55. 1914.
decisions, appeals, and regulations. B.A.I.O. 211, p. 55. 1914.
foreign, signatures, facsimile. B.A.I.S.R.A. 83, pp. 33–38. 1914.
methods, and reports. Sec. Cir. 58, pp. 3–4, 5. 1916.
overtime service. B.A.I.S.R.A. 175, p. 32, 1922.
reports required on probationary appointees. B.A.I.S.R.A. 130, p. 13. 1918.
interstate commerce, regulations. B.A.I.O. 211, admt. 2, pp. 2–3. 1915.
juices—
analyses, and nutritive value. Chem. Bul. 114, pp. 18–20, 48–54. 1908.
commercial, composition and food value. D.B. 27, p. 4. 1913.
keeping methods for hot weather, precautions. F.B. 183, pp. 21–27. 1903; Food Thrift Ser. No. 4, pp. 4–5. 1917.
labeling regulation. B.A.I.O. 211, rev., pp. 33–40. 1922.
labels, stamping, new method in use. B.A.I. An. Rpt., 1907, p. 12. 1909.
laws—
of Canada, 1908. Chem. Bul. 121, pp. 9–12. 1909.
of Germany, affecting American exports. Chem. Bul. 61, pp. 20–21. 1901.
of Italy, affecting American exports. Chem. Bul. 61, p. 26. 1901.
of Switzerland, affecting American exports. Chem. Bul. 61, pp. 35–39. 1901.
State—
1906. Chem. Bul. 104, pp. 41, 45–47, 50–51. 1906.
1907. Chem. Bul. 112, Pt. I, pp. 26–28, 44, 67, 72–73, 100–101, 132. 1908.
1907. Chem. Bul. 112, Pt. II, pp. 17, 55–60, 68, 101, 114, 118–119, 135, 146, 152. 1908.
1908. Chem. Bul. 121, pp. 39, 58, 68, 80. 1909.
See also Foods.
loaf—
canning recipe. S.R.S. Doc. 80, pp. 16–17. 1918.
soy bean flour as meat substitute, recipe. Sec. Cir. 113, p. 4. 1918.
losses from tuberculosis. Y.B., 1915, pp. 167–168. 1916; Y.B. Sep. 666, pp. 167–168. 1916.
losses occasioned by horn fly on dairy cattle. Ent. Cir. 115, p. 3. 1910.
market—
classes and grades. F.B. 435, pp. 16–20. 1911.
news service. An. Rpts., 1918, pp. 475–476. 1919; Mkts. Chief Rpt., 1918, pp. 25–26. 1918.

Meat(s)—Continued.
  market—continued.
    reports, Federal, and livestock. James Atkinson. Y.B., 1918, pp. 379-398. 1919; Y.B. Sep. 788, pp. 22. 1919.
    retail, equipment, sanitation. M.C. 54, pp. 7-14. 1925.
    retail, sources of supply. Rpt. 113, pp. 51-55. 1916.
    stabilization. News L., vol. 6, No. 40, pp. 13-14. 1919.
    statistics, exports, imports, and prices, 1910-1920. D.B. 982, pp. 22-25, 58-61, 90-91, 102-130. 1921.
  marketing—
    1924. B.A.E. Chief Rpt., 1924, pp. 23-27. 1924.
    and distribution, cost factors. Rpt. 113, pp. 16-63. 1916.
    and market news, work. An. Rpts., 1920, pp. 537-539. 1921.
    bibliography. M.C. 35, pp. 23-24, 26. 1925.
    conditions and problems governing. News L., vol. 4, No. 16, pp. 1-2. 1916.
    methods and cost, with livestock. Louis D. Hall and others. Rpt. 113, pp. 98. 1916.
    methods, study, Markets Office. Mkts. Doc. 1, pp. 9-10. 1915.
    studies, grades, and standards. Y.B., 1922, pp. 17-18, 20. 1923; Y.B. Sep. 883, pp. 17-18, 20. 1923.
  marking—
    approval of labels. B.A.I.S.R.A. 196, pp. 70-71. 1923.
    branding, and identifying, regulations. B.A.I.O. 211, pp. 36-41. 1914.
    in inspection. B.A.I.O. 150, amdt. 4, pp. 2. 1913.
    instructions. B.A.I.S.R.A. 78, pp. 90. 1913.
    stencils, dies, and brands, approval. B.A.I.-S.R.A. 206, pp. 67-68. 1924.
  meal—
    feed for hogs, experiments. F.B. 316, pp. 26-27. 1908; F.B. 411, pp. 19-20. 1910.
    feed for sheep. D.B. 20, p. 46. 1913.
    hog feeding, use with corn. F.B. 316, pp. 26-27. 1908.
    misbranding. See *Indexes, Notices of Judgment, in bound volumes, and in separates published as supplements to Chemistry Service and Regulatory Announcements.*
  methods for making little go long way. U.S. Food Leaf. 5, pp. 4. 1917.
  muskrat flesh, preparation and cooking. F.B. 396, pp. 21-24. 1910.
  need in France. News L., vol. 6, No. 52, p. 3. 1919.
  net weight in official establishments, regulation. B.A.I.S.R.A. 204, p. 43. 1924.
  nitrogenous constituents, study, A.O.A.C. report, 1903. Chem. Bul. 81, pp. 110-118. 1904.
  nutrients, digestibility coefficients. O.E.S. Bul. 193, pp. 41-46. 1907.
  nutritive value—
    and cost, comparison with cheese. F.B. 487, pp. 14-15. 1912.
    comparison with other foods. Stat. Bul. 55, pp. 84-86. 1907.
  of potato-fed hogs, quality, and weight variations. D.B. 596, pp. 8, 9-10. 1917.
  of tuberculous cattle, danger to public health. Y.B., 1915, pp. 167, 168. 1916; Y.B. Sep. 666, pp. 167, 168. 1916.
  on the farm, butchering, curing, and keeping. Andrew Boss. F.B. 183, pp. 38. 1903.
  packers—
    local, operations. Rpt. 113, pp. 57-60, 72-98. 1916.
    restriction bill. Off. Rec., vol. 1, No. 7, p. 2. 1922.
    retail activities, investigations. Pack. and S. Ad. Rpt., 1924, p. 17. 1924.
  packing and wholesale slaughtering, values and costs. Rpt. 113, pp. 42-51, 68-71. 1916.
  packing—
    centers, location, relation to freight rates. Y.B., 1922, p. 230. 1923; Y.B. Sep. 882, p. 230. 1923.

Meat(s)—Continued.
  packing—continued.
    companies, farmers' cooperative, organization and scope. News L., vol. 2, No. 48, pp. 7-8. 1915.
    control of trade. Y.B., 1919, pp. 240-241. 1920; Y.B. Sep. 809, pp. 240-241. 1920.
    establishments, refrigeration space, by cities. S.B. 1, p. 7. 1923.
    industry, control of trade. Y.B., 1919, pp. 240-241. 1920; Y.B. Sep. 809, pp. 240-241. 1920.
    industry, development. B.A.I. Cir. 125, p. 6. 1908.
    methods, Argentina. B.A.I. An. Rpt., 1908, pp. 329-331. 1910.
    plants, distribution agencies. D.B. 1317, pp. 5-7. 1925.
    packing plants, establishment and growth. D.B. 1317, p. 5. 1925.
    products, cost and value, comparisons. Rpt. 113, pp. 46-48, 70-71. 1916.
    refrigerated space, October 1, 1923. S.B. 4, pp. 5-8. 1925.
    peddlers, practices. D.B. 1317, pp. 42-43. 1925.
    peptones, importation, German regulations. B.A.I. Bul. 50, p. 48. 1903.
    phosphorus content. P. F. Trowbridge and Louise M. Stanley. Chem. Bul. 132, pp. 158-160. 1910.
    pie, utilization of meat scraps, recipe. News L., vol. 5, No. 11, p. 5. 1917.
    poisoning, diseases, list. B.A.I. An. Rpt., 1907, p. 373. 1909.
    pork, curing processes, effect on trichinae. D.B. 880, pp. 1-37. 1920.
    potted, deviled, etc., preparation in packing houses and composition. Chem. Bul. 13, Pt. X, pp. 1392-1393, 1431-1443. 1902.
    poultry, production and value. S.R.S. Syl. 17, p. 9. 1915.
    pounded, notes and recipes. F.B. 391, pp. 31-32. 1910.
    preparation(s)—
      for canning, canning methods, and recipes. S.R.S. Doc. 80, pp. 7-28. 1918.
      for table, general methods. F.B. 391, pp. 13-16. 1910.
      for young children. F.B. 717, rev. pp. 11-14. 1920.
      home-made, comparison with bouillon cubes and meat extracts. D.B. 27, pp. 1-7. 1913.
    prepared—
      fees for chemical examination, Germany. B.A.I. Bul. 50, p. 10. 1903.
      with preservatives, transportation regulations, October 1, 1906. B.A.I.O. 137, amdt. 3, pp. 2. 1906.
    preservatives, inspection regulations. B.A.I.O. 150, p. 31. 1908; amdt. 2, p. 1. 1913.
    preserved, investigation. Chem. Bul. 13, Pt. X, pp. 1375-1517. 1902.
    prices—
      1906-7, comparison, American and European. B.A.I. An. Rpt., 1907, pp. 396-401. 1909.
      1907-1909, comparison, American and European. B.A.I. An. Rpt., 1909, pp. 305-311. 1911.
      1911-1913, United States and Europe. Y.B., 1913, pp. 482-486. 1914; Y.B. Sep. 361, pp. 482-486. 1914.
      1921. Y.B., 1921, pp. 730-731. 1922; Y.B. Sep. 870, pp. 56-57. 1922.
      1922. Y.B., 1922, pp. 910-911. 1923; Y.B. Sep. 888, pp. 910-911. 1923.
      at main markets. Y.B., 1924, pp. 974-975. 1925.
      comparison with—
        fish prices, Germany. Y.B., 1913, p. 196. 1914; Y.B. Sep. 623, p. 196. 1914.
        prices of meat animals. Rpt. 109, pp. 18, 142-165, 279-301. 1916.
      daily reports, Bureau of Markets. Y.B., 1918, pp. 382-383. 1919; Y.B. Sep. 788, pp. 6-7. 1919.
      of three grades. D.B. 1086, p. 12. 1922.
      relation to cuts of meat. F.B. 391, pp. 8-10. 1910.
    processing in canning. Y.B. 1911, p. 387. 1912; Y.B. Sep. 577, p. 387. 1912

INDEX TO PUBLICATIONS, 1901–1925 1487

Meat(s)—Continued.
  production—
    1900, 1909, 1914, and consumption, estimates, and comparisons. F.B. 575, pp. 23–26. 1914.
    1909–1918, and exports, 1918. Sec. Cir. 125, pp. 7, 8. 1919.
    1913–1918. Sec. Cir. 142, pp. 24–25. 1919.
    1918, increase. Sec. Cir. 133, p. 6. 1919.
    1919, imports, exports, and consumption, summary. Y.B., 1919, pp. 742–744. 1920; Y.B. Sep. 830, pp. 742–744. 1920.
    1920, estimate. An. Rpts., 1920, p. 8. 1921; Sec. A.R., 1920, p. 8. 1920.
    1920, imports, exports, and consumption. Y.B., 1920, pp. 26–27. 1920; Y.B. Sep. 865 pp. 26–27. 1920.
    and handling of new meat inspection law. George P. McCabe. B.A.I. Cir. 101, pp. 16. 1907.
    and price, effect of high prices of corn. An. Rpts., 1909, pp. 21–23. 1910; Sec. AR, 1909, pp. 21–23. 1909; Rpt. 91, pp. 15–17. 1909; Y.B., 1909, pp. 21–23. 1910.
    consumption and foreign trade. D.C. 241, pp. 10–11. 1922.
    cost increase in the United States. Y.B., 1918, pp. 145–146. 1919; Y.B. Sep. 784, pp. 3–4. 1919.
    estimates. Stat. Bul. 55, pp. 47–69. 1907.
    experiments in feeding, methods. H. W. Mumford. O.E.S. Bul. 184, pp. 111–115. 1907.
    feeding for. Henry Prentiss Armsby. B.A.I. Bul. 108, pp. 89. 1908.
    for emergency, aim of pig clubs for 1918. Y.B., 1917, p. 384. 1918; Y.B. Sep. 753, p. 16. 1918.
    forecasts for 1919. Y.B., 1919, p. 11. 1920.
    from dairy cattle. Y.B. 1922, pp. 284, 338–339. 1923; Y.B. Sep. 879, pp. 4, 47–49. 1923.
    in Argentina, and its effect on meat industry, United States. A. D. Melvin and George M. Rommel. Y.B., 1914, pp. 381–390. 1915; Y.B. Sep. 648, pp. 381–390. 1915.
    in Australia and New Zealand. E. C. Joss. Y.B., 1914, pp. 421–438. 1915; Y.B. Sep. 650, pp. 421–438. 1915.
    in Brazil. Stat. Bul. 39, pp. 76–77. 1905.
    in United States and other countries. Rpt. 109, pp. 15–16, 19, 114–128, 263–269. 1916.
    in Uruguay, 1905–1913. Y.B., 1913, pp. 359–360. 1914; Y.B. Sep. 629, pp. 359–360. 1914.
    increases—
      campaign 1917, 1918, results. Y.B., 1919, p. 407. 1920; Y.B. Sep. 821, p. 407. 1920.
      in South by cattle-feeding demonstrations. News L., vol. 4, No. 50, pp. 2–3. 1917.
      projects, suggestions and references. S.R.S. Doc. 73, pp. 6–8. 1917.
      unequal to population increase. News L., vol. 3, No. 51, p. 4. 1916.
    influences governing. F.B. 560, pp. 17–29. 1913.
    on farms, school and home practices. S.R.S. Doc. 81, pp. 6–11. 1918.
    on ranges, need of emergency feeds. D.B. 728, pp. 24–25. 1918.
    on reclamation projects, opportunities. Y.B., 1916, pp. 187–189, 191–194. 1917; Y.B. Sep. 690, pp. 11–13, 15–18. 1917.
    outlook, studies. F.B. 560, pp. 17–29. 1913.
    poultry raising. S.R.S. Syl. 17, pp. 9–11. 1916.
    relation of dry farming in national forests. Y.B., 1914, p. 81. 1915; Y.B. Sep. 633, p. 81. 1915.
    tables. Off. Rec., vol. 4, No. 11, p. 3. 1925.
    through livestock clubs. D.C. 66, pp. 23–27. 1920.
    value of livestock on farms. Y.B., 1916, pp. 468–469, 474. 1917; Y.B. Sep. 694, pp. 2–3, 8. 1917.
    work of county agents, 1918. S.R.S. Rpt., 1918, pp. 85, 90. 1919.
  products—
    1908–1910, value by countries from which consigned. Stat. Bul. 90, p. 34. 1911.
    adulterations, detection. Chem. Bul. 100, pp. 31–33, 57–58. 1906.
    analysis, methods. Chem. Bul. 107, pp. 106–116. 1907; Chem. Bul. 107, rev., p. 252. 1912.

Meat(s)—Continued.
  products—continued.
    coal-tar colors permitted, list, and separation method. B.A.I. Cir. 180, pp. 1–7. 1911.
    consumption, United States and other countries. Rpt. 109, pp. 17, 129, 271–275. 1916.
    countries of surplus production. Stat. Bul. 39, pp. 65–95. 1905.
    covered by food and drugs act. Y.B., 1913, p. 130. 1914; Y.B. Sep. 619, p. 130. 1914.
    definitions and standards. B.A.I.O. 211, rev., p. 3. 1922; Chem. [Misc.], "Food definitions and standards," pp. 1–2. 1903.
    exports—
      1904. B.A.I. An. Rpt., 1904, pp. 486–493. 1905.
      1907–1914, countries to which consigned. Y.B., 1914, pp. 677–678. 1915; Y.B. Sep. 657, pp. 677–678. 1915.
      1914–1915, and prices. An. Rpts., 1915, pp. 4, 5. 1916; Sec. A.R., 1915, pp. 6, 7. 1915.
      1914–1921. Sec. A.R., 1921, pp. 65–66. 1921.
      from Argentina, destination. Y.B., 1913, p. 354. 1914; Y.B. Sep. 629, p. 354. 1914.
    fanciful names, regulation. B.A.I.S.R.A. 190, p. 21. 1923.
    imported—
      inspection, August–December, 1913. F.B. 575, pp. 27–28. 1914.
      tariff rates, old and new. F.B. 575, p. 29. 1914.
      value, and amount of adulteration. Y.B., 1910, p. 209. 1911; Y.B. Sep. 529, p. 209. 1911.
      1909–1911, by countries from which consigned. Stat. Bul. 95, p. 38. 1912.
      March, 1917. B.A.I.S.R.A. 120, p. 42. 1917.
      1922–1924. Y.B., 1924, p. 1060. 1925.
    inspection report by months. See Bureau of Animal Industry Service and Regulatory Announcements.
    inedible, markings regulations. B.A.I.S.R.A. 182, p. 71. 1922.
    inspection amendments. B.A.I.O. 211, rev., amdt., 3, pp. 1–4. 1925.
    marking, branding, and identifying, regulations. B.A.I.O. 211, pp. 36–41. 1914; B.A.I.O. 211, rev., pp. 28–40. 1922.
    needs of Europe. News L., vol. 6, No. 28, pp. 1, 11–16. 1919.
    nutrition studies. O.E.S. An. Rpt., 1909, pp. 369–370, 388. 1910.
    production and kinds, war record. News L., vol. 6, No. 21, p. 2. 1918.
    purity standards. Sec. Cir. 136, pp. 3–4. 1919.
    reinspection and preparation, regulations. B.A.I.O. 211, pp. 48–54. 1914; rev., pp. 40–45. 1922.
    shipping regulations, labels. B.A.I.S.R.A. 114, pp. 90–92. 1916.
    standards. Chem. [Misc.], "Purity of food * * *," p. 1. 1906.
    transportation regulation. B.A.I.O. 211, rev., pp. 50–58. 1922.
  proportion of bone and edible material, table. F.B. 391, p. 11. 1910.
  proteids, separation, report. Chem. Bul. 90, pp. 126–136. 1905; Chem. Bul. 99, pp. 172–183. 1906; Chem. Bul. 116, pp. 44–51. 1907; Chem. Bul. 105, pp. 91–98. 1907; Chem. Bul. 122, pp. 61–64. 1909; Chem. Bul. 132, pp. 153–158. 1910; Chem. Bul. 152, pp. 176–184. 1912.
  proteids. See also Proteids, meat.
  protein(s)—
    content, comparison with fish. Y.B., 1913, p. 192. 1914; Y.B. Sep. 623, p. 192. 1914.
    nitrogen content, studies, methods, etc., and recommendations. Chem. Bul. 162, pp. 145–149, 165–166. 1913.
    proportion. F.B. 391, p. 7. 1910.
  purity standards. Sec. Cir. 136, p. 3. 1919.
  quantity prepared under meat inspection, 1907–1915. Y.B., 1915, p. 538. 1916; Y.B. Sep. 684, p. 538. 1916.
rabbit—
  composition, comparison with poultry. F.B. 1090, pp. 22–23. 1920.

Meat(s)—Continued.
  rabbit—continued.
    consumption in European countries. Y.B., 1918, p. 146. 1919; Y.B. Sep. 784, p. 4. 1919.
    red color, saltpeter, action on. B.A.I. An. Rpt., 1908, p. 41. 1910.
    refrigeration—
      and care in retail market. M.C. 54, pp. 22–24. 1925.
      for export, Australia and New Zealand. Y.B., 1914, pp. 428, 431. 1915; Y.B. Sep. 650, pp. 428, 431. 1915.
    regulations—
      foreign establishments, etc. News L., vol. 1, No. 1, pp. 1–2. 1913.
      German, with original texts. B.A.I. Bul. 50, pp. 51. 1903.
    reindeer, handling methods, Alaska. D.B. 1089, pp. 12–17. 1922.
    reinspection and preparation, regulations. B.A. I.O. 211, pp. 48–54. 1914; B.A.I.O. 211, rev. pp. 40–45. 1922.
    reports by Markets Bureau. Y.B., 1920, pp. 140–143. 1921; Y.B. Sep. 834, pp. 140–143. 1921.
    requirements—
      increase in the United States. Y.B., 1918, pp. 145–146. 1919; Y.B. Sep. 784, pp. 3–4. 1919.
      of European allied countries. Sec. [Misc.], "Report * * * agricultural commission * * *," pp. 11, 26, 64, 73. 1919.
    retail—
      business, margins on different kinds. D.B. 1317, pp. 70–71. 1925.
      expenses, comparisons with groceries. D.B. 1317, pp. 67–70. 1925.
      marketing. Herbert C. Marshall. D.B., 1317, pp. 86. 1925.
      prices, relation to flavor, discussion. F.B. 391, pp. 10–11. 1910.
      trade, accounts, character, and classification. D.B. 1317, pp. 43–85. 1925.
    retailing—
      efficient methods of. Roy C. Lindquist. M.C. 54, pp. 44. 1925.
      operating expenses and profits. D.B. 1317, pp. 43–85. 1925.
    ripening, commercial practices. D.B. 433, p. 5. 1917.
    roast, canning recipe. S.R.S. Doc. 80, pp. 13–14. 1918; rev., pp. 13–14. 1919.
    salads, recipes. F.B. 319, pp. 25–26. 1910.
    salted, coloring matter of raw and cooked. J.A.R., vol. 3, pp. 211–226. 1914.
    samples, laboratory examination. B.A.I.S.R.A. 175, p. 32. 1922.
    sauce, misbranding. Chem. N.J. 2104, pp. 2. 1913; Chem. N.J. 2513, pp. 2–3. 1913.
    savers, vegetable foods, and recipes for cooking. F.B. 871, pp. 5–10. 1917.
    saving by use of soy-bean flour. Sec. Cir. 113, pp. 4. 1918.
    scalding, blanching, and sterilizing, time table. F.B. 839, pp. 30–31. 1917.
    school lesson in dressing and curing. D.B. 258, pp. 18–19. 1915.
    scrap—
      adulteration and misbranding. See *Indexes, Notices of Judgment, in bound volumes, and in separates published as supplements to Chemistry Service and Regulatory Announcements.*
      compared with soy beans as protein source for chicken feed. J.A.R., vol. 18, pp. 391–398. 1920.
      meaning of term. Chem. S.R.A. 13, p. 6. 1915.
      use—
        for poultry feed, substitutes, and formula. News L., vol. 5, No. 31, p. 8. 1918.
        in fattening poultry. D.B. 21, pp. 7, 11, 13, 18, 19, 30. 1914; F.B. 1067, pp. 3–10. 1919.
    shipment in refrigerator cars, inspection regulations. B.A.I.S.R.A. 136, p. 62. 1918.
    shops, types and service. D.B. 1317, pp. 8–20. 1925.
    shortage relief, work of boys' and girls' clubs. D.C. 66, p. 27. 1920.
    shrinkage in canning. Chem. Bul. 13, Pt. X, pp. 1387–1389. 1902.

Meat(s)—Continued.
  situation—
    in Europe, 1919. Sec. [Misc.], "Report of agricultural * * *," pp. 11, 13, 24, 26, 64–65, 73–75. 1919.
    in the United States—
      Part I. Statistics of livestock, meat production and consumption prices, and international trade for many countries. George K. Holmes. Rpt. 109, pp. 307. 1916.
      Part II. Livestock production in the 11 far western range States. Will C. Barnes and James T. Jardine. Rpt. 110, pp. 100. 1916.
      Part III. Methods and cost of growing beef cattle in the Corn Belt States. J. S. Cotton and others. Rpt. 111, pp. 64. 1916.
      Part IV. Utilization and efficiency of available American feed stuffs. W. F. Ward and S. H. Ray. Rpt. 112, pp. 27. 1916.
      Part V. Methods and cost of marketing livestock meats. Louis D Hall and others. Rpt. 113, pp. 98. 1916.
    monthly statement, 1921–1923. S.B. 3, pp. 41–42. 1924.
  slaughter and sale, laws. Chem. Bul. 69, rev., Pts. I–IX, pp. 44, 84, 95, 103, 132, 144, 168, 178, 181, 217, 242, 266–267, 431–432, 441, 453, 457, 486, 492, 539, 547–548, 551–553, 583, 592–594, 647, 687, 703, 754–756. 1905–6.
  smoked—
    canning method. Chem. Bul. 13, Pt. X, pp. 1391–1392. 1902.
    insects attacking, groups. J.A.R., vol. 30, p. 845. 1925.
    preservation methods, and wash formula. F.B. 913, p. 27. 1917.
    storage directions. F.B. 1186, pp. 25–26. 1921.
  smoking—
    and painting with acid. Off. Rec., vol. 3, No. 17, p. 5. 1924.
    directions. F.B. 183, pp. 35–37. 1903.
    methods, and smokehouse. F.B. 913, pp. 23–27. 1917.
    methods on farms. News L., vol. 4, No. 8, pp. 5–6. 1916.
    packing-house method. Chem. Bul. 13, Pt. X, pp. 1391–1392. 1902.
    woods in use. For. Cir. 187, pp. 7–8. 1911.
  source, importance of hogs. Y.B., 1922, pp. 181–184. 1923; Y.B. Sep. 882, pp. 181–184. 1923.
  sources of supply, and increase, 1840–1900. Y.B., 1908, p. 231. 1909; Y.B. Sep. 477, p. 231. 1909.
  stains, removal from textiles. F.B. 861, p. 25. 1917.
  standards. Chem. Bul. 69, rev., Pts. I–IX, pp. 13, 181, 457, 544, 597, 634. 1905–6.
  statistics—
    1852–1916, imports and exports. Y.B., 1916. pp. 708, 715, 723, 732. 1917; Y.B. Sep. 722, pp. 2, 9, 17–18, 26–27. 1917.
    1909–1921, exports, and production. Sec. A.R., 1921, pp. 65–66, 67. 1921.
    1924. Y.B., 1924, pp. 963, 966–967, 970–975, 1041–1042, 1059–1060. 1925.
    production, consumption, prices, exports and imports. Rpt. 109, pp. 1–307. 1916.
  sterilization, suggestions. Sec. Cir. 58, pp. 7–8. 1916.
  stews and pies, recipes and directions. F.B. 717, p. 12. 1916; U. S Food Leaf. No. 5, pp. 1–4. 1917.
  stew, with dumplings, recipe. News L., vol. 5, No. 16, p. 6. 1917.
  stock for soup, canning recipe. S.R.S. Doc. 9, p. 1. 1915.
  storage and care in the home. F.B. 375, pp. 33–34, 38. 1909; F.B. 1374, p. 8. 1923.
  storage, supply reports, monthly. Y.B. 1918, pp. 391–393. 1919; Y. B. Sep. 788, pp. 15–17. 1919.
  substitutes—
    commercial. Y.B., 1910, p. 365. 1911; Y.B. Sep. 543, p. 365. 1911.
    cottage cheese. Sec. Cir. 109, pp. 7–11. 1918; Y.B. 1918, pp. 271, 272, 274, 275. 1919; Y.B. Sep. 787, pp. 3, 4, 6, 7. 1919.
    dishes containing peanut butter, recipes. D.C. 128, p. 15. 1920.

INDEX TO PUBLICATIONS, 1901–1925 1489

Meat(s)—Continued.
  substitutes—continued.
    dishes containing potatoes, eggs, and nuts, etc. Sec. Cir. 106, pp. 7–8. 1918; U.S. Food Leaf. 8, pp. 1–4. 1917.
    hominy and bean cakes, recipe. U.S. Food Leaf. 19, p. 4. 1918.
    in diet. Y.B., 1913, pp. 191–193. 1914; Y.B. Sep. 623, pp. 191–193. 1914.
    in diet. C. F. Langworthy. Y.B., 1910, pp. 359–370. 1911; Y.B. Sep. 543, pp. 359–370. 1911.
    loaf, with rice, peanuts, and cottage cheese. U.S. Food Leaf. 18, p. 3. 1918.
    peanut flour, recipes. Sec. Cir. 110, p. 4. 1918.
    soy-bean flour, recipes. Sec. Cir. 113, p. 4. 1918.
    use of milk, eggs, and legumes. F.B. 717, pp. 13–14. 1916.
  substitution of cottage cheese. B.A.I. Doc. A–24, p. 1. 1917.
  supervision of industry. News L., vol. 6, No. 49, pp. 1–2, 5. 1919.
  supply—
    and demand. Rpt. 83, pp. 9–10. 1906.
    and surplus, with consideration of consumption and exports. George K. Holmes. Stat. Bul. 55, pp. 100. 1907.
    by use of shark fish. News L., vol. 6, No. 39, pp. 10–11. 1919.
    conditions governing, report of Secretary. News L., vol. 4, No. 20, pp. 1–2. 1916.
    discussion of plans for increasing. Sec. A.R., 1914, pp. 10–16. 1914; Y.B., 1914, pp. 15–23. 1915.
    for homes, hogs slaughtered on farms. Y.B., 1922, pp. 269–270. 1923; Y.B. Sep. 882, pp. 269–270. 1923.
    furnished by America. Y.B., 1918, pp. 290–291. 1919; Y.B. Sep. 773, pp. 4–5. 1919.
    increase and decrease, causes. F.B. 560, pp. 23–29. 1913.
    increase, methods. An. Rpts., 1916, pp. 12–23. 1917; Sec. A.R., 1916, pp. 14–25. 1916.
    need to win foreign war. News L., vol. 5, No. 14, pp. 2–3. 1917.
    of average family for a week, and place in menu. F.B. 1228, pp. 11–12, 19. 1921.
    of Buenos Aires. B.A.I. Bul. 48, pp. 33–35. 1903.
    of United States, decrease. Y.B., 1913, p. 347 1914; Y.B. Sep. 629, p. 347. 1914.
    of world countries, discussion. Y.B., 1913, p. 261. 1914; Y.B. Sep. 627, p. 261. 1914.
    on farms—
      increase by pigeon raising, methods. News L., vol. 5, No. 46, pp. 9–10. 1918.
      sources and methods. D.B. 410, pp. 11–12, 29. 1916.
    relation—
      of population. Y.B., 1913, pp. 251–261. 1914; Y.B. Sep. 627, pp. 251–261. 1914.
      to corn production. Y.B., 1921, pp. 224–226. 1922; Y.B. Sep. 872, pp. 224–226. 1922.
    standard for small farmer in South. Sec. Cir. 56, p. 6. 1916.
    supplementing by fish. M. E. Pennington. Y.B., 1913, pp. 191–206. 1914; Y.B. Sep. 623, pp. 191–206. 1914.
    supplementing by rabbit growing. Ned Dearborn. Y.B., 1918, pp. 145–152. 1919; Y.B. Sep. 784, pp. 10. 1919.
  tenderness, study of factors, summary. F.B. 391, p. 12. 1910.
  texture, discussion. F.B. 391, pp. 12–13. 1910.
  tierces, lining, directions. B.A.I.S.R.A. 198, p. 87. 1923.
  trade—
    conditions, receipts and prices, December, 1918. Y.B., 1918, pp. 381–383. 1919; Y.B. Sep. 788, pp. 5–7. 1919.
    international, 1901–1921. Y.B., 1922, p. 808. 1923; Y.B. Sep. 888, p. 808. 1923.
    of Argentina and England. B.A.I. An. Rpt., 1908, pp. 315–316. 1910.
    retail, sanitary condition and regulations. D.B. 1317, pp. 35–37. 1925.

Meat(s)—Continued.
  transportation—
    economy in comparison to that of live animals. Y.B., 1908, pp. 243–244. 1909; Y.B. Sep. 477, pp. 243–244. 1909.
    interstate and foreign commerce, regulations, October 1, 1906. B.A.I.O. 137, amdt. 2, pp. 6. 1906.
    laws. Y.B., 1913, pp. 129, 130. 1914; Y.B. Sep. 619, pp. 129, 130. 1914.
    regulations, decision. F.I.D. 73, p. 1. 1907.
    regulation. B.A.I.O. 211, rev., pp. 50–58. 1922.
  treatment with papain. Off. Rec., vol. 2, No. 43, p. 8. 1923.
  trichinae-infested, freezing, effects. J.A.R., vol. 5, No. 18, pp. 819–854. 1916.
  trichinae-infested, treatment with heat, experiments. J.A.R., vol. 17, pp. 212–219. 1919.
  trimmings and organs frozen in blocks, inspection regulations. B.A.I.S.R.A. 205, p. 55. 1924.
  trimmings, utilization. F.B. 391, p. 21. 1910.
  tuberculous animals, inspection principles and rules. B.A.I. An. Rpt., 1907, pp. 368–372. 1909.
  tuberculous cattle, danger in use as food. B.A.I. An. Rpt., 1908, p. 159. 1910.
  turnovers, recipe. News L., vol. 4, No. 39, p. 10. 1917.
  uninspected shippers' certificate. F.B. 1186, pp. 26–27. 1921.
  use—
    and value for children's diet. News L., vol. 3, No. 33, p. 4. 1916.
    economy methods. Food Thrift Ser. No. 3, pp. 7–8. 1917.
    for children, cooking method and recipes. F.B. 717, pp. 11–12. 1916.
  value—
    in contribution to farmers' living, various States. D.B. 654, p. 19. 1918.
    in diet, and week's supply for average family. F.B. 1313, pp. 3, 8–9. 1923.
    of single ounce. News L., vol. 4, No. 44, pp. 7–8. 1917.
  veal, slaughtering regulations. Chem. Bul. 69, rev., Pts. I–IX, pp. 95, 132, 168, 175, 220, 242, 249, 266–267, 360, 364, 431, 453, 463, 501, 511, 569, 592, 619, 620, 703, 756. 1905–6.
  vitamin B content, comparison of ox, sheep, and hog. D.B. 1138, pp. 1–48. 1923.
  wastage on cattle hides. News L., vol. 5, No. 10, p. 2. 1917.
  wholesale prices, United States and foreign markets, 1909–1911. B.A.I. An. Rpt., 1911, pp. 273–280. 1913.
  with beans, food value. F.B. 391, pp. 24–25. 1910.
  with eggs, recipes. F.B. 391, pp. 26–27. 1910.
  wrapping for protection from ham beetle. J.A.R., vol. 30, pp. 861–862. 1925.
  with mixed diet, digestion experiments, details. O.E.S. Bul. 193, pp. 12–46. 1907.
  yields of cattle, sheep, and hogs. D.C. 241, pp. 9–12. 1924.
  See also Bacon; Beef; Ham; Mutton; Pork.
Meatless days, effect on meat consumption in 1917. D.C. 241, pp. 16–19. 1922.
Meatlike dishes, from cottage cheese, recipes. Sec. Cir. 109, rev., pp. 7–11. 1918.
Mecca compound, misbranding. Chem. S.R.A., Sup. 18, pp. 579–583. 1916.
Mechanic Arts Section, Association of American Agricultural Colleges and Experiment Stations, report. O.E.S. Bul. 99, pp. 31, 183. 1901.
Mechanical—
  drawing, course of instruction. O.E.S. Bul. 99, p. 184. 1901.
  industries, relation to land-grant colleges. W. B. Storms. O.E.S. Bul. 184, pp. 97–101. 1911.
  shops, transfer. Off. Rec., vol. 3, No. 21, p. 4. 1924.
Mechanics, farm—
  handicraft exercises for rural schools. D.B. 527, pp. 1–38. 1917.
  laboratory exercises for agricultural high schools. Daniels Scoates. F.B. 638, pp. 26. 1915.
  practical instruction in high schools. Y.B., 1912, p. 480. 1913; Y.B. Sep. 607, p. 480. 1913,

Mecklenburg, [North Carolina], declaration of independence. Soil Sur. Adv. Sh., 1910, p. 7. 1912; Soils F.O., 1910, p. 383. 1912.
Meconium, retention by lambs, symptoms and treatment. F.B. 1155, p. 30. 1921.
Meconopsis—
spp., importation, and description. Nos. 31269–31271, B.P.I. Bul. 242, pp. 77–78. 1912; No. 48313–48327, B.P.I. Inv. 60, pp. 6, 70–71. 1922; Nos. 55302–55304, B.P.I. Inv. 71, pp. 32–33. 1923.
wallichi. See Poppy, blue.
Mecoptera—
destruction by flycatchers, lists. Biol. Bul. 44, pp. 17, 60. 1912.
in the Pribilof Islands, Alaska. N.A. Fauna 46, Pt. II, p. 158. 1923.
Medemia nobilis, importation and description. No. 43581. B.P.I. Inv. 49, p. 47. 1921.
Mederine, misbranding. See Indexes, Notices of Judgment, in bound volumes, and in separates published as supplements to Chemistry Service and Regulatory Announcements.
Media—
for cultures of ham-souring bacillus. B.A.I. Bul. 132, pp. 43–46. 1911.
for Fusarium cultures. J.A.R., vol. 24, pp. 349–350, 351–352. 1923.
for mushroom germination. B.P.I. Bul. 85, pp. 15, 16, 19, 21, 23–31. 1905.
influence on bacteria counts in milk. B.A.I. Cir. 153, pp. 47–49. 1910.
Medic—
black, growing as forage crop for hogs. F.B. 951, pp. 11–12. 1918.
black, importation and description. Inv. No. 31395, B.P.I. Bul. 248, p. 14. 1912.
seed, description, and use in adulterating clover seed. F.B. 353, pp. 5, 6. 1909.
variegated, description and origin, early form of sand lucern. B.P.I. Bul. 169, pp. 11, 14–15. 1910.
Medicago—
annual, tripping in relation to seed setting. D.B. 75, p. 30. 1914.
arabica, description. F.B. 693, p. 2. 1915.
arabica. See also Clover, bur, spotted.
arborea, occurrence in hot, dry places. B.P.I. Bul. 150, p. 20. 1909.
ciliaris, variation in burs, and botanical description. B.P.I. Bul. 267, pp. 22, 31. 1913.
coronata, importation and description. No. 34147, B.P.I. Inv. 32, p. 15. 1914.
falcata—
a yellow-flowered alfalfa. R. A. Oakley and Samuel Carver. D.B. 428, pp. 70. 1917.
distribution, description and value. B.P.I. Bul. 150, pp. 11–14. 1909.
importation and description. No. 34114, B.P.I. Inv. 32, pp. 11–12. 1914.
optimum proportion in variegated alfalfa. B.P.I. Bul. 169, p. 54. 1910.
proliferation tendency. B.P.I. Cir. 115, pp. 4, 5, 7–10, 12. 1913.
varieties, use in breeding alfalfa. B.P.I. Bul. 258, pp. 9–12, 16, 21, 23–35. 1913.
See also Alfalfa, yellow-flowered.
glutinosa, occurrence and value in hot, dry localities. B.P.I. Bul. 150, p. 19. 1909.
hispida. See Clover, bur, toothed.
lupulina—
importation and description. No. 53982, B.P.I. Inv. 68, p. 14. 1923.
See also Medic, black.
maculata. See Clover, bur.
media. See Lucern, sand.
murex, variation in burs, and botanical description of species. B.P.I. Bul. 267, pp. 21, 30. 1913.
muricata, variation in burs, and botanical description. B.P.I. Bul. 267, pp. 22, 30. 1913.
nonperennial, agronomic value and botanical relationship of species. Roland McKee and P. L. Ricker. B.P.I. Bul. 267, pp. 38. 1913.
orbicularis. See Clover, button.
platycarpa distribution and description. B.P.I. Bul. 150, p. 15. 1909.
ruthenica, description, distribution and uses. B.P.I. Bul. 150, p. 15. 1909.

Medicago—Continued.
sativa—
alfalfa seed importation from Turkestan, 1909. B.P.I. Bul. 168, pp. 7, 16. 1909.
transpiration, comparison with evaporation. Lyman J. Briggs and H. L. Shantz. J.A.R., vol. 9, pp. 277–292. 1917.
varieties from northern Africa, characteristics. B.P.I. Bul. 258, pp. 9–10, 14, 15. 1913.
See also Alfalfa.
spp.—
distribution and description, and supplementary list. B.P.I. Bul. 267, pp. 26–36. 1913.
hybrids, value as legumes. Y.B., 1908, p. 253. 1909; Y.B. Sep. 478, p. 253. 1909.
importations from central Asia, January to March, 1909. B.P.I. Bul. 162, pp. 7, 14–16. 1909.
variety experiments for weevil resistance. Ent. Bul. 112, p. 14. 1912.
Medical—
and veterinary zoology, index-catalogue. Ch. Wardell Stiles and Albert Hassall. B.A.I. Cir. 39, Pts. 1–36, pp. 2766. 1902–1912.
data, benzoate of soda experiments, summary. Chem. Cir. 39, pp. 4–6, 14. 1908.
equipment, road camp, Fulton County, Ga. D.B. 583, pp. 37–38. 1918.
milk commission(s)—
and the production of certified milk in the United States. Clarence B. Lane. B.A.I. Bul. 104, pp. 43. 1908.
of Essex County, N. J., agreement with milk dealer. B.A.I. Bul. 46, pp. 182–187. 1903.
of United States and Canada. B.A.I. Cir. 162, pp. 28–31. 1910.
Medicinal—
barks, American. Alice Henkel. B.P.I. Bul. 139, pp. 59. 1909.
plants—
and drugs, analysis, report of referee. Chem. Bul. 90, pp. 141–150. 1905; Chem. Bul. 105, pp. 127–142. 1907; Chem. Bul. 116, pp. 81–87, 117. 1908; Chem. Bul. 122, pp. 94–97. 1909; Chem. Bul. 137, pp. 181–183. 1911.
growing in the United States. Y.B., 1917, pp. 169–176. 1918; Y.B. Sep. 734, pp. 1–10. 1918.
imported from January 1 to March 31, 1921, discussion. B.P.I. Inv. 66, p. 4. 1923.
in West Virginia, Raleigh County, varieties. Soil Sur. Adv. Sh., 1914, p. 12. 1916; Soils F.O., 1914, p. 1404. 1919.
marketing in Transylvania County, N. C. Soil Sur. Adv. Sh., 1906, p. 10. 1907; Soils F.O., 1906, p. 286. 1906.
wild of United States. Alice Henkel. B.P.I. Bul. 89, pp. 76. 1906.
See also Drug plants.
preparations, alcoholic, requiring a special tax, list. Chem. Bul. 98, rev., Pt. I, pp. 21–23. 1905.
tablets—
adulteration and misbranding. Chem. N.J. 2365, pp. 3. 1913; Chem. N.J. 2366, pp. 2. 1913; Chem. N.J. 2395, pp. 4. 1913.
nitroglycerin determination. A. G. Murray. Chem. Bul. 162, pp. 214–217. 1913.
value, green vegetables, discussion. Y.B., 1911, pp. 447–449. 1912; Y.B. Sep. 582, pp. 447–449. 1912.
waters, labeling. F.I.D. 93–95, pp. 2–3. 1908.
Medicine(s)—
act of 1848, administration by Treasury Department. Chem. [Misc.], "Food and drug manual," pp. 78–80. 1920.
administration methods, [cattle]. Leonard Pearson. B.A.I. [Misc.], "Diseases of cattle," rev., pp. 9–13. 1904; rev., pp. 9–13. 1908; rev., pp. 9–13. 1912; rev., pp. 7–11. 1923.
administration methods [horses.] Ch. B. Michener. B.A.I. [Misc.], "Diseases of the horse," rev., pp. 28–33. 1903; rev., pp. 28–33. 1907, rev., pp. 28–33. 1911; rev., pp. 44–48. 1916; rev., pp. 44–48. 1923.
labeling under Sherley amendment—Information 21. Chem. S.R.A. 8, pp. 631–632. 1914.
misbranding, decision. Sol. Cir. 72, pp. 1–3. 1913.

Medicine(s)—Continued.
  patent—
    first seizure under Sherley amendment. News L., vol. 1, No. 1, p. 4. 1914.
    fraudulent claims and law violations, list. News L., vol. 3, No. 9, pp. 5–6. 1915.
    laws, State. Chem. Bul. 98, rev., Pt. I, pp. 100–101, 135, 149–150, 304–305. 1909.
    violations decrease. Off. Rec., vol. 3, No. 40, p. 8. 1924.
    stains, removal from textiles. F.B. 861, pp. 25–26. 1917.
    testing by animal experimentation, necessity. Chem. Bul. 122, pp. 103–105. 1903.
  use of—
    alcohol in preparation, in relation to special tax, with list of preparations taxed. Chem. Bul. 98, rev., Pt. I, pp. 18–23. 1909.
    cacti. B.P.I. Bul. 262, p. 16. 1912.
    veterinary, Ninth International Congress, discussion of cattle vaccination. B.A.I. Cir. 190, pp. 327–331. 1912; B.A.I. An. Rpt., 1910, pp. 327–331. 1912.
    weeds used. Alice Henkel. F.B. 188, pp. 45. 1904.
  See also Pharmacy.
Mediterranean—
  countries, citrus fruit insects. H. J. Quayle. D.B. 134, pp. 35. 1914.
  fever. See Malta fever.
  flour moth, injury to stored peanuts. Ent. Cir. 142, p. 2, 4. 1911.
  fruit fly. See Fruit Fly, Mediterranean.
  regions, fruit fly conditions, relation to citrus fruits. J.A.R., vol. 3, pp. 311, 324–326. 1915.
Medlar, importation and description. No. 40785, B.P.I. Inv. 43, pp. 81–82. 1918; No. 41803, B.P.I. Inv. 46, pp. 22–23. 1919.
MEEKER, F. N.: "Soil survey of—
  Bastrop County, Tex." With others. Soil Sur. Adv. Sh., 1907, pp. 46. 1908; Soils F.O., 1907, pp. 663–704. 1909.
  Meigs County, Ohio." With G. W. Tailby, jr. Soil Sur. Adv. Sh., 1906, pp. 32. 1908; Soils F.O., 1906, pp. 701–728. 1908.
  Prairie County, Ark." With others. Soil Sur. Adv. Sh., 1906, pp. 31. 1907; Soils F.O., 1906, pp. 629–660. 1908.
  the Asheville area, North Carolina." With J. E. Lapham. Soil Sur. Adv. Sh., 1903, pp. 19. 1904; Soils F.O., 1903, pp. 279–297. 1904.
  the Parkersburg area, West Virginia." With W. J. Latimer. Soil Sur. Adv. Sh., 1908, pp. 36. 1909; Soils F.O., 1908, pp. 1019–1050. 1911.
  the Spencer area, West Virginia." With W. J. Latimer. Soil Sur. Adv. Sh., 1909, pp. 32. 1910; Soils F.O., 1909, pp. 1175–1202. 1912.
Megadontomys spp., key and description. N.A. Fauna 28, pp. 218–222. 1909.
Megalestris skua. See Skua.
Megalopyge krugi. See Chiva.
Megalornis canadensis. See Crane, little brown.
Megascops flammeolus. See Owl, screech.
Megastigmus—
  spermotrophus, damage to Douglas fir seed. D.B. 1200, p. 11. 1924.
  spermotrophus, oviposition in the seed of Douglas fir. J.A.R., vol. 6, No. 2, pp. 65–68. 1916.
  spp., description and bibliography. Ent. T.B. 20, Pt. VI, pp. 159–163. 1913.
Megatizus unicinctus, parasitic enemy of Prionoxyr atrata. D.B. 293, pp. 10–11. 1915.
Megisthanus spp., description. Rpt. 108, pp. 79, 80. 1915.
Megilla innotata. See Ladybird beetle.
Megninia spp., description and habits. Rpt. 108, pp. 122, 126. 1915.
Megorismus spp., parasites, secondary, of "green bug," description. Ent. Bul. 110, pp. 125–126. 1912.
MEHL, J. M.—
  "Cooperative grain marketing. A comparative study of methods in the United States and in Canada." D.B. 937, pp. 21. 1921.
  "The farmers' purchase power, how organized." Y.B., 1919, pp. 381–390. 1920; Y.B. Sep. 819, pp. 381, 390. 1920.

MEHL, J. M.—Continued.
  "The organization of cooperative grain elevator companies." With O. B. Jesness. D.B. 860, pp. 40. 1920.
MEHRING, A. L.: "Total ash determination in species." J.A.R., vol. 29, pp. 569–574. 1924.
Meibomia—
  gyrans. See Telegraph plant.
  gyrodes, importation and description. No. 37502, B.P.I. Inv. 38, p. 67. 1917.
  hirta, importation, and description. No. 36060, and culture, B.P.I. Inv. 36, pp. 5, 46. 1915.
  nodule, abundance. B.P.I. Cir. 31, p. 6. 1909.
  rensoni, importation and description, No. 55446, B.P.I. Inv. 71, pp. 4, 44. 1923.
  spp., importations and description. Nos. 32114, 32338, B.P.I. Bul. 261, pp. 29, 57. 1912; Nos. 39023, 39123–39124, B.P.I. Inv. 40, pp. 60, 78. 1917; Nos. 47576, 47720–47725, B.P.I. Inv. 59, pp. 34, 51. 1922.
  tilliaefolia, importation and description. No. 44862, B.P.I. Inv. 51, p. 82. 1922.
MEIER, F. C.—
  "Anthracnose of muskmelons." With George K. K. Link. D.C. 217, pp. 4. 1922.
  "Bacterial spot of cucumbers." With G. K. K. Link. D.C. 234, pp. 5. 1922.
  "Control of watermelon anthracnose by spraying." D.C. 90, pp. 11. 1920.
  "Diseases of watermelons." With W. A. Orton. F.B. 1277, pp. 31. 1922.
  "Extension work in plant pathology, 1923." D.C. 329, pp. 20. 1924.
  "Fusarium tuber rot of potatoes." With George K. K. Link. D.C. 214, pp. 8. 1922.
  "Late-blight tuber rot of the potato." With George K. K. Link. D.C. 220, pp. 5. 1924.
  "Phoma rot of tomatoes." With F. C. Meier. D.C. 219, pp. 5. 1922.
  "Potato brown-rot." With G. K. K. Link. D.C. 281, pp. 6. 1923.
  "Watermelon stem-end rot." J.A.R. vol. 6, No. 4, pp. 149–152. 1916.
MEIGS, E. B.—
  "Relation between the diet, the composition of the blood, and the secretion of milk of dairy cows." With others. J.A.R., vol. 29, pp. 603–624. 1924.
  "The influence of calcium and phosphorus in the feed on the milk yield of dairy cows." With T. E. Woodward. D.B. 945, pp. 28. 1921.
MEINECKE, E. P.—
  "Forest pathology in forest regulation." D.B. 275, pp. 63. 1916.
  "Forest tree diseases common in California and Nevada." For [Misc.], "Forest tree diseases * * *," pp. 63. 1914.
MEISTER, C. J.: "Soil survey of Polk County, Iowa." With others. Soil Sur. Adv. Sh., 1918, pp. 67. 1921; Soils F.O., 1918, pp. 1165–1227. 1924.
Melachius auritus, insect enemy of codling moth. Ent. Bul. 115, Pt. III, p. 161. 1913.
Melaleuca leucadendron, source of cineol. B.P.I. Bul. 235, p. 12. 1912.
Melampsora spp.—
  cause of rust on forest trees. B.P.I. Bul. 149, p. 19. 1909.
  occurrence on plants in Texas, and description. B.P.I. Bul. 226, pp. 64, 82. 1912.
Melanconium bambusae, cause of bamboo culm disease. D.B. 1329, p. 38. 1925.
Melandryum album, susceptibility to Puccinia triticina. J.A.R., vol. 22, pp. 152–172. 1921.
Melanerpes spp.—
  injury to telephone and telegraph poles. Biol. Bul. 39, pp. 10, 11, 14, 91. 1911.
  See also Woodpecker.
Melanins, composition, study. Soils Bul. 53, pp 18–19. 1909.
Melanomys subgenus, key, and descriptions o species. N.A. Fauna 43, pp. 17, 94–98. 1918.
Melanophila spp.—
  larval structure, distribution, habits, and host trees. D.B. 437, pp. 3, 4, 5, 6. 1917.
  See also Hemlock bark borers.

Melanoplus—
  atlantis—
    destruction of birds. Biol. Bul. 15, p. 93. 1901.
    See also Grasshopper, lesser migratory.
  bivittatus. See Grasshopper, 2-lined.
  differentialis—
    destruction by parasites. Ent. Bul. 67, p. 98. 1907.
    See also Grasshopper, differential.
  spp.—
    control and life history. F.B. 637, pp. 1–9. 1915; F.B. 1140, pp. 4–6. 1920; F.B. 1270, pp. 61–62. 1922.
    injuries to tobacco foliage. Y.B., 1910, p. 293. 1911; Y.B. Sep. 537, p. 293. 1911.
  spretus. See Locust, Rocky Mountain.
Melanopsis spp. control by sarcophagid parasite. J.A.R., vol. 2, pp. 435–441. 1914.
Melanose—
  cause of orange decay, and control methods. B.P.I. Cir. 124, pp. 21–23. 1913.
  citrus, commercial control. John R. Winston and John J. Bowman. D.C. 259, pp. 8. 1923.
  spraying season and effects of Bordeaux-oil emulsion. D.B. 1178, pp. 3, 14, 16. 1923
Melanotus—
  communis. See Wireworms.
  spp., description, life history and control. D.B. 156, pp. 16–18. 1915.
Melaphini, genera, description, and key. D.B. 826, pp. 9, 73–75. 1920.
Melasoma spp., description, habits, and control. F.B. 1169, pp. 50–51. 1921.
Melastoma repens, importations and description. No. 48718, B.P.I. Inv. 61, pp. 2, 40. 1922; No. 55443, B.P.I. Inv. 71, p. 43. 1923.
MELCHERS, L. E.—
  "Rust resistance in winter-wheat varieties." With John H. Parker. D.B. 1046, pp. 32. 1922.
  "Smuts and varietal resistance in sorghums." With George M. Reed. D.B. 1284, pp. 56. 1925.
  "Study of the life history and ecologic relations of smut in maize." With Alden A. Potter. J.A.R., vol. 30, pp. 161–173. 1925.
Melcocha, manufacture and use. B.P.I. Bul. 116, pp. 24–26. 1907.
MELDRUM, H. R.: "Soil survey of O'Brien County, Iowa." With J. Ambrose Elwell. Soil Sur. Adv. Sh., 1921, pp. 213–245. 1924.
Melezitose, source of honeydew. Chem. Bul. 110, p. 14. 1908.
MELHUS, I. E.—
  "Hibernation of *Phytophora infestans* in the Irish potato." J.A.R., vol 5, No. 2, pp. 71–102. 1915.
  "Perennial mycelium in species of Peronosporaceae related to *Phytophthora infestans.*" J.A.R., vol. 5, pp. 59–70. 1915.
  "Powdery scab (*Spongospora subterranea*) of potatoes." D.B. 82, pp. 16. 1914.
  "Silver scurf, a disease of the potato." B.P.I. Cir. 127, pp. 15–24. 1913.
  "*Spongospora subterranea* and *Phoma tuberosa* on the Irish potato." With others. J.A.R., vol. 7, pp. 213–254. 1916.
Melia azedarach. See Chinaberry tree.
Meliaceae—
  injury by sapsuckers. Biol. Bul. 39, pp. 44, 3. 1911.
  Porto Rico, description and uses. D.B. 354, pp. 21, 31, 48, 78. 1916.
Melic grasses, description, distribution, and uses. D.B. 772, pp. 11, 63–71, 72. 1920.
Melica—
  bella. See Onion grass.
  spp., distribution, description, and feed value. D.B 201, p. 31. 1915; D.B. 772, pp. 11, 68–72. 1920.
Melichares spp., description and habits. Rpt. 10, pp. 80, 85. 1915.
Melicocca bijuga. See Genip; Mamoncillo.
Melilot—
  Indian, use as green-manure crop, California orchards. B.P.I. Bul. 190, p. 24. 1910.
  yellow annual, use and value as green-manure crop. F.B. 1250, p. 37. 1922.
  See also Melilotus; Sweet clover.

Melilotus—
  alba, source of Fusarium cultures. J.A.R., vol. 5, No. 5, pp. 189–191, 193, 196, 197, 201. 1915.
  caerulea, use in sapsago cheese. B.A.I. Bul. 105, p. 46. 1908; B.A.I. Bul. 146, p. 51. 1911; F.B. 487, p. 10. 1912.
  description and value for cotton States. F.B. 1125, rev., pp. 31–32. 1920.
  green manure, effect on soil ammonia. J.A.R., vol. 9, pp. 188, 189. 1917
  growing in North, seeding rate, and uses. S.R.S Syl. 25, p. 14. 1917.
  growing in South, harvesting and use. S.R.S. Syl. 24, pp. 11–12. 1917.
  hay yield, Alabama diversification farm. F.B. 310, p. 13. 1907.
  indica, origin and value. B.P.I. Bul. 168, p. 21. 1910.
  officinalis, seed production, studies. D.B. 844, pp. 1–10. 1920.
  seed, supply sources and harvesting methods. Y.B., 1917, pp. 520–521. 1918; Y.B. Sep. 757, pp. 26–27. 1918.
  use as forage crop in cotton region. F.B. 509, pp. 23–24. 1912.
  use in checking soil erosion, Monroe County, Miss. Soil Sur. Adv. Sh., 1908, p. 20. 1910; Soils F.O., 1908, p. 814. 1911.
  yield and value in Mississippi, Lowndes County. Soil Sur. Adv. Sh., 1911, pp. 17, 24. 1912; Soils F.O., 1911, pp. 1095, 1102. 1914.
  See also Melilot; Sweet clover.
Melindeae, key, and descriptions of grasses. D.B. 772, pp. 18, 212–213. 1920.
Melinis minutiflora—
  description, distribution, and uses. D.B. 772, pp. 18, 212–213. 1920.
  importations and description. Nos. 51315, 51342, B.P.I. Inv. 64, pp. 86, 87. 1923.
  See also Molasses grass.
Meliola sp. See Mold, sooty.
Meliosma spp., Porto Rico, description and uses. D.B. 354, pp. 82–83. 1916.
Melissa—
  culture and handling as drug plant, yield, and price. F.B. 663, p. 29. 1915.
  growing and uses, harvesting, marketing, and prices. F.B. 663, rev., pp. 38–39. 1920.
Melitara spp., description, life history, injury to cactus, and control. Ent. Bul. 113, pp. 25–29. 1912.
Melitti satyriniformis. See Squash-vine borer.
MELL, C. D.—
  "Circassian walnut." With George B. Sudworth. For. Cir. 212, pp. 12. 1913.
  "Colombian mahogany: Its characteristics and its use as a substitute for true mahogany." With others. For. Cir. 185, pp. 16. 1911.
  "Distinguishing characteristics of North American gumwoods, based on the anatomy of the secondary wood." With George B. Sudworth For. Bul. 103, pp. 20. 1911.
  "Distribution of tannin in tanbark oak." For. Bul. 75, pp. 33–34. 1911.
  "Fustic wood: Its substitutes, and adulterants." With George B. Sudworth. For. Cir. 184, pp. 14. 1911.
  "Greenheart." With W. D. Brush. For. Cir. 211, pp. 12. 1913.
  "Practical results in basket willow culture." For. Cir. 148, pp. 7. 1908.
  "Production and consumption of basket willows in the United States for 1906 and 1907." For. Cir. 155, pp. 14. 1909.
  "Quebracho wood and its substitutes." With Warren D. Brush. For. Cir. 202, pp. 12. 1912.
  "The identification of important North American oak woods, based on a study of the anatomy of the secondary wood." With George B Sudworth. For. Bul. 102, pp. 51. 1911.
  "Trees of Porto Rico." With others. D.B. 354, pp. 56–99. 1916.
  "True mahogany." D.B. 474, pp. 24. 1917.
MELL, P. H.: "Administrative methods of American colleges." O.E.S. Bul. 212, pp. 68–72. 1909.
Melloca, importations and description. Nos. 31198–31201, B.P.I. Bul. 242, pp. 70–71. 1912.

Melluco, importations and description. Nos. 35724, 35727, 35731, 35740, 35753, 35784, 35794, 35796, 35825-35828, B.P.I. Inv. 36, pp. 14, 15, 16, 17. 1915.
Melocanna baccifera. See Bamboo.
Melocoton, importations and description. No. 35136, B.P.I. Inv. 35, pp. 9, 11. 1915; Nos. 43427, 43440, B.P.I. Inv. 49, pp. 7, 18, 22. 1921.
Meloe afer, description. D.B. 967, p. 4. 1921.
Meloidae. See Blister beetles.
Melon(s)—
and fruits, shipments, carload, from stations in United States for 1920, 1921, 1922, and 1923. Stat. Bul. 8, pp. 79. 1925.
aphid—
control, by use of nicotine dust. F.B. 1282, p. 14. 1922.
description and control. F.B. 1394, pp. 10-11. 1924.
description, food plants, and control. D.C. 35, pp. 16-17. 1919; F.B. 914, pp. 1-16. 1918.
dusting with nicotine sulphate, cost. D.C. 154, pp. 5-7. 1921.
injuries to cucumbers and melons, and control. F.B. 856, pp. 45-46. 1917.
injury to vegetables in Porto Rico. D.B. 192, pp. 3, 10. 1915.
life history, natural enemies, methods of control. Ent. Cir. 80, pp. 5-16. 1906.
protection by ants. Ent. Bul. 64, Pt. IX, p. 73. 1910.
spraying for control. F.B. 914, pp. 10-14. 1918.
transmission of mosaic disease. D.B. 879, pp. 43-44. 1920.
aphis—
F. H. Chittenden. Ent. Cir. 80, pp. 16. 1906.
control. F. H. Chittenden. F.B. 914, pp. 16. 1918.
Casaba. See Casaba.
caterpillar, injury to cucumbers and squashes in Porto Rico. D.B. 192, pp. 8, 10, 11. 1915.
Chinese pie, importation and description. No. 44555, B. P. I. Inv. 51, p. 24. 1922.
cultural directions and varieties. F.B. 937, pp. 16, 19, 23, 42. 1918.
culture under irrigation, Columbia River Valley. B.P.I. Cir. 60, p. 18. 1910.
downy mildew disease, description, causes and remedy. F.B. 231, pp. 5-7, 11-13. 1905.
fly—
E. A. Back, and C. E. Pemberton. D.B. 643, pp. 32. 1918.
control, natural, and artificial. D.B. 491, pp. 45-54. 1917.
control, natural and artificial measures. D.B. 643, pp. 25-29. 1918.
description. Sec. [Misc.], "A manual of * * * insects * * *," p. 93. 1917.
description, distribution, food plants, and control. D.B. 643, pp. 1-32. 1918.
distribution, habits and plants infested. Y.B., 1917, pp. 189-190. 1918; Y.B. Sep. 731, pp. 7-8. 1918.
in Hawaii—
E. A. Back and C. E. Pemberton. D.B. 491, pp. 64. 1917.
poison bait. Ent. Bul. 109, Pt. I, p. 8. 1911.
quarantine regulations. F.H.B. Quar., No. 13, rev., pp. 4. 1917.
quarantine revision. F.H.B.S.R.A. 73, pp. 120-124. 1913.
injury to cabbage in Hawaii. Ent. Bul. 109, Pt. III, pp. 32-33. 1912.
introduction, danger in fruits from Hawaii. D.B. 643, pp. 2, 7, 29-30. 1918.
life history—
comparison with Mediterranean fruit-fly. J.A.R., vol. 3, pp. 370-371. 1915.
habits, life cycle, seasonal history, and spread. D.B. 491, pp. 18-45. 1917; J.A.R., vol. 3, pp. 269-274. 1914.
longevity and reproduction. D.B. 643, pp. 22-25. 1918.
parasite. D.B. 491, pp. 45-47. 1917.
parasite, establishment in Hawaii. D.B. 643, p. 26. 1918.
parasite, *Opius fletcheri,* in Hawaii. H. F. Willard. J.A.R., vol. 20, pp. 423-438. 1920.
parasitism by fruit-fly parasites, studies. J.A.R., vol. 15, pp. 453-458. 1918.

Melon(s)—Continued.
fly—continued.
quarantine—
1917. An. Rpts., 1917, pp. 418, 429. 1918; F.H.B. An. Rpt., 1917, pp. 4, 15. 1917.
notice to passengers on vessels. F.H.B. Quar. 13, amdt. 1, p. 1. 1915.
of Hawaiian fruits. An. Rpts., 1918, p. 247. 1919; Ent. A.R., 1918, p. 15. 1918.
regulations, revision. F.H.B.S.R.A. 38, pp. 23-28, 33. 1917.
growing—
and yield, in south Texas. Soil Sur. Adv. Sh., 1909, pp. 51, 88-89, 91. 1910; Soils F.O., 1909, pp. 1075, 111-1113, 1115. 1912.
contest, rules, blanks, and score cards. O.E.S. Bul. 255, pp. 28-30. 1913.
directions and varieties recommended for home gardens. F.B. 936, p. 46. 1918.
for truck, Nevada, varieties and cultivation. B.P.I. Cir. 113, pp. 21-22. 1913.
in California—
lower San Joaquin Valley. Soil Sur. Adv. Sh., 1915, pp. 22, 140. 1918; Soils F.O., 1915, pp. 2598, 2716, 2727. 1919.
Yuma experiment farm, yields. W.I.A. Cir. 12, p. 19. 1916.
in Florida, Orange County. Soil Sur. Adv. Sh., 1919, p. 6. 1922; Soils F.O., 1919, p. 952. 1925.
in Iowa—
Des Moines County. Soil Sur. Adv. Sh., 1921, p. 1100. 1925.
Muscatine County. Soil Sur. Adv. Sh., 1914, pp. 17, 21, 30, 37, 39-42. 1916; Soils F.O., 1914, pp. 1837, 1841, 1850, 1857, 1859-1862. 1919.
.n Mississippi, Lauderdale County, methods. Soil Sur. Adv. Sh., 1910, p. 18. 1912; Soils F.O., 1910, p. 746. 1912.
in Nevada, for home garden, varieties. B.P.I. Cir. 110, p. 23. 1913.
in New Mexico, varieties adapted. Biol. N.A. Fauna 35, p. 24. 1913.
in New Mexico-Texas, Mesilla Valley, cost and yield. Soil Sur. Adv. Sh., 1912, p. 13. 1914; Soils F.O., 1912, p. 2019. 1915.
methods, and varieties. F.B. 647, pp. 17-18. 1915.
injury by—
little-known cutworm. Ent. Bul. 109, Pt. IV, pp. 47, 48. 1912.
melon fly. D.B. 643, pp. 8-20. 1918.
insect pests, list. Sec. [Misc.], "A manual of * * * insects * * *," pp. 92-93. 1917.
insects and diseases attacking. F.B. 856, pp. 43, 50. 1917.
marketing, bibliography. M.C. 35, pp. 39-40. 1925.
Monketaan, prolific variety from South Africa, description. B.P.I. Bul. 176, pp. 7-8, 27-28. 1910.
Persian, growing in California, lower San Joaquin Valley. Soil Sur. Adv. Sh., 1915, p. 22. 1918; Soils F.O., 1915, p. 2598. 1919.
Rocky Ford, labels. F.I.D. 166. Chem. S.R.A. 17, pp. 36-37. 1916.
Russian, importations and description. Nos. 42840-42849, B.P.I. Inv. 47, p. 74. 1920; No, 44337, B.P.I. Inv. 50, p. 59. 1922.
seed, oil, digestion experiments. D.B. 781, pp. 8-10. 1919.
seed selection, importance and methods. News L., vol. 5, No. 8, pp. 1, 2. 1917.
shipments in carloads, by States, 1920-1923. S.B. 8, pp. 24-28, 65-78. 1925.
soils adapted and fertilizer requirements. D.B. 355, p. 82. 1916.
sprays and spraying machinery, for control of melon aphid. F.B. 914, pp. 10-14. 1918.
Tsama, importations and description. No. 41163, B.P.I. Inv. 44, p. 46. 1918; No. 42716, B.P.I. Inv. 47, p. 55. 1920.
use as food. D.B. 123, p. 38. 1916.
varieties, use as food. O.E.S. Bul. 245, pp. 51-52. 1912.
weevil description. Sec. [Misc.], "A manual * * * insects * * *," p. 92. 1917.
See also Cantaloupe; Muskmelon; Watermelon.

Melopelia leucoptera. See Dove, white-winged.
Melophagus ovinus—
description, habits, and control on sheep. F.B. 1150, pp. 8–10. 1920.
See also Tick, sheep.
Melopiza—
melodia sanaka, occurrence in Pribilof Islands. N.A. Fauna 46, p. 96. 1923.
sale as reed birds. D.B. 12, rev., p. 26. 1902.
spp. See Sparrow.
Melothria spp., importations and uses. Nos. 47728, 47729, B.P.I. Inv. 59, p. 52. 1922.
MELOY, G. S.—
"Cotton ginning." F.B. 1465, pp. 29. 1925.
"Lint percentage and lint index of cotton and methods of determination." D.B. 644, pp. 12. 1918.
"Meade cotton, an upland long-staple variety replacing sea island." With C. B. Doyle. D.B. 1030, pp. 24. 1922.
"The cotton situation." With others. Y.B. 1921, pp. 323–406. 1922; Y.B. Sep. 877, pp. 323–406. 1922.
Melrose, Mass, milk supply, statistics, officials, and prices. B.A.I. Bul. 46, pp. 40, 97. 1903.
Melting point, determination for road materials. D.B. 314, pp. 14–16. 1915; D.B. 691, pp. 54–55. 1918.
Melusina, synonyms for Simulium. Ent. T. B. 26, pp. 11–12. 1914.
MELVIN, A. D.—
"Animal breeding and disease." With E. C. Schroeder. B.A.I. An. Rpt., 1906, pp. 213–222. 1908.
"Breeding of range sheep by Department of Agriculture." B.A.I. [Misc.], "Breeding of range sheep * * *," pp. 4. 1911.
"Danger from products of tuberculous cattle." B.A.I. [Misc.], "Danger from products * * *," pp. 4. 1908.
"Dermal mycosis associated with sarcoptic mange in horses." With John R. Mohler. B.A.I. An. Rpt., 1907, pp. 259–277. 1909.
"Directions for using tuberculin * * * for diagnosis of tuberculosis in cattle." B.A.I. [Misc.], "Directions for using * * *," p. 1. 1907.
"Federal meat-inspection service". B.A.I. An. Rpt., 1906, pp. 65–100. 1908; B.A.I. Cir. 125, pp. 40. 1908.
"Infectious abortion of cattle and the occurrence of its bacterium in milk. Introductory statement." B.A.I. Cir. 216, pp. 137–138. 1913.
"Instructions concerning stocks of meat food products." B.A.I. [Misc.], "Instructions concerning stocks * * *," pp. 6. 1906; rev., pp. 12. 1907.
"Instructions concerning trade labels under the meat inspection law and regulations." B.A.I. [Misc.], "Instructions concerning trade labels * * *," pp. 6. 1906.
"Instructions supplementing new meat-inspection regulations relating to tuberculosis, hog cholera, and icterus." B.A.I. [Misc.], "Instructions for supplementing * * *," pp. 3. 1908.
"Lip-and-leg ulceration of sheep." With John R. Mohler. B.A.I. Cir. 160, pp. 35. 1910.
"Meat production in the Argentine and its effect upon the industry in the United States." With George M. Rommel. Y.B., 1914, pp. 381–390. 1915; Y.B. Sep. 648, pp. 381–390. 1915.
recommendation on milk classification. F.B. 366., pp. 27–28. 1909.
report of chief of Animal Industry Bureau—
1906. An. Rpts., 1906, pp. 123–174. 1906; B.A.I. An. Rpt., 1906, pp. 9–63. 1908; B.A.I. Chief Rpt., 1906, pp. 56. 1906.
1907. An. Rpts., 1907, pp. 191–255. 1908; B.A.I. Chief Rpt., 1907, pp. 69. 1907; B.A.I. Rpt., 1907, pp. 9–84. 1909.
1908. An. Rpts., 1908, pp. 219–282. 1909; B.A.I. Chief Rpt., 1908, pp. 68. 1908; B.A.I. An. Rpts., 1908, pp. 9–81. 1910.
1909. An. Rpts., 1909, pp. 195–259. 1910; B.A.I. Chief Rpt., 1909, pp. 69. 1909; B.A.I. An. Rpt., 1909, pp. 7–80. 1911.
1910. An. Rpts., 1910, pp. 199–277. 1911; B.A.I. An. Rpt., 1910, pp. 11–102. 1912; B.A.I. Chief Rpt., 1910, pp. 83. 1910.

MELVIN, A. D.—Continued.
report of chief of Animal Industry Bureau—con.
1911. An. Rpts., 1911, pp. 195–256. 1912; B.A.I. An. Rpt., 1911, pp. 9–82. 1313; B.A.I. Chief Rpt., 1911, pp. 66. 1911.
1912. An. Rpts., 1912, pp. 303–388. 1913; B.A.I. Chief Rpt., 1912, pp. 92. 1912.
1913. An. Rpts., 1913, pp. 71–104. 1914; B.A.I. Chief Rpt., 1913, pp. 34. 1913.
1914. An. Rpts., 1914, pp. 57–100. 1914; B.A.I. Chief Rpt., 1914, pp. 44. 1914.
1915. An. Rpts., 1915, pp. 77–142. 1916; B.A.I. Chief Rpt., 1915, pp. 66. 1915.
1916. An. Rpts., 1916, pp. 67–136. 1917; B.A.I. Chief Rpt., 1916, pp. 70. 1916.
1917. An. Rpts., 1917, pp. 67–129. 1918; B.A.I. Chief Rpt., 1917, pp. 63. 1917.
"State and municipal meat inspection and municipal slaughterhouses." B.A.I. An. Rpt., 1910, pp. 241–254. 1912; B.A.I. Cir. 185, pp. 14. 1912.
statement on infectious abortion of cattle. B.A.I. An. Rpt., 1911, pp. 137–138. 1913.
"The classification of milk." B.A.I. An. Rpt., 1907, pp. 179–182. 1909.
"The control of hog cholera by serum immunization." B.A.I. An. Rpt., 1908, pp. 219–224. 1910.
"The control of hog cholera, with a discussion of the results of field experiments." With M. Dorset. D.B. 584, pp. 18. 1917.
"The economic importance of tuberculosis of food-producing animals." B.A.I. An Rpt., 1908, pp. 97–107. 1910.
"The eradication of tuberculosis in cattle." B.A.I. An Rpt., 1907, pp. 209–214. 1909.
"The Federal meat-inspection service." B.A.I. Cir. 125, pp. 40. 1908.
"The 1908 outbreak of foot-and-mouth disease in the United States." B.A.I. An. Rpt., 1908, pp 379–392. 1910.
"The South American meat industry." Y.B., 1913, pp. 347–364. 1914; Y.B. Sep. 629, pp. 347–364. 1914.
"The story of the cattle fever tick." B.A.I. [Misc.], "The story * * * cattle fever tick," pp. 31. 1917.
Melzer method for detection of benzaldehyde and phenol in liqueurs. Chem. Bul. 152, p. 195. 1912.
Membracis festina. See Alfalfa hopper.
Membranes, waterproofing, system, description, and directions. Y.B., 1919, pp. 447–449. 1920; Y.B. Sep. 824, pp. 447–449. 1920.
Memmo, digestion experiments with cooked chestnuts. F.B. 332, pp. 16, 21. 1908.
Memordica spp., importations and description. Nos. 51640–51641, 52175, B.P.I. Inv. 65, pp. 34, 77. 1923.
Memorial trees, planting on Arbor Day. D.C. 265, pp. 3, 11. 1923.
Memphis, Tenn.—
milk supply, statistics, officials, prices, and ordinance. B.A.I. Bul. 46, pp. 28, 155, 173–174. 1903; B.A.I. Bul. 70, pp. 6–7, 39. 1905.
to-Bristol highway, experiments, 1912–1913. D.B. 53, pp. 32–33. 1913.
trade center for farm products, statistics. Rpt. 98, pp. 288, 326 1913.
Memphis silt loam, soils of the eastern United States and their use—XIII. Jay A. Bonsteel. Soils Cir. 35, pp. 19. 1911.
Memythrus polistiformis. See Grape root borer.
Men, food—
needs. F.B. 1383, pp. 1, 2. 1924.
requirements—
comparison with women and children. O.E.S. Cir. 110, pp. 13–14. 1911.
dietary studies and standards. Y.B., 1907, pp. 365–367, 370, 372. 1908; Y.B. Sep 454, pp. 365–376, 370, 372. 1908
MENAUL, PAUL—
"A chemical analysis of *Jatropha stimulosa*." J.A.R., vol. 26, pp. 259–260. 1923.
"A method for the quantitative estimation of tannin in plant tissue." J.A.R., vol. 26, pp. 257–258. 1923.
"Cyanogenesis in Sudan grass: A modification of the Francis-Connell method of determining hydrocyanic acid." With C. T. Dowell. J.A.R., vol. 18, pp. 447–450. 1920.

MENAUL, PAUL—Continued.
"Effect of autoclaving upon the toxicity of cottonseed meal." With C. T. Dowell. J.A.R., vol. 26, pp. 9-10. 1923.
"The physiological effect of gossypol." J.A.R., vol. 26, pp. 233-237. 1923.
Mendelian theory—
discussion in relation to cotton hybridization. B.P.I. Cir. 53, pp. 11-15. 1910.
inheritance, explanation. D.B. 905, pp. 18-20, 30-33. 1920.
Mendelism—
application of theory. B.P.I. Bul. 256, pp. 19, 32, 35, 36, 37, 38, 52. 53, 60, 67, 76, 82, 85, 90, 93-94. 1913.
of short ears in sheep. J.A.R., vol. 6, No. 20, pp. 797-798. 1916.
Mendel's law—
application in corn breeding. Y.B., 1909, p. 315. 1910; Y.B. Sep. 515, p. 315. 1910.
discussion. B.A.I. An. Rpt., 1910, pp. 134, 138, 175, 176. 1912; B.P.I. Bul. 136, pp. 16-17. 1908.
importance of discovery to breeders. F.B. 1167, pp. 12, 14, 16, 30. 1920.
of dominance, remarks. B.P.I. Bul. 165, pp. 7-8. 1909.
Mending—
carpet, directions. F.B. 1219, pp. 30-31. 1921.
clothing, equipment. F.B. 1089, pp. 31-32. 1920.
Mendioca. See Cassava.
MENDUM, S. W.—
"A method of testing farm-management and cost-of-production data for validity of conclusions." With H. R. Tolley. D.C. 307, pp. 13. 1924.
"Cost of milk production on forty-eight Wisconsin farms." D.B. 1144, pp. 23. 1923.
"Hog production and marketing." With others. Y.B., 1922, pp. 181-280. 1923; Y.B. Sep. 882, pp. 181-280. 1923.
"The poultry industry." With others. Y.B., 1924, pp. 377-456. 1925.
Menetypus variegatus, from Peru, description. Rpt. 102, p. 11. 1915.
MENGEL, C. W.: "A report upon the Back swamp and Jacob swamp drainage district, Robeson County, N. C." With Samuel McCrory. O.E.S. Bul. 246, pp. 47. 1912.
Menhaden—
enemies, predatory and human, annual destruction. D.B. 2, pp. 13-14. 1913.
fish—
fertilizer, use, and value. F.B. 320, pp. 5-6. 1908.
scrap, analyses comparison with salmon scrap. D.B. 150, pp. 33-34. 1915.
fishing, time, methods, and equipment. D.B. 2, pp. 21-24. 1913.
source of fish—
meal. D.B. 378, p. 19. 1916.
oil and fertilizer, annual catch. Y.B., 1917, pp. 257, 142. 1918; Y.B. Sep. 728, p. 7. 1918; Y.B. Sep. 729, p. 6. 1918.
Meningitis—
cerebral of cattle, causes, symptoms, and treatment. B.A.I. [Misc.], "Diseases of cattle," rev., pp. 101-104. 1904; rev., pp. 101-104. 1912; rev., pp. 103-106 1923.
cerebrospinal—
(forage poisoning). John R. Mohler. D.B. 65, pp. 14. 1914.
introduction, distribution, description, and synonyms. D.B. 65, pp. 1-4, 8-10. 1914.
of horses, causes, symptoms, and treatment. B.A.I. An. Rpt., 1906, pp. 165-172. 1908; B.A.I. Cir. 122, pp. 1-8. 1908; B.A.I. [Misc.], "Diseases of the horse," rev., pp. 217-219. 1903; rev., pp. 237-241. 1923.
outbreak, 1915, investigations. An. Rpts., 1915, pp. 117-118. 1916; B.A.I. Chief Rpts., 1915, pp. 41-42. 1916.
epizootic cerebrospinal, of horses. R. W. Hickman. B.A.I. Cir. 122, pp. 8. 1908.
of sheep, cause, symptoms, and treatment. F.B. 1155, pp. 30-31. 1921.
spinal. See Azoturia.
Mennonites, Russian, settlements, and wheat growing. Y.B., 1914, pp. 399-400. 1915; Y.B. Sep. 649, pp. 399-400. 1915.
Menomen. See Rice, wild.

Mental work, influence on metabolism. O.E.S Bul. 208, pp. 45-100. 1909.
Mentha—
citrata—
value as perfume plants. Off. Rec., vol. 3, No. 3, p. 3. 1924.
See also Bergamot.
piperita—
source of menthol in spearmint oil. Chem. Cir. 92, p. 4. 1912.
source of peppermint oil. B.P.I. Bul. 235, p. 12. 1912.
See also Peppermint.
viridis. See Spearmint.
Menthol—
content of peppermint oil, effect of varying conditions. D.B. 454, pp. 5-15. 1916.
derivation from peppermint. B.P.I. Bul. 195, pp. 11, 44. 1910.
Menu—
cottage cheese, utilization. Y.B., 1918, p. 272. 1919; Y.B. Sep. 787, p. 4. 1919.
dinner—
customary features and useful suggestions. Y.B., 1913, pp. 155-156. 1914; Y.B. Sep. 621, pp. 155-156. 1914.
one-dish recipes. U. S. Food Leaf., No. 3, pp. 1-4. 1917.
suitability for children. F.B. 717, pp. 2, 4. 1916.
meal planning for a week, example. F.B. 1228, pp. 17-19. 1921.
substitution of milk for meats, suggestions. F.B. 413, pp. 14-16. 1910.
See also Bills of fare.
Menziesia—
ferruginea, distribution. N.A. Fauna 21, pp. 21, 55. 1901.
glabella, poisonous to sheep. D.B. 575, pp. 16-17. 1918.
stock-poisoning plant of Northwestern States. C. Dwight Marsh. B.P.I. [Misc.], "Menziesia * * * stock-poisoning plant * * *," pp. 3. 1914.
Mephitis. See Skunks.
Mercerization, cotton—
airplane fabric, tests, mill and laboratory. D.B. 882, pp. 14-16, 27-38. 1920.
comparison of long-staple grades. D.B. 359, pp. 15-16. 1916.
yarns, comparisons. D.B. 1184, pp. 9-10. 1923.
yarns, tests after fumigation. D.B. 366, pp. 11-12. 1916.
Merchandise—
Chinese, packing in cotton waste, warning to exporters. F.H.B.S.R.A. 51, p. 47. 1918.
protection from rats and mice. F.B. 896, p. 9. 1917.
Merchants—
credit to farmers, interest rates. Y.B., 1924, pp. 228-230. 1925.
loans to farmers, credit-rate sheet. Sec. Cir. 50, pp. 10-13. 1915.
relation to cooperative buyers of farm supplies. Y.B., 1915, pp. 77-78. 1916; Y.B. Sep. 658, pp. 77-78. 1916.
MERCIER, W. B.—
"An effective method of preventing the erosion of hill lands." B.P.I. Doc. 706, pp. 7. 1911; S.R.S. Doc. 41, pp. 8. 1917.
"Extension work among Negroes, 1920." D.C. 190, pp. 24. 1921.
"Farm fertilizers." With H. E. Savely. B.P.I. Doc. 692, pp. 14. 1911.
"Farm manures and fertilizers." With H. E. Savely. S.R.S. Doc. 30, pp. 14. 1916.
"Status and results of extension work in the Southern States, 1903-1921." D.C. 248, pp. 38. 1922.
MERCIER, W. R.:
"Lespedeza or Japan clover." With A. D McNair. F.B. 441, pp. 19. 1911.
Mercurial ointment, effectiveness against chicken lice, experiments. D.B. 888, pp. 4-5, 8. 1920.
Mercuric—
chloride—
cabbage seed treatment, directions. D.C. 311, p. 4. 1924.
disinfectant for hides, experimental tests. J.A.R., vol. 4, pp. 68-81. 1915.

Mercuric—Continued.
  chloride—continued.
    effect on—
      catalytic power of soils. Soils Bul. 86, p. 20. 1912.
      germination of podblight spores. J.A.R., vol. 11, pp. 497-498. 1917.
      various household insects, tests. D.B. 707, pp. 3, 7, 12, 13. 1918.
    fumigant against mosquitoes. Ent. Bul. 88, p. 39. 1910.
    injury to roots and seeds in sandy soils. D.B. 169, pp. 3, 25, 26, 28, 32, 35. 1915.
    penetration of soils. J.A.R., vol. 31, pp. 337-341. 1925.
    solution—
      for fence posts, objections. For. Cir. 117, p. 6. 1907.
      insecticide, preparation and use. F.B. 1306, p. 29. 1923; F.B. 1362, p. 8. 1924.
      reduction in strength used for disinfecting sweet potatoes. J. L. Weimer. J.A.R., vol. 21, pp. 575-587. 1921.
    treatment of crossing strips in lumber piles. B.P.I. Bul. 114, p. 16. 1907.
    treatment of cucurbit seed for anthracnose. D.B. 727, pp. 61-62. 1918.
    treatment of potato seed. Sec. Cir. 92, pp. 11, 29. 1918.
    use as—
      disinfectant for seed sweet potatoes. News L., vol. 5, No. 27. p. 4. 1918.
      poison against Argentine ants. D.B. 647, pp. 60-71. 1918.
      sweet potato seed disinfectant, warning, and method. News L., vol. 5, No. 39, p. 8. 1918.
    use for timber preservation, experiments. D.B. 1037, p. 37. 1922.
    use in—
      castor-bean seed treatment. J.A.R., vol. 23, pp. 711-712. 1923.
      control of silver scurf, experiments. J.A.R., vol. 6, No. 10, pp. 348-349. 1916.
      control of potato powdery scab. J.A.R., vol. 7, pp. 229-233. 1916.
      disinfecting potatoes. J.A.R., vol. 6, No. 21, pp. 828-831. 1916.
      disinfecting cucumber seed, methods. News L., vol. 5, No. 31, p. 5. 1918.
      preserving table sirup. Chem. Bul. 93, p. 63. 1905.
      seed treatment for anthracnose. F.B. 1277, p. 11. 1922.
      treating cucumber seed. D.C. 234, pp. 4-5. 1922
    use on potatoes for control of nematodes. J.A.R. vol. 11, pp. 31, 33. 1917.
    value in control of bacterial blight of barley. J.A.R., vol. 11, p. 641. 1917.
    See also Corrosive sublimate; Mercury bichloride.
  shellac, use on tree bands against Argentine ant. D.B. 647, pp. 63-64. 1918.
Mercury—
  bichloride—
    preparation and use as disinfectant, objections. F.B. 345, p. 11. 1909.
    use against white ants in timber. F.B. 759, pp. 14, 16, 20. 1916.
    use as—
      disinfectant, precautions. F.B. 926, p. 12. 1918.
      stable disinfectant, formula. D.B. 954, pp. 6-7. 1918.
    use in—
      ant control, method. D.B. 377, p. 11. 1916; F.B. 1037, pp. 14, 15. 1919.
      sterilizing tree wounds. F.B. 1178, p. 9. 1920.
      control of termites. D.B. 333, pp. 29, 30, 32. 1916.
      disinfection of citrus groves. Y.B. 1916, p 270. 1917; Y.B. Sep. 711, p. 4. 1917.
      meat establishment, discontinuance B.A.I. S.R.A. 128, p. 130. 1918.
      preparation of pathological specimens. B. A.I. An. Rpt., 1906, p. 199. 1908; B.A.I. Cir. 123, p. 3. 1908.

Mercury—Continued.
  bichloride—continued.
    use in—continued.
      treating woods against termites. D.B. 1231. pp. 13, 15, 16. 1924.
      use to poison ants, precautions. F.B. 1101, pp 7, 8. 1920.
    See also Corrosive sublimate; Mercuric chloride.
    penetration of soils. J.A.R., vol. 31, pp. 348-350. 1925.
    use in potato-wart control. J.A.R., vol. 31, pp. 308-321. 1925.
"Merd el Ghram," date palm disease caused by excessive irrigation. B.P.I. Bul. 53, p. 120. 1904 1925.
MEREDITH, E. T.—
  "Cooperative relations in agricultural development." Sec. Cir. 153, pp. 13. 1920.
  "Crop reports, regulations. Effective Jan. 1, 1921. Sec. [Misc.], "Crop report * * *," pp. 4. 1921.
  "Fruit products, importation from Mexico." F.H.B. [Misc.], "Warning to passengers * * * movement form Mexico," pp. 4. 1920.
  "Grain products, importation from Mexico." F.H.B., "Warning to passengers * * * movement from Mexico." pp. 4. 1920.
  "Regulations of the sale or other disposition in general of department property, effective July 1, 1916. Adv. Com. F. and B.M. [Misc.], "Property regulations * * *, amdt. 4," pp 3. 1920.
  "The year in agriculture," 1920. Y.B., 1920, pp 9-84. 1921.
  "Value of Government crop reports." Sec. Cir. 152, pp. 7. 1920.
Merganser—
  enemy of fish, control. Biol. Chief Rpt., 1921, pp. 15, 27. 1921.
  hooded, habits, food, and occurrence in Arkansas. Biol. Bul. 38, p. 17. 1911.
  occurrence—
    Arkansas. Biol. Bul. 38, pp. 16-17. 1911.
    Athabaska-Mackenzie region. N.A. Fauna 27. pp. 275-277. 1908.
    Pribilof Islands. N.A. Fauna 46, p. 42. 1923
  protection and exception from. Biol. Bul. 12, rev., pp. 41, 42, 44. 1902.
  range, fall and spring migration. Biol. Bul. 26 pp. 19-21. 1906.
  red-breasted, Alaska and Yukon Territory N.A. Fauna 30, pp. 33, 84. 1909.
Merger—
  case, Armour-Morris, economic phases. Pack and S. Ad. Rpt., 1924, p. 16. 1924.
  packers', objection to. Off. Rec. vol. 2, No. 9, p 1. 1923.
Meridian, Miss., milk supply, details and statistics. B.A.I. Bul. 70, pp. 6-7, 35. 1905.
Meridian and Nampa irrigation district, Idaho. location, work. O.E.S. Bul. 216, p. 36 1909
Merisus—
  destructor—
    description, life history, and rearing methods. J.A.R., vol. 6, No. 10, pp. 373-377. 1916.
    parasite of Hessian fly, description. F.B. 640, p. 16. 1915.
  mordellistenae, a parasite of timothy stem-borer. Ent. Bul. 95, p. 9. 1911.
Merker grass—
  description, and value for cotton States. F.B. 1125, rev., p. 28. 1920.
  growing in Hawaii. Hawaii A.R., 1921, pp. 4, 30, 61. 1922.
  variety test in Hawaii. Hawaii A.R., 1920, pp. 14, 26, 32, 62. 1921.
MERKLE, F. G.: "Soil survey of Greene County, Pa." With others. Soil Sur. Adv. Sh., 1921, pp. 1251-1278. 1925.
Merlin—
  black, range and habits. N.A. Fauna 21, p. 43. 1901.
  Richardson's, range and habits. N.A. Fauna 22 p. 108. 1902.
Merling, lithium separation method. Chem. Bul. 153, p.12. 1912.
Mermis spp., determination. J.A.R., vol. 23, p. 922. 1923.
Merodon equestris. See Narcissus fly.
Meromyza americana, comparison with Ceroxon femoralis. J.A.R., vol. 9, pp. 17, 20. 1917.

Meromyza americana. See also Wheat-stem maggot.
Merope angulatus, importation and description. No. 39168, B.P.I. Inv. 40, pp. 85–86. 1917.
Merremia hederacea—
  importation and description. No. 38647, B.P.I. Inv. 39, pp. 6, 157–158. 1917.
  occurrence in Guam. Guam A.R., 1913, p. 17. 1914.
MERRIAM, C. H.—
  "Directions for collecting the stomachs of birds." Biol. Cir. 46, p. 1. 1905.
  "Directions for preparing specimens of large mammals in the field." Biol. Cir. 49, pp. 4. 1905.
  "Durability and economy in papers for permanent records." With H. W. Wiley. Rpt. 89, pp. 51. 1909.
  report of chief of Biological Survey—
    1902, An. Rpts., 1902, pp. 209–218. 1912; Biol. Chief Rpt., 1902, pp. 10. 1902.
    1903. An. Rpts., 1903, pp. 483–495. 1904; Biol. Chief Rpt., 1903, pp. 13. 1903.
    1904. An. Rpts., 1904, pp. 291–305. 1905; Biol. Chief Rpt., 1904, pp. 15. 1904.
    1905. An. Rpts., 1905, pp. 303–315. 1906; Biol. Chief Rpt., 1905, pp. 13. 1905.
    1906. An. Rpts., 1906, pp. 397–418. 1907; Biol. Chief Rpt., 1906, pp. 24. 1906.
    1907. An. Rpts., 1907, pp. 485–505. 1908; Biol. Chief Rpt., 1907, pp. 23. 1907.
    1908. An. Rpts., 1908, pp. 571–590. 1909; Biol. Chief Rpt., 1908, pp. 22. 1908.
    1909. An. Rpts., 1909, pp. 533–551. 1910; Biol. Chief Rpt., 1909, pp. 23. 1909.
  "Review of the grizzly and big brown bears of North America (genus Ursus)." N.A. Fauna 41, pp. 136. 1918.
  "The California ground squirrel." Biol. Cir. 76, pp. 15. 1910.
  "The prairie dog of the Great Plains." Y.B., 1901, pp. 257–270. 1902. Y.B. Sep. 227, pp. 257–270. 1902.
MERRELL, A. T.: "Digestibility of raw starches and carbohydrates." With C. F. Langworthy. D.B. 1213, pp. 16. 1924.
MERRILL, E. C.: "A study of the lead number of asafetida and allied products." With H. A. Sell. Chem. Bul. 162, pp. 217–218. 1913.
MERRILL, E. D.—
  "*Aristida purpurea* Nutt., and its allies." Agros. Cir. 34, pp. 8. 1901.
  "The North American species of Spartina." B.P.I. Bul. 9, pp. 16. 1902.
MERRILL, F. A.—
  "How teachers may use Farmers' Bulletin 1121, factors that make for success in farming in the South." D.C. 159, pp. 7. 1920.
  "How teachers may use Farmers' Bulletin 1125, forage for the Cotton Belt." D.C. 158, pp. 8. 1921.
  "How teachers may use Farmers' Bulletin 1148, cowpeas: Culture and varieties." D.C. 157, pp. 8. 1921.
  "How teachers may use Farmers' Bulletin 1175, better seed corn." D.C. 156, pp. 6. 1921.
  "Lessons on cotton for elementary schools." M.C. 43, pp. 27. 1925.
MERRILL, J. H.: "Life history and habits of two new nematodes parasitic on insects." With A. L. Ford. J.A.R., vol. 6, No, 3, pp. 115–127. 1916.
MERRILL, J. L.—
  "Hemp hurds as paper-making material." With Lyster H. Dewey. D.B. 404, pp. 26. 1916.
  "Pulp and paper, and other products from waste resinous woods." With F. P. Veitch. Chem. Bul. 159, pp. 28. 1913.
  "The manufacture of paper from hemp hurds." D.B. 404, pp. 7–25. 1916.
  "Utilization of American flax straw in the paper and fiber-board industry." D.B. 322, pp. 24. 1916.
  "Zacaton as a paper-making material." With Charles J. Brand. D.B. 309, pp. 28. 1915.
MERRILL, L. A., "Women's institutes and rural clubs." O.E.S. Bul. 225, pp. 42–45. 1910.
MERRILL, L. H.: "Studies on the digestibility and nutritive value of bread at the Maine Agricultural Experiment Station, 1899–1903." With C. D. Woods. O.E.S. Bul. 143, pp. 77. 1904.

MERRILL, L. S., report of Maine extension work in agriculture and home economics—
  1915. S.R.S. An. Rpt., 1915, Pt. II, pp. 219–222. 1917.
  1916. S.R.S. An. Rpt., 1916, Pt. II, pp. 234–240. 1917.
MERRILL, O. C.: "Opening up the national forests by road building." Y.B., 1916, pp. 521–529. 1917; Y.B. Sep. 696, pp. 9. 1917.
MERRILL, T. C.: "Seedling diseases of conifers." With others. J.A.R., vol. 15, pp. 521–558. 1918.
MERRITT, EUGENE—
  "Hops in principal countries: Their supply, foreign trade, and consumption, with statistics of beer brewing." Stat. Bul. 50, pp. 34. 1907.
  "International trade in farm and forest products." Stat. Bul. 103, pp. 57. 1913.
  "Statistics of cooperative extension work, 1917–1922." D.C. 253, pp. 19. 1923.
  "Statistics of cooperative extension work, 1921–22." D.C. 203, pp. 18. 1921.
  "Statistics of cooperative extension work, 1923–1924." D.C. 306, pp. 22. 1924.
  "The production and consumption of dairy products." D.B. 177, pp. 19. 1915.
  "The use of land in teaching agriculture in secondary schools." D.B. 213, pp. 12. 1915.
Mertensia virginica, resistance to teliospores of *Puccinia triticina.* J.A.R., vol. 22, pp. 155–172. 1921.
Merula migratorius, game bird, status. Biol. Bul. 12, rev., p. 29. 1902.
Merulius lacrymans—
  cause of decay in timber, studies. D.B. 1053, pp 3, 11, 26, 27, 37. 1922.
  description. D.B. 175, pp. 42–43. 1915.
  effect of hydrogen-ion concentration on growth. J.A.R., vol. 21, p. 203. 1921.
  infestation of lumber in storage. D.B. 510, pp. 6, 34, 35. 1917.
  See also Dry-rot.
Meryta sinclairii, importation and description. No. 46318, B.P.I. Inv. 56, pp. 2, 8. 1922; No. 47570, B.P.I. Inv. 59, pp. 6, 33. 1922; No. 51409, B.P.I. Inv. 64, pp. 3, 47. 1923.
MERZ, A. R.—
  "Analyses of salines of the United States." With others. Soils Bul. 94, pp. 96. 1913.
  "The computation of fertilizer mixtures from concentrated materials." With William H. Ross. D.B. 1280, pp. 16. 1924.
  "The recovery of potash as a by-product in the blast-furnace industry." With William H. Ross, D.B. 1266, pp. 22. 1924.
  "The recovery of potash as a by-product in the cement industry." With others. D.B. 572, pp. 23. 1917.
Mesa lands, Arizona, description. D.C. 75, pp. 4, 6. 1920.
Mescal—
  buttons. See Peyote.
  drink, use of mescal maguey plant. Y.B., 1911, p. 199. 1912; Y.B. Sep. 560, p. 199. 1912.
  maguey, description, and use for binder twine. Y.B., 1911, p. 199. 1912; Y.B. Sep. 560, p. 199. 1912.
  maguey, Texas, distribution and economic value. N.A. Fauna 25, p. 31. 1905.
Meskea dysptereraria, similarity to *Pectinophora gossypiella.* J.A.R., vol. 20, pp. 828–829. 1921.
Mesembryanthemum spp., importations and description. Nos. 42444–42448, B.P.I. Inv. 47, pp. 14–15. 1920.
Meslin. See Maslin.
MESMER, LOUIS: "Soil survey—
  from Arecibo to Ponce, Porto Rico." With others. (Also Spanish edition.) P.R. Bul. 3, pp. 53. 1903.
  of the Bigflats area, New York." With W. E. Hearn. Soils F.O. Sep., 1902, pp. 17. 1903; Soils F.O., 1902, pp. 125–142. 1903.
  of the Lake Charles area, Louisiana." With W. H. Heileman. Soils F.O. Sep., 1901, pp 27; Soils F.O., 1901, pp. 621–647. 1902.
  of the Lewiston area, Idaho." Soils F.O. Sep., 1902, pp. 21; Soils F.O., 1902, pp. 689–709. 1903.
Mesocestoides spp., comparison with *Teania ovis.* J.A.R., vol. 1, No. 1, p. 35. 1913.

Mesochorus—
 aprilinus, parasite of *Apanteles congregatus.* F.B. 705, p. 5. 1916.
 nigripes, parasite of the alfalfa weevil, description. Ent. Bul. 112, pp. 38–39. 1912.
Mesocotyl, function in the germination of plants. J.A.R., vol. 1, pp. 294–295. 1914.
Mesopotamia, irrigation scheme for cotton production. B.P.I. Bul. 233, p. 8. 1912.
Mesquite—
 adaptation to arid conditions. B.P.I. Bul. 192, pp. 12, 13, 14, 24, 27, 43. 1911.
 bean crop as forage supply on ranges, Arizona. D.B. 367, pp. 33–34. 1916.
 bean, experiments with bean weevil parasites in Hawaii. Hawaii A.R., 1910, pp. 20–21. 1911.
 bean, value. F.B. 1197, p. 3. 1921.
 borer, flat-headed, description, life history, and control. F.B. 1197, pp. 9, 10, 12. 1921.
 borer, round-headed, description, life history, and control. F.B. 1197, pp. 8, 10, 12. 1921.
 characteristics, uses and importance. F.B. 1197, p. 3. 1921.
 clearing, cost per acre. F.B. 373, p. 11. 1909.
 clearing for control of conchuela on cotton. Ent. Bul. 86, p. 67. 1910.
 cordwood and posts, protection from borers. F. C. Craighead and George Hofer. F.B. 1197, pp. 12. 1921.
 description, range, and occurrence on Pacific slope. For. [Misc.], "Forest trees for Pacific * * *," pp. 364–367. 1908.
 diseases, occurrence in Texas, and description. B.P.I. Bul. 226, pp. 72–73, 109, 111. 1912.
 grass—
  curly tribe, key to genera, and description of grasses. D.B. 772, pp. 15–16, 165–170. 1920.
  grapevine, description. D.B. 772, pp. 232, 235. 1920.
  use for lawns in Texas. F.B. 494, p. 31. 1912.
  See also Velvet grass.
 indicator of—
  land value and possibilities. J.A.R., vol. 28, pp. 103, 112, 113. 1924.
  underground water near surface. B.P.I. Bul. 53, p. 127. 1904.
 injury by sapsuckers. Biol. Bul. 39, p. 43. 1911.
 insect pests, list. Sec. [Misc.], "A manual * * * insects * * *," p. 148. 1917.
 mistletoe infection. B.P.I. Bul. 166, pp. 16, 18, 22, 23, 25. 1910.
 New Mexico, note. B.P.I. Bul. 125, p. 17. 1908.
 occurrence—
  feeding value and composition. D.B. 1194, pp. 1–3, 3–4, 5–15. 1923.
  in Texas, distribution and use. N.A. Fauna 25, pp. 23, 31–33. 1905.
  in Texas, south, spread of growth. B.P.I. Cir. 14, pp. 1–4. 1908.
 screwpod, description, range, and occurrence on Pacific slope. For. [Misc.], "Forest trees * * * Pacific * * *," pp. 362–364. 1908.
 source of honey, Hawaii. Ent. Bul. 75, Pt. V, p. 48. 1909.
 spread on western ranges, causes. B.P.I. Bul. 177, pp. 21–23. 1910.
 sugar-content investigations. D.B. 1194, pp. 5–15. 1923.
 timber, importance in Southwest and injury by borers. F.B. 1197, pp. 2–5, 7, 11. 1921.
 twig girdler, southwest, suggestions for control. Ent. Bul. 22, pp. 94–95. 1902.
 See also Prosopis juliflora: Algaroba.
MESSER, A. C.: "Determination of fatty acids in butter fat: 2." With others. J.A.R., vol. 24, pp. 365–398. 1923.
Messina lemon extract, adulteration and misbranding. Chem. N.J. 733, pp. 2. 1911.
Mesua ferrea, importation and description. No. 54687, B.P.I. Inv. 70, pp. 1, 7. 1923.
Metabolic—
 activity, study, small calorimeter, construction. C. F. Langworthy and R. D. Milner. J.A.R., vol. 6, No. 18, pp. 703–720. 1916.
 nitrogen estimation methods, study. J.A.R., vol. 9, pp. 405–411. 1917.
Metabolism—
 benzoic acid, dietary experiments. Chem. Bul. 84, Pt. IV, pp. 1159–1285. 1908.

Metabolism—Continued.
 caloric balance, effect of sulphur in food. Chem. Bul. 84, Pt. III, pp. 977–995. 1907.
 carbohydrate, in green sweet corn during storage. J.A.R., vol. 17, pp. 137–152. 1919.
 changes due to use of benzoate and benzoic acid. Chem. Cir. 39, pp. 12–13, 14. 1908.
 comparative, in herbivora and carnivora, studies. Chem. Bul. 148, pp. 5–8. 1912.
 effects of salicylic acid and salicylates in food. Chem. Bul. 84, Pt. II, pp. 582–701. 1906.
 effects of sulphur in food. Chem. Bul. 84, Pt. III, pp. 890–1020. 1907; Chem. Cir. 37, p. 15. 1907.
 energy of red clover hay. B.A.I. Bul. 101, pp. 31–34. 1908.
 experiments—
  details. O.E.S. Bul. 175, pp. 49–123. 1907; O.E.S. Bul. 227, pp. 31–37. 1910.
  with lambs, description. J.A.R., vol. 4, p. 460. 1915.
 fat balance, effect of sulphur in food. Chem. Bul. 84, Pt. III, pp. 959–976. 1907.
 feeding stuffs, experiments. O.E.S. [Misc.], "A summary of recent American work in feeding stuffs," pp. 535–536. 1904.
 human—
  effect of saccharin. Rpt. 94, pp. 1–375. 1911.
  effect of use of sodium benzoate. John H. Long. Rpt. 88, pp. 293–563. 1909.
  relation to muscular work, experimental study. O.E.S. Bul. 98, pp. 1–56. 1901.
 increase in farm animals, causes. B.A.I. Bul. 143, pp. 28–33. 1912.
 influence of muscular and mental work on, and the efficiency of the human body as a machine. Francis G. Benedict and Thorne M. Carpenter. O.E.S. Bul. 208, pp. 100. 1909.
 matter—
  and energy in the human body, experiments. F.G. Benedict and R. D. Milner. O.E.S. Bul. 175, pp. 335. 1907.
  and energy in the human body, experiments. W. O. Atwater and others. O.E.S. Bul. 109, pp. 147. 1902.
  and energy in the human body, experiments. W. O. Atwater and others. O.E.S. Bul. 136, pp. 357. 1903.
 nitrogen—
  effect of sulphur in food. Chem. Cir. 37, p. 15. 1907; Chem. Bul. 84, Pt. III, pp. 890–912, 1019. 1907.
  experiments on effect on muscular work and food digestibility. Chas. E. Wait. O.E.S. Bul. 117, pp. 43. 1902.
  in 2-year-old steers. Sleeter Bull and H. S. Grindley. J.A.R., vol. 18, pp. 241–254. 1919.
 phosphoric-acid, effect of sulphur in food. Chem. Cir. 37, p. 15. 1907; Chem. Bul. 84, Pt. III. pp. 913–934, 1019. 1907.
 phosphorus—
  of lambs fed alfalfa hay, corn, and linseed meal. E. L. Ross and others. J.A.R., vol. 4, pp. 459–473. 1915.
  organic and inorganic, feeding experiment using phytin and sodium phosphates. F. C. Cook. Chem. Bul. 123, pp. 63. 1909.
 plant, temperature effects. W. E. Tottongham. J.A.R., vol. 25, pp. 13–30. 1923.
 solids balance, effect of sulphur in food. Chem. Bul. 84, Pt. III, pp. 996–1014. 1907.
 studies in pig feeding. J.A.R., vol. 9, pp. 407–409. 1917.
 sulphur, effects of sulphur in diet. Chem. Cir. 37, p. 15. 1907; Chem. Bul. 84, Pt. III, pp. 935–958, 1019. 1907.
 trials, feed-utilization experiments. B.A.I. Bul 128, pp. 66–69, 189–199. 1911.
 See also Katabolism.
Metallic road materials, sampling and testing, methods. D.B. 1216, pp. 84–93. 1924.
Metals—
 effect of gas fumigation. D.B. 893, pp. 9, 12. 1920.
 effect on butter, taste and flavor. B.A.I. Bul. 162, pp. 38–55. 1913.
 extraction from ores, and character of wastes. Chem. Bul. 113, rev., pp. 7–9. 1910.

INDEX TO PUBLICATIONS, 1901-1925 — 1499

Metals—Continued.
heavy—
determination in canned meat, method. Chem. Bul. 13, Pt. X, pp. 1411-1412. 1902.
determination in fruits and fruit products. Chem. Bul. 66, rev., pp. 30-31, 39-40. 1905.
in foods, report of associate referee and recommendations. Chem. Bul. 162, pp. 139-145, 164-165. 1913.
in fats, determination method. B.A.I. An. Rpt., 1909, pp. 272-273. 1911.
painting, preparation of surface. F.B. 474, pp. 12-13. 1911.
paints for, kinds and use. F.B. 1452, pp. 18-19, 23. 1925.
poisonous, on sprayed fruits and vegetables. W. D. Lynch and others. D.B. 1027, pp. 66. 1922.
process of extraction from ores. Chem. Bul. 113, pp. 5-6. 1908.
sampling and testing for roads materials. D.B. 1216, pp. 84-91. 1924.
testing, references. D.B. 949, p. 95. 1921.
tests for tension compression hardness. D.B. 1216, pp. 84-91. 1924.

Metamasius—
hemipterus—
enemy of banana plants. F.H.B. S.R.A. 71, p. 174. 1922.
See also Porto Rican weevils.
sericeus—
injury to sugar-cane. Vir. Is. A.R., 1920, pp. 27-28. 1921.
See also Sugar-cane borer.

Metaoxytoluic acid, presence in soil, and method of extraction. J.A.R., vol. 1, pp. 358-359, 362. 1914.

Metastrongylus apri. See Lungworm.

METCALF, HAVEN—
"Diseases of ornamental trees." Y.B., 1907, pp. 483-494. 1908; Y.B. Sep. 463, pp. 483-494. 1908.
"The chestnut bark disease." Y.B., 1912, pp. 363-372. 1913; Y.B. Sep. 598, pp. 363-372. 1913.
"The immunity of the Japanese chestnut to the bark disease." B.P.I. Bul. 121, Pt. VI, pp. 55-56. 1908.
"The present status of the chestnut bark disease." With J. Franklin Collins. B.P.I. Bul. 141, pp. 45-54. 1909.
"The control of the chestnut bark disease." With J. Franklin Collins. F.B. 467, pp. 24. 1911.

METCALFE, T. P.: "Pit silos." With George A. Scott. F.B. 825, pp. 14. 1917.

Meteorological—
conditions and records, Alaska, 1912. Alaska A.R., 1912, pp. 29, 34, 46-47, 57-58, 72-74, 89-96. 1913.
factors, effect on the growth of sorghums. J.A.R. vol. 13, pp. 133-148. 1918.
instruments, errors and lines along which improvement should be sought. C. F. Marvin. W.B. [Misc.], "Proceedings, third convention * * *," pp. 13-37. 1904.
observations, in Guam—
1918. Guam A.R., 1918, pp. 59-61. 1919.
1919. P. Nelson. Guam A.R., 1919, pp. 50-52. 1921.
1920. P. Nelson. Guam A.R., 1920, pp. 77-79. 1921.
1922. Guam A.R., 1922, p. 20. 1924.
relations to the blooming of wheat. J.A.R., vol. 27, pp. 240-242. 1924.
reports, Alaska, 1904-1905. O.E.S. Bul. 169, pp. 94-100. 1906.

Meteorologists, foreign, study of American Weather Service. An. Rpts., 1907, pp. 157-158. 1908.

Meteorology—
agricultural, work for farmers. An. Rpts., 1916, pp. 56-61. 1917; W.B. Chief Rpt., 1916, pp. 8-13. 1916.
and physical geography, course in. W. N. Allen. W.B. Bul. 39, pp. 35. 1911.
college course, discussion. G. A. Loveland. W.B. Bul. 31, pp. 90-92. 1902.
eclipse, and allied problems. Frank H. Bigelow. W.B. Bul. I, p. 166. 1902.
forms, discussion. E. A. Evans. W.B. Bul. 31, pp. 168-172. 1902.

Meteorology—Continued.
higher, in U. S. Weather Bureau. Frank H. Bigelow. W.B. Bul. 31, pp. 19-22. 1902.
laboratory work. Alexander G. McAdie. W.B. [Misc.], "Proceedings, third convention * * *," pp. 11-13. 1904.
lectures, discussion. J. Warren Smith. W.B. Bul. 31, pp. 92-98. 1902.
marine—
observers, instructions to. Henry L. Heiskell. W.B. [Misc.], "Instructions to marine * * *," pp. 48. 1908; 3d ed., pp. 68. 1910; 4th ed., pp. 99. 1925.
observers, instructions to. James Page. W.B. [Misc.], "Instructions to marine * * *," pp. 46. 1906.
service of U. S. W.B. [Misc.], "The marine meteorological service * * *," pp. 22. 1919.
observations in evaporation. J.A.R., vol. 10, pp. 237-242. 1917.
public schools, how much should be attempted, methods of teaching. F. P. Chaffee. W.B. Bul. 31, pp. 85-90. 1902.
reports, discussion. J. W. Bauer. W.B. Bul. 31, pp. 172-175. 1902.
statistics, by States, January-December, 1922. Y.B., 1922, pp. 1033-1044. 1923; Y.B. Sep. 887. pp. 1033-1044. 1923.
study in—
the New York State elementary schools, syllabus. Y.B., 1907, pp. 268-270. 1908; Y.B. Sep. 471, pp. 268-270. 1908.
universities and other institutions. W.B. [Misc.], "Proceedings, third convention * * *," pp. 165-210. 1904.
textbooks and reference books, brief list. C. Fitzhugh Talman. W.B. [Misc.], "Brief list of * * *," pp. 16. 1909; pp. 18. 1910; 3d ed., pp. 22. 1913.
training, need of. Sec. Cir. 153, p. 8. 1920.

Meteors, nature, velocity, and distance. Y.B., 1915, p. 318. 1916; Y.B. Sep. 680, p. 318. 1916.

Meteorus—
sp., parasite of huisache girdler. D.B. 184, p. 8. 1915.
versicolor—
introduction into New England. D.B. 204, p. 7. 1915.
parasitic growth on brown-tail moth, rearing, and life history. J.A.R., vol. 14, pp. 192, 201-205. 1918.
vulgaris, enemy of cabbage webworm. Ent. Bul. 109, Pt. III, pp. 31-32. 1912.

Meters—
cup current, behavior under field conditions. J.A.R., vol. 2, pp. 77-83. 1914.
current, use in irrigation canals, experiments. J.A.R., vol. 5, No. 6, pp. 217-232. 1915.

Methane—
ferment in cullulose destruction, studies. B.P.I. Bul. 266, pp. 15-22. 1913.
presence in animal gases, experiment in milk production. D.B. 1281, p. 12. 1924.

Methow River, water power. O.E.S. Bul. 214, p. 13. 1909.

Methow Valley irrigation projects, description. O.E.S. Bul. 214, pp. 27-30. 1909.

Methyl—
alcohol, use as denaturant. Chem. Bul. 130, pp. 77-79. 1910.
alcohol. See also Alcohol, wood.
anthranilate, presence in grape juices. F.B. Power and V. K. Chestnut. J.A.R., vol. 23, pp. 47-53. 1924.
salicylate, oils of wintergreen and birch. B.P.I. Bul. 195, p. 38. 1910.

Methylene blue, use in control of contagious abortion. S.R.S. Rpt., 1916, Pt. I, p. 127. 1918.

Metric—
measures, conversion tables. D.B. 949, p. 95. 1921.
weights and measures, comparison with customary. B.A.I. Doc. A-7, p. 37. 1916.

Metritis in—
cow, causes, symptoms and treatment. B.A.I. [Misc.], "Diseases of cattle," rev., pp. 220-222. 1904; rev., pp. 226-228. 1912; rev., pp. 224. 1923.
ewes, cause, symptoms, and treatment. F.B. 1155, p. 34. 1921.

1500 UNITED STATES DEPARTMENT OF AGRICULTURE

Metritis in—Continued.
  sow, cause, symptoms, and treatment. F.B. 1244, pp. 10–11. 1923.
Metroperitonitis in cow, causes, symptoms, and treatment. B.A.I. [Misc.], "Diseases of cattle," rev., pp. 220–222. 1904; rev., p. 226. 1912; rev., p. 224. 1923.
Metrosideros—
  spp. importations and description. Nos. 42851, 42852, B.P.I. Inv. 47, p. 74. 1920.
  tomentosa, importations and description. No. 47570, B.P.I. Inv. 59, p. 33. 1922; No. 51048, B.P.I. Inv. 64, pp. 3, 46. 1923.
Metternichia wercklei, introduction and description. B.P.I. Bul. 205, p. 42. 1911.
METTLER, A. J.: "Calcium, magnesium, and phosphorus in food, and nutrition." With others. O.E.S. Bul. 227, pp. 70. 1910.
METZGER, HUTZEL.: "Soil survey of McHenry County, N. Dak." With others. Soil Sur. Adv. Sh., 1921, pp. 45. 1925.
METZLER, L. F.: "Some factors affecting nitrate-nitrogen accumulation in soil." With P. L. Gainey. J.A.R., vol. 11, pp. 43–64. 1917.
Mexican—
  bean weevil. See Bean weevil, Mexican.
  beef, recipe for making. F.B. 391, p. 25. 1910.
  border, pink bollworm, control by fumigation, and fees. F.H.B.S.R.A. 71, p. 101. 1922.
  cotton boll weevil—
    information concerning. W. D. Hunter. F.B. 189, pp. 29. 1904.
    summary of investigation of insect up to December 31, 1911. Ent. Bul. 114, pp. 188. 1912.
    See also Boll Weevil.
  fruit fly. See Fruit fly, Mexican.;
  fruit worm. See Fruit worm, Mexican.
  grasses, some collections. F. Lamson-Scribner and Elmer D. Merrill. Agros. Bul. 24, pp. 55. 1901.
  plant, *Tecoma mollis* H. B. K., analysis. L. F. Kebler. Chem. Cir. 24, pp. 6. 1905.
  wheat, use of name for shallu sorghum. B.P.I. Cir. 50, p. 4. 1910.
Mexicana group of wood rats, description. N.A. Fauna 31, pp. 54–76. 1910.
Mexico—
  agricultural education, progress—
    1908. O.E.S. An. Rpt., 1908, p. 250. 1909.
    1909. O.E.S. An. Rpt., 1909, p. 267. 1910.
    1910. O.E.S. An. Rpt., 1910, p. 330. 1911.
    1911. O.E.S. An. Rpt., 1911, pp. 291–292. 1912.
    1912. O.E.S. An. Rpt., 1912, p. 293. 1913.
  agricultural statistics, 1905–1907. D.B. 987, p. 40. 1921.
  antelope in, number and distribution. D.B. 1346, pp. 61–64. 1925.
  as market for purebred cattle from the United States. D. E. Salmon. B.A.I. Bul. 41, pp. 28. 1901.
  avocado varieties. B.P.I. Bul. 77, pp. 24–25. 1905.
  bears of, description and characteristics. N.A. Fauna 41, pp. 34, 35, 61. 1918.
  border control inspection, of freight and vehicles. An. Rpts., 1923, pp. 618–619. 1924; F.H.B. An. Rpt., 1923, pp. 4–5. 1923.
  cactus, importance. An. Rpts., 1905, pp. 115–116. 1905.
  cattle—
    and sheep exports. Rpt. 109, pp. 71, 72, 221. 1916.
    quarantine on account of tick infestation. B.A.I.O. 179, pp. 2. 1911.
  citrus—
    gummosis, occurrence. J.A.R., vol. 24, pp. 193, 194. 1923.
    white flies, occurrence and description. J.A.R., vol. 6, No. 12, pp. 466, 469, 470, 471. 1916.
  cochineal industry, historical notes. Ent. Bul. 113, pp. 23–24. 1912.
  coffee production, exports. Stat. Bul. 79, pp. 10, 48–50. 1912.
  control of fruit fly in oranges, regulations. Ent. Cir. 160, pp. 16–17. 1912.
  corn production, map. Sec. [Misc.], Spec. "Geography * * * world's agriculture," p. 34. 1917.
  cotton lint into United States, amendment 1, reg. 13. F.H.B.S.R.A. 17, p. 49. 1915.

Mexico—Continued.
  cotton—
    production. Atl. Am. Agr. Adv. Sh., 4 Pt. V, Sec. A, p. 7. 1919.
    quarantine for bollworm control. F.H.B.S.R.A. 36, pp. 1–2. 1917.
    varieties, long staple and upland, introduction. F.B. 501, rev., pp. 17–18. 1920.
  date—
    growing, limitations. B.P.I. Bul, 53, pp. 134–136. 1904.
    palm, parlatoria injuries and remedy. Ent. Bul. 37, p. 107. 1902.
  explorations for fruit insects. F.H.B.S.B.A. 75, pp. 57–59. 1923.
  forest resources. For. Bul. 83, pp. 63–64. 1910.
  fruit production, exports, and imports, 1909–1912. D.B. 483, p. 10. 1917.
  fruits and vegetables, quarantine restrictions. F.H.B. Quar. 56, pp. 1, 5. 1923.
  fur animals, laws—
    1924–25. F.B. 1445, p. 22. 1924.
    1925–26. F.B. 1469, p. 27. 1925.
  game laws—
    1924–25. F.B. 1444, p. 35. 1924.
    1925–26. F.B. 1466, p. 42. 1925.
  goats—
    numbers, maps. Sec. [Misc.], Spec. "Geography * * * world's agriculture," p. 142. 1918.
    quarantine for Malta fever. Y.B., 1919, pp. 75–76. 1920; Y.B. Sep. 802, pp. 75–76. 1920.
  henequen growing. Y.B., 1911, p. 195. 1912; Y.B. Sep. 560, p. 195. 1912.
  honey—
    importation into the United States, analysis and composition. Chem. Bul. 154, pp. 7–9, 11, 13–16. 1912.
    shipments to United States. D.B. 685, pp. 33, 34. 1918.
  Imperial Valley, importation of cottonseed, seed cotton, and cottonseed hulls, quarantine regulations. F.H.B. Quar. 8, amdt. 4, pp. 5. 1917.
  livestock—
    importations from, regulations. B.A.—O. 266, pp. 18–21. 1919.
    statistics, numbers of cattle, sheep, and hogs. Rpt. 109, pp. 31, 37, 48, 51, 59, 62, 202, 213. 1916.
  Lower California—
    cotton, imports into United States, regulations. F.H.B.S.R.A. 38, pp. 15–22, 34, 35. 1917.
    exemption from cotton quarantine regulations. F.H.B. reg. 6, amdt. 1, p. 1. 1920.
    lumber competition with United States. Rpt. 114, p. 52. 1917.
  market for pure-bred beef cattle. B.A.I. Bul. 41, pp. 1–28. 1901.
  meat exports, statistics (and meat animals). Rpt. 109, pp. 71, 72, 75, 221, 229. 1916.
  northeastern, quail importation, regulation. Biol. S.R.A. 19, p. 1. 1918; Biol. S.R.A. 26, p. 1. 1919; Biol. S.R.A. 49, p. 1. 1922.
  northern, pink bollworm, press notice. F.H.B. S.R.A. 34, pp. 143–144. 1916.
  notes on mosquito destruction by chrysanthemum powder. Ent. Bul. 67, pp. 123–124. 1907.
  paddy rice shipments into United States, regulations. F.H.B. Quar. 55, pp. 2–3. 1923.
  pink bollworm—
    discovery and protective measures at border. Y.B., 1919, pp. 357–359. 1920. Y.B. Sep. 817, pp. 357–359. 1920.
    introduction. J.A.R., vol. 9, p. 345. 1917.
    investigations, report. U.C. Loftin and others. D.B. 918, pp. 64. 1921.
    origin and history. D.B. 723, pp. 1–5, 21–22, 24. 1918.
    quarantine regulations. F.H.B. Quar. 8, pp. 2. 1913.
    situation, November, 1917. F.H.B.S.R.A. 46, pp. 135–136. 1918.
  potato—
    importations from, regulations. F.H.B.S.R.A. 23, pp. 96–97. 1916.
    production, 1909–1913, 1921–1923. S.B. 10, p. 19. 1925.

Mexico—Continued.
  prairie dogs, descriptions. N.A. Fauna 40, pp. 21-23. 1916.
  quail importations into United States, regulations. Biol. S.R.A. 13, pp. 4. 1916.
  regulations governing admission of blooded cattle. B.A.I. Bul. 41, p. 14. 1902.
  rice rats, descriptions. N.A. Fauna 43, pp. 33-92. 1918.
  sheep numbers, 1902. Y.B., 1917, p. 493. 1918; Y.B. Sep. 751, p. 5. 1918.
  source of sisal and henequen fibers. D.B. 980, p. 2. 1920.
  States engaged in cattle raising. B.A.I. Bul. 41, pp. 5-6. 1902.
  sugar industry, 1903-1914. D.B. 473, pp. 24-25. 1917.
  tariff laws relating to purebred beef cattle. B.A.I. Bul. 41, p. 14. 1902.
  tick-infested horses, dipping and inspection before admission regulation. B.A.I.O. 142, amdt. 10. 1910.
  trade with United States. D.B. 296, pp. 5-48. 1915.
  Vera Cruz, yellow-fever eradication by mosquito work. Ent. Bul. 88, pp. 100-101. 1910.
  zacaton occurrence and growth habits. D.B. 309, pp. 4, 6-10. 1915.
MEYER, A. H.: "Soil survey of—
  Amite County, Miss." With others. Soil Sur. Adv. Sh., 1917, pp. 38. 1919; Soils F.O., 1917, pp. 833-866. 1923.
  Ashley County, Ark." With others. Soil Sur. Adv. Sh., 1913, pp. 39. 1914; Soils F.O., 1913, pp. 1185-1219. 1916.
  Berkeley County, S. C." With others. Soil Sur. Adv. Sh., 1916, pp. 42. 1918; Soils F.O., 1916, pp. 483-520. 1921.
  Carroll County, Ga." With others. Soil Sur. Adv. Sh., 1921, pp. 129-154. 1924.
  Cass County, Nebr." With others. Soil Sur. Adv. Sh., 1913, pp. 46. 1914; Soils F.O., 1913, pp. 1925-1966. 1916.
  Douglas County, Nebr." With others. Soil Sur. Adv. Sh., 1913, pp. 48. 1915; Soils F.O., 1913, pp. 1967-2010. 1916.
  Fayette County, Iowa." With others. Soil Sur. Adv. Sh., 1919, pp. 40. 1922; Soils F.O., 1919, pp. 1459-1494. 1925.
  Fillmore County, Nebr." With others. Soil Sur. Adv. Sh., 1916, pp. 24. 1918; Soils F.O., 1916, pp. 2121-2140. 1921.
  Gage County, Nebr." With others. Soil Sur Adv. Sh., 1914, pp. 42. 1916; Soils F.O., 1914, pp. 2323-2360. 1919.
  Geneva County, Ala." With others. Soil Sur. Adv. Sh., 1920, pp. 287-314. 1924; Soils F.O., 1920, pp. 287-314. 1925.
  Henry County, Iowa," With T. H. Benton. Soil Sur. Adv. Sh., 1917, pp. 32. 1919; Soils F.O., 1917, pp. 1655-1683. 1923.
  Jefferson County, Wis." With others. Soil Sur. Adv. Sh., 1912, pp. 58. 1914; Soils F.O., 1912, pp. 1555-1608. 1915.
  Kewaunee County, Wis." With others. Soil Sur. Adv. Sh., 1911, pp. 51. 1913; Soils F.O., 1911, pp. 1513-1559. 1914.
  Kimball County, Nebr." With others. Soil Sur. Adv. Sh., 1916, pp. 28. 1917; Soils F.O., 1916, pp. 2179-2202. 1921.
  Lafayette Parish, La." With N. M. Kirk. Soil Sur. Adv. Sh., 1915, pp. 32. 1916; Soils F.O., 1915, pp. 1051-1078. 1919.
  Linn County, Iowa." With others. Soil Sur. Adv. Sh., 1917, pp. 44. 1920; Soils F.O., 1917, pp. 1685-1724. 1923.
  Marshall County, Iowa." With E. I. Angell. Soil Sur. Adv. Sh., 1918, pp. 35. 1921; Soils F.O., 1918, pp. 1101-1131. 1924.
  Nemaha County, Nebr." With others. Soil Sur. Adv. Sh., 1914, pp. 38. 1916; Soils F.O., 1914, pp. 2289-2322. 1918.
  Pulaski County, Ga." Soil Sur. Adv. Sh., 1918, pp. 25. 1920; Soils F.O., 1918, pp. 513-533. 1924.
  Richardson County, Nebr." With others. Soil Sur. Adv. Sh., 1915, pp. 36. 1917; Soils F.O., 1915, pp. 2027-2058. 1919.
  Rockdale County, Ga." Soil Sur. Adv. Sh., 1920, pp. 537-553. 1923; Soils F.O., 1920, pp. 537-553. 1925.

MEYER, A. H.: "Soil survey of—Continued.
  St. Martin Parish, La." With B. H. Hendrickson. Soil Sur. Adv. Sh., 1917, pp. 32. 1919; Soils F.O., 1917, pp. 937-964. 1923.
  Saunders County, Nebr." With others. Soil Sur. Adv. Sh., 1913, pp. 52. 1915; Soils F.O., 1913, pp. 2011-2058. 1916.
  Seward County, Nebr." With others. Soil Sur. Adv. Sh., 1914, pp. 40. 1916; Soils F.O., 1914, pp. 2253-2287. 1919.
  Thurston County, Nebr." With others. Soil Sur. Adv. Sh., 1914, pp. 44. 1916; Soils F.O., 1914, pp. 2213-2252. 1919.
  Washington County, Tex." With others. Soil Sur. Adv. Sh., 1913, pp. 31. 1915; Soils F.O., 1913, pp. 1045-1071. 1916.
  Waukesha County, Wis." With others. Soil Sur. Adv. Sh., 1910, pp. 48. 1912; Soils F.O., 1910, pp. 1173-1216. 1912.
  Webster Parish, La." With others. Soil Sur. Adv. Sh., 1914, pp. 40. 1916; Soils F.O., 1914, pp. 1239-1274. 1919.
MEYER, A. J., report of Missouri extension work in agriculture and home economics—
  1915. S.R.S. An. Rpt., 1915, Pt. II, pp. 239-244. 1917.
  1916. S.R.S. An. Rpt., 1916, Pt. II, pp. 264-268. 1917.
  1917. S.R.S. An. Rpt., 1917, pp. 263-271. 1919.
MEYER, ARTHUR, theory of starch composition. O.E.S. Bul. 202, pp. 8-11. 1908.
MEYER, F. N.—
  agricultural explorations in—
    Asia, 1911. B.P.I. Bul. 242, pp. 7-8. 1912.
  the fruit and nut orchards of China. B.P.I. Bul. 204, pp. 62. 1911.
  "China, a fruitful field for plant exploration." Y.B., 1915, pp. 205-224. 1916; Y.B. Sep. 671, pp. 205-224. 1916.
  description of Tamopan persimmon, and use in China. Y.B., 1910, p. 435. 1911; Y.B. Sep. 549, p. 435. 1911.
  exploration(s)—
    for securing rare seeds and plants. B.P.I. Cir. 100, p. 18. 1912.
    in—
      Asia. Y.B., 1911, p. 421. 1912; Y.B. Sep. 580, p. 421. 1912.
      central Asia, 1911. An. Rpts., 1911, pp. 333-334. 1912; B.P.I. Chief Rpt., 1911, pp. 85-86. 1911.
      China and importations. B.P.I. Inv. 53, pp. 5-6. 1922.
      China and Siberia. An. Rpts., 1908, pp. 40-41, 389-390. 1909; B.P.I. Chief Rpt., 1908, pp. 121-122. 1908; Rpt. 87, p. 23. 1908.
      Russia and Siberia. An. Rpts., 1912, pp. 421-422. 1913; B.P.I. Chief Rpt., 1912, pp. 41-42. 1912.
  notes on kaoliangs, cultivation and uses. B.P.I. Bul. 253, pp. 11-13, 16-19, 21, 33-37, 39-40, 42. 1913.
  seed collection unfinished at time of his death. Nos. 46390-46456, B.P.I. Inv. 56, pp. 3, 15-17. 1922.
  seeds sent from Russia to Bureau of Plant Industry. B.P.I. Bul. 223, pp. 52-53. 1912.
  work on bamboo growing and use. D.B. 1329, pp. 2, 24. 1925.
MEYER, H. F.: "Marketing creamery butter." With Roy C. Potts. D.B. 456, pp. 38. 1917.
MEYNES, A. M.: "Forest statistics." With others. Y.B., 1922, pp. 931-948. 1923; Y.B. Sep. 889, pp. 931-948. 1923.
Mezereon, American. See Moosewood.
Mezium americanum, food habits. D.B. 737, p. 7. 1919.
"Meznoon," disease of date palms caused by alkali excess. B.P.I. Bul 53, p. 116. 1904.
Mezoneurum scortechinii, importation and description. No. 51253, B.P.I. Inv. 64, p. 80 1923.
Miami—
  clay loam—
    areas, uses, and crop yields. Y.B., 1911, pp. 224-225, 235. 1912; Y.B. Sep. 563, pp. 224 225, 235. 1912.
    soils of the eastern United States and their use—
      IX. Jay A. Bonsteel. Soils Cir. 31, pp. 17. 1911.

Miami—Continued.
 soils series, description, location, and crop adaptations. D.B. 142, pp. 59. 1914.
 Subtropical Plant Introduction Field Station, papaya growing. B.P.I. Cir. 119, pp. 5–8, 11. 1913.
Miana bug, of Persia, dangerous effects. Ent. Cir. 170, p. 4. 1913; Rpt. 108, p. 63. 1915.
Miaray, importation and description. No. 46732, B.P.I. Inv. 57, p. 26. 1922.
Mibora minima, description. D.B. 772, p. 133. 1920.
Mica—
 description and composition. Rds. Bul. 37, pp. 16, 19, 27. 1911.
 occurrence in soils. D.B. 122, pp. 17–27. 1914.
Micaceous minerals, potash availability, investigations, review. J.A.R., vol. 14, pp. 297–298. 1918.
Mice—
 American—
  genus *Peromyscus*, revision. Wilfred H. Osgood. N.A. Fauna 28, pp. 285. 1909.
  harvest, revision. (Genus *Reithrodontomys.*) Arthur H. Howell. N.A. Fauna 36, pp. 97. 1914.
  burrows in field, obliteration, directions. F.B. 352, pp. 17–18. 1909.
  canyon, varieties, description and occurrence. N.A. Fauna 28, pp. 229–234. 1909.
  cliff, description. F.B. 335, p. 15. 1908.
  control—
   by hydrocyanic-acid gas fumigation. Ent. Cir. 163, p. 2. 1912.
   directions. F.B. 1180, p. 29. 1921.
   important measures, summary. F.B. 896, pp. 22–23. 1917.
   in—
    buildings. F.B. 932, p. 20. 1918.
    fields and orchards. Off. Rec., vol. 3, No. 34, p. 6. 1924.
    forest nuseries. D.B. 479, pp. 76, 77, 78. 1917.
    orchards. F.B. 1360, pp. 47–48. 1924.
  cotton, description. N.A. Fauna 28, pp. 135–141. 1909.
  deer. *See* Mice, white-footed.
  depredations in cities, cost. Biol. Bul. 33, pp. 30–31. 1911.
  destruction—
   by crows. D.B. 621, pp. 39, 66, 89. 1918.
   by fumigation with hydrocyanic-acid gas. F.B. 699, p. 2. 1916.
   methods—
    in Montana. Biol. Cir. 82, p. 8. 1911.
    traps, poisons and other means. F.B. 896, pp. 11–20. 1917.
   of cattle ticks. Ent. Bul. 72, p. 37. 1907.
  feeding ash-free foods, experiments. Chem. Bul. 123, p. 19. 1909.
  feeding with Ascaris eggs, experiments and results. J.A.R., vol. 11, pp. 395–398. 1917.
  field—
   control by natural means. Y.B., 1908, pp. 303–305. 1909; Y.B. Sep. 482, pp. 303–305. 1909.
   control—
    in orchards. Biol. Chief Rpt., 1924, pp. 12–13. 1924.
    measure. F.B. 352, pp. 13–21. 1909.
    natural enemies and active measures. Biol. Bul. 31, pp. 37–60. 1907.
   damages—
    in Nevada, 1907–8. F.B. 352, pp. 1–23. 1909.
    to crops, lawns, forest trees, etc. Biol. Bul. 31, pp. 13, 17, 19, 21, 22–37. 1907.
   destruction of crops, 1908. Rpt. 87, pp. 56–57. 1908.
   destructive outbreak in Nevada, control methods. Y.B., 1908, p. 113. 1909.
   economic study. David E. Lantz. Biol. Bul. 31, pp. 64. 1907.
   farm and orchard pests, description and control. F.B. 670, pp. 1–10. 1915
   natural enemies—
    among birds and mammals. F.B. 352, pp. 21–22. 1909.
    importance of protection. F.B. 670, pp. 9–10. 1915.
    prevention and destruction. F.B. 405, pp. 8–9. 1910.

Mice—Continued.
 fleas, agency in spread of bubonic plague. F.B. 897, p. 9. 1917.
 genera *Heteromys* and *Liomys*, revision. Edward A. Goldman. N.A. Fauna 34, pp. 70. 1911.
 genus—
  Heteromys, generic characters. N.A. Fauna 34 pp. 14–15. 1911.
  Liomys, subgenera and minor groups with type localities. N.A. Fauna 34, pp. 11–12. 1911.
  Peromyscus, habits and economic status. N.A. Fauna 28, pp. 26–28. 1909.
 golden, northern and southern, description and occurrence. N.A. Fauna 28, pp. 224–226. 1909.
 grasshopper, in Idaho, occurrence in Colorado and description. N.A. Fauna 33, p. 102. 1911.
 harvest—
  description—
   and habits. N.A. Fauna 45, pp. 43–44. 1921.
   distribution, and characters of different species. N.A. Fauna 36, pp. 19–81. 1914.
   harmful habits, control. F.B. 335, p. 16. 1908.
   generic characters. N.A. Fauna 36, pp. 13–14. 1914.
   habits, economic status, and food. N.A. Fauna 36, pp. 10–12. 1914.
 house—
  control. Y.B., 1916, p. 396. 1917; Y.B. Sep. 708, p. 16. 1917.
  control work, 1917. An. Rpts., 1917, pp. 254–255. 1917; Biol. Chief Rpt., 1917, pp. 4–5. 1917.
  description, and habits. N.A. Fauna 45, p. 59. 1921.
  distribution and destructiveness. Biol. Bul. 33, pp. 11, 30. 1909; F.B. 484, pp. 30–31. 1912.
  habits and control. F.B. 335, p. 16. 1908; F.B. 896, pp. 1–24. 1917.
  occurrence in—
   Colorado and description. N.A. Fauna 33, pp. 99–100. 1911.
   Montana. Biol. Cir. 82, p. 16. 1911.
  in corncribs, protection against. F.B. 313, p. 27. 1907.
  infestation by mites. Rpt. 108, pp. 74–75, 85, 86, 87. 1915.
  injury to—
   cottonwood trees. D.B. 24, p. 15. 1913.
   orchards, and destruction by birds. Y.B. 1900, p. 299. 1901.
   seed of yellow pine. D.B. 1105, p. 134. 1923.
   trees. F.B. 710, pp. 2–3, 7. 1916; Y.B., 1907, pp. 332–333. 1908; Y.B. Sep. 452, pp. 332–333. 1908.
  inoculation with *Bacillus necrophorus*, experiments. B.A.I. An. Rpt., 1904, p. 110. 1905; B.A.I. Bul. 63, pp. 24–25. 1905; B.A.I. Bul. 67, pp. 25. 1905.
 jumping—
  Athabaska-Mackenzie region, varieties and description. N.A. Fauna 27, pp. 196–197. 1908.
  occurrence in—
   Colorado and descriptions. N.A. Fauna 33, pp. 148–149. 1911.
   Montana. Biol. Cir. 82, p. 19. 1911.
 lupine poisoning, laboratory experiments. D.B. 405, pp. 25–28. 1916.
 meadow—
  breeding, feeding, and life habits. Vernon Bailey. J.A.R., vol. 27, pp. 523–536. 1924.
  characters, variations with sex and age. J.A.R. vol. 28, pp. 977–1016. 1924.
  control by natural enemies and by cultural methods. J.A.R., vol. 27, p. 533. 1924.
  description—
   and control. F.B. 335, pp. 10–12. 1908.
   distribution, injuries, and control. F.B. 484, pp. 32–34. 1912; F.B. 670, pp. 1–4, 7–10. 1915; F.B. 932, pp. 4–7. 1918.
  destruction methods. Y.B., 1905, pp. 373–375. 1906.
  enemies. Y.B., 1905, pp. 370–373. 1906; Y.B. Sep. 388, pp. 370–373. 1906.
  habits and control. Y.B., 1916, pp. 383–385. 1917; Y.B. Sep. 708, pp. 3–5. 1917.

INDEX TO PUBLICATIONS, 1901-1925   1503

Mice—Continued.
 meadow—continued.
  life histroy, habits and control. J.A.R., vol. 27, pp. 524-534. 1924.
  methods of destruction. Y.B., 1905, pp. 373-375. 1906; Y.B. Sep. 388, pp. 373-375. 1906.
  occurrence in Montana, host of fever tick, destruction methods. Biol. Cir. 82, p. 17. 1911.
  poisoning, directions. Y.B., 1908, p. 431. 1909; Y.B. Sep. 491, p. 431. 1909.
  range, habits, and description. Biol. Bul. 31, pp. 15-18. 1907.
  relation to agriculture and horticulture. D. E. Lantz. F.B. 1905, pp. 363-376. 1906; Y.B. Sep. 388, pp. 363-376. 1906.
  uses. J.A.R. vol. 27, p. 534. 1924.
  variations, individual and age. J.A.R., vol. 28, pp. 977-1016. 1924.
  See also Mice, field.
 occurrence in—
  Alabama, description and habits. N.A. Fauna 45, pp. 43-50, 54-55, 59. 1921.
  Alaska. N.A. Fauna 30, pp. 23-26. 1909.
  Colorado, and description. N.A. Fauna 33, pp. 99-111, 120-125. 1911.
  Pribilof Islands. N.A. Fauna 46, p. 113. 1923.
  Texas, habits. N.A. Fauna 25, pp. 92-107. 1905.
  Wyoming. N.A. Fauna 42, pp. 16, 19, 20, 22, 24, 25, 26, 33, 34, 43, 48, 51. 1917.
 parasites, varieties, description and occurrence. N.A. Fauna 28, pp. 234-238. 1909.
 pine—
  description—
   and control. F.B. 932, pp. 5-7. 1918.
   distribution, injuries, and control. F.B. 670, pp. 4-10. 1915.
  habits and control. Y.B. 1916, pp. 383-385. 1917; Y.B. Sep. 708, pp. 3-5. 1917.
  range, habits, and description. Biol. Bul. 31, pp. 19-22. 1907.
 pocket—
  description, habits, control. F.B. 335, p. 21. 1908; N.A. Fauna 25, pp. 135-143. 1905.
  occurrence in Colorado, and descriptions. N.A. Fauna 33, pp. 143-148. 1911.
 prairie, range, habits, and description. Biol. Bul. 31, pp. 18-19. 1907.
 range and habits. N.A. Fauna 21, pp. 17, 28-30, 59, 64, 66. 1901; N.A. Fauna 22, pp. 49-51, 58. 1902; N.A. Fauna 24, pp. 33-38. 1904.
 red-backed, description. N.A. Fauna 27, pp. 178-181. 1908.
 red-backed, occurrence in Montana. Biol. Cir. 82, p. 17. 1911.
 septicemia, inoculation study. B.A.I. Bul. 36, p. 18. 1902.
 short-tailed field, description, habits, and control. Y.B., 1908, pp. 305-308. 1909; Y.B. Sep. 482, pp. 305-508. 1909.
 spiny pocket, revision. (Genera Heteromys and Liomys.) Edward A. Goldman. N.A. Fauna 34, pp. 70. 1911.
 studies for southern rural schools. D.B. 305, p. 34. 1915.
 susceptibility to avian tuberculosis, and means of spread. F.B. 1200, p. 11. 1921.
 trapping—
  directions. F.B. 1397, p. 9. 1924; Y.B., 1919, pp. 452-454. 1920; Y.B. Sep. 823, pp. 452-454. 1920.
  in houses, methods. News L., vol. 4, No. 48, p. 8. 1917.
 tree girdling. F.B. 1369, pp. 1, 2, 6, 18. 1923.
 use in testing medicines. Chem. Bul. 122, p. 103. 1909.
 white-footed—
  as tick hosts. F.B. 484, p. 30. 1912.
  description and—
   control. F.B. 932, p. 7. 1918.
   habits. N.A. Fauna 45, pp. 46-48. 1921.
  distribution, habits, and control. F.B. 484, pp. 29-30. 1912; Y.B., 1916, pp. 385-386. 1917; Y.B. Sep. 708, pp. 5-6. 1917.
  occurrence in Montana. Biol. Cir. 82, p. 16. 1911.
  poison formula. For. Bul. 98, p. 38. 1911.
  varieties, description, harmful habits, and control. F.B. 335, pp. 14-15. 1908.
 See also Mouse.

MICHAEL, L. G. "Agricultural survey of Europe. The Danube Basin, Pt. I." D.B. 1234, pp. 111. 1924.
Michai, importation, and description. No. 35924. B.P.I. Inv. 36, pp. 26-27. 1915.
Michelia—
 cathcartii, importation and description. No. 39125, B.P.I. Inv. 40, p. 79 1917; No. 41814. B.P.I. Inv. 46, p. 24. 1919.
 champaca. See Champac.
 spp., importations and descriptions. Nos. 37881, 38288-38289, B.P.I. Inv. 39, pp. 62, 113. 1917; Nos. 47730-47732, B.P.I. Inv. 59, p. 52. 1922; Nos. 55689-55691, B.P.I. Inv. 72, pp. 3, 19. 1924.
MICHENER, C. B.—
 "Diseases of the digestive organs." B.A.I. [Misc.], "Diseases of the horse," rev., pp. 34-74. 1903; rev., pp. 34-74. 1907; rev., pp. 34-74. 1911; rev., pp. 49-94. 1916; rev., pp. 49-94. 1923.
 "Methods of administering medicines." B.A.I [Misc.], "Diseases of the horse," rev., pp. 28-33. 1903; rev., pp. 28-33. 1907; rev., pp. 28-33. 1911; rev., pp. 44-48. 1916; rev., pp. 44-48. 1923.
 "Wounds and their treatment." B.A.I. [Misc.], "Diseases of the horse," rev., pp. 459-481. 1903; rev., pp. 459-481. 1907; rev., pp. 459-481. 1911; rev., pp. 484-506. 1916; rev., pp. 484-506. 1923
Michigan—
 acid soils, studies and analyses. J.A.R., vol. 11, pp. 660-671. 1917.
 acreage reversion to State. Off. Rec. vol. 1, No. 7, p. 5. 1922.
 agricultural—
  college—
   and experiment station, organization, 1905 O.E.S. Bul. 161, pp. 35-36. 1905.
   and experiment station, organization, 1906 O.E.S. Bul. 176, pp. 39-41. 1901.
   and experiment station, organization, 1907. O.E.S. Bul. 197, pp. 42-44. 1908.
   and experiment station, organization, 1910. O.E.S. Bul. 224, pp. 35-37. 1911.
   and experiment station, organization, 1911 O.E.S. Bul. 247, pp. 37-38. 1912.
   historical data. O.E.S. An. Rpt., 1909, pp. 290-291. 1910.
   teachers' courses. O.E.S. Cir. 118, p. 17. 1913.
   See also Agriculture, workers, list.
  education, progress, 1912. O.E.S. An. Rpt., 1912, pp. 325-326. 1913.
  extension work, statistics. D.C. 253, pp. 5, 8, 10-11, 17, 18. 1923.
  high school. O.E.S. Cir. 83, p. 22. 1909.
  secondary schools, 1909. O.E.S. An. Rpt., 1909, p. 313. 1910.
 alfalfa variety tests, and results. B.P.I. Bul. 169, pp. 18-21. 1910.
 alsike clover growing. F.B. 1151, pp. 21, 23. 1920.
 Amber township, picnic grove and hall. F.B. 1388, pp. 18-20. 1924.
 anthracnose outbreaks. D.B. 727, p. 9. 1918.
 apple—
  growing, region, varieties, and production. D.B. 485, pp. 6, 20, 44-47. 1917; Y.B., 1918, pp. 370, 373, 378. 1919; Y.B. Sep. 767, pp. 6, 9, 14. 1919.
  production, 1899 and 1909. D.B. 140, p. 36. 1915.
  tree spotted borer, occurrence and records. D.B. 886, pp. 1-4, 7, 9. 1920.
 balsam-fir, occurrence, yield, and uses. D.B. 55, pp. 7, 11. 1914.
 barberry occurrence and eradication work. D.C. 188, pp. 15-18, 27-28. 1921.
 barley crops, 1866-1906, acreage, production, and value. Stat. Bul. 59, pp. 7-26, 31. 1907.
 bean clubs, seed improvement demonstrations. D.C. 152, p. 10. 1921.
 bee—
  and honey statistics. D.B. 685, pp. 7-31. 1918; D.B. 325, pp. 3, 9, 10, 11, 12. 1915.
  diseases, occurrence. Ent. Cir. 138, p. 12. 1911.
 beet-sugar industry, progress—
  1900. Rpt. 69, pp. 46-51, 65-66. 1901.
  1903. [Misc.], "Progress of the beet-sugar industry * * *, 1903." pp. 31-35, 139-147. 1904.

Michigan—Continued.
  beet-sugar industry, progress—continued.
    1904. Rpt. 80, pp. 61-64, 112-124. 1905.
    1906. Rpt. 84, pp. 75-86. 1907.
    1907. Rpt. 86, pp. 47-53, 75. 1908.
    1908. Rpt. 90, pp. 6, 19-22, 31-37, 47-48, 52. 1909.
    1909. Rpt. 92, pp. 31-36. 1910.
    1910-1911. B.P.I. Bul. 260, pp. 15, 21, 22, 29, 30, 69, 72. 1912.
    1912-1917. Sec. Cir. 86, p. 17. 1918.
    1916-1917. D.B. 721, pp. 2-5, 34. 1918.
  Benton Harbor, orchard spraying experiments. D.B. 938, pp. 15-16. 1921.
  bird—
    protection. See Bird protection, officials.
    reservations, details and summary. Biol. Cir. 87, pp. 9, 10, 16. 1912.
  boy and girl members of farm bureaus. News L., vol. 6, No. 50, p. 7. 1919.
  bounty laws, 1907. Y.B., 1907, p. 562. 1908; Y.B. Sep. 473, p. 562. 1908.
  buckwheat crops, 1866-1906, acreage, production, and value. Stat. Bul. 61, pp. 5-17, 21. 1908.
  butter analyses. B.A.I. Bul. 149, p. 16. 1912.
  cabbage, production, acreage, yield, and shipments. D.B. 1242, pp. 9, 14-26, 47, 51-54. 1924.
  cantaloupe shipments, 1914. D.B. 315, pp. 17, 19. 1915.
  cedar nursery blight. J.A.R., vol. 10, p. 537. 1917.
  Centerville community house, description and plans. F.B. 1173, p. 21. 1921.
  cement factories, potash content and loss. D.B. 572, p. 5. 1917.
  cherry growing, importance. D.B. 350, pp. 2,3. 1916; F.B. 776, p. 4. 1916.
  clearing land, work with picric acid. An. Rpts., 1923, p. 492. 1923; Rds. Chief Rpt., 1923, p. 30. 1923.
  codling moth, life history, studies. A. G. Hammar. Ent. Bul. 115, Pt. I, p. 86. 1912.
  community fair and athletic field, description. F.B. 1388, pp. 15-16. 1924.
  convict road-work, laws. D.B. 414, p. 203. 1916.
  cooperative—
    associations, statistics, details, and laws. D.B. 547, pp. 13, 15, 30, 45, 70. 1917.
    bull associations, number and work. Y.B., 1916, pp. 311, 314, 318. 1917; Y.B. Sep. 718, pp. 1, 4, 8. 1917.
  corn—
    borer—
      distribution. F.B. 1294, pp. 2, 3, 32. 1922.
      quarantine, 1921. F.H.B. Quar. 43, rev., pp. 1, 2, 3. 1921; F.H.B. Quar. 43, amdt. 3, p. 2. 1922.
    crops—
      1866-1906, acreage, production, and value. Stat. Bul. 56, pp. 7-27, 32. 1907.
      1866-1915, yields, and prices. D.B. 515, p. 9. 1917.
    growing, practices and farm conditions in Kalamazoo County. D.B. 320, pp. 32-34. 1916.
    hybrids, first-generation, experiments. B.P.I. Bul. 191, pp. 10-12. 1910.
    production, movements, consumption, and prices. D.B. 696, pp. 15, 16, 20, 28, 29, 33, 36, 38, 41, 48. 1918.
  counties named as modified accredited areas for tuberculosis. B.A.I.O. 283, p. 1. 1923.
  cow-testing association—
    number of cows, profit per cow, 1906, 1913. News L., vol. 2, No. 41, p. 1. 1915.
    organization and record for four years. B.A.I. An. Rpt., 1909, pp. 107, 109-110. 1911; B.A.I. Cir. 179, pp. 107, 109-110. 1911.
  credit, farm-mortgage loans, costs and sources. D.B. 384, pp. 2, 3, 4, 7, 8, 9, 10, 13. 1916.
  crop planting and harvesting dates, important crops. Stat. Bul. 85, pp. 22, 34, 42, 56, 68, 78, 87. 1912.
  crow roosts, location and numbers of birds. Y.B., 1915, p. 93. 1916; Y.B. Sep. 659, p. 93. 1916.
  cucumbers, growing in greenhouses. F.B. 1320, p. 1. 1923.
  cut-over lands—
    sales methods. Off. Rec., vol. 2, No. 34, p. 3. 1923

Michigan—Continued.
  cut-over lands—continued.
    undeveloped—
      1915. Y.B., 1915, p. 151. 1916; Y.B. Sep. 664, p. 151. 1916.
      1922. Y.B., 1922, p. 87. 1923; Y.B. Sep. 888, p. 87. 1923.
  dairy—
    and livestock associations, types of cooperation. D.B. 547, pp. 1-45. 1917.
    farms—
      methods and labor requirements, studies. D.B. 423, pp. 2-10. 1916.
      milk production cost, data. D.B. 501, pp. 2, 5, 7, 10, 11, 15, 17, 18, 27, 28. 1917.
      renting practices, studies. F.B. 1272, pp. 4. 23. 1922.
  definition of game bird. Biol. Bul. 12, rev., p. 20. 1902.
  demurrage provisions, regulations. D.B. 191, pp. 3, 14, 26. 1915.
  Detroit, market milk business in 1915. Clarence E. Clement and Gustav P. Warber. D.B. 639, pp. 28. 1918.
  dewberry growing, varieties and methods. F.B. 728, pp. 2, 11, 12. 1916.
  drainage of swamp lands, 1898-1917, cost. Y.B., 1918, p. 140. 1919; Y.B. Sep. 781, p. 6. 1919.
  drug laws, 1906. Chem. Bul. 98, pp. 98-103. 1906; rev., Pt. I, pp. 152-158. 1909.
  early settlement, historical notes. See Soil surveys for various counties and areas.
  Experiment Station—
    sugar-beet experiments, 1900. Chem. Bul. 64. pp. 17-18. 1901.
    1902. Chem. Bul. 78, pp. 14-16, 34. 1903.
    work and expenditures—
      1906. C. D. Smith. O.E.S. An. Rpt., 1906, pp. 117-119. 1907.
      1907. C. D. Smith. O.E.S. An. Rpt., 1907, pp. 118-121. 1908.
      1908. R. S. Shaw. O.E.S. An. Rpt., 1908, pp. 114-116. 1909.
      1909. R. S. Shaw. O.E.S. An. Rpt., 1909, pp. 125-128. 1910.
      1910. R. S. Shaw. O.E.S. An. Rpt., 1910, pp. 163-166. 1911.
      1911. R. S. Shaw. O.E.S. An. Rpt., 1911, pp. 130-133. 1912.
      1912. R. S. Shaw. O.E.S. An. Rpt., 1912, pp. 137-140. 1913.
      1913. R. S. Shaw. O.E.S. An. Rpt., 1913, pp. 54-55. 1915.
      1914. R. S. Shaw. O.E.S. An. Rpt., 1914, pp. 135-139. 1915.
      1915. R. S. Shaw. S.R.S. Rpt., 1915, Pt. I, pp. 149-154. 1916.
      1916. R. S. Shaw. S.R.S. Rpt., 1916, Pt. I, pp. 151-156. 1918.
      1917. R. S. Shaw. S.R.S. Rpt., 1917, Pt. I. pp. 146-152. 1918.
      1918. S.R.S. An. Rpt., 1918, pp. 30, 33, 36, 40, 46, 60, 64, 66, 70-80. 1920.
    work on sunflower silage. D.B. 1045, pp. 9, 22, 23. 1922.
  extension work—
    funds allotment, and county-agent work. S.R.S. Doc. 40, pp. 4, 6, 10, 16, 23, 25, 28. 1918.
    in agriculture and home economics—
      1915. R. J. Baldwin. S.R.S. Rpt., 1915, Pt. II, pp. 228-234. 1916.
      1916. R. J. Baldwin. S.R.S. Rpt., 1916, Pt. II, pp. 249-257. 1917.
      1917. R. J. Baldwin. S.R.S. Rpt., 1917, Pt. II, pp. 251-258. 1919.
    statistics. D.C. 306, pp. 3, 6, 10, 14, 20, 21. 1924.
  fairs, number, kind, location, and dates. Stat. Bul. 102, pp. 13, 14, 37-39. 1913.
  farm(s)—
    animals, statistics, 1867-1907. Stat. Bul. 64, p. 115. 1908.
    conditions, letters from women. Rpt. 103, pp. 12, 16, 25, 38, 40, 43, 58, 63, 77. 1915; Rpt. 104, pp. 10, 17, 25, 32, 37, 46, 55, 58, 66, 76. 1915; Rpt. 105, pp. 13, 25, 27, 31, 38, 49, 55, 57, 58, 65. 1915; Rpt. 106, pp. 10, 28, 47, 59, 60, 64. 1915.
    feed cost, studies. Y.B., 1915, p. 117. 1916; Y.B. Sep. 661, p. 117. 1916.

INDEX TO PUBLICATIONS, 1901-1925   1505

Michigan—Continued.
 farm(s)—continued.
  leases, provisions. D.B. 650, pp. 8, 16, 19, 28. 1918.
  sandy-land, management, with Indiana. J. A. Drake. F.B. 716, pp. 29. 1916.
  values—
   changes, 1900-1905. Stat. Bul. 43, pp. 11-17, 29-46. 1906.
   income and tenancy classification. D.B. 1224, p. 98. 1924.
 farmers—
  buying purebred dairy stock. News L., vol. 6, No. 46, p. 3. 1919.
 institutes—
  history. O.E.S. Bul. 174, p. 49. 1906.
  laws. O.E.S. Bul. 135, pp. 19-20. 1903.
  legislation. O.E.S. Bul. 241, pp. 24-26. 1911.
  work, 1902. O.E.S. Bul. 120, p. 35. 1902.
  work, 1904. O.E.S. Rpt., 1904, pp. 647-648. 1905.
  work, 1906. O.E.S. Rpt., 1906, p. 335. 1907.
  work, 1907. O.E.S. Bul. 199, pp. 22-23. 1908.
  work, 1908. O.E.S. An. Rpt., 1908, pp. 315-317. 1909.
  work, 1909. O.E.S. An. Rpt., 1909, p. 346. 1910.
  work, 1910. O.E.S. An. Rpt., 1910. p. 407. 1911.
  work, 1911. O.E.S. An. Rpt., 1911, p. 373. 1912.
  work, 1912. O.E.S. An. Rpt., 1912, p. 366. 1913.
 farming on cut-over lands with Wisconsin and Minnesota. J. C. McDowell and W. B. Walker. D.B. 425, pp. 24. 1916.
 fertilizer prices, 1919, by counties. D.C. 57, pp. 4, 5, 8-9. 1919.
 field work of Plant Industry, December, 1924. M.C. 30, pp. 28-29. 1925.
 flax acreage, 1899, 1909, 1913. D.B. 322, p. 4. 1916.
 food laws—
  1903. Chem. Bul. 83, Pt. I, pp. 57-62. 1904.
  1905. Chem. Bul. 69, rev., Pt. IV, pp. 273-308. 1906.
  1907. Chem. Bul. 112, Pt. I, p. 112. 1908.
 food legislation, 1904. Chem. Cir. 16, pp. 11, 22, 28. 1904.
 foot-and-mouth disease quarantine area, 1915. B.A.I.O. 234, p. 5. 1915, B.A.I.O. 234, amdt. 1, p. 3. 1915; B.A.I.O. 234, amdt, 2, p. 3. 1915; B.A.I.O. 238, p. 5. 1915; B.A.I.O. 238, amdt. 1, p. 2. 1915; B.A.I.O. 238, amdt. 7, p. 3. 1915.
 forest—
  acreage owned by State. D.B. 364, p. 9. 1916.
  area, 1918. Y.B., 1918, p. 717. 1919; Y.B. Sep. 795, p. 53. 1919.
  fires, statistics. For. Bul. 117, p. 30. 1912.
  legislation, 1907. Y.B., 1907, p. 575. 1908; Y.B. Sep. 470, p. 15. 1908.
  planting conditions and suggestions. D.B. 153, pp. 4, 11, 20, 27, 30, 33-35. 1915.
  reserves—
   State. For. Bul. 114, p. 36. 1912.
   See also Forests, national.
 forestry laws, 1921, summary. D.C. 239, pp. 14-15. 1922.
 funds for cooperative extension work, sources. S.R.S. Doc. 40, pp. 4, 5, 9, 16. 1917.
 fur animals, laws—
  1915. F.B. 706, p. 9. 1916.
  1916. F.B. 783, pp. 10-11, 27. 1916.
  1917. F.B. 911, pp. 13-31. 1917.
  1918. F.B. 1022, pp. 13. 1918.
  1919. F.B. 1079, pp. 4, 16. 1919.
  1920. F.B. 1165, pp. 14-15. 1920.
  1921. F.B. 1238, pp. 13-14. 1921.
  1922. F.B. 1293, p. 11. 1922.
  1923-24. F.B. 1387, p. 14. 1923.
  1924-25. F.B. 1445, p. 11. 1924.
  1925-26. F.B. 1469. p. 14. 1925.
 game—
  laws—
   1902. F.B. 160, pp. 16, 32, 41, 45. 1902.
   1903. F.B. 180, pp. 11, 23, 33, 44, 55. 1903.
   1904. F.B. 207, pp. 20, 34, 40, 44, 50, 60. 1904.
   1905. F.B. 230, pp. 10, 18, 31, 38, 44. 1905.
   1906. F.B. 265, pp. 17, 30, 37, 44. 1906.
   1907. F.B. 308, pp. 7, 15, 29, 36, 43. 1907.

Michigan—Continued.
 game—continued.
  laws—continued.
   1908. F.B. 336, pp. 17, 32, 40, 44, 51. 1908.
   1909. F. B. 376, pp. 6, 12, 17, 22, 34, 39, 43, 48. 1909.
   1910. F.B. 418, pp. 16, 27, 33, 36, 42. 1910.
   1911. F.B. 470, pp. 11, 20, 32, 38, 41, 48. 1911.
   1912. F.B. 510, pp. 4, 6, 8, 10, 16, 25-26, 28, 32, 34, 37, 39, 44. 1912.
   1913. D.B. 22, pp. 13, 20, 27, 40, 45, 49, 54. 1913; rev., pp. 13, 19, 20, 27, 40, 45, 49, 54. 1913.
   1914. F.B. 628, pp. 10, 11, 13, 19, 28-29, 31, 36, 37, 41, 43, 48. 1914.
   1915. F.B. 692, pp. 2, 3, 4, 5, 6, 7, 11, 29, 41, 47, 50, 52, 59. 1915.
   1916. F.B. 774, pp. 26, 39, 45, 49, 51, 59. 1916.
   1917. F.B. 910, pp. 22, 48, 51. 1917.
   1918. F.B. 1010, pp. 4, 6, 20, 46. 1918.
   1919. F.B. 1077, pp. 22, 49, 55. 1919.
   1920. F.B. 1138, pp. 24-25. 1920.
   1921. F.B. 1235, pp. 26. 1921.
   1922. F.B. 1288, pp. 6, 22, 53. 1922.
   1923-24. F.B. 1375, pp. 1, 2, 3, 8, 22-23, 49. 1923.
   1924-25. F.B. 1444, pp. 15-16, 37. 1924.
   1925-26. F.B. 1466, pp. 22, 44. 1925.
  violations, prosecution. An. Rpts., 1912, p. 678. 1913; Biol. Chief Rpt., 1912, p. 22. 1912.
  protection. See Game protection, officials.
  refuge, bill. Off. Rec., vol. 1, No. 19, p. 3. 1922.
  value, estimate by State warden. D.B. 1049. p. 13. 1922.
 grain supervision districts, counties. Mkts. S.R.A. 14, pp. 11, 13, 15, 20. 1916.
 Grand Rapids potato-shipping district and methods. F.B. 1317, pp. 19, 21-22, 23. 1923.
 grape—
  production and marketing, history. D.B. 861. pp. 37-43. 1920.
  shipments, 1916-1919, and destination. D.B. 861, pp. 3, 38, 55-61. 1920.
 grazing lands for drought-stricken livestock. Y.B., 1919, pp. 400, 401. 1920; Y.B. Sep. 820. pp. 400, 401. 1920.
 hairy-vetch seed, growing, areas, methods, and yields. D.B. 876, pp. 5-25. 1920.
 hardwoods—
  description, annual cut, and volume tables. D.B. 285, pp. 25, 28, 48-59, 67-71, 75-79. 1915.
  distillation, charcoal production. For. Cir. 121, p. 4. 1907.
 hay—
  crops, 1866-1906, acreage, production, and value. Stat. Bul. 63, pp. 5-25, 29. 1908.
  shrinkage in barn, at experiment station. D.B. 873, pp. 5, 6. 1920.
  warehouse, grading methods. D.B. 979, pp. 7-8. 1921.
 hemlock growing, value and volume. D. B. 152. pp. 3, 4, 6, 9, 13, 25, 31, 32, 37, 38. 1915.
 herds, lists of tested and accredited. D.C. 54, pp. 7, 9, 13, 32, 57, 75, 80. 1919; D.C. 142, pp. 9, 19, 33, 42-49. 1920; D.C. 143, pp. 4, 9, 30-31, 75. 1920; D.C. 144, pp. 7, 8, 26. 1920.
 highway construction, laws, mileage and cost. Y.B., 1914, pp. 214, 222, 223. 1915; Y.B. Sep. 638, pp. 214, 222, 223. 1917.
 hog-cholera control experiments, results. D.B. 584, pp. 8, 10. 1917.
 home economics club work, results. D.C. 152. pp. 24, 26, 28, 29, 30. 1921.
 (horse)—
  description, pedigree and progeny. D. C. 153, p. 17. 1921.
  history and pedigree. B.A.I. An. Rpt., 1907, pp. 109, 138. 1909; B.A.I. Cir. 137, pp. 109, 138. 1908.
 Houghton County, Potato Growers' Association, sale of certified seed potatoes. News L., vol. 1, No, 41, p. 4. 1914.
 hunting, laws. Biol. Bul. 19, pp. 16-21, 27-32, 59. 1904.
 insecticide and fungicide laws. I. and F. Bd. S.R.A. 13, pp. 124-126. 1916.

Michigan—Continued.
  irrigation reservoirs, hydraulic-fill dams, details, and cost. O.E.S. Bul. 249, Pt. I, pp. 84–87, 92–94. 1912.
  jack-pine stands, measurement tables. D.B. 820, pp. 11–12, 44. 1920.
  land utilization on farms, survey studies. F.B. 745, p. 14. 1916.
  lands, classes, acreage, and value. D.B. 91, pp. 2, 3. 1914.
  lard supply, wholesale and retail, August 31, 1917, tables. Sec. Cir. 97, pp. 13–31. 1918.
  law(s)—
    for turpentine sale. D.B. 898, p. 39. 1920.
    foulbrood of bees. Ent. Bul. 61, pp. 190–191. 1906.
    nursery stock interstsate shipment, digest. Ent. Cir. 75, rev., p. 4. 1909; F.H.B.S.R.A. 57, pp. 113, 114, 115. 1919.
    on community buildings. F.B. 1192, p. 33. 1921.
    on dog control, digest. F.B. 935, p. 16. 1918; F.B. 1268, pp. 24–29. 1922.
    sale of certified milk. D.B. 1, p. 10. 1913.
  legislation—
    protecting birds. Biol. Bul. 12, rev., pp. 15, 18, 19, 30, 35, 37, 39, 43, 45, 47, 49, 51, 52, 53, 95–97, 137. 1902.
    relative to tuberculosis. B.A.I. Bul. 28, pp. 60–65. 1901.
  Lenawee County, farm—
    management problems, study. H. M. Dixon and J. A. Drake. D.B. 694, pp. 36. 1918.
    surveys, crops and yields. Sec. Cir. 57, pp. 2, 4, 5. 1916.
  lettuce, injury by anthracnose. J.A.R., vol. 13, pp. 263, 264. 1918.
  livestock—
    admission, sanitary requirements. B.A.I. Doc. A–36, pp. 26–27. 1920; B.A.I. Doc. A–28, p. 19. 1917; M. C. 14, p. 34. 1924.
    associations. Y.B., 1920, pp. 522–523. 1921; Y.B. Sep. 866, pp. 522–523. 1921
  lumber—
    cut—
      1905. For. Cir. 52, pp. 8, 10, 12, 14, 16–23. 1906.
      1906. For. Cir. 129, p. 7. 1907.
      1920, 1870–1920, value, and kinds. D.B. 1119, pp. 27, 30–35, 45–61. 1923.
      decrease since 1890. For. Cir. 166, pp. 18, 19. 1909.
    production, 1918, by mills, by woods, and lath and shingles. D.B. 845, pp. 6–10, 13, 16, 21–25, 28–37, 40, 42–47. 1920.
  management methods for 500-acre farm, profitableness. News L. vol. 3, No. 14, p. 5. 1915.
  maple—
    sirup, investigations, tabulation of results. Chem. Bul. 134, pp. 24–25, 68. 1910.
    sugar—
      analyses, results, table. D.B. 466, pp. 15–16. 1917.
      and sirup, production, by years. F.B. 516, pp. 44–46. 1912.
  marketing—
    activities and organization. Mkts. Doc. 3, p. 4. 1916.
    work. An. Rpts., 1917, p. 449. 1918; Mkts. Chief Rpt., 1917, p. 19. 1917.
  Meredith and McKinley, rise and decline as results of forest devastation. D.B. 638, pp. 5–6. 1918.
  milk—
    collecting, handling, and transportation to city, costs. D.B. 639, pp. 8–13. 1918.
    consumption increase. News L., vol. 6, No. 49, p. 6. 1919.
    production, investigations, canvasses, and summaries. B.A.I. Bul. 164, pp. 33–34, 43, 45, 46, 47, 48, 49, 50, 51, 52, 54, 55. 1913.
    supply and laws. B.A.I. Bul. 46, pp. 26, 30, 36, 40, 98–103, 178. 1903; F.B. 227, p. 27. 1905.
  mother-daughter canning clubs, work. News L., vol. 6, No. 30, pp. 10–11. 1919.
  muck areas, uses and location. Soils Cir. 65, pp. 9, 10, 12, 15. 1912.
  Muskegon, lumber-cut decline, 1887–1918, and present lumber-supply source. D.B. 638, p. 9. 1918.

Michigan—Continued.
  national forests—
    location, date and area, January 31, 1913. For. [Misc.], "The use book, 1913," p. 86. 1913.
    pathological survey. D.B. 212, p. 4. 1915.
  Niles, source of foot-and-mouth disease, 1914. Y.B., 1914, pp. 21–22. 1915
  oat—
    acreage—
      and production. Sec. [Misc] Spec. "Geography * * * world's agriculture." p. 37. 1918.
      production and value, 1866–1906. Stat. Bul. 58, p. 30. 1907.
    crops, 1866–1906, acreage, production, and value. Stat. Bul. 58, pp. 5–25, 30. 1907.
    production, 1900–1909, acreage and yield. F.B. 420, pp. 8, 9, 10. 1910.
    tests, Sixty-day and Kherson. F.B. 395, p. 15. 1910.
  officials, dairy, drug, feeding stuffs, and food. See Dairy officials; Drug officials.
  onions, production and varieties. D.B. 1325, p. 10. 1925.
  orchard spraying experiments, 1-spray method. Ent. Bul. 80, Pt. VII, pp. 137–145. 1910.
  paper industry and pulp requirements. D.B. 1241, pp. 44–45. 1924.
  pasture land on farms. D.B. 626, pp. 14, 45–47. 1918.
  peach(es)—
    growing, production, districts, and varieties. D.B. 806, pp. 4, 5, 7, 8, 9, 15–16. 1919.
    industry, season, and shipments, 1914. D.B. 298, pp. 4, 5, 7, 12. 1916.
    varieties, names and ripening dates. F.B. 918, p. 9. 1918.
    preparation for market. F.B. 1266, pp. 12, 15, 27–32. 1922.
  pear growing, distribution and varieties. D.B. 822, p. 8. 1920.
  peppermint growing, extent and history. F.B. 694, p. 2. 1915.
  perfumery-plant industries. B.P.I Bul. 195, pp. 9, 27, 30, 35, 46. 1910.
  plum curculio control work, experiments. Ent. Bul. 103, pp. 171, 177, 182, 215. 1912.
  pop corn, production and value, 1909. F.B. 554, pp. 6–7. 1913
  potato(es)—
    acreage, production and yield, map. Sec. [Misc.], Spec. "Geography * * * world's agriculture." p. 69. 1918.
    crops—
      1866–1906, acreage, production, and value. Stat. Bul. 62, pp. 7–27, 32. 1908.
      1909, production and yield, in five leading countries. F.B. 1064, p. 4. 1919.
    growing, methods. F.B. 365, pp. 18–20. 1909.
    handling and marketing. F.B. 753, pp. 11, 24. 1916.
    production, costs and farm practices. D.B. 1188, pp. 1–40. 1924.
    wilt occurrence. D.B. 64, p. 11. 1914.
  pulpwood consumption, woods used, and imports. D.B. 758, pp. 3, 6, 7, 10, 11, 13. 1919.
  quarantine—
    area for foot-and-mouth disease—
      November 25, 1908. B.A.I.O. 156, Amdt. 1, pp. 2. 1908.
      February 25, 1909. B.A.I.O. 157, rule 6, rev. 2, pp. 2–3. 1909.
      April 24, 1909. B.A.I.O. 160, rule 7, p. 1. 1909.
      March 15, 1909. B.A.I.O. 157, amdt. 1, p. 1. 1909; B.A.I.O. 160, rule 7, p. 1. 1909.
    for European borer. F.H.B. Quar. 43, rev., pp. 1, 3. 1922.
  rabies, prevalence, and cases treated at Pasteur Institute. B.A.I. An. Rpt., 1909, p. 212. 1911; F.B. 449, p. 18. 1911.
  reconnaissance soil survey of Ontonagon County. J. O. Veatch and others. Soil Sur. Adv. Sh., 1921, pp. 73–100. 1923.
  reforestation, choice of sites, methods, and species. D.B. 475, pp. 37, 58–59, 63. 1917.
  reindeer—
    grazing experiments. D.B. 1089, p. 20. 1922.
    introduction from Norway. Biol. Chief Rpt, 1922, pp. 26–27. 1922; An. Rpts., 1922, pp. 356–357. 1923.

Michigan—Continued.
roads—
  bond-built, amount of bonds, and rate. D.B. 136, pp. 41, 52-54, 68-69, 81, 84, 85. 1915.
  building, rock tests—
    1915, results, table. D.B. 370, pp. 41-42. 1916.
    1916 and 1917. D.B. 670, pp. 13, 25. 1918.
    1916-1921, results. D.B. 1132, pp. 19, 48, 51. 1923.
  materials, tests. Rds. Bul. 44, pp. 50-52. 1912.
  mileage and expenditures—
    1904. Rds. Cir. 82, pp. 4. 1907.
    1909. Rds. Bul. 41, pp. 23, 40, 42, 74-77. 1912.
    January 1, 1915. Sec. Cir. 52, pp. 2, 4, 6. 1915.
    1916. Sec. Cir. 74, pp. 4, 5, 7, 8. 1917.
    1917. D.B. 389, pp. 2-7, 25-28. 1917.
roadside trees, planting. News L., vol. 6, No. 49, p. 7. 1919.
rye crops, 1866-1906, acreage, production, and value. Stat. Bul. 60, pp. 5-25, 30. 1908.
salt deposits, occurrence, composition, etc. Soils Bul. 94, pp. 31-37, 54, 55, 62, 64, 65. 1913.
San Jose scale, occurrence. Ent. Bul. 62, p. 25. 1906.
sand barrens and swamps, sales by misrepresentations of land sharks, examples. D.B. 638, pp. 13-16. 1918.
sandy jack-pine lands, clover farming. F.B. 323, pp. 1-24. 1908.
school lands from national forests. For. A.R., 1914, p. 27. 1914; An. Rpts., 1914, p. 155. 1914.
schools, agricultural work. O.E.S. Cir. 106, rev., pp. 18, 24, 30. 1912.
seed-corn ground beetle, depredations. Ent. Cir. 78, p. 2. 1906.
shipments of fruits and vegetables, and index to station shipments. D.B. 667, pp. 6-13, 27-29. 1918.
soil survey of—
  Alger County. *See* Munising area.
  Allegan County. Elmer O. Fippin. Soils F.O. Sep., 1901, pp. 32. 1903; Soils F.O., 1901, pp. 93-124. 1902.
  Alma area. W. Edward Hearn and A. M. Griffen. Soil Sur. Adv. Sh., 1904, pp. 30. 1905; Soils F.O., 1904, pp. 639-664. 1905.
  Bay County. *See* Saginaw area.
  Calhoun County. R. F. Rogers and W. G. Smith. Soil Sur. Adv. Sh., 1916, pp. 54. 1919; Soils F.O., 1916, pp. 1629-1678. 1921.
  Cass County. W. J. Geib. Soil Sur. Adv. Sh., 1906, pp. 30. 1907; Soils F.O., 1906, pp. 729-754. 1908.
  Genesee County. B. D. Gilbert. Soil Sur. Adv. Sh., 1912, pp. 39. 1914; Soils F.O. 1912, pp. 1373-1407. 1915.
  Gratiot County. *See* Alma area.
  Huron County. *See* Saginaw area.
  Monroe County. *See* Toledo area, Ohio.
  Munising area. Thomas D. Rice and W. J. Geib. Soil Sur. Adv. Sh., 1904, pp. 25. 1905; Soils F.O., 1904, pp. 581-601. 1905.
  Oakland County. *See* Oxford and Pontiac areas.
  Ontonagon County. J. O. Veatch and others. Soil Sur. Adv. Sh., 1921, pp. 73-100. 1923.
  Owosso area. A. W. Mangum and Charles J. Mann. Soil Sur. Adv. Sh., 1904, pp. 27. 1905; Soils F.O., 1904, pp. 665-687. 1905.
  Oxford area. Grove B. Jones and M. Earl Carr. Soil Sur. Adv. Sh., 1905, pp. 19. 1906; Soils F.O., 1905, pp. 731-745. 1907.
  Pontiac area. Henry J. Wilder and W. J. Geib. Soil Sur. Adv. Sh., 1903, pp. 31. 1904; Soils F.O., 1903, pp. 659-685. 1904.
  Saginaw area. W. E. McLendon and M. Earl Carr. Soil Sur. Adv. Sh., 1904, pp. 40. 1905; Soils F.O., 1904, pp. 603-638. 1905.
  Saginaw County. *See* Saginaw area.
  St. Joseph County. L. C Wheeting and S. G. Bergquist. Soil Sur Adv Sh., 1921, pp. 49-72. 1923.
  Shiawassee County. *See* Owosso area
  Tuscola County. *See* Saginaw area.
  Wexford County. W. J. Geib. Soil Sur. Adv. Sh., 1908, pp. 20. 1909; Soils F.O., 1908, pp. 1051-1066. 1911.

Michigan—Continued.
soils—
  analyses for boron as boric acid. J.A.R., vol. 13, p. 456. 1918.
  Clyde loam, area and location. Soils Cir. 37, pp. 3, 16. 1911.
  Meadow areas, and location. Soils Cir. 68, p. 20. 1912.
  Miami clay loam, location, area, and crops grown. Soils Cir. 31, pp. 3, 9, 11, 12, 13, 14, 17. 1911.
  Miami, crop uses and adaptations, notes. D.B 142, pp. 51-58. 1914.
  southern—
    farm data, comparison with New York. Y.B., 1913, pp. 98-99, 105-107. 1914; Y.B. Sep. 617, pp. 98-99, 105-107. 1914.
    muck-land farms, management. F.B. 761, pp 1-26. 1916.
  sandy lands, location and conditions. F.B. 716, p. 4. 1916.
  spraying experiments for codling moth and plum curculio. Ent. Bul. 115, Pt. II, pp. 92-98. 1912.
  stallions, number, classes, and legislation controlling. Y.B., 1916, pp. 290, 291, 293. 1917; Y.B Sep. 692, pp. 2, 3, 5. 1917.
  standard containers. F.B. 1434, p. 17. 1924.
  State butter brand, and law requirements. D.B 456, pp. 33-35, 37. 1917.
  strawberry shipments, 1914. D.B. 237, p. 8. 1915; F.B. 1028, p. 6. 1919.
  sugar—
    beet—
      experiments, 1904. Chem. Bul. 96, pp. 9-10 1905.
      growing details. Rpt. 90, pp. 6, 19-22, 47-48. 1909.
      growing, farm practice (and Ohio.) R. S. Washburn and others. D.B. 748, pp. 45. 1919.
      growing importance, location, and methods. D.B. 141, pp. 49-54. 1914.
      production. Sec. [Misc.] Spec. "Geography * * * world's agriculture," pp. 71, 72, 1917.
  swamp lands, utilization. Off. Rec., vol. 3, No. 38, p. 6. 1924.
  Swedish Select oat, experiments and results. B.P.I. Bul. 182, p. 23. 1910.
  tanning materials, consumption, 1906. For. Cir. 119, pp. 4, 8. 1907.
  thermal belt. F.B. 104, rev., p. 11. 1910.
  timber tax. Y.B., 1914, pp. 440, 441. 1915 Y.B. Sep. 651, pp. 440, 441. 1915.
  tomato-pulping statistics. D.B 927, pp. 3, 4. 1921.
  trucking industry, acreage and crops. Y.B., 1916, pp. 446, 447, 450, 452, 453, 455-465. 1917; Y.B Sep. 702, pp. 12, 13, 16, 18, 19, 21-31. 1917.
  University, laboratory experiments with *Plenodomus fuscomaculans*. J.A.R., vol. 5, No. 16, pp. 720-764. 1916.
  wage rates, farm labor, 1840-1864, and 1866-1909 Stat. Bul. 99, pp. 16-17, 21, 29-43, 50, 68-70 1912.
  walnut—
    growing. B.P.I. Bul. 254, p. 18. 1913.
    range and estimated stand. D.B. 933, pp. 7, 9. 1921.
    stand and quality. D.B. 909, pp. 9, 10, 17, 21. 1921.
  water supply, records, by counties. Soils Bul. 92, pp. 80-84. 1912.
  Wayne County, concrete roads. D.B. 249, p. 2. 1915.
  well records, depth of water tables (with other States). Y.B., 1911, pp. 483-489. 1912; Y.B. Sep. 585, pp. 483-489. 1912.
  Wexford County, description, location and agricultural conditions. Soil Sur. Adv. Sh., 1908, pp. 5-12. 1909; Soils F.O., 1908, pp. 1051-1058. 1911.
  wheat—
    acreage and—
      varieties. D.B. 1074, pp. 211-212. 1922
      yield. Sec. [Misc.] Spec. "Geography * * * world's agriculture," p. 18. 1917.

Michigan—Continued.
wheat—continued.
crops, acreage, production and value. Stat. Bul. 57, pp. 5-25, 30. 1907; Stat. Bul. 57, rev., pp. 5-25, 30, 37. 1908.
growing. F.B. 1305, pp. 4, 5. 1922.
production period. Y.B., 1921, pp. 88, 91, 93. 1922; Y.B. Sep. 873, pp. 88, 91, 93. 1922.
varieties—
adapted. F.B. 616, pp. 10, 11. 1914.
grown. F.B. 1168, pp. 12, 15. 1921.
yields and prices, 1866-1915. D.B. 514, p. 9. 1917.
wolves, destruction. Biol. Cir. 63, p. 3. 1908.
women's rest rooms, establishment. Y.B., 1917, pp. 219, 221. 1918; Y.B. Sep. 726, pp. 5, 7. 1918.
MICKELWAITE, C. B.: "Soil survey of Latah County, Idaho." With others. Soil Sur. Adv. Sh., 1915, pp. 24. 1917; Soils F.O., 1915, pp. 2179-2198. 1919.
Miconia tetrandra. See Don tree.
Micrampelis lobata—
mosaic disease, transmission. D.B. 879, pp. 58, 60-62. 1920.
relation to overwintering of mosaic. J.A.R., vol. 31, pp. 6-13. 1925.
See also Cucumber, wild.
Microanalysis, tomato products, method and apparatus. D.B. 281, pp. 21-22. 1917.
Microbe(s)—
killer—
misbranding. Chem. N.J. 4000. Chem. N.J. 4198. 1916.
Radam's, misbranding. Chem. N.J. 205, pp. 3. 1910; Chem. N.J. 623, pp. 2. 1910.
longevity in soils under desiccation, studies. J.A.R., vol. 5, No. 20, pp. 927-942. 1916.
nitrogen-gathering, characteristics. P.R. An. Rpt., 1912, p. 16. 1913.
Microbium mellitor, parasite of grape curculio. D.B. 730, pp. 14, 15. 1918.
Microbracon—
hyslopi, parasite of legume pod moth. Ent. Bul. 95, Pt. VI, p. 104. 1912.
mellitor—
enemy of boll weevil, distribution, and habits. Ent. Bul. 100, pp. 11, 31, 42, 43, 45, 53, 54-68, 75-80. 1912; Ent. Bul. 114, p. 142. 1912.
parasite of plum curculio. Ent. Bul. 103, p. 148. 1912.
sp., parasite of red-banded leaf-roller. D.B. 914, p. 11. 1920.
See Fungus, white-fringed.
Microchemical—
examinations, foods and drugs. Chem. Chief Rpt., 1912, pp. 38-39. 1912; An. Rpts., 1912, pp. 588-589. 1913.
aboratory, organization and duties. Chem. Cir. 14, p. 13. 1908.
reactions, use in soil tests. Soils Bul. 91, pp. 15-16. 1913.
tests for alkaloids, progress. Chem. Bul. 137, pp. 189-190. 1911.
Microchemistry, seed coats of sweet-clover seeds. D.B. 844, pp. 33-34. 1920.
Microcitrus spp. See Limes.
Microline—
potash availability in soils, and effect of lime. J.A.R., vol. 14, pp. 297-313. 1918.
See also Orthoclase.
Micrococcus—
candicans, life cycles, studies. J.A.R., vol. 6, No. 18, pp. 688-694. 1916.
caprinus, inoculation experiments. B.A.I. Bul. 45, pp. 18-25. 1903.
cultures, effects on cheese curd, substances formed. J.A.R., vol. 2, pp. 201-203. 1914.
groups, classification, and constancy of reaction. J.A.R., vol. 2, pp. 171-174, 196. 1914.
melitensis—
agglutination experiments and tests. B.A.I. An. Rpt., 1908, pp. 288-294. 1910.
cause of Malta fever, etiology, and pathogenicity. B.A.I. An. Rpt., 1911, pp. 123-127. 1913; B.A.I. Cir. 215, pp. 123-127. 1913.
See also *Bacterium melitensis.*
nigrofasciens, cause of fungus disease injurious to May beetle. P.R. An. Rpt., 1914, p. 34. 1915.

Micrococcus—Continued.
prodigiosus—
bacterium in bread. F.B. 389, p. 35. 1910.
cause of bloody milk. B.A.I. [Misc.], "Diseases of cattle," rev., p. 239. 1904; rev., p. 246. 1912; rev., p. 242. 1923.
Micrococus lateriflora, importations and description. No. 43659, B.P.I. Inv. 49, p. 58. 1921; No. 51006, B.P.I. Inv. 64, p. 40. 1923.
Microdipodops pallidus. See Mouse, kangaroo.
Microdontomerus anthonomi, enemy of boll weevil. Ent. Bul. 100, pp. 9, 12, 31, 41, 45, 49, 54-68, 73-80. 1912.
Microdus—
hawaiicola, parasite of *Batrachedra rileyi.* Hawaii Bul. 27, p. 16. 1912.
lacticinctus, parasite of cigar case-bearer. Ent. Bul. 80, Pt. II, p. 41. 1909.
Microglossa albercens, importation and description. No. 47733, B.P.I. Inv. 59, pp. 8, 52. 1922.
Microlaena stipoides. See Rice grass, meadow.
Microlepidoptera, abundance in cotton fields, Hawaii. J.A.R., vol. 9, pp. 352, 355. 1917.
Microlichus spp. description and habits. Rpt. 108, pp. 122, 123. 1915.
Microlyssa exilis exilis, occurrence in Porto Rico and food habits. D.B. 326, p. 70. 1916.
Micromelus subapterus, description, life history, and rearing methods. J.A.R., vol. 6, No. 10, pp. 377-381. 1916.
Micrometer, use in testing wool fibers. J.A.R., vol. 14, pp. 288, 294. 1918.
Microorganisms—
black-alkali soils, sulphur oxidation. J.A.R., vol. 24, pp. 297-305. 1923.
cultivation, history, methods, and media. J.A.R. vol. 5, No. 16, pp. 714-720. 1916.
decomposition in oyster. Albert C. Hunter and Bernard A. Linden. J.A.R., vol. 30, pp. 971-975. 1925.
effect of saccharin, study. Rpt. 94, pp. 122-125. 1911.
in—
decomposition of proteins and amino acids, chemistry of. Selman A. Waksman and S. Lomanitz. J.A.R., vol. 30, pp. 263-281. 1925.
silage fermentation and heat. J.A.R., vol. 10, pp. 75-83. 1917.
soil, effect of cyanamid and related compounds. J.A.R., vol. 28, pp. 1159-1166. 1924.
invisible. M. Dorset. B.A.I. Cir. 57, pp. 18. 1904.
presence in canned fruits, table. D.B. 196, p. 53. 1915.
relation to fermentation of corn silage. J.A.R., vol. 8, pp. 361-380. 1917.
soil—
effect of carbon bisulphide. J.A.R., vol. 6, No. 1, pp. 1-4. 1916.
plate counts. N. R. Smith and S. Worden. J.A.R., vol. 31, pp. 501-517. 1925.
See also *Bacillus* sp.; Bacteria; *Bacterium* sp.; names of bacterial diseases.
Micropalama himantopus, breeding range and migration habits. Biol. Bul. 35, pp. 29-31. 1910.
Microplitis—
alaskensis, parasite of alfalfa looper, description. Ent. Bul. 95, Pt. VII, p. 115. 1912.
catalpae, parasite of the catalpa sphinx, and hyperparasites. Ent. Cir. 96, p. 5. 1907; F.B. 705, p. 5. 1916.
Microscope—
care and protection. Chem. Bul. 130, p. 135. 1910.
petrographic—
scope, equipment, and use in crystallography. D.B. 679, pp. 2-3. 1918.
use in analysis of fertilizer substances. D.B. 97, pp. 2-3. 1914; D.B. 1108, pp. 3-4. 1922.
ultra, use in examination of colloids or road materials. J.A.R., vol. 17, pp. 167-176. 1919.
use in—
detection of—
decomposition in food products. Y.B., 1911, pp. 297-308. 1912; Y.B. Sep. 569, pp. 297-308. 1912.
seed adulteration. F.B. 382, p. 22. 1909.
examination of flour. D.B. 1130, pp. 1-8. 1923.

Microscope—Continued.
use in—continued.
experiments for detection of soil grains. Soils Bul. 82, pp. 33-35. 1911.
identification of inorganic salts, tables. D.B. 1108, pp. 1-22. 1922.
soil tests, description. Soils Bul. 91, pp. 16-17. 1913.
Microscopical examination of—
birds' stomachs. Biol. Bul. 15, pp. 12-15. 1901.
fruits and fruit products. Chem. Bul. 66, p. 103. 1902.
papers. Rpt. 89, pp. 25-28. 1909.
starches, directions. Chem. Bul. 130, pp. 136-138. 1910.
Microscopy, dark-field illumination in blood studies. B.A.I. Bul. 119, pp. 5-15. 1909.
Microsorex—
northern and habits. N.A. Fauna 24, p. 50. 1904.
See also Shrew.
Microsphaera—
spp., occurrence on plants, Texas, and description. B.P.I. Bul. 226, pp. 71, 79. 1912.
See also Mildew.
Microtrombidium spp., description. Rpt. 108, pp. 43, 44. 1915.
Microtropis discolor, importation and description. No. 42621, B.P.I. Inv. 47, p. 39. 1920.
Microtus—
aphorodemus. See Vole, barren ground.
destruction by coyotes. Biol. Bul. 20, p. 13. 1905.
modestus. See Mouse, meadow.
Microweisea misella—
enemy of tea scale. Ent. T. B. 16, Pt. V, p. 79. 1912.
See Ladybird, pitiful.
Mida acuminata. See Quandong.
Middle Atlantic—
section, uses of Norfolk fine sandy loam, crops. Soils Cir. 22, pp. 8-10. 1911.
States—
alfalfa growing, special instruction. F.B. 339, pp. 43-44. 1908.
paper industry and pulp requirements. D.B. 1241, pp. 36-41. 1924.
timber stand of pulpwood species. D.B. 1241, p. 95. 1924.
See also Atlantic States.
Middle West—
egg handling and marketing, common methods. Y.B., 1911, pp. 469-478. 1912; Y.B. Sep. 584, pp. 469-478. 1912.
farm plans for location of windbreaks. For. Bul. 86, pp. 94-97. 1911.
forest extension. Y.B., 1900, p. 145. 1901.
grape production and marketing. D.B. 861, pp. 45-48. 1920.
softwood lumber distribution, retail. Ovid M. Butler. Rpt. 116, pp. 100. 1918.
wheat disease, new, description. J.A.R., vol. 10, pp. 51-54. 1917
Middlemen—
classes, methods, and results, marketing farm products. Y.B., 1909, pp. 162, 166-171. 1910; Y.B. Sep. 502, pp. 162, 166-171. 1910.
objections to, discussion by farm women. Rpt. 106, pp. 43-59. 1915.
relations to farmers. Rpt. 98, pp. 13-14, 26, 32. 1913.
Russia, grain handling. Stat. Bul. 65, pp. 11-12. 1908.
MIDDLETON, H. E.—
"Absorption by colloidal and noncolloidal soil constituents." With others. D.B. 1122, pp. 20. 1922.
"Estimation of colloidal material in soils by adsorption." With others. D.B. 1193, pp. 42. 1924.
"Factors influencing the binding power of soil colloids." J.A.R., vol. 28, pp. 499-513. 1924.
MIDDLETON, PHILIP: "Soil survey of Grant County, Ind." With others. Field Sur. Adv. Sh., 1915, pp. 36. 1917; Soils F. O., 1915, pp. 1353-1384. 1919.
MIDDLETON, WILLIAM—
"A sawfly injurious to young pines." F.B. 1259, pp. 11. 1922.
"LeConte's sawfly, an enemy of young pines." J.A.R., vol. 20, pp. 741-760. 1921.

MIDDLETON, WILLIAM—Continued.
"Sawflies injurious to rose foliage." F.B. 1252, pp. 14. 1922.
"The imported pine sawfly." D.B. 1182. pp. 22. 1923.
Middlings—
adulteration and misbranding. Chem. N.J 12752, 12753. 1925; Chem. N.J. 13541. 1925.
buckwheat, nutritive value as dairy feed, and analysis. F.B. 743, p. 16. 1916.
feed for hogs, experiments. F.B. 411, pp. 18-19. 1910.
Globe flour, feed, adulteration and misbranding. Chem. N.J. 314, p. 1. 1910.
grain, prices at main markets. S.B. 11, pp. 98-102, 104-109. 1925.
misbranding. Chem. N.J. 1142, p. 1. 1911.
prices, 1916-1921, by months. Y.B., 1921, p. 603 1922; Y.B. Sep. 869, p. 23. 1922
wheat—
hog feeding, comparison with soy-bean meal. S.R.S. Syl. 35, pp. 3-4. 1919.
nutritive value as diary feed, analysis. F.B. 743, p. 13. 1916.
Midge—
enemy of alfalfa-seed chalcid fly. D.B. 812, p. 19. 1920.
fickle—
description, distribution, enemies, and remedies, Ent. Bul. 27, pp. 108-111. 1901.
destruction of loco weeds. Ent. Bul. 64, Pt. V, pp. 36-37. 1908.
occurrence in the Pribilof Islands, Alaska. N.A. Fauna 46, Pt. II, pp. 224-225. 1923.
See also *under individual hosts.*
Midrib, cabbage leaf, comparison with rest of leaf in acidity. J.A.R., vol. 15, pp. 101-103. 1918.
Midshipmen, milk supply for. Ernest Kelly. Y.B., 1920, pp. 463-470. 1921; Y.B. Sep. 857, pp. 463-470. 1921.
Midway Islands, shipments, farm and forest products to and from U. S.—
1901-1909, and 1907-1909, tables. Stat. Bul. 83, pp. 17, 19, 20, 30. 1910
1901-1910, 1908-1910, tables. Stat. Bul. 91, pp. 17, 19, 20, 30. 1911.
1901-1911, tables. Stat. Bul. 96, pp. 17, 20. 1912
Miel de tuna—
manufacture and use. B.P.I. Bul. 116, p. 24. 1907.
See also Tuna honey.
Miel de Palma, from palm trees, Chile. B.P.I. Bul. 242, pp. 10, 66. 1912.
Mignonette—
description, cultivation, and characteristics. F.B. 1171, pp. 53, 82. 1921.
window garden plant. B.P.I. Doc. 433, p. 5. 1909.
Migration—
bird(s)—
Wells W. Cooke. D.B. 185, pp. 47. 1915.
relation to the weather. Wells W. Cooke. Y.B., 1910, pp. 379-390. 1911; Y.B. Sep. 545, pp. 379-390. 1911.
some new facts. Wells W. Cooke. Y.B., 1903, pp. 371-386. 1904.
farm—
destinations of Union Academy students. D.B. 984, pp. 17-35. 1921.
influence of farm community. D.B. 984, pp. 55. 1921.
to city, effect on farm labor problem. D.B. 984, p. 5. 1921.
habits of North American shore birds, and distribution. Wells W. Cooke. Biol. Bul. 35, pp. 100. 1910.
rails and similar birds. D.B. 128, pp. 1-50. 1914.
records from wild ducks and other birds banded in the Salt Lake Valley, Utah. Alexander Wetmore. D.B. 1145, pp. 16. 1923.
routes, song birds of United States. D.B. 185, pp. 1-47. 1915.
shore birds, routes, and habits. Y.B. 1914, pp. 275-276; 286-288, 290-291. 1915; Y.B. Sep. 642, pp. 275-276, 286-288, 290-291. 1915.
Migratory—
birds—
law—
and treaty with Great Britain. F.B. 910, pp. 4, 9, 59-69. 1917.

Migratory—Continued
 birds—continued.
  law—continued.
   treaty, violations. Off. Rec. vol. 2, No. 5, p. 2. 1923.
  protection—
   proposed regulations. Biol. S.R.A. 9, pp. 4. 1916.
   regulations, amendments. Biol. S.R.A. 16, pp. 2. 1917.
  treaty act—
   administration and constitutionality. Sol. [Misc.], "A brief statutory history * * *." pp. 20–21, 25. 1916.
   amendments. F.B. 1466, p. 2. 1925.
   and Lacey Acts, administration. Biol. Chief Rpt., 1924, pp. 32–37. 1924.
   and regulations. Biol. S.R.A. 23, pp. 12. 1918; Biol. S.R.A. 27, pp. 11. 1919; F.B. 1077, pp. 65–80. 1919.
   Canadian convention, 1917. F.B. 910, pp. 67–69. 1917.
   extract from speech of Judge Clayton. D.C. 182, pp. 1–3. 1921.
   provisions and regulations. Y.B., 1918, pp. 308–313. 1919; Y.B. Sep. 785, pp. 8–13. 1919.
   See also Bird treaty act.
  See also Birds.
  wild fowl, legislation of 1925, review. F.B. 1466, pp. 2–3. 1925.
Mikania—
 amara, importation and description. No. 50394, B.P.I. Inv. 63, p. 66. 1923.
 flowering, relation to daylight length. J.A.R., vol. 23, pp. 880, 883. 1923.
 scandens. See Hempweed.
 sp., importations and description. No. 35970, B.P.I. Inv. 36, p. 32. 1915; No. 47060, B.P.I. Inv. 58, p. 22. 1922.
Milam, misbranding. Chem. N.J. 3976, p. 1. 1915.
MILBRATH, D. G.: "Downy mildew on lettuce in California." J.A.R., vol. 23, pp. 989–994. 1923.
Milch—
 cows. See Cows, milk.
 goats—
  information concerning. George Fayette Thompson. B.A.I. Bul. 68, pp. 7. 1905.
  Record Association, American, organization and Secretary. F.B. 920, p. 36. 1918.
  Swiss. Frank Sherman Peer. B.A.I. An. Rpt., 1904, pp. 387–391. 1905.
  See also Goats, milk.
 use of term. Off. Rec., vol. 3, No. 48, p. 5. 1924.
Milco caprifig, value in fig culture. An. Rpts., 1911, p. 269. 1912; B.P.I. Chief Rpt., 1911, p. 21. 1911.
Mildew—
 areolate, of cotton, cause and description. F.B. 1187, p. 30. 1921.
 control by lime-sulphur sprays. F.B. 435, pp. 15, 16. 1911.
 downy—
  conidia, dispersal methods. J.A.R., vol. 23, pp. 262–270. 1923.
  destruction on corn seed, method. J.A.R., vol. 24, pp. 853–860. 1923.
  dissemination, methods. J.A.R., vol. 23, pp. 270–277. 1923.
  injury to beans, and control by Bordeaux spraying. F.B. 856, p. 27. 1917.
  occurrence on plants in Texas, and description. B.P.I. Bul. 226, pp. 33, 44, 92, 99. 1912.
  of—
   cabbage, description, cause, and control. F.B. 488, p. 29. 1912; F.B. 925, pp. 25–26. 1918; F.B. 925, rev., pp. 25–26. 1921.
   corn, cause and control. B.P.I. Chief Rpt., 1921, p. 36. 1921.
   cucumber and muskmelon, treatment. D.C. 35, p. 14. 1919.
   cucumbers—
    control in frames. F.B. 460, pp. 26–27. 1911.
    control in greenhouse. F.B. 1320, p. 25. 1923.
    description and control, method. F.B. 231, pp. 5–7, 11–13, 24. 1905; F.B. 460, pp. 26–27. 1911; F.B. 856, p. 48. 1917; News L., vol. 2, No. 13, pp. 1–2. 1914.

Mildew—Continued.
 downy—continued.
  of—continued.
   cucurbits, description. F.B. 231, pp. 5–7. 1905.
   grape, description and control. F.B. 284, pp. 30–32. 1907. F.B. 1220, pp. 51–53. 1921.
   grasses, discussion and comparisons. J.A.R., vol. 1, pp. 104–120. 1920.
   lettuce in California. D. G. Milbrath. J.A.R., vol. 23, pp. 989–994. 1923.
   maize, cause and economic importance. J.A.R., vol. 20, pp. 669–684. 1921.
   maize in Philippines, conidia, studies. J.A.R., vol. 23, pp. 239–278. 1923.
   onion, description and control. F.B. 354, p. 34. 1909.
   tomato, cause and control. D.C. 40, p. 14. 1919; S.R.S. Doc. 95, pp. 14, 18. 1919.
   watermelon, control. F.B. 821, p. 17. 1917; F.B. 1277, p. 30. 1922.
   wheat, investigations. B.P.I. Chief Rpt., 1921, pp. 36–37. 1921.
   wheat, occurrence in the United States. William H. Weston, jr. D.C. 186, pp. 6. 1921.
  oriental, danger of introduction. J.A.R., vol. 24, pp. 853–854. 1923.
 injuries to forest trees, control. B.P.I. Bul. 149, p. 18. 1909.
 on leather, prevention. F.B. 1183, p. 18. 1920.
 Phytophthora, ginseng, description and control. B.P.I. Bul. 250, pp. 17–19. 1912; F.B. 736, pp. 4–7. 1916.
 powdery—
  control—
   in Washington, Benton County. Soil Sur. Adv. Sh., 1916, p. 16. 1919; Soils F.O. 1916, p. 2214. 1921.
   on vegetables, Porto Rico. P.R. An. Rpt., 1917, p. 28. 1918.
  description and treatment. F.B. 243, pp. 19, 22, 23. 1906.
  injury to—
   apples in Yakima Valley, Wash., and control. D.B. 614, p. 6. 1918.
   field peas, control measures. F.B. 690, p. 20. 1915.
   red clover, description. F.B. 455, p. 40. 1911.
  occurrence on plants in Texas, and description. B.P.I. Bul. 226, pp. 25–103. 1912.
  of—
   apple, and its control in the arid regions of the Pacific Northwest. D. F. Fisher. D.B. 712, pp. 28. 1918.
   apple, and its control in the Pajaro Valley. W. S. Ballard and W. H. Volck. D.B. 120, pp. 26. 1914.
   apple, cause, dissemination, and description. D.B. 712, pp. 4–7, 26–27. 1918.
   apple, control. D. F. Fisher. F.B. 1120, pp. 14. 1920.
   apple, control use of combination spray. F.B. 1326, pp. 24–26. 1924.
   apple, description, occurrence, and causes. F.B. 1120, pp. 4–5. 1920.
   apple, economic importance in Pacific Northwest. D.B. 712, pp. 1–4, 7–9. 1918.
   apple, injury to apples in Washington, Wenatchee area. Soil Sur. Adv. Sh., 1918, p. 18. 1922; Soils F.O., 1918, p. 1558. 1924.
   barley, description. F.B. 443, p. 44. 1911.
   bluebonnet, occurrence in Texas, and description. B.P.I. Bul. 226, p. 90. 1912.
   cabbage, description and cause. F.B. 488, p. 31. 1912.
   clover, description. F.B. 1339, p. 28. 1923.
   currants and gooseberries, description and control. F.B. 1024, p. 22. 1919.
   grape, description and control. F.B. 1220, pp. 54–55. 1921.
   grape, injury and treatment. F.B. 284, pp. 32–33. 1907.
   pecan, cause and description. F.B. 1129, p. 12. 1920.
   roses, description and control. F.B. 750, p. 32. 1916.

Mildew—Continued.
  powdery—continued.
    of—continued.
      sweet peas, control methods. F.B. 532, pp. 9, 13. 1913.
  proofing—
    cotton duck, formulas and cost. F.B. 1157, pp. 9–13. 1920.
    farm fabrics. An. Rpts., 1919, p. 233. 1920; Chem. Chief Rpt., 1919, p. 23. 1919.
    for fumigating tents. Ent. Bul. 90, pp. 18–19, 1912.
    tents against, formula and procedure. F.B. 923, p. 6. 1918; F.B. 1321, p. 4. 1923.
  stains, removal from textiles. F.B. 861, p. 26. 1917.
Mileage—
  roads, January 1, 1904, 1909, 1914, with comparisons. D.B. 390, pp. 3–4, 9. 1917.
  State highway, and expenditures for the calendar year 1915. Sec. Cir. 63, pp. 8. 1916.
  table, points in Cascade National Forest. D.C. 104, pp. 22–23. 1920.
MILES, F. C.: "Fiber flax." F.B. 669, pp. 19. 1915.
MILES, G. F.—
  "Texas root-rot of cotton: Field experiments in 1907." With C. L. Shear. B.P.I. Cir. 9, pp. 7. 1908.
  "The control of black-rot of the grape." With others. B.P.I. Bul. 155, pp. 42. 1909.
  "The control of Texas root-rot of cotton." With C. L. Shear. B.P.I. Bul. 102, Pt. V, pp. 39–42. 1907.
MILES, P. B.: "The alfalfa weevil and methods of controlling it." With others. F.B. 741, pp. 16. 1916.
Milfoil—
  food of shoal-water ducks. D.B. 862, pp. 13, 20, 25, 29, 35, 54. 1920.
  See also Yarrow.
Military—
  instruction—
    agricultural college. O.E.S. Bul. 99, p. 85. 1901.
    in land-grant colleges. J. W. Heston. O.E.S. Bul. 123, pp. 73–75. 1903.
  service, provisions in retirement act. Off. Rec., vol. 4, No. 17, p. 4. 1925.
  training—
    agricultural colleges—
      discussion. O.E.S. Bul. 212, pp. 77–87. 1909.
      regulations. S.R.S. [Misc.], "Laws for agricultural colleges and experiment stations." pp. 8–11. 1916.
    in land-grant colleges, act and rulings. D.C. 251, pp. 6–10. 1923.
Milium spp., description, distribution, and uses. D.B. 772, pp. 14, 156, 158. 1920.
Milk—
  abnormal—
    Composition. Hawaii [Misc.], "Production and inspection * * *," pp. 30–31. 1912.
    conditions of color, taste, and odor, causes. B.A.I. An. Rpt., 1907, pp. 156–158. 1909.
  absorption of impurities. F.B. 413, p. 5. 1910.
  acid bacteria, source, and determination. O.E.S. An. Rpt., 1909, p. 87. 1910.
  acidity—
    at rennetting for Camembert cheese. D.B. 1171, p. 6. 1923.
    determination. B.A.I. Doc. A-7, pp. 32–34. 1916; D.B. 202, pp. 1–35. 1915.
    expressed in lactic-acid content, tables. B.A.I. Bul. 73, pp. 16–17. 1905.
    for cheese making, studies, and determination methods. B.A.I. Bul. 165, pp. 28–29, 31–32. 1913.
    growth, with and without preservatives. B.A.I. Bul. 150, pp. 25–31. 1912.
    investigations. S.R.S. Rpt., 1916, Pt. I, pp. 43, 204, 206. 1918.
    neutralizing, effect on alcohol test. D.B. 02, p. 13. 1915.
    test. B.A.I. An. Rpt., 1911, p. 211–212. 1913; B.A.I. Cir. 151, pp. 28. 1909.
    acidulation, methods. B.A.I. Bul. 165, pp. 28–37, 39, 40. 1913.
  adaptability for infants, kinds and composition, comparison. F.B. 1207, pp. 13–14, 32. 1921.

Milk—Continued.
  adulterants, detection. Chem. Bul. 107, pp. 120–122. 1907.
  adulterated, transportation decision. Sol. Cir. 90, pp. 1–2. 1918.
  adulteration—
    and sale, regulations. Chem. Bul. 69, rev., Pts. I–IX, pp. 45, 61, 62, 79–81, 89, 90, 93, 112–114, 136, 143, 152, 163, 178, 181, 196, 198–200, 204, 213, 240, 257, 281, 290, 307, 314, 337, 344, 355, 365, 386, 390, 391, 420, 428, 442, 472, 478, 492, 501, 516, 520, 526, 564, 572, 579, 657, 678, 702, 756. 1905–6.
    court decision, southern Ohio district. Sol. Cir. 90, pp. 1–2. 1918.
    in Illinois, affirmation by appeals court of judgment sustaining food and drugs act. News L., vol. 5, No. 44, p. 9. 1918.
    with formaldehyde. Chem. N.J. No. 8–9, pp. 5–7. 1908.
    See also Indexes, Notices of Judgment, in bound volumes and in separates published as supplements to Chemistry Service and Regulatory Announcements.
  aeration—
    effect on flavor and odor. D. B. 1190, pp. 8–9. 1923; D.B. 1208, pp. 5–6. 1923.
    value, methods, and place. D.B. 1097, pp. 21–22, 23. 1922.
  albumin, effect of preservatives on determination. Chem. Bul. 90, pp. 79–83. 1905.
  alcohol test in relation to. S. Henry Ayers and William T. Johnson, jr. D.B. 202, pp. 35. 1915.
  alkali-forming bacteria found in, study of. S. Henry Ayers and others. D.B. 782, pp. 39. 1919.
  ammonia determination method, report of referees committee. Chem. Bul. 152, pp. 86, 185–187. 1912.
  analysis—
    and testing, methods. D.C. 53, pp. 13–24. 1919.
    chemicals and apparatus used, list. B.A.I. Doc. A-7, p. 36. 1916.
    cow and goat, comparison. F.B. 137, p. 30. 1901.
    for various breeds of cows. Chem. Bul. 132, pp. 127–130. 1910.
    home methods. F.B. 413, pp. 13–14. 1910.
    lactation stage experiments, tables. B.A.I. Bul. 155, pp. 25–32, 44–59, 68–69, 78–88. 1913.
    methods—
      modifications, A. O. A. C., 1908. Chem. Cir. 43, pp. 8–9. 1909.
      used for simples. B.A.I. An. Rpt., 1909, pp. 164–165. 1911; Chem. Bul. 107, pp. 117–123. 1907.
      used in lactation experiments. B.A.I. Bul. 155, pp. 22–24. 1913.
    showing variations for individual cows, tables. B.A.I. Bul. 157, pp. 10–27. 1913.
  and—
    butter, production, relation to type of dairy cow. H. W. Lawson. F.B. 124, pp. 28–30. 1901.
    cream—
      chemical testing of. Roscoe H. Shaw. B.A.I. Doc. A-37, pp. 38. 1916; B.A.I. Doc. A-12, pp. 42. 1917.
      contest, city, as a practical method of improving the milk supply. C. B. Lane and Ivan C. Weld. B.A.I. Cir. 117, pp. 29. 1907.
      contests. Ernest Kelly and George B. Taylor. D.C. 53, pp. 24. 1919.
      contests. Ernest Kelly and others. D.B. 336, pp. 24. 1916.
      contests, how to conduct them and how to prepare samples for competition. Ernest Kelly. B.A.I. Cir. 205, pp. 28. 1912.
      contests, National Dairy Show. B.A.I. Bul. 104, p. 38. 1908; D.B. 1, p. 21. 1913.
      cooling on the farm. J. A. Gamble. F.B. 976, pp. 16. 1918.
  hypochlorites and chloramins in, detection of. Philip Rupp. D.B. 1114, pp. 5. 1922.
  marketing, bibliography. M.C. 35, pp. 29–31. 1925.

Milk—Continued.
and—continued.
cream—continued.
pasteurizing, cost. John T. Bowen. B.A.I. Bul. 85, pp. 12. 1914.
its—
products, carriers of tuberculosis infection. E. C. Schroeder. B.A.I. Cir. 143, pp. 17. 1909.
uses in the home. F.B. 1207, pp. 34. 1921; F.B. 1359, pp. 20. 1923; rev., 1924.
milk products—
food standards. Sec. Cir. 136, pp. 4-6. 1919.
school studies. D.B. 521, pp. 45-47. 1917.
value and uses as food. D.C. 26, pp. 1-12. 1919.
vegetable soup, recipe. News L., vol. 4, No. 40, p. 10. 1917.
Angora goat. B.A.I. Bul. 27, p. 61. 1901.
artificially infected with tubercle bacilli, experiments. E. C. Schroeder and W. E. Cotton. B.A.I. Bul. 86, pp. 19. 1906.
as food. B.A.I. Dairy [Misc., "Milk as * * *," pp. 2. 1917; B.A.I. Doc. A 27, pp. 2. 1917.
average production per cow. B.A.I. Cir. 103, p. 13. 1907.
bacteria—
absorption by. F.B. 413, p. 5. 1910.
cause of ropy milk, description. F.B. 348, pp. 18-19. 1916.
content, warning against. F.B. 1207, pp. 14-16, 32. 1921.
danger, control. F.B. 363, pp. 11-12, 15, 16-17, 18, 26, 42-43. 1909.
description, growth, and kinds. S.R.S. Syl. 18, pp. 2-3. 1915.
destruction by—
chlorin. J.A.R., vol. 26, pp. 375-382. 1923.
electricity and by ultra-violet-rays. D.B. 342, pp. 2-3. 1916.
high pressure, experiments. S.R.S. Rpt. 1915, Pt. I, pp. 47, 273. 1917.
pasteurization. B.A.I. Cir. 184, pp. 7-8. 1912.
determination and scoring, and control suggestions. B.A.I. Bul. 117, pp. 11-13. 1909; B.A.I. Cir. 205, pp. 15, 24-25. 1912.
development, relation to temperature. F.B. 976, pp. 4-5. 1918.
disease producing. F.B. 348, pp. 20-21. 1909; Y.B., 1907, pp. 191-193. 1908; Y.B. Sep. 444, pp. 191-193. 1908.
effect of—
curdling on distribution of. B.A.I. Bul. 150, pp. 15-17. 1912.
low temperature. Chem. Bul. 115, pp. 100-102. 1908; D.B. 774, pp. 4-5. 1919.
pasteurization. D.B. 342, pp. 8-13. 1916.
examinations, interpretation of results. B.A.I. Cir. 153, pp. 46-52. 1910.
excluded by staining. F.B. 210, p. 27. 1904.
growth—
during quick and slow cooling. D.B. 420, pp. 26-30. 1916.
relation to temperature. F.B. 348, pp. 10-11. 1909; S.R.S. Syl. 18, pp. 2-3. 1915.
in. L. A. Rogers. F.B. 348, pp. 24. 1909; F.B. 490, pp. 23. 1912; Y.B. 1907, pp. 179-196. 1908; Y.B. Sep. 444, pp. 179-196. 1908.
notes. B.A.I. Cir. 151, pp. 9, 12, 27-28. 1909.
numbers, conditions affecting counts. B.A.I. Cir. 153, pp. 47-50. 1910.
occurrence, description, and growth rapidity. F.B. 602, pp. 2-3. 1914.
of pasteurized and unpasteurized, under laboratory conditions. Lore A. Rogers. B.A.I. Bul. 73, pp. 32. 1905.
prevention, suggestions. D.B. 356, pp. 19-20. 1916.
relation to biochemic reactions. B.A.I. An. Rpt., 1911, pp. 219-222. 1913.
sources—
and classes. B.A.I. Cir. 153, pp. 46-47. 1910; F.B. 348, pp. 11-13. 1909.
and growth. F.B. 1359, pp. 6-7. 1923.
relation to temperature. Y.B., 1907, pp. 182-185. 1908; Y.B. Sep. 444, pp. 182-185. 1908.
study and methods. B.A.I. Bul. 126, p. 14. 1910.

Milk—Continued.
bacteria—continued.
tests. B.A.I. An. Rpt., 1911, pp. 195-224. 1913.
thermal death point. B.A.I. Bul. 161, pp. 51-52, 60-61. 1913; B.A.I. Bul. 165, pp. 12-13. 1913.
three possible sources, study of cultures. J.A.R., vol. 1, pp. 492-511. 1914.
bacteria—
content—
score card requirements. B.A.I. Cir. 139, p. 30. 1909; B.A.I. Cir. 199, p. 7. 1912.
warning against. F.B. 1207, pp. 14-16, 32. 1921.
count—
comparison with catalase test and other tests. B.A.I. An. Rpt., 1911, pp. 219-222. 1913.
comparison with sediment or dirt test. H. C. Campbell. D.B. 361, pp. 7. 1916.
effect of low temperatures. D.B. 744, pp. 4-5. 1919.
methods for contests. D.C. 53, pp. 22-24. 1919.
wagon and store milk comparison. B.A.I. An. Rpt., 1911, pp. 240-241. 1913; B.A.I. Cir. 217, pp. 240-241. 1913.
development, relation to temperature. F.B. 976, pp. 4-5. 1918.
flora. B.A.I. Bul. 150, pp. 8-9. 1912.
growth, investigations. Chem. Chief Rpt., 1908, p. 42. 1908; An. Rpt., 1908, p. 486. 1909.
increase. B.A.I. Bul. 73, pp. 25-26. 1905.
study, summary and conclusions. D.B. 642, pp. 58-61. 1918.
bacteriological—
examinations, interpretation of results. B.A.I. Cir. 153, pp. 46-52. 1910.
testing, Chicago. B.A.I. Bul. 138, pp. 26, 27. 1911.
bacteriology—
and milk products. S.R.S. Rpt., 1916, Pt. I, pp. 289-290. 1918.
commercially pasteurized and raw market. S. Henry Ayres and William T. Johnson, jr. B.A.I. Bul. 126, pp. 98. 1910.
Bacterium abortus, agglutination test for. J.A.R., vol. 5, No. 19, pp. 871-875. 1916.
bad flavors and odors, causes and control. F.B. 1422, p. 13. 1924.
biochemic reactions and bacterial count. B.A.I. An. Rpt., 1911, pp. 195-224. 1913.
bitter—
caused by bacteria, occurrence, and source of infection. F.B. 348, pp. 17-18. 1909; F.B. 490, pp. 15-16. 1912.
causes and prevention. Y.B., 1907, pp. 188-190. 1908; Y.B. Sep. 444, pp. 188-190. 1908.
bloody, causes, treatment. B.A.I. [Misc.], "Diseases of cattle," rev., p. 239. 1904; rev., p. 246. 1912; rev., pp. 239, 240, 241-242. 1923; F.B. 1422, pp. 13-14. 1924.
blue—
cause. Y.B., 1907, p. 191. 1908; Y.B. Sep. 444 p. 191. 1908.
caused by Bacillus cyanogenes. B.A.I. An. Rpt., 1907, p. 157. 1909.
bottle(s)—
advantages and disadvantages. B.A.I. Bul. 46, p. 14. 1903.
and caps—
regulation requirements. D.C. 53, p. 21. 1919.
scoring in contests, and suggestions. B.A.I. Cir. 205, pp. 17, 28. 1912.
suggestions for perfect score. D.B. 356, p. 23. 1916.
caps, testing in milk sterilization, methods. D.B. 240, pp. 6-7, 26. 1915.
care. News L., vol. 2, No. 46, pp. 7-8. 1915.
care in the home. News L., vol. 1, No. 5, p. 2. 1913.
effect on creaming. D.B. 1344, pp. 22-23. 1925.
fillers, washers, and cappers. D.B. 890, pp. 25-29. 1920.
inspection, methods in milk plants. D.B. 973, pp. 23-25. 1923.
losses. D.B. 973, pp. 29-32. 1923.
scoring in contests and suggestions. B.A.I. Cir. 205, pp. 17, 28. 1912.

Milk—Continued.
 bottle(s)—continued.
  sterilization as health measure. Y.B., 1922, p. 336. 1923; Y.B. Sep. 879, p. 46. 1923.
  use in pasteurization, methods. B.A.I. Cir. 184, pp. 10–12, 38–40. 1912.
  washing—
   and storing in city milk plants, details. D.B. 849, pp. 20, 23–24. 1920.
   methods, labor requirements and cost. D.B. 973, pp. 16–25. 1923.
 bottled—
  hot, cooling methods and experiments, effect. D.B. 240, pp. 16–22, 26. 1915.
  pasteurization, methods, and value. B.A.I. Cir. 184, pp. 10–12. 1912.
 bottling—
  and capping, labor and cost by different methods. D.B. 973, pp. 7–15. 1923.
  hot pasteurized, methods and cost. D.B. 240, pp. 24–25. 1915.
  labor requirements and cost, by different methods. D.B. 973, pp. 7–15. 1923.
  methods, Chicago and Washington. B.A.I. Bul. 138, pp. 13–18. 1911.
  requirements, certified dairies. B.A.I. Bul. 104, pp. 12, 26–29, 43. 1908; D.B. 1, pp. 17–18, 27. 1913.
 "Buddeized," description. F.B. 490, p. 23. 1912.
 buffalo, use in preparation of yoghurt. B.A.I. An. Rpt., 1909, p. 153. 1911; B.A.I. Cir. 171, p. 153. 1911.
 bulk—
  control in stores. Ernest Kelly. B.A.I. Cir. 217, pp. 10. 1913.
  disadvantages and advantages. B.A.I. An. Rpt., 1911, pp. 239, 240, 243. 1913; B.A.I. Cir. 217, pp. 239–240, 243. 1913.
 butter ratio, average. B.A.I. Bul. 55, pp. 36–37. 1903.
 buying—
  by weight. D.B. 890, p. 4. 1920.
  from farmers and prices paid, Detroit, Mich. D.B. 639, pp. 4–7. 1918.
 calcium requirements for the young. Chem. Bul. 123, pp. 21, 27. 1909.
 calcium sucrate, detection. Chem. Bul. 122, pp. 52–53. 1909.
 calf—
  feeding, requirements and cost. F.B. 381, p. 17. 1909.
  raising, minimum requirement. A. C. Ragsdale and C. W. Turner. J.A.R., vol. 26, pp. 437–446. 1923.
 campaigns—
  for health, results. D.C. 314, p. 31. 1924.
  organization. D.C. 250, pp. 2–27. 1923.
 canned—
  definitions and standards for enforcement of food and drugs act. F.I.D. 189, p. 1. 1923.
  production, 1919–1923. Y.B., 1924, pp. 872, 874–875. 1925.
 canning—
  factories, cost. Y.B., 1912, p. 339. 1913; Y.B. Sep. 595, p. 339. 1913.
  methods. Chem. Bul. 151, pp. 71–72. 1912.
 cans—
  jacketing as means of temperature control of milk. News L., vol. 2, No. 3, p. 4. 1914.
  marking, opinion 75. Chem. S.R.A. 8, p. 634. 1914.
  pails, strainers, etc., sterilization, directions and cost. F.B. 748, pp. 5–7. 1916.
  rusty, effect on milk. F.B. 353, pp. 18–19. 1909.
  types, efficiency. D.B. 744, pp. 21–24, 25–28. 1919.
  washing and sterilization, importance. News L., vol. 4, No. 4, pp. 3–4. 1916.
  capping, labor requirements and cost, by different methods. D.B. 973, pp. 7–15. 1923.
  carbonated. F.B. 320, pp. 29–30. 1908.
 care—
  and—
   cooling. B.A.I. An. Rpt., 1907, p. 167. 1909; B.A.I. Cir. 142, p. 167. 1909.
   spoilage prevention, methods. News L., vol. 4, No. 41, p. 12. 1917.

Milk—Continued.
 care—continued.
  and—continued.
   use in the home. George M. Whitaker and others. F.B. 413, pp. 20. 1910.
  in home, methods. F.B. 363, p. 20. 1909; F.B. 1207, pp. 19–21, 32. 1921; F.B 1359, pp. 9–10. 1923 News L., vol. 2, No. 46, pp. 1, 7–8. 1915; Sec. Cir. 142, p. 23. 1919.
  in the home. Thrift Leaf. 13, p. 3. 1919.
  of, rules for dairymen, Boston, Mass. B.A.I. Bul. 46, pp. 181–182. 1903.
  school lesson. D.B. 763, pp. 7–9. 1919.
  syllabus of illustrated lecture on. R. A. Pearson. O.E.S.F.I.L. 1, pp. 12. 1904.
 carrier of—
  contagious disease. B.A.I. Cir. 153, pp. 7–23. 1910.
  disease germs. F.B. 1207, pp. 15–16, 32. 1921.
  tubercular infection. B.A.I. Cir. 153, pp. 31, 39–45. 1910.
 cars, uses. B.A.I. Bul. 81, pp. 20, 40, 44, 48. 1905.
 casein—
  content, simple quantitative tests. F.B. 425, pp. 20–24. 1910.
  determination, methods. Chem. Bul. 122, pp. 167–168. 1909; Chem. Bul. 81, pp. 91–93 1904.
 cause of change in. F.B. 541, pp. 5–6. 1913.
 certification, forms. B.A.I. Bul. 104, pp. 13–14. 1908.
 certified—
  and medical milk commissions. Ernest Kelly. D.B. 1, pp. 38. 1913.
  comparison with market milk. B.A.I. Bul. 104, p. 37. 1912.
  composition, bacterial content, and value. F.B. 366, p. 26. 1909.
  dairy requirements. B.A.I. Bul. 104, pp. 10–14, 23–35. 1908.
  definition of term. B.A.I. Bul. 104, pp. 9, 19 20. 1908; B.A.I. Bul. 138, pp. 29–30. 1911; D.B. 1, pp. 3, 9, 10. 1913.
  demand for. B.A.I. Bul. 104, p. 18. 1908; D.B. 1, pp. 7–8. 1913.
  laws defining. B.A.I. Bul. 104, p. 20. 1908; D.B. 1, pp. 9–10. 1913.
  origin and first production. Y.B., 1922, p. 336. 1923; Y.B. Sep. 879, p. 46. 1923.
  production—
   equipment and methods, standards. B.A.I. Bul. 104, pp. 10–14, 23–43. 1908; D.B. 1, pp. 13–18, 25–38. 1913.
   in United States, and medical milk commissions. Clarence B. Lane. B.A.I. Bul. 104, pp. 43. 1908.
   profits and obstacles to profitable production. B.A.I. Bul. 104, pp. 18–20, 33–34. 1908; D.B. 1, pp. 21–24. 1913.
  scores in contests, comparison with market milk. B.A.I. Cir. 205, pp. 20–22. 1912.
  standards, bacteriological and chemical. D.B. 1, pp. 29–36. 1913.
  State laws relating to. B.A.I. Bul. 104, p. 20. 1908; D.B. 1, pp. 9–10. 1913.
  testing for Sporogenes contamination. D.B. 940, pp. 13, 15. 1921.
 changes—
  cause and prevention. F.B. 241, pp. 5–6. 1905.
  caused by temperature and time, studies, tables. D.B. 98, pp. 3–14. 1914.
  during acid fermentation, table. B.A.I. Cir. 210, pp. 1–3. 1913.
 Cheddar cheese, condition, comparison of acid and rennet tests for determination. B.A.I. Cir. 210, pp. 1–6. 1913.
 cheese—
  making—
   defects and pasteurization needs. B.A.I. Bul. 165, pp. 10–13. 1913.
   paying for methods. O.E.S. Bul. 166, pp. 56–60. 1906.
   yield per 100 pounds. B.A.I. Doc. A-19, p. 4. 1917; D.B. 669, p. 12. 1918; D.C. 139, p. 5. 1920.
 chemical—
  sterilization. F.B. 348, pp. 23–24. 1909.
  testing. B.A.I. Doc. A-12, pp. 1–42. 1917.

Milk—Continued.
Chicago, bacteriological examination, results. B.A.I. Bul. 138, p. 26. 1911.
chlorinated, feeding to albino rat. J. W. Read and Harrison Hale. J.A.R., vol. 30, pp. 889-892. 1925.
chlorine as germicide. J.A.R., vol. 26, pp. 375-382. 1923.
city—
  distribution, Detroit, equipment and costs. D.B. 639, pp. 19-27. 1918.
  inspection. B.A.I. Bul. 73, p. 8. 1905; B.A.I. Cir. 153, pp. 9-14, 42. 1910.
  supplies, pasteurization extent. D.B. 342, pp. 3-4, 15. 1916.
classification, system proposed by Animal Industry Bureau. B.A.I. An. Rpt., 1907, pp. 177-182. 1909; B.A.I. Cir. 142, p. 177. 1909; B.A.I. Cir. 153, pp. 19, 27. 1910; F.B. 366, pp. 27-28. 1909.
clean—
  definition. S.R.S. Syl. 18, p. 2. 1915.
  experiments in milking. F.B. 273, pp. 23-26. 1906.
  extra cost of producing. George M. Whitaker. B.A.I. An. Rpt., 1909, pp. 119-131. 1911; B.A.I. Cir. 170, pp. 12. 1911.
  Farmers' Bulletin 602, for use of teachers. Alvin Dille. D.C. 67, pp. 6. 1920.
  importance to consumer and producer. F.B. 602, pp. 4-5. 1914.
  production—
    F.B. 602, pp. 18. 1914.
    a few simple rules for. B.A.I. [Misc.], "Clean milk is easily * * *," pp. 4. 1922.
    and keeping. F.B. 227, pp. 24-28. 1905.
    illustrated lecture. S.R.S. Syl. 18, pp. 17. 1915.
  rivalry in dairy community. Y.B., 1918, p. 164. 1919; Y.B. Sep. 765, p. 14. 1919.
  school lesson. D.B. 763, pp. 5-7. 1919.
  requirements on farm. F.B. 366, p. 25. 1909.
cleanliness—
  importance in farm buttermaking. F.B. 541, pp. 6-10, 28. 1913.
  relation to barn conditions. D.B. 739, pp. 12-14, 20-26. 1918.
coagulating power, effect of glass and metals. F.B. 353, pp. 17-18. 1909.
coagulation, relation to acidity and ash constituents. D.B. 944, pp. 2, 11. 1921.
cold-stored, bacteriological and chemical investigations. Chem. Bul. 115, pp. 100-102. 1908.
collecting and handling in the country, Michigan conditions and costs. D.B. 639, pp. 8-11. 1918.
cooling, time required under various conditions. D.B. 744, pp. 18-21. 1919.
colors—
  causes. F.B. 490, p. 17. 1912.
  derivation of yellow tint. News L., vol. 1, No. 50, pp. 3-4. 1914.
coloring, prohibition by State laws. Chem. Bul. 147, p. 42. 1912.
colostrum and old, relation of alcohol test. D.B. 202, pp. 4-7. 1915.
commercial, tables. B.A.I. Bul. 126, pp. 64-98. 1910.
Commission(s)—
  American Association, methods and standards. B.A.I. Bul. 104, pp. 21-22. 1908; D.B. 1, pp. 4, 25-38. 1913.
  first, organization in New Jersey, objects. B.A.I. Bul. 104, pp. 7-9. 1912; D.B. 1, pp. 1-2. 1913.
  history, number, work, and methods. B.A.I. Bul. 104, pp. 14-17. 1908; D.B. 1, pp. 5-7. 1913.
  medical—
    and bovine tuberculosis. B.A.I. An. Rpt., 1909, pp. 193-200. 1911.
    and certified milk. Ernest Kelly. D.B. 1, pp. 38. 1913.
    and the production of certified milk in the United States. Clarence B. Lane. B.A.I. Bul. 104, pp. 43. 1908.
    in United States and Canada. B.A.I. Cir. 162, pp. 28-31. 1910; B.A.I. Cir. 204, pp. 22-25. 1912.
    of Essex County, N. J., agreement with milk dealer. B.A.I. Bul. 46, pp. 182-187. 1903.

Milk—Continued.
comparisons—
  of various kinds, and nutritive value. S.R.S. Rpt., 1916, Pt. I, pp. 43, 206-207, 266. 1918.
  with butter, on basis of nitrogen content. J.A.R., vol. 11, p. 447. 1917.
composition—
  and—
    characteristics. B.A.I. Bul. 117, p. 7. 1909; F.B. 1207, pp. 3-8, 31-32. 1921; O.E.S. Bul. 166, p. 14. 1906.
    characteristics, study in relation to bacteria. F.B. 348, p. 7. 1909; F.B. 363, pp. 9-15, 28-41. 1909; F.B. 413, pp. 12-14. 1910.
    properties, from individual cow, variations in. C. H. Eckles and Roscoe H. Shaw. B.A.I. Bul. 157, pp. 27. 1913.
    properties, influence of age of cow. C. H. Eckles and L. S. Palmer. J.A.R., vol 11. pp. 645-658. 1917.
    properties, influence of breed and individuality on. C. H. Eckles and Roscoe H. Shaw B.A.I. Bul. 156, pp. 27. 1913.
    properties, influence of stage of lactation. C. H. Eckles and Roscoe H. Shaw. B.A.I. Bul. 155, pp. 88. 1913.
  chart, school studies. D.B. 763, p. 30. 1919.
  comparison—
    of milk fats of various animals. J.A.R., vol. 2, p. 430. 1914.
    with eggs and other foods. D.B. 471, pp. 6, 7, 9, 10, 11. 1917.
    with succulent vegetables. Y.B., 1911, pp. 441, 447. 1912; Y.B. Sep. 582, pp. 441, 447. 1912.
    with vegetables and fruit. D.B. 123, pp. 5-6. 1916.
  cows' and mares' F.B. 803, p. 17. 1917.
  effect of—
    diuretics. J.A.R., vol. 5, No. 13, pp. 566-567. 1915.
    feed and conditions of cow. S.R.S. Rpt., 1917, Pt. I, pp. 31, 92, 161. 1918.
    lactation stage. C. H. Eckles and Roscoe H. Shaw. B.A.I. Bul. 155, pp. 88. 1913.
    water in ration. W. F. Turner and others. J.A.R., vol. 6, No. 4, pp. 167-178. 1916.
  for various animals, table. F.B. 363, p. 8. 1909.
  goat's and cow's, comparison. B.A.I. Bul. 68. p. 19. 1905.
  influence of breed and individuality of cow C. H. Eckles and Roscoe H. Shaw. B.A.I Bul. 156, pp. 27. 1913.
  relation to cheese manufacture. O.E.S. Bul 166, pp. 17-23. 1906.
  table. F.B. 1207, pp. 22-29, 31. 1921.
  variations, and mode of secretion. J.A.R., vol 16, pp. 79-102. 1919.
  variations in individual cow. E. H. Eckles and Roscoe H. Shaw. B.A.I Bul. 157, pp. 27 1913.
concentrated, F.I.D. 158, and instructions Chem. S.R.A. 13, p. 2. 1915.
condemned, denaturizing for livestock feed News L., vol. 5, No. 22, p. 7. 1917.
condensaries in Wisconsin, Jefferson County, number and business. Soil Sur. Adv. Sh., 1912, pp. 15, 16. 1914; Soils F.O., 1912, pp. 1565, 1566. 1915.
condensed—
  adulteration and misbranding. See Indexes to Notices of Judgment in bound volumes of Chemistry Service and Regulatory Announcements.
  analysis method. Chem. Bul. 81, pp. 28-30 1904; Chem. Bul. 107, rev., p. 253. 1907; Chem. Bul. 116, pp. 53-59, 116. 1908; Chem Bul. 122, pp. 152-159. 1909; Chem. Bul. 132. pp. 170-173. 1910.
  and desiccated. Levi Wells. Y.B., 1912, pp. 335-344. 1913; Y.B. Sep. 595, pp. 335-344 1913.
  and evaporated, definitions. Off. Rec. vol. 4. No. 27, p. 4. 1925.
  cold storage, data from warehousemen. Chem Bul. 115, p. 21. 1908.
  commercial stocks in the United States on August 31, 1917. Sec. Cir. 101, pp. 15-19. 1918.
  composition and food value. F.B. 1359, p. 11. 1923.

INDEX TO PUBLICATIONS, 1901–1925

Milk—Continued.
condensed—continued.
concentrated, evaporated, definitions. F.I.D. 158, p. 1. 1915.
consumption, southern cities. B.A.I. An. Rpt., 1907, pp. 314, 315, 323, 330. 1909; F.B. 349, pp. 13, 14, 22, 29. 1909.
description and keeping qualities. F.B. 1207, pp. 23, 33. 1921.
exports—
1915–1918. B.A.I. Doc., A.-37, p. 59. 1922.
1924. Y.B., 1924, p. 1041. 1925.
and imports, 1910–1918. Sec. Cir. 123, p. 12. 1918.
and imports, 1913–1920. B.A.I. Doc., A.-37, p. 41. 1922.
and imports, 1914–1919. Sec. Cir. 142, p. 21. 1919.
increase since 1914. Sec. Cir. 85, pp. 3–4. 1918.
factories—
by States, 1900. B.A.I. Bul. 55, pp. 27–29. 1903.
products, 1900. B.A.I. Bul. 55, pp. 39–41. 1903.
food value, description, and keeping qualities. F.B. 1207, pp. 23, 33. 1921.
imports 1907–1909, amount and value by countries from which consigned. Stat. Bul. 82, p. 21. 1910.
imports by Pan-American countries. B.A.I. Doc., A.-37, p. 43. 1922.
in—
Australia, production, 1907–1919, and exports, 1911–1919. B.A.I. Doc., A.-37, pp. 45, 46. 1922.
Canada, exports 1911–1921, and production 1910–1920. B.A.I. Doc., A.-37, pp. 48–49. 1922.
France, imports and exports, 1850–1920. B.A.I. Doc. A-37, pp. 51–52. 1922.
Italy, imports and exports, 1871–1920. B.A.I. Doc. A-37, p. 55. 1922.
Japan, production. B.A.I. Doc., A.-37, p. 56. 1922.
United Kingdom, imports and exports, 1888–1921. B.A.I. Doc., A.-37, p. 68. 1922.
instructions. Chem. S.R.A. 13, p. 2. 1915.
laws and standards. Chem. Bul. 69, rev., Pts. I–IX, pp. 170, 182, 189, 240, 241, 259, 422, 478, 497, 545, 565, 634, 681, 701, 759. 1905–6.
manufacture, studies. B.A.I. Chief Rpt., 1924, p. 14. 1924.
or evaporated. See Milk, canning.
"plain", in bulk, manufacture and uses. Y.B., 1912, pp. 336, 337, 338–339. 1913; Y.B. Sep. 595, pp. 336, 337, 338–339. 1913.
preparation—
F.I.D. 170. Chem. S.R.A. 20, pp. 55–56. 1918.
uses and food value. F.B. 363, pp. 9, 18, 30, 43. 1909.
production—
1869–1920, imports and exports, 1892–1920. B.A.I. Doc., A.-37, p. 36. 1922.
1909–1917. Sec. Cir. 142, p. 18. 1919.
1919, by months. B.A.I. Doc., A.-37, p. 22. 1922.
at Grove City creamery, 1920. D.C. 139, p. 5. 1920.
consumption, marketing, and trade. Y.B., 1922, pp. 291–294, 297, 310, 364, 365, 392, 393, 394. 1923; Y.B. Sep. 879, pp. 9–13, 15, 24, 71, 72, 96–98. 1923.
standards, notes. B.A.I. Bul. 46, pp. 48, 50, 62, 63, 68, 78, 84, 85, 106, 124, 125, 157. 1903.
stocks, January 1, 1918, 1919. News L., vol. 6, No. 28, p. 16. 1919.
sugar and fat determinations, methods. Chem. Bul. 105, pp. 98–109. 1907.
sugaring and canning processes. Y.B., 1912, pp. 338–339. 1913; Y.B. Sep. 595, pp. 338–339. 1913.
supply, in May, 1919. News L., vol. 6, No. 45, p. 7. 1919.
various grades, definitions. Chem. F.I.D. 170, p. 1. 1917.
condenseries—
cooperative establishments, conditions and methods. News L., vol. 2, No. 45, pp. 1, 8. 1915.

Milk—Continued.
condenseries—continued.
products. B.A.I. Bul. 55, pp. 39–41. 1903.
quality determination by alcohol test. D.B. 944, pp. 1–13. 1921.
conference in Washington, work and results, standards adopted. B.A.I. Cir. 153, pp. 18–20. 1910.
constituents—
in rations for pigs. J.A.R., vol. 21, pp. 281–341. 1921.
list. F.B. 541, p. 5. 1913.
consumers—
duties in securing clean, sanitary milk. F.B. 366, p. 21. 1909.
ten suggestions for. B.A.I. Dairy [Misc.], "Ten suggestions * * *," p. 1. 1918.
consumption—
and distribution, general information. B.A.I. Bul. 46, pp. 11–15. 1903.
average per capita. D.B. 177, p. 19. 1915.
by children on farms, increase. D.C. 148, pp. 20–21. 1920.
in—
New York City, 1886–1912. D.B. 177, pp. 10–12. 1915.
southern cities. B.A.I. Bul. 70, pp. 6–7, 10–13. 1905.
world countries. Y.B., 1922, p. 287. 1923; Y.B. Sep. 879, p. 7. 1923.
increase, Michigan. News L., vol. 6, No. 49, p. 6. 1919.
on farms, various sections, average per person. D.B. 177, p. 17. 1915.
per capita in—
United States, and different sections. B.A.I. An. Rpt., 1907, p. 329. 1909; F.B. 349, p. 28. 1909.
various countries. B.A.I. Doc. A-37, p. 5. 1922.
propaganda by officials. Y.B., 1922, p. 288. 1923; Y.B. Sep. 879, p. 6. 1923.
special studies. D.B. 177, pp. 17–19. 1915.
containers—
requirements, certified dairies. B.A.I. Bul. 104, pp. 12, 28. 1908; D.B. 1, pp. 18, 28. 1913.
rusty, cause of bad odors in milk and butter. B.A.I. Bul. 162, pp. 50–55. 1913.
contamination—
by unsterilized utensils. D.B. 642, pp. 25–32. 1918.
caused mainly by careless handling. Y.B., 1907, p. 400. 1908; Y.B. Sep. 457, p. 400. 1908.
from cow manure. B.A.I. Cir. 143, pp. 187, 188, 189. 1909; B.A.I. An. Rpt., 1907, pp. 58, 149, 187, 188, 189. 1909.
in stores, sources and methods. B.A.I. Cir. 217, pp. 240–242. 1913; B.A.I. An. Rpt., 1911, pp. 240–242. 1913; F.B. 490, pp. 9–11. 1912; F.B. 602, p. 4. 1914; O.E.S. Bul. 166, p. 23. 1906; S.R.S. Syl. 18, p. 3. 1915.
content of—
lime, comparison with that in other foods. D.C. 129, p. 3. 1920.
solids. B.A.I. [Misc.], "Milk is food * * *," p. 1. 1919.
contest—
city, practical method of improving milk supply. C. B. Lane and Ivan C. Weld. B.A.I. Cir. 117, pp. 28. 1907.
Cleveland, Ohio, 1906. B.A.I. Cir. 217, pp. 1–28. 1907.
description. News L., vol. 7, No. 11, p. 4. 1919.
educational value to producers and consumers. B.A.I. Cir. 205, pp. 17, 22–24. 1912.
value in securing milk and cream purity. News L., vol. 3, No. 33, pp. 2–3. 1916.
conveyors for milk plant. D.B. 890, p. 32. 1920.
cooked and raw, relative value. F.B. 363, pp. 23–25. 1909.
coolers, types, description and importance of low temperatures. F.B. 976, pp. 6–8. 1918.
cooling—
after pasteurization, effect on bacteria. B.A.I. Bul. 161, pp. 20–21, 58. 1913.
apparatus to control bacteria content. O.E.S. An. Rpt., 1910, pp. 83, 259. 1911.
at receiving stations, time and methods. D.B. 98, pp. 72–74. 1914.

36167°—32——96

Milk—Continued.
　cooling—continued.
　　by farmers, importance, and method. News L., vol. 4, No. 11, p. 4. 1916.
　　directions. B.A.I. Dairy [Misc.], "Turn cold into gold," pp. 4. 1918.
　　experiments. News L., vol. 2, No. 19, pp. 3-4. 1914.
　　importance. B.A.I. Cir. 153, pp. 25-26. 1910.
　　in—
　　　bottles after pasteurization, method. D.B. 240, pp. 5-8. 1915.
　　　bottling plants, methods. D.B. 98, pp. 74-78. 1914.
　　　pasteurization. D.B. 890, pp. 18-20. 1920.
　　methods. F.B. 348, p. 22. 1909.
　　necessity for fresh supply. B.A.I. Bul. 70, pp. 18-19. 1905.
　　on the farm, equipment and directions. D.B. 98, pp. 65-69. 1914; F.B. 623, pp. 2-5. 1915; F.B. 976, pp. 1-16. 1918.
　　requirements for production of good milk. B.A.I. An. Rpt., 1909, pp. 127, 129. 1911; B.A.I. Cir. 170, pp. 127, 129. 1911.
　　storing and shipping at low temperature. James A. Gamble and John T. Bowen. D.B. 744, pp. 28. 1919.
　　tanks, construction, size, and ice requirements. F.B. 976, pp. 8-12. 1918.
　cooperative plants, marketing contracts and financing methods. D.B. 1095, pp. 4-5. 1922.
　cost—
　　and yield, relation to feed cost of cow. Y.B., 1915, pp. 117, 118. 1916; Y.B. Sep. 661, pp. 117, 118. 1916.
　　comparison with price. Minnesota. Stat. Bul. 88, pp. 36-38. 1911.
　　of—
　　　improving production to high standard. B.A.I. An. Rpt., 1909, pp. 124-131. 1911; B.A.I. Cir. 170, pp. 124-131. 1911.
　　　producing 100 pounds, units required and comparison. D.B. 1101, pp. 3-4, 12-13, 14-15. 1922.
　　production. S.R.S. Syl. 18, p. 5. 1915.
　cows—
　　chemical changes produced by pasteurization. Philip Rupp. B.A.I. Bul. 166, pp. 15. 1913.
　　comparison with—
　　　mare's milk. B.A.I. An. Rpt., 1909, p. 152. 1911; B.A.I. Cir. 171, p. 152. 1911.
　　　sheep's milk. D.B. 970, pp. 6, 27. 1911.
　　composition, comparison with human milk. Chem. Bul. 123, p. 20. 1909.
　　fat globules, large and small, chemical and physical study. R. H. Shaw and C. H. Eckles. B.A.I. Bul. 111, pp. 16. 1909.
　creaming—
　　ability, effect of factors. H. A. Whittaker and others. D.B. 1344, pp. 24. 1925.
　　rapidity. D.B. 1344, pp. 12-14. 1925.
　cultures, litmus substitute. Wm. Mansfield Clark and Herbert A. Lubs. J.A.R., vol. 10, pp. 105-111. 1917.
　curds, moisture content, studies. B.A.I. Cir. 210, pp. 3-4. 1913.
　daily waste in homes. News L., vol. 6, No. 43, p. 5. 1919.
　dairy—
　　equipment, selection, and care. D.B. 890, pp. 1-3. 1920.
　　valuable devices. News L., vol. 2, No. 36, p. 7. 1915.
　dangers from cattle diseases and conditions. B.A.I. An. Rpt., 1907, pp. 145-159. 1909.
　dealers, duties in handling milk. F.B. 366, pp. 21-24. 1909.
　definitions and standards. Chem. [Misc.], "Food definitions and standards," pp. 2-3. 1903.
　delivery—
　　costs. Mkts. [Misc.], "Costs. You know * * *," pp. 3. 1921.
　　in Detroit, cost. D.B. 639, pp. 13-14. 1918.
　　in pint bottles, comparison with quart deliveries. News L., vol. 2, No. 52, p. 1. 1915.
　　system in Detroit, before and after pasteurization. D.B. 639, pp. 16-19. 1918.
　　to consumer, suggestions. F.B. 413, p. 6. 1910.

Milk—Continued.
　description, food-value comparisons. D.B. 975, pp. 6-8, 10, 20-21. 1921.
　desiccated. Levi Wells. Y.B., 1912, pp. 335-344. 1913; Y.B. Sep. 595, pp. 335-344. 1913.
　determination of casein, official methods. Chem. Bul. 81, pp. 91-92. 1904.
　dietetics with reference to infant feeding. Hawaii [Misc.], "Production and inspection * * *," pp. 273-296. 1912.
　different animals, composition, and comparison. J.A.R., vol. 16, p. 83. 1919.
　digestibility—
　　constituents governing, studies. F.B. 1207, pp. 9-13, 32. 1921.
　　process and nutrients digested. F.B. 363, pp. 20-23. 1909.
　　raw, pasteurized, and cooked. F.B. 149, pp. 27-28. 1902.
　dilution with water, effect on whey separation from curd. B.A.I. Bul. 122, p. 56. 1910.
　dirt tests, methods, and comparison. D.B. 361, pp. 2-6. 1916.
　dirty—
　　production for experiment. D.B. 642, pp. 3-23. 1918.
　　testing for sporogenes contamination. D.B. 940, pp. 4, 13, 15-19. 1921.
　diseased—
　　conditions after calving. B.A.I. [Misc.], "Diseases of cattle," rev., pp. 241-242. 1923.
　　cows, danger of tuberculosis. B.A.I. Cir. 83, pp. 1-22. 1905.
　diseases and conditions affecting quality. B.A.I. Cir. 114, pp. 12-18. 1909.
　distributing plants, producers' cooperative. O. B. Jesness, W. H. Barber, A. V. Swarthout, and C. E. Clement. D.B. 1095, pp. 44. 1922.
　distribution—
　　cooperative plants, by-laws. D.B. 1095, pp. 6, 37-44. 1922.
　　in large cities, price-reduction studies. News L., vol. 2, No. 51, pp. 1-2. 1915.
　diurnal variations of constituents. B.A.I. Bul. 157, pp. 9-14, 21-27. 1913; J.A.R., vol. 16, pp. 92-98. 1919.
　dried—
　　adulteration and misbranding. Chem. N. J. 3280. 1914.
　　bacterial purity in manufacture. B.A.I. Dairy [Misc.], "World's dairy congress, 1923," pp. 1265-1271. 1924.
　　development as a food. (Col.) Robert James Blackham. B.A.I. Dairy [Misc.], "World's dairy congress, 1923," pp. 193-198. 1924.
　　grades, definitions. Chem. F. I. D. 170, p. 1. 1917.
　　keeping quality. G. C. Supplee. B.A.I. Dairy [Misc.], "World's dairy congress,1923," pp. 1248-1253. 1924.
　　or powder, composition and food value. F.B. 1359, pp. 11, 12. 1923.
　　preparation and food value. F.B. 1207, pp. 23-24, 33. 1921.
　　stocks (not retail), July 1, 1918. News L., vol. 6, No. 6, p. 6. 1918.
　　use and marketing. Y.B., 1922, p. 365. 1923; Y.B. Sep. 879, p. 72. 1923.
　　value as infant food in the tropics. B.A.I. Dairy [Misc.], "World's dairy congress,1923," pp. 459-461. 1924.
　　See also Milk, desiccated.
　drinks, recipes. D.C. 72, pp. 1-8. 1919.
　drugs affecting injuriously, list. B.A.I. An. Rpt. 1907, p. 158. 1909.
　ducts, cow, diseased conditions, instruments for use. B.A.I. [Misc.], "Diseases of cattle," rev., pp. 248-249, 250. 1912; rev., pp. 244-245. 1923.
　economical use in the home. F.B. 413, pp. 14-16. 1910.
　effect—
　　of—
　　　barn dust, investigations. S.R.S. Rpt., 1916, Pt. I, pp. 43, 204. 1918.
　　　different feeds, age, and other conditions of cow. B.A.I. [Misc.], "Diseases of cattle," rev., pp. 261-263. 1912.
　　　feeding green stuff on odor and flavor. C. J. Babcock. D.B. 1342, pp. 8. 1925.

Milk—Continued.
 effect—continued.
  on metals. B.A.I. Dairy [Misc.], "World's dairy congress, 1923," pp. 1206-1212. 1924.
 energy value, in production experiment. D.B. 1281, p. 12. 1924.
 enzymes—
  and butter. R. D. Thatcher and A. C. Dahlberg. J.A.R., vol. 11, pp. 437-450. 1917.
  tests in butter making with pasteurized cream. B.A.I. An. Rpt., 1910, pp. 310-322, 325. 1912; B.A.I. Cir. 189, pp. 310-322, 325. 1912.
 evaporated—
  adulteration and misbranding. See *Indexes to Notices of Judgment in bound volumes to Chemistry Service and Regulatory Announcements.*
  composition. Chem. F.I.D. 131, pp. 2. 1911.
  composition and food value. F.B. 1359, p. 11. 1923.
  condensed, and dried, use in dietary. Session 5. B.A.I. Dairy [Misc.], "World's dairy congress, 1923," pp. 149-206. 1924.
  description and keeping qualities. F.B. 1207, pp. 23-24, 33. 1921.
  exports, statistics. Y.B., 1921, p. 743. 1922; Y.B. Sep. 867, p. 7. 1922.
  F.I.D. 158, and instructions. Chem. S.R.A. 13, p. 2. 1915.
  food value and description. F.B. 1207, pp. 23-24, 33. 1921.
  heat coagulation and factors affecting. B.A.I. Dairy [Misc.], "World's dairy congress, 1923," pp. 1243-1246. 1924.
  manufacture and uses. Y.B., 1912, pp. 336, 337, 339. 1913; Y.B. Sep. 595, pp. 336, 337, 339. 1913.
  production—
   1869-1920, imports and exports, 1892-1920. B.A.I. Doc. A-37, p. 36. 1922.
   marketing, and demand. Y.B., 1922, pp. 297, 364, 393, 394. 1923; Y.B. Sep. 879, pp. 15, 71, 98. 1923.
  sediments. B.A.I. Dairy [Misc.], "World's dairy congress, 1923," pp. 1284-1285. 1924.
  stocks (not retail), July 1, 1918. News L., vol. 6, No. 6, p. 6. 1918.
  whipping quality. D.B. 1075, p. 21. 1922.
  See also Milk, condensed.
 evaporation, requirements in quality of milk. D.B. 944, pp. 1-2, 7-8. 1921.
 ewes—
  composition and quantity, its relation to growth of lambs. Ray E. Neidig and E. J. Iddings. J.A.R., vol. 17, pp. 19-32. 1919.
  fat content and relation to the growth of lambs. E. G. Ritzman. J.A.R., vol. 8, pp. 29-39. 1917.
  examination for taints and odors, methods. D.B. 1097, p. 5. 1922.
 exchanges—
  directory. B.A.I. Cir. 204, p. 22. 1912.
  New York and Philadelphia, fixing of prices. B.A.I. Bul. 81, pp. 46, 56. 1905.
 exhibit, National Dairy Show, 1906. Clarence B. Lane. B.A.I. Bul. 87, pp. 21. 1906.
 exhibitions, competitive (and cream) national and State. C. B. Lane and Ivan C. Weld. B.A.I. Cir. 151, pp. 36. 1909.
 expansion, studies. H. W. Bearce. J.A.R., vol. 3, pp. 251-268. 1914.
 exports—
  1919. News L., vol. 7, No. 6, p. 3. 1919.
  1922-1924. Y.B. 1924, p. 1041. 1925.
  and imports, 1906-1910. Y.B., 1910, pp. 653, 665. 1911; Y.B. Sep. 553, pp. 653, 665. 1911; Y.B. Sep. 554, pp. 653, 665. 1911.
  to Europe, 1919. B.A.I. Dairy [Misc.], "World's dairy congress, 1923," p. 56. 1924.
 family use. D.C. 129, pp. 1-4. 1920; rev., pp. 1-4. 1921.
 farm prices, 1914, comparison with 1913. News L., vol. 2, No. 38, pp. 1, 2. 1915.
 fat—
  and cream, testing. B.A.I. Doc. A-12, pp. 5-26. 1917.
  and solids not fat, normal percentage in milk. D.B. 356, p. 22. 1916.
  as basis for value. O.E.S. Bul. 166, pp. 57-59. 1906.

Milk—Continued.
 fat—continued.
  chemical constants, sheep's and cow's milk. J.A.R., vol. 2, p. 430. 1914.
  composition. O.E.S. Bul. 166, p. 15. 1906.
  composition and properties, influence of age of cow. C. H. Eckles and L. S. Palmer. J.A.R. vol. 11, pp. 645-658. 1917.
  content and quantity, variation in Ayrshire cows. Raymond Pearl and John Rice Miner. J.A.R., vol. 17, pp. 285-322. 1919.
  cow's milk, comparison with sheep's milk and Roquefort cheese. J.A.R., vol. 2, pp. 430-431. 1914.
  description, importance, and uses. F.B. 363, pp. 11, 19, 22, 23, 26, 27-28, 30, 34, 42. 1909.
  determination in milk chocolate, methods. Chem. Bul. 162, pp. 131-132, 134-135. 1913.
  globules, microscopical work, method of Dr. S. M. Babcock. B.A.I. Bul. 111, pp. 11-14. 1909.
  percentage, correlation with yield. Elmer Roberts. J.A.R., vol. 14, pp. 67-96. 1918.
  Reichert-Meissl number, comparison of milk of 12 mammals. J.A.R., vol. 2, p. 430. 1914.
  relation to—
   cheese yield. O.E.S. Bul. 166, pp. 18-20. 1906.
   feeding prickly pears. J.A.R., vol. 4, pp. 422-423. 1915.
   scoring rules. B.A.I. Cir. 205, pp. 16, 27. 1912.
  fattening chickens, importance. B.A.I. Bul. 140, pp. 14, 19, 32, 33, 39, 44. 1911.
 feed—
  cost, relation to fat content. W. L. Gaines. J.A.R., vol. 29, pp. 593-601. 1924.
  for calves, quantity and regularity in feeding. F.B. 1336, pp. 3-6. 1923.
  for chickens. F.B. 287, p. 24. 1907; F.B. 1108, p. 7. 1920.
 feeding to—
  calves, quantity and quality. F.B. 777, pp. 5-6. 1917.
  children in Labrador, results. B.A.I. Dairy [Misc.], "World's dairy congress, 1923," pp. 837-844. 1924.
  hogs, substitute for grain. D.C. 330, pp. 28-29. 1925.
 fermentations, miscellaneous, causes and effects. F.B. 348, p. 19. 1909; F.B. 490, pp. 16, 17-18. 1912.
 fermented—
  L. A. Rogers. B.A.I. An. Rpt., 1909, pp. 133-161. 1911; B.A.I. Cir. 171, pp. 29. 1911; D.B. 319, pp. 31. 1916.
  food value. D.B. 319, p. 7. 1916.
  products, kinds, and uses. F.B. 1207, pp. 28-29. 1921.
  therapeutic value. B.A.I. An. Rpt., 1909, pp. 134-141. 1911; B.A.I. Cir. 171, pp. 134-141. 1911; D.B. 319, pp. 2-7. 1916.
  use as beverage. B.A.I. 363, pp. 41, 44. 1909; F.B. 1359, pp. 14-15. 1923.
  various forms. D.B. 319, pp. 8-24. 1916.
 fever—
  air treatment. F.B. 206, pp. 10-14. 1904.
  and its successful treatment. John R. Mohler. B.A.I. Cir. 45, pp. 13. 1904.
  causes, symptoms—
   and treatment. B.A.I. [Misc.], "Diseases of cattle," rev., pp. 222-231. 1904; rev., pp. 228-237. 1912; rev., pp. 226-237. 1923.
   treatment and prevention. F.B. 1422, pp. 15-17. 1924.
  cows, symptoms, and control methods. News L., vol. 3, No. 31, pp. 1-2. 1916.
  ewes, cause, symptoms, and treatment. F.B. 1155, p. 35. 1921.
  treatment. F.B. 259, pp. 28-30. 1906.
  treatment, simple and successful. John R. Mohler. B.A.I. Cir. 45, pp. 13. 1904. F.B. 206, pp. 16. 1904.
 filled, law enactment. Off. Rec., vol. 2, No. 11, p. 1. 1923.
 filters, description and efficiency. News L., vol. 6, No. 32, p. 8. 1919.
 first and last drawn, variations for individual cows. B.A.I. Bul. 157, pp. 16-20. 1913.

Milk—Continued.
flavor(s)—
and odor—
control suggestions. D.B. 356, pp. 20-21. 1916.
effect of feeding cabbage and potatoes. C. J. Babcock. D.B. 1297, pp. 12. 1924.
effect of feeding green alfalfa and green corn. C. J. Babcock. D.B. 1190, pp. 12. 1923.
effect of feeding green rye and green cowpeas. C. J. Babcock. D.B. 1342, pp. 8. 1925.
effect of garlic. C. J. Babcock. D.B. 1326, pp. 11. 1925.
effect of silage. James A. Gamble and Ernest Kelly. D.B. 1097, pp. 24. 1922.
testing. D.C. 53, p. 21. 1919.
causes. B.A.I. Cir. 151, pp. 5-6. 1909; F.B. 348, pp. 13-14. 1909; F.B. 490, pp. 11-12. 1912; O.E.S. Bul. 166, p. 23, 1906.
effect of—
feeding prickly pears. J.A.R., vol. 4, pp. 423, 433. 1915.
silage. F.B. 267, pp. 29-31. 1906.
origin, and results of different bacteria. Y.B., 1907, p. 185. 1908; Y.B. Sep. 444, p. 185. 1908.
relation to feeding stuffs. O.E.S. An. Rpt., 1905, pp. 285-287. 1906.
scoring in contests, and control suggestions. B.A.I. Cir. 205, pp. 15, 26. 1912.
flour, adulteration and misbranding. Chem. N.J. 211, pp. 2. 1910.
flow—
dairy cattle, relation to age, and logarithmic equations. J.A.R., vol. 3, pp. 411, 417-420. 1915.
effect of diuresis. H. Steenbock. J.A.R., vol. 5, No. 13, pp. 561-568. 1915.
increase by dipping for tick control. News L., vol. 4, No. 49, pp. 4-5. 1917.
reduction by exposure to cold. News L., vol. 6, No. 5, p. 11. 1918.
food—
for children, demonstrations. D.C. 139, pp. 13-14. 1920.
value—
and cost, comparison with other foods. B.A.I. Doc. A-27, pp. 1-2. 1917.
and home use, school lesson. D.B. 763, pp. 21-22. 1919.
and uses. D.C. 26, pp. 2-6, 12. 1919; U.S. Food Leaf. No. 11, pp. 1-4. 1918.
chart. F.B. 1383, pp. 17, 18. 1924.
composition, and comparative cost. Sec. Cir. 85, pp. 5-9. 1918.
for adults. F.B. 363, pp. 29, 43. 1909.
for children. News L., vol. 6, No. 47, p. 15. 1919.
protein and energy content. Food Thrift Ser. No. 1, pp. 2-3. 1917.
relation to feed of cows. B.A.I. [Misc.], "World's dairy congress, 1923," pp. 1032, 1033. 1924.
variations in different countries, experiments. B.A.I. Dairy [Misc.], "World's dairy congress, 1923," p. 800. 1924.
for—
Army and naval zones, safeguarding by Agriculture Department, methods. News L., vol. 6, No. 6, p. 8. 1918.
cities and towns, sources of supply. B.A.I. Bul. 46, pp. 13-14. 1903.
health—
campaigns, community, work of Department of Agriculture. B.A.I. Dairy [Misc.], "World's dairy congress, 1923," pp. 684-689. 1924.
campaigns educational. Jessie M. Hoover. D.C. 250, pp. 36. 1923.
programs, posters prepared by school children. Jessie M. Hoover. M.C. 21, pp. 8. 1924.
pasteurization, quality, and preparation. B.A.I. Cir. 184, p. 8. 1912.
the family. D.C. 129, pp. 4. 1920; rev., pp. 4. 1921.
formaldehyde detection. Chem. Bul. 90, pp. 52-53. 1905.
freight rates. B.A.I. Bul. 138, pp. 12, 33. 1911.

Milk—Continued,
freezing point, and use for detection of water added. B.A.I. Dairy [Misc.], "World's dairy congress, 1923," pp. 1173-1174. 1924.
fresh, relation of alcohol test, studies. D.B. 202, pp. 3-7, 32, 33. 1915.
from—
cows at calving, fat content. F.B. 514, pp. 23-24. 1912.
diseased cows. F.B. 233, pp. 27-28. 1905.
tuberculous cows—
danger to public health. Y.B., 1915, p. 167. 1916; Y.B. Sep. 666, p. 167. 1916.
infectious nature, discussion. B.A.I. [Misc.], "Diseases of cattle," rev., pp. 437-438. 1912.
garlic flavor—
methods for removal, experiments. F.B. 608, pp. 1-3, 4. 1914.
prevention, methods. News L., vol. 4, No. 28, pp. 1-2. 1917.
goats'—
boiling, to avoid infection with Malta fever. B.A.I. An. Rpt., 1911, pp. 123, 136. 1913; B.A.I. Cir. 215, pp. 123, 136. 1913.
care, precautions against odor absorption. F.B. 920, pp. 22, 25, 27-28. 1918.
comparison with—
cow's milk, analyses. B.A.I. An. Rpt., 1900, p. 323. 1901; F.B. 137, p. 25. 1901.
other milks for baby feeding. D.B. 613, p. 3. 1919.
composition. B.A.I. An. Rpt., 1904, p. 333. 1905.
discussion. B.A.I. An. Rpt., 1904, pp. 328-330. 1905.
effects of different feeds. B.A.I. [Misc.], "Diseases of cattle," rev., p. 252. 1912.
flavor and odor. B.A.I. Bul. 68, pp. 20-21. 1905.
Maltese, chemical analysis, variations. B.A.I. An. Rpt., 1908, p. 281. 1910.
medicinal value and characteristics. B.A.I. Bul. 68, pp. 14-21. 1905.
occurrence of *Melitensis abortus*. B.A.I. Dairy [Misc.], "World's dairy congress, 1923," pp. 563-566. 1924.
pasteurization for protection against Malta fever. An. Rpts., 1912, p. 365. 1913; B.A.I. Chief Rpt., 1912, p. 69. 1912.
phosphorus content. Chem. Bul. 123, p. 16. 1909.
quality. B.A.I. Bul. 68, p. 73. 1905.
use—
and value for butter and cheese. F.B. 920, pp. 6-7. 1918.
in infant feeding. F.B. 1359, p. 5. 1923.
in preparation of yogurt. B.A.I. An. Rpt., 1909, p. 153. 1911; B.A.I. Cir. 171, p. 153. 1911.
utilization and comparison with cow's milk. F.B. 920, pp. 5-7. 1918.
value—
as substitute for cow's milk. B.A.I. An. Rpt., 1908, pp. 279-282. 1910.
for infants and invalids. F.B. 920, pp. 7-8. 1918.
of products. B.A.I. Bul. 68, pp. 14-27. 1905.
yield—
B.A.I. An. Rpt., 1904, pp. 331-333. 1905.
prices, composition and uses. F.B. 920, pp. 4-8. 1918.
various breeds. B.A.I. Bul. 68, pp. 11, 17-19, 51, 53, 55, 56, 57, 60, 61, 62, 63, 68, 69, 71. 1905.
good drinks made of, kickless, but full of punch. D.C. 72; pp. 8. 1919.
grade(s)—
A, in Reading, England, condition on delivery. B.A.I. Dairy [Misc.], "World's dairy congress, 1923," p. 804. 1924.
and weights. Rpt. 98, pp. 121-122. 1913.
condensed, dried, and malted, definitions. F.I.D. 170, pp. 2. 1917.
proportion of *Bacillus coli* and *Bacillus aerogenes*. D.B. 739, pp. 28-29. 1918.
suggestion for form of ordinance. D.B. 585, p. 3. 1917.
graded and certified, terms, descriptive, F.B. 363, p. 19. 1909.

Milk—Continued.
  grading—
    and inspecting in New York City. B.A.I. Dairy [Misc.], "World's dairy congress, 1923." pp. 530-537. 1924.
    by bacterial count, and premiums paid by milk plants. B.A.I. Dairy [Misc.], "World's dairy congress, 1923," pp. 525, 527, 531-535. 1924.
    plants. B.A.I. [Misc.], "World's dairy congress, 1923," pp. 525, 527, 531-535. 1924.
    importance in control of milk supplies. D.C. 276, pp. 6, 7. 1923.
    in England and Wales. B.A.I. Dairy [Misc.], "World's dairy congress, 1923," pp. 1291-1293. 1924.
    into classes, requirements. B.A.I. An. Rpt., 1907, pp. 180-182. 1909.
    provisions in Scotland, and grades. B.A.I. Dairy [Misc.], "World's dairy congress, 1923," p. 1339. 1924.
  gravy, recipe and milk-conservation suggestion. News L., vol. 4, No. 49, p. 5. 1917.
  half-a-cup, food value. Food Thrift Ser. No. 4, p. 5. 1917.
  handling—
    and care. B.A.I. An. Rpt., 1908, pp. 369-371, 374-376, 1910; B.A.I. Cir. 158, pp. 5-7, 10-12. 1910; F.B. 241, pp. 10-11. 1905; F.B. 348, pp. 21-24. 1909.
    application of refrigeration. John T. Bowen. D.B. 98, pp. 88. 1914.
    directions. S.R.S. Syl. 18, pp. 13-14. 1915.
    in city plants, methods of receiving and distributing. D.B. 849, pp. 6-9, 12-19, 30. 1920.
    in Italy, different systems. Giuseppe Fascetti. B.A.I. Dairy [Misc.], "World's dairy congress, 1923," pp. 883-837. 1924.
    in southern cities. B.A.I. Bul. 70, pp. 13-14. 1905; F.B. 151, pp. 41-42. 1902.
    methods. B.A.I. Bul. 46, pp. 12, 181. 1903; B.A.I. Cir. 199, pp. 11, 17-20, 27, 29. 1912.
    sanitary and insanitary conditions. B.A.I. Bul. 138, pp. 13-18, 34-35. 1911.
    to insure production of clean cream. F.B. 514, p. 24. 1912.
  hauling, cost—
    compared with cost of hauling cream. F.B. 201, pp. 5-6. 1904.
    per 100 pounds. D.B. 919, pp. 5-6. 1920.
  health posters, by school children. M.C. 21, pp. 1-8. 1924.
  heated, detection method. D.B. 1, p. 35. 1913.
  heating—
    by forced air, experiments. D.B. 420, pp. 32-35. 1916.
    effect on—
      bacteria, experiments, different periods. B.A.I. Bul. 161, pp. 17-19, 58. 1913.
      food value. B.A.I. Dairy [Misc.], "World's dairy congress, 1923," pp. 196, 197. 1924.
      leucocytes. B.A.I. Bul. 117, pp. 13-19. 1909.
  highest producers, of different dairy cattle breeds. F.B. 893, pp. 11, 16, 21, 27, 33. 1917.
  Holstein cows', fatty acids in butterfat. J.A.R., vol. 24, pp. 367-392. 1923.
  home care, directions. F.B. 1374, p. 7. 1923.
  homemade sterilizer, value. News L., vol. 4, No. 1, pp. 1, 6. 1916.
  homogenized, for infant feeding. F.B. 363, pp. 25, 26, 43. 1909.
  hot-bottled Pasteurized, cooling by forced air. S. Henry Ayers and others. D.B. 420, pp. 38. 1916.
  houses—
    construction, and care. F.B. 241, pp. 10-11. 1905; F.B. 1214, pp. 3-5. 1921.
    dairy farm—
      designs for building. B.A.I. An. Rpt., 1906, pp. 304-308. 1908; B.A.I. Cir. 131, pp. 22-26. 1908.
      inspection and scoring. D.C. 276, pp. 15, 19, 22. 1923.
      location—
        description, water supply, and utensils, influence on milk production. F.B. 602, pp. 11-13. 1914.
        plans, and care. S.R.S. Syl. 18, pp. 10-11. 1915.

Milk—Continued.
  houses—continued.
    plans, description, and cost. B.A.I. An. Rpt., 1908, pp. 367-372. 1910; B.A.I. Cir. 158, pp. 4-8. 1910; F.B. 1214, pp. 5-14. 1921.
  requirements, certified milk production. B.A.I. Bul. 104, pp. 12, 26-28, 35 1908; D.B. 1, pp. 14, 27. 1913.
  requirements, score-card ratings. B.A.I. Cir. 139, pp. 7, 10. 1909; B.A.I. Cir. 199, pp. 11, 16, Cir. 27, 29. 1912.
  Southern States. B.A.I. An. Rpt., 1907, pp. 319, 321. 1909 ; F.B. 349, pp. 18, 20. 1909.
  See also Dairy houses.
  human—
    comparison with other. B.A.I. Dairy [Misc.], "World's dairy congress 1923," pp. 150-152. 1924; F.B. 363, pp. 8, 25. 1909.
    composition, comparison with cow's milk. Chem. Bul. 123, pp. 13, 20. 1909; F.B. 413, pp. 12, 13. 1910.
    standard composition. B.A.I. Dairy [Misc.], "World's dairy Congress, 1923," p. 463. 1924.
  importance—
    as food for children, and feed for dairy calves. News L. vol. 5, No. 34, p. 1. 1918.
    in fattening chickens. B.A.I. Bul. 140, pp. 14, 19, 32, 33, 39, 44. 1911.
    of odors and flavors. D.B. 1097, pp. 22-23. 1922.
  imports—
    1922-1924. Y.B. 1924, p. 1058. 1925.
    statistics, 1921. Y.B. 1921, p. 737. 1922; Y.B. Sep. 867, p. 1. 1922.
  improvement—
    by cow-testing associations. News L. vol. 3, No. 23, p. 2. 1916.
    results at Naval Academy on health of students. An. Rpts., 1912, pp. 309-310, 341. 1913; B.A.I. Chief Rpt., 1912, pp. 13-14, 45. 1912.
  impure—
    cause of epidemics. B.A.I. Cir. 153, pp. 20-22. 1910.
    dangers and sources of contamination. B.A.I. Dairy [Misc.], "World's dairy congress, 1923," pp. 512-515. 1924.
  in—
    Canal Zone, supply, demand, and cost. Rpt. 95, pp. 17-18. 1912.
    diet, importance. Sec. Cir. 85, pp. 5-9, 19-20. 1918.
    Germany, yield, imports and exports, 1897-1920. B.A.I. Doc. A-37, p. 53. 1922.
    New York City, bacterial contents. B.A.I. Bul. 73, p. 6. 1905.
    New York City, price variation, 1901-1912, average, 1865-1909. D.B. 177, p. 15. 1915.
    New York, Oneida County, production and shipments. Soil Sur. Adv. Sh. 1913, pp. 9-10. 1915; Soils F.O. 1913, pp. 43-44. 1916.
    Switzerland, production, and consumption, 1911-1918: B.A.I. Doc. A-37, p. 64. 1922.
    the diet. B.A.I. Dairy [Misc.], "World's dairy congress, 1923," pp. 837-850. 1924.
    the Tropics. Robert James Blackham. B.A.I. Dairy [Misc.], "World's dairy congress, 1923," pp. 456-463. 1924.
    western Washington, unit production requirements. J. B. Bain and G. E. Braun. D.B. 919, pp. 19. 1920.
  industry—
    Argentina. B.A.I. An. Rpt. 1908, p. 321. 1910.
    investigation during war, results. B.A.I. Dairy [Misc.], "World's dairy congress, 1923," p. 854. 1924.
    price conciliation, economic and social factors. Clyde L. King. B.A.I. Dairy [Misc.], "World's dairy congress, 1923," pp. 869-875. 1924.
    water heating with exhaust steam. B.A.I Cir. 209, pp. 1-13. 1913.
  infected, foot-and-mouth disease transmission. B.A.I. Cir. 147, pp. 8, 9, 10. 1909; F.B. 666, pp. 10-11, 15, 16. 1915.
  infection—
    and remedy by pasteurization. Y.B., 1908, pp. 218-219, 223-224. 1909; Y.B. Sep. 476, pp. 218-219, 223-224. 1909.
    sources. D.B. 739, pp. 3-19. 1918.
    with tubercle bacilli—
      B.A.I. Cir. 83, p. 63. 1905.

Milk—Continued.
  infection—continued.
    with tubercle bacilli—continued.
      from tuberculous cows. B.A.I. An. Rpt. 1908, pp. 129-132, 158. 1910.
    infectious abortion bacillus, occurrence. B.A.I. An. Rpt., 1911, pp. 137-146. 1913; B.A.I. Cir. 216, pp. 137-146. 1913.
    infectiveness from—
      cows which have reacted to the tuberculin test. John R. Mohler. B.A.I. Bul. 44, pp. 93. 1903.
      tuberculous cattle. B.A.I. [Misc.], "Danger from products * * *," pp. 4. 1908.
    influence of feed. F.B. 225, pp. 18, 19. 1905.
  inspection—
    and bacterial counts, farms and city dairies. B.A.I. Dairy [Misc.], "World's dairy congress, 1923," pp. 516-520. 1924.
    bacteriological, basis of sanitation. B.A.I. Cir. 199, pp. 6-8. 1912.
    by commissions. D.B. 1, pp. 6-7. 1913.
    cost and statistics. B.A.I. Bul. 46, pp. 27, 29, 31, 33, 35, 37, 39, 41, 43, 45-165. 1903.
    Federal, necessity. B.A.I. An. Rpt., 1907, pp. 14-15. 1909.
    formerly based on chemical composition of milk. B.A.I. Cir. 199, p. 5. 1912.
    in—
      Chicago, methods, and results. B.A.I. Bul. 138, pp. 24-29. 1911.
      cities, directions and requirements. B.A.I. Cir. 139, pp. 21-25. 1909.
      southern cities. B.A.I. An. Rpt. 1907, pp. 70, 324-325, 329. 1909; B.A.I. Bul. 70, pp. 14-16. 1905; F.B.; 349, pp. 23-24, 28. 1909.
      stores, score cards. B.A.I. An. Rpt., 1911, pp. 237-246. 1913; B.A.I. Cir. 217, pp. 237-246. 1913.
      Washington, D. C., methods and results. B.A.I. Bul. 138, pp. 35-39. 1911.
    methods and blank forms. B.A.I. Bul. 46, pp. 20-24, 196-198, 205, 207-210. 1903.
    sanitary, based on bacteriology. B.A.I. Cir. 199, pp. 6-8. 1912.
  Jersey cows, determination of fatty acids in butterfat. J.A.R., vol. 24, pp. 367-379. 1923.
  keeping—
    clean, equipment, and methods. News L., vol. 2, No. 49, pp. 1, 5. 1915.
    cold during shipment. F.B. 976, pp. 14-15. 1918.
    up flow by use of summer silage. News L., vol. 5, No. 52, p. 16. 1918.
  kinds, composition, comparison of cow's with other kinds. F.B. 363, p. 8. 1909.
  laboratory, equipment, samples, analysis, and pasteurization. D.C. 276, pp. 28-35. 1923.
  lactic bacteria, influence on development of peptonizing bacteria. B.A.I. Bul. 73, pp. 28-31. 1905.
  laws—
    1895, District of Columbia. B.A.I. Cir. 153, p. 9. 1910.
    faults and difficulties. B.A.I. Bul. 46, pp. 15-19. 1903.
    in cities and towns. B.A.I. Bul. 46, pp. 15-20, 44-210. 1903.
    State—
      1907. Chem. Bul. 112, Pt. I, pp. 30-31, 36, 73, 107-108. 1908.
      1908. Chem. Bul. 121, pp. 16, 17, 40, 45, 51, 61-65. 1909.
    See also Dairy laws.
  lecithin occurrence. B.A.I. Dairy [Misc.], "World's dairy congress, 1923," pp. 1168-1170. 1924.
  legal standards, different States. B.A.I. An. Rpt., 1909, pp. 329-330. 1911.
  legislation in Pittsburgh. B.A.I. Cir. 151, pp. 20-23. 1909.
  leucocytes, determination methods and effect of heat upon their number. H. C. Campbell. B.A.I. Bul. 117, pp. 19. 1909.
  license to sell, forms of application. B.A.I. Bul. 46, pp. 188-189, 190-195, 200-203. 1903.
  losses—
    in milk plants, causes. D.B. 890, p. 5. 1920.
    occasioned by horn fly on dairy cattle. Ent. Cir. 115, p. 3. 1910.

Milk—Continued.
  losses—continued.
    through souring, prevention by cooling. F.B. 976, pp. 15-16. 1918.
  low temperature, maintenance during transportation, methods. D.B. 98, pp. 69-72. 1914.
  malted—
    definition. F.I.D. 170, p. 2. 1917.
    production, 1916-1920. B.A.I. Doc. A-37, p. 38. 1922.
  mammals other than cows, composition. Hawaii [Misc.], "Production and inspection * * *," pp. 30-31. 1912.
  mares'—
    comparison with cow's milk. B.A.I. An. Rpt., 1909, pp. 151-152. 1911; B.A.I. Cir. 171, pp. 151-152. 1911.
    composition and use. D.B. 319, pp. 19-21. 1916; F.B. 363, pp. 8, 25, 41. 1909.
    use in making koumiss, quality. B.A.I. An. Rpt., 1909, pp. 151-152. 1911; B.A.I. Cir. 171, pp. 151-152. 1911.
  market—
    and creamery, relative profitableness, studies in Chester County, Pa. D.B. 341, p. 47. 1916.
    commercially pasteurized, and raw, bacteriology. S. Henry Ayers and William T. Johnson, jr. B.A.I. Bul. 126, pp. 98. 1910.
    conditions in cities. D.B. 849, pp. 1-2. 1920.
    control in New York State. B.A.I. Dairy [Misc.], "World's dairy congress, 1923," pp. 1306-1312. 1924.
    contest entry form. D.B. 356, pp. 2-4. 1916.
    cost of production—
      and requirements in northwestern Indiana. J. B. Bain and R. J. Posson. D.B. 858, pp. 31. 1920.
      studies and experiments. F.B. 469, pp. 10-16. 1911.
    creaming ability, effect of various factors. H. A. Whittaker and others. D.B. 1344, pp. 24. 1925.
    demand, urban population, D.B. 177, p. 9. 1915.
    economic phases. D.B. 639, pp. 1-2. 1918.
    improvement, work of Dairy Division, Bureau of Animal Industry. B.A.I. Cir. 204, p. 4. 1912.
    in eastern Nebraska, unit production requirements. J. B. Bain and others. D.B. 972, pp. 16. 1921.
    in Vermont, unit production requirements. J. B. Bain and others. D.B. 923, pp. 18. 1921.
    industry, magnitude, and importance. D.B. 849, pp. 1-2. 1920.
    investigations: II. The milk and cream exhibit at the national dairy show. Clarence B. Lane. B.A.I. Bul. 87, pp. 21. 1906.
    of Detroit, Michigan, business in 1915. Clarence E. Clement and Gustav P. Warber. D.B. 639, pp. 28. 1918.
    production—
      by ordinary dairies, improved methods. C.B. Lane and Karl E. Parks. B.A.I. An. Rpt., 1908, pp. 365-376. 1910; B.A.I. Cir. 158, pp. 12. 1910.
      cost, summer and winter, comparison. D.B. 972, pp. 12-15, 16. 1921.
      supervision in various cities, methods. B.A.I. Bul. 46, pp. 19-24. 1903.
      raw and Pasteurized, alcohol tests. D.B. 202, pp. 21-22. 1915.
      relation of alcohol test. D.B. 202, pp. 7-25, 32, 33. 1915.
    score-card method and directions. B.A.I. Cir 139, pp. 29-30. 1909; B.A.I. Cir. 199, pp. 1-32. 1912.
    sources for—
      large cities. Y.B., 1922, pp. 295, 296, 356, 357. 1923; Y.B. Sep. 879, pp. 14-15, 65. 1923.
      New York City. B.A.I. Bul. 126, p. 8. 1910.
    statistics, prices, 1919-1920. D.B. 982, pp. 151-154. 1921.
    study, scoring methods. B.A.I. An. Rpt., 1906, p. 58. 1908.
    suggestions for improvement. B.A.I. Bul. 46 pp. 24-25. 1903.
    testing, microscopic and inoculation methods, results. B.A.I. An. Rpt., 1909, pp. 165-173. 1911.

Milk—Continued.
   market—continued.
      Production—Continued.
         tubercle bacilli occurrence. B.A.I. An. Rpt., 1907, pp. 183–187. 1909; B.A.I. Cir. 143, pp. 183–187. 1909.
         wholesome, production, essentials. B.A.I. Cir. 151, pp. 18–20. 1909.
      marketing—
         associations, types and classes. B.A.I. Dairy [Misc.], "World's dairy congress, 1923," pp. 710–713. 1924.
         by cooperative distributing plant, management and requirements. D.B. 1095, pp. 17–44. 1922.
         in the United States, review of progress. B.A.I. Dairy [Misc.], "World's dairy congress, 1923," pp. 706–718. 1924.
         methods. Rpt. 98, pp. 119–123, 219–221. 1913.
         problems, transportation, and supply sources. Y.B., 1922, pp. 351–361, 386–389. 1923; Y.B. Sep. 879, pp. 60–68, 91–94. 1923.
      medical commissions, directory. B.A.I. Cir. 135, pp. 25–27. 1908.
      mineral constituents. B.A.I. Dairy [Misc.], "World's dairy congress, 1923," pp. 1170–1173. 1924.
      minimum amount for operation for cheese factory in Idaho and Montana. News L., vol. 3, No. 33, p. 2. 1916.
      mixed—herds, butterfat, determination of fatty acids. J.A.R., vol. 24, pp. 365–367. 1923.
      mixing at condenseries to modify acidity. D.B. 944, pp. 7–8. 1921.
      modified, for infant feeding. F.B. 363, pp. 25, 26, 43. 1909.
      moldy, Pasteurization experiments. J.A.R., vol. 6, No. 4, pp. 153–166. 1916.
      morning and evening, variations of constituents. B.A.I. Bul. 157, pp. 14–15. 1913; J.A.R., vol. 16, pp. 92–98. 1919.
      mother's, superiority for infant feeding. F.B. 363, pp. 8, 22, 25. 1909.
      "nem" as standard of food value. B.A.I. Dairy [Misc.], "World's dairy congress, 1923," p. 463. 1924.
      nut, uses as food. F.B. 332, pp. 20, 23. 1908.
      nutrients—
         cost, comparison with other foods. F.B. 363, pp. 31–32. 1909.
         digestion, process and results. F.B. 363, pp. 21–23. 1909.
         proportion digested. F.B. 1207, pp. 11–12. 1921.
      nutritive value—
         compared with beef and eggs. F.B. 413, pp. 15–16. 1910.
         comparison with other foods. F.B. 363, pp. 27–32, 43. 1909.
      occurrence of bacterium of contagious abortion of cattle. B.A.I. Cir. 198, pp. 1–3. 1912.
      odor—
         and taste, effects of certain feeds, prevention. B.A.I. An. Rpt., 1907, p. 157. 1909.
         production by iron salts and ferrous sulfate. B.A.I. Bul. 162, pp. 64–69. 1913.
         scoring in contests. B.A.I. Cir. 205, pp. 15, 26. 1912.
      of low bacterial content, production, four essential factors. S. Henry Ayers and others. D.B. 642, pp. 61. 1918.
      official regulations, northern cities. B.A.I. Bul. 81, pp. 29, 47, 58. 1905.
      old, determination method. Chem. Bul. 162, pp. 167–170. 1913.
      onion-flavored, prevention, experiments. News L., vol. 1, No. 37, pp. 2–3. 1914.
      onion-tainted, control method. F.B. 610, p. 8. 1914.
      ordinance(s)—
         guide for formulating. D.B. 585, pp. 4. 1917.
         local, aid of Dairy Division. B.A.I.S.R.A. 187, p. 133. 1922.
         various cities, text. B.A.I. Bul. 46, pp. 165–187. 1903.
      organization in England, relation to Farmers' National Union. B.A.I. Dairy [Misc.], "World's dairy congress, 1923," pp. 699–706. 1924.

Milk—Continued.
   organizations, producers' and dealers'. B.A.I. Bul. 138, pp. 19–20, 35. 1911.
   organs, size and relation to quality in dairy cows. B.A.I. Dairy [Misc.], "World's dairy congress, 1923," pp. 1368–1369, 1374. 1924.
   pail—
      combination can, strainer, and stool, description. B.A.I. An. Rpt., 1908, pp. 375–376. 1910; B.A.I. Cir. 158, pp. 11–12. 1910.
      covered, advantages. F.B. 210, pp. 26–27. 1904.
      descriptions. B.A.I. Bul. 104, pp. 12, 29–32. 1908.
      kinds and use in securing milk for experiment. D.B. 642, pp. 4, 5. 1918.
      open and hooded, comparison. B.A.I. An. Rpt., 1909, p. 126. 1911; B.A.I. Cir. 170, p. 126. 1911; F.B. 210, pp. 26–27. 1904.
      requirements—
         certified dairies, descriptions. B.A.I. Bul. 104, pp. 12, 29–31. 1908; D.B. 1, pp. 15–16, 28. 1913.
         cleaning. B.A.I. An. Rpt., 1907, p. 166. 1909; B.A.I. Cir. 142, p. 166. 1909.
         small-top, value in production of clean milk, experiments. News L., vol. 5, No. 37, p. 11. 1918.
         sterilization. F.B. 748, p. 7. 1916.
         value in production of clean milk. News L., vol. 5, No. 37, p. 11. 1918.
   Pasteurization—
      S. Henry Ayers. B.A.I. Cir. 184, pp. 44. 1912.
      advantages and objections. B.A.I. Bul. 126, pp. 7–13. 1910.
      apparatus and methods. D.B. 890, pp. 7–24. 1920.
      at home. F.B. 413, pp. 9–10. 1919; F.B. 1207, pp. 16–19, 32. 1921.
      at home, directions. L. A. Rogers. B.A.I. Cir. 152, pp. 2. 1909; B.A.I. Cir. 197, pp. 3. 1912.
      directions. F.B. 490, pp. 22–23. 1912; Y.B., 1908, pp. 223–224. 1909; Y.B. Sep. 476, pp. 223–224. 1909.
      experiments. B.A.I. Bul. 126, pp. 14–22. 1910.
      experiments with colon bacilli. J.A.R., vol. 3, pp. 402–409. 1915.
      extent of practice. B.A.I. Bul. 46, pp. 14–15. 1903.
      for Cheddar cheese making in New Zealand. B.A.I. Dairy [Misc.], "World's dairy congress, 1923," pp. 227, 306–308. 1924.
      importance in cottage cheese. D.B. 576, pp. 1–2, 11. 1917.
      in bottles, advantages and disadvantages. D.B. 240, pp. 7, 27. 1915.
      methods and value. B.A.I. An. Rpt., 1909, pp. 199, 200. 1911; B.A.I. Bul. 73, pp. 8–11. 1905; B.A.I. Bul. 165, pp. 12, 13, 18–20, 37–40. 1913; D.B. 240, pp. 1–3. 1915; F.B. 348, p. 23. 1909.
      necessity, for protection of public health. B.A.I. An. Rpt., 1911, pp. 138, 145. 1913; B.A.I. Cir. 216, pp. 138, 145. 1913.
      present status of. S. Henry Ayers. D.B. 342, pp. 16. 1916.
      prevention of hog tuberculosis. B.A.I. Cir. 201, pp. 16, 38, 40. 1912.
      process and its value. Y.B., 1922 p. 336. 1923; Y.B. Sep. 879, p. 46. 1923.
      requirements in Baltimore, difficulties and results. B.A.I. Dairy [Misc.], "World's dairy congress, 1923," pp. 1329–1336. 1924.
      supervision by State authorities. H.A. Whittaker. B.A.I. Dairy [Misc.], "World's dairy congress, 1923," pp. 549–555. 1924.
      survival of streptococci, experiments. J.A.R., vol. 2, pp. 321–330. 1914.
      value, methods, cost, and modern theories. D.B. 342, pp. 1–5, 9, 13–16. 1916.
   Pasteurized—
      and raw—
         bacteriology. S. Henry Ayers and William T. Johnson. B.A.I. Bul. 126, pp. 98. 1910.
         comparison of bacteria. B.A.I. Bul. 73, pp. 15–28. 1905; B.A.I. Bul. 138, p. 26. 1911.
         comparison of grades. B.A.I. Bul. 126, pp. 41–52. 1910; F.B. 363, p. 17. 1909.
         experiments. B.A.I. Bul. 73, pp. 11–14. 1905.

Milk—Continued.
Pasteurized—continued.
bacteria—
survival. S. Henry Ayres and William T. Johnson. B.A.I. Bul. 161, pp. 66. 1913.
under laboratory conditions. B.A.I. Bul. 73, pp. 11-32. 1905.
bacterial—
count, indications and results. B.A.I. Dairy [Misc.], "World's dairy congress, 1923," pp. 542-547, 1335. 1924.
flora study. B.A.I. Bul. 161, pp. 53-58. 1913.
bottling, while hot, advantages, and methods. News L., vol. 3, No. 2, p. 5. 1915.
cooling by forced air. S. Henry Ayres and others. D.B. 420, pp. 38. 1916.
comparison with raw milk. B.A.I. Bul. 126, pp. 15-52. 1910.
danger from standing. B.A.I. Bul. 73, p. 11. 1905.
detection, method. D.B. 1, p. 35. 1913.
determination methods. Chem. Bul. 162, pp. 167-170. 1913.
examination for tubercle bacilli, and results. B.A.I. An. Rpt., 1909, pp. 173-177. 1911.
handling—
and delivery. B.A.I. Cir. 184, pp. 43-44. 1912.
to prevent contamination. D.B. 342, pp. 8-9. 1916.
lime-sugar content, regulations. Chem. Bul. 69, rev., Pt. VIII, p. 682. 1906.
requirements. B.A.I. An. Rpt., 1907, p. 181. 1909.
small city, experiments. B.A.I. Bul. 126, pp. 23-25. 1910.
use—
for cottage cheese. F.B. 850, pp. 6-7. 1917.
for manufacture of cheese of the Cheddar type. J. L. Sammis and A. T. Bruhn. B.A.I. Bul. 165, pp. 95. 1913.
in cheese manufacture, acidulation. B.A.I. Bul. 165, pp. 15-17, 33-35. 1913.
Pasteurizers, selection and use in milk plants. D.B. 890, pp. 8-24. 1920.
Pasteurizing—
and bottling, comparison with bottling and Pasteurizing. News L., vol. 3, No. 2, p. 5. 1915.
and standardizing for cheese making. D.B. 669, pp. 3-5, 19-20, 23-25. 1918.
apparatus, tests. D.B. 85, pp. 2-6. 1914.
by holding method, advantages. B.A.I. Dairy [Misc.], "World's dairy congress, 1923," pp. 1303-1306. 1924.
cost. News L., vol. 1, No. 43, pp. 3-4. 1914.
cost, with cream. John T. Bowen. D.B. 85, pp. 12. 1914.
directions. F.B. 363, pp. 16-17. 1909.
in bottles and bottling hot milk Pasteurized in bulk. S. Henry Ayers and W. T. Johnson, jr. D.B. 240, pp. 27. 1915.
in bottles, machinery and methods. D.B. 240, pp. 7-11. 1915.
pathogenic bacterium, identification of contagious abortion bacillus. B.A.I. Cir. 198, pp. 1-3. 1912.
peptonizing bacteria, determination, various methods. B.A.I. An. Rpt., 1911, pp. 234-235. 1913.
plant(s)—
and creameries—
cottage cheese manufacture. Arnold O. Dahlberg. D.B. 576, pp. 16. 1917.
economical use of fuel. John T. Bowen. D.B. 747, pp. 47. 1919.
city—
construction and arrangement. Ernest Kelly and Clarence E. Clement. D.B. 849, pp. 35. 1920.
inspection, scoring and testing product. B.A.I. Cir. 139, pp. 20-25. 1909; B.A.I. Cir. 199, pp. 6-8, 25-29. 1912.
sanitation requirements, studies. News L., vol. 3, No. 18, p. 4. 1915.
cooperative, in small city. Lee Briggs Cook. B.A.I. Dairy [Misc.], "World's dairy congress, 1923," pp. 730-733. 1924.

Milk—Continued.
plant(s)—continued.
cost in cities. D.B. 849, pp. 33-34. 1920.
creameries and dairies, utilization of exhaust steam for heating boiler feed water and wash water. John T. Bowen. B.A.I. Cir. 209, pp. 13. 1920.
equipment. Ernest Kelly and Clarence E. Clement. D.B. 890, pp. 42. 1920.
labor-saving devices. D.B. 890, p. 32. 1920.
location in cities, essential points. D.B. 849, pp. 4-6. 1920.
operation. Clarence E. Clement. D.B. 973, pp. 46. 1923.
requirements, score-card ratings. B.A.I. Cir. 139, pp. 21-23. 1909.
rooms, division, uses, sizes, and arrangement. D.B. 849, pp. 19-25, 28-29. 1920.
sanitary requirements, water, and ventilation. D.B. 849, pp. 30-33. 1920.
See also Dairy.
poisoning, plants causing. B.A.I. An. Rpt., 1907, p. 158. 1909.
pollution, manurial, shown by colon count. D.B. 739, pp. 1-9. 1918.
powder—
adulteration and misbranding, alleged. Chem. N.J. 1303, pp. 2. 1912.
and buttermilk, production, 1914-1920. B.A.I. Doc. A-37, p. 38. 1922.
and condensed milk. B.A.I. Dairy [Misc.], "World's dairy congress, 1923," pp. 1233-1285. 1924.
description and food value. F.B. 1207, pp. 23-24, 33. 1921.
effect on fat and milk production of cows. J.A.R., vol. 19, pp. 123, 125, 126, 129. 1920.
food use. F.B. 363, pp. 18, 37. 1909.
keeping quality, relation to butterfat. B.A.I. Dairy [Misc.], "World's dairy congress, 1923," pp. 1253-1265. 1924.
plant, location and requirements. D.B. 890, pp. 33-38. 1920.
preparation, uses, and food value. F.B. 363, pp. 9, 18, 37, 43. 1909.
production and use. Y.B., 1922, pp. 291, 297, 310, 365. 1923; Y.B. Sep. 897, pp. 9, 15, 24, 72. 1923.
starters, description, and cost. F.B. 522, pp. 19-20. 1913.
stocks, prices and exports. See Weather, Crops and markets, commencing January, 1922.
tallowness, causes. B.A.I. Dairy [Misc.], "World's dairy congress, 1923," pp. 1250-1265. 1924.
use in baking. Chas. A. Glabau. B.A.I. Dairy [Misc.], "World's dairy congress, 1923," pp. 183-192. 1924.
See also Milk, condensed; Milk, desiccated.
powdered, adulteration. See Indexes, Notices of Judgment, in bound volumes and in separates published as supplements to Chemistry Service and Regulatory Announcements.
preparation of dishes for young children. F.B. 717, rev., pp. 6-11. 1920.
preservatives, effect on determination of proteids. Chem. Bul. 99, pp. 94-99. 1906.
preserved, vitamin content. Cornelia Kennedy. B.A.I. Dairy [Misc.], "World's dairy congress, 1923," pp. 198-206. 1924.
preserving, methods, temperature, and chemicals. F.B. 348, pp. 10-11, 22-24. 1909; F.B. 363, pp. 15-18. 1909; F.B. 490, pp. 8-9, 21-23. 1912.
price(s)—
1913, by months and sections, comparison with 1912. News L., vol. 2, No. 24, p. 1. 1915.
at creameries, 1900. B.A.I. Bul. 55, p. 41. 1903.
comparison—
of market with certified milk. B.A.I. Bul. 104, pp. 15, 18, 24, 33. 1908; D.B. 1, pp. 8, 19. 1913.
with cost of production. Stat. Bul. 88, pp. 36, 38. 1911.
control agreements, statement by Food Administrator. News L., vol. 5, No. 31, p. 8. 1918.
farm and market. Y.B., 1924, pp. 870, 877-880. 1925.

Milk—Continued.
price(s)—continued.
    feed cost, and labor requirements in Delaware. D.B. 1101, pp. 13–14. 1922.
    fluctuation in early method of buying. B.A.I. Dairy [Misc.], "World's dairy congress 1923." pp. 856–857. 1924.
    in—
        Chicago, 1896–1911. B.A.I. Bul. 138, pp. 20–24. 1911.
        Chicago, 1897–1920, and New York, 1875–1921. B.A.I. Doc A–37, pp. 18, 19. 1922.
        various cities, 1912. News L., vol. 1, No. 7, pp. 1–2. 1913.
        various States. News L., vol. 6, No. 33, p. 13. 1919.
        Washington, D. C., 1906–1910. B.A.I. Bul. 138, p. 35. 1911.
        Wisconsin, Jefferson County, creameries, cheese factories, condenseries, and city trade. Soil Sur. Adv. Sh. 1912, pp. 15–16. 1914; Soils F. O., 1912, pp. 1565–1566. 1915.
    paid for city supply and for creamery use. D.B. 639, pp. 4–7. 1918.
    per quart, retail, in various cities. D.B. 982, pp. 153–154. 1921.
    received by farmers, study. An. Rpts., 1913, pp. 76–77. 1914; B.A.I. Chief Rpt., 1913, pp. 6–7. 1913.
    reduction for large cities, studies. News L., vol. 2, No. 51, pp. 1–2. 1915.
    settlement between producers and distributors. B.A.I. [Misc.], "World's dairy congress, 1923," pp. 853, 856. 1924.
    statistics, and notes for various cities. B.A.I. Bul. 46, pp. 26–165. 1903.
    variations. B.A.I. Bul. 46, p. 12. 1903.
producers'—
    association, New England, type of collective bargaining. B.A.I. Dairy [Misc.], "World's dairy congress, 1923," p. 720. 1924.
    city, associations. B.A.I. Cir. 162, pp. 17–18. 1910.
    federation, national, organization, progress work. B.A.I. Dairy [Misc.], "World's dairy congress, 1923," pp. 706–718. 1924.
    market problems. Y.B., 1922, pp. 387–389. 1923; Y.B. Sep. 879, pp. 92–94. 1923.
production—
    and—
        butterfat percentage, inheritance. B.A.I. Dairy [Misc.], "World's dairy congress, 1923," pp. 1389–1396. 1924.
        care, necessity for cleanliness. F.B. 1019, pp. 10, 14. 1919.
        care, with cream. Sec. [Misc.] Spec., "The production * * * milk * * *," pp. 4. 1914.
        consumption, 1909, 1910. S.R.S. Syl. 18, p. 1. 1915.
        consumption, Southern States. B.A.I. An. Rpt., 1907, pp. 315–317, 318–329. 1909 F.B. 349, pp. 14–16, 17–28. 1909.
        disposition, United States, 1900. B.A.I. Bul. 55, pp. 20–24. 1903.
        distribution in the vicinity of Lyons. R. Guyot-Sionnest. B.A.I. Dairy [Misc.], "World's dairy congress, 1923," pp. 875–880. 1924.
        inspection. E. V. Wilcox. Hawaii [Misc.], "Production and inspection * * *," pp. 348. 1912.
        prices, 1923. Y.B., 1923, pp. 909–916. 1924; Y.B. Sep. 902, pp. 909–916. 1924.
        uses, 1917. Sec. Cir. 85, pp. 15–22. 1918.
        uses in Great Britain. B.A.I. Dairy [Misc.], "World's dairy congress, 1923," p. 367. 1924.
        uses in United States, 1869–1919 and 1917–1920. B.A.I. Doc. A–37, p. 17. 1922.
        utilization. Johann Frimml. B.A.I. Dairy [Misc.], "World's dairy congress, 1923," pp. 1111–1118. 1924.
    as function of size of cow. John W. Gowen. J.A.R., vol. 30, pp. 865–869. 1925.
    breeding for. B.A.I. Dairy [Misc.], "World's dairy congress, 1923," pp. 1375–1383. 1924.
    by various breeds of cows, statistics. News L., vol. 5, No. 28, p. 8. 1918.

Milk—Continued.
production—continued.
    comparison of factors by percentages. D.B. 858, pp. 15–19. 1920.
    contest, rules and blanks. O.E.S. Bul. 255, pp. 33–35. 1913.
    cost(s)—
        1922. Y.B., 1922, pp. 344–351. 1923; Y.B. Sep. 879, pp. 53–60. 1923.
        and factors involved. D.B. 858, pp. 10–15, 19–27. 1920.
        and feed requirements, exhibits. D.C. 139 pp. 10–11. 1920.
        and profit, investigations, 1899–1908. B.A.I. Bul. 164, pp. 8–57. 1913.
        and quantity, winter and summer. D.B. 919, pp. 16–17. 1920.
        and some factors influencing. B.A.I. Dairy [Misc.], "World's dairy congress, 1923," pp. 1097–1111. 1924.
        credit for calves and manure. D.B. 1101, pp. 5–7, 15. 1922.
        factors. D.B. 501, pp. 4–19. 1917.
        factors increasing. F.B. 349, pp. 24–26, 30–31, 36. 1909; B.A.I. An. Rpt., 1907, pp. 325–327, 331–332, 337. 1909.
        for feeds, pasture, and labor. D.B. 1101, pp. 7–11, 14–16. 1922.
        in Minnesota. Stat. Bul. 88, pp. 25–38. 1911.
        investigations, character and scope. D.B. 955, pp. 1–2. 1921.
        on dairy farms in Wisconsin, Michigan, Pennsylvania, and North Carolina. Morton O. Cooper and others. D.B. 501, pp. 35. 1917.
        on 48 Wisconsin farms. S. W. Mendum. D.B. 1144, pp. 23. 1923.
        relation to profitable yield. Stat. Bul. 88, pp. 45–48. 1911.
        studies. News L., vol. 4, No. 32, pp. 3–4. 1917.
    dairy breeds, composition and amount. F.B. 893, pp. 10–11, 15–16, 21, 27–28, 33. 1917.
    economic—
        individuality of cow as factor. F.B. 465, pp. 20–22. 1911.
        records of dairy cows, value and importance. Clarence B. Lane. B.A.I. Cir. 103, pp. 38. 1907.
    effect of—
        dipping and spraying tick-infested cows. D.B. 147, pp. 14–16, 17. 1915; F.B. 639, pp. 2–3. 1915.
        drugs. F. A. Hays and Merton G. Thomas. J.A.R., vol. 19, pp. 123–130. 1920.
        feeding apple by-products, experiments. D.B. 1166, pp. 24, 25, 26, 27–32, 34. 1923.
        proteins and nonproteins in feed, studies. B.A.I. Bul. 139, pp. 32–44. 1911.
        various feeds. D.B. 1272, pp. 2–14. 1924.
    energy utilization and body increase of cow. J. August Fries and others. D.B. 1281, pp. 36. 1924.
    estimation, methods. B.A.I. An. Rpt., 1905, pp. 118–120. 1907.
    factors, monthly distribution. D.B. 919, pp. 17–19. 1920; D.B. 1101, pp. 13–14. 1922.
    feed cost. S.R.S. Rpt., 1915, Pt. I, pp. 47, 93, 156, 265, 278. 1917.
    feeding—
        experiments, methods. J. L. Hills. O.E.S. Bul. 184, pp. 115–119. 1907.
        stuffs, energy value. F.B. 346, pp. 19, 24–30. 1909.
    for contests, suggestions. B.A.I. Cir. 205, pp. 24–28. 1912.
    for Omaha markets, cost factors, seasons' influence. D.B. 972, pp. 2–3, 3–16. 1921.
    forecasts for 1919. Y.B., 1919, p. 11. 1920.
    from acre of staple crops. F.B. 877, pp. 5, 10. 1917.
    from cows in open sheds and closed barns. D.B. 736, pp. 4, 6. 1918.
    handling, exhibition contests, and value. F.B. 499, pp. 15–16. 1912.
    hygienic and economic control in New York State. B.A.I. Dairy [Misc.], "World's dairy congress, 1923," pp. 1306–1312. 1924.

Milk—Continued.
  production—continued.
    improvements involving added expense. B.A.I. An. Rpt., 1909, pp. 124–129. 1911; B.A.I. Cir. 170, pp. 124–129. 1911.
    in—
      1909–1918, and exports, 1918. Sec. Cir. 125, pp. 7, 8. 1919.
      1917, and increase. News L., vol. 5, No. 30, p. 4. 1918.
      1918, and forecast for 1919. An. Rpts., 1919; pp. 5, 8. 1920; Sec. A.R., 1919, pp. 7, 10. 1919.
      Brazil. B.A.I. Dairy [Misc.], "World's dairy congress, 1923," pp. 1425–1432. 1924.
      Delaware, unit requirements. J.B. Bain and Ralph P. Hotis. D.B. 1101, pp. 16. 1922.
      "drying up" period of cow. D.B. 1281, pp. 28–30. 1924.
      Louisiana, unit requirements. J. B. Bain, G. E. Braun, and W. D. Wood. D.B. 955, pp. 15. 1921.
      Maryland, Frederick County. Soil Sur. Adv. Sh., 1919, pp. 10–11. 1922; Soils F.O., 1919, pp. 650–651. 1925.
      Norway and other countries, per capita. B.A.I. Dairy [Misc.], "World's dairy congress, 1923," pp. 265–266. 1924.
      relation to calving season. D.B. 1071, pp. 3–4, 7–8. 1922.
      Vermont, unit, requirements. J. B. Bain and others. D.B. 923, pp. 18. 1921.
      Virgin Islands Station records. Vir. Is. A.R., 1923, p. 5. 1924.
    increase—
      causes, and methods, on successful New York farm. D.B. 32, pp. 3–10. 1913.
      since 1914. An. Rpts., 1918, pp. 6, 8. 1919; Sec. A.R., 1918, pp. 6, 8. 1918.
      since removal of cattle-tick quarantine. B.A.I. [Misc.], "Cattle-tick eradication," p. 4. 1914.
    loss due to cattle ticks. F.B. 639, pp. 1–2. 1914.
    methods, cost. F.B. 522, pp. 18–19. 1913.
    of dairy cows, effect of cattle tick upon. T. E. Woodward and others. D.B. 147, pp. 22. 1915.
    on farms, 1919, by States. B.A.I. Doc. A.-37, p. 27. 1922.
    on Washington logged-off lands, expenses and receipts. D.B. 1236, pp. 17, 26–27. 1924.
    per cow, on farms, in Wisconsin, Michigan, Pennsylvania, and North Carolina. D.B. 501, pp. 16–17. 1917.
    project, suggestions, and references. S.R.S. Doc. 73, p. 7. 1917.
    records of dairy cows, value. Clarence B. Lane. B.A.I. An. Rpt., 1905, pp. 111–145. 1907.
    relation—
      of type of dairy cow. F.B. 124, pp. 28–30. 1901.
      to feeding prickly pears. J.A.R. vol. 4, pp. 411, 415, 432, 435–437. 1915.
      to income and cost of feed. D.B. 1069, pp. 14–19. 1922.
      to size of cow. John W. Gowen. J.A.R. vol. 30, pp. 865–869. 1925.
    requirements in feed, labor, and other costs. D.B. 919, pp. 4–6. 1920.
    sanitary methods and requirements. An. Rpts., 1918, pp. 93–94. 1919; B.A.I. Chief Rpt., 1918, pp. 23–24. 1918.
    season, average yield per month, in Minnesota. Stat. Bul. 88, pp. 41–42. 1911.
    selection of breeds. D.B. 905, p. 56. 1920.
    suggestions for preparation for contest. D.B. 356, pp. 19–24. 1916.
    summary of experimental results. D.B. 1281, p. 32. 1924.
    transmission in crossbreeding, studies. J.A.R. vol. 15, pp. 51–52. 1918.
    unit requirements—
      for 100 pounds, different sections. B.A.I. Doc. A.-37, p. 20. 1922.
      for 100 pounds, in Vermont. D.B. 923, pp. 4–5. 1921.
      in western Washington. J. B. Bain and G. E. Braun. D.B. 919, pp. 19. 1920.

Milk—Continued.
  production—continued.
    value of feeding stuffs. B.A.I. Dairy [Misc.], "World's dairy congress, 1923," pp. 1081–1090. 1924.
    with corn and with sorghum, comparison. F.B. 1158, p. 25. 1920.
    with low bacterial content, essential factors in. S. Henry Ayers. D.B. 642, pp. 61. 1918.
  products—
    chlorine as germicide. Harrison Hale and William L. Bleecker. J.A.R. vol. 26, pp. 375–382. 1923.
    composition, table. F.B. 1207, pp. 22–29. 1921.
    definitions and standards. Chem. [Misc.], "Food definitions and standards," pp. 2–3. 1903.
    in their relation to health. Hawaii [Misc.], "Production and inspection * * *." pp. 297–307. 1912.
    manufactured, control. B.A.I. Dairy [Misc.], "World's dairy congress 1923," pp. 745–798. 1924.
  Pasteurization for feed, importance. F.B. 781, pp. 7, 17. 1917.
  powdered, production, 1919, by months. B.A.I. Doc. A.-37, p. 26. 1922.
  purity standards. Sec. Cir. 136, pp. 5–6. 1919.
  relation to health. Hawaii [Misc.], "Production and inspection * * *," pp. 297–307. 1912.
  use, increase by home demonstration work. D.C. 141, pp. 18–19. 1920.
  value in Corn Belt States. Rpt., 111, p. 32–33, 37, 39. 1916.
  variety, composition and food value. F.B. 363, pp. 36–41. 1909.
  properties and composition, influence of—
    breed and individuality. C. H. Eckles and Roscoe H. Shaw. B.A.I. Bul. 156, pp. 27. 1913.
    stage of lactation. C. H. Eckles and Roscoe H. Shaw. B.A.I. Bul. 155, pp. 88. 1913.
  protection from—
    bacteria, suggestions. B.A.I. Cir. 205, pp. 24–27. 1912.
    cow barn to consumer's home, study. B.A.I. Dairy [Misc.], "World's dairy congress 1923," p. 868. 1924.
  protein content. F.B. 1207, pp. 4, 32. 1921.
  proteins, determination and comparisons. B.A.I. Dairy [Misc.], "World's dairy congress 1923," pp. 440–441. 1924.
  proteolysis, detection methods. B.A.I. Bul. 162, pp. 26–32. 1913.
  proteolytic compounds, methods for estimating, report of referee, 1902. Chem. Bul. 73. pp. 97–98. 1905.
  Publicity, National Council, England. B.A.I. Dairy [Misc.], "World's dairy congress, 1923," p. 703. 1924.
  pumping effect. D.B. 1344, pp. 16–18. 1925.
  pure, supply, importance. B.A.I. Cir. 118, pp. 16–17, 19. 1907.
  purity standards. Sec. Cir. 136, pp. 4–5. 1919.
  quality improvement, methods used within dairy industry. B.A.I. Dairy [Misc.], "World's dairy congress, 1923," pp. 530–537, 692, 1287–1347. 1924.
  quantity—
    and fat content, variation in Ayrshire cows. Raymond Pearl and John Rice Miner. J.A.R. vol. 17, pp. 285–322. 1919.
    used to raise a calf. B.A.I. Doc. A.-37, p. 9. 1922.
  quarantined animals, disposal regulations. B.A.I.O. 259, p. 12. 1918; B.A.I. O. 281, p. 7. 1923.
  quart and pint bottles, comparison of price and profits. News L., vol. 2, No. 52, p. 1. 1915.
  raw—
    and pasteurized, germicidal and keeping properties. B.A.I. An. Rpt., 1911, p. 65. 1913.
    bacteriology. S. Henry Ayers and William T. Johnson. B.A.I. Bul. 126, pp. 98. 1910.
    colon count, significance. S. Henry Ayers and Paul W. Clemmer. D.B. 739, pp. 35. 1918.

Milk—Continued.
 raw—continued.
  Pasteurized and cooked, digestibility. F.B. 149, pp. 27–28. 1902.
  receipts for New York, Philadelphia, and Boston, 1893–1921. B.A.I. Doc. A-37, p. 19. 1922.
  recipes. F.B. 717, pp. 5–11. 1916.
  reconstituted, description and care of. F.B. 1359, pp. 12–13. 1923.
 records—
  association, Scottish, milk yields and associated factors. B.A.I. Dairy [Misc.], "World's dairy congress, 1923," pp. 1405–1416. 1924.
  blank forms, school studies. D.B. 763, pp. 26–27. 1919.
  dairy—
   cows, Denmark. B.A.I. Bul. 129, p. 24. 1911.
   herd, tables. B.A.I. Bul. 75, pp. 22–25, 26, 31–33, 35, 37, 39, 41, 43, 52, 61–79, 82–165, 170–182. 1905.
  directions for keeping. F.B. 334, pp. 26–27. 1908.
  recording in Scotland. William Stevenson. B.A.I. Dairy [Misc.], "World's dairy congress, 1923," pp. 392–399. 1924.
  reduction by tick infestation of dairy cows. Y.B., 1915, p. 161. 1916; Y.B. Sep. 666, p. 161. 1916.
 refrigeration—
  artificial methods, economy for milk plants. D.B. 890, pp. 34–37. 1920.
  in handling and transportation. Y.B., 1922, pp. 337, 353–356. 1923; Y.B. Sep. 879, pp. 46–47, 62–64. 1923.
  in transit, Michigan methods. D.B. 639, p. 12. 1918.
  requirements in city milk plants. D.B. 849 pp. 12, 20, 24, 25, 26, 32. 1920.
 reindeer, utilization. D.B. 1089, p. 18. 1922.
 relation to—
  child life and health. Ben Davies. B.A.I. Dairy [Misc.], "World's dairy congress, 1923," pp. 555–562. 1924.
  rate of growth, man and animal. O.E.S. Bul. 227, p. 23. 1910.
 removal of odors, methods. News L., vol 6, No. 36, p. 12. 1919.
 report on separation of nitrogenous bodies. Chem. Bul. 81, pp. 90–93. 1904.
 requirements—
  for Camembert cheese. D.B. 1171, p. 5. 1923.
  per 100 pounds, by seasons. D.B. 858, pp. 6–7. 1920.
  score-card ratings. B.A.I. Cir. 139, p. 29. 1909.
 returned, disposal methods. D.B. 973, p. 32. 1923.
 ripening—
  and standardizing for cheese making. B.A.I. Bul. 98, p. 11. 1907; F.B. 960, pp. 4–6. 1918.
  for cottage cheese. D.B. 576, pp. 4–5. 1917.
 room—
  care, in farm butter making. F.B. 541, pp. 8–9. 1913.
  requirements for production of clean milk. B.A.I. An. Rpt., 1909, p. 126. 1911; B.A.I. Cir. 170, p. 126. 1911.
 ropy—
  causes—
   and prevention. B.A.I. Dairy [Misc.], "Diseases of cattle," rev., pp. 239–240. 1904; rev., pp. 246–247. 1912; rev., p. 422. 1923.
   occurrence and remedy. F.B. 242, pp. 18–19. 1909; F.B. 490, pp. 16–17. 1912; F.B. 1422, p. 14. 1924.
  organism, isolation in butter. O.E.S. An. Rpt., 1910, p. 232. 1911.
 sale—
  in cities, disposal of surplus. Y.B., 1922, pp. 383, 389. 1923; Y.B. Sep. 879, pp. 88, 94. 1923.
  methods in cooperative distributing plant. D.B. 1095, pp. 22–25. 1922.
  regulations—
   of the United Kingdom, 1901. Chem. Bul. 143, pp. 33–34. 1911.
   suggestions for form of ordinance. D.B. 585, pp. 1–4. 1917.

Milk—Continued.
 sale—continued.
  to creameries in New Hampshire, record comparisons. D.B. 529, p. 3. 1917.
  to dealers, common method. Rpt. 98, p. 121. 1913.
 salts, effect on metals. B.A.I. [Misc.], "World's dairy congress, 1923," p. 1207. 1924.
 salts, effect on metals. B.A.I. Dairy [Misc.], "World's dairy congress, 1923," p. 1207. 1924.
 sampling for taints and odors, method. D.B. 1097, pp. 3–5. 1922; F.B. 334, p. 26. 1908.
 sanitary—
  factors influencing quality. Bul. 642, pp. 1–2. 1918.
  handling, publications, list. F.B. 748, p. 12. 1916.
 production—
  B.A.I. Cir. 114, pp. 38. 1907.
  experiments. F.B. 457, pp. 20–21. 1911.
  important factors. Ed. H. Webster. B.A.I. An. Rpt., 1907, pp. 161–178. 1909; B.A.I. Cir. 142, pp. 161–178. 1909.
  report of conference, District of Columbia. B.A.I. Cir. 114, pp. 1–38. 1907.
  some important features. B.A.I. An. Rpt., 1907, pp. 161–178. 1909; B.A.I. Cir. 142, pp. 161–178. 1909.
 sanitation, for city supply. B.A.I. Bul. 81, pp. 29, 47, 59. 1905.
 scarcity in Japan. O.E.S. Bul. 159, p. 134. 1905.
 score card, use, and description. B.A.I. Cir. 205, pp. 13–14. 1912; F.B. 499, p. 16. 1912.
 scoring—
  and cream. Ivan C. Weld. B.A.I. Cir. 151, pp. 26–29. 1909.
  continuous contest periods, aid to health department. B.A.I. Dairy [Misc.], "World's dairy congress, 1923," pp. 528–530. 1924.
  methods and blanks. D.B. 356, pp. 7–11. 1916; D.C. 53, pp. 3–6. 1919.
  seasonal variations. B.A.I. Dairy [Misc.], "World's dairy congress, 1923," pp. 1079–1080. 1924.
 secretion—
  and the nutrition of dairy cows. B.A.I. Dairy [Misc.], "World's dairy congress, 1923," pp. 1015–1122. 1924.
  effect of rations of restricted balances. J.A.R., vol. 10, pp. 180–183. 1917.
  fat content, fluctuations under different conditions. B.A.I. Dairy [Misc.], "World's dairy congress, 1923," pp. 1018–1027. 1924.
  in dairy cows, relation to diet and blood. C. A. Cary and Edward B. Meigs. J.A.R., vol. 29, pp. 603–624. 1924.
  last part of lactation period, studies. B.A.I. [Misc.], "World's dairy congress, 1923," pp. 1034–1035. 1924.
  physiology. Charles Porcher. B.A.I. Dairy [Misc.], "World's dairy congress, 1923," pp. 1016–1018. 1924.
 sediment(s)—
  relation to disease. B.A.I. Cir. 114, pp. 18–22. 1907.
  significance and sources. F.B. 1019, pp. 3–4. 1919.
  test, comparison with bacterial count. H. C. Campbell. D.B. 361, pp. 7. 1916.
 selling—
  cooperative, recent systems. B.A.I. Dairy [Misc.], "World's dairy congress, 1923," pp. 858–862. 1924.
  from farms, and relation to transportation. Y.B., 1922, pp. 303, 304, 306, 356–359. 1923; Y.B. Sep. 879, pp. 19, 20, 64–67. 1923.
 separation—
  methods in butterfat experiments. B.A.I. Bul. 111, pp. 6–10. 1909.
  of nitrogenous bodies. Chem. Bul. 90, pp. 120–121. 1905.
 separator—
  relation to dairying. Y.B., 1922, p. 317. 1923; Y.B. Sep. 879, p. 31. 1923.
  use in clarification of apple-juice. Chem. Bul. 118, pp. 15–17, 23. 1908.
 serum preparation, methods, comparison. Chem. Bul. 122, pp. 51–52. 1909.

Milk—Continued.
  service in cities. G. J. Blink. B.A.I. Dairy [Misc.], "World's dairy congress, 1923," pp. 1312–1315. 1924.
  sheep's—
    composition, comparison with cows' milk. D.B. 970, pp. 6, 27. 1920.
    use in cheese making. B.A.I. Bul. 68, p. 25. 1905.
  shipments to Europe from United States since World War. B.A.I. Dairy [Misc.], "World's dairy congress, 1923," p. 15. 1924.
  shippers, city, organizations. B.A.I. Cir. 135, p. 16. 1908.
  shortage—
    in Europe and demand for condensed milk. Y.B., 1919, pp. 410, 412, 413, 416, 419. 1920; Y.B. Sep. 821, pp. 410, 412, 413, 416, 419. 1920.
    supplementing by use of powdered and condensed milk. B.A.I. Dairy [Misc.], "World's dairy congress, 1923, pp. 230–231. 1924.
  shrinkage in handling, losses, causes and prevention. D.B. 973, pp. 33–34. 1923.
  sickness—
    lambs, cause and control. For. Bul. 97, pp. 26–27. 1911.
    Tennessee, investigations, negative results. An. Rpts., 1909, p. 230. 1910; B.A.I. Chief. Rpt., 1909, p. 40. 1909.
  silage-flavored, effect of condensing. D.B. 1097, p. 13. 1922.
  skim—
    and whole, cost of nutrients, comparison. F.B. 363, pp. 33–35. 1909.
    composition and food value. F.B. 1359, p. 11. 1923.
    diet for suckling pigs. B.A.I. Bul. 47, pp. 232–236. 1904.
    factory waste. Y.B., 1918, pp. 269–270, 272, 273. 1919; Y.B. Sep. 787, pp. 3–4, 5, 7. 1919.
    feed for hogs, value, experiments. F.B. 411, pp. 14–15. 1910.
    feeding—
      dairy calves. F.B. 430, p. 9. 1911.
      to hogs or humans, comparative profits. Y.B., 1918, p. 275. 1919; Y.B. Sep. 787, p. 7. 1919.
    food value—
      F.B. 413, p. 16. 1910.
      and use methods. Food Thrift Ser., 2, p. 2. 1917.
      and utilization. B.A.I. Doc. A-31, pp. 1–2. 1917; F.B. 1207, pp. 22–23, 33. 1921; Y.B., 1918, pp. 269–271, 273–274, 275. 1919; Y.B. Sep. 787, pp. 3–5, 7–8, 9. 1919.
      comparison with whole milk. F.B. 1207, pp. 22–23, 33. 1921.
      of 100 pounds. News L., vol. 6, No. 6, p. 13. 1918.
      for human food. B.A.I. Doc. A-31, pp. 2. 1917.
    improvement by use of separator. F.B. 201, p. 6. 1904.
    mineral constituents furnished in poultry feeds. J.A.R., vol. 14, pp. 128, 129, 133, 134. 1918.
    nutritive value. F.B. 363, pp. 9, 28, 29–35, 44. 1909.
    or sour, uses, and value. Food Thrift Ser. 5, p. 5. 1917.
    pasteurization and treatment, cottage-cheese making. B.A.I. Doc. A-19, pp. 2–3. 1917.
    pasteurization for hogs. B.A.I. An. Rpt., 1907, pp. 37, 223, 244–245, 246. 1909; B.A.I. Cir. 144, pp. 37, 223, 244–245, 246. 1909.
    pig feeding—
      experiments. Chem. Bul. 123, p. 27. 1909.
      value, comparison, and cost. B.A.I. Bul. 47, pp. 135–148. 1904.
    powders, use in calf feeding. F.B. 777, p. 11. 1917.
    relation to tuberculosis spread. O.E.S. Bul. 212, pp. 94–98. 1909.
    selling regulations. News L., vol. 3, No. 2, pp. 3–4. 1915.
    uses—
      actual and possible. Sec. Cir. 85, pp. 16–20. 1918.
      cooking value, and recipes. News L., vol. 4, No. 27, pp. 3–4. 1917.

Milk—Continued.
  skim—continued.
    uses—continued.
      in cooking cereals. News L., vol. 5, No. 2, p. 8. 1917.
      in feeding calves for baby beef. B.A.I. An. Rpt., 1905, pp. 198–203. 1907.
      utilization—
        B.A.I. Dairy [Misc.], "How to use skim * * *", p. 1. 1917.
        in form of acidophilus milk. B.A.I. [Misc.], Dairy "World's dairy congress, 1923," pp. 1142–1143. 1924.
      value as—
        feed for chicks. S.R.S. Doc. 77, p. 2. 1918.
        food, use recipes. News L., vol. 3, No. 2, pp. 3–4. 1915.
        with corn, for fattening hogs. F.B. 405, pp. 14, 16. 1910.
  skimmed—
    food-value comparisons, chart. D.B. 975, p. 21. 1921.
    from creameries, importance of Pasteurization. News L., vol. 2, No. 24, pp. 3–4. 1915.
    sale, regulation. B.A.I. Bul. 46, pp. 12, 17–18. 1903.
    with homogenized butter, use in ice cream. Chem. F.I.D. 132, p. 1. 1911.
  solids—
    determination. B.A.I. Doc. A.-7, pp. 22–26, 28–32. 1916.
    determination in milk chocolate. Chem. Bul. 162, pp. 130–132. 1913.
    estimation by use of formulas. R. H. Shaw and C. H. Eckles. B.A.I. Bul. 134, pp. 31. 1911.
    not fat, in ice cream, effect on palatability. D.B. 1161, pp. 5–6, 8. 1923.
    percentage in dairy products. B.A.I. Doc. A.-37, p. 7. 1922.
    specific gravity, studies. B.A.I. Bul. 134, pp. 11–15, 19–21, 26–31. 1911.
    variations, and mode of secretion. John W. Gowen. J.A.R., vol. 16, pp. 79–102. 1919.
  sour—
    and normal, mixed, relation of alcohol test. D.B. 202, p. 12. 1915.
    bacteria. F.B. 413, pp. 18–19. 1910.
    value for young chickens. D.C. 17, p. 5. 1919; F.B. 1111, pp. 5–6. 1920.
  souring—
    bacteria. F.B. 413; pp. 18–19. 1910.
    curdling, and digestion. Y.B., 1907, pp. 186–188. 1909; Y.B. Sep. 444, pp. 186–188. 1909.
    processes. D.B. 319, pp. 9–10. 1916.
  soy-bean—
    preparation and use. Y.B., 1917, pp. 108–109. 1918; Y.B. Sep. 740, pp. 10–11. 1918.
    value as food. D.B. 439, pp. 5, 9, 12–13. 1916.
  "special", definition of term, and studies. News L., vol. 3, No. 29, pp. 6, 7. 1916.
  specific gravity—
    and freezing point, relation to testing. F.B. 363, pp. 12–14. 1909.
    determination. B.A.I. Doc. A.-7, pp. 26–28. 1916; D.B. 1, pp. 35–36. 1913.
    effect of temperature. B.A.I. Bul. 134, pp. 19–21. 1911.
  specimens for bacteriological examination, preparation. B.A.I. An. Rpt., 1906, p. 203. 1908; B.A.I. Cir. 123, p. 7. 1908.
  spoilage in long-distance transportation. Y.B., 1922, p. 358. 1923; Y.B. Sep. 879, p. 65. 1923.
  stains, removal from textiles. F.B. 861, p. 26. 1917.
  standards—
    (and cream). Chem. F.I.D. 178, p. 1. 1919.
    by States. B.A.I. Doc. A.-8, pp. 2–3. 1916.
    for cheese making. D.B. 669. p. 4. 1918.
    for use in Cammbeert cheese. B.A.I. Bul. 115, pp. 15–17. 1909.
    in District of Columbia. B.A.I. Bul. 138, pp. 36, 39. 1911.
    measures. Chem. Bul. 69, rev. Pts. I–IX, pp. 13, 182, 213, 240, 258, 307, 357, 442, 453, 545, 564, 589, 597, 613, 623, 633, 667, 692, 702. 1905–6.
    statistics. B.A.I. Bul. 46, pp. 17, 27, 29, 31, 33, 35, 37, 39, 41, 43, 45–165. 1903.

Milk—Continued.
standardization for cheese making. B.A.I. Dairy [Misc.], "World's dairy congress, 1923," pp. 290–292. 1924.
stations, establishment in North by home demonstration agents. News L., vol. 5, No. 46, p. 14. 1918.
statistics—
1920–1922 prices. Y.B., 1922, pp. 841–845. 1923; Y.B. Sep. 888, pp. 841–845. 1923.
1924. Y.B., 1924, pp. 870–880, 1041, 1058. 1925.
collection and distribution by International Institute at Rome. B.A.I. Dairy [Misc.], "World's dairy congress, 1923," pp. 45–55. 1924.
of 29 southern cities. B.A.I. Bul. 70, pp. 6–7, 20–40. 1965.
sterile, decomposition products, analysis. J.A.R. vol. 2, pp. 197–203. 1914.
sterilization—
definition processes. Y.B., 1907, p. 195. 1908; Y.B. Sep. 444, p. 195. 1908.
directions. F.B. 490, p. 23. 1912.
processes other than pasteurization. D.B. 342, p. 2. 1916.
sterilized, qualities. F.B. 363, p. 17. 1909.
sterilizer, homemade, value to farmers, description and cost. News L., vol. 4, No. 33, pp. 3–4. 1917.
sterilizing, directions. O.E.S. Bul. 166, p. 25. 1906.
storage and delivery, methods. Rpt. 98, p. 123. 1913.
store trade, extent. B.A.I. An. Rpt., 1911, p. 238. 1913; B.A.I. Cir. 217, p. 238. 1913.
straining. Ernest Kelly and James A. Gamble. F.B. 1019, pp. 16. 1919.
streptoccus—
occurrence and importance. B.A.I. Dairy [Misc.], "World's dairy congress, 1923," pp. 1128–1136. 1924.
origin, studies. L. A. Rogers and Arnold O. Dahlberg. J.A.R., vol. 1, pp. 491–511. 1914.
thermal death point, experiments. J.A.R. vol. 2, pp. 322–329. 1914.
stringy—
cause and prevention. B.A.I. Dairy [Misc.], "Diseases of cattle," rev. p. 246. 1912; rev., p. 242. 1923.
See also Milk, ropy.
study of bacterial content, summary and conclusions. D.B. 642, pp. 58–61. 1918.
substitutes—
for feeding calves, composition and food value. F.B. 777, pp. 10–12. 1917; F.B. 381, pp. 18–19. 1909; F.B. 1336, pp. 8–10. 1923.
in calf raising, economy. J.A.R., vol. 26, No. 9, p. 437. 1923.
in feeds. M.C. 12, p. 36. 1924.
sugar. See Sugar, milk.
supply(ies)—
control, Federal, State, and municipal, coordination. B.A.I. Dairy [Misc.], "World's dairy congress, 1923," p. 767. 1924.
daily, per capita in cities. B.A.I. Bul. 46, pp. 11–12. 1903.
effects of diseases and conditions of cattle. B.A.I. An. Rpt., 1907, pp. 145–159. 1909.
for—
Army and Navy, sanitary studies. News L., vol. 5, No. 49, p. 7. 1918.
city, survey in milk campaign. D.C. 250, pp. 3–5. 1923.
midshipmen. Ernest Kelly. Y.B., 1920, pp. 463–470. 1921; Y.B., Sep. 857, pp. 463–470. 1921.
forms, miscellaneous, for various purposes. B.A.I. Bul. 46, pp. 199–210. 1903.
improvement—
and protection, methods. Session 11, B.A.I. Dairy [Misc.], "World's dairy congress, 1923," pp. 511–585. 1924.
by milk and cream contest. C. B. Lane and Ivan C. Weld. B.A.I. Cir. 117, pp. 28. 1907.
District of Columbia, 1906–1911. B.A.I. Bul. 138, pp. 33–34, 39–40. 1911.

Milk—Continued.
supply(ies)—continued.
in—
Chicago and Washington, D. C. George M. Whittaker. B.A.I. Bul. 138, pp. 40. 1911.
cities and towns, supervision, statistics. B.A.I. Bul. 46, pp. 19–44. 1903.
New York City, laws. B.A.I. Bul. 46, pp. 165–167. 1903.
inspection. Ernest Kelly and C. S. Leete. D.C. 276, pp. 37. 1923.
investigation, District of Columbia, and recommendations. F.B. 366, pp. 27–28. 1909.
leading cities, increase since 1870. D.B. 177, pp. 10–16. 1915.
municipal, relation to organization of Health Department. B.A.I. Dairy [Misc.], "World's dairy congress, 1923," pp. 521–530. 1924.
of—
Boston, New York, and Philadelphia. George M. Whittaker. B.A.I. Bul. 81, pp. 62. 1905.
Chicago and Washington. George M. Whitaker. B.A.I. Bul. 138, pp. 40. 1911.
cities, duties of producers, dealers, and consumers. F.B. 366, pp. 20–28. 1909.
family for a week, and place in menu. F.B. 1228, pp. 11–12, 19. 1921.
southern cities, production, care, distribution, and inspection. F.B. 349, pp. 17–28. 1909; B.A.I. An. Rpt., 1907, pp. 318–329. 1909.
twenty-nine southern cities. C. F. Doane. B.A.I. Bul. 70, pp. 40. 1905.
two hundred cities and towns. Henry E. Alvord and R. A. Pearson. B.A.I. Bul. 46, pp. 210. 1903.
Washington and Chicago. George M. Whitaker. B.A.I. Bul. 138, pp. 40. 1911.
safeguarding. Charles J. Hastings. B.A.I. Dairy [Misc.], "World's dairy congress, 1923," pp. 512–521. 1924.
sanitary relations. B.A.I. Cir. 111, pp. 7. 1907.
securing for milk-distributing plants, and methods. D.B. 1095, pp. 20–22. 1922.
to large towns. B.A.I. Dairy [Misc.], "World's dairy congress, 1923," pp. 1301–1306. 1924.
under tropical and subtropical conditions. B.A.I. Dairy [Misc.], "World's dairy congress, 1923," pp. 161–163. 1924.
wholesome, importance. John R. Mohler. B.A.I. Cir. 153, pp. 28–37. 1910.
suppression, cows, treatment. F.B. 1422, p. 15. 1924.
surplus, disposal problem, importance in market-in product. B.A.I. Dairy [Misc.], "World's dairy congress, 1923," p. 103. 1924.
sweet, curdling and digestion, study. F.B. 348, pp. 15–16. 1909; F.B. 490, pp. 14–15. 1912.
tainting from sweet clover pasturage. F.B. 820, pp. 9. 1917.
taints, cause of. D.B. 1097, pp. 1–2. 1922.
tanks, construction details. D.B. 744, pp. 15–17. 1919.
taste and odor at end of lactation period. B.A.I. Bul. 155, pp. 73–74. 1913.
temperatures in farm butter making, control methods. F.B. 541, pp. 9, 10. 1913.
terms. F.B. 281, pp. 29–32. 1907.
testing—
at different intervals and times of drawing. B.A.I. An. Rpt., 1911, pp. 201–204. 1913.
Babcock and other methods, use in cheese making. O.E.S. Bul. 166, pp. 26–32. 1906.
by legal standard, desirability. F.B. 363, p. 19. 1909.
chemical and cream. B.A.I. Doc. A–7, pp. 1–38. 1916.
comparison of acidity test with alcohol test. D.B. 944, pp. 4–9. 1921.
directions. M.C. 26, pp. 5–10. 1924.
experiments, details. D.B. 361, pp. 5–6. 1916.
for—
butter fat in dairy records, directions. S.R.S. Syl. 30, pp. 3–5. 1917.
contamination sporogenes test. S. Henry Ayers and Paul W. Clemmer. D.B. 940, pp. 20. 1921.

Milk—Continued.
    testing—continued.
        for—continued.
            enzyms, peroxidase, catalase, galactase, and lipase. B.A.I. An. Rpt., 1910, pp. 310-322, 325. 1912; B.A.I. Cir. 189, pp. 310-322, 325. 1912.
            fat, directions. B.A.I. Doc. A.-7, pp. 3-5. 1916.
            importance to breeders of cattle. B.A.I. An. Rpt., 1910, p. 151. 1912.
            in city plants. B.A.I. Cir. 139, p. 24. 1909.
            methods and results. B.A.I. An. Rpt., 1911, pp. 195-224. 1913.
            significance of various bacteria. B.A.I. Cir. 153, pp. 46-52. 1910.
            various methods. D.B. 1, pp. 32-35. 1913.
        tests—
            comparison of bacterial count with sediment test. D.B. 361, pp. 1-7. 1916.
            for hypochlorites and chloramins. D.B. 1114, pp. 1-5. 1922.
        trade—
            regulations in Japan. B.A.I. Dairy [Misc.], "World's dairy congress, 1923," pp. 1448-1451. 1924.
            retail and wholesale. Y.B. 1904, pp. 182-184. 1905; Y.B. Sep. 340, pp. 182-184. 1905.
        trains, history of service, importance. Y.B. 1916, pp. 478-479, 487. 1917; Y.B. Sep. 701, pp. 2-3, 11. 1917.
        transmission of rabies, cases reported. B.A.I. An. Rpt., 1909, pp. 205-206. 1911; F.B. 449, pp. 9-11. 1911.
        transport in England. John Stanley Latham. B.A.I. Dairy [Misc.], "World's dairy congress 1923," pp. 806-811. 1924.
        transportation—
            B.A.I. Dairy [Misc.], "World's dairy congress, 1923," pp. 799-835. 1924.
            and delivery, standard methods. D.B. 1, pp. 18, 28. 1913.
            by means of tank motor trucks. C. E. Gray. B.A.I. Dairy [Misc.], "World's dairy congress, 1923," pp. 825-830. 1924.
            facilities and difficulties. Y.B. 1922, pp. 353-359. 1923; Y.B. Sep. 879, pp. 62-67. 1923.
            freight rates to largest 15 cities in United States. Edward G. Ward, jr. S.B. 25, pp. 60. 1903.
            in bulk. John P. Dugan. B.A.I. Dairy [Misc.], "World's dairy congress, 1923," pp. 812-817. 1924.
            in bulk by rail. H. E. Black. B.A.I. Dairy [Misc.], "World's dairy congress, 1923," pp. 817-824. 1924.
        to—
            Chicago, amount and roads. B.A.I. Bul. 138, pp. 11-12. 1911.
            city, methods and costs in Michigan. D.B. 639, pp. 11-13. 1918.
            Washington, D. C., amount and roads. B.A.I. Bul. 138, pp. 31-32. 1911.
        transporting at low temperatures. D.B. 744, pp. 24-28. 1919.
        treatment in making cottage cheese. B.A.I. Doc. A.-17, pp. 1-2. 1917.
        trough, farm home, directions for making. Y.B., 1909, p. 355. 1910; Y.B. Sep. 518, p. 355. 1910.
        tubercle bacilli occurrence. B.A.I. An. Rpt. 1909, pp. 197-199. 1911; B.A.I. Cir. 127, pp.3-5. 1908.
    tuberculosis—
        infected, danger to health. B.A.I. Bul. 33, pp. 20-22. 1901; F.B. 1069, pp. 4, 5. 1919.
        infection carrier. B.A.I. An. Rpt., 1907, pp. 58, 183, 199. 1909; B.A.I. Cir. 143, pp. 183-199. 1909.
    tuberculous cows—
        cause of human tuberculosis. B.A.I. Bul. 53, pp. 16-25. 1904.
        danger to human beings. B.A.I. An. Rpt., 1908, pp. 158-159. 1910.
        experiments. B.A.I. Bul. 44, pp. 13-23. 1903.
        feeding to calves, results. B.A.I. Cir. 118, p. 9. 1907.
        infection of hogs. B.A.I. An. Rpt. 1907, pp. 37, 217, 222-224, 231. 1909; B.A.I. Cir. 144, pp. 37, 217, 222-224, 231. 1909; B.A.I. Cir. 201, pp. 14-16. 1912; F.B. 781, pp. 5-7, 18. 1917.

Milk—Continued.
    twice-heated, danger. B.A.I. Dairy [Misc.], "World's dairy congress, 1923," p. 197. 1924.
    two hundred million quarts a day. Mkts. [Misc.], "Two hundred million * * *," pp. 4. 1919.
    types, rennin reaction and importance in cheese making. B.A.I. Dairy [Misc.], "World's dairy congress, 1923," pp. 300-302. 1924.
    typhoid bacilli, vitality, experiments to determine. B.A.I. An. Rpt., 1908, pp. 297-300. 1910.
    undesirable flavors and odors, causes. D.B. 1190, pp. 1-2. 1923.
    universal use and percentage of total food products. News L., vol. 6, No. 2, p. 5. 1918.
    use(s)—
        and value for babies and young children. F.B. 717, pp. 5-11. 1916.
        and value in cooking. F.B. 1207, pp. 29-31. 1921.
        as—
            bait in flytraps. F.B. 734, pp. 10, 11. 1916.
            food. Lafayette B. Mendel. B.A.I. [Misc.], "World's dairy congress, 1923," pp. 438-444. 1924.
            food. R. D. Milner. F.B. 363, pp. 44. 1909.
            food, extent. F.B. 1207, p. 3. 1921.
            food, relation to lactation stage. B.A.I. Bul. 155, p. 72. 1913.
            food, suggestions. U. S. Food Leaf. No. 1, p. 3. 1917.
            horse feed. F.B. 1030, p. 16. 1919.
            meat substitute, references. Lib. Leaf. No. 6, pp. 2-3. 1918.
        educating consumers, work of welfare agencies. B.A.I. Dairy [Misc.], "World's dairy congress, 1923," pp. 669-674. 1924..
        in—
            bread. R. M. Allen. B.A.I. Dairy [Misc.], "World's dairy congress, 1923," pp. 169-182. 1924.
            bread making, value. F.B. 389, pp. 36, 45. 1910; F.B. 807, p. 9. 1917.
            cooking, increase in value of food. F.B. 363, pp. 35-36. 1909.
            cooking, school studies. D.B. 763, pp. 23-24. 1919.
            infant feeding, kinds, and precautions in use. F.B. 1359, pp. 5, 6. 1923.
            preparation of yogurt. B.A.I. An. Rpt., 1909, p. 153. 1911; B.A.I. Cir. 171, p. 153. 1911.
            the home. F.B. 1207, pp. 34. 1921; F.B. 1359, pp. 20. 1923.
        increase—
            demonstrations, results. D.C. 312, pp. 10-11. 1924.
            in homes and schools, demonstration work. D.C. 141, pp. 18-19. 1920.
        work of National Dairy Council. M. O. Maughan. B.A.I. Dairy [Misc.], "World's dairy congress, 1923," pp. 863-865. 1924.
        value for health of children, demonstrations. B.A.I. Dairy [Misc.], "World's dairy congress, 1923," pp. 686-688. 1924.
        with cheese in soups. F.B. 487, p. 32. 1912.
    utensils—
        and equipment. B.A.I. An. Rpt., 1908, pp. 372-373, 375-376. 1910; B.A.I. Cir. 158, pp. 8-9, 11-12. 1910.
        cleaning. B.A.I. An. Rpt., 1907, p. 166. 1909; B.A.I. Cir. 142, p. 166. 1909; F.B. 413, pp. 7-8. 1910; S.R.S. Syl. 18, p. 12. 1915.
        description and care. B.A.I. An. Rpt., 1909, pp. 123, 126-128. 1911; B.A.I. Bul. 46, pp. 45-186. 1903; B.A.I. Cir. 170, pp. 123, 126-128. 1911.
        inspection and scoring. B.A.I. Cir. 139, pp. 9, 11. 1909; D.C. 276, pp. 14-15, 19-20, 27, 28. 1923.
        requirements, certified dairies. B.A.I. Bul. 104, pp. 12, 29-33, 41, 42. 1908; D.B. 1, pp. 15-16, 28. 1913.
        sterilizing, details and directions. F.B. 748, rev., pp. 7-16. 1919.
    utilization—
        and waste. Y.B., 1922, pp. 284-287, 291-295. 1923; Y.B. Sep. 879, pp. 4-6, 10-14. 1923.

Milk—Continued.
utilization—continued.
exhibit at National Dairy Show. D.C. 139, pp. 13-14. 1920.
in pork production. News L., vol. 6, No. 10, p. 6. 1918.
international organization for. Ernst Laur. B.A.I. Dairy [Misc.], "World's dairy congress, 1923," pp. 270-272. 1924.
value—
as—
food compared with other foods. F.B. 413, pp. 11-12. 1910.
food for children. F.B. 712, pp. 5-6, 8, 10. 1916.
meat substitute, digestibility. Y.B., 1910, pp. 360, 361, 363. 1911; Y.B. Sep. 543, pp. 360, 361, 363. 1911.
standard of nutrition. B.A.I. Dairy [Misc.], "World's dairy congress, 1923," pp. 463-464. 1924.
charts, distribution. News L., vol. 6, No. 37, p. 15. 1919.
education of public, methods. B.A.I. Dairy [Misc.], "World's dairy congress, 1923," pp. 661-694. 1924.
for children. News L., vol. 7, No. 12, p. 7. 1919.
in—
chicken feed. F.B. 287, rev., pp. 18, 27. 1921.
diet, and cost. Thrift Leaf. 15, pp. 2, 4. 1919.
diet, and week's supply for average family. F.B. 1313, pp. 3, 8-9. 1923.
homes. News L., vol. 5, No. 20, p. 12. 1917.
pig feeding. B.A.I. An. Rpt., 1903, pp. 281-285. 1904; B.A.I. Cir. 63, pp. 281-285. 1904.
various temperatures, effect on alcohol test. D.B. 202, pp. 19-21. 1915.
vegetable, from soybean manufacture, and food value. D.B. 439, pp. 5, 9, 12-13. 1916.
vessels, sterilizer, construction and cost, details. F.B. 353, pp. 29-31. 1909.
warm, delivery, objections. B.A.I. Bul. 70, pp. 18-19. 1905.
waste—
in homes, total quarts per year. News L., vol. 5, No. 26, p. 5. 1918.
prevention methods. D.B. 890, pp. 5-6. 1920.
weighing apparatus and methods in milk plants. D.B. 890, pp. 4-5. 1920.
weight—
as basis for value. O.E.S. Bul. 166, pp. 57-59. 1906.
per gallon with varying per cent of fat. B.A.I. Doc. A-37, p. 8. 1922.
whole, food-value comparisons, chart. D.B. 975, pp. 6, 7, 8, 20-21. 1921.
with preservatives, testing. B.A.I. An. Rpt., 1911, pp. 204-205. 1913.
with silage-fed cows. D.B. 1097, pp. 13, 16, 23. 1922.
work of farm women. D.C. 148, pp. 10-11, 20. 1920.
yield(s)—
and associated factors as shown by the Scottish milk records association. B.A.I. Dairy [Misc.], "World's dairy congress, 1923," pp. 1405-1416. 1924.
and composition in feeding experiments with vegetable-ivory meal. J.A.R., vol. 7, pp. 313-318. 1916.
and fat percentage, for grades, records. J.A.R., vol. 14, pp. 74-75. 1918.
correlation with fat percentage. Elmer Roberts. J.A.R., vol. 14, pp. 67-96. 1918.
different lactation periods. B.A.I. Dairy [Misc.], "World's dairy congress, 1923," pp. 1397-1399, 1415-1416. 1924.
in relation to purebred cattle. Y.B., 1922, p. 328. 1923; Y.B. Sep. 879, p. 41. 1923.
of—
champion cows, and average. F.B. 1202, p. 56. 1921.
cheese. F.B. 850, p. 11. 1917.
cheese per 100 pounds. F.B. 1191, p. 4. 1921.
dairy cows, effects of calcium and phosphorus in feed. Edward B. Meigs and T. E. Woodward. D.B. 945, pp. 28. 1921.

Milk—Continued.
yield(s)—continued.
of—continued.
dairy cows, relation to calcium in rations. B.A.I. Dairy [Misc.], "World's dairy congress, 1923," pp. 1046-1055. 1924.
Neufchatel and cream cheese, and returns. F.B. 960, pp. 13-14, 17. 1918.
whey butter per 1,000 pounds. News L., vol. 3, No. 6, p. 7. 1915.
per cow, annually in various countries. B.A.I. Doc. A-37, p. 5. 1922.
testing methods, variations. B.A.I. An. Rpt., 1909, p. 113. 1911; B.A.I. Cir. 179, p. 113. 1911.
See also Dairy products; Dairying.
Milk chocolate—
adulteration and misbranding. Chem. N.J. 1803, pp. 4. 1912; Chem. N.J. 12761, p. 1. 1925; Chem. N.J. 12801, p. 1. 1925; Chem. N.J. 12999, p. 1. 1925; Chem. N.J. 13468, p. 1. 1925.
analysis method. Chem. Bul. 132, pp. 135-136. 1910.
polarization, methods. Chem. Bul. 137, pp. 100-102. 1911.
Milkers—
cleanliness, necessity in production of clean milk. B.A.I. An. Rpt., 1909, p. 123. 1911; B.A.I. Bul. 104, pp. 11, 25. 1908; B.A.I. Cir. 170, p. 123. 1911.
mechanical. See Milking machine.
Milking—
by hand and by machine, comparison of cost. D.B. 423, pp. 12-15. 1916.
cleanliness—
directions. B.A.I. Cir. 151, pp. 22-23. 1909; F.B. 201, p. 12. 1904; F.B. 241, pp. 6-11. 1905.
importance in farm butter making. F.B. 541, pp. 6-8. 1913.
relation to colon count in milk. D.B. 739, pp. 12-26. 1918.
cost, comparison of hand and machine work. B.A.I. Dairy [Misc.], "World's dairy congress, 1923," pp. 1231-1232. 1924.
cows, day's work. D.B. 3, p. 40. 1913.
daily, number, relation to milk diminution. B.A.I. Chief Rpt., 1924, p. 15. 1924.
dairymen's rules, requirements, certified milk production. B.A.I. Bul. 104, pp. 11-12, 35, 42. 1908; D.B. 1, pp. 16-17, 26-27. 1913.
directions. S.R.S. Syl. 18, pp. 12-13. 1915.
efficiency, rules. B.A.I. Bul. 61, p. 124. 1913.
electric, saving in labor. Y.B., 1919, p. 225. 1920; Y.B. Sep. 799, p. 225. 1920.
equipment, standards. B.A.I. Dairy [Misc.], "World's dairy congress, 1923," p. 1181. 1924.
goats, directions, importance of care. B.A.I. Bul. 68, pp. 22-23. 1905; F.B. 920, pp. 26-27. 1918.
machines—
as a factor in dairying. C. B. Lane and W. A Stocking. B.A.I. Bul. 92, pp. 55. 1907.
bacteriology, studies. B.A.I. Bul. 92, pp. 33-55. 1907.
cleaning. L. H. Burgwald. F.B. 1315, pp. 16. 1923; J.A.R. 31, pp. 191-195. 1925.
effect on individual cows, experiments. F.B. 366, pp. 19-20. 1909.
experiments. S.R.S. Rpt., 1916, Pt. I, pp. 42, 251. 1918.
labor requirements of dairy farms as influenced by. Harold N. Humphrey. D.B. 423, pp. 17. 1916.
sterilization. Robert S. Breed and A. H. Robertson. B.A.I. Dairy [Misc.], "World's dairy congress, 1923," pp. 1324-1329. 1924.
time required and cost per cow. D.B. 423, pp. 10-15. 1916.
transmission of mastitis. B.A.I. Dairy [Misc.], "World's dairy congress, 1923," pp. 1489-1494. 1924.
trials, and cleaning method. O.E.S. An. Rpt., 1910, p. 201. 1911.
use in New Zealand, and care of machines. B.A.I. Dairy [Misc.], "World's dairy congress, 1923," pp. 994-995, 1228, 1232. 1924.
value and comparison with hand milking. News L., vol. 4, No. 25, p. 4. 1917.

Milking—Continued.
methods—
F.B. 190, pp. 15–17. 1904; F.B. 241, pp. 6–8. 1905.
F. G. Krauss. Hawaii Bul. 8, pp. 15. 1905.
and conditions. News L., vol. 2, No. 47, pp. 5–6. 1915.
in Porto Rico. P.R. Bul. 29, pp. 14–15. 1922.
inspection and scoring. D.C. 276, pp. 20–22. 1923.
place and methods. F.B. 602, pp. 13–14. 1914.
rules for milkers. F.B. 227, pp. 27, 28. 1905.
sheds, Porto Rico, building and care of. P.R. Bul. 29, pp. 13–14. 1922.
stools—
construction, school exercise. D.B. 527, pp. 34–35. 1917.
description and care. B.A.I. Bul. 104, p. 33. 1908.
stripping cows, hand work preferable to machines. D.B. 423, pp. 15–17. 1916.
utensils, description. B.A.I. Bul. 104, pp. 12, 26–33. 1908.
Milkol, misbranding. N.J. 869, I. and F. Bd. S.R.A. 45, p. 1081.0 1923.
Milkman, cooperation with farmer, advantages. B.A.I. Dairy [Misc.], "World's dairy congress, 1923," pp. 852–854. 1924.
Milksickness—
cattle—
relation to white snakeroot. B.A.I. Doc. A–26, pp. 1, 4–6. 1918; J.A.R., vol. 11, pp. 700–702, 706, 708, 710, 712, 714. 1917.
transmission in milk and meat. B.A.I. An. Rpt., 1907, p. 155. 1909.
human, symptoms and causes. B.A.I. An. Rpt., 1907, p. 155. 1909.
investigations in mountains of Tennessee and Kentucky. B.A.I. An. Rpt., 1909, pp. 47–48. 1911.
other name for "alkali disease." D.C. 180, p. 3. 1921.
relation—
of white snakeroot, supposed. Albert C. Crawford. B.P.I. Bul. 121, pp. 5–20. 1908.
to unknown bacterial disease. B.A.I. Doc. A–26, pp. 1, 5. 1918.
remedies. J.A.R., vol. 11, p. 711. 1917.
Milkweed(s)—
description—
and poisonous effects on livestock. D.B. 1245, pp. 25–27. 1924.
distribution, spread, and products injured. F.B. 660, p. 28. 1915.
uses of roots. B.P.I. Bul. 107, p. 57. 1907.
feeding experiments. D.B. 800, pp. 9–20, 25–38. 1920.
Mexican—
poisonous nature, studies. D.B. 969, pp. 1–3, 16. 1921.
whorled (*Asclepias mexicana*) as a poisonous plant. C. Dwight Marsh and A. B. Clawson. D.B. 969, pp. 16. 1921.
overwintering of mosaic. J.A.R., vol. 31, pp. 20–32. 1925.
poisoning, symptoms and remedies. D.B. 800, pp. 25–34. 1920; D.C. 272, p. 3. 1923.
poisonous. D.B. 1212, pp. 1–2. 1924.
sheep poisoning, cause, and control. D.B. 575, p. 18. 1918; F.B. 536, p. 4. 1913.
use as potherb. O.E.S. Bul. 245, p. 27. 1912.
whorled—
a plant poisonous to livestock. C. Dwight Marsh. D.C. 101, pp. 2. 1920.
(*Asclepias galioides*) as a poisonous plant. C. Dwight Marsh and others. D.B. 800, pp. 40. 1920.
Asclepias pumila and *A. verticillata* var. *geyeri*, poisonous properties. C. Dwight Marsh and A. B. Clawson. D.B. 942, pp. 14. 1921.
description, distribution, and habits. D.B. 800, pp. 5–8. 1920.
toxicity. D.B. 800, pp. 31–33, 34–37. 1920.
woolly-pod—
a dangerous stock-poisoning plant. C. D. Marsh and A. B. Clawson. D.C. 272, pp. 4. 1923.

Milkweed(s)—Continued.
woollypod—continued.
(*Asclepias eriocarpa*) as a poisonous plant. C. Dwight Marsh and A. B. Clawson. D.B. 1212, pp. 14. 1924.
toxicity to livestock. D.B. 1212, p. 13. 1924.
Mill(s)—
alfalfa, buildings, and machinery. F.B. 1229, pp. 28–35, 39. 1921.
ash lumber, by States, 1905–1915, amount and value. D.B. 523, pp. 8–11. 1917.
attrition, use in experiments with grain-dust explosions. D.B. 681, pp. 6–10, 19–38. 1918.
beet-sugar—
number—
1891–1917, and history. D.B. 721, pp. 1–6. 1918.
1916, tonnage of beets, and seed acreage required. Y.B., 1916, pp. 399–400. 1917; Y.B. Sep. 695, pp. 1–2. 1917.
1920, location, erection, date, and capacity. D.B. 995, pp. 1–5. 1921.
original and present location, and number destroyed. D.B. 721, pp. 5–6. 1918.
change in size and type in Pacific coast lumbering. M.C. 39, p. 32. 1925.
cleaning for fumigation. Ent. Cir. 112, pp. 12–13. 1910.
clogging of machinery by webs of Mediterranean flour moth. D.B. 872, pp. 3, 4–5, 40. 1920.
construction, improvement, for insect control. D.B. 872, p. 8. 1920.
cotton—
airplane fabric, tests. D.B. 882, pp. 7–16. 1920.
consumption, 1876–1920. Y.B., 1921, pp. 392, 393, 396. 1922; Y.B. Sep. 877, pp. 392, 393, 396. 1922.
in United States, 1899–1904, statistics. Stat. Bul. 34, pp. 69–74. 1905.
warehouses, storage capacity in Southern States. D.B. 216, pp. 17–19. 1915.
cottonseed oil—
cleaning for pink bollworm control. D.B. 918, pp. 55, 57. 1921.
description and details of work. Y.B., 1916, pp. 163–167. 1917; Y.B. Sep. 691, pp. 5–7. 1917.
linters production, 1899–1910, and proportion of crop. D.C. 175, pp. 5–6. 1921.
products from seed. Y.B., 1921, pp. 376, 399. 1922; Y.B. Sep. 877, pp. 376, 399. 1922.
utilization for peanuts. F.B. 751, p. 10. 1916.
effectiveness of different powers with cost of grinding. F.B. 149, p. 31. 1902.
effluents, disposal, Alaska pulpwood industry. D.B. 950, p. 15. 1921.
explosions—
causes and disastrous effects. D.B. 681, pp. 2–3, 49–51. 1918.
investigations. D.B. 379, pp. 10–11. 1916.
feed, sales methods. D.B. 1124, pp. 2–9. 1922.
flour—
improvements, making hard wheats successful. Y.B., 1914, pp. 391–392, 394, 408. 1915; Y.B. Sep. 649, pp. 391–392, 394, 408. 1915.
insect control. E. A. Back. D.B. 872, pp. 40. 1920.
preparation for fumigation with hydrocyanic-acid gas. D.B. 872, pp. 13–23. 1920.
fumigation—
directions. D.B. 872, pp. 11–27. 1920; Ent. Cir. 112, pp. 8–22. 1910.
for fig moth. Ent. Bul. 104, pp. 32–33. 1911.
for flour moth. Ent. Cir. 163, pp. 1, 2. 1912.
grain handling, methods. D.B. 558, pp. 13, 14. 1917.
hand, for grinding corn at home, cost and advantage. An. Rpts., 1917, p. 154. 1918; B.P.I. Chief Rpt., 1917, p. 24. 1917.
handpower and gasoline, for grinding stock feed, cost. News L, vol. 6, No. 6, p. 7. 1918.
heating for control of insect pests, important points. D.B. 872, p. 31. 1920.
hominy, corn-oil production, operations and cost. D.B. 904, pp. 16, 19. 1920.
in Alaska, fuel supply sources. D.B. 950, p. 19. 1921.
load regulators, description. F.B. 866, pp. 20–22. 1917.

Mill(s)—Continued.
  longleaf pine, requirements of one mill. D.B. 1061, p. 5. 1922.
  losses on Pacific coast. M.C. 39, pp. 29–37. 1925.
  lumber—
    and production reported, 1899–1913, and 1911, 1912, 1913. D.B. 232, pp. 2–9, 30–32. 1915.
    classes, capacity, number, and production, 1908–1917. D.B. 768, pp. 4–11. 1919.
    economy, need of better methods. For. Cir. 171, p. 21. 1909.
    production, by classes of mills and by States. D.B. 845, pp. 3–15. 1920.
    reporting manufacture of walnut lumber, 1907–1918. D.B. 909, p. 31. 1921.
    small operations and equipment. D.B. 718, pp. 11–38. 1918.
    sycamore output, value and consumption. D.B. 884, pp. 7–8. 1920.
    types used in California pine forests. D.B. 440, pp. 4–5, 67–80. 1917.
    waste, utilization in various industries. Y.B. 1910, pp. 260–263. 1911. Y.B. Sep. 534, pp. 260–263. 1911.
  oil, Cotton Belt, number in 1915. Atl. Am. Agr. Adv. Sh. Pt. V, Sec. A, p. 25. 1919.
  planing, losses in lumber industry. M.C. 39, p. 34. 1925.
  portable, setting up, directions. D.B. 718, pp. 32–34. 1918.
  products—
    and wheat, moisture in. J.H. Shollenberger. D.B. 788, pp. 12. 1919.
    yield, relation to humidity and temperature, tests. D.B. 1013, pp. 5–8, 10–11. 1921.
  pulp, operating materials and supplies, sources of supply. D.B. 950, pp. 14–15. 1921.
  rice—
    description. F.B. 417, pp. 21–23. 1910.
    equipment and operation. D.B. 330, pp. 4–14. 1916.
    samples of grain and by-products, results. D.B. 570, pp. 9–13. 1917.
  rock grinding, description. Chem. Bul. 92, p. 13. 1905.
  run, adulteration and misbranding. Chem. N.J. 3071. 1914.
  scale, studies and grading rules. D.C. 231, p. 39. 1922.
  site, selection, suggestions. D.B. 718, p. 5. 1918.
  sites, national forests, laws. Sol. [Misc.], "Laws * * * forests," p. 58. 1916.
  sorghum, description. F.B. 477, pp. 14–16. 1912.
  stocks, flour, examination. D.B. 839, pp. 11–16. 1920.
  sugar—
    cane—
      and equipment requirement and cost. F.B. 1034, p. 28. 1919.
      description, equipment, and cost. D.B. 1370, pp. 48–55. 1925.
      disinfection. S.R.S. Rpt. 1915, Pt. I, pp. 56, 131. 1917.
      tests, flax paper and fiber board. D.B. 322, pp. 11–16. 1916.
      timbers, decay from fungi, amount and costs. D.B. 1053, pp. 1–4. 1922.
      tomato-seed oil, operating costs, and possible returns. D.B. 927, pp. 27–29. 1921.
  types—
    for saving of timber in sawing. M.C. 39, pp. 60–62. 1925.
    used in manufacture of insect powder. D.B. 824, pp. 11–12. 1920.
  use of hydrocyanic-acid gas. F.B. 699, p. 1. 1916.
  waste—
    of lumber, remarks. M.C. 39, pp. 20–21. 1925.
    resinous woods, supply, cost, and yield of products. Chem. Bul. 159, pp. 24–28. 1913.
    use and value for fuel. D.B. 753, p. 7. 1919.
    utilization—
      for pulpwood. M.C. 39, pp. 12–13. 1925.
      study and practice at Austin, Pa. M.C. 39, p. 23, 28. 1925.
  wool buying, regulations and forms. Mkts. S.R.A. 50, pp. 8–9. 1919.
  woolen, per cent idle, January 2, 1919. News L. vol. 6, No. 28, p. 16. 1919.

Mill(s)—Continued.
  workers, need of garden vegetables, chickens, and cows. News L. vol. 5, No. 20, pp. 5–6. 1917.
  See also Sawmills.
MILLAR, C. E.—
  "Effect of calcium sulphate on the solubility of soils." With M. M. McCool. J.A.R. vol. 19, No. 2, pp. 47–54. 1920.
  "Relation between biological activities in the presence of various salts and the concentration of the soil solution in different classes of soil." J.A.R. vol. 13, pp. 213–223. 1918.
Mille Lacs bird reservation, establishment in Minnesota, 1915. News L. vol. 3, No. 10, p. 6. 1915.
MILLER, A. D.: "American fruit and produce auctions." With Charles W. Hauck. D.B. 1462, pp. 36. 1925.
MILLER, A. E.: "Correlating agriculture with the public-school subjects in the Southern States." With C. H. Lane. D.B. 132, pp. 41. 1915.
MILLER, BIRDELLA: "Statistics of crops other than grain crops, 1922." With others. Y.B. 1923, pp. 666–794. 1923; Y.B. Sep. 884, pp. 666–794. 1923.
MILLER BROTHERS' farm, irrigation system, details. O.E.S. Bul. 222, p. 67. 1910.
MILLER, C. F.—
  "Inorganic composition of a peat and of the plant from which it was formed." J.A.R. vol. 13, pp. 605–609. 1918.
  "The relation of some of the rarer elements in soils and plants." With others. D.B. 600, pp. 27. 1917.
MILLER, D. G.: "The drainage of irrigated shale land." With L. T. Jessup. D.B. 502, pp. 40. 1917.
MILLER, E. A.—
  "Exercises with plants and animals for southern rural schools." D.B. 305, pp. 63. 1915.
  "How teachers in elementary schools may use Farmers' Bulletin 808. How to select foods. I. What the body needs." S.R.S. [Misc.], "How teachers may use * * *," pp. 2. 1917.
  "How teachers in rural elementary schools may use Farmers' Bulletin 642. Tomato growing in the South." S.R.S. [Misc.], "How teachers may use * * *," pp. 2. 1917.
  "How teachers in rural elementary schools may use Farmers' Bulletin 755. Common birds of southeastern United States in relation to agriculture." S.R.S. [Misc.], "How teachers may use * * *," pp. 2. 1917.
  "How teachers in rural elementary schools may use Farmers' Bulletin 767. Goose raising." S.R.S. [Misc.], "How teachers may use * * *," pp. 2. 1917.
  "How teachers in rural elementary schools may use Farmers' Bulletin 779. How to select a sound horse." S.R.S. [Misc.], "How teachers may use * * *," pp. 2. 1917.
  "How teachers may use Farmers Bulletin 431: The peanut." S.R.S. [Misc.], "How teachers may use * * *," pp. 2. 1916.
  "How teachers may use Farmers' Bulletin 693. Bur clover. S.R.S. [Misc.], "How teachers may use * * *," pp. 2. 1916.
  "How teachers may use Farmers' Bulletin 729. Corn culture in the Southeastern States." S.R.S. [Misc.], "How teachers may use * * *," pp. 2. 1916.
  "Lessons in elementary agriculture for Alabama schools outlined by months." D.B. 258, pp. 36. 1915.
  "Lessons on pork production for elementary rural schools." D.B. 646, pp. 26. 1918.
  "Lessons on tomatoes for rural schools." D.B. 392, pp. 18. 1916.
MILLER, E. B.: "Comparative transpiration of corn and the sorghums." With W. B. Coffman. J.A.R., vol. 13, pp. 579–604. 1918.
MILLER, E. C.—
  "Comparative study of the root systems and leaf areas of corn and the sorghums." J.A.R., vol. 6, No. 9, pp. 311–332. 1916.
  "Daily variation of the carbohydrates in the leaves of corn and the sorghums." J.A.R., vol. 27, pp. 785–808. 1924.
  "Daily variation of water and dry matter in the leaves of corn and the sorghums." J.A.R., vol. 10, pp. 11–46. 1917.

MILLER, E. C.—Continued.
"Development of the pistillate spikelet and fertilization in *Zea mays* L." J.A.R., vol. 18, pp. 255-266. 1919.
"Elemental composition of the corn plant." With W. L. Latshaw. J.A.R., vol. 27, pp. 845-860. 1924.
"Relative water requirement of corn and the sorghums." J.A.R., vol. 6, No. 13, pp. 473-484. 1916.
"Some observation on the temperature of the leaves of crop plants." With A. R. Saunders. J.A.R., vol. 26, pp. 15-43. 1923.
MILLER, E. R.: "The dustfall of February 13, 1923." With Alexander N. Winchell. J.A.R., vol. 29, pp. 443-450. 1924.
MILLER, F. E.—
"Sweet potato growing." F.B. 999, pp. 31. 1919.
"Utilization of flue-heated tobacco barns for sweet potato storage." F.B. 1267, pp. 12. 1922.
MILLER, F. G.—
"Forest planting in eastern Nebraska." For. Cir. 45, pp. 32. 1906.
"Forest planting in the North Platte and South Platte Valleys." For. Cir. 109, pp. 20. 1907.
MILLER, G. H.—
"Cost of producing apples in Yakima Valley, Wash." With S. M. Thomson. D.B. 614, pp. 75. 1918.
"Cost of production of apples in the Payette Valley, Idaho." With S. M. Thomson. D.B. 636, pp. 36. 1918.
"Operating costs of a well-established New York apple orchard." D.B. 130, pp. 10. 1914.
"The cost of producing apples in the Hood River Valley." With S. M. Thomson. D.B. 518, pp. 52. 1917.
"The cost of producing apples in the Wenatchee Valley, Wash." With S. M. Thomson. D.B. 446, pp. 35. 1917.
"The cost of producing apples in western Colorado." With S. M. Thomson. D.B. 500, pp. 44. 1917.
MILLER, H. A.—
"A simple way to increase crop yields." F.B. 924, pp. 24. 1918.
"Soil survey of the Belvidere area, New Jersey." With others. Soil Sur. Adv. Sh., 1917, pp. 72. 1920; Soils F.O., 1917, pp. 125-192. 1923.
"Soil survey of the Millville area, New Jersey." With others. Soil Sur. Adv. Sh., 1917, pp. 46. 1921; Soils F.O., 1917, pp. 193-234. 1923.
MILLER, H. G.—
"Further studies on relation of sulphates to plant growth and composition." J.A.R., vol. 22, pp. 101-110. 1921.
"Relation of sulphates to plant growth and composition." J.A.R., vol. 17, pp. 87-102. 1919.
MILLER, H. K., report on phosphoric acid. Chem. Bul. 67, pp. 22-27. 1902.
MILLER, J. D.—
"Cooperative marketing of milk." B.A.I. Dairy [Misc.], "World's dairy congress, 1923," pp. 83-86. 1924.
"Dairymen's League." B.A.I. Dairy [Misc.], "World's dairy congress, 1923," pp. 720-725. 1924.
MILLER, J. H.—
"How to make effective the teaching of college and institute." O.E.S. Bul. 231, pp. 54-60. 1910.
"Quarterly or monthly meetings of institutes." O.E.S. Bul. 251, pp. 36-37. 1912.
report of Kansas, extension work in agriculture and home economics, 1915. S.R.S. An. Rpt., 1915, Pt. II, pp. 211-218. 1917.
MILLER, J. M.—
"Cone beetles: Injury to sugar pine and western yellow pine." D.C. 243, pp. 12. 1915.
"Insect damage to the cones and seeds of Pacific coast conifers." D.B. 95, pp. 7. 1914.
"Oviposition of *Megastigmus spermotrophus* in the seed of Douglas fir." J.A.R., vol. 6, No. 2, pp. 65-68. 1916.
MILLER, M. F.—
"Soil survey of Montgomery County, Tenn." With J. E. Lapham. Soil Sur. Adv. Sh., 1901, pp. 12. 1901; Soils F.O., 1901, pp. 341-355. 1902.

MILLER, M. F.—Continued.
"The evolution of reaping machines." O.E.S. Bul. 103, pp. 43. 1902.
MILLER, O. D.: "Marketing main-crop potatoes." With others. F.B. 1317, pp. 37. 1923.
MILLER, R. C.: "Milling and baking tests of wheat containing admixtures of rye, corn, cockle, kinghead, and vetch." D.B. 328, pp. 24. 1915.
MILLER, R. F.: "Tensile strength and elasticity." With William D. Tallman. J.A.R., vol. 4, pp. 379-390. 1915.
MILLER, S. I.: "Cooperation as a factor in stabilizing the market for agricultural products." B.A.I. Dairy [Misc.], "World's dairy congress, 1923," pp. 252-256. 1924.
MILLER, T. A. H.: "Plain concrete for farm use." F.B. 1279, pp. 27. 1922.
Miller. *See* Moth.
Miller bird, occurrence on Laysan Island, number and description. Biol. Bul. 42, pp. 22-23. 1912; Y.B., 1911, p. 160. 1912; Y.B. Sep. 557, p. 160. 1912.
Millet—
acreage, by countries, Europe, 1885, 1895, 1905. Stat. Bul. 68, pp. 17-18. 1908.
adaptability to—
acid soils. D.B. 6, p. 8. 1913.
dry farming. F.B. 329, p. 12. 1908.
alkali—
resistance. F.B. 446, p. 21. 1911.
tolerance. F.B. 446, rev., pp. 12, 13, 16, 20. 1920.
and cowpeas, mixture for hay, discussion. F.B. 318, p. 13. 1908.
breeding for drought resistance, experiments. B.P.I. Bul. 196, pp. 9, 10, 24-29. 1910.
broomcorn—
bacterial stripe disease. Charlotte Elliott. J.A.R., vol. 26, pp. 151-160. 1923.
See also Proso.
bushel weights, by States. Y.B., 1918, p. 724. 1919; Y.B. Sep. 795, p. 60. 1919.
cat-tail, grazing crop for hogs. F.B. 985, pp. 7, 9, 10, 15-16, 27. 1918.
common, digestibility, experiments. D.B. 525, pp. 1-11. 1917.
comparison with Sudan grass. D.B. 981, pp. 23-24. 1921.
corn-leaf blotch miner, injuries. J.A.R., vol. 2, pp. 17, 18. 1914.
cultivation, semiarid regions. B.P.I. Bul. 215, p. 33. 1911.
Dakota Kursk, description, characteristics, yield, and seed production. D.B. 291, pp. 5-8, 18-19. 1916.
definition—
seed importation regulations. B.P.I.S.R.A. 1, p. 1. 1914.
under seed-importation act. Sec. Cir. 42, p. 3. 1913.
descriptions, varieties valuable for cotton States. F.B. 1125, rev., pp. 21-23. 1920.
digestibility, determination experiments. C. F. Langworthy and A. D. Holmes. D.B. 525, pp. 11. 1917.
diseases, control by treating seed. F.B. 793, p. 26. 1917.
drought resistance, breeding experiments. D.B. 291, pp. 4-8, 18. 1916.
experiments at Cheyenne farm, varieties and yield. 1913-1915. D.B. 430, pp. 36-37, 39. 1916.
feed value, and danger for horses. F.B. 793, pp. 20-21. 1917.
fertilizers, tests. Soils Bul. 67, pp. 47, 48-49. 1910.
forecast by States, September, 1913. F.B. 558, p. 17. 1913.
foxtail—
description and varieties. D.B. 772, pp. 243-245. 1920.
its culture and utilization in the United States. H. N. Vinall. F.B. 793, pp. 28. 1917.
nativity, description, injury to crops following. F.B. 1254, pp. 22-23. 1922.
value as catch crop and for feed. News L., vol. 4, No. 38, p. 7. 1917.
varieties, description and comparison. F.B. 793, pp. 7-16. 1917.

INDEX TO PUBLICATIONS, 1901-1925   1533

Millet—Continued.
  German—
    description and uses. F.B. 793, pp. 8-10. 1917.
    soiling crop for South. F.B. 1125, rev. pp. 21-22. 1920.
    giant, names for kaoliangs in Asia. B.P.I. Bul. 253, pp. 7-10. 1913.
    Golden Wonder, description and uses. F.B. 793, p. 10. 1917.
    grain, Russian experimental tests in Texas, yield, uses, and description. B.P.I. Bul. 283, pp. 35-36, 59, 73, 79. 1913.
    grass, description. D.B. 772, pp. 156, 158. 1920.
    growing—
      effect of soil sterilization, Hawaii. Hawaii A.R., 1915, p. 38. 1916.
      experiment—
        at Williston Station, 1914, variety and yield. D.B. 270, pp. 33, 34, 36. 1915.
        with phosphatic fertilizers. J.A.R., vol. 25, pp. 172-184. 1923.
      for hay, practices and yields. F.B. 1125, rev., pp. 21-22. 1920.
      in—
        Iowa, Webster County. Soil Sur. Adv. Sh., 1914, pp. 14, 39. 1916; Soils F.O., 1914; pp. 1794, 1819. 1919.
        mixtures with legumes. F.B. 793, pp. 21-23. 1917.
        Nevada, experiments. B.P.I. Cir. 122, p. 20. 1913.
        Nevada, Newlands Experiment Farm, 1921. D.C. 267, p. 7. 1923.
        North Dakota and South Dakota. F.B. 873, p. 21. 1917.
        northern Great Plains, experiments. D.B. 1244, pp. 32-33, 47. 1924.
        Texas, Denton County. Soil Sur. Adv. Sh., 1918, pp. 8, 10, 50, 51. 1922; Soils F.O., 1918, pp. 780, 782, 822, 823. 1924.
        Texas, northwest part. Soil Sur. Adv. Sh., 1919, pp. 19-20, 32, 53. 1922; Soils F.O., 1919, pp. 1117-1118, 1130, 1151. 1925.
        United States and India, acreage. Sec. [Misc.], Spec. Geography * * * world's agriculture," p. 45. 1918.
        Wyoming, experiments. D.B. 1306, pp. 26, 30. 1925.
      with cowpeas for hay. F.B. 1148, p. 20. 1920.
    growth test in colloidal silica soil. J.A.R., vol. 31, pp. 249-254. 1925.
    harvesting for hay and seed. F.B. 793, pp. 19-20. 1917.
    hay—
      acreage by States, 1899-1924. S.B. 11, p. 10. 1925.
      and seed, cost of production. Stat. Bul. 48, pp 48, 50. 1906.
      comparison with Sudan grass and sorgo hay. F.B. 1126, p. 9. 1920.
      cost of production, items. S.B. 11, p. 44. 1925.
      production—
        by States, 1899-1924. S.B. 11, pp. 31, 33. 1925.
        cost per acre. S.B. 73, pp. 42-43. 1909.
      yield by States, 1899-1924. S.B. 11, p. 22. 1925.
    hog—
      or proso. John H. Martin. F.B. 1162, pp. 15. 1920.
      See also Proso.
    Hungarian, description and uses. F.B. 793, pp. 10-12. 1917.
    importance in Great Plains agriculture. D.B. 291, pp. 1-2. 1916
    importations and descriptions. Nos. 44037, 44038, B.P.I. Inv. 50, pp. 17-18. 1922.
    Indian, feed value, Wyoming meadows. J.A.R., vol. 6, No. 19, pp. 744, 746, 754. 1916.
    insect enemies, control. F.B. 793, pp. 27-28. 1917.
    Japanese—
      change of name to Aino millet. F.B. 793, p. 14. 1917.
      description and uses. F.B. 793, p. 14. 1917.
      growing in Hawaii, yields in forage and seed. Hawaii A. R., 1915, pp. 15, 43. 1916.
      importations and description. Nos. 55004-55023, B.P.I. Inv. 71, p. 13. 1923.
      nativity and description. F.B. 1254, pp. 30-31. 1922.

Millet—Continued.
  Japanese—Continued.
    value for New England dairy farms. F.B. 337, pp. 12, 18, 21, 22. 1908.
  Kursk, description and uses. F.B. 793, p. 13. 1917.
  leaf miner, spike-horned, occurrence. D.B. 432, pp. 3, 4, 5. 1916.
  name given to sorghums in Europe. B.P.I. Bul. 175, pp. 26, 27, 36. 1910.
  new varieties, use as breakfast food. B.P.I. Bul. 208, pp. 19, 60. 1911.
  pearl—
    Carleton R. Ball. F.B. 168, pp. 16. 1903.
    description. D.B. 772, pp. 246-247. 1920.
    importations and description. No. 36995, B.P.I. Inv. 38, pp. 6, 14. 1917; No. 42284, B.P.I. Inv. 46, p. 73. 1919; No. 48095, B.P.I. Inv. 60, p. 42. 1922; Nos. 53063, 53623, B.P.I. Inv. 67, pp. 24, 70. 1923.
    preparation, for bread making and baking. D.B. 525, pp. 2-3. 1917.
    production, European countries, 1883-1906, tables. Stat. Bul. 68, pp. 51-88. 1908.
  Proso varieties, adaptation to Plains States. An. Rpts., 1909, p. 295. 1910; B.P.I. Chief Rpt., 1909, p. 43. 1909.
  Ragi, importations and description. No. 48456, B.P.I. Inv. 61, p. 10. 1922; Nos. 49966, 50001, 50060, B.P.I. Inv. 63, pp. 25, 28, 32. 1923; No. 53622, B.P.I. Inv. 67, p. 70. 1923.
  root development, early maturity, drought endurance, and water requirements. D.B. 291, pp. 2-3, 7-8, 15-18. 1916.
  seed—
    cost of production, table. Stat. Bul. 48, p. 50. 1906.
    harvesting. F.B. 793, pp. 19-20. 1917.
    legal bushel, weight. F.B. 793, p. 24. 1917.
    marketing method. Rpt. 98, pp. 150-151. 1913.
    production method, and yield, 1909-1912, experiments. D.B. 291, pp. 7-8. 1916.
    supply sources and uses. Y.B. 1232, pp. 5, 18, 20. 1921; Y.B., 1917, pp. 516-517. 1918; Y.B. Sep. 757, pp. 22-23. 1918.
    testing directions, and adulterants. F.B. 428, p. 43-44. 1911.
    treatment for control of smut. F.B. 793, p. 26. 1917.
    use as feed for hogs. F.B. 210, pp. 30-31. 1904.
  seeding, date, rate and method. F.B. 793, pp. 17-19. 1917.
  Siberian, description—
    F.B. 793, p. 12. 1917.
    and value, experiments. News L., vol. 3, No. 52, p. 3. 1916.
    characteristics, yield, and seed production. D.B. 291, pp. 5-8, 18-19. 1916.
  smuts, description and control. F.B. 939, pp. 15, 16-20. 1918.
  susceptibility to mosaic disease. J.A.R., vol. 24, p. 260. 1923.
  test at field station near Mandan, N. Dak. D.B. 1301, p. 61. 1925.
  Texas. See Colorado grass.
  transpiration studies, Akron, Colo. J.A.R., vol. 7, pp. 158-161, 165-186, 191, 192, 202, 206. 1916.
  tribe, key to genera, and descriptions. D.B. 772, pp. 18-20, 213-252. 1920.
  Turkestan, description and uses. F.B. 793, pp.13-14, 16. 1917.
  use—
    and value, yields, as grain crop. F.B. 793, pp. 23-24. 1917.
    as—
      food, foreign countries. F.B. 389, p. 16. 1910.
      green-manure crop. F.B. 1250, p. 44. 1922.
      temporary hay crop, seeding, and rate. F.B. 1170, p. 7. 1920.
    in rotations for dairy farm. F.B. 337, pp. 11, 12, 18, 21, 22. 1908.
  value—
    for emergency forage crop. Sec. Cir. 36, p. 1. 1911.
    in rotations. F.B. 793, pp. 24-25. 1917.

Millet—Continued.
varieties—
distinction from proso. F.B. 1162, pp. 3, 4, 5. 1920.
forage and seed yields, Yuma experiment farm, 1916. B.P.I. W.I.A. Cir. 20, p. 26. 1918.
forage-crop experiments in Texas. B.P.I. Cir. 106, pp. 23-24, 27. 1913.
importations and descriptions. Nos. 36655, 36673, 36796, B.P.I. Inv. 37, pp. 45, 48, 66. 1916.
seed yield, experiments, 1909-1912. D.B. 291, pp. 7-8. 1916.
susceptible to bacterial stripe disease. J.A.R., vol. 26, pp. 151-153. 1923.
use as forage crop in cotton region, description. F.B. 509, pp. 17-18. 1912.
yield, San Antonio experiment farm. B.P.I. Cir. 34, pp. 12-13. 1909.
water requirement—
J.A.R., vol. 3, pp. 26-27, 51, 55, 56, 58. 1914.
in Colorado, 1911, experiments. B.P.I. Bul. 284, pp. 28, 37, 38, 47, 48. 1913.
wild, description, distribution, and propagation, as wild-duck food. D.B. 58, pp. 11-14. 1914; D.B. 465, pp. 32-34. 1917.
yield and forage value, comparison with sorgo and other forage crops. D.B. 291, pp. 12-15. 1916.
See also Sorghum.
Millettia—
atropurpurea, importation and description. No. 51871, B.P.I. Inv. 65, p. 60. 1923.
dielsiana, importation and description. No. 55663, B.P.I. Inv. 72, pp. 2, 15. 1924.
megasperma, importations and description. No. 50518, B.P.I. Inv. 63, pp. 4, 75. 1923; No. 55565, B.P.I. Inv. 71, pp, 4, 58. 1923.
piscidia, importation and description. No. 46727, B.P.I. Inv. 57, p. 25. 1922.
reticulata, importation and description. No. 47008, B.P.I. Inv. 58, p. 18. 1922.
MILLIKEN, F. B.—
"Grasshoppers and their control on sugar beets and truck crops." F.B. 691, pp. 16. 1915; rev., pp. 20. 1920.
"Nysius ericae, the false chinch bug." J.A.R., vol. 13, pp. 571-578. 1918.
"Results of work on blister beetles in Kansas." D.B. 967, pp. 26. 1921.
"The cottonwood borer." D.B. 424, pp. 7. 1916.
"The false chinch bug and measures for controlling it." F.B. 762, pp. 4. 1916.
MILLIN, R. B.: "Farm sheep raising for beginners." With F. R. Marshall. F.B. 840, pp. 24. 1917.
Milling—
and baking—
experimental (including chemical determinations.) J. H. Shollenberger and others. D.B. 1187, pp. 54. 1924.
experiments with American wheat varieties. J. H. Shollenberger and J. Allen Clark. D.B. 1183, pp. 93. 1924.
tests of wheat containing admixtures of rye, corn, cockle, kinghead, and vetch. R. C. Miller. D.B. 328, pp. 24. 1915.
buckwheat, methods and products. F.B. 1062, p. 22. 1919.
castor beans for oil extraction, details. D.B. 867, pp. 9-31. 1920.
corn, methods, old and new processes, degermination. F.B. 565, pp. 5-6. 1914.
cypress, daily lumber output, waste, cost per thousand. D.B. 272, pp. 14-16. 1915.
Durum wheat, difficulties. Y.B., 1914, pp. 408-409, 412. 1915; Y.B. Sep. 649, pp. 408-409, 412. 1915.
experiments, Markets Bureau, material, methods, and results. D.B. 1013, pp. 1, 3-12. 1921.
flour, quality tests of wheat varieties. F.B. 320, pp. 18-22. 1908.
grain sorghums, for digestibility tests. D.B. 470, pp. 3-4. 1916.
home grinding for corn, cost and uses. News L., vol. 5, No. 5, p. 7. 1917.
Kanred wheat, value, comparison with other wheats. D.C. 194, pp. 11-13. 1921.
Kota wheat value. D.C. 280, pp. 13-14. 1923.

Milling—Continued.
lumber, small operations, equipment and methods. D.B. 718, pp. 11-38. 1918.
rice—
by-products. J. B. Reed and F. W. Liepsner. D.B. 570, pp. 16. 1917.
for food, and value of by-products. F.B. 1195, pp. 5-6. 1921.
machinery and processes, description. D.B. 570, pp. 2-4. 1917.
mechanical and chemical, effect on grain. F. B. Wise and A. W. Broomell. D.B. 330, pp. 31. 1916.
methods. F.B. 417, pp. 21-23. 1910; Y.B., 1922, pp. 519-522. 1923; Y.B. Sep. 891. pp. 519-522. 1923.
rye, location of mills. Y.B., 1922, pp. 509-510. 1923; Y.B. Sep. 891, pp. 509-510. 1923.
Sitka spruce, methods. D.B. 1060, p. 9. 1922.
spring wheat grown in northern Great Plains, experiments. D.B. 898, pp. 41-44. 1920.
terms, definition. Chem. Bul. 164, p. 57. 1913.
tests—
of durum wheat. F.B. 412, pp. 29-31. 1910.
of wheat varieties. B.P.I. Bul. 178, pp. 26, 28. 1910; D.B. 357, pp. 11-14. 1916; D.B. 1172 pp. 19-23, 33. 1923.
wheat containing impurities. D.B. 328, pp. 1-24. 1915.
value of wheat, use as varietal character. D.B. 1074, p. 48. 1922.
western yellow pine, in Oregon, methods. D.B. 418, p. 34. 1917.
wheat—
definition of quality of wheat. D.B. 522, p. 6. 1917.
effect of nematode infection on grade. D.B. 734, pp. 8-13. 1918.
gains and losses, relation to moisture content. D.B. 788, pp. 10-12. 1919.
methods, old and modern, discussion. F.B. 389, pp. 11-13. 1910.
process, description, testimony of practical millers. Chem. N.J. 722, pp. 19-20, 31-36, 42, 43, 58-59, 65-69, 74-80, 89, 92. 1911.
tests of Australian wheat. D.B. 877, pp. 18-23. 1920.
yield of five American classes, comparison. D.B. 557, pp. 6-7. 1917.
See also Feeding stuffs; Flour.
Millipeds, destruction by starlings. D.B. 868, pp. 25, 43, 44, 65. 1921.
Millo maize. See Milo.
Millwork—
general, use of lumber in Arkansas. For. Bul. 106, pp. 15-16. 1917.
walnut, demands and uses. D.B. 909. pp. 67-68, 89. 1921.
MILNER, R. D.—
"A new respiration calorimeter for use in the study of vegetable physiology." With C. F. Langworthy. Y.B., 1911, pp. 491-504. 1912; Y.B. Sep. 586, pp. 491-504. 1912.
"A respiration calorimeter, partly automatic, for the study of metabolic activity of small caliber." With C. F. Langworthy. J.A.R., vol. 6, No. 18, pp. 703-720. 1916.
"An improved respiration calorimeter for use in experiments with man." With C. F. Langworthy. J.A.R., vol. 5, No. 8, pp. 299-348. 1915.
"Dietary studies at the Government Hospital for the Insane, Washington, D. C." With H. A. Pratt. O.E.S. Bul. 150, pp. 170. 1904.
"Dietary studies in public institutions in Philadelphia." With Emma Smedley. O.E.S. Bul. 223, pp. 7-14. 1910.
"Experiments on the metabolism of matter and energy in the human body, 1900-1902." With others. O.E.S. Bul. 136, pp. 357. 1903.
"Experiments on the metabolism of matter and energy in the human body, 1903-1904." With F. G. Benedict. O.E.S. Bul. 175, pp. 335. 1907.
"Heat production of honeybees in winter." With Geo. S. Demuth. D.B. 988, pp. 18. 1921.
"Investigations on the nutrition of man in the United States." With C. F. Langworthy. O.E.S. Doc. 713, pp. 20. 1904.

INDEX TO PUBLICATIONS, 1901–1925 1535

MILNER, R. D.—Continued.
"Some results obtained in studying ripening bananas with respiration calorimeter." With C. F. Langworthy. Y.B., 1912, pp. 293–308. 1913; Y.B. Sep. 592, pp. 293–308. 1913.
"The cost of food as related to its nutritive value." Y.B., 1902, pp. 387–406. 1903; Y.B. Sep. 280, pp. 387–406. 1903.
"The respiration calorimeter, and the results of experiments with it." With C. F. Langworthy. Y.B., 1910, pp. 307–318. 1911; Y.B. Sep. 539, pp. 307–318. 1911.
"The respiration calorimeter: Application to the study of problems of vegetable physiology." With C. F. Langworthy. O.E.S. Cir. 116, pp. 3. 1912.
"The respiration calorimeter: Recent improvements, and new applications." With C. F. Langworthy. O.E.S. Doc. 1409, pp. 601–606. 1911.
"The use of milk as food. F.B. 363, pp. 44. 1909.
Milo—
acreage—
1909. Sec. [Misc.], Spec. "Geography * * * world's agriculture." p. 102. 1918.
and value, increase since 1899. F.B. 1147, p. 3. 1920.
alkali tolerance. F.B. 446, rev., pp. 12, 13, 19. 1920.
analysis, comparison with corn and other grains. F.B. 724, p. 4. 1916.
and feterita kernels, physical and chemical study. George L. Bidwell and others. D.B. 1129, pp. 8. 1922.
as a dry-land grain crop. Carleton R. Ball and Arthur H. Leidigh. F.B. 322, pp. 23. 1908.
blast, caused by sorghum midge, destruction of seed. F.B. 322, pp. 21, 23. 1908.
bread, digestion tests. D.B. 470, pp. 14–16. 1916.
characters—
and chemical composition, digestibility. F.B. 1147, pp. 4–5, 16–17. 1920.
yield, and adaptation to dry lands. B.P.I. Cir. 12, p. 6. 1908.
chemical composition, description, and uses. F.B. 686, pp. 2–5, 7, 8. 1915.
classification, description, and yields. D.B. 698, pp. 18, 29–39, 52, 88. 1918; F.B. 322, pp. 5–7. 1908.
common, objectionable qualities. F.B. 322, pp. 7–9, 22. 1908.
composition, comparison with corn. F.B. 972, p. 5. 1918.
cost of production, labor and material requirements, by States. Y.B., 1921, pp. 812, 826. 1922; Y.B. Sep. 876, pp. 9, 23. 1922.
cultivation, semiarid regions. B.P.I. Bul. 215, p. 33. 1911.
cultural directions, quantity of seed, cultivation and harvesting. F.B. 322, pp. 12–18. 1908.
damages by Mexican conchuela, Texas, 1905. Ent. Bul. 64, Pt. I, p. 5. 1907.
description, introduction, and crop value. D.B. 772, p. 267. 1920; Y.B., 1913, pp. 221, 225, 230–232, 234–236. 1914; Y.B. Sep. 625, pp. 221, 225, 230, 232, 234–236. 1914.
dwarf—
description. F.B. 322, pp. 7, 10, 22. 1908.
growing in Texas Panhandle, date of seeding, and spacing. D.B. 976, pp. 14–17, 22, 23–30, 37, 41, 42. 1922.
hog feeding and pasturing, experiments. B.P. I.W.I.A. Cir. 16, pp. 1, 19, 20. 1917.
root system and leaf area, studies. J.A.R., vol. 6, No. 9, pp. 318–239. 1916.
strain, breeding for drought resistance. Y.B., 1913, p. 229. 1914; Y.B. Sep. 625, p. 229. 1914.
water—
content, studies. J.A.R., vol. 10, pp. 11–46. 1917.
requirement, studies. J.A.R., vol. 6, No. 13, pp. 480–482, 484. 1916.
yellow, date-of-seeding, and spacing experiments. D.B. 1175, pp. 39–44, 53–59. 1923.
feed mixtures, value. F.B. 322, pp. 20, 23. 1908.
feeding to livestock. F.B. 322, p. 20. 1908.
freedom from disease. F.B. 1147, p. 18. 1920.

Milo—Continued.
grain crop, value. Benton E. Rothgeb. F.B. 1147, pp. 19. 1920.
growing—
and yield, Texas, comparison with feterita. B.P.I. Cir. 122, pp. 29–31. 1913.
at San Antonio experiment farm. B.P.I. W.I.A. Cir. 5, p. 10. 1915.
cultural details. F.B. 1147, pp. 10–16. 1920.
in—
Arizona, methods, yields, and feed value. W.I.A. Cir. 25, pp. 22–23, 24, 26. 1919.
Arizona, Middle Gila Valley area. Soil Sur. Adv. Sh. 1917, pp. 14, 20. 1920; Soils F.O., 1917, pp. 2096, 2102. 1923.
California, El Centro area. Soil Sur. Adv. Sh. 1918, pp. 13, 15. 1922; Soils F.O., 1918, pp. 1641, 1643. 1924.
California, Imperial Valley. Soil Sur. Adv. Sh., 1923, pp. 649–654, 668–683, 698. 1923.
Great Plains Area, cultural practices and yields. D.B. 268, pp. 19–21. 1915.
Guam experiments, 1916. Guam A.R. 1916, pp. 19–21. 1917.
Oklahoma, Roger Mills County, yields. Soil Sur. Adv. Sh. 1914, pp. 11, 13, 17, 21, 24, 25. 1916; Soils F.O. 1914, pp. 2143, 2149–2157. 1919.
southern Great Plains, methods, cost, and yield. D.B. 242, pp. 8, 11–15, 19. 1915.
Texas, Archer County. Soil Sur. Adv. Sh. 1912, pp. 13–14, 25, 30, 33, 46. 1914; Soils F.O. 1912, pp. 1015–1016, 1027, 1032, 1035, 1048. 1915.
Texas, Lubbock County. Soil Sur. Adv. Sh. 1917, pp. 10, 13, 19, 22, 25. 1920; Soils F.O. 1917, pp. 970, 973, 979, 982, 985. 1923.
Texas, San Antonio, cultural hints and yields. F.B. 965, pp. 3, 6–12. 1918.
growth under varying weather conditions. J.A.R., vol. 13, pp. 139–146. 1918.
harvesting and threshing. F.B. 322, pp. 17–18, 23. 1908; F.B. 1147, pp. 14–16. 1920.
historical notes. F.B. 1147, pp. 3–4. 1920.
hybrids, description and yields. D.B. 698, pp. 45–46, 88. 1918.
immunity to sorghum smuts. J.A.R., vol. 2, No. 5, p. 367. 1914.
improved, characters. F.B. 322, pp. 9–10, 22. 1908.
insect enemies. F.B. 322, p. 21. 1908.
introduction into United States, and distribution. F.B. 322, p. 6. 1908.
kernels, physical and chemical study, with feterita. George L. Bidwell and others. D.B. 1129, pp. 8. 1922.
leaf temperature, studies. J.A.R., vol. 26, pp. 18, 25, 26, 28, 33, 36. 1923.
leaves of carbohydrates, experiments. J.A.R., vol. 27, pp. 788–806. 1924.
maize—
adaptability to western Kansas. Soil Sur. Adv. Sh. 1910, pp. 94–95. 1912; Soils F.O. 1910, pp. 1432–1433. 1912.
and kafir corn, acreage, census 1909, by States, map. Y.B., 1915, p. 370. 1916; Y.B. Sep. 681, p. 370. 1916.
cattle feeding, use and value as silage. Y.B., 1913, pp. 267, 275. 1914; Y.B. Sep. 627, pp. 267, 275. 1914.
growing, in Texas Panhandle, yields and uses. Soil Sur. Adv. Sh. 1910, pp. 26, 32, 39, 51. 1911; Soils F.O. 1910, pp. 982, 988, 995, 1007–1008. 1912.
silage use. F.B. 556, p. 5. 1913.
mush, digestibility test. D.B. 470, pp. 25–26, 28–30. 1916.
origin in Egyptian durra. B.P.I. Bul. 175, p. 19. 1910.
pendent, heads, objections, control by selection. F.B. 322, pp. 8, 9, 22. 1908.
planting—
rows and distances, yield experiments, San Antonio Experiment Farm. D.B. 188, pp. 3–20. 1915.
season, methods, and quantity of seed per acre. F.B. 322, pp. 13–15, 22–23. 1908.
thick seeding, importance in San Antonio region. Stephen H. Hastings. D.B. 188, pp. 21. 1915.

1536   UNITED STATES DEPARTMENT OF AGRICULTURE

Milo—Continued.
  rotation experiments, San Antonio Experiment Station, yield, 1909-1915. B.P.I.W.I.A. Cir. 10, pp. 4, 5. 1916.
  sections where grown. F.B. 322, pp. 10-12, 22. 1908.
  seed—
    bed preparation, plowing and harrowing. F.B. 322, p. 12, 1908; F.B. 1147, pp. 10-12. 1920.
    quantity per acre. F.B. 322, pp. 14-22. 1908.
    selection—
      B.P.I. [Misc.], "Field instruction * * * Texas and Oklahoma," pp. 12-13. 1913.
      and saving. F.B. 322, pp. 15-17, 23. 1908.
      and sowing. F.B. 1147, pp. 10, 12-13. 1920.
  seeding tests in Texas, rate, and yield. B.P.I. Bul. 283, pp 34-35, 66-67, 73, 78, 79. 1913.
  similarity to feterita. B.P.I. Cir. 122, p. 26. 1913.
  smut inoculations, experiments. D.B. 1284, pp. 41-43. 1925.
  subsoiling, effect on yields, experiments. J.A.R., vol. 14, pp. 497, 500, 503. 1918.
  supplementary feed for hogs on alfalfa pasture, results. D.B. 752, pp. 16-17. 1919.
  testing in Great Plains. D.B. 1260, pp. 18-47, 54-55. 1924.
  thick seeding, rate per acre, effects, advantages, and experiments. D.B. 188, pp., 16-17, 19-20, 21. 1915.
  transpiration, comparison with corn, studies. J.A.R., vol. 13, pp. 579-604. 1918.
  varietal experiments in Oklahoma. D.B. 1175, pp. 17-20, 23, 36, 37. 1923.
  varieties—
    description, and adaptability. F.B. 322, pp 6-7, 22. 1908; F.B. 1137, pp. 8-10, 12. 1920; F.B. 1147, pp. 7-8. 1920.
    growing in—
      Guam, description and tests. Guam Bul. 3, pp. 6-8, 13, 14. 1922.
      Oklahoma, Woodward Field Station. D.B. 1175, pp. 17-20, 36-37, 39-44, 53-59. 1923.
  weight per bushel, testing. D.B. 472, pp. 5, 6, 7. 1916.
  white, description, adaptation, and yields. D.B. 383, pp. 6-7, 8-15. 1916.
  yellow. See Sorghum.
  yields—
    in—
      Oklahoma and Texas. F.B. 1147, p. 9. 1920.
      Texas, rotation and tillage experiments. B.P.I. Cir. 120, pp. 10-13. 1913.
      Texas, San Antonio, comparison with other grains. F.B. 965, pp. 3-4. 1918.
      Texas, San Antonio Experiment Farm, 1912. B.P.I. Cir. 120, pp. 18, 19. 1913.
    per acre—
      F.B. 322, p. 19. 1908.
      comparison with oats and corn at San Antonio Experiment Farm, 1909-1914. D.B. 188, pp. 1-2. 1915.
    under rotation and tillage experiments. D.C. 209, pp. 9-15. 1922.
  See also Sorghum, grain; Sorghums, nonsaccharine.
MILTON, R. H.: "Strains of White Burley tobacco resistant to root-rot." With James Johnson. D.B. 765, pp. 11. 1919.
"Milton", adulteration and misbranding, N.J., 735, 745. I. and F. Bd. S.R.A. 40, pp. 939, 951. 1922; N.J. 785, I. and F. Bd. S.R.A. 42, pp. 991-994. 1923.
Milwaukee—
  butter receipts, by months, 1880-1911. Stat. Bul. 93, pp. 53, 60-61. 1913.
  egg receipts, by months, 1880-1911. Stat. Bul. 93, pp. 57, 63-64. 1913.
  milk supply, statistics, officials, prices, ordinances. B.A.I. Bul. 46, pp. 28, 162-163, 179. 1903.
  trade center for farm products, statistics. Rpt. 98, pp. 287-290. 1913.
Milyas cinctus, enemy of chinch bug. F.B. 657, p. 11. 1915.
Mimms culicide, use against mosquitoes, formula and cost. Ent. Bul. 88, pp. 33-34. 1910.
Mimorista flavidissimalis, description and injuries to cactus, and control. Ent. Bul. 113, pp. 20-22. 1912.

Mimosa—
  berlandieri, food plant of Gelechia neotrophella. J.A.R., vol. 20, pp. 811-812. 1921.
  family, injury to trees by sapsuckers. Biol. Bul. 39, p. 43. 1911.
  glomerata, importation and description. No. 51370, B.P.I. Inv. 65, p. 9. 1923.
  invisa, importation and description. No. 45618, B.P.I. Inv. 53, p. 71. 1922.
  lindheimeri, food and host plant of huisache girdler. D.B. 184, pp. 5, 6. 1915.
  rubicaulis, importations and description. No. 47734, B.P.I. Inv. 59, p. 53. 1922; No. 55749, B.P.I. Inv. 72, p. 29. 1924.
  spp., importations and description. Nos. 48679, 48680, B.P.I. Inv. 61, p. 36. 1922.
Mimosaceae, injury by sapsuckers. Biol. Bul. 39, p. 43. 1911.
Mimus polyglottus. See Mockingbird.
Mimusops—
  caffra, importation and description. No. 47099, B.P.I. Inv. 58, pp. 23-24. 1922.
  elengi—
    Hawaii, fruit fly infestation and parasitism. J.A.R., vol. 12, pp. 105, 107. 1918.
    See also Munamel.
  kauki, importations and description. No. 45660, B.P.I. Inv. 53, p. 73. 1922; No. 48011, B.P.I. Inv. 60, pp. 3, 27. 1922.
  spp., importations and descriptions. Nos. 37726, 37928, 38172, B.P.I. Inv. 39, pp. 28, 69, 99. 1917; No. 41809, B.P.I. Inv. 46, p. 23. 1919; Nos. 49239, 49308, 49709, B.P.I. Inv. 62, pp. 3, 15, 22, 73. 1923; Nos. 50163-50165, B.P.I. Inv. 63, p. 3, 41. 1923; Nos. 51819-51820, B.P.I. Inv. 65, pp. 5, 54. 1923.
  zeyheri—
    importation and description. No. 48777, B.P.I. Inv. 61, p. 46. 1922.
    See also Moople.
Minam National Forest, Oregon, description and recreational uses. D.C. 4, pp. 23-27. 1919.
Mincemeat—
  adulteration and misbranding. See Indexes to Notices of Judgment in bound volumes of Chemistry Service and Regulatory Announcements.
  grape. F.B. 1454, p. 18. 1925.
  Muscadine grapes, directions. F.B. 859, p. 21. 1917.
  standard. Chem. Bul. 69, rev., Pt. III, p. 213. 1905.
  tomato, recipe. F.B. 521, p. 18. 1913.
Mindarinae, description. D.B. 826, pp. 4, 8, 61-62. 1920.
Mine(s)—
  New Mexico, Gila National Forest, regulation and value. D.C. 240, p. 15. 1922.
  in United States, timber used, 1905. R. S. Kellogg. For. Cir. 49, pp. 8. 1906.
  props—
    insect damage, and methods of preventing the injury. T. E. Snyder. Ent. Cir. 156, pp. 4. 1912.
    life, increase by preservative treatment. For. Bul. 78, p. 26. 1909.
    lodgepole pine, production, cost, and selling price. Wyoming and Colorado. D.B. 234, pp. 14-17. 1915.
  timber(s)—
    annual consumption. For. Cir. 166, p. 22. 1909.
    chestnut, value and prices. F.B. 582, pp. 6, 22-23. 1914.
    consumption and requirements. Y.B., 1922, pp. 109, 110, 127. 1923; Y.B. Sep. 886, pp. 109, 110, 127. 1923.
    destruction by termites, and protection methods. D.B. 333, pp. 16, 29. 1916.
    forms and prices. F.B. 715, pp. 10-11. 1916.
    hardwood trees most valuable for. F.B. 1123, p. 4. 1921.
    insect injury, cause and prevention. Ent. Cir. 128, pp. 2, 3, 8. 1910.
    jack-pine, value. D.B. 820, p. 26. 1920.
    kinds and grades. F.B. 1210, pp. 15-16. 1921.
    life, prolongation. John M. Nelson, jr. For. Cir. 111, pp. 22. 1907.
    losses by decay. M.C. 39, p. 88. 1925.
    preparation at small sawmills. D.B. 718, p. 43. 1918.

INDEX TO PUBLICATIONS, 1901-1925   1537

Mine(s)—Continued.
  timber(s)—continued.
    preservation. W. E. Peters. For. Bul. 107, pp. 27. 1912.
    requirements. Rpt. 117, pp. 25, 29. 1917.
    Rocky Mountain. Norman de W. Betts. D.B. 77, pp. 34. 1914.
    use of—
      dead wood. For. Cir. 113, p. 3. 1907.
      lodgepole pine. D.B. 234, p. 4. 1915.
      pine species. For. Bul. 99, pp. 24, 59, 63, 72, 79, 87, 92. 1911.
    waste in cutting, suggestions to secure economy. For. Cir. 118, p. 8. 1907.
  Mines Bureau, testing TNT as blasting explosive. D.C. 94, pp. 12-17, 20-23. 1920.
  Mineola indigenella, control and life history. F.B. 1270, p. 49. 1922.
  MINER, J. R.—
    "Fitting logarithmic curves by the method of moments." J.A.R., vol. 3, pp. 411-423. 1915.
    "Variation of Ayrshire cows in the quantity and fat content of their milk." With Raymond Pearl. J.A.R., vol. 17, pp. 285-322. 1919.
  Miner's inch, definition. D.B. 1340, p. 3. 1925; F.B. 138, pp. 9-11. 1901; O.E.S. Bul. 229, pp. 11, 45. 1910.
  Miners, regulations, national forests. Sol. [Misc.], "Laws * * * forests," pp. 54-55. 1916.
Mineral(s)—
  aggregate, grading in road materials, equipment, and method. Rds. Bul. 38, pp. 38-39. 1911.
  calcium-bearing, determination in soils for analysis. J.A.R., vol. 8, pp. 65-66. 1917.
  constituents—
    in seeds and tubers, translocation during growth. J.A.R., vol. 5, No. 11, pp. 449-458. 1915.
    loss by growing plants. Y.B., 1908, pp. 389-402. 1909; Y.B. Sep. 489, pp. 389-402. 1909.
    milk, food value. F.B. 1359, p. 3. 1923.
  of—
    colostrum milk. Masayoshi Sato. B.A.I. Dairy [Misc.], "World's dairy congress, 1923," pp. 1171-1173. 1924.
    milk in disease. By Masayoshi Sato. B.A.I. Dairy [Misc.], "World's dairy congress, 1923," pp. 1170-1171. 1924.
    road building rocks, description. Rds. Bul. 37, pp. 14-23. 1911.
    vegetables, value in diet. Y.B., 1911, pp. 447-448. 1912; Y.B. Sep. 582, pp. 447-448. 1912.
  dairy ration, value. B.A.I. Dairy [Misc.], "World's dairy congress, 1923," pp. 1055-1060. 1924.
  elements necessary to plant growth. Y.B., 1901, pp. 156-157. 1902; Y.B. Sep. 225, pp. 156-157. 1902.
  feed, of dairy cattle. M.C. 12, p. 23. 1924.
  ingredients, removal from soils by hemp. Y.B., 1913, pp. 310-311. 1913; Y.B. Sep. 628, pp. 310-311. 1913.
  lands, national forests, location, entry, rights. Sol. [Misc.], "Laws * * * forests," pp. 19, 44, 53, 68, 111. 1916.
  matter—
    in diet requirements. O.E.S. Cir. 110, pp. 22-23. 1911; Y.B., 1907, pp. 372-373. 1908; Y.B. Sep. 454, pp. 372-373. 1908.
    need in animal feed. M.C. 12, pp. 3, 38. 1924.
    supply for chickens, importance. F.B. 225, pp. 26-27. 1905.
  mixture for hogs. M.C. 12, p. 28. 1924.
  nutrient—
    deficiency in the rations of milk cows. B.A.I. Dairy [Misc.], "World's dairy congress, 1923," pp. 1036-1046. 1924.
    in plants, physiological rôle. Oscar Loew. B.P.I. Bul. 45, pp. 70. 1903.
  oil. See Oil, mineral.
  presence in important soils, table. Soils Bul. 85, p. 95. 1912.
  requirements—
    growing fowls, and southern poultry feeds. B. F. Kaupp. J.A.R., vol. 14, pp. 125-134. 1918.
    in feeding stuffs. F.B. 329, pp. 22-26. 1908.
  reservations in Appalachian forest purchases. D.C. 313, pp. 3-4. 1924.

Mineral(s)—Continued.
  resources—
    conservation, declaration of governors, 1908. F.B. 340, p. 7. 1908.
    waste, and remedy. F.B. 327, p. 9. 1908.
  secondary, formation, and effect on physical properties of rocks. D.B. 348, pp. 8-9, 13-24. 1916.
  soil, absorption capacity. D.B. 1122, pp. 6-7, 8-13, 17, 18. 1922.
  soil-forming—
    arrangement according to specific gravity, table. Soils Bul. 91, pp. 9-10. 1913.
    microscopic determination. W. J. McCaughey and William H. Fry. Soils Bul. 91, p. 100. 1913.
    potash availability, and effects of lime. J. K. Plummer. J.A.R., vol. 14, pp. 297-316. 1918.
    solubility, absorptive power, size of particles, study. Soils Bul. 55, pp. 8-14. 1909.
  sources in feed. D.B. 1151, p. 40. 1923.
  springs, protection from fraudulent claimants. An. Rpts., 1912, pp. 142-143. 1914; For. A.R., 1913, pp. 8-9. 1913.
  supplying calcium and magnesium to soil, composition. J.A.R., vol. 6, No. 16, p. 595. 1916.
  water(s)—
    adulteration. Chem. N.J. 2173, p. 1. 1913; Chem. N.J. 12876. 1925; Chem. N.J. 12879. 1925; Chem. N.J. 13371. 1925; Chem. N.J. 13609. 1925.
    analysis, modified methods. Chem. Bul. 91, pp. 32-74, 85-97. 1905; Chem. Bul. 152, pp. 77-82. 1912.
    Buckhead lithia water, misbranding. Chem. N.J. 968, p. 2. 1911.
    classifications. Chem. Bul. 91, pp. 8-16. 1905.
    Crab Orchard concentrated, misbranding. Chem. N. J. 12844. 1925.
    "Harris Lithia Water," misbranding. Chem. N.J. 924, p. 2. 1911.
    in New England States. W. W. Skinner. Chem. Bul. 139, pp. 111. 1911.
    lithium determination methods. Chem. Bul. 153, pp. 17-21, 31-38. 1912.
    of the United States. J. K. Haywood and B. H. Smith. Chem. Bul. 91, pp. 100. 1905.
    statistics, industry in United States, 1908. Chem. Bul. 139, pp. 13-14. 1911.
    Tate spring natural, adulteration and misbranding. Chem. N.J. 1140, pp. 2. 1911.
    Whittle's epsom-lithia water, misbranding. Chem. N.J. 1139, pp. 2. 1911.
    See also Water.
Mineralized methylated spirits. Chem. Bul. 130, pp. 77-78. 1910.
Minidoka National Forest, Idaho and Utah, map. For. Maps. 1925.
Minidoka reclamation project, Idaho—
  agricultural conditions, and livestock on farms, 1916. D.B. 573, pp. 2-4. 1917.
  hints to settlers. Alex. McPherson. B.P.I. Doc. 452, pp. 4. 1909.
  irrigation in Idaho. O.E.S. Bul. 216, pp. 32-33. 1909.
  rock-fill dam. O.E.S. Bul. 249, Pt. II, pp. 57-64. 1912.
  sheep industry. E. F. Rinehart. D.B. 573, pp. 28. 1917.
Mining—
  claims—
    national forests—
      laws, fraudulent claims. An. Rpts., 1912, pp. 475-480. 1913; For. A.R., 1912, pp, 17-22. 1922.
      management. D.C. 211, p. 20. 1922.
      policy. For. [Misc.], F-1, p. 1. 1916.
      regulation. D.C. 240, pp. 8, 15. 1922; For. [Misc.], "Use book. 1908," p. 32. 1908.
      various kinds, settlement, 1913. An. Rpts., 1913, pp. 139-144. 1914; For. A.R., 1913, pp. 5-10. 1913.
  prospecting and location on national forests. Sol. [Misc.], "Laws * * * forests," pp. 11-12, 14. 1916.
  Crater National Forest, resources. For. Bul. 100, p. 19. 1911.
  forest reserves, relation. For. Bul. 67, pp. 12-17. 1914.

1538 UNITED STATES DEPARTMENT OF AGRICULTURE

Mining—Continued.
  laws, national forests, provisions and decisions. Sol. [Misc.], "Laws * * * forests," pp. 53–68, 112. 1916.
  national forests, advantages of Government control of timber. For. [Misc.], "Red book," pp. 10, 19, 27. 1907.
  phosphate—
    deposits in Florida. Soils Bul. 76, pp. 9–12, 19–20, 23. 1911.
    in South Carolina, methods and cost. D.B. 18, pp. 6–9. 1913.
    rock, wasteful practices, and remedy. Y.B., 1920, pp. 219–224. 1921; Y.B. Sep. 840, pp. 219–224. 1921.
  placer or lode claim, outline for report of examining officers. For. [Misc.], "Placer or lode claim * * *," pp. 2. 1908.
  relation of—
    forests. For. Cir. 35, pp. 17–19. 1905.
    soil erosion. Y.B. 1913, p. 211. 1914; Y.B. Sep. 624, p. 211. 1914.
    timbers, waste in, remarks. M.C. 39, p. 17. 1925.
Minisink epidemic of typhoid fever, investigations. Chem. Bul. 156, pp. 10–24. 1912.
Mink—
  breeding and taming, time and methods. News L., vol. 3, No. 28, p. 2. 1916.
  domestication, cooperative experiments in Washington, D. C. News L., vol. 3, No. 28, pp. 1–2. 1916.
  economic value. N.A. Fauna 25, pp. 196–197. 1905.
  farming, experiments. D.C. 135, p. 9. 1920.
  fur, value increase since 1915. D.C. 135, p. 5. 1920.
  habits beneficial and injurious. Y.B., 1908, p. 190. 1909; Y.B. Sep. 474, p. 190. 1909.
  increase in Alaska. D.C. 225, p. 5. 1922.
  Keewatin, range, and habits. N.A. Fauna 22, p. 66. 1902.
  Kenai, range, and habits. N.A. Fauna 24. pp. 45–46. 1904.
  occurrence in—
    Alabama, description and habits. N.A. Fauna 45, p. 37. 1921.
    Alaska and Yukon Territory. N.A. Fauna 30, pp. 29, 57, 82. 1909.
    Athabaska-Mackenzie region. N.A. Fauna 27, p. 229. 1908.
    Colorado, description. N.A. Fauna 33, pp. 183–184. 1911.
    Montana. Biol. Cir. 82, p. 23. 1911.
    Pacific range and habits. N.A. Fauna 21, p. 69. 1901.
  protection—
    in Alaska, regulations. Biol. S.R.A. 56, pp. 1–3. 1923.
    laws, 1919. F.B. 1079, pp. 3–30. 1919.
    laws, summary. F.B. 911, p. 29. 1917; F. B. 1922, p. 29. 1918.
  raising for fur, value and costs. Y.B. 1916, pp. 491, 496, 498, 500. 1917; Y. B. Sep. 693, pp. 3, 8, 9–10, 12. 1917.
  trapping directions and casing skins. Y.B., 1919, p. 461. 1920; Y.B. Sep. 823, p. 461. 1920.
  value as rat hunter. Biol. Bul. 33, p. 36. 1909.
Minneapolis—
  branch laboratory, food and drugs, location. Chem. S.R.A. 17, p. 41. 1916.
  flour industry, growth and importance. Y.B., 1914, p. 396. 1915; Y.B. Sep. 396. 1915.
  lumber retail trade, costs. Rpt. 116, pp. 21–22, 25, 26, 27, 51, 67, 73–76. 1918.
  market—
    for grain, 1920–1921, tables. D.B. 1083, pp. 9–11, 18–25, 34–35, 38–42, 44–45, 53–58. 1922.
    statistics for fruits and vegetables, 1919 and 1920. D.B. 982, pp. 224, 225, 248, 252, 254, 255, 257, 259, 261–264. 1921.
  milk supply, statistics, officials, and prices. B.A.I. Bul. 46, pp. 26, 103–104, 203. 1903.
  school and vacant-lot gardening, experiments, methods. O.E.S. Bul. 252, pp. 18–25. 1912.
  seeds, market prices, 1920–1923, tables. S.B. 2, pp. 22–62. 1924.
  trade center for farm products, statistics. Rpt. 98, pp. 287–290. 1913.

Minneapolis—Continued.
  wheat—
    grading and prices. Y.B., 1914, p. 395, 402–403, 415–416. 1915; Y.B. Sep. 649, pp. 393, 402–403, 415–416. 1915.
    grading, results. Mkts. S.R.A. 48, pp. 4, 6–7. 1919.
    milling and selling, prices and discounts. Y.B. 1921, pp. 143, 144. 1922; Y.B. Sep. 873, pp. 143, 144. 1922.
  wooden pavement experiment, construction and results. For. Cir. 141, pp. 19–24. 1908.
Minnesota—
  agricultural—
    colleges and experiment stations, organization—
      1905. O.E.S. Bul. 161, pp. 36–38. 1905.
      1906. O.E.S. Bul. 176, pp. 41–42. 1907.
      1907. O.E.S. Bul. 197, pp. 44–45. 1908.
      1910. O.E.S. Bul. 224, pp. 37–39. 1910.
    See also Agriculture, workers, list.
  conditions. See Soil surveys.
  education—
    extension work, 1906. O.E.S. Bul. 196, p. 29. 1907.
    progress, 1912. O.E.S. An. Rpt., 1912, p. 325. 1913.
    extension work, statistics. D.C. 253, pp. 5, 8, 10–11, 17, 18. 1923.
    high schools. O.E.S. Cir. 106, pp. 21, 25. 1911.
    secondary schools, 1909. O.E.S. An. Rpt., 1909, pp. 314–315. 1910.
  alsike clover, growing and seed production. F.B. 1151, pp. 12, 14, 18, 20, 21, 23. 1920.
  and Wisconsin creameries, marketing practices. Roy C. Potts. D.B. 690, pp. 15. 1918.
  apple growing, areas, varieties, and production. D.B. 485, pp. 20–21, 44–47. 1917.
  balsam fir, occurrence, yield, and uses. D.B. 55, pp. 7, 11, 35. 1914.
  barberry occurrence and eradication work. D.C. 188, pp. 10, 15–18, 29. 1921.
  barley—
    breeding studies and experiments. D.B. 137, pp. 2, 8–22. 1914.
    crops, 1867–1906, acreage, production and value. Stat. Bul. 59, pp. 7–26, 31. 1907.
    kernels, development, studies. J.A.R., vol. 19, pp. 432–454. 1920.
  bee and honey statistics. D.B. 325, pp. 9–12. 1915; D.B. 685, pp. 7, 9, 13, 14, 16, 18, 19, 22, 24, 26, 29, 31. 1918.
  bee diseases, occurrence. Ent. Cir. 138, p. 13. 1911.
  beef cattle raising, details, tables and discussion. Rpt. 111, pp. 11, 15–25, 30, 33–48, 52–55, 61–64. 1916.
  beet-sugar industry, progress—
    1900. Rpt. 69, pp. 51, 108–109. 1901.
    1903. [Misc.], "Progress beet-sugar industry * * * 1903," pp. 35–38, 147. 1904.
    1906. Rpt. 84, p. 86. 1907.
    1907. Rpt. 86, p. 53. 1908.
    1909. Rpt. 92, p. 43. 1910.
    1911. B.P.I. Bul. 260, pp. 23, 29, 72. 1912.
  bird protection. See Bird protection, officials.
  bounty laws, 1907. Y.B., 1907, p. 562. 1908; Y.B. Sep. 473, p. 562. 1908.
  boys' and girls' institute work. O.E.S. Bul. 251, p. 18. 1912.
  buckwheat crops, 1866–1906, acreage, production, and value. Stat. Bul. 61, pp. 5–17, 21. 1908.
  butter analyses. B.A.I. Bul. 149, pp. 13–14, 17–19. 1912.
  butterfat increase, effect. News L., vol. 6, No. 22, p. 8. 1919.
  cabbage production, acreage, yield, and shipments. D.B. 1242, pp. 14, 25, 36, 47, 51–54. 1924.
  Canby public school. O.E.S. An. Rpt., 1908, pp. 283–285. 1909.
  cement factories, potash content and loss. D.B. 572, p. 5. 1917.
  certified dairy, description. B.A.I. Bul. 104, pp. 39–43. 1908.
  Chatfield cooperative laundry, description. Y.B., 1915, pp. 189–194. 1916; Y.B. Sep. 668, pp. 189–194. 1916.
  chinch-bug control experiments. Ent. Bul. 107, pp. 9, 11. 1911.

Minnesota—Continued.
  climatic conditions, 1902–1907. Stat. Bul. 73, pp. 12–14. 1909.
  closed season for shorebirds and woodcock. Y.B., 1914, pp. 292, 293. 1915; Y.B. Sep. 642, pp. 292, 293. 1915.
  community buildings, costs and details. F.B. 1192, pp. 8, 12. 1921.
  consolidated schools, conditions, cost, attendance, and projects. O.E.S. Bul. 232, pp. 15–16, 35, 39–43, 71–74, 83–85, 89–91. 1910.
  convict road-work, laws. D.B. 414, pp. 203–204. 1916.
  cooperative—
    bull associations, number and work. Y.B., 1916, pp. 311, 314. 1917; Y.B. Sep. 718, pp. 1, 4. 1917.
    Creamery Association, butter marketing method. B.A.I. Dairy [Misc.], "World's dairy congress, 1923," pp. 893–896. 1924.
    Dairies Association, type of cooperation. D.B. 547, p. 45. 1917.
    organizations, statistics, details, and laws. D.B. 547, pp. 6, 13, 18, 27, 30, 35, 36, 37, 45, 71. 1917.
  corn—
    crops, 1866–1906, acreage, production, and value. Stat. Bul. 56, pp. 7–27, 32. 1907.
    crops, 1867–1915, yields and prices. D.B. 515, p. 9. 1917.
    production, movements, consumption, and prices. D.B. 696, pp. 15, 16, 20, 28, 33, 38, 39, 41, 48. 1918.
  creamery(ies)—
    egg marketing system, description. B.A.I. An. Rpt., 1909, pp. 241–246. 1911; F.B. 445, pp. 7–12. 1911.
    marketing methods, cooperative studies. D.B. 690, pp. 1–15. 1918.
    number and types. B.A.I. Dairy [Misc.], "World's dairy congress, 1923," p. 938. 1924.
  credits, farm-mortgage loans, costs and sources. D.B. 384, pp. 2, 3, 4, 7, 10, 11, 14. 1916.
  crop—
    planting and harvesting dates, important crops. Stat. Bul. 85, pp. 23, 34, 42, 57, 69, 78, 88, 91. 1912.
    yields, 1905–1907. Stat. Bul. 73, pp. 14–15. 1909.
  cut-over lands—
    sales methods. Off. Rec., vol. 2, No. 34, p. 3. 1923.
    undeveloped acreage. Y.B., 1915, p. 151. 1916; Y.B. Sep. 664, p. 151. 1916.
  dairy—
    cows, number and value. Sec. [Misc.], Spec. "Geography * * * world's agriculture," p. 124. 1917.
    industry, cost per cow. B.P.I. Bul. 236, p. 8. 1912.
    products, cost of producing, 1904–1909. Thomas P. Cooper. Stat. Bu . 88, pp. 84. 1911.
  damage to wheat by rust, 1904. B.P.I. Bul. 216, pp. 7–8. 1911.
  demonstration farms and cooperative work. O.E.S. An. Rpt., 1910, pp. 63–64, 170, 171. 1911.
  demurrage provisions, regulations. D.B. 191, pp. 3, 12, 13, 14, 15, 16, 26. 1919.
  drainage of Red River of the North, plans, and surveys. D.B. 1017, pp. 1–89. 1922.
  drug laws. Chem. Bul. 98, pp. 104–108. 1906; rev., pp. 159–163. 1909.
  Duluth, wheat grading, results. Mkts. S.R.A. 48, pp. 3, 6–7. 1919.
  early settlement, historical notes. See Soil surveys for various counties and areas.
  emmer and spelt growing, experiments. D.B. 1197, pp. 23–25. 1924.
  Experiment Station—
    breeding Shorthorn milking cattle. B.A.I. An. Rpt., 1910, p. 29. 1912.
    cattle breeding. B.A.I. An. Rpt., 1909, pp. 64–65. 1911.
    cheese digestion experiments. B.A.I. Cir. 166, pp. 15–19. 1911.
    cost studies in farm production. D.B. 994, pp. 1, 13. 1921.
    cow-testing methods, study. B.A.I. An. Rpt., 1909, pp. 112–113. 1911; B.A.I. Cir. 179, pp. 112–113. 1911.

Minnesota—Continued.
  Experiment Station—Continued.
    studies of *Agrilus bilineatus*. J.A.R., vol. 3, pp. 283–294. 1915.
    work and expenditures—
      1907. E. W. Randall. O.E.S. An. Rpt., 1907, pp. 121–123. 1908.
      1908. E. W. Randall. O.E.S. An. Rpt., 1908, pp. 116–119. 1909.
      1909. A. F. Woods. O.E.S. An. Rpt., 1909, pp. 128–132. 1910.
      1910. A. F. Woods. O.E.S. An. Rpt., 1910, pp. 166–172. 1911.
      1911. A. F. Woods. O.E.S. An. Rpt., 1911, pp. 133–137. 1912.
      1912. A. F. Woods. O.E.S. An. Rpt., 1912, pp. 140–143. 1913.
      1913. A. F. Woods. O.E.S. An. Rpt., 1913, pp. 55–56. 1915.
      1914. A. F. Woods. O.E.S. An. Rpt., 1914, pp. 139–143. 1915.
      1915. A. F. Woods. Work and Exp., 1915, pp. 154–159. 1917.
      1916. A. F. Woods. Work and Exp., 1916, pp. 157–162. 1918.
      1917. A. F. Woods. S.R.S. Rpt., 1917, Pt. I, pp. 152–156. 1918.
      1918. Work and Exp., 1918, pp. 37, 38, 41, 45, 50, 56, 64, 70–80. 1920.
  extension work—
    funds allotment, and county-agent work. S.R.S. Doc. 40, pp. 4, 6, 10, 16, 23, 25, 28. 1918.
    in agriculture and home economics—
      1915. A. D. Wilson. S.R.S. Rpt., 1915, Pt. I, pp. 234–239. 1917.
      1916. A. D. Wilson. S.R.S. Rpt., 1916, Pt. II, pp. 258–263. 1917.
      1917, report. A. D. Wilson. S.R.S. Rpt., 1917, Pt. II, pp. 258–263. 1919.
    statistics. D.C. 306, pp. 3, 6, 10, 14, 20, 21. 1924.
  fairs, number, kind, location, and dates. Stat. Bul. 102, pp. 13 14, 39–41. 1913.
  farm—
    animals, statistics, 1867–1907. Stat. Bul. 64, p. 117. 1908.
    conditions, letters from women. Rpt. 103, pp. 13, 18, 33, 38, 41, 46, 58, 63, 73, 77. 1915; Rpt. 104, pp. 11, 18, 26, 32, 37, 43, 47, 52, 59, 67, 71, 73, 76. 1915; Rpt. 105, pp. 14, 39, 46, 49, 58, 61. 1915; Rpt. 106, pp. 29, 48, 60. 1915.
    labor—
      cost, horse and man, studies. Stat. Bul. 94, pp. 70–72. 1912.
      cost per month, day, and hour. F.B. 366, pp. 30–32. 1909; Stat. Bul. 73, pp. 16–19, 65–66. 1909.
      hours in day, and use of horses, by months. Y.B., 1922, pp. 1075–1077. 1923; Y.B. Sep. 890, pp. 1075, 1077. 1923.
    leases, provisions. D.B. 650, pp. 4, 5, 17. 1918.
    prices of agricultural products. Stat. Bul. 73, pp. 12–14. 1909.
    products, cost of producing, 1902–1907. Edward C. Parker and Thomas P. Cooper. Stat. Bul. 73, pp. 69. 1909.
    values—
      changes, 1900–1905. Stat. Bul 43, pp. 11–17, 29–46. 1906.
      income, and tenancy classification. D.B. 1224, pp. 99–102. 1924.
    water-supply, pollution. F.B. 549, p. 6. 1913.
  farmers' institutes—
    for young people. O.E.S. Cir. 99, pp. 19–20. 1910.
    history. O.E.S. Bul. 174, pp. 51–53. 1906.
    laws. O.E.S. Bul. 135, rev., pp. 21–22. 1903.
    legislation. O.E.S. Bul. 241, p. 26. 1911.
    work—
      1904. O.E.S. An. Rpt., 1904, p. 649. 1905.
      1906. O.E.S. An. Rpt., 1906, p. 336. 1907.
      1907. O.E.S. An. Rpt., 1907, p. 334. 1908.
      1908. O.E.S. An. Rpt., 1908, p. 317. 1909.
      1909. O.E.S. An. Rpt., 1909, p. 347. 1910.
      1910. O.E.S. An. Rpt. 1910, p. 407. 1911.
      1911. O.E.S. An. Rpt., 1911, pp. 50, 373. 1912.
      1912. O.E.S. An. Rpt., 1912, p. 366. 1913.
  farming on cut-over lands, with Michigan and Wisconsin. J. C. McDowell and W. B. Walker. D.B. 425, pp. 24. 1916.

Minnesota—Continued.
Federal aid in forest fires. News L. vol. 6, No. 27, p. 5. 1919.
fertilizers, effects on wheat stem rust, experiments. J.A.R. vol. 27, pp. 345-373. 1924.
field—
  crops, cost—
    of growing, 1902, 1903, 1904. Stat. Bul., 48, pp. 37-86. 1906.
    per acre, production and labor, tables. B.P.I. Bul. 236, p. 41. 1912.
  work of Plant Industry, December, 1924. M.C. 30, pp. 29-30. 1925.
flax—
  acreage, 1899, 1909, 1913. D.B. 322, p. 4. 1916.
  production, gross income, and cost. D.C. 341, pp. 4-7. 1925.
flaxseed production and marketing. Y.B. 1922, pp. 539-541, 544, 545. 1923; Y.B. Sep. 891, pp. 539-541, 544, 545. 1923.
food—
  and drug officials. Chem. S.R.A. 13, p. 8. 1915.
  laws—
    1903. Chem. Bul. 83. Pt. I, pp. 63-75. 1904.
    1905. Chem. Bul. 69, rev., Pt. IV, pp. 309-323. 1906.
    1907. Chem. Bul. 112, Pt. I, pp. 113-119. 1908.
    enforcement. Chem. Cir. 16, rev., p. 14. 1908.
foot-and-mouth disease, quarantine area, modification, 1915. B.A.I.O. 238, Amdt. 27, pp. 2. 1915.
forage crops for silage, cost and feeding value. Stat. Bul. 73, pp. 36-38. 1909.
forest—
  area, 1918. Y.B. 1918, p. 717. 1919; Y.B. Sep. 795, p. 53. 1919.
  fires, statistics. For. Bul. 117, pp. 30-31. 1912.
  legislation, 1907. Y.B. 1907, p. 575. 1908; Y.B. Sep. 470, p. 15. 1908.
  planting needs, acreage and conditions. Y.B. 1909, p. 341. 1910; Y.B. Sep. 517, p. 341. 1910.
  reserves—
    State. For. Bul. 114, p. 36. 1912.
    See also Forests, national.
Forestry—
  Congress in 1883, and spread of Arbor Day work. D.C. 265, p. 3. 1923.
  laws, 1921, summary. D.C. 239, pp. 15-16. 1922.
funds for cooperative extension work, sources. S.R.S. Doc. 40, pp. 4, 5, 9, 16. 1917.
fur animals—
  laws—
    1915. F.B. 706, pp. 9-10. 1916.
    1916. F.B. 783, pp. 11, 27. 1916.
    1917. F.B. 911, pp. 13-14, 31. 1917.
    1918. F.B. 1022, pp. 13, 31. 1918.
    1919. F.B. 1079, pp. 5, 17. 1919.
    1920. F.B. 1165, p. 15. 1920.
    1921. F.B. 1238, pp. 14. 1921.
    1922. F.B. 1293, p. 12. 1922.
    1923-24. F.B. 1387, p. 15. 1923.
    1924-25. F.B. 1445, p. 11. 1924.
    1925-26. F.B. 1469, p. 14. 1925.
  taken under license. F.B. 1469, p. 3. 1925.
game—
  and bird officials, organizations and publications. Biol. Cir. 65, pp. 4, 15. 1908.
  killed in 1919 and 1920. D.B. 1049, pp. 20-21. 1922.
  laws—
    1902. F.B. 160, pp. 16-17, 32, 42, 45, 52, 54. 1902.
    1903. F.B. 180, pp. 12, 23, 33, 38, 44, 46, 55. 1903.
    1904. F.B. 207, pp. 20, 40, 44, 50, 60. 1904.
    1905. F.B. 230, pp. 10, 18, 31, 38, 44. 1905.
    1906. F.B. 265, pp. 17, 30, 37, 44. 1906.
    1907. F.B. 308, pp. 7, 15, 29, 36, 43. 1907.
    1908. F.B. 336, pp. 18, 32, 40, 44, 51. 1908.
    1909. F.B. 376, pp. 6, 12, 23, 34, 39, 43, 48. 1909.
    1910. F.B. 418, pp. 16, 27, 33, 36, 42. 1910.
    1911. F.B. 470, pp. 11, 20, 32, 38, 41, 48. 1911.
    1912. F.B. 510, pp. 16, 25-26, 28, 32, 34, 37, 40, 44. 1912.

Minnesota—Continued.
game—continued.
  laws—continued.
    1913. D.B. 22, pp. 13, 20, 21, 28, 40, 45, 49, 54. 1913; rev., pp. 13, 19, 20, 21, 28, 40, 45, 49, 54. 1913.
    1914. F.B. 628, pp. 10, 11, 12, 19, 28-29, 32, 36, 37, 41, 48. 1914.
    1915. F.B. 692, pp. 5, 6, 7, 8, 11, 29, 41, 47, 50, 52, 59. 1915.
    1916. F.B. 774, pp. 26, 40, 45, 49, 51, 59. 1916.
    1917. F.B. 910, pp. 23, 48, 52. 1917.
    1918. F.B. 1010, pp. 21, 46, 61. 1918.
    1919. F.B. 1077, pp. 23, 49, 55, 72, 73. 1919.
    1920. F.B. 1138, p. 25. 1920.
    1921. F.B. 1235, pp. 26, 27, 56. 1921.
    1922. F.B. 1288, pp. 23, 53, 66, 67. 1922.
    1923-24. F.B. 1375, pp. 2-7, 23, 49. 1923.
    1924-25. F.B. 1444, pp. 16, 37. 1924.
    1925-26. F.B. 1466, pp. 22-23, 44. 1925.
  relating to domesticated deer. F.B. 330, p. 19. 1908.
  protection. See Game protection, officials.
  reservation, details and summary. Biol. Cir. 87, pp. 15, 16. 1912.
grain—
  market, news service. Off. Rec., vol. 1, No. 26. p. 1. 1922.
  smut experiments. B.P.I. Bul. 152, pp. 12-18, 25-31, 35, 37-38. 1909.
  supervision districts, counties. Mkts. S.R.A. 14, pp. 15, 16. 1916.
grazing lands for drought-stricken livestock. Y.B., 1919, pp. 393, 400, 401. 1920; Y.B. Sep. 820, pp. 393, 400, 401. 1920.
hail insurance companies, and amount of risks. D.B. 912, pp. 6, 14. 1920.
hardwoods, annual cut. D.B. 285, pp. 28-30. 1915.
harvest labor distribution and wages. D.B. 1230, pp. 25-27, 31-45. 1924.
hay crops, 1867-1906, acreage, production, and value. Stat. Bul. 63, pp. 6-25, 30. 1908.
Hennepin County, gravel roads construction and cost. Rds. Bul. 21, p. 96. 1901.
herds, lists of tested and accredited. D.C. 54, pp. 4, 7, 9, 10, 13, 26, 33, 58, 75, 76, 80. 1919; D.C. 142, pp. 4-49. 1920; D.C. 143, pp. 4-75. 1920; D.C. 144, pp. 4-49. 1920.
hog cholera control experiments, results. D.B. 584, pp. 8, 10, 11, 12, 13. 1917.
home club work, demonstrations and results. D.C. 152, pp. 23, 24. 1921.
hunting laws. Biol. Bul. 19, pp. 16, 18, 21, 27, 29, 60-62, 64. 1904.
insects in—
  1905. Ent. Bul. 60, pp. 84-89. 1906.
  1906, discussion. Ent. Bul. 67, pp. 13-19. 1907.
insecticide and fungicide laws. I. and F. Bd., S.R.A. 13, pp. 126-127. 1916.
jack-pine stands, measurement tables. D.B. 820, pp. 10-11, 13-15, 35-42, 46-47. 1920.
Kittson County, Red River Farmers Club Hall, history, description and uses. F.B. 1274, pp. 15-17. 1922.
land utilization on farms, survey studies. F.B. 745, pp. 13, 14, 17. 1916.
lands, classes, acreage, and value. D.B. 91, p. 3 1914.
lard supply, wholesale and retail, Aug. 31, 1917, tables. Sec. Cir. 97, pp. 13-31. 1918.
law(s)—
  contagious diseases of domestic animals control. B.A.I. Bul. 54, pp. 20-26. 1902-1903.
  dog control, digest. F.B. 935, p. 16. 1918; F.B. 1268, p. 16. 1922.
  for patrol of railroad fire lines. F.B. 82, p. 41. 1910.
  on nursery stock interstate shipment, digest. Ent. Cir. 75, rev., p. 4. 1909; F.H.B.S.R.A. 57, pp. 113, 114, 115. 1919.
  relating to contagious animal diseases. B.A.I. Bul. 43, pp. 37-38. 1901.
  stallions, regulations. B.A.I. An. Rpt., 1908, p. 339. 1910.
  legislation—
    protecting birds. Biol. Bul. 12, rev., pp. 15, 23, 32, 35, 37, 39, 43, 45, 47, 49, 51, 97-98, 134, 137. 1902.

INDEX TO PUBLICATIONS, 1901–1925   1541

Minnesota—Continued.
  legislation—continued.
    relative to tuberculosis. B.A.I. Bul. 28, pp. 66–71. 1901.
  livestock—
    admission, sanitary requirements. B.A.I. Doc. A–28, pp. 19–20. 1917; B.A.I. Doc. A–36, pp. 27–29. 1920; M.C. 14, pp. 34–37. 1924.
    shipping associations, development. F.B. 1292, pp. 2, 12, 13–14. 1923.
  lumber—
    cut, 1920, 1870–1920, value, and kinds. D.B. 1119, pp. 27, 30–35, 45–61. 1923.
    production, 1918, by mills, by woods, and lath and shingles. D.B. 845, pp. 6–10, 13, 16, 21, 24, 28, 29, 33, 37, 40, 42–47. 1920.
    statistics. Rpt. 116, pp. 6–11, 31, 37–38, 51. 1918.
  Lyon County, dairy farm investigations. Stat. Bul. 88, pp. 1–84. 1911.
  maple sugar and sirup, production by years. F.B. 516, pp. 44–46. 1912.
  marketing associations, 1921, kinds and scope. Off. Rec., vol. 1, No. 9, p. 3. 1922.
  meat inspection, report. Sec. Cir. 58, pp. 4–10. 1916.
  Michigan, and Wisconsin, cut-over lands, farming on. J. C. McDowell and W. B. Walker. D.B. 425, pp. 24. 1916.
  milk—
    production, investigations, canvasses, and summaries. B.A.I. Bul. 164, pp. 30–55. 1913.
    supply and laws. B.A.I. Bul. 46, pp. 26, 30, 103–106. 1903.
  Mille Lacs Reservation, work, 1921. Biol. Chief Rpt., 1921, p. 25. 1921.
  muck and peat areas, location. Soils Cir. 65, p. 15. 1912.
  municipal recreation field, description. F.B. 1388, pp. 10–13. 1924.
  national forest—
    brush disposal. For. [Misc.], "Suggestions * * * disposal of brush * * *," p. 15. 1907.
    location, date and area, January 31, 1913. For. [Misc.], "The use book, 1913," p. 86. 1913.
    management of Norway pine. D.B. 139, pp. 25, 27, 33. 1914.
    map. For. Maps. 1924.
  Norman County, dairy farm investigation. Stat. Bul. 88, pp. 1–84. 1911.
  northern, adaptation to timber growing. M.C. 39, p. 23. 1925.
  Northfield community building, description, and plan. F.B. 1173, pp. 34–35. 1921; F.B. 1274, pp. 27–29. 1922.
  oat—
    acreage and production, map. Sec. [Misc.] Spec., "Geography * * * world's agriculture," p. 37. 1917.
    crops, acreage, production, and value—
      1866–1906. Stat. Bul. 58, pp. 5–25, 30. 1907.
      1900–1909. F.B. 420, pp. 8, 9, 10. 1910.
    growing, varietal experiments. D.B. 823, pp. 20–23, 29, 30, 67. 1920.
    testing, Kherson and Sixty-day, with other varieties. F.B. 395, pp. 17–18. 1910.
    testing, methods, yields, comparisons. D.B. 99, pp. 24, 25. 1914.
  officials, dairy, drug, feeding stuffs, and food. See Dairy officials; Drug officials.
  Olmstead County, rural schools, attendance and cost. O.E.S. Bul. 232, pp. 39–42, 43–44, 48. 1910.
  onions, production and shipping stations. D.B. 1325, p. 10. 1925.
  paper industry and pulp resources. D.B. 1241, pp. 46–47. 1924.
  pasture land on farms. D.B. 626, pp. 14, 47–49. 1918.
  peat soils, studies. J.A.R., vol. 24, pp. 486, 490–497. 1923.
  Pennington County, farm products, 1910, census. Soil Sur. Adv. Sh., 1914, p. 9. 1916; Soils F.O., 1914, p. 1731. 1919.
  pine-stumpage prices. Y.B., 1922, pp. 146, 147. 1923; Y.B. Sep. 886, pp. 146, 147. 1923.
  plant diseases, control by law. F.B. 1398, p. 34. 1924.

Minnesota—Continued.
  plowing with horses, cost. B.P.I. Bul. 170, pp. 34–36. 1910.
  pop corn, production and value, 1909. F.B. 554, pp. 6–7. 1913.
  potato—
    acreage, production and yield, map. Sec. [Misc.] Spec., "Geography * * * world's agriculture," p. 69. 1918.
    acreage, production and yield, map. Sec. [Misc.] Spec., "Geography * * * world's agriculture." p. 69. 1917.
    crops, 1867–1906, acreage, production, and value. Stat. Bul. 62, pp. 7–27, 32. 1908.
    handling and marketing. F.B. 753, pp. 11, 13, 24. 1916.
  production—
    1909, by counties. F.B. 1064, p. 4. 1919.
    1924, costs and farm practices. D.B. 1188, pp. 1–40. 1924.
    storage house, description and cost. F.B. 847, pp. 7, 13, 24–25. 1917.
  proso growing. F.B. 1162, pp. 4, 5. 1920.
  pulpwood consumption, woods, and imports. D.B. 758, pp. 3, 4, 6, 7, 10, 11, 13. 1919.
  Red River Farmers Club building, cost, equipment, and uses. D.B. 825, pp. 20–21. 1920.
  Red River Valley potato shipping territory and methods. F.B. 1317, pp. 19, 21, 23. 1923.
  reforestation, choice of sites, methods, and species. D.B. 475, pp. 37, 58–59, 63. 1917.
  Rice County—
    dairy farm investigations. Stat. Bul. 88, pp. 1–84. 1911.
    location, description, and historical notes. Soil Sur. Adv. Sh., 1909, pp. 5–20. 1911; Soils F.O., 1909, pp. 1269–1284. 1912.
  road(s)—
    bond-built, amount of bonds and rate. D.B. 136, pp. 41, 54–55, 69, 81, 84, 85. 1915.
    building-rock tests—
      1916 and 1917. D.B. 370, p. 43. 1916; D.B; 670, pp. 13, 25. 1918.
      1916–1921, results. D.B. 1132, pp. 20, 48, 51. 1923.
    experimental use of split-log drag, cost. F.B. 321, p. 12. 1908.
    gravel, in Hennepin County, construction and cost. Rds. Bul. 21, p. 96. 1901.
    laws and mileage. Y.B., 1914, pp. 214, 222. 1915; Y.B. Sep. 638, pp. 214, 222. 1915.
    material—
      resources. George W. Cooley. Rds. Bul. 40, pp. 24. 1911.
      tests. Rds. Bul. 44, p. 52. 1912.
    mileage and expenditures—
      1904. Maurice O. Eldridge. Rds. Cir. 80, pp. 4. 1907.
      1909. Rds. Bul. 41, pp. 24, 40, 42, 77–79. 1912.
      1914. D.B. 389, pp. 2, 3, 4, 5, 6, 7, 28–30. 1917.
      1915. Sec. Cir. 52, pp. 2, 4, 6. 1915.
      1916. Sec. Cir. 74, pp. 4, 5, 7, 8. 1917.
    object lesson, construction, 1909. An. Rpts., 1909, p. 717. 1910; Rds. Dir. Rpt., 1909, p. 9. 1909.
    projects approved, 1918, 1919. An. Rpts., 1919, pp. 401, 403, 406, 407. 1920; Rds. Chief Rpt., 1919, pp. 11, 13, 16, 17. 1919.
  rural—
    credit law. Off. Rec., vol. 2, No. 46, p. 1. 1923.
    schools, financing. O.E.S. Cir. 84, pp. 38–40. 1909.
  rye crops, 1866–1906, acreage, production, and value. Stat. Bul. 60, pp. 5–25, 30. 1908.
  rye production, increase and costs. Y.B., 1922, pp. 506–507, 555. 1923; Y.B. Sep. 891, pp. 506–507, 555. 1923.
  St. Paul Equity Cooperative Exchange, operation. D.B. 937, pp. 17–18. 1921.
  sandy jack-pine lands, clover farming. F.B. 323, pp. 1–24. 1908.
  sanitary surveys, farm-water supplies, summary, tables. B.P.I. Bul. 154, pp. 68–81. 1909.
  School of Agriculture, establishment in 1888. O.E.S. Cir. 106, p. 21. 1911.
  schools, agricultural—
    education, State aid. Y.B., 1912, pp. 472–473. 1913; Y.B. Sep. 607, pp. 472–473. 1913.

1542   UNITED STATES DEPARTMENT OF AGRICULTURE

Minnesota—Continued.
schools, agricultural—continued.
work. O.E.S. Cir. 106, rev., pp. 18, 24, 28, 29. 1912.
Seed Laboratory, studies of Agropyron seeds. J.A.R., vol. 3, pp. 275-282. 1914.
settlers, types on new lands. D.B. 1295, p. 31. 1925.
shipments of fruits and vegetables, and index to station shipments. D.B. 667, pp. 6-13, 29-31. 1918.
soil survey of—
Anoka County. William G. Smith and others. Soil Sur. Adv. Sh., 1916, pp. 30. 1918; Soils F.O., 1916, pp. 1807-1832. 1921.
Blue Earth County. Hugh H. Bennett and Lewis A. Hurst. Soil Sur. Adv. Sh., 1906, pp. 55. 1907; Soils F.O., 1906, pp. 813-863. 1908.
Carlton area. W. J. Geib and Grove B. Jones. Soil Sur. Adv. Sh., 1905, pp. 25. 1906; Soils F.O., 1905, pp. 815-835. 1907.
Carlton County. See Carlton area.
Crookston area. A. W. Mangum and F. C. Schroeder. Soil Sur. Adv. Sh., 1906, pp. 31. 1907; Soils F.O., 1906, pp. 865-891. 1908.
Goodhue County. William G. Smith and others. Soil Sur. Adv. Sh., 1913, pp. 34. 1915; Soils F.O., 1913, pp. 1659-1688. 1916.
Lyon County. See Marshall area.
Marshall area. Henry J. Wilder. Soil Sur. Adv. Sh., 1903, pp. 21. 1904; Soils F.O., 1903, pp. 815-831. 1904.
Pennington County. William G. Smith and others. Soil Sur. Adv. Sh., 1914, pp. 28. 1916; Soils F.O., 1914, pp. 1727-1750. 1919.
Polk County. See Crookston area.
Ramsey County. William G. Smith and N. M. Kirk. Soil Sur. Adv. Sh., 1914, pp. 37. 1916; Soils F.O., 1914, pp. 1751-1783. 1919.
Rice County. R. T. Avon Burke and Lawrence A. Kolbe. Soil Sur. Adv. Sh., 1909, pp. 39. 1911; Soils F.O., 1909, pp. 1269-1303. 1912.
St. Louis County. See Carlton area, Minn., and Superior area, Wis.
Stevens County. P. R. McMiller and others. Soil Sur. Adv. Sh., 1919, pp. 32. 1922; Soils F.O., 1919, pp. 1377-1404. 1925.
soils—
Carrington—
clay loam, acreage, location, and crops adapted. Soils Cir. 58, pp. 3, 4, 5, 6, 7, 8, 11. 1912.
silt loam, acreage, location, and crops adapted. Soils Cir. 57, pp. 7, 8, 10. 1912.
Fargo clay loam, area and location. Soils Cir. 36, pp. 3, 16. 1911.
gypsum experiments. J.A.R., vol. 14, pp. 62-65. 1918.
Meadow areas and location. Soils Cir. 68, p. 20. 1912.
similarity to Hungarian. Off. Rec., vol. 1, No. 30, p. 1. 1922.
Wabash silt loam, location, areas, and uses. Soils Cir. 40, p. 15. 1911.
sorghum—
growing, experiments. J.A.R., vol. 6, No. 7, pp. 261, 263-271. 1916.
studies. J.A.R., vol. 4, pp. 179-185. 1915.
southern, farms owning motor trucks, reports. D.B. 931, pp. 3, 4. 1921.
southwestern, farm organization study. George A. Pond and Jesse W. Tapp. D.B. 1271, pp. 100. 1924.
spring wheat production, 1909-1914. Y.B., 1914, p. 397. 1915; Y.B. Sep. 649, p. 397. 1915.
stallions, number, classes, and legislation controlling. Y.B., 1916, pp. 290, 291, 293, 296. 1917; Y.B Sep. 692, pp. 2, 3, 5, 8. 1917.
standard containers. F.B. 1434, p. 17. 1924.
State—
Board of Health, supervision of milk Pasteurization. B.A.I. Dairy [Misc.], "World's dairy congress, 1923," pp. 551-554. 1924.
butter brand and law requirements. D.B. 456, pp. 31-32, 37. 1917.
forestry laws. Jeannie S. Peyton. For. Misc. S-15, pp. 14. 1915.

Minnesota—Continued.
strawberry shipments, 1914. D.B. 237, p. 8 1915; F.B. 1028, p. 6. 1919.
substations, Duluth and Waseca, establishment O.E.S. An. Rpt., 1911, p. 58. 1912.
Sudan-grass growing experiments. B.P.I. Cir. 125, p. 14. 1913.
sugar beet—
growing, details. Rpt. 90, p. 48. 1909.
statistics, 1904. Rpt. 80, pp. 124-130. 1905.
Superior National Forest, vacation trips. For. [Misc.], "A vacation land of lakes * * *," pp. 12. 1919.
Superior State Game refuge. D.B. 1049, p. 31 1922.
Swan Lake, saved for wild fowl. Off. Rec., vol. 2, No. 34, p. 3. 1923.
Swedish Select oat, experiments and results. B.P.I. Bul. 182, p. 29. 1910.
timber treatment, cost and results. F.B. 744, pp. 26, 28. 1916.
Trebi barley, growing experiments and yields. D.C. 208, pp. 3-4. 1922.
trucking industry, acreage and crops. Y.B., 1916, pp. 446, 447, 455-465. 1917; Y.B. Sep. 702, pp. 12, 13, 21-31. 1917.
University—
farm, crop rotation experiments. B.P.I. Bul. 236, pp. 20-39. 1912.
teachers' courses. O.E.S. Cir. 118, pp. 17-18. 1913.
wage rates, farm labor, 1866-1909. Stat. Bul. 99, pp. 29-43, 68-70. 1912.
walnut range and estimated stand. D.B. 933, pp. 7, 11. 1921.
water supply(ies)—
of farms. K. F. Kellerman and H. A. Whittaker. O.E.S. Bul. 154, pp. 87. 1909.
records, by counties. Soils Bul. 92, pp. 84-88. 1913.
well records by States, 1911. Y.B. 1911, pp. 483-489. 1912; Y.B. Sep. 585, pp. 483-489. 1912.
western, wild oats, control in spring wheat. F.B. 833, pp. 1-16. 1917.
wheat—
acreage and—
production, 1918-1920. D.B. 1020, p. 5. 1922.
production, 1924. D.B. 1198, p. 3. 1924.
varieties. D.B. 1074, p. 212. 1922.
crops—
1866-1906, acreage, production, value. Stat. Bul. 57, pp. 6-25, 30. 1907; rev., pp. 6-25, 30, 37. 1908.
1866-1915, yields and prices. D.B. 514, p. 9. 1917.
1902-1904 production. Stat. Bul. 38, p. 18. 1905.
1909-1916, production, and percent of durum wheat. D.B. 618, pp. 6-9. 1918.
growing, cost data by States. D.B. 943, pp. 1-59. 1921.
production periods. Y.B., 1921, pp. 90, 91, 92, 93, 94, 96. 1922; Y.B. Sep. 873, pp. 90, 91, 92, 93, 94, 96. 1922.
standards and grades. Mkts. S.R.A. 36, pp. 3, 5, 10, 12. 1918.
varietal experiments, Marquis and other. D.B. 400, pp. 14-15. 1916.
yields, relation to farming systems. F.B. 1121, p. 16. 1920.
Wheaton community building, description and plans. F.B. 1173, pp. 28-29. 1921.
See also Statistical Bulletin for reports of statistics of numbers, shipments, etc., by "States."
See also Wheat belt.
MINNICK, S P.: "Instructions to operators on the United States Weather Bureau telegraph and telephone lines." W.B. [Misc.], "Instructions to operators * * *," pp. 35. 1918.
Minnows—
occurrence in Athabaska-Mackenzie region. N.A. Fauna 27, p. 504. 1908.
use against mosquitoes. Hawaii A. R., 1907, pp. 38-39. 1908.
use in control of mosquitoes. Ent. Bul. 88, pp 63-70. 1910; P.R. Cir. 20, p. 9. 1921.
MINOTT, C. W.: "The gipsy moth on cranberry bogs." D.B. 1093, pp. 19. 1922.

INDEX TO PUBLICATIONS, 1901-1925 1543

Mint—
  adulteration Chem. N.J. 3917. 1915.
  and orange pectin jelly, recipe. News L., vol. 5, No. 1, p. 7. 1917.
  bergamot, harvesting. B.P.I. Bul. 195, pp. 31-34. 1910.
  compressed, coconut oil use—opinion 81. Chem. S.R.A. 8, p. 635. 1914.
  drying and use. D.C. 3, p. 17. 1919.
  field. See Catnip.
  growing in Guam, directions. Guam Bul. 2, pp. 12, 42. 1922.
  jelly with added pectin, directions. D.C. 254, p. 8. 1923.
  Kazoo, adulteration. Chem. N.J. 2639, p. 1. 1914.
  leaves, use with food. O.E.S. Bul. 245, pp. 49, 56, 68. 1912.
  planting in vegetable garden. D.C. 48, p. 9. 1919.
  powdery mildew occurrence, Texas. B.P.I. Bul. 226, p. 98. 1912.
  sauce and jelly, recipes. F.B. 526, p. 23. 1913; F.B. 1324, p. 7. 1923.
  squaw. See Pennyroyal.
  tablets, adulteration. Chem. N.J. 3157, p. 1. 1914.
  use as food flavoring. O.E.S. Bul. 245, p. 68. 1912.
  white, description, oil production. F.B. 694, p. 2. 1915.
  See also Peppermint; Spearmint.
Mintweed, alkali indication. B.P.I. Bul. 157, p. 32. 1909.
Mirabilis jalapa, importation and description. No. 53904, B.P.I. Inv. 68, p. 6. 1923.
Miraflores Lock, Panama Canal, injury by termites. D.B. 1232, pp. 6, 10. 1924.
Mirax grapholithae, parasite of lesser apple worm. Ent. Bul. 80, Pt. III, p. 50. 1909.
Miris dolabratus, life history, description, and control. J.A.R., vol. 15, pp. 175-200. 1918.
Mirity, importation and description, No. 31311. B.P.I. Bul. 242, p. 83. 1912.
Mirliton. See Chayote.
Miro, importation and description. No. 44851. B.P.I. Inv. 51, p. 79. 1922.
Mirrors—
  cleaning directions. F.B. 1180, p. 16. 1921.
  lining injury by beetles. D.B. 1107, p. 2. 1922.
Misbranding—
  and adulteration, seeds of—
    alfalfa, red clover, orchard grass, and Kentucky bluegrass—
      B. T. Galloway. Sec. Cir. 28, pp. 5. 1909.
      A. F. Woods. Sec. Cir. 31, pp. 4. 1910.
    hairy vetch. Wm. A. Taylor. Sec. Cir. 45, pp. 6. 1913.
    fertilizers, definition. Chem. Bul. 116, pp. 99-100. 1908.
  food—
    and drugs—
      definition of term. Chem. [Misc.] "Food and drug manual * * *," pp. 17-18. 1920.
      prohibition, and correction methods. Y.B. 1913, pp. 126-127, 128. 1914; Y.B. Sep. 619, pp. 126-127, 128. 1914.
      research work of Chemistry Bureau. D.C. 137, p. 18. 1922.
      rules for enforcement of law. Sec. Cir. 21, pp. 6-12. 1906.
    drugs, and feeds, methods. News L., vol. 6, No. 42, pp. 2, 3-4. 1919.
    laws—
      1902-1904. Chem. Bul. 69, rev., Pts. I-IX, pp. 21, 86, 101, 126, 148, 205, 209, 216, 222, 275, 279, 338, 387, 464, 471, 484, 502, 550, 575, 586, 587, 591, 604, 608, 645, 647, 662, 667, 693. 1905-6.
      1908. Chem. Bul. 121, pp. 14, 19, 22, 43, 49, 57, 70, 79. 1909.
    fruit products, forms, use by various manufacturers. Chem. Bul. 66, rev., pp. 3-4. 1905.
    insecticides. See Insecticide Notices of Judgment.
    marking food packages with quantity of contents. Chem. F.I.D. 163, p. 1. 1916.
  seeds—
    Kentucky bluegrass, redtop, and orchard grass. B. T. Galloway. Sec. Cir. 43, pp. 6. 1913.

Misbranding—Continued.
  seeds—continued.
    of red clover, Kentucky bluegrass, orchard grass, and hairy vetch. B. T. Galloway. Sec. Cir. 39. pp. 7. 1912.
  vanilla, cider, eggs, and cocain, and adulteration of milk. Chem. N.J. 5-11, pp. 10. 1908.
  See also *Indexes to Notices of Judgment, in bound volumes, and in separates published as supplements to Chemistry Service and Regulatory Announcements.*
  See also *under names of articles misbranded.*
Miscanthus—
  condensatus. See Plume-grass.
  floridulus, occurrence in Guam. Guam A.R., 1913, pp. 15, 16. 1914.
  floridulus. See also Sword grass.
  japonicus. See Zebra grass.
  nepalensis, importations and description. No. 47735, B.P.I. Inv. 59, p. 53. 1922; No. 50719, B.P.I. Inv. 64, p. 19. 1923.
  spp., description and distribution, and uses. D.B. 772, pp. 21, 252, 254-255, 256. 1920.
Misner, E. G.: "The cost of producing milk and some factors influencing the cost." B.A.I. Dairy [Misc.], "World's dairy congress, 1923," pp. 1097-1111. 1924.
Miso, preparation and use. D.B. 1152, p. 23. 1923.
Mission fathers, introduction of olive growing. F.B. 1249, pp. 3-4. 1922.
Missions, California, early history. D.B. 903, pp. 2-3. 1921; D.B. 1237, p. 3. 1924.
Mississippi—
  Agricultural and Mechanical College, teachers' courses. O.E.S. Cir. 118, p. 18. 1913.
  agricultural—
    colleges and experiment stations, organization—
      1905. O.E.S. Bul. 161, pp. 38-39. 1905.
      1906. O.E.S. Bul. 176, pp. 43-45. 1907.
      1907. O.E.S. Bul. 197, pp. 46-48. 1908.
      1910. O.E.S. Bul. 224, pp. 39-41. 1910.
      1911. O.E.S. Bul. 247, pp. 41-42. 1912.
    See also Agriculture, workers list.
  education extension, 1906. O.E.S. Bul. 196, p. 29. 1907.
  extension work, statistics. D.C. 253, pp. 5, 8, 10-11, 17, 18. 1923.
  high schools. O.E.S. Cir. 83, p. 22. 1909.
  schools, recent laws. O.E.S. An. Rpt., 1908, p. 274. 1909.
  secondary schools, 1909. O.E.S. An. Rpt., 1909, p. 315. 1910.
  system change. News L., vol. 6, No. 37, p. 5. 1919.
  aid to agricultural schools. O.E.S. An. Rpt., 1911, p. 330. 1912.
  alfalfa hopper studies, temperature relations. J.A.R., vol. 3, pp. 348, 350, 354. 1915.
  anthrax outbreak, treatment, and results. D.B. 340, p. 15. 1915.
  appearance of 13-year locust in 1902 and 1915. News L., vol. 2, No. 44, p. 2. 1915.
  apple growing, areas and varieties. D.B. 485, pp. 29, 44-47. 1917.
  appropriations for experiment station work, 1912. O.E.S. An. Rpt., 1912, pp. 55, 144. 1913.
  Audubon Society, work. Biol. Cir. 65, p. 15. 1908.
  bank loans to clubs. News L., vol. 7, No. 4, p. 7. 1919.
  barley crops, 1866-1906, acreage, production, and value. Stat. Bul. 59, pp. 7-9, 17-19, 33. 1907.
  bean-growing experiments. D.B. 119, pp. 13, 21. 1914.
  bee and honey statistics. D.B. 685, pp. 7-31. 1918; D.B. 325, pp. 9-12. 1915.
  bee diseases, occurrence. Ent. Cir. 138, p. 13. 1911.
  beef cattle production and demonstration work. An. Rpts., 1916, pp. 76, 78, 79. 1917; B.A.I. Chief Rpt., 1916, pp. 10, 12, 13. 1916.
  Belzoni drainage district, report. H. A. Kipp. O.E.S. Bul. 244, pp. 55. 1912.
  benefits to farmers from cattle-tick eradication. News L., vol. 4, No. 29, pp. 3-4. 1917.
  Big Black River, land reclamation methods and cost. Lewis A. Jones and others. D.B. 181, pp. 39. 1915.
  bird protection. See Bird protection, officials.

Mississippi—Continued.
Black Belt, popular name for black prairie soils. Rpt. 96, p. 6. 1911.
black prairie lands, crawfish control. An. Rpts., 1913, p. 225. 1914; Biol. Chief Rpt., 1913, p. 3. 1913.
Bogue Phalia drainage district, acreage and completion. Y.B., 1918, p. 140. 1919; Y.B. Sep. 781, p. 6. 1919.
Bolivar County, drainage of agricultural lands, report upon. W. J. McEathron and S. H. McCrory. O.E.S. Cir. 81, pp. 28. 1909.
boll weevil—
　control study, and statistics. D.B. 564, pp. 1–51. 1917; Ent. Bul. 100, pp. 20–38. 1912.
　infested territory, 1912. Ent. Cir. 167, p. 3. 1913.
　invasion and damages. Y.B., 1917, p. 330. 1918; Y.B. Sep. 749, p. 6. 1918.
　quarantine regulations. Ent. Bul. 114, p. 166. 1912.
cabbage production, acreage, yield, and shipments. D.B. 1242, pp. 7, 12, 14, 16, 19, 51–52. 1924.
camphor scale outbreaks in 1921. D.B. 1103, pp. 31–32. 1922.
cane growing for sirup making. Chem. Bul. 75, pp. 37–38. 1903.
cantaloupe shipments, 1914. D.B. 315, pp. 17, 19. 1915.
castor bean, gray-mold outbreak. J.A.R., vol. 23, p. 681. 1923.
cattle—
　feeding experiments and demonstrations. Y.B., 1917, pp. 331–332, 334. 1918; Y.B. Sep. 749, pp. 7–8, 10. 1918.
　fever quarantine—
　　November 1, 1911. B.A.I.O. 183, rule 1, rev., 8, p. 5. 1911.
　　September 15, 1915, areas released. B.A.I.O. 235, Amdt. 2, pp. 2–3. 1915.
　　September 1, 1917. B.A.I.O. 251, Amdt. 3, p. 1. 1917.
　numbers, 1908, 1916, and improved conditions. Y.B., 1917, pp. 327, 334, 335–340. 1918; Y.B. Sep. 749, pp. 3, 10, 11, 16. 1918.
　tick—
　　conditions, 1911. B.A.I. An. Rpt., 1910, pp. 256, 257. 1912; B.A.I. Cir. 187, pp. 256, 257. 1912.
　　eradication, 1913. Y.B., 1913, pp. 268–269. 1914; Y.B. Sep. 627, pp. 268–269. 1914.
　　eradication, effect. B.A.I. [Misc.], "Cattle-tick eradication * * *," pp. 8–9. 1914.
　　eradication, laws. D.C. 184, pp. 32–38. 1921.
Central Station, deep-tillage experiments. J.A.R., vol. 14, p. 519. 1918.
cities, dairy products, consumption, and prices, 19.5–6. B.A.I. An. Rpt., 1907, pp. 315–317. 1909; B.A.I. Bul. 70, pp. 6–7, 34–36. 1905; F.B. 349, pp. 14–16. 1909.
citrus—
　groves, stock suitability. F.B. 238, pp. 14, 36. 1905; F.B. 539, p. 3, 14–15. 1913.
　growing, conditions. F.B. 1122, pp. 6–7, 13. 1920.
　industry, location, and development. F.B. 1343, pp. 4, 10. 1923.
Clay County, area, location, description, and climate. Soil Sur. Adv. Sh., 1909, pp. 5–15. 1911; Soils F.O., 1909, pp. 849–859. 1912.
closed season for shore birds and woodcock. Y.B. 1914, p. 293. 1915; Y.B. Sep. 642, p. 293. 1915.
Collins, beef-cattle experiment station. D.B. 827, pp. 1, 37, 39–41, 45. 1921.
Columbia, experiments in oleoresin production, methods, and yields. D.B. 1064, pp. 12–25, 34, 37–38, 42. 1922.
commercial-club marketing plan. F.B. 809, p. 8. 1917.
convict road-work, laws. D.B. 414, p. 204. 1916.
cooperative—
　associations, statistics. D.B. 547, pp. 13, 18, 34. 1917.
　marketing and purchasing, 1918. S.R.S. Rpt., 1918, pp. 43–44. 1919.
corn—
　club champions, records. S.R.S. Doc. 29, p. 1. 1915.

Mississippi—Continued.
corn—continued.
　club, labor records, specimens. D.B. 385, p. 27. 1916.
　crops, 1866–1906, acreage, production, and value. Stat. Bul. 56, pp. 7–27, 34. 1907.
　crops, 1866–1915, yields and prices. D.B. 515, p. 12. 1917.
　growing, practices and farm conditions in Holmes County. D.B. 320, pp. 61–63. 1916.
　production, movements, consumption, and prices. D.B. 696, pp. 15, 16, 20, 28, 29, 33, 36, 38, 41, 48. 1918.
cotton—
　crop, movement, 1899–1904. Stat. Bul. 34, pp. 22–24, 46–48. 1905.
　growers' cooperative work, success. Y.B., 1912, p. 445. 1913; Y.B. Sep. 605, p. 445. 1913.
　prices, variations and comparisons. D.B. 457, pp. 3, 6, 7, 9. 1916.
　production—
　　1916 and 1917. D.B. 733, pp. 5, 6, 7–8. 1918.
　　and yield. D.B. 896, pp. 3–4. 1920.
　　conditions and results. Sec. Cir. 32, pp. 6–7. 1910.
　　under boll-weevil conditions, reports from farmers. B.P.I. Doc. 619, p. 8. 1911.
　records, comparisons. D.B. 529, p. 4. 1917.
　shipments. Stat. Bul. 38, pp. 11–14. 1905.
　warehouses, number, and capacity. D.B. 216, pp. 9, 14, 16, 17. 1915.
county organization, and expenditures for extension work, 1918. S.R.S. Rpt., 1918, pp. 31, 128–158. 1919.
cowpea seed, growing and shipments. F.B. 1308, pp. 4, 5, 14, 15. 1923.
credits, farm-mortgage loans, costs and sources. D.B. 384, pp. 2, 3, 5, 7, 9, 10. 1916.
crops—
　acreage and production, 1909–1919. D.C. 85, pp. 14–19. 1920.
　planting and harvesting dates, important crops. Stat. Bul. 85, pp. 26, 48, 61, 98. 1912.
　relation to boll-weevil damages. F.B. 848, p. 7. 1917.
cut-over pine lands, in beef-cattle industry, conditions. D.B. 827, pp. 6–13, 31. 1921.
definition of game. Biol. Bul. 12, rev. p. 20. 1902.
Delta—
　cotton boll-weevil control—
　　B. R. Coad and T. F. McGehee. D.B. 564, pp. 51. 1917.
　　with special reference to square picking and weevil picking. B. R. Coad. D.B. 382, pp. 12. 1916.
　lands, anthrax infection. B.A.I. An. Rpt., 1909, p. 226. 1911; F.B. 439, p. 14. 1911.
　region—
　　drainage survey. O.E.S. An. Rpt., 1907, p. 42. 1908.
　　malarial conditions. Ent. Bul. 78. p. 14. 1909.
　survey and tillage records for cotton. D.B. 511, pp. 21–23. 1917.
demurrage provisions, and regulations. D.B. 191, pp. 3, 12, 13, 15, 16, 26. 1915.
drainage surveys, location, and kind of land, 1911. An. Rpts., 1911, pp. 708, 709. 1912; O.E.S. Chief Rpt., 1911, pp. 26–27. 1911.
drug laws. Chem. Bul. 98, pp. 109–110. 1906; rev., Pt. I, pp. 164, 165. 1909.
early settlement, historical notes. See Soil surveys for various counties and areas.
examination of birds' stomachs. Biol. Bul. 15, pp. 15–16. 1901.
Experiment Station—
　report of work—
　　1906. W. L. Hutchinson. O.E.S. An. Rpt. 1906, pp. 121–122. 1907.
　　1907. W. L. Hutchinson. O.E.S. An. Rpt. 1907, pp. 123–125. 1908; O.E.S. Doc. 1130, pp. 123–125. 1908.
　work and expenditures—
　　1908. W. L. Hutchinson. O.E.S. An. Rpt., 1908, pp. 120–122. 1909.
　　1909. W. L. Hutchinson. O.E.S. An. Rpt., 1909, pp. 132–134. 1910.
　　1910. J. W. Fox. O.E.S. An. Rpt., 1910, pp. 172–175. 1911.

Mississippi—Continued.
  Experiment Station—Continued.
    work and expenditures—continued.
      1911. J. W. Fox. O.E.S. An. Rpt., 1911, pp. 137-139. 1912.
      1913. E.R. Lloyd. O.E.S. An. Rpt., 1913, pp. 56-58. 1915.
      1914. E.R. Lloyd. O.E.S. An. Rpt., 1914, pp. 143-145. 1915.
      1915. E.R. Lloyd. O.E.S. An. Rpt., 1915, pp. 159-162. 1917; S.R.S. Rpt., 1915. Pt. I, pp. 159-162. 1917.
      1916. E. R. Lloyd, S.R.S. Rpt., 1916, Pt. I, pp. 162-166. 1918.
      1917. E.R. Lloyd. S.R.S. Rpt., 1917, Pt. I, pp. 156-160. 1919.
      1918. S.R.S. An. Rpt., 1918, pp. 41, 42, 66. 1920.
    extension work—
      funds allotment, and county-agent work. S.R.S. Doc. 40, pp. 4, 6, 10, 16, 23, 25, 28. 1918.
      in agriculture and home economics—
        1915. E. R. Lloyd. S.R.S. Rpt., 1915, Pt. II, pp. 85-91. 1917.
        1916. Edward R. Lloyd. S.R.S. Rpt., 1916, Pt. II, pp. 89-97. 1917.
        1917. E. R. Lloyd. S.R.S. Rpt., 1917, Pt. II, pp. 92-99. 1919.
      statistics. D.C. 306, pp. 3, 6, 10, 14, 20, 21. 1924.
  fairs, number, kind, location, and dates. Stat. Bul. 102, pp. 13, 14, 41. 1913.
  farm—
    animals, statistics, 1867-1907. Stat. Bul. 64, p. 127. 1908.
    conditions, letters from women. Rpt. 103, pp. 19, 49, 72. 1915; Rpt. 104, pp. 19, 33, 39, 48, 51, 62, 68. 1915; Rpt. 105, pp. 17, 25, 28, 32, 43, 65. 1915; Rpt. 106, pp. 14, 21, 33. 1915.
    leases, provisions. D.B. 650, p. 7. 1918.
    values—
      changes, 1900-1905. Stat. Bul. 43, pp. 11-17, 29-46. 1906.
      income, and tenancy classification. D.B 1224, pp. 102-104. 1924.
  farmers—
    institutes—
      for young people. O.E.S. Cir. 99, p. 20. 1910.
      history. O.E.S. Bul. 174, p. 53. 1906.
      legislation. O.E.S. Bul. 241, p. 27. 1911.
      work, 1904. O.E.S. An. Rpt., 1904, p. 650. 1905.
      work, 1906. O.E.S. An. Rpt., 1906, p. 336. 1907.
      work, 1907. O.E.S. An. Rpt., 1907, pp. 334-335. 1908; O.E.S. Bul. 199, p. 23. 1908.
      work, 1908. O.E.S. An. Rpt., 1908, p. 318. 1909.
      work, 1909. O.E.S. An. Rpt., 1909, p. 347. 1910.
      work, 1910. O.E.S. An. Rpt., 1910, p. 408. 1911.
      work, 1911. O.E.S. An. Rpt., 1911, p. 374. 1912.
      work, 1912. O. E.S. An. Rpt., 1912, p. 367. 1913.
    substitute of dairying for cotton growing. Y.B., 1917, pp. 303-310. 1918; Y.B. Sep. 744, pp. 1-10. 1918.
  feeding calves, experiments. D.B. 631, pp. 1-54. 1918.
  fence-buying. News L. vol. 7, No. 10, p. 12. 1919.
  fertilizer prices, 1919, by counties. D.C. 57, pp. 4, 7. 1919.
  field work of Plant Industry, December, 1924. M.C. 30, p. 30. 1925.
  fig growing. F.B. 1031, pp. 3, 4, 37. 1919.
  flood, 1912, description and losses. An. Rpts., 1912, pp. 38, 183. 1913; Sec. A.R., 1912, pp. 38, 183. 1912; Y.B., 1912, pp. 38, 183. 1913.
  food laws—
    1905 Chem. Bul. 69, Rev., Pt. IV, pp. 324-326. 1906.
    1906. Chem. Bul. 104, p. 34. 1907.
    enforcement. Chem. Cir. 16, rev. p. 14. 1908.
  forest fires, statistics. For. Bul. 117, p. 31. 1912.
  funds for cooperative extension work, sources. S.R.S. Doc. 40, pp. 4, 5, 9, 16. 1917.
  fur animals, laws—
    1915. F.B. 706, p. 10. 1916.
    1916. F.B. 783, pp. 2, 11, 27. 1916.

Mississippi—Countinued.
  fur animals, laws—continued.
    1917. F.B. 911, pp. 14, 31. 1917.
    1918. F.B. 1022, pp. 14, 31. 1918.
    1919. F.B. 1079, p. 17. 1919.
    1920. F.B. 1165, p. 15. 1920.
    1921. F.B. 1238, p. 14. 1921.
    1922. F.B. 1293, p. 12. 1922.
    1923-24. F.B. 1387, p. 15. 1923.
    1924-25. F.B. 1445, p. 11. 1924.
    1925-26. F.B. 1469, pp. 14-15. 1925.
  game—
    laws—
      1902. F.B. 160, pp. 17, 54. 1902.
      1903. F.B. 180, pp. 12, 44, 46, 55. 1903.
      1904. F.B. 207, pp. 20, 62. 1904.
      1905. F.B. 230, pp. 18, 44. 1905.
      1906. F.B. 265, pp. 9, 17, 30, 44. 1906.
      1907. F.B. 308, pp. 16, 29, 36, 44. 1907.
      1908. F.B. 336, pp. 18, 32, 40, 44, 51. 1908.
      1909. F.B. 376, pp. 23, 34, 39, 43, 48. 1909.
      1910. F.B. 418, pp. 8, 10, 16, 27, 33, 36, 42. 1910.
      1911. F.B. 470, pp. 21, 32, 38, 41, 48. 1911.
      1912. F.B. 510, pp. 4, 7, 10, 16, 25-26, 28, 32, 34, 38, 44. 1912.
      1913. D.B. 22, pp. 20, 28, 40, 45, 49, 54. 1913; rev., pp. 20, 21, 28, 40, 45, 49, 54. 1913.
      1914. F.B. 628, pp. 6, 10, 11, 12, 13, 19, 28-29, 32, 36, 38, 41, 42, 48. 1914.
      1915. F.B. 692, pp. 4, 7, 29, 41, 47, 52, 59. 1915.
      1916. F.B. 774, pp. 9, 27, 40, 45, 51, 59. 1916.
      1917. F.B. 910, pp. 23-24. 1917.
      1918. F.B. 1010, pp. 21, 61, 70. 1918.
      1919. F.B. 1077, pp. 24, 72, 73. 1919.
      1920. F.B. 1138, p. 26. 1920.
      1921. F.B. 1235, pp. 27, 80. 1921.
      1922. F.B. 1288, pp. 23, 67, 79. 1922.
      1923-24. F.B. 1375, pp. 24, 49. 1923.
      1924-25. F.B. 1444, pp. 17, 37. 1924.
      1925-26. F.B. 1466, pp. 23, 44. 1925.
    protection. See Game protection officials.
  girls' club work. News L., vol. 6, No. 40, p. 9. 1919.
  grain supervision districts, counties. Mkts. S.R.A. 14, pp. 25, 27. 1916.
  growth of dairy industry. Off. Rec., vol. 2, No. 46, p. 7. 1923.
  Gulf Coast region, farm practices that increase crop yields. F.B. 986, pp. 1-28. 1918.
  Harrison County, home demonstration work. Y.B., 1916, pp. 251-252. 1917; Y.B. Sep. 710, pp. 1-2. 1917.
  Hattiesburg, ant-control experiments. D.B. 377, pp. 12-22. 1916.
  hay crops, 1866-1906, acreage, production, and value. Stat. Bul. 63, pp. 5-25, 31. 1908.
  haymaking, practice in regard to hay caps. F.B. 977, p. 5. 1918.
  herds, lists of tested and accredited. D.C. 54, pp. 23, 35, 58, 76, 82. 1919; D.C. 142, pp. 4-49. 1920; D.C. 143, pp. 11, 35, 75. 1920; D.C. 144, pp. 4, 11, 17, 31. 1920.
  hill land erosion, control method. S.R.S. Doc. 41, p. 5. 1917.
  Holmes County, location, description, and agricultural conditions. Soil Sur. Adv. Sh., 1908, pp. 5-14. 1909; Soils F.O., 1908, pp. 771-780. 1911.
  Hopson Bayou, drainage conditions. O.E.S. Bul. 244, pp. 16-19. 1912.
  Houston clay, areas, location, description, and uses. Soils Cir. 49, pp. 3, 5, 8, 9, 10, 11. 1911.
  interest rates on loans to farmers. Y.B., 1921, pp. 368, 778. 1922; Y.B. Sep. 877, p. 368. 1922; Y.B. Sep. 871, p. 9. 1922.
  Lafayette County, cooperative marketing demonstrations. Y.B., 1919, pp. 212-213. 1920; Y.B. Sep. 808, pp. 212-213. 1920.
  lard supply, wholesale and retail, August 31, 1917, tables. Sec. Cir. 97, pp. 13-31. 1918.
  Lauderdale County road improvement, financing, management, maintenance, effect on land values, traffic, and schools. D.B. 393, pp. 68-79. 1916.
  law(s)—
    against Sunday shooting. Biol. Bul. 12, rev., R. 63. 1902.

Mississippi—Continued.
law(s)—continued.
and decisions on livestock sanitary control. D.C. 184, pp. 32–38. 1921.
for turpentine sale. D.B. 898, p. 40. 1920.
nursery stock interstate shipment, digest. Ent. Cir. 75, rev., p. 5. 1909; F.H.B., S.R.A. 57, pp. 113, 114, 115. 1919.
on dogs, digest. F.B. 935, p. 16. 1918; F.B. 1268, pp. 16–17. 1922.
Lee and Bolivar Counties, drainage experiments on water flow. D.B. 832, pp. 2, 3, 9–24, 59, 60. 1920.
legislation—
protecting birds. Biol. Bul. 12, rev., pp. 23, 27, 39, 43, 55, 99, 137. 1902.
relative to tuberculosis. B.A.I. Bul. 28, p. 71. 1901.
livestock admission, sanitary requirements. B.A.I. Doc. A–28, p. 20. 1917; B.A.I. Doc. A–36, pp. 29–30. 1920; M.C. 14, pp. 37–38. 1924.
longleaf pine lands, cut-over, condition. J. S. Holmes and J. H. Foster. For. Cir. 149, pp. 8. 1908.
lower valley, alluvial lands, drainage. O.E.S. An. Rpt., 1908, pp. 407–417. 1909.
lumber—
cut in 1905. For. Cir. 52, pp. 8–10, 13, 16–22. 1906.
cut, 1920, 1870–1920, value, and kinds. D.B. 1119, pp. 27, 30–35, 43–61. 1923.
production, 1918, by mills, by woods, and lath and shingles. D.B. 845, pp. 6–10, 13, 16, 19, 22, 26, 27, 30, 32–40, 42–47. 1920.
marketing—
activities and organization. Mkts. Doc. 3, p. 4. 1916.
demonstrations, results in three counties. Y.B., 1919, pp. 210–214. 1920; Y.B. Sep. 808, pp. 210–214. 1920.
Monroe County, survey and tillage records for cotton. D.B. 511, pp. 57–59. 1917.
muck areas, location. Soils Cir. 65, p. 15. 1912.
Negro extension work and workers, 1908–1921. D.C. 190, pp. 6–9, 23. 1921.
oats crops, 1866–1906, acreage, production, and value. Stat. Bul. 58, pp. 5–25, 32. 1907.
officials, dairy, drug, feeding stuffs and food. See Dairy officials; Drug officials.
overflowed lands, drainage, methods and cost. D.B. 181. pp. 1–39. 1915.
oyster-canning industry. Y.B., 1910, pp. 372, 373. 1911; Y.B. Sep. 544, pp. 372, 373. 1911.
pasture land on farms. D.B. 626, pp. 15, 50–51. 1918.
peach growing, production, districts, and varieties. D.B. 298, pp. 4, 5, 12. 1916; D.B. 806, pp. 4, 5, 7, 8, 26. 1919.
pear growing, distribution, and varieties. D.B. 822, p. 11. 1920.
pecan—
rosette, occurrence. J.A.R., vol. 3, p. 149. 1914.
yield, 1901–1904, and 1911, 1912. B.P.I. Cir. 112, p. 7. 1913.
pig clubs and increase of hogs. Y.B., 1917, p. 376. 1918; Y.B. Sep. 753, p. 8. 1918.
pink corn-worm injury to corn. D.B. 363, pp. 2, 7–10, 15. 1916.
plant inspection points, revision. F.H.B.S.R.A. 77, p. 164. 1924.
plantations, crops, acreage, location, labor, and tenancy. D.B. 1269, pp. 2–7, 69–72, 75. 1924.
potato crops, 1866–1906, acreage, production, and value. Stat. Bul. 62, pp. 7–27, 34. 1908.
potatoes, early crop, location and carloads. F.B. 1316, pp. 3, 5. 1923.
Prentiss County, cooperative marketing demonstrations. Y.B., 1919, pp. 210–212. 1920; Y.B. Sep. 808, pp. 210–212. 1920.
quarantine—
against cotton-boll weevil. Ent. Bul. 114, p. 166. 1912.
for Texas fever in cattle, 1924. B.A.I.O. 290, p. 2. 1924.
raw-rock phosphate, field experiments, and results. D.B. 699, pp. 73–75. 1918.
rice-irrigation methods. F.B. 673, p. 2. 1915.

Mississippi—Continued.
road(s)—
bond-built, amount of bonds, and rate. D.B. 136, pp. 42, 69–70, 81, 85. 1915.
building rock tests—
1916, 1917. D.B. 370, p. 43. 1916; D.B. 670, p. 13. 1918.
1916–1921. D.B. 1132, pp. 20, 52. 1923.
laws, 1908. Y.B., 1908, p. 592. 1909.
materials, tests. Rds. Bul. 44, p. 52. 1912.
mileage and expenditures—
1909. Rds. Bul. 41, pp. 25, 41, 42, 79–80. 1912
1914. D.B. 387, pp. 3–8, 29–32. XIII–XIV XXXVII–XXXVIII, LVI–LVII. 1917.
1915. Sec. Cir. 52, pp. 2, 4, 6. 1915.
1916. Sec. Cir. 74, pp. 5, 7, 8. 1917.
model county system. An. Rpts., 1912, pp. 870–871. 1913; Rds. Chief Rpt., 1912, pp. 26–27. 1912.
object-lesson, description, and cost. An. Rpts., 1908, pp. 754, 755. 1909; Rds. Dir. Rpt., 1908, pp. 14, 15. 1908.
work by department, 1913–1914. D.B. 284, pp. 6–8, 22. 1915.
rye crops, 1866–1892, acreage, production, and value. Stat. Bul. 60, pp. 5–9, 12–18, 32. 1908.
San Jose scale, occurrence. Ent. Bul. 62, p. 26. 1906.
schools, agricultural, work. O.E.S. Cir. 106, rev., pp. 18, 24. 1912.
Scott, cotton dusting experiments. D.B. 1204, pp. 35–36. 1924.
shipments of fruits and vegetables, and index to station shipments. D.B. 667, pp. 6–13, 31 1918.
soil survey of—
Adams County. W. J. Geib and A. L. Goodman. Soil Sur. Adv. Sh., 1910, pp. 32. 1911; Soils F. O., 1910, pp. 705–732. 1912.
Alcorn County. E. Malcolm Jones and E. P. Lowe. Soil Sur. Adv. Sh., 1921, pp. 673–705. 1924.
Amite County. A. L. Goodman and others. Soil Sur. Adv. Sh., 1917, pp. 38. 1919; Soils F.O., 1917, pp. 833–866. 1923.
Biloxi area. W. Edward Hearn and M. E. Carr. Soil Sur. Adv. Sh., 1904, pp. 26. 1904; Soils F.O., 1904, pp. 353–374. 1904.
Chickasaw County. E. M. Jones and C. S. Waldrop. Soil Sur. Adv. Sh., 1915, pp. 38. 1917; Soils F.O., 1915, pp. 939–972. 1919.
Choctaw County. A. C. Anderson and others. Soil Sur. Adv. Sh., 1920, pp. 249–286. 1923; Soils F.O., 1920, pp. 249–286. 1925.
Clarke County. A. L. Goodman and E. M. Jones. Soil Sur. Adv. Sh., 1914, pp. 41. 1915; Soils F.O., 1914, pp. 1201–1237. 1919.
Clay County. E. L. Worthen. Soil Sur. Adv. Sh., 1909, pp. 41. 1911; Soils F.O., 1909, pp. 849–885. 1912.
Coahoma County. F. Z. Hutton and others. Soil Sur. Adv. Sh., 1915, pp. 29. 1916; Soils F.O., 1915, pp. 973–997. 1919.
Copiah County. See Jackson and Crystal Springs areas.
Covington County. E. Malcolm Jones and A. T. Sweet. Soil Sur. Adv. Sh., 1917, pp. 40. 1919; Soils F.O., 1917, pp. 867–902. 1923.
Crystal Springs area. James L. Burgess and W. E. Tharp. Soil Sur. Adv. Sh., 1905, pp. 23. 1905; Soils F.O., 1905, pp. 473–491. 1907.
Forrest County. W. E. Tharp and W. M. Spann. Soil Sur. Adv. Sh., 1911, pp. 52. 1912; Soils F.O., 1911, pp. 1003–1050. 1914.
George County. W. E. Tharp and E. P. Lowe. Soil Sur. Adv. Sh., 1922, pp. 33–75. 1925.
Grenada County. W. E. Tharp and J. B. Hogan. Soil Sur. Adv. Sh., 1915, pp. 32. 1917; Soils F.O., 1915, pp. 999–1026. 1919.
Hancock County. See McNeill area.
Harrison County. See Biloxi area.
Hinds County. A. E. Kocher and A. L. Goodman. Soil Sur. Adv. Sh., 1916, pp. 42. 1918; Soils F.O., 1916, pp. 1007–1044. 1921.
Holmes County. W. J. Geib. Soil Sur. Adv. Sh., 1908, pp. 32. 1909; Soils F.O., 1908, pp. 771–798. 1911.
Issaquena County. See Smedes and Yazoo areas.

Mississippi—Continued.
soil survey of—continued.
Jackson area. J. O. Martin and O. L. Ayrs. Soil Sur. Adv. Sh., 1904, pp. 14. 1904; Soils F.O., 1904, pp. 343-352. 1905.
Jackson County. *See* Scranton area.
Jasper County. E. L. Worthen and H. Jennings. Soil Sur. Adv. Sh., 1907, pp. 36. 1908; Soils F.O., 1907, pp. 525-556. 1909.
Jefferson Davis County. T. M. Bushnell and L. Vincent Davis. Soil Sur. Adv. Sh., 1915, pp. 27. 1916; Soils F.O., 1915, pp. 1027-1049. 1919.
Jones County. A. L. Goodman and E. M. Jones. Soil Sur. Adv. Sh., 1913, pp. 35. 1915; Soils F.O., 1913, pp. 921-951. 1916.
Lafayette County. A. L. Goodman and E. M. Jones. Soil Sur. Adv. Sh., 1912, pp. 28. 1914; Soils F.O., 1912, pp. 831-854. 1915.
Lamar County. E. Malcolm Jones and others. Soil Sur. Adv. Sh., 1919, pp. 42. 1922; Soils F.O., 1919, pp. 973-1010. 1925.
Lauderdale County. Hugh H. Bennett and others. Soil Sur. Adv. Sh., 1910, pp. 56. 1912; Soils F.O., 1910, pp. 733-784. 1912.
Lee County. W. E. Tharp and E. M. Jones. Soil Sur. Adv. Sh., 1916, pp. 40. 1918; Soils F.O., 1916, pp. 1045-1080. 1921.
Lincoln County. A. L. Goodman and E. M. Jones. Soil Sur. Adv. Sh., 1912, pp. 29. 1913; Soils F.O., 1912, pp. 855-879. 1915.
Lowndes County. Howard C. Smith and A. L. Goodman. Soil Sur. Adv. Sh., 1911, pp. 50. 1912; Soils F.O., 1911, pp. 1083-1128. 1914.
McNeill area. William G. Smith and William T. Carter, jr. Soil Sur. Adv. Sh., 1903, pp. 18. 1904; Soils F.O., 1903, pp. 405-418. 1904.
Madison County. W. E. Tharp and others. Soil Sur. Adv. Sh., 1917, pp. 37. 1920; Soils F.O., 1917, pp. 903-935. 1923.
Monroe County. R. A. Winston and others. Soil Sur. Adv. Sh., 1908, pp. 48. 1910; Soils F.O., 1908, pp. 799-842. 1911.
Montgomery County. Thomas A. Caine and Frank C. Schroeder. Soil Sur. Adv. Sh., 1906, pp. 24. 1907; Soils F.O., 1906, pp. 385-404. 1908.
Newton County. A. L. Goodman and E. M. Jones. Soil Sur. Adv. Sh., 1916, pp. 43. 1918; Soils F.O., 1916, pp. 1081-1119. 1921.
Noxubee County. Howard C. Smith and others. Soil Sur. Adv. Sh., 1910, pp. 46. 1911; Soils F.O., 1910, pp. 785-826. 1912.
Oktibbeha County. W. E. McLendon and Lewis A. Hurst. Soil Sur. Adv. Sh., 1907, pp. 40. 1908; Soils F.O., 1907, pp. 467-502. 1909.
Pearl River County. E. Malcolm Jones and G. W. Musgrave. Soil Sur. Adv. Sh., 1918, pp. 38. 1920; Soils F.O., 1918, pp. 615-648. 1924.
Pike County. A. T. Sweet and others. Soil Sur. Adv. Sh., 1918, pp. 32. 1921; Soils F.O., 1918, pp. 649-676. 1924.
Pontotoc County. Frank Bennett and R. A. Winston. Soil Sur. Adv. Sh., 1906, pp. 26. 1907; Soils F.O., 1906, pp. 405-426. 1908.
Prentiss County. W. J. Geib and C. W. Mann. Soil Sur. Adv. Sh., 1907, pp. 25. 1908; Soils F.O., 1907, pp. 503-523. 1909.
Rankin County. *See* Jackson area.
Scranton area. Ora Lee, jr., and others. Soil Sur. Adv. Sh., 1909, pp. 38. 1910; Soils F.O., 1909, pp. 887-920. 1912.
Sharkey County. *See* Smedes and Yazoo areas.
Simpson County. F. Z. Hutton and others. Soil Sur. Adv. Sh., 1919, pp. 34. 1921; Soils F.O., 1919, pp. 1011-1040. 1925.
Smedes area. William G. Smith and William T. Carter, jr. Soil Sur. Adv. Sh., 1902, pp. 24. 1903; Soils F.O., 1902, pp. 325-348. 1903.
Smith County. W. E. Tharp and William De Young. Soil Sur. Adv. Sh., 1920, pp. 445-492. 1923; Soils F.O., 1920, pp. 445-492. 1925.
Warren County. W. E. Tharp and W. M. Spann. Soil Sur. Adv. Sh., 1912, pp. 50. 1914; Soils F.O., 1912, pp. 881-926. 1915.

Mississippi—Continued.
soil survey of—continued.
Wayne County. A. L. Goodman and others. Soil Sur. Adv. Sh., 1911, pp. 35. 1913; Soils F.O., 1911, pp. 1051-1081. 1914.
Wilkinson County. W. E. Tharp and M. W. Spann. Soil Sur. Adv. Sh., 1913, pp. 52. 1915; Soils F.O., 1913, pp. 953-1000. 1916.
Winston County. G. A. Crabb and G. B. Hightower. Soil Sur. Adv. Sh., 1912, pp. 47. 1913; Soils F.O., 1912, pp. 927-967. 1915.
Yazoo area. Jay A. Bonsteel and party. Soils F.O. Sep., 1901, pp. 28. 1903; Soils F.O., 1901, pp. 359-388. 1902.
Yazoo County. *See* Smedes and Yazoo areas.
soils—
Meadow, areas and location. Soils Cir. 68, p. 20. 1912.
Memphis silt loam, area, and location. Soils Cir. 35, pp. 3, 19. 1911.
Norfolk sand, areas, location, and uses. Soils Cir. 44, p. 19. 1911.
Norfolk sandy loam, area, location, and use. Soils Cir. 45, pp. 3, 14. 1911.
Orangeburg—
fine sand, location and areas. Soils Cir. 48. p. 15. 1911.
fine sandy loam, areas, location, and uses. Soils Cir. 46, pp. 3, 4, 10, 11, 17, 18, 20. 1911.
sandy loam, location and areas. Soils Cir. 47, pp. 3, 6, 15. 1911.
prairie regions, use for alfalfa. Rpt. 96, pp. 1-48 1911.
Susquehanna fine sandy loam, areas, location and crops. Soils Cir. 51, pp. 3, 4, 11. 1912.
Trinity clay areas, location, and crops adaptable. Soils Cir. 42, pp. 3, 4, 8, 11, 12, 14. 1911.
Wabash clay, areas, location, and uses. Soils Cir. 41, pp. 11, 12, 16. 1911.
steer fattening—
comparison of feeds. D.B. 761, pp. 1-16. 1919.
experiments. D.B. 762, pp. 9-35. 1919.
on summer pasture, 1912, 1913. D.B. 777, pp. 12-22. 1919.
strawberry—
growing, practices. F.B. 1026, pp. 3, 6, 8, 13, 16, 33. 1919.
shipments, 1914, 1915. D.B. 237, p. 8. 1915; F.B. 1028, p. 6. 1919.
sweet clover production. F.B. 485, pp. 33-34. 1912.
sweet potato industry. D.B. 1206, pp. 5-7, 9-13. 1924.
tenant farming in Yazoo-Mississippi Delta, study. E. A. Boeger and E. A. Goldenweiser. D.B. 337, pp. 18. 1916.
termites, injury to pecan seedlings. D.B. 333, p. 23. 1916.
tick—
eradication work. News L., vol. 4, No. 10, p. 4. 1916.
quarantine, reestablishment. Off. Rec., vol. 2, No. 8, p. 4. 1923.
tomato—
growing as a truck crop, shipments, methods, etc., notes. F.B. 1338, pp. 1-9, 14-21. 1923.
production and value of shipments. D.B. 1099, p. 2. 1922.
shipments, 1914. D.B. 290, p. 10. 1915.
shipping sections. F.B. 1291, p. 3. 1922.
weevil introduction and habits, location. D.C. 282, pp. 1, 4, 5, 6-8. 1923.
trucking industry, acreage, and crops, 1900, 1910. Y.B., 1916, pp. 443, 449, 455-465. 1917; Y.B. Sep. 702, pp. 9, 15, 21-31. 1917.
Tupelo, clubhouse for girls, details, illustrations. F.B. 1192, pp. 13, 14, 15. 1921.
wage rates, farm labor, 1866-1909. Stat. Bul. 99, pp. 29-43, 68-70. 1912.
walnut range and estimated stand. D.B. 933, pp. 7, 14. 1921.
Washington County, Belzoni drainage district, report. H. A. Kipp. O.E.S. Bul. 244, pp. 55. 1912.
water supply, records, by counties. Soils Bul. 92, pp. 88-91. 1913.
watershed, floods, spring of 1903. H. C. Frankenfield. W.B. Bul. M, pp. 63. 1904.

36167°—32——98

1548   UNITED STATES DEPARTMENT OF AGRICULTURE

Mississippi—Continued.
wheat—
acreage and varieties. D.B. 1074, p. 212. 1922.
crops, acreage, production, and value. Stat. Bul. 57, pp. 5–25, 32. 1907; rev., pp. 5–25, 32, 38. 1908.
growing, yields and cultural suggestions. F.B. 885, pp. 1–14. 1917.
varieties adapted. F.B. 616, p. 6. 1914; F.B. 1168, p. 9. 1921.
yields and prices, 1866–1915. D.B. 514, p. 12. 1917.
Winston County cooperative marketing demonstrations. Y.B. 1919, pp. 213–214. 1920; Y.B. Sep. 808, pp. 213–214. 1920.
wood and coal yards, establishment by State law. News L., vol. 5, No. 45, p. 2. 1918.
See also Gulf Coastal Plains.
Mississippi River—
bottom lands, description. Biol. Bul. 38, pp. 5–8. 1911.
flood, 1912, losses, warnings. An. Rpts., 1912, pp. 274–275. 1913; W.B. Chief Rpt., 1912, pp. 16–17. 1912.
levees—
appropriation bills. Off. Rec. vol. 1, No. 21, p. 2. 1922.
southern Louisiana. D.B. 71, pp. 19, 24, 29, 35, 37, 42, 46, 49, 53, 60. 1914.
overflowed lands, reclamation. O.E.S. Bul. 158, pp. 676–691. 1905.
soil removal per annum. Y.B., 1913, p. 213. 1914; Y.B. Sep. 624, p. 213. 1914.
upper, game refuge. Off. Rec. vol. 3, No. 25, p. 2. 1924.
Mississippi Valley—
alluvial lands, extent and formation. O.E.S. An. Rpt., 1908, pp. 407–417. 1909.
black willow growth, value, volume and form tables. D.B. 316, pp. 12–25. 1915.
cooperative creameries. Ole A. Storvick. B.A.I. Dairy [Misc.], "World's dairy congress, 1923," pp. 933–938. 1924.
cottonwood in. A. W. Williamson. D.B. 24, pp. 62. 1913.
Delta region, location, description, and mosquito control. D.B. 1098, pp. 1–22. 1922.
drainage by pumping. O.E.S. Bul. 243, pp. 12–43. 1911.
drainage of marsh lands, possibilities, methods, and cost. News L., vol. 3, No. 15, pp. 1, 4. 1915.
early sowing of grains, advantages. News L., vol. 4, No. 37, p. 4. 1917.
egg industry, methods. Y.B., 1911, pp. 468–471. 1912; Y.B. Sep. 584, 1911, pp. 468–471. 1912.
emmer and spelt growing experiments. D.B. 1197, pp. 20–27, 55. 1924.
Lower, drainage project. O.E.S. An. Rpt., 1907, pp. 42–43. 1908.
Mexican boll weevil studies. R. W. Howe. D.B. 358, pp. 32. 1916.
overflowed lands, emergency crops. Bradford Knapp. B.P.I. Doc. 756, pp. 8. 1912.
plant introduction garden. An. Rpts., 1908, p. 394. 1909; B.P.I. Chief Rpt., 1908, p. 122. 1908.
steamboat routes, including Gulf coast, description. D.B. 74, pp. 7–9. 1914.
upper, pump drainage, conditions. D.B. 304, pp. 7–55. 1915.
water transportation conditions. Y.B., 1907, pp. 295–303. 1908; Y.B. Sep. 449, pp. 295–303. 1908.
Missouri—
agricultural—
colleges and experiment stations, organization—
1905. O.E.S. Bul. 161, pp. 40–41. 1905.
1906. O.E.S. Bul. 176, pp. 45–47. 1907.
1907. O.E.S. Bul. 197, pp. 48–50. 1908.
1910. O.E.S. Bul. 224, pp. 41–42. 1910.
1911. O.E.S. Bul. 247, pp. 42–44. 1912.
See also Agriculture, workers, list.
education extension. O.E.S. Bul. 196, p. 29. 1907.
extension work, statistics. D.C. 253, pp. 5, 8, 10–11, 17, 18. 1923.
and Ohio wines, labeling of. F.I.D. 120, pp. 1–2. 1910.

Missouri—Continued.
apple growing—
areas, production, and varieties. D.B. 485, pp. 6, 21–22, 44–47. 1917.
on Knox silt loam. Soils Cir. 33, p. 14. 1911.
appropriations for experiment station work and buildings. O.E.S. An. Rpt., 1911, pp. 56, 140, 143. 1912.
associations, berry and fruit growers. Rpt. 98, pp. 227–229. 1913.
barley crops, 1866–1906, acreage, production, and value. Stat. Bul. 59, pp. 7–26, 31. 1907.
bee—
and honey statistics. D.B. 325, pp. 3–12. 1915; D.B. 685, pp. 7–36. 1918.
diseases, occurrence. Ent. Cir. 138, p. 13. 1911.
keeping, number of farms, colonies and products. Ent. Bul. 75, Pt. VI, p. 63. 1909.
beef-cattle raising, details, tables, and discussion. Rpt. 111, pp. 12, 15–27, 30, 33–48, 52–55, 61–64. 1916.
bird protection. *See* Bird protection, officials.
boll-weevil dispersion line, 1922. D.C. 266, pp. 2, 3. 1923.
bounty laws, 1907. Y.B., 1907, p. 563. 1908; Y.B. Sep. 473, p. 563. 1908.
bovine tuberculosis, quarantine laws, ineffective. B.A.I. Bul. 28, pp. 71–72. 1901.
boys' and girls' institutes. O.E.S. Bul. 251, pp. 18–19. 1912.
buckwheat crops, 1866–1906, acreage, production, and value. Stat. Bul. 61, pp. 5–17, 22. 1908.
cantaloupe shipments, 1914. D.B. 315, pp. 17, 19. 1915.
cattle tick—
conditions, 1911. B.A.I. An. Rpt., 1910, p. 257. 1912; B.A.I. Cir. 187, p. 257. 1912.
eradication work, 1906. B.A.I. An. Rpt. 1906, p. 105. 1908.
cement factories, potash content and loss. D.B. 572, p. 5. 1917.
chinch-bug—
control experiments. Ent. Bul. 107, p. 12. 1911.
outbreaks in 1921. D.B. 1103, p. 13. 1922.
studies, 1907–1910. Ent. Bul. 95, Pt. III, pp. 26–30, 32–36, 41–46. 1911.
convict road work, laws. D.B. 414, pp. 204–205. 1916.
cooperative associations, statistics, and details. D.B. 547, pp. 13, 32, 46. 1917.
corn—
acreage and yield. Sec. [Misc.] Spec., "Geography * * * world's agriculture," p. 32. 1918.
crops, 1866–1906, acreage, production, and value. Stat. Bul. 56, pp. 7–27, 32. 1907.
crops, 1866–1915, yields and prices. D.B. 515. p. 10. 1917.
earworm outbreaks, 1921. D.B. 1103, pp. 7, 9. 1922.
growing, practices and farm conditions in Bates County. D.B. 320, pp. 53–54. 1916.
production, movements, consumption, and prices. D.B. 696, pp. 15, 16, 20, 28, 33, 36, 38, 41, 49. 1918; D.B. 896, pp. 3–4, 1920.
credits, farm-mortgage loans, costs, and sources. D.B., 384, pp. 2, 3, 4, 7, 10, 11. 1916.
crop planting and harvesting dates, important crops. Stat. Bul. 85, pp. 23, 35, 58, 70, 79, 88, 91, 97, 106. 1912.
crow roost, location, and numbers of birds. Y.B., 1915, pp. 88, 94. 1916; Y.B. Sep. 659, pp. 88, 94. 1916.
culling hens, and profits. News L., vol. 6, No. 34, p. 7. 1919.
dairy laws. B.A.I. Bul. 26, pp. 20–21, 66. 1900.
demonstration farms, additional, 1910, work. O.E.S. An. Rpt., 1910, pp. 64, 177. 1911.
demurrage provisions, regulations. D.B. 191, pp. 3, 12, 13, 16, 26. 1915.
destruction of predatory animals. Off. Rec. vol. 2, No. 36, p. 8. 1923.
dewberry growing, varieties, and methods. F.B. 728, p. 2. 1916.
drainage by pumping, conditions, and cost. D.B. 304, pp. 6–7, 31, 32, 56. 1915.
drug laws. Chem. Bul. 98, pp. 111–113. 1906; rev., Pt. I, pp. 166–174. 1909.

INDEX TO PUBLICATIONS, 1901–1925   1549

Missouri—Continued.
 early settlement, historical notes. *See* Soil surveys *for various counties and areas.*
 egg demonstration car, work and itinerary, 1913, 1914. Y.B., 1914, pp. 365, 378, 379. 1915; Y.B. Sep. 647, pp. 365, 378, 379. 1915.
 Experiment Station—
  bacteriological studies of soil. J.A.R., vol. 6, No. 24, pp. 953–975. 1916.
  irrigation experiments. H. J. Waters. O.E.S. Bul. 119, pp. 305–311. 1902.
  lactation stage experiments. B.A.I. Bul. 155, pp. 1–88. 1913.
  report of work—
   1906. H. J. Waters. O.E.S. An. Rpt., 1906, pp. 123–125. 1907.
   1907. H. J. Waters. O.E.S. Doc. 1130, pp. 125–128. 1908.
   1908. H. J. Waters. O.E.S. An. Rpt., 1908, pp. 122–124. 1909.
   1909. F. B. Mumford. O.E.S. An. Rpt., 1909, pp. 135–138. 1910.
   1910. F. B. Mumford. O.E.S. An. Rpt., 1910, pp. 175–178. 1911.
   1911. F. B. Mumford. O.E.S. An. Rpt., 1911, pp. 140–143. 1912.
   1912. F. B. Mumford. O.E.S. An. Rpt., 1912, pp. 146–149. 1913.
   1913. F. B. Mumford. O.E.S. An. Rpt., 1913, pp. 21, 26, 28, 58–59. 1915.
   1914. F. B. Mumford. O.E.S. An. Rpt., 1914, pp. 145–151. 1915.
   1915. F. B. Mumford. S.R.S. Rpt., 1915, Pt. I, pp. 162–168. 1916.
   1915. F. B. Mumford. O.E.S. An. Rpt., 1915, pp. 162–168. 1917.
   1916. F. B. Mumford. S.R.S. Rpt., 1916, Pt. I, pp. 166–172. 1918.
   1917. F. B. Mumford. S.R.S. Rpt., 1917, Pt. I, pp. 160–166. 1918.
   1918. S.R.S. An. Rpt., 1918, pp. 53, 57, 64, 66, 70–80. 1920.
  steer fattening experiments. F.B. 1218, pp. 32–34. 1921.
 experimental mushroom culture. B.P.I. Bul. 85, pp. 39–47, 51, 59. 1911.
 extension work—
  1917, report. A. J. Meyer. S.R.S. Rpt., 1917, Pt. II, pp. 263–271. 1919.
  in agriculture and home economics—
   1915. A. J. Meyer. S.R.S. Rpt., 1915, Pt. II, pp. 239–244. 1917.
   1916. A. J. Meyer. S.R.S. Rpt., 1916, Pt. II, pp. 264–268. 1917.
  statistics. D.C. 306, pp. 3, 6, 10, 14, 20, 21. 1924.
 fairs, number, kind, location, and dates. Stat. Bul. 102, pp. 13, 14, 41–44. 1913.
 farm(s)—
  animals, statistics, 1867–1907. Stat. Bul. 64, p. 119. 1908.
  conditions, letters from women. Rpt. 103, pp. 13, 18, 30, 33, 41, 47, 59, 70, 75. 1915; Rpt. 104, pp. 12, 18, 26, 32, 37, 47, 51, 52, 55, 59, 76. 1915; Rpt. 105, pp. 14, 31, 39, 50, 55, 63. 1915; Rpt. 106, pp. 11, 18, 29, 60, 63. 1915.
  leases, provisions. D.B. 650, pp. 4, 28. 1918.
  owning motor trucks, reports. D.B. 931, pp. 3, 4. 1921.
  values—
   changes, 1900–1905. Stat. Bul. 43, pp. 11–17, 29–46. 1906.
   income, and tenancy classification. D.B. 1224, pp. 105–106. 1924.
 farmers' institutes—
  duties of State Board of Agriculture. O.E.S. Bul. 135, pp. 22–23. 1903.
  for young people. O.E.S. Cir. 99, pp. 20–21. 1910.
  history. O.E.S. Bul. 174, pp. 54–55. 1906.
  legislation. O.E.S. Bul. 241, p. 27. 1911.
  work—
   1904. O.E.S. Rpt., 1904, pp. 650–651. 1905.
   1906. O.E.S. Rpt., 1906, p. 337. 1907.
   1907. O.E.S. An. Rpt., 1907, pp. 335–336. 1908.
   1908. O.E.S. An. Rpt., 1908, p. 318. 1909.
   1909. O.E.S. An. Rpt., 1909, p. 348. 1910.
   1910. O.E.S. An. Rpt., 1910. p. 408. 1911.
   1911. O.E.S. An. Rpt., 1911, p. 374. 1912.
   1912. O.E.S. An. Rpt., 1912, p. 367. 1913.

Missouri—Continued.
 farming—
  area surveys, 1915. D.B. 633, pp. 28. 1918.
  success near Monett, factors. W. J. Spillman. D.B. 633, pp. 28. 1918.
 field work of Plant Industry, December, 1924. M.C. 30, p. 31. 1925.
 food laws—
  1904. Chem. Cir. 16, pp. 12, 22. 1904.
  1905. Chem. Bul. 69, rev., Pt. IV, pp. 327–339. 1906.
  1907. Chem. Bul. 112, Pt. I, pp. 120–130. 1908.
  enforcement, 1908. Chem. Cir. 16, rev., pp. 14–15. 1908.
 forest fires, statistics. For. Bul. 117, p. 31. 1912.
 freedom from cattle tick. News L., vol. 3, No. 7, p. 6. 1915.
 frost protection work. F.B. 104, rev., pp. 29–30. 1910.
 funds for cooperative extension work, sources. S.R.S. Doc. 40, pp. 4, 6, 10, 16. 1917.
 fur animals, laws—
  1915. F.B. 706, p. 10. 1916.
  1916. F.B. 783, pp. 11–12, 27. 1916.
  1917. F.B. 911, pp. 14, 31. 1917.
  1918. F.B. 1022, pp. 14, 31, 1918.
  1919. F.B. 1079, pp. 5, 17, 31. 1919.
  1920. F.B. 1165, p. 15. 1920.
  1921. F.B. 1238, p. 15. 1921.
  1922. F.B. 1293, p. 13. 1922.
  1923–24. F.B. 1387, p. 16. 1923.
  1924–25. F.B. 1445, p. 12. 1924.
  1925–26. F.B. 1469, p. 15. 1925.
 game laws—
  1902. F.B. 160, pp. 17, 32, 42. 1902.
  1903. F.B. 180, pp. 12, 23, 33, 44, 46. 1903.
  1904. F.B. 207, pp. 20, 34, 44, 62. 1904.
  1905. F.B. 230, pp. 18, 31, 38. 1905.
  1906. F.B. 265, pp. 17, 30, 37, 44. 1906.
  1907. F.B. 308, pp. 7, 16, 29, 36, 44. 1907.
  1908. F.B. 336, pp. 18, 32, 40, 44, 51. 1908.
  1909. F.B. 376, pp. 6, 12, 23, 34, 39, 43. 1909.
  1910. F.B. 418, pp. 16, 27, 33, 36. 1910.
  1911. F.B. 470, pp. 12, 21, 32, 38, 41, 48. 1911.
  1912. F.B. 510, pp. 16, 25–26, 28, 32, 34, 38, 39, 44. 1912.
  1913. D.B. 22, pp. 13, 20, 28, 40, 45, 49, 54. 1913, rev., pp. 13, 20, 21, 28, 40, 45, 49, 54. 1913.
  1914. F.B. 628, pp. 10, 11, 12, 19, 28–29, 32, 36, 38, 41, 42, 49. 1914.
  1915. F.B. 692, pp. 4, 5, 6, 11, 29, 42, 47, 50, 52, 59. 1915.
  1916. F.B. 774, pp. 27, 40, 45, 49, 51, 59. 1916.
  1917. F.B. 910, pp. 24, 48, 52. 1917.
  1918. F.B. 1010, pp. 21, 46, 61, 70. 1918.
  1919. F.B. 1077, pp. 24, 49, 55, 72, 73. 1919.
  1920. F.B. 1138, p. 26. 1920.
  1921. F.B. 1235, pp. 28, 56, 80. 1921.
  1922. F.B. 1288, pp. 24, 54, 67, 79. 1922.
  1923–24. F.B. 1375, pp. 24–25, 49. 1923.
  1924–25. F.B. 1444, pp. 17, 37. 1924.
  1925–26. F.B. 1466, pp. 23–24, 44. 1925.
  relating to domesticated deer. F.B. 330, p. 19. 1908.
 game protection. *See* Game protection, officials.
 Geological Survey, annual report, 1894, description of Ozark region. B.P.I. Bul. 275, pp. 11–12. 1913.
 girls' sewing club, prizes. News L., vol. 6, No. 34, pp. 10–11. 1919.
 grain supervision districts, counties. Mkts. S.R.A. 14, pp. 21, 22, 23, 24, 26. 1916.
 grape shipments, 1916–1919, and destinations. D.B. 861, pp. 3, 46, 55–61. 1920.
 grapevine root rot caused by *Clitocybe tabescens* (Scop.) Bres. Arthur S. Rhoads. J.A.R., vol. 30, pp. 341–364. 1925.
 hay crops, 1866–1906, acreage, production, and value. Stat. Bul. 63, pp. 5–25, 30. 1908.
 hay shrinkage in stack, at experiment station, data. D.B. 873, pp. 4, 6. 1920.
 hemp growing, early history. Y.B., 1913, p. 292, 1914.
 herds, list of tested and accredited. D.C. 54, pp. 23, 61, 76. 1919; D.C. 142, pp. 15, 34, 40, 47–49. 1920; D.C. 143, pp. 4, 11, 35, 77. 1920; D.C. 144, pp. 4–49. 1920.
 highway department, establishment, and road mileage. Y.B., 1914, pp. 215, 222. 1915; Y.B. Sep. 638, pp. 215, 222. 1915.

Missouri—Continued.
  hog—
    cholera control, experiments, results. D.B. 584, pp. 8, 9, 10, 11, 12. 1917.
    cholera work, 1911-1914. An. Rpts., 1914, pp. 92-94. 1914; B.A.I. Chief Rpts., 1914, pp. 36-38. 1914.
    shipments, 1918. Y.B., 1922, p. 231. 1923; Y.B. Sep. 882, p. 231. 1923.
  hunting laws. Biol. Bul. 19, pp. 11, 12, 14, 15, 21, 27, 55, 56. 1904.
  irrigation experiments. H. J. Waters. O.E.S. Bul. 119, pp. 305-311. 1902.
  lard supply, wholesale and retail, August 31, 1917, tables. Sec. Cir. 97, pp. 13-31. 1918.
  law(s)—
    against Sunday shooting. Biol. Bul. 12, rev., p. 63. 1902.
    dog control, digest. F.B. 935, pp. 16-17. 1918; F.B. 1268, p. 17. 1922.
    nursery stock interstate shipment, digest. Ent. Cir. 75, rev., p. 5. 1908; F.H.B.S.R.A. 57, pp. 113, 114, 115. 1919.
    on community buildings. F.B. 1192, p. 38. 1921.
    tobacco inspection. B.P.I. Bul. 268, p. 32. 1913.
  legislation—
    protecting birds. Biol. Bul. 12, rev., pp. 19, 23, 27, 30, 39, 49, 52, 99-100, 137. 1902.
    relative to tuberculosis. B.A.I. Bul. 28, pp. 71-72. 1901.
  Little River drainage district, acreage. Y.B., 1918, p. 140. 1919; Y.B. Sep. 781, p. 6. 1919.
  livestock—
    admission, sanitary requirements. B.A.I. Doc. A-28, pp. 20-21. 1917; B.A.I. Doc. A-36, pp. 30-31. 1920; M.C. 14, pp. 38-39. 1924.
    associations. Y.B., 1920, pp. 524-525. 1921; Y.B. Sep. 866, pp. 524-525. 1921.
  lumber—
    cut, 1870-1920, value, and kinds. D.B. 1119, pp. 27, 30-35, 43-58. 1923.
    production, 1918, by mills, by woods, and lath and shingles. D.B. 845, pp. 6-10, 13, 16, 19, 22, 26, 27, 32, 34-38, 42-47. 1920.
    statistics. Rpt. 116, pp. 6-11, 35-38. 1918.
  maple—
    sugar and sirup, production for many years. F.B. 516, pp. 44-46. 1912.
    trees, injury by green-striped worm. Ent. Cir. 110, p. 3. 1909.
  milk supply and laws. B.A.I. Bul. 46, pp. 26, 36, 106-108, 179. 1903.
  oats—
    crops, 1866-1906, acreage, production, and value. Stat. Bul. 58, pp. 5-25, 30. 1907.
    crops, 1900-1909, acreage, production, and yield. F.B. 420, pp. 8, 9. 1910.
    growing, varietal experiments. D.B. 823, pp. 31-32, 67. 1920.
  officials, dairy, drug, feeding stuffs, and food. *See* Dairy officials; Drug officials.
  Ozark region—
    description, and fruit growing. B.P.I. Bul. 275, pp. 9, 10-20, 65. 1913.
    farm management. H. M. Dixon and J. M. Purdom. D.B. 941, pp. 51. 1921.
  pasture land on farms. D.B. 626, pp. 14, 52-54. 1918.
  peach—
    industry, season, and shipments. D.B. 298, pp. 4, 5, 12. 1916; D.B. 806, pp. 4-17. 1919.
    orchards, winter killing. F.B. 917, pp. 41-42. 1918.
    varieties, names and ripening dates. F.B. 918, p. 9. 1918.
  pear growing, distribution, and varieties. D.B. 822, p. 8. 1920.
  Pemiscot County, survey and tillage records for cotton. D.B. 511, pp. 17-20. 1917.
  plum curculio control work, experiments. Ent. Bul. 103, pp. 193-194, 198-200. 1912.
  potato(es)—
    crops, 1866-1906, acreage, production, and value. Stat. Bul. 62, pp. 7-27, 32. 1908.
    early crop location and carloads. F.B. 1316, pp. 3, 5. 1923.
    production and yield, 1909, in five leading counties. F.B. 1064, p. 5. 1919.

Missouri—Continued.
  quarantine for—
    cattle fever—
      Nov. 1, 1911. B.A.I.O. 183, rule 1, rev. 8, pp. 4-5. 1911.
      establishment, 1913. B.A.I.O. 199, rule 1, rev. 11, p. 6. 1913.
    Texas fever—
      April 1, 1909. B.A.I.O. 158, rule 1, rev. 4, p. 5. 1909.
      1910. B.A.I.O. 168, rule 1, rev. 6, p. 5. 1910.
      1912. B.A.I.O. 187, rule 1, rev. 9, pp. 5, 11. 1912.
  rat invasions, 1877 and 1904. Biol. Bul. 33, p. 17. 1909.
  roads—
    bond-built, amount of bonds and rate. D.B. 136, pp. 42, 56, 70, 81, 85. 1915.
    building-rock tests—
      1916, 1917. D.B. 370, pp. 43-44. 1916; D.B. 670, pp. 13, 25. 1918.
      1916-1921, results. D.B. 1132, pp. 20, 48, 52. 1923.
    experimental use of split-log drag. F.B. 321, p. 12. 1908.
    materials, tests. Rds. Bul. 44, p. 53. 1912.
    mileage and expenditures—
      1904. Rds. Cir. 72, pp. 4. 1907.
      1909. Rds. Bul. 41, pp. 25, 41, 42, 81-83. 1912.
      1914. D.B. 389, pp. 2, 3, 4, 5, 6, 7, 30-32. 1917.
      1915. Sec. Cir. 52, pp. 2, 4, 6. 1915.
      1916. Sec. Cir. 74, pp. 5, 7, 8. 1917.
    work by department, 1913-1914. D.B. 284, p. 5. 1915.
  rye crops, 1866-1906, acreage, production, and value. Stat. Bul. 60, pp. 5-25, 30. 1908.
  St. Louis, river-trade, passenger and freight traffic. Y.B., 1907, p. 296. 1908; Y.B. Sep. 449, p. 296. 1908.
  San Jose scale, occurrence. Ent. Bul. 62, p. 26. 1906.
  school garden work, St. Louis. O.E.S. Bul. 160, p. 33. 1905.
  schools, agricultural, work. O.E.S. Cir. 60, p. 6. 1904; O.E.S. Cir. 106, rev., pp. 18, 20-21, 24. 1912.
  shipments of fruits and vegetables, and index to station shipments. D.B. 667, pp. 6-13, 31-32. 1918.
  Sny Island levee and drainage district. O.E.S. Bul. 158, pp. 684-691. 1905.
  soil survey of—
    Andrew County. A.T. Sweet and H. V. Jordan. Soil Sur. Adv. Sh., 1921, pp. 817-850. 1925.
    Atchison County. Charles J. Mann and H. Krusekopf. Soil Sur. Adv. Sh., 1909, pp. 36. 1910; Soils F.O., 1909, pp. 1305-1336. 1912.
    Barry County. A. T. Sweet and E. W. Knobel. Soil Sur. Adv. Sh., 1916, pp. 44. 1918; Soils F.O., 1916, pp. 1931-1970. 1921.
    Barton County. H. H. Krusekopf and Floyd S. Bucher. Soil Sur. Adv. Sh., 1912, pp. 28. 1914; Soils F.O., 1912, pp. 1609-1632. 1915.
    Bates County. Charles J. Mann and others. Soil Sur. Adv. Sh., 1908, pp. 32. 1910; Soils F.O., 1908, pp. 1093-1120. 1911.
    Buchanan County. B. W. Tillman and C. E. Deardorff. Soil Sur. Adv. Sh., 1915, pp. 46. 1917; Soils F. O., 1915, pp. 1809-1850. 1919.
    Caldwell County. W. De Young and H. V. Jordan. Soil Sur. Adv. Sh., 1921, pp. 323-348. 1924.
    Callaway County. H. H. Krusekopf and others. Soil Sur. Adv. Sh., 1916, pp. 38. 1919; Soils F.O., 1916, pp. 1971-2004. 1921.
    Cape Girardeau County. H. Krusekopf and H. G. Lewis. Soil Sur. Adv. Sh., 1910, pp. 48. 1912; Soils F.O., 1910, pp. 1217-1260. 1912.
    Carroll County. E. S. Vanatta and L. V. Davis. Soil Sur. Adv. Sh., 1912, pp. 34. 1914; Soils F.O., 1912, pp. 1633-1662. 1915.
    Cass County. H. H. Krusekopf and Floyd S. Bucher. Soil Sur. Adv. Sh., 1912, pp. 28. 1914; Soils F.O., 1912, pp. 1663-1686. 1915.

INDEX TO PUBLICATIONS, 1901–1925   1551

Missouri—Continued.
  soil survey of—continued.
    Cedar County. E. B. Watson and H. F. Williams. Soil Sur. Adv. Sh., 1909, pp. 34. 1911; Soils F.O., 1909, pp. 1337–1366. 1912.
    Chariton County. W. I. Watkins and others. Soil Sur. Adv. Sh., 1918, pp. 34. 1921; Soils F.O., 1918, pp. 1277–1306. 1924.
    Cole County. A. T. Sweet and Robert Wildermuth. Soil Sur. Adv. Sh., 1920, pp. 1501–1530. 1924; Soils F.O., 1920, pp. 1501–1530. 1925.
    Cooper County. A. T. Sweet and others. Soil Sur. Adv. Sh., 1909, pp. 37. 1911; Soils F.O., 1909, pp. 1367–1399. 1912.
    Crawford County. W. Edward Hearn and Charles J. Mann. Soil Sur. Adv. Sh., 1905, pp. 18. 1906; Soils F.O., 1905, pp. 865–878. 1907.
    De Kalb County. H. H. Krusekopf and others. Soil Sur. Adv. Sh., 1914, pp. 25. 1916; Soils F.O., 1914, pp. 2005–2025. 1919.
    Dunklin County. A. T. Sweet and others. Soil Sur. Adv. Sh., 1914, pp. 47. 1916; Soils F.O., 1914, pp. 2095–2135. 1919.
    Franklin County. E. S. Vanatta and H. G. Lewis. Soil Sur. Adv. Sh., 1911, pp. 35. 1913; Soils F.O., 1911, pp. 1603–1633. 1914.
    Greene County. H. H. Krusekopf and F. Z. Hutton. Soil Sur. Adv. Sh., 1913, pp. 38. 1915; Soils F.O. 1913, pp. 1723–1756. 1916.
    Grundy County. A. T. Sweet and W. I. Watkins. Soil Sur. Adv. Sh., 1914, pp. 34. 1916; Soils F.O., 1914, pp. 1975–2004. 1919.
    Harrison County. E. S. Vanatta and E. W. Knovel. Soil Sur. Adv. Sh., 1914, pp. 36. 1916; Soils F.O., 1914, pp. 1943–1974. 1919.
    Howell County. Elmer O. Fippin and James L. Burgess. Soil Sur. Adv. Sh., 1902, pp. 17. 1903; Soils F.O., 1902, pp. 593–609. 1903.
    Jackson County. A. T. Sweet and others. Soil Sur. Adv. Sh., 1910, pp. 37. 1912; Soils F.O., 1910, pp. 1261–1293. 1912.
    Johnson County. B. W. Tillman and C. E. Deardorff. Soil Sur. Adv. Sh., 1914, pp. 33. 1916; Soils F.O., 1914, pp. 2027–2055. 1919.
    Knox County. H. H. Krusekopf and H. I. Cohn. Soil Sur. Adv. Sh., 1917, pp. 32. 1921; Soils F.O., 1917, pp. 1455–1482. 1923.
    Laclede County. David D. Long and others. Soil Sur. Adv. Sh., 1911, pp. 45. 1912; Soils F.O., 1911, pp. 1635–1675. 1914.
    Lafayette County, William DeYoung and H. V. Jordan. Soil Sur. Adv. Sh., 1920, pp. 813–837. 1923; Soils F.O. 1920, pp. 813–837. 1925.
    Lincoln County, A. T. Sweet and others. Soil Sur. Adv. Sh. 1917, pp. 44. 1920; Soils F.O. 1917, pp. 1483–1522. 1923.
    Macon County. H. Krusekopf and Floyd S. Bucher. Soil Sur. Adv. Sh., 1911, pp. 28. 1913; Soils F.O., 1911, pp. 1677–1700. 1914.
    Marion County. J. C. Britton and E. S. Vanatta. Soil Sur. Adv. Sh., 1910, pp. 26. 1911; Soils F.O. 1910, pp. 1295–1316. 1912.
    Miller County. H. G. Lewis and F. V. Emerson. Soil Sur. Adv. Sh., 1912, pp. 28. 1914; Soils F.O., 1912, pp. 1687–1710. 1915.
    Mississippi County. William De Young and Robert Wildermuth. Soil Sur. Adv. Sh., 1921, pp. 551–581. 1924.
    Newton County. A. T. Sweet and others. Soil Sur. Adv. Sh., 1915, pp. 41. 1917; Soils F.O., 1915, pp. 1851–1887. 1919.
    Nodaway County. E. S. Vanatta and others. Soil Sur. Adv. Sh., 1913, pp. 31. 1915; Soils F.O., 1913, pp. 1757–1783. 1916.
    O'Fallon area. Elmer O. Fippin, and J. A. Drake. Soil Sur. Adv. Sh., 1904, pp. 31. 1905; Soils F.O., 1904, pp. 815–843. 1905.
    Ozark region, reconnaissance. Curtis F. Marbut. Soil Sur. Adv. Sh., 1911, pp. 153. 1914; Soils F.O., 1911, pp. 1727–1873. 1914.
    Pemiscot County. A. T. Sweet and others. Soil Sur. Adv. Sh., 1910, pp. 32. 1912; Soils F.O., 1910, pp. 1317–1344. 1912.
    Perry County. B. W. Tillman and C. E. Deardorff. Soil Sur. Adv. Sh., 1913, pp. 34. 1915; Soils F.O., 1913, pp. 1785–1814. 1916.

Missouri—Continued.
  soil survey of—continued.
    Pettis County. H. H. Krusekopf and R. F. Rogers. Soil Sur. Adv. Sh., 1914, pp. 41. 1916; Soils F.O. 1914, pp. 2057–2093. 1919.
    Pike County. A. T. Sweet and E. C. Hall. Soil Sur. Adv. Sh., 1912, pp. 44. 1914; Soils F.O., 1912; pp. 1711–1750. 1915.
    Platte County. A. T. Sweet and others. Soil Sur. Adv. Sh., 1911, pp. 29. 1912; Soils F.O., 1911, pp. 1701–1725. 1914.
    Putnam County. Charles J. Mann and W. E. Tharp. Soil Sur. Adv. Sh., 1906, pp. 22. 1908; Soils F.O., 1906, pp. 893–910. 1908.
    Ralls County. A. T. Sweet and W. I. Watkins. Soil Sur. Adv. Sh., 1913, pp. 41. 1914; Soils F.O., 1913, pp. 1815–1851. 1916.
    Reynolds County. H. H. Krusekopf. Soil Sur. Adv. Sh., 1918, pp. 30. 1921; Soils F.O., 1918, pp. 1307–1332. 1924.
    Ripley County. F. Z. Hutton and H. H. Krusekopf. Soil Sur. Adv. Sh., 1915, pp. 36. 1917; Soils F.O., 1915, pp. 1889–1920. 1919.
    St. Charles County. See O'Fallon area.
    St. Francois County. H. H. Krusekopf, and others. Soil Sur. Adv. Sh., 1918, pp. 32. 1921; Soils F.O. 1918, pp. 1333–1360. 1924.
    St. Louis County. H. H. Krusekopf, and D. B. Pratapas. Soil Sur. Adv. Sh., 1919, pp. 517–562. 1923; Soils F.O. 1919, pp. 517–562. 1925.
    St. Louis County. See also O'Fallon area.
    Saline County. Earl M. Carr and H. L. Belden. Soil Sur. Adv. Sh., 1904, pp. 28. 1905; Soils F.O., 1904, pp. 791–814. 1905.
    Scotland County. W. Edward Hearn and Charles J. Mann. Soil Sur. Adv. Sh., 1905, pp. 18. 1906; Soils F.O., 1905, pp. 879–892. 1907.
    Shelby County. R. T. Avon Burke, and La Mott Ruhlen. Soil Sur. Adv. Sh., 1903, pp. 15. 1904; Soils F.O., 1903, pp. 875–889. 1904.
    Stoddard County. A. T. Sweet and others. Soil Sur. Adv. Sh., 1912, pp. 38. 1914. Soils F.O., 1912, pp. 1751–1784. 1915.
    Texas County. W. I. Watkins and others. Soil Sur. Adv. Sh., 1917, pp. 37. 1919; Soils F.O., 1917, pp. 1523–1555. 1923.
    Warren County. See O'Fallon area.
    Webster County. J. A. Drake and A. T. Strahorn. Soil Sur. Adv. Sh., 1904, pp. 18. 1905; Soils F.O., 1904, pp. 845–858. 1905.
  soils—
    Clarksville silt loam, location, and areas. Soils Cir. 30, p. 15. 1911.
    fertilizers needed. O.E.S. An. Rpt. 1911, pp. 64, 141. 1912.
    Knox silt loam, location, area, and crops grown. Soils Cir. 33, pp. 3, 4, 5, 9, 14, 17. 1911.
    Marshall silt loam, location, area, and crops grown. Soils Cir. 32, pp. 3, 10, 11, 14, 18. 1911.
    Meadow soil, areas and location. Soils Cir. 68, p. 20. 1912.
    Memphis silt loam, area, and location, Soils Cir. 35, pp. 3, 19. 1911.
    Wabash clay, areas, location, and uses. Soils Cir. 41, pp. 11, 16. 1911.
    Wabash silt loam, location, areas, and uses. Soils Cir. 40, p. 15. 1911.
  sorghum webworm outbreaks in 1921. D.B. 1103, pp. 24–25. 1922.
  standard containers. F.B. 1434, p. 17. 1924.
  State forestry laws. Jeannie S. Peyton. For. Leaf. 5, pp. 2. 1915; For. Misc., S–6, pp. 2. 1915.
  strawberry shipments, 1914. D.B. 237, pp. 8–9. 1915; F.B. 1026, p. 6. 1909.
  suit against migratory bird treaty act, decision. D.C. 102, pp. 4. 1920.
  teachers' training courses. Y.B., 1907, p. 209. 1908; Y.B. Sep. 445, p. 209. 1908.
  thermal belt, discussion. F.B. 104, rev. pp. 11–12. 1910.
  tobacco—
    culture, early development. B.P.I. Cir. 48, p. 4. 1910.

Missouri—Continued.
  tobacco—continued.
    growing, historical notes. B.P.I. Bul. 244, pp. 19, 72–85, 99. 1912; Y.B., 1922, pp. 401–406. 1923; Y.B. Sep. 885, pp. 401–406. 1923.
    marketing, inspection, and sales. B.P.I. Bul. 268, pp. 36, 42–45, 53, 57. 1913.
    production, 1888. B.P.I. Bul. 268, p. 46. 1913.
  tractor investigations, 1918. F.B. 1093, pp. 3–5. 1920.
  trucking industry, acreage and crops. Y.B., 1916, pp. 448, 455–465. 1917; Y.B. Sep. 702, pp. 14, 21–31. 1917.
  University, teachers' courses. O.E.S. Cir. 118, p. 18. 1913.
  wage rates, farm labor, 1840–1860, and 1866–1909. Stat. Bul. 99, pp. 18, 29–43, 68–70. 1912.
  walnut—
    range and estimated stand. D.B. 933, pp. 7, 12, 23, 31. 1921.
    stand and quality. D.B. 909, pp. 9, 10, 11, 20, 21, 23. 1921.
    water supply, records, by counties. Soils Bul. 92, pp. 91–96. 1913.
  well records, by States. Y.B., 1911, pp. 483–489. 1912; Y.B. Sep. 585, pp. 483–489. 1912.
  wheat—
    acreage and—
      production, 1918–1920. D.B. 1020, p. 5. 1922.
      production and costs. D.B. 1198, pp. 3–24, 29, 30, 32. 1924.
      varieties. D.B. 1074, p. 212. 1922.
      yield. Sec. [Misc.] Spec., "Geography * * * world's agriculture," p. 18. 1918.
    crops—
      1866–1906, acreage, production, and value. Stat. Bul. 57, pp. 5–25, 30. 1907; rev., pp. 5–25, 30, 37. 1908.
      1902–1904, production. Stat. Bul. 38, p. 18. 1905.
      growing, cost data, with other States. D.B. 943, pp. 1–59. 1921; F.B. 1305, pp. 3–5. 1922.
      production periods. Y.B., 1921, pp. 88, 94. 1922; Y.B. Sep. 873, pp. 88, 94. 1922.
      thrips prevalence. J.A.R., vol. 4, p. 219. 1915.
      varieties adapted. F.B. 616, p. 8. 1914; F.B. 1168, p. 11. 1921.
      yields and prices, 1866–1915. D.B. 514, p. 10. 1917.
  wine labeling. Chem. F.I.D. 120, pp. 1–2. 1910.
  wireworm outbreak. D.B., 156, pp. 8–9. 1915.
  wool selling, community work. News L., vol. 6, No. 52, p. 12. 1919.
  See also Corn Belt.
Missouri Plateau and slope, western North Dakota, description and drainage. Soil Sur. Adv. Sh., 1908, pp. 10–15. Soils F.O., 1908, pp. 1158–1163. 1911.
Missouri River, silt carried per year. Y.B., 1913, p. 212. 1914; Y.B. Sep. 624, p. 212. 1914.
Missouri River Valley, apple growing, localities and varieties, etc. Y.B., 1918, pp. 370, 373, 378. 1919; Y.B. Sep. 767, pp. 6, 9, 14. 1919.
Mistletoe—
  American, distribution, occurrence, and life history. B.P.I. Bul. 166, pp. 7–19. 1910.
  Australian, a nonparasitic tree. B.P.I. Bul. 166, p. 10. 1910.
  burl injuries, trees attacked, and description. D.B. 658, pp. 17, 19. 1918.
  cause of—
    general suppression and fungous diseases of conifers. D.B. 360, pp. 27–28. 1916.
    injury to Emory oak. For. Cir. 201, p. 12. 1912.
    "witches' broom," in yellow pine. D.B. 418, p. 14. 1917.
  control—
    efforts to propagate resistant oak. O.E.S. An. Rpt., 1907, p. 109. 1908.
    in conifer stands, Northwest, suggestions. D.B. 360, pp. 33–37. 1916.
    in forests of Southwest. D.B. 1105, p. 89. 1923.
    methods. B.P.I. Bul. 166, pp. 25–29, 33. 1910.
    on forest trees, suggestions. D.B. 317, pp. 23–24. 1916.
    on pecan. F.B. 1129, p. 12. 1920.

Mistletoe—Continued.
  effect on—
    quality of pine seed. For. Cir. 196, pp. 7, 11. 1912.
    young conifers. James R. Weir. J.A.R., vol. 12, pp. 715–178. 1918.
  European, characteristics and forms. B.P.I. Bul. 166, pp. 11, 23. 1910.
  germination and development, details. B.P.I. Bul. 166, pp. 11–17. 1910.
  host requirements, importance to silviculture. D.B. 360, pp. 31–33. 1916; D.B. 1112, pp. 29–30, 35. 1922.
  infestation of—
    conifer branches and trunks, description. D.B. 360, pp. 13–25. 1916.
    Oregon oak. For. Silv. Leaf. 52, p. 3. 1912.
  infested with Wallrothiella arceuthobii, description. J.A.R., vol. 4, pp. 369–378. 1915.
  injury(ies) to—
    conifers in the Northwest. James R. Weir. D.B. 360, pp. 39. 1916.
    cottonwood trees. D.B. 24, pp. 14–15. 1913.
    forest trees. D.B. 275, pp. 12, 29. 1916.
    jack pine in West, and in Canada. D.B. 212, pp. 7–8. 1915.
    lodgepole pine. D.B. 154, p. 22. 1915.
    oak trees, methods of attack, and control. B.P.I. Bul. 149, pp. 14–17. 1909.
    western yellow pine, method of spread. For. Bul. 101, p. 17. 1911.
  larch—
    economic considerations of injurious effects. James R. Weir. D.B. 317, pp. 27. 1916
    effect on growth and timber. D.B. 317 12–23. 1916.
  occurrence—
    as pest on trees, Texas. B.P.I. Bul. 226, pp. 67, 69, 72. 1912.
    in Northwest, injury to forest trees, discussion. D.B. 317, pp. 1–2. 1916.
    pest in Southwest. William L. Bray. B.P.I. Bul. 166, pp. 39. 1910.
    relation to insect attack. An. Rpts., 1914, p. 194. 1914; Ent. A.R., 1914, p. 12. 1914.
  seed—
    distribution, development, germination and characteristics. B.P.I. Bul. 166, pp. 11–17, 32. 1910; D.B. 360, p. 34. 1916.
    spread. D.B. 360, p. 34. 1916.
  spread by—
    tanagers, Porto Rico. D.B. 326, p. 123. 1916.
    wind, studies. D.B. 317, p. 17. 1916.
  value as decorative shrub. B.P.I. Bul. 166, pp. 8, 31, 33. 1910.
  western yellow pine, effect on growth and suggestions for control. Clarence F. Korstian and W. H. Long. D.B. 1112, pp. 36. 1922.
Mistol, importations and description. Nos. 44436, 44442, B.P.I. Inv. 50, pp. 72, 75. 1922; No. 45227, B.P.I. Inv. 53, pp. 10, 13. 1922.
MITCHELL, A. J.: "Climatology of Florida with regard to crops." W.B. Bul. 31, pp. 208–211. 1902.
MITCHELL, A. S., report as referee on food adulteration. Chem. Bul. 152, pp. 88–89. 1912.
MITCHELL, E. B.—
  "Animal disease and our food supply." Y.B., 1915, pp. 159–172. 1916; Y.B. Sep. 666, pp. 159–172. 1915.
  "The American farm woman as she sees herself." Y.B., 1914, pp. 311–318. 1915; Y.B. Sep. 644, pp. 311–318. 1915.
MITCHELL, G. F.—
  "Home-grown tea." F.B. 301, pp. 16. 1907.
  "The cultivation and manufacture of tea in the United States." B.P.I. Bul. 234, pp. 40. 1912.
MITCHELL, H. H.: "The occurrence of lactase in the alimentary tract of the chicken." With T. S. Hamilton. J.A.R., vol. 27, pp. 605–608. 1924.
MITCHELL, J. A.: "Incense cedar." D.B. 604, pp. 40. 1918.
MITCHELL, J. D.—
  "A practical demonstration of a method for controlling the cattle tick." With W. D. Hunter. B.A.I. Cir. 148, pp. 4. 1909.

MITCHELL, J. D.—Continued.
"Screw-worms and other maggots affecting animals." With others. F.B. 857, pp. 20. 1917.
"The principal cactus insects of the United States." With others. Ent. Bul. 113, pp. 71. 1912.
MITCHELL, L. C.: "The composition of different varieties of red peppers." With L. M. Tolman. Chem. Bul. 163, pp. 32. 1913.
MITCHELL, M. J.: "Course in cereal foods and their preparation, for movable schools of agriculture." O.E.S. Bul. 200, pp. 78. 1908.
Mitchella repens. See Squaw vine.
MITCHELSON, A. T.: "Spillways for reservoirs and canals." D.B. 831, pp. 40. 1920.
Mite(s)—
affecting stored cereals. Ent. Bul. 96, p. 7. 1911.
and scale insect enemies of citrus trees. C.L. Marlatt. Y.B., 1900, pp. 247–290. 1901; Y.B. Sep. 207, pp. 247–290. 1901.
bulb—
damages to Bermuda lilies and other plants. Rpt. 108, pp. 112, 116. 1915.
fumigation experiments. D.B. 186, p. 5. 1915.
habits and control. F.B. 1362, pp. 23–25. 1924.
interception in plant imports. F.H.B. An. Letter No. 36, pp. 2, 24. 1923.
carnation, control. F.B. 1362, pp. 29–30. 1924.
cattle-scab—
classification and habits. F.B. 1017, pp. 3–14. 1919.
description, injuries, and treatment. B.A.I. Dairy [Misc.], "Diseases of cattle," rev., pp. 526–528. 1912.
cause of scabies of cattle and sheep, eradication, progress. Y.B., 1915, pp. 162–163. 1916; Y. B. Sep. 666, pp. 162–163. 1916.
causing diseases in pheasants, control. F.B. 390, pp. 38, 39. 1910.
cheese. See Cheese mites.
chicken. See Chicken mites.
classification, life history and habits. Rpt. 108, pp. 1–153. 1915.
collecting, preparing, and rearing, directions. Rpt. 108, pp. 141–142. 1915.
control—
in Porto Rico. P.R. Cir. 17, pp. 16, 17. 1918.
of wireworms. D.B. 156, pp. 27–28. 1915.
on canaries. F.B. 1327, pp. 16–17. 1923.
tests with miscellaneous treatments. D.B. 1228, pp. 1–11. 1924.
depluming, injury to plumage of fowls. Ent. Cir. 92, p. 4. 1907.
destruction of grasshoppers. F.B. 637, p. 4. 1915.
disease—
potato, description and control. Hawaii Bul. 45, pp. 13, 17, 31–33. 1920.
sweet-peppers, study and control. Hawaii A.R., 1919, p. 53. 1920.
Duchemin, bee enemy, discovery in France. D.C. 287, pp. 14–15. 1923.
enemies—
and scale insects of citrus trees. C.L. Marlatt. Y.B., 1900, pp. 247–290. 1901; Y.B., Sep. 207, pp. 247–290. 1901.
of—
alfalfa weevil. Ent. Bul. 112, pp. 32–33. 1912.
beet leaf-beetle. F.B. 1193, p. 8. 1921.
cankerworms. D.B. 1238, pp. 31–32. 1924.
citrus trees, spraying in Florida. W. W. Yothers. D.B. 645, pp. 19. 1918.
striped cucumber beetle. F.B. 1322, p. 7. 1923.
examination of bees for. D.C. 218, pp. 5–6. 1922.
follicle, cause of demodectic mange, description, habits, and control. F.B. 1085, pp. 11–12. 1920.
gall-making, description, habits, and control. F.B. 1169, p. 94. 1921.
grain, description and control. Rpt. 108, p. 116. 1915.
harvest—
or "chiggers." F. H. Chittenden. Ent. Cir. 77, pp. 6. 1906; F.B. 671, pp. 7. 1915.
technical description, habits and control. Rpt. 108, p. 41. 1915.
See also Chiggers.
hog-mange, description, habits, and control. D.B. 1085, pp. 6–12. 1920.

Mite(s)—Continued.
hypopus stage and means of spread. F.B. 789, p. 7. 1917.
injury to—
bamboos. D.B. 1329, pp. 42–44. 1925.
grain, control. F.B. 1260, p. 42. 1922.
hens and control. F.B. 889, pp. 19–20. 1917.
introduction, danger and descriptions. Sec. [Misc.], "A manual of * * * insects * * *," pp. 7, 11, 26, 45, 55, 70, 82, 86, 118, 119, 127, 132, 133, 139, 141, 158, 164, 172, 183. 1917.
itch—
description and habits. Rpt. 108, pp. 14, 112, 115, 128–133. 1915.
injuries to fowls, description and control method. F.B. 801, p. 10. 1917.
Japanese sheath, control on bamboo. D.B. 1329, p. 44. 1925.
killer, adulteration and misbranding. I. and F. Bd., S.R.A. 24, pp. 515–516. 1919.
occurrence in the Pribilof Islands, Alaska. N.A. Fauna 46, Pt. II, p. 238. 1923.
or acarina. Nathan Banks. Rpt. 108, p. 153. 1915.
orange-rust, description, habits, and control. Rpt. 108, p. 137. 1915.
parasitic enemy of—
Argentina ant. Ent. Bul. 122, pp. 73–75. 1913.
boll weevil, description. Ent. Bul. 100, pp. 43–47. 1912.
predaceous—
feeding on mushroom mites. Ent. Cir. 155, p. 6. 1912.
noxious to man. F. M. Webster. Ent. Cir. 118, pp. 24. 1910.
red—
enemy of codling moth, destruction of larvae. Ent. Bul. 80, Pt. I, p. 30. 1909.
habits and control in chicken houses. F.B. 1337, p. 35. 1923.
injury to papaya. Hawaii Bul. 32, p. 44. 1914.
of chickens—
description and eradication methods. F.B. 957, pp. 41–42. 1918.
destruction by petroleum, note. News L., vol. 4, No. 19, p. 4. 1916.
rust. See Cotton, red spider; Rust mite. See also *under host.*
sarcoptic mange—
description, habits, and control. F.B. 1085, pp. 6–11. 1920; rev., pp. 6–11. 1923.
presence on dogs, symptoms and treatments. D.C. 338, pp. 3–6. 1925.
scaly-leg, description and control. F.B. 801, p. 10. 1917.
sheep-scab—
description, distribution, results, and control. B.A.I. An. Rpt., 1910, pp. 456–461. 1912; B.A.I. Cir. 193, pp. 456–461. 1912; F.B. 159, pp. 7–14. 1903; F.B. 1150, pp. 10–13. 1920; F.B. 1330, pp. 10–13. 1923.
life history, description and vitality. F.B. 713, pp. 3–5. 1916.
snout, classification and description. Rpt. 108, pp. 23–25. 1915.
spraying in greenhouses, directions. J.A.R., vol. 10, pp. 387–389. 1917.
sugar, description and habits. Rpt. 108, pp. 18, 109–118. 1915.
superfamilies and families, synopses. Rpt. 108, pp. 17–19. 1915.
technical description by families, genera and species. Rpt. 108, pp. 20–140. 1915.
tropical fowl. See Fowl mite.
vinegar, description and control. F.B. 1424, p. 23. 1924.
water, classification, description, and habits. Rpt. 108, pp. 14, 17, 19, 45–56. 1915.
See also *under host.*
Mitsuba, use as vegetable in Japan, No. 45247. B.P.I. Inv. 53, pp. 8, 17. 1922.
Mitsumata, use as paper plant by Japanese. B.P.I. Bul. 42, pp. 9–15. 1903.
Mix, ice-cream, standardizing. B.A.I. Dairy [Misc.], "World's dairy congress, 1923," pp. 488–500. 1924.
Mixer—
electrical, use in corn acidity determination, description and use methods. Sec. Cir. 68, pp. 1–4. 1916.

Mixer—Continued.
  for gipsy moth tree-banding material, description.
    D.B. 899, pp. 3–5. 1920.
Mixing machines, chicken feed. B.A.I. Bul. 140,
    p. 20. 1911.
Mixorthezia cubana, description. J.A.R., vol. 30,
    pp. 151–152. 1925.
MIYABE, I., studies of fungous diseases, Japan.
    B.P.I. Bul. 171, pp. 8–11. 1910.
MIYAKE, KOJI, investigations of alkali salts, effect
    on rice. J.A.R., vol. 4, pp. 201, 202, 211–212.
    1915.
MIYAWAKI, ATSUSHI: "The principal factors affect-
    ing the keeping quality of sweetened condensed
    milk." B.A.I. Dairy [Misc.], "World's dairy
    congress, 1923," pp. 1233–1240. 1924.
Mniotitta varia. See Warbler, black-and-white.
Mobile, Ala.—
  milk supply, details and statistics. B.A.I. Bul.
    46, pp. 34, 45. 1903; B.A.I. Bul. 70, pp. 6–7,
    34. 1905.
  trade center for farm products, statistics. Rpt.
    98, pp. 288, 326. 1913.
Moca—
  host plant for coffee leaf spot. P.R. Bul. 28, p. 7.
    1921.
  occurrence in Porto Rico, description and uses.
    D.B. 354, pp. 33, 75. 1916.
  value as honey plant, Porto Rico. P.R. Bul. 15,
    p. 13. 1914.
Moccasins, made from hides of seals and sea lions,
  Alaska. D.C. 88, p. 11. 1920.
Mocha coffee—
  growing in Porto Rico, hillside lands, testing.
    P.R. Bul. 21, pp. 4–7, 10–13. 1917.
  labeling. F.I.D. 91, pp. 3. 1908.
  origin and meaning of term. Stat. Bul. 79,
    pp. 84–85. 1912.
  production, exports, and imports. Stat. Bul. 79,
    pp. 84–88. 1912.
Mock duck, recipe for making. F.B. 391, p. 27.
    1910.
Mock orange—
  importations and description. No. 39919, B.P.I.
    Inv. 42, p. 39. 1918; Nos. 52456–52457, 52649–
    52657, B.P.I. Inv. 66, pp. 6, 28–29, 55. 1923;
    Nos. 53718–53726, B.P.I. Inv. 67, pp. 81–82.
    1923.
  infestation with Mediterranean fruit fly. D.B.
    536, pp. 24, 40. 1918.
Mock rabbit, cooking, recipe. F.B. 391, pp. 34–35.
    1910.
Mockernut—
  injury by sapsuckers. Biol. Bul. 39, pp. 30, 70–71.
    1911.
  See also Hickory.
Mocking bird—
  description, range, and habits. F.B. 513, p. 12.
    1913.
  enemy to boll weevil, investigations. Biol. Bul.
    25, p. 14. 1906.
  food habits—
    and occurrence, in Arkansas. Biol. Bul. 38,
      p. 84. 1911.
    relation to agriculture. F.B. 755, pp. 9–11.
      1916.
  Jamaican, occurrence in Porto Rico, habits, and
    food. D.B. 326, pp. 10, 90–92. 1915.
  protection by law. Biol. Bul. 12, rev., pp. 38,
    39, 40, 41. 1902.
  western, food habits. Biol. Bul. 30, pp. 52–55.
    1907.
Model house, demonstration, suggested by farm
  women. Rpt. 105, pp. 37, 39, 40, 41, 43, 45, 46, 47.
    1915.
Modeling fruit, directions. Hawaii A.R., 1911,
  pp. 37–38. 1912.
Modesto Irrigation District, water supply system,
  methods and cost. O.E.S. Bul. 229, pp. 33–37.
    1910.
Modesto-Turlock irrigation canals, description and
  capacity. Soil Sur. Adv. Sh., 1908, pp. 59–61.
    1909; Soils F.O., 1908, pp. 1283–1285. 1911.
Modoc National Forest, California—
  location, description, and area. D.C. 185, p. 14.
    1921.
  map and directions to tourists and campers:
    For. Map Fold. 1915; For. Maps. 1925.
  timber uses by small operators. Y.B., 1912,
    p. 408. 1913; Y.B. Sep. 602, p. 408. 1913.

"Modulus of elasticity," meaning of term as applied
  to wood. D.B. 556, pp. 22. 1917.
Moeller's grass bacillus, failure to produce odor on
  beef. J.A.R., vol. 21, p. 695. 1921.
MOFFITT, E. L.: "Soil survey of Lancaster County,
  Pa." With others. Soil Sur. Adv. Sh., 1914,
  pp. 70. 1916; Soils F.O., 1914, pp. 327–392. 1919.
Mogollon Mountains, New Mexico, location,
  description, and climate. N.A. Fauna 35, pp. 62–
  65. 1913.
Mohair—
  adaptation for various purposes. B.A.I. Bul. 27,
    pp. 57–59. 1906.
  American, compared with Turkish. B.A.I.
    Bul. 27, rev., p. 60. 1906.
  comparison to wool fiber. B.A.I. Bul. 27, p. 48.
    1901.
  fleeces, description, and prices. B.A.I. Bul. 27,
    pp. 47–50, 56–60. 1901.
  grading methods, and prices. F.B. 1203, pp. 21–
    22. 1921.
  imports—
    1901–1907. F.B. 137, rev., p. 28. 1908.
    tariff duty, act of 1897. B.A.I. An. Rpt., 1900,
      p. 354. 1901; B.A.I. Bul. 27, p. 74. 1901.
  length and prices. B.A.I. An. Rpt., 1904, p.
    402. 1905.
  luster, permanence. B.A.I. Bul. 27, pp. 47–48,
    57–58. 1906.
  manufactures. Y.B., 1901, pp. 271–284. 1902;
    B.A.I. An. Rpt., 1901, pp. 480–492. 1902.
  manufactures, features. B.A.I. Bul. 27, rev., pp.
    57–60. 1906.
  prices and yields. B.A.I. An. Rpt., 1904, p.
    397. 1905.
  production—
    1877–1899, Cape of Good Hope and Turkey.
      F.B. 137, pp. 46–47. 1901.
    1899, 1909, sources, weight of fleeces, and price.
      F.B. 573, pp. 1–3. 1914.
    1916–1920. and consumption. F.B. 1203, p. 21.
      1921.
    1919, and value, map. Y.B., 1921, p. 486.
      1922; Y.B. Sep. 878, p. 80. 1922.
    and imports. B.A.I. An. Rpt., 1900, p. 354.
      1901; B.A.I. Bul. 27, pp. 71–74. 1901.
    importance of industry in United States.
      B.A.I. Bul. 27, rev., p. 71. 1906; F.B. 1203,
      p. 3. 1921.
    quality, requirements and prices. F.B. 137,
      pp. 17–28. 1901.
  quality—
    description, uses, and manufactures. B.A.I.
      An. Rpt., 1900, pp. 308–317. 1901; B.A.I.
      Bul. 27, pp. 47–60. 1901.
    of fiber, influence of age and sex, weight and
      length of fleece. F.B. 137, pp. 17–20. 1901.
  shrinkage, causes. F.B. 573, p. 7. 1914.
  standardization work. B.A.E. Chief Rpt., 1924,
    p. 27. 1924.
  tests, comparison with wool fibers. F.B. 137,
    p. 18. 1901.
  weight and length of fleece. B.A.I. Bul. 27, rev.,
    p. 50. 1906.
Mohave, importation and description. No. 37705,
  B.P.I. Inv. 39, pp. 8, 24. 1917.
MOHLER, J. R.—
  "A study of surra found in an importation of
    cattle." With William Thompson. B.A.I.
    An. Rpt., 1909, pp. 81–98. 1911; B.A.I. Cir.
    169, pp. 17. 1911.
  address on live-stock industry. News L., vol. 7,
    No. 10, pp. 1, 11. 1919.
  address on tick eradication. News L., vol. 6,
    No. 29, pp. 3–4. 1919.
  "Apoplectiform septicemia in chickens," with
    Victor A. Norgaard. B.A.I. Bul. 36, pp. 24.
    1902.
  "*Bacillus necrophorus* and its economic impor-
    tance." With George Byron Morse. B.A.I.
    Cir. 91, pp. 41. 1906.
  "A study of surra found in an importation of
    cattle, followed by prompt eradication." With
    William Thompson. B.A.I. Cir. 169, pp. 17.
    1911.
  "Blackleg: Its nature, cause and prevention."
    B.A.I. Cir. 31, rev., pp. 24, 1907; rev., pp. 23.
    1911; rev., pp. 22. 1915. F.B. 1355, pp. 13.
    1923.

MOHLER, J. R.—Continued.
"Bones: Diseases and accidents." (Revision of article by V. T. Atkinson.) B.A.I. [Misc.], "Diseases of cattle," rev., pp. 261–284. 1904; "Diseases of cattle," rev., pp. 269–294. 1912; "Diseases of cattle," rev., pp. 264–288. 1923.
"Cerebrospinal meningitis." D.B. 65, pp. 14. 1914.
"Chronic bacterial dysentary of cattle." B.A.I. Cir. 156, pp. 3. 1910.
"Dermal mycosis associated with sarcoptic mange in horses." With A. D. Melvin. B.A.I. An. Rpt., 1907, pp. 259–277. 1909.
"Diseases of the skin." B.A.I. [Misc.], "Diseases of cattle," rev., pp. 320–334. 1923.
"Dourine." B.A.I., [Misc.], "Diseases of the horse," rev., pp. 562–564. 1916; rev., pp. 562–564. 1923.
"Dourine of horses." With H. W. Schoening. F.B. 1146, pp. 12. 1920.
"Dourine of horses: Its cause and suppression." B.A.I. Bul. 142, pp. 38. 1911.
"Effects of diseases and conditions of cattle on milk supply. B.A.I. An. Rpt., 1907, pp. 145–159. 1909.
"Foot-and-mouth disease. F.B. 666, pp. 16. 1915.
"Foot-and-mouth disease, with special reference to the outbreak of 1914." D.C. 325, pp. 32. 1924.
"Foot-rot of sheep." With Henry J. Washburn. B.A.I. An. Rpt., 1904, pp. 117–137. 1905; B.A.I. Bul. 63, pp. 39. 1904; B.A.I. Cir. 94, pp. 21. 1906.
"How to prevent typhoid fever." With others. F.B. 478, pp. 8. 1911.
"Immunization tests in tetanus." With Adolph Eichorn. B.A.I. An. Rpt., 1911, pp. 185–194. 1913.
"Immunization tests with glanders vaccine." With Adolph Eichhorn. D.B. 70, pp. 13. 1914.
"Infectious abortion of cattle." With Jacob Traum. B.A.I. An. Rpt., 1911, pp. 147–183. 1913; B.A.I. Cir. 216, pp. 147–183. 1913.
"Infectious anemia." B.A.I. [Misc.], "Diseases of the horse," rev., pp. 551–554. 1911; rev., pp. 569–572. 1916; rev., pp. 569–572. 1923.
"Infectious anemia, mycotic lymphangitis, and chronic bacterial dysentery." B.A.I. An. Rpt., 1908, pp. 225–236. 1910.
"Infectious anemia or swamp fever of horses." B.A.I. Cir. 138, pp. 4. 1909.
"Infectious diseases of cattle." B.A.I. [Misc.], "Diseases of cattle," rev., pp. 357–494. 1904; rev., pp. 311–317. 1912; rev., pp. 358–501. 1923.
"Infectiveness of milk of cows which have reacted to the tuberculin test." B.A.I. Bul. 44, pp. 93. 1903.
"International trade in dairy cattle." B.A.I. Dairy [Misc.], "World's dairy congress, 1923," pp. 26–33. 1924.
"Lip-and-leg ulceration of sheep." With A. D. Melvin. B.A.I. Cir. 160, pp. 35. 1910.
"Live-stock industry of the United States. Report prepared for the Commission of the U. S. A. to the Brazil Centennial Exposition * * *" (In English, Spanish and Portuguese.) B.A.I. [Misc.], "Live-stock industry of * * *," pp. 7. 1922.
"Malta fever, with special reference to its diagnosis and control in goats." With Adolph Eichhorn. B.A.I. An. Rpt., 1911, pp. 119–136. 1913; B.A.I. Cir. 215, pp. 18. 1913.
"Milk fever: Its simple and successful treatment." B.A.I. Cir. 45, pp. 13. 1904. F.B. 206; pp. 16. 1904.
"Mycotic lymphangitis." B.A.I. [Misc.], "Diseases of the horse," rev., pp. 545–550. 1911; rev., pp. 557–559. 1916; rev., pp. 554–559. 1923.
"Mycotic lymphangitis of horses." B.A.I. Cir. 155, pp. 5. 1910.
"Mycotic stomatitis of cattle." B.A.I. Cir. 51, pp. 6. 1904; B.A.I. [Misc.], "Diseases of cattle," rev., pp. 495–500. 1904; rev., pp. 517–522. 1908; rev., pp. 542–547. 1912; rev., pp. 532–537. 1923; D.C. 322, pp. 7. 1924.
"Necrotic stomatitis, with special reference to its occurrence in calves and pigs." With Geo. Byron Morse. B.A.I. Bul. 67, pp. 48. 1905.

MOHLER, J. R.—Continued.
"Ophthalmic mallein for the diagnosis of glanders." With Adolph Eichhorn. D.B. 166, pp. 11. 1915.
"Osteoporosis, or bighead." B.A.I. [Misc.], "Diseases of the horse," rev., pp. 554–558. 1907; rev., pp. 559–564. 1911; rev., pp. 578–582. 1916; rev., pp. 578–582. 1923.
"Osteoporosis or bighead of the horse." B.A.I. Cir. 121, pp. 8. 1908.
"Pathological report on a case of rabies in a woman." B.A.I. Cir. 54, pp. 7. 1904.
"Progress in eradicating contagious animal diseases." Y.B., 1919, pp. 69–78. 1920; Y.B. Sep. 802, pp. 69–78. 1920.
"Pulmonary mycosis of birds, with report of a case in a flamingo." With John S. Buckley. B.A.I. An. Rpt., 1903, pp. 122–136. 1904; B.A.I. Cir. 58, pp. 17. 1904.
"Rabies." B.A.I. [Misc.], "Diseases of the horse," rev., pp. 547–550. 1911.
"Rabies or hydrophobia." F.B. 449, pp. 23. 1911.
report of Chief of Animal Industry Bureau—
1918. An. Rpts., 1918, pp. 71–133. 1919; B.A.I. Chief Rpt., 1918, pp. 63. 1918.
1919. An. Rpts., 1919, pp. 73–135. 1920; B.A.I. Chief Rpt., 1919, pp. 63. 1919.
1920. An. Rpts., 1920, pp. 89–157. 1921; B.A.I. Chief Rpt., 1920, pp. 69. 1920.
1921. B.A.I. Chief Rpt., 1921, pp. 57. 1921.
1922. An. Rpts., 1922, pp. 99–160. 1923; B.A.I. Chief Rpt., 1922, pp. 62. 1922.
1923. An. Rpts., 1923, pp. 199–254. 1924; B.A.I. Chief Rpt., 1923, pp. 56. 1923.
1924. B.A.I. Chief Rpt., 1924, pp. 40. 1924.
1925. B.A.I. Chief Rpt., 1925, pp. 40. 1925.
"Report of the department committee on the Federal meat-inspection service at Chicago." B.A.I. An. Rpt., 1906, pp. 406–456. 1908.
"Runts—and the remedy." Y.B., 1920, pp. 225–240. 1921; Y.B. Sep. 841, pp. 225–240. 1921.
"Susceptibility of tubercle bacilli." With Henry J. Washburn. B.A.I. An. Rpt., 1906, pp. 113–163. 1908.
"Takosis, a contagious disease of goats." With Henry J. Washburn. B.A.I. Bul. 45, pp. 44. 1903.
"Texas fever (otherwise known as tick fever, splenetic fever, or southern fever), with methods for its prevention." B.A.I. Bul. 78, pp. 48. 1905.
"Texas, or tick fever." F.B. 569, pp. 24. 1914.
"Texas or tick fever and its prevention." F.B. 258, pp. 46. 1906.
"The bacterium of contagious abortion of cattle demonstrated to occur in milk." B.A.I. Cir. 198, pp. 3. 1912.
"The diagnosis of dourine by complement fixation." With others. J.A.R., vol. 1, pp. 99–107. 1913.
"The diagnosis of glanders by complement fixation." With Adolph Eichhorn. B.A.I. Bul. 136, pp. 31. 1911.
"The dissemination of disease by dairy products, and methods for prevention." With others. B.A.I. Cir. 153, pp. 57. 1910.
"The importance of a wholesale milk supply." B.A.I. Cir. 153, pp. 28–37. 1910.
"The nature, cause, and prevalence of rabies." B.A.I. An. Rpt., 1909, pp. 201–216. 1911; F.B. 449, pp. 23. 1911.
"The need of controlling and standardizing the manufacture of veterinary tetanus antitoxin." With Adolph Eichhorn. B.A.I. Bul. 121, pp. 22. 1909.
"The origin of the recent outbreak of foot-and-mouth disease in the United States. With Milton J. Rosenau. B.A.I. Cir. 147, pp. 29. 1909.
"The transmission of avian tuberculosis to mammals. With Henry J. Washburn. B.A.I. An. Rpt., 1908, pp. 165–176. 1910.
"The tuberculin test of cattle for tuberculosis." B.A.I. An. Rpt., 1907, pp. 201–207. 1909; F.B. 351, pp. 8. 1909.
"The tuberculin test of hogs and some methods of their infection with tuberculosis." With E. C. Schroeder. B.A.I. Bul. 88, pp. 51. 1906.

MOHLER, J. R.—Continued.
"The vaccination of cattle against tuberculosis."
  With others. B.A.I. Cir. 190, pp. 17. 1912.
"The vaccination of cattle against tuberculosis."
  With others. B.A.I. An. Rpt., 1910, pp. 327–343, 1912; B.A.I. Cir. 190, pp. 327–343. 1912.
"The viability of tubercle bacilli in butter and cheese." With others. B.A.I. An. Rpt. 1909, pp. 179–191. 1911.
"Tuberculosis of hogs." With Henry J. Washburn. B.A.I. Cir. 201, pp. 40. 1912; F.B. 781, pp. 20. 1917.
"Tuberculosis of hogs and how to control it." With Henry J. Washburn. Y.B., 1909, pp. 227–238. 1910; Y.B. Sep. 508, pp. 227–238. 1910.
"Tuberculosis of hogs: Its cause and suppression." With Henry J. Washburn. B.A.I. An. Rpt., 1907, pp. 215–246. 1909; B.A.I. Cir. 144, pp. 215–246. 1909. B.A.I. Cir. 144, pp. 32. 1909.
"Tumors affecting cattle." B.A.I. [Misc.], "Diseases of cattle," rev., pp. 304–319. 1904; rev., pp. 304–319. 1908; rev., pp. 315–331. 1912; rev., pp. 303–319. 1923.
"Various methods for the diagnosis of glanders." With Adolph Eichhorn. B.A.I. An. Rpt., 1919, pp. 345–370. 1912; B.A.I. Cir. 191, pp. 26. 1912.
"Vesicular stomatitis of horses and cattle." D.B. 662, pp. 11. 1918.
Mohler's test for benzoic acid. Chem. Bul. 66, rev. p. 23. 1905.
MOHR, CHARLES: "Notes on the red cedar." For. Bul. 31, pp. 37. 1901.
MOIR, W. S.: "White-pine blister rust in western Europe. D.B. 1186, pp. 32. 1924.
Moisture—
  absorption—
    by egg fillers and cases during storage. D.B. 775, pp. 27–28. 1919.
    in hen houses, methods. News L., vol., 5, No. 25, p. 4. 1918.
  aid in germination and development of potato rot. D.C. 214, pp. 6–7. 1922.
  aid to fungous growth. D.B. 1037, pp. 15–16. 1922.
  butter, determination, new method. B.A.I. An. Rpt., 1907, p. 72. 1909.
  capillary, movement in soils, effect of temperature. G. J. Bouyoucos. J.A.R., vol. 5, No. 4, pp. 141–172. 1915.
  conditions favoring root knot. B.P.I. Bul. 217, pp. 42, 73. 1911.
  conservation—
    on fallow land, directions. B.P.I. Cir. 61, pp. 20–21. 1910.
    results in continuous cropping experiments. B.P.I. Bul. 187, pp. 8, 19. 1910.
  content—
    and shrinkage in grain. J. W. T. Duvel. B.P.I. Cir. 32, pp. 13. 1909.
    cheese curds, factors controlling, investigations. J. L. Sammis and others. B.A.I. Bul. 122, pp. 61. 1910.
    corn, effect on cargoes. B.P I. Cir. 55, pp. 19, 22–21. 1910.
    eggs, deterioration shown by. A. D. Greenlee Chem. Cir. 83, pp. 7. 1911.
    determination in hops, experiments. D.B. 282, pp. 4–5, 18–19. 1915.
    grain, and shrinkage, determination. B.P.I. Cir. 32, pp. 1–13. 1909.
    grain, determination, electrical resistance method. Lyman J. Briggs. B.P.I. Cir. 20, pp. 8. 1908.
    loess soil, relation to hygroscopic coefficient. Frederick J. Alway and Guy R. McDole. J.A.R., vol. 14, pp. 453–480. 1918.
    maple-sap sirup, requirement, and testing methods. Chem. Bul 134, pp. 60–63. 1910.
    soils—
      dependence upon humidity. Soils Bul. 51, pp. 22–24. 1908.
      effect on toxicity of alkali. J.A.R., vol. 15, pp. 307–309. 1918.
      variation, experimental studies. B.P.I. Bul. 230, pp. 7–10. 1912.
    timber determination. For. Bul. 108, pp. 15–19. 1912.

Moisture—Continued.
  content—continued.
    wheat—
      five American classes, comparison. D.B. 557, pp. 7–9. 1917.
      relation to rate of respiration. J.A.R., vol. 12, pp. 689–694. 1918.
      relation to physical properties of soil. Y.B., 1908, p. 95. 1909.
  corn crop, requirements and conservation. F.B. 1149, p. 3. 1920.
  determination—
    calcium carbide method. H. C. McNeil. Chem. Cir. 97, pp. 8. 1912.
    in—
      butter, Gray's test, successful use. An. Rpts., 1907, p. 245. 1908.
      cottonseed, importance. An. Rpts., 1915, pp. 383–384. 1916; Mkts. Chief Rpt., 1915, pp. 21–22. 1915.
      flour and wheat. D.B. 1187, pp. 33–35. 1924.
      foods, methods, and recommendations. Chem. Bul. 132, pp. 150–153, 165, 177–179. 1910.
      fruit and fruit products. Chem. Bul. 152, pp. 218–220. 1912.
      grain and malts. Chem. Bul. 130, pp. 72–73. 1910.
      molasses and sugar, methods and results. Chem. Bul. 116, pp. 22–23. 1908; Chem. Bul. 152, pp. 202–207. 1912.
      soil, moisture films. Soils Bul. 50, pp. 49–54. 1908.
      wood, method. D.B. 286, p. 5. 1915.
      without the aid of heat. Chem. Bul. 122, pp. 219–221. 1909.
  effect on—
    barn ventilation. F.B. 1393, pp. 5–6. 1924.
    carrying quality of export corn. D.B. 764, pp. 3–5, 21, 98–99. 1919.
    freezing-point depression of soil. J.A.R., vol 20, pp. 390–391. 1920.
    olive oil, experiments. J.A.R., vol. 13, pp 356–365. 1918.
    rate of curing tobacco. D.B. 79, pp. 37–39 1914.
    spore germination of oat smut. J.A.R., vol. 24, pp. 580, 585–588. 1923.
    the production of sweet-clover seed. D.B. 844, pp. 22–25. 1920.
    the strength and stiffness of wood. Harry Donald Tiemann. For. Bul. 70, pp. 144. 1906.
  equivalent, use for the indirect determination of the hygroscopic coefficient. J.A.R., vol. 6, No. 21, pp. 833–846. 1916.
  evaporation—
    at Mandan, N. Dak. D.B. 1301, p. 3. 1925.
    from soils, rate. Soils Bul. 51, pp. 43–46. 1908.
  excessive—
    avoidance in seed beds, for damping-off control. B.D. 453, pp. 3–4, 31. 1917.
    crop losses caused by, 1909–1918. D.B. 1043, pp. 6, 7, 8, 9, 10, 11. 1922.
    exhalations of plants, measurements. Y.B., 1910, pp. 172–173. 1911; Y.B. Sep. 526, pp. 172–173. 1911.
    factor in rots of stored roots. J.A.R., vol. 6, No. 15, pp. 566–567. 1916.
  foods, determination, recommendation of referee. Chem. Cir. 38, p. 8. 1908.
  grain, determination, electrical-resistance method. B.P.I. Cir. 20, pp. 8. 1908.
  honey, determination method. Ent. Bul. 75, Pt. I, p. 16. 1907.
  in—
    cotton, need of investigation. Y.B., 1912, p. 461. 1913; Y.B. Sep. 605, p. 461. 1913.
    grain, determination, quick method. Edgar Brown and J. W. T. Duvel. B.P.I. Bul. 99, pp. 24. 1907.
    incubation of chickens. F.B. 357, p. 9. 1909.
    mushroom culture. B.P.I. Bul. 85, pp. 31–33. 1905.
  indicator, description and use. Y.B., 1908, pp. 439–440. 1909; Y.B. Sep. 492, pp. 439–440. 1909.
  influence on—
    formaldehyde injury to seed wheat. J.A.R., vol. 20, pp. 238–240. 1920.
    strength of wood. For. Cir. 108, pp. 1–42. 1907.

INDEX TO PUBLICATIONS, 1901–1925 1557

Moisture—Continued.
  movement in soils, studies. Edgar Buckingham. Soils Bul. 38, pp. 61. 1907.
  necessity for, and influence on sugar-beet production. D.B. 995, pp. 12–13, 19–22. 1921.
  necessity in tree growth. F.B. 134, pp. 20, 29. 1901.
  occurrence and determination method. D.B. 1136, pp. 1–3. 1923.
  relation to—
    bean wilt. Lewis F. Leonard. J.A.R., vol. 24, pp. 749–752. 1923.
    damping-off of seedlings. D.B. 934, pp. 75–79. 1921.
    fumigation. Ent. Bul. 90, pp. 68–69. 1912.
    hypertrophied lenticels on the roots of conifers. Glenn Hahn and others. J.A.R., vol. 20, pp. 253–266. 1920.
    plant—
      injury by fumigation. D.B. 907, pp. 4–27, 40. 1920.
      reproduction. J.A.R., vol. 18, pp. 588–593. 1920.
    strength of timber, allowance in stresses. D.C. 295, pp. 5–6. 1923.
  requirements of—
    corn and the sorghums, comparison. J.A.R., vol. 6, No. 9, pp. 324–325, 330–331. 1916.
    corn crop. F.B. 414, p. 11. 1910.
    crops. Atl. Am. Agr., Adv. Sh. Pt. II, Sec. A, pp. 37–41. 1922.
    Douglas fir. D.B. 1200, pp. 6–9. 1924; For. Cir. 150, pp. 19–21. 1909.
    hickory. For. Bul. 80, p. 25. 1910.
  responsibility in soil formation, studies, tables. Soils Bul. 85, pp. 14–19. 1912.
  semiarid region, addition to and retention in soil. F.B. 773, pp. 8–9. 1916.
  soil. *See* Soil moisture.
  supplying to air of house, devices. F.B. 1194, pp. 24–26. 1921.
  test, wheat, procedure and percentage allowance. Y.B., 1918, pp. 337, 339, 344. 1919; Y.B. Sep. 766, pp. 5, 7, 12. 1919.
  tests, grain, and seeds, use, and kind of oil. B.P.I. Cir. 72, pp. 12–13. 1910.
  tester, grain and seeds, description. B.P.I. Cir. 72, pp. 4–12. 1910.
  timber, determination, directions. For. Cir. 38, rev., pp. 27–28. 1909.
  use in frost protection. F.B. 104, rev., pp. 24–26. 1910.
  weight loss in electric oven. D.B. 600, pp. 25. 1917.
  wheat and mill products. J. H. Shollenberger. D.B. 788, pp. 12. 1919.
  wood—
    final content after kiln drying. D.B. 1136, pp. 43–45. 1923.
    relation to decay. D.B. 1128, pp. 30–31. 1923.
MOJONNIER, TIMOTHY—
  "Experiments on losses in cooking meat, 1900–1903." With H. S. Grindley. O.E.S. Bul. 141, pp. 95. 1904.
  "Studies of the effect of different methods of cooking upon the thoroughness and ease of digestion of meat at the University of Illinois." With others. O.E.S. Bul. 193, pp. 106. 1907.
Molasses—
  adulteration—
    and misbranding—
      Chem. N.J. 24, pp. 5–7. 1908.
      See also *indexes to Notices of Judgment in bound volumes, Chemistry Service and Regulatory Announcements.*
    State laws. Chem. Bul. 69, rev., Pt. III, pp. 219. 1905.
  alcohol—
    distillery waste, potash source. D.C. 61, p. 6. 1919.
    making, experimental run. Chem. Bul. 130, pp. 67–68. 1910.
    yield and cost per gallon. F.B. 429, pp. 12–13. 1911.
  analyses—
    as source of alcohol. F.B. 429, pp. 12–13. 1911.
    methods. Chem. Bul. 81, pp. 175–177. 1904; Chem. Bul. 90, pp. 16–17. 1905; Chem. Bul. 116, pp. 69, 73–80. 1908; Chem. Bul. 152, pp. 202–207. 1912.

Molasses—Continued.
  bait for cotton bollworm traps. Vir. Is. Bul. 1, p. 13. 1921.
  beet—
    feed for cattle, energy value. F.B. 262, pp. 19–23. 1906; J.A.R., vol. 3, pp. 452, 482, 485. 1915.
    feed for hogs. B.A.I. Bul. 47, pp. 132–133. 1905.
    value as feed for livestock. F.B. 1095, pp. 3, 5, 21. 1919; Sec. Cir. 86, p. 25. 1918.
    value as feed, use in the United States, and prices. Rpt. 90, pp. 12, 25–41. 1909.
    various countries. D.B. 473, pp. 37, 45. 1917.
  beet-sugar—
    distillation. [Misc.], "Progress of the beet-sugar industry * * *, 1903," pp. 116–117. 1904.
    neutral spirits, use in preparation of whisky compounds. Chem. F.I.D. 95, pp. 3–4. 1908.
    production in Alaska. 1918; Alaska A.R., 1918, pp. 13, 51. 1920.
    uses and value. B.P.I. Bul. 260, pp. 25–27, 35. 1912; Rpt. 86, pp. 18–19, 41, 44, 45, 56, 58. 1908.
    utilization. Rpt. 86, p. 18. 1908.
    value as—
      by-product. Rpt. 69, pp. 24–25. 1901.
      feed, use in the United States, and prices. Rpt. 90, pp. 6, 12, 25–41. 1909.
  blackstrap, use and value as stock feed. Rpt. 112, p. 27. 1916.
  cane—
    feeding to cows, results. D.B. 1272, pp. 12–14. 1924.
    production—
      1889–1909, by States. D.B. 66, pp. 2, 11. 1914.
      1909, and value. D.B. 486, pp. 2, 3. 1917.
      various countries. D.B. 473, pp. 12, 21, 23. 1917.
  cold storage, data from warehousemen. Chem. Bul. 115, p. 22. 1908.
  determination of—
    moisture. Chem. Bul. 116, pp. 22–23. 1908.
    sulphurous acid. Chem. Bul. 116, pp. 77–80. 1908.
  distillation, experiments. Chem. Bul. 130, p. 67. 1910.
  exportation from St. Croix, 1835–1897. Vir. Is. Bul. 2, pp. 4–5. 1921.
  exports—
    1851–1908. Stat. Bul. 75, pp. 59–60. 1910.
    and imports, 1906–1910, 1851–1910. Y.B., 1910, pp. 663, 673. 1911; Y.B. Sep. 553, pp. 663, 673 1911; Y.B. Sep. 554, pp. 680–681. 1911.
    statistics, 1921. Y.B., 1921, pp. 748, 749. 1922; Y.B. Sep. 867, pp. 12, 13. 1922.
  feed(s)—
    effect on cattle. S.R.S. Rpt., 1916, Pt. I, p. 113. 1918.
    for horses, experiments. F.B. 316, pp. 22–24. 1908.
    misbranding. Chem. N.J. 3060. 1914.
    presence of weed seeds. F.B. 334, p. 19. 1908.
    sugar determination, methods and results. Chem. Cir. 71, pp. 6–9. 1911.
    use, effect on digestibility of hay, experiments. O.E.S. An. Rpt., 1908, p. 112. 1909.
    value for—
      sheep. D.B. 20, p. 46. 1913.
      steers. F.B. 1218, pp. 21, 22. 1921.
  feeding—
    experiments with nonproteins. B.A.I. Bul. 139, pp. 15–19. 1911.
    to steers in experiments. D.B. 1318, pp. 4, 5. 1925.
  food standard. Sec. Cir. 136, p. 10. 1919.
  food value, studies. F.B. 535, pp. 21–22. 1913.
  grains, horse feed, adulteration and misbranding. Chem. N.J. 174, pp. 3. 1910.
  imports—
    1852–1921 and exports. Y.B. 1922, pp. 954, 960, 961, 966, 969. 1923; Y.B. Sep. 880, pp. 954, 960, 961, 966, 969. 1923.
    1901–1924. Y.B., 1924, pp. 1064, 1076. 1925.
    1907–1909, quantity and value, by countries from which consigned. Stat. Bul. 82, pp. 57–58. 1910.
    1908–1910, quantity and value, by countries from which consigned. Stat. Bul. 90, p. 60. 1911.

Molasses—Continued.
kind, analyses with comparison of methods for total solids. Chem. Bul. 90, pp. 18–19. 1905.
laws and standards. Chem. Bul. 69, rev., Pts. I–IX, pp. 95, 171, 213, 219, 457, 565, 634, 668. 1905–6.
laws. See also Food laws.
low-grade, calf-feeding experiments. F.B. 381, p. 14. 1909.
manufacture in Louisiana, changes in methods. Y.B., 1917, pp. 454, 459. 1918; Y.B. Sep. 756, pp. 10, 15. 1918.
moisture determination method. Chem. Bul. 116, p. 23. 1908; Chem. Bul. 162, pp. 182–185. 1913.
nature and uses. Y.B., 1923, pp. 210–211. 1924; Y.B., 1923, Sep. 893, pp. 78–79. 1924.
New Orleans, labeling. Chem. F.I.D. 134, p. 1. 1911.
nutrition studies, historical notes. O.E.S. An. Rpt., 1909, p. 366. 1910.
nutritive value as dairy feed, analysis. F.B. 743, p. 16. 1916.
oil-lime, use in road binding, experiment. Rds. Cir. 90, pp. 8–9, 10. 1909; Rds. Cir. 92, p. 29. 1910.
polarization with different agents, tables. Chem. Bul. 122, pp. 178–179. 1909; Chem. Bul. 132, pp. 183–184. 1910.
production and value as sugar substitute. Sec. Cir. 86, pp. 30–31. 1918.
report by referee and associate referee. Chem. Bul. 137, pp. 160–167. 1911; Chem. Bul. 162, pp. 182–185. 1913.
sorghum. See Sirup, sorgo.
standard, change proposed. News L., vol. 6, No. 33, p. 9. 1919.
statistics, imports and exports—
 1911–1913, and imports, 1852–1913. Y.B., 1913, pp. 499, 506, 510. 1914; Y.B. Sep. 361, pp. 499, 506, 510. 1914.
 1914. Y.B., 1914, pp. 658, 665, 669. 1915; Y.B. Sep. 657, pp. 658, 665, 669. 1915.
 1916. Y.B., 1916, pp. 714, 720, 727. 1917; Y.B. Sep. 722, pp. 8, 14, 21. 1917.
 1918. Y.B., 1918, pp. 567, 634, 641, 643. 1919; Y.B. Sep. 792, pp. 63. 1919; Y.B. Sep. 794, pp. 10, 17, 19. 1919.
 1919. Y.B. 1919, pp. 628, 689, 696, 703. 1920; Y.B. Sep. 827, p. 628. 1920; Y.B. Sep. 829, pp. 689, 696, 703. 1920.
stocks in United States, August 31, 1917. Sec. Cir. 99, pp. 20–22. 1918.
substitute, use of honey. F.B. 653, pp. 11–12. 1915.
sulphuring, methods and purposes. Chem. Bul. 84, Pt. III, p. 763. 1907, Chem. Cir. 37, p. 3. 1907.
supplement to alfalfa silage, experiments. J.A.R., vol. 10, pp. 279–292. 1917.
use—
 as—
  food. O.E.S. Bul. 245, p. 82. 1912
  horse feed. F.B. 1030, pp. 15–16. 1919.
 in—
  curing pork, recipes. News L., vol. 7, No. 18, p. 5. 1919.
  manufacture of alcohol, and cost per gallon of alcohol. Chem. Bul. 130, pp. 29, 95, 96. 1910.
  road building. Rds. Cir. 98, pp. 16–17, 44. 1912.
  spray mixture, objections. D.B. 901, p. 23. 1920.
  vinegar making. F.B. 1424, p. 5. 1924.
 with fertilizers, results. S.R.S. Rpt., 1916, Pt. I, p. 87. 1918.
value as fat former for farm animals. F.B. 535, p. 20. 1913.
waste—
 as energy source for Azotobacter, results. J.A.R., vol. 24, pp. 270–273. 1923.
 composting with peat. D.C. 252, pp. 10–11. 1922.
 from factory, utilization in manufacture of alcohol. F.B. 268, p. 34. 1906.
 sugar beets, uses. Y.B., 1908, pp. 447–449. 1909; Y.B. Sep. 493, pp. 447–449. 1909.
See also Sirup.

Molasses grass—
description, and growing as forage crop, Porto Rico. P.R. An. Rpt., 1912, p. 44. 1913.
growing and value in Hawaii. Hawaii A.R., 1915, p. 42. 1916.
habits, and uses. F.B. 1433, pp. 27–29. 1925.
importations and description. No. 41148, B.P.I. Inv. 44, pp. 7, 44. 1918; No. 47162, B.P.I. Inv. 58, pp. 8, 34–35. 1922; No. 50162, B.P.I. Inv. 63, p. 41. 1923; No. 54448, B.P.I. Inv. 69, p. 10. 1923; No. 54680, B.P.I. Inv. 70, pp. 1, 6. 1923.
tribe, key to genera, and descriptions. D.B. 772, pp. 18, 212–213. 1920.
Mold(s)—
apple juice, prevention by use of carbon dioxide. Chem. Bul. 118, p. 18. 1908.
beneficial in development of flavors. D.B. 123, p. 49. 1916.
black—
 onion disease, description, cause, and control. F.B. 1060, pp. 21–22. 1919.
 See also Leaf-blight.
blue—
 apple—
  decay of fruit injured in packing. F.B. 1204, p. 15. 1921.
  description, cause, and control. F.B. 1160, pp. 15–16. 1920.
  disease, development in storage, prevention. D.B. 587, p. 12. 1917.
 disease of acid lime fruit. Hawaii Bul. 49, p. 12. 1923.
 tobacco, description, cause, and control. D.B. 1256, pp. 31–32. 1924.
 See also Penicillium expansum.
Botrytis—
 cause of fire disease of tulips, injury and control studies. D.B. 1082, pp. 36–37. 1922.
 injury to Madonna lily, and remedy. D.B. 1331, p. 14. 1925.
brown, description. Chem. Bul. 133, pp. 53–56. 1911.
butter—
 causes and control. B.A.I. Cir. 56, p. 187. 1904; B.A.I. Cir. 130, pp. 1–6. 1908; D.C. 236, pp. 13–14. 1922.
 colors caused by different growths. J.A.R., vol. 3, pp. 302–303. 1915.
 development, detection and losses. Mkts. S.R.A. 51, pp. 21–22. 1919.
 relations to humidity and salt. J.A.R., vol. 3, pp. 304–307, 309. 1915.
Camembert cheese, action in ripening. B.A.I. Bul. 109, pp. 6–11. 1908; B.A.I. Bul. 115, pp. 26–37, 46. 1909; D.B. 1171, pp. 10–12, 20. 1923.
canned goods, causes. S.R.S. Doc. 33, p. 3. 1917.
cause of—
 poultry disease. Y.B., 1911, pp. 186, 187. 1912; Y.B. Sep. 559, pp. 186, 187. 1912.
 spoilage in—
  fruits and vegetables. F.B. 1211, pp. 4–5. 1921.
  vinegar. F.B. 1424, p. 20. 1924.
cellulose destruction, studies. B.P.I. Bul. 266, pp. 23–25, 41–43, 46. 1913.
cellulose-dissolving, Penicillium pinophilum. B.P.I. Cir. 118, pp. 29–31. 1913.
character, conditions of growth. O.E.S. Bul. 200, p. 45. 1908.
cheese—
 control methods. B.A.I. Bul. 71, pp. 27–29. 1905.
 cultural studies. B.A.I. Bul. 118, pp. 34–36, 47–49, 50–68. 1910.
 description and characteristics. B.A.I. Bul. 82, pp. 31–38. 1906.
 relation to ripening, studies. B.A.I. Bul. 71, pp. 17–22, 27. 1905.
chicken feed, dangers and precautions. Y.B., 1911, pp. 181, 186. 1912; Y.B., Sep. 559, pp. 181, 186. 1912.
cigars, and their prevention. R. H. True. D.B. 109, pp. 8. 1914.
classification, general. B.A.I. Bul. 120, p. 9. 1910.
concrete posts, directions for making and using. F.B. 403, pp. 8–17, 25. 1910.
control measures. D.B. 1037, pp. 21–50. 1922.

Mold(s)—Continued.
 corn—
  ear, studies. J.A.R., vol. 28, pp. 909–922. 1924.
  poisonous character, studies. B.P.I. Bul. 270, pp. 1–48. 1913.
  relation to shuck covering. D.B. 708, pp. 11–12. 1918.
 counts, tomato products, microscopic method. D.B. 581, pp. 21–22. 1917.
 description, and—
  detection in food products. Y.B. 1911, pp. 299, 300–302. 1912; Y.B.Sep. 569, pp. 299, 300–302. 1912.
  propagation. O.E.S. Bul. 200, p. 45. 1908.
 development—
  in lilies. D.B. 1331, pp. 14–15. 1925.
  on canned goods, causes. News L., vol. 3, No. 51, p. 4. 1916.
 ear corn, causes and results. Guam A.R., 1917, pp. 51, 59. 1918.
 effect on foods. F.B. 1374, p. 2. 1923.
 eggshell, indication of moisture condition, study. Chem. Cir. 64, p. 37. 1910.
 enzymes—
  development and uses. D.B. 1152, pp. 20–21, 24. 1923.
  preparation, methods. B.A.I. Bul. 120, pp. 16, 38. 1910.
 fermentation of soybean, preliminary steps. D.B. 1152, pp. 4–5. 1923.
 filaments, detection in food products. Y.B., 1911, pp. 300, 301. 1912; Y.B. Sep. 569, pp. 300, 301. 1912.
 foreign, cheese contamination. D.B. 1171, p. 21. 1923.
 gray—
  apple, cause and description. F.B. 1160, p. 18. 1920.
  castor bean—
   George H. Godfrey. J.A.R., vol. 23, pp. 679–716. 1923.
   life history and description. J.A.R., vol. 23, pp. 687–702. 1923.
  in lettuce growing. F.B. 1418, p. 19. 1924.
  in butter tubs, prevention. B.A.I. Bul. 89, p. 13. 1906.
  in corn meal. J.A.R., vol. 22, pp. 181–188. 1921.
  infection of eggs, cause of chick diseases. Y.B., 1911, p. 188. 1912; Y.B. Sep. 559, p. 188. 1912.
  injury to—
   calabash pipe gourds. B.P.I. Cir. 41, p. 6. 1909.
  food, control. F.B. 853, p. 4. 1917.
  leaf, cladosporium of tomato, fruit invasion, and seed transmission. Max W. Gardner. J.A.R., vol. 31, pp. 519–540. 1925.
  losses and economic importance. D.B. 1037, pp. 18–21. 1922.
  milk, pasteurization experiments, holder and flask methods. J.A.R., vol. 6, No. 4, pp. 155–165. 1916.
  nature and control. F.B. 375, pp. 7, 9. 1909.
 occurrence—
  description, and determination. D.B. 1037, pp. 12–14. 1922.
  in waters bottled from springs. D.B. 369, pp. 5, 6, 9–13. 1916.
 on canned goods, cautions. F.B. 839, p. 31. 1917.
 orange, borax for control. J.A.R., vol. 30, pp. 189–192. 1925.
 oxalic acid production, studies. J.A.R., vol. 7, pp. 1–15. 1916.
 packed figs, cause and prevention, experiments. D.B. 235, pp. 12–13. 1915.
 penetration into wood. Eloise Gerry. J.A.R., vol. 26, pp. 219–230. 1923.
 Penicillium, cultural studies. B.A.I. Bul. 118, pp. 1–109. 1910.
 percentage on sugars in storage. J.A.R., vol. 20, pp. 638–653. 1921.
 powder, Roquefort-cheese inoculation, preparation and use methods. D.B. 970, pp. 9–12, 28. 1921.
 Roquefort cheese, temperature necessary. B.A.I. An. Rpt. 1905, p. 104. 1907.
 soil, effects. Soils Bul. 55, p. 18. 1909.
 sooty—
  coffee, cause and prevention. Hawaii A.R., 1918, pp. 42–43. 1919.

Mold(s)—Continued.
 sooty—continued.
  control by snails. Ent. Bul. 102, pp. 9-10. 1912.
  fungus, cause, description, and injury to citrus fruit. Ent. Bul. 120, pp. 11–12. 1913.
  growth in honeydew. F.B. 1011, pp. 5–7. 1919.
  infestation of mangoes. P.R. An. Rpt., 1911, p. 36. 1912.
  injury to apple. F.B. 492, pp. 36–37. 1912.
  occurrence and description, Texas. B.P.I. Bul. 226, pp. 34, 39, 46, 62, 77, 78. 1912.
  on honeydew of terrapin scale, injury to peaches. D.B. 351, pp. 3, 48, 66–67. 1916.
  result of black-scale infestation. D.B. 134, pp. 12, 13, 24. 1914.
  roses, following attacks by aphids. D.B. 90, p. 5. 1914.
 spores—
  invertase activity, as affected by concentration and amount of inoculum. N. Kopeloff and S. Byall. J.A.R., vol. 18, pp. 537–542. 1920.
  microscopic appearance. Y.B., 1911, pp. 301–302. 1912; Y.B. Sep. 569, pp. 301–302. 1912.
  pasteurization, effect. Charles Thom and S. Henry Ayers. J.A.R., vol. 6, No. 4, pp. 153–166. 1916.
  relation to enzymes. Nicholas Kopeloff and Lillian Kopeloff. J.A.R., vol. 18, pp. 195–209. 1919.
 Stilton cheese, use. B.A.I. An. Rpt., 1905, p. 97. 1907.
 susceptibility of injured seeds. J.A.R., vol. 21, No. 2, pp. 99–122. 1921.
 tobacco, cause and control. D.B. 1256, pp. 47–48. 1924.
 tomato—
  products, relation to rot percentage. D.B. 581, pp. 8–14. 1917.
  pulp, estimation, methods. Chem. Cir. 68, pp. 3–4. 1917.
 tragacanth gum, investigations. D.B. 109, pp. 4–5. 1914.
 types found in moldy butter. J.A.R., vol. 3, pp. 302–303. 1915.
 vegetable, source of disease in horse epidemics. B.A.I. An. Rpt., 1906, pp. 166, 167. 1908; B.A.I. Cir. 122, pp. 2, 3. 190².
 wheat, treatment with formaldehyde. J.A.R., vol. 20, p. 215. 1920.
 wood, killing by steaming. D.B. 1136, p. 31. 1923.
Moldboard, geometrical lines, study of equations. J.A.R., vol. 12, pp. 149–182. 1918.
Moldboard. See also Plow bottom.
Moldiness, butter, studies. Charles Thom and R. H. Shaw. J.A.R., vol. 3, pp. 301–310. 1915.
Molding—
 manufacture from basswood and other woods. D.B. 1007, pp. 40–41. 1922.
 nursery stock, in winter, description. D.B. 479, p. 71. 1917.
 snow, control on coniferous nursery stock, C. F. Korstian. J.A.R., vol. 24, pp. 741–748. 1923.
Mole(s)—
 American—
  as pests and as fur producers. T. H. Scheffer. F.B. 1247, pp. 23. 1922.
  review. Hartley T. Jackson. N.A. Fauna 38, pp. 98. 1915.
 breeding habits, increase check by floods. F.B. 583, p. 5. 1914.
 common, of eastern United States. Theo. H. Scheffer. F.B. 583, pp. 10. 1914.
 control—
  and use of skins. An. Rpts., 1920, pp. 353–354. 1921.
  by traps. D.B. 479. p. 77. 1917.
 destruction—
  and value of skins. News L., vol. 6, No. 5, p. 13. 1918.
  methods. F.B. 583, pp. 7–9. 1914.
 enemies and natural control. F.B. 1247, p. 13. 1922.
 food habits—
  investigations. An. Rpts., 1911, pp. 537–538. 1912; Biol. Chief Rpt., 1911, pp. 7–8. 1911.
  studies. F.B. 583, pp. 5–6. 1914.
 garden, value in insect destruction, and harmfulness. News L., vol. 3, No. 37, p. 3. 1916.

Mole(s)—Continued.
   generic names used for American forms. N.A. Fauna 38, pp. 24–26. 1915.
   habits—
      and economic status. N.A. Fauna 38, pp. 6–8. 1915.
      comparison with field mice. Biol. Bul. 31, p. 20. 1907; F.B. 670, p. 5. 1915.
   Howell, description and habits. N.A. Fauna 45, p. 20. 1921.
   injuries to vegetation. F.B. 583, p. 6. 1914.
   occurrence in—
      Alabama, description and habits. N.A. Fauna 45, pp. 20–21. 1921.
      Wyoming. N.A. Fauna 42, pp. 16, 26. 1917.
      Texas, habits and value. N.A. Fauna 25, pp. 205–207. 1905.
   plains, occurrence in Colorado, and description. N.A. Fauna 33, p. 201. 1911.
   poisoning, directions. Y.B., 1908, p. 432. 1909; Y.B. Sep. 491, p. 432. 1909.
   skinning, and care of pelts. F.B. 832, pp. 10–12. 1917; F.B. 1247, p. 21. 1922.
   star-nosed, range and habits. N.A. Fauna 22, p. 73. 1902.
   trapping—
      and utilization of skins. With especial reference to the Pacific coast. Theo. H. Scheffer. F.B. 832, pp. 14. 1917.
      directions, and curing skins. F.B. 1247, pp. 14–19. 1922; Y.B. 1919, pp. 472–474. 1920; Y.B. Sep. 823, pp. 472–474. 1920.
      in Europe, and use of skins. F.B. 1247, p. 20. 1922.
      traps, description and use. F.B. 832, pp. 8–10. 1917, F.B. 1247, pp. 17–19. 1922; F.B. 583, pp. 7–9. 1914.
      value against green June beetles. D.B. 891, p. 36. 1922.
   young, characteristics and development. N.A. Fauna 38, pp. 9–10. 1915.
MOLES, M. L.: "Technical description of Aleurocanthus woglumi." With A. C. Baker. D.B. 885, pp. 39–42. 1920.
Moleskins—
   stretching, drying, and tanning, directions. F.B. 832, pp. 11–13. 1917; F.B. 1247, pp. 21–22. 1922.
   use in making garments, number required. F.B. 832, p. 13. 1917.
   utilization and value. News L., vol. 4, No. 48, p. 8. 1917.
   value and importance of trapping industry. News L., vol. 5, No. 19, p. 7. 1917.
Moline, Ill., milk supply, statistics, officials, prices, and ordinances. B.A.I. Bul. 46, pp. 40, 69. 1903.
Molinia—
   caerulea, importation and description. No. 50540, B.P.I. Inv. 63, p. 78. 1923.
   spp. description, distribution, and uses. D.B. 772, pp. 10, 49–50, 52. 1920.
Molisch test, meat extracts. J.A.R., vol. 17, pp. 15–16. 1919.
Moller Island. See Laysan Island.
Molorchus bimaculatus, host selection. J.A.R., vol. 22, pp. 212–213. 1921.
Mollusks—
   food of mallard ducks. D.B. 720, pp. 10, 13, 16, 32–35. 1918.
   food of shoal-water ducks. D.B. 862, pp. 8, 15, 21, 26, 30, 35, 56, 65. 1920.
Molossidae. See Bats, free-tailed.
Molothrus ater. See Cowbird.
Molting—
   canaries—
      description, and care of birds. F.B. 770, pp. 11–12. 1916.
      season and symptoms. F.B. 1327, pp. 11–12. 1923.
      characteristics of good hens. F.B. 1112, pp. 4–5. 1920.
   chickens—
      effect of buttermilk feeding. D.B. 21, p. 17. 1914.
      feed requirements. F.B. 287, p. 26. 1907.
      early, of hens, promotion method. F.B. 186, pp. 27–28. 1904.

Molting—Continued.
   fowls—
      forced, experiments. F.B. 412, pp. 20–26. 1910.
      relation to egg yields. D.B. 561, pp. 35–36. 1917.
   harvest mice, periods, changes in color of pelage. N.A. Fauna 36, pp. 12–13. 1914.
   homing pigeons, management. F.B. 1373, pp. 5–6. 1924.
   mole, description. N.A. Fauna 38, pp. 11–16. 1915.
   pea aphid, times and periods. D.B. 276, pp. 43–45. 1915.
   prairie dog, habits. N.A. Fauna 40, p. 9. 1916.
   rabbits, variations. N.A. Fauna 29, pp. 29–32. 1909.
   signs of good and poor layers. D.C. 18, p. 4. 1919.
Molybdenum—
   and its compounds, estimation method. Chem. Bul. 150, pp. 44–46. 1912.
   determination in plant ash, method. D.B. 600, p. 24. 1917.
   determination in various wood ash. D.B. 600, p. 3. 1917.
   occurrence in soils. D.B. 122, pp. 4, 12–13, 14, 27. 1914.
Molybdic trioxide determinations. Chem. Bul. 150, pp. 44–46. 1912.
Mombin—
   red, importation and description. No. 49148. B.P.I. Inv. 62, p. 8. 1923.
   yellow, importations and description. Nos. 54532–54534, B.P.I. Inv. 69, pp. 4, 22–23. 1923.
Moments method of fitting logarithmic curves. John Rice Miner. J.A.R., vol. 3, pp. 411–423. 1915.
Momordica—
   balsamina—
      importation and description. Inv. No. 29879. B.P.I. Bul. 233, p. 38. 1912.
      See also Balsam apple.
   charantia. See Cucumber, wild.
   spp. See Marrows.
Momotidae, hosts of eye parasite. B.A.I. Bul. 60, p. 48. 1904.
Mona Island, guano deposits, analyses. P.R. Bul. 25, p. 19. 1918.
Monanthochloe spp., description, distribution, and uses. D.B. 772, pp. 9, 56, 57. 1920.
Monaphidina genus, description. D.B. 826, pp. 7, 32. 1920.
Monarda—
   fistulosa. See Bergamot, wild.
   punctata. See Horsemint.
   spp., value as sources of volatile oil. B.P.I. Bul. 195, p. 39. 1910.
Monarthrum—
   fasciatum, control and life history. F.B. 1270, p. 66. 1922.
   mali—
      control and life history. F.B. 1270, p. 66. 1922.
      See also Barkbeetle, fruit-tree.
Monascus—
   purpurens, use in preparation of Chinese red rice. Chem. Chief Rpt., 1921, p. 18. 1921.
   sp. from potatoes in Idaho soils. J.A.R. vol. 13, pp. 79, 92. 1918.
Monaul, description, origin, and use. F.B. 390, pp. 10, 20. 1910.
MONCURE, W. A. P.: "The chemical composition of apples and cider." With others. Pts. I–II. Chem. Bul. 88, pp. 46. 1904.
Mondia whitei, fiber plant from South Africa. Inv. No. 38151. B.P.I. Bul. 248, p. 55. 1912.
Monedula carolina, enemy of Tabanid fly, Algeria, exportation. Ent. A.R. 1908, p. 16. 1908; An. Rpts., 1908, p. 538. 1909.
Moneilema—
   crassum, description and injuries to cactus. Ent. Bul. 113, pp. 14–15. 1912.
   spp. affecting roots and stems of cactus. Ent. Bul. 113, pp. 13–15. 1912.
Monellia—
   caryella. See Hickory aphid.
   spp., occurrence in California, key. D.B. 100, pp. 34–35. 1914.
Monerma repens, occurrence in Guam. Guam A.R., 1913, p. 16. 1914.

INDEX TO PUBLICATIONS, 1901–1925 1561

Money(s)—
borrower, rate sheet, blank form. News L., vol. 2, No. 49, pp. 1–2. 1915.
circulation and deposits, relation to prices. D.B. 999, p. 5. 1921.
foreign coins, equivalents. Stat. Bul. 68, p. 100. 1908.
public—
collection by employees, responsibility for. B.A.I.S.R.A. 147, p. 77. 1919.
laws, 1916. Sol. [Misc.], "Laws applicable * * * Agriculture," 4 Sup. pp. 117–119. 1917.
receipts by department, not appropriations. Accts. Chief Rpt., 1923, pp. 4–5. 1923; An. Rpts., 1923, pp. 510–511. 1924.
Moneywort, use on terrace lawns as substitute for grass. F.B. 494, pp. 35, 36, 48. 1912.
Mongolia, yak used for cattle. Alaska A.R., 1914, pp. 33–34. 1915.
Mongoose—
characteristics. Biol. Bul. 33, p. 36. 1909.
control in Hawaii. Hawaii Ext. Bul. 2, p. 4. 1917.
destruction of birds in Porto Rico. D.B. 326, pp. 48, 50, 51, 59, 67. 1916.
importation prohibition, United States and Canada. F.B. 1288, pp. 58, 78. 1922.
introduction into Hawaii for control of rats, injurious results. Ent. Bul. 93, p. 47. 1911.
Moniezia—
expansa, description, occurrence in sheep, and treatment. F.B. 1150, pp. 20–22. 1920.
spp. See Tapeworms.
Monieziella spp., description and habits. Rpt. 108, pp. 112, 113, 116. 1915.
Monilia—
rot—
development in stone fruits, experiments. J.A.R., vol. 22, pp. 452–455, 460–463, 465. 1922.
See also Brown rot.
sitophila, penetration into wood, studies. J.A.R., vol. 26, pp. 220, 224, 225–227. 1923.
Monilochaetes infuscans—
cause of sweet-potato scurf. F.B. 714, p. 16. 1916; F.B. 1059, p. 14. 1919; S.R.S. Syl. 26, p. 15. 1916.
morphology and taxonomy. J.A.R. vol. 5, No. 17, pp. 787–792. 1916; J.A.R. vol. 5, No. 21, pp. 998–1001. 1916.
Monkey(s)—
susceptibility to Malta fever. B.A.I. An. Rpt., 1911, pp. 119, 125. 1913; B.A.I. Cir. 215, pp. 119, 125. 1913.
tissues, histological examination. Theobold Smith. Rpt. 97, pp. 431–449. 1913.
tubercle bacilli, cultures and experiments. B.A.I. An. Rpt., 1906, pp. 136, 142, 150–151. 1908; B.A.I. Bul. 52, Pt. II, pp. 66–74. 1905.
worms, control by carbon tetrachloride, test. J.A.R. vol. 23, pp. 184–185. 1923.
Monkey flower, importation and description. No. 44775, B.P.I. Inv. 51, pp. 6, 63. 1922.
Monkey fruit, importations and description. No. 31619, B.P.I. Bul. 248, p. 31. 1912; No. 37902, B.P.I. Inv. 39, p. 65. 1917.
Monkshood—
importations and description. No. 35126, B.P.I. Inv. 34, p. 44. 1915; No. 51744, B.P.I. Inv. 65, p. 43. 1923; Nos. 52870, 53081–53083, 53122–53123, B.P.I. Inv. 67, pp. 8, 26, 30. 1923.
See also Aconite.
Monnina parviflora, importation and description. No. 51571, B.P.I. Inv. 65, p. 28. 1923.
Mono National Forest, California, location, description, and area. D.C. 185, p. 19. 1921.
Monoamino—
acids, determination in processed fertilizer base, and methods. D.B. 157, pp. 10, 14–17, 23. 1914.
nitrogen in potato tubers, skins, and sprouts. J.A.R., vol. 20, pp. 624, 628–634. 1921.
Monocalcium phosphate, effect on bacteria of soil. J.A.R., vol. 12, pp. 469–474, 484–493. 1918.
Monochaetia—
mali, inoculation experiments with apple leaves. J.A.R., vol. 2, pp. 58, 64. 1914.

Monochaetia—Continued.
rosenwaldia, cause of apricot tumor, description. J.A.R., vol. 26, pp. 56–58. 1923.
Monocrepidius—
spp., description, habits, and control. D.B. 156, pp. 19–21. 1915.
vespertinus—
control work. S.R.S. Rpt. 1915, Pt. I, pp. 50, 240. 1917.
See also Wireworms.
Monodon monocerus. See Norwhal.
Monodontomerus—
aereus—
gipsy-moth parasite, occurrence in New England. D.B. 204, p. 11. 1915.
introduction and dispersion. An. Rpts., 1911, p. 499. 1912; Ent. A.R., 1911, p. 9. 1911.
parasite of *Apanteles lacteicolor*. J.A.R., vol. 14, pp. 192, 201. 1918.
European, spread. An. Rpts., 1910, p. 116. 1911; Sec. A.R., 1910, p. 116. 1910; Y.B., 1910, p. 115. 1911.
Monodontus trigoncephalus—
in lambs, prevention. B.A.I. An. Rpt., 1907, p. 54. 1909.
See also Hookworms.
Monodora myristica. See Nutmeg.
Monohammus—
spp., flight period and control by spraying. D.B. 1079, pp. 5–10. 1922.
titillator. See Pine sawyer, southern.
Monohydroxystearic acid, description and analysis. Soils Bul. 74, pp. 14–17. 1910.
Monolepis, indicator value on ranges. D.B. 791, pp. 45, 48. 1919.
Monomorium—
minimum—
ant enemy of *Pemphigus acerifolii*. Ent. T.B. 24, p. 11. 1912.
See also Ant, little black.
pharaonis—
destruction by birds. Biol. Bul. 15, p. 95. 1901.
See also Ant, red.
spp.—
enemies of cotton boll weevil and leafworm. Ent. Bul. 100, pp. 41, 69, 70–71. 1912; Ent. Bul. 114, p. 140. 1912.
See also Ants.
Mononchus—
papillatus, enemy of citrus-root nematodes. J.A.R., vol. 2, pp. 226–228. 1914.
spp., beneficial habits, discussion. J.A.R., vol. 2, pp. 227–228. 1914; Y.B., 1914, p. 488. 1915; Y.B. Sep. 652, p. 488. 1915.
Monongahela National Forest, W. Va. and Va., map. For. Maps. 1924.
Monophlebinae, recently described, catalogue. Ent. T.B. 16, Pt. VI, pp. 83–84. 1912.
Monopoly—
agriculture, impossibility. Off. Rec., vol. 1, No. 30, p. 4. 1922.
danger to our natural resources. F.B. 327, p. 10. 1908.
meaning of term, and court decisions. D.B. 1106, pp. 35–47. 1922.
restraint of trade, laws relating to. D.B. 1106, pp. 35–46. rev. 1923.
Monostomulum lentis, trematode parasite in the human eye. Ch. Wardell Stiles. B.A.I. Bul. 35, pp. 24–35. 1902.
Monoxia puncticollis. See Beet leaf-beetle.
Monstera, inoculation with apple hard gall. B.P.I. Bul. 213, p. 100. 1911.
Montrosities, cattle, description, causes, treatment. B.A.I. [Misc.], "Diseases of cattle," rev., pp. 179–182. 1904; rev., pp. 184–186. 1912; rev., pp. 182–184. 1923.
Montana—
antelope in, number and distribution. D.B. 1346, pp. 33–37. 1925.
Agricultural—
College, new building, description. O.E.S. An. Rpt., 1909, pp. 296–297. 1910.
colleges and experiment stations, organization—
1905. O.E.S. Bul. 161, pp. 42–43. 1905.
1906. O.E.S. Bul. 176, pp. 47–48. 1907.
1907. O.E.S. Bul. 197, p. 51. 1908.
1910. O.E.S. Bul. 224, p. 43. 1910.
See also Agriculture, workers, list.

Montana—Continued.
  Agricultural—continued.
    extension work, statistics. D.C. 253, pp. 5, 8, 12-13, 17, 18. 1923.
  apple—
    growing, areas and varieties, and production. D.B. 485, pp. 31, 44-47. 1917.
    production, packing, and marketing. D.B. 935, pp. 1-27. 1921.
  appropriation for agricultural colleges. O.E.S. An. Rpt., 1911, p. 319. 1912.
  association, fruit growers. Rpt. 98, pp. 229-231 1913.
  barberry occurrence and eradication work. D.C. 188, pp. 7, 15-18, 21, 30. 1921.
  barley breeding studies and experiments. D.B. 137, pp. 3, 11, 29. 1914.
  barley crops, 1882-1906, acreage, production, and value. Stat.Bul. 59, pp. 14-26, 34. 1907.
  bee and honey statistics. D.B. 325, pp. 11, 12. 1915; D.B. 685, pp. 7-31. 1918.
  beet-sugar industry progress—
    1903. [Misc.], "Progress * * * beet-sugar industry * * * 1903," p. 31. 1904.
    1904. Rpt. 80, pp. 64-68. 1905.
    1906. Rpt. 84, p. 87. 1907.
    1907 Rpt. 86, pp. 76-79. 1908.
    1908. Rpt. 90, pp. 48, 63-65. 1908.
    1910. Rpt. 92, pp. 43-44. 1910.
    1911. B.P.I. Bul. 260, pp. 23, 29, 73. 1912.
  Billings—
    alkali soils reclamation. Clarence W. Dorsey. Soils Bul. 44, pp. 21. 1907.
    region, farm practice in growing sugar beets. S. B. Nuckols and E. L. Currier. D.B. 735, pp. 40. 1918.
  bird protection. See Bird protection, officials.
  birds, reports from observers, 1915-1916, 1917, 1920. D.B. 1165, pp. 13, 27. 1923.
  Bitter Root-Bighole Road, historical notes. Y.B., 1919, pp. 182, 185. 1920; Y.B. Sep. 806, pp. 182, 185. 1920.
  Bitter Root National Forest, tree-seed sowing, results. For. Bul. 98, p. 47. 1911.
  Bitter Root Valley—
    mammals in their relation to spotted fever Henry W. Henshaw and Clarence Birdseye. Biol. Cir. 82, pp. 24. 1911.
    Rocky Mountain spotted fever tick, with special reference to the problem of its control. W. D. Hunter and F. C. Bishopp. Ent. Bul. 105, pp. 47. 1911.
    spotted fever tick eradication, experiments with sheep. D.B. 45, pp. 1-11. 1913.
    tick eradication method and cost. Ent. Bul. 105, pp. 32-44. 1911.
  Bozeman, Farmers' Canal Co., water supply system. O.E.S. Bul. 229, pp. 49-51. 1910.
  buckwheat crops, 1882, 1889-1892, acreage, production, and value. Stat. Bul. 61, pp. 9, 11-13, 23. 1908
  cement factories, potash content and loss. D.B. 572, p. 5. 1917.
  climatic records, 1911 and 1912, precipitation, wind, and frosts. B.P.I. Cir. 121, pp. 21-22. 1913.
  convict road-work, laws. D.B. 414, p. 205. 1916.
  cooperative associations, statistics, and laws. D.B. 574, pp. 13, 19, 29, 39, 71. 1917.
  corn crops—
    1882-1906, acreage, production, and value. Stat. Bul. 56, pp. 15-27, 35. 1907.
    1882-1915, yields and prices. D.B. 515, p. 13. 1917.
  counties released from quarantine of cattle scabies. B.A.I.O. 197, amdt. 3, pp. 2. 1914.
  county farm bureaus. News L., vol. 5, No. 51, p. 1. 1918.
  credits, farm-mortgage loans, costs, and sources. D.B. 384, pp. 2, 3, 6, 8, 10. 1916.
  crop losses from rodents. Y.B., 1917, p. 226. 1918; Y.B. Sep. 724, p. 4. 1918.
  crop conditions, acreage, yields, and values, Huntley, 1914. W.I.A. Cir. 2, pp. 3-4. 1915.
  Custer County, organization for food production and conservation. News L., vol. 5, No. 48, p. 5. 1918.
  cutworm outbreaks in 1921. D.B. 1103, p. 19 1922.

Montana—Continued.
  Deer Lodge Valley, livestock injury by smelter fumes. B.A.I. An. Rpt., 1908, pp. 237-268. 1910.
  demurrage provisions, regulations. D.B. 191, pp. 3, 14, 17, 23, 36. 1915.
  drought conditions and removal of livestock. Y.B., 1919, pp. 396-400. 1920; Y.B Sep. 820, pp. 396-400. 1920.
  drug laws. Chem. Bul. 98, pp. 114-116. 1906; rev., Pt. I, pp 175-178 1909.
  dry-farming crops. F.B. 388, p. 10. 1910
  dry-land(s)—
    agriculture—
      experiments at Huntley farm, 1922. D.C. 330, pp. 12-21. 1925.
      notes. B.P.I. Cir. 10, pp. 1-3. 1908.
    farming, effect on gid eradication. B.A.I. Cir. 165, p. 28. 1910.
    grains for. N. C. Donaldson. F.B 749. pp. 23 1916.
    sections, topography, soil, and climate. F.B. 749, pp. 1-4. 1916.
  durum wheat growing. F.B. 1304, pp. 1, 3, 5-15. 1923
  early settlement, historical notes. See Soil Surveys for various counties and areas.
  eastern, grains adapted to. F.B. 878, pp. 1-22. 1917.
  evaporation—
    experiments. O.E.S. Bul. 248, pp. 20-23, 29 44-46, 50, 59, 67. 1912.
    soil moisture under mulches of different depths. Y.B., 1908, p. 470. 1909; Y.B. Sep. 495, p. 470. 1909.
  Experiment Station—
    study of sugar-beet root-louse, experiments. J.A.R., vol. 4, pp. 241-250. 1915.
    wool research work, 1908. J. A. R., vol. 4, pp. 380-390. 1915.
    report of work—
      1906. F. B. Linfield. O.E.S. An Rpt., 1906, pp. 125-127. 1907.
      1907. F. B. Linfield. O.E.S. An Rpt., 1907, pp. 128-130. 1908.
    work and expenditures, report—
      1908. F. B. Linfield. O.E.S. An. Rpt., 1908, pp. 125-127. 1909.
      1909. F. B. Linfield. O.E.S. An. Rpt., 1909, pp. 138-141. 1910.
      1910. F. B. Linfield. O.E.S. An. Rpt., 1910, pp. 179-182. 1911.
      1911. F. B. Linfield. O.E.S. An. Rpt., 1911, pp. 143-146. 1912.
      1912. F. B. Linfield. O.E.S. An. Rpt., 1912, pp. 149-152. 1913.
      1913. F. B. Linfield. O.E.S. An. Rpt., 1913, pp. 59-60. 1915.
      1914. F. B. Linfield. O.E.S. An. Rpt., 1914, pp. 151-154. 1915.
      1915. F. B. Linfield. O.E.S. An. Rpt., 1915, pp. 168-174. 1917.
      1915. F. B. Linfield. S.R.S. Rpt., 1915, Pt. I, pp. 168-174. 1916.
      1916. F. B. Linfield. S.R.S. Rpt., 1916, Pt. I, pp. 172-177. 1918.
      1917. F. B. Linfield. S.R.S. Rpt., 1917, Pt. I, pp. 167-171. 1918.
      1918. S.R.S. Rpt., 1918, pp. 41, 53, 56, 60, 64, 66, 70-80. 1920.
  work on sunflower silage. D.B. 1045, pp. 4, 6, 10-14, 19-23. 1922.
  extension work—
    camps. Off. Rec., vol. 1, No. 26, p. 5. 1922.
    funds allotment, and county-agent work. S.R.S. Doc. 40, pp. 4, 6, 10, 16, 23, 25, 28. 1918.
    in agriculture and home economics—
      1915. F. S. Cooley. S.R.S. Rpt., 1915, Pt. II, pp. 245-249. 1917.
      1916. F. S. Cooley. S.R.S. Rpt., 1916, Pt. II, 268-273. 1917.
      1917. F. S. Cooley. S.R.S. Rpt., 1917, Pt. II, pp. 271-277. 1919.
    statistics. D.C. 306, pp. 3, 6, 10, 16, 20, 21. 1924.
  fairs, number, kind, location, and dates. Stat. Bul. 102, pp. 13, 14, 44. 1913.
  fallow experiments, in north-central part. George W. Morgan. D.B. 1310, pp. 16. 1925.

INDEX TO PUBLICATIONS, 1901-1925

Montana—Continued.
farm—
 animals, statistics, 1883-1907. Stat. Bul. 64, p. 133. 1908.
 conditions, letters from women, citations. Rpt. 103, p. 60. 1915; Rpt. 104, pp. 21, 44, 53, 71. 1915; Rpt. 105, pp. 19, 44, 52, 56. 1915; Rpt. 106, pp. 36, 53. 1915.
 leases, provisions, note. D.B. 650, p. 5. 1918.
 management contest. News L., vol. 6, No. 45, p. 16. 1919.
 values, changes, 1900-1905. Stat. Bul. 43, pp. 11-17, 30-46. 1906.
farmers'—
 assistance in Nebraska wheat harvest. News L., vol. 7, No. 5, p. 13. 1919.
 institutes—
  history. O.E.S. Bul. 174, p. 55. 1906.
  laws. O.E.S. Bul. 135, rev., pp. 23-24. 1903.
  legislation. O.E.S. Bul. 241, p. 28. 1911.
  work, 1904. O.E.S. An. Rpt., 1904, pp. 652-653. 1905.
  work, 1906. O.E.S. An. Rpt., 1906, p. 337. 1907.
  work, 1907. O.E.S. An Rpt., 1907, p. 336. 1908; O.E.S. Bul. 199, p. 23. 1908.
  work, 1908. O.E.S. An. Rpt., 1908, p. 319. 1909.
  work, 1909. O.E.S. An. Rpt., 1909, p. 348. 1910.
  work, 1910. O.E.S. An. Rpt., 1910, p. 409. 1911.
  work, 1911. O.E.S. An. Rpt., 1911, p. 374. 1912.
  work, 1912. O.E.S. An. Rpt., 1912, p. 367. 1913.
fever tick eradication by means of sheep. D.B. 45, pp. 1-11. 1913.
field—
 stations—
  barley growing, methods, cost, and yields. D.B. 222, pp. 12-14, 29-31. 1915.
  corn growing, methods, cost, and yields. D.B. 219, pp. 3-15, 27-31. 1915.
  oat growing, cost and yields. D.B. 218, pp. 11-14, 40, 41. 1915.
  subsoiling and deep tilling experiments. J.A.R., vol. 14, pp. 487-489, 515-517. 1918.
  wheat growing, methods, yield, and cost. D.B. 595, pp. 10-13, 33. 1917.
 work of Plant Industry, December, 1924. M.C. 30, pp. 31-33. 1925.
flax—
 acreage, 1899, 1909, 1913. D.B. 322, p. 4. 1916.
 production, acreage and methods. D.C. 341, pp. 7-9. 1925.
food—
 and drug officials. Chem. S.R.A. 13, p. 8. 1915.
 laws—
  1903. Chem. Bul. 83, Pt. I, pp. 76-80. 1904.
  1905. Chem. Bul 69, rev., Pt. IV, pp. 340-346. 1906.
  1907. Chem. Bul. 112, Pt. I, pp. 131-136. 1908.
  enforcement. Chem. Cir. 16, rev., p. 15. 1908.
forest—
 area, 1918. Y.B. 1918, p. 717. 1919; Y.B. Sep. 795, p. 53. 1919.
 conditions and needs. Sec. Cir. 183, pp. 27, 28. 1921.
 fires, statistics. For. Bul. 117, p. 31. 1912.
 legislation, 1907. Y.B., 1907, p. 576. 1908; Y.B. Sep. 470, p. 16. 1908.
 reserves. See Forests, national.
 trees, species adapted, and planting details. F.B. 888, pp. 5-10, 19. 1917.
forestry laws, 1921, summary. D.C. 239, p. 16. 1922.
Fort Assiniboine field station, wheat-growing experiments. D.B. 878, pp. 18-19. 1920.
Fort Ellis Reservation, use for experimental work. O.E.S. An. Rpt., 1910, pp. 64, 180. 1911.
funds for cooperative extension work, sources. S.R.S. Doc. 40, pp. 4, 6, 10, 16. 1917.
fur animals, laws—
 1915. F.B. 706, p. 10. 1916.
 1916. F.B. 783, pp. 12, 27. 1916.
 1917. F.B. 911, pp. 14, 31. 1917.
 1918. F.B. 1022, pp. 14, 31. 1918.

Montana—Continued.
fur animals, laws—continued.
 1919. F.B. 1079, pp. 5, 18, 31. 1919.
 1920. F.B. 1165, p. 16. 1920.
 1921. F.B. 1238, p. 15. 1921.
 1922. F.B. 1293, p. 13. 1922.
 1923-24. F.B. 1387, p. 16. 1923.
 1924-25. F.B. 1445, p. 12. 1924.
 1925-26. F.B. 1469, p. 15. 1925.
game—
 and bird reservations, details and summary. Biol. Cir. 87, pp. 4, 9, 10, 15, 16. 1912.
 laws—
  1902. F.B. 160, pp. 17, 42, 45, 52. 1902.
  1903. F.B. 180, pp. 12, 23, 33, 38, 44, 46, 55. 1903.
  1904. F.B. 207, pp. 20, 34, 44, 51, 62. 1904.
  1905. F.B. 230, pp. 10, 19, 31, 38, 44. 1905.
  1906. F.B. 265, pp. 17, 30, 44. 1906.
  1907. F.B. 308, pp. 7, 16, 29, 36, 44. 1907.
  1908. F.B. 336, pp. 18, 32, 40, 44, 51. 1908.
  1909. F.B. 376, pp. 6, 12, 23, 34, 39, 43, 48. 1909.
  1910. F.B. 418, pp. 16, 27, 33, 36, 42. 1910.
  1911. F.B. 470, pp. 12, 21, 32, 38, 41, 48. 1911.
  1912. F.B. 510, pp. 16, 25-26, 28, 32, 34, 38, 44. 1912.
  1913. D.B. 22, pp. 14, 20, 28, 40, 45, 49, 55. 1913; rev., pp. 13-14, 19, 28, 40, 45, 49, 55. 1913.
  1914. F.B. 628, pp. 10, 11, 19, 28-29, 32, 36, 38, 42, 49. 1914.
  1915. F.B. 692, pp. 3, 4, 5, 6, 8, 12, 29, 42, 47, 52, 59. 1915.
  1916. F.B. 774, pp. 27, 40, 45, 51, 59. 1916.
  1917. F.B. 910, pp. 24, 52. 1917.
  1918. F.B. 1010, pp. 22, 61, 70. 1918.
  1919. F.B. 1077, pp. 25, 49, 56, 72, 73. 1919.
  1920. F.B. 1138, p. 27. 1920.
  1921. F.B. 1235, pp. 28, 56. 1921.
  1922. F.B. 1288, pp. 25, 54, 66, 67. 1922.
  1923-24. F.B. 1375, pp. 1-6, 25, 49. 1923.
  1924-25. F.B. 1444, pp. 17-18, 37. 1924.
  1925-26. F.B. 1466, pp. 24, 44. 1925.
 protection. See Game protection, officials.
gid—
 distribution, 1908-1910. B.A.I. Bul. 125, Pt. I, pp. 24-26. 1910.
 parasite, history. B.A.I. Cir. 165, pp. 8-10. 1910.
Glacier National Park, establishment as game refuge, 1910. Biol. Cir. 80, p. 16. 1911.
Grain—
 Growers of Great Falls, organization. D.B. 937, p. 18. 1921.
 growing, directions, varieties and methods. F.B. 749, pp. 1-23. 1916.
 supervision districts, counties. Mkts. S.R.A. 14, pp. 17, 32, 34. 1916.
hail insurance—
 law, enactment and operation. D.B. 912, pp. 7, 8, 9. 1920.
 on crops. D.B. 1043, p. 15. 1922.
hay—
 community buying. News L., vol. 6, No. 28, p. 10. 1919.
 crops, 1882-1906, acreage, production, and value. Stat. Bul. 63, pp. 13-25, 32. 1908.
 feeding tests, value of alsike clover. F.B. 1151, p. 9. 1920.
 herds, lists of tested and accredited. D.C. 54, pp. 4, 9, 14, 24, 35, 61, 82. 1919; D.C. 142, pp. 7-49. 1920; D.C. 143, pp. 11, 36, 79. 1920; D.C. 144, pp. 5, 12, 32. 1920.
hunting laws. Biol. Bul. 19, pp. 21, 27, 30, 62. 1904.
insecticide and fungicide laws. I. and F. Bd., S.R.A. 13, pp. 127-130. 1916.
irrigation—
 Samuel Fortier and others. O.E.S. Bul. 172, pp. 108. 1906.
 districts, and their statutory relations. D.B. 1177, pp. 4, 5, 11-19, 26-31, 49. 1923.
 history, water rights, and cost. O.E.S. Bul. 168, pp. 78-80. 1906.
 investigations—
  1900. Samuel Fortier. O.E.S. Bul. 104, pp. 267-292. 1902.

36167°—32——99

1564   UNITED STATES DEPARTMENT OF AGRICULTURE

Montana—Continued.
irrigation—continued.
investigations—continued.
  1901. Samuel Fortier. O.E.S. Bul. 119, pp. 225–241. 1902.
  1902. Samuel Fortier. O.E.S. Bul. 133, pp. 137–150. 1903.
  projects under the Carey Act. Sec. Cir. 124, pp. 6, 8. 1919; O.E.S. An. Rpt., 1910, pp. 476–478. 1911.
  reservoirs, dams, and details. O.E.S. Bul. 249, Pt. I, pp. 21, 33, 42–43, 45. 1912.
  recent legislation. O.E.S. An. Rpt., 1909, pp. 403, 410, 412, 414. 1910.
  State laws. D.B. 1257, p. 15. 1924.
  with spring water. Y.B., 1907, pp. 411–413, 1908; Y.B. Sep. 458. pp. 411–413. 1908.
Judith Basin—
  crop rotation experiments. B.P.I. Bul. 187, pp. 1–78. 1910.
  description, soils, and climate. D.B. 398, pp. 2–9. 1916.
  substation—
    grain growing. F.B. 749, pp. 1–23. 1916.
    Moccasin, cereal experiments. N. C. Donaldson. D.B. 398, pp. 42. 1916.
    wheat-growing experiments, results. D.B. 878, pp. 19–21. 1920.
Kootenai Valley, farmers' protest against elimination from national forest. Y.B., 1914, p. 65. 1915; Y.B. Sep. 633, p. 65. 1915.
Lake Bowdoin, duck sickness, reports. D.B. 672, pp. 5–6. 1918.
lard supply, wholesale and retail, Aug. 31, 1917, tables. Sec. Cir. 97, pp. 14–32. 1918.
laws—
  dog control, digest. F.B. 935, p. 17. 1918; F. B. 1268, p. 17. 1922.
  nursery stock interstate shipment, digest. Ent. Cir. 75, rev., p. 5. 1908; F.H.B.S.R.A. 57, pp. 113, 114, 115. 1919.
  relating to contagious animal diseases. B.A.I. Bul. 43, p. 39. 1901.
  restricting fruit and plant shipment. Ent. Bul. 84, p. 38. 1909.
  stallions, regulations. B.A.I., An. Rpt. 1908, p. 340. 1910.
legislation—
  protecting birds. Biol. Bul. 12, rev. pp. 23, 30, 39, 49, 100, 137. 1902.
  relative to tuberculosis. B.A.I. Bul. 28, pp. 72–77. 1901.
livestock—
  admission, sanitary requirements. B.A.I. Doc. A–28, pp. 21–24. 1917; B.A.I. Doc. A–36, pp. 31–35. 1920; M.C. 14, pp. 39–46. 1924.
  associations. Y.B. 1920, p. 525. 1921; Y.B. Sep. 866, p. 525. 1921.
  conditions, comparison with Alaska, Kenai Peninsula. Soil Sur. Adv. Sh., 1916, p. 107. 1918; Soils F.O., 1916, p. 139. 1921.
  experiment station. Off. Rec. vol. 3, No. 33, pp. 1–2. 1924.
  pasturing in Minnesota. News L., vol. 6, No. 52, p. 15. 1919.
  production, from reports of stockmen. Rpt. 110, pp. 5–27, 33–35, 47–48, 67–72. 1916.
lodgepole pine—
  conditions. D.B. 154, pp. 1–35. 1915.
  forest tables. For. Cir. 126, pp. 6–9, 14–16, 18–20, 22–23. 1907.
lumber—
  cut, 1920, 1870–1920, value, and kinds. D.B. 1119, pp. 27, 30–35, 43–61. 1923.
  production, 1918, by mills, woods, and lath and shingles. D.B. 845, pp. 6–10, 13, 16, 20, 23, 29, 32, 38, 40, 42–47. 1920.
lupine poisoning of sheep, and experiments. D. B. 405, pp. 3, 4, 7–25, 40. 1916.
mammals, relation to agriculture and spotted fever. F.B. 484, pp. 1–46. 1912.
marketing work. An. Rpts., 1917, p. 449. 1918; Mkts. Chief Rpt., 1917, p. 19. 1917.
milk supply, and laws. B.A.I. Bul. 46, pp. 36, 108–109. 1903.
Moccasin, oats varietal tests, yields and ripening dates. D.C. 324, pp. 7–8. 1924.
mountain meadows, seeding to redtop and timothy. B.P.I. Bul. 117, p. 11. 1907.

Montana—Continued.
National Bison Range—
  purchase and cost. D.B. 1049, p. 45. 1922.
  report—
    1917. An. Rpts., 1917, p. 259. 1918; Biol. Chief Rpt., 1917, p. 9. 1917.
    1918. An. Rpts., 1918, p. 268. 1919; Biol. Chief Rpt., 1918, p. 12. 1918.
    1919. An. Rpts., 1919, p. 291. 1920; Biol. Chief Rpt., 1919, p. 17. 1919.
    1921. Biol. Chief Rpt., 1921, pp. 21–22. 1921.
    1922. An. Rpts., 1922, p. 359. 1923; Biol. Chief Rpt., 1922, p. 29. 1922.
    1923. An. Rpts., 1923, p. 452. 1924; Biol. Chief Rpt., 1923, p. 34. 1923.
  surplus. Off. Rec., vol. 3, No. 10, p. 3. 1924.
national forests—
  location, date and area, Jan. 31, 1913. For. [Misc.], "Use book, 1913," p. 86. 1913.
  road building since 1912. Y.B., 1916, p. 525. 1917; Y.B. Sep. 696, p. 5. 1917.
oat—
  crops, 1882–1906, acreage, production, and value. Stat. Bul. 58, pp. 13–25, 33. 1907.
  growing, varietal experiments. D.B. 823, pp. 38, 49, 61, 62, 67. 1920.
  tests, Kherson and Sixty-day with other varieties. F.B. 395, pp. 23–24. 1910.
officials, dairy, drug, feeding stuffs, and food. See Dairy officials; Drug officials.
outbreak of army cutworm. J.A.R., vol. 6, No. 23, pp. 873–875. 1916.
pasture lands on farms. D.B. 626, pp. 15, 55. 1918.
pear growing, distribution and varieties. D.B. 822, p. 13. 1920.
Pishkun bird reservation, conditions. An. Rpts., 1913, pp. 230–231. 1914; Biol. Chief Rpt., 1913, pp. 8–9. 1913.
plant—
  inspection, list of plants, and inspection points. F.H.B.S.R.A. 21, pp. 85–86. 1915.
  terminal inspection, regulation. F.H.B.S.R.A. 23, p. 99. 1916.
plant yield experiment. B.P.I. Cir. 109, pp. 27–31. 1913.
plowman's monument. News L., vol. 7, No. 5, p. 13. 1919.
pocket gophers, occurrence, and description. N.A. Fauna 39, pp. 9, 23–28, 98, 101, 102, 105, 127, 128. 1915.
poisonous plants, investigations. An. Rpts., 1912, pp. 411–412. 1913; B.P.I. Chief Rpt., 1912, pp. 31–32. 1912.
potato(es)—
  crops, 1882–1906, acreage, production and value. Stat. Bul. 62, pp. 15–27, 35. 1908.
  diseases, losses caused by dry-rot and Fusarium wilt. J.A.R., vol. 24, p. 339. 1923.
  under irrigation, acreage and production. F.B. 953, p. 4. 1918.
quarantine for—
  cattle scabies—
    Jan. 15, 1910, prevention of spread. B.A.I.O. 167, rule 2, rev., 3, p. 1. 1909.
    1912. B.A.I.O. 167, amdt. 3, pp. 2. 1912.
    1913. B.A.I.O. 197, rule, 2, rev., 4, pp. 1, 2. 1913.
  foot-and-mouth disease, area, May, 1915. B.A.I.O. 238, p. 5. 1915; B.A.I.O. 238, amdts. 2, 7, pp. 2, 3. 1915.
  sheep scabies, release Apr. 1, 1909. B.A.I.O. 146, amdt. 3, p. 1. 1909.
rainfall—
  average. Y.B., 1918, pp. 434. 1919; Y.B. Sep. 771, pp. 4. 1919.
  map and table. B.P.I. Bul. 188, pp. 37, 54–55. 1910.
  type, remarks. Y.B., 1902, p. 641. 1903.
Range Livestock Experiment Stations. B.A.I. Chief Rpt., 1924, p. 5. 1924.
reclamation experiments, tract. Soils Bul. 35, pp. 191–194. 1906.
reforestation, choice of sites and species for planting. D.B. 475, pp. 25, 37, 39, 56–57, 63. 1917.
reservoirs, small. O.E.S. Bul. 179, pp. 1–100. 1907.
road(s)—
  bond-built, amount of bonds and rate. D.B. 136, pp. 43, 71, 81, 85. 1915.

Montana—Continued.
  road(s)—continued.
    building-rock tests, results. D.B. 370, p. 44. 1916; D.B. 1132, pp. 21, 52. 1923.
    materials, tests. Rds. Bul. 44, p. 53. 1912.
    mileage and expenditures—
      1904. Rds. Cir. 54, pp. 2. 1906.
      1909. Rds. Bul. 41, pp. 26, 41, 42, 83. 1912.
      1914. D.B. 389, pp. 2, 3, 4, 5, 6, 7, 32–34. 1917. Jan. 1, 1915. Sec. Cir. 52, pp. 2, 4, 6. 1915.
      1916. Sec. Cir. 74, pp. 5, 7, 8. 1917.
  rodent extermination, work, 1918. An. Rpts., 1918, p. 18. 1919; Sec. A.R., 1918, p. 18. 1918.
  rural credit law. Off. Rec., vol. 2, No. 46, p. 1. 1923.
  rye crops, 1901–1906, acreage, production, and value. Stat. Bul. 60, pp. 22–25, 33. 1908.
  school lands—
    exchange. Sol. [Misc.], "Laws * * * forests," p. 78. 1916.
    from national forests. An. Rpts., 1914, p. 155. 1914; For. A.R., 1914, p. 27. 1914.
  schools, agricultural, work. O.E.S. Cir. 106, rev., p. 24. 1912.
  seed loans, amount. Off. Rec. vol. 1, No. 19, p. 1. 1922.
  sheep—
    numbers, map. Sec. [Misc.] Spec., "Geography * * * world's agriculture," p. 138. 1917.
    raising practices. F.B. 1051, pp. 18, 30–32. 1919.
  shelter-belt demonstrations. D.B. 1113, pp. 3–6, 16–24. 1923.
  shipments of fruits and vegetables, and index to station shipments. D.B. 667, pp. 6–13, 32. 1918.
  smelters, investigations, effects on vegetation and animal life. Chem. Bul. 113, pp. 19–34. 1908; rev., pp. 21–57. 1910.
  soil—
    and alkali survey. Soils Bul. 35, pp. 99–104. 1906.
    survey of—
      Billings area. Charles A. Jensen and N. P. Neill. Soils F.O. Sep., 1902, pp. 665–687. 1903; Soils F.O., 1902, pp. 665–687. 1903.
      Bitter Root Valley area. E. C. Eckmann and G. L. Harrington. Soil Sur. Adv. Sh., 1914, pp. 72. 1917; Soils F.O., 1914, pp. 2463–2530. 1919.
      Gallatin County. See Gallatin Valley area.
      Gallatin Valley. Macy H. Lapham and Charles W. Ely. Soil Sur. Adv. Sh., 1905, pp. 26. 1906; Soils F.O., 1905, pp. 975–996. 1907.
      Missoula County. See Bitter Root Valley area.
      Ravalli County. See Bitter Root Valley area.
      Stillwater County. See Billings area.
      Yellowstone County. See Billings area.
  spotted-fever tick occurrence. Ent. Bul. 105, p. 17. 1911.
  stallions, number, classes, and legislation controlling. Y.B., 1916, pp. 290, 291, 293, 296. 1917; Y.B. Sep. 692, pp. 2, 3, 5, 8. 1917.
  standard containers. F.B. 1434, p. 17. 1924.
  State forestry laws. Jeannie S. Peyton. For. Law Leaf. 15, pp. 6. 1916; For. Misc. S–16, pp. 6. 1916.
  sugar-beet growing. News L., vol. 6, No. 27, p. 15. 1919.
  Sun River Project, hints to settlers. J. S. Cotton and W. A. Remington. B.P.I. Doc. 462, pp. 7. 1909.
  Swedish Select oat, experiments and results. B.P.I. Bul. 182, pp. 14–16, 22–23. 1910.
  timber cut and sales, 1914. An. Rpts., 1914, pp. 138, 139. 1914; For. A.R., 1914, pp. 10, 11. 1914.
  timothy and clover, production, 1909, acreage and yield. F.B. 502, pp. 7–8. 1912.
  Toole County, farm bureau organization. News L., vol. 5, No. 50, p. 1. 1918.
  Trebi barley growing experiments and yields. D.C. 208, pp. 6–8. 1922.
  trespass laws for national forests, digest. For. [Misc.], "Trespass on national * * *," pp. 20–36. 1922.

Montana—Continued.
  trucking industry, acreage and crops. Y.B., 1916, pp. 455–465. 1917; Y.B. Sep. 702, pp. 21–31. 1917.
  wages rates, farm labor, 1866–1909. Stat. Bul. 99, pp. 29–43, 68–70. 1912.
  walnut growing, note. B.P.I. Bul. 254, p. 18. 1913.
  water rights, laws, officials. D.B. 913, pp. 3, 12–13. 1920.
  water supply, records, by counties. Soils Bul. 92, pp. 96–97. 1913.
  western—
    lightning storms prevalence due to topography. D.B. 111, pp. 9–10. 1914.
    mamals, in relation to agriculture and spotted fever. Clarence Birdseye. F.B. 484, pp. 46. 1912.
    pine injury by the Sequoia pitch moth. D.B. 111, pp. 1–11. 1914.
  wheat—
    acreage and varieties. D.B. 1074, p. 212. 1922.
    comparison with wheat of other sections. D.B. 522, pp. 17–20. 1917.
    crops, 1866–1906, acreage, production, and value. Stat. Bul. 57, pp. 13–25, 33. 1907; rev., pp. 13–25, 33, 38. 1908.
    crops, 1882–1915, yields, and prices. D.B. 514, p. 13. 1917.
    grades received. Mkts. S.R.A. 36, pp. 9, 11, 12. 1918.
    growing under irrigation, Marquis and others. D.B. 400, pp. 36–37. 1916.
    marketing conditions. D.B. 522, p. 3. 1917.
    varietal experiments, Marquis and others. D.B. 400, p. 25. 1916.
    varieties and types, names and classification. D.B. 522, pp. 4–6. 1917.
    winter, growing. F.B. 895, p. 6. 1917.
    yield, variation with rainfall. B.P.I. Bul. 188, pp. 26, 27. 1910.
  wool-handling method. Y.B., 1914, p. 330. 1915; Y.B. Sep. 645, p. 330. 1915.
  Worden tract, reclamation, crops grown, and drainage. W.I.A. Cir. 8, pp. 22–24. 1916.
  yellow pine, area, annual cut, and stumpage. D.B. 1003, pp. 7–12, 12–13. 1921.
  Zygadenus spp., occurrence and distribution. D.B. 1012, pp. 1, 2, 3, 16. 1922.
  See also Northern Great Plains.
Montanoa hibiscifolia—
  importation and description. No. 43660, B.P.I. Inv. 49, p. 58. 1921.
  importation and description. No. 44359, B.P.I. Inv. 50, p. 62. 1922.
Montclair, N. J., milk supply—
  improvement under inspection. B.A.I. Cir. 139, pp. 13, 17–18. 1909.
  statistics, officials, prices, and ordinances. B.A.I. Bul. 46, pp. 40, 117–123, 175–177. 1903.
MONTEITH, JOHN, Jr.—
  "Fusarium resistant cabbage: Progress with second early varieties." With others. J.A.R., vol. 30, pp. 1027–1034. 1925.
  "Relation of soil temperature and soil moisture to infection by Plasmodiophora brassicae." J.A.R., vol. 28, pp. 549–562. 1924.
Montenegro, agricultural conditions. D.B. 1234, pp. 104–105. 1924.
Montevideo, wool exports, 1901. B.A.I., An. Rpt. 1901, p. 607. 1902.
MONTGOMERY, E. G.—
  "Crop production under humid and dry conditions." B.P.I. Bul. 130, pp. 43–49. 1908.
  "Experiments in wheat breeding: Experimental error in the nursery and variations in nitrogen and yield." B.P.I. Bul. 269, pp. 61. 1913.
  "The farmer's interest in foreign markets." Y.B., 1920, pp. 495–503. 1921; Y.B. Sep. 860, pp. 493–503. 1921.
MONTGOMERY, FRANK—
  "Farm management and farm organization in Sumter County, Georgia." With others. D.B. 1034, pp. 97. 1922.
  "Farming in the bluegrass region." With J. H. Arnold. D.B. 482, pp. 29. 1917.
  "Influence of a city on farming." With J. H. Arnold. D.B. 678, pp. 24. 1918.

Montgomery, Ala.—
  milk-supply details and statistics. B.A.I. Bul. 70, pp. 6-7, 32-33. 1905.
  milk supply, statistics, officials, prices, and ordinances. B.A.I. Bul. 46, pp. 34, 46. 1903.
  trade center for farm products, statistics. Rpt. 98, pp. 288, 326. 1913.
Montpelier irrigation district, Idaho, location, organization, and work. O.E.S. Bul. 216, pp. 35-36. 1909.
Monument(s)—
  Chiricahua National, establishment. Off. Rec., vol. 3, No. 21, p. 3. 1924.
  historic, New Mexico national forests. D.C. 240, pp. 9, 11, 20. 1922.
  national—
    in national forests, names and location. D.C. 211, p. 15. 1922.
    reservation and protection. For. [Misc.], "The use book, 1915," rev. ,pp. 11, 132, 156. 1915.
    usefulness as game refuges. Biol. Cir, 87, pp. 2, 8. 1912.
  New National in Arizona. Off. Rec., vol. 3, No. 21, p. 2. 1924.
  nursery, practices, shading and mulching. D.B. 479, pp. 35, 37, 41, 43, 44, 49, 51, 60, 62, 63, 65, 66, 69, 71, 73, 85. 1917.
Moody, W. H. (Attorney General), opinion on twenty-eight hour law. Sol. Cir. 27, pp. 21-23. 1909.
Moodna ostrinella, similarity to *Pectinophora gossypiella*. J.A.R., vol. 20, pp. 831-832. 1921.
Moomaw, C. W.—
  "Apple cold-storage and the market." F.B. 651, pp. 10-12. 1915.
  "Apple market investigations, 1914-1915." With M. M. Stewart. D.B. 302, pp. 23. 1915.
  "Cooperative marketing, and financing of marketing associations." With others. Y.B., 1914, pp. 185-210. 1915; Y.B. Sep. 637, pp. 185-210. 1915.
  "Marketing the apple crop." F.B. 620, pp. 16-22. 1914.
  "Markets for American fruits in China." With Marjorie L. Franklin. D.C. 146, pp. 27. 1920.
  report of Virginia fruit growers, Staunton, Va. Rpt. 98, pp. 255-256. 1913.
Moomaw, Leroy: "Tillage and rotation experiments at Dickinson, Hettinger, and Williston, N. Dak." D.B. 1293, pp. 23. 1925.
Moomaw, S. B.: "Australia and New Zealand as markets for American fruit." With Caroline B. Sherman. D.C. 145, pp. 16. 1921.
Moon—
  indications of weather, proverbs regarding. Y.B., 1912, pp. 378-379. 1913; Y.B. Sep. 599, pp. 378-379. 1913.
  influence on crops, discussion. News L., vol. 2, No. 39, p. 6. 1915.
  phases for each month, 1921. F.B. 1202, pp. 2, 6, 10, 14, 18, 22, 26, 30, 34, 38, 42, 46. 1921.
  rising and setting, tables for computing time. H. H. Kimball. W.B. [Misc.], "Tables for computing * * *," pp. 29. 1916.
Moonack. *See* Marmot; Woodchuck.
Moonblindness. *See* Ophthalmia, recurrent.
Mooney, C. N.: "Soil survey of—
  Braxton and Clay Counties, West Virginia." Soil Sur. Adv. Sh., 1918, pp. 39. 1920; Soils F.O., 1918, pp. 885-919. 1924.
  Bullock County, Georgia." With others. Soil Sur. Adv. Sh., 1910, pp. 52. 1911; Soils F.O., 1910, pp. 453-500. 1912.
  Center County, Pennsylvania." With others. Soil Sur. Adv. Sh., 1908, pp. 52. 1910; Soils F.O., 1908, pp. 245-292. 1911.
  Columbia County, Georgia." With Arthur E. Taylor. Soil Sur. Adv. Sh., 1911, pp. 47. 1912; Soils F.O., 1911, pp. 645-687. 1914.
  Dutchess County, New York." With H. L. Belden. Soil Sur. Adv. Sh., 1907, pp. 53. 1909; Soils F.O., 1907, pp. 31-79. 1909.
  Franklin County, Florida." With A. L. Patrick. Soil Sur. Adv. Sh., 1915, pp. 31. 1916; Soils F.O., 1915, pp. 799-825. 1919.
  Geauga County, Ohio." With others. Soil Sur. Adv. Sh., 1915, pp. 37. 1916; Soils F.O., 1915, pp. 1283-1315. 1919.

Mooney, C. N.: "Soil survey of—Continued.
  Hillsborough County, Florida." With others. Soil Sur. Adv. Sh. 1916, pp. 42. 1918; Soils F.O. 1916, pp. 749-786. 1921.
  Merrimack County, New Hampshire." With others. Soil Sur. Adv. Sh., 1906, pp. 39. 1908; Soils F.O., 1906, pp. 33-67. 1908.
  Orange County, Florida." With others. Soil Sur. Adv. Sh., 1919, pp. 25. 1922; Soils F.O., 1919, pp. 917-971. 1925.
  Oswego County, New York." With others. Soil Sur. Adv. Sh., 1917, pp. 43. 1919; Soils F.O., 1917, pp. 47-86. 1923.
  Payne Prairie, Gainesville area, Florida." Soils Cir. 72, pp. 5. 1912.
  Pike County, Georgia." With Gustavus Maynadier. Soil Sur. Adv. Sh., 1909, pp. 31. 1910; Soils F.O., 1909, pp. 575-601. 1912.
  Portage County, Ohio." With others. Soil Sur. Adv. Sh., 1914, pp. 44. 1916; Soils F.O., 1914, pp. 1505-1544. 1919.
  Putnam County, Florida." With others. Soil Sur. Adv. Sh., 1914, pp. 52. 1916; Soils F.O., 1914, pp. 997-1044. 1919.
  St. Johns County, Florida." With others. Soil Sur. Adv. Sh., 1917, pp. 37. 1920; Soils F.O., 1917, pp. 665-697. 1923.
  Sandusky County, Ohio." With others. Soil Sur. Adv. Sh., 1917, pp. 64. 1920; Soils F.O. 1917, pp. 1079-1138. 1923.
  Stark County, Ohio." With others. Soil Sur. Adv. Sh., 1913, pp. 39. 1915; Soils F.O., 1913, pp. 1313-1377. 1916.
  Sumner County, Tennessee." With others. Soil Sur. Adv. Sh., 1909, pp. 29. 1910; Soils F.O., 1909, pp. 1149-1173. 1912.
  Talladega County, Alabama." With Charles J. Mann. Soil Sur. Adv. Sh., 1907, pp. 40. 1908; Soils F.O., 1907, pp. 401-436. 1909.
  the—
    Bedford area, Virginia." Soils F.O. Sep. 1901, pp. 239-257. 1902; Soils F.O., 1901, pp. 239-257. 1902.
    Clarksburg area, West Virginia." With W. J. Latimer. Soil Sur. Adv. Sh , 1910, pp. 32. 1912; Soils F.O., 1910, pp. 1049-1076. 1912.
    Indian River area, Florida." With Mark Baldwin. Soil Sur. Adv. Sh., 1913, pp. 47. 1915; Soils F.O., 1913, pp. 675-717. 1916.
    Morgantown area, West Virginia." With W. J. Latimer. Soil Sur. Adv. Sh., 1911, pp. 42. 1912; Soils F.O., 1911, pp. 1327-1364. 1914.
    Nashua area, New Hampshire." With W. C. Byers. Soil Sur. Adv. Sh., 1909, pp. 34. 1910; Soils F.O., 1909, pp. 75-104. 1912.
    Ocala area, Florida." With others. Soil Sur. Adv. Sh., 1912, pp. 60. 1913; Soils F.O., 1912, pp. 669-724. 1915.
    Point Pleasant area, West Virginia." Soil Sur. Adv. Sh., 1910, pp. 50. 1911; Soils F.O., 1910, pp. 1077-1122. 1912.
    Prince Edward area, Virginia." With Thomas A. Caine. Soils F.O. Sep., 1901, pp. 259-271. 1903; Soils F.O., 1901, pp. 259-271. 1902.
    Webster County, West Virginia." Soil Sur. Adv. Sh., 1918, pp. 24. 1920; Soils F.O., 1918, pp. 921-940. 1924.
Moonflower. *See* Buck bean.
Moonseed, Canada, habitat, range, description, collection, prices, and uses of roots. B.P.I. Bul. 107, p. 40. 1907.
Moonvine, growing, experiments with daylight of different lengths. J.A.R., vol. 23, p. 879. 1923.
Moople tree, importation and description. No. 29373, B.P.I. Bul. 233, p. 16. 1912.
Moor and heath culture. *See* Peat.
Moor-ill, cattle—
  causes, symptoms, and treatment. B.A.I. [Misc.] "Diseases of cattle," rev., pp. 117-119. 1904; rev. pp. 119-121. 1912; rev. pp., 119-121. 1923.
  See also Urine, bloody.
Moore, A. V.: "Control of bovine tuberculosis." O.E.S. Bul. 212, pp. 88-94. 1909.
Moore, C. C.—
  "A plan for cooperating in the study of available plant food." Chem. Cir. 9., pp. 8. 1902.
  "Cassava and sweet potatoes as sources of industrial alcohol." Chem. Bul. 130, pp. 99-103. 1910.

MOORE, C. C.—Continued.
"Cassava: Its content of hydrocyanic acid and starch and other properties." Chem. Bul. 106, pp. 30. 1907.
"Preliminary crop and soil data for the cooperative study of available plant food." Chem. Cir. 11, pp. 9. 1903.

MOORE, G. T.—
"A method of destroying or preventing the growth of algae and certain pathogenic bacteria in water supplies." With Karl F. Kellerman. B.P.I. Bul. 64, pp. 44. 1904.
"Bacteria and the nitrogen problem." Y.B., 1902, pp. 333-342. 1903; Y.B. Sep. 277, pp. 333-342. 1903.
"Beneficial bacteria for leguminous crops." With T. R. Robinson. F.B. 214, pp. 48. 1905.
"Copper as an algicide and disinfectant in water supplies. With Karl F. Kellerman. B.P.I. Bul. 76, pp. 55. 1905.
"Soil inoculation for legumes, with reports upon the successful use of artificial cultures by practical farmers." B.P.I. Bul. 71, pp. 72. 1905.
"The contamination of public water supplies by algae." Y.B., 1902, pp. 175-186. 1903; Y.B. Sep. 262, pp. 175-186. 1903.

MOORE, J. M.: "Soil survey of Pickens County, Alabama." With others. Soil Sur. Adv. Sh., 1916, pp. 41. 1917; Soils F.O., 1916, pp. 901-937. 1921.

MOORE, V. A.—
"Bovine tuberculosis control." B.A.I. [Misc.], "World's dairy congress, 1923," pp. 1482-1488. 1924.
"Report on meat inspection." With Mazÿck P. Ravenel. Sec. Cir. 58, pp. 4-10. 1916.
study of bee diseases, 1903, review. Ent. Bul. 98, pp. 58-61. 1912.

MOORE, W. L.—
address before Weather Bureau officials, second convention. W.B. Bul. 31, pp. 16-19. 1902.
"Climate: Its physical basis and controlling factors." W.B. Bul. 34, pp. 19. 1904.
"Climate of the forest-denuded portion of the upper Lake region." Y.B., 1902, pp. 125-132. 1903; Y.B. Sep. 269, pp. 125-132. 1903.
"Instructions governing the corn, wheat, cotton, sugar, and rice region service." W.B. [Misc.], "Instructions governing corn * * *," pp. 8. 1904.
"New problems of the weather." With others. Y.B., 1906, pp. 121-124. 1907; Y.B. Sep. 410, pp. 121-124. 1907.
report as chief of Weather Bureau—
1901. An. Rpts., 1901, pp. 3-14. 1901; W.B. Chief Rpt., 1901, pp. 12. 1901.
1902. An. Rpts., 1902, pp. 3-23. 1902; W.B. Chief Rpt., 1902, pp. 21. 1902.
1903. An. Rpts., 1903, pp. 3-46. 1903.
1904. An. Rpts., 1904, pp. 3-42. 1904.
1905. An. Rpts., 1905, pp. 3-28. 1905.
1906. An. Rpts., 1906, pp. 103-121. 1907; W.B. Chief Rpt., 1906, pp. 23. 1906.
1907. An. Rpts., 1907, pp. 143-189. 1908; W.B. Chief Rpts., 1907, pp. 49. 1907.
1908. An. Rpts., 1908, pp. 189-218. 1909; W.B. Chief Rpt., 1908, pp. 31. 1908.
1909. An. Rpts., 1909, pp. 155-193. 1910; W.B. Chief Rpt., 1909, pp. 43. 1909.
1910. An. Rpts., 1910, pp. 161-198. 1911; W.B. Chief Rpt., 1910, pp. 40. 1910.
1911. An. Rpts., 1911, pp. 155-193. 1912; W.B. Chief Rpt., 1911, pp. 43. 1911.
1912. An. Rpts., 1912, pp. 263-301. 1913; W.B. Chief Rpt., 1912, pp. 43. 1912.
"Savannah-Charleston hurricane of August 27-28, 1911." W.B. [Misc.], "Savannah-Charleston hurricane * * *," folder. 1911.
"The Weather Bureau." W.B. [Misc.], "The Weather Bureau," pp. 15. 1901; rev., pp. 16. 1906; rev., pp. 30. 1910; rev., pp. 39. 1912; rev., pp. 36. 1913.

MOORE, W. M.: "Forest nurseries for schools." With Edwin R. Jackson. F.B. 423, pp. 24. 1910.

MOORE, WILLIAM—
"A neglected factor in the use of nicotine sulphate as a spray." With S. A. Graham, J.A.R., vol. 10, pp. 47-50. 1917.

MOORE, WILLIAM—Continued.
"Physical properties governing the efficacy of contact insecticides." With S. A. Graham. J.A.R., vol. 13, pp. 523-538. 1918.
"Studies in greenhouse fumigation with hydrocyanic acid: Physiological effects on the plant." With J. J. Willaman. J.A.R., vol. 11, pp. 319-338. 1917.
"Studies on nonarsenical stomach-poison insecticides." With F. L. Campbell. J.A.R., vol. 28, pp. 395-402. 1924.
"Toxicity of various benzene derivatives to insects." J.A.R., vol. 9, pp. 371-381. 1917.
"Toxicity of volatile organic compounds to insect eggs." With Samuel A. Graham. J.A.R., vol. 12, pp. 579-587. 1918.
"Volatility of organic compounds as an index of the toxicity of their vapors to insects." J.A.R., vol. 10, pp. 365-371. 1917.

Moore formula, fly repellent. D. B, 131, pp. 9, 18, 24. 1914.

MOOREFIELD, C. H.—
"Brick roads." With Vernon M. Peirce. D.B. 373, pp. 40. 1916.
"Data for use in designing culverts and short-span bridges." Rds. Bul. 45, pp. 39. 1913.
"Drainage methods and foundations for county roads." With others. D.B. 724, pp. 86. 1918.
"Earth, sand-clay, and gravel roads." D.B. 463, pp. 68. 1917.
"Portland cement concrete pavements for country roads." With James T. Voshell. D.B. 249, pp. 34. 1915.
"The design of public roads." Y.B., 1917, pp. 265-281. 1918; Y.B. Sep. 727, pp. 19. 1918.
"Vitrified brick as a paving material for country roads." With Vernon M. Peirce. D.B. 23, pp. 34. 1913.
"Vitrified brick pavements for country roads." With Vernon M. Peirce. D.B. 246, pp. 38, 1915.

MOORHOUSE, L. A.—
"Cost of producing sugar beets in Utah and Idaho, 1918-1919." With S. B. Nuckols. D.B. 963, pp. 41. 1921.
"Farm practice in growing sugar beets for three districts in Colorado, 1914-1915." With others. D.B. 726, pp. 60. 1918.
"Farm practice in growing sugar beets for three districts in Utah and Idaho, 1914-1915." With others. D.B. 693, pp. 44. 1918.
"Farm practice in growing sugar beets in Michigan and Ohio." With others. D.B. 748, pp. 45. 1919.
"Farm practice in growing sugar beets in three California districts." With others. D.B. 760, pp. 48. 1919.
"Farm practice in the Arkansas Valley, Colo." B.P.I. Bul. 260, pp. 49-60. 1912.
"Labor and material requirements of field crops." With O. A. Juve. D.B. 1000, pp. 56. 1921.
"Oklahoma rotations and their relation to soil-culture work." B.P.I. Bul. 130, pp. 69-80. 1908.
"Saving man labor in sugar-beet fields." With T. H. Summers. F.B. 1042, pp. 19. 1919.
"The cost of producing cotton." With M. R. Cooper. D.B. 896, pp. 59. 1920.

Moorland sections, topography. Y.B. 1911, p. 212. 1912; Y.B. Sep. 562, p. 212. 1912.

Moose—
Alaska—
description, habits, and hunting methods. Y.B., 1907, pp. 471-473. 1908; Y.B. Sep. 462, pp. 471-473. 1908.
distribution, numbers, and conditions, report. D.C. 88, pp. 7-8. 1920.
in east-central Alaska, occurrence, and habits. N.A. Fauna 30, pp. 18-20. 1909.
in Yukon Territory, description and habits. N.A. Fauna 30, pp. 51, 74. 1909.
number and conditions. D.C. 168, p. 6. 1921; D.C. 260, p. 2. 1923.
protection regulations. Biol. S.R.A. 22, pp. 2, 3. 1918.
range and habits. N.A. Fauna 21, p. 61. 1901; N.A. Fauna 22, p. 43. 1902; N.A. Fauna 24, pp. 29-30. 1904.

Moose—Continued.
  Alaska—continued.
    reservation, descriptions. Biol. Cir. 71, pp. 4–5. 1910.
  bird. See Jay, Canada.
  caracasses, shipment in Alaska, regulation 5. Biol. Cir. 89, p. 2. 1912.
  characteristics. Biol. Bul. 36, pp. 18–19. 1910.
  conditions—
    and numbers—
      1907. Y.B., 1907, p. 593. 1908; Y.B. Sep. 469, p. 593. 1908.
      1908. Y.B., 1908, p. 582. 1909; Y.B. Sep. 500, p. 582. 1909.
      past and present. Y.B., 1910, p. 248. 1911; Y.B. Sep. 533, p. 248. 1911.
    distribution, and hunting conditions. D.B. 1049, p. 5. 1922.
    enumeration and value. D.B. 1049, pp. 24, 25. 1922.
    hunting—
      laws, Montana and Idaho. For. [Misc.], "Trespass on national * * *," pp. 23, 24. 1922.
      methods, Alaska. N.A. Fauna 30, pp. 18–19. 1909; Y.B. 1907, p. 473. 1908; Y.B. Sep. 462, p. 473. 1908.
      with artificial lights in Alaska. Biol. S.R.A. 53, p. 2. 1923.
    in—
      Alaska—
        descriptions. N.A. Fauna 24, pp. 27–30. 1904.
        Kenai Peninsula, conditions and hunting laws. Soil Sur. Adv. Sh., 1916, pp. 118–120. 1918; Soils F.O., 1916, pp. 150–152. 1921.
      Athabaska-Mackenzie region. N.A. Fauna 27, pp. 130–135. 1908.
      national forests, increase. Off. Rec. vol. 2, No. 46, p. 1. 1923.
      increase in Alaska. Biol. Doc. 110, p. 4. 1919; D.C. 225, p. 4, 1922.
      killing records for Nova Scotia and Alberta, 1907–1920. D.B. 1049, pp. 22–23. 1922.
      numbers and value as game, Alaska, Kenai Peninsula region. Soil Sur. Adv. Sh., 1916, pp. 118–122. 1919; Soils F.O., 1916, pp. 150–151. 1921.
    occurrence in Montana. Biol. Cir. 82, p. 10. 1911.
    protection—
      1909. Biol. Cir. 73, pp. 5, 8. 1910.
      1915, laws. F.B. 692, pp. 3, 4, 25–38. 1915.
      in Alaska, report and regulations. Biol. Doc. 105, pp. 3, 8, 9, 10, 13, 14. 1917; Biol. S.R.A. 5, p. 1. 1915; Biol. S.R.A. 10, pp. 1–2. 1916; Biol. S.R.A. 28, pp. 2–3. 1919.
    shipping licenses, in Alaska—
      1910, report of Governor. Biol. Cir. 77, p. 6. 1911.
      1911, report of Governor. Biol. Cir. 85, p. 7. 1912.
      1912, report of Governor. Biol. Cir. 90, pp. 8–9, 13. 1913.
      1918. Biol. Doc. 110, p. 13. 1919.
      1920. D.C. 168, pp. 16–17. 1921.
      1921, dates, fees, and specimens. D.C. 225, pp. 6, 7. 1922.
    statistics, 1910. Biol. Cir. 80, p. 11. 1911.
    See also Game.
Moosewood, names, range, description, bark, prices, and uses. B.P.I. Bul. 139, pp. 43–44. 1909.
Mop(s)—
  house-cleaning, description and care of. F.B. 1180, pp. 6, 10. 1921.
  use in insect control on trees. F.B. 1169, pp. 12, 17. 1921.
Mopani wood, resistance to termites. Ent. Bul. 94, Pt. II, p. 81. 1915.
Mora—
  description and uses. D.B. 354, p. 67. 1916.
  importations and description. No. 43438, B.P.I. Inv. 49, p. 22. 1921; No. 49147, B.P.I. Inv. 62, p. 7. 1923.
Moraea spp., importations and description. Nos. 48797, 48798, B.P.I. Inv. 61, p. 48. 1922.
Moralon tree, Porto Rico, occurrence, description, and uses. D.B. 354, pp. 28, 68. 1916.
MORAN, F. P.: "Harmfulness of headache mixtures." With others. F.B. 377, pp. 16. 1909.

MORAN, J. S.: "The community fair." F.B. 870, pp. 12. 1917.
Moravia. See Czechoslovakia.
Morchella esculenta—
  description. D.B. 175, pp. 54–55. 1915.
  See also Mushroom, morel.
Mordant, use of tuna juell. B.P.I. Bul. 116, p. 65. 1907.
Mordanting wool, methods. Chem. Cir. 63, p. 7. 1911.
Mordellistena ustulata. See Timothy stem-borer.
MORE, C. T.—
  "Commercial handling, grading, and marketing of potatoes." With C. R. Dorland. F.B. 753. pp. 24. 1916.
  "Marketing Maine potatoes." With G. V. Branch. Sec. Cir. 48, pp. 7. 1915.
  "Preparation of strawberries for market." With H. E. Truax. F.B. 979, pp. 27. 1918.
  "Suggestions for parcel-post marketing." With Lewis B. Flohr. F.B. 703, pp. 19. 1916.
  "The commercial grading, packing, and shipping of cantaloupes." With G. V. Branch. F.B. 707, pp. 23. 1916.
MOREHOUSE, A. D.: "Reclamation of the southern Louisiana wet prairie lands." O.E.S. An. Rpt., 1909, pp. 415–439. 1910.
MOREHOUSE, I. A.: "Farm practices in growing sugar beets in three California districts." With others. D.B. 760, pp. 48. 1919.
MORELAND, R. W.: "Dispersion of the bollweevil in 1920." With B. R. Coad. D.C. 163, pp. 2. 1920.
MORGAN, A. C.—
  "A predatory bug reported as an enemy of the cotton boll weevil." Ent. Bul. 63, Pt. IV, pp. 49–54. 1907.
  "A preliminary report on the drainage of the Fifth Louisiana Levee District, comprising the Parishes of East Carroll, Madison, Tensas, and Concordia." With others. O.E.S. Cir. 104, pp. 35. 1911.
  "Arsenate of lead as an insecticide against the tobacco hornworm in the dark tobacco districts." With D. C. Parman. F.B. 595, pp. 8. 1914.
  "Arsenate of lead as an insecticide against the tobacco hornworms." With D. C. Parman. Ent. Cir. 173, pp. 10. 1913.
  "Insect enemies of tobacco in the United States." Y.B., 1910, pp. 281–296. 1911; Y.B. Sep. 537, pp. 281–296. 1911.
  "Methods of controlling tobacco insects." Ent. Cir. 123, pp. 17. 1910.
  "The cotton stalk-borer." Ent. Bul. 63, Pt. VII, pp. 63–66. 1907.
  "The tobacco budworm and its control." With F. L. McDonough. F.B. 819, pp. 12. 1917.
  "The tobacco flea-beetle in the dark fire-cured tobacco district of Kentucky and Tennessee." With J. U. Gilmore. F.B. 1425, pp. 12. 1924.
  "The tobacco splitworm." With S. E. Crumb. D.B. 59, pp. 7. 1914.
  "Tobacco hornworm insecticide: Recommendations for use of powdered arsenate of lead in dark-tobacco district." F.B. 867, pp. 11. 1917; F.B. 1356, pp. 8. 1923.
MORGAN, A. E.—
  "A preliminary report on the St. Francis Valley drainage project in northeastern Araknsas." O.E.S. Cir. 86, pp. 31. 1909.
  "The alluvial lands of the lower Mississippi Valley and their drainage." O.E.S. An. Rpt., 1908, pp. 407–417. 1909.
  "The St. Francis Valley drainage project in northeastern Arkansas." With O. G. Baxter. O.E.S. Bul. 230, Pt. I, pp. 100. 1911; Pt. II, pp. 58. 1911.
MORGAN, E. R.: "Irrigation in mountain water district, Salt Lake County, Utah." O.E.S. Bul. 133, pp. 17–70. 1903.
MORGAN, F. P.—
  "Harmfulness of headache mixtures." With others. F.B. 377, pp. 16. 1909.
  "The harmful effects of acetanilid, antipyrin, and phenacetin." With others. Chem. Bul. 126, pp. 85. 1909.
MORGAN, G. W.: "Experiments with fallow in north-central Montana." D.B. 1310, pp. 16. 1925.

MORGAN, H. A.—
"Life history of the sugar-cane borer in Louisiana." O. E. S. Bul. 115, pp. 128-129. 1902.
report of Tennessee Experiment Station, work and expenditures—
1906. O.E.S. An Rpt., 1906, pp. 156-157. 1907.
1907. O.E.S. An. Rpt., 1907, pp. 169-171. 1908.
1908. O.E.S. An. Rpt., 1908, pp. 171-172. 1909.
1909. O.E.S. An. Rpt., 1909, pp. 185-187. 1910.
1910. O.E.S. An. Rpt., 1910, pp. 240-242. 1911.
1911. O.E.S. An. Rpt., 1911, pp. 201-203. 1912.
1912. O.E.S. An. Rpt., 1912, pp. 205-208. 1913.
1913. O.E.S. An. Rpt., 1913, p. 80. 1915.
1914. O.E.S. An. Rpt., 1914, pp. 216-219. 1915.
1915. S.R.S. An. Rpt., 1915, Pt. I, pp. 246-250. 1916.
1916. S.R.S. Rpt., 1916, Pt. I, pp. 252-257. 1918.
1917. S.R.S. Rpt., 1917, Pt. I, pp. 248-251. 1918.
"The differential grasshopper in the Mississippi Delta—other common species." Ent. Bul. 30, pp. 7-33. 1901.
MORGAN, H. P.: "Selling purebred stock to South America." With David Harrell. Y.B., 1919, pp. 369-380. 1920; Y.B. Sep. 818, pp. 369-380. 1920.
MORGAN, L. E.: "A study of methods of estimation of metabolic nitrogen." With others. J.A.R., vol. 9, pp. 405-411. 1917.
MORGAN, R. J.: "Soil survey of Oswego County, N. Y." With others. Soil Sur. Adv. Sh., 1917, pp. 43. 1919; Soils F.O., 1917, pp. 47-86. 1923.
Morgan Horse Farm, Middlebury, Vt., breeding methods. B.A.I. Cir. 163, pp. 13-14. 1910.
Morgenthaler, Otto, study of Isle of Wight disease. D.C. 287, pp. 14, 16-20, 23-29. 1923.
Morinda citrifolia. See Nona.
Moringa oleifera—
importation and description. No. 40913. B.P.I. Inv. 44, p.12. 1918.
See also Horse-radish tree.
MORK, R.: "The dairy industry of Norway." B.A.I. [Misc.], "World's dairy congress, 1923," pp. 265-269. 1924.
Mormodica charantia. See Pear, balsam.
Morning-glory—
bush, occurrence in short-grass cover. B.P.I. Bul. 201, pp. 51, 65. 1911.
characters. News L., vol. 2, No. 40, p. 2. 1915.
description, distribution, spread, and products injured. F.B. 660, p. 28. 1915.
diseases, Texas, occurrence and description. B.P.I. Bul. 226, pp. 98, 112. 1912.
eradication method, Pajaro Valley, California. Soil Sur. Adv. Sh., 1908, p. 15. 1910; Soils F.O., 1908, p. 1341. 1911.
growing, experiments with daylight of different lengths. J.A.R., vol. 23, pp. 878-879. 1923.
harmfulness as food plant of sweet-potato weevil. F.B. 1020, pp. 11-12. 1919.
importations and description. No. 46737, B.P.I. Inv. 57, p. 27. 1922; Nos. 47920, 47921, B.P.I. Inv. 60, pp. 2, 14-15. 1922; Nos. 50308, 50310, 50615, B.P.I. Inv. 63, pp. 5, 54, 86. 1923; Nos. 50661, 50832-50834, 51098, 51192, B.P.I. Inv. 64, pp. 9, 28, 55, 71. 1923.
infestation by red spider. Ent. Bul. 117, pp 14, 15. 1913.
leaf cutter, description, distribution, enemies, and remedies. Ent. Bul. 27, pp. 102-108. 1901.
perennial, importations and description. Nos. 52493, 52749, B.P.I. Inv. 66, pp. 33, 70. 1923.
pollen, type, and shape of grains. Chem. Bul. 110, p. 77. 1908.
varieties, description, and importations. Nos. 46966, 47125, 47200, B.P.I. Inv. 58, pp. 11, 28, 39. 1922.
vine, growth in water, experiments. J.A.R., vol. 5, No. 11, pp. 449-450. 1915.
yellow-flowered, description. W.I.A. 16, pp. 18-19. 1917.
See also Bindweed.
Moromi, soy-bean mash, production and testing. D.B. 1152, pp. 5, 14-17. 1923.
Morphine—
adulteration of consumption cure. Chem. N.J. 1551, p. 2. 1912.
cooperative work. H. E. Buchbinder. Chem. Bul. 162, pp. 218-221. 1913.

Morphine—Continued.
cure, misbranding. Chem. N.J. 1495, pp. 2. 1912.
danger in use. F.B. 393, pp. 9, 13. 1910.
derivatives and preparations, amendment to Regulation 28. F.I.D. 112, p. 2. 1910.
determination, directions, and results. Chem. Bul. 105, pp. 128, 132-134. 1907.
diacetyl tablets, adulteration and misbranding. Chem. N.J. 13399. 1925.
estimation in headache mixtures, method. Chem. Bul. 162, pp. 200, 201. 1913.
estimation of small quantities in mixtures. Chem. Bul. 152, pp. 242-244. 1912.
forms used in soothing sirups, danger. F.B. 393, pp. 4-6. 1910.
in drug-habit cure. Chem. N.J. 1291, pp. 2. 1912; Chem. N.J. 3410. 1915.
in opium and opium preparations, determination method. Chem. Bul. 137, pp. 188-189. 1911.
prescription laws, State and Federal. Chem. Bul. 98, pp. 45, 159, 185, 208. 1906.
quantity estimation in mixtures, methods. Chem. Bul. 162, pp. 218-221. 1913.
sale restrictions, State and Federal. Chem. Bul. 98, pp. 45, 73, 90, 99, 142, 150, 158, 188, 196, 208. 1905.
sulphate—
tablets, adulteration and misbranding. See Indexes to Notices of Judgment in bound volumes of Chemistry and Regulatory Announcements.
use in drug-habit cure. Chem. N.J. 2554, pp. 3. 1913.
toxicity studies. Chem. Bul. 148, pp. 6, 9, 93. 1912.
use in drug-addiction cures. F.B. 393, p. 15. 1910.
Morrel. See Bittersweet.
Morren's mixture, use as foliage spray and fungicide, formula. B.P.I. Bul. 245, pp. 21, 40-41. 1912.
MORRILL, A. W.—
"Fumigation for the citrus white fly." Ent. Bul. 76, pp. 73. 1908.
"Natural control of white flies in Florida." With E. A. Back. Ent. Bul. 102, pp. 78. 1912.
"Plant bugs injurious to cotton bolls." Ent. Bul. 86, pp. 110. 1910.
"Preparation for winter fumigation for the citrus white fly." With W. W. Yothers. Ent. Cir. 111, pp. 12. 1909.
"The greenhouse white fly." Ent. Cir. 57, pp. 9. 1905.
"The Mexican conchuela in western Texas in 1905." Ent. Bul. 64, Pt. I, pp. 1-14. 1907.
"The strawberry weevil in the south-central States in 1905." Ent. Bul. 63, Pt. VI, pp. 59-62. 1907.
"White flies injurious to citrus in Florida." With E. A. Back. Ent. Bul. 92, pp. 109. 1911.
MORRILL, CHESTER—
"Report of Administration of the Grain Futures Act, 1923." An Rpts., 1923, pp. 689-692. 1924; Gr. Fut. Ad. A.R., 1923, pp. 4. 1923.
"Report of the Packers and Stockyards Administration—
1922." An. Rpts., 1922, pp. 567-582. 1923; Pack. and S. Ad. Rpt., 1922, pp. 16. 1922.
1923." An Rpts., 1923, pp. 657-687. 1924; Pack. and S. Ad. Rpt., 1923, pp. 31. 1923.
1924." Pack. and S. Ad. Rpt., 1924, pp. 32. 1924.
Morrill Acts—
and amendments—
affecting land-grant colleges. D.C. 251, pp. 1-6. 1923; Pub. Bul. 3, pp. 62, 66. 1906.
land donations to colleges, text. D.C. 251, pp. 1-5. 1925.
text. O.E.S. Cir. 111, rev., pp. 1-7. 1912.
text, 1862, with amendments of 1866 and 1883. O.E.S. Cir. 68, rev., pp. 1-4. 1909.
Morrill fumigation system, measurement and dosage of trees. Ent. Bul. 79, p. 27. 1909.
MORRIS, C. G.: "Milk, buying and selling." B.A.I. [Misc.], "World's dairy congress, 1923," pp. 855-862. 1924.
MORRIS, H. E.—
"Arsenical injury through the bark of fruit trees." With Deane B. Swingle. J.A.R., vol. 8, pp. 283-318. 1917.

MORRIS, H. E.—Continued.
"Identification of certain species of Fusarium isolated from potato tubers in Montana." With Grace B. Nutting. J.A.R., vol. 24, pp. 339-364. 1923.
"Injury to foliage by arsenical spray mixtures." With others. J.A.R., vol. 24, pp. 501-538. 1923.
Morris Act, forest management discussion. D.B. 139, p. 25. 1914.
Morris packing plants, purchase proposal, report. Off. Rec., vol. 1, No. 51, p. 3. 1922.
MORRISON, B. Y.—
"Chrysanthemums for the home." F.B. 1311, pp. 17. 1923.
"Dahlias for the home." F.B. 1370, pp. 17. 1923.
MORRISON, F. B.: "Feeding standards and their uses." B.A.I. [Misc.], "World's dairy congress, 1923," pp. 1090-1097. 1924.
MORRISON, HAROLD—
"Classification of scale insects of the subfamily Ortheziinae." J.A.R., vol. 30, pp. 97-154. 1925.
"Identity of the mealybug described as *Dactylopius calceolariae* Maskell." J.A.R., vol. 31, pp. 485-500. 1925.
"Red date-palm scale, *Phoenicococcus marlatti;* A technical description." J.A.R., vol. 21, pp. 669-676. 1921.
MORRISON, T. M.: "Soil survey of—
Chautauqua County, N. Y." With others. Soil Sur. Adv. Sh., 1914, pp. 60. 1916; Soils F.O., 1914, pp. 271-326. 1919.
Hernando County, Fla." With Grove B. Jones. Soil Sur. Adv. Sh., 1914, pp. 30. 1915; Soils F. O., 1914, pp. 1045-1070. 1919.
Hillsborough County, Fla." With others. Soil Adv. Sh., 1916, pp. 42. 1918; Soils F.O., 1916, pp. 749-786. 1921.
Jefferson County, N. Y." With others. Soil Sur. Adv. Sh., 1911, pp. 83. 1913; Soils F.O., 1911, pp. 95-173. 1914.
Laurens County, Ga." With others. Soil Sur. Adv. Sh., 1915, pp. 41. 1916; Soils F.O., 1915, pp. 621-657. 1919.
Marion County, Ohio." With others. Soil Sur-Adv. Sh., 1916, pp. 37. 1918; Soils F.O., 1916, pp. 1549-1581. 1921.
Marlboro County, S. C." With others. Soil Sur. Adv. Sh., 1917, pp. 73. 1919; Soils F.O., 1917, pp. 469-537. 1923.
New Castle County, Del." With others. Soil Sur. Adv. Sh., 1915, pp. 34. 1917; Soils F.O., 1915, pp. 269-298. 1919.
Newberry County, S. C." With others. Soil Sur. Adv. Sh., 1918, pp. 46. 1921; Soils F.O., 1918, pp. 377-418. 1924.
Orange County, N. Y." With G. A. Crabb. Soil Sur. Adv. Sh., 1912, pp. 56. 1914; Soils F.O., 1912, pp. 57-108. 1915.
Pinellas County, Fla." With Grove B. Jones. Soil Sur. Adv. Sh., 1913, pp. 31. 1914; Soils F.O., 1913, pp. 719-745. 1916.
MORRISON, W. L.: "Food and drug control, interstate." With W. W. Skinner. Chem. [Misc.], "Chart showing interstate * * *." Chart. 1924.
MORSE, E. W.: "The ancestry of domesticated cattle." B.A.I. An. Rpt., 1910, pp. 187-239. 1912.
MORSE, F. W., report on—
determination of nitrogen. Chem. Bul. 73, pp. 48-55. 1903; Chem. Bul. 81, pp. 83-87. 1904.
occurrence of methyl pentosan in cattle foods. Chem. Bul. 132, pp. 173-175. 1910.
MORSE, G. B.—
"*Bacillus necrophorus* and its economic importance." With John R. Mohler. B.A.I. Cir. 91, pp. 41. 1906.
"Diseases of pheasants." F.B. 390, pp. 35-40. 1910.
"Necrotic stomatitis, with special reference to its occurrence in calves and pigs." With John R. Mohler. B.A.I. Bul. 67, pp. 48. 1905.
"Primary principles in the prevention and treatment of disease in poultry." Y.B., 1911, pp. 177-192. 1912; Y.B. Sep. 559, pp. 177-192. 1912.
"Quail disease in the United States." B.A.I. Cir. 109, pp. 11. 1907.

MORSE, G. B.—Continued.
"White diarrhea of chicks. With notes on coccidiosis in birds." B.A.I. Cir. 128, pp. 7. 1908.
MORSE, W. J.—
"Alfalfa seed production: Pollination studies." With others. D.B. 75, pp. 32. 1914.
"Cowpeas: Culture and varieties." F.B. 1148, pp. 26. 1920.
"Cowpeas in the Cotton Belt." Sec. [Misc.], Spec., "Cowpeas * * *," pp. 5. 1915.
"Cowpeas: Utilization." F.B. 1153, pp. 23. 1920.
"Five oriental species of beans." With C. V. Piper. D.B. 119, pp. 32. 1914.
"Harvesting soy-bean seed." F.B. 886, pp. 8. 1917.
"Hay." With others. Y.B., 1924, pp. 285-376. 1925.
"Illustrated lecture on soy beans." With H. B. Kendrick. S.R.S. Syl. 35, pp. 16. 1919.
"Soy beans, in the Cotton Belt." S.R.S. Doc. 43, pp. 7. 1917; Sec. [Misc.], Spec. "Soy beans * * *," pp. 6, 1915.
"Studies upon the blackleg disease of the potato, with special reference to the relationship of the causal organisms." J.A.R., vol. 8, pp. 79-126. 1917.
"The bonavist, lablab, or hyacinth bean." With C. V. Piper. D.B. 318, pp. 15. 1915.
"The soy bean: History, varieties, and field studies." With C. V. Piper. B.P.I. Bul. 197, pp. 78. 1910.
"The soy-bean industry in the United States. Y.B., 1917, pp. 101-111. 1918; Y.B. Sep. 740, pp. 13. 1918.
"The soy bean: Its culture and uses." F.B. 973, pp. 32. 1918.
"The soy bean, with special reference to its utilization for oil, cake, and other products." With C. V. Piper. D.B. 439, pp. 20. 1916.
"The velvet bean." With C. V. Piper. F.B. 1276, pp. 27. 1922.
Mortar—
cement—
and concrete. Philip L. Wormeley. F.B. 235, pp. 32. 1905.
proportions for mixing. F.B. 235, pp. 4-6. 1905.
use in prevention of seepage, experiments. O.E.S. An. Rpt., 1907, pp. 371-375. 1908.
dry, for road bedding, directions and formula. D.B. 373, pp. 14-16, 31. 1916.
lining for pit silos, formula. F.B. 825, pp. 8-9. 1917.
road-building, tests for hardness and toughness. J.A.R., vol. 10, pp. 267-274. 1917.
tests, hardness, toughness, tension, and compression. J.A.R., vol. 10, pp. 267-274. 1917.
use in jointing concrete pipe, formula. D.B. 906, pp. 14-15. 1921.
Mortar-and-pestle, use in primitive rice milling. D.B. 330, pp. 4-7, 29. 1916.
MORTENSEN, MARTIN: "Means by which the icecream industry has been developed in the United States." B.A.I. [Misc.], "World's dairy congress 1923," pp. 466-474. 1924.
Mortgage(s)—
bonds, issue by Federal banks, advantages. F.B. 792, pp. 5, 7, 10-11, 12. 1917.
cattle, essentials and collateral. Y.B., 1918, pp. 102-103. 1919; Y.B. Sep. 764, pp. 4-5. 1919.
companies, source of capital for farm-mortgage loans. D.B. 384, p. 12. 1916.
debts on farms, census figures, 1910, by States. Y.B., 1911, p. 697. 1912; Y.B. Sep. 588, p. 697. 1912.
farm—
disastrous effects. Y.B., 1916, p. 71. 1917; Y.B., Sep. 698, p. 9. 1917.
extension. Y.B., 1921, p. 15. 1922. Y.B. Sep. 875, p. 15. 1922.
in Georgia, Sumter County, loans and interest rates. D.B. 1034, pp. 39-40. 1922.
in Iowa, discussion. D.B. 874, pp. 15-18. 1920.
increase, magnitude and results. Y.B., 1924, pp. 19, 189-192. 1925.
loan, cancellation provisions. News L., vol. 3, No. 51, p. 4. 1916.
present system, disadvantages. F.B. 792, pp. 4-5. 1917.

Mortgage(s)—Continued.
  farm—continued.
    report, by States. Y.B., 1922, p. 1004. 1923; Y.B. Sep. 887, p. 1004. 1923.
    statistics, 1910 and 1920. Y.B., 1923, p. 1157. 1924; Y.B. Sep. 906, p. 1157. 1924.
  loans, farm, amortization methods. Leon E. Truesdell. Sec. Cir. 60, pp. 12. 1916.
  second—
    source of credit in buying farms. F.B. 1385, pp. 25-27. 1923.
    use in buying farms, terms and rates. D.B. 968, pp. 11-20. 1921.
  time required for payment by annual payments, tables. F.B. 593, pp. 7-14. 1914.
Mortino, importation and description. No. 54281, B.P.I. Inv. 68, p. 45. 1923.
MORTLOCK, H. C.: "Soil survey of—
  Antelope County, Nebr." With others. Soil Sur. Adv. Sh., 1921, pp. 757-816. 1924.
  Boone County, Nebr." With others. Soil Sur. Adv. Sh., 1921, pp. 52. 1925.
  Cheyenne County, Nebr." With others. Soil Sur. Adv. Sh., 1918, pp. 39. 1920; Soils F.O., 1918, pp. 1405-1439. 1924.
  Dodge County, Nebr." With B. W. Tillman. Soil Sur. Adv. Sh., 1916, pp. 53. 1918; Soils F.O., 1916, pp. 2071-2119. 1921.
  Kimball County, Nebr." With others. Soil Sur. Adv. Sh., 1916, pp. 28. 1917; Soils F.O., 1916, pp. 2179-2202. 1921.
  Nance County, Nebr." With others. Soil Sur., Adv. Sh., 1922, pp. 46. 1925.
  Red River County, Tex." With others. Soil Sur. Adv. Sh., 1919, pp. 153-206. 1923; Soils F.O., 1919, pp. 153-206. 1923.
  Spokane County, Wash." With others. Soil Sur. Adv. Sh., 1917, pp. 108. 1921; Soils F.O., 1917, pp. 2155-2258. 1923.
  Washington County, Nebr." With L. Vincent Davis. Soil Sur. Adv. Sh., 1915, pp. 38. 1917; Soils F.O., 1915, pp. 2059-2092. 1919.
MORTON, LORD, experiments in breeding quagga hybrids. B.A.I. An. Rpt., 1910, pp. 129-131. 1912.
Morula, importations and description. Nos. 49215, 49315, B.P.I. Inv. 62, pp. 2, 12, 23. 1923.
Morus—
  acidosa, importation and description. No. 46532, B.P.I. Inv. 56, p. 24. 1922.
  alba. See Mulberry.
Mosaic (disease)—
  bean, resistance study. J.A.R., vol. 31, pp. 112-145, 153. 1925.
  cane, transmission by seeds. J.A.R., vol. 24, pp. 260-261. 1923.
  control in sugar-cane. Sec. A.R., 1924, pp. 77-78. 1924.
  corn. E. W. Brandes. J.A.R., vol. 19, pp. 517-522. 1920.
  cucumber—
    control in greenhouse—
      S. P. Doolittle. D.C 321, pp. 6. 1924.
      methods. F. B. 1320, p. 26. 1923.
    description and control. D.C. 35, pp. 13-14. 1919; F.B. 856, pp. 43, 47-48. 1917.
    intertransmission with tobacco. J.A.R., vol. 31, pp. 49-52. 1925.
  cucurbit(s)—
    S. P. Doolittle. D.B. 879, pp. 69. 1920.
    further studies on the overwintering and dissemination of. S. P. Doolittle and M. N. Walker. J.A.R., vol. 31, pp. 1-55. 1925.
    history, distribution, host plants, and symptoms. D.B. 879, pp. 1-18. 1920.
    infectious nature, inoculation experiments. D.B. 879, pp. 29-40. 1920.
    transmission methods and cultural operations. D.B. 879, pp. 40-47. 1920.
  Dutch bulbs, control. D.B. 797, p. 36. 1919.
  garden vegetables, treatment, prevention. F.B. 1371, pp. 10, 22, 33, rev. 1924.
  grass(es)—
    and sugar-cane. D.B. 82J, pp. 1-26. 1919.
    hosts, wild and cultivated. E. W. Brandes and Peter J. Klaphaak. J.A.R., vol. 24, pp. 247-262. 1923.
    transmission by insects, tests and results. J.A.R., vol. 24, pp. 251-255. 1923.
  host plants, list. J.A.R., vol. 31, p. 55. 1925.

Mosaic (disease)—Continued.
  infection—
    description and occurrence. D.B. 1038, pp. 8-13. 1922.
    of peaches, study. J. A. McClintock. J.A.R., vol. 24, pp. 307-316. 1923.
    injury to tobacco, cause and spread. D.B. 16, p. 26. 1913.
  inoculation from cucumbers to other plants. D.B. 879, pp. 5-8. 1920.
  Irish potato, investigations. E. S. Schultz. With others. J.A.R., vol. 17, pp. 247-273. 1919.
  names applied locally. D.B. 40, p. 1. 1914.
  Nicotiana viscorum, distinct from that of tobacco. H. A. Allard. J.A.R., vol. 7, pp. 481-486. 1916.
  overwintering on wild host plants. J.A.R., vol. 31, pp. 6-20. 1925.
  pokeweed, different from tobacco mosaic, experiments. D.B. 40, pp. 15-16, 28. 1914.
  potato—
    appearance, effect on yield. F.B. 1436, pp. 2-5, 1-011, 13, 16, 18. 1924.
    description, symptoms, and experiments. D.B. 64, pp. 42-43. 1914; J.A.R., vol. 30, pp. 493-525. 1925; Sec. Cir. 92, p. 27. 1918.
    note. Hawaii Bul. 45, p. 40. 1920.
    occurrence. D.B. 64, pp. 42-43. 1914.
    relation to leafroll in Vermont. J.A.R., vol. 25, pp. 257-263. 1923.
    relation to soil. F.B. 1436, pp. 10-12. 1924.
    spread by insects. J.A.R., vol. 19, pp. 326-332. 1920.
    symptoms, progressive development. J.A.R., vol. 25, p. 259. 1923.
    transmission experiments. J.A.R., vol. 25, pp. 46-50, 62, 63-92. 1923.
    transmission. E. S. Schultz and Donald Folsom. J.A.R., vol. 19, pp. 315-338. 1920.
  soy-bean—
    Max W. Gardner and James B. Kendrick. J.A.R., vol. 22, pp. 111-114. 1921.
    seed transmission and effect on yield. James B. Kendrick and Max W. Gardner. J.A.R., vol. 27, pp. 91-98. 1923.
    spread by striped cucumber beetle. J.A.R., vol. 31, pp. 5-6. 1925.
  sugar-cane—
    and other grasses. E. W. Brandes. D.B. 829, pp. 26. 1919.
    hosts, wild and cultivated. E. W. Brandes and Peter J. Klaphaak. J.A.R., vol. 24, pp. 247-262. 1923.
    resistance of varieties to. D.B. 1370, pp. 6-9. 1925.
    tolerance and resistance to. C. W. Edgerton and W. G. Taggart. J.A.R., vol. 29, pp. 501-506. 1924.
    transmission by insects. E. W. Brandes. J.A.R., vol. 23, pp. 279-284. 1923.
    transmission methods, insect and artificial. E. W. Brandes. J.A.R., vol. 19, pp. 131-138. 1920.
  symptoms on cucurbit plants, leaves, blossoms, and fruits. D.B. 879, pp. 8-17. 1920.
  tobacco—
    H. A. Allard. D.B. 40, pp. 33. 1914.
    comparison with cucurbit mosaic. D.B. 879, pp. 19, 27-28. 1920.
    control suggestions. D.B. 40, pp. 30-31. 1914.
    description, cause, and control. D.B. 1256, pp. 34-37, 49. 1924; F.B. 571, rev., pp. 22-23. 1920.
    different types, transmission experiments. J.A.R., vol. 24, pp. 249-250. 1923.
    distribution of virus in parts of plants. H. A. Allard. J.A.R., vol. 5, No. 6, pp. 251-256. 1915.
    enzymic theory, discussion. J.A.R., vol. 3, pp. 297-298. 1915.
    infectivity, effect of dilution of virus. H. A. Allard. J.A.R., vol. 3, pp. 295-299. 1915.
    inoculation into potato and tomato. J.A.R., vol. 25, pp. 86-89. 1923.
    observations. Albert F. Woods. B.P.I. Bul. 18, pp. 24. 1902.
    occurrence under practical field conditions. D.B. 40, pp. 29-30. 1914.
    plants susceptible to. J.A.R., vol. 7, pp. 483, 484-486. 1916.

Mosaic (disease)—Continued.
  tobacco—continued.
    spread by plant lice. J.A.R., vol. 10, pp. 626–630. 1917.
    symptoms and development in leaves and blossoms. D.B. 40, pp. 2–9. 1914.
    virus, effects of various salts and acids. J.A.R., vol. 13, pp. 619–637. 1918.
    virus and properties. H. A. Allard. J.A.R., vol. 6, No. 17, pp. 649–674. 1916.
  tomato—
    in greenhouses. F.B. 1431, p. 23. 1924.
    necrosis, hyperplasia, and adhesions. Max W. Gardner. J.A.R., vol. 30, pp. 871–888. 1925.
    symptoms and control. F.B. 856, p. 69. 1917.
    types and spread. F.B. 1338, p. 26. 1923.
  transmissible, of—
    Chinese cabbage, mustard and turnip. E. S. Schultz. J.A.R., vol. 22, pp. 173–178. 1921.
    lettuce. Ivan C. Jagger. J.A.R., vol. 20, pp. 737–740. 1921.
  transmission, studies. D.B. 1361, pp. 8–10. 1925; J.A.R., vol. 5, No. 6, pp. 253–255. 1915; J.A.R., vol. 19, pp. 133–137. 1920.
  turnip. Max W. Gardner and James B. Kendrick. J.A.R., vol. 22, pp. 123–124. 1921.
  winter survival. D.B. 40, p. 28. 1914.
  winter wheat and winter rye. Harold B. McKinney. D.B. 1361, pp. 11. 1925.
Mosca prieta. See Citrus black fly.
MOSELEY, M. R.: "Nutrition work in Labrador." B.A.I. [Misc.], "World's dairy congress, 1923," pp. 837–844. 1924.
MOSES, ELI, introduction of rice in Arkansas, Lonoke County. Soil Sur. Adv. Sh., 1921, p. 1284. 1925.
MOSHER, F. H.—
  "Food plants of the gipsy moth in America." D.B. 250, pp. 39. 1915.
  "Some timely suggestions for the owners of woodlots in New England." With G. E. Clement. Ent. [Misc.], "Some timely suggestions * * *," pp. 8. 1917.
Mosquito(es)—
  Anopheles—
    investigations. An. Rpts., 1923, pp. 409–410. 1924; Ent. A.R., 1923, pp. 29–30. 1923.
    See also Mosquitoes, malarial.
  bites—
    protection by liquids, canopies, and screening. Ent. Bul. 88, pp. 12–19. 1910.
    protective liquids and remedies. F.B. 444, pp. 5–6, 9. 1911.
    remedies. Ent. Bul. 88, pp. 12–19, 41, 1910.
  breeding—
    deterred by duckweed and algae. Ent. Bul. 88, pp. 27–30. 1910.
    in impounded water, factors preventing. D.B. 1098, pp. 17–18, 21. 1922.
    in sewer traps, control. An. Rpts., 1909, p. 250. 1910; Ent. A.R., 1909, p. 34. 1909.
  places—
    abolition methods. F.B. 444, pp. 9–15. 1911.
    detection and abolition. Ent. Bul. 88, pp. 19–22, 107–108. 1910.
    varieties, San Juan, Porto Rico. P. R. Cir. 14, pp. 9–19. 1912.
  catching apparatus. F.B. 444, p. 9. 1911.
  control—
    by—
      drainage of marshes. O.E.S. Bul. 240, pp. 57, 79. 1911.
      fungous disease. D.B. 922, p. 17. 1920.
      plant insecticides. D.B. 1201, pp. 27–52. 1924.
      reclamation of salt marsh lands. Soils Cir. 8, pp. 1–2. 1903.
    in—
      Hawaii. Hawaii A.R., 1907, pp. 38–39. 1908. O.E.S. Bul. 170, pp. 43–46. 1906.
      Porto Rico, formula of larvicide. P. R. Cir. 17, pp. 16–17. 1918.
    methods at convict camp. D.B. 414, pp. 106–108. 1916.
    work of Porto Rico Experiment Station. P. R. Cir. 14, pp. 11–21. 1912.
  damage to labor in the Southern States. News L.. vol. 1, No. 35, pp. 1–2. 1914.
  description, habits, and control. Sec. Cir. 61, pp. 10–16. 1916.

Mosquito(es)—Continued.
  destruction by—
    mallard ducks. D.B. 720, p. 9. 1918.
    powders of chrysanthemum. Ent. Bul. 67, pp. 123–124. 1907.
    swallows. F.B. 630, p. 8. 1915.
  deterrent plants, discussion. Ent. Bul. 88, pp. 22–30. 1910; F.B. 444, p. 15. 1911.
  disease-bearing, loss occasioned to people of United States. Ent. Bul. 78, pp. 7–23. 1909.
  diseases spread by. P.R Cir. 20, pp. 3–4. 1921.
  distinction between malaria-bearing and others. Y.B., 1901, p. 179. 1902.
  enemies, insect and fish. Hawaii A.R., 1912, pp. 22–23. 1913.
  extermination—
    examples in different parts of the world. Ent. Bul. 88, pp. 89–113. 1910.
    in Louisiana. News L., vol. 6, No. 50, p. 15. 1919.
    relation to control of malaria and yellow fever. Ent. Bul. 78, pp. 8–23. 1909.
    society, American, organization and work. Ent. Bul. 88, pp. 111–112. 1910.
    work in various parts of United States. Ent. Bul. 88, pp. 105–113. 1910.
  giant. See Crane-fly, smoky.
  house—
    breeding places. P.R. Cir. 14, pp. 7–10, 13–17. 1912.
    description, habits, and breeding places. P.R. Cir. 20, pp. 5, 8. 1921.
  in Hawaii—
    D. L. Van Dine. Hawaii Bul. 6, pp. 30. 1904.
    control by top-minnows. Hawaii A.R., 1907, p. 38. 1908.
  infestation by mites. Rpt., 108, pp. 43, 47, 51. 1915.
  infested regions, United States, monetary value. Ent. Bul. 78, p. 8. 1909.
  larvae—
    and larvicides. Ent. Bul. 88, pp. 72–80. 1910.
    destruction methods—
      F.B. 444, pp. 13–15. 1911.
      nature, growth, food habits, and control. F.B. 1354, pp. 7–8, 9, 13. 1923.
      sources and varieties, Port Rico. P.R. Cir. 14, pp. 6, 13, 14, 15, 16. 1912.
  life history and transmission of parasites to man and livestock. Y.B., 1905, pp. 140, 156, 166. 1906; Y.B. Sep. 374, pp. 140, 156, 166. 1906.
  malarial—
    breeding, control in Mississippi Valley, methods. D.B. 1098, pp. 1–22. 1922.
    description—
      F.B. 155, pp. 7–10. 1902; Sec. Cir. 61, p. 11. 1916.
      habits, and breeding places. P.R. Cir. 20, pp. 6–8. 1921.
    loss occasioned people of United States. Ent. Bul. 78, pp. 7–17. 1909.
    species, occurrence, and description. F.B. 450, pp. 9–12. 1911.
  methods of control in Hawaii. Hawaii A.R. 1907, pp. 38–39. 1908.
  natural enemies, practical use of control. Ent. Bul. 88, pp. 62–72. 1910; F.B. 444, p. 15. 1911.
  occurrence in Alaska, obstacle to homesteaders. D.B. 50, p. 27. 1914.
  of—
    North and Middle America, classification. D. W. Coquillett. Ent. T.B. 11, pp. 31. 1906.
    Porto Rico, a study in San Juan. W.V. Power. P.R. Cir. 14, pp. 23. 1912.
    United States, key to known larvae. Harrison G. Dyar. Ent. Cir. 72, pp. 6. 1906.
  pest in Alaska, Kenai Peninsula. Soil Sur. Adv. Sh. 1916, p. 125. 1918; Soils F.O., 1916, p. 157. 1921.
  plant—
    importation and uses. No. 32008, B.P.I. Bul. 261, p. 17. 1912.
    See also Pennyroyal.
  prevalence in Alaska, Kenai Peninsula region. Soil Sur. Adv. Sh., 1916, p. 125. 1919; Soils F.O. 1916, p. 157. 1921.
  preventive and remedial work. L. O. Howard. Ent. Bul. 88, pp. 126. 1910.

Mosquito(es)—Continued.
  protozoan parasites, life cycle, and transmission.
      B.A.I. An. Rpt., 1910, pp. 481, 489, 490. 1912;
      B.A.I. Cir. 194, pp. 481, 489, 490. 1912.
  relation to diseases in the Tropics. Y.B. 1901,
      pp. 349-350. 1901.
  remedies and preventives against. L. O. Howard.
      F.B. 444, pp. 15. 1911.
  salt-marsh—
      destruction by shorebirds. Biol. Cir. 79, p. 2.
          1911.
      species. Ent. Bul. 88, pp. 50-51. 1910.
  school lesson. D.B. 258, pp. 29-30. 1915.
  screens, smudges, and fumigants. F.B. 444, pp.
      6-8. 1911.
  size, variation, and discussion. Ent. Bul. 88,
      pp. 16, 110. 1910.
  smudges and fumigants. Ent. Bul. 88, pp. 30-40.
      1910.
  species found in Mayaguez, breeding places.
      P.R. Cir. 20, pp. 5-8. 1921.
  studies for southern rural schools. D.B. 305, pp.
      54-55. 1915.
  survey—
      San Juan, Porto Rico, and results. P.R. Cir.
          14, pp. 11-23. 1912.
      of Mayaguez. W. V. Tower. P.R. Cir. 20,
          pp. 10. 1921.
  traps, uses. Ent. Bul. 88, p. 40. 1910.
  work, organization of communities, suggestions.
      Ent. Bul. 88, pp. 80-88. 1910.
  yellow-fever—
      L. O. Howard. F.B. 1354, pp. 14. 1923.
      breeding places, and extermination methods.
          Ent. Bul. 88, pp. 19-22, 92. 1910.
      description, habits, and control. F.B. 547, pp.
          1-16. 1913; P.R. Cir. 20, pp. 5-6, 8. 1921;
          Sec. Cir. 61, pp. 12, 13-16. 1916.
      different names, domesticity, and feeding hab-
          its. F.B. 547, pp. 4-8. 1913.
      distribution and control. Rpt. 83, p. 67. 1906.
      economic loss occasioned in United States, ex-
          termination. Ent. Bul. 78, pp. 17-23. 1909.
      favorite breeding places. P.R. Cir. 14, pp. 6,
          8, 13-17. 1912.
      relation to yellow fever, discovery. Ent. Bul.
          78, pp. 19-23. 1909; F.B. 1354, pp. 10-12.
          1923.
Moss, E. G.—
  "History and status of tobacco culture." With
      others. Y.B., 1922, pp. 395-468. 1923; Y.B.
      Sep. 885, pp. 395-468. 1923.
  "Sand drown, a chlorosis of tobacco due to mag-
      nesium deficiency, and the relation of sulphates
      and chlorids of potassium to the disease." With
      others. J.A.R. vol. 23, pp. 27-40. 1923.
  "The control of tobacco wilt in the flue-cured dis-
      trict." With others. D.B. 562, pp. 20. 1917.
Moss(es)—
  ball, occurrence on trees, Texas. B.P.I. Bul. 226,
      p. 74. 1912.
  control in cranberry fields. F.B. 1401, p. 13.
      1924.
  injury to crops in Alaska, destruction, necessity
      and methods. D.B. 50, pp. 18-19, 24, 27, 29.
      1914.
  peat—
      description. Soil Sur. Adv. Sh., 1909, p. 30.
          1911; Soils F.O., 1909, p. 1542. 1912.
      formation. D.B. 802, pp. 28-29, 32-33. 1919.
  reindeer—
      distribution. N.A. Fauna 24, pp. 17, 20. 1904.
      occurrence in Alaska, characteristics and use.
          D.B. 50, p. 9. 1914.
  southern, injuries to forest trees. B.P.I. Bul.
      149, p. 17. 1909.
  Spanish—
      boll-weevil shelter during hibernation. Ent.
          Bul. 77, p. 30. 1909.
      injuries to forest trees. B.P.I. Bul. 149, p. 17.
          1909.
      occurrence—
          in Porto Rican forests. D.B. 354, p. 33.
              1916.
          on pecan trees, control. F.B. 1129, p. 20.
              1920.
          on trees, Texas. B.P.I. Bul. 226, p. 75.
              1912.

Moss(es)—Continued.
  Spanish—Continued.
      relation to cotton-boll weevil, Louisiana,
          Concordia Parish. Soil Sur. Adv. Sh., 1910,
          p. 11. 1911; Soils F.O., 1910, p. 833. 1912.
  sphagnum—
      burning on marsh soils. F.B. 465, p. 7. 1911.
      description and use. B.P.I. Bul. 193, pp. 38-
          40. 1910.
      gathering, uses, prices, in Wisconsin, Juneau
          County. Soil Sur. Adv. Sh. 1911, pp. 11,
          13, 46, 47. 1913; Soils F.O., 1911, pp. 1469,
          1471, 1504, 1505. 1914.
      growing in Wisconsin, Jackson County. Soil
          Sur. Adv. Sh., 1918, p. 39. 1922; Soils F. O.,
          1918, p. 975. 1924.
      use in packing plants and seeds for shipping.
          D.C. 323, pp. 3, 7-10. 1924.
  use in agriculture study, collection methods.
      F.B. 586, p. 24. 1914.
  varieties, use as food. O.E.S. Bul. 245, pp. 30-
      31. 1912.
  white, feed for reindeer, use and value. D.B.
      50, pp. 24, 30. 1914.
  See also Lichens.
Motacilla ocularis. See Wagtail, Swinhoe's.
Motacillidae, hosts of eye parasite. B.A.I. Bul.
  60, p. 49. 1904.
Moth(s)—
  abutilon—
      F.H. Chittenden. Ent. Bul. 126, pp. 10.
          1913.
      habits, injury to plants, synonyms and descrip-
          tion. Ent. Bul. 126, pp. 5-9. 1913.
  Angoumois, failure of hydrocyanic-acid gas to
      control. Ent. Cir. 112, pp. 4, 5, 6. 1910.
  apple, description. Sec. [Misc.], "A manual of
      * * * insects * * *," pp. 19-22. 1917.
  apricot, description. Sec. [Misc.], "A manual of
      * * * insects * * *," p. 24. 1917.
  Arge tiger, injuries to cotton, life history, notes.
      Ent. Bul. 57, p. 35. 1906.
  army worm, description and life history. F.B.
      731, pp. 2, 7-8. 1916.
  balls—
      remedy for mosquito bites. Ent. Bul. 88, p. 41.
          1910.
      use against grain weevils and moths. F.B.
          415, p. 11. 1910.
      "White tar," misbranding. I. and F. Bd.
          N.J. 71, pp. 2. 1914.
  bean. See Bean, moth.
  bee—
      injury to bees, spread. Ent. Bul. 75, Pt. VII,
          p. 103. 1909.
      Porto Rico, control measures. P.R. Cir. 13,
          p. 28. 1911.
  blackhead fireworm of cranberry, description and
      habits. D.B. 1032, pp. 17-19. 1922.
  borer—
      enemy of St. Croix sugar-cane, control. Vir.
          Is. Bul. 2, p. 22. 1921.
      leopard, injury to poplar trees. D.C. 167,
          p. 15. 1921.
      sugar-cane—
          T. E. Holloway and U. C. Loftin. D.B.
              746, pp. 74. 1919.
          control measures. D.B. 746, pp. 42-62.
              1919.
          descriptions, life stages. D.B. 746, pp. 12-18.
              1919.
          habits and control. Vir. Is. A.R., 1920,
              p. 27. 1921.
          history and distribution. D.B. 746, pp. 7-10.
              1919.
          infestation, percentage studies, 1912. Ent.
              Cir. 171, pp. 1-3, 7-8. 1913.
          insectary methods. D.B. 746, p. 18. 1919.
          parasite control. D.B. 746, pp. 60-62. 1919.
  brown-tail. See Brown-tail moth; Gipsy moth
      and brown-tail moth.
  buff tip, description. Sec. [Misc.], "A manual
      of * * * insects * * *," p. 108. 1917.
  cabbage—
      diamond-backed, description, life history,
          and control. Hawaii A.R., 1914, pp. 46-48.
          1915.
      worms, description and habits. Hawaii A.R.,.
          1914, pp. 46, 47. 1915.

Moth(s)—Continued.
  cacao, description. Sec. [Misc.], "A manual of * * * insects * * *," p. 50. 1917.
  cane-sucker, description. Sec. [Misc.], "A manual of * * * insects * * *," p. 202. 1917.
  capture in light traps, species. J.A.R., vol. 18, pp. 475–481. 1920.
  carpet. *See* Clothes moths.
  caterpillar, injury to velvet beans, and control. S.R.S. Doc. 44, p. 6. 1917.
  caution, suggestions. News L., vol. 6, No. 33, p. 5. 1919.
  cherry, description. Sec. [Misc.], "A manual of * * * insects * * *," pp. 175–176. 1917.
  clearwing, enemy of borers in apple trees. D.B. 886, p. 9. 1920.
  commelina owlet, description, distribution, and enemies. Ent. Bul. 27, pp. 59–64. 1901.
  conifers, description. Sec. [Misc.], "A manual of * * * insects * * *," pp. 67, 70, 71, 72, 80, 82. 1917.
  control—
    by paradichlorobenzene. D.B. 167, pp. 4, 5, 6. 1915.
    by plant insecticides. D.B. 1201, pp. 26, 35–49. 1924.
    directions. F.B. 659, pp. 6–8. 1915; F.B. 1180, pp. 28–29. 1921.
    value of work to States not infested. Y.B., 1916, pp. 217–226. 1917; Y.B. Sep. 706, pp. 1–10. 1917.
  corn—
    borer, description and habits. F.B. 1294, pp. 22–26. 1922.
    earworm, description and habits. F.B. 1206, pp. 5, 12–13. 1921.
  cotton worm, origin, description, and habits. Ent. Cir. 153, pp. 3–7. 1912.
  currant, description. Sec. [Misc.], "A manual of * * * insects * * *," pp. 119–120, 121. 1917.
  cutworm, description and seasonal history. F.B. 835, pp. 12–13. 1917.
  damage, prevention methods. News L., vol. 2, No. 38, p. 2. 1915.
  death's-head, description. Sec. [Misc.], "A manual of * * * insects * * *," p. 185. 1917.
  defoliators of forest trees, description. Sec. [Misc.], "A manual of * * * insects * * *," pp. 105–108. 1917.
  destroyer—
    (Camphorated Red Cedar Compound), adulteration and misbranding. N.J. 167, I. and F. Bd., S.R.A. 10, pp. 35–36. 1915.
    (Lavender Camphor Compound), adulteration and misbranding. N.J. 168, I. and F. Bd., S.R.A. 10, pp. 36–37. 1915.
    destruction by birds. Biol. Bul. 30, p. 36. 1907.
    detection in stomach of bird. Biol. Bul. 15, p. 13. 1901.
  deterrents, misbranding. I. and F. Bd. N.J. 52, pp. 2. 1913.
  diamond-back—
    injury to cabbage in—
      Hawaii. Ent. Bul. 109, Pt. III, pp. 32–33. 1912.
      Porto Rico, description. D.B. 192, p. 9. 1915.
    life history. H. O. Marsh. J.A.R., vol. 10, pp. 1–10. 1917.
  Douglas fir pitch. Josef Brunner. D.B. 255, pp. 23. 1915.
  efficiency in tripping alfalfa flowers. D.B. 75, p. 14. 1914.
  egg parasites, figures. J.A.R., vol. 30, No. 7, pp. 646–647, 650, 657, 659, 663, 664, 666, 668, 670. 1925.
  enemy parasites, value, and cooperative work of department in establishing. News L., vol. 5, No. 32, p. 8. 1918.
  eudiopta owlet, description, distribution, and remedies. Ent. Bul. 27, pp. 71–73. 1901.
  European pine shoot, injury to pines, control methods. News L., vol. 2, No. 41, p. 8. 1915.
  flour—
    control by various methods. Ent. Cir. 112, p. 20. 1910.
    description and habits. F.B. 1260, pp. 18–24. 1922.

Moth(s)—Continued.
  flour—continued.
    introduction, life history, and control. D.B. 872, pp. 2–40. 1920.
    occurrence. Ent. Bul. 38, pp. 92–93. 1901.
  fruit—
    injured. Ent. Bul. 31, p. 90. 1902.
    tree pests, descriptions. Sec. [Misc.], "A manual of * * * insects * * *," pp. 19–22, 111–113, 175–176. 1917.
  fur. *See* Clothes moths, true.
  gall. *See* Gall-moth.
  gipsy. *See* Gipsy moth; Brown-tail moth and gipsy moth.
  goat, description. Sec. [Misc.], "A manual of * * * insects * * *," p. 221. 1917.
  gooseberry, description. Sec. [Misc.], "A manual of * * * insects * * *," pp. 120, 121. 1917.
  grain—
    description and habits. D.B. 15, p. 2. 1913; F.B. 1260, pp. 13–18, 43. 1922.
    Pennsylvania. Ent. Bul. 30, pp. 86–88. 1901.
  grape-berry—
    control—
      by spraying, trailer method. Ent. A.R., 1917, p. 4. 1917. An. Rpts., 1917, p. 230. 1918.
      in northern Ohio. H. G. Ingerson and G. A. Runner. D.B. 837, pp. 26. 1920.
      in the Erie-Chautauqua grape belt. Dwight Isely. D.B. 550, pp. 44. 1917.
      methods. F.B. 908, p. 91. 1918.
      use of spraying. Ent. Bul. 97, Pt. III, p. 63. 1911.
    description, life history, and control. D.B. 550, pp. 2, 4–5. 1917; D.B. 837, pp. 4–6. 1920; Ent. Bul. 116, Pt. II, pp. 15–71. 1912; F.B. 1220, pp. 4–8. 1921.
    European, similarity to American, comparison. Ent. Bul. 116, Pt. II, pp. 15, 17, 18–19. 1912.
    life history studies in northern Ohio. H. G. Ingerson. D.B. 911, pp. 38. 1920.
    occurrences as pest. Ent. Bul. 116, Pt. II, pp. 21–22. 1912.
    resistance to low temperatures. D.B. 911, pp. 35–36. 1920.
    seasonal history, studies, 1916, 1917, 1918, in Ohio. D.B. 911, pp. 2–32. 1920.
    spraying. Ent. Bul. 97, p. 63. 1913.
    States where destructive, list. Ent. Bul. 116, Pt. II, p. 20. 1912.
    studies, North East, Pa., 1907, 1908, 1909. Ent. Bul. 116, Pt. II, pp. 30–45, 54–62. 1912.
  hawk, grape enemies, habits and control. F.B. 1220, p. 33. 1921.
  Hemileuca, occurrence and habits. Ent. Bul. 85, pp. 62, 82–87. 1911.
  hickory tiger—
    description, habits, injuries, and control. F.B. 1270, pp. 48–49. 1923.
    injury to orchards. Dwight Isely. D.B. 598, pp. 16. 1918.
  hornet, description. Sec. [Misc.], "A manual of * * * insects * * *", p. 180. 1917.
  Indian-meal—
    and "weevil-cut" peanuts. C. H. Popenoe. Ent. Cir. 142, pp. 6. 1911.
    control by paradichlorobenzene. D.B. 167, pp. 4, 5. 1915.
    description and habits. F.B. 1260, pp. 19–20. 1922.
    fumigation—
      experiments. Ent. Bul. 104, pp. 36–37. 1911.
      with carbon tetrachloride, experiments. Ent. Bul. 96, Pt. IV. p. 55. 1911.
    life history, infestation of figs, and control. D.B. 235, pp. 3–8. 1915.
    resemblance to pink corn worm. D.B. 363, p. 5. 1916.
    similarity of habits to rice moth. D.B. 783, pp. 2, 8, 13. 1919.
  injuries to woolens, and control. News L., vol. 6, No. 14, p. 5. 1918.
  injurious—
    effect of lights, list. Ent. Bul. 30, pp. 85–86. 1901.
    to stored grains, Hawaii, description and control. Hawaii Bul. 27, pp. 18–20. 1912.
  injury to bees. Ent. Bul. 75, pp. 103, 104. 1911.

INDEX TO PUBLICATIONS, 1901–1925   1575

Moth(s)—Continued.
io—
  injury to cotton, and control. F.B. 890, pp. 15–16. 1917.
  occurrence on cotton. Ent. Bul. 57, p. 37. 1906.
lackey—
  description. Sec. [Misc.], "A manual of * * * insects * * *," pp. 106–107. 1917.
lappet, fruit pest, description. Sec. [Misc.], "A manual of insects * * *", pp. 111–112. 1917.
larger corn-stalk borer, dscription, and enemies. F.B. 1025, pp. 7, 11. 1919.
larvae, injury to cotton seedlings, notes. J.A.R., vol. 6, No. 3, pp. 132–135. 1916.
Laspeyresia, injury to Douglas fir and association with pitch moth. D.B. 255, p. 18. 1915.
legume pod, history, distribution, description, and life history. Ent. Bul. 95, Pt. VI, pp. 89–104. 1912.
leopard—
  L. O. Howard and F. H. Chittenden. Ent. Cir. 109, pp. 8. 1909.
  dangerous imported insect enemy of shade trees. L. O. Howard and F. H. Chittenden. F.B. 708, pp. 12. 1916.
  description—
    food plants, and control methods. Ent. Cir. 109, pp. 1–8. 1909.
    habits, and control. F.B. 1169, pp. 68–69. 1921.
  injury to shade trees, description, and control methods. News L., vol. 3, No. 29, pp. 4–5. 1916.
  larvae injurious to poplars. D.C. 167, p. 15. 1921.
  larvae injurious to trees and shrubs, control. F.B. 708, pp. 1, 3, 5–10. 1916.
  wood-borer, description, habits, and control. F.B. 1169, pp. 68–69. 1921.
March, description. Sec. [Misc.], "A manual of * * * insects * * *", p. 105. 1917.
meal, snout, description and habits. F. B. 1260, pp. 22–24. 1922.
mottled umber, description. Sec. [Misc.], "A manual of * * * insects * * *," p. 106. 1917.
Nantucket pine-tip, injury to shortleaf pine. D.B. 244, p. 36. 1915.
"nonne", depredations in Europe. Y.B., 1907, pp. 149–152. 1908; Y.B. Sep. 442, pp. 149–152. 1908.
nun—
  control by tree banding. D.B. 899, p. 14. 1920.
  description. Sec. [Misc.], "A manual of * * * insects * * *," p. 108. 1917.
  introduction into America. Ent. Bul. 38, pp. 90–91. 1902.
  larvae spread by wind. Ent. Bul. 119, p. 16. 1913.
  wilt disease, notes and studies. J.A.R., vol. 4, pp. 102, 103, 114, 115. 1915.
oak, description. Sec. [Misc.], "A manual of * * * insects * * *," p. 152. 1917.
occurrence in the Pribilof Islands, Alaska. N.A. Fauna 46, Pt. II, pp. 147–149. 1923.
olive, description. Sec. [Misc.], "A manual of * * * insects * * *," p. 155. 1917.
orange, Philippine, description. Sec. [Misc.], "A manual of * * * insects * * *," p. 57. 1917.
oriental peach. See Laspeyresia molesta; Peach moth, oriental.
painted apple, description. Sec. [Misc.], "A manual of * * * insects * * *," p. 113. 1917.
parasites, Tachina. Ent. T.B. 12, Pt. VI, pp. 95–118. 1908.
pea, description. Sec. [Misc.], "A manual of * * * insects * * *," p. 165. 1917.
peach—
  northern, description. Sec. [Misc.], "A manual of * * * insects * * *," p. 166. 1917.
  oriental, origin, distribution, life history, and habits. J.A.R., vol. 13, pp. 59–72. 1918.

Moth(s)—Continued.
pine—
  "brood trees," description and importance. D.B. 295, pp. 7–10. 1915.
  Nantucket, injury to young pines, Nebraska. For. Bul. 121, pp. 45–46. 1913.
  shoot—
    European, public hearing. F.H.B.S.R.A. 12, pp. 3–4. 1915.
    European, serious menace to pine timber in America. August Busck. D.B. 170, pp. 11. 1915.
    quarantine Notice 20. F.H.B.S.R.A. 14, p. 9. 1915.
  tip, injury to—
    shortleaf pine. D.B. 308, p. 26. 1915.
    western yellow pine. F.B. 888, p. 10. 1917.
  Zimmerman. Josef Brunner. D.B. 295, pp. 12. 1915.
pink bollworm, factor in spread. D.B. 918, pp. 35–36. 1921.
pitch—
  control by destruction of larvae, directions. D.B. 255, pp. 18–21. 1915.
  Douglas fir. Josef Brunner. D.B. 255, pp. 23. 1915.
  Sequoia, menace to pine in western Montana. Joseph Brunner. D.B. 111, pp. 11. 1914.
plum owlet, descriptions. Sec. [Misc.], "A manual of * * * insects * * *," p. 176. 1917.
plume, grape, description and control. F.B. 1220, pp. 24–25. 1921.
poison, "Conkey bug and moth killer," misbranding. I. and F. Bd. N.J. 20, pp. 2. 1914.
pokeweed, description, similarity to semitropical army worm. Ent. Bul. 66, Pt. V, p. 57. 1909.
pomelo, description. Sec. [Misc.], "A manual of * * * insects * * *," p. 57. 1917.
potato-tuber—
  F. H. Chittenden. F.B. 557, pp. 7. 1913.
  J. E. Graf. D.B. 427, pp. 56. 1917.
  preliminary account. F. H. Chittenden. Ent. Cir. 162, pp. 5. 1912.
  classification, synonymy, description, and food plants. D.B. 427, pp. 9–15. 1917.
  control methods. F.B. 557, pp. 3–7. 1913.
  damage in California. Ent. Cir. 162, p. 2. 1912.
  description, distribution, food habits, and injury. F.B. 557, pp. 1–3. 1913.
  description, habits, damage, and control. Hawaii Bul. 45, pp. 17, 29. 1920.
  description, injuries, and control methods. News L., vol. 4, No. 29, pp. 2–3. 1917.
  distribution, damage, and control methods. Ent. Cir. 162, pp. 2–5. 1912.
  economic importance. D.B. 427, pp. 4–8. 1917.
  history, distribution, and origin. D.B. 427, pp. 1–4. 1917.
  injury to potatoes and tobacco, distribution, habits, description, and history. D.B. 59, pp. 1–6. 1914.
  injury to vegetables, tobacco, etc. F.B. 856, pp. 56–57. 1917.
  life history and habits. D.B. 427, pp. 15–32. 1917.
  natural enemies, checks, and control methods. D.B. 427, pp. 32–51. 1917.
  See also Tobacco splitworm.
  quarantine regulations. F.H.B.S.R.A. 77, pp. 142–144, 170. 1924.
range caterpillar, description and habits. Ent. Bul. 85, pp. 82–87. 1911.
rearing work, method. D.B. 911, pp. 1–2. 1920.
redtail, description. Sec. [Misc.], "A manual of * * * insects," p. 107. 1917.
remedy—
  adulteration and misbranding, "Cedar of Lebanon and camphor." I. and F. Bd. N.J. 25, pp. 2. 1913.
  misbranding—
    "Extra refined camphorated flake compound." I. and F. Bd. N.J. 23, pp. 2. 1913.
    "Extra refined Chinese Ta Na Camphor Compound." I. and F. Bd. N.J. 24, pp. 2. 1913.
rice—
  F. H. Chittenden. D.B. 783, pp. 15. 1919.
  description and habits. F.B. 1260, p. 18. 1922.

Moth(s)—Continued.
rusty vaporer, parasitism by *Limnerium validum*. Ent. T. B. 19, Pt. V, pp. 81–82. 1912.
salt-marsh caterpillar, rejection by birds. Biol. Bul 15, p. 48. 1901.
satin—
  host of *Apanteles melanoscelus*. D.B. 1028, pp. 12–13. 1922.
  in New England. Off. Rec., vol. 1, No. 1, p. 5. 1922.
  introduced enemy of poplars and willows. A. F. Burgess. D.C. 167, pp. 16. 1921.
  outbreak and spread in 1921. D.B. 1103, pp. 46–48. 1922.
  quarantine—
    areas, and extension. F.H.B.S.R.A. 77, pp. 156, 170. 1924.
    establishment. F.H.B.S.R.A. 71, pp. 103, 157–159. 1922.
    No. 53, summary. F.H.B.S.R.A. 71, p. 175. 1922.
    notice and regulations. F.H.B. Quar. 53, pp. 3. 1922.
    revision, instruction to postmasters. F.H.B. S.R.A. 72, pp. 92. 1922.
    records in Europe. D.C. 167, p. 11. 1921.
    spread methods. D.C. 167, p. 14. 1921.
Sequoia pitch, menace to pine in western Montana. Josef Brunner. D.B. 111, pp. 11. 1914.
soy-bean, description. Sec. [Misc.], "A manual of * * * insects * * *," p. 196. 1917.
sphinx, sweet-potato, presence in Hawaii. Hawaii A.R., 1907, p. 43. 1908.
squash-vine borer, description and control method. F.B. 668, pp. 1–2, 6. 1915.
swan, description. Sec. [Misc.], "A manual of * * * insects * * *," p. 108. 1917.
tapestry, habits, description, and injuries. F.B. 659, pp. 5–6. 1915.
tiger, injuries to cotton, and control. F.B. 890, pp. 15–16. 1917.
tip, enemy of pine seedlings. D.B. 1105, pp. 3, 134. 1923.
tobacco hornworm, habits and description. Ent. Cir. 123, pp. 7–10, 16. 1910; Y.B., 1910, pp. 285–286. 1911. Y.B. Sep. 537, pp. 285–286. 1911.
wax—
  a secondary cause of destruction of bees. Ent. Bul. 75, pp. 20, 27, 73. 1911.
  and American foul brood. E.F. Phillips. Ent. Bul. 75, Pt. II, pp. 19–22. 1907.
  control by cedar beehive. Off. Rec. vol. 2, No. 43, p. 5. 1923.
  enemies of bees, causes and prevention. F.B. 397, p. 40. 1910; F.B. 447, pp. 43–44. 1911.
  large, damage to honeycomb. Ent. Bul. 75, pp. 20–21. 1911; Pt. II, pp. 20–21. 1907.
  larger, injury to comb honey. F.B. 397, p. 40. 1910.
  larvae, experiments in insecticide penetration. J.A.R., vol. 13, pp. 526, 531, 535. 1918.
  lesser, damage to honeycomb. Ent. Bul. 75, p. 21. 1911; Pt. II, p. 21. 1907.
  nicotine poisoning, studies. J.A.R., vol. 7, pp. 93, 101, 104, 112. 1916.
  other names, injury to bee colonies in North Carolina, and control. D.B. 489, p. 4. 1916.
  relation to American foulbrood. Ent. Bul. 75, pp. 19–22. 1911.
  secondary injury to brood comb. F.B. 442, pp. 6–7. 1911.
  smaller, injury to comb honey. F.B. 397, p. 40. 1910.
  webbing, habits, description, and injuries. F.B. 659, pp. 4–5. 1915.
  webs, brown-tail, burning for moth control. F.B. 564, p. 12. 1914.
webworms, description and habits. F.B. 1258, pp. 6, 9, 11, 13, 14. 1922; J.A.R., vol. 24, pp. 404–405, 418–420. 1923.
wheat, description. Sec. [Misc.], "A manual of * * * insects * * *," p. 123. 1917.
winter, description. Sec. [Misc.], "A manual of * * * insects * * *," p. 105. 1917.
wolf, description. F.B. 1260, pp. 15–16. 1922.
Mother starter, use in milk fermentation; methods. News L., vol. 3, No. 26, pp. 2–3. 1916.
Mother, vinegar, nature and use. F.B. 1424, pp. 6–7, 9. 1924; S.R.S. Doc. 99, pp. 4, 5. 1919.

Mother(s)—
  children's diet, questions to ask. F.B. 717, pp. 19–20. 1916.
  clubs, farm women, suggestion. Rpt. 105, p. 58. 1915.
  daughter—
    canning club, work in Michigan. News L., vol. 6, No. 30, pp. 10–11. 1919.
    home canning club—
      and vacation canning club: Project report. (Blank form.) George E. Farrell. S.R.S. Doc. 19, pp. 8. 1915.
      organization, suggestions for. O. H. Benson. S.R.S. Doc. 20, pp. 6. 1915.
Mother's Friend, misbranding. Chem. N.J. 203, pp. 3. 1910; Chem. N.J. 366, pp. 2. 1910.
Motherwort, habitat, range, description, uses, collection, and prices. B.P.I. Bul. 219, p. 25. 1911.
Mothproofing, solutions, efficacy. Off. Rec., vol. 4, No. 8, p. 5. 1925.
Motion pictures—
  activities of Illustrations Section. An. Rpts., 1918, pp. 299–301. 1919; Pub. A.R., 1918, pp. 19–21. 1918.
  agricultural subjects, distribution by Agriculture Department. News L., vol. 6, No. 4, p. 4. 1918.
  and dairy education. B.A.I. [Misc.], "World's dairy congress, 1923," pp. 537–541. 1924.
  beet-sugar manufacture. Off. Rec. vol. 2, No. 34, p. 7. 1923.
  California fruit. News L., vol. 6, No. 52, pp. 6–7. 1919.
  cottage-cheese demonstrations. Y.B., 1918, pp 271–272. 1919; Y.B. Sep. 787, pp. 5–6. 1919.
  Department of Agriculture—
    F. W. Perkins and G. R. Goergens. D.C. 114, pp. 22. 1920.
    films, distribution, sale, and uses. D.C. 114, pp. 3–8. 1920.
    uses and subjects. M.C. 27, pp. 32. 1924.
  film exchange, plans in Montana. Off. Rec., vol. 1, No. 22, p. 5. 1922.
  films, availability. Off. Rec., vol. 2, No. 35, p 5. 1923.
  "Flaming Barrier." Off. Rec., vol. 2, No. 50, p. 7. 1923.
  for employees. Off. Rec., vol. 2, No. 2, p. 1. 1923.
  for use by field workers and cooperators. B.A.I. S.R.A., 192, p. 42. 1923.
  "Highroads and skyroads." Off. Rec., vol. 1, No. 26, p. 5. 1922.
  increased issue by Agriculture Department. News L., vol. 6, No. 11, pp. 1–2. 1918.
  milk campaign. D.C. 250, pp. 19–21, 36. 1923.
  "National bird refuges." Off. Rec., vol. 1, No. 21, p. 5. 1922.
  purchase from department, prices. D.C. 114, p. 6. 1920.
  society organization and committee membership. News L., vol. 6, No. 18, p. 11. 1918.
  terms in use, definitions. D.C. 114, pp. 11–13. 1920.
  "The honor of the little purple stamp," use in European countries. Off. Rec., vol. 1, No. 1, p. 5. 1922.
  truck, use in tick-eradication campaign. Off. Rec., vol. 2, No. 12, p. 8. 1923.
  United States Department of Agriculture. Fred W. Perkins. D.C. 233, pp. 13. 1922.
  use—
    in—
      advertising cottage cheese. D.C. 1, p. 10. 1919.
      extension work. D.C. 316, pp. 24–25. 1924, showing potato disease. News L., vol. 7. No. 1, p. 7. 1919.
    of community building. F.B. 1274, pp. 18, 19–20, 24, 26, 32. 1922.
  "When the elk come down." Off. Rec., vol. 1, No. 27, p. 5. 1922.
  work of 1922, projects and needs. An. Rpts., 1922, pp. 390–393. 1923; Pub. A.R., 1922, pp. 14–17. 1922.
  work, transfer to Publications Division, and progress. An. Rpts., 1920, pp. 383, 391–393. 1921.
See also Films.

Motion Pictures, Office of, annual report, 1923. Fred W. Perkins. An. Rpts., 1923, pp. 527-531. 1924; Pub. A.R., 1923, pp. 13-17. 1923.
Motor—
 boats and vehicles, appropriations and restrictions, 1915. Sol. [Misc.], "Laws applicable * * *," Sup. 2, pp. 7-8. 1915; Sup. 3, p. 7. 1915.
 cars, number in use, 1921. Off. Rec., vol. 1, No. 11, p. 8. 1922.
 electric, cost for irrigation pumping. F.B. 1404, pp. 21-23. 1924.
 fees per mile. Off. Rec., vol. 3, No. 41, p. 3. 1924.
 fees, variation in different States. News L., vol. 4, No. 48, p. 4. 1917.
 hauling, industry development, cost, comparison with other carriers. D.B. 770, pp. 31-32. 1919.
 mail routes for food products, bill. Off. Rec., vol. 1, No. 49, p. 2. 1922.
 number of registrations—
  1923. Off. Rec., vol. 2, No. 38, p. 2. 1923.
  1924. Off. Rec., vol. 3, No. 13, p. 3. 1924.
 presses, use in baling hay. F.B. 1049, p. 10. 1919.
 routes—
  necessity for both-way loads. News L., vol. 6, No. 34, p. 11. 1919.
  solving of "short haul." News L., vol. 6, No. 32, p. 11. 1919.
 tax, Federal, use for roads. Off. Rec., vol. 2, No. 45, p. 1. 1923.
 traffic, need of good roads. News L., vol. 6, No. 36, p. 12. 1919.
 transportation—
  collection and delivery points. D.B. 770, pp. 20-23. 1919.
  for rural districts. J. H. Collins. D.B. 770, pp. 32. 1919.
  operating equipment, selection. D.B. 770, pp. 15-18. 1919.
  operation cost, advance estimate. D.B. 770, pp. 9-15. 1919.
  rural factors governing. News L., vol. 6, No. 34, p. 4. 1919.
 truck(s)—
  cooperative operation of route. H. S. Yohe. F.B. 1032, pp. 24. 1919.
  Corn-Belt farmers, experience with. H. R. Tolley and L. M. Church. D.B. 931, pp. 34. 1921.
  cost of operation. S.B. 5, p. 82. 1925.
  cost of operation in Corn Belt. Y.B., 1921, p. 807. 1922; Y.B. Sep. 876, p. 4. 1922.
  demand, and causes. D.B. 770, pp. 1-5. 1919.
  distribution to States, conditions. News L., vol. 6, No. 42, p. 1. 1919.
  experience of eastern farmers with. H. R. Tolley and L. M. Church. D.B. 910, pp. 37. 1920.
  hauling—
   comparison with horses. S.B. 5, p. 83. 1925.
   corn, wheat, and cotton, mileage and cost. Y.B., 1918, p. 712. 1919; Y.B. Sep. 795, p. 48. 1919.
   cost, comparison with horse-drawn wagons. News L., vol. 6, No. 13, p. 1. 1918.
   hauls, distance, load, and cost, 1906, 1918. Y.B. 1921, p. 791. 1922; Y.B. Sep. 871, p. 22. 1922.
  number on farms by States. Y.B., 1921, p. 789. 1922; Y.B. Sep. 871, p. 20. 1922.
  on eastern farms. H. R. Tolley and L. M. Church. F.B. 1201, pp. 23. 1921.
  place in transportation. Off. Rec., vol. 4, No. 23, pp. 1, 8. 1925.
  preliminary survey of fields, factors governing. D.B. 770, pp. 5-9. 1919.
  routes—
   cooperative, organization, charter, and capitalization. F.B. 1032, pp. 5-7. 1919.
   Farmers' Cooperative Association, elimination of cut-rate competition. F.B. 1032, p. 21. 1919.
   service, work of Markets Bureau. An. Rpts., 1918, p. 481. 1919; Mkts. Chief Rpt., 1918, p. 31. 1918.
  sprayer, for solid-stream spraying, description. D.B. 480, pp. 6-7. 1917.
  study of costs, questionnaire form. D.B. 994, pp. 44-46. 1921.

Motor—Continued.
 truck(s)—continued.
  tank, for milk transportation. C. E. Gray. B.A.I. [Misc.], "World's dairy congress, 1923," pp. 825-830. 1924.
  transportation service, size, body, and tire equipment. D.B. 770, pp. 15-18. 1919.
  See also Trucks.
 utility, use in farm home. Y.B., 1919, pp. 225, 226. 1920; Y.B. Sep. 799, pp. 225, 226. 1920.
 vehicles—
  agency in gipsy-moth spread. Y.B., 1916, p. 221. 1917; Y.B. Sep. 706, p. 5. 1917.
  fees, by States. Y.B., 1924, p. 1202. 1925.
  increase—
   1906-1917. News L., vol. 5, No. 48, p. 5. 1918.
   in traffic and road needs. Y.B., 1919, pp. 53-54. 1920.
   of use by farmers. F.B. 505, p. 12. 1912.
  injury to macadam roads. F.B. 338, p. 27. 1908.
  number—
   and fees collected and used on roads. Rds. Chief Rpt., 1918, p. 10. 1918; An. Rpts., 1918, p. 382. 1919.
   by States. Off. Rec., vol. 3, No. 41, p. 5. 1924.
   in comparison with horses and mules. S.B. 5, pp. 1-95. 1925.
   in United States, 1906, 1917. Y.B., 1917, p. 127. 1918; Y.B. Sep. 739, p. 3. 1918.
  public service, regulations. B.A.I.S.R.A. 87, p. 103. 1914.
  registration—
   and license fees in force Jan. 1, 1916, by States. Sec. Cir. 59, pp. 8-11. 1916.
   and revenues, 1914, by States. Sec. Cir. 49, p. 1. 1915.
   by States, 1915, and 1913-1915. Sec. Cir. 59, pp. 5-7. 1916.
  regulations. Off. Rec., vol. 3, No. 36, p. 4. 1924.
  speedometers, use, regulations. B.A.I.S.R.A. 200, p. 107. 1924.
  war surplus, distribution for roads use, legislation. M.C. 60, pp. 5-7. 1925.
Motorcycles, registrations, and revenues, 1914. Sec. Cir. 49, p. 1. 1915.
Mottle leaf—
 citrus—
  plants, relation to nitrogen in soil. J.A.R. vol. 9, pp. 249-250. 1917.
  trees—
   cause and treatment. F.B. 1122, p. 34. 1920.
   relation to irrigation system. D.B. 499, pp. 1-31. 1917.
   relation to soil conditions. J.A.R., vol. 6, No. 19, pp. 721-740. 1916.
  See also Chlorosis.
Mottled-top. See Mosaic disease.
"Mottles" butter, cause and prevention. B.A.I. Cir. 56, p. 186. 1904.
Mottling—
 citrus leaves, composition at various stages. J.A.R., vol. 9, pp. 157-166. 1917.
 leaf, of wheat, distinction from mosaic. D.B. 1361, pp. 4-5. 1925.
Moubata bug, Africa, description, habits, and injurious results. Rpt. 108, pp. 15, 62, 65, 69. 1915.
Moulds, fruit, entrance through mechanical injuries of skin. Y.B., 1909, pp. 369-370. 1910; Y.B. Sep. 520, pp. 369-370. 1910.
MOULTON, C. R.—
 report on the separation of nitrogenous bodies. Chem. Bul. 152, pp. 176-184. 1912.
 "The separation of meat proteids." Chem. Bul. 137, pp. 148-149. 1911.
MOULTON, DUDLEY—
 "A contribution to our knowledge of the Thysanoptera of California." Ent. T.B. 12, Pt. III, pp. 39-68. 1907.
 "Synopsis, catalogue, and bibliography of North American Thysanoptera, with descriptions of new species." Ent. T.B. 21, pp. 56. 1911.
 "The California peach borer." Ent. Bul. 97, Pt. IV, pp. 65-89. 1911.
 "The orange thrips." Ent. T.B. 12, Pt. VII, pp. 119-122. 1909.
 "The pear thrips." Ent. Bul. 68, Pt. I, pp. 16. 1907.

MOULTON, DUDLEY—Continued.
"The pear thrips and its control." Ent. Bul. 80, Pt. IV, pp. 51–66. 1909.
Mounding trees for control of borers. Ent. Bul. 97, p. 87. 1913.
Mounds, Kangaroo rat, description. D.B. 1091, pp. 9–10. 1922.
Mount Adams, Wash., description. D.C. 138, pp. 12–13. 1920.
Mount Baker, Wash., description. D.C. 132, pp. 2–4. 1920; D.C. 138, pp. 43–44. 1920.
Mount Hood—
  description, and equipment for trail climbing. D.C. 105, pp. 15–17, 23–24. 1920.
  National Forest, Oreg.—
    For. [Misc.], "An ideal vacation * * *," pp. 18–23. 1923.
    information for campers, tourists, and hikers. For. [Misc.], "Mount Hood National * * *," Map fold. 1924.
    map. For. Map. 1924.
Mount Katmai, Alaska, eruption, June, 1912, effect on vegetation and livestock. Alaska A.R. 1912, pp. 38–43, 67–72. 1913.
Mount McKinley National Park, Alaska—
  creation as game refuge, and need of control laws. Biol. Doc. 110, p. 9. 1919.
  recommendation by governor. D.C. 168, pp. 2, 13. 1921.
Mount Mitchell, N. C., wind velocity. Y.B., 1911, pp. 341, 343. 1912; Y.B. Sep. 573, pp. 341, 343. 1912.
Mount Olympus—
  National Monument game protection, 1909. Biol. Cir. 73, p. 9. 1910.
  Wash., description. D.C. 138, p. 22. 1920.
Mount Ranier National Park—
  act protecting fish and game. Biol. Bul. 12, rev., p. 74. 1902.
  game protection, 1909. Biol. Cir. 73, p. 8. 1910.
Mount St. Helens, description. D.C. 138, p. 15. 1920.
Mount Tamalpais, Calif., wind velocity. Y.B. 1911, p. 343. 1912; Y. B. Sep. 573, p. 343. 1912.
Mount Taylor Range, N. Mex., location, description, and climate. N.A. Fauna 35, pp. 58–60. 1913.
Mount Vernon, N.Y., milk supply, statistics, officials and prices. B.A.I. Bul. 46, pp. 40, 134. 1903.
Mount Washington, N. H., wind velocity. Y.B., 1911, pp. 341, 342, 343. 1912; Y.B. Sep. 573, pp. 341, 342, 343. 1912.
Mount Weather, Va.—
  authorization to Agriculture Secretary. Sol.]Misc.], "Laws applicable * * * Agriculture," Sup. 2, p. 16. 1915.
  research observatory. Frank H. Bigelow. W. B. [Misc.], "Proceedings, third convention * * *," pp. 14–23. 1904.
  wind velocity. Y.B., 1911, p. 341. 1912; Y.B. Sep. 573, p. 341. 1912.
Mountain(s)—
  ash—
    American, names, range, description, bark, prices, and uses. B.P.I. Bul. 139, pp. 29–30. 1909.
    destruction by birds. Biol. Bul. 15, p. 74. 1901.
    importations and descriptions, and source. No. 34132, B.P.I. Inv. 32, pp. 1, 14. 1914; No. 35305, B.P.I. Inv. 35, p. 35. 1915; No. 36730, B.P.I. Inv. 37, p. 58. 1916; Nos. 46105–46106, B.P.I. Inv. 55, p. 25. 1922; No. 48421, B.P.I. Inv. 60, pp. 6, 80. 1922.
    injury—
      by sapsuckers. Biol. Bul. 39, pp. 40–41. 1911.
      from gipsy moth. D.B. 204, p. 14. 1915.
    insect pests, list. Sec. [Misc.], "A manual * * * insects * * *," p. 149. 1917.
    new, description. B.P.I. Bul. 207, pp. 41, 55, 69. 1911.
    value as ornamental for plains region. F.B. 888, p. 14. 1917.
    Wyoming, distribution and growth. N.A. Fauna 42, p. 71. 1917.

Mountain(s)—Continued.
  balm—
    description, and soil requirements, Eastern Puget Sound Basin, Washington. Soil Sur. Adv. Sh., 1909, p. 37. 1911; Soils F.O., 1909, p. 1549. 1912.
    occurrence in Colorado, description. N.A. Fauna 33, pp. 238–239. 1911.
    root nodule, nitrogen-gathering, description. Y.B. 1910, p. 216. 1911; Y.B. Sep. 530, p. 216. 1911.
    Wyoming, distribution and growth. N.A. Fauna 42, p. 73. 1917.
    See also Yerba santa.
  beaver—
    habits and control studies. An. Rpts., 1915, p. 236. 1916; An. Rpts., 1917, pp. 255, 259. 1918; An. Rpts., 1919, p. 281. 1920; Biol. Rpt., 1915, p. 4. 1915; Biol. Chief Rpt., 1917, pp. 5, 9. 1917; Biol. Chief Rpt., 1919, p. 7. 1919; Biol. Chief Rpt., 1921, pp. 9–10. 1921; F. B. 932, p. 20. 1918; Y. B. 1916, p. 396. 1917; Y.B. Sep. 708; p. 16. 1917.
    injuries to crops, investigations. An. Rpts., 1918, p. 262. 1919; Biol. Chief Rpt., 1918, p. 6. 1918.
    See also Sewellel.
  climbing—
    in—
      Cascade National Forests. D.C. 104, pp. 1–15. 1920.
      Colorado National Forest. D.C. 34, pp. 7–8. 1919.
      Colorado, San Isabel National Forests, D.C. 5, pp. 12–14. 1919.
      Colorado, Sopris National Forest. D.C. 6, pp. 6–9. 1919.
      Pike National Forest. D.C. 41, pp. 8–9. 1919.
      Washington National Forest, D.C. 132, pp. 2–4, 9. 1920.
    trips. For. [Misc.l, Cochetopa National Forest, pp. 4–12. 1919; For. [Misc.] Uncompahgre National Forest, pp. 8–12, 14. 1919; For. [Misc.l Battlement, National Forest, pp. 8–10. 1919.
  disease, foreign name for blackleg of cattle. B.A.I. Cir. 31, Rev., p. 2. 1911.
  farms—
    draining methods, ditches and tiles. F.B. 905, p. 21. 1918.
    essential features in slope influences. Y.B., 1912, pp. 310–311. 1913; Y.B. Sep. 593, pp. 310–311. 1913.
    in Kentucky and Tennessee, possibilities. F.B. 981, pp. 6–7, 22–32. 1918.
    southern, making more productive. F.B. 905, pp. 1–28. 1918.
  fever, legislation. B.A.I. Bul. 28, p. 119. 1901.
  flowering plants, importations from India. Nos. 41581–41618. B.P.I. Inv. 45, pp. 51–54. 1918.
  forest destruction, effects on water courses. For. Cir. 168, pp. 9–11, 16, 27–30. 1909.
  goat—
    Alaska—
      habits, distribution, and hunting methods. N.A. Fauna 21, p. 62. 1901; Y.B., 1907, p. 477. 1908; Y.B. Sep. 462, p. 477. 1908.
      protection, regulations. Biol. Doc. 28, pp. 1–3. 1919; Biol. S.R.A. 5, p. 1. 1915; Biol. S.R.A. 10, pp. 2. 1916; Biol. S.R.A. 22, pp. 2, 3. 1918; Biol. S.R.A. 28, pp. 1–3. 1919.
    as tick host. F.B. 484, p. 45. 1912.
    in—
      Alaska, habitat, conditions and protection. Sec. [Misc.] "Report of Governor * * * 1915," pp. 2, 3, 5, 16–17. 1916.
      Alaska, Kenai Peninsula, habits and value. Soil Sur. Adv. Sh., 1916, p. 122. 1918; Soils F.O., 1916, p. 154. 1921.
      Athabaska-Mackenzie region, description. N.A. Fauna 27, p. 158. 1908.
    killing of young in Alaska, by eagles. D.C. 225, p. 5. 1922.
    numbers and value. D.B. 1049, pp. 24, 25. 1922.
    occurrence in Montana, host of fever ticks. Biol. Cir. 82, pp. 10–11. 1911.

Mountain(s)—Continued.
grape—
description and resistance to lime and phylloxera. B.P.I. Bul. 172, pp. 19-20. 1910.
little, description and resistance to lime and phylloxera. B.P.I. Bul. 172, p. 20. 1910.
grazing lands, depleted, natural revegetation, progress report. A.W. Sampson. For. Cir. 169, pp. 28. 1909.
in—
Alaska, description. Soil Sur. Adv. Sh., 1914, pp. 15, 75-77. 1915; Soils F.O. 1914, pp. 49, 109-111. 1919.
New Mexico—
location, description, climate, fauna, and flora. N.A. Fauna 35, pp. 53-74. 1913.
recreational uses. D.C. 240, p. 9. 1922.
Oregon national forests, descriptions. D.C. 4. DD. 7, 13, 23, 29, 31, 35, 47, 48, 53. 1919.
Washington, Stevens County, description. Soil Sur. Adv. Sh., 1913, pp. 12-13. 1915; Soils F.O., 1913, pp. 2170-2171. 1916.
land(s)—
cut-over, utilizing for pasture. D.B. 954, pp. 2-3, 5-6. 1921.
national forests, travel conditions. Y.B., 1919, pp. 177-178, 188. 1920; Y.B. Sep. 806, pp. 177-178, 188. 1920.
purchase under Weeks Act, acreage and cost. An. Rpts., 1916, p. 40. 1917; Sec. A.R., 1916, p. 42. 1916.
lion(s)—
bounties paid by different States. F.B. 1238, pp. 7-23. 1921.
habits and control. Biol. Chief Rpt., 1924, p. 7. 1924.
hunting and bounty laws, 1919. F.B. 1079, pp. 3-25. 1919.
occurrence in—
Colorado, and description. N.A. Fauna 33, pp. 163-165. 1911.
Montana. Biol. Cir. 82, p. 21. 1911.
meadows, improvement. B.P.I. Bul. 127, p. 29. 1908.
orchard lands in "thermal belt," Porters loam and black loam. Soils Cir. 39, pp. 9-10, 11-12, 13-14, 17. 1911.
orchards, West Virginia soils, methods, labor, and cost. D.B. 29, pp. 1-24. 1913.
peaks, loftiest trio of United States. Y.B., 1901, p. 533. 1902.
play grounds of the Pike National Forest. D.C. 41, pp. 17. 1919.
range lands, vegetation studies, grazing systems. J.A.R., vol. 3, pp. 93-148. 1914.
region(s)—
agricultural problems. An. Rpts., 1917, p. 479. 1918; Farm M. Chief Rpt., 1917, p. 7. 1917.
Alabama, description. N.A. Fauna 45, p. 7. 1921.
of nonarable lands. Y.B., 1918, p. 434. 1919; Y.B. Sep. 771, p. 4. 1919.
winds, velocity, direction, and characteristics. Y.B., 1911, pp. 341, 344, 345, 346. 1912; Y.B. Sep. 573, pp. 341, 344, 345, 346. 1912.
roads—
James W. Abbott. Y.B., 1900, pp. 183-198. 1901; Y.B. Sep. 210, pp. 183-198. 1901.
as a source of revenue. Y.B., 1901, p. 253. 1902.
slopes, effect on crops. J. Cecil Alter. Y.B., 1912, pp. 309-318. 1913; Y.B. Sep. 593, pp. 309-318. 1913.
snowfall, observations. Frank H. Bigelow. Y.B., 1910, pp. 407-412. 1911; Y.B. Sep. 547, pp. 407-412. 1911.
southern—
cheese making, success. C. F. Doane and A. D. Reed. Y.B., 1917, pp. 147-152. 1918; Y.B. Sep. 737, pp. 8. 1918.
description, resources, and agricultural conditions. Y.B., 1917, pp. 147-149. 1918; Y.B. Sep. 737, pp. 3-5. 1918.
States, farming types. F.B. 1289, pp. 18-20. 1923.
Mourning bride, description, cultivation, and characteristics. F.B. 1171, pp. 35, 82. 1921.

Mouse—
Allen harvest, habitat, description, and characters. N.A. Fauna 36, p. 59. 1914.
Apache pocket, occurrence in Colorado, and description. N.A. Fauna 33, pp. 147-148. 1911.
arctic white-footed—
Athabaska-Mackenzie region, description. N.A. Fauna 27, pp. 174-176. 1908.
Yukon Territory. N.A. Fauna 30, p. 77. 1909.
ashy harvest, habitat, description, and characters. N.A. Fauna 36, pp. 35-36. 1914.
Aztec harvest, habitat, description, and characters. N.A. Fauna 36, p. 30. 1914.
Baird pocket, occurrence in Colorado, and description. N.A. Fauna 33, pp. 145-147. 1911.
big-eared harvest, occurrence in Colorado, and description. N.A. Fauna 33, pp. 110-111. 1911.
big-headed harvest, habitat, description, and characters. N.A. Fauna 36, pp. 55-56. 1914.
black-backed harvest, habitat, description, and characters. N.A. Fauna 36, pp. 61-62. 1914.
buff-bellied—
harvest, habitat, description, and characters. N.A. Fauna 36, pp. 54-55. 1914.
pocket, occurrence in Colorado, and description. N.A. Fauna 33, p. 144. 1911.
dwarf field, occurrence in Colorado, description. N.A. Fauna 33, pp. 123-124. 1911.
eastern harvest, description, habitat, and characters. N.A. Fauna 36, pp. 19-20. 1914.
Estes park cliff, occurrence in Colorado, description. N.A. Fauna 33, p. 106. 1911.
giant harvest, habitat, description, and characters. N.A. Fauna 36, p. 66. 1914.
golden-breasted canyon, occurrence in Colorado, description. N.A. Fauna 33, p. 107. 1911.
Calel harvest, habitat, description, and characters. N.A. Fauna, 36, pp. 78-79. 1914.
California harvest, habitat, description, and characters. N.A. Fauna 36, pp. 33-34. 1914.
Carson—
field, description and habits. F.B. 352, p. 12. 1909.
meadow—
description and control. F.B. 335, pp. 10-12. 1908.
plague in Nevada, 1907-1908. Y.B., 1908, pp. 302, 308, 309. 1909; Y.B. Sep. 482, pp. 302, 308, 309. 1909.
Catalina harvest, habitat, description, and characters. N.A. Fauna 36, pp. 40-41. 1914.
Central American harvest, habitat, description, and characters. N.A. Fauna 36, pp. 73-74. 1914.
Cerro San Felipe harvest, habitat, description, and characters. N.A. Fauna 36, p. 37. 1914.
Cerros Island, description. N.A. Fauna 28, p. 244. 1909.
Chiapas harvest, habitat, description, and characters. N.A. Fauna 36, p. 53. 1914.
Chiricahua harvest, habitat, description, and characters. N.A. Fauna 36, p. 38. 1914.
Chiriqui harvest, habitat, description, and characters. N.A. Fauna 36, p. 79. 1914.
Cloudland, description. N.A. Fauna 28, pp. 47-48. 1909.
Colima volcano harvest, habitat, description, and characters. N.A. Fauna 36, pp. 59-60. 1914.
Colombian harvest, habitat, description and characters. N.A. Fauna 36, pp. 74-75. 1914.
control in field and orchard. James Silver. F.B. 1397, pp. 14. 1924.
cotton, description and habits. N.A. Fauna 45, pp. 48-50. 1921.
Dall lemming, Alaska and Yukon Territory. N.A. Fauna 30, pp. 26, 56, 79. 1909.
Dawson red-backed, Alaska and Yukon Territory. N.A. Fauna 30, pp. 23, 55, 79. 1909.
desert harvest, description, habits, and control. F.B. 335, p. 16. 1908; N.A. Fauna 36, pp. 26-29. 1911.
dusky harvest, habitat, description, and characters. N.A. Fauna 36, pp. 32-33, 36-37. 1914.
Ecuador harvest, habitat, description, and characters. N.A. Fauna 36, pp. 75-76. 1914.
golden harvest, habitat, description, and characters. N.A. Fauna 36, pp. 48-49. 1914.

Mouse—Continued.
 Goldman harvest, habitat, description, and characters. N.A. Fauna 36, pp. 72-73. 1914.
 gray meadow, occurrence in Montana. Biol. Cir. 82, p. 18. 1911.
 host of *Eimeriella nora*. B.A.I. Bul. 35, pp. 18-19. 1902.
 Irazu harvest, habitat, description, and characters. N.A. Fauna 36, pp. 62-63. 1914.
 kangaroo, description and habits. F.B. 335, p. 21. 1908.
 Kansas pocket, occurrence in Colorado and description. N.A. Fauna 33, pp. 143-144. 1911.
 large-eared, description and habits. F.B. 335, p. 15. 1908.
 Merriam harvest, description, habitat, and characters. N.A. Fauna 36, pp. 21-22. 1914.
 Mexican harvest, habitat, description, and characters. N.A. Fauna 36, pp. 47-48. 1914.
 Mount Orizaba harvest, habitat, description, and characters. N.A. Fauna 36, p. 69. 1914.
 mountain harvest—
  habitat, description, and characters. N.A. Fauna 36, pp. 39-40. 1914.
  occurrence in Colorado, description. N.A. Fauna 33, pp. 108-110. 1911.
 Nebraska harvest, occurrence in Colorado and description. N.A. Fauna 33, p. 110. 1911.
 Nelson harvest, habitat, description, characters. N.A. Fauna 36, pp. 53-54. 1914.
 Nicaragua harvest, habitat, description, and characters. N.A. Fauna 36, p. 63. 1914.
 Oaxaca harvest, habitat, description, and characters. N.A. Fauna 36, pp. 52-53. 1914.
 Orizaba harvest, habitat, description, and characters. N.A. Fauna 36, pp. 50-51. 1914.
 Pallid harvest—
  description, habitat, and characters. N.A. Fauna 36, pp. 22-23. 1914.
  occurrence in Colorado and description. N.A. Fauna 33, p. 110. 1911.
 Peninsula harvest, habitat, description, and characters. N.A. Fauna 36, p. 35. 1914.
 Perote harvest, habitat, description, and characters. N.A. Fauna 36, pp. 69-70. 1914.
 Petaluma marsh harvest, habitat, description, and characters. N.A. Fauna 36, pp. 42-43. 1914.
 pine, description and habits. N.A. Fauna 45, pp. 54-55. 1921.
 plague(s)—
  control and prevention. Stanley E. Piper. Y.B., 1908, pp. 301-310. 1909; Y.B. Sep. 482, pp. 301-310. 1909.
  Nevada, of 1907-8. Stanley E. Piper. F.B. 352, pp. 23. 1909.
  records and injuries to crops. J.A.R., vol. 27, pp. 523-524. 1924.
 plains, pocket, occurrence in Colorado, and description. N.A. Fauna 33, p. 145. 1911.
 pole grasshopper, occurrence in Colorado and description. N.A. Fauna 33, pp. 100-101. 1911.
 Prairie—
  harvest, habitat, description, and characters. N. A. Fauna 36, pp. 30-32. 1914.
  jumping, occurrence in Colorado and description. N.A. Fauna 33, p. 148. 1911.
 pygmy, field, occurrence in Colorado and description. N.A. Fauna 33, pp. 124-125. 1911.
 Queretaro harvest, habitat, description, and characters. N.A. Fauna 36, p. 40. 1914.
 red-bellied harvest, habitat, description, and characters. N.A. Fauna 36, pp. 41-42. 1914.
 Red Desert, pocket, occurrence in Colorado, and description. N.A. Fauna 33, p. 148. 1911.
 Rio Grande harvest, habitat, description, and character. N.A. Fauna 36, pp. 47-48. 1914.
 Rocky Mountain—
  field, occurrence in Colorado, and description. N.A. Fauna 33, p. 123. 1911.
  jumping, occurrence in Colorado, and description. N.A. Fauna 33, pp. 148-149. 1911.
  red-backed, occurrence in Colorado, and description. N.A. Fauna 33, pp. 120-121. 1911.
 Rowley cliff, occurrence in Colorado, description. N.A. Fauna 33, pp. 106-107. 1911.
 rufescent harvest, habitat, description, and characters. N.A. Fauna 36, pp. 56-57. 1914.
 San Luis Valley, harvest, habitat, description, characters. N.A. Fauna 36, pp. 24-26. 1914.

Mouse—Continued.
 San Sebastian harvest, habitat, description, and characters. N.A. Fauna 36, pp. 64-65. 1914.
 short-tailed grasshopper, description, and beneficial habits. F.B. 335, p. 13. 1908.
 small-eared harvest, description, habitat, and charactersitics. N.A. Fauna 36, pp. 20-21. 1914.
 small-toothed harvest, habitat, description, and characteristics. N.A. Fauna 36, pp. 80-81. 1914.
 Sonoran—
  harvest, habitat, description, and characters. N.A. Fauna 36, pp. 43-44. 1914.
  white-footed, description, and control. F.B. 335, pp. 14-15. 1908.
 tawny white-footed, occurrence in Colorado, and description. N.A. Fauna 33, pp. 103-104. 1911.
 Tehuantepec harvest, habitat, description and characters. N.A. Fauna 36, p. 55. 1914.
 Texas white-footed, occurrence in Colorado, and description. N.A. Fauna 33, p. 102. 1911.
 tolerance of strychnine and lethal dose. D.B. 1023, pp. 3, 14, 17. 1921.
 Toltec harvest, habitat, description, and characters. N.A. Fauna 36, pp. 51-52. 1914.
 Toluca harvest, habitat, description, and characters. N.A. Fauna 36, pp. 68-69. 1914.
 true cliff, occurrence in Colorado and description. N.A. Fauna 33, pp. 104-105. 1911.
 tumor, similarity to crown-gall of the beet. B.P.I. 213, pp. 166, 167. 1911.
 upland, occurrence in Colorado, and description. N.A. Fauna 33, pp. 122-123. 1911.
 volcano harvest, habitat, description, and characters. N.A. Fauna 36, pp. 66-68. 1914.
 white-footed, occurrence in Colorado and description. N.A. Fauna 33, pp. 102-103. 1911.
 white-fronted beach, description, and habits. N.A. Fauna 45, p. 46. 1921.
 white-lipped harvest, habitat, description, and characteristics. N.A. Fauna 36, pp. 80-81. 1914.
 woolly harvest, habitat, description, and characters. N.A. Fauna 36, p. 78. 1914.
 yellow—
  harvest, habitat, description, and characters. N.A. Fauna 36, pp. 57-58. 1914.
  white-footed, occurrence in Colorado, and description. N.A. Fauna 33, p. 103. 1911.
 Yucatan harvest, description and habitat. N.A. Fauna 36, pp. 76-77. 1914.
 See also Mice; Vole.
Mouse River Valley, drainage, western North Dakota. Soil Sur. Adv. Sh., 1908, pp. 9, 78. 1909; Soils F.O., 1908, pp. 1157, 1226. 1911.
Mouth—
 diseases—
  cattle, causes, symptoms, and treatment. B.A.I. [Misc.], "Diseases of cattle," rev., pp. 16-19. 1912.
  horse. B.A.I. [Misc.], "Diseases of the horse," rev., pp. 44-46. 1903; rev., pp. 44-46. 1907; rev., pp. 44-46. 1911; rev., pp. 60-62. 1923.
 of cow, bacteria cultures, studies, and characteristics. J.A.R., vol. 1, pp. 492-511. 1914.
 poisoning, result of use of antipyrin. Chem. Bul. 126, pp. 74-76. 1909.
Moving pictures. *See* Films; Motion pictures.
Mowers—
 care and repair with details of adjustment. F.B. 947, pp. 4-7. 1918.
 cleaning, suggestions. F.B. 987, p. 20. 1918.
 cost per acre and per day, relation to service. D.B. 338, pp. 17-18. 1916.
 hay, cost. F.B. 677, p. 13. 1915.
 prices paid by farmers, 1914-1918. News L., vol. 6, No. 38, p. 11. 1919.
 sizes used, different acreages. F.B. 943, p. 8. 1918.
 types used in harvesting hairy-vetch seed. D.B. 876, pp. 16-17. 1920.
Mowing—
 alfalfa, for control of—
  garden webworm. F.B. 944, p. 7. 1918.
  green clover worm. F.B. 983, p. 7. 1918.
 cowpeas for hay seed, and threshing. F.B. 318, pp. 9, 19-22. 1908.
 cranberry vines, and burning. F.B. 1401, pp. 16-17. 1924.

Mowing—Continued.
  fern, in pasture land. F.B. 687, pp. 4-5, 8, 12. 1915.
  hay—
    cost per acre. F.B. 677, p. 13. 1915.
    labor-wasting and labor-saving. F.B. 987, p. 5. 1918.
    machines, and practices. F.B. 943, pp. 8-9. 1918.
    practices and cost, New York and Pennsylvania. D.B. 641, pp. 5-6. 1918.
  lawn, directions. D.C. 49, pp. 4-5. 1919.
  machine—
    use on soy beans. News L., vol. 7, No. 10, p. 6. 1919.
    value, life, repair cost, and acreage worked. D.B. 757, pp. 17, 21. 1919.
    motor, use of alcohol as fuel. F.B. 269, p. 12. 1906.
  value for control of weeds. F.B. 660, pp. 9-10. 1915.
Mowra tree, importation and description. No. 51155, B.P.I. Inv. 64, pp. 4, 65-67. 1923.
MOWRY, H. H.—
  "A normal day's work for various farm operations. D.B. 3, pp. 44. 1913.
  "Farm experience with the tractor." With Arnold P. Yerkes. D.B. 174, pp. 44. 1915.
  "Machinery cost of farm operations in western New York." D.B. 338, pp. 24. 1916.
  "The normal day's work of farm implements, workmen, and crews in western New York." D.B. 412, pp. 16. 1916.
Mozemize, Indian. See Mountain ash, American.
MOZNETTE, G. F.—
  "Banana root-borer." J.A.R., vol. 19, pp. 39-46. 1920.
  "Insects injurious to the mango in Florida and how to combat them." F.B. 1257, pp. 22. 1922.
  "The avocado: Its insect enemies and how to combat them." F.B. 1261, pp. 32. 1922.
  "The cyclamen mite." J.A.R., vol. 10, pp. 373-390. 1917.
  "The red spider on the avocado." D.B. 1035, pp. 15. 1922.
Mpemby, growing in Madagascar, description. B.P.I. Bul. 175, pp. 15-16. 1910.
Mu-oil tree, importations and descriptions. No. 50353, B.P.I. Inv. 63, pp. 4, 60. 1923; No. 54703, B.P.I. Inv. 70, pp. 2, 10. 1923; Nos. 55647-55650, B.P.I. Inv. 72, pp. 2, 14. 1924.
Mu-yu (wood-oil) tree, importation and description. Nos. 3657, 36879. B.P.I. Inv. 37, pp. 8, 33, 80-81. 1916.
Mucilage, elimination in starch determination. J.A.R., vol. 23, pp. 997-1000, 1005. 1923.
Mucin, origin, effect on wheat plants. Soils Bul. 47, pp. 29, 38. 1907.
Muck—
  and peat, soils of the eastern United States and their use—XXXVIII. Jay A. Bonsteel. Soils Cir. 65, pp. 15. 1912.
  definition. D.B. 802, p. 10. 1919; D.C. 252, p. 2. 1922.
  deposits, in Ohio, description, location, and use (reconnaissance). Soil Sur. Adv. Sh., 1912, pp. 124-129. 1915; Soils F.O., 1912, pp. 1362-1363. 1915.
  determination in commercial fertilizers. D.B. 97, pp. 1-10, 12. 1914.
  land—
    clearing, cost, Indiana and Michigan. F.B. 761, p. 22. 1916.
    development and management. F.B. 761, pp. 21-26. 1916.
    drainage, Indiana and Michigan. F.B. 761, pp. 22-23. 1916.
    farms, management in northern Indiana and southern Michigan. H. R. Smalley. F.B. 761, pp. 26. 1916.
    in New York, Livingston County, value and use after drainage. Soil Sur. Adv. Sh., 1908, pp. 24, 86. 1910; Soils F.O., 1908, pp. 90, 152. 1911.
    peppermint production, value. F.B. 694, pp. 5-7. 1915.
  origin and formation. Soils Cir. 65, pp. 4, 13. 1912.

Muck—Continued.
  soils—
    effect on sugar cane. F.B. 1034, pp. 9-10. 1919.
    of Coastal plains, value and uses after drainage. Soils Bul. 78, pp. 70-71. 1911.
    of eastern United States and their use.— XXXVIII. Muck and peat. Jay A. Bonsteel. Soils Cir. 65, pp. 15. 1912.
    preparation for celery growing. F.B. 1269, pp. 5-6. 1922.
    special crops. Soils Cir. 65, pp. 9-12. 1912.
    treatment. F.B. 366, pp. 5-6. 1909.
  use on citrus groves, effect. F.B. 542, p. 12. 1913.
  value as fertilizer. F.B. 149, p. 5. 1902.
  See also Peat.
Muco-solvent, misbranding. Chem. N. J. 54, p. 1, 1909.
Mucor—
  javanicus, inversion of cane sugar. J.A.R., vol. 21, p. 189. 1921.
  pasteurization experiments. J.A.R., vol. 6. No. 4, pp. 155, 157, 159, 163, 64. 1916.
  potato inoculation experiments. J.A.R., vol. 5, No. 5, pp. 202, 203. 1915
  racemosus—
    and Diplodia tubericola, rot fungi of sweet potato, study. L. L. Harter. J.A.R., vol. 30, pp. 961-969. 1925.
    cause of—
      potato rot. J.A.R., vol. 21, pp. 211-226. 1921.
      sweet-potato rot. J.A.R., vol. 15, pp. 354-355, 361. 1918.
    fungi rot of sweet potatoes, study. L. L. Harter. J.A.R., vol. 30, pp. 961-969. 1925.
    glucose as a source of carbon. J.A.R., vol. 21, pp. 189-210. 1921.
    growth on tragacanth gum. D.B. 109, p. 4. 1914.
  spp.—
    from potatoes in Idaho soils. J.A.R., vol. 13, pp. 79-80, 92-93. 1918.
    occurrence in moldy butter. J.A.R., vol. 3, pp. 303, 304, 305, 307. 1915.
  stolonifer—
    effect on plant tissues. J.A.R., vol. 21, p. 611. 1921.
    prevention of infection by wound-cork formation. J.A.R., vol. 21, p. 646. 1921.
Mucous—
  cylindroids, presence in urine. Chem. Bul. 84, Pt. V, p. 1374. 1908.
  cysts, cattle, description and treatment. B.A.I. [Misc.], "Diseases of cattle," rev., p. 319. 1904; rev., p. 331. 1912.
  strands, presence in urine. Chem. Bul. 84, Pt. V, p. 1374. 1908.
Mucuna—
  capitata, description and characteristics. B.P.I. Bul. 179, pp. 12-13, 18. 1910.
  characteristics and comparison with Stizolobium. B.P.I. Bul. 141, Pt. III, p. 31. 1909.
  lyoni—
    introduction into South. Y.B., 1908, p. 48. 1909.
    See also Bean, Lyon.
  macrocarpa, importation and description. No. 47736, B.P.I. Inv. 59, p. 53. 1922.
  spp.—
    characteristics and uses. B.P.I. Bul. 179, pp. 8, 9. 1910.
    classification, discussion. B.P.I. Bul. 141, Pt. III, pp. 28-31. 1909.
  utilis—
    description and characteristics. B.P.I. Bul. 179, pp. 14-15. 1910.
    See also Velvet bean, Florida.
  velutina, description, and classification. B.P.I. Bul. 179, pp. 20-21. 1910.
Mud hen. See Coot, American.
Mud, stains, removal from textiles. F.B. 861, pp. 26-27. 1917.
Mudholes, relation to bad roads, repair methods. News L., vol. 3, No. 14, p. 4. 1915.
Muermo, importations and descriptions. Nos. 33869-33870, B.P.I. Inv. 31, pp. 6, 63. 1914; No. 52589, B.P.I. Inv. 66, p. 46. 1923.

MUESEBECK, C. F. W.—
"Two important introduced parasites of the brown-tail moth." J.A.R., vol. 14, pp. 191-206. 1918.
Zygobothria nidicola, an important parasite of the brown-tail moth." D.B. 1088, pp. 9. 1922.
Muffins—
honey and nut bran, recipe. News L., vol. 2, No. 37, p. 6. 1915.
potato-cornmeal, recipe. Sec. Cir. 106, p. 4. 1918.
recipe. F.B. 1450, pp. 8, 11. 1925.
soy-bean flour, recipes. Sec. Cir. 113, p. 3. 1918.
use of honey, recipe. F.B. 653, p. 16. 1915.
wheat flour and substitutes, recipes. F.B. 955, pp. 16-17. 1918; S.R.S. Doc. 64, p. 4. 1917.
yeast and quick doughs, recipes. F.B. 1136, pp. 18, 24-28. 1920.
Mugwort. See Wormwood.
Muhlenbergia—
distochophylla, sometimes called zacaton. D.B. 309, p. 4. 1915.
montana, prevalence in forest of Southwest, indications. D.B. 1105, pp. 35, 39, 48, 53, 55, 75. 1923.
porteri—
perennial range grass, growth habits. B.P.I. Bul. 177, p. 17. 1910.
See also Grama, black.
spp., distribution, description, and feed value. D.B. 201, pp. 31-33. 1915; D.B. 772, pp. 15, 145-148, 288. 1920.
Muiotilta varia, useful food habits, and occurrence in Arkansas. Biol. Bul. 38, p. 74. 1911.
Muir woods, gift of William Kent to United States. Y.B., 1908, p. 543. 1909.
Mukluks, footwear made from hides of seals and sea lions, Alaska. D.C. 88, p. 11. 1920.
Mulberry—
and other silkworm food plants. George W. Oliver. B.P.I. Bul. 119, pp. 22. 1907.
black—
growing in Hawaii. Hawaii A.R., 1921, p. 22. 1922.
importation from Turkestan. Inv. No. 30330, B.P.I. Bul. 233, p. 77. 1912.
characters. F.B. 468, p. 41. 1911.
Chinese, importation, and description. No. 43859, B.P.I. Inv. 49, pp. 1087. 1921.
description and key. D.C. 223, pp. 5, 9. 1922.
disease caused by Sclerotinia carunculoides. Eugene A. Siegler and Anna E. Jenkins. J.A.R., vol. 23, pp. 833-836. 1923.
diseases, Texas, occurrence and description. B.P.I. Bul. 226, pp. 73-74, 110, 111. 1912.
from Kohistan, importation, and description. No. 40215. B.P.I. Inv. 42, pp. 7, 97. 1918.
fruiting season and use as bird food. F.B. 844, pp. 11, 13, 15. 1917; F.B. 912, pp. 11, 13, 14. 1918.
growing—
and use. F.B. 276, pp. 6-9. 1907.
as silkworm, food. F.B. 165, pp. 9-11. 1903.
Himalayan, importation and description. No. 39650, B.P.I. Inv. 41, p. 55. 1917.
host of bagworm, note. F.B. 701, p. 3. 1916.
importations and descriptions. No. 36696, B.P.I. Inv. 37, p. 51. 1916; No. 45708, B.P.I. Inv. 54, pp. 4, 8. 1922; No. 50720, B.P.I. Inv. 64, p. 19. 1923; No. 55692, B.P.I. Inv. 72, p. 19. 1924.
insect pests, list. Sec. [Misc.], "A manual of * * * insects * * *," p. 150. 1917.
paper, value as food for birds. Biol. Bul. 30, p. 11. 1907.
planting in—
Hawaii. Hawaii A.R. 1907, p. 42. 1908.
windbreaks, returns. F.B. 788, p. 14. 1917.
red, production in Arkansas. For. Bul. 106, p. 26. 1912.
Russian—
characteristics, uses, propagation, and rate of growth. For. Cir. 161, pp. 11, 13, 22, 23, 24, 28, 35-36. 1909.
description. For. Cir. 83, p. 3. 1907.
description, uses, and adaptability to Great Plains. F.B. 1312, p. 8. 1923.
plantations, cost and returns, Illinois. For. Cir. 81, rev., p. 18. 1910.

Mulberry—Continued.
Russian—continued.
planting directions, care, and uses. For. Cir. 99, p. 6. 1907.
seed saving, and planting. For. Cir. 83, p. 3. 1907.
use in forest planting. For. Bul. 65, pp. 20, 23, 24, 27, 30, 34, 38. 1905.
value—
for birds and protection for cultivated fruits. Biol. Bul. 30, p. 11. 1907; F.B. 630, pp. 4, 8. 1915.
of posts per acre. For. Bul. 86, pp. 86-87. 1911.
scale parasite—
exportation. An. Rpts., 1908, p. 538. 1909; Ent. A.R., 1908, p. 16. 1908.
introduction into Italy. Y.B., 1916, pp. 286-287. 1917; Y.B. Sep. 704, pp. 14-15. 1917.
silkworm culture. Henrietta Aiken Kelly. Ent. Bul. 39, pp. 32. 1903.
use in attracting birds. Y.B., 1909, pp. 186, 189-193. 1910; Y.B. Sep. 504, pp. 186, 189-193. 1910.
value—
as decoy trees in fruit protection from birds. Biol. Bul. 32, pp. 63-66. 1908.
for windbreaks. F.B. 1405, pp. 11, 13, 15. 1924.
varieties—
propagation and cultivation. B.P.I. Bul. 119, pp. 1-22. 1907.
recommendations for various fruit districts. B.P.I. Bul. 151, p. 34. 1909.
white, occurrence in China. B.P.I. Bul. 204, p. 48. 1911.
windbreaks, characteristics and value. For. Bul. 86, pp. 23, 34, 42, 49, 50, 77, 86-87, 96. 1911.
Mulch(es)—
activity upon different soil classes. J.A.R., vol. 23, pp. 728, 733. 1923.
cotton fields, for control of red spider. F.B. 831, p. 12. 1917.
crops—
apple orchard(s)—
Idaho. D.B. 636, pp. 19-21. 1918.
labor, time, and cost, Washington. D.B. 446, pp. 11, 16, 24-26. 1917.
profits and labor cost. D.B. 518, pp. 25-29. 1917.
use and value for Colorado orchards. D.B. 500, pp. 21-22. 1917.
dust—
danger in windy regions. B.P.I. Bul. 215, p. 28. 1911.
formation by chain-cultivator, value. F.B. 344, pp. 32, 45. 1909.
in olive orchards. B.P.I. Bul. 125, pp. 25, 39. 1908.
practice at San Antonio experiment farm. B.P.I. Cir. 13, p. 6. 1908.
relation to subsurface water. Soils Bul. 93, pp. 5, 39-40. 1913.
value for control of weevils in alfalfa. F.B. 741, pp. 15, 16. 1916.
effect on—
cotton root rot, experiments. D.C. 73, p. 33. 1920; D.C. 209, p. 32. 1922.
evaporation of soil moisture. J.A.R., vol. 7, pp. 454-457. 1916.
orange production, mulched basins. J.A.R., vol. 12, pp. 505-518. 1918.
soil moisture, under irrigation and dry farming. J.A.R., vol. 10, p. 125-131, 152. 1917.
effectiveness in preserving soil moisture. F.S. Harris and H.H. Yao. J.A.R., vol. 23, pp. 727-742. 1923.
for goldenseal. F.B. 613, p. 11. 1914.
grass, use in orchard culture. F.B. 267, pp. 23-25. 1906.
growing seed potatoes. F.B. 305, p. 8. 1907.
injury—
disease of conifer seedlings. D.B. 44, pp. 18-19, 20-21. 1913.
to coniferous nursery stock in winter. J.A.R., vol. 24, pp. 744-746. 1923.
leaf, relation to ginseng diseases. B.P.I. Bul. 250, p. 43. 1912.
materials, effectiveness and comparisons. J.A.R. vol. 23, pp. 728, 730-732. 1923.

Mulch(es)—Continued.
 organic—
  citrus orchards, experiments and results. D.B. 499, pp. 4-6, 14-28. 1917.
  comparison with soil mulches. D.B. 499, pp. 14-15. 1917.
 sod—
  apple orchards, comparison with tillage, experiments. F.B. 419, pp. 5-10. 1910.
  for orchards. F.B. 1284, pp. 11-12. 1922.
 soil—
  different depths, effect on evaporation. O.E.S. Bul. 248, pp. 11-30. 1912.
  experiments, equipment, and results. Y.B., 1908, pp. 466-471. 1909; Y.B. Sep. 495, pp. 466-471. 1909.
  for checking evaporation. Samuel Fortier. Y.B., 1908, pp. 465-472. 1909; Y.B. Sep. 495, pp. 465-472. 1909.
  influence—
   in checking evaporation. O.E.S. Bul. 177, pp. 15-19. 1907.
   on absorption and retention of moisture. M. A. McCall. J.A.R., vol. 30, pp. 819-831. 1925.
  straw, effect on soil temperatures, experiments. J.A.R., vol. 5, No. 4, pp. 175-179. 1915.
 summer, greenhouses, use of manure. F.B. 305, pp. 9-10. 1907.
 use in—
  blackberry growing. F.B. 643, p. 8. 1915.
  willow holts. F.B. 622, pp. 19-20. 1914.
Mulching—
 blackberries, directions. F.B. 1399, p. 10. 1924.
 celery, directions. F.B. 1269, p. 13. 1922.
 citrus—
  orchards, directions. F.B. 1122, p. 30. 1920.
  trees, in Porto Rico. P.R. An. Rpt., 1920, p. 25. 1921.
  trees, practices. F.B. 1447, pp. 25-26. 1925.
 currants and gooseberries, directions. F.B. 1398, pp. 7-8. 1924.
 depth, effect on soil moisture. J.A.R., vol. 23, pp. 728,733. 1923.
 effect on moisture conservation, school studies. D.B. 521, pp. 14-15. 1917.
 forest seedlings during winter. D.B. 479, pp. 42-43, 62-63. 1917.
 fruit, at field station near Mandan, N. Dak. D.B. 1301, p. 25. 1925.
 ginseng—
  beds for winter protection. F.B. 551, pp. 10-11. 1913.
  directions. F.B. 1184, p. 9. 1921.
 lawns with stable manure. Soils Bul. 75, p. 53. 1911.
 Narcissus bulbs, directions. D.B. 1270, p. 7. 1924.
 orchards in Yakima Valley. D.B. 614, pp. 30-32. 1918.
 potatoes, directions and results. F.B. 353, pp. 9-10. 1909.
 strawberries—
  directions. F.B. 664, p. 11. 1915.
  in Eastern States, materials. F.B. 1028, pp. 33-36. 1919.
  in Southern States. F.B. 1026, pp. 26-27. 1919.
  materials and methods. F.B. 854, pp. 15-17. 1917.
  uses and value. F.B. 901, p. 13. 1917.
 street trees, notes. F.B. 1209, pp. 22, 23, 27. 1921.
 trees, advantages and disadvantages. For. Cir. 161, pp. 20, 21. 1909.
 value in control of soil erosion. Soils Bul. 71, pp. 34-35, 37-40. 1911.
 vegetables, and fruit. F.B. 202, pp. 8-12. 1904.
Mules—
 admission, sanitary requirements, various States. B.A.I. Doc. A-28, pp. 1-44. 1917; B.A.I. Doc. A-36, pp. 1-67. 1920.
 affected with glanders, interstate movement, notice regarding. James Wilson. B.A.I. [Misc.], "Notice regarding * * *," p. 1. 1907.
 anthrax treatment, tests of simultaneous method. D.B. 340, pp. 14, 15. 1915.
 breeding—
  experiments, and cost of mule production. S.R.S. Rpt., 1916, Pt. I, pp. 40, 163. 1918.
  work, Mississippi Experiment Station. O.E.S. An. Rpt., 1911, p. 137. 1912.

Mules—Continued.
 breeds and types, school studies. S.R.S. Doc. 58, pp. 3, 4-5. 1917.
 care and feeding, school studies. D.B. 521, p. 44. 1917.
 classification at county fairs. F.B. 822, p. 12. 1917.
 destruction by buffalo gnats. Y.B., 1913, pp. 81-82. 1914; Y.B. Sep. 616, pp. 81-82. 1914.
 efficiency on cotton farms, comparisons. F.B. 1121, pp. 21-22. 1920.
 estimates, 1911-1923. M.C. 6, p. 18. 1923.
 exclusion from landing at United States ports from Asia and Africa. B.A.I.O. 174, p. 1. 1910.
 exports—
  1851-1908, number and value. Stat. Bul. 75, p. 23. 1910.
  1902-1904. Stat. Bul. 36, p. 27. 1905.
  1914-1915, Europe and Canada. B.A.I.S.R.A. 100, p. 97. 1915.
  1921 statistics. Y.B., 1921, p. 743. 1922; Y.B. Sep. 867, p. 7. 1922.
  1922-1924. Y.B., 1924, p. 1041. 1925.
  inspection, Aug. 1914-May, 1915. B.A.I.S.R.A. 98, p. 69. 1915.
  mallein testing. An. Rpts., 1916, p. 111. 1917; B.A.I. Chief Rpt., 1916, p. 45. 1916.
 fall selling, objections. News L., vol. 5, No. 9, p. 2. 1917.
 feed—
  Corno, alleged misbranding. Chem. N.J. 990, pp. 11. 1911.
  misbranding. See Indexes, Notices of Judgment, in bound volumes, and in separates published as supplements to Chemistry Service and Regulatory Announcements.
 feeding—
  and care. F.B. 1341, pp. 13-14. 1923.
  cottonseed meal, precautions. F.B. 1179, pp. 13-14. 1923.
  cowpea hay. F.B. 318, p. 14. 1908.
  directions. M.C. 12, p. 15. 1924.
  hay tests. S.R.S. Rpt., 1915, Pt. I, p. 161. 1917.
  on alfalfa hay. F.B. 316, p. 25. 1908; F.B. 1229, pp. 14-15. 1921.
  on—
   corn, experiments and results. News L., vol. 1, No. 38, p. 4. 1914.
   cottonseed products, danger of poisoning. F.B. 1179, pp. 2, 13. 1920.
   Sudan grass hay, comparison with other hays. F.B. 1126, pp. 20-21. 1920.
 for army, purchase abroad. News L., vol. 6, No. 30, p. 3. 1919.
 freight rates. Y.B., 1911, p. 652. 1912; Y.B. Sep. 558, p. 652. 1912.
 fronts. See Hides.
 grades. F.B. 334, pp. 22-24. 1908.
 height and weight requirements for different uses. F.B. 334, p. 24. 1908.
 hides. See Hides; Horsehides.
 host of cattle tick. Ent. Bul. 72, p. 35. 1907.
 imports, exports, and prices, 1901. Y.B., 1901, pp. 771-772. 1902.
 inspected for export to Europe and Canada. B.A.I.S.R.A. 101, p. 107. 1915.
 injuries by stable fly. F.B. 540, pp. 9-12. 1913.
 inspection—
  and testing with mallein and interstate movement. An. Rpts., 1914, p. 79. 1914; B.A.I. Chief Rpt., 1914, p. 23. 1914.
  for export—
   since outbreak of European war. News L., vol. 3, No. 10, p. 6. 1915.
   to Canada and Europe, August, 1914 to June, 1915. B.A.I S.R.A. 99, p. 85. 1915.
 judging, score card at University of Tennessee. B.A.I. Bul. 61, p. 39. 1904.
 labor—
  distribution by crops and by months. D.C. 83, pp. 19, 21, 24-25. 1920.
  hours for Georgia crops. D.B. 1292, pp. 4-6. 1925.
  southern farms, crop adjustment. Farm M. Cir. 3, pp. 35-37. 1919.
 loco-plant feeding, experiments and treatment. B.A.I. Bul. 112, pp. 64-65, 88, 103. 1909.

Mules—Continued.
market—
classes—
and grades. F.B. 334, pp. 24, 25. 1908.
ranges in height and weight, and uses. F.B. 1341, pp. 17-27. 1923.
statistics, numbers, prices, and receipts, 1910-1920, (and horses). D.B. 882, pp. 99-101. 1921.
marketing, bibliography. M.C. 35, p. 25. 1925.
number—
and—
farm value, United States, 1867-1907. Y.B., 1906, pp. 648-649. 1907; Y.B. Sep. 436, pp. 648-649. 1907.
prices, 1925. Y.B., 1924, pp. 979-984. 1925.
value, 1907, in Texas. O.E.S. Bul. 222, p. 13. 1910.
value, January 1, 1920, and colts, maps and graph. Y.B., 1921, pp. 470, 471, 473. 1922; Y.B. Sep. 878, pp. 64, 65, 67. 1922.
census 1910, and estimate 1915, by States, map. Y.B., 1915, p. 391. 1916; Y.B. Sep. 681, p. 391. 1916.
in—
comparison with motor vehicles, and with horses. S.B. 5, pp. 1-95. 1925.
United States and foreign countries. Sec. [Misc.] Spec., "Geography * * * world's agriculture," pp. 109-110, 114-116. 1918.
war service. News L., vol. 6, No. 30, p. 2. 1919.
world countries, 1916, graphs and tables. Y.B., 1916, pp. 549, 659-662. 1917; Y.B. Sep. 713, p. 19. 1917; Y.B. Sep. 721, pp. 1-4. 1917.
world countries, 1918. Y.B., 1918, pp. 587-591. 1919; Y.B. Sep. 793, pp. 3-7. 1919.
world countries, 1919. Y.B., 1919, pp. 644-648. 1920; Y.B. Sep. 828, pp. 644-648. 1920.
world countries, 1922. Y.B., 1922, pp. 795-801. 1923; Y.B. Sep. 888, pp. 795-801. 1923.
on farms—
1867-1909, and value. Y.B., 1908, pp. 723-725. 1909; Y.B. Sep. 498, pp. 723-725. 1909.
January 1, 1915, estimates by States, with comparisons. F.B. 651, p. 15. 1915.
1920, and on ranges. S.B. 5, p. 3. 1925.
Rio Grande district, Texas, cost and value, comparison with horses. D.B. 665, p. 6. 1918.
values, imports and exports, prices. Y.B., 1902, pp. 831-833. 1903.
pasturing on alfalfa, Arizona system. Sec. Cir. 54, pp. 2-4. 1915.
production. J. O. Williams. F.B. 1341, pp. 28. 1923.
protection from flies, repellents. News L., vol. 2, No. 5, p. 4. 1914.
raising—
for market, value of standard-bred mares. F.B. 326, p. 20. 1908.
in—
California, upper San Joaquin Valley. Soil Sur. Adv. Sh., 1917, p. 31. 1921; Soils F.O., 1917, p. 2559. 1923.
Georgia, Mitchell County. Soil Sur. Adv. Sh., 1920, p. 9. 1922; Soils F.O., 1920, p. 9. 1925.
Missouri, Callaway County. Soil Sur. Adv. Sh., 1916, pp. 13, 20. 1919; Soils F.O., 1916, pp. 1979, 1986. 1921.
South, suggestions. B.A.I. Cir. 124, pp. 1-15. 1908.
receipts and shipments, 1904. B.A.I. An. Rpt., 1904, pp. 524-552. 1905.
requirements for 1919-1920, and supply. Sec. Cir. 125, pp. 16-17. 1919.
sales by War Department, places and dates. News L., vol. 6, No. 24, p. 14. 1919.
serums, diagnosis tests, results. J.A.R., vol. 11, pp. 73-74. 1917.
shipments, reports, December 19, 1918 (and horses). Y.B., 1918, pp. 384-387. 1919; Y.B. Sep. 788, pp. 8-11. 1919.
statistics—
1867-1907. Stat. Bul. 64, pp. 25-38, 95-145. 1908; Y.B., 1906, pp. 648-650. 1907; Y.B. Sep. 436, pp. 648-650. 1907.

Mules—Continued.
statistics—continued.
1892-1913, number, value, and exports. Y.B., 1913, pp. 461-463, 501. 1914; Y.B. Sep. 361, pp. 461-463, 501. 1914.
1907, number, value, imports and exports. Y.B., 1907, pp. 698-701, 710-712, 736, 747. 1908; Y.B. Sep. 465, pp. 698-701, 710-712, 736, 747. 1908.
1910, number, prices, exports and imports. Y.B., 1910, pp. 615-618, 628-629, 665. 1911; Y.B. Sep. 553, pp. 615-618, 628-629, 665. 1911.
1913-1915, number, value, imports and exports. Y.B., 1915, pp. 507-510, 514-518, 548. 1916; Y.B. Sep. 684, pp. 507-510, 514-518. 1916; Y.B. Sep. 685, p. 548. 1916.
1916, number, value, prices, exports and imports. Y.B., 1916, pp. 666-670. 1917; Y.B. Sep. 721, pp. 8-12. 1917.
1917, number, value, prices, exports and imports. Y.B., 1917, pp. 709-713, 717-721. 1918; Y.B. Sep. 761, pp. 3-7, 11-15. 1918.
1918, number, value, price, market receipts, and exports. Y.B., 1918, pp. 596-701. 1919; Y.B. Sep. 793, pp. 12-17. 1919.
1919, number, value, imports and exports. Y.B., 1919, pp. 653-657. 1920; Y.B. Sep. 828, pp. 653-657. 1920; Y.B. Sep. 829, p. 691. 1920.
1922, number, value, exports, and prices. Y.B., 1922, pp. 811-817, 913, 955. 1923; Y.B. Sep. 888, pp. 811-817, 913. 1923; Y.B. Sep. 880, p. 955. 1923.
graphic showing of average—
number on farms, United States. Stat. Bul. 78, p. 11. 1910.
numbers in world. Stat. Bul. 78, p. 43. 1910.
receipts and shipments at trade centers. Rpt. 98, pp. 289, 349-353. 1913.
susceptibility to glanders, spread, and symptoms. B.A.I. Doc. A-13, pp. 3-5, 7-9. 1917.
tick-infested, interstate movement, regulations. B.A.I.O. 263, p. 15. 1919; B.A.I.O. 273, amdt. 3, p. 1. 1924.
ticky, shipment rules. B.A.I.O. 292, p. 13. 1925.
transportation rates. Y.B., 1907, p. 731. 1908; Y.B. Sep. 465, p. 731. 1908.
types and breeds, school studies. D.B. 521, pp. 38-39. 1917.
vaccination for anthrax. B.A.I. An. Rpt., 1909, p. 227. 1911; F.B. 439, p. 15. 1911.
weight, by States. Y.B., 1918, p. 704. 1919; Y.B. Sep. 795, p. 40. 1919.
See also Horses.
MULFORD, F. L.—
"Beautifying the farmstead." F.B. 1087, pp. 65. 1920.
"Extension work with fruits, vegetables, and ornamentals, 1923." With others. D.C. 346, pp. 16. 1925.
"Growing annual flowering plants." With L. C. Corbett. F.B. 1171, pp. 83. 1921.
"Herbaceous perennials." F.B. 1381, pp. 91. 1924.
"Horticultural exhibitions and garden competitions." D.C. 62, pp. 38. 1919.
"Illustrated lecture on practical improvement of farm grounds." With H. M. Conolly. S.R.S. Syl. 28, pp. 13. 1917.
"Lawn soils and lawns." With others. F.B. 494, pp. 48. 1912.
"Planting and care of street trees." F.B. 1209, pp. 35. 1921.
"Roses for the home." F.B. 750, pp. 36. 1916.
"Street trees." D.B. 816, pp. 58. 1920.
"Trees for town and city streets." F.B. 1208, pp. 40. 1922.
MULFORD, WALTER: "Utah juniper in central Arizona." With Frank J. Phillips. For. Cir. 197, pp. 19. 1912.
Mullein—
drug use with price, description, and range. F.B. 188, pp. 24-26. 1904.
injury by verbena bud moth. D.B. 226, p. 3. 1915.
names, habitat, description, collection, uses, and prices. D.B. 26, pp. 14-15. 1913.
Multiceps—
genus, and allied species. Maurice C. Hall. B.A.I. Bul. 125, pp. 68. 1910.

INDEX TO PUBLICATIONS, 1901–1925   1585

Multiceps—Continued.
  multiceps—
    description, occurrence in sheep, and treatment.
      B.A.I. Bul. 125, pp. 6-56. 1910; F.B. 1150, pp. 27-31. 1920.
    See also Bladderworm; Gid parasite.
  spp., description. J.A.R. vol. 1, p. 34. 1913.
Mume, pickling directions. No. 43558. B.P.I. Inv. 49, pp. 9, 42. 1921.
MUMFORD, F. B.—
  "Influence of the plane of nutrition on the maintenance requirement of cattle." With others. J.A.R. vol. 22, pp. 115-121. 1921.
  report of Missouri Experiment Station, work and expenditures—
    1909. O.E.S. An. Rpt., 1909, pp. 135-138. 1910.
    1910. O.E.S. An. Rpt., 1910, pp. 175-178. 1911.
    1911. O.E.S. An. Rpt., 1911, pp. 140-143. 1912.
    1912. O.E.S. An. Rpt., 1912, pp. 146-149. 1913.
    1913. O.E.S. An. Rpt., 1913, pp. 58-59. 1915.
    1914. O.E.S. An. Rpt., 1914, pp. 145-151. 1915.
    1915. S.R.S. Rpt., 1915, Pt. I., pp. 162-168. 1916.
    1916. S.R.S. Rpt., 1916, Pt. I., 166-172. 1918.
    1917. S.R.S. Rpt., 1917, Pt. I., pp. 160-166. 1918.
  "Syllabus of illustrated lecture on profitable cattle feeding." O.E.S.F.I. L. 4, pp. 21. 1905.
Mummies—
  apple, source of bitter-rot infection, discussion. D.B. 684, pp. 4-7, 23. 1918.
  fruit, danger as sources of infection, and removal. F.B. 938, pp. 6-9, 10-11. 1918.
Mummy disease, injury to guava. P.R. An. Rpt., 1907, p. 38. 1908.
Mummy wheat. *See* Wheat, Alaska.
Munamal, importation and description. No. 37726, B.P.I. Inv. 39, p. 28. 1917; No. 41501, B.P.I. Inv. 45, p. 40. 1918.
MUNCH, J.C.: "Volume variation of bottled foods." With H. Runkel. D.B. 1009, pp. 20. 1921.
Mung beans—
  comparisons. News L., vol. 6, No. 36, p. 9. 1919.
  distribution, description, uses, and introductions. D.B. 119, pp. 16-25. 1914.
  forage-crop experiments in Texas. B.P.I. Cir. 106, p. 25. 1913.
  importations and description. Nos. 37056, 37078, 37367, 37368, 37576, B.P.I. Inv. 38, pp. 6, 31, 34, 53, 76. 1917; Nos. 45300, 45318, B.P.I. Inv. 53, pp. 22, 25. 1922; Nos. 55573-55574, B.P.I. Inv. 72, p. 5. 1924.
  value as cover crop. Guam A.R. 1918, pp. 39, 40. 1919.
  See also Mungo beans.
MUNGER, T. C., decision on twenty-eight hour law. Sol. Cir. 42, pp. 1-2. 1911.
MUNGER, T. T.—
  "Avalanches and forest cover in the northern Cascades." For. Cir. 173, pp. 12. 1911.
  "The growth and management of Douglas fir in the Pacific Northwest." For. Cir. 175, pp. 27. 1911.
  "Western yellow pine in Oregon." D.B. 418, pp. 48. 1917.
Mungo beans—
  feed for chicks, in Guam. Guam A.R. 1920, p. 14. 1921.
  growing in Guam, cultural directions and yields. Guam Bul. 4, pp. 7, 21-22, 29. 1922.
  growing in Hawaii. Hawaii A.R., 1921, p. 31. 1922.
  See also Mung beans.
Munich, cost of hauling farm products over wagon roads. Rds. Cir. 27, p. 9. 1905.
Munitions, manufacture—
  consumption of oils. Y.B. 1922, p. 270. 1923; Y.B. Sep. 882, p. 270. 1923.
  demand for nitrogen. Y.B. 1917, pp. 139, 177. 1918; Y.B. Sep. 729 p. 3. 1918; Y.B. Sep. 730, p. 3. 1918.
Munj fiber, from elephant grass, uses. No. 40987, B.P.I. Inv. 44, p. 27. 1918.

MUNN, M. D.: "The work of the dairy council." B.A.I. Dairy [Misc.], "World's dairy congress, 1923," pp. 689-694. 1924.
MUNNS, E. N.—
  "Volume tables of important timber trees of the U. S. Part I. Western species." With R. M. Brown. For. [Misc.], "Volume tables * * *," pp. 159. 1925.
  "Volume tables of important timber trees of the U. S. Pt. II. Eastern conifers." With R. M. Brown. For. [Misc.], "Volume tables * * *," pp. 146. 1925.
  "Volume tables of important timber trees of the U. S. Pt. III. Eastern hardwoods." With R. M. Brown. For. [Misc.], "Volume tables * * *," pp. 104. 1925.
  "Weather and agriculture." With others. Y.B., 1924, pp. 457-558. 1925; Y.B. Sep. 918, pp. 457-558. 1925.
MUNRO, WILLIS—
  "Control of the gipsy moth by forest management." With G. E. Clement. D.B. 484, pp. 54. 1917.
  "Management of typical woodlots infested with the gipsy moth in the white pine region." D.B. 484, Pt. II, pp. 17-54. 1917.
Munroa spp., description, distribution, and uses. D.B. 772, pp. 16, 197, 198. 1920.
MUNROE, C. E.: "T.N.T. as a blasting explosive." With Spencer P. Howell. D.C. 94, pp. 24. 1920.
MUNSON, J. J.: "Equipment and costs for making sirup on a large scale." With L. J. Lassalle. D.B. 1370, p. 39-57. 1925.
MUNSON, L. S.—
  "Chemical composition of some tropical fruits and their products: I. A study of Cuban fruits. II. The composition of fresh and canned pineapples. With others. Chem. Bul. 87, pp. 38. 1904.
  "Foods and food adulterants: Preserved meats." With others. Chem. Bul. 13, Pt. X, pp. 1375-1517. 1902.
  "Fruits and fruit products: Chemical and microscopical examination." With others. Chem. Bul. 66, rev., pp. 114. 1905.
  methods for determining reducing sugars. Chem. Bul. 73, pp. 59-65. 1903.
  "Olive oil and its substitutes." With L. M. Tolman. Chem. Bul. 77, pp. 64. 1903.
  report on fruits and fruit products. Chem. Bul. 81, p. 73. 1904.
Munson method, tin determination, comparison with Schryver's. Chem. Cir. 67, p. 2. 1911.
Munyon's remedies, misbranding—Asthma cure and blood cures. Chem. N.J. 874, pp. 3. 1911.
MUNZ, CONRAD, comments on sorghum sirup. F.B. 477, p. 31. 1912.
Murgantia histrionica. *See* Cabbage bug, harlequin.
Muriate of potash—
  effect on tobacco yield and value. J.A.R., vol. 23, pp. 37-38. 1923.
  wheat soils, tests. Soils Bul. 66, pp. 9, 16, 17, 18. 1910.
Muridae. *See* Mice; Muskrats; Rats.
MURPHY, J. C.: "Vitamin A content of fresh eggs." With D. Breese Jones. J.A.R., vol. 29, pp. 253-257. 1924.
MURPHY, L. S.—
  "Forests of Porto Rico, past, present, and future, and their physical and economic environment." D. B. 354, pp. 99. 1916.
  "The red spruce: Its growth and management." D. B. 544, pp. 100. 1917.
Murrain. *See* Texas fever.
MURRAY, A. G., report on nitroglycerin determination in medicinal tablets. Chem. Bul. 162, pp. 214-217. 1913.
MURRAY, A. J.—
  "Diseases of the digestive organs." B.A.I. [Misc.], "Diseases of cattle," rev., pp. 14-52. 1904; rev., pp. 14-52. 1908; rev., pp. 14-53. 1912; rev., pp. 12-50. 1923.
  "Diseases of the stomach and bowels of cattle." B.A.I. Cir. 68, pp. 10. 1905; rev., pp. 14. 1908-9.
MURRAY, N. C.—
  "Agricultural forecast." F.B. 558, pp. 6-20. 1913.

MURRAY, N. C.—Continued.
"Agricultural products shipped into cotton States." F.B. 645, pp. 12-13. 1914.
"Farm operations." With others. Y.B., 1922, pp. 1045-1078. 1923; Y.B. Sep. 890, pp. 1045-1078. 1923.
"Feed crops, disposition." F.B. 629, pp. 8-9. 1914.
"Forest statistics." With others. Y.B., 1922, pp. 914-948. 1923; Y.B. Sep. 889, pp. 914-948. 1923.
"Imports and exports of agricultural products." With others. Y.B., 1922, pp. 949-982. 1923; Y.B. Sep. 880, pp. 949-982. 1923.
"Livestock, 1922." With others. Y.B., 1922, pp. 795-913. 1923; Y.B. Sep. 888, pp. 795-913. 1923.
"Miscellaneous agricultural statistics, 1922." With others. Y.B., 1922, pp. 983-1044. 1923; Y.B. Sep. 887, pp. 983-1044. 1923.
"Purchasing power of farmers." F.B. 645, pp. 18-23. 1914.
report as acting chief of Bureau of Statistics and Crop Estimates, 1913. An. Rpts., 1913, pp. 257-262. 1914; Stat. Chief Rpt., 1913, pp. 6. 1913.
"Statistics of crops other than grain crops, 1922." With others. Y.B., 1923, pp. 666-794. 1923; Y.B. Sep. 884, pp. 666-794. 1923.
"Statistics of grain crops, 1922." With others. Y.B., 1922, pp. 569-665. 1923; Y.B. Sep. 881, pp. 569-665. 1923.
"Wheat crop of 1913-1914." F.B. 629, pp. 4-5. 1914.
"Wheat, supplies and requirements." F.B. 629, pp. 5-6, 18. 1914.
MURRAY, T. J.: "Angular leafspot of tobacco, an undescribed bacterial disease." With F. D. Fromme. J.A.R., vol. 16, pp. 219-228. 1919.
Murre—
California, range and habits. N.A. Fauna 21, pp. 38-39, 72. 1901; N.A. Fauna 22, p. 77. 1902; N.A. Fauna 24, p. 52. 1904.
description, habits, and food. N.A. Fauna 46, pp. 26-29. 1923.
migration habits. D.B. 185, pp. 27-29. 1915.
occurrence, in Athabaska-Mackenzie region. N.A. Fauna 27, p. 260. 1908.
Murrelet—
ancient, description and food. N.A. Fauna 46, p. 24. 1923.
marbled, description and food. N.A. Fauna 46, p. 25. 1923.
occurrence in Alaska. N.A. Fauna 24, p. 52. 1904.
range and habits. N.A. Fauna 21, p. 38. 1901; N.A. Fauna 24, p. 52. 1904.
MURRILL, PAUL: "Experiments on the metabolism of matter and energy in the human body, 1900-1902." With others. O.E.S. Bul. 136, pp. 357. 1903.
Musa ensete, importation and description. No. 51231, B.P.I. Inv. 64, p. 78. 1923.
Murta, importation and description. Nos. 35992, 36132, 36133, 36140, 36150, 36151, B.P.I. Inv. 36, pp. 34, 57, 58, 60. 1915.
Mus—
anomalus, description, and distribution. N.A. Fauna 34, pp. 15-16. 1911.
palustris, type of group of Oryzomys rats. N.A. Fauna 43, pp. 8-9. 1918.
spp.—
distribution in America. Biol. Bul. 33, pp. 11-12. 1909.
See also Mice; Mouse; Rat.
Musa—
sapientum. See Bananas.
textilis. See Abacá.
MUSBACK, F. L.: "Soil survey of—
Fond du Lac County, Wis." With others. Soil Sur. Adv. Sh., 1911, pp. 43. 1913; Soils F.O., 1911, pp. 1423-1461. 1914.
the Bayfield area, Wis." With others. Soil Sur. Adv. Sh., 1910, pp. 28. 1912; Soils F.O. 1910, pp. 1123-1146. 1912.
Musca—
domestica—
life history, studies. Ent. Cir. 71, pp. 1-9. 1906; F.B. 459, pp. 7-9. 1911.
See also Flies, house.
frit, same as *Oscinis frit*. J.A.R., vol. 18, p. 451. 1920.

Muscardine. See Calcino.
Muscari spp. See Hyacinths, grape.
Muscato, misbranding. See *Indexes, Notices of Judgment, in bound volumes and in separates published as supplements to Chemistry Service and Regulatory Announcements.*
Muscidae group, larvae, studies, life history, and classification. Ent. T.B. 22, pp. 12-38. 1921.
Muscivora forficata. See Flycatcher, scissor-tailed.
Muschmusch kelabi, quality and use. B.P.I. Bul. 180, p. 17. 1910.
Muscina stabulans—
resemblance to house fly. F.B. 459, p. 6. 1911.
See also Fly, stable.
Muscle Shoals, Alabama—
cotton experiments with borax fertilizers. J.A.R. vol. 23, pp. 433, 438-442. 1923.
cyanamide plant, utilization. Off. Rec., vol. 1, No. 22, p. 1. 1922.
bill for Federal control. Off. Rec., vol. 1, No. 51, p. 3. 1922.
equipment conservation. Off. Rec., vol. 3, No. 13, p. 1. 1924.
lease to Henry Ford, bill. Off. Rec., vol. 1, No. 24, p. 2. 1922.
nitrate plant, operation, benefit to agriculture. Off. Rec., vol. 1, No. 8, p. 8. 1922.
nitrogen-fixation plants, purpose, and capacity. D.B. 1180, p. 2. 1923.
purchase, bill by Senator McKellar. Off. Rec., vol. 1, No. 9, p. 8. 1922.
relation to Tennessee phosphate deposits. D.B. 1179, pp. 19, 24. 1923.
Muscles—
building, milk value in diet. D.C. 121, p. 2. 1921; D.C. 129, p. 2. 1920.
horse, functions in producing motion, explanation, formation. B.A.I. [Misc.], "Diseases of the horse," rev., pp. 275, 276. 1903; rev., pp. 275, 276. 1907; rev., pp. 275, 276. 1911; rev., pp. 299, 300. 1923.
ox, hematoporphyrin formation during autolysis. Ralph Hoagland. J.A.R., vol. 7, pp. 41-45. 1916.
Muscovite—
constituent of road-building rocks. D.B. 348, pp. 6, 7. 1916.
description and composition. Rds. Bul. 37, pp. 16, 19-20. 1911.
occurrence in soils. D.B. 122, pp. 17-27. 1914.
potash availability in soils, and effect of lime. J.A.R., vol. 14, pp. 297-313. 1918.
source of potash, analysis. Soils Cir. 71, p. 2. 1912.
Muscular work—
animals, relation to food requirements. F.B. 170, pp. 37-42. 1903.
effect on digestibility of food and metabolism of nitrogen, experiments. Chas. E. Wait. O.E.S. Bul. 117, pp. 43. 1902.
influence on metabolism. O.E.S. Bul. 208, pp. 9-44. 1909.
measurement in respiration calorimeter. J.A.R., vol. 5, No. 8, pp. 342-343. 1915.
Museum—
Alaska, natural history, recommendation. D.C. 88, p. 13. 1920.
beetle, description and habits. F.B. 1260, p. 39. 1922.
forest, suggestions for collection, arrangement, and use. F.B. 468, pp. 33-36. 1911.
historical, Alaska, recommendation. D.C. 168, pp. 14-15. 1921.
infestation by carpet beetle. F.B. 626, p. 3. 1914; F.B. 1346, pp. 1, 4, 6, 7. 1923.
National, protection against termites. D.B. 333, p. 28. 1916.
nature study, London, Myrdle Street School. O.E.S. Bul. 204, pp. 8-13. 1909.
pests—
destruction by carbon disulphide. F.B. 799, p. 20. 1917.
lesser grain borer. Ent. Bul. 96, Pt. III, p. 32. 1911.
specimens, animal pathology, instructions. B.A.I. Cir. 123, p. 8. 1908.
MUSGRAVE, G. W.: "Soil survey of—
Jackson County, Wis." With others. Soil Sur. Adv. Sh., 1918, pp. 44. 1922; Soils F.O., 1918, pp. 941-980. 1924.

MUSGRAVE, G. W.—Continued.
   Lamar County, Miss." With others. Soil Sur.
      Adv. Sh., 1919, pp. 42. 1922; Soils F.O., 1919,
      pp. 973–1010. 1925.
   Madison County, Miss." With others. Soil
      Sur. Adv. Sh., 1917, pp. 37. 1920; Soils F.O.,
      1917, pp. 903–935. 1923.
   Pearl River County, Miss." With E. Malcolm
      Jones. Soil Sur. Adv. Sh., 1918, pp. 38. 1920;
      Soils F.O., 1918, pp. 615–648. 1924.
Mush—
   corn-meal—
      direction for making and use. F.B. 565, pp.
         7–13. 1914; F.B. 1236, pp. 10–11. 1923; U. S.
         Food Leaf. 2, p. 3. 1917.
      preparation, nutritive value, and digestibility.
         F.B. 298, pp. 19, 24. 1907.
      use with cheese in food. F.B. 487, p. 31. 1912.
   recipes, cornmeal and oatmeal. U. S. Food
      Leaf. 1, pp. 2, 3. 1917.
   sorghum, digestibility tests. D.B. 470, pp. 22–
      29. 1916.
   soy bean flour as meat substitute, recipe. Sec.
      Cir. 113, p. 4. 1918.
   use in South. D.B. 215, p. 3. 1915.
Mushroom(s)—
   activity in fermentation and destruction, study
      suggested. J.A.R., vol. 30, pp. 627–628. 1925.
   adulteration. Chem. N.J. 1037, p. 1. 1911.
      Chem. N.J. 3084. 1914.
   Amanitas, genus, description and poisonous na-
      ture. F.B. 796, pp. 4–5. 1917.
   and other common fungi. Flora W. Patterson
      and Vera K. Charles. D.B. 175, pp. 64. 1915.
   beds—
      disinfection, directions. F.B. 789, pp. 5, 8, 9,
         11. 1917.
      fumigation for mycogone disease. D.B. 127,
         pp. 11–14, 18–20, 21. 1914.
      installation, spawning, and casing. B.P.I.
         Bul. 85, pp. 38–39. 1905; F.B. 204, pp. 12–15.
         1904.
      temperature a factor in control of pests. F.B.
         789, pp. 4, 9, 13. 1917.
      treatment for control of insects. Ent. Cir. 155,
         pp. 3, 5–6, 7, 9. 1912.
   beefsteak, description, edible value, and other
      names. F.B. 796, p. 16. 1917.
   canning directions. B.P.I. Bul. 85, p. 11. 1905;
      F.B. 839, pp. 18, 29. 1917; S.R.S. Doc. 12, p. 6.
      1917.
   collared, description. D.B. 175, p. 25. 1915.
   common—
      description. D.B. 175, p. 32. 1915.
      edible and poisonous. Flora W. Patterson and
         Vera K. Charles. F.B. 796, pp. 24. 1917.
      or cultivated, description, distribution, and
         commercial value. F.B. 796, pp. 11–12.
         1917.
   cooking, recipes. D.B. 175, pp. 58–64. 1915;
      F.B. 796, pp. 19–23. 1917.
   Cortinarius, description, edible, and poisonous
      qualities. F.B. 796, p. 17. 1917.
   cultivation of. B. M. Duggar. F.B. 204, pp. 24.
      1904.
   culture—
      cause of failure. B.P.I. Bul. 85, pp. 11, 31, 33,
         59. 1905.
      compost preparation. B.P.I. Bul. 85, pp. 33–36.
         1905; F.B. 233, pp. 13–15. 1905.
      history. B.P.I. Bul. 85, p. 10. 1905.
      optimum temperature. B.P.I. Bul. 85, pp. 31–
         33, 39, 50, 51. 1905.
      use of stable manure. B.P.I. Bul. 85, pp. 31,
         34–36, 40–43, 45. 1905.
   death cup, description and poisonous character.
      D.B. 175, p. 8. 1915; F.B. 796, p. 5. 1917.
   description and identification. D.B. 175, pp. 4–
      55. 1915.
   digestion experiments. O.E.S. Bul. 159, pp. 177,
      178. 1905.
   disease, transferrence methods. D.B. 127, pp. 8–
      10, 16–18, 21. 1914.
   dried, adulteration. See Indexes, Notices of
      Judgment, in bound volumes and in separates
      published as supplements to Chemistry Service
      and Regulatory Announcements.
   drying, directions. D.C. 3, p. 13. 1919; F.B. 342,
      p. 28. 1909.

Mushroom(s)—Continued.
   edible—
      and poisonous, detection methods and warning.
         F.B. 796, p. 2. 1917.
      description. F.B. 796, pp. 6–8, 9–14. 1917.
      distinguishing. Off. Rec., vol. 2, No. 34, p. 5.
         1923.
   enemies and remedies. Ent. Bul. 38, pp. 32–35.
      1902.
   fairy-ring, description, and economic value.
      D.B. 175, p. 25. 1915; F.B. 796, p. 10. 1917.
   fly—
      agaric, description, and warning. F.B. 796,
         p. 5. 1917.
      amanita, description, and poisonous character.
         D.B. 175, pp. 7–8. 1915.
      description, life history, and control. Ent. Cir.
         155, pp. 1–3. 1912; F.B. 789, pp. 3–6. 1917.
   food—
      uses, poisoning, precautionary measures.
         F.B. 796, pp. 18–19. 1917.
      value or per cent of water content. News L.,
         vol. 5, No. 38, p. 8. 1918.
   growing—
      and mushroom spawn making, principles of.
         B. M. Duggar. B.P.I. Bul. 85, pp. 60. 1905.
      as side line on Pennsylvania farms. F.B. 978,
         pp. 9, 13. 1918.
      commercial. F.B. 204, pp. 8–9. 1904.
      experiments at Columbia, Mo. B.P.I. Bul.
         85, pp. 39–47, 51, 59. 1905.
      for home use. F.B. 233, pp. 13–15. 1905.
      in beds, directions for making. F.B. 233, pp.
         14, 15. 1905.
   harvesting and yield. F.B. 233, p. 15. 1905.
   honey, description, characteristics, dangers to
      forests and orchards. B.P.I. Bul. 149, pp. 23–
      24. 1909; F.B. 796, p. 6. 1917; Y.B., 1907, pp.
      491–492. 1908; Y.B., Sep. 463, pp. 491–492.
      1908.
   horse, description. D.B. 175, p. 32. 1915.
   houses, fumigation for control of pests. F.B. 789,
      pp. 5, 6, 9, 11. 1917.
   in brine, quantity of contents, opinion 225.
      Chem. S.R.A. 20, p. 64. 1918.
   indigo lactarius, description. F.B. 796, p. 9.
      1917.
   injury by mites. Rpt. 108, pp. 112, 114, 116. 1915.
   inky cap, description. D.B. 175, pp. 35, 36. 1915.
   insects injurious. C. H. Popenoe. Ent. Cir.
      155, pp. 10. 1912.
   Jew's-ear, description. D.B. 175, p. 45. 1915.
   juice, use as food relish. O.E.S. Bul. 245, p. 68.
      1912.
   maggots, description and control. Ent. Cir.
      155, pp. 1–3. 1912; F.B. 789, pp. 3–6. 1917.
   market. B.P.I. Bul. 85, pp. 11, 12. 1905.
   mite—
      description, life history, spread, and control.
         Ent. Cir. 155, pp. 4–6. 1912; F.B. 789, pp.
         6–8. 1917; Rpt. 108, pp. 112, 114, 116. 1915.
      parasite. F.B. 789, p. 8. 1917.
   morel, description and edible value. F.B. 796,
      p. 18. 1917.
   mycogone disease and its control. F. J. Veih-
      meyer. D.B. 127, pp. 24. 1914.
   nutritive value, discussion. Y.B., 1910, p. 365.
      1911; Y.B. Sep. 543, p. 365. 1911.
   open-air culture. B.P.I. Bul. 85, pp. 49–51. 1905.
   oyster, description, and edible value. F.B. 796.
      p. 7. 1917.
   parasol, description. F.B. 796, p. 6. 1917.
   pepper cap, description. D.B. 175, p. 22. 1915.
   pests, and how to control them. C. H. Popenoe.
      F.B. 789, pp. 16. 1917.
   poisonous, descriptions and warnings. D.B. 175,
      p. 56. 1915; F.B. 796, pp. 4–5, 8, 11. 1917.
   powder, preparation and use. F.B. 342, p. 28.
      1909.
   preserving, directions. F.B. 342, pp. 26–29.
      1909.
   production, United States. B.P.I. Bul. 85, p. 11.
      1905.
   psilocybe, action in organic waste. Charles
      Thom and Elbert C. Lathrop. J.A.R., vol. 30,
      pp. 625–628. 1925.
   quantity declaration. Item 225. Chem. S.R.A.
      20, p. 64. 1917.
   reference books for amateur. D.B. 175, p. 64.
      1915.

Mushroom(s)—Continued.
  spawn—
    brick and flake manufacture, and price. F.B. 204, pp. 18–24. 1904.
    making. B.P.I. Bul. 85, pp. 52–58. 1905; F.B. 233, p. 15. 1905.
    making and mushroom growing, principles of. B. M. Duggar. B.P.I. Bul. 85, pp. 60. 1905.
    pure culture, advantage. F.B. 342, p. 26. 1909.
    virgin. B.P.I. Bul. 85, pp. 9, 14, 52–58. 1905.
    vitality. B.P.I. Bul. 85, pp. 58–60. 1905.
  spores and spawn. F.B. 204, pp. 6–8. 1904.
  stinkhorn, description. D.B. 175, p. 47. 1915.
  structure and descriptions. F.B. 796, pp. 3–14. 1917.
  use as food, and directions for preparation. D.B. 123, pp. 48–49. 1916; O.E.S. Bul. 245, pp. 63–65. 1912.
  varieties and descriptions. F.B. 796, pp. 14–18. 1917.
  weeping merulius, description. F.B. 796, p. 16. 1917.
  wild, description. F.B. 342, p. 29. 1909.
Music, choral singing, as factor in rural recreation. Y.B., 1914, pp. 132–133. 1915; Y.B. Sep. 632, pp. 46–47. 1915.
Musical instruments, manufacture from—
  birch and maple. D. B. 12, pp. 14, 41–42. 1913.
  black walnut. D.B. 909, pp. 60, 66–67, 88. 1921.
  Sitka spruce. D.B. 1060, p. 7. 1922.
  sycamore wood. D.B. 884, pp. 9, 10, 16, 24. 1920.
Musk grasses—
  other names. D.B. 205, p. 2. 1915.
  value as duck food, description, distribution, and propagation. D.B. 205, pp. 1–3. 1915; D.B. 862, pp. 5, 12, 20, 25, 34, 49. 1920.
Musk-ox—
  adaptability to Alaska, and herd establishment urged. Biol. Doc. 110, pp. 6–7. 1919.
  in Athabaska-Mackenzie region. N.A. Fauna 27, pp. 150–155. 1908.
  range and habits. N.A. Fauna 22, pp. 43–44. 1902.
  reestablishment in Alaska, recommendation. D.C. 88, p. 12. 1920.
Muskeg. See Peat soils.
Muskmelon(s)—
  acreage—
    1909. Sec. [Misc.], Spec. "Geography * * * world's agriculture," p. 99. 1917.
    on farms, census 1909, by States map. Y.B., 1915, p. 377. 1916; Y.B. Sep. 681, p. 377. 1916.
  anthracnose—
    George K. K. Link and F. C. Meier. D.C. 217, pp. 4. 1922.
    description, cause, and control. D.B. 727, pp. 1–68. 1918.
  breeding experiments in New Hampshire. O.E.S. An. Rpt., 1911, p. 153. 1912.
  Chilean, importation and superioirty of fruit. No. 33703, B.P.I. Inv. 31, p. 45. 1914.
  crossing experiments in Porto Rico. P.R. An. Rpt., 1921, pp. 21–22. 1922.
  cultural directions—
    and varieties. F.B. 934, pp. 35–36. 1918.
    for home gardens. S.R.S. Doc. 49, p. 6. 1917.
  culture—
    Canada. F.B. 342, pp. 16–18. 1909.
    the North. F.B. 193, pp. 10–13. 1904.
  diseases—
    and insect pests, description and control. D.C. 35, pp. 13–18. 1919.
    in Texas, occurrence and description. B.P.I. Bul. 226, p. 40. 1912.
    occurring under market, storage, and transit conditions. B.P.I. [Misc.], "Handbook of the * * *," pp. 33, 37–38. 1919.
  Egyptian, importation and description. No. 32143, B.P.I. Bul. 261, p. 32. 1912.
  experiments in Nevada, Newlands farm. D.C. 352, pp. 13–14. 1925.
  fertilizers, tests. Soils Bul. 67, p. 72. 1910.
  food-value comparisons, chart. D.B. 975, pp. 5, 18. 1921.
  gem type, description, weights, and prices. D.B. 401, pp. 9–13. 1916.
  growers' association, report. Rpt. 98, pp. 205, 275–277. 1913.

Muskmelon(s)—Continued.
  growing—
    and yields, Yuma experiment farm. D.C. 75, p. 53. 1920.
  in—
    Guam, cultural directions. Guam Cir. 2, p. 10. 1921.
    Guam, directions. Guam Bul. 2, pp. 12, 42. 1922.
    Oregon, variety tests. W.I.A. Cir. 1, p. 17. 1915.
    West, cost and yields. D.B. 401, pp. 16–17, 27. 1916.
  importations and descriptions. Nos. 29332, 29418, 29458, 29459, 30399–30406, B.P.I. Bul. 233, pp. 8, 11, 20, 23, 83–84. 1912; Nos. 30469–30472, 30640–30643, 30684–30685, 31298–31301, 31335–31352, B.P.I. Bul. 242, pp. 11, 27, 32, 82, 86–87. 1912. Nos. 32883, 33266, 33275–33277, B.P.I. Bul. 282, pp. 56, 89, 90–91. 1913; Nos. 34056–34062, B.P.I. Inv. 31, pp. 7, 80. 1914; Nos. 35211, 35645–35657, B.P.I. Inv. 35, pp. 8, 23, 63–64. 1915; Nos. 35933–35942, B.P.I. Inv. 36, p. 28. 1915; Nos. 36534, 36660, 36845, 36862–36863, B.P.I. Inv. 37, pp. 28, 46, 73, 75. 1916; No. 37624, B.P.I. Inv. 38, p. 88. 1917; Nos. 37920, 38519, B.P.I. Inv. 39, pp. 67, 141. 1917; Nos. 39854–39855, B.P.I. Inv. 42, p. 27. 1918; Nos. 46670, 46726, 46728, B.P.I. Inv. 57, pp. 19, 25. 1922; Nos. 47442, 47443, 47596, B.P.I. Inv. 59, pp. 19, 37. 1922; Nos. 51102, 51156, B.P.I. Inv. 64, pp. 55, 67. 1923; Nos. 53899–53901, B.P.I. Inv. 68, pp. 5–6. 1923; Nos. 54445, 54473, 54510–54511, B.P.I. Inv. 69, pp. 1, 10, 15, 19. 1923; Nos. 55399–55404, B.P.I. Inv. 71, p. 39. 1923; No. 55766, B.P.I. Inv. 72, p. 32. 1924.
  industry, Montreal, cultural methods of growers. F.B. 342, pp. 16–18. 1909.
  injury by mosaic disease. D.B. 879, pp. 3, 4. 1920.
  labor requirements. D.B. 1181, pp. 7, 32–33, 61. 1924.
  market, acreage, in 1919, map. Y.B., 1921, p. 460. 1922; Y.B. Sep. 878, p. 54. 1922.
  marketing methods. Rpt. 98, pp. 163, 205. 1913.
  Palestine, Casaba variety. B.P.I. Bul. 180, p. 34. 1910.
  planting in vegetable garden. D.C. 48, p. 9. 1919.
  Rocky Ford—
    description, weights, and prices. D.B. 401, pp. 34, 36, 37. 1916.
    growing and marketing. F.B. 193, pp. 13–15. 1904.
    misbranding (amending F.I.D. 115). F.I.D. 166, p. 1. 1916.
  seed—
    growing, localities, acreage, yield, production, and consumption. Y.B., 1918, pp. 201, 206, 207. 1919; Y.B. Sep. 775, pp. 9, 14, 15. 1919.
    saving, directions. F.B. 1390, p. 5. 1924; F.B. 884, p. 6. 1917.
    supply. Y.B., 1917, p. 534. 1918; Y.B. Sep. 757, p. 40. 1918.
    treatment for anthracnose. D.C. 217, p. 4. 1922.
  spraying—
    calendar. S.R.S. Doc. 52, p. 8. 1917.
    for control of anthracnose. D.C. 217, p. 4. 1922.
  transplanting and manuring. F.B. 149, pp. 15–16. 1902.
  varieties, growing on Truckee-Carson project, yield and date of picking. B.P.I. Cir. 78, p. 15. 1911.
  western, marketing and distribution in 1915. C. W. Kitchen. D.B. 401, pp. 38. 1916.
  winter, importations of seed, January to March, 1909. B.P.I. Bul. 162, pp. 8, 20, 65. 1909.
  See also Cantaloupes.
Muskrat(s)—
  David E. Lantz. F.B. 396, pp. 38. 1910.
  as a fur bearer, and use as food. David E. Lantz. F.B. 869, pp. 23. 1917.
  classification, habits, and food. F.B. 396, pp. 10–17. 1910.
  damage, and control methods. News L., vol. 5, No. 18, p. 5. 1917.

INDEX TO PUBLICATIONS, 1901-1925   1589

Muskrat(s)—Continued.
description—
  habits and food. F.B. 396, pp. 10-21, 33. 1910.
  life habits, and control. F.B. 335, p. 12. 1908; F.B. 869, pp. 4-10, 13-14. 1917.
  destructive habits. F.B. 396, pp. 17-21, 33. 1910.
  enemies. F.B. 396, p. 35. 1910; F.B. 869, p. 19. 1917.
farming—
  examples, and possibilities. F.B. 396, pp. 31-33. 1910; F.B. 869, pp. 16-18. 1917.
  profit in marshy districts. An. Rpts., 1912, pp. 80-81. 1913; Sec. A.R., 1912, pp. 80-81. 1912; Y.B., 1912, pp. 80-81. 1913.
  profitableness, adaptability to farmers. News L., vol. 5, No. 26, p. 8. 1918.
flesh and fur value. Y.B., 1909, p. 120. 1910.
food—
  use. D.C. 135, p. 9. 1920.
  use, preparation and cooking. F.B. 396, pp. 21-24. 1910.
furs—
  description, preparation, uses, and prices. F.B. 869, pp. 11-12, 14-16, 17. 1917.
  value and preparation. F.B. 396, pp. 9, 24-31. 1910; D.C. 135, p. 5. 1920.
Great Plains, occurrence in Colorado, description. N.A. Fauna 33, p. 126. 1911.
habits, uses, and control. F.B. 932, p. 20. 1918.
history, distribution, habits, and economic relations. N.A. Fauna 32, pp. 5-11. 1911.
houses, description. F.B. 396, pp. 11-13. 1910.
Hudson Bay, range, and habits. N.A. Fauna 22, pp. 53-54. 1902.
northwest—
  in Alaska and Yukon Territory. N.A. Fauna 30, pp. 25-26, 56, 79. 1907.
  in Athabaska-Mackenzie region, description, and habits. N.A. Fauna 27, pp. 191-193. 1906.
  range and habits. N.A. Fauna 21, pp. 59, 66. 1901; N.A. Fauna 24, p. 35. 1904.
occurrence in—
  Alabama, description and habits. N.A. Fauna 45, pp. 55-58. 1921.
  Alaska, description. N.A. Fauna, 24, p. 35. 1905; N.A. Fauna 46, p. 113. 1923.
  Colorado and descriptions. N.A. Fauna 33, pp. 125-126. 1911.
  Montana. Biol. Cir. 82, p. 19. 1911.
  Texas, habits. N.A. Fauna 25, pp. 120-122. 1905.
pest, destruction, methods. F.B. 396, p. 34. 1910. F.B. 869, p. 18. 1917.
protection—
  in Alaska, regulations. Biol. S.R.A. 56, pp. 1-3. 1923.
laws—
  1919. F.B. 1079, pp. 3-30. 1919.
  by States. F.B. 869, pp. 19-22. 1917.
  summary. F.B. 911, p. 29. 1917; F.B. 1022, p. 29. 1918.
  need of closed season. D.C. 135, p. 7. 1920.
Rocky Mountain, occurrence in Colorado, description. N.A. Fauna 33, pp. 125-126. 1911.
skins, care of, drying and tanning, and prices. F.B. 869, pp. 14-16, 17. 1917.
systematic synopsis of. N. Hollister. N.A. Fauna 32, p. 47. 1911.
trapping—
  directions. F.B. 396, pp. 26-28. 1910; F.B. 869, pp. 13-14. 1917.
  directions and casing skins. Y.B., 1919, pp. 474-475. 1920; Y.B. Sep. 823, pp. 474-475. 1920.
use as food, preparation and recipes for cooking. F.B. 869, pp. 10-11. 1917.
uses, economic, value of furs and flesh. F.B. 396, pp. 1-38. 1910.
value for fur, and control methods. Y.B., 1916, pp. 395-396. 1917; Y.B. Sep. 708, pp. 15-16. 1917.

Mussaenda—
philippica—
  importation and description. No. 38104. B.P.I. Inv. 39, p. 88. 1917.
  ornamental, description. P.R. An. Rpt. 1918, p. 14. 1920.
pubescens, importation and description. No. 46950, B.P.I. Inv. 57, p. 50. 1922.

Mussaenda—Continued.
rufinervia, importation and description. No. 44898, B.P.I. Inv. 51, p. 87. 1922.
spp., importations and description. Nos. 47737, 47738. B.P.I. Inv. 59, p. 53. 1922.

MUSSEHL, F. E.—
"Influence of the specific gravity of hens' eggs on fertility, hatching power, and growth of chicks." With D. L. Halbersleben. J.A.R., vol. 23, pp. 717-720. 1923.
"Nutrient requirements of growing chicks: Nutritive deficiencies of corn." With others. J.A.R., vol. 22, pp. 139-149. 1921.

Mussels, injuries to oysters. Y.B., 1910, p. 375. 1911; Y.B. Sep. 544, p. 375. 1911.

Mustard—
addition of turmeric, food inspection opinion. Chem. S.R.A. 5, p. 313. 1914.
adulteration. See also *Indexes, Notices of Judgment, in bound volumes and in separates published as supplements to Chemistry Service and Regulatory Announcements.*
black—
  names, habitat, description, collection, uses, and prices. D.B. 26, p. 6. 1913.
  seed, destruction by birds. Biol. Bul. 30, p. 19. 1909.
cultural directions and varieties. F.B. 934, p. 36. 1918; F.B. 937, p. 42. 1918.
definitions and standards. F.I.D. 192, p.1. 1923.
drug use, with price, description and range. F.B. 188, pp. 42-45. 1904.
for salads, adulteration and misbranding. Chem. N.J. 12867. 1925.
green-manuring, effect on soil fertility. O.E.S. Bul. 194, p. 19. 1907.
growing—
  directions and varieties recommended for home gardens. F.B. 936, p. 47. 1918.
  for greens, cultural notes. F.B. 818, p. 41. 1917.
  in Guam, cultural directions. Guam Bul. 2, pp. 12, 43. 1922; Guam Cir. 2, p. 10. 1921.
methods and varieties. F.B. 647, p. 18. 1915.
growth, effect of carbon bisulphide in different soils. J.A.R., vol. 6, No. 1, pp. 6, 9, 13, 15. 1916.
home garden, cultural hints. F.B. 255, p. 36. 1906.
importations and descriptions. Nos. 44316-44318, 44427-44428, B.P.I. Inv. 50, pp. 57, 71. 1922; Nos. 45262, 45310, B.P.I. Inv. 53, pp. 19, 24. 1922; No. 47928, B.P.I. Inv. 60, p. 15. 1922; Nos. 49721-49722, B.P.I. Inv. 62, pp. 75-76. 1923.
injury by webworm. Ent. Bul. 109, Pt. III, pp. 24, 30. 1912.
misbranding. Chem. N.J. 1239, pp. 2. 1912; Chem. N.J. 1319, p. 1. 1912; Chem. N.J. 1552, pp. 2, 1912; Chem. N.J. 1814, p. 1. 1912.
mosaic disease, transmissible, with Chinese cabbage and turnip. E. S. Schultz. J.A.R., vol. 22, pp. 173-178. 1921.
oil, as adulterant of olive oil, analytical data, and tables. Chem. Bul. 77, pp. 15, 16, 17, 20, 21, 23, 24, 25, 27, 28, 37-38, 44, 45. 1903.
oil, description, source, and uses. D.B. 769, p. 30. 1919.
pickle, directions for making. S.R.S. Doc. 22, p. 14. 1916; rev., p. 15. 1919.
preparations—
  labeling regulations. Chem. S.R.A. 28, p. 40. 1923.
use of *Sinapis cernua.* Chem. S.R.A. 14, p. 12. 1915.
prepared—
  adulteration and misbranding. Chem. N.J. 1774, pp. 2. 1912.
  analysis method. Chem. Bul. 107, pp. 167-168. 1907.
  crude fiber, determination methods and results. Chem. Bul. 152, pp. 91-95. 1912.
  labeling. Opinion 65. Chem. S.R.A. 7, p. 528, 1914.
  misbranding. Chem. N.J. 1419, pp. 2. 1912.
products, standards, definitions. F.I.D. 192, p. 1. 1923.
sauce, use in sardine packing, composition. D.B 908, pp. 68-69. 1921.

Mustard—Continued.
 seed(s)—
  adulteration. See also *Indexes, Notices of Judgment*, in bound volumes and in separates published as supplements to Chemistry Service and Regulatory Announcements.
  and substitutes, studies in: I. Chinese Colza (*Brassica campestris chinoleifera* Viehoever): Arno Viehoever and others. J.A.R., vol. 20, pp. 117-140. 1920.
  area, production and exports, British India, 1891-1912. Stat. Cir. 36, p. 12. 1912.
  Chinese, use in mustard preparations. Chem. S.R.A. 14, p. 12. 1915.
  composition, and effect of green manures. J.A.R., vol. 5, No. 25, p. 1162. 1916.
  description, adulterant of vetch seed. F.B. 515, p. 26. 1912.
  Japanese, use in mustard preparations. Chem. S.R.A. 14, p. 12. 1915.
  oil, presence in olive oil, detection. Chem. Bul. 77, pp. 37-38. 1903.
  oil, uses, value, and digestibility. D.B. 687, pp. 11-13. 1918.
  saving. F.B. 884, p. 8. 1917; F.B. 1390, p. 6. 1924.
  source of volatile oil. B.P.I. Bul. 195, pp. 10, 12, 15-16, 44. 1910.
  standard, and assay method. Item 213. Chem. S.R.A. 20, pp. 58-59. 1917.
  wild species, description. F.B. 428, pp. 19, 20, 21. 1911.
 shading experiments in Louisiana. B.P.I. Bul. 279, pp. 14-15, 25. 1913.
 standards—
  Chem. Bul. 69, rev., Pts. I-IX, pp. 171, 308, 434, 442, 544, 546, 598, 618, 668, 692. 1905-6.
  and mustard products. F.I.D. 192, 434, 192, p. 1. 1923.
  definitions. F.I.D. 192, p. 1. 1923.
 tumbling, eradication in wheat fields. F.B. 1047, pp. 20, 21. 1919.
 use as food. O.E.S. Bul. 245, pp. 67, 68. 1912.
 use of charlock as substitute. F.I.D. 137, p. 1. 1911.
 vitality of buried seeds. J.A.R., vol. 29, p. 353. 1924.
 white—
  names, habitat, description, collection, uses, and prices. D.B. 26, p. 7. 1913.
  use for green-manure in England and Germany. F.B. 1250, p. 43. 1922.
  white-rust, occurrence and description. B.P.I. Bul. 226, p. 98. 1912.
 wild—
  alfalfa enemy. F.B. 495, p. 33. 1912.
  control. F.B. 1255, p. 14. 1922.
  description, distribution, spread, and products injured. F.B. 660, p. 28. 1915.
  destruction by spraying. F.B. 360, p. 16. 1909.
  eradication. F.B. 296, pp. 10-11. 1907.
  seeds, description, adulterant of vetch seed. F.B. 515, p. 26. 1912.
Mustellidae. *See* Minks; Otters; Skunks; Weasels.
Musterole, misbranding. Chem. S.R.A., Supp. 18, p. 517. 1916.
Musts—
 fermented, miscellaneous analyses. Chem. Bul. 111, pp. 20-24. 1908.
 grape, unfermented, manufacture and preservation. George C. Husmann. B.P.I. Bul. 24, pp. 19. 1902.
 sugar deficiency—opinion 93. Chem. S.R.A. 9, p. 689. 1914.
Mutation(s)—
 chlorophyll, in maize, dominant lethal. J. H. Kempton. J.A.R., vol. 29, pp. 307-309. 1924.
 in—
  corn breeding. Y.B., 1909, p. 314. 1910; Y.B. Sep. 515, p. 314. 1910.
  Egyptian cotton—
   Thomas H. Kearney. J.A.R., vol. 2, pp. 287-302. 1914.
   remarks. B.P.I. Bul. 256, p. 87. 1913.
 plant—
  definition. J.A.R., vol. 2, p. 287. 1914.
  differences and similarities. B.P.I. Bul. 256, pp. 79-84. 1913.

MUTCHLER, FRED, report of Kentucky extension work in agriculture and home economics—
 1915. S.R.S., Rpt., 1915, Pt. II., pp. 64-71. 1916.
 1916. S.R.S., Rpt., 1916, Pt. II., pp. 67-74. 1917.
Mutinus spp., description. D.B. 175, p. 48. 1915.
Mutisia—
 clematis, importation and description. No. 51789, B.P.I. Inv. 65, pp. 1, 50. 1923.
 sp., importations and descriptions. Nos. 35971, 35972, B.P.I., Inv. 36, p. 32. 1915; No. 41317, B.P.I. Inv. 45, pp. 5, 10. 1918.
Mutton—
 and its value in the diet. C. F. Langworthy and Caroline L. Hunt. F.B. 526, pp. 32. 1913.
 Angora goat, quality. F.B. 573, pp. 8-9. 1914.
 Argentine, prices, 1913. Y.B., 1913, p. 355. 1914; Y.B. Sep. 629, p. 355. 1914.
 braised leg, shoulder and breast, and stuffing for. F.B. 1172, pp. 21-22. 1920.
 braising, recipes. F.B. 526, pp. 19, 21, 22, 23. 1913.
 breeds of—
  sheep, description. F.B. 576, pp. 31-32. 1914.
  sheep in Australia. D.B. 313, pp. 15-16. 1915.
 carcass examination, method. B.A.I. Bul. 61, p. 119. 1904.
 care of. D.B. 20, p. 52. 1913.
 cold-storage—
  holdings, 1916-1923. S.B. 1, p. 14. 1923.
  receipts, deliveries, and length of storage. Stat. Bul. 93, pp. 14, 18-19, 30, 31, 34, 37, 40, 43-47. 1913.
 composition, nutritive value and digestibility. F.B. 526, pp. 5-6. 1913.
 consumption in—
  United States—
   1911, and value as food. B.A.I. An. Rpt., 1911, pp. 266-267. 1913.
   1916. Rpt. 109, pp. 129, 271. 1916.
   comparison with other countries. News L. vol. 1, No. 14, p. 4. 1913.
  various countries. News L., vol. 6, No. 47, p. 6. 1919.
 cooking—
  and digestion experiments. O.E.S. Bul. 193, p. 38. 1907.
  recipes. F.B. 1172, pp. 20-32. 1920; F.B. 1324, pp. 6-13. 1923.
 corned, preparation and use. F.B. 1172, pp. 31-32. 1920.
 cost of production. Y.B., 1923, pp. 269-274. 1924; Y.B., Sep. 894, pp. 269-274. 1924.
 curing on farm, directions and brine formula. F.B. 1172, pp. 16-19. 1920.
 cuts—
  and grades. F.B. 435, p. 19. 1911; F.B. 1199, p. 23. 1921.
  chart. D.B. 593, p. 3. 1917.
  description and general use. F.B. 526, pp. 11-13. 1913.
  wholesale, description. D.C. 300, p. 5. 1924.
 dry curing, directions. F.B. 1172, p. 19. 1920.
 exports—
  1877-1908. Stat. Bul. 75, pp. 32-33. 1910.
  1910-1925. Y.B., 1924, pp. 952, 1041. 1925.
  and imports, 1922. Y.B., 1922, pp. 881-882, 950, 956. 1923; Y.B. Sep. 888, pp. 881-882. 1923; Y.B. Sep. 880, pp. 950, 956. 1923.
  from Argentina, 1884-1913, decrease. Y.B., 1914, p. 381. 1915; Y.B. Sep. 648, p. 381. 1915.
  from nine countries of surplus production. Rpt. 109, pp. 86-88, 95, 217, 225-230. 1916.
  statistics, 1918. Y.B., 1918, p. 636. 1919; Y.B. Sep. 794, p. 12. 1919.
 farm, use, and slaughtering of lambs. C. G. Potts. F.B. 1172, pp. 32. 1920.
 fat—
  characteristics and uses. D.B. 469, p. 11; 1916; F.B. 526, pp. 8-10. 1913.
  digestion experiments. D.B. 310, pp. 11-13. 1915.
 flavor—
  cause. F.B. 526, pp. 7-8, 9. 1913.
  test experiments in control of. F.B. 1172, pp. 4-5. 1920.
 food value—
  chart. D.B. 975, pp. 6-8, 23. 1921; F.B. 1383, p. 20. 1924.

Mutton—Continued.
 food value—continued.
  composition, and freedom from disease. F.B. 1172, pp. 5-6. 1920.
 fresh, prices, wholesale, various markets, 1880-1911. Stat. Bul. 101, pp. 77-79, 100-101. 1913.
 frozen, storage holdings, 1918, by localities, and by months. D.B. 792, pp. 12-15. 1919.
 goats, markets and prices. F.B. 137, p. 29. 1901.
 haricot, recipe for making. F.B. 391, p. 25. 1910.
 importations from Australasia, and possibilities. D.B. 313, pp. 34-35. 1915.
 imports, fifteen principal countries. Rpt. 109, pp. 108, 113, 247-262. 1916.
 loss of value from tapeworm cysts. J.A.R., vol. 1, pp. 16, 47-49, 50. 1913.
 market statistics, exports, imports, and prices, 1910-1920. D.B. 982, pp. 90-91, 110-125. 1921.
 percentage of total meat imports, various countries. Rpt. 109, pp. 113, 261-262. 1916.
 preservation methods. F.B. 1324, pp. 3-4. 1923.
 prices—
  1906. B.A.I. An. Rpt., 1906, pp. 316, 317, 318. 1908.
  comparison—
   American and European, 1906-1907. B.A.I. An. Rpt., 1907, p. 399. 1909.
   American and European, 1907-1909. B.A.I. An. Rpt., 1909, pp. 308-310. 1911.
   with meat prices. Rpt. 109, pp. 143-152, 155-156, 161-162, 279-301. 1916.
   home and foreign countries, 1909-1911. B.A.I. An. Rpt., 1911, pp. 276-277. 1913.
   in United States and Europe, 1911-1913. Y.B., 1913, pp. 484-485. 1914; Y.B. Sep. 361, pp. 484-485. 1914.
 production—
  1907-1923. D.C. 241, pp. 15, 16. 1924.
  1913-1919, and exports, 1915-1919. Sec. Cir. 142, pp. 24-25. 1919.
  animal feeding. B.A.I. Bul. 108, pp. 1-89. 1908.
  as principal feature of sheep raising. News L., vol. 2, No. 34, p. 4. 1915.
  by pasturing irrigated peas, cost and profit. O.E.S. Bul. 218, p. 43. 1910.
  in United States, 1900. Rpt. 109, pp. 117, 263. 1916.
 ragout, with farina balls, recipe. F.B. 391, p. 22. 1910.
 roast, recipes. F.B. 1172, pp. 23-24. 1920.
 savory loaf, recipe. F.B. 526, p. 21. 1913.
 selection of sheep for slaughtering, precautions. D.B. 20, p. 51. 1913.
 sheep—
  description. D.B. 593, pp. 10-14. 1917.
  grading for market. F.B. 360, pp. 18-24. 1909.
  statistics, 1924. Y.B., 1924, pp. 950, 951, 1041. 1925.
 supply, decrease by dogs, studies. News L., vol. 1, No. 44, pp. 2-3. 1914.
 tapeworm cysts, cause. B.H. Ransom. J.A.R., vol. 1, pp. 15-58. 1913.
 trade conditions, December, 1918. Y.B., 1918, p. 382. 1919; Y.B. Sep. 788, p. 6. 1919.
 use—
  and value on the farm, selection, and care. D.B. 20, pp. 50-52. 1913.
  as meat, percentage of total meat consumption. F.B. 1172, pp. 3-4. 1920.
  comparison with other meats. News L., vol. 6, No. 48, p. 6. 1919.
  in the diet. F.B. 1324, pp. 1-14. 1923.
 See also Meats.
Muzzling dogs for eradication of rabies, efficacy and desirability. B.A.I. An. Rpt., 1909, pp. 214-216. 1911; F.B. 449, pp. 21-23. 1911.
Myadestes townsendi, habitat, food habits, and economic importance. D.B. 280, pp. 3-5. 1915.
Myadestes townsendi. See also Solitaire, Townsend.
Myall, forage value. D.B. 9, p. 30. 1913.
Myarchus—
 antillarum. See Flycatcher, Antillean.
 spp. See Flycatcher.
Mycaria germanica, importation and description. No. 39630, B.P.I. Inv. 41, p. 51. 1917.

Mycelium—
 of—
  Cronartium ribicola in white pine. J.A.R., vol. 15, pp. 625-629. 1919.
  Endothia parasitica, studies. D.B. 380, pp. 22-23. 1917.
  Polyporus acarus, action on incense cedar. D.B. 871, pp. 14-16. 1920.
  white-pine blister rust, description and parasitism. J.A.R., vol. 11, pp. 281-286. 1917.
  wood-rotting fungi, studies, description and growth. D.B. 1053, pp. 19-26. 1922.
 perennial in Peronosporaceae related to *Phytophthora infectans*. I. E. Melhus. J.A.R., vol. 5, No. 2, pp. 59-70. 1915.
Mycena spp., description. D.B. 175, pp. 19-20. 1915.
Mycobacterium—
 rubiacearum, nitrogen-fixation in plant from Java. B.P.I. Inv. 53, p. 52. 1922.
 tuberculosis avium, cause of fowl tuberculosis. F.B. 1337, p. 16. 1923.
Mycoderma sp., growth desirable in cheese starter. D.B. 148, pp. 15-16. 1915.
Mycogone—
 disease of mushrooms and its control. F. J. Viehmeyer. D.B. 127, pp. 24. 1914.
 perniciosa, fungus causing mushroom disease D.B. 127 pp. 5-6. 1914.
Mycoidea parasitica, control work in Porto Rico P. R. An. Rpt., 1917, p. 29. 1918.
Mycorrhiza—
 growth and effect on tree roots, eastern Puget Sound Basin, Washington. Soils F.O. 1909, pp. 1545-1546. 1912; Soil Sur. Adv. Sh., 1909, pp. 33-34. 1911.
 in blueberry rootlets, description and effects. B.P.I. Bul. 193, pp. 42-45, 48-50, 89. 1910.
 occurrence on roots of plants, description, Washington, eastern Puget Sound Basin. Soil Sur. Adv. Sh., 1909, pp. 35-36. 1911; Soils F.O. 1909, pp. 1545-1546. 1912.
Mycorrhizal fungi, hosts, value to acid-land plants. D.B. 6, p. 7. 1913.
Mycosis—
 dermal, horses, associated with sarcoptic mange. B.A.I. An. Rpt. 1907, pp. 259-277. 1909.
 pulmonary of birds, with report of case in a flamingo. John R. Mohler and John S. Buckley. B.A.I. Cir. 58, pp. 17. 1904.
Mycosphaerella—
 brassicola, cause of ring-spot of cauliflower. F.B. 925, rev., p. 30. 1921.
 citrullina, cause of gummy stem blight of watermelon. F.B. 1277, p. 7. 1922.
 musa, cause of leaf-spot of banana. Guam An. Rpt., 1917, p. 46. 1918.
Mycotic lymphangitis. John R. Mohler. B.A.I. [Misc.], "Diseases of the horse," rev., pp. 545-550. 1911; rev., pp. 557-559. 1916; rev., pp. 557-559. 1923.
Mycteria americana. See Ibis, wood.
MYERS, P. R.: "*Polyscelis modestus* Gahan, a minor prasite of hessian fly." J.A.R., vol. 29, pp. 289-295. 1924.
Myiarchus—
 cinerascens. See Flycatcher, ash-throated.
 crinitus—
  occurrence in Arkansas, and food habits. Biol. Bul. 38, p. 53. 1911.
 See also Flycatcher, crested.
Myiasis, cause, description, prevention and treatment. Ent. T.B. 22, p. 11. 1912; Sec. Cir. 61, pp. 1, 8-10. 1916.
Myiochanes richardsoni. See Pewee, western wood.
Myiophasia aenea—
 boll weevil enemy. Ent. Bul. 114, p. 142. 1912; Ent. Bul. 100, pp. 42, 45, 48, 54-68, 77-80. 1912.
 parasite of the cowpea curculio. Ent. Bul. 85, p. 144. 1911.
Mylabris rufimana, synonym for *Laria* spp. Ent. Bul. 96, Pt. V, p. 60. 1912.
Myna, enemy of cutworms, Hawaii. Hawaii Bul. 27, p. 9. 1912.
Myobia spp., description and habits. Rpt. 108, pp. 27, 29-30. 1915.
Myocarditis, cattle, symptoms and treatment. B.A.I. [Misc.], "Diseases of cattle," rev., pp. 77-78. 1904; rev., p. 79. 1912; rev. p. 81. 1923.

Myochrous denticollis. See Corn leaf-beetle, southern.
Myocoptes spp., classification and description. Rpt. 108, p. 127. 1915.
Myoma, cattle, description, and treatment. B.A.I. [Misc.], "Diseases of cattle," rev., p. 310. 1904; rev., p. 321. 1912; rev., p. 309. 1923.
Myophasia aenea, parasite of plum curculio. Ent. Bul. 103, p. 149. 1912.
Myosotis spp., resistance to teliospores of *Puccinia triticina.* J.A.R., vol. 22, pp. 152-172. 1921.
Myotis sp. See Bats.
Myrabris spp., attacking cotton in Peru, description. Rpt., 102, pp. 5-7. 1915.
Myrcene, identity with terpene hydrocarbon. J.A.R., vol. 2, pp. 149-150, 158. 1914.
Myrcenol, identity with alcohol of hop oil. J.A.R., vol. 2, pp. 151-154, 155. 1914.
Myrciaria spp.—
  importations and description. Nos. 51614, 51626, 51830, B.P.I. Inv. 65, pp. 5, 32, 33, 55. 1923.
  See also Cambuca; Jaboticaba.
Myrianthus arboreus, importations and description. No. 44250, B.P.I. Inv. 50, p. 48. 1922; No. 54910. B.P.I. Inv. 70, pp. 3, 28. 1923.
Myrica—
  cerifera. See Bayberry.
  gale. See Sweet gale; Sweet fern.
  rubra—
    importation and description. No. 48504, B.P.I. Inv. 61, pp. 1, 15. 1922.
    See also Strawberry tree.
Myricaceae—
  family, characters and habits. For. [Misc.], "Forest trees for Pacific * * *," p. 208. 1908.
  injury by sap suckers. Biol. Bul. 39, p. 29, 67. 1911.
Myricaria germanica, importation and description. No. 44178, B.P.I. Inv. 50, p. 38. 1922.
Myriopod. See Centipede, house.
Myristica—
  fragrans. See Mace.
  otoba, same as *Dialyanthera otoba.* No. 46790, B.P.I. Inv. 57, p. 35. 1922.
  philippensis. See Nutmeg, wild.
  sp., substitute for nutmeg, importation. No. 32124, B.P.I. Bul. 261, p. 31. 1912.
Myrmelachista ambigua, ant injurious to coffee trees, control. P.R. An. Rpt., 1911, p. 30. 1912.
Myrmelachista ambigua, infestation of guama and coffee plants. P.R. Cir. 15, pp. 14, 24. 1912.
Myrmica scabrinus, enemy of flea beetles. D.B. 901, p. 22. 1920.
Myrmicidae, enemies of boll weevil, list. Ent. Bul. 100, pp. 12, 41, 70. 1912.
Myrmozercon spp., description and habits. Rpt. 108, pp. 80, 84. 1915.
Myrobalan—
  black, importations by Bureau of Plant Industry. B.P.I. Bul. 223, p. 14. 1911.
  hybrid, description. B.P.I. Bul. 248, p. 34. 1912.
Myrosin, effect on yield of volatile oil from Chinese colza seed. J.A.R., vol. 20, pp. 130-131. 1920.
Myrrhinium rubriflorum, importation and description. No. 48681, B.P.I. Inv. 61, p. 36. 1922.
Myrtaceae—
  injury by sapsuckers. Biol. Bul. 39, pp. 48, 53, 86. 1911.
  Porto Rico, description and uses. D.B. 354, pp. 89-90. 1916.
Myrtle—
  blue, description, range and occurrence, on Pacific slope. For. [Misc.], "Forest trees for the Pacific slope," p. 409. 1908.
  California, description, range and occurrence on Pacific slope. For. [Misc.], "Forest trees for the Pacific slope," pp. 209-210. 1908.
  crape, diseases, Texas, occurrence and description. B.P.I. Bul. 226, pp. 64-65, 109. 1912.
  drooping, importation and description. No. 36272, B.P.I. Inv. 37, p. 11. 1916.
  family, injury to trees by sapsuckers. Biol. Bul. 39, pp. 48, 53, 86. 1911.
  Oregon, description, range, and occurrence on Pacific slope. For. [Misc.], "Forest trees for the Pacific slope," pp. 327-331. 1908.
  use on lawns as substitute for grass. F.B. 494, pp. 35, 36, 48. 1912.

Myrtle—Continued.
  wax—
    characters, species on Pacific slope. For. [Misc.], "Forest trees for the Pacific slope." pp. 208-212. 1908.
    description and characters. For. [Misc.], "Forest trees for Pacific * * *," pp. 208-209. 1908.
    injury to trees by sapsuckers. Biol. Bul. 39, p. 29. 1911.
Myrtus spp., importations and description. Nos. 33888-33897, 33907-33909, B.P.I. Inv. 31, pp. 6, 65, 66. 1914.
MYSZKA, C.S. "Soil survey of Reno County, Kans." With others. Soil Sur. Adv. Sh., 1911, pp. 72. 1913; Soils F.O., 1911, pp. 1991-2058. 1914.
Myxoma tumor, cattle, description and treatment. B.A.I. [Misc.], "Diseases of cattle," rev., p. 315. 1904; rev., p. 326. 1912; rev., p. 314. 1923.
Myxosporidia, cause of diseases of fishes, silkworms and bees. B.A.I. An. Rpt., 1910, pp. 495-496. 1912; B.A.I. Cir. 194, pp. 495-496. 1912.
Myxosporium diedickei, occurrence on plants in Texas, and description. B.P.I. Bul. 226, p. 73. 1912.
Myzocallis arundicolens, injury to bamboo. D.B. 1323, p. 42. 1925.
Myzus—
  cerasi, description, habits, and control. F.B. 804, pp. 22-24. 1917; F.B. 1128, pp. 20-22, 47-48. 1920.
  cynosbati, description, habits, and control. F.B. 1128, pp. 35-48. 1920.
  description, habits, and control. F.B. 1128, pp. 28-30, 48. 1920.
  dispar—
    description, habits, and control. F.B. 1128, pp. 30, 48. 1920.
    similarity to currant aphid. F.B. 804, p. 30. 1917.
  houghtonensis, description, habits, and control. F.B. 1128, pp. 34-35, 48. 1920.
  persicae—
    carrier of mosaic—
      disease of lettuce. J.A.R., vol. 20, pp. 738-739. 1921.
      of Chinese cabbage. J.A.R., vol. 22, pp. 173-178. 1921.
    description, habits, and control. F.B. 1128, pp. 25, 47-48. 1920.
    spread of mosaic disease of tobacco. J.A.R., vol. 10, pp. 626-627, 630. 1917.
    transmission of leafroll. J.A.R., vol. 21, pp. 55-57. 1921.
  plantaginis—
    distinction from *Aphis malifoliae.* J.A.R., vol. 7, p. 324. 1916.
    injuries to tobacco in Dalmatia. J.A.R., vol. 10, p. 629. 1917.
  ribifoli, description, habits, and control. F.B. 1128, pp. 35, 48. 1920.
  rarians, description, habits, and control. F.B. 1128, pp. 28, 47-48. 1920.

Nabali, Syrian name for olive. B.P.I. Bul. 180, p. 19. 1910.
Nacodust "A" Powder, adulteration and misbranding. Insect. N.J. 875, I. and F. Bd. S.R.A. 45, p. 1086. 1923.
Nacoleia indicata, injury to vegetables in Porto Rico, description. D.B. 192, pp. 9, 10. 1915.
"Naga sasage," description. B.P.I. Bul. 229, p. 10. 1912.
Nagana—
  cattle, cause, symptoms, and treatment. B.A.I. [Misc.], "Diseases of cattle," rev., pp. 515-516. 1912; rev., pp. 500-501. 1923.
  cause and—
    agent of transmission. B.A.I. An. Rpt., 1910, p. 477. 1912; B.A.I. Cir. 194, p. 477. 1912.
    fatal nature, exclusion by quarantine. Y.B., 1919, p. 76. 1920; Y.B. Sep. 802, p. 76. 1920.
    protozoa, spread by dogs. D.B. 260, p. 22. 1915.
    trypanosomiasis, utilization in preparation of antigen. An. Rpts., 1912, p. 360. 1913; B.A.I. Chief Rpt., 1912, p. 64. 1912.
Nagaoka, rice culture experiments, Japan. Hawaii Bul. 24, pp. 8, 17. 1911.
Nageia—
  andina, importation and description. No. 44411, B.P.I. Inv. 50, p. 69. 1922.

Nageia—Continued.
  cupressina, importation and description. No. 55664, B.P.I. Inv. 72, pp. 2, 16. 1924.
  nagi, importation and description. No. 55477, B.P.I. Inv. 71, p. 47. 1923.
  spp., importations and description. Nos. 44850, 44851, B.P.I. Inv. 51, p. 79. 1922.
Nagelis solution, formula. B.P.I. Bul. 266, p. 13. 1913.
Nagi. *See* Strawberry tree.
NAGLE, J. C.—
  "Irrigation in Texas." O.E.S. Bul. 222, pp. 92. 1910.
  "Progress report on silt measurements." O.E.S. Bul. 104, pp. 293–324. 1902.
  "Second progress report on silt measurements." O.E.S. Bul. 119, pp. 365–392. 1902.
  "Third progress report on silt measurements." O.E.S. Bul. 133, pp. 196–217. 1903.
NAGLE, J. L., report of California Fruit Exchange, Sacramento, Calif. Rpt. 98, pp. 190–192. 1913.
Nahiku substation, Hawaii, work, 1914. Hawaii A.R., 1914, pp. 11, 41. 1915.
NAHSTOLL, G. A.—
  "A system of accounting for cooperative fruit associations." With W. H. Kerr. D.B. 225, pp. 25. 1915.
  "A system of accounting for fruit-shipping organizations." With John R. Humphrey. D.B. 590, pp. 60. 1918.
  "Accounting records for country creameries." With John R. Humphrey. D.B. 559, pp. 37. 1917.
  "Cooperative organization business methods." With W. H. Kerr. D.B. 178, pp. 24. 1915.
Nail(s)—
  box, construction, school exercise. D.B. 527, pp. 9–10. 1917.
  consumption in United States, 1895–1915. Rpt. 117, pp. 19, 27. 1917.
  test, sweet corn, chemical composition. Charles O. Appleman. J.A.R., vol. 21, pp. 817–820. 1921.
  wounds, horse foot, treatment. B.A.I. [Misc.], "Diseases of the horse," pp. 465–467. 1903; rev., pp. 465–467. 1907; rev., pp. 465–467. 1911; rev., pp. 490–492. 1923.
Nailhead spot, tomato, cause and prevention. B.P.I. Chief Rpt., 1921, p. 32. 1921.
Nala (horse) pedigree. B.A.I. An. Rpt., 1907, pp. 98, 139. 1909; B.A.I. Cir. 137, pp. 98, 139. 1908.
Nalca, introduction, description and use. B.P.I. Bul. 205, p. 39. 1911.
Nampa and Meridian irrigation district, Idaho, location, work. O.E.S. Bul. 216, p. 36. 1909.
Nance, importation and description. No. 37728, B.P.I. Inv. 39, p. 28. 1917; No. 43429, B.P.I. Inv. 49, pp. 7, 19. 1921; No. 52530, B.P.I. Inv. 66, pp. 37–38. 1923.
Nankua, Chinese cucurbit, importation and description. No. 41491, B.P.I. Inv. 45, p. 38. 1918.
Nanmu, description and uses. Inv. Nos. 29458, 30039, B.P.I. Bul. 233, pp. 26, 51. 1912.
Nannus—
  parvulus. *See* Wren, European.
  troglodytes alascensis. *See* Wren, Alaska.
Nantahala National Forest, Ga., N. C., and S. C., map. For. Maps. 1924.
"Naperol", misbranding. Insect. N.J. 166, I. and F. Bd. S.R.A. 10, pp. 33–34. 1915.
Naphtha—
  mineral, use in denatured alcohol. Chem. Bul. 130, pp. 77, 78. 1910.
  paraffin, determination of bitumen insoluble in, equipment and method. Rds. Bul. 38, pp. 30–31. 1911.
Naphthalene—
  chlorinated, use in—
    control of termites. D.B. 333, p. 30. 1916.
    treating woods against termites. D.B. 1231, pp. 12, 13–14. 1924.
  dust, use against mites. D.B. 1228, pp. 5, 9. 1924.
  effect on—
    clothes moths and carpet beetles, tests. D.B. 707, pp. 18–21, 29–30. 1918.
    consistency of refined tars, tests. Rds. Cir. 96, pp. 12. 1911.
  effectiveness against chicken lice and dog fleas. D.B. 888, pp. 6, 8, 10–11, 14, 15. 1920.

Naphthalene—Continued.
  flaked, use and value in flea control. F.B. 897, pp. 11–12, 13, 14. 1917.
  flakes, use against rats. F.B. 1302, pp. 7–8. 1923.
  fumigation, mite control. D.B. 1228, pp. 2, 9. 1924.
  repellent against insects. F.B. 671, p. 6. 1915.
  use—
    as repellent to—
      mole crickets. P.R. Bul. 23, pp. 21, 25. 1918.
      moths, Porto Rico. P.R. Cir. 17, p. 20. 1918.
    in control of—
      carpet beetles. F.B. 1346, p. 10. 1923.
      fleas. D.B. 248, pp. 24, 26–27. 1915; F.B. 683, pp. 10, 12, 13. 1915.
      lice on sitting hens. News L., vol. 4, No. 39, p. 8. 1917.
      moths. F.B. 1353, p. 16. 1923.
      peach-tree borer, experiments. D.B. 796, pp. 3, 22. 1919.
      pink corn worm. D.B. 363, p. 18. 1916.
    value in control of carpet beetles. News L., vol. 6, No. 17, p. 5. 1918.
Naphthol—
  beta, use in fly-larvae destruction in manure, experiments. D.B. 245, p. 10. 1915.
  yellow, chemical composition. Chem. Bul. 147, pp. 166–169, 185, 189, 193–195, 198. 1912.
  yellow S., analysis method. Chem. Bul. 147, pp. 211–215. 1912.
Napier grass—
  growing—
    and adaptation. News L., vol. 6, No. 46, pp. 15–16. 1919.
    experiments in Hawaii, 1917, and forage yield. Hawaii A.R., 1917, p. 50. 1918.
    in Guam. Guam A.R., 1921, p. 10. 1923.
    in Porto Rico, value and yields. P.R. Bul. 29, p. 10. 1922.
  immunity to red-spot of sorghum. F.B. 1158, p. 29. 1920.
  importation and description. No. 45572, B.P.I. Inv. 53, pp. 9, 60. 1922.
  in Porto Rico, value as cattle feed. P.R. An. Rpt., 1921, p. 3. 1922.
  nativity, description and propagation methods. F.B. 1254, pp. 25–26. 1922.
  soils adaptable. News L., vol. 6, No. 29, p. 1. 1919.
  use for forage. An. Rpts., 1918, pp. 162–163. 1919; B.P.I. Chief Rpt., 1918, pp. 28–29. 1918.
  variety tests in Hawaii. Hawaii A.R., 1920, pp. 14, 26, 30, 32, 62. 1921.
  See also Elephant grass.
NAQUIN, W. P.: "The determination of sulphurous acid in molasses." With Fritz Zerban. Chem. Bul. 116, pp. 77–80. 1908.
Naranjilla—
  bark cankers, caused by *Botryodiplodia* sp. Guam A.R., 1917, p. 52. 1918.
  importations and description. No. 46631, B.P.I. Inv. 57, p. 14. 1922; Nos. 47876, 47951, B.P.I. Inv. 60, pp. 3, 10, 19. 1922; No. 50607, B.P.I. Inv. 63, pp. 5, 85. 1923; No. 51394, B.P.I. Inv. 65, pp. 1, 12. 1923; No. 58866, B.P.I. Inv. 67, p. 7. 1923.
Narcissus—
  and tulip bulbs, distribution in 1919. R.A. Oakley. D.C. 65, pp. 4. 1919.
  bulbs—
    cleaning and drying. D.B. 797, pp 19–20. 1919.
    distribution—
      1914. B.P.I. Doc. 1122, pp. 5. 1914.
      1921 (with tulip bulbs). B.P.I. Doc. 2005, pp. 4. 1921.
      1922 (with tulip bulbs). B.P.I. Doc. 2113, pp. 4. 1922.
    growing. D.B. 1270, pp. 1–31. 1924.
    insects, control. F.B. 1362, pp. 23–25. 1924.
    planting and growing methods. News L., vol. 3, No. 5, p. 8. 1915.
    production. David Griffiths. D.B. 1270, pp 32. 1924.
    varieties, description, and other names. B.P Doc. 1122, pp. 2–3, 4, 5. 1914.
  cultural directions—
    and description of varieties. B.P.I. Doc pp. 1–4. 1913.
    varieties and sources. D.C. 65, pp. 1–4. 1619.

Narcissus—Continued.
fly—
control in bulbs. F.B. 1362, pp. 22–23. 1924.
description. Sec. [Misc.], "A manual of * * * insects * * *," p. 150. 1917.
detection and control. D.B. 797, pp. 33–34. 1919.
interception in plant imports. F.H.B. An. Letter, No. 36, pp. 2, 18, 24. 1923.
growing—
in United States (with other bulbs). D.B. 797, pp. 1–50. 1919.
in Virginia, area planted. News L., vol. 3, No. 14, p. 4. 1915.
methods and experiments at Bellingham, Wash. D.B. 28, pp. 13–16. 1913.
insect pests, list. Sec. [Misc.], "A manual of * * * insects * * *," p. 150. 1917.
naturalization methods. B.P.I. Doc. 1122, p. 2. 1914.
planting depth. D.B. 797, p. 9. 1919.
planting time and methods. News L., vol. 6, No. 14, p. 4. 1918.
prices, planting and propagation at Bellingham. D.B. 28, pp. 13–16. 1913.
propagation methods. D.B. 28, p. 16. 1913.
varieties, list and descriptions. D.B. 797, pp. 37–41. 1919.
Von Sion, successful production in Puget Sound region. An. Rpts., 1907, p. 300. 1908.
Narcotic(s)—
danger in indiscriminate sale and use. F.B. 393, pp. 1–19. 1910.
drug act, amendment, passage. Off. Rec., vol. 1, No. 2, p. 2. 1922.
hemp cultivation and use. Y.B., 1913, pp. 288–289, 294, 295, 296, 301, 302, 345. 1914; Y.B. Sep. 628, pp. 288–289, 294, 295, 296, 301, 302, 345. 1914.
importations, Harrison Act citations and regulations. Chem. [Misc.], "Food and drug manual," pp. 80–85, 117. 1920.
methods of obtaining by addicts. F.B. 393, pp. 10, 11, 12. 1910.
preparations, use in manufacture of other preparations, statement on label. Chem. F.I.D. 55, pp. 6–7. 1910.
prescriptions and restrictions. Chem. Bul. 98, pp. 45, 91, 99, 126, 137, 150, 185, 208. 1906.
use in confectionery, prohibitions. Chem. Bul. 69, rev., Pt. III, p. 237. 1905.
See also Drugs.
Nariz, ornamental tree, importation and description. No. 40987, B.P.I. Inv. 44, pp. 7, 26. 1918.
Narnia—
bugs, injury to cactus. Ent. Bul. 113, pp. 32–34. 1912.
pallidicornis, description, injury to cactus, and control. Ent. Bul. 113, pp. 32–34. 1912.
Narra—
plant, importations and description. Inv. Nos. 31401, 31738. B.P.I. Bul. 248, pp. 9, 15, 43. 1912.
seeds, importation and description. No. 50115, B.P.I. Inv. 63, p. 37. 1923.
wood, resistance to termites. Ent. Bul. 94, Pt. II, p. 80. 1915.
Narwhal, range and habits. N.A. Fauna 22, pp. 39–40. 1902.
Nashville, Tenn.—
milk supply, statistics, officials, prices, and ordinances. B.A.I. Bul. 46, pp. 32, 156. 1903.
tobacco market and trade center. B.P.I. Bul. 268, pp. 37, 39, 43, 45. 1913.
Union Stockyards, injunction. Off. Rec., vol. 2, No. 6, p. 4. 1923.
NASON, W. C.—
"Plans for rural community buildings." With C. J. Galpin. F.B. 1173, pp. 38. 1921.
"Rural community buildings in the United States." With C. W. Thompson. D.B. 825, pp. 36. 1920.
"Rural planning: The social aspect of recreation places." F.B. 1388, pp. 30. 1924.
"Rural planning—the social aspects." F.B. 1325, pp. 30. 1923.
"Rural planning—the village." F.B. 1441, pp. 46. 1925.
"The organization of rural community buildings." F.B. 1192, pp. 42. 1921.

NASON, W. C.—Continued.
"Uses of rural community buildings." F.B. 1274, pp. 32. 1922.
Nassanoff glands, honeybee, description and function. Ent. B. T. 18, p. 83. 1910.
Nasua coati, occurrence in Texas. N.A. Fauna 25, p. 192. 1905.
Nasturtium—
adaptability for gardens, description. News L., vol. 2, No. 33, p. 4. 1915.
aphids, control by derris in spray mixture, experiments. J.A.R., vol. 17, pp. 193, 194. 1919.
blight, bacterium causing, description. J.A.R., vol. 1, pp. 189–210. 1913.
description and suggestions for growing in window garden. B.P.I. Doc. 433, p. 5. 1909.
dwarf, description, cultivation, and characteristics. F.B. 1171, pp. 69–70, 81. 1921.
importation and description. No. 47525, B.P.I. Inv. 59, p. 26. 1922.
leaf disease, bacterium causing, description. J.A.R., vol. 1, pp. 189–210. 1913.
leaves, inoculation with Bacterium aptatum. J.A.R., vol. 1, pp. 190–193. 1913.
sp., susceptibility to Puccinia triticina. J.A.R., vol. 22, pp. 152–172. 1921.
use as—
food. O.E.S. Bul. 245, pp. 49, 50. 1912.
salad seasoning. News L., vol. 4, 38, p. 11. 1917.
wilt, caused by Bacterium solanacearum. J.A.R., vol. 4, pp. 451–458. 1915.
See also Tropaeolum majus.
Nasutitermes spp., description and habits. J.A.R., vol. 26, pp. 293–299. 1923.
Nasutitermes spp., occurrence in Panama, and injurious habits. D.B. 1232, pp. 16–21. 1924.
Natal, sugar industry, 1893–1914. D.B. 473, p. 70. 1917.
Natal grass—
cultural directions, seeding, harvesting and yield. F.B. 726, pp. 5–11. 1916.
description—
and uses. D.B. 772, pp. 241, 242. 1920.
and value for cotton States. F.B. 1125, rev., pp. 16–17, 27–28. 1920.
habits, and uses. F.B. 1433, pp. 31–33. 1925.
history and introduction into United States. F.B. 726, pp. 2–4. 1916.
hay, analysis, comparison with timothy. F.B. 726, p. 12. 1916.
importations and descriptions. No. 36049, B.P.I Inv. 39, p. 43. 1915; No. 41921, B.P.I. Inv. 46, p. 34. 1919; Nos. 48489, 48843, 48844, B.P.I. Inv. 61, pp. 5, 14, 55. 1922; Nos. 49217, 49317, B.P.I. Inv. 62, pp. 13, 23. 1923.
planting directions. F.B. 1125, rev., p. 28. 1920.
seed, saving, gathering, and testing. F.B. 726, pp. 13–15. 1916.
southern perennial hay crop. S. M. Tracy. F.B. 726, pp. 16. 1916.
use as forage crop in cotton region, description. F.B. 509, p. 14. 1912.
value in restoration of abandoned Florida plantations. F.B. 1237, pp. 32–35. 1921.
yield and quality of hay. F.B. 1125, rev., p. 17. 1920.
Natchez, Miss., milk-supply details and statistics. B.A.I. Bul. 70, pp. 6–7, 35–36. 1905.
National—
Dairy Show herd, quarantine for foot-and-mouth disease. An. Rpt., 1915, pp. 17–18. 1916; Sec. A.R. 1915, pp. 19–20. 1915.
Defense Council—
cooperation with county farm organizations. S.R.S. Rpt., 1918, pp. 27, 29, 32, 33, 35. 1919.
establishment, personnel, and regulations. Sol. [Misc.], "Laws applicable * * * Agriculture," Sup. 4 pp. 10–11. 1917.
federation of agricultural forces. S.R.S. Doc. 54, pp. 1–3. 1917.
Forests. See Forests, national.
Formulary, appendix. F.I.D. 59, pp. 10–11. 1910.
Guard, service of Government employees, law. B.A.I.S.R.A. 112, p. 76. 1916.
hog remedy, misbranding. Chem. N.J. 13172. 1925.

INDEX TO PUBLICATIONS, 1901–1925   1595

National—Continued.
parks, road—
construction, 1915. An. Rpts., 1915, pp. 318–319. 1916; Rds. Chief Rpt., 1915, pp. 6–7. 1915.
improvement. An. Rpts., 1917, p. 367. 1918; Rds. Chief Rpt., 1917, p. 9. 1917.
Natto, Japanese food product. D.B. 1152, p. 24. 1923.
Natural Bridge, National Forest, Va., map. For. Maps. 1924.
Natural—
history, field studies, equipment and data collection. D. C. 59, pp. 8. 1919.
resources, use and waste, statistics. For. Cir. 157, pp. 6–13. 1908.
Nature study—
bibliography, school gardening, and elementary agriculture. O.E.S. Cir. 52, pp. 1–4. 1903; rev., pp. 1–4. 1905.
for children, suggestions. O.E.S. Cir. 60, pp. 14–15. 1904.
for elementary public schools, experiments, and text-books. O.E.S. An. Rpt., 1906, pp. 268–300. 1907.
forestry in—
O.E.S. Doc. 1210, pp. 10. 1909.
Edwin R. Jackson. F.B. 468, pp. 43. 1911.
in English rural schools and in London. Susan B. Sipe. O.E.S. Bul. 204, pp. 37. 1909.
Natusia swietenioides, importation and description. No. 53586. B.P.I. Inv. 67, p. 65. 1923.
Naucoria semiorbicularis, description. D.B. 175, p. 31. 1915.
Nausea, causes and treatment. For. [Misc.], "A manual of * * * insects * * *," p. 77. 1917.
Navajo maize. *See* Corn, Pueblo varieties; Maize.
Naval—
stores—
act—
enforcement. Off. Rec., vol. 3, No. 35, p. 5. 1924.
regulations. M.C. 22, pp. 3–8. 1924.
text. M.C. 22, pp. 1–3. 1924.
agreement between Forest Service, and turpentine dealers. text. D.B. 1061, pp. 30–32. 1922.
authorization to Agriculture Secretary, appropriations. Sol. [Misc.], "Laws applicable * * * Agriculture," Sup. 2, p. 13. 1915.
commercial yield, relation of light chipping. For. Bul. 90, pp. 36. 1911.
consumption by world countries, average annual. D.C 258, p. 4. 1923.
exports—
1851–1908. Stat. Bul. 51, pp. 17–18. 1909.
1905. Stat. Bul. 36, p. 95. 1905.
1907–1914, countries to which consigned. Y.B., 1914, pp. 681–682. 1915; Y.B. Sep. 657, pp. 681–682. 1915.
1908. For. Cir. 162, pp. 7–9. 1909.
1919–1921, and 1852–1921. Y.B., 1922, pp. 957, 961, 968, 975. 1923; Y.B. Sep. 880, pp. 957, 961, 968, 975. 1923.
grades. Off. Rec., vol. 2, No. 10, p. 2. 1923.
history of industry in United States. D.B. 229, pp. 2–3. 1915.
imports—
1860–1908. Stat. Bul. 51, pp. 27–28. 1909.
1907–1909, quantity and value, by countries from which consigned. Stat. Bul. 82, p. 68. 1910.
1908–1910, quantity and value, by countries from which consigned. Stat. Bul. 90, p. 71. 1911.
and exports, 1851–1910. Y.B., 1910, pp. 657, 668, 685–686. 1911; Y.B. Sep. 553, pp. 657, 668, 685–686. 1911; Y.B. Sep. 554, pp. 657, 668, 685–686. 1911.
and exports, 1851–1912. Y.B., 1912, pp. 661–662, 717, 729, 748–749. 1913; Y.B. Sep. 615, pp. 661–662, 717, 729, 748–749. 1913.
increased yields from same trees. D.B. 567, pp. 1–2. 1917.
industry—
A. W. Schorger and H.S. Betts. D.B. 229, pp 58. 1915.
in South, need of forest experiment station work. Sec. Cir. 183, pp. 12, 15, 22. 1921.

Naval—Continued.
stores—continued.
industry—continued.
in Southern States, annual output. D.B. 364, p. 4. 1916.
list of patents relating to. D.B. 229, pp. 56–58. 1915.
international trade, exports and imports, 1913. Y.B., 1913, pp. 453, 496, 503. 1914; Y.B. Sep. 360, pp. 453. 1914; Y.B. Sep. 361, pp. 496, 503. 1914.
law, enactment. Off. Rec., vol. 2, No. 11, p. 1. 1923.
manufacture from pine. For. Bul. 99, pp. 14–16, 27, 30, 33, 53, 63. 1911.
origin of name, description and early history of industry. D.B. 1064, pp. 1–2. 1922.
packing requirements, effect of temperature. D.B. 229, pp. 50–51. 1915.
production—
1704, 1804, 1908, in Southern States. For. Bul. 99, p. 15. 1911.
1908. For. Cir. 166, p. 22. 1909.
and handling, improvement studies. Chem. Chief Rpt., 1921, pp. 30–34. 1921.
in United States, 1910–1914. D.B. 229, p. 3. 1915.
trade and consumption in world. D.C. 258, pp. 1–13. 1923.
sales regulations. For. [Misc.], "The use book," rev., pp. 55–56. 1915.
sources, possibilities of western pines. H. S. Betts. For. Bul. 116, pp. 23. 1912.
standards, enforcement act, supervision. Off. Rec., vol. 2, No. 17, p. 2. 1923.
trade with foreign countries, exports and imports. D.B. 296, p. 47. 1915.
use of term. Off. Rec., vol. 2, No. 34, p. 5. 1923.
yield, various conifers, studies. An. Rpts., 1913, pp. 187, 188. 1914; For. A.R., 1913, pp. 53, 54. 1913.
See also Gums; Rosin; Turpentine.
supplies, situation in southern forests. Sec. Cir. 140, p. 9. 1919.
Naval Academy, dairy—
description and management. Y.B., 1920, pp. 464–469. 1921; Y.B. Sep. 857, pp. 464–469. 1921.
work in milk improvement. An. Rpts., 1912, pp. 309–310, 341. 1913; B.A.I. Chief Rpt., 1912, pp. 13–14, 45. 1912.
Navel—
calf, diseased conditions, causes, and treatment. B.A.I. [Misc.], "Diseases of cattle," rev., pp. 245–249. 1904; rev., pp. 253–256. 1912; rev., pp. 248–253. 1923.
disease and joint, in newborn foal, symptoms, and treatment. F.B. 451, pp. 23, 24. 1911.
disease of colts, prevention. News L., vol. 1, No. 25, pp. 3–4. 1914.
foal, prevention of infection. F.B. 803, p. 16. 1917.
ill, occurrence in lambs, cause, and treatment. F.B. 1155, pp. 13–14. 1921.
ill. *See also* Arthritis, infectious; Joint-ill.
Navicular disease, causes, symptoms, and treatment. B.A.I. [Misc.], "Diseases of the horse," rev., pp. 408–411. 1903; rev., pp. 409–411. 1907; rev., pp. 409–411. 1911; rev., pp. 435–438. 1923.
Navigation—
Great Lakes, length of season. Stat. Bul. 81, p. 57. 1910.
injury by erosion. Y.B., 1916, p. 122. 1917; Y.B. Sep. 688, p. 16. 1917.
inland water, relation of the southern Appalachian Mountains. M. O. Leighton and A. H. Horton. For. Cir. 143, pp. 38. 1908.
relation of soil erosion. Y.B., 1913, pp. 211–212. 1914; Y.B. Sep. 624, pp. 211–212. 1914.
resources of American waterways, discussion. For. Cir. 157, pp. 11–13. 1908.
season, Great Lakes and canals. Rpt. 98, p. 66. 1913.
See also Rivers; Waterways.
Navy—
butter—
manufacture and inspection by Dairy Division. An. Rpts., 1913, p. 78. 1914; B.A.I. Chief Rpt., 1913, p. 8. 1913.
supply, specifications, and scoring in storage. B.A.I. Bul. 148, pp. 10–14. 1912; B.A.I. Bul. 149, pp. 20–21, 31. 1912.

36167°—32——101

Navy—Continued.
  meat and products—
    inspection work by Animal Industry Bureau,
      regulations. B.A.I.S.R.A. 112, pp. 71–72.
      1916.
    special inspection mark, order. B.A.I.O. 211,
      amdt. 11, p. 1. 1919.
  officers, detail to land-grant colleges, acts providing for, 1888, 1891. O.E.S. Cir. 111, pp. 7–8.
    1911; rev., pp. 7–8. 1912.
Nazia spp., description, distribution, and uses.
  D.B. 772, pp. 16, 165, 166. 1920.
Nazieae, key to genera, and descriptions. D.B.
  772, pp. 15–16, 165–170. 1920.
Neofabraea malicorticis, cause of fruit rot, temperature studies. J.A.R., vol. 8, pp. 142–163. 1917.
NEAL, D. C.: "Overwintering of the citrus canker organism in the bark tissue of hardy citrus hybrids." With G. L. Peltier. J.A.R., vol. 14, pp. 523–524. 1918.
NEAL, J. W.: report of—
  "Copper Center Experiment Station, Alaska,
    1906." Alaska A.R., 1906, pp. 35–43. 1907.
  Fairbanks Experiment Station, Alaska—
    1908. Alaska A.R., 1908, pp. 43–47. 1909.
    1909. Alaska A.R., 1909, pp. 51–57. 1910.
    1910. Alaska A.R., 1910, pp. 53–59. 1911.
    1911. Alaska A.R., 1911, pp. 45–53. 1912.
    1912. Alaska A.R., 1912, pp. 46–57. 1913.
    1913. Alaska A.R., 1913, pp. 24–37. 1914.
    1914. Alaska A.R., 1914, pp. 42–54. 1915.
    1915. Alaska A.R., 1915, pp. 42–54. 1916.
    1916. Alaska A.R., 1916, pp. 37–53. 1918.
Nearctic spp. of subgenus Hoplocampa, synoptic table. Ent. T.B. 20, Pt. IV, pp. 147–148. 1911.
Nebraska—
  agricultural—
    colleges and experiment stations—
      1906. O.E.S. Bul. 176, pp. 48–50. 1907.
      organization, 1907. O.E.S. Bul. 197, pp. 52–53. 1908.
      organization, 1910. O.E.S. Bul. 224, pp. 43–45. 1910.
    See also Agriculture, workers list.
    extension work, statistics. D.C. 253, pp. 5, 8, 12–13, 17, 18. 1923.
    aid to agricultural schools. O.E.S. An. Rpt., 1911, pp. 330–331. 1912.
  alfalfa—
    acreage in 1919. F.B. 1283, p. 3. 1922.
    seed growing. B.P.I. Cir. 24, pp. 15, 19, 21. 1909.
  antelope in, number and distribution. D.B. 1346, pp. 37–38. 1925.
  apple—
    growing, areas, production, and varieties. D.B. 485, pp. 6, 23, 44–47. 1917.
    orchard spraying, cost and results. F.B. 479, pp. 8–10. 1912.
  barberry occurrence and eradication work. D.C. 188, pp. 6, 15–18, 20, 31. 1921.
  barley crops, 1866–1906, acreage, production, and value. Stat. Bul. 59, pp. 7–26, 32. 1907.
  bee—
    and honey statistics. D.B. 325, pp. 3–12. 1915; D.B. 685, pp. 7, 9, 13, 14, 16, 18, 19, 22, 24, 26, 29, 31. 1918.
    diseases, occurrence. Ent. Cir. 138, p. 14. 1911.
  beef-cattle growing, details, tables, and discussion. Rpt. 111, pp. 13, 15–25, 27, 30, 33–48, 52–55, 61–64. 1916.
  beet-sugar industry, and progress—
    1900. Rpt. 69, pp. 52–54. 1901.
    1903. Sec. [Misc.], "Report on the * * * 1903," pp. 39–42, 147–150. 1903.
    1906. Rpt. 84, pp. 88–90. 1907.
    1907. Rpt. 86, pp. 54, 79. 1908.
    1908. Rpt. 90, pp. 49, 65–66. 1909.
    1909. Rpt. 92, p. 44. 1910.
    1910–1911. B.P.I. Bul. 260, pp. 15, 19, 20, 21, 23, 29, 73. 1912.
  bird—
    protection. See Bird protection, officials.
    reservation, details and summary. Biol. Cir. 87, pp. 9, 10, 12, 16. 1912.
  bounty laws, 1907. Y.B., 1907, p. 563. 1908; Y.B. Sep. 473, p. 563. 1908.

Nebraska—Continued.
  boys'—
    and girls'—
      agricultural clubs, work and exhibits. F.B. 385, p. 8. 1910.
      institutes. O.E.S. Bul. 251, p. 19. 1912.
  pig club work. Y.B., 1915, pp. 176, 179, 185. 1916; Y.B. Sep. 667, pp. 176, 179, 185. 1916.
  buckwheat crops, 1866–1906, acreage, production, and value. Stat. Bul. 61, pp. 5–17, 22. 1908.
  canning clubs, prizes. News L., vol. 6, No. 43, p. 16. 1919.
  carbonate lakes, potash source. Y.B., 1916, pp. 306–307. 1917; Y.B. Sep. 717, pp. 6–7. 1917.
  cedar nursery-blight. J.A.R., vol. 10, pp. 533, 534, 539. 1917.
  cement factories, potash content and loss. D.B. 572, p. 5. 1917.
  chinch-bug control experiments. Ent. Bul. 107, p. 12. 1911.
  Clay County, corn and wheat area. D.B. 850, p. 3. 1920.
  college buildings, agricultural. O.E.S. An. Rpt., 1907, p. 272. 1908.
  community playground, establishment, method. News L., vol. 6, No. 30, p. 10. 1919.
  convict road-work, laws. D.B. 414, p. 205. 1916.
  cooperative associations, statistics, and laws. D.B. 547, pp. 13, 19, 27, 28, 29, 36, 71. 1917.
  corn—
    acreage and yield. Sec. [Misc.], Spec. "Geography * * * world's agriculture," p. 32. 1918.
    and wheat, cost of production. B.P.I. Bul. 130, pp. 47–49. 1908.
    crops—
      1866–1906, acreage, production, and value. Stat. Bul. 56, pp. 7–27, 33. 1907.
      1866–1915, yields and prices. D.B. 515, p. 10. 1917.
      growing, practices and farm conditions in Hamilton County. D.B. 320, pp. 41–43. 1916.
      production, movements, consumption, and prices. D.B. 696, pp. 15, 16, 20, 28, 29, 33, 36, 38, 41, 49. 1918.
  cost of growing principal crops in Otoe County. Soil Sur. Adv. Sh., 1912, p. 16. 1913; Soils F.O. 1912, p. 1904. 1915.
  credits, farm-mortgage loans, costs and sources. D.B. 384, pp. 2, 3, 4–5, 7, 8, 10, 11, 13. 1916.
  crop planting and harvesting dates, important crops. Stat. Bul. 85, pp. 24, 36, 44, 59, 70, 80, 88. 1912.
  crops under irrigation, experiments and yields. W.I.A. Cir. 6, pp. 5–19. 1915.
  crow roosts, location and numbers of birds. Y.B., 1915, pp. 88, 94. 1916; Y.B. Sep. 659, pp. 88, 94. 1916.
  cucurbit, anthracnose outbreaks. D.B. 727, pp. 5, 8. 1918.
  dairy farms, cow records. D.B. 501, p. 26. 1917.
  dairying costs. Y.B., 1922, pp. 346, 347, 348. 1923; Y.B. Sep. 879, pp. 55, 56, 57. 1923.
  demurrage provisions, and regulations. D.B. 191, pp. 3, 12, 14, 26. 1915.
  drainage—
    investigations, 1908. Y.B., 1908, p. 143. 1909.
    surveys, location and kind of land, 1911. An. Rpts., 1911, pp. 708, 709. 1912; O.E.S. Chief Rpt., 1911, pp. 26, 27. 1911.
  drug laws. Chem. Bul. 98, pp. 117–118. 1906; rev., Pt. I, pp. 179–184. 1909.
  dry farming crops. F.B. 388, p. 11. 1910.
  early settlement, historical notes. See Soil surveys for various counties and areas.
  eastern—
    farms owning trucks. D.B. 931, pp. 3, 4. 1921.
    forest planting. Frank G. Miller. For. Cir. 45, pp. 32. 1906.
  Elgin Community—
    building organization and by-laws. F.B. 1192, pp. 21–25. 1921.
    house, origin, objects, cost, activities, and uses. D.B. 825, pp. 16–19. 1920.
  emmer and spelt growing, experiments D.B. 1197, pp. 33–34. 1924.

Nebraska—Continued.
  Experiment Station—
    report of work, 1906. E. A. Burnett. O.E.S. An. Rpt., 1906, pp. 127-129. 1907.
    steer-feeding experiments. F.B. 1218, p. 17. 1921.
    work and expenditures—
      1907. E. A. Burnett. O.E.S. An. Rpt., 1907, pp. 130-132. 1908.
      1908. E. A. Burnett. O.E.S. An. Rpt., 1908, pp. 127-130. 1909.
      1909. E. A. Burnett. O.E.S. An. Rpt., 1909, pp. 141-144. 1910.
      1910. E. A. Burnett. O.E.S. An. Rpt., 1910, pp. 182-186. 1911.
      1911. E. A. Burnett. O.E.S. An. Rpt., 1911, pp. 146-150. 1912.
      1912. E. A. Burnett. O.E.S. An. Rpt., 1912, pp. 152-156. 1913.
      1913. E. A. Burnett. O.E.S. An. Rpt., 1913, pp. 60-61. 1915.
      1914. E. A. Burnett. O.E.S. An. Rpt., 1914, pp. 154-157. 1915.
      1915. E. A. Burnett. O.E.S. An. Rpt., 1915, pp. 174-178. 1917; S.R.S. Rpt., 1915, Pt. I, pp. 174-178. 1916.
      1916. E. A. Burnett. S.R.S. Rpt., 1916, Pt. I, pp. 177-182. 1918.
      1917. E. A. Burnett. S.R.S. Rpt., 1917, Pt. I, pp. 172-176. 1918.
      1918. S.R.S. Rpt., 1918, pp. 33, 49, 53, 64, 67, 70-80. 1920.
    work on sunflower silage. D.B 1045, pp. 10, 21-22, 25. 1922
  extension work—
    funds allotment, and county-agent work. S.R.S. Doc. 40, pp. 4, 6, 10, 16, 23, 25, 28 1918.
    in agriculture and home economics—
      1915. C. W. Pugsley. S.R.S. Rpt., 1915, Pt. II, pp. 249-252. 1917.
      1916. C. W. Pugsley. S.R.S. Rpt., 1916, Pt. II, pp. 273-280. 1917.
      1917. C. W. Pugsley. S.R.S. Rpt., 1917, Pt. II, pp. 277-283. 1919.
    statistics. D.C. 306, pp. 3, , 11, 16, 20, 21. 1924.
  fairs, number, kind, location, and dates. Stat. Bul. 102, pp. 13, 14, 44-45. 1913.
  farm—
    animals, statistics, 1867-1907 Stat. Bul. 64, p. 122. 1908.
    conditions, letters from women, citations. Rpt. 103, pp. 15, 20, 39, 50, 60, 73, 76. 1915; Rpt. 104, pp. 13, 40, 44, 53, 56, 63, 69, 1915; Rpt. 105, pp. 17, 33, 44, 56. 1915; Rpt 106, pp. 14, 19, 22, 35, 52, 61, 63. 1915.
    eases, provisions. D.B. 650, pp. 4, 5, 6, 10, 28. 1918.
    value, income, and tenancy classification. D.B. 1224, pp. 107-108. 1924.
    values, changes, 1900-1905. Stat. Bul. 43, pp. 11-17, 29-46. 1906.
  farmers' institutes—
    control by university. O.E.S. Bul. 241, p. 28. 1911.
    for young people. O.E.S. Cir. 99, p. 21. 1910.
    history. O.E.S. Bul. 174, pp. 56-60. 1906.
    work—
      1904. O.E.S. An. Rpt., 1904, p. 653. 1905
      1906. O.E.S. An. Rpt., 1906, p. 338. 1907.
      1907. O.E.S. An. Rpt., 1907, pp. 336-337. 1908; O.E.S. Bul. 199, p. 23. 1908.
      1908. O.E.S. An. Rpt., 1908, pp. 319-320. 1909.
      1909. O.E.S. An. Rpt., 1909, p. 349. 1910.
      1910. O.E.S. An. Rpt., 1910, p. 409 1911.
      1911. O.E.S. An. Rpt., 1911, pp. 50, 374-375. 1912.
      1912. O.E.S. An. Rpt., 1912, p. 367. 1913.
    Farmers' Shipping Association of Superior, origin and work. F.B. 1292, p. 2. 1923.
  field—
    stations—
      barley growing, methods, cost, and yields. D.B. 222, pp. 20-22, 29-31. 1915.
      corn growing, methods, cost, and yields. D.B. 219, pp. 20-22, 27-31. 1915.
      oat growing, cost and yields. D.B. 218, pp. 24-28, 40. 1915

Nebraska—Continued.
  field—continued.
    stations—continued.
      subsoiling experiments. J.A.R. vol. 14, pp. 493-494. 1918.
      wheat growing, methods, yields, and cost. D.B. 595, pp. 16-19, 33. 1917.
    work of Plant Industry Bureau, December, 1924. M. C. 30, pp. 33-34. 1925.
  flax acreage, 1899, 1909, 1913. D.B. 322, p. 4. 1916.
  food—
    and drug officials. Chem S.R.A. 13, p. 8. 1915.
    laws—
      1905. Chem. Bul. 69, rev., Pt. IV, pp. 347-357 1906.
      1907. Chem. Bul. 112, Pt. I, pp. 137-144 1908.
  forage crops—
    for sand hill section. H. N. Vinall. B.P.I. Cir. 80, pp. 23. 1911.
    pasture, and meadow. T. L. Lyon and A. S. Hitchcock. B.P.I. Bul. 59, pp. 57. 1904.
  forest(s)—
    area, 1918. Y.B., 1918, p. 717. 1919; Y.B. Sep. 795, p. 53. 1919.
    belts, with western Kansas. Royal S. Kellogg. For. Bul. 66, pp. 44. 1905.
    fires, statistics. For. Bul. 117, p. 31 1912
    planting—
      in North Platte and South Platte Valleys. Frank G. Miller. For. Cir. 109, pp. 20 1907.
    needs, acreage, and conditions. Y.B., 1909 p. 342. 1910; Y.B. Sep. 517, p. 342. 1910.
    reserves. See Forests, national.
    tree planting, 1902-1911. and trees best adapted. For. Bul. 121, pp. 35-37. 1913.
    trees, species adaptable, and planting details. F.B. 888, pp. 5-10, 19. 1917.
  forestry laws, 1921, summary. D.C. 239, p. 16. 1922
  funds for cooperative extension work, sources S.R.S. Doc. 40, pp. 4, 6, 10, 16. 1917.
  fur animals, laws—
    1915. F.B. 706, p. 10. 1916.
    1916. F.B. 783, pp. 12, 27 1916.
    1917. F.B. 911, pp. 15, 31, 1917.
    1918. F.B. 1022, pp. 14, 31. 1918.
    1919. F.B. 1079, pp. 5, 18. 1919.
    1920. F.B. 1165, p. 16. 1920.
    1921. F.B. 1238, p. 15. 1921.
    1922. F.B. 1293, p. 13. 1922.
    1923-24. F.B. 1387, pp. 16-17. 1923.
    1924-25. F.B. 1445, p. 12. 1924.
    1925-26. F.B. 1469, pp. 15-16. 1925.
  game—
    laws—
      1902. F.B. 160, pp. 17, 32, 42, 45, 52, 54, 56. 1902.
      1903. F.B. 180, pp. 12, 23, 33, 38, 46, 48, 55 1903.
      1904. F.B. 207, pp. 20, 34, 44, 51, 62. 1904.
      1905. F.B. 230, pp. 10, 19, 31, 38, 44. 1905
      1906. F.B. 265, pp. 18, 30, 37, 45. 1906.
      1907. F.B. 308, pp. 7, 16, 29, 36, 44. 1907.
      1908. F.B. 336, pp. 18, 32, 40, 44, 52. 1908.
      1909. F.B. 376, pp. 8, 14, 23, 34, 43, 48. 1909.
      1910. F.B. 418, pp. 16, 28, 33, 36, 42. 1910.
      1911. F.B. 470, pp. 12, 21, 32, 38, 41, 48. 1911.
      1912. F.B. 510, pp. 17, 25-26, 28, 32, 34, 38, 44. 1912.
      1913. D.B. 22, pp. 20, 28, 40, 45, 49, 55. 1913; rev., pp. 19, 28, 40, 45, 49, 55. 1913.
      1914. F.B. 628, pp. 10, 11, 19-20, 28-29, 32, 36. 38, 42, 49. 1914.
      1915. F.B. 692, pp. 12, 30, 42, 47, 52, 59. 1915.
      1916. F.B. 774, pp. 27, 40, 46, 51, 59. 1916.
      1917. F.B. 910, pp. 25, 52. 1917.
      1918. F.B. 1010, pp. 22, 61. 1918.
      1919. F.B. 1077, pp. 26, 56, 72, 73. 1919.
      1920. F.B. 1138, pp. 27-28. 1920.
      1921. F.B. 1235, pp. 29, 56, 80. 1921.
      1922. F.B. 1288, pp. 25, 54, 66, 67, 79. 1922.
      1923-24. F.B. 1375, pp. 26, 50. 1923.
      1924-25. F.B. 1444, pp. 18, 37. 1924.
      1925-26. F.B. 1466, pp. 24-25, 44. 1925.
    protection. See Game protection.

1598 UNITED STATES DEPARTMENT OF AGRICULTURE

Nebraska—Continued.
  garden clubs, products value, 1918. News L., vol. 6, No. 43, p. 10. 1919.
  grain supervision districts, counties. Mkts., S.R.A. 14, pp. 19, 32. 1916.
  grasshoppers, killing with fungus. Y.B., 1901, pp. 467-468. 1902.
  hail insurance—
    law enactment and operation. D.B. 912, pp. 7-8, 9. 1920.
    on crops. D.B. 1043, p. 16. 1922.
  Halsey—
    Forest Service nursery, conifer diseases, study. D.B. 44, pp. 2-11, 15, 17, 20. 1913; For. Bul. 121, pp. 25-26. 1913.
    National Forest, tree distribution since 1921. For. Misc. S-18, pp. 1-13. 1916.
  hay crops, 1866-1906, acreage, production, and value. Stat. Bul. 63, pp. 5-25, 31. 1908.
  haymaking methods and costs. D.B. 578, pp. 32, 36. 1918.
  hemp—
    growing, early history, and soils. Y.B., 1913, pp. 293, 307. 1914.
    production. B.P.I. Cir. 57, p. 4. 1910.
  herds, lists of tested and accredited. D.C. 54, pp. 4, 7, 24, 36, 61, 76, 83. 1919; D.C. 142, pp. 4, 17-49. 1920; D.C. 143, pp. 4, 37, 79. 1920; D.C. 144, pp. 5-49. 1920.
  hog cholera, control experiments, results. D.B. 584, pp. 8, 10, 11, 12. 1917.
  hog shipments, 1918. Y.B., 1922, p. 231. 1923; Y.B. Sep. 882, p. 231. 1923.
  hunting laws. Biol. Bul. 19, pp. 18, 21, 27, 30, 36, 63. 1904.
  irrigation—
    by windmill at Hutchison, cost and returns, table. F.B. 394, p. 38. 1910.
    districts and their statutory relations. D.B. 1177, pp. 4, 5, 16, 26, 27, 28, 31, 43, 44, 49. 1923.
    experiments, Scottsbluff Reclamation Project Experiment Farm. W.I.A. Cir. 27, pp. 1-28. 1919.
    history, and methods. O.E.S. Bul. 168, pp. 40-49. 1906.
    investigations, 1911. O.E.S. An. Rpt., 1911, p. 34. 1912.
    pumping plants (with Colorado and Kansas). O. V. P. Stout. O.E.S. Bul. 158, pp. 595-608. 1905.
    recent legislation. O.E.S. An. Rpt., 1909, pp. 400, 402, 403. 1910.
    under Great Eastern Canal, Platte County, 1900. O. V. P. Stout. O.E.S. Bul. 104, pp. 195-206. 1902.
  kaoliang varieties, testing. B.P.I. Bul. 253, pp. 35-37. 1913.
  lard supply, wholesale and retail, August 31, 1917, tables. Sec. Cir. 97, pp. 13-31. 1918.
  laws—
    against Sunday shooting. Biol. Bul. 12, rev., p. 63. 1902.
    dog control, digest. F.B. 935, p. 17. 1918; F.B. 1268, p. 17. 1922.
    foulbrood of bees. Ent. Bul. 61, pp. 191-192. 1906.
    on community buildings. F.B. 1192, p. 33. 1921.
    on nursery stock interstate shipment, digest. Ent. Cir. 75, rev., p. 5. 1909; F.H.B.S.R.A. 57, pp. 113, 114, 115. 1919.
    relating to contagious animal diseases. B.A.I. Bul. 43, pp. 39-43. 1901.
  leading corn State. Y.B., 1921, pp. 198-199. 1922; Y.B. Sep. 872, pp. 198-199. 1922.
  legislation—
    protecting birds. Biol. Bul. 12, rev., pp. 19, 23, 30, 39, 43, 49, 51, 100-101, 137. 1902.
    relative to tuberculosis. B.A.I. Bul. 28, pp. 78-79. 1901.
  legumes, wild, number and distribution. B.P.I. Cir. 31, pp. 1-9. 1909.
  Lincoln—
    drying food in community plant. F.B. 916, pp. 1-12. 1917.
    weather conditions. J.A.R., vol. 14, pp. 454-465. 1918.

Nebraska—Continued.
  livestock—
    admission, sanitary requirements. B.A.I. Doc. A-28, pp. 24-26. 1917; B.A.I. Doc. A-36, pp. 35-38. 1920; M.C. 14, pp. 46-49. 1924.
    associations. Y.B., 1920, p. 525. 1921; Y.B. Sep. 866, p. 525. 1921.
  loco-plant feeding experiment at Imperial. B.A.I. Bul. 112, p. 73. 1909.
  lumber production, 1918, by mills, by woods, and lath and shingles. D.B. 845, pp. 6-10, 16, 42-47. 1920; Rpt. 116, pp. 6, 9-11, 34, 37-38, 51. 1918.
  marketing activities and organization. Mkts. Doc. 3, p. 4. 1916.
  milk supply and laws. B.A.I. Bul. 46, pp. 26, 36, 109-111. 1903.
  Mitchell, corn varieties, testing. D.B. 307, pp. 12-15, 19. 1915.
  national forest—
    free distribution of young trees. Sol. [Misc.], "Laws applicable * * * Agriculture," Sup. 2, p. 61. 1915.
    location and area. For. [Misc.], "Location and area * * *," p. 2. 1906.
    location, date and area, January 31, 1913. For. [Misc.], "The use book, 1913," p. 86. 1913.
    map. For. Maps. 1925.
  native legumes, number, and distribution. B.P.I. Cir. 70, pp. 1-8. 1910.
  Niobrara big game reserve, organization and uses. An. Rpts., 1913, pp. 234-235, 236. 1914; Biol. Chief Rpt., 1913, pp. 12-13, 14. 1913.
  North Platte—
    Reclamation Project—
      conditions, climate, crops, and livestock. D.C. 173, pp. 5-11. 1921.
      corn varieties, testing. D.B. 307, pp. 15-16, 19. 1915.
      crop rotation experiments. B.P.I. Bul. 187, pp. 1-78. 1910.
      hints to settlers. J. A. Warren. B.P.I. Doc. 454, pp. 4. 1909.
      irrigation. Soil Sur. Adv. Sh., 1907, pp. 24-25. 1908; Soils F.O., 1907, pp. 832-833. 1909.
      swine production, establishment. Charles S. Jones and F. D. Farrell. D.R.P. Cir. 1, pp. 26. 1915.
    substation, wheat-growing experiments. D.B. 878, pp. 28-29. 1920.
  oat—
    acreage and production, map. Sec. [Misc.], Spec. "Geography * * * world's agriculture," p. 37. 1917.
    crops—
      1866-1906, acreage, production, and value. Stat. Bul. 58, pp. 5-25, 31. 1907.
      1900-1909, production, acreage and value. F.B. 420, pp. 8, 9, 10. 1910.
      growing, varietal experiments. D.B. 823, pp. 27-28, 29, 30, 46, 49, 67. 1920.
      tests, Kherson and Sixty-day, with other varieties. F.B. 395, p. 22. 1910.
    officials, dairy, drug, feeding stuffs, and food. See Dairy officials; Drug officials; etc.
  overflowed lands, drainage investigations, 1910. O.E.S. An. Rpt., 1910, p. 49. 1911.
  partridge rearing experiments. Y.B. 1909, p. 256. 1910; Y.B. Sep. 510, p. 256. 1910.
  pasture land on farms. D.B. 626, pp. 15, 55-57. 1918.
  peach varieties, names and ripening dates. F.B. 918, p. 9. 1918.
  pear growing, distribution, and varieties. D.B. 822, p. 9. 1920.
  plat-yield experiments. B.P.I. Cir. 109, pp. 27-31. 1913.
  Platte County, irrigation, 1900. O. V. P. Stout. O.E.S. Bul. 104, pp. 195-206. 1902; O.E.S. Bul. 119, pp. 299-304. 1902.
  plum curculio, occurrence and distribution. Ent. Bul. 103, pp. 22, 24. 1912.
  pop corn, production and value, 1909. F.B. 554, pp. 6-7, 13. 1913.
  potato(es)—
    acreage, production and yield, map. Sec. [Misc.], Spec. "Geography * * * worlds' agriculture." p. 69. 1918.

INDEX TO PUBLICATIONS, 1901-1925 1599

Nebraska—Continued.
potato(es)—continued.
 crops, 1866-1906, acreage, production, and value. Stat. Bul. 62, pp. 7-27, 33. 1908.
 diseases, occurrence. D.B. 64, pp. 11, 32. 1914.
 production, 1909, by counties. F.B. 1064, p. 5. 1919.
 under irrigation, acreage and production. F.B. 953, p. 4. 1918.
 yield on small farms. F.B. 325, pp. 10, 22. 1908.
prairie dogs, destruction. F.B. 227, p. 22. 1905.
pumping plants. O.E.S. Bul. 158, pp. 603-604, 605-608. 1905.
quarantine for cattle scabies—
 1910. B.A.I.O. 167, amdt. 1, p. 1. 1910; amdt. 4, p. 2. 1912; rule 2, rev. 3, p. 1. 1909.
 1913. B.A.I.O. 197, rule 2, rev. 4, pp. 1, 2. 1913.
 1914. B.A.I.O. 213, rule 2, rev. 5, p. 1. 1914.
rainfall—
 1910, map and table. B.P.I. Bul. 188, pp. 38, 55-57. 1910.
 1910-1913. D.B. 133, pp. 1-17. 1914.
 relation to crop production. B.P.I. Bul. 130, pp. 43-47. 1908.
reforestation, in sand hills, choice of sites, methods, and species. D.B. 475, pp. 24, 25, 26, 37, 45, 48, 49, 59, 63. 1917.
rights to water from—
 North Platte River and tributaries. O.E.S. Bul. 157, pp. 63-65. 1905.
 South Platte River and tributaries. O.E.S. Bul. 157, pp. 36-39. 1909.
road-building rock tests—
 1912. Rds. Bul. 44, p. 53. 1912.
 1916, results, table. D.B. 370, p. 45. 1916.
 1916 and 1917. D.B. 670, p. 14. 1918.
 1916-1921, results. D.B. 1132, pp. 21, 51. 1923.
roads—
 bond-built, amount of bonds, and rate. D.B. 136, pp. 43, 56, 71, 85. 1915.
 mileage and expenditures—
  1904. Rds. Cir. 61, pp. 4. 1906.
  1909. Rds. Bul. 41, pp. 26, 41, 42, 84-85. 1912.
  1914. D.B. 389, pp. 2, 3, 4, 5, 6, 7, 34-36, XIX-XX, LI-LIII. 1917.
  1915. Sec. Cir. 52, pp. 2, 4, 6. 1915.
  1916. Sec. Cir. 74, pp. 5, 7, 8. 1917.
rye crops, 1866-1906, acreage, production, and value. Stat. Bul. 60, pp. 5-25, 31. 1908.
salt lakes, potash source and yield. D.C. 61, pp. 4-5. 1919.
and hill(s)—
 description, climate, and vegetation. For. Bul. 121, pp. 8-19, 35-37. 1913.
 forestation—
  For. Bul. 121, pp. 1-49. 1913.
  work of forest experiment station. Sec. Cir. 183, pp. 4-5. 1921.
 region—
  bird-breeding conditions. Y.B. 1917, pp. 198-199. 1918; Y.B. Sep. 723, pp. 4-5. 1918.
  description and waterfowl breeding. D.B. 794, pp. 4-6, 10-21, 37-38. 1920.
  forest planting. For. Cir. 37, pp. 1-5. 1906.
Saunders County, work of club leader. D.C. 66, pp. 14-15. 1920.
schools, agricultural, work. O.E.S. Cir. 106, rev., pp. 18, 24. 1912.
Scottsbluff—
 alfalfa rotations, experiments. D.B. 881, pp. 1-13. 1920.
 crops yield stimulation by manure, experiments. J.A.R., vol. 15, pp. 493-503. 1918.
Scribner, hog-cholera outbreak, use of blood for experiments. B.A.I. Bul. 102, pp. 20-23, 93. 1908.
semiarid, climate and winds. B.P.I. Bul. 215, pp. 11, 12, 13, 15. 1911.
Seward County, sale of alfalfa seed. News L., vol. 2, No. 39, p. 8. 1915.
shipments of fruits and vegetables and index to station shipments. D.B. 667, pp. 6-13, 32-33. 1918.

Nebraska—Continued.
small farms and intensive farming. F.B. 325, pp. 1-29. 1908.
soil and alkali survey. Soils Bul. 35, p. 131. 1906.
soil survey of—
 Antelope County. F. A. Hayes and others. Soil Sur. Adv. Sh., 1921, pp. 757-816. 1924.
 Banner County. F. A. Hayes and H. L. Bedell. Soil Sur. Adv. Sh., 1919, pp. 62. 1921; Soils F.O., 1919, pp. 1617-1674. 1925.
 Boone County. F. A. Hayes and others. Soil Sur. Adv. Sh., 1921, pp. 52. 1925.
 Box Butte County. F. A. Hayes and J. H. Agee. Soil Sur. Adv. Sh., 1916, pp. 34. 1918; Soils F.O., 1916, pp. 2041-2070. 1921.
 Buffalo County. See Kearney and Green Island areas.
 Cass County. A. H. Meyer and others. Soil Sur. Adv. Sh., 1913, pp. 46. 1914; Soils F.O., 1913, pp. 1925-1966. 1916.
 Chase County. R. F. Rogers and Louis A. Wolfanger. Soil Sur. Adv. Sh., 1917, pp. 66. 1919; Soils F.O., 1917, pp. 1791-1852. 1923.
 Cheyenne County. H. C. Mortlock and others. Soil Sur. Adv. Sh., 1918, pp. 39. 1920; Soils F.O., 1918, pp. 1405-1439. 1924.
 Dakota County. F. A. Hayes and H. L. Bedell. Soil Sur. Adv. Sh., 1919, pp. 42. 1921; Soils F.O., 1919, pp. 1675-1712. 1925.
 Dawes County. Soil Sur. Adv. Sh., 1915, pp. 41. 1917; Soils F.O., 1915, pp. 1963-1999. 1919.
 Dawson County. F. A. Hayes and others. Soil Sur. Adv. Sh., 1922, pp. 391-438. 1925.
 Dawson County. See Kearney area.
 Deuel County. Louis A. Wolfanger and others. Soil Sur. Adv. Sh., 1921, pp. 707-755. 1924.
 Dodge County. B. W. Tillman and H. C. Mortlock. Soil Sur. Adv. Sh., 1916, pp. 53. 1918; Soils F.O., 1916, pp. 2071-2119. 1921.
 Douglas County. A. H. Meyer and others. Soil Sur. Adv. Sh., 1913, pp. 48. 1915; Soils F.O., 1913, pp. 1967-2010. 1916.
 Fillmore County. A. H. Meyer and others. Soil Sur. Adv. Sh., 1916, pp. 24. 1918; Soils F.O., 1916, pp. 2121-2140. 1921.
 Gage County. A. H. Meyer and others. Soil Sur. Adv. Sh., 1914, pp. 42. 1916; Soils F.O., 1914, pp. 2323-2360. 1919.
 Gosper County. See Kearney area.
 Grand Island area. W. Edward Hearn and James L. Burgess. Soil Sur. Adv. Sh., 1903, pp. 23. 1904; Soils F.O., 1903, pp. 927-945. 1904.
 Hall County. J. O. Veatch and V. H. Seabury. Soil Sur. Adv. Sh., 1916, pp. 41. 1918; Soils F.O., 1916, pp. 2141-2177. 1921.
 Hamilton County. See Grand Island area.
 Howard County. F. A. Hayes and others. Soil Sur. Adv. Sh., 1920, pp. 965-1004. 1924; Soils F.O., 1920, pp. 965-1004. 1925.
 Jefferson County. L. S. Paine and others. Soil Sur. Adv. Sh., 1921, pp. 1443-1485. 1925.
 Johnson County. H. L. Bedell and H. E. Engstrom. Soil Sur. Adv. Sh., 1920, pp. 1255-1285. 1924; Soils F. O., 1920, pp. 1255-1285. 1925.
 Kearney area. J. O. Martin and A. T. Sweet. Soil Sur. Adv. Sh., 1904, pp. 20. 1904; Soils F.O., 1904, pp. 859-874. 1905.
 Kearney County. See Kearney area.
 Kimball County. A. H. Meyer and others. Soil Sur. Adv. Sh., 1916, pp. 28. 1917; Soils F.O., 1916, pp. 2179-2202. 1921.
 Lancaster County. James L. Burgess and E. L. Worthen. Soil Sur. Adv. Sh., 1906, pp. 24. 1908; Soils F.O., 1906, pp. 943-962. 1908.
 Lincoln County. See North Platte area.
 Madison County. F. A. Hayes and others. Soil Sur. Adv. Sh., 1920, pp. 201-248. 1923; Soils F. O., 1902, pp. 201-248. 1925.
 Merrick County. See Grand Island area.
 Morrell County. F. A. Hayes and others. Soil Sur. Adv. Sh., 1917, pp. 69. 1920; Soils F.O., 1917, pp. 1853-1917. 1923.
 Nance County. F. A. Hayes and others. Soil Sur. Adv. Sh., 1922, pp. 46. 1925.
 Nemaha County. A. H. Meyer and others. Soil Sur. Adv. Sh., 1914, pp. 38. 1916; Soils F.O., 1914, pp. 2289-2322. 1919.

Nebraska—Continued.
soil survey of—continued.
North Platte area. E. L. Worthen and O. L. Eckman. Soil Sur. Adv. Sh., 1907, pp. 28. 1908; Soils F.O., 1907, pp. 813-836. 1909.
Otoe County. William G. Smith and L. T. Skinner. Soil Sur. Adv. Sh., 1912, pp. 31. 1913; Soils F.O., 1912, pp. 1893-1919. 1915.
Pawnee County. H. L. Bedell and others. Soil Sur. Adv. Sh., 1920, pp. 1317-1350. 1924; Soils F. O., 1920, pp. 1317-1350. 1925.
Perkins County. Louis A. Wolfanger and others. Soil Sur. Adv. Sh., 1921, pp. 46. 1925.
Phelps County. B. W. Tillman and B. F. Hensel. Soil Sur. Adv. Sh., 1917, pp. 42. 1919; Soils F.O., 1917, pp. 1919-1956. 1923.
Pierce County. *See* Stanton area.
Polk County. J. M. Snyder and Thomas E. Kokjer. Soil Sur. Adv. Sh., 1915, pp. 30. 1917; Soils F.O., 1915, pp. 2001-2026. 1919.
Redwillow County. Louis A. Wolfanger and A. W. Goke. Soil Sur. Adv. Sh., 1919, pp. 48. 1921; Soils F.O., 1919, pp. 1713-1756. 1925.
Richardson County. A. H. Meyer and others. Soil Sur. Adv. Sh., 1915, pp. 36. 1917; Soils F.O., 1915, pp. 2027-2058. 1919.
Sarpy County. A. E. Kocher and Lewis A. Hurst. Soil Sur. Adv. Sh., 1905, pp. 21. 1906; Soils F.O., 1905, pp. 893-909. 1907.
Saunders County. A. H. Meyer and others. Soil Sur. Adv. Sh., 1913, pp. 52. 1915; Soils F. O., 1913, pp. 2011-2058. 1916.
Scotts Bluff County. L. T. Skinner and M.W. Beck. Soil Sur. Adv. Sh., 1913, pp. 43. 1915; Soils F.O., 1913 pp. 2059-2997. 1916.
Seward County. A. H. Meyer and others. Soil Sur. Adv. Sh., 1914, pp. 40. 1916; Soils F.O., 1914, pp. 2253-2287. 1919.
Sheridan County. F. A. Hayes and others. Soil Sur. Adv. Sh., 1918, pp. 60. 1921; Soils F.O., 1918, pp. 1441-1496. 1924.
Sioux County. W. A. Rockie and others. Soil Sur. Adv. Sh., 1919, pp. 43. 1922; Soils F.O., 1919, pp. 1757-1799. 1925.
Stanton area. W. Edward Hearn. Soil Sur. Adv. Sh., 1903, pp. 20. 1904; Soils F.O., 1903, pp. 947-962. 1904.
Stanton County. *See* Stanton area.
Thurston County. A. H. Meyer and others. Soil Sur. Adv. Sh., 1914, pp. 44. 1916; Soils F.O., 1914, pp. 2213-2252. 1919.
Washington County. L. Vincent Davis and H. C. Mortlock. Soil Sur. Adv. Sh., 1915, pp. 38. 1917; Soils F.O., 1915, pp. 2059-2092. 1919.
Wayne County. B. W. Tillman and B. F. Hensel. Soil Sur. Adv. Sh., 1917, pp. 46. 1919; Soils F.O., 1917, pp. 1957-2002. 1923.
soil water studies. J.A.R., vol. 10, pp. 396-398. 1917.
soils—
Knox silt loam, location, area, and crops grown. Soils Cir. 33, pp. 3, 4, 5, 10, 12, 17. 1911.
Marshall silt loam, location, area, and crops grown. Soils Cir. 32, pp. 3, 7, 10, 11, 12, 18. 1911.
moisture equivalent, hygroscopic coefficient and organic matter. J.A.R., vol. 6, No. 21, pp. 838-844. 1916.
Wabash clay, areas, location, and uses. Soils Cir. 41, p. 16. 1911.
Wabash silt loam, location, areas, and uses. Soils Cir. 40, p. 15. 1911.
water capacity and hygroscopic coefficients. J.A.R., vol. 7, pp. 348-359. 1916.
water-retaining capacity studies. J.A.R., vol. 9, pp. 31-66. 1917.
sorghum growing, rotation experiment. F.B. 1158, pp. 5-6. 1920.
stallions, number, classes, and legislation controlling. Y.B., 1916, pp. 290, 291, 293, 296. 1917; Y.B. Sep. 692, pp. 2, 3, 5, 8. 1917.
standard containers. F.B. 1434, p. 17. 1924.
State aid to roads. Y.B., 1914, pp. 215, 222. 1915; Y.B. Sep. 638, pp. 215, 222. 1915.
substation near Culbertson, establishment. O. E. S. An Rpt., 1911, pp. 58-59, 147. 1912.
substations for demonstration work, 1909. O.E.S. An. Rpt., 1909, pp. 58, 141, 143. 1910.

Nebraska—Continued.
Swedish Select oat, experiments and results. B.P.I. Bul. 182, p. 28. 1910.
sweet-clover production. F.B. 485, p. 37. 1912.
tile-drainage effects. Y.B., 1914, pp. 251-252. 1915; Y.B., Sep. 640, pp. 251-252. 1915.
timber resources. William L. Hall. Y.B., 1901, pp. 207-216. 1902; Y.B. Sep. 236, pp. 207-216. 1902.
tractor investigations, 1918. F.B. 1093, pp. 3-5. 1920.
tractors and horses on farms. D.B. 1202, pp. 1-60. 1924.
Trebi barley growing, experiments and yields D.C. 208, pp. 6-8. 1922.
tree—
distribution under Kinkaid Act of 1911. M.C 16, pp. 14. 1925.
planting—
and Arbor Day work. D.C. 265, pp. 2-3. 1923.
cost. For. Cir. 161, p. 18. 1909.
on homesteads. M.C. 16, pp. 1-14. 1925.
suggestions and directions. For. Misc. S-18. pp. 2-10. 1916.
stock distribution. F.B. 1312, p. 32. 1923.
trucking industry, acreage and crops. Y.B., 1916, pp. 455-465. 1917; Y.B. Sep. 702, pp. 21-31. 1917.
University, teachers' courses. O.E.S. Cir. 118, p. 19. 1913.
wage rates, farm labor, 1858-1872, and 1866-1909 Stat. Bul. 99, pp. 19, 29-43, 68-70. 1912.
walnut—
range and estimated stand. D.B. 933, pp. 7, 12. 1921.
stand and quality. D.B. 909, pp. 9, 10, 16, 21. 1921.
water—
laws, adoption of Wyoming system. O.E.S. An. Rpt., 1908, p. 360. 1909.
rights, laws, and officials. D.B. 913, pp. 2, 3. 1920.
supply, records, by counties. Soils Bul. 92, pp. 97-103. 1913.
western—
forest—
growth conditions, tree species, and description. For. Bul. 66, pp. 11, 17, 21, 33-40. 1905.
planting. R. S. Kellogg. For. Cir. 161, pp. 51. 1909.
planting suggestions. For. Cir. 99, pp. 1-14. 1907.
public forest reserve. For. Bul. 66, p. 32. 1905.
reconnoissance soil survey. T. D. Rice and others. Soil Sur. Adv. Sh., 1911, pp. 121. 1913; Soils F.O., 1911, pp. 1875-1989. 1914.
wheat—
acreage—
and production, 1918-1920. D.B. 1020, p. 5. 1922.
and varieties. D.B. 1074, p. 212. 1922.
and yield. Sec. [Misc.], Spec. "'Geography * * *' world's agriculture," p. 18. 1918.
production and costs. D.B. 1198, pp. 3-24, 29, 30, 31, 35. 1924.
crops, acreage, production, and value. Stat. Bul. 57, pp. 5-25, 31. 1907; rev., pp. 5-25, 31. 38. 1908.
growing, cost data (with other States). D.B. 943, pp. 1-59. 1921.
harvest—
help from Montana farmers. News L., vol. 7. No. 5, p. 13. 1919.
labor, amounts used, and wages. D.B. 1230, pp. 5-14, 25-27, 30-44. 1924.
production—
1902-1904. Stat. Bul. 38, p. 18. 1905.
periods. Y.B., 1921, pp. 90, 91, 93, 94, 96. 1922; Y.B. Sep. 873, pp. 90 91, 93, 94, 96. 1922.
varietal experiments, Marquis and other. D.B 400, pp. 12-13, 18. 1916.
varieties suitable. F.B. 262, p. 12. 1906.
winter growing. F.B. 895, pp. 7-8. 1917.
yield, variation with rainfall. B.P.I. Bul. 188, pp. 26, 28. 1910.
yields and prices, 1866-1915. D.B. 514, p. 10. 1917.

Nebraska—Continued
windmill irrigation—
cost. O.E.S. An. Rpt., 1908, p. 391. 1909.
data. F.B 866, pp. 29–32. 1917.
wool sales. News L., vol. 7, No. 5, p. 6. 1919.
Wyoming, soil survey of Fort Laramie area. J. O.
Veatch and R. W. McClure. Soil Sur. Adv.
Sh., 1917, pp. 50. 1921; Soils F.O., 1917, pp.
2041–2086. 1923.
See also Corn Belt; Great Plains area.
Nebria pallipes, destruction by birds. Biol. Bul. 15,
p. 47. 1901.
Necator spp. See Hookworms.
Necaxo Dam, Mexico, failure from faulty construction. O.E.S. Bul. 249, Pt. I, p. 69. 1912.
Neches Canal Company, canal, rice irrigation, details. O.E.S. Bul. 222, p. 40. 1910.
Neches River, Texas, description, drainage area,
and discharge. O.E.S. Bul. 222, pp. 15–16. 1910.
Neck rot—
mycelial of onion, control by artificial curing.
J. C. Walker. J.A.R., vol. 30, pp. 365–373.
1925
onion—
description, cause, and control. F.B. 1060, pp.
18–20. 1919.
storage disease, description, distribution, cause,
and control. News L., vol. 5, No. 24, p. 7.
1918.
Necosmopora vasinfecta, host selection. J.A.R., vol.
22, pp. 191–220. 1921
Necrobacillosis—
in—
domestic animals, other than sheep. B.A.I.
An. Rpt., 1911, p. 57. 1913.
hog, cause, symptoms, lesions, and treatment.
F.B. 1244, pp. 11–12. 1923.
pigs. B.A.I. Doc. A–20, pp. 2. 1917.
pigs, symptoms and control. Sec. Cir. 84, pp.
21–23. 1918.
of navel, lambs, cause, symptoms, and prevention. F.B. 1155, p. 12. 1921.
quarantine, removal, and notice. B.A.I. An.
Rpt., 1911, pp. 335, 343. 1913.
similarity to hog cholera. F.B. 384, p. 12. 1917.
See also Lip-and-leg ulceration.
Necrobia rufipes—
cocoon and larval period. J.A.R., vol. 30, pp.
848, 862. 1925.
ham beetle. Perez Simmons and George W.
Ellington. J.A.R., vol. 30, pp. 846–850. 1925.
Necrosis—
appearance in mosaic tomato fruits. Max W.
Gardner. J.A.R., vol. 30, pp. 871–888. 1925.
bacillus—
conditions of attack and immunity. B.A.I.
Rpt., 1904, pp. 86–87. 1905.
transmissibility from cattle to sheep. B.A.I.
An. Rpt., 1910, p. 79. 1912.
caused by Bacillus necrophorus. B.A.I. Bul. 67.
pp. 21–22. 1905.
fat, hog parasite, diagnosis. B.A.I. Cir. 201, pp.
35, 36. 1912.
grapevine. See Crown-gall.
net potato disease, cause and control. F.B. 1367,
p. 30. 1924.
phloem, of Irish potato, occurrence and significance. J.A.R., vol. 24, pp. 237–246. 1923.
potato disease, description and transmission.
J.A.R., vol. 25, pp. 54, 61, 64. 1923.
See also Bacillus necrophorus.
Necrotic stomatitis. See Stomatitis, necrotic.
Nectandra—
glabrescens, importation and description. No.
50685, B.P.I. Inv. 64, p. 13. 1923.
rodioei. See Greenheart.
spp., used as substitutes for greenheart. For. Cir.
211, p. 11. 1913.
Nectar—
cotton plant, location. Rpt. 78, p. 4. 1904.
evaporation. Chem. Bul. 110, pp. 11–12. 1908.
evaporation in honeycomb. Chem. Bul. 110, pp.
11–12. 1908; F.B. 1198, p. 16. 1921.
floral, composition. Chem. Bul. 110, pp. 10–12.
1908.
grape, use of unfermented grape juice, recipe.
F.B. 644, p. 15. 1915.
Pinita (pineapple nectar), adulteration. Chem.
N.J. 13799. 1925.

Nectar—Continued.
sources, lists of plants, by States. D.B. 685, pp.
39–54. 1918.
Nectaries—
cotton—
Frederick J. Tyler. B.P.I. Bul. 131, Pt. V,
pp. 45–54. 1908.
descriptions, various species of cotton. B.P.I.
Bul. 131, Pt. V, pp. 45–54. 1908.
Egyptian and Hindi, census. B.P.I. Bul. 210,
p. 35. 1911.
secretory mechanism, description. J.A.R., vol.
13, pp. 433–434. 1918.
visitation by parasite insects. Ent. Bul. 100,
pp. 1–55. 1912.
extra-floral, secretion of honeydew, on hau tree.
Ent. Bul. 75, p. 53. 1911; Pt. V, p. 53. 1909.
Nectarines—
acreage, 1910, by States, map. Y.B., 1915, p. 384.
1916; Y.B. Sep. 681, p. 384. 1916.
bacterial spot, on the market. F.B. 1435, pp. 2–3.
1924.
host of Mediterranean fruit fly. D.B. 536, pp.
24, 46. 1918.
importations and descriptions. Nos. 30325, 30332,
30334–30336, 30341, 30359, B.P.I. Bul. 233, pp.
76, 77, 78, 80. 1912; No. 41253, B.P.I. Inv. 44,
p. 54. 1918; No. 43139–43146, B.P.I. Inv. 48,
p. 21. 1921; No. 42200, B.P.I. Inv. 46, p. 66,
1919; No. 54626, B.P.I. Inv. 69, p. 28. 1923.
testing in Texas. D.B. 162, p. 18. 1915.
varieties—
growing in Oregon, experiments. W.I.A. Cir.
17, p. 30. 1917.
recommendations for various fruit districts.
B.P.I. Bul. 151, p. 35. 1909.
Nectomys genus, similarity to Oryzomys and Rhipidomys. N.A. Fauna 43, pp. 13, 14. 1918.
Nectria—
cinnaborina, injury to forest trees. B.P.I. Bul.
149, p. 21. 1909.
spp., same as Hypomyces spp. J.A.R., vol. 2, pp.
270, 271. 1914.
Needle(s)—
blight. See under specific host.
cast disease, conifer seedlings, cause and control.
D.B. 44, pp. 13–15. 1913.
grass—
damage to sheep. Off. Rec., vol. 2, No. 31, p.
3. 1923.
description. D.B. 772, pp. 161, 163–165. 1920.
palatability for cattle. D.B. 1170, p. 37. 1923.
new, for testing bituminous materials. J.A.R.,
vol. 5, No. 24, pp. 1121–1126. 1916.
pine, infection with fungus, Hypoderma deformans. J.A.R., vol. 6, No. 8, pp. 282–287. 1916.
tree, fungous diseases, effects. For. [Misc.],
"Forest tree diseases * * *," pp. 25, 28, 30.
32–35. 1914.
Neem tree, importation, description and uses.
B.P.I. Inv. 56, pp. 4, 28. 1922.
Negri bodies—
cause of rabies, description and characteristics.
B.A.I. An. Rpt., 1909, pp. 203–205. 1911; F.B.
449, pp. 7–8. 1911.
diagnostic factor in rabies. B.A.I. An. Rpt,,
1906, pp. 191–193. 1908; D.B. 260, pp. 3, 4.
1915.
Negro(es)—
agents, extension work. An. Rpts., 1922, pp. 452–
454. 1923; S.R.S. An. Rpt., 1922, pp. 40–42. 1922
agricultural—
colleges, organization. O.E.S. Bul. 247, pp.
10, 17–20, 31, 35, 53, 64, 74. 1912.
education, outlook. Off. Rec., vol. 1, No. 19,
p. 3. 1922.
laborers, percentages. Stat. Bul. 94, pp. 13, 16,
17–22. 1912.
organizations in Virginia. Off. Rec., vol. 2,
No. 2, p. 5. 1923.
schools. O.E.S. Bul. 176, pp. 8, 9, 33, 37, 58.
1907.
conference of farmer and extension agents. Off.
Rec., vol. 1, No. 8, p. 2. 1922.
cooperative work of county agents in South.
An. Rpts., 1918, p. 358. 1919; S.R.S. An. Rpt.,
1918, p. 24. 1918.
county agents and home demonstration agents.
D.C. 248, pp. 15, 35–37. 1922.

Negro(es)—Continued.
  educational courses in agriculture, normal schools.
    O.E.S. An. Rpt., 1910, pp. 356, 359, 379. 1911.
  extension—
    and demonstration work, 1918, progress. S.R.S.
      Rpt., 1918, pp. 47-49, 50, 54, 58, 60. 1919.
    work—
      activities and results. Ext. Dir. Rpt., 1925,
        pp. 69-79. 1925.
      among, in 1920. W. B. Mercier. D.C. 190,
        pp. 24. 1921.
      among, in 1924. J. A. Evans. D.C. 355, pp.
        24. 1925.
      in South, report, 1915. S.R.S. Rpt., 1915,
        Pt. II, pp. 38, 51, 78, 98, 127, 135-137. 1917.
      in South, report, 1917. S.R.S. Rpt., 1917,
        Pt. II, pp. 28-29, 31, 44, 52, 53, 76, 80, 95,
        102, 122, 149, 151. 1919.
  farm owners, location and numbers. Y.B., 1923,
    p. 518. 1924; Y.B. Sep. 897, p. 518. 1924.
  farmers—
    conditions in South. O.E.S. Bul. 238, pp. 74-
      76. 1911.
    demonstration work, farm and home, report.
      An. Rpts., 1923, pp. 608-609. 1924; S.R.S.
      An. Rpt., 1923, pp. 56-57. 1923.
    movable school. Off. Rec., vol. 3, No. 22, p. 3.
      1924.
    of the South, condition, discussion. O.E.S.
      Bul. 251, pp. 62-71. 1912.
    patriotic services. D.C. 190, p. 5. 1921.
    Saturday Service League, in Alabama. News
      L., vol. 6, No. 25, p. 7. 1919.
  home clubs, success. News L., vol. 7, No. 5, p.
    16. 1919.
  homes, food improvement. Off. Rec., vol. 3,
    No. 40, p. 3. 1924.
  in Arkansas, farming practices. Off. Rec., vol.
    1, No. 50, p. 5. 1922.
  in Southern States, agricultural schools. Y.B.,
    1902, pp. 492-494. 1903.
  labor—
    adaptability to horse handling and breeding.
      B.A.I. An. Rpt., 1906, p. 251. 1908; B.A.I.
      Cir. 124, p. 6. 1908.
    agriculture extension in South, 1916, demon-
      strations and results. S.R.S. Rpt., 1916,
      Pt. II, pp. 24-25. 1917.
    on farms, conditions, 1890-1900. Y.B., 1910, p.
      193. 1911; Y.B. Sep. 528, p. 193. 1911.
  owners of farms, Jan. 1, 1920. Y.B., 1921, p. 501.
    1922; Y.B. Sep. 878, p. 95. 1922.
  preachers, study of rural problems. News L.,
    vol. 7, No. 1, p. 4. 1919.
  rural population, 1910. Atl. Am. Agr., Adv.
    Sh., Pt. IX, sec. 1, pp. 6, 8, 9. 1919.
  school extension work. Off. Rec., vol. 2, No. 15,
    p. 5. 1923.
  schools of agriculture. O.E.S. Cir. 83, pp. 10,
    26-27. 1909; O.E.S. Cir. 97, pp. 14-15. 1910;
    O.E.S. Cir. 97, rev., pp. 34-36. 1912; O.E.S.
    Cir. 106, pp. 10, 12, 17, 27-28. 1911; O.E.S. Cir.
    106, rev., pp. 12, 14, 15, 18, 31. 1912.
  students, agricultural colleges, 1908, by classes
    and courses. O.E.S. An. Rpt., 1908, pp. 206-
    207. 1909.
  study of Florida agriculture. Off. Rec., vol. 3,
    No. 31, p. 4. 1924.
  tenant farmers, location and number by States.
    Y.B., 1923, p. 517. 1924; Y.B. Sep. 897, p. 517.
    1924.
  tenants and owners of cotton farms. Atl. Am.
    Agr., Adv. Sh., Pt. V, sec. A, pp. 12-13. 1919.
  training courses for teachers, different institu-
    tions. Y.B., 1907, pp. 210, 211, 214. 1908;
    Y.B. Sep. 445, pp. 210, 211, 214. 1908.
  women and girls, home demonstration work.
    D.C. 314, pp. 40-41. 1924.
NEHRLING, HENRY, grower of bamboo at Naples,
  Fla. D.B. 1329, pp. 34-35. 1925.
NEIDIG, R. E.—
  "Acidity of silage made from various crops."
    J.A.R., vol. 14, No. 10, pp. 395-409. 1918.
  "Quantity and composition of ewes' milk, its
    relation to the growth of lambs." With E. J.
    Iddings. J.A.R., vol. 17, pp. 19-32. 1919.
  "Sugar beet top silage." J.A.R., vol. 20, pp.
    537-542. 1921.
  "Sunflower investigations." With Robert S.
    Snyder. J.A.R., vol. 24, pp. 769-780. 1923.

NEIDIG, R. E.—Continued.
  "Sunflower silage." With L. E. Vance. J.A.R.,
    vol. 18, pp. 325-327. 1919.
  "Sunflower silage digestion experiment with
    cattle and sheep." With others. J.A.R., vol.
    20, pp. 881-888. 1921.
  "Sweet clover investigations." With Robert S.
    Snyder. J.A.R., vol. 24, pp. 795-799. 1923.
NEIFERT, I. E.—
  "Absorption and retention of hydrocyanic acid
    by fumigated food products." With others.
    D.B. 1149, pp. 16. 1923.
  "Experiments on the toxic action of certain gases,
    on insects, seeds, and fungi." With G. L. Gar-
    rison. D.B. 893, pp. 16. 1920.
  "Fumigation against grain weevils with various
    volatile organic compounds." With others.
    D.B. 1313, pp. 40. 1925.
Neighborhood Association, Locust Valley, New
  York, growth, development, and work. F.B.
  1274, pp. 18, 21. 1922.
NEILL, N. P.—
  "Soil survey of the Billings area, Montana."
    With Charles A. Jensen. Soil Sur. Adv. Sh.,
    1902, pp. 21. 1903; Soils F.O., 1902, pp. 665-
    685. 1903.
  "Soil survey of the Laramie area, Wyoming."
    With others. Soil Sur. Adv. Sh., 1903, pp. 31.
    1904; Soils F.O., 1903, pp. 1071-1097. 1904.
Neillia thyrsiflora, importation and description,
  No. 47739. B.P.I. Inv. 59, p. 53. 1922.
NEILSON, H. T.: "Cowpeas." F.B. 318, pp. 31.
  1908.
NELLER, J. R.: "A field study of the influence of
  organic matter upon the water-holding capacity
  of a silt-loam soil." With Frederick J. Alway.
  J.A.R., vol. 16, pp. 263-278. 1919.
Nelli tree, importation and description, No. 52295.
  B.P.I. Inv. 65, p. 86. 1923.
NELLIS, J. C.—
  "Lumber used in the manufacture of wooden
    products." D.B. 605, pp. 18. 1918.
  "Production of lumber, lath, and shingles in
    1915, and lumber in 1914." D.B. 506, pp. 45.
    1917.
  "Uses for chestnut timber killed by the bark
    disease." F.B. 582, pp. 24. 1914.
NELSON, A. E.—
  "Handling and transportation of cantaloupes."
    With others. F.B. 1145, pp. 23. 1921.
  "More care is needed in handling western canta-
    loupes." With George L. Fischer. Mkts.
    Doc. 9, pp. 11. 1918.
NELSON, A. L.: "Dry farming in southeastern
  Wyoming." D.B. 1315, pp. 20. 1925.
NELSON, D. H.: "The influence of irrigation water
  and manure on the composition of the corn
  kernel." With J. E. Greaves. J.A.R., vol. 31,
  pp. 183-189. 1925.
NELSON, E. K.—
  "A chemical investigation of American spearmint
    oil." Chem. Cir. 92, pp. 4. 1912.
  "A chemical investigation of the composition of
    the oil of chenopodium." Chem. Cir. 109, pp.
    8. 1913.
  "A chemical investigation of the oil of cheno-
    podium." Chem. Cir. 73, pp. 10. 1911.
  "Quantitative determination of ketones in essen-
    tial oils." Chem. Bul. 137, pp. 186-187. 1911.
  report on determination of camphor by hydro-
    xylamin method. Chem. Bul. 162, pp. 208-
    209. 1913.
NELSON, E. W.—
  "Instructions for making bird count, 1917."
    Biol. Doc. 106, pp. 2. 1917.
  "Our national elk herds." With Henry S.
    Graves. D.C. 51, pp. 34. 1919.
  "Reindeer in Alaska." Introduction. D.B.
    1089, pp. 1-4. 1922.
  report as chief of Biological Survey Bureau—
    1917. An. Rpts., 1917, pp. 251-266. 1918; Biol.
      Chief Rpt. 1917, pp. 16. 1917.
    1918. An. Rpts., 1918, pp. 257-275. 1919; Biol.
      Chief Rpt., 1918, pp. 19. 1918.
    1919. An. Rpts., 1919, pp. 275-298. 1920; Biol.
      Chief. Rpt., 1919, pp. 24. 1919.
    1920. An. Rpts., 1920, pp. 343-378. 1921; Biol.
      Chief Rpt., 1920, pp. 36. 1920.
    1921. Biol. Chief Rpt., 1921, pp. 34. 1921.

INDEX TO PUBLICATIONS, 1901-1925 1603

NELSON, E. W.—Continued.
report as chief of Biological Survey Bureau—Continued.
1922. An. Rpts., 1922, pp. 331-369. 1923; Biol. Chief Rpt., 1922, p. 39. 1922.
1923. An. Rpts., 1923, pp. 419-463. 1924; Biol. Chief Rpt., 1923, pp. 44. 1923.
1924. Biol. Chief Rpt., 1924, pp. 39. 1924.
1925. Biol. Chief Rpt., 1925, pp. 28. 1925.
"Status of the pronghorned antelope, 1922-1924. D.B. 1346, pp. 64. 1925.
"The agaves, a remarkable group of useful plants." Y.B., 1902, pp. 313-320. 1903; Y.B. Sep. 275, pp. 313-320. 1903.
"The rabbits of North America." N.A. Fauna 29, pp. 314. 1909.
NELSON, J. A.—
"Morphology of the honeybee larva." J.A.R., vol. 28, pp. 1167-1214. 1924.
"The rate of growth of the honeybee larva." With Arnold P. Sturtevant. D.B. 1222, Pt. I, pp. 1-24. 1924.
NELSON, J. M., Jr.: "Prolonging the life of mine timbers." For. Cir. 111, pp. 22. 1907.
NELSON, J. W.—
"Reconnoissance soil survey of the—
lower San Joaquin Valley, California." With others. Soil Sur. Adv. Sh., 1915, pp. 157. 1918; Soils F.O., 1915, pp. 2583-2733. 1919.
middle San Joaquin Valley, California." With others. Soil Sur. Adv. Sh., 1916, pp. 115. 1919; Soils F.O., 1916, pp. 2421-2529. 1921.
Sacramento Valley, California." With L. C. Holmes. Soil Sur. Adv. Sh., 1913, pp. 148. 1915; Soils F.O., 1913, pp. 2297-2438. 1916.
San Francisco Bay region, California." With L. C. Holmes and party. Soil Sur. Adv. Sh., 1914, pp. 112. 1917; Soils F.O., 1914, pp. 2679-2784. 1919.
upper San Joaquin Valley, California." With others. Soil Sur. Adv. Sh., 1917, pp. 109. 1921; Soils F.O., 1917, pp. 2535-2644. 1923.
"Soil survey of—
Mesilla Valley, New Mexico-Texas." With L. C. Holmes. Soil Sur. Adv. Sh., 1912, pp. 39. 1914; Soils F.O., 1912, pp. 2011-2045. 1915.
Pitt County, North Carolina." With others. Soil Sur. Adv. Sh., 1909, pp. 35. 1910; Soils F.O., 1909, pp. 389-419. 1912.
Scotland County, North Carolina." With others. Soil Sur. Adv. Sh., 1909, pp. 32. 1911; Soils F.O., 1909, pp. 421-448. 1912.
the—
Cache Valley area, Utah." With E. C. Eckmann. Soil Sur. Adv. Sh., 1913, pp. 70. 1915; Soils F.O., 1913, pp. 2099-2164. 1916.
Fresno area, California." With others. Soil Sur. Adv. Sh., 1912, pp. 82. 1914; Soils F.O., 1912, pp. 2089-2166. 1915.
Los Angeles area, Calif." With others. Soil Sur. Adv. Sh., 1916, pp. 78. 1919; Soils F.O., 1916, pp. 2347-2420. 1921.
Madera area, California." With others. Soil Sur. Adv. Sh., 1910, pp. 43. 1911; Soils F.O., 1910, pp. 1717-1753. 1912.
Medford area, Oregon." With others. Soil Sur. Adv. Sh., 1911, pp. 74. 1913; Soils F.O. 1911, pp. 2287-2356. 1914.
middle Rio Grande Valley area, N. Mex." With others. Soil Sur. Adv. Sh., 1912, pp. 52. 1914; Soils F.O., 1912, pp. 1965-2010. 1915.
Riverside area, Calif." With others. Soil Sur. Adv. Sh., 1915, pp. 88. 1917; Soils F.O. 1915, pp. 2367-2450. 1919.
Uncompahgre Valley area, Colo." With Lawrence A. Kolbe. Soil Sur. Adv. Sh., 1910, pp. 51. 1912; Soils F.O., 1910, pp. 1443-1489. 1912.
Ventura area, Calif." With others. Soil Sur. Adv. Sh., 1917, pp. 87. 1920; Soils F.O., 1917, pp. 2321-2403. 1923.
Waushara County, Wisconsin." With others. Soil Sur. Adv. Sh., 1909, pp. 33. 1911; Soils F.O., 1909, pp. 1203-1231. 1912.
NELSON, MARTIN, report on Arkansas Experiment Station—
1913. O.E.S. An. Rpt., 1913, pp. 32-33. 1915.
1914. O.E.S. An. Rpt., 1914, pp. 64-67. 1915.

NELSON, P., report on—
apicultural notes, Guam, 1915. Guam A.R.. 1915, pp. 41-43. 1916.
"Meteorological observations, Guam—
1918." Guam A.R., 1918, pp. 59-61. 1919.
1919." Guam A.R., 1919, pp. 50-52. 1921.
1920." Guam A.R., 1920, pp. 77-79. 1921.
1921." Guam A.R., 1921, pp. 41-43. 1923.
Nelson amendment to—
act of 1907, for endowment agricultural colleges. O.E.S. Cir. 68, rev., p. 10. 1906.
Morrill Acts affecting land-grant colleges. D.C. 251, pp. 5-6. 1923.
Nelson amendment, utilization, discussion. O.E.S. Bul. 106, pp. 80-90. 1911.
Nelumbo—
lutea. See Lotus, yellow.
spp., comparison with Nymphaea. D.B. 58, p. 15. 1914.
Nelumbonaceae. See Waterlily.
"Nem," definition, standard of one gram of human milk. B.A.I. [Misc.], "World's dairy congress, 1923," p. 463. 1924.
Nema(s)—
coconut, cause of red-ring disease. Off. Rec., vol 1, No. 7, p. 1. 1922.
description, location, and crop injury. Off. Rec., vol. 3, No. 18, p. 6. 1924.
kinds likely to be confused with Heterodera Agr. Tech. Cir. 1, pp. 38-47. 1918.
parasitic—
in insects, note. B.P.I. Chief Rpt., 1925, pp. 18-19. 1925.
infesting cotton and potatoes. J.A.R., vol. 11 pp. 27-33. 1917.
on plants and related forms. G. Steiner. J.A.R., vol. 28, pp. 1059-1066. 1924.
population of soil, estimation. N. A. Cobb. Agr. Tech. Cir. 1, pp. 48. 1918.
sources and determination. J.A.R., vol. 23, p. 922. 1923.
sugar-beet, estimation in soil. Agr. Tech. Cir. 1, pp. 1-48. 1918.
See also Nematodes.
Nematinus, synonym for Nematus. Ent. T.B. 20, Pt. II, p. 99. 1911.
Nematode(s)—
and their relationships, N. A. Cobb. Y.B., 1914, pp. 457-490. 1915; Y.B. Sep. 652, pp. 457-490. 1915.
attacks, effect on yield and sugar content. F.B. 772, pp. 7-10, 19. 1916.
beaver, description. J.A.R., vol. 30, pp. 680-681. 1925.
beet, control method, local and field. F.B. 772, pp. 15-17. 1916.
beneficial, in soil. J.A.R., vol. 2, pp. 226-228. 1914.
bulb, collection from imported bulbs. F.H.B. S.R.A. Sup. 77, p. 177. 1924.
cause of—
cabbage root-knot, description. F.B. 925, rev., p. 13. 1921.
cotton root-knot, control methods. B.P.I. Doc. 648, p. 2. 1911; F.B. 625, p. 9. 1914 News L., vol. 2, No. 42, pp. 7-8. 1915.
cowpea root-knot, note. B.P.I. Bul. 229, p. 25. 1912.
disease of cereals. R. W. Leukel. J.A.R., vol 27, pp. 925-956. 1924.
eelworm disease of wheat. F.B. 1041 ,pp. 4, 7. 1919.
red wilt in pineapples, control. F.B. 1237, pp 28-31. 1921.
root knot—
description and life history. F.B. 648, pp 4-6. 1915.
in dasheens, control. F.B. 1396, pp. 22-23. 1924.
of cotton. F.B. 333, pp. 18-21. 1908; F.B. 1187, p. 13. 1921.
of cowpeas. F.B. 1148, p. 22. 1920.
citrus-root—
N. A. Cobb. J.A.R., vol 2, pp. 217-230. 1914.
relation to mottle leaf, possibility. J.A.R., vol. 6, No. 19, p. 722. 1916.
clover-seed infestation in Idaho. An. Rpts., 1919, pp. 174-175. 1920; B.P.I. Chief Rpt., 1919, pp. 38-39. 1919.

Nematode(s)—Continued.
control—
ineffective method. F.B. 772, p. 15. 1916.
methods. News L., vol. 5, No. 28, pp. 6–7. 1918.
Cooperia bisonis, new species from the Buffalo. Eloise B. Cram. J.A.R., vol. 30, pp. 571–573. 1925.
damage to trees and crops. Y.B., 1914, pp. 461, 468, 470, 471. 1915; Y.B. Sep. 652, pp. 461, 468, 470, 471. 1915.
disease—
injury in sugar-cane and banana roots. J.A.R., vol. 4, pp. 561–568. 1915.
of vegetables under market, storage, and transit conditions. B.P.I. [Misc.] "Handbook of the * * *," p. 23. 1919.
of wheat—
caused by *Tylenchus tritici*. L. P. Byars. D.B. 842, pp. 40. 1920.
control methods. D.B. 734, pp. 13–15. 1918.
description and galls. J.A.R., vol. 27, pp. 925–956. 1924.
description, cause, and control. Sec. Cir. 114, pp. 1–7. 1918.
distinction from rosette disease. J.A.R., vol. 23, p. 778. 1923.
history, distribution, and description. D.B. 842, pp. 1–8. 1920.
spread. J.A.R., vol. 27, pp. 941–949, 954. 1924.
spread by use of infected screenings as feed. D.B. 734, p. 15. 1918.
distribution, and description. News L., vol. 6, No. 43, p. 12. 1919.
effect on wheat quality, milling, and baking. D.B. 734, pp. 8–13. 1918.
enemies of cabbage flea beetle. D.B. 902, p. 14. 1920.
galls—
as a factor in marketing and milling wheat. D. A. Coleman and S. A. Regan. D.B. 734, pp. 16. 1918.
ginseng roots, symptoms, cause, and control. F.B. 736, pp. 16–17. 1916.
origin. J.A.R., vol. 8, p. 183. 1917.
similarity to nodules, precaution. F.B. 315, p. 12. 1908.
genera *Syngamus* Sieb. and *Cyathostoma* E. Blanch, review. Edward A. Chapin. J.A.R., vol. 30, pp. 557–570. 1925.
generic names, list. B.A.I. Bul. 79, pp. 81–150. 1905.
Gongylonema ingluvicola, parasitic in the crop of chickens. Brayton H. Ransom. B. A. I. Cir. 64, pp. 3. 1904.
importance in animal kingdom. J.A.R., vol. 2, p. 217. 1914.
in—
buffalo, description. J.A.R., vol. 30, pp. 571–573. 1925.
chicken. B.A.I. Cir. 64, pp. 3. 1904.
greenhouses. F.B. 1431, p. 22. 1924.
soil, control by sterilization, Porto Rico. P.R. Cir. 17, pp. 25–26. 1918.
wheat galls, description, life history, and spread. D. B. 734, pp. 5–6, 15. 1918.
infestation of—
man and domestic animals. Y.B., 1914, pp. 460–461, 466–468, 471. 1915; Y.B. Sep. 652, pp. 460–461, 466–468, 471. 1915.
ruminants, structure, studies. B.A.I. Bul. 127, pp. 16–124. 1911.
injury to—
cantaloupes. News L., vol. 6, No. 48, p. 7. 1919.
clover. F.B. 1365, p. 20. 1924.
figs in Southern States. F.B. 1031, pp. 7, 15, 16, 34–35. 1919.
leguminous plants. F.B. 315, p. 12. 1908.
strawberries, in South, prevention. F.B. 1026, pp. 7–8, 36. 1919.
strawberry plants. F.B. 1027, pp. 5, 10–11. 1919; F.B. 1453, pp. 6–7. 1925.
sugar-cane and control measures. F.B. 1034, p. 27. 1919.
tomatoes, prevention. F.B. 642, p. 5. 1915.
vegetables, in Canal Zone, control methods. Rpt. 95, pp. 16–17. 1912.

Nematode(s)—Continued.
introduction from Europe, injury to wheat crop, and control. News L., vol. 6, No. 5, p. 1. 1918.
investigations. An. Rpts., 1920, pp. 205–207. 210. 1921.
larvae—
overwintering, and spread of infection. J.A.R. vol. 27, pp. 948–949. 1924.
treatment with heat and with chemicals. D.B. 842, pp. 19–28. 1920.
leaf-curl, occurrence on plants in Texas, and description. B.P.I. Bul. 226, p. 103. 1912.
life history, nature, description, and characteristics. D.B. 817, pp. 30–31, 45. 1920; Y.B., 1914, pp. 464–465, 473–480, 485–489. 1915; Y.B. Sep. 652, pp. 464–465, 473–480, 485–489. 1915.
new, from North American mammals, descriptions. J.A.R., vol. 30, pp. 677–681. 1925.
nicotine poisoning. J.A.R., vol. 7, p. 114. 1916.
occurrence in alimentary tract of ruminants, list. B.A.I. Bul. 127, pp. 13–15. 1911.
onion, description and control studies. News L., vol. 1, No. 9, pp. 3–4. 1913.
parasitic—
in—
cattle, sheep, and other ruminants. B. H. Ransom. B.A.I. Bul. 127, pp. 132. 1911.
crop of chickens. Brayton H. Ransom. B.A.I. Cir. 64, pp. 3. 1904.
the eyes of birds, list. B.A.I. Bul. 60, pp. 45–50. 1904.
new genera and species. Brayton H. Ransom. B.A.I. Cir. 116, pp. 7. 1907.
notes, descriptions, life histories, and methods of infection. B.A.I. Cir. 116, pp. 1–7. 1907.
on insects, life history and habits. J.A.R., vol. 6, No. 3, pp. 115–127. 1916.
relation to waterfowl mortality, discussion. D.B. 217, pp. 5–6. 1915.
potato, habits and control. Hawaii Bul. 45, pp. 18, 33–34. 1920.
prolific character. F.B. 772, p. 12. 1916.
root-gall, peach, description, remedies. Y.B., 1905, p. 348. 1906; Y.B. Sep. 386, p. 348. 1906.
root-knot—
cause of galls on potato. F.B. 1367, p. 28. 1924.
control by hot-water treatment. D.B. 818, pp. 1–14. 1920.
depth distribution. J.A.R., vol. 29, pp. 93–98. 1924.
description, life history, and spread. B.P.I. Cir. 92, p. 6. 1912; F.B. 1345, pp. 5–7, 12–14. 1923.
See also Root-knot.
seed-bed treatment. Work and Exp., 1922, p. 54. 1924.
spread—
by dogs. D.B. 260, pp. 23–24. 1915.
in soil, methods. F.B. 1248, pp. 11–13. 1922.
spreading method. F.B. 772, pp. 12–13. 1916; F.B. 1237, pp. 29–30. 1921.
stem—
injury to forage crops and to bulbs, investigations. An. Rpts., 1923, pp. 262–263. 1924; B.P.I. Chief Rpt., 1923, pp. 8–9. 1923.
Tylenchus dipsaci, on wild hosts in the Northwest. G. H. Godfrey and M. B. McKay. D.B. 1229, pp. 10. 1924.
sugar-beet—
and root-knot, characteristic differences, table. F.B. 772, p. 10. 1916.
control—
Harry B. Shaw. F.B. 772, pp. 19. 1916.
methods. F.B. 1248, pp. 13–16. 1922.
description and life history. F.B. 772, pp. 3–6. 1916; F.B. 1248, pp. 3–6, 13–16. 1922.
dormancy periods in Utah. Gerald Thorne. D.C. 262, pp. 5. 1923.
enemies, cooperative control experiments. D.B. 995, pp. 18, 45–46. 1921.
in the Western States. Gerald Thorne and L. A. Giddings. F.B. 1248, pp. 16. 1922.
introduction, injuries and spread in United States. F.B. 772, p. 7. 1916.
occurrence and history in Europe. F.B. 772, pp. 6, 18–19. 1916.
spread, and control. B.P.I. Bul. 260, pp. 11, 36. 1912; D.B. 721, pp. 17, 45. 1918.
study methods. F.B. 1248, pp. 6–9. 1922.

Nematode(s)—Continued.
 Tylenchus dipsaci, dissemination in seeds of certain composites. G. H. Godfrey. J.A.R., vol. 28, pp. 473-478. 1924.
 wheat—
  control methods. D.B. 842, pp. 32-35, 37. 1920; F.B. 1041, p. 10. 1919.
  host range. J.A.R., vol. 27, pp. 933-935. 1924.
  overwintering, effect of cold. D.B. 842, pp. 27-28. 1920.
 See also Nema; Gall-worm; Eelworm; Roundworm.
Nematodirus—
 filicollis, description and occurrence in sheep. F.B. 1150, pp. 47-48. 1920.
 spathiger. See Strongyle, thread-necked.
Nematus erichsonii. See Larch worm.
Nemophila, description, cultivation, and characteristics. F.B. 1171, pp. 64, 81. 1921.
Nenga schefferiana, importation and description. No. 51725, B.P.I. Inv. 65, p. 41. 1923.
Nenta disease, identity with loco disease. B.A.I. Bul. 112, pp. 29, 41. 1909.
Neoclytus—
 capraea. See Ash-wood borer.
 erythrocephalus—
  destruction by birds. Biol. Bul. 15, p. 47. 1901.
  flight period and control spraying. D.B. 1079, pp. 5-10. 1922.
  See also Clytus, red-headed.
 host selection of two species. J.A.R., vol. 22, pp. 193-220, 213-215. 1921.
Neocosmospora vasinfecta—
 occurrence in cowpea. B.P.I. Bul. 229, p. 25. 1912.
 occurrence in okra and cotton. J.A.R., vol. 12, p. 529. 1918.
 See also Cotton wilt.
Neodiprion lecontei—
 description, distribution, life history, economic importance, and control. J.A.R., vol. 20, pp. 741-760. 1921.
 similarity to Diprion simile, and differences. D.B. 1182, pp. 7. 1923.
 See also Sawfly, Leconte's.
Neofabraea malicoriticis, disease of apples, description. F.B. 1160, pp. 12-13. 1920.
Neohipparion, description. B.A.I. An. Rpt., 1910, p. 167. 1912.
Neolecanium cornuparvum, description, habits, and control. F.B. 1169, p. 81. 1921.
Neoloides spp., description. Rpt. 108, pp. 96, 99. 1915.
Neomaskellia spp., classification and description. Ent. T.B. 27, Pt. I, pp. 91-93. 1913.
Neopales maera, parasite of Neodiprion lecontei. J.A.R., vol. 20, pp. 757-758. 1921.
Neopechia coulteri, description, host plants, and habits. J.A.R., vol. 4, pp. 251-252. 1915.
Neophasia menapia. See Butterfly, pine.
Neophyllobius spp., description and habits. Rpt. 108, pp. 33, 34. 1915.
Neoplasms—
 physical-chemical origin, studies. J.A.R., vol. 8, pp. 168-184. 1917.
 See also Tumors.
Neoptilia spp., description. Ent. T.B. 20, Pt. II, p. 107. 1911.
Neorhizobius spp., description. D.B. 826, p. 88. 1920.
Neosalvarsan—
 adulteration and misbranding. See Indexes, Notices of Judgment, in bound volumes, and in separates published as supplements to Chemistry Service and Regulatory Announcements.
 use in—
  control of bursitis of horses, and cost. News L., vol. 3, No. 2, p. 5. 1915.
  treatment of dourine, experiments. An. Rpts., 1914, p. 84. 1914; B.A.I. Chief Rpt., 1914, p. 28. 1914.
Neosho River, condition of channel. O.E.S. Bul. 198, pp. 9-11. 1908.
Neosho River Valley, Kansas, floods, prevention of injury. J. O. Wright. O.E.S. Bul. 198, pp. 44. 1908.
Neosorex spp. See Shrew.
Neosporidia divisions, occurrence and diseases caused. B.A.I. An. Rpt., 1910, pp. 495-498. 1912; B.A.I. Cir. 194, pp. 495-498. 1912.

Neotoma—
 genus, revision. Edward A. Goldman. N.A. Fauna 31, pp. 124. 1910.
 spp. See Rat.
Neowashingtonia filifera. See Palm, California fan.
Nepeta cataria. See Catnip.
Nephelium—
 lappaceum. See Rambutan.
 litchi. See Litchi.
 longana. See Longan.
 spp. importations—
  and description. Nos. 42384, 42385, 42605, 42814, B.P.I. Inv. 47, pp. 9, 36, 69. 1920.
  by Bureau of Plant Industry. B.P.I. Bul. 223, p. 12. 1911.
Nephi substation, Utah, establishment, location, and description. D.B. 30, pp. 1-10, 48. 1913.
Nephelodes sp. See Cutworm.
Nephoscope, Weather Bureau, directions for use. Benjamin C. Kadel. W.B. Cir. I, pp. 10. 1920.
Nephritis—
 acute, in horse, causes, symptoms, and treatmnt. B.A.I. [Misc.], "Diseases of the horse." rev., pp. 84-86. 1903; rev., pp. 84-86. 1907; rev., pp. 84-86. 1911; rev., pp. 143-145. 1923.
 cattle, cause, symptoms, and treatment. B.A.I. [Misc.], "Diseases of cattle," rev., pp. 123-127. 1912; rev., pp. 123-127. 1923.
Nephrolepis spp., importations and description. Nos. 43434-43436, B.P.I. Inv. 49, p. 21. 1921; No. 45228, B.P.I. Inv. 53, p. 13. 1922.
Nephrosperma van-houtteanum, importations and description. No. 45965, B.P.I. Inv. 54, p. 51. 1922; No. 51133, B.P.I. Inv. 64, p. 62. 1923.
Neps, cotton, description and cause. D.C. 278, p. 11. 1924.
Nepticula pomivorella, control and life history. F.B. 1270, p. 57. 1922.
Nereocystis luetkeana—
 analyses. J.A.R., vol. 4, pp. 41, 43, 45, 46, 50, 51. 1915.
 annual growth, need of protection. Y.B., 1912, p. 533. 1913; Y.B. Sep. 611, p. 533. 1913.
 distribution, description, growth, and analyses. D.B. 150, pp. 53-64. 1915; Rpt. 100, pp. 16-17, 26, 27, 38, 41-42, 46, 47, 51, 53, 54, 55, 56, 58, 63, 64, 65, 66-67. 1915.
 'ocation, area, tonnage, maps, and tables. Rpt. 100, pp. 70, 73-104, 111-121. 1915.
 nitrogen-availability studies. J.A.R. vol. 4, pp. 23-29, 32, 35-36. 1915.
Neroli oil, wholesale price. B.P.I. Bul. 195, p. 44. 1910.
Nerve(s)—
 and brain food tablets, misbranding—"Makeman Tablets." Chem. N.J. 891, pp. 2. 1911.
 cells and fibers, technical discussion. J.A.R., vol. 18, pp. 146-147, 153. 1919.
 invigorator. Damiana, decision of U. S. C. Court of Appeals, 2d Circuit. Sol. Cir. 57, pp. 1-4. 1912.
 restorer, misbranding—"Dr. Kline's great nerve restorer." Chem. N.J. 1070, pp. 2. 1911.
 syrup, Guertin's, misbranding. Chem. S.R.A. Supp. 19, pp. 629-630. 1916.
 tissues, horse, examination for pathology of dourine. J.A.R., vol. 18, pp. 148-153. 1919.
Nervine—
 misbranding. See also Indexes, Notices of Judgment, in bound volumes, and separates published as supplements to Chemistry Service and Regulatory Announcements.
 "Samaritan," misbranding. Chem. N.J. 4280, p. 1. 1916.
Nervosex tablets, misbranding. See Indexes, Notices of Judgment, in bound volumes, and in separates published as supplements to Chemistry Service and Regulatory Announcements.
Nervous system—
 cattle—
  anatomy, and physiology. B.A.I. [Misc.], "Diseases of cattle," rev., pp. 99-101. 1904; rev., pp. 101-103. 1912; rev., pp. 101-103. 1923.
  diseases of. W. H. Harbaugh. B.A.I. [Misc.], "Diseases of cattle," rev., pp. 99-110. 1904; rev., pp. 99-110. 1908; rev., pp. 101-112. 1912; rev., pp. 101-112. 1923.

Nervous system—Continued.
horse—
anatomy, and physiology. B.A.I. [Misc.], "Diseases of the horse," rev., pp. 190-192. 1903; rev., pp. 190-192. 1907; rev., pp. 190-192. 1911; rev., pp. 210-212. 1923.
diseases of. M. R. Trumbower. B.A.I. [Misc.], "Diseases of the horse," rev., pp. 190-224. 1903; rev., pp. 190-224. 1907; rev., pp. 190-224. 1911; rev., pp. 210-246. 1916; rev., pp. 210-246. 1923.
Nervura, Dr. Greene's, misbranding. Chem. N.J. 4149, p. 1. 1916.
NESOM, G. H.: "Soil survey of Anoka County, Minnesota." With others. Soil Sur. Adv. Sh., 1916, pp. 30. 1918; Soils F.O., 1916, pp. 1807-1832. 1921.
Nesospingus speculiferus. See Tanager, Porto Rican.
Nesson project, irrigation in North Dakota, proposed work. O.E.S. Bul. 219, pp. 23-24. 1909.
Nest(s)—
and eggs, protection. Biol. Bul. 12, rev., p. 35. 1902.
birds' collection—
on bird reservations for use of department. Biol. S.R.A. 8, p. 1. 1916.
regulations. Biol. S.R.A. 21, pp. 2. 1918.
brown-tail moth, importations, 1909-1911. F.B. 453, pp. 5-7, 9-10. 1911.
eggs—
medicated, for mite control. D.B. 1228, p. 3. 1924.
naphthalene, study. Off. Rec., vol. 2, No. 15, p. 2. 1923.
hens'—
arrangement in chicken house. D.C. 19, p. 8. 1919.
building. News L., vol. 6, No. 46, p. 11. 1919.
care during incubation. F.B. 1363, pp. 6-7. 1923.
construction—
and distribution in poultry house. F.B. 1113, p. 8. 1920.
to avoid tick infestation. F.B. 1070, pp. 12-13. 1919.
for incubation, suggestions. F. B. 357, p. 7. 1909; F.B. 1106, pp. 3-4. 1920; O.E.S. F.I. L. 10, p. 13. 1909; rev., 1910.
protection from ticks. Y.B., 1910, p. 222, 1911; Y.B. Sep. 531, p. 222. 1911.
requirements for production of good eggs. Y.B., 1911, p. 474. 1912; Y.B. Sep. 584, p. 474. 1912.
suggestions. B.A.I. Bul. 141, pp. 28-29. 1911.
pheasants' preparation. F.B. 390, p. 27. 1910.
poultry, requirements. F.B. 1413, p. 10. 1924.
trap—
construction. D.B. 527, p. 29. 1917.
description. B.A.I. Bul. 90, p. 36. 1906; F.B. 357, pp. 36-39. 1909; F.B. 1040, p. 18. 1919.
for hens. F.B. 682, pp. 1-3. 1915.
in Argentine ant control. D.B. 965, pp. 18-20, 40, 41. 1921.
poultry—
construction details. S.R.S. Doc. 66, pp. 1-3. 1918.
use and description. News L., vol. 2, No. 51, p. 3. 1915.
simple, for poultry. Alfred R. Lee. F.B. 682, pp. 3. 1915.
turkeys', care of eggs for hatching. F. B. 791, pp. 12-13. 1917.
Nesting—
boxes—
bird houses, dimensions for various birds, table. F.B. 609, p. 4. 1914.
birds, description. Biol. Bul. 29, pp. 9-11. 1907; F.B. 493, rev., pp. 5-6. 1917.
trap for English sparrows. F.B. 493, p. 11. 1912; F.B. 493, rev., p. 9. 1917.
use in prevention of damage by woodpeckers. Biol. Bul. 39, pp. 14-15. 1911.
materials, medicated, for mite control. D.B. 1228, p. 4. 1924.
Nestlings—
food. Sylvester D. Judd. Y.B., 1900, pp. 411-436. 1901; Y.B. Sep. 194, pp. 26. 1901.
russet-backed thrush, food, quality, and requirements. D.B. 280, pp. 17-18. 1915.

Net-necrosis of *Solanum tuberosum.* J.A.R., vol. 21, pp. 47-80. 1921.
Net-weight act, food packages, enforcement. An. Rpts., 1913, p. 192. 1914; Chem. Chief Rpt., 1913, p. 2. 1913.
Netblotch, barley, cause, description, and control. J.A.R., vol. 24, pp. 642, 656-663. 1923.
Netherlands—
agricultural—
imports. Stat. Bul. 72, pp. 53. 1909.
statistics, 1911-1920. D.B. 987, pp. 41-42. 1921.
bulb growing, practices. D.B. 797, pp. 5-7, 18, 21. 1919.
butter trade, 1850-1915. D.C. 70, p. 15. 1919.
cattle breeds, origin and ancestry. B.A.I. An. Rpt., 1910, pp. 222-223. 1912.
cattle, number per square mile, maps. Sec. [Misc.], Spec. "Geography * * * world's agriculture," pp. 121, 123. 1918.
cheese—
control. B.A.I. [Misc.], "World's dairy Congress, 1923," p. 758. 1924.
production and trade. D.C. 71, pp. 7, 9, 15. 1919.
contagious diseases of animals, 1907. B.A.I. An. Rpt., 1907, pp. 411, 416. 1909.
1908. B.A.I. An. Rpt., 1908, pp. 417, 423. 1910.
1909. B.A.I. An. Rpt., 1909, p. 337. 1911.
1910. B.A.I. An. Rpt., 1910, p. 522. 1912.
cooperative dairy organizations, instruction given. B.A.I. [Misc.], "World's dairy congress, 1923," pp. 400-407. 1924.
corn imports, 1906-1910, by countries of origin. Stat. Cir. 26, p. 7. 1912.
cows and cattle, 1850-1918. D.C. 7, pp. 3, 14 1919.
crops, acre value. Stat. Bul. 68, p. 25. 1908.
dairy—
instruction, Government school, curriculum. B.A.I. [Misc.], "World's dairy congress," 1923," pp. 638-649. 1924.
statistics, 1850-1920. B.A.I. Doc. A-37, pp. 56-58. 1922.
forest resources. For. Bul. 83, pp. 51-52. 1910.
fruits, acreage, production, imports and exports, 1914. D.B. 483, p. 18. 1917.
grain—
production and acreage. Stat. Bul. 68, pp. 72-74. 1908.
trade. Stat. Bul. 69, pp. 35-37. 1908.
hog tuberculosis, prevalence. B.A.I. An. Rpt., 1907, p. 219. 1909; B.A.I. Cir. 144, p. 219. 1909.
laws on fruit and plant introduction. Ent. Bul. 84, p. 36. 1909.
livestock—
conditions, 1919, and food demands. Y.B., 1919, pp. 416-418. 1920; Y. B. Sep. 821, pp. 416-418. 1920.
statistics, numbers of cattle, sheep, and hogs. Rpt. 109, pp. 31, 37, 48, 51, 59, 62, 203, 213. 1916.
meat—
consumption. Rpt. 109, pp. 128, 133, 271-273. 1916.
imports, statistics. Rpt. 109, pp. 101-114, 239-240, 253, 259, 261. 1916.
milk service in cities. B.A.I. [Misc.], "World's dairy congress, 1923," pp. 1312-1315. 1924.
pork—
exports. Y.B., 1922, p. 253. 1923; Y.B. Sep. 882, p. 253. 1923.
imports, certificate requirements. B.A.I.S.R.A. 197, p. 78. 1923.
shipments from United States. B.A.I.S.R.A. 201, p. 2. 1924.
potato(es)—
acreage and production. Farm M. [Misc.] "Geography * * * world's agriculture," p. 70. 1917.
production, 1909-1913, 1921-1923. S. B. 10, p. 19. 1925.
quarantine release. F.H.B.S.R.A. 2, pp. 4-5. 1914.
rice exports to United States. D.B. 323, pp. 2, 3. 1915.
statistics, crops and livestock, 1911-1913, graphs. Y.B., 1916, pp. 537-551. 1917; Y.B. Sep. 713, pp. 7-21. 1917.

INDEX TO PUBLICATIONS, 1901-1925   1607

Netherlands—Continued.
  sugar—
    industry, 1903-1914. D.B. 473, pp. 51-52. 1917.
    production, and beet acreage. Farm M. [Misc.], "Geography * * * world's agriculture," pp. 73, 75. 1917.
    trade with United States. D.B. 296, pp. 5, 8-49. 1915.
  tuberculosis, hog, prevalence. B.A.I. Cir. 201, p. 11. 1912.
  wheat imports, 1885-1906. Stat. Bul. 66, p. 49. 1908.
Neti. See Sword grass.
Nets—
  horse, use against flies. Y.B., 1912, p. 387. 1913; Y.B. Sep. 600, p. 387. 1913.
  insects—
    collecting, use in control of cranberry spanworms, methods. F.B. 860, p. 18. 1917.
    description and directions for making. F.B. 606, pp. 4-6. 1914.
  mosquito, description. Ent. Bul. 88, pp. 14-18. 1910.
  use in trapping birds. M.C. 18, pp. 13-14. 1924.
Nettion spp. See Teals.
Nettle—
  horse—
    description, distribution, spread, and products injured. F.B. 660, p. 27. 1915.
    See also Solanum carolinense.
  rash—
    cattle—
      description, causes, and treatment. B.A.I. [Misc.], "Diseases of cattle," rev., pp. 324-325. 1904; rev., pp. 336-337. 1912; rev., pp. 324-325. 1923.
      See also Urticaria, cattle.
    cause and treatment. B.A.I. [Misc.], "Diseases of the horse," rev., p. 440. 1903; rev., p. 440. 1907; rev., p. 440. 1911; rev., p. 467. 1923.
    tree, importation and description. No. 48662, B.P.I. Inv. 61, pp. 32-33. 1922.
Neubauer-Loewenthal method of determination of tannin and coloring matter. Chem. Bul. 66, rev., p. 22. 1905.
Neuces River, Tex., description, drainage area, and discharge. O.E.S. Bul. 222, p. 25. 1910.
NEULS, J. D.: "The common mealybug and its control in California." With R. S. Woglum. F.B. 862, pp. 16. 1917.
"Neuralgia—
  and headache cure," misbranding. Chem. N.J. 568, p. 1. 1910.
  cure, Dr. Caldwell's anti-pain tablets, misbranding. Chem. N.J. 1545, p. 1. 1912.
  pills, adulteration, and misbranding. Chem. N.J. 3046, p. 1. 1914.
Neurepyris sp., enemy of flea beetle, description. D.B. 436, p. 17. 1917.
Neurine—
  formation, effect on wheat seedlings. Soils Bul. 47, p. 25. 1907.
  soil constituent, wheat-growing tests. Soils Bul. 87, pp. 64-65. 1912.
Neuritis cure, misbranding. Chem. N.J. 2997. 1914.
Neurofibroma tumor, cattle, description and treatment. B.A.I. [Misc.], "Diseases of cattle," rev., p. 310. 1904; rev., pp. 321-322. 1912; rev., pp. 310. 1923.
Neuroptera, destruction by flycatchers, lists. Biol. Bul. 44, pp. 11, 27, 51. 1912.
Neuropteroid insects affecting cereals. Ent. Bul. 96, Pt. I, p. 7. 1911.
Neurotrichus spp. description and key to species and subspecies. N.A. Fauna 38, pp. 92-98. 1915.
Nevada—
  agricultural—
    colleges and experiment stations, organization—
      1905. O.E.S. Bul. 161, p. 44. 1905.
      1906. O.E.S. Bul. 176, p. 51. 1907.
      1907. O.E.S. Bul. 197, pp. 53-54. 1908.
      1910. O.E.S. Bul. 224, p. 45. 1910.
      1911. O.E.S. Bul. 247, p. 46. 1912.
      See also Agriculture, workers list.
    education extension, 1906. O.E.S. Bul. 196, p. 29. 1907.
    extension work, statistics. D.C. 253, pp. 5, 8, 12-13, 17, 18. 1923.

Nevada—Continued.
  agricultural—continued.
    possibilities, irrigation projects. B.P.I. Bul. 157, pp. 16-18, 23-28. 1905.
  Anaho Island, bird reservation, report, 1915. An. Rpts., 1915, p. 241. 1916; Biol. Chief Rpt., 1915, p. 9. 1915.
  antelope refuges, establishment. D.B. 1346, pp. 14-15. 1925.
  appropriations for experiment station work. O.E.S. An. Rpt., 1911, pp. 56, 150. 1912.
  Astragalus tetrapterus, occurrence. D.C. 81, p. 4. 1920.
  barley crops, 1870-1906, acreage, production, and value. Stat. Bul. 59, pp. 9-20, 23-26, 35. 1907
  bee—
    and honey statistics. D.B. 325, pp. 9-12. 1915; D.B. 685, pp. 7, 10, 13, 15, 17, 18, 20, 22, 24, 27, 30, 31. 1918.
    diseases, occurrence. Ent. Cir. 138, p. 14. 1911.
  beet-sugar industry, progress—
    1909. Rpt. 90, p. 66. 1909.
    1910-1911. B.P.I. Bul. 260, pp. 15, 19, 20. 29. 73. 1912.
  bird protection. See Bird protection.
  border-method irrigation, practices. F.B. 1243. pp. 26-27. 1922.
  bounty laws, 1907. Y. B. 1907, p. 563. 1908; Y.B. Sep. 473, p. 563. 1908.
  bovine tuberculosis, quarantine law. B.A.I. Bul. 28, p. 79. 1901.
  canals, concrete-lined, construction, cost, and other data. D.B. 126, pp. 67-68, 83. 1915.
  cantaloupe shipment, 1914. D.B. 315, pp. 17, 19. 1915.
  Carson Valley, mammals of. F.B. 335, pp. 1-31. 1908.
  climatic conditions on the Truckee-Carson project. B.P.I. Cir. 114, pp. 25-30. 1913.
  Columbus Marsh potash deposits, value. Y.B. 1912, p. 532. 1913; Y.B. Sep. 611, p. 532. 1913.
  convict road-work laws. D.B. 414, pp. 205-206. 1916.
  cooperative associations, statistics, and laws. D.B. 547, pp. 13, 19, 72. 1917.
  corn crops—
    1870-1887, 1910-1915, yields and prices. D.B. 515, p. 14. 1917.
    1880-1906, acreage, production, and value. Stat. Bul. 56, pp. 14-27, 36. 1907.
  crop conditions, 1914, Truckee-Carson Experiment Farm. W. I. A. Cir., 3, pp. 3-5. 1915.
  crops, field and orchard, growing and variety tests. D.C. 136, pp. 4, 7-16. 1920.
  dairy club work, results. D.C. 152, p. 17. 1921.
  date-growing possibilities. B.P.I. Bul. 53, pp. 125-126. 1904.
  demonstration farm work, 1909. O.E.S. An. Rpt., 1909, pp. 58, 141. 1910.
  demurrage provisions, regulations. D.B. 191, pp. 3, 26. 1915.
  drainage system, Truckee-Carson Experiment Farm. W.I.A. Cir. 3, pp. 10-12. 1915.
  drug laws. Chem. Bul. 98, pp. 119-121. 1906; rev., Pt. I, pp. 185-188. 1909.
  dry farming in the Great Basin. B.P.I. Bul. 103, pp. 1-43. 1907.
  early settlement, historical notes. See Soil surveys for various counties and areas.
  evaporation—
    experiments. O.E.S. Bul. 248, pp. 15-17, 37-39, 50, 57-59, 60-62, 67. 1912.
    of soil moisture under mulches of different depths. Y.B., 1908, pp. 469-470. 1909. Y.B. Sep. 495, pp. 469-470. 1909.
  Experiment Station—
    corn growing, date-of-seeding experiments. D.B. 1014, p. 3. 1922.
    report of work, 1906. J. E. Stubbs. O. E. S. An. Rpt. 1906, pp. 129-130. 1907.
    work and expenditures—
      1907. J. E. Stubbs. O. E. S. An. Rpt., 1907, pp. 132-134. 1908.
      1908. J. E. Stubbs. O.E.S. An. Rpt., 1908, pp. 130-132. 1909.
      1909. J. E. Stubbs. O.E.S. An. Rpt., 1909, pp. 144-146. 1910.
      1910. J. E. Stubbs. O.E.S. An. Rpt., 1910, pp. 186-189. 1911.

Nevada—Continued.
Experiment Station—Continued.
  work and expenditures—Continued.
    1911. J. E. Stubbs. O.E.S. An. Rpt., 1911, pp. 150-152. 1912.
    1912. G. H. True. O.E.S. An. Rpt., 1912, pp. 156-159. 1913.
    1913. S. B. Doten. O.E.S. An. Rpt., 1913, pp. 61-62. 1915.
    1914. S. B. Doten. O.E.S. An. Rpt., 1914, pp. 157-159. 1915.
    1915. S. B. Doten. O.E.S. An. Rpt., 1915, pp. 178-181. 1917.
    1915. S. B. Doten. S.R.S. Rpt., 1915, Pt. I, pp. 178-181. 1917.
    1916. S. B. Doten. S.R.S. Rpt., 1916, Pt. I, pp. 182-186. 1918.
    1917. S. B. Doten. S.R.S. Rpt., 1917, Pt. I, pp. 176-181. 1918.
    1918. S. R. S. Rpt., 1918, pp. 28, 41, 42, 52, 67, 70-80. 1920.
  extension work—
    development. Off. Rec. vol. 2, No. 41, p. 6. 1923.
    funds allotment, and county-agent work. S.R.S. Doc. 40, pp. 4, 6, 10, 16, 23, 25, 28. 1918.
    in agriculture and home economics—
      1915. C. S. Knight. S.R.S. Rpt., 1915, Pt. II, pp. 253-255. 1917.
      1916. C. A. Norcross. S.R.S. Rpt., 1916, Pt. II, pp. 280-284. 1917.
      1917. C. A. Norcross. S.R.S. Rpt., 1917, Pt. II, pp. 283-287. 1919.
    statistics. D.C. 306, pp. 3, 6, 11, 16, 20, 21. 1924.
  fairs, number, kind, location, and dates. Stat. Bul. 102, pp. 13, 14, 46. 1913.
  Fallon—
    climatic records. B.P.I. Bul. 157, pp. 9-10. 1909.
    corn variety tests, cooperative experiments. W.I.A. Cir. 13, p. 8. 1916.
    field station, irrigation methods, study. An. Rpts., 1912, p. 123. 1913; Sec. A.R., 1912, p. 123. 1913; Y.B. ,1912, p. 123. 1913.
    wheat growing under irrigation, Marquis and other. D.B. 400, pp. 37-38. 1916.
  farm—
    animals, statistics, 1871-1907. Stat. Bul. 64, p. 139. 1908.
    conditions, letters from women, citations. Rpt. 104, p. 15. 1915.
    values, changes, 1900-1905. Stat. Bul. 43, pp. 11-17, 30-46. 1906.
  Farmer's Institutes—
    control by experiment station. O.E.S. Bul. 241, p. 28. 1911.
    work, 1904. O.E.S. Rpt., 1904, p. 654. 1905.
  field-mouse outbreak. An. Rpts., 1908, pp. 572-573. 1909; Biol. Chief Rpt., 1908, pp. 4-5. 1908.
  field work of Plant Industry Bureau, December, 1924. M.C. 30, p. 34. 1925.
  food laws—
    1905. Chem. Bul. 69, rev., Pt. IV, pp. 358-361. 1906.
    1907. Chem. Bul. 112, Pt. I, p. 145. 1908.
    1908. Chem. Bul. 112, Pt. I, p. 145. 1908.
    enforcement. Chem. Cir. 16, rev., p. 15. 1908.
  forage conditions on the northern border of the Great Basin. B.P.I. Bul. 15, pp. 1-60. 1902.
  forest—
    area, 1918. Y.B., 1918, p. 717. 1919; Y.B. Sep. 795, p. 53. 1919.
    fires, statistics. For. Bul. 117, p. 31. 1912.
    reserves. See Forests, national.
    tree diseases, manual, with California. E. P. Meinecke. For. [Misc.], "Forest tree diseases * * * ". pp. 63. 1914.
  fruit growing—
    irrigation practices. O.E.S. Bul. 108, pp. 1-54. 1902.
    Truckee-Carson project, varieties. B.P.I. Cir. 118, pp. 17-28. 1913.
  funds for cooperative extension work, sources. S.R.S. Doc. 40, pp. 4, 6, 10, 16. 1917.
  fur animals, laws—
    1915. F.B. 706, p. 11. 1916.
    1916. F.B. 783, pp. 12, 27. 1916.
    1917. F.B. 911, pp. 15, 31. 1917.

Nevada—Continued.
  fur animals, laws—continued.
    1918. F.B. 1022, pp. 14, 31. 1918.
    1919. F.B. 1079, pp. 18, 31. 1919.
    1920. F.B. 1165, p. 16. 1920.
    1921. F.B. 1238, pp. 16, 31. 1921.
    1922. F.B. 1293, p. 14. 1922.
    1923-24. F.B. 1387, p. 17. 1923.
    1924-25. F.B. 1445, p. 12. 1924.
    1925-26. F.B. 1469, p. 16. 1925.
  game—
    laws—
      1902. F.B. 160, pp. 16, 32, 42. 1902.
      1903. F.B. 180, pp. 12, 23, 33, 44, 46, 48, 1903.
      1904. F.B. 207, pp. 21, 34, 44. 1904.
      1905. F.B. 230, pp. 10, 19, 31, 38. 1905.
      1906. F.B. 256, pp. 8, 18, 30, 37, 45. 1906.
      1907. F.B. 308, pp. 16, 29, 36, 44. 1907.
      1908. F.B. 336, pp. 18, 32, 40, 44, 52. 1908.
      1909. F.B. 376, pp. 23, 34, 40, 43, 48. 1909.
      1910. F.B. 418, pp. 17, 28, 33, 36, 48. 1910.
      1911. F.B. 470, pp. 21, 32, 38, 41, 48. 1911.
      1912. F.B. 510, pp. 7, 17, 25-26, 28, 34, 38, 39, 44. 1912.
      1913. D.B. 22, pp. 14, 20, 28, 40, 45, 49, 55. 1913; rev., pp. 14, 19, 20, 21, 28, 40, 45, 49, 55. 1913.
      1914. F.B. 628, pp. 10, 11, 20, 28-29, 32, 36, 38, 42, 49. 1914.
      1915. F.B. 692, pp. 4, 5, 6, 7, 12, 30, 42, 47, 50, 52, 59. 1915.
      1916. F.B. 774, pp. 27, 40, 46, 49, 51, 59. 1916.
      1917. F.B. 910, pp. 25, 48, 52. 1917.
      1918. F.B. 1010, pp. 23, 46, 61. 1918.
      1919. F.B. 1077, pp. 26, 49, 72, 73. 1919.
      1920. F.B. 1138, p. 28. 1920.
      1921. F.B. 1235, pp. 29-30. 1921.
      1922. F.B. 1288, pp. 26, 54, 66, 67, 79. 1922.
      1923-24. F.B. 1375, pp. 1-5, 26, 50. 1923.
      1924-25. F.B. 1444, pp. 18-19, 37. 1924.
      1925-26. F.B. 1466, pp. 25, 44. 1925.
    reading required in public schools. Biol. Bul. 12, rev., p. 69. 1902.
    protection. See Game protection.
    reservations. Biol. Chief Rpt., 1924, pp. 27-28. 1924.
  grain supervision districts, counties. Mkts. S.R.A. 14, pp. 32, 34. 1916.
  grazing lands, problems, discussion. An. Rpts., 1918, pp. 173-174. 1919; For. A.R., 1918, pp. 9-10. 1918.
  hay crops, 1870-1906, acreage, production, and value. Stat. Bul. 63, pp. 7-25, 33. 1908.
  herds once-tested, list No. 3. D.C. 143, pp. 4, 11, 37, 80. 1920; D.C. 144, pp. 5, 13, 34. 1920.
  Humboldt Forest, changes in area. News L. vol. 6, No. 49, p. 8. 1919.
  Humboldt Valley—
    mammals. F.B. 335, pp. 1-31. 1908.
    mouse plague, outbreak and control. F.B. 352, pp. 5-10. 1909.
  irrigation—
    districts, and their statutory relations. D.B. 1177, pp. 4, 5, 11, 16, 26, 28, 29, 43, 50. 1923.
    history, and water rights. O.E.S. Bul. 168, pp. 73-77. 1906.
    investigations. J. M. Wilson. O.E.S. Bul. 104, pp. 147-158. 1902.
    recent legislation. O.E.S. An. Rpt., 1909, pp. 400, 403, 409, 412. 1910.
    regulations. D.B. 1340, p. 34. 1925.
    State laws. D.B. 1257, p. 15. 1924.
    Truckee-Carson project, agricultural observations. F. B. Headley and Vincent Fulkerson. B.P.I. Cir. 78, pp. 20. 1911.
    under Carey Act. O.E.S. An. Rpt., 1910, pp. 484-486. 1911.
  jack-rabbit extermination campaign. Y.B. 1917, p. 232. 1918; Y.B. Sep. 724, p. 10. 1918.
  lard supply, wholesale and retail, Aug. 31, 1917. tables. Sec.Cir. 97, pp. 14-32. 1918.
  laws—
    dog control, digest. F.B. 935, p. 17. 1918; F.B. 1268, p. 18. 1922.
    nursery-stock interstate shipment, digest. F.H.B.S.R.A. 57, pp. 113, 114, 115. 1919.
    relating to contagious animal diseases. B.A.I. Bul. 43, pp. 43-44. 1901; B.A.I. Bul. 54, p. 26. 1904.

INDEX TO PUBLICATIONS, 1901-1925　　　　　1609

Nevada—Continued.
  legislation—
    protecting birds. Biol. Bul. 12, rev. pp. 19, 23, 35, 36, 37, 39, 43, 46, 47, 49, 101-102, 137. 1902.
    relative to tuberculosis. B.A.I. Bul. 28, pp. 79-81. 1901.
  livestock—
    admission, sanitary requirements. B.A.I. Doc. 28, pp. 26-27. 1919; B.A.I. Doc. A-36, pp. 38-41. 1920; M.C. 14, pp. 49-53. 1924.
    associations. Y.B. 1920, p. 526. 1921; Y.B. Sep. 866, p. 526. 1921.
    production, from reports of stockmen. Rpt. 110, pp. 5-27, 35-36, 47-48, 72-76. 1916.
  lumber—
    cut, 1920, 1870-1920, and value. D.B. 1119, pp. 30-35. 1923.
    production—
      1870-1911. M.C. 47, p. 7. 1925.
      1918, by mills, by woods, and lath and shingles. D.B. 845, pp. 6-10, 16, 23, 42-47. 1920.
  markets for irrigated crops. B.P.I. Bul. 157, pp. 12, 14. 1909.
  milk supply and laws. B.A.I. Bul. 46, p. 111. 1903.
  Moapa district, muskmelons, marketing and distribution. D.B. 401, pp. 28-29. 1916.
  mouse plague(s)—
    1907-08. Stanley E. Piper. F.B. 352, pp. 23. 1909.
    1907-1908, outbreak, damage, and preventive measures. Y.B. 1908, pp. 302, 308, 309. 1909; Y.B. Sep. 482, pp. 302, 308, 309. 1909.
    and losses caused. J.A.R. vol. 27, pp. 523-524. 1924.
  national forests—
    cattle losses from larkspur poisoning. F.B. 826, pp. 16, 20. 1917.
    location, date, and area, Jan. 31, 1913. For. [Misc.] "The use book, 1913," p. 86. 1913
  northwestern, forage conditions and problems. B.P.I. Bul. 38, pp. 1-52. 1903.
  oat crops, 1870-1906, acreage, production, and value. Stat. Bul. 58, pp. 7-25, 34. 1907.
  officials, dairy, drug, feeding stuffs, and food. See Dairy officials; Drug officials.
  Orr ditch, water measurements, cup-current meter. J.A.R. vol. 2, pp. 80-81. 1914.
  pasture land on farms. D.B. 626, pp. 15, 58. 1918.
  pocket gophers, occurrence and description. N.A.Fauna 39, pp. 9, 23-28, 45, 73-75, 115, 116, 123. 1915.
  potash salts and other salines. D.B. 61, pp. 1-96. 1914.
  potato(es)—
    club demonstrations. D.C. 192, pp. 31-32. 1921.
    crops, 1870-1906, acreage, production, and value. Stat. Bul. 62, pp. 9-27, 36. 1908.
    eelworm disease outbreak, 1910, 1911. B.P.I. Cir. 9, p. 3. 1912.
    under irrigation, acreage and production. F.B. 953, p. 4. 1918.
  precipitation, climatic records, tables. D.B. 61, pp. 71-73. 1914.
  Prunus sp., wild. J. A. R., vol. 1, pp. 148, 149, 152, 166-170. 1913.
  Pyramid Lake, testing and demonstration garden. An. Rpts., 1909, p. 279. 1910; B.P.I. Chief Rpt., 1909, p. 27. 1909.
  quarantine for sheep scabies, area. B.A.I.O. 195, rule 3, rev., p. 2. 1913; amdt. 1, p. 1. 1913.
  rainfall, map and table. B.P.I. Bul. 188, pp. 38, 157. 1910.
  road(s)—
    bond-built, amount of bonds and rate. D.B. 136, pp. 43, 81, 85. 1915.
    conditions, mileage, costs, and bonds. D.B. 389, pp. 3, 4, 5, 6, 7, 36-38. 1917.
    mileage and expenditures—
      1904. Rds. Cir. 62, pp. 2. 1906.
      1909. Rds. Bul. 41, pp. 27, 41, 42, 86. 1912.
      1915. Sec. Cir. 52, pp. 2, 4, 6. 1915.
      1916. Sec. Cir. 74, pp. 5, 7, 8. 1917.
    national forest, work by department, 1913-1914. D.B. 284, pp. 55, 56. 1915.
  rye crops, 1870, 1889-1892, acreage, production, and value. Stat. Bul. 60, pp. 7, 16-18, 33. 1908.
  salt deposits, occurrence and composition. Soils Bul. 94, pp. 11, 89-94. 1913.

Nevada—Continued.
  San Jose scale, occurrence. Ent. Bul. 62, p. 27. 1906.
  shipments of fruits and vegetables, and index to station shipments. D.B. 667, pp. 6-13, 33. 1918.
  soil survey of—
    Churchill County. See Fallon area.
    Fallon area. A. T. Strahorn and Cornelius Van Duyne. Soil Sur. Adv. Sh., 1909, pp. 44. 1911; Soils F. O., 1909, pp. 1477-1516. 1912.
    Lyon County. See Fallon area.
  soils, Truckee-Carson irrigation project—
    bacteriological studies. B.P.I. Bul. 211, pp. 1-36. 1911.
    description and analyses. B.P.I. Bul. 157, pp. 12-13, 18-23. 1909.
  spotted-fever tick, occurrence. Ent. Bul. 105, p. 17. 1911.
  standard containers. F.B. 1434, p. 17. 1924.
  State aid to roads. Y.B., 1914, pp. 215, 222. 1915; Y.B. Sep. 638, pp. 215, 222. 1915.
  Tahoe Forest, area reduction. News L., vol. 6, No. 52, p. 2. 1919.
  trough valleys, and tributaries, description. D.B. 54, pp. 31-38. 1914.
  Truckee-Carson project, hints to settlers. Thomas H. Means and Shober J. Rogers. B.P.I. Doc. 451, pp. 8. 1909.
  trucking industry, acreage and crops. Y.B., 1916, pp. 455-465. 1917; Y.B. Sep. 702, pp. 21-31. 1917.
  University, teachers' courses. O.E.S. Cir. 118, pp. 19-20. 1913.
  vegetable growing for the home garden. B.P.I. Cir. 110, pp. 21-25. 1913.
  wage rates, farm labor, 1866-1909. Stat. Bul. 99, pp. 29-43, 68-70. 1912.
  walnut growing. B.P.I. Bul. 254, pp. 18, 102. 1913.
  water—
    and yields for several crops. D.B. 1340, pp. 48-53. 1925.
    laws, adoption of Wyoming system. O.E.S. An. Rpt., 1908, pp. 360, 361. 1909.
    rights, officials. D.B. 913, p. 3. 1920.
    supply, records by counties. Soils Bul. 92, p. 103. 1913.
  waterfowl breeding grounds, location. Y.B., 1917, p. 197. 1918; Y.B. Sep. 723, p. 3. 1918.
  wheat—
    acreage and varieties. D.B. 1074, p. 213. 1922.
    crops, acreage, production, and value. Stat. Bul. 57, pp. 7-25, 34. 1907; rev., pp. 7-25, 34, 39. 1908.
    yields and prices, 1870-1915. D.B. 514, p. 14. 1917.
  Zygadenus spp., occurrence and distribution. D.B. 1012, pp. 3, 15, 16. 1922.
Nevada (horse) history and pedigree. B. A. I. An. Rpt., 1907, pp. 109, 140. 1909; B. A. I. Cir. 137, pp. 109, 140. 1908.
New Bedford, Mass., milk supply, statistics, officials, and prices. B.A.I. Bul. 46, pp. 30, 91. 1903.
New Britain, Conn., milk supply, statistics, officials, and prices. B. A. I. Bul. 46, pp. 34, 56. 1903.
New Brunswick—
  fur animals, laws—
    1915. F. B. 706, pp. 21-22. 1916.
    1916. F. B. 783, pp. 3, 23, 28. 1916.
    1917. F.B. 911, pp. 26, 31. 1917.
    1918. F.B. 1022, pp. 26, 31. 1918.
    1919. F.B. 1079, pp. 7, 28. 1919.
    1920. F.B. 1165, pp. 26-27. 1920.
    1921. F.B. 1238, pp. 26-27. 1921.
    1922. F.B. 1293, pp. 24-25. 1922.
    1923-24. F.B. 1387, pp. 27-28. 1923.
    1924-25. F.B. 1445, p. 20. 1924.
    1925-26. F.B. 1469, p. 24. 1925.
  game laws—
    1902. F.B. 160, pp. 26, 35, 43, 46, 52, 54. 1902.
    1903. F.B. 180, pp. 17, 26, 34, 40, 45, 52, 63. 1903.
    1904. F.B. 207, pp. 26, 37, 40, 45, 52, 63. 1904.
    1905. F.B. 230, pp. 13, 34, 39, 47. 1905.
    1906. F.B. 265, pp. 39, 41, 48. 1906.
    1907. F.B. 308, pp. 9, 23, 31, 39. 1907.
    1908. F.B. 336, pp. 25, 35, 42, 45, 54. 1908.
    1909. F.B. 376, pp. 15, 30, 36, 41, 44. 1909.

New Brunswick—Continued.
  game laws—continued.
    1910 F.B. 418, pp. 9, 23, 30, 34, 37. 1910.
    1911. F.B. 470, pp. 14, 27, 35, 39, 42. 1911.
    1912. F.B. 510, pp. 23, 31, 36, 39, 48. 1912.
    1913. D.B. 22, pp. 18, 35, 42, 47, 50, 58. 1913; rev., pp. 35, 42, 47, 50, 58. 1913.
    1914. F.B. 628, pp. 26–27, 34, 35, 36, 39, 43, 53. 1914.
    1915. F.B. 692, pp. 36, 44, 49, 53, 62, 64. 1915.
    1916. F.B. 774, pp. 34, 42, 47, 53, 62. 1916.
    1917. F.B. 910, pp. 43, 56. 1917.
    1918. F.B. 1010, pp. 40, 50, 70. 1918.
    1919. F.B. 1077, pp. 43, 61, 78. 1919.
    1920. F.B. 1138, p. 47. 1920.
    1921. F.B. 1235, pp. 49. 1921.
    1922. F.B. 1288, pp. 46, 56, 72–78, 79. 1922.
    1923–24. F.B. 1375, pp. 6, 43–44, 51. 1923.
    1924–25. F.B. 1444, pp. 32, 38. 1924.
    1925–26. F.B. 1466, pp. 39, 46. 1925.
  agency for enforcement. Biol. Bul. 12, rev., p. 65. 1902.
  hunting laws. Biol. Bul. 19, pp. 15, 18, 22, 28, 30, 56, 61–62. 1904.
  law against Sunday shooting. Biol. Bul. 12, rev., p. 64. 1902.
  legislation protecting birds. Biol. Bul. 12, rev., pp. 31, 35, 36, 37, 42, 44, 50, 129–130. 1902.
  marsh lands, history, description, crops. O.E.S. Bul. 240, pp. 83–99. 1911.
New Brunswick, N. J., milk supply, statistics, officials, and prices. B.A.I. Bul. 46, pp. 40, 117. 1903.
New England—
  Baldwin apple belt, importance. Y.B., 1918, p. 371. 1919; Y.B. Sep. 767, p. 7. 1919.
  cigar-tobacco districts, varieties, yield, and handling. Stat. Cir. 18, p. 5. 1909.
  dairy farms, cropping systems. L. G. Dodge. F.B. 337, pp. 24. 1908.
  dairying—
    early records and relation to development. Y.B., 1922, pp. 302, 307. 1923; Y.B., Sep. 879, pp. 18, 22. 1923.
    opportunities. Y.B., 1906, pp. 408–412. 1907; Y.B. Sep. 432, pp. 408–412. 1907.
  decrease of timber resources. Sec. Cir. 129, p. 5. 1919.
  farm(s)—
    abandonment, causes. Rpt. 70, pp. 17–25. 1901.
    enterprises adaptable, suggestions. Y.B., 1913, pp. 103–105. 1914; Y.B. Sep. 617, pp. 103–105. 1914.
    labor conditions, data. Y.B., 1911, pp. 269, 275–276. 1912; Y.B. Sep. 567, pp. 269, 275–276. 1912.
    place of sheep on. F. H. Branch. F.B. 929, pp. 30. 1918.
  farm woodlands, value. F.B. 1256, p. 32. 1922.
  farming types and conditions. F.B. 1289, pp. 4–12. 1923.
  forest—
    fires, danger. News L., vol. 7, No. 5, p. 8. 1919.
    planting opportunities and suggestions. D.B. 153, pp. 1–3, 4–5, 25–35. 1915.
  Forestry—
    Conference, 1919, address of Henry S. Graves. Sec. Cir. 129, pp. 11. 1919.
    examples. Y.B., 1922, pp. 152–154. 1923; Y.B., Sep. 886, 152–154. 1923.
  gipsy moth—
    and brown-tail moths, control work. F.B. 564, pp. 1–3, 5–7, 18, 20, 24. 1914.
    control by parasite, *Apanteles melanoscelus*. D.B. 1028, pp. 16–18, 21–25. 1922.
    quarantine, proposed areas. F.H.B.S.R.A. 51, pp. 43–44. 1918.
    spread, history and map. D.B. 273, pp. 20–21. 1915.
  grasshopper eradication work, 1915. Y.B., 1915, pp. 267–269. 1916; Y.B. Sep. 674, pp. 267–269. 1916.
  hardwood forests, composition and management. D.B. 285, pp. 1–80. 1915.
  hemp growing, early history. Y.B., 1913, p. 291. 1914.
  ice storm, November, 1921, results. An. Rpts., 1922, p. 69. 1923; W.B. Chief Rpt., 1922, p. 3. 1922.

New England—Continued.
  insect depredations, early records. Y.B., 1913, pp. 77–79. 1914; Y.B. Sep. 616, pp. 77–79. 1914.
  lands, abandoned, use for forests, and lack of methods. D.B. 638, p. 8. 1918.
  lumber—
    consumption and needs. Sec. Cir. 183, pp. 23–24. 1921.
    industry comparison with Washington. Y.B., 1922, pp. 105–106. 1923; Y.B. Sep. 886, pp. 105–106. 1923.
  moth—
    control by solid-stream spraying. D.B. 480, pp. 1–16. 1917.
    introduction, injury and control. F.B. 845, pp. 5, 24–27. 1917.
  motor-truck transportation. An. Rpts., 1923, pp. 469–470. 1924; Rds. Chief Rpt., 1923, pp. 7–8. 1923.
  Mount Chocorua, bird studies. Biol. Bul. 15, pp. 29–30. 1901.
  orchards, cultural methods. D.B. 140, pp. 32–34. 1915.
  paper—
    industry and pulp requirements. D.B. 1241, pp. 41–44. 1924.
    mills, number and general conditions. For. Cir. 168, pp. 7–11. 1909.
  pastures, improvement, with eastern New York. J. S. Cotton. B.P.I. Cir. 49, pp. 10. 1910.
  planting of white pine. Harold B. Kempton. For. Bul. 45, pp. 40. 1903.
  quarantine areas, gipsy moths and brown-tail moths. F.H.B.S.R.A. 41, pp. 70–72. 1917.
  rivers, water power and navigation, relation of mountain forests. For. Cir. 168, pp. 17–30. 1909.
  road building, early colonial laws. Y.B., 1910, p. 266. 1911; Y.B. Sep. 535, p. 266. 1911.
  rye growing, early history. Y.B., 1922, p. 503. 1923; Y.B. Sep. 891, p. 503. 1923.
  school farming, conditions. D.B. 213, pp. 3, 6, 8, 11. 1915.
  seed requirements and dates of planting and harvesting. F.B. 337, p. 22. 1908.
  sheep—
    place on farms. F. H. Branch. F.B. 929, pp. 1–30. 1918.
    production possibilities. F.B. 840, p. 4. 1917.
    raising. News L., vol. 6, No. 44, p. 16. 1919.
  southern—
    soils. D.B. 140, pp. 9–29. 1915.
    the woodlot, a handbook for owners of woodlands. Henry Solon Graves and Richard Thornton Fisher. For. Bul. 42, pp. 89. 1903.
  spread of insect diseases, warning to gardeners. News L., vol. 6, No. 12, p. 3. 1918.
  States—
    alfalfa growing, special instructions. F.B. 339, pp. 42–43. 1908.
    American mineral waters. W. W. Skinner and G. W. Stiles, jr. Chem. Bul. 139, pp. 111. 1911.
    crop yields—
      gain per cent since 1876. Y.B., 1919, p. 23. 1920.
      increase since 1908. An. Rpts., 1919, pp. 15–16. 1920; Sec. A.R., 1919, pp. 17–18. 1919.
    farm motor truck operation. L. M. Church. D.B. 1254, pp. 28. 1924.
  forest planting—
    needs and progress. Y.B., 1909, pp. 335–336. 1910; Y.B. Sep. 517, pp. 335–336. 1910.
    suggestions. For. Cir. 100, pp. 1–15. 1907.
  gipsy moths and brown-tail moths, control work. Y. B., 1916, pp. 217–226. 1917; Y. B. Sep. 706, pp. 1–10. 1917.
  road mileage and revenues, 1914. D.B. 388, pp. 74. 1917.
  wheat. F.B. 616, p. 12. 1914.
  timber—
    stand of pulp-wood species. D.B. 1241, p. 95. 1924.
    structural. For. Bul. 108, p. 13. 1912.
    stumpage, value and uses. For. Cir. 168, pp. 4, 6–13. 1909.
  tobacco—
    conditions, 1911. Stat. Cir. 27, p. 3. 1912.
    crop, 1912. Stat. Cir. 43, pp. 2, 3, 4. 1913.

INDEX TO PUBLICATIONS, 1901–1925   1611

New England—Continued.
tobacco—continued.
growing and industry, details and statistics. B.P.I. Bul. 244, pp. 17, 18, 22, 23, 24, 99. 1912.
report for July 1, 1912. Stat. Cir. 38, pp. 3, 4. 1912.
tomatoes, growing as truck crop. F.B. 1338, pp. 2, 5, 6, 9, 15, 19, 21, 31. 1923.
turkey raising and marketing. Y.B., 1916, pp. 413, 416. 1917; Y.B. Sep. 700, pp. 3, 6. 1917.
water power, influence of White Mountain forests. For. Cir. 168, pp. 15–26. 1909.
white pine on old fields, natural replacement. S. N. Spring. For. Bul. 63, pp. 32. 1905.
woodlots, timely suggestions for owners. F. H. Mosher and G. E. Clement. Ent. [Misc.], "Some timely suggestions * * *," pp. 8. 1917.

New Hampshire—
agricultural—
colleges and experiment station, organization—
1905. O.E.S. Bul. 161, pp. 44–45. 1905.
1906. O.E.S. Bul. 176, pp. 50–51. 1907.
1907. O.E.S. Bul. 197, pp. 54–55. 1907.
1910. O.E.S. Bul. 224, p. 46. 1910.
See also Agriculture, workers list.
education extension, 1906. O.E.S. Bul. 196, p. 30. 1907.
extension work, statistics. D.C. 253, pp. 5, 8, 12–13, 17, 18. 1923.
apple growing, production and varieties. D.B. 485, pp. 7, 14, 44–47. 1917.
appropriations for experiment station work. O.E.S. An. Rpt., 1911, pp. 56, 153. 1912.
balsam fir, occurrence, yield, uses, growth, and volume. D.B. 55, pp. 9–10, 18, 35, 37, 39, 50, 51, 60. 1914.
barley crops, 1866–1906, acreage, production, and value. Stat. Bul 59, pp. 7–26, 27. 1907.
bee disease, occurrence. Ent. Cir. 138, p. 14. 1911.
bees and honey statistics. D.B. 325, pp. 9, 11, 12. 1915; D.B. 685, pp. 6, 9, 12, 14, 16, 17, 19, 21, 23, 26, 29, 30. 1918.
bird protection. See Bird protection.
birds on forested area, report, 1920. D.B. 1165, pp. 27–28. 1923.
blueberry plants, temperature effects. D.B. 974, p. 3. 1921.
bounty laws, 1907. Y.B., 1907, p. 563. 1908. Y.B. Sep. 473, p. 563. 1908.
brown-tail moth, quarantine areas for, 1922. F.H.B. Quar. 45, A–3, p. 4. 1922.
buckwheat crops, 1866–1906, acreage, production, and value. Stat. Bul. 61, pp. 5–17, 18. 1908.
Calosoma sycophanta, liberation. Ent. Bul. 101, p. 89. 1911.
closed season for shorebirds and woodcock. Y.B., 1914, pp. 292, 293. 1915; Y.B. Sep. 642, pp. 292, 293. 1915.
corn borer—
distribution. F.B. 1294, pp. 2, 3, 32. 1922.
quarantine—
1920, extension. F.H.B. Quar. 43, amdt. 5, p. 1. 1920.
1921. F.H.B. Quar. 43, rev., pp. 1, 2, 3. 1921.
1922. F.H.B. Quar. 43, amdt. 3, p. 2. 1922; F.H.B. Quar. 43, rev., pp. 1, 3. 1922.
1923. Off. Rec., vol. 2, No. 15, p. 4. 1923.
corn crops—
1866–1906, acreage, production, and value. Stat. Bul. 56, pp. 7–27, 28. 1907.
1866–1915, yields and prices. D.B. 515, p. 4. 1917.
production, movements, consumption, and prices. D.B. 696, pp. 14, 16, 27, 29, 33, 36, 38, 40, 49. 1918.
creameries, record comparisons. D.B. 529, p. 3. 1917.
credits, farm-mortgage loans, costs and sources. D.B. 384, pp. 2, 3, 4, 7, 10. 1916.
crop planting and harvesting dates, important crops. Stat. Bul. 85, pp. 18, 53, 67, 84. 1912.
currants, gooseberries, and white pines, control by law. F.B. 1398, p. 34. 1924.
dairy farm, cropping systems. F.B. 337, pp. 10–12. 1908.
dairy farms, milk-production cost, data. D.B. 501, pp. 19–20, 26. 1917.

New Hampshire—Continued.
demurrage provisions, regulations. D.B. 191, pp. 3, 26. 1915.
drug laws. Chem. Bul. 98, pp. 122–124. 1906; rev., Pt. I, pp. 189–192. 1909.
early settlement, historical notes. See Soil surveys for various counties and areas.
Exeter, gipsy-moth infestation, control studies. D.B. 484, Pt. II, pp. 33–34. 1917.
Experiment Station—
report—
1906. W. D. Gibbs. O.E.S. Rpt. 1906, pp. 131–132. 1907.
1907. E. D. Sanderson. O.E.S. An. Rpt., 1907, pp. 134–135. 1908.
spraying experiments with Paris green. Chem. Bul. 82, pp. 23–25. 1904.
work and expenditures—
1908. E.D. Sanderson. O.E.S. An. Rpt., 1908, pp. 132–134. 1909.
1909. W. D. Gibbs. O.E.S. An. Rpt., 1909, pp. 147–149. 1910.
1910. J. C. Kendall. O.E.S. An. Rpt., 1910, pp. 189–193. 1911.
1911. J. C. Kendall. O.E.S. An. Rpt., 1911, pp. 152–155. 1912.
1912. J. C. Kendall. O.E.S. An. Rpt. 1912, pp. 159–161. 1913.
1913. J. C. Kendall. O.E.S. An. Rpt., 1913, pp. 62–63. 1915.
1914. J. C. Kendall. O.E.S. An. Rpt., 1914, pp. 159–163. 1915.
1915. J. C. Kendall. S.R.S. Rpt., 1915, Pt. I, pp. 181–184. 1917.
1916. J.C. Kendall. S.R.S. Rpt., 1916, Pt. I, pp. 186–190. 1918.
1917. J. C. Kendall. S.R.S. Rpt., 1917, Pt. I, pp. 181–184. 1918.
1918. S.R.S. Rpt. 1918, pp. 32, 35, 36, 48, 54, 56, 60, 67, 70–80. 1920.
extension work—
funds allotment, and county-agent work. S.R.S. Doc. 40, pp. 4, 6, 10, 16, 25, 28. 1918.
in agriculture and home economics—
1915. J. C. Kendall. S.R.S. Rpt., 1915, Pt. II, pp. 255–262. 1917.
1916. J. C. Kendall. S.R.S. Rpt. 1916, Pt. II, pp. 284–288. 1917.
1917. J. C. Kendall. S.R.S. Rpt., 1917, Pt. II, pp. 287–291. 1919.
statistics. D.C. 306, pp. 3, 6, 11, 16, 20, 21. 1924.
fairs, number, kind, location, and dates. Stat. Bul. 102, pp. 13, 14, 45. 1913.
farm(s)—
animals, statistics, 1867–1907. Stat. Bul. 64, p. 96. 1908.
conditions, letters from women. Rpt. 103, pp. 62, 77. 1915; Rpt. 104, pp. 15, 23, 35, 43, 52, 65, 75. 1915; Rpt. 105, pp. 10, 48. 1915; Rpt. 106, pp. 8, 24, 43. 1915.
products, selling by women. News L., vol. 6, No. 36, p. 15. 1919.
profitable and unprofitable, comparison. B.P.I. Cir. 128, pp. 3–15. 1913.
reports. Off. Rec. vol. 1, No. 9, p. 2. 1922.
values, changes, 1900–1905. Stat. Bul. 43, pp. 11–17, 29–46. 1906.
woodlands, examples of value. F.B. 1117, pp. 8, 29. 1920.
farmers' experience with motor truck (with other States.) D.B. 910, pp. 1–37. 1920.
farmers' institutes—
history. O.E.S. Bul. 174, p. 61. 1906.
laws. O.E.S. Bul. 135, rev., p. 24. 1905.
legislation. O.E.S. Bul. 241, p. 29. 1911.
work—
1904. O.E.S. An. Rpt., 1904. pp. 654–655. 1905.
1906. O.E.S. An. Rpt., 1906, p. 339. 1907.
1907. O.E.S. An. Rpt., 1907, p. 337. 1908.
1908. O.E.S. An. Rpt., 1908, p. 320. 1909.
1909. O.E.S. An. Rpt., 1909, p. 349. 1910.
1910. O.E.S. An. Rpt., 1910, p. 409. 1911.
1911. O.E.S. An. Rpt., 1911, p. 375. 1912.
1912. O.E.S. An. Rpt., 1912, p. 368. 1913.
fertilizer prices, 1919, by counties. D.C. 57, pp. 5, 7. 1919.
field work of Plant Industry Bureau, December, 1924. M.C. 30, p. 34. 1925.

New Hampshire—Continued.
  food laws—
    1903. Chem. Bul. 83, Pt. I, pp. 81–83. 1904.
    1905. Chem. Bul. 69, rev., Pt. IV, pp. 362–372. 1906.
    1907. Chem. Bul. 112, Pt. I, pp. 146–151. 1908.
    enforcement. Chem. Cir. 16, rev., pp. 15–16. 1908.
  foot-and-mouth disease, quarantine area for. B.A.I.O. 231, p. 6. 1915; B.A.I.O. 231, amdt. 1, p. 3. 1915; B.A.I.O. 232, amdt. 1 1915; B.A.I.O. 238, p. 6. 1915.
  forest—
    additions. Off. Rec. vol. 1, No. 24, p. 3. 1922.
    area, 1918. Y.B. 1918, p. 717. 1919; Y.B. Sep. 795, p. 53. 1919.
    fires, statistics. For. Bul. 117, pp. 31–32. 1912.
    lands, White Mountain unit. D.C. 313, pp. 6–7. 1924.
    protection and expenditures. An. Rpts., 1912, p. 534. 1913; For. A.R., 1912, p. 78. 1912.
  forestry laws—
    1921, summary. D.C. 239, pp. 16–17. 1922.
    parallel classification. For. Law Leaf. 20, pp. 13. 1917; For. Misc., S–24, pp. 13. 1917.
  funds for cooperative extension work, sources. S.R.S. Doc. 40, pp. 4, 6, 10, 16. 1917.
  fur animals, laws—
    1915. F.B. 706, p. 11. 1916.
    1916. F.B. 783, pp. 12–13, 27. 1916.
    1917. F.B. 911, pp. 15, 31. 1917.
    1918. F.B. 1022, pp. 15, 31. 1918.
    1919. F.B. 1079, pp. 5, 19, 31. 1919.
    1920. F.B. 1165, pp. 16–17. 1920.
    1921. F.B. 1238, p. 16. 1921.
    1922. F.B. 1293, p. 14. 1922.
    1923–24. F.B. 1387, p. 17. 1923.
    1924–25. F.B. 1445, p. 13. 1924.
    1925–26. F.B. 1469, p. 16. 1925.
  game—
    laws—
      1902. F.B. 160, pp. 17, 32, 42, 52, 54. 1902.
      1903. F.B. 180, pp. 12, 24, 33, 38, 44, 46. 1903.
      1904. F.B. 207, pp. 21, 34, 44, 51. 1904.
      1905. F.B. 230, pp. 10, 19, 31, 38. 1905.
      1906. F.B. 265, pp. 18, 30, 37, 45. 1906.
      1907. F.B. 308, pp. 7, 16, 29, 36, 44. 1907.
      1908. F.B. 336, pp. 18, 32, 40, 44, 52. 1908.
      1909. F.B. 376, pp. 6, 13, 17, 24, 35, 40, 43. 1909.
      1910. F.B. 418, pp. 17, 28, 33, 36, 42. 1910.
      1911. F.B. 470, pp. 12, 21, 33, 38, 41, 48. 1911.
      1912. F.B. 510, pp. 17, 25–26, 28, 34, 38, 40, 44. 1912.
      1913. D.B. 22, pp. 14, 20, 21, 29, 40, 45, 49, 55 1913; rev., pp. 14, 19, 20, 29, 40, 45, 49, 55. 1913.
      1914. F.B. 628, pp. 10, 11, 12, 20, 28–29, 32, 38, 41, 42, 44, 50. 1914.
      1915. F.B. 692, pp. 2, 3, 5, 6, 7, 12, 30, 42, 47, 50, 52, 59. 1915.
      1916. F.B. 774, pp. 27, 40, 46, 49, 51, 59. 1916.
      1917. F.B. 910, pp. 25, 48, 52. 1917.
      1918. F.B. 1010, pp. 23, 46. 1918.
      1919. F.B. 1077, pp. 26, 49. 1919.
      1920. F.B. 1138, pp. 28–29. 1920.
      1921. F.B. 1235, pp. 30. 1921.
      1922. F.B. 1288, pp. 26, 54. 1922.
      1923–24. F.B. 1375, pp. 6, 27, 50. 1923.
      1924–25. F.B. 1444, pp. 19, 37. 1924.
      1925–26. F.B. 1466, pp. 25, 44. 1925.
      relating to domesticated deer. F.B. 330, p. 19. 1908.
    preserve, Blue Mountain Forest Park, description. Biol. Cir. 72, p. 4. 1910.
    protection. See Game protection.
  gipsy moth—
    and brown-tail moth quarantine—
      1913. establishment. F.H.B. Quar. 10, pp. 1, 2. 1913.
      1914, areas. F.H.B.S.R.A. 6, pp. 47, 48. 1914.
      1922. F.H.B. Quar. 45, Amdt. 2, p. 1. 1922.
    control, work and results. Ent. Bul. 87, pp. 41, 42, 43, 44, 45, 47, 53–54. 1910; F.B. 1335, pp. 2, 25. 1923.
    infested area. J.A.R., vol. 4, p. 102. 1915.
    quarantine areas, July, 1922. F.H.B. Quar. No. 45, Amdt. 3, pp. 1, 3. 1922.
    scouting records. Ent. Bul. 119, pp. 10, 42–45, 50, 53–55, 58–59. 1913.

New Hampshire—Continued.
  grain supervision district and headquarters. Mkts. S.R.A. 14, p. 1. 1916.
  grandeur of natural scenery. Rds. Bul. 42, p. 30. 1912.
  grasshopper, eradication work, 1915. Y.B., 1915, pp. 267–269. 1916; Y.B. Sep. 674, pp. 267–269. 1916.
  hardwoods, kinds, description, and annual cut. D.B. 285, pp. 21–22, 25, 28–30, 47, 49, 52. 1915.
  hay crops, 1866–1906, acreage, production, and value. Stat. Bul. 63, pp. 5–25, 26. 1908.
  herds, lists of tested and accredited. D.C. 54, pp. 10, 14, 61. 1919; D.C. 142, pp. 10, 34, 47–49. 1920; D.C. 143, pp. 4, 11, 38, 80. 1920; D.C. 144, pp. 8, 35. 1920.
  highway(s)—
    Charles H. Hoyt. Rds. Bul. 42, pp. 35. 1912.
    report of inspection, August, 1911. Rds. Bul. 42, pp. 1–35. 1912.
  Hillsboro County, agricultural survey of four townships. B.P.I. Cir. 75, pp. 1–19. 1911.
  home garden, work of club boy. News L., vol. 6, No. 50, p. 6. 1919.
  hunting laws. Biol. Bul. 19, pp. 21, 27, 30, 64. 1904.
  insecticide and fungicide laws. I. and F. Bd. S.R.A. 13, pp. 130–132. 1916.
  insects, 1905. Ent. Bul. 60, pp. 74–76. 1906.
  jack-pine measurement table. D.B. 820, p. 43. 1920.
  lands, classification and ownership. For. Cir. 168, pp. 5–6. 1909.
  lands purchase under Weeks Law. D.C. 313, pp. 6, 7. 1924.
  lard supply, wholesale and retail, Aug. 31, 1917, tables. Sec. Cir. 97, pp. 13–31. 1918.
  laws—
    against Sunday shooting. Biol. Bul. 12, rev., p. 63. 1902.
    dog control, digest. F.B. 935, p. 17. 1918; F.B. 1268, p. 18. 1922.
    nursery stock interstate shipment, digest. Ent. Cir. 75, rev., p. 5. 1909; F.H.B.S.R.A. 57, pp. 113, 114, 115. 1919.
    on public service commission. Rds. Bul. 42, pp. 15–16. 1912.
  Lebanon, community building, description and plans. F.B. 1173, pp. 37–38. 1921.
  legislation—
    protecting birds. Biol. Bul. 12, rev., pp. 18, 32, 34, 36, 37, 40, 43, 46, 47, 49, 102–103. 1902.
    relative to tuberculosis. B.A.I. Bul. 28, pp. 81–92. 1901.
  livestock—
    admission sanitary requirements. B.A.I. Doc. A–28, p. 28. 1917; B.A.I. Doc. A–36, p. 41. 1920; M.C. 14, p. 54. 1924.
    associations. Y.B., 1920, p. 526. 1921; Y.B. Sep. 866, p. 526. 1921.
  lumber—
    cut, 1920, 1870–1920, value, and kinds. D.B. 1119, pp. 27, 30–35, 45–58. 1923.
    production, 1918, by mills, by woods, and lath and shingles. D.B. 845, pp. 6–10, 13, 16, 21–24, 28, 30, 37, 42–47. 1920.
  maple-sugar—
    analyses, results, table. Chem. Bul. 134, pp. 26–27, 69. 1910; D.B. 466, pp. 16–17. 1917.
    and sirup, production by years. F.B. 516, pp. 44–46. 1912.
  marketing activities and organization. Mkts. Doc. 3, p. 5. 1916.
  milk—
    production, investigations, canvasses, and summaries. B.A.I. Bul. 164, pp. 37–38, 43, 45, 46, 47, 48, 49, 50, 51, 52, 54, 55. 1913.
    supply and laws. B.A.I. Bul. 46, pp. 30, 111–112. 1903.
  mineral waters, analyses. Chem. Bul. 139, pp. 46–57. 1911.
  moth control—
    use of Calosoma sycophanta, 1909–1914. D.B. 251, pp. 33–38. 1915.
    work. F.B. 564, pp. 21, 24. 1914; F.B. 845, pp. 3, 25, 26. 1917.
  northern, forest conditions. Alfred K. Chittenden. For. Bul. 55, pp. 100. 1905.

New Hampshire—Continued.
oat—
   crops, 1866-1906, acreage, production, and value. Stat. Bul. 58, pp. 5-25, 26. 1907.
   growing, varietal experiments. D.B. 823, pp. 8-9, 12, 68. 1920.
officials, dairy, drug, feeding stuffs, and food. See Dairy officials; Drug officials.
paper industry and pulp consumption. D.B. 1241, pp. 42-43. 1924.
pasture land on farms. D.B. 626, pp. 14, 58. 1918.
peach—
   growing, production, districts, and varieties. D.B. 806, pp. 4, 5, 8, 10. 1919.
   varieties, names and ripening dates. F.B. 918, p. 9. 1918.
pear growing, distribution, and varieties. D.B. 822, pp. 5-6. 1920.
potato—
   club demonstrations. D.C. 192, p. 31. 1921.
   crops, 1866-1906, acreage, production, and value. Stat. Bul. 62, pp. 7-27, 28. 1908.
pulp-wood consumption—
   1906. For. Cir. 120, pp. 5, 6, 8. 1907.
   hauling distance, and imports. D.B. 758, pp. 3, 4, 5, 6, 7, 10, 11, 13, 15. 1919.
road(s)—
   bond-built, amount of bonds, rate. D.B. 136, pp. 35, 56, 85. 1915.
   building, rock tests—
      1916, results. D.B. 370, p. 45. 1916; D.B. 670, pp. 14, 26. 1918.
      1916-1921, results. D.B. 1132, pp. 21, 48, 52. 1923.
   discussion and statistics. D.B. 388, pp. 1-6, 9-12, 29-30, 56-59. 1916.
   laws and mileage. Y.B., 1914, pp. 214, 222. 1915; Y.B. Sep. 638, pp. 214, 222. 1915.
   materials, tests. Rds. Bul. 44, p. 54. 1912.
   mileage and expenditures—
      1904. Rds. Cir. 49, pp. 2. 1906.
      1909. Rds. Bul. 41, pp. 27, 41, 42, 87. 1912.
      1912. Rds. Bul. 42, pp. 28-29. 1912.
      1915. Sec. Cir. 52, pp. 2, 4, 6. 1915.
      1916. Sec. Cir. 74, pp. 4, 5, 7, 8. 1917.
   problem, State valuation, debts, and appropriation. Rds. Bul. 42, pp. 29-35. 1912.
rye crops, 1866-1900, acreage, production, and value. Stat. Bul. 60, pp. 5-22, 26. 1908.
San Jose scale, occurrence. Ent. Bul. 62, p. 26. 1906.
satin-moth—
   occurrence and distribution. D.C. 167, p. 13. 1921.
   quarantine. F.H.B. Quar. 53, pp. 1, 2. 1922.
schools, agricultural, work. O.E.S. Cir. 106, rev., p. 24. 1912.
seed requirements and dates of planting and harvesting. F.B. 337, p. 22. 1908.
sheep industry, location and conditions. F.B. 929, pp. 3-6. 1918.
shipments of fruits and vegetables and index to station shipments. D.B. 667, pp. 6-13. 33. 1918.
soil survey of—
   Hillsboro County. See Nashua area.
   Merrimack County. Charles N. Mooney and others. Soil Sur. Adv. Sh., 1906, pp. 39. 1908; Soils F.O., 1906, pp. 33-67. 1908.
   Nashua area. Charles N. Mooney and W. C. Byers. Soil Sur. Adv. Sh., 1909, pp. 34. 1910; Soils F.O., 1909, pp. 75-104. 1912.
   soils, Meadow, areas and location. Soils Cir. 68, p. 20. 1912.
southern, agricultural survey. E. H. Thomson. B.P.I. Cir. 75, pp. 19. 1911.
standard containers. F.B. 1434, p. 17. 1924.
strawberry shipments, 1915. F.B. 1028, p. 6. 1919.
timber stand of pulp-wood species, cut and consumption. D.B. 1241, p. 96. 1924.
trucking industry, acreage and crops. Y.B., 1916, pp. 455-465. 1917; Y.B. Sep. 702, pp. 21-31. 1917.
wage rates, farm labor, 1845, and 1866-1909. Stat. Bul. 99, pp. 20, 29-43, 68-70. 1912.
water supply, records, by counties. Soils Bul. 92, pp. 103-104. 1913.

New Hampshire—Continued.
wheat—
   acreage and varieties. D.B. 1074, p. 213. 1922.
   crops, acreage, production, and value. Stat. Bul. 57, pp. 5-25, 26. 1907; rev., pp. 5-25, 26, 36. 1908.
   yields and prices, 1866-1900. D.B. 514, p. 4. 1917.
White Mountain National Forest, vacation uses. D.C. 100, pp. 23. 1921.
wind records, 1907-1911. Ent. Bul. 119, pp. 36-37. 1913.
See also New England States.
New Haven, Conn., milk supply, statistics, officials, prices, and ordinances. B.A.I. Bul. 46, pp. 26, 54. 1903.
New Jersey—
agricultural—
   colleges and experiment stations, organization—
      1905. O.E.S. Bul. 161, pp. 45-47. 1905.
      1906. O.E.S. Bul. 176, pp. 51-53. 1907.
      1907. O.E.S. Bul. 197, pp. 55-56. 1908.
      1910. O.E.S. Bul. 224, pp. 46-48. 1910.
      1911. O.E.S. Bul. 247, pp. 47-48. 1912.
   See also Agriculture, workers, list.
   extension work, statistics. D.C. 253, pp. 5, 8, 12-13, 17, 18. 1923.
   school, Baron de Hirsch, for boys and girls. O.E.S. Cir. 106, rev., p. 31. 1912.
antirat campaign. Off. Rec. vol. 3, No. 12, p. 4. 1924.
apple—
   growing, areas, production, and varieties. D. B. 485, pp. 7, 16-17, 44-47. 1917.
   varieties, phenological records, observers, and details. B.P.I. Bul. 194, pp. 53-87. 1911.
appropriations for experiment station work, 1912. O.E.S. An. Rpt., 1912, pp. 55, 162. 1913.
asparagus crop, acreage and value, 1909. F.B. 829, p. 3. 1917.
associations, truck and cranberry growers' reports and by-laws. Rpt. 98, pp. 231-233, 266-268, 269-271, 279-280. 1913.
barley crops, 1866-1906, acreage, production, and value. Stat. Bul. 59, pp. 7-11, 13-15, 17-19, 28. 1907.
bee diseases, occurrence. Ent. Cir. 138, p. 15. 1911.
bees and honey statistics. D.B. 325, pp. 6, 9-12. 1915; D.B. 685, pp. 6, 9, 12, 14, 16, 17, 19, 21, 23, 26, 29, 31. 1918.
bench marks, marsh lands in Cumberland County. O.E.S. Bul. 240, p. 53. 1911.
bird protection. See Bird protection.
blueberry hybridization experiments. News L., vol. 6, No. 25, p. 7. 1919.
borax experiments with crops in 1920. D.B. 1126, pp. 5, 17-21. 1923.
bounty laws, 1907. Y.B., 1907, p. 563. 1908; Y.B. Sep. 473, p. 563. 1908.
buckwheat crops, 1866-1906, acreage, production, and value. Stat. Bul. 61, pp. 5-17, 19. 1908.
cantaloupe shipments, 1914. D.B. 315, pp. 17, 19. 1915.
Cape May County, Baron de Hirsh agricultural school. O.E.S. An. Rpt., 1907, pp. 301-302. 1908; O.E.S. Doc. 1132, pp. 301-302. 1908.
cement factories, potash content and loss. D.B. 572, p. 5. 1917.
central—
   and southern. See also Coastal plain.
   farming systems. George A. Billings and J. C. Beavers. F.B. 472, pp. 40. 1911.
closed season for shorebirds and woodcock. Y.B., 1914, pp. 292, 293. 1915; Y.B. Sep. 642, pp. 292, 293. 1915.
college buildings, agricultural. O.E.S. An. Rpt., 1907, p. 272. 1908.
convict road-work, laws. D.B. 414, pp. 206-207. 1916.
cooperative associations, statistics, and laws. D.B. 547, pp. 13, 19, 72. 1917.
corn—
   crops, 1866-1906, acreage, production, and value. Stat. Bul. 56, pp. 7-27, 29. 1907.
   earworm outbreaks, 1921. D.B. 1103, pp. 6, 9. 1922.
   growing, practices, and farm conditions in Mercer County. D.B. 320, pp. 26-28. 1916.

New Jersey—Continued.
  corn—continued.
    production, movements, consumption, and prices. D.B. 696, pp. 14, 16, 20, 29, 33, 36, 38, 40, 49. 1918.
    yields and prices, 1866–1915. D.B. 515, p. 5. 1917.
  court decisions on nonresident license laws. Biol. Bul. 19, pp. 47–49. 1904.
  cranberry—
    growing, methods, and yields. Y.B., 1911, pp. 211, 212, 213, 214. 1912; Y.B. Sep. 562, pp. 211, 212, 213, 214. 1912.
    handling methods, and yields. F.B. 1402, pp. 2–27. 1924.
  credits, farm-mortgage loans, costs and sources. D.B. 384, pp. 2, 3, 4, 7, 10. 1916.
  crop planting and harvesting dates, important crops. Stat. Bul. 85, pp. 18, 31, 53, 75, 85. 1912.
  crow roosts, location, and numbers of birds. Y.B., 1915, pp. 88, 94. 1916; Y.B. Sep. 659, pp. 88, 94. 1916.
  Cumberland County, marsh lands and soils, description. O.E.S. Bul. 240, pp. 34–53. 1911.
  dairy farms, renting practices. F.B. 1272, pp. 4, 13, 21, 23. 1922.
  deer killing, 1909–1920. D.B. 1049, p. 37. 1922.
  demurrage provisions, regulations. D.B. 191, pp. 3, 14, 17, 26. 1915.
  dewberry growing, varieties and methods. F.B. 728, pp. 2, 5, 15, 17. 1916.
  drainage work against mosquitoes, and value of reclaimed land. Ent. Bul. 88, pp. 10, 47–53, 59–62. 1910.
  drug laws. Chem. Bul. 98, pp. 125–129. 1906; rev., Pt. I, pp. 193–202. 1909.
  early settlement, historical notes. See Soil surveys for various counties and areas.
  Essex County, Medical Milk Commission agreement with milk dealer. B.A.I. Bul. 46, pp. 182–187. 1903.
  Experiment Stations—
    report of work—
      1906. E. B. Voorhees. O.E.S. Rpt., 1906, pp. 132–134. 1907.
      1907. E. B. Voorhees. O.E.S. An. Rpt., 1907; pp. 136–139. 1908.
    work and expenditures—
      1908. E. B. Voorhees. O.E.S. An. Rpt., 1908, pp. 134–136. 1909.
      1909. E. B. Voorhees. O.E.S. An. Rpt., 1909, pp. 149–152. 1910.
      1910. E. B. Voorhees. O.E.S. An. Rpt., 1910, pp. 193–196. 1911.
      1911. J. G. Lipman. O.E.S. An. Rpt., 1911, pp. 155–158. 1912.
      1912. J. G. Lipman. O.E.S. An. Rpt., 1912, pp. 161–164. 1913.
      1913. J. G. Lipman. O.E.S. An. Rpt., 1913, pp. 63–64. 1915.
      1914. J. G. Lipman. O.E.S. An. Rpt., 1914, pp. 163–167. 1915.
      1915. J. G. Lipman. O.E.S. An. Rpt., 1915, pp. 185–188. 1917.
      1915, report. J. G. Lipman. S.R.S. Rpt., 1915, Pt. I, pp. 185–188. 1916.
      1916. J. G. Lipman. S.R.S. Rpt., 1916, Pt. I, pp. 190–195. 1918.
      1917. J. G. Lipman. S.R.S. Rpt., 1917, Pt. I, pp. 184–189. 1918.
      1918. S.R.S. An. Rpt., 1918, pp. 28, 44, 47, 49, 61, 64, 70–80. 1920.
  experiments with borax in fertilizers. D. B. 998, p. 2. 1922.
  extension work—
    in agriculture and home economics—
      1915. Alva Agee. S.R.S. Rpt., 1915, Pt. II, pp. 262–265. 1916.
      1916. Alva Agee. S.R.S. Rpt., 1916, Pt. II, pp. 288–293. 1917.
      1917. Alva Agee. S.R.S. Rpt., 1917, Pt. II, 291–297. 1919.
    funds allotment, and county-agent work. S.R.S. Doc. 40, pp. 4, 6, 10, 16, 25, 28. 1918.
    statistics. D.C. 306, pp. 3, 6, 11, 16, 20, 21. 1924.
  fairs, number, kind, location, and dates. Stat. Bul. 102, pp. 13, 14, 45–46. 1913.

New Jersey—Continued.
  farm—
    animals, statistics, 1867–1907. Stat. Bul. 64, p. 102. 1908.
    conditions, letters from women, citations. Rpt. 103, p. 67. 1915; Rpt. 104, pp. 9, 24, 36, 52, 54. 1915; Rpt. 105, p. 27. 1915; Rpt. 106, pp. 20, 27, 45, 63. 1915.
    family, food, fuel, and housing, value, details. D.B. 410, pp. 7–35. 1916.
    leases, provisions. D.B. 650, pp. 4, 5, 8, 10, 11, 13, 16, 17. 1918.
    products area and Japanese-beetle area, regulations. F.H.B.S.R.A. 75, pp. 80–81. 1923.
    values, changes, 1900–1905. Stat. Bul. 43, pp. 11–17, 29–46. 1906.
  farmers—
    experience with motor trucks (with other States). D.B. 910, pp. 1–37. 1920.
    incomes, owners and tenants, comparative. Y.B., 1916, p. 339. 1917; Y.B. Sep. 715, p. 19. 1917.
    institutes—
      history. O.E.S. Bul. 174, pp. 62–64. 1906.
      legislation. O.E.S. Bul. 241, p. 29. 1911.
      work, 1902. O.E.S. Bul. 120, p. 37. 1902.
      work, 1904. O. E. S. An. Rpt., 1904, p. 655. 1905.
      work, 1906. O. E. S. An. Rpt., 1906, p. 340. 1907.
      work, 1907. O.E.S. An. Rpt., 1907, p. 338. 1908.
      work, 1908. O.E.S. An. Rpt., 1908, p. 320. 1909.
      work, 1909. O.E.S. An. Rpt., 1909, p. 350. 1910.
      work, 1910. O.E.S. An. Rpt., 1910, p. 410. 1911.
      work, 1911. O.E.S. An. Rpt., 1911, p. 375. 1912.
      work, 1912. O.E.S. An. Rpt., 1912, p. 368. 1913.
    limestone production company. News L., vol. 7, No. 5, p. 12. 1919.
    open wholesale market in Trenton. News L., vol. 7, No. 5, p. 12. 1919.
  fertilizer prices, 1919, by counties. D.C. 57, pp. 4, 5, 8. 1919.
  field work of Plant Industry, December, 1924. M.C. 30, pp. 34–35. 1925.
  first milk commission, organization and objects. B.A.I. Bul. 104, pp. 7–9. 1912.
  food laws—
    1903. Chem. Bul. 83, Pt. I, pp. 84–85. 1904.
    1904. Chem. Bul. 83, Pt. II, pp. 9–10. 1904.
    1905. Chem. Bul. 69, rev., Pt. V, pp. 373–407. 1906.
    1906. Chem. Bul. 104, pp. 35–39. 1906.
    1907. Chem. Bul. 112, Pt. II, pp. 7–18. 1908.
    enforcement. Chem. Cir. 16, rev., p. 16. 1908.
  foot-and-mouth disease, quarantine areas for. B.A.I.O. 229, amdt. 4, p. 1. 1915; B.A.I.O. 231, p. 6. 1915; B.A.I.O. 232, p. 2. 1915; B.A.I.O. 238, p. 6. 1915; B.A.I.O. 238, amdt. 3, 4, 6, 7, p. 3. 1915; B.A.I.O. 238, amdt. 8, p. 2. 1915.
  forest—
    conditions and lumber requirements. Sec. Cir. 183, p. 25. 1921.
    fires, statistics. For. Bul. 117, p. 32. 1912.
    legislation, 1907. Y.B., 1907, p. 576. 1908; Y.B. Sep. 470, p. 16. 1908.
    planting conditions and suggestions. D.B. 153, pp. 4–5. 1915.
    planting, increase and kind of trees planted. Y.B., 1909, p. 338. 1910; Y.B. Sep. 517, p. 338. 1910.
  forestry laws—
    1915. For. Misc. S.-12, pp. 7. 1915.
    1921, summary. D.C. 239, pp. 17–18. 1922.
  Freehold area, soil and crop survey. D.B. 677, pp. 16–25, 55–56. 1918.
  fruit industry, 1890–1900, census data. B.P.I. Bul. 194, pp. 16–17. 1911.
  funds for cooperative extension work, sources. S.R.S. Doc. 40, pp. 4, 6, 10, 16. 1917.
  fur-animals, laws—
    1915. F.B. 706, pp. 11–12. 1916.
    1916. F.B. 783, pp. 13, 27. 1916.
    1917. F.B. 911, pp. 16, 31. 1917.

INDEX TO PUBLICATIONS, 1901–1925   1615

New Jersey—Continued.
 fur-animals, laws—continued.
  1918. F.B. 1022, pp. 15–16. 1918.
  1919. F.B. 1079, pp. 5, 19. 1919.
  1920. F.B. 1165, pp. 4, 17. 1920.
  1921. F.B. 1238, pp. 16–17. 1921.
  1922. F.B. 1293, pp. 14–15. 1922.
  1923–24. F.B. 1387, pp. 17–18. 1923.
  1924–25. F.B. 1445, p. 13. 1924.
  1925–26. F.B. 1469, p. 16. 1925.
 game—
  and bird officials, organizations and publications. Biol. Cir. 65, pp. 5, 12, 15. 1908.
  laws—
   1902. F.B. 160, pp. 17, 32, 42, 45, 52, 54. 1902.
   1903. F.B. 180, pp. 13, 24, 33, 39, 44, 46. 1903.
   1904. F.B. 207, pp. 21, 34, 40, 44, 51. 1904.
   1905. F.B. 230, pp. 11, 19, 32, 38, 45. 1905.
   1906. F.B. 265, pp. 9, 18, 31, 38, 45. 1906.
   1907. F.B. 308, pp. 16, 29, 36, 44. 1907.
   1908. F.B. 336, pp. 9, 19, 33, 40, 44, 52. 1908.
   1909. F.B. 376, pp. 17, 24, 35, 40, 43. 1909.
   1910. F.B. 418, pp. 10, 17, 28, 33, 36, 42. 1910.
   1911. F.B. 470, pp. 12, 21, 33, 38, 41, 49. 1911.
   1912. F.B. 510, pp. 4, 5, 6, 8, 10, 17, 25–26, 29, 32, 34, 38, 41, 45. 1912.
   1913. D.B. 22, pp. 14, 20, 29, 40, 46, 49, 55. 1913; rev., pp. 14, 19, 20, 40, 46, 49, 55. 1913.
   1914. F.B. 628, pp. 3, 4, 6, 10, 11, 12, 14, 20. 28–29, 32, 35, 36, 38, 42, 45, 50. 1914.
   1915. F.B. 692, pp. 3. 4, 5, 7, 12, 30, 42, 47, 50, 52, 59. 1915.
   1916. F.B. 774, pp. 9, 28, 40, 46, 49, 51, 59. 1916.
   1917. F.B. 910, pp. 26, 48, 53. 1917.
   1918. F.B. 1010, pp. 24, 46, 48. 1918.
   1919. F.B. 1077, pp. 27, 49, 56. 1919.
   1920. F.B. 1138, pp. 29–30. 1920.
   1921. F.B. 1235, p. 31. 1921.
   1922. F.B. 1288, pp. 27, 54. 1922.
   1923–24. F.B. 1375, pp. 27–28, 50. 1923.
   1924–25. F.B. 1444, pp. 19–20, 37. 1924.
   1925–26. F.B. 1466, pp. 26, 45. 1925.
  protection. See Game protection.
 gipsy moth—
  introduction and control work. F.B. 1335, pp. 2–4, 5, 26, 27. 1923.
  spread and control work. An. Rpts. 1922, pp. 304–305. 1923; Ent. A.R. 1922, pp. 6–7. 1922.
 grain supervision districts, counties. Mkts. S.R.A. 14, p. 2. 1916.
 grapes—
  chemical composition, studies and tables. D.B. 452, pp. 2, 4–6, 8–11, 17–20. 1916.
  shipments, 1916–1919. D.B. 861, pp. 3, 48. 1920.
  spraying experiments, 1908. B.P.I. Bul. 155, pp. 35–37. 1909.
 greensand deposits, potash source. D.C. 61, p. 6. 1919.
 Hartford area, soil and crop survey. D.B. 677, pp. 25–33, 56–57. 1918.
 hay crops, 1866–1906, acreage, production and value. Stat. Bul. 63, pp. 5–25, 27. 1908.
 haymaking methods, and costs. D.B. 578, pp. 11–12, 15. 1918.
 herds, lists of tested and accredited. D.C. 142, pp. 6, 23, 34, 47, 48–49. 1920; D.C. 143, pp. 11, 38, 80. 1920; D.C. 144, p. 36. 1920; D.C. 54, pp. 7, 14, 36, 61. 1919.
 historical notes on agriculture for certain counties and areas. See Soil Surveys.
 home projects, work in schools. D.B. 346, p. 3. 1916.
 hunting laws. Biol. Bul. 19, pp. 10, 11, 12, 21, 27, 30, 32, 33, 55–56, 64. 1904.
 Indian Mills, cranberry region, temperature studies. J.A.R., vol. 11, pp. 522–523, 526–527. 1917.
 insect notes, 1906. Ent. Bul. 67, pp. 34–37. 1907.
 insecticide and fungicide laws. I. and F.Bd. & R.A. 13, pp. 132–133. 1916.
 irrigation—
  1901. E. B. Voorhees. O.E.S. Bul. 119, pp. 353–364. 1902.
  investigations in, 1902. E.B. Voorhees. O.E.S. Bul. 133, pp. 235–248. 1903.
  need and possibilities. Y.B., 1911, pp. 315, 319. 1912; Y.B., Sep. 570, pp. 315, 319. 1912.
  plants. O.E.S. Bul. 167, pp. 22–33. 1906.

New Jersey—Continued.
 Japanese beetle—
  area infested. Off. Rec., vol. 1, No. 1, p. 13. 1922.
  quarantine regulations. F.H.B. Quar. 36, pp. 2. 1918; F.H.B. Quar. 40, pp. 3. 1920; F.H.B. Quar. 48, rev., pp. 1–3, 6, 7. 1922; F.H.B Quar. 48, rev., pp. 5. 1923; F.H.B. Quar. 48, rev., p. 6. 1923.
  spread since 1916. D.B. 1103, pp. 44–46. 1922.
 labor on truck farms, 1922. Josiah C. Folsom. D.B. 1285, pp. 1–38. 1925.
 lard supply, wholesale and retail, August 31, 1917, tables. Sec. Cir. 97, pp. 13–31. 1918.
 laws—
  adverse to private game preserves. Biol. Cir. 72, p. 9. 1910.
  against Sunday shooting. Biol. Bul. 12, rev., p. 63. 1902.
  dog control, digest. F.B. 935, pp. 17–18. 1918; F.B. 1268, p. 18. 1922.
  for drainage of mosquito swamp lands. Ent. Bul. 88, pp. 48–50. 1910.
  for turpentine sale. D.B. 898, pp. 40–41. 1920.
  on—
   community buildings. F.B. 1192, p. 33. 1921.
   nursery stock, interstate shipment, digest. Ent. Cir. 75, rev., p. 5. 1909. F.H.B., S.R.A., 57, pp. 113, 114, 115. 1919.
   sale of certified milk. D.B. 1, p. 10. 1913.
  relating to contagious animal diseases. B.A.I. Bul. 43, p. 43. 1901.
  stallions, regulations. B.A.I. An. Rpt., 1908, p. 339. 1910.
 legislation—
  protecting birds. Biol. Bul. 12, rev., pp. 15, 18, 19, 23, 25, 32, 34, 36, 37, 40, 43, 46, 47, 49, 103–105, 137. 1902.
  relative to tuberculosis. B.A.I. Bul. 28, pp. 93–100. 1901.
 leopard-moth introduction and damage. F.B. 708, pp. 1, 3, 4. 1916.
 livestock—
  admission, sanitary requirements. B.A.I. Doc. 28, p. 28. 1917; B.A.I. Doc. A.–36, pp. 41–42. 1920; M.C. 14, pp. 54–55. 1924.
  associations. Y.B., 1920, p. 526. 1921; Y.B. Sep. 866, p. 526. 1921.
 lumber—
  cut, 1920, 1870–1920, value, and kinds. D.B. 1119, pp. 28, 30–35, 48, 56, 58. 1923.
  production, 1918, by mills, by woods, and lath and shingles. D.B. 845, pp. 6–11, 14, 16, 28, 42–47. 1920.
 macadam roads, materials and cost. F.B. 338, pp. 22, 23, 35. 1908.
 maple sugar and sirup, production by years. F.B. 516, pp. 44–46. 1912.
 market news service. Off. Rec., vol. 1, No. 35, p. 8. 1922.
 marketing activities and organization. Mkts. Doc. 3, p. 5. 1916.
 marl, use on soils. J.A.R., vol. 19, pp. 239–241. 1920.
 marsh land reclamations, descriptions, soils, levees, and ditches. F.B. 320, pp. 9–12. 1908; O.E.S. Bul. 240, pp. 34–53. 1911.
 meteorological data. Chem. Bul. 127, p. 18. 1909.
 milk—
  commission, organization and objects. B.A.I. Bul. 104, pp. 7–9. 1908; D.B. 1, pp. 1–2. 1913.
  supply and laws. B.A.I. Bul. 46, pp. 26, 30, 36, 40, 112–123, 175, 182, 187. 1903.
 mosquito plague. Ent. Bul. 78, pp. 8, 15. 1900.
 moth occurrence and control. F.B. 845, p. 26. 1917.
 oat crops, 1866–1906, acreage, production, and value. Stat. Bul. 58, pp. 5–25, 27. 1907.
 officials, dairy, drug, feeding stuffs, and food. See Dairy officials; Drug officials.
 onions, production. D.B. 1325, p. 9. 1925.
 partridge-rearing experiments. Y.B., 1909, pp. 254, 256. 1910; Y.B. Sep. 510, pp. 254, 256. 1910.
 pasture land on farms. D.B. 626, pp. 14, 59. 1918.
 peach(es)—
  growing, production, districts, and varieties. D.B. 806, pp. 4, 5, 7, 8, 9, 13. 1919.

New Jersey—Continued.
peach(es)—continued.
 preparation for market. F.B. 1266, pp. 4, 10, 15, 16-27. 1922.
 shipping season, area of production, etc. D.B. 298, pp. 4, 5, 6, 12-13. 1915.
 varieties, names and ripening dates. F.B. 918, p. 9. 1918.
pear growing, distribution and varieties. D.B. 822, p. 7. 1920.
pheasant-raising, attempts and results. F.B. 390, pp. 13, 16. 1910.
potato(es)—
 crops, 1866-1906, acreage, production, and value. Stat. Bul. 62, pp. 7-27, 29. 1908.
 early crop, location, season, varieties, and shipments. F.B. 1316, pp. 3, 4, 5. 1923.
 production and yield, 1909, in five leading counties. F.B. 1064, p. 5. 1919.
quarantine on—
 green corn for Japanese beetle. F.H.B., S.R.A. 62, p. 59. 1919.
 sweet corn for Japanese-beetle control. News L., vol. 6, No. 11, p. 5. 1919.
raw-rock phosphate, field experiments and results. D.B. 699, pp. 80-82. 1918.
road(s)—
 bond-built, amount of bonds. D.B. 136, pp. 13, 43, 56, 71, 81, 84, 85. 1915.
 building rock tests—
  1916, results, table. D.B. 370, pp. 46-47. 1916; D.B. 670, p. 14. 1918.
  1916-1921, results. D.B. 1132, pp. 22, 52. 1923.
 experiments, 1910, supplemental report. Rds. Cir. 98, p. 41. 1912.
 laws, 1908. Y.B., 1908, pp. 592-593. 1909.
 laws, 1910, and appropriations. Y.B., 1910, p. 270. 1911; Y.B. Sep. 535, p. 270. 1911.
 management, laws, cost, and mileage. Y.B., 1914, pp. 213, 220, 222. 1915; Y.B. Sep. 638, pp. 213, 220, 222. 1915.
 materials, tests. Rds. Bul. 44, pp. 54-55. 1912.
 mileage and expenditures—
  1904. Maurice O. Eldridge. Rds. Cir. 71, pp. 3. 1907.
  1909. Rds. Bul. 41, pp. 27-28, 41, 42, 88. 1912.
  1914. D.B. 386, pp. 3-5, 6-14. 1916.
  1915. Sec. Cir. 52, pp. 2, 4, 6. 1915.
  1916. Sec. Cir. 74, pp. 4, 5, 7, 8. 1917.
 preservation, and dust prevention, experiments at Ridgewood, 1914, reports. D.B. 257, p. 37. 1915.
rye crops, 1866-1906, acreage, production, and value. Stat. Bul. 60, pp. 5-25, 27. 1908.
San Jose scale, occurrence. Ent. Bul. 62, p. 27. 1903.
sandy soils, improvement by growing legumes. F.B. 329, pp. 6-10. 1908.
sawfly, occurrence, mistaken name. D.B. 834, p. 2. 1920.
sewage irrigation, benefit to crops. News L., vol. 1, No. 35, p. 4. 1914.
shellfish industry, extent and value. Y.B., 1910, pp. 371, 372. 1911; Y.B. Sep. 544, pp. 371, 372. 1911.
shipments of fruits and vegetables, and index to station shipments. D.B. 667, pp. 6-13, 34. 1918.
shortleaf pine. D.B. 244, pp. 12, 17. 1915.
soil survey of—
 Belvidere area. A. L. Patrick and others. Soil Sur. Adv. Sh., 1917, pp. 72. 1920; Soils F.O., 1917, pp. 125-192. 1923.
 Bernardsville area. Austin L. Patrick and others. Soil Sur. Adv. Sh., 1919, pp. 409-468. 1923; Soils F.O., 1919, pp. 409-468. 1925.
 Burlington County. See Camden, Trenton, and Chatsworth areas.
 Camden County. See Camden and Chatsworth areas.
 Camden area. A. L. Patrick and L. L. Lee. Soil Sur. Adv. Sh., 1915, pp. 45. 1917; Soils F.O., 1917, pp. 155-195. 1919.
 Cape May County. See Millville area.
 Chatsworth area. L. L. Lee and others. Soil Sur. Adv. Sh., 1919, pp. 469-515. 1923; Soils F.O., 1919, pp. 469-515. 1925.
 Cumberland County. See Camden, Millville, and Salem areas.

New Jersey—Continued.
soil survey of—continued.
 Freehold area. H. Jennings and others. Soil Sur. Adv. Sh., 1913, pp. 51. 1916; Soils F.O., 1913, pp. 95-141. 1916.
 Gloucester County. See Camden, Millville, and Salem areas.
 Hunterdon County. See Belvidere, Trenton, and Bernardsville areas.
 Mercer County. See Belvidere and Trenton areas.
 Middlesex County. See Freehold, Trenton, and Bernardsville areas.
 Millville area. C. C. Engle and others. Soil Sur. Adv. Sh., 1917, pp. 46. 1921; Soils F.O., 1917, pp. 193-234. 1923.
 Monmouth County. See Freehold, Chatsworth, and Trenton areas.
 Morris County. See Belvidere, Sussex, and Bernardsville areas.
 Ocean County. See Trenton and Chatsworth areas.
 Passaic County. See Sussex area.
 Salem area. Jay A. Bonsteel and F. W. Taylor. Soil Sur. Adv. Sh., 1901, pp. 24. 1902; Soils F.O., 1901, pp. 125-148. 1902.
 Salem County. See Camden, Millville, and Salem areas.
 Somerset County. See Belvidere, Trenton, and Bernardsville areas.
 Sussex area. H. Jennings and others. Soil Sur. Adv. Sh., 1911, pp. 62. 1913; Soils F.O., 1911, pp. 329-386. 1914.
 Sussex County. See Belvidere, Sussex, and Bernardsville areas.
 Trenton area. R. T. Avon Burke and Henry J. Wilder. Soil Sur. Adv. Sh., 1902, pp. 24. 1903; Soils F.O., 1902, pp. 163-186. 1903.
 Union County. See Bernardsville area.
 Warren County. See Belvidere and Sussex areas.
soils—
 Meadow, areas, location, and crop adaptation. Soils Cir. 68, pp. 12, 13, 21. 1912.
 Norfolk sand, areas, location, and uses. Soils Cir. 44, pp. 3, 9, 12, 13, 19. 1911.
 Norfolk sandy loam, areas, location, and use. Soils Cir. 45, pp. 3, 8, 10, 11, 14. 1911.
 Sassafras, location and crop adaptations. D.B. 159, pp. 2-52. 1915.
 southern—
  climate, soils, crops, and character of area. D.B. 677, pp. 1-15. 1918.
  early-potato shipping methods. F.B. 1316, pp. 28-29. 1923.
  soils, and their uses. J. A. Bonsteel. D.B. 677, pp. 78. 1918.
 southwestern truck farms, renting systems. Howard A. Turner. D.B. 411, pp. 20. 1916.
stallions, number, classes, and legislation controlling. Y.B., 1916, pp. 290, 291, 293, 296. 1917; Y.B. Sep. 692, pp. 2, 3, 5, 8. 1917.
standard containers. F.B. 1434, p. 17. 1924.
strawberry shipments, 1914. D.B. 237, p. 9. 1915; F.B. 1028, p. 6. 1919.
Sudan-grass growing experiments. B.P.I. Cir. 125, p. 17. 1913.
Swedesboro area, soil and crop survey. D.B. 677, pp. 42-56. 1918.
sweet-potato scurf, occurrence. J.A.R., vol. 5, No. 21, p. 995. 1916.
temperature and rainfall records, 1902-1907. B.P.I. Bul. 194, p. 15. 1911.
Thorofare area, soil and crop survey. D.B. 677, pp. 34-42, 56-57. 1918.
tides, measurements. O.E.S. Bul. 240, p. 35. 1911.
tomato(es)—
 growing as a truck crop, shipping centers, etc., notes. F.B. 1338, pp. 1, 2, 15, 16, 19, 30, 31. 1923.
 pulping statistics. D.B. 927, pp. 4, 24. 1921.
 shipments, 1914. D.B. 290, p. 10. 1915.
 shipping sections. F.B. 1291, p. 3. 1922.
Trenton, city market. News L., vol. 6, No. 29, p. 14. 1919.
trucking industry, acreage, and crops. Y.B., 1916, pp. 437, 440, 449, 450, 455-465. 1917; Y.B. Sep. 702, pp. 3, 6, 15, 16, 17, 21-31. 1917.

INDEX TO PUBLICATIONS, 1901–1925   **1617**

New Jersey—Continued.
  Vineland experimental vineyard, work, 1909, and future work. An. Rpts., 1909, pp. 350, 353. 1910; B.P.I. Chief Rpt., 1909, pp. 98, 101. 1909.
  wage rates, farm labor, 1842–1865, and 1866–1909. Stat. Bul. 99, pp. 12–14, 20, 29–43, 68–70. 1912.
  walnut—
    growing and yield. B.P.I. Bul. 254, pp. 19, 102. 1913.
    range and estimated stand. D.B. 933, pp. 7, 8, 23. 1921.
    stand and quality. D.B. 909, pp. 9, 10, 16–17, 19, 21. 1921.
  water supply, records by counties. Soils Bul. 92, pp. 104–105. 1913.
  wheat—
    acreage and varieties. D.B. 1074, p. 213. 1922.
    crops, acreage, production, and value. Stat. Bul. 57, pp. 5–25, 27. 1907; rev., pp. 5–25, 27, 36. 1908.
    varieties adapted. F.B. 616, pp. 10, 11. 1914; F.B. 1168, pp. 13, 15. 1921.
    yields and prices, 1866–1915. D.B. 514, p. 5. 1917.
  Whitesbog, testing plantation for blueberries, work. D.B. 974, pp. 1–2, 3, 12, 14, 20. 1921.
  Woodbine, Baron de Hirsch Agricultural School, course of study. O.E.S. Doc. 1132, pp. 301–302. 1908.
  See also Atlantic coastal plains.
New Mexico—
  agricultural—
    colleges and experiment stations, organization—
      1905. O.E.S. Bul. 161, p. 47. 1905.
      1906. O.E.S. Bul. 176, pp. 53–54. 1907.
      1907. O.E.S. Bul. 197, pp. 57–58. 1908.
      1910. O.E.S. Bul. 224, pp. 48–49. 1910.
      1911. O.E.S. Bul. 247, p. 49. 1912.
    See also Agriculture, workers list.
  experiments in Pecos Valley. Rpt. 70, p. 7. 1901.
  extension work, statistics. D.C. 253, pp. 5, 8, 12–13, 17, 18. 1923.
  and Arizona, western yellow pine. Theodore S. Woolsey, jr. For. Bul. 101, pp. 64. 1911.
  antelope in, number and distribution. D.B. 1346, pp. 40–43. 1925.
  apple growing, areas, and varieties and production. D.B. 485, pp. 34–35, 44–47. 1917.
  apples, prices. News L., vol. 7, No. 5, p. 12. 1919.
  Archaeological Society, Museum, value. M.C. No. 5, p. 4. 1923.
  areas infested with pink bollworm, quarantine regulations. F.H.B.S.R.A. 75, pp. 62, 65. 1923.
  assessed valuation, percentage of each kind of property. D.B. 211, pp. 12–15, 38. 1915.
  Bandalier National Monument, description. M.C. 5, pp. 1–18. 1923.
  barley crops, 1882–1906, acreage, production, and value. Stat. Bul. 59, pp. 14–26, 35. 1907.
  bean—
    beetle outbreaks in 1921. D.B. 1103, p. 32. 1922.
    ladybird, distribution and damage. F.B. 1074, p. 4. 1919.
  bee disease, occurrence. Ent. Cir. 138, p. 15. 1911.
  bees and honey statistics. D.B. 325, pp. 6, 9–12. 1915; D.B. 685, pp. 7, 10, 13, 15, 17, 18, 20, 22, 24, 27, 30, 31. 1918.
  beet—
    leaf-beetle, occurrence and injuries. D.B. 892, pp. 5, 7. 1920.
    sugar, industry, progress—
      1908. Rpt. 90, p. 66. 1909.
      1909. Rpt. 90, p. 66. 1909.
  birds—
    and game officials and organizations, 1921. D.C. 196, pp. 8, 16. 1921.
    protection. *See* Bird protection.
    reports from obervers, 1916 and 1920. D.B. 1165, pp. 13, 21. 1923.
    reservations, details, and summary. Biol. Cir. 87, pp. 9, 10, 12, 16. 1912.
    bounty laws, 1907. Y.B., 1907, p. 563. 1908; Y.B. Sep. 473, p. 563. 1908.
  boys' and girls' clubs, work. News L., vol. 6, No. 34, p. 10. 1919.

New Mexico—Continued.
  cabbage flea-beetle, occurrence and injuries to crops. D.B. 902, pp. 4, 5, 6, 7. 1920.
  cantaloupe shipments, 1914. D.B. 315, pp. 17, 19. 1915.
  Carlsbad Cave, study. Off. Rec., vol. 3, No. 18, p. 3. 1924.
  climate, soils, and native vegetation. D.B. 1260, pp. 4–10. 1924.
  College—
    garden, tuna specimens, descriptions, study. B.P.I. Bul. 116, pp. 61, 64. 1907.
    improvements in equipment and curriculum. O.E.S. An. Rpt., 1907, p. 283. 1908.
    teachers' courses. O.E.S. Cir. 118, p. 20. 1913.
  convict road work, laws. D.B. 414, p. 207. 1916.
  cooperative associations, statistics, and laws. D.B. 547, pp. 13, 20, 72. 1917.
  corn—
    crops—
      1882–1906, acreage, production, and value. Stat. Bul. 56, pp. 15–27, 36. 1907.
      1882–1915, yields and prices. D.B. 515, p. 14. 1917.
    growing, drought-resistant Pueblo varieties. J.A.R., vol. 1, pp. 293–302. 1914.
    production, movements, consumption, and prices. D.B. 696, pp. 15, 16, 21, 28, 30, 33, 36, 38, 41, 49. 1918.
  cotton growing, one-variety communities. D.B. 1111, p. 43. 1922.
  county funds from national forests. D.C. 240, p. 9. 1922.
  credits, farm-mortgage loans, costs, and sources. D.B. 384, pp. 2, 3, 6, 8, 10. 1916.
  crops, varieties adapted. N.A. Fauna 35, pp. 23–24, 38–41. 1913.
  date-growing possibilities. B.P.I. Bul. 53, pp. 133–134. 1904.
  demurrage provisions, regulations. D.B. 191, pp. 4, 26. 1915.
  drainage surveys, location and kind of land, 1911. An. Rpts., 1911, p. 708. 1912; O.E.S. Chief Rpt., 1911, p. 26. 1911.
  drought area, relief. Off. Rec., vol. 3, No. 15, p. 2. 1924.
  drug laws. Chem. Bul. 98, pp. 130–133. 1906; rev., Pt. I, pp. 203–208. 1909.
  early settlement, historical notes. *See* soil surveys *for various counties and areas.*
  eastern—
    forest planting suggestions. For. Cir. 99, pp. 1–14. 1907.
    milo growing. F.B. 322, pp. 11, 22. 1908.
  evaporation experiments. O.E.S. Bul. 248 pp. 17–20, 29, 42–44, 50, 59, 67. 1912.
  Experiment Station—
    irrigation investigations, 1904. J. J. Vernon. O.E.S. Bul. 158, pp. 303–317. 1905.
    report of work, 1906. Luther Foster. O.E.S. Rpt., 1906, pp. 134–135. 1907.
    work, 1925. Off. Rec., vol. 4, No. 28, p. 3. 1925.
    work and expenditures—
      1907. Luther Foster. O.E.S. An. Rpt., 1907, pp. 139–141. 1908.
      1908. Luther Foster. O.E.S. An. Rpt., 1908, pp. 136–139. 1909.
      1909. Luther Foster. O.E.S. An. Rpt., 1909, pp. 152–154. 1910.
      1910. Luther Foster. O.E.S. An. Rpt., 1910, pp. 196–199. 1911.
      1911. Luther Foster. O.E.S. An. Rpt., 1911, pp. 158–161. 1912.
      1912. Luther Foster. O.E.S. An. Rpt., 1912, pp. 164–167. 1913.
      1913. Fabian Garcia. O.E.S. An. Rpt., 1913, pp. 65–66. 1915.
      1914. Fabian Garcia. O.E.S. An. Rpt., 1914, pp. 167–170. 1915.
      1915. Fabian Garcia. O.E.S. An. Rpt., 1915, pp. 189–192. 1917.
      1915. Fabian Garcia. S.R.S. Rpt., 1915, Pt. I, pp. 189–192. 1917.
      1916. Fabian Garcia. S.R.S. Rpt. 1916, Pt. I, pp. 195–199. 1918.
      1917. Fabian Garcia. S.R.S. Rpt. 1917, Pt. I, pp. 189–193. 1918.
      1918. S.R.S. Rpt., 1918, pp. 34, 47, 51, 61, 67, 70–80. 1920.

New Mexico—Continued.
  extension work—
    funds allotment and county-agent work.
      S.R.S. Doc. 40, pp. 4, 6, 11, 16, 25, 28. 1918.
    in agriculture and home economics—
      1915. A. C. Cooley. S.R.S. Rpt. 1915, Pt. II, pp. 265–269. 1916.
      1916. A. C. Cooley. S.R.S. Rpt., 1916, Pt. II, pp. 293–297. 1917.
      1917. A. C. Cooley. S.R.S. Rpt. 1917, Pt. II, pp. 297–301. 1919.
    statistics. D.C. 306, pp. 3, 6, 11, 16, 20, 21. 1924.
  fairs, number, kind, location and dates. Stat. Bul. 102, pp. 13, 14, 46. 1913.
  farm—
    animals, statistics, 1883–1907. Stat. Bul. 64, p. 136. 1908.
    conditions—
      letters from women, citations. Rpt. 104, p. 54. 1915; Rpt. 105, pp. 34, 53, 66. 1915; Rpt. 106, pp. 17, 42, 58, 62, 65, 67. 1915.
    resources, population and wealth. O.E.S. Bul. 215, pp. 7–10. 1912.
    values, changes, 1900–1905. Stat. Bul. 43, pp. 11–17, 30–46. 1906.
  farmers' institutes—
    control. O.E.S. Bul. 241, p. 29. 1911.
    history. O.E.S. Bul. 174, p. 64. 1906.
    legislation, 1903. O.E.S. Bul. 135, rev., p. 25. 1905.
    work—
      1904. O.E.S. An. Rpt. 1904, pp. 655–656. 1905.
      1906. O.E.S. An. Rpt. 1906, p. 340. 1907.
      1907. O.E.S. An. Rpt. 1907, p. 338. 1908; O.E.S. Bul. 199, p. 23. 1908.
      1908. O.E.S. An. Rpt. 1908, p. 321. 1909.
      1909. O.E.S. An. Rpt. 1909, p. 350. 1910.
      1912. O.E.S. An. Rpt. 1912, p. 369. 1913.
  fauna and flora. N.A. Fauna 35, pp. 100. 1913.
  field station, subsoiling, experiments. J.A.R., vol. 14, p. 500. 1918.
  field work of Plant Industry, December, 1924. M.C. 30, pp. 35–36. 1925.
  food laws—
    1905. Chem. Bul. 69, rev., Pt. V, pp. 408–410. 1906.
    enforcement. Chem. Cir. 16, rev., p. 16. 1908.
  forest—
    area, 1918. Y.B., 1918, pp. 717–718. 1919; Y.B. Sep. 795, pp. 53–54. 1919.
    conditions and needs. Sec. Cir. 183, pp. 27, 29. 1921.
    fire protection. Off. Rec., vol. 3, No. 9, p. 3. 1924.
    fire statistics. For. Bul. 117, pp. 32–33. 1912.
    lands, exchange. Off. Rec., vol. 3, No. 25, p. 2. 1924.
    pine reproduction, studies. D.B. 1105, pp. 1–144. 1923.
    reserves. See Forests, national.
  forestry laws, 1921, summary. D.C. 239, p. 18. 1922.
  funds for cooperative extension work, sources. S.R.S. Doc. 40, pp. 4, 6, 10, 16. 1917.
  fur animals, laws—
    1915. F.B. 706, p. 12. 1916.
    1916. F.B. 783, pp. 13, 27. 1916.
    1917. F.B. 911, pp. 16, 31. 1917.
    1918. F.B. 1022, pp. 16, 31. 1918.
    1919. F.B. 1079, pp. 19–20, 31. 1919.
    1920. F.B. 1155, p. 17. 1920.
    1921. F.B. 1238, pp. 17. 1921.
    1922. F.B. 1293, p. 15. 1922.
    1923–24. F.B. 1387, p. 18. 1923.
    1924–25. F.B. 1445, p. 13. 1924.
    1925–26. F.B. 1469, pp. 16–17. 1925.
  game—
    and fish officials, and publications. Biol. Cir. 65, p. 5. 1908.
    laws—
      1902. F.B. 160, pp. 17, 32, 42, 52, 54. 1902.
      1903. F.B. 180, pp. 13, 24, 33, 39, 44, 46. 1903.
      1904. F.B. 207, pp. 21, 34, 44. 1904.
      1905. F.B. 230, pp. 11, 19, 32, 38, 45. 1905.
      1906. F.B. 265, pp. 8, 18, 31, 38, 45. 1906.
      1907. F.B. 308, pp. 7, 17, 29, 36, 44. 1907.
      1908. F.B. 336, pp. 19, 33, 40, 44, 52. 1908.
      1909. F.B. 376, pp. 6, 13, 24, 35, 40, 43. 1909.
      1910. F.B. 418, pp. 17, 28, 33, 36, 43. 1910.

New Mexico—Continued.
  game—continued.
    laws—continued.
      1911. F.B. 470, pp. 22, 33, 38, 41, 49. 1911.
      1912. F.B. 510, pp. 4, 5, 6, 7, 8, 17–18, 25–26, 29, 35, 38, 39, 44. 1912.
      1913. D.B. 22, pp. 20, 21, 29, 40, 46, 49, 55. 1913; rev., pp. 20, 21, 29, 40, 46, 49, 55. 1913.
      1914. F.B. 628, pp. 10, 11, 20, 28–29, 32, 36, 38, 42, 50. 1914.
      1915. F.B. 692, pp. 2, 3, 4, 5, 6, 7, 13, 30, 42, 47, 50, 52, 59. 1915.
      1916. F.B. 774, pp. 28, 40, 46, 49, 52, 59. 1916.
      1917. F.B. 910, pp. 27, 48. 1917.
      1918. F.B. 1010, pp. 24, 46, 61. 1918.
      1919. F.B. 1077, pp. 28, 50, 57, 72, 73. 1919.
      1920. F.B. 1138, p. 30. 1920.
      1921. F.B. 1235, pp. 31–32. 1921.
      1922. F.B. 1288, pp. 28, 54, 67, 79. 1922.
      1923–24. F.B. 1375, pp. 28, 50. 1923.
      1924–25. F.B. 1444, pp. 20, 37, 1924.
      1925–26. F.B. 1466, pp. 26, 45. 1925.
    officials, directory, 1920, and organizations. D.C. 131, pp. 7, 14. 1920.
    protection. See Game protection.
  girls' club work. Off. Rec., vol. 2, No. 38, p. 6. 1923.
  gooseberry aphid, description, habits, and control. F.B. 1128, pp. 33, 48. 1920.
  grain-supervision districts, counties. Mkts. S.R.A. 14, pp. 28, 31, 32, 33. 1916.
  grasshopper—
    eradication work, 1915. Y.B., 1915, pp. 268, 270. 1916; Y.B. Sep. 674, pp. 268, 270. 1916.
    outbreak, 1913. Harrison E. Smith. D.B. 293, pp. 12. 1915.
  gypsum sand from bed of Lake Lucero, analysis. Soils Cir. 61, p. 3. 1912.
  Hagerman, irrigation canal, water-supply system. O.E.S. Bul. 229, pp. 61–63. 1910.
  hay crops, 1882–1906, acreage, production, and value. Stat. Bul. 63, pp. 13–25, 33. 1908.
  irrigated—
    crops. O.E.S. Bul. 215, pp. 17–19, 22, 24. 1909.
    lands, drainage investigations, 1910. O.E.S. An. Rpt., 1910, p. 51. 1911.
  irrigation—
    W. M. Reed. O.E.S. Bul. 119, pp. 37–50. 1902.
    development, historical notes. O.E.S. Bul. 215, pp. 19–21. 1909.
    districts, and their statutory relations. D.B. 1177, pp. 4, 5, 14, 16, 18, 26, 27, 28, 50. 1923.
    in. Vernon L. Sullivan. O.E.S. Bul. 215, pp. 42. 1909.
    investigations—
      1901. O.E.S. Bul. 119, p. 37. 1902.
      1910. O.E.S. An. Rpt., 1910, pp. 40–41. 1911.
    laws. O.E.S. Bul. 168, pp. 90–91. 1906.
    projects, private and public, description. O.E.S. Bul. 215, pp. 21–33. 1909.
    recent legislation. O.E.S. An. Rpt., 1909, pp. 400, 401, 402, 406, 409, 414. 1910.
  Jornada Range Reserve, description and range conditions. D.B. 588, pp. 2–4. 1917; D.B. 1031, pp. 4–41, 43–53. 1922.
  Koehler, entomological laboratory, description and work. Y.B., 1913, pp. 86–87. 1914; Y.B. Sep. 616, pp. 86–87. 1914.
  lack of railroads. Off. Rec., vol. 2, No. 38, p. 6. 1923.
  land(s)—
    condition and distribution. O.E.S. Bul. 215, pp. 14–16. 1909.
    grant for reclamation. Off. Rec., vol. 3, No. 3, p. 2. 1924.
    subdivisions, acreage, and uses. D.B. 211, pp. 8–9. 1915.
  lard supply, wholesale and retail, August 31, 1917, tables. Sec. Cir. 97, pp. 14–32. 1918.
  laws—
    dog control, digest. F.B. 935, p. 18. 1918; F.B. 1268, p. 18. 1922.
    on—
      community buildings. F.B. 1192, p. 38. 1921.
      contagious diseases of domestic animals, control. B.A.I. Bul. 43, pp. 44–45. 1901; B.A.I. Bul. 54, pp. 26–31. 1904.

INDEX TO PUBLICATIONS, 1901–1925   1619

New Mexico—Continued.
  laws—continued.
    on—continued.
      foulbrood of bees. Ent. Bul. 61, p. 192. 1906.
      nursery stock, interstate shipment, digest. F.H.B.S.R.A. 57, pp. 113, 114, 115. 1919.
      regulating cotton gins, ginners, and seed. F.H.B.S.R.A. 74, pp. 4–6. 1923.
    legislation—
      protecting birds. Biol. Bul. 12, rev., pp. 18, 40, 43, 49, 105–106, 137. 1902.
      relative to tuberculosis. B.A.I. Bul. 28, pp. 100–101. 1901.
  life zones and crop zones. Vernon Bailey. N.A. Fauna 35, p. 100. 1913.
  Lincoln National Forest. Off. Rec., vol. 1, No. 30, p. 1. 1922.
  livestock—
    admission, sanitary requirements. B.A.I. Doc. A–28, pp. 28–29. 1917; B.A.I. Doc. A–36, pp. 42–43. 1920; M.C., pp. 55–56. 1924.
    associations. Y.B., 1920, p. 526. 1921; Y.B. Sep. 866, p. 526. 1921.
    production, from reports of stockmen. Rpt 110, pp. 5–27, 36, 46–47, 76–81. 1916.
  lumber—
    cut, 1920, 1870–1920, value, and kinds. D.B. 1119, pp. 28, 30–35, 44, 56, 58. 1923.
    production, 1918, by mills, by woods, and lath and shingles. D.B. 845, pp. 6–11, 14, 16, 23, 32, 42–47. 1920.
  Lyon nitrate prospect, reconnoissance report. E. E. Free. Soils Cir. 62, pp. 6. 1912.
  Mesilla Park, irrigation investigations, 1904, J. J. Vernon. O.E.S. Bul. 158, pp. 303–317. 1905.
  milk law, under general food law only. B.A.I. Bul. 46, p. 123. 1903.
  mineral resources. O.E.S. Bul. 215, p. 7. 1909.
  mohair production, 1909, quality and weight. F.B. 573, pp. 1, 7, 9. 1914.
  mountains, location, description, climate, fauna, and flora. N.A. Fauna 35, pp. 53–74. 1913.
  national forests—
    D.C. 240, pp. 21. 1922.
    grazing conditions. D.C. 240, pp. 7–8, 11, 13, 15, 16, 18, 19, 21. 1922.
    location, date and area, January 31, 1913. For. [Misc.], "The use book, 1913," pp. 86, 88. 1913.
    losses from western red rot. D.B. 490, pp. 1, 3–5, 7, 8. 1917.
    the sunshine recreation ground of a nation. For. [Misc.], "The sunshine * * *," folder. 1922.
  oat—
    crops, 1882–1906, acreage, production, and value. Stat. Bul. 58, pp. 13–25, 34. 1907.
    tests, Kherson and Sixty-day, with other varieties. F.B. 335, p. 23. 1910.
  occurrence of bean ladybird. D.B. 843, pp. 5, 11, 12, 13. 1920.
  onion growing and yield. F.B. 384, pp. 6, 8. 1910.
  orchard protection, experiment and results. Y.B. 1909, p. 362. 1910; Y.B. Sep. 519, p. 362. 1910.
  Otero Basin, investigation for potash salts. E. E. Free. Soils Cir. 61, pp. 7. 1912.
  outbreaks of range caterpillar, history. D.B. 443, pp. 10–11. 1916.
  pasture land on farms. D.B. 626, pp. 15, 59, 60. 1918.
  peach(es)—
    shipping season, area of production. D.B. 298, pp. 4, 5, 6, 13. 1915; D.B. 806, pp. 4, 5, 7–9, 30. 1919.
    varieties, names and ripening dates. F.B. 918, pp. 9–10. 1918.
  pear growing, distribution and varieties. D.B. 822, pp. 13–14. 1920.
  Pecos Valley, codling moth—
    control. A. L. Quaintance. D.B. 88, pp. 8. 1914.
    life history. A. L. Quaintance. D.B. 429, pp. 90. 1917.
  physical features, general description. N.A. Fauna 35, pp. 9–10. 1913.

New Mexico—Continued.
  pink bollworm—
    control field scouting record, 1917–1922. F.H.B. S.R.A. 71, pp. 99–100, 138–140. 1922; F.H.B. S.R.A. 74, pp. 7–9. 1923.
    status. F.H.B. An. Rpt., 1921, p. 3. 1921.
  plains, tree-planting plan. For. Bul. 65, pp. 36–39. 1905.
  pocket gophers, occurrence and description. N.A. Fauna 39, pp. 9, 23–28, 71, 75, 76, 82–89, 112. 1915.
  potato crops, 1882–1906, acreage, production, and value. Stat. Bul. 62, pp. 15–27, 35. 1908.
  potatoes under irrigation, acreage and production. F.B. 953, p. 4. 1918.
  prairie-dog killing, benefits. News L., vol. 6, No. 49, p. 7. 1919.
  precipitation. D.B. 211, pp. 3–5. 1915.
  pumping plants, discharge and cost. O.E.S. Bul. 158, p.54. 1905.
  quarantine—
    for—
      cattle scabies, prevention of spread, 1910. B.A.I.O. 167, rule 2, rev., 3, p. 2. 1909.
      pink bollworm. F. H. B. Quar. 52, pp. 1, 4, 5. 1921.
      sheep scabies, area. B.A.I.O. 195, rule 3, rev. 2., p. 2. 1913.
  rainfall, map and table. B.P.I. Bul. 188, pp. 39, 58. 1910.
  range—
    caterpillars, description, life history, and enemies. Ent. Bul. 85, pp. 59–96. 1911; Pt. V. pp. 59–96. 1910.
    improvement, experiments and studies. D.B. 588, pp. 1–32. 1917.
    management, factors affecting. E.O. Wooton. D.B. 211, pp. 39. 1915.
    problems during drought. D.B. 1031, pp. 1–84. 1922.
    stock, emergency feeding on desert plant. D. B. 728, pp. 1–27. 1918.
  road(s)—
    bond-built, amount of bonds, rate. D.B. 136, pp. 35, 43, 71, 81, 85. 1915.
    building, rock tests—
      1916 and 1917. D.B. 670, p. 14. 1918.
      1916–1921, results. D.B. 1132, pp. 22, 52. 1923.
    conditions, mileage, costs, and bonds. D.B. 389, pp. 3, 4, 5, 6, 7, 38–40. 1917.
    laws and mileage. Y.B. 1914, pp. 214, 222. 1915; Y.B. Sep. 638, pp. 214, 222. 1915.
    mileage and expenditures—
      1904. Rds. Cir. 52, pp. 2. 1906.
      1909. Rds. Bul. 41, pp. 28, 41, 42, 89. 1912.
      1915. Sec. Cir. 52, pp. 2, 4, 6. 1915.
      1916. Sec. Cir. 74, pp. 4, 5, 7, 8. 1917.
    national forest, work by department, 1913–14. D.B. 284, p. 55. 1915.
  Roswell—
    orchard-spraying experiments. D.B. 88, pp. 2–5. 1914; D.B. 938, pp. 17–18. 1921.
    womens' rest room. News L., vol. 6, No. 44, p. 9. 1919.
  schools, agricultural work. O.E.S. Cir. 106, rev., p. 24. 1912.
  sheep numbers. Map. Sec. [Misc.], Spec. " Geography * * * world's agriculture," p. 138. 1917.
  shipments of fruits and vegetables, and index to station shipments. D.B. 667, pp. 6–13, 34. 1918.
  shiprock testing and demonstration garden. An. Rpts., 1909, p. 279. 1910; B.P.I. Chief Rpt. 1909, p. 27. 1909.
  soil survey of—
    Bernalillo County. See Middle Rio Grande area.
    Dona Ana County. See Mesilla Valley area.
    Mesilla Valley area. J. W. Nelson and L. C. Holmes. Soil Sur. Adv. Sh., 1912, pp. 39. 1914; Soils F. O., 1912, pp. 2011–2045. 1915.
    middle Rio Grande area. J. W. Nelson and others. Soil Sur. Adv. Sh., 1912; pp. 52. 1914; Soils F. O., 1912, pp. 1965–2010. 1915.
    Sandoval County. See Middle Rio Grande area.
    Socorro County. See Middle Rio Grande area.

1620   UNITED STATES DEPARTMENT OF AGRICULTURE

New Mexico—Continued.
 soil survey of—continued.
  Valencia County. *See* Middle Rio Grande area.
 soils—
  and alkali survey. Soils Bul. 35, p. 60. 1906.
  studies, experiment station. Soils Bul. 35, pp. 50–53. 1906.
 sorghums—
  grain, importance. Y.B., 1922, pp. 525, 528, 529. 1923; Y.B. Sep. 891, pp. 525, 528, 529. 1923.
  growing for grain and forage. F.B. 1158, pp. 3, 8. 1920.
  varietal tests and results, and culture. D.B. 1260, pp. 44–46, 67–68, 69. 1924.
  southern, cattle-breeding section, management of herds. D.B. 1031, pp. 42–53. 1922.
 spotted-fever tick, occurrence. Ent. Bul. 105, p. 17. 1911.
 standard containers. F.B. 1434, p. 17. 1924.
 stock-raising industry, conditions, report and comparisons. D.B. 211, pp. 10–20. 1915.
 sugar beets, injury by beet leaf-beetle. D.B. 892, pp. 5, 7. 1920.
 Texas trough basins and tributaries, description. D.B. 54, pp. 48–49. 1914.
 timber cut and sales. An. Rpts. 1914, pp. 138, 139. 1914; For. A. R. 1914, pp. 10, 11. 1914.
 topography, climate and soils. D.B. 211, pp. 2–8. 1915.
 transportation facilities. O.E.S. Bul. 215, p. 9. 1909.
 Tucumcari field stations, wheat growing, methods, yields, and cost. D.B. 595, pp. 28–33. 1917.
 valleys and drainage areas. N.A. Fauna, 35 pp. 12–17, 27–32. 1913.
 wage rates, farm labor, 1866–1909. Stat. Bul. 99, pp. 29–43, 68–70. 1912.
 walnut growing. B.P.I. Bul. 254, pp. 18, 102. 1913.
 water—
  laws, notes. O.E.S. An. Rpt., 1908, p. 360. 1909.
  resources, rivers, description. O.E.S. Bul. 215, pp. 10–14. 1909.
  rights, officials. D.B. 913, p. 3. 1920.
  supply, records, by counties. Soils Bul. 92, pp. 106–107. 1913.
 waterfowl breeding grounds, location. Y.B., 1917, p. 197. 1918; Y.B. Sep. 723, p. 3. 1918.
 western yellow pine, and in Arizona. Theodore S. Woolsey, jr. For. Bul. 101, pp. 64. 1911.
 wheat—
  acreage and varieties. D.B. 1074, p. 213. 1922.
  crops, acreage, production, and value. Stat. Bul. 57, pp. 13–25, 34. 1907; rev., pp. 13–25, 34, 39. 1908.
  winter growing. F.B. 895, pp. 10–11. 1917.
  yields and prices, 1882–1915. D.B. 514, p. 14. 1917.
 wool—
  handling method. Y.B., 1914, p. 330. 1915; Y.B. Sep. 645, p. 330. 1915.
  regulations, special. Mkts. S.R.A. 50, p. 5. 1919.
 yellow pine, area, annual cut, and stumpage. D.B. 1003, pp. 4, 12–13. 1921.
 Yuma experiment farm in 1912. B.P.I. Cir. 126, pp. 15–25. 1912.
 Zygadenus spp., occurrence and distribution. D.B. 1012, pp. 3, 16. 1922.
New Orleans—
 freight rates on wheat. Y.B., 1921, p. 135. 1922; Y.B. Sep. 873, p. 135. 1922.
 importance as export point. News L., vol. 7, No. 15, p. 15. 1919.
 market—
  for late potatoes. F.B. 1317, p. 32. 1923.
  statistics for cotton, 1919, 1920. D.B. 982, pp. 268–271. 1921.
 milk-supply details and statistics. B.A.I. Bul. 46, pp. 26, 81. 1903; B.A.I. Bul. 70, pp. 6–7, 36–38. 1905.
 sugar receipts and prices, 1901–1912. D.B. 66, pp. 14, 15–16. 1914.
 tobacco, export point for western tobacco. B.P.I. Bul. 268, pp. 35, 36, 38. 1913.
 trade area agricultural survey. Off. Rec. vol. 4, No. 34, p. 2. 1925.

New Orleans—Continued.
 trade center for farm products, statistics. Rpt. 98, pp. 288–290, 327, 357, 386. 1913.
 yellow fever—
  control work in 1905. F.B. 1354, p. 12. 1923.
  epidemic, control, relation to mosquito extermination. Ent. Bul. 78, pp. 20–21. 1909.
New South Wales—
 desert kumquat, occurrence and uses. J.A.R., vol. 2, pp. 90, 91, 95. 1914.
 interest in home economics. Off. Rec., vol. 3, No. 2, p. 2. 1924.
 publication on agricultural cooperation. M.C. 11, p. 23. 1923.
 spread of bovine tuberculosis. B.A.I. Bul. 32, pp. 18–19. 1901.
New York (City)—
 butter—
  and milk, price averages, 1865–1912. D.B. 177, p. 15. 1915.
  receipts, 1880–1911. D.B. 177, p. 17. 1915.
 cantaloupe marketing, 1914. D.B. 315, pp. 3–4. 1915.
 Central Park—
  Observatory, transfer to Weather Bureau. An. Rpts., 1912, p. 288. 1913; W. B. Chief Rpt. 1912, p. 30. 1912.
  soil conditions, discussion. Soils Bul. 75, pp. 36–38. 1911.
 food survey, war emergency. Sec. [Misc.], "War emergency food * * *," pp. 2. 1917.
 horses used by mounted police, description. B.A.I. An. Rpt., 1910, pp. 109–111. 1912; B.A.I. Cir. 186, pp. 109–111. 1911.
 market preferences in grapes. D.B. 861, p. 51. 1920.
 milk—
  and cream received, 1886–1912. D.B. 177, pp. 10–12. 1915.
  pasteurized and raw, comparison and study. B.A.I. Bul. 126, pp. 32–38. 1910.
  supply, laws. B.A.I. Bul. 46, pp. 165–167. 1903.
  supply, proportion pasteurized. D.B. 342, pp. 3, 4, 15. 1916.
 trade center for farm products, statistics. Rpt. 98, pp. 287–290. 1913.
 wheat grading and prices. Y.B., 1914, pp. 403, 416–417. 1915; Y.B. Sep. 649, pp. 403, 416–417. 1915.
New York (State)—
 abandoned farm lands, location, description, and suggestions. B.P.I. Cir. 64, pp. 16. 1910.
 Adirondack preserves—
  conditions. Biol. Cir. 72, pp. 7–8. 1910.
  public hunting grounds. D.B. 1049, p. 30. 1922.
 agricultural—
  colleges and experiment stations, organization—
   1905. O.E.S. Bul. 161, pp. 48–49. 1905.
   1906. O.E.S. Bul. 176, pp. 54–57. 1907.
   1907. O.E.S. Bul. 197, pp. 58–60. 1908.
   1910. O.E.S. Bul. 224, pp. 49–51. 1910.
   See also Agriculture, workers list.
  education—
   extension, 1906. O.E.S. Bul. 196, p. 30. 1907.
   progress, 1912. O.E.S. An. Rpt., 1912, p. 326. 1913.
  extension work, statistics. D.C. 253, pp. 5, 8, 12–13, 17, 18. 1923.
  high-school study course. O.E.S. An. Rpt., 1909, p. 315. 1910.
  schools, recent laws. O.E.S. An. Rpt., 1908, p. 274. 1909.
 alfalfa—
  growing, special instructions. F.B. 339, pp. 42–43. 1908.
  increase. Off. Rec., vol. 2, No. 25, p. 6. 1923.
 alsike clover growing and seed production. F.B. 1151, pp. 12, 22, 23. 1920.
 and adjacent States, oat varieties, improvement. H. H. Love and others. D.C. 353, pp. 15. 1925.
 apple—
  conditions, prices, handling, and cost, 1914. D.B. 302, p. 3. 1915.
  grading law. F.B. 1080, p. 21. 1919.

INDEX TO PUBLICATIONS, 1901–1925 1621

New York (State)—Continued.
  apple—continued.
    growing—
      areas, production, and varieties. D.B. 485, pp. 6, 16. 1917; F.B. 237, pp. 8–11. 1905.
      commercial importance and varieties. Y.B., 1918, pp. 369–371, 376, 378. 1919; Y.B. Sep. 767, pp. 5–7, 12, 14. 1919.
      practical. F.B. 237, pp. 8–11. 1905.
    orchard, well established, operating cost. G. H. Miller. D.B. 130, pp. 16. 1914.
    production, 1899 and 1909, comparison with other States. D.B. 140, pp. 35–37. 1915.
  appropriations for agricultural education. O.E.S. An. Rpt., 1909, pp. 156, 160. 1910.
  associations, truck and fruit growers. Rpt. 98, pp. 233–238, 281–284. 1913.
  balsam fir, occurrence, yield, uses, rate of growth, taper and volume. D.B. 55, pp. 9, 17, 33–36, 40–47, 50–53, 56, 57, 59. 1914.
  barley crops, 1866–1906, acreage, production, and value. Stat. Bul. 59, pp. 7–26, 28. 1907
  bee(s)—
    and honey statistics. D.B. 325, pp. 3–12. 1915; D.B. 685, pp. 6, 9, 12, 14, 16, 17, 19, 21, 23, 26, 29, 31. 1918.
    diseases, occurrence. Ent. Cir. 138, p. 16. 1911.
    industry, value of bees. Ent. Bul. 75, Pt. VI, pp. 63, 74. 1909.
  beet-sugar industry progress—
    1900. [Misc.], "Progress * * * beet-sugar industry * * * 1900," pp. 55–57, 111–112. 1901.
    1903. Sec. [Misc.], "Progress * * * beet-sugar industry * * * 1903," pp. 150–151. 1903.
    1904. Rpt. 80, pp. 135–136. 1905.
    1906. Rpt. 84, p. 61. 1907.
    1907. Rpt. 86, p. 54. 1908.
    1908. Rpt. 90, p. 49. 1909.
    1909. Rpt. 92, p. 44. 1910.
  Belleville, Jefferson County, community study. D.B. 984, pp. 6–17. 1921.
  Binghamton Chamber of Commerce, inauguration of county-agent work, 1911. S.R.S. An. Rpt., 1921, pp. 40–41. 1921.
  bird—
    hunting season. Off. Rec., vol. 3, No. 31, p. 3. 1924.
    protection. See Bird protection, officials.
    reports, 1916–1918. D.B. 1165, pp. 15–17, 31. 1923.
  boys' and girls' agricultural clubs, work and exhibits. F.B. 385, p. 7. 1910; O.E.S. Bul. 251, p. 19. 1912.
  buckwheat—
    crops, 1866–1906, acreage, production, and value. Stat. Bul. 61, pp. 5–17, 19. 1908.
    growing center, and production 1839–1919. Y.B., 1922, pp. 546, 549, 550–551. 1923; Y.B. Sep. 891, pp. 546, 549, 550–551. 1923.
  butter—
    on market, analysis. B.A.I. Bul. 149, p. 8. 1912.
    receipts, by months, 1880–1911, tables. Stat. Bul. 93, pp. 54, 61–62, 66–69, 72. 1913.
  cabbage production, acreage, yield, and shipments. D.B. 1242, pp. 4, 8, 14–29, 36, 47, 50–54. 1924.
  cement factories, potash content and loss. D.B. 572, p. 5. 1917.
  Central and Hudson River Railway Co., violation of 28-hour law. Sol. Cir. 62, pp. 1–8. 1912.
  Central Lakes district, grape production and marketing. D.B. 861, pp. 29–33. 1920.
  Chautauqua County, studies of grape-berry moth. Ent. Bul. 116, Pt. II, pp. 17, 22, 46–47. 1912.
  cheese industry, decrease. Y.B., 1922, pp. 385, 386. 1923; Y.B. Sep. 879, pp. 90, 91. 1923.
  Chemung County, farm data, comparison with Michigan. Y.B., 1913, pp. 98–99, 105–107. 1914; Y.B. Sep. 617, pp. 98–99, 105–107. 1914.
  cherry—
    growing. D.B. 350, pp. 2, 3. 1916.
    orchards, importance. F.B. 776, p. 4. 1916.
  chestnut-bark disease distribution. Y.B., 1912, p. 363. 1913; Y.B. Sep. 598, p. 363. 1913.

New York (State)—Continued.
  cigar-tobacco districts. Stat. Cir. 18, p. 6. 1909.
  cities, drift to country. Off. Rec., vol. 2, No. 11, p. 6. 1923.
  closed season for shorebirds and woodcock. Y.B., 1914, pp. 292, 293. 1915; Y.B. Sep. 642, pp. 292, 293. 1915.
  codling-moth studies, 1908. Ent. Bul. 80, pp. 103–104. 1912.
  College of Agriculture—
    buildings, description. O.E.S. An. Rpt., 1907, pp. 266–268. 1909.
    orchard studies. F.B. 491, pp. 7–8. 1912.
  convict road-work, laws. D.B. 414, p. 207. 1916.
  cooperative associations, statistics, details and laws. D.B. 547, pp. 13, 20, 30, 32, 40, 72–73. 1917.
  corn—
    borer—
      distribution. F.B. 1294, pp. 2, 3, 26, 32. 1922.
      outbreaks in 1921. D.B. 1103, p. 29. 1922.
      quarantine. F.H.B. Quar. 43, rev., pp. 1, 2, 3. 1921; F.H.B. Quar. 43, amdt. 2, p. 1. 1922; F.H.B. Quar. 43, amdt. 3, p. 2. 1922.
    crops, 1866–1906, acreage, production, and value. Stat. Bul. 56, pp. 7–27, 29. 1907.
    production, movements, consumption, and prices. D.B. 696, pp. 14, 16, 20, 27, 29, 33, 36, 38, 40, 49. 1918.
    yields and prices, 1866–1915. D.B. 515, p. 5. 1917.
  Cotton Exchange, investigation. Off. Rec., vol. 1, No. 27, p. 2. 1922.
  credits, farm-mortgage loans, costs and sources. D.B. 384, pp. 2, 3, 4, 7, 10, 13. 1916.
  crop(s)—
    and livestock, labor requirements, man and horse. D.B. 385, p. 25. 1916.
    planting and harvesting dates, important crops. Stat. Bul. 85, pp. 18, 30, 41, 53, 67, 74, 84, 103. 1912.
    yields, increase since 1876. Y.B. 1919, p. 22. 1920.
  crow roosts, location, and numbers of birds. Y.B., 1915, pp. 90, 94. 1916; Y.B. Sep. 659, pp. 90, 94. 1916.
  cucumbers, growing in greenhouses. F.B. 1320, p. 1. 1923.
  currants and gooseberries, control by law. F.B. 1398, pp. 34–35. 1924.
  dairy—
    cows, number and value. Sec. [Misc.], Spec. "Geography * * * world's agriculture," p. 124. 1918.
    farms—
      methods and labor requirements, studies. D.B. 423, pp. 2–10. 1916.
      renting practices. F.B. 1272, pp. 3, 13, 14, 17, 19, 21. 1922.
    products receipts, 1909. Sec. [Misc.], Spec. "Geography * * * world's agriculture," p. 124. 1917.
  demurrage provisions, regulations. D.B. 191, pp. 26. 1915.
  drainage work against mosquitoes and value of reclaimed land. Ent. Bul. 88, pp. 9, 43–44, 47, 55. 1910.
  drug laws. Chem. Bul. 98, rev., Pt. 1, pp. 209–217. 1909.
  Dunkirk added to area quarantined for corn borer. F.H.B. Quar. 43, amdt. 1, p. 1. 1920.
  early settlement, historical notes. See Soil Surveys for various counties and areas.
  East Marion, cucumber wilt studies and experiments. J.A.R., vol. 6, No. 11, pp. 417–434. 1916.
  egg receipts, by months, 1880–1911, tables. Stat. Bul. 93, pp. 58, 64–65, 69–71, 77–79, 80. 1913.
  Elmira—
    celery-storage experiments, and results. D.B. 579, pp. 5–26. 1917.
    location of experimental farm for city boys. News l., vol. 2, No. 37, p. 5. 1915.
  Essex County experimental fur farm, work on fur bearers. An. Rpts., 1917, p. 255. 1918; Biol. Chief Rpt., 1917, p. 5. 1917.

New York (State)—Continued.
  Experiment Station, Cornell University—
    report of work, 1906. L. H. Bailey. O.E.S.
      An. Rpt., 1906, pp. 137–139. 1907.
    work and expenditures—
      1908. L. H. Bailey. O.E.S. An. Rpt., 1908,
        pp. 142–144. 1909.
      1909. H. J. Webster. O.E.S. An Rpt.,
        1909, pp. 156–160. 1910.
      1910. L. H. Bailey. O.E.S. An. Rpt., 1910,
        pp. 202–206. 1911.
      1911. L. H. Bailey. O.E.S. An. Rpt., 1911,
        pp. 165–168. 1912.
      1912. L. H. Bailey. O.E.S. An. Rpt., 1912,
        pp. 170–173. 1913.
      1913. L. H. Bailey. O.E.S. An. Rpt., 1913,
        pp. 66–67. 1915.
      1914. W. A. Stocking, jr. O.E.S. An. Rpt.,
        1914, pp. 170–174. 1915.
      1915. B. T. Galloway. S.R.S. Rpt., 1915.
        Pt. I, pp. 193–199. 1916.
      1916. B. T. Galloway. S.R.S. Rpt., 1916,
        Pt. I, pp. 199–203. 1918.
      1917. A. R. Mann. S.R.S. Rpt., 1917, Pt. I,
        pp. 193–198. 1918.
  Experiment Station, Geneva—
    report of work, 1906. W. H. Jordan. O.E.S.
      An. Rpt., 1906, pp. 135–137. 1907.
    work and expenditures—
      1908. W. H. Jordan. O.E.S. An. Rpt.,
        1908, pp. 139–142. 1909.
      1909. W. H. Jordan. O.E.S. An. Rpt.,
        1909, pp. 154–156. 1910.
      1910. W. H. Jordan. O.E.S. An. Rpt., 1910,
        pp. 199–202. 1911.
      1911. W. H. Jordan. O.E.S. An. Rpt.,
        1911, pp. 161–164. 1912.
      1912. W. H. Jordan. O.E.S. An. Rpt.,
        1912, pp. 167–170. 1913.
      1913. W. H. Jordan. O.E.S. An. Rpt.,
        1913, pp. 67–68. 1915.
      1914. W. H. Jordan. O.E.S. An. Rpt.,
        1914, pp. 175–180. 1915.
      1915. W. H. Jordan. S.R.S. An. Rpt.,
        1915, Pt. I, pp. 199–203. 1916.
      1916. W. H. Jordan. S.R.S. Rpt., 1916,
        Pt. I, pp. 203–208. 1918.
      1917. W. H. Jordan. S.R.S. Rpt., 1917,
        Pt. I, pp. 198–203. 1918.
  experiment stations—
    studies—
      in the cold curing of cheese. B.A.I. Bul. 49,
        pp. 71–88. 1903.
      on milk, relation to lactation, 1890–1894.
        B.A.I. Bul. 155, p. 17. 1913.
    sugar-beet experiments—
      1900. Chem. Bul. 64, pp. 18–20. 1901.
      1901. Chem. Bul. 74, pp. 20–22, 31–32. 1903.
      1902. Chem. Bul. 78, pp. 16–19, 35. 1903.
      1903. Chem. Bul. 95, pp. 17–20. 1905.
    work—
      and expenditures, 1918. S.R.S. Rpt., 1918,
        pp. 29, 32, 37, 49, 50, 51, 54, 56, 61, 64, 67
        71–80. 1920.
      sources of income. O.E.S. An. Rpt., 1907,
        pp. 142–146. 1908.
  experiments with first-generation corn hybrids.
    B.P.I. Bul. 191, pp. 17–18. 1910.
  extension work—
    funds allotment, and county-agent work.
      S.R.S. Doc. 40, pp. 4, 6, 11, 18, 25, 28. 1918.
    in agriculture and home economics—
      1915. B. T. Galloway. S.R.S. Rpt., 1915,
        Pt. II, pp. 269–276. 1916.
      1916. B. T. Galloway. S.R.S. Rpt. 1916,
        Pt. II, pp. 297–305. 1917.
      1917. A. R. Mann. S.R.S. Rpt., 1917, Pt. II,
        pp. 301–310. 1919.
    statistics. D.C. 306, pp. 3, 6, 11, 16, 20, 21.
      1924.
  fairs, number, kind, location, and dates. Stat.
    Bul. 102, pp. 13, 14, 47–50. 1913.
  farm(s)—
    animals, statistics, 1867–1907. Stat. Bul. 64,
      p. 101. 1908.

New York (State)—Continued.
  farm(s)—continued.
    conditions, letters from women, citations.
      Rpt. 103, pp. 11, 16, 24, 29, 31, 37, 41, 43, 56,
      62, 67, 77. 1915; Rpt. 104, pp. 9, 16, 23, 31, 36,
      45, 50, 54, 57, 66, 73. 1915; Rpt. 105, pp. 11,
      24, 26, 30, 35, 38, 48, 54, 57, 58, 60. 1915; Rpt.
      106, pp. 9, 17, 27, 43, 62, 64. 1915.
    department, aid in crop reports. Off. Rec.,
      vol. 1, No. 23, p. 3. 1922.
    family, food, fuel, and housing, value, and
      details. D.B. 410, pp. 7–35. 1916.
    horse, cost records, with Ohio and Illinois.
      D.B. 560, pp. 23. 1917.
    labor, data for potato and bean farm. Y.B.,
      1911, pp. 276–278. 1912; Y.B. Sep. 567, pp.
      276–278. 1912.
    labor hours in day, and use of horses, by months.
      Y.B., 1922, pp. 1075, 1076, 1078. 1923; Y.B.
      Sep. 890, pp. 1075, 1076, 1078. 1923.
    leases, provisions. D.B. 650, pp. 3, 8, 9, 10, 11,
      12, 19. 1918.
    practices, comparison with Illinois, in day's
      work. D.B. 814, pp. 30–32. 1920.
    values—
      changes, 1900–1905. Stat. Bul. 43, pp. 11–17,
        29–46. 1906.
      income, and tenancy classification. D.B.
        1224, p. 109. 1924.
  farmers—
    experience with motor trucks with other States.
      D.B. 910, pp. 1–37. 1920.
    institutes—
      for young people. O.E.S. Cir. 99, pp. 21–22.
        1910.
      history. O.E.S. Bul. 174, pp. 64–69. 1906.
      laws. O.E.S. Bul. 135, rev., p. 25. 1905.
      legislation. O.E.S. Bul. 241, pp. 29–30. 1911.
      work, 1904. O.E.S. Rpt., 1904, pp. 656–657.
        1905.
      work, 1906. O.E.S. Rpt., 1906, p. 340. 1907.
      work, 1907. O.E.S. An. Rpt., 1907, pp. 338–
        339. 1908; O.E.S. Bul. 199, p. 24. 1908.
      work, 1908. O.E.S. An. Rpt., 1908, p. 321.
        1909.
      work, 1909. O.E.S. An. Rpt., 1909, p. 350.
        1910.
      work, 1910. O.E.S. An. Rpt., 1910, p. 410.
        1911.
      work, 1911. O.E.S. An. Rpt., 1911, pp. 50,
        376. 1912.
      work, 1912. O.E.S. An. Rpt., 1912, p. 368.
        1913.
    living, cost. F.B. 635, pp. 1, 2, 3–21. 1914.
  farming—
    development, relation to dairying. Y.B., 1922,
      p. 307. 1923; Y.B. Sep. 879, p. 22. 1923.
    types and crops adaptable. F.B. 1289, p. 12.
      1923.
  fertilizer prices, 1919, by counties. D.C. 57, pp.
    4, 5, 7–8. 1919.
  field work of Plant Industry. December, 1924.
    M. C. 30, pp. 36–37. 1925.
  food—
    and drug officials. Chem. S.R.A. 13, p. 8.
      1915.
  laws—
    1903. Chem. Bul. 83, Pt. I, pp. 86–88. 1904.
    1904. Chem. Bul. 83, Pt. II, pp. 11–15.
      1904.
    1905. Chem. Bul. 69, rev., Pt. V, pp. 411–
      435. 1906.
    1906. Chem. Bul. 104, pp. 40–42. 1906.
    1907. Chem. Bul. 112, Pt. II, pp. 19–21,
      148–152. 1908.
    enforcement. Chem. Cir. 16, rev., pp. 16–17.
      1908.
  foot-and-mouth disease—
    animals slaughtered, value. An. Rpts., 1909,
      p. 54. 1909; Rpt. 91, p. 39. 1909; Sec. A.R.,
      1909, p. 54. 1909; Y.B., 1909, p. 54. 1910.
    outbreak and eradication, 1909. An. Rpts.,
      1909, pp. 196–197, 214. 1910; B.A.I. Chief
      Rpt., 1909, pp. 6–7, 24. 1909.

New York (State)—Continued.
forest—
  acreage owned by State. D.B. 364, p. 9. 1916.
  fires, statistics. For. Bul. 117, p. 33. 1912.
  legislation, 1907. Y.B., 1907, p. 576. 1908; Y.B. Sep. 470, p. 16. 1908.
  planting—
    conditions and suggestions. D.B. 153, pp. 4-5, 34, 1915.
    increase and state work. Y.B., 1909, p. 336. 1910; Y.B. Sep. 517, p. 336. 1910.
  reserves, State. F.B. 358, p. 48. 1909; For. Bul. 114, p. 36. 1912.
  forestry laws—
    1921, summary. D.C. 239, p. 19. 1922.
    parallel classification. For. Law Leaf. 23, pp. 40. 1918; For. Misc. S-27, pp. 40. 1918.
  Franklin County, road improvement, classification, financing, maintenance, cost, and effect on land value. D.B. 393, pp. 52-62. 1916.
  freight rates on wheat. Y.B., 1921, pp. 135-137. 1922; Y.B. Sep. 873, pp. 135-137. 1922.
  fur—
    animals, laws—
      1915. F.B. 706, p. 12. 1916.
      1916. F.B. 783, pp. 13-14, 27. 1916.
      1917. F.B. 911, pp. 16, 31. 1917.
      1918. F.B. 1022, pp. 16. 1918.
      1919. F.B. 1079, pp. 5, 20. 1919.
      1920. F.B. 1165, pp. 4, 18. 1920.
      1921. F.B. 1238, pp. 17. 1921.
      1922. F.B. 1293, p. 15. 1922.
      1923-24. F.B. 1387, p. 18. 1923.
      1924-25. F.B. 1445, pp. 13-14. 1924.
      1925-26. F.B. 1469, pp. 17. 1925.
    farm, experimental, Essex County, work of year. An. Rpts., 1919, pp. 283-284. 1920; Biol. Chief Rpt., 1919, pp. 9-10. 1919.
  game—
    and bird officials, organizations and publications. Biol. Cir. 65, pp. 5, 12, 15. 1908.
    bird introduction. F.B. 197, p. 20. 1904.
    farms, breeding for distribution, and cost. D.B. 1049, pp. 42, 49. 1722.
    laws—
      1902. F.B. 160, pp. 17-18, 32, 42, 45, 52. 1902.
      1903. F.B. 180, pp. 13, 24, 33, 39, 44, 46. 1903.
      1904. F.B. 207, pp. 21, 34, 40, 44, 51. 1904.
      1905. F.B. 230, pp. 11, 20, 32, 38. 1905.
      1906. F.B. 265, pp. 19, 31, 38, 45. 1906.
      1907. F.B. 308, pp. 7, 17, 29, 36, 44. 1907.
      1908. F.B. 336, pp. 9, 19, 20, 33, 41, 44, 52. 1908.
      1909. F.B. 376, pp. 6, 14, 17, 24, 35, 40, 43. 1909.
      1910. F.B. 418, pp. 4, 10, 18, 28, 33, 36. 1910.
      1911. F.B. 470, pp. 12, 22, 33, 38. 41, 49. 1911.
      1912. F.B. 510, pp. 4, 5, 6, 7, 8, 10, 18, 25-26, 29, 33, 34, 36, 38, 40, 41, 45. 1912.
      1913. D.B. 22, pp. 14, 20, 21, 29-30, 40, 46, 49, 56. 1913; rev. pp. 14, 19, 20, 29-30, 40, 46, 49, 56. 1913.
      1914. F.B. 628, pp. 3, 4, 6, 10, 11, 12, 21, 28-29, 32, 36, 38, 42, 45, 50. 1914.
      1915. F.B. 692, pp. 4, 7, 13, 31, 42, 47, 50, 52, 59. 1915.
      1916. F.B. 774, pp. 10, 28, 40, 46, 49, 52, 60. 1916.
      1917. F.B. 910, pp. 27-28, 48, 53. 1917.
      1918. F.B. 1010, pp. 25-26, 46, 48. 1918.
      1919. F.B. 1077, pp. 28, 50, 57. 1919.
      1920. F.B. 1138, pp. 30-31. 1920.
      1921. F.B. 1235, pp. 32, 56. 1921.
      1922. F.B. 1288, pp. 28, 54. 1922.
      1923-24. F.B. 1375, pp. 29-30, 50. 1923.
      1924-25. F.B. 1444, pp. 20-21, 37. 1924.
      1925-26. F.B. 1466, pp. 26-28, 45. 1925.
    agency for enforcement. Biol. Bul. 12, rev., p. 65. 1902.
    relating to domesticated deer. F.B. 330, p.20. 1908.
  protection—
    service organization and cost. D.B. 1049, pp. 44-45. 1922.
    See also Game protection.
  records, 1918. D.B. 1049, pp. 19, 22. 1922.

New York (State)—Continued.
game—continued.
  refuges and farms, establishment, 1914. F.B. 628, p. 4. 1914.
  value, estimate by State official. D.B. 1049, pp. 13-14. 1922.
gipsy moth—
  and brown-tail moth, control work. An. Rpts. 1923, pp. 388, 389, 392. 1924; Ent. A.R. 1923, pp. 8, 9, 12. 1923.
  infestation and eradication work. F.B. 1335, pp. 2, 26. 1923.
Goshen, typhoid conditions, investigations. Chem. Bul. 156, pp. 17-18. 1912.
grain, supervision districts, counties. Mkts. S.R.A. 14, pp. 2, 3. 1916.
grapes—
  1908-1910, studies. Chem. Bul. 145, pp. 8-18. 1911.
  chemical composition, studies and tables. D.B. 452, pp. 2, 4-6, 11-13, 17-20. 1916.
  growing. Sec., [Misc.], Spec. "Geography * * * world's agriculture," p. 85. 1917.
  production and marketing. D.B. 861, pp. 26-37. 1920.
  shipments, 1916-1919. D.B. 861, pp. 3, 26, 30, 35, 55-61. 1920.
  spraying experiments, 1907 and 1908. B.P.I. Bul. 155, pp. 17-24, 37. 1909.
hardwoods, kinds, description, annual cut and volume tables. D.B. 285, pp. 22-23, 24, 26-27, 28-30. 1915.
hauling cost, saving by road improvement. News L., vol. 4, No. 15, p. 2. 1916.
hay crops, 1866-1906, acreage, production, and value. Stat. Bul. 63, pp. 5-25, 27. 1908.
haymaking, methods and costs. D.B. 578, pp. 9-10, 15, 16, 22. 1918.
hemlock growing, value and uses. D.B. 152, pp. 3, 4, 7, 9, 13, 15, 27. 1915.
herds, lists of tested and accredited. D.C. 54, pp. 7, 9, 15, 36, 61. 1919; D.C. 142, pp. 6, 7, 10, 23, 34, 47-49. 1920; D.C. 143, pp. 4, 11, 38, 80. 1920; D.C. 144, pp. 5, 36. 1920.
Herkimer County, leading farm bureau. News L., vol. 6, No. 31, p. 12. 1919.
high schools, agricultural progress, 1910. O.E.S. An. Rpt. 1910, pp. 371-372. 1911.
highway department and work, road mileage and cost. Y.B. 1914, pp. 214, 218-219, 222. 1915; Y.B. Sep. 638, pp. 214, 218-219, 222. 1915.
home projects, work in schools. D.B. 346, p. 3. 1916.
hop oils, comparison with hop oils from other sources. J.A.R., vol. 2, pp. 117-147, 157. 1914.
Hudson Valley, grape production and marketing. D.B. 861, pp. 33-36. 1920.
hunting laws. Biol. Bul. 19, pp. 13, 21, 27, 36, 56, 62, 64. 1904.
insect depredations, early records. Y.B. 1913, p. 79. 1914; Y.B. Sep. 616, p. 79. 1914.
insecticide and fungicide laws. I. and F. Bd. S.R.A. 13, pp. 134-135. 1916.
insects in—
  1905. Ent. Bul. 60, pp. 89-90. 1906.
  1906. Ent. Bul. 67, pp. 39-43. 1907.
irrigation plants. O.E.S. Bul. 167, pp. 33-36. 1906.
Ithaca, road preservation experiments. Rds. Cir. 92, pp. 11-28. 1910.
Jamaica, road-binding experiments, 1911. D.B. 105, pp. 36-40. 1914.
Karakul sheep, breeding. Y.B. 1915, pp. 249, 256. 1916; Y.B. Sep. 673, pp. 249, 256. 1916.
Keeseville fur farm, experiments. Off. Rec., vol. 1, No. 26, p. 2. 1922.
Lake Erie district, manufacture of grape juice. D.B. 656, p. 17. 1918.
Lake Erie Valley, grape leaf hopper, spraying experiments. Ent. Bul. 97, Pt. 1, pp. 1-12. 1911.
land utilization on farms, survey studies. F.B. 745, pp. 13, 14, 17. 1916.
lands, abandoned, use for forests, lack of forestry methods. D.B. 638, p. 8. 1918.
lard supply, wholesale and retail, August 31, 1917, tables. Sec. Cir. 97, pp. 13-31. 1918.
law(s)—
  against Sunday shooting. Biol. Bul. 12, rev., p. 63. 1902.

New York (State)—Continued.
 law(s)—continued.
  dog control, digest. F.B. 935, p. 18. 1918; F.B. 1268, pp. 18–19. 1922.
  for turpentine sale. D.B. 898, p. 41. 1920.
  governing composition and sale of insecticides. Chem. Bul. 76, pp. 59–60. 1903.
  on—
   contagious diseases of domestic animals, control. B.A.I. Bul. 54, p. 31. 1904.
   foulbrood of bees. Ent. Bul. 61, pp. 193–194. 1906.
   nursery stock interstate shipment, digest. Ent. Cir. 75, rev., p. 5. 1909; F.H.B.S.R.A. 57, pp. 113, 114, 115. 1919.
   sale of certified milk. B.A.I. Bul. 104, p. 20. 1908; D.B. 1, p. 9. 1913.
  relating to—
   contagious animal diseases. B.A.I. Bul. 43, pp. 45–48. 1901.
   dried fruits. F.B. 903, pp. 59–60. 1917.
 legislation—
  cold storage, proposed. Chem. Bul. 115, p. 114. 1908.
  protecting birds. Biol. Bul. 12, rev., pp. 14, 16, 18, 32, 34, 36, 37, 40, 43, 46, 47, 49, 52, 53, 106–107, 137. 1902.
  relative to tuberculosis. B.A.I. Bul. 28, pp. 102–104. 1901.
 leopard-moth introduction and damages. F.B. 708, pp. 1, 3, 4, 5. 1916.
 livestock—
  admission, sanitary requirements. B.A.I. Doc. A–28, pp. 29–30. 1917; B.A.I. Doc. A–36, pp. 43–45. 1920; M.C. 14, pp. 56–57. 1924.
  associations. Y.B., 1920, pp. 5–27. 1921; Y.B. Sep. 866, p. 5–27. 1921.
 Livingston County—
  farm families, study. D.B. 1214, pp. 1–36. 1924.
  nursery industry, extent and value, 1900. Soil Sur. Adv. Sh., 1908, p. 17. 1910; Soils F.O., 1908, p. 85. 1911.
 Locust Valley—
  community building, description and plans. F.B. 1173, pp. 22–23. 1921; F.B. 1274, pp. 18–21. 1922.
  Neighborhood Association, growth and development. F.B. 1274, pp. 18–21. 1922.
 Long Island, Sassafras soils, location and crop adaptations. D.B. 159, pp. 8–52. 1915.
 lumber—
  cut, 1920, 1870–1920, value, and kinds. D.B. 1119, pp. 28, 30–35, 44–58. 1923.
  industry, history. William F. Fox. For. Bul. 34, pp. 59. 1902.
  production, 1918, by mills, by woods, and lath and shingles. D.B. 845, pp. 6–11, 13, 16, 21–24, 30, 33–37, 42–47. 1920.
  requirements. Sec. Cir. 183, p. 24. 1921.
 maple—
  sap sirup, investigations, tabulation of results. Chem. Bul. 134, pp. 26–31, 69. 1910.
  sugar—
   analyses, results, and table. D. B. 466, pp. 17–18. 1917.
   and sirup, production by years. F.B. 516, pp. 44–46. 1912.
 market—
  conditions at terminals. Off. Rec., vol. 2, No. 23, p. 1. 1923.
  for onions, importance. D.B. 1325, p. 55. 1925.
  milk-traffic growth. B.A.I. [Misc.], "World's dairy congress, 1923," pp. 817–818. 1924.
  station, lines of work. Y.B., 1919, pp. 96, 101. 1920; Y.B. Sep. 797, pp. 96, 101. 1920.
  statistics for—
   cotton, 1919, 1920. D.B. 982, p. 270. 1921.
   dairy products, 1918–1920. D.B. 982, pp. 142–149, 153. 1921.
   fruits and vegetables, 1919 and 1920. D.B. 982, pp. 224, 225, 243, 251, 253–256, 258, 260, 262–264. 1921.
   grain, 1910–1921. D.B. 982, pp. 211, 212. 1921.
   meat, 1910–1920. D.B. 982, pp. 102–103, 107, 112–116, 127–128. 1921.
  marketing activities and organization. Mkts. Doc. 3, p. 5. 1916.
 meat inspection, report. Sec. Cir. 58, pp. 4–10. 1916.

New York (State)—Continued.
 Mercantile Exchange, "Butter rules." B.A.I. Cir. 56, p. 191. 1904.
 meteorological data, May–October, 1903. Chem. Bul. 95, pp. 16, 20. 1905.
 milk—
  market for city, relation of Dairymen's League. Y.B., 1922, pp. 388–389. 1923; Y.B. Sep. 879. p. 93. 1923.
  production, investigations, canvasses, and summaries. B.A.I. Bul. 164, pp. 16–55. 1913.
  supply and laws. B.A.I. Bul. 46, pp. 28, 32, 36. 40, 123–135, 165, 180, 192, 200. 1903.
 milking rules. F.B. 227, p. 28. 1905.
 moth—
  control, State work. F.B. 564, p. 22. 1914.
  occurrence and eradication work. F.B. 845, p. 26. 1917.
 muck and peat areas, uses and location. Soils Cir. 65, pp. 10, 12, 15. 1912.
 National Dairy Exposition, visit by Dairy Congress. B.A.I., [Misc.], "World's dairy congress, 1923," p. 148. 1924.
 Newburgh, typhoid epidemic, investigation. Chem. Bul. 156, pp. 26–27. 1912.
 Niagara County, fruit packing. News L., vol. 6, No. 27, pp. 1–2. 1919.
 oats—
  crops, 1866–1906, acreage, production, and value. Stat. Bul. 58, pp. 5–25, 27. 1907.
  growing, varietal experiments. D.B. 823, pp. 9–10, 12, 66. 1920.
  production, 1900–1909, acreage and yield. F.B. 420, pp. 8, 9, 10. 1910.
  testing, methods, yields per acre, and comparisons. D.B. 99, pp. 11–18, 24–25. 1914.
  tests, early and late varieties. F.B. 395, p. 14. 1910.
  varieties, improvement, with adjacent States. H. H. Love and others. D. C. 353, pp. 15 1925.
 ocean freight rates on farm products to eleven European ports, 1903–1906. Stat. Bul. 67, pp. 14–15. 1907.
 Ontario shore, grape production and marketing D.B. 861, pp. 36–37. 1920.
 Orange County milk production. B.A.I. Bul 138, p. 9. 1911.
 orchard management, studies, renovation, cost. and profits. F.B. 491, pp. 7–8, 19–21. 1912.
 Oyster Bay, tide-marsh soils, analyses. O.E.S Bul. 240, p. 18. 1911.
 oyster beds, investigations, and results. Chem. Bul. 156, pp. 9, 20–24, 28–42. 1912.
 paper production and pulp-wood requirements and consumption. D.B. 1241, pp. 38–39. 1924.
 pasture land on farms. D.B. 626, pp. 14, 60–61. 1918.
 pastures, improvement, with New England J. S. Cotton. B.P.I. Cir. 49, pp. 10. 1910.
 peach(es)—
  growing, production, districts, and varieties. D.B. 806, pp. 4, 5, 7, 8, 9, 12–13. 1919.
  preparation for market. F.B. 1266, pp. 12, 15, 27–32. 1922.
  shipping season, area of production. D.B. 298, pp. 4, 5, 6, 13. 1915.
  varieties, names and ripening dates. F.B. 918, p. 10. 1918.
 pear growing, distribution, and varieties. D.B. 822, pp. 6–7. 1920.
 perfumery-plant industries. B.P.l. Bul. 195, pp. 9, 30, 35, 37, 46. 1910.
 pheasant raising, and results. F.B. 390, p. 15. 1910.
 plum curculio control work, experiments. Ent. Bul. 103, p. 195. 1912.
 pop corn, production and value, 1909. F.B. 554. pp. 6–7. 1913
 potato(es)—
  acreage, production and yield, map. Sec. [Misc.] Spec. "Geography * * * world's agriculture," p. 69. 1917.
  crops, 1866–1906, acreage, production, and value. Stat. Bul. 62, pp. 7–27, 29. 1908.
  growing in different localities. F.B. 365, pp. 16–18. 1909.
  handling and marketing. F.B. 753, pp. 10, 13, 24. 1916.
  market, methods. F.B. 1317, pp. 29–30. 1923.

INDEX TO PUBLICATIONS, 1901–1925   1625

New York (State)—Continued.
  potato(es)—continued.
    production—
      1909, by counties. F.B. 1064, p. 4. 1919.
      costs and farm practices. D.B. 1188, pp. 1–40. 1924.
  pulp-wood consumption—
    1906. For. Cir. 120, pp. 5, 6, 8. 1907.
    hauling distance, and imports. D.B. 758, pp. 4, 5, 6, 7, 10, 11, 13, 15. 1919.
  quarantine for—
    European corn borer. F.H.B. Quar. 43, rev., pp. 1, 3–4. 1922.
    foot-and-mouth disease—
      Dec. 29, 1908. B.A.I.O. 156, amdt. 8, p. 1. 1908.
      January 5, 1909, modification. B.A.I.O. 156, amdt. 9, pp. 2. 1909.
      January 13, 1909, modification. B.A.I.O. 156, amdt. 10, pp. 2. 1909.
      January 27, 1909. B.A.I.O. 156, amdt. 11, pp. 3. 1909.
      February 25, 1909. B.A.I.O. 157, Rule 6, rev. 2, p. 2. 1909.
      March 26, 1909, removal. B.A.I.O. 157, amdt. 2, rule 6, rev. 2, p. 1. 1909.
      April 24, 1909, release. B.A.I.O. 160, rule 7, p. 1. 1909.
      1915. B.A.I.O. 234, p. 6. 1915; B.A.I.O. 234, amdt. 1, p. 3. 1915; B.A.I.O. 234, amdt. 2, p. 3. 1915; B.A.I.O. 236, amdt., pp. 1–6. 1915; B.A.I.O. 238, amdt., p. 6. 1915.
  raw-rock phosphate, field experiments, and results. D.B. 699, pp. 82–86. 1918.
  reservoirs, types and uses. F.B. 828, pp. 4, 27–28. 1917.
  road(s)—
    bond-built, amount of bonds and rate. D.B. 136, pp. 13, 30, 35, 44, 57, 72, 82–84, 85. 1915.
    building, rock tests—
      1916, results, table. D.B. 370, pp. 47–50. 1916; D.B. 670, pp. 15, 25. 1918.
      1916–1921, results. D.B. 1132, pp. 23, 48, 52. 1923.
    construction and surfacing. D.B. 407, pp. 65–66. 1916.
    dust prevention. Rds. Cir. 98, pp. 17–41. 1912.
    laws—
      1908. Y.B., 1908, p. 593. 1909.
      and appropriations. Y.B., 1910, pp. 271–272. 1911; Y.B. Sep. 535, pp. 271–272. 1911.
      history. Rds. Bul. 21, p. 29. 1901.
    materials, tests. Rds. Bul. 44, pp. 56–58. 1912.
    mileage and expenditures—
      1909. Rds. Bul. 41, pp. 28–29, 41, 42, 89–91. 1912.
      1914. D.B. 386, pp. 3–5, 14–20. 1916.
      1915. Sec. Cir. 52, pp. 2, 4, 6. 1915.
      1916. Sec. Cir. 74, pp. 4, 5, 7, 8. 1917.
    preservation, and dust prevention—
      1914, experiments at Jamaica and New York, reports. D.B. 257, pp. 34–37. 1915.
      1916, reports. D.B. 586, pp. 62–66. 1918.
    repair, maintenance, and cost. Rds. Bul. 48, pp. 15, 23, 32, 57, 60–62. 1913.
    State aid. Rds. Bul. 21, p. 20. 1901.
    supervisors, third annual good roads convention, Albany, January, 1902. Rds. Bul. 22, pp. 1–63. 1902.
  Rochester, typhoid epidemic, investigation. Chem. Bul. 156, pp. 24–26. 1912.
  rye—
    crops, 1866–1906, acreage, production, and value. Stat. Bul. 60, pp. 5–25, 27. 1908.
    growing, early history, and production, 1839–1909. Y.B., 1922, pp. 503, 504–506. 1923; Y.B. Sep. 891, pp. 503, 504–506. 1923.
  Saint Lawrence County, milk production. B.A.I. Bul. 138, p. 9. 1911.
  salt deposits, occurrence and composition. Soils Bul. 94, pp. 24–28, 53, 61, 95. 1913.
  San Jose scale—
    experimental work against. Ent. Bul. 37, p. 35. 1902.
    occurrence. Ent. Bul. 62, p. 27. 1906.
  school(s)—
    agricultural—
      education, State aid. Y.B., 1912, p. 474. 1913; Y.B. Sep. 607, p. 474. 1913.
      work. O.E.S. Cir. 106, rev., pp. 18, 28, 29. 1912.

New York (State)—Continued.
  school(s)—continued.
    garden work. O.E.S. Bul. 160, pp. 34–40. 1905.
    meteorology study and syllabus. Y.B., 1907, pp. 268–270. 1908; Y.B. Sep. 471, pp. 268–270. 1908.
  seeds, market prices, 1920–1923, tables. S.B. 2, pp. 22–62. 1924.
  Seneca Power Ditching Co., organization. Y.B., 1919, pp. 80–83. 1920; Y.B. Sep. 822, pp. 80–83. 1920.
  shellfish industry, extent and value. Y.B., 1910, pp. 371, 372. 1911; Y.B. Sep. 544, pp. 371, 372. 1911.
  shipments of fruits and vegetables, and index to station shipments. D.B. 667, pp. 6–13, 34–38. 1918.
  soil survey of—
    Auburn area. J. E. Lapham and Hugh H. Bennett. Soil Sur. Adv. Sh., 1904, pp. 28. 1905; Soils F.O., 1904, pp. 95–118. 1905.
    Bigflats area. Louis Mesmer and W. E. Hearn. Soil Sur. Adv. Sh., 1902, pp. 17. 1903; Soils F.O., 1902, pp. 125–142. 1903.
    Binghamton area. Elmer O. Fippin and William T. Carter, jr. Soil Sur. Adv. Sh., 1905, pp. 30. 1906; Soils F.O., 1905, pp. 71–96. 1907.
    Broome County. See Binghamton area.
    Cayuga County. See Auburn and Syracuse areas.
    Chatauqua County. T. M. Morrison and others. Soil Sur. Adv. Sh., 1914, pp. 60. 1916; Soils F. O., 1914, pp. 271–326. 1919.
    Chemung County. See Bigflats area.
    Chenango County. E. T. Maxon and William Seltzer. Soil Sur. Adv. Sh., 1918, pp. 37. 1920; Soils F.O., 1918, pp. 11–43. 1924.
    Clinton County. E. T. Maxon and W. R. Cone. Soil Sur. Adv. Sh., 1914, pp. 37. 1916; Soils F.O., 1914, pp. 237–269. 1919.
    Cortland County. E. T. Maxon and G. L. Fuller. Soil Sur. Adv. Sh., 1916, pp. 28. 1917; Soils F.O., 1916, pp. 195–218. 1921.
    Dutchess County. Charles N. Mooney and H. L. Belden. Soil Sur. Adv. Sh., 1907, pp. 53. 1909; Soils F.O., 1907, pp. 31–79. 1909.
    Essex County. See Vermont, Vergennes area.
    Jefferson County. M. Earl Carr and others. Soil Sur. Adv. Sh., 1911, pp. 83. 1913; Soils F.O., 1911, pp. 95–173. 1914.
    Kings County. See Long Island area.
    Livingston County. H. L. Westover and others. Soil Sur. Adv. Sh., 1908, pp. 91. 1910; Soils F.O., 1908, pp. 71–157. 1911.
    Long Island area. Jay A. Bonsteel and others. Soil Sur. Adv. Sh., 1903, pp. 42. 1904; Soils F.O., 1903, pp. 91–128. 1904.
    Lyons area. W. Edward Hearn. Soil Sur. Adv. Sh., 1902, pp. 20. 1903; Soils F.O., 1902, pp. 143–162. 1903.
    Madison County. M. Earl Carr and others. Soil Sur. Adv. Sh., 1906, pp. 51. 1907; Soils F.O., 1906, pp. 119–165. 1908.
    Monroe County. G. A. Crabb and others. Soil Sur. Adv. Sh., 1910, pp. 53. 1912; Soils F.O., 1910, pp. 43–91. 1912.
    Montgomery County. Ora Lee, jr. and Clarence Lounsbury. Soil Sur. Adv. Sh., 1908, pp. 42. 1909; Soils F.O., 1908, pp. 159–196. 1911.
    Nassau County. See Long Island area.
    Niagara County. Elmer O. Fippin and others. Soil Sur. Adv. Sh., 1906, pp. 53. 1908; Soils F.O., 1906, pp. 69–117. 1908.
    Oneida County. E. T. Maxon and others. Soil Sur. Adv. Sh., 1913, pp. 59. 1915; Soils F.O., 1913, pp. 39–93. 1916.
    Onondaga County. See Syracuse area.
    Ontario County. M. Earl Carr and others. Soil Sur. Adv. Sh., 1910, pp. 55. 1912; Soils F.O., 1910, pp. 93–143. 1912.
    Orange County. G. A. Crabb and T. M. Morrison. Soil Sur. Adv. Sh., 1912, pp. 56. 1914; Soils F.O., 1912, pp. 57–108. 1915.
    Oswego County. Charles N. Mooney and others. Soil Sur. Adv. Sh., 1917, pp. 43. 1919; Soils F.O., 1917, pp. 47–86. 1923.

1626   UNITED STATES DEPARTMENT OF AGRICULTURE

New York (State)—Continued.
  soil survey of—continued.
    Putnam County. See White Plains area.
    Queens County. See Long Island area.
    Rockland County. See White Plains area.
    Saratoga County. E. T. Maxon and J. H. Bromley. Soil Sur. Adv. Sh., 1917, pp. 42. 1919; Soils F.O., 1917, pp. 87–124. 1923.
    Scoharie County. E. T. Maxon and G. L. Fuller. Soil Sur. Adv. Sh., 1915, pp. 34. 1917; Soils F.O., 1915, pp. 125–154. 1919.
    Seneca County. See Lyons area.
    Steuben County. See Bigflats area.
    Suffolk County. See Long Island area.
    Syracuse area. F. E. Bonsteel and others. Soil Sur. Adv. Sh., 1903, pp. 31. 1904; Soils F.O., 1903, pp. 63–89. 1904.
    Tomkins County. Jay A. Bonsteel and others. Soil Sur. Adv. Sh., 1905, pp. 36. 1906; Soils F.O., 1905, pp. 39–70. 1907.
    Tomkins County. Frank B. Howe and others. Soil Sur. Adv. Sh., 1920, pp. 1567–1622. 1924; Soils F.O., 1920, pp. 1567–1622. 1925.
    Washington County. M. Earl Carr and others. Soil Sur. Adv. Sh., 1909, pp. 59. 1911; Soils F.O., 1909, pp. 105–159. 1912.
    Wayne County—
      Cornelius Van Duyne and others. Soil Sur. Adv. Sh., 1919, pp. 273–348. 1923; Soils F.O., 1919, pp. 273–348. 1925.
      See also Lyons area.
    Westchester County. See White Plains area.
    Westfield area. R. T. Avon Burke and Herbert W. Marean. Soil Sur. Adv. Sh., 1901, pp. 18. 1903; Soils F.O., 1901, pp. 75–92. 1902.
    White Plains area. Cornelius Van Duyne and J. H. Bromley. Soil Sur. Adv. Sh., 1919, pp. 44. 1922; Soils F.O. 1919, pp. 563–606. 1925.
    Yates County. E. T. Maxon. Soil Sur. Adv. Sh., 1916, pp. 36. 1918; Soils F.O., 1916, pp. 219–250. 1921.
  soils—
    Clyde loam, area and location. Soils Cir. 37, pp. 3, 16. 1911.
    Meadow areas, location and crop adaptations. Soils Cir. 68, pp. 12, 21. 1912.
  southern—
    agricultural conditions. M. C. Burritt. B.P.I. Cir. 64, pp. 16. 1910.
    successful farm management, example. M. C. Burritt and John H. Barron. D.B. 32, pp. 24. 1913.
  spinach blight, occurrence. J.A.R., vol. 14, pp. 1, 51–52, 59. 1918.
  standard containers. F.B. 1434, p. 17. 1924.
  State Barge Canal—
    excavation work, details and cost. D.B. 300, pp. 24, 33–34. 1916.
    siphon spillways, use. D.B. 831, pp. 16, 36–37. 1920.
  State fair, report on Davis importation of Angora goats. B.A.I. Bul. 27, p. 18. 1906.
  State-owned trenching-machine, use for farm drainage construction. Y.B., 1919, pp. 85–86. 1920; Y.B. Sep. 822, pp. 85–86. 1920.
  Steuben County, and Washington County, Pa., hay production, farm practice in. H. B. McClure. D.B. 641, pp. 16. 1918.
  strawberry shipments, 1914. D.B. 237, p. 9. 1915; F. B. 1028, p. 6. 1919.
  successful farm. M. C. Burritt. F.B. 454, pp. 32. 1911.
  sugar-beet experiments, 1904. Chem. Bul. 96, pp. 16–19. 1905.
  sugar prices, 1909–1912. D.B. 66, pp. 15–16. 1914.
  Swedish Select oat, experiments and results. B.P.I. Bul. 182, p. 25. 1910.
  tanning materials, consumption, 1906. For. Cir. 119, pp. 4, 6, 8. 1907.
  Testing Laboratory, apparatus for bitumen testing, notes. D.B. 949, pp. 41, 43, 46. 1921.
  timber—
    stand of pulpwood species, cut and consumption. D.B. 1241, p. 95. 1924.
    tax. Y.B., 1914, p. 440. 1915; Y.B. Sep. 651, p. 440. 1915.

New York (State)—Continued.
  tobacco—
    conditions, 1911. Stat. Cir. 27, p. 3. 1912.
    crop, 1912. Stat. Cir. 43, pp. 2, 3, 4. 1913.
    early development and production of cigar type. B.P.I. Cir. 48, pp. 4, 5, 6. 1910.
    growing—
      1921. Y.B., 1922, pp. 403, 409. 1923; Y.B. Sep. 885, pp. 403, 409. 1923.
      and industry, details, and statistics. B.P.I. Bul. 244, pp. 18, 22, 24, 26, 28, 99. 1912.
      report for July 1, 1912. Stat. Cir. 38, pp. 3, 4. 1912.
    trade center. B.P.I. Bul. 268, p. 38. 1913.
  tomato pulping, statistics. D.B. 927, pp. 4, 24, 1921.
  tractor reports. F.B. 1004, pp. 3–13. 1918.
  trucking industry, acreage and crops. Y.B., 1916, pp. 446, 447, 449, 450, 451, 455–465. 1917; Y.B. Sep. 702, pp. 12, 13, 15, 16, 17, 21–31. 1917.
  unproductive lands, location and history, suggestions. B.P.I. Cir. 64, pp. 1–16. 1910.
  Volusia silt loam, acreage, location, and crop adaptations. Soils Cir. 63, pp. 3, 9, 11, 12, 16. 1912.
  wage rates, farm labor, 1840–1870, and 1866–1909. Stat. Bul. 99, pp. 12, 20, 29–43, 68–70. 1912.
  walnut—
    growing and yield. B.P.I. Bul. 254, pp. 18, 102. 1913.
    range and estimated stand. D.B. 933, pp. 7, 8. 1921.
    stand and quality. D.B. 909, pp. 9, 10, 16, 21. 1921.
  water supply, records, by counties. Soils Bul. 92, pp. 107–110. 1913.
  Wayne County, peppermint and peppermint oil industry, history and production. F.B. 694, pp. 1–2, 3–4. 1915.
  weevil, description, habits, injuries, and control. F.B. 1270, p. 32. 1923.
  weight variations. Sec. Cir. 95, p. 4. 1918.
  western—
    farm—
      diversified, labor distribution, seasonal. Y.B., 1917, p. 543. 1918; Y.B. Sep. 758, p. 9. 1918.
      drainage results. O.E.S. An. Rpt., 1907, pp. 388–389. 1908.
      machinery, cost of farm operations. H. H. Mowry. D.B. 338, pp. 24. 1916.
      normal day's work of farm implements, workmen, and crews. H. H. Mowry. D.B. 412, pp. 16. 1916.
    potato—
      growing, cost accounts, example. Y. B., 1917, pp. 165–166. 1918; Y.B. Sep. 735, pp. 15–16. 1918.
      shipping territory and methods. F.B. 1317, pp. 19, 22, 23, 27–28. 1923.
      renovated orchards, profits. S.R.S. Syl. 31, pp. 13–14. 1918.
    wheat—
      acreage and varieties. D.B. 1074, p. 213. 1922.
      crops, acreage, production, and value. Stat. Bul. 57, pp. 5–25, 27. 1907; rev., pp. 5–25, 27, 36. 1908.
      production periods. Y.B., 1921, pp. 87, 88, 89. 1922; Y.B. Sep. 873, pp. 87, 88, 89. 1922.
      varieties adapted. F.B. 616, p. 11. 1914; F.B. 1168, pp. 14, 15. 1921.
      yields and prices, 1866–1915. D.B. 514, p. 5. 1917.
  woodland products. F.B. 1117, p. 7. 1920.
  wool marketing. Y.B., 1916, p. 235. 1917; Y.B. Sep. 709, p. 9. 1917.
  work—
    against San Jose scale. Ent. Bul. 37, p. 35. 1902.
    and value of poultry-culling club. News L., vol. 6, No. 31, p. 12. 1919.
  "worn-out" hill farm, improvement and profits. News L., vol. 3, No. 21, p. 4. 1915.
  See also Northeastern United States.
New Zealand—
  abattoirs, public, cost, and capacity. Y.B., 1914, p. 434. 1915; Y.B. Sep. 650, p. 434. 1915.

INDEX TO PUBLICATIONS, 1901–1925   1627

New Zealand—Continued.
  agricultural—
    education, progress—
      1909. O.E.S. An. Rpt., 1909, p. 267. 1910.
      1911. O.E.S. An. Rpt., 1911, p. 292. 1912.
      statistics, 1910–1919. D.B. 987, pp. 43–44. 1921.
    animal diseases, and veterinary studies. Y.B., 1914, pp. 436–437, 438. 1915; Y.B. Sep. 650, pp. 436–437, 438. 1915.
    apple production and exportation. D.B. 483, p. 40. 1917.
    boys' and girls' training. Off. Rec., vol. 1, No. 41, p. 7. 1922.
  butter—
    control. B.A.I. [Misc.], "World's dairy congress, 1923," p. 754. 1924.
    industry and trade. D.C. 70, pp. 6, 11. 1919.
  cattle, numbers and distribution, maps. Sec. [Misc.], Spec., "Geography * * * world's agriculture," pp. 121, 127. 1917.
  cheese—
    making from pasteurized milk. B.A.I. [Misc.], "World's dairy congress, 1923," pp. 277, 306–308. 1924.
    production and trade. D.C. 71, pp. 7, 9, 12, 16. 1919.
  cows and cattle, 1850–1918. D.C. 7, pp. 3, 17. 1919.
  cream production for butter making. W. Dempster and George M. Valentine. B.A.I. [Misc.], "World's dairy congress, 1923," pp. 993–997. 1924.
  dairy statistics, 1861–1921. B.A.I. Doc. A–37, pp. 58–59. 1922.
  flax. See Phormium.
  fruit exports and imports. D.C. 145, pp. 5, 6, 14, 15. 1921.
  grains, area, and production, in specified years. Stat. Cir. 19, p. 7. 1911.
  grape-market privileges. News L., vol. 6, No. 14, p. 11. 1918.
  hog tuberculosis, prevalence. B.A.I. An. Rpt., 1907, p. 220. 1909; B.A.I. Cir. 144, p. 220. 1909.
  hunting licenses. Biol. Bul. 19, p. 52. 1901.
  laws, on fruit importation and quarantine. D.C 145, p. 7. 1921.
  livestock—
    production and marketing. Y.B., 1914, pp. 422–426. 1915; Y.B. Sep. 650, pp. 422–426. 1915.
    statistics, numbers of cattle, sheep, and hogs. Rpt. 109, pp. 31, 37, 48, 51, 59, 62, 203, 213. 1916.
  machine milking. B.A.I. [Misc.], "World's dairy congress, 1923," pp. 1228–1232. 1924.
  market for American fruit (and Australia). Samuel B. Moomaw and Caroline B. Sherman. D.C. 145, pp. 16. 1921.
  meat—
    consumption. Rpt. 109, pp. 17, 20, 128, 133, 271–273. 1916.
    exports—
      1901–1913. Y.B., 1914, p. 432. 1915; Y.B. Sep. 650, p. 432. 1915.
      statistics (and meat animals). Rpt. 109, pp. 15, 74–89, 93, 94, 222, 229. 1916.
    inspection, laws and regulations. Y.B., 1914, p. 430. 1915; Y.B. Sep. 650, p. 430. 1915.
    production, with Australia. E. C. Joss. Y.B., 1914, pp. 421–438. 1915; Y.B. Sep. 650, pp. 421–438. 1915.
  nursery-stock inspection, officials. F.H.B.S.R. A. 7, p. 65. 1914; F.H.B.S.R.A. 20, p. 75. 1915; F.H.B.S.R.A. 32, p. 120. 1916.
  potatoes, production, 1909–1913, 1921–1923. Stat. Bul. 10, p. 20. 1925.
  progress in agricultural education. O.E.S. An. Rpt., 1907, p. 243. 1908.
  sheep—
    farming conditions, comparison with United States. Y.B., 1914, pp. 334–336. 1915; Y.B. Sep. 645, pp. 334–336. 1915.
    farming, mutton production, and new breed. Y.B., 1914, pp. 423, 425, 437. 1915; Y.B. Sep. 650, pp. 423, 425, 437. 1915.
    industry features, comparison with Australia and United States. F. R. Marshall. D.B. 313, pp. 35. 1915.

New Zealand—Continued.
  sheep—continued.
    numbers—
      and wool production and exports. Y.B., 1917, pp. 403, 404, 405, 415. 1918; Y.B. Sep. 751, pp. 5, 6, 7, 15. 1918.
      discussion and maps. Sec. [Misc.], Spec., "Geography * * * world's agriculture," pp. 135, 137, 141. 1917.
      statistics, 1914. D.B. 313, p. 3. 1915; Y.B., 1914, p. 385. 1915; Y.B. Sep. 645, p. 385. 1915.
    spinach, home garden, cultural hints. F.B. 255, p. 36. 1906.
    spring wheat, test in Utah, yield to acre. B.P.I. Cir. 61, p. 12. 1910.
    tuberculosis, bovine, spread. B.A.I. Bul. 32, p. 19. 1901.
    tuberculosis, hog, prevalence. B.S.I. Cir. 201, p. 11. 1912.
    United States, and Australia, sheep industries, features compared. F. R. Marshall. D.B. 313, pp. 35. 1915.
  Newark, N. J., milk supply, statistics, officials, prices, and ordinances. B.A.I. Bul. 46, pp. 26, 112–114, 182. 1903.
  Newcastle, Pa., milk supply, statistics, officials, and prices. B.A.I. Bul. 46, pp. 38, 151. 1903.
  Newcastle, Wyo., farm, location, climate, and water supply. O.E.S. Cir. 92, pp. 41–51. 1910.
  NEWCOMER, E. J.—
    "Control of the codling moth in the Pacific Northwest." With others. F.B. 1326, pp. 27. 1924.
    "Controlling important fungous and insect enemies of the pear in the humid sections of the Pacific Northwest." With D. F. Fisher. F.B. 1056, pp. 34. 1919.
    "Life history of the codling month in the Yakima Valley of Washington." With W. D. Whitcomb. D.B. 1235, pp. 77. 1924.
    "Some stoneflies injurious to vegetation." J.A. R., vol. 13, pp. 37–42. 1918.
    "The dock false-worm: An apple pest." D.B. 265, pp. 40. 1916.
    "The pear leaf-worm." With others. D.B. 438, pp. 24. 1916.
  NEWELL, WILMON: "The Argentine ant." With T. C. Barber. Ent. Bul. 122, pp. 98. 1913.
  Newfoundland—
    forest fires, statistics. For. Bul. 117, p. 39. 1912.
    fur animals, laws—
      1915. F.B. 706, p. 22. 1916.
      1916. F.B. 783, pp. 23, 28. 1916.
      1917. F.B. 911, pp. 26, 31. 1917.
      1918. F.B. 1022, pp. 28, 29. 1918.
      1919. F.B. 1079, pp. 30. 1919.
      1920. F.B. 1165, p. 30. 1920.
      1921. F.B. 1238, pp. 30. 1921.
      1922. F.B. 1293, p. 28. 1922.
      1923–24. F.B. 1387, p. 31. 1923.
      1924–25. F.B. 1445, p. 22. 1924.
      1925–26. F.B. 1469, p. 27. 1925.
    game—
      laws—
        1902. F.B. 160, pp. 26, 35, 43, 46, 52, 54. 1902.
        1903. F.B. 180, pp. 17, 26, 40, 44, 46, 48. 1903.
        1904. F.B. 207, pp. 26, 37, 40, 52, 63. 1904.
        1905. F.B. 230, pp. 34, 39, 48. 1905.
        1906. F.B. 265, pp. 24, 32, 39, 41, 48. 1906.
        1907. F.B. 308, pp. 9, 23, 32, 39, 48. 1907.
        1908. F.B. 336, pp. 10, 25, 35, 42, 46, 54. 1908.
        1909. F.B. 376, pp. 30, 36, 41, 44, 52. 1909.
        1910. F.B. 418, pp. 23, 30, 34, 37, 46. 1910.
        1911. F.B. 470, pp. 15, 27, 35, 39, 42, 52. 1911.
        1912. F.B. 510, pp. 4, 9, 23, 31, 36, 39, 40, 41, 48. 1912.
        1913. D.B. 22, pp. 18, 35, 42, 47, 50. 1913; rev., pp. 35, 42, 47, 50. 1913.
        1914. F.B. 628, pp. 27, 34, 39, 43–44, 53. 1914.
        1915. F.B. 692, pp. 36, 44, 49, 53, 62, 64. 1915.
        1916. F.B. 774, pp. 34. 42, 47, 53. 1916.
        1917. F.B. 910, p. 43. 1917.
        1918. F.B. 1010, p. 44. 1918.
        1919. F.B. 1077, p. 47. 1919.
        1920. F.B. 1138, p. 52. 1920.
        1921. F.B. 1235, p. 54. 1921.
        1922. F.B. 1288, pp. 51, 56, 79. 1922.
        1923–24. F.B. 1375, pp. 47, 52. 1923.
        1924–25. F.B. 1444, pp. 35, 38. 1924.
        1925–26. F.B. 1466, pp. 42, 46. 1925.

36167°—32——103

Newfoundland—Continued.
  game—continued.
    officials—
      and publications, 1908. Biol. Cir. 65, p. 8. 1908.
      and publications, 1922. D.C. 242, p. 13. 1922.
      directory, 1920. D.C. 131, p. 11. 1920.
    hunting laws. Biol. Bul. 19, pp. 15, 22, 29, 31, 58, 60–61, 64–65. 1904.
    law against Sunday shooting. Biol. Bul. 12, rev., p. 64. 1902.
    legislation protecting birds. Biol. Bul. 12, rev., pp. 31, 36, 37, 42, 130. 1902.
Newlands (formerly Truckee-Carson) Reclamation Project Experiment farm, work—
  1918. F. B. Headley. D.C. 80, pp. 18. 1920.
  1919. F. B. Headley. D.C. 136, pp. 21. 1920.
  1920 and 1921. F. B. Headley and E. W. Knight. D.C. 267, pp. 26. 1923.
  1922 and 1923. F. B. Headley and others. D.C. 352, pp. 27. 1925.
  See also Truckee-Carson.
NEWLIN, J. A.—
  "Basic grading rules and working stresses for structural timbers." With R. P. A. Johnson. D.C. 295, pp. 23. 1923.
  "Mechanical properties of woods grown in the United States." With Thomas R. C. Wilson. D.B. 556, pp. 47. 1917.
  "Strength tests of structural timbers treated by commercial wood-preserving processes." With H. S. Betts. D.B. 286, pp. 15. 1915.
  "Tests of packing boxes of various forms." For. Cir. 214, pp. 23. 1913.
  "Tests of wooden barrels." D.B. 86, pp. 12. 1914.
  "The commercial hickories." With Anton T. Boisen. For. Bul. 80, pp. 64. 1910.
  "The relation of the shrinkage and strength properties of wood to its specific gravity." With T. R. C. Wilson. D.B. 676, pp. 35. 1919.
Newman bean. See Mung bean.
Newport News, Va.—
  milk supply, details and statistics. B.A.I. Bul. 70, pp. 22. 1905.
  trade centers for farm products, statistics. Rpt. 98, pp. 289, 290, 319, 357, 386. 1913.
News—
  agricultural, broadcasting. Off. Rec., vol. 1, No. 24, p. 2. 1922.
  Letter, Weekly, circulation and scope. An. Rpts. 1918, pp. 36–37. 1919; Sec. A.R., 1918, pp. 36–37. 1918.
  market—
    reporting service in Markets Bureau, details and results. Y.B. 1920, pp. 128–129, 131–146. 1921; Y.B. Sep. 834, pp. 128–129, 131–146. 1921.
    service—
      branch offices, fruits and vegetables. Y.B., 1918, pp. 280, 281, 286–288. 1919; Y.B. Sep. 768, pp. 6, 7, 12–14. 1919.
      extension in South. Off. Rec., vol. 2, No. 39, p. 6. 1922.
      for papers. Sec. A.R., 1924, pp. 40–41. 1924.
      on various commodities. An. Rpts., 1922, pp. 507, 513–517, 518, 520, 534. 1923; Mkts. Chief Rpt., 1922, pp. 3, 9–13, 14, 16, 30. 1922.
NEWSOM, I. E.: "Further studies of brisket disease." With George H. Glover. J.A.R., vol. 15, pp. 409–414. 1918.
Newspapers—
  aid in selling canning-club products. Mkts. Doc. 5, pp. 3–4. 1917.
  de-inking process. D.C. 231, p. 31. 1922.
Newstedia spp. descriptions. J.A.R., vol. 30, pp. 146–151. 1925.
NEWTON, R. L.—
  "A system of accounts for cotton warehouses." With John R. Humphrey. D.B. 520, pp. 32. 1917.
  "Cotton warehousing—benefits of an adequate system." With James M. Workman. Y.B. 1918, pp. 399–432. 1919; Y.B. Sep. 763, pp. 36. 1919.
NEWTON, R. W.: "Farm credit, farm insurance, and farm taxation." With others. Y.B., 1924, pp. 185–284. 1925; Y.B. Sep. 915, pp. 185–284. 1925.

Newton, Mass., milk supply, statistics, officials, prices, and ordinances. B.A.I. Bul. 46, pp. 36, 95, 200. 1903.
Neyraudia madagascariensis, importations and descriptions. No. 39690, B.P.I. Inv. 42, p. 12. 1918; No. 42529, B.P.I. Inv. 47, p. 25. 1920.
Nez Perces Indians, fighting in West, historical notes. Y.B., 1919, pp. 185–186. 1920; Y.B. Sep. 806, pp. 155–186. 1920.
Nezara—
  hilaris—
    damage to cowpeas and tomatoes. Ent. Bul. 64, p. 8. 1911.
    See also Soldier bug, green.
  spp., comparisons. D.B. 689, p. 5. 1918.
  viridula—
    injuries to cotton. Ent. Bul. 86, pp. 82–83. 1910.
    See also Plant-bug, southern green; Stinkbug, green.
Niagara Falls, nitrogen fixation plant, cyanamid process. Y.B., 1919, p. 119. 1920; Y.B. Sep. 803, p. 119. 1920.
Nicaragua, coffee production, exports. Stat. Bul. 79, pp. 10, 45–46. 1912.
NICHOLS, EARL: "Soil survey of Traill County N. Dak." With F. Z. Hutton. Soil Sur. Adv. Sh., 1918, pp. 47. 1920; Soils F. O., 1918, pp. 1361–1403. 1924.
NICHOLS, J. E.: "A simple and economical method of burning lime." With J. H. Arnold. B.P.I. Cir. 130, pp. 19–23. 1913.
NICHOLS, P. F.: "Commercial dehydration of fruits and vegetables." With others. D.B. 1335, pp. 40. 1925.
NICHOLS, R. D.: "A study of farm organization in central Kansas." With others. D.B. 1296, pp. 75. 1925.
Nickel—
  carbonate, use against wheat smut. Work and Exp., 1923, p. 43. 1925.
  cleaning directions. F.B. 1180, p. 19. 1921.
  hydroxide, effect upon virus of tobacco mosaic disease. J.A.R., vol. 6, No. 17, pp. 662–663, 671. 1916.
  occurrence in soils—
    determination. D.B. 122, pp. 4, 12–13, 14, 27. 1914.
    plants, and animals, and its possible function as a vital factor. J. S. McHargue. J.A.R., vol. 30, pp. 193–196. 1925.
Nicker nut, importations and descriptions. No. 33570, B.P.I. Inv. 31, pp. 32, 85. 1914; No. 34671 B.P.I. Inv. 33, p. 46. 1915.
Nico-fume—
  fumigation of greenhouse thrips, experiments. Ent. Bul. 64, Pt. VI, pp. 52–55, 57. 1909.
  liquid, adulteration and misbranding. Insect. N. J. 83. I. and F. Bd. S.R.A., 1, p. 20. 1914.
Nicotiana—
  glauca—
    host of the tobacco blue mold. D.C. 174, p. 4. 1921.
    immunity to mosaic disease of tobacco. J.A.R., vol. 10, pp. 624–626. 1917.
    resistance to mosaic disease. D.B. 40, pp. 11–14. 1914.
  rustica, susceptibility to mosaic disease of tobacco. J.A.R., vol. 7, pp. 485, 486. 1916.
  spp.—
    crossing experiments. B.P.I. Bul. 243, pp. 26–31. 1912.
    host of Fusarium oxysporum var. nicotianae. J.A.R., vol. 20, pp. 515–536. 1921.
    susceptible to mosaic disease, and species non susceptible. D.B. 40, pp. 11–15. 1914.
  viscosum, mosaic disease distinct from that of tobacco. J.A.R., vol. 7, pp. 481–486. 1916.
Nicotine—
  adulteration and misbranding, Insect. N.J. 91, 92, 93, 101. I. and F. Bd. S.R.A. 3, pp. 38–40, 47. 1914.
  analyses and determination. Chem. Bul. 90, pp. 102, 104. 1905.
  and sulphur dip, sheep scab, preparation. F.B. 713, p. 25. 1916.
  by-product of tobacco, value as insecticide. Y.B., 1922, p. 454. 1923; Y.B. Sep. 885, p. 454. 1923.

Nicotine—Continued.
　contact insecticide, effects on insects. J.A.R., vol. 7, pp. 92–94. 1916.
　content—
　　in tobacco dip for scabies in sheep. B.A.I.O. 143, amdt. 5, p. 1. 1911.
　　tobacco, effects. B.P.I. Bul. 141, Pt. I, pp. 5–7, 11–16. 1909.
　determination in—
　　nicotine solutions and tobacco extracts. Robert M. Chapin. B.A.I. Bul. 133, pp. 22. 1911.
　　tobacco—
　　　and tobacco extracts, improved method. O. M. Shedd. J.A.R., vol. 24, pp. 961–970. 1923.
　　　Kissling method. Chem. Bul. 107, p. 32. 1908.
　　　new method. B.P.I. Bul. 102, pp. 61–69. 1907.
　dips—
　　for cattle scab, formula and use. F.B. 1017, p. 21. 1919.
　　for sheep ticks. F.B. 798, p. 20. 1917.
　　formulas. B.A.I.O. 292, pp. 17, 21. 1925.
　　use for cattle-lice eradication. F.B. 909, p. 17. 1918.
　　use in control of hog mange, method. D.B. 646, p. 22. 1918.
　　value for control of cattle mange. An. Rpts., 1912, p. 381. 1913; B.A.I. Chief Rpt., 1912, p. 85. 1912.
　dust(s)—
　　for control of truck-crop insects. Roy E. Campbell. F.B. 1282, pp. 24. 1922.
　　ingredients and formulas. F.B. 1282, pp. 3–6. 1922.
　　loss of nicotine during storage. C. C. McDonnell and H. D. Young. D.B. 1312, pp. 15. 1925.
　　preparation—
　　　and use on cucurbits. F.B. 1322, pp. 8–11. 1923.
　　　directions. F.B. 1282, pp. 5–6. 1922.
　　use against—
　　　insects. F.B. 1362, pp. 8–9. 1924.
　　　potato aphid. Off. Rec., vol. 1, No. 30, p. 2. 1922.
　　　striped cucumber beetle. Off. Rec., vol. 1, No. 27, p. 5. 1922.
　effectiveness against chicken lice and dog fleas. D.B. 888, pp. 5, 6, 8, 12, 14. 1920.
　effects as an insecticide. N. E. McIndoo. J.A.R. vol. 7, pp. 89–122. 1916.
　extracts—
　　effect on various household insects, tests. D.B. 707, pp. 24, 33. 1918.
　　formula for spraying red-banded thrips. Ent. Bul. 99, Pt. II, p. 28. 1912.
　　homemade, formula. F.B. 804, pp. 36–38. 1917.
　forms, effect of fermentation and age, discussion. B.P.I. Bul. 141, Pt. I, pp. 7–11. 1909.
　free, use in control of beet wireworms, experiments. Ent. Bul. 123, pp. 52, 57. 1914.
　fumigant, effects on insects, studies. J.A.R., vol. 7, pp. 94–95, 109–113. 1916.
　fumigants, use in control of mushroom maggots. Ent. Cir. 155, p. 3. 1912.
　fumigation, greenhouses. F.B. 1431, p. 20. 1924.
　in sheep dips, regulation. B.A.I. An. Rpt., 1911, p. 309. 1913.
　in tobacco, determination, new method. Wightman W. Garner. B.P.I. Bul. 102, Pt VII, pp. 13. 1907.
　insecticidal use, investigations. I. and F. Bd., A.R. 1924, pp. 4–6. 1924.
　insecticides, formulas, preparation, and use. F.B. 908, pp. 40–42, 73–75. 1918; F.B. 1306, pp. 27–28, 29, 35. 1923.
　loss from insecticides, studies. I. and F. Bd. A.R., 1923, p. 5. 1923; An. Rpts., 1923, p. 655. 1923.
　odor and vapor, effect on insects, studies. J.A.R., vol. 7, pp. 95–98. 1916.
　oleate—
　　for control of strawberry leaf-beetle, formula. F.B. 1344, pp. 10–11. 1923.
　　formulas for cranberry spray. D.B. 1032, pp. 24–25. 1922.
　　preparation. F.B. 1362, p. 6. 1924.

Nicotine—Continued.
　paper and liquid, use in control of greenhouse thrips. Ent. Cir. 151, pp. 8, 9. 1912.
　papers, use in greenhouse fumigation. Ent. Bul. 64, Pt. VI, pp. 52–55, 57. 1909.
　physiological effects. J.A.R., vol. 7, pp. 90–98. 1916.
　poisoning, cause of death, discussion. J.A.R., vol. 7, pp. 116–119. 1916.
　preparations, use in control of—
　　plant-lice, formula. F.B. 856, p. 19. 1917.
　　red spiders, description and use method. D.B. 416, pp. 64–65. 1917.
　relation to burning quality of tobacco. Wightman W. Garner. B.P.I. Bul. 141, Pt. I, pp. 16. 1909.
　soap—
　　emulsion for insecticide formula. Ent. Bul. 109, Pt. I, p. 10. 1911.
　　solution, cost comparison with hydrocyanic-acid gas. F.B. 880, p. 11. 1917.
　solution—
　　adulteration and misbranding. N.J. 186. I. and F. Bd. S.R.A. 11, pp. 61–67. 1915.
　　automatic sprayer, invention. O.E.S. An. Rpt., 1912, p. 169. 1913.
　　for treatment of infested sugar-cane. D.B. 746, pp. 50–52, 62. 1919.
　　nicotine determination, method. B.A.I. Bul. 133, pp. 1–22. 1911.
　　preparation and use against pear thrips. Ent. Cir. 131, pp. 7–8. 1911.
　use—
　　against bean thrips, formulas and directions. Ent. Bul. 118, pp. 16, 43–44. 1912.
　　in aphid control, value and formulas. F.B. 804, pp. 35–38. 1917.
　　in control of red spider on hops. Ent. Bul. 117, pp. 25–26. 1913.
　　with soap, spray for aphids. D.B. 479, p. 76. 1917.
　spray—
　　for artichoke aphid, formula and use. D.B. 703, p. 4. 1918.
　　for rose aphid, experiments. D.B. 90, pp. 12–15. 1914.
　　use—
　　　against terrapin scale. D.B. 351, pp. 83, 89. 1916.
　　　in control of cherry leaf beetle. J.A.R., vol. 5, No. 20, p. 949. 1916.
　　　in greenhouse. J.A.R., vol. 10, p. 388. 1917. 1917.
　spraying tests as insecticides. D.B. 1160, pp. 4, 7, 9, 10, 13. 1923.
　stomach poison for insects, studies. J.A.R., vol. 7, pp. 90–92, 106–109. 1916.
　sulphate—
　　addition to spray mixture in vineyard work. D.B. 550, pp. 16–20, 23, 30, 38, 41. 1917.
　　and fish-oil soap spray, efficiency and wetting power. J.A.R., vol. 7, pp. 389–399. 1916.
　　and whale-oil soap, spray formula. Hawaii A.R., 1916, p. 17. 1917.
　　as insecticide, comparison with quassia extracts. J.A.R., vol. 10, pp. 516–518, 521, 523, 528. 1917.
　　as ovicide and larvicide, experiments. D.B. 938, pp. 1–19. 1921.
　　combinations, use in dusting insects. D.C. 154, pp. 13–14. 1921.
　　control of—
　　　apple-tree borer. D.B. 847, pp. 36, 38, 41. 1920.
　　　insects. An. Rpts., 1919, pp. 253, 255, 256, 268. 1920; Ent. A.R., 1919, pp. 7, 9, 10, 22. 1919.
　　dust and spray, experiments, and costs. Ent. A.R., 1921, p. 14. 1921.
　　effects on codling moth and three other insects. N. E. McIndoo and others. D.B. 938, pp. 19. 1921.
　　formulas—
　　　D.C., 154, pp. 3–4. 1921; Ent. Bul. 111, p. 26. 1913.
　　　and results for cranberry spray. D.B. 1032, pp. 24, 33, 34–35, 39, 40. 1922.
　　　and use as contact insecticide. S.R.S. Doc. 52, p. 3. 1917.

1630 UNITED STATES DEPARTMENT OF AGRICULTURE

Nicotine—Continued.
sulphate—continued.
formulas—continued.
and use as spray for control of melon aphid. F.B. 914, pp. 11–12. 1918.
and use. F.B. 856, pp. 10–11. 1917.
in a dust carrier against truck-crop insects. Roy E. Campbell. D.C. 154, pp. 15. 1921.
nature, and use against sucking insects. F.B. 1169, p. 13. 1921.
nonvolatile nature, cause of danger. J.A.R., vol. 10, pp. 48, 49, 50. 1917.
preparation and use. F.B. 1371, rev., pp. 41–43. 1927.
solutions—
formulas, use against onion thrips. Y.B., 1912, pp. 323–324. 1913; Y.B. Sep. 594, pp. 323–324. 1913.
mixture with arsenicals, composition and toxicity. D.B. 1147, pp. 19–20, 51. 1923.
spray—
against rose leafhopper. D.B. 805, p. 32. 1919.
flour paste as spreader. Ent. Cir. 166, pp. 2–3. 1913.
for avocado red spider, formula. D.B. 1035, pp. 12, 15. 1922.
for gall fly. News L., vol. 6, No. 49, p. 4. 1919.
formula. D.B. 566, p. 10. 1917.
spraying for control of cotton aphid. F.B. 890, p. 7. 1917.
use against—
cherry leaf beetle. D.B. 352, pp. 21–22, 23–24. 1916.
insect pests. D.C. 35, pp. 7, 11, 17, 19, 21, 29. 1919.
leafhoppers and lice on potatoes. F.B. 868, p. 12. 1917.
pea aphid and cabbage insects. An. Rpts., 1916, p. 230. 1917; Ent. A.R., 1916, p. 18. 1916.
potato aphids. F.B. 1349, pp. 12, 13. 1923.
potato lice. F.B. 1064, p. 31. 1919.
rose insects. F.B. 750, p. 31. 1916.
use and value in plant-lice control. F.B. 856, p. 35. 1917.
use as—
denaturant for alcohol. F.B. 429, p. 9. 1911.
dip in sheep-scab control. News L., vol. 3, No. 39, pp. 1, 2. 1916.
insecticide in control of cabbage webworm. Ent. Bul. 109, Pt. III, pp. 40, 42. 1912.
spray, danger. J.A.R., vol. 10, pp. 47–50. 1917.
use in—
control of apple insects. F.B. 1270, p. 83. 1923.
fruit spraying, formula. News L., vol. 4, No. 39, p. 6. 1917.
fumigation of lettuce. F.B.1418, p. 22. 1924.
preparation of nicotine dust. F.B. 1282, p. 3. 1922.
spray. F.B. 1223, p. 21. 1922.
spraying cranberry fireworms, formula and use method. F.B. 860, p. 9. 1917.
use in control of—
beet wireworms, experiments. Ent. Bul. 123, pp. 52, 58. 1914.
cherry saw-fly. Ent. Bul. 116, Pt. III, p. 79. 1913.
eggplant lace bug. F.B. 856, pp. 10, 49. 1917.
green plant bugs. D.B. 689, p. 23. 1918.
melon aphid. F.B. 856, pp. 45–46. 1917.
onion thrips. F.B. 856, p. 19. 1917; F.B. 1007, pp. 10–11. 1919.
pea aphid. F.B. 856, p. 54. 1917.
pecan leaf casebearer. D.B. 571, pp. 19, 26. 1917.
potato insects. Sec. Cir. 92, p. 34. 1918.
thrips on mango. F.B. 1257, p. 12. 1922.
webworm. Ent. Bul. 109, Pt. II, p. 22. 1911.
western cabbage flea-beetle. D.B. 902, pp. 15–16, 18, 20. 1920.
wireworms, experiments. Bul. 78, p. 26. 1914.
testing for volatility and toxicity. J.A.R., vol. 10, pp. 366–371. 1917.

Nicotine—Continued.
Thompson's Rose, misbranding. I. and F. Bd. N.J. 9, pp. 2. 1912.
tobacco—
determination by—
Lloyd's reagent tables. Chem. Bul. 56, p. 114–115. 1910.
picric acid. Chem. Bul. 56, p. 116–118. 1910.
optical method of determination, tables. Chem. Bul. 56, pp. 114–115. 1910.
regulation of use in sheep dips for scabies. B.A.I. O. 143, amdt. 5, p. 1. 1911.
Nidulariaceae, classification, key to genus, and description of species. D.B. 175, pp. 52–53. 1915.
NIEFERT, I. E.: "Absorption and retention of hydrocyanic acid by fumigated food products." With others. D.B. 1149, pp. 16. 1923.
NIELSEN, H. P., report of Kenai Experiment Station, work and expenditures—
1901. O.E.S. An. Rpt., 1901, pp. 254–263. 1902.
1902. O.E.S. An. Rpt., 1902, pp. 246–254. 1903.
1903. O.E.S. An. Rpt., 1903, pp. 354–361. 1904.
NIELSON, H. T.—
"Cowpeas." F.B. 318, pp. 28. 1908.
"Soy beans." With C. V. Piper. F.B. 372, pp. 26. 1909.
Nigeria, fruit fly, description. Sec. [Misc.], "A manual of * * * insects * * *," p. 116. 1917.
Night—
length, relations to plants, further studies in photoperiodism. J.A.R., vol. 23, pp. 871–920. 1923.
operation of dusting machinery, necessity. F.B. 1098, pp. 7–9. 1920.
relative length, localization of response in plants to. W. W. Garner and H. H. Allard. J.A.R., vol. 31, pp. 555–566. 1925.
shade, trap crop for tobacco beetles. Hawaii Bul. 10, p. 7. 1905.
Nighthawk—
beneficial food habits, and occurrence in Arkansas. Biol. Bul. 38, p. 51. 1911.
Cuban, occurrence in Porto Rico. D.B. 326, p. 69. 1916.
description, range, and food habits. F.B. 513, p. 23. 1913; F.B. 630, pp. 24–25. 1915; F.B. 755, pp. 33–34. 1916; N.A. Fauna 22, p. 113. 1902.
enemy to boll weevil, investigations. Biol. Bul. 25, p. 13. 1906.
in Athabaska-Mackenzie region. N.A. Fauna 27, p. 389. 1908.
migration habits and route. D.B. 185, pp. 5, 9, 13. 1915.
protection by law. Biol. Bul. 12, rev., pp. 38, 39, 40, 41. 1902.
value in boll-weevil destruction. News L., vol. 1, No. 46, pp. 3–4. 1914.
Nightingale, protection by law. Biol. Bul. 12, rev., p. 41. 1902.
Nightshade—
climbing. See Bittersweet.
deadly—
poisoning of hogs, symptoms, and treatment. F.B. 1244, pp. 17, 18. 1923.
See also Belladonna.
importations and descriptions. Nos. 32005, 32064–32067, 32144–32150, 32358, B.P.I. Bul. 261, pp. 16, 24, 32, 59. 1912; Nos. 35157–35160, 35207, B.P.I. Inv. 35, pp. 14, 22. 1915.
inoculation with potato diseases, results. J.A.R., vol. 25, pp. 90–91. 1923.
Malabar, importations and description. No. 55065, B.P.I. Inv. 71, p. 19. 1923.
Nigrosine, black dye for leather. D.C. 230, p. 17. 1922.
Nikau, importations and descriptions. No. 44744, B.P.I. Inv. 51, p. 58. 1922; No. 54298, B.P.I. Inv. 68, p. 47. 1923; No. 55619, B.P.I. Inv. 72, pp. 11–12. 1924.
Nile—
Lake reservoirs at sources and relation to water supply of Egypt. Y.B., 1902, pp. 573–575. 1903.
Valley, forage and soiling crop, berseem. David Fairchild. B.P.I. Bul. 23, pp. 20. 1902.

INDEX TO PUBLICATIONS, 1901–1925   1631

NILES, W. B.—
"Further experiments concerning the production of immunity from hog cholera." With others. B.A.I. Bul. 102, pp. 96. 1908.
"Investigations concerning the sources and channels of infection in hog cholera." With others. J.A.R., vol. 13, pp. 101–131. 1918.
Nilgai, antelope species, origin, distribution, and description. Biol. Bul. 36, pp. 13–14. 1910.
Nimble Will grass, analytical key and description of seedlings. D.B. 461, pp. 7, 21. 1917; D.B. 772, p. 147. 1920.
Nimbleberry, importation, and description. No. 32231, B.P.I. Bul. 261, p. 45. 1912.
Nimeola vaccinii. See Fruitworm, cranberry.
Ninebark—
  occurrence in Colorado, description. N.A. Fauna 33, p. 232. 1911.
  Wyoming, distribution and growth. N.A. Fauna 42, p. 69. 1917.
Nipponorthezia spp., descriptions. J.A.R., vol. 30, pp. 153–154. 1925.
Niptus hololeucus, injury to mirrors, silver plate, and gilt. D.B. 1107, pp. 2, 43. 1922.
NISSLEY, W. B.: "Soil survey of Bradford County, Pa." With others. Soil Sur. Adv. Sh., 1911, pp. 41. 1913; Soils F.O., 1911, pp. 231–267. 1914.
Nit—
  killer, misbranding. Chem. N.J. 3407. 1915.
  loase, destruction methods. Sec. Cir. 61, pp. 17, 18, 19. 1916.
Niter—
  artificial, as potash source, possibility. Y.B., 1912, p. 526. 1913; Y.B. Sep. 611, p. 526. 1913.
  maple-sap, analyses. Chem. Bul. 134, p. 55. 1910.
  spirits, adulteration and misbranding. Chem. N.J. 2976. 1914.
  spots—
    Colorado soils, origin. J.A.R., vol. 7, p. 418. 1916.
    formation in citrus soils. J.A.R. vol. 9, pp. 234–239. 1917.
    origin, studies. J.A.R., vol. 10, pp. 334, 343–344, 348, 352. 1917.
    rice injury. F.B. 1212, p. 9. 1921.
"Nitragin," invention and use. F.B. 214, pp. 10–11. 1905.
Nitraria schoberi, importation and description. No. 36800, B.P.I. Inv. 37, p. 67. 1916.
Nitrate(s)—
  accumulation in soil—
    checking by carbon disulphide and toluol. J.A.R., vol. 15, pp. 601–614. 1918.
    determination methods. J.A.R., vol. 11, pp. 43–64. 1917.
    effect of paraffin. P. L. Gainey. J.A.R. vol. 10, No. 7, pp. 355–364. 1917.
  acid soils, effect of lime in fertilizers. J.A.R., vol. 16, pp. 29, 30–33, 37. 1919.
  ammonium, effect on growth of storage-rot fungi. J.A.R., vol. 21, p. 190. 1921.
  applications to soil, effect on hydrocyanic-acid content of sorghum. R. M. Pinckney. J.A.R., vol. 27, pp. 717–723. 1924.
  artificial manufacture. D.B. 37, pp. 7–8. 1913.
  bacteria supplying. B.P.I. Cir. 13, p. 7. 1913.
  beds, in Chile, source of nitrogen fertilizer. Y.B., 1919, p. 116. 1920; Y.B., Sep. 803, p. 116. 1920.
  cellulose, use in "doping" airplane cloth. D.B. 882, pp. 38–47. 1920.
  comparison with ammonium salts as rice fertilizer. Hawaii Bul. 24, pp. 1–20. 1911.
  concentration in soils, effect of moisture variation. J.A.R., vol. 18, pp. 141, 143. 1919.
  content—
    in uncultivated soils, Hawaii. Hawaii Bul. 37, pp. 9–12. 1915.
    of cropped and uncropped soils, tables. J.A.R., vol. 12, pp. 302–306. 1918.
    danger to vegetation in submerged soils. Hawaii Bul. 31, pp. 18, 20, 22. 1914.
  deposits—
    in Montana, origin and value. S.R.S. Rpt., 1917, Pt. I, pp. 29, 170. 1918.
    natural, extent and use. Y.B., 1917, p. 140. 1918; Y.B. Sep. 729, p. 4. 1918.
  detection in canned meat, methods. Chem. Bul. 13, Pt. X, pp. 1403–1406. 1902.

Nitrate(s)—Continued.
  determination in—
    canned meats. Chem. Bul. 13. Pt. X, pp. 1403–1406. 1902.
    Hawaiian soils. Hawaii Bul. 33, pp. 7–8. 1914.
    meat extracts. Chem. Bul. 114, pp. 43–44. 1908.
    soil, methods and experiments. B.P.I. 211, pp. 10–11, 29–30. 1911.
    soil solutions. Soils Bul. 70, p. 58. 1910.
  distribution in soil under overhead irrigation. J.A.R. vol. 9, pp. 239–242. 1917.
  effect on—
    boric acid test. Chem. Bul. 137, pp. 115–116. 1911.
    citrus seedlings. J.A.R., vol. 18, pp. 272–274. 1919.
    development of nodules on legumes. J.A.R., vol. 22, p. 18. 1921.
    growth and oxidation, experiments. Soils Bul. 56, pp. 31–33. 1909.
    hydrocyanic-acid gas yield. Ent. Bul. 90, Pt. III, p. 103. 1911.
    nitric nitrogen in the soil. J.A.R., vol. 16, pp. 124–125. 1919.
    plant growth in black alkali soil. J.A.R., vol. 24, pp. 330–332, 335. 1923.
    wheat, studies. An. Rpt., 1918, p. 218. 1919; Chem. Chief Rpt., 1918, p. 18. 1918.
  efficiency as nutrients for rice. J.A.R., vol. 24, pp. 623–624. 1923.
  electrolytic reduction of nitrogen, A.O.A.C. report, 1903. Chem. Bul. 81, pp. 87–90. 1904.
  fertilizing value, cost. News L., vol. 6, No. 39, p. 1. 1919.
  formation in soils under different cropping systems. J.A.R., vol. 6, pp. 961–963, 966–973. 1916.
  in—
    Amargosa Valley, California, value of deposit. Soils Cir. 73, pp. 5–6. 1912.
    fallow plat, variations. B.P.I. Bul. 173, pp. 12–14. 1910.
    spring-wheat plat, variations. B.P.I. Bul. 173, pp. 14–16. 1910.
  increase in soils after growth of cowpeas. J.A.R., vol. 5, No. 10, pp. 446–447. 1915.
  indications in Amargosa Valley, Calif. Soils Cir. 73, pp. 3–5. 1912.
  influence on nitrogen-assimilating bacteria. T. L. Hills. J.A.R., vol. 12, pp. 183–230. 1918.
  irrigated soil, investigations. O.E.S. An. Rpt., 1910, pp. 245–246. 1911.
  metallic, electrolytic reduction of nitrogen. Chem. Bul. 81, pp. 87–90. 1904.
  necessity in crop growing. Y.B., 1909, pp. 220–225. 1910; Y.B. Sep. 507, pp. 220–225. 1910.
  nitrogen—
    determination methods. Chem. Bul. 107, pp. 7, 8. 1907.
    in soil, relation to tillage methods. D.B. 1173, p. 42. 1923.
  occurrence in—
    irrigated orchard and beet lands. O.E.S. An. Rpt., 1911, pp. 62, 82. 1912.
    the Great Basin. D.B. 61, pp. 32–33. 1914.
  plant, Muscle Shoals—
    benefit to agriculture. Off. Rec., vol. 1, No. 8, pp. 1, 8. 1922.
    control. Off. Rec., vol. 1, No. 51, p. 3. 1922.
  presence in soil constituents, studies. Soils Bul. 87, pp. 10–12, 29–31. 1912.
  price variations. News L., vol. 6, No. 42, pp. 1, 7. 1919.
  production—
    arid soils, California, studies. J.A.R., vol. 7, pp. 55–72. 1916.
    humid soils from various States, comparison. J.A.R., vol. 7, pp. 50–55. 1916.
  prospect, Lyon, near Queen, N. Mex., reconnoissance report. E. E. Free. Soils Cir. 62 pp. 5. 1912.
  prospects in Amargosa Valley, near Tecopa, Calif. E. E. Free. Soils Cir. 73, pp. 6. 1912.
  receipt and distribution to farmers for fertilizer, emergency distributors, and shipment methods. News L., vol. 5, No. 39, p. 1. 1918.
  reduction in media. D.B. 782, pp. 30–32, 37. 1919.
  reductions in soil, bacterial action. O.E.S. Bul. 194, pp. 68–75. 1907.

Nitrate(s)—Continued.
  relation to rice chlorosis. J.A.R., vol. 24, pp. 625–629, 632–635. 1923.
  salts, effect on ammonia fixation in soils. J.A.R., vol. 9, p. 153. 1917.
  silver, use in hair dye, misbranded walnut oil. Chem. N.J. 1677, pp. 2. 1912.
  soil—
    determination, methods, and results. B.P.I. Bul. 173, pp. 9–27. 1910.
    effect of—
      green manures, and straw. J.A.R., vol. 2, pp. 109–113. 1914.
      irrigation water and manure. J.A.R., vol. 8, pp. 332–359. 1917.
      removal by corn roots. B.P.I. Bul. 173, pp. 17–18. 1910.
    studies, arid and humid soils. S.R.S. Rpt., 1916, Pt. I, pp. 34, 35, 70, 76, 174. 200. 1918.
    study, Colorado experiment station, 1912. O.E.S. An. Rpt., 1912, p. 84. 1913.
  sources for potato fertilizers. F.B. 407, p. 16. 1910.
  variation in furrow-irrigated soils with and without fertilization. J.A.R., vol. 9, pp. 206–209, 212, 214–234. 1917.
  withdrawal from soils by crops, tables and rate. J.A.R., vol. 15, pp. 300–301. 1918.
Nitre, sweet spirits, adulteration and misbranding. Chem. N.J. 1063, pp. 2. 1911.
Nitric acid—
  determination in water, modified method. Chem. Bul. 152, p. 81. 1912.
  effect on plant growth. J.A.R., vol. 24, pp. 330–332. 1923.
  effect on wheat at different stages of growth. J.A.R., vol. 23, pp. 57–62. 1923.
  injurious effects upon health. Chem. N.J. 382, pp. 8–45. 1910.
  injury to roots and seeds in sandy soils. D.B. 169, pp. 3, 23–27, 34, 35. 1915.
  poisonous character. Chem. N.J. 722, pp. 20, 30, 37, 40, 48, 50, 56, 73, 86. 1911.
  test for protein. O.E.S. Bul. 200, p. 13. 1908.
Nitride process, nitrogen conversion. Y.B., 1919, p. 118. 1920; Y.B. Sep. 803, p. 118. 1920.
Nitrification—
  acid soil, effect of lime. J.A.R., vol. 16, pp. 27, 30–33, 37. 1919.
  and soil deficiencies. G. S. Fraps. Chem. Bul. 90, pp. 179–183. 1905.
  effect—
    of sulphur oxidation in soils on solubility of rock phosphate. O. M. Shedd. J.A.R., vol. 18, pp. 329–345. 1919.
    on tricalcium phosphate solubility. J.A.R., vol. 12, pp. 671–683. 1918.
  in Hawaiian soils. Hawaii Bul. 40, pp. 14–15. 1915.
  in soils during submergence. Hawaii Bul. 33, p. 12. 1914.
  nitrogen additions to soil, studies. S.R.S., Syl. 34, pp. 7–8. 1918.
  of certain fertilizers. Chem. Bul., 62, p. 25. 1901.
  of phosphorus nitride. F. E. Allison. J.A.R., vol. 28, pp. 1117–1118. 1924.
  organisms producing in soil, studies. S.R.S. Rpt., 1915, Pt., I, pp. 214, 223, 255, 264. 1917.
  seasonal, influence of crops and tillage. C. A. Jensen. B.P.I. Bul. 173, pp. 31. 1910.
  semiarid soils. W. P. Kelley. J.A.R., vol. 7, pp. 417–437. 1916.
  soils—
    discussion. O.E.S. Bul. 194, pp. 57–67. 1907.
    effect of arsenicals. J.A.R., vol. 6, No. 11, pp. 389–416. 1916.
    humid and arid, comparison. J.A.R., vol. 7, pp. 47–82. 1916.
    in Hawaii, and ammonification. W. P. Kelley. Hawaii Bul. 37, pp. 52. 1915.
    power, capacity, and efficiency, determination. Chem. Bul. 132, pp. 37–38. 1910.
    testing methods. B.P.I. Bul. 211, pp. 10–21. 1911.
  studies. Chem. Bul. 73, pp. 121–135. 1903.
  tests of—
    kelps, dried blood, and cottonseed meal. J.A.R., vol. 4, pp. 23–37. 1915.
    soil in rotation plots, corn-growing. J.A.R., vol. 5, No. 18, pp. 858, 859, 862, 866, 868. 1916.

Nitrifying—
  bacteria, function and importance in soils. B.P.I. Cir. 113, p. 7. 1913.
  power of—
    semiarid soils, effects of temperature and dried blood. J.A.R., vol. 9, pp. 200–204. 1917.
    soils, effects of green manure and straw. J.A.R. vol. 2, pp. 110, 113. 1914.
Nitrites—
  accumulation in semiarid soils. J.A.R., vol. 7, pp. 429–433. 1916.
  action in acid and alkaline soils. J.A.R., vol. 26, pp. 3–6. 1923.
  bleached flour, poisonous properties, notes and discussions. Chem. N.J. 382, pp. 8–45. 1910.
  determination in soils, methods, and experiments. B.P.I. Bul. 211, pp. 10–11, 27–28. 1911.
  formation in water-saturated soils. Hawaii Bul. 24, pp. 7, 10–12, 14, 16, 17, 19. 1911.
  occurrence in animal and vegetable life, discussion. Chem. N.J. 382, pp. 29–30, 33–34, 35, 36, 43. 1910
  poisonous character and presence in foods, hearings on bleached flour. Chem. N.J. 722, pp. 19–22, 24–31, 40, 41, 45, 48–57, 60–64, 70–73, 81–91, 94–99. 1911.
Nitrobenzene, use in—
  fly larvae destruction in manure, experiments. D.B. 245, pp. 7–10, 11–12, 20, 21. 1915.
  leather dyes, precautions. F.B. 1183, rev., p. 21. 1922.
Nitrogen—
  absorbed, removal from Hawaiian soils, studies. Hawaii Bul. 35, p. 29. 1914.
  absorption by—
    barley during growth. J.A.R., vol. 18, pp. 55–62, 66, 67. 1919.
    Hawaiian soils, studies. Hawaii Bul. 35, pp. 12–14, 20–21, 26–27. 1914.
    plant roots, experiments. J.A.R. vol. 9, pp. 75–90. 1917.
    plants, studies. P.R. An. Rpt., 1916, p. 16. 1918.
    soils. Soils Bul. 51, p. 27. 1908.
    wheat seedlings, effect of sodium salts. J.A.R., vol. 7, pp. 413, 415. 1916.
  advantage of use on grass lands. F.B. 227, pp. 6–7. 1905.
  amino-acids, determination in casein-starch mixtures. J.A.R., vol. 12, pp. 3–6. 1918.
  ammonia and nitrate, effects of sterilization of soil. Hawaii Bul. 37, pp. 20–35, 51. 1915.
  ammoniacal, in animal substances. Chem. Bul. 162, pp. 99–109. 1913.
  amount added to soil by legumes. F.B. 1250, pp. 10–11. 1922.
  amounts in various crops. Soil Sur. Adv. Sh., 1920, p. 959. 1924; Soils F.O., 1920, p. 959. 1925.
  analysis, methods and modifications, A.O.A.C. report 1908. Chem. Cir. 43, p. 1. 1909.
  as plant food, sources and effects. Y.B., 1901, pp. 167–171. 1902; Y.B. Sep. 225, pp. 167–171. 1902.
  assimilation by—
    corn. J.A.R., vol. 21, pp. 545–573. 1921.
    legumes, effect of soil temperature. J.A.R., vol. 22, pp. 17–31. 1921.
    rice. W. P. Kelley. Hawaii Bul. 24, pp. 20. 1911.
  atmospheric—
    artificial fixation by electricity, experiments. O.E.S. An. Rpt., 1912, p. 224. 1913.
    bacteria, fixation, A.O.A.C. report, 1903. Chem. Bul. 81, pp. 146–162. 1904.
    conversion, methods. Y.B., 1919, pp. 117–120. 1920. Y.B. Sep. 803, pp. 117–120. 1920.
    electric fixation, reference list. Soils Bul. 63, pp. 1–89. 1910.
    fertilizers—
      field experiments. F. E. Allison and others. D.B. 1180, pp. 44. 1923.
      greenhouse experiments. J.A.R., vol. 28, pp. 971–976. 1924.
    fixation—
      by bacteria, three processes. Chem. Bul. 81, pp. 146–160. 1904; Y.B., 1909, pp. 225–226. 1910; Y.B. Sep. 507, pp. 225–226. 1910.
      by electricity, processes. D.B. 37, p. 7. 1913.
      methods. Y.B., 1917, pp. 143–146. 1918; Y.B. Sep. 729, pp. 7–10. 1918

Nitrogen—Continued.
 atmospheric—continued.
  use in fertilizers. R. O. E. Davis, Y.B., 1919, pp. 115-121. 1920. Y.B. Sep. 803, pp. 115-121. 1920.
 availability in processed fertilizers, studies. D.B. 158, pp. 19-22. 1914.
 available, cost. F.B. 465, pp. 5-6. 1911.
 bacteria, influence of reaction of the soil. J.A.R., vol. 14, pp. 317-336. 1918.
 balance—
  effect of sodium benzoate, tables. Rpt. 88, pp. 85-88, 90-197. 1909.
  with carbon in cows in milk production. D.B. 1281, p. 15. 1924.
 basic and nonbasic compounds, in Hawaiian soils. Hawaii Bul. 33, pp. 10-11, 16-19. 1914.
 carriers, composition and quantities per ton, various percentages. Y.B., 1918, pp. 186, 188, 189-190. 1919; Y.B. Sep. 780, pp. 4, 6, 7-8. 1919.
 changes—
  at different periods of beef storage. D.B. 433, pp. 39-41, 46-49, 55-56, 62-64, 69-72, 77-79, 84-87, 90-93. 1917.
  during beef autolysis, studies. D.B. 433, pp. 18-29. 1917.
 compounds—
  effect—
   of bacterial action in soils. Hawaii Bul. 39, pp. 17-24. 1915.
   on wheat composition and quality. J. Davidson and J. A. Le Clerc. J.A.R., vol. 23, pp. 55-68. 1923.
  of wheat, effect of freezing. J.A.R., vol. 19, pp. 183-186. 1920.
  relation to soil fertility. F.B. 245, p. 5. 1906.
 constituents—
  of celery plants in health and disease. G. H. Coons and L. J. Klotz. J.A.R., vol. 31, pp. 287-300. 1925.
  of chicken flesh. Chem. Cir. 64, p. 11. 1910.
 content—
  grain yield, experiments. B.P.I. Bul. 269, pp. 14-21. 1913.
  humus of arid soils. J.A.R., vol. 5, No. 20, pp. 909-916. 1916.
 of—
  fish fertilizers. F.B. 320, pp. 6-9. 1908.
  food plants. An. Rpts., 1916, p. 192. 1917; Chem. Chief Rpt., 1916, p. 2. 1916.
  kelps. D.B. 150, pp. 57, 58, 59, 60, 63. 1915.
  processed fertilizers. D.B. 158, pp. 24. 1914.
  wheat, factors affecting. J.A.R., vol. 24, pp. 941-944. 1923.
  wheat plants, variation, experimental error, and reduction method. B.P.I. Bul. 269, pp. 22-32. 1913.
  wheat, variations under different environments. Chem. Bul. 128, pp. 13-14. 1910.
 control of bat guano. P.R. An. Rpt., 1911, p. 17. 1912.
 conversion to protein, table. Chem. Bul. 107, rev., p. 231. 1912.
 cover crops, rye and vetch, comparison, table. B.P.I. Cir. 15, p. 3. 1908.
 culture, directions for using. F.B. 240, p. 3. 1905.
 demand—
  and consumption for fertilizers and explosives. Y.B., 1919, pp. 116, 121. 1920; Y.B. Sep. 803, pp. 116, 121. 1920.
  by munition manufactures. Y.B., 1917, p. 139, 177. 1918; Y.B. Sep. 729, p. 3. 1918; Y.B. Sep. 730, p. 3. 1918.
 determinations—
  in—
   antitoxin mixtures. J.A.R., vol. 13, pp. 482-483. 1918.
   beef extracts, reports of referees and results. Chem. Bul. 152, pp. 176-184. 1912.
   cheese, report of referees. Chem. Bul. 152, pp. 185-187. 1912.
   fertilizer, report of referee, 1902. Chem. Bul. 73, pp. 48-55. 1903.
   fertilizers, method. Chem. Bul. 107, pp. 5-11. 1907.
   flour. Chem. Bul. 152, pp. 104, 110, 113-116. 1912.

Nitrogen—Continued.
 determinations—continued.
  in—continued.
   mature beef and immature veal. J.A.R., vol. 5, No. 15, pp. 670-684. 1916.
   milk and cheese. Chem. Bul. 152, p. 86. 1912; Chem. Cir. 90, pp. 7-8. 1912.
   oysters prepared for market. D.B. 740, pp. 3-23. 1919.
   methods. Chem. Bul. 67, pp. 77-84. 1902; Chem. Bul. 73, pp. 48-55. 1903; Chem. Bul. 81, pp. 83-87. 1904; Chem. Bul. 90, pp. 114-121. 1905; Chem. Bul. 116, pp. 35-43, 129. 1908; Chem. Bul. 122, pp. 85-92. 1909; Chem. Bul. 132, pp. 16-19, 51. 1910; Chem. Bul. 162, pp. 15-16. 1913.
   neutral permanganate method. Chem. Bul. 162, pp. 15-16. 1913.
  diamino, in potato tubers, skins, and sprouts. J.A.R., vol. 20, pp. 628-634. 1921.
 distribution in—
  ammonium sulphate, table. Ent. Bul. 90, pt. 3, pp. 102-103. 1911.
  beef and veal. J.A.R., vol. 5, No. 15, pp. 678-683. 1916.
  meat extracts. J.A.R., vol. 17, pp. 9-11. 1919.
  wheat and changes during development, J.A.R., vol. 24, pp. 944-950. 1923.
 effect on—
  citrus fruit, growth and yield. P.R. Bul. 18, pp. 10-32. 1915.
  hydrocyanic-acid content of sorghum. J.A.R., vol. 4, pp. 180-183. 1915.
  oranges, theories and experiments, with results. J.A.R., vol. 8, pp. 127-128, 131-138. 1917.
 efficiency in bat guano, experiments. P.R. Bul. 25, pp. 47-53, 63. 1918.
 electrolytic reduction in metallic nitrates. Chem. Bul. 81, pp. 87-90. 1904.
 estimation in butter, method. B.A.I. Bul. 162, pp. 18-26. 1913.
 fertilizer(s)—
  effect of—
   bursting of calyx, in carnation. F.B. 360, p. 8. 1909.
   wheat-stem rust development. J.A.R., vol. 27, pp. 342-344, 355, 360-361, 371-373. 1924.
  materials, sources. D.B. 798, pp. 7-13. 1919.
  sources. Y.B., 1914, pp. 295-296. 1915; Y.B. Sep. 643, pp. 295-296. 1915.
 fixation—
  aid by new device. Sec. A.R. 1925, pp. 70-71. 1925.
  by—
   Azotobacter cultures, tests. J.A.R., vol. 24, pp. 267-273. 1923.
   microorganisms, studies. Fix. Nit. Lab. A.R. 1924, p. 3. 1924.
   soil bacteria. Y. B., 1906, pp. 130-132. 1907; Y.B. Sep. 411, pp. 130-132. 1907.
  cellulose as source of energy. B.P.I. Cir. 131, pp. 25-34. 1913.
  definition. B.P.I. Bul. 211, p. 7. 1911.
  effect—
   of aeration, and rate of fixation. J.A.R., vol. 23, pp. 668-669, 670-673. 1923.
   of calcium carbonate. J.A.R. vol. 23, p. 677. 1923.
   on succeeding crops. F.B. 214, pp. 8-9. 1905.
  experiments, use of calcium carbonate. J.A.R., vol. 24, pp. 185-190. 1923.
  in—
   acid soils. S.R.S. Rpt., 1916, Pt. I, p. 282. 1918.
   alkali soils, studies. S.R.S. Rpt., 1916, Pt. I, pp. 34, 76, 174. 1918.
   soil by wild legumes. B.P.I. Cir. 31, pp. 1-9. 1909.
   soil, methods, studies. D.B. 355, pp. 41-43. 1916.
  increase by radium emanation. D.B. 149, p. 7. 1914.
  influence of calcium and magnesium carbonates. J.A.R., vol. 12, pp. 467-468, 490-491. 1918.
  leguminous crops, artifically produced. F.B. 214, pp. 1-48. 1905.
  media by different investigators. J.A.R., vol. 24, pp. 185-188. 1923.
  of bacteria in soils, effects of nitrates. J.A.R., vol. 12, pp. 193-200, 214-217. 1918.

Nitrogen—Continued.
fixation—continued.
symbiotic, discussion. O.E.S. Bul. 194, pp. 87-98. 1907.
use of electricity. O.E.S. An. Rpt., 1911, p. 221. 1912.
Fixed, Research Laboratory report. F.G. Cottrell. An. Rpts., 1922, pp. 633-642. 1923; Fix. Nit. Lab. A.R. 1922, pp. 10 1922
fixing—
bacteria—
absence a cause of failure in growing legumes. F.B. 326, pp. 16-17. 1908.
action. F.B. 245, pp. 5-6. 1906.
Azotobacter chroococcum, cytological studies. J.A.R., vol. 4, pp. 225-239. 1915.
description and action in soil. B.P.I. Cir. 113, pp. 8-10. 1913.
soil inoculation. A. F. Woods. B.P.I. Bul. 72, Pt. IV, pp. 23-30. 1905.
soil inoculation, experiments, and results. O.E.S. Bul. 194, pp. 98-107. 1907.
studies and experiments. O.E.S. Bul. 194, pp. 77-98. 1907.
tests of commercial cultures. B.T. Galloway. Sec. Cir. 16, p. 1. 1906.
cultures, directions for using. F.B. 240, pp. 3-4. 1905.
effect of reaction of soil. J.A.R., vol. 24, pp. 907-938. 1923.
for use in fertilizers. Off. Rec., vol. 1, No. 22, pp. 1, 2. 1922.
in soil, relation to Azotobacter flora. J.A.R., vol. 24, pp. 933-935. 1923.
nodule, distinction from crown-gall organism. B.P.I. Cir. 76, pp. 4-5. 1911.
organisms—
experimental studies. F.B. 1250, pp. 12-13. 1922.
of soil, stimulating influence of arsenic. J.A.R., vol. 6, pp. 389-416. 1916.
flour, soluble and nonsoluble. D.B. 1187, p. 42. 1924.
formation in cold-stored poultry, studies. Chem. Cir. 64, pp. 12-13. 1910.
forms—
comparison of effects on citrus fruit. P.R. Bul. 18, pp. 16, 27, 33. 1915.
efficiency as rice fertilizers, comparison. J.A.R., vol. 24, pp. 632-637. 1923.
in—
kelp. J.A.R., vol. 4, p. 46. 1915.
uncooked meats and meats cooked by various methods. O.E.S. Bul. 162, pp. 143-169. 1905.
function in plant life. B.P.I. Doc. 631, p. 5. 1911.
functions and effects in soils. S.R.S. Doc. 30, pp. 8-9. 1916.
gain from atmosphere in growing legumes. Hawaii Bul. 43, pp. 20-24. 1917.
gains after legume growing, pot experiment. Chem. Bul. 152, pp. 59-60. 1912.
gatherers, studies in Porto Rico. P.R. Bul. 13, p. 23. 1913.
gathering—
bacteria—
cultures, preparation distribution, use and results. F.B. 315, pp. 1-20. 1908.
increase in sandy soils. F.B. 329, p. 8. 1908.
plant importation. No. 44295, B.P.I. Inv. 50, p. 54. 1922.
by peanuts. F.B. 356, pp. 13, 20. 1909; F.B. 431, pp. 12, 35. 1911.
nodules, alfalfa. F.B. 215, pp. 15-16. 1905.
plants. Karl F. Kellerman. Y.B., 1910, pp. 213-218. 1911; Y.B. Sep. 530, pp. 213-218. 1911.
growth and fixation by Azotobacter, influence of hydrogen-ion concentration. P. L. Gainey and H. W. Batchelor. J.A.R., vol. 24, pp. 759-767. 1923.
humus—
determination methods, comparison. J.A.R., vol. 5, No. 20, pp. 912-913. 1916.
Hawaiian soils, determination and percentage. Hawaii Bul. 33, pp. 12-21. 1914.

Nitrogen—Continued.
importance—
in—
peace and war. Off. Rec., vol. 1, No. 22, p. 2. 1922.
wheat growth and development. J.A.R., vol. 28, p. 393. 1924.
of supply in plant growth. F.B. 1250, pp. 6-15. 1922.
in—
cheese—
curd, study. B.A.I. Bul. 151, pp. 24-26. 1912.
determination, report, A. O. A. C. Convention, 1906. Chem. Bul. 105, pp. 86-88. 1907.
clover crop, source and value, Knox County, Mo. Soil Sur. Adv. Sh., 1917, pp. 11-12. 1921; Soils F.O., 1917, pp. 1461-1462. 1923.
culture solutions, influence of different amounts. Soils Bul. 70, pp. 89-91, 92-96. 1910.
kelps, availability. J.A.R., vol. 4, pp. 21-38. 1915.
potato tubers, skins, and sprouts. J.A.R., vol. 20, pp. 623, 628-634. 1921.
soil, action of bacteria. Y.B., 1909, pp. 220-225. 1910; Y.B. Sep. 507, pp. 220-225. 1910.
solutions, assimilation by corn, experiments. J.A.R., vol. 21, pp. 545-573. 1921.
urine, effect of benzoate of sodium. Rpt. 88, pp. 54-65. 1909.
wheat, changes due to tempering. J.A.R., vol. 20, pp. 272-275. 1920.
income and outgo, as affected by phosphates. O.E.S. Bul. 227, p. 26. 1910.
laboratory equipment, and production, at Arlington farm. News L., vol. 4, No. 20, p. 7. 1916.
loss(es)—
and production, discussion. Y.B., 1902, pp. 333-336. 1903.
from—
corn during ensiling. R. H. Shaw and others. D.B. 953, pp. 16. 1921.
soils. F.B. 273, p. 5. 1906; F.B. 1250, pp. 14-15. 1922.
metabolic—
and residual, of poultry, discussion. B.A.I. Bul. 56, pp. 33-34, 46-48, 52, 54, 57-58. 1904.
determination, digestion experiments. O.E.S. Bul. 193, pp. 47-51. 1907.
estimation methods, study. J.A.R., vol. 9, pp. 405-411. 1917.
in animal feces, determination method. B.A.I. Bul. 139, pp. 20-21. 1911.
metabolism—
and digestibility of food, effect of muscular work, experiments. Chas. E. Wait. O.E.S. Bul. 117, pp. 43. 1902.
experiments, Japanese, list and summary. O.E.S. Bul. 159, pp. 209-216. 1905.
in two-year-old steers. J.A.R., vol. 18, pp. 241-254. 1919.
of the food, effect of formaldehyde. Chem. Bul. 84, Pt. V, p. 1496. 1908.
relation to muscular work, experimental study. O.E.S. Bul. 98, pp. 8-31, 48-52, 55-56. 1901.
spinach, normal and blighted. J.A.R., vol. 15, pp. 385-404. 1918.
necessity to growing crops and means of obtaining from air. Y.B., 1910, pp. 213-218. 1911; Y.B. Sep. 530, pp. 213-218. 1911.
need in animal and vegetable nutrition F.B. 824, p. 3. 1917.
needs of soil and methods of supplying. F.B. 406, pp. 12-13. 1910.
nitrate, accumulation in soil, some factors. P. L. Gainey and L. F. Metzler. J.A.R., vol 11, pp. 43-64. 1917.
nitric—
accumulation in soil, influence of salts. J. E. Greaves and others. J.A.R., vol. 16, pp. 107-135. 1919.
distribution in soils, effect of furrow irrigation. J.A.R., vol. 9, pp. 204-234. 1917.
production in manured soils, and effects. J.A.R., vol. 13, pp. 180-183. 1918.
nutrition experiments, income and outgo. O.E.S. Bul. 156, p. 51. 1905.
organic, Hawaiian soils. W. P. Kelley and Alice B. Thompson. Hawaii Bul. 33, pp. 22. 1914.

INDEX TO PUBLICATIONS, 1901–1925   1635

Nitrogen—Continued.
percentage in various materials utilized as fertilizer. Y.B., 1917, pp. 285–288. 1918; Y.B. Sep. 733, pp. 5–8. 1918.
percentage of wheat and flour converted into crude protein. D.B. 1187, pp. 49–50. 1924.
peroxide—
  addition to flour in bleaching. Chem. N.J. 382, pp. 8–45. 1910.
  description, poisonous properties. Chem. N.J. 382, pp. 7, 8, 12, 27, 31, 42, 44. 1910.
  poisonous character, effect on food, hearings, bleached flour. Chem. N.J. 722, pp. 19–22, 25–31, 39–41, 44, 45, 48–57, 93, 94. 1911.
  use in bleaching flour. F.I.D. 100, p. 1. 1908.
plant requirements. S.R.S. Syl. 34, pp. 4–5. 1918.
problem—
  and bacteria. George T. Moore. Y.B., 1902, pp. 333–342. 1903; Y.B. Sep. 277, pp. 333–342. 1903.
  present (1906) status. A. F. Woods. Y.B., 1906, pp. 125–136. 1907; Y.B. Sep. 411, pp. 125–136. 1907.
production—
  from coal distillation. D.B. 37, p. 4. 1913.
  in soils by use of manure and water. J.A.R., vol. 6, No. 23, pp. 908–909, 916. 1916.
proportion in ammonia. Y.B., 1905, p. 227. 1906; Y.B. Sep. 378, p. 227. 1906.
rate of gain by crimson clover. O.E.S. An. Rpt. 1910, p. 115. 1911.
recovery from—
  cow's manure. J.A.R., vol. 30, p. 988. 1925.
  industrial wastes. Y.B., 1917, pp. 256, 257, 258. 1918; Y.B. Sep. 728, pp. 6, 7, 8. 1918.
relation to mottle leaf, citrus plants. J.A.R., vol. 9, pp. 249–250. 1917.
removal from soil by—
  growing buckwheat. F.B. 1062, pp. 8, 9. 1919.
  potato crop. F.B. 1064, p. 9. 1919.
report of referee, 1901. Chem. Bul. 67, pp. 77–84. 1902; Chem. Bul. 105, pp. 76–83. 1907; Chem. Bul. 116, pp. 35–43. 1908; Chem. Bul. 137, pp. 14–16. 1911; Chem. Bul. 152, pp. 25–27. 1912; Chem. Bul. 162, pp. 12–15, 48. 1913.
requirements of—
  Gulf coast soils, suggestions for supply. Soils Cir. 43, p. 10. 1911.
  sandy lands, sources of supply. F.B. 716, pp. 3, 21–22. 1916.
  sea-island cotton. F.B. 787, pp. 13, 40. 1916.
  various crops. D.B. 721, pp. 25–26. 1918.
root, yield of legumes. Hawaii Bul. 43, p. 25. 1917.
securing from air by legumes. F.B. 1250, pp. 6–8. 1922.
silage extracts, determination, various methods. J.A.R., vol. 15, pp. 125–131. 1918.
soil—
  action under aeration. Hawaii Bul. 33, pp. 11–12. 1914.
  bacterial changes, relation to nutrition of citrous plants. Karl F. Kellerman and R. C. Wright. J. A. R., vol. 2, pp. 101–113. 1914.
  content directly available. Y.B., 1906, p. 125. 1907; Y.B. Sep. 411, p. 125. 1907.
  decrease in presence of paraffin, cause, studies. J.A.R., vol. 10, pp. 355–364. 1917.
  effect of sulphur and gypsum. J.A.R., vol. 30, p. 459. 1925.
  effects of heat, studies. Hawaii Bul. 30, pp. 28–37. 1913.
  legume investigations. Hawaii Bul. 43, pp. 5–9, 11, 22–24. 1917.
  nitrifying power in humid and in arid soils. J.A.R., vol. 7, pp. 50–81. 1916.
  organic, in Hawaii, remarks. Hawaii A.R. 1913, pp. 32–33. 1914.
  relation of water and of various crops. J.A.R., vol. 9, pp. 293–341. 1917.
  sources, loss. F.B. 278, pp. 10–11. 1907.
  studies of experiment stations, 1923. Work and Exp., 1923, pp. 17–19. 1925.
  transformation and distribution, relation to nutrition of citrus plants. I. G. McBeth. J.A.R., vol. 9, pp. 183–252. 1917.
soluble nonprotein, of soil. R. S. Potter and R. S. Snyder. J.A.R., vol. 6, pp. 61–64. 1916.

Nitrogen—Continued.
sources—
  discussion. O.E.S. Bul. 194, pp. 61–66. 1907.
  for—
    acid land plants. D.B. 6, pp. 6–7. 1913.
    corn lands. F.B. 414, p. 13. 1910; F.B. 1149, pp. 6–8. 1920.
    fertilizers. D.B. 1280, p. 5. 1924.
  in milk. D.B. 782, pp. 11, 36. 1919.
  of natural supplies. Y.B. 1919, pp. 115–116. 1920; Y.B. Sep. 803, pp. 115–116. 1920.
  of supply, discussion. An. Rpts., 1915, pp. 207–208. 1916; Soils Chief Rpt., 1915, pp. 7–8. 1915.
  price increase in 1915. News L., vol. 3, No. 22, p. 3. 1916.
  studies. S.R.S. Rpt., 1915, Pt. I, pp. 92, 108, 116, 206, 233. 1917.
strawberry fertilizer, quantity per acre and farm. F.B. 1028, p. 31. 1919.
sulphur, and phosphorus, experiments in metabolism. H. C. Sherman. O.E.S. Bul. 121, pp. 47. 1902.
supply—
  for sugar-cane soils, experiments, Porto Rico, 1919. P.R. An. Rpt., 1919, pp. 14–15. 1920.
  from leguminous crops. Guam Bul. 4, p. 3. 1922.
  in cotton farming, growing legumes. D.B. 659, pp. 32–34. 1918.
  inexhaustible. Y.B. 1919, p. 117. 1920; Y.B. Sep. 803, p. 117. 1920.
  of soil, study course. D.B. 355, pp. 41–46. 1916.
testing for volatility and toxicity. J.A.R., vol. 10, pp. 366–371. 1917.
tetracarbonimide soil constituent, formula. J.A.R., vol. 3, pp. 175–178. 1914.
titrable, in wheat, acidity determination by hydrogen electrode. C. O. Swanson and E. L. Tague. J.A.R., vol. 16, pp. 1–13. 1919.
use as fertilizer for peanuts. O.E.S. F.I.L. 13, p. 7. 1912.
use in mixed fertilizers, sources, United States. D.B. 150, p. 4. 1915.
value—
  as potato fertilizer in Alaska. Alaska A.R., 1911, p. 26. 1912.
  in fertilizers, studies. S.R.S. Rpt., 1916, Pt. I, pp. 35, 191. 1918.
  of legumes. Hawaii Bul. 43, pp. 13–19. 1917.
water-soluble compounds, percentage in cheese. B.A.I. Bul. 49, p. 84. 1903.

Nitrogenous—
bodies—
  in soils. Soils Bul. 47, pp. 13–30. 1907.
  separation, report. Chem. Bul. 73, pp. 87–98. 1903; Chem. Bul. 81, pp. 90–93. 1904; Chem. Bul. 152, pp. 176–184. 1912; Chem. Bul. 162, pp. 145–153, 165–166. 1913.
compounds—
  beneficial and harmful, studies, and tables. Soils Bul. 87, pp. 17–20, 26–31, 50–79. 1912.
  occurrence in soil, description. Soils Bul. 74, pp. 31–32. 1910.
  constituents, Camembert cheese, studies. B.A.I. Bul. 109, pp. 11–21. 1908.
fertilizers—
  excessive use, responsibility for ginseng diseases. B.P.I. Bul. 250, p. 43. 1912.
  sources. Y.B., 1917, pp. 139–146. 1918; Y.B. Sep. 729, pp. 10. 1918.
materials—
  nitrate and ammonia determination. O. M. Shedd. J.A.R., vol. 28, pp. 527–539. 1924.
  use in United States, 1913, kind, amount, and and value. News L., vol. 3, No. 22, p. 1. 1916.
substances, biochemical decomposition in soils. Hawaii Bul. 39, pp. 25. 1915.
superphosphates, analyses by States. Soils Bul. 58, pp. 18, 21–22, 24–25. 1910.

Nitroglycerin—
adulteration and misbranding. Chem. N.J. 12950. 1925.
determination in medicinal tablets. A. G. Murray. Chem. Bul. 162, pp. 214–217. 1913.
powder, use in blasting stumps, directions for handling. B.P.I. Bul. 239, pp. 14–16. 1912.

Nitroglycerin—Continued.
  tablets, adulteration and misbranding. See
    Indexes to Notices of Judgment in bound volumes
    of Chemistry Service and Regulatory Announcements.
Nivara, misbranding as to quality and digestive properties. Chem. N.J. 96. 1909.
Nixon R. L.—
  "Cotton warehouse construction." D.B. 277, pp. 38. 1915.
  "Cotton warehouses: Storage facilities now available in the South." D.B. 216, pp. 26. 1915.
Noble, E. G.: "The work of the Yuma Reclamation Experiment Farm in 1919 and 1920." D.C. 221, pp. 37. 1922.
Noble, R. J.: "Studies on the parasitism of Urocystis tritici, the organism causing flag smut of wheat." J.A.R., vol. 27, pp. 451-490. 1924.
Noble, T. A.: "A formula for water flow." D.B. 376, pp. 48-96. 1916.
Nockaway trees, injury by sapsuckers. Biol. Bul. 39, p. 50. 1911.
Noctua clandestina. See Cutworms.
Noctuelia rufofasciális, similarity to Pectinophora gossypiella. J.A.R., vol. 20, pp. 829-830. 1921.
Noctuid—
  larvæ, fungous parasite of, studies. A. T. Speare. J.A.R., vol. 18, pp. 399-440. 1920.
  pine, description. Sec. [Misc.], "A manual of * * * insects * * *," p. 71. 1917.
Noddy, occurrence—
  in Porto Rico, and food habits. D.B. 326, p. 46. 1916.
  on Laysan Island, number, and description. Biol. Bul. 42, p. 15. 1912.
Nodosities on grapevine roots, cause and description. D.B. 903, pp. 22, 25, 53. 1921.
Nodular—
  disease—
    cattle, description. B.A.I. [Misc.], "Diseases of cattle," rev., p. 536. 1912; rev., p. 525. 1923.
    sheep, description, cause, distribution, and losses. B.A.I. An. Rpt., 1910, pp. 448-453. 1912; B.A.I. Cir. 193, pp. 448-453. 1912.
  worms—
    cattle—
      description, disease caused, and treatment. B.A.I. [Misc.], "Diseases of cattle," rev., pp. 485, 488. 1904; rev., p. 511. 1908; rev., p. 536. 1912; rev., p. 525. 1923.
      infestation, Australia. Y.B., 1914, p. 436. 1915; Y.B. Sep. 650, p. 436. 1915.
      control by various anthelmintics, notes. J.A.R., vol. 12, pp. 400-412, 435, 436. 1918.
      disease, injury to goats. Guam A.R., 1918, p. 28. 1919.
      lambs, control experiments. B.A.I. An. Rpt., 1906, pp. 207-212. 1908.
      occurrence in sheep, description, habits, and treatment. F.B. 1150, pp. 42-45. 1920; F.B. 1330, pp. 42-45. 1923.
    sheep and cattle, distribution, life history. B.A.I. An. Rpt., 1910, pp. 448-458. 1912; B.A.I. Cir. 193, pp. 448-458. 1912.
Nodulation, soybean—
  adaptation to specific variety, studies. J.A.R., vol. 30, pp. 243-244. 1925.
  Virginia, effect of bacterial numbers. Alfred T. Perkins. J.A.R., vol. 30, pp. 95-96. 1925.
Nodule(s)—
  bacteria of leguminous plants. F. Löhnis and Roy Hansen. J.A.R., vol. 20, pp. 543-556. 1921.
  bacterial, formation on legume roots. F.B. 214, pp. 11-12, 13-14. 1905.
  bacterial, on plants other than legumes. Y.B., 1909, p. 226. 1910; Y.B. Sep. 507, p. 226. 1910.
  beneficial bacteria, description and comparison with root-knot. F.B. 1345, pp. 2, 3-4. 1923.
  cowpea roots, description and comparison with nematode galls. F.B. 648, p. 2. 1915; F.B. 1148, pp. 12, 13, 22. 1920.
  disease and parasitic, comparison with glanders. B.A.I. An. Rpt., 1910, p. 348. 1912; B.A.I. Cir. 191, p. 348. 1912.
  formation—
    in beans, relation to bean wilt, experiments. J.A.R., vol. 24, pp. 749-752. 1923.

Nodule(s)—Continued.
  formation—continued.
    legumes, influence of nitrates. J.A.R., vol. 12, pp. 219-220, 222-226. 1918.
  forming bacteria—
    cultures, testing. B.P.I. Cir. 120, pp. 3-5. 1913.
    use in soils. B.P.I. Cir. 113, pp. 8-9. 1913.
  horse diseases, differentiation from glanders. B.A.I. An. Rpt., 1910, p. 348. 1912; B.A.I. Cir. 191, p. 348. 1912.
  legume—
    effect—
      of soil temperature on development. J.A.R., vol. 22, pp. 17-31. 1921.
      upon growth and yield. F.B. 214, pp. 7-8, 33, 34-47. 1905.
    influence of climatic and soil conditions. F.B. 214, pp. 13-14. 1905.
  leguminous plants—
    investigations. O.E.S. An. Rpt., 1911, p. 116. 1912.
    methods of development in soil. F.B. 329, pp. 8-9. 1908.
  nitrogen—
    bearing, similarity to nematode galls, precaution. F.B. 315, p. 12. 1908.
    fixing—
      distinction from crown-gall tumor. B.P.I. Cir. 76, pp. 4-5. 1911.
      presence on wild legumes. B.P.I. Cir. 31, p. 6. 1909.
  organisms for nitrogen fixation, importance and distribution. Y.B., 1909, p. 225. 1910; Y.B. Sep. 507, p. 225. 1910.
  parasitic, horses, characteristics. B.A.I. An. Rpt., 1910, p. 348. 1912; B.A.I. Cir. 191, p. 348. 1912.
  pea, bacteria, inoculation with. F.B. 1255, p. 12. 1922.
  production, characteristic of legume bacteria. J.A.R., vol. 14, p. 320. 1918.
  root—
    as affecting composition of soybeans and cowpeas. F.B. 244, pp. 8-10. 1906.
    different types on different plants, description. Y.B., 1910, pp. 214-217. 1911; Y.B. Sep. 530, pp. 214-217. 1911.
    royal palm, study. P.R. An. Rpt., 1911, pp. 38-39. 1912.
  tuberculous, in chicken, distinction from other diseases. F.B. 1200, pp. 8-9. 1921.
Noel, W. A.: "Commercial dehydration of fruits and vegetables." With others. D.B. 1335, pp. 40. 1925.
Noer, O. J.: "Soil survey of—
  Buffalo County, Wisconsin." With others. Soil Sur. Adv. Sh., 1913, pp. 50. 1915; Soils F.O., 1913, pp. 1441-1486. 1916.
  Jefferson County, Wisconsin." With others. Soil Sur. Adv. Sh., 1912, pp. 58. 1914; Soils F.O., 1912, pp. 1555-1608. 1915.
Nogal—
  value as cabinet wood. For. Cir. 212, p. 12. 1913.
  walnut, importation and description. No. 41334, B.P.I. Inv. 45, pp. 6, 16. 1918.
Noisette roses, description and uses. F.B. 750, pp. 9, 12. 1916.
Nolan, W. J.: "The brood-rearing cycle of the honeybee." D. B. 1349, pp. 56. 1925.
Nolina—
  microcarpa. See Bear grass.
  spp., study in sheep disease in 1923. Work and Exp., 1923, pp. 67-68. 1925.
Nollan, E. H.: "Effect of certain grain rations on the growth of the white leghorn chick." With others. J.A.R., vol. 16, pp. 305-312. 1919.
Nomenclature—
  application to taxonomy, discussion. Ent. T.B. 17, Pt. II, pp. 218-219. 1915.
  dual system, for analyses of fertilizers, soils, etc., discussion, 1907. Chem. Bul. 116, pp. 105-106. 1908.
  entomology, report of committee, list. Ent. Bul. 60, pp. 25-27. 1906.
  fruit, code of American Pomological Society. B.P.I. Bul. 151, pp. 65-66. 1909.
  new, broods of the periodical cicada. C. L. Marlatt. Ent. Cir. 45, pp. 8. 1902.

INDEX TO PUBLICATIONS, 1901-1925 1637

Nomenclature—Continued.
notes on parasites 58-62, corrections. B.A.I. Bul. 35, pp. 19-24. 1902.
pear, catalogue index of known varieties referred to in American publications from 1894 to 1907. W. H. Ragan. B.P.I. Bul. 126, pp. 268. 1908.
skunks, genus Spilogale with descriptions. N.A. Fauna 26, pp. 10-35. 1906.
softwood lumber. D.C. 296, pp. 66-68. 1923.
Triaenophorus, erroneous name of cestode genus. B.A.I. Bul. 35, pp. 22-24. 1902.
unification, report of committee. Chem. Bul. 137, p. 48. 1911.
woods and lumber grades, need of standardization. D.C. 296, pp. 2, 29-30. 1923.
Nomophila noctuella—
description. J.A.R. vol. 30, p. 787. 1925.
See also Stalkworm, celery.
Nona, importation and description. No. 36880. B.P.I. Inv. 37, p. 78. 1916.
Noncotton zones, establishment by Texas law, contest, and results. Y.B. 1919, pp. 360-362, 363, 368. 1920; Y.B. Sep. 817, pp. 360-362, 363, 368. 1920.
Nonfats in butter, oxidation studies, scoring samples. J.A.R., vol. 6, No. 24, pp. 941-948. 1916.
Noni, Hawaiian fruit, description and composition. Hawaii A. R., 1914, pp. 65, 68. 1915.
Nonnea rosea—
importation and description. No. 51041, B.P.I. Inv. 64, p. 46. 1923.
resistance to basidiospores of Puccinia rubigovera. J.A.R. vol. 22, pp. 152-172. 1921.
Nonnitrogenous bodies in soils. Soils Bul. 47, pp. 30-36. 1907.
Nonpareil, protection by law. Biol. Bul. 12, rev. p. 41. 1902.
Nonprotein of feeding stuffs, nutritive value. Henry Prentiss Armsby. B.A.I. Bul. 139, pp. 49. 1911.
Nonsaccharine sorghums. C. W. Warburton. F.B. 288, pp. 30. 1907.
Noodles—
composition. F.B. 233, pp. 20-21. 1905.
egg—
adulteration. Chem. N.J. 734, p. 1. 1911; Chem. N.J. 3013. 1914.
and plain—
kinds. F.I.D. 162, p. 1. 1916.
standards. F.I.D. 162. Chem. S.R.A. 16, p. 27. 1916
Juckenacks' tables. Chem. Bul. 152, pp. 116-117. 1912.
misbranding. Chem. N.J. 652, pp. 2. 1910.
manufacture and composition. F.B. 233, pp. 20-21. 1905.
misbranding. Chem. N.J. 1817, p. 1. 1912.
Yando egg, adulteration and misbranding. Chem. N.J. 686, p. 1. 1910.
Noodling, geese. F.B. 1377, p. 14. 1914.
Nopal—
cultivation. B.P.I. Bul. 116, p. 9. 1907.
description and study. B.P.I. Bul. 116, pp. 59-61. 1907.
See also Prickly pear, spineless.
Nopalea—
cochinelifera, climatic requirements. F.B. 483, p. 6. 1912
susceptibility to frost. D.B. 31, pp. 8, 16. 1913.
Norcross, C. A., report of Nevada extension work in agriculture and home economics—
1916. S.R.S Rpt. 1916, Pt. II, pp. 280-284. 1917.
1917. S.R.S. Rpt. 1917, Pt. II, pp. 283-287. 1919.
Nordaker, P. E.: "Soil survey of Dallas County, Iowa." With Clarence Lounsbury. Soil Sur. Adv. Sh. 1920, pp. 1153-1192. 1924; Soils F.O. 1920, pp. 1153-1192. 1924.
Norenhia emarignata, Hawaii, fruit fly infestation and parasitism. J.A.R. vol. 12, pp. 105, 107. 1918.
Norfolk, Va.—
and Portsmouth, Va., milk supply, details and statistics. B.A.I. Bul. 70, pp. 6-7, 21-22. 1905.
Baltimore freight rates, studies. D.B. 74, pp. 10-11. 1914.
trade center for farm products, statistics. Rpt. 98, pp. 288, 327. 1913.

Norfolk, Va.—Continued.
trucking district, soils, description and uses. D.B. 1005, pp. 2-42. 1922.
Norfolk—
fine—
sand, soils of the eastern United States and their use. Jay A. Bonsteel. Soils Cir. 23, pp. 16. 1911.
sandy loam—
areas and location. Soils Cir. 22, pp. 15-16. 1911.
areas, uses, and crop yields. Y.B. 1911, pp. 231-232, 236. 1912; Y.B. Sep. 563, pp. 231-232, 236. 1912.
soils of the eastern United States and their use. Jay A. Bonsteel. Soils Cir. 22, pp. 16. 1911.
sand—
constituents, water-soluble. Soils Bul. 22, pp. 24-25. 1903.
soils of the eastern United States and their use—XXI. Jay A. Bonsteel. Soils Cir. 44, pp. 19. 1911.
sandy loam—
adsorption of potassium, experiments. J.A.R. vol. 1, pp. 183-186. 1913.
soils of the eastern United States and their use—XXII. Jay A. Bonsteel. Soils Cir. 45, pp. 14. 1911.
NÖRGAARD, V. A.—
"Apoplectiform septicemia in chickens." With John R. Mohler. B.A.I. Bul. 36, pp. 24. 1902.
"Blackleg, its nature, cause, and prevention." B.A.I. Cir. 31, rev., pp. 24. 1907; rev., pp. 23. 1911; rev., pp. 22. 1914; rev., pp. 22. 1915; rev., pp. 22. 1919.
"Directions for use of blackleg vaccine." B.A.I. Cir. 23, rev., pp. 9. 1907; rev., pp. 9. 1908.
Norite, use in decolorizing cane juice. S.R.S. Rpt. 1917, Pt. I, p. 129. 1918.
Normal—
schools—
agriculture teaching. O.E.S. An. Rpt. 1911, p. 335. 1912.
interest in agriculture. O.E.S. An. Rpt., 1909, pp. 319-321. 1910.
See also School.
teaching of agriculture in colleges and schools. Y.B., 1907, pp. 208-214. 1908; Y.B. Sep. 445, pp. 208-214. 1908.
Normanbya merillii, importations and descriptions. No. 42722, B.P.I. Inv. 47, p. 56. 1920; No. 46531, B.P.I. Inv. 56, p. 24. 1922.
Noropsis hieroglyphica, description and life history. P.R. An. Rpt., 1917, pp. 33-34. 1918.
North Adams, Mass., milk supply, statistics, officials, and prices. B.A.I. Bul. 46, pp. 40, 97. 1903.
North America—
bears, grizzly, and big brown, review. C. Hart Merriam. N.A. Fauna 41, pp. 136. 1918.
forests, extent and per cent of land area. For. Bul. 83, p. 7. 1910.
fruit production, 1909. D.B. 483, pp. 2-12. 1917.
livestock importations from, regulations. B.A.I.O. 266, pp. 13-17. 1919.
shorebirds, distribution and migration. Wells W. Cooke. Biol. Bul. 35, pp. 100. 1910.
zone map, publication by Biological Survey, 1911. An. Rpts., 1911, p. 121. 1912; Sec. A. R., 1911, p. 119. 1911; Y.B., 1911, p. 119. 1912.
See also South America.
North American Fish and Game Protective Association, services in protecting birds. Biol. Bul. 12, rev., p. 64. 1902.
North Atlantic Ocean, storm-warning service. An. Rpts., 1923, pp. 110-111. 1924; W.B. Chief Rpt., 1923, pp. 8-9. 1923.
North Atlantic States—
corn yields and prices, 1866-1915. D.B. 515, pp. 2, 4-6. 1917.
wheat yields and prices, 1866-1915. D.B. 514, pp. 2, 4-6. 1917.
North Attleboro, Mass., milk supply, statistics, officials, and prices. B.A.I. Bul. 46, pp. 40, 98, 199. 1903.
North Bend system of overhead yarding. D.B. 711, pp. 139-142. 1918.
North Carolina—
act of legislature transferring certain forests to U. S. D.C. 161, pp. 8-9. 1921.

North Carolina—Continued.
Agricultural—
and Mechanical College, teachers' courses. O.E.S. Cir. 118, p. 20. 1913.
colleges and experiment stations, organization—
1905. O.E.S. Bul. 161, pp. 50–51. 1905.
1906. O.E.S. Bul. 176, pp. 57–58. 1907.
1907. O.E.S. Bul. 197, pp. 60–62. 1908.
1910. O.E.S. Bul. 224, pp. 51–53. 1910.
1911. O.E.S. Bul. 247, pp. 52–54. 1912.
See also Agricultural workers list.
education—
extension, 1906. O.E.S. Bul. 196, p. 31. 1907.
progress, 1912. O.E.S. An. Rpt., 1912, p. 327. 1913.
extension work, statistics. D.C. 253, pp. 5, 8, 12–13, 17, 18. 1923.
aid to agricultural schools. O.E.S. An. Rpt., 1911, pp. 331–332. 1912.
Anson County, home demonstration work, results. Y.B., 1916, pp. 261–264. 1917; Y.B. Sep. 710, pp. 11–14. 1917.
Appalachian soils, mineralogical composition. J.A.R., vol. 5, No. 13, p. 571. 1915.
apple—
growing, areas, production, and varieties. D.B. 485, pp. 5, 26, 44–47. 1917.
varieties, phenological records, observers and details. B.P.I. Bul. 194, pp. 53–87. 1911.
appropriation for—
agricultural colleges. O.E.S. An. Rpt., 1911, p. 319. 1912.
experiment station work. O.E.S. An. Rpt., 1911, pp. 57, 172. 1912.
area released from quarantine for Texas fever. B.A.I.O. 187, amdt. 4, pp. 3. 1912.
associations, truck and fruit growers'. Rpt. 98, pp. 238–240. 1913.
Atlantic coastal plain soils, mineralogical composition. J.A.R., vol. 5, No. 13, p. 573. 1915.
Back Swamp drainage, details. O.E.S. Bul. 246, pp. 22–28, 41–47. 1912.
barley—
crops, 1866–1906, acreage, production, and value. Stat. Bul. 59, pp. 7–11, 13–19, 29. 1907.
rotation. F.B. 518, p. 10. 1912.
bean growing, experiments. D.B. 119, pp. 5, 7. 1914.
beef cattle, wintering experiments. An. Rpts., 1916, pp. 77, 78. 1917; B.A.I. Chief Rpt., 1916, pp. 11, 12. 1916.
beekeeping—
in, survey. E. G. Carr. D.B. 489, pp. 16. 1916.
number of farms, colonies and products. Ent. Bul. 75, Pt. VI, p. 63. 1909.
bees and honey statistics. D.B. 325, pp. 9–12. 1915; D.B. 685, pp. 6, 9, 12, 14, 16, 17, 19, 21, 24, 26, 29, 31. 1918.
bird protection. *See* Bird protection.
birds eating grain aphids, number on farm. Y.B., 1912, pp. 397, 401–404. 1913; Y.B. Sep. 601, pp. 397, 401–404. 1913.
boll-weevil—
dispersion line, 1922. D.C. 266, pp. 3, 4. 1923.
quarantine regulations. Ent. Bul. 114, pp. 166–167. 1912.
bounty laws, 1907. Y.B., 1907, p. 563. 1908; Y.B. Sep. 473, p. 563. 1908.
boys'—
and girls' clubs. O.E.S. Bul. 251, p. 19. 1917.
pig-club work. Y.B. 1915, pp. 175, 179, 181, 182, 185. 1916; Y.B. Sep. 667, pp. 175, 179, 181, 182, 185. 1916.
breeding campaign. Off. Rec., vol. 4, No. 48, p. 7. 1925.
Brunswick County—
quarantine of cattle. B.A.I.O. 262, amdt.-3, p. 1. 1919.
tick quarantine. News L., vol., 6, No. 51, p. 4. 1919.
buckwheat crops, 1866–1906, acreage, production, and value. Stat. Bul. 61, pp. 5–17, 20. 1908.
calf-club work and profits. News L., vol. 6, No. 40, p. 10. 1919.
cantaloupe shipments, 1914. D.B. 315, pp. 17, 19. 1915.

North Carolina—Continued.
cattle—
feeding experiments. Y.B. 1913, p. 275. 1914; Y.B. Sep. 627, p. 275. 1914.
tick—
conditions, 1911. B.A.I. An. Rpt. 1910, pp. 256, 257. 1912; B.A.I. Cir. 187, pp. 256, 257. 1912.
control. News L., vol. 6, No. 48, pp. 3, 5. 1919.
eradication, effect. B.A.I. [Misc.], "Progress and results of cattle-tick eradication," p. 9. 1914.
eradication laws. D.C. 184, p. 38. 1921.
Catawba County—
agriculture, census data for 1850–1920. D.B. 1070 p. 2. 1922.
farm management. J. M. Johnson and E. D. Strait. D.B. 1070, pp. 23. 1922.
central highway, maintenance. An. Rpts., 1916, p. 332. 1917; Rds. Chief Rpt., 1916, p. 4. 1916.
cheese making—
experiments and profits. News L., vol. 3, No. 27, pp. 1–2, 3. 1916.
development and success. Y.B. 1917, pp. 149–150. 1918; Y.B. Sep. 737, pp. 5–8. 1918.
chestnut trees affected by *Armillaria mellea*. D.B. 89, pp. 7–9. 1914.
cities—
dairy products, consumption and prices, 1905–6. B.A.I. An. Rpt., 1907, pp. 315–317. 1909; F.B. 349, pp. 14–16. 1909.
milk-supply statistics. B.A.I. Bul. 70, pp. 6–7, 24–26. 1905.
clearing lands—
after drainage. Y.B. 1918, pp. 141–142. 1919; Y.B. Sep. 781, pp. 7–8. 1919.
work with picric acid. An. Rpts., 1923, p. 492. 1923; Rds. Chief Rpt., 1923, p. 30. 1923.
climatological records. B.P.I. Bul. 135, pp. 24, 25. 1908.
Columbus County, quarantine of cattle. B.A.I. O. 262, amdt.-4, p. 1. 1919.
convict road-work, laws. D.B. 414, pp. 207–208. 1916.
cooperative associations, statistics, details, and laws. D.B. 547, pp. 13, 20, 34, 35, 36, 40, 73. 1917.
corn—
club labor records, form. D.B. 385, p. 27. 1916.
crops, 1866–1906, acreage, production, and value. Stat. Bul. 56, pp. 7–27, 30. 1907.
growing—
directions. F.B. 729, pp. 1–20. 1916.
practices, and farm conditions in Scotland and Alexander Counties. D.B. 320, pp. 45–49, 54–56. 1916.
practices and suggestions. F.B. 1149, pp. 3–19. 1920.
production, movements, consumption, and prices. D.B. 696, pp. 14, 16, 20, 28, 29, 33, 36, 40, 50. 1918.
yields and prices, 1866–1915. D.B. 515, p. 7. 1917.
cotton—
crop, movement, 1899–1904. Stat. Bul. 34, pp. 25–26, 49–50. 1905.
growing—
increase. F.B. 848, p. 6. 1917.
one-variety communities. D.B. 1111, pp. 35, 36, 45. 1922.
market conditions, study, with view to their improvement. O. J. McConnell and W. R. Camp. D.B. 476, pp. 19. 1917.
prices, variations and comparisons. D.B. 457, pp. 3, 6, 7, 8, 9. 1916.
production and yield. D.B. 896, pp. 3–4. 1920.
single-stalk culture, experiments and yields. D.B. 526, pp. 19–27, 28–30. 1918.
warehouses, distribution, and production. D.B. 216, pp. 7–9, 12–17, 18, 20, 21. 1915.
county—
game laws, 1907. F.B. 308, pp. 51–52. 1907.
modified accredited areas for tuberculosis. B.A.I.O. 283, p. 1. 1923.
organization, and expenditures for extension work, 1918. S.R.S. Rpt., 1918, pp. 31, 128–158. 1919.
cowpea seed, growing and shipments. F.B. 1308, pp. 4, 5, 14, 15. 1923.

INDEX TO PUBLICATIONS, 1901-1925 1639

North Carolina—Continued.
  credit unions, description and development. D.C. 197, pp. 6-11. 1921.
  credits, farm-mortgage loans, costs and sources. D.B. 384, pp. 2, 3, 5, 7, 10. 1916.
  crop planting and harvesting dates, important crops. Stat. Bul. 85, pp. 20, 32, 47, 55, 76, 86, 96, 104. 1912.
  crops, acreage and production, 1909-1919. D.C. 85, pp. 14-19. 1920.
  crow roosts, location and numbers of birds. Y.B. 1915, p. 94. 1916; Y.B. Sep. 659, p. 94. 1916.
  Currituck County, release from quarantine, Texas fever. B.A.I.O. 285, amdt. 2, p. 1. 1924.
  dairy farms, milk-production cost, data. D.B. 501, pp. 3, 5, 9, 10, 11, 15, 17, 18, 29. 1917.
  demonstration farm work, 1909. O.E.S. An. Rpt., 1909, p. 162. 1910.
  demurrage provisions, regulations. D.B. 191, pp. 3, 23, 24, 26. 1915.
  dewberry growing, varieties and methods. F.B. 728, pp. 2-18. 1916.
  diversified farm, cash records, examples. Y.B., 1917, pp. 157-158, 164. 1918; Y.B. Sep. 735, pp. 7-8, 14. 1918.
  drainage—
    experiments on water flow. D.B. 832, pp. 2, 7, 8, 45-51, 59. 1920.
    laws, 1909, Pitt County soil survey. Soil Sur. Adv. Sh., 1909, p. 33. 1910; Soils F.O. 1909, p. 417. 1912.
    surveys, location and kind of land, 1911. An. Rpts., 1911, pp. 708, 709. 1912; O.E.S. Chief Rpt., 1911, pp. 26, 27. 1911.
    work, details of machinery and cost. D.B. 300, pp. 10-12, 14-15. 1916.
  drug laws. Chem. Bul. 98, pp. 140-142. 1906; Chem. Bul. 98, rev., Pt. I, pp. 218-224. 1909.
  early settlement, historical notes. See Soil surveys for various counties and areas.
  effect of environment on wheat. Y.B., 1901, p. 302. 1902.
  emmer growing and yield. F.B. 466, p. 13. 1911.
  Experiment Station—
    cowpea uses. F.B. 1153, pp. 16, 22. 1920.
    sugar-beet experiments, 1900. Chem. Bul. 64, pp. 20-21. 1901.
    work and expenditures—
      1906. B. W. Kilgore. O.E.S. Rpt., 1906, pp. 139-141. 1907.
      1907. O.E.S. An. Rpt., 1907, pp. 146-148. 1908.
      1908. C. B. Williams. O.E.S. An. Rpt., 1908, pp. 144-148. 1909.
      1909. C. B. Williams. O.E.S. An. Rpt., 1909, pp. 160-162. 1910.
      1910. O.E.S. An. Rpt., 1910, pp. 206-210. 1911.
      1911. O.E.S. An. Rpt., 1911, pp. 168-172. 1912.
      1912. O.E.S. An. Rpt., 1912, pp. 173-177. 1913.
      1913. B. W. Kilgore. O.E.S. An. Rpt., 1913, pp. 68-69. 1915.
      1914. B. W. Kilgore. O.E.S. An. Rpt., 1914, pp. 180-183. 1915.
      1915. B. W. Kilgore. S.R.S. Rpt., 1915, Pt. I, pp. 204-207. 1917.
      1916. B. W. Kilgore. S.R.S. Rpt., 1916, Pt. I, pp. 208-212. 1918.
      1917. B. W. Kilgore. S.R.S. Rpt., 1917, Pt. I, pp. 203-207. 1918.
      1918. S.R.S. Rpt., 1918, pp. 48, 64, 67, 71-80. 1920.
    work, sources of income. O.E.S. An. Rpt., 1907, pp. 146-148. 1908.
  extension work—
    funds allotment, and county-agent work. S.R.S. Doc. 40, pp. 4, 6, 11, 18, 23, 25, 28. 1918.
    in agriculture and home economics—
      1915. B. W. Kilgore. S.R.S. Rpt. 1915, Pt. II, pp. 91-100. 1916.
      1916. B. W. Kilgore. S.R.S. Rpt. 1916, Pt. II, pp. 97-105. 1917.
      1917. B. W. Kilgore. S.R.S. An. Rpt., 1917, Pt. II, pp. 99-109. 1919.
    statistics. D.C. 306, pp. 3, 6, 11, 16, 20, 21. 1924.

North Carolina—Continued.
  fairs, number, kind, location, and dates. Stat. Bul. 102, pp. 13, 14, 50. 1913.
  farm(s)—
    animals, statistics, 1867-1907. Stat. Bul. 64, p. 103. 1908.
    conditions, letters from women. Rpt. 103, pp. 14, 48, 78. 1915; Rpt. 104, pp. 18, 28, 59, 67. 1915; Rpt. 105, pp. 15, 27, 32, 40, 46, 55, 65. 1915; Rpt. 106, pp. 12, 49. 1915.
    drainage, acreage and profit from. Y.B., 1914, pp. 246, 251, 252. 1915; Y.B. Sep. 640, pp. 246, 251, 252. 1915.
    family, food, fuel, and housing, value, details. D.B. 410, pp. 7-35. 1916.
    feed cost, studies. Y.B. 1915, p. 117. 1916; Y.B. Sep. 661, p. 117. 1916.
    leases, provisions. D.B. 650, p. 7. 1918.
    testing for efficiency. Farm M. Cir. 3, pp. 4-5. 1919.
    values—
      changes, 1900-1905. Stat. Bul. 43, pp. 11-17, 29-46. 1906.
      income, and tenancy classification. D.B. 1224, p. 110. 1924.
  farmers' institutes—
    for young people. O.E.S. Cir. 99, p. 22. 1910.
    history. O.E.S. Bul. 174, pp. 69-70. 1906.
    laws. O.E.S. Bul. 135, rev., p. 25. 1905.
    legislation. O.E.S. Bul. 241, p. 31. 1911.
    work—
      1902. O.E.S. Bul. 120, p. 40. 1902.
      1904. O.E.S. An. Rpt., 1904, pp. 657-658. 1905.
      1906. O.E.S. An. Rpt., 1906, p. 342. 1907.
      1907. O.E.S. An. Rpt., 1907, pp. 339-340. 1908.
      1908. O.E.S. An. Rpt., 1908, p. 322. 1909.
      1909. O.E.S. An. Rpt., 1909, p. 350. 1910.
      1910. O.E.S. An. Rpt., 1910, p. 410. 1911.
      1911. O.E.S. An. Rpt., 1911, p. 376. 1912.
      1912. O.E.S. An. Rpt., 1912, pp. 369-370. 1913.
  farmers' living, cost. F.B. 635, pp. 1, 2, 3-21. 1914.
  fertilizer—
    control laws. Soils Bul. 58, pp. 26-31. 1910.
    prices, 1919, by counties. D.C. 57, pp. 4, 6, 9. 1919.
  field work of Plant Industry, December, 1924. M.C. 30, pp. 37-38. 1925.
  Fisheries Commission, scallop soaking, control. Off. Rec., vol. 1, No. 14, p. 2. 1922.
  flood losses, 1909. An. Rpts., 1909, p. 170. 1910; W.B. Chief Rpt., 1909, p. 20. 1909.
  food—
    consumption by farm families. D.C. 83, p. 4. 1920.
    laws—
      1905. Chem. Bul. 69, rev., Pt. V, pp. 436-444. 1906.
      1907. Chem. Bul. 112, Pt. II, pp. 22-38. 1908.
      enforcement. Chem. Cir. 16, rev., pp. 17-18. 1908.
  forest—
    area, 1918. Y.B., 1918, p. 718. 1919; Y.B. Sep. 795, p. 54. 1919.
  fires—
    number and losses occasioned. D.B. 364, pp. 4-5. 1916.
    statistics. For. Bul. 117, p. 33. 1912.
  insects control work, 1912. An. Rpts., 1912, pp. 633-634, 635. 1913; Ent. A.R., 1912, pp. 21-22, 23. 1912.
  lands—
    added to national forests. An. Rpts., 1912, pp. 69, 258. 1913; Sec. A.R., 1912, pp. 69, 258. 1912; Y.B., 1912, pp. 69, 258. 1913.
    units. D.C. 313, pp. 9-10, 11. 1924.
  forestry laws. D.C. 239, p. 19. 1922; For. Law Leaf. 3, pp. 5. 1915; For. Misc., S-4, pp. 5. 1915.
  frost and temperature studies. An. Rpts., 1917, p. 64. 1918; W.B. Chief Rpt., 1917, p. 18. 1917.
  funds for cooperative extension work, sources. S.R.S. Doc. 40, pp. 4, 6, 10, 16. 1917.
  fur animals, laws—
    1915. F.B. 706, pp. 12-14. 1916.
    1916. F.B. 783, pp. 14-16, 27. 1916.

North Carolina—Continued.
  fur animals, laws—continued.
    1917. F.B. 911, pp. 16–19, 31. 1917
    1918. F.B. 1022, pp. 16–18. 1918.
    1919. F.B. 1079, p. 20. 1919.
    1920. F.B. 1165, p. 18. 1920.
    1921. F.B. 1238, p. 17. 1921.
    1922. F.B. 1293, p. 15. 1922.
    1923–24. F.B. 1387, p. 19. 1923.
    1924–25. F.B. 1445, p. 14. 1924.
    1925–26. F.B. 1469, p. 17. 1925.
  game—
    close seasons, county laws. F.B. 230, pp. 53–54. 1905.
    laws—
      1902. F.B. 160, pp. 18–19, 33, 42, 52. 1902.
      1903. F.B. 180, pp. 13, 24, 33, 39, 44, 46, 51–53. 1903.
      1904. F.B. 207, pp. 22, 35, 40, 44, 51, 62. 1904.
      1905. F.B. 230, pp. 11, 21, 32, 38, 45. 1905.
      1906. F.B. 265, pp. 19, 31, 45, 53. 1906.
      1907. F.B. 308, pp. 7, 18, 30, 45. 1907.
      1908. F.B. 336, pp. 9, 20, 33, 45, 52. 1908.
      1909. F.B. 376, pp. 6, 9, 14, 25, 35, 40, 49. 1909.
      1910. F.B. 418, pp. 18, 28, 33, 36, 43. 1910.
      1911. F.B. 470, pp. 12, 15, 23, 33, 38, 42, 49. 1911.
      1912. F.B. 510, pp. 10, 18, 25–26, 29, 34, 38, 45. 1912.
      1913. D.B. 22, pp. 14, 20, 21, 30, 40, 46, 49, 56. 1913; D.B. 22, rev., pp. 20, 21, 30, 40, 46, 49, 56. 1913.
      1914. F.B. 628, pp. 10, 11, 12, 21, 28–29, 32, 38, 41, 42, 50. 1914.
      1915. F.B. 692, pp. 2, 3, 13, 31, 42, 48, 50, 52, 60. 1915.
      1916. F.B. 774, pp. 29, 40, 49, 52, 60. 1916.
      1917. F.B. 910, pp. 29, 48, 53. 1917.
      1918. F.B. 1010, pp. 7, 26, 46. 1918.
      1919. F.B. 1077, pp. 30, 50. 1919.
      1920. F.B. 1138, p. 32. 1920.
      1921. F.B. 1235, pp. 34, 56. 1921.
      1922. F.B. 1288, p. 30. 1922.
      1923–24. F.B. 1375, pp. 30, 50. 1923.
      1924–25. F.B. 1444, pp. 21, 37. 1924.
      1925–26. F.B. 1466, pp. 28, 45. 1925.
    relating to domesticated deer. F.B. 330, p. 20. 1908.
  preserves. Biol. Cir. 72, pp. 5, 6. 1910.
  protection. See Game protection.
  Gaston County, farm production of family supplies. F.B. 1015, p. 4. 1919.
  girls' canning clubs, records and work. S.R.S. Doc. 28, pp. 1–4. 1915.
  Good Roads Convention, held at Raleigh, February 12 and 13, 1902, proceedings. J. A. Holmes. Rds. Bul. 24, pp. 72. 1903.
  grain-supervision districts, counties. Mkts. S.R. A. 14, pp. 4, 6, 7–8. 1916.
  Granville County, tobacco growing and wilt disease. D.B. 562, pp. 2, 18. 1917.
  grape shipments, 1916–1919. D.B. 861, pp. 3, 48. 1920.
  hay crops, 1866–1906, acreage, production, and value. Stat. Bul. 63, pp. 5–25, 28. 1908.
  hemlock growing, value and uses. D.B. 152, pp. 3, 4, 6, 9, 15. 1915.
  herds, lists of tested and accredited. D.C. 54, pp. 5, 15, 24, 36, 62, 76, 83. 1919; D.C. 142, pp. 4, 10, 16, 23–49. 1920; D.C. 143, pp. 4, 12, 39, 80–83. 1920; D.C. 144, pp. 5, 13, 17, 36. 1920.
  highway department establishment, and roads. Y.B., 1914, pp. 214, 222. 1915; Y.B. Sep. 638, pp. 214, 222. 1915.
  hog-cholera reduction. News L., vol. 7, No. 18, p. 8. 1919.
  hunting laws. Biol. Bul. 19, pp. 10, 11, 21, 27, 33, 56, 60, 64. 1904.
  Hyde County, horse epidemic, outbreaks of 1901 and 1906. B.A.I. An. Rpt., 1906, pp. 167–169. 1908; B.A.I. Cir. 122, pp. 3–5. 1908.
  interest rates on loans to farmers. Y.B., 1921, pp. 368, 778. 1922; Y.B. Sep. 877, p. 368. 1922; Y.B. Sep. 871, p. 9. 1922.
  irrigation of rice. O.E.S. Bul. 113, p. 59. 1902.
  Jacob Swamp, drainage, details. O.E.S. Bul. 246, pp. 28–32, 41–47. 1912.

North Carolina—Continued.
  land purchases—
    in "Boone area," under Weeks law. An. Rpts., 1915, p. 1336. 1916; Sol. A.R., 1915, p. 10. 1915.
    under Weeks law. D.C. 313, pp. 9, 10, 11. 1924.
  lard supply, wholesale and retail, August 31, 1917. tables. Sec. Cir. 97, pp. 13–31. 1918.
  law(s)—
    adverse to private game preserves. Biol. Cir. 72, p. 9. 1910.
    against Sunday shooting. Biol. Bul. 12, rev., p. 63. 1902.
    and decisions on livestock sanitary control. D.C. 184, p. 38. 1921.
    for employment of prisoners on roads. Y.B., 1901, p. 322. 1902.
  on—
    contagious diseases of domestic animals, control. B.A.I. Bul. 54, p. 32. 1904.
    dog control, digest. F.B. 935, p. 19. 1918; F.B. 1268, p. 19. 1922.
    drainage outlets. O.E.S. Bul. 246, pp. 21–22. 1912.
    nursery stock interstate shipment, digest. Ent. Cir. 75, rev., p. 6. 1909; F.H.B.S.R.A. 57, pp. 113, 114, 115. 1919.
    tobacco inspection. B.P.I. Bul. 268, p. 31. 1913.
  protecting—
    birds. Biol. Bul. 12, rev., pp. 23, 27, 40, 54, 107–109, 137. 1902.
    forests. D.B. 364, pp. 2, 7. 1916.
  legislation relative to tuberculosis. B.A.I. Bul. 28, pp. 104–108. 1901.
  livestock—
    admission, sanitary requirements. B.A.I. Doc. A 28, p. 30. 1917; B.A.I. Doc. A 36, pp. 45–46. 1920; M.C. 14, pp. 57–59. 1924.
    associations. Y.B., 1920, p. 527. 1921; Y.B. Sep. 866, p. 527. 1921.
    number, comparison with Iowa. Y.B., 1914, p. 18. 1915.
  loblolly pine, importance. For. Bul. 64, p. 8. 1905.
  lumber—
    conditions and requirements. Sec. Cir. 183, p. 26. 1921.
    cut, 1920, 1870–1920, value, and kinds. D.B. 1119, pp. 28, 30–35, 43–61. 1923.
    production, 1918, by mills, by woods, and lath and shingles. D.B. 845, pp. 6–11, 13, 16, 19, 21–28, 30–33, 36, 40, 42–47. 1920.
  Lyon Swamp Canal, conditions, comparison with South Carolina swamps. D.B. 114, pp. 8–9. 1914.
  maple sugar and sirup, production for many years. F.B. 516, pp. 44–46. 1912.
  marketing activities and organization. Mkts. Doc. 3, p. 5. 1916.
  Mecklenburg County, survey and tillage records for cotton. D.B. 511, pp. 27–31. 1917.
  milk—
    inspection. B.A.I. An. Rpt., 1907, p. 325. 1909; F.B. 349, p. 24. 1909.
    laws, only under general food laws. B.A.I. Bul. 46, p. 136. 1903.
  mountain regions, apples, growing and uses. Y.B., 1918, pp. 370, 376, 378. 1919; Y.B. Sep. 767, pp. 6, 12, 14. 1919.
  muck and peat areas, uses, and location. Soils Cir. 65, pp. 10, 15. 1912.
  muscadine grapes, chemical composition, studies and tables. D.B. 452, pp. 2, 3, 14, 15. 1916.
  Negro extension work and workers, 1908–1921. D.C. 190, pp. 6–9, 23. 1921.
  oat crops, 1866–1906, acreage, production, and value. Stat. Bul. 58, pp. 5–25, 28. 1907.
  officials, dairy, drug, feeding stuffs and food. See Dairy officials; Drug officials.
  orchard fruits, Piedmont and Blue Ridge regions. B.P.I. Bul. 135, pp. 1–102. 1908.
  pasture land on farms. D.B. 626, pp. 15, 62–64. 1918.
  peach(es)—
    carload shipments from various stations, 1914. D.B. 298, p. 13. 1915.
    growing, production, districts, and varieties. D.B. 806, pp. 4, 5, 7, 8, 9, 22. 1919.

INDEX TO PUBLICATIONS, 1901–1925   1641

North Carolina—Continued.
 peach(es)—continued.
  industry, season, and shipments, 1914. D.B. 298, pp. 4, 5, 13. 1916.
  varieties, names, and ripening dates. F.B. 918, p. 10. 1918.
 peanuts, description. F.B. 356, p. 29. 1909.
 pear growing, distribution and varieties. D.B. 822, p. 10. 1920.
 pecan rosette, occurrence. J.A.R., vol. 3, p. 150. 1914.
 Pender County, farm products, 1879, 1899. Soils Cir. 20, p. 5. 1910.
 Piedmont Plateau soils, mineralogical composition. J.A.R., vol. 5, No. 13, pp. 572–573. 1915.
 Piedmont region, injury to soil and crops by erosion. Y.B., 1913, p. 214. 1914; Y.B. Sep. 624, p. 214. 1914.
 Pine Association lumber grades, and log-volume tables. D.B. 11, pp. 46–59. 1914.
 pine lumber prices, 1912, and 1901–1912. D.B. 11, pp. 13, 19–20. 1914.
 Pisgah National Game Preserve, regulations. D.C. 161, pp. 1–11. 1921.
 plantations, crops, acreage, location, labor, and tenancy. D.B. 1269, pp. 2–7, 69–72, 75. 1924.
 potato(es)—
  crops, 1866–1906, acreage, production, and value. Stat. Bul. 62, pp. 7–27, 30. 1908.
  early crop, location, season, varieties, and shipments. F.B. 1316, pp. 3, 4, 5. 1923.
  growing section. F.B. 407, p. 7. 1910.
 poultry-club member's record. News L., vol. 6, No. 52, p. 14. 1919.
 quarantine against cotton-boll weevil, rules. Ent. Bul. 114, pp. 166–167. 1912.
 quarantine area for—
  cattle fever—
   November 1, 1911. B.A.I.O. 183, rule 1, rev. 8, p. 6. 1911.
   December 1, 1917, and releases. B.A.I.O. 255, pp. 3, 9. 1918.
   1918. B.A.I.O. 262, pp. 3–4, 13. 1918.
   1922. B.A.I.O. 279, p. 3. 1922.
  cattle tick, release. News L., vol. 3, No. 18, pp. 1, 4. 1915.
  Texas fever—
   April 1, 1909. B.A.I.O. 158, rule 1, rev. 4, p. 7. 1909.
   December 6, 1909. B.A.I.O. 166, p. 7. 1909.
   1910. B.A.I.O. 168, rule 1, rev. 6, p. 7. 1910.
   1915. B.A.I.O. 241, pp. 8, 10. 1915.
   December, 1919. B.A.I.O. 269, p. 4. 1919.
   1920, release. B.A.I.O. 271, rule 1, rev. 19, pp. 4, 8. 1920.
   1923. B.A.I.O. 285, pp. 2–3, 5. 1923.
 Raleigh fair, cattle quarantine regulations, October, 1909. B.A.I.O. 158, amdt. 3, pp. 2. 1909.
 rice irrigation, O.E.S. Bul. 113, p. 59. 1902.
 road(s)—
  bond-built, amount of bonds, and rate. D.B. 136, pp. 44, 57–58, 72–73, 82, 85. 1915.
  building rock tests—
   1916. D.B. 370, pp. 51–53. 1916; D.B. 670, pp. 15, 26. 1918.
   1916–1921, results. D.B. 1132, pp. 24–26, 48, 52. 1923.
  materials, tests. Rds. Bul. 44, pp. 58–60. 1912.
  mileage and expenditures—
   1904. Rds. Cir. 45, pp. 4. 1906.
   1909. Rds. Bul. 41, pp. 29, 41, 42, 92–93. 1912.
   1914. D.B. 387, pp. 3–8, 32–34. 1917.
   Jan. 1, 1915. Sec. Cir. 52, pp. 2, 4, 6. 1915.
   1916. Sec. Cir. 74, pp. 5, 7, 8. 1917.
  model, county systems. Rds. Chief Rpts., 1912, p. 27. 1912; An. Rpts., 1912, p. 871. 1913.
  object lesson, construction, 1909. An. Rpts., 1909, pp. 717, 721, 724–725. 1910; Rds. Chief Rpt., 1909, pp. 9, 13, 16–17. 1909.
  work by department, 1913–14. D.B. 284, pp. 8, 12–13, 19–21. 1915.
 Robeson County—
  drainage district, Back Swamp and Jacob Swamp, report. Samuel H. McCrory and Carl W. Mengel. O.E.S. Bul. 246, pp. 47. 1912.

North Carolina—Continued.
 Robeson County—continued.
  survey and tillage, records for cotton. D.B 511, pp. 24–26. 1917.
 rotundifolia grapes, growing. B.P.I. Bul. 273, pp. 18–19. 1913.
 rye crops, 1866–1906, acreage, production, and value. Stat. Bul. 60, pp. 5–25, 28. 1908.
 Sampson County, home demonstration work, results. Y.B., 1916, pp. 252–253. 1917; Y.B. Sep. 710, pp. 2–3. 1917.
 San Jose scale, occurrence. Ent. Bul. 62, p. 28. 1906.
 school reconstruction. O.E.S. Bul. 232, pp. 17, 31. 1910.
 schools, agricultural, work. O.E.S. Cir. 106, rev., pp. 18, 24, 28. 1912.
 seed-corn maggot outbreak in 1921. D.B. 1103, p. 39. 1922.
 shipments of fruits and vegetables, and index to station shipments. D.B. 667, pp. 6–13, 38–39. 1918.
 shortleaf pine—
  stands, growth. D.B. 244, pp. 17, 18, 29, 30, 31, 41–42, 45. 1915.
  yields. D.B. 308, pp. 29–30. 1915.
 soil survey of—
  Alamance County. George N. Coffey and W. Edward Hearn. Soil Sur. Adv. Sh., 1901, pp. 14. 1903; Soils F.O., 1901, pp. 297–310. 1902.
  Alexander County. See Hickory area.
  Alleghany County. R.T. Avon Burke and H. D. Lambert. Soil Sur. Adv. Sh., 1915, pp. 26. 1917; Soils F.O., 1915, pp. 339–360. 1919.
  Anson County. E. S. Vanatta and F. N. McDowell. Soil Sur. Adv. Sh., 1915, pp. 65. 1917; Soils F.O., 1915, pp. 361–421. 1919.
  Ashe County. R. B. Hardison and S. O. Perkins. Soil Sur. Adv. Sh., 1912, pp. 32. 1914; Soils F.O., 1912, pp. 341–368. 1915.
  Asheville area. J. E. Lapham and F. N. Meeker. Soil Sur. Adv. Sh., 1903, pp. 19. 1904; Soils F.O., 1903, pp. 279–297. 1904.
  Beaufort County. W. B. Cobb and others. Soil Sur. Adv. Sh., 1917, pp. 40. 1919; Soils F.O., 1917, pp. 409–442. 1923.
  Bertie County. R. C. Jurney and S. O. Perkins. Soil Sur. Adv. Sh., 1918, pp. 34. 1920; Soils F.O., 1918, pp. 163–192. 1924.
  Bladen County. R. B. Hardison and others. Soil Sur. Adv. Sh., 1914, pp. 35. 1915; Soils F.O., 1914, pp. 623–653. 1919.
  Buncombe County. S. O. Perkins and others. Soil Sur. Adv. Sh., 1920, pp. 785–812. 1923; Soils F.O., 1920, pp. 785–812. 1925.
  Buncombe County. See also Asheville and Mount Mitchell areas.
  Burke County. See Hickory area.
  Cabarrus County. Risden T. Allen and others. Soil Sur. Adv. Sh., 1910, pp. 47. 1911; Soils F.O., 1910, pp. 297–339. 1912.
  Caldwell County. W. B. Cobb and S. F. Davidson. Soil Sur. Adv. Sh., 1917, pp. 29. 1919; Soils F.O., 1917, pp. 443–467. 1923.
  Cary area. George N. Coffey and W. Edward Hearn. Soil Sur. Adv. Sh., 1901, pp. 5. 1903; Soils F.O., 1901, pp. 311–315. 1902.
  Caswell County. W. Edward Hearn and Frank P. Drane. Soil Sur. Adv. Sh., 1908, pp. 28. 1910; Soils F.O., 1908, pp. 317–340. 1911.
  Catawba County. See Hickory and Statesville areas.
  Cherokee County. R. C. Jurney and others. Soil Sur. Adv. Sh., 1921, pp. 305–322. 1924.
  Chowan County. W. Edward Hearn and G. M. MacNider. Soil Sur. Adv. Sh., 1906, pp. 26. 1907; Soils F.O., 1906, pp. 223–244. 1908.
  Cleveland County. E. S. Vanatta and F. N. McDowell. Soil Sur. Adv. Sh., 1916, pp. 37. 1919; Soils F.O., 1916, pp. 309–341. 1921.
  Columbus County. R. B. Hardison and others. Soil Sur. Adv. Sh., 1915, pp. 42. 1917; Soils F.O., 1915, pp. 423–460. 1919.
  Craven area. William G. Smith and George N. Coffey. Soil Sur. Adv. Sh., 1903, pp. 26. 1904; Soils F.O., 1903, pp. 253–278. 1904.

North Carolina—Continued.
 soil survey of—continued.
  Craven County. See also Craven and Raleigh to Newbern areas.
  Cumberland County. S. O. Perkins and others. Soil Sur. Adv. Sh., 1922, pp. 111-151. 1925.
  Davidson County. R. B. Hardison and L. L. Brinkley. Soil Sur. Adv. Sh., 1915, pp. 39. 1917; Soils F.O., 1915, pp. 461-495. 1919.
  Davie County. See Statesville area.
  Duplin County. Aldert S. Root and Lewis A. Hurst. Soil Sur. Adv. Sh., 1905, pp. 23. 1905; Soils F.O., 1905, pp. 289-307. 1907.
  Durham County. S. O. Perkins and others. Soil Sur. Adv. Sh., 1920, pp. 1351-1379. 1924; Soils F.O., 1920, pp. 1351-1379. 1925.
  Edgecombe County. W. Edward Hearn and G. M. MacNider. Soil Sur. Adv. Sh., 1907, pp. 25. 1908; Soils F.O., 1907, pp. 249-269. 1909.
  Forsyth County. Risden T. Allen and R. C. Jurney. Soil Sur. Adv. Sh., 1913, pp. 28. 1914; Soils F.O., 1913, pp. 177-200. 1916.
  Gaston County. W. Edward Hearn and others. Soil Sur. Adv. Sh., 1909, pp. 33. 1911; Soils F.O., 1909, pp. 345-373. 1912.
  Granville County. R. B. Hardison and David D. Long. Soil Sur. Adv. Sh., 1910, pp. 44. 1912; Soils F.O., 1910, pp. 341-380. 1912.
  Greene County. See Craven and Raleigh to Newbern areas.
  Guilford County. R. C. Jurney and others. Soil Sur. Adv. Sh., 1920, pp. 167-199. 1923; Soils F.O., 1920, pp. 167-199. 1925.
  Halifax County. R. B. Hardison and L. L. Brinkley. Soil Sur. Adv. Sh., 1916, pp. 47. 1918; Soils F.O., 1916, pp. 343-385. 1921.
  Harnett County. R. C. Jurney and S. O. Perkins. Soil Sur. Adv. Sh., 1916, pp. 37. 1917; Soils F.O., 1916, pp. 387-419. 1921.
  Haywood County. R. C. Jurney and others. Soil Sur. Adv. Sh., 1922, pp. 203-224. 1925.
  Henderson County. W. Edward Hearn and G. M. MacNider. Soil Sur. Adv. Sh., 1907, pp. 25. 1908; Soils F.O., 1907, pp. 227-247. 1909.
  Hertford County. E. S. Vanatta and F. N. McDowell. Soil Sur. Adv. Sh., 1916, pp. 35. 1917; Soils F.O., 1916, pp. 421-451. 1921.
  Hickory area. Thomas A. Caine. Soils F.O., 1902, pp. 239-258. 1903; Soils F.O. Sep., 1902, pp. 20. 1903.
  Hoke County. E. S. Vanatta and others. Soil Sur. Adv. Sh., 1918, pp. 32. 1921; Soils F.O., 1918, pp. 193-220. 1924.
  Hyde County. See Lake Mattamuskeet area.
  Iredell County. See Hickory and Statesville areas.
  Johnston County. W. Edward Hearn and L. L. Brinkley. Soil Sur. Adv. Sh., 1911, pp. 52. 1913; Soils F.O., 1911, pp. 431-478. 1914.
  Jones County. See Craven and Raleigh to Newbern areas.
  Lake Mattamuskeet area. W. Edward Hearn. Soil Sur. Adv. Sh., 1909, pp. 17. 1910; Soils F.O., 1909, pp. 375-387. 1912.
  Lenoir County. See Craven and Raleigh to Newbern areas.
  Lincoln County. R. T. Avon Burke and L. L. Brinkley. Soils Sur Adv. Sh., 1914, pp. 33. 1916; Soils F.O., 1914, pp. 559-587. 1919.
  McDowell County. See Mount Mitchell area.
  Madison County. See Asheville and Mount Mitchell areas; North Carolina-Tennessee, Greeneville area.
  Mecklenburg County. W. Edward Hearn and L. L. Brinkley. Soil Sur. Adv. Sh., 1910, pp. 42. 1912; Soils F.O., 1910, pp. 381-418. 1912.
  Mitchell County. See Mount Mitchell area.
  Moore County. R. C. Jurney and others. Soil Sur. Adv. Sh., 1919, pp. 44. 1922; Soils F.O., 1919, pp. 723-762. 1925.
  Mount Mitchell area. Thomas A. Caine and A. W. Mangum. Soils F.O., 1902, pp. 259-271. 1903; Soils F.O., 1902, pp. 13. 1903.
  New Hanover County. J. A. Drake and H. L. Belden. Soil Sur. Adv. Sh., 1906, pp. 39. 1907; Soils F.O., 1906, pp. 245-279. 1908.

North Carolina—Continued.
 soil survey of—continued.
  Onslow County. R. C. Jurney and others. Soil Sur. Adv. Sh., 1921, pp. 101-127. 1923.
  Orange County. E. S. Vanatta and others. Soil Sur. Adv. Sh., 1919, pp. 44. 1921; Soils F.O., 1919, pp. 221-264. 1924.
  Pasquotank County. See Perquimans and Pasquotank Counties.
  Pender County. W. Edward Hearn and others. Soil Sur. Adv. Sh., 1912, pp. 45. 1914; Soils F.O., 1912, pp. 369-409. 1915.
  Perquimans and Pasquotank Counties. J. E. Lapham and W. S. Lyman. Soil Sur. Adv. Sh., 1905, pp. 22. 1906; Soils F.O., 1905, pp. 927-948. 1907.
  Pitt County. W. Edward Hearn and others. Soil Sur. Adv. Sh., 1909, pp. 35. 1910; Soils F.O., 1909, pp. 389-419. 1912.
  Raleigh to Newbern area. William G. Smith. Soils F.O., 1900, pp. 187-205. 1901; Soils F.O. Sep., 1900, pp. 16. 1901.
  Randolph County. R. B. Hardison and S. O. Perkins. Soil Sur. Adv. Sh., 1913, pp. 34. 1915; Soils F.O., 1913, pp. 201-230. 1916.
  Richmond County. R. B. Hardison and others. Soil Sur. Adv. Sh., 1911, pp. 48. 1912; Soils F.O., 1911, pp. 387-430. 1914.
  Robeson County. W. Edward Hearn and others. Soil Sur. Adv. Sh., 1908, pp. 28. 1909; Soils F.O., 1908, pp. 293-316. 1911.
  Rowan County. R. B. Hardison and R. C. Jurney. Soil Sur. Adv. Sh., 1914, pp. 47. 1915; Soils F.O., 1914, pp. 473-515. 1919.
  Scotland County. R. B. Hardison and others. Soil Sur. Adv. Sh., 1909, pp. 32. 1911; Soils F.O., 1909, pp. 421-448. 1912.
  Stanly County. R. C. Jurney and S. O. Perkins. Soil Sur. Adv. Sh., 1916, pp. 34. 1918; Soils F.O., 1916, pp. 453-482. 1921.
  Statesville area. Clarence W. Dorsey and others. Soils F.O., 1901, pp. 273-295. 1902; Soils F.O. Sep., 1901, pp. 23. 1903.
  Transylvania County. W. Edward Hearn and G. M. MacNider. Soil Sur. Adv. Sh., 1906, pp. 25. 1907; Soils F.O., 1906, pp. 281-301. 1908.
  Tyrrell County. W. B. Cobb and W. A. Davis. Soil Sur. Adv. Sh., 1920, pp. 839-858. 1924; Soils F.O., 1920, pp. 839-858. 1925.
  Union County. B. B. Derrick and S. O. Perkins. Soil Sur. Adv. Sh., 1914, pp. 38. 1916; Soils F.O., 1914, pp. 589-622. 1919.
  Vance County. S. O. Perkins and W. A. Davis. Soil Sur. Adv. Sh., 1918, pp. 31. 1921; Soils F.O., 1918, pp. 265-291. 1924.
  Wake County. L. L. Brinkley and others. Soil Sur. Adv. Sh., 1914, pp. 45. 1916; Soils F.O., 1914, pp. 517-557. 1919.
  Wayne County. B. B. Derrick and others. Soil Sur. Adv. Sh., 1915, pp. 51. 1916; Soils F.O., 1915, pp. 497-543. 1919.
  Wilkes County. R. C. Jurney and S. O. Perkins. Soil Sur. Adv. Sh., 1918, pp. 39. 1921; Soils F.O., 1918, pp. 293-327. 1924.
  Yancey County. See Mount Mitchell area.
 soils—
  Meadow, areas, location, and crop adaptations. Soils Cir. 68, pp. 14, 21. 1912.
 Norfolk—
  sand, areas, location, and uses. Soils Cir. 44, pp. 9, 12, 13, 14, 19. 1911.
  sandy loam, areas, location, and use. Soils Cir. 45, pp. 9, 11, 14. 1911.
  Orangeburg fine sandy loam, areas, location, and uses. Soils Cir. 46, pp. 3, 20. 1911.
  petrography, relation to fertilizer requirements. J.A.R., vol. 5, No. 13, pp. 569-582. 1915.
 Porters loam and Porters black loam, area, location. Soils Cir. 39, pp. 3, 4, 19. 1911.
 soy-bean growing, with other crops. F.B. 931, pp. 7-11, 15, 18, 20. 1918.
 standard containers. F.B. 1434, p. 17. 1924.
 State appropriations for experiment work. O.E.S. An. Rpt., 1912, p. 174. 1913.
 State College of Agriculture, bleaching tests of cotton. D.B. 990, pp. 6-8. 1921.

North Carolina—Continued.

stations, cotton fertilizer experiments and yields. J.A.R., vol. 5, No. 13, pp. 578. 580. 1915.
steers, wintering and summer fattening. F. W. Farley and others. D.B. 954, pp. 18. 1921.
strawberry—
culture, practices. F.B. 1026, pp. 3, 5, 8, 9, 12, 15, 16, 35. 1919.
shipments, 1914. D.B. 237, p. 9. 1915. F.B. 1028, p. 6. 1919.
substations—
for experimental work, tobacco. O.E.S. An. Rpt., 1912, pp. 57, 176. 1913.
horse feeding on cottonseed meal, experiments. D.B. 929, p. 2. 1910.
swamp land, drainage investigations. 1910. O.E.S. An. Rpt., 1910, pp. 47, 49. 1911.
sweet-potato industry. D.B. 1206, pp. 5-13. 1924.
temperature and rainfall records. 1902-1907. B.P.I. Bul. 194, p. 13. 1911.
Tennessee, soil survey of the Greeneville area. Charles N. Mooney and O. L. Ayrs. Soil Sur. Adv. Sh., 1904, pp. 37. 1905; Soils F.O., 1904, pp. 493-525. 1905.
thermal belts, location and description. F.B. 104, rev., p. 11. 1910.
tile drainage work and demonstration. An. Rpts., 1913, pp. 271-272. 1914; O.E.S. Chief Rpt., 1913, pp. 11-12. 1913.
tobacco—
acreage and production. Sec. [Misc.], Spec. "Geography * * * world's agriculture," pp. 61, 62, 63. 1917.
burning quality of various types, improvement, study. B.P.I. Doc. 629, pp. 1-4. 1910.
conditions, 1911. Stat. Cir. 27, p. 7. 1912.
crop, 1912. Stat. Cir. 43, pp. 2, 3, 7-8. 1913.
growing—
and industry, details and statistics. B.P.I. Bul. 244, pp. 16, 17, 19, 30, 32, 56-70. 1912.
historical notes, and present conditions. Y.B., 1922, pp. 401-405, 407-409, 413-415. 1923; Y.B. Sep. 885, pp. 401-405, 407-409, 413-415. 1923.
rank, changes. Y.B., 1919, pp. 153-154. 1920; Y.B. Sep. 805, pp. 153-154. 1920.
marketing, inspection, and sales. B.P.I. Bul. 268, pp. 13-27. 1913.
production and yield. B.P.I. Cir. 48, pp. 8-9. 1910.
report for July 1, 1912. Stat. Cir. 38, pp. 3, 4, 7. 1912.
sales, 1909. Y.B., 1909, p. 166. 1910; Y.B. Sep. 502, p. 166. 1910.
tractors on farms, reports. F.B. 1278, pp. 1-26. 1922.
trucking—
industry, acreage and crops. Y.B., 1916, pp. 440-441, 449, 450, 455-465. 1917; Y.B. Sep. 702, pp. 6-7, 15, 16, 21-31. 1917.
soils and districts now used. Y.B., 1912, pp. 424-426, 430. 1913; Y.B. Sep. 603, pp. 424-426, 430. 1913.
Union County, principal crops, production, 1850-1910. Soil Sur. Adv. Sh., 1914, pp. 9-10. 1916; Soils F.O. 1914, pp. 593-594. 1916.
vetch growing. F.B. 529, p. 5. 1913.
wage rates, farm labor, 1845, and 1866-1909. Stat. Bul. 99, pp. 21, 29-43, 68-70. 1912.
Wake Forest, terrace system in use. B.P.I. Cir. 94, pp. 3, 4, 5, 8, 9. 1912.
walnut—
growing and yield. B.P.I. Bul. 254, pp. 18, 102. 1913.
range and estimated stand. D.B. 933, pp. 7, 9. 1921.
stand and quality. D.B. 909, pp. 9, 10, 11, 19, 21. 1921.
water supply, records, by counties. Soils Bul. 92, pp. 110-113. 1913.
western—
adaptability for cattle raising. D.B. 954, pp. 2-3. 1921.
forest tract in, examination, report on. Franklin W. Reed. For. Bul. 60, pp. 32. 1905.

North Carolina—Continued.

wheat—
acreage and varieties. D.B. 1074, p. 213. 1922.
crops, acreage, production, and value. Stat. Bul. 57, pp. 5-25, 28. 1907; rev., pp. 5-25, 28, 37. 1908.
growing, yields, and cultural suggestions. F.B. 885, pp. 1-14. 1917.
varieties—
adapted. F.B. 616, p. 7. 1914.
grown. F.B. 1168, p. 9. 1921.
yields and prices, 1866-1915. D.B. 514, p. 7. 1917.
Willard station, experiments on uses of muscadine grapes. F.B. 859, pp. 1-23. 1917.
Wilmington, climatic notes, temperature, rainfall, and frost. Soils Cir. 20, p. 3. 1910.
women's rest rooms, establishment. Y.B., 1917, p. 219. 1918; Y.B. Sep. 726, p. 5. 1918.
woodland products, value. F.B. 1117, p. 7. 1920.
See also Atlantic coastal plains.

North Central States—

alfalfa growing, special instructions. F.B. 339. p. 45. 1908.
clover production. F.B. 485, p. 38. 1912.
dairying opportunities. Y.B., 1906, pp. 412-417. 1907; Y.B. Sep. 432, pp. 412-417. 1907.
east and west—
corn yields and prices, 1866-1915. D.B. 515, pp. 2-3, 8-11. 1917.
wheat yields and prices, 1866-1915. D.B. 514, pp. 2-3, 8-11. 1917.
importance as granary of the Nation. Y.B., 1911, pp. 223, 235. 1912; Y.B. Sep. 563, pp. 223, 235. 1912.
irrigation need and possibilities. Y.B., 1911, pp. 312-314, 319. 1912; Y.B. Sep. 570, pp. 312-314, 319. 1912.
school farming, conditions. D.B. 213, pp. 3, 6, 8, 11. 1915.
strawberry growing, extension. F.B. 1043, pp. 6-7, 21. 1919.

North Dakota—

Agricultural—
College, teachers' course. O.E.S. Cir. 118. p. 21. 1913.
colleges and experiment stations, organization—
1905. O.E.S. Bul. 161, pp. 51-52. 1905.
1906. O.E.S. Bul. 176, pp. 59-60. 1907.
1907. O.E.S. Bul. 197, pp. 63-64. 1908.
1910. O.E.S. Bul. 224, pp. 53-54. 1910.
1911. O.E.S. Bul. 247, p. 54. 1912.
See also Agriculture, list of workers.
development and farming conditions D.B. 757, pp. 2-5. 1919.
education—
extension, 1906. O.E.S. Bul. 196, p. 32. 1907.
progress, 1912. O.E.S. An. Rpt., 1912, p. 327. 1913.
extension work, statistics. D.C. 253, pp. 5, 8, 12-13, 17, 18. 1923.
aid to agricultural schools. O.E.S. An. Rpt., 1911, p. 332. 1912.
alfalfa, experiments with cold-resistant alfalfa. B.P.I. Bul. 185, pp. 11-56. 1910.
and South Dakota, western, dry-land grains for. Cecil Salmon. B.P.I. Cir. 59, pp. 24. 1910.
antelope in, number and distribution. D.B. 1346, pp. 43-44. 1925.
apple growing, areas, varieties, and production. D.B. 485, pp. 22, 44-47. 1917.
barberry occurrence and eradication work. D.C. 188, pp. 7, 9, 10, 15-18, 21, 32. 1921.
barley—
breeding studies and experiments. D.B. 137, pp. 2, 11. 1914.
crops, 1882-1906, acreage, production, and value. Stat. Bul. 59, pp. 17-26, 32. 1907.
bee and honey statistics. D.B. 325, pp. 11, 12, 1915; D.B. 685, pp. 7, 9, 13, 14, 16, 18, 19, 22, 24, 26, 29, 31. 1918.
beet-sugar, industry progress—
1908. Rpt. 90, p. 67. 1909.
1909. Rpt. 90, p. 67. 1909.
bird—
protection. See Bird protection.
reservations, details, and summary. Biol. Cir. 87, pp. 9, 10, 16. 1912.
bounty laws, 1907. Y.B., 1907, p. 563. 1908; Y.B. Sep. 473, p. 563. 1908.

North Dakota—Continued.
　buckwheat crops, 1882-1906, acreage, production, and value. Stat. Bul. 61, pp. 11-17, 22. 1908.
　butter analyses. B.A.I. Bul. 149, p. 16. 1912.
　Cass County—
　　drainage report. O.E.S. Bul. 189, pp. 37-45. 1907.
　　farming on large scale. D.C. 351, pp. 1-35. 1925.
　Chase Lake, bird reservation, work in 1921. Biol. Chief Rpt., 1921, p. 24. 1921.
　closed season for shorebirds and woodcock. Y.B., 1914, pp. 292, 293. 1915; Y.B. Sep. 642, pp. 292, 293. 1915.
　college, summer school of traction engineering. O.E.S. An. Rpt., 1907, p. 284. 1908.
　consolidated schools, conditions, cost, and attendance. O.E.S. Bul. 232, pp. 11, 30, 43, 48. 1910.
　convict road-work, laws. D.B. 414, p. 208. 1916.
　cooperative—
　　associations, statistics, and laws. D.B. 547, pp. 13, 20, 27, 28, 73. 1917.
　　bull associations, number and work. Y.B., 1916, pp. 311, 318. 1917; Y.B. Sep. 718, pp. 1, 8. 1917.
　corn—
　　club work, results. D.C. 152, p. 12. 1921.
　　crops, 1882-1906, acreage, production, and value. Stat. Bul. 56, pp. 20-27, 33. 1907.
　　production, movements, consumption, and prices. D.B. 696, pp. 15, 16, 20, 28, 29, 33, 36, 50. 1918.
　　yields and prices, 1882-1915. D.B. 515, p. 10. 1917.
　crop—
　　losses from rodents. Y.B., 1917, p. 226. 1918; Y.B. Sep. 724, p. 4. 1918.
　　planting and harvesting, important crops. Stat. Bul. 85, pp. 24, 43, 58, 70, 91. 1912.
　dairying a promising industry. Y.B., 1912, pp. 465, 470. 1913; Y.B. Sep. 606, pp. 465, 470. 1913.
　damage to wheat by rust, 1904. B.P.I. Bul. 216, pp. 7-8. 1911.
　demonstration farms and substations. O.E.S. An. Rpt., 1910, pp. 64, 213. 1911.
　demurrage provisions, regulations. D.B. 191, pp. 3, 13, 17, 26. 1915.
　Dickinson—
　　and Edgeley, crop-rotation experiments. B.P.I. Bul. 187, pp. 1-78. 1910.
　　soil, climate, and grain yields. B.P.I. Cir. 59, pp. 5-6, 9, 11, 16, 17, 18, 19. 1910.
　　substation—
　　　cereal experiments. D.B. 33, pp. 44. 1914.
　　　wheat-growing experiments. D.B. 878, pp. 15-17. 1920.
　diversified-farming experiments. B.P.I. Chief Rpt., 1910, p. 59. 1910; An. Rpts., 1910, p. 329. 1911.
　drainage—
　　of eastern parts of Cass, Traill, Grand Forks, Walsh, and Pembina Counties. John T. Stewart. O.E.S. Bul. 189, pp. 71. 1907.
　　of Red River of the North, plans and surveys. D.B. 1017, pp. 1-80. 1922.
　　project. O.E.S. An. Rpt., 1907, p. 41. 1908.
　Drayton athletic recreation field, description. F.B. 1388, pp. 13-15. 1924.
　drug laws. Chem. Bul. 98, pp. 143-147. 1906; rev., Pt. I, pp. 225-229. 1909.
　dry-farming stations, investigations. An. Rpts., 1912, p. 125. 1913; Sec. A.R., 1912, p. 125. 1912; Y.B., 1912, p. 125. 1913.
　durum-wheat growing. F.B. 1304, pp. 1, 2, 3, 5-15. 1923.
　early settlement, historical notes. See Soil surveys for various counties and areas.
　Edgeley—
　　crop rotation and cultural methods. John S. Cole. D.B. 991, pp. 24. 1921.
　　substation tillage and rotation experiments (Dickey County). Soil Sur. Adv. Sh., 1914, pp. 13-19, 49. 1916; Soils F. O., 1914, pp. 2419, 2423, 2455. 1919.
　emmer—
　　and spelt growing, experiments. D.B. 1197, pp. 26-27, 38-40. 1924.
　　growing, experiments and results. F.B. 466, pp. 18-19. 1911.

North Dakota—Continued.
　evaporation experiments. O.E.S. Bul. 248, pp. 46-48, 55-57, 67. 1912.
　Experiment Station—
　　breeding of Holstein cattle. B.A.I. An. Rpt., 1910, p. 28. 1912.
　　grazing experiment. D.B. 1170, pp. 2-19. 1923.
　　work and expenditures—
　　　1906. J. H. Worst. O.E.S. An. Rpt., 1906, pp. 141-142. 1907.
　　　1907. J. H. Worst. O.E.S. An. Rpt., 1907, pp. 148-151. 1908.
　　　1908. J. H. Worst. O.E.S. An. Rpt., 1908, pp. 149-151. 1909.
　　　1909. J. H. Worst. O.E.S. An. Rpt., 1909, pp. 163-166. 1910.
　　　1910. J. H. Worst. O.E.S. An. Rpt., 1910, pp. 210-214. 1911.
　　　1911. J. H. Worst. O.E.S. An. Rpt., 1911, pp. 172-176. 1912.
　　　1912. J. H. Worst. O.E.S. An. Rpt., 1912, pp. 177-179. 1913.
　　　1913. J. H. Worst. Work and Exp., 1913, pp. 69-70. 1915.
　　　1914. T. P. Cooper. Work and Exp., 1914, pp. 183-186. 1915.
　　　1915. T. P. Cooper. S.R.S. Rpt., 1915, Pt. I, pp. 207-212. 1916.
　　　1916. T. P. Cooper. S.R.S. Rpt., 1916, Pt. I, pp. 212-216. 1918.
　　　1917. T. P. Cooper. S.R.S. Rpt., 1917, Pt. I, pp. 207-212. 1918.
　　　1918. S.R.S. Rpt., 1918, pp. 33, 39, 44, 61, 65, 71-80. 1920.
　extension work—
　　funds allotment, and county-agent work. S.R.S. Doc. 40, pp. 4, 6, 11, 18, 23, 25, 28. 1918.
　　in agriculture and home economics—
　　　1915. Thomas P. Cooper. S.R.S. Rpt., 1915, Pt. II, pp. 276-280. 1916.
　　　1916. Thomas P. Cooper. S.R.S. Rpt., 1916, Pt. II, pp. 306-311. 1917.
　　　1917. Thomas P. Cooper. S.R.S. Rpt., 1917, Pt. II, pp. 311-316. 1919.
　　statistics. D.C. 306, pp. 3, 6, 11, 16, 20, 21. 1924.
　fairs, number, kind, location, and dates. Stat. Bul. 102, pp. 13, 14, 50-51. 1913.
　farm—
　　animals, statistics, 1867-1907. Stat. Bul. 64, p. 121. 1908.
　　conditions, letters from women. Rpt. 103, pp. 20, 65. 1915; Rpt. 104, pp. 13, 20, 28, 40, 62, 69, 78. 1915; Rpt. 105, pp. 17, 32, 44, 56, 65. 1915; Rpt. 106, pp. 34, 66. 1915.
　　family, food, fuel, and housing, value, details. D.B. 410, pp. 7-35. 1916.
　　grain, labor distribution, seasonal. Y.B., 1917, p. 545. 1918; Y.B. Sep. 758, p. 11. 1918.
　　leases, provisions. D.B. 650, pp. 4, 5, 8, 9, 19, 20. 1918.
　　loans, and kinds of security. Y.B., 1921, p. 121. 1922; Y.B. Sep. 873, p. 121. 1922.
　　mortgage loans, costs and sources. D.B. 384, pp. 2, 3, 4, 7, 10, 12, 13, 14. 1916.
　　values, changes, 1900-1905. Stat. Bul. 43, pp. 11-17, 29-46. 1906.
　　values, income, and tenancy classification. D.B. 1224, p. 11. 1924.
　farmers' community park, description. F.B. 1388, pp. 2-5. 1924.
　farmers' institutes—
　　for young people. O.E.S. Cir. 99, p. 22. 1910.
　　history. O.E.S. Bul. 174, pp. 70-72. 1906.
　　laws. O.E.S. Bul. 135, rev., p. 26. 1905.
　　legislation. O.E.S. Bul. 241, p. 31. 1911.
　　work—
　　　1904. O.E.S. An. Rpt., 1904, pp. 658-659. 1905.
　　　1906. O.E.S. An. Rpt., 1906, p. 341. 1907.
　　　1907. O.E.S. An. Rpt., 1907, p. 340. 1908; O.E.S. Bul. 199, p. 24. 1908.
　　　1908. O.E.S. An. Rpt., 1908, p. 322. 1909.
　　　1909. O.E.S. An. Rpt., 1909, p. 351. 1910.
　　　1910. O.E.S. An. Rpt., 1910, p. 411. 1911.
　　　1911. O.E.S. An. Rpt. 1911, p. 376. 1912.
　　　1912. O.E.S. An. Rpt., 1912, p. 370. 1913.

INDEX TO PUBLICATIONS, 1901–1925   1645

North Dakota—Continued.
field—
  stations—
    barley growing, methods, cost, and yields. D.B. 222, pp. 14–19, 29–31. 1915.
    climate, at Mandan, remarks. D.B. 1301, pp. 2–5. 1925.
    corn growing, methods, cost, and yields. D.B. 219, pp. 15–18, 27–31. 1915.
    oats growing, cost and yields. D.B. 218, pp. 14–22, 40, 41. 1915.
    subsoiling, experiments. J.A.R., vol. 14, pp. 490–491. 1918.
    work of Plant Industry, December, 1924. M.C. 30, pp. 38–39. 1925.
flax—
  acreage, 1899, 1909, 1913. D.B. 322, p. 4. 1916.
  production, acreage, and methods. D.C. 341, pp. 9–11. 1925.
food laws—
  1903. Chem. Bul. 83, Pt. I; pp. 89–94. 1904.
  1905. Chem. Bul. 69, rev., Pt. V, pp. 445–457. 1906.
  1907. Chem. Bul. 112, Pt. II, pp. 27–38. 1908.
  enforcement. Chem. Cir. 16, rev., p. 18. 1908.
forest—
  fires, statistics. For. Bul. 117, p. 33. 1912.
  planting needs, acreage and conditions. Y.B. 1909, p. 341. 1910; Y.B. Sep. 517, p. 341. 1910.
  reserves. *See* Forests, national.
  trees, species adaptable and planting details. F.B. 888, pp. 5–10, 19. 1917.
funds for cooperative extension work, sources. S.R.S. Doc. 40, pp. 4, 6, 11, 16. 1917.
fur animals, laws—
  1915. F.B. 706, p. 14. 1915.
  1916. F.B. 783, pp. 16, 27. 1916.
  1917. F.B. 911, pp. 19, 31. 1917.
  1918. F.B. 1022, pp. 19. 1918.
  1919. F.B. 1079, pp. 5, 20. 1919.
  1920. F.B. 1165, p. 18. 1920.
  1921. F.B. 1238, p. 18. 1921.
  1922. F.B. 1293, p. 16. 1922.
  1923–24. F.B. 1387, p. 19. 1923.
  1924–25. F.B. 1445, p. 14. 1924.
  1925–26. F.B. 1469, p. 17. 1925.
game—
  and bird officials, organizations and publications. Biol. Cir. 65, pp. 6, 12, 15. 1908.
  laws—
    1902. F.B. 160, pp. 19, 33, 42, 45, 52, 54. 1902.
    1903. F.B. 180, pp. 14, 24, 34, 39, 44, 46. 1903.
    1904. F.B. 207, pp. 22, 35, 44, 51, 58–59. 1904.
    1905. F.B. 230, pp. 21, 32, 38, 45, 53–54. 1905.
    1906. F.B. 265, pp. 19, 31, 38, 45. 1906.
    1907. F.B. 308, pp. 18, 30, 36, 45. 1907.
    1908. F.B. 336, pp. 20, 33, 41, 45, 52. 1908.
    1909. F.B. 376, pp. 6, 7, 10, 14, 25, 35, 40. 1909.
    1910. F.B. 418, pp. 18, 28, 33, 36, 43. 1910.
    1911. F.B. 470, pp. 13, 23, 33, 38, 42, 49. 1911.
    1912. F.B. 510, pp. 18, 25–26, 29, 34, 38, 45. 1912.
    1913. D.B. 22, pp. 15, 20, 30, 41, 46, 49, 56. 1913; rev., pp. 14, 19, 20, 30, 41, 46, 49, 56. 1913.
    1914. F.B. 628, pp. 4, 5, 10, 11, 12, 21, 28–29, 32, 36, 38, 42, 50. 1914.
    1915. F.B. 692, pp. 2, 3, 6, 7, 13, 31, 42, 48, 50, 53, 60. 1915.
    1916. F.B. 774, pp. 29, 41, 49, 52, 60. 1916.
    1917. F.B. 910, pp. 30, 48, 53. 1917.
    1918. F.B. 1010, pp. 27, 46. 1918.
    1919. F.B. 1077, pp. 30, 50, 72, 73. 1919
    1920. F.B. 1138, pp. 32–33. 1920.
    1921. F.B. 1235, pp. 32, 56. 1921.
    1922. F.B. 1288, p. 31. 1922.
    1923–24. F.B. 1375, pp. 30–31, 50. 1923.
    1924–25. F.B. 1444, pp. 22, 37. 1924.
    1925–26. F.B. 1466, pp. 28, 45. 1925.
  agency for enforcement. Biol. Bul. 12, rev., p. 65. 1902.
  officials, directory, 1920, and organizations. D.C. 131, pp. 7, 14, 17. 1920.
  preserves, establishment, 1914. F.B. 628, p. 4. 1914.
  protection. *See* Game protection.

North Dakota—Continued.
grain—
  farming, farm practices. C. M. Hennis and Rex E. Willard. D.B. 757, pp. 35. 1919.
  market news service. Off. Rec., vol. 1, No. 26, p. 1. 1922.
  supervision district and headquarters. Mkts. S.R.A. 14, p. 17. 1916.
grasshopper destruction. News L., vol. 6, No. 26, p. 22. 1919.
ground squirrels, extermination, cooperative work. Y.B., 1917, pp. 227–230. 1918; Y.B. Sep. 724, pp. 5–8. 1918.
growing season and frost. Y.B., 1921, p. 106. 1922; Y.B. Sep. 873, p. 106. 1922.
hail insurance—
  companies, and amount of risks. D.B. 912. pp. 6, 14, 15, 26, 28, 29. 1920.
  law, provisions. D.B. 912, pp. 6, 7, 8. 1920; D.B. 1043, p. 16. 1922.
harvest labor, distribution, and wages. D.B. 1230, pp. 25–44. 1924.
hay crops, 1882–1906, acreage, production, and value. Stat. Bul. 63, pp. 14–25, 30. 1908.
herds, lists of tested and accredited. D.C. 54, pp. 5, 7, 9, 10, 15, 24, 37, 63, 75, 76, 83. 1919; D.C. 143, pp. 5, 12, 40, 83. 1920; D.C. 144, pp. 5, 7, 8, 13, 18, 36–43, 49. 1920.
highway department, establishment, and road mileage. Y.B., 1914, pp. 215, 222. 1915; Y.B., Sep. 638, pp. 215, 222. 1915.
hogs, purebred. News L., vol. 6, No. 37, p. 6. 1919.
hunting laws. Biol. Bul. 19, pp. 16, 18, 21, 27, 30, 31, 32, 36, 60–61. 1904.
insecticide and fungicide laws. I. and F. Bd., S.R.A. 13, pp. 135–139. 1916.
irrigation—
  T. R. Atkinson. O.E.S. Bul. 219, pp. 39. 1909.
  districts and their statutory relations. D.B. 1177, pp. 4, 5, 16, 26, 27, 28, 50. 1923.
  recent legislation. O.E.S. An. Rpt., 1909, pp. 401, 402, 403, 409. 1910.
  water rights. O.E.S. Bul. 168, pp. 80–84. 1906.
lake region, bird-breeding conditions. Y.B., 1917, pp. 199–200. 1918; Y.B. Sep. 723, pp. 5–6. 1918.
lands, exchange by Agriculture Department. Sol. [Misc.], "Laws applicable * * *," sup. 4, p. 22. 1917.
lard supply, wholesale and retail, August 31, 1917, tables Sec. Cir. 97, pp. 13–31. 1918.
law(s)—
  against Sunday shooting. Biol. Bul. 12, rev., p. 63. 1902.
  on—
    community buildings. F.B. 1192, p. 38. 1921.
    dog control, digest. F.B. 935, p. 19. 1918; F.B. 1268, p. 19. 1922.
    nursery stock interstate shipment, digest. F.H.B.S.R.A. 57, pp. 113, 114, 115. 1919.
    relating to contagious animal diseases. B.A.I Bul. 43, pp. 48–49. 1901.
  legislation—
    protecting birds. Biol. Bul. 12, rev., pp. 30, 40, 47, 49, 109, 137. 1902.
    relative to tuberculosis. B.A.I. Bul. 28, pp. 108–114. 1901.
life zones, work. An. Rpts., 1908, p. 579. 1909; Biol. Chief Rpt., 1908, p. 11. 1908.
livestock—
  admission, sanitary requirements. B.A.I. Doc. A–28, pp. 30–31. 1917; B.A.I. Doc. A–36, pp. 46–48. 1920; M.C. 14, pp. 60–61. 1924.
  associations. Y.B., 1920, pp. 527–528. 1921; Y.B., Sep. 866, pp. 527–528. 1921.
lumber statistics. Rpt. 116, pp. 6–11, 31, 37–38, 51. 1918.
Mandan Experiment Station—
  flax-growing experiments. D.B. 883, pp. 8–28. 1920.
  shelter-belt planting, demonstrations and experiments. D.L.A. Cir. 1, pp. 1–7. 1916; D.B. 1113, pp. 1–26. 1923.
  wheat-growing experiments. D.B. 878, pp. 17–18. 1920.

North Dakota—Continued.
  Mandan Field Station—
    horticultural experiments. D. C. 58, p. 3. 1919.
    native vegetation. J.A.R., vol. 19, pp. 63–72. 1920.
    tree planting. D.B. 1301, pp. 8–9. 1925.
    work in 1923. J. M. Stephens and others. D. B. 1337, pp. 18. 1925.
  marketing activities and organization. Mkts. Doc. 3, p. 5. 1916.
  McKenzie area, livestock farming conditions. Soil Sur. Adv. Sh., 1907, pp. 9–11. 1908; Soils F.O. 1907, pp. 863–864. 1909.
  milk laws. B.A.I. Bul. 46, pp. 136, 196. 1903.
  muck areas, location. Soils Cir. 65, p. 15. 1912.
  National Forest, location, date, and area, Jan., 1913. For. [Misc.], "The use book, 1913," p. 86. 1913.
  oats—
    acreage and production, map. Sec. [Misc.], Spec., "Geography * * * world's agriculture," p. 37. 1917.
  crops—
    1882–1906, acreage, production, and value. Stat. Bul. 58, pp. 13–25, 31. 1907.
    1900–1909, production, acreage, and yield. F.B. 420, pp. 8, 9. 1910.
    growing, varietal experiments. D.B. 823, pp. 24, 30, 39–43, 49, 67. 1920.
    tests, Sixty-day and Kherson, with other varieties. F.B. 395, pp. 18–20. 1910.
  officials, dairy, drug, feeding stuffs, and food. See Dairy officials; Drug officials, etc.
  pasture land on farms. D.B. 626, pp. 15, 64–65. 1918.
  Pembina County, drainage report. O.E.S. Bul. 189, pp. 61–71. 1907.
  plum curculio, occurrence and distribution. Ent. Bul. 103, pp. 23, 24. 1912.
  pocket gophers, occurrence and description. N.A. Fauna 39, pp. 9, 23–28, 98–102. 1915.
  potato—
    crops, 1882–1906, acreage, production, and value. Stat. Bul. 62, pp. 15–27, 33. 1908.
    production, 1909, by counties. F.B. 1064, p. 5. 1919.
  products of irrigated lands. O.E.S. Bul. 219, pp. 17–20. 1909.
  proso variety growing, and yields. F.B. 1162, pp. 4, 5, 6, 10, 11. 1920.
  quarantine for sheep scabies, release. April 15, 1909, B.M.I.O. 146, amdt. 3, p. 1. 1909.
  rainfall, map and table. B.P.I. Bul. 188, pp. 40, 58–59. 1910.
  Red River Valley, drainage. O.E.S. Bul. 189, pp. 1–71. 1907.
  road(s)—
    bond-built, amount of bonds, and rate. D.B. 136, pp. 44, 85. 1915.
    mileage and expenditures—
      1904. Rds. Cir. 56, pp. 2. 1906.
      1909. Rds. Bul. 41, pp. 30, 41, 42, 94. 1912.
      1914. D.B. 389, pp. 3, 4, 5, 6, 7, 40–41. 1917.
      Jan. 1, 1915. Sec. Cir. 52, pp. 2, 4, 6. 1915.
      1916. Sec. Cir. 74, pp. 5, 7, 8. 1917.
    object-lesson, construction, 1909. An. Rpts., 1909, pp. 719, 722. 1910; Rds. Chief Rpt., 1909, pp. 11, 14. 1909.
  Rolette County, bird reservation, private. Y.B. 1917, pp. 203–204. 1918; Y.B. Sep. 723, pp. 9–10. 1918.
  rural credit law. Off. Rec., vol. 2, No. 46, p. 1. 1923.
  rye crops, 1882–1906, acreage, production, and value. Stat. Bul. 60, pp. 16–25, 31. 1908.
  schools, agricultural—
    education, State aid. Y.B. 1912, p. 475. 1913; Y.B. Sep. 607, p. 475. 1913.
    work. O.E.S. Cir. 106, rev., pp. 18, 24, 29. 1912.
  seed loans, amount. Off. Rec., vol. 1, No. 19, p. 1. 1922.
  settlement work by railroads. Stat. Bul. 100, pp. 21–22. 1912.
  sheep-industry establishment. News L., vol. 6, No. 29, pp. 6–7. 1919.
  shelter-belt demonstrations. D.B. 1113, pp. 1, 3–6, 17–24. 1923.

North Dakota—Continued.
  shipments of fruits and vegetables, and index to station shipments. D.B. 667, pp. 6–13, 39–40. 1918.
  soil and alkali surveys. Soils Bul. 35, pp. 96, 138. 1906.
  soil survey of—
    Adams County. See Morton area.
    Barnes County. L. C. Holmes and others. Soil Sur. Adv. Sh., 1912, pp. 47. 1914; Soils F.O., 1912, pp. 1921–1963. 1915.
    Bottineau County. W. B. Cobb and others. Soil Sur. Adv. Sh., 1915, pp. 54. 1917; Soils F.O., 1915, pp. 2129–2178. 1919.
    Cando area. Elmer O. Fippin and James L. Burgess. Soil Sur. Adv. Sh., 1904, pp. 29. 1905; Soils F.O., 1904, pp. 925–949. 1905.
    Carrington area. A. E. Kocher and Lewis A. Hurst. Soil Sur. Adv. Sh., 1905, pp. 26. 1906; Soils F.O., 1905, pp. 927–948. 1907.
    Cass County. See Fargo area.
    Dickey County. T. M. Bushnell and others. Soil Sur. Adv. Sh., 1914, pp. 56. 1916; Soils F.O., 1914, pp. 2411–2462. 1919.
    Fargo area. Thomas A. Caine. Soil Sur. Adv. Sh., 1903, pp. 29. 1904; Soils F.O., 1903, pp. 979–1003. 1904.
    Foster County. See Carrington area.
    Grand Forks area. Charles A. Jensen and N. P. Neill. Soil Sur. Adv. Sh., 1902, pp. 18. 1903; Soils F.O., 1902, pp. 643–663. 1903.
    Grand Forks County. See Grand Forks area.
    Hettinger County. See Morton area.
    Jamestown area. Thomas A. Caine and A. E. Kocher. Soil Sur. Adv. Sh., 1903, pp. 22. 1904; Soils F.O., 1903, pp. 1005–1026. 1904.
    Lamoure County. A. C. Anderson and others. Soil Sur. Adv. Sh., 1914, pp. 53. 1917; Soils F.O., 1914, pp. 2361–2409. 1919.
    McHenry County. E. W. Knobel and others. Soil Sur. Adv. Sh., 1921, pp. 45. 1925.
    McKenzie area. A. E. Kocher and R. P. Stevens. Soil Sur. Adv. Sh., 1907, pp. 25. 1908; Soils F.O., 1907, pp. 859–879. 1909.
    McKenzie County. See McKenzie area.
    Morton area. Thomas D. Rice and others. Soil Sur. Adv. Sh., 1907, pp. 26. 1908; Soils F.O., 1907, pp. 837–858. 1909.
    Morton County. See Morton area.
    Ransom County. Charles W. Ely and others. Soil Sur. Adv. Sh., 1906, pp. 39. 1907; Soils F.O., 1906, pp. 963–997. 1908.
    Richland County. Frank Bennett and others. Soil Sur. Adv. Sh., 1908, pp. 38. 1909; Soils F.O., 1908, pp. 1121–1154. 1911.
    Sargent County. F. Z. Hutton and others. Soil Sur. Adv. Sh., 1917, pp. 41. 1920; Soils F.O., 1917, pp. 2003–2039. 1923.
    Stutsman County. See Jamestown area.
    Towner County. See Cando area.
    Traill County. F. Z. Hutton and Earl Nichols. Soil Sur. Adv. Sh., 1918, pp. 47. 1920; Soils F.O., 1918, pp. 1361–1403. 1924.
    Williams County. See Williston area.
    Williston area. Thomas D. Rice and others. Soil Sur. Adv. Sh., 1906, pp. 28. 1908; Soils F.O., 1906, pp. 999–1022. 1908.
  soils—
    Carrington—
      clay loam, acreage, location, and crops adapted. Soils Cir. 58, pp. 3, 4, 5, 6, 7, 8, 11. 1912.
      silt loam, acreage, location, and crops adapted. Soils Cir. 57, pp. 7, 8, 10. 1912.
    Clyde loam, area and location. Soils Cir. 37, pp. 3, 16. 1911.
    description and classification. O.E.S. Bul. 219, pp. 15–17. 1909.
    Fargo clay loam, area and location. Soils Cir. 36, pp. 3, 16. 1911.
    Meadow areas and location. Soils Cir. 68, p. 21. 1912.
    Wabash clay, areas and location. Soils Cir. 41, p. 16. 1911.
  spring wheat production, 1909–1914. Y.B., 1914, p. 397. 1915; Y.B. Sep. 649, p. 397. 1915.
  stallions, number, classes, and legislation controlling. Y.B., 1916, pp. 290, 291, 293, 295, 296. 1917; Y.B. Sep. 692, pp. 2, 3, 5, 7, 8. 1917.
  standard containers. F.B. 1434, p. 18. 1924.

INDEX TO PUBLICATIONS, 1901-1925

North Dakota—Continued.
  Stump Lake Bird Reservation, heron destruction by crows. D.B. 621, p. 35. 1918.
  Sully's Hill Game Preserve, report, 1917. An. Rpts., 1917, pp. 260-261. 1918; Biol. Chief Rpt., 1917, pp. 10-11. 1917.
  Swedish Select oat, weight, comparison with other oats. B.P.I. Bul. 182, pp. 33, 34-35. 1910.
  topography, climate and transportation facilities. O.E.S. Bul. 219, pp. 5-8. 1909.
  Tower City, entomological laboratory, location and work. Y.B., 1913, p. 85. 1914; Y.B. Sep. 616, p. 85. 1914.
  tractor use, tables and discussion. D.B. 174, pp. 12-41. 1915.
  Traill County, drainage report. O.E.S. Bul. 189, pp. 45-49. 1907.
  tree stock, distribution. F.B. 1312, p. 32. 1923.
  trucking industry, acreage and crops. Y.B., 1916, pp. 455-465. 1917; Y.B. Sep. 702, pp. 21-31. 1917.
  wage rates, farm labor, 1866-1909. Stat. Bul. 99, pp. 29-43, 68-70. 1912.
  Walsh County, drainage report. O.E.S. Bul. 189, pp. 56-61. 1907.
  water—
    laws. O.E.S. An. Rpt., 1908, p. 360. 1909.
    resources, and river records. O.E.S. Bul. 219, pp. 8-14. 1909.
    supply, records, by counties. Soils Bul. 92, pp. 113-116. 1913.
  western—
    climatic conditions. D.B. 1293, pp. 2-4. 1925.
    dry-land grains, also South Dakota. Cecil Salmon. B.P.I. Cir. 59, pp. 24. 1910.
    grains adapted to. F.B. 878, pp. 1-22. 1917.
    irrigation and drainage conditions. Soil Sur. Adv. Sh., 1908, pp. 75-79. 1910; Soils F.O., 1908, pp. 1223-1227. 1911.
    soil survey of. Macy H. Lapham and others. Soil Sur. Adv. Sh., 1908, pp. 80. 1910; Soils F.O., 1908, pp. 1155-1228. 1911.
    tillage and rotation experiments. Leroy Moomaw. D.B. 1293, pp. 23. 1925.
  wheat—
    acreage and—
      production. D.B. 1198, p. 3. 1924.
      production, 1918-1920. D.B. 1020, p. 5. 1922; D.B. 1074, p. 214. 1922.
      yield. Sec. [Misc.] Spec., "Geography * * * world's agriculture," p. 19. 1917.
    crops, acreage, production, and value. Stat. Bul. 57, pp. 18-25, 31. 1907; rev., pp. 18-25, 31, 37. 1908.
    crops, losses, causes and extent, 1909-1919. D.B. 1020, p. 13. 1922.
    grades received. Mkts. S.R.A. 36, pp. 9, 10, 12. 1918.
    growing, cost data. D.B. 943, pp. 1-59. 1921.
    losses from stem rust, and wheat acreages. D.C. 280, pp. 7, 11-12. 1923.
    production—
      1902-1904. Stat. Bul. 38, p. 18. 1905.
      and per cent of durum wheat, 1909-1916. D.B. 618, pp. 6-9. 1918.
      period. Y.B., 1921, pp. 94, 96. 1922; Y.B. Sep. 873, pp. 94, 96. 1922.
    studies, milling and baking tests. D.B. 478, pp. 1-4. 1916.
    varietal experiments, Marquis and others. D.B. 400, pp. 22-24. 1916.
    yield, variation with rainfall. B.P.I. Bul. 188, pp. 26, 27. 1910.
    yields and prices, 1882-1915. D.B. 514, p. 10. 1917.
  wild-oats control, in spring wheat. F.B. 833, pp. 1-16. 1917.
  Williston—
    project, hints to settlers. J. C. McDowell. B.P.I. Doc. 455, pp. 4. 1909.
    Station, cereal experiments. F. Ray Babcock. D.B. 270, pp. 36. 1915.
    substation, wheat-growing experiments. D.B. 878, pp. 14-15. 1920.
    wire fence, cost per rod. News L., vol. 2, No. 30, p. 4. 1915.
  See also Great Plains area; Wheat Belt.
North Platte Field Station, spring wheat production, various methods, 1907-1914, yields and costs. D.B. 214, pp. 26-28, 37-42. 1915.

North Platte Irrigation Project, organization for pork production. Y.B., 1915, p. 272. 1916; Y.B. Sep. 675, p. 272. 1916.
North Platte Reclamation Project, Nebraska—
  climatic conditions, crop yields, and area—
    1913. B.P.I. Cir. 116, pp. 13-14. 1913.
    1915. D.R.P. Cir. 1, pp. 2-4. 1915.
    1924. D.C. 289, pp. 1-8. 1924.
  description, diagram of Scottsbluff farm. W.I. A. Cir. 27, pp. 4-5. 1919.
  hints to settlers. J. A. Warren. B.P.I. Doc. 454, pp. 4. 1909.
  Scottsbluff experiment farm, work, 1913. B.P.I. Doc. 1081, pp. 1-19. 1914.
  swine industry, establishment. Charles D. Jones and F. S. Farrell. D.R.P. Cir. 1, pp. 26. 1915.
North Platte River, drainage basin. O.E.S. Bul. 205, pp. 13-14. 1909.
North Poudre Canal reservoirs, Colorado. O.E.S. Bul. 218, pp. 37-38. 1910.
North State Insecticide, analysis. Chem. Bul. 68, p. 27. 1902.
North Yakima district, irrigation projects. O.E.S. Bul. 214, pp. 38-43. 1909.
Northeast, paper birch in. S. T. Dana. For. Cir. 163, p. 37. 1909.
Northeastern States—
  and Lake States—
    forest planting. For. Cir. 195, pp. 15. 1912.
    forest planting, suggestions. For. Cir. 100, pp. 15. 1907.
  bird counts 1914, 1915. D.B. 396, pp. 2, 4-6. 1916.
  conifers, growing and planting. For. Bul. 76, pp. 1-36. 1909.
  forest planting, suggestions. For. Cir. 100, pp. 1-15. 1907; For. Cir. 195, pp. 1-15. 1912.
  lumber cut, percentage of total, 1850-1914. Rpt. 114, p. 6. 1917.
  need of forest experiment stations. Sec. Cir. 183, p. 23. 1921.
Northeastern United States, birds, methods of attraction. W. L. McAtee. F.B. 621, pp. 15. 1914; rev., pp. 16. 1917; rev., pp. 16. 1921; rev., pp. 14. 1925.
Northern and Western States—
  boys' and girls' club work—
    1920. George E. Farrell. D.C. 192, pp. 36. 1921.
    organization and results. George E. Farrell and Ivan L. Hobson. D.C. 152, pp. 35. 1921.
  county agent work, status and results—
    1919. W. A. Lloyd. D.C. 106, pp. 19. 1920.
    1920. W.A. Lloyd. D.C. 179, pp. 36. 1921.
    1921. W. A. Lloyd. D.C. 244, pp. 42. 1922.
  home demonstration work, status and results, 1920. Florence E. Ward. D.C. 178, pp. 30. 1921.
Northern Great Plains—
  cereal growing, publications, list. F.B. 749, p. 23. 1916.
  conifer additions to shelter belts. D.L.A. Cir. 5, pp. 7. 1919.
  shelter belts, care of. D.L.A. Cir. 4, pp. 1-7. 1919.
Northern Irrigation Company, canal, rice irrigation, details. O.E.S. Bul. 222, pp. 46-47. 1903.
Northern localities, fruit adaptation. B.P.I. Bul. 151, pp. 14-55. 1909.
Northern Pacific Railway—
  hydraulic fills, details and cost. O.E.S. Bul. 249, Pt. I, pp. 74-77. 1912.
  system of leasing railroad lands in eastern Washington. For Bul. 62, pp. 60-67. 1905.
  28-hour law, violation and decision. Sol. Cir. 53, pp. 1-7. 1911; Sol. Cir. 77, pp. 1-3. 1914.
Northern Plains area, early sowing of grains, advantages. News L., vol. 4, No. 37, p. 4. 1917
Northern States—
  alfalfa growing, directions. F.B. 1283, pp. 19-21, 24. 1922.
  alsike clover, growing and use. F.B. 1151, pp. 10, 11, 16, 17, 23. 1920.
  and western—
    county-agent work, status and results, 1920. D.C. 179, pp. 1-36. 1921.
    home demonstration work, 1920. D.C. 178, pp. 1-30. 1921.
    club work, boys and girls, organization and results. D.C. 152, pp. 1-35. 1921.

Northern States—Continued.
county-agent work—
  1919, status and results. D.C. 106, pp. 1-19. 1920.
  1921. D.C. 244, pp.1-42. 1922.
extension work—
  1915, with Western States. S.R.S. Rpt., 1915, Pt. II, pp. 145-326. 1917.
  1917, with Western States. S.R.S. Rpt., 1917, Pt. II, pp. 163-410. 1919.
  1918. S.R.S. Rpt., 1918, pp. 73-123. 1919.
forest planting, needs and progress. Y.B., 1909, pp. 335-338. 1910; Y.B. Sep. 517, pp. 335-338. 1910.
home demonstration work, 1921, status and results. D.C. 285, pp. 1-26. 1923.
leguminous forage crops, lecture. S.R.S. Syl. 25, pp. 1-18. 1917.
meadows for. C. V. Piper and Lyman Carrier. F.B. 1170, pp. 13. 1920.
Northfield dairy farms, Minnesota, cost of producing dairy products. Stat. Bul. 88, pp. 1-84. 1911.
Northofagus spp. *See* Beeches, Chilean.
NORTHRUP, R. G., efforts to establish Arbor Day in Connecticut. D.C. 265, pp. 3-4. 1923.
Northwest—
apple—
  packing houses. Raymond R. Pailthorp and H. W. Samson. F.B. 1204, pp. 39. 1921.
  storage investigations. An. Rpts., 1917, pp. 158-159. 1918; B.P.I. Rpt., 1917, pp. 28-29. 1917.
grape, production and marketing. D.B. 861, pp. 49-50. 1920.
irrigated farms, sheep growing, profits. News L., vol. 7, No. 5, p. 16. 1919.
livestock, injury by smelter fumes. B.A.I. An. Rpt., 1908, pp. 237-268. 1910.
sheep raising on irrigated farms. F.B. 1051, pp. 1-32. 1919.
soil, character and agricultural value, by series. Soils Bul. 55, pp. 173-178. 1909.
See also Pacific Northwest.
Northwest Territory—
fur animals, laws—
  1915. F.B. 706, p. 22. 1916.
  1916. F.B. 783, pp. 23, 28. 1916.
  1917. F.B. 911, pp. 27, 31. 1917.
  1918. F.B. 1022, p. 26. 1918.
  1919. F.B. 1079, p. 28. 1919.
  1920. F.B. 1165, p. 27. 1920.
  1921. F.B. 1238, pp. 27. 1921.
  1922. F.B. 1293, p. 25. 1922.
  1923-24. F.B. 1387, p. 28. 1923.
  1924-25. F.B. 1445, p. 20. 1924.
  1925-26. F.B. 1469, pp. 24-25. 1925.
game laws—
  1902. F.B. 160, pp. 26, 35, 43, 46, 52, 54. 1902.
  1903. F.B. 180, pp. 17, 26, 40, 44, 46, 56. 1903.
  1904. F.B. 207, pp. 26, 37, 41, 45, 52, 63. 1904.
  1905. F.B., 230, pp. 34, 39, 48. 1905.
  1913. D.B. 22, p. 36. 1913.
  1914. F.B. 628, p. 28. 1914.
  1916. F.B. 774, p. 36. 1916.
  1917. F.B. 911, pp. 27, 31. 1917.
  1918. F.B. 1010, p. 41. 1918.
  1919. F.B. 1077, pp. 44, 78. 1919.
  1920. F.B. 1138, p. 48. 1920.
  1921. F.B. 1235, p. 50. 1921.
  1922. F.B. 1288, pp. 47, 56, 72-78. 1922.
  1923-24. F.B. 1375, pp. 6, 44, 51. 1923.
  1924-25. F.B. 1444, pp. 32, 38. 1924.
  1925-26. F.B. 1466, pp. 40, 46. 1925.
hunting laws. Biol. Bul. 19, pp. 15, 22, 29, 59, 61-63, 65. 1904.
legislation protecting birds. Biol. Bul. 12, rev., p. 130. 1902.
Northwestern intermountain region, soils, description, area, and uses. Soils Bul. 96, pp. 497-530. 1913.
Northwestern States—
irrigated land, timothy production. M. W. Evans. F.B. 502, pp. 32. 1912.
timber ownership, conditions. Rpt. 114, pp. 9-14. 1917.
NORTON, J. B.—
"Methods used in breeding asparagus for rust resistance." B.P.I. Bul. 263, pp. 60. 1913.
"Washington asparagus." C.T and F C.D. Cir. 7, pp. 8. 1919.

NORTON, R. P.—
"Digestion of starch by the young calf." With others. J.A.R. vol. 12, pp. 575-578. 1918.
"Effect of water in the ration, on the composition of milk." With others. J.A.R. vol. 6, pp. 167-178. 1916.
"The normal composition of American creamery butter." With others. B.A.I. Bul. 149, pp. 31. 1912.
Norway—
agricultural statistics, 1911-1920. D.B. 987, pp. 44-46. 1921.
barberry-eradication law, and rust-control results. D.C. 269, pp. 6-7. 1923.
cattle osteomalacia, occurrence. B.A.I. [Misc.] "World' dairy congress, 1923," pp. 1494-1501. 1924.
cows—
  and cattle, 1850-1918. D.C. 7, p. 15. 1919.
  cattle, and reindeer, numbers, 1845-1919. B.A.I. Doc. A-37, p. 59. 1922.
dairy—
  industry. R. Mork. B.A.I. [Misc.] "World's dairy congress, 1923," pp. 265-269. 1924.
  instruction. Kr. Storen. B.A.I. [Misc.] "World's dairy congress," 1923, pp. 628-630. 1924.
fisheries, situation. Y.B. 1913, p. 196. 1914; Y.B. Sep. 623, p. 196. 1914.
forest—
  destruction by insects, notable instances. Y.B. 1907, pp. 150, 152, 158. 1908; Y.B. Sep. 442, pp. 150, 152, 158. 1908.
  resources. For. Bul. 83, pp. 26-27. 1910.
fruit imports and exports, 1909-1913. D.B. 483, p. 19. 1917.
grain—
  production, and acreage. Stat. Bul. 68, pp. 74-75. 1908.
  trade. Stat. Bul. 69, pp. 37-40. 1908.
laws on fruit and plant introduction. Ent. Bul. 84, p. 36. 1909.
livestock statistics, numbers of cattle, sheep, and hogs. Rpt. 109, pp. 31, 37, 48, 51, 60, 63, 203, 214. 1916.
market for packing-house products, imports from principal countries, 1895-1904. Stat. Bul. 41, pp. 5-10. 1906.
meat—
  imports, statistics. Rpt. 109, pp. 101-114, 240-241, 253, 259, 261. 1916.
  inspection laws, changes, 1911. B.A.I. S. A. 57, p. 4. 1912.
milk production, 1900-1920. B.A.I. [Misc.] "World's dairy congress, 1923," pp. 265, 269. 1924.
potato acreage and production. Sec. [Misc.] Spec., "Geography * * * world's agriculture," p. 70. 1917.
potatoes, production, 1909-1913, 1921-1923. S.B. 10, p. 19. 1925.
rat. *See* Rat, brown.
sardine exports to United States, 1910-1916. D.B. 908, pp. 117, 118. 1921.
wheat imports, 1885-1906. Stat. Bul. 66, p. 57. 1908.
white pine, injury by blister rust, and control measures. D.B. 1186, pp. 11-12, 18, 23. 1924.
Norwegian nest. *See* Hay box.
Nose—
bleeding—
  cattle, causes and treatment. B.A.I. [Misc.] "Diseases of cattle," rev., p. 91. 1904; rev., p. 92. 1912; rev., p. 93. 1923.
  horse, treatment. B.A.I. [Misc.], "Diseases of the horse," rev., pp. 111-112. 1903; rev., p. 112. 1907; rev., p. 112. 1911; rev., p. 103. 1923.
fly—
  injury to horses, investigations. An. Rpts., 1915, p. 220. 1916; Ent. A. R., 1915, p. 10. 1915.
See also Gastrophilus haemorrhoidalis.
sheep, diseased condition caused by grub in the head. F.B. 1330, pp. 18-19. 1923.
Nosema—
apis—
cause of—
  bee disease, description, and studies. D.B. 780, pp 1-59. 1919.

INDEX TO PUBLICATIONS, 1901-1925   1649

Nosema—Continued.
 apis—continued.
  cause of—continued.
   bee disease, occurrence in Canada and European countries. D.C. 287, pp. 11, 17-18, 22-24. 1923.
   dysentery of bees. D.B. 92, p. 6. 1914; Ent. Bul. 98, pp. 89, 90, 92. 1912.
   resistance to heat, fermentation, and putrefaction. D.B. 780, pp. 29-45. 1919.
   supposed cause of Isle of Wight disease. D.C. 218, pp. 3, 5, 9-12. 1922.
  disease—
   G. F. White. D.B. 780, pp. 59. 1919.
   cause, symptoms and results D.B. 780, pp. 1-59. 1919.
  description—
   examination, and identification. D.B. 671, pp. 13-14. 1918.
   heat determination for control. D.B. 92, pp. 5-7, 8. 1914.
   examination of samples, 1910-1921, by months and by States. D.C. 218, pp. 10-12. 1922.
 Nostrale, description and varieties. B.A.I. Bul. 105, p. 37. 1908; B.A.I. Bul. 146, p. 41. 1911.
 Nostril fly, reindeer, habits and results. D.B. 1089, pp. 64-66. 1922.
 Nostrils, wounds and tumors, treatment. B.A.I. [Misc.], "Diseases of the horse," rev., p. 106. 1903; rev., p. 106. 1907; rev., p. 106. 1911; rev., p. 97. 1923.
 Notanisomorpha ainsliei, parasite of corn-leaf miner. J.A.R., vol. 2, p. 28. 1914.
 Notary service in departments, order of President Roosevelt. B.A.I.S.R.A. 81, p. 16. 1914.
 Notaspis spp., description. Rpt. 108, pp. 95, 98. 1915.
 Notes, promissory receipt from members of non-stock associations, conditions governing. D.B. 1106, pp. 30-32. 1922; D.B. 1106, rev. pp. 29-31. 1923.
 Nothofagus—
  fusca. See Beech, red.
  menziesii. See Beach, silver.
  spp., importations and description. Nos. 52592-52594, B.P.I. Inv. 66, pp. 2, 47. 1923.
 Notholcus—
  lanatus, resistance to aeciospores of *Puccinia triticina*. J.A.R., vol. 22, pp. 163-172. 1921.
  spp., description, distribution, and uses. D.B. 772, pp. 13, 116-118, 119. 1920.
 Nothrus spp., description and habits. Rpt. 108, pp. 96, 99-101. 1915.
 Notiosorex spp. See Shrew.
 Notochaete hamosa, importation and description No. 47740, B.P.I. Inv. 59, p. 53. 1922.
 Notolophus antiqua—
  control and life history. F.B. 1270, p. 45. 1922.
  See also Tussock moth, European.
 Notophallus spp., description and habits. Rpt. 108, p. 21. 1915.
 Notospartium carmichaeliae, importation and description. No. 36067, B.P.I. Inv. 36, pp. 47-48. 1915.
 Notro, importation and description. No. 43270, B.P.I. Inv. 48, p. 36. 1921.
 Notru, introduction and description. B.P.I. Bul. 205, p. 38. 1911.
 NOUGARET, R. L.—
  "The grape phylloxera in California." With W. M. Davidson. D.B. 903, pp. 128. 1921.
  "The pear leaf-worm." With others. D.B. 438, pp. 24. 1916.
 Nougat, origin, manufacture, use as confection. F.B. 332, p. 23. 1908.
 Nova Scotia—
  big game killed, 1908-1920. D.B. 1049, p. 22. 1922.
  birds and game officials and organizations, 1921. D.C. 196, pp. 12, 18. 1921.
  definition of game. Biol. Bul. 12, rev., p. 20. 1902.
  emmer and spelt growing, experiments. D.B. 1197, pp. 29-30. 1924.
  fur animals, laws—
   1915. F.B. 706, p. 22. 1916.
   1916. F.B. 783, p. 24. 1916.
   1917. F.B. 911, pp. 27, 31. 1917.
   1918. F.B. 1022, p. 27. 1918.
   1919. F.B. 1079, p. 28. 1919.

Nova Scotia—Continued.
 fur animals, laws—continued.
  1920. F.B. 1165, pp. 5, 27. 1920.
  1921. F.B. 1238, p. 27. 1921.
  1922. F.B. 1293, p. 25. 1922.
  1923-24. F.B. 1387, pp. 28-29. 1923.
  1924-25. F.B. 1445, pp. 20-21. 1924.
  1925-26. F.B. 1469, p. 25. 1925.
 game laws—
  1902. F.B. 160, pp. 26, 46, 52, 54. 1902.
  1903. F.B. 180, pp. 17, 26, 40, 44, 46, 48, 56. 1903.
  1904. F.B. 207, pp. 26, 37, 41, 45, 52, 63. 1904.
  1905. F.B. 230, pp. 13, 34, 39, 48. 1905.
  1906. F.B. 265, pp. 10, 33, 39, 41, 48. 1906.
  1907. F.B. 308, pp. 9, 23, 32, 39, 48. 1907.
  1908. F.B. 336, pp. 10, 25-26, 35, 42, 46, 54. 1908.
  1909. F.B. 376, pp. 15, 30, 37, 41. 1909.
  1910. F.B. 418, pp. 9, 23, 30, 34, 37, 46. 1910.
  1911. F.B. 470, pp. 28, 35, 42, 52. 1911.
  1912. F.B. 510, pp. 23, 31, 36, 39, 48. 1912.
  1913. D.B. 22, pp. 35, 42, 47, 50, 59. 1913.
  1914. F.B. 628, pp. 27, 34, 35, 39, 43, 44, 45, 54. 1914.
  1915. F.B. 692, pp. 17, 37, 44, 49, 53, 62. 1915.
  1916. F.B. 774, pp. 12, 34, 42, 47, 53, 62. 1916.
  1917. F.B. 910, p. 44. 1917.
  1918. F.B. 1010, pp. 41, 50. 1918.
  1919. F.B. 1077, pp. 44, 61, 78. 1919.
  1920. F.B. 1138, pp. 48-49. 1920.
  1921. F.B. 1235, p. 50. 1921.
  1922. F.B. 1288, pp. 4, 47, 56. 1922.
  1923-24. F.B. 1375, pp. 44-45, 51. 1923.
  1924-25. F.B. 1444, pp. 32-33, 38. 1924.
  1925-26. F.B. 1466, pp. 40-41, 46. 1925.
 legislation protecting birds. Biol. Bul. 12, rev., pp. 31, 42, 50, 130-131. 1902.
 marsh lands, history and description. O.E.S. Bul. 240, pp. 83-99. 1911.
 tides, measurements. O.E.S. Bul. 240, p. 86. 1911.
Novius cardinalis—
 enemy of cottony cushion scale, importation and results. D.B. 134, p. 20. 1914; Ent. Bul. 120, pp. 13-14. 1913.
 introduction into Portugal from America. Ent. Bul. 18, p. 30. 1910.
 See also Ladybird, Australian.
"Noxicide," Conkey's, misbranding. I. and F. Bd. N. J. 19, pp. 3. 1913.
NOYES, G. H.: "Value of the climate and crop and storm-warning services of the Weather Bureau to the industries of Porto Rico." W.B. Bul. 31, pp. 60-62. 1902.
NOYES, H. A.—
 "Natural carbonates of calcium and magnesium in relation to acid soils." With S. D. Conner. J.A.R., vol. 18, pp. 119-125. 1919.
 "Nitrates, nitrification, and bacterial contents of five typical acid soils as affected by lime, fertilizers, crops, and moisture." J.A.R., vol. 16, pp. 27-42. 1919.
Nozzle(s)—
 alfalfa sprayers, description. F.B. 1185, pp. 17-18. 1920.
 for irrigation spraying, types and description. D.B. 495, pp. 14-23. 1917.
 pressures in tree spraying, directions. D.B. 480, pp. 9-10. 1917.
 solid-stream sprayer, description. D.B. 480, p. 5. 1917.
 spray—
  description. F.B. 908, pp. 69-71. 1918.
  new form for use with clear solutions. J.A.R., vol. 5, No. 25, pp. 1177-1182. 1916.
  new type, description. F.B. 479, pp. 10-11. 1912.
  types, description. Y.B., 1908, p. 285. 1909; Y.B. Sep. 480, p. 285. 1909.
  sprayer, description. Ent. Bul. 89, p. 89. 1910 F.B. 1169, pp. 23-27. 1921.
 spraying use. F.B. 243, p. 29. 1906.
Nubbins, harmfulness by spread of corn weevil. F.B. 1029, p. 18. 1919.
Nucifraga columbiana. See Nutcracker, Clark's.
NUCKOLS, S. B.—
 "Cost of producing sugar beets in Utah and Idaho, 1918-19." With L. A. Moorhouse. D.B. 963, pp. 41. 1921.

NUCKOLS, S. B.—Continued.
"Farm practice in growing field crops in three sugar-beet districts of Colorado." With Thomas H. Summers. D.B. 917, pp. 52. 1921.
"Farm practice in growing sugar beets for three districts in Colorado, 1914–1915." With others. D.B. 726, pp. 60. 1918.
"Farm practice in growing sugar beets in the Billings region of Montana." With E. L. Currier. D.B. 735, pp. 40. 1918.
Nuclease, experimental work with Penicillium and Aspergillus molds. B.A.I. Bul. 120, pp. 21, 45–47 1910.
Nucleic acid—
isolation and identification, decomposition. Soils Bul. 89, pp. 21, 25, 26–28. 1912.
occurrence in soils, description. Soils Bul. 88, pp. 29–30. 1913.
soil constituent, description, effect on plant growth, tables. Soils Bul. 87, pp. 26, 31. 1912.
Nucleins, composition and use, study. Chem. Bul. 123, pp. 7, 10, 11. 1909.
Nucleo-proteins—
composition and use. Chem. Bul. 123, p. 7. 1909.
decomposition results. Soils Bul. 89, pp. 26, 31. 1912.
Nueces, importations, and description. No. 34156, B.P.I. Inv. 32, p. 16. 1914.
Nulfey, misbranding. Chem. N.J. 4190, p. 1. 1916.
Numenius—
phaeopus, breeding and migration range. Biol. Bul. 35, p. 77. 1910.
spp. See Curlews.
Numida meleagris—
description. F.B. 234, pp. 8–9. 1905.
See also Guinea hen.
Nummularia discreta, source of bitter-rot infection. J.A.R., vol. 4, pp. 61–64. 1915.
NUNN, ROSCOE—
"Stories of the atmosphere." Y.B., 1915, pp. 317–327. 1916; Y.B. Sep. 680, pp. 317–327. 1916.
"The career the Weather Bureau service offers to young men." W.B. Bul. 31, pp. 78–81. 1902.
Nunn's Black Oil Healing Compound, misbranding. Chem. N.J. 12544. 1925.
Nuphar, comparison with Nymphaea. D.B. 58, p 15 1914.
Nurito, misbranding. Chem. N.J. 2997. 1914.
Nurse—
crop(s)—
alfalfa, value. F.B. 1283, pp. 17–18. 25. 1922.
clover, selection. F.B. 1365, pp. 19–20. 1924.
crimson clover, suggestions. F.B. 1142, pp. 17–18. 1920.
flax, value. D.B. 883, p. 3. 1920.
for clover, and methods of sowing. F.B. 323, pp. 12–14. 1908.
irrigated section, southern Idaho. F.B. 1103, p. 11. 1920.
rye, value. Y.B., 1918, p. 178. 1919; Y.B. Sep. 769, p. 12. 1919.
seeding with clover, Washington, Oregon, and Idaho, methods and results. D.B. 625, pp. 6–8. 1918.
sweet clover, need. F.B. 797, p. 18. 1917.
timothy, and seeding without nurse crop. F.B. 990, pp. 8–9. 1918.
use—
and value of oats. F.B. 892, pp. 8–9. 1917.
in seeding red clover. F.B. 1339, pp. 8–9. 1923.
in soil-blowing prevention. F.B. 421, pp. 8–9. 1910.
of oats for clover or grass. F.B. 420, p. 23. 1910.
with red clover. F.B. 455, pp. 16–18. 1911.
with timothy, varieties. F.B. 502, pp. 15–16, 32. 1912.
value—
for red clover, studies, caution. News L., vol. 3, No. 32, p. 5. 1916.
of oats. F.B. 424, pp. 11–12. 1910.
plant, propagation method. B.P.I. Bul. 202, pp. 32–34. 1911.
planting select cotton seed. P. V. Cardon. D. B. 668, pp. 12. 1918.

Nursery(ies)—
area required to produce 15,000 trees of various ages. For. Bul. 76, p. 33. 1909.
associations, directory. See Directory, agricultural organizations.
bed for date offshoots, description and use. F.B. 1016, pp. 10–11. 1919.
bed, forest seedlings, management. F.B. 423. pp. 16–19. 1910.
blight—
of cedars. Glenn G. Hahn and others. J.A.R., vol. 10, pp. 533–540. 1917.
pecan, description and—
control. F.B. 1129, pp. 7–8. 1920.
cultural studies. J.A.R., vol. 1, pp. 305–312, 338. 1914.
broomcorn, experiments. D.B. 836, pp. 49–53. 1920.
cereal growing, experiments at Belle Fourche farm, S. Dak. D.B. 297, pp. 12–13, 21, 27, 33. 1915.
citrus—
cultivation, time, and method. F.B. 539, p. 9. 1913.
discussion. F.B. 238, pp. 35–42. 1905.
growing, training, and digging. F.B. 1447, pp. 16–17. 1925.
spraying directions. F.B. 674, p. 13. 1915.
use of fertilizers. F.B. 542, p. 10. 1913.
coffee, location, preparation, beds, drainage, and general directions. P.R. Cir. 15, pp. 10–13. 1912.
conditions in European countries. F.B. 453, pp. 12–14. 1911.
conifers—
diseases injurious to seedlings, causes. J.A.R., vol. 15, pp. 521–558. 1918.
planting and care. For. Bul. 76, pp. 12–22. 1909.
seed bed management. F.B. 1453, pp. 19–25 1925.
damage by white-footed mice. F.B. 484, pp. 30–31. 1912.
experiments in Alaska, Matanuska Station. Alaska A.R., 1919, pp. 19, 75–76. 1920.
forest—
damping-off in. Carl Hartley. D.B. 934, pp. 99. 1921.
disease caused by Peridermium filamentosum. J.A.R., vol. 5, No. 17, pp. 781–785. 1915.
exhibit at Louisiana Purchase Exposition For. Cir. 31, pp. 7. 1904.
fertilizers, choice, and application. D.B. 479, pp. 79–85. 1917.
or schools. Walter M. Moore and Edwin R. Jackson. F.B. 423, pp. 24. 1910.
furnishing young trees for arid regions. Sol. [Misc.], "Laws applicable * * * agriculture," sup. 3, p. 30. 1915.
location and results. Y.B., 1907, pp. 569–570. 1908; Y.B. Sep. 470, pp. 8–9. 1908.
operations. D.B. 479, pp. 15–64. 1917.
planting and cost. For. A.R., 1907, pp. 20–21. 1908.
practices. D.B. 1264, pp. 4–10. 1925.
seedlings, capacity. Y.B., 1907, p. 288. 1908; Y.B. Sep. 466, p. 288. 1908.
size and arrangement. D.B. 479, pp. 7–10. 1917.
work, area, and cost, 1913, and investigations. An. Rpts., 1913, pp. 162–164, 183. 1914; For. A.R., 1913, pp. 28–30, 49. 1913.
forestry, operations and details. For. Bul. 121, pp. 27–35. 1913.
fruit—
stock, raising in Alaska. Alaska A.R., 1921, pp. 15, 22. 1923.
tree, in Hawaii. Hawaii A.R., 1922, p. 20. 1924.
grafting, whip method for pecans, directions and care. F.B. 700, pp. 11–12. 1916.
grain rust, Manhattan, Kansas, experiments with wheat varieties. D.B. 1046, pp. 4–14. 1922.
growing of eucalypts. For. Bul. 87, pp. 33–42. 1911.
Guam, citrus budding. Guam A.R., 1923, p. 10. 1925.
Halsey, Nebraska, experiments with disinfectants. D.B. 169, pp. 1–35. 1915.
importations, control legislation, enforcement. Sec. Cir. 37, pp. 10–11. 1911.

Nursery(ies)—Continued.
  industry in Livingston County, New York.
    Soil Sur. Adv. Sh., 1908, p. 19. 1910; Soils F.O.,
    1908, p. 85. 1911.
  injuries by—
    field mice, preventive measures, remedies.
      Biol. Bul. 31, pp. 60-63. 1907.
    rabbits. N.A. Fauna 29, p. 12. 1909.
    rodents. Y.B., 1916, pp. 395-396. 1917; Y.B.
      Sep. 708, pp. 5-6. 1917.
  inspection in Minnesota, needs. Ent. Bul. 60,
    p. 88. 1906.
  inspectors, State officials, address. Ent. Cir. 75,
    pp. 1-6. 1906; rev., pp. 2-9. 1909.
  Kansas National Forest. O.E.S. Bul. 211, p. 11.
    1909.
  loblolly pine, work. D.B. 11, pp. 36-38. 1914.
  methods in citrus-tree growing. F.B. 1343, pp.
    18-19. 1923.
  Morrisville, Pennsylvania, experiments with disinfectants. D.B. 169, pp. 30-31. 1915.
  orchard and forest, injuries by rabbits. Y.B.,
    1907, p. 333. 1908; Y.B. Sep. 452, p. 333. 1908.
  ornamental-plant, establishment in Canal Zone,
    opportunities. Rpt. 95, p. 19. 1912.
  pest, willow borer. W. J. Schoene. Ent. Bul.
    67, pp. 27-29. 1907.
  practice on national forests. C. R. Tillotson.
    D.B. 479, pp. 86. 1917.
  products, value, imports, and exports. Y.B.,
    1914, pp. 647, 656, 664. 1915; Y.B. Sep. 656, p.
    647. 1915; Y.B. Sep. 657, pp. 656, 664. 1915.
  refuse stock, importations. F.B. 453, p. 14. 1911.
  sand-hill, description. For. Bul. 121, pp. 23-26.
    1913.
  seed beds, covering, description of frames. D.B.
    479, pp. 29-32. 1917.
  seedlings, stem lesions, caused by excessive heat.
    J.A.R., vol. 14, pp. 595-604. 1918.
  site, initial preparation, seed planting, and care.
    D.B. 479, pp. 16-36. 1917.
  spraying experiments for control of citrus thrips.
    D.B. 616, pp. 31-36. 1918.
  stock—
    American, return from Canada. F.H.B.
      S.R.A. 3, p. 19. 1914.
    apple-blotch canker infection. J.A.R., vol. 25,
      p. 414. 1923.
    apple, two leafhoppers injurious to. A. J.
      Ackerman. D.B. 805, pp. 35. 1919.
    bulbs and seeds, quarantine order. F.H.B.
      S.R.A. 74, pp. 54-55. 1923.
    certification. F.D. 37416. F.H.B.S.R.A. 46,
      p. 138. 1918.
    chestnut—
      inspection, importance. Y.B., 1912, pp. 369,
        371. 1913; Y.B. Sep. 598, pp. 369, 371. 1913.
      quarantine exemption. F.H.B.S.R.A. 19,
        p. 57. 1915.
    citrus—
      injury by scab. D.B. 1118, pp. 3, 28. 1923.
      Quarantine No. 19, summary. F.H.B.S.R.A.
        71, p. 175. 1922.
    classes imported and countries of origin, table.
      F.H.B. An. Rpt., 1913, pp. 6-7. 1913; An.
      Rpts., 1913, pp. 340-341. 1914.
    coniferous—
      blights. Carl Hartley. D.B. 44, pp. 21.
        1913.
      snow molding, control. C. F. Korstian.
        J.A.R., vol. 24, pp. 741-748. 1923.
    currants and gooseberries, handling. F.B.
      1398, p. 5. 1924.
    damage—
      by field mice. Biol. Bul. 31, pp. 21, 24, 34-36.
        1907.
      by white ants. F.B. 759, p. 11. 1916.
      from termites, and control. F.B. 1037, pp. 9,
        15. 1919.
    definition of term, and blank permits and
      forms. Sec. Cir. 41, pp. 1, 2, 3. 1912.
    definitions. F.H.B.S.R.A. 27, p. 46. 1916.
    designation of strawberry plants. F.H.B.S.R.A.
      31, p. 96. 1916.
    dipping, buds and scions. F.B. 908, pp. 44-45.
      1918.
    diseased, inspection for chestnut bark disease.
      F.B. 467, pp. 17-18, 20, 24. 1911.
    diseases, danger in conifer importations. D.B.
      44, p. 16. 1913.

Nursery(ies)—Continued.
  stock—continued.
    disinfection, plants and seeds for importation,
      regulations. F.H.B., Quar. 37, p. 8. 1921;
      F.H.B., Quar. 2, 37, rev. 2, p. 8. 1923.
    distribution—
      from Sitka Experiment Station. Alaska
        A.R., 1920, p. 13. 1922.
      in Alaska, difficulties in mail facilities.
        Alaska A. R., 1917, pp. 13-14. 1919.
      to settlers in Kinkaid, Nebr. An. Rpts.,
        1916, p. 168. 1917; For. A.R., 1916, p. 14.
        1916.
    entry—
      into United States, regulations. F.H.B.
        S.RA. 59, p. 14. 1919.
      under Quar. 37, explanation. F.H.B.S.R.A.
        64, pp. 82-84. 1919; F.H.B.S.R.A. 71,
        pp. 176, 177. 1922.
    exceptions from foreign certifications. F.H.B.
      S.R.A. 3, p. 20. 1914.
    exports and imports. D.B. 296, p. 45. 1915.
    fire blight, control. O.E.S. An. Rpt., 1909,
      p. 159. 1910.
    for—
      forest planting, growing, purchasing, and
        cost. F.B. 1177, rev., p. 23. 1920.
      home fruit garden. F.B. 1001, pp. 6-8, 9.
        1919.
      wood-lot transplanting, production by State
        nurseries. F.B. 711, p. 24. 1916.
    foreign—
      inspection against moths. Ent. Bul. 87,
        pp. 60-62. 1910.
      inspection, inadequacy. F.H.B.S.R.A. 61,
        pp. 35-36. 1919.
    forest, diseases, and injuries, insects and rodents.
      D.B. 479, pp. 68-79. 1917.
    fruit for dry farming regions, Great Plains.
      F.B. 727, pp. 7-9. 1916.
    fumigation. F.B. 244, pp. 11-12. 1906; F.B.
      908, pp. 43-44. 1918.
    growing in—
      Alabama, Madison County. Soil Sur.
        Adv. Sh., 1911, p. 12. 1913; Soils F.O., 1911,
        p. 797. 1914.
      Alaska. Alaska A.R., 1918, pp. 18, 81. 1920.
      Alaska and distribution to settlers. Alaska
        A.R., 1914, pp. 16-17. 1915.
      Alaska, experiments. Alaska A.R., 1915,
        pp. 8-10, 12-13, 30-31, 67, 83, 85. 1916.
      Alaska, Matanuska Experiment Station.
        Alaska A.R., 1920, pp. 10, 57. 1922.
      Kansas, Shawnee County, importance.
        Soil Sur. Adv. Sh., 1911, pp. 16, 38. 1913;
        Soils F.O., 1911, pp. 2070, 2092. 1914.
      New York, Monroe County. Soil Sur. Adv.
        Sh., 1910, p. 90. 1912; Soils F.O., 1910,
        p. 52. 1912.
    heeling in, directions. F.B. 727, pp. 9-11.
      1916.
    importations—
      handling methods. B.P.I. Bul. 206, pp.
        51-53. 1911.
      regulations. An. Rpts., 1920, pp. 631-634.
        1921.
      by States and by countries of origin. An.
        Rpts., 1917, pp. 423-425. 1918; F.H.B.
        An. Rpt., 1917, pp. 9-11. 1917.
      classes and requirements. An. Rpts., 1913,
        pp. 337-338. 1914; F.H.B. An. Rpt., 1913,
        pp. 3-4. 1913.
      decrease, 1917, with comparisons. News L.,
        vol. 5, No. 43, pp. 10-11. 1918.
      entry, inspection, certification, marking and
        packing, regulations. F.H.B. Quar.
        notice 37, pp. 6-9. 1921.
      from contiguous countries. F.H.B. Quar.
        37, amdt. 3, pp. 2. 1919.
      from France. F.H.B.S.R.A. 71, pp. 104-105.
        1922.
      permits and application forms. F.H.B.S.R.A
        27, pp. 47-50. 1916.
      plant quarantine regulations, 1-10. F.H.B.
        S.R.A. 5, pp. 36-42. 1914.
      prohibition for insect and plant disease control, memorandum from Agriculture Secretary. F.H.B.S.R.A. 48, pp. 5-6. 1918.

Nursery(ies)—Continued.
  stock—continued.
    importations—continued.
      restrictions against insect pests and plant diseases, public hearing called. News L., vol. 5, No. 39, p. 7. 1918.
      rules and regulations. F.H.B.S.R.A. 27, pp. 45-54. 1916; Sec. Cir. 41, pp. 1-7. 1912.
    imported—
      reshipment, instructions to inspectors. F.H.B.S.R.A. 12, p. 14. 1915.
      responsibility for introduction into United States of insect pests, and damage. Sec. Cir. 37, pp. 2-4. 1911.
      spread of gipsy and brown-tail moths, danger. C. L. Marlatt. F.B. 453, pp. 22. 1911.
    imports—
      1907-1909, value, by countries from which consigned. Stat. Bul. 82, p. 48. 1910.
      1908-1910, value, by country from which consigned. Stat. Bul. 90, p. 51. 1911.
      1911-1913. Y.B., 1913, p. 498. 1914; Y.B. Sep. 361, p. 498. 1914.
      1922-1924. Y.B., 1924, p. 1066. 1925.
      and distribution. F.H.B. An. Rpt., 1924, pp. 16, 18-20. 1924.
      and exports, 1903-1907. Y.B., 1907, pp. 743, 753. 1908; Y.B. Sep. 465, pp. 743, 753. 1908.
      and exports, 1906-1910. Y.B., 1910, pp. 661, 671. 1911; Y.B. Sep. 553, pp. 661, 671. 1911.
      and exports, 1907-1911. Y.B., 1911, pp. 664, 674. 1912; Y.B. Sep. 588, pp. 664, 674. 1912.
      and exports, 1908-1912. Y.B., 1912, pp. 721, 733. 1913; Y.B. Sep. 615, pp. 721, 733. 1913.
      and exports, 1913-1915. Y.B., 1915, pp. 545, 552. 1916; Y.B. Sep. 685, pp. 545, 552. 1916.
      and exports, 1914-1916. Y.B., 1916, pp. 712, 719. 1917; Y.B. Sep. 722, pp. 6, 13. 1917.
      and exports, 1917. Y.B., 1917, pp. 764, 773. 1918; Y.B. Sep. 762, pp. 8, 17. 1918.
      and exports, 1919. Y.B., 1919, pp. 687, 695. 1920; Y.B. Sep. 829, pp. 687, 695. 1920.
      and exports, 1919-1921. Y.B., 1922, pp. 953, 959, 961. 1923; Y.B. Sep. 880, pp. 953, 959, 961. 1923.
      and exports, 1921. Y.B., 1921, p. 749. 1922; Y.B. Sep. 867, p. 13. 1922.
    permits, forms and regulations. Sec. Cir. 41, rev., pp. 2-7. 1912.
    restrictions by War Trade Board. F.H.B. S.R.A. 51, pp. 45-46. 1918.
    under restrictions. F.H.B. An. Rpt., 1924, p. 16. 1924.
    in Alaska—
      distribution. Alaska A. R., 1916, pp. 7-8. 1918.
      Sitka. Alaska A.R., 1906, pp. 23-30, 38. 1907.
    infected with crown gall, disinfection experiments. O.E.S. An. Rpt., 1912, p. 209. 1913.
    infested—
      importations, 1909-1911, dangers. F.B. 453, pp. 5-7, 10-11. 1911.
      quarantine against, history of proposed legislation and pending bill. Sec. Cir. 37, pp. 4-10. 1911.
    injury by—
      pocket gophers. Y.B., 1909, pp. 212-213. 1910; Y.B. Sep. 506, pp. 212-213. 1910.
      termites, and protection methods. D.B. 333, pp. 22-24, 31-32. 1916.
    insect-infested, or diseased, importation prevention, relation of Agriculture Department to national law. James Wilson. Sec. Cir. 37, pp. 11. 1911.
    insects liable to be distributed on. Nathan Banks. Ent. Bul. 34, pp. 46. 1902.
    inspection—
      and certification for interstate movement. F.H.B.S.R.A. 77, p. 144. 1924.
      countries maintaining, lists, and seals. F.H.B.S.R.A. 7, pp. 51-66. 1914; F.H.B. S.R.A. 20, pp. 59-79. 1915.
      foreign, additions and changes. F.H.B. S.R.A. 44, pp. 111-112. 1917.
      foreign countries maintaining, list. F.H.B. S.R.A. 32, pp. 103-122. 1916.
      service, changes in France and Scotland. F.H.B.S.R.A. 56, p. 93. 1918.

Nursery(ies)—Continued.
  stock—continued.
    interstate shipment, digest of laws. F.H.B. S.R.A. 57, pp. 112-115. 1919.
    interstate shipments, requirements. Ent. Cir. 75, pp. 1-6. 1906; rev., pp. 1-7. 1908.
    introduction of brown-tail moth from France, control methods. Ent. Bul. 91, pp. 75-76. 1911.
    mailing, Treasury Decision 36379. F.H.B. S.R.A. 28, p. 61. 1916.
    marketing methods. Rpt. 98, pp. 123-127. 1913.
    means of distribution of San Jose scale. Ent. Cir. 124, p. 5. 1910.
    movement under gipsy moth quarantine. F.H.B.S.R.A. 78, pp. 8-9, 30. 1924.
    ornamental, commercial imports from Holland, quarantine maintenance. F.H.B.S.R.A. 71, p. 105. 1922.
    peach—
      attack by peach bud mite. Ent. Bul. 97, Pt. VI, pp. 103-114. 1912.
      grades, description and handling, directions. F.B. 631, pp. 10-13. 1915.
    pecan, for grafting and budding, age and care. B.P.I. Bul. 251, pp. 31-38. 1912.
    plants and seeds, quarantine orders. An. Rpts., 1922, pp. 613-614, 625-628. 1923; F.H.B. An Rpt., 1922, pp. 11-12, 23-26. 1922; F.H.B. S.R.A. 74, pp. 15-26. 1923.
    prohibition, in mail shipments, treatment. F.H.B.S.R.A. 17, p. 45. 1915.
    propagation and distribution from Sitka station. Alaska A. R., 1907, pp. 21-25. 1908.
    quarantine—
      act, enforcement, rules and regulations. Sec. Cir. 44, pp. 1-16. 1913.
      for control of white-pine blister rust. News L., vol. 3, No. 27, p. 4. 1916.
      No. 37 and importations, 1920-1921. F.H.B. An. Rpt., 1921, pp. 13-14, 15. 1921; F.H.B. S.R.A. 59, pp. 4-9, 101-110. 1919.
      No. 37, regulations and amendment. F.H.B. S.R.A. 60, pp. 20-22. 1919.
      regulations. F.H.B. Quar. 37, rev. 2, pp. 15, 1923; F.H.B.S.R.A. 74, pp. 15-26. 1923.
      selective features and explanatory circulars. F.H.B.S.R.A. 73, pp. 103-107. 1923.
    root-knot infestation and spread. B.P.I. Bul. 217, pp. 24, 38, 73. 1911.
    school, disposal. F.B. 423, pp. 20-23. 1910.
    selection for forest planting. D.B. 153, pp. 6-7. 1915.
    selection, importance for citrus groves in Gulf States. F.B. 539, pp. 3-5. 1913.
    shipments—
      laws on interstate traffic. A. F. Burgess. Ent. Cir. 75, pp. 6. 1906; rev., pp. 8. 1908; rev., pp. 9. 1909.
      notice, requirements, port and interstate. F.H.B.S.R.A. 27, pp. 51-52. 1916.
    soil treatment for control of Japanese beetle. An. Rpts., 1923, p. 383. 1924; Ent. A.R., 1923, p. 3. 1923.
    three British fruit-tree pests. Frederick V. Theobald. Ent. Bul. 44, pp. 62-70. 1904.
    white-pine blister rust, spread. An. Rpts. 1916, p. 141. 1917; B.P.I. An. Rpt., 1916, p. 5. 1916.
    tests with various crops for Great Basin, 1909. B.P.I. Cir. 61, p. 35. 1910.
  trees—
    destruction by field mice. F.B. 670, pp. 3-4. 1915.
    dipping in lime-sulphur wash. Ent. Bul. 67, p. 26. 1907.
    injury by paradichlorobenzene fumigation. D.B. 796, p. 15. 1919.
    management of cypress. D.B. 272, pp. 65, 67. 1915.
    shipment and care. For. Misc., S-18, pp. 4-5. 1916.
    spraying for control of imported pine sawfly. D.B. 1182, p. 21. 1923.
    water system, buildings, and tools needed. D.B. 479, pp. 10-15. 1917.
    western yellow pine, planting and care. For. Bul. 101, p. 57. 1911.

INDEX TO PUBLICATIONS, 1901–1925   1653

Nursery(ies)—Continued.
  wheat, work in classification of varieties. D.B. 1074, pp. 11–15. 1922.
Nurserymen—
  eastern, requested not to ship white pine, currant, or gooseberry to West. F.H.B.S.R.A. 26, pp. 36–37. 1916.
  interstate shipping, requirements. Ent. Cir. 75, rev., pp. 1–7. 1908.
  lists, source of supply. F.B. 1312, p. 32. 1923.
  prices and list of dealers in forest nursery stock. D.B. 153, pp. 7, 36. 1915.
  prices for wood-lot nursery stock. F.B. 711, p. 24. 1916.
  stakes of bamboo for. D.B. 1329, p. 22. 1925.
Nurses—
  appointment and duties. Off. Rec., vol. 2, No. 32; No. 33, p. 4. 1923.
  county, employment by work of women's organizations. D.B. 719, pp. 13–14. 1918.
  rural—
    maintenance, assistance by department. Y.B., 1915, p. 272. 1916; Y.B. Sep. 675, p. 272. 1916.
    needs of farm women, suggestions. Rpt. 104, pp. 57–65. 1915; Rpt. 105, pp. 37, 38, 39, 40, 59, 60. 1915.
  visiting, proposal for. Off. Rec., vol. 2, No. 17, p. 5. 1923.
Nursing, home demonstration work and county nurses. D.C. 141, p. 19. 1920.
Nut(s)—
  acreage and value in 1919, map. Y.B. 1921, p. 463. 1922; Y.B. Sep. 878, p. 57. 1922.
  acreage, 1910, by kinds and by States, maps. Y.B., 1915, p. 386. 1916; Y.B. Sep. 681, p. 386. 1916.
  addition to grape paste, directions. F.B. 1033, p. 10. 1919.
  adulteration. Chem. N.J., 3005, p. 1. 1914; Chem. N.J. 4151, p. 1. 1916; Chem. N.J. 4159, p. 1. 1916; Chem. N.J. 4329, p. 1. 1916.
  and fruit, dietary studies, California Experiment Station. F.B. 332, pp. 14–16. 1908.
  and their uses as food. M. E. Jaffa. F.B. 332, pp. 28. 1908; Y.B., 1906, pp. 295–312. 1907; Y.B. Sep. 424, pp. 295–312. 1907.
  Australian, growing in Hawaii, description and value. Hawaii A.R., 1916, p. 21. 1917.
  average composition, table. Y.B., 1906, p. 299. 1907; Y.B. Sep. 424, p. 299. 1907.
  bearing plants, importations from January 1 to March 31, 1921, discussion. B.P.I. Inv. 66, p. 3. 1923.
  blanching, directions. F.B. 332, p. 27. 1908.
  bleaching to improve appearance. F.B. 332, p. 27. 1908.
  bread recipe. F.B. 807, p. 22. 1917.
  butters, description and value. D.B. 469, p. 15. 1916; F.B. 332, pp. 18–20. 1908.
  candle, use as food, dangerous qualities. F.B. 332, p. 10. 1908.
  cold storage, data from warehousemen. Chem. Bul. 115, p. 22. 1908.
  composition, comparison with other foods. F.B. 332, pp. 11–14. 1908.
  condition September 1, 1911, 1912, 1913, California and Florida. F.B. 558, p. 14. 1913.
  cost, comparison with cost of other foods. F.B. 332, pp. 25–26. 1908.
  cracking to preserve meats unbroken. F.B. 332, pp. 26–27. 1908.
  culture, extent and distribution. F.B. 700, pp. 1–2. 1916.
  description, flavor, digestibility, and composition. F.B. 332, pp. 8–16. 1908.
  destruction by—
    crows. D.B. 621, p. 52. 1918.
    jays, California. Biol. Bul. 34, p. 51. 1910.
  digestibility, discussion. F.B. 332, pp. 14–16. 1908; Y.B., 1906, pp. 301–303. 1907; Y.B. Sep. 424, pp. 301–303. 1907.
  dietary experiments. F.B. 293, pp. 22–24. 1907.
  economic value as food, comparison. Y.B., 1906, pp. 309–311. 1907; Y.B. Sep. 424, pp. 309–311. 1907.
  exports—
    1873–1908. Stat. Bul. 75, p. 53. 1910.
    1921. Y.B., 1921, pp. 747, 749. 1922; Y.B. Sep. 867, pp. 11, 13. 1922.
    1922–1924. Y.B., 1924, p. 1045. 1925.

Nut(s)—Continued.
  feed of shoal-water ducks. D.B. 862, pp. 41, 44, 52. 1920.
  flavors, characteristic. F.B. 332, p. 11. 1908.
  flours, use as food. F.B. 332, p. 21. 1908.
  foreign import tariffs, 1903. For. Mkts. Bul. 36, pp. 5–69. 1902.
  green, uses as food. F.B. 332, p. 24. 1908.
  ground—
    Bambarra, description and importation. No. 43219, B.P.I. Inv. 48, p. 29. 1921.
    See also Chufa.
  growers, benefit from department exhibits. Off. Rec., vol. 4, No. 34, p. 4. 1925.
  growing—
    and breeding. B.P.I. Chief Rpt., 1924, p. 10. 1924.
    in California—
      lower San Joaquin Valley, varieties. Soil Sur. Adv. Sh., 1915, p. 27. 1918; Soils F.O., 1915, p. 2603. 1919.
      middle San Joaquin Valley. Soil Sur. Adv. Sh., 1916, pp. 33–34. 1919; Soils F.O., 1916, pp. 2447. 1921.
      Pasadena area. Soil Sur. Adv. Sh., 1915, pp. 13–14, 34, 49, 54. 1917; Soils F.O., 1915, pp. 2321, 2323, 2324, 2344, 2359, 2364. 1919.
      Sacramento Valley, yields and kinds. Soil Sur. Adv. Sh., 1913, pp. 19–20. 1915; Soils F.O., 1913, pp. 2309–2310. 1916.
      San Joaquin Valley. Soil Sur. Adv. Sh., 1915, pp. 27, 48, 65, 71, 72, 86, 127, 143. 1918; Soils F.O., 1915, pp. 2603, 2624, 2641, 2647, 2648, 2662, 2703, 2719. 1919.
    in Hawaii. Hawaii A.R., 1921, pp. 18–19. 1922.
    in Maryland. F.B. 329, pp. 19–21. 1908.
    in Texas, variety testing. D.B., 162, pp. 15–16, 20, 22–23. 1915.
    in Washington, Wenatchee area. Soil Sur. Adv. Sh., 1918, pp. 15, 16. 1922; Soils F.O., 1918, pp. 1555, 1556. 1924.
  handling and marketing. F.B. 332, pp. 26–28. 1908.
  Hawaiian, composition, analytical study, and data. Hawaii A.R., 1914, pp. 27, 62–73. 1915.
  identification, microscopic, study. Chem. Bul. 160, pp. 1–37. 1912.
  imports—
    1851–1908. Stat. Bul. 74, pp. 47–48. 1910; Y.B., 1908, pp. 760, 773, 776. 1909; Y.B. Sep. 498, pp. 760, 773, 776. 1909.
    1905, quantity and value. F.B. 332, p. 7. 1908.
    1907–1909, quantity and value by countries from which consigned. Stat. Bul. 82, pp. 48–58. 1910.
    1908–1910, quantity and value, by countries from which consigned. Stat. Bul. 90, pp. 51–53. 1911.
    1917–1919, 1910–1919. Y.B., 1920, pp. 9, 43. 1921; Y.B. Sep. 864, pp. 9, 43. 1921.
    1921. Y.B., 1921, pp. 741, 749, 753, 767. 1922; Y.B. Sep. 867, pp. 5, 13, 17, 31. 1922.
    1922–1924. Y.B., 1924, p. 1062. 1925.
  and exports—
    1852–1916, and value. Y.B., 1916, pp. 712, 719, 722, 741. 1917; Y.B. Sep. 722, pp. 6, 13, 16, 35. 1917.
    1903–1907. Y.B., 1907, pp. 744, 753. 1908; Y.B., Sep. 465, pp. 744, 753. 1908.
    1906–1910, and imports 1851–1910. Y.B., 1910, pp. 661, 671, 679–683. 1911; Y.B. Sep. 553, pp. 661, 671. 1911; Y.B. Sep. 554, pp. 679–683. 1911.
    1907–1911. Y.B., 1911, pp. 665, 674. 1912; Y.B. Sep. 588, pp. 665, 674. 1912.
    1908–1912. Y.B., 1912, pp. 722, 733. 1913; Y.B. Sep. 615, pp. 722, 733. 1913.
    1911–1913, and imports, 1852–1913. Y.B., 1913, pp. 498, 505, 510, 512. 1914; Y.B. Sep. 361, pp. 498, 505, 510, 512. 1914.
    1913–1915 and 1852–1915 and value. Y.B., 1915, pp. 545, 552, 555, 558, 560, 574. 1916; Y.B. Sep. 685, pp. 545, 552, 555, 558, 560, 574. 1916.
    1917. Y.B., 1917, pp. 765, 773, 776. 1918; Y.B. Sep. 762, pp. 9, 17, 20. 1918.
    1918. Y.B., 1918, pp. 632, 640, 643, 663. 1919; Y.B. Sep. 794, pp. 8, 16, 19, 39. 1919.
    1919. Y.B., 1919, pp. 687, 695, 720. 1920; Y.B. Sep. 829, pp. 687, 695, 720. 1920.

Nut(s)—Continued.
imports—continued.
and exports—continued.
1919-1921. Y.B., 1922, pp. 953, 959, 961. 1923; Y.B. Sep. 880, pp. 953, 959, 961. 1923.
industry in Orient. Off. Rec., vol. 1, No. 51, p. 6. 1922.
infestation by fig moth. Ent. Bul. 104, pp. 15, 19. 1911.
injury by codling moth, in California. Ent. Bul. 80, pp. 67, 68, 69. 1912.
insects injurious, investigations. An. Rpts., 1913, p. 212. 1914; Ent. A.R., 1913, p. 4. 1913.
investigations in Hawaii. Hawaii A.R. 1924, p. 9. 1925.
ivory, growing in Hawaii. Hawaii A.R., 1919, p. 38. 1920.
keeping in the home. F.B. 1374, p. 10. 1923.
Manketti, importation and description. No. 48257, B.P.I. Inv. 60, p. 62. 1922.
marketing, bibliography. M.C. 35, p. 45. 1925.
microscopic examination methods, and key. Chem. Bul. 160, pp. 6, 36-37. 1912.
misbranding. Chem. N.J. 2483, p. 1. 1913; Chem. N.J. 2484, p. 1. 1913.
oil(s)—
digestibility studies. A. D. Holmes. D.B. 630, pp. 19. 1918.
imports, 1907-1909, quantity and value, by countries from which consigned. Stat. Bul. 82, p. 51. 1910.
Omphalea sp., importation and description. No. 34156, B.P.I. Inv. 32, p. 16. 1914.
orchard, pecan, setting trees and cultivation. F.B. 700, pp. 23-26. 1916.
packing and shipping, long distance. D.C. 323, pp. 3-4. 1924.
pastes and preserves. F.B. 332, pp. 20-21. 1908.
periodicals list. M.C. 11, p. 52. 1923.
place in diet. F.B. 332, pp. 16-18. 1908; Y.B., 1906, p. 303. 1907; Y.B. Sep. 424, p. 303. 1907.
planting—
for seed. F.B. 888, p. 16. 1917.
in woods for reforestation, directions. F.B. 1177, rev., p. 23. 1920.
production—
and—
value in California, 1920-1922. Y.B., 1922, p. 747. 1923; Y.B. Sep. 884, p. 747. 1923.
value, leading States, imports and exports. Y.B., 1914, pp. 647, 656, 664, 686. 1915; Y.B. Sep. 656, p. 647. 1915; Y.B. Sep. 657, pp. 656, 664, 686. 1915.
value of various kinds, 1909. F.B. 700, p. 1. 1916.
yield, 1911-1913. F.B. 563, p. 7. 1913.
from walnut plantations. D.B. 933, pp. 37-40. 1921.
investigations. An. Rpts., 1920, pp. 172-173. 1921.
products—
composition and comparison with other foods. F.B. 332, pp. 11-14. 1908.
value as meat substitute, and increased use in diet. Y.B., 1910, pp. 360, 364-365. 1911; Y.B. Sep. 543, pp. 360, 364-365. 1911.
seed, storage directions. F.B. 1123, pp. 20-21. 1921.
shelled, washing before use. F.B. 332, p. 27. 1908.
species recommended. F.B. 208, pp. 33, 40, etc. 1904.
sprouted, planting. D.B. 153, p. 8. 1915; F.B. 1123, pp. 9, 24. 1921.
starchy, food value and uses. F.B. 332, pp. 13, 17. 1908.
storing for—
food by California woodpecker. F.B. 506, pp. 7, 8. 1912.
spring planting. F.B. 468, p. 27. 1911.
trade with foreign countries, exports and imports. D.B. 296, pp. 35-36. 1915.
tree(s)—
cross-inoculation with crowngall. B.P.I. Bul. 131, pp. 21-23. 1908.
diseases—
1906. Y.B., 1906, p. 507. 1907; Y.B. Sep. 437, p. 507. 1907.
1907. Y.B., 1907, pp. 587-589. 1908; Y.B. Sep. 467, pp. 587-589. 1908.

Nut(s)—Continued.
tree(s)—continued.
grafting experiments. B.P.I. Chief Rpt., 1925, p. 8. 1925.
importations and descriptions. Nos. 37799, 38395. B.P.I. Inv. 39, pp. 7, 44, 124. 1917.
injuries by termites. D.B. 333, pp. 18, 23-24. 1916.
planting methods. F.B. 1123, pp. 7, 9, 24. 1921; F.B. 1312, p. 25. 1923.
studies for southern rural schools. D.B. 305, pp. 18-19. 1915.
unmailable in Hawaii, instructions. F.H.B. S.R.A. 3, p. 21. 1914.
use—
and value for food and gas masks. News L., vol. 6, No. 10, p. 9. 1918.
by diabetics. F.B. 332, pp. 18, 22. 1908.
in butters, pastes, preserves, flours, meals, candies, and coffees. F.B. 332, pp. 18-22. 1908.
with cheese in food. F.B. 487, p. 28. 1912.
value—
as meat substitute. U.S. Food Leaf. 8, p. 4. 1917.
as meat substitute and increased use in diet. Y.B., 1910, pp. 364-365. 1911; Y.B. Sep. 543, pp. 364-365. 1911.
North Carolina, Haywood County. Soil Sur. Adv. Sh., 1922, p. 207. 1925.
varieties—
description. Y.B., 1906, pp. 296-298. 1907; Y.B. Sep. 424, pp. 296-298. 1907.
recommendations for various fruit districts. B.P.I. Bul. 151, pp. 52-55. 1909.
weevil(s)—
F. H. Chittenden. Ent. Bul. 99, pp. 15. 1908; Y.B., 1904, pp. 299-310. 1905; Y.B. Sep. 348, pp. 299-310. 1905.
description. Sec. [Misc.], "A manual of insects * * *," p. 133. 1917.
destruction by flycatchers. Biol. Bul. 44, pp. 24, 52, 55. 1912.
See also Chestnuts; Pecans; Walnuts; etc.
Nut grass—
characters. News L., vol. 2, No. 40, p. 3. 1915.
control—
by spraying and other methods. Hawaii A.R., 1915, pp. 43-44. 1916.
in Hawaii, by spraying with arsenate of soda, formula. Hawaii A.R., 1917, p. 50. 1918.
description, distribution, spread, and products injured. F.B. 660, p. 28. 1915.
injury to farms in Gulf States. Y.B., 1917, p. 207. 1918; Y.B. Sep. 732, p. 5. 1918.
Japanese, pest in Hawaii, eradication method. Hawaii A.R., 1914, p. 7. 1915.
Nutcracker—
Clarke's, range and habits. N.A. Fauna 24, p. 72. 1904; N.A. Fauna 30, p. 40. 1909.
occurrence in Athabaska-Mackenzie region. N.A. Fauna 27, p. 407. 1908.
Nuthatch—
European, enemy of codling moth. Y.B. 1911, p. 244. 1912; Y.B. Sep. 564, p. 244. 1912.
food habits—
Biol. Bul. 30, pp. 66-80. 1907.
and occurrence in Arkansas. Biol. Bul. 38, p. 88. 1911.
protection by law. Biol. Bul. 12, rev., pp. 38, 40, 41. 1902.
pygmy, description and food habits. Biol. Bul. 30, pp. 67-68. 1907.
range and habits. N.A. Fauna 22, p. 128. 1902.
red-breasted, range and habits. N.A. Fauna 21, p. 50. 1901.
varieties in Athabaska-Mackenzie region. N.A. Fauna 27, pp. 484-485. 1908.
white-breasted—
carrier of chestnut-blight fungus. J.A.R., vol. 2, pp. 410, 413, 414. 1914.
description, range, and habits. F.B. 513, p. 9. 1913.
enemy of codling moth. Y.B. 1911, p. 242. 1912; Y.B. Sep. 564, p. 242. 1912.
Nutmeg—
adulteration. Chem. N.J. 1180, p. 1. 1911; Chem. N.J. 1800, p. 1. 1912; Chem. N.J. 3376. 1915.

Nutmeg—Continued.
   broken, adulteration. Chem. N.J. 2329, p. 1. 1913.
   Calabash, importation and description. No. 47500, B.P.I. Inv. 59, pp. 6, 22. 1922.
   California—
      description, range, and occurrence on Pacific slope. For. [Misc.], "Forest trees for Pacific * * *," pp. 191-193. 1908.
      injury to trees by sapsuckers. Biol. Bul. 39, p. 23. 1911.
   extract(s)—
      adulteration and misbranding. Chem. N.J. 2112, p. 1. 1913; Chem. N.J., 2244, p. 2. 1913.
      analysis methods and results. Chem. Bul. 152, pp. 139-141. 1912.
      determination in flavoring extracts. Chem. Bul. 137, p. 76. 1911.
   ground, misbranding. See *Indexes, Notices of Judgment, in bound volumes, and in separates published as supplements to Chemistry Service and Regulatory Announcements.*
   importations and descriptions. No. 35905, B.P.I. Inv. 36, pp. 23-24. 1915; No. 44565, B.P.I. Inv. 51, p. 25. 1922.
   imports, 1907-1909, quantity and value, by countries from which consigned. Stat. Bul. 82, p. 55. 1910.
   use as food flavoring. O.E.S. Bul. 245, p. 68. 1912.
   uses, discussion, F.I.D. 93 F I.D. 93-95, p. 1. 1908.
   wild, importation and description. No. 35450, B.P.I. Inv. 35, p. 46. 1915.
   See also Spices.
Nutrients—
   absorption, effect of number of roots supplied. P.R. An. Rpt., 1916, pp. 15-17. 1918.
   calorific value, and metabolizable energy, calculation methods. Chem. Bul. 120, pp. 10-13. 1909.
   chemical composition. O.E.S. Bul. 200, pp. 12-13. 1908.
   comparison of eggs and meats. D.B. 471, pp. 27-28. 1917.
   determination and classification, in grain analyses. Chem. Bul. 120, pp. 6-8. 1909.
   digestible, proportions in food materials, with table. F.B. 142, pp. 25-28. 1902.
   food groups supplying. F.B. 817, pp. 3-4. 1917; O.E.S. Cir. 46, pp. 1-3. 1901.
   groups, and use in food materials. F.B. 389, p. 7. 1910.
   materials in American diet. Y.B., 1907, p. 375. 1908; Y.B. Sep. 454, p. 375. 1908.
   meats, coefficients of digestibility. O.E.S. Bul. 193, pp. 41-46. 1907.
   mineral—
      deficiency in rations of milk cows. B.A.I. [Misc.] "World's dairy congress, 1923," pp. 1036-1046. 1924.
      effect on rust development and results. J.A.R., vol. 27, pp. 115-117. 1923.
      in plants, physiological rôle of. Oscar Loew. B.P.I. Bul. 45, pp. 70. 1903.
   plant absorption, relation to number of roots fed. J.A.R., vol. 9, pp. 73-95. 1917.
   soil—
      chemical analysis and tests. D.B. 1059, pp. 129-135. 1922.
      concentration and reaction, relation to plant growth. J.A.R., vol. 18, pp. 73-117. 1919.
      effect of variations of moisture content. J.A.R., vol. 18, pp. 139-143. 1919.
      exhaustion possibility. D.B. 355, pp. 14-15. 1916.
      solutions, formulas. Hawaii Bul. 52, pp. 12, 14. 1924.
   total—
      and digestible, in cereal breakfast foods. F.B. 249, pp. 12-17. 1906.
      proportions in Japanese mixed diet. O.E.S. Bul 159, pp. 130-133. 1905.
Nutrine, malt, misbranding. N.J. 2310, pp. 2. 1913.
Nutrition—
   and food of man, some experiment station work. O.E.S. Rpt. 1905, pp. 225-237. 1906.

Nutrition—Continued.
   and health of man, influence of vegetables greened with copper salts. Alonzo E. Taylor and others. Rpt. 97, pp. 461. 1913.
   and nutritive value of food, principles. W. O. Atwater. F.B. 142, pp. 48. 1902.
   animal—
      H. P. Armsby. O.E.S. Bul. 184, pp. 120-128. 1907.
      bibliography. J.A.R. vol. 3, pp. 489-491. 1915.
      experiments—
         Pennsylvania State College Institute. O.E.S. An. Rpt. 1912, pp. 192-193. 1913.
         results. Rpt., 83, pp. 24-25. 1906.
      Institute, Pennsylvania, report for 1908. O.E.S. An. Rpt., 1908, pp. 161-162. 1909.
      problems in relation to work of experiment stations. O.E.S. An. Rpt., 1908, pp. 337-354. 1909.
      studies, department and Pennsylvania State college. J.A.R. vol. 3, pp. 435-491. 1915.
   dairy cows, and milk secretion. B.A.I. [Misc.] "World's dairy congress, 1923," pp. 1015-1122. 1924.
   deficient, cause of blindness and other diseases in children. B.A.I. [Misc.] "World's dairy congress, 1923," pp. 447-456. 1924.
   demonstration. Walter H. Brown. B.A.I. [Misc.] "World's dairy congress, 1923," pp. 679-684. 1924.
   digestibility of dasheen. D.B. 612, pp. 1-12. 1917.
   domestic animal, experiments. B.A.I. Bul. 74, pp. 1-64. 1905.
   effect of—
      saccharine, experiments. Rpt., 94, pp. 1-375. 1911.
      use of sodium benzoate. Russell H. Chittenden. Rpt. 88, pp. 9-292. 1909.
   experiment station publications on, list. O.E.S. Doc. 238, rev., pp. 8. 1901; rev., pp. 9. 1902; rev., pp. 11. 1903.
   extension work. Miriam Birdseye. D.C. 349, pp. 31. 1925.
   family standard, 1923. D.C. 349, p. 28. 1925.
   feeding value of cereals. Chem. Bul. 120, pp. 1-64. 1909.
   food—
      and nutritive value, principles of. W. O. Atwater. F.B. 142, pp. 48. 1902.
      relation to cost. R. D. Milner. Y.B. 1902, pp. 387-406. 1903; Y.B. Sep. 280, pp. 387-406. 1903.
      value and principles. W. O. Atwater. F.B. 142, pp. 48. 1902.
   home demonstration—
      agents, results. D.C. 285, pp. 7-9. 1923.
      work, details and results. D.C. 178, pp. 12-18. 1921.
   human, and food—
      publications of Office of Experiment Stations—
         1906. O.E.S. Doc. 903, pp. 1-14. 1906.
         1907. O.E.S. Doc. 993, pp. 1-16. 1907.
         1922. O.E.S. An. Rpt. 1922, p. 148. 1924.
      extension program for the Western States. D.C. 308, pp. 6-8. 1924; D.C. 335, pp. 5-7. 1924.
      in United States, investigations. O.E.S. Doc. 713, pp. 1-20. 1904.
      investigations, 1905-1909, progress report O.E.S. An. Rpt., 1909, pp. 361-397. 1910.
      relation to muscular work, experimental study. O.E.S. Bul. 98, pp. 27-47, 54-56. 1901.
   investigations—
      C. F. Langworthy. O.E.S. Dir. Rpt. 1906, pp. 359-372. 1906.
      and home problems. Y.B. 1913, pp. 148-151. 1914; Y.B. Sep. 621, pp. 148-151. 1914.
      fruitarians and Chinese, California station. M. E. Jaffa. O.E.S. Bul. 107, pp. 43. 1901.
      Government hospital for insane, Washington D. C. O.E.S. [Misc.], "Nutrition investigations * * * hospital for the insane," pp. 10. 1903.
   Japan, history, and scope. O.E.S. Bul. 159, pp. 9-18. 1905.
   Office of Experiment Stations, origin and development. O.E.S. An. Rpt., 1910, pp. 449-460. 1911.
   relation to home management. O.E.S. An. Rpt., 1907, pp. 355-367. 1908.

Nutrition—Continued.
Japanese investigations. O.E.S. Bul. 159, pp. 1-224. 1905.
legumes, and digestibility. O.E.S. Bul. 187, pp. 1-55. 1907.
milk as a standard. B.A.I. [Misc.], "World's dairy congress, 1923," pp. 463-464. 1924.
of man—
 a digest of Japanese investigations on. Kintaro Oshima. O.E.S. Bul. 159, pp. 224. 1905.
 influence of vegetables greened with copper salts. Rpt. 97, pp. 1-461. 1913.
 publications of the Office of Experiment Stations, list corrected to—
  June 28, 1905. O.E.S. Doc. 820, pp. 14. 1905.
  March 1, 1906. O.E.S. Doc. 865, pp. 14. 1906.
  June 1, 1906. O.E.S. Doc. 903, pp. 14. 1906.
  November, 1, 1906. O.E.S. Doc. 938, pp. 14. 1906.
  December 10, 1907. O.E.S. Doc. 1063, pp. 1-16. 1907.
plane, influence on maintenance requirement of cattle. F. B. Mumford and others. J.A.R., vol. 22, pp. 115-121. 1921.
plant—
 investigations, use of culture solutions, methods. J.A.R., vol. 14, pp. 151-175. 1918.
 mineral phosphates, availability. J.A.R., vol. 6, No. 13, pp. 485-514. 1916.
 relation—
  of sulphur compounds. J.A.R., vol. 5, No. 6, pp. 233-250. 1915.
  to electricity. James F. Breazeale. J.A.R., vol. 24, pp. 41-54. 1923.
  to health. Albert F. Woods. Y.B., 1901, pp. 155-176. 1902; Y.B. Sep. 225, pp. 155-176. 1902.
  to oil content of seeds. J.A.R., vol. 3, pp. 227-249. 1914.
poultry and other meats, comparison in value. F.B. 182, pp. 30-32. 1903.
principles—
 and nutritive value of food. W. O. Atwater. F.B. 142, pp. 48. 1902.
 discussion. F.B. 170, pp. 6-9. 1903.
 problem in extension, 1923. D.C. 349, pp. 2-3. 1925.
projects, home demonstration work, results. D.C. 314, pp. 28-31. 1924.
protein studies. Chem. Chief Rpt., 1921, pp. 28-30. 1921.
publications, Office of Experiment Stations. List corrected to May 1, 1907. O.E.S. Doc. 993, pp. 16. 1907.
requirements of growing chicks: Nutritive deficiencies of corn. F. E. Mussehl and J. W. Calvin. J.A.R., vol. 22, pp. 139-149. 1921.
respiration calorimeter investigations. An. Rpts., 1905, pp. 468, 470, 471, 476. 1905.
studies by Home Economics Bureau. Home Ec. A.R., 1924, pp. 3-4. 1924.
value of—
 fats. D.B. 469, pp. 3-4. 1916.
 food, and economic value. F.B. 142, pp. 1-48. 1902.
 fruit and nut diet, experiment. Y.B., 1905, pp. 314-316. 1906; Y.B. Sep. 385, pp. 314-316. 1906.
 meat extracts. Chem. Bul. 114, pp. 44-54. 1908.
 milk. B.A.I. [Misc.], "World's dairy congress, 1923," pp. 421-464. 1924.
 mixtures of proteins from corn and various concentrates. J.A.R., vol. 24, pp. 971-978. 1923.
work in Labrador. Marion R. Moseley. B.A.I. [Misc.], "World's dairy congress, 1923," pp. 837-844. 1924.
See also Food.
Nutritive value—
 and digestibility, bread—
  and macaroni, studies, University of Minnesota, 1903-1905. Harry Snyder. O.E.S. Bul. 156, pp. 80. 1905.
  studies, Maine Experiment Station, 1899-1903. C. D. Woods and L. H. Merrill. O.E.S. Bul. 143, pp. 77. 1904.
 nonprotein, of feeding stuffs. Henry Prentiss Armsby. B.A.I. Bul. 139, pp. 49. 1911.

Nutritive value—Continued.
 of meats, influence of cooking, University of Illinois. H. S. Grindley and A. D. Emmett. O.E.S. Bul. 162, pp. 230. 1905.
 of wheat: I. Effect of variation of sodium in a wheat ration. George A. Olson and J. L. St. John. J.A.R., vol. 31, pp. 365-375. 1925.
Nutromalt, misbranding. Chem. N.J. 2520, pp. 1. 1913.
Nuttalia tropica, spread by dogs. D.B. 260, p. 22. 1915.
NUTTALL, THOMAS, plant introductions into England, 1912, 1913. D.B. 957, pp. 8-10. 1922.
Nuttallornis borealis. See Flycatcher, olive-sided.
NUTTING, C. C., expedition to—
 Hawaiian Islands, for bird study. Biol. Bul. 42, pp. 7-8, 11-13, 25-30. 1912.
 Laysan Island, 1911. Y.B., 1911, pp. 157-158. 1912; Y.B. Sep. 557, 1911, pp. 157-158. 1912.
NUTTING, G. B.: "Identification of certain species of Fusarium isolated from potato tubers in Montana." With H. E. Morris. J.A.R., vol. 24, pp. 339-364. 1923.
Nux vomica—
 alkaloidal reaction, discussion. Chem. Bul. 150, pp. 36-40. 1912.
 analysis methods, directions and results. Chem. Bul. 105, pp. 130, 136, 139-141. 1907.
 effect on fat and milk production of cows. J.A.R., vol. 19, pp. 123, 124. 1920.
 fluid-extract, adulteration and misbranding. Chem. N.J. 13396. 1925.
 introduction into Guam. O.E.S. Doc. 1137, p. 410. 1908.
 source of strychnine. Y.B. 1908, p. 424. 1909; Y.B. Sep. 491, p. 424. 1909.
 tablets, adulteration and misbranding. Chem. N.J. 2191, pp. 2. 1913; Chem. N.J. 2833, pp. 2. 1914; Chem. N.J. 4048, p. 1. 1916.
 use against rodents. Y.B. 1908, p. 426. 1909; Y.B. Sep. 491, p. 426. 1909.
Nyal's extract of Damiana, misbranding. Chem. N.J. 345, pp. 2. 1910.
Nyctaginaceae, injury by sapsuckers. Biol. Bul. 39, pp. 36, 76. 1911.
Nyctea nyctea—
 occurrence in Pribilof Islands, and food habits. N.A. Fauna 46, p. 85. 1923.
 See also Owl, snowy.
Nyctinomus mexicanus. See Bat, free-tailed.
Nymphaea—
 blanda, importation and description. No. 50617, B.P.I. Inv. 63, pp. 5, 86. 1923.
 gigantea, importation and description. No. 46464, B.P.I. Inv. 56, p. 18. 1922.
 leaf-spot, occurrence and description, in Texas. B.P.I. Bul. 226, p. 98. 1912.
 spp. See Waterlily.
Nymphomania, cow, causes and treatment. B.A.I. [Misc.], "Diseases of cattle," rev., pp. 145-146. 1904; rev., pp. 148-149. 1912; rev., pp. 148-149. 1923.
Nypa fruticans. See Palm, Nipa.
Nysa sessiliflora, importation and description. No. 47740. B.P.I. Inv. 59, p. 53. 1922.
Nysius ericae—
 life history and habits. J.A.R., vol. 13, pp. 571-578. 1918.
 See also Chinch bug, false.
Nyssa—
 aquatica. See Gum, cotton.
 biflora. See Gum, water.
 ogeche. See Tupelo, sour.
 sessiliflora, importation and description. No. 38737, B.P.I. Inv. 40, p. 22. 1917.
 spp.—
  injury by sapsuckers. Biol. Bul. 39, p. 48. 1911.
  See also Gum; Tupelo.
NYSTROM, A. B.: "Dairy cattle breeds." F.B. 1443, pp. 32. 1925.

Oahu demonstration farm, Hawaii, work, 1912. O.E.S. An. Rpt., 1912, pp. 56, 101, 103. 1913.
Oak(s)—
 attacked by Polyporus dryadeus. J.A.R. vol. I, pp. 245-247. 1913.
 Australian silk, injury by red spider. D.B. 1035, p. 3. 1922.

Oak(s)—Continued.
  black—
    and white, sprouting from stumps of different diameters. For. Cir. 118, p. 17. 1907.
    jack—
      characteristics. For. Bul. 102, pp. 44–45. 1911.
      description and growth, and injury by mistletoe. D.B. 1112, pp. 5–8, 18, 23, 24, 25. 1922.
      ties cut under present methods and more economical methods, comparison, table. For. Cir. 118, p. 7. 1907.
    blue—
      characteristics. For. Bul. 102, p. 53. 1911.
      description, range, and occurrence on Pacific slope. For. [Misc.] "Forest trees for the Pacific * * *" pp. 285–289. 1908.
      jack characteristics. For. Bul. 102, p. 46. 1911.
    borer—
      attack followed by fungi causing disease. B.P.I. Bul. 149, pp. 41, 44. 1909.
      control methods. J.A.R. vol. 3, No. 4, pp. 292–293. 1915.
      description. Sec. [Misc.], "A manual of insects * * *," pp. 150–151. 1917.
      description and control. F.B. 1169, pp. 61–63. 1921.
      See also Chestnut borer.
    Brewer, description, range, and occurrence on Pacific slope. For. [Misc.], "Forest trees for Pacific * * *," pp. 281–283. 1908.
    brush, poisoning of livestock, investigations. An. Rpts. 1917, p. 111. 1918; B.A.I. Chief Rpt., 1917, p. 45. 1917.
    bur—
      characteristics. For. Bul. 102, pp. 34–35. 1911.
      northern Great Plains. D.B. 1113, p. 10. 1923.
      occurrence in Kansas. For. Cir. 161, p. 48. 1909.
      range, cultivation, and uses. For. Cir. 56, pp. 3. 1907; rev., 1910.
      value—
        as ornamental for Great Plains region. F.B. 888, p. 14. 1917.
        of products, cost of planting, and uses. For. Cir. 81, p. 18. 1910.
      Wyoming, distribution and growth. N.A. Fauna 42, pp. 64–65. 1917.
    butt rot, caused by injuries in logging and by Hydnum erinaceus. D.B. 89, p. 4. 1914.
    California—
      black—
        characteristics. For. Bul. 102, pp. 32–33. 1911.
        description, range, and occurrence on Pacific slope. For. [Misc.], "Forest trees for Pacific * * *," pp. 313–317. 1908.
        occurrence in sugar-pine yellow-pine forests. For. Bul. 69, pp. 11, 13. 1906.
        descriptions. M.C. 31, pp. 7–10. 1925.
      live, description range, and occurrence on Pacific slope. For. [Misc.], "Forest trees for Pacific * * *," pp. 303–306. 1908.
      scrub, description, range, and occurrence on Pacific slope. For. [Misc.], "Forest trees for Pacific, * * *," pp. 292–295. 1908.
    Canyon live, description, range, and occurrence on Pacific slope. For. [Misc.], "Forest trees for Pacific * * *," pp. 295–300. 1908.
    characters, species on Pacific slope. For. [Misc.], "Forest trees for Pacific * * *," pp. 276–322. 1908.
    chestnut—
      characteristics. For. Bul. 102, pp. 38–39. 1911.
      in southern Appalachians. H. D. Foster and W. W. Ashe. For. Cir. 135, pp. 23. 1908.
      occurrence, and management. For. Silv. Leaf. 41, pp. 1–3. 1908.
      piped rot, occurrence and description. J.A.R., vol. 3, p. 67. 1914.
      twig blight. J.A.R., vol. 1, pp. 339–346. 1914.
      uses of wood and bark. For. Cir. 135, pp. 9–11. 1908.
    Chinese, importations and description. Nos. 44662, 44668, 44669, 44678, B.P.I. Inv. 51, pp. 39, 40, 41, 42. 1922.
    chinquapin, characteristics. For. Bul. 102, pp. 39–41. 1911.

Oak(s)—Continued.
  consumption in Arkansas, amount and value. For. Bul. 106, pp. 7–40. 1912.
  cooperage—
    Arkansas national forests. Y.B., 1912, p. 410. 1913; Y.B. Sep. 602, p. 410. 1913.
    stock, slack, production and value, 1906. For. Cir. 123, pp. 4–7. 1907.
  cork—
    characteristics, requirements, and reproduction. For. Bul. 98, p. 52. 1911.
    destruction by gipsy moths, France. Y.B., 1907, p. 153. 1908; Y.B. Sep. 442, p. 153. 1908.
    growing possibilities. An. Rpts., 1912, p. 120. 1913; Sec. A.R., 1912, p. 120. 1912; Y.B., 1912, p. 120. 1913.
    importations and descriptions. Nos. 29335, 29531, 29658–29659, B.P.I. Bul. 233, pp. 12, 30, 35. 1912; No. 36925, B.P.I. Inv. 37, p. 83. 1916; No. 43955, B.P.I. Inv. 49, p. 103. 1921.
    in Algeria, range and value. B.P.I. Bul. 80, p. 94. 1905.
  cossid, description and control on pecan. F.B. 843, pp. 35–37. 1917.
  cow, characteristics. For. Bul. 102, pp. 37–38. 1911.
  crown-gall inoculation from daisy and peach. B.P.I. Bul. 213, pp. 50, 73. 1911.
  damage by timber worms and carpenter worms. Ent. Bul. 58, Pt. V, pp. 60–61, 64. 1909.
  death due to Armillaria mellea. D.B. 89, pp. 1–9. 1914.
  defoliation by moth, secondary injury by bark borer. D.B. 204, pp. 19, 20. 1915.
  descriptions—
    M.C. 31, pp. 7–10. 1925.
    key and list of common kinds. D.C. 223, pp. 4, 8. 1922.
    use as street tree and regions adapted to. D.B. 816, pp. 17, 18, 19, 31–36. 1920.
    varieties and regions suited to. F.B. 1208, pp. 26–31. 1922.
  destruction by—
    borers. J.A.R., vol. 3, pp. 283–285, 289–291. 1915.
    gipsy moth. Ent. Cir. 164, pp. 8–9. 1913.
    insects. Ent. Bul. 58, pp. 60, 61, 64. 1910.
  diseases—
    caused by various fungi. B.P.I. Bul. 149, pp. 21–76. 1909.
    Texas, occurrence and description. B.P.I. Bul. 226, pp. 74–75, 111. 1912.
  distillation—
    products, comparison with kelp. J.A.R., vol. 4, pp. 55–56. 1915.
    yields of alcohol and lime acetate. D.B. 508, pp. 3–7. 1917.
  Durand's, characteristics. For. Bul. 102, p. 35. 1911.
  elimination from New England forests, suggestions. Ent. Cir. 164, pp. 17, 18, 19. 1913.
  Emory—
    characteristics. For. Bul. 102, pp. 31–32. 1911.
    distribution, climate, soil, and characteristics. For. Cir. 201, pp. 3–9. 1912.
    heating value, comparison with Arizona white oak. For. Cir. 201, pp. 12–13. 1912.
    injury and causes. For. Cir. 201, pp. 10–12, 15. 1912.
    uses, cubic contents of various diameters. For. Cir. 201, pp. 12–14. 1912.
  Engelmann's, description, range and occurrence on Pacific slope. For. [Misc.], "Forest trees for Pacific * * *," pp. 289–293. 1908.
  European, piped rot, occurrence. J.A.R., vol. 3, pp. 68, 71. 1914.
  evergreen—
    importations and description. Inv. Nos. 29533, 30389, B.P.I. Bul. 233, pp. 31, 82. 1912; No. 35320, B.P.I. Inv. 35, pp. 9, 37–38. 1915.
    white. See Oak, Engelmann.
  exports, 1922–1924. Y.B., 1924, p. 1047. 1925.
  foliage, analyses showing injury by smelter fumes. Chem. Bul. 89, pp. 15, 17, 18, 21. 1905.
  food of lead-cable borer. D.B. 1107, pp. 12, 20, 34, 41. 1922.
  forests, drain by use of ties and cooperage stock. For. Cir. 171, p. 9. 1909.

Oak(s)—Continued.
 fibers, lengths and widths. For. Bul. 102, p. 56. 1911.
 gall insects, habits and control. F.B. 1169, pp. 92-93. 1921.
 Gambel's, characteristics. For. Bul. 102, pp. 25-26. 1911.
 Garry's, description, range, and occurrence on Pacific slope. For. [Misc.], "Forest trees for * * * Pacific * * * ", pp. 283-285. 1908.
 golden-cup, description. For. [Misc.], "Forest trees for * * * Pacific * * * ", p. 295. 1908.
 Guatemalan, importation and description. No. 46383, B.P.I. Inv. 56, pp. 213. 1922.
 heart rot—
  caused by *Polyporus dryophilus*, and poplars. George G. Hedgcock and W. H. Long. J.A.R., vol. 3, pp. 65-78. 1914.
  three undescribed. W. H. Long. J.A.R., vol. 1, pp. 109-128. 1913.
 honeycomb heart-rot, caused by *Stereum subpileatum*. William H. Long. J.A.R., vol. 5, No. 10, pp. 421-426. 1915.
 huckleberry, description. For. [Misc.], "Forest trees for Pacific", * * * p. 295. 1908.
 importations and descriptions. Nos. 49282-49284, B.P.I. Inv. 62, p. 20. 1923; Nos. 50703-50708, 50722, B.P.I. Inv. 64, pp. 16, 19. 1923; Nos. 52391, 52393-52397, 52440-52448, 52506, B.P.I. Inv. 66, pp. 2, 3, 20, 21, 26, 34. 1923; Nos. 54433, 54502, 54657, B.P.I. Inv. 69, pp. 1, 8, 17, 35. 1923; No. 56112, B.P.I. Inv. 73, p. 39. 1924.
 in northern hardwood forests. D.B. 285, pp. 6-21, 35, 43. 1915.
 infestation by May beetles. F.B. 543, pp. 10, 19. 1913.
 injury—
  by—
   borers, treatment and recovery. F.B. 708, p. 9. 1916.
   California oak worm. F.B. 1076, pp. 2, 3, 4. 1920.
   gipsy moth. D.B. 204, p. 14. 1915; F.B. 564, pp. 5, 18, 20. 1914.
   gipsy moths and brown-tail moths. F.B. 1335, pp. 8, 9, 13. 1923.
   mistletoe, methods of attack, and control. B.P.I. Bul. 149, pp. 14-17. 1909.
   oak pruner. Ent. Cir. 130, p. 1. 1910.
   sapsuckers. Biol. Bul. 39, pp. 33-35, 51, 71-73, 74-75. 1911.
   sulphur dioxide fumes. Chem. Bul. 113, rev., pp. 12-14, 17-21. 1910.
  to longleaf pine, seedlings, cutting recommendations. D.B. 1061, p. 44. 1922.
 inoculation with fungous disease, experiments. J.A.R., vol. 2, p. 248. 1914.
 insect(s)—
  injurious. F.B. 1169, pp. 98-99. 1921.
  injurious, manner of attack. Ent. Bul. 37, pp. 23-24. 1902.
  pests, list. Sec. [Misc.], "A manual of * * * insect * * * ", pp. 53, 110, 150-155. 1917.
 laurel, characteristics. For. Bul. 102, pp. 24-25. 1911.
 leaf poisoning of domestic animals. C. Dwight Marsh and others. D.B. 767, pp. 36. 1919.
 leaves—
  as forage. F.B. 210, pp. 25-26. 1904.
  poisonous effects on animals. D.B. 1245, pp. 6-7. 1924.
  rotted, acid condition. D.B. 974, p. 9. 1921.
 logging on—
  cove lands, directions. For. Cir. 118, pp. 11-13. 1907.
  ridge lands for sprout reproduction. For. Cir. 118, pp. 14-15. 1907.
  logs, spraying experiments. D.B. 1079, pp. 5-11. 1922.
 looper, western, similarity to California oak worm. F.B. 1076, p. 3. 1920.
 Louisiana, stumpage value. For. Bul. 114, pp. 16, 18. 1912.
 lumber—
  production and value—
   1905. For. Bul. 74, p. 21. 1907.
   1906, by States. For. Cir. 122, pp. 16-17. 1907.

Oak(s)—Continued.
 lumber—continued.
  production and value—continued.
   1913, species and range. D.B. 232, pp. 11-12, 31-32. 1915.
   1918, by States. D.B. 845, pp. 21-22, 45. 1920.
   1919, by States. D.B. 768, pp. 17-18, 38, 42. 1919.
   1920, by States. D.B. 1119, p. 44. 1923.
  steaming for control of powder-post beetle. J.A.R., vol. 28, pp. 1033-1038. 1924.
  value and uses. Y.B., 1918, p. 321. 1919; Y. B. Sep. 779, p. 7. 1919.
 mistletoe—
  infection. B.P.I. Bul. 166, pp. 16, 17, 19, 20, 22, 25. 1910.
  resistant, efforts to propagate. O.E.S. An. Rpt., 1907, p. 109. 1908.
 Morehus, description, range, and occurrence on Pacific slope. For. [Misc.], "Forest for * * * Pacific * * *", pp. 311-313. 1908.
 mossy-cup, distribution. N.A. Fauna 22, pp. 11, 22. 1902.
 netleaf, characteristics. For. Bul. 102, pp. 28-29. 1911.
 North American, lengths and width of fibers. For. Bul. 102, p. 56. 1911.
 occurrence—
  Arizona ranges. D.B. 367, p. 15. 1916.
  Washington, eastern Puget Sound, and water requirements. Soil Sur. Adv. Sh., 1909, pp. 33, 37. 1911; Soils F.O., 1909, pp. 1545, 1549. 1912.
 Oregon, range, description, growth habits, pests, and reproduction. For. Silv. Leaf. 52, pp. 1-4. 1912.
 overcup, characteristics. For. Bul. 102, p. 37. 1911.
 pin, characteristics. For. Bul. 102, pp. 46-48. 1911.
 poison. See Poison oak.
 poisoning of livestock. C. Dwight Marsh and others. B.A.I. Doc. A-32, pp. 3. 1916.
 poisonous to cattle, leaves and buds in early spring. D.B. 575, p. 20. 1918.
 poles, consumption, 1915. D.B. 519, pp. 1, 2, 3. 1917.
 post, Pacific, characteristics. For. Bul. 102, p. 26. 1911.
 preservation, results of treatment. D.B. 606, pp. 26, 28, 29, 30, 32, 33. 1918.
 preservative treatment, results. F.B. 744, pp. 17, 25, 28. 1916.
 price, description, range, and occurrence on Pacific slope. For. [Misc.], "Forest trees for Pacific * * *," pp. 309-311. 1908.
 production—
  1899-1915, and estimates, 1915. D.B. 506, pp. 13-15, 17-18. 1917.
  in Connecticut, uses, and value. For. Bul. 96, p. 16. 1912.
 properties, comparison with black walnut, and prices. D.B. 909, pp. 3, 5, 41. 1921.
 pruner—
  F. H. Chittenden. Ent. Cir. 130, pp. 7. 1910.
  description—
   and habits. Y.B., 1910, p. 355. 1911; Y.B. Sep. 542, p. 355. 1911.
   and injuries. Ent. Cir. 130, pp. 1-7. 1910.
  life history, and control. F.B. 1364, pp. 47-48. 1924.
 pecan enemy, description, life history, and control. F.B. 843, pp. 47-48. 1917.
 pubescent Kermes, description, habits, and control. F.B. 1169, pp 79-80 1921.
 quantity used in manufacture of wooden products. D.B. 605, p. 9. 1918.
 railroad ties, number and value, consumption, 1905, 1906. For. Cir. 124, pp. 4-5. 1907.
 red—
  For. Cir. 58, p. 3. 1907; rev., 1909; rev., 1911.
  and white, characteristics and reproduction. For. Bul. 98, pp. 54, 57. 1911.
  characteristics. For. Bul. 102, pp. 49-51. 1911.
  chemical study. Y.B., 1902, pp. 324-325. 1903.
  crossties, cost per year for maintenance. For. Bul. 118, p. 46. 1912.
  density determinations. J.A.R., vol. 2, pp. 426-428. 1914.

Oak(s)—Continued.
  red—continued.
    growth, spacing, uses, planting methods, and products. Y.B., 1911, pp. 261, 262, 263, 267. 1912; Y.B. Sep. 566, pp. 261, 262, 263, 267. 1912; For. Cir. 195, p. 14. 1912; D.B. 153, pp. 19, 33, 35. 1915.
    range, cultivation, and uses. For. Cir. 58, pp. 1-3. 1907; rev. 1911.
    use in forest planting. For. Bul. 65, pp. 17, 18. 1905.
    reduction of supply since 1900. For. Cir. 166, p. 23. 1909.
    root parasite, *Polyporus dryadeus*. J.A.R., vol. 1, pp. 239-250. 1913.
    rot, piped, description, and preventive measures. B.P.I. Bul. 149, pp. 39-40, 76. 1909.
    Sadler's, description, range, and occurrence, on Pacific slope. For. [Misc.], "Forest trees for Pacific * * *," p. 285. 1908.
    sapling borer, *Goes tesselatus*. Fred E. Brooks. J.A.R., vol. 26, pp. 313-318. 1923.
    scarlet, characteristics. For. Bul. 102, pp. 45-46. 1911.
    scrub, cattle feeding experiments. D.B. 767, pp. 7-21. 1919.
    shin, occurrence in Oklahoma. For. Bul. 65, pp. 28-29. 1905.
    shingle, characteristics. For. Bul. 102, p. 41. 1911.
    "shinnery," cattle feeding experiments. D.B. 767, pp. 21-29. 1919.
    silk, description, and regions suited to. F.B. 1208, p. 37. 1922.
    silky, insect pests, list. Sec. [Misc.], "A manual of * * * insects," p. 195. 1917.
    slash, rotting and brush disposal, Arkansas. D.B. 496, pp. 3-7. 1917.
    soft rot, cause, description, and effects. B.P.I. Bul. 149, pp. 41-42. 1909.
    spacing in woods, and seed quantity per acre. F.B. 1177, rev., p. 22. 1920.
    Spanish, characteristics. For. Bul. 102, pp. 43-44. 1911.
    sprouting capacity, best age for cutting. Y.B., 1910, p. 159. 1911; Y.B. Sep. 525, p. 159. 1911.
    sprouts, growth in height and diameter on ridge and slope lands, tables. For. Cir. 118, p. 16. 1907.
    stumpage, value, 1907. For. Cir. 122, pp. 36-37. 1907.
    susceptibility to—
      gipsy-moth injury. Ent. Cir. 164, pp. 13, 14. 1913.
      powder-post damage. F.B. 778, pp. 4, 15. 1917.
    swamp, white, characteristics. For. Bul. 102, p. 30. 1911.
    tanbark—
      California. For. Bul. 75, pp. 1-32. 1911.
      description—
        characteristics, range and occurrence. For. Bul. 75, pp. 6-8. 1911; For. Bul. 102, pp. 54-55. 1911.
        range and occurrence on Pacific Slope. For. [Misc.], "Forest trees for Pacific * * *," pp. 317-322. 1908.
      prices in different localities. For. Cir. 119, p. 4. 1907.
      second-growth quality and yield. For. Bul. 75, pp. 17-18. 1911.
      tannin distribution. For. Bul. 75, pp. 33-34. 1911.
      tests for strength. For. Bul. 75, pp. 25-28. 1911.
    tanning extract, consumption, quantity, and value, 1906. For. Cir. 119, pp. 3, 6-8. 1907.
    tests for mechanical properties, results. D.B. 556, pp. 31-32, 41. 1917; D.B. 676, pp. 23-26. 1919.
    Texas, characteristics. For. Bul. 102, p. 48. 1911.
    timber worm, habits and damage to living trees. Ent. Bul. 58, Pt. V, pp. 60, 64. 1909; Ent. Cir. 126, p. 1. 1910.
    trees, dead, cutting as gipsy-moth control method. D.B. 204, p. 19. 1915.
    Turkey, characteristics. For. Bul. 102, pp. 42-43. 1911.
    twig-pruner, description, habits, and control. F.B. 1169, pp. 70-71. 1921.

Oak(s)—Continued.
    two-lined borer, description, habits, and control. F.B. 1169, pp. 61-63. 1921.
    use as crossties, quantity and value. D.B. 549, pp. 2, 3, 4, 5, 6, 7. 1917; For. Cir. 166, p. 21. 1909.
    valley, characteristics. For. Bul. 102, pp. 26-27. 1911.
    valonia, introduction, description and use of acorn cups for tanning. B.P.I. Bul. 205, pp. 29-30. 1911.
    varieties—
      most poisonous to animals. D.B. 767, pp. 1, 6, 7, 21. 1919.
      occurrence—
        chaparral, value. For. Bul. 85, pp. 7, 9, 24, 34-36, 37, 42, 44. 1911.
        South Carolina, yield and description. For. Bul. 56, pp. 8, 10, 16-27, 45. 1905.
      slash-rotting fungi, Arkansas forests. D.B. 496, pp. 3-4, 7. 1917.
      suitable for goat browsing. D.B. 749, p. 3. 1919.
    volume tables and growth rate. For. Bul. 36, pp. 120-121, 134-138, 189, 193. 1910.
    walnut hybrids. S.R.S. Rpt., 1915, Pt. I, p. 76. 1917.
    weight, uses, freight rates, and value. F.B. 715, pp. 4, 9, 10, 18, 22, 28, 34, 35, 41. 1916.
    wheel stock, drying schedule. D.B. 1136, pp. 39-40, 43. 1923.
    white—
      absorption of creosote, tests. For. Cir. 200, p. 6. 1912.
      Arizona, characteristics. For. Bul. 102, p. 29. 1911.
      characteristics. For. Bul. 102, pp. 33-34. 1911; For. Cir. 105, pp. 11-23. 1907.
      cooperage stock, large percentage. For. Cir. 129, p. 11. 1907.
      crossties untreated, cost per year for maintenance. For. Cir. 118, p. 46. 1912.
      description, range, habits, uses, propagation, and care. For. Cir. 106, pp. 1-4. 1907.
      distillation yields of alcohol and acetic acid. D.B. 129, pp. 7-16. 1914.
      fire prevention. M.C. 53, pp. 1-10. 1925.
      foliage, injury by gipsy moth. D.B. 1093, pp. 10-11. 1922.
      honeycomb heart-rot, description and effect on trees. J.A.R., vol. 5, No. 10, pp. 422-424. 1915.
      in southern Appalachians. W. B. Greeley and W. W. Ashe. For. Cir. 105, pp. 27. 1907.
      injury by red spider. D.B. 1035, p. 4. 1922.
      logging on cove lands, directions and notices. For. Cir. 118, pp. 11-13. 1907.
      names, range, description, bark, prices, and uses. B.P.I. Bul. 139, pp. 18-20. 1909.
      piped rot, description and control. J.A.R., vol. 3, pp. 66-67, 76. 1914.
      production, 1899-1914, and estimates, 1915. D.B. 506, pp. 13-15, 17-18. 1917.
      properties, comparison with sycamore. D.B. 884, p. 3. 1920.
      seed, saving and treatment. For. Cir. 106, p. 4. 1907.
      susceptibility to twig blight of *Diplodia longispora*. J.A.R., vol. 1, pp. 339, 341, 342. 1914.
      tyloses, appearance. J.A.R., vol. 1, pp. 445, 447, 451, 470. 1914.
      use for cooperage stock. For. Cir. 166, p. 21. 1909.
      See also *Quercus alba*.
    willow, characteristics. For. Bul. 102, pp. 35-37. 1911.
    Wislizenus, description, range, and occurrence on Pacific slope. For. [Misc.], "Forest trees for * * * Pacific * * *," pp. 307-309. 1908.
    wood—
      creosote penetration experiments, effect of tyloses. J.A.R., vol. 1, pp. 465, 466. 1914.
      North American, identification. For. Bul. 102, p. 56. 1911.
      weight per cord, and equivalent in coal. D.B. 718, p. 59. 1918.
    worm(s)—
      and chestnut, injury to living trees. Ent. Bul. 58, pp. 60-61. 1910.

Oak(s)—Continued.
  worm(s)—continued.
    California. H. E. Burke and F. B. Herbert. F. B. 1076, pp. 14. 1920.
    control by derris spray. J.A.R., vol. 17, p. 196. 1919.
    parasites, description. F.B. 1076, pp. 9, 10. 1920.
    timber, injury to trees. Ent. Cir. 126, p. 1. 1910.
    yellow, characteristics. For. Bul. 102, pp. 48–49. 1911.
  See also Hardwoods.
Oakland, Calif., milk supply, statistics, officials, prices, and ordinances. B.A.I. Bul. 46, pp. 30, 49. 1903.
OAKLEY, R. A.—
  "Canada bluegrass: Its culture and uses." F.B. 402, pp. 20. 1910.
  "Commercial varieties of alfalfa." With H. L. Westover. F.B. 757, pp. 24. 1916.
  "Distribution of tulip and narcissus bulbs in 1919." D.C. 65, pp. 7. 1919.
  "Distribution of cotton seed in 1915." B.P.I. Doc. 1163, pp. 15. 1915.
  "Distribution of tulip and narcissus bulbs in 1914." B.P.I. Doc. 1122, pp. 5. 1914.
  "Effect of the length of day on seedlings of alfalfa varieties and the possibility of utilizing this as a practical means of identification." With H. L. Westover. J.A.R., vol. 21, pp. 599–608. 1921.
  "Forage crops in relation to the agriculture of the semiarid portion of the northern Great Plains." With H. L. Westover. D.B. 1244, pp. 54. 1924.
  "Hay." With others. Y.B., 1924, pp. 285–376. 1925; Y.B. Sep. 916, pp. 285–376. 1925.
  "How to grow alfalfa." With H. L. Westover. F.B. 1283, pp. 36. 1922.
  "Making and maintaining a lawn." B.P.I. [Misc.], "Making and maintaining * * *," p. 1. 1914.
  "*Medicago falcata*, a yellow-flowered alfalfa." With Samuel Garver. D.B. 428, pp. 70. 1917.
  "Orchard grass." B.P.I. Bul. 100, Pt. VI, pp. 45–56. 1907.
  "Our forage resources." With others. Y.B., 1923, pp. 311–414. 1924; Y.B. Sep. 895, pp. 311–414. 1924.
  "Rooting stems in timothy." With Morgan W. Evans. J.A.R., vol. 21, No. 3, pp. 173–178. 1921.
  "Some new grasses for the South." Y.B., 1912, pp. 495–504. 1913; Y.B. Sep. 609, pp. 495–504. 1913.
  "The culture and uses of brome grass." B.P.I. Bul. 111, Pt. V, pp. 51–63. 1907.
  "The seed supply of the Nation." Y.B., 1917, pp. 497–536. 1918; Y.B. Sep. 757, pp. 42. 1918.
  "Two types of proliferation in alfalfa." With Samuel Garver. B.P.I. Cir. 115, pp. 3–13. 1913.
  "Utilization of alfalfa." With H. L. Westover. F.B. 1229, pp. 44. 1921.
Oakley project, irrigation work, Idaho, proposed. O.E.S. Bul. 216, p. 46. 1909.
Oat(s)—
  absorption of boron and distribution, studies. J.A.R., vol. 5, No. 19, pp. 884, 887, 888. 1916.
  abundance, yield, comparison with other varieties. F.B. 395, p. 19. 1910.
  acre value in food. F.B. 877, pp. 4, 8. 1917.
  acreage—
    1909–1919. Y.B., 1923, p. 137. 1924.
    1918, and acreage and production since 1909, in South. S.R.S. Doc. 96, pp. 11, 13. 1919.
    and production—
      1907 and 1908. B.P.I. Cir. 30, p. 3. 1909.
      1909, and estimate 1915, by States, map. Y.B., 1915, pp. 356, 357. 1916; Y.B. Sep. 681, pp. 356, 357. 1916.
      in Iowa, Delaware County. Soil Sur. Adv. Sh., 1922, pp. 6, 8, 16, 22. 1925.
      in North Carolina, Haywood County. Soil Sur. Adv. Sh., 1922, pp. 207, 208. 1925.
      in Southern States, 1909–1919. D.C. 85, p. 16. 1920.

Oat(s)—Continued.
  acreage—continued.
    and production—continued.
      increase in South, 1909–1917. S.R.S. Rpt., 1917, Pt. II, pp. 25–26. 1919.
      world countries, 1910–1914. Y.B., 1916, pp. 533, 539. 1917; Y.B. Sep. 713, pp. 3, 9. 1917.
    and value, by States. Y.B., 1924, p. 617. 1925.
    and yield—
      in North Dakota, McHenry County. Soil Sur. Adv. Sh., 1921, pp. 935, 936, 939. 1925.
    per farm. D.B. 320, p. 10. 1916.
    by countries, Europe, 1885, 1895, 1905. Stat. Bul. 68, pp. 16–17. 1908.
    comparison with wheat. Y.B., 1921, p. 99. 1922; Y.B. Sep. 873, p. 99. 1922.
    condition and price, June 1, 1914. F.B. 604, p. 13. 1914.
    growing, and harvesting in southwestern Minnesota. D.B. 1271, pp. 8, 11, 24–29. 1924.
    in South, 1914, increase over 1913. News L., vol. 2, No. 27, p. 2. 1915.
    increase in Iowa, discussion. Off. Rec., vol. 1, No. 52, p. 5. 1922.
    maintenance, for 1918, necessity. Sec. Cir. 103, p. 13. 1918.
    production, and—
      foreign trade, 1925; Sec. A.R., 1925, pp. 3, 102–104. 1925.
    value, 1866–1906; by States, table. Stat. Bul. 58, pp. 5–25. 1907.
    value, 1900–1909, by States. F.B. 420, pp. 8–11. 1910.
    value, 1913, estimate. F.B. 570, pp. 7, 8, 16, 17, 18, 28. 1913.
    value, 1913, 1914, by States, estimates. F.B. 645, p. 28. 1914.
    value, 1914, estimate, comparison. F.B. 611, pp. 3, 28. 1914.
    value in Southern States, 1900–1909. F.B. 436, pp. 5, 30. 1911.
  yield(s)—
    and nutrients, comparison with barley. F.B. 968, pp. 6, 7, 10. 1918.
    and variety tests, Nevada, Truckee-Carson Project. W.I.A. Cir. 3, pp. 4, 6–7. 1915.
    prices and marketing, 1923. Y.B., 1923, pp. 679–695. 1924; Y.B. Sep. 899, pp. 679–695. 1924.
  adaptability—
    and value in Gulf States. News L., vol. 5, No. 14, p. 1. 1917.
  to—
    acid soils. D.B. 6, p. 8. 1913.
    Cecil clay. Soils Cir. 28, p. 10. 1911.
    Cecil sandy loam. Soils Cir. 27, p. 14. 1911.
    Marion silt loam, eastern United States. Soils Cir. 59, pp. 4, 8. 1912.
    Penn loam, eastern United States. Soils Cir. 56, pp. 6, 7. 1912.
    San Luis Valley, Colorado. Soils Cir. 52, pp. 22, 26. 1912.
    Volusia loam, eastern United States. Soils Cir. 60, pp. 4, 9. 1912.
  adulteration. See also *Indexes, Notices of Judgment, in bound volumes and in separates published as supplements to Chemistry Service and Regulatory Announcements.*
  agency in removal of potash from soils, experiments. J.A.R., vol. 14, pp. 303–305. 1918.
  Algerian, cultivation. B.P.I. Bul. 80, p. 76. 1911.
  American Banner, yield, comparison with other varieties. F.B. 395, p. 17. 1910.
  American, improved, yield, comparison with other varieties. F.B. 395, p. 14. 1910.
  analysis—
    comparison with other grains. F.B. 420, pp. 16–17. 1910.
    discussion of results. Chem. Bul. 120, pp. 18–30, 43, 48–55. 1909.
    analytical key and description of seedlings. D.B. 461, p. 27. 1917.
  and—
    barley, bleached. F.I.D. 145, p. 1. 1912.
    peas for hay, quantity of seed per bushel. F.B. 420, p. 22. 1910.
    peas, silage, examination for acidity. J.A.R., vol. 14, pp. 401, 402, 405, 408. 1918.

Oat(s)—Continued.
aphid—
control by parasites. An. Rpts., 1914, p. 192. 1915; Ent. A.R. 1914, p. 10. 1914.
description, history, and injuries to apples. F.B. 804, pp. 13–15, 19. 1917.
distribution—
description, life history, and control. J. J. Davis. D.B. 112, pp. 16. 1914.
in United States, with map. D.B. 112, pp. 1, 2. 1914.
aphis. J. J. Davis. D.B. 112, pp. 16. 1914.
appearance, improvement by sulphur bleaching. D.B. 725, pp. 6, 7. 1918.
area—
and production—
by world countries, 1907–1911. Stat. Cir. 29, pp. 8–10. 1912.
in various countries. Stat. Cir. 24, pp. 6, 9, 12, 13, 14. 1911.
maintenance, necessity for 1918. News L., vol. 5, No. 30, p. 4. 1918.
as nurse crop and cover crop. F.B. 420, pp. 23, 24. 1910.
as source of alcohol. F.B. 429, p. 17. 1911.
Australian. *See* Rescue grass.
average growing in New York, Schoharie County. Soil Sur. Adv. Sh., 1915, p. 18, 23, 27, 28, 32. 1917; Soils F.O., 1915, pp. 129, 138, 143, 147, 148, 152. 1919.
bacterial blight, dry-heat treatment. J.A.R., vol. 18, pp. 386–387. 1920.
barley, rye, rice, grain sorghums, seed flax, and buckwheat. C. R. Ball and others. Y.B., 1922, pp. 469–568. 1923; Y.B. Sep. 891, pp. 469–568. 1923.
Bicknell, origin, description, and yields. D.B. 336, pp. 36, 37, 38–39. 1916.
Black American, test and yield per acre in Utah. B.P.I. Cir. 61, p. 14. 1910.
black and white, price comparison. News L., vol. 7, No. 15, p. 9. 1919.
blade blight—
cause and dissemination. J.A.R., vol. 8, p. 459. 1917.
similarity to bacterial blight of barley. J.A.R., vol. 11, pp. 627–642. 1917.
bleached—
adulteration and misbranding. Chem. N. J. 13348. 1925.
feed for horses, experiments. B.P.I. Cir. 74, p. 10. 1911.
warning to shippers. News L., vol. 3, No. 7, pp. 1–2. 1915.
with sulphur dioxide. Opinion 166. Chem. S.R.A. 16, pp. 32–33. 1916.
bleaching—
apparatus, description. D.B. 725, pp. 2–3. 1918.
injury to germinating power. F.B. 420, p. 12. 1910.
with—
sulphur. B.P.I. Cir. 74, pp. 1–13. 1911.
sulphur dioxide. Chem. S.R.A. 15, p. 24. 1915.
sulphur dioxide, preliminary study. George H. Baston. D.B. 725, pp. 11. 1918.
Boswell winter, test and yield, Utah, description and growth. B.P.I. Cir. 61, p. 13. 1910.
bread making, objections. F.B. 389, p. 14. 1910.
breeding—
and—
disease. B.P.I. Chief Rpt., 1924, pp. 17–18. 1924.
distribution. B.P.I. Chief Rpt., 1921, p. 5. 1921.
variety testing. An. Rpts., 1919, pp. 151, 153. 1920; B.P.I. Chief Rpt., 1919, pp. 15, 17. 1919.
experiments and diseases. An. Rpts., 1920, pp. 169, 199. 1921.
new hybrids, smut-resistant, 1906. Rpt. 83, p. 38. 1906.
studies, crosses between naked and hulled oats. J.A.R., vol. 10, pp. 293–312. 1917.
tests. D.B. 99, pp. 1–25. 1914.
various conditions, comparisons, cost of planting and harvesting. B.P.I. Bul. 269, pp. 55–57. 1913.

Oat(s)—Continued.
Burt—
earliness, distribution, and escape from fungous disease. J.A.R., vol. 30, pp. 1–9. 1925.
variability study. Franklin B. Coffman and others. J.A.R., vol. 30, pp. 1–64. 1925.
yield, comparison with other varieties. F.B. 395, pp. 13, 15, 22, 23. 1910.
bushel weights. Y.B., 1922, p. 992. 1923; Y.B. Sep. 887, p. 992. 1923.
comparison—
of quality before and after bleaching, table. D.B. 725, pp. 9–11. 1918.
with emmer in yield per acre, and food value. F.B. 466, pp. 19, 21. 1911.
composition—
and feeding value. F.B. 436, pp. 27–28. 1911.
content of nitrogen, phosphorus, and potassium. Soil Sur. Adv. Sh., 1920, p. 959. 1924; Soils F.O., 1920, p. 959. 1925.
proportion of grain to straw, kernel to hull, etc. F.B. 420, pp. 14–18, 23. 1910.
consumption in—
Europe. F.B. 581, pp. 13–14. 1914.
selected countries, 1902–1911. Y.B., 1918, p. 684. 1919; Y.B. Sep. 795, p. 20. 1919.
world countries, 1909–1918. Y.B., 1921, p. 580. 1922; Y.B. Sep. 868, p. 74. 1922.
content of manganese. J.A.R., vol. 5, No. 8, p. 353. 1915.
cost—
and value, comparison with barley. M.C. 32, pp. 20–21. 1924.
of production—
labor and material requirements, by States. Y.B., 1921, pp. 814, 821. 1922; Y.B. Sep. 876, pp. 11, 18. 1922.
threshing, and value. Stat. Bul. 48, pp. 51, 56, 83. 1906.
per kilogram of constituents. B.A.I. Bul. 56, p. 69. 1904.
crop(s)—
1866–1906. Stat. Bul. 58, pp. 35. 1907.
1911–1915, disposition. D.B. 755, pp. 4–5. 1919.
dry farming methods, experiments. Y.B., 1907, pp. 457–458, 459. 1908; Y.B. Sep. 461, pp. 457–458, 459. 1908.
effects of fertilizing with raw ground rock phosphate, notes. D.B. 699, pp. 32–111. 1918.
improvement of. C. W. Warburton. B.P.I. Cir. 30, pp. 10. 1909.
large and small, comparison of values. D.B. 1351, pp. 9–10. 1925.
losses, extent and causes, 1909–1921. Y.B. 1922, p. 624. 1923; Y.B. Sep. 881, p. 624. 1923.
of—
various countries. Y.B., 1900, p. 773. 1901.
world, distribution and production. F.B. 581, pp. 12–18. 1914.
cropping and summer-tillage experiments, Great Plains area. B.P.I. Bul. 187, pp. 14–20. 1910.
Culberson, characteristics. D.B. 336, pp. 36–40. 1916; F.B. 436, pp. 10–12. 1911.
cultivation, semiarid regions. B.P.I. Bul. 215, p. 33. 1911.
cultural methods, quantity seed per acre, and yield. F.B. 312, p. 10. 1907.
culture in South. F.B. 276, pp. 14–18. 1907.
cutting back to prevent lodging, increase of yield, experiment. F.B. 424, p. 24. 1910.
damage by black stem rust. Y.B., 1918, pp. 75, 76, 96. 1919; Y.B. Sep. 796, pp. 3, 4, 24. 1919.
destruction by wireworms. D.B. 156, pp. 10, 13. 1915.
digestible nutrients, comparison with emmer. D.B. 1197, p. 7. 1924; F.B. 466, p. 21. 1911.
digestibility—
comparison with other grains. F.B. 420, pp. 17–18, 23. 1910.
experiments with poultry. B.A.I. Bul. 56, pp. 50–53, 62, 64, 96–98. 1904.
diseases—
affecting. F.B. 424, pp. 40–42. 1910.
caused by mite, *Tarsonemus spirifex*. Ent. Bul. 97, p. 111. 1913.
in Texas, occurrence and description. B.P.I. Bul. 226, p. 47. 1912.
losses and control measure. Y.B., 1917, pp. 75, 483, 484, 485, 488. 1918; Y.B. Sep. 755, pp. 4, 5, 6, 10. 1918.

Oat(s)—Continued.
   distribution and uses. C. W. Warburton. F.B. 420, pp. 24. 1910.
   drought-resistant varieties for dry lands. B.P.I. Cir. 12, p. 4. 1908.
   dry farming in Nebraska, yields. D.C. 289, pp. 28, 29. 1924.
   dry-land rotations at Huntley farm. D.C. 330, pp. 14–15. 1925.
   early—
      for Corn Belt, demonstration. An. Rpts., 1918, p. 163. 1919; B.P.I. Chief Rpt., 1918, p. 29. 1918.
      Gothland, yield, comparison with other varieties. F.B. 395, p. 17. 1910.
      Mountain yield—
         comparison with other varieties. F.B. 395, p. 19. 1910.
         per acre, western North Dakota. B.P.I. Cir. 59, pp. 16, 17. 1910.
      need in Corn Belt. F.B. 395, pp. 7–8. 1910.
   economics, distribution, and production. F.B. 892, pp. 3–4. 1917.
   energy in 100 pounds, comparison with other feeds. D.B. 459, pp. 8, 12. 1916.
   entry, regulations. F.H.B. Quar. 39, pp 1–5. 1919.
   estimates, 1910–1922. M.C. 6, p. 8. 1923.
   Excelsior White Schoenen, introduction into United States, cost and results. B.P.I. Cir. 100, p. 21. 1912.
   experiments—
      at—
         Cheyenne farm, varieties, seeding rate, and yield. D.B. 430, pp. 26–30, 39. 1916.
         Copper Center Station, Alaska O.E.S. An. Rpt. 1904, pp. 319–321. 1905.
         field station near Mandan, N. Dak. D.B. 1301, pp. 53, 69. 1925.
      in growing. D.B. 1343, pp. 2–23. 1925.
      in Nevada, Newlands farm. D.C. 352, p. 9. 1925.
      results at Akron, Colo., station. D.B. 1304, pp. 14–16. 1925.
   export(s)—
      adulteration methods, control. News L., vol. 2, No. 27, p. 2. 1915.
      and imports, 1900–1909. F.B. 420, p. 14. 1910.
      from Russia, 1851–1905. Stat. Bul. 66, p. 8. 1908.
      of world countries, 1911–1920. Y.B., 1921, p. 551. 1922; Y.B. Sep. 868, p. 45. 1922.
      statistics, 1921. Y.B., 1921, p. 746. 1922; Y.B. Sep. 867, p. 10. 1922.
      total and per capita, 1851–1908. Stat. Bul. 75, pp. 13, 43. 1910.
   fall—
      acreage and location. F.B. 1119, pp. 3–4. 1920.
      and spring, comparison. F.B. 436, pp. 6–9. 1911.
      seeding, advantages and results. F.B. 436, pp. 6–9. 1911.
      sowing—
         and use for pasturage, in South. News L., vol. 6, No. 5, pp. 6–7. 1918.
         time, method and rate, Maryland and Virginia. F.B. 786, pp. 11, 12. 1917.
   sown—
      C. W. Warburton and T. R. Stanton. F.B. 1119, pp. 21. 1920.
      advantages. F.B. 1119, pp. 4–6. 1920.
      comparison with spring sown. F.B. 1119, pp. 4–6. 1920.
      pasturing, precautions. F.B. 1119, p. 17. 1920.
   farm prices—
      1910–1914, averages. D.B. 755, pp. 2, 21–28. 1919.
      geographical phases. L. B. Zapoleon. D.B. 755, pp. 28. 1919.
   feed(s)—
      composition. Chem. Bul. 108, pp. 35–37. 1908; F.B. 170, pp. 11–13. 1903.
      value—
         as grain, hay, soiling, or pasture. F.B. 436, pp. 27–30. 1911.
         comparison with maize. Chem. Bul. 120, pp. 27–28. 1909.
         for pigs, compared with corn. B.A.I. Bul. 47, pp. 102–103. 1904.

Oat(s)—Continued.
   feeding to livestock, methods and value. F.B. 1119, p. 22. 1920.
   fertility removal from soil. S.R.S. Doc. 30, Ext. S., p. 4. 1916.
   fertilizer(s)—
      ingredients in acre crop of 25 bushels, Kentucky, Shelby County. Soil Sur. Adv. Sh., 1916, p. 55. 1919; Soils F.O., 1916, p. 1465. 1921.
      proportions and directions. S.R.S. Doc. 30, p. 12. 1916.
      selection. F.B. 1119, pp. 11–12. 1920.
      tests. Soils Bul. 67, pp. 7–18. 1910.
      tests in Alaska. Alaska A.R., 1911, pp. 38–39. 1912.
   fertilizing and top-dressing. O.E.S. An. Rpt., 1911, p. 196. 1912.
   fields, injury by ground squirrels. F.B. 484, p. 12. 1912.
   flour, use in fattening chickens. D.B. 21, pp. 6, 18, 30. 1914.
   following corn, preparation of land. F.B. 424, pp. 13–16. 1910.
   for breeding tests, varieties, numbering, selection, etc. D.B. 99, pp. 2–4. 1914.
   forage-crop experiments in Texas. B.P.I. Cir. 106, pp. 15–16, 27. 1913.
   forecast—
      for world crop, September, 1913. F.B. 558, p. 9. 1913.
      general and by States, September, 1913, price. F.B. 558, pp. 9–10, 16. 1913.
   freezing point and sap density. J.A.R., vol. 13, pp. 500–504. 1918.
   freight rates, 1923. Y.B., 1923, p. 1167. 1924; Y.B. Sep. 906, p. 1167. 1924.
   Fulghum—
      T. R. Stanton. D.C. 193, pp. 11. 1921.
      description. F.B. 1119, p. 7. 1920.
      description and disease resistance. D.C. 193, pp. 4–6. 1921.
      spring and fall sown, yield comparisons with five other varieties. D.C. 193, pp. 7–10. 1921.
      Swedish cross, susceptibility to smuts. J.A.R., vol. 30, pp. 377, 379, 381. 1925.
   fumigation for insect control. F.B. 436, p. 27. 1911.
   fungi, study. J.A.R., vol. 1, pp. 475–490. 1914.
   futures, trading—
      January 1, 1921–May 31, 1924. S.B. 6, pp. 6–15. 1924.
      1922–1924. Gr. Fut. Ad. A.R., 1924, pp. 18–74. 1924.
      1924–1925. Gr. Fut. Ad. A.R., 1925, pp. 18–19, 22–29. 1925.
   geographical phases of farm prices. L. B. Zapoleon. D.B. 755, pp. 28. 1919.
   germination—
      and growth, effect of alkali salts, studies. J.A.R., vol. 5, No. 1, pp. 3–51. 1915.
      reduction by sulphur bleaching. D.B. 725, pp. 6–7, 9–11. 1918.
      results of forcing methods. J.A.R., vol. 23, pp. 82, 84, 85, 87, 90, 93. 1923.
      vitality reduced by sulphur bleaching. B.P.I. Cir. 74, pp. 9–10. 1911.
   Golden Rain, yield, comparison with other varieties. F.B. 395, p. 19. 1910.
   grade tabulation. Mkts. S.R.A. 46, p. 6. 1919.
   grades for market and quality changes. Y.B., 1922, pp. 482–484. 1923; Y.B. Sep. 891, pp. 482–484. 1923.
   grading for market. F.B. 420, pp. 12–14. 1910.
   grazing crop for hogs. F.B. 985, pp. 7, 9, 10, 14, 27. 1918.
   Great Dakota, yield, comparison with other varieties. F.B. 395, p. 14. 1910.
   group of cereals, digestible nutrients. Chem. Bul. 120, pp. 31, 43–45, 47. 1909.
   growing—
      and—
         harvesting, day's work. D.B. 1292, pp. 26–27. 1925.
         testing, Alaska. O.E.S. An. Rpt., 1912, pp. 17, 72, 73. 1913.
         yield in Kansas, Reno County. Soil Sur. Adv. Sh., 1911, pp. 14, 44, 50. 1913; Soils F.O., 1911, pp. 2000, 2030, 2040. 1914.

INDEX TO PUBLICATIONS, 1901–1925   1663

Oat(s)—Continued.
growing—continued.
and—continued.
yield, in Mississippi, Lauderdale County. Soil Sur. Adv. Sh., 1910, pp. 14, 52. 1912; Soils F.O., 1910, pp. 742–743, 781. 1912.
yield in Missouri, Platte County. Soil Sur. Adv. Sh., 1911, pp. 11, 19. 1912; Soils F.O., 1911, pp. 1707, 1715. 1914.
yield, in New York, Jefferson County. Soil Sur. Adv. Sh., 1911, pp. 16, 27, 33–76. 1913; Soils F.O., 1911, pp. 106, 117, 123–166. 1914.
yield in North Carolina, Richmond County. Soil Sur. Adv. Sh., 1911, pp. 11, 33–45. 1912; Soils F.O., 1911, pp. 393, 415–430. 1914.
yield in Washington, eastern Puget Sound Basin. Soil Sur. Adv. Sh., 1909, p. 27. 1911; Soils F.O., 1909, p. 1539. 1912.
yield in Washington, western Puget Sound Basin. Soil Sur. Adv. Sh., 1910, pp. 32, 37, 53–104. 1912; Soils F.O., 1910, pp. 1516, 1521, 1537–1589. 1912.
yield in western South Dakota. F.B. 1163, pp. 6–8, 11–13. 1920.
yield on Knox silt loam, central prairie States. Soils Cir. 33, p. 12. 1911.
yield on Orangeburg fine sandy loam. Soils Cir. 46, pp. 14, 19. 1911.
as cover crop and soil improver in South. F.B. 986, p. 17. 1918.
cost of various operations, Great Plains area. D.B. 218, pp. 8–10. 1915.
cultural methods and yields, Great Plains area. D.B. 218, pp. 1–42. 1915.
date of operations in North Dakota. D.B. 757, pp. 25–26. 1919.
experiments—
at Williston Station, 1908–1914, varieties and yields. D.B. 270, pp. 24–27, 33, 35. 1915.
in Alaska, 1907. Alaska A.R., 1907, pp. 30, 44–45, 56. 1908.
in Alaska, 1914. D.B. 50, pp. 11, 14, 17, 18, 20, 21–22. 1914.
in Alaska, 1915. Alaska A.R., 1915, pp. 13, 20, 44, 47, 48, 61, 64–65, 73, 74, 77. 1916.
fertilizer requirements for different soils, methods, and table. F.B. 398, pp. 21–22. 1910.
for market hay in Cotton Belt. F.B. 677, p. 8. 1915.
hand and machine labor, comparison, time, and cost. Stat. Bul. 94, p. 66. 1912.
in Alabama—
Chilton County, yields. Soil Sur. Adv. Sh., 1911, pp. 10, 19, 24. 1913; Soils F.O., 1911, pp. 694, 703, 708. 1914.
Clay County, acreage, methods and yields. Soil Sur. Adv. Sh., 1915, pp. 9, 11, 12, 23, 25, 27, 28, 30, 33. 1916; Soils F.O., 1915, pp. 831, 833, 841. 1919.
Fayette County. Soil Sur. Adv. Sh., 1917, pp. 9, 10, 16–38. 1920; Soils F.O., 1917, pp. 703, 704, 710–732. 1923.
Lawrence County, acreage, methods, and yields. Soil Sur. Adv. Sh., 1914, pp. 13, 20–47. 1916; Soils F.O., 1914, pp. 1163, 1170–1197. 1919.
Limestone County, acreage, methods and yields. Soil Sur. Adv. Sh., 1914, pp. 11–12, 20–36. 1916; Soils F.O., 1914, pp. 1123, 1132–1148. 1919.
Lowndes County. Soil Sur. Adv. Sh., 1916, pp. 11, 12, 26–63. 1918; Soils F.O., 1916, pp. 792–794, 796, 807–846. 1921.
Morgan County. Soil Sur. Adv. Sh., 1918, pp. 10, 11, 15, 20–42. 1921; Soils F.O., 1918, pp. 578, 579, 583, 588–610. 1924.
Pickens County. Soil Sur. Adv. Sh., 1916, pp. 10, 18, 20, 25, 34. 1917; Soils F.O., 1916, pp. 905–906, 914–935. 1921.
Randolph County, methods, and yields. Soil Sur. Adv. Sh., 1911, pp. 12, 21–38. 1912; Soils F.O., 1911, pp. 904, 913–930. 1914.
St. Clair County. Soil Sur. Adv. Sh., 1917, pp. 11, 19–42. 1920; Soils F.O., 1917, pp. 797, 804–827. 1923.
Shelby County. Soil Sur. Adv. Sh., 1917, pp. 11, 12, 24–56. 1920; Soils F.O., 1917, pp. 741, 742, 754–786. 1923.

Oat(s)—Continued.
growing—continued.
in Alabama—Continued.
Walker County. Soil Sur. Adv. Sh., 1915, pp. 9–10. 1916; Soils F.O., 1915, pp. 869–870. 1919.
in Alaska—
central. Soil Sur. Adv. Sh., 1914, pp. 50, 87, 148, 164. 1915; Soils F.O., 1914, pp. 84, 121, 182, 198. 1919.
variety tests and hybrids. Alaska A.R., 1921, pp. 5, 18–19, 24–26, 38–40. 1923.
in Argentina—
location, seeding, and harvesting. Y.B., 1915, pp. 283, 292. 1916; Y.B. Sep. 677, pp. 283, 292. 1916.
statistics, 1901–1912. Stat. Cir. 30, pp. 10, 11. 1912.
in Arkansas—
Howard County. Soil Sur. Adv. Sh., 1917, pp. 9, 19–44. 1919; Soils F.O., 1917, pp. 1359, 1369–1394. 1923.
Jefferson County. Soil Sur. Adv. Sh., 1915, pp. 11–12. 1916; Soils F.O., 1915, pp. 1169–1170. 1919.
Perry County. Soil Sur. Adv. Sh., 1920, pp. 497–499, 513–530. 1923; Soils F.O., 1920, pp. 497–499, 513–530. 1925.
place in rotations. F.B. 1000, pp. 6–18. 1918.
in California, varietal experiments. D.B. 1172, pp. 29–31, 33. 1923.
in Central Northwest. Y.B., 1921, pp. 104, 105. 1922; Y.B. Sep. 873, pp. 104, 105. 1922.
in Colorado—
experiments. D.B. 1287, pp. 40–44. 1925.
farm practices, with other crops. D.B. 917, pp. 11–40. 1921.
Uncompahgre Valley area. Soil Sur. Adv. Sh., 1910, pp. 12, 34, 38–47. 1912; Soils F.O., 1912, pp. 1450, 1472, 1476–1485. 1912.
in Connecticut, Windham County. Soil Sur. Adv. Sh., 1911, pp. 12, 18, 20, 25. 1912; Soils F.O., 1911, pp. 76, 82, 84, 89. 1914.
in Florida, Flagler County. Soil Sur. Adv. Sh., 1918, pp. 10, 18, 28, 39. 1922; Soils F.O., 1918, pp. 540, 548, 558, 569. 1924.
in Georgia—
Brooks County. D.B. 648, pp. 22, 29, 30, 37, 39, 46, 47, 48, 53. 1918; Soil Sur. Adv. Sh., 1916, pp. 10, 12, 13, 23–32. 1918; Soils F.O., 1916, pp. 593, 594, 597, 607–616. 1921.
Butts and Henry Counties. Soil Sur. Adv. Sh., 1919, pp. 10–11, 14, 18–24. 1922; Soils F.O., 1919, pp. 836–837, 840, 845–850. 1925.
Carroll County. Soil Sur. Adv. Sh., 1921, pp. 134, 140–153. 1924.
Chattooga County. Soil Sur. Adv. Sh., 1912, pp. 14–15. 1913; Soils F.O., 1912, pp. 528–529. 1915.
Clay County. Soil Sur. Adv. Sh., 1914, pp. 9, 10, 15–40. 1916; Soils F.O., 1914, pp. 923, 924, 929–954. 1919.
Colquitt County, acreage and yields. Soil Sur. Adv. Sh., 1914, pp. 12, 15, 27. 1915; Soils F.O., 1914, pp. 968, 971. 1919.
Coweta and Fayette Counties. Soil Sur. Adv. Sh., 1919, pp. 8, 10, 16–31. 1922; Soils F.O., 1919, pp. 862, 864, 870–885. 1925.
Crisp County. Soil Sur. Adv. Sh., 1916, pp. 9, 10, 15, 17, 19. 1917; Soils F.O., 1916, pp. 631, 637–639. 1921.
De Kalb County. Soil Sur. Adv. Sh., 1914, pp. 9–10, 14, 15, 16, 21, 25. 1915; Soils F.O., 1914, pp. 799, 804–811. 1919.
Early County. Soil Sur. Adv. Sh., 1918, pp. 10, 11, 16–41. 1921; Soils F.O., 1918, pp. 424, 425, 430–455. 1924.
Floyd County. Soil Sur. Adv. Sh., 1917, pp. 11–14, 20–68. 1921; Soils F.O., 1917, pp. 571–574, 580–628. 1923.
Glynn County. Soil Sur. Adv. Sh., 1911, pp. 12, 18. 1912; Soils F.O., 1911, pp. 600, 606. 1914.
Habersham County. Soil Sur. Adv. Sh., 1913, pp. 13–14, 26, 30, 32, 45. 1915; Soils F.O., 1913, pp. 409–410, 422, 426, 428, 441. 1916.

Oat(s)—Continued.
  growing—continued.
    in Georgia—Continued.
      Jackson County. Soil Sur. Adv. Sh., 1914, pp. 11, 16, 18, 19, 21. 1915; Soils F.O., 1914, pp. 735, 740-745. 1919.
      Jasper County. Soil Sur. Adv. Sh., 1916, pp. 9, 11, 19, 23-38. 1918; Soils F.O., 1916, pp. 651, 653, 661-682. 1921.
      Laurens County. Soil Sur. Adv. Sh., 1915, pp. 13, 40. 1916; Soils F.O., 1915, pp. 629, 631, 656. 1921.
      Lowndes County. Soil Sur. Adv. Sh., 1917, pp. 11, 22. 1920; Soils F.O., 1917, pp. 639, 650. 1923.
      Madison County. Soil Sur. Adv. Sh., 1918, pp. 10-12, 17-28. 1921; Soils F.O., 1918, pp. 464-466, 471-482. 1924.
      Miller County, yields. Soil Sur. Adv. Sh., 1913, pp. 11, 18, 26. 1914; Soils F.O., 1913, pp. 521, 528, 536. 1916.
      Mitchell County. Soil Sur. Adv. Sh., 1920, 1920, pp. 4, 5-9, 15, 19, 20, 25, 32, 36. 1922; Soils F.O., 1920, pp. 4, 5-9, 15, 19, 20, 25, 32, 36. 1925.
      Monroe County. Soil Sur. Adv. Sh., 1920, pp. 10, 18-34. 1922; Soils F.O., 1920, pp. 76, 84-100. 1925.
      Oconee, Morgan, Greene, and Putnam Counties. Soil Sur. Adv. Sh., 1919, pp. 14, 23-57. 1922; Soils F.O., 1919, pp. 898, 907-941. 1925.
      Pierce County. Soil Sur. Adv. Sh., 1918, pp. 9, 15-21, 25. 1920; Soils F.O., 1918, pp. 491, 497-501, 506. 1924.
      Polk County. Soil Sur. Adv. Sh., 1914, pp. 9, 17-40. 1916; Soils F.O., 1914, pp. 758, 765-784. 1919.
      Richmond County. Soil Sur. Adv. Sh., 1916, pp. 10, 11, 16-36. 1917; Soils F.O., 1916, pp. 720, 721, 724-744. 1921.
      Screven County. Soil Sur. Adv. Sh., 1920, pp. 1627, 1636-1655. 1924; Soils F.O., 1920, pp. 1627, 1636-1655. 1925.
      Stewart County. Soil Sur. Adv. Sh., 1913, pp. 14, 22-41, 49-60. 1915; Soils F.O., 1913, pp. 554, 562-581, 589-600. 1916.
      Sumter County, acreage, and yields. D.B. 1034, pp. 12, 13, 18, 20. 1922.
      Tattnall County. Soil Sur. Adv. Sh., 1914, pp. 12, 17-38. 1915; Soils F.O., 1914, pp. 824, 829-850. 1919.
      Terrell County. Soil Sur. Adv. Sh., 1914, pp. 12-13, 23-58. 1915; Soils F.O., 1914, pp. 868-869, 879-914. 1919.
      Turner County. Soil Sur. Adv. Sh., 1915, p. 10. 1916; Soils F.O., 1915, p. 664. 1919.
      Washington County. Soil Sur. Adv. Sh., 1915, pp. 9, 10, 12, 23. 1916; Soils F.O., 1915, pp. 687, 688, 690, 701. 1919.
      Wilkes County. Soil Sur. Adv. Sh., 1915, pp. 9, 11, 17-33. 1916; Soils F.O., 1915, pp. 723, 725. 1919.
    in Great Plains area, cultural practices and yields. D.B. 268, pp. 11-14. 1915.
    in Idaho—
      Kootenai County. Soil Sur. Adv. Sh., 1919, pp. 10, 21-40. 1923; Soils F.O., 1919, pp. 10, 21-40. 1925.
      Latah County, acreage and yields. Soil Sur. Adv. Sh., 1915, pp. 11, 18. 1917; Soils F.O., 1915, pp. 2185, 2192, 2197. 1919.
      Nez Perce and Lewis Counties. Soil Sur. Adv. Sh., 1917, pp. 13, 25-28. 1920; Soils F.O., 1917, pp. 2129, 2141-2144. 1923.
    in Illinois—
      McLean County. Soil Sur. Adv. Sh., 1903, pp. 787, 791, 795. 1904; Soils F.O., 1903, pp. 787, 791, 795. 1904.
      Will County. Soil Sur. Adv. Sh., 1912, pp. 10, 17, 19, 20, 28. 1914; Soils F.O., 1912, pp. 1526, 1533, 1535, 1536, 1544. 1915.
    in Indiana—
      Adams County. Soil Sur. Adv. Sh., 1921, pp. 4, 5, 12-18. 1923.
      Benton County. Soil Sur. Adv. Sh., 1916, pp. 8-10, 14. 1917; Soils F.O., 1916, pp. 1682-1684, 1688-1691. 1921.

Oat(s)—Continued.
  growing—continued.
    in Indiana—Continued.
      Boone County. Soil Sur. Adv. Sh., 1912, pp. 10, 21, 27. 1914; Soils F.O., 1912, pp. 1414, 1425, 1431. 1915.
      Clinton County. D.B. 1258, pp. 11-19. 1924; Soil Sur. Adv. Sh., 1914, pp. 8, 9, 16-23. 1915; Soils F.O., 1914, pp. 1634, 1635, 1642-1649. 1919.
      Elkhart County. Soil Sur. Adv. Sh., 1914, pp. 9, 13, 15, 16, 23. 1916; Soils F.O., 1914, pp. 1575, 1579-1589. 1919.
      Grant County. Soil Sur. Adv. Sh., 1915, pp. 9, 10, 28. 1917; Soils F.O., 1915, pp. 1357, 1358, 1376. 1919.
      Hamilton County. Soil Sur. Adv. Sh., 1912, pp. 12, 21, 24, 26, 29. 1914; Soils F.O., 1912, pp. 1452, 1461, 1464, 1466, 1469. 1915.
      Hendricks County, acreage and production. Soil Sur. Adv. Sh., 1913, pp. 10, 19, 34, 37. 1915; Soils F.O., 1913, pp. 1412, 1421, 1436, 1439. 1916.
      Lake County. Soil Sur. Adv. Sh., 1917, pp. 11, 14, 21-43, 46. 1921; Soils F.O., 1917, pp. 1145, 1148, 1155-1177, 1180. 1923.
      Porter County. Soil Sur. Adv. Sh., 1916, pp. 11, 12, 14, 21-41. 1919; Soils F.O., 1916, pp. 1701-1704, 1711-1733. 1921.
      Starke County acreage and yields. Soil Sur. Adv. Sh., 1915, pp. 10, 11, 14, 22, 25, 36. 1917; Soils F.O., 1915, p. 1421. 1919.
      Tipton County. Soil Sur. Adv. Sh., 1912, pp. 12, 20, 23, 27, 29. 1914; Soils F.O., 1912, pp. 1502, 1510, 1513, 1517, 1519. 1915.
      Warren County, acreage, methods, and yields. Soil Sur. Adv. Sh., 1914, pp. 9, 11, 17, 20, 22, 25, 26, 29. 1916; Soils F.O., 1914, pp. 1599-1601, 1607-1622. 1919.
      Wells County. Soil Sur. Adv. Sh., 1915, pp. 8, 9, 10, 12, 17, 28. 1917; Soils F.O., 1915, pp. 1426, 1427, 1430, 1435, 1446. 1919.
      White County. Soil Sur. Adv. Sh., 1915, pp. 11, 15, 21-40. 1917; Soils F.O., 1915, pp. 1455, 1458, 1459. 1919.
    in intensive cotton farming. F.B. 519, p. 9. 1913.
    in Iowa—
      Adair County. Soil Sur. Adv. Sh., 1919, pp. 9, 11, 16, 20, 23, 24. 1921; Soils F.O., 1919, pp. 1409, 1411, 1416, 1420, 1423, 1424. 1924.
      Benton County. Soil Sur. Adv. Sh., 1921, p. 1225. 1925.
      Blackhawk County. Soil Sur. Adv. Sh., 1917, pp. 11, 12, 20-25, 39, 41. 1919; Soils F.O., 1917, pp. 1562, 1563, 1571-1576, 1591, 1593. 1923.
      Boone County. Soil Sur. Adv. Sh., 1920, pp. 139, 140, 142, 149-165. 1923; Soils F.O., 1920, pp. 139, 140, 142, 149-165. 1925.
      Bremer County. Soil Sur. Adv. Sh., 1913, pp. 9, 11, 23-37. 1914; Soils F.O., 1913, pp. 1693, 1695, 1707-1721. 1916.
      Buena Vista County. Soil Sur. Adv. Sh., 1917, pp. 11, 22-28. 1919; Soils F.O., 1917, pp. 1601, 1612-1618. 1923.
      Cedar County. Soil Sur. Adv. Sh., 1919, pp. 10, 11, 12. 1921; Soils F.O., 1919, pp. 1432, 1433, 1434. 1925.
      Clay County. Soil Sur. Adv. Sh., 1916, pp. 10, 11, 21-41. 1918; Soils F.O., 1916, pp. 1839, 1849-1869. 1921.
      Clinton County. Soil Sur. Adv. Sh., 1915, pp. 14-16, 31-60. 1917; Soils F.O., 1915, pp. 1657-1659, 1662. 1919.
      Dallas County. Soil Sur. Adv. Sh., 1920, pp. 1158-1159, 1170-1189. 1924; Soils F.O., 1920, pp. 1158-1159, 1170-1189. 1925.
      Des Moines County. Soil Sur. Adv. Sh., 1921, pp. 1097, 1098-1099. 1925.
      Dickinson County. Soil Sur. Adv. Sh., 1920, pp. 602, 603, 615-634. 1923; Soils F.O., 1920, pp. 602, 603, 615-634. 1925.
      Dubuque County. Soil Sur. Adv. Sh., 1920, pp. 348, 349, 354-360, 369. 1923; Soils F.O., 1920, pp. 348, 349, 354-360, 369. 1925.

Oat(s)—Continued.
  growing—continued.
    in Iowa—Continued.
      Emmet County. Soil Sur. Adv. Sh., 1920, pp. 413, 414, 415, 418, 426–438. 1923; Soils F.O., 1920, pp. 413, 414, 415, 418, 426–438. 1925.
      Fayette County. Soil Sur. Adv. Sh., 1919, pp. 11, 12, 15, 23–40. 1922; Soils F.O., 1919, pp. 1465, 1466, 1469, 1477–1494. 1925.
      Greene County. Soil Sur. Adv. Sh., 1921, pp. 284, 285, 293–302. 1924.
      Grundy County. Soil Sur. Adv. Sh., 1921, pp. 1045, 1046. 1925.
      Hamilton County. Soil Sur. Adv. Sh., 1917, pp. 10, 13, 17–28. 1920; Soils F.O., 1917, pp. 1634, 1637, 1641–1652. 1923.
      Hardin County. Soil Sur. Adv. Sh., 1920, pp. 723, 724, 736–752. 1923; Soils F.O., 1920, pp. 723, 724, 736–752. 1925.
      Henry County. Soil Sur. Adv. Sh., 1917, pp. 9, 10, 11, 19–30. 1919; Soils F.O., 1917, pp. 1659, 1660, 1661, 1669–1680. 1923.
      Jasper County. Soil Sur. Adv. Sh., 1921, pp. 1132–1133. 1925.
      Jefferson County. Soil Sur. Adv. Sh., 1922, pp. 311, 312, 314, 315. 1925.
      Johnson County. Soil Sur. Adv. Sh., 1919, pp. 11, 13, 25–45. 1922; Soils F.O., 1919, pp. 1501, 1503, 1515–1535. 1925.
      Lee County. Soil Sur. Adv. Sh., 1914, pp. 10, 12, 18–32. 1916; Soils F.O., 1914, pp. 1916, 1918, 1924–1938. 1919.
      Louisa County. Soil Sur. Adv. Sh., 1918, pp. 11, 13, 24–45. 1920; Soils F.O., 1918, pp. 1025, 1027, 1038–1057. 1924.
      Madison County. Soil Sur. Adv. Sh., 1918, pp. 10, 11, 12, 23–37. 1921; Soils F.O., 1918, pp. 1070, 1071, 1072, 1083–1097. 1924.
      Mahaska County. Soil Sur. Adv. Sh., 1919, pp. 12, 15, 23–39. 1922; Soils F.O., 1919, pp. 1550, 1553, 1561–1577. 1925.
      Marshall County. Soil Sur. Adv. Sh., 1918, pp. 10, 15, 21–34. 1921; Soils F.O., 1918, pp. 1106, 1111, 1117–1130. 1924.
      Mills County. Soil Sur. Adv. Sh., 1920, pp. 107–113, 119–134. 1923; Soils F.O., 1920, pp. 107–113, 119–134. 1925.
      Mitchell County. Soil Sur. Adv. Sh., 1916, pp. 8, 9, 11, 22, 25. 1918; Soils F.O., 1916, pp. 1878, 1879, 1890–1902. 1921.
      Montgomery County. Soil Sur. Adv. Sh., 1917, pp. 9–10, 14, 19–27. 1919; Soils F.O., 1917, pp. 1729–1730, 1734, 1739–1747. 1923.
      Muscatine County. Soil Sur. Adv. Sh., 1914, pp. 13, 15, 27, 33, 39–57. 1916; Soils F.O., 1914, pp. 1832–1835, 1847–1877. 1919.
      O'Brien County. Soil Sur. Adv. Sh., 1921, pp. 216–218, 228–245. 1924.
      Page County. Soil Sur. Adv. Sh., 1921, p. 354. 1924.
      Palo Alto County. Soil Sur. Adv. Sh., 1918, pp. 10, 11, 12, 20–32. 1921; Soils F.O., 1918, pp. 1138, 1139, 1140, 1148–1160. 1924.
      Polk County. Soil Sur. Adv. Sh., 1918, pp. 12, 15, 25–60. 1921; Soils F.O., 1918, pp. 1172, 1175, 1185–1220. 1924.
      Pottawattamie County. Soil Sur. Adv. Sh., 1914, pp. 10, 11, 17, 19, 21, 23. 1916; Soils F.O., 1914, pp. 1889–1891, 1897–1907. 1919.
      RinggoldCounty. Soil Sur. Adv Sh., 1916, pp. 9–12, 17, 20, 25. 1918; Soils F.O., 1916, pp. 1909–1912, 1917–1927. 1921.
      Scott County. Soil Sur. Adv. Sh., 1915, pp. 11, 13, 21, 41. 1917; Soils F.O., 1915, pp. 1713, 1715, 1723, 1743. 1919.
      Sioux County, acreage and yields. Soil Sur. Adv. Sh., 1915, pp. 11, 12, 23, 25, 29, 32, 34. 1917; Soils F.O., 1915, pp. 1754, 1763, 1765. 1921.
      Van Buren County. Soil Sur. Adv. Sh., 1915, pp. 10, 17, 19, 21, 27, 28, 29. 1917; Soils F.O., 1915, pp. 1786, 1797, 1807. 1921.
      Wapello County. Soil Sur. Adv. Sh., 1917, pp. 10, 13, 20–42. 1919; Soils F.O., 1917, pp. 1756, 1759, 1766–1788. 1923.
      Wayne County. Soil Sur. Adv. Sh., 1918, pp. 9, 12, 16–23. 1920; Soils F.O., 1918, pp. 1233, 1236, 1240–1247. 1924.

Oat(s)—Continued.
  growing—continued.
    in Iowa—Continued.
      Webster County, acreage, methods, and yield. Soil Sur. Adv. Sh., 1914, pp. 13, 23, 26, 27. 1916; Soils F.O., 1914, pp. 1791, 1793, 1803–1822. 1919.
      Winnebago County. Soil Sur. Adv. Sh., 1918, pp. 9–10, 12, 16–29. 1921; Soils F.O., 1918, pp. 1253–1254, 1256, 1260–1273. 1924.
      Woodbury County. Soil Sur. Adv. Sh., 1920, pp. 763, 769–783. 1923; Soils F.O., 1920, pp. 763, 769–783. 1925.
      Worth County. Soil Sur. Adv. Sh., 1922, pp. 274–275, 284–300. 1925.
      Wright County. Soil Sur. Adv. Sh., 1919, pp. 13, 16, 28–36. 1922; Soils F.O., 1919, pp. 1587, 1590, 1602–1610. 1925.
    in Kansas—
      Cherokee County. Soil Sur. Adv. Sh., 1912, pp. 11, 19–32, 37. 1914; Soils F.O., 1912, pp. 1791, 1799–1812, 1817. 1915.
      Cowley County. Soil Sur. Adv. Sh., 1915, pp. 9, 10, 29, 30, 33, 44. 1917; Soils F.O., 1915, pp. 1925, 1926, 1945, 1946, 1949, 1960. 1919.
      Jewell County. Soil Sur. Adv. Sh., 1912, pp. 11, 33. 1914; Soils F.O., 1912, pp. 1859, 1881. 1915.
      Leavenworth County. Soil Sur. Adv. Sh., 1919, pp. 213, 214, 229–267. 1923; Soils F.O., 1919, pp. 213, 214, 229–267. 1925.
      Montgomery County. Soil Sur. Adv. Sh., 1913, pp. 10, 24, 27, 28, 31–35. 1915; Soils F.O., 1913, pp. 1898, 1912, 1915, 1916, 1919–1923. 1916.
      Reno County. Soil Sur. Adv. Sh., 1911, pp. 14, 44, 50, 60. 1913; Soils F.O., 1911, pp. 2000, 2030, 2036, 2046. 1914.
    in Louisiana—
      Lincoln Parish. Soil Sur. Adv. Sh., 1909, p. 12. 1910; Soils F.O., 1909, p. 928. 1912.
      on hill farms, labor requirements. D.B. 961, pp. 4, 25–26. 1921.
      Rapides Parish. Soil Sur. Adv. Sh., 1916, pp. 10, 17, 23, 28, 31, 38. 1918; Soils F.O., 1916, pp. 1126, 1133, 1139, 1143, 1146, 1154. 1921.
    in Maine—
      Aroostook area. Soil Sur. Adv. Sh., 1917, pp. 15, 25–39. 1921; Soils F.O., 1917, pp. 17, 27–41. 1923.
      Cumberland County, 1880–1910. Soil Sur. Adv. Sh., 1915, pp. 17–18. 1917; Soils F.O., 1915, pp. 4951–4952. 1919.
    in Maryland—
      Allegany County. Soil Sur. Adv. Sh., 1921, pp. 1068, 1078. 1925.
      Charles County. Soil Sur. Adv. Sh., 1918, pp. 10, 24, 26, 28, 32, 35. 1922; Soils F.O., 1918, pp. 82, 96, 98, 100, 104, 107. 1924.
      Frederick County. Soil Sur. Adv. Sh., 1919, pp. 9–14, 26–41. 1922; Soils F.O., 1919, pp. 649–654, 666–681. 1925.
    in Michigan—
      Calhoun County. Soil Sur. Adv. Sh., 1916, pp. 11, 12, 25–51. 1919; Soils F.O., 1916, pp. 1636, 1642, 1649–1675. 1921.
      Ontonagon County. Soil Sur. Adv. Sh., 1921, pp. 79, 80, 88–93. 1923.
      St. Joseph County. Soil Sur. Adv. Sh., 1921, pp. 53, 54, 60–67. 1923.
    in Minnesota—
      Anoka County. Soil Sur. Adv. Sh., 1916, pp. 9, 10, 17–24. 1919; Soils F.O., 1916, pp. 1812, 1819–1828. 1921.
      Goodhue County. Soil Sur. Adv. Sh., 1913, pp. 9, 17, 19. 1915; Soils F.O., 1913, pp. 1663, 1671, 1673. 1916.
      Pennington County. Soil Sur. Adv. Sh., 1914, pp. 9, 10, 17. 1916; Soils F.O., 1914, pp. 1731, 1732, 1739. 1919.
      Stevens County. Soil Sur. Adv. Sh., 1919, pp. 10, 11, 21, 23, 27, 29, 31. 1922; Soils F.O., 1919, pp. 1382, 1383, 1393, 1395, 1399, 1401, 1403. 1925.
    in Mississippi—
      Clarke County. Soil Sur. Adv. Sh., 1914, pp. 9, 10, 17, 19. 1915; Soils F.O., 1914, pp. 1206, 1211–1228. 1919.

Oat(s)—Continued.
  growing—continued.
    in Mississippi—Continued.
      Covington County. Soil Sur. Adv. Sh., 1917, pp. 10–11, 14, 19–37. 1919; Soils F.O., 1917, pp. 872–873, 876, 881–899. 1923.
      Grenada County. Soil Sur. Adv. Sh., 1915, pp. 9, 10. 1917; Soils F. O., 1915, pp. 1003, 1004. 1919.
      Hinds County. Soil Sur. Adv. Sh., 1916, pp. 11, 13, 20, 23, 39. 1918; Soils F.O., 1916, pp. 1015, 1022, 1025, 1041. 1921.
      Jefferson Davis County, acreage, uses, and yields. Soil Sur. Adv. Sh., 1915, pp. 9, 16, 19, 20. 1916; Soils F.O., 1915, pp. 1031, 1038. 1921.
      Jones County. Soil Sur. Adv. Sh., 1913, pp. 8, 9, 20. 1915; Soils F.O., 1913, pp. 924, 925, 936. 1916.
      Lamar County. Soil Sur. Adv. Sh., 1919, pp. 10, 12, 13, 14, 23–36. 1922; Soils F.O., 1919, pp. 976, 978, 980, 981, 982, 991–1006. 1925.
      Lincoln County, yields. Soil Sur. Adv. Sh., 1912, pp. 10, 16, 17, 19, 28. 1913; Soils F.O., 1912, pp. 860, 866, 867, 869, 878. 1915.
      Lowndes County, yields. Soil Sur. Adv. Sh., 1911, pp. 27–44. 1912; Soils F.O., 1911, pp. 1105–1122. 1914.
      Madison County. Soil Sur. Adv. Sh., 1917, pp. 9, 10, 19, 28. 1920; Soils F.O., 1917, pp. 907, 908, 917, 926. 1923.
      Newton County. Soil Sur. Adv. Sh., 1916, pp. 9, 19, 21, 25, 26, 32–41. 1918; Soils F.O. 1916, pp. 1084–1085, 1093–1118. 1921.
      Pike County. Soil Sur. Adv. Sh., 1918, pp. 11, 19–30. 1921; Soils F.O., 1918, pp. 655, 663–675. 1924.
      Smith County. Soil Sur. Adv. Sh. 1920, pp. 449–453, 460, 470–491. 1923; Soils F.O., 1920, pp. 449–453, 460, 470–491. 1925.
    in Missouri—
      Barry County. Soil Sur. Adv. Sh., 1916, pp. 11, 13, 24–43. 1918; Soils F.O., 1916, pp. 1939, 1942, 1950–1969. 1921.
      Buchanan County. Soil Sur. Adv. Sh., 1915, pp. 12, 15, 24, 41. 1917; Soils F.O., 1915, pp. 1816, 1819, 1828, 1845. 1919.
      Caldwell County. Soil Sur. Adv. Sh., 1921, pp. 327, 336–342. 1924.
      Callaway County. Soil Sur. Adv. Sh., 1916, pp. 11, 20–29. 1919; Soils F.O., 1916, pp. 1977, 1986–1994. 1922.
      Chariton County. Soil Sur. Adv. Sh., 1918, pp. 9, 19–33. 1921; Soils F.O., 1918, pp. 1281, 1291–1305. 1924.
      De Kalb County. Soil Sur. Adv. Sh., 1914, pp. 9, 16–23. 1916; Soils F.O., 1914, pp. 2009, 2016–2023. 1919.
      Grundy County. Soil Sur. Adv. Sh., 1914, pp. 12, 20–32. 1916; Soils F.O., 1914, pp. 1982, 1990–2002. 1919.
      Harrison County. Soil Sur. Adv. Sh., 1914, pp. 10, 18, 22–33. 1916; Soils F.O., 1914, pp. 1947, 1948, 1956–1969. 1919.
      Lafayette County. Soil Sur. Adv. Sh., 1920, pp. 817, 823–831. 1923; Soils F.O., 1920, pp. 817, 823–831. 1925.
      Lincoln County. Soil Sur. Adv. Sh., 1917, pp. 11–13, 18–36. 1920; Soils F.O., 1917, pp. 1490–1491, 1496–1514. 1923.
      Platte County. Soil Sur. Adv. Sh., 1911, pp. 11, 19. 1912; Soils F.O., 1911, pp. 1707, 1715. 1914.
      Ripley County. Soil Sur. Adv. Sh., 1915, p. 11. 1917; Soils F.O., 1915, pp. 1895. 1919.
      St. Louis County. Soil Sur. Adv. Sh., 1919, pp. 523, 524, 552. 1923; Soils F.O., 1919, pp. 523, 524, 552. 1925.
      Shelby County. Soil Sur. Adv. Sh., 1903, p. 784. 1904; Soils F.O., 1903, p. 884. 1904.
  in mixtures with other crops. F.B. 424, pp. 12–13. 1910.
    in Montana—
      Bitterroot Valley area, acreage and yields. Soil Sur. Adv. Sh., 1914, pp. 15, 40, 55, 57, 59, 64. 1917; Soils F.O., 1914, pp. 2473, 2496–2526. 1919.

Oat(s)—Continued.
  growing—continued.
    in Montana—Continued.
      dry lands, varieties and methods. F.B. 749, pp. 16–17, 22. 1916.
      experiments at Judith Basin substation. D.B. 398, pp. 26–31. 1916.
    in Nebraska—
      Antelope County. Soil Sur. Adv. Sh., 1921, pp. 763, 764. 1924.
      Banner County. Soil Sur. Adv. Sh., 1919, pp. 12, 13, 29–40, 49–55. 1921; Soils F.O., 1919, pp. 1624, 1625, 1641–1652, 1661–1667. 1925.
      Boone County. Soil Sur. Adv. Sh., 1921, p. 1176. 1925.
      Box Butte County. Soil Sur. Adv. Sh., 1916, pp. 11–13, 21–26. 1918; Soils F.O., 1916, pp. 2047, 2048, 2057–2069. 1921.
      Cass County. Soil Sur. Adv. Sh., 1913, pp. 11, 12, 25–37. 1914; Soils F.O., 1913, pp. 1931, 1932, 1945–1957. 1916.
      Cheyenne County. Soil Sur. Adv. Sh., 1918, pp. 11, 21–31. 1920; Soils F.O., 1918; pp. 1411, 1421–1431. 1924.
      Dakota County. Soil Sur. Adv. Sh., 1919, pp. 11, 12, 23–39. 1921; Soils F.O., 1919, pp. 1681, 1682, 1693–1709. 1925.
      Dawes County. Soil Sur. Adv. Sh., 1915, pp. 12, 28. 1917; Soils F.O., 1915, pp. 1970, 1986. 1919.
      Dawson County. Soil Sur. Adv. Sh., 1922, pp. 397, 401. 1925.
      Dodge County. Soil Sur. Adv. Sh., 1916, pp. 10–12, 22–51. 1918; Soils F.O., 1916, pp. 2077, 2078, 2088–2118. 1921.
      Douglas County. Soil Sur. Adv. Sh., 1913, pp. 12, 26–42. 1915; Soils F.O., 1913, pp. 1974, 1988–2004. 1916.
      Fillmore County. Soil Sur. Adv. Sh., 1916, pp. 9, 12, 18–24. 1918; Soils F.O., 1916, pp. 2125, 2128, 2134–2140. 1921.
      Gage County. Soil Sur. Adv. Sh., 1914, 12, 22, 25, 33, 35, 37, 39. 1916; Soils F.O., 1914, pp. 2330, 2340–2358. 1919.
      Hall County. Soil Sur. Adv. Sh., 1916, pp. 9, 11, 17–38. 1918; Soils F.O., 1916, pp. 2145–2148, 2153–2176. 1921.
      Howard County. Soil Sur. Adv. Sh., 1920, pp. 969, 979–1000. 1924; Soils F.O., 1920, pp. 969, 979–1000. 1925.
      irrigation and dry farming, results. D.C. 173, pp. 29–31, 32–34. 1921.
      Jefferson County. Soil Sur. Adv. Sh., 1921, pp. 1448–1449, 1478. 1925.
      Johnson County. Soil Sur. Adv. Sh., 1920, pp. 1259, 1260. 1924; Soils F.O., 1920, pp. 1259, 1260. 1925.
      Madison County. Soil Sur. Adv. Sh., 1920, pp. 206–207, 217–245. 1923; Soils F.O., 1920, pp. 206–207, 217–245. 1925.
      Morrill County. Soil Sur. Adv. Sh., 1917, pp. 13, 16, 28–56. 1920; Soils F.O., 1917, pp. 1861, 1864, 1876–1904. 1923.
      Nemaha County. Soil Sur. Adv. Sh., 1914, pp. 10, 11, 21, 24, 26, 28, 29, 32, 33. 1916; Soils F.O., 1914, pp. 2294, 2295–2319. 1919.
      North Platte reclamation project, statistics. D.C. 173, pp. 8, 9. 1921.
      Pawnee County. Soil Sur. Adv. Sh., 1920, pp. 1322–1323, 1332–1347. 1924; Soils F.O., 1920, pp. 1322–1323, 1332–1347. 1925.
      Polk County. Soil Sur. Adv. Sh., 1915, pp. 9, 10. 1917; Soils F.O., 1915, pp. 2005, 2006. 1919.
      Redwillow County. Soil Sur. Adv. Sh., 1919, pp. 12, 13, 14, 26–45. 1921; Soils F.O., 1919, pp. 1720, 1721, 1722, 1734–1753. 1925.
      Richardson County. Soil Sur. Adv. Sh., 1915, pp. 10, 11, 21–32. 1917; Soils F.O., 1915, pp. 2033, 2043, 2045. 1919.
      Saunders County. Soil Sur. Adv. Sh., 1913, pp. 11, 12, 21–44. 1915; Soils F.O., 1913, pp. 2017, 2018, 2027–2050. 1916.
      seeding rate and yield, 1913. B.P.I. Doc. 1081, pp. 7, 13. 1914.
      Thurston County. Soil Sur. Adv. Sh., 1914, pp. 10, 11, 23–40. 1916; Soils F.O., 1914, pp. 2219, 2231–2248. 1919.

INDEX TO PUBLICATIONS, 1901–1925   1667

Oat(s)—Continued.
growing—continued.
in Nebraska—Continued.
Washington County. Soil Sur. Adv. Sh., 1915, pp. 11, 12, 16, 23, 26, 28, 29, 32, 36. 1917; Soils F.O., 1915, pp. 2066, 2077, 2083. 1919.
Wayne County. Soil Sur. Adv. Sh., 1917, pp. 11, 13, 26–46. 1919; Soils F.O., 1917, pp. 1963, 1965, 1978–1998. 1923.
western. Soil Sur. Adv. Sh., 1911, pp. 29, 51, 61, 114. 1913; Soils F.O., 1911, pp. 1897, 1919, 1929, 1982. 1914.
in New Jersey—
Belvidere area. Soil Sur. Adv. Sh., 1917, pp. 12–15, 25–66. 1920; Soils F.O., 1917, pp. 132–135, 145–186. 1923.
Bernardsville area. Soil Sur. Adv. Sh., 1919, pp. 416, 418, 428–453. 1923; Soils F.O., 1919, pp. 416, 418, 428–453. 1925.
Sussex county. Soil Sur. Adv. Sh., 1911, pp. 37, 41, 42, 43, 46. 1913; Soils F.O., 1911, pp. 361, 365, 366, 367, 370. 1914.
in New York—
Chautauqua County, acreage and yields. Soil Sur. Adv. Sh., 1914, pp. 14, 25, 27, 30, 35, 37, 42, 43, 44, 46, 47. 1916; Soils F.O., 1914, pp. 280, 290–316. 1919.
Chenango County. Soil Sur. Adv. Sh., 1918, pp. 9, 17–33. 1920; Soils F.O., 1918, pp. 15, 23–39. 1924.
Clinton County. Soil Sur. Adv. Sh., 1914, pp. 9, 10, 16, 17, 19, 24, 25. 1916; Soils F.O., 1914, pp. 241, 242, 248–260, 267. 1919.
Cortland County. Soil Sur. Adv. Sh., 1916, pp. 9, 16–23. 1917; Soils F.O., 1916, pp. 199, 206–214. 1921.
Jefferson County. Soil Sur. Adv. Sh., 1911, pp. 16, 27–76. 1913; Soils F.O., 1911, pp. 106, 117–166. 1914.
Monroe County. Soil Sur. Adv. Sh., 1910, pp. 13, 15, 23, 24, 28, 30, 31, 33, 34, 36, 38. 1912.
Saratoga County. Soil Sur. Adv. Sh., 1917, pp. 9, 10, 16–38. 1919; Soils F.O., 1917, pp. 91, 92, 98–120. 1923.
Tompkins County. Soil Sur. Adv. Sh., 1921, p. 1574. 1924.
Wayne County. Soil Sur. Adv. Sh., 1919, pp. 280–283, 300–342. 1923; Soils F.O., 1919, pp. 280–283, 300–342. 1925.
Yates County. Soil Sur. Adv. Sh. 1916, pp. 8–9, 11, 16–32. 1918; Soils F.O., 1916, pp. 222, 230–246. 1921.
in North Carolina—
Asheville area. Soil Sur. Adv. Sh., 1903, pp. 286, 290. 1904; Soils F.O., 1903, pp. 286, 290. 1904.
Beaufort County. Soil Sur. Adv. Sh., 1917, pp. 11, 12, 13, 20–30. 1919; Soils F.O., 1914, pp. 627, 634–651. 1919.
Buncombe County. Soil Sur. Adv. Sh., 1923, pp. 789, 790, 798–810. 1923.
Cleveland County. Soil Sur. Adv. Sh., 1916, pp. 11, 18–34. 1919; Soils F.O., 1916, pp. 314, 322–339. 1921.
Davidson County. Soil Sur. Adv. Sh., 1915, pp. 9, 17–36. 1917; Soils F.O., 1915, pp. 464, 476. 1919.
Durham County. Soil Sur. Adv. Sh., 1920, pp. 1353–1355, 1360–1378. 1924; Soils F.O., 1920, pp. 1353–1355, 1360–1378. 1925.
Hoke County. Soil Sur. Adv. Sh., 1918, pp. 10, 12, 19–28. 1921; Soils F.O., 1918, pp. 198, 200, 207–216. 1924.
Lincoln County. Soil Sur. Adv. Sh., 1914, pp. 10, 17, 31. 1916; Soils F.O., 1914, pp. 564, 571–584. 1919.
Moore County. Soil Sur. Adv. Sh., 1919, pp. 9, 10, 23–43. 1922; Soils F.O., 1919, pp. 727, 728, 741–761. 1925.
Orange County. Soil Sur. Adv. Sh., 1918, p. 10. 1921; Soils F.O., 1918, p. 228. 1924.
Richmond County. Soil Sur. Adv. Sh., 1911, pp. 11, 33, 35, 39, 40, 45. 1912; Soils F.O., 1911, pp. 393, 415, 417, 421, 422, 427. 1914.
Rowan County. Soil Sur. Adv. Sh., 1914, pp. 32–44. 1915; Soils F.O., 1914, pp. 500–512. 1919.

Oat(s)—Continued.
growing—continued.
in North Carolina—Continued.
Stanly County. Soil Sur. Adv. Sh., 1916, pp. 9–11, 16–29. 1918; Soils F.O., 1916, pp. 457–459, 464–479. 1921.
Union County. Soil Sur. Adv. Sh., 1914, pp. 11, 12, 18–22, 35. 1916; Soils F.O., 1914, pp. 593, 594, 606, 618, 619. 1919.
Vance County. Soil Sur. Adv. Sh., 1918, pp. 8, 9, 13–28. 1921; Soils F.O., 1918, pp. 268, 269, 273–288. 1924.
Wayne County. Soil Sur. Adv. Sh., 1915, p. 10. 1916; Soils F.O., 1915, pp. 502, 530. 1919.
in North Dakota—
Bottineau County. Soil Sur. Adv. Sh., 1915, pp. 11, 20–27, 31, 33. 1917; Soils F.O., 1915, pp. 2, 135, 2146, 2147, 2151. 1919.
Dickey County. Soil Sur. Adv. Sh., 1914, pp. 10, 13, 23–49. 1916; Soils F.O., 1914, pp. 2419, 2427–2459. 1919.
Lamoure County. Soil Sur. Adv. Sh., 1914, pp. 12, 15, 22–29, 44. 1917; Soils F.O., 1914, pp. 2368, 2379–2400. 1919.
Sargent county. Soil Sur. Adv. Sh., 1917, pp. 12, 20–35. 1920; Soils F.O., 1917, pp. 2010, 2018–2033. 1923.
Traill County. Soil Sur. Adv. Sh., 1918, pp. 11, 12, 24–44. 1920; Soils F.O., 1918, pp. 1367, 1368, 1380–1400. 1924.
western and eastern Montana. F.B. 878, pp. 17–18. 1917.
in Ohio—
Auglaize County. Soil Sur. Adv. Sh., 1909, pp. 11, 17, 19, 21. 1910; Soils F.O., 1909, pp. 1137, 1143, 1145, 1147. 1912.
Hamilton County. Soil Sur. Adv. Sh., 1915, pp. 11, 21, 22, 28, 33, 34, 35. 1917; Soils F.O., 1915, pp. 1323, 1333, 1345. 1919.
Geauga County. Soil Sur. Adv. Sh., 1915, pp. 11, 21. 1916; Soils F.O., 1915, pp. 1289, 1297, 1300. 1919.
Mahoning County. Soil Sur. Adv. Sh., 1917, pp. 9–10, 19–38. 1919; Soils F.O., 1917, pp. 1045–1046, 1055–1074. 1923.
Marion County. Soil Sur. Adv. Sh., 1916, pp. 9, 10, 11, 18–24. 1918.; Soils F.O., 1916, pp. 1553–1557, 1563–1580. 1921.
Miami County. Soil Sur. Adv. Sh., 1916, pp. 9, 17–47. 1918; Soils F.O., 1916, pp. 1587, 1595–1625. 1921.
Paulding County. Soil Sur. Adv. Sh., 1914, pp. 11, 19, 21, 22, 23, 24, 26, 27. 1915; Soils F.O., 1914, pp. 1551, 1557–1567. 1919.
Portage County. Soil Sur. Adv. Sh., 1914, pp. 11, 18–31. 1916; Soils F.O., 1914, pp. 1511, 1518–1531. · 1919.
Sandusky County. Soil Sur. Adv. Sh., 1917, pp. 10, 20–53, 60–62. 1920; Soils F.O., 1917, pp. 1084, 1094–1127, 1134–1136. 1923.
Stark County. Soil Sur. Adv. Sh., 1913, p. 11. 1915; Soils F.O., 1913, p. 1349. 1916.
Trumbull County. Soil Sur. Adv. Sh., 1914, pp. 10, 21–48. 1916; Soils F.O., 1914, pp. 1460, 1471–1498. 1919.
in Oklahoma—
Bryan County. Soil Sur. Adv. Sh., 1914, pp. 11, 13, 27–39, 41, 42. 1915; Soils F.O., 1914, pp. 2171, 2173, 2181. 1919.
Canadian County. Soil Sur. Adv. Sh., 1917, pp. 11, 16, 21–57. 1919; Soils F.O., 1917, pp. 1405, 1410, 1415–1451. 1923.
Kay County. Soil Sur. Adv. Sh., 1915, pp. 10, 11, 39. 1917; Soils F.O., 1915, pp. 2098, 2099, 2127. 1919.
Payne County. Soil Sur. Adv. Sh., 1916, pp. 12, 21–37. 1919; Soils F.O., 1916, pp. 2009, 2012, 2018–2039. 1921.
in Oregon—
Benton County. Soil Sur. Adv. Sh., 1920, pp. 1435–1437, 1446–1472. 1924; Soils F.O., 1920, pp. 1435–1437, 1446–1472. 1925.
central part, varieties and methods. F.B. 800, p. 20. 1917.
Multnomah County. Soil Sur. Adv. Sh., 1919, pp. 51, 52, 64–94. 1922; Soils F.O., 1919, pp. 51, 52, 64–94. 1925.

Oat(s)—Continued.
  growing—continued.
   in Oregon—Continued.
    Washington County. Soil Sur. Adv. Sh., 1919, pp. 10, 11, 12, 35–45. 1923; Soils F.O., 1919, pp. 1840, 1841, 1842, 1865–1875. 1925.
    Yamhill County. Soil Sur. Adv. Sh., 1917, pp. 12, 13, 17, 26–63. 1920; Soils F.O., 1917, pp. 2266, 2267, 2271, 2280–2317. 1923.
   in Pennsylvania—
    Blair County. Soil Sur. Adv. Sh., 1915, pp. 10, 27, 32, 37, 40. 1917; Soils F.O., 1915, p. 202. 1919.
    Bradford County. Soil Sur. Adv. Sh., 1911, pp. 22, 24, 27, 33, 35, 36, 37. 1913; Soils F.O., 1911, pp. 248, 250, 253, 259, 261, 262, 263. 1914.
    Cambria County. Soil Sur. Adv. Sh., 1915, pp. 11, 13. 1917; Soils F.O., 1915, pp. 245, 247. 1919.
    Clearfield County. Soil Sur. Adv. Sh., 1916, pp. 11, 12, 25, 26. 1919; Soils F.O., 1916, pp. 257, 261, 267–276. 1921.
    Green County. Soil Sur. Adv. Sh., 1921, pp. 1921, pp. 1257, 1258, 1259. 1925.
    Lancaster County. Soil Sur. Adv. Sh., 1914, pp. 10, 12, 21–61. 1916; Soils F.O., 1914, pp. 332, 343–387. 1919.
    northeastern. Soil Sur. Adv. Sh., 1911, pp. 30, 31, 40–57. 1913; Soils F.O., 1911, pp. 294, 295, 304–321. 1914.
    southeastern. Soil Sur. Adv. Sh., 1912, pp. 19, 20, 33–95. 1914; Soils F.O., 1912, pp. 259, 260, 273–335. 1915.
    York County. Soil Sur. Adv. Sh., 1912, pp. 13, 14, 33–92. 1917; Soils F.O., 1912, pp. 163, 164, 183–242. 1915.
   in South Carolina—
    Bamberg County. Soil Sur. Adv. Sh., 1913, pp. 12, 25, 28, 29, 30. 1914; Soils F.O., 1913, pp. 238, 251, 254, 255, 256. 1916.
    Berkley County. Soil Sur. Adv. Sh., 1916, pp. 12, 14. 1918; Soils F.O., 1916, pp. 490, 492, 498–517. 1921.
    Dorchester County. Soil Sur. Adv. Sh., 1915, pp. 10, 19–29, 32. 1917; Soils F.O., 1915, pp. 550, 559–568, 572. 1919.
    Greenville County. Soil Sur. Adv. Sh., 1921, pp. 193, 194, 202. 1924.
    Hampton County. Soil Sur. Adv. Sh., 1915, pp. 9, 12, 17–29. 1917; Soils F.O., 1915, pp. 591–594. 1919.
    Horry County. Soil Sur. Adv. Sh., 1918, pp. 9–15, 20–46. 1920; Soils F.O., 1918, pp. 333–339, 344–370. 1924.
    Kershaw County. Soil Sur. Adv. Sh., 1919, pp. 12, 14, 16, 26–68. 1922; Soils F.O., 1919, pp. 770, 772, 775, 784–826. 1925.
    Marlboro County. Soil Sur. Adv. Sh., 1917, pp. 11, 13, 24–67. 1919; Soils F.O., 1917, pp. 475, 477, 489–531. 1923.
    Newberry County. Soil Sur. Adv. Sh., 1918, pp. 10, 13, 19–42. 1921; Soils F.O., 1918, pp. 382, 385, 391–414. 1924.
    Orangeburg County. Soil Sur. Adv. Sh., 1913, pp. 12, 20, 21, 23, 27. 1915; Soils F.O., 1913, pp. 274, 282, 283, 285, 289. 1916.
    Richland County. Soil Sur. Adv. Sh., 1916, pp. 13, 14. 1918; Soils F.O., 1916, pp. 529–530, 542–585. 1921.
    Union County. Soil Sur. Adv. Sh., 1913, pp. 11, 19, 20, 21, 33. 1914; Soils F.O., 1913, pp. 309, 317, 318, 319, 331. 1916.
   in South Dakota—
    acreage, production, and yield. D.C. 60, pp. 5–6, 10. 1919.
    Beadle County. Soil Sur. Adv. Sh., 1920. pp. 1479, 1481. 1924; Soils F.O., 1920, pp. 1479, 1481. 1925.
    experiments. D.B. 39, pp. 19–27. 1914.
    experiments, varietal tests, and results. D.B. 297, pp. 29–34. 1915.
    McCook County. Soil Sur. Adv. Sh., 1921, pp. 455, 462–470. 1924.
    Union County. Soil Sur. Adv. Sh., 1921, pp. 478–479, 487–503. 1924.
    western part, and crops of 1904 and 1909. Soil Sur. Adv. Sh., 1909, pp. 68, 69. 1911; Soils F.O., 1909, pp. 1464, 1465. 1912.

Oat(s)—Continued.
  growing—continued.
   in Texas—
    Archer County. Soil Sur. Adv. Sh., 1912, pp. 13, 25–36, 46, 48. 1914; Soils F.O., 1912, pp. 1015, 1027–1038, 1048, 1050. 1915.
    Bell County. Soil Sur. Adv. Sh., 1916, pp. 10–13, 21–42. 1918; Soils F.O., 1916, pp. 1243–1245, 1255–1277. 1921.
    Bowie County. Soil Sur. Adv. Sh., 1918, pp. 10, 12, 18–53. 1921; Soils F.O., 1918, pp. 720, 722, 731–763. 1924.
    Brazos County. Soil Sur. Adv. Sh., 1914, pp. 13, 24, 30, 34, 42. 1916; Soils F.O., 1914, pp. 1283, 1294, 1300, 1304, 1312. 1919.
    Dallas County. Soil Sur. Adv. Sh., 1920, pp. 1218–1219, 1228–1247. 1924; Soils F.O., 1920, pp. 1218, 1219, 1228–1247. 1925.
    Denton County. Soil Sur. Adv. Sh., 1918, pp. 7–9, 13–15, 27–37, 44, 47, 51, 54, 58. 1922; Soils F.O., 1918, pp. 779–781, 786–788, 800–810, 817, 820, 825, 829, 830. 1924.
    Erath County. Soil Sur. Adv. Sh., 1920, pp. 375–377, 388–406. 1923; Soils F.O., 1920, pp. 375–377, 388–406. 1925.
    Freestone County. Soil Sur. Adv. Sh., 1918, pp. 15, 28–57. 1921; Soils F.O., 1918, pp. 841–842, 854–883. 1924.
    Grayson County. Soil Sur. Adv. Sh., 1909, pp. 10, 11, 14, 16, 17, 21. 1910; Soils F.O., 1909, pp. 956, 967, 970, 972, 973, 977. 1912.
    northwest. Soil Sur. Adv. Sh., 1919, pp. 14–19, 32, 37, 40. 1922; Soils F.O., 1919, pp. 1112–1117, 1130, 1135, 1138. 1925.
    Panhandle, varieties, yields, seeding rate, and date. F.B. 738, pp. 13–14. 1916.
    Red River County. Soil Sur. Adv. Sh., 1919, pp. 160, 169–188, 194, 202. 1923; Soils F.O., 1919, pp. 160, 169–188, 194, 202. 1925.
    San Saba County. Soil Sur. Adv. Sh., 1916, pp. 12, 13, 29–65. 1917; Soils F.O., 1916, pp. 1321, 1322, 1339–1375. 1921.
    Smith County. Soil Sur. Adv. Sh., 1915, pp. 12, 17. 1917; Soils F.O., 1915, pp. 1086, 1091. 1919.
    south-central. Soil Sur. Adv. Sh., 1913, pp. 32, 37, 39, 67, 88, 93, 95, 98, 101. 1915; Soils F.O., 1913, pp. 1098, 1103, 1105, 1133, 1154, 1159, 1161, 1164, 1167. 1916.
    Tarrant County. Soil Sur. Adv. Sh., 1920, pp. 865–866, 877–899. 1924; Soils F.O., 1920, pp. 865–866, 877–899. 1925.
    Washington County. Soil Sur. Adv. Sh., 1913, pp. 10, 17. 1915; Soils F.O., 1913, pp. 1050, 1057. 1916.
   in Utah dry lands. F.B. 883, pp. 18–19. 1917.
   in various States, acreage and relative importance. F.B. 1289, pp. 3, 5, 6, 13, 18, 19, 21, 23, 24, 25. 1923.
   in Vermont, Windsor County. Soil Sur. Adv. Sh., 1916, pp. 9, 16, 19, 21. 1919; Soils F.O., 1916, pp. 179, 186–191. 1921.
   in Virginia—
    Fairfax County. Soil Sur. Adv. Sh., 1915, pp. 10, 11, 21. 1917; Soils F.O., 1915, pp. 304, 305, 315. 1919.
    Pittsylvania County. Soil Sur. Adv. Sh., 1918, pp. 8, 10, 20. 1922; Soils F.O., 1918, pp. 126–127, 129, 136. 1924.
   in Washington—
    eastern Puget Sound Basin. Soil Sur. Adv. Sh., 1909, pp. 25, 60, 65, 72, 74. 1911; Soils F.O., 1909, pp. 1537, 1572, 1577, 1584, 1586. 1912.
    southwestern, yields. Soil Sur. Adv. Sh., 1911, pp. 29–34, 59–121. 1913; Soils F.O., 1911, pp. 2119–2124, 2149, 2211. 1914.
    Spokane County. Soil Sur. Adv. Sh., 1917, pp. 20, 22, 39–100. 1921; Soils F.O., 1917, pp. 2170, 2172, 2189–2250. 1923.
    Wenatchee area. Soil Sur. Adv. Sh., 1918, pp. 14, 15, 17, 84. 1922; Soils F.O., 1918, pp. 1554, 1555, 1557, 1624. 1924.
    western Puget Sound Basin. Soil Sur. Adv. Sh., 1910, pp. 32, 38, 53–104. 1912; Soils F.O., 1910, pp. 1516, 1522, 1537–1588. 1912.

Oat(s)—Continued.
growing—continued.
in West Virginia—
Barbour and Upshur Counties. Soil Sur. Adv. Sh., 1917, pp. 12, 27-47. 1919; Soils F.O., 1917, pp. 1000, 1015-1035. 1923.
Braxton and Clay Counties. Soil Sur. Adv. Sh., 1918, pp. 10, 12, 23-36. 1920; Soils F.O., 1918, pp. 890, 892, 903-916. 1924.
Jefferson, Berkeley, and Morgan Counties. Soil Sur. Adv. Sh., 1916, pp. 15, 18-19, 31-72. 1918; Soils F.O., 1916, pp. 1489, 1492-1493, 1505-1546. 1921.
Lewis and Gilmer Counties. Soil Sur. Adv. Sh., 1915, pp. 11, 22, 24, 28. 1917; Soils F.O., 1915, pp. 1243, 1254, 1256, 1260. 1919.
McDowell and Wyoming Counties. Soil Sur. Adv. Sh., 1914, pp. 9, 19-30. 1916; Soils F.O., 1914, pp. 1431, 1441-1452. 1919.
Nicholas County. Soil Sur. Adv. Sh., 1920, pp. 7, 14-27. 1922; Soils F.O., 1920, pp. 45, 52-65. 1922.
Preston County. Soil Sur. Adv. Sh., 1912, pp. 13, 15, 24, 32, 34. 1914; Soils F. O., 1912, pp. 1213, 1215, 1224, 1232, 1234. 1915.
Raleigh County. Soil Sur. Adv. Sh., 1914, pp. 11, 17-20, 24-30. 1916; Soils F.O., 1914, pp. 1403, 1408-1422. 1919.
Spencer area. Soil Sur. Adv. Sh., 1909, pp. 11, 19, 21, 23, 26, 27. 1910; Soils F.O., 1909, pp. 1181, 1189, 1191, 1193, 1196, 1197. 1912.
in Wisconsin—
Adams County. Soil Sur. Adv. Sh., 1920, pp. 1124, 1131-1145. 1924; Soils F.O., 1920, pp. 1124, 1131-1145. 1925.
Buffalo County. Soil Sur. Adv. Sh., 1913, pp. 11, 20-40. 1915; Soils F.O., 1913, pp. 1447, 1456-1476. 1916.
Columbia County. Soil Sur. Adv. Sh., 1911, pp. 10, 26-54. 1913; Soils F.O., 1911, pp. 1911, pp. 1370, 1386-1414. 1914.
Dane County. Soil Sur. Adv. Sh., 1913, pp. 12, 26-70. 1915; Soils F.O., 1913, pp. 1494, 1508-1552. 1916.
Fond du Lac County, yields. Soil Sur. Adv. Sh., 1911, pp. 10, 18, 20-36. 1913; Soils F.O., 1911, pp. 1428, 1436, 1438-1454. 1914.
Jackson County. Soil Sur. Adv. Sh., 1918, pp. 9-44. 1922; Soils F.O., 1918, pp. 945-980. 1924.
Jefferson County. Soil Sur. Adv. Sh., 1912, pp. 10, 12, 23-54. 1914; Soils F.O., 1912, pp. 1560, 1562, 1573-1604. 1915.
Juneau County. Soil Sur. Adv. Sh., 1911, pp. 11-12. 1913; Soils F.O., 1911, pp. 1469-1470. 1914.
Kenosha and Racine Counties. Soil Sur. Adv. Sh., 1919, pp. 6, 8, 21-54. 1922; Soils F.O., 1919, pp. 1324-1326, 1339-1369. 1925.
Kewaunee County. Soil Sur. Adv. Sh., 1911, pp. 11, 20-42. 1913; Soils F.O., 1911, pp. 1519, 1528-1550. 1914.
La Crosse County. Soil Sur. Adv. Sh., 1911, pp. 10, 18, 26-38. 1913; Soils F.O., 1911, pp. 1566, 1574, 1582-1594. 1914.
Milwaukee County. Soil Sur. Adv. Sh., 1916, pp. 10, 18-29. 1918; Soils F.O., 1916, pp. 1784, 1791-1801. 1921.
north-central, north part. Soil Sur. Adv. Sh., 1914, pp. 20, 21, 35, 43, 50-69. 1916; Soils F.O., 1914, pp. 1670, 1671, 1685, 1693, 1700-1719. 1919.
north-central, south part. Soil Sur. Adv. Sh., 1915, pp. 16, 17, 35, 64. 1917; Soils F.O., 1915, pp. 1596, 1597, 1615, 1644. 1919.
northeastern. Soil Sur. Adv. Sh., 1913, pp. 18, 22, 40-90. 1915; Soils F.O., 1913, pp. 1574, 1578, 1596-1646. 1916.
Outagamie County. Soil Sur. Adv. Sh., 1918, pp. 9-11, 25-33. 1921; Soils F.O., 1918, pp. 985-988, 1001-1009. 1924.
Portage County. Soil Sur. Adv. Sh., 1915, pp. 10-40. 1917; Soils F.O., 1915, pp. 1494, 1510, 1527. 1919.
Rock County. Soil Sur. Adv. Sh., 1917, pp. 9, 19-47. 1920; Soils F.O., 1917, pp. 1187, 1197-1225. 1923.
Wood County. Soil Sur. Adv. Sh., 1915, pp. 10, 11. 1917; Soils F.O., 1915, pp. 1541-1543. 1919.

Oat(s)—Continued.
growing—continued.
in world, acreage, production and yield, maps, by countries Sec. [Misc.] Spec., "Geography * * * world's Agriculture," pp. 35-39. 1917.
in Wyoming—
experiments. D.B. 1306, pp. 8-12, 15, 17, 20, 21, 22, 29-30. 1925.
southeast, experiments. D.B. 1315, pp. 8-10. 1925.
irrigation experiments, Nebraska. D.B. 133, pp. 9-11, 14. 1914.
labor and—
materials, requirements in various States. D.B. 1000, pp. 33-35, 1921.
practices in central Kansas. D.B. 1296, pp. 26-30. 1925.
means for eradication of thistles. F.B. 545, p. 11. 1913.
on—
alkali land, in Montana, experiments, and yields. D.B. 135, pp. 3, 12, 14, 18. 1914.
Arlington farm, varieties and yields. D.B. 1309, pp. 20-23. 1925.
Clyde soils, yields. D.B. 141, pp. 21, 26, 29, 31, 33, 36, 41, 42, 45. 1914.
cotton farm. F.B. 364, p. 16. 1909.
Idaho dry farms, varieties, yield, and seeding rates. F B. 769, pp 21-22 1916.
manganiferous soils. Hawaii Bul. 26, pp. 24, 26, 32, 34. 1912.
Miami soils, yields. D.B. 142, pp. 19, 21, 22, 24, 29, 35, 38, 39, 48, 53, 56. 1914.
Volusia silt loam. Soils Cir. 63, pp. 4, 8, 11, 13. 1912.
plat, yield experiments. B.P.I. Cir. 109, pp. 27-31. 1913.
regions and varieties. J.A.R., vol. 30, p. 1. 1925.
the crop. C. W. Warburton. F.B. 424, pp. 44. 1910.
treatment of land after seeding. F.B. 424, pp. 22-25. 1910.
under irrigation—
southern Idaho. F.B. 1103, pp. 22-23. 1920.
yields and rotations. D.C. 339, pp. 16-17. 1925.
value for clearing land of weeds. F.B. 424, p. 11. 1910.
with crimson clover as mixture for hay. F.B. 550, pp. 14-15. 1913; F.B. 1142, p. 18. 1920.
work of county agents, North and West. S.R.S. Rpt., 1918, pp. 82-83. 1919.
growth—
and composition, effect of sulphur fertilizers. J.A.R. vol. 17, pp. 92-94. 1919.
effect of—
alkali salts. B.P.I. Bul. 134, pp. 1-19. 1908.
carbon bisulphide in different soils. J.A.R. vol. 5, No. 1, pp. 8, 10, 15, 16. 1916.
mineral phosphates, analyses and notes. J.A.R. vol. 6, No. 13, pp. 492, 495, 497-502, 507. 1916.
in different regions, rate. F.B. 1177, pp. 25-26. 1920.
temperature range. J.A.R. vol. 24, pp. 571-572, 575. 1923.
halo-blight—
description, spread and control. Charlotte Elliott. J.A.R. vol. 19, pp. 139-172. 1920.
relation to sterility, investigations. D.B. 1058, pp. 1-8. 1922.
harvesting, threshing, and storing. F.B. 424, pp. 25-29. 1910.
hauling from farm to shipping points, costs. Stat. Bul. 49, pp. 26-27, 39. 1907; D.B. 755, p. 9. 1919.
hog pasture, value. D.B. 68, pp. 12, 13. 1914.
holdings, June 1, 1918. News L., vol. 5, No. 51, p. 11. 1918.
home consumption. F.B. 420, p. 11. 1910.
hulled, crosses with naked oats, studies. J.A.R. vol. 10, pp. 293-312. 1917.
host of *Gibberella saubinetii*. J.A.R. vol. 20, pp. 1-32. 1920.
hull-less—
crosses with hulled oats, studies. J.A.R. vol. 10, pp. 293-312. 1917.

Oat(s)—Continued.
  hull-less—continued.
    origin, description, yield, value, and comparison with ordinary varieties. News L., vol. 3, No. 29, p. 3. 1916.
  hulls—
    paper-making possibilities. Off. Rec., vol. 1, No. 14, p. 3. 1922.
    sugar, unfermentable. Off. Rec. vol. 2, No. 19, p. 3. 1923.
  hybridization, difficulties. B.P.I. Cir. 30, p. 10. 1909.
  hybrids—
    and commercial varieties, tests of selections from. C. W. Warburton and others. D.B. 99, pp. 1914.
    description of crosses between naked and hulled oats. J.A.R. vol. 10, pp. 297-311. 1917.
    testing and results. An. Rpts., 1910, p. 313. 1911; B.P.I. Chief Rpt., 1910, p. 43. 1910.
  importance of crop in several countries. F.B. 424, p. 5. 1910.
  importations and descriptions. No. 45565, B.P.I. Inv. 53, p. 58. 1922; Nos. 48085, 48088-48090, 48103-48120, 48193, 48224, B.P.I. Inv. 60, pp. 41, 42, 44, 55, 57. 1922; Nos. 51199, 51202-51203, 51298-51305, B.P.I. Inv. 64, pp. 72, 73, 85. 1923; Nos. 51382-51386, 51631, 51894, B.P.I. Inv. 65, pp. 10, 33, 64. 1923; Nos. 52515-52516, 52818-52822, 52835, B.P.I. Inv. 66, pp. 2, 36, 81, 82. 1923; Nos. 53130-53133, 53624, B.P.I. Inv. 67, pp. 30, 70. 1923; Nos. 55031-55039, 55378, 55466, 55479, 55520-55524, B.P.I. Inv. 71, pp. 14-15, 38, 46, 48, 54. 1923.
  imports—
    1901-1924. Y.B., 1924, p. 1075. 1925.
    1907-1909, quantity and value, by countries from which consigned. Stat. Bul. 82, p. 43. 1910.
    1911-1920, of world countries. Y.B., 1921, p. 551. 1922; Y.B. Sep. 868, p. 45. 1922.
    and exports—
      1906-1910. Y.B., pp. 659, 669. 1911; Y.B. Sep. 554, pp. 659, 669. 1911.
      1919-1921, and 1852-1921. Y.B., 1922, pp. 952, 958, 965. 1923; Y.B. Sep. 880, pp. 952, 958, 965. 1923.
    entry regulations under Plant Quarantine No. 39, and forms. F.H.B., S.R.A. 64, pp. 78-81. 1919.
    statistics. Y.B., 1921, pp. 740, 753. 1922; Y.B. Sep. 867, pp. 4, 17. 1922.
  improved for New York and adjacent States. H. H. Love and others. D.C. 353, pp. 15. 1925.
  improvement—
    by seed selection. Alaska A.R. 1911, pp. 25, 35-36. 1912; D.B. 823, p. 69. 1920.
    of crop, methods. F.B. 424, pp. 38-39. 1910.
  in—
    Great Plains area, cultural methods, relation to production. E. C. Chilcott and others. D.B. 218, pp. 42. 1915.
    Missouri, crop area, and yield per acre, 1914. D.B. 633, p. 3, 5, 6. 1918.
    North Dakota, yields, 1891-1916, and factors affecting. D.B. 757, pp. 27-33. 1919.
    Wyoming, acreage and value. O.E.S. Bul. 205, p. 23. 1909.
  infection with—
    crown rust from buckthorn species. D.B. 1162, pp. 1-19. 1923.
    halo-blight, description, and cause. J.A.R. vol. 19, pp. 139-144, 158-162, 163-165, 1920.
    rust, sizes of urediniospores. J.A.R., vol. 16, pp. 58, 61, 63, 68. 1919.
    wheat-gall nematode. J.A.R., vol. 27, No. 12, pp. 934, 935. 1924.
  injury by—
    European frit fly. J.A.R., vol. 18, pp. 451, 466-470. 1920.
    spring grain aphid or "green bug." Ent. Bul. 110, pp. 14, 21-40, 139. 1912.
    Tarsonemus spirifex. Ent. Bul. 97, Pt. VI, p. 111. 1912.
  inoculation—
    experiments, 1918, 1920. D.B. 1058, pp. 2-8. 1922.
    with—
      cereal fungi, experiments. J.A.R., vol. 1, pp. 476-481. 1914.

Oat(s)—Continued.
  inoculation—continued.
    with—continued.
      Puccinia graminis, experiments. J.A.R., vol. 4, pp. 194-198. 1915.
      timothy rust. B.P.I. Bul. 224, p. 9. 1911; J.A.R., vol. 5, No. 5, pp. 211-215. 1915.
  insects—
    attacking growing stems. Ent. Bul. 42, pp. 1-62. 1903.
    injurious. F.B. 424, pp. 42-43. 1910.
  investigations and introductions. Sec. A.R. 1910, pp. 66-67. 1910; Rpt. 93, p. 49. 1911; An. Rpts., 1910, pp. 66-67. 1911; Y.B., 1910, pp. 66-67. 1911.
  irrigated—
    cost per acre, Colorado. O.E.S. Bul. 218, p. 41. 1910.
  rotations and—
    yield, experiments, Huntley farm project. 1920. D.C. 204, pp. 9-11. 1921.
    yields. W.I.A. Cir. 2, pp. 6, 7, 22, 23. 1915.
    yields after alfalfa. D.B. 881, pp. 7-9. 1920.
  irrigation—
    experiments—
      and results. D.B. 10, pp. 18-19. 1913; O.E.S. Cir. 95, p. 7. 1910.
      in Idaho. D.B. 1340, p. 31. 1925.
      in Colorado, 1916, 1917. D.B. 1026, p. 64, 84. 1922.
      in Western Great Plains and basin areas. D.B. 823, pp. 60-66. 1920.
  Kherson—
    and Sixty-Day—
      C. W. Warburton. F.B. 395, pp. 27. 1910.
      experiments with. C. W. Warburton and T. R. Stanton. D.B. 823, pp. 72. 1920.
      characters of spikelet. J.A.R., vol. 30, pp. 1066-1080. 1925.
      growing in Nebraska. F.B. 222, pp. 11-13. 1905.
      history and description. D.B. 823, pp. 2-5. 1920; F.B. 395, pp. 1-27. 1910.
      introduction, 1896. Off. Rec., vol. 2, No. 28, p. 6. 1923.
      Nebraska tests. F.B. 222, pp. 11-12. 1905.
      or Sixty-Day, technical description. D.B. 823, p. 4. 1920.
      straw yield, weight per bushel. D.B. 823, p. 69. 1920.
      variation at Akron, Colorado. J.A.R., vol. 30, pp. 1063-1082. 1925.
    yield—
      comparison with Sixty-Day. F.B. 395, p. 26. 1910.
      per acre in western North and South Dakota. B.P.I. Cir. 59, pp. 15, 16, 17. 1910.
  labor—
    and seed requirements on farms in southwestern Minnesota. D.B. 1271, pp. 24-29. 1924.
    income, relation to crop area, studies in eastern Pennsylvania. D.B. 341, p. 38. 1916.
  requirements—
    in Arkansas. D.B. 1181, pp. 8, 21-22, 29-30, 61. 1924.
    per acre, Georgia farms. Farm M. Cir. 3, pp 27, 28, 30. 1919.
  land, preparation and care. F.B. 436, pp. 18, 23, 31. 1911.
  leaf miner, spike-horned, occurrence. D.B. 432, pp. 4, 5, 8, 14. 1916.
  leaf spot, cause, description, and control. J.A.R. vol. 24, pp. 663-667. 1923.
  light yield in Alaska, cause. Alaska A.R., 1911, p. 28. 1912.
  Ligowo, yield, comparison with other varieties. F.B. 395, pp. 17, 20. 1910.
  lodging, prevention method. F.B. 424, pp. 24-25. 1910.
  loose smut. See Smut, loose, oats.
  losses—
    by crows. D.B. 621, p. 49. 1918.
    causes and extent, 1909-1920. Y.B., 1921, p. 546. 1922; Y.B. Sep. 868, p. 40. 1922.
    from—
      black stem rust in 1919, 1920. D.C. 188, pp. 4, 5. 1921.
      diseases. Off. Rec., vol. 2, No. 5, p. 4. 1923.
      specified causes, in various localities, 1909-1918. D.B. 1043, pp. 6, 8, 10. 1922.

INDEX TO PUBLICATIONS, 1901–1925   1671

Oat(s)—Continued.
  market statistics, prices, exports and imports, 1910–1921. D.B. 982, pp. 187–195. 1921.
  marketing(s)—
    bibliography. M.C. 35, p. 19. 1925.
    monthly—
      1913–1918. Y.B., 1918, p. 683. 1919; Y.B. Sep. 795, p. 19. 1919.
      by farmers, 1914–1922. M.C. 6, p. 23. 1923.
    preparation, weight, and market grades. F.B. 420, pp. 11–14. 1910.
  Markton—
    tests, yields and ripening dates in Northwest. D.C. 324, pp. 4–8. 1924.
    variety immune from covered smut. T. R. Stanton and others. D.C. 324, pp. 8. 1924.
  marsh. See Rice, wild.
  "meats" percentages. D.C. 353, pp. 12–14. 1925.
  misbranding and adulteration. Chem. N.J. 334, p. 1. 1910. Chem. N.J. 1146, p. 1. 1911.
  mixed, adulteration and misbranding. Chem. N.J. 406. 1910; Chem. N.J. 12696, 1925; Chem. N.J. 12936. 1925; Chem. N.J. 13000. 1925.
  mixture with barley. Opinion 166. Chem. S.R.A. 16, p. 32. 1916.
  moisture—
    content, increase by sulphur bleaching. B.P.I. Cir. 74, pp. 7–8, 12. 1911.
    requirement for growing. F.B. 424, pp. 7, 11. 1910.
  moldy, feeding to horses and sheep, experiments. An. Rpts., 1923, p. 240. 1924; B.A.I. Chief. Rpt., 1923, p. 42. 1923.
  naked. See Oats, hull-less.
  North Finnish Black, yield, comparison with other varieties. F.B. 395, p. 20. 1910.
  "No. 3, white," misbranding. Chem. N.J. 650, pp. 12. 1910.
  nurse crop—
    for clover. F.B. 405, p. 12. 1910.
    value. F.B. 424, pp. 11–12. 1910.
  nutritive value as dairy feed, analysis. F.B. 743, p. 17. 1916.
  occurrence of Canada thistle, management. F.B. 545, p. 7. 1913.
  official grain standards of United States, order establishing. Mkts. S.R.A. 46, pp. 6. 1919.
  origin, history, and description. F.B. 424, pp. 5–6. 1910.
  pasture—
    and hay for cattle, experiments, San Antonio, Tex. D.C. 73, p. 35. 1920.
    for—
      cattle, experiments in Texas, San Antonio experiment farm. D.C. 209, pp. 36–38. 1922.
      hogs and steers, Texas W I.A. Cir. 16, pp 1, 20, 21. 1917.
      hogs, value. B.P.I. Bul. 111, Pt. IV, p. 10. 1907; F.B. 331, p. 11. 1908.
    value. F.B. 1119, pp. 17, 21. 1920.
  pasturing, effect on yield of grain and hay, experiments. W.I.A. Cir. 5, pp. 13–15. 1915.
  pearl, importation and description. No. 54911, B.P.I. Inv. 70, p. 28. 1923.
  pedigreed, Alaska, list and description. Alaska A.R., 1912, p. 64. 1913.
  plant selection and culture for improvement of crop, directions. B.P.I. Cir. 30, pp. 6–9. 1909.
  planting—
    and harvesting dates, by season and by States. Stat. Bul. 85, pp. 45–62, 124–126. 1912.
    dates, by States. Y.B., 1922, p. 989. 1923; Y.B. Sep. 887, p. 989. 1923.
    intentions and outlook for 1924. M.C. 23, pp. 2, 4, 10. 1924.
    rate, influence on yield, tables. B.P.I. Bul. 269, pp. 46–47. 1913.
  plants, leaching experiments, loss of plant food, determination. Y.B., 1908, p. 399. 1909; Y.B. Sep. 489, p. 399. 1909.
  price(s)—
    Hugh B. Killough. D.B. 1351, pp. 40. 1925.
    analysis, problem. D.B. 1351, pp. 2–3. 1925.
    annual, factors affecting. D.B. 1351, pp. 4–23. 1925.
    at principal markets. Y.B., 1921, pp. 546–547. 1922; Y.B. Sep. 868, pp. 40–41. 1922.

Oat(s)—Continued.
  price(s)—continued.
    farm and market. Y.B., 1924, pp. 627, 628–629. 1925.
    future, conclusions. D.B. 1351, pp. 22–23. 1925.
    levels and trade routes, 1909. D.B. 755, pp. 2–4. 1919.
    on farms and in mills, March 15, 1915, by States. F.B. 665, p. 17. 1915.
    stabilizing. D.B. 1351, p. 10. 1925.
  production—
    1908. Y.B., 1908, pp. 12, 622. 1909.
    1914, exports, and prices, 1915. An. Rpts., 1915, pp. 3, 4, 5. 1916; Sec. A.R., 1915, pp. 5, 6, 7. 1915.
    1920. An. Rpts., 1920, p. 3. 1921; Sec. A.R., 1920, p. 3. 1920.
    acreage and value, 1839–1909, statistics. Sec. [Misc.] Spec., "Geography * * * world's agriculture," p. 35. 1917.
    and—
      portion fed. Y.B., 1923, pp. 334–335. 1924; Y.B. Sep. 895, pp. 334–335. 1924.
      value, 1912, comparison with other crops. An. Rpts., 1912, pp. 14–15. 1913; Sec. A.R., 1912, pp. 14–15. 1912; Y.B., 1912, pp. 14–15. 1913.
      value, 1917, relative position among crops. News L., vol. 5, No. 35, p. 6. 1918.
      yield, 1913. An. Rpts., 1913, pp. 54, 55, 56, 59. 1914; Sec. A. 1913, pp. 52, 53, 54, 57. 1913; Y.B., 1913, pp. 67, 68, 69, 72. 1914.
    yield on farm of Assistant Secretary Vrooman. News L., vol. 5, No. 10, p. 6. 1917.
    by countries. Y.B., 1924, pp. 621–622. 1925.
    centers. News L., vol. 6, No. 36, p. 15. 1919.
    consumption, and marketing, by States. D. B. 755, pp. 6–7. 1919.
    cost, per—
      acre. Stat. Bul. 73, pp. 46–47, 67. 1909.
      bushel, 1909. An. Rpts., 1911, p. 642. 1912; Stat. Chief. Rpt., 1911, p. 6. 1911.
    forage use and importance. Y.B., 1923, pp. 344–345. 1924; Y.B. Sep. 895, pp. 344–345. 1924.
    imports and exports, annual and average, by countries. Stat. Cir. 31, pp. 12, 29, 30. 1912.
    in—
      Argentina. Off. Rec., vol. 3, No. 6, p. 3. 1924.
      cotton States, 1909–1915. Sec. Cir. 56, p. 4, 1916.
      Europe, 1913, comparison with 1912. News L., vol. 1, No. 18, p. 4. 1913.
      New Jersey, Sussex area. Soil Sur. Adv. Sh., 1911, p. 14. 1913; Soils F.O. 1911, p. 338. 1914.
      Russia, area, yields, and comparisons, 1901–1910. Stat. Bul. 84, pp. 8–98. 1911.
    marketing and uses, discussion and historical notes. Y.B., 1922, pp. 471–486. 1923; Y.B. Sep. 891, pp. 471–486. 1923.
    of European countries, tables, 1883–1906. Stat. Bul. 68, pp. 50–99. 1908.
    of world countries, 1905–1909. Y.B., 1909, pp. 458–459. 1910; Y.B. Sep. 524, pp. 458–459. 1910.
    relation to crop condition, estimates. D.B. 1351, pp. 21–22. 1925.
    progress, yield, comparison with other varieties. F.B. 395, p. 24. 1910.
  purchasing power, 1909–1920, and 1867–1920. D. B. 999, pp. 57, 60, 63, 68. 1921.
  raising in South for grain or hay, handling methods. News L., vol. 2, No. 42, p. 5. 1915.
  rations for farm animals. News L., vol. 7, No. 7, p. 3. 1919.
  recipes, use in bread as substitutes for wheat flour. F.B. 955, pp. 9, 14, 17, 20. 1918.
  Red Algerian, yield, comparison with other varieties. F.B. 395, p. 20. 1910.
  Red Rustproof—
    origin, description, and yields. D.B. 336, pp. 36, 37, 40–41. 1916; F.B. 1119, pp. 6, 7, 9. 1920.
    various names. D.C. 193, p. 3. 1921.
  relation—
    between halo blight and sterility, experiments, 1918, 1920; D.B. 1058, pp. 2–8. 1922.
    to nitrogen content and bacterial activity of soil. J.A.R., vol. 9, pp. 306, 310–311, 315–320, 324–325, 329–336. 1917.

Oat(s)—Continued.
  requirements in growing and management, profits. F.B. 704, pp. 9–10. 1916.
  resistance to Hessian-fly injury. J.A.R. vol. 12, pp. 520, 522, 527. 1918.
  rolled—
    bread recipe. F.B. 807, pp. 22–23. 1917.
    calf-feeding experiments. F.B. 381, p. 18. 1909.
    digestibility, comparison with wheat farina. F.B. 316, p. 18. 1908.
    equivalents in meat. Rpt. 109, p. 134. 1916.
    stocks in United States, August 31, 1917. Sec. Cir. 99, pp. 16–20. 1918.
    value as food. F.B. 237, pp. 15–16. 1905.
  root development. F.B. 233, p. 8. 1905.
  rotation—
    experiments, San Antonio experiment farm, yield, 1909–1915. W.I.A. Cir 10, pp 4, 5. 1916.
    in Montana, Huntley farm. D.C. 330, pp. 9–10. 1925.
    on hog farms in Indiana. F.B. 1463, pp. 4–10. 1925.
    with other crops. F.B. 424, pp. 10–11. 1910.
  Russian—
    acreage in United States. Off. Rec., vol. 2, No. 28, p. 6. 1923.
    See also Emmer; Spelt.
  rust(s)—
    description, and injury. F.B. 424, pp. 40–41. 1910.
    injury to meadow fescue, seed and hay. F.B. 361, p. 14. 1909.
    prevention. F.B. 436, p. 27. 1911.
    relationships. J.A.R., vol. 30, p. 1. 1925.
  rustproof—
    characteristics, notes. F.B. 436, pp. 9–12. 1911.
    yield, comparison with other varieties. F.B. 395, pp. 13, 15, 20, 23. 1910.
  sale by private brands not lawful, system of grades. Mkts. S.R.A. 49, p. 9. 1919.
  Scotch, importation and description. No. 54326, B.P.I. Inv. 68, p. 52. 1923.
  seed—
    bed preparation, directions. F.B. 1119, p. 13. 1920.
    cleaning, grading, sowing, quantity, and methods. F.B. 436, pp. 19–23. 1911.
    composition, and effect of green manures. J.A.R., vol. 5, No. 25, pp. 1162, 1165. 1916.
    damage by sulphur bleaching, reduction of germination. D.B. 725, pp. 6–7, 9–11. 1918.
    description of naked and hulled varieties. J.A.R., vol. 10, No. 6, pp. 293–296. 1917.
    effect of source on yield. F.B. 424, p. 39. 1910.
    electrochemical treatment, results. D.C. 305, pp. 2–3. 1924.
    formaldehyde treatment for smut control. News L., vol. 3, No. 31, p. 5. 1916.
    germination tests. News L., vol. 3, No. 36, p. 4. 1916.
    heavy, comparison with light, yield. F.B. 388, p. 13. 1910.
    iron and manganese content. J.A.R., vol. 23, pp. 396, 398. 1923.
    per acre, dry lands. B.P.I. Cir. 59, pp. 6–7, 20. 1910.
    planting dates and rate, in Colorado. D.B. 917, p. 21. 1921.
    preparation and treatment for smut prevention. F.B. 892, pp. 11–12. 1917; F.B. 1119, pp. 13–14. 1920.
    quantity—
      per acre. B.P.I. Cir. 30, p. 7. 1909; F.B. 436, p. 23. 1911.
      per acre for small-grained varieties. F.B. 395, p. 12. 1910.
    tests. S.R.S. Rpt. 1915, Pt. I, p. 161. 1917.
    score card, contest work. O.E.S. Cir. 99, pp. 34–35. 1910.
    selection—
      cleaning, and purity. News L., vol. 3, No. 30, pp. 2–3. 1916.
      for improvement. B.P.I. Cir. 30, p. 4. 1909; F.B. 436, pp. 26, 31. 1911.
      in field, importance. F.B. 424, p. 39. 1910.
      preparation for planting, and quantity per acre. Sec. [Misc.] Spec., "Winter oats * * *," pp. 2–3, 4. 1914.

Oat(s)—Continued.
  seed—continued.
    supply for the United States. Y.B., 1917, p. 507. 1918; Y.B. Sep. 757, p. 13. 1918.
    testing directions. F.B. 428, p. 45. 1911.
    treated, sowing precautions. News L., vol. 3, No. 31, p. 5. 1916.
    treatment—
      by dry heat, experiments. J.A.R., vol. 18, pp. 382, 385–387. 1920.
      for control of halo blight. J.A.R., vol. 19, No. 4, pp. 160–162, 170–171. 1920.
      for increased yield. News L., vol. 6, No. 24, p. 3. 1919.
      for prevention of smut, demonstration. An. Rpts., 1917, p. 347. 1918; S.R.S. An. Rpt., 1917, p. 25. 1917.
      for smut control. F.B. 225, pp. 12–14. 1905; News L., vol. 6, No. 34, p. 6. 1919.
      for smut, school studies. D.B. 521, pp. 23–24. 1917.
      sowing. F.B. 424, pp. 16–22. 1910.
      to prevent smut, value. F.B. 250, p. 16. 1906.
    value of treatment to prevent smut. F.B. 250, p. 16. 1906.
  seeding—
    and harvest dates, graphic summary. Y.B., 1917, pp. 558–563. 1918; Y.B. Sep. 758, pp. 24–29. 1918.
    date and rate, Montana dry lands. F.B. 749, pp. 17, 22. 1916.
    dates and yields. D.B. 398, p. 29. 1916.
    in Corn Belt, methods, time, and varieties. News L., vol. 4, No. 37, p. 4. 1917.
    methods, to increase yield. F.B. 388, pp. 12–16. 1910.
    tests at Williston station, 1911–1914, rate per acre and yield. D.B. 270, pp. 27–28, 33, 35. 1915.
    time, method, and rate, in fall sowing. F.B. 1119, pp. 14–17. 1920.
    with Canada peas for hay, temporary meadow. F.B. 1170, p. 7. 1920.
  shocking, day's work. D.B. 814, p. 22. 1920.
  shrinkage in storage. F.B. 149, p. 14. 1902.
  Siberian, yield, comparison with other varieties. F.B. 395, pp. 14, 19, 20. 1910.
  Silvermine, yield, comparison with other varieties. F.B. 395, pp. 14, 17, 18, 19, 20. 1910.
  Sixty-Day—
    adaptation to Montana dry lands. F.B. 749, pp. 17, 22. 1916.
    and Kherson—
      C. W. Warburton. F.B. 395, pp. 27. 1910.
      experiments with. C. W. Warburton and T. R. Stanton. D.B. 823, pp. 72. 1920.
    dry-land experiments, Huntly project, yields, 1914–1920. D.C. 204, pp. 12–14, 15. 1921.
    history and description. D.B. 823, pp. 2–5. 1920.
    introduction, 1901. Off. Rec., vol. 2, No. 28, p. 6. 1923.
    test and yield per acre, Utah. B.P.I. Cir. 61, p. 14. 1910.
    yield—
      comparison with Kherson, table. F.B. 395, p. 26. 1910.
      per acre, western North and South Dakota. B.P.I. Cir. 59, pp. 15, 16, 17. 1910.
  smut(s)—
    cause of losses in Iowa, Henry County, control. Soil Sur. Adv. Sh., 1917, p. 11. 1919; Soils F.O., 1917, p. 1661. 1923.
    control—
      methods, experiments in Texas. B.P.I. Bul. 283, p. 69. 1913.
      work of county agents in New York, 1916. S.R.S., Doc. 60, pp. 18–19. 1917.
    description and—
      control. F.B. 507, pp. 8–32. 1912; F.B. 939, pp. 12–14, 15–24. 1918.
      injuries. F.B. 424, p. 40. 1910.
      formalin treatment. B.P.I. Bul. 240, p. 20. 1912.
    immune variety. Off. Rec., vol. 2, No. 20, p. 4. 1923.
    relative susceptibility of selections from a Fulghum-Swedish select cross. George M. Reed and T. R. Stanton. J.A.R., vol. 30, pp. 375–391. 1925.

INDEX TO PUBLICATIONS, 1901–1925   1673

Oat(s)—Continued.
  smut(s)—continued.
    resistance, greenhouse experiments. D.B. 1275, pp. 34–36. 1925.
    susceptibility of oat varieties. George M. Reed and others. D.B. 1275, pp. 1–40. 1925.
    treatment of seed. F.B. 424, p. 17. 1910; F.B. 436, pp. 19, 27. 1911; F.B. 1119, p. 14. 1920; Sec. [Misc.] Spec., "Winter oats in * * *," pp. 2–3. 1914.
    See also *Ustilago avenae*.
  soils—
    and fertilizers. F.B. 436, pp. 14–17. 1911.
    for. F.B. 1119, pp. 9–11. 1920.
  sowing—
    dates, by States. Y.B., 1910, pp. 491–492. 1911; Y.B., 1921, p. 775. 1922; Y.B. Sep. 871, p. 6. 1922.
    with barley, methods, studies. F.B. 443, p. 42. 1911.
    with clover, and cutting for hay. News L., vol. 4, No. 38, p. 9. 1917.
  spring—
    environmental experiments in. Texas. B.P.I. Bul. 283, pp. 56–57. 1913.
    growing at Rampart station, Alaska. Alaska A.R., 1910, pp. 48–50. 1911.
    harvest time, graphs. D.C. 183, pp. 26–27. 1922.
    home-grown and Kansas-grown seed, comparative tests in Texas. B.P.I. Bul. 283, p. 30. 1913.
    production. C. W. Warburton. F.B. 892, pp. 23. 1917.
    seeding—
      tests, rate, date, and yield in Texas. B.P.I. Bul. 283, pp. 53–56, 57, 77. 1913.
      time, graphs. D.C. 183, pp. 24–25. 1922.
    varietal experiments in Texas. B.P.I. Bul. 283, pp. 27, 28, 52–53, 77, 78. 1913.
    varieties—
      testing, Moro, 1911–1915. D.B. 498, pp. 26–31, 37. 1917.
      tests and yields per acre, Utah. B.P.I. Cir. 61, pp. 13–14. 1910.
  sprouted, use and value as poultry feed, methods. News L., vol. 3, No. 19, pp. 1, 4. 1915.
  sprouting for chicken feed. F.B. 1067, p. 12. 1919; F.B. 1105, p. 7. 1920; F.B. 287, rev., pp. 17–18. 1921; F.B. 549, pp. 18–20. 1913.
  standards—
    hearings, notice. Mkts. S.R.A. 39, pp. 1–2. 1918.
    notice of public hearings. Mkts.S.R.A. 39, pp. 1–2. 1918.
    official—
      Mkts.S.R.A. 46, pp. 6. 1919.
      grain, handbook. Mkts. [Misc.] "Handbook, official grain * * *," pp. 6. 1919.
      grain, handbook (with grain sorghums.) E. G. Boerner. B.A.E. [Misc.], "Handbook of official * * *," rev., pp. 58, 1922; rev., pp. 74, 1924; rev., pp. 23. 1925.
    proposal for United States. Mkts.S.R.A. 39, pp. 2–4. 1918.
    tabulated. Y.B., 1918, p. 346. 1919; Y.B. Sep. 266, p. 14. 1919.
  starch grains, microscopic appearance. Y.B., 1907, p. 381. 1908; Y.B. Sep. 455, p. 381. 1908.
  statistics—
    1870–1909. F.B. 420, pp. 7–11, 23. 1910.
    1900–1909. F.B. 436, pp. 3–5, 30. 1911.
    1906. Y.B., 1906, pp. 561–568. 1907; Y.B. Sep. 436, pp. 561–568. 1907.
    1907–1911. Y.B., 1911, pp. 541–546, 663, 672. 1912; Y.B. Sep. 587, pp. 541–546. 1912; Y.B. Sep. 588, pp. 663, 672. 1912.
    1908–1912. Y.B., 1912, pp. 580–588, 720, 731. 1913; Y.B. Sep. 614, pp. 580–588. 1913; Y.B. Sep. 615, pp. 720, 731. 1913.
    1910–1921, 1919–1921. Y.B., 1921, pp. 71, 72, 74, 539–551, 770. 1922; Y.B. Sep. 868, pp. 33–45. 1922; Y.B. Sep. 871, p. 1. 1922; Y.B. Sep. 875, pp. 71, 72, 74. 1922.
    1924. Y.B., 1924, pp. 616–629, 1137–1139, 1140. 1925.
    and calculations with wheat. D.B. 1351, pp. 27–38. 1925.

Oat(s)—Continued.
  statistics—continued.
    for Hungary, pre-war and 1921–22. D.B. 1234, pp. 24–27, 42. 1924.
    for Yugoslavia. D.B. 1234, pp. 95–96, 99, 102, 104–109. 1924.
    foreign countries, 1908–1912. Stat. Cir. 45, pp. 9–11. 1913.
    graphic showing of average production—
      United States. Stat. Bul. 78, p. 18. 1910.
      world. Stat. Bul. 78, p. 56. 1910.
    receipts and shipments at trade centers. Rpt. 98, pp. 289, 354–360. 1913.
  stem rust—
    biologic forms on varieties. J.A.R., vol. 24, pp. 1013–1018. 1923.
    infection. J.A.R., vol. 26, pp. 598–600. 1923.
    resistance by oat varieties. J.A.R., vol. 28, pp. 705–720. 1924.
    studies and experiments. J.A.R., vol. 10, pp. 430–492. 1917; J.A.R., vol. 24, pp. 539–568. 1923.
  sterility of. Charlotte Elliott. D.B. 1058, pp. 8. 1922.
  straw—
    bedding for stock, water-holding capacity. J.A.R., vol. 14, pp. 187–190. 1918.
    cattle feeding, comparison with other feeds. D.B. 762, pp. 17–32. 1919.
    fertilizer value. F.B. 420, p. 21. 1910.
  subsoiling, effects on yield, experiments. J.A.R., vol. 14, pp. 488–499, 503. 1918.
  substitute for, in feeds. M.C. 12, p. 36. 1924.
  sulphur—
    bleaching—
      injury. An. Rpts., 1916, pp. 153–154. 1917; B.P.I. Chief Rpt., 1916, pp. 17–18. 1916.
      reduction in germinating power. News L., vol. 6, No. 17, p. 12. 1918.
    fertilizers, experiments. J.A.R., vol. 5, No. 6, pp. 237, 245–247. 1915.
  sulphured—
    and unsulphured, acidity testing. J.A.R., vol. 18, pp. 33–49. 1919.
    detection, simple method. B.P.I. Cir. 40, pp. 1–8. 1909.
  sulphuring, use of commercial bleachers, descriptions. D.B. 725, pp. 2–3. 1918.
  supply, in May, 1919. News L., vol. 6, No. 45, p. 7. 1919.
  susceptibility—
    of selections from a Fulghum-Swedish Select cross to smuts. George M. Reed and T. R. Stanton. J.A.R., vol. 30, pp. 375–391. 1925.
    to halo blight, varietal differences. J.A.R., vol. 19, p. 163. 1920.
    to smuts. George M. Reed and others. D.B. 1275, pp. 40. 1925.
  Swedish Select—
    adaptability to cold and dry climate. B.P.I. Bul. 182, pp. 7, 8. 1910.
    chemical analyses and results. B.P.I. Bul. 182, p. 35. 1910.
    estimate of crop in Wisconsin, various years. B.P.I. Bul. 182, p. 10. 1910.
    introduction, distribution, and characteristics. B.P.I. Bul. 182, pp. 7–37. 1910.
    introduction into United States, cost and results. B.P.I. Cir. 100, p. 21. 1912.
    kernel and weight, comparison with other oats. B.P.I. Bul. 182, pp. 31–35. 1910.
    test and yield per acre, in Utah. B.P.I. Cir. 61, p. 14. 1910.
    value of introduction into United States. B.P.I. Bul. 182, pp. 35–37. 1910.
    weight per bushel, comparison with other oats. B.P.I. Bul. 182, pp. 7–8, 15, 19, 32–35. 1910.
    yield per acre, western North and South Dakota. B.P.I. Cir. 59, pp. 15, 16, 17. 1910.
  Swedish, yield, comparison with other varieties. F.B. 395, pp. 18–21, 24. 1910.
  Tartarian, yield, comparison with other varieties. F.B. 395, pp. 18, 19. 1910.
  testing—
    for moisture, directions. B.P.I. Cir. 72, rev., p. 12. 1914.
    methods, yields per acre, comparisons, various States. D.B. 99, pp. 4–25. 1914.

Oat(s)—Continued.
Texas Red—
comparison with Kherson oats. F.B. 222, pp. 12-13. 1905.
yield, comparison with other varieties. F.B. 395, p. 22. 1910.
tillage, dry farming. Y.B., 1911, p. 254. 1912; Y.B. Sep. 565, p. 254. 1912.
top-dressing with nitrate of soda, experiment. O.E.S. Bul. 220, p. 30. 1909.
tolerance of salt solutions, experiments. B.P.I. Bul. 113, pp. 11, 13, 14, 19. 1907.
trade international, 1911-1921. Y.B., 1922, p. 628. 1923; Y.B. Sep. 881, p. 628. 1923.
transpiration—
and environmental data, 1912. J.A.R., vol. 5, No. 14, pp. 592-597. 1916.
studies, Akron, Colo. J.A.R., vol. 7, pp. 157-161, 165, 168-195, 201-204. 1916.
treatment—
after seeding. F.B. 892, pp. 15-17. 1917.
before sowing for smut control. News L., vol. 3, No. 36, p. 3. 1916.
with sulphur, effects. J.A.R., vol. 11, pp. 94, 95-99. 1917.
tribe, key to genera, and descriptions. D.B. 772, pp. 12-13, 106-120. 1920.
use—
as—
feed for milch goats. B.A.I. Bul. 68, pp. 36, 40. 1905.
food and stock feed. F.B. 420, pp. 18-22. 1910.
forage crop in cotton region. F.B. 509, p. 18. 1912.
green manure, effect on germination of seed. J.A.R., vol. 5, No. 25, pp. 1163-1166. 1916.
horse feed. F.B. 1030, pp. 11-12. 1919.
substitute for wheat in breads and cakes, recipes. Sec. Cir. 118, pp. 1-4. 1918.
temporary pastures for sheep. F.B. 1181, pp. 7, 8, 11, 13, 16. 1921.
vegetable. O.E.S. Bul. 245, p. 59. 1912.
for—
poultry feed, comparison with corn, cost, and value. News L., vol. 6, No. 3, p. 3. 1918.
sheep pastures and sheep feed. D.B. 20, pp. 41, 43. 1913.
in—
breads and cakes, recipes. Sec. Cir., 118, pp. 3-4. 1918.
Corn-Belt rotations. Y.B., 1911, pp. 327-329, 330, 334. 1912; Y.B. Sep. 572, pp. 327-329, 330, 334. 1912.
manufacture of alcohol, and cost per gallon. Chem. Bul. 130, pp. 31, 95. 1910.
manufacture of denatured alcohol, value. Chem. Bul. 130, p. 31. 1910.
to save wheat. Sec. Cir. 118, pp. 4. 1918.
with Lespedeza, as farm crop. F.B. 441, pp. 10-14. 1911.
with timothy. F.B. 502, pp. 15-16, 22. 1912.
value—
for winter pastures and for hay in South. F.B. 1125, rev., p. 23. 1920.
in rabbit feeding. F.B. 496, p. 9. 1912.
in scratch rations for chickens, and results. D.B. 561, pp. 11, 41. 1917.
production and consumption in United States. D.B. 1351, p. 29. 1925.
under 3-year rotations. B.P.I. Bul. 187, pp. 40-54. 1910.
variability study. Frank A. Coffman and others. J.A.R., vol. 30, pp. 1-64. 1925.
varietal—
distribution and extension. An. Rpts., 1923, pp. 259-260. 1924; B.P.I. Chief Rpt., 1923, pp. 5-6. 1923.
experiments—
Belle Fourche farm. D.B. 1039, pp. 27-32, 71, 72. 1922.
in eastern United States. D.B. 823, pp. 6-35. 1920.
in western United States. D.B. 823, pp. 36-66. 1920.
testing—
and yield, Nebraska. B.P.I. Cir. 116, pp. 14, 15, 16. 1913.
at Belle Fourche experiment farm. D.C. 60, pp. 14-15. 1919.

Oat(s)—Continued.
varietal—continued.
testing—continued.
in rod rows, field technic. J.A.R., vol. 11, pp. 402-412, 414. 1917.
tests—
and yields under different cultures, Nebraska. D.C. 173, pp. 29-31. 1921.
at Dickinson substation, 1907-1913, yields. D.B. 33, pp. 24-31, 43-44. 1914.
at Belle Fourche, S. Dak., 1912-1916. W.I.A. Cir. 14, pp. 22-23. 1917.
at Belle Fourche, S. Dak., 1914. D.B. 297, pp. 30-32. 1915.
at Belle Fourche, S. Dak., 1917. W.I.A. Cir. 24, pp. 24, 25-26. 1918.
description and yields, South Dakota experiments. D.B. 39, pp. 20-23, 24-27. 1914.
experiment, Wetumpka School, Alabama. O.E.S. Bul. 220, pp. 29-30. 1909.
for yield and weight. F.B. 395, pp. 13-26. 1910.
in Maine, determination of yields and soil differences. J.A.R., vol. 5, No. 22, pp. 1041-1048. 1916.
in Nebraska, Scottsbluff experiment farm, 1915. W.I.A. Cir. 11, pp. 15-16. 1916.
in South Dakota, Belle Fourche experiment farm. W.I.A. Cir. 9, p. 20. 1916.
in Utah, 1908-1912, yields. D.B. 30, pp. 26-29, 49. 1913.
yields, 1904-1909, Kansas experiments. B.P.I. Bul. 240, pp. 16-18, 21. 1912.
yields and ripening dates. D.C. 324, pp. 4-8. 1924.
varieties—
adapted to—
different parts of the United States. F.B. 424, pp. 31-38. 1910.
warm climates. Y.B. 1922, p. 477. 1923; Y.B. Sep. 891, p. 477. 1923.
analyses, table. F.B. 395, p. 11. 1910.
and characters. J.A.R., vol. 30, pp. 2-9. 1925.
and yield increase. News L., vol. 6, No. 40, p. 15. 1919.
description—
and cultivation. D.B. 772, pp. 111, 113. 1920.
comparison with Sixty-Day oats. D.B. 498, pp. 28-31, 35. 1917.
domestic and foreign feeding value, comparison. Chem. Bul. 120, pp. 22-23, 29-50. 1909.
experiments at Scottsbluff farm, 1914-1916. W.I.A. Cir. 18, pp. 13-14. 1918.
feeding value. F.B. 395, pp. 9-12. 1910.
for—
cool climates. Y.B., 1922, p. 476. 1923; Y.B. Sep. 891, p. 476. 1923.
fall sowing, description. F.B. 1119, pp. 6-9. 1920.
Maryland, and Virginia. F.B. 786, pp. 18-19. 1917.
the Corn Belt. L. C. Burnett and others. D.B. 1343, pp. 31. 1925.
from New York, experiments. D.C. 353, pp. 2-12. 1925.
importations and description. Nos. 36546-36548, 36675, B.P.I. Inv. 37, pp. 29-30, 48. 1916.
introduction, results. Y.B., 1908, p. 156. 1909.
list for various sections. B.P.I. Cir. 30, p. 10. 1909.
new, introduction. B.P.I. Bul. 176, pp. 14, 18. 1910; B.P.I. Bul. 207, pp. 15, 45. 1911; B.P.I. Bul. 208, pp. 81. 1911; P.B.I. Cir. 30, p. 4. 1909.
rust resistance, greenhouse experiments. John H. Parker. D.B. 629, pp. 16. 1918.
seeding rates, ripening dates, yields, etc., experiments at Akron station. D.B. 402, pp. 24-28, 34. 1916.
yield per acre, western North and South Dakota. B.P.I. Cir. 59, pp. 15-17. 1910.
various countries, area, and production. Stat. Cir. 19, pp. 7, 8-9. 1911.
Victor, description, and use in breeding. J.A.R., vol. 10, pp. 295-311. 1917.

INDEX TO PUBLICATIONS, 1901-1925   1675

Oat(s)—Continued.
  water—
    consumption per ton. Y.B., 1910, p. 172.
      1911; Y.B. Sep. 526, p. 172. 1911.
    requirement in Colorado, 1911, experiments.
      B.P.I. Bul. 284, pp. 20–21, 35, 36, 47. 1913.
    requirements. J.A.R., vol. 3, pp. 11–12. 1914.
    See Rice, wild.
  weight per bushel—
    different grades. Y.B., 1918, p. 346. 1919;
      Y.B. Sep. 766, p. 14. 1919.
    estimates, 1902–1921. Y.B., 1921, p. 778. 1922;
      Y.B. Sep. 871, p. 9. 1922.
    testing. D.B. 472, pp. 3, 5, 6, 7. 1916.
  white—
    adulteration. Chem. N.J. 385, p. 1. 1910;
      Chem. N.J. 1250, pp. 1–2. 1912; Chem. N.J.
      12740. 1925; Chem. N.J. 12747. 1925.
    clipped, cattle feed, adulteration and misbranding.
      Chem. N.J. 1809, p. 1. 1912.
    Russian, yield, comparison with other varieties.
      F.B. 395, pp. 19, 24. 1910.
  wholesale prices, 1896–1909. Y.B., 1909, p. 465;
    1910; Y.B. Sep. 524, p. 465. 1910.
  wild—
    characters. News L., vol. 2, No. 40, p. 3.
      1915.
    control. F.B. 688, p. 19. 1915.
    control in hard-spring wheat area. F.B. 833,
      pp. 1–16. 1917.
    description—
      and introduction, importance as pest. F.B.
        833, pp. 3–7. 1917.
      and uses. D.B. 772, pp. 111–113. 1920.
      distribution, spread, and products injured.
        F.B. 660, p. 29. 1915.
    eradication methods. News L., vol. 5, No. 8,
      pp. 4–5. 1917.
    in hard-spring wheat area, methods of controlling
      or eradicating. H. R. Cates. F.B. 833,
      pp. 16. 1917.
    injury to grain fields in California. D.B.
      1172, p. 5. 1923.
    occurrence in wheat. F.B. 1287, p. 9. 1922.
    range seeding experiments. B.P.I. Bul. 177, p.
      13. 1910.
    seed, description. F.B. 428, pp. 18, 19. 1911;
      F.B. 515, p. 27. 1912.
    spread on western range lands, methods.
      B.P.I. Bul. 117, p. 16. 1907.
  winter—
    acreage recommendations—
      1917–1918. Sec. Cir. 75, p. 11. 1917;
      recommendations, sowing methods and dates.
        News L., vol. 5, No. 6, p. 7. 1917.
    breeding for cover crop. An. Rpts., 1908, p.
      350. 1909; B.P.I. Chief Rpt., 1908, p. 78.
      1908.
    experiments and yield in Texas. B.P.I. Bul.
      283, pp. 43–44, 78. 1913.
    following experiments, San Antonio, Texas,
      methods, and yields. D.B. 151, pp. 2–5, 10.
      1914.
    for the South. C.W. Warburton. F.B. 436,
      pp. 32. 1911.
    growing for temporary pasture in South.
      D.B. 827, p. 29. 1921.
    harvest time, graph. D.C. 183, p. 23. 1922.
    harvesting for grain or hay. F.B. 1119, pp.
      18–20. 1920.
    pasture. F.B. 411, p. 25. 1910.
    root-knot resistant crop. News L., vol. 2, No.
      40, p. 6. 1915.
    saving for seed, marketing suggestions. News
      L., vol. 4, No. 47, p. 3. 1917.
    sections adaptable. F.B. 436, pp. 12–14. 1911.
    seeding time, graph. D.C. 183, p. 22. 1922.
    use as cover and forage crop in South. News
      L., vol. 3, No. 12, pp. 4–5. 1915.
    use for cattle grazing. Rpt., 112, pp. 21–22. 1916.
    varietal tests, Maryland and Virginia. D.B.
      336, pp. 34–42. 1916.
    varieties—
      description. F.B. 436, pp. 9–12. 1911.
      suitable for various sections. News L., vol.
        5, No. 6, p. 7. 1917.

Oat(s)—Continued.
  Winter Turf—
    characteristics. F.B. 436, pp. 9–12. 1911.
    description, and value for fall sowing. F.B.
      1119, pp. 8–9. 1920.
    origin, description, and yields. D.B. 336, pp.
      36, 37, 41–42. 1916.
    winterkilled, reseeding. News L., vol. 4,
      No. 31, p. 1. 1917; vol. 5, No. 33, p. 2. 1918.
  world—
    acreage and production by countries. Y.B.,
      1922, pp. 618–620. 1923; Y.B. Sep. 881, pp.
      618–620. 1923.
    production—
      1905–1909. F.B. 420, pp. 5–6, 23. 1910.
      and distribution. Y.B., 1922, pp. 472–482.
        1923; Y.B. Sep. 891, pp, 472–482. 1923.
      and exports. Y.B., 1921, p. 781. 1922; Y.B.
        Sep. 871, p. 12. 1922.
    yellow, grading rules. News L., vol. 6, No. 42, p.
      5. 1919.
  yield(s)—
    after different rotation crops—
      Montana, Huntley experiment farm.
        W.I.A. Cir. 8, pp. 8–9. 1916.
      South Dakota, Belle Fourche. W.I.A. Cir.
        9, pp 9–11. 1916; D. C. 60, pp. 10–12. 1919.
    and—
      position in American agriculture. Y.B.,
        1922, pp. 470, 564–565. 1923; Y.B. Sep. 891,
        pp. 470, 564–565. 1923.
      value, comparison with barley and wheat,
        Moro, 1911–1915. D.B. 498, p. 35. 1917.
      value per acre and price. Y.B., 1921, pp. 5–44.
        1922; Y.B. Sep. 868, p. 38. 1922.
      value per acre, in Oregon, Willamette Valley
        farms. D.B. 705, p. 13. 1918.
      value per acre, production price and cost comparison,
        1871–1915. D.B. 755, pp. 13–20.
        1919.
      water relations. D.B. 1340, pp. 15, 17, 18, 19,
        20, 45, 47, 49. 1925.
    at—
      Akron Field Station, 1909–1923. D.B. 1304,
        pp. 14–16. 1925.
      Ithaca, New York, and on farms. D.C. 353,
        pp. 9–12. 1925.
      Mandan, North Dakota. D.B. 1337, p. 14.
        1925.
    averages for certain States. F.B. 395, p. 7.
      1910.
    benefit of cattle keeping. F.B. 704, p. 33. 1916.
    changes since 1876. Y.B., 1919, pp. 20, 22, 23.
      1920.
    cooperative experiments, 1909–1918. News L.,
      vol. 6, No. 5, p. 13. 1918.
    cost of production. F.B. 424, pp. 29–31. 1910.
    effect of border rows. J.A.R., vol. 21, pp. 489–
      495. 1921.
    from large and small seeds, experiments.
      J.A.R., vol. 14, pp. 361–363. 1918.
    in—
      Alabama, Jackson County. Soil Sur. Adv.
        Sh., 1911, pp. 18, 24. 1912; Soils F.O. 1911,
        pp. 778, 784. 1914.
      border rows, in plot tests, experiments.
        J.A.R., vol. 15, pp. 254–261. 1918.
      Colorado, from fall-plowed and springplowed
        stubble, 1909–1914. D.B. 253, p. 4.
        1915.
      dry-land experiments in North Dakota.
        D.B. 1293, pp. 6–13, 15–20. 1925.
      European countries, 1886–1905. Stat. Bul.
        68, pp. 20, 21. 1908.
      Iowa. D.B. 1343, pp. 5, 11, 13, 17, 21, 23–25.
        1925.
      Mississippi, Lowndes County. Soil Sur.
        Adv. Sh., 1911, pp. 27, 31, 33, 34, 42, 44.
        1912; Soils F.O. 1911, pp. 1105, 1109, 1111,
        1112, 1120, 1122. 1914.
      Pennsylvania, State and Chester County,
        and selected farms. F.B. 978, pp. 3–4.
        1918.
    rotation experiments. W.I.A. Cir. 6, p. 6.
      1915; W.I.A. Cir. 22, pp. 10, 11, 12. 1918.
    rotation experiments, Huntley experiment
      farm. D.C. 275, pp. 10, 11. 1923.

36167°—32——106

Oat(s)—Continued.
yield(s)—continued.
  in—continued.
    south-central Pennsylvania. Soil Sur. Adv. Sh., 1910, pp. 32-68. 1912; Soils F.O., 1910, pp. 220-256. 1912.
    South, under demonstration work, 1915. S.R.S. Rpt., 1915, Pt. II, p. 28. 1917.
    Southern States. F.B. 436, pp. 4, 6, 18, 26. 1911.
    specified countries, and prices. Rpt., 109, pp. 165-168, 301-302, 304. 1916.
    Texas, San Antonio, comparison with other grains. F.B. 965, pp. 3-4. 1918.
  increase after cowpeas. F.B. 318, p. 24. 1908.
  increase due to velvet beans. F.B. 962, pp. 24-25, 26. 1918.
  on—
    Delaware, tidal-marsh reclamation. O.E.S. Bul. 240, p. 27. 1911.
    fall-irrigated plats, South Dakota, 1914, 1915, 1916. D.B. 546, pp. 6-7. 1917.
    important American soils. Y.B., 1911, pp. 225, 229, 236. 1912; Y.B. Sep. 563, pp. 225, 229, 236. 1912.
    reclamation projects, and value as supplementary feed. D.B. 752, p. 6. 1919.
  per acre—
    1916, largest for Colorado and Idaho. News L., vol. 5, No. 21, p. 7. 1917.
    by countries. Y.B., 1923, p. 467. 1924; Y.B. Sep. 896, p. 467. 1924.
    comparison with milo, at San Antonio experiment farm, 1909-1914. D.B. 188, pp. 1-2. 1915.
    crop-rotation experiments, Belle Fourche farm, 1916. W.I.A. Cir. 14, pp. 14-16. 1917.
    estimate, June 1, by States. F.B. 598, p. 21. 1914.
    in Palmer Township, Ohio, 1912-1916. D.B. 716, pp. 39-40. 1918.
    increase since 1908. An. Rpts., 1919, pp. 13, 15. 1920; Sec. A.R., 1919, pp. 15, 17. 1919.
    requirement of family. D.B. 1338, pp. 4-5. 1925.
    under rotation and tillage experiments. D.C. 209, pp. 9-15. 1922.
    under varying water supply. Y.B., 1910, p. 174. 1911; Y.B. Sep. 526, p. 174. 1911.
    variations, studies. J.A.R., vol. 19, p. 294. 1920.
  See also Cereals; Crops; Grain.
Oat grass(es)—
  analytical key and description of seedlings. D.B. 461, pp. 7, 20. 1917.
  description and uses. D.B. 772, pp. 113, 114, 120. 1920.
  moisture, loss in curing. D.B. 353, pp. 27, 29-30, 37. 1916.
  tall meadow—
    cultivation in Alaska. Alaska A.R., 1907, p. 28. 1908.
    description, soil adaptability, and habits. F.B. 1254, pp. 18-20. 1922.
    value on mountain farms. F.B. 981, pp. 18, 21. 1918.
    weight and moisture, comparison. D.B. 353, pp. 9-10, 15-17, 19, 20-21, 22. 1916.
OATES, M. B.: "Standards of labor on the hill farms of Louisiana." With L. A. Reynoldson. D.B. 961, pp. 27. 1921.
Oatmeal—
  by-products, use as stock feeds. F.B. 420, p. 21. 1910.
  cakes and macaroons from, recipes. F.B. 1136, p. 39. 1920.
  food-value comparisons, chart. D.B. 975 ,p. 26. 1921.
  imports, 1907-1909, quantity and value, by countries from which consigned. Stat. Bul. 82, p. 43. 1910.
  jelly, directions for making. B.A.I. [Misc.], "World's dairy congress, 1923," p. 160. 1924.
  preparation for culture medium. B.P.I. Cir. 131, p. 13. 1913.
  use—
    and value as human food. F.B. 420, p. 18. 1910.
    as food, breakfast, dinner, and supper, recipes. U.S. Food. Leaf., 6, pp. 1-4. 1917.
    with cheese in food. F.B. 487, p. 30. 1912.

Oberea linearis, occurrence and description. Sec. [Misc.], "A manual of * * * insects," p. 133. 1917.
OBERHOLSER, G. R.: "The maximum and minimum thermometers are too fragile. Can not effective protection be devised without impairing sensitiveness? Should not aluminum scales be discarded? * * *." W.B. Bul. 31, pp. 217-219. 1902.
OBERHOLSER, H. C.—
  "Great Plains waterfowl breeding grounds and their protection." Y.B., 1917, pp. 197-204. 1918; Y.B. Sep. 723, pp. 10. 1918.
  "Waterfowl in Nebraska." D.B. 794, pp. 3-35. 1920.
  "The North American eagles and their economic relations." Biol. Bul 27, pp. 31. 1906.
OBERLY, E. R., report as librarian, Bureau of Plant Industry, 1911. An. Rpts., 1911, pp. 676-678. 1912; Lib. A.R., 1911, pp. 22-24. 1911.
O'BRIEN, J. F., report on Hawaii Experiment Station, "Haleakala substation and demonstration farm," 1922. Hawaii A.R., 1922, pp. 22-23. 1924.
O'BRIEN, P. J.: "Trespass on national forests of Forest Service District 1." For. [Misc.], "Trespass on * * *," pp. 125. 1922.
OBRIEN, R. P.: "Practical operation of a distillery." Chem. Bul. 130, pp. 125-127. 1910.
Obscure scale, description, and control on shade trees. F.B. 1169, p. 79. 1921.
Observatory (ies)—
  Hawaiian Volcano, history. Off. Rec., vol. 3, No. 29, p. 2. 1924.
  meteorological—
    suburban. A. F. Sims. W.B. Bul. 31, pp. 215-216. 1902.
Observers—
  meteorological, marine, instructions. W.B. Cir. M, pp. 99. 1925.
  Weather Bureau, instructions. An. Rpts., 1907, pp. 188-189. 1908.
OBST, M. M.: "Bacteria in commercial bottled waters." D.B. 369, pp. 14. 1916.
Obstetrics, veterinary, treatment of cows. B.A.I. [Misc.], "Diseases of cattle," rev., 158-209. 1904; rev., pp. 161-215. 1912; rev., pp. 162-213. 1923.
Oca, importations and descriptions. Nos. 41168-41176, B.P.I. Inv. 44, pp. 6, 47-48. 1918; No. 44659, B.P.I. Inv. 57, pp. 17-18. 1922; No. 55585, B.P.I. Inv. 72, p. 7. 1924.
O'CALLAGHAN, M. A.—
  "Cattle breeding and inbreeding." B.A.I Dairy [Misc.], "World's dairy congress, 1923," pp. 1401-1405.
  "Uniform nomenclature and grade standards of quality as applied to butter." B.A.I. [Misc.] "World's dairy congress, 1923," pp. 795-798. 1924.
Ocean—
  forecasts, work of Weather Bureau. An. Rpts., 1901, pp. 3-4. 1901.
  freight rates—
    1910, certain farm products. Y.B. 1910, pp. 651-652. 1911. Y.B. Sep. 553, pp. 651-652. 1911.
    1911. Y.B. 1911, pp. 653-655. 1912; Y.B. Sep. 588, pp. 653-655. 1912.
    1912. Y.B. 1912, p. 709. 1913; Y.B. Sep. 615, p. 709. 1913.
    and conditions affecting them. Frank Andrews. Stat. Bul. 67, pp. 42. 1907.
    for grain. Y.B. 1921, pp. 207-208. 1922; Y.B. Sep. 872, pp. 207-208. 1922.
    on wheat from United States and Russia. Stat. Bul. 65, pp. 60-63. 1908.
  meteorology, work. 1923. An. Rpts. 1923, pp. 127-128. 1924; W.B. Chief Rpt., 1923, pp. 25-26. 1923.
  transportation—
    business methods. Stat. Bul. 67, pp. 18-29. 1907.
    cost, rates per ton-mile. Y.B. 1914, p. 212. 1915; Y.B. Sep. 638, p. 212. 1915.
    of livestock and meat, losses and rates. Y.B. 1908, pp. 241, 242-243, 244. 1909; Y.B. Sep. 477, pp. 241, 242-243, 244. 1909.
    of Russian grain exports. Stat. Bul. 65, pp. 57-58. 1908.

Ocean—Continued.
    water, analyses. Soils Bul. 94, p. 10. 1913.
    weather—
        changes—
            forecasting. W.B. [Misc.] "The marine meteorological service * * *," pp. 22. 1919.
            instructions to observers. W. B. [Misc.] "Instructions to marine * * *," pp. 48. 1908; 3d. ed., pp. 68. 1910; 4th. ed., pp. 99. 1925.
        work of Weather Bureau. Off. Rec., vol. 4, No. 34, p. 6. 1925.
Oceania—
    forest resources. For. Bul. 83, pp. 59-61. 1910.
    fruit production, exports, and imports, 1908-1909, 1912-1913. D.B. 483, pp. 39-40. 1917.
    fruit stocks, cuttings, buds, and scions, quarantine. F.H.B. Quar. 44, pp. 2. 1920.
Oceanodroma spp. *See* Petrel.
Ocelot, Texas, occurrence and habits. N.A. Fauna 25, pp. 14, 166-167. 1905.
Ochna squarrosa, importation and description. No. 54324. B.P.I. Inv. 68, p. 51. 1923.
Ochoco National Forest, Oregon—
    description. For. [Misc.] "An ideal * * *," pp. 16-18. 1923; For. [Misc.] "Information map * * *," Folder. 1922.
    description and recreational uses. D.C. 4, pp. 27-28. 1919.
    law for land exchange. Sol. [Misc.] "Laws applicable * * * agriculture * * *," Sup. 2, p. 42. 1915.
    map and directions to tourists and campers. For. Map Fold. 1915.
    map. For. Maps. 1924.
Ochotona saxatilis. *See* Cony, rock; Pika.
Ochroma lagopus, importations and descriptions. No. 38854, B.P.I. Inv. 40, p. 36. 1917; Nos. 53262, 53490, B.P.I. Inv. 67, pp. 44, 56. 1923.
Ochroma lagopus. *See also* Balsa wood; Guano tree.
Ochrotomys spp., key and description. N.A. Fauna 28, pp. 222-226. 1909.
Ochthodromus wilsonius. *See* Plover.
Ocimum—
    basilicum. *See* Sweet basil.
    viride, use as deterrent of mosquitoes, medicinal value. Ent. Bul. 88, p. 26. 1910.
    viridiflorum. *See* Mosquito plant.
Ocneria dispar. *See* Gipsy moth.
O'CONNELL, F. J.: "Soil survey of Adams County, Wisconsin." With others. Soil Sur. Adv. Sh., 1920, pp. 1121-1151. 1924; Soils F.O. 1920, pp. 1121-1151. 1925.
Ocotea—
    arechavaletae, importation and description. No. 48682, B.P.I. Inv. 61, p. 36. 1922.
    foetens, importation and uses. Inv. No. 31903. B.P.I. Bul. 248, p. 62. 1912.
    sp., injury by sapsuckers. Biol. Bul. 39, p. 38. 1911.
    spp., importations and description, Nos. 37091, 37039, B.P.I. Inv. 38, p. 36. 1917.
Octabius megnini, description, habits, and control on sheep. F.B. 1150, pp. 13-15. 1920.
Octocoris—
    alpestris. *See* Lark, horned.
    sp., sale as reedbirds. Biol. Bul. 12, rev., p. 26. 1902.
Odessa, wheat prices, comparison with other markets. Stat. Bul. 66, pp. 59-64. 1908.
Odium lactis, indication in cheese, and control. D.B. 1171, pp. 10, 18-20. 1923.
Odobenus—
    divergens. *See* Walrus, Pacific.
    rosmarus. *See* Walrus, Atlantic.
Odocoileus spp.—
    description. Biol. Bul. 36, pp. 20-45. 1910.
    See also Deer.
Odonestis pruni, description. Sec. [Misc.] "A manual of * * * insects * * *," p. 112. 1917.
O'DONNELL, F. G.: "Steam and chemical soil disinfection, with special reference to potato wart." With others. J.A.R. vol. 31, pp. 301-363. 1925.
Odontomerus mellipes, parasite of Parandra borer. D.B. 262, p. 6. 1915.

Odor(s)—
    abnormal, in candled eggs, not distinguishable. D.B. 702, pp. 5-6, 10. 1918.
    apple, relation to scald. F.B. 1380, pp. 8, 12. 1923.
    bearers, esters in volatile oil. J.A.R., vol. 2, p. 116. 1914.
    cotton plant, observations. Chem. Chief Rpt., 1924, pp. 5-6. 1924.
    effect in tree-banding studies. D.B. 1142, pp. 2-3. 1923.
    localization, in leaves, seeds, peel, wood, and root. B.P.I. Bul. 195, pp. 11-12. 1910.
    milk—
        and cream, testing methods. D.C. 53, p. 21. 1919.
        effect of garlic. D.B. 1326, pp. 1-11. 1925.
        production by iron salts and ferrous sulfate. B.A.I. Bul. 162, pp. 64-69. 1913.
        scoring in contests, and suggestions for control. B.A.I. Cir. 205, pp. 15, 26. 1912.
    offensive, cause of abortion in cows. B.A.I. [Misc.], "Diseases of cattle," rev., p. 168. 1912.
    removal from milk, methods. News L., vol. 6, No. 36, p. 12. 1919.
Odostemon—
    aquifolium. *See* Barberry, holly-leaved; Oregon grape.
    fremonti, occurrence in Colorado and description. N.A. Fauna 33, p. 231. 1911.
Oebalus pugnax—
    injury to rice. F.B. 1092, p. 24. 1920.
    See also Stink bug.
Oecanthus niveus—
    control and life history. F.B. 1270, p. 70. 1922.
    See Cricket, snowy-tree.
Oecophoridae, similarity of one species to *Pectinophora gossypiella*. J.A.R., vol. 20, pp. 814-816. 1921.
Oedalus enigma, description and habits. F.B. 1140, p. 5. 1920.
Oedematophorus venapunctus, n. sp., description. J.A.R., vol. 20, pp. 827-828. 1921.
Oedicnemus bistriatus, description. Biol. Bul. 35, p. 100. 1910.
Oedipoda nebracensis, synonym of *Dissosteira longipennis*. D.B. 293, p. 1. 1915.
Oenothera—
    biennis, growing experiments with daylight of different lengths. J.A.R., vol. 23, p. 899. 1923.
    lamarkiana, mutability, discussion. B.P.I. Bul. 256, p. 87. 1913; J.A.R., vol. 2, pp. 295-297. 1914.
    spp. *See* Primrose, evening.
Oesophagostomum spp. *See* Nodular worms.
Oestrus ovis—
    description and control on sheep. F.B. 1150, p. 17. 1920.
    sheep, symptoms like loco. B.A.I. Bul. 112, pp. 66, 68, 69, 70. 1909.
    See also Bot fly, sheep; Head maggot.
Offal—
    edible, of hogs, production estimates, 1900-1921. Y.B., 1922, p. 276. 1923; Y.B. Sep. 882, p. 276. 1923.
    fresh or frozen, weight and volume, ruling. B.A.I.S.R.A. 98, p. 66. 1915.
    slaughterhouse, hog infection by feeding. B.A.I. Cir. 201, pp. 18-20. 1912; F.B. 781, pp. 8, 18. 1917.
    use as bait for flytraps. F.B. 734, p. 11. 1916.
Office—
    equipment, fruit-shipping business. D.B. 590, p. 3. 1918.
    fixtures, manufacture from basswood and other woods. D.B. 1007, p. 43. 1922.
Office of—
    Experiment Stations. *See* Experiment Stations, Office.
    Fiber Investigations. *See* Fiber Investigations, Office.
    Road Inquiry. *See* Road Inquiry, Office.
Officers—
    Army and Navy, detail to land-grant colleges, acts of 1888 and 1891, text. O.E.S. Cir. 111, rev., pp. 7-8. 1912.
    Reserve Corps—
        appointment of employees, memorandum of Secretary. Off. Rec., vol. 1, No. 1, p. 10. 1922.

Officers—Continued.
Reserve Corps—Continued.
members to be restored to positions. B.A.I. S.R.A. 124, p. 96. 1917.
State, cooperative agricultural extension work. Y.B., 1914, pp. 508-509. 1915.
Official Bulletin, use and value. News L., vol. 5, No. 35, p. 7. 1918.
Official Record, purpose, notice by Secretary. Off. Rec., vol. 1, No. 9, p. 1. 1922.
Officials—
extension work, directory. S.R.S. Doc. 40, p. 28. 1917.
false, penalties, memorandum of Secretary. Off. Rec. vol. 1, No. 6, p. 4. 1922.
game. *See* Game officials.
livestock inspection in States. B.A.I. Doc. A-28, pp. 1-44. 1917.
State—
dairy, food, and feeding stuffs. Chem. S.R.A. 13, p. 8. 1915; Chem. S.R.A. 20, pp. 65-66. 1918; Chem. S.R.A. 22, pp. 91-92. 1918.
in charge of agriculture. Y.B., 1914, p. 508. 1915.
sanitary. B.A.I. [Misc.] "State sanitary requirements * * *" pp. 1-23. 1911.
Offshoots, date, description—
cutting and propagating. F.B. 1016, pp. 4-9. 1919.
value, and uses. B.P.I. Bul. 53, pp. 15, 20-22, 25, 41-43. 1904.
O'GARA, P. J.: "The protection of orchards in the Pacific Northwest from spring frosts by means of fires and smudges." F.B. 401, pp. 24. 1910.
O'Gara's disease, western wheat grass, similarity to bacterial blight of barley. J.A.R., vol. 11, pp. 627, 642. 1917.
Ogilvie, William, explorations in Athabaska-Mackenzie region, 1888, 1891. N.A. Fauna 27, pp. 75-76, 77. 1908.
Ohelo berry, Hawaiian fruit, composition. Hawaii A.R., 1914, pp. 65, 68. 1915.
Ohelo, importation and description. No. 45245, B.P.I. Inv. 53, p. 17. 1922.
Ohia—
importations and description. Nos. 54489, 54530, B.P.I. Inv. 69, pp. 3, 15, 22. 1923.
lehua, honey source, Hawaii. Ent. Bul. 75, p. 48. 1911; Hawaii Bul. 17, p. 9. 1908.
Ohio—
agricultural—
colleges, and experiment stations, organization—
1905. O.E.S. Bul. 161, pp. 52-54. 1905.
1906. O.E.S. Bul. 176, pp. 60-61. 1907.
1907. O.E.S. Bul. 197, pp. 64-66. 1908.
1910. O.E.S. Bul. 224, pp. 54-56. 1910.
See also Agriculture, workers, list.
extension work, statistics. D.C. 253, pp. 6, 8, 12-13, 17, 18. 1923.
schools, development and attendance. O.E.S. Bul. 231, pp. 32-33. 1910.
aid to agricultural schools. O.E.S. An. Rpt., 1911, p. 332. 1912.
alfalfa growing and uses. F.B. 1021, pp. 1-32. 1919.
alsike-clover growing. F.B. 1151, pp. 14, 23. 1920.
and Michigan, sugar-beet growing, farm practice in. R. S. Washburn and others. D.B. 748, pp. 45. 1919.
and Missouri wines, labeling of. F.I.D. 120, pp. 2. 1910.
apple growing, areas, production, and varieties. D.B. 485, pp. 6, 18, 44-47. 1917.
appropriations for experiment station work—
1911. O.E.S. An. Rpt., 1911, pp. 57, 176, 179. 1912.
1912. O.E.S. An. Rpt., 1912, pp. 55, 180, 181. 1913.
Arbor Day celebration, and spread of tree planting. D.C. 265, p. 3. 1923.
associations, fruit and truck growers'. Rpt. 98, pp. 240-243. 1913.
barberry occurrence and eradication work. D.C. 188, pp. 7, 15-18, 21, 33. 1921.
barley crops, 1866-1906, acreage, production, and value. Stat. Bul. 59, pp. 7-26, 30. 1907.
bee diseases, occurrence. Ent. Cir. 138, p. 17. 1911.

Ohio—Continued.
bees and honey statistics. D.B. 685, pp. 6, 9, 12, 14, 16, 18, 19, 21, 24, 26, 29, 31. 1918; D.B. 325, pp. 3, 9-12. 1915.
beet-sugar—
industry—
factories, statistics. B.P.I. Bul. 260, pp. 15, 21, 22, 29, 73. 1912.
progress, 1900. Misc. "Progress * * * beet-sugar industry * * * 1900," pp. 57-58, 114-115. 1901.
progress, 1903. Misc. "Progress * * * beet-sugar industry * * *, 1903," pp. 42-43, 152. 1903.
progress, 1904. Rpt. 80, p. 136. 1905.
progress, 1905. Rpt. 84, pp. 92-94. 1907.
progress, 1906. Rpt. 86, p. 55. 1908.
progress, 1909. Rpt. 92, pp. 44-45. 1910.
mills, and sugar production, 1916-1917. D.B. 721, pp. 2-5, 34. 1918.
production, 1912-1917. Sec. Cir. 86, p. 17. 1918.
bird protection. *See* Bird protection.
black raspberry stem-end disease, damage. D.C. 227, p. 4. 1922.
bounty laws, 1909. Y.B., 1907, p. 564. 1908; Y.B. Sep. 473, p. 564. 1908.
boys' and girls' agricultural clubs, work. F.B. 385, pp. 9, 12. 1910.
buckwheat crops, 1866-1906, acreage, production, and value. Stat. Bul. 61, pp. 5-17, 20. 1908.
budget law. Off. Rec., vol. 4, No. 30, p. 3. 1925.
burley tobacco district. Stat. Cir. 18, p. 9. 1909.
cattle industry, historical notes. Y.B., 1921, p. 233. 1922; Y.B. Sep. 874, p. 233. 1922.
cigar-tobacco districts. Stat. Cir. 18, p. 7. 1909.
Cleveland—
Home Gardening Association, development. O.E.S. An. Rpt., 1908, pp. 287-288. 1909.
school garden work, methods. O.E.S. Bul. 252, pp. 11-15. 1912.
climate, relation to tobacco growing. Soils Bul. 29, pp. 8-10. 1905.
Coccidae, partial list. Ent. Bul. 37, p. 109. 1902.
consolidated rural schools, description, cost, and attendance. O.E.S. Bul. 232, pp. 18-23, 29, 43, 45-49, 52-54, 83, 87. 1910.
convict road-work, laws. D.B. 414, pp. 208-210. 1916.
cooperative associations, statistics, and laws. D.B. 547, pp. 13, 21, 35, 74. 1917.
corn—
acreage and yield. Sec. [Misc.], Spec. "Geography * * * world's agriculture," p. 32. 1917.
borer—
distribution. F.B. 1294, pp. 2, 3, 32. 1922.
quarantine, 1921. F.H.B. Quar. 43, rev., pp. 1, 2, 4. 1921.
quarantine, 1922. F.H.B. Quar. 43, amdt. 3, p. 2. 1922.
quarantine extension. F.H.B., Quar. 43, amdt. 2, p. 1. 1922.
crops, 1866-1906, acreage, production, and value. Stat. Bul. 56, pp. 7-27, 31. 1907.
earworm outbreaks in 1921. D.B. 1103, pp. 7, 9. 1922.
growing—
labor requirements, man and horse. D.B. 385, pp. 22-23. 1916.
practices, and farm conditions, in Montgomery County. D.B. 320, pp. 24-26. 1916.
production, movements, consumption, and prices. D.B. 696, pp. 15, 16, 20, 28, 29, 33, 36, 41, 50. 1918.
yields and prices, 1866-1915. D.B. 515, p. 8. 1917.
county experiment farms, establishment and maintenance. O.E.S. An. Rpt., 1911, pp. 59, 179. 1912.
cow testing, value. News L., vol. 7, No. 10, p. 13. 1919.
credits, farm-mortgage loans, costs and sources. D.B. 384, pp. 2, 3, 4, 7, 10. 1916.
crop planting and harvesting dates, important crops. Stat. Bul. 85, pp. 21, 33, 55, 65, 68, 77, 86, 105. 1912.

INDEX TO PUBLICATIONS, 1901-1925   1679

Ohio—Continued.
crow roosts, location, and numbers of birds. Y.B., 1915, p. 94. 1916; Y.B. Sep. 659, p. 94. 1916.
cucumbers, growing in greenhouses. F.B. 1320, p. 1. 1923.
dairy farms, methods and labor requirements, studies. D.B. 423, pp. 2-10. 1916.
dairying development. Y.B., 1922, p. 310. 1923; Y.B. Sep. 879, pp. 23-24. 1923.
demurrage provisions, regulations. D.B. 191, pp. 3, 26. 1915.
drainage law. O.E.S. Cir. 76, p. 20. 1907.
drug laws. Chem. Bul. 98, pp. 148-152. 1906; rev., Pt. I, pp. 230-236. 1909.
early settlement, historical notes. *See* Soil Surveys *for various counties and areas.*
Experiment Station—
corn growing, date of seeding experiments. D.B. 1014, p. 2. 1922.
liming soils, experiments. F.B. 1365, pp. 7, 9. 1924.
wheat fertilizer plat tests for long periods. Soils Bul. 66, pp. 20-24. 1910.
work and expenditures—
1906. C. E. Thorne. O.E.S. An. Rpt., 1906, pp. 142-144. 1907.
1907. C.E. Thorne. O.E.S. An. Rpt., 1907, pp. 152-155. 1908.
1908. C.E. Thorne. O.E.S. An. Rpt., 1908, pp. 152-154. 1909.
1909. C. E. Thorne. O.E.S. An. Rpt., 1909, pp. 166-168. 1910.
1910. C. E. Thorne. O.E.S. An. Rpt., 1910, pp. 214-219. 1911.
1911. C. E. Thorne. O.E.S. An. Rpt., 1911, pp. 176-180. 1912.
1912. C. E. Thorne. O.E.S. An. Rpt., 1912, pp. 180-183. 1913.
1913. C. E. Thorne. O.E.S. An Rpt, 1913, pp 70-71. 1915.
1914. C. E. Thorne. O.E.S. An. Rpt., 1914, pp. 187-190. 1915.
1915. C. E. Thorne. S.R.S. Rpt. 1915, Pt. I, pp. 212-218. 1916.
1916. C. E. Thorne. S.R.S. Rpt., 1916, Pt. I, pp. 216-223. 1918.
1917. C. E. Thorne. S.R.S. Rpt., 1917, Pt. I, pp. 212-218. 1918.
1918. S.R.S. Rpt., 1918, pp. 36, 61, 65, 67, 71-80. 1920.
work and sources of income. O.E.S. An. Rpt., 1907, p. 152-155. 1908.
extension work—
in agricultural education, organization. O.E.S. Cir. 98, pp. 9-10. 1910.
in agriculture and home economics—
1915. H. C. Price. S.R.S. Rpt., 1915, Pt. II, pp. 280-286. 1916.
1916. C. S. Wheeler. S.R.S. Rpt., 1916, Pt. II, pp. 311-319. 1917.
1917. C. S. Wheeler. S.R.S. Rpt., 1917, Pt. II., pp. 316-326. 1919.
funds allotment, and county-agent work. S.R.S. Doc. 40, pp. 4, 6, 11, 18, 23, 25, 28. 1918.
statistics. D.C. 306, pp. 3, 7, 11, 16, 20, 21. 1924.
factory workers, profits per hour from gardens. News L., vol. 5, No. 43, p. 12. 1918.
fairs, number, kind, location, and dates. Stat. Bul. 102, pp. 13, 14, 51-54. 1913.
farm(s)—
animals, statistics, 1867-1907. Stat. Bul. 64, p. 112. 1908.
conditions, letters from women. Rpt. 103, pp. 12, 16, 24-25, 32, 38, 41, 43, 57, 67. 1915; Rpt. 104, pp. 9, 17, 24, 31, 36, 43, 46, 50, 52, 66, 70. 1915; Rpt. 105, pp. 12, 30, 35, 38, 49, 54, 57, 58. 1915; Rpt. 106, pp. 9, 27, 45, 60, 66. 1915.
equipment, study. L. W. Ellis. B.P.I. Bul. 212, pp. 57. 1911.
family, food, fuel, and housing value, details. D.B. 410, pp. 7-35. 1916.
horse, cost records, with New York and Illinois. D.B. 560, pp. 1-23. 1917.
labor hours in day. Y.B. 1922, pp. 1075, 1076. 1923; Y.B. Sep. 890, pp. 1075, 1076. 1923.
leases, provisions. D.B. 650, pp. 4, 5, 9, 16, 20, 28. 1918.

Ohio—Continued.
farm(s)—continued.
products, value, relation to tenantry. Y.B., 1916, pp. 335. 1917; Y.B. Sep. 715, pp. 15. 1917.
values—
changes, 1900-1905. Stat. Bul. 43, pp. 11-17, 29-46. 1906.
income, and tenancy classification. D.B. 1224, pp. 111-113. 1924.
farmers' institutes—
history. O.E.S. Bul. 174, pp. 72-75. 1906.
laws. O.E.S. Bul. 135, rev., pp. 26-27. 1905.
legislation. O.E.S. Bul. 241, pp. 32-33. 1911.
number, 1923. Off. Rec., vol. 2, No. 13, p. 8. 1923.
work—
1902. O.E.S. Bul. 120, p. 41. 1902.
1904. O.E.S. An. Rpt., 1904, pp. 659-660. 1905.
1906. O.E.S. An. Rpt., 1906, p. 342. 1907.
1907. O.E.S. An. Rpt., 1907, pp. 340-341. 1908; O.E.S. Bul. 199, p. 24. 1908.
1908. O.E.S. An. Rpt., 1908, p. 322. 1909.
1909. O.E.S. An. Rpt., 1909, p. 351. 1910.
1910. O.E.S. An. Rpt., 1910, p. 411. 1911.
1911. O.E.S. An. Rpt., 1911, pp. 50, 377. 1912.
1912. O.E.S. An. Rpt., 1912, p. 370. 1913.
farmers' living cost. F.B. 635, pp. 1-21. 1914.
fertilizer prices, 1919, by counties. D.C. 57, pp. 4, 5, 8. 1919.
field work of Plant Industry, December, 1924. M.C. 30, pp. 39-40. 1925.
flax growing—
acreage, 1899, 1909, 1913. D.B. 322, p. 4. 1916.
on winterkilled wheat fields. B.P.I. Cir. 114, pp. 3-7. 1913.
food—
laws—
1903. Chem. Bul. 83, Pt. I, p. 95. 1904.
1904. Chem. Bul. 83, Pt. II, pp. 16-21. 1904.
1905. Chem. Bul. 69, rev., Pt. VI, pp. 459-490. 1906.
1906. Chem. Bul. 104, pp. 43-44. 1906.
legislation and officials. Chem. Cir. 16, pp. 15, 22, 28. 1904.
foot-and-mouth disease, shipment regulations. B.A.I.O. 228, pp. 2. 1914.
forest—
fires, statistics. For. Bul. 117, p. 34. 1912.
legislation, 1908. Y.B., 1908, p. 549. 1909.
planting—
and trees adaptable. Y.B., 1909, p. 339. 1910; Y.B. Sep. 517, p. 339. 1910.
conditions and suggestions. D.B. 153, pp. 4, 5, 13, 20, 28, 33-35. 1915.
forestry laws—
1921, summary. D.C. 239, pp. 19-22. 1922.
parallel classification. For. Law Leaf. 17, pp. 4. 1916; For. Misc. S-20, pp. 4. 1916.
funds for cooperative extension work, sources. S.R.S. Doc. 40, pp. 4, 6, 11, 16. 1917.
fur animals, laws—
1915. F.B. 706, p. 15. 1916.
1916. F.B. 783, pp. 16, 27. 1916.
1917. F.B. 911, pp. 19, 31. 1917.
1918. F.B. 1022, p. 19. 1918.
1919. F.B. 1079, pp. 6, 20. 1919.
1920. F.B. 1165, p. 19. 1920.
1921. F.B. 1238, pp. 19, 31. 1921.
1922. F.B. 1293, p. 16. 1922.
1923-24. F.B. 1387, p. 19. 1923.
1924-25. F.B. 1445, p. 14. 1924.
1925-26. F.B. 1469, p. 17. 1925.
game—
and bird officials, organizations, and publications. Biol. Bul. 65, pp. 6, 12, 16. 1908.
laws—
1902. F.B. 160, pp. 19-20, 33, 42, 45, 52. 1902.
1903. F.B. 180, pp. 14, 24, 34, 39, 44, 46, 55. 1903.
1904. F.B. 207, pp. 23, 35, 40, 44, 51, 62. 1904.
1905. F.B. 230, pp. 21, 32, 38, 45. 1905.
1906. F.B. 265, pp. 20, 31, 38, 45. 1906.
1907. F.B. 308, pp. 18, 30, 36, 45. 1907.
1908. F.B. 336, pp. 9, 20, 33, 41, 45, 52. 1908.
1909. F.B. 376, pp. 6, 18, 25, 35, 38, 40, 43, 49. 1909.

Ohio—Continued.
  game—continued.
    laws—continued.
      1910. F.B. 418, pp. 5, 8, 11, 18, 28, 31, 33, 36, 43. 1910.
      1911. F.B. 470, pp. 13, 23, 33, 38, 42, 49. 1911.
      1912. F.B. 510, pp. 10, 18, 25–26, 29, 33, 34, 38, 45. 1912
      1913. D.B. 22, pp. 15, 20, 30, 41, 46, 49, 56. 1913; rev., pp. 14–15, 19, 30, 41, 46, 49, 56. 1913.
      1914. F.B. 628, pp. 2, 3, 6, 10, 11, 21, 28–29, 32, 36, 38, 42, 44, 45, 50. 1914.
      1915. F.B. 692, pp. 2, 7, 14, 31, 42, 48, 50, 53, 60. 1915.
      1916. F.B. 774, pp. 29, 41, 46, 49, 52, 60. 1916.
      1917. F.B. 910, pp. 30, 48, 54. 1917.
      1918. F.B. 1010, pp. 27, 46. 1918.
      1919. F.B. 1077, pp. 31, 50, 57, 72, 73. 1919.
      1920. F.B. 1138, p. 33. 1920.
      1921. F.B. 1235, pp. 34, 57. 1921.
      1922. F.B. 1288, pp. 31–32. 1922.
      1923–24. F.B. 1375, pp. 31, 50. 1923.
      1924–25. F.B. 1444, pp. 22, 37. 1924.
      1925–26. F.B. 1466, pp. 28–29, 45. 1925.
    protection. See Game protection.
  gipsy moth, introduction and control work, 1914. An. Rpts., 1914, pp. 193, 194. 1914; Ent. A.R., 1914, pp. 1, 2. 1914.
  grain-supervision districts, counties. Mkts. S.R.A. 14, pp. 3, 10, 11, 12. 1916.
  grape(s)—
    1908–1910, and analytical data on samples. Chem. Bul. 145, pp. 8–18, 20–35. 1911.
    chemical composition, studies and tables. D.B. 452, pp. 4–6, 15–20. 1916.
    shipments, 1916–1919, and destination. D.B. 861, pp. 3, 44, 55–61. 1920.
  "Great Black Swamp," formation and location. (Reconnaissance). Soil Sur. Adv. Sh., 1912, pp. 89, 92. 1915; Soils F.O., 1912, pp. 1327, 1330. 1915.
  hay crops, 1866–1906, acreage, production, and value. Stat. Bul. 63, pp. 5–25, 29. 1908.
  haymaking methods, and costs. D.B. 578, pp. 13–14, 17. 1918.
  herds, lists of tested and accredited. D.C. 54, pp. 5, 7, 15, 38, 63, 77, 89, 91. 1919; D.C. 142, pp. 5, 10, 24–49. 1920; D.C. 143, pp. 5, 13, 41–45, 83. 1920; D.C. 144, pp. 5, 7, 14, 18, 43. 1920.
  Hessian fly outbreaks in 1921. D.B. 1103, p. 9. 1922.
  highway department establishment and road mileage. Y.B. 1914, pp. 214, 219–220, 222. 1915; Y.B. Sep. 638, pp. 214, 219, 220, 222. 1915.
  hunting laws. Biol. Bul. 19, pp. 21, 27, 64, 66. 1904.
  insecticide and fungicide laws. I. and F. Bd., S.R.A. 13, pp. 139–142. 1916; I. and F. Bd., S.R.A. 21, pp. 442–443. 1918.
  land utilization on farms, survey studies. F.B. 745, pp. 13, 14, 17. 1916.
  lard supply, wholesale and retail, Aug. 31, 1917, tables. Sec. Cir. 97, pp. 13–31. 1918.
  laws—
    adverse to game preserves. Biol. Cir. 72, p. 9. 1910.
    against Sunday shooting. Biol. Bul. 12, rev., p. 63. 1902.
    for turpentine sale. D.B. 898, p. 41. 1920.
    on—
      contagious diseases of domestic animals, control. B.A.I. Bul. 54, pp. 32–36. 1904.
      dog control, digest. F.B. 935, p. 19. 1918; F.B. 1268, pp. 19–20. 1922.
      foulbrood of bees. Ent. Bul. 61, pp. 194–197. 1906.
      nursery stock interstate shipment, digest. Ent. Cir. 75, rev., p. 6. 1909; F.H.B.S.R.A. 57, pp. 113, 114, 115. 1919.
      tobacco inspection. B.P.I. Bul. 268, pp. 32–33, 57. 1913.
    legislation—
      protecting birds. Biol. Bul. 12, rev., pp. 23, 32, 40, 43, 47, 49, 52, 110–111, 134, 137. 1902.
      relative to tuberculosis. B.A.I. Bul. 28, pp. 114–116. 1901.
    lettuce injury by anthracnose. J.A.R., vol. 13, pp. 263, 264. 1918.

Ohio—Continued.
  livestock—
    associations. F.B. 1292, p. 2. 1923; Y.B., 1920, p. 528. 1921; Y.B. Sep. 866, p. 528. 1921.
    admission, sanitary requirements. B.A.I. Doc. A-28, p. 32. 1917; B.A.I. Doc. 36, pp. 48–49. 1920; M.C. 14, p. 62. 1924.
  lumber—
    cut, 1920, 1870–1920, value, and kinds. D.B. 1119, pp. 28, 30–35, 44–58. 1923.
    production, 1918, by mills, by woods, and lath and shingles. D.B. 845, pp. 6–11, 13, 16, 22, 25, 28, 30, 33–38, 42–47. 1920.
  Madison and Seneca Counties, tractors on farms, reports. D.B. 997, pp. 6–11, 18, 27–37, 40–42, 61. 1921.
  Mansfield, health demonstration and nutrition. B.A.I. [Misc.], "World's dairy congress, 1923," pp. 679–683. 1924.
  maple—
    sirup, investigations, tabulation of results. Chem. Bul. 134, pp. 30–39, 70–72. 1910.
    sugar—
      analyses, results, table. D.B. 466, p. 19. 1917.
      and sirup, production, by years. F.B. 516, pp. 44–46. 1912.
  marketing, activities and organization. Mkts. Doc. 3, p. 5. 1916.
  milk—
    production, investigations, canvasses, and summaries. B.A.I. Bul. 164, pp. 15, 25–26, 42, 45, 46, 48, 49, 50, 51, 52, 53, 55. 1913.
    supply, and laws. B.A.I. Bul. 46, pp. 28, 32, 36, 42, 136–142. 1903.
  muck and peat areas, location. Soils Cir. 65, p. 15. 1912.
  muskrat farming, example. F.B. 396, p. 32. 1910.
  northern, grape-berry moth—
    control. H. G. Ingerson and G. A. Runner. D.B. 837, pp. 26. 1920.
    life history. H.G. Ingerson. D.B. 911, pp. 38. 1920.
  Norwalk, women's rest room, description and cost. Y.B., 1917, pp. 220, 221–222. 1918; Y.B. Sep. 726, pp. 6, 7–8. 1918.
  oat(s)—
    acreage and production, map. Sec. [Misc.] Spec., "Geography * * * World's agriculture," p. 37. 1917.
    crops, 1866–1906, acreage, production, and value. Stat. Bul. 58, pp. 5–25, 29. 1907.
    growing, varietal experiments. D.B. 823, pp. 13–14, 19, 66. 1920.
    production, 1900–1909, acreage and yield. F.B. 420, pp. 8, 9, 10. 1910.
    testing, methods, and yields per acre, comparisons. D.B. 99, pp. 21–22, 25. 1914.
    tests, Sixty-Day, and other varieties. F.B. 395, p. 14. 1910.
  occurrence of peach-tree bark beetle. Ent. Bul. 68. Pt. IX. pp. 93–94. 1909.
  officials, dairy, drug, feeding stuffs and food. See Diary officials; Drug officials; etc.
  onions, production and varieties. D.B. 1325, p. 9. 1925.
  orchard enemies, list. Ent. Bul. 37, pp. 109–113. 1902.
  peach(es)—
    growing, production, districts, and varieties. D.B. 806, pp. 4, 5, 7, 8, 9, 14. 1919.
    industry, season, and shipments, 1914. D.B. 298, pp. 4, 5, 7, 13. 1916.
    orchards, winter killing. F.B. 917, pp. 43–44. 1918.
    preparation for markets. F.B. 1266, pp. 12, 15, 27–32. 1922.
    varieties, names and ripening dates. F.B. 918, p. 10. 1918.
  pear growing, distribution and varieties. D.B. 822, p. 7. 1920.
  peppermint growing. F.B. 694, p. 2. 1915.
  pheasant raising and results. F.B. 390, p. 15. 1910.
  plum curculio control work, experiments. Ent. Bul. 103, pp. 182, 202, 215. 1912.
  pop corn, production and value, 1909. F.B. 554, pp. 6–7. 1913.

INDEX TO PUBLICATIONS, 1901–1925 1681

Ohio—Continued.
post road, expansion and contraction, measurements, tests. D.B. 532, pp. 20-27. 1917.
potato—
acreage, production, and yield, map. Sec. [Misc.] Spec., "Geography * * * world's agriculture," p. 69. 1917.
crops, 1866-1906, acreage, production, and value, Stat. Bul. 62, pp. 7-27, 31. 1908.
diseases, occurrence. D.B. 64, p. 10. 1914.
production, 1909, by counties. F.B. 1064, p. 4. 1919.
public roads, mileage and expenditures, 1904. Rds. Cir. 75, pp. 4. 1907.
quail protection laws. D.B. 1049, p. 17. 1922.
quarantine—
areas for foot-and-mouth disease. B.A.I.O. 234, pp. 6-7; B.A.I.O. 234, amdt. 1, p. 4; B.A.I.O. 234, amdt. 2, pp. 3-4; B.A.I.O. 236, pp. 1, 6-7; B.A.I.O. 236, amdt. 1, pp. 1, 2; B.A.I.O. 236, amdt. 2, pp. 1, 4; B.A.I.O. 236, amdt. 3, p. 4; B.A.I.O. 238, p. 6; B.A.I.O. 238, amdts. 1, 2, 3, 5, 6, 7, 8, pp. 2, 3. 1915.
for European corn borer. F.H.B. Quar. 43, rev., pp. 1, 4. 1922.
raw rock phosphate, field experiments, and results. D.B. 699, pp. 86-97. 1918.
road(s)—
bond-built, amount of bonds and rate. D.B. 136, pp. 45, 58-59, 74, 82, 84-85. 1915.
building rock tests—
1916 and 1917. D.B. 370, pp. 54-57. 1916; D.B. 670, pp. 16, 26. 1918.
1916-1921, results. D.B. 1132, pp. 26-29, 49, 52. 1923.
experiments, 1909, supplemental report. Rds. Cir. 98, pp. 43-44. 1912.
laws, 1908. Y.B., 1908, pp. 593-594. 1909.
materials, tests. Rds. Bul. 44, pp. 60-62. 1912.
mileage and expenditures—
1909. Rds. Bul. 41, pp. 30-31, 41, 42, 95-97. 1912.
1914. D.B. 389, pp. 3, 4, 5, 6, 7, 41-44. 1917.
1915. Sec. Cir. 52, pp. 2, 4, 6. 1915.
1916. Sec. Cir. 74, pp. 4, 5, 7, 8. 1917.
preservation, and dust prevention—
1914, experiments at Youngstown, report. D.B. 257, pp. 40-41. 1915.
1916, reports. D.B. 586, pp. 71-75. 1918.
surfacing experiments, 1910, supplementary report. D.B. 407, pp. 68-69. 1916.
rye crops, 1866-1906, acreage, production, and value. Stat. Bul. 60, pp. 5-25, 29. 1908.
salt deposits, occurrence, and composition. Soils Bul. 94, pp. 29-31, 53, 56, 63. 1913.
San Jose scale, occurrence. Ent. Bul. 37, p. 33. 1902; Ent. Bul. 62, p. 28. 1906.
Sandusky—
grape ripening studies. D.B. 335, pp. 1-28. 1916.
region, grape leaf hoppers, abundance. J.A.R., vol. 26, pp. 419, 420, 424. 1923.
school garden work. O.E.S. Bul. 160, pp. 40-44. 1905.
seed-corn beetle, 1906, outbreak. Ent. Cir. 78, p. 4. 1906.
sheep—
numbers, map. Sec. [Misc.] Spec., "Geography * * * world's agriculture," p. 138. 1917.
statistics, 1914. Y.B., 1914, p. 335. 1915; Y.B. Sep. 645, p. 335. 1915.
statistics. D.B. 313, p. 3. 1915.
soil survey of—
Ashtabula area. J. O. Martin and E. P. Carr. Soil Sur. Adv. Sh., 1903, pp. 20. 1904; Soils F.O., 1903, pp. 647-658. 1904.
Ashtabula County. See Ashtabula area.
Auglaize County. W. J. Geib. Soil Sur. Adv. Sh., 1909, pp. 22. 1910; Soils F.O., 1909, pp. 1131-1148. 1912.
Cleveland area. J. E. Lapham and Charles N. Mooney. Soil Sur. Adv. Sh., 1905, pp. 24. 1906; Soils F.O., 1905, pp. 695-714. 1907.
Columbus area. William G. Smith. Soil Sur. Adv. Sh., 1902, pp. 21. 1903; Soils F.O., 1902, pp. 403-423. 1903.
Coshocton County. Thomas D. Rice and W. J. Geib. Soil Sur. Adv. Sh., 1904, pp. 20. 1905; Soils F.O., 1904, pp. 565-580. 1905.

Ohio—Continued.
soil survey of—continued.
Cuyahoga County. See Cleveland area.
Delaware County. See Westerville area.
entire State, reconnaisance. George N. Coffey and others. Soil Sur. Adv., Sh., 1912, pp. 134. 1915; Soils F.O., 1912, pp. 1245-1372. 1916.
Fairfield County. See Columbus area.
Franklin County. See Westerville and Columbus areas.
Geauga County. Charles N. Mooney and others. Soil Sur. Adv. Sh., 1915, pp. 37. 1916; Soils F.O., 1915, pp. 1283-1315. 1919.
Hamilton County. A. L. Goodman and others. Soil Sur. Adv. Sh., 1915, pp. 39. 1917; Soils F.O., 1915, pp. 1317-1351. 1919.
Licking County. See Westerville and Columbus areas.
Lorain County. See Cleveland area.
Lucas County. See Toledo area.
Madison County. See Westerville and Columbus areas.
Mahoning County. M. W. Beck and Oliver P. Gossard. Soil Sur. Adv. Sh., 1917, pp. 41. 1919; Soils F.O., 1917, pp. 1041-1077. 1923.
Marion County. T. M. Morrison and others. Soil Sur. Adv. Sh., 1916, pp. 37. 1918; Soils F. O., 1916, pp. 1549-1581. 1921.
Medina County. See Wooster and Cleveland areas.
Meigs County. F. N. Meeker and G. W. Tailby, jr. Soil Sur. Adv. Sh., 1906, pp. 32. 1908; Soils F.O., 1906, pp. 701-728. 1908.
Miami County. E. R. Allen and O. Gossard. Soil Sur. Adv. Sh., 1916, pp. 50. 1918; Soils F.O., 1916, pp. 1583-1628. 1921.
Montgomery County. Clarence W. Dorsey and George N. Coffey. Soils F.O. Sep., 1900, pp. 18. 1901; Soils F.O., 1900, pp. 85-102. 1901.
Ottawa County. See Toledo area.
Paulding County. H. G. Lewis and C .W. Shiffler. Soil Sur. Adv. Sh., 1914, pp. 29. 1915; Soils F.O., 1914, pp. 1545-1569. 1919.
Pickaway County. See Columbus area.
Portage County. Charles N. Mooney and others. Soil Sur. Adv. Sh., 1914, pp. 44. 1916; Soils F.O., 1914, pp. 1505-1544. 1919.
Sandusky County. E. R. Allen and others. Soil Sur. Adv. Sh., 1917, pp. 64. 1920; Soils F.O., 1917, pp. 1079-1138. 1923.
Starke County. Charles N. Mooney and others. Soil Sur. Adv. Sh., 1913, pp. 39. 1915; Soils F.O., 1913, pp. 1343-1377. 1916.
Summit County. See Wooster and Cleveland areas.
Toledo area. William G. Smith. Soil Sur. Adv. Sh., 1902, pp. 20. 1903; Soils F.O., 1902, pp. 383-402. 1903.
Trumbull County. George N. Coffey and others. Soil Sur. Adv. Sh., 1914, pp. 53. 1916; Soils F.O., 1914, pp. 1455-1503. 1919.
Union County. See Westerville area.
Wayne County. See Wooster area.
Westerville area. J. E. Lapham and Charles N. Mooney. Soil Sur. Adv. Sh., 1905, pp. 19. 1906; Soils F.O., 1905, pp. 715-729. 1907.
Wood County. See Toledo area.
Wooster area. Thomas A. Caine and W. S. Lyman. Soil Sur. Adv. Sh., 1904, pp. 22. 1905; Soils F.O., 1904, pp. 543-564. 1905.
soils—
Dekalb silt loam, area and location. Soils Cir. 38, pp. 3, 17. 1911.
Meadow, areas and location. Soils Cir. 68, p. 21. 1912.
Miami clay loam, location, area, and crops grown. Soils Cir. 31, pp. 3, 9, 11, 12, 13, 14, 17. 1911.
Miami, crop uses and adaptations. D.B. 142, pp. 51-58. 1914.
origin, description, classification, and areas. Soil Sur. Adv. Sh., 1912, pp. 22-130. 1915; Soils F.O., 1912, pp. 1260-1368. 1915.
Volusia silt loam, acreage, location, and crop adaptation. Soils Cir. 63, pp. 3, 11, 12, 16. 1912.
Wabash clay, area and location. Soils Cir. 41, p. 16. 1911.

1682　UNITED STATES DEPARTMENT OF AGRICULTURE

Ohio—Continued.
  spinach-blight occurrence. J.A.R., vol. 14, pp. 1, 52–53, 59. 1918.
  standard containers. F.B. 1434, p. 18. 1924.
  State University—
    teachers' courses. O.E.S. Cir. 118, p. 21. 1913.
    trophy from Percheron Horse Society of France. O.E.S. An. Rpt., 1907, p. 284. 1908.
  strawberry shipments, 1914. D.B. 237, p. 9. 1915; D.B. 1028, p. 6. 1919.
  Sudan-grass growing experiments. B.P.I. Cir. 125, p. 15. 1913.
  sugar-beet growing—
    details. Rpt. 90, p. 49. 1909.
    farm practice, with Michigan. R. S. Washburn and others. D.B. 748, pp. 1–45. 1919.
  Swedish Select oat, experiments and results. B.P.I. Bul. 182, p. 20. 1910.
  tanning materials, consumption, 1906. For. Cir. 119, pp. 5, 6. 1907.
  threshing—
    and silo filling. News L., vol. 6, No. 29, p. 6. 1919.
    ring, success, examples. Y.B., 1918, pp. 266–267. 1919; Y.B. Sep. 772, pp. 22–23. 1919.
  tobacco—
    acreage and production. Sec. [Misc.] Spec., "Geography * * * world's agriculture," pp. 61, 62, 63. 1917.
    conditions, 1911. Stat. Cir. 27, pp. 4, 7. 1912.
    crop, 1912. Stat. Cir. 43, pp. 2, 3, 5, 8. 1913.
    culture, history. Soils Bul. 29, pp. 7–8. 1905.
    growing—
      and industry, statistics. B.P.I. Bul. 244, pp. 17, 18, 19, 20, 22, 24, 26, 32, 50–53, 70–85, 99. 1912.
      historical notes and present conditions. Y.B., 1922, pp. 401–409, 411, 418, 419. 1923; Y.B. Sep. 885, pp. 401–409, 417, 418, 419. 1923.
    rank, 1914–1918. Y.B., 1919, p. 154. 1920; Y.B. Sep. 805, p. 154. 1920.
    investigations in. George T. McNess and George B. Massey. Soils Bul. 29, pp. 38. 1905.
    marketing, inspection and sales. B.P.I. Bul. 268, pp. 37, 39–41, 44–46, 53. 1913.
    production and yield. B.P.I. Cir. 48, pp. 5, 6, 7, 8. 1910.
    report for July 1, 1912. Stat. Cir. 38, pp. 3, 4, 5, 7. 1912.
    work, 1909, production of improved strains. An. Rpts., 1909, p. 612. 1910; B.P.I. Chief Rpt., 1909, p. 60. 1909.
  tomato—
    pulping statistics. D.B. 927, pp. 4, 24. 1921.
    shipments, 1914. D.B. 290, p. 10. 1915.
    shipping sections. F.B. 1291, p. 4. 1922.
  tractor investigations, 1918. F.B. 1093, pp. 3–5. 1920.
  traveling library, method of handling. O.E.S. Bul. 199, pp. 59–65. 1908.
  trucking industry, acreage and crops. Y.B., 1916, pp. 446, 447, 450, 453, 455–465. 1917; Y.B. Sep. 702, pp. 12, 13, 16, 19, 21–31. 1917.
  tuberculosis investigations, cooperative. An Rpts., 1912, pp. 354–355. 1913; B.A.I. Chief Rpt., 1912, pp. 58–59. 1912.
  wage rates, farm labor, 1836–1863, and 1866–1909. Stat. Bul. 99, pp. 15–16, 21, 29–43, 68–70. 1912.
  walnut—
    growing and yield. B.P.I. Bul. 254, pp. 19, 102. 1913.
    range and estimated stand. D.B. 933, pp. 7, 9, 22, 23, 24, 31. 1921.
    stand and quality. D.B. 909, pp. 9, 10, 13, 18, 19, 21, 23. 1921.
  Washington County—
    farms, profits and losses. D.B. 920, pp. 3, 5, 7–22. 1920.
    Palmer Township, 5-year farm management survey, 1912–1916. H. W. Hawthorne. D.B. 716, pp. 53. 1918.
  water supply, records, by counties. Soils Bul. 92, pp. 116–120. 1913.
  well records, depth of water tables (with other States). Y.B. 1911, pp. 483–489. 1912; Y.B. Sep. 585, pp. 483–489. 1912.

Ohio—Continued.
  wheat—
    acreage—
      and varieties. D.B. 1074, p. 214. 1922.
      and yield. Sec. [Misc.] Spec., "Geography * * * world's agriculture." p. 18. 1917.
    production and value. Stat. Bul. 57, pp. 5–25, 29. 1907; rev., pp. 5–25, 29, 37. 1908.
    growing. F.B. 1305, pp. 3, 4, 5. 1922.
    production, 1902–1904. Stat. Bul. 38, p. 18. 1905.
    varieties adapted. F.B. 616, pp. 9–10, 11. 1914; F.B. 1168, pp. 12, 15. 1921.
    yields and prices, 1866–1915. D.B. 514, p. 8. 1917.
  white seed corn, production by club boys. News L., vol. 7, No. 16, p. 5. 1919.
  wines, labeling. F.I.D. 120, pp. 1–2. 1910.
  Youngstown, road—
    binding experiments. D.B. 105, pp. 42–43. 1914.
    making experiments with slag. Rds. Cir. 92, pp. 4–10. 1910.
Ohio River—
  dam system, water supply. Off. Rec., vol. 4, No. 27, p. 4. 1925.
  flood, 1918, losses. An. Rpts., 1918, p. 65. 1919; W.B. Chief Rpt., 1918, p. 9. 1918.
  jurisdiction. Off. Rec., vol. 3, No. 41, p. 5. 1924.
  navigation, relation of southern Appalachian Mountains. For. Cir. 143, pp. 35–38. 1908.
Ohio Valley—
  agricultural conditions in southern Indiana, Boonville area. Soil Sur. Adv. Sh., 1904, pp. 24–27. 1905; Soils F.O., 1904, pp. 746–749. 1905.
  floods, 1913, losses. News L., vol. 1, No. 7, p. 4. 1913.
  region—
    timberlands, management, and suggestions. For. Cir 138, pp. 1–16. 1908.
    woodlot owners in, suggestions to. Samuel J. Record. For. Cir. 128, pp. 16. 1908.
Oi, honey source in Hawaii. Hawaii Bul. 17, p. 9. 1908.
Oidemia spp. See Scoter.
Oidiomycosis, cattle, investigations. An. Rpts., 1918, pp. 114–115. 1919; B.A.I. Chief Rpt., 1918, pp. 44–45. 1918.
Oidium—
  albicans, cause of aphtha in calves. B.A.I. [Misc.] "Diseases of cattle," rev., pp. 259–260. 1904; rev., p. 268. 1912; rev., p. 263. 1923.
  grape, control by lime-sulphur and copper sulphate. F.B. 435, p. 15. 1911.
  lactis—
    effect on bacteria of milk and cheese. B.A.I. Bul. 150, pp. 8, 11. 1912.
    growth on cheese and effect. B.A.I. Bul. 115, pp. 33, 34. 1909.
    occurrence in moldy butter. J.A.R., vol. 3, pp. 303, 304, 305, 307, 309. 1915.
    pasteurization experiments. J.A.R., vol. 6, pp. 155, 164. 1916.
    relation to flavor of Camembert cheese. B.A.I. Bul. 71, pp. 20, 24, 29. 1905.
    use in cheese ripening, experiments. B.A.I. Bul. 71, pp. 17–22. 1905.
  See also Molds, Camembert cheese.
Oil(s)—
  accumulation in seeds, description of process. J.A.R., vol. 3, pp. 228, 230–235. 1914.
  adulteration—
    and misbranding. Chem. N.J. 2748, pp. 1–3. 1914; Chem. N.J. 2750, pp. 1–3. 1914.
    with mineral oil, detection method, modification. Chem. Cir. 85, pp. 1–15. 1912.
  Almond. See Almond oil.
  analysis methods, report of referees, committee. Chem. Cir. 90, pp. 14–15. 1912; Chem. Bul. 132, pp. 166–167. 1910; Chem. Bul. 152, pp. 191–192. 1912.
  analytical data, of various kinds. Chem. Bul. 77, pp. 13–46. 1905.
  and—
    asphalt compounds, loss from heating, tests. D.B. 1216, pp. 50–51. 1924.
  fats—
    edible, not including dairy products, methods of analysis. Chem. Bul. 65, p. 20. 1902.

Oil(s)—Continued.
 and—continued.
  fats—continued.
   production and conservation in United States. Herbert S. Bailey and B. E. Reuter. D.B. 769, pp. 48. 1919.
   report of associate referee, and recommendations. Chem. Bul. 90, pp. 69–75. 1905; Chem. Bul. 162, p. 114–118, 162–163. 1913.
   specific gravity determination. Chem. Bul. 62, p. 119. 1901.
  oil cake, cotton-seed, world's trade, exports. Y.B. 1901, pp. 294–295. 1902.
  vinegar dressing, recipe. F.B. 712, p. 24. 1916.
 animal—
  description, and manufacturing methods. D.B. 769, pp. 32–43. 1919.
  imports, 1907–1909, amount and value, by countries from which consigned. Stat. Bul. 82, p. 32. 1910.
  production, imports and exports, 1912–1918. D.B. 769, pp. 2–5. 1919.
 apple, relation to internal browning of apples. J.A.R., vol. 24, pp. 174–181. 1923.
 application to roads, experiments. Rds. Bul. 34, pp. 29–34. 1908; Rds. Cir. 99, pp. 6–10, 23–24, 30–31, 40, 42, 46, 48. 1913.
 apricot, similarity to cherry oil, composition and characteristics. D.B. 350, pp. 2, 8, 12, 15, 19. 1916.
 as ditch lining, test, and cost. F.B. 317, p. 11. 1908.
 asphalt—
  for road construction, specifications. D.B. 691, pp. 9–21. 1918.
  preparations, road binding, experiments, and cost. Rds. Cir. 94, pp. 7–10, 12–13, 20, 23, 25, 49, 50, 51, 53–54, 56. 1911.
  road surfacing, analyses and use. D.B. 407, pp. 3, 8, 31, 34, 44, 46–47, 60–62, 65–67. 1916.
 automobile, injury to street sweepings as fertilizer. Y.B., 1914, pp. 299–300. 1915; Y.B. Sep. 643, pp. 299–300. 1915.
 avocado, uses and value. D.B. 743, p. 5. 1919.
 Balanites, source and description. No. 39196, B.P.I. Inv. 40, pp. 7, 92. 1917.
 Ballard's golden, misbranding. Chem. N.J. 4124. 1916.
 banana, pineapple, and strawberry, adulteration. Chem. N.J. 2470, pp. 2. 1913.
 barriers, use in control of chinch bugs. Ent. Bul. 107, pp. 49–52. 1911.
 bay—
  examination of samples. Chem. Bul. 80, p. 17. 1904.
  industry, St. John, Virgin Islands. Vir. Is. A.R., 1920, p. 6. 1921.
 bean tree, African, importation, description, and uses. No. 34351, Inv. 33, pp. 6, 10. 1915.
 bearing seeds, by-products, value as feed stuffs. Rpt. 112, pp. 16–21. 1916.
 benzin, testing method. Chem. Bul. 109, rev., p. 15. 1910.
 bergamot—
  Calabria, Italy. B.P.I. Bul. 160, p. 36. 1909.
  with kerosene, use against mosquito bites. Ent. Bul. 88, p. 14. 1910.
 bitter almond—
  importation and increase in prices. D.B. 350, p. 20. 1916.
  use in adulteration of maraschino cherries. Chem. N.J. 1572, pp. 2. 1912; Chem. N.J. 1573, pp. 2. 1912; Chem. N.J. 1574, pp. 2. 1912; Chem. N.J. 1575, pp. 2. 1912.
 black sage, distillation, and camphor identification. B.P.I. Bul. 235, pp. 14–21. 1912.
 boiled, emulsion preparation, Government formula. D.C. 259, p. 7. 1923.
 burning in locomotives for forest protection from fire. An. Rpts., 1911, p. 371. 1912; For. A.R. 1911, p. 31. 1911.
 butterfat substitutes in calf feeding. F.B. 381, pp. 19, 21, 22. 1909.
 by-product of cherry pits, yield, value, and manufacturing methods. News L., vol. 3, No, 34, p. 8. 1916.
 cajuput—
  adulteration. Chem. N.J. 2147, p. 1. 1913; Chem. N.J. 2544, p. 1. 1913.

Oil(s)—Continued.
 cajuput—continued.
  adulteration and misbranding. Chem. N.J. 2748, pp. 2. 1914; Chem. N.J. 4536. 1917.
  use in treatment of corn seed before planting. Ent. Bul. 85, pp. 24–25. 1911.
 cake—
  and meal—
   exports and imports, average by countries. Stat. Cir. 31, pp. 27, 29, 30. 1912.
   statistics, 1906. Y.B., 1906, p. 625. 1907; Y.B. Sep. 436, p. 625. 1907.
   trade, international, 1902–1906. Y.B., 1907, pp. 691, 744, 753. 1908; Y.B. Sep. 465, pp. 691, 744. 1908.
   trade, international, 1906–1909, imports and exports, 1906–1910. Y.B., 1910, pp. 609, 661, 671. 1911; Y.B. Sep. 553, pp. 609, 661, 671. 1911; Y.B. Sep. 554, pp. 609, 661, 671. 1911.
   trade, international, 1909–1922. Y.B., 1923, pp. 1153, 1155. 1924; Y.B. Sep. 906, pp. 1153, 1155. 1924.
   various sources, composition and comparison. D.B. 439, p. 14. 1916.
  exports—
   and imports, 1915. Y.B., 1915, pp. 504, 545, 552, 557, 568, 569. 1916; Y.B. Sep. 683, p. 504. 1916; Y.B. Sep. 685, pp. 545, 552, 557, 568, 569. 1916.
   countries to which consigned, 1907–1914. Y.B., 1914, pp. 680–681. 1915; Y.B. Sep. 657, pp. 680–681. 1915.
   distribution. Rpt. 67, p. 18. 1901.
  feed value. F.B. 170, pp. 14–16. 1903.
  imports—
   1907–1909, quantity and value, by countries from which consigned. Stat. Bul. 82, p. 50. 1910.
   and exports, 1906–1910, 1907–1911. Y.B. 1911, pp. 614, 665, 674. 1912; Y.B. Sep. 588, pp. 614, 665, 674. 1912.
   and exports, 1907–1911 and 1908–1912. Y.B. 1912, pp. 661, 722, 733. 1913; Y.B. Sep. 615, pp. 661, 722, 733. 1913.
   and exports, 1909–1916. Y.B. 1917, pp. 704, 765, 773, 779, 792. 1918; Y.B. Sep. 760, pp. 52. 1918; Y.B. Sep. 762, pp. 9, 17, 23, 36. 1918.
   and exports, 1918. Y.B. 1918, pp. 582, 633, 640, 643, 645. 1919; Y.B. Sep. 792, p. 78. 1919; Y.B. Sep. 794, pp. 9, 16, 19, 21. 1919.
   and exports, 1919. Y.B., 1919, pp. 641, 688, 696, 701, 714. 1920; Y.B. Sep. 827, p. 641. 1920; Y.B. Sep. 829, pp. 688, 696, 701, 714. 1920.
   of Netherlands. Stat. Bul. 72, p. 9. 1909.
   statistics, 1921. Y.B., 1921, p. 741 1922; Y.B. Sep. 867, p. 5. 1922.
  meal, use of term. Chem. S.R.A. 13, p. 6. 1915.
  nut, meal, uses. F.B. 332, p. 25. 1908.
  trade—
   international, 1901–1910. Stat. Bul. 103, pp. 34–35. 1913.
   with foreign countries, exports and imports. D.B. 296, p. 33. 1915.
  use of term. Chem. S.R.A. 13, p. 6. 1915.
  various sources, composition and comparisons. D.B. 439, p. 14. 1916.
 camphor—
  fly repellent, formula and experiments. D.B. 131, pp. 19–20, 24. 1914.
  production, uses, and marketing. F.B.663, rev., p. 24. 1920.
 camphoraceous, odors, constituents, and uses. B.P.I.Bul. 235, p. 8. 1912.
 candlenut, description and source. D.B. 769, p. 32. 1919.
 cardamon, source of camphor and borneol. B.P.I. Bul. 235; p. 12. 1912.
 Carum ajowan, source of thymol. D.B. 372, p. 10. 1916.
 cassia, protection against mosquitoes. Ent. Bul. 88, p. 13. 1907.
 castor. *See* Castor oil.
 cement concrete—
  advantages, investigations by Public Roads Office, 1910. An. Rpts., 1910, pp. 157, 790–791. 1911; Rds. Chief Rpt., 1910, pp. 28–29. 1910; Sec. A.R., 1910, p. 157, 1910; Rpt 93, p 98. 1911; Y.B. 1910, pp. 155. 1911.

Oil(s)—Continued.
  cement concrete—continued.
    use on roads, management, experiments. Rds. Cir. 99, pp. 17–18, 31,32, 44. 1913.
  chaulmoogra. See Chaulmoogra oil.
  charlock, food value and digestion experiments. D.B. 687, pp. 15–17. 1918.
  Chenopodium. See Chenopodium oil.
  cherry—
    extraction methods, yield, and characteristics. D.B. 350, pp. 5–20. 1916.
    from kernel, digestion experiments. D.B. 781, pp. 6–8. 1919.
  chufa, chemical constituents. Walter F. Baughman and G. S. Jamieson. J.A.R., vol. 26, pp. 77–82. 1923.
  citrus, injuries to larvae of fruit fly, study. J.A.R. vol. 3, pp. 317–319. 1915.
  cloves, adulteration and misbranding. Chem. N.J. 2476, pp. 2. 1913.
  coal-tar, detection in turpentine. Chem. Bul. 135, pp. 17, 19–20, 29. 1911.
  cocklebur, extraction and use. D.C. 109, p. 5. 1920.
  coconut. See Coconut oil.
  cod-liver. See Cod-liver oil.
  cohune, origin and description. No. 54017, B.P.I. Inv. 68, p. 19. 1923.
  colza—
    similarity to rape-seed oil. Chem. Bul. 77, p. 38. 1903.
    use as adulterant of olive oil, detection. Chem. Bul. 77, pp. 38–40. 1903.
  compound, adulteration and misbranding. See Indexes, Notices of Judgment, in bound volumes and in separates published as supplements to Chemistry Service and Regulatory Announcements.
  consumption by industries, 1912–1918. D.B. 769, pp. 6–7. 1919.
  contamination by metal containers. B.A.I. An. Rpt., 1909, p. 267. 1911.
  content of—
    corn, breeding effects. F.B. 366, pp. 10–11. 1909.
    cottonseed, relation to gossypol variation. Erich W. Schwartze and Carl L. Alsberg. J.A.R., vol. 25, pp. 285–295. 1923.
    seeds as affected by the nutrition of the plant. W. W. Garner and others. J.A.R., vol. 3, pp. 227–249. 1914.
    seeds, relation of soil. J.A.R., vol. 3, pp. 241–245. 1914.
  conversion into fats. News L., vol. 6, No. 37, p. 13. 1919.
  cooking, saving methods. U.S. Food Leaf, 12, p. 4. 1918.
  coriander—
    adulteration. Chem. N.J. 2475, p. 1. 1913.
    examination. Chem. Bul. 80, p. 17. 1904.
  corn. See Corn oil.
  cottonseed. See Cottonseed oil.
  cow rations, effect on fatty acids in butter fat. J.A.R., vol. 24, pp. 380–392. 1923.
  creosote. See Creosote oil.
  crude—
    comparison with residuums as dust preventives. Rds. Bul. 34, pp. 26–38. 1908.
    cost for power in New Mexico. O.E.S. Bul. 215, p. 14. 1909.
    emulsion, use in tick eradication. An. Rpts., 1908, p. 254. 1909; B.A.I. Chief Rpt. 1908, p. 40. 1908.
    emulsions. B.A.I. Cir. 89. pp. 1–4. 1905.
    poisoning ducks and birds. Off. Rec., vol. 1, No. 6, p. 7. 1922.
    use—
      as fuel in orchards, disadvantages. F.B. 542, p. 13. 1913.
      as hog dip. News L., vol. 3, No. 26, p. 4. 1916.
      as pumping power. O.E.S. Bul. 240, p. 67. 1911.
      in control of chinch bugs. Ent. Bul. 107, p. 53. 1911.
      in firing orchards. F.B. 401, pp. 8, 20. 1910.
      in tick eradication. Y.B., 1913, p. 268. 1914; Y.B. Sep. 627, p. 268. 1914.
      in wood preservation. For. Cir. 186, p. 1, 1911.

Oil(s)—Continued.
  crude—continued.
    value as wood preservative. F.B. 744, p. 10. 1916.
    washes for control of peach borer, formulas and experiments. Ent. Bul. 97, pp. 84, 85, 86. 1913.
  dende, description and uses. D.B. 445, pp. 24–25. 1917.
  derivatives, production, 1912–1917. D.B. 769, pp. 43–44. 1919.
  development—
    in olives during ripening. D.B. 803, pp. 4–5, 14–19. 1920.
    injurious to farming, in West Virginia, Clarksburg area. Soil Sur. Adv. Sh., 1910, pp. 10–11, 13, 1912; Soils F.O., 1910, pp. 1054–1055, 1057. 1912.
  digestibility—
    experiments and studies. D.B. 1033, pp. 1–15. 1922.
    of some by-products. Arthur D. Holmes. D.B. 781, pp. 16. 1919.
    testing, experimental methods. D.B. 687, pp. 2–3. 1918.
  dips, cattle tick, objections. B.A.I. An. Rpt., 1910, pp. 267–268. 1912; B.A.I. Bul. 144, p. 7. 1912.
  distillate, emulsion, formula. Ent. Bul. 80, pp. 65, 149, 158. 1912.
  drying, source in soft lumbang, importation. No. 43389, B.P.I. Inv. 48, pp. 5, 50. 1921.
  dust preventives—
    experiments and results. Y.B., 1907, pp. 259–261. 1908; Y.B. Sep. 448, pp. 259–261. 1908.
    requirements. Rds. Bul. 34, pp. 22–23. 1908.
  edible—
    adulteration and—
      detection. Chem. Bul. 100, pp. 26–28, 53. 1906.
      misbranding. Chem. N.J. 13735. 1925.
    analysis, methods. Chem. Bul. 65, p. 20. 1902; Chem. Bul. 107, pp. 129–147. 1907.
    exports, 1916–1921. Y.B., 1922, p. 272. 1923; Y.B., Sep. 882, p. 272. 1923.
    imports, value, and amount of adulteration. Y.B. 1910, p. 209. 1911; Y.B. Sep. 529, p. 209. 1911.
    manufacture from grape seeds. B.P.I. Bul. 276, p. 9. 1913.
    metallic containers for. B.A.I. An. Rpt., 1909, pp. 265–282. 1911.
    preparation from crude corn oil. A. F. Sievers and J. H. Shrader. D.B. 1010, pp. 25. 1922.
    vegetable—
      definitions and standards. F.I.D. 169. 1917; Chem. S.R.A. 19, pp. 49–50. 1917.
      food standards. Sec. Cir. 136, pp. 17–18. 1919.
  emulsion(s)—
    formulas and directions for making. F.B. 933, pp. 17–21. 1918; P.R. Cir. 17, p. 11. 1918.
    road binding, experiments. Rds. Cir. 90, p. 21. 1909.
    scale control on mango. F.B. 1257, pp. 12, 15, 17, 18, 19, 21. 1922.
    sprays, use on avocado insect pests. Hawaii Bul. 25, pp. 22–23. 1911.
    stabilizing. D.B. 1217, pp. 2–4. 1924.
    use in control of hog lice. D.B. 646, p. 22. 1918.
    use in controlling insects. Hawaii Bul. 49, p. 11. 1923.
    with Bordeaux mixture for citrus spraying. D.B. 1118, pp. 28–34. 1923.
  Erigeron, distillation from Canada fleabane. B.P.I. Bul. 195, pp. 30, 38. 1910.
  essential—
    adulteration and misbranding. Chem. S.R.A. Sup. II, pp. 69–73. 1915.
    determination in alcoholic solutions, tentative method. Chem. Bul. 152, pp. 195–196. 1912.
    imports, 1908–1910, values, by countries from which consigned. Stat. Bul. 90, p. 56. 1911.
    laboratory, duties. Chem. Cir. 14, p. 14. 1908.
    of citrus fruits, Italy, exports, 1898–1908. B.P.I. Bul. 160, p. 16. 1909.
    quantitative determination of ketones. Chem. Bul. 137, pp. 186–187. 1911.
    See also Perfumery.

INDEX TO PUBLICATIONS, 1901-1925

Oil(s)—Continued.
  ester or alcohol-containing, odors, constituents, and uses. B.P.I. Bul. 235, p. 9. 1912.
  eucalyptus, source, No. 38723, B.P.I. Inv. 40, p. 19. 1917.
  expeller, commercial, description and use. D.B. 927, pp. 16-18. 1921.
  exports, statistics, 1921. Y.B., 1921, pp. 744, 761. 1922; Y.B. Sep. 867, pp. 8, 25. 1922.
  extract, of street sweepings, effect on plant growth, studies. Soils Cir. 66, pp. 6-7. 1912.
  extraction—
    by-products as feeds, protein and energy values. D.B. 459, p. 13. 1916.
    from tomato seed, refining, and deodorizing. D.B. 927, pp. 16-20, 27-28. 1921.
    method and machinery, description. D.B. 952, pp. 16, 17. 1921.
  fields in United States, location and quality of products. Rds. Bul. 34, pp. 23-24. 1908.
  fixed—
    fruit kernels, extraction, character, yield, and value. B.P.I. Bul. 133, pp. 13-21. 1908.
    manufacture from raisin seeds, chemical content, uses, quantity, value, etc. B.P.I. Bul. 276, pp. 14-30, 35-36. 1913.
  flash and burning point, tests. D.B. 949, p. 42. 1921.
  flaxseed—
    exports and imports, 1895-1914, discussion. D.B. 296, p. 34. 1915.
    properties. D.B. 883, pp. 19-20. 1920.
  flotation, production from hardwood tar. D.C. 231, p. 34. 1922.
  fly repellents, formulas and experiments. D.B. 131, pp. 8-12, 14-21, 23. 1914.
  food—
    presses, types used in various countries. Y.B. 1916, pp. 161, 165, 171. 1917; Y.B. Sep. 691, pp. 3, 7, 13. 1917.
    use and value. Y.B., 1916, pp. 159-160. 1917; Y.B. Sep. 691, pp. 1-2. 1917.
  fruit kernel—
    composition and comparison. D.B. 350, pp. 2, 8, 12, 15, 19. 1916.
    digestion experiments. D.B. 781, pp. 4-8, 10-12. 1919.
  fuel—
    cost for pumping plants. O.E.S. Cir. 101, pp. 27, 32. 1910.
    sources, use in orchards. F.B. 542, pp. 13-15. 1913.
    use in weed control, methods. News L., vol. 2, No. 7, pp. 3-4. 1914.
  gas-house, analyses. For. Bul. 126, p. 83. 1913.
  gas, lighting system for homes. Thrift Leaf. 9, p. 3. 1919.
  geranium and allied, analyses. Chem. Bul. 80, pp. 24-25. 1904.
  ginger-grass, substitute for rose-geranium oil. Chem. Bul. 80, pp. 23, 24, 25. 1904.
  grape-seed, manufacture, methods, yields, and value. D.B. 952, pp. 15-17, 18. 1921.
  gravel roads, object-lesson, various States; An. Rpts., 1910, p. 771. 1911; Rds. Chief Rpt., 1910, p. 9. 1910.
  gynocardia, chemistry of. D.B. 1057, pp. 9-10. 1922.
  healing, misbranding. Chem. N.J. 3965. 1915.
  heaters, orchard heating, types, distribution, care, and cost. F.B. 1096, pp. 19-28, 33-34. 1920.
  heavy—
    in wood turpentine composition. For. Bul. 105, pp. 58-60. 1913.
    lining for irrigation ditches, efficiency and cost. O.E.S. An. Rpt., 1908, pp. 374-375. 1909.
  hemp growing for, countries, map. Y.B., 1913, pp. 295, 296, 297, 299. 1914; Y.B. Sep. 628, pp. 295, 296, 297, 299. 1914.
  hops, various sources, study and comparisons. J.A.R., vol. 2, pp. 117-147, 157. 1914.
  horsemint, thymol extraction. D.B. 372, pp. 8-10. 1916.
  humbug, diphtheria cure, misbranding. Chem. N.J. 988, p. 1. 1911.
  Hydnocarpus alpina, chemistry of. D.B. 1057, p. 9. 1922.
  hydrocarbon, effect on various household insects. D.B. 707, pp. 2-3, 14, 23, 32. 1918.

Oil(s)—Continued.
  hydrogenated, use in manufacture of tin plate. An. Rpts., 1920, p. 282. 1921.
  ilang-ilang, extraction methods. B.P.I. Inv. 39, pp. 159-160. 1917.
  illuminating, manufacture from raisin and grape seeds. B.P.I. Bul. 276, pp. 7-9. 1913.
  immersion, use in soil tests, varieties, description. Soils Bul. 91, pp. 43-45. 1913.
  importance and uses. D.B. 769, pp. 1-2. 1919.
  imports and exports—
    1907-1911 and 1871-1911. Y.B., 1911, pp. 665, 674, 682, 685-686. 1912; Y.B. Sep. 588, pp. 665, 674, 682, 685-686. 1912.
    1908-1912 and 1872-1912. Y.B., 1912, pp. 722-723, 740-741, 744. 1913; Y.B. Sep. 615, pp. 722-723, 740-741, 744. 1913.
    1911-1913, and 1872-1913. Y.B., 1913, pp. 498-499, 505, 508, 509, 511. 1914; Y.B. Sep. 361, pp. 498-499, 505, 508, 509, 511. 1914.
    1914. Y.B., 1914, pp. 657, 664, 681. 1915; Y.B. Sep. 657, pp. 657, 664, 681. 1915.
  industry, rise and decline in Auglaize County, Ohio. Soil Sur. Adv. Sh., 1909, pp. 13-14. 1910. Soils F.O., 1909, pp. 1139-1140. 1912.
  injury to rubber belting of machinery. F.B. 991, p. 6. 1918.
  iodine absorption, determination methods. Chem. Bul. 77, pp. 20-25. 1905.
  item of motor-truck expense, estimation. D.B. 770, p. 11. 1919.
  Java-almond, digestibility experiments. D.B. 1033, pp. 5-6. 1922.
  kerosene, use in control of cabbage webworm. Ent. Bul. 109, Pt. III, pp. 42-43. 1912.
  kinds, description, uses, and value. D.B. 469, pp. 12-14. 1916.
  koume vine seed, analyses, importation. No. 55504, B.P.I. Inv. 71, p. 52. 1923.
  kukui—
    nuts, value. An. Rpts., 1913, p. 278. 1914; O.E.S. Chief Rpt., 1913, p. 8. 1913.
    possibilities, in Hawaii. Hawaii A.R., 1915, pp. 13, 25. 1916.
  laboratory, fat and wax work in 1921. Chem. Chief Rpt., 1921, pp. 24-25. 1921.
  lands in national forests, entry. Sol. [Misc.], "Laws * * * forests," p. 59. 1916.
  lard, analysis, use as adulterant of olive oil. Chem. Bul. 77, pp. 42-43. 1903.
  lemon-grass—
    commercial production, possibility in United States. S. C. Hood. D.B. 442, pp. 12. 1917.
    yield and citral content, factors affecting. D.B. 442, pp. 8-10. 1917.
  lime, extraction and use. Hawaii Bul. 49, p. 16. 1923.
  loss on heating, test. D.B. 1216, pp. 50-51. 1924.
  lubricating—
    emulsion, control of San Jose scale, preliminary report. A. J. Ackerman. D.C. 263, pp. 18. 1923.
    for motor trucks, cost. D.B. 931, pp. 24, 29. 1921.
    mixture with deep-well waters and lime-sulphur solutions. W. W. Yothers and J. R. Winston. D.B. 1217, pp. 6. 1924.
    testing methods. Chem. Bul. 109, pp. 40-42. 1908; rev., pp. 57-59. 1910.
    tractors. D.B. 174, p. 23. 1915.
    use on—
      farm tractors, amount and cost. F.B. 963, p. 19. 1918.
      threshing machines. F.B. 991, pp. 7-8. 1918.
  magnolia, analysis, table. Chem. Bul. 77, p. 44. 1903.
  mahua, source and value. No. 38182, B.P.I. Inv. 40, pp. 88-89. 1917.
  maize, use as substitute for olive oil, detection. Chem. Bul. 77, pp. 36-37. 1903.
  margosa, source and uses. No. 46573, B.P.I. Inv. 56, p. 28. 1922.
  Maumene, number, and determination method. Chem. Bul. 77, pp. 18-20. 1903.
  meal—
    prices at New York, 1910-1922. Y.B., 1921, p. 604. 1922; Y.B. Sep. 869, p. 24. 1922.
    substitute for oats in ration for horses, experiments. F.B. 425, pp. 18, 19. 1910.

Oil(s)—Continued.
  meal—continued.
    value as feed stuff, production and analyses. Rpt. 112, pp. 16–21. 1916.
    See also Fats.
  menhaden, production, yield, and value, 1863–1911. D.B. 2, pp. 46–48. 1913.
  Mexican, misbranding. Chem. N.J. 4616. 1917.
  mills—
    cotton—
      belt, number in 1915. Adv. Sh. Atl. Am. Agr., Pt. V, sec. A., p. 25. 1919.
      community control, advantages. D.B. 533, pp. 12–13. 1917.
    cottonseed, utilization for peanuts. F.B. 751, pp. 9, 10. 1916.
    in Imperial Valley. D.B. 324, pp. 4, 7. 1915.
    number in Cotton Belt, and products. Y.B., 1921, p. 376. 1922; Y.B. Sep. 877, p. 376. 1922.
  mineral—
    and rosin, fluorescent test. Percy H. Walker and E. W. Boughton. Chem. Cir. 84, pp. 2. 1911.
    detection in other oils, method, modification of Herzfeld-Bohme. F. P. Veitch and Marion G. Donk. Chem. Cir. 85, pp. 15. 1912.
    detection in turpentine. Chem. Bul. 135, pp. 29–31. 1911.
    use as adulterant of turpentine, methods of detection. Chem. Bul. 135, pp. 17–19, 22–23. 1911; Chem. N.J. 1022, p. 1. 1911.
    use in road improvement. James W. Abbott. Y.B., 1902, pp. 439–454. 1903; Y.B. Sep. 296, pp. 16. 1903.
    waste, and methods of prevention. F.B. 327, p. 9. 1908.
  mint, description, and use and shipment regulations. Chem. S.R.A. 28, pp. 25–26. 1923.
  misbranding, alleged. Chem. N.J. 1949, pp. 7. 1913; Chem. N.J. 12893. 1925; Chem. N.J. 13291. 1925.
  miscible—
    formulas and use, Porto Rico. P.R. Cir. 17, pp. 12–13. 1918.
    home preparation, directions. F.B. 329, pp. 26–28. 1908; Y.B., 1908, pp. 278–279. 1909; Y.B. Sep. 480, pp. 278–279. 1909.
    preparation, use, and equipment needed. F.B. 908, pp. 31–35. 1918.
    use—
      against scale insects. F.B. 329, p. 27. 1908.
      against sucking insects. F.B. 1169, p. 12. 1921.
      and value in mealybug control. F.B. 1309, pp. 9–10. 1923.
      as sprays. Ent. Cir. 124, p. 17. 1910.
      formulas and manufacturing methods. P.R. Bul. 10, pp. 24–17. 1911.
      in making emulsion for San Jose scale. F.B. 650, pp. 25–26. 1915.
      in red-spider control, description. D.B. 416, p. 65. 1917.
  mixed—
    cement concrete. Logan Waller Page. Rds. Bul. 46, pp. 28. 1912.
    concrete—
      investigations and tests. An. Rpts., 1911, pp. 739–741. 1912. Rds. Chief Rpt., 1911, pp. 29–31. 1911.
      value and formula. News L., vol. 2, No. 46, p. 4. 1915.
  mixture with water—
    directions. F.B. 908, p. 31. 1918.
    spray nozzle. Ent. Bul. 67, pp. 112–117. 1907.
  motor truck, mileage cost. D.B. 910, pp. 26–27. 1920.
  mustard—
    analysis, table. Chem. Bul. 77, p. 45. 1903.
    description, source, and uses. D.B. 769, p. 30. 1919.
    seed, presence in olive oil, detection. Chem. Bul. 77, pp. 37–38. 1903.
    seed, uses, value, and digestibility. D.B. 687, pp. 11–13. 1918.
  necessity in diet. Y.B., 1922, p. 270. 1923; Y.B. Sep. 882, p. 270. 1923.
  nut—
    digestibility studies. A. D. Holmes. D.B. 630, pp. 19. 1918.

Oil(s)—Continued.
  nut—continued.
    imports—
      1908–1910, quantity and value, by countries from which consigned. Stat. Bul. 90, p. 54. 1911.
      increase since 1907. D.B. 296, p. 34. 1915.
    use and value. Y.B., 1906, p. 309. 1907; Y.B. Sep. 424, p. 309. 1907.
    uses as food. F.B. 332, p. 24. 1908.
  of—
    Betula, derivation, resemblance to wintergreen. B.P.I. Bul. 139, p. 17. 1909.
    hops. See Hop oil.
    lavender flowers, adulteration. Chem. N.J. 2129, p. 1. 1913; Chem. N.J. 2133, p. 1. 1913.
    lemon. See Lemon oil.
    life, misbranding. See Indexes, Notices of Judgment, in bound volumes, and in separates published as supplements to Chemistry Service and Regulatory Announcements.
    rosemary flowers, adulteration. Chem. N.J. 2123, pp. 2. 1913; Chem. N. J. 2141, p. 1. 1913.
    turpentine. See Turpentine.
  oleo—
    digestibility, dietary experiments. D.B. 613 pp. 12–15. 1919.
    exports—
      Y.B., 1924, pp. 895, 1042. 1925.
      distribution. Rpt. 67, pp. 19–20. 1901.
      total and per capita, 1851–1908. Stat. Bul. 75, pp. 6, 7, 12, 29. 1910.
  olive—
    adulteration and misbranding. Chem. N.J. 340, p. 1. 1910.
    substitute, detection. Chem. Bul. 77, pp. 31–46. 1903.
    substitutes. News L., vol. 6, No. 37, p. 10. 1919.
    tests for adulterants. Chem. Bul. 13, Pt. X, pp. 1429–1431. 1902.
    See Olive oils.
  onion, relation to onion smudge. J.A.R., vol. 24, pp. 1023–1027. 1923.
  orange manufacture, new machine and method. An. Rpts., 1916, p. 151. 1917; B.P.I. Chief Rpt., 1916. p. 15. 1916.
  orchard heating, distribution, storage, and cost. D.B. 821, pp. 4–5, 24. 1920.
  otoba, medicinal uses. No. 46790, B.P.I. Inv. 57, p. 35. 1922.
  paint, kinds and nature. F.B. 1452, pp. 6–12. 1925.
  paraffin, emulsion formula and directions. F.B. 1011, p. 11. 1919.
  parsley, production and prices. F.B. 663, rev. p. 40. 1920.
  paving-block, specifications and analysis. For. Cir. 194, pp. 12–14. 1912.
  peach, similarity to cherry oil, composition and characteristics. D.B. 350, pp. 2, 8, 12, 15, 19. 1916.
  peanut—
    and soy bean, use of cottonseed crushing mills. Mkts. Chief Rpt., 1916, p. 12. 1916; An. Rpts., 1916, p. 396. 1917.
    See also Peanut oil.
  pennyroyal, distillation, use, and value. B.P.I. Bul. 195, pp. 40, 45. 1910.
  peppermint. See Peppermint oil.
  percentage in wet and dry processes, germs and oil cake, benzol extraction. D.B. 1054, pp. 8–10. 1922.
  Perilla, made from Japanese plant, Perilla frutescens. Inv. No. 30298, B.P.I. Bul. 233, p. 73. 1912.
  petroleum—
    as insecticide, value and use. F.B. 127, pp. 16–21. 1901.
    for eradication of cattle ticks, application, cost. B.A.I. Cir. 110, pp. 10–13. 1907.
    light, testing. Chem. Bul. 109, rev., p. 15. 1910.
    sprays, formulas. Ent. Cir. 124, pp. 16–17. 1910.
  phenol, odors, constituents, and uses. B.P.I. Bul. 235, p. 9. 1912.

Oil(s)—Continued.
   pimento berries, examination. Chem. Bul. 80, p. 17. 1904.
   pine—
      distillation methods and description. D.B. 1003, pp. 31–34. 1921.
      examination of samples, methods, and results. D.B. 989, pp. 8–10, 14. 1921.
      production—
         and description. Chem. Bul. 144, pp. 23, 60. 1911.
         distribution and distillation methods. D.B. 989, pp. 2–7, 14–15. 1921.
      uses in perfumery and paint industry. For. Bul. 99, pp. 16–17. 1911.
      yield—
         calculations. D.B. 1003, pp. 41–42. 1921.
         per cord of pine wood, uses. For. Cir. 114, pp. 6, 7. 1907.
   pinnay, source, and uses. B.P.I. Inv. 32, p. 13. 1914.
   plant(s)—
      importations and descriptions. No. 38644, B.P.I. Inv. 39, pp. 11, 56. 1917; Nos. 47362, 47363, 47504–47507, 47778, 47828, B.P.I. Inv. 59, pp. 11, 23, 58, 65. 1922; Nos. 47953, 47965, 47966, 48221, 48257, B.P.I. Inv. 60, pp. 19, 22, 57, 62. 1922; Nos. 48633, 48662, 48981, B.P.I. Inv. 61, pp. 30, 32, 62. 1922.
      misbranding. I. and F. Bd. S.R.A. 9, pp. 20–21. 1915.
   pollution of navigable waters. Off. Rec., vol. 1, No. 24, p. 2. 1922.
   poppy-seed, use, and detection in olive oil. Chem. Bul. 77, pp. 41–42. 1903.
   pouring devices in chinch-bug control. F.B. 1223, p. 26. 1922.
   production—
      and conservation in United States. D.B. 769, pp. 1–48. 1919.
      and yield from waste wood. Chem. Bul. 159, pp. 8–15, 17–18, 21–27. 1913.
      from corn by-products, methods and comparison. D.B. 1054, pp. 1–20. 1922.
      in Ohio, Auglaize County. Soil Sur. Adv. Sh., 1909, p. 14. 1910; Soils F.O., 1909, pp. 1139–1140. 1912.
      in San Joaquin Valley. Calif. O.E.S. Bul. 239, p. 20. 1911.
      increase, methods. News L., vol. 6, No. 32, p. 14. 1919.
      January to June, 1918, table. D.B. 769, p. 5. 1919.
   properties, physical and chemical, as basis for comparison. J.A.R., vol. 2, pp. 116–117. 1914.
   proprietary, use for spraying in Hawaii. Hawaii A.R., 1920, p. 24. 1921.
   prune, similarity to cherry oil, composition and characteristics. D.B. 350, pp. 2, 8, 12, 15, 19. 1916.
   quakor, misbranding. Chem. N.J. 4148. 1916.
   quantity in road improvement, remarks. Y.B., 1902, pp. 451–452. 1903.
   raisin-seed, drying properties, studies and comparison with other oils. B.P.I. Bul. 276, pp. 23–28, 35–36. 1913.
   rape and sesame, use by Japanese. O.E.S. Bul. 159, p. 27. 1905.
   rapeseed—
      and colza, use as adulterants of olive oil, detection. Chem. Bul. 77, pp. 38–40. 1903.
      similarity to colza oil. Chem. Bul. 7, p. 38. 1903.
      use as adulterant of olive oil, detection. Chem. Bul. 77, pp. 38–40. 1903.
      uses, food value, and digestibility. D.B. 687, pp. 13–15. 1918.
   refinery, processes. Rds. Bul. 34, pp. 24–25. 1908.
   refraction, determination method. Chem. Bul. 77, pp. 15–17. 1903.
   report of referee. Chem. Bul. 90, pp. 69–75. 1905; Chem. Bul. 99, pp. 63–71. 1906; Chem. Bul. 105, pp. 29–37. 1907; Chem. Bul. 137, pp. 87–91, 117. 1911.
   residual—
      as preventive of house fly. Ent. Cir. 71, p. 8. 1906.

Oil(s)—Continued.
   residual—continued.
      properties and experiments in road binding, results. Rds. Cir. 90, pp. 4, 7, 10, 22, 23. 1909.
   residuums, value as dust preventives. Rds. Bul. 34, pp. 24–28. 1908.
   resin, determination in fats. Chem. Bul. 13, Pt. X, pp. 1427–1428. 1902.
   resin, test. Chem. Bul. 107, p. 144. 1907.
   rosin, detection, fluorescent test. Chem. Cir. 84, pp. 1–2. 1911.
   Rusa, manufacture from Rusa-oil grass. Nos. 45966, 45967, B.P.I. Inv. 54, p. 51. 1922.
   salad. See Salad oils.
   salmon, manufacture from cannery waste. D.B. 150, pp. 33, 35, 48–49. 1915.
   sandalwood—
      adulteration and misbranding. Chem. N.J. 3547. 1915.
      misuse of term. Chem. S.R.A. 13, p. 6. 1915.
   sassafras—
      adulteration. Chem. N.J. 2136, p. 1. 1913.
      distillation and value. B.P.I. Bul. 195, p. 37. 1910.
   savin, adulteration and misbranding. Chem. N.J. No. 12252. 1924.
   seasoning, effects on ties. For. Bul. 118, p. 19. 1912.
   seed(s)—
      description, and uses. D.B. 469, p. 14. 1916.
      digestibility. A. D. Holmes. D.B. 687, pp. 20. 1918.
      extraction methods, description and cost. D.B. 927, pp. 15–18, 27. 1921.
      industry. Charles M. Daugherty. Y.B., 1903, pp. 411–426. 1904; Y.B. Sep. 319, pp. 411–426. 1904.
      injury by green manures. J.A.R., vol. 5, No. 25, pp. 1163–1164, 1174. 1916.
   semiasphaltic, road-binding experiments. Rds. Cir. 92, pp. 17, 18, 19, 27. 1910.
   sesame—
      detection in fats. Chem. Bul. 13, Pt. X, pp. 1430–1431. 1902.
      digestion experiments, details and results. D.B. 505, pp. 13–15. 1917.
      presence in olive oil, detection. Chem. Bul. 77, pp. 35–36. 1903.
      tests. Chem. Bul. 107, p. 146. 1907.
   shinia, importation and description. No. 54694, B.P.I. Inv. 70, p. 9. 1923.
   signal, substances used as substitute for lard oil, studies. An. Rpts., 1919, p. 128. 1920; B.A.I. Chief Rpt., 1919, p. 55. 1919.
   sources—
      importations and description. Nos. 49215, 49315, B.P.I. Inv. 62, pp. 12, 23. 1923.
      uses, descriptions, and definitions. D.B. 1036, p. 6. 1922.
   spearmint—
      chemical investigation. E. K. Nelson. Chem. Cir. 92, pp. 4. 1912.
      production and prices. F.B. 663, rev., p. 46. 1920.
   specific gravity tests, methods and results. Chem. Bul. 77, pp. 13–15. 1903.
   specification forms, tests, and sampling methods. D.B. 555, pp. 22, 36, 41, 49–50. 1917.
   spraying—
      for chicken mites, tests. D.B. 1228, pp. 7–9, 10. 1924.
      tests as insecticides. D.B. 1160, pp. 7, 8. 1923.
   sprays—
      formulas for white flies, seasons and effects. Ent. Cir. 168, pp. 5–8. 1913.
      fumigants, use against chicken lice and dog fleas. D.B. 888, pp. 2–4, 7, 13, 14. 1920.
      use against terrapin scale, formulas. D.B. 351, pp. 67–83, 87–88. 1916.
      use, precautions. P.R. Cir. 17, pp. 9–10. 1918.
   spreaders for road surfaces. Y.B., 1907, p. 260. 1908; Y.B. Sep. 448, p. 260. 1908.
   spurge-nettle seeds, analysis. J.A.R., vol. 26, p. 259. 1923.
   standards. Chem. Bul. 69, rev., Pts. I–IX, pp. 108, 442, 536, 634. 1905–6.
   statistics, cottonseed, exports and imports, 1914–1916. Y.B., 1916, pp. 712, 719, 725, 736. 1917; Y.B. Sep. 722, pp. 6, 13, 19, 30. 1917.

Oil(s)—Continued.
   stoves, management. Thrift Leaf, 11, p. 4. 1919.
   sulphur-containing, odors, constituents, and uses.
      B.P.I. Bul. 235, p. 9. 1912.
   sunflower seed—
      description, use as adulterant for olive oil.
         Chem. Bul. 77, pp. 40–41. 1903.
      uses, food value and digestion experiments.
         D.B. 687, pp. 9–11. 1918.
   swamp bay, distillation, identification, and
      examination. B.P.I. Bul. 235, pp. 29–36.
      1912.
   sweet—
      adulteration and misbranding. Chem. S.R.A.
         8, Sup., pp. 683–684. 1915.
      misbranding. N.J. 3328, Chem. S.R.A. 6,
         Sup., pp. 512, 513. 1914.
      use of term, regulation and decision. F.I.D.
         139, p. 1. 1912.
   sweet birch. See Birch, sweet, oil.
   sweet-orange—
      pressing methods, machinery, and apparatus.
         D.B. 399, pp. 5–8, 10–11, 12. 1916.
      yield and cost of production. D.B. 399, pp.
         11–12. 1916.
   synthetic apple, production and patent. Off.
      Rec. vol. 1, No. 47, p. 1. 1922.
   table—
      storing in the home. F.B. 1374, p. 10. 1923.
      use as children's food. F.B. 717, p. 16. 1916.
   tar—
      and cottonseed, use in protecting livestock from
         buffalo gnat. News L., vol. 2, No. 52, p. 2.
         1915.
      manufacture from Douglas fir, and value.
         For. Bul. 88, p. 73. 1911.
      pennyroyal, use as repellent for horseflies.
         News L., vol. 3, No. 1, pp. 1–2. 1915.
   tea-seed, digestibility experiments. D.B. 1033,
      pp. 6–7. 1922.
   temperature reaction, determination methods.
      Chem. Bul. 77, pp. 18–20. 1903.
   terbinthinate, odors, constituents, and uses.
      B.P.I. Bul. 235, pp. 8–9. 1912.
   tests as wood preservatives. D.B. 145, pp. 9–20.
      1915.
   tests, report of analysts. Chem. Bul. 105, pp.
      29–37. 1907.
   thyme, adulteration. Chem. N.J. 1666, p. 1,
      1912.
   tomato-seed—
      extraction methods, chemical properties, yield,
         uses, and value. D.B. 632, pp. 5–11, 12. 1917.
      extraction, refining, deodorizing, and by-
         products. D.B. 927, pp. 16–20, 27–28. 1921.
      quality and uses, and value. D.B. 927, pp.
         19–20, 28. 1921.
   tractor, cost and requirements. F.B. 1297, pp.
      7–9. 1923.
   trade—
      international, 1906–1920, by countries. Y.B.,
         1921, p. 670. 1922; Y.B. Sep. 869, p. 90.
         1922.
      terminology and technology. D.B. 769, pp.
         8–10. 1919.
   tung. See Oil, wood.
   tupentine, source and uses. B.P.I. Bul. 195, p.
      36. 1910.
   use—
      against—
         dog parasites. D.C. 338, pp. 13–14, 18. 1925.
         mange, kinds. D.C. 338, pp. 5, 7, 11. 1925.
      and value—
         in hog wallows. News L., vol. 3, No. 36, p. 4.
            1916.
         of soy beans. News L., vol. 4, No. 27, p. 3.
            1917.
      as—
         dip for spotted fever tick. Ent. Bul. 105,
            p. 41. 1911.
         food. O.E.S. Bul. 245, p. 69. 1912.
         fuel in frost protection. F.B. 104, rev., pp.
            19–24. 1910.
         insecticides, penetration tests. J.A.R. vol.
            13, pp. 527, 532–533, 534. 1918.
      for moisture tests, description and measuring.
         B.P.I. Cir. 72, pp. 12–13. 1910.
      for ore flotation, kinds, cost, monthly consump-
         tion in United States, 1916. D.B. 1003, pp.
         54–56, 67. 1921.

Oil(s)—Continued.
   use—continued.
      in—
         control of apple scald. J.A.R., vol. 26, pp.
            513–531. 1923.
         crosstie treatment. For. Bul. 126, p. 11.
            1913.
         gipsy-moth control. Ent. Bul. 87, p. 18.
            1910.
         heaters for orchard protection. Y.B., 1909,
            pp. 360–364. 1910; Y.B. Sep. 519, pp. 360–
            364. 1910.
         house cleaning, and precautions. F.B. 1180,
            pp. 8, 13, 15. 1921.
         ketchup, effects, experiments. Chem. Bul.
            119, p. 27. 1909.
         lumber preservation. Ent. Bul. 58, pp. 82,
            83, 84. 1910.
         manufacture of munitions. Y.B., 1922, p.
            270. 1923; Y.B. Sep. 882, p. 270. 1923.
         road binding, experiments, 1913. D.B. 105,
            pp. 20–23, 26–35, 37–43. 1914.
         road building, experiments, 1911. Rds. Cir.
            98, pp. 7–46. 1912.
         road experiments, 1914, reports. D.B. 257,
            pp. 1–42, notes. 1915.
         road improvement, experiments, results.
            Rds. Cir. 47, pp. 4–8. 1906.
         sardine packing, food value, quantity, and
            kinds. D.B. 908, pp. 4–5, 10, 60–68, 119.
            1921.
         steam-traction plowing, cost. B.P.I. Bul.
            170, p. 20. 1910.
         tie preservation, table. For. Cir. 209, pp. 8,
            12, 20, 21, 24. 1912.
         timber preservation, experiments. B.P.I.
            Bul. 214, p. 29. 1911.
      on—
         apples to prevent scald. F.B. 1380, pp. 12–14.
            1923.
         farm. D.B. 410, pp. 30, 31. 1916.
         farm tractors, quantity and cost per acre
            plowed. F.B. 1035, p. 21. 1919.
         leather, requirements. F.B. 1183, rev., pp.
            8–9, 14, 16, 17. 1920.
         roads, permit requirements. News L.,
            vol. 5, No. 44, p. 5. 1918.
         roads, tests by severe rainfalls. Y.B., 1902,
            p. 441. 1903.
      to prevent mold on fermented vegetables.
         F.B. 881, p. 7. 1917.
      value of soy bean, yield. News L., vol. 4, No. 23,
         p. 4. 1917.
   varieties—
      adaptibility as driers for paint. F.B. 474, p. 8.
         1911.
      digestibility. Off. Rec., vol. 1, No. 36, p. 6.
         1922.
      fraudulent names. News L., vol. 6, No. 34, p. 4.
         1919.
      use in wood preservatives. D.B. 227, pp. 1–38.
         1915.
   vegetable—
      and—
         animal, collection methods, notice. B.A.I.
            S.R.A. 119, p. 31. 1917.
         animal, production, exports, and imports,
            1912–1917, 1918, with comparisons. D.B.
            769, pp. 2–8. 1919.
         volatile, imports and exports, statistics.
            Y.B., 1918, pp. 633, 640, 643, 646, 658. 1919;
            Y.B. Sep. 794, pp. 9, 16, 19, 22, 34, 39.
            1919.
      conservation importance. D.B. 769, pp. 44–45.
         1919.
      digestibility—
         coefficients. D.B. 505, pp. 5, 8, 10, 13, 15, 17,
            18. 1917.
         studies. News L., vol. 4, No. 37, p. 8. 1917.
         studies and experiments. D.B. 505, pp. 2–18.
            1917.
      edible, purity standards. Sec. Cir. 136, pp.
         17–18. 1919.
      exports—
         1851–1908. Stat. Bul. 75, pp. 55–56. 1910.
         1902–1904. Stat. Bul. 36, pp. 77–81. 1905.
         1910–1919. Y.B., 1920, pp. 17, 37. 1920; Y.B.
            Sep. 864, pp. 17, 37. 1920.

Oil(s)—Continued.
vegetable—continued.
food, American sources, and production. H. S
Bailey. Y.B., 1916, pp. 159–176. 1917; Y.B
Sep. 691, pp. 18. 1917.
imports—
1907–1909, quantity and value, by countries
from which consigned. Stat. Bul. 82, pp.
51–53. 1910.
1908–1910, quantity and value, by countries
from which consigned. Stat. Bul. 90, pp.
54–56. 1911.
1910–1919. Y.B., 1920, pp. 9, 43. 1921; Y.B.
Sep. 864, pp. 9, 43. 1921.
and exports, 1851–1908. Y.B., 1908, pp. 860,
770, 779–780. 1909; Y.B. Sep. 498, pp. 760,
770, 779–780. 1909.
and exports, 1906–1910, and imports, 1851–1910.
Y.B., 1910, pp. 662, 671, 681–682. 1911;
Y.B. Sep. 553, pp. 662, 671, 681–682. 1911;
Y.B. Sep. 554, pp. 662, 671, 681–682. 1911.
and exports, 1912–1921. Y.B., 1922, pp. 1029–
1033. 1923; Y.B. Sep. 887, pp. 1029–1033.
1923.
and exports, 1916. Y.B., 1916, pp. 711–712, 719,
741. 1917; Y.B. Sep. 722, pp. 5–6, 13, 35. 1917.
and exports, 1917. Y.B. 1917, pp. 765, 773,
779. 1918; Y.B. Sep. 762, pp. 9, 17, 23.
1918.
and exports, 1919. Y.B. 1919, pp. 688, 696,
714, 720. 1920; Y.B. Sep. 829, pp. 688, 696,
714, 720. 1920.
and exports, 1923. Y.B., 1923, p. 878. 1924;
Y.B. Sep. 961, p. 878. 1924.
and exports, 1924. Y.B., 1924, pp. 835, 1045,
1063, 1075. 1925.
industry, and nut importations. B.P.I. Inv.
48, p. 5. 1921.
investigations. Chem. Chief Rpt., 1925, pp.
6–7. 1925.
kinds and description. D.B. 769, pp. 10–32.
1919.
manufacture and utilization. Chem. Chief
Rpt., 1924, p. 6. 1924.
misbranding. See *Indexes, Notices of Judgment,
in bound volumes, and in separates published
as supplements to Chemistry Service and Regulatory Announcements.*
production, imports and exports—
1912–1918. D.B. 769, Sup., pp. 1, 2–4. 1919.
1921. Y.B., 1921, pp. 741, 747, 749, 762, 767,
799–803. 1922. Y.B. Sep. 867, pp. 5, 11, 13,
26, 31. 1922; Y.B. Sep. 871, pp. 30–34. 1922.
relation to lard and use in substitutes. Y.B.
1922, pp. 270–273. 1923; Y.B. Sep. 882, pp.
270–273. 1923.
seed, digestion experiments. D.B. 781, pp.
8–10, 12–16. 1919.
solutions, use as insecticide. F.B. 1362, p. 10.
1924.
spectra of solutions, studies. J.A.R. vol. 26, p.
337. 1923.
stocks in United States, August 31, 1917. Sec.
Cir. 99, pp. 22–25. 1918.
trade with foreign countries, exports and imports. D.B. 296, pp. 33–35. 1915.
treatment with sulphur, uses of product. D.B.
867, p. 38. 1920.
use as—
lard substitute with oleo stearin. Sol. Cir.
56, pp. 1–4. 1911.
repellents on seed corn, experiments. Ent.
Bul. 85, Pt. II, pp. 24–27. 1909.
varieties, description, and sources. D.B. 769,
pp. 29–32. 1919.
volatile—
classification, and commercial importance.
B.P.I. Bul. 235, pp. 8–10. 1912.
effect of light, moisture, and soil conditions.
J.A.R. vol. 2, p. 115. 1914.
from hops, yield 1906–1909, under steam distillation. J.A.R. vol. 2, pp. 118–119. 1914.
imports and exports. B.P.I. Bul. 195, pp.
45–47. 1910.
of—
Chinese colza seed, factors affecting yield.
J.A.R., vol. 20, pp. 130–131. 1920.
fruit kernels, extraction, yield, uses, and value.
B.P.I. Bul. 133, pp. 21–27. 1908.

Oil(s)—Continued.
volatile—continued.
of—continued.
hops, relation to geographical source of hops.
J.A.R. vol. 2, pp. 155–156. 1914.
plants, cultivated and wild. B.P.I. Bul. 195,
pp. 34–42. 1910.
western pine oleoresins, examination. For.
Bul. 119, pp. 10, 12, 16, 19, 23, 26, 28, 30–35.
1913.
prices. B.P.I. Bul. 195, pp. 44–45. 1910.
production from wild plants native to United
States. B.P.I. Bul. 235, pp. 7–8. 1912.
purification, separation, filtration, drying, and
preservation. B.P.I. Bul. 195, pp. 27–29.
1910.
walnut—
manufacture and uses. B.P.I. Bul. 254, pp.
13–14. 1913.
misbranding. Chem. N.J. 1677, pp. 2. 1912.
Warner's Knoma, misbranding. See *Indexes,
Notices of Judgment, in bound volumes, and in
separates published as supplements to Chemistry
Service and Regulatory Announcements.*
watermelon-seed, digestibility experiments. D.B.
1033, pp. 7–8. 1922.
wild sage, distillation, identification, and examination. B.P.I. Bul. 235, pp. 21–29. 1912.
wintergreen—
adulteration, substitution of oil of birch. An.
Rpts., 1909, p. 432. 1910; Chem. Chief Rpt.,
1909, p. 22. 1909.
and birch, similarity, value, and demand.
B.P.I. Bul. 195, pp. 37–38. 1910.
and lemon, adulteration. See also *Indexes,
Notices of Judgment, in bound volumes and in
separates published as supplements to Chemistry Service and Regulatory Announcements.*
wood-preserving—
general requirements. For. Cir. 206, p. 10.
1912.
specifications in force by various associations.
D.B. 1036, pp. 103–105. 1922.
wormseed. See Wormseed oil.
wormwood, production and prices. F.B. 663,
rev., p. 50. 1920.
See also Fats.
Oiled—
paper and other oiled materials in the control of
scald on barrel apples. Charles Brooks and
J. S. Cooley. J.A.R., vol. 29, pp. 129–135.
1924.
roads, repairs. Y.B., 1902, pp. 452–453. 1903.
Oilers, hog, description and use. F.B. 1305, rev.,
pp. 13–14. 1923.
Oiling—
boots and shoes, directions. F.B. 1183, rev., p. 9.
1922.
floors, directions. F.B. 1219, p. 13. 1921.
leather—
and finishing. D.C. 230, pp. 17–19. 1922;
F.B. 1334, pp. 21–22. 1923.
for harness and belting, and finishing. F.B.
1334, pp. 13–15, 20. 1923.
Oilnut. See Butternut.
Oilseeds, imports, 1922–1924. Y.B., 1924, p. 1063.
1925.
Ointment—
blue—
injury to hatching hens and small chicks,
caution. News L., vol. 5, No. 39, p. 7. 1918.
use in control of hen lice. F.B. 889, p. 19.
1917; Sec. Cir. 71, p. 4. 1917.
cuticura, misbranding, alleged. Chem. N.J.
1691, pp. 3. 1912.
for dressing wounds of cattle. B.A.I., [Misc.],
"Diseases of cattle," rev., p. 299. 1904; rev.,
p. 309. 1912.
misbranding. Chem. N.J. 4093. 1916.
misbranding, Dennis' Eucalyptus. Chem., N.J.
3965. 1915.
Ojolotles, Mexican, protection by law. Biol.
Bul. 12, rev., p. 40. 1902.
Okanogan River Valley, irrigation projects, description. O.E.S. Bul. 214, pp. 24–27. 1909.
O'KEEFE, P. F.: "The cooperative advertising of
dairy products." B.A.I. [Misc.], "World's
dairy congress, 1923," pp. 945–949. 1924.

Okeetee Gun Club forest lands, South Carolina, working plan. For. Bul. 43, rev., pp. 1-54. 1907.

OKEY, C. W.—
"Land drainage by means of pumps." With S. M. Woodward. D.B. 304, pp. 60. 1915.
"Run-off from the drained prairie lands of Southern Louisiana." J.A.R., vol. 11, pp. 247-279. 1917.
"The wet lands of southern Louisiana and their drainage." D.B. 71, pp. 82. 1914; D.B. 652, pp. 67. 1918.

Oklahoma—
Agricultural—
and Mechanical College, teachers' courses. O.E.S. Cir. 118, p. 22. 1913.
colleges and experiment station, organization—
1905. O.E.S. Bul. 161, pp. 54-55. 1905.
1906. O.E.S. Bul. 176, pp. 62-63. 1907.
1907. O.E.S. Bul. 197, pp. 66-67. 1908.
1910. O.E.S. Bul. 224, pp. 56-57. 1910.
1911. O.E.S. Bul. 247, pp. 57-58. 1912.
See also Agriculture, workers, list.
education—
extension, 1907. O.E.S. Bul. 196, p. 32. 1907.
education, progress, 1912. O.E.S. An. Rpt., 1912, p. 327. 1913.
extension work, statistics. D.C. 253, pp. 6, 8, 12-13, 17, 18. 1923.
schools, laws. O.E.S. An. Rpt., 1908, pp. 275-276. 1909.
aid in tick control. News L., vol. 6, No. 48, p. 5. 1919.
antelope in, number and distribution. D.B. 1346, pp. 44-45. 1925.
apple growing, areas and varieties, and production. D.B. 485, pp. 30, 44-47. 1917.
association, fruit and truck growing. Rpt. 98, pp. 243-244. 1913.
barley crops, 1901-1906, acreage, production, and value. Stat. Bul. 59, pp. 23-26, 34. 1907.
bee disease, occurrence. Ent. Cir. 138, p. 18. 1911.
bees and honey statistics. D.B. 325, pp. 3, 9-12. 1915; D.B. 685, pp. 7, 10, 13, 15, 17, 18, 19, 22, 24, 26, 29, 31. 1918.
bird protection. See Bird protection.
birds, reports from observers, 1920. D.B. 1165, p. 12. 1923.
boll-weevil—
control study, and statistics, 1906-1909. Ent. Bul. 100, pp. 20-38. 1912.
dispersion line, 1922. D.C. 266, pp. 2, 3. 1923.
infested territory, 1912. Ent. Cir. 167, pp. 1, 3. 1913.
quarantine regulations. Ent. Bul. 114, p. 167. 1912.
bounty laws, 1907. Y.B., 1907, p. 564. 1908; Y.B. Sep. 473, p. 564. 1908.
broomcorn marketing. D.B. 1019, pp. 18-19, 30. 1922.
Bryan County, home demonstration work, results. Y.B., 1916, pp. 253-254. 1917; Y.B. Sep. 710, pp. 3-4. 1917.
cabbage flea-beetle, occurrence and injuries to crops. D.B. 902, pp. 4, 5. 1920.
cattle tick—
conditions, 1911. B.A.I. An. Rpt., 1910, pp. 256, 257. 1912; B.A.I. Cir. 187, pp. 256, 257. 1912.
eradication, effect. B.A.I. [Misc.], "Cattle-tick eradication," pp. 9-10. 1914.
chinch-bug studies, 1907-1910. Ent. Bul. 95, Pt. III, pp. 26-30, 32-36, 41-46. 1911.
climate, soils, and native vegetation. D.B. 1260, pp. 4-9. 1924.
college buildings, agricultural. O.E.S. An. Rpt., 1907, p. 273. 1908.
convict road work, laws. D.B. 414, p. 210. 1916.
cooperative associations, statistics. D.B. 547, pp. 13, 21, 34. 1917.
corn—
acreage and yield. Sec. [Misc.], Spec. "Geography * * * world's agriculture," p. 32. 1917.
crops, 1899-1906, acreage, production, and value. Stat. Bul. 56, pp. 24-27, 35. 1907.

Oklahoma—Continued.
corn—continued.
growing—
acreage, and yield, 1904-1911. Y.B., 1913, pp. 232-236. 1914; Y.B. Sep. 625. pp. 232-236. 1914.
practices and farm conditions in Oklahoma County. D.B. 320, pp. 56-58. 1916.
production, movements, consumption, and prices. D.B. 696, pp. 15, 16, 20, 28, 29, 33, 36, 41, 50. 1918.
yields and prices, 1899-1915. D.B. 515, p. 12. 1917.
cotton—
and grain cooperative work. Y.B., 1912, p. 446. 1913; Y.B. Sep. 605, p. 446. 1913.
crop, movement, 1899-1904. Stat. Bul. 34, pp. 26-27, 51. 1905.
growing—
development. Y.B., 1921, p. 334. 1922; Y.B. Sep. 877, p. 334. 1922.
one-variety communities. D.B. 1111, pp. 24, 44. 1922.
success with Mexican varieties. F.B. 501, rev., p. 18. 1920.
market conditions, primary studies. Wells A. Sherman and others. D.B. 36, pp. 36. 1913.
prices, variations and comparisons. D.B. 457, pp. 3, 4, 6, 7, 9, 11, 12. 1916.
production—
1916 and 1917. D.B. 733, pp. 5, 7-8. 1918.
and yield. D.B. 896, pp. 3-4. 1920.
selling in seed. D.B. 375, pp. 3-18. 1916.
warehouses, number and capacity. D.B. 216, pp. 9, 14, 16, 17, 20, 22. 1915.
county organization and expenditures for extension work, 1918. S.R.S. An. Rpt., 1918, pp. 32, 128-158. 1919.
credits, farm-mortgage loans, costs and sources. D.B. 384, pp. 2, 3, 5-6, 7, 8, 10, 12. 1916.
crop planting and harvesting dates, important crops. Stat. Bul. 85, pp. 27, 38, 61, 71, 81, 99. 1912.
crops, acreage and production, 1909-1919. D.C. 85, pp. 14-19. 1920.
crow roosts, location and numbers of birds. Y.B. 1915, pp. 90, 95. 1916; Y.B. Sep. 659, pp. 90, 95. 1916.
demonstration work, farmers' cooperative, field instructions. Bradford Knapp. B.P.I. [Misc.], "Field instructions for * * *," pp. 15. 1913
demurrage provisions, regulations. D.B. 191, pp. 3, 12, 13, 15, 16, 26. 1915.
drainage—
surveys—
and construction, 1912. An. Rpts., 1912, pp. 842, 843. 1913; O.E.S. Chief Rpt., 1912, pp. 28, 29. 1912.
location and kind of land, 1911. An. Rpts., 1911, p. 708. 1912; O.E.S. Chief Rpt., 1911, p. 26. 1911.
work, 1911. O.E.S. An. Rpt., 1911, p. 44. 1912.
drug laws. Chem. Bul. 98, pp. 153-156. 1906; rev., Pt. I, pp. 237-243. 1909.
dry farming station, work. An. Rpts., 1912, p. 125. 1913; Sec. A.R., 1912, p. 125. 1912. Y.B., 1912, p. 125. 1913.
early settlement, historical notes. See Soil Surveys for various counties and areas.
eastern, milo growing. F.B. 322, pp. 11, 22. 1908.
egg demonstration car, work and itinerary, 1913, 1914. Y.B., 1914, pp. 365, 378, 379. 1915; Y.B. Sep. 647, pp. 365, 378, 379. 1915.
Experiment Station—
corn growing, date of seeding experiments. D.B. 1014, p. 3. 1922.
work and expenditures—
1906. W.L. English. O.E.S. An. Rpt., 1906, pp. 144-145. 1907.
1907. W.L. English. O.E.S. An. Rpt., 1907, pp. 155-157. 1908.
1908. B.C. Pittuck. O.E.S. An. Rpt., 1908, pp. 155-156. 1909.
1909. J. A. Craig. O.E.S. An. Rpt., 1909, pp. 168-170. 1910.
1910. J. A. Wilson. O.E.S. An. Rpt., 1910, pp. 219-222. 1911.
1911. J. A. Wilson. O.E.S. An. Rpt., 1911, pp. 180-181. 1912.

INDEX TO PUBLICATIONS, 1901–1925   1691

Oklahoma—Continued.
Experiment Station—Continued.
work and expenditures—continued.
1912. J. A. Wilson. O.E.S. An. Rpt., 1912, pp. 183–186. 1913.
1913. L. L. Lewis. O.E.S. An. Rpt., 1913, pp. 71–72. 1915.
1914. L. L. Lewis. O.E.S. An. Rpt., 1914, pp. 191–194. 1915.
1915. W. L. Carlyle. S.R.S. Rpt., 1915, Pt. I, pp. 218–221. 1916.
1916. W. L. Carlyle. S.R.S. Rpt., 1916, Pt. I, pp. 223–227. 1918.
1917. W. L. Carlyle. S.R.S. Rpt., 1917, Pt. I, pp. 218–222. 1918.
1918. S.R.S. Rpt., 1918, pp. 33, 34, 35, 48, 61, 67, 71–80. 1920.
work, and sources of income. O.E.S. An. Rpt., 1907, pp. 155–157. 1908.
extension work—
funds allotment and county-agent work. S.R.S. Doc. 40, pp. 4, 7, 11, 18, 23, 25, 28. 1918.
in agriculture and home economics—
1915. W. D. Bentley. S.R.S. Rpt., 1915, Pt. II, pp. 100–106. 1916.
1916. James A. Wilson. S.R.S. Rpt., 1916, Pt. II, pp. 105–113. 1917.
1917. James A. Wilson. S.R.S. An. Rpt., 1917, Pt. II, pp. 109–118. 1919.
statistics. D.C. 306, pp. 3, 7, 11, 16, 20, 21. 1924.
fairs, number, kind, location, and dates. Stat. Bul. 102, pp. 13, 14, 54–55. 1913.
farm—
animals, statistics, 1894–1907. Stat. Bul. 64, p. 131. 1908.
conditions, letters from women. Rpt. 103, pp. 16, 27, 36, 42, 52–54, 61. 1915; Rpt. 104, pp. 22, 30, 42, 48, 62. 1915; Rpt. 105, pp. 21, 34, 45, 46, 52, 62. 1915; Rpt. 106, pp. 22, 40, 57, 61. 1915.
leases, provisions. D.B. 650, pp. 7, 14. 1918.
values—
changes, 1900–1905. Stat. Bul. 43, pp. 11–17, 29–46. 1906.
income, and tenancy classification. D.B. 1224, pp. 114–115. 1924.
farmers'—
cooperative demonstration work, field instructions. B.P.I. [Misc.], "Field instructions for Texas and Oklahoma," pp. 1–15. 1913.
institutes—
for young people. O.E.S. Cir. 99, p. 22. 1910.
history. O.E.S. Bul. 174, p. 75. 1906.
laws. O.E.S. Bul. 135, rev., pp. 27–28. 1905.
legislation. O.E.S. Bul. 241, pp. 33–35. 1911.
work, 1904. O.E.S. An. Rpt. 1904, pp. 660–661. 1905.
work, 1906. O.E.S. An. Rpt., 1906, p. 343. 1907.
work, 1907. O.E.S. An. Rpt., 1907, pp. 341–342. 1908.
work, 1908. O.E.S. An. Rpt., 1908, p. 323. 1909.
work, 1909. O.E.S. An. Rpt., 1909, p. 351. 1910.
work, 1910. O.E.S. An. Rpt., 1910, pp. 411–412. 1911.
work, 1911. O.E.S. An. Rpt., 1911, pp. 50, 377. 1912.
work, 1912. O.E.S. An. Rpt., 1912, p. 370. 1913.
fertilizer prices, 1919, by counties. D.C. 57, pp. 7, 11. 1919.
field work of Plant Industry, December, 1924. M.C. 30, pp. 40–41. 1925.
flood losses, 1909. An. Rpts., 1909, p. 170. 1910; W.B. Chief Rpt., 1909, p. 20. 1909.
food—
and drug officials. Chem. S.R.A. 13, p. 8. 1915.
laws—
1903. Chem. Bul. 83, Pt. I. p. 96. 1904.
1905. Chem. Bul. 69, rev., Pt. VI, pp. 491–493. 1905.
enforcement. Chem. Cir. 16, rev., p. 19. 1908.
legislation and officials. Chem. Cir. 16, pp. 16, 22, 28. 1904.
forage crops, for hogs. B.P.I. Bul. 111, Pt. IV, pp. 31–50. 1907; F.B. 331, pp. 1–24. 1908.

Oklahoma—Continued.
forest—
area, 1918. Y.B., 1918, p. 718. 1919; Y.B. Sep. 795, p. 54. 1919.
fires, statistics. For. Bul. 117, p. 34. 1912.
planters, advice. George L. Clothier. For. Bul. 65, pp. 46. 1905.
planting needs, acreage and conditions. Y.B., 1909, p. 342. 1910; Y.B. Sep. 517, p. 342. 1910.
reserves. See Forests, national.
trees, species adaptable, and planting details. F.B. 888, pp. 5–15, 19. 1917.
funds for cooperative extension work, sources. S.R.S. Doc. 40, pp. 4, 6, 11, 16. 1917.
fur animals, laws—
1915. F.B. 706, p. 15. 1916.
1916. F.B. 783, pp. 16, 27. 1916.
1917. F.B. 911, pp. 19, 31. 1917.
1918. F.B. 1022, p. 19. 1918.
1919. F.B. 1079, p. 21. 1919.
1920. F.B. 1165, p. 19. 1920.
1921. F.B. 1238, p. 18. 1921.
1922. F.B. 1293, p. 16. 1922.
1923–24. F.B. 1387, p. 19. 1923.
1924–25. F.B. 1445, p. 14. 1924.
1925–26. F.B. 1469, p. 18. 1925.
game—
and bird officials, organizations and publications. Biol. Cir. 65, pp. 6, 16. 1908.
laws—
1902. F.B. 160, pp. 20, 33, 52, 54. 1902.
1903. F.B. 180, pp. 14, 24, 34, 44, 46, 55. 1903.
1904. F.B. 207, pp. 23, 35, 44, 62. 1904.
1905. F.B. 230, pp. 11, 21, 32, 38, 45. 1905.
1906. F.B. 265, pp. 8, 20, 31, 38, 45. 1906.
1907. F.B. 308, pp. 18, 30, 36, 45. 1907.
1908. F.B. 336, pp. 20, 33, 41, 52. 1908.
1909. F.B. 376, pp. 6, 7, 9, 14, 25, 35, 38, 40, 43, 49. 1910.
1910. F.B. 418, pp. 4, 6, 8, 18–19, 28, 31, 33, 36, 38, 44. 1910.
1911. F.B. 470, pp. 13, 23, 33, 38, 42, 50. 1911.
1912. F.B. 510, pp. 19, 25–26, 29, 32, 35, 38, 39, 41, 46. 1912.
1913. D.B. 22, pp. 15, 20, 21, 30, 41, 46, 49, 56. 1913; rev., pp. 15, 20, 30, 41, 46, 49, 56. 1913.
1914. F.B. 628, pp. 10, 11, 12, 22, 28–29, 32. 36, 38, 42, 45, 50. 1914.
1915. F.B. 692, pp. 3, 4, 5, 6, 14, 32, 43, 48, 50, 53, 60. 1915.
1916. F.B. 774, pp. 29, 41, 46, 49, 52, 60. 1916.
1917. F.B. 910, pp. 31, 48, 54, 63, 70. 1917.
1918. F.B. 1010, pp. 28, 46. 1918.
1919. F.B. 1077, pp. 31, 50, 57. 1919.
1920. F.B. 1138, pp. 33–34. 1920.
1921. F.B. 1235, pp. 35, 57. 1921.
1922. F.B. 1288, pp. 32, 54. 1922.
1923–24. F.B. 1375, pp. 31–32. 1923.
1924–25. F.B. 1444, pp. 22–23, 37. 1924.
1925–26. F.B. 1466, pp. 29, 45. 1925.
violation, syllabus of decisions. Sol. Cir. 39, pp. 1–5. 1910.
protection. See Game protection.
reservation, details and summary. Biol. Cir. 87, pp. 8, 16. 1912.
girls' clubs at State fair. News L., vol. 7, No. 7, p. 7. 1919.
grain—
sorghum—
acreage and value. F.B. 686, pp. 11, 13–15. 1915.
area, and importance. Y.B., 1922, pp. 525–529. 1923; Y.B. Sep. 891, p. 525–529. 1923.
growing, acreage, and yield, 1904–1913. Y.B., 1913, pp. 231, 232–236. 1914; Y.B. Sep. 625, pp. 231, 232–236. 1914.
supervision districts, counties. Mkts. S.R.A. 14, pp. 24, 28, 29–30, 31. 1916.
green-bug outbreaks in 1921. D.B. 1103, pp. 15, 16. 1922.
Guthrie, Logan County High School. O.E.S. An. Rpt., 1908, p. 285. 1909.
hail insurance—
companies and amount of risks. D.B. 912, pp. 6, 14, 28, 29. 1920.
law enactment and provisions. D.B. 912, pp. 8, 9. 1920.

36167°—32——107

Oklahoma—Continued.
  hay crops, 1889-1906, acreage, production, and value. Stat. Bul. 63, pp. 17, 23-25, 32. 1908.
  haymaking, methods and costs. D.B. 578, pp. 27, 34-35, 39-40, 42, 44, 45, 47-49. 1918.
  herds, lists of tested and accredited. D.C. 54, pp. 40, 65, 89. 1919; D.C. 142, pp. 45, 47-49. 1920; D.C. 143, pp. 13, 45, 85. 1920; D.C. 144, pp. 6, 8, 43, 45, 48. 1920.
  highway department establishment, and road mileage. Y.B., 1914, pp. 215, 222. 1915; Y.B. Sep. 638, pp. 215, 222. 1915.
  hogs, tuberculosis rarity. B.A.I. An. Rpt., 1907, p. 217. 1909; B.A.I. Cir. 144, p. 217. 1909.
  interest rates on loans to farmers. Y.B. 1921, pp. 368, 778. 1922; Y.B. Sep. 887, p. 368. 1922; Y.B. Sep. 871, p. 9. 1922.
  irrigation—
    districts, and their statutory relations. D.B. 1177, pp. 4, 5, 16, 26, 27, 28, 51. 1923.
    laws. O.E.S. Bul. 168, p. 90. 1906.
  Johnston County, survey and tillage records for cotton. D.B. 511, pp. 47-48. 1917.
  lard supply, wholesale and retail, August 31, 1917, tables. Sec. Cir. 97, pp. 14-32. 1918.
  law(s)—
    against Sunday shooting. Biol. Bul. 12, rev., p. 63. 1902.
    and decisions on livestock sanitary control. D.C. 184, pp. 38-44. 1921.
    on dog control, digest. F.B. 935, p. 19. 1918; F.B. 1268, p. 20. 1922.
    on nursery stock interstate shipment, digest. Ent. Cir. 75, rev., p. 6. 1909; F.H.B.S.R.A. 57, pp. 113, 114, 115. 1919.
    relating to contagious animal diseases. B.A.I. Bul. 43, pp. 49-54. 1901.
    restricting fruit and plant importations. Ent. Bul. 84, p. 38. 1909.
  legislation—
    protecting birds. Biol. Bul. 12, rev., pp. 23, 30, 40, 111, 137. 1902.
    relative to tuberculosis. B.A.I. Bul. 28, p. 116. 1901.
  livestock—
    admission, sanitary requirements. B.A.I. Doc. A-28, p. 32. 1917; B.A.I. A-36, pp. 49-50. 1920; M.C. 14, pp. 62-65. 1924.
    associations. Y.B., 1920, p. 529. 1921; Y.B. Sep. 866, p. 529. 1921.
  lumber—
    cut, 1920, 1870-1920, value, and kinds. D.B. 1119, pp. 28, 30-35, 43, 46, 52, 57, 59. 1923.
    production, 1918, by mills, by woods, and lath and shingles. D.B. 845, pp. 6-11, 13, 16, 19, 26, 34, 42-47. 1920.
    statistics. Rpt. 116, pp. 35-38. 1918.
  market statistics for livestock, 1910-1920. D.B. 982, pp. 21, 56, 88. 1921.
  marketing activities and organization. Mkts. Doc. 3, p. 6. 1916.
  milk campaign, budget. D.C. 250, p. 16. 1923.
  milk law. B.A.I. Bul. 46, p. 142. 1903.
  milo growing and yields. F.B. 1147, pp. 6, 8, 9. 1920.
  national forests, location, date and area, January 31, 1913. For. [Misc.], "The use book, 1913," pp. 86-88. 1913.
  Negro extension work and workers, 1908-1921. D.C. 190, pp. 6-9, 23. 1921.
  northern—
    forest planting. For. Cir. 161, pp. 1-51. 1909.
    physical features. For. Cir. 161, p. 6. 1909.
  oat—
    crops, 1866-1906, acreage, production, and value. Stat. Bul 58, pp. 23-25, 33. 1907.
    production, 1900-1909, acreage and yield. F.B. 420, p. 8, 9. 1910.
    tests, Kherson and Sixty-day, with other varieties. F.B. 395, p. 23. 1910.
  object-lesson and model roads construction, details, and cost. An. Rpts., 1911, pp 703-731, 735, 748. 1912; Rds. Chief Rpt., 1911, pp. 20-21, 25-38. 1911.
  officials, dairy, drug feeding stuffs, and food. See Dairy officials; Drug officials.
  overflowed lands, drainage investigations, 1910. O.E.S. An. Rpt., 1910, p. 50 1911.
  Ozark region, description, and fruit growing. B.P.I. Bul. 275, pp. 9, 10-20. 1913.

Oklahoma—Continued.
  peach—
    growing, production, districts, and varieties. D.B. 806, pp. 4, 5, 7, 8, 9, 27. 1919.
    industry, season, and shipments, 1914. D.B. 298, pp. 4, 5, 13. 1916.
    shipping, forecast. News L., vol. 6, No. 52, p. 16. 1919.
    varieties, names and ripening dates. F.B. 918, p. 10. 1918.
  pear growing, distribution and varieties. D.B. 822, p. 12. 1920.
  pig-club work. Y.B. 1915, pp. 179, 184. 1916; Y.B. Sep. 667, pp. 179, 184. 1916.
  pink bollworm control, field scouting record, 1917-1922. F.H.B.S.R.A. 74, pp. 8, 9. 1923.
  plum curculio, occurrence and distribution. Ent. Bul. 103, pp. 22, 23. 1912.
  pocket-gopher control work. An. Rpts., 1923, p. 430. 1923; Biol. Chief Rpt., 1923, p. 12. 1923.
  pool, watering trough, description and management. F.B. 592, p. 22. 1914.
  potato crops, 1901-1906, acreage, production, and value. Stat. Bul. 62, pp. 24-27, 35. 1908.
  potatoes, early crop, location, and carloads. F.B. 1316, pp. 3, 5. 1923.
  public roads, mileage, and expenditures, 1904. Rds. Cir. 67, pp. 3. 1907.
  pure food, dairy and drug commission, organization, powers. Chem. Bul. 98 rev., Pt. I, pp. 240-243. 1909.
  quarantine areas for—
    cattle fever—
      November 1, 1911. B.A.I.O. 183, rule 1, rev. 8, p. 4. 1911.
      December 1, 1917, and releases. B.A.I.O. 255, pp. 4, 9. 1918.
      1918. B.A.I.O. 262, pp. 4, 13-14. 1918.
      December 10, 1922. B.A.I.O. 279, pp. 3-4, 7. 1922.
    cattle scabies, establishment. B.A.I.O. 197, Rule 2, rev., 4, pp. 1, 2. 1913.
    cotton-boll weevil. Ent. Bul. 114, p. 167. 1912.
    Texas fever—
      1910. B.A.I.O. 168, Rule 1, rev., 6, pp. 4, 5. 1910.
      April 15, 1912. B.A.I.O. 187, Amdt. 1, pp. 2. 1912.
      1915. B.A.I.O. 241, p. 4. 1915.
      December, 1919. B.A.I.O. 269, pp. 4-5, 7. 1919.
      1923. B.A.I.O. 285, pp. 3, 5. 1923.
      1924. B.A.I.O. 230, pp. 2-3. 1924.
  rainfall, map and table. B.P.I. Bul. 188, pp. 40, 59-60. 1910.
  Red River, location of south bank. Off. Rec. vol. 1, No. 1, p. 2. 1922.
  road(s)—
    bond-built, amount of bonds, and rate. D.B. 136, pp. 45, 59, 75, 85. 1915.
    building-rock tests—
      1916. D.B. 370, pp. 57-58. 1916; D.B. 670, pp. 17, 26. 1918.
      1916-1921, results. D.B. 1132, pp. 29, 49. 1923.
    materials, tests. Rds. Bul. 44, pp. 62-63. 1912.
    mileage and expenditures—
      1909. Rds. Bul. 41, pp. 31, 41, 42, 97-99. 1912.
      1914. D.B. 387, pp. 3-8, 35-37, XIX-XX, LX-LXI. 1917.
      1915. Sec. Cir. 52, pp. 2, 4, 6. 1915.
      1916. Sec. Cir. 74, pp. 5, 7, 8. 1917.
    object-lesson, construction, 1909. Rds. Chief Rpt., 1909, pp. 9, 14, 15, 17. 1909; An. Rpts., 1909, pp. 717, 722, 723, 725. 1910.
    work by department, 1913-1914. D.B. 284, pp. 15, 16, 22. 1915.
  rotations, relation to soil culture work. L. A. Moorhouse. B.P.I. Bul. 130, pp. 69-80. 1908.
  rye crops, 1901-1906, acreage, production, and value. Stat. Bul. 60, pp. 22-25, 35. 1908.
  San Jose scale, occurrence. Ent. Bul. 62, p. 29. 1906.
  schools, agricultural work. O.E.S. Cir. 106, rev., pp. 18, 24, 28. 1912.

INDEX TO PUBLICATIONS, 1901–1925   1693

Oklahoma—Continued.
shallu sorghum, cultivation experiments. B.P.I. Cir. 50, pp. 3, 4. 1910.
soil survey of—
  Bryan County—
    Wm. T. Carter, jr., and A. L. Patrick. Soil Sur. Adv. Sh., 1914, pp. 52. 1915; Soils F.O. 1914, pp. 1265–2212. 1919.
    See also Tishomingo area.
  Canadian County. E. H. Smies. Soil Sur. Adv. Sh., 1917, pp. 60. 1919; Soils F.O. 1917, pp. 1399–1454. 1923.
  Johnston County. *See* Tishomingo area.
  Kay County. N. M. Kirk, and R. C. Jurney. Soil Sur. Adv. Sh., 1916, pp. 40. 1917; Soils F.O. 1915, pp. 2093–2128. 1921.
  Marshall County. *See* Tishomingo area.
  Muskogee County. Grove B. Jones and others. Soil Sur. Adv. Sh., 1913, pp. 43. 1915; Soils F.O. 1913, pp. 1853–1891. 1916.
  Oklahoma County. W. E. McLendon and Grove B. Jones. Soil Sur. Adv. Sh., 1906, pp. 27. 1907; Soils F.O., 1906, pp. 563–585. 1908.
  Payne County. W. B. Cobb and H. W. Kawker. Soil Sur. Adv. Sh., 1916, pp. 39. 1919; Soils F.O., 1916, pp. 2005–2039. 1921.
  Roger Mills County. J. A. Kerr, and others. Soil Sur. Adv. Sh., 1914, pp. 32. 1916; Soils F.O., 1914, pp. 2137–2164. 1919.
  Tishomingo area, Indian Territory. Thomas D. Rice and Orla L. Ayrs. Soil Sur. Adv. Sh., 1906, pp. 28. 1907; Soils F.O., 1906, pp. 539–562. 1908.
soils—
  Houston black clay, areas, location and uses. Soils Cir. 50, pp. 3, 4, 5, 7, 12, 14. 1911.
  Meadow, area and location. Soils Cir. 68, p. 21. 1912.
  Orangeburg fine sandy loam, areas, location, and uses. Soils Cir. 46, pp. 18, 20. 1911.
  Wabash—
    clay, area and location. Soils Cir. 41, p. 16. 1911.
    silt loam, location, areas, and uses. Soils Cir. 40, p. 15. 1911.
Sooner Community building, cost and details. F.B. 1192, pp. 8, 9. 1921.
sorghums—
  grain, experiments at the Woodward Field Station. John B. Sieglinger. D.B. 1175, pp. 66. 1923.
  growing for grain and forage. F.B. 1158, pp. 3, 8. 1920.
  varietal tests and results, and culture. D.B. 1260, pp. 38–41, 64–66, 68. 1924.
State fair, cattle for exhibition, suspension of quarantine, Sept. 29. 1909; B.A.I.O. 158, amdt. 2, P. 1. 1909.
strawberry shipments, 1914. D.B. 237, p. 9. 1915; F.B. 1028, p. 6. 1919.
Sudan-grass growing, experiments. B.P.I. Cir. 125, p. 15. 1913; D.B. 981, pp. 21, 24, 28, 30, 52. 1921.
sweet-potato industry. D.B. 1206, pp. 5, 7, 9–13. 1924.
Tonkawa University preparatory school. O.E.S. An. Rpt., 1908, p. 286. 1909.
tractors and horses on farms. D.B. 1202, pp. 60 1924.
tree planting, plans. For. Bul. 65, pp. 23, 28, 31. 1905.
trucking industry, acreage and crops. Y.B. 1916, pp. 446, 448, 455–465. 1917; Y.B. Sep. 702, pp. 12, 14, 21–31. 1917.
wage rates, farm labor, 1866–1909. Stat. Bul. 99, pp. 29–43, 68–70. 1912.
walnut—
  range and estimated stand. D.B. 933, pp. 7, 13, 23. 1921.
  stand and quality. D.B. 909, pp. 9, 10, 14, 20, 21. 1921.
water—
  laws. O.E.S. An. Rpt., 1908, p. 360. 1909.
  rights, officials. D.B. 913, p. 3. 1920.
  supply, records, by counties. Soils Bul. 92, pp. 121–125. 1913.

Oklahoma—Continued.
western—
  description, soil, and climatic conditions. D.B. 836, pp. 2–10. 1920.
  forest planting, suggestions. For. Cir. 99, pp. 1–14. 1907.
  wheat—
    acreage—
      and production, 1918–1920. D.B. 1020, p. 5. 1922.
      and varieties. D.B. 1074, p. 214. 1922.
      and yield. Sec. [Misc.], Spec. "Geography * * * world's agriculture," p. 18. 1917.
    production and costs. D.B. 1198, pp. 3–24, 29, 20, 31, 34. 1924.
    production, and value. Stat. Bul. 57, pp. 19–25, 33. 1907; rev., pp. 19–25, 33, 38. 1908.
    crop losses, causes and extent, 1909–1919. D.B. 1020, p. 13. 1922.
    growing. F.B. 1305, pp. 2, 4, 5. 1922.
    harvest labor, amounts used, wages, etc. D.B. 1230, pp. 5–14, 24–27, 30–42. 1924.
    varieties adapted. F.B. 616, p. 6. 1914; F.B. 1168, p. 8. 1921.
    winter, growing. F.B. 895, pp. 9–10. 1917.
    yields and prices, 1894–1915. D.B. 514, p. 12. 1917.
Wichita game preserve, increase of buffalo herd, total number. News L., vol. 3, No. 4, p. 8. 1915.
Wichita National Forest—
  cattle-tick control. An. Rpts., 1911, p. 395. 1912; For. A. R., 1911, p. 55. 1911.
  and game preserve. M.C. 36, pp. 1–11. 1925.
woman's building, and boys' school. O.E.S. An. Rpt., 1911, pp. 320, 326. 1912.
women's rest rooms establishment. Y.B. 1917, pp. 217, 219. 1918; Y.B. Sep. 726, pp. 3, 5. 1918.
Woodward Field Station—
  broomcorn experiment. B. E. Rothgeb and John B. Sieglinger. D.B. 836, pp. 53. 1920.
  establishment. An. Rpts., 1914, p. 117. 1915; B.P.I. Chief Rpt., 1914, p. 17. 1914.
  grain-sorghum experiments. John B. Sieglinger. D.B. 1175, pp. 66. 1923.
  soil, climatological data. D.B. 1175, pp. 3–12. 1923.
See also Indian Territory.
Okra—
boll-weevil food, studies. D.B. 358, pp. 4–7, 8–9, 31. 1916.
botany and geography. F.B. 232, pp. 5–6. 1905.
canning—
  directions. F.B. 359, p. 13. 1910; F.B. 839, pp. 17, 29. 1917; F.B. 853, pp. 20, 27, 28. 1917.
  seasons. Chem. Bul. 151, p. 35. 1912.
  standards and directions. B.P.I. Doc. 631, rev., pp. 4, 6. 1915.
cooking, recipes and directions. F.B. 232, rev., pp. 8–9. 1918.
cultural—
  directions and use. F.B. 937, pp. 16, 19, 23, 42–43. 1918.
  directions and varieties. F.B. 934, p. 36. 1918; F.B. 1044, p. 29. 1919.
diseases, in—
  Guam. Guam A.R., 1917, p. 52. 1918.
  Texas, occurrence and description. B.P.I. Bul. 226, p. 41. 1912.
dried, cooking recipe. F.B. 841, p. 28. 1917.
drying directions. D.C. 3, pp. 13–14. 1919; F.B. 232, rev., p. 7. 1918; F.B. 841, p. 19. 1917; F.B. 984, p. 54. 1918.
dwarf, description. F.B. 232, rev., p. 11. 1918.
food value and cooking value. D.B. 123, pp. 38–39. 1916.
gathering and marketing. F.B. 232, pp. 7–8. 1905; rev., pp. 4–5. 1918.
growing—
  by club members, methods. S.R.S. Doc. 92, p. 16. 1919.
  directions—
    and varieties recommended for home gardens. F.B. 936, p. 47. 1918.
    Yuma experiment farm. D.C. 75, pp. 53–54. 1920.
  for seed, directions. F.B. 232, rev., pp. 5–6. 1918.

Okra—Continued.
  growing—continued.
    in—
      Guam, cultural directions. Guam Cir. 2, p. 10. 1921; Guam Bul. 2, pp. 12, 43–44. 1922.
      Guam, insects and their control. Guam A.R. 1914, p. 9. 1915.
      Porto Rico. P.R. An. Rpt., 1920, p. 21. 1921.
      Porto Rico, from imported seed, experiments. P.R. Bul. 20, pp. 15–18. 1916.
    methods and varieties. F.B. 647, p. 18. 1915.
  importations and descriptions. No. 41724, B.P.I. Inv. 46, p. 15. 1919; Nos. 44451, 44751, B.P.I. Inv. 51, pp. 14, 59. 1922.
  imported varieties, descriptions. F.B. 232, pp. 14–15. 1905.
  improved by selection, seed importation. B.P.I. Inv. 31, No. 33749, pp. 6, 50. 1914.
  infestation with pink bollworm. D.B. 918, p. 33. 1921.
  injury by cooking in metal vessels, precautions. F.B. 232, rev., p. 8. 1918.
  inoculation with fungi causing wilt disease. J.A.R., vol. 12, p. 542. 1918.
  insect pests, list. Sec. [Misc.], "A manual of * * * insects * * *," p. 155. 1917.
  insects, control. F.B. 232, rev., pp. 6–7. 1918.
  its culture and uses. W. R. Beattie. F.B. 232, pp. 16. 1905; rev., pp. 12. 1918.
  leaf forms and varieties. B.P.I. Bul. 221, pp. 23–27. 1911.
  packing season. D.B. 196, p. 17. 1915.
  paper-making experiments. Y.B., 1910, p. 339. 1911; Y.B. Sep. 541, p. 339. 1911.
  planting and cultivation. F.B. 232, pp. 6–7. 1905.
  podspot, cause, description, and cultural characters. J.A.R., vol. 14, pp. 207–212. 1918.
  processing, directions and time table. F.B. 1211, pp. 45, 48, 49. 1921.
  root-knot, description. B.P.I. Cir. 91, pp. 11, 14. 1912.
  seed—
    cultivation. F.B. 232, p. 8. 1905; rev. p. 5. 1918.
    impermeability, studies. J.A.R., vol. 6, No. 20, pp. 762, 764, 765, 773, 793. 1916.
    saving. F.B. 884, p. 7. 1917; F.B. 1390, p. 5. 1924.
  soup, preparation and canning directions. F.B. 839, pp. 24, 31. 1917; S.R.S. Doc. 9, p. 3. 1915.
  susceptibility to—
    cotton wilt. F.B. 333, p. 9. 1908.
    root-knot. B.P.I. Bul. 217, pp. 11, 54, 55, 56, 62, 66, 68. 1911.
  use(s)—
    and—
      methods of preparing. F.B. 232, pp. 9–12. 1905.
      preservation. F.B. 232, pp. 9–10. 1905.
      value in paper making. B.P.I. Cir. 82, p. 18. 1911.
    as food. O.E.S. Bul. 245, pp. 52–53. 1912.
    varieties, description. F.B. 232, pp. 12–16. 1905; rev., pp. 9–12. 1918.
  wilt diseases, and the Verticillium wilt problem. C. W. Carpenter. J.A.R., vol. 12, pp. 529–546. 1918.
Olanamba, edible tuber, importation and description. No. 34913 B.P.I. Inv. 34, pp. 6, 25. 1915.
Olcott, M. T.: "Bibliography on the marketing of agricultural products." With others. M.C. 35, pp, 56. 1925.
Old-squaw, description and food habits. N.A. Fauna 46, pp. 49–51. 1923.
Old-witch grass, description. D.B. 772, pp. 232, 233. 1920.
Old World, climates and crops, similarity to American conditions. Y.B., 1908, pp. 246–248. 1909; Y.B. Sep. 478, pp. 246–248. 1909.
Oldenburg, H.: "Utilization of little-used species." M.C. 39, pp. 21–24. 1925.
Oldys, Henry:—
  "Audubon societies in relation to the farmer." Y.B., 1902, pp. 205–218. 1903; Y.B. Sep. 263, pp. 205–218. 1903.
  "Cage-bird traffic of the United States." Y.B., 1906, pp. 165–180. 1907; Y.B. Sep. 414, pp. 165–180. 1907.

Oldys, Henry—Continued.
  "Definitions of open and closed seasons for game." Biol. Cir. 43, pp. 8. 1904.
  "Digest of game laws for 1901." With T. S. Palmer. Biol. Bul. 16, pp. 152. 1901.
  "Game laws for—
    1903." With others. F.B. 180, pp. 56. 1903.
    1904." With others. F.B. 207, pp. 63. 1904.
    1905." With others. F.B. 230, pp. 54. 1905.
    1907." With others. F.B. 308, pp. 52. 1907.
    1908." With T. S. Palmer. F.B. 336, pp. 55. 1908.
    1909." With others. F.B. 376, pp. 56. 1909.
    1910." With others. F.B. 418, pp. 47. 1910.
    1911." With others. F.B. 470, pp. 52. 1911.
  "Game protection in 1907." Y.B., 1907, pp. 590–597. 1908; Y.B. Sep. 469, pp. 590–597. 1908.
  "Introduction of the Hungarian partridge into the United States." Y.B., 1909, pp. 249–258. 1910; Y.B. Sep. 510, pp. 249–258. 1910.
  "Importation of game birds and eggs for propagation." With T. S. Palmer. F.B. 197, pp. 32. 1904.
  "Pheasant raising in the United States." F.B. 390, pp. 40. 1910.
  "Progress of game protection in 1909." With others. Biol. Cir. 73, pp. 19. 1910.
  "Progress of game protection in 1910." With T. S. Palmer. Biol. Cir. 80, pp. 36. 1911.
  "The game market of to-day." Y.B., 1910, pp. 243–254. 1911; Y.B. Sep. 533, pp. 243–254. 1911.
Olea—
  chrysophylla, importation and description. No. 42834. B.P.I. Inv. 47, p. 73. 1920.
  gamblei, importation and description. No. 47742, B.P.I. Inv. 59, pp. 7, 53. 1922.
  spp. See Olive.
Oleaceae—
  family, characters. For. [Misc.], "Forest trees for Pacific * * *," p. 422. 1908.
  injury by sapsuckers. Biol. Bul. 39, pp. 49, 88–89. 1911.
Oleander(s)—
  crown-gall inoculation from daisy and poplar. B.P.I. Bul. 213, pp. 31, 33, 91. 1911.
  injury by caterpillar, Empyreuma lichas, and control. P.R. An. Rpt., 1914, p. 45. 1916.
  poisonous to human beings and animals. F.B. 384, pp. 8–9. 1910.
  tubercle studies. B.P.I. Bul. 131, pp. 27, 37. 1908.
  yellow, infestation with Mediterranean fruit fly. D.B. 536, pp. 24, 48. 1918.
Olearia—
  furfuracea, importation and description. No. 47958, B.P.I. Inv. 60, p. 21. 1922.
  teretifolia, importation and description. No. 47192, B.P.I. Inv. 58, p. 36. 1922.
Oleaster—
  characteristics, uses. For. Cir. 161, p. 49. 1909.
  family, injury to trees by sapsuckers. Biol. Bul. 39, p. 47. 1911.
  fruiting, importation. No. 29225, B.P.I. Bul. 227, pp. 8, 47. 1911.
  importations and descriptions. Nos. 30063, 30412, B.P.I. Bul. 233, pp. 56, 85. 1912; No. 31822, B.P.I. Bul. 248, pp. 8, 52–53. 1912; Nos 36542–36544, B.P.I. Inv 37, p. 29. 1916.
  leaf-spot, occurrence and description, Texas. B.P.I. Bul. 226, p. 75. 1912.
  Russian—
    adaptability to Truckee-Carson project, description, uses, and value. B.P.I. Cir. 78, pp. 9–10. 1911.
    growing in Oregon, experiments. W.I.A. Cir. 26, p 27. 1919.
    seeds, experiments at Truckee-Carson project, 1913. B.P.I. (Misc.], "Work of the Truckee-Carson * * *," pp. 9–10. 1914.
    value for hedges and windbreaks. B.P.I. Chief Rpt., 1911, p. 51. 1911; An. Rpts., 1911, p. 299. 1912.
  value as ornamental and windbreak, Nevada. B.P.I. Cir. 122, p. 15. 1913.
Oleic acid—
  action on metals, experiments. B.A.I. An. Rpt., 1909, pp. 277–280. 1911.
  extraction of dihydroxystearic acid. Soils Bul. 80, p. 20. 1911.

INDEX TO PUBLICATIONS, 1901-1925 1695

Oleic acid—Continued.
 ozonid, preparation and examination. J.A.R.,
  vol. 26, pp. 331-333. 1923.
 products, examination. J.A.R., vol. 26, pp. 326-
  331. 1923.
Oleo—
 analytical data. Chem. Bul. 77, pp. 23, 24. 1903.
 oil—
  action on different metals, experiments. B.A.I.
   An. Rpt., 1909, pp. 275-276. 1911.
  and stearin, distibility, dietary experiments.
   D.B. 613, pp. 12-17. 1919.
  exports 1890-1903. Stat. Bul. 55, pp. 8, 11,
   26-29. 1907. 1904. Stat. Bul. 39, pp. 8,
   30-33. 1905.
  import of Netherlands. Stat. Bul. 72, p. 8.
   1909.
  statistics—
   1921, imports and exports. Y.B., 1921, pp. 738,
    758. 1922; Y.B. Sep. 867, pp. 2, 22. 1922.
   1923. Y.B., 1923, p. 930. 1924; Y.B. Sep. 902,
    p. 930. 1924.
Oleomargarine—
 action on different metals, experiments. B.A.I.
  An. Rpt., 1909, p. 276. 1911.
 adulteration and misbranding. See *Indexes,
  Notices of Judgment, in bound volumes, and in
  separates published as supplements to Chemistry
  Service and Regulatory Announcements*.
 and butter, renovated, detection, household tests.
  G. E. Patrick. F.B. 131, pp. 11. 1901.
 coloring matter, shipments, instructions. B.A.I.
  Ser. An. No. 71, p. 17. 1913.
 consumption—
  in Southern States. B.A.I. An. Rpt., 1907, pp.
   311, 315, 317, 330. 1909; F.B. 349, pp. 10, 14,
   16, 29. 1909.
  of fats and oils. D.B. 769, pp. 36-37. 1919.
 dairy products, Pasteurization. B.A.I.S.R.A.
  11, p. 61. 1916.
 definitions and standards, hearings. News L.,
  vol. 6, No. 16, p. 4. 1918.
 Federal law. Chem. Bul. 69, Pt. I, pp. 28-32.
  1902.
 handling, regulation. B.A.I.S.R.A. 183, p. 80.
  1922.
 household tests for detection. F.B. 131, pp. 1-10.
  1901.
 importation into Canada. B.A.I.S.R.A. 127, p.
  120. 1918.
 industry, consumption of fats and oils, 1912-1918.
  D.B. 769, Sup., p. 7. 1919.
 infection with tubercle bacilli. B.A.I. Cir. 153,
  p. 36. 1910.
 ingredients, handling, equipment, and labels,
  regulation. B.A.I.S.A. 67, pp. 97-98. 1912.
 labeling requirements. B.A.I.S.R.A. 187, p. 127.
  1922.
 law(s)—
  Federal. Chem. Bul. 69, rev., Pt. I, p. 28.
   1905.
  State—
   1905. Chem. Bul. 69, rev., Pts. I-IX, pp. 46,
    48, 55, 75, 79, 82, 90, 101, 132, 137, 138, 144,
    151, 165, 178, 194, 197, 217, 223, 225, 239, 253,
    254-256, 278, 284, 293, 294, 307, 308, 317, 324,
    341, 368, 442, 452, 473-474, 478, 498, 524, 529,
    530, 571, 590, 597, 614, 634, 668, 632, 701, 762.
    1905-6.
   1908. Chem. Bul. 121, pp. 16, 26. 1909.
   See also Food laws.
 manufacture, danger of tuberculosis infection.
  B.A.I. An. Rpt., 1907, p. 152. 1909.
 market statistics, production, 1918-1920. D.B.
  982, p. 155. 1921.
 other names, fat content, uses, and value. D.B.
  469, pp. 11-12. 1916.
 Pasteurization of dairy products in. B.A.I.-
  S.R.A. 114, p. 90. 1916; B.A.I.S.R.A. 124, pp.
  91-92. 1917.
 production—
  1920, 1921. Y.B., 1922, p. 293. 1923; Y.B. Sep.
   879, p. 12. 1923.
  1923. Y.B., 1923, pp. 927-929. 1924; Y.B.
   Sep. 902, pp. 927-929. 1924.
  and consumption. Y.B., 1924, pp. 892-894.
   1925.
  and exportation, 1887-1921. B.A.I. Doc. A.-37,
   p. 34. 1922.

Oleomargarine—Continued.
 renovated, detection, household tests. F.B. 131,
  pp. 1-40. 1901.
 statistics—
  1301. B.A.I. An. Rpt., 1901, p. 287, 398. 1902.
  1922, production. Y.B., 1922, pp. 851-852.
   1923; Y.B. Sep. 888, pp. 851-852. 1923.
 test, boiling. B.A.I. Cir. 56, p. 194. 1904.
 See also Dairy products.
Oleoresin—
 chipping experiments for production. J.A.R.,
  vol. 30, pp. 82, 84, 90. 1925.
 of male fern, use in control of tapeworms, sheep,
  and dogs. F.B. 1330, pp. 22, 25, 35. 1923.
 production—
  effect of height of chipping. Eloise Gerry.
   J.A.R., vol. 30, pp. 81-93. 1925.
  study of the effects on southern pines by tur-
   pentining. Eloise Gerry. D.B. 1064, pp. 46.
   1922.
 vanilla, adulteration and misbranding. N.J.
  1687, pp. 2. 1912.
 western pines, examination. A. W. Schorger.
  For. Bul. 119, pp. 36. 1913.
Oleostearin—
 import and export without inspection. B.A.I.
  An. Rpt., 1909, p. 26. 1911.
 imported, use in manufactures, and exports with-
  out inspection. An. Rpts., 1910, p. 245. 1911;
  B.A.I. Chief Rpt., 1910, p. 51. 1910.
 moldy, samples requested for examination.
  B.A.I.S.R.A. 182, p. 71. 1922.
 use as lard substitute, with vegetable oils. Sol.
  Cir. 56, pp. 1-4. 1911.
 use in lard adulteration, detection methods.
  B.A.I. Cir. 132, pp. 1-9. 1908.
Olethreutes hebesana. *See* Verbena bud moth.
Oleum chenopodii. *See* Oil, wormseed, American.
Oleuropein, glucoside in olives. D.B. 803, pp. 3, 4.
 1920.
Olibanum. *See* Frankincense.
Oligoryzomys sp., key, and descriptions. N.A.
 Fauna 43, pp. 17, 87-94. 1918.
"Olinda bug," Hawaiian Islands, habits, and life
 history. Ent. Bul. 30, pp. 88-90. 1901.
Olio sopraffino, adulteration and misbranding.
 N.J. 340, p. 1. 1910.
Olive(s)—
 acreage in—
  California and Arizona, 1917, 1919. F.B. 1249,
   p. 7. 1922.
  Italy, 1911. Stat. Cir. 24, p. 10. 1911.
 adulteration. See *Indexes, Notices of Judgment,
  in bound volumes and in separates published as
  supplements to Chemistry Service and Regulatory
  Announcements*.
 African, introduction. B.P.I. Bul. 176, p. 17.
  1910.
 Algerian, cultivation. B.P.I. Bul. 80, pp. 64-66.
  1905.
 anatomical structure. B.P.I. Bul. 192, pp. 47-53.
  1911.
 Ascolano, origin and description. F.B. 1249,
  p. 15. 1922.
 Barouni, introduction and value. An. Rpts.,
  1923, p. 285. 1924; B.P.I. Chief Rpt., 1923,
  p. 31. 1923.
 black—
  adulteration. Chem. N.J. 1047, p. 1. 1911;
   Chem. N.J. 1048, p. 1. 1911; Chem. N.J.
   1275, p. 1. 1912.
  injury to trees by sapsuckers. Biol. Bul. 39,
   p. 47. 1911.
  scale, injuries, and control. F.B. 1249, pp.
   39-41. 1922.
 California, ripening and pickling, chemical study.
  R. W. Hilts and R. S. Hollingshead. D.B.
  803, pp.24. 1920.
 canned ripe, bacteriological study. Stewart A.
  Koser. J.A.R., vol. 20, pp. 375-379. 1920.
 canning, inspection instructions. D.B. 1084, pp.
  24-25. 1922.
 cans, net weight statement. Opinion 99, Chem.
  S.R.A. 11, p. 752. 1915.
 Chinese—
  importation and description. Nos. 43959-43960,
   B.P.I. Inv. 49, pp. 104-105. 1921.
  use as nut. F.B. 332, p. 10. 1908.

Olive(s)—Continued.
 coloring artificially, injurious practice. D.B. 803, p. 7. 1920.
 crown-gall inoculation from daisy, peach, and hop. B.P.I. Bul. 213, pp. 33–34, 64, 88. 1911.
 culture, dry-land, in northern Africa. Thomas H. Kearney. B.P.I. Bul. 125, pp. 48. 1908.
 "Damascus," characteristics. B.P.I. Bul. 180, p. 20. 1910.
 destruction by—
  birds. F.B. 513, p. 7. 1913.
  robins. Biol. Bul. 30, pp. 94–97. 1907.
 die-back, cause, description, and control. F.B. 1249, pp. 42–43. 1922.
 distribution, regions of California and Arizona, acreage. F.B. 1249, pp. 5–10. 1922.
 dried, use as food. Y.B. 1912, p. 516. 1913; Y.B. Sep. 610, p. 516. 1913.
 drought—
  resistance in Southwestern States. Silas C. Mason. B.P.I. Bul. 192, pp. 60. 1911.
  resistant, introduction. An. Rpts., 1907, pp. 46, 281. 1908; Rpt. 85, p. 33. 1907; Sec. A.R., 1907, p. 44. 1907; Y.B., 1907, p. 45. 1908.
 dry-land—
  culture, areas in United States, adaptability. B.P.I. Bul. 192, pp. 34–42. 1911.
  investigations of neglected orchards. An. Rpts., 1908, p. 300. 1909; B.P.I. Chief Rpt., 1908, p. 28. 1908.
 family, injury to trees by sapsuckers. Biol. Bul. 39, pp. 49–50, 88–89. 1911.
 fly, conference at Madrid. Off. Rec. vol. 2, Nos. 32, 33, p. 2. 1923.
 fly, injuries to olives, danger of introduction. D.B. 134, pp. 27–28. 1914.
 fresh, examination, composition. D.B. 803, pp. 11–19. 1920.
 frost protection. F.B. 1096, p. 18. 1920.
 fruit fly—
  distribution, damages, and control. Y.B., 1917, p. 189. 1918; Y.B. Sep. 731, p. 7. 1918.
  introduction in seed, danger. J.A.R., vol. 6, No. 7, p. 252. 1916.
 grading—
  and sorting. D.B. 803, pp. 5–7. 1920.
  for pickling and oil making. Y.B., 1916, pp. 160. 1917; Y.B. Sep. 691, pp. 2. 1917.
 grafting on privet, in China. Y.B., 1915, p. 218. 1916; Y.B. Sep. 671, p. 218. 1916.
 green—
  adulteration. Chem. N.J. 11469. 1923.
  pickling for sale. D.B. 803, p. 7. 1920.
 groves, nonirrigated, Arizona and California, description. B.P.I. Bul. 192, pp. 10–27, 31–33. 1911.
 growing—
  adaptability to irrigation farming. Y.B., 1911, pp. 374, 380. 1912; Y.B. Sep. 576, pp. 374, 380. 1912.
  early history and introduction into America. Y.B., 1916, pp. 159, 160. 1917; Y.B. Sep. 691. pp. 1, 2. 1917.
  in California—
   central southern area. Soil Sur. Adv. Sh., 1917, pp. 31, 58–71, 93–101. 1921; Soils F.O., 1917, pp. 2429, 2456–2469, 2491–2499. 1923.
   Fresno area, acreage and production. Soil Sur. Adv. Sh., 1912, pp. 18–19. 1914; Soils F.O., 1912, pp. 2102–2103. 1915.
   history and progress. D.B. 803, pp. 1–2. 1920.
   lower San Joaquin Valley. Soil Sur. Adv. Sh. 1915, pp. 24–25. 1918; Soils F.O., 1915, pp. 2600–2601. 1919.
   Merced area, soils adapted to. Soil Sur. Adv. Sh., 1914, p. 15. 1916; Soils F.O., 1914, p. 2795. 1919.
   middle San Joaquin Valley. Soil Sur. Adv. Sh., 1916, pp. 30–31. 1919; Soils F.O., 1916, pp. 2444–2445. 1921.
   Modesto-Turlock area, acreage, yield, cost, and profits. Soil Sur. Adv. Sh., 1908, p. 54. 1909; Soils F.O., 1908, p. 1278. 1911.
   Riverside area. Soil Sur. Adv. Sh., 1915, p. 15. 1917; Soils F.O., 1915, p. 2377. 1919.
   San Diego region. Soil Sur. Adv. Sh., 1915, pp. 14, 30, 33. 1917; Soils F.O., 1915, pp. 2518, 2534, 2537. 1919.

Olive(s)—Continued.
 growing—continued.
  in California—Continued.
   San Fernando Valley area. Soil Sur. Adv. Sh., 1915, pp. 16, 37. 1917; Soils F.O., 1915, pp. 2462, 2483, 2487. 1919.
   San Francisco Bay region, details. Soil Sur. Adv. Sh., 1914, pp. 24–85. 1917; Soils F.O., 1914, pp. 2696, 2795. 1919.
   San Joaquin Valley. Soil Sur. Adv. Sh., 1915, pp. 24–25, 48, 65, 86, 127. 1918; Soils F.O., 1915, pp. 2600–2601, 2624, 2641, 2662, 2703. 1919.
  in southwestern United States. C. F. Kinman. F.B. 1249, pp. 43. 1922.
  in United States and foreign countries. Sec. [Misc.], Spec. "Geography * * * world's agriculture," pp. 89, 90, 92. 1917.
  regions, differences in temperature and length of season. B.P.I. Bul. 192, p. 40. 1911.
  requirements, climate, moisture, and soils. F.B. 1249, pp. 10–13. 1922.
  yield and propagation in California, Madera area. Soil Sur. Adv. Sh., 1910, pp. 15–16. 1911; Soils F.O., 1910, pp. 1725–1726. 1912.
 importations and descriptions. Nos. 32880, 33225–33226, B.P.I. Bul. 282, pp. 56, 84–85. 1913; No. 44709, B.P.I. Inv. 51, pp. 10, 52. 1922; Nos. 54547–54548, B.P.I. Inv. 69, p. 24. 1923; No. 55814, B.P.I. Inv. 73, p. 5. 1924; Nos. 50972 50997, B.P.I. Inv. 64, p. 38. 1923.
 imports—
  1907–1909, quantity and value, by countries from which consigned. Stat. Bul. 82, p. 41. 1910.
  1908–1910, quantity and value by countries from which consigned. Stat. Bul. 90, p. 43. 1911.
  1913–1915. Y.B., 1915, p. 544. 1916; Y.B. Sep. 685, p. 544. 1916.
  1917–1919. Y.B., 1919, p. 686. 1920; Y.B. Sep. 829, p. 686. 1920.
  1922–1924. Y.B., 1924, p. 1062. 1925.
 in brine—
  contents quantity, opinion 225. Chem. S.R.A. 20, p. 64. 1918.
  statement of contents, opinion 77. Chem. S.R.A. 8, p. 634. 1914.
 in Italy, acreage and production, 1909–1911. Stat. Cir. 28, pp. 9–10. 1912.
 insect pests, list. Sec. [Misc.], "A manual of * * * insects * * *," pp. 155–157. 1917.
 insects and diseases. F.B. 1249, pp. 39–43. 1922.
 irrigation methods in Pomona Valley, Calif. O.E.S. Bul. 236, Rev., p. 85. 1912.
 knot, cause, description, and prevention. F.B. 1249, pp. 41–42. 1922.
 Manzanillo, origin and description. F.B. 1249, p. 15. 1922.
 maturity standard for picking. F.B. 1249, p. 35. 1922.
 misbranding. Chem. N.J. 971, p. 1. 1911; Chem. N.J. 12743. 1925.
 Mission—
  characteristics. News L., vol. 6, No. 27, p. 24. 1919.
  origin and description. D.B. 803, p. 2. 1920; F.B. 1249, p. 14. 1922.
 mock, pickling for home use. F.B. 296, p. 16. 1907.
 Nevadillo, origin and description. F.B. 1249, p. 16. 1922.
 new, cold-resistant. B.P.I. Bul. 207, pp. 37–38, 55, 68. 1911.
 oil—
  adulterated, descriptions, and analyses, tables. Chem. Bul. 77, pp. 58–61. 1903.
  adulteration and misbranding. See *Indexes to Notices of Judgment in bound volumes of Chemistry Service and Regulatory Announcements*.
  Algerian, analytical data. Chem. Bul. 77, pp. 15, 21, 27, 50–51. 1903.
  analysis, methods, and results. Chem. Bul. 77, pp. 13–31. 1903.
  and its substitutes. L. M. Tolman, and L. S. Munson. Chem. Bul. 77, pp. 64. 1903.
  California, descriptions and analyses, tables. Chem. Bul. 77, pp. 15, 17, 20, 21, 25, 27, 46–48, 52, 62. 1903.

Olive(s)—Continued.
oil—continued.
commercial, pure, descriptions and analyses, tables. Chem. Bul. 77, pp. 51-58. 1903.
denaturants, regulations, examination, etc. An. Rpts., 1910, p. 471. 1911; Chem. Chief Rpt., 1910, p. 47. 1910.
digestion experiments, details and results. D.B. 505, pp. 2-5. 1917.
exports and imports, 1913-1920, by world countries. Y.B., 1921, p. 801. 1922; Y.B. Sep. 871, p. 32. 1922.
fraud warnings. News L., vol. 6, No. 34, p. 4. 1919.
fraudulent, instructions to food inspectors. News L., vol. 6, No. 12, p. 2. 1918.
French, descriptions and analyses, tables. Chem. Bul. 77, pp. 16, 21, 27, 53-55. 1903.
grades, and adulterations. Y.B., 1916, pp. 161-163. 1917; Y.B. Sep. 691, pp. 3-5. 1917.
hydrolysis by lipoclastic enzym, effect of saccharin. Rpt. 94, pp. 116-118. 1911.
importation and value, 1891-1900. Chem. Bul. 77, p. 9. 1903.
imports—
1891-1900. Chem. Bul. 77, p. 9. 1905.
1901-1924. Y.B., 1924, pp. 1063, 1076. 1925.
1906-1914, increase, and sources of supply. D.B. 296, p. 35. 1915.
1907-1909, quantity and value, by countries from which consigned. Stat. Bul. 82, p. 51. 1910.
1907-1911, and 1862-1911. Y.B., pp. 665, 685-686. 1912; Y.B. Sep. 588, pp. 665, 685-686. 1912.
1908-1910, quantity and value by countries from which consigned. Stat. Bul. 90, p. 55. 1911.
1908-1912 and 1862-1912. Y.B., 1912, pp. 722, 744-745. 1913; Y.B. Sep. 615, pp. 722, 744-745. 1913.
1913-1915, and 1852-1915. Y.B., 1915, pp. 546, 559, 574. 1916; Y.B., Sep. 685, pp. 546, 559, 574. 1916.
1913-1920, by world countries. Y.B., 1921, p. 801. 1922; Y.B. Sep. 871, p. 32. 1922.
1916. Y.B., 1916, pp. 713, 726, 741. 1917; Y.B. Sep. 722, pp. 7, 20, 35. 1917.
1917. Y.B., 1917, pp. 765. 1918; Y.B. Sep. 762, pp. 9. 1918.
1919. Y.B., 1919, pp. 688, 703. 1920; Y.B. Sep. 829, pp. 688, 703. 1920.
1924. Y.B., 1924, pp. 1063, 1076. 1925.
and exports, 1912-1921. Y.B., 1921, pp. 741, 754, 767, 799. 1922; Y.B., Sep. 867, pp. 5, 18, 31. 1922; Y.B., Sep. 871, p. 30. 1922
industry, in Africa, arid region. B.P.I. Bul. 192, pp. 41, 44. 1911.
in California, descriptions and analyses, tables. Chem. Bul. 77, pp. 46-48. 1903.
Italian, descriptions and analyses, tables. Chem. Bul. 77, pp. 48-50. 1903.
laws—
and standards. Chem. Bul. 69, rev., Pts. I-IX, pp. 67, 68, 108, 185, 213, 442, 566, 634. 1905-6.
See also Foods.
manufacture, processes. Chem. Bul. 77, pp. 11-13. 1903.
manufacturing methods, uses, and value. D.B. 469, pp. 12-13. 1916.
misbranding, decision of Circuit Court of Appeals. An. Rpts., 1910, p. 802. 1911; Sol. A.R., 1910, p. 14. 1910.
prices. Chem. Bul. 77, p. 10. 1903.
production—
1916, pressing methods, supply increase. D.B. 769, pp. 16-17. 1919.
by Spain. News L., vol. 7, No. 18, p. 3. 1919.
details. Y.B. 1916, pp. 160-163. 1917; Y.B. Sep. 691, pp. 2-5. 1917.
in California, 1916. D.B. 803, p. 2. 1920.
in Spain, 1911. Stat. Cir. 26, pp. 9-10. 1912.
specific gravity tests, methods and results. Chem. Bul. 77, pp. 13-15. 1903.
substitutes, specific gravity tests, methods and results. Chem. Bul. 77, pp. 13-15. 1903.

Olive(s)—Continued.
oil—continued.
trade—
international, 1913-1921. Y.B. 1922, pp. 1030-1031. 1923; Y.B. Sep. 887, pp. 1030-1031. 1923.
international, 1923. Y.B. 1923, p. 742. 1924; Y.B. Sep. 900, p. 742. 1924.
statistics, 1891-1900. Chem. Bul. 77, pp. 9-10. 1903.
use as food. O.E.S. Bul. 245, p. 69. 1912.
use in sardine packing. D.B. 908, p. 119. 1921.
weight, Treasury Decision, 37292. Chem. S.R.A. 21, p. 75. 1918.
orchard soils, various countries, analyses. B.P.I. Bul. 192, pp. 20-23. 1911.
orchards, in northern Africa, management. B.P.I. Bul. 125, pp. 12-39. 1908.
original planting in United States, and revival of industry. F.B. 1249, pp. 3-5. 1922.
Palestine varieties, description, characteristics and quality of oil. B.P.I. Bul. 180, pp. 18-21. 1910.
picking season, California. D.B. 803, p. 3. 1920.
pickled—
composition table. D.B. 803, pp. 21-23. 1920.
examination, and composition tables. D.B. 803, pp. 19-24. 1920.
pickling—
for home use. F.B. 296, pp. 14-16. 1907.
methods and operations, and chemical changes. D.B. 803, pp. 5-7, 19-24. 1920.
pits, chemical studies. D.B. 803, pp. 10, 11-15. 1920.
pressing for oil making, details. Y.B. 1916, pp. 161-162. 1917; Y.B. Sep. 691, pp. 3-4. 1917.
production, in—
Italy—
1909-1912. Stat. Cir. 44, p. 10. 1913.
1911-1913. D.B. 483, p. 25. 1917.
and Spain, 1911. Stat. Cir. 41, pp. 10, 12. 1912.
Spain, 1909-1914. D.B. 483, p. 33. 1917.
propagation, transplanting, pruning, and harvesting. F.B. 1249, pp. 16-36. 1922.
Redding, origin and description. F.B. 1249, p. 16. 1922.
resistance to alkali. Soils Bul. 35, p. 40. 1906.
ripe—
canned, bacteriological study. Stewart A. Koser. J.A.R., vol. 20, pp. 375-379. 1920.
misbranding, 296. Chem. S.R.A., 23, pp. 103-104. 1918.
ripening, chemical changes, studies. D.B. 803, pp. 4, 8, 14-19. 1920.
root, structure. B.P.I. Bul. 192, pp. 14, 15, 27-30, 43, 47-48. 1911.
root system and thin planting. Y.B. 1911, pp. 356, 359. 1912; Y.B. Sep. 574, pp. 356, 359. 1912.
Russian—
adaptability for shelter-belt planting. D.B. 1113, pp. 13, 15. 1923.
description—
and uses in the Great Plains. F.B. 1312, pp. 10-11, 21. 1923.
uses, associates, and planting details. F.B. 888, pp. 8, 13, 19. 1917.
wild. See Oleaster.
Sevillano, origin and description. F.B. 1249, p. 15. 1922.
Spain, production, 1911. Stat. Cir. 26, pp. 9-11. 1912.
statistics, imports, 1917. Y.B. 1917, p. 763. 1918; Y.B. Sep. 762, p. 7. 1918.
sterilizing for bacterial contamination. F.B. 1249, p. 38. 1922.
thrips, parasite, discovery and study. Ent. T B. 23, Pt. II, pp. 25-26. 1912.
trees—
alkali resistance. B.P.I. Bul. 53, pp. 115, 121. 1904.
growing—
in manganiferous soils. Hawaii Bul. 26, p. 32. 1912.
under shade of date palms. B.P.I. Bul. 53, pp. 44, 115, 121. 1904.
in Italy, destruction by *Fomes fulvus*. B.P.I. Bul. 149, p. 47. 1909.

Olive(s)—Continued.
trees—continued.
  leaf and stem structure, moisture economy.
    B.P.I. Bul. 192, pp. 30, 49–53. 1911.
  numbers in California. D.B. 803, p. 1. 1920.
  root systems, description, adaptation to dry
    regions. B.P.I. Bul. 192, pp. 14, 15, 27–30, 43,
    47–48. 1911.
  Russian, value for windbreaks. B.P.I. Bul.
    157, pp. 15, 28. 1909.
  spacing, number per acre. B.P.I. Bul. 192, pp.
    9, 14, 23, 26–27, 32–33, 41–44, 56. 1911.
  tubercle organism, recent studies, description,
    remedies. B.P.I. Bul. 131, pp. 25–43. 1908.
  use in meat sauce. F.B. 391, p. 38. 1910.
  use with cheese. F.B. 487, p. 34. 1912.
  varieties—
    adaptable to Modesto-Turlock area, Califor-
      nia. Soil Sur. Adv. Sh., 1908, p. 54. 1909;
      Soils F.O., 1908, p. 1278. 1911.
    drought resistance. B.P.I. Bul. 192, pp. 25, 28,
      29, 33, 34, 42, 44, 50, 52, 56. 1911.
    grown in California. D.B. 803, pp. 2–3, 18–24.
      1920.
    introduction into Arizona. O.E.S. An. Rpt.,
      1911, p. 75. 1912.
    origin and characteristics. D.B. 803, pp. 2–3.
      1920; F.B. 1249, pp. 13–16, 33, 42. 1922.
    recommendations for various fruit districts.
      B.P.I. Bul. 151, p. 61. 1909.
    testing in Texas. D.B. 162, p. 21. 1915.
  wild, African, importation and description.
    No. 36059, B.P.I. Inv. 36, pp. 6, 45. 1915.
OLIVER, G. W.—
  "Budding the pecan." B.P.I. Bul. 30, pp. 18.
    1902.
  experiments in breeding hybrid citrus. J.A.R.,
    vol. 2, p. 97. 1914.
  "Keeping soft cuttings alive for long periods."
    B.P.I. Cir. 111, pp. 29–31. 1913.
  "New methods of plant breeding." B.P.I. Bul.
    167, pp. 39. 1910.
  "Silk worm food plants: Cultivation and propa-
    gation." B.P.I. Bul. 34, pp. 20. 1903.
  "Some new alfalfa varieties for pastures." B.P.
    I. Bul. 258, pp. 39. 1913.
  "The application of vegetative propagation to
    leguminous forage plants." With J. M. West-
    gate. B.P.I. Bul. 102, Pt. IV, pp. 33–37. 1907.
  "The mulberry and other silkworm food plants."
    B.P.I. Bul. 119, pp. 22. 1907.
  "The production of Easter lily bulbs in the
    United States." B.P.I. Bul. 120, pp. 24. 1908.
  "The propagation of the Easter lily from seed."
    B.P.I. Bul. 39, pp. 24. 1903.
  "The propagation of tropical fruit trees and other
    plants." B.P.I. Bul. 46, pp. 28. 1903.
  "The seedling inarch and nurse plant methods of
    propagation." B.P.I. Bul. 202, pp. 43. 1911.
Oliver project, irrigation in North Dakota, proposed
  work. O.E.S. Bul. 219, p. 28. 1909.
Olivera, Eduardo, part in organization of Argentina
  Rural Society. B.A.I. Bul. 48, pp. 8–9. 1903.
Olivfoam, Neal's, misbranding. Chem. S.R.A.
  Sup. 19, pp. 650–651. 1916.
Olivine—
  description and composition. Rds. Bul. 37, pp.
    20–21. 1911.
  soap, misbranding. Chem. N.J. 3522. 1915.
Olla abdominalis. See Ladybird, ashy-gray.
OLMSTED, F. E.—
  "A working plan for forest lands near Pine Bluff,
    Ark." For. Bul. 32, pp. 48. 1902.
  "Light burning in California forests." For.
    [Misc.], "Light burning * * * California
    * * *", p. 4. 1911.
  "Tests on the physical properties of timber."
    Y.B., 1902, pp. 533–538. 1903; Y.B. Sep. 288, pp.
    533–538. 1903.
OLMSTED, V. H.: Report as Chief of Statistics
  Bureau—
  1906. An. Rpts., 1906, pp. 541–551. 1907; Stat.
    Chief Rpt., 1906, pp. 15. 1906.
  1909. An. Rpts., 1909, pp. 655–668. 1910; Stat.
    Chief Rpt., 1909, pp. 16. 1909.
  1910. An. Rpts., 1910, pp. 695–722. 1911; Stat.
    Chief Rpt., 1910, pp. 32. 1910.
  1911. An. Rpts., 1911, pp. 639–656. 1912; Stat.
    Chief Rpt., 1911, pp. 20. 1911.

OLMSTED, V. H.: Report as Chief of Statistics
  Bureau—Continued.
  1912. An. Rpts., 1912, pp. 781–798. 1913; Stat.
    Chief Rpt., 1912, pp. 20. 1912.
Olneya tesota—
  importation and description. No. 51254, B.P.I.
    Inv. 64, pp. 5, 80–81. 1923.
  injury by sapsuckers. Biol. Bul. 39, p. 44. 1911.
  See also Ironwood, Mexican.
Olor sip. See Swans.
OLSEN, N. A.—
  "Farm credit, farm insurance, and farm taxation."
    With others. Y.B., 1924, pp. 185–284. 1925.
  report on corn in Iowa, 1925. Off. Rec. vol. 4, No.
    48, p. 3. 1925.
  report on wheat situation. With others. Y.B.,
    1923, pp. 95–150. 1924.
OLSHAUSEN, B. A.: "Soil survey of the Wichita
  area, Kansas." With J. E. Lapham. Soils F.O.,
  1902, pp. 623–642. 1903; Soils F.O. Sep., 1902, pp.
  20. 1903.
OLSON, G. A.—
  "A study of factors affecting the nitrogen content
    of wheat and of the changes that occur during the
    development of wheat." J.A.R., vol. 24, pp.
    939–953. 1923.
  analyses of condensed milk. Chem. Bul. 116, pp.
    55, 56. 1908.
  baking test for flour. Chem. Bul. 152, p. 112. 1912.
  "The nutritive value of wheat: I.—Effect of vari-
    ation of sodium in a wheat ration." With J. L.
    St. Johns. J.A.R., vol. 31; pp. 365–375. 1925.
OLSON, O. M., paper on introduction of prize con-
  tests among farming people. O.E.S. Bul. 225, pp.
  32–33. 1910.
Olson land-plaster distributer, description. B.P.I.
  Cir. 22, pp. 9–12. 1909.
Olympic National Forest—
  map and directions to hunters and campers. For.
    Map Fold. 1915.
  Wash., map. For. Maps. 1923.
Olympic National Monument, reservation for
  Roosevelt elk refuge. Biol. Chief Rpt., 1909, p.
  17. 1909; An. Rpts., 1909, p. 545. 1910.
Olyra latifolia, description. D.B. 772, pp. 19, 252,
  253. 1920.
Omaha—
  livestock prices, 1894–1907. B.A.I. An. Rpt.,
    1907, pp. 378, 379, 380. 1909.
  market—
    for corn, 1920–1921, tables. D.B. 1083, pp. 30–31,
      38–42, 47–49, 53–58. 1922.
    for heavy hogs. Y.B., 1922, p. 233. 1923; Y.B.
      Sep. 882, p. 233. 1923.
    station, lines of work. Y.B., 1919, p. 96. 1920;
      Y.B. Sep. 797, p. 96. 1920.
    statistics for livestock, 1910–1920. D.B. 982,
      pp. 4–5, 8, 9, 15, 32–34, 41, 45, 50, 57, 66–67, 71,
      73, 74, 80, 96–97. 1921.
  milk supply—
    from dairies, Nebraska, Douglas County.
      Soil Sur. Adv. Sh., 1913, pp. 17–18. 1915;
      Soils F.O., 1913, pp. 1979–1980. 1916.
    statistics, officials, prices, and ordinances.
      B.A.I. Bul. 46, pp. 26, 109–110. 1903.
  trade center for farm products, statistics. Rpt.
    98, pp. 287–290. 1913.
Ombu—
  importations and descriptions. No. 42542, B.P.I.
    Inv. 47, p. 27. 1920; No. 48975, B.P.I. Inv. 61,
    p. 60. 1922.
  shade tree from Argentina. No. 31482, B.P.I.
    Bul. 248, p. 18. 1912.
Omelet(s)—
  recipes and directions. D.C. 36, p. 6. 1919;
    S.R.S. Doc. 91, p. 6. 1919.
  soy-bean, use as meat substitute, recipe. Sec.
    Cir. 113, p. 4. 1918.
  vegetable, recipe. F.B. 871, p. 10. 1917.
  with canned greens, recipe. S.R.S. Doc. 31, p. 4.
    1916.
Omeliansky, W., study of cellulose fermentation.
  B.P.I. Bul. 266, pp. 18–20. 1913.
Omiodes spp. See Leaf-roller.
Omorgua frumentaria—
  enemy to Indian-meal moth, notes. Ent. Cir. 142,
    p. 3. 1911.
  parasite of fig moth and other moths. Ent. Bul.
    104, pp. 30–31. 1911.

Omphalia spp.—
   description. D.B. 175, p. 16. 1915.
   importation, and description. No. 34156. B.P.I. Inv. 32, p. 16. 1914.
Omphalophthalma rubia, importations and description. Nos. 44447, 44757, B.P.I. Inv. 51, pp. 13, 60. 1922.
Omphisa anastomosalis. See Sweet-potato vine borer.
Onchocerciasis, description, nature, and prevalence in Australia. Y.B., 1914, p. 436. 1915; Y.B. Sep. 650, p. 436. 1915.
Onchorhynchus teschawgtscha. See Salmon.
Oncideres—
   cingulata—
      cotton stalk injury. Ent. Bul. 57, p. 39. 1906.
      host selection. J.A.R., vol. 22; pp. 194-220. 1921.
      injury to persimmon trees. F.B. 685, pp. 20-21. 1915.
      See also Hickory twig-girdler.
   spp., description, habits, and control. F.B. 1169, pp. 71-72. 1921.
Oncoba echinata. See Gorli.
Oncometopia spp., description, life history, and harmlessness. Ent. Bul. 57, pp. 54-57. 1906.
Oncosperma—
   filamentosum, importation and description. No. 51134. B.P.I. Inv. 64, p. 62. 1923.
   spp., importations and descriptions. Nos. 45961, 45962, B.P.I. Inv. 54, p. 50. 1922; Nos. 51726, 51776-51777, B.P.I. Inv. 65, pp. 41, 48. 1923.
One-spray method for codling moth and plum curculio. Ent. Bul. 115, Pt. II, pp. 87-112. 1912.
O'NEAL, A. M., Jr.: "Soil survey of—
   Boone County, Iowa". With A. M. DeYoe. Soil Sur. Adv. Sh., 1920, pp. 136-166. 1923; Soils F.O., 1920, pp. 135-166. 1925
   Cedar County, Iowa". D. S. Gray. Soil Sur. Adv. Sh., 1919, pp. 31. 1921; Soils F.O., 1919, pp. 1427-1457. 1925.
   Covington County, Ala." With others. Soil Sur. Adv. Sh., 1912, pp. 37. 1914; Soils F.O., 1912, pp. 797-829. 1915.
   Coweta and Fayette Counties, Ga." With others. Soil Sur. Adv. Sh., 1919, pp. 34. 1922; Soils F.O., 1919, pp. 855-888. 1925.
   Escambia County, Ala." With others. Soil Sur. Adv. Sh., 1913, pp. 51. 1915; Soils F.O., 1913, pp. 827-873. 1916.
   Fayette County, Ala." With others. Soil Sur. Adv. Sh., 1917, pp. 40. 1920; Soils F.O., 1917, pp. 699-734. 1923.
   Jasper County, Iowa." With others. Soil Sur. Adv. Sh., 1921, pp. 42. 1925.
   Limestone County, Ala." With R. T. Avon Burke. Soil Sur. Adv. Sh., 1914, pp. 41. 1916; Soils F. O., 1914, pp. 1117-1153. 1919.
   Madison County, Ala." With R. T. Avon Burke. Soil Sur. Adv. Sh., 1911, pp. 42. 1913; Soils F.O., 1911, pp. 793-830. 1914.
   Mobile County, Ala." With others. Soil Sur. Adv. Sh., 1911, pp. 42. 1912; Soils F. O., 1911, pp. 859-896. 1914.
   Monroe County, Ga." With others. Soil Sur. Adv. Sh., 1920, pp. 36. 1922; Soils F.O., 1920, pp. 71-102. 1925.
   Montgomery County, Iowa." With L. L. Rhodes. Soil Sur. Adv. Sh., 1917, pp. 30. 1919; Soils F.O., 1917, pp. 1725-1750. 1923.
   Morgan County, Ala." With others. Soil Sur. Adv. Sh., 1918, pp. 46. 1921; Soils F.O., 1918, pp. 573-614. 1924.
   Page County, Iowa." With R. E. Devereux. Soil Sur. Adv. Sh., 1921, pp. 349-373. 1924.
   Palo Alto County, Iowa." With others. Soil Sur. Adv. Sh., 1918, pp. 36. 1921; Soils F.O., 1918, pp. 1133-1164. 1924.
   Pickens County, Ala." With others. Soil Sur. Adv. Sh., 1916, pp. 41. 1917; Soils F.O., 1916, pp. 901-937. 1921.
   Walker County, Ala." With others. Soil Sur. Adv. Sh., 1915, pp. 30. 1916; Soils F.O., 1915, pp. 865-890. 1919.
   Woodbury County, Iowa." With others. Soil Sur. Adv. Sh., 1920, pp. 759-784. 1923; Soils F.O., 1920, pp. 759-784. 1925.
Oneida irrigation district in Idaho, organization, location, and work. O.E.S. Bul. 216, p. 35. 1909.

O'NEILL, THOMAS, report of California Vegetable Union, Los Angeles, Calif. Rpt. 98, p. 172. 1913.
Oniodes monogona, injury to legumes, Hawaii, description, and parasites. Hawaii A.R., 1911, p. 18. 1912.
Onion(s)—
   acreage—
      and yield. Y.B., 1924, pp. 700, 701. 1925.
      in United States, 1909. Sec. [Misc.], Spec. "Geography * * * world's agriculture," p. 99. 1917.
      on farms, census 1909, by States, map. Y.B. 1915, p. 377. 1916; Y.B. Sep. 681, p. 377. 1916.
      production, prices, and shipments, 1917-1922. Y.B., 1922, pp. 765-767, 774, 776. 1923; Y.B. Sep. 884, pp. 765-767, 774, 776. 1923.
      yield, and prices, 1923. Y.B., 1923, pp. 755-757. 1924; Y.B. Sep. 900, pp. 755-757. 1924.
      yield, and variety tests, Nevada, Truckee-Carson farm. W.I.A. Cir. 3, pp. 4, 10. 1915.
   Bermuda—
      acreage in Texas, 1918, marketing aids. News L., vol. 5, No. 43, p. 2. 1918.
      American-grown, marketing and distribution. W. Mackenzie Stevens. D.B. 1283, pp. 56. 1925.
      car-lot shipments, 1917-1923. D.B. 1283, pp. 2-4, 7-9. 1925.
      crop, estimate. News L., vol. 7, No. 9, p. 4. 1919.
      culture, harvesting, marketing, yield and prices. F.B. 354, pp. 30-32. 1909.
      distribution of shipments. D.B. 1283, pp. 9-22. 1925.
      fertilizer experiments in Virgin Islands. Vir. Is. A.R., 1924, p. 10. 1925.
      fertilizing, transplanting, irrigation, and varieties. F.B. 354, pp. 12, 15, 20, 29, 30-32. 1909.
      grades. D.B. 1283, pp. 54-55. 1925.
      growing—
         and yield in southwest Texas. Soil Sur. Adv. Sh., 1911, pp. 23, 24, 25, 31, 32, 75, 92, 96, 106. 1912; Soils F.O., pp. 1192, 1193, 1199, 1200-1201, 1205, 1248, 1258, 1260, 1264, 1265, 1267, 1274, 1285. 1914.
         in Georgia, Glynn County, yield. Soil Sur. Adv. Sh., 1911, p. 51. 1912; Soils F.O., 1911, p. 639. 1914.
         in Texas, southwest, yields. Soil Sur. Adv. Sh., 1911, pp. 23-32, 75-106. 1912; Soils F.O., 1911, pp. 1191-1200, 1243-1274. 1914.
      imports, 1914-1922. D.B. 1283, pp. 42-43. 1925.
      in New Mexico, yield under irrigation. O.E.S. Bul. 215, p. 18. 1909.
      industry, location, and value. B.P.I.C.P. and B.I. Cir. 3, pp. 1-2. 1917.
      market news service to growers. News L., vol. 3, No. 37, pp. 1, 2. 1916.
      marketing methods. D.B. 1283, pp. 25-29. 1925.
      recommended for Southwest. F.B. 233, p. 17. 1905.
      seed sources and growing. D.B. 1325, pp. 5-7, 53, 67. 1925.
      seed supply. Y.B., 1917, p. 534. 1918; Y.B. Sep. 757, p. 40. 1918.
      storage, and selection for seed growing. B.P.I.C.P. and B.I. Cir. 3, pp. 2-4. 1917.
      United States grades for. Hartley E. Truax. D.C. 97, pp. 4. 1920.
      varieties. D.B. 1283, p. 5. 1925.
      winter growing. News L., vol. 7, No. 11, p. 2. 1919.
   black mold, description, cause, and control. F.B. 1060, pp. 21-22. 1919.
   boiler grade, description. D.C. 95, p. 4. 1920.
   bulbs—
      inoculation with *Colletotrichum circinans*, results. J.A.R., vol. 24, pp. 1020-1022. 1923.
      parasites, studies and experiments. J.A.R., vol. 30, pp. 181-187. 1925.
      scales, infection with stem rust, experiment. J.A.R., vol. 26, p. 598. 1923.
      selection—
         care, and planting for seed, directions. F B. 434, pp. 6-12. 1911.
         for seed stock. B.P.I.C.P. and B.I. Cir. 3, pp. 3-4. 1917.

Onion(s)—Continued.
  bushel weights, by States. Y.B. 1918, p. 724. 1919; Y.B. Sep. 795, pp. 60, 62. 1919.
  car-lot—
    shipments monthly by States, 1918-1923. S.B. 7, pp. 19-22. 1925.
    unloads, comparison with shipments, 12 markets, 1918-1923. S.B. 7, p. 108. 1925.
  Chinese—
    importations and descriptions. No. 45533, B.P.I. Inv. 53, p. 48. 1922.
    See also Wapato.
  climatic requirements and soils. F.B. 354, pp. 6-8. 1909.
  commercial shipments, various States. News L. vol. 2, No. 19, p. 3. 1914.
  composition and food value, comparison with other foods. D.B. 503, pp. 3, 5, 6, 13-14. 1917.
  cost of production, yield and prices, summary. F.B. 354, p. 36. 1909.
  crop—
    1917, 1918, 1919. Sec. Cir. 142, pp. 17-18. 1919.
    acreage, yield, and production, 1914, estimate, and comparison with 1913. F.B. 645, pp. 11-12. 1914.
    rotations. O.E.S. An. Rpts., 1911, p. 191. 1912.
  cultivation—
    for seed and sets. F.B. 434, pp. 9, 16-17. 1911.
    in Texas, Laredo area. Soil Sur. Adv. Sh. 1906, pp. 9-10. 1908; Soils F.O. 1906, pp. 485-486. 1908.
  cultural—
    directions—
      and varieties. F.B. 934, p. 37. 1918; F.B. 937, pp. 16, 19, 23, 43. 1918; F.B. 1044, pp. 29-30. 1919.
      for home gardens. S.R.S Doc. 49, p. 6. 1917.
    methods. F.B. 354, pp. 8-21. 1909; F.B. 1060, pp. 6, 10-11, 16-18. 1919.
    suggestions for small gardens. F.B. 818, pp. 30-31. 1917.
  culture—
    W. R. Beattie. F.B. 354, pp. 36. 1909.
    experiments, in southern Texas. B.P.I. Doc. 457, pp. 2-3. 1909.
    in Southwest. F.B. 233, pp. 16-18. 1905.
    in Texas, returns, cost. O.E.S. Bul. 158, pp. 351, 405, 483-484. 1905.
  danger from thrips by growing from sets. F.B. 1007, p. 9. 1919.
  Denia, seed production from imported stock. An. Rpts., 1915, p. 153. 1916; B.P.I. Chief Rpt. 1915, p. 11. 1915.
  disease(s)—
    and—
      insect enemies, prevention, treatment. F.B. 1371; pp. 28-29, rev. 1927.
      insect pests, control. D.C. 35, pp. 18-19. 1919.
      their control. J. C. Walker. F.B. 1060, pp. 24. 1919.
    control. F.B. 354; pp. 33-35. 1909; F.B. 384, p. 8. 1910.
    key. F.B. 1060, pp. 3-4. 1919.
    occurring under market, storage, and transit conditions. B.P.I. [Misc.] "Handbook of the * * *," pp. 38-41. 1919.
    resistance, relation of scale pigments. J.A.R. vol. 24, pp. 1027-1033. 1923.
  downy mildew, description, control. F.B. 354, p. 34. 1909.
  dried, cooking recipe. F.B. 841, p. 27. 1917.
  drying directions. D.B. 1335, p. 37. 125; D.C. 3, p. 14. 1919; F.B. 984, p. 51. 1918.
  early, in the Southwest, varieties, cultivation, and yield. F.B. 384, pp. 6-8. 1910.
  emergency crop, overflowed lands. B.P.I. Doc. 756, p. 7. 1912.
  experiments in Nevada, Newlands farm. D.C. 352, p. 11. 1925.
  exports, 1895 to 1914, range, and destination. D.B. 296, p. 40. 1915.
  farming, muck lands, Indiana and Michigan. F.B. 761, pp. 5, 6, 7, 8, 9-11, 14, 15, 16, 17, 18. 1916.
  fertilizer tests. Chem. Bul. 152, pp. 20, 23. 1912; F.B. 354, pp. 11-13. 1909; F.B. 434, pp. 8, 14. 1911; P.R. Bul. 7, p. 43. 1906; Soils Bul. 67, pp. 70-71. 1910.
  flavor for use in cooking. D.B. 123, pp. 22-23. 1916.

Onion(s)—Continued.
  flavored milk. See Milk, onion-flavored.
  flies, description and control. Y.B. 1912, pp. 329-330. 1913; Y.B. Sep. 594, pp. 329-330. 1913.
  food—
    use, composition. F.B. 295, pp. 33, 40. 1907.
    use, Japanese varieties. O.E.S. Bul. 159, p. 35. 1905.
    value comparisons, chart. D.B. 975 p. 12. 1921.
  forecast by States, September 1913. F.B. 558, p. 19. 1913.
  freezing—
    by jarring. D.B. 916, p. 4. 1921.
    points. D.B. 1133, pp. 6, 7, 8. 1923.
  from Canary Island, introduction. B.P.I. Bul. 176, p. 17. 1910.
  Fusarium bulb rot, and relation of environment to development. J. C. Walker and E. C. Tims. J.A.R., vol. 28, pp. 683-694. 1924.
  grading. F.B. 354, p. 28. 1909.
  grass, description, habits, and forage value. D.B. 545, pp. 21-22, 58, 59. 1917.
  growing—
    acreage and States, 1910, and conditions, 1915. Y.B. 1916, pp. 444, 445, 446, 449, 453, 464. 1917; Y.B. Sep. 702, pp. 10, 11, 12, 15, 19, 30. 1917.
    and handling as truck crop. Y.B., 1907, p. 432. 1908; Y.B. Sep. 459, p. 432. 1908.
    and yield, Pajaro-Valley, California. Soil Sur. Adv. Sh., 1908, pp. 11, 28. 1910; Soils F.O., 1908, pp. 1337, 1354. 1911.
    contest, rules, blanks, and score cards. O.E.S. Bul. 255, pp. 20-22. 1913.
    cost with and without irrigation and fertilizers. F.B. 233, pp. 17-18. 1905.
    cultural practices, relation to diseases. F.B. 1060, pp. 15-23. 1919.
    directions and varieties recommended for home gardens. F.B. 936, pp. 47-48. 1918.
    experiments—
      Guam. Guam A.R., 1911, pp. 13-14. 1912.
      in New Mexico. O.E.S. An. Rpt., 1911, p. 160. 1912.
      with daylight of different lengths. J.A.R., vol. 23, pp. 890-891, 911. 1923.
    for truck, in Nevada, cost, varieties, planting, and irrigating. B.P.I. Cir. 113, pp. 18-20. 1913.
    hints to grower. F.B. 1007, p. 16. 1919.
    in—
      Alaska, 1920. Alaska A.R., 1920, pp. 19, 65, 66. 1922.
      Alaska, Sitka station. Alaska A.R., 1910, p. 18. 1911.
      Arizona, Yuma experiment farm, varieties and yields. W.I.A. Cir., 25, p. 42. 1919.
      California, Yuma experiment farm, varieties, W.I.A. Cir., 12, p. 20. 1916.
      Colorado, Uncompahgre Valley area. Soil Sur. Adv. Sh., 1910, pp. 46, 47. 1912; Soils F.O., 1910, pp. 1484, 1485. 1912.
      Florida, Fort Lauderdale area. Soil Sur. Adv. Sh., 1915, pp. 32, 46. 1915; Soils F.O., 1915, pp. 778, 792. 1919.
      Guam, cultural directions. Guam Bul. 2 pp. 12, 44-45. 1922; Guam Cir. 2, p. 10, 1921.
      Hawaii, experiments. Hawaii A.R. 1912, pp. 10, 43, 44. 1914.
      Indiana, Starke County, details. Soil Sur. Adv. Sh., 1915, pp. 12-13, 15-16, 36. 1917; Soils F.O., 1915, pp. 1392-1393, 1395, 1397, 1421. 1919.
      Iowa, Scott County. Soil Sur. Adv. Sh., 1915, pp. 11, 14, 32, 35. 1917; Soils F.O., 1915, pp. 1713, 1716, 1734, 1743. 1919.
      Kentucky, labor, seasonal requirements. D.B. 678, p. 9. 1918.
      Nevada, for home garden, varieties. B.P.I. Cir. 110, p. 23. 1913.
      New Jersey, Millville area. Soil Sur. Adv. Sh., 1917, pp. 15, 18, 28, 31. 1921; Soils F.O. 1917, pp. 203, 206, 216, 219. 1923.
      New Mexico-Texas, Mesilla Valley, varieties and yields. Soil Sur. Adv. Sh., 1912, pp. 13-14. 1914; Soils F.O., 1912, pp. 2019-2020. 1915.
      New Mexico, varieties adapted. N.A. Fauna 35, p. 24. 1913.

Onion(s)—Continued.
 growing—continued.
  in—continued.
   New York, Wayne County. Soil Sur. Adv.
    Sh., 1919, pp. 284, 344. 1923; Soils F.O.,
    1919, pp. 284, 344. 1925.
   North Carolina, New Hanover County. Soil
    Sur. Adv. Sh., 1906, p. 35. 1906; Soils F.O.,
    1906, p. 275. 1908.
   Ohio, Portage County, varieties and yields.
    Soil Sur. Adv. Sh., 1914, pp. 12, 13, 42. 1916;
    Soils F.O., 1914, pp. 1512-1514, 1542. 1919.
   Southwest. F.B. 233, pp. 16-18. 1905.
   Texas, south-central, localities and yields.
    Soil Sur. Adv. Sh., 1913, pp. 30, 41, 107.
    1915; Soils F.O., 1913, pp. 1096, 1099, 1170.
    1916.
   Virgin Islands. Vir. Is. A.R., 1922, p. 8. 1923.
   Virginia, Accomac and Northampton Counties. Soil Sur. Adv. Sh., 1917, pp. 21, 28,
    30, 46. 1920; Soils F.O., 1917, pp. 367, 374,
    376, 392. 1923.
   Virginia trucking districts. D.B. 1005, pp.
    43, 44, 53-63, 70. 1922.
  methods—
   and varieties. F.B. 647, pp. 18-19. 1915.
   and yield in Corpus Christi area, Texas.
    Soil Sur. Adv. Sh., 1908, pp. 12, 22, 25, 27
    1909; Soils F.O., 1908, pp. 906, 916, 919, 921.
    1911.
   cost and profit. F.B. 149, pp. 25-27. 1902.
   soils, fertilizers, and yields, Erie County, Pa.
    Soil Sur. Adv. Sh., 1910; pp. 17-18. 1911
    Soils F.O., 1910, pp. 158-159. 1912.
  on Clyde soils, yields. D.B. 141, pp. 22, 41, 43,
   57. 1914.
  under irrigation—
   cost and yield. O.E.S. Bul. 222, pp. 61, 62,
    87. 1910.
   in Columbia River Valley. B.P.I. Cir. 60,
    p. 18. 1910.
   varieties and yields, Yuma experiment farm.
    D.C., 75, pp. 54-56. 1920.
  yield and freight rates, south Texas. Soil Sur.
   Adv. Sh., 1909, pp. 11, 45, 52, 55, 58, 71, 84, 88,
   89-90. 1910; Soils F.O., 1909, pp. 1035, 1069,
   1076, 1079, 1082, 1095, 1108, 1112, 1113-1114.
   1912.
 growth, effect of soil sterilization, Hawaii. Hawaii A.R., 1915, p. 38. 1916.
 harvesting, curing and storage. F.B. 354, pp. 21-27, 31. 1909.
 harvesting, notes. F.B. 384, p. 8. 1910.
 Hawaiian, shipping to San Francisco. Y.B. 1915, p. 143. 1916; Y.B. Sep. 663, p. 143. 1916.
 home garden, cultural hints. F.B. 255, p. 37. 1906.
 importation and description. No. 55443, B.P.I. Inv. 71, p. 43. 1923.
 importations by Bureau of Plant Industry. B.P.I. Bul. 223, p. 31. 1911.
 imports—
  1897 and 1914, amount and source. D.B. 296, p. 40. 1915.
  1907-1909, quantity and value, by countries from which consigned. Stat. Bul. 82, pp. 60-61. 1910.
  and exports—
   1907-1911, and 1897-1911. Y.B., 1911, pp. 667, 676, 687. 1912; Y.B. Sep. 588, pp. 667, 676, 687. 1912.
   1908-1912 and 1897-1912. Y.B., 1912, pp. 725, 735, 745. 1913; Y.B. Sep. 615, pp. 725, 735, 745. 1913.
   1913-1915 and 1852-1915. Y.B., 1915, pp. 547, 553, 558. 1916; Y.B. Sep. 685, pp. 547, 553, 558. 1916.
   1914-1916 and 1852-1916. Y.B., 1916, pp. 714, 720, 727. 1917; Y.B. Sep. 722, pp. 8, 14, 21. 1917.
  sources. D.B. 1325, pp. 52-55, 67-68. 1925.
  statistics, 1921. Y.B., 1921, pp. 741, 754, 767. 1922; Y.B. Sep. 867, pp. 5, 20, 31. 1922.
 infestation with maggots, danger from manure. Y.B., 1912, p. 331. 1913; Y.B. Sep. 594, p. 331. 1913.
 insect(s)—
  and diseases attacking. F.B. 856, pp. 50-52. 1917.

Onion(s)—Continued.
 insect(s)—continued.
  control. F.B. 354, p. 35. 1909; F.B. 434, pp. 23-24. 1911.
  enemies, control investigations. An. Rpts., 1913, p. 218. 1914; Ent. A.R., 1913, p. 10. 1913.
  injurious. F. H. Chittenden. Y.B., 1912, pp. 319-334. 1913; Y.B. Sep. 594, pp. 319-334. 1913.
  pests, list. Sec. [Misc.], "A manual * * * insects * * *," pp. 157-158. 1917.
 irrigated and unirrigated, yields. O.E.S. Bul. 209, p. 66. 1909.
 irrigation—
  F.B. 354, pp. 20-21. 1909.
  experiments in Oregon. O.E.S. Cir. 78, p. 18. 1908.
  in humid region. Y.B., 1911, p. 313. 1912; Y.B. Sep. 570, p. 313. 1912.
 juice—
  extracted from succulent scales, studies of toxicity. J.C. Walker and others. J.A.R., vol. 30, pp. 175-187. 1925.
  relation to fungus of onion smudge. J.A.R., vol. 24, pp. 1023-1024. 1923.
  use as flavoring in meat dishes. F.B. 391, p. 37. 1910.
 leaf mold, cause, and description. F.B. 1060, p. 12. 1919.
 maggot—
  classification. Ent. T.B. 22, p. 34. 1912.
  control. F.B. 354, p. 35. 1909; F.B. 434, p. 23. 1911.
  habits and control. D.C. 35, p. 19. 1919.
  imported, description—
   and control. Ent. Cir. 63, pp. 6-7. 1905; F.B. 856, pp. 8, 28, 51. 1917.
   and life history. Y.B., 1912, pp. 327-329. 1913; Y.B. Sep. 594, pp. 327-329. 1913.
 market—
  reports from Laredo, Tex. Off. Rec., vol. 1, No. 10, p. 4. 1922.
  statistics, 1919 and 1920. D.B. 982, pp. 220-221, 233-234, 243-250, 256, 264-266. 1921.
  wholesale, features. D.B. 1325, pp. 59-60. 1925.
 marketing—
  Alexander E. Cance and George B. Fiske. D.B. 1325, pp. 71. 1925.
  bibliography. M.C. 35, p. 42. 1925.
  methods. Rpt. 98, pp. 163-164. 1913.
  maturity, relation of mycelial neck rot. J.A.R., vol. 30, pp. 366-367. 1925.
 mildew—
  description, cause, and control. F.B. 1060, pp. 9-12. 1919.
  symptoms and control by Bordeaux spraying. F.B. 856, p. 52. 1917.
 mountain, description, habits, and forage value. D.B. 545, pp. 38-39, 58, 59. 1917.
 multiplier, description, propagation, and use. F.B. 354, p. 30. 1909.
 mycelial neck rot, control by artificial curing. J. C. Walker. J.A.R., vol. 30, pp. 365-373. 1925.
 neck-rot, description, cause, and control. F.B. 1060, pp. 18-20. 1919.
 new varieties, description. B.P.I. Bul. 208, pp. 28-29, 40. 1911.
 northern-grown, United States grades. Hartley E. Truax. D.C. 95, pp. 4. 1920.
 Persian, importation and description. No. 41056, B.P.I. Inv. 44, p. 34. 1918.
 pickled, directions. S.R.S. Doc. 22, p. 15. 1916; rev., p. 16. 1919.
 pink root, description and cause. F.B. 1060, pp. 13-14. 1919.
 planting, directions for club members. D.C. 48, p. 9. 1919.
 pot culture, in manganiferous soils, notes. Hawaii Bul. 26, pp. 27, 34. 1912.
 potato, description, propagation, and use. F.B. 354, p. 30. 1909.
 preparation for table, lesson. D.B. 123, pp. 20-24. 1916.
 prices—
  1910-1918. Y.B., 1918, p. 710. 1919; Y.B. Sep. 795, p. 46. 1919.

Onion(s)—Continued.
prices—continued.
farm and market. Y.B., 1924, pp. 702, 703. 1925.
variations, 1907–1915. F.B. 761, pp. 19, 20. 1916.
production and consumption, 1908. F.B. 354, p. 5. 1909.
propagation methods. F.B. 354, pp. 14–17. 1909.
raw, in diet as control measure for worms in dog test. M. C. Hall and others. J.A.R., vol. 30, pp. 155–159. 1925.
resistance to alkali. Soils Bul. 35, p. 41, 1906.
root-knot, description, cause, and control. F.B. 1060, pp. 14–15. 1919.
root maggots, description and control. Y.B., 1912, pp. 326–332. 1913; Y.B. Sep. 594, pp. 326–332. 1913.
sap acidity, relation to fungus of smudge. J.A.R., vol. 24, pp. 1033–1036. 1923.
sauce, recipe, use with mutton. F.B. 1172, p. 26. 1920.
scale pigmentation, relation to disease resistance. J. C. Walker and Carl C. Lindegren. J.A.R., vol. 29, pp. 507–514. 1924.
seed—
and sets, growing, localities, acreage, yield, production, and consumption. Y.B., 1918, pp. 203, 206, 207. 1919; Y.B. Sep. 775, pp. 11, 14, 15. 1919.
and sets, home production. W. R. Beattie. F.B. 434, pp. 24. 1911.
Bermuda—
American-grown, superiority over imported, production in Arizona, and price. News L., vol. 5, No. 28, p. 4. 1918.
growing in southwestern United States. S. C. Mason. B.P.I.C.P. and B.I. Cir. 3, pp. 6. 1917.
germination temperatures. J.A.R. vol. 23, pp. 322, 326, 328, 329. 1923.
growing and saving, directions. F.B. 1390, pp. 9–10. 1924.
planting—
directions and quantity per acre. F.B. 354, p. 14. 1909.
for set production, directions. F.B. 434, pp. 14–16. 1911.
production—
in California, management. D.B. 1325, p. 4. 1925.
tests, varieties, and yields, Yuma experiment farm, 1916. B.P.I.W.I.A. Cir. 20, pp. 39–40. 1918.
quantity to sow per acre for sets or mixed onions. F.B. 434, p. 15. 1911.
saving. F.B. 884, pp. 11–12. 1917.
yield per acre. F.B. 434, p. 11. 1911.
seedlings—
planting directions. F.B. 354, pp. 15–16. 1909.
susceptibility of varieties to smudge. J.A.R., vol. 24, p. 1022. 1923.
sets—
growing and saving, directions. F.B. 1390, p. 10. 1924.
planting directions. F.B. 354, p. 17. 1909.
seed, production. F.B. 434, pp. 11–12. 1911.
soil preparation, seed planting, cultivation, harvesting, and curing. F.B. 434, pp. 12–22. 1911.
shipments by States, and by stations, 1916. D.B. 667, pp. 11, 159–165. 1918.
smudge—
J. C. Walker. J.A.R., vol. 20, pp. 685–722. 1921.
description, cause, and control. F.B. 1060, pp. 22–23. 1919.
resistance by varieties. J. C. Walker. J.A.R. vol. 24, pp. 1019–1040. 1923.
smut—
description and control. D.C. 35, pp. 18–19. 1919; F. B. 354, pp. 33–34. 1909; F.B. 434, pp. 22–23. 1911; F.B. 1060, pp. 4–9. 1919.
infection—
experiments. J.A.R., vol. 31, pp. 282–283. 1925.
relation of soil temperature and other factors to. J. C. Walker and L. R. Jones. J.A.R., vol. 22, pp. 235–262. 1921.

Onion(s)—Continued.
smut—continued.
symptoms and control by formaldehyde. F.B. 856, p. 52. 1917.
soft-rot, description, cause, and control. F.B. 1060, pp. 20–21. 1919.
soils in Connecticut Valley. D.B.-140, p. 42. 1915.
soup, recipe. News L., vol. 4, No. 40, p. 11. 1917.
Spanish, introduction and growing. D.B. 1325, p. 4. 1925.
Spanish, preparation for table. D.B. 123, p. 23. 1916.
species, nativity, use for food. O.E.S. Bul. 245, pp. 33–38, 56. 1912.
spraying—
calendar. S.R.S. Doc. 52, p. 8. 1917.
for thrips, formulas and directions. Y.B., 1912, pp. 323–326. 1913; Y.B. Sep. 594, pp. 323–326. 1913.
spring, uses. News L., vol. 3, No. 44, p. 2. 1916.
statistics, receipts and shipments at trade centers. Rpt. 98, pp. 360–361. 1913.
storage—
for home use. F.B. 879, p. 20. 1917.
handling, curing, temperature, and storage period. D.B. 729, pp. 5–6. 1918.
methods. News L., vol. 4, No. 51, p. 8. 1917.
relation of temperature to rot development. J.A.R., vol. 28, No. 7, pp. 691–692, 693. 1924.
summary of classes, handling. D.B. 1325, pp. 56–68. 1925.
susceptibility of varieties and species of Allium to Urocystis cepulae. P. J. Anderson. J.A.R., vol. 31, pp. 275–286. 1925.
thrips—
causes, control. F.B. 354, p. 35. 1909.
control—
F.H. Chittenden. F.B. 1007, pp. 16. 1919.
by nicotine dust. F.B. 1282, pp. 19–20. 1922.
experiments. An. Rpts., 1912, pp. 642–643. 1913; Ent. A.R., 1912, pp. 30–31. 1912.
methods. News L., vol. 6, No. 31, p. 10. 1919.
on carnations. Ent. A.R., 1921, p. 23. 1921.
description—
and distribution. F.B. 1007, pp. 1–4. 1919.
habits, food plants, and control. Y.B., 1912, pp. 319–326. 1913; Y.B. Sep. 594, pp. 319–326. 1913.
destruction by rain storms. F.B. 1007, p. 7. 1919.
dusting with nicotine sulphate, cost. D.C. 154, pp. 9–11. 1921.
history, habits, food plants, and control. F.B. 1007, pp. 4–15. 1919.
injuries—
and control. D.C. 35, p. 19. 1919; F.B. 434, pp. 23–24. 1911.
to crops, in Texas. An. Rpts., 1910, p. 533. 1911; Ent. A. R., 1910, p. 29. 1910.
to vegetables, and control. F.B. 856, pp. 19, 51. 1917.
relations of parasite, Thripoctenus russelli. Ent. T.B. 23, pt. 2, pp. 37, 38, 41. 1912.
tillage methods, tools, and wages. F.B. 354, pp. 17–19. 1909.
"top" or "tree," description, planting for early spring onions. F.B. 434, p. 21. 1911.
topping, increase of neck rot. J.A.R., vol. 30, pp. 367–368. 1925.
tree or top, description and use. F.B. 354, p. 30. 1909.
U. S. grade, adoption by Massachusetts. Off. Rec., vol. 1, No. 37, p. 5. 1922.
value, 1917. News L., vol. 5, No. 35, p. 6. 1918.
varietal resistance to smudge. J. C. Walker. J.A.R., vol. 24, pp. 1019–1040. 1923.
varieties—
adaptability to Truckee-Carson project. B.P.I. Cir. 78, p. 16. 1911.
edible, use and value as food. D.B. 123, pp. 20–24. 1916.
important commercial. F.B. 354, pp. 29–30. 1909.
importations. Nos. 36811, 36812, B.P.I. Inv. 37, p. 68. 1916.
susceptibility to rots in storage. F.B. 1060, pp. 17–18. 1919.

Onion(s)—Continued.
varieties—continued.
testing—
for susceptibility to smudge. J.A.R., vol. 24, pp. 1021, 1022. 1923.
in Southwest. F.B. 384, p. 8. 1910.
tests—
in Nevada, Fallon, and fertilizer tests. W.I.A. Cir. 13, pp. 11–12. 1916.
Truckee-Carson project, 1917. W.I.A. Cir. 23, pp. 12–13. 1918.
white, blight caused by thrips. Y.B., 1912, p. 320. 1913; Y.B. Sep. 1912, p. 320. 1913.
wild—
J. S. Cates and H. R. Cox. B.P.I. Doc. 416, pp. 6. 1908.
characters. News L., vol. 2, No. 40, p. 3. 1915.
description, distribution, spread, and injured products. F.B. 660, p. 29. 1915.
distribution, description, growth habits, and eradication methods. F.B. 610, pp. 1–7, 8. 1914.
eradication methods. H. R. Cox. F.B. 610, pp. 8. 1914; News L., vol. 1, No. 37, pp. 2–3. 1914.
fall destruction, necessity and method. News L., vol. 3, No. 15, p. 5. 1915.
forage value on mountain grazing lands. For. Cir. 169, pp. 12, 13. 1909.
habits, distribution, control methods. News L., vol. 3, No. 44, pp. 1–2. 1916.
injuries to—
grain and pastures, eradication methods. News L., vol. 4, No. 41, pp. 6–7. 1917.
milk and eradication methods. News L., vol. 4, No. 28, pp. 1–2. 1917.
pastures and wheat fields, control methods. News L., vol. 4, No. 28, pp. 1–2. 1917.
rye, control. F.B. 756, pp. 14–15. 1916.
wheat, control methods. News L., vol. 1, No. 37, p. 3. 1914.
wheat products and dairy products. F.B. 610, pp. 1, 7–8. 1914.
seed description. F.B. 1411, p. 11. 1924.
See also Garlic; Potato, delta.
with tops, creamed, recipe. U.S. Food Leaf. 16, p. 4. 1918.
yield under irrigation, Organ. O.E.S. Bul. 226, p. 58. 1910.
Onobrychis vulgaris. See Sainfoin.
Ononis antiquorum, importation and description. No. 29334, B.P.I. Bul. 233, p. 12. 1912.
Onoseris salicifolia, importation and description. Nos. 53178, 53756, B.P.I. Inv. 67, pp. 34, 86. 1923.
Ontario—
emmer and spelt growing, experiments. D.B. 1197, pp. 27–29. 1924.
farmers' institutes, work—
1901. O.E.S. Bul. 110, p. 32. 1902.
1902. O.E.S. Bul. 120, p. 26. 1902.
1907. O.E.S. Bul. 199, pp. 24–25. 1908.
Fruit Growers' Association, premiums offered for curculio. Ent. Bul. 103, p. 168. 1912.
fur animals, laws—
1915. F.B. 706, p. 23. 1916.
1916. F.B. 783, pp. 3, 24, 28. 1916.
1917. F.B. 911, pp. 27, 31. 1917.
1918. F.B. 1022. pp. 27. 1918.
1919. F.B. 1079, p. 29. 1919.
1920. F.B. 1165, p. 28. 1920.
1921. F.B. 1238, p. 28. 1921.
1922. F.B. 1293, p. 26. 1922.
1923–24. F.B. 1387, p. 29. 1923.
1924–25. F.B. 1445, p. 21. 1924.
1925–26. F.B. 1469, p. 25. 1925.
game—
laws—
1902. F.B. 160, pp. 26, 35, 43, 46, 52, 54. 1902.
1903. F.B. 180, pp. 17, 26, 40, 44, 46. 1903.
1904. F.B. 207, pp. 27, 37, 41, 45, 47, 52. 1904.
1905. F.B. 230, pp. 13, 34, 40, 48. 1905.
1906. F.B. 265, pp. 24, 33, 39, 48. 1906.
1907. F.B. 308, pp. 9, 23, 32, 39, 48. 1907.
1908. F.B. 336, pp. 26, 36, 42, 46, 54. 1908.
1909. F.B. 376, pp. 6, 15, 31, 37, 41, 44. 1909.
1910. F.B. 418, pp. 5, 9, 24, 30, 34, 37, 39, 46. 1910.
1911. F.B. 470, pp. 15, 28, 35, 42. 1911.
1912. F.B. 510, pp. 24, 31, 36, 39. 1912.

Ontario—Continued.
game—continued.
laws—continued.
1913. D.B. 22, pp. 18, 35, 42, 47, 50, 59. 1913; rev., pp. 35–36, 42, 47, 50, 59. 1913.
1914. F.B. 628, pp. 3, 4, 7, 27, 35, 36, 39. 40, 41, 43, 44, 45, 54. 1914.
1915. F.B. 692, pp. 37, 44, 49, 53. 1915.
1916. F.B. 774, pp. 12, 35, 42, 48, 53, 62. 1916.
1917. F.B. 910, pp. 44, 57. 1917.
1918. F.B. 1010, pp. 41, 50. 1918.
1919. F.B. 1077, pp. 45, 61. 1919.
1920. F.B. 1138, p. 49. 1920.
1921. F.B. 1235, pp. 51. 1921.
1922. F.B. 1288, pp. 48, 56. 1922.
1923–24. F.B. 1375, pp. 45, 51. 1923.
1924–25. F.B. 1444, pp. 33, 38. 1924.
1925–26. F.B. 1466, pp. 40, 46. 1925.
agency for enforcement. Biol. Bul. 12, rev., p. 65. 1902.
officials, organizations, and publications. Biol. Cir. 65, pp. 8, 13. 1908.
protection officials and publications. D.C. 242, p. 12. 1922.
hunting laws. Biol. Bul. 19, pp. 15, 18, 23, 29, 30, 58, 60, 62. 1904.
laws against Sunday shooting. Biol. Bul. 12, rev., p. 64. 1902.
legislation protecting birds. Biol. Bul. 12, rev., pp. 18, 32, 34, 36, 37, 42, 44, 46, 47, 50, 131–132. 1902.
Onychomys spp. See Mouse.
Onyx marble. See Travertine.
Oomycetes, cause of damping-off of conifer seedlings. J.A.R., vol. 15, pp. 522, 530. 1918.
Oospora—
lactis parasitica, morphology, effects, distribution, and control. J.A.R. vol. 24, pp. 895–906. 1923.
pustulans, relation to potato skinspot. J.A.R. vol. 23, pp. 286, 287, 290–293. 1923.
scabies—
cause of potato scab. B.P.I. Cir. 23, p. 8. 1909; B.P.I. Bul. 245, p. 18. 1912; D.B. 6, p. 8. 1913.
potato disease, comparison with powdery-scab dry-rot. J.A.R. vol. 7, p. 242. 1916.
See also Potato scab.
Oospores, Phytophora, measurement and development. J.A.R., vol. 8, pp. 257–265, 268, 269. 1917.
Ootetrastichus sp., parasite of Figi sugar-cane leafhopper, introduction into Hawaii. Ent. Bul. 93, pp. 30, 31, 32. 1911.
Opal, origin, classification, and description. Rds. Bul. 37, pp. 13, 23. 1911.
Opatrimus notus, boll-weevil enemy. Ent. Bul. 114, p. 138. 1912.
Open seasons—
wild birds, State laws, general conditions. Y.B., 1918, pp. 304–305, 311, 312. 1919; Y. B. Sep. 785, pp. 4–5, 11, 12. 1919.
See also Game laws.
Open-tank treatment—
of posts, cost. F.B. 320, p. 21. 1908.
use in preservation of mine timbers. For. Bul. 107, pp. 9, 10, 12. 1912.
Operations, surgical. William Herbert Lowe and William Dickson. B.A.I. [Misc.], "Diseases of cattle," rev., pp. 285–303. 1904; rev., pp. 285–303 1908; rev., pp. 295–314. 1912; rev., pp. 289–302. 1923.
Operculina tuberosa, importations and descriptions. No. 36842, B.P.I. Inv. 37, p. 72. 1916; No. 41949, B.P.I. Inv. 46, p. 38. 1919; No. 43385, B.P.I. Inv. 48, p. 49. 1921; No. 43778, B.P.I. Inv. 49, p. 76. 1921; No. 45888, B.P.I. Inv. 54, p. 35. 1922.
Ophiobolus—
cariceti—
cause of "take-all" disease of wheat. J.A.R., vol. 25, pp. 351–358. 1923.
pathogenicity in relationship to weakened plants. H. R. Rosen and J. A. Elliott. J.A.R., vol. 25, pp. 351–358. 1913.
graminis—
cause of take-all disease of wheat. J.A.R., vol. 23, p. 771. 1923.
study. D.B. 1347, pp. 3–17, 32, 33, 35, 36. 1925.
See also Take-all disease.
herpotrichus, cause of foot-rot in Germany. D.B. 1347, p. 33. 1925.

Ophiomegistus spp., description and habits. Rpt. 108, p. 87. 1915.
Ophion bilineata, destruction by birds. Biol. Bul. 15, p. 47. 1901.
Ophionyssus spp. description. Rpt. 108, p. 78. 1915.
Ophiopogon—
  intermedius, importation and description. No. 47743, B.P.I. Inv. 59, p. 54. 1922.
  japonicus, importation and uses. No. 41923, B.P.I. Inv. 46, p. 34. 1919.
  spp., importations and description. Nos. 38781, 38839, 39028, B.P.I. Inv. 40, pp. 28, 30, 61. 1917.
Ophthalmia—
  external, horse, causes, symptoms, and treatment. B.A.I. [Misc.], "Diseases of the horse," rev., pp. 262–264. 1903; rev., pp. 262–264. 1907; rev., pp. 262–264. 1911; rev., pp. 285–288. 1923.
  in cattle. M. R. Trumbower. B.A.I. Cir. 65, pp. 2. 1905; B.A.I. Doc. A–14, pp. 2. 1917.
  in sheep, treatment. F.B. 1155, p. 25. 1921.
Ophthalmic—
  and intradermic tests for glanders. B.A.I. Doc. A–35, pp. 13. 1919.
  mallein for diagnosis of glanders. John R. Mohler and Adolph Eichorn. D.B. 166, pp. 11. 1915.
test(s)—
  vaccinated horses. D.B. 70, pp. 7–8. 1914.
  with mallein for glanders, directions, etc. B.A.I. An. Rpt., 1910, pp. 354, 355. 1912; B.A.I. Cir. 191, pp. 354, 355. 1912.
  with tuberculin, process and indications. F.B. 1069, pp. 16–18. 1919.
Ophyra spp., dispersion by flight. J.A.R., vol. 21, pp. 736–766. 1921.
Opisthorchis spp., spread by dogs. D.B. 260, p. 23. 1915.
Opium—
  alkaloids, reactions, comparison with strychnine. Chem. Bul. 150, pp. 37, 40. 1912.
  assays, comparison of methods. Chem. Bul. 99, pp. 164–170. 1906.
  consumption in United States, increase. F.B. 393, p. 3. 1910.
  crude, imports—
    1901–1924. Y.B., 1924, p. 1076. 1925.
    1907–1909, quantity and value, by countries from which consigned. Stat. Bul. 82, p. 53. 1910.
  danger in use. F.B. 393, pp. 5–6, 9. 1910.
  deodorized, tincture, adulteration and misbranding. Chem. N.J. 2367, pp. 2. 1913.
  derivatives and preparations, amendment to Regulation 28. F.I.D. 112, p. 2. 1910.
  determination of morphine, directions and results. Chem. Bul. 90, pp. 142–150. 1905; Chem. Bul. 105, pp. 128, 132–134. 1907; Chem. Bul. 137, pp. 188–189. 1911.
  importation—
    by Chinese, prohibited, Federal law. Chem. Bul. 98, rev., Pt. I, pp. 24–25. 1909.
    law and amendment. Off. Rec. vol. 1, No. 20, p. 1–2. 1922.
    prohibition, act. Off. Rec. vol. 1, No. 26, p. 2. 1922.
  imports—
    1903–1907. Y.B., 1907, p. 744. 1908; Y.B. Sep. 465, p. 744. 1908.
    1906–1910 and 1851–1910. Y.B., 1910, pp. 662, 681–682. 1911; Y.B. Sep. 553, pp. 662, 681–682, 1911; Y.B. Sep. 554, pp. 662, 681–682. 1911.
    1908–1910, quantity and value, by countries from which consigned. Stat. Bul. 90, p. 57. 1911.
    1908–1912, and 1851–1912. Y.B., 1912, pp. 723, 744. 1913; Y.B. Sep. 615, pp. 723, 744. 1913.
    1911–1913, and 1852–1913. Y.B., 1913, pp. 499, 511. 1914; Y.B. Sep. 361, pp. 499, 511. 1914.
    1913–1915 and 1852–1915. Y.B., 1915, pp. 546, 559, 574. 1916; Y.B. Sep. 685, pp. 546, 559, 574. 1916.
    1916. Y.B., 1916, pp. 713, 722, 741. 1917; Y.B. Sep. 722, pp. 7, 16, 35. 1917.
    1919. Y.B., 1919, pp. 688, 703, 720. 1920; Y.B. Sep. 829, pp. 688, 703, 720. 1920.
    1919–1921 and 1852–1921. Y.B., 1922, pp. 953, 961, 966, 980. 1923; Y.B. Sep. 880, pp. 953, 961, 966, 980. 1923.

Opium—Continued.
  imports—continued.
    and countries of origin, 1912–1914, 1907–1914. Y.B., 1914, pp. 657, 686. 1915; Y.B. Sep. 657, pp. 657, 686. 1915.
  poisoning, cattle, treatment. B.A.I. [Misc.], "Diseases of cattle," rev., pp. 64–65. 1912; rev., pp. 61–62. 1923.
  preparations, use in manufacture of other preparations, statement on label, F.I.D. 55. F.I.D. 54–49, p. 2. 1907.
  prescription laws, State and Federal Chem. Bul. 98, pp. 45, 159, 185, 208. 1906.
  sale, laws, Federal and State. Chem. Bul. 98, rev., Pt. I, pp. 24–25, 31, 34, 36, 39, 46, 53, 59, 72, 78, 86–88, 95, 99–101, 108, 120, 135, 144, 153, 160, 167, 176, 186–187, 195, 205, 212, 214, 220–221, 226–227, 232, 239, 245, 247, 258–268, 274, 275, 280, 284, 297, 298, 304–305, 307–308 313–315, 320–321, 333, 338–339. 1909.
  tincture—
    adulteration and misbranding. Chem. N.J. 13785. 1925.
    dedodorized, adulteration. Chem. N.J. 2395, pp. 4. 1913.
  use in—
    pain extractor. Chem. N.J. 3734. 1915.
    Sun cholera mixture. Chem. N.J., 1063, pp. 2. 1911
Opius—
  fletcheri, parasite of the melon fly—
    in Hawaii. H. F. Willard. J.A.R., vol. 20, pp. 423–438. 1920.
    introduction into Hawaii. D.B. 643, p. 26. 1918.
  humilis—
    biology. J.A.R., vol. 15, pp. 432, 440–445, 455–463. 1918.
    parasite of—
      Ceratitis capitata, record, Hawaii, 1917. J.A.R., vol. 14, pp. 606–610. 1918
      fruit fly, introduction and records. J.A.R., vol. 25, pp. 1, 4–7. 1923.
      fruit fly, introduction and value, Hawaii. J.A.R., vol. 12, pp. 104, 106–108, 285–296. 1918.
      Mediterranean fruit fly, description. D.B. 536, pp. 86–87, 92–95, 97–99. 1918.
      record in Hawaii during 1918. J.A.R., vol. 18, pp. 441, 443–445. 1920.
  spp. parasites of—
    Cerodonta dorsalis. D.B. 431, p. 16. 1916.
    corn-leaf miner. J.A.R., vol. 2, p. 29. 1914.
Oplismenus—
  compositus, occurrence in Guam. Guam A.R., 1913, pp. 15, 16. 1914.
  spp., description, distribution, and uses. D.B. 772, pp. 19, 237–238, 239. 1920.
Opossum(s)—
  occurrence in—
    Alabama, description and habits. N.A. Fauna 45, pp. 18–20. 1921.
    Colorado, description. N.A. Fauna 33, pp. 52–53. 1911.
    Texas, description, habits, value. N.A. Fauna 25, pp. 56–58. 1905.
  protection laws, summary. F.B. 911, p. 29. 1917; F.B. 1022, p. 29. 1918.
  trapping directions and casing skins. Y.B., 1919, p. 470. 1920; Y.B. Sep. 823, p. 470. 1920.
OPPERMAN, C. L.—
  "The care of the farm egg." With Harry M. Lamon. B.A.I. Bul. 160, pp. 53. 1913.
  "The improvement of the farm egg." With Harry M. Lamon. B.A.I. Bul. 141, pp. 43. 1911.
Optical identification, alkaloids and other organic compounds. D.B. 679, pp. 11. 1918.
Opulaster—
  intermedius. See Ninebark.
  monogynus, occurrence in Colorado, description. N.A. Fauna 33, p. 232. 1911.
Opuntia—
  allairei, susceptibility to fungus injury. D.B. 31, p. 15. 1913.
  arborescens, synonyms. B.P.I. Bul. 116, p. 8. 1907.
  behavior under cultural conditions. D.B. 31, pp. 1–24 1913.

INDEX TO PUBLICATIONS, 1901-1925   1705

Opuntia—Continued.
  crown-gall inoculation from grape and poplar. B.P.I. Bul. 213, pp. 56, 92. 1911.
  ficus indica—
    behavior under cultural conditions. D.B. 31, pp. 3, 4, 11, 16. 1913.
    importation and description. No. 54689, B.P.I. Inv. 70, p. 7. 1923.
  food of coyotes. Biol. Bul. 20, p. 12. 1905.
  imbricata, characteristics under culture. D.B. 31, pp. 17, 19, 20. 1913.
  insects affecting. Ent. Bul. 113, pp. 1-71. 1912.
  maihuen, importation and description. No. 30496, B.P.I. Bul. 242, p. 14. 1912.
  monocantha, importation and description. No. 44446, B.P.I. Inv. 51, p. 13. 1922.
  spp—
    culture, effects. D.B. 31, pp. 1-24. 1913.
    description and climate adaptation. F.B. 1381, pp. 56-57. 1924.
    greenhouse conditions, effect on growth. D.B. 31, pp. 12-13. 1913.
    propagation and longevity. D.B. 31, pp. 13-16. 1913.
    studies, descriptions. B.P.I. Bul. 116, pp. 42-65. 1907.
  See also Prickly pear.
Orache—
  importation and description. No. 52893, B.P.I. Inv. 67, pp. 9-10. 1923.
  insect pests, list. Sec. [Misc.], "A manual * * * insects * * *," p. 158. 1917.
  occurrence in Colorado, description. N.A. Fauna 33, pp. 228-229, 1911.
ORAHOOD, C. H.: "Soil survey of Montgomery County, Ind." With Grove B. Jones. Soil Sur. Adv. Sh., 1912, pp. 26. 1914; Soils F.O., 1912, pp. 1473-1494. 1915.
Orange(s)—
  acid content, effect of fertilizers. J.A.R., vol. 8, pp. 130-136. 1917.
  acreage, 1910, by States, map. Y.B., 1915, p. 386. 1916; Y.B. Sep. 681, p. 386. 1916.
  adulteration and misbranding. See *Indexes, Notices of Judgment, in bound volumes and in separates published as supplements to Chemistry Service and Regulatory Announcements.*
  Alger navel, description. No. 33279, B.P.I. Inv. 31, pp. 4, 9. 1914.
  aphid, control—
    by natural enemies. F.B. 928, p. 9. 1918.
    on acid lime. Hawaii Bul. 49, p. 11. 1923.
  assorting, methods and apparatus. D.B. 623, pp. 11-12. 1918; D.B. 624, pp. 7-8. 1918.
  Australian navel, description. D.B. 445, p. 15. 1917; Y.B., 1919, pp. 254, 260. 1920; Y.B. Sep. 813, pp. 254, 260. 1920.
  Bahia navel—
    grafting on *Laranja da Terra* stock. B.P.I. Bul. 242, pp. 9, 23. 1912.
    new importation. B.P I Bul. 153, p. 8. 1909.
  Bergamot, importation and description. No. 37779, B.P.I. Inv. 39, p. 40. 1917.
  Berna late, importation and description. No. 35247, B.P.I. Inv. 35, pp. 9, 27. 1915.
  bitter—
    importations and descriptions. Nos. 36636, 36694, 36707, B.P.I. Inv. 37, pp. 5, 43, 51, 54. 1916.
    use as stock for budding navel oranges. D.B. 445, pp. 9, 16. 1917.
  blood, extract, adulteration and misbranding. Chem. N.J. 2243, pp. 1-2. 1913.
  blue-mold decay, description, causes. D.B. 63, pp. 14-17, 27-45. 1914.
  borax as a disinfectant, experiments. J.A.R., vol. 30, pp. 189-192. 1925.
  brushing, methods, and injuries. B.P.I. Bul. 123, pp. 36-37. 1908.
  bud variation study. D.B. 624, pp. 1-120. 1918.
  butter, preparation methods. D.C. 232, p. 13. 1922.
  by-products. Off. Rec., vol. 2, No. 43, p. 6. 1923.
  by-products, production in California. Sec. A.R., 1921, p. 20. 1921.
  California, definition of "immature." Inf. 28, Chem. S.R.A. 11, p. 752. 1915.

Orange(s)—Continued.
  California—
    extent of industry. B.P.I. Bul. 123, pp. 9-11. 1908.
    injury from thrips. Ent. T.B. 12. Pt. VII, pp. 119-120. 1909.
    varieties and time of ripening. Y.B., 1919, p. 249. 1920; Y.B. Sep. 813, p. 249. 1920.
  cherry, African. See Citropsis.
  Chinese, infestation by Mediterranean fruit fly. J.A.R., vol. 3, pp. 313, 315-318, 322. 1915.
  cleaning, results of washing. D.B. 63, pp. 7, 25-29. 1914.
  composition—
    and polarization, analytical data. Chem. Bul. 66, rev., pp. 41, 49, 51. 1905.
    and quality, effect of fertilizers. J.A.R., vol. 8, pp. 127-138. 1917.
    effect of different fertilizers, theories. J.A.R., vol. 8, pp. 127-129. 1917.
  crop, 1903-4. Stat. Bul. 35, pp. 23-24. 1905.
  crop, handling methods, picking, cleaning, and grading. D.B. 63, pp. 4-12, 25-47. 1914.
  crushed, adulteration and misbranding. Chem. N.J. 2422, pp. 2. 1913; Chem. N.J. 2510, pp. 2. 1913.
  Cuban, chemical composition. Chem. Bul, 87, pp. 12-13. 1904.
  cull, utilization—
    and products. Off. Rec., vol. 1, No. 15, p. 1. 1922.
    methods. Y.B. 1923, p. 50. 1924.
  culture in—
    Louisiana, improvement of ant-invaded groves. D.B. 647, pp. 57-60. 1918.
    southern Texas, experiments. F.B. 374, pp. 7-11. 1909.
  Curaçao, misbranding. Chem. N.J. 1247, p. 5. 1912; Chem. N.J. 1511, p. 1. 1912; Chem. N.J. 1521, p. 1. 1912.
  damage by rats. Off. Rec., vol. 4, No. 11, p. 8. 1925.
  decay—
    in transit—
      from California. G. Harold Powell and others. B.P.I. Bul. 123, pp. 79. 1908.
      investigations. An. Rpts., 1908, pp. 62, 363-365. 1909; B.P.I. Bul. 123, pp. 20-71. 1908; B.P.I. Chief Rpt., 1908, pp. 91-93. 1908.
    preventive methods. B.P.I. Bul. 123, pp. 45-46. 1908.
  definition and standard for enforcement of food and drugs act. F.I.D. 182, p. 1. 1921.
  diseases—
    and insects, treatment. Hawaii Bul. 9, pp. 22-27. 1905.
    in Texas, occurrence and description. B.P.I. Bul. 226, pp. 27, 109. 1912.
  dog, injury to citrus fruits, description and control methods. P.R. Bul. 10, p. 10. 1911.
  Dugat, history and description. Y.B., 1910, pp. 430-431. 1911; Y.B. Sep. 549, pp. 430-431. 1911.
  end-rot caused by a new species of Stemphylium. B.P.I. Bul. 171, pp. 13-14. 1910.
  enemy, woolly white fly, life history, description and control. Ent. Bul. 64, Pt. VIII, pp. 65-71. 1910.
  everblooming, importation from Paraguay, Inv. No. 29640. B.P.I. Bul. 233, p. 33. 1912.
  exports—
    1902-1904. Stat. Bul. 36, p. 54. 1905.
    1910, 1915. D.B. 483, p. 7. 1917.
    1922-1924. Y.B., 1924, p. 1043. 1925.
  extract—
    adulteration and misbranding. See *Indexes to Notices of Judgment in bound volumes of Chemistry Service and Regulatory Announcements.*
    manufacture. Y.B., 1908, p. 340. 1909; Y.B. Sep. 485, p. 340. 1909.
  factors determining quality of crop. J.A.R., vol. 28, p. 521. 1924.
  flavoring extract, adulteration and misbranding. Chem. N.J. 661, pp. 5. 1910; Chem. N.J. 1876, pp. 2. 1913; Chem. N.J. 2700, pp. 1-2. 1914; Chem. N.J. 2200, pp. 1-2. 1913.
  Florida—
    decay, experiments on. J. G. Grossenbacher. B.P.I. Cir. 124, pp. 17-28. 1913.

Orange(s)—Continued.
  Florida—Continued.
    decay while in transit and on market. Lloyd S. Tenny and others. B.P.I. Cir. 19, pp. 8. 1908.
    shipment from, successful, factors governing. A. V. Stubenrauch and others. D.B. 63, pp. 50. 1914.
    flowers, use as food flavor. O.E.S. Bul. 245, pp. 49, 50. 1912.
    food of Lewis woodpecker. F.B. 506, p. 11. 1912.
    food value, analysis and comparison with other fruit. D.B. 975, pp. 6, 17. 1921; F.B. 685, p. 21. 1915.
    freezing points. D.B. 1133, pp. 3, 4, 5, 7. 1923.
    freight rates—
      1913 and 1923. Y.B., 1923, p. 1169. 1924; Y.B. Sep. 906, p. 1169. 1924.
      and average carload. D.B. 63, p. 9. 1914.
    frost injuries, and critical temperatures. F.B. 1096, pp. 35, 40–41. 1920.
    frozen, seizure by department. Off. Rec., vol. 1, No. 15, p. 1. 1922.
    fruit-fly infestation. D.B. 134, pp. 4–7. 1914.
    fungous parasites, studies. B.P.I. Bul. 252, pp. 19–22, 26–27. 1913.
    gin, and honey, adulteration and misbranding. Chem. N.J. 2239, pp. 2. 1913.
    grading—
      in Florida, conditions and relation to insect injury. D.B. 645, pp. 4–13. 1918.
      methods in Florida. D.B. 63, pp. 7–8. 1914.
      sizing, and packing. D.B. 1261, pp. 11–12. 1924.
    groves—
      Argentine ant control. J. R. Horton. F.B. 928, pp. 20. 1918.
      Argentine ants, habits and control. D. B. 647, pp. 1–74. 1918; Ent. Bul. 122, pp. 91–96. 1913.
      control of Argentine ant by poisoned sirups and other baits. News L., vol. 5, No. 45, p. 5. 1918.
      in California, effects of mulched-basin irrigation. D.B. 499, pp. 15–28. 1917.
      in Gulf States, culture, fertilization, and frost protection. P. H. Rolfs. F.B. 542, pp. 20. 1913.
      scale, and insect, abundance affected by Argentine ant. D.B. 647, pp. 18–52. 1918.
      soil extracts from mulch, plowsole, and subsoils. J.A.R., vol. 15, pp. 507–509. 1918.
      spraying, formulas and seasons. Ent. Cir. 168, pp. 5–8. 1913.
      growers' receipts in California, 1917–1921. D.B. 1261, pp. 28–30. 1924.
    growing—
      and yield, Modesto-Turlock area, California. Soil Sur. Adv. Sh., 1908, pp. 55–56. 1909; Soils F.O., 1908, pp. 1279–1280. 1911.
      cost and profits. F.B. 1122, pp. 43–44. 1920.
      in Bahia, Brazil, climate, soil, and propagation. D.B. 445, pp. 7–12. 1917.
      in California—
        Anaheim County. Soil Sur. Adv. Sh., 1916, pp. 13–14, 18, 34–59. 1919; Soils F.O., 1916, pp. 2279–80, 2284, 2300–2325. 1921.
        Los Angeles area. Soil Sur. Adv. Sh., 1916, pp. 17–18. 1919; Soils F.O., 1916, pp. 2359–60. 1921.
        Pasadena area. Soil Sur. Adv. Sh., 1915, pp. 11–13, 34. 1917; Soils F. O., 1915, pp. 2321–2323, 2344. 1919.
        Riverside area, methods, varieties, and cost. Soil Sur. Adv., Sh., 1915, pp. 10–12, 63, 64. 1917; Soils F.O., 1915, pp. 2373–2450. 1919.
        San Diego region. Soil Sur. Adv. Sh., 1915, p. 14. 1917; Soils. F.O., 1915, p. 2518. 1919.
        Ventura area. Soil Sur. Adv. Sh., 1917, pp. 18–19, 50, 57, 64, 69. 1920; Soils F.O., 1917, pp. 2334–2335, 2366, 2373, 2380, 2385. 1923.
      in Florida—
        Flagler County. Soil Sur. Adv. Sh., 1918, pp. 9, 11, 21, 27. 1922; Soils F.O., 1918, pp. 539, 541, 551, 557. 1924.

Orange(s)—Continued.
  growing—continued.
    in Florida—continued.
      Hernando County, acreage and varieties. Soil Sur. Adv. Sh., 1914, pp. 10–11, 16. 1915; Soils F.O., 1914, pp. 1051, 1056, 1064. 1919.
      Hillsborough County. Soil Sur. Adv. Sh., 1916, pp. 9–11, 15, 20–31. 1918; Soils F.O., 1916, pp. 756–758, 764–775. 1921.
      Indian River area. Soil Sur. Adv. Sh., 1913, pp. 12–13, 19, 20, 23, 37. 1915; Soils F.O., 1913, pp. 682–683, 689, 690, 693, 707. 1916.
      location, number of trees, and value. F.B. 1122, pp. 11, 12. 1920.
      Ocala area, varieties. Soil Sur. Adv. Sh., 1912, pp. 12–13, 17–18, 49. 1913; Soils F.O., 1912, pp. 676–677, 681–682, 713. 1915.
      Orange County. Soil Sur. Adv. Sh., 1919, pp. 5, 7, 15. 1922; Soils F.O., 1919, pp. 951, 953, 961. 1925.
      Putnam County, varieties. Soil Sur. Adv. Sh., 1914, pp. 12, 22. 1916; Soils F.O., 1914, pp. 1003, 1004, 1036, 1037. 1919.
      St. Johns County. Soil Sur. Adv. Sh., 1917, pp. 9, 11. 1920; Soils F.O., 1917, pp. 669, 671. 1923.
    in—
      Guam, varieties. Guam A.R., 1917, p. 39. 1918.
      Japan. B.P.I. Doc. 457, pp. 6–7. 1909.
      Mississippi, George County. Soil Sur. Adv. Sh., 1922, p. 38. 1925.
      Southwest, development of industry. F.B. 1447, pp. 1–7. 1925.
      Texas, status. B.P.I. Doc. 457, pp. 3–4, 7. 1909.
    growth of tree, effects of different fertilizers. P.R. Bul. 18, pp. 11–13, 20–21. 1915.
    Guam experiments. Guam A.R., 1923, pp. 10–11. 1925.
    groves, protection from insects. An. Rpts., 1910, 117–118. 1911; Rpts. 93, pp. 73–74. 1911; Sec. A.R., 1910, pp. 117–118. 1910; Y.B., 1910, p. 116. 1911.
    handling—
      and shipping in Bahia, methods and cost. D.B. 445, pp. 12–13. 1917.
      effect of precooling. An. Rpts., 1914, p. 124. 1914; B.P.I. Chief Rpts., 1914, p. 24. 1914.
    in—
      field, picking and hauling. F.B. 696, pp. 6–11. 1915.
      packing house, cleaning, drying, grading, and sizing. F.B. 696, pp. 5, 11–23. 1915.
    mechanical injuries, extent. B.P.I. Bul. 123, pp. 23–30. 1908.
    shipping, and storing. Rpt. 87, p. 32. 1908.
    hardy, from Paraguay. Inv. No. 31881, B.P.I. Bul. 248, p. 59. 1912.
    hardy (citranges), new varieties, and descriptions. An. Rpts., 1905, p. 79. 1906; B.P.I. Chief Rpt., 1905, p. 79. 1905.
    "Hart." See Orange, navel.
    harvesting—
      methods and costs. D.B. 1237, pp. 15–17, 37–38. 1924.
      packing, and shipping. F.B. 696, pp. 1–28. 1915.
    hauling, need of good roads. D.B. 63, p. 6. 1914.
    hybrid—
      citrange, history, description. Y.B., 1905, pp. 276–278. 1906; Y.B. Sep. 383, pp. 276–278. 1906.
      new varieties, origin and description. Y.B., 1906, pp. 337–346. 1907; Y.B. Sep. 427, pp. 337–346. 1907.
    Ikiriki, Japan, description. B.P.I.C.P. and B.I. Cir. 5, p. 9. 1918.
    immaturity, definition. Chem. S.R.A. 15, p. 22. 1915; Chem. S.R.A. 16, p. 31. 1916.
    immunity from wither tip. J.A.R., vol. 30, pp. 630–635. 1925.
    importance in Gulf States, and varieties. F.B. 1343, pp. 3, 8, 9, 10, 11–13, 14. 1923.

Orange(s)—Continued.
  importations—
    and descriptions. No. 29629, B.P.I. Bul. 233, p. 32. 1912; Nos. 41713, 41718, 41719, 41955, B.P.I. Inv. 46, pp. 13, 14, 15, 38. 1919; Nos. 43962, 43963, B.P.I. Inv. 49, p. 106. 1921; Nos. 45930, 45932, 45938, 45941, B.P.I. Inv. 54, pp. 43, 44, 45. 1922; No. 51215, B.P.I. Inv. 64, p. 76. 1923; Nos. 51886–51887, B.P.I. Inv. 65, p. 63. 1923; No. 52799, B.P.I. Inv. 66, p. 77. 1923; No. 54651, B.P.I. Inv. 69, pp. 4, 33. 1923; No. 54699, B.P.I. Inv. 70, p. 9. 1923.
    quarantine notice No. 20, with regulations. F.H.B.S.R.A. 42, pp. 79–83. 1917.
  imports—
    1851–1908. Y.B., 1908, p. 776. 1909; Y.B. Sep. 498, p. 776. 1909.
    1901–1924. Y.B., 1924, p. 1077. 1925.
    1903, 1913, decrease with increase of exports. D.B. 296, p. 41. 1915.
    1908–1910, quantity and value, by countries from which consigned. Stat. Bul. 90, p. 43. 1911.
    1907–1909, quantity and value, by countries from which consigned. Stat. Bul. 82, p. 41. 1910.
  and exports—
    1907–1911 and imports, 1895–1911. Y.B., 1911, pp. 662, 672, 687. 1912; Y.B. Sep. 588, pp. 662, 672, 687. 1912.
    1908–1912 and imports, 1895–1912. Y.B., 1912, pp. 719, 731, 746. 1913; Y.B. Sep. 615, pp. 719, 731, 746. 1913.
    1911–1913, and imports, 1852–1913. Y.B., 1913, pp. 497, 504, 512. 1914; Y.B. Sep. 361, pp. 497, 504, 512. 1914.
    1912–1915, and imports, 1897–1915. Y.B. 1915, pp. 544, 560, 567. 1916; Y.B. Sep., 684, pp. 544, 560, 567. 1916.
    1917. Y.B., 1917, pp. 763, 771, 782. 1918; Y.B. Sep. 762, pp. 7, 15, 26. 1918.
    1919–1921, and 1852–1921. Y.B., 1922, pp. 952, 958, 967, 972. 1923; Y.B. Sep. 880, pp. 952, 958, 967, 972. 1923.
    1924. Y.B., 1924, pp. 674–676, 1043, 1077. 1925.
  in—
    Arizona, plantings and industry. F.B. 1447, pp. 5–6. 1925.
    California, crop estimate, 1918. News L., vol. 6, No. 27, p. 24. 1919.
    Cuba—
      description and study. Chem. Bul. 87, pp. 12–13. 1904.
      injury from insects, control methods. P.R. An. Rpt., 1910, pp. 33–34. 1911.
    Mexico, shipment. F.H.B.S.R.A. 9, pp. 79–80. 1914.
    Porto Rico—
      description and uses. D.B. 354, p. 76. 1916.
      handling, shipments, costs, prices, and losses. P.R. An. Rpt., 1910, pp. 27–33. 1921.
    Indian River, use of name. F.I.D. 115, pp. 1–2. 1910.
    industry, in California, origin, location, and history. D.B. 1237, pp. 1–4. 1924.
    infestation with Mediterranean fruit fly. D.B. 536, pp. 17, 24, 29–30, 33. 1918; Ent. Cir. 160, pp. 3–13. 1912; J.A.R., vol. 3, pp. 313–317, 320–324. 1915.
    injury by—
      citrus thrips, nature and extent. D.B. 616, pp. 3–7, 9, 20. 1918.
      katydids in California. J. R. Horton and C. E. Pemberton. D.B. 256, pp. 24. 1915.
      mealybug, prevention. F.B. 862, pp. 1–16. 1917.
      melon fly, in Hawaii. D.B. 491, p. 16. 1917.
      red-bellied woodpecker. Biol. Bul. 37, pp. 48–49. 1911.
      six-spotted mite. F.B. 172, pp. 41–42. 1903.
      southern green plant-bugs. D.B. 689, pp. 13, 14. 1918.
    insect pests, descriptions and lists. Sec. [Misc.], "A manual * * * insects * * *," pp. 15, 55–60, 113–117. 1917.
    irrigation and production, in Pomona Valley, Calif., cost per acre and profits. O.E.S. Bul. 236, pp. 93–94. 1911.

Orange(s)—Continued.
  Jaffa—
    description, value, freedom from seeds and spines. B.P.I. Bul. 180, pp. 25–27. 1910.
    grafting on sweet lime. No. 30620, B.P.I. Bul. 242, pp. 9, 24. 1912.
  Japanese—
    entry restrictions. F.H.B. Quar. 56, p. 4. 1923.
    varieties, description. B.P.I.C.P. and I. B. Cir. 5, pp. 4–10. 1918; H. and P. Cir. 1, pp. 4–5. 1918.
  jessamine, susceptibility to citrus canker. J.A.R., vol. 19, p. 341. 1920.
  juice—
    extraction, sterilization. D.B. 241, pp. 16–17, 19. 1915.
    feeding to infants. B.A.I. Dairy [Misc.], "World's dairy congress, 1923," p. 160. 1924.
    uses and value. D.C. 232, pp. 1–8. 1922.
  Kaffir, importations and descriptions. Nos. 42596, 42903, 42904, B.P.I. Inv. 47, pp. 34, 80. 1920; No. 44019, B.P.I. Inv. 50, pp. 7, 16. 1922.
  keeping quality after arrival in market. B.P.I. Bul. 123, pp. 57–61. 1908.
  kid glove, varieties for the Gulf States, descriptions. F.B. 1122, p. 18. 1920.
  King—
    importation from Japan. No. 46646, B.P.I. Inv. 57, pp. 8, 16. 1922.
    origin and description. Y.B., 1907, pp. 311–313. 1908; Y.B. Sep. 450, pp. 311–313. 1908.
  leaves—
    shoots, roots, and trunks, dry weight and analyses. J.A.R., vol. 24, pp. 807–810. 1923.
    testing for copper after spraying. D.B. 785, p. 6. 1919.
  lime, importations and descriptions. Nos. 37784, 37793, B.P.I. Inv. 39, pp. 10, 41, 43. 1917.
  Lue Gim Gong, new variety, in Florida, description. Hawaii A. R., 1915, pp. 69–70. 1915.
  Lue, new variety, history and description. Y.B., 1913, pp. 121–122. 1914; Y.B. Sep. 618, pp. 121–122. 1914.
  maggot, description. Ent. T.B. 22, pp. 33–34. 1912.
  Mandarin. See Mandarin.
  marketing—
    and propagation in Porto Rico. H. C. Henricksen. P.R. Bul. 4, pp. 24. 1904.
    in Porto Rico. P. R. Bul. 4, pp. 1–24. (Spanish edition.) 1904.
    situation. B.P.I. Doc. 457, pp. 5–6. 1909.
  mite, rust and lemon silver, injury to citrus trees. F.B. 172, pp. 38–41. 1903.
  motle-leaf, relation to nitrogen. J.A.R., vol. 9, pp. 248–250. 1917.
  mottled leaves, composition. J.A.R., vol. 9, pp. 160–163. 1917.
  Nagpur, description. Ent. Bul. 120, p. 47. 1913.
  navel—
    breeding, new methods. An. Rpts., 1908, p. 298. 1909; B.P.I. Chief Rpt., 1908, p. 26. 1908.
    bud variation, studies, in California. D.B. 623, pp. 1–146. 1918.
    buds from unproductive limb, records. J.A.R., vol. 26, pp. 320–322. 1923.
    California, handling, in relation to decay, 1910–11. A. V. Stubenrauch. B.P.I. Doc. 676, pp. 7. 1911.
    composition after different fertilizers. J.A.R., vol. 8, pp. 131, 132, 133, 135. 1917.
    fruit of Bahia, and California, comparison. D.B. 445, pp. 13–15. 1917.
    grading and packing and losses from thrips. F.B. 674, pp. 3–4. 1915.
    industry development. Y.B., 1921, pp. 19–21. 1922; Y.B. Sep. 875, pp. 19–21. 1922.
    introduction—
      and crop value. Y.B., 1916, p. 66. 1917; Y.B. Sep. 698, p. 4. 1917.
      by William Saunders. Y.B., 1900, p. 628. 1901.
      into California, and effect on industry. D.B. 1237, p. 3. 1924.
    mechanical injuries, occurrence. B.P.I. Doc. 676, pp. 2–3. 1911.

Orange(s)—Continued.
  navel—continued.
    of Bahia; with notes on some little-known Brazilian fruits. P. H. Dorsett and others. D.B. 445, pp. 35. 1917.
    origin—
      characteristics, and value. F.B. 1447, pp. 7–8. 1925.
      history, and extension of industry. D.B. 445, pp. 1–6, 12–14. 1917.
    strains of the Washington navel, description and records. D.B. 623, pp. 14–140. 1918.
    study in Brazil and importations. Nos. 36689, 36691, 36692. B.P.I. Inv. 37, pp. 5–6, 43, 50. 1916.
    varieties, description, of industry in Portersville area, California. Soil Sur. Adv. Sh., 1908, pp. 22–23, 27. 1909; Soils F. O., 1908, pp, 1302–1303, 1307. 1911.
  new varieties, description. B.P.I. Bul. 207, pp. 10–11, 47–48, 59. 1911.
  number to the box. D.B. 63, pp. 7–8, 47. 1914.
  oil, examination methods. Chem. Bul. 132, pp. 108–109. 1910; Chem. Bul. 137, pp. 72–73. 1911.
  orchards—
    brown ant (*Solenopsis geminata* Fab.) control. O. W. Barrett. P.R. Cir. 4, pp. 3. 1904.
    cover crops. B.P.I. Bul. 223, p. 7. 1911.
    irrigation, cost in Pomona, California. Y.B., 1907, p. 419. 1908; Y.B. Sep. 458, p. 419. 1908.
    spraying for citrus thrips, experiments. D.B. 616, pp. 29–40. 1918.
  Osage. See Osage orange; *Toxylon pomiferum*.
  packing—
    and shipping—
      experiments, condition of fruit. D.B. 63, pp. 29–42. 1914.
      in California and Florida, work, 1907. An. Rpts., 1907, pp. 289–291. 1908.
      experiments. B.P.I. Cir. 19, pp. 3–4. 1908.
      need of securing uniform condition, proposed method. B.P.I. Bul. 123, pp. 29–30. 1908.
  pectin—
    preparation and use. F.B. 853, pp. 39–40. 1917; F.B. 859, pp. 10, 12. 1917.
    recipe. News L. vol. 5, No. 1, p. 7. 1917.
  peel—
    extract, adulteration and misbranding. Chem. N.J. 3982. 1915.
    pectin extraction, directions. D.C. 254, pp. 3–5. 1923.
  Pera, description. D.B. 445, p. 17. 1917.
  pest(s)—
    Honduras. A. C. Baker. J.A.R., vol. 25, pp. 253–254. 1923.
    Porto Rico. P.R. An. Rpt., 1907, pp. 31–32. 1908.
    Porto Rico, report. P.R. An. Rpt., 1908, pp. 23–26. 1909.
  picking—
    and hauling costs. D.B. 1261, pp. 5–6. 1924.
    methods, implements, and inspection work. D.B. 63, pp. 5–6, 19–24. 1914.
  "pineapple," misbranding. Chem. N. J. 959, p. 2. 1911.
  plantations in Porto Rico, fertilizer experiments. P.R. Bul. 18, pp. 8–27. 1915.
  planting—
    and cultivation, Bahia. D.B. 445, pp. 10–11. 1917.
    fertilizers, irrigation, and protection. F.B. 1343, pp. 19–37. 1923.
    in California, by counties. F.B. 1447, p. 3. 1925.
  pooling in packing house. D.B. 1261, pp. 9–10. 1924.
  precooling experiments. Y.B., 1910, p. 440. 1911; Y.B. Sep. 550, p. 440. 1911.
  precooled, percentage of decay in transit. B.P.I. Bul. 123, pp. 49–50. 1908.
  production—
    and marketing, 1923. Y.B., 1923, pp. 739–740, 741, 742. 1924; Y.B. Sep. 900, pp. 739–740, 741, 742. 1924.
    effect of mulches and relation of humus in mulched basins. Charles A. Jensen. J.A.R., vol. 12, pp. 505–518. 1918.

Orange(s)—Continued.
  production—continued.
    in—
      California, Pomona Valley, yield, price, return per acre, 1906–1911. O.E.S. Bul. 236, rev., pp. 92, 94. 1912.
      China. D.C. 146, p. 4. 1920.
      Florida, 1895, 1909, 1910. D.B. 63, pp. 1, 3, 47. 1914.
      Italy, 1913–1914. D.B. 483, p. 24. 1917.
      Japan, and exports to China. D.C. 146, pp. 8, 24. 1920.
      Porto Rico, 1910. P.R. An. Rpt. 1910, pp. 10–11. 1911.
      Spain, 1910–1914, and imports, 1909–1913. D.B. 483, pp. 33–34. 1917.
      United States, 1909. D.B. 483, pp. 2, 4. 1917.
    Products Exchange Company, by-products manufacture. D.B. 1261, pp. 2, 3. 1924.
  propagation—
    and marketing, in Porto Rico. H.C. Henricksen. P.R. Bul. 4, pp. 24. 1904.
    bud-wood selection. D.B. 623, pp. 116–117, 142–143. 1918.
    cultivation and care. Hawaii Bul. 9, pp. 8–21. 1905.
    planting, and care. F.B. 1122, pp. 20–42. 1920.
  resistance to alkali. Soils Bul. 35, p. 40. 1906.
  respiration studies. Chem. Bul. 142, pp. 15, 19, 25. 1911.
  retail price, percentage received by growers and exchanges. D.B. 1261, p. 34. 1924.
  ripening—
    by sweating. An. Rpts. 1910, pp. 437, 455. 1911; Chem. Chief Rpt. 1910, pp. 13, 31. 1910.
    maturity-determination method. An. Rpts., 1915, p. 192. 1916; Chem. Chief. Rpt., 1915, p. 2. 1915.
  root, climbing. See Bittersweet, false.
  round, varieties for the Gulf States, description. F.B. 1122, pp. 15–17. 1920.
  russeting caused by ammonia fertilizers. O.E.S. An. Rpt., 1909, p. 91. 1910.
  rust mite, characteristics. F.B. 172, pp. 39–41. 1903.
  rusts. See Rusts.
  sales department of Fruit Growers Exchange, methods. D.B. 1237, pp. 26–28. 1924.
  Satsuma—
    budding on citrangequat stock. J.A.R., vol. 23, pp. 232–233. 1923.
    coloring in Alabama. R. C. Wright. D.B. 1159, pp. 23. 1923.
    description and grafting possibilities. B.P.I. Cir. 46, pp. 3, 6–8, 9–10. 1909.
    group, varieties in—
      Japan. Tyozaburo Tanaka. B.P.I.C.P. and B.I. Cir. 5, pp. 10. 1918.
      the United States. L. B. Scott. H. and P. Cir. 1, pp. 7. 1918.
    growing, in—
      Alabama, Mobile County. Soil Sur. Adv. Sh., 1911, pp. 9, 15. 1912; Soils F.O., 1911, pp. 863, 867. 1914.
      Gulf States, locations. F.B. 1122, pp. 6, 7, 11, 13, 18. 1920.
    immunity, partial, to citrus canker. Y.B., 1916, pp. 271–272. 1917; Y.B., Sep. 711, pp. 5–6. 1917.
    in Texas and Florida, outlook of groves in America. B.P.I. Doc. 457, pp. 3–7. 1911.
    Japanese varieties, introduction into Alabama. H. and P. Cir. 1, pp. 4, 5. 1918.
    limitation to trifoliate-orange stock. Walter T. Swingle. B.P.I. Cir. 46, pp. 10. 1909.
    outlook in America. B.P.I. Doc. 457, pp. 3–6. 1909.
    packing methods. F.B. 696, pp. 19–21. 1915.
    susceptibility to citrus canker, acidity. J.A.R., vol. 6, No. 2, pp. 70, 71, 72, 74, 86–88. 1916.
    varieties and production in United States. News L., vol. 6, No. 25, p. 6. 1919.
    Wase variety, description, origin, and tendency. D.C. 206, pp. 1–4. 1922.
    See also *Citrus nobilis* var. *unshiu*.
  seedless—
    from New Zealand, importation. No. 43147. B.P.I. Inv. 48, p. 21. 1921.
    Jaffa variety, description and value as grafting stock. B.P.I. Bul. 180, pp. 25–27. 1910.

Orange(s)—Continued.
  seedling—
    adulteration. Chem. N.J. 3125. 1914.
    Hawaiian, description. Y.B., 1915, p. 140. 1916; Y.B. Sep. 663, p. 140. 1916.
    importance in California, Portersville area. Soil Sur. Adv. Sh., 1908; pp. 13, 17. 1909; Soils F.O., 1908; pp. 1303, 1307. 1911.
    Selecta, origin and description. D.B. 445, pp. 2, 3, 16-17. 1917.
  shipment(s)—
    by States, and by stations, 1916. D.B. 667, pp. 8, 94-96. 1918.
    from California, growth, 1890-1922, D.B. 1237, pp. 4, 5. 1924.
    from Mexico, Sonora, order. F.H.B.S.R.A. 7, pp. 68-69. 1914.
    in carloads, by States, 1920-1923. S.B. 8, pp. 33-36. 1925.
  shipping—
    experiments, tests. B.P.I. Cir. 19, pp. 5-8. 1908.
    to England. Off. Rec., vol. 3, No. 53, p. 3. 1924.
  size, reduction by insect injury, and increase by spraying. D.B. 645, pp. 8-15. 1918.
  smugglers in Mexico, arrest. Off. Rec., vol. 1, No. 10, p. 2. 1922.
  shoots, concentration of cell sap. J.A.R., vol. 21, pp. 93-94. 1921.
  soils, relation to mottle-leaf disease. J.A.R., vol. 6, No. 19, pp. 726-735. 1916.
  Sonora, entry regulations. F.H.B.S.R.A. 39, p. 44. 1917.
  sooty-mold, cause, and injury to fruit. Ent. Bul. 79, p. 15. 1909.
  sour—
    marmalade, directions for making. F.B. 853, p. 31. 1917.
    root stock for citrus culture, value and use. F.B. 1447, p. 13. 1925.
    seedlings, greenhouse experiments with certain salts. J.A.R., vol. 2, pp. 105-106, 112. 1914.
    susceptibility to citrus scab. D.B. 1118, p. 3. 1923.
    value as citrus stock. F.B. 1122, p. 21. 1920.
    See also *Citrus aurantium*.
  spraying—
    for thrips, directions, times, dilution of sprays and application. Ent. Bul. 99, pp. 13-15. 1911.
    in Florida. D.C. 259, pp. 4-7. 1923.
    insecticides, procedure, schedules, costs, and results. F.B. 933, pp. 16-32, 35-38. 1918.
    with fungous infection for control of white fly. Ent. Bul. 102, pp. 47-68. 1912.
  statistics—
    production and prices, 1915-1922. Y.B., 1922, pp. 745, 746. 1923; Y.B. Sep. 884, pp. 745, 746. 1923.
    receipts and shipments at trade centers. Rpt. 98, pp. 361-362. 1913.
    stem-end rot, not due to careless handling. D.B. pp. 46-47. 1914.
  stocks, trifoliate and sour, methods of distinguishing. B.P.I. Cir. 46, pp. 8-9. 1909.
  storing with bananas, studies. Y.B., 1912, p. 295. 1913; Y.B. Sep. 592, p. 295. 1913.
  strains of leading varieties, comparisons. F.B. 1447, pp. 10-11. 1925.
  sugar content, effect of fertilizers. J.A.R., vol. 8, pp. 130-136. 1917.
  sunflower, description, cultivation, and characteristics. F.B. 1171, pp. 31, 81. 1921.
  susceptibility to citrus—
    canker. J.A.R., vol. 14, pp. 347, 353, 354. 1918; J.A.R., vol. 19, pp. 350-353, 360. 1920.
    scab. J.A.R., vol. 24, pp. 955-958. 1923; J.A.R., vol. 30, p. 1090. 1925.
  sweet—
    Chinese origin. B.P.I. Bul. 204, pp. 42-43. 1911.
    growth, effect of straw in soil. J.A.R., vol. 2, p. 112. 1914.
    marmalade. F.B. 853, p. 30. 1917.
    oil production from peel. D.B. 399, pp. 1-12. 1916.
    varieties, recommendations for various fruit districts. B.P.I. Bul. 151, p. 58. 1909.
    See also *Citrus sinensis*.

Orange(s)—Continued.
  tear-stain, investigations, and cultural work. D.B. 924, pp. 1, 5-11. 1921.
  temperature in transit, investigations. B.P.I. Bul. 123, pp. 61-69. 1908.
  Thompson, origin, and description. Y.B., 1911, pp. 436-438. 1912; Y.B. Sep. 581, pp. 436-438. 1912.
  thrips—
    control experiments, California. An. Rpts., 1910, pp. 535-536. 1911; Ent. A.R., 1910, pp. 31-32. 1910.
    distribution and habits. Dudley Moulton. Ent. T.B. 12, Pt. VII, pp. 119-122. 1909.
    progress report, 1909, and 1910. P. R. Jones and J. R. Horton. Ent. Bul. 99, Pt. I, pp. 16. 1911.
    spraying—
      directions, times, dilution of sprays, and application. Ent. Bul. 99, 13-15. 1911.
      experiments. An. Rpts., 1912, p. 645. 1913; Ent. A.R., 1912, p. 33. 1912.
  topworking to eliminate undesirable strains. D.B. 623, pp. 144-145. 1918; D.B. 624, pp. 118-119. 1918.
  treatment with borax to prevent rot, experiments. J.A.R., vol. 28, pp. 961-968. 1924.
  trees—
    damage of Argentine ant. D.B. 647, pp. 2-4. 1918.
    defoliation by grasshoppers. Y.B., 1915, p. 270. 1916; Y.B. Sep. 674, p. 270. 1916.
    enemies in Brazil, diseases, parasites, and insects. D.B. 445, pp. 11-12. 1917.
    fumigation experiments. An. Rpts., 1908, p. 555. 1909; Ent. A.R., 1908, p. 33. 1908.
    growth and composition—
      in sand and soil cultures. H. S. Reed and A. R. C. Haas. J.A.R., vol. 24, pp. 801-814. 1923.
      relation to nutrient solution. H. S. Reed and A. R. C. Haas. J.A.R., vol. 28, pp. 277-284. 1924.
    importations and description. Nos. 36942, 36947-36951, 36971, 36975, 37461, 37623, B.P.I. Inv. 38, pp. 11, 12, 13, 16, 17, 61, 88. 1917.
    injury by—
      black fly. D.B. 885, pp. 9-15, 19-21, 25, 26. 1920.
      greenhouse thrips in California. Ent. Cir. 151, p. 7. 1912.
      green soldier bug. Ent. Bul. 57, p. 48. 1906.
      ground squirrels. Biol. Cir. 76, p. 6. 1910.
      sapsuckers. Biol. Bul. 39, p. 52. 1911.
      termites. D.B. 333, p. 18. 1916.
      thrips. D.B. 616, p. 7. 1918.
    inoculations with citrus-knot fungus. B.P.I. Bul. 247, pp. 43-44, 66. 1912.
    navel, number. Off. Rec., vol. 2, No. 48, p. 4. 1923.
    performance records, making and use. F.B. 794, pp. 5-13. 1917.
    spraying and spray schedule. F.B. 1343, pp. 33, 34. 1923.
    susceptibility to citrus canker. J.A.R., vol. 19, pp. 203, 204. 1920.
    value as honey plant, Porto Rico. P.R. Cir. 13, pp. 27-28. 1911.
    white-fly infestation. Ent. Bul. 120, pp. 11-12, 15, 20-23, 25, 41. 1913.
  trifoliate—
    history, description and uses. B.P.I. Cir. 46, pp. 3-6. 1909.
    stock, limitation of Satsuma orange to. Walter T. Swingle. B.P.I. Cir. 46, pp. 10. 1909.
    susceptibility to citrus canker. J.A.R., vol. 6, No. 2, pp. 65, 72, 73, 74. 1916; J.A.R., vol. 14, p. 342. 1918; J.A.R., vol. 19, pp. 343, 347, 358. 1920.
    value as citrus stock. F.B. 1122, p. 21. 1920.
    See also *Poncirus trifoliata*.
  use in vinegar making. F.B. 1424, p. 3. 1924.
  Valencia—
    composition after different fertilizers. J.A.R., vol. 8, pp. 132-133, 135. 1917.
    origin, value, and California acreage. F.B. 1447, pp. 7, 8. 1925.
    strains, description and performance record. D.B. 624, pp. 8-12, 14-115. 1918.

Orange(s)—Continued.
varieties—
acreages in California. F.B. 1447, p. 8. 1925.
grown in California. B.P.I. Bul. 123, p 10. 1908.
importations and descriptions. Nos. 36265, 36266, 36635, 36637, 36689, 36691, 36692, 36701, B.P.I. Inv. 37, pp. 5, 10, 43, 50, 52. 1916; Nos. 38928-38930, 38932, 38934-38937, B.P.I. Inv. 40, pp. 48-49. 1917.
in Hawaii orchard. Hawaii A.R., 1911, p. 39. 1912.
records. An. Rpts., 1919, pp. 142, 143. 1920; B.P.I., Chief Rpt., 1919, pp. 6, 7. 1919.
susceptible to citrus scab. D.B. 1118, p. 3. 1923.
Wase variety—
origin in bud variation. D.C. 206, pp. 1-2. 1922.
tendency to reversion. D.C. 206, pp. 3-4. 1922.
washing—
methods and injuries. B.P.I. Bul. 123, pp. 38-39. 1908.
results on fruit. D.B. 63, pp. 7, 25-29. 1914.
Washington navel—
bud selection, relation to quantity production. A. D. Shamel and others. J.A.R., vol. 26, pp. 319-322. 1923.
description. B.P.I. Bul. 123, p. 9. 1908.
history, distribution, and development. D.B. 623, pp. 2-3. 1918.
introduction into United States, cost and results. B.P.I. Cir. 100, p. 21. 1912.
origin and propagation. B.P.I. Bul. 123, pp. 9-10. 1908.
production, annual, carloads. D.B. 623, p. 1. 1918; D.B. 624, p. 1. 1918.
quality of crop as related to bud selection. J.A.R., vol. 28, pp. 521-526. 1924.
relation of washing to decay, season of 1914-15. C. W. Mann. B.P.I. [Misc.], "The relation of * * *," pp. 4. 1915.
strains, originating in bud variations. Y.B., 1919, pp. 251-252, 254, 255, 260. 1920; Y.B. Sep. 813, pp. 257-252, 254, 255, 260. 1920.
See also Orange, Bahia.
waste—
use in making pectin. D.B. 1323, pp. 1-20. 1925.
utilization. Off. Rec., vol. 2, No. 43, p. 6. 1923.
white flies, three new species, description. J.A.R. vol. 6, No. 12, pp. 459-472. 1916.
wild subspecies of *Citrus ichangensis.* J.A.R., vol. 1, pp. 11-12. 1913.
worm infestation of groves in Mexico and central. Ent. Cir. 160, pp. 16, 17. 1912.
wrapping, purpose. Off. Rec., vol. 3, No. 40, p. 5. 1924.
yield—
effect of different fertilizers, experiments. P.R. Bul. 18, pp. 13-17, 21-25. 1915.
per acre. D.B. 1338, p. 4. 1925.
tests of individual trees and plots. J.A.R., vol. 12, pp. 250-278. 1918.
See also Citrus.
Orange I—
analysis method. Chem. Bul. 147, pp. 217-219. 1912.
chemical composition. Chem. Bul. 147, pp. 166-169, 185, 186, 189, 193-195, 199. 1912.
dye determination. Chem. Cir. 113, p. 4. 1913.
Orangeade—
adulteration and misbranding. Chem. N.J. 2448, pp. 2. 1913; Chem. N.J. 2864, p. 1. 1914; Chem. N.J. 4053, pp. 2. 1916.
meaning of term. Opinions 55, 57, Chem. S.R.A. 6, pp. 419-420. 1914.
powder, adulteration and misbranding. Chem. N.J. 279, pp. 2. 1910.
sirup, adulteration and misbranding. Chem. N.J. 2421, pp. 2. 1913.
Orangeburg—
fine—
sand, soils of the eastern United States and their use. Jay A. Bonsteel. Soils Cir. 48, pp. 15. 1911.

Orangeburg—Continued.
fine—continued.
sandy loam—
areas, uses, crop yields. Y.B., 1911, pp. 232-233, 236. 1912; Y.B. Sep. 563, pp. 232-233, 236. 1912.
soils of the eastern United States and their use. Jay A. Bonsteel. Soils Cir. 46, pp. 20. 1911.
sandy loam, soils of the eastern United States and their use. Jay A. Bonsteel. Soils Cir. 47 pp. 15. 1911.
Orania plindan, importation and description., No. 46738, B.P.I. Inv. 57, p. 27. 1922.
Orasoma genus, description, development, and relationship. Ent. T.B. 19, pt. 4, pp. 36, 57-60. 1912.
Orbit. See Eyeball.
Orchards—
and nursery inspection, experience. W. G. Johnson. O.E.S. Bul. 99, pp. 163-165. 1901.
aphids injurious to fruits, description and control. A. L. Quaintance, and A. C. Baker. F.B. 1128, pp. 48. 1920.
apple scab development, studies of spore dissemination of causal fungus. J.A.R., vol. 30, pp. 529-540. 1925.
bark beetles, description and control methods. F.B. 763, pp. 16. 1916.
bearing—
spraying directions. D.B. 616, p. 40. 1918.
treatment for codling moth. Ent. Bul. 41, pp. 64-65. 1903.
benefit of adjacent bodies of water. News L., vol. 2, No. 50, p. 7. 1915.
benefits from birds, instance. F.B. 1456, p. 3. 1925.
birds, common. F.B. 513, pp. 1-31. 1913.
bitter-rot, infection sources, studies. J.A.R., vol. 4, pp. 59-64. 1915.
boxes in use in handling and packing apples. F.B. 1204, pp. 34-36. 1921.
brown-tail moth control. F.B. 1335, p. 24. 1923.
care and profits in Washington, Wenatchee area. Soil Sur. Adv. Sh., 1918, pp. 9-25, 44, 74. 1922; Soils F.O., 1918, pp. 1554-1565, 1584-1622. 1924.
cherry—
sites. F.B. 776, pp. 12-13, 16-23. 1916.
tillage and fertilizers, and interplanted crops. F.B. 776, pp. 14-16. 1916.
coast conditions in the Pacific Northwest. F.B. 153, pp. 6-11. 1902.
commercial, distinction from home orchards. Y.B., 1918, pp. 368-369. 1919; Y.B. Sep. 767, pp. 4-5. 1919.
conditions—
in—
New York, 1914. D.B. 302, pp. 3-4. 1915.
relation of internal browning of apples. D.B. 1104, pp. 12-14, 22-24. 1922.
relation to apple scald. F.B. 1380, pp. 2-3. 1923.
control of scales, oyster-shell and scurfy, directions. Ent. Cir. 121, pp. 10-12. 1910.
cost of establishing. Y.B., 1904, pp. 179-181. 1905; Y.B. Sep. 340, pp. 179-181. 1905.
cover crops—
and green-manure crops, distinction and uses. News L., vol. 7, No. 5, p. 10. 1919.
for acid soils, rotation method. D.B. 6, p. 11 1913.
in Oregon, Umatilla, experiments. W.I.A. Cir. 26, pp. 9-12. 1919.
uses. F.B. 278, pp. 13, 23, 25, 26. 1907; F.B. 491, pp. 16, 17-18, 22. 1912.
value of—
crimson clover. F.B. 550, p. 3. 1913.
field pea, cost, management. F.B. 690, pp. 17-18. 1915.
with cultivation, superiority to sod for orchards. O.E.S. An. Rpt., 1912, p. 169. 1913.
crops, less important, Algerian. B.P.I. Bul. 80, p. 70. 1905.
cultivation—
and soil management, costs. D.B. 518, pp. 21-25. 1917.
Arlington Experimental Farm. An. Rpts., 1908, pp. 51, 357. 1909; B.P.I. Rpt., 1908, p. 85. 1908.
cover crops, and fertilization. S.R.S. Syl. 31, pp. 9-13. 1918.

INDEX TO PUBLICATIONS, 1901–1925   1711

Orchards—Continued.
  cultivation—continued.
    details and cost, West Virginia. D.B. 29, pp. 7–9, 18. 1913.
    effect on fruit-bud formation, New Hampshire. O.E.S. An. Rpt., 1912, p. 159. 1913.
    importance. News L., vol. 6, No. 44, p. 6. 1919.
    in Porto Rico. P.R. An. Rpt., 1907, pp. 22–23. 1908.
    methods. F.B. 202, pp. 12–16. 1904.
    methods and costs, Washington, Wenatchee County. D.B. 446, pp. 11–13. 1917.
    practices in Colorado and cost per acre. D.B. 500, pp. 17–22. 1917.
  culture—
    grass-mulch method. F.B. 267, pp. 23–25. 1906.
    systems. F.B. 1360, pp. 29–33. 1924.
  damages by—
    field mice. Biol. Bul. 31, pp. 19, 21, 25, 27–30. 1907.
    mice, control work. Biol. Chief Rpt., 1924, pp. 12–12. 1924.
  dangers from windbreaks and cedar apples. For. Cir. 154, pp. 16, 17. 1908.
  date seedling, directions for starting. Walter T. Swingle. B.P.I. Doc. 271, pp. 4. 1908.
  deciduous, winter irrigation. F.B. 144, pp. 12–16. 1901.
  demonstration work—
    1918. S.R.S. Rpt., 1918, pp. 40, 114. 1919.
    in Virginia, Culpepper County. Y.B., 1915, p. 245. 1916; Y.B. Sep. 672, p. 245. 1916.
  destruction by sapsuckers. F.B. 506, p. 13. 1912.
  diseases, control, fall work. News L., vol. 3, No. 17, pp. 1, 2–4. 1915.
  effect of birds. F. E. L. Beal. Y.B., 1900, pp. 291–304. 1901; Y.B. Sep. 197, pp. 291–304. 1901.
  enemies—
    control. O.E.S. Bul. 178, pp. 37–52. 1907.
    in Ohio, Coccidae, list. Ent. Bul. 37, pp. 109–113. 1902.
    in the Pacific Northwest. C. V. Piper. F.B. 153, pp. 39. 1902.
  Parandra borneri, life history and control. D.B. 262, pp. 7. 1915.
  experimental—
    establishment, Virginia, and work. O.E.S. An. Rpt., 1912, pp. 217, 218. 1913.
    in New Jersey, work, 1912. O.E.S. An. Rpt., 1912, pp. 162–163. 1913.
  experiments. in Virgin Islands. Vir. Is. A.R., 1924, pp. 12–14. 1925.
  fall care. News L., vol. 3, No. 10, pp. 1, 4. 1915.
  farm—
    development in Massachusetts and western New York. D.B. 140, pp. 34–35. 1915.
    distinction from commercial orchards, uses of waste. Y.B., 1918, pp. 368–369. 1919; Y.B. Sep. 767, pp. 4–5. 1919.
  fertilization. F.B. 491, pp. 11, 15–16, 22. 1912.
  fertilizers, experiments. S.R.S. Rpt., 1917, Pt. I, pp. 35, 108, 162, 175, 182, 230, 263, 271. 1918.
  field mice, injury, preventive measures, remedies. Biol. Bul. 31, pp. 60–63. 1907.
  fig—
    in California, description. Y.B., 1900., pp. 84, 105. 1901; Y.B. Sep. 196, pp. 84, 105. 1901.
    in Southern States. F.B. 1031, pp. 4–6. 1919.
    occurrence of fig moths on trees and fruits. Ent. Bul. 104, pp. 42–44. 1911.
  frost—
    protection. F.B. 1447, pp. 37–39. 1925.
    warnings, work of Weather Bureau. An. Rpts., 1917, pp. 63–64. 1918; W.B. Chief Rpt., 1917, pp. 17–18. 1917.
  fruits—
    diseases, investigations, work of year. B.P.I. Chief Rpt., 1905, pp. 73–76. 1905.
    growing—
      in California, Yuma experiment farm. W.I.A. Cir. 12, pp. 15–17. 1916.
      requirements in northern Great Plains. D.C. 58, pp. 5–12. 1919.
      in Hawaii, work, 1907. Hawaii A.R., 1907, pp. 17–18, 54–58. 1908.
      in Piedmont and Blue Ridge regions, Virginia and South Atlantic States. H. P. Gould. B.P.I. Bul. 135, pp. 102. 1908.

Orchards—Continued.
  fruits—continued.
    insects and insecticides. Ent. Bul. 68, pp. 1–117. 1909.
    number of trees, Modesto-Turlock area, California. Soil Sur. Adv. Sh., 1908, p. 57. 1909; Soils F.O., 1908, p. 1281. 1911.
    soils, in Virginia, location. D.B. 46, pp. 5, 6, 9, 12, 14. 1913.
  fumigation equipment, requirements. F.B. 1321, pp. 2–9. 1923.
  gipsy-moth control—
    F.B. 1335, p. 20. 1923.
    recommendations. D.B. 250, pp. 35–36. 1915.
  grass(es)—
    R. A. Oakley. B.P.I. Bul. 100, Pt. III, pp. 45–56. 1907.
    adulteration and misbranding, list of dealers. Sec. Cir. 35, p. 1. 1911.
    analytical key and description of seedling. D.B. 461, pp. 6, 12. 1917.
    cultivation in Alaska. Alaska A.R., 1907, p. 28. 1908.
    culture—
      in Oregon and Washington, western slope. B.P.I. Bul. 94, p. 27. 1906.
      uses and value. B.P.I. Bul. 100, Pt. VI, pp. 46–56. 1907.
    description—
      and value for cotton States. F.B. 1125, rev., p. 19. 1920.
      distribution, and uses. D.B. 772, pp. 64–67. 1920.
      distribution, description, hay value and cutting time. F.B. 1254, pp. 13–15. 1922.
      forage, value in Pacific Northwest. F.B. 271, pp. 27–28. 1906.
      growing, in Hawaii, composition and value. Hawaii Bul. 36, pp. 11, 13, 18. 1915.
    hay, pasture, and seed. B.P.I. Bul. 100, Pt. VI, pp. 49–54. 1907.
    injury by straw-worm. D.B. 808, p. 16. 1920.
    moisture loss in curing. D.B. 353, pp. 27, 29–30, 37. 1916.
    Rathay's disease, similarity to bacterial blight of barley. J.A.R., vol. 11, No. 12, pp. 627, 642. 1917.
    seeds—
      adulteration and misbranding. B.P.I.S.R.-A. 5, pp. 2. 1922; B.P.I.S.R.A. 7, pp. 2. 1924; Sec. Cir. 31, pp. 1–4. 1910; Sec. Cir. 35, pp. 1–6. 1911; Sec. Cir. 39, pp. 1–7. 1912; Sec. Cir. 43, pp. 1–6. 1913.
      adulteration and misbranding, dealers addresses. News L., vol. 2, No. 34, pp. 2–3. 1915.
      adulteration and misbranding, results of analyses, 1908. Sec. Cir. 28, pp. 2–3. 1909.
      adulteration and testing directions. F.B. 428, pp. 7, 38–39. 1911.
      adulteration, description, and detection. F.B. 382, pp. 11–12, 19. 1909.
      adulteration, list of dealers. James Wilson. Sec. Cir. 15, pp. 5. 1906.
      adulteration losses to farmers. Y.B. 1915, 1915, pp. 313–314. 1916; Y.B. Sep. 679, pp. 313–314. 1916.
      harvesting and threshing. B.P.I. Bul. 100, Pt. VI, pp. 10–11. 1907.
      low-grade imported. News L., vol. 1, No. 5, p. 4. 1913.
      marketing methods. Rpt. 98, p. 147. 1913.
      testing by department, 1909. Sec. Cir. 31, pp. 1–2. 1910.
      supply sources. Y.B., 1917, p. 513. 1918; Y.B. Sep. 757, p. 19. 1918.
    use—
      as forage crop in cotton region, description. F.B. 509, pp. 14–15. 1912.
      as pasture plant for logged-off land, seed rate. F.B. 462, p. 11. 1911.
      in infection experiments with timothy rust. J.A.R., vol. 5, No. 5, pp. 211, 213, 214. 1915.
      on lawns. F.B. 494, p. 33. 1912.
      on mountain meadow. B.P.I. Bul. 117, p. 12. 1907.
    value—
      as hay in mixtures, and formulas. F.B. 1170, p. 6. 1920.

Orchards—Continued.
  grass(es)—continued.
    value—continued.
      for southern pastures. Sec. [Misc.] Spec.,
        "Permanent pastures * * *," p. 4. 1914.
      on mountain farms. F.B. 981, pp. 18, 21, 23,
        28. 1918.
      water requirements at Logan, Utah. D.B.
        1340, p. 43. 1925.
      weight and moisture, comparison. D.B. 353,
        pp. 9–10, 15–17, 19, 20–21, 22. 1916.
      See also Dactylis glomerata.
    growing—
      in Maryland, Frederick County. Soil Sur.
        Adv. Sh., 1919, pp. 9, 12, 26–80. 1922; Soils
        F.O., 1919, pp. 649, 652, 666–720. 1925.
      preparation, planting, etc., in Erie County,
        Pa. Soil Sur. Adv. Sh., 1910, pp. 23–25.
        1911; Soils F.O., 1910, pp. 163–165. 1912.
    harmful birds, studies. Y.B., 1900, p. 302. 1901.
    heated, comparison with unheated, results.
      D.B. 821, pp. 10–27. 1920.
    heating—
      California lemon orchards, method, fuel, and
        cost. D.B. 821, pp. 3–5, 24. 1920.
      experiments in Nevada. B.P.I. Cir. 118, pp.
        24–25. 1913.
      experiments, results. O.E.S. An. Rpt., 1911,
        p. 151. 1912.
      for frost protection. F.B. 542, pp. 12–17. 1913.
      in Colorado. D.B. 500, pp. 32–33. 1917.
      profits, cost and best methods of handling.
        F.B. 1096, pp. 30–36. 1920.
    home—
      school lesson. D.B. 258, pp. 7–8. 1915.
      variety selection, and planting. News L., vol.
        6, No. 32, p. 14. 1919.
    improvement—
      and cultivation. F.B. 169, pp. 16–18. 1903.
      work, Ohio Experiment Station, 1912. O.E.S.
        An. Rpt., 1912, pp. 63, 181. 1913.
    improving and cultivating. F.B. 169, pp. 16–18.
      1903.
    in—
      California—
        furrow irrigation, studies on water distribution. O.E.S. Bul. 203, pp. 1–63. 1908.
        green-manure crops. Roland McKee. B.
          P. I. Bul. 190, pp. 40. 1910.
      Colorado, cost and profits. O.E.S. Bul. 218,
        p. 48. 1910.
      Columbia River Valley—
        promising fruits. B.P.I. Cir. 60, pp. 14–15.
          1910.
        settlers, suggestions. B.P.I. Cir. 60, pp.
          1–23. 1910.
      dry regions, location, planting, pruning, and
        care. B.P.I. Bul. 130, pp. 63–67. 1908.
      Guam, work and studies. Guam A.R., 1912,
        pp. 24–26. 1913.
      Idaho, Payette Valley, size and yield. D.B.
        636, pp. 11–13. 1918.
      New England, cultural methods. D.B. 140,
        pp. 32–34. 1915.
      Texas, injury by gophers. N.A.Fauna 25,
        pp. 128, 129, 132. 1905.
      Washington—
        southwestern. Soil Sur. Adv. Sh., 1911,
          pp. 29, 30–32, 34, 59, 62, 83. 1913; Soils
          F.O., 1911, pp. 2119, 2120–2122, 2124, 2149,
          2152, 2173. 1914.
        Stevens County, management and cost.
          Soil Sur. Adv. Sh. 1913, pp. 30–33. 1915;
          Soils F.O., 1913, pp. 2188–2191. 1916.
        Wenatchee Valley, survey 1914, details.
          D.B. 446, pp. 1–35. 1917.
    injury by—
      hickory tiger-moth. Dwight Isely. D.B. 598,
        pp. 16. 1918.
      pear borer. D.B. 887, pp. 1, 3, 5, 6. 1920.
      pocket gophers. Y.B., 1909, pp. 211–212. 1910;
        Y.B. Sep. 506, pp. 211–212. 1910.
      rabbits. N.A. Fauna 29, p. 11. 1909.
      rodents. F.B. 484, pp. 12–13, 26, 33–34, 41–42.
        1912.
      windbreaks, roots sapping soil moisture. For.
        Bul. 86, pp. 36–37. 1911.
    inland uplands conditions, in Pacific Northwest. F.B. 153, pp. 13–14. 1902.

Orchards—continued.
  insect—
    and fungous pests. Off. Rec., vol. 1, No. 42,
      p. 3. 1922.
    control experiments with nicotine sulphate.
      D.B. 938, pp. 15–18. 1921.
    investigations. Ent. A.R., 1925, pp. 4–5. 1925.
    spraying, information. A. L. Quaintance.
      Y.B., 1908, pp. 267–288. 1909; Y.B. Sep.
      480, pp. 267–288. 1909.
  insecticide work and nursery inspection in Illinois. O.E.S. Bul. 99, p. 172. 1901.
  intercropping. F.B. 404, pp. 33–35. 1910.
  interplanted crops. F.B. 632, pp. 18–19. 1915.
  interplanting—
    to currants and gooseberries. F.B. 1024, pp.
      11–12. 1919.
    with cotton. D.C. 164, pp. 4–5. 1921.
  irrigated—
    in Yakima Valley, Washington. O.E.S. Bul.
      188, pp. 63–65. 1907.
    location of rows and trees. F.B. 882, pp. 9–11.
      1917.
    sections, Montana, hints. B.P.I. Doc. 462, p. 3.
      1909.
  irrigation—
    Samuel Fortier. F.B. 404, pp. 36. 1910; F.B.
      882, pp. 40. 1917.
    experiments in California. O.E.S. Cir. 108,
      pp. 16–17, 26–27, 1911; O.E.S. Bul. 158, pp.
      79–80. 1905.
    in Sacramento Valley, California. O.E.S. Bul.
      207, pp. 52–53, 73–74. 1909.
    methods—
      F.B. 263, pp. 33–35. 1906; F.B. 864, pp. 31–33.
        1917.
      and quantity of water required. Y.B., 1909,
        pp. 297, 306–307. 1910; Y.B. Sep. 514, pp.
        297, 306–307. 1910.
      in Pomona Valley, Calif. O.E.S. Bul. 236,
        pp. 65–78. 1911.
    relation to development of apple scab in storage. J.A.R., vol. 18, pp. 218–219. 1919.
    time and number of irrigations per season. F.B.
      882, pp. 27–28. 1917.
  lands, selection, clearing and grading for irrigation. F.B. 404, pp. 5, 9–10. 1910.
  locations—
    importance of high elevations over lower.
      News L., vol. 2, No. 45, p. 3. 1915.
    laying out, planting, and irrigation in Nevada.
      B.P.I. Cir. 118, pp. 17–25. 1913.
  losses through field mice injuries. F.B. 1397, p. 5.
    1924.
  maintenance—
    cost, studies. S.R.S. Rpt., 1915, pt. 1, p. 48.
      1917.
    in Great Plains. B.P.I. Cir. 51, pp. 13–17. 1910.
  management—
    experiments. O.E.S. Rpt., 1922, pp. 34–35.
      1924.
    experiment in New Jersey. News L., vol. 3,
      No. 50, p. 4. 1916.
    illustrated lecture. H. M. Conolly and E. J.
      Glasson. S.R.S. Syl. 23, pp. 15. 1916.
  in—
    Arkansas, Fayetteville Area. Soil Sur. Adv.
      Sh., 1906, pp. 36–43. 1907; Soils F.O., 1906,
      pp. 619–625. 1908.
    Payette Valley, Idaho. D.B. 636, pp. 14–29.
      1918.
    practices in Colorado. D.B. 500, pp. 14–34.
      1917.
    practices in Texas, suggestions. D.B. 162,
      pp. 24–25, 26. 1915.
    records, value. An. Rpts., 1917, p. 474. 1918;
      Farm M. Chief Rpt., 1917, p. 2. 1917.
    study in 1923. Work and Exp., 1923, pp. 32–33.
      1925.
    suggestions. F.B. 432, pp. 14–15. 1911.
    to prevent winterkilling. F.B. 917, pp. 41–44.
      1918.
  mice injuries, prevention. F.B. 1397, pp. 6–8.
    1924.
  moth-control methods. F.B. 845, pp. 19–21. 1917.
  mountain—
    advantages. Y.B., 1912, pp. 312–318. 1913;
      Y.B. Sep. 593, pp. 312–318. 1913.

Orchards—Continued.
mountain—continued.
frost-warning stations. An. Rpts., 1912, pp. 277, 279. 1913; W.B. Chief Rpt., 1912, pp. 19, 21. 1912.
New York—
apple, well-established, operating costs. G. H. Miller. D.B. 130, pp. 16. 1914.
farm, description and fruit varieties. F.B. 454, p. 27. 1911.
notes. News L., vol. 6, No. 35, pp. 6-7. 1919.
old—
blotch cankers, distribution. J.A.R., vol. 25, pp. 412-413. 1923.
renewal. F.B. 305, p. 11. 1907.
renovation, school studies. S.R.S. Doc. 63, pp. 10-12. 1917.
treatment for codling moth. Ent. Bul. 41, pp. 67-69. 1903.
olive in northern Africa, management. B.P.I. Bul. 125, pp. 12-39. 1908.
operations—
cost items in crew work. D.B. 29, pp. 6-12. 17-19. 1913.
New York orchard, cost accounting methods. D.B. 130, pp. 1-16. 1914.
orange, Satsuma, in Texas, Florida and California. B.P.I. Doc. 457, pp. 3-5. 1909.
pasturing with sheep. F.B. 1051, pp. 21, 23. 1919.
pear, location, soil and drainage. F.B. 482, pp. 9-15. 1912.
pest, rabbit as. Y.B., 1907, pp. 329-342. 1908; Y.B. Sep. 452, pp. 329-342. 1908.
pests, field mice, description and control. F.B. 670, pp. 1-10. 1915.
planting—
and care, in Hawaii. Hawaii A.R., 1908, pp. 42-50. 1908.
and pruning for codling-moth control. F.B. 1326, pp. 8-9. 1924.
directions, distances, and setting trees. S.R.S. Syl. 23, pp. 3-5. 1916.
small trees in apple rows. News L., vol. 6, No. 32, p. 4. 1919.
plowing, directions. F.B. 491, pp. 16-17. 1912.
practices, relation to successful storage. D.B. 587, pp. 9, 10, 12, 26. 1917.
preparation of land, cultivation and growing other crops. Y.B., 1904, pp. 173-174. 1905; Y.B. Sep. 340, pp. 173-174. 1905.
products, production in Rockcastle County, Ky. Soil Sur. Adv. Sh., 1910, p. 13. 1911; Soils F.O., 1910, p. 1025. 1912.
protection—
against—
frost, methods and cost. Y.B., 1920, pp. 186-189. 1921; Y.B. Sep. 838, pp. 186-189. 1921.
insects, rodents, and diseases. S.R.S. Syl. 23, pp. 9-12. 1916.
rabbits. F.B. 335, p. 26. 1908.
by—
bands against codling-moth larvae, records. D.B. 429, pp. 32-34, 80-87. 1917.
fires, cost per acre, and profits. F.B. 401, pp. 12, 21-22. 1910.
windbreaks. For. Bul. 86, pp. 13, 36, 37, 42, 67, 68-69, 93, 96, 100. 1911; F.B. 788, pp. 8, 13. 1917.
from—
cold, methods. Y.B., 1909, pp. 357-364, 394-396. 1910; Y.B. Sep. 519, pp. 357-364. 1910; Y.B. Sep. 522, pp. 394-396. 1910.
flat-headed borers, suggestions. F.B. 1065, pp. 10-12. 1919.
frosts by fires and smudges. F.B. 401, pp. 1-24. 1910.
frost damage, methods and cost. F.B. 1096, pp. 19-36. 1920.
frost, methods and cost, Medford area, Oregon. Soil Sur. Adv. Sh., 1911, pp. 23-26. 1913; Soils F.O., 1911, pp. 2304-2307. 1914.
frost, methods and devices. F.B. 104, rev., pp. 19-26. 1910.
grasshoppers. F.B. 1140, pp. 14-15. 1920.
mice. Off. Rec. vol. 3, No. 34, p. 6. 1924.
root-knot, measures. F.B. 1345, pp. 18-19. 1923.
help of thermometer. Y.B., 1914, p. 165. 1915; Y.B. Sep. 635, p. 165. 1915.

Orchards—Continued.
prune—
and cherry, cultural practices to control brown rot. D.B. 1252, pp. 3-4. 1924.
peach and apricot, surveys. B.P.I. Chief Rpt., 1921, p. 14. 1921.
pruning and—
fertilizing studies. O.E.S. An. Rpt., 1911, pp. 64, 140, 142, 185. 1912.
and spraying in Tennessee. News L., vol. 6, No. 29, p. 7. 1919.
renovated, cost and profits, western New York. S.R.S. Syl. 31, pp. 13-14. 1918.
renovation—
cost per acre, and profits. F.B. 491, pp. 19-21. 1912.
methods and profits on successful New York farm. D.B. 32, pp. 20-21, 24. 1913.
plan of work and directions. S.R.S. Syl. 31, pp. 6-13. 1918.
study outline for home project. D.B. 346, pp. 12-14. 1916.
when advisable and profitable. S.R.S. Syl. 31, pp. 2-5. 1918.
sacking, for locust control. News L., vol. 6, No. 36, pp. 13-14. 1919.
sanitation, effect on peach-scab control. D.B. 395, p. 60. 1917.
school lessons. D.B. 258, pp. 7-8, 11-12, 24-26, 31, 35. 1915.
selection and spacing in northern Great Plains. D.C. 58, pp. 11-12. 1919.
setting, school lesson. D.B. 258, pp. 11-12. 1915.
site selection, conditions governing. D.B. 1189, pp. 20-23. 1923; F.B. 882, pp. 3-4. 1917.
sites and locations near Mandan, N. Dak. D.B. 1301, pp. 29-30. 1925.
smudging in Colorado, Uncompahgre Valley area. Soil Sur. Adv. Sh., 1910, pp. 9, 21-22. 1912; Soils F.O., 1910, pp. 1447, 1459-1460. 1912.
Smyrna fig, starting in South, methods, varieties, and requirements. D.B. 732, pp. 28-34. 1918.
sod as protection against winter killing. F.B. 227, p. 15. 1905.
soil adaptation in Livingston County, New York. Soil Sur. Adv. Sh., 1908, pp. 87-89. 1910; Soils F.O. 1908, pp. 153-155. 1911.
soils, Porters loam and Porters black loam, "thermal belt." Soils Cir. 39, pp. 9-10, 11-12, 13-14, 17. 1911.
southern—
apple blotch, serious disease. W. M. Scott and James B. Rorer. B.P.I. Bul. 144, pp. 28. 1909.
peach bacterial spot in control. John W. Roberts. D.B. 543, pp. 7. 1917.
spraying—
and care. O.E.S. Bul. 231, p. 58. 1910.
cheap insurance. News L., vol. 6, No. 27, p. 4. 1919.
day's work. D.B. 3, p. 27. 1913.
experiments in Pacific Northwest, apple varieties. D.B. 712, pp. 10-20. 1918.
for—
codling moth and plum curculio, experiments. Ent. Bul. 80, pp. 113-146. 1912.
codling moth, demonstration work. Ent. Bul. 68, pp. 69-76. 1909.
control of insects and diseases. F.B. 1284, pp. 22-25. 1922.
European fruit lecanium and pear scale. Ent. Bul. 80, pp. 147-160. 1912.
scale insects. F.B. 723, pp. 9-11. 1916.
formulas and directions. F.B. 1202, pp. 58-59. 1921.
importance. F.B. 1360, p. 47. 1924.
in—
summer, lime-sulphur mixtures. W. M. Scott. B.P.I. Cir. 27, pp. 17. 1909.
Virginia, Frederick County. Soil Sur. Adv. Sh. 1914, pp. 17-18. 1916; Soils F.O., 1914, pp. 441-442. 1919.
winter with nitrate of soda solutions. J.A.R., vol. 1, pp. 437-444. 1914.
insecticides and machinery. An. Rpts., 1917, pp. 231-232. 1918; Ent. A.R., 1917, pp. 5-6. 1917.
mixtures, machinery, and application. S.R.S. Syl. 23, pp. 9-11. 1916.
necessity and cost. F.B. 491, pp. 18, 19. 1912.

Orchards—Continued.
  spraying—continued.
    profit in Missouri. News L., vol. 3, No. 46, p. 3. 1916.
    schedules. Ent. Bul. 103, pp. 201, 214–215. 1912.
    spread of whorled milkweed. D.B. 800, pp. 7, 8. 1920.
    stone fruit, spraying, effect on transportation rots. J.A.R., vol. 22, pp. 467–477. 1921.
    studies in Guam. Guam A.R., 1913, pp. 17–19. 1914.
    surveys, method, details. D.B. 446, pp. 6–10. 1917.
    temperature, relation to internal browning of apples. J.A.R., vol. 24, pp. 171–174. 1923.
  tillage—
    experiments. S.R.S. Rpt., 1916, Pt. I, pp. 46, 234. 1918.
    fertility, cover crops, and irrigation. S.R.S. Syl. 23, pp. 5–7. 1916.
    objects and general directions in peach growing. F.B. 917, pp. 16–20. 1918.
  top-working trees. Y.B., 1902, pp. 245–258. 1903; Y.B. Sep. 266, pp. 245–258. 1903.
  treatment—
    by county agents. News L., vol. 6, No. 43, p. 9. 1919.
    "delayed dormant." F.B. 650, rev., pp. 11–12. 1919.
    for root-knot. F.B. 648, pp. 14–15. 1915.
  trees—
    and small fruits, Huntley project, experiments, 1913. B.P.I. [Misc.], "The work of the Huntley project * * *," p. 13. 1914.
    crown-gall inoculation from daisy and other plants. B.P.I. Bul. 213, pp. 44, 76, 77, 79. 1911.
    destruction by field mice. F.B. 670, pp. 3, 4, 6. 1915.
    field-mice damages, treatment. Biol. Bul. 31, pp. 27–30. 1907.
    growing in Montana, Huntley experiment farm, experiments. W.I.A. Cir. 8, p. 22. 1916.
    hosts of bagworm. F.B. 701, p. 3. 1916.
    injury by paradichlorobenzene fumigation. D.B. 796, pp. 16–21. 1919.
    injury by pear borer. D.B. 887, pp. 1, 3, 5, 6. 1920.
    planting experiments, Belle Fourche experiment farm. D.C. 60, pp. 33–34. 1919.
    protection against—
      girdling. F.B. 710, pp. 7–8. 1916.
      rabbits, methods. F.B. 702, pp. 10–12. 1916.
      rabbits, washes and mechanical devices. Y.B., 1907, pp. 340–342. 1908; Y.B. Sep. 452, pp. 340–342. 1908.
    setting, planting board, school exercise. D.B. 527, p. 26–27. 1917.
    spraying in Nevada, Newlands experiment farm. D.C. 267, p. 14. 1923.
  Truckee-Carson project, care, and insects injurious. B.P.I. Cir. 78, pp. 17–18. 1911.
  valuation for farm inventory. F.B. 1182, p. 12. 1921.
  walnut—
    cultivation, irrigation, cover crops, and fertilizers. B.P.I. Bul. 254, pp. 84–89. 1913.
    growing green - manure crops, California. B.P.I. Bul. 190, pp. 11–15. 1910.
    location and site. B.P.I. Bul. 254, pp. 24–26. 1913.
  winter—
    irrigation. F.B. 144, pp. 12–16. 1901; F.B. 404, p. 36. 1910.
    killing, ground cover as protection. F.B. 227, pp. 12–15. 1905.
  yield—
    affected by various methods. F.B. 237, pp. 8–11. 1905.
    relation to soil heterogeneity. J.A.R., vol. 19, 299–300. 1920.
    under different volumes of water, Idaho. D.B. 339, pp. 12, 13, 14, 16, 19, 20, 31, 33, 39, 40, 45. 1916.
    variability, tests by plots of different sizes. J.A.R., vol. 12, pp. 258–279. 1918.

Orchards—Continued.
  young—
    blotch cankers, development and control. J.A.R., vol. 25, pp. 413, 414–416. 1923.
    codling moth, preventive measures. F.B. 170, pp. 10–20. 1903.
  See also Groves; names of crops.
Orcharding—
  apple, commercial. Y.B., 1901, pp. 593–608. 1902; Y.B. 230, pp. 593–608. 1902.
  commercial, crew work, costs and returns in West Virginia. J. H. Arnold. D.B. 29, pp. 24. 1913.
  in New England, future conditions, discussion. D.B. 140, pp. 29–32. 1914.
  studies, New York Experiment Station, 1914. Work and Exp., 1914, pp. 44–45. 1915.
  turpentine, a new method. Gifford Pinchot. For. Cir. 24, pp. 8. 1903.
Orchids—
  Cattleya, fumigation with hydrocyanic-acid gas. E. R. Sasscer and H. F. Dietz. J.A.R., vol. 15, pp. 263–268. 1918.
  destruction by mites. Rpt. 108, p. 116. 1915.
  insect pests, list. Sec. [Misc.], "A manual * * * insects * * *," p. 158. 1917.
  insects, control. F.B. 1362, pp. 48–53. 1924.
  tree, importation and description. No. 39000, B.P.I. Inv. 40, pp. 55–56. 1917.
Orchitis, bull, cause and treatment. B.A.I. [Misc.], "Diseases of cattle," rev., p. 149. 1904; rev., pp. 152–153. 1912; rev., pp. 152–153. 1923.
Orcuttia spp., description, distribution, and uses. D.B. 772, pp. 9, 78, 80. 1920.
Ordinances. See Laws.
Oreamnos montanus. See Goat, mountain.
Oregmini, genera, description and key. D.B. 826, pp. 9, 84–86. 1920.
Oregon—
  agricultural colleges and—
    experiment stations, organization—
      1905. O.E.S. Bul. 161, pp. 55–56. 1905.
      1906. O.E.S. Bul. 176, pp. 63–64. 1907.
      1907. O.E.S. Bul. 197, pp. 67–69. 1908.
      1910. O.E.S. Bul. 224, pp. 57–59. 1910.
      1911. O.E.S. Bul. 247, p. 58. 1912.
    See also Agriculture, workers, list.
    extension work, statistics. D.C. 253, pp. 6, 8, 12–13, 17, 18. 1923.
  Albany, irrigation experiments. O.E.S. Cir. 78, p. 24. 1908.
  alsike-clover seed growing. F.B. 1151, p. 23. 1920.
  and California railroad lands, protection, appropriation, 1915. Sol. [Misc.], "Laws applicable * * * agriculture," supp. 2, p. 68. 1915.
  antelope—
    in, number and distribution. D.B. 1346, pp. 46–47. 1925.
    on public lands. Off Rec., vol. 2, No. 46, p. 1. 1923.
  apple(s)—
    growing—
      areas, production, and varieties. D.B. 485, pp. 6, 36–38, 44–47. 1917.
      localities, varieties, and production. Y.B., 1918, pp. 370, 375, 378. 1919; Y.B. Sep. 767, pp. 6, 11, 14. 1919.
    packing methods, preliminary report. Mkts. Doc. 4, pp. 1–31. 1917.
    production—
      cost in Hood River Valley. S. M. Thomson and G. H. Miller. D.B. 518, pp. 52. 1917.
      packing, and marketing. D.B. 935, pp. 1–27. 1921.
  appropriation for—
    agricultural colleges. O.E.S. An. Rpt., 1911, pp. 277, 318. 1912.
    experiment station work and substations. O.E.S. An. Rpt., 1911, pp. 59, 57, 182, 184. 1912.
  associations, fruit growers'. Rpt. 98, pp. 244–251. 1913.
  Baker irrigation project survey. Off. Rec., vol. 2, No. 43, p. 3. 1923.
  bankers' interest in breeding. News L., vol. 7, No. 18, p. 8. 1919.
  barley crops, 1869–1906, acreage, production, and value. Stat. Bul. 59, pp. 8–26, 36. 1907.
  bee disease, occurrence. Ent. Cir. 138, p. 18. 1911.

INDEX TO PUBLICATIONS, 1901–1925   1715

Oregon—Continued.
  bees and honey statistics. D.B. 685, pp. 7, 10, 13, 15, 17, 18, 20, 22, 24, 27, 30, 31. 1918; D.B. 325, pp. 9-12. 1915.
  beet-sugar—
    factory, location and capacity. B.P.I. Bul. 260, p. 73. 1912.
    industry, progress—
      1903. [Misc.], "The progress * * * beet-sugar * * *, 1903," pp. 151-152. 1903.
      1904. Rpt. 80, pp. 136-137. 1905.
      1906. Rpt. 84, p. 94. 1907.
      1907. Rpt. 86, p. 56. 1908.
      1908. Rpt. 90, pp. 38, 49, 67. 1909.
      1909. Rpt. 92, p. 45. 1910.
  Benton County, irrigation experiments, 1907-1909. O.E.S. Bul. 226, pp. 38-43, 56-58. 1910.
  Billy Meadows, coyote-proof pasture, description, grazing experiments. For. Cir. 156, pp. 1-32. 1908.
  bird(s)—
    and game officials and organizations, 1921. D.C. 196, pp 9, 16, 19. 1921.
    protection. See Bird protection, officials.
    refuge report. An. Rpts., 1922, p. 361. 1922; Biol. Chief Rpt., 1922, p. 31. 1922.
    reservations, Klamath Lake and Malheur Lake, report, 1915. An. Rpts., 1915, p. 242. 1916; Biol. Chief Rpt., 1915, p. 10. 1915.
  blackleg, control. News L., vol. 6, No. 29, p. 15. 1919.
  blister-rust infection, locations. J.A.R., vol. 30, p. 605. 1925.
  border-method irrigation, practices and suggestions. F.B. 1243, pp. 27-30. 1922.
  bounty laws, 1907. Y.B., 1907, p. 564. 1908; Y.B. Sep. 473, p. 564. 1908.
  brown rot of prunes and cherries, and control work. D.B. 368, p. 1, 5, 8, 9, 10. 1916.
  buckwheat crops, 1869-1900, acreage, production, and value. Stat. Bul. 61, pp. 5-15, 24. 1908.
  canals—
    concrete-lined, capacity, cost, and other data. D.B. 126, pp. 40-43, 74, 83. 1915.
    seepage measurements. D.B. 126, pp. 26-29. 1915.
  canning report, 1916, Yamhill County. Soil Sur. Adv. Sh., 1917, pp. 16-17. 1920; Soils F.O., 1917, pp. 2270-2271. 1923.
  Cascade National Forest, vacation uses. D.C. 104, pp. 1-28. 1920.
  Caves—
    National Monument, location and description. D.C. 4, p. 39. 1919.
    Siskiyou National Forest. For. [Misc.], "The Oregon * * *," folder. 1924.
  central—
    and western, irrigation projects. O.E.S. Bul. 209, pp. 43-46. 1909.
    description, soils, climate and agricultural conditions. F.B. 800, pp. 4-9. 1917.
  cheese factories, cooperative. Y.B., 1922, pp. 311, 386. 1923; Y.B. Sep. 879, pp. 25, 91. 1923.
  cherry pollenization. News L., vol. 6, No. 29, p. 6. 1919.
  cider mills, experiments with apple sirup and concentrated cider. Y.B., 1914, pp. 233, 239. 1915; Y.B. Sep. 639, pp. 233, 239. 1915.
  climate, killing frosts, 1909-1916, early and late. W.I.A. Cir. 17, pp. 3, 6. 1917.
  closed season for shorebirds and woodcocks. Y.B., 1914, pp. 292, 293. 1914; Y.B. Sep. 642, pp. 292, 293. 1914.
  club-wheat growing. F.B. 1303, pp. 3, 4. 1923.
  coast, kelp beds. Rpt. 100, pp. 33-49. 1915.
  Cold Springs Reservation, hunting migratory game birds. Biol S.R.A. 57, p. 1. 1923.
  Columbia Basin, soil and climate, evaporation, and rainfall. D.B. 498, pp. 2-11. 1917.
  convict road work, laws. D.B. 414, pp. 210-211. 1916.
  cooperative—
    associations, statistics, details, and laws. D.B. 547, pp. 13, 21, 27, 32, 39, 46, 74. 1917.
    shipping association. News L., vol. 6, No. 29, p. 15. 1919.
  corn—
    crops, 1869-1906, acreage, production, and value. Stat. Bul. 56, pp. 9-27, 37. 1907.

Oregon—Continued.
  corn—continued.
    production, movements, consumption, and prices. D.B. 696, pp. 15, 16, 28, 30, 33, 36, 41, 50. 1918.
    yields and prices, 1869-1915. D.B. 515, p. 15. 1917.
  Corvallis—
    experimental studies of apple aphids. J.A.R., vol. 23, pp. 969-987. 1923.
    irrigation experiments. O.E.S. Cir. 78, pp. 15-17, 19-21. 1908.
  cranberry industry, and occurrence of blackhead fireworm. D.B. 1032, pp. 2-6. 1922.
  Crater National Forest, white fir, pathology studies. D.B. 275, pp. 33-35. 1916.
  credits, farm-mortage loans, costs and sources. D.B. 384, pp. 2, 3, 6, 8, 10, 12. 1916.
  cropping methods. D.B. 625, pp. 1-12. 1918.
  crops, returns per acre. O.E.S. Bul. 209, pp. 25-27, 66. 1909.
  currant eradication law. F.B. 1398, p. 35. 1924.
  dairying opportunities. Y.B., 1906, p. 425. 1907; Y.B. Sep. 432, p. 425. 1907.
  Dairymen's Cooperative League, marketing butter. B.A.I. Dairy [Misc.], "World's dairy congress, 1923," p. 899. 1924.
  deer herds in forests. Off. Rec. vol. 2, No. 46, p. 1. 1923.
  demonstration farm work, 1909. O.E.S. An. Rpt. 1909, pp. 58, 171. 1910.
  demurrage provisions, regulations. D.B. 191, pp. 3, 12, 13, 14, 26. 1915.
  Deschutes National Forest, boundaries, act. Off. Rec., vol. 1, No. 10, p. 8. 1922.
  description, topography, climate, and rainfall. O.E.S. Bul. 209, pp. 7-12, 64. 1909.
  digitalis growing. Y.B., 1917, p. 172. 1918; Y.B. Sep. 734, p. 6. 1918.
  Douglas fir decay, study. D.B. 1163, pp. 2-10. 1923.
  drainage districts, description. O.E.S. Bul. 209, pp. 13-19. 1909.
  drug laws. Chem. Bul. 98, pp. 157-161. 1906; rev., Pt. I, pp. 244-249. 1909.
  dry—
    farming—
      region and practices. F.B. 1047, pp. 1-24. 1919.
      in the Great Basin. B.P.I. Bul. 103, pp. 1-43. 1907.
    lands, grains for. L. R. Breithaupt. F.B. 800, pp. 22. 1917.
  early settlement, historical notes. See Soil surveys for various counties and areas.
  eastern—
    alfalfa growing, special instructions. F.B. 339, pp. 47-48. 1908.
    bean growing, methods. F.B. 561, pp. 1-12. 1913; F.B. 907, pp. 1-16. 1917.
    forage conditions and problems. B.P.I. Bul. 38, p. 1-52. 1903.
    irrigation projects. O.E.S. Bul. 209, pp. 37-43. 1909.
  elevation at important places. O.E.S. Bul. 209, p. 9. 1909.
  emmer and spelt growing, experiments. D.B. 1197, pp. 46-47. 1924.
  Experiment Station, Corvallis—
    irrigation experiments, 1907-1909. O.E.S. Bul. 226, pp. 38-43. 1910.
    spraying experiments with Paris green. Chem. Bul. 82, pp 25-30. 1904.
    sugar-beet experiments, 1903. Chem. Bul. 95, pp. 25-27. 1905.
    work and expenditures—
      1906. James Withycombe. O.E.S. An. Rpt., 1906, pp. 146-147. 1907.
      1907. James Withycombe. O.E.S. An. Rpt., 1907, pp. 157-159. 1908.
      1908. James Withycombe. O.E.S. An. Rpt., 1908, pp. 156-159. 1909.
      1909. James Withycombe. O.E.S. An. Rpt., 1909, pp. 171-172. 1910.
      1910. James Withycombe. O.E.S. An. Rpt., 1910, pp. 222-225. 1911.
      1911. James Withycombe. O.E.S. An. Rpt., 1911, pp. 182-185. 1912.
      1912. James Withycombe. O.E.S. An. Rpt., 1912, pp. 186-189. 1913.

Oregon—Continued.
Experiment Station, Corvallis—Continued.
work and expenditures—continued.
1913. James Withycombe. O.E.S. An. Rpt., 1913, pp. 73-74. 1915.
1914. A. B. Cordley. O.E.S. An. Rpt., 1914, pp. 194-199. 1915.
1915. A. B. Cordley. S.R.S. Rpt., 1915, Pt. I, pp. 222-227. 1916.
1916. A. B. Cordley. S.R.S. Rpt., 1916, Pt. I, pp. 227-233. 1918.
1917. A. B. Cordley. S.R.S. Rpt., 1917, Pt. I, pp. 222-229. 1918.
1918. S.R.S. Rpt., 1918, pp. 31, 65, 67, 71-80. 1920.
extension work—
funds allotment and county-agent work. S.R.S. Doc. 40, pp. 4, 7, 11, 18, 23, 25, 28. 1918.
in agriculture and home economics—
1915. R. D. Hetzel. S.R.S. Rpt., 1915, Pt. II, pp. 286-293. 1916.
1916. R. D. Hetzel. S.R.S. Rpt., 1916, Pt. II, pp. 319-326. 1917.
1917. R. D. Hetzel. S.R.S. Rpt., 1917, Pt. II, pp. 326-333. 1919.
statistics. D.C. 306, pp. 3, 7, 11, 16, 20, 21. 1924.
fairs, number, kind, location, and dates. Stat. Bul. 102, pp. 13, 14, 55-56. 1913.
farm—
animals, statistics, 1870-1907. Stat. Bul. 64, p. 142. 1908.
conditions, letters from women. Rpt. 103, pp. 16, 22, 27, 42, 52, 66. 1915; Rpt. 104, pp. 29, 34, 64, 72. 1915; Rpt. 105, pp. 21, 57, 63. 1915; Rpt. 106, pp. 16, 39, 56, 61, 65. 1915.
types and conditions, Hood River Valley. D.B. 518, pp. 12-14. 1917.
value, income, and tenancy classification. D.B. 1224, pp. 116-117. 1924.
values, changes, 1900-1905. Stat. Bul. 43, pp. 11-17, 30-46. 1906.
farmers' institute—
history. O.E.S. Bul. 174, p. 76. 1906.
laws. O.E.S. Bul. 135, rev., p. 28. 1903.
legislation. O.E.S. Bul. 241, p. 35. 1911.
work—
1904. O.E.S. An. Rpt., 1904, p. 662. 1905.
1906. O.E.S. An. Rpt., 1906, p. 343. 1907.
1907. O.E.S. An. Rpt., 1907, p. 342. 1908.
1908. O.E.S. An. Rpt., 1908, p. 323. 1909.
1909. O.E.S. An. Rpt., 1909, pp. 351-352. 1910.
1910. O.E.S. An. Rpt., 1910. p. 412. 1911.
1911. O.E.S. An. Rpt., 1911, p. 377. 1912.
1912. O.E.S. An. Rpt., 1912, p. 371. 1913.
field work of Plant Industry Bureau, December, 1924. M.C. 30, pp. 41-43. 1925.
flood-water irrigation. O.E.S. Cir. 67, pp. 12-16. 1906.
food laws—
1903. Chem. Bul. 83, Pt. I, pp. 97-98. 1904.
1904, and food control. Chem. Bul. 69, Pt. VI, pp. 494-510. 1904.
1905. Chem. Bul. 69, Rev., Pt. VI, pp. 494-510. 1905.
1907. Chem. Bul. 112, Pt. II, pp. 39-49. 1908.
enforcement. Chem. Cir 16, rev., p. 19. 1908.
forage—
conditions on the northern border of the Great Basin. B.P.I. Bul. 15, pp. 1-60. 1902.
crops, practices. F.B. 271, pp. 1-39. 1906.
forest—
area, 1918. Y.B., 1918, p. 718. 1919; Y.B. Sep. 795, p. 54. 1919.
fires, statistics. For. Bul. 117, p. 34. 1912.
legislation, 1907. Y.B., 1907, p. 576. 1908; Y.B. Sep. 470, p. 16. 1908.
reserves. See Forests, national.
forestry laws—
1921, summary. D.C. 239, p. 22. 1922.
parallel classification. For. Law Leaf. 9, pp. 1-7. 1915; For. Misc. S-10, pp. 1-7. 1915.
fruit(s)—
growing—
and variety testing, experiments. B.P.I. Cir. 129, pp. 24-28. 1913.
experiments, at Umatilla experiment farm. D.C. 110, pp. 21-24. 1920.

Oregon—Continued.
fruits—continued.
growing—continued.
irrigation practices. O.E.S. Bul. 108, pp. 1-54. 1902.
recommended for Umatilla project. B.P.I. Doc. 485, pp. 6-7. 1909.
funds for cooperative extension work, sources. S.R.S. Doc. 40, pp. 4, 6, 11, 16. 1917.
fur animals, laws—
1915. F.B. 706, p. 15. 1916.
1916. F.B. 783, pp. 16-17, 27. 1916.
1917. F.B. 911, pp. 20, 31. 1917.
1918. F.B. 1022, pp. 19, 20. 1918.
1919. F.B. 1079, p. 21. 1919.
1920. F.B. 1165, p. 19. 1920.
1921. F.B. 1238, p. 19. 1921.
1922. F.B. 1293, p. 26. 1922.
1923-24. F.B. 1387, p. 20. 1923.
1924-25. F.B. 1445, pp. 14-15. 1924.
1925-26. F.B. 1469, p. 18. 1925.
game—
and bird—
officials, organizations and publications. Biol. Cir. 65, pp. 6, 12, 16. 1908.
reservations, details and summary. Biol. Cir. 87, pp. 4, 9, 10, 16. 1912.
farm, State, cost and work. D.B. 1049, p. 47. 1922.
laws—
1902. F.B. 160, pp. 20, 33, 42, 45, 52, 54. 1902.
1903. F.B. 180, pp. 14, 24, 34, 39, 44, 46. 1903.
1904. F.B. 207, pp. 23, 35, 40, 44, 51. 1904.
1905. F.B. 230, pp. 11, 21, 32, 38, 45. 1905.
1906. F.B. 265, pp. 20, 31, 46. 1906.
1907. F.B. 308, pp. 7, 18, 30, 37, 45. 1907.
1908. F.B. 336, pp. 20-21, 33, 41, 45, 52. 1908.
1909. F.B. 376, pp. 9, 14, 25-26, 35, 40, 43. 1909.
1910. F.B. 418, pp. 19, 28, 33, 36, 44. 1910.
1911. F.B. 470, pp. 13, 32, 33, 38, 42, 50. 1911.
1912. F.B. 510, pp. 19, 25-26, 29, 35, 38, 46. 1912.
1913. D.B. 22, pp. 15, 20, 21, 31, 41, 46, 49, 56. 1913; rev. pp. 15, 19, 20, 30, 41, 46, 49, 56. 1913.
1914. F.B. 628, pp. 5, 10, 11, 12, 22, 28-29, 32, 36, 38, 42, 51. 1914.
1915. F.B. 692, pp. 2, 4, 5, 6, 7, 8, 14, 32, 48, 50, 53. 1915.
1916. F.B. 774, pp. 29-30, 41, 46, 49, 52. 1916.
1917. F.B. 910, pp. 31, 48, 54. 1917.
1918. F.B. 1010, pp. 28, 46. 1918.
1919. F.B. 1077, pp. 31, 50, 58. 1919.
1920. F.B. 1138, pp. 34-36. 1920.
1921. F.B. 1235, pp. 35-36, 57. 1921.
1922. F.B. 1288, pp. 32, 55, 66, 67, 79. 1922.
1923-24. F.B. 1375, pp. 32-33, 50. 1923.
1924-25. F.B. 1444, pp. 23, 37. 1924.
1925-26. F.B. 1466, pp. 29-30, 45. 1925.
agency for enforcement. Biol. Bul. 12, rev., p. 65. 1902.
protection. See Game protection, officials.
resources, income. News L., vol. 3, No. 6, pp. 2-3. 1915.
value, estimate. D.B. 1049, p. 14. 1922.
grain supervision district and headquarters. Mkts. S.R.A. 14, p. 34. 1916.
grape—
description, and occurrence on Washington prairie land, eastern Puget Sound Basin. Soil Sur. Adv. Sh., 1909, pp. 33, 37. 1911; Soils F.O., 1909, pp. 1545, 1549. 1912.
distribution, and growth in Wyoming. N.A. Fauna 42, p. 67. 1917.
habitat, range, description, collection, prices, and uses of roots. B.P.I. Bul. 107, p. 36. 1907.
occurrence in Colorado, description. N.A. Fauna 33, p. 231. 1911.
shipments, 1916-1919. D.B. 861, pp. 3, 49. 1920.
susceptibility to rust, description, and precaution. F.B. 1058, p. 11. 1919.
Gymnosporangium, establishment of Asiatic species. J.A.R. vol. 5, No. 22, pp. 1003-1010. 1916.
Harney Valley field station for cereal growing. An. Rpts., 1913, p. 119. 1914; B.P.I. Chief Rpt., 1913, p. 15. 1913.

INDEX TO PUBLICATIONS, 1901–1925   1717

Oregon—Continued.
  hay crops, 1869–1906, acreage, production, and value. Stat. Bul. 63, pp. 7–25, 34. 1908.
  herds, lists of tested and accredited. D.C. 54, pp. 9, 15, 25, 40, 65, 77, 89, 91. 1919; D.C. 142, pp. 6, 7, 10, 24–49. 1920; D.C. 143, pp. 13, 45, 86. 1920; D.C. 144, pp. 14, 45. 1920.
  Hillsboro, irrigation experiments. O.E.S. Cir. 78, pp. 21–24. 1908.
  hog raising, pasture and grain crops, feeding methods. D.B. 68, pp. 1–27. 1914.
  Hood River irrigation canals, water-supply system. O.E.S. Bul. 229, pp. 66–68. 1910.
  Hood River Valley, cost of producing apples. S. M. Thomson and G. H. Miller. D.B. 518, pp. 52. 1917.
  hop oils, comparison with hop oils from other sources. J.A.R. vol. 2, pp. 117–147, 157. 1914.
  hunting laws. Biol. Bul. 19, pp. 15, 21, 28, 36, 63. 1904.
  injury to fire-killed Douglas fir by forest insects, control methods. Ent. Cir. 159, pp. 1–4. 1912.
  inland waterways. Stat. Bul. 89, pp. 15, 17, 79–80. 1911.
  insecticide and fungicide laws. I. and F. Bd. S.R.A. 13, pp. 142–145. 1916.
  inspection of mail shipments, plants and plant products. F.H.B. S.R.A. 75, p. 90. 1923.
  irrigated—
    farming, future development. O.E.S. Bul. 209, pp. 59–67. 1909.
    valleys, pasture crops for hogs. D.B. 68, pp. 25–27. 1914.
  irrigation—
    John H. Lewis and Percy A. Cupper. O.E.S. Bul. 209, pp. 67. 1909.
    development, history, and area. O.E.S. Bul. 209, pp. 27–29. 1909.
    districts, and their statutory relations. D.B. 1177, pp. 4, 5, 11–17, 26–31, 43, 44, 45, 51. 1923.
    enterprises, national, State, and private. O.E.S. Bul. 209, pp. 30–46. 1909.
    experiments. An. Rpts., 1907, p. 708. 1908.
    experiments at Umatilla reclamation project. W.I.A. Cir. 26, pp. 1–30. 1919.
    in Klamath County. O.E.S. Bul. 158, pp. 257–266. 1905.
    investigations, 1911. O.E.S. An. Rpt., 1911, p. 35. 1912.
    practice, investigations of. A. P. Stover. O.E.S. Cir. 67, pp. 30. 1906.
    projects under the Carey Act. Sec. Cir. 124, pp. 6, 8. 1919.
    recent legislation. O.E.S. An. Rpt., 1909, pp. 400, 401, 402, 403, 404, 406, 409, 413. 1910.
    regulations. D.B. 1340, p. 35. 1925.
    State laws. D.B. 1257, pp. 15, 16, 17. 1924.
    Umatilla project, hints to settlers. B.P.I. Doc. 495, pp. 1–12. 1909.
    under Carey Act. O.E.S. An. Rpt., 1910, pp. 479–482. 1911.
    water rights, administration. O.E.S. Bul. 168, pp. 84–86. 1909.
  jack-rabbit extermination campaign. Y.B., 1917, p. 232. 1918; Y.B. Sep. 724, p. 10. 1918.
  Klamath County—
    felled trees, deterioration. D.B. 1140, pp. 2–6. 1923.
    irrigation. F.L. Kent. O.E.S. Bul. 158, pp. 257–266. 1905.
  Klamath reclamation project—
    alkali soils, analyses. Soil Sur. Adv. Sh., 1908, pp. 41–42. 1910; Soils F.O., 1908, pp. 1409–1410. 1911.
    area, location, description, and crops. Soil Sur. Adv. Sh., 1908, pp. 5–17. 1910; Soils F.O. 1908, pp. 1373–1385. 1911.
    water analyses. Soil Sur. Adv. Sh., 1908, p. 44. 1910; Soils F.O., 1908, p. 1412. 1911.
  Lake Malheur—
    Bird Refuge, report, 1923. An. Rpts., 1923, p. 454. 1924; Biol. Chief Rpt., 1923, p. 36. 1923.
    duck sickness report. D.B. 672, p. 5. 1918.
    lands, distribution, conditions, settlement, cost and opportunities. O.E.S. Bul. 209, pp. 20–24, 56–59. 1909.
  larch mistletoe, occurrence and injury to forest trees, investigations and studies. D.B. 317, pp. 3–23. 1916.

Oregon—Continued.
  lard supply, wholesale and retail, Aug. 31, 1917, tables. Sec. Cir. 97, pp. 14–32. 1918.
  law(s)—
    governing composition and sale of insecticides. Chem. Bul. 76, p. 61. 1903.
    on—
      dog control, digest. F.B. 935, p. 19. 1918; F.B. 1268, p. 20. 1922.
      nursery stock interstate shipment, digest. Ent. Cir. 75, rev., p. 6. 1909; F.H.B.S.R. A. 57, pp. 113, 114, 115. 1919.
      water rights. O.E.S. Bul. 209, pp. 46–55. 1909.
    relating to contagious animal diseases. B.A.I. Bul. 43, p. 54. 1901.
    restricting sale of scale-infested fruit. Ent. Bul. 84, p. 38. 1909.
    stallions, regulations. B.A.I. An. Rpt., 1908, p. 341. 1910.
  legislation—
    protecting birds. Biol. Bul. 12, rev. pp. 35, 36, 37, 40, 52, 53, 111–112, 137. 1902.
    relative to tuberculosis. B.A.I. Bul. 28, pp. 116–120. 1901.
  life zones, work. An. Rpts., 1908, p. 579. 1909; Biol. Chief Rpt., 1908, p. 11. 1908.
  Linn County, irrigation experiments, 1908, 1909. O.E.S. Bul. 226, pp. 52–56. 1910.
  livestock—
    admission, sanitary requirements. B.A.I. Doc. A–28, pp. 33–34. 1917; B.A.I. Doc. A–36, pp. 51–53. 1920; M.C. 14, pp. 65–67. 1924.
    associations. Y.B., 1920, p. 529. 1921; Y.B. Sep. 866, p. 529. 1921.
    production, from reports of stockmen. Rpt. 110, pp. 5–27, 37, 47–48, 81–86. 1916.
  lobelia occurrence, and danger to livestock. D.B. 1240, pp. 2, 13. 1924.
  lumber cut, 1920, 1870–1920, value, and kinds. D.B. 1119, pp. 28, 30–35, 43–61. 1923.
  lumber production, 1918, by mills, by woods, and lath and shingles. D.B. 845, pp. 6–40. 1920.
  Malheur National Forest, lands exchange, bill. Off. Rec., vol. 1, No. 6, p. 2. 1922.
  Marion County. See Oregon, Willamette Valley.
  marketing activities and organization. Mkts. Doc. 3, p. 6. 1916.
  meteorological data, May–October, 1903. Chem. Bul. 95, p. 27. 1905.
  milk supply and laws. B.A.I. Bul. 46, pp. 32, 142–143. 1903.
  mohair production, 1909, quality and weight. F.B. 573, pp. 1, 2, 7. 1914.
  Moro station—
    Australian wheat tests, growing, milling, and baking. D.B. 877, pp. 8–9, 10, 12–14, 17, 18–20. 1920.
    cereal growing experiments. D.B. 498, pp. 1–38. 1917.
    oats varietal tests, yields and ripening dates. D.C. 324, pp. 5–6, 8. 1924.
    wheat growing—
      experiments. D.B. 1173, pp. 1–60. 1923.
      methods, experiments. F.B. 1047, p. 5. 1919.
  Mount Hood region, forest trails and highways. D.C. 105, p. 32. 1920.
  mountain meadows, seeding to redtop and timothy. B.P.I. Bul. 117, pp. 11, 13. 1907.
  National Forest—
    description and recreational uses. D.C. 4, pp. 28–33. 1919.
    map. For. Map Fold. 1913.
    Mount Hood region, description. D.C. 105, pp. 1–32. 1920.
    sowing tree seeds, results. For. Bul. 98. pp. 43–44. 1911.
    an ideal vacation land. For. [Misc.], "An ideal vacation * * *," pp. 56. 1923.
    directory, descriptions and map. D.C. 4, pp. 2, 7–53, 72. 1919.
    location, date and area, Jan. 31, 1913. For. [Misc.], "Use book, 1913," pp. 86–87, 88. 1913.
    reserves, timber and grazing privileges. O.E.S. Bul. 209, 22–23. 1909.
    vacation land. D.C. 4, pp. 72. 1919.
  nuts growing, acreage. Sec. [Misc.], Spec. "Geography * * * world's agriculture," p. 90. 1917.

Oregon—Continued.
oat—
    acreage, production, and value, 1866-1906. Stat. Bul. 58, p. 35. 1907.
    crops, 1869-1906, acreage, production and value. Stat. Bul. 58, pp. 7-25, 35. 1907.
    growing, varietal experiments. D.B. 823, pp. 56-57, 67. 1920.
    tests, Sixty-day. F.B. 395, p. 26. 1910.
object-lesson road construction, details. An. Rpts., 1911, p. 735. 1912; Rds. Chief Rpts., 1911, p. 25. 1911.
officials, dairy, drug feeding stuffs and food. See Dairy officials; Drug officials.
onions, production and varieties. D.B. 1325, p. 11. 1925.
pea. See Bean, Mung.
peach—
    growing, production districts, and varieties. D.B. 806, pp. 4, 5, 7, 8, 9, 32. 1919.
    industry, season, and shipments, 1914. D.B. 298, pp. 4, 5, 13-14. 1916.
    varieties, names and ripening dates. F.B. 918, p. 10. 1918.
pear—
    growing—
        distribution and varieties. D.B. 822, p. 15. 1920.
        location and quality of fruit. D.B. 1072, pp. 3, 7, 8. 1922.
        ripening and storage, investigations. J.A.R., vol. 19, pp. 473-500. 1920.
pheasant raising and results. F.B. 390, p. 14. 1910.
pheasant. See Pheasant, ringneck.
Philomath, irrigation experiments on market garden. O.E.S. Cir. 78, pp. 17-18. 1908.
pig club work. Y.B. 1915, p. 179. 1916; Y.B. Sep. 667, p. 179. 1916.
pine—
    disease. Off. Rec., vol. 4, No. 50, p. 3. 1925.
    forest acreage, location, ownership, and stand. D.B. 418, pp. 2-3. 1917.
plum growing for prunes. F.B. 1372, pp. 2-3, 4, 8-12, 14-15, 16, 17, 21-25, 39, 40, 45-46. 1924.
pocket gophers, occurrence and description. N.A. Fauna 39, pp. 9, 23-28, 42-45, 49, 107, 115, 117, 121-127, 131. 1915.
Portland—
    livestock receipts and shipments, 1910. Stat. Bul. 89, pp. 22-26. 1911.
    school garden work, methods. O.E.S. Bul. 252, pp. 53-54. 1912.
potash salts and other salines in the Great Basin region. D.B. 61, pp. 1-96. 1914.
potato—
    crops, 1869-1906, acreage, production, and value. Stat. Bul. 62, pp. 8-27, 37. 1908.
    production and yield, 1909, in five leading counties. F.B. 1064, p. 5. 1919.
    wilt diseases, distribution and importance. J.A.R., vol. 21, pp. 839-845. 1921.
precipitation, climatic records, tables. D.B. 61, pp. 71-73. 1914.
rainfall, map and table. B.P.I. Bul. 188, pp. 41, 60-61. 1910.
range improvement, experiments. Y.B., 1915, pp. 304-306. 1916; Y.B. Sep. 678, pp. 304-306. 1916.
reforestation, choice of sites, methods, and species. D.B. 475, pp. 25, 37, 38, 39, 61-62, 63. 1917.
rivers, water power measurement. O.E.S. Bul. 209, pp. 19-20. 1909.
road(s)—
    bond-built, amount of bonds, and rate. D.B. 136, pp. 45, 75, 82, 85. 1915.
    building, rock tests, results—
        1916, table. D.B. 370, p. 58. 1916.
        1916-1921. D.B. 1132, pp. 29, 52. 1923.
    conditions, mileage, costs, and bonds. D.B. 389, pp. 3, 4, 5, 6, 7, 44-45. 1917.
    laws and mileage. Y.B., 1914, pp. 214, 222. 1915; Y.B. Sep. 638, pp. 214, 222. 1915.
    materials, tests. Rds. Bul. 44, p. 63. 1912.
    mileage and expenditures—
        1904. Rds. Cir. 42, pp. 2. 1906.
        1909. Rds. Bul. 41, pp. 32, 41, 42, 99-100. 1912.
        1915. Sec. Cir. 52, pp. 2, 5, 6. 1915.
        1916. Sec. Cir. 74, pp. 4, 5, 7, 8. 1917.

Oregon—Continued.
Rogue River Valley—
    Bartlett pears, precooling and storage. B.P.I. Cir. 114, pp. 19-24. 1913.
    weather observations in spring of 1909. F.B. 401, pp. 13-19. 1910.
rye crops, 1869-1906, acreage, production, and value. Stat. Bul. 60, pp. 6-25, 34. 1908.
San Jose scale, occurrence. Ent. Bul. 62, p. 29. 1906.
school lands, exchange for national forest lands. An. Rpts., 1913, pp. 179-180. 1914; For. A.R., 1913, pp. 45-46. 1913.
schools, agricultural, work. O.E.S. Cir. 106, rev., pp. 18, 24. 1912.
settlers, cost of —
    clearing, fencing, and seeding 10 acres. B.P.I. Doc. 495, p. 4. 1909.
    lumber and machinery. O.E.S. Bul. 209, p. 57. 1909.
sheep—
    poisoning by greasewood in pasture. D.C. 279, pp. 2-3. 1923.
    quarantine, removal. B.A.I. 146, Amdt. 7, rule 3, rev. 1, pp. 2. 1910.
Siskiyou Forest lands. Off. Rec., vol. 1, No. 40, p. 2. 1922.
Sitka spruce—
    stand, 1918, and cut, 1915-1918. D.B. 1060, pp. 4, 5. 1922.
    volume tables. D.B. 1060, pp. 33-37. 1922.
Siuslaw National Forest, sowing tree seeds, results. For. Bul. 98, pp. 44-46. 1911.
soil and alkali survey. Soils Bul. 35, p. 121. 1906.
soil survey of—
    Baker City area. Charles A. Jensen and W. W. Mackie. Soil Sur. Adv. Sh., 1903, pp. 24. 1904; Soils F.O., 1904, pp. 1-24. 1904.
    Baker County. See Baker City area.
    Benton County. E. J. Carpenter and E. F. Torgerson. Soil Sur. Adv. Sh., 1920, pp. 1431-1474. 1924; Soils F.O., 1920, pp. 1431-1474. 1925.
    Coos County. See Marshfield area.
    Jackson County. See Medford area.
    Josephine County. A. E. Kocher and E. F. Torgerson. Soil Sur. Adv. Sh., 1919, pp. 349-408. 1923; Soils F.O., 1919, pp. 349-408. 1925.
    Klamath County. See Klamath reclamation project area.
    Klamath reclamation project area. A. T. Sweet and I. G. McBeth. Soil Sur. Adv. Sh., 1908, pp. 45. 1910; Soils F.O., 1908, pp. 1373-1413. 1911.
    Marion County. See Salem area.
    Marshfield area. C. W. Mann and James E. Ferguson. Soil Sur. Adv. Sh., 1909, pp. 38. 1911; Soils F.O., 1909, pp. 1601-1634. 1912.
    Medford area. A. T. Strahorn and others. Soil Sur. Adv. Sh., 1911, pp. 74. 1913; Soils F.O., 1911, pp. 2287-2356. 1914.
    Multnomah County. C. V. Ruzek, and E. J. Carpenter. Soil Sur. Adv. Sh., 1919, pp. 47-98. 1922; Soils F.O., 1919, pp. 47-98. 1925.
    Polk County. See Salem area.
    Salem area. Charles A. Jensen. Soil Sur. Adv. Sh., 1903, pp. 16. 1904; Soils F.O., 1903, pp. 1171-1182. 1904.
    Union County. See Baker City area.
    Washington County. E. B. Watson, and others. Soil Sur. Adv. Sh., 1919, pp. 51. 1923; Soils F.O., 1919, pp. 1835-1881. 1925.
    Yamhill County. A. E. Kocher and others. Soil Sur. Adv. Sh., 1917, pp. 66. 1920; Soils F.O., 1917, pp. 2259-2320. 1923.
soils—
    and climatic data, precipitation and temperature. D.B. 1173, pp. 6-11. 1923.
    resemblance to those of Palestine, Trans-Jordan. B.P.I. Bul. 180, p. 11. 1910.
spotted-fever tick occurrence. Ent. Bul. 105, p. 17. 1911.
standard containers. F.B. 1434, p. 18. 1924.
stallions, number, classes, and legislation controlling. Y.B., 1916, pp. 290, 291, 293, 296, 297. 1917; Y.B. Sep. 692, pp. 2, 3, 5, 8, 9. 1917.
stem nematode occurrence on wild hosts. D.B. 1229, pp. 1-8. 1924.

INDEX TO PUBLICATIONS, 1901-1925   1719

Oregon—Continued.
  stock farm purchased by agricultural college. O.E.S. An. Rpt., 1912, pp. 56, 186. 1913.
  strawberry shipments, 1914. D.B. 237, p. 9. 1915; F.B. 1028, p. 6. 1919.
  Sudan-grass growing experiments. B.P.I. Cir. 125, pp. 6, 14. 1913.
  Tillamook County—
    cooperative cheese making and marketing association. Y.B., 1916, pp 145-157. 1917; Y.B. Sep. 699, pp. 1-13. 1917.
    Creamery Association—
      a type of cooperation. D.B. 547, pp. 46-47. 1917.
      cheese handling. B.A.I. Dairy [Misc.] "World's dairy congress, 1923," pp. 905-911, 942. 1924.
  timber—
    conditions, stand and cut. Rpt. 114, pp. 11, 13, 16, 27, 48, 64. 1917.
    in national forests. D.C. 4, pp. 5, 8. 1919.
    total stand, 1900. O.E.S. Bul. 209, p. 22. 1909.
  timothy and clover, production, 1909, acreage and yield. F.B. 502, pp. 7-8. 1912.
  Trebi barley growing, experiments and yields. D.C. 208, pp. 6-8. 1922.
  trucking industry, acreage and crops. Y.B., 1916, pp. 445, 455-465. 1917; Y.B. Sep. 702, pp. 11, 21-31. 1917.
  tuberculosis outbreak among poultry and hogs, investigation. B.A.I. An. Rpt., 1908, pp. 166, 174. 1910.
  Umatilla project, hints to settlers. Byron Hunter. B.P.I. Doc. 495, pp. 12. 1909.
  use of goats for farm-clearing projects. F.B. 1203, p. 5. 1921.
  valleys, Willamette, Umpqua, and Rogue River, physical characteristics. O.E.S. Bul. 226, pp. 8-19, 64-65. 1910.
  vetch growing for green manure. B.P.I. Chief Rpt., 1921, p. 26. 1921.
  wage rates, farm labor, 1842-1865, and 1866-1909. Stat. Bul. 99, pp. 19-20, 29-43, 68-70. 1912.
  Wallowa National Forest—
    description, climate, and vegetation. J.A.R. vol. 3, pp. 96-100. 1914.
    pasturing sheep in coyote-proof pastures. For. Cir. 178, pp. 1-40. 1910.
  walnut growing and yield. B.P.I. Bul. 254, pp. 23, 71, 75, 102. 1913.
  Washington County, irrigation experiments, 1908, 1909. O.E.S. Bul. 226, pp. 43-52, 59. 1910.
  water—
    and yields of several crops. D.B. 1340, pp. 46-49. 1925.
    resources and power. O.E.S. Bul. 209, pp. 12-20. 1909.
    rights—
      laws, and decisions. O.E.S. Bul. 209, pp. 46-55. 1909.
      officials. D.B. 913, pp. 2, 3. 1920.
    supply, records, by counties. Soils Bul. 92, pp. 126-127. 1913.
  waterfowl breeding grounds, location. Y.B., 1917, p. 197. 1918; Y.B. Sep. 723, p. 3. 1918.
  western—
    climate and rainfall. F.B. 271, pp. 7-9. 1906; O.E.S. Bul. 226, pp. 12, 15, 18, 19-27, 34-37. 1910.
    development, relation to irrigation. O.E.S. Bul. 226, pp. 66-68. 1910.
    forage crops, farm practice. B.P.I. Bul. 94, pp. 1-39. 1906; F.B. 271, pp. 1-39. 1906.
    irrigation experiments and investigations. A. P. Stover. O.E.S. Bul. 226, pp. 68. 1910.
    land-plaster application, farm methods. B.P.I. Cir. 22, pp. 1-14. 1909.
    logged-off land, utilization for pasture. F.B. 462, pp. 1-20. 1911.
    yellow pine in. Thornton T. Munger. D.B. 418, pp. 48. 1917.
  wheat—
    acreage and varieties. D.B. 1074, p. 214. 1922.
    crops, acreage, production, and value. Stat. Bul. 57, pp. 7-25, 35. 1907; rev., pp. 7-25, 35, 39. 1908.
    growing importance. F.B. 1301, p. 3. 1923.
    production by 10-year periods from 1881 to 1920. D.B. 1173, p. 2. 1923.

Oregon—Continued.
  wheat—continued.
    varietal experiments, Marquis and other. D.B. 400, pp. 32-33. 1916.
    yields and prices, 1869-1915. D.B. 514, p. 15. 1915.
  Willamette Valley—
    agricultural history and soil types. D.B. 705, pp. 2-3, 19. 1918.
    clover-seed production. Byron Hunter. B.P.I. Cir. 28, pp. 15. 1909.
    description and characteristics. O.E.S. Cir. 78, pp. 1-7. 1908.
    general farms, profitable management. Byron Hunter and S. O. Jayne. D.B. 705, pp. 24. 1918.
    irrigation experiments, progress report. A. P. Stover. O.E.S. Cir. 78, pp. 25. 1908.
    physical characteristics, climate, and need of irrigation. O.E.S. Cir. 78, pp. 1-14. 1908.
    winds. J.A.R., vol. 30, p. 602. 1925.
    winter irrigation. Y.B. 1905, p. 436. 1906; Y.B. Sep. 393, p. 436. 1906.
    wool-handling methods. Y.B. 1914, p. 330. 1915; Y.B. Sep. 645, p. 330. 1915.
  workmen's compensation act, results. D.B. 711, pp. 16-17. 1918.
  yellow pine, area, annual cut, and stumpage. D.B. 1003, pp. 6-7, 12-13. 1921.
  Zygadenus species, occurrence and distribution. D.B. 1012, pp. 3, 15, 16. 1922.
  See also Pacific Northwest.
Oregon-Washington, soil survey of Hood River-White Salmon River area. A. T. Strahorn and E. B. Watson. Soil Sur. Adv. Sh., 1912, pp. 45. 1914; Soils F.O., 1912, pp. 2047-2087. 1915.
Oreodoza regia—
  description. Guam. A. R., 1917, p. 43. 1918.
  See also Palm, Florida, royal.
Ores—
  analysis methods, for smelter wastes. Chem. Bul. 113, pp. 39-40. 1908; rev., pp. 62-63. 1910.
  iron, classification and sources, potash content. D.B. 1226, pp. 4, 8-12, 18. 1924.
  manganese, potash content. D.B. 1226, pp. 11, 18. 1924.
  process of extracting metals. Chem. Bul. 113, pp. 5-6. 1908.
Organic—
  acids. See Acids.
  compounds, effect on plant growth, table. Soils Bul. 87, pp. 70-79. 1912.
  iron compounds, availability to rice plants in calcareous and noncalcareous soils. J.A.R. vol. 20, pp. 50-54. 1920.
  matter—
    conservation and rotations in Great Plains area. B.P.I. Bul. 187, pp. 55-65. 1910.
    decomposing, effect on solubility of inorganic constituents of soil. Charles A. Jensen. J.A.R. vol. 9, pp. 253-268. 1917.
    effects upon soils, school studies. D.B. 521, pp. 10-11. 1917.
    in soil, nature. Soils Bul. 55, p. 17. 1909.
    lawn soils, nature, functions, and importance. Soils Bul. 75, pp. 9, 10, 11, 28-33. 1911.
    soil, effect on toxicity of alkali. J.A.R., vol. 15, pp. 303-305. 1918.
    soils, isolation, general review and study. Soils Bul. 53, pp. 1-53. 1909.
    substances, harmful, isolation from soils. Oswald Schreiner and Edmund C. Shorey. Soils Bul. 53, pp. 53. 1909.
Organization—
  rural. See Rural organization.
  rural community. T. N. Carver. Y.B. 1914, pp. 89-138. 1915; Y.B. Sep. 632, pp. 58. 1915.
  types in early days. Y.B. 1913, pp. 239-242. 1914; Y.B. Sep. 626, pp. 239-242. 1914.
Orgeat, sirup, definition. Chem. S.R.A. 21, p. 72. 1918.
Oribata spp., description and habits. Rpt. 108, pp. 96, 99. 1915.
Oribatella spp., description and habits. Rpt. 108, pp. 95, 96. 1915.
Oribatoidea, classification, description and habits. Rpt., 108, pp. 18, 90-104. 1915.
Oribella spp., description. Rpt., 108, pp. 96, 98, 1915.

Orient—
  agricultural conditions. David G. Fairchild. B.P.I. Bul. 27, pp. 40. 1902.
  botanical explorations, importance, economic and agricultural. B.P.I. Bul. 180, p. 7. 1910.
  citrus white fly enemies, search. Ent. Bul. 120, pp. 1–58. 1913.
  rice, importance and uses. F.B. 1195, pp. 3–4. 1921.
Oriental—
  beans, five species. C. V. Piper and W. J. Morse. D.B. 119, pp. 32. 1914.
  fertilizer and bug destroyer, analysis. Chem. Bul. 76, p. 43. 1903.
  plants recommended for introduction into United States. B.P.I. Bul. 180, pp. 13–36. 1910.
Orifices, submerged rectangular, water-flow measurement. J.A.R. vol. 9, pp. 97–114. 1917.
Original package—
  definition and discussion. Sol. Cir. 41, pp. 4–7. 1911.
  interpretation of regulation 2, of rules and regulations for the enforcement of the food and drugs act. F.I.D. 86, pp. 16. 1908.
Orinda (horse) history and pedigree. B.A.I. An. Rpt., 1907, pp. 92, 140. 1909; B.A.I. Cir. 137, pp. 92, 140. 1908.
Oriole(s)—
  Baltimore—
    description, range, and food habits. F.B. 630, p. 13. 1915.
    migration habits. Y.B., 1910, p. 385. 1911; Y.B. Sep. 545, p. 385. 1911.
    range and habits. N.A. Fauna 22, p. 116. 1902.
  Bullock's—
    description, range, and food habits. F.B. 630, p. 14. 1915.
    enemy of codling-moth larvae. Y.B., 1911, pp. 241, 243. 1912; Y.B. Sep. 564, pp. 241, 243. 1912.
    food habits, relation to agriculture. Biol. Bul. 34, pp. 68–71. 1910; D.B. 107, pp. 22–23. 1914.
  enemies to cotton boll weevil, investigations. Biol. Bul. 25, pp. 10–11. 1906.
  enemy of leaf hoppers. Ent. Bul. 108, pp. 26, 29. 1912.
  food habits—
    and occurrence in Arkansas. Biol. Bul. 38, pp. 58–59. 1911.
    boll-weevil destruction. Y.B., 1907, p. 171. 1908; Y.B. Sep. 443, p. 171. 1908.
    migration habits and route. D.B. 185, pp. 3, 5. 1915.
  Porto Rican, occurrence in Porto Rico, habits and food. D.B. 326, pp. 115–117. 1916.
  protection by laws. Biol. Bul. 12, rev., pp. 38, 39, 40, 41. 1902.
  value in boll-weevil destruction. News L., vol. 1, No. 46, pp. 3–4. 1914.
ORLA-JENSEN, SIGURD—
  "The classification of the lactic acid bacteria." B.A.I. Dairy [Misc.], "World's dairy congress, 1923," pp. 1123–1127. 1924.
  "The supply of milk to large towns." B.A.I. Dairy [Misc.], "World's dairy congress, 1923," pp. 1304–1306. 1924.
Orleans Hill Vineyard, California, historical notes. D.B. 903, p. 6. 1921.
Ormosia—
  calavensis, importations and descriptions. No. 46524, B.P.I. Inv. 56, p. 23. 1922; No. 47209, B.P.I. Inv. 58, p. 40. 1922.
  hosiei, importation and description. No. 54033, B.P.I. Inv. 68, p. 20. 1923.
Ornamental(s)—
  adaptability to Canal Zone. Rpt. 95, p. 25. 1912.
  adaptation to Great Plains, lists. F.B. 1312, pp. 19–21. 1923.
  bamboo for. D.B. 1329, pp. 33–39. 1925.
  breeding. B.P.I. Chief Rpt., 1924, pp. 29–30. 1924.
  Chinese, adaptability to United States. Y.B., 1915, pp. 219–221. 1916; Y.B. Sep. 671, pp. 219–221. 1916.
  cultivation in Alaska. Alaska A.R., 1907, p. 41. 1908.
  damage by root knot. F.B. 648, pp. 8, 11. 1915.

Ornamental(s)—Continued.
  diseases—
    in Texas, occurrence and description. B.P.I. Bul. 226, pp. 82–89. 1912.
    review for 1907. Y.B., 1907, p. 589. 1908; Y.B. Sep. 467, p. 589. 1908.
  for Great Plains, species adapted, and descriptions. F.B. 888, pp. 14–15. 1917.
  growing—
    at field station near Mandan, N. Dak. D.B. 1301, pp. 34–41. 1925.
    at Yuma experiment farm. D.C. 75, pp. 64–74. 1920.
    in Alaska—
      1922. Alaska A.R., 1922, pp. 12–13. 1923.
      by experiment stations and settlers. Alaska A.R., 1918, pp. 30–33, 54. 1920.
      Sitka Experiment Station. Alaska A.R., 1920, pp. 16–18. 1922.
    in Arizona, experiments. W.I.A. Cir. 7, pp. 22–23. 1915.
    in Nebraska, experiments. W.I.A. Cir. 6, p. 19. 1915.
    in Texas, San Antonio experiment farm. W.I.A. Cir. 16, pp. 17–19. 1917.
  host plants of red spider. F.B. 735, p 7. 1916.
  importations from January 1 to March 31, 1921. B.P.I. Inv. 66, pp. 5–6. 1923.
  India, importations and descriptions. Nos. 33543–33587, B.P.I. Inv. 31, pp. 5, 29–33. 1914.
  inferior stock, danger of spreading insect pests. F.B. 453, p. 8. 1911.
  infestation by San Jose scale. Ent. Cir. 124, pp. 6–8. 1910.
  injury by—
    common cabbage worm. F.B. 766, p. 7. 1916.
    greenhouse thrips. Ent. Bul. 64, p. 51, 1911. Ent. Cir. 151, pp. 1, 3–7, 8. 1912.
    onion thrips. Y.B., 1912, pp. 321, 323. 1913; Y.B. Sep. 594, pp. 321, 323. 1913.
    red-banded leaf roller. D.B. 914, pp. 5, 7, 10. 1920.
    spotted beet webworm. Ent. Bul. 127, Pt. I, pp. 5–7. 1913.
  insects injurious—
    1907. Y.B., 1907, p. 551. 1908; Y.B. Sep. 472, p. 551. 1908.
    1908. Y.B., 1908, p. 578. 1909; Y.B. Sep. 499, p. 578. 1909.
  nursery stock, marketing methods. Rpt. 98, pp. 123–127. 1913.
  planting in—
    California, Yuma experiment farm. W.I.A. Cir. 12, pp. 24–27. 1916.
    Nebraska, tests of hardiness. B.P.I. Doc. 1081, p. 18. 1914.
  propagation, aid of quarantine. F.H.B. An. Rpt., 1924, pp. 8–9. 1924.
  suited for Nebraska. B.P.I. Cir. 116, p. 21. 1913.
  susceptibility to root rot caused by *Thielavia basicola*. J.A.R., vol. 7, pp. 290, 291, 293, 294, 296, 297. 1916.
  use of—
    camphor trees. Y.B., 1910, p. 451. 1911; Y.B. Sep. 551, p. 451. 1911.
    mango varieties. P.R. Bul. 24, pp. 28–29. 1918.
    saltbushes. B.P.I. Cir. 69, pp. 1–6. 1910.
    Texas palmetto. B.P.I. Cir. 113, pp. 11–14. 1913.
  water plants, destruction by muskrat. F.B. 396, p. 18. 1910.
  See also Plants; Shrubs; Trees.
Ornithodoros—
  megnini—
    description. B.A.I. Bul. 78, p. 15. 1905.
    See also Tick, spinose ear.
  spp.—
    description and habits. Rpt. 108, pp. 57, 62, 63, 64–65. 1915.
    occurrence and description. Ent. Bul. 72, pp. 45–46. 1907.
Ornithogalum umbellatum—
  poisonous to sheep. B.P.I. Chief Rpt., 1921, p. 44. 1921.
  resistance to teliospores of *Puccinia triticina*. J.A.R., vol. 22, pp. 155–172. 1921.
Ornithuric acid, determination in poultry excrement. B.A.I. Bul. 56, pp. 83–84. 1904.

Ornix geminatella, control and life history. F.B. 1270, p. 55. 1922; J.A.R., vol. 6, No. 8, pp. 289-296. 1916.
Orpiment, use in shellac and rosin, description, danger. Chem. Cir. 91, pp. 1, 2, 3, 4. 1912.
ORRBEN, C. L.: "Soil survey of—
Dubuque County, Iowa." With J. O. Veatch. Soil Sur. Adv. Sh., 1920, pp. 345-369. 1923; Soils F.O., 1920, pp. 345-369. 1925.
Greene County, Iowa." With A. W. Goke. Soil Sur. Adv. Sh., 1921, pp. 281-303. 1924.
Jefferson County, Iowa." With C. B. Boatwright. Soil Sur. Adv. Sh., 1922, pp. 307-343. 1925.
Woodbury County, Iowa." With others. Soil Sur. Adv. Sh., 1920, pp. 759-784. 1923; Soils F.O., 1920, pp. 759-784. 1925.
Orris—
culture and handling as drug plant, yield and price. F.B. 663, p. 29. 1915.
growing and uses, harvesting, marketing, and prices. F.B. 663, rev., p. 39. 1920.
root—
culture. Rodney H. True. Pub. [Misc.], "Orris root culture," p. 1. 1905.
fingers, moldy. Chem. S.R.A. 23, p. 99. 1918.
Orthalidae larvae, description and occurrence in vegetables. Ent. T.B. 22, pp. 24-25. 1912.
Orthezia—
greenhouse—
description and control. F.B. 1306, pp. 19, 20. 1923.
distribution and hosts. J.A.R., vol. 30, pp. 97-101. 1925.
spp., descriptions. J.A.R., vol. 30, pp. 102-146. 1925.
Ortheziinae—
recently described, catalogue. Ent. T.B. 16, Pt. VI, p. 84. 1912.
subfamily of scale insects, classification. Harold Morrison. J.A.R., vol. 30, pp. 97-154. 1925.
Ortheziola spp., descriptions. J.A.R., vol. 30, pp. 152-153. 1925.
Orthoclase—
description and composition. Rds. Bul. 37, pp. 16, 17. 1911.
potash—
availability in soils, and effect of lime. J.A.R., vol. 14, pp. 297-313. 1918.
source, distribution and value. Y.B., 1912, p. 528. 1913; Y.B. Sep. 611, p. 528. 1913.
potassium solubility as affected by calcium solutions. J.A.R., vol. 8, p. 24. 1917.
powder, after dry and wet grinding, description. Chem. Bul. 92, pp. 10, 13, 14, 20-21. 1905.
primary mineral constituent of road building rock. D.B. 348, pp. 6, 7. 1916.
soils, potash availability, effect of lime or gypsum. Lyman J. Briggs and J. F. Breazeale. J.A.R., vol. 8, pp. 21-28. 1917.
solutions, potassium concentration, availability to wheat seedlings. J. F. Brezeale and Lyman J. Briggs. J.A.R., vol. 20, pp. 615-621. 1921.
Orthoptera—
affecting cereals. Ent. Bul. 96, Pt. I, p. 7. 1911.
destruction by—
birds. Biol. Bul. 15, pp. 8, 23, 34. 1901.
crows. D.B. 621, pp. 19-22, 42, 43, 59-60, 88. 1918.
flycatchers, lists. Biol. Bul. 44, pp. 11, 18, 27, 34, 37, 48, 60, 62. 1912.
enemies of boll weevil, list. Ent. Bul. 100, p. 40. 1912.
in Pribilof Islands, Alaska. N. A. Fauna 46, Pt. II, p. 140. 1923.
injury to Porto Rican crops. D.B. 192, pp. 4-5. 1915.
sugar beet, list. Ent. Bul. 54, pp. 85-86. 1905.
Orthoris crotchii, characteristics and parasites. Ent. Bul. 63, p. 44. 1907.
Orth's fluid, formula, use in preserving pathological specimens. B.A.I. An. Rpt., 1906, p. 200. 1908; B.A.I. Cir. 123, p. 4. 1908.
ORTON, C. R.—
"A new host for the potato wart disease." With L. O. Kunkel. D.C. 111, pp. 17-18. 1920.
"Investigations of potato wart." With others. D.B. 1156, pp. 22. 1923.

ORTON, C. R.—Continued.
"The behavior of American potato varieties in the presence of the wart." D. C. 111, pp. 10-17. 1920.
"The varietal and species hosts of *Synchytrium endobioticum.*" With Freeman Weiss. D.B. 1156, pp. 1-16. 1923.
ORTON, W. A.—
"Control of diseases and insect enemies of the home vegetable garden." With F. H. Chittenden. F.B. 856, pp. 72. 1917.
"Cotton wilt." F.B. 333, pp. 24. 1908.
"Diseases of watermelons." With F. C. Meier. F.B. 1277, pp. 31. 1922.
"How to increase the potato crop by spraying." With F. H. Chittenden. F.B. 868, pp. 22. 1917.
"Increasing the potato crop by spraying." With F. H. Chittenden. F.B. 1349, pp. 22. 1923.
"Lessons for American potato growers from German experiences." D.B. 47, pp. 12. 1913.
"Pecan rosette". With Frederick V. Rand. J.A.R., vol. 3, pp. 149-174. 1914.
"Plant diseases in 1904." Y.B. 1904, pp. 581-586 1905; Y.B. Sep. 367, pp. 581-586. 1905.
"Plant diseases in 1905." Y.B. 1905, pp. 602-611. 1906; Y.B. Sep. 409, pp. 602-611. 1906.
"Plant diseases in 1906." Y.B. 1906, pp. 499-508. 1907; Y.B. Sep. 437, pp. 499-508. 1907.
"Plant diseases in 1907." With Adeline Ames. Y.B., 1907, pp. 577-589. 1908; Y.B. Sep. 467, pp. 577-589. 1908.
"Plant diseases in 1908." With Adeline Ames. Y.B., 1908, pp. 533-538. 1909.
"Potato diseases in San Joaquin County, Calif." B.P.I. Cir. 23, pp. 14. 1909.
"Potato leaf-roll." B.P.I. Cir. 109, pp. 7-10. 1913.
"Potato-tuber diseases." F.B. 544, pp. 16. 1913.
"Potato wart." With others. D.C. 111, pp. 19. 1920.
"Potato wilt, leaf-roll, and related diseases". D.B. 64, pp. 48. 1914.
"Powdery dry rot of potato." With G. K. K. Link. C.T. and F.C.D. Cir. 1, pp. 4, 1918.
"Powdery dry-rot of the potato." B.P.I. Cir. 110, pp. 13-15. 1913.
"Sea-island cotton." F.B. 787, pp. 40. 1916.
"Sea-island cotton: Its culture, improvement, diseases." F.B. 302, pp. 48. 1907.
"Selection and treatment of seed potatoes to avoid diseases." C.T. and F.C.D. Inv. Cir. 3, pp. 8. 1918.
"Some diseases of the cowpea." With Herbert J. Webber. B.P.I. Bul. 17, pp. 36. 1902.
"Spraying for cucumber and melon diseases." F.B. 231, pp. 24. 1905.
"The control of cotton wilt and root-knot." With W. W. Gilbert. B.P.I. Cir. 92, pp. 19. 1912; B.P.I. Doc. 648, pp. 4. 1911.
"The control of the codling moth and apple scab." With C. L. Marlatt. F.B. 247, pp. 23. 1906.
"The danger of using foreign potatoes for seed." With William Stuart. B.P.I. Cir. 93, pp. 5. 1912.
"The development of farm crops resistant to disease." Y.B., 1908, pp. 453-464. 1909; Y.B. Sep. 494, pp. 453-464. 1909.
"The potato quarantine and the American potato industry." D.B. 81, pp. 20. 1914.
"The sugar-beet in European agricultural economy." B.P.I Bul. 260, pp. 31-42. 1912.
"Wart disease of the potato; a dangerous European disease liable to be introduced into the United States." With Ethel C. Field. B.P.I. Cir. 52, pp. 11. 1910.
"Watermelon diseases." F.B. 821, pp. 18. 1917.
Oryza—
longistaminati. See Rice, perennial.
sa, iva—
growth on calcareous soil. J.A.R., vol. 20, pp. 38-58. 1920.
importation, and description. Nos. 34220-34249. B.P.I. Inv. 32, pp. 25-26. 1914.
occurrence in Guam. Guam A.R., 1913, p. 16. 1914.
spp., description, distribution and uses. D.B. 772, pp. 18, 204, 205. 1920.
Oryzeae genera, key, and descriptions of grasses. D.B. 772, pp. 18, 204-206. 1920.
Oryzaephilus surinamensis. See Grain beetle, sawtoothed.

Oryzomys—
  destruction by coyotes. Biol. Bul. 20, p. 13. 1905.
  spp.—
    description, characters, variation and history. N.A. Fauna 43, pp. 3–17. 1918.
    See also Rat, rice.
  subgenera and minor groups, with keys. N.A. Fauna 43, pp. 14–17. 1918.
Oryzopsis—
  cuspidata. See Bunchgrass.
  hymenoides. See Millet, Indian.
  spp., description, distribution and uses. D.B. 772, pp. 14, 15², 158, 159. 1920.
Osage orange—
  characteristics, uses, and rate of growth. For. Cir. 161, pp. 11, 13, 22, 23, 24, 28, 33–35. 1909.
  characters. F.B. 468, p. 42. 1911.
  commercial use, possibilities. Y.B. 1915, p. 204. 1916; Y.B. Sep. 670, p. 204. 1916.
  consumption in Arkansas, amount, value, etc. For. Bul. 106, pp. 7, 10, 19, 21, 26, 39. 1912.
  description—
    For. Cir. 90, pp. 3. 1907.
    and key. D.C. 223, pp. 6, 10. 1922.
    and uses in southern Great Plains. F.B. 1312, p. 12. 1923.
    range, habits, uses, propagation, and planting directions. For. Cir. 90, pp. 1–3. 1907.
  diseases, in Texas, occurrence and description. B.P.I. Bul. 226, pp. 75, 110. 1912.
  farm planting. F.B. 228, pp. 13–14. 1905.
  habits, use, cost and yield of plantations, Nebraska. For. Cir. 45, pp. 24–26. 1906.
  height, growth per year, and value. For. Bul. 86, p. 93. 1911.
  host of root rot fungus. J.A.R., vol. 30, pp. 475–476. 1925.
  mistletoe infection. B.P.I. Bul. 166, pp. 18, 19, 22. 1910.
  names, distribution, description, and uses. For. Cir. 184, pp. 8–9. 1911.
  planting directions, uses. For. Cir. 99, p. 7. 1907.
  quantity used in manufacture of wooden products. D.B. 605, p. 16. 1918.
  tests for shrinkage, and strength. D.B. 676, p. 26. 1919.
  use—
    for fence posts, and as hedge plant. Y.B. 1900, p. 148. 1901.
    in forest planting. For. Bul. 65, pp. 20, 27, 31, 38. 1905.
    in windbreak planting, recommendations and returns. F.B. 788, pp. 12, 13, 14. 1917; F.B. 1405, pp. 11, 13, 15. 1924.
  value—
    as fence posts, Cedar County, Mo. Soil Sur. Adv. Sh., 1909, p. 8. 1911; Soils F.O., 1909, p. 1344. 1912.
    for posts per acre. For. Bul. 86, pp. 84–86. 1911.
    of products, cost of planting, uses. For. Cir. 81, pp. 17–18, 32. 1910.
  waste as a substitute for fustic dyewood. F. W. Kressman. Y.B., 1915, pp. 201–204. 1916; Y.B. Sep. 670, pp. 201–204. 1916.
  windbreaks, characteristics and value. For. Bul. 86, pp. 22, 23, 25, 27, 30, 31, 32, 33, 34, 35, 49, 50, 51, 65, 66, 67, 77, 84–86, 93, 97. 1911.
  wood—
    comparison to ash wood and catalpa. D.B. 523, p. 16. 1917.
    supply, chemical composition and dyeing value. Y.B., 1915, pp. 201–203. 1916; Y.B. Sep. 670, pp. 201–203. 1916
  See also Toxylon pomiferum.
Osbeckia—
  spp., importations and description. Nos. 47744–47746, B.P.I. Inv. 59, p. 54. 1922.
  stellata, importation and description. No. 39126, B.P.I. Inv. 40, p. 79. 1917.
OSBORN, HERBERT—
  "Leafhoppers affecting cereals, grasses, and forage crops." Ent. Bul. 108, pp. 123. 1912.
  report as chairman of committee on entomology nomenclature, 1906. Ent. Bul. 67, p. 10. 1907.

OSBORN, HERBERT—Continued.
  "Some notable insect occurrences in Ohio, 1902." Ent. Bul. 37, pp. 115–116. 1902.
  "The meadow plant bug, Miris dolabratus." J.A.R., vol. 15, pp. 175–200. 1918.
OSBORNE, T. B., report as associate referee on separation of nitrogenous bodies (vegetable proteins). Chem. Bul. 162, pp. 154–159. 1913.
OSBORNE, W. H., farmer's income tax explanation, circular letter. News L., vol. 2, No. 30, pp. 2–3. 1915.
Oscinis—
  frit. See Frit fly, European.
  spp., synonyms of Agromyza spp. J.A.R., vol. 1, p. 65. 1913.
OSGOOD, W. H.—
  "A biological reconnaissance of the base of the Alaska Peninsula." N.A. Fauna 24, pp. 86. 1904.
  "A revision of the mice of the American genus Peromyscus." N.A. Fauna 28, pp. 285. 1909.
  "Biological investigations in Alaska and Yukon Territory." N.A. Fauna 30, pp. 96. 1909.
  "Natural history of the Queen Charlotte Islands, British Columbia. Natural history of the Cook Inlet region of Alaska." N.A. Fauna 21, pp. 87. 1901.
  "Silver fox farming." F.B. 328, pp. 22. 1908.
  "The game resources of Alaska." Y.B., 1907, pp. 469–482. 1908; Y.B. Sep. 462, pp. 469–482. 1908.
OSHIMA, KINTARO: "A digest of Japanese investigations on the nutrition of man." O.E.S. Bul. 159, pp. 224. 1905.
Osiers—
  basket, use of willow branches. B.P.I. Bul. 139, p. 13. 1909.
  dogwood species, round-leaved, uses. B.P.I. Bul. 139, p. 43. 1909.
OSKAMP, JOSEPH: "Soil temperatures as influenced by cultural methods." J.A.R., vol. 5, No. 4, pp. 173–179. 1915.
Osmanthus—
  americana, injury by sapsuckers. Biol. Bul. 39, p. 49. 1911.
  delavayi, importation and description. No. 52685, B.P.I. Inv. 66, p. 60. 1923.
Osmosis—
  concentration in potato wart disease. J.A.R., vol. 21, pp. 489–592. 1921.
  factor in water absorption by plants. D.B. 1059, pp. 66–70, 120, 136–142. 1922.
Osmotic—
  concentration of tissue of indicator plants, Utah. J.A.R., vol. 27, pp. 853–924. 1924.
  pressure—
    in—
      atmosphere, for depression of freezing point. D.B. 1059, p. 198. 1922.
      plants. J.A.R., vol. 20, pp. 156–157. 1920.
    of dry seeds. J.A.R., vol. 20, pp. 592–593. 1921.
    soils, studies. J.A.R., vol. 13, pp. 214–223. 1918.
OSNER, G. A.: "Stemphylium leafspot of cucumbers." J.A.R., vol. 13, pp. 295–306. 1918.
Osprey—
  American—
    occurrence, in Athabaska-Mackenzie region. N.A. Fauna 27, p. 366. 1908.
    range and habits. N.A. Fauna 21, p. 43. 1901.
  occurrence—
    breeding habits and food. Biol. Bul. 38, p. 41. 1911.
    in—
      Porto Rico, and food habits. D.B. 326, p. 34. 1916.
      Yukon Territory. N.A. Fauna 30, p. 88. 1909.
  range and habits. N.A. Fauna 22, p. 108. 1902; N.A. Fauna 24, p. 69. 1904.
  See Hawk, fish.
OSSIPON, J., studies of hop oil distillation. J.A.R., vol. 2, pp. 157, 159. 1914.
Osteitis, cattle, causes, symptoms, and treatment. B.A.I. [Misc.], "Diseases of cattle," rev., p. 262. 1904; rev., p. 270. 1912; rev., p. 265. 1923.
Ostenfeldiella diplantherae galls, description. J.A.R. vol, 14, p. 569. 1918.

INDEX TO PUBLICATIONS, 1901–1925   1723

Osteomalacia—
 cattle—
  causes, symptoms, and treatment. B.A.I. [Misc.], "Diseases of cattle," rev., pp. 264–265. 1904; rev., pp. 273–274. 1912; rev., pp. 267–268. 1923.
  occurrence in Norway. B.A.I. Dairy [Misc.], "World's dairy congress, 1923," pp. 1494–1501. 1924.
  condition of bones and cause of disease. Chem. Bul. 123, pp. 25, 29. 1909.
 or creeps, in cattle. V. T. Atkinson. B.A.I. Cir. 66, pp. 2. 1905.
Osteoporosis—
 or bighead. John R. Mohler. B.A.I. [Misc.], "Diseases of the horse," rev., pp. 554–558. 1907; rev., pp. 559–564. 1911; rev., pp. 578–582. 1916; rev., pp. 578–582. 1923.
 See also Bighead.
Osterdamia—
 importations and description. No. 38177, B.P.I. Inv. 39, p. 100. 1917.
 matrella—
  importations and description. Nos. 42389, 42768, 42839, 43011, B.P.I. Inv. 47, pp. 6, 10, 50, 73, 87. 1920.
  See also Korean grass; Manilla grass.
 spp.—
  description, distribution, and uses. D.B. 772, pp. 16, 165–166, 167, 288. 1920.
  importation and description. Nos. 48574, 48721, 48722, B.P.I. Inv. 61, pp. 24, 40. 1922.
 tenuifolia. See Mascarene grass.
OSTERTAG, ROBERT VON: "Control of foot-and-mouth disease in Europe." B.A.I. Dairy [Misc.], "World's dairy congress, 1923," pp. 1501–1512. 1924.
Ostertagia—
 bisonis, n. sp., description. J.A.R., vol. 30, pp. 677–678. 1925.
 ostertagi. See Stomach worm, encysted.
Ostitis, cattle, symptoms and treatment. B.A.I. [Misc.], "Diseases of cattle," rev., p. 354. 1904; rev., p. 367. 1912; rev., p. 355. 1923.
Ostodes paniculata, importation and description. No. 47747, B.P.I. Inv. 59, p. 54. 1922.
Ostrea spp. See Oysters.
Ostrich—
 breeds, description. B.A.I. An. Rpt., 1909, p. 235. 1911; B.A.I. Cir. 172, p. 234. 1911.
 diseases control. B.A.I. An. Rpt., 1909, pp. 236–237. 1911; B.A.I. Cir. 172, pp. 236–237. 1911.
 eggs, incubation period. F.B. 585, p. 3. 1914.
 farming—
  in Arizona. Watson Pickrell. Y.B., 1905, pp. 399–406. 1906; Y.B. Sep. 391, pp. 399–406. 1906.
  in Colorado River Valley, advantages of Peruvian alfalfa. B.P.I. Bul. 118, p. 9. 1907.
 feathers, imports, 1908, value, and tariff duties. B.A.I. An. Rpt., 1909, pp. 237–238. 1911; B.A.I. Cir. 172, pp. 237–238. 1911.
 industry in, United States. A.R. Lee. B.A.I. An. Rpt., 1909; pp. 233–238. 1911; B.A.I. Cir. 172, pp. 6. 1911.
 investigations, Arizona Experiment Station. S.R.S. Rpt., 1916, Pt. I, p. 61. 1918.
 Nubian, description. B.A.I. An. Rpt., 1909, p. 234. 1911; B.A.I. Cir. 172, p. 234. 1911.
 number and value on farms, 1920. Y.B., 1924, p. 393. 1925.
 South African, description. B.A.I. An. Rpt., 1909, p. 234. 1911; B.A.I. Cir. 172, p. 234. 1911.
Ostrya—
 spp., injury by sapsuckers. Biol. Bul. 39, p. 31, 71. 1911.
 virginiana—
  injury by pith-ray flecks. For. Cir. 215, p. 10. 1913.
 See also Ironwood.
Ostryopsis davidiana, importation and description. No. 36731, B.P.I. Inv. 37, p. 58. 1916.
Ostwald, process of ammonia oxidation. An. Rpts. 1917, p. 223. 1918; Soils Chief Rpt., 1917, p. 5. 1917.
Osyris—
 abyssinica, importation and description. No. 48817, B.P.I. Inv. 61, p. 51. 1922.
 alba, importation and description. No. 55791, B.P.I. Inv. 72, p. 35. 1924.

Otiorhynchus ovatus, destruction by starling. D.B. 868, p. 17. 1921.
Oto. See Yautia.
Otobius—
 meguini. See Tick, spinose ear.
 spp., description, habits and injurious effects and remedy. Rpt. 108, pp. 56, 63, 65–66. 1915.
Otocephaly in guinea pigs, factors determining. Sewall Wright and Orson N. Eaton. J.A.R. vol. 26, pp. 161–182. 1923.
Otocoris alpestris. See Lark, horned.
Otodectes sup., description, habits, and control. Rpt. 108, pp. 130, 132. 1915.
Otoes alascanus. See Seal, fur, Alaska.
Otophora—
 alata, importation and description. No. 44899, B.P.I. Inv. 51, p. 87. 1922.
 fruticosa, importation and description. No. 51106, B.P.I. Inv. 64, p. 56. 1923.
Otopterus mexicanus. See Bat, big-eared.
Ottawa, Ill., milk supply, statistics, officials, prices, and ordinances. B.A.I. Bul. 46, pp. 40, 69. 1903.
Otter—
 Canada—
  Athabaska-Mackenzie region. N.A. Fauna 27, p. 228. 1908.
  range, and habits. N.A. Fauna 22, p. 65. 1902.
 fur, value increase since 1915. D.C. 135, p. 5. 1920.
 hunting laws in, Montana and Idaho. For. [Misc.], "Trespass on national * * *," pp. 28, 46. 1922.
 in Alaska—
  conditions and protection. D.C. 168, pp. 5, 6. 1921.
  occurrence. N.A. Fauna 24, pp. 45, 47. 1904.
 land—
  in Alaska. N.A. Fauna 30, p. 29. 1909.
  protection in Alaska, regulations. Biol. S.R.A. 56, pp. 1–3. 1923.
  range, and habits. N.A. Fauna 24, p. 45. 1904.
 occurrence in—
  Alabama, description and habits. N.A. Fauna 45, pp. 40–41. 1921.
  Colorado, description. N.A. Fauna 33, pp. 182–183. 1911.
  Montana. Biol. Cir. 82, p. 22. 1911.
 protection laws, summary. F.B. 911, p. 29. 1917; F.B. 1022, p. 29. 1918; F.B. 1079, pp 3–30. 1919.
 raising for fur, value and costs, inclosures, and feed. Y.B., 1916, pp. 493, 496, 498, 500. 1917; Y.B. Sep. 693, pp. 5, 8, 10, 12. 1917.
 range and habits. N.A. Fauna 21, pp. 32, 34, 69. 1901.
 sea—
  increase in Alaska. D.C. 225, p. 5. 1922.
  occurrence in Pribilof Islands. N.A. Fauna 46, p. 105. 1923.
  protection, recommendation. D.C. 88, p. 11. 1920.
  range and habits. N. A. Fauna 24, p. 47. 1904.
  Texas, occurrence and habits. N.A. Fauna 25, pp. 195–196. 1905.
 trapping directions, and casing skins. Y.B. 1919, pp. 462–463. 1920; Y.B. Sep. 823, pp. 462–463. 1920.
Ottumwa, Iowa, milk supply, statistics, officials, and prices. B.A.I. Bul. 46, pp. 40, 77. 1903.
Otus asio. See Owl, screech.
Ouachita Mountain region, in Arkansas, description. Biol. Bul. 38, p. 7. 1911.
Ounces, use of term instead of "fluid ounces," Opinion 154. Chem. S.R.A. 16, p. 28. 1916.
Ouray Mountains, Uncompahgre National Forest. For. [Misc.], "The Ouray Mountains * * *" pp. 14. 1919.
Ousel. See Ouzel.
OUSLY, CLARENCE—
 "Agricultural finances." News L., vol. 6, No. 31, pp. 1, 9–10. 1919.
 "Agriculture extension work, and cooperation." News L., vol. 6, No. 26, pp. 3–4. 1919.
 appeal to Texas planters, cotton free zone. F.H.B. S.R.A. 50, pp. 26–27. 1918.
 appointment as Assistant Secretary. News L., vol. 5, No. 6, p. 8. 1917.

OUSLY, CLARENCE—Continued.
   instructions to committee on livestock drought relief. Y.B., 1919, pp. 391–392. 1920; Y.B. Sep. 820, pp. 391–392. 1920.
   report of Texas, extension work in agriculture and home economics—
      1915. S.R.S. An. Rpt., 1915, Pt. II, pp. 120–128. 1916.
      1916. S.R.S. An. Rpt., 1916, Pt. II, pp. 130–137. 1917.
   statement on—
      boundary-lines. News L., vol. 6, No. 7, p. 7. 1918.
      cotton embargo. News L., vol. 5, No. 7, pp. 3–4. 1917.
      cotton situation, 1919. News L., vol. 6, No. 30, pp. 1–2. 1919.
      effect of peace on food supplies, November 5, 1918. News L., vol. 6, No. 15, pp. 1, 3–5. 1918.
      farm help. News L., vol. 5, No. 42, p. 1. 1918.
      farm labor problem. News L., vol. 5, No. 35, p. 3. 1918.
      suggestions on cotton production, gathering, and marketing. News L., vol. 5, No. 52, pp. 1–2. 1918.
   "Texas Americanism." News L., vol. 6, No. 4, p. 7. 1918.
   "The farm labor problem." Sec. Cir. 112, pp. 10. 1918.
   "Women on the farm." News L., vol. 5, No. 43, pp. 3, 8. 1918.
   "War banking and farming." Sec. [Misc.], "War banking * * *," pp. 26–35. 1918.
Outcrossing, animal breeding, results. F.B. 1167, p. 24. 1920.
Outfit, medical, for field parties. For. [Misc.], "First-aid manual for field parties," pp. 9–11. 1917.
Outfitting, points for mountain trips in Colorado forest. D.C. 41, p. 16. 1919.
Outlook, agricultural. See Agriculture, outlook.
OUTRAM, T. S.: "Is exposure at Weather Bureau stations satisfactory for all instruments?" W.B. Bul. 31, pp. 216–217. 1902.
Ouzel—
   Athabaska-Mackenzie region. N.A. Fauna 27, p. 482. 1908.
   water, Yukon Territory. N.A. Fauna 30, pp. 64, 91. 1910.
Ovarian remedy, misbranding. Chem. N.J. 3972. 1915.
Ovaries, diseases, cow, relation to sterility. B.A.I. Dairy [Misc.], "World's dairy congress, 1923," pp. 1517–1518. 1924.
Ovariotomy, cows, purposes, and directions. B.A.I. [Misc.], "Diseases of cattle," rev., pp. 301–302. 1904; rev., pp. 312–313. 1912; rev., p. 301. 1923.
Oven(s)—
   coke burning, "beehive" and by-product types. Rds. Cir. 97, pp. 3–4. 1912.
   drying, for lumber, description. D.B. 1136, p. 4. 1923.
   Dutch, directions for use. D.C. 4, p. 61. 1919.
   use in bread baking. F.B. 389, p. 28. 1910.
   water, for determination of solids in fruits, description. Chem. Bul. 66, rev., p. 11. 1905.
Oven-bird—
   breeding range, migratory habits and routes. Biol. Bul. 18, pp. 99–102. 1904.
   in Athabaska-Mackenzie region. N.A. Fauna 27, p. 475. 1908.
   migration. Biol. Bul. 18, pp. 9–11, 14–15, 100–102. 1904.
   occurrence in Arkansas. Biol. Bul. 38, p. 80. 1911.
   range. Biol. Bul. 18, pp. 99–100. 1904.
   range and habits. N.A. Fauna 22, p. 127. 1902.
"Overflow bug," habits. Ent. Bul. 30, pp. 90–91. 1901.
Overflow, house sewer, description. F.B. 1227, pp. 40–41. 1922.
Overflow lands, willow management. D.B. 316, pp. 25–26. 1915.
Overflowed lands—
   alsike clover success. F.B. 1151, pp. 18–19. 1920.

Overflowed lands—Continued.
   and swamp lands in United States. Ownership and reclamation. J. O. Wright. O.E.S. Cir. 76, pp. 23. 1907.
Overgrazing—
   forest ranges, indicators and causes. D.B. 790, pp. 16–23. 1919.
   indicators, use in range management. D.B. 791, pp. 2–54. 73–76. 1919.
Overreach, symptoms and treatment. B.A.I. [Misc.], "Diseases of the horse," rev., pp. 378–379. 1903; rev., pp. 378–379. 1907; rev., pp. 378–379. 1911; rev., pp. 404–405. 1923.
Overseeding, effect on alfalfa rot growth. D.B. 1087, p. 7. 1922.
Overstocking, injury to native pastures. Y.B., 1915, pp. 301–303, 307. 1916; Y.B. Sep. 678, pp. 301–303, 307. 1916.
Overswelling, cheese, control by bacterial cultures. B.A.I. Dairy [Misc.], "World's dairy congress 1923," pp. 289–290. 1924.
Ovibos moschatus. See Musk-ox.
Ovicide, action of nicotine sulphate, discussion. D.B. 938, pp. 10–14. 1921.
Oviposition, response of insects. Charles H. Richardson. D.B. 1324, pp. 18. 1925.
Ovis canadensis. See Sheep, mountain.
Ovis, relation to climate. J.A.R., vol. 29, pp. 491–500. 1924.
Ovulation, simultaneous, relation to production of double-yolked eggs. Maynie R. Curtis. J.A.R., vol. 3, pp. 375–386. 1915.
OWEN, I. L.: "Soil survey of Sussex County, New Jersey." With others. Soil Sur. Adv. Sh., 1911, pp. 62. 1913; Soils F.O., 1911, pp. 329–386. 1914.
OWEN, R. M.: "Cooperative dairying." B.A.I. Dairy [Misc.] "World's dairy congress, 1923," pp. 695–699. 1924.
OWEN, W. L.: "Canning sirup." D.B. 1370, pp. 58–60. 1925.
Owenia—
   acidula, importation and description. No. 49894. B.P.I. Inv. 63, p. 18. 1923.
   cerasifera, importation and description. No. 52294. B.P.I. Inv. 65, p. 86. 1923.
   venosa. See Plum, Queensland sour.
OWENS, C. E.: "Specialized varieties of Puccinia glumarum, and hosts for variety Tritici." With Charles W. Hungerford. J.A.R., vol. 25, pp. 363–402. 1923.
OWENS, C. J.: "Secondary agricultural education in Alabama." O.E.S. Bul. 220, pp. 30. 1909.
Owens Lake, potash deposits. Y.B., 1912, p. 532. 1913; Y.B. Sep. 611, p. 532. 1913.
Owensboro, tobacco market and trade center. B.P.I. Bul. 268, pp. 38, 57. 1913.
Owl(s)—
   and hawks from standpoint of the farmer. A. K. Fisher. Biol. Cir. 61, pp. 18. 1907.
   banded, returns, 1920 to 1923. D.B. 1268, p. 30. 1924.
   bare-legged, occurrence in Porto Rico, description, habits, and food. D.B. 326, pp. 67–69. 1916.
   barn—
      description, range, and habits. F.B. 513, p. 26. 1913.
      occurrence and food habits. Biol. Bul. 38, p. 41. 1911.
      value—
         as rat exterminator. Biol. Bul. 35, pp. 34–35. 1910.
         in destruction of gophers. Y.B. 1909, p. 217. 1910; Y.B. Sep. 506, p. 217. 1910.
   barred—
      food habits mainly beneficial. Biol. Bul. 38, p. 42. 1911.
      protection, exception from. Biol. Bul. 12, rev., p. 43. 1902.
   beneficial habits. Y.B., 1908, p. 192. 1909; Y.B. Sep. 474, p. 192. 1909.
   bounties paid by different States. F.B. 1238, pp. 10–25. 1921.
   distribution, occurrence, and food habits. Biol. Bul. 38, pp. 41–44. 1911.
   description, range and habits. F.B. 513, p. 26. 1913; N.A. Fauna 22, pp. 109–111. 1902.
   dusky horned in Yukon Territory. N.A. Fauna 30, p. 89. 1909.

Owl(s)—Continued.
  enemies of—
    crows. D.B. 621, p. 71. 1918.
    field mice. F.B. 670, pp. 9–10. 1915.
    kangaroo rat, methods. D.B. 1091, p. 35. 1922.
  eye parasites of. B.A.I. Bul. 60, p. 48. 1904.
  food habits. Y.B., 1907, p. 166. 1908; Y.B. Sep. 443, p. 166. 1908.
  great gray—
    in Alaska. N.A. Fauna 30, p. 38. 1909.
    protection and exception from. Biol. Bul. 12 rev. pp. 44. 1902.
  great horned—
    harmful food habits. Biol. Bul. 38, pp. 43–44 1911.
    in Yukon Territory. N.A. Fauna 30, p. 61. 1909.
    protection and exception from. Biol. Bul. 12, rev. p. 38, 39, 43. 1902.
    range and habits. N.A. Fauna 24, pp. 69–70. 1904.
  handling, directions. M.C. 18, pp. 19–20. 1924.
  hawk—
    in Alaska. N.A. Fauna 30, pp. 39, 61. 1909.
    range and habits. N. A. Fauna 24, p. 70. 1904.
  horned—
    in Alaska. N.A. Fauna 30, p. 39. 1909.
    value as rat exterminator. Biol. Bul. 33, p. 35. 1909.
    in Porto Rico, habits and food. D.B. 326, pp. 67–69. 1916.
  long-eared, occurrence, breeding range, and food habits. Biol. Bul. 38, pp. 41–42. 1911; F.B. 497, p. 29. 1912.
  mice-eating habits. Y.B., 1905, p. 371. 1906.
  occurrence—
    and food habits. F.B. 497, pp. 29–30. 1912.
    in Pribilof Islands. N.A. Fauna 46, pp. 84–86. 1923.
  protection by law. Biol. Bul. 12, rev., p. 41. 1902.
  range and habits. N.A. Fauna 21, pp. 43–44, 76. 1901.
  relation to farmer. Biol. Cir. 61, pp. 1–18. 1907.
  Richardson, range, and habits. N.A. Fauna 24, p. 69. 1904.
  saw-whet, rarity. Biol. Bul. 38, p. 43. 1911.
  screech—
    description, range, and habits. F.B. 513, p. 26. 1913.
    distribution and food habits. F.B. 497, pp. 29–30. 1912.
    enemy of field mice and English sparrows. F.B. 670, p. 10. 1915.
    nesting and food habits. Biol. Bul. 38, p. 43. 1911.
  short-eared—
    distribution and occurrence. Biol. Bul. 38, p. 42. 1911.
    in Alaska. N.A. Fauna 30, p. 38. 1909.
    Porto Rican, occurrence and habits. D.B. 326, p. 67. 1916.
    range and habits. N.A. Fauna 24, p. 69. 1904.
  snowy, range and habits. N.A. Fauna 24, p. 70. 1904.
  usefulness in rat control. Y.B., 1917, p 249. 1918; Y.B. Sep. 725, p. 17. 1918.
  value as rat exterminators. Biol. Bul. 33, pp. 34–35. 1909; F.B. 1302, p. 10. 1923.
  varieties—
    description and food habits beneficial to farmer. Biol. Bul. 31, pp. 46–50. 1907.
    in Athabaska-Mackenzie region. N.A. Fauna 27, pp. 367–378. 1908.
Ownership, farm. See Farm ownership.
Owrey, Inspector, finding of pink bollworm in cargo. Off. Rec., vol. 1, No. 27, p. 1. 1922.
Ox—
  Blackwell, description, table of dimensions, and weights of quarters. B.A.I. Bul. 34, pp. 8–9. 1902.
  blood crystals. J.A.R., vol. 3, p. 217. 1914.
  body composition. D.B. 459, p. 3. 1916.
  bot. See Bots; Ox warble.
  comparison with hog, as a meat producer. B.A.I. Bul. 47, p. 15. 1904.
  diseases. See Cattle diseases.
  Etruscan, description, and descendants. B.A.I. An. Rpt., 1910, pp. 193, 206. 1912.

Ox—Continued.
  feed, misbranding. See *Indexes, Notices of Judgment, in bound volumes, and in separates published as supplements to Chemistry Service and Regulatory Announcements.*
  louse. See Louse, ox.
  marrow fat, digestibility, dietary experiments. D.B. 613, pp. 17–19. 1919.
  muscle—
    and viscera, vitamin-content studies. D.B. 1138, pp. 7–11, 23–25, 27, 29–44, 45. 1923.
    hematoporphyrin formation during autolysis. Ralph Hoagland. J.A.R., vol. 7, pp. 41–45. 1916.
  musk. See Musk-ox.
  Narbada, classification, description, geological period, and types. B.A.I. An. Rpt., 1910, pp. 159, 160, 195–196, 214. 1912.
  Siwalik, classification, description, and geological period. B.A.I. An. Rpt., 1910, pp. 161, 194. 1912.
  skeleton, bones, number, and position. B.A.I. [Misc.], "Diseases of cattle." rev., pp. 269–270, 288. 1912.
  tail fat, digestibility, dietary experiments. D.B. 613, pp. 19–22. 1919.
  throwing, directions. B.A.I. [Misc.], "Diseases of cattle," pp. 290–291. 1923.
  warble(s)—
    control on cattle. F.B. 1073, p. 22. 1919.
    European, danger of importation and spread in United States. News L., vol. 3, No. 24, p. 1. 1916.
    Hypoderma bovis and *Hypoderma lineatum*, distinguishing characters of larval stages with description of new larval stage. E. W. Laake. J.A.R., vol. 21, pp. 439–457. 1921.
    injuries, description, distribution, and control methods. News L., vol. 3, No. 24, pp. 1–2. 1916.
    possible infestation of human beings. Ent. T.B. 22, p. 10. 1912.
    See also *Hypoderma* spp.
  water requirements. F.B. 592, p. 2. 1914.
Oxalic acid—
  Aspergillus spp. producing, studies. J.A.R., vol. 7, pp. 1–15. 1916.
  effect on soil acidity and calcium content, experiments. J.A.R., vol. 26, pp. 99–100, 114. 1923.
  manufacture from sawdust. Chem. Cir. 36, pp. 41–43. 1907.
  molds producing, studies. J.A.R., vol. 7, pp. 1–15. 1916.
  occurrence in soils, description. Soils Bul. 88, pp. 7–10. 1912.
  production by *Sclerotinia cinerea*. J.A.R., vol. 21, p. 631. 1921.
  solution, preparation and use in removal of stains. F.B. 861, pp. 8, 21, 23. 1917.
  use—
    as poison for Argentine ants. D.B. 647, pp. 60–71. 1918.
    in—
      cleaning old floors. F.B. 1219, pp. 15, 16, 17, 18. 1921.
      fly larvae, destruction in manure, experiments. D.B.;245, pp. 12, 20. 1915.
      house cleaning. F.B. 1180, pp. 8, 18, 19. 1921.
Oxalis—
  crenata, edible tubers, importations and description. Nos. 47059, 47262, B.P.I. Inv. 58, pp. 22, 45. 1922.
  importations and descriptions. No. 48175, B.P.I. Inv. 60, p. 52. 1922; No. 49701, B.P.I. Inv. 62, p. 72. 1923; No. 49875, B.P.I. Inv. 63, p. 16. 1923.
  tuberosa. See Oca.
Oxandra spp. See Lanceweed.
Oxen—
  diseases to which subject. B.A.I. [Misc.], "Diseases of cattle," rev., pp. 147, 153–155. 1912.
  fattening, experiments. B.A.I. Dairy [Misc.], "World's dairy congress, 1923," pp. 1082–1084, 1087. 1924.
  rations containing distillery slop. F.B.;410, pp. 39–40. 1910.
  use as draft animals in India. B.A.I. Dairy [Misc.], "World's dairy congress, 1923," p. 1119. 1924.

Oxen—Continued.
  wild, principal species, geological distribution and description. B.A.I. An. Rpt., 1910, pp. 157, 158-161, 193-212. 1912.
  working, dipping for cattle ticks, South Africa. B.A.I. An. Rpt., 1910, p. 273. 1912; B.A.I. Bul. 144, p. 49. 1912.
Oxidase(s)—
  content of beet leaves, roots, and seeds, healthy and diseased, studies. B.P.I. Bul. 277, pp. 10-26. 1913.
  content of plant juices, measurement. Herbert H. Bunzel. B.P.I. Bul. 238, pp. 40. 1912.
  in apple pulp, study. J.A.R., vol. 5, No. 3, pp. 112-113. 1915.
  in seeds, relation to age, dryness, and germination. J.A.R., vol. 15, pp. 161-169. 1918.
  measurement, apparatus and materials. B.P.I. Bul. 238, pp. 13-23. 1912.
  occurrence in chicken fat. Chem. Cir. 103, pp. 8-10. 1912.
  potatoes, healthy and diseased, comparison. J.A.R., vol. 2, pp. 373-404. 1914.
  presence in milk, investigations. J.A.R., vol. 11, pp. 445-447. 1917.
  reaction in—
    diseased plants, studies. An. Rpts., 1912, p. 413. 1913; B.P.I. Chief Rpt., 1912, p. 33. 1912.
    spinach, healthy and blighted. H. H. Bunzell. J.A.R., vol. 15, pp. 377-380. 1918.
  relation to plant disease, former work. B.P.I. Bul. 277, p. 8. 1913.
  soil fertility, study and experiments. Soils Bul. 56, pp. 25, 45-50. 1909.
Oxidation—
  arsenical dipping fluids. B.A.I. Cir. 182, pp. 1-8. 1911.
  biological examples. Soils Bul. 73, pp. 8-9, 53-55. 1910.
  cause of heat in respiration of grain. J.A.R., vol. 12, pp. 686, 687. 1918.
  effect—
    of—
      putrefaction and poor drainage, experiments. Soils Bul. 56, pp. 50-51. 1909.
      toxic compounds. Soils Bul. 56, pp. 43-45. 1909.
      various salts on soil mixtures, experiments. Soils Bul. 56, pp. 30-42. 1909.
    on—
      soil fertility. An. Rpts., 1909, p. 487. 1910; Soils Chief Rpt., 1909, p. 17. 1909.
      tyrosine. Soils Bul. 47, p. 21. 1907.
      vitamins in milk. B.A.I. Dairy [Misc.], "World's dairy congress, 1923," pp. 1064-1066. 1924.
  processes in soil, cause of decomposition of organic matter. O.E.S. Bul. 194, pp. 55-57. 1907.
  rôle in soil fertility. Oswald Schreiner and Howard S. Reed. Soils Bul. 56, pp. 52. 1909.
  soil, studies. Oswald Schreiner and others. Soils Bul. 73, pp. 57. 1910.
  spontaneous, of arsenical dipping fluids. Aubrey V. Fuller. B.A.I. Cir. 182, pp. 8. 1911.
Oxidaze tablets, misbranding. See *Indexes, Notices of Judgment, in bound volumes, and in separates published as supplements to Chemistry Service and Regulatory Announcements.*
Oxidine misbranding, alleged. Chem. N.J. 1035, pp. 3. 1911.
Oxidizing—
  agents, effects on lactic, malic, and tartaric acids. Chem. Cir. 78, pp. 11-15. 1911.
  power of soils, relation to catalyzing power. Soils Bul. 86, pp. 13-14. 1912.
Oxpecker, habits in eating ticks from animals. Ent. Bul. 106, p. 43. 1912.
Oxtongue, description of seed, appearance in red clover seed. F.B. 260, pp. 18-19. 1906; F.B. 428, pp. 27, 28. 1911.
Oxus spp., description. Rpt. 108, pp. 49, 54. 1915.
Oxyacids, aromatic, detection in canned meat, method. Chem. Bul. 13, Pt. X, pp. 1393-1394. 1902.
Oxychloride, calcium, successful fertilizer for Hawaii. Hawaii A.R., 1920, p. 13. 1921.
Oxycide, aromatic, detection in canned meats. Chem. Bul. 13, Pt. X, pp. 1393-1394. 1902.
Oxycoccus macrocarpus. See Cranberry.

Oxydendrum arboreum—
  injury by sap suckers. Biol Bul. 39. p. 48. 1911. *See also* Sourwood.
Oxyechus spp. *See* Killdeer.
Oxyechus vociferus, description. Biol. Bul. 38, p. 33. 1911.
Oxygen—
  absorption—
    by charcoal. Soils Bul. 51, p. 26. 1908.
    by cheese. B.A.I. Bul. 151, pp. 18-20. 1912.
    during muscular and mental work. O.E.S. Bul. 208, pp. 33, 97. 1909.
  consumption—
    by man. O.E.S. Bul. 175, pp. 169-174. 1907.
    in respiration of apple seeds. J.A.R., vol. 23, pp. 117-129. 1923.
  effect on—
    development of apple scald. J.A.R., vol. 16, pp. 203-204. 1919.
    hypertrophy of conifers. J.A.R., vol. 20, pp. 259-262. 1920.
    spore germination of oat smut. J.A.R., vol. 24, pp. 588-589. 1923.
  measurement in seed respiration, methods and devices. J.A.R., vol. 23, pp. 101-109. 1923.
  necessary to plant life. Y.B., 1901, pp. 159-160. 1902; Y.B. Sep. 225, pp. 159-160. 1902.
  pressure, effect on germination of grain seed. J.A.R., vol. 23, pp. 91-92. 1923.
  relation to—
    apple scald. J.A.R., vol. 18, p. 212. 1919.
    cranberry injury. D.B. 960, pp. 5-7, 11. 1921.
    requirements of *Bacillus megatherium*. J.A.R., vol. 21, p. 695. 1921.
    soil supplying power, measurement method. Lee M. Hutchins and Burton E. Livingston. J.A.R., vol. 25, pp. 133-140. 1923.
  use in making Swiss cheese. B.A.I. Dairy [Misc.], "World's dairy congress, 1923," pp. 297-299. 1924.
  usefulness in soils. F.B. 704, p. 8. 1916.
Oxyopes salticus, destruction by birds. Biol. Bul. 15, p. 34. 1901.
Oxyria digyna. See Sorrel, mountain.
Oxyspirura—
  mansoni, of chickens, nematodes parasitic to the eyes of birds. B.A.I. Bul. 6, pp. 1-72. 1904.
  spp., diagnosis, synonymy, and bibliography. B.A.I. Bul. 60, pp. 20-30. 1904.
Oxyspora paniculata, importation and description. No. 47748, B.P.I. Inv. 59, p. 54. 1922.
Oxytropis—
  besseyi, description, distribution, and harmlessness. D.B. 575, p. 5. 1918.
  lambertii. See Loco weed, white.
Oyster(s)—
  adulteration—
    and misbranding. See also *Indexes, Notices of Judgment, in bound volumes and in separates published as supplements to Chemistry Service and Regulatory Announcements.*
    study. Chem. Bul. 132, p. 54. 1910.
    with water, methods, and control studies. News L., vol. 3, No. 23, pp. 3-4. 1916.
  bacterial—
    examination, method, data, and organisms. Chem. Bul. 156, pp. 34-42. 1912.
    studies and improvement of quality. Chem. Chief Rpt., 1921, pp. 15-16. 1921.
  beds, location, relation to contamination, tables. Chem. Bul. 136, pp. 15-20. 1911.
  canned—
    net weight regulation. Chem. S.R.A. 28, p. 37. 1923.
    requirements of drained oyster meat. News L., vol. 1, No. 11, p. 1. 1913.
    weight, determination method. Chem. S.R.A. 14, p. 12. 1915.
  canning—
    at home, directions. S.R.S Doc. 80, rev., p. 29. 1919.
    industry, details. Y.B., 1910, pp. 372-373. 1911; Y.B. Sep. 544, pp. 372-373. 1911.
    methods. D.B. 196, pp. 71-73. 1915.
  chemical changes during preparation for market. D.B. 740, pp. 1-24. 1919.
  cooking tests, results. Chem. Bul. 136, pp. 37-39. 1911.

INDEX TO PUBLICATIONS, 1901–1925 1727

Oyster(s)—Continued.
  cove, adulteration. Chem. N.J. 1770, p. 1. 1912; Chem N.J. 1904, p. 2. 1913; Chem. N.J. 2583, p. 2. 1913; Chem. N.J. 2584, p. 2. 1913; Chem. N.J. 3414, p. 1. 1915.
  cove, definition. Y.B., 1910, p. 373. 1911; Y.B. Sep. 544, p. 373. 1911.
  decomposing microorganisms in. Albert C. Hunter and Bernard A. Linden. J.A.R., vol. 30, pp. 971–976. 1925.
  destruction by ducks in Washington. News L., vol. 4, No. 20, p. 3. 1916.
  distribution, canning methods, and prices. Chem. Bul. 151, pp. 62–66. 1912.
  examination, water adulteration. Chem. Bul. 122, pp. 215–216. 1909.
  floating—
    amdt. F.I.D. 110. F.I.D. 121, p. 1. 1910.
    in polluted waters, methods, and dangers. Chem. Bul. 136, pp. 20–27. 1911.
    methods, description. Chem. Bul 156, pp. 7, 28, 33–34. 1912.
    responsibility for spread of infectious diseases, notes by Connecticut State Board of Health. Chem. Bul. 136, p. 27. 1911.
  food-value comparisons, chart. D.B. 975, p. 25. 1921; F.B. 1383, p. 23. 1924.
  grades, in Connecticut. D.B. 740, p. 2. 1919.
  growers and dealers, notice. Chem. S.R.A. 8, p. 633. 1914.
  growing and transplanting, details. Y.B., 1910, pp. 373–375. 1911; Y.B. Sep. 544, pp. 373–375. 1911.
  handling in preparing for shipment, details. D.B. 819, pp. 21–23. 1920.
  houses—
    insanitary, description, and dangers. Chem. Bul. 136, pp. 31–33. 1911.
    wharves, beds, examination for pink yeast. D.B. 819, pp. 4–10. 1920.
  industry, enemies, control, suggestions. Y.B., 1910, pp. 375–378. 1911; Y.B. Sep. 544, pp. 375–378. 1911.
  interstate transportation, amendment 5 to quarantine regulations, opinion 217. S.R.A. Chem. 20, pp. 60–61. 1918.
  laws. Chem. Bul. 69, rev., pts. I–IX, pp. 265, 432. 1905.
  market, investigation of treatment. An. Rpts., 1908, p. 468. 1909; Chem. Chief Rpt., 1908, p. 24. 1908.
  meat, canned, weights required. Chem. S.R.A. 1, p. 2. 1914.
  pink yeast spoilage. Albert C. Hunter. D.B. 819, pp. 24. 1920.
  plant. See Salsify.
  polluted—
    cause of typhoid fever. Y.B., 1910, p. 378. 1911; Y.B. Sep. 544, p. 378. 1911.
    shipment control. News L., vol. 4, No. 24, p. 2. 1917.
  pollution—
    examination by Bureau of Chemistry, results. Y.B., 1910, pp. 376–377. 1911; Y.B. Sep. 544, pp. 376–377. 1911.
    investigations by Chemistry Bureau. An. Rpts., 1912, pp. 54, 205. 1913; Sec. A.R., 1912, pp. 54, 205. 1912; Y.B., 1912, pp. 54, 205. 1913.
  preparation—
    and shipment regulations. F.I.D. 110, pp. 2. 1909.
    for market, commercial treatment. D.B. 740, pp. 2–3. 1919.
  production and value by States. Y.B., 1910, pp. 371–373. 1911; Y.B. Sep. 544, pp. 371–373. 1911.
  propagation and study in New Jersey, floating laboratory. O.E.S. An. Rpt., 1912, p. 163. 1913.
  protection from sewage contamination. George W. Stiles, jr. Y.B., 1910, pp. 371–378. 1911; Y.B. Sep. 544, pp. 371–378. 1911.
  raw, short-car shipments. Chem. S.R.A. 23, p. 103. 1918.
  Rockaway, dangerous pollution, resulting in disease. Chem. Bul. 156, pp. 23, 24, 27–31, 36–38. 1912.
  rot organisms. J.A.R., vol. 30, pp. 972–975. 1925.
  sampling, directions. Chem. [Misc.], "Food and drug manual." pp. 38–39.1190.

Oyster(s)—Continued.
  seed, description and handling. Y.B., 1910, p. 374. 1911; Y.B., Sep. 544, p. 374. 1911.
  sewage-polluted, as cause of typhoid and other gastro-intestinal disturbances. George W. Stiles, jr. Chem. Bul. 156, pp. 44. 1912.
  shell(s)—
    composition and use in agriculture. F.B. 921, p. 5. 1918.
    need in chicken feed. F.B. 1067, p. 12. 1919.
    scale. See Scale, oyster-shell.
  shucked, handling, washing, cooling, and shipping. Chem. Bul. 136, pp. 30–37. 1911.
  spawning investigations. O.E.S. An. Rpt., 1910, p. 195. 1911.
  spoilage, pink yeast causing. Albert C. Hunter. D.B. 819, pp. 24. 1920.
  statement of contents—opinions 87, 88. Chem. S.R.A. 9, p. 688. 1914.
  statistics, 1905. Y.B., 1910, pp. 371–373. 1911; Y.B. Sep. 544, pp. 371–373. 1911.
  treatment—
    in shells, various names and methods. Chem. Bul. 136, pp. 20–27. 1911.
    with pink yeast cultures, experiments. D.B. 819, pp. 10–11. 1920.
  washing, effects, studies. D.B. 740, pp. 17–23. 1919.
  watering. News L., vol. 7, No. 13, p. 4. 1919.
  See also Shellfish.
Oyster catcher—
  black, range and habits. N.A. Fauna 21, pp. 41–42. 1901.
  breeding range and migration habits. Biol. Bul. 35, pp. 99–100. 1910.
  European, occurrence in North America. Biol. Bul. 35, p. 99. 1910.
  occurrence in Porto Rico. D.B. 326, p. 38. 1916.
  range, occurrence, and names. M.C. 13, pp. 72–73. 1923.
Ozamia lucidalis, description and injury to cactus. Ent. Bul. 113, p. 36. 1912.
Ozark(s)—
  apple diseases and codling moth, spraying for. W. M. Scott and A. L. Quaintance. F.B. 283, pp. 44. 1907.
  codling moth in. E. L. Jenne. Ent. Bul. 80, Pt. I, pp. 32. 1909.
  Fruit Growers' Association, a type of cooperation. D.B. 547, p. 46. 1917.
  location for goat breeding. F.B. 1203, p. 5. 1921.
  National Forest, composition and stand. D.B. 244, p. 6. 1915.
  National Park, game refuges, authority for. F.B. 1466, p. 2. 1925.
  origin of name. B.P.I. Bul. 275, p. 7. 1913.
  peach bacterial spot, injury and control experiments. D.B. 543, pp. 1–2, 4–7. 1917.
  region—
    apple(s)—
      and peaches in. H. P. Gould and W. F. Fletcher. B.P.I. Bul. 275, p. 95. 1913.
      growing, localities, varieties, and production. Y.B., 1918, pp. 370, 373, 378. 1919; Y.B. Sep. 767, pp. 6, 9, 14. 1919.
    farm management problems, investigations. An. Rpts., 1918, p. 498. 1919; Farm M. Chief Rpt., 1918, p. 8. 1918.
    in Arkansas, location, description, forests and birds. Biol. Bul. 38, p. 6. 1911.
    location, soil, climate, and transportation. B.P.I. Bul. 275, pp. 10–21. 1913.
Ozomulsion, misbranding. Chem. N.J. 3979. 1915.
Ozone, relation to apple scald. J.A.R., vol. 18, pp. 212–213. 1919.
Ozonium
  omnivorum—
    cause of—
      root rot of cotton. B.P.I. Cir. 120, p. 13. 1913; F.B. 1187, p. 30. 1921; J.A.R., vol. 18, p. 305. 1919; J.A.R., vol. 23, p. 525. 1923; J.A.R., vol. 26, pp. 405–418. 1923.
      sweet-potato root rot. F.B. 714, p. 16. 1916.
    Texas root-rot fungus, life history. C. L. Shear. J.A.R., vol. 30, pp. 475–477. 1925.
  rot—
    grape, cause and control. F.B. 1220, p. 64. 1921.
    See also Root-rot.

PACE, E. S.: "Soil survey of—
  Henry County, Alabama." With others Soil Sur. Adv. Sh., 1908, pp. 55. 1909; Soils F.O., 1908, pp. 483-513. 1911.
  Jefferson County, Alabama." With Howard C. Smith. Soil Sur. Adv. Sh., 1908, pp. 37. 1910; Soils F.O., 1908, pp. 737-769. 1911.
Pachinstyma myrsinites, occurrence and growth in Wyoming. N. A. Fauna 42, p. 72. 1917.
Pachira fastuosa, importation and description. No. 51204. B.P.I. Inv. 64, p. 73. 1923.
Pachybruchus—
  genus, description. Rpt., 102, p. 7. 1915.
  verticalis, new species from Peru, description. Rpt. 102, pp. 7-8. 1915.
Pachycrepoideus dubius, parasite of fruit-fly, experiments. J.A.R., vol. 15, pp. 461-463. 1918.
Pachylobus sp., importation and description. No. 50243. B.P.I. Inv. 63, pp. 3, 48. 1923.
Pachymerus—
  chinensis. See Cowpea weevil.
  genus, description. Ent. Bul. 96, Pt. VI, pp. 85-86. 1912.
  quadrimaculatus. See Bean weevil, four-spotted.
Pachyneuron—
  gifuensis, description. Ent. T.B. 19, Pt. I, p. 8. 1910.
  sp., secondary parasite of "green bug." Ent. Bul. 110, pp. 127-128. 1912.
Pachypsylla spp., description, habits, and control. F.B. 1169, pp. 91-92. 1921.
Pachysandra terminalis. See Spurge, mountain, Japanese.
Pachyrhizus tuberosus. See Bean, yam.
Pachyscelus spp., larvae structure, distribution, habits, and host trees. D.B. 437, pp. 6, 8. 1917.
Pachystima myrsinites, occurrence in Colorado, description. N.A. Fauna 33, p. 237. 1911.
Pachyzancla bipunctalis. See Beet webworm, southern.
Pachyzancla periusalis, injury to vegetables in Porto Rico, description. D.B. 192, pp. 9, 10. 1915.
Pacific—
  bird reservation—
    Hawaiian Islands, description, Y.B. 1911, pp. 155-164. 1912; Y.B. Sep. 557, pp. 155-164. 1912.
    species occurring, and breeding. Biol. Cir. 87, p. 12. 1912.
  coast—
    agricultural problems, studies. An. Rpts., 1917, p. 479. 1918; Farm M. Chief Rpt., 1917, p. 7. 1917.
    area—
      emmer and spelt growing, experiments. D.B. 1197, pp. 44-45, 46-48, 55. 1924.
      wheat, Australian varieties. J. Allen Clark, and others. D.B. 877, pp. 25. 1920.
    blackhead fireworm of cranberry. H. K. Plank and Carl Heinrich. D.B. 1032, pp. 46. 1922.
    cooperative marketing of butter. Clyde L. Mitchell. B.A.I. Dairy [Misc.], "World's dairy congress, 1923, pp. 897-903. 1924.
    dairying opportunities. Y.B., 1906, pp. 422-428. 1907; Y.B. Sep. 432, pp. 424-428. 1907.
    deciduous fruits handling. Y.B., 1909, pp. 365-374. 1910; Y.B. Sep. 520, pp. 365-374. 1910.
    farms, plan for location of windbreaks. Bul. 86, p. 100. 1911.
    fish waste, utilization for manufacture of fertilizer. J. W. Turrentine. D.B. 150, pp. 71. 1915.
    fisheries, output, value. Y.B., 1915, p. 156. 1916; Y.B. Sep. 665, p. 156. 1916.
    forests—
      composition and importance. M. C. 15, p. 5. 1924.
      conditions and needs. Sec. Cir. 183, pp. 29-32. 1921.
      stations. Off. Rec., vol. 3, No. 7, p. 3. 1924.
    kelps—
      nitrogen availability. Guy R. Stewart. J.A.R., vol. 4, pp. 21-38. 1915.
      organic constituents. D. R. Hoagland. J.A.R., vol. 4, pp. 39-58. 1915.
    losses in logging and mill work. M.C. 39, pp. 29-37. 1925.

Pacific—Continued.
  coast—continued.
    Lumber Manufacturers, lumber grading rules. For. Bul. 115, pp. 34-35. 1913; For. Bul. 122, pp. 34-35. 1913.
    north, forest types, and management of Douglas fir forests. For. Cir. 150, pp. 14-15, 31-33. 1909.
    Oregon, drainage. O.E.S. Bul. 209, p. 18. 1909.
    pears, ripening and storage investigations. J.A.R., vol. 19, pp. 473-500. 1920.
  region—
    cattle and sheep marketing. Rpt. 98, pp. 114-117. 1913.
    grain and livestock marketing. Frank Andrews. Stat. Bul. 89, pp. 94. 1911.
    grain marketing methods. Rpt. 98, pp. 69-76. 1913.
    harbors, description, and vessels, numbers and tonnage. Stat. Bul. 89, pp. 75-78, 80-83. 1911.
    soils, description, area and uses. Soils Bul. 96, pp. 573-732. 1913.
    transportation facilities, grain and livestock. Stat. Bul. 89, pp. 71-83. 1911.
    wheat and barley prices, 1908-1910. Stat. Bul. 89, pp. 45-56. 1911.
    wheat growing and general agricultural conditions. Edwin S. Holmes, jr. Stat. Bul. 20, pp. 44. 1901.
  salt refineries of sea water. Soils Bul. 94, p. 46. 1913.
  soil, character and agricultural value, by series. Soils Bul. 55, pp. 191-205. 1909.
  States, wheat, relative resistance to bunt. W. H. Tisdale and others. D.B. 1299, pp. 29. 1925.
  steamboat routes, description. D.B. 74, p. 9. 1914.
  timbers, structural, source. For. Bul. 108, pp. 12-13. 1912.
  wheat ports. Edwin S. Holmes, jr. Y.B., 1901, pp. 567-580. 1902; Y.B. Sep. 256, pp. 14. 1902.
  winds, velocity and direction. Y.B., 1911, pp. 340, 342, 344, 345. 1912; Y.B. Sep. 573, pp. 340, 342, 344, 345. 1912.
forest, area and stand. For. Cir. 166, pp. 5, 6. 1909.
kelp beds, possible source of potassium salts. Rpt. 100, pp. 9-32. 1915.
ports, grain and livestock trade, shipments, and conditions. Stat. Bul. 89, pp. 11-41, 65-72, 75-83. 1911.
rainfall, type, and sub-Pacific, remarks. Y.B., 1902, pp. 640-641. 1903.
region, hop aphis in. William B. Parker. Ent. Bul. 111, pp. 43. 1913.
slope, forest trees for. George B. Sudworth. For. [Misc.], "Forest trees for the Pacific slope," pp. 441. 1908.
Telephone and Telegraph Co., pole tests, Rocky Mountain woods. D.B. 67, pp. 26-28. 1914.
Pacific Northwest—
  apples—
    handling and storing. H. J. Ramsey and others. D.B. 587, pp. 32. 1917.
    production and distribution. D.B. 935, pp. 1-27. 1921.
  arid regions, apple powdery mildew, control. D. F. Fisher. D.B. 712, pp. 28. 1918.
  codling moth control. E. J. Newcomer and others. F.B. 1326, pp. 27. 1924.
  Columbia Basin uplands, farm practice. F.B. 294, pp. 1-32. 1907
  Douglas fir—
    decay study. J. S. Boyce. D.B. 1163, pp. 20. 1923.
    growth and management. Thornton T. Munger. For. Cir. 175, pp. 27. 1911.
    natural regeneration. Julius V. Hofmann. D.B. 1200, pp. 63. 1924.
  dry farming for better wheat yields. F.B. 1047, pp. 1-24. 1919.
  false wireworms of. James A. Hyslop. Ent. Bul. 95, Pt. V, pp. 73-87. 1912.
  forest reproduction studies on national forests. J.A.R., vol. 11, pp. 1-26. 1917.

INDEX TO PUBLICATIONS, 1901-1925 — 1729

Pacific Northwest—Continued.
  grain separators, dust explosions and fires. David J. Price and E. B. McCormick. D.B. 379, pp. 22. 1916.
  handicaps of lumber industry. M.C. 39, p. 35. 1925.
  humid sections, important fungous diseases and insect enemies, control. D. F. Fisher and E. J. Newcomer. F.B. 1056, pp. 34. 1919.
  logged-off land, clearing for farming, cost. Harry Thompson. B.P.I. Cir. 25, pp. 16. 1909.
  oats testing, yield of different varieties. F.B. 395, pp. 23–26. 1910.
  orchard—
    enemies. C. V. Piper. F.B. 153, pp. 39. 1902.
    protection from spring frosts by fires and smudges. P. J. O'Gara. F.B. 401, pp. 24. 1910.
  pasture and grain crops for hogs. Byron Hunter. D.B. 68, pp. 27. 1914; F.B. 599, pp. 27. 1914.
  prune(s) and cherries, brown-rot—
    Charles Brooks and D. F. Fisher. D.B. 368, pp. 10. 1916.
    control. D. F. Fisher and Charles Brooks. F.B. 1410, pp. 13. 1924.
    investigations. Charles Brooks and D. F. Fisher. D.B. 1252, pp. 22. 1924.
  spring wheat growing, methods, divisions, and varieties adaptable. News L., vol. 5, No. 31, pp. 3, 6. 1918.
  white-pine blister rust in, spread under weather conditions. L. H. Pennington. J.A.R., vol. 30, pp. 593–607. 1925.
  See also Oregon; Washington; Northwest.
Pacific Ocean, eastern North, tropical storms. Willis Edwin Hurd. W.B. [Misc.], "Tropical storms of eastern * * *." Folder. 1923.
Pacific States—
  apple-growing localities and varieties. Y.B., 1918, pp. 370, 374–375, 377, 378. 1919; Y.B. Sep. 767, pp. 6, 10–11, 13, 14. 1919.
  canned salmon stocks, 1917. Sec. Cir. 98, pp. 4, 5. 1918.
  cooperative canneries, methods. Y.B., 1916, pp. 237, 239, 246. 1917; Y.B. Sep. 705, pp. 1, 3, 10. 1917.
  farm management problems, investigations. An. Rpts., 1918, p. 499. 1919; Farm M. Chief Rpt., 1918, p. 9. 1918.
  farming types. F.B. 1289, pp. 18–20. 1923.
  fruit industry growth and development. Y.B., 1909, p. 365. 1910; Y.B. Sep. 520, p. 365. 1910.
  grasshopper control. T. D. Urbahns. F.B. 1140, pp. 16. 1920.
  lumber cut, percentage of total, 1850–1914. Rpt. 114, p. 6. 1917.
  paper industry and pulp resources. D.B. 1241, pp. 47–53. 1924.
  plum and prune growing. C. F. Kinman. F.B. 1372, pp. 60. 1924.
  pulpwood consumption, woods used, and imports. D.B. 758, pp. 3, 7, 10, 12, 13. 1919.
  quarantine for eelworms. Off. Rec., vol. 2, No. 39, p. 2. 1923.
  sheep statistics, comparison with Australia. D.B. 313, p. 4. 1915.
  timberlands, private ownership, value. Rpt. 114, pp. 13, 82. 1917.
  trucking industry, acreage and crops. Y.B., 1916, pp. 444–445, 448. 1917; Y.B. Sep. 702, pp. 10–11, 14. 1917.
PACK, D. A.—
  "Time for testing mother beets." J.A.R., vol. 26, pp. 125–150. 1923.
  "Time of year to plant mother beets for seed production." J.A.R., vol. 30, pp. 811–818. 1925.
PACK, K. M.: "Spraying for the alfalfa weevil." With others. F.B. 1185, pp. 20. 1920.
Pack rats. See Rats, wood.
Package(s)—
  apple, close and ventilated, comparison. J.A.R., vol. 18, pp. 230–233. 1919.
  butter, styles and preparation. D.B. 456, pp. 3–8, 36. 1917.
  cottage cheese, retail and wholesale types. D.C. 1, pp. 3–9. 1919.
  cranberry, forms and capacity. F.B. 1402, pp. 19–21. 1924.

Package(s)—Continued.
  food—
    marking—
      F.I.D. 154. Chem. S.R.A. 4, pp. 202–203. 1914.
      quantity. Chem. S.R.A. 7, p. 523, 1914; F.I.D. 157. 1914.
    weighing methods and maximum errors. D.B. 897, pp. 2–10. 1920.
    weight variations. H. Runkel. D.B. 897, pp. 20. 1920.
  for marketing avocados. Hawaii Bul. 25, p. 30. 1911.
  form requirements, F.I.D. 153. Chem. S.R.A. 4, p. 204. 1914.
  fruit, statement of contents. Opinion 61, 62. Chem. S.R.A. 7, pp. 526–527. 1914.
  goods, quantity statement, F.I.D. 163. Chem. S.R.A. 16, p. 27. 1916.
  grape, sizes and construction. Mkts. Doc. 14, pp. 2, 3–4. 1918.
  honey, form used, Porto Rico. P.R. Bul. 15, p. 17. 1914.
  parcel-post—
    addressing and mailing, directions for butter. F.B. 930, pp. 10–12. 1918.
    weight and measurement, limits and rates. F.B. 830, pp. 18–19. 1917.
  potato, marking to show quantity of contents. F.B. 753, p. 26. 1916; Sec. Cir. 92, p. 36. 1918.
  quantity statements, regulations. Chem. S.R.A. 21, pp. 75–79. 1918.
  sauerkraut, quantity declaration. Chem. S.R.A. 13, p. 4. 1915.
  shipping peaches, description. F.B. 1266, pp. 10–15. 1922.
  tea, net-weight statement. Chem. S.R.A. 13, p. 4. 1915.
  tomato, description. F.B. 1291, pp. 11–14. 1922.
  uniform, result of cooperation among growers. Y.B., 1912, pp. 355, 358, 362. 1913; Y.B. Sep. 597, pp. 355, 358, 362. 1913.
PACKARD, C. M.—
  "Life histories and methods of rearing Hessian fly parasites." J.A.R., vol. 6, No. 10, pp. 367–382. 1916.
  "The range crane-flies in California." With B.G. Thompson. D.C. 172, pp. 8. 1921.
PACKARD, W. E.: "Irrigation of alfalfa in Imperial Valley, Calif." F.B. 1243, pp. 39–41. 1922.
Packers—
  act—
    administration. Y.B., 1921, pp. 33–34. 1922; Y.B. Sep. 875, pp. 33–34. 1922.
    administration, cooperation of trade. Off. Rec., vol. 2, No. 9, p. 4. 1923.
    duties of Secretary. Off. Rec., vol. 3, No. 10, p. 5. 1924.
  and stockyards act—
    1921, regulations. Sec. Cir. 156, pp. 3–11. 1922.
    1922. Off. Rec., vol. 1, No. 1, p. 14. 1922.
    1923, administration. An. Rpts., 1923, pp. 55–56, 658–660. 1924; Pack. and S. Ad.Rpt., 1923, pp. 2–4. 1923; Sec. A. R., 1923, pp. 55–56. 1923.
    1925, administration. Sec. A.R., 1925, pp. 38–39. 1925.
    amendment. Off. Rec., vol. 1, No. 51, p. 3. 1922.
    constitutionality—
      Off. Rec., vol. 1, No. 13, p. 4. 1922.
      case, trial. Off. Rec., vol. 1, No. 8, p. 4. 1922.
      litigation and decisions. An. Rpts., 1922, pp. 573–575. 1923; Pack. and S. Ad. Rpt., 1922, pp. 7–9. 1922.
    enforcement, funds. Off. Rec., vol. 3, No. 19, p. 1. 1924.
    legal proceedings, Docket Nos. 1–27. An. Rpts., 1923, pp. 679–687. 1924; Pack. and S. Ad. Rpt., 1923, pp. 23–31. 1923.
    object, enactment and enforcement. Y.B., 1922, pp. 12–13, 47–48. 1923; Y.B. Sep. 883, pp. 12–13, 47–48. 1923.
    prosecutions for violation. Pack. and S. Ad. Rpt., 1924, pp. 19–32. 1924.
    text. Sec. Cir. 156, pp. 13–29. 1922.

1730 UNITED STATES DEPARTMENT OF AGRICULTURE

Packers—Continued.
and Stockyards Administration, report—
1922. Chester Morrill. An. Rpts., 1922; pp. 567–582. 1923; Pack. and S. Ad. Rpt., 1922, pp. 16. 1922.
1923. Chester Morrill. An. Rpts., 1923, pp. 657–687. 1923; Off. Rec., vol. 2, No. 12, pp. 1–2. 1923; Pack. and S. Ad. Rpt., 1923, pp. 31. 1923.
1924. Chester Morrill. Pack. and S. Ad. Rpt., 1924, pp. 32. 1924.
Armour merger, hearings. Off. Rec., vol. 2, No. 18, p. 4. 1923.
Association, convention. Off. Rec., vol. 2, No. 19, p. 6. 1923.
complaint against. Off. Rec., vol. 3, No. 44, p. 3. 1924.
Federal supervision, act of Congress. Sec. A. R., 1921, pp. 15, 31. 1921.
holdings of animal food products in the United States on August 31, 1917. Sec. Cir. 101. pp. 1–19. 1918.
law, violations. Off. Rec., vol. 2, No. 48, p. 3. 1923.
Los Angeles, marketing plan. Off. Rec., vol. 2, No. 23, p. 2. 1923.
meaning of term. Sec. Cir. 156, pp. 14–18. 1922.
meat—
as distributors of dairy products, address and discussion. B.A.I. Dairy [Misc.], "World's dairy congress, 1923," pp. 223–235. 1924.
dependence on farmers. Off. Rec., vol 2, No. 8, pp. 1–2. 1923.
restriction, bill. Off. Rec., vol. 1, No. 7, p. 2. 1922.
merger case, dismissal. Off. Rec., vol. 4, No. 38, pp. 1, 5. 1925.
supervision by Government. Y.B., 1921, p. 14. 1922; Y.B. Sep. 875, p. 14. 1922.
violations of stockyards act, prosecutions and penalties. Sec. Cir. 156, pp. 15–18; 22. 1922.
wholesale, purchase, 1909, 1914. Rpt. 113. pp. 44–45. 1916.
Packets, seed, average price, and cost per bushel. Rpt. 98, p. 143. 1913.
Packing—
apples—
details and costs in Oregon, Hood River Valley. D.B., 518, pp. 43–46. 1917.
for market. F.B. 1080, pp. 22–28. 1919.
in boxes. Raymond R. Pailthorp and Frank S. Kinsey. F.B. 1457, pp. 22. 1925.
in Payette Valley, Idaho. D.B. 636, pp. 27–29. 1918.
methods and costs, Washington, Wenatchee County. D.B. 446, pp. 28–30. 1917.
plans and requirements. F.B. 1080, pp. 28–36. 1919.
standard grades. D.B. 935, pp. 4–5. 1921.
use of sawdust and excelsior, effect in prevention of scald. J.A.R., vol. 16, pp. 214–216. 1919.
asparagus. F.B. 829, pp. 10–12. 1917.
avocado, and marketing. Hawaii Bul. 51, p. 13. 1924.
bees for outdoor wintering, material, and amount. F.B. 1012, pp. 6–18. 1918.
box(es)—
improvement suggestions. M.C. 39, p. 53. 1925.
of various woods, strength. W. Kendrick Hatt. For. Cir. 47, pp. 8. 1906.
springs to prevent shrinkage. News L., vol. 6, No. 47, p. 9. 1919.
various forms, tests. John A. Newlin. For. Cir. 214, pp. 23. 1913.
woods used in New England. J. P. Wentlin. For. Cir. 78, pp. 4. 1909.
bulbs, and shipping. D.B. 797, pp. 28–29. 1919.
butter-inspection chart. D.C. 236, pp. 3–4. 1922.
cabbages, methods. D.B. 1242, pp. 18–19. 1924.
cantaloupe—
for market, methods. F.B. 707, pp. 12–14, 21. 1916.
directions. F.B. 1145, pp. 5–6. 1921.
capons for market, directions. F.B. 849, p. 14.
cases for beehives, construction and details. F.B. 1012, pp. 8–14. 1918.
celery, methods. F.B. 1269, pp. 23–24. 1922.

Packing—Continued.
citrus fruits—
for market, methods in California. B.P.I. Bul. 123, pp. 16–18. 1908.
methods and costs. D.B. 1237, pp. 15–17, 37–38. 1924.
control methods. Sec. Cir. 130, p. 12. 1919.
costs, apples, in Colorado. D.B. 500, pp. 37–39. 1917.
cottage cheese, methods. B.A.I. Doc. A–19, p. 4. 1917; D.B. 576, pp. 8–10. 1917.
cranberries, temperature and containers. D.B. 714, pp. 10–12. 1918.
cucumbers, greenhouse-grown. F.B. 1320, pp. 27–28. 1923.
dasheens, and shipping. F.B. 1396, pp. 20–22. 1924.
directions for campers. D.C. 4, pp. 63–66. 1919; D.C. 138, pp. 67–70. 1920.
dried—
fruits—
and vegetables. F.B. 841, p. 25. 1917.
for market. F.B. 903, pp. 55–59. 1917.
products. D.B. 1335, pp. 29–31. 1925.
early potatoes for distant markets. F.B. 1316, pp. 14–15. 1923.
eggs—
directions. F.B. 1378, pp. 22–24. 1924.
for—
parcel-post shipments, methods. F.B. 594, pp. 8, 20. 1914; F.B. 830, pp. 10–13. 1913.
shipment. B.A.I. Bul. 141, p. 34. 1911.
to prevent breakage. Y.B., 1914, pp. 375–377. 1915; Y.B. Sep. 647, pp. 375–377. 1915.
farm products for market, community work. F.B. 1144, p. 4. 1920.
figs, methods. D.B. 732, pp. 24–25. 1918.
fireless cooker, directions. F.B. 771, p. 7. 1916.
forest seedlings. D.B. 479, pp. 65–68. 1917.
fruit(s)—
and vegetables for canning. F.B. 853, pp. 14, 24. 1917.
methods. F.B. 1196, pp. 12–13. 1921.
Virginia methods. Rpt. 98, p. 255. 1913.
grapes, and containers used. D.B. 861, pp. 9–12. 1920.
house(s)—
apple—
fruit handling, sorting, and sampling. D.B. 1006, pp. 4–8. 1921.
in Northwest, preliminary report on. W. M. Scott and W. B. Alwood. Mkts. Doc. 4, pp. 31. 1917.
northwestern. Raymond R. Pailthorp and Harold W. Samson. F.B. 1204, pp. 39. 1921.
workers, organization, and personnel. F.B. 1204, pp. 13–15. 1921.
by-products, utilization. Y.B., 1917, pp. 255–256. 1918; Y.B. Sep. 728, pp. 5–6. 1918.
citrus-fruit—
arrangement and location. B.P.I. Bul. 123, pp. 16–18. 1908.
operation and expenses. D.B. 1261, pp. 6–28, 1924.
comparison of work. D.B. 63, pp. 37–41. 1914.
cooperative—
organization. Rpt. 113, pp. 58–60. 1916.
organization and rules, Denmark. B.A.I. An. Rpt., 1906, pp. 236–242. 1908.
use and value for cantaloupe growers. News L. vol. 3, No. 31, p. 4. 1916.
fruit—
accounts system. D.B. 590, pp. 1–60. 1918.
and vegetables, care and uses. News L., vol. 4, No. 49, pp. 1, 2. 1917; News L., vol. 6, No. 27, pp. 1–2. 1919.
equipment and conditions. B.P.I. Bul. 123, pp. 16–18–40–42. 1908.
insects affecting. An. Rpts., 1916, pp. 221–222. 1917; Ent. A.R. 1916, pp. 9–10. 1916.
inspection. Chem. Bul. 13, pt. X, pp. 1377–1387. 1902.
labor, apple orchards in Oregon, costs. D.B. 518, pp. 43–46. 1917.
lemon, humidity studies. D.B. 494, pp. 1–4, 10. 1917.

INDEX TO PUBLICATIONS, 1901-1925   1731

Packing—Continued.
  house(s)—continued.
    meat—
      cooperative, studies. News L., vol. 2, No. 48, pp. 7-8. 1915.
      sanitary construction and equipment. B.A.I. An. Rpt., 1909, pp. 247-263. 1911; B.A.I. Cir. 173, pp. 247-263. 1911.
    methods of canning beef, inspection. Chem. Bul. 13, Pt. X, pp. 1377-1387. 1902.
    peach, types used in various sections. F.B. 1266, pp. 15-32. 1922.
    products—
      exports, 1851-1908. Stat. Bul. 75, pp. 27-36. 1910.
      exports, 1890-1906, by countries. Stat. Bul. 55, pp. 14-35. 1907.
      exports, 1910-1914. News L., vol. 3, No. 13, p. 3. 1915.
      imports, 1907-1909, value, by countries from which consigned. Stat. Bul. 82, pp. 26-34. 1910.
      imports, 1908-1910, value, by countries from which consigned. Stat. Bul. 90, pp. 27-36. 1911.
      imports, 1910-1914. News L., vol. 3, No. 13, p. 3. 1915.
      imports, 1917-1919, 1910-1919. Y.B., 1920, pp. 4-5, 41-42. 1921; Y.B. Sep. 864, pp. 4-5, 41-42. 1921.
      imports and exports, 1904-1908, 1851-1908. Y.B. 1908, pp. 753, 764, 777-779. 1909; Y.B. Sep. 498, pp. 753, 764, 777-779. 1909.
      imports and exports, 1906-1910, and exports, 1851-1910. Y.B., 1910, pp. 654, 666, 675-677. 1911; Y.B. Sep. 553, pp. 654, 666, 675-677. 1911.
      imports and exports, 1908-1912, and 1851-1912. Y.B., 1912, pp. 713-714, 726-728, 737-739. 1913; Y.B. Sep. 615, pp. 713-714, 726-728, 737-739. 1913.
      imports and exports, 1911-1913, and 1852-1913. Y.B., 1913, pp. 493-494, 501, 508-509. 1914; Y.B. Sep. 361, pp. 493-494, 501, 508-509. 1914.
      imports and exports, 1913-1915 and 1852-1915. Y.B. 1915, pp. 541, 548-549, 556, 565, 572. 1916; Y.B. Sep. 685, pp. 541, 548-549, 556, 565, 572. 1916.
      imports and exports, 1914. Y.B. 1914, pp. 615-617, 652, 659, 671, 684. 1915; Y.B. Sep. 656, pp. 615-617. 1915; Y.B. Sep. 657, pp. 652, 659, 671, 684. 1915.
      imports and exports, 1917. Y.B., 1917, pp. 760, 768, 778, 795. 1918; Y.B. Sep. 762, pp. 4, 12, 22, 39. 1918.
      imports and exports, 1918. Y.B., 1918, pp. 628, 636, 642, 644-645, 661-662. 1919; Y.B. Sep. 794, pp. 4, 12, 18, 20-21, 37-38. 1919.
      imports and exports, 1919. Y.B. 1919, pp. 649-652, 683, 691, 700-701, 710-711, 717-718. 1920; Y.B. Sep. 828, pp. 649-652. 1920; Y.B. Sep. 829, pp. 683, 691, 700-701, 710-711, 717-718. 1920.
      imports and exports, 1921. Y.B., 1921, pp. 738, 744, 749, 750, 751. 1922; Y.B. Sep. 867, pp. 2, 8, 13, 14, 15. 1922.
      imports of Netherlands. Stat. Bul. 72, pp. 7-8. 1909.
      markets in Norway, Sweden, and Russia. Stat. Bul. 41, pp. 1-21. 1906.
      trade with foreign countries, exports and imports. D.B. 296, pp. 2, 3, 4, 9-18, 20. 1915.
    supervision and regulation. An. Rpts., 1918, p. 51. 1919; Sec. A.R., 1918, p. 51. 1918.
    tomato, methods. F.B. 1291, pp. 15-27. 1922.
  industry—
    discussion at conference. Off. Rec. vol. 1, No. 4, p. 7. 1922.
    relation to corn growing, tonnage. Y.B., 1918, pp. 133-134. 1919; Y.B., Sep. 776, pp. 13-14. 1919.
  mangoes for shipping. P.R. An. Rpt., 1919, pp. 17-18. 1920.
  material, cereals, need of improvement. Ent. A.R., 1908, p. 35. 1908; An. Rpts., 1908, p. 557. 1909.
  materials, spread of Mediterranean fruit fly. D.B. 536, p. 21. 1918.

Packing—Continued.
  meat, costs and value of products. Rpt. 113, pp. 44-50, 68-71. 1916.
  meat, industry, development in Chicago and Cincinnati. B.A.I. An. Rpt., 1906, pp. 66-68. 1908; B.A.I. Cir. 125, pp. 6-8. 1908.
  merger hearings. Off. Rec. vol. 2, No. 13, p. 2. 1923.
  nursery stock, plants and seeds for importation, regulations. F.H.B. Quar. 37, pp. 7-8. 1921.
  onions, note. D.B. 1325, pp. 13-14. 1925.
  oranges, methods in Florida. D.B. 63, pp. 8, 29-42. 1914.
  peaches—
    cost. Off. Rec. vol. 3, No. 34. p. 2. 1924.
    for market, methods. F.B. 1266, pp. 18-27, 31-34. 1922.
  peanut butter, directions. D.C. 128, pp. 12-13. 1920.
  pineapples, directions. P.R. Bul. 8, pp. 30-31, 32-35. 1909.
  plants—
    distribution to retailers. D.B. 1317, pp. 5-7. 1925.
    growth in South. News L., vol. 6, No. 33, p. 16. 1919.
    in Southern States, source of supply. D.B. 762, p. 2. 1919.
  raisin, discussion. D.B. 349, p. 13. 1916.
  sardines, in cans, details. D.B. 908, pp. 10, 58-69, 122. 1921.
  seasons, various products, different States. D.B. 196, pp. 16-19. 1915.
  sheds, cantaloupe shipping, types. F.B. 707, pp. 14-15. 1916.
  shrimp for shipment. D.B. 538, pp. 5-6. 1917.
  strawberries, methods practiced. F.B. 979, pp. 13-14, 25, 26, 27. 1918.
  sweet potatoes, methods and directions. D.B. 1206, pp. 20-22. 1924.
  tobacco, methods. B.P.I. Bul. 268, pp. 11, 12, 15, 45, 47, 49, 54. 1913.
  tomatoes—
    for market, methods. F.B. 1338, pp. 27-32. 1923.
    on farms and in packing houses. F.B 1291, pp. 14-27. 1922.
  wool for market, directions. F.B. 527, pp. 12-13. 1913.
  young forest trees, directions. For. Cir. 55, pp. 1-2. 1907.
Packsaddle—
  diamond hitch, directions. D.C. 138, pp. 67-70. 1920.
  forest camping outfit, hitches, kinds, and uses. D.C. 185, pp. 31-37. 1921.
Pacuri, importations and descriptions. No. 31872, B.P.I. Bul. 248, pp. 9, 58. 1912; No. 34878, B.P.I. Inv. 34, p. 23. 1915.
Paddles, use in packing fruits and vegetables for canning. F.B. 853, p. 14. 1917.
Paddy—
  feeding value. F.B. 412, p. 17. 1910.
  fly. See Rice bug.
  machine, rice mills, description and operation. D.B. 330, pp. 8-9, 30. 1916; D.B. 570, p. 3. 1913; F.B. 417, pp. 21-23. 1910.
  quarantine notice and regulations. F.H.B. S.R.A. 76, pp. 109-111. 1923.
  See also Rice, rough.
Padouk tree—
  importation and description. No. 51821, B.P.I. Inv. 65, p. 54. 1923.
  quantity used in manufacture of wooden products. D.B. 605, p. 15. 1918.
Pads, inking, testing methods. Chem. Bul. 109, pp. 39-40. 1908.
Paducah, tobacco market and trade center. B.P.I. Bul. 268, pp. 38, 43, 45, 46, 56, 57, 62. 1913.
Padus spp., injury by sapsuckers. Biol. Bul. 39, pp. 42, 43, 81. 1911.
Paederia foetida, importation and description. No. 38837, B.P.I. Inv. 40, p. 34. 1917.
Pagasa fusca, enemy of *Pemphigus acerifolii*. Ent. T.B. 24, p. 11. 1912.
PAGE, JAMES: "Instructions to marine meteorological observers." W.B. [Misc.], "Instructions to marine * * *," pp. 46. 1906.

PAGE, L. W.—
"Dust preventives." Y.B., 1907, pp. 257-266. 1908; Y.B. Sep. 448, pp. 257-266. 1908.
"Exhibit of road-material laboratory." Chem. Bul. 63, pp. 25-29. 1901.
"How to prevent typhoid fever." With others. F.B. 478, pp. 8. 1911.
"Instructions for selecting and shipping samples. Rds. [Misc.], "Instructions for selecting * * *," p. 1. 1907.
method for testing cementing power of rock powders. Rds. Bul. 44, pp. 5, 19-23. 1912.
"Object-lesson roads." Y.B., 1906, pp. 137-150. 1907. Y.B. Sep. 412, pp. 137-150. 1907.
"Oil-mixed Portland cement concrete." D.B. 230, pp. 26. 1915; Rds. Bul. 46, pp. 28. 1912.
"Progress and present status of the good roads movement in the United States." Y.B., 1910, pp. 265-274. 1911; Y.B. Sep. 535, pp. 265-274. 1911.
report as Director, Public Roads Office—
1905. An. Rpts., 1905, pp. 423-438. 1905; Rds. Chief Rpt., 1905, pp. 16. 1905.
1906. An. Rpts., 1906, pp. 617-639. 1907; Rds. Chief Rpt., 1906, pp. 27, 1906.
1907. An. Rpts., 1907, pp. 717-740. 1908; Rds. Chief Rpt., 1907, pp. 28. 1907.
1908. An. Rpts., 1908, pp. 745-770. 1909; Rds. Chief Rpt., 1908, pp. 30. 1908.
1909. An. Rpts., 1909, pp. 711-738. 1910; Rds. Chief Rpt., 1909, pp. 30. 1909.
1910. An. Rpts., 1910, pp. 767-792. 1911; Rds. Chief Rpt., 1910, pp. 30. 1910.
1911. An. Rpts., 1911, pp. 715-758. 1912; Rds. Chief Rpt., 1911, pp. 48. 1911.
1912. An. Rpts., 1912, pp. 847-887. 1913; Rds. Chief. Rpt., 1912, pp. 43. 1912.
1913. An Rpts., 1913, pp. 272-285. 1914; Rds. Chief Rpt., 1913, pp. 13. 1913.
1914. An. Rpts., 1914, pp. 269-280. 1914; Rds. Chief Rpt., 1914, pp. 12. 1914.
1915. An. Rpts., 1915, pp. 313-326. 1916; Rds. Chief Rpt., 1915, pp. 14. 1915.
1916. An. Rpts., 1916, pp. 329-344. 1917; Rds. Chief Rpt., 1916, pp. 16. 1916.
1917. An. Rpts., 1917, pp. 359-380. 1918; Rds. Chief Rpt., 1917, pp. 22. 1917.
1918. An. Rpts., 1918, pp. 373-392. 1919; Rds. Chief Rpt., 1918, pp. 20. 1918.
"The cementing power of road materials." With Allerton S. Cushman. Chem. Bul. 85, pp. 24. 1904.
"The selection of materials for macadam roads." Y.B., 1900, pp. 349-356. 1901; Y.B. Sep. 204, pp. 349-356. 1901.
Page—
impact testing machine description. Rds. Bul. 44, pp. 9-12, 21-23. 1912.
method, test of toughness of rock. J.A.R., vol. 5, No. 19, p. 904. 1916.
Page Creek Nursery, practices. D.B. 479, pp. 49, 69, 75. 1917.
Pagophila alba. See Gull, ivory.
Pahudia—
africana, importation and description. No. 47501, B.P.I. Inv. 59, pp. 6, 22. 1922.
rhomboidea—
importations and descriptions. No. 47210, B.P.I. Inv. 58, p. 40. 1922; No. 54784, B.P.I. Inv. 70, p. 20. 1923.
See also Tindalo.
Pai ts'ai—
importations and descriptions. No. 34216, B.P.I. Inv. 32, p. 25. 1914; Nos. 36054, 36113, 36114, B.P.I. Inv. 36, pp. 7, 43, 54-55. 1915; Nos. 44291, 44292, 44312, B.P.I. Inv. 50, pp. 53, 54, 56. 1922; No. 44892, B.P.I. Inv. 51, p. 86. 1922; Nos. 45251-45254, 45529-45531, B.P.I. Inv. 53, pp. 18-19, 48. 1922.
See also Cabbage, Chinese; Pe tsai.
"Paille finne." See "Maiden cane."
PAILTHORP, R.R.—
"Northwestern apple packing houses." With Harold W. Samson. F.B. 1204, pp. 39. 1921.
"Packing apples in boxes." With Frank S. Kinsey. F.B. 1457, pp. 22. 1925.
Pain—
destroyer, Walker's, misbranding. Chem. S.R.A., Supp. 18, pp. 509-510. 1916.

Pain—Continued.
extractor—
misbranding. Chem. N.J. 3734, p. 1. 1915.
vegetable, misbranding. News L., vol. 3, No. 9, p. 6. 1915.
killing oil, Renne's, misbranding. Chem. S.R.A., Supp. 18, pp. 614-615. 1916.
tablets, misbranding—Dr. Caldwell's anti-pain tablets. Chem. N.J. 1545, p. 1. 1912.
PAINE, H. S.—
"Composition and food value of cane sirup." D.B. 1370, pp. 69-72. 1925.
"Marketing cane sirup." With C. F. Walton, jr. D.B. 1370, pp. 72-75. 1925.
"Prevention of crystallization by the invertase process." With C. F. Walton, jr. D.B. 1370, pp. 61-68. 1925.
"Sugar-cane sirup manufacture." With C. F. Walton, jr. D.B. 1370, pp. 76. 1925.
"The destruction of the enzym invertase by acids. alkalis, and hot water." With C. S. Hudson. Chem. Cir. 59, pp. 5. 1910.
"The effect of alcohol on invertase." With C. S. Hudson. Chem. Cir. 58, pp. 8. 1910.
"The hydrolysis of salicin by the enzym emulsion." With ·C. S. Hudson. Chem. Cir. 47, pp. 8. 1909.
"The influence of acids and alkalis on the activity of invertase." With C. S. Hudson. Chem. Cir. 55, pp. 7. 1910.
PAINE, J. H.: "The lesser bud-moth." With E. W. Scott. D.B. 113, pp. 11. 1914; J.A.R., vol. 2, pp. 161-162. 1914.
PAINE, L. S.: "Soil survey of—
Boone County, Nebraska." With others. Soil Sur. Adv. Sh., 1921, pp. 52. 1925.
Howard County, Nebraska." With others. Soil Sur. Adv. Sh., 1920, pp. 965-1004. 1924; Soils F.O., 1920, pp. 965-1004. 1925.
Jefferson County, Nebraska." With others. Soil Sur. Adv. Sh., 1921, pp. 1443-1485. 1925.
Madison County, Nebraska." With others. Soil Sur. Adv. Sh., 1920, pp. 201-248. 1923; Soils F.O., 1920, pp. 201-248. 1925.
Sioux County, Nebraska." With others. Soil Sur. Adv. Sh., 1919, pp. 43. 1922; Soils F.O., 1919, pp. 1757-1799. 1925.
Paint(s)—
bituminous, nature and use. F.B. 1452, p. 10. 1925.
brushes—
and implements. F.B. 474, p. 6. 1911.
cleaning, directions. F.B. 1219, p. 7. 1921.
colored, composition and cost. F.B. 474, pp. 16-19. 1911.
composition—
and cost. F.B. 474, pp. 14-19. 1911.
table. Chem. Cir. 111, pp. 1-2. 1913.
damp-proofing, use on cellar walls. Y.B., 1919, pp. 432-434, 436, 437. 1920; Y.B. Sep. 824, pp. 432-434, 436, 437. 1920.
demand for flaxseed. F.B. 1328, p. 1. 1924.
drying and driers. F.B. 474, pp. 7-9. 1911.
effect on farm appearances. News L., vol. 7, No. 15, p. 16. 1919.
effects of gas fumigation. D.B. 893, pp. 9, 12. 1920.
experiments with wood turpentine, analysis. Chem. Bul. 144, pp. 35-44, 57-76. 1911.
"fireproof," nature and value. F.B. 1452, p. 11. 1925.
for—
galvanized wire, cost. Y.B., 1909, p. 291. 1910; Y.B. Sep. 513, p. 291. 1910.
tree wounds, requirements. F.B. 995, pp. 7-8. 1918.
woodwork and walls of house. Y.B., 1914, pp. 349-352. 1915; Y.B. Sep. 646, pp. 349-352. 1915.
formula for use on tanks loaded with turpentine. D.B. 898, p. 16. 1920.
ingredients and nature. F.B. 1452, pp. 2-12. 1925.
interior, nature. F.B. 1452, pp. 9-10. 1925.
iodine content, studies. Chem. Cir. 111, pp. 4-6. 1913.
iron—
and steel protection, investigations. An. Rpts., 1910, p. 790. 1911; Rds. Chief Rpt., 1910, p. 28. 1910.

INDEX TO PUBLICATIONS, 1901–1925   1733

Paint(s)—Continued.
iron—continued.
preservation, tests. Rds. Bul. 35, pp. 23–34. 1909.
labeling, State laws. F.B. 474, p. 14. 1911.
laws in various States. D.B. 898, pp. 38–41. 1920.
lead, dressing for tree wounds. For. Cir. 161, p. 23. 1909.
luminous, nature and use. F.B. 1452, p. 12. 1925.
materials, testing. Chem. Bul. 109, pp. 5–29. 1908.
mill for hand use, description and cost. F.B. 474, p. 13. 1911.
mite control. D.B. 1228, pp. 6, 9. 1924.
mixed, testing methods. Chem. Bul. 109, pp. 28–29. 1908.
mixing methods. F.B. 474, pp. 13–14. 1911.
moisture determination, calcium carbide method. Chem. Cir. 97, pp. 4–6. 1912.
poisonous character, and precautions in use. F.B. 474, p. 22. 1911.
poultry houses. F.B. 1413, pp. 19–21. 1924.
sheep-branding, formula. F.B. 522, pp. 20–21. 1913.
shingle preservative, nonantiseptic. F.B. 387, p. 18. 1910.
stains, removal from textiles. F.B. 861, pp. 27–28. 1917.
strength tests. Chem. Bul. 109, pp. 10–29. 1908.
testing and sampling. D.B. 949, pp. 68, 74. 1921.
thinner, turpentine, use and value. D.B. 898, p. 7. 1920.
thinners, kinds and use. F.B. 1452, pp. 7, 15. 1925.
tree, misbranding, N.J. 798. I. & F. Bd. S.R.A. 42, pp. 1004–1005. 1923.
turpentine-resisting, for tank cars, formula and use. D.B. 898, pp. 6, 16. 1920.
use—
in—
control of apple borers, formula. News L., vol. 6, No. 26, p. 24. 1919.
control of pear borer. D.B. 887, p. 8. 1920.
protection of wounds in pecan trees. F.B. 995, pp. 6–8. 1918.
tree pruning. News L., vol. 3, No. 27, pp. 1, 4. 1916.
of Menhaden oil in manufacture. D.B. 2, pp. 48, 49–50. 1913.
of turpentine. D.B. 229, p. 8. 1915.
on—
apple trees for control of roundheaded borers. F.B. 675, pp. 16–19. 1915.
farm. Percy H. Walker. F.B. 474, pp. 22. 1911.
timbers, precautions. D.B. 801, p. 56. 1919.
trees to prevent borers. F.B. 908, p. 48. 1918.
tree wounds. B.P.I. Bul. 254, p. 83. 1913.
value—
as wood preservative, and application. F.B. 744, pp. 10, 23. 1916.
for silo interior. News L., vol. 7, No. 7, p. 7. 1919.
white, estimated cost. F.B. 474, pp. 15–16. 1911.
white-lead, use in control of apple-tree borers, tests. D.B. 847, pp. 33–36, 41. 1920.
Paintbrush—
destruction by sheep, description. News L., vol. 5, No. 8, p. 4. 1917.
See also Hawkweeds.
Painted cup—
forage crop, importance and nutritive value. F.B. 425, pp. 10, 12. 1910.
importation and description. No. 43985, B.P.I. Inv. 50, p. 12. 1922.
Painted-leaf, description, cultivation and characteristics. F.B. 1171, pp. 35–36, 82. 1921.
Painted-tongue, description, cultivation, and characteristics. F.B. 1171, pp. 47, 82. 1921.
Painting—
directions. F.B. 1452, pp. 26–32. 1925.
exterior and interior. F.B. 474, pp. 10–12. 1911.
floors, directions. F.B. 1219, pp. 13–14. 1921.
on the farm. H. P. Holman. F.B. 1452, pp. 33. 1925.
preparation of surfaces. F.B. 474, pp. 9–10. 1911.

Painting—Continued.
requirements of abattoirs and packing houses. B.A.I. An. Rpt., 1909, pp. 251–252. 1911;
B.A.I. Cir. 173, pp. 251–252. 1911.
steel structures, specifications. D.B. 1259, pp. 15–17. 1924.
study by railways. M.C. 39, p. 65. 1925.
timber, for preservation. F.B. 744, p. 23. 1916.
use and value in blight eradication, paints adaptable. News 'L., vol. 3, No. 17, p. 4. 1915.
Pajarito, region and travel routes, Bandalier National Monument. M.C. 5, pp. 1–18. 1923.
Pajuil, in Porto Rico, occurrence, description, and uses. D.B. 354, pp. 33, 81. 1916.
Palates, hard, cattle, digestibility. C. F. Langworthy and A. D. Holmes. J.A.R., vol. 6, No. 17, pp. 641–648. 1916.
Pale western cutworm. See Cutworm.
Paleacrita vernata—
description, habits, and control. F.B. 1169, pp. 36–37. 1921; F.B. 1270, pp. 33–35. 1922.
injury to apple trees, and control. F.B. 492, pp. 17–20. 1912.
See also Cankerworm, spring.
Paleopus dioscoreae, description. J.A.R., vol. 12, p. 611. 1918.
Pales pavida, description. Ent. T.B. 12, Pt. VI, pp. 99–100. 1908.
Pales weevil. See Snout beetle.
Palestine—
citrus fruit industry. D.B. 134, p. 34. 1914.
explorations, agricultural and botanical. Aaron Aaronsohn. B.P.I. Bul. 180, pp. 64. 1910.
resemblance to Imperial Valley, Calif., in climate and topography. B.P.I. Bul. 274, pp. 40–41. 1913.
wild emmer, rediscovery. B.P.I. Bul. 180, pp. 42–49. 1910.
wild wheat in. O. F. Cook. B.P.I. Bul. 274, pp. 56. 1913.
Palillo, importation and use. No. 41098, B.P.I. Inv. 44, p. 37. 1918.
Palisade-worm, disease of horses, study. An. Rpts., 1907, p. 231. 1908.
Palm(s)—
adapted to California, Yuma experiment farm. W.I.A. Cir. 12, p. 24. 1916.
African oil—
description. Guam A.R., 1917, p. 44. 1918.
importation and description. Nos. 35150, 35581, B.P.I. Inv. 35, pp. 13–14, 56. 1915.
amethyst, description and regions suited to. F.B. 1208, pp. 34–35. 1922.
betel-nut. See Betel-nut palm.
Bismarck's, importation and description. No. 43581, B.P.I. Inv. 49, p. 47. 1921.
blue, description. D.C. 75, p. 66. 1920.
Buri, importation and description. No. 35689, B.P.I. Inv. 36, p. 11. 1915.
Burity, importations, and description. Nos. 37819, 37903, B.P.I. Inv. 39, pp. 49, 65. 1917.
California, native date, description, soils supporting. B.P.I. Bul. 53, pp. 111–112, 119. 1904.
Canary Island, hybrid with date palm, cold resistance. B.P.I. Bul. 53, pp. 124, 125. 1904.
Carnauba, wax plant, importation and description. No. 37866, B.P.I. Inv. 39, pp. 11, 59. 1917.
characters, varieties on Pacific slope. For. [Misc.], "Forest trees for Pacific * * *," pp. 197–200. 1908.
Chile, use for sirup making, importation. No. 31097, B.P.I. Bul. 242, pp. 10, 66. 1912.
coconut. See Coconut palm.
Cocoyol importation and description. No. 43483, B.P.I. Inv. 49, p. 33. 1921.
Cuban royal, importation and description. B.P.I. Inv. 64, p. 63. 1923.
date. See Date palm; *Phœnix dactilifera*.
Dende, tree and fruit, description and uses. D.B. 445, pp. 24–25. 1917.
description, leaf characteristics. D.B. 223, pp. 3–13. 1915.
desert, description. M.C. 31, pp. 12–13. 1925.
Doum—
importations and descriptions. No. 47402, B.P.I. Inv. 59, p. 16. 1922; No. 51440, B.P.I. Inv. 65, pp. 2, 17. 1923; No. 53848, B.P.I. Inv. 67, p. 91. 1923.

Palm(s)—Continued.
　Doum—Continued.
　　seed, importation, and description. No. 34219, B.P.I. Inv. 32, p. 25. 1914.
　　Eugeissona triste, importation and description. No. 54768, B.P.I. Inv. 70, p. 17. 1923.
　fan—
　　Australian importation and description. No. 40372, B.P.I. Inv. 48, p. 16. 1921.
　　description and regions suited to. D.B. 816, p. 38, 1920; F.B. 1208, p. 33. 1922.
　　native grove in Palm Canyon, Calif., alkali soil. B.P.I. Bul. 53, pp. 111–112. 1904.
　　Florida royal, importation and description. No. 41575. B.P.I. Inv. 45, p. 50. 1918.
　　fruiting, importation and description. No. 47350. B.P.I. Inv. 59, pp. 5, 9. 1922.
　growing—
　　in Guam, description. Guam A.R., 1917, pp. 43–44. 1918.
　　on Yuma reclamation project. D.C. 75, pp. 65–66. 1920.
　Guadeloupe Island, importation and description. No. 39740. B.P.I. Inv. 42, pp. 8, 19. 1918.
　Guinea oil, importation and description. No. 40994. B.P.I. Inv. 44, p. 28. 1918.
　importations and descriptions. Nos. 29419–29422, B.P.I. Bul. 233, p. 20. 1912; Nos. 33346–33347, 33564, 33944, 34079–34084, B.P.I. Inv. 31, pp. 16, 31, 69, 81–82. 1914; Nos. 36486, 36487, 36573, 36693, 36927, B.P.I. Inv. 37, pp. 26, 33, 50, 84. 1916; Nos. 36972, 36973, 37021, 37095, 37382, 37607, B.P.I. Inv. 38, pp. 6, 16, 17, 27, 37, 54, 84. 1917; Nos. 37745, 37866–37869, 37899, 37903, 37910, 37927, 38112, 38399, 38403, 38498, 38516, 38538–38543, 38582, 38588, B.P.I. Inv. 39, pp. 8, 11, 32, 59, 60, 64, 65, 66, 68, 89, 125, 130, 140, 141, 144, 145, 150. 1917; Nos. 38667, 38697, 38739, 39188, 39189, 39287–39293, B.P.I. Inv. 40, pp. 9, 13, 23, 90, 93, 96. 1917; Nos. 39859, 40029, 40069, 40301, 40303, B.P.I. Inv. 42. pp. 28, 55, 65–102, 103. 1918; Nos. 40524, 40804, B.P.I. Inv. 43, pp. 39, 83. 1918; Nos. 41686, 41705, 41871, 41934, 42280, 42365, 42368, B.P.I. Inv. 46, pp. 9, 12, 26, 36, 72, 83, 84. 1919; Nos. 42520, 42522, 42534, 42707, 42722, 42855, 43001, B.P.I. Inv. 47, pp. 7, 24, 26, 54, 56, 75, 86. 1920; Nos. 43055, 43056, 43058, 43072, 43116, 43238, 43255, 43281, B.P.I. Inv. 48, pp. 6, 14–15, 16, 18, 31, 34, 38. 1921; Nos. 43483, 43484, 43579, 43581, 43583, 43653, 43702, 43950. 1921. Nos. 44670, 44744, 44773, 44864, 44911, B.P.I. Inv. 51, pp. 41, 58, 60, 62, 82, 89. 1922; Nos. 45906, 45956–45962, 45965, B.P.I. Inv. 54, pp. 38, 49–50, 51. 1922; Nos. 46329, 46452, 46531, B.P.I. Inv. 56, pp. 9, 17, 24. 1922; Nos. 51707–51712, 51714–51726, 51733–51739, B.P.I. Inv. 65, pp. 39, 40–41, 42. 1923; Nos. 52231, 52466, 52802, B.P.I. Inv. 66, pp. 10, 31, 78. 1923.
　injury by termites. D.B. 1232, pp. 13–21. 1924.
　insect pests, list. Sec. [Misc.] "A manual * * * insects * * *" pp. 159–163. 1917.
　insects control. F.B. 1362, pp. 54–56. 1924.
　ivory nut—
　　description and use. Guam A.R., 1917, p. 43. 1918.
　　growing in Hawaii, source of vegetable ivory. Hawaii A.R. 1919, p. 38. 1920.
　　importations and descriptions. Nos. 32369, 32910, B.P.I. Bul. 282, pp. 11, 58. 1913; No. 47007, B.P.I. Inv. 58, p. 18. 1922; No. 54515, B.P.I. Inv. 69, p. 19. 1923.
　Java, importations and description. Nos. 51127–51128, 51130–51134, 51139–51141. B.P.I. Inv. 64, pp. 61–64. 1923.
　Jipi-japa—
　　introduction into Porto Rico, and use. S.R.S. Rpt. 1916, Pt. I, p. 239. 1918.
　　propagation and distribution, Porto Rico. An. Rpts., 1916, p. 310. 1917; S.R.S. An. Rpt., 1916, p. 14. 1916.
　　kernel oil, description, uses, and imports, 1912, 1918. D.B. 769, p. 22. 1919.
　leaf, imports—
　　1859–1908. Stat. Bul. 51, p. 28. 1909.
　　1906–1910. Y.B. 1910, p. 657. 1911. Y.B. Sep. 553, p. 657. 1911.
　　1907–1909, value. Stat. Bul. 82, p. 68. 1910.
　Livistona, importations and description. Nos. 45589–45591. B.P.I. Inv. 53, pp. 64–65. 1922.

Palm(s)—Continued.
　Macauba, importations and descriptions. No. 37382, B.P.I. Inv. 38, pp. 6, 54. 1917; No. 50467, B.P.I. Inv. 63, pp. 4, 70. 1923; No. 51742, B.P.I. Inv. 65, p. 43. 1923; No. 53487, B.P.I. Inv. 67, pp. 4, 55. 1923.
　Maquenge, importation from Costa Rica, description. No. 33346, B.P.I. Inv. 31, p. 16. 1914.
　Mascarene cabbage, importation and description. No. 38696, B.P.I. Inv. 40, p. 13. 1917.
　Mazri, importations and description. No. 43281, B.P.I. Inv. 48, p. 38. 1921; No. 44773, B.P.I. Inv. 51, p. 62. 1922.
　Nicuri, importation and uses. No. 36927, B.P.I. Inv. 37, p. 84. 1916.
　Nikau, importations and descriptions. No. 35888, B.P.I. Inv. 36, pp. 6, 20. 1915; No. 47878, B.P.I. Inv. 60, pp. 2, 10. 1922.
　Nipa—
　　growing, and use in Guam. Guam A.R. 1911, p. 24. 1912.
　　importations and descriptions. No. 31556, B.P.I. Bul. 248, pp. 9, 23. 1912; No. 34420, B.P.I. Inv. 33, pp. 7, 18. 1915; No. 36058, B.P.I. Inv. 36, pp. 6, 44–45. 1915; No. 44405, B.P.I. Inv. 50, p. 67. 1922.
　nut meal, feed for cattle, energy value, notes. J.A.R. vol. 3, pp. 452, 478. 1915.
　nuts, imports, 1907–1909, value, by countries from which consigned. Stat. Bul. 82, p. 49. 1910.
　oil—
　　African, importation and description. No. 48633. B.P.I. Inv. 61, p. 30. 1922.
　　analysis, table. Chem. Bul. 77, p. 44. 1903.
　　analytical data and tables. Chem. Bul. 77, pp. 43, 44. 1903.
　　and palm-kernel, imports, 1912–1914, amount, and sources. D.B. 296, p. 35. 1915.
　　calf feeding, as substitute for butterfat. F.B. 381, p. 21. 1909.
　　description, preparation, uses, and imports. D.B. 769, pp. 22–23. 1919.
　　detection, methods. Chem. Bul. 137, pp. 89–91. 1911.
　　importations and descriptions. Nos. 45766, 45959, B.P.I. Inv. 54, pp. 16, 50. 1922; Nos. 47124, 47304–47308, B.P.I. Inv. 58, pp. 8, 27, 48. 1922; Nos. 47504–47507, B.P.I. Inv. 59, pp. 23–24. 1922; Nos. 48001–48010, B.P.I. Inv. 60, pp. 3, 27. 1922; Nos. 49878, 50000, 50480, 50634, B.P.I. Inv. 63, pp. 16, 28, 72, 88. 1923; Nos. 50762, 51016–51021, B.P.I. Inv. 64, pp. 23, 42. 1923; No. 51718, B.P.I. Inv. 65, p. 40. 1923; Nos. 54039–54040, B.P.I. Inv. 68, p. 21. 1923.
　imports—
　　1907, 1910, 1914, and sources of supply. D.B. 296, p. 35. 1915.
　　1907–1909, quantity and value, by countries from which consigned. Stat. Bul. 82, p. 51. 1910.
　　1908–1910, quantity and value, by countries from which consigned. Stat. Bul. 90, p. 55. 1911.
　　1922–1924. Y.B. 1924, p. 1063. 1925.
　insoluble acids, stearic-acid determination. J.A.R. vol. 6, No. 3, p. 112. 1916.
　nut, host of black fly. D.B. 885, pp. 11, 15. 1920.
　uses. No. 47124, B.P.I. Inv. 58, p. 27. 1922.
　value of kernels as animal feed. J.A.R., vol. 25, pp. 165–166. 1923.
　other than coconut, bud-rot occurrence. B.P.I. Bul. 228, pp. 152–156, 163. 1912.
　Pacaya, importations and descriptions. Nos. 38403–38404, 38582, B.P.I. Inv. 39, pp. 8, 125, 150. 1917; No. 44059, B.P.I. Inv. 50, pp. 8, 20–21. 1922.
　palmyra—
　　disease similar to bud-rot, description. B.P.I. 228, pp. 155–156. 1912.
　　importation and description. No. 35040. B.P.I Inv. 34, pp. 7, 36. 1915.
　Panama hat—
　　description. Guam A.R., 1917, p. 44. 1918.
　　production in Porto Rico, 1910. P.R. An. Rpt., 1910, p. 12. 1911.
　parasitic attack by *Glomerella cingulata*, studies. B.P.I. Bul. 252, p. 18, 36. 1913.
　pejibaya, importations and description. No. 44268, B.P.I. Inv. 50, p. 50. 1922.

Palm(s)—Continued.
pejubaye, growing in Hawaii. Hawaii A.R., 1922, p. 7. 1924.
Philippine, importation and description. No. 34355, B.P.I. Inv. 33, pp. 10-11. 1915.
Phoenix farinifera, importation and description. No. 41507, B.P.I. Inv. 45, pp. 41-42. 1918.
Phoenix ousleyana, importation and description. No. 54767, B.P.I. Inv. 70, p. 17. 1923.
Porto Rico, description. D.B., 354, pp. 34-35, 66. 1916.
rattan—
  importation and description. No. 52902, B.P.I. Inv. 67, p. 11. 1923.
  use for car and chair seats, adaptability for Canal Zone. B.P.I. Bul. 176, pp. 7, 18-19. 1910.
royal—
  Brazil, description. D.B. 445, p. 25. 1917.
  disease similar to bud-rot. B.P.I. Bul. 228, pp. 152-154, 163. 1912.
  regions suited to. F.B. 1208, p. 35. 1922.
  root nodules, study, Porto Rico. P.R. An. Rpt., 1911, pp. 38-39. 1912.
  value as honey plant, Porto Rico. P.R. Bul. 15, p. 12. 1914.
Roystonea, region suited to. F.B. 1208, p. 35. 1922.
sugar—
  East Indian, growing in Porto Rico for ornamentals. P.R. An. Rpt., 1917, p. 24. 1918.
  fruit, infestation with Mediterranean fruit fly in Hawaii. D.B. 536, pp. 24, 25. 1918.
  growing in Porto Rico. P.R. An. Rpt., 1918, p. 14. 1920.
  importation and description. No. 47527, B.P.I. Inv. 59, p. 27. 1922.
Talipot, importation and description. No. 52802, B.P.I. Inv. 66, p. 78. 1923.
use as street trees in certain regions. D.B. 816, pp. 17, 18, 19, 36-40. 1920.
value as source of Hawaiian honey. Hawaii Bul. 17, p. 9. 1908.
varieties and regions suited to. F.B. 1208, pp. 31-35. 1922.
Washington, description—
  and regions suited to. F.B. 1208, pp. 32-33. 1922.
  range and occurrence on Pacific slope. For. [Misc.] "Forest trees for Pacific * * *," pp. 199-200. 1908.
wax, importations and descriptions. Nos. 46561, 46562, B.P.I. Inv. 56, p. 26. 1922; No. 47322, B.P.I. Inv. 58, p. 50. 1922.
weevils—
  carriers of red-ring disease. Off. Rec., vol. 1, No. 7, p. 1. 1922.
  description. Sec. [Misc.], "A manual * * * insects * * *" p. 161. 1906.
  injuries and treatment of trees in Honduras. Ent. Bul. 38, pp. 23-28. 1902.
Palma—
christi. See Castor-oil plant.
rosa, substitute for geranium oil. Chem. Bul. 80, p. 23. 1904.
Palmae, family, characters and habits. For. [Misc.], "Forest trees for Pacific * * *" p. 197. 1908.
PALMER, A. W.: "The commercial classification of American cotton." D.C. 278, pp. 35. 1924.
PALMER, C. C.—
  "Effects of muscular exercise and the heat of the sun on the blood and body temperature of normal pigs." J.A.R., vol. 9, pp. 167-182. 1917.
  "Morphology of normal pigs' blood." J.A.R., vol. 9, pp. 131-140. 1917.
PALMER, L. J.: "Reindeer in Alaska." With Seymour Hadwen. D.B. 1089, pp. 74. 1922.
PALMER, L. S.—
  "Influence of the age of the cow on the composition and properties of milk and milk fat." With C. H. Eckles. J.A.R., vol. 11, pp. 645-658. 1917.
  "The chemistry of milk and dairy products from a colloidal standpoint." B.A.I. Dairy [Misc.], "World's dairy congress, 1923," pp. 1157-1168. 1924.

PALMER, R. C.—
"Distillation of resinous wood by saturated steam." With L. F. Hawley. For. Bul. 109, pp. 31. 1912.
"The markets for the products of the hardwood distillation." For. Serv. Inv. No. 2, pp. 43-48. 1913.
"Yields from the destructive distillation of certain hardwoods." With L. F. Hawley. D.B. 129, pp. 16. 1914.
"Yields from the destructive distillation of certain hardwoods." D.B. 508, pp. 8. 1917.
PALMER, T. G.: "Single-germ beet balls and other suggestions for improving sugar-beet culture." Rpt. 74, pp. 141-152. 1903.
PALMER, T. S.—
bounties for coyotes. Biol. Bul. 20, p. 22. 1905.
"Chronology and index of the more important events in American game protection, 1776-1911." Biol. Bul. 41, pp. 62. 1912.
"Digest of game laws for 1901." With H. W. Olds. Biol. Bul. 16, pp. 152. 1901.
"Directory of officials and organizations concerned with the protection of birds and game, 1915." Biol. Doc. 101, pp. 16. 1915.
"Directory of officials and organizations concerned with the protection of birds and game, 1916." Biol. Doc. 104, pp. 16. 1916.
"Directory of State officials and organizations concerned with the protection of birds and game, 1905." Biol. Cir. 50, pp. 16. 1906.
"Explanation of the proposed regulations for the protection of migratory birds." Biol. Cir. 93, pp. 5. 1913.
"Federal game protection—A five years' retrospect." Y.B., 1905, pp. 541-562. 1906; Y.B. Sep. 402, pp. 541-562. 1906.
"Game as a national resource." D.B. 1049, pp. 48. 1922.
"Game laws for—
1903." With others. F.B. 180, pp. 56. 1903.
1904." With others. F.B. 207, pp. 53. 1904.
1905." With others. F.B. 230, pp. 54. 1905.
1906." With R. W. Williams. F.B. 265, pp. 54. 1906.
1907." With others. F.B. 308, pp. 52. 1907.
1908." With Henry Oldys. F.B. 336, pp. 55. 1908.
1909." With others. F.B. 376, pp. 56. 1909.
1912." With others. F.B. 510, pp. 48. 1912.
1913." With others. D.B. 22, pp. 59. 1913.
1914." With others. F.B. 628, pp. 54. 1914.
1915." With others. F.B. 692, pp. 64. 1915.
1916." With others. F.B. 774, pp. 64. 1916.
"Game protection in—
1904." Y.B. 1904, pp. 606-610. 1905; Y.B. Sep. 371, pp. 606-610. 1905.
1905." Y.B., 1905, pp. 611-617. 1906; Y.B. Sep. 403, pp. 611-617. 1906.
1906." Y.B., 1906, pp. 533-540. 1907; Y.B. Sep. 440, pp. 533-540. 1907.
"Hunting licenses, their history, objects, and limitations." Biol. Bul. 19, pp. 72. 1904.
"Importation of game birds and eggs for propagation." With Henry Oldys. F.B. 197, pp. 32. 1904.
"Index generum mammalium: A list of the genera and families of mammals." T. S. Palmer. N.A. Fauna 23, pp. 984. 1904.
"Legislation for protection of birds other than game." Biol. Bul. 12, rev., pp. 143. 1902.
"National reservations for the protection of wild life." Biol. Cir. 87, pp. 32. 1912.
"Private game preserves and their future in the United States." Biol. Cir. 72, pp. 11. 1910.
"Progress of game protection in 1908." Y.B., 1908, pp. 580-590. 1909; Y.B. Sep. 500, pp. 580-590. 1909.
"Progress of game protection in 1909." With others. Biol. Cir. 73, pp. 19. 1910.
"Progress of game protection in 1910." With Henry Oldys. Biol. Cir. 80, pp. 36. 1911.
"Some benefits the farmer may derive from game protection." Y.B., 1904, pp. 509-520. 1905.
"Statistics of hunting licenses." Biol. Cir. 54, pp. 24. 1906.
"The decision of the Supreme Court of the United States on the sale of imported game." Biol. Cir. 67, pp. 12. 1908.

PALMER, W. S.: "The use of collected data." W.B. Bul. 31, pp. 178-179. 1902.
Palmerworm, description, habits, injuries, and control. F.B. 1270, p. 58. 1923.
Palmetto—
description—
and regions suited to. F.B. 1208, pp. 31-32. 1922.
use as street tree, and regions adapted to. D.B. 816, pp. 18, 19, 36-37. 1920.
importations and descriptions. No. 35116, B.P.I. Inv. 34, p. 43. 1915; Nos. 44194, 44243, 44345, B.P.I. Inv. 50. pp. 40, 47, 60. 1922.
saw—
berries, production in Florida, Indian River area. Soil Sur. Adv. Sh., 1913, pp. 14-15. 1915; Soils F.O., 1913, pp. 684-685. 1916.
habitat, description, collection, uses, and prices. D.B. 26, pp. 3-4. 1913.
use with damiana, misbranding. Chem. N.J. 1560, pp. 2. 1912.
tanning extract, consumption, quantity, and value, 1906. For. Cir. 119, pp. 3, 6-8. 1907.
Texas, new ornamental. B.P.I. Cir. 113, pp. 11-14. 1913.
Victoria, description and classification. B.P.I. Cir. 113, pp. 12-13. 1913.
weevils. Ent. Bul. 38, p. 23. 1902.
See also Palm.
Palmilla—
importation and description. No. 48150, B.P.I. Inv. 60, p. 48. 1922.
See also Soapweed.
Palo—
blanco, description, range, and occurrence on Pacific slope. For [Misc.], "Forest trees for Pacific * * *," pp. 325-327. 1908.
muerto, importations and description. Nos. 35988, 36123, 36148, B.P.I. Inv. 36, pp. 34, 56, 59. 1915.
verde—
description, range, and occurrence on Pacific slope. For. [Misc.], "Forest trees for Pacific * * *," p. 376. 1908.
See Also *Parkinsonia microphylla.*
Palorus ratzeburgi. See Flour beetle, small-eyed.
Palouse Reclamation project, Washington, Franklin County. Soil Sur. Adv. Sh., 1914, pp. 92-98. 1917; Soils F.O., 1914, pp. 2618-2624. 1919.
Palouse silt loam, effect of sulphur and gypsum on fertility. Lewis W. Erdman. J.A.R., vol. 30, pp. 451-462. 1925.
Palsy—
cow, after calving. B.A.I. [Misc.], "Diseases of cattle," rev., p. 231. 1904; rev., p. 237. 1912; rev., p. 233. 1923.
sight nerve, horse, symptoms and treatment. B.A.I. [Misc.], "Diseases of the horse," rev., p. 272. 1903; rev., p. 272. 1907; rev., p. 272. 1911; rev., pp. 295-296. 1923.
Palwan, importation and description. No. 41885, B.P.I. Inv. 46, p. 29. 1919.
PAMMEL, L. H.: "Red-clover seed production: Pollination studies." With others. D.B. 289, pp. 31. 1915.
Pampa, cereal zone of Argentina, description and products. Y:B., 1915, p. 283. 1916; Y.B. Sep. 677, p. 283. 1916.
Pampano, importation and description. No. 39190, B.P.I. Inv. 40, p. 91. 1917.
Pampas grass, description and uses. D.B. 772, p. 63. 1920.
Pamphilius persicum. See Sawfly, peach.
Pan(s)—
bread, size and description. F.B. 807, p. 11. 1917.
broiling, directions. F.B. 526, p. 26. 1913.
Pan del pobre, importation and description. No. 34156, B.P.I. Inv. 32, p. 16. 1914.
Pan-American Exposition, exhibit of Bureau of Chemistry. E. E. Ewell and others. Chem. Bul. 63, pp. 29. 1901.
Pan-Pacific Union, conferences. Off. Rec., vol. 3, No. 15, p. 3. 1924.
Panacea, Swaim's, misbranding. Chem. S.R.A., Supp. 18, pp. 550, 551-554, 555. 1916.
Panama—
black-fly infestation. D.B. 885, pp. 4-12, 14, 20-21, 47, 51-52. 1920.

Panama—Continued.
damage by termites, prevention, and in Canal Zone. Thomas E. Snyder and James Zetek. D.B. 1232, pp. 26. 1924.
forage crops, studies. Off. Rec., vol. 2, No. 8, p. 3. 1923.
mosquito work by Americans. Ent. Bul. 88, pp. 77-78, 79, 93-95. 1910.
route between New York and San Francisco, freight, 1871-1910. Stat. Bul. 89, pp. 17-18. 1911.
straw—
hat making, introduction into Porto Rico. P.R. An. Rpt., 1914, p. 11. 1915.
palm, growing in Porto Rico and bleaching methods. P.R. An. Rpt., 1919, p. 12. 1920.
plants, introduction into Porto Rico. An. Rpts., 1907, p. 685. 1908.
termite(s)—
biological notes. Harry Frederic Dietz and Thomas Elliott Snyder. J.A.R., vol. 26, pp. 279-302. 1923.
damage, prevention. D.B. 1232, pp. 1-26. 1924.
trade with United States. D.B. 296, pp. 7-49. 1915.
yautias, description. B.P.I. Bul. 164, pp. 20, 24. 1910.
yellow fever, control through anti-mosquito measures. Ent. Bul. 78, pp. 21-23. 1909.
See also Canal Zone.
Panama Canal—
apple shipments from Pacific coast, time and rates. D.B. 302, pp. 16-17. 1915.
soil removal, comparison to annual removal by rivers in United States. Y.B., 1913, pp. 207, 214. 1914; Y.B. Sep. 624, pp. 207, 214. 1914.
time of ship transit, United States to England. F.B. 665, p. 7. 1915.
Panax—
psendoginseng, importation and description. No. 42622, B.P.I. Inv. 47, p. 39. 1920.
quinquefolium. See Ginseng.
Pancakes, use of stale bread, recipe. News L., vol. 4, No. 39, p. 7. 1917.
Pancreas enzymes, effect of saccharin on. Rpt. 94, pp. 113-122. 1911.
Pancreatic juice, fowls, composition and functions. B.A.I. Bul. 56, pp. 19-20. 1904.
Pancreatin—
action of formaldehyde. B.A.I. Cir. 59, p. 116. 1904.
adulteration and misbranding. Chem. N.J. 3523. 1915.
Pandanus—
furcatus, importation and description. No. 39652, B.P.I. Inv. 41, p. 55. 1917.
spp.—
growing and uses, Guam. Guam A. R., 1911, p. 24. 1912.
importations and description. Nos. 51009, 51135-51138, B.P.I. Inv. 64, pp. 4, 41, 62-63. 1923.
See also Pine, screw.
tectorius, importation and description. No. 55629, B.P.I. Inv. 72, p. 13. 1924.
Pandion haliaetus. See Osprey.
Pandorea—
australis, importation and description. No. 46384, B.P.I. Inv. 56, p. 14. 1922.
ricasoliana, importation and description. No. 48624, B.P.I. Inv. 61, pp. 2, 29. 1922.
Paneolus retirugis, description. D.B. 175, p. 37. 1915.
Panic grass—
flat-stemmed, analytical key, and description of seedlings. D.B. 461, pp. 9, 25. 1917.
importations and description. Nos. 54350-54352, B.P.I. Inv. 68, pp. 54-55. 1923.
Paniceae, key, and descriptions of grasses. D.B. 772, pp. 18-20, 213-252. 1920.
Panicularia—
nervata—
parviglumis, description. Agros. Cir. 30, p. 8. 1901.
See also Meadow grass, tall.
spp., description, distribution, and uses. D.B. 201, pp. 33-34. 1915; D.B. 772, pp. 11, 34-36. 1920.

INDEX TO PUBLICATIONS, 1901–1925　　　1737

Panicum—
barbinode. See Para gross.
diseases, Texas, occurrence and description. B.P.
　I. Bul. 226, p. 52. 1912.
laevifolium, importation and description. No.
　42608, B.P.I. Inv. 47, pp. 7, 37. 1920.
maximum. See Guinea grass.
miliaceum. See Millet; Proso.
molle, growing in manganiferous soils, observations and experiments. Hawaii Bul. 26, p. 23.
　1912.
palmifolium. See Bamboo grass.
parvifolium, importation and description. No.
　46462, B.P.I. Inv. 56, p. 18. 1922.
patens, importation and description. No. 47847,
　B.P.I. Inv. 59, p. 67. 1922.
proliferum. See Panicum, spreading.
pruriens. See Crabgrass.
serratum, importation and description. No.
　44518, B.P.I. Inv. 51, pp. 9, 18. 1922.
smooth, tall, destruction by birds. Biol. Bul. 15,
　p. 83. 1901.
spp.—
　description, distribution, and uses. D.B. 201,
　　pp. 34–35. 1915; D.B. 772, pp. 20, 227–235. 1920.
　forage-crop experiments in Texas. B.P.I. Cir.
　　106, pp. 24–25, 27. 1913.
　importations and descriptions. Nos. 50081,
　　50166, 50244, 50342, B.P.I. Inv. 63, pp. 34, 41,
　　48, 58. 1923; Nos. 51097, 51188, 51259–51260,
　　51343, B.P.I. Inv. 64, pp. 54, 70, 81, 87. 1923;
　　Nos. 51446, 51525, 51781–51782, 52178–52179,
　　B.P.I. Inv. 65, pp. 2, 18, 23, 49, 77–78. 1923;
　　Nos. 53956, 54350–54352, B.P.I. Inv. 68, pp. 2,
　　13, 54–55. 1923.
　occurrence in Guam. Guam A.R., 1913, p. 16.
　　1914.
　See also Barnyard grass.
　spreading, destruction by birds. Biol. Bul. 15, p.
　　83. 1901.
　susceptibility to mosaic diseases. D.B. 829, p. 15.
　　1919.
texanum. See Colorado grass.
torridum. See Kakonakona.
Panna cordial, misbranding. Chem. N.J. 2737, pp.
　1–2. 1914.
Pansy(ies)—
　crossing, experiments and results. B.P.I. Bul.
　　167, p. 28. 1910.
　description, cultivation, and characteristics.
　　F.B. 1171, pp. 70–71, 81. 1921.
　planting in fall. News L., vol. 4, No. 14, p. 4.
　　1916.
　suggestions for growing. B.P.I. Doc. 433, p. 6.
　　1909.
Pantalus butayei, importation and description. No.
　37742, B.P.I. Inv. 39, p. 31. 1917.
Pantomorus fulleri. See Rose beetle, Fullers'.
Pantries, washing of shelves and drying. News L.,
　vol. 5, No. 19, p. 8. 1917.
Panuban, importation and description. No. 39579,
　B.P.I. Inv. 41, p. 44. 1917.
Panus stipticus, description. D.B. 175 p. 26. 1915.
Papabotte. See Plover, field.
Papaias—
　Hawaiian, marketing. Hawaii Bul. 14, pp. 32–35.
　　1907.
　See also Papayas.
Papain—
　manufacture and prices. B.P.I. Inv. 37, p. 13.
　　1916.
　medicinal value, meat digestion. B.P.I. Cir. 119,
　　p. 3. 1913.
　papaya content, description, uses, price, yield
　　and preparation method. Hawaii Bul. 32, pp.
　　16–18. 1914.
　production in Hawaii, yield per tree. Hawaii
　　A.R., 1914, p. 20. 1915.
　use on meat, tests. Off. Rec., vol. 2, No. 43, p. 8.
　　1923.
Papaipema nitela. See Stalk-borer, moth.
Papaturro, importation and description, No. 36864,
　B.P.I. Inv. 37, p. 75. 1916.
Papaw—
　characters. F.B. 468, p. 42. 1911.
　growing and use in Guam. Guam A.R., 1911,
　　p. 21. 1912.
　native fruit, description and district where grown.
　　B.P.I. Bul. 151, p. 64. 1909.

Papaw—Continued.
　variant name of papaya. Off. Rec., vol. 2, No. 43,
　　p. 8. 1923.
Papaya(s)—
　Brazilian, importation and description. No.
　　41147, B.P.I. Inv. 44, pp. 43–44. 1918.
　breeding experiments—
　　desirable characteristics. Hawaii Bul. 32, pp.
　　　32–44. 1914.
　　in Hawaii, 1917. Hawaii A.R., 1917, p. 21.
　　　1918.
　composition and ripening processes. Hawaii
　　A.R., 1914, pp. 27, 66, 69–73. 1915.
　cultivation in Guam. O.E.S. Doc. 1137, p. 410.
　　1908.
　diseases in Guam, report. Guam A.R., 1917, p.
　　53. 1918.
　experiments in Hawaii. Hawaii A.R., 1924, pp.
　　6–7. 1925.
　flowers, types and description. Hawaii A.R.,
　　1911, pp. 26–30. 1912.
　forms, description, change, and origin. Hawaii
　　Bul. 32, pp. 19–32. 1914.
　fruit fly—
　　description, life history, and habits of larvae
　　　and adult. J.A.R., vol. 2, pp. 447–454. 1914.
　　distribution. Y.B., 1917, p. 191. 1918; Y.B.
　　　Sep. 731, p. 9. 1918.
　　Toxitrypana curvicauda, in Florida, biology.
　　　Arthur C. Mason. D.B. 1081, pp. 10. 1922.
　grafted, value as orchard fruit, uses. B.P.I. Cir.
　　119, pp. 3–13. 1913.
　growing—
　　and breeding experiments in Hawaii. Hawaii
　　　A.R., 1915, pp. 12, 24–25. 1916.
　　and use in Virgin Islands. Virgin Is. A.R.,
　　　1919, p. 15. 1920.
　　experiments in Hawaii. Hawaii A.R., 1920,
　　　pp. 12, 20–21, 36–37. 1921.
　　experiments in Virgin Islands. Vir. Is. A.R.,
　　　1924, p. 14. 1925.
　in—
　　Bahia, treatment and use. D.B. 445, p. 18.
　　　1917.
　　Florida. An. Rpts., 1912, p. 423. 1913;
　　　B.P.I. Chief Rpt., 1912, p. 43. 1912.
　　Guam, directions. Guam Bul. 2, pp. 12,
　　　45–46. 1922.
　　Guam, variety and fertilizer tests. Guam
　　　A.R., 1918, pp. 47–50. 1919.
　varieties, description, value as food, uses, and
　　soil requirements. Hawaii Bul. 32, pp. 7–15.
　　1914.
　Hawaiian, value, description, small injury from
　　Mediterranean fruit fly. D.B. 640, pp. 15–16.
　　1918.
　hybrid in Guam. O.E.S. An. Rpt., 1907, p. 410.
　　1908.
　importations and descriptions. Nos. 28533–28536,
　　B.P.I. Bul. 223, p. 26. 1911; Nos. 29331, 29832,
　　30067, 30082, B.P.I. Bul. 233, pp. 11, 37, 56, 57.
　　1912; Nos. 32158, 32159, B.P.I. Bul. 261, p. 35.
　　1912; Nos. 34777, 34903, B.P.I. Inv. 34, pp. 6, 13,
　　25. 1915; Nos. 35142, 35143, 35264, 35418, 35473,
　　35582–35586, 35589, B.P.I. Inv. 35, pp. 8, 12, 30,
　　44, 50, 57. 1915; Nos. 35568–35670, 36172, 36173,
　　B.P.I. Inv. 36, pp. 9, 62. 1915; 36273, 36275–
　　36278, 36280, 36281, 36605, 36633, 36697, 36844
　　36930, B.P.I. Inv. 37, pp. 7, 11, 12, 37, 42, 51, 72
　　85. 1916; Nos. 36987, 37118, 37122–37124, 37577
　　B.P.I. Inv. 38, pp. 19, 39, 40, 76. 1917; No
　　38929, B.P.I. Inv. 39, p. 114. 1917; Nos. 41339,
　　41647 B.P.I. Inv. 45, pp. 6, 17, 57. 1918; No.
　　42055 B.P.I. Inv. 46, p. 50. 1919; Nos. 42968,
　　42990 B.P.I. Inv. 47, pp. 81, 85. 1920; Nos.
　　43237 43261, 43295, B.P.I. Inv. 48, pp. 31, 35, 41.
　　1921. Nos. 43428, 43489, 43764, 43928–43930,
　　B.P.I. Inv. 49, pp. 7, 19, 36, 74, 96. 1921; Nos.
　　43986, 44036 44070, 44105, 44135, 44142, 44368,
　　B.P.I. Inv. 50, pp. 12, 17, 23, 30, 33, 34, 63.
　　1922; Nos. 46321, 46334, B.P.I. Inv. 56, pp. 9,
　　10. 1922; Nos 47492, 47562, 47563, 47586, B.P.I.
　　Inv. 59, pp. 21 31, 36. 1922; Nos. 49472–49473,
　　B.P.I. Inv 62 p. 41. 1923; Nos. 51367, 51389,
　　52299, B.P.I. Inv 65 pp. 1, 8, 11, 87. 1923; Nos.
　　52620, 52810, B.P.I. Inv. 66, pp. 4, 52, 80.
　　1923; Nos. 54992, 55468, B.P.I. Inv. 71, pp. 11,
　　46. 1923; No 55733, B.P.I. Inv. 72. p. 26. 1924.

Papaya(s)—Continued.
  in Hawaii—
    J. E. Higgins and V. S. Holt. Hawaii Bul. 32, pp. 44. 1914.
    investigations. Hawaii A.R., 1913, pp. 22-23. 1914.
    types, description and breeding problems. Hawaii A.R., 1910, pp. 33-35. 1911.
  infestation with Mediterranean fruit fly in Hawaii. D.B. 536, pp. 24, 26. 1918.
  injury by melon fly, Hawaii. D.B. 491, p. 16. 1917.
  insect pests. Sec. [Misc.], "A manual * * * insects * * *," p. 163. 1917.
  investigations, breeding, pruning, thinning, and shipping. Hawaii A.R., 1911, pp. 10, 11, 26-32. 1912.
  leaf spot, cause. Guam A.R., 1917, p. 53. 1918.
  medicinal and other uses. Hawaii Bul. 32, p. 15. 1914.
  mountain, importation and description. Nos. 35925, 36069, B.P.I. Inv. 36, pp. 27, 48. 1915.
  new varieties, description. B.P.I. Bul. 208, pp. 21-22, 39. 1911.
  production, profit and suggestions. D.B., 1081, p. 10. 1922.
  propagation—
    and pollination studies, Hawaii. O.E.S. An. Rpt., 1911, pp. 23, 98. 1912.
    by seed and by cuttings. B.P.I. Cir. 119, pp. 4-6. 1913; Hawaii Bul. 32, pp. 8-9, 18. 1914.
  resetting for fruit-fly control. D.B. 1081, p. 10. 1922.
  ripening period, handling and marketing methods. Hawaii Bul. 32, pp. 11-12. 1914.
  Solo, description and characteristics. Hawaii A.R., 1919, p. 28. 1920.
  trees—
    pruning, artificial feeding, renewals, and fruit thinning. Hawaii Bul. 32, pp. 10-11. 1914.
    root-knot control experiments. B.P.I. Bul. 217, pp. 50-51. 1911.
  use as food, recipes. Hawaii Bul. 32, pp. 13-15. 1914.
  varieties—
    imported by Bureau of Plant Industry. B.P.I. Bul. 223, p. 26. 1911.
    susceptibility to fruit fly, descriptions. D.B. 1081, pp. 8-9. 1922.
  See also Papaias.
Papeda, importation and description. No. 42364. B.P.I. Inv. 46, p. 83. 1919.
Paper(s)—
  absorption of neutral salts and dyes. Soils Bul. 52, pp. 29-30. 1908.
  analysis and uses. Chem. Chief Rpt., 1924, pp. 9-10. 1924.
  and—
    fabrics, arsenic in. J. K. Haywood and H. J. Warner. Chem. Bul. 86, pp. 53. 1904.
    Pulp Association, American, pulp work. Off. Rec., vol. 1, No. 50, p. 2. 1922.
    pulp industries, bibliography. Henry E. Surface. For. Bul. 123, pp. 48. 1913.
    wood pulp, studies. An. Rpts., 1911, pp. 411-412. 1912; For. A.R., 1911, pp. 71-72. 1911.
  arsenic content. Chem. Bul. 86, pp. 1-53. 1904.
  coated and uncoated, specifications. Rpt. 89, pp. 42-44. 1909.
  consumption per capita—
    1809-1923. Y.B., 1924, p. 1031. 1925.
    in United States, 1921. Sec. Cir. 183, p. 34. 1921.
  currency, counterfeit-resistant, studies, aid to Treasury Department, by Chemistry Bureau. D.C. 137, p. 21. 1922.
  de-inking experiments. Off. Rec., vol. 2, No. 10, p. 2. 1923.
  demand for. D.B. 950, p. 2. 1921.
  destruction, due to acids, bacteria, insects, and handling. Rpt. 89, pp. 16-17. 1909.
  durability and economy for permanent records. H. W. Wiley and C. Hart Merriam. Rpt. 89, pp. 51. 1909.
  examination of. Chem. Cir. 34, pp. 10. 1907.
  flax straw, mill tests. D.B. 322, pp. 11-13. 1916.
  freight rates from Alaska. D.B. 950, pp. 20-22. 1921.

Paper(s)—Continued.
  grades, sources of material used and consumption. D.B. 1241, pp. 19-23, 80-82. 1924.
  high-grade, faulty sizing in detection. C. Frank Sammett. Chem. Cir. 107, pp. 3. 1913.
  imports and exports. D.B. 758, pp. 8, 19. 1919.
  industry—
    aid in forestry policy. Off. Rec., vol. 2, No. 41, p. 3. 1923.
    bibliography, with pulp. Henry E. Surface. For. Bul. 123, pp. 48. 1913.
    cooperation in forest protection and utilization. D.B. 1241, pp. 69-70. 1924.
    development—
      and pulp-wood requirements. D.B. 1241, pp. 5-32. 1924.
      in Alaska. For. A.R., 1921, pp. 3-4. 1921.
      in Alaska, growth. Off. Rec., vol. 2, No. 43, pp. 1-2. 1923.
    investigations—
      1920. An. Rpts., 1920, pp. 281-282. 1921.
      results. Chem. Chief Rpt., 1908, pp. 5-7, 36-37, 38. 1908; An. Rpts., 1908, pp. 449-451, 480-481, 482. 1909.
    Japanese, superiority. Rpt. 89, p. 15. 1909.
    kraft, manufacture from various woods. An. Rpts., 1916, p. 188. 1917; For. A.R., 1916, p. 34. 1916.
  made from commercial pulps, quality tests, table. D.B. 343, p. 150. 1916.
  making—
    agave use, remarks. Y.B., 1902, p. 317. 1903.
    and testing, investigations. Chem. Chief Rpt., 1921, pp. 39-41. 1921.
    crop plants—
      for. Charles J. Brand. B.P.I. Cir. 82, pp. 19. 1921; P.P.I. Cir., pp. 16. 1916.
      utilization. Charles J. Brand. Y.B., 1910, pp. 329-340. 1911; Y.B. Sep. 541, pp. 329-340. 1911.
    from—
      corn shucks, possibilities. D.B. 708, pp. 14-15. 1918.
      cornstalks, bagasse, hemp, and flax straw, tests. An. Rpts., 1914, p. 112. 1914. B.P.I. Chief Rpt., 1914, p. 12. 1914.
      cotton hulls. News L., vol. 7, No. 6, p. 8. 1919.
    Government enterprise, discussion by Secretary. News L., vol. 4, No. 34, p. 2. 1917.
    improvements, reduction of weight and bulk. Chem. Cir. 41, pp. 17-18. 1908.
    in Alaska. Y.B., 1921, pp. 59-60. 1922; Y.B. Sep. 875, pp. 59-60. 1922.
    material(s)—
      and their conservation. F. P. Veitch. Chem. Cir. 41, pp. 20. 1908.
      available supply in United States, and location. News L., vol. 4, No. 34, pp. 1-2. 1917.
      from zacaton. Charles J. Brand and Jason L. Merrill. D.B. 309, pp. 28. 1915.
    imports. D.B. 322, pp. 2, 23. 1916.
    sources and tests, investigations. An. Rpts., 1908, pp. 59, 286, 392, 528-529. 1909; B.P.I. Chief Rpt., 1908, pp. 14, 120. 1908; Ent. A.R., 1908, pp. 6-7. 1908; Sec. A.R., 1908, p. 57. 1908.
    zacaton, utilization. Charles J. Brand and Jason L. Merrill. D.B. 309, pp. 28. 1915.
  prevention of decay losses in pulp wood. D.C. Everest. M.C. 39, pp. 67-68. 1925.
  pulpwood investigations. For. A.R., 1924, pp. 34-35. 1924.
    studies, Forest Service. For. Serv. Inv., vol. 1, pp. 23-24, 51-52. 1913.
  use of—
    American flax straw, with fiber-board industry. Jason L. Merrill. D.B. 322, pp. 24. 1916.
    cotton stalks, hemp hurds, and flax straw. An. Rpts., 1917, pp. 154-156. 1918; B.P.I. Chief Rpt., 1917, pp. 24-26. 1917.
    flax tow. An. Rpts., 1916, pp. 150-151. 1917; B.P.I. Chief Rpt., 1916, pp. 14-15. 1916.
  manufacture—
    from—
      hemp hurds. D.B. 404, pp. 7-25. 1916.
      linters, possibilities. D.C. 175, p. 10. 1921.

Paper(s)—Continued.
  manufacture—continued.
    from—continued.
      pine waste as side industry in lumbering. For. Bul. 114, p. 28. 1912.
      pulps, quality tests, and tables. For. Bul. 127, pp. 50–54. 1913.
      spruce in New England. For Cir. 168, pp. 7–11. 1909.
    processes, chemical and mechanical. Y.B., 1908, pp. 262–264. 1909; Y.B. Sep. 479, pp. 262–264. 1909.
  manufacturing experiments. D.B. 343, pp. 51–59. 1916.
  markets for Alaska product. D.B. 950, pp. 19–22. 1921.
  materials—
    and manufacture. Rpt. 89, pp. 9, 14–15. 1909.
    as farm crop, discussion. Chem. Cir. 41, pp. 18–19. 1908.
    classification and cost per ton. Chem. Cir. 41, pp. 4–9. 1908.
    requirements. Y.B., 1908, p. 262. 1909; Y.B. Sep. 479, p. 262. 1909.
  microscopic examination. Rpt. 89, pp. 25–28. 1909.
  mills—
    New England, number and general conditions. For. Cir. 168, pp. 7–11. 1909.
    in Tongass forest, Alaska. Off. Rec., vol. 2, No. 35, pp. 1, 5. 1923.
    wood consumption, annual. For. Cir. 171, p. 9. 1909.
  newsprint—
    future supply of woods for grinding. D.B. 343, pp. 66–67. 1916.
    practicability of manufacture in Alaska. News L., vol. 4, No. 34, p. 2. 1917.
    supplies, depletion. For. [Misc.], "Timber depletion * * *," pp. 27–29. 1920.
    use of various woods, experiments. News L., vol. 4, No. 34, p. 2. 1917.
  outlook, statement of Agriculture Secretary. News L., vol. 4, No. 34, pp. 1–4. 1917.
  owned by executive departments, use by Government Printing Office. Sol. [Misc.], "Laws applicable * * * Agriculture," Sup. 2, p. 109. 1915.
  parchment, use in butter wrapping. F.B. 541, p. 26. 1913.
  plant—
    Japanese, introduction, review of work. An. Rpts., 1908, p. 392. 1909; B.P.I. Chief Rpt., 1908, p. 120. 1908.
    mitsumata, experimental planting. An. Rpts., 1909, p. 362. 1910; B.P.I. Chief Rpt., 1909, p. 110. 1909.
  production—
    from hemp hurds, physical tests. D.B. 404, pp. 24–25. 1916.
    in United States. Y.B., 1923, pp. 1078, 1080, 1082, 1083. 1924; Y.B. Sep. 904, pp. 1078, 1082, 1083. 1924.
  pulp—
    aspen, characteristics. D.B. 80, pp. 44–45. 1914.
    manufacture from—
      aspen wood. For. Bul. 93, p. 9. 1911.
      lumber mill waste, possibilities. Y.B., 1910, p. 261. 1911; Y.B. Sep. 534, p. 261. 1911.
      Sitka spruce. D.B. 1060, pp. 7–8. 1922.
    processes, improvement. D.C. 231, pp. 28–32. 1922.
    production—
      availability of crop materials. B.P.I. Cir. 82, pp. 4–5, 7–18. 1911.
      availability of crop materials. P.P.I. Cir. 1, pp. 4–15, 1916.
      from waste resinous woods. F. P. Veitch and J. L. Merrill. Chem. Bul. 159, p. 28. 1913.
    suitability of longleaf pine. Henry E. Surface and Robert E. Cooper. D.B. 72, pp. 26. 1914.
    trees available for, demand, and sales, national forests. An. Rpts., 1913, pp. 153–154, 155, 156, 159. 1914; For. A.R., 1913, pp. 19–20, 21, 22, 55. 1913.

Paper(s)—Continued.
  pulp—continued.
    use and value of lodgepole pine. D.B. 234, p. 7. 1915.
    yields from different materials. Chem. Cir. 41, p. 6. 1908.
    qualities made from wood pulp. Chem. Cir. 41, pp. 5, 8. 1908.
    record, qualities, manufacture, testing, and preservation. Y.B., 1908, pp. 261–266. 1909; Y.B. Sep. 479, pp. 261–266. 1909.
    requirements, general. Rpt. 89, p. 30. 1909.
  samples—
    from 125 species of American woods. Off. Rec. vol. 1, No. 30, p. 5. 1922.
    kinds of wood. D.B. 343, p. 151. 1916.
  sizing—
    materials used and method of testing. Chem. Cir. 107, pp. 1–3. 1913.
    testing. Rpt. 89, pp. 20–21. 1909.
  specifications. F. P. Veitch. Rpt. 89, pp. 13–51. 1909.
  stock, obtaining from plants, methods. B.P.I. Cir. 82, pp. 4, 6–7. 1911.
  strength, testing machines. Rpt. 89, pp. 23–24. 1909.
  supercalendered, grade specifications. Rpt. 89, pp. 37–41. 1909.
  supply, in Alaska, importance. D.B. 950, pp. 3–5 1921.
  tarred—
    use against root maggots. Ent. Cir. 63, p. 5. 1905.
    use in smothering Canada thistle. News L. vol. 3, No. 37, p. 2. 1916.
  testing methods. Rpt. 89, pp. 18–28. 1909.
  tests on newspaper presses. D.B. 343, pp. 59–64. 1916.
  translucency measurement. C. Frank Sammet. Chem. Cir. 96, pp. 3. 1912.
  transparency test and machine used. Rpt. 89, p. 22. 1909.
  uses—
    growth, 1914–1917, statement of Secretary. News L., vol. 4, No. 34, p. 1. 1917.
    in—
      blanching celery. F.B. 1269, pp. 20–22. 1922.
      kitchen. F.B. 375, p. 44. 1909.
  waste—
    paper-making value. Chem. Cir. 41, pp. 14, 19, 20. 1908.
    products, uses. News L., vol. 6, No. 37, p. 13. 1919.
    utilization. D.B. 1241, p. 63. 1924.
  weight requirements. Rpt. 89, p. 17. 1909.
  wood-pulp, tests and methods. D.B. 343, p. 11. 1916.
  wrapping, for protection against moths, directions. F.B. 1353, p. 15. 1923.
  zacaton, tests. F.B. 309, pp. 25–26. 1915.
Papilio—
  polyxenes. See Celery caterpillar.
  turnus. See Butterfly, swallow-tail, yellow.
Papilloma. See Wart.
Pappophorum—
  apertum, distribution, description, and food value. D.B. 201, p. 35. 1915.
  spp., description, distribution, and uses. D.B. 772, pp. 9, 83, 85–86. 1920.
Paprica. See Pepper; Spices; Paprika.
Paprika—
  adulteration—
    and misbranding. Chem. N.J. 1066, p. 1. 1911; Chem. N.J. 1614, pp. 2. 1912; Chem N.J. 2204, pp. 2. 1913; Chem N.J. 2319, p. 1. 1913.
    of imports. Y.B., 1910, p. 211. 1911; Y.B. Sep. 529, p. 211. 1911.
  American—
    characteristics, pungency, sweetness, color, and flavor. D.B. 43, pp. 4–11. 1913.
    outlook for future demand. D.B. 43, pp. 23–24. 1913.
  analyses. Chem. Bul. 122, pp. 36–37. 1909; Chem. Bul. 132, pp. 112–119. 1910.
  classification and description. D.B. 43, p. 4. 1913.
  definition under food and drug inspection. D.B. 43, p. 3. 1913.
  ether extract, iodin number determination. Chem. Bul. 122, pp. 213–214. 1909.

Paprika—Continued.
  extract, analysis, study and results. Chem. Bul. 152, pp. 89-91, 95-96. 1912.
  growing organization. Y.B., 1915, p. 272h. 1916; Y.B. Sep. 675 p. 272h. 1916.
  Hungarian—
    adulteration and misbranding. Chem. S.R.A. Supp. 4, p. 192. 1915.
    history, and comparison with Spanish paprika. D.B. 43, pp. 1-2, 4-5, 6, 11. 1913.
    pungency tests, comparison with American peppers. D.B. 43, pp. 7-9. 1913.
    in South Carolina, cost, yield, and profit. D.B. 43, pp. 21-23. 1913.
  misbranding. Chem. N.J. 1153, p. 1. 1911; Chem. N.J. 1341, p. 1. 1912.
  pungency tests, results with Hungarian and American peppers. D.B. 43, pp. 7-9. 1913.
  Spanish, history, and comparison with Hungarian paprika. D.B. 43, pp. 1-2, 4-5, 6, 11. 1913.
Papyrus, importation and description. Inv. No. 29484, B.P.I. Bul. 233, p. 26. 1912.
Para-acetphenetidin. See Phenacetin.
Para grass—
  S. M. Tracy. D.C. 45, pp. 2. 1919.
  and paspalum grass in Guam. Off. Rec., vol. 1, No. 1, p. 14. 1922.
  cultural directions, and uses. D.C. 45, pp. 1-2. 1919.
  description and value for cotton States. F.B. 1125, rev., pp. 11-13. 1920.
  feed value, experiments, Guam Experiment Station. O.E.S. An. Rpt., 1912, pp. 18, 100. 1913.
  feeding value and carrying capacity. Guam Bul. 1, pp. 21-26. 1921.
  forage—
    crop experiments in Texas. B.P.I. Cir. 106, pp. 24-25, 27. 1913.
    value, in Guam. O.E.S. An. Rpt., 1911, pp. 28, 96. 1912.
  growing—
    and uses, Guam Experiment Station. Guam A.R. 1918, pp. 9, 11, 15, 17-18, 21, 30. 1919.
    in Guam—
      description, yields, and value. Guam Cir. 1, pp. 4-7. 1921.
      uses, culture, yields, and feed value. Guam Bul. 1, pp. 7-28. 1921.
    in Hawaii, composition and value. Hawaii Bul. 36, pp. 11, 13, 23, 39. 1915.
  habits of growth, value for hay and forage. F.B. 300, pp. 13-15. 1907.
  hay yield, growing with cowpeas, advantages. F.B. 1125, rev., pp. 11-13. 1920.
  introduction into Guam, adaptation, and uses. Guam Bul. 1, pp. 8-9, 43. 1921.
  nativity, description, hay value, and propagation method. F.B. 1254, pp. 28-30. 1922.
  propagation methods and cost. Guam Bul. 1, pp. 12-15. 1921.
  roots, use in propagation of grass. Guam Bul. 1, pp. 12-13. 1921.
  seed, production, and use in propagation of grass. Guam Bul. 1, pp. 12, 27. 1921.
  stalks, planting in furrows or broadcasting. Guam Bul. 1, pp. 13-14. 1921.
  use as forage crop in cotton region, description. F.B. 509, pp. 10-12. 1912.
  yields under different treatments and in various localities. Guam Bul. 1, pp. 16-21. 1921.
Para nut. See Brazil nut.
Para rubber. See Caoutchouc; Rubber.
Parabolocratus viridis, description and control. Ent. Bul. 108, pp. 68-69. 1912.
Paraboloid formula, use in constructing tree-volume tables. J.A.R., vol. 30, pp. 621-624. 1925.
Paracasein monolactata, percentage in cheese. B.A.I.. Bul 49, pp. 83-84. 1903.
Paracoto bark, adulteration, detection. Chem. Bul. 122, p. 138. 1909.
Paradichlorobenzene—
  as an insect fumigant. A. B. Duckett. D.B. 167, pp. 7. 1915.
  control of peach-tree borer, experiments. D.B. 796, pp. 4-22. 1919.
  effectiveness against dog fleas. D.B. 888, p. 11. 1920.
  effects on household insects, tests. D.B. 707, pp. 13, 23. 1918.

Paradichlorobenzene—Continued.
  insect fumigant, directions and cost. D.B. 167, pp. 1-7. 1915.
  laboratory studies, results. D.B. 1169, pp. 13-17. 1923.
  new insecticide, directions and price. News L., vol. 2, No. 31, pp. 2-3. 1915.
  peach-borer control, studies. Oliver I. Snapp and Charles H. Alden. D.B. 1169, pp. 19. 1923.
  properties, chemical and physical. D.B. 167, pp. 6-7. 1915.
  treatment for peach-borer control. F.B. 1246, pp. 10-14. 1921.
  use—
    as disinfectant No. 60. I. and F. Bd. S.R.A. 48, p. 1126. 1924.
    correct method in peach orchards. D.B. 1169, pp. 12-13. 1923.
    in control of—
      carpet beetles. F.B. 1346, p. 10. 1923.
      moths. F.B. 1353, p. 16. 1923.
    in fly-larvae destruction in manure, experiments. D.B. 245, pp. 11, 20. 1915.
Paradise—
  apple, importations and descriptions. No. 42638, B.P.I. Inv. 47, p. 42. 1920; No. 53380, B.P.I. Inv. 67, p. 48. 1923; No. 54386, B.P.I. Inv. 68, p. 57. 1923.
  nut—
    importation and description. No. 54509. B.P.I. Inv. 69, p. 19. 1923.
    value as food. F.B. 332, p. 10. 1908.
Paraffin—
  application, machines, description. B.A.I. Cir. 130, pp. 3-6. 1908.
  coating, for cheese. F.B. 190, pp. 17-20. 1904.
  effect on—
    ammonia and nitrates, accumulation in soil. P. L. Gainey. J.A.R., vol. 10, pp. 355-364. 1917.
    shrinkage and quality of stored cheese. B.A.I. Bul. 83, pp. 14-16, 21, 26. 1906.
  hydrocarbons, occurrence, and description. Soils Bul. 74, pp. 11-13. 1910.
  meat containers, use, restriction. B.A.I.S.R.A. 118, p. 22. 1917.
  naphtha, bitumen determination. D.B. 949, p. 40. 1917.
  oil, emulsion—
    formula and use in citrus orchards. P.R. Cir. 17, pp. 11-12. 1918.
    spraying schedule for citrus pests. F.B. 933, pp. 30-32. 1918.
    use in spraying citrus pests. D.B. 645, pp. 15, 16. 1918.
  scale, determination in road materials, equipment. D.B. 314, pp. 32-35. 1915.
  stains, removal from textiles. F.B. 861, pp. 28-29. 1917.
  tank for cheese, construction. B.A.I. Cir. 181, pp. 6-7. 1911.
  use—
    as tin foil substitute on cheese. D.B. 970, p. 24. 1921.
    by brewers. Chem. Cir. 91, p. 3. 1912.
    in—
      apple scald. J.A.R., vol. 26, pp. 513, 514, 519, 521. 1923.
      cheese coating. F.B. 190, pp. 17-20. 1904.
      coating cider barrels or kegs. Chem. Bul. 118, p. 8. 1908.
      coating for silos. News L., vol. 7, No. 7, p. 7. 1919.
      determining wilting coefficient. B.P.I. Bul. 230, pp. 13, 14, 49, 75. 1912.
      lacquer coatings for food containers. B.A.I. An. Rpt., 1909, p. 270. 1911.
      on citrus trees under sticky bands. D.B. 965, p. 13. 1921.
      on containers for poisoned sirup in ant control. D.B. 965, pp. 30, 32, 33. 1921.
      to prevent mold on fermented vegetables. F. B. 881, pp. 7, 9, 12. 1917.
Paraffinic acid, description and analyses. Soils Bul. 74, pp. 17-19. 1910.
Paraffining—
  butter tubs. L. A. Rogers. B.A.I. Cir. 130, pp. 6. 1908.
  cheese—
    directions. F.B. 1191, pp. 16-17. 1921.

INDEX TO PUBLICATIONS, 1901–1925   1741

Paraffining—Continued.
  cheese—continued.
    effect on quality. B.A.I. Bul. 49, pp. 51–53. 1903.
    methods and results. C. F. Doane. B.A.I. Cir. 181, pp. 16. 1911.
Paraform, production of formaldehyde. F.B. 345, p. 7. 1909.
Paraformaldehyde, injury to seed wheat. J.A.R., vol. 20, pp. 211–244. 1920.
Paragonimus, description. J.A.R., vol. 20, pp. 193–195. 1920.
Paragonimus, parasite of Melania. J.A.R., vol. 20, p. 198. 1920.
Paragreenia spp., description and habits. Rpt. 108, pp. 79, 84. 1915.
Paragrene, analysis. Chem. Bul. 68, p. 26. 1902; Chem. Bul. 76, p. 41. 1903.
Paraguay—
  fruit production and exportation, 1913. D.B. 483, p. 14. 1917.
  livestock—
    conditions. Y.B., 1919, p. 374. 1920; Y.B. Sep. 818, p. 374. 1920.
    statistics, numbers of cattle, sheep, and hogs. Rpt. 109, pp. 31, 37, 48, 51, 60, 63, 204, 214. 1916.
  meat industry, possibilities. Y.B. 1913, p. 361. 1914; Y.B. Sep. 629, p. 361. 1914.
  sugar industry, 1910–1914. D.B. 473, p. 32. 1917.
Paragus tibialis, enemy of strawberry root louse, description. J.A.R., vol. 30, p. 449. 1925.
Parakratesis act, Greece. D.B. 856, pp. 2–3. 1920.
Paraleptomastix abnormis, parasite of citrus mealybug. D.B. 647. p. 23. 1918.
Paraleyrodes—
  new genus of Aleyrodidae, description. Ent. T.B. 12, Pt. IX, pp. 169–174. 1909.
  spp., classification and description. Ent. T.B. 27, Pt. I, pp. 81–84. 1913.
Paralucilia macellaria—
  spread by dogs. D.B. 260, p. 24. 1915.
  See also Fly, screw-worm.
Paralysis—
  bees—
    cause—
      and symptoms. Ent. Bul. 98, pp. 13, 35, 36, 63, 67, 80. 1912.
      suggestions. Ent. Bul. 75, pp. 35, 41–42. 1911; Pt. IV. pp. 35, 41–42. 1908.
    control. D.B. 489, p. 5. 1916.
    symptoms. F.B. 442, p. 21. 1911.
    treatment with powdered sulphur. F.B. 397, p. 39. 1910.
  cattle, cause and treatment. B.A.I. [Misc.], "Diseases of cattle." rev., p. 107. 1904; rev., pp. 109–110, 163. 1912; rev., p. 109. 1923.
  hind quarters of hog, cause, symptoms, and treatment. F.B. 1244, pp. 13–14. 1923.
  horse, causes, forms, symptoms, and treatment. B.A.I. [Misc.], "Diseases of the horse." rev., pp. 208–211. 1903; rev., pp. 208–211. 1907; rev., pp. 208–211. 1911; rev., pp. 228–230. 1923.
  infantile, transmission by stable fly, possibility, Y.B., 1912, p. 391. 1913; Y.B. Sep. 600, p. 391. 1913.
  preparturient, of ewes, cause, symptoms, and treatment. F.B. 1155, p. 34. 1921.
  sheep, cause and treatment. F.B. 1155, pp. 31, 34–35. 1921.
Paramphistoma cervi. See Fluke, conical.
Paranagrus optabilis, parasite of sugar-cane leaf hopper, description and work. Ent. Bul. 93, pp. 30, 31. 1911; Y.B., 1916, pp. 279–280. 1917; Y.B. Sep. 704, pp. 7–8. 1917.
Parandra—
  borer—
    as an orchard enemy. Fred E. Brooks. D.B. 262, pp. 7. 1915.
    distribution and food plants. D.B. 262, pp. 2–3. 1915.
    description, habits, and control. F.B. 1169, p. 61. 1921.
  brunnea—
    description, habits, and control. F.B. 1169, p. 61. 1921.
  See also Pole borer.
Paraphanic, meaning of term. B.P.I. Bul. 256, p. 39. 1913.

Paraplegia, cattle, causes, symptoms, and treatment. B.A.I. [Misc.], "Diseases of cattle," rev., p. 107. 1904; rev., pp. 107–108. 1908 rev., p. 110.; 1912; rev., p. 110. 1923.
Parascalops spp. description. N.A. Fauna 38, pp. 77–82. 1915.
Parasetigena segregata—
  European parasite of gipsy moth, description and studies. Ent. Bul. 91, pp. 229–231. 1911.
  notes on. Ent. T.B. 12, Pt. VI, pp. 105–106. 1908.
Parasiorola cellularis, parasite of bollworm. Hawaii A.R., 1912, p. 24. 1913.
Parasite(s)—
  and diseases, dog as carrier. Maurice C. Hall. D.B. 260, pp. 27. 1915.
  animal—
    eleven miscellaneous papers on. Ch. Wardell Stiles, with others. B.A.I. Bul. 35, pp. 61. 1902.
  of cattle—
    Ch. Wardell Stiles. B.A.I. [Misc.], "Diseases of cattle," rev., pp. 473–494. 1904.
    B. H. Ransom. B.A.I. [Misc.], "Diseases of cattle," rev., pp. 495–515. 1908; pp. 518–541. 1912; pp. 502–531. 1923.
    spread from uninspected slaughterhouses. B.A.I. An. Rpt., 1910, p. 243. 1912; B.A.I. Cir. 185, p. 243. 1912.
  beneficial, effect on insect pests. F.B. 1169, pp. 6–7. 1921; Y.B., 1916, pp. 275–288. 1917; Y.B. Sep. 704, pp. 1–16. 1917.
  blood—
    American cattle, *Trypanosoma americanum*. Howard Crawley. B.A.I. Bul. 145, pp. 39. 1912.
    studies. Howard Crawley. B.A.I. Bul. 119, pp. 31. 1909.
  cause of wheat rosette, investigations. J.A.R., vol. 23, pp. 782–788. 1923.
  cereal and forage crop, value. Ent. Bul. 67, pp. 94–100. 1907.
  chalcidoid, description. J. C. Crawford. Ent. T.B. 19, Pt. II, pp. 13–24. 1910.
  coleopterous, resemblance to Perilampus and Orasema. Ent. T.B. 19, Ptl IV, pp. 60–61. 1912.
  common blood, *Trypanosoma americanum*, of American cattle. Howard Crawley. B.A.I. Bul. 145, p. 39. 1912.
  control of—
    insect pests. F.B. 1908, pp. 60–61. 1918.
    Mediterranean fruit fly in Hawaii, 1917. J.A.R., vol. 14, pp. 605–610. 1918.
    truck-crop insects in the Virgin Islands. Vir. Is. Bul. 4, pp. 3–9, 13–29, 34. 1923.
  destroyers of *Plathypena scabra*. D.B. 1336, pp. 16–18. 1925.
  dipterous, enemies of codling-moth larvae. D.B. 189, pp. 46–47. 1915.
  distinction from saprophytes. F.B. 490, p. 6. 1912.
  effect on water requirement of crop plants, experiments. B.P.I. Bul. 285, p. 66. 1913.
  external, of—
    hogs, articles on hog louse and mange, or scabies. Earl C. Stevenson. B.A.I. Bul. 69, pp. 44. 1905.
    livestock, field inspectors' reports. B.A.I. S.R.A. 88, pp. 115–116. 1914.
    sheep, description and control. F.B. 1150, pp. 5–16. 1920; F.B. 1330, pp. 5–16. 1923.
  58–62, notes on. Ch. Wardell Stiles and Albert Hassall. B.A.I. Bul. 35, pp. 19–24. 1902.
  fungous—
    cause of damping off of pine. J.A.R., vol. 30, pp. 327–339. 1925.
    enemy of green June beetle, description. D.B. 891, p. 36. 1922.
  of—
    cutworms, *Sorosporella uvella*. J.A.R., vol. 8, pp. 189–194. 1917.
    mealybugs, description. D.B. 1117, pp. 4–9. 1922.
    the genus Glomerella. C. L. Shear and Anna K. Wood. B.P.I. Bul. 252, pp. 110. 1913.
    white fly, description, effects and uses. Ent. Bul. 102, pp. 20–70. 1912.
  Gleosporium on citrus varieties. Harry R. Fulton. J.A.R., vol. 30, pp. 629–635. 1925.

Parasite(s)—Continued.
  gastrointestinal. Maurice C. Ball. B.A.I. [Misc.], "Diseases of the horse." rev., pp. 90–94. 1916; rev., pp. 90–94. 1923.
  gid (*Coenurus cerebralis*); its presence in American sheep. B. H. Ransom. B.A.I. Bul. 66, pp. 23. 1905.
  grain pests, description and habits. F.B. 1260, pp. 42–43. 1922.
  grasshopper and other insects. N. A. Cobb and others. J.A.R., vol. 23, pp. 921–926. 1923.
  Hawaiian, of beetle borer, experiments with moth borers. D.B. 746, pp. 60–61. 1919.
  human, two trematodes (*Monostomulum lentis* and *Agamodistomum ophthalmobium*) in the eye. Ch. Wardell Stiles. B.A.I. Bul. 35, pp. 24–35. 1902.
  hymenopterous—
    enemies of codling-moth larvae. D.B. 189, pp. 46–47. 1915.
    of plum curculio. Ent. Bul. 103, p. 148. 1912.
    increase, and aid in control of gipsy moth. D.B. 484, Pt. I, pp. 10–11. 1917.
    injuries to spruce trees, lists. D.B. 544, pp. 26–27. 1918.
    injurious to calves, control. F.B. 1073, pp. 21–22. 1919.
  insect—
    aid in boll-weevil control. F.B. 1262, p. 13. 1922.
    black scale enemies, exportations. Rpt. 83, pp. 65–66. 1906.
    grain and forage crops, value to farmer. Y.B., 1907, pp. 237–256. 1908; Y.B. Sep. 447, pp. 237–256. 1908.
  internal, of—
    animals, use of screens in studies. J.A.R., vol. 30, pp. 773–776. 1925.
    chickens, description and control. Guam A.R., 1915, pp. 38–41. 1916.
    sheep, description, life history, symptoms, and control. F.B. 1150, pp. 16–53. 1920.
    Thysanoptera. Ent. T.B. 23, Pt. II, pp. 25–52. 1912.
  intestinal, of chickens, cause and prevention. Y.B., 1911, pp. 179, 180, 183–184. 1912; Y.B. Sep. 559, pp. 179, 180, 183, 184. 1912.
  introduction and use in gipsy moth and browntail moth control. Ent. Bul. 87, p. 71. 1910.
  investigations, laboratory methods. Maurice C. Hall and Eloise B. Cram. J.A.R., vol. 30, pp. 773–776. 1925.
  man and animals, lack of data, and need of records. B.A.I. An. Rpt., 1910, pp. 421–424, 461. 1912; B.A.I. Cir. 193, pp. 421–424, 461. 1912.
  outside of alimentary canal, anthelmintcs, action. Brayton H. Ransom and Maurice C. Hall. B.A.I. Bul. 153, pp. 23. 1912.
  plant—
    imported, danger. D.B. 81, pp. 2–4. 1914.
    introduction into new locations, effect. Y.B., 1908, pp. 460–461. 1909; Y.B. Sep. 494, pp. 460–461. 1909.
  protozoan, of—
    bees, discovery, occurrence, and cause of disease. Ert. Bul. 98, pp. 72, 73, 78, 84. 1912.
    domesticated animals. B.A.I. An. Rpt., 1910, pp. 465–498. 1912; B.A.I. Cir. 194, pp. 465–498. 1912.
  pteromalid of alfalfa weevil, description. Ent. Bul. 112, pp. 35, 36–37. 1912.
  resistance, characteristics of Brahman cattle. F.B. 1361, pp. 17–18. 1923.
  sarcophagid, description. J.A.R., vol. 2, pp. 442–443. 1914.
  secondary, of spring grain aphid, description. Ent. Bul. 110, pp. 103, 125–128. 1912.
  sheep and cattle, geographical distribution. B.A.I. An. Rpt., 1910, pp. 427, 429, 434, 441, 446, 451, 455, 459, 460. 1912; B.A.I. Cir. 193, pp. 427, 429, 434, 441, 446, 451, 455, 459, 460. 1912.
  stomach, of domestic swine. Winthrop D. Foster. B.A.I. Bul. 158, pp. 47. 1912.
  tachinid, of—
    gipsy and browntail moths, *Compsilura concinnata*. D.B. 766, pp. 27. 1919.
    gipsy moth, description, studies. Ent. Bul. 91, pp. 202–236. 1911.

Parasite(s)—Continued.
  transmission methods. B.H. Ransom. Y.B., 1905, pp. 139–166. 1906; Y.B. Sep. 374, pp. 139–166. 1906.
  two new nematodes on insects, *Diplogaster* spp. J.A.R., vol. 6, No. 3, pp. 115–127. 1916.
  use and value in—
    destruction of tobacco splitworm. D.B. 59, p. 7. 1914.
    Hawaii in fruit-fly control. D.B. 640, pp. 38, 39–40. 1918.
Parasitic—
  cysts, cattle, description. B.A.I. [Misc.], "Diseases of cattle," rev., p. 317. 1904; rev., pp. 320, 534, 538. 1912; rev., p. 317. 1923.
  diseases—
    animal, investigations. B.A.I. Chief Rpt., 1908, pp. 39–41. 1908.
    of skin of cattle. B.A.I. [Misc.], "Diseases of cattle," rev., pp. 344, 521–528. 1912; rev., pp. 332–333. 1923.
  enemies, grasshopper, discussion. D.B. 293, pp. 7–11. 1915.
  fungi, growth in concentrated solutions. Lon A. Hawkins. J.A.R., vol. 7, pp. 255–260. 1916.
  nematodes, notes, descriptions, life histories, and methods of infection. B.A.I. Cir. 116, pp. 1–7. 1907.
  plants, injury to forest trees. B.P.I. Bul. 149, pp. 14–18. 1909.
Parasitinae, classification, description, and habits. Rpt. 108, pp. 76, 79–85. 1915.
Parasitism—
  examination of feces for evidences of, study of methods. Maurice C. Hall. B.A.I. Bul. 135, pp. 36. 1911.
  experimental: A study of the biology of *Limnerium validum*. P. H. Timberlake. Ent. T.B. 19, Pt. V, pp. 71–92. 1912.
  factor in insect control, studies. Ent. Bul. 91, pp. 102–109. 1911.
  in *Comandra umbellata*. J.A.R., vol. 5, No. 3, pp. 133–135. 1915.
  insect, value to American farmer. F. M. Webster. Y.B., 1907, pp. 237–256. 1908; Y.B. Sep. 447, pp. 237–256, 1908.
  Mediterranean fruit fly in Hawaii, 1917. C. E. Pemberton and H. F. Willard. J.A.R., vol. 14, pp. 605–610. 1918.
  spurious, due to partially digested bananas. Ch. Wardell Stiles and Albert Hassall. B.A.I. Bul. 35, pp. 56–57. 1902.
  studies and work in boll-weevil control. D.B. 231, p. 31. 1915.
Parasitoidea, classification, description, and habits. Rpt. 108, pp. 17, 19, 70–90. 1915.
Parasitology, commission in Mexico. Ent. Bul. 67, pp. 123–124. 1907.
Parasitus spp., description and habits. Rpt. 108, pp. 80, 85. 1915.
Parasyzygonia, synonyms. Ent. T.B. 20, Pt. II, p. 102. 1911.
Paratheria prostata. See Duck grass.
Parazarca spp., description. Ent. T.B. 20, Pt. II, p. 108. 1911.
Parcel post—
  business methods. C. C. Hawbaker and John W. Law. F. B. 922, pp. 20. 1918.
  correspondence, letter heads, orders, and records. F.B. 922, pp. 10–14. 1918.
  mail, measurement limits. F.B. 703, p. 6. 1916.
  marketing—
    1916. An. Rpts., 1916, pp. 393–394. 1917; Mkts. Chief Rpt., 1916, pp. 9–10. 1916.
    berries and cherries. C. C. Hawbaker and Charles A. Burmeister. D.B. 688, pp. 18. 1918.
    butter and cheese. Lewis B. Flohr and Roy C. Potts. F.B. 930, pp. 12. 1918.
    contact of producers and consumers. News L., vol. 2, No. 20, pp. 6–7. 1914.
    eggs—
      Lewis B. Flohr. F.B. 830, pp. 23. 1917.
      methods. F.B. 656, p. 3. 1915.
    experiments. An. Rpts., 1915, pp. 379–380. 1916; Mkts. Chief Rpt., 1915, pp. 17–18. 1915.
    extension to general farm products. F.B. 549, p. 19. 1914.

INDEX TO PUBLICATIONS, 1901–1925   1743

Parcel post—Continued.
  marketing—continued.
    methods—
      and scope, studies. News L., vol. 4, No. 12. pp. 1–2. 1916.
      rates and weights. F.B. 611, pp. 16–22. 1914.
      of poultry, advantages and method. News L., vol. 5, No. 14, pp. 1, 3. 1917.
      studies, Markets Office. Mkts. Doc. 1, pp. 8–9. 1915.
      suggestions for. Lewis B. Flohr and C. T. More. F.B. 703, pp. 19. 1916.
      work of Markets Division. Mkts. Doc. 1, pp. 8–9. 1915.
    packages—
      measurement limits. F.B. 594, p. 17. 1914.
      weight and measurement limits and rates. F.B. 830, pp. 18–19. 1917.
      requirements. F.B. 703, pp. 2–3. 1916.
    shipments—
      inspection requirements of States. F.H.B. S.R.A. 74, pp. 44–45. 1923.
      of—
        berries and cherries, cooperative experiments, Agriculture and Post Office departments. D.B. 688, pp. 1–18. 1918.
        eggs, rates, weight limit, and size. F.B. 594, pp. 8–11, 17. 1914.
        plants and plant products, State inspection. F.H.B.S.R.A. 74, pp. 44–45. 1923.
    shipping eggs—
      F.B. 1378, p. 24. 1924.
      Lewis B. Flohr. F.B. 594, pp. 20. 1914.
      methods, advantages. News L., vol. 1, No. 46, pp. 1–2. 1914.
      regulations. F.B. 830, pp. 7–8, 10–13. 1917.
    use by farm women, discussion. Rpt. 106, pp. 29, 30, 50, 58–59. 1915.
    use in marketing to consumers. D.B. 266, pp. 10–11. 1915.
    value in marketing. News L., vol. 3, No. 30, p. 2. 1916; News L., vol. 5, No. 5, p. 7. 1917.
    weight, rates, and zones, table. F.B. 611, pp. 21–22. 1914.
    zone(s)—
      description, and diagram. F.B. 594, pp. 14–16. 1914.
      map, for Washington, D. C., explanation. F.B. 830, pp. 16–19. 1917.
      plan and chart. F.B. 703, pp. 3–5. 1916.
Parcels—
  egg, weight, economical sizes, and cost. F.B. 830, pp. 10, 12, 19. 1917.
  mailing and marking, requirements. F.B. 703, p. 3. 1916.
  marketing, quality, appearance and supply. F.B. 922, pp. 18–19. 1918.
Parchment, paper—
  for packing cottage cheese. D.C. 1, p. 4. 1919.
  use as lining in food containers. B.A.I. An. Rpt., 1909, p. 270. 1911.
Paregoric, morphine estimation. Chem. Bul. 152. pp. 242–244. 1912.
Parents, cooperation with teachers in home projects. D.B. 346, pp. 3, 5, 30. 1916.
Parexorista chelonicae—
  notes on. Ent. T.B. 12, Pt. VI, pp. 97–99. 1908.
  parasite of brown-tail moth, introduction and results. Y.B., 1916, pp. 285–286. 1917; Y.B. Sep. 704, pp. 13–14. 1917.
Paria. See Amargoso.
Paria canella. See Strawberry rootworm; Strawberry leafbeetle.
Paridae. See Nuthatches; Titmice.
Parietaria officinalis, importation and description. No. 45583, B.P.I. Inv. 53, p. 62. 1922.
Parinari—
  excelsum, importation and description. No. 38175, B.P.I. Inv. 39, p. 99. 1917.
  mobola, importations and descriptions. Nos. 48469–48471, B.P.I. Inv. 61, p. 12. 1922; Nos. 50167–50168, B.P.I. Inv. 63, pp. 3, 42. 1923.
  spp., importations and description. Nos. 52415, 52808, B.P.I. Inv. 66, pp. 23, 79. 1923.
Paris, Texas, trade center for farm products, statistics. Rpt. 98, pp. 288, 327. 1913.
Paris Basin, description. Soils Bul. 92, p. 14. 1913.

Paris Exposition, 1900—
  dairy products. Henry E. Alvord. Y.B., 1900, pp. 599–624. 1901; Y.B. Sep. 199, pp. 599–624. 1901.
  leaf tobacco exhibit. Marcus L. Floyd. Y.B., 1900, pp. 157–166. 1901.
  tobacco exhibit and gold medal. B.P.I. Bul. 244, pp. 63–64. 1912.
Paris green—
  adulteration—
    I. and F. Bd. S.R.A. 24, pp. 504–505. 1919.
    and misbranding. N.J. 789, 790, 791, 797, I. and F. Bd. S.R.A. 42, pp. 798–1000, 1004. 1923; N.J. 854, I. and F. Bd. S.R.A. 45, p. 1069. 1923.
    with sodium sulphate. I. and F. Bd. S.R.A. 8, pp. 2–3. 1915.
  analysis, methods. Chem. Bul. 67, pp. 97–102. 1902; Chem. Bul. 68, pp. 13–19, 27. 1902; Chem. Bul. 73, pp. 159–161. 1903; Chem. Bul. 76, pp. 32–40, 159–161. 1903; Chem. Bul. 81, pp. 196–198. 1904; Chem. Bul. 90, pp. 96–99. 1905; Chem. Bul. 107, pp. 25–27. 1907.
  and Bordeaux mixture, analysis. Chem. Bul. 76, p. 42. 1903.
  and lime with cactus solution, spraying experiments. D.B. 160, pp. 4–5. 1915.
  army-worm control. News L., vol. 6, No. 44, pp. 1–2. 1919.
  bran-mash—
    for poison baits. Hawaii Bul. 45, pp. 14, 31. 1920.
    remedy for cutworms. Hawaii Bul. 10, p. 5. 1905.
  comparison with lead arsenate as insecticide. F.B. 1356, pp. 3–4. 1923.
  composition—
    adulterants, directions and cautions in use. Y.B., 1908, pp. 272, 273–274. 1909; Y.B. Sep. 480, pp. 272, 273–274. 1909.
    and toxicity, tests. D.B. 147, pp. 8–9, 10, 17, 22, 26, 27, 32, 36–48, 51. 1923.
    use in sprays, precautions. F.B. 908, pp. 13, 73–75. 1918.
  conditions causing scorching of foliage. Chem. Bul. 82, pp. 5–6. 1904.
  cost, comparison with lead arsenate. F.B. 867, p. 10. 1917.
  cotton—
    boll weevil, experiments by planters. F.B. 211, pp. 14–19. 1904.
    leafworm control, tests. D.B. 1204, pp. 32–33. 1924.
  danger to users. Ent. Cir. 173, p. 3. 1913.
  experiments, spraying for yellow-bear caterpillar. Ent. Bul. 82, Pt V, pp. 63–65. 1910.
  formula. Chem. Bul. 82, p. 5. 1904.
  formulas and use as insecticide. S.R.S. Doc. 52, pp. 4, 5, 6–10. 1917.
  influence on nitrogen-fixing organisms of soil. J.A.R., vol. 6, No. 11, pp. 390–392, 406, 407, 410–412. 1916.
  injurious to bean foliage. F.B. 1074, p. 6. 1919.
  insecticide, preparation and use. Ent. Bul. 37, pp. 51–53, 54–64. 1902; F.B. 1306, pp. 24, 25, 26, 27, 35. 1923.
  introduction as insecticide, use against potato beetle. Y.B., 1913, p. 81. 1914; Y.B. Sep. 616, p. 81. 1914.
  laws, State. Chem. Bul. 76, pp. 57–63. 1903.
  misbranding—
    I. and F. Bd. N.J. 2, pp. 2. 1912; I. and F. Bd. N.J. 33, pp. 2, 3. 1913; I. and F. Bd. N.J. 46, pp. 2. 1913; I. and F. Bd. S.R.A. 6, N.J. 123, p. 91. 1914.
    "Ideal Bordeaux, etc." N.J. 133, I. and F. Bd. S.R.A. 7, pp. 104–105. 1915.
    "Kibler's strictly pure." I. and F. Bd. N.J. 22, pp. 2. 1913.
  mixture, labeling opinion. I. and F. Bd. S.R.A. 1, p. 2. 1914.
  preparation and use as insecticide. J.A.R., vol. 24, pp. 503, 512, 519. 1923.
  spraying experiments. J. K. Haywood. Chem. Bul. 82, pp. 32. 1904.
  treatment of coconut bud-rot. B.P.I. Bul. 228, pp. 57–58. 1912.

Paris green—Continued.
  use against—
    Argentine ants. D.B. 647, pp. 60-71. 1918.
    army worm, unsatisfactory. Ent. Bul. 66, pp. 65-69. 1910; F.B. 731, p. 10. 1916.
    bean ladybirds. D.B. 843, p. 17. 1920.
    budworms. Ent. Bul. 67, p. 107. 1907.
    Colorado potato beetle. F.B. 1349, pp. 6-7. 1923.
    cotton boll weevil. F.B. 211, pp. 1-23. 1904.
    cranberry spanworm. Ent. Bul. 66, p. 26. 1910.
    diamond-back moth on cabbage. J.A.R., vol. 10, p. 9. 1917.
    flea-beetle. Ent. Bul. 66, Pt. VI, p. 84. 1909.
    grain insects, and precautions. F.B. 835, pp. 10, 11, 15, 24. 1917.
    grasshoppers. News L., vol. 6, No. 45, p. 10. 1919.
    Hawaiian beet webworm. Ent. Bul. 109. Pt. I, pp. 7-8, 10. 1911.
    hop flea-beetle. Ent. Bul. 66, p. 84. 1910.
    insects, in Porto Rico. P.R. Cir. 17, p. 5. 1918.
    leaf-biting insects. F.B. 1362, pp. 4-5. 1924.
    maple worms. Ent. Cir. 110, p. 7. 1909.
    mushroom pests. F.B. 789, pp. 11, 12. 1917.
    potato beetle, various methods. Ent. Bul. 82, pp. 5-6, 7, 8. 1912.
    sowbugs. Ent. Bul. 64, pp. 18, 21, 22. 1911; Pt. II, pp. 18, 21, 22. 1907.
    tobacco—
      budworm, objections and efficiency. F.B. 819, pp. 7, 8. 1917.
      flea beetle. F.B. 1425, pp. 7-11. 1924.
      hornworm, comparison with lead arsenate, experiments, warnings. Ent. Cir. 173, pp. 1-10. 1913; F.B. 867, pp. 4-8. 1917.
      hornworms, injury to tobacco. F.B. 595, p. 2. 1914.
      insects. Y.B., 1910, pp. 284, 286-287, 289. 1911; Y.B. Sep. 537, pp. 284, 286-287, 289. 1911.
      worms, directions. F.B. 343, p. 19. 1909.
  use in—
    Bordeaux mixture. F.B. 492, pp. 9, 15, 43. 1912.
    lime-sulphur mixture. B.P.I. Cir. 27, p. 6, 1902.
    poison bait for cutworms. News L., vol. 3, No. 45, p. 1. 1916.
    poison bait for grasshoppers. Y.B., 1915, pp. 266, 267, 271. 1916; Y.B. Sep. 674, pp. 266, 267, 271. 1916.
    poison bait for mole crickets. P.R. Bul. 23, p. 23. 1918.
    poisoning corn enemies, warning. F.B. 773, p. 21. 1916.
    potato spraying, methods. F.B. 454, pp. 18-19. 1911.
    spraying fall army worm. F.B. 752, pp. 14, 16. 1916.
    spraying sugar-beet webworm. Ent. Bul. 109, Pt. VI, pp. 63, 65, 66. 1912.
  use in control of—
    cabbage webworm, experiments. Ent. Bul. 109, Pt. III, pp. 28-40, 41-42. 1912.
    beet webworm, method. Ent. Bul. 127, Pt. I, p. 10. 1913.
    beet wireworms, experiments. Ent. Bul. 123, pp. 60-61. 1914.
    catalpa sphinx, directions. F.B. 705, pp. 6-7. 1916.
    cotton boll weevil. W.D. Hunter. F.B. 211, pp. 23. 19 4.
    cotton worm, directions. Ent. Cir. 153, p. 8. 1912.
    fall army worm. Sec. Cir. 40, rev., pp. 1, 2. 1912.
    fly larvae in horse manure, tests. D.B. 118, pp. 13, 15. 1914.
    plum curculio. Ent. Bul. 103, pp. 178-193, 202-203, 207. 1912.
    tobacco insects. O.E.S. F.I.L. 9, p. 11. 1907.
    webworm. Ent. Bul. 109, Pt. II, p. 22. 1911.
    wireworms, experiments. D.B. 78, pp. 26, 28. 1914.
  use on—
    potato beetles, quantity per acre, and cost. F.B. 472, pp. 21, 36. 1911.

Paris green—Continued.
  use on—continued.
    tobacco, dust and spray, discussion. Ent. Cir. 123, pp. 12-16. 1910.
    tobacco for control of flea-beetles. F.B. 1352, pp. 8, 9. 1923
    use warning. F.B. 856, p. 16. 1917.
    value in sugar-beet insect control. D.B. 995, p. 48. 1921.
    with whale-oil soap, use in beet-caterpillar control, formula. Ent. Bul. 127, Pt. II, p. 18. 1913.
Paris purple, composition remarks. Chem Bul. 76, p. 40. 1903.
PARISH, W. D., importation of Angora goats. B.A.I. Bul. 27, p. 19. 1906.
Paritium tiliaceum. See Hau tree.
PARK, ALBERT: "Milk collection, treatment, and distribution in the industrial cooperative movement of England." With Robert W. Royle. B.A.I. Dairy [Misc.], "World's dairy congress, 1923," pp. 725-729. 1924.
Park(s)—
  municipal, utilization, for bird refuges. F.B. 1239, pp. 9-10. 1921.
  national—
    administration, relation to national forests. An. Rpts., 1916, pp. 43-46. 1917; Sec. A.R., 1916, pp. 45-48. 1916.
    establishment in national forests. An. Rpts., 1918, pp. 170, 171. 1919; For. A.R., 1918, pp. 6, 7. 1918.
  game—
    conditions, and care 1910. Biol. Cir. 80, pp. 16-18. 1911.
    reservations, 1909. Biol. Cir. 73, pp. 7-9. 1910.
  Glacier, establishment as game refuge, 1910. Biol. Cir. 80, p. 16. 1911.
  insect damage to standing timber. A. D. Hopkins. Ent. Cir. 143, pp. 10. 1912.
  military, location, area, and use as game refuges. Biol. Cir. 87, pp. 5-6. 1912.
  road work by department, 1913-1914. D.B. 284, p. 57. 1915.
  serving as game refuges, location, and area. Biol. Cir. 87, pp. 3-5. 1912.
  rural, increase, and some notable examples. F.B. 1388, pp. 2-10. 1924.
  State, municipal, and private, birds attracting. D.B. 715, pp. 5-8. 1918.
  village, planning and beautification. F.B. 1441, pp. 34-35, 36-37. 1925.
  wild-animal, studies. Off. Rec., vol 2, No. 20, p. 6. 1923.
  zoological, free shipments of live animals and birds, list. Biol. Cir. 66, p. 7. 1908.
PARKER, C. E., report on the assaying of alkaloidal drugs. Chem. Bul. 132, pp. 192-196. 1910.
PARKER, E. C.—
  "Hay." With others. Y.B., 1924, pp. 285-376. 1925; Y.B. Sep. 916, pp. 285-376. 1925.
  "Handbook of official hay standards." With K. B. Seeds. B.A.E. [Misc.], "Handbook of official * * * ," pp. 48. 1925.
  "The cost of producing farm products." With Willet M. Hays. Stat. Bul. 48, pp. 90. 1906.
  "The cost of producing Minnesota farm products, 1902-1907." With Thomas P. Cooper. Stat. Bul. 73, pp. 69. 1909.
  "United States grades for timothy hay, clover hay, clover mixed hay, and grass mixed hay, effective Feb. 1, 1924." D.C. 326, pp. 24. 1924.
PARKER, E. G.: "Selective adsorption on soils." J.A.R., vol. 1, pp. 179-188. 1913.
PARKER, J. H.—
  "A study of the variability in the Burt oat." With others. J.A.R., vol. 30, pp. 1-64. 1925.
  "Can biologic forms of stemrust on wheat change rapidly enough to interfere with breeding for rust resistance?" With others. J.A.R., vol. 14, pp. 111-124. 1918.
  "Genetics of rust resistance in crosses of varieties of *Triticum vulgare* with varieties of *T. durum* and *T. dicoccum*." With others. J.A.R., vol. 19, pp. 523-542. 1920.
  "Greenhouse experiments on the rust resistance of oat varieties." D.B. 629, pp. 16. 1918.

PARKER, J. H.—Continued.
"Rust resistance in winter-wheat varieties."
With Leo E. Melchers. D.B. 1046, pp. 32.
1922.
PARKER J. R.—
"Influence of soil moisture upon the rate of increase in sugar-beet root-louse colonies."
J.A.R., vol. 4, No. 3, pp. 241-250. 1915.
"Pale western cutworm (*Porosagrotis orthogonia* Morr.)." With others. J.A.R., vol. 22, pp. 289-322. 1921.
PARKER, T. B.: "Organizing and maintaining institutes for young people and for women." O.E.S. Bul. 256, pp. 75-77. 1913.
PARKER, W. B.—
"A sealed paper carton to protect cereals from insect attack." D.B. 15, pp. 8. 1913.
"Control of dried-fruit insects in California." D.B. 235, pp. 15. 1915.
"Flour paste as a control for red spiders and as a spreader for contact insecticides." Ent. Cir. 66, pp. 5. 1913.
"Flour paste as a 'spreader' for lime-sulphur sprays." Ent. [Misc.], "Flour paste as * * *," p. 1. 1912.
"Quassiin as a contact insecticide." D.B. 165, pp. 8. 1915.
"The hop aphis in the Pacific region." Ent. Bul. 111, pp. 43. 1913.
"The life history and control of the hop flea-beetle." Ent. Bul. 82, Pt. IV, pp. 33-58. 1910.
"The red spider on hops in the Sacramento Valley of California." Ent. Bul. 117, pp. 41. 1913.
Parkia timoriana—
importation, description, habitat, and value. B.P.I. Inv. 32, No. 34094, p. 9. 1914.
See also Cupang.
PARKINSON, N. A.: "Food legislation during the year ended June 30, 1908." With W. D. Bigelow. Chem. Bul. 121, pp. 85. 1909.
Parkinsonia—
aculeata—
food and host plant of huisache girdler. D.B. 184, pp. 5, 6. 1915.
See also Horse bean.
characters, species, on, Pacific slope. For. [Misc.] "Forest trees * * * Pacific * * *," pp. 371-374. 1908.
microphylla, host of *Cyllene crinicornis* J.A.R. vol. 22, p. 203. 1921.
tree, description. D.C. 75, p. 70. 1920.
PARKS, G. H.—
"The sanitary construction and equipment of abattoirs and packing houses." B.A.I. An. Rpt., 1909, pp. 247-263. 1911.
"The sanitary construction and equipment of abattoirs and packing houses." B.A.I. Cir. 173, pp. 17. 1911.
PARKS, K. E.—
"A plan for a small dairy house." With Ernest Kelly. F.B. 689, pp. 4. 1915.
"Dairy-barn construction." F.B. 1342, pp. 22. 1923.
"Farm dairy houses." With Ernest Kelly. F.B. 1214, pp. 14. 1921.
"Homemade silos." With others. F.B. 589, pp. 47. 1914.
"Homemade silos." With Helmer Rabild. F.B. 855, pp. 55. 1917.
"Improved methods for the production of market milk by ordinary dairies." With C. B. Lane. B.A.I. An. Rpt., 1908, pp. 365-376. 1910; B.A.I. Cir. 158, pp. 12. 1910.
PARKS, P. C.: "Conditions among negro farmers in the South." O.E.S. Bul. 238, pp. 74-76. 1911.
PARKS, T. H.—
"Chinch bug investigations west of the Mississippi River." With E. O. G. Kelly. Ent. Bul. 95, Pt. III, pp. 23-52. 1911.
"The serpentine leaf-miner." With F. M. Webster. J.A.R. vol. 1, pp. 59-88. 1913.
Parkways, attraction for birds. D.B. 715, p. 9. 1918.
Parlatoria—
blanchardi. See Scale, date-palm.
enemy of date palm. Ent. Bul. 37, p. 107. 1902; F.H.B., S.R.A. 71, p. 174. 1922.

Parlatoria—Continued.
zizyphus—
citrus pest in Spain, Italy, and Sicily. Ent. Bul. 120, pp. 50, 52. 1913.
citrus pest, occurrence in Mediterranean countries. D.B. 134, pp. 18-19, 24. 1914.
enemy of orange. Hawaii A.R., 1907, p. 45. 1908.
PARLOA, MARIA—
"Canned fruit, preserves, and jellies." F.B. 203, pp. 31. 1904.
"Preparation of vegetables for the table." F.B. 256, pp. 48. 1906.
PARMAN, D. C.—
"Arsenate of lead as an insecticide against the tobacco hornworms." With A. C. Morgan. Ent. Cir. 173, pp. 10. 1913.
"Arsentate of lead as an insecticide against the tobacco hornworm in the dark-tobacco districts." With A. C. Morgan. F.B. 595, pp. 8. 1914.
"Biological notes on the hen flea, *Echidnophaga gallinacea*." J.A.R. vol. 23, pp. 1007-1009. 1923.
"Screw-worms and other maggots affecting animals." With others. F.B. 857, pp. 20. 1917.
Parmentiera cereifera—
description, distribution, and introduction from Panama. B.P.I. Bul. 205, p. 26. 1911.
See also Candle tree.
Parogonimus kellicotti, spread by dogs. D.B. 260, p. 23. 1915.
Paroidium, analysis. Chem. Bul. 68, p. 54. 1902; Chem. Bul. 76, p. 52. 1903.
Paroquet—
Carolina, occurrence in Arkansas, probable extermination. Biol. Bul. 38, p. 44. 1911.
Santo Domingo, occurrence in Porto Rico. D.B. 326, p. 55. 1916.
Parotitis, cattle, symptoms and treatment. B.A.I. [Misc.] "Diseases of cattle," rev., pp. 22-23. 1904; rev., pp. 20-21. 1912; rev., pp. 18-19. 1923.
PARR, V. V.—
"Beef-cattle production in the range area." F.B. 1395, pp. 44. 1925.
"Brahman (Zebu) cattle." F.B. 1361, pp. 21. 1923.
Parra spp. See Jacana.
Parrot(s)—
eye parasite of. B.A.I. Bul. 60, p. 47. 1904.
Porto Rican, occurrence in Porto Rico, habits and food. D.B. 326, pp. 55-56. 1916.
tubercle bacilli, culture and experiments. B.A.I. An. Rpt., 1906, pp. 137, 142, 155. 1908.
varieties, historical notes, peculiarities. Y.B., 1906, pp. 174-176. 1907; Y.B., Sep. 414, pp. 174-176. 1907.
Parrotia persica, importation and description. No. 49136. B.P.I. Inv. 62, p. 6. 1923.
PARROTT, P. J.—
"Cherry and hawthorn sawfly leaf miner". With B. B. Fulton. J.A.R., vol. 5, No. 12, pp. 519-528. 1915.
"Pear blister-mite." Ent. Bul. 67, pp. 43-46. 1907.
Parrott's-bill, importation and description. No. 46316, B.P.I. Inv. 56, p. 8. 1922.
Parsley—
cultural—
directions—
and use. F.B. 934, p. 37. 1918; F.B. 937, pp. 16, 19, 23, 43-44. 1918.
for home gardens. S.R.S. Doc. 49, p. 6. 1917.
suggestions. F.B. 818, p. 42. 1917.
culture and handling as drug plant, yield, and price. F.B. 663, pp. 29-30. 1915.
diseases, in Texas, occurrence and description. B.P.I. Bul. 226, p. 41. 1912.
drying directions. D.C. 3, p. 12. 1919; F.B. 841, p. 21. 1917.
fern. See Tansy.
growing—
and uses, harvesting, marketing, and prices. F.B. 663, rev., pp. 39-40. 1920.
directions and varieties recommended for home gardens. F.B. 936, p. 48. 1918.
in—
Alaska, notes. Alaska A.R., 1921, p. 11. 1923.

Parsley—Continued.
  growing—continued.
   in—continued.
    frames, directions. F.B. 460, p. 23. 1911.
    Guam, cultural directions. Guam Bul. 2, pp. 12, 46. 1922; Guam Cir. 2, p. 15. 1921.
   methods and varieties. F.B. 255, pp. 37–38. 1906; F.B. 647, p. 19. 1915.
  injury by little-known cutworm. Ent. Bul. 109, Pt. IV, p. 49. 1912.
  insect pests. Sec. [Misc.], "A manual * * * insects * * *," p. 164. 1917.
  marketing, practices. F.B. 460, p. 29. 1911.
  planting, directions for club members. D.C. 48, p. 9. 1919.
  sauce for mutton. F.B. 526, pp. 21, 25. 1913.
  seed—
   germination temperatures. J.A.R., vol. 23, pp. 296, 297, 322, 323, 326–330. 1923.
   growing, localities, acreage, yield, production, and consumption. Y.B., 1918, pp. 202, 206, 207. 1919. Y.B. Sep. 775, pp. 10, 14, 15. 1919.
   saving, directions. F.B. 1390, p. 9. 1924.
   shipments by States, and by stations, 1916. D.B. 667, pp. 12, 182. 1918.
  stalk weevil, description, habits, and control methods. Ent. Bul. 82, pp. 14–19. 1912.
  use as flavoring in meat dishes. F.B. 391, p. 37. 1910; O.E.S. Bul. 245, p. 68. 1912
Parsnip(s)—
  canning directions. F.B. 359, p. 14. 1910; F.B. 839, pp. 18, 29. 1917.
  composition and food value. D.B. 503, pp. 3, 10. 1917.
  crown-gall germ, description. B.P.I. Bul. 213, p. 132. 1911.
  cultural directions. F.B. 934, p. 38. 1918; F.B. 937, pp. 16, 19, 23, 44. 1918; F.B. 1044, p. 24. 1919; S.R.S. Doc. 49, p. 6. 1917.
  diseases, in Guam, report. Guam A.R., 1917, p. 53. 1918.
  dried, cooking recipe. F.B. 841, p. 27. 1917.
  drying directions. D.B. 1335, p. 37. 1925; D.C. 3, p. 12. 1919; F.B. 984, p. 50. 1918.
  food use, composition. F.B. 295, pp. 33, 37. 1907.
  food value, and cooking directions. D.B. 123, pp. 32, 33. 1916.
  growing—
   directions and varieties recommended for home gardens. F.B. 255, p. 38. 1906; F.B. 936, p. 48. 1918; F.B. 647, pp. 19–20. 1915.
   for winter use. F.B. 818, p. 43. 1917.
   in Alaska. Alaska A.R., 1920, pp. 33, 64–66. 1922.
  insect pests, list. Sec. [Misc.], "A manual * * * insects * * *," p. 164. 1917.
  leaf-miner, description, and control methods. Ent. Bul. 82, pp. 9–13. 1912; Ent. T.B. 22, p. 31. 1912.
  planting, directions for club members. D.C. 48, p. 9. 1919.
  root-knot—
   description. B.P.I. Cir. 91, pp. 11, 13. 1912.
   occurrence and description in Texas. B.P.I. Bul. 226, p. 41. 1912.
  seed—
   growing, localities, acreage, yield, production, and consumption. Y.B., 1918, pp. 203, 206, 207. 1919; Y.B. Sep. 775, pp. 11, 14, 15. 1919.
   selection, methods. F.B. 884, p. 13. 1917; F.B. 1390, p. 11. 1924; News L., vol. 5, No. 8, pp. 1, 2. 1917.
   shipments by States, and by stations, 1916. D.B. 667, pp. 11, 167. 1918.
  storage for home use. F.B. 879, p. 20. 1917.
  use as food. O.E.S. Bul. 245, pp. 46, 47. 1912.
  uses with fish and meats. Food Thrift Ser. 5, p. 3. 1917.
  wild, poisonous to livestock. D.B. 575, p. 13. 1918.
  wild. *See also* Cicuta; Water hemlock.
PARSONS, C. L.: Suggestions as to analysis of malt liquors. Chem. Bul. 73, pp. 155–156. 1903.
PARSONS, F. E.: "Preparation of fresh tomatoes for market." F.B. 1291, pp. 32. 1922.
Parthenium—
  argentatum. *See* Guayule.
  rust occurrence and description, Texas. B.P.I. Bul. 226, p. 99. 1912.

Parthenocissus quinquefolia. *See* Virginia creeper.
Parthenogenesis—
  as method of line breeding. B.P.I. Bul. 146, pp. 14–15, 17. 1909.
  in—
   Aleurocanthus woglumi. D.B. 885, p. 44. 1920.
   bees. Ent. T. B. 18, p. 131. 1910.
   sawfly. Ent Bul. 27, p. 33. 1901.
   Schedius juvanae. J.A.R., vol. 30, p. 649. 1925
   violet sawfly, remarks. Ent. Bul. 27, p. 33. 1901.
Parthetria dispar, host of *Calosoma sycophanta*. Ent. Bul. 101, p. 13. 1911.
Partridge(s)—
  breeding for food use. D.B. 467, p. 7. 1916.
  eye parasite of. B.A.I. Bul. 60, p. 47. 1904.
  Hungarian—
   description, and habits, nesting and breeding. Y.B., 1909, pp. 251–253. 1910; Y.B. Sep. 510, pp. 251–253. 1910.
   introduction into the United States. Henry Oldys. Y.B., 1909, pp. 249–258. 1910; Y.B. Sep. 510, pp. 249–258. 1910.
   restocking depleted area, results. D.B. 1049, pp. 35–36. 1922.
  hunting laws, Montana and Idaho. For. [Misc.], "Trespass on national * * *," pp. 28, 44. 1922.
  importations—
   1900–1909. Y.B., 1909, p. 250. 1910; Y.B. Sep. 510, p. 250. 1910.
   1904. F.B. 197, pp. 7, 9. 1904.
   1908–1913. An. Rpts., 1913, p. 230. 1914; Biol. Chief Rpt., 1913, p. 8. 1913.
  See also Quail.
Partridge pea, abundance in western meadows. B.P.I. Cir. 31, p. 7. 1909.
Partridge vine. *See* Squaw vine.
Parturient apoplexy. *See* Milk fever.
Parturition—
  cow—
   diseases following. James Law. B.A.I. "Diseases of cattle," rev., pp. 210–243. 1904; rev., pp. 210–243. 1908; rev., pp. 216–251. 1912; rev., pp. 214–246. 1923.
   symptoms, normal and abnormal conditions, B.A.I. [Misc.], "Diseases of cattle," rev., pp. 170–205. 1904; rev., pp. 174–211. 1912; rev.. pp. 173–213. 1923.
   See also Calving.
  fever. *See* Milk fever.
  mare—
   management. F.B. 803, pp. 14–15. 1917.
   symptoms, normal presentation. B.A.I. [Misc.] "Diseases of the horse," rev., p. 164. 1903; rev., p. 164. 1907; rev., p. 164. 1911; rev., pp. 185–186. 1923.
Parus spp. *See* Chickadee; Titmouse.
Pasania—
  cornea. *See* Oak, evergreen.
  cuspidata, importation and description. No. 29533, B.P.I. Bul. 233, p. 31. 1912.
  densiflora, injury by sapsuckers. Biol. Bul. 39, p. 33. 1911.
Pashm, derivation from Cashmere goat, use in shawl making. B.A.I. An. Rpt., 1900, p. 288. 1901; B.A.I. Bul. 27, p. 16. 1901.
Pasmo, flax disease, description and control. F.B. 1328, p. 7. 1924.
Paspalum—
  bertonii, importation and description. No. 36165. B.P.I. Inv. 36, p. 61. 1915.
  compressum. *See* Carpet, grass.
  conjugatum, importation and description. No. 55692, B.P.I. Inv. 72, p. 19. 1924.
  conjugatum. *See* Hilo grass.
  dilatatum—
   fungus infecting, *Claviceps paspali*. J.A.R., vol. 7, pp. 401–406. 1916.
   growing—
    and uses, Guam Experiment Station. Guam A.R. 1918, pp. 9, 11, 15, 17, 30. 1919.
    as forage crop in Guam, 1913. Guam A.R., 1913, p. 14. 1914.
   See also Para grass; Water grass, large.
  distichum. *See* Knot grass.
  grass—
   analyses. D.B. 461, pp. 8, 23, 24. 1917; Guam Bul. 1, p. 39. 1921.

Paspalum—Continued.
  grass—continued.
    danger of forage poisoning of stock. Hawaii A.R. 1916, p. 40. 1917.
    feeding value and carrying capacity. Guam Bul. 1, pp. 37-41. 1921.
    growing in Guam—
      and experiments in feeding. Guam A.R., 1920, pp. 7, 11, 15, 18-19. 1921.
      description, culture, and uses. Guam Bul. 1, pp. 28-43. 1921; Guam Cir. 1, pp. 7-10. 1921.
    use as forage crop in cotton section, description. F.B., 509, p. 10. 1912.
    value as forage crop, Hawaii, planting cost per acre. Hawaii A.R., 1917, p. 43. 1918.
  larranagai. *See* Vasey grass.
  notatum. *See* Bahia grass.
  orbiculare—
    growing on manganiferous soils. Hawaii Bul. 26, p. 24. 1912.
    See also Rice grass.
  seed, sources, sowing rate and germination. Guam Bul. 1, p. 35. 1921.
  spp.—
    distribution, description, feed value. D.B. 201, pp. 35-36. 1915; D.B. 772, pp. 20, 225-228. 1920.
    importations and descriptions. Nos. 49865, 50335, B.P.I. Inv. 63, pp. 14, 57. 1923; Nos. 51072, 51096, 51121, 51189-51190, 51261-51263, 51317, B.P.I. Inv. 64, pp. 51, 54, 59, 70, 82, 86. 1923; Nos. 51646, 51783, B.P.I. Inv. 65, pp. 34-35. 1923.
  virgatum growing, in Hawaii, value as feed. Hawaii Bul. 36, pp. 17, 39. 1915.
  See also Dallis grass.
Passaic, N. J., milk supply, statistics, officials, and prices. B.A.I. Bul. 46, pp. 36, 117. 1903.
Passburg system of desiccating milk. Y.B., 1912, p. 344. 1913; Y.B. Sep. 595, p. 344. 1913.
Passerella—
  iliaca, occurrence in Arkansas. Biol. Bul. 38, p. 66. 1911.
  spp. *See* Sparrows.
Passerina—
  amoena. *See* Bunting, lazuli.
  nivalis, sale as reedbirds. Biol. Bul. 12, rev., p. 26. 1902.
  spp. *See* Buntings.
Passiflora—
  edulis. *See* Passion flower.
  foetida, importation and description. No. 50618, B.P.I. Inv. 63, p. 86. 1923.
  fruit, injury by melon fly, Hawaii. D.B. 491, pp. 15-16. 1917.
  laurifolia, importation and description. No. 38373. B.P.I. Inv. 39, p. 122. 1917.
  ligularis. *See* Granadilla.
  quadrangularis, cultivation in Guam. O.E.S. Doc. 1137, p. 410. 1908.
  spp.—
    importations and descriptions. Nos. 39360, 39382, 39383, B.P.I. Inv. 41, pp. 17, 22. 1917; Nos. 42032, 42033, 42035, 42269, 42289-42291, B.P.I. Inv. 46, pp. 46, 70, 73, 74. 1919; Nos. 48683, 49015, 49026, B.P.I. Inv. 61, pp. 36, 66, 69. 1922; Nos. 51002, 51055, 51093, 51099, 51205. B.P.I. Inv. 64, pp. 4, 39, 48, 53, 55, 73. 1923; Nos. 54034-54035, B.P.I. Inv. 68, p. 20. 1923.
    introduction from South America, and description. B.P.I. Bul. 205, p. 32. 1911.
    See also Granadilla; Passion flower.
Passion—
  flower, importations and descriptions. No. 28826, B.P.I. Bul. 223, pp. 14, 56-57, 63. 1911; Nos. 29338, 29360, 29532, 29538, 29656, 29657, B.P.I. Bul. 233, pp. 13, 15, 30, 32, 35. 1912.
  fruit—
    edible, importations and descriptions. No. 40075, B.P.I. Inv. 42, p. 66. 1918; Nos. 38373, 38641-38642, B.P.I. Inv. 39, pp. 122-156. 1917.
    hard-shelled, edible. No. 53180. B.P.I. Inv. 67, pp. 2, 35. 1923.

Passion—Continued.
  fruit—continued.
    importations and descriptions. Nos. 30487, 30515, 30902, 30903, 31207, B.P.I. Bul. 242, pp. 9, 10, 13, 17, 50, 72. 1912; Nos. 32003, 32047-32050, 32127, 32137-32138, B.P.I. Bul. 261, pp. 16, 22, 31, 32. 1912; Nos. 36361-36363, B.P.I. Inv. 37, pp. 18-19. 1916; Nos. 38881, 38882, 38989, 39223-39226, B.P.I. Inv. 40, pp. 6, 40, 54, 93. 1917.
    infestation with Mediterranean fruit fly. D.B. 536, pp. 13, 24, 43. 1918.
    varieties, importations and description. Nos. 40552, 40837, 40843, 40852. B.P.I. Inv. 43, pp. 44, 88, 89, 91. 1918.
Paste(s)—
  addition to arsenical sprays. J.A.R., vol. 10, p. 201. 1917.
  alimentary—
    artificial color. Chem. S.R.A. 14, p. 10. 1915.
    labeling regulations. Chem. S.R.A. 28, p. 38. 1923.
    misbranding. Chem. N.J. 4195-4196, p. 1. 1916.
    purity standards. Sec. Cir. 136, p. 7. 1919.
  blended fruits. F.B. 1033, p. 12. 1919.
  bluestone and starch, use against stem-end rot of watermelons. News L., vol. 5, No. 4, p. 1. 1917.
  copper, use and value for treatment of watermelons. News L., vol. 4, No. 52, p. 6. 1917.
  disinfectant, for stem-end rot of watermelon, formula. F.B. 1394, p. 16. 1924.
  flour—
    as a control for red spider and as spreaders for contact insecticides. William B. Parker. Ent. Cir. 66, pp. 5. 1913.
    red-spider control. Ent. Cir. 166, pp. 1-5. 1913.
    use in spraying hop aphids, preparation. Ent. Bul. 111, pp. 25, 26, 27, 28, 30. 1913.
  fruit. *See* Fruit pastes.
  gluten, adulteration and misbranding. Chem. N.J. 1514, p. 1. 1912.
  nut, use in confectionery. F.B. 332, p. 20. 1908.
  phosphorus, dangers. Y.B., 1908, p. 424. 1909; Y.B. Sep. 491, p. 424. 1909.
  poisoned, use as bait for silverfish, methods. News L., vol. 3, No. 1, pp. 3-4. 1915.
  solution, use as spray in control of red spider. F.B. 735, p. 10. 1916.
  tomato. *See* Tomato paste.
PASTEUR, LOUIS—
  anthrax immunization method, and modifications. J.A.R., vol. 8, pp. 37-38. 1917.
  discovery of cause of pebrine disease of silkworms. B.A.I. An. Rpt., 1910, p. 465. 1912; B.A.I. Cir. 194, p. 461. 1912.
  discovery of vaccination method for anthrax control. B.A.I. Bul. 137, p. 24. 1911; F.B. 784, pp. 12-13. 1917.
Pasteur-Chamberland filters, description and use in hog-cholera studies. B.A.I. Bul. 113, pp. 7-9. 14-28. 1909.
Pasteur—
  Institutes—
    location and number of cases treated. B.A.I. An. Rpt., 1909, pp. 211-212. 1911; F.B. 449, pp. 18-19. 1911.
    location, and work. D.B. 260, pp. 3-4. 1915.
    treatment for rabies, results. B.A.I. Cir. 129, pp. 19-22. 1909.
Pasteurellosis bovina. *See* Septicemia, hemorrhagic.
Pasteurization—
  advantages and disadvantages. M. J. Rosenau. B.A.I. Cir. 153, pp. 53-57. 1910.
  apparatus, tests. D.B. 85, pp. 2-12. 1914.
  bacteria which survive, study. S. Henry Ayers and William T. Johnson. B.A.I. Bul. 161, pp. 66. 1913.
  beet seed, against fungous infection. J.A.R., vol. 4, p. 150. 1915.
  cheese. S. K. Robinson. B.A.I. Dairy [Misc.], "World's dairy congress, 1923," pp. 273-278. 1924.
  colon bacilli, survival. S. Henry Ayers and W. T. Johnson, jr. J.A.R., vol. 3, pp. 401-410. 1915.

Pasteurization—Continued.
  commercial, not reliable for eliminating tubercle bacilli. B.A.I. An. Rpt., 1909, pp. 173–177. 1911.
  compulsory law, effect on milk business, Detroit. D.B. 639, pp. 2, 16–19. 1918.
  cows' milk, chemical changes produced. Philip Rupp. B.A.I. Bul. 166, pp. 15. 1913.
  cream, "flash" process and "holder" process. B.A.I. An. Rpt., 1910, p. 298. 1912; B.A.I. Cir. 188, p. 298. 1912.
  cream, importance in butter making. Sec. Cir. 66, p. 4. 1916.
  creamery and cheese-factory by-products, methods. News L., vol. 3, No. 43, p. 3. 1916.
  dairy products in oleomargarine. B.A.I.S.R.A. 124, pp. 91–92. 1917.
  definition by law. Boke Vander Burg. B.A.I. Dairy [Misc.], "World's dairy congress, 1923," pp. 578–582. 1924.
  desirability as a safeguard from disease. B.A.I. Cir. 153, pp. 23–26, 42–43. 1910.
  effect—
    of different temperatures on milk enzymes. B.A.I. An. Rpt., 1910, pp. 310–322, 325. 1912; B.A.I. Cir. 189, pp. 310–322, 325. 1912.
    on milk. D.B. 1344, pp. 3–4, 7–11. 1925.
    on mold spores. Charles Thom and S. Henry Ayers. J.A.R., vol. 6, No. 4, pp. 153–166. 1916.
    on whey separation in whey making. B.A.I. Bul. 122, pp. 39–41. 1910.
  efficiency, constitution. S. Henry Ayers. B.A.I. Dairy [Misc.], "World's dairy congress, 1923," pp. 541–549. 1924.
  flash process. D.B. 342, pp. 4, 6, 7. 1916.
  for control of tubercle bacilli in butter and cheese. B.A.I. An. Rpt., 1909, pp. 185, 191. 1911.
  for preservation of apple juice, methods and containers. F.B. 1264, pp. 31–53. 1922.
  holder process, description, advantages and effects. B.A.I. Bul. 161, pp. 12–17. 1913; D.B. 342, pp. 4–7. 1916.
  holding tanks. B.A.I. Dairy [Misc.], "World's dairy congress, 1923," pp. 1218–1222. 1924.
  importance and value in milk preservation, methods. News L., vol. 3, No. 28, pp. 1, 3. 1916.
  in butter making. F.B. 412, p. 28. 1910.
  methods and means. B.A.I. Bul. 73, pp. 8–12. 1905.
  of—
    fruit juice before filtering. D.B. 1025, p. 20 1922.
    grape juice. F.B. 1075, pp. 18–22, 23–27. 1919.
    milk—
      F.B. 413, pp. 9–10. 1910.
      S. Henry Ayers. B.A.I. Cir. 184, pp. 44. 1912.
      advantages and objections. B.A.I. Bul. 126, pp. 7–52. 1910.
      and cream, directions and necessity. Y.B. 1908, pp. 223–224, 226. 1909; Y.B. Sep. 476, pp. 223–224, 226. 1909.
      apparatus and methods. D.B. 890; pp. 7–24. 1920.
      at home, directions. L. A. Rogers. B.A.I. Cir. 152, pp. 2. 1909; B.A.I. Cir. 197, pp. 3. 1912.
      at low temperatures. News L., vol. 1, No. 4, p. 2. 1913.
      comparison with sterilization. F.B. 1207, pp. 16–19, 32. 1921.
      control of foot-and-mouth disease spread. B.A.I. [Misc.], "Diseases of cattle," rev. p. 395. 1923.
      cost. News L., vol. 1, No. 43, pp. 3–4. 1914.
      definition. B.A.I. An. Rpt., 1907, p. 182. 1909.
      definition, methods. Y.B., 1907, p. 195. 1908; Y.B. Sep. 444, p. 195. 1908.
      directions. B.A.I. Bul. 70, pp. 19–20. 1905; B.A.I. Bul. 165, pp. 34–37. 1913; B.A.I. Cir. 153, pp. 24–25. 1910; D.B. 973, pp. 4–6. 1923; F.B. 363, pp. 16–17. 1909; F.B. 1359, pp. 7–9. 1923.
      effect of different temperatures on cheese. B.A.I. Bul. 165, pp. 23–28. 1913.
      effect on leucocyte content. B.A.I. Bul. 117, p. 18. 1909.

Pasteurization—Continued.
  of—continued.
    milk—continued.
      extent of practice. B.A.I. Bul. 46, pp. 14–15. 1903.
      for Cheddar cheese making in New Zealand. B.A.I. Dairy [Misc.], "World's dairy congress, 1923," pp. 277, 306–308. 1924.
      for cheese making. D.B. 669, pp. 3–4, 19–20, 23–25. 1918; F.B. 960, p. 6. 1918.
      holding method, necessity in milk control. B.A.I. Dairy [Misc.], "World's dairy congress, 1923," pp. 1342, 1344, 1347. 1924.
      home methods. F.B. 1207, pp. 16–19, 32. 1921.
      in-the-bottle, system. D.B. 890, pp 20–22. 1920.
      laboratory control. D.C. 276, pp. 32–35. 1923.
      low-grade and from tuberculin-tested cows, recommendation of department. News L., vol. 2, No. 16, p. 1. 1914.
      meaning of term. B.A.I. Cir. 184, p. 7. 1912.
      method and value. B.A.I. An. Rpt., 1909, pp. 199, 200. 1911.
      methods and effect. F.B. 348, p. 23. 1909; F.B. 490, p. 22. 1912.
      necessity for protection of public health. B.A.I. An. Rpt., 1911, pp. 138, 148. 1913; B.A.I. Cir. 216, pp. 138, 148. 1913.
      present status of. S. Henry Ayers. D.B. 342, pp. 16. 1916.
      prevention of hog tuberculosis. B.A.I. Cir. 201, pp. 16, 38, 40. 1912.
      products for feed, necessity and results. F.B. 781, pp. 7, 17. 1917.
      requirements in Baltimore, difficulties and results. B.A.I. Dairy [Misc.], "World's dairy congress, 1923, pp. 1329–1336. 1924.
      supervision by State authorities. H.A. Whittaker. B.A.I. Dairy [Misc.], "World's dairy congress, 1923," pp. 549–555. 1924.
      supervision, necessity. D.B. 342, pp. 7–8. 1916.
      value, methods, cost, and modern theories. D.B. 342, pp. 1–5, 9, 13–16. 1916.
      value, methods, and machinery. B.A.I. Cir. 184, pp. 1–44. 1912.
    skim milk—
      advantage and value for cottage cheese making. News L., vol. 5, No. 15, p. 7. 1917.
      for hogs. B.A.I. An. Rpt., 1907, pp. 37, 223, 244–245, 246. 1909; B.A.I. Cir. 144, pp. 37, 223, 244–245, 246. 1909.
      for hog-tuberculosis control. News L., vol. No. 29, pp. 1–2. 1917.
      for making cottage cheese. B.A.I. Doc. A–19, p. 2. 1917.
      importance in cottage cheese. D.B. 576, pp. 1–2, 11. 1917.
  origin and definition of word. D.B. 342, p. 1. 1916.
  problems, discussion. Off. Rec. vol. 2, No. 42, p. 5. 1923.
  process—
    and its value. Y.B. 1922, p. 336. 1923; Y.B. Sep. 879, p. 46. 1923.
    principle. B.A.I. Dairy [Misc.], "World's dairy congress, 1923," pp. 541–542. 1924.
  survival of streptococci. S. Henry Ayers and William T. Johnson, jr. J.A.R., vol. 2, pp. 321–230. 1914.
  temperature for butter making. L. A. Rogers and others. B.A.I. An. Rpt., 1910, pp. 307–326. 1912; B.A.I. Cir. 189, pp. 20. 1912.
  temperatures used in different methods. B.A.I. Bul. 161, pp. 12–17, 58. 1913.
  test, presence of colon bacilli in milk. J.A.R., vol 3, pp. 407–408, 409. 1915.
  vinegar. F.B. 1424, pp. 17–19. 1924.
Pasteurizer(s)—
  milk—
    description, use, and methods. B.A.I. Cir. 184, pp. 12–17. 1912.
    different types, results. B.A.I. Bul. 165, p. 28. 1913.
    selection and use in milk plants. D.B. 890, p.p 3–24. 1920.

INDEX TO PUBLICATIONS, 1901–1925   1749

Pasteurizer(s)—Continued.
  use—
    in—
      manufacture of grape juice, types and description. F.B. 644, pp. 6, 11. 1915.
      New Zealand cheese making. B.A.I. Dairy [Misc.], "World's dairy congress, 1923," pp. 277, 306–308. 1924.
    of exhaust steam. D.B. 747, pp. 32, 38–42. 1919.
Pasteurizing milk and cream, cost. John T. Bowen. D.B. 85, pp. 12. 1914.
Pastinaca sativa, susceptibility to *Puccinia triticina*. J.A.R., vol. 22, pp. 152–172. 1921.
Pasting disease, young pheasants, symptoms and treatment. F.B. 390, p. 36. 1910.
Pastry(ies)—
  barley, recipes. News L., vol. 5, No. 42, p. 7. 1918.
  color determination. Chem. Bul. 132, pp. 56, 57. 1910.
  directions for making and baking. F.B. 1136, pp. 33–37. 1920.
  food value. F.B. 817, pp. 16–17. 1917.
  left-overs, utilization. F.B. 1136, pp. 36–37. 1920.
  recipes. F.B. 1450, pp. 8, 11–14. 1925.
  wheat substitutes, recipes. F.B. 955, pp. 20–21. 1918; Sec. Cir. 106, p. 8. 1918; Sec. Cir. 118, p. 3. 1918.
Pasturage—
  alfalfa, relation to water requirements of crop. D.B. 228, pp. 1–6. 1915.
  allowance for livestock, 1911. F.B. 432, p. 15. 1911.
  cost in milk production. D.B. 1101, pp, 8, 15, 16. 1922.
  crops for hogs, drainage. News L. vol. 6, No. 40, p. 3. 1919.
  destruction by rodents. F.B. 932, pp. 10, 15. 1918.
  experiments with steers, San Antonio farm, oats and Sudan grass, comparison with dry hay. W.I.A. Cir. 21, pp. 24–27. 1918.
  fall, importance and value for livestock. News L., vol. 5, No. 5 p. 2. 1917.
  for—
    Angora goats. B.A.I. Bul. 27, pp. 41–47. 1901; F.B. 127, pp. 12–17. 1901.
    hogs, green substitutes. B.A.I. Bul. 47, pp. 153–163. 1904.
    range sheep, advantages over herding. For. Cir. 178, pp. 1–40. 1910.
    sheep, use of ditch banks. News L. vol. 6, No. 29, p. 5. 1919.
  irrigated crops, value for hogs. News L., vol. 6, No. 39, pp. 3–4. 1919.
  lespedeza, use and value. F.B. 441, pp. 6–8. 1911.
  record prices, 1919. News L. vol. 6, No. 38, p. 13. 1919.
  requirements per head of stock, in semiarid regions. B.P.I. Bul. 215, pp. 34, 35, 39. 1911.
  use and value of alfalfa fields. Rpt. 96, pp. 46–47. 1911.
  use in fattening early pigs. News L. vol. 5, No. 6, p. 3. 1917.
  utilization along roads and fences. News L. vol. 6, No. 38, p. 11. 1919.
  value—
    for sow and pigs. News L. vol. 5, No. 3, p. 5. 1917.
    of—
      button clover. F.B. 730, pp. 4–5, 7. 1916.
      Hungarian vetch. D.B. 1174, p. 7. 1923.
      hybrid alfalfas. B.P.I. Bul. 258, pp. 11–13, 23–35. 1913.
      purple vetch. F.B. 967, p. 6. 1918.
      Rhodes grass. F.B. 1048, pp. 11–12. 1919.
      roadsides. News L., vol. 4, No. 46, p. 3. 1917.
      sweet clover. News L. vol. 3, No. 6, p. 6. 1915; News L. vol. 4, No. 49, p. 4. 1917.
      velvet beans. S.R.S. Doc. 44, pp. 4–5. 1917.
  velvet-bean, value for hogs and cattle. F.B. 1276, p. 24. 1922.
  wood lot, value, comparison with timber growth. F.B. 711, p. 16. 1916.

Pasture(s)—
  acreage—
    and—
      carrying capacity. Y.B., 1923, pp. 365–370. 1924; Y.B. Sep. 895. pp. 365–370. 1924.
      requirements for animal units by countries. Y.B., 1923, pp. 469–473. 1924; Y.B. Sep. 896, pp. 469–473. 1924.
    yield per farm. D.B. 320, p. 11. 1916.
    increase, need for 1918, and suggestions. Sec. Cir. 103, p. 15. 1918.
    per capita, decrease. Y.B., 1923, pp. 437–438. 1924; Y.B. Sep. 896, pp. 437–438. 1924.
    required—
      for sows and pigs. Y.B., 1907, pp. 396–397. 1908; Y.B. Sep. 456, pp. 396–397. 1908.
      per head of livestock. Y.B., 1907, pp. 390, 393, 396. 1908; Y.B. Sep. 456, pp. 390, 393, 396. 1908.
  alfalfa—
    control of weevils. F.B. 741, pp. 14–15. 1916.
    in, Salt River Valley, Arizona, system. D. R. W. Clothier. Sec. Cir. 54, pp. 4. 1915.
    new varieties for. George W. Oliver. B.P.I. Bul. 258, pp. 39. 1913.
    on irrigated land, rotation methods and examples. News L. vol. 3, No. 14, pp. 4–5. 1915.
    pig-fattening experiments. D.C. 147, pp. 13–15, 16–18. 1921.
    uses and value. F.B. 1229, pp. 2, 16–21. 1921.
    value as hog forage. F.B. 331, pp. 6–9. 1908.
    value for cattle, hogs, horses, and poultry. F.B. 215, pp. 25–26. 1905.
  alsike clover, value. F.B. 1151, pp. 16–17. 1920.
  and grain crops for hogs in Pacific Northwest. Bryon Hunter. D.B. 68, pp. 27. 1914.
  anthrax infection, dangers. F.B. 784, pp. 7–9. 1917.
  area per head of cattle. B.A.I. Bul. 131, pp. 17–18, 26. 1911.
  area per head of stock, bluegrass farms. F.B. 812, pp. 11, 12, 13. 1917.
  bacillus-infested, source of cattle blackleg. News L. vol. 3, No. 5, p. 6. 1915.
  barley, value. F.B. 1464, pp. 24–25. 1925.
  Bermuda grass, value. F.B. 945, p. 6. 1918.
  blackleg infection. B.A.I. Cir. 31, rev., pp. 13–15. 1907.
  bluegrass—
    Canada, value for grazing. F.B. 402, pp. 8–10, 19. 1910.
    different grades, effect on livestock grazed. D.B. 397, pp. 2–3. 1916.
    in Missouri, Harrison County, soils, and value for livestock. Soil Sur. Adv. Sh., 1914, pp. 11, 18–36. 1916; Soils F.O., 1914, pp. 1949, 1956–1974. 1919.
    sod, treatment, West Virginia, Spencer area. Soil Sur. Adv. Sh., 1909, pp. 14, 18, 21–22. 1910; Soils F.O., 1909, pp. 1184, 1188, 1191–1192. 1912.
    value and returns for cattle and sheep. D.B. 397, pp. 9–12. 1916.
    value, in Missouri, Knox County. Soil Sur. Adv. Sh., 1917, pp. 9, 23, 24, 25, 30. 1921; Soils F.O., 1917, pp. 1459, 1473, 1474, 1475, 1480. 1923.
  bromegrass, value. B.P.I. Bul. 111, pp. 56–57. 1907.
  building up, time and treatment. News L., vol. 6, No. 26, p. 18. 1919.
  bur clover—
    seeding time, method and rate. B.P.I. Bul. 267, pp. 10–11, 13–14. 1913.
    value and management. F.B. 693, pp. 8–9. 1915.
  burning—
    effect on vegetation. R. L. Hensel. J.A.R., vol. 23, pp. 631–644. 1923.
    reasons, objections. B.P.I. Bul. 117, pp. 18–19. 1907.
  carpet-grass, grazing capacity. F.B. 1130, pp. 9–10. 1920.
  carrying capacity—
    by countries. Y.B., 1923, pp. 470–473. 1924; Y.B. Sep. 896, pp. 470–473. 1924.
    for hog grazing. F.B. 951, p. 7. 1918.

Pasture(s)—Continued.
carrying capacity—continued.
for livestock. Y.B., 1923, pp. 383-384. 1924;
Y.B. Sep. 895, pp. 383-384. 1924.
in Argentina. B.A.I. Bul. 48, pp. 55-56. 1903.
tests in Montana. D.C. 147, pp. 23-27. 1921.
tests with dairy cows, Huntley experiment farm, 1920. D.C. 204, pp. 26-30. 1921.
change for sheep. News L., vol. 6, No. 50, p. 8. 1919.
clearing in Missouri, Ozark region, and management. D.B. 941, pp. 34-40. 1921.
conditions—
for May, 1914. F.B. 598, pp. 6, 17. 1914.
on rented dairy farms. F.B. 1272, pp. 14-15. 1922.
percentage of plowing and planting, May 1, estimates, various years. F.B. 598, pp. 7, 17. 1914.
cost, relation to rental. Y.B., 1923, pp. 407-411. 1924; Y.B. Sep. 895, pp. 407-411. 1924.
cowpeas—
fattening hogs and steers. F.B. 318, pp. 13, 14. 1908.
value. F.B. 1153, pp. 17-19. 1920.
coyote-proof—
Rpt. 87, p. 33. 1908.
experiments, 1908. James T. Jardine. For. Cir. 160, pp. 40. 1909.
for range sheep, results of system. For. Cir. 178, pp. 1-40. 1910.
grazing experiments, preliminary report. James T. Jardine. Introduction by Frederick V. Coville. For. Cir. 156, pp. 32. 1908.
credit for in milk-production cost. D.B. 972, pp. 10, 16. 1921.
crimson clover, value. F.B. 550, p. 15. 1913; F.B. 579, pp. 6-7. 1914.
crop(s)—
barley. F.B. 427, p. 12. 1910.
dry-land, for hogs at Huntley, Mont. A. E. Seamans. D.B. 1143, pp. 24. 1923.
experiments with oats and Sudan grass, San Antonio, Tex. D.C. 73, pp. 34-38. 1920.
for—
cows, tests, Belle Fourche experiment farm. D.C. 60, pp. 16-18. 1919.
hogs, different seasons, hogs per acre, Kansas and Oklahoma. F.B. 331, pp. 19-20. 1908.
hogs in Pacific Northwest. D.B. 68, pp. 1-27. 1914.
hogs, months available and number of hogs per acre, table. B.P.I. Bul. 111, Pt. IV, p. 20. 1907.
hogs, supplement to corn. F.B. 411, pp. 21-34. 1910.
irrigated lands. D.R.P. Cir. 2, p. 6. 1916.
native, in Alabama, Baldwin County. Soil Sur. Adv. Sh., 1909, p. 17. 1911; Soils F.O., 1909, p. 717. 1912.
on Truckee-Carson project, varieties. B.P.I. Cir. 78, p. 13. 1911.
rye, value. Y.B., 1918, p. 179. 1919; Y.B. Sep. 769, p. 13. 1919.
supplement to corn for hogs. F.B. 411, pp. 21-22. 1910.
useful in soil binding in Alabama, Butler County. Soil Sur. Adv. Sh., 1907, p. 11. 1909; Soils F.O., 1907, pp. 437-465. 1909.
cultivation, reseeding, necessity, and benefits. B.P.I. Cir. 49, pp. 9-10. 1910.
cutting for control of clover leaf hopper. F.B. 737, p. 5. 1916.
dairy, discussion. F.B. 151, pp. 28-29. 1902.
destruction by—
prairie dogs and ground squirrels. An. Rpts., 1923, pp. 427, 428. 1924; Biol. Chief Rpt., 1923, pp. 9, 10. 1923.
range crane flies. D.C. 172, pp. 3-4, 6. 1921.
development, Tennessee farms. Off. Rec., vol. 3, No. 33, p. 6. 1924.
disinfection—
by burning. B.A.I. Cir. 31, rev., p. 13. 1911.
from sheep worms. D.C. 47, p. 8. 1919.
drainage, as preventive of swamp fever. B.A.I. Cir. 138, p. 1. 1909.
dry land crops with hogs. D.C. 330, pp. 18-21, 29-31. 1925.
economy for dairy cows. Sec. Cir. 85, p. 14. 1918.

Pasture(s)—Continued.
emergency, forage crops, suitability. Sec. Cir. 36, pp. 1-3. 1911.
establishment—
irrigated lands, location, crops and seeding D.R.P. Cir. 2, pp. 4-10. 1916.
method, Parkersburg area, West Virginia. Soil Sur. Adv. Sh., 1908, p. 18. 1909; Soils F.O., 1908, p. 1036. 1911.
on Belle Fourche project. D.C. 339, pp. 36-37 39. 1925.
experiments—
at Mandan, N. Dak. D.B. 1337, p. 17. 192.
Nevada, Newlands farm. D.C. 352, pp. 18-1. 1925.
extent in United States. Y.B., 1918, p. 43. 1919; Y.B. Sep. 771, p. 9. 1919.
failure, causes. Sec. Cir. 36, p. 4. 1911.
farm—
economic importance. Y.B., 1923, pp. 406-413. 1924; Y.B. Sep. 895, pp. 406-413. 1924.
geographic distribution. D.B. 626, pp. 3-9. 1918.
utilization of waste land. F.B. 560, pp. 21-22. 1913.
fed hogs, immunity from tuberculosis. B.A.I. An. Rpt., 1907, p. 217. 1909; B.A.I. Cir. 144, p. 217. 1909.
feed for dairy cattle, improvement suggestions. Y.B. 1922, p. 332. 1923; Y.B. Sep. 879, pp. 42-43. 1923.
feeding of hogs, comparison with dry-lot feeding. F.B. 316, p. 28. 1908.
fence repair. News L., vol. 6, No. 44, p. 12. 1919.
fencing against injurious animals, directions and cost. For. Cir. 156, pp. 8-19, 23-24. 1908.
fern control, methods. News L., vol. 3, No. 43, p. 3. 1916.
fern eradication, teaching by use of F.B. 687. F. E. Heald. S.R.S. [Misc.], "How teachers may use * * *," pp. 2. 1916.
fertilizers, proportions and directions. S.R.S. Doc. 30, p. 13. 1916.
for—
baby beef production, management. F.B. 811, p. 22. 1917.
beef cattle, requirements and value. F.B. 1379, pp. 1-3, 15. 1923.
calves, fattening. B.A.I. Bul. 147, pp. 28-36, 38. 1912; F.B. 1416, p. 11. 1924.
calves, gains, relation to winter rations. D.B. 1042, pp. 1-15. 1922.
cattle—
fattening, in Alabama. B.A.I. Bul. 131, pp. 37-47. 1911.
fattening, management. F.B. 588, p. 15. 1914.
oats and Sudan grass utilization, experiments. D.C. 209, pp. 36-38. 1922.
dairy—
cattle, cost and amount per acre, Minnesota. Stat. Bul. 88, pp. 20-21. 1911.
cows, cost, and supplements needed, suggestions. F.B. 743, pp. 3-6. 1916.
herd, requirements and cost in milk production. D.B. 923, pp. 4, 6, 9, 10, 13, 17, 18. 1921.
farm cow, needs. Sec. [Misc.] Spec., "Feeding * * * farm cow * * *," pp. 1-2. 1914.
goats, utilization of waste land. F.B. 573, pp. 2, 4-6, 11. 1914.
hog(s)—
alfalfa and Bermuda grass. F.B. 310, pp. 10, 12, 16, 20, 24. 1907.
alfalfa and milo, comparison of values. B.P.I. Cir. 25, pp. 21-23. 1919.
carrying capacity. F.B. 985, pp. 27-28. 1918.
feeding, crop succession. F.B. 411, p. 38. 1910.
for Southern States. Lyman Carrier and F. G. Ashbrook. F.B. 951, pp. 20. 1918.
frequent changes for lice control. News L., vol. 3, No. 36, p. 4. 1916.
in Guam, experiments 1915. Guam A.R., 1915, p. 22. 1916.
in Texas, San Antonio experiment farm. W.I.A. Cir. 16, pp. 1, 19-21. 1917.

Pasture(s)—Continued.
 for—continued.
  hog(s)—continued.
   management. F.B. 599, pp. 1-3. 1914; F.B. 1437, pp. 18-20. 1925.
   raising in South. Sec. Cir. 30, pp. 2-5. 1909.
   sow and pigs. News L., vol. 4, No. 45, p. 6. 1917.
   studies. B.A.I. Bul. 47, p. 18. 1904.
   suggestions. F.B. 411, pp. 9-13. 1910.
   value in addition to other rations. B.A.I. Bul. 47, pp. 148-152. 1904.
   value of soy beans. F.B. 372, pp. 15-16. 1909.
  horses, feeding, quantity and cost. D.B. 560, pp. 5-6. 1917.
  lambs, management for prevention of parasitic infection. An. Rpts., 1916, pp. 127-128. 1917; B.A.I. Chief Rpt., 1916, pp. 61-62. 1916.
  livestock, use of rotation crops, South Dakota. W.I.A. Cir. 24, pp. 14-21. 1918.
  pigs, substitute for skim milk. B.A.I. Doc. A-31, pp. 2-3. 1917.
  sheep—
   changes for control of stomach worms. D.C. 47, pp. 5-6, 9-10. 1919.
   composition and management. F.B. 1051, pp. 10-13. 1919.
   description and use methods. D.B. 20, pp. 38-41. 1913.
   fencing. F.B. 1181, pp. 11-12. 1921.
   freeing from infection, results of experiments. B.A.I. An. Rpt., 1906, p. 212. 1908.
   in New England. F.B. 929, pp. 18-20. 1918.
   on Minidoka project, irrigated, size and grass. D.B. 573, pp. 15-17. 1917.
   stock, in drought. News L., vol. 7, No. 3, p. 8. 1919.
 forage-crop, benefit to sheep, increase of soil fertility. F.B. 652, p. 1. 1915.
 freeing of cattle tick. B.A.I. Bul. 78, pp. 33-38. 1905; F.B. 258, pp. 34-38. 1906.
 gains of steers—
  effect of winter rations. D.B. 1251, pp. 1-24. 1924.
  effects of winter rations. E. W. Sheets. J.A.R., vol. 28, pp. 1215-1232. 1924.
 grass(es)—
  classification. D.B. 772, p. 4. 1920.
  experiments at Scottsbluff, 1913-1916. W.I.A. Cir. 18, pp. 6-8. 1918.
  for cotton States. F.B. 1125, rev., pp. 5-23. 1920.
  in Guam, value of Para and Paspalum. Guam Cir. 1, pp. 1-10. 1921.
  investigations. An. Rpts., 1904, pp. 119-121, 124-126. 1904.
  irrigated, in Nebraska, Scottsbluff experiment farm, experiments. W.I.A. Cir. 11, pp. 6-8. 1916.
  lands, control of grain leaf hopper. D.B. 254, p. 16. 1915.
  mixtures, adaptability for various types of logged off land, seed rate. F.B. 462, pp. 14-16. 1911.
  native—
   of United States. David Griffiths and others. D.B. 201, pp. 52. 1915.
   varieties, distribution, description, and feed value. D.B. 201, pp. 4-52. 1915.
  on Huntley project, tests and experiments. B.P.I. [Misc.], "The work * * * Huntley * * * 1914," p. 11. 1914.
  steer fattening, with supplemental feeds. F.B. 1218, pp. 32-34. 1921.
 grazing, experiments. S.R.S. Rpt., 1917, Pt. I, pp. 20, 96, 196, 263. 1918.
 growing and use in Nebraska, Banner County. Soil Sur. Adv. Sh., 1919, pp. 15, 17, 26-59. 1921; Soils F.O., 1919, pp. 1626, 1628, 1635-1671. 1925.
 hospital, recommendations. B.A.I. Bul. 35, pp. 13-14. 1902.
 Huntley experiment farm, grass mixtures and seeding rates. D.C. 275, p. 22. 1923.
 importance in beef production. F.B. 1073, pp. 14, 19. 1919.
 improved—
  acreage, nature, and carrying capacity. Y.B., 1923, pp. 420-423, 1924; Y.B. Sep. 896, pp. 420-423. 1924.

Pasture(s)—Continued.
 improved—continued.
  in farms, map. Y.B., 1921, p. 425. 1922; Y.B. Sep. 878, p. 19. 1922.
  use in cattle industry, Southern States. Y.B., 1917, pp. 328, 335. 1918; Y.B. Sep. 749, pp. 4, 11. 1918.
 improvement—
  for increased grass yield. News L., vol. 4, No. 37, p. 2. 1917.
  in New York and New England, methods. B.P.I. Cir. 49, pp. 7-10. 1910.
  in South. News L., vol. 6, No. 31, p. 4. 1919.
  in South, method. B.A.I. Doc. A-4, rev., pp. 4-6. 1917.
  investigations. An. Rpts., 1904, pp. 117-118. 1904.
  study in 1923. D.C. 343, p. 7. 1925.
  work, Guam Experiment Station. Guam A.R., 1918, pp. 14-15, 17. 1919.
 in—
  Argentina, use in cattle raising. Y.B., 1913, pp. 357-358. 1914; Y.B. Sep. 629, pp. 357-358. 1914.
  Chester County, Pa., treatment and productivity. D.B. 341, p. 8. 1916.
  cotton region, plants suitable, management. F.B. 1125, rev., pp. 56-58. 1920.
  Eastern States, fern eradication, experiments. F.B. 687, pp. 1-12. 1915.
  Guam, value of Paspalum grass and inifuk. Guam A.R., 1920, pp. 7, 11, 15. 1921.
  Missouri, Pettis County, composition and use. Soil Sur. Adv. Sh., 1914, pp. 11, 19. 1916; Soils F.O. 1914, pp. 2063, 2071. 1919.
  national forests, inclosed, for travelers' pack animals. D.C. 185, p. 37. 1921.
  Nebraska, composition seeding. B.P.I. Doc. 1081, p. 15. 1914.
  North Carolina, acreage per steer, winter and summer. D.B. 954, p. 13. 1921.
  Oregon, Umatilla experiment farm, composition. W.I.A. Cir. 26, pp. 27-29. 1919.
  Pennsylvania, Greene County. Soil Sur. Adv. Sh., 1921, p. 1258. 1925.
  Piney Woods region, conditions and possibilities. D.B. 827, pp. 20-34. 1921.
  South, value of Bermuda grass. F.B. 814, pp. 10-12, 19. 1917.
 increased acreage, need. Sec. Cir. 142, pp. 16-17, 21. 1919.
 infected by crane fly, treatment for prevention. Ent. Bul. 85, Pt. VII, pp. 130-131. 1910.
 infestation with stomach worms. D.C. 47, pp. 6-8. 1919.
 injury—
  by—
   crane-fly larvae. Ent. Bul. 85, pp. 120-121, 127. 1911.
   weeds. Y.B., 1917, p. 206. 1918; Y.B. Sep. 732, p. 4. 1918.
   white grubs. F.B. 940, pp. 4-5. 1918.
  from soil blowing, control methods. F.B. 421, pp. 19-20. 1910.
 irrigated—
  carrying capacity for—
   cattle. D.C. 330, pp. 24-25. 1925.
   cows and sheep. W.I.A. Cir. 22, pp. 16-17. 1918.
   dairy cows, Huntley farm. D.C. 204, pp. 30-31. 1921.
  causes of failure. D.R.P. Cir. 2, pp. 3-4. 1916.
  experiments, Huntley experiment farm. W.I.A. Cir. 8, pp. 12-16. 1916; W.I.A. Cir. 22, pp. 14-17. 1918.
  for northern reclamation projects. F. D. Farrell. D.R.P. Cir. 2, pp. 16. 1916.
  grazing use and capacity, hogs, cattle, and sheep. Y.B., 1916, pp. 187, 190, 192. 1917; Y.B. Sep. 690, pp. 11, 14, 16. 1917.
  lands, in Nebraska. B.P.I. Doc. 454, pp. 3-4. 1909.
  mixtures of grass seed and pasturing tests. W.I.A. Cir. 2, pp. 15-17. 1915.
 on—
  Huntley experiment farm, carrying capacity. D.C. 275, pp. 25-26. 1923.
  Huntley experiment farm, seeding rate and mixtures suitable. W.I.A. Cir. 15, pp. 12-16. 1917.

Pasture(s)—Continued.
irrigated—continued.
on—continued.
reclamation projects. An. Rpts., 1917, p. 153. 1918; B.P.I. Chief Rpt., 1917, p. 23. 1917.
Scottsbluff experiment farm. D.C. 289, pp. 37-38. 1924.
stock-carrying capacity. D.R.P. Cir. 2, pp. 2, 3. 1916.
kinds, locations and value. Y.B., 1923, pp. 372-402. 1924; Y.B. Sep. 895, pp. 372-402. 1924.
land(s)—
acreage and carrying capacity, by States. Y.B., 1918, p. 722. 1919; Y.B. Sep. 795, p. 58. 1919.
eradication of quack grass. F.B. 464, pp. 7, 9-11. 1911.
farm, in the United States. E. A. Goldenweiser and J. S. Ball. D.B. 626, pp. 94. 1918.
improved, United States. D.B. 626, p. 5. 1918.
in—
Argentina. Off. Rec., vol. 3, No. 19, p. 7. 1924.
California, Merced area. Soil Sur. Adv. Sh., 1914, pp. 12, 24-64. 1916; Soils F.O., 1914, pp. 2791, 2804-2844. 1919.
California, upper San Joaquin Valley, notes. Soil Sur. Adv. Sh., 1917, pp. 38-48, 54-112. 1921; Soils F.O., 1917, pp. 2549, 2558, 2559, 2644. 1923.
eastern United States, eradication of ferns from. H. R. Cox. F.B. 687, pp. 12. 1915.
Louisiana, Sabine Parish, location and uses. Soil Sur. Adv. Sh., 1919, pp. 10, 32-59. 1922; Soils F.O., 1919, pp. 1046, 1068-1075. 1924.
Missouri, Lincoln County. Soil Sur. Adv. Sh., 1917, pp. 26-39. 1920; Soils F.O., 1917, pp. 1504-1517. 1923.
logged-off, management. F.B. 462, pp. 16-17. 1911.
tenants, and renting methods. D.B. 850, pp. 7, 8. 1920.
total area, proportion of woodland. News L. vol. 5, No. 44, p. 9. 1918.
uneconomic conditions. F.B. 745, p. 12. 1916.
unimproved—
area, and nature. Y.B., 1923, pp. 419-420. 1924; Y.B. Sep. 896, pp. 419-420. 1924.
in United States. D.B. 626, pp. 6-7. 1918.
utilization, and for crops and forests. L. C. Gray and others. Y.B., 1923, pp. 415-506. 1924; Y.B. Sep. 896, pp. 415-506. 1924.
lespedeza, value. F.B. 1143, pp. 9-11. 1920.
location—
acreage and farm lands, 1909, and 1910 maps. Y.B., 1915, pp. 335, 360. 1916; Y.B. Sep. 681, pp. 335, 360. 1916.
of shade trees. News L., vol. 4, No. 8, p. 2. 1916.
management—
in Missouri, Atchison County. Soil Sur. Adv. Sh., 1909, pp. 45, 56. 1910; Soils F.O., 1909, pp. 1345, 1356. 1912.
in West Virginia, Lewis and Gilmer Counties. Soil Sur. Adv. Sh., 1915; pp. 15, 24, 27, 30. 1917; Soils F.O., 1915; pp. 1247, 1256, 1259, 1262. 1919.
on reclamation projects. An. Rpts., 1919, p. 148. 1919; B.P.I. Chief Rpt., 1918, p. 14. 1918.
under sheep grazing. F.B. 1051, pp. 10-13. 1919.
meadow—
and forage crops in Nebraska. T. L. Lyon and A. S. Hitchcock. B.P.I. Bul. 59, pp. 64. 1904.
fescue, value for livestock of different kinds. F.B. 361, pp. 12-13. 1906.
measure of efficiency, gains, per head per acre. D.B. 1170, pp. 17-19, 40-42. 1923.
muddy, infection with blackleg bacillus. B.A.I. Cir. 31, 3d rev., p. 9. 1911.
mixtures—
for cows, experiments, on Huntley experiment farm. D.C. 86, pp. 25-32. 1920.
for seeding irrigated lands, and rates per acre. D.R.P. Cir. 2, pp. 7-8. 1916.
seeding rates. F.B. 1202, p. 52. 1921.

Pasture(s)—Continued.
native—
area in range States, possibilities. Y.B. 1915, 1915, pp. 299-300. 1916; Y.B. Sep. 678, pp. 299-300. 1916.
botanical studies. D.B. 1170, pp. 19-33. 1923.
grasses, in Wyoming Nebraska, Fort Laramie area. Soil Sur. Adv. Sh., 1917, pp. 13, 24-48. 1921; Soils F.O., 1917; pp. 2049, 2064-2084. 1923.
improvement by deferred grazing. Y.B. 115, pp. 304-310. 1916; Y.B. Sep. 678, pp. 304-310. 1916.
in range States, condition and causes of deterioration. Y.B. 1915, pp. 300-303. 1916; Y.B. Sep. 678, pp. 300-303. 1916.
in the West, improvement and management. James T. Jardine. Y.B. 1915, pp. 299-310. 1916; Y.B. Sep. 678, pp. 299-310. 1916.
injury by grazing, causes. D.B. 1170, pp. 38-39. 1923.
reseeding. B.P.I. Bul. 117, pp. 1-27. 1907.
weeds, use as sheep feed. B.P.I. Bul. 117, p. 21. 1907.
necessity in New Hampshire. B.P.I. Cir. 75, p. 18. 1911.
needs of southern farms. B.P.I. Doc. 485, p. 2. 1909.
oats, value with vetch or clover. F.B. 436, pp. 29-30. 1911.
overgrazing, results and prevention. B.P.I. Cir. 49, pp. 3-4, 8. 1910.
Para grass, carrying capacity. Guam Bul. 1, pp. 25-26. 1921.
per cent of cost in milk production, Louisiana. D.B. 955, pp. 8, 11, 13. 1921.
permanent—
care on a small farm, Nebraska F.B. 325, p. 11. 1908.
cooperative investigations. An. Rpts., 1918, p. 162. 1919; B.P.I. Chief Rpt., 1918, p. 28. 1918.
for hogs. F.B. 411, pp. 22-23. 1910.
in Cotton Belt. Lyman Carrier. Sec. [Misc.] Spec. " Permanent pastures * * * ," pp. 4. 1914.
grass mixture and seed quantity, in Mecklenburg County, North Carolina. Soil Sur. Adv. Sh., 1910, p. 13. 1912; Soils F.O., 1910, p. 389. 1912.
in Livingston County, New York, value and care. Soil Sur. Adv. Sh., 1908, pp. 23, 26-27, 49-50. 1910; Soils F.O., 1908, pp. 87, 92-93, 115-116. 1911.
setting with Bermuda grass as basis, suggestions. S. A. Knapp. B.P.I. Doc. 578, pp. 4. 1910.
value for hog grazing. F.B. 951, pp. 6-7. 1918.
value of Bermuda grass. F.B. 374, pp. 16-17. 1909.
plants—
adaptability for logged-off land in Oregon and Washington, seed rates. F.B. 462, pp. 10-14. 1911.
as honey sources, Hawaii. Ent. Bul. 75, Pt. V, p. 49. 1909; 75, p. 49. 1911.
native. F. Lamson-Scribner. Y.B. 1900, pp. 581-598. 1901; Y.B. Sep. 223, pp. 581-598. 1901.
poisonous plants in. B.P.I. Chief Rpt., 1924, p. 24. 1924.
preparation, requirements, weed enemies. F.B. 509, pp. 41-43. 1912.
quack grass, value. F.B. 1307, pp. 24, 29. 1923.
range—
destruction by range caterpillars. Ent. Bul. 85, p. 61. 1911.
protection, investigations. An. Rpts., 1908, pp. 385-386. 1909; B.P.I. Chief Rpt., 1908, pp. 113-114. 1908.
rape, for hogs, sheep, and cattle, precaution. Sec. [Misc.], Spec. " Rape as * * * forage * * *," p. 2. 1914.
red clover, uses and dangers. F.B. 1339, pp. 13-14. 1923.
relation to feed cost for dairy cows. D.B. 1071, pp. 6-7. 1922.
renovation in Alaska, Kodiak station. Alaska A.R. 1914, pp. 39-40. 1915.
rental per acre and per head of cattle. B.A.I. Bul. 131, pp. 15, 17, 19-22, 42-44. 1911.

Pasture(s)—Continued.
  requirements—
    for—
      Brahman cattle. F.B. 1361, pp. 14–15. 1923.
      cows, per head. F.B. 370, pp. 10, 30–31. 1909.
      dairy herd, per 100 pounds of milk produced. D.B. 919, pp. 4, 6, 10, 11–12, 15, 19. 1920.
      sheep and hogs, per head. F.B. 370, pp. 20, 21, 23, 25. 1909.
      in sheep raising. F.B. 840, pp. 5–6, 13, 19–20, 23. 1917.
    reseeding and improvement, methods. News L., vol. 6, No. 26, p. 18. 1919.
    rotation—
      for—
        control of cattle ticks. F.B. 1057, pp. 17–21. 1919.
        prevention of parasites, in sheep. F.B. 1330, pp. 2, 41–42, 44, 47, 51. 1923.
        sheep, advantages. F.B. 1181, pp. 4–11, 13, 15. 1921.
      method of tick control, demonstration. B.A.I. Cir. 148, pp. 1–4. 1909; F.B. 378, pp. 12–19. 1909; F.B. 498, pp. 14–24. 1912; S.R.S. Syl. 22, p. 7. 1916.
      sheep, for stomach-worm prevention. B.A.I. An. Rpt., 1908, pp. 273, 275–277. 1910; B.A.I. Cir. 157, pp. 5–6, 7–9. 1910.
    run-down, restoration, methods, experiments. F.B. 499, pp. 5–6. 1912.
    saccharine sorghum, value. F.B. 246, pp. 31–32. 1906.
    seed formula for mixed pasture in Nebraska, Thurston County. Soil Sur. Adv. Sh., 1914, p. 23. 1916; Soils F.O., 1914, pp 2231. 1919.
    seeding methods. Sec. Cir. 36, p. 4. 1911.
    sod improvement by grazing. News L., vol. 6, No. 32, p. 3. 1919.
    soil fertility, maintenance. D.B 397, pp. 12–14. 1916.
    soils in Virginia, location. D.B. 46, pp. 9, 10, 12, 14, 15, 16. 1913.
    sorghum, use, danger, and precautions. F.B. 1158, pp. 25–26. 1920.
    southern cattle raising. Y.B., 1913, pp. 265–266, 270–271, 278–282. 1914; Y.B. Sep. 620, pp. 265–266, 270–271, 278–282. 1914.
    soy bean—
      feeding value and profit as soil improver. S.R.S. Syl. 35, p. 4. 1919.
      utilization, methods and results. F.B. 973, pp. 18, 28–29. 1918.
      value. S.R.S. Doc. 43, p. 4. 1917.
    steers, fattening—
      experiments in Alabama. B.A.I. Bul. 159, pp. 22–39, 48–56. 1912.
      in South. D.B. 777, pp. 1–24. 1919.
      substitutes in pig feeding. B.A.I. Cir. 63, pp. 288–304. 1904; B.A.I. An. Rpt., 1903, pp. 288–304. 1904.
    Sudan grass—
      unfavorable character. F.B. 605, p. 15. 1914.
      value—
        F.B. 1126, rev., pp. 15–17. 1925.
        for milk cows. D.B. 981, pp. 46–49. 1921.
        for stock, danger for cattle. F.B. 1126, pp. 18–19. 1920.
    summer—
      for lambs. F.B. 840, pp. 19–20, 23. 1917.
      in Alabama, composition. B.A.I. Bul. 131, pp. 12, 37–38. 1911; B.A.I. Bul. 159, pp. 23–24, 49–50. 1912.
      plants suitable for hogs. F.B. 411, pp. 25–34. 1910.
    supplemented by cottonseed cake, feeding value. F.B. 1179, pp. 14–15, 17. 1920.
    supplements in fattening cattle. F.B. 479, p. 16. 1912.
    sweet clover—
      and bluegrass. News L., vol. 6, No. 28, p. 7. 1919.
      timothy and bluegrass, management in Iowa. News L., vol. 4, No. 49, p. 4. 1917.
      use and value. D.C. 169, pp. 15, 19. 1921; F.B. 820, pp. 3–10. 1917; F.B. 1005, pp. 8–9, 15–28. 1919.
      value for different animals. F.B. 485, pp. 24–26. 1912.

Pasture(s)—Continued.
  temporary—
    and permanent, for hogs, value. News L., vol. 4, No. 49, p. 8. 1917.
    carrying capacity and use of various crops. F.B. 1181, pp. 7–9. 1921.
    for cotton region, plants suitable, and seeding. F.B. 1125, rev., p. 58. 1920.
    for sheep, advantages. F.B. 1181, pp. 4–5, 9–10, 12. 1921.
    in South, oats, vetch, and rye. D.B. 827, pp. 29–30. 1921.
    raising sheep on. F.R. Marshall and C. G. Potts. F.B. 1181, pp. 18. 1921.
  terms, definitions. Y.B., 1923, pp. 370–371. 1924; Y.B. Sep. 895, pp. 370–371. 1924.
  top-dressing experiments. O.E.S. An. Rpt., 1911, pp. 128, 154. 1912.
  top dressing, methods and experiments. F.B. 499, pp. 5–6. 1912.
  tree planting, suggestions for Porto Rico. D.B. 354, pp. 49, 51. 1916.
  trees, suitability for fuel. D.B. 753, pp. 6–7. 1919.
  use—
    and value of—
      bur clover, methods. F.B. 532, p. 15. 1913.
      red clover. F.B. 455, pp. 24–25. 1911.
    in fattening steers in Corn Belt. F.B 1382, pp. 12–15. 1924.
    of—
      barley, seeding method. F.B. 968, p. 29. 1918.
      forest reserves. For [Misc.], "The use book, 1910," pp. 55–59. 1910.
      soils in Indiana, Lake County. Soil Sur. Adv. Sh., 1917, pp. 11, 23, 24, 37, 41. 1921; Soils F.O., 1917, pp. 1145, 1157, 1158, 1173, 1177. 1923.
      velvet-bean crop. F.B. 962, pp. 20–21, 36. 1918.
  utilization—
    in fattening steers. F.B. 1382, pp. 12–15. 1924.
    of logged-off land in western Oregon and western Washington. Byron Hunter and Harry Thompson. F.B. 462, pp. 20. 1911.
    relation of farm type. D.B. 482, pp. 20–21, 22. 1917.
  value—
    as horse feed. F.B. 1030, p. 20. 1919.
    for hogs in saving grain. News L., vol. 4, No. 47, p. 5. 1917.
    for pigs, reducing cost of pork. Sec. Cir. 84, pp. 16–17. 1918.
    in—
      Logan and Mingo Counties, W. Va. Soil Sur. Adv. Sh., 1913, pp. 17, 19. 1915; Soils F.O., 1913, pp. 1329, 1331. 1916.
      pig feeding. B.A.I. An. Rpt., 1903, pp. 285–304. 1904; B.A.I. Cir. 63, pp. 285–304. 1904.
      United States. Y.B., 1923, p. 413. 1924; Y.B. Sep. 895, p. 413. 1924.
    of—
      alfalfa. B.A.I. Cir. 86, pp. 251–253. 1905; F.B. 339, pp. 27, 31. 1908.
      Para grass. Guam Bul. 1, pp. 8–9. 1921.
      Paspalum grass. Guam Bul. 1, pp. 29–30, 37–41. 1921.
      saltbush. D.B. 617, pp. 2, 8–9. 1919.
      vetch. F.B. 515, pp. 17, 20, 21, 27. 1912.
  winter—
    establishment on cutover mountain land. D.B. 954, pp. 5–6. 1921.
    experiments. D.B. 628, pp. 15–16. 1918.
    for hogs, value, experiments. F.B. 411, pp. 23–25. 1910.
    methods for providing on logged-off land. F.B. 462, p. 17. 1911.
    steer-feeding experiments in North Carolina. D.B. 628, pp. 17, 19. 1918.
  worm-infested, disinfection methods. B.A.I. An. Rpt., 1908, p. 271. 1910; B.A.I. Cir. 157, p. 3. 1910.
  worn-out—
    in New York and New England, improvement. B.P.I. Cir. 49, pp. 1–10. 1910.
    use of sweet clover for renewal. News L., vol. 4, No. 48, p. 7. 1917.

Pasture(s)—Continued.
  year-round, profitableness, comparison with other kinds of feeding for cattle. News L., vol. 5, No. 29, p. 6. 1918.
  yield under different volumes of water, Idaho. D.B. 339, pp. 15, 31, 33, 40, 45. 1916.
Pasturing—
 alfalfa—
  fields for—
   caterpillar control. F.B. 1094, pp. 13–14, 16. 1920.
   control of chalcid fly. D.B. 812, pp. 16, 17. 1920.
   for control of weevil. An. Rpts., 1915, p. 223. 1916; Ent. A.R., 1915, p. 13. 1915.
   in Corn Belt. F.B. 1021, pp. 25–32. 1919.
   irrigated, precautions. F.B. 373, p. 47. 1909.
   stand, precautions. D.C. 115, p. 6. 1920.
   with hogs. D.C. 173, pp. 12–15. 1921.
  cattle—
   carrying capacity of ranges in Southwest. D.B. 588, pp. 8, 12–20, 29–30. 1917.
   in California, Shasta Valley area. Soil Sur. Adv. Sh., 1919, pp. 103, 117–146. 1923; Soils F.O., 1919, pp. 103, 117–146. 1925.
   close, value in leaf-hopper control. News L., vol. 2, No. 51, p. 5. 1915.
  clover—
   beneficial to seed production. F.B. 323, pp. 18–19. 1908.
   first crop. B.P.I. Cir. 28, pp. 8–9. 1909.
   for control of midge. F.B. 971, pp. 9–10. 1918.
  cows, time, cautions. News L., vol. 6, No. 40, pp. 4, 12. 1919.
  early, cause of oak poisoning of cattle, control, treatment. News L., vol. 5, No. 41, pp. 6–7. 1918.
  feterita stubble. D.C. 124, p. 3. 1920.
  field peas, practices, suggestions. F.B. 690, pp. 13–14. 1915.
  growing pigs in Guam. Guam A.R., 1919, pp. 8, 14–16. 1921.
  hogs—
   on alfalfa—
    Belle Fourche experiment farm. D.C. 60, pp. 19–21, 25–28, 30–32. 1919.
    experiments, Scottsbluff, Nebraska. W.I.A. Cir. 27, pp. 15–16, 17. 1919.
    with and without supplementary feeds. D.B. 752, pp. 4–24, 35–36. 1919.
   on irrigated crops. D.B. 752, pp. 1–37. 1919.
   in early spring, value in alfalfa weevil control. News L., vol. 2, No. 42, p. 2. 1915.
   in Kansas and Oklahoma. F.B. 331, pp. 6–10, 19–24. 1908.
   practices. F.B. 305, p. 24. 1907.
   utilization of irrigated field crops. F. D. Farrell. D.B. 752, p. 37. 1919.
  horses, Guam Experiment Station. Guam A.R., 1918, pp. 9–10. 1919.
  livestock—
   experiments with sheep and dairy cows. D.C. 147, pp. 23–27. 1921.
   in Texas, San Saba County. Soil Sur. Adv. Sh., 1916, pp. 14–17, 28–36. 1917; Soils F.O., 1916, pp. 1323–1325, 1338–1375. 1921.
   on alfalfa and sweet clover, experiments. W.I.A. Cir. 27, pp. 15–16, 17–19. 1919.
  millet, value for young stock. F.B. 793, p. 24. 1917.
  pigs, conditions. F.B. 566, pp. 8–9. 1913.
  red clover, value in control of clover-flower midge. F.B. 942, p. 10. 1918.
  sheep—
   experiments, Huntley experiment farm. D.C. 86, p. 32. 1920.
   on alfalfa—
    corn and beet tops, Belle Fourche experiment farm. D.C. 60, pp. 22–24. 1919.
    South Dakota, Belle Fourche experiment farm. W.I.A. Cir. 9, p. 14. 1916.
   on irrigated farms. F.B. 1051, pp. 10–13, 15–32. 1919.
  steers, gains of yearlings as influenced by winter rations. D.B. 870, pp. 1–20. 1920.
  stump land, keeping down sprouts. F.B. 974, pp. 6–8. 1918.
  sweet clover by hogs, results on irrigated lands. D.B. 752, pp. 24–25, 36. 1919.
  timothy meadows. F.B. 990, pp. 16–17. 1918.

Pasturing—Continued.
 value in—
  control of alfalfa weevil. News L., vol. 4, No. 2, pp. 1, 2. 1916.
  erosion prevention. D.B. 512, p. 4. 1917.
  wheat, practices. F.B. 273, p. 8. 1906.
  wood lot, damage. F.B. 711, pp. 13–16. 1916.
Pataqua, importations and descriptions. No. 42867, B.P.I. Inv. 47, p. 76. 1920; No. 54303, B.P.I. Inv. 68, pp. 47–48. 1923; No. 54628, B.P.I. Inv. 69, pp. 4, 29. 1923.
Patashte tree, *Cacao* species, description. B.P.I. Bul. 198, p. 39. 1911.
PATCH, E. M.—
 "Homoptera of the Pribilof Islands, Alaska." N.A. Fauna 46, Pt. II, pp. 143–144. 1923.
 "Two clover aphids." J.A.R. vol. 3, pp. 431–433. 1915.
Patch budding, directions, tools, and care. F.B. 700, pp. 14–16. 1916.
Pate de foie gras, manufacture and food use. D.B. 467, pp. 6, 9. 1916.
Patella—
 fracture, fatal results. B.A.I. [Misc.], "Diseases of the horse," rev., p. 324. 1903; rev., p. 324. 1907; rev., p. 324. 1911; rev., p. 349. 1923.
 pseudoluxations, cause, description, and treatment. B.A.I. [Misc.], "Diseases of the horse." rev., pp. 338–339. 1903; rev., pp. 338–339. 1907; rev. pp. 338–339. 1911; rev., pp. 363–365. 1923.
Patent medicines. *See* Medicines, patent.
Patent(s)—
 applications—
  by employees. Sol. A.R., 1924, pp. 15–16. 1924.
  by members of department, status. An. Rpts., 1918, pp. 421–424. 1919; Sol. A.R., 1918, pp. 29–32. 1918.
  for public use. An. Rpts., 1912, pp. 930–931, 1011. 1913; Sol. A.R. 1912, pp. 46–47, 127. 1912.
  limit. Sol. [Misc.], "Laws applicable * * * Agriculture," Sup. 4, p. 115. 1917.
 Commissioner, labor investigations, 1845, report of wages. Stat. Bul. 99, pp. 20–21. 1912.
 dedication to public by Government scientists, list. News L., vol. 4, No. 20, p. 7. 1916.
 department, applied for. Sol. A.R., 1924, pp. 15–16. 1924.
 drying leaf tobacco, to control black rot. An. Rpts., 1918, p. 156. 1919; B.P.I. Chief Rpt., 1918, p. 22. 1918.
 employees—
  applications presented and pending, 1911. An. Rpts., 1911, p. 948. 1912; Sol. A.R., 1911, p. 192. 1911.
  protection. Off. Rec., vol. 2, No. 12, p. 4. 1923.
 ethyl alcohol, production from wood waste, list. D.B. 983, pp. 98–100. 1922.
 for public use, applications by Solicitor, 1913. An. Rpts., 1913, pp. 301, 325–326. 1914; Sol. A.R., 1913, pp. 3, 27–28. 1913.
 land, in national forests, cancellation, law and decision. Soil. [Misc.], "Laws * * * forests," pp. 94–95. 1916.
 mining claims, proceedings. Sol. [Misc.], "Laws * * * forests," pp. 55–56, 57. 1916.
 naval stores, industry, chronological list. D.B. 229, pp. 56–58. 1915.
 phosphate production. D.B. 312, pp. 14, 20, 36–37. 1915.
 unlicensed use by United States, compensation to owner. Sol. [Misc.], "Laws applicable * * * Agriculture," Sup. 2 p. 102. 1915.
Paterson, N.J., milk supply, statistics, officials, and prices. B.A.I. Bul. 46, pp. 26, 114–115. 1903.
Pathological specimens—
 for diagnosis, instructions for preparing and shipping. George H. Hart. B.A.I. Cir. 123, pp. 10. 1908.
 sale by Secretary. Sol. [Misc.], "Laws applicable * * * Agriculture," Sup. 2, p. 8. 1915.
Pathologists, plant, work, 1908. Rpt., 87, p. 28. 1908.
Pathology—
 dourine; changes in nerve tissues and other structures. J.A.R., vol. 18, pp. 145–154. 1919.

INDEX TO PUBLICATIONS, 1901–1925 1755

Pathology—Continued.
forest, in forest regulation. E. P. Meinecke. D.B. 275, pp. 63. 1916.
vegetable, work, 1896–1908. Rpt., 87, pp. 80–81. 1908.
Patola—
growing in Guam, directions. Guam Bul. 2, pp. 12, 46. 1922.
use as vegetable in Guam. O.E.S. An. Rpt., 1911, p. 28. 1912.
See also Gourd, dishcloth.
PATRICK, A. L.: "Soil survey of—
Bryan County, Oklahoma." With Wm. T. Carter, jr. Soil Sur. Adv. Sh., 1914, pp. 52. 1915; Soils F. O. 1914, pp. 2165–2212. 1919.
Cambria County, Pennsylvania." With others. Soil Sur. Adv. Sh., 1915, pp. 32. 1917; Soils F. O., 1915, pp. 241–268. 1919.
Coweta and Fayette Counties, Georgia." With others. Soil Sur. Adv. Sh., 1919, pp. 34. 1922; Soils F. O., 1919; pp. 855–888. 1925.
Franklin County, Florida." With Charles N. Mooney. Soil Sur. Adv. Sh., 1915, pp. 31. 1916; Soils F. O., 1915, pp. 799–825. 1919.
Greene County, Pennsylvania." With others. Soil Sur. Adv. Sh., 1921, pp. 1251–1278. 1925.
Mississippi County, Arkansas." With others. Soil Sur. Adv. Sh., 1914, pp. 42. 1916; Soils F. O., 1914, pp. 1325–1362. 1919.
Monroe County, Alabama." With others. Soil Sur. Adv. Sh., 1916, pp. 53. 1919; Soils F. O., 1916, pp. 851–899. 1921.
Morgan County, Alabama." With others. Soil Sur. Adv. Sh., 1918, pp. 46. 1921; Soils F.O., 1918, pp. 573–614. 1924.
the—
Belvidere area, New Jersey." With others. Soil Sur. Adv. Sh., 1917, pp. 72. 1920; Soils F.O., 1917; pp. 125–192. 1923.
Bernardsville area, New Jersey." With others. Soil Sur. Adv. Sh., 1919, pp. 409–468. 1923; Soils F.O., 1919, pp. 409–468. 1925.
Camden area, New Jersey." With others. Soil Sur. Adv. Sh., 1915, pp. 45. 1917; Soils F.O., 1915, pp. 155–195. 1919.
Chatsworth area, New Jersey." With others. Soil Sur. Adv. Sh., 1919, pp. 469–515. 1923; Soils F.O., 1919, pp. 469–515. 1925.
Millville area, New Jersey." With others. Soil Sur. Adv. Sh., 1917, pp. 46. 1921; Soils F.O., 1917, pp. 193–234. 1923.
PATRICK, G. E.—
analyses of condensed milk. Chem. Bul. 116, pp. 54, 56, 57, 59. 1908.
note on Waterhouse test, modified, for detection of renovated butter. Chem. Bul. 81, pp. 81–83. 1904.
report on the identification of renovated butter. Chem. Bul. 67, pp. 115–127. 1902.
PATRICK, G. S.—
"Detection of thickeners in ice cream." Chem. Bul. 116, pp. 24–25. 1908.
"Two methods in cheese analysis." Chem. Bul. 116, pp. 59–60. 1908.
Patrol system of road maintenance. Rds. Bul. 42, pp. 18–19. 1912; Rds. Bul. 48, p. 48. 1913.
Patrolman, road, work and cost. An. Rpts., 1913, pp. 291–293. 1914; Rds. Chief Rpt., 1913, pp. 7–9. 1913.
Patrons of Husbandry. See Granger.
PATTEE, RICHARD: "Types of collective bargaining." B.A.I. Dairy [Misc.], "World's dairy congress, 1923," pp. 718–720. 1924.
PATTEN, A. J., report on phosphoric acid. With H. D. Haskins. Chem. Bul. 152, pp. 10–25. 1912; Chem. Bul. 162, pp. 9–12. 1913.
PATTEN, H. E.—
"Absorption by soils." With William H. Waggaman. Soils Bul. 52, pp. 95. 1908.
"Absorption of vapors and gases by soils." With Francis E. Gallagher. Soils Bul. 51, pp. 50. 1908.
"Heat transference in soils." Soils Bul. 59, pp. 54. 1909.
Patterns—
manufacture from pine. For. Bul. 99, pp. 52, 61, 68. 1911.
sewing, directions for using. D.C. 2, pp. 15–16. 1919; S.R.S. Doc. 83, pp. 12–16. 1918.

PATTERSON, F. W.—
"A collection of economic and other fungi prepared for distribution." B.P.I. Bul. 8, pp. 31. 1902.
"A list of fungi (Ustilaginales and Uredinales) prepared for exchange." With others. D.C. 195, pp. 50. 1922.
"Mushrooms and other common fungi." With Vera K. Charles. D.B. 175, pp. 64. 1915.
"Some common edible and poisonous mushrooms." With Vera K. Charles. F.B. 796, pp. 24. 1917.
"Some fungous diseases of economic importance: I. Miscellaneous diseases." With Vera K. Charles. "II. Pineapple rot caused by *Thielaviopsis paradoxa*." With others. B.P.I. Bul. 171, pp. 41. 1910.
work on fungi of citrus white fly. Ent. Bul. 102, pp. 7, 26, 27, 28. 1912.
PATTERSON, H. J.—
"Extension work by experiment stations." O.E.S. Bul. 213, pp. 44–46. 1909.
"Objects of women's institutes." O.E.S. Bul. 238, pp. 61–63. 1911.
report of Maryland Experiment Station, work and expenditures—
1908. O.E.S. An. Rpt., 1908, pp. 109–111. 1909.
1909. O.E.S. An. Rpt., 1909, pp. 120–123. 1910.
1910. O.E.S. An. Rpt., 1910, pp. 156–159. 1911.
1911. O.E.S. An. Rpt., 1911, pp. 123–126. 1912.
1912. O.E.S. An. Rpt., 1912, pp. 130–133. 1913.
1913. O.E.S. An. Rpt., 1913, pp. 52–53. 1915.
1914. O.E.S. An. Rpt., 1914, pp. 128–131. 1915.
1915. S.R.S. An. Rpt., 1915, Pt. I., pp. 139–143. 1916.
1916. S.R.S. Rpt., 1916, Pt. I., pp. 141–145. 1918.
1917. S.R.S. Rpt., 1917, Pt. I., pp. 138–142. 1918.
PATTERSON, J. E., "Life history of *Recurvaria milleri*, the lodgepole pine needle-miner, in the Yosemite National Park, Calif." J.A.R., vol. 21, No. 3, pp. 127–142. 1921.
PATTERSON, J. K.—
discussion of military training in agricultural colleges. O.E.S. Bul. 212, pp. 82–84. 1909.
discussion of Nelson amendment, instruction of teachers. O.E.S. Bul. 196, p. 89. 1907.
PATTERSON, T. L., "Investigations into the habits of certain Sarcophagidae." Ent. T.B. 19, Pt. III, pp. 25–32. 1910.
PATTESON, G. W. Jr.: "Soil survey of Pittsylvania County, Virginia." With others. Soil Sur. Adv Sh., 1918. pp. 46. 1922; Soils F. O., 1918, pp. 121–162. 1924.
PAUL, A. E.—
"Methods of analysis of fruit products." Chem. Bul. 152, pp. 168–170. 1912.
report as referee on adulteration of dairy products. Chem. Bul. 152, pp. 100–101. 1912; Chem. Bul. 162, pp. 118–120. 1913.
Paullinia cupana—
importation and description. No. 54305, B.P.I. Inv. 68, pp. 48–49. 1923.
See also Guarana.
Paulownia—
duclouxii, importation and description. No. 42693, B.P.I. Inv. 47, p. 53. 1920.
fortunei, importations and descriptions. No. 38184, B.P.I. Inv. 39, pp. 7, 101. 1917; No. 38806, B.P.I. Inv. 40, p. 31. 1917; No. 42036, B.P.I. Inv. 46, pp. 8, 47. 1919; No. 47164, B.P.I. Inv. 58, p. 35. 1922; No. 52268, B.P.I. Inv. 65 pp. 6, 82. 1923.
PAULS, J. T.: "Experimental roads in the vicinity of Washington, D. C." With B. A. Anderton. Sec. Cir. 77, pp. 8. 1917.
Paunch, cattle. See Rumen.
Pavements—
brick—
construction details, cost and maintenance. D.B. 246, pp. 8–21. 1915.
cost and maintenance. D.B. 373, pp. 22–24. 1916.
concrete—
advantages and disadvantages. D.B. 249, pp. 2–3. 1915.

36167°—32——111

Pavements—Continued.
  concrete—continued.
    construction—
      methods, organization and equipment. D.B
        249, pp. 19-25. 1915; D.B. 1077, pp. 55-58.
        1922.
      periods. D.B. 1077, p. 2. 1922.
      cost per square yard, items and dimensions.
        D.B. 249, pp. 25-27. 1915.
      earliest construction. D.B. 249, p. 1. 1915.
      expansion and contraction, discussion. D.B.
        532, pp. 27-29. 1917.
      maintenance, methods and cost. D.B. 249,
        pp. 27-29. 1915.
      materials required, and quantities. D.B. 1077,
        pp. 10, 61-62. 1922.
      mixing and placing materials, and finishing
        surface. D.B. 1077, pp. 40-45. 1922.
      protection, curing, and placing in freezing
        weather. D.B. 1077, pp. 46-47. 1922.
      types, description, and studies. D.B. 249, pp.
        7-8, 10, 29. 1915.
    Portland cement concrete, for country roads.
      Charles H. Moorefield and James T. Voshell.
      D.B. 249, pp. 34. 1915.
    road, materials, and construction, types and
      methods. D.B. 249, pp. 3-18, 29. 1915.
    value of different materials, comparison and average
      cost. For. Cir. 141, p. 8. 1908.
    vitrified brick, for country roads. Vernon M.
      Pierce and Charles H. Moorefield. D.B. 246,
      pp. 38. 1915.
    wood, experimental, at Minneapolis, construction
      and results. For. Cir. 141, pp. 19-24. 1908.
    wood in United States. For. Cir. 141, pp. 1-24.
      1908.
Pavetta zimmermanniana, importations and descriptions.
  No. 42767, B.P.I. Inv. 47, pp. 8, 61-62.
  1920; No. 44295, B.P.I. Inv. 50, p. 54. 1922;
  No. 45554, B.P.I. Inv. 53, p. 52. 1922.
Paving—
  around trees for control of plum curculio, suggestions.
    Ent. Bul. 103, pp. 159, 161, 163. 1912.
  blocks—
    preservative treatment in experimental wood
      paving. For. Cir. 194, pp. 5, 12, 14-15. 1912.
    treatment with tar-creosote mixtures, tests.
      D.B. 607, pp. 3, 11, 31-32, 34-35, 39. 1918.
  use of—
    pine species. For. Bul. 99, pp. 13, 52, 56.
      1911.
    waste beet molasses. Y.B. 1908, p. 448,
      1909; Y.B. Sep. 493, p. 448. 1909.
  brick, rattler test. D.B. 1216, pp. 35, 39. 1924.
  cost on country roads. Off. Rec. vol. 1, No. 10,
    p. 3. 1922.
  country roads, use of vitrified bricks. D.B. 23,
    pp. 1-34. 1913.
  granite-block, maintenance. News L., vol. 7,
    No. 12, p. 5. 1919.
  material, vitrified brick, for country roads. Vernon
    M. Pierce and Charles H. Moorefield.
    D.B. 23, pp. 34. 1913.
  use of wood and substitutes. Rpt. 117, pp. 66-
    68, 73. 1917.
  wood in United States. C. L. Hill. For. Cir.
    141, pp. 24. 1908.
Pavonia spinifex, importation and description.
  No. 43661, B.P.I. Inv. 49, p. 58. 1921.
Pawatta, importation and description. No. 47749,
  B.P.I. Inv. 59, p. 54. 1922.
Pawpaw—
  injury by sapsuckers. Biol. Bul. 39, pp. 38, 78.
    1911.
  use as deterrent of mosquitoes, experiments.
    Ent. Bul. 88, pp. 24-25. 1910.
Pawtucket, R. I., milk supply, statistics, officials,
  and prices. B.A.I. Bul. 46, pp. 38, 154. 1903.
Paxillus spp., description. D.B. 175, pp. 28-29.
  1915.
Paxton's brand flavorings, misbranding. Chem.
  N.J. 3328. 1914.
Pay—
  regulations. L. F. Evans. Accts. [Misc.],
    "Pay regulations," p. 1. 1903.
  roll—
    overtime, regulations. B.A.I.S.R.A. 191, p. 35.
      1923.
    preparation, instructions. B.A.I.S.R.A. 115,
      p. 10 2. 1916.

Pay—Continued.
  roll—continued.
    regulations, salary and reimbursement accounts
      B.A.I.S.R.A. 123, p. 86. 1917.
Payette National Forest, Idaho—
  map. For. Maps. 1924.
  map and directions to campers and travellers.
    For. Map Fold. 1914.
Payette-Boise project, Idaho—
  irrigation in Idaho by Reclamation Service.
    O.E.S. Bul. 216, pp. 33-34. 1909.
  size and capacity. Y.B., 1908, p. 177. 1909.
PAYNE, J. E.: "Fruit growing on the plains."
    B.P.I. Bul. 130, pp. 61-67. 1908.
Payne Prairie, Gainesville area, Florida, soil survey.
  Charles N. Mooney. Soils Cir. 72, pp. 5.
  1912.
Pe tsai—
  Chinese substitute for lettuce, description and
    value. News L., vol. 6, No. 16, p. 4. 1918.
  growing in Alaska, and use. Alaska A.R., 1919,
    p. 40. 1920.
  importations and descriptions. No. 38782, B.P.I.
    Inv. 40, pp. 6, 28. 1917; Nos. 40604, 40840,
    B.P.I. Inv. 43, pp. 54, 89. 1918.
  introduction from China, cultural notes. B.P.I.
    Bul. 205, p. 46. 1911.
  planting, directions for club members. D.C. 48,
    p. 8. 1919.
  See also Chinese cabbage; Pai ts'ai.
Pea(s)—
  absorption of and distribution, studies. J.A.R.,
    vol. 5, No. 19, pp. 884, 886, 888. 1916.
  acreage—
    increase, need for 1918. News L., vol. 5, No. 30,
      p. 5. 1918.
  yield, and prices. Y.B., 1924, pp. 703, 704. 1925.
  adulteration. See Indexes, Notices of Judgment,
    in bound volumes and in separates published as
    supplements to Chemistry Service and Regulatory
    Announcements.
  Alaska—
    detection and removal of rogues. F.B. 1253, p.
      12. 1922.
    spurious—
      damage to seed growers and canners. F.B.
        1253, pp. 13-14. 1922.
      seed, warnings and precautions against.
        F.B. 1253, pp. 14-15. 1922.
    studies. An. Rpts., 1923, pp. 275-276. 1924;
      B.P.I. Chief Rpt., 1923, pp. 21-22. 1923.
    suitability as field pea without roguing. F.B.
      1253, pp. 12-13. 1922.
    superiority for canning. F.B. 1253, pp. 5-6.
      1922.
    true and spurious, description. F.B. 1253, pp.
      15-16. 1922.
  alkali tolerance. F.B. 446, rev., pp. 12, 13, 15, 16,
    23. 1920.
  analyses, comparison of dried green and canned.
    Chem. Bul. 125, p. 7. 1909.
  and—
    barley, value for emergency forage crop. Sec.
      36, p. 2. 1911.
    rye, green manure crop, directions for handling.
      B.P.I. Bul. 178, pp. 13-15. 1910.
  aphid—
    character of attack. D.B. 276, p. 7. 1915.
    control—
      by use of nicotine dust. F.B. 1282, pp. 16-19.
        1922.
      methods, studies. D.B. 276, pp. 52-55. 1915;
        F.B. 1255, pp. 7, 20. 1922.
    description, habits and control. D.B. 276,
      pp. 12-25. 1915; D.C. 35, p. 21. 1919; F.B.
      1128, pp. 25-28, 38-47. 1920.
    dusting with nicotine sulphate, cost. D.C.
      154, pp. 11-12. 1921.
    field observations. D.B. 276, pp. 26-27. 1915.
    history and injuries, Europe and United States.
      D.B. 276, pp. 5-7, 26. 1915.
    injury to—
      crop and control. F.B. 856, p. 54. 1917.
      field pea crop. F.B. 690, p. 22. 1915.
      hairy vetch. D.B. 876, p. 31. 1920.
      leguminous crops, control methods. News
        L., vol. 3, No. 5, p. 8. 1915.
    origin, distribution, and food habits. D.B.
      276, pp. 8-12. 1915.

Pea(s)—Continued.
aphid—continued.
reproduction, age of females, and periods. D.B. 276, pp. 45-49. 1915.
spraying experiments for testing efficiency of formulas. J.A.R., vol. 7, pp. 389-399. 1916.
aphis, relation to forage crops. J. J. Davis. D.B. 276, pp. 67. 1915.
bacterial stem blight, cause and control, studies. S.R.S. Rpt., 1916, Pt. I, p. 77. 1918.
biometrical work and results. O.E.S. An. Rpt., 1911, p. 127. 1912.
black-eyed—
 adulteration. Chem. N.J. 12973. 1925.
 drying directions. D.C. 3, p. 10. 1919.
 See also Cowpeas.
blight—
 determination, spread, and control methods. News L., vol. 5, No. 34, p. 4. 1918.
 injury to field peas, control measures. F.B. 690, pp. 20-21. 1915.
breeding experiments in studies of "Rogue" type. J.A.R., vol. 24, pp. 815-852. 1923.
brining and salting, and preparation for table. F.B. 881, pp. 10, 11, 14-15. 1917.
buggy, advice against planting. F.B. 856, p. 53. 1917.
bushel weights, Federal and State. Y.B., 1918, p. 725. 1919; Y.B. Sep. 795, pp. 61, 62. 1919.
Canada—
 breeding for drought-resistance, experiments. B.P.I. Bul. 196, p. 33. 1910.
 insects and diseases, and control. News L., vol. 5, No. 26, p. 5. 1918.
Canadian field—
 Thomas Shaw. F.B. 224, pp. 16. 1905.
 adaptability to San Luis Valley, Colorado. Soils Cir. 52, pp. 22, 26. 1912.
 as green manure. F.B. 278, p. 24. 1907.
 composition, effect of inoculation. F.B. 315, p. 11. 1908.
 culture, areas, in United States. F.B. 224, pp. 7-8. 1905.
 description and value as legume, studies. S.R.S. Syl. 34, pp. 19-20. 1918.
 experiments at San Antonio experiment farm. W.I.A. Cir. 5, pp. 10-12. 1915.
 forage-crop experiments in Texas, yield. B.P.I. Cir. 106, pp. 22-23, 27. 1913.
 germination and growth, effect of alkali salts, studies. J.A.R., vol. 5, No. 1, pp. 13, 23, 25, 31-35, 39, 41, 51. 1915.
 growing in Hawaii, planting time. Hawaii A.R., 1917, p. 44. 1918.
 growing in mixture with oats. F.B. 424, p. 12. 1910.
 hog feeding value. F.B. 331, p. 15. 1908.
 hog-forage, value. B.P.I. Bul. 111, Pt. IV., p. 15. 1907.
 inoculation, field tests and results. F.B. 315, p. 17. 1908.
 rate of seeding per acre. B.P.I. Bul. 190, p. 18. 1910.
 seed statistics. S.B. 2, pp. 32, 57-58, 82. 1924.
 seed, supply source. Y.B., 1917, p. 523. 1918; Y.B. Sep. 757, p. 29. 1918.
 suitability for hog forage. News L., vol. 3, No. 35, pp. 1-2. 1916.
 tests, Nephi substation. B.P.I. Cir. 61, p. 34. 1910.
 use as green-manure crop, California orchards. B.P.I. Bul. 190, pp. 17-19. 1910.
 use as silage. J.A.R., vol. 21, pp. 771-775. 1921.
 water requirement in Colorado, 1911, experiments. B.P.I. Bul. 284, pp. 30, 31, 37, 47. 1913.
canned—
 adulteration and misbranding. See *Indexes to Notices of Judgment found in bound volumes of Chemistry Service and Regulatory Announcements.*
 analyses. Chem. Bul. 137, pp. 122-128. 1911.
 analyses showing composition of different grades. Chem. Cir. 54, pp. 1-9. 1910.
 and grades, definitions and standards, F.I.D. 173. Chem. S.R.A. 22, pp. 85-86. 1918.
 cooking, seasoning, and combinations with other vegetables. News L., vol. 3, No. 25, p. 5. 1916.

Pea(s)—Continued.
canned—continued.
 examination. Chem. Bul. 122, pp. 58-61. 1909; Chem. Bul. 125, pp. 27-29. 1909.
 flat sour and spoilage, cause and prevention. S.R.S. Doc. 33, p. 1. 1917.
 grading. An. Rpts. 1908, p. 462. 1909; Chem. Chief Rpt., 1908, p. 18. 1908.
 in 1907, by States. Chem. Bul. 125, p. 6. 1905.
 labeling, food inspection opinion. Chem. S.R.A. 5, p. 313. 1914.
 misbranding. Chem. N.J. 43. 1909.
 preparation for table use. S.R.S. Doc. 31, p. 2. 1916.
 prevention of swelling. F.B. 225, p. 32. 1905.
 production—
  1923. Y.B., 1923, p. 758. 1924; Y.B. Sep. 900, p. 758. 1924.
  by States, 1906-1922. Y.B., 1922, p. 762. 1923; Y.B. Sep. 884, p. 762. 1923.
 sampling, examination, methods and results, discussion. Chem. Cir. 54, pp. 2-5. 1910.
 souring prevention. News L., vol. 3, No. 44, p. 3. 1916.
 spoilage causes. Chem. Bul. 125, pp. 29-31. 1909.
 standards and grades. F.I.D. 173, pp. 1-2. 1918.
canneries, refuse, value as feed and management. F.B. 690, p. 17. 1915.
canning—
 beginning of industry, time, and place. F.B. 1253, p. 4. 1922.
 commercial, history. Chem. Bul. 125, pp. 5-6. 1909.
 details on industry. Chem. Bul. 125, pp. 1-32. 1909.
 directions. F.B. 839, pp. 17, 30, 32. 1917; F.B. 853, pp. 20, 27. 1917.
 directions and standards. B.P.I. Doc. 631, rev., pp. 4, 6. 1915.
 experiments in testing temperature changes. D.B. 956, pp. 21-24. 1921.
 factory operations. Chem. Bul. 125, pp. 11-27. 1909.
 inspection instructions, and form. D.B. 1084, pp. 18-20, 33-34. 1922.
 pressure vacuum, and heat, studies. D.B. 1022, pp. 25-29. 1922.
 seasons, and methods. Chem. Bul. 151, pp. 35, 50-54. 1912.
 uniform, desirability, and mixture prevention. F.B. 1253, pp. 9-10. 1922.
 variety requirements, and comparisons. F.B. 1253, pp. 5-6. 1922.
Carlton field, drought-resistance. F.B. 690, p. 6. 1915.
characteristics, food value, and geographical distribution. Chem. Bul. 125, pp. 6-8. 1909.
chick—
 damage by broad-nosed weevil. D.B. 1085, pp. 1, 2. 1922; Ent. Bul. 96, Pt. II, p. 19. 1911.
 importations and description. Nos. 47000, 47163. B.P.I. Inv. 58, pp. 17, 35. 1922.
 planting directions for club members in Southwest. D.C. 48, p. 11. 1919.
Chinese varieties, importations and descriptions. Nos. 31797-31801, 31805-31810, B.P.I. Bul. 248, pp. 49, 50. 1912.
cooking—
 directions. D.B. 123, pp. 41-44, 46-47. 1916.
 recipes. F.B. 256, pp. 21-22. 1906.
cost of production per acre. Y.B., 1921, p. 829. 1922; Y.B. Sep. 876, p. 26. 1922.
crop, various uses. F.B. 224, pp. 4-7. 1905.
cultivation in Alaska. O.E.S. An. Rpt., 1907, p. 40. 1908.
cultural directions, and varieties. F.B. 818, pp. 29-30. 1917; F.B. 934, p. 38. 1918; F.B. 937, pp. 16, 19, 23, 44-45. 1918; F.B. 1044, pp. 35-36. 1919; S.R.S. Doc. 49, pp. 3, 6. 7. 1917.
Darling. *See* Indigo plant.
diseases—
 and insect pests, control. D.C. 35, pp. 19-21. 1919.
 control by crop rotation. News L., vol. 5, No. 26, p. 5. 1918.
 occurring under market, storage, and transit conditions. B.P.I. [Misc.], "Handbook of the * * * ," p. 42. 1919.

1758 UNITED STATES DEPARTMENT OF AGRICULTURE

Pea(s)—Continued.
 dried, food value, uses, and recipes for cooking.
  U.S. Food Leaf. 14, pp. 1-4. 1918.
 dry, acreage, United States, map. Sec., [Misc.]
  Spec. "Geography * * * world's agriculture," p. 101. 1917.
 dry, soaked, labeling regulations. Chem. S.R.A. 28, p. 39. 1923.
 drying—
  directions. D.C. 3, p. 14. 1919; F.B. 841, p. 20. 1917; F.B. 984, p. 55. 1918.
  green, directions. D.B. 1335, p. 37. 1925.
 Egyptian. *See* Chick-pea.
 English—
  canning directions. F.B. 359, p. 13. 1910.
  gray, field, description, and value. F.B. 690, p. 6. 1915.
  everlasting, importation and description. No. 42076. B.P.I. Inv. 46, p. 54. 1919.
  family, injury to trees by sapsuckers. Biol. Bul. 39, p. 44. 1911.
  fertilizer of sulphur, experiments. J.A.R., vol. 5, No. 6, pp. 237, 241-242. 1915.
 fertilizers. F.B. 1255, pp. 10-11. 1922.
 field—
  acreage, in—
   1918, studies. Sec. Cir. 75, p. 12. 1917.
   1919, map. Y.B., 1921, p. 454. 1922; Y.B. Sep. 878, p. 48. 1922.
  as a forage crop. H. N. Vinall. F.B. 690, pp. 24. 1915.
  Blackeye Marrowfat, description and varieties. F.B. 690, p. 6. 1915.
  blue-seeded varieties, growing in lake regions. F.B. 690, p. 6. 1915.
  Cheyenne farm, experiments and results. O.E.S. Cir. 92, pp. 37-38. 1910.
  cultivation in United States and Canada, extent. F.B. 690, pp. 2-3. 1915.
  culture in Oregon and Washington, western slope. B.P.I. Bul. 94, pp. 22-23. 1906.
  description, history, and introduction. F.B. 690, pp. 2-3. 1915.
  Early Britain, description and value. F.B. 690, p. 6. 1915.
  for hog pasture and winter feed, value. D.B. 68, pp. 7-8, 15, 23, 25, 26, 27. 1914.
  Golden Vine, description and value. F.B. 690, p. 6. 1915.
  growing, in—
   Alaska. Alaska A.R., 1909, p. 39. 1910.
   Arizona, varieties and seed yields. W.I.A. Cir., 25, pp. 30-31. 1919.
   Arizona variety tests and yields, Yuma experiment farm. D.C. 75, pp. 40-41. 1920.
   Nebraska, varieties and yield. B.P.I. Doc. 1081, p. 14. 1914.
   North, seeding rate, and uses. S.R.S. Syl. 25, p. 15. 1917.
   northern Great Plains, experiments and yields. D.B. 1244, pp. 37-38, 48. 1924.
   Texas, experiments, 1919, variety tests. D.C. 209, pp. 29-30. 1922.
   Wyoming, experiments. D.B. 1306, pp. 26-27, 20. 1925.
  harvesting for hay and seed, time and methods. F.B. 690, pp. 8-10. 1915.
  hogging-off irrigated land, results in pork production. D.B. 752, pp. 29-32, 36-37. 1919.
  importation and description. No. 40661, B.P.I. Inv. 43, p. 62. 1918.
  irrigation experiments, comparison with summer fallowing. O.E.S. Cir. 95, pp. 4, 5. 1910.
  Kaiser, description and value. F.B. 690, p. 6. 1915.
  marketing methods. Rpt. 98, p. 151. 1913.
  planting—
   experiments in study of legume pod moth. Ent. Bul. 95, Pt. VI, pp. 99-104. 1912.
   instructions. D.C. 118, pp. 1-2. 1920.
  production and importance. Y.B., 1923, pp. 361, 363. 1924; Y.B. Sep. 895, pp. 361, 363. 1924.
  seeding with small grain, advantages and recommendations. F.B. 690, pp. 14-15. 1915.
  suitability for hogging-off, time. F.B. 599, pp. 7-8, 14, 15, 20, 21, 23, 25, 26, 27. 1914.
  Tangier, and partridge, use as green-manure crop. F.B. 1250, pp. 22, 43. 1922.

Pea(s)—Continued.
 field—continued.
  value as forage crop, planting and harvesting time. News L., vol. 5, No. 26, pp. 4-5. 1918.
  varietal tests at—
   San Antonio experiment farm. W.I.A. Cir. 10, p. 15. 1916; W.I.A. Cir. 16, pp. 15-16. 1917.
   Umatilla experiment farm. W.I.A. Cir. 17, pp. 24-25. 1917.
  varieties—
   manure-production tests, Yuma experiment farm, 1915-16. W.I.A. Cir. 20, p. 31. 1918.
   test and yield. B.P.I. Cir. 116, p. 18. 1913.
  flour, analyses and characteristics. D.B. 701, pp. 4-9. 1918.
  freezing points. D.B. 1133, pp. 6, 7, 8. 1923.
  French June, description, and value. F.B. 690, p. 6. 1915.
  fresh, analyses, grades, and varieties, table. Chem. Cir. 54, p. 6. 1910.
  fumigation with carbon disulphide, directions. F.B. 799, pp. 11-12. 1917.
 garden—
  Chinese, importation and description. Nos. 45303, 45304, B.P.I. Inv. 53, p. 23. 1922.
  field-grown, effect of salicylic aldehydes, tables. D.B. 108, pp. 24, 25-26. 1914.
  importations and description. Nos. 46305, 46352, 46429, B.P.I. Inv. 56, pp. 5, 11, 17. 1922.
  injury by vanillin, field tests and pot tests. D.B. 164, pp. 2, 4-5, 7, 9. 1915.
  planting time, methods, and varieties. News L., vol. 4, No. 37, p. 8. 1917.
  rogue types, inheritance studies. Wilber Brotherton, jr. J.A.R., vol. 24, pp. 815-852. 1923.
  Gray Winter field, description. F.B. 690, p. 6. 1915.
 green—
  acreage, 1909. Sec. [Misc.], Spec. "Geography * * * world's agriculture," p. 99. 1918.
  and dry—
   acreage, census 1909, by States, maps. Y.B., 1915, pp. 368, 378. 1916; Y.B. Sep. 681, pp. 368, 378. 1916.
   shipments by States, and by stations, 1916. D.B. 667, pp. 13, 185-186, 188-189. 1918.
  canning, methods. Chem. Cir. 54, p. 1. 1910.
  grading for quality and size. Chem. Bul. 125, pp. 13-18. 1909.
  growing, acreage and States, 1910. Y.B., 1916, pp. 443, 449, 452, 461. 1917; Y.B. Sep. 702, pp. 9, 15, 18, 27. 1917.
  misbranding. Chem. N.J. 13367. 1925.
  varieties and yields, Yuma experiment farm. D.C. 75, p. 57. 1920.
 growing—
  as truck and cannery crop. Y.B., 1907, p. 432. 1908; Y.B. Sep. 459, p. 432. 1908.
  directions—
   and varieties recommended for home gardens. F.B. 936, pp. 48-49. 1918.
   for club members. D.C. 48, p. 9. 1919.
  experiments in Alaska—
   1911. Alaska A.R., 1911, pp. 20-21, 44, 66. 1912.
   1915. Alaska A.R., 1915, pp. 35, 68, 83, 86, 89. 1916.
  for canning—
   and seed, in Wisconsin, Jefferson County. Soil Sur. Adv. Sh., 1912, pp. 14, 24, 52. 1914; Soils F.O., 1912, pp. 1564, 1574, 1602. 1915.
   in New York, Chatauqua County. Soil Sur. Adv. Sh., 1914, pp. 15, 25-37, 54. 1916; Soils F.O., 1914, pp. 281, 290-301, 314. 1919.
   in Wisconsin, Columbia County. Soil Sur. Adv. Sh., 1911, pp. 12-13. 1913; Soils F.O., 1911, pp. 1372-1373. 1914.
   in Wisconsin, Kewaunee County. Soil Sur. Adv. Sh., 1911, pp. 12-13. 1913; Soils F. O., 1911, pp. 1520-1521. 1914.
   in Wisconsin, Walworth County. Soil Sur. Adv. Sh., 1920, pp. 1387-1388, 1398, 1401, 1403. 1924; Soils F.O., 1920, pp. 1387-1388, 1398, 1401, 1403. 1925.
   in Wisconsin, Waukesha County. Soil Sur. Adv. Sh., 1910, pp. 14-15, 25. 1912; Soils F.O., 1910, pp. 1182-1183, 1193. 1912.

Pea(s)—Continued.
 growing—continued.
  for seed—
   methods, yield, and prices. B.P.I. Bul. 184, pp. 28–33. 1910.
   planting, harvesting, and curing. B.P.I. Bul 184, pp. 28–33. 1910.
  in—
   Alaska, experiments and results. Alaska A.R., 1916, pp. 35, 38. 1918.
   Alaska, varieties. Alaska A.R., 1921, pp. 11, 21, 29, 30, 35, 44. 1923.
   Arizona, Yuma experiment farm, varieties, and yields. W.I.A. Cir. 25, p. 42. 1919.
   California, Yuma experiment farm, varieties. W.I.A. Cir. 12, pp. 20–21. 1916.
   Guam, cultural directions. Guam Cir. 2, pp. 15. 1921.
   Guam, directions. Guam Bul. 2, pp. 12, 47. 1922.
   Nevada, for home garden, varieties. B.P.I. Cir. 110, p. 24. 1913.
   New Jersey, Millville area. Soil Sur. Adv. Sh., 1917, pp. 15, 19, 28. 1921; Soils F.O., 1917, pp. 203, 207, 216. 1923.
   soils with and without manganese, experiments. J.A.R., vol. 24, pp. 789, 790, 791. 1923.
   Washington, Spokane County. Soil Sur. Adv. Sh., 1917, pp. 23, 89–90. 1921; Soils F.O., 1917, pp. 2173, 2239–2240. 1923.
   Wisconsin, Columbia County, canneries. Soil Sur. Adv. Sh., 1911, pp. 12–13, 22, 34, 51. 1913; Soils F.O., 1911, pp. 1372–1373, 1382, 1394, 1411. 1914.
   Wisconsin, Dane County, for canning and seed. Soil Sur. Adv. Sh., 1913, pp. 15, 38. 1915; Soils F.O., 1913, pp. 1497, 1520. 1916.
   Wisconsin, Door County, canneries. Soil Sur. Adv. Sh., 1916, pp. 11, 25. 1918; Soils F.O., 1916; pp. 1745, 1759. 1921.
   Wisconsin, Kewaunee County, canning. Soil Sur. Adv. Sh., 1911, pp. 12, 24, 29, 34, 37. 1913; Soils F.O., 1911, pp. 1520, 1532, 1537, 1542, 1545. 1914.
   Wisconsin, north part of north-central. Soil Sur. Adv. Sh., 1914, pp. 21, 43. 68. 1916; Soils F.O., 1914, pp. 1671, 1693, 1718. 1919.
   Wisconsin, northeastern, acreage, uses and yields. Soil Sur. Adv. Sh., 1913, pp. 21, 22, 43, 46, 62, 74, 80, 87. 1915; Soils F.O., 1913, pp. 1577, 1578, 1599, 1602, 1618, 1630, 1636, 1643. 1916.
   Wisconsin, Rock County. Soil Sur. Adv. Sh., 1917, pp. 11, 12, 31. 1920; Soils F.O., 1917, pp. 1189, 1190, 1209. 1923.
  methods and varieties. F.B. 647, p. 20. 1915.
  on Norfolk fine sand, marketing. Soils Cir. 23, pp. 12, 15. 1911.
 growth and water requirements, experiments. D.B. 700, pp. 9–14, 71–72. 1918; D.B. 791, p. 50. 1919.
 harvesting for canning, time and methods. Chem. Bul. 125, pp. 9–10. 1909.
 history from early times. B.P.I. Bul. 102, pp. 44–59. 1907.
 home garden, cultural hints. F.B. 255, p. 39. 1906.
 importations and descriptions. Nos. 32770–32772, B.P.I. Bul. 282, pp. 46–47. 1913; Nos. 43527, 43528, 43555, 43556, B.P.I. Inv. 49, pp. 39, 42. 1921; Nos. 47061–47092, B.P.I. Inv. 58, pp. 22–23. 1922; Nos. 55874–55880, B.P.I. Inv. 73, p. 12. 1924.
 infection with—
  coconut bud rot. J.A.R., vol. 25, p. 270. 1923.
  Corticium vagum, temperature studies and results. J.A.R., vol. 25, pp. 432–438. 1923.
 inheritance studies, genetic factors. J.A.R., vol., 11. pp. 167–190. 1917.
 injury by—
  clover-root curculio. Ent. Bul. 85, p. 29. 1911.
  grosbeaks, control method. Biol. Bul. 32, pp. 35–36. 1908; F.B., 456, p. 13. 1911.
  legume pod moth. Ent. Bul. 95, Pt. VI, pp. 91–104. 1912.
  pea moth, 1908. Ent. Bul. 66, Pt. VII, p. 95. 1909.
  weevils. F.B. 1275, pp. 1–35. 1923.

Pea(s)—Continued.
 inoculation—
  field tests and results. F.B. 315, pp. 17, 18, 19. 1908.
  with Phoma fungus, unsuccessful. J.A.R., vol. 4, p. 12. 1915.
 insects—
  and diseases. Y.B. 856, pp. 25, 52–55. 1917; F.B. 1255, pp. 20–21. 1922.
  likely to be imported. Sec. [Misc.], "A manual * * * insects * * *," p. 165. 1917.
 irrigated—
  cost, and profit per acre, Colorado. O.E.S. Bul. 218, p. 43. 1910.
  yields and variety tests. W.I.A. Cir. 2, p. 19. 1915.
 labeling, Opinion 69. Chem. S.R.A. 7, pp. 528–529. 1914.
 losses, by weevils, and method of infestation. F.B. 983, pp. 3–5, 6–8. 1918.
 louse—
  destruction by birds. Biol. Bul. 15. p. 77. 1901.
  destructive, green. F. H. Chittenden. Ent Cir. 43, pp. 8. 1901.
 market acreage in 1919, map. Y.B., 1921, p. 461. 1922; Y.B. Sep. 878, p. 55. 1912.
 Marrowfat, field, characteristics and varieties. F.B. 690, p. 6. 1915.
 midge, description. Sec. [Misc.], "A manual * * * insects * * *," p. 165. 1917.
 mildew, symptoms, and control by Bordeaux spraying. F.B. 856, p. 54. 1917.
 misbranding. Chem. N.J. 1280, p. 1, 1912; Chem. N.J. 1685, p. 2. 1912; Chem. N.J. 1700, p. 1. 1912.
 mixtures, silage, examination for acidity. J.A.R., vol. 14, pp. 401–405, 408. 1918.
 moth, injurious occurrence, 1908, origin of pest. Ent. Bul. 66, p. 95. 1910.
 mutations in cross breeding. J.A.R., vol. 28, pp. 1247–1252. 1915.
 new varieties, description. B.P.I. Bul. 208, pp. 53, 65, 80. 1911.
 origin, description, and characteristics. F.B. 1253, pp. 3–4. 1922.
 packing season. D.B. 196, p. 18. 1915.
 pasturing with hogs, time, and methods. D.B. 1143, pp. 3–18. 1923; D.C. 204, p. 18. 1921; D.C. 330, p. 19. 1925.
 "Petit Pois," labeling regulations. Chem. S.R.A. 28, p. 39. 1923.
 picking machines, description. F.B. 318, pp. 17–19. 1908.
 pigeon—
  adaptations, climatic and soil. Hawaii Bul. 46, pp. 7–8. 1921.
  as windbreak protection. Hawaii Bul. 25, p. 21. 1911.
  botanical description, distribution, and varieties. Hawaii Bul. 46, pp. 5–7. 1921.
  fertility-rotation experiments in Hawaii. Hawaii A.R., 1920, pp. 32–34. 1921.
  growing in—
   Guam. Guam A.R., 1921, p. 14. 1923.
   Guam, and testing for windbreaks. Guam A.R. 1920, p. 28. 1921.
   Guam, description, culture, and uses. Guam Bul. 4, pp. 18–19, 29. 1922.
   Guam, uses, and insects. Guam A.R. 1911, pp. 12, 30. 1912.
   Hawaii. Hawaii A.R., 1919, pp. 46, 63, 72. 1920; Hawaii A.R., 1921, pp. 7, 49, 54, 60. 1922.
   Hawaii, description, adaptability and uses. Hawaii Bul. 23, pp. 21–23. 1911.
   manganiferous soils, note. Hawaii Bul. 26, pp. 24–25, 34. 1912.
   Porto Rico, uses for food, cover crop and windbreak. P.R. Bul. 19, pp. 20, 27, 31. 1916.
  harvesting, threshing, and milling. Hawaii Bul. 46, pp. 13–15, 16–18. 1921.
  importations and descriptions. Nos. 43494–43496, 43646, B.P.I. Inv. 49, pp. 37, 55. 1921; Nos. 50736–50738, B.P.I. Inv. 64, p. 21. 1923.
  in Hawaii, use as windbreak. Hawaii A.R. 1910, p. 40. 1911.
  insects injurious in Hawaii. Hawaii A.R. 1911, pp. 17–24. 1912.

Pea(s)—Continued.
  pigeon—continued.
    (*Cajanus indicus*), its culture and utilization in Hawaii. F. G. Krauss. Hawaii Bul. 46, pp. 23. 1921.
    planting for windbreaks in Guam. Guam Cir. 2, p. 7. 1921.
    rotation crop for pineapple and sugar-cane. Hawaii Bul. 46, p. 21. 1921.
    seed, culture, harvesting, threshing, and milling. Hawaii Bul. 46, pp. 9, 13–15, 16–18. 1921.
    seed distribution. Hawaii A.R., 1920, pp. 15, 64. 1921.
    successful forage plant in Hawaii. Hawaii A.R. 1918, pp. 29, 32. 1919.
    use as cover crop, Porto Rico. P.R. An. Rpt., 1911, p. 25. 1912.
    use as windbreak, and value for food in Guam. Guam Bul. 2, pp. 17, 49. 1922.
    value in avocado orchards. Hawaii Bul. 51, pp. 8, 10. 1924.
    variety tests in Hawaii. Hawaii A.R., 1920, pp. 26–27, 62. 1921.
  planting—
    between corn rows, studies, and methods. F.B. 1000, p. 22. 1918.
    with cotton seed to save select seed. D.B. 668, pp. 3–6. 1918.
  pod borer, description. Sec. [Misc.], "A manual * * * insects * * *," p. 165. 1917.
  Porto Rican. *See* Pea, pigeon.
  powdery mildew, occurrence and description in Texas. B.P.I. Bul. 226, p. 41. 1912.
  processing—
    details, temperature and time required. Chem. Bul. 125, pp. 24–27. 1909.
    directions and time table. F.B. 1211, pp. 45, 48, 49. 1921.
  production—
    and acreage, by countries of world. Y.B. 1921, pp. 632–633. 1922; Y.B., Sep. 869, pp. 52–53. 1922.
    for canning—
      Chester J. Hunn. F.B. 1255, pp. 24. 1922.
      varieties, qualities desired. Chem. Bul. 125, p. 8. 1909.
    protein content, variation in seed, and value as forage. F.B. 320, pp. 15, 26. 1908.
  Prussian Blue field, description and value. F.B. 690, p. 6. 1915.
  Rangalia field, description and value. F.B. 690, p. 6. 1915.
  refuse from canning, use as forage. B.P.I. Cir. 45, pp. 1–12. 1910.
  requirements of water in stages of growth. D.B. 1340, p. 24. 1925.
  root—
    diseases, prevention. F.B. 1255, p. 21. 1922.
    nodules, description. Y.B., 1910, p. 215. 1911; Y.B. Sep. 530, p. 215. 1911.
    relations of solutions of calcium and magnesium. Rodney H. True and Harley Harris Bartlett. B.P.I. Bul. 231, Pt. I, pp. 36. 1912.
  rot—
    distribution and importance. J.A.R., vol. 30, p. 297. 1925.
    in United States, caused by *Aphanomyces euteiches*. Fred Reuel Jones and Charles Drechsler. J.A.R., vol. 30, pp. 293–325. 1925.
    spread by moisture and warmth. J.A.R., vol. 30, pp. 314–318. 1925.
  seed—
    demand and supply. Y.B., 1917, p. 530. 1918; Y.B. Sep. 757, p. 36. 1918.
    effects of disinfectants. B.P.I. Cir. 67, pp. 7–11. 1910.
    for the canner. D. N. Shoemaker. F.B. 1253, pp. 16. 1922.
    growing—
      for canning and market-garden trade, discussion. F.B. 1253, pp. 6–8. 1922.
      localities, acreage, yield, production, and consumption. Y.B., 1918, pp. 204, 206, 207. 1919; Y.B. Sep. 775, pp. 12, 14, 15. 1919.
      yield and prices. B.P.I. Bul. 184, pp. 28–33. 1910.

Pea(s)—Continued.
  seed—continued.
    iron and manganese content. J.A.R., vol. 2 pp. 397, 398. 1923.
    saving, directions. F.B. 884, p. 5. 1917; F.B. 1390, pp. 3–4. 1924.
    selection—
      and seeding, quantity and methods. F.B. 1255, pp. 12–14. 1922.
      for protein content. F.B. 320, p. 15. 1908.
      importance method. News L., vol. 5, No. 8, pp. 1–2. 1917.
    viability, requirements. B.P.I. Bul. 184, p. 33. 1910.
  Shahon, description, extravagant claims, warnings. News L., vol. 2, No. 35, p. 2. 1915.
  shelling—
    machine. Chem. Bul. 125, pp. 5, 11–12. 1909.
    sorting and canning methods. D.B. 196, pp. 60–62. 1915.
  Siberian, importations and description. Nos. 32190, 32192, 32193, B.P.I. Bul. 261, p. 39. 1912.
  soaked—
    canning and sale as fresh peas. Chem. Cir. 54, pp. 1–2. 1910.
    labeling. Chem. S.R.A. 3, p. 111. 1914.
    violation of food and drugs act, warnings. News L., vol. 5, No. 11, p. 4. 1917.
  soaking, food-law violations. News L., vol. 4, No. 29, p. 4. 1917.
  soil requirements and preparation of land. F.B. 1255, pp. 2, 8–10. 1922.
  soup—
    canning recipe. S.R.S. Doc. 9, p. 2. 1915.
    cream, preparation and canning, recipe. News L., vol. 3, No. 1, p. 2. 1915.
    recipe. F.B. 712, p. 19. 1916.
  sweet, diseases, study and control. S.R.S. Rpt., 1915, Pt. I, pp. 55, 89. 1917.
  spraying calendar. S.R.S. Doc. 52, pp. 8–9. 1917.
  statistics—
    acreage and production—
      1906–1911. Y.B., 1911, pp. 600–601. 1912; Y.B. Sep. 587, pp. 600–601. 1912.
      1912. Y.B., 1912, pp. 646–647. 1913; Y.B. Sep. 614, pp. 646–647. 1913.
      1913–1915, world countries. Y.B., 1916, p. 642. 1917; Y.B. Sep. 720, p. 642. 1917.
      1914–1916. Y.B., 1917, pp. 690, 767. 1918; Y.B. Sep. 760, p. 38. 1918; Y.B. Sep. 762, p. 11. 1918.
      1915–1917, and imports. Y.B., 1918, pp. 560, 634. 1919; Y.B. Sep. 792, p. 56. 1919; Y.B. Sep. 794, p. 10. 1919.
    receipts and shipments at trade centers. Rpt. 98, p. 363. 1913.
  stemrot and rootrot caused by *Fusarium* spp. Fred Reuel Jones. J.A.R., vol. 26, pp. 459–476. 1923.
  stock seed, growing. B.P.I. Bul. 184, p. 33. 1910.
  storage for home use. F.B. 879, p. 15. 1917.
  sugar content, effect of letting peas stand before canning. Chem. Bul. 125, p. 31. 1909.
  sweet—
    dodder occurrence in Texas. B.P.I. Bul. 226, p. 89. 1912.
    dusting with sulphur for red-spider control. Ent. Bul. 117, pp. 22, 35. 1913.
    growing details. F.B. 532, pp. 5–13. 1913.
    perennial, importation, description, and value. No. 33290, B.P.I. Inv. 31, pp. 4, 10. 1914.
    planting directions. D.B. 305, p. 40. 1915.
  Tangier—
    as green manure, experiments. F.B. 278, p. 27. 1907.
    description, uses, introduction as forage plant. Y.B., 1908, p. 252. 1909; Y.B. Sep. 478, p. 252. 1909.
    rate of seeding per acre. B.P.I. Bul. 190, p. 32. 1910.
    seed yield per acre and cost, California. B.P.I. Bul. 190, p. 33. 1910.
    use as green-manure crop. B.P.I. Bul. 190, p. 32. 1910.
    unthreshed, use as horse feed. F.B. 1030, p. 18. 1919.

INDEX TO PUBLICATIONS, 1901–1925   1761

Pea(s)—Continued.
use—
as—
food, studies. O.E.S. Bul. 245, pp. 55, 56, 57. 1912.
horse feed. F.B. 1030, p. 13. 1919.
meat savers. F.B. 871, p. 5. 1917.
meat substitute, recipe for soufflé. U.S. Food Leaf. 8, p. 2. 1917.
temporary pastures for sheep. F.B. 1181, pp. 8, 11, 13, 16. 1921.
for—
canning, varieties and comparisons. F.B. 1253, pp. 5–6. 1922.
sheep pastures and sheep feed. D.B. 20, pp. 41, 44. 1913.
value for emergency forage crop. Sec. Cir. 36, pp. 1–2. 1911.
varietal tests, Yuma experiment farm, 1916. W.I.A. Cir. 20, pp. 37–38. 1918.
varieties—
importation from China, and description. Nos. 38438–38440, B.P.I. Inv. 39, p. 131. 1917.
resistance to Fusarium. J.A.R., vol. 26, pp. 471–472. 1923.
resistant to root rot. J.A.R., vol. 30, pp. 323–324. 1925.
velvet. *See* Velvet bean.
vine(s)—
analysis showing value as fertilizer. B.P.I. Cir. 45, p. 12. 1910.
composition, comparison with corn. B.P.I. Cir. 45, p. 7. 1910.
hay—
composition and value. Chem. Bul. 125, p. 32. 1909.
curing and use. B.P.I. Cir. 45, pp. 9–11. 1910.
use in fattening calves, experiments. B.A.I. Bul. 147, pp. 22, 23–26, 38, 39, 40. 1912.
low, indicator value on range. D.B. 791, pp. 37, 38, 43, 44. 1919.
silage—
composition and value, comparison with corn. Chem. Bul. 125, p. 32. 1909.
composition, comparison with corn silage. B.P.I. Cir. 45, p. 7. 1910.
value for dairy cattle, beef cattle, and sheep. B.P.I. Cir. 45, pp. 4–9, 11. 1910.
value as silage, hay, soiling, and fertilizer. B.P.I. Cir. 45, pp. 4–12. 1910.
wild, in Alaska, value for pasture and silage. Alaska A.R., 1910, p. 59. 1911.
violet, importation and description. No. 34164, B.P.I. Inv. 32, p. 17. 1914.
vitality of buried seeds. J.A.R., vol. 29, pp. 353–354. 1924.
water and yields in Oregon. D.B. 1340, p. 48. 1925.
weevil(s)—
control by—
carbon bisulphide. Y.B., 1907, p. 543. 1908; Y.B. Sep. 472, p. 543. 1908.
fumigation of seed. News L., vol. 5, No. 26, p. 5. 1918.
description and—
control. F.B. 983, pp. 1–24. 1918.
prevention. D.C. 35, pp. 19–21. 1919.
destruction in seeds and soil, methods. F.B. 690, pp. 21–22. 1915.
injuries, description and control. F.B. 856, p. 53. 1917.
injury to field peas, description, life history, and prevalence. F.B. 690, pp. 21–22. 1915.
notes. Ent. Bul. 82, Pt. VII, pp. 92–93. 1911; Ent. Bul. 82, pp. 92–93. 1912.
wild, abundance for forage in Alaska (reconnaissance). Soil Sur. Adv. Sh., 1914, pp. 19, 22, 49, 50, 54, 57, 67. 1915; Soils F.O., 1914, pp. 56, 83, 104, 118, 119, 125, 135. 1919.
wild. *See also* Vetch.
winter growing, directions. News L., vol. 7, No. 11, p. 2. 1919.
world, acreage and production, by countries, 1909–1922. Y.B., 1922, pp. 757–758. 1923; Y.B. Sep. 884, pp. 757–758. 1923.
yield per acre. D.B. 1338, p. 5. 1925.
yields, costs, and payment methods. F.B. 1255, pp. 18–19. 1922.
See also Cowpeas.

Pea tree—
dwarf, importation and description. No. 55769, B.P.I. Inv. 72, pp. 4, 32. 1924.
importation and description. Nos. 42186, 42282, 42312, B.P.I. Inv. 46, pp. 63, 72, 76. 1919; No. 43831, B.P.I. Inv. 49, p. 84. 1921.
Siberian—
description, use, and planting details. F.B. 888, pp. 9, 19. 1917.
growing in Alaska. Alaska A.R., 1910, p. 26. 1911.
importations and descriptions. Nos. 35164, 35234, B.P.I. Inv. 35, pp. 15, 25. 1915; No. 41480, B.P.I. Inv. 45, pp. 6, 36. 1918; Nos. 52451, 52690–52700, B.P.I. Inv. 66, pp. 5, 28, 60–62. 1923.
Peabody bird. *See* Sparrow, white-throated.
Peace—
conditions governing preservation, discussion. Sec. Cir. 130, pp. 17–19. 1919.
delay, cause of unrest and lessening production. Sec. Cir. 147, pp. 3–5. 1919.
Peace River Valley, description, climate, and seasonal events. N.A. Fauna 27, pp. 23–26. 1908.
Peach(es)—
acreage—
1910, by States, maps. Y.B., 1915, p. 384. 1916; Y.B. Sep. 681, p. 384. 1916.
and production in North Carolina, Haywood County. Soil Sur. Adv. Sh., 1922, pp. 207, 208. 1925.
adaptability to—
Cecil sandy loam. Soils Cir. 27, pp. 15–16. 1911.
Orangeburg fine sandy loam. Soils Cir. 46, pp. 9, 17, 19. 1911.
adulteration. *See Indexes, Notices of Judgment, in bound volumes and in separates published as supplements to Chemistry Service and Regulatory announcements.*
alkali-resistant, importation. Off. Rec., vol. 2, No. 30, p. 2. 1923.
almond hybrid, importation and description. No. 51705, B.P.I. Inv. 65, pp. 5, 38. 1923.
analysis and composition during growth, tables. Chem. Bul. 97, pp. 11, 15, 16, 19, 21. 1905.
and honey crystallized, adulteration and misbranding. Chem. N.J. 4350. 1916.
aphid—
black, description, life history, and remedies. Y.B., 1905, pp. 342–344. 1906; Y.B. Sep. 386, pp. 342–344. 1906.
description and history. F.B. 804, pp. 25–27. 1917.
description, habits, and control. F.B. 1128, pp. 25–28, 47–48. 1920.
as vinegar stock, value. H. C. Gore. Chem. Cir. 51, pp. 7. 1910.
Augbert, origin, and description. Y.B., 1908, pp. 477–478. 1909; Y.B. Sep. 496, pp. 477–478. 1909.
bacterial spot—
control in southern orchards. John W. Roberts. D.B. 543, pp. 7. 1917.
on the market. F.B. 1435, pp. 2–3. 1924.
bark beetle—
distribution and control. Ent. Bul. 68, Pt. IX, pp. 101–105. 1909.
history, range, life history, and habits. F.B. 763, pp. 6–9. 1916.
Belle, origin and value. Y.B., 1911, p. 412. 1912; Y.B. Sep. 580, p. 412. 1912.
Bilyeu, characteristics in Piedmont and Blue Ridge area. B.P.I. Bul. 135, pp. 53, 88. 1908.
blight—
California, control. Work and Exp., 1914, p. 226. 1915.
control by Bordeaux mixture. S.R.S. Rpt., 1916, Pt. I, p. 71. 1918.
eradication work, 1907. An. Rpts., 1907, pp. 41, 42, 265. 1908; Rpt. 85, pp. 29, 30. 1907; Sec. A. R., 1907, pp. 39, 40. 1907; Y.B., 1907, pp. 40, 41. 1908.
See also Pustular spot.
blue-mold, attack. F.B. 1435, pp. 3–5. 1924.
borer—
California, distribution, description, life history, and control. Ent. Bul. 97, pp. 65–89. 1913.

Peach(es)—Continued.
  borer—continued.
    comparison with lesser peach borer. Ent. Bul. 68, p. 38. 1909.
    control—
      by tree-banding material for gipsy moths. D.B. 899, pp. 15, 16. 1920.
      by worming. D.B. 29, p. 11. 1913.
      studies. F. B. 908, p. 88. 1918; S.R.S. Rpt., 1916, Pt. I, pp. 65–67. 1918; S.R.S. Syl. 23, p. 12. 1916.
      with paradichlorobenzene, studies. D.B. 1169, pp. 1–19. 1923.
    eastern—
      comparison with California peach borer. Ent. Bul. 97, pp. 65–66, 68. 1913.
      control methods. Ent. Bul. 97, p. 87. 1913.
    lesser—
      A. A. Girault. Ent. Bul. 68, Pt. IV, pp. 31–48. 1907.
      parasites. Ent. Bul. 68, pp. 44–45. 1909.
    life history—
      and control. A. L. Quaintance. F.B. 1246, pp. 14. 1921.
      enemies, and preventive measures. Y.B., 1905, pp. 330–335, 344–346. 1906; Y.B. Sep. 386, pp. 330–335, 344–346. 1906.
    prevention of ravages, paradichlorobenzene treatment. A. L. Quaintance. F.B. 1246, pp. 14. 1921.
  boxes, varying sizes. F.B. 1196, p. 32. 1921.
  brandy, adulteration, and misbranding. Chem. N.J. 2936, pp. 1–2. 1914; Chem. N.J. 3504, p. 1. 1915.
  brown-rot—
    and scab, control. W. M. Scott and T. Willard Ayres. B.P.I. Bul. 174, pp. 31. 1910.
    control. Ent. Cir. 120, pp. 1–7, 1910.
    control by lime-sulphur spray. An. Rpts., 1909, p. 270. 1910; B.P.I. Chief Rpt., 1909, p. 18. 1909.
    fungus, effects. J.A.R., vol. 6, No. 5, p. 195. 1916.
    history, cause, and importance. B.P.I. Bul. 174, pp. 8–13. 1910.
    injuries and control by spraying. News L., vol. 4, No. 39, p. 5. 1917.
    nature, cause, and control. F.B. 440, pp. 7–10, 38–40. 1911.
    on the market. F.B. 1435, pp. 5–9. 1924.
    spraying. An. Rpts., 1910, pp. 54–55, 284, 528. 1911; B.P.I. Chief Rpt., 1910, p. 14. 1910; B.P.I. Cir. 27, pp. 8–12. 1909; Ent. A.R., 1910, p. 24. 1910; Rpt. 93, p. 40. 1910; Sec. A.R., 1910, pp. 54–55. 1910; Y.B., 1910, pp. 53–54. 1911.
  bud(s)—
    mite, notes on. A. L. Quaintance. Ent. Bul. 97, pp. 103–114. 1913.
    protection by laying down trees. F.B. 186, pp. 15–18. 1904.
    rot, origin from *Fusarium* species. John W. Roberts. J.A.R., vol. 26, pp. 507–512. 1923.
    winterkilling, prevention, studies. F.B. 316, pp. 6–8. 1908.
  budding. O.E.S. An.Rpt., 1906, pp. 413–415. 1907.
  bushel weights, by States. Y.B., 1918, p. 725. 1919; Y.B. Sep. 795, pp. 61, 62. 1919.
  butter—
    description and composition. Chem. Bul. 66, rev., p. 97. 1905.
    making, directions. F.B. 900, p. 6. 1917.
    recipes. News L., vol. 5, No. 4, pp. 5, 6. 1917.
  candy, adulteration, alleged. Chem. N.J. 1642, pp. 5. 1912.
  canned—
    adulteration. Chem. N.J. 1735, p. 1. 1912; Chem. N.J. 3155, p. 1. 1914.
    marketing. F.B. 426, p. 26. 1910.
    misbranding. Chem. N.J. 34–35. 1908; Chem. N.J. 92. 1909.
  canning—
    directions. F.B. 839, pp. 19–20, 30. 1917; F.B. 853, pp. 16–17. 1917.
    implements, description. F.B. 426, pp. 15–18. 1910.
    industry, extent and location. F.B. 426, pp. 1–6. 1910.

Peach(es)—Continued.
  canning—continued.
    inspection instructions. D.B. 1084, pp. 25–26. 1922.
    methods, effect of various sirups, fruit weight. D.B. 196, pp. 43–46. 1915.
    on the farm. H. P. Gould and W. F. Fletcher. F.B. 426, pp. 26. 1910.
    seasons and methods. Chem. Bul. 151, pp. 35, 39–41. 1912.
    standards and directions. B.P.I. Doc. 631, rev., pp. 5, 6. 1915.
  carbon dioxide evolution, effect of picking. Chem. Bul. 142, pp. 29–32. 1911.
  carload shipments from various stations, 1914, by States. D.B. 298, pp. 9–15. 1915.
  car-lot—
    shipments monthly by States, 1918–1923. S.B. 7, pp. 22–25. 1925.
    unloads, comparison with shipments, 12 markets, 1918–1923. S.B. 7, p. 109. 1925.
  Champion, origin—
    and description. Y.B., 1908, pp. 478–479. 1909; Y.B. Sep. 496, pp. 478–479. 1909.
    description, and phenological records, Ozark region. B.P.I. Bul. 275, pp. 60, 80. 1913.
  chemical composition, changes during growth and ripening. Chem. Bul. 97, pp. 7–21. 1905.
  Chinese—
    importations and descriptions. Nos. 39428, 39544, B.P.I. Inv. 41, pp. 8, 27, 38. 1917; Nos. 41395, 41421–41422, B.P.I. Inv. 45, pp. 6, 22–23, 26. 1918; Nos. 44018, 44253–44266, B.P.I. Inv. 50 pp. 7, 16, 48–50. 1922.
    testing in Texas. D.B. 162, pp. 5, 7–8, 10, 23. 1915.
    use as stock for grafting. An. Rpts., 1910, p. 356. 1911; B.P.I. Chief Rpt., 1910, p. 86. 1910.
    wild, value as grafting stock. B.P.I. Cir. 120, p. 15. 1913.
    wild, value as stock for plums. An. Rpts., 1913, p. 129. 1914; B.P.I. Chief Rpt., 1913, p. 25. 1913.
  cider analyses, comparison with apple. Chem. Cir. 51, p. 5. 1910.
  ciders fermentation and analyses. Chem. Cir. 51, pp. 3–5. 1910.
  classification—
    by varieties. F.B. 918, pp. 1–15. 1918.
    studies. F.B. 633, pp. 11–13. 1915; O.E.S. An. Rpt., 1906, pp. 400–403. 1907.
  cling, Chinese varieties description. B.P.I. Bul. 204, pp. 17–18. 1911.
  cold storage. B.P.I. Bul. 40, pp. 1–28. 1903.
  cordial, adulteration and misbranding. Chem. N.J. 1877, pp. 2. 1913.
  commercial varieties, degrees of injury by *Cladosporium carpophilum*. D.B. 395, pp. 45–46. 1917.
  composition—
    changes during growth. Chem. Bul. 97, pp. 7–21. 1905.
    effect of storage. Chem. Bul. 97, pp. 22–32. 1905.
  containers, quantity declaration. Chem. S.R.A. 13, p. 3. 1915.
  control of curculio, brown rot, and scab. Off. Rec., vol. 1, No. 24, p. 5. 1922.
  Crawford Early, description, analysis, and composition. Chem. Bul. 97, pp. 8, 10, 11, 16, 24, 26, 28. 1905.
  crop—
    condition—
      1915, and prospects, July 1, 1915. D.B. 298, pp. 8–10. 1915.
      April 1, 1918. News L., vol. 6, No. 38, p. 12. 1919.
    estimate, various sections, 1918. News L., vol. 5, No. 52, p. 3. 1918.
    in Georgia, 1921, value. D.C. 216, p. 3. 1922.
    labor, day's work. D.B. 412, pp. 14–15. 1916.
    losses caused by plum curculio, estimation. Ent. Bul. 103, p. 27. 1912.
    movement, inquiries, and sources of information. D.B. 298, p. 3. 1915.
    shipping seasons by States. D.B. 298, pp. 3–4. 1915.
    value, and losses from diseases and insects. F.B. 440, pp. 5–6. 1911.

INDEX TO PUBLICATIONS, 1901–1925

Peach(es)—Continued.
  crown-gall inoculation experiments. B.P.I. Bul. 213, pp. 38, 59, 60–74, 76, 128. 1911.
  culture—
    experiments. Hawaii A.R., 1913, pp. 25, 27–28. 1914.
    heading back, treatment for winter killing. F.B. 316, pp. 6–8. 1908.
  curculio, control. Ent. Cir. 120, pp. 1–7. 1910.
  damages by Mexican conchuela, Texas, 1905, treatment. Ent. Bul. 64, Pt. I, pp. 6, 14. 1907.
  danger-point temperature at different stages. F.B. 104, rev., p. 29. 1910.
  Davidiana—
    testing resistance and value as grafting stock. Y.B., 1916, p. 142. 1917; Y.B. Sep. 687, p. 8. 1917.
    use as hardy stock for peaches in Northwest. Y.B., 1915, p. 219. 1916; Y.B. Sep. 671, p. 219. 1916.
  disease(s)—
    1902, review. Y.B., 1902, p. 716. 1903.
    1907. Y.B., 1907, p. 579. 1908; Y.B. Sep. 467, p. 579. 1908.
    1908, and promising treatment. Y.B., 1908, p. 535. 1909.
    control. F.B. 917, p. 39. 1918.
    control by lime-sulphur spray. Sec. A.R., 1911, p. 54. 1911; Y.B., 1911, p. 54. 1912; An. Rpts., 1911, p. 56. 1912; F.B. 435, pp. 14, 15. 1911.
    in Texas, occurrence and description. B.P.I. Bul. 226, pp. 28–29. 1912.
    lime-sulphur as fungicide. O.E.S. An. Rpt., 1911, p. 203. 1912.
    prevention. Y.B., 1908, pp. 209–210. 1909; Y.B. Sep. 475, pp. 209–210. 1909.
    rosette, comparison with pecan rosette. J.A.R. vol. 3, pp. 170, 174. 1914.
    study and control. An. Rpts., 1907, pp. 265–266, 267. 1908.
    treatment. F.B. 243, pp. 20–21. 1906.
    use of self-boiled lime-sulphur mixture. B.P.I. Cir. 1, pp. 16–17. 1908.
  dried—
    adulteration. Chem. N.J., 1908, p. 1. 1912.
    exports, 1906, 1911, 1913, distribution. D.B. 296, p. 43. 1915.
    preparation and uses. Y.B., 1912, pp. 510, 511, 519, 520. 1913; Y.B. Sep. 610, pp. 510, 511, 519, 520. 1913.
    production in California. D.B. 1141, pp. 2, 46. 1923.
  "drops," destruction, importance in curculio control and destruction methods. D.C. 216, pp. 9–13. 1922.
  dry-land, seedlings. B.P.I. Cir. 13, p. 15. 1908.
  drying—
    directions. D.B. 1335, p. 35. 1925; D.C. 3, p. 21. 1919; F.B. 841, p. 23. 1917; F.B. 984, p. 43. 1918.
    in sun, details. F.B. 903, pp. 50–52. 1917.
  dusting from air. Off. Rec., vol. 4, No. 51, p. 6. 1925.
  Early Crawford, origin, description, and peneological records, Ozark region. B.P.I. Bul. 275, pp. 60, 80–81. 1913.
  Early Wheeler, origin and description. Y.B., 1906, p. 360. 1907; Y.B. Sep. 429, p. 360. 1907.
  Elberta—
    characteristics in Piedmont, and Blue Ridge region. B.P.I. Bul. 135, pp. 55, 91. 1908.
    description, composition, and analysis. Chem. Bul. 97, pp. 10, 11, 14–21. 1905.
    origin and value. B.P.I. Bul. 275, pp. 60–62, 81–83. 1913; Y.B., 1911, p. 412. 1912; Y.B. Sep. 580, p. 412. 1912.
    picking date, and acreage, 1909. D.C. 183, p. 50. 1922; Y.B., 1917, p. 586. 1918; Y.B. Sep. 578, p. 52. 1918.
    spraying experiments and results. Ent. Cir. 120, pp. 4–5. 1910.
  enemy, *Laspeyresia molesta*. A. L. Quaintance and W. B. Wood. J.A.R., vol. 7, pp. 373–377. 1916.
  estimates, 1910–1922. M.C. 6, p. 18. 1923.
  evaporated—
    adulteration. Chem. N.J. 946, p. 2. 1911.
    sulphuring reasons. Chem. Cir. 37, p. 4. 1907. Chem. Bul. 84, Pt. III, p. 764. 1907.

Peach(es)—Continued.
  evaporating by artificial heat, details. F.B. 903, pp. 31–35. 1917.
  evaporation, details. D.B. 1141, pp. 45–48. 1923.
  everbearing, history, description. Y.B., 1905, pp. 498–500. 1906; Y.B. Sep. 399, pp. 498–500. 1906.
  exports, 1922–1924. Y.B., 1924, p. 1043. 1925.
  extract, adulteration and misbranding. Chem. N.J. 520, pp. 2. 1910; Chem. N.J. 4060, p. 1. 1906.
  Family Favorite, origin, description, and phenological records, Ozark region. B.P.I. Bul. 275, pp. 62–83. 1913.
  Feitcheng, introduction. Y.B., 1908, p. 41. 1909.
  fertilizers—
    cost, in West Virginia. D.B. 29, pp. 9, 18. 1913.
    cover crops. F.B. 631, pp. 21–24. 1915.
    effect on yield. O.E.S. An. Rpt., 1911, pp. 64, 140. 1912.
    tests. Soils Bul. 67, p. 73. 1910.
  flavor—
    concentrated, adulteration. Chem. N.J. 2470, p. 1. 1913.
    misbranding. Chem. N. J. 1057, p. 2. 1911.
  foliage—
    action of lead arsenate, experiments, 1907 and 1908. Chem. Bul. 131, pp. 27–49. 1910.
    analyses showing injury by smelter fumes. Chem. Bul. 89, pp. 15, 21, 22. 1905.
    injurious effects of arsenicals. Ent. Bul. 67, p. 47. 1907.
    susceptibility to injury, discussion. Chem. Bul. 131, p. 44. 1910.
  food value, analysis and comparison with other fruits. F.B. 685, p. 21. 1915.
  forecasts, distribution to growers. News L., vol. 6, No. 20, p. 5. 1918.
  freezing—
    canning, and disease studies. B.P.I. Chief Rpt., 1925, pp. 6–7. 1925.
    points. D.B. 1133, pp. 3, 4, 5, 7. 1923.
  frost resistance, studies, New Mexico Experiment Station. O.E.S. An. Rpt., 1912, p. 166. 1913.
  fruit fly—
    description. Sec. [Misc.], "A manual * * * insects * * *," pp. 117–118. 1917.
    infestation and parasitism, Hawaii, 1916. J.A.R., vol. 12, pp. 105, 106. 1918.
  fumigated, absorption of hydrocyanic acid. D.B. 1149, pp. 2, 3, 8. 1923.
  gall, infectious nature. B.P.I. Bul. 213, p. 19. 1911.
  Georgia—
    inspection work. Off. Rec., vol. 3, No. 27, p. 7. 1924.
    new species of aphid. Ent. Bul. 31, p. 56. 1902.
    record crop, 1925. Off. Rec., vol. 4, No. 34, p. 1. 1925.
  grades, adoption by South Carolina. Off. Rec., vol. 1, No. 40, p. 7. 1922.
  grading methods. F.B. 1266, pp. 32–34. 1922.
  growers in Utah, marketing crop, cooperation. News L., vol. 7, No. 5, p. 12. 1919.
  growing—
    and—
      marketing in Sumter County, Ga. Soil Sur. Adv. Sh., 1910, pp. 16–17. 1911; Soils F.O., 1910, pp. 512–513. 1912.
      variety testing at Umatilla Experiment Farm, 1918. D.C. 110, p. 24. 1920.
      yield on Norfolk sand. Soils Cir. 44, pp. 14, 17. 1911.
    experiments in Guam. Guam A.R., 1911, pp. 16–17. 1912.
    for home use, planting season, and distance. F.B. 1001, pp. 4, 5, 8, 18. 1919.
    improvements. F.B. 276, p. 5. 1907.
    in Alabama—
      Baldwin County, prevention by San Jose scale. Soil Sur. Adv. Sh., 1909, p. 14. 1911; Soils F.O., 1909, p. 714. 1912.
      Escambia County. Soil Sur. Adv. Sh., 1913, pp. 17, 27, 33, 35. 1915; Soils F.O., 1913, pp. 839, 849, 855, 857. 1916.
      Monroe County. Soil Sur. Adv. Sh., 1916, pp. 13, 28, 37. 1918; Soils F.O., 1916, pp. 859, 874, 883. 1921.

Peach(es)—Continued.
  growing—continued.
    in Alabama—continued.
      Pickens County. Soil Sur. Adv. Sh., 1916, pp. 11, 20, 23, 31. 1917; Soils F.O., 1916, pp. 907, 915, 916, 927. 1921.
      Tallapoosa County. Soil Sur. Adv. Sh., 1909, pp. 12, 24. 1910; Soils F.O., 1909, pp. 652, 664. 1912.
    in Arkansas—
      Fayetteville area. Soil Sur. Adv. Sh., 1906, pp. 37-38. 1907; Soils F.O., 1906, p. 619. 1908.
      Howard County. Soil Sur. Adv. Sh., 1917, pp. 9-11, 19-26, 36. 1919; Soils F.O., 1917, pp. 1359, 1361, 1369-1376, 1386. 1923.
      Pope County. Soil Sur. Adv. Sh., 1913, pp. 13, 23. 1915; Soils F.O., 1913, pp. 1229, 1239-1240. 1916.
      Yell County. Soil Sur. Adv. Sh., 1916, pp. 10, 18, 29. 1917; Soil F.O., 1915, pp. 1204, 1212, 1234. 1921.
    in California—
      Central southern area. Soil Sur. Adv. Sh., 1917, pp. 29-30, 58, 88-114. 1921; Soils F.O., 1917, pp. 2427-2428, 2456, 2488-2514. 1923.
      Fresno area, yields and prices. Soil Sur. Adv. Sh., 1912, p. 17. 1914; Soils F.O., 1912, p. 2101. 1915.
      lower San Joaquin Valley, varieties, etc. Soil Sur. Adv. Sh., 1915, p. 23. 1918; Soils F.O., 1915, p. 2599. 1919.
      Marysville area. Soil Sur. Adv. Sh., 1909, pp. 14-15. 1911; Soils F.O., 1909, pp. 1698-1699. 1912.
      Merced area, yields, and cost. Soil Sur. Adv. Sh., 1914, p. 15. 1916; Soils F.O., 1914, p. 2795. 1919.
      middle San Joaquin Valley. Soil Sur. Adv. Sh., 1916, pp. 28-29, 56-105. 1919; Soils F.O. 1916, pp. 2442-2443, 2465-2519. 1921.
      Modesto-Turlock area, varieties adaptable. Soil Sur. Adv. Sh., 1908, pp. 56-57. 1909; Soils F.O., 1908, pp. 1280-1281. 1911.
      Pasadena area, varieties and yields. Soil Sur. Adv. Sh., 1915, pp. 14, 15. 1917; Soils F.O., 1915, pp. 2324, 2325. 1919.
      Riverside area, varieties, yields, and cost. Soil Sur. Adv. Sh., 1915, pp. 13, 70. 1917; Soils F.O., 1915, pp. 2375, 2416. 1919.
      San Fernando Valley area. Soil Sur. Adv. Sh., 1915, pp. 15, 35, 46, 51, 61. 1917; Soils F.O., 1915, pp. 2461, 2481, 2492, 2497, 2507. 1919.
      San Francisco Bay region, varieties, and methods. Soil Sur. Adv. Sh., 1914, pp. 20-21. 1917; Soils F.O., 1914, pp. 2692-2712. 1919.
      upper San Joaquin Valley. Soil Sur. Adv. Sh., 1917, pp. 29-30. 1921; Soils F.O., 1917, pp. 2557-2558. 1923.
    in China. D.C. 146, p. 4. 1920.
    in Delaware—
      New Castle County. Soil Sur. Adv. Sh., 1915, pp. 10, 11, 18. 1917; Soils F.O., 1915, pp. 274, 275, 282. 1919.
      Sussex County. Soil Sur. Adv. Sh., 1920, pp. 1535, 1537, 1547, 1549. 1924; Soils F.O., 1920, pp. 1535, 1537, 1547, 1549. 1925.
    in Florida, Putnam County, varieties. Soil Sur. Adv. Sh., 1914, p. 12. 1916; Soils F.O., 1914, p. 1004. 1919.
    in Georgia—
      Chattooga County, decline of industry. Soil Sur. Adv. Sh., 1912, pp. 17-18, 31. 1913; Soils F.O., 1912, pp. 531-532, 545. 1915.
      Cobb County. Soils F.O., Sep., 1901, pp. 321-322. 1903; Soils F.O., 1901, pp. 321-322. 1902.
      Gordon County, and decline. Soil Sur. Adv. Sh., 1913, pp. 15, 22, 66. 1914; Soils F.O., 1913, pp. 345, 352, 396. 1916.
      Habersham County, acreage and varieties. Soil Sur. Adv. Sh., 1913, pp. 17-19. 1915; Soils F.O., 1913, pp. 413-415. 1916.
      Hancock County. Soil Sur. Adv. Sh., 1909, pp. 16-18, 21, 22. 1910; Soils F.O., 1909, pp. 562-564, 567, 568. 1912.

Peach(es)—Continued.
  growing—continued.
    in Georgia—continued.
      Jones County, acreage, and varieties. Soil Sur. Adv. Sh., 1913, pp. 14-16, 31, 38, 40. 1915; Soils F.O., 1913, pp. 484-486, 501, 508, 510. 1916.
      Meriwether County. Soil Sur. Adv. Sh., 1916, pp. 9, 26. 1917; Soils F.O., 1916, pp. 691, 708. 1921.
      Pike County. Soil Sur. Adv. Sh., 1909, pp. 15-16. 1910; Soils F.O., 1909, pp. 585-586, 592. 1912.
      Terrell County, acreage and varieties. Soil Sur. Adv. Sh., 1914, pp. 15, 60. 1915; Soils F.O., 1914, pp. 871, 892. 1919.
      Washington County. Soil Sur. Adv. Sh., 1915, p. 10. 1916; Soils F.O., 1915, p. 688. 1919.
    in Guam, studies and experiments. Guam A.R., 1912, p. 25. 1913.
    in Hawaii. Hawaii A.R., 1912, p. 9. 1913.
    in Idaho, Twin Falls area. Soil Sur. Adv. Sh., 1921, p. 1386. 1925.
    in Maryland—
      Charles County. Soil Sur. Adv. Sh., 1918, pp. 10-11, 20, 32. 1922; Soils F.O., 1918, pp. 82-83, 92, 104. 1924.
      Washington County. Soil Sur. Adv. Sh., 1917, pp. 12, 13, 15, 23-36. 1919; Soils F.O., 1917, pp. 316, 317, 319, 327-330. 1923.
    in Michigan, Allegan County. Soils F.O. Sep., 1901, pp. 94-95, 115, 124. 1903; Soils F.O., 1901, pp. 94-95, 115, 124. 1902.
    in Mississippi—
      Clarke County. Soil Sur. Adv. Sh., 1914, pp. 10, 19, 21. 1915; Soils F.O., 1914, pp. 1206, 1215, 1217. 1919.
      Lauderdale County, possibilities. Soil Sur. Adv. Sh., 1910, pp. 19, 30, 32, 55. 1912; Soils F.O., 1910, pp. 747, 758, 760, 783. 1912.
      Noxubee County, possibilities. Soil Sur. Adv. Sh., 1910, pp. 15, 34. 1911; Soils F.O., 1910, pp. 795, 814. 1912.
    in Missouri—
      Buchanan County. Soil Sur. Adv. Sh., 1915, pp. 13, 16. 1917; Soils F.O., 1915, pp. 1817, 1820. 1919.
      St. Louis County. Soil Sur. Adv. Sh., 1919, pp. 530, 545, 549. 1923; Soils F.O., 1919, pp 530, 545, 549. 1925.
    in New Jersey—
      Belvidere area. Soil Sur. Adv. Sh., 1917, pp. 12, 30-53. 1920; Soils F.O., 1917, pp. 132, 150-173. 1923.
      Bernardsville area, notes. Soil Sur. Adv. Sh., 1919, pp. 415, 428, 438-455. 1923; Soils F.O., 1919, pp. 415, 428, 438-455. 1925.
      Chatsworth area. Soil Sur. Adv. Sh., 1919, pp. 476, 479, 488, 491, 496, 504. 1923; Soils F.O., 1919, pp. 476, 479, 488, 491, 496, 504. 1925.
      Millville area. Soil Sur. Adv. Sh., 1917, pp. 14, 15, 19, 28. 1921; Soils F.O., 1917, p. 202, 203, 207-208, 216. 1923.
    in New Mexico—
      Middle Rio Grande Valley, varieties. Soil Sur. Adv. Sh., 1912, pp. 14-15. 1914; Soils F.O., 1912, pp. 1972-1973. 1915.
      Texas, Mesilla Valley, methods and varieties. Soil Sur. Adv. Sh., 1912, pp. 16-17. 1914; Soils F.O., 1912, pp. 2022-2023. 1915.
    in North Carolina—
      Cumberland County. Soil Sur. Adv. Sh., 1922, p. 115. 1925.
      Moore County. Soil Sur. Adv. Sh., 1919, pp. 9, 10, 11, 35-39. 1922; Soils F.O., 1919, pp. 727, 728, 729, 753-759. 1925.
    in Oregon—
      Josephine County. Soil Sur. Adv. Sh., 1919, pp. 355, 370-398. 1923; Soils F.O., 1919, pp. 355, 370-398. 1925.
      Umatilla experiment farm. W.I.A. Cir. 26, pp. 5, 6, 11-12, 25-26. 1919.
    in Ozark region, varieties. B.P.I. Bul. 275, pp. 1-95. 1913.
    in Pennsylvania, Lehigh County. Soil Sur. Adv. Sh., 1912, p. 17. 1914; Soils F.O., 1912, p. 117. 1915.

INDEX TO PUBLICATIONS, 1901–1925 1765

Peach(es)—Continued.
  growing—continued.
    in South Carolina—
      Chesterfield County. Soil Sur. Adv. Sh., 1914, pp. 9, 11. 1915; Soils F.O., 1914, pp. 659, 661. 1919.
      Dorchester County. Soil Sur. Adv. Sh., 1915, p. 11. 1917; Soils F.O., 1915, p. 551. 1919.
    in Texas—
      Camp County. Soil Sur. Adv. Sh., 1908, pp. 10, 17. 1910; Soils F.O., 1908, pp. 958, 965. 1911.
      Franklin County, development. Soil Sur. Adv. Sh., 1908, pp. 9, 17, 21. 1909; Soils F.O., 1908, pp. 929, 937, 941. 1911.
      Harrison County, possibilities. Soil Sur. Adv. Sh., 1912, pp. 12–13, 22, 32. 1913; Soils F.O., 1912, pp. 1062–1063, 1072, 1082. 1915.
      San Antonio experiment farm. W.I.A. Cir. 16, p. 17. 1917; D.C. 209, p. 34. 1922.
      Smith County. Soil Sur. Adv. Sh., 1915, pp. 11, 12, 15, 18, 25–35. 1917; Soils F.O., 1915; pp. 1085, 1086, 1089, 1092, 1099–1109. 1919.
      Titus County. Soil Sur. Adv. Sh., 1909, pp. 9, 13, 14. 1910; Soils F.O., 1909, pp. 1009, 1013, 1014. 1912.
      variety testing. D.B. 162, pp. 5–11, 23–24, 25. 1915.
    in United States and foreign countries. Sec. [Misc.], Spec. "Geography * * * world's agriculture," pp. 78, 80, 83. 1917.
    in Utah, history, progress, and prices. D.B. 117, pp. 16–18, 21. 1914.
    in Virginia, Frederick County. Soil Sur. Adv. Sh., 1914, pp. 12, 14–15, 37. 1916; Soils F.O., 1914, pp. 436, 438–439, 460. 1919.
    in Washington—
      Benton County. Soil Sur. Adv. Sh., 1916, pp. 13, 39, 53. 1919; Soils F.O., 1916, pp. 2211–2212, 2245–2251, 2269. 1921.
      Wenatchee area. Soil Sur. Adv. Sh., 1918, pp. 14, 16–23, 50, 51, 56. 1922; Soils F.O., 1918, pp. 1554, 1556–1563, 1590, 1591, 1596. 1924.
    in West Virginia—
      Jefferson, Berkeley, and Morgan Counties. Soil Sur. Adv. Sh., 1916, pp. 16, 20, 38, 52–59. 1918; Soils F.O., 1916, pp. 1490, 1494, 1512, 1526–1533. 1921.
      Point Pleasant area, varieties. Soil Sur. Adv. Sh., 1910, pp. 13, 32. 1911; Soils F.O., 1910, pp. 1085, 1104. 1912.
    varieties and ripening period. D.B. 29, pp. 5–6, 16–17, 19. 1913.
    location, relation to elevation, water, and slope. F.B. 917, pp. 4–8. 1918.
    on Norfolk fine sandy loam. Soils Cir. 22, pp. 10, 12, 13. 1911.
    on Orangeburg sandy loam, Southern States. Soils Cir. 47, pp. 8, 11, 12, 14. 1911.
    possibilities in Bienville Parish, Louisiana. Soil Sur. Adv. Sh., 1908, pp. 9, 11, 31, 36. 1909; Soils F.O. 1908, pp. 847, 849, 869, 874. 1911.
    pruning, renewal of tops, thinning, and special practices. H. P. Gould. F.B. 632, pp. 23. 1915.
    relations of fertilizers. S.R.S. Rpt. 1916, Pt. I, p. 87. 1918.
    sites and cultural methods. H. P. Gould. F.B. 917, pp. 44. 1918.
    sites, propagation, planting, and tillage. F.B. 632, pp. 1–23. 1915.
    varieties and classification. H. P. Gould. F.B. 633, pp. 13. 1915.
  growth of industry in Georgia, 1910–1920. D.C. 216, p. 4. 1922.
  harvesting—
    shipping, and cold storage. O.E.S. An. Rpt. 1906, pp. 426–428. 1907.
    time and methods in various States. F.B. 1266, pp. 3–7. 1922.
  hauling from orchards and from packing houses. F.B. 1266, pp. 8–10, 31–32. 1922.
  Heath cling, description, composition, and analysis. Chem. Bul. 97, pp. 9, 10, 11, 16–19, 24–31. 1905.

Peach(es)—Continued.
  Heath, origin, description, and phenological records in Ozark region. B.P.I. Bul. 275, pp. 62, 84. 1913.
  host of Mediterranean fruit fly in Bermuda. D.B. 161, pp. 3, 4. 1914.
  hybrid, importation and description. No. 44177. B.P.I. Inv. 50, p. 38. 1922.
  importations and descriptions. Nos. 29991, 30299, 30319, 30324, 30337–30340, 30357, 30358, 30428, B.P.I. Bul. 233, pp. 47, 73, 76, 78, 80, 86. 1912; Nos. 32372–32380, B.P.I. Bul. 282, pp. 11–12. 1913; Nos. 34131, 34211, B.P.I. Inv. 32, pp. 14, 24. 1914; Nos. 35201, 35205, 35206, 35207, B.P.I. Inv. 35, pp. 21, 22, 36. 1915; Nos. 36485, 36703, 36717, 36724, 36805, 36806, B.P.I. Inv. 37, pp. 8, 25, 53, 56, 57, 67. 1916; Nos. 38094–38095, 38178, 38272–38276, 38577, B.P.I. Inv. 39, pp. 10, 86, 100, 111, 149. 1917; Nos. 40806, 40807, B.P.I. Inv. 43, p, 84. 1918; Nos. 40900, 44129–41132, 41142, 41149, 41252, 41272, B.P.I. Inv. 44, pp. 10, 41, 43 44 54, 57. 1918; Nos. 41727, 41731–41743, 41881, 42178, B.P.I. Inv. 46, pp. 16, 17, 28, 60. 1919; Nos, 42742, 43012, B.P.I. Inv. 47, pp. 58, 87. 1920; Nos. 43014, 43020, 43124–43138, 43289–43291, 43382, B.P.I. Inv. 48, pp. 9, 10, 19, 39, 48. 1921; Nos. 44550–44553, 44629–44637, 44649–44657, 44686, 44795, B.P.I. Inv. 51, pp. 23, 36, 38, 48, 70. 1922; Nos. 45319, 45320, 45595, 45662, B.P.I. Inv. 53, pp. 10, 25, 66, 74. 1922; Nos. 48508, 48691–48695, B.P.I. Inv. 61, pp. 17, 37. 1922; No. 49409, B.P.I. 62, p. 35. 1923; Nos. 51162–51163, B.P.I. Inv. 64, pp. 4, 68. 1923; Nos. 52339–52340, B.P.I. Inv. 66, p. 12. 1923; Nos. 54441, 54622–54625, 54644–54646, B.P.I. Inv. 69, pp. 1, 9, 28, 32. 1923; Nos. 55487, 55549, 55563–55564, B.P.I. Inv. 71, pp. 2, 49, 55, 57–58. 1923; Nos. 55739–55742, 55775–55776, 55813, B.P.I. Inv. 72, pp. 4, 29, 33, 38. 1924; Nos. 55831, 55835–55836, 55885–55888, 55915–55919, 55927–55929, B.P.I. Inv. 73 pp. 3, 7, 12, 16, 18. 1924.
  in New Mexico, varieties adapted. N.A. Fauna 35, pp. 23, 40. 1913.
  industry in Delaware and New Jersey, 1890–1900, census data. B.P.I. Bul. 194, pp. 16–17. 1911.
  infestation with—
    fruit fly, Hawaii, and effect of parasites. J.A. R., vol. 25, pp. 2–4. 1923.
    Mediterranean fruit fly. J.A.R., vol. 3, pp. 314, 315, 320, 324, 326. 1915; Ent. Cir. 160, pp. 4–14. 1912; D.B. 536, pp. 5–7, 16, 24, 46. 1918.
  injury by—
    insecticides, investigations. D.B. 278, pp. 9–11. 1915.
    Laspeyresia molesta. J.A.R., vol. 7, pp. 375–377. 1916.
    lesser bud-moth. D.B. 113, pp. 2, 3. 1914.
    lime-sulphur mixtures. B.P.I. Cir. 27, pp. 7–8. 1909.
    melon fly, Hawaii. D.B. 491, p. 16. 1917.
    oriental peach moth. J.A.R., vol. 13, pp. 62–64. 1918.
  packing. Y.B., 1909, p. 370. 1910; Y.B. Sep. 520, p. 370. 1910.
  pear thrips. D.B. 173, p. 18. 1915.
  plum curculio. Ent. Bul. 103, pp. 36, 58, 103, 135–136. 1912.
  starlings. D.B. 868, p. 30. 1921.
  insects—
    control—
      by dormant spraying. Y.B., 1908, p. 270. 1909; Y.B. Sep. 480, p. 270. 1909.
      work. An. Rpts. 1923, pp. 385–386. 1924; Ent. A.R., 1923, pp. 5–6. 1923.
    description and control. F.B. 908, pp. 87–91. 1918.
    enemies—
      A. L. Quaintance. Y.B., 1905, pp. 325–348. 1906; Y.B. Sep. 386, pp. 325–348. 1906.
      preventive measures. Y.B., 1905, pp. 328–330, 333–334, 337–339, 341, 343, 346, 347, 348. 1906; Y.B. Sep. 386, pp. 328–330, 333–334, 337–339, 341, 343, 346, 347, 348. 1906.
    injurious, investigations—
      1918. An. Rpts., 1918, pp. 236, 249. 1919; Ent. A.R., 1918, pp. 4, 17. 1918.
      1919. An. Rpts., 1919, p. 253. 1920; Ent, A.R., 1919, p. 7. 1919.

Peach(es)—Continued.
  insects—continued.
    pests, list. Sec. [Misc.], "A manual * * * insects * * *," pp. 109, 113, 114, 117, 166–167. 1917.
  jam—
    compound, adulteration and misbranding. Chem. S.R.A. Supp. 20, pp. 787–789. 1916.
    misbranding. Chem. N.J. 1398, p. 1. 1912.
    recipe. F.B. 853, p. 30. 1917.
  Japanese, importation and description. No. 47949, B.P.I. Inv. 60, p. 18. 1922.
  juice—
    composition, tables. Chem. Cir. 51, pp. 2, 3, 4, 5, 6. 1910.
    extraction, and sterilization experiments. D.B. 241, pp. 14, 19. 1915.
  kernel(s)—
    as by-product of fruit industry. B.P.I. Bul. 133, pp. 1–34. 1908.
    description and microscopic identification. Chem. Bul. 160, pp. 13–14, 37. 1912.
  oil—
    adulterant of almond oil. Chem. Bul. 97, p. 5. 1905.
    digestion experiments. D.B. 781, pp. 10–12. 1919.
  labor requirements. D.B. 1181, pp. 8, 42, 61. 1924.
  Lemon cling, use of term on cans of peaches. Chem. S.R.A. 3, pp. 111–112. 1914.
  Lizzie, new variety, origin and description. Y.B., 1913, pp. 114–116. 1914; Y.B. Sep. 618, pp. 114–116. 1914.
  maggot, description and occurrence in tropics. Ent. T.B. 22, p. 31. 1912.
  markets—
    handling carload lots. Y.B., 1911, pp. 170, 171. 1912; Y.B. Sep. 558, pp. 170, 171. 1912.
    statistics, 1919 and 1920. D.B. 982, pp. 222, 234–235, 243–250, 258, 264. 1921.
  marketing—
    bibliography. M.C. 35, p. 40. 1925.
    by parcel post, suggestions. F.B. 703, p. 15. 1916.
    demonstrations, in Texas. Y.B., 1919, pp. 217–218. 1920; Y.B. Sep. 808, pp. 217–218. 1920.
    methods. Rpt. 98, pp. 59, 60, 177, 179, 181, 195, 205, 247. 1913.
    supply and distribution, 1914, studies. News L., vol. 3, No. 6, p. 4. 1915.
  marmalade—
    directions for making. S.R.S. Doc. 22, p. 12. 1916.
    recipe. S.R.S. Doc. 22, rev., p. 13. 1919.
  Mexican—
    seedling—
      experiments, San Antonio experiment farm. B.P.I. Cir. 34, pp. 14–15. 1909.
      testing for earliness and drought resistance. B.P.I. Cir. 120, p. 14. 1913.
      testing in Texas. D.B. 162, pp. 8–11, 24. 1915.
  mildew, description. D.B. 120, p. 7. 1914.
  misbranding. Chem. N.J. 186, pp. 3. 1910; Chem. N.J. 12475. 1924.
  moth, oriental—
    origin, distribution, life history and habits. J.A.R., vol. 13, pp. 59–72. 1918.
    parasites and other controls. J.A.R., vol. 13, pp. 70–72. 1918.
    See also *Laspeyresia molesta*.
  Mountain Rose, origin, description and phenological records, Ozark region. B.P.I. Bul. 275, pp. 62, 85. 1913.
  new—
    insect enemy in District of Columbia, studies. News L., vol. 4, No. 21, p. 3. 1916.
    varieties, description. B.P.I. Bul. 207, pp. 9, 11, 16, 39, 51–52, 62. 1911; B.P.I. Bul. 208, pp. 15, 25–26. 1911.
  North China group, varieties and regional distribution. F.B. 918, p. 15. 1918.
  nursery stock—
    enemy in peach bud mite. Ent. Bul. 97, pp. 103–114. 1913.
    grades, description, planting time. F.B. 631, pp. 10–13. 1915.
  oil, similarity to cherry oil, composition and characteristics. D.B. 350, pp. 2, 8, 12, 15, 19 1916.

Peach(es)—Continued.
  Oldmixon, origin, description, and phenological records, Ozark region. B.P.I. Bul. 275, pp. 63, 85. 1913.
  orchards—
    cover crops. F.B. 631, pp. 21–23. 1915.
    cropping. F.B. 917, pp. 39–40. 1918.
    cultivation and fertilization. M.B. Waite. Y.B., 1902, pp. 607–626. 1903; Y.B. Sep. 293, pp. 20. 1903.
    dusting results. Off. Rec. vol. 4, No. 34, p. 1. 1925.
    fertility of soil, maintaining, and cover crops. F.B. 631, pp. 21–24. 1915.
    fertilization experiments in control of disease. D.B. 543, pp. 5–7. 1917.
    firing with coal tar. Y.B., 1909, p. 395. 1910; Y.B. Sep. 522, p. 395. 1910.
    important insect enemy, terrapin scale. F. L. Simanton. D.B. 351, pp. 96. 1916.
    interplanted crops. F.B. 632, pp. 18–19. 1915.
    location—
      conditions governing. News L. vol. 2, No. 44, p. 3. 1915.
      planting, tillage, and fertilizers. F.B. 631, pp. 4–24. 1915.
      preparation of soil, planting and tillage. F.B. 631, pp. 13–20. 1915; F.B. 917, pp. 14–20. 1918.
    soils, unsuitability of alkali. News L., vol. 2, No. 48, p. 5. 1915.
    terrapin scale, important insect enemy. F. L. Simanton. D.B. 351, pp. 96. 1916.
  orcharding, crew work, details and cost. D.B. 29, pp. 6–12, 17–19. 1913.
  origin and cultivation. O.E.S. Bul. 178, pp. 76–78. 1907.
  pack, in different States, quantity and value. F.B. 426, p. 7. 1910.
  packing—
    for market, methods. F.B. 1266, pp. 18–27, 31–34. 1922.
    houses—
      northern, operation and equipment. F.B. 1266, pp. 27–32. 1922.
      southern, lighting, equipment, and operation. F.B. 1266, pp. 16–27. 1922.
    season. D.B. 196, p. 17. 1915.
  paring, methods. F.B. 426, pp. 20–21. 1910.
  Patanin, importation and description. Nos. 39899, 40007–40009, B.P.I. Inv. 42, pp. 34–35, 51. 1918.
  Payne, origin and description. Y.B., 1910, pp. 428–429. 1911; Y.B. Sep. 549, pp. 428–429. 1911.
  Peen-to—
    Chinese varieties. B.P.I. Bul. 204, pp. 18–19. 1911.
    growing, experiments. F.B. 169, pp. 20–21. 1903.
    group, varieties and regional distribution. F.B. 918, p. 14. 1918.
  Persian group, varieties and regional distribution. F.B. 918, p. 15. 1918.
  picking—
    effect on the evolution of carbon dioxide. Chem. Bul. 142, pp. 29–32. 1911.
    grading, and packing, cost. D.B. 29, pp. 11–12. 1913.
    utensils. F.B. 1266, p. 7. 1922.
  pits, production and uses. B.P.I. Bul. 133, p. 28. 1908.
  precooling experiments in Georgia and California, 1904 and 1905. Y.B., 1910, pp. 439, 441. 1911; Y.B. Sep. 550, pp. 439, 441. 1911.
  preparation for market. H. W. Samson. F.B. 1266, pp. 34. 1922.
  preserves, adulteration and misbranding. Chem. N.J. 700, pp. 12. 1910; Chem. N.J. 1038, p. 1. 1911.
  prices, farm and market. Y.B., 1924, p. 682. 1925.
  principal insect enemies. A. L. Quaintance. Y.B., 1905, pp. 325–348. 1906; Y.B. Sep. 386, pp. 325–348. 1906.
  processing, directions and time table. F.B. 1211, pp. 42, 49. 1921.
  producing areas, by States and sections. D.B. 298, pp. 5–6. 1915.

INDEX TO PUBLICATIONS, 1901-1925   1767

Peach(es)—Continued.
production—
  1899-1924. Y.B., 1924, p. 679. 1925.
  1919, map. Y.B., 1921, p. 466. 1922; Y.B. Sep. 878, p. 60. 1922.
  and number of trees in orchards, important States. D.B. 140, p. 36. 1915.
  and value, leading States, 1909. Y.B., 1914, p. 647. 1915; Y.B. Sep. 656, p. 647. 1915.
  estimates, important commercial districts and varieties. H. P. Gould and Frank Andrews. D.B. 806, pp. 35. 1919.
  in—
    Georgia, 1920, 1921, by bushels. D.C. 216, p. 4. 1922.
    Georgia, Merriwether County, shipping season. Soil Sur. Adv. Sh., 1916, p. 9. 1917; Soils F.O., 1916, p. 691. 1921.
    United States, 1909. D.B. 483, pp. 2, 3-4. 1917.
    West Virginia, Berkeley, Jefferson, and Morgan Counties, 1916, varieties. Soil Sur. Adv. Sh., 1916, p. 17. 1918; Soils F.O., 1916, p. 1494. 1921.
  prices, and—
    exports, 1913-1915. Y.B., 1915, pp. 490, 551. 1916; Y.B. Sep. 683, p. 490. 1916; Y.B. Sep. 685, p. 551. 1916.
    marketing, 1923. Y.B., 1923, pp. 745-748. 1924; Y.B. Sep. 900, pp. 745-748. 1924.
  propagation, experiments. O.E.S. An. Rpt., 1906, pp. 413-415. 190.
  protection against root-knot. F.B. 1345, pp. 18-19. 1923.
  pruning, crew work, data. D.B. 29, p. 9. 1913.
  resistance to alkali. Soils Bul. 35, p. 17. 1906.
  resistant to leaf-curl, importation. No. 36125, B.P.I. Inv. 36, p. 56. 1915.
  respiration studies. Chem. Bul. 142, pp. 14, 16, 17, 21, 22, 24, 26. 1911.
  ripening, relation to chemical changes in composition. Chem. Bul. 97, pp. 7-21. 1905.
  Rivers Early, description, analysis, and composition. Chem. Bul. 97, pp. 8, 10, 11, 16, 18, 19, 24, 26, 30, 31. 1905.
  root-knot, description. B.P.I. Cir. 91, pp. 9, 10. 1912.
  rosette, infectious mosaic. J. A. McClintock. J.A.R., vol. 24, pp. 307-316. 1923.
  rot caused by *Rhizopus nigricans*. D.B. 531, p. 10. 1917.
  rot development, temperature experiments. J.A.R., vol. 22, pp. 452-465. 1922.
  Russell, origin, history, and description. Y.B., 1911, pp. 429-430. 1912; Y.B. Sep. 581, pp. 429-430. 1912.
  Salway, origin, description and phenological records, Ozark region. B.P.I. Bul. 275, pp. 63, 85-86. 1913.
  sawfly—
    B. H. Walden. Ent. Bul. 67, pp. 85-87. 1907.
    life history, habits, and control. Ent. Bul. 97, pp. 94-100. 1913.
    spraying with arsenate of lead. O.E.S. An. Rpt., 1907, p. 82. 1908.
  scab—
    F.B. 1435, pp. 14-15. 1924.
    and brown-rot, control. W. M. Scott and T. Willard Ayres. B.P.I. Bul. 174, pp. 31. 1910.
    and its control. G. W. Keitt. D.B. 395, pp. 66. 1917.
    causal organism, and life history. D.B. 395, pp. 11-46. 1917.
    cause, description, and control. F.B. 1435, pp. 14-15. 1924.
    character and economic importance. B.P.I. Bul. 174, pp. 13-14. 1910.
    control by lime-sulphur spray. F.B. 435, pp. 14, 15. 1911; Y.B., 1908, p. 270. 1909; Y.B. Sep. 480, p. 270. 1909.
    control, spraying experiments. D.B., 395, pp. 46-60, 63. 1917.
    distribution, economic importance, description, and pathological histology. D.B. 395, pp. 3-11, 32-46, 61. 1917.
    earliest discovery. D.B. 395, pp. 2-3. 1916.

Peach(es)—Continued.
scab—continued.
  injuries—
    and control methods. News L., vol. 4, No. 37, p. 8. 1917.
    to peaches and nectarines. D.B. 395, pp. 4-5, 61. 1917.
  nature, cause, and control. F.B. 440, pp. 10-13, 38-40. 1911.
  origin and description. F.B. 1435, pp. 14-15. 1924.
  resistant varieties, studies. D.B. 395, pp. 60-61. 1917.
  spraying experiments. B.P.I. Cir. 27, pp. 8-12. 1909.
  treatment, recommendation. B.P.I. Bul. 174, pp. 24-26. 1910; B.P.I. Cir. 27, pp. 11-12. 1909.
  season in each State and estimated annual production. D.B. 806, pp. 6-8. 1919.
seed(s)—
  catalase content, studies. J.A.R., vol. 15, pp. 144-159. 1918.
  treatment for germination. F.B. 631, p. 9. 1915.
  seedlings, budding for orchard trees. F.B. 631, p. 9. 1915.
shipment(s)—
  by States, and by stations, 1916. D.B. 667, pp. 6, 7, 74-80, 92. 1918.
  by States, in carloads, 1920-1923. S.B. 8, pp. 41-50. 1925.
  by ten leading States, 1914. D.B. 298, p. 7. 1915.
  forecast. News L., vol. 6, No. 52, p. 16. 1919.
  refrigeration, investigations, and suggestions. B.P.I. Chief Rpt., 1905, pp. 133-135. 1905.
  West Virginia, Kentucky, and Tennessee, 1914, 1920, 1921. D.B. 1189, pp. 3-4. 1923.
shipping—
  packages, baskets and hampers. F.B. 1266, pp. 10-15. 1922.
  season and areas of production. D.B. 298, pp. 3-6. 1916.
sizing machine—
  Manley Stockton and J. F. Barghausen. D.B. 864, pp. 6. 1920.
  used in South and North. F.B. 1266, pp. 20-22, 30-31. 1922.
  sliced, jellied with added pectin, directions. D.C. 254, p. 8. 1923.
  slug, injuries and control. Ent. Bul. 97, pp. 91-102. 1913.
  Smock, origin, description and phenological records, Ozark region. B.P.I. Bul. 275, pp. 63, 86. 1913.
  soft scale. See Scale, terrapin.
soil(s)—
  and climatic requirements, studies. News L., vol. 2, No. 30, pp. 3-4. 1915.
  of—
    Atlantic and Gulf Coastal Plains. Soils Bul. 78, pp. 19-21, 24, 25, 29, 31, 44, 64, 68, 69. 1911.
    Massachusetts and Connecticut. D.B. 140, pp. 1-73. 1915.
    West Virginia. D.B. 140, p. 43. 1915.
South American, importation and description. Nos. 36126, 36127. B.P.I. Inv. 36, p. 57. 1915.
South China group, varieties and regional distribution. F.B. 918, p. 14. 1918.
Spanish—
  group, varieties and regional distribution. F.B. 918, p. 14. 1918.
  seedlings, testing in Texas. D.B. 162, pp. 8-11, 25-26. 1915.
spraying—
  crew work, details and cost. D.B. 29, pp. 9-11, 18. 1913.
  danger of poisoning, study. D.B. 1027, pp. 18-22. 1922.
  for control of—
    brown-rot, scab, and curculio. W.M. Scott and A. L. Quaintance. F.B. 440, pp. 40. 1911.
    insects and diseases. News L., vol. 4, No. 39, pp. 5-6. 1917.
    plum curculio. Ent. Bul. 103, pp. 18-19, 202-215. 1912.

Peach(es)—Continued.
  spraying—continued.
    for control of—continued.
      scab and brown rot. B.P.I. Cir. 27, pp. 8–12. 1909.
      lime-sulphur wash. O.E.S. An. Rpt., 1908, p. 100. 1909.
      schedule, winter and summer. F.B. 908, pp. 89–90. 1918.
      self-boiled lime sulphur. O.E.S. An. Rpt., 1911, p. 85. 1912.
  standard packs, in Georgia. F.B. 1266, p. 27. 1922.
  statistics—
    1924. Y.B., 1924, pp. 679, 680–681, 682, 1043. 1925.
    for West Virginia, Kentucky, and Tennessee, 1910 and 1920. D.B. 1189, p. 3. 1923.
    production and prices—
      1911–1917, and exports. Y.B., 1917, p. 683, 771. 1918; Y.B. Sep. 760, p. 31, 1918; Y.B. Sep. 762, p. 15, 1918.
      1917, by States. Y.B., 1916, p. 637. 1917; Y.B. Sep. 720, p. 27. 1917.
      1918. Y.B., 1918, pp. 549–550. 1919; Y.B. Sep. 792, pp. 45–46. 1919.
      1919. Y.B. 1919, pp. 605–606. 1920; Y.B. Sep. 827, pp. 605–606. 1920.
      1921. Y.B., 1921, pp. 630–631. 1922; Y.B. Sep. 869, pp. 50–51. 1922.
      1922, and shipments. Y.B., 1922, pp. 739–742, 775–776. 1923; Y.B. Sep. 884, pp. 739–742, 775, 776. 1923.
  storage, effect on composition. Chem. Bul. 97. pp. 22–32. 1905.
  studies on. I. Compiled analyses of peaches. II. Changes in chemical composition of the peach during growth and ripening. III. Effect of storage on the composition of peaches. W. D. Bigelow and H. C. Gore. Chem. Bul. 97, pp. 32. 1905.
  supply and distribution in 1914. Wells A. Sherman and others. B.B. 298, pp. 16. 1915.
  susceptibility to grape crown-gall. B.P.I. Bul. 183, pp. 23, 24. 1910.
  temperature limits, discussion. F.B. 631, pp. 7–8. 1915.
  thinning—
    and pruning experiments. O.E.S. An. Rpt., 1906, pp. 423–426. 1907.
    directions. F.B. 632, pp. 14–16. 1915; F.B. 917, pp. 37–39. 1918.
  transportation, methods and cost, West Virginia. D.B. 29, pp. 14, 15. 1913.
  tree(s)—
    acreage in 1919, map. Y.B., 1921, p. 466. 1922; Y.B. Sep. 878, p. 60. 1922.
    asphaltum treatment for borer. F.B. 517, p. 8. 1912.
    bark beetle, parasites. Ent. Bul. 68, p. 101. 1901.
    borer—
      C. L. Marlatt. Ent. Cir. 54, pp. 6. 1903.
      asphaltum treatment. F.B. 517, p. 8. 1912.
      control by toxic gases, possibility. D.B. 796, pp. 1–23. 1919.
      control, use of toxic acid. E. B. Blakeslee. D.B. 796, pp. 23. 1919.
    budding. F.B. 917, p. 9. 1918.
    budding with rosetted plum and almond buds, results. J.A.R., vol. 24, pp. 307, 311, 313. 1923;
    Chinese, importations and description. Nos. 43289–43291, B.P.I. Inv. 48, p. 40. 1921.
    damage by terrapin scale. Ent. Bul. 67, pp. 36, 37. 1907.
    deheading, description. F.B. 632, pp. 10–12. 1915.
    dusting and spraying after harvest for control of plum curculio. Oliver I. Snapp and C. H. Alden. D.B. 1205, pp. 19. 1924.
    dusting by airplane. Off. Rec., vol. 4, No. 23, p. 7. 1925.
    effect of manures treated with borax and colemanite. J.A.R., vol. 13, p. 453. 1918.
    fertilizing. O.E.S. An. Rpt., 1906, pp. 421–423. 1907.
    in Ozark region, number, 1890, 1900, and 1910, census figures. B.P.I. Bul. 275, pp. 7–9. 1913.
    infestation with terrapin scale. D.B. 351, pp. 3, 19, 28, 66–67. 1916.

Peach(es)—Continued.
  tree(s)—continued.
    injury by—
      borer, description. F.B. 1246, pp. 3–4. 1921.
      little-known cutworm. Ent. Bul. 109, Pt. IV, p. 47. 1912.
      overfeeding with nitrogen. Y.B., 1901, p. 170. 1902; Y.B. Sep. 225, p. 170. 1902.
      sapsuckers. Biol. Bul. 39, pp. 42–43, 52. 1911.
      slugs. Ent. Bul. 97, Pt. V, pp. 92–93, 100. 1911.
    insects, investigations. An. Rpts., 1908, p. 107. 1909; Sec. A.R., 1908, p. 105. 1908.
    jarring for curculio, results. D.B. 1205, pp. 2–7, 11–14. 1924.
    laying down for protection of buds. F.B. 186, pp. 15–18. 1904.
    life, average length. F.B. 632, p. 12. 1915.
    "mounding" for control of borers. Ent. Bul. 97, Pt. IV, p. 87. 1911.
    number, 1890–1910, by States. F.B. 917, pp. 3–4. 1918.
    planting directions. F.B. 631, pp. 14–17. 1915; F.B. 917, pp. 14–16. 1918.
    production, and value, in United States, 1899, 1909, 1910. D.B. 395, p. 5. 1917.
    propagation. F.B. 631, pp. 8–9. 1915; F.B. 917, pp. 8–13. 1918.
    protection from winter injury and sun scald. F.B. 917, pp. 42–44. 1918.
    pruning, objects and methods. F.B. 632, pp. 1–9. 1914; F.B. 917, pp. 23–33. 1918.
    roots, development, and length. F.B. 631, pp. 18, 19. 1915.
    top working, budding and grafting. F.B. 632, pp. 10–13. 1915; F.B. 917, pp. 36–37. 1918.
    transplanting, treatment. O.E.S. An. Rpt., 1906, pp. 416–419. 1907.
    treatment after harvest for curculio control. D.B. 1205, pp. 1–19. 1924.
    winter injury, discussion. F.B. 632, pp. 21–23. 1915.
    "worming" for borers, directions. Ent. Bul. 97, Pt. IV, pp. 85–86, 88. 1911; F.B. 1246, pp. 8–9. 1921.
    young, injury by paradichlorobenzene, Georgia experiments. D.B. 1169, pp. 7, 9. 1923.
  Triumph, description, analysis, composition. Chem. Bul. 97, pp. 7, 10, 11, 16, 18–26. 1905.
  tuberculosis, note. B.P.I. Bul. 213, p. 17. 1911.
  twig borer—
    control. F.B. 908, pp. 87–88. 1918.
    life history and treatment. F.B. 153, p. 27. 1902.
    similarity to oriental peach moth. J.A.R., vol. 13, pp. 64, 65. 1918.
  use as stock for plum. F.B. 1372, pp. 30–32. 1924.
  use in vinegar making, preparation and fermentation. F.B. 1424, pp. 4, 6–14. 1924.
  value, 1917. News L., vol. 5, No. 35, p. 6. 1918.
  varieties—
    adaptability to California, Madera area. Soil Sur. Adv. Sh., 1910, p. 17. 1911; Soils F.O. 1910, p. 1727. 1912.
    adapted to different soils, New England. D.B. 140, pp. 65–70. 1915.
    and their classification. H. P. Gould. F.B. 918, pp. 15. 1918.
    descriptions. D.B. 1189, pp. 55–62. 1923.
    European, importations and description. Nos. 41396–41400, 41497, B.P.I. Inv. 45, pp. 23–24, 39. 1918.
    in—
      Alabama, Madison County. Soil Sur. Adv. Sh., 1911, pp. 18, 28, 33. 1913; Soils F.O., 1911, pp. 806, 816, 821. 1914.
      Great Plains area. F.B. 727, p. 33. 1916.
      Nevada. B.P.I. Cir. 118, p. 27. 1913.
      Nevada, adaptability. D.C. 136, p. 16. 1920.
      Nevada, Newlands farm, tests. D.C. 352, p. 15. 1925.
      New England, adaptability to soils. D.B. 140, pp. 65–70, 73. 1915.
      Ozark region, origin, description, and phenological records. B.P.I. Bul. 275, pp. 58–63, 80–86, 88. 1913.
      various States, adaptability and ripening dates, tables. F.B. 633, pp. 1–11. 1915.

Peach(es)—Continued.
varieties—continued.
in—continued.
Virginia, Georgia, North and South Carolina. B.P.I. Bul. 135, pp. 51-59, 66-67, 87-95. 1908.
Washington, southwestern. Soil Sur. Adv. Sh., 1911, p. 62. 1913; Soils F.O., 1911, p. 2152. 1914.
juice, yield and composition. Chem. Cir. 51, pp. 3-4, 6. 1910.
new promising, description. Y.B., 1908, pp. 477-479. 1909; Y.B. Sep. 496, pp. 477-479. 1910.
recommendations for various fruit districts. B.P.I. Bul. 151, pp. 35-39. 1909.
recommended for regions of Tennessee, Kentucky, and West Virginia. D.B. 1189, p. 77. 1923.
suitable for drying. D.B. 1141, pp. 46, 48. 1923.
suited to—
sandy lands, Columbia River Valley. B.P.I. Cir. 60, p. 15. 1910.
various localities, by States. D.B. 806, pp. 10-34. 1919.
susceptibility to scab. F.B. 440, pp. 11-12. 1911.
testing at—
Georgia Experiment Station, 1912. O.E.S. An. Rpt., 1912, p. 99. 1913.
San Antonio experiment farm, Texas. B.P.I. Cir. 120, pp. 14-15. 1913; D.C. 73, p. 30. 1920.
Umatilla experiment farm, 1912. B.P.I. Cir. 129, pp. 25, 26. 1913.
tests, in Oregon, Umatilla experiment farm, results. W.I.A. Cir. 17, pp. 29-30. 1917.
vinegar—
making, directions. S.R.S. Doc. 99, pp. 6-7. 1919.
stock. Chem. Cir. 51, pp. 1-7. 1910.
Waddell, spraying experiments and results. Ent. Cir. 120, p. 5. 1910.
waste, causes. Off. Rec., vol. 3, No. 34, pp. 1-2. 1924.
wild—
Chinese—
importations and description. Nos. 40001-40006, B.P.I. Inv. 42, pp. 5, 50-51. 1918.
introduction and characteristics. Y.B., 1911, p. 421. 1912; Y.B. Sep. 580, p. 421. 1912.
with smooth bone, description. No. 34601, B.P.I. Inv. 33, pp. 5, 37. 1915.
importation from China, experiments. News L., vol. 3, No. 32, p. 7. 1916.
importations and descriptions. Nos. 36664, 36665, 36725, 36807, B.P.I. Inv. 37, pp. 46, 57, 67. 1916; Nos. 40668, 40722, B.P.I. Inv. 43, pp. 6, 63, 72. 1918.
in Texas—
investigations. An. Rpts., 1908, p. 300. 1909; B.P.I. Chief Rpt., 1908, p. 28. 1908.
occurrence, range, description, and hybrids. J.A.R., vol. 1, pp. 147, 150, 151, 154-164, 178. 1913.
original, discovery in China. Y.B., 1915, pp. 217-218. 1916; Y.B. Sep. 671, pp. 217-218. 1916.
value as stock for almonds. An. Rpts., 1909, p. 276. 1910; B.P.I. Chief Rpt., 1909, p. 24. 1909.
Willett, origin and description. Y.B., 1902, pp. 476-477. 1903.
winter injury, causes and treatment. O.E.S. Rpt., 1906, pp. 409-413. 1907.
winter protection, methods. O.E.S. An. Rpt., 1906, pp. 406-409. 1907.
winterkilling, prevention methods. F.B., 917, pp. 41-44. 1918.
worm, striped—
H. C. Ingerson. D.B. 599, pp. 16. 1918.
parasites, list. D.B. 599, pp. 12-13. 1918.
yellows—
color. D.B. 40, pp. 7, 9. 1914.
control. S.R.S. Syl. 23, p. 12. 1916.
destruction of orchards, United States, 1907. Y.B. 1907, p. 580. 1908; Y.B. Sep. 467, p. 580. 1908.
investigations. An. Rpts., 1908, pp. 290-291. 1909; B.P.I. Chief Rpt., 1908, pp. 18-19. 1908.

Peach(es)—Continued.
yield per acre. D.B. 1338, p. 4. 1925.
See also *Amygdalus persica.*
Peachmond, peach-almond hybrid, importation and description. No. 55470. B.P.I. Inv. 71, p. 47. 1923.
PEACOCK, R. H.: "Soil survey of Clinton County, Indiana." With others. Soil Sur. Adv., Sh., 1914, pp. 28. 1915; Soils F.O., 1914, pp. 1631-1654. 1919.
Peafowl—
eggs, incubation period. F.B. 585, p. 3. 1914.
eye parasite of. B.A.I. Bul. 60, p. 47. 1904.
use as food. D.B. 467, p. 7. 1916.
Pealius spp., description. Ent. T.B. 27, Pt. II, p. 99. 1914.
Peanut(s)—
W. R. Beattie. F.B. 356, pp. 40. 1909; F.B. 431, pp. 39. 1911.
acre value in food. F. B. 877, pp. 4, 8. 1917.
acreage—
1909, by States, map. Y.B., 1915, p. 369. 1916; Y.B. Sep. 681, p. 369. 1916.
1918, studies. Sec. Cir. 75, p. 12. 1917.
1924, by States. Y.B., 1924, pp. 793, 794. 1925.
and production—
in Southern States, 1909-1919. D.C. 85, p. 18. 1920.
since 1909, Southern States. S.R.S. Doc. 96, p. 16. 1919.
in South, 1879-1919. Y.B., 1921, p. 337. 1922; Y.B. Sep. 877, p. 337. 1922.
in United States, map. Sec. [Misc.], Spec. "Geography * * * world's agriculture." p. 100. 1917.
increase—
and production, 1917. News L. vol. 4, No. 51, pp. 2-3. 1917.
seed supply and price. News L., vol. 4, No. 48, pp. 6-7. 1917.
planted, 1917. News L., vol. 6. No. 1, p. 12. 1918.
production and—
portion fed. Y.B., 1923, pp. 361, 362. 1924; Y.B. Sep. 895, pp. 361, 362. 1924.
yield. Y.B., 1917, pp. 290, 113, 117, 126. 1918; Y.B., Sep. 746, p. 4. 1918; Y.B. Sep. 748, pp. 3, 7, 16. 1918.
yield, prices, and marketing. 1923. Y.B., 1923, pp. 839-841. 1924; Y.B. Sep. 901, pp. 839-841. 1924.
adaptability of soils in Alabama, Mobile County. Soil Sur. Adv. Sh., 1911, p. 14. 1912; Soils F.O., 1911, p. 868. 1914.
adulteration. See *Indexes, Notices of Judgment, in bound volumes, and in separates, published as supplements to Chemistry Service and Regulatory Announcements.*
African—
description and—
analyses. F.B. 751, pp. 5, 9. 1916.
characteristics. F.B. 431, p. 29. 1911.
immunity to wilt disease. J.A.R., vol. 8, pp. 445, 446. 1917.
analysis, comparison with other feeds. F.B. 356, p. 37. 1909.
American-grown, analyses. F.B. 751, pp. 7-9. 1916.
area, production and exports, British India, 1891-1912. Stat. Cir. 36, pp. 13-14. 1912.
as nitrogen gatherers. F.B. 356, pp. 13, 20. 1909.
blanching—
directions. B.P.I. Cir. 98, pp. 7-8. 1912.
in making peanut butter. D. C. 128, pp. 7-8, 13. 1920.
method and machines, description. F.B. 751, pp. 6-7. 1916.
bread, recipe. F.B. 1136, p. 13. 1920.
bushel weights, by States. Y.B. 1918, p. 725. 1919; Y.B. Sep. 795, p. 61. 1919.
butter—
W. R. Beattie. B.P.I. Cir. 98, pp. 14. 1912.
adulteration. See *Indexes, Notices of judgment in bound volumes, and in separates published as supplements to Chemistry Service and Regulatory Announcements.*
bottling and packing. B.P.I. Cir. 98, pp. 11-13. 1912; D.C. 128, pp. 12-13. 1920.
cost of making at home. D.C. 128, p. 14. 1920.
description, and value. D.B. 469, p. 15. 1916.

Peanut(s)—Continued.
butter—continued.
details of manufacture. B.P.I. Cir. 98, pp. 1-14. 1912.
directions for making and use. F.B. 220, p. 19. 1908; F.B. 431, p. 31. 1911; Y.B., 1917, pp. 118-120, 292. 1918; Y.B. Sep. 746, p. 6. 1918; Y.B. Sep. 748, pp. 8-10. 1918.
food value, comparison with round steak. D.C. 128, p. 3. 1920.
grinding, bottling, and packing. D.C. 128, pp. 10-13. 1920.
manufacture—
F.B. 356, p. 32. 1909.
and use. H. C. Thompson. D.C. 128, pp. 16. 1920.
method and use, recipe. News L., vol. 5, No. 43, pp. 11-12. 1918.
stocks (not retail) July 1, 1918. News L., vol. 6, No. 6, p. 6. 1918.
use—
as shortening. F.B. 1136, pp. 23, 27. 1920.
in cookery, directions. D.C. 128, pp. 14-16. 1920.
in salad dressings. D.B. 123, pp. 7, 14, 47. 1916.
value in tomato soup, formula. News L., vol. 6, No. 10, p. 9. 1918.
by-products—
from crushing. J. B. Reed. D.B. 1096, pp. 12. 1922.
use as feed for livestock. F.B. 356, p. 33. 1909; F.B. 431, pp. 32-33. 1911.
use for feed. Chem. S.R.A. 23, p. 100. 1918.
cake, hulled and unhulled, feeding value for hogs, experiments. News L., vol. 4, No. 22, p. 6. 1917.
cake, production and analysis. Rpt. 112, pp. 19, 20. 1916.
candy, recipe. F.B. 356, p. 32. 1909.
Chinese, importations and descriptions. Nos. 42800, B.P.I. Inv. 47, p. 66. 1920; No. 45970, B.P.I. Inv. 54, p. 52. 1922.
classification and use as food. D.B. 123, p. 44. 1916.
clubs—
boys', in Southern States, results, 1917. S.R.S. Rpt., 1917, Pt. II, p. 31. 1919.
rules governing. D.C. 38, pp. 9-10. 1919.
work and yields. News L., vol. 4, No. 8, pp. 2, 3. 1916.
Coromandel, treatment in oil making. F.B. 751, pp. 2, 4. 1916.
cost of—
growing an acre. F.B. 1127, p. 31. 1920.
production, and value of crop. F.B. 356, p. 40 1909.
crop—
in Southern States, 1905. F.B. 332, p. 7. 1908.
value, 1908. F.B. 356, p. 7. 1909.
crushing, by-products from. J. B. Reed. D.B. 1096, pp. 12. 1922.
cultivation—
harvesting—
picking and cleaning. F.B. 356, pp. 17-27. 1909.
varieties, uses, cost, and returns. F.B. 431, pp. 1-39. 1911.
methods. F.B. 431, pp. 16-17. 1911.
methods and tools. O.E.S.F.I.L. 13, pp. 9, 11. 1912.
time and method. S.R.S. Doc. 45, p. 4. 1917.
yield, and uses, Henry County, Ala. Soil Sur. Adv. Sh., 1908, pp. 10-11. 1909; Soils F.O., 1908, pp. 488-489. 1911.
culture and uses, syllabus of illustrated lecture. W. R. Beattie. O.E.S.F.I.L. 13, pp. 23. 1912.
demand for 1919-20. Sec. Cir. 125, p. 15. 1919.
destruction by crows. D.B. 621, p. 52. 1918.
digger—
description, cost of use. F.B. 356, p. 19. 1909.
plow type, description. Sec. Cir. 81, p. 1. 1917.
types. F.B. 1127, p. 16. 1920.
digging, stacking, picking, and threshing. S.R.S. Doc. 45, pp. 5-6. 1917.
disease, description and control. F.B. 431, pp. 37-38. 1911.
Dixie Giant, description. F.B. 356, p. 30. 1909.

Peanut(s)—Continued.
effect on soil. F.B. 356, pp. 12, 13. 1909.
emergency crop, overflowed lands. B.P.I. Doc. 756, p. 4. 1912.
estimates, 1910-1922. M.C. 6, p. 17. 1923.
exports and imports, 1906-1914, sources and demand. D.B. 296, p. 36. 1915.
farmers' stock, shipping. Chem. S.R.A. 23, p. 100. 1918.
fat, blended, digestibility experiments. D.B. 1033, pp. 12-13, 14. 1922.
feed—
for horses. F.B. 1030, p. 13. 1919.
for pigs, compared with cornmeal. B.A.I. Bul. 47, pp. 106-107. 1904.
influence on pork, experiments. B.A.I. Chief Rpt., 1924, p. 8. 1924.
value for dairy cows. D.B. 1272 pp. 3-4. 1924.
value for stock. F.B. 1127, pp. 25-28. 1920.
feeding—
to chickens, experiments. D.B. 21, p. 17. 1914.
with sweet potatoes, for stock. F.B. 324, pp. 38, 39. 1908.
fertilizer(s)—
and preparatory crops. F.B. 431, pp. 9-12. 1911.
requirements. F.B. 356, pp. 11-13. 1909.
tests. Soils Bul. 67, pp. 44-45. 1910.
flour. *See* Flour.
food uses and value. O.E.S. F.I.L. 13, p. 18. 1912.
food value. Y.B., 1917, pp. 289, 290. 1918; Y.B. Sep. 746, pp. 3, 4. 1918.
for seed—
disinfection for leaf-spot control, experiments. J.A.R., vol. 5, No. 19, pp. 892-894, 901. 1916.
importance in spread of wilt disease. J.A.R., vol. 8, No. 12, pp. 444-445. 1917.
planting, methods, time, distance, and quantity per acre. F.B. 356, pp. 14-17. 1909
quantity per acre—
different varieties. F.B. 431, p. 15. 1911.
distances. Sec. [Misc.] Spec. "Peanut growing in the * * *," pp. 3-4. 1915.
selection—
and planting. F.B. 431, pp. 12-14. 1911.
protection. O.E.S. F.I.L. 13, pp. 8-9, 10. 1912.
forage-crop experiments in Texas. B.P.I. Cir. 106, pp. 26-27. 1913.
forage experiments. F.B. 227, pp. 10-12. 1905.
four-seeded, importation and description. No. 43449, B.P.I. Inv. 49, p. 25. 1921.
germination studies. B.P.I. Chief Rpt., 1921, p. 8. 1921.
grading, regulations. B.A.E.S.R.A. 81, pp. 22-23. 1923.
grazing crop for hogs. F.B. 985, pp. 7, 9, 10, 19-21. 1918.
grinding, machines used. B.P.I. Cir. 98, pp. 10-11. 1912.
growing—
and—
profits. News L., vol. 6, No. 40, p. 6. 1919.
use. F.G. Krauss. Hawaii Ext. Bul. 5, pp. 12. 1917.
uses in cotton States. F.B. 1125, rev., p. 47. 1920.
yield in Florida, Ocala area. Soil Sur. Adv. Sh., 1912, p. 14. 1913; Soils F.O., 1912, p. 678. 1915.
as forage crop for hogs. F.B. 951, pp. 5, 15-16. 1918.
for—
forage, value for stock. F.B. 431, pp. 34-37. 1911.
hog forage, Kansas and Oklahoma. F.B. 331, pp. 17-18. 1908.
profit. W. R. Beattie. F.B. 1127, pp. 33. 1920.
harvesting, picking, threshing, and cleaning. Y.B., 1917, pp. 113-118. 1918; Y.B., Sep. 748, pp. 3-8. 1918.
in Alabama—
Barbour County. Soil Sur. Adv. Sh., 1914, pp. 13, 21-41. 1916; Soils F.O., 1914, pp. 1079, 1087-1107. 1919.
Crenshaw County. Soil Sur. Adv. Sh., 1921, pp. 379-401. 1924.

Peanut(s)—Continued.
 growing—continued.
  in Alabama—continued.
   Geneva County. Soil Sur. Adv. Sh., 1920, pp. 292, 301–314. 1924; Soils F.O., 1920, pp. 292, 301–314. 1925.
   Marengo County. Soil Sur. Adv. Sh., 1920, pp. 561, 572–588. 1923; Soils F.O., 1920, pp. 561, 572–588. 1925.
   Mobile County, adaptability of soil. Soil Sur. Adv. Sh., 1911, p. 14. 1912; Soils F.O., 1911, p. 868. 1914.
  in Arkansas—
   Craighead County. Soil Sur. Adv. Sh., 1916, pp. 10, 12, 17. 1917; Soils F.O., 1916, pp. 1166, 1168, 1173. 1921.
   Howard County. Soil Sur. Adv. Sh., 1917, pp. 10, 22–25, 38. 1919; Soils F.O., 1917, pp. 1360, 1373–1374, 1388. 1923.
   place in rotations. F.B. 1000, pp. 11, 16. 1918.
  in Cotton Belt. H. C. Thompson. S.R.S. Doc. 45, pp. 8. 1917; Sec. Spec., pp. 8. 1915.
  in Georgia—
   Brooks County. D.B. 648, pp. 22, 29, 46–48, 50, 52, 53. 1918; Soil Sur. Adv. Sh., 1916, pp. 10, 12–13, 24–32. 1918; Soils F.O., 1916, pp. 593–597, 608–616. 1921.
   Colquitt County, acreage, methods, varieties, and yields. Soil Sur. Adv. Sh., 1914, pp. 12, 14, 15. 1915; Soils F.O., 1914, pp. 968, 970, 971. 1919.
   Crisp County. Soil Sur. Adv. Sh., 1916, pp. 10, 16–17. 1917; Soils F.O., 1916, pp. 631, 637–639. 1921.
   Early County. Soil Sur. Adv. Sh., 1918, pp. 9–11, 16–41. 1921; Soils F.O., 1918, pp. 423–425, 430–455. 1924.
   Laurens County, acreage, production, yield, and uses. Soil Sur. Adv. Sh., 1915, pp. 13, 40. 1916; Soils F.O., 1915, pp. 629, 656. 1919.
   Lowndes County. Soil Sur. Adv. Sp., 1917, pp. 11, 17, 22–31. 1920; Soils F.O., 1917, pp. 639, 645, 650–651. 1923.
   Mitchell County. Soil Sur. Adv. Sh., 1920, pp. 5, 8, 13–32, 36. 1922; Soils F.O., 1920, pp. 5, 8, 13–32, 36. 1925.
   Pierce County. Soil Sur. Adv. Sh., 1918, pp. 9, 14–21, 25. 1920; Soils F.O., 1918, pp. 491, 496–503, 510. 1924.
   Sumter County, acreage, importance, and yield. D.B. 1034, pp. 12, 15, 17, 18, 20. 1922.
   Tatnall County, value as forage. Soil Sur. Adv. Sh., 1914, pp. 12, 13. 1915; Soils F.O., 1914, pp. 824, 825. 1919.
   Turner County, acreage, yields, and uses. Soil Sur. Adv. Sh., 1915, pp. 10, 16. 1916; Soils F.O., 1915, pp. 664, 670. 1919.
  in Guam—
   culture and variety tests. Guam Bul. 4, pp. 19–20, 29. 1922.
   for forage, 1913, adaptability. Guam A.R., 1913, pp. 14–15. 1914.
  in Hawaii for hog pasture. Hawaii Bul. 48, pp. 31, 33. 1923.
  in Louisiana—
   on hill farms, labor requirements. D.B. 961, pp. 4, 19–20. 1921.
   Webster Parish. Soil Sur. Adv. Sh., 1914, pp. 12, 23, 27. 1916; Soils F.O., 1914, pp. 1246, 1257, 1261. 1919.
  in Mississippi—
   Covington County. Soil Sur. Adv. Sh., 1917, p. 12. 1919; Soils F.O., 1917, p. 874. 1923.
   Lincoln County, methods and yields. Soil Sur. Adv. Sh., 1912, pp. 9–10, 21. 1913; Soils F.O., 1912, pp. 859–860, 871. 1915.
   Pike County. Soil Sur. Adv. Sh., 1918, pp. 11–12, 20. 1921; Soils F.O., 1918, pp. 655–656, 664. 1924.
  in North Carolina—
   Bertie County. Soil Sur. Adv. Sh., 1918, pp. 9, 11, 16–24, 30, 31. 1920; Soils F.O., 1918, pp. 167, 169, 174–182, 188, 189. 1924.
   Halifax County. Soil Sur. Adv. Sh., 1916, pp. 9–12, 19–44. 1918; Soils F.O., 1916, pp. 347, 357–382. 1921.

Peanut(s)—Continued.
 growing—continued.
  in North Carolina—continued.
   Hertford County. Soil Sur. Adv. Sh., 1916, pp. 10–32. 1917; Soils F.O., 1916, pp. 426–430, 435–447. 1921.
   Onslow County. Soil Sur. Adv. Sh., 1921, pp. 104, 105, 110–116, 122. 1923.
   Pender County. Soil Sur. Adv. Sh., 1912, pp. 12, 13, 20, 36. 1914; Soils F.O., 1912, pp. 376, 377, 384, 400. 1915.
   Pitt County. Soil Sur. Adv. Sh., 1909, pp. 10, 11, 13, 19, 21, 23, 25, 27. 1910; Soils F.O., 1909, pp. 394, 395, 397, 403, 405, 407, 409, 411. 1912.
  in Oklahoma, Bryan County. Soil Sur. Adv. Sh., 1914, pp. 14, 21–34, 44–48. 1915; Soils F.O., 1914, pp. 2174, 2181–2194, 2204–2208. 1919.
  in Porto Rico. P.R. An. Rpt., 1920, p. 22. 1921.
  in South, use as hay and pasture. S.R.S. Syl. 24, pp. 13–14. 1917.
  in Southern States, uses and value. F.B. 1289, p. 17. 1923.
  in Texas—
   Bowie County. Soil Sur. Adv. Sh., 1918, pp. 10, 13, 21–45. 1921; Soils F.O., 1918, pp. 720, 723, 731–745. 1924.
   Brazos County. Soil Sur. Adv. Sh., 1914, pp. 15, 28, 30. 1916; Soils F.O., 1914, pp. 1285, 1298, 1300. 1919.
   Denton County. Soil Sur. Adv. Sh., pp. 8, 10, 13, 34, 35, 40, 42, 48, 51, 58. 1922; Soils F.O., 1918, pp. 780, 782, 785, 806, 812, 814, 820, 823, 830. 1924.
   Eastland County, 1916, uses and value. Soil Sur. Adv. Sh., 1916, p. 10. 1918; Soils F.O., 1916, p. 1286. 1921.
   Erath County. Soil Sur. Adv. Sh., 1920, pp. 376, 388–393, 402. 1923; Soils F.O., 1920, pp. 376, 388–393, 402. 1925.
   Freestone County. Soil Sur. Adv. Sh., 1918, pp. 13, 16, 28–57. 1921; Soils F.O., 1918, pp. 839, 842, 854–883. 1924.
   Harrison County, acreage, soils, and uses. Soil Sur. Adv. Sh., 1912, pp. 11, 22, 29. 1913; Soils F.O., 1912, pp. 1061, 1072, 1079. 1915.
   Tarrant County. Soil Sur. Adv. Sh., 1920, pp. 866–869, 882–897. 1924; Soils F.O., 1920, pp. 866–869, 882–897. 1925.
   Titus County. Soil Sur. Adv. Sh., 1909, pp. 9, 14, 16. 1910; Soils F.O., 1909, pp. 1009, 1014, 1016. 1912.
  increase. D.B. 1096, p. 1. 1922.
  increase in acreage and value of products. Y.B., 1916, p. 170. 1917, Y.B. Sep. 691, p. 12. 1917.
  labor and implements. D.B. 1292, pp. 5–7. 1925.
  methods and uses, in Lauderdale County, Miss. Soil Sur. Adv. Sh., 1910, pp. 16–17. 1912; Soils F.O., 1910, pp. 744–745. 1912.
  in manganiferous soils. Hawaii Bul. 26, p. 24. 1912.
  on Norfolk fine sandy loam, yield. Soils Cir. 22, pp. 8, 13. 1911.
  with corn, harvesting methods. S.R.S. Doc. 45, p. 7. 1917.
 harvesting—
  advice. News L., vol. 5, No. 13, p. 8. 1917.
  picking, threshing, and storing. H. C. Thompson. Sec. Cir. 81, pp. 6. 1917.
  stacking and curing. F.B. 1127, pp. 15–19. 1920.
 hauling from farm to shipping points, costs. Stat. Bul. 49, pp. 27–28. 1907.
 hay—
  feed value and yield. Y.B., 1917, p. 124. 1918; Y.B. Sep. 748, p. 14. 1918.
  feeding value. F.B. 356, pp. 27, 31, 36–38. 1909.
  harvesting time and methods. News L., vol. 3, No. 4, p. 3. 1915.
  value for stock feed. F.B. 431, p. 35. 1911.
  value in South. D.B. 827, p. 35. 1921.
 history, botanical description and commercial value. F.B. 431, pp. 5–6. 1911.
 hog—
  feed value. B.P.I. Bul. 111, Pt. IV, p. 18. 1907.
  feeding, effect on pork. F.B. 809, pp. 13–14. 1917.

Peanut(s)—Continued.
  hog—continued.
    feeding value in South. F.B. 331, pp. 17-18. 1908.
    Goober, immunity to wilt disease. J.A.R., vol. 8, pp. 445, 446. 1917.
    grazing, comparisons. B.A.I. Bul. 47, pp. 156-161. 1904.
    pasture and feed, in Alabama, Conecuh County. Soil Sur. Adv. Sh., 1912, pp. 13, 18, 33. 1914; Soils F.O., 1912, pp. 761, 766, 781. 1915.
  importations—
    and descriptions. Nos. 31875-31876, B.P.I. Bul. 248, p. 59. 1912; Nos. 45482, 45490, B.P.I. Inv. 53, pp. 39, 40. 1922; No. 47865, B.P.I. Inv. 60, p. 7. 1922; Nos. 51905-51907, B.P.I. Inv. 65, p. 66. 1923; Nos. 52343, 52344, B.P.I. Inv. 66, p. 13. 1923; Nos. 55808-55810, B.P.I. Inv. 72, pp. 4, 37. 1924.
    in 1914 (and oil), uses, and value. News L., vol. 4, No. 51, p. 2. 1917.
  imports—
    1910, quantity and value, by countries from which consigned. Stat. Bul. 90, p. 52. 1911.
    and exports, 1907-1911. Y.B., 1911, pp. 665, 674. 1912; Y.B. Sep. 588, pp. 665, 674. 1912.
    by countries. Y.B., 1921, pp. 646-647. 1922; Y.B. Sep. 869, pp. 66-67. 1922.
  improvement by seed selection. F.B. 356, p. 15. 1909.
  industry—
    growth since 1899. S.R.S. Doc. 45, p. 1. 1917.
    magnitude, losses from insects. Ent. Cir. 142, p. 1. 1911.
    present status. H. C. Thompson. Y.B., 1917, pp. 113-126. 1918; Y.B. Sep. 748, pp. 16. 1918.
    value to cotton planters. D.B. 1096, p. 1. 1922.
  infestation by fig moth. Ent. Bul. 104, pp. 15, 17, 19. 1911.
  injury by—
    cucumber beetles. Ent. Bul. 82, Pt. VI, pp. 72, 73. 1910.
    machinery, results. Ent. Cir. 142, p. 1. 1911.
    termites. D.B. 333, p. 17. 1916.
  inoculation—
    field tests and results. F.B. 315, p. 18. 1908.
    with wild fungus. J.A.R., vol. 8, p. 444. 1917.
  insects injurious, control. Ent. Cir. 142, pp. 5-6. 1911; F.B. 356, p. 38. 1909; F.B. 431, p. 37. 1911.
  introduction into United States, distribution, habits, and commercial importance. O.E.S.F.I.L. 13, pp. 5-6. 1912.
  labor requirements. D.B. 1181, pp. 8, 18, 61. 1924; D.C. 83, pp. 19, 20. 1920; Farm M. Cir. 3, pp. 27, 28, 30. 1919.
  leaf-spot—
    cause and control. F.B. 356, pp. 38-39. 1909.
    occurrence and description, Texas. B.P.I. Bul. 226, pp. 49, 109. 1912.
    studies. Frederick A. Wolf. J.A.R., vol. 5, No. 19, pp. 891-902. 1916.
  local names, history and characteristics. F.B. 356, p. 7. 1909.
  losses in marketing, causes, and means of prevention. B.P.I. Cir. 88, pp. 7. 1911.
  market news service. An. Rpts., 1920, pp. 543-544. 1921.
  marketing—
    cooperative demonstration work in Alabama. Y.B., 1919, p. 215. 1920; Y.B. Sep. 808, p. 215. 1920.
    methods. Rpt. 98, pp. 127-128. 1913.
  maturing, harvesting, and stacking, directions. News L., vol. 6, No. 6, p. 12. 1918.
  meal—
    and oil, feed for cattle, energy value. J.A.R., vol. 3, pp. 478, 482, 485. 1915.
    composition and value as feed. Y.B., 1917, pp. 124-125. 1918; Y.B. Sep. 748, pp. 14-15. 1918.
    for cattle feed in South, value. D.B. 827, p. 42. 1921.
    misbranding. Chem. N.J. 13179. 1925; Chem. N.J. 13456. 1925.
    nutritive value as dairy feed, analysis. F.B. 743, p. 16. 1916.
    recipes, use as substitute for wheat flour. F.B. 955, pp. 10, 14, 15, 19. 1918.

Peanut(s)—Continued.
  meal—continued.
    superiority over whole peanuts for hog feed. News L., vol 4, No. 22, p. 6. 1917.
    value in feeding horses. B.A.I. Cir. 168, pp. 1-2. 1911.
    with corn, feeding experiments. J.A.R., vol. 24, pp. 974-975, 976. 1923.
  1917 crop largest in history. News L., vol. 5, No. 13, p. 8. 1917.
  nitrogen—
    content. News L., vol. 4, No. 24, p. 4. 1917.
    gathering—
      and soil renovation. F.B. 431, pp. 12, 35. 1911.
    quality. F.B. 1127, p. 7. 1920.
  North Carolina. See Peanuts, African.
  oil—
    H. C. Thompson, and H. S. Bailey. F.B. 751, pp. 16. 1916.
    adulteration, and misbranding. Chem. N.J. 3327, p. 1. 1914.
    as adulterant of olive oil, analytical data, and tables. Chem. Bul. 77, pp. 15, 16, 17, 20, 21, 23, 24, 25, 27, 34-35, 44, 45. 1905.
    cake, definition. D.B. 1096, p. 9. 1922.
    calf feeding, as substitute for butterfat. F.B. 381, p. 22. 1909.
    cold-pressed, quality. News L., vol. 6, No. 37, p. 14. 1919.
    comparison with olive oil. An. Rpts., 1913, p. 132. 1914; B.P.I. Chief Rpt., 1913, p. 28. 1913.
    content, studies. J.A.R., vol. 3, pp. 229-244. 1914.
    crude, refining methods, market demands. News L., vol. 5, No. 29, p. 3. 1918.
    description—
      and value. News L., vol. 6, No. 38, p. 5. 1919.
      market demand, and food value. News L., vol. 4, No. 51, pp. 2, 3. 1917.
    digestion experiments, details and results. D.B. 505, pp. 8-10. 1917.
    domestic, comparison with imported. News L. vol. 5, No. 28, p. 6. 1918.
    economic importance, yield, and prices. S.R.S. Doc. 45, pp. 7-8. 1917.
    exports and imports, 1913-1920, by world countries. Y.B., 1921, p. 802. 1922; Y.B. Sep. 871, 1921, p. 33. 1922.
    extraction methods. Off. Rec. vol. 3, No. 18, p. 2. 1924.
    home-filtered, method, value, and cost. News L., vol. 5, No. 29, p. 3. 1918.
    imports—
      1912-1918, and uses. Y.B., 1922, p. 272. 1923; Y.B. Sep. 882, p. 272. 1923.
      1913-1920, by world countries. Y.B., 1921, p. 802. 1922; Y.B. Sep. 871, p. 33. 1922.
      1922-1924. Y.B., 1924, p. 1063. 1925.
    increasing importance. News L., vol. 6, No. 32, p. 14. 1919.
    manufacture—
      in Europe and in United States. F.B. 751, pp. 2-4, 10-12. 1916.
      methods and results. Y.B., 1917, pp. 120-123. 1918; Y.B. Sep. 748, pp. 10-13. 1918.
      possibilities. F.B. 431, pp. 33-34. 1911.
      processes. D.B. 1096, pp. 2-4. 1922.
      uses and value. F.B. 356, p. 34. 1909.
    meal, definition. D.B. 1096, p. 9. 1922.
    presence in olive oil, detection. Chem. Bul. 77, pp. 34-35. 1903.
    prices. Y.B., 1924, p. 797. 1925.
    production—
      1912-1917, pressing methods, price and uses. D.B. 769, pp. 17-19. 1919.
      and value. O.E.S. F.I.L. 13, p. 18. 1912.
      details. Y.B., 1916, pp. 170-173. 1917; Y.B. Sep. 691, pp. 12-15. 1917.
      imports, and exports, 1912-1921. Y.B. 1921, p. 799. 1922; Y.B. Sep. 871, p. 30. 1922.
    sources and manufacture, by-products. F.B. 751, pp. 1-16. 1916.
    test. Chem. Bul. 107, pp. 145-146. 1907.
    use and value. D.B. 469, p. 13. 1916.
    use as food. O.E.S. Bul. 245, p. 69. 1912.

Peanut(s)—Continued.
  oil—continued.
    yield(s)—
      F.B. 751, pp. 2, 4. 1916.
      per bushel, processes and uses. Y.B., 1917, pp. 290, 297-301. 1918; Y.B. Sep. 746, pp. 4, 11-15. 1918.
      per ton and per bushel, American-grown peanuts. F.B. 751, pp. 8-9, 12, 14. 1916.
  pasture—
    F.B. 411, pp. 29-31. 1910; Y.B., 1922, p. 207. 1923; Y.B. Sep. 882, p. 207. 1923.
    grazing by hogs, increase in fertility, experiments. F.B. 411, pp. 39-40. 1910.
  periodical. M.C. 11, p. 52. 1923.
  picking—
    and cleaning, methods and machines. F.B. 356, pp. 23-27. 1909.
    and handling. W. R. Beattie. B.P.I. Cir. 88, pp. 7. 1911.
    by hand, cost. F.B. 356, p. 24. 1909.
    threshing, cleaning, and shelling. Y.B., 1917, pp. 115-118. 1918; Y.B. Sep. 748, pp. 5-8. 1918.
  plant—
    injury from leaf spot, and loss in yields. J.A.R., vol. 5, No. 19, pp. 894-895. 1916.
    value as feed. F.B. 356, pp. 36-38. 1909.
  planter—
    description. F.B. 1127, p. 12. 1920.
    one-horse, description and cost. F.B. 356, p. 17. 1909.
  planting—
    intentions and outlook for 1924. M.C. 23, pp. 3, 4, 13. 1924.
    time and methods. F.B. 356, pp. 15-17. 1909; F.B. 431, pp. 14-16. 1911.
  preparation for oil making. F.B. 751, pp. 6-7. 1916.
  press—
    cake flour, protein digestibility, experiments. D.B. 717, pp. 19-22. 1918.
    cake, substitute for soy-beans in soy-bean sauce. D.B. 1152, pp. 13-14, 19-20. 1923.
    description. F.B. 751, p. 3. 1916.
  prices, farm, and market. Y.B. 1924, pp. 794, 795, 1174. 1925.
  production—
    1911-1913, by States, comparison. F.B. 563, pp. 3, 14. 1913.
    1917, and increase need for 1918. Sec. Cir. 103, p. 16. 1918.
    and value—
      1917. News L., vol. 5, No. 35, p. 6. 1918.
      in leading States, 1909. Y.B., 1914, p. 648. 1915; Y.B. Sep. 656, p. 648. 1915.
    cost. F.B. 751, pp. 13-15. 1916.
    cost and profits. O.E.S.F.I.L. 13, p. 19. 1912.
    demand and increase, 1899-1916. News L., vol. 5, No. 43, p. 7. 1918.
    increase in South, 1909-1918. News L., vol. 5, No. 50, p. 6. 1918.
    tests, Yuma experiment farm, 1916. W.I.A. Cir. 20, pp. 25. 1918.
  products, labeling, suggestions. F.B. 751, p. 15. 1916.
  profit to farmers. Off. Rec., vol. 3, No. 18, p. 3. 1924.
  recipes, and uses. Y.B., 1917, pp. 291-301. 1918; Y.B. Sep. 746, pp. 5-15. 1918.
  responsibility for soft and oily pork. D.B. 1086, pp. 1-3. 1922.
  roasted, varieties and quantities used. Y.B., 1917, p. 118. 1918; Y.B. Sep. 748, p. 8. 1918.
  roasting, blanching, and blending, directions. B.P.I. Cir. 98, pp. 5-10. 1912.
  root-knot resistant crop. News L., vol. 2, No. 40, p. 6. 1915.
  rot disease, cause. S.R.S. Rpt., 1915, Pt. I, p. 60. 1917.
  rotations for control of leaf spot, tests. J.A.R., vol. 5, No. 19, pp. 891-892. 1916.
  sauce, substitute for soy-bean sauce. D.B. 1152, pp. 19-20. 1923.
  school lesson. D.B. 258, p. 10. 1915.
  seed—
    composition. J.A.R., vol 5, No. 25, p. 1162. 1916.
    demand and supply source. Y.B., 1917, p. 525. 1918; Y.B. Sep. 757, p. 31. 1918.

Peanut(s)—Continued.
  seed—continued.
    disinfection, for control of leaf spot, experiments. J.A.R., vol. 5, pp. 892-894, 901. 1916.
    importance in spread of wilt disease. J.A.R., vol. 8, pp. 444-445. 1917.
    protection from rodents. F.B. 1127, pp. 9-10. 1920.
    selection—
      and planting. F.B. 356, p. 15. 1909; F.B. 431, pp. 12-14. 1911.
      preparation, and quantity per acre. F.B. 1127, pp. 7-11. 1920.
    shelled—
      adulteration. Chem. N.J. 253, pp. 2. 1910; Chem. N.J. 944, pp. 2. 1911; Chem. N.J. 945, pp. 2. 1911; Chem. N.J. 957, p. 1. 1911; Chem. N.J. 3080, pp. 2. 1914.
      food-value comparisons, chart. D.B. 975, p. 26. 1921.
      white Spanish, United States grades. D.C. 304, pp. 2. 1924.
  soil—
    and climate requirements, area adapted. F.B. 356, pp. 8-9. 1909; F.B. 431, pp. 6-7. 1911.
    improvement—
      and soils adaptable. News L., vol. 4, No. 51, pp. 2-3. 1917.
    crop for Southern States. F.B. 986, p. 15. 1918.
    preparation. F.B. 356, pp. 10-11. 1909; F.B. 431, pp. 8-9. 1911.
    requirements. S.R.S. Doc. 45, p. 2. 1917.
  Spanish—
    as hog feed supplementary to corn, cultural notes. F.B. 405, pp. 14, 15. 1910.
    description—
      analyses, and oil yield. F.B. 751, pp. 5, 8, 9, 12. 1916.
      and weight per bushel. F.B. 431, p. 29. 1911.
      yield, and weight. F.B. 356, pp. 29, 31, 40. 1909.
    value for oil production. D.B. 1096, p. 2. 1922.
    yield, cost of production and returns. F.B. 751, pp. 13-15. 1916.
  stacking, directions. Sec. Cir. 81, pp. 2-4. 1917.
  statistics—
    1910-1921, acreage, production. Y.B., 1921, pp. 73, 646-647, 741, 747, 771. 1922; Y.B. Sep. 869, pp. 65-67. 1922; Y.B. Sep. 867, pp. 5, 11. 1922; Y.B. Sep. 871, p. 2. 1922; Y.B. Sep. 875, p. 73. 1922.
    1922 acreage, production, and prices. Y.B., 1922, pp. 759-760. 1923. Y.B. Sep. 884, pp. 759-760. 1923.
    graphic showing of average production, United States. Stat. Bul. 78, p. 36. 1910.
  stored, insects injurious. Ent. Cir. 142, p. 2. 1911.
  storing on farm and in warehouses. Sec. Cir. 81, pp. 5-6. 1917.
  study by use of F.B. 431. E. A. Miller. S.R.S. [Misc.], "How teachers may use * * *," pp. 2. 1916.
  supply for press cake. D.B. 717, pp. 3-4. 1918.
  supply of family for a week, and place in menu. F.B. 1228, pp. 11-12, 19. 1921.
  susceptibility to tobacco wilt. D.B. 562, pp. 12, 13, 14, 16, 19. 1917.
  Tennessee Red, description. F.B. 356, p. 30. 1909; F.B. 431, p. 29. 1911.
  threshing and picking, directions. Sec. Cir. 81, pp. 4-5. 1917.
  trade, international. 1911-1921. Y.B., 1922, p. 760. 1923; Y.B. Sep. 884, p. 760. 1923.
  types and composition of kernel. Y.B., 1917, p. 291. 1918; Y.B. Sep. 746, p. 5. 1918.
  use—
    and value—
      as food. Y.B., 1917, pp. 118-120, 289, 301. 1918; Y.B. Sep. 746, pp. 15. 1918; Y.B. Sep. 748, pp. 8-10. 1918.
      as hog feed, experiments. News L., vol. 4, No. 22, p. 6. 1917.
      as mixture for wheat flour. News L., vol. 4, No. 49, p. 7. 1917.
      of by-products. News L., vol 5, No. 28, p. 6. 1918.

Peanut(s)—Continued.
  use—continued.
    as—
      companion crop with corn in South. B.P.I. Doc. A-80, p. 11. 1912.
      food. F.B. 332, pp. 11, 19, 26, 28. 1908; O.E.S. Bul: 245, pp. 58–59. 1912.
      forage crop in cotton region. F.B. 509, p. 33. 1912.
      human food. F.B. 431, pp. 30–32. 1911.
      meat substitutes. U.S. Food Leaf. 8, p. 3. 1917.
      wheat substitute in bread making. S.R.S. Doc. 64, pp. 4, 8, 10. 1917.
    food and by-products. F.B. 356, pp. 31–34. 1909.
    for candy without sugar, recipes. News L., vol. 5, No. 43, p. 6. 1918.
    Valencia, description. F.B. 431, p. 29. 1911; F.B. 751, pp. 5, 9. 1916.
    value—
      as crop and soil renovator. F.B. 422, p. 16. 1910; B.P.I. Doc. 632, p. 6. 1910.
      as legume in cotton rotations. F.B. 787, pp. 10, 11. 1916.
      for—
        food, and use, recipes. News L., vol. 5, No. 41, p. 7. 1918.
        hay and feed. B.P.I. Doc. 555, pp. 2, 5. 1910.
        hog forage. News L., vol. 4, No. 51, p. 3. 1917.
        livestock feed. S.R.S. Doc. 45, pp. 1, 7. 1917.
        pork production and for hay. News L., vol. 4, No. 51, p. 2. 1917.
        soil improvement. S.R.S. Doc. 45, p. 3. 1917.
      in 1917. News L., vol. 5, No. 35, p. 6. 1918.
      in pig feeding, as grain or pasture. B.A.I. An. Rpt., 1903, pp. 273, 290–292, 293–294. 1904; B.A.I. Cir. 63, pp. 273, 290–292, 293–294. 1904.
    varietal tests, Yuma experiment farm. D.C. 75, p. 57. 1920.
    varieties—
      adapted to making butter. B.P.I. Cir. 98, pp. 4–5, 10. 1912.
      and uses. S.R.S. Doc. 45, pp. 6–7. 1917.
      classification and description. F.B. 431, pp. 26–30. 1911.
      comparative yield and value for hog grazing. F.B. 985, pp. 19–20. 1918.
      description and location where grown. F.B. 1127, pp. 29–30. 1920.
      description, weight, and uses. F.B. 356, pp. 27–31. 1909.
      distribution, description, and weight. O.E.S. F.I.L. 13, pp. 16, 17. 1912.
      immunity to wilt disease. J.A.R., vol. 8, pp. 445–447. 1917.
      in United States, description, analyses, and yields. F.B. 751, pp. 4–6, 7–9, 13–15. 1916.
      note. News L., vol. 5, No. 52, pp. 3, 4, 5. 1918.
    Virginia—
      Bunch, description and—
        analyses. F.B. 751, pp. 5, 8, 9. 1916.
        weight. F.B. 356, p. 29. 1909.
      description and weight per bushel. F.B. 431, p. 28. 1911.
      Runner—
        description and analyses. F.B. 751, pp. 5, 8, 9. 1916.
        description and weight. F.B. 356, p. 29. 1909.
        immunity to wilt disease. J.A.R., vol. 8, pp. 445, 446. 1917.
    warehouse regulations. B.A.E.S.R.A. 81, pp. 33. 1923.
    "weevil cut," and the Indian-meal moth. C. H. Popenoe. Ent. Cir. 142, pp. 6. 1911.
    wilt caused by *Sclerotium Rolfsii*. J.A.R., vol. 8, pp. 441–448. 1917.
    yield(s)—
      cost, value, and profits. S.R.S. Doc. 45, p. 8. 1917.
      in 1905. Y.B., 1906, p. 295. 1907; Y.B. Sep. 424, p. 295. 1907.
      on Norfolk fine sandy loam. Y.B., 1911, p. 231. 1912; Y.B. Sep. 563, p. 231. 1912.
      per acre. F.B. 356, pp. 30, 40. 1909.

Pear(s)—
  African, importations, use as stock. Nos. 40297, 40331. B.P.I. Inv. 42, pp. 7, 101, 107. 1918.
  analyses and changes during ripening. J.A.R., vol. 19, pp. 482–495. 1920.
  and peach, cold storage. G. Harold Powell and S. H. Fulton. B.P.I. Bul 40, pp. 28. 1903.
  Angoulême, description. F.B. 482, p. 29. 1912.
  Anjon, description. F.B. 482, p. 29. 1912.
  aphids—
    description and—
      control. F.B. 1128, pp. 15, 38–47. 1920.
      injuries. F.B. 804, pp. 18–19. 1917.
    woolly, description and life history. J.A.R. vol. 6, No. 10, pp. 351–360. 1916; J.A.R., vol. 10, No. 2, pp. 65–74. 1917.
  Arnold Arboretum, importations and description. Nos. 44041–44056. B.P.I. Inv. 50, pp. 7, 18–20. 1922.
  Ayer, origin and description. Y.B., 1911, p. 428. 1912; Y.B. Sep. 581, p. 428. 1912.
  balsam, importation and description. No. 41721. B.P.I. Inv. 46, p. 15. 1919.
  Bartlett—
    characteristics in Piedmont, and Blue Ridge region. B.P.I. Bul. 135, pp. 50, 84. 1908.
    description. F.B. 482, p. 26. 1912.
    handling, general discussion and summary. J.A.R., vol. 19, pp. 496–499. 1920.
    precooling and storage investigations, Rogue River Valley. B.P.I. Cir. 114, pp. 19–24. 1913.
    prominence as variety. D.B. 822 pp. 5–16., 1920.
    ripening and storage, investigations. J.R. Magness. J.A.R. vol. 19, pp. 473–500. 1920.
    storage, investigations. An. Rpts., 1914, pp. 123–124. 1914; B.P.I. Chief Rpt., 1914, pp. 23–24. 1914.
  bitter-rot canker, occurrence in Texas and description. B.P.I. Bul. 226, p. 29. 1912.
  blight beetle—
    description, fall control work, methods. News L. vol. 3, No. 17, pp. 1, 2–4. 1915.
    destructiveness to European pome fruits. Y.B., 1908, p. 460. 1909; Y.B. Sep. 494, p. 460. 1909.
    effect of high fertilization and pyramidal pruning. Y.B., 1900, pp. 380, 381. 1901.
    eradication—
      by cutting out diseased tissues, methods and future treatment. News L. vol. 3, No. 17, pp. 2–4. 1915.
      work, 1907. An. Rpts., 1907, pp. 41, 42, 265. 1909; Rpt. 85, pp. 29, 30. 1907; Sec. A.R. 1907, pp. 39, 40. 1907; Y.B., 1907, pp. 40, 41. 1908.
    fire, or twig, treatment. F.B. 243, p. 19. 1906.
    in Georgia, Grady County, control. Soil Sur. Adv. Sh., 1908, p. 19. 1909; Soils F.O., 1908, p. 355. 1911.
    infection of fruit. Off. Rec., vol. 4, No. 31, p. 5. 1925.
    injuries, description, habits, and control. F.B. 763, pp. 14–15. 1916.
    other names. News L., vol. 3, No. 17, pp. 1–2. 1915.
    outbreak in Eastern States, 1914, and eradication work. News L., vol. 5, No. 21, p. 8. 1917.
    partial control. Y.B., 1908, p. 209. 1909; Y.B. Sep. 475, p. 209. 1909.
    resistance of Chinese pear trees. Off. Rec., vol. 2, No. 9, p. 3. 1923.
    resistant, importations, and description. Nos. 43987, 44006, 44102, B.P.I. Inv. 50, pp. 13, 16, 28. 1922.
    spread by aphids and bees. S.R.S. Rpt. 1917, Pt. I, pp. 33, 120, 216. 1918.
    symptoms and control. F.B. 482, pp. 20–21. 1912.
    treatment. F.B. 153, pp. 14, 35–38. 1902; F.B. 181, pp. 9, 26. 1903; F.B. 243, pp. 19–20. 1906.
  blister-mite, injuries, host plants, and control. Ent. Bul. 67, pp. 43–46. 1907.
  Bloodgood, description. F.B. 482, pp. 25–26. 1912.

Pear(s)—Continued.
  borer—
    Fred E. Brooks. D.B. 887, pp. 8. 1920.
    control on fruit trees. D.B. 887, p. 8. 1920.
    distribution, synonymy, life history, and control. D.B. 887, pp. 2–8. 1920.
    parasites, table. D.B. 887, p. 7. 1920.
  Bosc, description. F.B. 482, p. 28. 1912.
  boxes, standard size. F.B. 1196, p. 32. 1921.
  branches, correlation and growth. H. S. Reed. J.A.R. vol. 21, pp. 849–876. 1921.
  Brandywine, description. F.B. 482, p. 27. 1912.
  bud moth, description and control. F.B. 1056, pp. 20–21. 1919.
  bud stinger, description. Sec. [Misc.] "A manual * * * insects * * *," p. 169. 1917.
  bushel weights, Federal and State. Y.B., 1918, p. 725. 1919; Y.B. Sep. 795, p. 61. 1919.
  butter—
    making, directions. F.B. 900, p. 5. 1917.
    recipe. News L. vol. 5, No. 4, p. 5. 1917.
  California, codling moth, control. Ent. Bul. 97, pp. 13–51. 1913.
  Callery's, importation and description. No. 43445, B.P.I. Inv. 49, p. 23. 1921.
  candy, adulteration, alleged. Chem. N.J. 1642, pp. 5. 1912.
  canned, misbranding (underweight). Chem. N.J. 92. 1909.
  canning—
    directions. F.B. 839, pp. 20, 30. 1917; F.B. 853, pp. 17, 28. 1917.
    inspection instructions. D.B. 1084, p. 26. 1922.
    methods, effect of various sirups, fruit weight. D.B. 196, pp. 46–49. 1915.
    seasons. Chem. Bul. 151, pp. 35, 41. 1912.
    standards and directions. B.P.I. Doc. No. 631, rev. pp. 5, 6. 1915.
  Chinese—
    blight-resistant, importations. Y.B., 1911, p. 421. 1912; Y.B. Sep. 580, p. 421. 1912.
    importations and descriptions. Nos. 43987, 44006, 44043–44055, 44145–44148, 44150, 44151, 44163–44176, 44235–44237, 44246, 44274–44280, 44333, B.P.I. Inv. 50, pp. 6, 8, 13, 16, 18, 19, 20, 35, 36–38, 44, 47, 51, 59. 1922; Nos. 44674, 44675, B.P.I. Inv. 51, p. 41. 1922; Nos. 45586, 45592, 45686, 45687, B.P.I. Inv. 53, pp. 5, 6, 63, 65, 78. 1922.
    russet, importation and description. No. 36802, B.P.I. Inv. 37, p. 67. 1916.
    varieties, importation and descriptions. Nos. 38794, 38799, B.P.I. Inv. 40, pp. 29, 30. 1917.
  Clapp Favorite, description. F.B. 482, p. 26. 1912.
  codling moth—
    California, control. Ent. Bul. 97, Pt. II, pp. 13–51. 1911.
    infestation, places of entrance. Ent. Bul. 97, Pt. II, pp. 32–41. 1911.
  Comice, description. F.B. 482, p. 30. 1912.
  composition, and analytical data. Chem. Bul. 66, rev., p. 41. 1905.
  Crocker, description. Y.B., 1905, pp. 497–498. 1906; Y.B. Sep. 399, pp. 497–498. 1906.
  culture, commercial. M. B. Waite. Y.B., 1900, pp. 369–396. 1901; Y.B. Sep. 215, pp. 369–396. 1901.
  Danas Hovey, description. F.B. 482, p. 30. 1912
  drying—
    directions. D.B. 1335, p. 35. 1925. D.C 3, pp. 21–22. 1919; F.B. 841, p. 23. 1917; F.B. 984, pp. 42–43. 1918.
    in sun, details. F.B. 903, pp. 53–54. 1917.
    methods. Y.B., 1912, p. 510. 1913; Y.B. Sep. 610, p. 510. 1913.
  dwarf—
    converting into half standards by "lipping" process. F.B. 482, p. 7. 1912.
    orchards of United States, remarks. Y.B., 1900, p. 370. 1901.
    stock, use of haw variety from Palestine. B.P.I. Bul. 205, pp. 7, 15–16. 1911.
  enemies, fungous and insect, important, in humid sections of Pacific Northwest, control. D. F. Fisher and E. J. Newcomer. F.B. 1056, pp. 34. 1919.
  estimates, 1910–1922. M.C. 6, p. 18. 1923.

Pear(s)—Continued.
  European, adaptability to United States. F.B. 482, p. 5. 1912.
  evaporated, sulphuring, reasons. Chem Bul. 84, Pt. III, p. 764. 1907; Chem. Cir. 37, p. 4. 1907.
  evaporating by artificial heat, details. F.B. 903, p. 35. 1917.
  evaporation, details. D.B. 1141, p. 49. 1923.
  exports—
    1906, 1913, value and distribution. D.B. 296, p. 43. 1915.
    1922–1924. Y.B., 1924, pp. 1043–1044. 1925.
  fertilization, self-sterile and self-fertile varieties. F.B. 482, p. 14. 1912.
  fire blight, injury to Yakima Valley, Wash., and control studies. D.B. 614, p. 6. 1918.
  flavor, adulteration and misbranding. Chem. N.J., 1906, pp. 3. 1913.
  Flemish, description. F.B. 482, p. 27. 1912.
  food value, analysis and comparison with other fruits. F.B. 685, p. 21. 1915.
  forecast by States, September, 1913. F.B. 558, p. 18. 1913.
  freezing points. D.B. 1133, pp. 5, 7. 1923.
  fruit borer, description. Sec. [Misc.], "A manual * * * insects * * *," p. 168. 1917.
  fumigated, absorption of hydrocyanic acid. D.B. 1149, pp. 2, 3, 8. 1923.
  Giffard description. F.B. 482, p. 26. 1912.
  gingered, recipe. F.B. 853, p. 31. 1917; S.R.S. Doc. 22, rev., p. 13. 1919.
  grading, use of sizing machine. D.B. 864, p. 1. 1920.
  grafting on wild stock from Palestine, recommendation. B.P.I. Bul. 180, pp. 15–17. 1910.
  growing—
    directions. F.B. 482, pp. 1–31. 1912.
    for home use, planting season, distance. F.B. 1001, pp. 4, 5, 8, 18. 1919.
  in—
    Alabama, Tallapoosa County, and resistant varieties. Soil Sur. Adv. Sh., 1909, pp. 12, 24. 1910; Soils F.O., 1909, pp. 652, 664. 1912.
    California, Healdsburg area. Soil Sur. Adv. Sh., 1915, pp. 14–15, 36, 45. 1917; Soils F.O. 1915, pp. 2208–2209, 2230, 2239. 1919.
    California, Pajaro Valley. Soil Sur. Adv. Sh., 1908, p. 17. 1910; Soils F.O., 1908, p. 1343. 1911.
    California, San Francisco Bay region, varieties, adaptability. Soil Sur. Adv. Sh., 1914, p. 22. 1917; Soils F.O., 1914, p. 2694. 1919.
    California, Ukiah area. Soil Sur. Adv. Sh., 1914, pp. 15, 17, 41–48. 1916; Soils F.O., 1914, pp. 2639, 2641, 2666–2672. 1919.
    Georgia, Grady County, varieties adaptable. Soil Sur. Adv. Sh., 1908, p. 19. 1909; Soils F.O., 1908, p. 355. 1911.
    Georgia, Thomas County. Soil Sur. Adv. Sh., 1908, pp. 12, 25. 1909; Soils F.O., 1908, pp. 402–415. 1911.
    Montana, Bitterroot Valley area, varieties and yields. Soil Sur. Adv. Sh., 1914, pp. 13, 40. 1917; Soils F.O., 1914, pp. 2471, 2496. 1919.
    Nevada, blossoming dates and varieties adapted. D.C. 136, pp. 15, 16. 1920.
    New Mexico, Middle Rio Grande Valley. Soil Sur. Adv. Sh., 1912, p. 13. 1914; Soils F.O., 1912, p. 1971. 1915.
    New Mexico-Texas, Mesilla Valley methods and varieties. Soil Sur. Adv. Sh., 1912, pp. 17–18, 33. 1914; Soils F.O., 1912, pp. 2023–2024, 2039. 1915.
    New York, Wayne County. Soil Sur. Adv. Sh., 1919, pp. 285, 307–316, 329, 336, 338. 1923; Soils F.O., 1919, pp. 285, 307–316, 329, 336, 338. 1925.
    Oregon, Josephine County. Soil Sur. Adv. Sh., 1919, pp. 355, 356, 370–407. 1923; Soils F.O., 1919, pp. 355, 356, 370–407. 1925.
    Oregon, Medford area, methods, spraying, and pruning. Soil Sur. Adv. Sh., 1911, pp. 18, 20–27. 1913; Soils F.O., 1911, pp. 2300, 2302–2309. 1914.
    Oregon, Umatilla experiment farm, variety tests. W.I.A. Cir. 26, p. 24. 1919.

Pear(s)—Continued.
  growing—continued.
    in—continued.
      Pacific Northwest, insects and diseases in humid sections. F.B. 1056, p. 34. 1919.
      Texas, variety testing. D.B. 162, pp. 12–14. 1915.
      Washington, Benton County. Soil Sur. Adv. Sh., 1916, pp. 13, 16, 39, 53, 58. 1919; Soils F.O., 1916, pp. 2211–2212, 2245, 2251, 2269. 1921.
      Washington, Wenatchee area. Soil Sur. Adv. Sh., 1918, pp. 14, 16, 17, 19–20, 44. 1922; Soils F.O., 1918, pp. 1554, 1556, 1557, 1559–1560, 1584. 1924.
  growth and differentiation of lateral branches. J.A.R., vol. 21, pp. 851–862. 1921.
  hybrid(s)—
    value and productivity. F.B. 482, pp. 5–6. 1912.
    Van Fleet, importation and description. Nos. 43442–43444, 43562, B.P.I. Inv. 49, pp. 8, 23, 44. 1921.
  importance, comparison with other fruits. D.B. 822, pp. 1, 2, 5. 1920.
  importations and descriptions. Nos. 29972, 29994, 30030–30032, 30308, 30329, 30351, 30352, 30360, 30361, B.P.I. Bul. 233, pp. 45, 47, 50, 74, 77, 79, 80. 1912; Nos. 33207–33209, B.P.I. Bul. 282, p. 83. 1913; Nos. 35303, 35457, 35637, B.P.I. Inv. 35, pp. 7, 35, 47, 62. 1915; Nos. 37071, 37500, 37620, B.P.I. Inv. 38, pp. 33, 66, 87. 1917; Nos. 39538–39541, 39547–39548, B.P.I. Inv. 41, pp. 7, 37, 39. 1917; Nos. 41729, 42274, B.P.I. Inv. 46, pp. 17, 71. 1919; Nos. 42779, 42796–42798, B.P.I. Inv. 47, pp. 63, 65. 1920; Nos. 45746–45747, 45821–45850, 45901, B.P.I. Inv. 54, pp. 1–2, 14, 27–31, 37. 1922; Nos. 46434–46438, 46566 46576–46587, B.P.I. Inv. 56, pp. 4, 17, 26, 28–30. 1922; Nos. 47939, 48190, B.P.I. Inv. 60, p. 54. 1922; Nos. 48576–48582, 49042. 49097–49100, B.P.I. Inv. 61, pp. 25, 71, 77. 1922; Nos. 49489–49495, B.P.I. Inv. 62, pp. 44–45, 1923; Nos. 49862, 50543–50579, B.P.I. Inv. 63; pp. 14, 78–79. 1923; Nos. 51380, 51702, 51883–51885, B.P.I. Inv. 65, pp. 10, 38, 63. 1923. Nos. 52342, 52461–52464, 52567–52568, 52688, 52732, 52851, B.P.I. Inv. 66, pp. 12, 30, 40, 41, 68, 84. 1923; Nos. 54095–54103, B.P.I. Inv. 68, pp. 29–30. 1923; Nos. 54997–54998, 55378, 55466, 55479, 55520–55524, B.P.I. Inv. 71, pp. 2, 12, 38, 46, 48, 54. 1923; Nos. 55965–55971, 55998–56016, 56101–56111, 56122–56125, 56137–56144, B.P.I. Inv. 73, pp. 22, 29, 38, 40, 41. 1924.
  infestation with Mediterranean fruit fly. D.B. 536, pp. 24, 47. 1918.
  injury by—
    bean thrips. Ent. Bul. 118, pp. 16, 17, 25, 28. 1912.
    fungous diseases. B.P.I. Bul. 149, pp. 24, 37, 48. 1909.
    Howard scale. Ent. Bul. 67, pp. 88, 90, 93. 1907.
    lesser bud-moth. D.B. 113, pp. 2, 3, 7. 1914.
    pear thrips. D.B. 173, pp. 13–16. 1915.
    Phytophthora rot, description. J.A.R., vol. 30, p. 464. 1925.
    plum curculio. Ent. Bul. 103, pp. 36, 57, 103, 138. 1912.
    starlings. D.B. 868, p. 30. 1921.
    syneta leaf beetle, prevention. F.B. 1056, pp. 14–17. 1919.
  insect pests—
    description and control. F.B. 1056, pp. 14–23, 28–34. 1919.
    list. Sec. [Misc.], "A manual * * * insects * * *," pp. 17, 18, 19, 105, 111, 113, 167–170. 1917.
  insects—
    control by dormant spraying. Y.B., 1908, p. 270. 1909; Y.B. Sep. 480, p. 270. 1909.
    description and control. F.B. 908, pp. 84–86. 1918.
  Kieffer—
    characteristics in Piedmont and Blue Ridge region. B.P.I. Bul. 135, pp. 50, 85. 1908.
    description. F.B. 482, p. 29. 1912.
    prominence as variety grown. D.B. 822, pp. 5, 6–15. 1920.

Pear(s)—Continued.
  Kieffer—Continued.
    resistance to injury by lesser bud-moth. D.B. 113, p. 3. 1914.
  labor requirements. D.B. 1181, pp. 8, 49, 61. 1924.
  Lawrence, description. F.B. 482, p. 30. 1912.
  leaf—
    blister-mite, description—
      and control. F.B. 722, pp. 1–8. 1916; F.B. 1056, pp. 19–20. 1919; Rpt. 108, pp. 15, 135, 137. 1915.
    habits, injuries, and control. F.B. 1270, pp. 58–59. 1923.
    worm—
      R. L. Nougaret and others. D.B. 438, pp. 24. 1916.
      description and control. F.B. 1056, p. 23. 1919.
      description, life history, habits, and control. D.B. 438, pp. 1–24. 1916.
  Louise, description. F.B. 482, p. 28. 1912.
  Lucrative, description. F.B. 482, p. 28. 1912.
  market statistics, 1919 and 1920. D.B. 982, p. 236. 1921.
  marketing—
    by parcel post, suggestions. F.B. 703, p. 15. 1916.
    methods. Rpt. 98, pp. 59, 60, 177, 179, 181, 193, 195, 205, 230, 247. 1913.
  midge, leaf-curling, description. Sec. [Misc.], "A manual of * * * insects * * *," p. 168. 1917.
  misbranding. Chem. N.J., 1914, p. 1. 1913; Chem. N.J. 2909, pp. 2. 1914; Chem. N.J. 12707. 1925.
  new, description. B.P.I. Bul. 207, pp. 9–10, 54, 58. 1911.
  nomenclature, catalogue-index, varieties referred to in American publications, 1804 to 1907. W. H. Ragan. B.P.I. Bul. 126, pp. 268. 1908.
  orchard(s)—
    cultivation. Y.B., 1900, p. 375. 1901.
    location, soil, drainage, and planting. F.B. 482 pp. 9–15. 1912.
    spraying in Colorado. Ent. Bul. 67, pp. 87–93. 1907.
    treatment for thrips, experiments. Ent. Cir. 131, pp. 16–19. 1911.
  origin and cultivation. O.E.S. Bul. 178, pp. 72–74. 1907.
  packing season. D.B. 196, p. 18. 1915.
  Phytophthora rot. Dean H. Rose and Carl C. Lindegren. J.A.R., vol. 30, pp. 463–468. 1925.
  picking time. Y.B., 1900, pp. 392–396. 1901.
  pollination, effect of smudging, experiments. F.B., 1096, p. 16. 1920.
  preserving with ginger. S.R.S. Doc. 22, p. 12. 1916.
  prickly. See Prickly pears.
  processing, directions and time table. F.B. 1211, pp. 42, 49. 1921.
  production—
    1909. D.B. 483, pp. 2, 4. 1917.
    1909–1919, estimates, by districts, and States. D.B. 822, pp. 2–4. 1920.
    1914, with comparisons. F.B. 641, p. 30. 1914.
    estimates and important commercial districts and varieties. H. P. Gould and Frank Andrews. D.B. 822, pp. 16. 1920.
    prices and marketing, 1923. Y.B., 1923, pp. 748–750. 1924; Y.B. Sep. 900, pp. 748–750. 1924.
    ten-year average, estimates, by States. F.B. 563, p. 13. 1913.
  promising new, history and description. Y.B., 1912, pp. 267–268. 1912; Y.B. Sep. 589, pp. 267–268. 1913.
  propagation, budding, grafting, and planting with cultural directions. F.B. 482, pp. 8–9, 11–16. 1912.
  pruning. F.B. 181, pp. 9, 14, 25, 26. 1903.
  psylla, control method. O.E.S. An. Rpt., 1910, p. 199. 1911.
  resistance to alkali. Soils Bul. 35, pp. 40, 87. 1906.
  respiration, studies. Chem. Bul. 142, pp. 14, 17, 22, 25, 26. 1911.
  roots, injury by, *Eriosoma pyricola*. J.A.R., vol. 6, No. 10, pp. 351–354. 1916.

Pear(s)—Continued.
  Rostiezer, description. F.B. 482, p. 27. 1912.
  rot caused by *Rhizopus nigricans*. D.B. 531, p. 10. 1917.
  Russian varieties, importation and description. Nos. 43737-43739, B.P.I. Inv. 49, p. 71. 1921.
  scab—
    control. F.B. 482, p. 21. 1912.
    control by spraying. S.R.S. Rpt., 1916, Pt. I, p. 71. 1918.
    description, cause, and control. F.B. 1056, pp. 4-13. 1919.
  scale. *See* Scale, Howard.
  Seckel, description. F.B. 482, pp. 28-29. 1912.
  shipments—
    by States, and by stations, 1916. D.B. 667, pp. 6, 7, 81-85, 92. 1918.
    in carloads, by States, 1920-1923. S.B. 8, pp. 51-56. 1925.
  shoots, correlation and growth. J.A.R., vol. 21, pp. 849-876. 1921.
  slug—
    description and control. F.B. 1056, pp. 21-22. 1919.
    spraying experiments. D.B. 278, pp. 13-15. 1915.
  spraying—
    danger of poisoning, data. D.B. 1027, pp. 31-32. 1922.
    for—
      codling moth, experiments and results. Ent. Bul. 97, pp. 32-51. 1913.
      control of codling moth. F.B. 1326, pp. 23-24. 1924.
    scab, directions, formulas and dates. F.B. 1056, pp. 7-13. 1919.
    formulas, apparatus technic, and schedule. F.B. 1056, pp. 8-13, 18, 23-31, 33-34. 1919.
    winter and summer. F.B. 908, pp. 84-86. 1918.
  statistics—
    1924. Y.B., 1924, pp. 683, 684, 1043-1044. 1925.
    production—
      and prices, 1911-1917, and exports. Y.B., 1917, pp. 684, 771. 1918; Y.B. Sep. 760, p. 32. 1918; Y.B. Sep. 762, p. 15. 1918.
      and prices, 1918. Y.B., 1918, pp. 550-551. 1919; Y.B. Sep. 792, pp. 46-47. 1919.
    prices and shipments, 1918-1922. Y.B., 1922, pp. 743-745, 775. 1923; Y.B. Sep. 884, pp. 743-745, 775. 1923.
    study in 1923. Work and Exp. 1923, pp. 34-35. 1925.
  susceptibility to grape crown-gall. B.P.I. Bul. 183, pp. 23, 24. 1910.
  tests at field station near Mandan, N. Dak. D.B. 1301, p. 18. 1925.
  thinning, gathering, sorting, grading, and marketing. F.B. 482, pp. 22-25. 1912.
  thrips—
    control—
      F.B. 908, p. 86. 1918.
      S. W. Foster and P. R. Jones. Ent. Cir. 131, pp. 24. 1911.
      by natural enemies. D.B. 173, p. 52. 1915.
      by spraying. An. Rpts., 1912, pp. 79, 147. 1913; Sec. A.R., 1912, pp. 79, 147. 1912; Y.B., 1912, pp. 79, 147. 1913.
    description, history, and control. Dudley Moulton. Ent. Bul. 80, pp. 51-66. 1910; Ent. Bul. 80, Pt. IV, pp. 51-66. 1909.
    destructiveness, and character of injury to various fruits. D.B. 173, pp. 7-19. 1915.
    food plants. D.B. 173, p. 11. 1915.
    life history—
      and habits, in California. S. W. Foster and P. R. Jones. D.B. 173, pp. 52. 1915.
      economic importance, and character of injuries. Ent. Cir. 131, pp. 1-6. 1911.
      natural enemies. Ent. Bul. 68, pp. 14-16. 1907.
      occurrence, life history and control. Dudley Moulton. Ent. Bul. 68, Pt. I, pp. 16. 1907.
      study and laboratory work in California. D.B. 173, pp. 1-2. 1915.
    technical description, anatomy and life history. D.B. 173, pp. 19-50. 1915.
  trees—
    acreage in 1919, map. Y.B., 1921, p. 468. 1922; Y.B. Sep 878, p. 62. 1922.

Pear(s)—Continued.
  trees—continued.
    codling moth band records, 1909 and 1910, California. Ent. Bul. 97, pp. 28, 29, 30, 31. 1913.
    double working. F.B. 482, p. 9. 1912.
    dwarf, propagation, and planting. F.B. 482, pp. 6, 13. 1912.
    fruit spurs, production and growth. J.A.R., vol. 21, No. 11, pp. 866-868. 1921.
    injury by—
      leaf blister mite. Ent. Cir. 154, pp. 3-4. 1912.
      leaf worm. D.B. 438, pp. 1, 3. 1916.
      pear borer. D.B. 887, pp. 2, 3. 1920.
      round-headed apple-tree borer. D.B. 847, p. 13. 1920.
      sapsuckers. Biol. Bul. 39, pp. 40, 41, 51. 1911.
    Japanese, host of Asiatic Gymnosporangium. J.A.R., vol. 5, No. 22, pp. 1003-1006. 1916.
    numbers, 1890, 1900, 1910, census figures. D.B. 822, p. 4. 1920.
    protection from rodents, diseases, and insects. F.B. 482, pp. 20-22. 1912.
    pruning—
      and training. F.B. 482, pp. 16-19. 1912.
      effect on growth of new shoots. J.A.R., vol. 21, pp. 852-857. 1921.
      experiments and results, in Oregon. W.I.A. Cir. 1, p. 14. 1915.
      spraying for leaf-worm control. D.B. 438, pp. 18-22. 1916.
    standard description and planting directions. F.B. 482, pp. 7, 13. 1912.
    types and varieties, adaptability, and description. F.B. 482, pp. 5-6, 13-14, 25-31. 1912.
    Tyson, description. F.B. 482, p. 27. 1912.
    use in vinegar making. F.B. 1424, p. 4. 1924.
    value, in 1917. News L., vol. 5, No. 35, p. 6. 1918.
    Van Fleet, importation and description. No. 55805, B.P.I. Inv. 72, pp. 36-37. 1924.
    varietal tests, Nevada, Newlands farm. D.C. 352, p. 14. 1925.
    varieties—
      adaptable to Nebraska. F.B. 325, p. 23. 1908.
      comments on. F.B. 1001, pp. 28, 32-39. 1919.
      descriptions. D.B. 1189, pp. 62-63. 1923.
      for Great Plains area. F.B. 727, pp. 32-33. 1916.
      importations and descriptions. Nos. 41517-41519, B.P.I. Inv. 45, p. 43. 1918; Nos. 43183-43186, B.P.I. Inv. 48, pp. 24-25. 1921; Nos. 46975, 46978-46979, 47093-47094, 47155-47160, 47227, 47261, 47301, B.P.I. Inv. 58, pp. 13, 14, 23, 34, 44, 45, 47. 1922.
      in—
        Nevada. B.P.I. Cir. 118, p. 26. 1913.
        Virginia, Georgia, North and South Carolina. B.P.I. Bul. 135, pp. 50-51, 84-86. 1908.
        Washington, southwestern. Soil Sur. Adv. Sh., 1911, pp. 30, 62. 1913; Soils F.O., 1911, pp. 2120, 2152. 1914.
      recommendations for various fruit districts. B.P.I. Bul. 151, pp. 40-41. 1909.
      suitable for various purposes. F.B. 482, p. 14. 1912.
      testing, Umatilla experiment farm, 1912. B.P.I. Cir. 129, pp. 25, 26. 1913; W.I.A. Cir. 17, p. 28. 1917.
    vinegar, methods of making. F.B. 233, p. 32. 1905.
    White Doyenne, description. F.B. 482, p. 28. 1912.
    wild—
      Chinese—
        importations and descriptions. No. 40019, B.P.I. Inv. 42, pp. 5, 53. 1918; No. 41474, B.P.I. Inv. 45, p. 35. 1918.
        use as drought-resistant stock. Y.B., 1915, p. 219. 1916; Y.B. Sep. 671, p. 219. 1916.
      importations and description. Nos. 40724-40728, 40865-40871, B.P.I. Inv. 43, pp. 72, 92. 1918.
      willow-leaved, importation and description. No. 40497, B.P.I. Inv. 43, pp. 8, 35. 1918.
    Winter Nelis, description. F.B. 482, p. 30. 1912.
    winter spraying with nitrate of soda solutions. J.A.R., vol. 1, pp. 442-443. 1914.

Pear(s)—Continued.
  yield under irrigation in Texas. O.E.S. Bul. 222, pp. 75. 1910.
  See also *Pyrus communis.*
PEARCE, C. D.: "Methods employed within the industry to improve the quality of milk." B.A.I. Dairy [Misc.], "World's dairy congress, 1923, pp. 530–537. 1924.
PEARCE, J. R.: "The centrifugal method of mechanical soil analysis." With others. Soils Bul. 24, pp. 38. 1904.
PEARL, RAYMOND—
  "A biometrical study of egg production in the domestic fowl." Pts. I–III. B.A.I. Bul. 110, pp. 241. 1909–1914.
  "A method of correcting for soil heterogeneity in variety tests." With Frank M. Surface. J.A.R., vol. 5, pp. 1039–1050. 1916.
  introduction to paper on "Fitting logarithmic curves." J.A.R., vol. 3, pp. 411–412. 1915.
  "Measurement of the winter cycle in the egg production of domestic fowl." J.A.R., vol. 5, pp. 429–437. 1915.
  "Methods of poultry management at the Maine Agricultural Experiment Station." F.B. 357, pp. 39. 1909.
  "Poultry management at Maine Experiment Station." F.B. 357, pp. 39. 1909.
  "Studies on the physiology of reproduction in the domestic fowl.-XV. Dwarf eggs." With Maynie R. Curtis. J.A.R., vol. 6, pp. 977–1042. 1916.
  "Variation of Ayrshire cows in the quantity and fat content of their milk." With John Rice Miner. J.A.R., vol. 17, pp. 285–322. 1919.
Pearling—
  barley, process. F.B. 968, p. 26. 1918.
  cone, rice mill, description. D.B. 570, pp. 3–4. 1917.
  rice, machinery and operation. D.B. 330, pp. 10, 30. 1916.
Pearly disease, tuberculous cattle, description. B.A.I. [Misc.], "Diseases of cattle," rev., pp. 404, 405, 426. 1904; rev., pp. 420–421. 1912; rev., pp. 413–414. 1923.
PEARSON, G. A.—
  "Natural reproduction of western yellow pine in the Southwest." D.B. 1105, pp. 144. 1923.
  "Reproduction of western yellow pine in the Southwest." For. Cir. 174, pp. 16. 1910.
  "The growing season of western yellow pine." J.A.R., vol. 29, pp. 203–204. 1924.
  "The influence of age and condition of the tree upon seed production in western yellow pine." For. Cir. 196, pp. 11. 1912.
PEARSON, LEONARD—
  "Administration of medicines." B.A.I. [Misc.], "Diseases of cattle," rev., pp. 9–13. 1904; rev., pp. 9–13. 1908; rev., pp. 9–13. 1912; rev., pp. 7–11. 1923.
  "Diseases of the digestive organs." With R. W. Hickman. B.A.I. [Misc.], "Diseases of cattle," rev., pp. 14–49. 1912.
  "Diseases of the ear." B.A.I. [Misc.], "Diseases of cattle," rev., pp. 354–356. 1904; rev., pp. 367–370. 1912; rev., pp. 355–357. 1923.
  "Diseases of the eye and its appendages." B.A.I. [Misc.], "Diseases of cattle," rev., pp. 340–353. 1904; rev., pp. 352–366. 1912; rev., pp. 340–354. 1923.
  "Diseases of the foot." B.A.I. [Misc.], "Diseases of cattle," rev., pp. 335–339. 1904; rev., pp. 347–351. 1912; rev., pp. 335–339. 1923.
  "Diseases of the heart, blood vessels and lymphatics." B.A.I. [Misc.], "Diseases of cattle," rev., pp. 70–84. 1904; rev., pp. 70–85. 1912; rev., pp. 73–86. 1923.
  "Diseases of the nervous system." B.A.I. [Misc.], "Diseases of cattle," rev., pp. 99–110. 1904; rev., pp. 101–112. 1912; rev., pp. 101–112. 1923.
  "Diseases of the skin." B.A.I. [Misc.], "Diseases of cattle," rev., pp. 320–334. 1904; rev., pp. 332–346. 1912; rev., pp. 320–334. 1923.
  "Diseases of the stomach and bowels of cattle, 1904." B.A.I. Cir. 68, rev., pp. 14. 1905.
  "Poisons and poisoning." B.A.I. [Misc.], "Diseases of cattle," rev., pp. 53–69. 1904; rev., pp. 54–70. 1912.

PEARSON, LEONARD—Continued.
  "Tuberculosis in cattle." B.A.I. Cir. 151, pp. 25–26. 1909.
PEARSON, R. A.—
  "Business men's part in food production." News L., vol. 5, No. 50, pp. 2–4. 1918.
  "Condition of agriculture in Great Britain, France, and Italy, and plans for reconstruction after the war and their effect on American agriculture." Sec. [Misc.], "Report of Agricultural * * *," pp. 16–34. 1919.
  "Syllabus of illustrated lecture on the care of milk." O.E.S.F.I.L. 1, pp. 12. 1904.
  "The milk supply of two hundred cities and towns." With Henry E. Alvord. B.A.I. Bul. 46, pp. 210. 1903.
Pearson method, bovo-vaccination. B.A.I. An. Rpt., 1910, pp. 334–335. 1912; B.A.I. Cir. 190, pp. 334–335. 1912.
Peat—
  acid soil type, formation. B.P.I. Bul. 193, pp. 31–32. 1910.
  acidity, laboratory studies. J.A.R., vol. 24, pp. 485–487. 1923.
  bogs—
    description and characteristic flora in Washington, eastern Puget Sound Basin. Soil Sur. Adv. Sh., 1909, pp. 29–31. 1911; Soils F.O., 1909, pp. 1541–1543. 1912.
    drainage, discussion. O.E.S. Bul. 158, pp. 718–728. 1905.
    floating in reservoirs. O.E.S. Bul. 158, pp. 639–640. 1905.
  burning to reduce acidity, precautions, eastern Puget Sound Basin, Wash. Soil Sur. Adv. Sh., 1909, pp. 31, 40. 1911; Soils F.O., 1909, pp. 1543, 1552. 1912.
  characteristics, definition, kinds, and structure. D.C. 252, pp. 1–4. 1922.
  classification, based on botanical composition. D.B. 802, pp. 1–40. 1919.
  composition—
    and distribution. B.P.I. Bul. 193, pp. 31–35. 1910.
    comparison with that of saw-grass. J.A.R., vol. 13, pp. 607–609. 1918.
  composts, preparation. Alfred P. Dachnowski. D.C. 252, pp. 12. 1922.
  deposit—
    definition. D.B. 802, p. 10. 1919.
    in Minnesota, Blue Earth County, uses. Soil Sur. Adv. Sh., 1906, p. 857. 1907; Soils F.O., 1906, pp. 49–50. 1908.
  determination in commercial fertilizers. D.B. 97, pp. 1–10, 12. 1914.
  Everglades, composition. J.A.R., vol. 13, pp. 606–607. 1918.
  excavating, time and methods. D.C. 252, pp. 5–6. 1922.
  extracts, effect on citrus seedlings in water cultures. J.A.R., vol. 18, pp. 268–269. 1919.
  fertilizer value. Off. Rec., vol. 1, No. 49, p. 3. 1922.
  inorganic composition, and that of plant from which formed. J.A.R., vol. 13, pp. 605–609. 1918.
  kalmia, description, and use. B.P.I. Bul. 193, pp. 37–38, 45–46. 1910.
  lands—
    agricultural value and uses. D.B. 802, pp. 7, 15, 21, 24–25, 30, 37–38. 1919.
    in California, San Joaquin County, potato raising, problems. B.P.I. Cir. 23, pp. 1–14. 1909.
  material, important types, quality and value. Alfred P. Dachnowski. D.B. 802, pp. 40. 1919.
  materials, chemical examination by means of food stuff analyses. A. D. Dachnowski. J.A.R., vol. 29, pp. 69–83. 1924.
  moss description, and occurrence in peat bogs, Washington, eastern Puget Sound Basin. Soil Sur. Adv. Sh., 1909, p. 32. 1911; Soils F.O., 1909, p. 1542. 1912.
  origin and formation. Soils Cir. 65, pp. 4, 13. 1912.
  plants forming deposits. D.B. 802, pp. 14–15, 21, 22, 23, 26, 28, 33, 34–37. 1919.
  production and value, 1908–1922. Y.B., 1923, pp. 1184–1185. 1924; Y.B. Sep. 906, pp. 1184–1185. 1924.

Peat—Continued.
 soils in eastern United States and their use. Soils Cir. 65, pp. 1–15. 1912.
 soils, studies in relation to failure of concrete drain tiles. J.A.R., vol. 24, pp. 474–497. 1923.
 utilization for agriculture and other purposes. D.B. 802, pp. 1–9, 15, 16, 21, 24–26, 30, 32, 37–38. 1919.
 value—
  as fertilizer. F.B. 149, p. 5. 1902.
  for stable absorbent and compost heaps. Soils Cir. 65, p. 12. 1912.
Pebble phosphate, Florida deposits, description, mining, and output. Soils Bul. 76, pp. 18–22. 1911.
Pebbles, analyses by sieve method. D.B. 949, pp. 12, 63. 1921.
Pebrine—
 prevention, in mulberry silk worms. Ent. Bul. 39, pp. 28–29. 1903.
 silkworm disease, cause. B.A.I. An. Rpt., 1910, pp. 465, 495. 1912; B.A.I. Cir. 194, pp. 465, 495. 1912.
Pecan(s)—
 C. A. Reed. B.P.I. Bul. 251, pp. 58. 1912.
 acreage in—
  1910, by states, map. Y.B., 1915, p. 386. 1916; Y.B. Sep. 681, p. 386. 1916.
  1919, map. Y.B., 1921, p. 468. 1922; Y.B. Sep. 878, p. 62. 1922.
 adaptability of Georgia soil. Soils Cir. 21, p. 7. 1910.
 ash analyses, leaves and twigs. J.A.R., vol. 3, pp. 165–166, 169. 1914.
 belt, location. F.B. 1129, p.3. 1920.
 black-pit, description and investigations. F.B. 1929, p. 19. 1920.
 blight, nursery, description and control. F.B. 1129, pp. 7–8. 1920.
 Bolton, origin and description. Y.B., 1908, pp. 488–489. 1909; Y.B. Sep. 496, pp. 488–489. 1909.
 borers injurious to, description and control. F.B. 843, pp. 35–43. 1917.
 Bradley, origin and description. Y.B., 1909, p. 383. 1910; Y.B. Sep. 521, p. 383. 1910.
 brown leaf-spot, nature, occurrence, and control. F.B. 1129, pp. 10–11. 1920.
 bud(s)—
  care. B.P.I. Bul. 251, p. 29. 1912.
  moth, description, life history, and control. F.B. 843, pp. 25–27. 1917; F.B. 1364, pp. 25–28 1924.
  worm, same as pecan leaf case-bearer. D.B. 571, p. 2. 1917.
 budding—
  George W. Oliver. B.P.I. Bul. 30, pp. 18. 1902.
  and grafting, experiments in rosette investigations. J.A.R., vol. 3, pp. 158–159, 167, 174. 1914.
 Burkett—
  adaptability and description. News L., vol. 1, p. 3. 1913.
  origin, description and synonym. Y.B., 1912, pp. 273–274. 1913; Y.B. Sep. 589, pp. 273–274. 1913.
 Carman, origin and description. Y.B., 1908, pp. 489–490. 1909; Y.B. Sep. 496, pp. 489–490. 1909.
 case-bearer, description, life history, and control. F.B. 843, pp. 3–9, 16–25. 1917.
 cigar case-bearer—
  H. M. Russell. B.P.I. Bul. 64, Pt. X, pp. 79–86. 1910.
  remedies. Ent. Bul. 64, p. 86. 1911.
 Claremont, origin and description. Y.B., 1909, p. 384. 1910; Y.B. Sep. 521, p. 384. 1910.
 crown-gall disease, studies and experiments J.A.R., vol. 1, pp. 334–335, 337, 338. 1914.
 culture—
  soil and moisture requirements. F.B. 700, pp. 4–5. 1916.
  suggestions. F.B. 124, pp. 16–19. 1901.
  with special reference to propagation and varieties. C. A. Reed. F.B. 700, pp. 32. 1916.
 Daisy, origin and description. Y.B., 1909, pp. 385–386. 1910; Y.B. Sep. 521, pp. 385–386. 1910.
 description—
  characteristics and identification key. Chem. Bul. 160, pp. 23–25, 36. 1912.

Pecan(s)—Continued.
 description—continued.
  occurrence, growth, and reproduction. For. Bul. 80, pp. 16, 22–27, 29, 32, 55, 61. 1910.
  range, distribution, and reproduction. For. Bul. 80, pp. 13–18, 22–23. 1910.
 destruction by Spanish moss. B.P.I. Bul. 149, p. 17. 1909.
 dieback disease, cause. S.R.S. Rpt., 1915, Pt I, p. 93. 1917.
 disease(s)—
  Frederick V. Rand. J.A.R., vol. 1, pp. 303–338. 1914.
  anthracnose, cause, description and cultural studies. J.A.R., vol. 1, pp. 319–330, 338. 1914.
  brown leaf-spot, description and cultural studies. J.A.R., vol. 1, pp. 312–319, 338. 1914.
  cause in *Botryosphaeria berengeriana*, control. S.R.S. Rpt., 1916, Pt. I, p. 91. 1918.
  control work. B.P.I. Chief Rpt., 1921, pp. 28–29. 1921.
  histology, relation of rosette to others. D.B. 1038, pp. 1–42. 1922.
  in Texas, occurrence and description. B.P.I. Bul. 226, pp. 75–76, 111. 1912.
  inoculation experiments, pecan and other trees. J.A.R., vol. 1, pp. 307–309, 314–316, 321–325, 331–332, 335. 1914.
  kernel-spot, description and cultural studies. J.A.R., vol. 1, pp. 330–334, 337, 338. 1914.
  nursery-blight, description and cultural studies. J.A.R., vol. 1, pp. 305–312, 338. 1914.
  rosette, investigations, and control suggestions. J.A.R., vol. 3, pp. 149–174. 1914.
  spread, methods and prevention. F.B. 1129, pp. 20–22. 1920.
 distribution, habits, economic importance and production methods. B.P.I. Bul. 251, pp. 1–58. 1912.
 economic importance. F.B. 700, pp. 1–2. 1916.
 fertilizer, experiments in control of rosette. J.A.R., vol. 3, pp. 159–162, 168, 172, 174. 1914.
 forests, preservation. F.B. 700, pp. 17–18. 1916.
 fumigation, for control of—
  leaf case-bearer. D.B. 571, pp. 23–25, 26. 1917.
  weevils. F.B. 843, p. 16. 1917.
 fungous growths, nature and control. F.B. 1129, p. 20. 1920.
 gall weevil, infestation with boll weevil parasites. Ent. Bul. 100, pp. 45, 48, 53, 64, 65, 78. 1912.
 grafting—
  methods and directions. F.B. 700, pp. 8–17. 1916.
  on hickory trees, experiments. F.B. 700, pp. 21–23. 1916.
 growing—
  in Alabama—
   Autauga County. Soil Sur. Adv. Sh., 1908, p. 10. 1910; Soils F.O., 1908, p. 520. 1911.
   Baldwin County. Soil Sur. Adv. Sh., 1909, pp. 14, 59. 1911; Soils F.O,. 1909, pp. 714, 759. 1912.
   Barbour County. Soil Sur. Adv. Sh., 1914, pp. 14, 28, 32, 41. 1916; Soils F.O., 1914, pp. 1080, 1094, 1098, 1107. 1919.
   Bullock County, possibilities. Soil Sur. Adv. Sh., 1913, pp. 13, 49. 1915; Soils F.O., 1913, pp. 755, 791. 1916.
   Conecuh County, possibilities. Soil Sur. Adv. Sh., 1912, p. 15. 1914; Soils F.O., 1912, p. 763. 1915.
   Crenshaw County. Soil Sur. Adv. Sh., 1921, p. 380. 1924.
   Escambia County. Soil Sur. Adv. Sh., 1913, p. 17. 1915; Soils F.O., 1913, p. 839. 1916.
   Marengo County. Soil Sur. Adv. Sh., 1920, pp. 564, 572, 573, 582, 585, 587, 588. 1923; Soils F.O., 1920, pp. 564, 572, 573, 582, 585, 587, 588. 1925.
   Mobile County. Soil Sur. Adv. Sh., 1911, pp. 9, 15, 21. 1912; Soils F.O., 1911, pp. 863, 869, 875. 1914.
   Monroe County. Soil Sur. Adv. Sh., 1916, pp. 13, 29, 43. 1918; Soils F.O., 1916, pp. 859, 875. 1921.
   Russell County. Soil Sur. Adv. Sh., 1913, pp. 14, 28, 42. 1915; Soils F.O., 1913, pp. 884, 898, 912. 1916.

Pecan(s)—Continued.
  growing—continued.
    in Alabama—continued.
      Wilcox County. Soil Sur. Adv. Sh., 1916; pp. 14-15, 45, 53. 1918; Soils F.O., 1916, pp. 948-949, 979, 987. 1921.
    in Florida, Jefferson County, planting, yield, and value. Soil Sur. Adv. Sh., 1907, p. 16. 1908; Soils F.O., 1907, p. 356. 1909.
    in Georgia—
      Ben Hill County, management. Soil Sur. Adv. Sh., 1912, p. 11. 1913; Soils F.O., 1912, p. 501. 1915.
      Colquitt County. Soil Sur. Adv. Sh., 1914, p. 17. 1915; Soils F.O., 1914, p. 973. 1919.
      Grady County. Soil Sur. Adv. Sh., 1908, p. 19. 1909; Soils F.O., 1908, p. 355. 1911.
      Hancock County. Soil Sur. Adv. Sh., 1909, pp. 18-19. 1910; Soils F.O., 1909, pp. 564-565. 1912.
      Mitchell County. Soil Sur. Adv. Sh., 1920, pp. 6, 18, 21, 32, 35, 36, 37. 1922; Soils F.O., 1920, pp. 6, 18, 21, 32, 35, 36, 37. 1925.
      Pike County and Tift County. Soil Sur. Adv. Sh., 1909, pp. 16-17. 1910; Soils F.O., 1909, pp. 586-587, 607. 1912.
      Terrell County. Soil Sur. Adv. Sh., 1914, pp. 26, 33, 40. 1915; Soils F.O., 1914, pp. 882, 889, 896. 1919.
      Thomas County, remarks. Soil Sur. Adv. Sh., 1908, p. 12. 1909; Soils F.O., 1908, p. 402. 1911.
    in Louisiana—
      Concordia Parish. Soil Sur. Adv. Sh., 1910, p. 18. 1911; Soils F.O., 1910, p. 840. 1912.
      St. Martin's Parish. Soil Sur. Adv. Sh., 1917, p. 14. 1919; Soils F.O., 1917, p. 946. 1923.
    in Mississippi—
      Coahoma County. Soil Sur. Adv. Sh., 1915, pp. 11-12. 1916; Soils F.O., 1915, pp. 979-980. 1919.
      George County. Soil Sur. Adv. Sh., 1922, p. 38. 1925.
      Lamar County. Soil Sur. Adv. Sh., 1919, pp. 10, 12, 23, 28, 37. 1922; Soils F.O., 1919, pp. 978, 980, 991, 996, 1005. 1925.
      Scranton area. Soils F.O., 1909, pp. 892-893, 894. 1912; Soil Sur. Adv. Sh., 1909, pp. 10-11, 12. 1910.
      Warren County. Soil Sur. Adv. Sh., 1912, p. 19. 1914; Soils F.O., 1912, p. 895. 1915.
    in South Carolina—
      Bamberg County. Soil Sur. Adv. Sh., 1913, pp. 13, 24. 1914; Soils F.O., 1913, pp. 239, 250. 1916.
      Clarendon County, possibilities. Soil Sur. Adv. Sh., 1910, pp. 15, 19. 1912; Soils F.O., 1910, pp. 429, 433. 1912.
      Georgetown County, soils adaptable. Soil Sur. Adv. Sh., 1911, pp. 31, 33, 53. 1912; Soils F.O., 1911, pp. 539, 541, 543. 1914.
      Orangeburg County, soils and varieties. Soil Sur. Adv. Sh., 1913, p. 13. 1915; Soils F.O., 1913, p. 275. 1916.
      Richland County. Soil Sur. Adv. Sh., 1916, pp. 15, 37, 43. 1918; Soils F.O., 1916, pp. 531, 559. 1921.
    in Texas—
      Morris County. Soil Sur. Adv. Sh., 1909, pp. 11, 17. 1910; Soils F.O., 1909, pp. 991, 997. 1912.
      San Saba County. Soil Sur. Adv. Sh., 1916, p. 14. 1917; Soils F.O., 1916, p. 1324. 1921.
      Smith County, number of trees. Soil Sur. Adv. Sh., 1915, pp. 13, 15. 1917; Soils F.O., 1915, pp. 1087, 1089. 1919.
      south-central. Soil Sur. Adv. Sh., 1913, pp. 15, 30, 32. 1915; Soils F.O., 1913, pp. 1096, 1109, 1165. 1916.
      Tarrant County. Soil Sur. Adv. Sh., 1920, pp. 868, 901. 1924; Soils F.O., 1920, pp. 868, 901. 1925.
      value. Soil Sur. Adv. Sh., 1913, pp. 15, 43. 1915; Soils F.O., 1913, pp. 1081, 1109. 1916.
      variety testing. D.B. 162, pp. 15-16, 26. 1915.

Pecan(s)—Continued.
  growing—continued.
    latitude and other problems. An. Rpts., 1917, p. 144. 1918; B.P.I. Chief Rpt., 1917, p. 14. 1917.
    opportunities. B.P.I. Cir. 112, pp. 3-9. 1913.
    selection of varieties, importance. F.B. 700, pp. 27-28. 1916.
  Halbert, origin and description. Y.B., 1909, p. 384. 1910; Y.B. Sep. 521, p. 384. 1910.
  harvesting, marketing, polishing, and cracking methods. B.P.I. Bul. 251, pp. 41-44. 1912.
  Havens, origin and description. Y.B., 1912, pp. 277-278. 1913; Y.B. Sep. 589, pp. 277-278. 1913.
  heart-rot, treatment. F.B. 995, pp. 5-6. 1918.
  Hodge, origin and description. Y.B., 1908, pp. 487-488. 1909; Y.B. Sep. 496, pp. 487-488. 1910.
  importations from Mexico, value in 1908-1911. B.P.I. Bul. 251, p. 15. 1912.
  industry, distribution, extent, and outlook. F.B. 700, pp. 1-2. 1916.
  injury by—
    aphids. D.B. 100, pp. 19, 27. 1914.
    avocado red spider. D.B. 1035, p. 4. 1922.
    cigar case-bearer. Ent. Bul. 64, pp. 81-82. 1911; Ent. Bul. 64, Pt. X, pp. 81-82. 1910.
    leaf case-bearer, description. D.B. 571, pp. 5-6. 1917.
    pecan nut case-bearer. D.B. 1303, p. 3. 1925.
  inoculation—
    experiments in investigations of rosette. J.A.R., vol. 3, pp. 156-157, 174. 1914.
    with nursery-blight cultures, experiments. J.A.R., vol. 1, pp. 307-309. 1914.
  insects, important, and their control. John B. Gill. F.B. 843, pp. 48. 1917; F.B. 1364, pp. 49. 1924.
  Kennedy, origin and description. Y.B., 1908, pp. 486-487. 1909; Y.B. Sep. 496, pp. 486-487. 1909.
  kernel-spot and its cause. J. B. Demaree D.B. 1102, pp. 15. 1922.
  Kincaid, origin and description. Y.B., 1907, pp. 318-319. 1908; Y.B. Sep. 450, pp. 318-319. 1908.
  leaf case-bearer—
    John B. Gill. D.B. 571, pp. 28. 1917.
    description, life history, and control. F.B. 843, pp. 16-23. 1917; F.B. 1364, pp. 19-23. 1924.
    parasites. D.B. 571, p. 15. 1917.
  Major, origin and description. Y.B., 1912, p. 275. 1913; Y.B. Sep. 589, p. 275. 1913.
  Mantura, origin and description. Y.B., 1907, pp. 319-320. 1908; Y.B. Sep. 450, pp. 319-320. 1908.
  marketing—
    discussion. F.B. 700, p. 27. 1916.
    methods. Rpt. 98, p. 128. 1913.
  Mobile—
    defective nuts. F.B. 700, p. 26. 1916.
    origin and description. Y.B., 1909, p. 385. 1910; Y.B. Sep. 521, p. 385. 1910.
  new varieties—
    history and description. Y.B., 1906, pp. 365-370. 1907; Y.B. Sep. 429, pp. 365-370. 1907.
    origin and description. Y.B., 1907, pp. 315-320. 1908; Y.B. Sep. 450, pp. 315-320. 1908.
  nursery spraying with Bordeaux mixture for blight. J.A.R., vol. 1, pp. 305, 307. 1914.
  nut—
    bearing, preservation of groves. F.B. 700, pp. 17-18. 1916.
    case-bearer—
      John B. Gill. D.B. 1303, pp. 12. 1925.
      parasites, list. D.B. 1303, p. 11. 1925.
    harvesting, marketing, polishing, cracking. B.P.I. Bul. 251, pp. 41-44. 1912.
    injury by pecan nut case-bearer. D.B. 1303, p. 3. 1925; F.B. 1364, pp. 1-2. 1924.
  occurrence and commercial planting, botanical names. J.A.R., vol. 1, p. 303. 1914.
  oil, digestion experiments, food weights, and constituents. D.B. 630, pp. 15-17. 1918.
  orchards—
    cost and yield. B.P.I. Cir. 112, pp. 4-8. 1913.
    cover crops, suggestions. D.B. 1102, p. 12. 1922.

INDEX TO PUBLICATIONS, 1901–1925 1781

Pecan(s)—Continued.
orchards—continued.
distribution in various States, number of trees. B.P.I. Bul. 251, pp. 14–15. 1912.
planting trees and cultivation. F.B. 700, pp. 23–26. 1916.
removal of dead wood and prunings. F.B. 1364, pp. 41, 42, 43, 46. 1924.
rosette—
prevention and control. D.B. 756, pp. 9–10. 1919.
records. J.A.R., vol. 3, pp. 163–165. 1914.
setting and care. F.B. 124, pp. 17, 18. 1901.
setting trees and cultivation. F.B. 700, pp. 23–26. 1916.
velvet beans, growing as corn crop, caution. F.B. 700, p. 26. 1916.
Owens, adaptability and description. News L., vol. 1, No. 18, p. 3. 1913.
Owens, origin and description. Y.B., 1912, pp. 275–276. 1913; Y.B. Sep. 589, pp. 275–276. 1913.
"papershell," use of term. F.B. 700, p. 28. 1916.
planting—
between peach trees, in Grayson County, Tex. Soil Sur. Adv. Sh., 1909, p. 10. 1910; Soils F.O., 1909, p. 956. 1910.
cultivation, and bearing age. B.P.I. Bul. 251, pp. 38–41. 1912.
in Oklahoma and Indian Territory. For. Bul. 65, pp. 17, 18, 30. 1905.
methods, cost, and profit, in Sumter County, Ga. Soil Sur. Adv. Sh., 1910, pp. 17–18, 1911; Soils F.O., 1910, pp. 513–514. 1912.
President, origin and description. Y.B., 1907, p. 316. 1908; Y.B. Sep. 450, p. 316. 1908.
price(s)—
advance in 10 years. News L., vol. 3, No. 25, p. 4. 1906.
discussion. B.P.I. Cir. 112, pp. 6, 7, 8. 1913.
variations, and factors. F.B. 700, pp. 26–27. 1916.
production—
in 1909, comparison with other nuts. F.B. 700, pp. 1–2. 1916.
methods and growth of industry. News L., vol. 3, No. 25, p. 4. 1916.
promising—
new, history and description. Y.B., 1912, pp. 273–278. 1913; Y.B. Sep. 589, pp. 273–278. 1913.
varieties. Y.B., 1905, pp. 504–508. 1906; Y.B. Sep. 399, pp. 504–508. 1906.
propagation—
by top-working hickory, in Texas, Harrison County. Soil Sur. Adv. Sh., 1912, p. 12. 1913; Soils F.O., 1912, p. 1062. 1915.
directions and suggestions. F.B. 700, pp. 5–17. 1916.
pruning, protection of wounds, importance. F.B. 1129, pp. 9–10. 1920.
reproduction from seed, objections. F.B. 700, p. 7. 1916.
root system, relation to rosette. D.B. 756, pp. 7–9. 1919.
rosette—
histology, cytology, and relations to other chlorotic diseases. Frederick V. Rand. D.B. 1038, pp. 42. 1922.
in relation to soil deficiencies. S. M. McMurran. D.B. 756, pp. 11. 1919.
scab—
and sources of early spring infections. J. B. Demaree. J.A.R., vol. 28, No. 4, pp. 321–330. 1924.
description and control. F.B. 1129, pp. 3–7. 1920.
nature, occurrence, and control. F.B. 1129, pp. 3–7. 1920.
seed, selection—
care, and planting. F.B. 700, pp. 6–7. 1916.
planting studies. B.P.I. Bul. 251, pp. 18–19. 1912.
shuckworm, description, life history, and control. F.B. 843, pp. 9–13. 1917.
soil requirements. F.B. 1129, pp. 14, 21. 1920.
southern, diseases. S. M. McMurran and J. B. Damaree. F.B. 1129, pp. 22. 1920.
sovereign, origin and description. Y.B., 1907, pp. 317–318. 1908; Y.B. Sep. 450, pp. 317–318. 1908.

Pecan(s)—Continued.
spraying for—
control of leaf case-bearer. D.B. 571, pp. 15–23, 25–26. 1917.
disease control. F.B. 1129, pp. 5–8, 11. 1920.
injurious insects. F.B. 843, pp. 6–9, 21–23, 24–25, 27, 28, 31, 32. 1917.
insect control. F.B. 1364, pp. 4–7, 23, 25, 28, 29, 32, 33, 48. 1924.
scab control experiments. J.A.R., vol. 28, pp. 326–327. 1924.
stock, removal from nursery, suggestions. F.B. 700, p. 17. 1916.
storing experiments. B.P.I. Bul. 254, p. 100. 1913.
susceptibility to scab, and resistant varieties. F.B. 1129, pp. 4–5. 1920.
Taylor, origin and description. Y.B., 1908, pp. 485–486. 1908; Y.B. Sep. 496, pp. 485–486. 1908.
tree(s)—
bearing age. F.B. 700, p. 26. 1916.
distribution, grafting necessity and methods. News L., vol. 3, No. 25, p. 4. 1916.
growth habits, size and height. B.P.I. Bul. 251, pp. 11–13. 1912.
habitat and cultural distribution. F.B. 700, pp. 2–4. 1916.
injury by—
sapsuckers. Biol. Bul. 39, pp. 29–30, 71. 1911.
termites. D.B. 333, pp. 23–24. 1916.
seedling and grafted, comparison. B.P.I. Bul. 251, pp. 20–21. 1912.
top-working, importance, methods and trees suitable. F.B. 700, pp. 18–23. 1916.
transplanting—
and fertilizing, experiments. D.B. 1038, pp. 30–31. 1922.
benefits. News L., vol. 3, No. 25, p. 4. 1916.
for control of rosette, experiments. J.A.R. vol. 3, pp. 152–155, 167. 1914.
from nursery. F.B. 700, pp. 23–25. 1916.
top-working, value and methods. B.P.I. Bul. 251, pp. 31–33. 1912.
wood-rot prevention. S. M. McMurran. F.B. 995, pp. 8. 1918.
varieties—
descriptions and characters. B.P.I. Bul. 251, pp. 44–52. 1912; F.B. 700, pp. 28–32. 1916.
new—
adaptability to particular localities. News L., vol. 1, No. 18, p. 3. 1913.
promising description. Y.B., 1908, pp. 485–490. 1909; Y.B. Sep. 496, pp. 485–490. 1909.
promising, description, and origin. Y.B., 1909, pp. 382–386. 1910; Y.B. Sep. 521, pp. 382–386. 1910.
resistant to case-bearer attack. D.B. 571, p. 5. 1917.
suitable for various localities. F.B. 700, pp. 28–29. 1916.
suited to Maryland. F.B. 329, p. 20. 1908.
undesirable, list. F.B. 700, p. 28. 1916.
Warrick, origin and description. Y.B., 1912, pp. 276–277. 1913; Y.B. Sep. 589, pp. 276–277. 1913.
weevil, description—
and remedies. Ent. Cir. 99, pp. 12–15. 1908. 1917; F.B. 1364, pp. 11–14. 1924.
life history, and control. F.B. 843, pp. 13–16. 1917; F.B. 1364, pp. 11–14. 1924.
winter injury, cause and prevention. F.B. 1129, pp. 15–17. 1920.
Wolford, origin and description. Y.B., 1907, pp. 315–316. 1908; Y.B. Sep. 450, pp. 315–316. 1908.
yield by States and by varieties, 1899–1905. B.P.I. Cir. 112, pp. 7–8. 1913.
Peccary—
Texas, distribution and habits. N.A. Fauna 25, pp. 58–60. 1905.
tubercle bacilli, culture and experiments. B.A.I. An. Rpt., 1906, pp. 137, 142, 152. 1908.
Pechay, growing in Guam, directions. Guam Bul. 2, pp. 12, 47. 1922.
PECK, A. S.: "The opportunities in forest planting for the farmer." Y.B., 1909, pp. 333–344. 1910; Y.B. Sep. 517, pp. 333–344. 1910.

PECK, F. W.—
"Methods of conducting cost of production and farm organization studies." D.B. 994, pp. 47. 1921.
"The cost of a bushel of wheat." Y.B., 1920, pp. 301–308. 1921; Y.B. Sep. 846, pp. 301–308. 1921.
PECK, W. A., system of labor records for farmer. F.B. 511, p. 25. 1912.
PECK, W. D., description and classification of *Rhynchaenus cerasi*, same as *Conotrochelus nenuphar*. Ent. Bul. 103, pp. 14, 16, 17, 37, 162. 1912.
Pecos National Forest, map and directions to campers and travelers. For. Map Fold. 1915.
Pecos River—
and tributaries, irrigation along. W. M. Reed. O.E.S. Bul. 104, pp. 61–81. 1902.
irrigation projects in New Mexico. O.E.S. Bul. 215, pp. 12, 22, 29. 1909.
Texas, description, drainage area, and discharge. O.E.S. Bul. 222, pp. 26–27. 1910.
Pecos Valley irrigation. O.E.S. Bul. 158, p. 324. 1905.
Pectase, production by brown-rot fungus. J.A.R., vol. 5, No. 9, pp. 368–369. 1915.
Pectin—
apple, manufacture from apple pomace. D.B. 1166, pp. 2, 3, 7–8, 18, 34. 1923.
bodies, fruit and vegetable, discussion. Chem. Bul. 94, pp. 67–87. 1905.
citrus—
Homer D. Poore. D.B. 1323, pp. 20. 1925.
production from waste. Off. Rec. vol. 4, No. 13, p. 6. 1925.
content of—
muscadine grape varieties. F.B. 1454, p. 9. 1925.
tuna. B.P.I. Bul. 116, p. 40. 1907.
determination in fruit juices. Hawaii Bul. 47, pp. 2–3. 1923.
elimination in starch determination. J.A.R., vol. 23, pp. 998–1000, 1005. 1923.
extraction and use in jelly making. News L., vol. 5, No. 1, p. 7. 1917.
extracts, apple and citrus, homemade, and jelly making use. Minna C. Denton and others. D.C. 254, pp. 11. 1923.
from apple pomace, for jelly making. S.R.S. Doc. 12, p. 4. 1917.
from guava, use in jelly making. Hawaii A.R., 1919, p. 41. 1920.
fruit juice, coagulation in clearing. D.B. 1025, pp. 4–5. 1922.
jelly, labeling. Chem. S.R.A. 20, p. 63. 1917.
muscadine grape products, use. F.B. 1454, pp. 8–10, 11, 12, 13, 14, 16, 21, 26. 1925.
need in jelly, and sources. F.B. 853, pp. 37, 39–40. 1917; F.B. 859, pp. 9–11. 1917.
scuppernong grape. F.B. 1454, p. 9. 1925.
source and use. F.B. 1454, pp. 8–10, 16. 1925.
test, jelly making. F.B. 1454, p. 13. 1925.
test, jelly stock. F.B. 859, p. 15. 1917.
testing in fruit juice. F.B. 853, p. 37. 1917.
Pectinase(s)—
apple pulp, study. J.A.R., vol. 5, No. 3, pp. 114–115. 1915.
comparison in different species of Rhizopus. L. L. Harter and others. J.A.R., vol. 22, pp. 371–377. 1921.
production—
and acidity of *Rhizopus* spp. J.A.R., vol. 26, pp. 369–370. 1923.
by *Rhizopus* spp. and *Botrytis cinerea*, studies. J.A.R., vol. 25, pp. 155–164. 1923.
relation to—
acidity of substrate. J.A.R., vol. 24, pp. 861–878. 1923.
hydrogen-ion concentration of substrate. L. L. Harter and J. L. Weimer. J.A.R., vol. 24, pp. 861–878. 1923.
secretion by *Rhizopus tritici*. J.A.R., vol. 21, pp. 609–625. 1921.
study of. J.A.R., vol. 30, pp. 963–964. 1925.
Pectinophora gossypiella. See Bollworm, pink.
Pectoral drops, adulteration and misbranding. See *Indexes, Notices of Judgment, in bound volumes and in separates published as supplements to Chemistry Service and Regulatory Announcements*.

PEDEN, F. T.—
"Wintering and fattening beef cattle in North Carolina." With others. D.B. 628, pp. 53. 1918.
"Wintering and summer fattening of steers in North Carolina." With others. D.B. 954, pp. 18. 1921.
Pedicels, decurrent, cotton, morphology. J.A.R., vol. 3, pp. 393–394. 1915.
Pedicularis—
crenulata, injurious to meadows. J.A.R., vol. 6, No. 19, pp. 748, 753. 1916.
spp., distribution. N.A. Fauna 21, p. 21. 1901.
spp., from India, importations and descriptions. Nos. 39031–39037. B.P.I. Inv. 40, p. 61. 1917.
Pediculoides—
spp., boll weevil enemies, description. D.B. 231, p. 31. 1915; Ent. Bul. 114, p. 137. 1912.
spp., description and habits. Rpt. 108, pp. 12, 105–107. 1915.
ventricosus—
beneficial as enemy to insect pests. Ent. Cir. 118, pp. 2–7. 1910.
cause of grain itch, abundance in Pennsylvania. An. Rpts., 1911, p. 514. 1912; Ent. A. R., 1911, p. 24. 1911.
destruction of Angoumois grain moth. Ent. Cir. 118, pp. 2–7. 1910; F.B. 1156, p. 19. 1920.
destructive to wheat strawworm. Ent. Cir. 106, p. 10. 1909.
enemy of—
boll weevil, description. Ent. Bul. 100, pp. 11, 40, 44–47, 75, 77, 79. 1912.
broad-bean weevil. D.B. 807, p. 14. 1920.
infestation of alfalfa weevil. Ent. Bul. 112, pp. 32–33. 1912.
insect enemy of pink bollworm, description, and injury to human beings. D.B. 723, pp. 14–15. 1918.
moth parasite, description and studies. Ent. Bul. 91, pp. 267–268. 1911.
noxious to man. Ent. Cir. 118, pp. 1–24. 1910.
occurrence on larvae of pink bollworm. D.B. 918, p. 47. 1921.
parasite—
enemy of broad-bean weevil. Ent. Bul. 96, Pt. V, pp. 66–67, 73. 1912.
of fig moth. Ent. Bul. 104, pp. 31–32. 1911.
See also Mite.
Pediculoidinae, classification, description, and habits. Rpt. 108, pp. 105–108. 1915.
Pediculus humanus. See Louse.
Pedigree(s)—
associations, regulations, and records. Rpt. 83, pp. 23–24. 1906.
beef cattle, American breeds. George M. Rommel. B.A.I. Bul. 34, pp. 34. 1902.
books—
certification regulations issued in 1909. B.A.I. An. Rpt., 1909, pp. 347–351. 1911.
of record—
and regulations for certification of associations of breeders of livestock. B.A.I.O. 136, Amdt. 3, p. 1. 1908.
associations, list, and regulations. B.A.I. An. Rpt., 1906, pp. 325, 352–361. 1908.
certification of Arabian horse association. B.A.I.O. 136, Amdt. 10, p. 1. 1909.
for dogs. Canada, regulation. B.A.I.O. 206, Amdt. 2, p. 1. 1915.
certificates—
breeding animals. An. Rpts., 1912, p. 323. 1913; B.A.I. Chief Rpt., 1912, p. 27. 1912.
imported livestock, importance to breeders. News L., vol. 1, No. 3, p. 4. 1913.
definition. B.A.I. Bul. 34, p. 22. 1901.
department studs, and other important horses. B.A.I. An. Rpt., 1907, pp. 125–143. 1909; B.A.I. Cir. 137, pp. 125–143. 1908.
forms. B.A.I. Bul. 34, pp. 22–24, 25. 1901.
frauds in export animal trade. B.A.I. An. Rpt., 1907, p. 349. 1909.
good, essential features. B.A.I. Bul. 34, pp. 24–28. 1901.
horses, Wyoming horse-breeding station. D.C. 153, pp. 9–22. 1921.
livestock—
approximate method of calculating coefficients of inbreeding and relationship. Sewall Wright and Hugh C. McPhee. J.A.R., vol. 31, pp. 377–383. 1925.

Pedigree(s)—Continued.
  livestock—continued.
    consideration in selection of breeding animals.
      D.B. 905, pp. 50–54. 1920.
    forms, care and value. B.A.I. Bul. 34, pp. 22–28. 1902.
    purebred cattle, used in cross-breeding experiments. J.A.R., vol. 15, pp. 27, 28, 30, 33, 36, 40. 1918.
  record—
    associations—
      certified by Secretary of Agriculture. B.A.I. An. Rpt., 1909, pp. 321–325. 1911.
      in United States. B.A.I. Rpt., 1904, pp. 518–521. 1905.
      regulations, books, and certified list. B.A.I. An. Rpt., 1906, pp. 325, 347, 352–361. 1908.
      supervision. An. Rpts., 1908, pp. 265–267. 1909; B.A.I. Chief Rpt., 1908, pp. 51–53. 1908.
    book(s)—
      certifications of dog and horse associations. B.A.I.O. 136, amdt. 8, p. 1. 1909.
      foreign regulation, modification. B.A.I.O. 206, amdt. 3, p. 1. 1916.
      regulations. B.A.I. An. Rpt., 1904, pp. 594–602. 1905.
      sheep, withdrawal of certification. B.A.I.O. 136, amdt. 12, p. 1. 1910.
      withdrawal of certification of cat association. B.A.I.O. 136, amdt. 9, p. 1. 1909.
    value—
      and main point in livestock breeding. F.B. 1167, pp. 26–30. 1920.
      in determining merits of individual. B.A.I. Bul. 34, p. 26. 1901.
      in judging cattle, Denmark and Sweden. B.A.I. Bul. 129, pp. 23–24, 25. 1911.
Peel—
  citrus fruit, candied, preparation methods, and value. D.C. 232, pp. 8–10. 1922.
  lemon, color and thickness. D.B. 993, pp. 11–12, 17, 18. 1922.
  orange, and lemon—
    candied uses. Y.B., 1912, pp. 513, 520. 1913; Y.B. Sep. 610, pp. 513, 520. 1913.
    pectin extraction, directions. D.C. 254, pp. 3–5, 10. 1923.
Peeler, potato, use in preparing vegetables. F.B. 841, p. 10. 1917.
Peeling—
  fruit, methods and mechanical devices for. D.B. 1335, pp. 5–6. 1925.
  fruits and vegetables by chemical treatment. Chem. S.R.A. 21, p. 73. 1918.
  machine, for citrus fruits, description, capacity, and use. D.B. 399, pp. 13–19. 1916.
  mine timbers, use and value in durability increase, methods. For. Bul. 107, pp. 6–7. 1912.
  post, to retard decay and for preservative treatment. F.B. 744, pp. 4, 10–11. 1916.
  ties for seasoning. For. Bul. 118, pp. 8–9, 47. 1912.
Peelua, name of cutworms in Hawaii. Hawaii Bul. 34, p. 5. 1914.
"Peenah" disease caused by dipterous larvae. Ent. T. B. 22, p. 11. 1912.
Pegmatite, potassium solubility as affected by calcium solutions. J.A.R., vol. 8, pp. 22–23. 1917.
Pegomya—
  brassicae. See Maggotts, cabbage.
  ruficeps, enemy of beet webworm. Ent. Bul. 109, Pt. II, p. 22. 1911.
  spp., injurious to dock, description and life history. J.A.R., vol. 16, pp. 229–244. 1919.
  spp., larvæ, description. Ent. T.B. 22, pp. 29–30. 1912.
Pegwood. See Wahoo.
PEHKONEN, O. P.: "Quality rates and premiums in the Finnish dairy industry." B.A.I. Dairy [Misc.], "World's dairy congress, 1923," pp. 568–577. 1924.
Pehuen, importations and descriptions. Nos. 35921, 35922, B.P.I. Inv. 36, p. 26. 1915; No. 38695, B.P.I. Inv. 40, pp. 12–13. 1917.
PEIGHTAL, M. F.: "Soil survey of McHenry County, N. Dak." With others. Soil Sur. Adv. Sh., 1921, pp. 45. 1925; Soils F.O., 1921, pp. 929–973. 1926.

PEIRCE, V. M.—
  "Brick roads." With Charles H. Moorefield. D.B. 373, pp. 40. 1916.
  "Drainage methods and foundations for county roads." With others. D.B. 724, pp. 86. 1918.
  "Vitrified brick as a paving material for country roads." With Charles H. Moorefield. D.B. 23, pp. 34. 1913.
  "Vitrified brick pavements for country roads." With Charles H. Moorefield. D.B. 246, pp. 38. 1915.
Pejibaye, importations and descriptions No. 54776, B.P.I. Inv. 70, pp. 2, 18–19. 1923; Nos. 55796, 55807, B.P.I. Inv. 72, pp. 36, 37. 1924.
Pekin, fruit markets, varieties and prices of fruits. D.C. 146, p. 5. 1920.
Pelages—
  harvest mice, molting and changes in color. N.A. Fauna 36, pp. 12–13. 1914.
  Peromyscus, annual changes and color, description. N.A. Fauna 28, pp. 19–22. 1909.
  spiny pocket mice, appearance and changes. N.A. Fauna 34, pp. 9–10. 1911.
Pelargonium—
  crown-gall inoculation from peach. B.P.I. Bul. 213, p. 66. 1911.
  inoculation with hard gall of apple. B.P.I. Bul. 213, p. 98. 1911.
  spp. See Geranium.
Pelagophycus porra—
  analyses. J.A.R., vol. 4, pp. 41, 43, 45, 46, 50, 51. 1915.
  nitrogen availability studies. J.A.R., vol. 4, pp 23–26, 36. 1915.
  occurrence and value as potash source. Rpt. 100, pp. 13, 14, 15, 42. 1915.
Pelican—
  American white in Athabaska-Mackenzie region. N.A. Fauna 27, p. 275. 1908.
  banded, returns, 1920 to 1923. D.B. 1268, p. 7. 1924.
  brown, description and food habits. D.B. 326, p. 18. 1916.
  protection—
    by law. Biol. Bul. 12, rev., pp. 35–36, 41. 1902.
    exception from. Biol. Bul. 12, rev., pp. 42, 44. 1902.
  white—
    occurrence in Arkansas. Biol. Bul. 38, p. 16. 1911.
    range and habits. N.A. Fauna 22, p. 82. 1902.
Pelican Island bird reservation, work, 1911. An. Rpts., 1911, p. 543. 1912; Biol. Chief Rpt., 1911, p. 13. 1911.
Pelidna—
  alpina, breeding range and migration habits. Biol. Bul. 35, p. 43. 1910.
  sakalina—
    breeding range and migration habits. Biol. Bul. 35, pp. 43–45. 1910.
    occurrence in Pribilof Islands. N.A. Fauna 46, p. 73. 1923.
  See also Sandpiper, red-backed.
Peliss, wheat, characteristics and varieties. D.B. 878, pp. 9–10. 1920.
Pellagra—
  cause and prevention. F.B. 1236, p. 6. 1923.
  conveyance by insects, probability. An. Rpts., 1912, p. 78. 1913; Sec. A.R., 1912, p. 78. 1912; Y.B., 1912, p. 78. 1913.
  fatal, from use of low grade corn. Chem. N.J., 722, p. 27. 1911.
  influence of corn deterioration. B.P.I. Bul. 199, pp. 1–36. 1910.
  prevention by use of animal food, suggestion. Y.B., 1916, p. 475. 1917; Y.B., Sep. 694, p. 9. 1917.
  relation—
    of biting insects. An. Rpts., 1913, p. 214. 1914; Ent. A.R., 1913, p. 6. 1913.
    of moldy corn. B.P.I. Bul. 270, p. 41. 1913.
    to—
      diet. Sec. Cir. 56, p. 7. 1916.
      Oospora verticilloides on corn. J.A.R., vol. 28, p. 918. 1924.
      Simulian fly. An. Rpts., 1911, p. 524. 1912; Ent. A.R., 1911, p. 34. 1911.

Pellagra—Continued.
  relation—continued.
    to—continued.
      spoiled corn, study. An. Rpts., 1912, pp. 584–585. 1913; Chem. Chief Rpt., 1912, pp. 34–35. 1912.
      transmission by stable fly, possibility. Y.B., 1912, p. 391. 1913; Y.B. Sep. 600, p. 391. 1913.
Pellagrozein, poison found in moldy corn, by Lombrozi. B.P.I. Bul. 270, p. 41. 1913.
Pelletierine tannate, use as anthelmintic, results. J.A.R., vol. 12, pp. 417–418. 1918.
Pellicularia koleroga—
  inoculation into coffee plants, experiments. P.R. An. Rpt., 1914, pp. 28–29. 1915.
  on coffee in Porto Rico, description. J.A.R., vol. 2, pp. 231–233. 1914.
  See also Coffee disease.
Pellitory bark. See Ash, prickly, northern.
Pelops spp., description. Rpt. 108, pp. 95, 96. 1915.
PELTIER, G. L.—
  "Further studies on the relative susceptibility to citrus canker of different species and hybrids of the genus citrus." With William J. Frederich. J.A.R., vol. 28, pp. 227–239. 1924.
  "Influence of temperature and humidity on the growth of *Pseudomonas citri* and its host plants and on infection and development of the disease." J.A.R., vol. 20, pp. 447–506. 1920.
  "Overwintering of the citrus-canker organism in the bark tissue of hardy citrus hybrids." With D. C. Neal. J.A.R., vol. 14, pp. 523–524. 1918.
  "Relation of environmental factors to citrus scab caused by *Cladosporium citri* Massee." With William J. Frederich. J.A.R., vol. 28, pp. 241–254. 1924.
  "Relative susceptibility of citrus fruits and hybrids to *Cladosporium citri* Massee." With W. J. Frederich. J.A.R., vol. 24, pp. 955–959. 1923.
  "Relative susceptibility to citrus-canker of different species and hybrids of the genus Citrus, including the wild relatives." With W. J. Frederich. J.A.R., vol. 19, pp. 339–362. 1920.
  "Susceptibility and resistance to citrus canker of the wild relatives." J.A.R., vol. 1., pp. 337–358. 1918.
Pelting—
  blue foxes, practices. D.B. 1350, pp. 25–28. 1925.
  foxes, details and directions. D.B. 1151, pp. 52–55. 1923.
Pelts—
  Alaska, shipments, value. Off. Rec., vol. 2, No. 3, p. 2. 1923.
  blue fox, requirements. D.B. 1350, pp. 17–18. 28, 1925.
  fox—
    preparation and desirable qualities. D.B. 1350, pp. 25–29. 1925.
    requirements, judging for primeness, drying, and care. D.B. 1151, pp. 32–33, 52, 53–55. 1923.
  inferiority, control suggestions. F.B. 1445, pp. 1–2. 1924.
  interstate shipments. F.B. 1469, p. 4. 1925.
  lamb, lightness as factor in grading animal. F.B. 360, p. 19. 1909.
  mole. See Moleskins.
  shipments interstate. F.B. 1445, p. 3. 1924.
  silver fox, value, and prices at different dates. D.B. 301, pp. 4, 5, 34. 1915.
Pelu—
  importation and description. Nos. 36135, 36145, B.P.I. Inv. 36, pp. 58, 59. 1915.
  introduction, description, and uses. B.P.I. Bul. 205, p. 40. 1911.
Pelvis—
  bones, fractures, symptoms and treatment. B.A.I. [Misc.], "Diseases of the horse," rev., pp. 316–319. 1903; rev., pp. 316–319. 1907; rev., pp. 316–319. 1911; rev., pp. 341–344. 1923.
  fracture, cattle, symptoms and treatment. B.A.I. [Misc.], "Diseases of cattle," rev., pp. 276–277. 1904; rev., pp. 285–286. 1912; rev., 279–280. 1923.

PEMBERTON, C. E.—
  "A contribution to the biology of fruit-fly parasites in Hawaii." With H. F. Willard. J.A.R., vol. 15, pp. 419–466. 1918.
  "Banana as a host fruit of the Mediterranean fruit fly." With E. A. Back. J.A.R., vol. 5, pp. 793–804. 1916.
  "Effect of cold storage temperatures on the pupae of the Mediterranean fruit fly." With E. A. Back. J.A.R., vol. 6, No. 7, pp. 251–260. 1916.
  "Effect of cold-storage temperatures upon the Mediterranean fruit fly." With E. A. Back. J.A.R., vol. 5, No. 15, pp. 657–666. 1916.
  "Fruit fly parasitism in Hawaii during 1916." With H. F. Willard. J.A.R., vol. 12, pp. 103–108. 1918.
  "Interrelations of fruit-fly parasites in Hawaii." With C. E. Pemberton. J.A.R., vol. 12, pp. 285–296. 1918.
  "Katydids injurious to oranges in California." With J. R. Horton. D.B. 256, pp. 24. 1915.
  "Life history of Mediterranean fruit fly." With E. A. Back. J.A.R., vol. 3, pp. 363–374. 1915.
  "Life history of the melon fly." With E. A. Back. J.A.R., vol. 3, pp. 269–274. 1914.
  "Susceptibility of citrus fruits to the attack of the Mediterranean fruit fly." With A. E. Back. J.A.R., vol. 3, pp. 311–330. 1915.
  "The Mediterranean fruit fly." With E. A. Back. D.B. 640, pp. 44. 1918.
  "The Mediterranean fruit fly in Hawaii." With E. A. Back. D.B. 536, pp. 119. 1918.
  "The melon fly." With E. A. Back. D.B. 643, pp. 32. 1918.
  "The melon fly in Hawaii." With E. A. Back. D.B. 491, pp. 64. 1917.
  "Work and parasitism of the Mediterranean fruit fly in Hawaii during 1917." With H. F. Willard. J.A.R., vol. 14, pp. 605–610. 1918.
Pemphigini, genera, description, and key. D.B. 826, pp. 9, 68–73. 1920.
Pemphigus—
  acerifolii, carnivorous enemies, list. Ent. T.B. 24, p. 11. 1912.
  betae—
    carrier of *Corticium vagum*. J.A.R., vol. 22, pp. 50–52. 1921.
    See also Sugar-beet root aphid.
  populi-transversus—
    description, habits, and control. F.B. 1169, pp. 89–90. 1921.
    life history. J.A.R., vol. 14, pp. 577–594. 1918.
  spp., galls on poplar trees. J.A.R., vol. 14, No. 13, pp. 591–592. 1918.
  See also Blisters, water.
Pencil(s)—
  incense cedar, use, value, and price. D.B. 604, p. 5. 1918.
  indelible, stains, removal from textiles. F.B. 861, p. 19. 1917.
  marks, removal from textiles. F.B. 861, p. 25. 1917.
  wood, red-cedar production. L. L. White. For. Cir. 102, pp. 19. 1907.
PENDLETON, R. L.—
  "Reconnoissance soil survey of the San Diego region, California." With L. C. Holmes. Soil Sur. Adv. Sh., 1915, pp. 77. 1918; Soils F.O., 1915, pp. 2509–2581. 1919.
  "Soil survey of the—
    Healdsburg area, California." With others. Soil Sur. Adv. Sh., 1915, pp. 59. 1917; Soils F.O., 1915, pp. 2199–2253. 1919.
    Riverside area, California." With others. Soil Sur. Adv. Sh., 1915, pp. 88. 1917; Soils F.O., 1915, pp. 2367–2450. 1919.
    Ukiah area, California." With E. B. Watson. Soil Sur. Adv. Sh., 1914, pp. 53. 1916; Soils F.O., 1914, pp. 2629–2677. 1919.
Pendula trees in Porto Rico, description and uses. D.B. 354, pp. 94, 95. 1916.
Penetration, test—
  bituminous materials and residue determination. D.B. 1216, pp. 53–55. 64. 1924.
  road materials. D.B. 314, pp. 11–14. 1915.
Penetrometer—
  bitumen testing. D.B. 949, pp. 46–47. 1921.
  description. D.B. 314, pp. 12–13. 1915.

Penguin eggs, traffic in South Africa. An. Rpts., 1912, p. 670. 1913; Biol. Chief Rpt., 1912, p. 14. 1912.
Penicillic acid, poisonous character, analysis. B.P.I. Bul. 270, pp. 13-30. 1913.
Penicillium—
brevicaule, use in arsenic test. B.A.I. Bul. 120, p. 10. 1910.
camemberti—
experimental studies. B.A.I. Bul. 120, pp. 35-65. 1910.
See also Molds, Camembert cheese.
candidum, relation to texture of ripened cheese. B.A.I. Bul. 71, pp. 19, 21, 29. 1905.
cause of blue-mold rot of citrus, development and control. D.C. 293, pp. 2, 6-9. 1923.
expansum—
cause of—
blue mold of apple. F.B. 1160, p. 15. 1920.
blue mold rot. J.A.R., vol. 22, p. 467. 1922.
fruit rot, temperature studies. J.A.R., vol. 8, pp. 142-163. 1917.
comparison with *Sclerotinea cineria*. J.A.R., vol. 5, No. 9, pp. 384, 385-386. 1915.
invertase activity, studies. J.A.R., vol. 18, pp. 537-542. 1920.
spores, enzymic activity. J.A.R., vol. 18, pp. 202-203. 1919.
in ketchup, development, reproduction, growth, and temperature tests. Chem. Bul. 119, pp. 28-33. 1909.
luteum, effect on plant tissue. J.A.R., vol. 21, p. 611. 1921.
nomenclature. B.A.I. Bul. 118, pp. 23-27. 1910.
pinophilum, cytase excretion. B.P.I. Cir. 118, pp. 29-31. 1913.
puberulum, on spoiled corn. B.P.I. Bul. 270, pp. 12-42. 1913.
roqueforti—
occurrence in moldy butter. J.A.R., vol. 3, pp. 303, 305, 307. 1915.
necessity in ripening Roquefort cheese. J.A.R., vol. 13, pp. 225, 230, 232. 1918.
roseum, cause of gummosis. J.A.R., vol. 24, pp. 215, 221-222, 232. 1923.
spp.—
attacking wheat treated with formaldehyde. J.A.R., vol. 20, pp. 215. 1920.
cause of—
blue-mold rot. F.B. 1435, p. 3. 1924.
potato rot. J.A.R., vol. 21, pp. 211-226. 1921.
sweet-potato rot. J.A.R., vol. 15, p. 355. 1918.
characteristics, distribution, economic importance and culture. B.A.I. Bul. 120, pp. 9-15. 1910.
chemical differences. B.A.I. Bul. 120, pp. 35-36. 1910.
cultural studies. Charles Thom. B.A.I. Bul. 118, pp. 109. 1910.
enzymic action. J.A.R., vol. 20, pp. 778-779. 1921.
from potatoes in Idaho soils. J.A.R., vol. 13, pp. 80, 93-95. 1918.
growth on tragacanth gum, and tobacco. D.B. 109, pp. 4, 5. 1914.
identification methods, and characterization. B.A.I. Bul. 118, pp. 10-22. 1910.
in corn meal. J.A.R., vol. 22, pp. 185-188. 1921.
injury to oranges, studies. B.P.I. Cir. 124, pp. 23, 25, 27. 1913.
intracellular enzyms. B.A.I. Bul. 120, pp. 1-70. 1910.
inversion of cane sugar. J.A.R., vol. 21, p. 189. 1921.
occurrence in moldy butter. J.A.R., vol. 3, pp. 303, 305, 307, 309. 1915.
on pitted grapefruit. J.A.R., vol. 22, p. 277. 1921.
pasteurization experiments. J.A.R., vol. 6, No. 4, pp. 155-165. 1916.
penetration into wood, studies. J.A.R., vol. 26, pp. 220, 224-227. 1923.
wood destruction, importance. B.P.I. Bul. 266, pp. 25, 42-43. 1913.
spores, occurrence in spring water. D.B. 369, pp. 3, 9, 10. 1916.
stoloniferum, from moldy corn, studies. B.P.I. Bul. 270, pp. 42-47. 1913.

Peniophora globifera, injury to jack pine. D.B. 212, p. 8. 1915.
Penis, cattle, diseased conditions, causes and treatment. B.A.I. [Misc.], "Diseases of cattle," rev., pp. 151-153. 1904; rev., pp. 155-157. 1912; rev., pp. 155-157. 1923.
Penn Cave, subterranean river in Pennsylvania, Center County. Soil Sur. Adv. Sh., 1908, p. 8. 1910; Soils F.O., 1908, p. 248. 1911.
Penn loam, soils of eastern United States and their use—XXXI. Jay A. Bonsteel. Soils Cir. 56, pp. 8. 1912.
PENNINGTON, C. E.: "List of bulletins of the agricultural experiment stations for the calendar years 1921 and 1922." D.B. 1199, Supp. 1, pp. 24. 1924.
PENNINGTON, L. H.: "Relation of weather conditions to spread of white pine blister rust in the Pacific Northwest." J. A. R., vol. 30, pp. 593-607 1925.
PENNINGTON, M. E.—
"A bacteriological and chemical study of commercial eggs in the producing districts of the central West." With others. D.B. 51, pp. 77. 1914.
"A preliminary study of the effects of cold storage on eggs, quail, and chickens." With others. Chem. Bul. 115, pp. 117. 1908.
"A study of the enzyms of the egg of the common fowl." With H. C. Robertson, jr. Chem. Cir. 104, pp. 8. 1912.
"A study of the preparation of frozen and dried eggs in the producing section." With others. D.B. 224, pp. 99. 1916.
"A wheatless ration for the rapid increase of flesh on young chickens." With others. D.B. 657, pp. 12. 1918.
"An all-metal poultry-cooling rack." With H. C. Pierce. Chem. Cir. 115, pp. 8. 1913.
"Changes taking place in chickens in cold storage." Y.B., 1907, pp. 197-206. 1908; Y.B. Sep. 468, pp. 197-206. 1908.
"Commercial preservation of eggs by cold storage". With M. K. Jenkins. D.B. 775, pp. 36. 1919.
"How to candle eggs." With others. D.B. 565, pp. 20. 1918.
"How to kill and bleed market poultry." With H. M. P. Betts. Chem. Cir. 61, pp. 15. 1910; Chem. Cir. 61, rev., pp. 12, 1915.
"Market cold-storage chickens." Chem. Bul. 115, pp. 57-99. 1908.
"Practical suggestions for the preparation of frozen and dried eggs." Chem. Cir. 98, pp. 12. 1912.
"Studies of poultry from the farm to the consumer." Chem. Cir. 64, pp. 42. 1910.
"Studies on chicken fat. Pt. I. The occurrence and permanence of lipase in the fat of the common fowl." With J. S. Hepburn. Chem. Cir. 75, pp. 1-7. 1912.
"Studies on chicken fat. III. Influence of temperature on the lipolysis of esters. III. The hydrolysis of chicken fat by means of lipase." With J. S. Hepburn. Chem. Cir. 103, pp. 1-5. 1912.
"Supplementing our meat supply with fish." Y.B., 1913, pp. 191-206. 1914; Y.B. Sep. 623. pp. 191-206. 1914.
"The comparative rate of decomposition in drawn and undrawn market poultry." With others. Chem. Cir. 70, pp. 22. 1911.
"The effect of the present method of handling eggs on the industry and the product." With H. C. Pierce. Y.B., 1910, pp. 461-476. 1911; Y.B. Sep. 552, pp. 461-476. 1911."
"The egg and poultry demonstration car work in reducing our $50,000,000 waste in eggs." With others. Y.B., 1914, pp. 363-380. 1915; Y.B. Sep. 647, pp. 363-380. 1915.
"The handling of dressed poultry a thousand miles from the market." Y.B., 1912, pp. 285-292. 1913; Y.B. Sep. 591, pp. 285-292. 1913.
"The installation and equipment of an egg-breaking plant." With M. K. Jenkins. D.B. 663, pp. 26. 1918.
"The prevention of breakage of eggs in transit when shipped in carlots." With others. D.B. 664, pp. 31. 1918.
"The refrigeration of dressed poultry in transit." With others. D.B. 17, pp. 35. 1913.

Pennisetum—
 americanum, forage-crop experiments in Texas. B.P.I. Cir. 106, pp. 24, 27. 1913.
 longistylum. See Kikuyu grass.
 merkeri. See Merker grass.
 purpurea, importation and description. No. 51286, B.P.I. Inv. 64, pp. 5, 84. 1923.
 purpureum. See Elephant grass; Napier grass.
 spp.—
  description, distribution, and uses. D.B. 772, pp. 19, 245–247, 248. 1920.
  growing in Guam. Guam A.R., 1921, pp. 10–11. 1923.
  importations and descriptions. Nos. 50245–50247, B.P.I. Inv. 63, p. 48. 1923; Nos. 51447–51448, 51526–51527, 51584, 51647–51648, 52181–52183, B.P.I. Inv. 65, pp. 18, 23, 29, 35, 78. 1923.
Pennsylvania—
 agricultural—
  colleges and experiment stations, organization—
   1905. O.E.S. Bul. 161, pp. 56–58. 1905.
   1906. O.E.S. Bul. 176, pp. 64–66. 1907.
   1907. O.E.S. Bul. 197, pp. 69–71. 1908.
   1910. O.E.S. Bul. 224, pp. 59–61. 1910.
   See also Agriculture, workers list.
  extension work, statistics. D.C. 253, pp. 6, 8, 12–13, 17, 18. 1923.
  high school, data. O.E.S. Cir. 83, p. 23. 1909.
  notes for various counties and areas. See Soil surveys.
  schools, improvement. O.E.S. An. Rpt., 1907, pp. 268–270, 297–298. 1908.
 agriculture, changes in Chester County, 1840 to 1910. D.B. 341, pp. 11–12. 1916.
 Allegheny County soil adaptations. Y.B., 1909, p. 328. 1910; Y.B. Sep. 516, p. 328. 1910.
 Allegheny National Forest, purchase of lands. Off. Rec. vol. 1, No. 25, p. 4. 1922.
 Allentown potato-shipping territory and methods. F.B. 1317, pp. 19, 22, 23. 1923.
 alsike clover growing. F.B. 1151, pp. 12, 21. 1920.
 apple—
  growing—
   areas, production, and varieties. D.B. 485, pp. 6, 17–18, 44–47. 1917.
   localities, varieties, and production. Y.B., 1918, pp. 370, 372, 378. 1919; Y.B. Sep. 767, pp. 6, 8, 14. 1919.
   production, 1899 and 1909. D.B. 140, p. 36. 1915.
 appropriations for agricultural colleges. O.E.S. An. Rpt., 1909, p. 292. 1910.
 barley crops, 1866–1906, acreage, production, and value. Stat. Bul. 59, pp. 7–26, 28. 1907.
 Beaver County, soil adaptations. Y.B., 1909, p. 328. 1910; Y.B. Sep. 516, p. 328. 1910.
 bee(s)—
  and honey statistics. D.B. 325, pp. 3, 6, 9–12. 1915; D.B. 685, pp. 6, 9, 12, 14, 16, 17, 19, 21, 23, 26, 29, 31. 1918.
  diseases, occurrence. Ent. Cir. 138, p. 19. 1911.
  industry, value of bees. Ent. Bul. 75. Pt. VI, p. 63. 1909.
 beet-sugar progress, 1900. Rpt. 69, pp. 116–118. 1901.
 Berwyn, bird count, 1914. D.B. 396, pp. 12–13. 1916.
 bird protection. See Bird protection officials.
 birds and the chestnut-blight fungus studies. J.A.R. vol. 2, pp. 407–415. 1914.
 Blair County, soils, crop yields, and land values. Soil Sur. Adv. Sh., 1910, pp. 34, 43, 53. 1912; Soils F.O., 1910, pp. 222, 231, 241. 1912.
 bounty laws, 1907. Y.B. 1907, p. 564. 1908; Y.B. Sep. 473, p. 564. 1908.
 buckwheat—
  crops, 1866–1906, acreage, production, and value. Stat. Bul. 61, pp. 5–17, 19. 1908.
  growing center, and production. 1839–1919. Y.B. 1922, pp. 546, 549, 550–551. 1923; Y.B. Sep. 891, pp. 546, 549, 550–551. 1923.
 butter analyses. B.A.I. Bul. 149, p. 16. 1912.
 Carlisle laboratory, work on Hessian fly. J.A.R., vol. 25, pp. 31–42. 1923.
 cedar nursery blight. J.A.R., vol. 10, pp. 534, 539. 1917.
 cement factories, potash content and loss. D.B. 572, p. 6. 1917.

Pennsylvania—Continued.
 Chester County—
  farm labor, seasonal distribution. George A. Billings. D.B. 528, pp. 29. 1917.
  farm management practice. W. J. Spillman and others. D.B. 341, pp. 29. 1916.
  farm surveys, crops and yields. Sec. Cir. 57, pp. 1–8. 1916.
  manure handling and utilization. F.B. 978, pp. 1–24. 1918.
  seasonable distribution of farm labor. George A. Billings. D.B. 528, pp. 29. 1917.
  transportation facilities, markets, topography and soils. D.B. 341, pp. 5–8. 1916.
 Chester loam, areas, location, and crops adaptable. Soils Cir. 55, pp. 3, 4, 7, 8, 9, 10. 1912.
 chestnut-bark disease, law for investigation and control. F.B. 467, pp. 14–17. 1911.
 cigar-leaf tobacco production. William Frear and E. K. Hibshman. F.B. 416, pp. 24. 1910; rev., pp. 20. 1921.
 cigar tobacco districts. Stat. Cir. 18, p. 6. 1909.
 closed season for shorebirds and woodcock. Y.B. 1914, pp. 292, 293. 1915; Y.B. Sep. 642, pp. 292, 293. 1915.
 codling moth, life history studies, 1907, 1908, 1909. Ent. Bul. 80, pp. 71–111. 1912.
 college buildings, agricultural. O.E.S. An. Rpt., 1907, pp. 268–270. 1908.
 convict road-work, laws. D.B. 414, pp. 211–212. 1916.
 cooperative associations, statistics and laws. D.B. 547, pp. 13, 21, 74. 1917.
 corn—
  borer distribution. F.B. 1294, pp. 2, 3, 32. 1922.
  borer quarantine. F.H.B., Quar. 43, rev., pp. 1, 2, 4. 1921; Amdt. 3, p. 2. 1922.
  crops, 1866–1906, acreage, production, and value. Stat. Bul. 56, pp. 7–27, 29. 1907.
  growing, practices, and farm conditions in Bradford County. D.B. 320, pp. 37–39. 1916.
  production, movements, consumption, and prices. D.B. 696, pp. 14, 16, 20, 27, 29, 33, 36, 40, 51. 1918.
  yields and prices, 1866–1915. D.B. 515, p. 6. 1917.
 credits, farm-mortgage loans, costs and sources. D.B. 384, pp. 2, 3, 4, 7, 10, 13. 1916.
 crop planting and harvesting dates, important crops. Stat. Bul. 85, pp. 18, 31, 41, 53, 67, 75, 85, 103. 1912.
 Cross Forks, rise and decline, as result of forest devastation, 1893–1918. D.B. 638, pp. 5, 18. 1918.
 crow roosts, location and numbers of birds. Y.B., 1915, pp. 88, 95. 1916; Y.B. Sep. 659, pp. 88, 95. 1916.
 dairy—
  farms, milk production cost, data. D.B. 501, pp. 3, 5, 8, 10, 11, 15, 17, 18, 27, 29. 1917.
  farms, renting practices, studies. F.B. 1272, pp. 4, 13, 21, 23. 1922.
  products, improvement, scoring contests. F.B. 499, pp. 16–17. 1912.
 dairying, early records. Y.B. 1922, p. 302. 1923; Y.B. Sep. 879, p. 18. 1923.
 Dauphin County. See Pennsylvania, southeastern.
 Dekalb silt loam, area and location. Soils Cir. 38, pp. 3, 17. 1911.
 Doylestown National Farm School. O.E.S. Cir. 106, p. 23. 1911.
 demurrage provisions, regulations. D.B. 191, pp. 3, 26. 1915.
 drug laws. Chem. Bul. 98, pp. 162–165. 1906; rev., Pt. I, pp. 250–254. 1909.
 early settlement, historical notes. See Soil Surveys *for various counties and areas.*
 eastern, barnyard manure, handling. D. A. Brodie. F.B. 978, pp. 24. 1918.
 Erie County, rural school, teaching agriculture. Y.B. 1905, pp. 262–264. 1906; Y.B. Sep. 382, pp. 262–264. 1906.
 Experiment Station—
  liming soils, experiments. F.B. 1365, pp. 7, 9, 15. 1924.
  potash studies and experiments. J.A.R., vol. 15, pp. 61–79. 1918.
  seeding tests for Stoner wheat. D.B. 357, pp. 26–27. 1916.

INDEX TO PUBLICATIONS, 1901–1925   1787

Pennsylvania—Continued.
  Experiment Station—Continued.
    wheat fertilizers, test plats for long periods. Soils Bul. 66, pp. 25–29. 1910.
    (State College) work and expenditures—
      1906. T. F. Hunt. O.E.S. An. Rpt., 1906, pp. 147–149. 1907.
      1907. T. F. Hunt. O.E.S. An. Rpt., 1907, pp. 159–162. 1908.
      1908. T. F. Hunt. O.E.S. An. Rpt., 1908, pp. 159–161. 1909.
      1909. T. F. Hunt. O.E.S. An. Rpt., 1909, pp. 173–175. 1910.
      1910. T. F. Hunt. O.E.S. An. Rpt., 1910, pp. 225–228. 1911.
      1911. T. F. Hunt. O.E.S. An. Rpt., 1911, pp. 185–187. 1912.
      1912. R. L. Watts. O.E.S. An. Rpt., 1912, pp. 189–192. 1913.
      1913. R. L. Watts. O.E.S. An. Rpt., 1913, pp. 74–75. 1915.
      1914. R. L. Watts. O.E.S. An. Rpt., 1914, pp. 199–202. 1915.
      1915. R. L. Watts. S.R.S. Rpt., 1915, Pt. I, pp. 227–231. 1916.
      1916. R. L. Watts. S.R.S. Rpt., 1916, Pt. I, pp. 233–237. 1918.
      1917. R. L. Watts S R.S. Rpt., 1917, Pt. I, pp. 229–233. 1918.
    work on sunflower silage feeding. D.B. 1045, pp. 24–25. 1922.
  extension work—
    funds allotment, and county-agent work. S.R.S. Doc. 40, pp. 4, 7, 11, 18, 23, 25, 28. 1918.
    in agriculture and home economics—
      1915. M. S. McDowell. S.R.S. Rpt., 1915, Pt. II, pp. 293–298. 1916.
      1916. M. S. McDowell. S.R.S. Rpt., 1916, Pt. II, pp. 327–331. 1917.
      1917. M. S. McDowell. S.R.S. Rpt., 1917, Pt. II, pp. 333–339. 1919.
    statistics. D.C. 306, pp. 3, 7, 11, 16, 20, 21. 1924.
  fairs, number, kind, location, and dates. Stat. Bul. 102, pp. 13, 14, 56–59. 1913.
  farm(s)—
    abandoned, number and acreage, 1900–1910. D.B. 638, p. 7. 1918.
    animals, statistics, 1867–1907. Stat. Bul. 64, p. 103. 1908.
    conditions, letters from women, citations. Rpt. 103, pp. 12, 24, 29, 32, 37, 43, 57. 1915; Rpt. 104, pp. 9, 16, 24, 31, 36, 50, 52, 58, 66, 73, 75. 1915; Rpt. 105, pp. 12, 24, 30, 35, 38, 49, 57, 58, 61. 1915; Rpt. 106, pp. 9, 27, 59, 60, 66. 1915.
    family, food, fuel, and housing, value, details. D.B. 410, pp. 7–35. 1916.
    labor income and crop yields, studies. Y.B., 1915, pp. 113, 116, 117. 1916; Y.B. Sep. 661, pp. 113, 116, 117. 1916.
    management studies. News L., vol. 3, No. 15, pp. 4–5, 8. 1915.
    products area and Japanese beetle area, regulations. F.H.B.S.R.A. 75, pp. 80–81. 1923.
    products, value, relation to tenantry. Y.B., 1916, p. 335. 1917; Y.B. Sep. 715, p. 15. 1917.
  leases provisions. D.B. 650, pp. 4, 8, 10, 16, 19. 1918.
  value, income, and tenancy classification. D.B. 1224, pp. 117–118. 1924.
  values, changes, 1900–1905. Stat. Bul. 43, pp. 11–17, 29–46. 1906.
  farmers—
    experience with motor trucks (with other States). D.B. 910, pp. 1–37. 1920.
    institutes—
      for young people. O.E.S. Cir. 99, pp. 22–23. 1910.
      history. O.E.S. Bul. 174, pp. 77–80. 1906.
      laws. O.E.S. Bul. 135, rev., pp. 28–29. 1903.
      legislation. O.E.S. Bul. 241, p. 36. 1911.
      work, 1904. O.E.S. An. Rpt., 1904, pp. 662–663. 1905.
      work, 1906. O.E.S. An. Rpt., 1906, p. 345. 1907.
      work, 1907. O.E.S. An. Rpt., 1907, p. 343. 1908; O.E.S. Bul. 199, p. 25. 1908.

Pennsylvania—Continued.
  farmers—continued.
    institutes—continued.
      work, 1908. O.E.S. An. Rpt., 1908, p. 324. 1909.
      work, 1909. O.E.S. An. Rpt., 1909, p. 352. 1910.
      work, 1910. O.E.S. An. Rpt., 1910, p. 412. 1911.
      work, 1911. O.E.S. An. Rpt., 1911, pp. 377–378. 1912.
      work, 1912. O.E.S. An. Rpt., 1912, p. 371. 1913.
    living, cost. F.B. 365, pp. 1, 2, 3–21. 1914.
  Fayette County, soil adaptations. Y.B., 1909, pp. 323, 327, 328. 1910; Y.B. Sep. 516, pp. 323, 327, 328. 1910.
  fertilizer prices, 1919, by counties. D.C. 57, pp. 4, 5, 8. 1919.
  field work of Plant Industry Bureau, December, 1924. M.C. 30, pp. 43–44. 1925.
  food laws—
    1903. Chem. Bul. 83, Pt. I, pp. 99–101. 1904.
    1905. Chem. Bul. 69, rev., Pt. VI, pp. 511–546. 1906.
    1907. Chem. Bul. 112, Pt. II, pp. 50–62. 1908.
    enforcement. Chem. Cir. 16, rev., pp. 19–20. 1908.
  forest—
    acreage. Off. Rec., vol. 1, No. 24, p. 3. 1922.
    acreage owned by State. D.B. 364, p. 9. 1916.
    conditions and lumber requirements. Sec. Cir. 183, p. 25. 1921.
    fires, statistics. For. Bul. 117, pp. 34–35. 1912.
    lands, Allegheny Unit, location. D.C. 313, p. 7. 1924.
    legislation, 1907. Y.B., 1907, p. 576. 1908; Y.B. Sep. 470, p. 16. 1908.
    planting—
      conditions and suggestions. D.B. 153, pp. 4–5, 34. 1915.
      needs and conditions, trees adapted. Y.B., 1909, pp. 337–338. 1910; Y.B. Sep. 517, pp. 337–338. 1910.
    reserves, State. For. Bul. 114, p. 36. 1912.
  forestry laws—
    in 1921, summary. D.C. 239, pp. 22–24. 1922.
    parallel classification. For. Law Leaf. 26, pp. 42. 1921; For. Misc. S-30, pp. 42. 1921.
  funds for cooperative extension work, sources. S.R.S. Doc. 40, pp. 4, 6, 11, 18. 1917.
  fur animals, laws—
    1915. F.B. 706, p. 16. 1916.
    1916. F.B. 783, pp. 17, 27. 1916.
    1917. F.B. 911, pp. 20, 31. 1917.
    1918. F.B. 1022, pp. 20, 31. 1918.
    1919. F.B. 1079, pp. 6, 22. 1919.
    1920. F.B. 1165, p. 20. 1920.
    1921. F.B. 1238, pp. 19, 31. 1921.
    1922. F.B. 1293, p. 17. 1922.
    1923–24. F.B. 1387, pp. 20–21. 1923.
    1924–25. F.B. 1445, p. 15. 1924.
    1925–26. F.B. 1469, pp. 18–19. 1925.
  game—
    killed in 1920. D.B. 1049, p. 20. 1922.
    laws—
      1902. F.B. 160, pp. 20, 33, 42, 46, 52, 54. 1902.
      1903. F.B. 180, pp. 14, 24, 34, 39, 44, 46, 55. 1903.
      1904. F.B. 207, pp. 23, 35, 44, 51, 62. 1904.
      1905. F.B. 230, pp. 11, 22, 32, 44, 51, 62. 1905.
      1906. F.B. 265, pp. 20, 31, 38, 46. 1906.
      1907. F.B. 308, pp. 8, 19, 30, 37, 45. 1907.
      1908. F.B. 336, pp. 21, 33, 41, 45, 52. 1908.
      1909. F.B. 376, pp. 6, 14, 17, 26, 35, 40, 43, 49. 1909.
      1910. F.B. 418, pp. 19, 28, 31, 32, 33, 36, 44. 1910.
      1911. F.B. 470, pp. 13, 24, 33, 38, 42, 49. 1911.
      1912. F.B. 510, pp. 19, 25–26, 29, 33, 35, 38, 39, 46. 1912.
      1913. D.B. 22, pp. 15, 20, 31, 41, 46, 49, 56. 1913.
      1914. F.B. 628, pp. 4, 10, 11, 12, 22, 28–29, 33, 36, 38, 42, 43, 44, 45, 51. 1914.
      1915. F.B. 692, pp. 2, 3, 4, 6, 7, 8, 15, 32, 43, 48, 50, 53, 60. 1915.

36167°—32——113

Pennsylvania—Continued.
 game—continued.
  laws—continued.
   1916. F.B. 774, pp. 30, 41, 47, 49, 52, 60. 1916.
   1917. F.B. 910, pp. 32, 48, 54. 1917.
   1918. F.B. 1010, pp. 4, 29, 46. 1918.
   1919. F.B. 1077, pp. 33, 50, 58. 1919.
   1920. F.B. 1138, pp. 35-36. 1920.
   1921. F.B. 1235, pp. 37, 57. 1921.
   1922. F.B. 1288, pp. 33, 55. 1922.
   1923-24. F.B. 1375, pp. 1-7, 33, 50. 1923.
   1924-25. F.B. 1444, pp. 23-24, 38. 1924.
   1925-26. F.B. 1466, pp. 30, 45. 1925.
   agency for enforcement. Biol. Bul. 12, rev., p. 65. 1902.
   relating to domesticated deer. F.B. 330, p. 20. 1908.
   violation penalties. News L., vol. 5, No. 15, p. 5. 1917.
  preserves, refuges for hunted animals. D.B. 1049, pp. 30, 31. 1922.
  protection. See Game protection officials.
  refuge, establishment, 1914. F.B. 628, p. 4. 1914.
 grain supervision districts, counties. Mkts. S.R.A. 14, pp. 2, 3, 4, 12. 1916.
 grape-berry moth, control experiments. D.B. 550, pp. 6-39. 1917.
 Greene County, soil adaptations. Y.B., 1909, pp. 327, 328. 1910; Y.B. Sep. 516, pp. 327, 328. 1910.
 Grove City—
  cooperative dairying. News L., vol. 6, No. 41, pp. 3-4. 1919.
  creamery—
   cheese making and equipment. D.B. 1171, pp. 14, 15, 17. 1923.
   community development, and results. D.C. 139, pp. 4-9, 11-12. 1920.
   milk tests, comparison. D.B. 944, pp. 4-9. 1921.
  dairy clubs, aid by banks, and results. D.C. 152, p. 18. 1921.
  dairying, benefits to community. Y.B., 1918, pp. 153-168. 1919; Y.B. Sep. 765, pp. 1-18. 1919.
 Hagerstown clay, acreage and location. Soils Cir. 64, p. 12. 1912.
 hardwood distillation, production of wood alcohol and acetate of lime. For. Cir. 121, pp. 4-5. 1907.
 hardwoods, kinds, annual cut, and volume tables. D.B. 285, pp. 23-24, 28-30, 50, 52, 59, 60. 1915.
 hay crops, 1866-1906, acreage, production, and value. Stat. Bul. 63, pp. 5-25, 27. 1908.
 hay shrinkage at experiment station, data. D.B. 873, pp. 4, 5. 1920.
 haymaking methods and costs. D.B. 578, pp. 10-11. 1918.
 hemlock growing, value and uses. D.B. 152, pp. 3, 4, 5, 6, 7, 11, 13, 15. 1915.
 hemp experiments. An. Rpts., 1908, p. 310. 1909; B.P.I. Chief Rpt., 1908, p. 38. 1908.
 hemp growing, early history, and soils. Y.B., 1913, pp. 291-292, 308. 1913.
 herds, lists of tested and accredited. D.C. 54, pp. 5, 8, 15, 25, 41, 66, 75, 77, 89. 1919; D.C. 142, pp. 5, 6, 11, 16, 25, 36, 45-49. 1920; D.C. 143, pp. 5, 13, 45-47, 86. 1920; D.C. 144, pp. 6, 18, 45. 1920.
 home-garden parade. News L., vol. 6, No. 40, p. 9. 1919.
 home projects, work in schools. D.B. 346, p. 3. 1916.
 hunting laws. Biol. Bul. 19, pp. 21, 28, 30, 32, 33, 36, 63, 65. 1904.
 Indiana County, soil adaptations. Y.B., 1909, pp. 328, 329. 1910; Y.B. Sep. 516, pp. 328, 329. 1910.
 insecticide and fungicide laws. I. and F. Bd., S.R.A. 13, pp. 145-146. 1916; I. and F. Bd., S.R.A. 21, pp. 443-446. 1918.
 Institute of Animal Nutrition, report—
  1908. H. P. Armsby. O.E.S. An Rpt., 1908, pp. 161-162. 1909.
  1909. H. P. Armsby. O.E.S. An. Rpt., 1909, pp. 175-176. 1910.
  1910. H. P. Armsby. O.E.S. An. Rpt., 1910, pp. 228-229. 1911.

Pennsylvania—Continued.
 Institute of Animal Nutrition—Continued.
  1911. H. P. Armsby. O.E.S. An. Rpt., 1911, pp. 187-188. 1912.
  1912. H. P. Armsby. O.E.S. An. Rpt., 1912, pp. 192-193. 1913.
  1913. H. P. Armsby. O.E.S. An. Rpt., 1913, p. 75. 1915.
  1914. H. P. Armsby. O.E.S. An. Rpt., 1914, pp. 202-203. 1915.
  1915. H. P. Armsby. S.R.S. Rpt., 1915, Pt. I, pp. 231-232. 1916.
  1916. H. P. Armsby. S.R.S. Rpt., 1916, Pt. I, pp. 237-238. 1918.
  1917. H. P. Armsby. S.R.S. Rpt., 1917, Pt. I, p. 234. 1918.
 irrigation plants. O.E.S. Bul. 167, pp. 16-22. 1906.
 Japanese beetle—
  area infested. Off. Rec., vol. 1, No. 1, p. 13. 1922.
  spread in 1921. D.B. 1103, p. 46. 1922.
 judging livestock, club work. News L., vol. 6, No. 33, p. 16. 1919.
 land utilization on farms, survey studies. F.B. 745, p. 14. 1916.
 lands purchase under Weeks law. D.C. 313, p. 7. 1924.
 lard supply, wholesale and retail, August 31, 1917, tables. Sec. Cir. 97, pp. 13-31. 1918.
 law(s)—
  against Sunday shooting. Biol. Bul. 12, rev., p. 63. 1902.
  contagious diseases of domestic animals, control. B.A.I. Bul. 54, pp. 36-37. 1902-3.
  dog control, digest and text. F.B. 935, pp. 20, 23-31. 1918; F.B. 1268, pp. 20-21. 1922.
  for turpentine sale. D.B. 898, p. 41. 1920.
  nursery stock interstate shipment, digest. Ent. Cir. 72, rev., p. 6. 1909; F.H.B. [Misc.], pp. 3, 4. 1919; F.H.B.S.R.A. 57, pp. 113, 114, 115. 1919.
  on community buildings. F.B. 1192, p. 38. 1921.
  payment for diseased meat animals. B.A.I. An. Rpt., 1910, p. 246. 1912; B.A.I. Cir. 185, p. 246. 1912.
  relating to contagious animal diseases. B.A.I. Bul. 43, pp. 54-56. 1901.
  stallion regulations. B.A.I. An. Rpt., 1908, p. 339. 1910.
 legislation—
  protecting birds. Biol. Bul. 12, rev., pp. 15, 18, 25, 30, 35, 36, 37, 40, 43, 46, 47, 49, 53, 112-114, 137. 1902.
  relative to tuberculosis. B.A.I. Bul. 28, pp. 120-136. 1901.
 livestock—
  admission, sanitary requirements. B.A.I. Doc. A-28, p. 35. 1917; B.A.I. Doc. A-36, p. 53. 1920; M.C. 14, pp. 67-68. 1924.
  associations. Y.B. 1920, p. 530. 1921; Y.B. Sep. 866, p. 530. 1921.
 lumber—
  cut—
   1920, 1870-1920, value, and kinds. D.B. 1119, pp. 28, 30-35, 44-58. 1923.
   decrease since 1900. For. Cir. 166, p. 18. 1909.
  production, 1918, by mills, by woods, and lath and shingles. D.B. 845, pp. 6-11, 13, 16, 21-25, 28, 30, 33, 36, 42-47. 1920.
 maple—
  sirup, investigations, tabulation of results. Chem. Bul. 134, pp. 40-43, 73. 1910.
  sugar—
   analyses, results, and table. D.B. 466, pp. 20-21. 1917.
   and sirup, production for many years. F.B. 516, pp. 44-46. 1912.
 meadow irrigation. O.E.S. Bul. 167, pp. 10-14. 1906.
 meat inspection, report. Sec. Cir. 58, pp. 4-10. 1916.
 milk—
  production, investigations, canvasses and summaries. B.A.I. Bul. 164, pp. 17-18, 27-28, 42, 45, 46, 47, 48, 49, 50, 51, 52, 53, 55. 1913.
  rules. F.B. 227, p. 28. 1905.

INDEX TO PUBLICATIONS, 1901–1925   1789

Pennsylvania—Continued.
 milk—continued.
  supply and laws. B.A.I. Bul. 46, pp. 28, 32, 36, 38, 42, 143–152, 174, 189, 196. 1903.
 northeast—
  grape spraying experiments. Ent. Bul. 116, Pt. I, pp. 1–13. 1912.
  grapevine looper investigations. D.B. 900, pp. 1–15. 1920.
  laboratory work on grape leafhoppers. D.B. 19, pp. 1–47. 1914.
  spraying—
   grape leafhopper, experiments. Ent. Bul. 97, pp. 7–12. 1913.
   rose-chafer in vineyards. Ent. Bul. 97, pp. 58–62. 1913.
  studies of—
   cherry leaf-beetle invasions. D.B. 352, pp. 4–5, 9–18. 1916.
   grape-berry moth, 1907, 1908, 1909. Ent. Bul. 116, Pt. II, pp. 30–45, 54–62. 1912.
   grapevine flea-beetles. D.B. 901, pp. 2, 8–20. 1920.
 northeastern, reconnoissance soil survey. Charles F. Shaw and others. Soil Sur. Adv. Sh., 1911, pp. 63. 1913; Soils F.O., 1911, pp. 269–327. 1914.
 northwestern—
  reconnoissance soil survey. Henry J. Wilder and Gustavus B. Maynaider. Soil Sur. Adv. Sh., 1908, pp. 51. 1910; Soils F.O. 1911, pp. 197–243. 1911.
  weather records for 1907, 1908, and 1909. Ent. Bul. 80, Pt. VI, pp. 104–108. 1910.
 oat—
  acreage, production and value, 1866–1906. Stat. Bul. 58, p. 27. 1907.
  crops, 1866–1906, acreage, production, and value. Stat. Bul. 58, pp. 5–25, 27. 1907.
  growing, varietal experiments. D.B. 823, pp. 10–11, 12, 66. 1920.
  production, 1900–1909, acreage and yield. F.B. 420, pp. 8, 9. 1910.
  testing, methods, yields per acre, and comparisons. D.B. 99, pp. 18–19, 25. 1914.
  tests, Sixty-day and Kherson, with other varieties. F.B. 395, pp. 13–14. 1910.
 officials, dairy, drugs, feeding stuffs and food. See Dairy officials; Drug officials.
 paper production, pulp-wood requirements, and use. D.B. 1241, pp. 39–41. 1924.
 pasture land on farms. D.B. 626, pp. 14, 71–72. 1918.
 peaches—
  carload shipments from various stations, 1914. D.B. 298, p. 14. 1915.
  growing, production, districts, and varieties. D.B. 806, pp. 4, 5, 7, 8, 9, 13–14. 1919.
  varieties, names and ripening dates. F.B. 918, p. 11. 1918.
 pear growing, distribution and varieties. D.B. 822, p. 7. 1920.
 pheasant raising, and results. F.B. 390, p. 17. 1910.
 Pittsburgh, children's garden work, methods. O.E.S. Bul. 252, pp. 8–11. 1912.
 plant diseases, control by law. F.B. 1398, p. 35. 1924.
 plum curculio—
  control work, experiments. Ent. Bul. 103, pp. 177, 195, 217, 218. 1912.
  occurrence. Ent. Bul. 103, pp. 19, 160. 1921.
 potato—
  acreage, production, yield, and map. Sec. [Misc.], Spec. "Geography * * * world's agriculture," p. 69. 1917.
  club demonstrations. D.C. 192, p. 31. 1921.
  crops. 1866–1906, acreage, production, and value. Stat. Bul. 62, pp. 7–27, 29. 1908.
  production, 1909, by counties. F.B. 1064, p. 4. 1919.
  quarantine areas, growing wart-immune varieties. D.B. 1156, pp. 17–19. 1923.
  wart—
   distribution, maps. D.B. 1156, pp. 2, 17, 18. 1923.
   introduction, and control measures. C.T. and F.C.D. Inv. Cir. 6, pp. 3, 10–11, 12. 1919.

Pennsylvania—Continued.
 potato—continued.
  wart—continued.
   occurrence and location. D.C. 111, pp. 7–8, 9. 1920.
   quarantine, hearing notice. F.H.B.S.R.A. 59, pp. 9–10. 1919.
 poultry industry, map. Sec. [Misc.] Spec. "Geography * * * world's agriculture," p. 147. 1917.
 pulp-wood consumption—
  1906. For. Cir. 120, pp. 5, 6, 8. 1907.
  hauling distance and imports. D.B. 758, pp. 3, 4, 5, 6, 7, 10, 11, 13, 15. 1919.
 quarantine area for—
  European corn borer. F.H.B. Quar. No. 43, 2d rev., 2, pp. 1, 4. 1922.
  foot-and-mouth disease—
   November 13, 1908. B.A.I.O. 155, pp. 2. 1908.
   April 21, 1909. B.A.I.O. 160, rule 7, p. 1. 1909.
   1915. B.A.I.O. 231, p. 7. 1915; B.A.I.O. 232, p. 8. 1915; B.A.I.O. 238, p. 7. 1915; B.A.I.O. 238, amdts. 1–8, pp. 3, 4. 1915.
   January 13, 1909. B.A.I.O. 156, amdt. 10, pp. 2. 1909.
  Japanese beetle, regulations. F.H.B. Quar. 48, pp. 5. 1923.
 raw rock phosphate, field experiments. D.B. 699, pp. 97–99. 1918.
 road(s)—
  bond-built, amount of bonds and rate. D.B. 136, pp. 46, 60–61, 75, 85. 1915.
  building—
   early colonial laws. Y.B., 1910, pp. 266–267, 268. 1911; Y.B. Sep. 535, pp. 266–267, 268. 1911.
   rock tests, 1916 and 1917. D.B. 670, pp. 17, 27. 1918.
   rock tests, 1916–1921, results. D.B. 1132, pp. 30–31, 49, 52. 1923.
  laws and mileage. Y.B., 1914, pp. 214, 222. 1915; Y.B. Sep. 638, pp. 214, 222. 1915.
  materials, tests. Rds. Bul. 44, pp. 64–73. 1912.
  mileage and expenditures—
   1904. Rds. Cir. 53, pp. 4. 1906.
   1909. Rds. Bul. 41, pp. 32–33, 41, 42, 100–102. 1912.
   1914. D.B. 386, pp. 3–5, 21–27. 1914.
   1915. Sec. Cir. 52, pp. 2, 5, 6. 1915.
   1916. Sec. Cir. 74, pp. 4, 6, 7, 8. 1917.
  repairing, cost for macadam roads. Rds. Bul. 48, p. 17. 1913.
  system. Rds. Bul. 21, p. 25. 1901.
  tests of rock used, results and table. D.B. 370, pp. 59–72. 1916.
 rye crops, 1866–1906, acreage, production, and value. Stat. Bul. 60, pp. 5–25, 27. 1908.
 salt deposits, occurrence, and composition. Soils Bul. 94, pp. 38–39, 58. 1913.
 San Jose scale, occurrence. Ent. Bul. 62, p. 29. 1906.
 school gardening in Philadelphia. O.E.S. Bul. 160, p. 44. 1905.
 schools, agricultural, work. O.E.S. Cir. 106 rev. pp. 18, 24, 26, 30. 1912.
 Schuylkill River, timber dam, details. O.E.S. Bul. 249, Pt. II, p. 29. 1912.
 shipments of fruits and vegetables, and index to station shipments. D.B. 667, pp. 6–13, 42–43. 1918.
 soil survey—
  around Lancaster. Clarence W. Dorsey. Soils F.O., 1900, pp. 61–84. 1901; Soils F.O., Sep. 1900, pp. 61–84. 1902.
  of—
   Adams County. Henry J. Wilder and H. L. Belden. Soil Sur. Adv. Sh., 1904, pp. 36. 1905; Soils F.O., 1904, pp. 119–150. 1905.
   Bedford County. Charles J. Mann and W. E. Gross. Soil Sur. Adv. Sh., 1911, pp. 60. 1913; Soils F.O., 1911, pp. 175–230. 1914.
   Berks County. W. G. Geib and others. Soil Sur. Adv. Sh., 1909, pp. 47. 1911; Soils F.O., 1909, pp. 161–203. 1912.
   Blair County. J. O. Veatch and others. Soil Sur. Adv. Sh., 1915, pp. 48. 1917; Soils F.O., 1915, pp. 197–240. 1919.

1790 UNITED STATES DEPARTMENT OF AGRICULTURE

Pennsylvania—Continued.
 soil survey—continued.
  of—continued.
   Bradford County. Percy O. Wood and others. Soil Sur. Adv. Sh., 1911, pp. 41. 1913; Soils F.O., 1911, pp. 231–267. 1914.
   Bucks County. *See* Trenton area, New Jersey.
   Cambria County. B. B. Derrick and others. Soil Sur. Adv. Sh., 1915, pp. 32. 1917; Soils F.O., 1915, pp. 241–268. 1919.
   Center County. Charles J. Mooney and others. Soil Sur. Adv. Sh., 1908, pp. 52. 1910; Soils F.O., 1908, pp. 245–292. 1911.
   Chester County. Henry J. Wilder and others. Soil Sur. Adv. Sh., 1905, pp. 44. 1906; Soils F.O., 1905, pp. 135–174. 1907.
   Clearfield County. R. A. Winston and others. Soil Sur. Adv. Sh., 1916, pp. 32. 1919; Soils F.O., 1916, pp. 251–278. 1921.
   Clinton County. *See* Lockhaven area.
   Dauphin County. *See* Lebanon area.
   Erie County. Gustavus B. Maynaider and Floyd S. Bucher. Soil Sur. Adv. Sh., 1910, pp. 52. 1911; Soils F.O., 1910, pp. 145–192. 1912.
   Greene County. S. O. Perkins and others. Soil Sur. Adv. Sh., 1921, pp. 1251–1278. 1925.
   Johnstown area. Charles J. Mann and Howard C. Smith. Soil Sur. Adv. Sh., 1907, pp. 44. 1909; Soils F.O., 1907, pp. 81–120. 1909.
   Lancaster County. B. B. Gilbert and others. Soil Sur. Adv. Sh., 1914, pp. 70. 1916; Soils F.O., 1914, pp. 327–392. 1919.
   Lebanon area. W. G. Smith, and Frank Bennett, jr. Soils F.O. 1901, pp. 149–171. 1902; Soils F.O. Sep., 1901, pp. 23. 1903.
   Lebanon County. *See* Lebanon area.
   Lehigh County. William T. Carter, jr., and J. A. Kerr. Soil Sur. Adv. Sh., 1912, pp. 53. 1914; Soils F.O., 1912, pp. 109–153. 1915.
   Lock Haven area. J. O. Martin. Soil Sur. Adv. Sh., 1903, pp. 18. 1904; Soils F.O., 1903, pp. 129–142. 1904.
   Mercer County. E. B. Deeter and others. Soil Sur. Adv. Sh., 1917, pp. 40. 1919; Soils F.O., 1917, pp. 235–270. 1923.
   Montgomery County. Henry J. Wilder. Soil Sur. Adv. Sh., 1905, pp. 41. 1906; Soils F.O., 1905, pp. 97–133. 1907.
   Washington County. F. S. Welsh and others. Soil Sur. Adv. Sh., 1910, pp. 34. 1911; Soils F.O., 1910, pp. 267–296. 1912.
   York County. J. O. Veatch and others. Soil Sur. Adv. Sh., 1912, pp. 95. 1914; Soils F.O., 1912, pp. 155–245. 1915.
 soils—
  Meadow, areas, location, and uses. Soils Cir. 68, pp. 12, 13, 21. 1912.
  similarity to European. Off. Rec., vol. 1, No. 30, pp. 1, 2. 1922.
  Volusia silt loam, acreage, location, and crop adaptation. Soils Cir. 63, pp. 3, 11, 12, 16. 1912.
  south-central, reconnaissance soil survey. Charles F. Shaw and others. Soil Sur. Adv. Sh., 1910, pp. 77. 1912; Soils F.O., 1910, pp. 193–265. 1912.
  southeastern reconnaissance soil survey. Charles F. Shaw and others. Soil Sur. Adv. Sh., 1912, pp. 100. 114; Soils F.O., 1912, pp. 247–340. 1915.
  southwestern—
   coal regions, agriculture. H. J. Wilder. Y.B., 1909, pp. 321–332. 1910; Y.B. Sep. 516, pp. 321–332. 1910.
   reconnaissance soil survey. Henry J. Wilder and Charles F. Shaw. Soil Sur. Adv. Sh., 1909, pp. 69. 1911; Soils F.O., 1909, pp. 205–269. 1912.
 stallions, number, classes, and legislation controlling. Y.B., 1916, pp. 290, 291, 293, 295, 296. 1917; Y.B. Sep. 692, pp. 2, 3, 5, 7, 8. 1917.

Pennsylvania—Continued.
 standard containers. F.B. 1434, p. 18. 1924.
 State—
  College—
   cooperative investigations of available energy of red clover hay. B.A.I. Bul. 101, pp. 61. 1908.
   cooperative studies of animal nutrition. J.A.R., vol. 3, pp. 435–491. 1915.
   course in forestry. O.E.S. An. Rpt., 1907, p. 284. 1908.
   deep-tillage experiments. J.A.R., vol. 14, p. 518. 1918.
   grain-dust explosions, experiments. D.B. 681, pp. 1–54. 1918.
   teachers' courses. O.E.S. Cir. 118, pp. 22–23. 1913.
  forest preserve. F.B. 358, p. 48. 1909.
  Livestock Sanitary Board, cooperation in testing milk. B.A.I. An. Rpt., 1911, pp. 195–224. 1913.
  strawberry shipments, 1915. F.B. 1028, p. 6. 1919.
  study of food supply. Off. Rec., vol. 2, No. 42, p. 6. 1923.
  Swedish Select oat, experiments and results. B.P.I. Bul. 182, p. 29. 1910.
  tanning materials, consumption, 1906. For. Cir. 119, pp. 4, 6, 8. 1907.
  terracing, farm. News L., vol. 7, No. 9, p. 8. 1919.
  timber stand of pulp-wood species, cut and consumption. D.B. 1241, p. 95. 1924.
  timber tax. Y.B., 1914, p. 440. 1915; Y.B. Sep. 651, p. 440. 1915.
  tobacco—
   acreage—
    and production. Sec. [Misc.], Spec. "Geography * * * world's agriculture," pp. 61, 62, 63. 1917.
    yield, locality, soils, and cost per acre. F.B. 416, pp. 5–9, 21. 1910.
   conditions, 1911. Stat. Cir. 27, p. 3. 1912.
   crop, 1912. Stat. Cir. 43, pp. 2, 3, 4. 1913.
   early development and production of cigar type. B.P.I. Cir. 48, pp. 4, 5, 6. 1910.
   growing—
    William Frear and E. K. Hibshman. F.B. 416, rev., pp. 20. 1921.
    and industry, details, statistics. B.P.I. Bull. 244, pp. 17, 18, 22, 24, 26, 27, 99. 1912.
    historical notes, and present conditions. Y.B., 1922, pp. 403–405, 407–409, 413–415. 1923; Y.B. Sep. 885, pp. 403–405, 407–409, 413–415. 1923.
   in Lebanon area. Soils F. O. Sep., 1901. p. 155. 1903; Soils F.O., 1901, p. 155. 1902.
   rank, 1914–1918. Y.B., 1919, p. 154. 1920; Y.B. Sep. 805, p. 154. 1920.
   report for July 1, 1912. Stat. Cir. 38, pp. 3, 4, 5. 1912.
  tomato pulping statistics. D.B. 927, pp. 4, 24. 1921.
  trucking industry, acreage and crops. Y.B., 1916, pp. 446, 449, 450, 455–465. 1917; Y.B. Sep. 702, pp. 12, 15, 16, 21–31. 1917.
  tuberculous cattle, indemnity policy. B.A.I. An. Rpt., 1907, p. 205. 1909; F.B. 351, p. 7. 1909.
  wage rates, farm labor, 1840–1865, and 1866–1909. Stat. Bul. 99, pp. 14, 20, 29–43, 68–70. 1912.
  walnut—
   range and estimated stand. D.B. 933, pp. 7, 8. 1921.
   stand and quality. D.B. 909, pp. 9, 10, 16–17, 19, 21. 1921.
  Warren County, Ditching Co., organization. Y.B., 1919, pp. 83–85. 1920; Y.B. Sep. 822, pp. 83–85. 1920.
  Washington, community building, establishment, description, and uses. News L., vol. 2, No. 25, p. 1. 1915.
  Washington County—
   haymaking, farm practice. D.B. 641, pp. 1–16. 1918.
   soil adaptations. Y.B., 1909, pp. 323, 327, 328. 1910; Y.B. Sep. 516, pp. 323, 327, 328. 1910.
   water supply, records, by counties. Soils Bul. 92, pp. 127–130. 1913.

Pennsylvania—Continued.
  Waterford High School, course in agriculture. O.E.S. An. Rpt., 1907, pp. 297-298. 1908.
  weight variations. Sec. Cir. 95, pp. 4-5. 1918.
  western, forest planting on coal lands. S. N. Spring. For. Cir. 41, pp. 16. 1906.
  Westmoreland, soil adaptations. Y.B., 1909, pp. 323, 327, 328. 1910; Y.B. Sep. 516, pp. 323, 327, 328. 1910.
  wheat—
    acreage and varieties. D.B. 1074, p. 215. 1922.
    acreage and yield. Sec. [Misc.], Spec, "Geography * * * world's agriculture," p. 18. 1917.
    crops, acreage, production, and value. Stat. Bul. 57, 5-25, 27. 1907; rev., pp. 5-25, 27, 36. 1908.
    growing. F.B. 1305, pp. 3, 4, 5. 1922.
    production, 1902-1904. Stat. Bul. 38, p. 18. 1905.
    varieties—
      adapted. F.B. 616, pp. 10-11, 12. 1914.
      grown. F.B. 1168, pp. 14, 15. 1921.
    yields and prices, 1866-1915. D.B. 514, p. 6. 1917.
Pennsylvania group, wood rats. N.A. Fauna 31, pp. 82-86. 1910.
PENNY, C. L.—
  report on the determination of nitrogen, 1907. Chem. Bul. 116, pp. 35-43. 1908.
  studies of butterfat in relation to lactation. B.A.I. Bul. 155, p. 10. 1913.
Penny cress—
  characters. News L., vol. 2, No. 40, p. 3. 1915.
  seed, description. F.B. 428, pp. 19, 20. 1911.
PENNYBACKER, J. E.—
  "Convict labor for road work." With others. D.B. 414, pp. 218. 1916.
  "Economic surveys of county highway improvement." With M. O. Eldridge. D.B. 393, pp. 86. 1916.
  "Federal aid to highways." With L. E. Boykin. Y.B., 1917, pp. 127-138. 1918; Y.B. Sep. 739, pp. 14. 1918.
  "Mileage and cost of public roads in the United States in 1909." With Maurice O. Eldridge. Rds. Bul. 41, pp. 120. 1912.
  "State management of public roads: Its development and trend." Y.B., 1914, pp. 211-226. 1915; Y.B. Sep. 638, pp. 211-226. 1915.
Pennyroyal—
  culture and handling as drug plant, yield, and price. F.B. 663, p. 30. 1915.
  description of seed, appearance in red clover seed. F.B. 260, p. 19. 1906.
  growing and uses, harvesting, marketing, and prices. F.B. 663, rev., p. 40. 1920.
  habitat, range, description, uses, collection, and prices. B.P.I Bul. 219, p. 26. 1911.
  oil—
    adulteration and misbranding. Chem. N.J. 3350. 1915.
    distillation, use, and value. B.P.I Bul. 195, pp. 40, 45. 1910.
    use against mosquitoes. Sec. Cir. 61, p. 16. 1916.
    use as repellent of fleas. D.B. 248, p. 30. 1915.
    use for control of clover mites in houses. Ent. Cir. 158, p. 4. 1912.
  production, distillation, and uses. B.P.I. Bul. 235, pp. 7, 8. 1912.
  tansy, and cotton root pills, misbranding. Chem. N.J. 4507. 1917.
Pennywort, lawn, new weed. Albert A. Hansen. D.C. 165, pp. 6. 1921.
Pens—
  bull, arrangement for safety. F.B. 1412, pp. 3-4. 1924.
  disinfection by fire. B.A.I Bul. 35, pp. 15-17. 1902.
  draining, for sheep after dipping. F.B. 798, pp. 25-26. 1917.
  for hogs, description. B.A.I. Bul. 47, p. 18. 1904.
  for raising guinea pigs, description. F.B. 525, pp. 7-9. 1913.
  fox, construction, details, size, shape, and type. D.B. 1151, pp. 11-21. 1923.
  hare, directions for making. F.B. 496, pp. 7-9. 1912.

Pens—Continued.
  hog, disinfection. Y.B., 1909, pp. 237-238. 1910; Y.B. Sep. 508, pp. 237-238. 1910.
  hog, requirements in garbage feeding. F.B. 1133, pp. 10, 13-15, 25. 1920.
  livestock in transit, 28-hour law. D.B. 589, pp. 5-9. 1918.
  sheep, disinfection. F.B. 1330, pp. 9-10, 13. 1923.
  turkey, requirements. F.B. 1409, pp. 7-8. 1924.
Pensacola, Fla.—
  milk supply, details and statistics. B.A.I. Bul. 70, pp. 6-7, 32. 1905.
  trade center for farm products, statistics. Rpt., 98, pp. 288, 328. 1913.
Penta-acetyl-quercetin in maize. J.A.R., vol. 22, pp. 3-4. 1921.
Pentaclethra macrophylla. See Oil-bean tree, African.
Pentagonia physalodes, importations and descriptions. No. 47750, B.P.I. Inv. 59, p. 54. 1922; No. 48922, B.P.I. Inv. 61, pp. 59-60. 1922.
Pentalonina, genera, description and key. D.B. 826, pp. 8, 59-61. 1920.
Pentapetes phoenicea, importation and description. No. 36017. B.P.I. Inv. 36, p. 38. 1915.
Pentarthron—
  minutum, canna leaf-roller parasite. Ent. Cir. 145, p. 8. 1912.
  semifuscatum, parasite of Sphinx convolvuli. Hawaii Bul. 34, p. 15. 1914.
Pentatoma—
  ligata. See Conchuela.
  punicea, synonym for Euthyrhynchus floridans. Ent. Bul. 82, Pt. VII, p. 87. 1911.
Penthaleus spp., description and habits. Rpt. 108, p. 21. 1915.
Penthestes spp. See Chickadee.
Pentosan(s)—
  content of potatoes, before and after Fusarium infection. J.A.R., vol. 6, No. 5, pp. 185, 187, 191. 1916.
  corn plant, distribution at various stages of growth. J. H. Ver Hulst and others. J.A.R., vol. 23, pp. 655-663. 1923.
  destruction in green corn stover. J.A.R., vol. 23, p. 660. 1923.
  determination—
    in crude fiber, study. Chem. Bul. 73, pp. 152-153. 1903.
    method. Chem. Bul. 108, pp. 8-9. 1908.
    study. Chem. Bul. 122, p. 159. 1909.
    table. Chem. Bul. 107, pp. 226-230. 1907.
  isolation and identification. Soils Bul. 89, pp. 22-23, 31. 1912.
  methyl, occurrence in cattle feeds. Chem. Bul. 132, pp. 173-175. 1910.
  occurrence in soils. Soils Bul. 80, p. 17. 1911.
  soil, relation to total carbon. Soils Bul. 74, pp. 28-31. 1910.
  sugar, occurrence in soils. Soils Bul. 80, p. 17. 1911.
  uses and functions in plants. J.A.R., vol. 23, pp. 655-656. 1923.
Pentose(s)—
  sugar determination in soils. Soils Bul. 89, pp. 23, 25, 31. 1912.
  determination, table. Chem. Bul. 107, pp. 226-230. 1907.
  free, in corn plant. J.A.R., vol. 23, p. 661. 1923.
Pentstemon—
  cordifolius. See Beard-tongue.
  humilis, importations and description. Nos. 39315, 39316, B.P.I. Inv. 41, p. 9. 1917.
  spp. infection with Puccinia spp., effect. J.A.R., vol. 2, pp. 303-319. 1914.
Peonia, crown-gall inoculation from other plants. B.P.I. Bul. 213, pp. 73, 89. 1911.
Peony—
  description, varieties and soil adaptations. F.B. 1381, pp. 29-32. 1924.
  disease caused by Botrytis paeoniae, description and control. B.P.I. Bul. 171, pp. 11-12. 1910.
  freezing point of cut flowers. D.B. 1133, pp. 7, 8. 1923.
  hardy, importation from Siberia. No. 32240, B.P.I. Bul. 261, p. 46. 1912.
  hybrid, from California, importation and description. No. 43015, B.P.I. Inv. 48, p. 9. 1921.

Peony—Continued.
  importations and descriptions. Nos. 38339, 38340, B.P.I. Inv. 39, p. 119. 1917; No. 52648, B.P.I. Inv. 66, p. 54. 1923.
  roots, treatment for beetle larvae. D.B. 1332, pp. 12–13, 15–16. 1925.
  Russia, importation and description. No. 41476, B.P.I. Inv. 45, pp. 6, 35. 1918.
  Society, American, variety list of peonies for cut flowers and landscape gardening. F.B. 527, pp. 6–7. 1913.
  tree, importation and description. No. 41710, B.P.I. Inv. 46, p. 12. 1919.
Peons, Porto Rico, conditions and needs. P.R. An. Rpt., 1918, p. 9. 1920.
Pep-tonic, misbranding. Chem. N.J.1 1473. 1923.
Peoria, Ill.—
  milk supply, statistics, officials, prices, and laws. B.A.I. Bul. 46, pp. 30, 66. 1903.
  trade center for farm products, statistics. Rpt. 98, pp. 287–290. 1913.
Pepino—
  growing in Guam, cultural directions. Guam Bul. 2, pp. 12, 47. 1922; Guam Cir. 2, p. 15. 1921.
  importations and descriptions. No. 36048, B.P.I. Inv. 36, p. 42. 1915; Nos. 44021, 44022, B.P.I. Inv. 50, pp. 7, 17. 1922; Nos. 45812–45814, B.P.I. Inv. 54, p. 25. 1922.
  mildew, cause. Guam. A.R., 1917, p. 53. 1918.
Pepper(s)—
  Ola Powell and Mary Creswell. S.R.S. Doc. 39, pp. 8. 1917.
  adulteration—
    detection by use of microscope. Y.B., 1907, p. 381. 1908; Y.B. Sep. 455, p. 381. 1908.
    with ground olive pits, microscopic appearance. Y.B. 1907, p. 382. 1908; Y.B. Sep. 455, p. 382. 1908.
    See also Indexes, Notices of Judgment, in bound volumes and in separates published as supplements to Chemistry Service and Regulatory Announcements.
  American varieties, list. W. W. Tracy, jr. B.P.I. Bul. 6, pp. 19. 1902.
  black—
    adulteration and misbranding. Chem. N.J. 288, p. 1. 1910.
    importation and description. No. 35460, B.P.I. Inv. 35, p. 48. 1915.
    misbranding. Chem. N.J. 516, p. 1. 1910.
  canning—
    directions. D.C. 160, pp. 5–6. 1921; F.B. 853, pp. 20–21, 27. 1917; F.C.D.W.S. Cir. 1, pp. 3–4. 1915.
    directions and standards. B.P.I. Doc. 631, rev., pp., 4, 6. 1915.
    methods. D.B. 1084, p. 34. 1922; S.R.S. Doc. 39, pp. 3–4. 1917.
  Capsicum, relation of form of fruit to hot taste. B.P.I. Bul. 256, p. 56. 1913.
  cayenne—
    adulteration. Chem. N.J. 1013, p. 1. 1911.
    description, analyses and standards. Chem. Bul. 163, pp. 9–15, 28–29. 1913.
    standards approval. Off. Rec. vol. 2, No. 10, p. 3. 1923.
  chili, growing in New Mexico-Texas, Mesilla Valley, methods, and yields. Soil Sur. Adv. Sh., 1912, pp. 14, 30. 1914; Soils F.O., 1912, pp. 2020, 2036. 1915.
  chili. See Pepper, cayenne.
  crates, size recommended. F.B. 1196, p. 32. 1921.
  crude, importation ruling. Chem. S.R.A. 18, pp. 44–45. 1916.
  cubeb, importation and description. No. 34327, B.P.I. Inv. 32, p. 36. 1914.
  cultural directions. D.C. 160, pp. 3–5. 1921; F.B. 818, pp. 36–37. 1917; F.B. 934, pp. 38–39. 1918; F.B. 937, pp. 45. 1918.
  description of varieties. D.C. 160, pp. 10. 1921.
  diseases—
    in Guam, causes. Guam A. R., 1917, p. 54. 1918.
    in Texas, occurrence and description. B.P.I. Bul. 226, pp. 41–42, 110. 1912.
    occurring under market, storage, and transit conditions. B.P.I. [Misc.], "Handbook of the * * *," pp. 42–43. 1919.

Pepper(s)—Continued.
  drying directions. D.C. 3, p. 14. 1919; F.B. 841, p. 19. 1917.
  fertilizers, experiments. D.B. 43, p. 16. 1913.
  green—
    canning directions. F.B. 839, pp. 17, 29. 1917.
    growing and acreage, by States, 1910. Y.B., 1916, pp. 450, 462. 1917; Y.B. Sep. 702, pp. 16, 28. 1917.
    or red, cooking recipes. News L., vol. 3, No. 1, p. 8. 1915.
  use as—
    flavoring in meat dishes. F.B. 391, p. 37. 1910.
    food, salads and pickles. D.B. 123, p. 38. 1916.
  ground, adulteration and misbranding, ruling. Chem. S.R.A. 18, p. 45. 1916.
  growers' association, organization. Y.B., 1915, p. 272. 1916; Y.B. Sep. 675, p. 272. 1916.
  growing—
    and use. D.C. 160, pp. 1–10. 1921.
    canning, and uses in food. F.C.D.W.S. Cir. 1, pp. 8. 1915.
    directions and varieties recommended for home gardens. F.B. 936, p. 49. 1918.
    in—
      Alaska. Alaska A.R., 1920, pp. 34, 66. 1922.
      frames, directions. F.B. 460, p. 24. 1911.
      Guam. Guam A.R., 1914, p. 10. 1915.
      Guam, cultural directions. Guam Bul. 2, pp. 12, 48–49. 1922; Guam Cir. 2, p. 15. 1921.
      Guam, fertilizers and shading, tests. Guam A.R., 1917, pp. 33–34. 1918.
      Guam, 1916, experiments and yields. Guam A.R., 1916, pp. 30–31. 1917.
      Mississippi, Amite County. Soil Sur. Adv. Sh., 1917, pp. 11, 19, 22, 24. 1919; Soils F.O., 1917, pp. 839, 847, 850, 852. 1923.
      New Jersey, Freehold area, methods, varieties, and yields. Soil Sur. Adv. Sh., 1913, pp. 14, 20. 1916; Soils F.O., 1913, pp. 104, 110. 1916.
      New Jersey, Millville area. Soil Sur. Adv. Sh., 1917, pp. 15, 17, 28–34. 1921; Soils F.O., 1917, pp. 203, 205, 216–232. 1923.
      Porto Rico. P.R. An. Rpt., 1920, p. 21. 1921.
      Porto Rico, from imported seed, experiments. P.R. Bul. 20, p. 9. 1916.
      the South and Southwest. Y.B., 1917, p. 171. 1918; Y.B. Sep. 734, p. 5. 1918.
    methods and varieties. F.B. 647, pp. 21, 27. 1915; S.R.S. Doc. 39, pp. 1–3. 1917.
  home garden, cultural hints. F.B. 255, p. 39. 1906.
  importations and descriptions. Nos. 37905, 37912, B.P.I. Inv. 39, pp. 65, 66. 1917; No. 44893, B.P.I. Inv. 51, p. 86. 1922; No. 48161, B.P.I. Inv. 60, p. 49. 1922; No. 51059, 51060, B.P.I. Inv. 64, pp. 3, 49. 1923; Nos. 51396, 51660–51667, B.P.I. Inv. 65, pp. 1, 12, 36. 1923; No. 54531, B.P.I. Inv. 69, p. 22. 1923; Nos. 55472–55475, B.P.I. Inv. 71, p. 47. 1923.
  imports—
    1884 and 1914. D.B. 296, p. 40. 1915.
    1907–1909, quantity and value, by countries from which consigned. Stat. Bul. 82, p. 55. 1910.
    1922–1924. Y.B., 1924, p. 1064. 1925.
  infestation with Mediterranean fruit fly in Hawaii. D.B. 536, pp. 24, 25–26. 1918.
  injury by melon fly, Hawaii. D.B. 491, p. 17. 1917.
  inoculation with fungus diseases, experiments, notes. J.A.R., vol. 2, pp. 333–338. 1914.
  mango, stuffed, recipe. S.R.S. Doc. 39, p. 4. 1917.
  marketing, note. F.B. 460, p. 29. 1911.
  monkey's, importation and description. No. 37905. B.P.I. Inv. 39, p. 65. 1917.
  new varieties, description. B.P.I. Bul. 208, p. 18. 1911.
  nitrogen determination. Chem. Bul. 107, pp. 162–163. 1907.
  paprika—
    American-grown. Thomas B. Young and Rodney H. True. D.B. 43, pp. 24. 1913.

Pepper(s)—Continued.
paprika—continued.
 description, analyses, and standards. Chem. Bul. 163, pp. 15–22, 29–30. 1913.
 experiments in South Carolina. An. Rpts., 1908, p. 303. 1909; B.P.I. Chief Rpt., 1908, p. 31. 1908.
 propagation, planting, and fertilizers. D.B. 43, pp. 13–16. 1913.
 seed bed, preparation. D.B. 43, pp. 14–15. 1913.
picking—
 curing and storage. D.B. 43, pp. 17–20. 1913.
 handling and sorting. D.C. 160, p. 5. 1921.
pimenton, description, analyses, and standards. Chem. Bul. 163, pp. 23–28. 1913.
pimiento, use in cream cheese, influence on keeping qualities. D.B. 669, pp. 26–27. 1918.
plant(s)—
 importation and description. No. 52572, B.P.I. Inv. 66, p. 41. 1923.
 inoculation with Phoma fungus, unsuccessful. J.A.R., vol. 4, p. 12. 1915.
 susceptibility to *Bacterium aptatum*. J.A.R., vol. 1, pp. 194, 210. 1913.
 transpiration, effect of Bordeaux mixture. J.A.R., vol. 7, pp. 536–542. 1916.
planting distances. D.C. 48, pp. 9, 11. 1919.
processing, directions and time table. F.B. 1211, pp. 46, 49. 1921.
recipes and ways of using. D.C. 160, pp. 7–10. 1921.
red—
 composition of different varieties. L.M. Tolman and L. C. Mitchell. Chem. Bul. 163, pp. 32. 1913.
 definition, under food and drugs inspection. D.B. 43, p. 3. 1913.
 giant sweet, importation and description. No. 34613, B.P.I. Inv. 33, p. 38. 1915.
 importations and descriptions. Nos. 29493–29495, 30084, B.P.I. Bul. 233, pp. 27, 57. 1912; Nos. 36774–36777, B.P.I. Inv. 37, p. 63. 1916; Nos. 39932, 40094, 40095, B.P.I. 42, pp. 41, 67. 1918; Nos. 42070, 42071, 42074, B.P.I. Inv. 46, pp. 53, 54. 1919; No. 49717, B.P.I. Inv. 62, p. 75. 1923; Nos. 50742–50745, 51054, B.P.I. Inv. 64, pp. 21, 48. 1923; Nos. 53941–53943, B.P.I. Inv. 68, p. 11. 1923; Nos. 54778, 54959–54962, B.P.I. Inv. 70, pp. 4, 19, 33. 1923.
 relation of bacterial spot to *Bacterium exitiosum*. J.A.R., vol. 21, No. 2, pp. 125–126. 1921.
 seed, growing, localities, acreage, yield, production, and consumption. Y.B., 1918, pp. 200, 206, 207. 1919; Y.B. Sep. 775, pp. 8, 14, 15. 1919.
 seed saving, directions. F.B. 884, p. 7. 1917; F.B. 1390, p. 5. 1924.
 shipments by States and by stations, 1916. D.B. 667, pp. 10, 121. 1918.
 stuffing with mushrooms, cooking recipe. F.B. 796, p. 21. 1917.
sweet—
 adulteration. Chem. N.J. 3153. 1914.
 canning directions. F.B. 839, pp. 15, 29. 1917; S.R.S. Doc. 12, p. 5. 1917.
 cultural directions and varieties for small gardens. F.B. 1044, pp. 28–29. 1919.
 recipes. News L., vol. 2, No. 50, p. 7. 1915.
tabasco, growing in Louisiana—
 Iberia Parish. Soil Sur. Adv. Sh., 1911, pp. 20–21, 41. 1912; Soils F. O., 1911, pp. 1144–1145, 1165. 1914.
 St. Martin's Parish. Soil Sur. Adv. Sh., 1917, pp. 13, 16. 1919; Soils F.O., 1917, pp. 945, 948. 1923.
tree—
 description, and regions suited to. D.B. 816, pp. 17, 40. 1920; F.B. 1208, p. 35. 1922.
 drought resistance. B.P.I. Bul. 192, pp. 16, 18, 26. 1911.
 host of black scale. F.B. 1447, p. 39. 1925.
 injury by sapsuckers. Biol. Bul. 39, pp. 52, 83. 1911.
 use as food for birds. Biol. Bul. 30, pp. 11, 88, 93. 1909.
 use for windbreak, objections. F.B. 1447, p. 39. 1925.
 value as bird food. Y.B., 1909, pp. 186, 192. 1910; Y.B. Sep. 504, pp. 186, 192. 1910.

Pepper(s)—Continued.
use—
 as food flavoring. O.E.S. Bul. 245, p. 68. 1912.
 as food, recipes. F.C.D.W.S. Cir. 1, pp. 4–7. 1915; S.R.S. Doc. 39, pp. 4–8. 1917.
 in cooked dishes, recipes. D.C., pp. 9–10. 1921.
 in salads. D.C. 160, pp. 8–9. 1921.
 variety tests, Yuma experiment farm. D.C. 75, pp. 57–58. 1920.
weevil—
 destructiveness, and life history. Ent. Bul. 54, pp. 43–49. 1905.
 notes on. F. C. Pratt. Ent. Bul. 63, Pt. V, pp. 55–58. 1907; Ent. Bul. 63, pp. 55–58. 1909.
 origin, enemies, and remedies. Ent. Bul. 63, pp. 55–58. 1909.
white, adulteration and misbranding. Chem. N.J. 2098, pp. 4. 1913.
See also Spices.
Peppergrass—
 Alaska, growing at Sitka station. Alaska A. R., 1910, p. 17. 1911.
 description of seed, appearance in red clover seed. F.B. 260, p. 21. 1906.
 downy mildew, occurrence and description, in Texas. B.P.I. Bul. 226, p. 99. 1912.
 indicator value on ranges. D.B. 791, pp. 39, 41, 43, 45. 1919.
 seed, description. D.B. 692, p. 23. 1918; F.B. 428, pp. 7, 19, 20, 25, 26. 1911; F.B. 1411, p. 11. 1924.
 use as salad. O.E.S. Bul. 245, pp. 21–22. 1912.
Peppermint—
 Alice Henkel. B.P.I. Bul. 90, Pt. III, pp. 19–29. 1906.
 and spearmint, cultivation. Walter Van Fleet. F.B. 694, pp. 13. 1915.
 black variety, description and oil production. F.B. 694, p. 2. 1915.
 cost of growing per acre. F.B. 694, p. 9. 1915.
 cultivation, methods and requirements. F.B. 694, pp. 4–5. 1915.
culture—
 and handling as drug plant, yield and price. F.B. 663, pp. 30–31. 1915.
 in Michigan, Cass County. Soil Sur. Adv. Sh., 1906, pp. 27–28. 1907; Soils F.O., 1906, pp. 751–752. 1908.
 diseases and pests. F.B. 694, pp. 7–8. 1915.
 effect of shade and frost on oil yield and quality. D.B. 454, pp. 11–15. 1916.
extract—
 analysis methods and results. Chem. Bul. 152, pp. 142–145. 1912.
 determination in flavoring extracts. Chem. Bul. 137, p. 76. 1911.
 manufacture, details. Y.B., 1908, p. 341. 1909; Y.B. Sep. 485, p. 341. 1909.
 farming in muck-lands, Indiana and Michigan. F.B. 761, pp. 5, 6, 7, 8, 11–12, 14, 15, 16, 17, 18. 1916.
growing—
and—
 distillation, Michigan, Cass County. Soil Sur. Adv. Sh., 1906, pp. 27–38. 1907; Soils F.O., 1906, pp. 751–752. 1908.
 uses, harvesting, marketing and prices. F.B. 663, rev., pp. 40–41. 1920.
 area, increase. F.B. 694, pp. 1–2. 1915.
 fertilizer requirements. F.B. 694, p. 7. 1915.
harvesting, and distilling—
 Soils Cir. 65, pp. 10–11. 1912.
 value of oil, in Indiana, Elkhart county. Soil Sur. Adv. Sh., 1914, pp. 10, 25. 1916; Soils F.O., 1914, pp. 1576, 1591. 1919.
in—
 Indiana, Starke County. Soil Sur. Adv. Sh., 1915, pp. 13, 16, 17. 1917; Soils F.O., 1915, pp. 1393, 1396, 1397, 1421. 1919.
 Michigan, St. Joseph County. Soil Sur. Adv. Sh., 1921, pp. 55, 70. 1923.
 New York, Lyons area. Soils F. O. Sep., 1902, p. 159; Soils F. O., 1902, p. 159. 1903.
 on various soils, cultural requirements. F.B. 694, pp. 3–7. 1915.
habitat, range, description, uses, collection, and prices. B.P.I. Bul. 219, p. 28. 1911.

Peppermint—Continued.
  harvesting and—
    curing, practices. F.B. 694, pp. 4–5. 1915.
    location of industry. B.P.I. Bul. 195, pp. 30, 31–34, 35. 1910.
  importation and description. No. 48980, B.P.I. Inv. 61, pp. 5, 61. 1922.
  oil—
    manufacture, practices. F.B. 694, pp. 9–11. 1915.
    occurrence of cineol. B.P.I. Bul. 235, p. 12. 1912.
    prices, 1874–1914, note. F.B. 694, p. 8. 1915.
    production—
      per acre and value per pound. Soils Cir. 65, p. 11. 1912.
    uses, and importance. F.B. 694, pp. 1–2. 1915.
    value, and yield per acre, Indiana, Elkhart County. Soil Sur. Adv. Sh., 1914, p. 25. 1916; Soils F.O., 1914, p. 1591. 1919.
    yield and quality, effect of cultural and climatic conditions. Frank Rabak. D.B. 454, pp. 16. 1916.
  planting, method and amount of runners to acre. F.B. 694, p. 4. 1915.
  plants, fresh and dry, oil yield and quality. D.B. 454, pp. 3–11. 1916.
  prices, variations, 1907–1915. F.B. 761, pp. 19, 20. 1916.
  production, 1919. News L., vol. 7, No. 10, p. 11. 1919.
  shade drying, methods. F.B. 1231, pp. 6–7. 1921.
  soil requirements. F.B. 694, pp. 3–4. 1915.
  varieties, descriptions and uses. F.B. 694, pp. 2–3. 1915.
  white variety, description, oil production. F.B. 694, p. 2. 1915.
  yield—
    and quality, effect of culture and climate. Frank Rabak. D.B. 454, pp. 16. 1916.
    of hay and oil. F.B. 694, p. 8. 1915.
Pepperoni, curing for destruction of trichinae. D.B. 880, pp. 11–12. 1920.
Pepperwood. See Ash, prickly, southern.
Pepperwort, parasitic growth of *Glomerella cingulata*. B.P.I. Bul. 252, p. 48. 1913.
Pepsette, adulteration and misbranding. Chem. N.J. 742, pp. 3. 1911.
Pepsin—
  action—
    in curdling milk. F.B. 490, p. 14. 1912.
    of formaldehyde on. B.A.I. Cir. 59, pp. 115–116. 1904.
  adulteration and misbranding. Chem. N.J. 3523. 1915.
  and wild cherry, adulteration and misbranding. Chem. N.J. 2877. 1914.
  cinchona bitters, "cocainized", misbranding. Chem. N.J. 735, pp. 2. 1911.
  determination in—
    eggs, method. Chem. Cir. 104, p. 2. 1912.
    liquids, method. Chem. Bul. 162, pp. 210–213. 1913.
  headache cure, Ramon, misbranding. Chem. N.J. 465, pp. 2. 1910.
  laxative boro, misbranding. Chem. N.J. 1232, p. 1. 1912.
  necessity in digestion of milk. Y.B., 1907, p. 188. 1908; Y.B. Sep. 444, p. 188. 1908.
  testing, ricin method, investigation. An. Rpts., 1912, pp. 569, 575. 1913; Chem. Chief Rpt., 1912, pp. 19, 25. 1912.
  use in cheese making, substitute for rennet. D.B. 669, pp. 6, 16, 26, 27. 1918.
  use in making cottage cheese. B.A.I. Doc. A–17, p. 2. 1917; F.B. 850, pp. 7–11, 14–15. 1917.
Pepsis sp., wing, anatomical details. Ent. T.B. 18, pp. 60–62. 1910.
Peptone digestion by protease of *Penicillium camberti*. B.A.I. Bul. 120, p. 44. 1910.
Peptones, determination in canned meats. Chem. Bul. 13, Pt. X, pp. 3196–3197. 1902.
Peptonizing bacteria—
  development, influence of lactic-acid bacteria. B.A.I. Bul. 73, pp. 28–30. 1905.
  presence in ice cream. D.B. 303, pp. 13–14. 1915.

Pera do campo—
  description of plant and fruit. D.B. 445, p. 32. 1917.
  importations and descriptions. Nos. 37392, 37492, B.P.I. Inv. 38, pp. 56, 64. 1917; No. 42030, B.P.I. Inv. 46, pp. 7, 46. 1919.
Peranabrus scabricollis. See Cricket, Coulee.
Percheron Society of America, studbook issues, F.B. 619, p. 9. 1914.
Percolation—
  cause of water loss in irrigated orchards. F.B. 882, pp. 35–37. 1917.
  losses, irrigation water. O.E.S. An. Rpt., 1908, pp. 382–383. 1909.
  studies. Soils Bul. 52, pp. 53, 54, 75–95. 1908.
Perdeux mixture, formula. B.P.I. Bul. 155, p. 12. 1909.
Per diem rates, in lieu of subsistence. Sol. [Misc.], "Laws applicable * * * agriculture," 2d Sup., p. 100. 1915.
Perdicium spp. importations and description. Nos. 29929–29930, B.P.I. Bul. 233, p. 42. 1912.
Perdix perdix. See Partridge, Hungarian.
Peregrinus maidis—
  injury to corn, Guam. Guam A.R., 1911, pp. 28, 29. 1912.
  life history and control. Hawaii Bul. 27, pp. 10–11. 1912.
  See also Corn leaf hopper.
Perennials—
  culture and seasonal transplanting. F.B. 1381, pp. 16–18. 1924.
  growing in Alaska, notes. Alaska A.R., 1919, pp. 27, 29, 43. 1920.
  herbaceous—
    Furman Lloyd Mulford. F.B. 1381, pp. 91. 1924.
    adaptations, list with climatic regions. F.B. 1381, pp. 83–87. 1924.
    growing in Alaska, directions and varieties. Alaska A.R., 1917, pp. 15–20. 1919.
    protection for winter. News L., vol. 3, No. 10, p. 2. 1915.
  relation to annuals and biennials, environment factors. J.A.R., vol. 18, pp. 579–581. 1920.
  vegetable, parts eaten and parts for seed saving. F.B.1390, pp. 3, 12–13. 1924.
Pereskia, hedge plant, importation and description. No. 36952. B.P.I. Inv. 38, p. 13. 1917.
Pereyra, Leonardo, breeder of Shorthorns in Argentina. B.A.I. Bul. 48, pp. 27–28. 1903.
Perfume(s)—
  acacia, industry, and species used. D.B. 9, p. 33. 1913.
  extraction—
    and distillation. B.P.I. Bul. 195, pp. 16–27. 1910.
    by pressing. B.P.I. Bul. 195, pp. 21–22. 1910.
    with fats. B.P.I. Bul. 195, pp. 18–21. 1910.
  Frangipanni, huisache tree product. D.B. 184, p. 1. 1915.
  manufacture, little development in United States. B.P.I. Bul. 195, p. 43. 1910.
  use of huisache tree flowers in manufacture. D.B. 184, p. 1. 1915.
  See also Aroma.
Perfumery—
  industry, commercial aspect. B.P.I. Bul. 195, pp. 43–47. 1910.
  plant(s)—
    and volatile oils, production in United States. Frank Rabak. B.P.I. Bul. 195, p. 55. 1910.
    growth and harvesting. B.P.I. Bul. 195, pp. 29–34. 1910.
    investigations, oil-bearing plants, and future work. An. Rpts., 1909, pp. 281, 284. 1910; B.P.I. Chief Rpt., 1909, pp. 29, 32. 1909.
    production in the United States. B.P.I. Bul. 195, pp. 1–55. 1910.
Pergande, Theo.—
  "On some of the aphides affecting grains and grasses of the United States." Ent. Bul. 44, pp. 5–23. 1904.
  "The life history of the alder blight aphis." Ent. T.B. 24, pp. 28. 1912.
  "The life history of two species of plant lice inhabiting both the witch hazel and birch." Ent. T.B. 9, pp. 44. 1901.
Pergomya spp., injury to cabbage seedlings, and control. F.B. 479, pp. 5–8. 1912.

INDEX TO PUBLICATIONS, 1901–1925   1795

Pericarditis—
  cattle, symptoms and treatment. B.A.I. [Misc.], "Diseases of cattle," rev., pp. 76–77. 1904; rev., pp. 77–79, 95. 1912; rev., pp. 79–81. 1923.
  horse, causes, symptoms, and treatment. B.A.I. [Misc.], "Diseases of the horse," rev., pp. 233–235. 1903; rev., pp. 233–235. 1907; rev., pp. 233–235. 1911; rev., pp. 255–257. 1923.
Periconia byssoides, from potatoes in Idaho soils. J.A.R., vol. 13, pp. 80, 95. 1918.
Periderm, formation in sweet potato. J.A.R., vol. 21, pp. 637–647. 1921.
Peridermium—
  cerebrum—
    enemy of pine trees, responsibility of sapsuckers. Biol. Bul. 39, p. 63. 1911.
    identity with *Peridermium fusiforme*. J.A.R., vol. 2, pp. 247–250. 1914.
  coloradense, injury to Sitka spruce. D.B. 1060, p. 18. 1922.
  decolorans, injury to Sitka spruce. D.B. 1060, p. 18. 1922.
  filamentosum, cause of disease in pine trees. J.A.R., vol. 5, No. 17, pp. 781–785. 1916.
  fusiforme, identity with *Peridermium cerebrum*. J.A.R., vol. 2, pp. 247–250. 1914.
  occidentale, aecial stage of piñon blister rust. J.A.R., vol. 14, pp. 415–418. 1918.
  on pine tree, description and results. Y.B., 1907, p. 491. 1908; Y.B. Sep. 463, p. 491. 1908.
  pyriforme—
    aecial form of *Cronartium pyriforme*. D.B. 247, pp. 1–9, 13–16. 1915.
    effect on plants. D.B. 247, pp. 13–16. 1915.
    spread by Comandra plants. J.A.R., vol. 5, No. 3, p. 133. 1915.
    two new hosts for. J.A.R., vol. 5, No. 7, pp. 289–290. 1915.
  spp.—
    attacking pines and oaks. J.A.R., vol. 2, pp. 247–250. 1914.
    fungous diseases of jack pine, description, injuries, and control methods. D.B. 212, pp. 2–7, 9–10. 1915.
    injury to—
      fir trees. D.B. 275, pp. 28, 29. 1916.
      lodgepole pine. D.B. 154, p. 22. 1915.
  strobi. See Blister rust; *Cronartium ribicola*; Rust, currant.
Peridroma margaritosa—
  description and control. Ent. Cir. 123, pp. 2–3. 1910.
  injuries to tobacco, and remedies. Y.B., 1910, pp. 283–284. 1911; Y.B. Sep. 537, pp. 283–284. 1911.
  See also Cutworm, variegated.
Periglischrus spp., description. Rpt. 108, pp. 73, 76. 1915.
Perilampidae, enemies of boll weevil. Ent. Bul. 100, pp. 42, 50, 54–68. 1912.
Perilampus—
  cuprinus, parasitic upon gipsy moth parasites. Ent. T.B. 19, Pt. IV. pp. 65, 69. 1912.
  genus, host relations. Ent. T.B. 19, Pt. IV, pp. 61–67. 1912.
  genus, relation to gipsy moth parasite introduction. Ent. T.B. 19, Pt. IV, pp. 33–69. 1912.
  hyalinus—
    biology. Ent. T.B. 19, Pt. IV, pp. 34–55. 1912.
    parasite of—
      Neodiprion lecontei. J.A.R., vol. 20, pp. 757–758. 1921.
      sarcophagids. J.A.R., vol. 2, p. 442. 1914.
    planidium, description, habits, and later stages. Ent. T.B. 19, Pt.IV, pp. 39–48. 1912.
  inimicus, description. Ent. T.B. 19, Pt. II, p. 20. 1910.
  ruficornis, description and rearing record. Ent. T.B. 19, Pt. IV, pp. 64–65. 1912.
  sp., enemy of boll weevil. Ent. Bul. 100, pp. 42, 45, 50, 54–68. 1912.
  spp., rearing records, American and European. Ent. T.B. 19, Pt. IV, pp. 62–67. 1912.
Perilitus—
  eleodis, parasite of—
    Embaphion muricatum. J.A.R., vol. 22, p. 332. 1921.

Perilitus—Continued.
  eleodis, parasites of—continued.
    false wireworm. J.A.R., vol. 26, pp. 562–563. 1923.
  epitricis, parasite of the cabbage flea beetle, habits. D.B. 902, pp. 13–14. 1920.
Perilla—
  frutescens—
    importation and uses. No. 44205, B.P.I. Inv. 50, p. 42. 1922.
    See also Yegoma.
  oil plant, importation and description. Nos. 42062, 42083, B.P.I. Inv. 46, pp. 51, 56. 1919.
  spp., importations and description. Nos. 45264, 45265, B.P.I. Inv. 53, p. 20. 1922.
Perilloides bioculatus, destruction of Colorado potato beetle. Ent. Bul. 82, Pt. VII, p. 85. 1911.
Perillus bioculatus, enemy of beet leaf-beetle, life history. D.B. 892, p. 17. 1920; F.B. 1193, p. 8. 1921.
Periodicals—
  abbreviations employed—
    for titles in Experiment Station Record. Frances A. Bartholomew. D.B. 1330, pp. 160. 1925.
    in Experiment Station Record, list. O.E.S. Cir. 62, pp. 74. 1905.
  agricultural—
    circulation and influence among farmers. B.P.I. Bul. 117, pp. 18–19, 22–23. 1907.
    in department library. Y.B., 1902, pp. 740–745. 1903; Y.B. Sep. 300, pp. 740–745. 1903.
  congressional restriction on. An. Rpts., 1920, pp. 386–387. 1921.
  curtailment of printing, repeal of law, discussion. Off. Rec., vol. 1, No. 8, pp. 1–2. 1922.
  department—
    consolidation. Y.B., 1922, p. 56. 1923; Y.B Sep. 883, p. 56. 1923.
    library, catalogue. Lib. Bul. 37, pp. 362. 1901.
    library, list. D.C. 187, pp. 1–53. 1922.
  directories, in department library, list. D.C. 187, pp. 239–240. 1922.
  legislation. An. Rpts., 1922, p. 378. 1922; Pub. A.R., 1922, p. 2. 1922.
  reading matter in homes of cotton-tenant classes. D.B. 1068, p. 56. 1922.
  relating to cooperation, classified lists. M.C. 11, pp. 50–55. 1923.
  See also Publications.
Periostitis, cattle, forms, causes, and treatment. B.A.I. [Misc.], "Diseases of cattle," rev., pp. 262–263. 1904; rev., pp. 270–271. 1912; rev., pp. 265–266. 1923.
Periphyllus—
  lyropictus, description, habits, and control. F.B. 1169, p. 84. 1921.
  negundinis, description, habits, and control. F.B. 1169, p. 85. 1921.
Perique tobacco. See Tobacco, perique.
Perishable(s)—
  conservation, aid of department. Y.B., 1917, pp. 25–26, 95. 1918.
  food products, transportation. F.B. 125, pp. 7–15. 1901.
  goods, temperature, tables. F.B. 125, pp. 25–26. 1901.
  marketing, natural market course and development. Y.B., 1919, p. 108. 1920; Y.B. Sep. 797, p. 108. 1920.
  parcel-post packages, addressing and mailing. F.B. 930, pp. 10–12. 1918.
  refrigeration requirements in transit. D.B. 1353, p. 2. 1925.
  selection for city markets, suggestions. Y.B., 1917, pp. 321–325. 1918; Y.B. Sep. 736, pp. 3–7. 1918.
  shipments, loading methods, improvement. An. Rpts., 1918, p. 464. 1918; Mkts. Chief Rpt., 1918, p. 14. 1918.
  storage conditions suitable for. D.B. 729, pp. 1–10. 1918.
  storage for home use. F.B. 879, pp. 1–22. 1917.
  transportation, value of weather forecasts. An. Rpts., 1918, p. 59. 1919; W.B. Chief Rpt., 1918, p. 3. 1918.
PERISHO, E. C., report of South Dakota Experiment Station, extension work in agriculture and home economics, 1915. S.R.S. Rpt., 1915, Pt. II, pp. 301–304. 1916.

Perisoreus canadensis capitalis. See Jay, Rocky Mountain.

Perisporium—
fungus disease of cactus, spread by insects. Ent. Bul. 113, p. 17. 1912.
wrightii, occurrence on plants in Texas, and description. B.P.I. Bul. 226, p. 100. 1912.
wrightii. See also Black-spot.

Perissopterus javensis, description. Ent. T.B. 19, Pt. I, pp. 11-12. 1910.

Perithecia production in *Glomerella* sp. B.P.I. Bul. 252, pp. 68-74. 1913.

Peritoneum, inflammation, mare. B.A.I. [Misc.], "Diseases of the horse," rev., p. 187. 1903; rev., p. 187. 1907; rev., pp. 187-188. 1911; rev., pp. 207-208. 1923.

Peritonitis—
cattle, causes, symptoms, and treatment. B.A.I. [Misc.], "Diseases of cattle," rev., pp. 47-48. 1904; rev., pp. 48-49. 1912; rev., pp. 45-46. 1923.
sheep, cause, symptoms, and treatment. F.B. 1155, p. 19. 1921.

Periwinkle, dodder occurrence and description in Texas. B.P.I. Bul. 226, p. 87. 1912.

PERKINS, A. T.—
"Regarding the possible adaptation of soybean Radicicola to a specific host variety." J.A.R., vol. 30, pp. 243-244. 1925.
"The effect of bacterial numbers on the nodulation of Virginia soybeans." J.A.R., vol. 30, pp. 95-96. 1925.

PERKINS, F. W.—
"Motion pictures of the U. S. Department of Agriculture." D.C. 233, pp. 13. 1922.
"Motion pictures of the U. S. Department of Agriculture." With G. R. Goergens. D.C. 114, pp. 22. 1920.
report on Motion Pictures Office, 1923. An. Rpts., 1923, pp. 527-531. 1924; Pub. Chief Rpts., 1923, pp. 13-17. 1923.

PERKINS, H. Z. E.: "Further studies in the deterioration of sugars in storage." With others. J.A.R., vol. 20, pp. 637-653. 1921.

PERKINS, S. O.: "Soil survey of—
Ashe County, N. C." With R. B. Hardison. Soil Sur. Adv. Sh., 1912, pp. 32. 1914; Soils F.O., 1912, pp. 341-368. 1915.
Bertie County, N. C." With R. C. Jurney. Soil Sur. Adv. Sh., 1918, pp. 34. 1920; Soils F.O., 1918, pp. 163-192. 1924.
Bladen County, N. C." With others. Soil Sur. Adv. Sh., 1914, pp. 35. 1915; Soils F.O., 1914, pp. 623-653. 1919.
Buncombe County, N. C." With others. Soil Sur. Adv. Sh., 1920, pp. 785-812. 1923; Soils F.O., 1920, pp. 785-812. 1925.
Cumberland County, N. C." With others. Soil Sur. Adv. Sh., 1922, pp. 111-151. 1925.
Durham County, N. C." With others. Soil Sur. Adv. Sh., 1920, pp. 1351-1379. 1924; Soils F.O., 1920, pp. 1351-1379. 1923.
Greene County, Pa." With others. Soil Sur. Adv. Sh., 1921, pp. 1251-1278. 1925.
Guilford County, N. C." With others. Soil Sur. Adv. Sh., 1920, pp. 167-199. 1923; Soils F.O., 1920, pp. 167-199. 1925.
Harnett County, N. C." With R. C. Jurney. Soil Sur. Adv. Sh., 1916, pp. 37. 1917; Soils F.O., 1916, pp. 387-419. 1921.
Moore County, N. C." With others. Soil Sur. Adv. Sh., 1919, pp. 44. 1922; Soils F.O., 1919, pp. 723-762. 1925.
Pender County, N. C." With others. Soil Sur. Adv. Sh., 1912, pp. 45. 1914; Soils F.O., 1912, pp. 369-409. 1915.
Randolph County, N. C." With R. B. Hardison. Soil Sur. Adv. Sh., 1913, pp. 34. 1915; Soils F.O., 1913, pp. 201-230. 1916.
Spartanburg County, S. C." With others. Soil Sur. Adv. Sh., 1921, pp. 409-449. 1924.
Stanly County, N. C." With R. C. Jurney. Soil Sur. Adv. Sh., 1916, pp. 34. 1918; Soils F.O., 1916, pp. 453-482. 1921.
Union County, N. C." With B. B. Derrick. Soil Sur. Adv. Sh., 1914, pp. 38. 1916; Soils F.O., 1914, pp. 589-622. 1919.
Vance County, North Carolina." With W. A. Davis. Soils F.O. 1918, pp. 265-291. 1924; Soil Sur. Adv. Sh. 1918, pp. 31. 1921.

PERKINS, S. O.: "Soil survey of—Continued.
Wayne County, N. C." With others. Soil Sur. Adv. Sh., 1915, pp. 51. 1916; Soils. F.O. pp. 497-543. 1919.
Wilkes County, North Carolina." With R. C. Jurney. Soil Sur. Adv. Sh. 1918, pp. 39. 1921; Soils F.O. 1918, pp. 293-327. 1924.

PERKINS, W. R. report on nitrogen. Chem. Bul. 67, pp. 77-84. 1902.

Perkinsiella saccharicida. See Sugar-cane leafhopper.

Permanganate—
alkaline, fusel oil determination. Chem. Bul. 122, pp. 199-205. 1909.
methods for nitrogen determination. Chem. Bul. 90, pp. 114-115. 1905.
of potash. See Potash.

Permit(s)—
collecting birds and eggs for scientific purposes. Biol. Bul. 12, rev. pp. 46-50. 1902.
cotton importation, forms. F.H.B., S.R.A. 24, pp. 5-6. 1916.
crossing, forest reserves. For. [Misc.] "The use book, 1910," pp. 53-55. 1910.
forest reserves, application and approval. For. [Misc.], "The use book, 1910," pp. 33-37, 42-44. 1910.
grazing—
forest service. For. [Misc.] "The use book, 1910" pp. 11-13. 1910.
national forests—
1917, and management of livestock. An. Rpts., 1917, pp. 163, 178-179, 192-193. 1918; For. A.R., 1917, pp. 1, 16-17, 30-31. 1917.
1918, and management of live stock. An. Rpts., 1918, pp. 173-187. 1919; For. A.R., 1918, pp. 19-23. 1918.
hunting, for control of injurious birds. Y.B. 1918, pp. 314-315. 1919; Y.B. Sep. 785, pp. 14-15. 1919.
importation for nursery stock, regulations. F.H.B., N.Q. 37, pp. 5-7, 9-11. 1923.
irrigation water use, State regulations. D.B. 913, pp. 4-8. 1920.
potato importation and entry, forms. F.H.B., S.R.A. 23, pp. 93-94. 1916.
sale of migratory birds. Off. Rec., vol. 3, No. 31, p. 5. 1924.
special use, national forests, laws and decisions. Sol. [Misc.] "Laws * * * forests," pp. 84-85, 93-94. 1916.
summer homes and camping, for Lake Chelan country. D.C. 91, pp. 12-13. 1920.
system, adaptation to land grazing. D.B. 1001, 56-62. 1922.
ten-year for forest grazing. Off. Rec., vol. 2, No. 20, p. 4. 1923.
use of national forest lands, regulations. For. [Misc.] "The use book, 1908," pp. 37-50. 1908.
water power—
applications and use, 1917. An. Rpts., 1917, pp. 182-183. 1917; For. A.R. 1917, pp. 20-21. 1917.
in national forests, Federal law provisions. D.B. 950, pp. 18, 27. 1921.

Pernettya mucronata, importations and descriptions. Nos. 35990, 35997, 36139, B.P.I. Inv. 36, pp. 34, 35, 58. 1915; No. 53717, B.P.I. Inv. 67, p. 81. 1923.

Perodipus sp., destruction by coyotes. Biol., Bul. 20, p. 13. 1905.

Perognathus spp.—
destruction by coyotes. Biol. Bul. 20, p. 13. 1905.
See also Mice, pocket.

Peromyscus—
American genus of mice, revision. Wilfred H. Osgood. N.A. Fauna 28, pp. 285. 1909.
cranial measurements, table. N.A. Fauna 28, pp. 263-267. 1909.
genus of mice, nomenclature changes, history. N.A. Fauna 28, pp. 11-14. 1909.
habits and economic status. N.A. Fauna 28, pp. 26-28. 1909.
measurements, external, table. N.A. Fauna 28, pp. 260-262. 1909.
pelages, annual changes, and color descriptions. N.A. Fauna 28, pp. 19-22. 1909.
skulls, description. N.A. Fauna 28, pp. 268-278. 1909.

Peromyscus—Continued.
  soles, description. N.A. Fauna 28, p. 280. 1909.
  spp.—
    and subspecies, list. N.A. Fauna 28, pp. 28-32. 1909.
    range, and habits. N.A. Fauna 21, p. 17. 1901.
    See also Mice, white-footed.
  subgenera, characteristics, and key. N. A. Fauna 28, pp. 24-26, 32. 1909.
  teeth, molar, description. N.A. Fauna 28, p. 280. 1909.
  variations and intergradation. N.A. Fauna 28, pp. 14-19. 1909.
Peronea minuta. See Fireworms, yellowhead.
Peronospora—
  cause of tobacco disease in Florida-Georgia district. D.C. 181, pp. 1-4. 1921.
  ficariae, life history. J.A.R. vol. 5, No. 2, p. 64. 1915.
  hyoscyami, cause of tobacco mildew. D.C. 174, p. 4. 1921.
  maydis—
    damage in Java. An. Rpts., 1916, p. 372. 1917; F.H. B. An. Rpt., 1916, p. 2. 1916.
    quarantine notice. F.H.B.,S.R.A. 27, p. 57. 1916.
    See also Sclerospora maydis.
  parasitica—
    cause of—
      damping-off of cabbage. D.B. 934, p. 2. 1921.
      downy mildew of cabbage. F.B. 925, p. 26. 1921.
    life history. J.A.R., vol. 5, No. 2, pp. 60-62. 1915.
    See also Mildew, downy.
  schleideni, cause of onion mildew. F.B. 1060, p. 10. 1919.
  spp.—
    having perennial mycelium, list. J.A.R., vol. 5, No. 2, p. 67. 1915.
    injury to corn, notice of hearing. F.H.B.S.R.A. 26, p. 35. 1916.
    occurrence on plants in Texas, and description. B.P.I. Bul. 226, pp. 44, 99. 1912.
    related to Phytophthora infestans. J.A.R., vol. 5, No. 2, pp. 59-70. 1915.
    synonyms of Phytophthora infestans. B.P.I. Bul. 245, pp. 24-26. 1912.
    viciae, life history. J.A.R., vol. 5, No. 2, pp. 64-65. 1915.
    See also Mildew.
Peroxidase—
  in chlorotic plants grown on soils containing calcium carbonate. P.R. Bul. 11, pp. 39-42. 1911.
  soil fertility, study and experiments. Soils Bul. 56, pp. 25, 45-50. 1909.
  tests, in cream and buttermilk. B.A.I. An. Rpt., 1910, pp. 312-314, 325. 1912; B.A.I. Cir. 189, pp. 312-314, 325. 1912.
Peroxide—
  cream, alleged misbranding. Chem. N.J. 1194, pp. 4. 1911.
  method of sulphur determination comparison with other methods. Chem. Cir. 56, pp. 1, 5-6. 1910.
  of hydrogen. See Hydrogen peroxide.
  talcum, misbranding. Chem. N.J. 4056. 1916.
PERRINE, N.: "Absorption and retention of hydrocyanic acid by fumigated food products." With others. D.B. 1149, pp. 16. 1923.
Perrine tract, Florida, history. Off. Rec., vol. 2, No. 4, p. 2. 1923.
Perrier, method of starch determination in meat. B.A.I. Cir. 203, p. 4. 1912.
Perroncito, E., experiments with anthelmintics. B.A.I. Bul. 153, pp. 5, 11, 12, 19. 1912.
PERRY, E. S.: "Soil survey of Henry County, Tenn." With others. Soil Sur. Adv. Sh., 1922. pp. 77-109. 1925.
PERRY, W. M., report of Virgin Island Experiment Station, horticulturist, 1923. Vir. Is. A.R., 1923, pp. 7-13. 1924.
Persea—
  americana—
    description and uses. D.B. 354, p. 70. 1916.
    See also Avocado.
  azarica, importation and description. No. 43480, B.P.I. Inv. 49, pp. 8, 32. 1921.

Persea—Continued.
  borbonia, importation and description. No. 36623, B.P.I. Inv. 37, p. 41. 1916.
  lingue, importation and description. No. 34157. B.P.I. Inv. 32, p. 16. 1914.
  lingue. See also Lingue.
  schiedeana. See Coyo.
  spp.—
    importations and descriptions. Nos. 45354, 45505, 45560-45564, 45580, B.P.I. Inv. 53, pp. 6, 30, 42, 54, 62. 1922; Nos. 49277, 49329, 49330, 49333, 49730, 49739, 49740, 49764-49776. B.P.I. Inv. 62, pp. 1, 19, 25, 33, 76, 77, 78, 82-84. 1923; Nos. 53182-53185, 53243, 53895, B.P.I. Inv. 67, pp. 35, 43, 94. 1923.
    injury by sapsuckers. Biol. Bul. 39, pp. 38, 78-79. 1911.
    use as stocks for the avocado. Hawaii Bul. 25, p. 9. 1911.
Persia—
  fruits, production and exports, 1909-1913. D.B. 483, p. 38. 1917.
  wheat flour imports from Russia. Stat. Bul. 66, pp. 86. 1908.
Persian—
  insect powder. See Pyrethrum powders.
  lamb, fur production. An. Rpts., 1914, p. 64. 1915; B.A.I. Chief Rpt., 1914, p. 8. 1914.
  "plant," fraudulent claims. Off. Rec., vol. 3, No. 29, p. 3. 1924.
  sheep, origin, history, distribution, and description. D.B. 94, pp. 55, 59. 1914.
Persian walnuts, production and value, 1909. F.B. 700, p. 1. 1916.
Persil, misbranding. Chem. N.J. 4635. 1917.
Persimmon(s)—
  American, valuable characteristics. Y.B., 1911, p. 418. 1912; Y.B. Sep. 580, p. 418. 1912.
  astringency, control by processing, experiments. Chem. Bul. 141, pp. 1-31. 1911.
  Chinese—
    description, cultivation and uses. Y.B., 1915, pp. 212-214. 1916; Y.B. Sep. 671, pp. 212-214. 1916.
    importations and description. Y.B., 1910, pp. 434-435. 1911; Y.B. Sep. 549, pp. 434-435. 1911.
    varieties, testing, value of fruit. Y.B., 1916, p. 140. 1917; Y.B. Sep. 687, p. 6. 1917.
  Costata, processing experiments, results. Chem. Bul. 155, pp. 8, 12. 1912.
  consumption in Arkansas, amount and value. For. Bul. 106, pp. 7, 10, 21, 26, 39. 1912.
  diseases, in Texas, occurrence and description. B.P.I. Bul. 226, pp. 30-31, 110, 111. 1912.
  dried—
    preparation and use. B.P.I. Bul. 204, p. 14. 1911; Chem. Bul. 155, pp. 19, 20. 1912.
    use—
      as food. Y.B., 1912, p. 516. 1913; Y.B. Sep. 610, p. 516. 1913.
      in China, value as food. Y.B., 1915, pp. 212-214. 1916; Y.B. Sep. 671, pp. 212-214. 1916.
    feed for hogs. F.B. 685, p. 22. 1915.
  food—
    uses, recipes. F.B. 685, pp. 22-24. 1915.
    value—
      analysis and comparison with other fruits. F.B. 685, pp. 21-22. 1915.
      and use recipes. News L., vol. 3, No. 11, p. 6. 1915.
  fruit characters. F.B. 685, pp. 4-5. 1915.
  fruiting season and use as bird food. F.B. 844, pp. 12, 13. 1917.
  Fuyu, introduction and value. Off. Rec., vol. 3, No. 3, p. 2. 1924.
  growing—
    for market, in Texas, Morris County. Soil Sur. Adv. Sh., 1909, pp. 11-12. 1911; Soils F.O., 1909, pp. 991-992. 1912.
    in—
      Guam, Japanese varieties. Guam A.R., 1911, p. 16. 1912.
      Texas, variety testing. D.B. 126, pp. 15, 21-22. 1915.
  habitat, growth and fruiting habits. F.B. 685, pp. 3-4. 1915.

Persimmon(s)—Continued.
Hachiya—
  effects of processing on condition of fruit. Chem. Bul. 141, pp. 10–13, 20, 24, 28, 29. 1911.
  processing experiments, results. Chem. Bul. 155, pp. 8, 10, 12. 1912.
  history and objections. F.B. 685, pp. 1–2. 1915.
host of Mediterranean fruit fly. D.B. 536, pp. 24, 36. 1918.
Hyakume—
  effects of processing on condition of fruit. Chem. Bul. 141, pp. 10, 11, 30. 1911.
  processing experiments, results. Chem. Bul. 155, pp. 8, 11. 1912.
importations and descriptions. Nos. 37168–37213, 37380, 37465–37473, 37525–37540, 37543, B.P.I. Inv. 38, pp. 7–8, 45, 54, 61, 69–71, 72. 1917; Nos. 37648–37658, 37661–37667, 37801, 37811–37812, 37948–37952, 38193, 38482, B.P.I. Inv. 39, pp. 9, 13–16, 45, 47, 72, 102, 136. 1917; Nos. 39554, 39556, B.P.I. Inv. 41, p. 40. 1917; Nos. 39912, 39913, 40024, 40128, B.P.I. Inv. 42, pp. 37, 54, 70. 1918; Nos. 44688, 44771, B.P.I. Inv. 51, pp. 48, 62. 1922; No. 48162, B.P.I. Inv. 60, pp. 4, 50. 1922; Nos. 49235, 49326, 49298, 49299, B.P.I. Inv. 62, pp. 15, 22. 1923; No. 53176, B.P.I. Inv. 67, pp. 4, 34. 1923; Nos. 55627, 55662, B.P.I. Inv. 72, pp. 13, 15. 1924; Nos. 56088–56090, 56132–56134, B.P.I. Inv. 73, pp. 3, 36, 41. 1924.
improvement, possibilities. F.B. 685, pp. 5–6. 1915.
insect pests, list. Sec. [Misc.], "A manual * * * insects * * * ," p. 170. 1917.
insects injurious. F.B. 1169, p. 99. 1921.
introductions since 1897, characteristics and value. Y.B., 1911, pp. 416–418. 1912; Y.B. Sep. 580, pp. 416–418. 1912.
Japanese—
  analyses of five varieties. Chem. Bul. 141, p. 24. 1911.
  effects of processing on different varieties. Chem. Bul. 141, pp. 10–31. 1911.
  freezing points. D.B. 1133, pp. 5, 7. 1923.
  growing—
    for home use. F.B. 1001, pp. 4, 11, 34. 1919.
    in Texas, San Antonio experiment farm. D.C. 209, pp. 35–36. 1922.
  processing—
    experiments. Chem. Bul. 155, pp. 1–20. 1912.
    to render nonastringent. Chem. Bul. 141, pp. 1–31. 1911.
  varieties, recommendations for various fruit districts. B.P.I. Bul. 151, p. 60. 1909.
Josephine, origin, history and description. Y.B., 1906, p. 362. 1907; Y.B. Sep. 429, p. 362. 1907.
Kaki, male, importation and description. No. 41456. B.P.I. Inv. 45, p. 32. 1918.
Kawakami, origin and description. Y.B., 1908, pp. 482–483. 1909; Y.B. Sep. 496, pp. 482–483. 1909.
Korean, importation and description. Nos. 35223, 35263, B.P.I. Inv. 35, pp. 24, 30. 1915.
leather, directions for making. F.B. 685, p. 24. 1915.
Lonestar, origin and description. Y.B., 1908, pp. 483–485. 1909; Y.B. Sep. 496, pp. 483–485. 1909.
Mexican—
  importation and description. No. 36166, B.P.I. Inv. 36, p. 61. 1915.
  plant importation, 1909, and description. B.P.I. Bul. 162, p. 27. 1909.
Miller, origin and description. Y.B., 1907, pp. 309–310. 1908; Y.B. Sep. 450, pp. 309–310. 1908.
native—
  W. F. Fletcher. F.B. 685, pp. 28. 1915.
  varieties and recommendation for fruit districts. B.P.I. Bul. 151, p. 64. 1909.
new—
  importations and description. Nos. 34970–34972, B.P.I. Inv. 34, pp. 6, 30. 1915.
  varieties, origin, and description. Y.B., 1907, pp. 309–311. 1908; Y.B. Sep. 450, pp. 309–311. 1908.

Persimmon(s)—Continued.
nonastringent varieties, China and Japan. Chem. Bul. 141, p. 9. 1911.
nursery stock, management. F.B. 685, pp. 17–18. 1915.
Okame processing experiments, results. Chem. Bul. 155, pp. 8, 10. 1912; Chem. Bul. 141, pp. 10, 14, 19. 1911.
Ormond, history and description. Y.B., 1912, p. 269. 1913; Y.B. Sep. 589, p. 269. 1913.
picking, packing, and marketing. F.B. 685, p. 22. 1915.
processing by airtight method. Chem. Bul. 141, pp. 26–29. 1911.
propagation—
  inarching experiments, Texas. B.P.I. Cir. 120, p. 16. 1913.
  methods. F.B. 685, pp. 7–19. 1915.
quantity used in manufacture of wooden products. D.B. 605, p. 13. 1918.
respiration studies. Chem. Bul. 142, pp. 15, 19, 25. 1911.
Ruby, origin and description. Y.B., 1907, pp. 310–311. 1908; Y.B. Sep. 450, pp. 310–311. 1908.
seed, treatment, and planting, directions. F.B. 685, p. 7. 1915.
seedless—
  and nonastringent, importations. Inv. Nos. 29329, 29384, 29486, 30065, 30066, B.P.I. Bul. 233, pp. 8, 11, 17, 26, 56. 1912.
  introduction and value to plant breeders. Y.B., 1911, p. 418. 1912; Y.B. Sep. 580, p. 418. 1912.
  status. F.B. 685, pp. 6–7. 1915.
Tamopan—
  description and introduction into United States. B.P.I. Bul. 204, p. 12. 1911; B.P.I. Bul. 223, pp. 7–8. 1911.
  history, and description. Y.B., 1910, pp. 433–436. 1911; Y.B. Sep. 549, pp. 433–436. 1911.
  importation and description. No. 32267, B.P.I. Bul. 261. p. 50. 1912.
Tane-nashi, processing experiments, results. Chem. Bul. 141, pp. 12–13, 19, 20, 24, 28, 29. 1911; Chem. Bul. 155, pp. 8, 10–11, 12, 13–14. 1912.
tests for mechanical properties, results. D.B. 556, pp. 32, 41. 1917.
trees—
  characters. F.B. 468, p. 42. 1911.
  injury by hickory twig girdler. F.B. 685, pp. 20–21. 1915.
  injury by sapsuckers. Biol. Bul. 39, pp. 49, 88. 1911.
  planting, tillage, and pruning. F.B. 685, pp. 19–20. 1915.
  uses. F.B. 685, p. 21. 1915.
Triumph—
  effects of processing on condition of fruit. Chem. Bul. 141, pp. 20–29. 1911.
  new variety, origin, history, and description. Y.B., 1913, pp. 119–121. 1914; Y.B. Sep. 618, pp. 119–121. 1914.
Isuru, effects of processing on conditions of fruit. Chem. Bul. 141, pp. 20–29. 1911.
use in dyeing and tanning. Inv. No. 31488, B.P.I. Bul. 248, p. 19. 1912.
use in vinegar making. F.B. 1424, pp. 4, 7. 1924.
varieties—
  description, characteristics, and quality. F.B. 685, p. 24. 1915.
  importation and description. Nos. 38793, 39174, B.P.I. Inv. 40, pp. 29, 86. 1917.
  processing experiments, results. Chem. Bul. 155, 9–19. 1912.
  promising new, description. Y.B., 1908, pp. 482–485. 1909; Y.B. Sep. 496, pp. 482–485. 1909.
Virginia, characteristics, and cold resistance. Y.B., 1911, p. 418. 1912; Y.B. Sep. 580, p. 418. 1912.
Yemon, processing experiments. Chem. Bul. 155, pp. 8, 11. 1912.
Zengi, effects of processing on condition of fruit. Chem. Bul. 141, pp. 10, 20–29. 1911.
Zengi, processing experiments, results. Chem Bul. 155, pp. 8, 11, 14–18. 1912.
See also Kaki.
Personal-credit unions, aid to farmers. News L., vol. 6, No. 19. p. 8. 1918.

INDEX TO PUBLICATIONS, 1901–1925   1799

Personnel—
  Board, representative of department. Off. Rec. vol. 1, No. 3, p. 4. 1922.
  classification work. An. Rpts., 1923, p. 81. 1923; Sec. A.R., 1923, p. 81. 1923.
  Weather Bureau. Daniel J. Carroll. W.B. Bul. 31, pp. 35–41. 1902.
  policy. Off. Rec., vol. 3, No. 38, p. 4. 1924.
Persoonia—
  myrtilloides, importation and description. No. 44835, B.P.I. Inv. 51, p. 76. 1922.
  spp., importations and description. Nos. 40058–40060, B.P.I. Inv. 42, p. 61. 1918.
Perspiration, stains, removal from textiles. F.B. 861, p. 29. 1917.
Peru—
  agricultural education, progress, 1909. O.E.S. An. Rpt., 1909, p. 268. 1910.
  apple of. *See* Jimson weed.
  coffee production, exports and imports. Stat. Bul. 79, pp. 35–36. 1912.
  Experiment Station, establishment. O.E.S. An. Rpt., 1910, p. 88. 1911.
  importations and descriptions. Nos. 41097–41123, 41168–41243, B.P.I. Inv. 44, pp. 5–7, 37–41, 47–53. 1918.
  meat importation regulations. B.A.I.S.A. 58, p. 12. 1912.
  quarantine against cotton-boll weevil. Ent. Bul. 114, p. 168. 1912.
  sugar industry, 1910–1914. D.B. 473, pp. 30–31. 1917.
  weevils reared from cotton, descriptions. W. Dwight Pierce. Rpt. 102, pp. 16. 1915.
Peruleros, importations and description. Nos. 43398–43401, 43422, B.P.I. Inv. 49, pp. 6, 12, 15. 1921.
Peruvian balsam, detection in chocolate and confectionery. Chem. Bul. 132, p. 59. 1910.
"Pest-pear," Australia, a cactus of South American origin. F.B. 1072, p. 11. 1920.
Pest(s)—
  animal—
    control in young shelter belts. D.L.A. Cir. 4, p. 4. 1919.
  destruction—
    provision. Off. Rec., vol. 2, No. 3, p. 2. 1923.
    by use of poisons. Y.B., 1908, pp. 421–432. 1909; Y.B. Sep. 491, pp. 421–432. 1909.
    making profitable. Y.B., 1919, pp. 451–452, 484. 1920; Y.B. Sep. 823, pp. 451–452, 484. 1920.
  citrus—
    control methods, reasons for spraying. D.B. 645, pp. 1–19. 1918.
    introduction from Cuba. F.B. 1011, pp. 3–4, 12. 1919.
    list, and description of injury to trees and fruit. D.B. 645, pp. 2–4. 1918.
    collection from imported plants and plant products, 1923. F.H.B.S.R.A. Supp 77, pp. 175–222. 1924.
    cotton, description and control. Y.B., 1921, pp. 349–354. 1922; Y.B. Sep. 877, pp. 349–354. 1922.
    crop, control, county-agent work. S.R.S. Doc. 88, pp. 17–18. 1918.
  domestic, eradication, needs of farm women, and publications. Rpt., 103 pp. 85, 94. 1915; Rpt. 104, pp. 75–78, 85, 94. 1915; Rpt. 105, pp. 69, 82. 1915; Rpt. 106, pp. 72–73, 85. 1915.
  eradication, research, cooperation, and progress. Y.B., 1921, pp. 41–47. 1922; Y.B. Sep. 875, pp. 41–47. 1922.
  farm and orchard, field mice control. D.E. Lantz. F.B. 670, pp. 10. 1915.
  grain—
    control in growing grain. F.B. 704, pp. 31–32. 1916.
    parasites, description and habits. F.B. 1260, pp. 42–43. 1922.
    prevention and control. F.B. 1260, pp. 45–47. 1922.
    home garden, publications, use by teachers. D.C. 68, pp. 1–4. 1919.
  household—
    Argentine ant. E. R. Barber. F.B. 1101, pp. 11. 1920.
    book lice or psocids. E. A. Back. F.B. 1104, pp. 4. 1920.

Pest(s)—Continued.
  household—continued.
    control directions. F.B. 1180, pp 26–30. 1921.
    fleas, description and control. F.B. 683, pp. 1–15. 1915.
  insect—
    admitted after foreign inspection of plants. F.H.B.S.R.A. 61, p. 36. 1919.
  control—
    by beneficial parasites. Y.B., 1916, pp. 273–288. 1917; Y.B. Sep. 704, pp. 1–16. 1917.
    in potato fields. F.B. 1064, pp. 30–31. 1919.
    information for fruit growers. F.B. 908, pp. 1–99. 1918.
    importation control. Y.B., 1917, pp. 185–196. 1928; Y.B. Sep. 731, pp. 1–14. 1918.
    killing by carbon disulphide. F.B. 799, pp. 1, 10–12, 14–21. 1917.
    losses to farmers. Y.B., 1917, pp. 185–186. 1918; Y.B. Sep. 731, pp. 3–4. 1918.
    national control. Ent. Bul. 60, pp. 95–104. 1906.
    work summary, 1923. Off. Rec., vol. 2, No. 51, pp. 1–2. 1923.
  interception on foreign plants offered for entry, list, and countries. F.H.B.S.R.A. 72, pp. 29–36. 1922.
  moles, habits, and control. F.B. 1247, pp. 3–19. 1922.
  mushroom, control. C. H. Popenoe. F.B. 789, pp. 16. 1917.
  plant, avoidance in collecting plant materials for shipment. D.C. 323, pp. 1–2, 11. 1924.
  potato, prevention and control, methods. Hawaii Bul. 45, pp. 4–15. 1920.
  poultry, control. D.C. 16, pp. 1–8. 1919; F.B. 1110, p. 8. 1920.
  rodent—
    and insect, control in grain farming F.B. 800, pp. 15–17. 1917.
    control. Biol. Chief Rpt., 1921, pp 6–11. 1921.
    of the farm. David E. Lantz. F.B. 932, pp. 23. 1918.
    on farms, destruction. D.E. Lantz. Y.B., 1916, pp. 381–398. 1917; Y.B. Sep. 708, pp. 18. 1917.
  rye, including weeds, insects, and diseases, control. F.B. 894, pp. 13–14. 1917.
  soil, control in greenhouses. F.B. 1362, pp. 72–77. 1924.
  stored-grain. E A. Back and R. T. Cotton. F.B. 1260, pp. 47. 1922.
  wheat, control, insects, diseases, and weeds. F.B. 885, pp. 8–12. 1917.
Pestalozzia—
  funerea, cause of—
    fruit rot, temperature studies. J.A.R., vol. 8, pp. 142, 159. 1917.
    needle blight of conifers. D.B. 44, p. 15. 1913.
  hartigii, probable cause of stem-girdle disease of conifers. D.B. 44, p. 18. 1913.
  needle blight, conifer seedlings. D.B. 44, pp. 15–16. 1913.
  palmorum, cause of leaf spot of coconut. Guam A.R., 1917, p. 48. 1918.
  relation to coconut bud-rot. B.P.I. Bul. 228, pp. 22, 47, 158–159. 1912.
  spp., inoculation tests. J.A.R., vol. 15, p. 547. 1918.
  spp., occurrence on plants in Texas, and description. B.P.I. Bul. 226, pp. 65, 78. 1912.
Pestalozziella yuccae, occurrence on yucca in Texas. B.P.I. Bul. 226, p. 106. 1912.
Petals—
  arrangement in cotton plant. B.P.I. Bul. 222, p. 20. 1911.
  Pima cotton, spot inheritance. Thomas H. Kearney. J.A.R., vol. 27, pp. 491–512. 1924.
Petasites laevigatus, importation and description. No. 31980, B.P.I. Bul. 261, p. 14. 1912.
Petchary, Porto Rican, occurrence in Porto Rico, habits and food. D.B. 326, pp. 10–11, 78–80. 1916.
Peten, Guatemala, site of ancient cities. Off. Rec., vol. 1, No. 20, p. 1. 1922.
PETER, A. M.: Report of Kentucky Experiment Station, work and expenditures, 1917. S.R.S. An. Rpt., 1917, Pt. I, pp. 124–128. 1918.

PETER, ALBIN—
"Dairy and factory management." B.A.I. Dairy [Misc.], "World's dairy congress, 1923," pp. 242–245. 1924.
"The education of farmers and dairymen in Switzerland." B.A.I. Dairy [Misc.], "World's dairy congress, 1923," pp. 588–593. 1924.
PETER, P. N.: "Factors influencing the crystallization of lactose." With Alan Leighton. B.A.I. Dairy [Misc.], "World's dairy congress, 1923," pp. 477–488. 1924.
PETERS, E. T.—
"Influence of rye on the price of wheat." Y.B., 1900, pp. 167–182. 1901; Y.B. Sep. 209, pp. 167–182. 1901.
"Russian cereal crops: Area and production by governments and provinces." Stat. Bul. 84, pp. 99. 1911.
PETERS, E. W.: "The preservation of mine timbers." For. Bul. 107, pp. 27. 1912.
PETERS, J. G.—
"Forest conservation for States in the southern pine region." D.B. 364, pp. 14. 1916.
"Forest fire protection under the Weeks law in cooperation with States." For. Cir. 205, pp. 15. 1912.
"Forest fires in the United States in 1915." Sec. Cir. 69, pp. 6. 1917.
"Waste in logging southern yellow pine." Y.B., 1905, pp. 483–494. 1906; Y.B. Sep. 398, pp. 483–494. 1906.
PETERS, RICHARD—
breeding Angora goats, experiments. B.A.I. An. Rpt., 1900, pp. 286, 290–291, 346. 1901; B.A.I. Bul. 27, pp. 15, 17, 18, 20, 25. 1901.
importation of Angora goats. B.A.I. Bul. 27, pp. 15, 18. 1906.
Petersburg, Va., tobacco market and manufacturing center. B.P.I. Bul. 268, pp. 30–31. 1913.
PETERSON, E. G., report of Utah, extension work in agriculture and home economics—
1915. S.R.S. Rpt., 1915, Pt. II, pp. 304–310. 1916.
1916. S.R.S. Rpt., 1916, Pt. II, pp. 341–347. 1917.
PETERSON, P. P.: "Soil survey of—
Nez Perce and Lewis Counties, Idaho." Soil Sur. Adv. Sh., 1917, pp. 37. 1920; Soils F.O., 1917; pp. 2121–2153. 1923.
the Portneuf area, Idaho." With H. G. Lewis. Soil Sur. Av. Sh., 1918, pp. 51. 1921; Soils F.O., 1918, pp. 1497–1544. 1924.
PETERSON, W. A.—
"Egyptian cotton in the southwestern United States." With Thomas H. Kearney. B.P.I. Bul. 128, pp. 71. 1908.
"Experiments with Egyptian cotton in 1908." With Thomas H. Kearney. B.P.I. Cir. 29, pp. 22. 1909.
"The work of the Yuma Experiment Farm in 1912." B.P.I. Cir. 126, pp. 15–25. 1913.
PETERSON, W. H.—
"A study of the influence of inoculation upon the fermentation of sauerkraut." With others. J.A.R., vol. 30, pp. 955–960. 1925.
"Distribution of pentosans in the corn plant at various stages of growth." With J. H. Ver Hulst and E. B. Fred. J.A.R., vol. 23, pp. 655–663. 1923.
PETERSON, WILLIAM: "Origin of alkali." With Robert Stewart. J.A.R., vol. 10, pp. 331–353. 1917.
Petit gazon. See Carpet grass.
Petiveria alliacea, destruction by coffee-root fungus disease. P.R. Bul. 17, p. 17. 1915.
Petrea—
arborea, importations and descriptions. No. 49031, B.P.I. Inv. 61, pp. 5, 69. 1922; No. 50665, B.P.I. Inv. 64, p. 9. 1923.
volubilis, importations and descriptions. No. 36024, B.P.I. Inv. 36, p. 39. 1915; No. 54325, B.P.I. Inv. 68, p. 52. 1923.
Petrel—
fork-tailed, description and food. N.A. Fauna 21, p. 39. 1901; N.A. Fauna 46, p. 40. 1923.
Fulmar, Athabaska-Mackenzie region. N.A. Fauna 27, p. 274. 1908.
occurrence on Laysan Island, number and description. Biol. Bul. 42, pp. 18–19. 1912.
range and habits. N.A. Fauna 24, p. 54. 1904.

Petrochelidon lunifrons—
food habits, and occurrence in Arkansas. Biol. Bul. 38, p. 70. 1911.
See also Swallow, cliff.
Petrography—
application to analysis in chemical problems. D.B. 1108, pp. 2–4. 1922.
North Carolina soils, relation to fertilizer requirements. J.A.R., vol. 5, No. 13, pp. 569–582. 1915.
Petrol, use as vermicide in military camps. Sec. Cir. 61, p. 18. 1916.
Petrolatum—
source, use in waterproofing duck, and cost. F.B. 1157, pp. 11–13. 1920.
use in determining wilting coefficient. B.P.I. Bul. 230, pp. 13, 14, 49, 75. 1912.
Petroleum(s)—
analyses. Chem. Bul. 76, p. 49. 1903.
asphaltic—
analyses, use on roads, experiments. Rds. Cir. 99, pp. 6–9, 23. 1913.
and residual, application to roads; analyses, experiments. Rds. Cir. 99, pp. 6–9, 23–25. 1913.
for roads, analyses. Rds. Cir. 99, pp. 7, 23. 1913.
benzine, use as anthelmintic, effect. J.A.R., vol. 12, pp. 411–413. 1918.
classification, description, and value in road building. Rds. Cir. 93, pp. 6, 8, 14, 15, 16. 1911.
composition. Chem. Bul. 76, p. 49. 1903.
control of chinch bugs, directions. F.B. 657, pp. 21–24. 1915.
crude—
a year's experience. J. B. Smith. O.E.S. Bul. 115, pp. 118–119. 1902.
and refined, scale insecticide experiments. Ent. Bul. 30, pp. 33–34. 1901.
cattle dips, objections. B.A.I. An. Rpt., 1910, pp. 267–268. 1912; B.A.I. Bul. 144, pp. 8, 33. 1912.
effect upon plants. O.E.S. Bul. 99, p. 176. 1901.
emulsion—
formula and preparation. F.B. 908, pp. 29–30. 1918.
preparation. T. M. Price. B.A.I. Cir. 89, pp. 4. 1905.
formula. F.B. 723, p. 12. 1916.
use—
as Argentine ant repellent. Ent. Bul. 122, p. 6. 1913.
as spray for poultry mites. News L., vol. 4, No. 40, p. 6. 1917.
in control of hen mites. F.B. 889, pp. 19–20. 1917.
in control of hog lice and mange. F.B. 1085, p. 18. 1920.
in emulsion, formula. Ent. Cir. 121, p. 14. 1910.
on insects, O.E.S. Bul. 99, p. 176. 1901.
with kerosene, use in spraying poultry mites, and method. F.B. 801, pp. 7, 10. 1917.
dips for cattle scab, directions for use. F.B. 1017, pp. 21–22. 1919.
emulsions—
formulas for spraying or dipping cattle. F.B. 378, pp. 21–22, 25. 1909; F.B. 498, pp. 26–27. 1912.
with hypophosphites, misbranding. Chem. N.J. 4108, p. 1. 1916.
ether method, nicotine determination. B.A.I. Bul. 133, pp. 8–10. 1911.
ether, nicotine extraction experiments. B.P.I. Bul. 141, pp. 8, 10–13, 16. 1909.
injurious to vitality of seed. For. Bul. 98, p. 39. 1911.
insecticides, experiments, results. O.E.S. An. Rpt., 1905, pp. 249–254. 1906.
oil(s)—
as insecticides, value, and application. F.B. 127, pp. 16–21. 1901.
for eradication of cattle ticks, application, and cost. B.A.I. Cir. 110, pp. 10–13. 1907.
sprays, formulas. Ent. Cir. 124, pp. 16–17. 1910; F.B. 908, pp. 28–36. 1918.
use—
against dog mange. D.C. 338, pp. 5, 10. 1925.

Petroleum(s)—Continued.
 oil(s)—continued.
  use—continued.
   against San José scale. F.B. 650, rev., pp. 20-21. 1919.
   in sprays for orchard insects, formulas. Y.B. 1908, pp. 278-279. 1909; Y.B. Sep. 480, pp. 278-279. 1909.
   on road surfaces. Y.B. 1907, p. 260. 1908; Y.B. Sep. 448, p. 260. 1908.
   washes, description, and formulas. F.B. 650, pp. 23-27. 1915.
  relation to potato growing in United States. D.B. 47, p. 6. 1913.
  residuum, use in water proofing cellars. Y.B., 1919, pp. 439-441. 1920; Y.B. Sep. 824, pp. 439-441. 1920.
  road binding, experiments, and cost. Rds. Cir. 94, pp. 33-38. 1911.
  road surfacing, analyses, and use. D.B. 407, pp. 25, 26, 29, 37, 42, 50-51, 52-53, 56, 63. 1916.
  use—
   as—
    fly repellent, formulas, and experiments. D.B. 131, pp. 8, 9. 1914.
    road material. Rds. Bul. 38, pp. 7-8. 1911.
    timber preservative. For. Bul. 84, pp. 26, 28. 1911.
   for dust, specifications. D.B. 691, p. 4. 1918.
   in control of—
    fleas. D.B. 248, p. 25. 1915.
    fowl ticks, method and cost. F.B. 1070, pp. 9-14. 1919.
    weeds. D.B. 247, pp. 18, 19. 1915.
   limitation on road work. News L., vol. 5, No. 43, p. 7. 1918.
   on poles or posts for preservation. F.B. 320, p. 31. 1908.
   varieties, use in road experiments, 1914, reports. D.B. 257, pp. 1-42, 1915.
  See also Kerosene.
Petrophila—
 pulchella, importation, and description. No. 44836, B.P.I. Inv. 51, p. 76. 1922.
 spp., importations and description. Nos. 40061-40062, B.P.I. Inv. 42, p. 62. 1918.
Petroselinum sativum. See Parsley.
PETTIGREW, R. L.: "Increased yield of turpentine and rosin from double chipping." With A. W. Schorger. D.B. 567, pp. 9. 1917.
PETTIS, C. R.: "How to grow and plant conifers in the Northeastern States." For. Bul. 76, pp. 36. 1909.
Pettis seed-bed frame, description. D.B. 479, pp. 30-31. 1917.
PETTIT, J. H.—
 "Official and provisional methods of analysis, Association of Official Agricultural Chemists." With others. Chem. Bul. 107, pp. 230. 1907.
 report on soils, analysis, 1907. Chem. Bul. 116, pp. 89-92. 1908.
Petunia(s)—
 description—
  cultivation, and characteristics. F.B. 1171, pp. 65-67, 81. 1921.
  suggestions for growing as window garden plant. B.P.I. Doc. 433, p. 6. 1909.
 growing in Alaska. Alaska A.R., 1918, p. 52. 1920.
 hybrida, host of Phytophthora infestans. B.P.I. Bul. 245, p. 26. 1914.
 importation and description. No. 51109, B.P.I. Inv. 64, p. 57. 1923.
Peucaea spp. See Sparrow.
Peucedanum ostruthium, importation and description. No. 52860, B.P.I. Inv. 67, p. 6. 1923.
Peumo, importation and description. No. 54629, B.P.I. Inv. 69, pp. 4, 29. 1923.
Peumus boldus. See Boldo.
Pewee—
 protection by law. Biol. Bul. 12, rev., pp. 38, 40, 41. 1902.
 western wood, food habits, relation to agriculture. Biol. Bul. 34, pp. 39-41. 1910.
 wood—
  food habits and occurrence in Arkansas. Biol. Bul. 38, p. 54. 1911.
  occurrence, habits, and food. Biol. Bul. 44, pp. 44-49. 1912.

Pewee—Continued.
 wood—continued.
  Porto Rican, occurrence in Porto Rico, habits and food. D.B. 326, pp. 83-84. 1916.
  western, occurrence, habits, and food. Biol. Bul. 44, pp. 49-51. 1912.
 See also Flycatcher.
Peyote, importations, prohibition. Chem. S.R.A. 13, p. 3. 1915.
PEYTON, J. S.: "State forestry laws—
 California." For. Laws Leaf. 25, pp. 23. 1921; For. Misc. S-29, pp. 23. 1921.
 Colorado." For. Laws Leaf. 21, pp. 9. 1917; For. Misc. S-25, pp. 9. 1917.
 Connecticut." For. Laws Leaf. 18, pp. 12. 1916; For. Misc. S-21, pp. 12. 1916.
 Idaho." For. Laws Leaf. 8, pp. 5. 1915; For. Misc. S-9, pp. 5. 1915.
 Illinois." For. Laws Leaf. 16, pp. 6. 1916; For. Misc. S-17, pp. 6. 1916.
 Indiana." For. Laws Leaf. 13, pp. 5. 1915; For. Misc. S-14, pp. 5. 1915.
 Louisiana." For. Laws Leaf. 2, pp. 7. 1915; For. Misc. S-3, pp. 7. 1915.
 Maryland." For. Laws Leaf. 4, pp. 6. 1915; For. Misc. S-5, pp. 6. 1915.
 Massachusetts." For. Laws Leaf. 19, pp. 21. 1917; For. Misc. S-22, pp. 21. 1917.
 Minnesota." For. Laws Leaf. 14, pp. 14. 1916; For. Misc. S-15, pp. 14. 1916.
 Missouri." For. Laws Leaf. 5, pp. 2. 1915; For. Misc. S-6, pp. 2. 1915.
 Montana." For. Laws Leaf. 15, pp. 6. 1916; For. Misc. S-16, pp. 6. 1916.
 New Hampshire." For. Laws Leaf. 20, pp. 13. 1917; For. Misc. S-24, pp. 13. 1917.
 New Jersey." For. Laws Leaf. 11, pp. 7. 1913; For. Misc. S-12, pp. 7. 1913.
 New York." For. Laws Leaf. 23, pp. 40. 1918; For. Misc. S-27, pp. 40. 1918.
 North Carolina." For. Laws Leaf. 3, pp. 5. 1915; For. Misc. S-4, pp. 5. 1915.
 of 1921." D.C. 239, pp. 28. 1922.
 Ohio." For. Laws Leaf. 17, pp. 4. 1916; For. Misc. S-20, pp. 4. 1916.
 Oregon." For. Laws Leaf. 9, pp. 7. 1915; For. Misc. S-10, pp. 7. 1915.
 Pennsylvania." For. Laws Leaf. 26, pp. 42. 1921; For. Misc. S-30, pp. 42. 1921.
 Texas." For. Laws Leaf. 6, pp. 3. 1915; For. Misc. S-7, pp. 5. 1915.
 Vermont." For. Laws Leaf. 24, pp. 17. 1920; For. Misc. S-28, pp. 17. 1920.
 Virginia." For. Laws Leaf. 7, pp. 6. 1915; For. Misc. S-8, pp. 6. 1915.
 Washington." For. Laws Leaf. 12, pp. 8. 1915; For Misc. S-13, pp. 8. 1915.
 West Virginia." For. Laws Leaf. 22, pp. 10. 1918; For. Misc. S-26, pp. 10. 1918.
 Wisconsin." For. Laws Leaf. 1, pp. 16. 1915; For. Misc. S-2, pp. 16. 1915.
 Wyoming." For. Laws Leaf. 10, pp. 3. 1915; For. Misc. S-11, pp. 3. 1915.
Pezomachus thripites, parasite of wheat thrips, discovery. Ent. T.B. 23, Pt. II, p. 25. 1912.
Pezoporus tenthredinarum, enemy of sawfly leaf miner. J.A.R., vol. 5, No. 12, p. 527. 1915.
PFAENDER, MAX: "Fruit growing on the northern Great Plains." D.C. 58, pp. 12. 1919.
Phacelia spp., resistance to teliospores of Puccinia triticina. J.A.R., vol. 22, pp. 155-172. 1921.
Phaedon aeruginosa. See Water cress leaf beetle.
Phaethon spp. See Tropic birds.
Phaethontidae, Laysan Island, number and description. Biol. Bul. 42, p. 19. 1912.
Phagocytosis, insect, pathology discussion. J.A.R., vol. 18, pp. 417-422. 1920.
Phalacrocorax spp. See Cormorants.
Phalaena—
 bipunctalis, similarity to Pectinophora gossypiella. J.A.R., vol. 20, p. 830. 1921.
 phytolaccae, description. Ent. Bul. 66, p. 57. 1910.
 spp. See Moth, poke-weed.
 tripunctata, name given sweet-potato leaf-folder. D.B. 609, p. 2. 1917.
Phalanges, fractures, treatment. B.A.I. [Misc.], "Diseases of the horse," rev., pp. 326-327. 1903; rev., pp. 326-327. 1907; rev., pp. 326-327. 1911; rev., pp. 351-352. 1923.

Phalarideae genera, key, and descriptions of grasses. D.B. 772, pp. 17, 199–204. 1920.
Phalaris—
　arundinacea, distribution, description, and feed value. D.B. 201, p. 36. 1915.
　bulbosa, importations and descriptions. No. 53241, B.P.I. Inv. 67, p. 43. 1923; No. 55067, B.P.I. Inv. 71, p. 19. 1923.
　canariensis See Canary grass.
　spp., description, distribution, and uses. D.B. 772, pp. 17, 202–204. 1920.
　spp., importations and description. Nos. 46952, 46955, B.P.I. Inv. 58, pp. 6, 10. 1922.
Phalarope(s)—
　American, distribution and food habits. D.B. 1359, pp. 1–12. 1925.
　breeding grounds, Great Plains, description. Y.B., 1917, pp. 198–200. 1918; Y.B. Sep. 723, pp. 4–6. 1918.
　northern—
　　breeding range and migration habits. Biol. Bul. 35, pp. 16–18. 1910.
　　distribution and food habits. D.B. 1359, pp. 4–8. 1925.
　range and habits. N.A. Fauna 21, p. 73. 1901.
　occurrence in Pribilof Islands and food habits. N.A. Fauna 46, pp. 63–65. 1923.
　range and habits. N.A. Fauna 22, pp. 93–94. 1902; N.A. Fauna 24, pp. 22, 61. 1904.
　range, occurrence and names. M.C. 13, pp. 47–48. 1923.
　red, breeding range and migration habits. Biol. Bul. 35, pp. 14–16. 1910.
　red, distribution and food habits. D.B. 1359, pp. 2–4. 1925.
　varieties—
　　breeding range and migration habits. Biol. Bul. 35, pp. 14–19. 1910.
　　in Athabaska-Mackenzie region. N.A. Fauna 27, pp. 315–316. 1908.
　Wilson—
　　breeding range and migration habits. Biol. Bul. 35, pp. 18–19. 1910.
　　distribution and food habits. D.B. 109, p. 6. 1914; D.B. 1359, pp. 8–12. 1925.
Phalaropodidae. See Phalaropes.
Phalaropus—
　fulicarius, breeding range and migration habits. Biol. Bul. 35, pp. 14–16. 1910.
　spp. See Phalarope.
Phaleria blumei, importation and description. No. 40337, B.P.I. Inv. 42, p. 108. 1918.
Phallacea—
　classification, key to genera, and description of species. D.B. 175, pp. 47–48. 1915.
　See Fungus, stinkhorn.
Phalonia cephalanthana, n. sp. J.A.R., vol. 20, pp. 825–826. 1921.
Phaloniidae, similarity of one species to Pectinophora gossypiella. J.A.R., vol. 20, pp. 825–826. 1921.
Phanerotoma, parasite of the lesser apple worm. Ent. Bul. 80, Pt. III, p. 50. 1909.
Pharaxonotha kirschi. See Grain beetle, Mexican.
Pharmacists, carelessness in dispensing drugs, control. An. Rpts., 1918, p. 207. 1918; Chem. Chief Rpt., 1918, p. 7. 1918.
Pharmacology of gossypol. Erich W. Schwartze and Carl L. Alsberg. J.A.R., vol. 28, pp. 191–198. 1924.
Pharmacopoeia, names recognized in index, regarded as drugs. Chem. S.R.A. 16, p. 30. 1916.
Pharyngitis, cattle, symptoms and treatment. B.A.I. [Misc.], "Diseases of cattle," rev., p. 19. 1908; rev., pp. 21–22. 1904; rev., pp. 19–20. 1912; rev., pp. 17–18. 1923.
Pharynx, paralysis, symptoms and treatment. B.A.I. [Misc.], "Diseases of the horse," rev., p. 46. 1903; rev., p. 46. 1907; rev., p. 46. 1911; rev., pp. 61–62. 1923.
Phaseoli, group of Phytophora genus, technical description. J.A.R., vol. 8, p. 271. 1917.
Phaseolus—
　acutifolius, digestibility. J.A.R., vol. 29, pp. 205–208. 1924.
　genus, comparison with Vigna. B.P.I. Bul. 229, p. 7. 1912.
　mungo, growing in Porto Rico, and uses. P.R. An. Rpt., 1916, p. 21. 1918.

Phaseolus—Continued.
　sphaerospermus, description. B.P.I. Bul. 229, p. 10. 1912.
　spp.—
　　classification, discussion. D.B. 119, pp. 1–2, 16–17, 26. 1914.
　　forage-crop experiments in Texas. B.P.I. Cir. 106, p. 25. 1913.
　　importations and descriptions. Nos. 36395–36484, 36838–36840, 36861, 36907, 36909–36912, 36921–36924, B.P.I. Inv. 37, pp. 21, 71, 75, 82, 83. 1916; Nos. 41882, 41928, 41951, 42045, 42056, 42062, 42064, 42075, 42270, B.P.I. Inv. 46, pp. 6, 28, 35, 38, 49, 50, 51, 52, 54, 70. 1919; Nos. 43391, 43520–43526, B.P.I. Inv. 49, pp. 11, 38–39. 1921; Nos. 44215–44217, 44222–44228, 44232, B.P.I. Inv. 50, pp. 43–44. 1922; Nos. 45296–45300, 45318, 45501, 45602, 45615, 45623, B.P.I. Inv. 53, pp. 22, 25, 41, 67, 70, 72. 1922; Nos. 48472, 48523–48545, 48779–48780, B.P.I. Inv. 61, pp. 12, 20, 46–47. 1922; Nos. 51449–51450, 51528, 51649–51650, 51701, 52184–52209, B.P.I. Inv. 65, pp. 18, 23, 35, 38, 78–79. 1923.
　seed, analyses. D.B. 119, p. 30. 1914.
　See also Beans.
　vulgaris—
　　seed, fumigation experiments. D.B. 186, p. 5. 1915.
　　seedlings growth, relation to temperature and weight of seeds. Willem Rudolfs. J.A.R., vol. 26, pp. 537–539. 1923.
　　varietal—
　　　susceptibility. J.A.R., vol. 21, pp. 385–404. 1921.
　　test for disease resistance. J.A.R., vol. 31, pp. 101–154. 1925.
Phasiandae, hosts of eye parasite. B.A.I. Bul. 60, p. 47. 1904.
Phasianus spp. See Pheasants.
Pheasants—
　breeding—
　　and mating. F.B. 390, pp. 18, 25–26. 1910.
　　to increase supply. D.B. 1049, pp. 42, 44. 1922.
　Chinese—
　　enemy of cutworms, Hawaii. Hawaii Bul. 27, p. 9. 1912.
　　injury to corn seed, control measures. D.C. 110, p. 12. 1920.
　diseases. George Byron Morse. F.B. 390, pp. 35–40. 1910.
　disinfection of runs, houses, etc., directions. F.B. 390, pp. 35–36, 37, 40. 1910.
　distribution, economic value, and food habits. F.B. 497, pp. 13–14. 1912.
　driving in England, and Germany. F.B. 390, p. 12. 1910.
　eggs, incubation period. F.B. 585, p. 3. 1914.
　English, description, origin and distribution, and price. F.B. 390, pp. 5, 11–12, 20. 1910.
　food value and use. D.B. 467, pp. 7, 21, 27. 1916.
　foreign, importations. An. Rpts., 1923, pp. 460, 461. 1923; Biol. Chief Rpt., 1923, pp. 42, 43. 1923.
　game, value in game preserves. F.B. 390, p. 19. 1910.
　golden—
　　description, origin and value. F.B. 390, pp. 9, 20. 1910.
　　disease caused by Hetarakis papillosa. An. Rpts., 1909, p. 224. 1910; B.A.I. An. Rpt., 1909, p. 40. 1911; B.A.I.Chief Rpt., 1909, p. 34. 1909.
　Hangenback, description, and value, note. F.B. 390, p. 19. 1910.
　hunting laws, Montana and Idaho. For. [Misc.], "Trespass on national * * *," pp. 28, 44. 1922.
　hybrid with bantam, breeding experiment, Rhode Island. O.E.S. An. Rpt., 1909, p. 179. 1910.
　importation—
　　1906–1915, results. D.B. 1049, p. 36. 1922.
　　list of varieties. F.B. 197, pp. 7, 9, 10–13. 1904.
　imported, conditions, 1909. Biol. Cir. 73, p. 6. 1910.
　intestinal worms, treatment and prevention. F.B. 390, p. 39. 1910.
　killing, records in various States. D.B. 1049, pp. 19–22. 1922.
　Lady Amherst, description, origin, and value. F.B. 390, pp. 9, 20, 21. 1910.

INDEX TO PUBLICATIONS, 1901-1925   1803

Pheasants—Continued.
  live, packing for shipment. F.B. 390, p. 34. 1910.
  marketing, demands, and shipping methods. F.B. 390, pp. 33-34. 1910.
  mite, injuries to bird, and treatment. F.B. 390, p. 39. 1910.
  origin and characteristics. F.B. 390, pp. 5-11, 19. 1910.
  pens, construction and care. F.B. 390, pp. 21-23. 1910.
  prices per pair. F.B. 390, p. 20. 1910.
  Prince of Wales, description and value. F.B. 390, p. 19. 1910.
  propagation methods, breeding and care. F.B. 390, pp. 20-33. 1910.
  raising—
    historical notes, Europe and United States. F.B. 390, pp. 11-19. 1910.
    in—
      New Jersey, adverse legislation. Biol. Cir. 72, p. 9. 1910.
      United States. Henry Oldys. F.B. 390, pp. 40. 1910.
  Reeves, description and value. F.B. 390, pp. 8, 19, 21. 1910.
  Ringneck, description, origin, and crossing with English pheasant. F.B. 390, pp. 5, 12. 1910.
  silver, origin and price. F.B. 390, pp. 9, 20. 1910.
  stocking game covers. F.B. 390, pp. 17-19. 1910.
  versicolor, Japanese, description, characteristics, and uses. F.B. 390, pp. 12, 19. 1910.
  young—
    gapes outbreak. D.B. 939, p. 10. 1921.
    rearing, feeding, and care. F.B. 390, pp. 28-33. 1910.
Phedrin, misbranding. Chem. N.J. 4136. 1916.
Pheidole—
  mecacophala—
    enemy of Mediterranean fruit fly. D.B. 536, p. 77. 1918.
    predacious enemy of the fruit fly. J.A.R., vol. 15, pp. 464-465. 1918.
    See Ant, Madeira.
  sp., boll weevil enemies. Ent. Bul. 100, pp. 41, 71-72. 1912; Ent. Bul. 114, p. 140. 1912.
Phellandrene content of western pine oleoresins. For. Bul. 119, pp. 24, 27. 1913.
Phellodendron sachalinense, importation and description. No. 30864, B.P.I. Bul. 242, p. 47. 1912; No. 44242, B.P.I. Inv. 50, p. 46. 1922.
Phellomyces sclerotiophorus, fungus relation to silver scurf of potato. B.P.I. Cir. 127, pp. 18-19. 1913.
Phenacetin—
  acetanilid, and antipyrin, harmful effects. L. F. Kebler and others. Chem. Bul. 126, pp. 85. 1909.
  analysis methods, commercial status. Chem. Bul. 80, pp. 27-47. 1904.
  consumption in United States. F.B. 393, p. 3. 1910.
  harmful effects, also acetanilid and antipyrin. Chem. Bul. 126, pp. 1-85. 1909.
  manufacture, methods. Chem. Bul. 80, pp. 37, 38. 1904.
  patents and trade marks. Chem. Bul. 80, pp. 33-36. 1904.
  poisoning, literature, and abstracts of cases. Chem. Bul. 126, pp. 79-85. 1909.
  smuggling into United States, prosecutions. Chem. Bul. 80, pp. 46-47. 1904.
  tablets, adulteration and misbranding. Chem. N.J. 4048. 1916.
  tests, physical and chemical for melting points, etc. Chem. Bul. 80, pp. 38-40. 1904.
  use as drug, effects, results of investigations, and caution. F.B. 377, pp. 3-9, 15-16. 1909.
Phenacomys—
  mackenzii, range and habits. N.A. Fauna 22, p. 50. 1902.
  mountain, occurrence in Colorado, description. N.A. Fauna 33, pp. 119-120. 1911.
  Preble, occurrence in Colorado, description. N.A. Fauna 33, p. 120. 1911.
  varieties, in Athabaska-Mackenzie region, description. N.A. Fauna 27, pp. 177-178. 1908.
Phenetols, discovery, preparation methods, and investigation. Chem. Bul. 80, pp. 27-29. 1904.
"Pheno-chloro", misbranding. I. and F. Bd. N.J. 13, p. 1. 1913.

Phenol(s)—
  Compound No. 1, spraying experiments. D.B. 1032, p. 26. 1922.
  detection in—
    canned meat, method. Chem. Bul. 13, Pt. X, pp. 1393-1394. 1902.
    liqueurs, Melzer method. Chem. Bul. 152, p. 195. 1912.
  dilution for car disinfectant. B.A.I.O. 292, p. 5. 1925.
  effect on eggs of Ascaris spp. J.A.R., vol. 27, pp. 170-174. 1924.
  estimation in saponified cresol solution, and fractional distillation. D.B. 1308, pp. 8-17, 20-21. 1924.
  liquefied, preparation, directions. Y.B., 1911, p. 181. 1912; Y.B. Sep. 559, p. 181. 1912.
  relation to aroma of plants. B.P.I. Bul. 195, pp. 10, 39. 1910.
  sodique, misbranding. See Indexes, Notices of Judgment, in bound volumes and in separates published as supplements to Chemistry Service and Regulatory Announcements.
  spraying tests as insecticides. D.B. 1160, pp. 6, 8, 9. 1923.
  use—
    as anthelmintics, effects on sheep and dogs. J.A.R., vol. 12, pp. 413-414. 1918.
    as disinfectant—
      advantages and disadvantages. F.B. 926, pp. 6-7. 1918.
      regulation. B.A.I.O. 210, Amdt. 5, p. 2. 1915.
    in preparation of anti-hog-cholera serums. J.A.R., vol. 6, No. 9, p. 336. 1916.
  yield from horsemint. D.B. 372, p. 6. 1916.
  See also Carbolic acid.
Phenolene, misbranding, N.J. 916. I. and F. Bd. S.R.A. 47, p. 15. 1924.
Phenological records—
  apple varieties. B.P.I. Bul. 194, pp. 53-87. 1911.
  apples and peaches, Ozark region and list of observers. B.P.I. Bul. 275, pp. 65-86. 1913.
  orchard fruits in Piedmont and Blue Ridge region. B.P.I. Bul. 135, pp. 71-95. 1908.
Phenology—
  data, discussion. J. Warren Smith. W.B. Bul. 31, pp. 196-198. 1902.
  definition of term. B.P.I. Bul. 194, p. 53. 1911.
  observations at Wauseon, Ohio. J. Warren. Smith. W.B. [Misc.], "Proceedings, third convention * * *," pp. 211-230. 1904.
Phenolphthalein—
  preparation, and use in plant culture experiments Soils Bul. 56, pp. 19, 23. 1909.
  test, rock powders, discussion. Chem. Bul. 92, pp. 9-12. 1905.
  use in—
    denatured alcohol. Chem. Bul. 130, p. 79. 1910.
    formaldehyde test of ammonium salts. Chem. Bul. 150, pp. 47, 48. 1912.
Phenos, determination. B.A.I. Bul. 107, pp. 13-17, 27-30. 1908.
Phidippus spp., enemies of leaf hoppers. Ent. Bul. 108, p. 34. 1912.
Philacte canagica. See Goose, emperor.
Philadelphia—
  dietary studies in public institutions. O.E.S. Bul. 223, pp. 7-14, 83, 94, 98. 1910.
  market—
    milk, tubercle bacilli, investigations. B.A.I. An. Rpt., 1909, pp. 163-177. 1911.
    preferences in grapes. D.B. 861 p. 51. 1920.
    station, lines of work. Y.B., 1919, p. 96. 1920; Y.B. Sep. 797, p. 96. 1920.
  statistics for—
    dairy products, 1918-1920. D.B. 982, pp. 142, 144, 145, 148, 149, 153. 1921.
    fruits and vegetables, 1919 and 1920. D.B. 982, pp. 224, 225, 244, 251-256, 258, 260, 262-264. 1921.
    meat, 1910-1920. D.B. 982, pp. 104, 108, 117-121, 128-129. 1921.
  trains, facilities, rates, and methods. Y.B., 1916, pp. 480-482. 1917; Y.B. Sep. 701, pp. 4-6. 1917.

36167°—32——114

Philadelphia—Continued.
  milk supply—
    change since 1870. D.B. 177, p. 14. 1915.
    statistics, officials, prices and laws. B.A.I. Bul. 46, pp. 28, 144–145, 205, 207. 1903.
  potato market methods. F.B. 1317, p. 31. 1923.
  Textile School, fiber-testing machine, description. J.A.R., vol. 4, p. 384. 1915.
  trade center for farm products, statistics. Rpt. 98, pp. 287–290. 1913.
Philadelphus—
  satsumanus, importation and description. No. 43860, B.P.I. Inv. 49, p. 87. 1921.
  spp., importations and description. Nos. 49048–49950, B.P.I. Inv. 63, p. 23. 1923.
  spp. See also Mock orange.
Philesia magellanica, importation and description. No. 52596, B.P.I. Inv. 66, pp. 2, 48. 1923.
Philippine downy mildew of corn—
  causes and control. B.P.I. Chief Rpt., 1921, p. 36. 1921.
  conidia production and spread. William H. Weston, jr. J.A.R., vol. 23, pp. 239–278. 1923.
Philippine Islands—
  agricultural—
    investigation. Y.B., 1901, pp. 503, 519–526. 1902; Y.B. Sep. 252, pp. 519–526. 1902.
    statistics, 1911–1920. D.B. 987, pp. 65–66. 1921.
  Arbor Day observance, good results. D.C. 265, p. 6. 1923.
  binder-twine fiber source. D.B. 930, pp. 3–8. 1920.
  Bureau of Agriculture, cooperative fiber work. D.B. 930, pp. 9–18. 1920.
  cacao and coconut diseases, comparative study. J.A.R., vol. 25, pp. 267–284. 1923.
  citrus white fly investigations. Ent. Bul. 120, p. 25. 1913.
  coconut bud-rot prevalence. B.P.I. Bul. 228, p. 19. 1912.
  coffee production, exports and imports. Stat. Bul. 79, pp. 67–69. 1912.
  domestic exports farm and forest products from United States, 1904–1906. Stat. Bul. 54, pp. 23–27. 1907.
  drug laws. Chem. Bul. 98, pp. 166–168. 1906; rev., Pt. I, pp. 255–269. 1909.
  farm and forest products, shipments to United States, 1905–1907. Stat. Bul. 70, pp. 13, 16. 1909.
  fiber growing for binder twine. Y.B., 1918, pp. 363–364. 1919; Y.B. Sep. 790, pp. 9–10. 1919.
  food laws, 1903. Chem. Bul. 83, Pt. I, pp. 102–103. 1904.
  food laws—
    1905. Chem. Bul. 69, rev., Pt. VI, pp. 547–548. 1905.
    1907. Chem. Bul. 112, Pt. II, pp. 63–67. 1908.
    and officials. Chem. Cir. 16, pp. 17, 28. 1904.
    enforcement. Chem. Cir. 16, rev., p. 20. 1908.
  forests, area and value. F.B. 358, p. 45. 1909.
  fruit stocks, cuttings, buds, and scions, quarantine. F.H.B. Quar. 44, pp. 2. 1920.
  fruit trade with United States. D.C. 146, p. 4. 1920.
  hemp production. Off. Rec., vol. 4, No. 49, pp. 1–2. 1925.
  imports by United States of domestic farm and forest products, 1904–1906. Stat. Bul. 54, p. 39. 1907.
  maize-mildew investigations. J.A.R., vol. 19, pp. 97–122. 1920.
  nursery stock inspection, officials. F.H.B.S.R.A. 20, p. 75. 1915; F.H.B.S.R.A. 32, p. 120. 1916.
  officials, dairy, drug, feeding stuffs and food. See Dairy officials; Drug officials.
  plant importations by mail. F.H.B.S.R.A. 27, pp. 55–56. 1916.
  production of binder twine, 1920, 1921. B.P.I. Chief Rpt., 1921, p. 45. 1921.
  rice straighthead, occurrence. F.B. 1212, p. 4. 1921.
  rubber and corn lands. Off. Rec., vol. 4, No. 38, p. 3. 1925.
  rubber sources. Off. Rec., vol. 3, No. 16, p. 3. 1924.
  shipments—
    of farm and forest products—
      from United States, 1905–1907. Stat. Bul. 71, pp. 23–25. 1909.

Philippine Islands—Continued.
  shipments—continued.
    of farm and forest products—continued.
      to and from United States, 1901–1908, tables. Stat. Bul. 77, pp. 16, 18, 19, 20, 30–33. 1910.
      to and from United States, 1901–1909, and 1907–1909, tables. Stat. Bul. 83, pp. 17, 18, 19, 20, 30–34. 1910.
      to and from United States, 1901–1910, 1908–1910, tables. Stat. Bul. 91, pp. 17, 18, 19, 20, 30–33. 1911.
      to and from United States, 1901–1911, tables. Stat. Bul. 96, pp. 17, 18, 20, 30–33. 1912.
      to United States, 1906–1908. Stat. Bul. 76, p. 17. 1909.
      to United States, 1907–1909. Stat. Bul. 82, pp. 14–17. 1910.
      to the United States, 1908–1910. Stat. Bul. 90, pp. 15, 18. 1911.
      to the United States, 1909–1911. Stat. Bul. 95, pp. 15, 18. 1912.
      to and from United States. Y.B., 1919, pp. 162–163. 1920; Y.B. Sep. 805, pp. 162–163. 1920.
  sugar—
    acreage and production. Sec. [Misc.], Spec., "Geography * * * world's agriculture," pp. 72, 76. 1917.
    industry, 1902–1914. D.B. 473, pp. 18–20. 1917.
    production, 1856–1921. Y.B., 1921, p. 657. 1922; Y.B. Sep. 869, p. 77. 1922.
  tobacco, acreage, production, exports, and consumption. Sec. [Misc.], Spec., "Geography * * * world's agriculture," pp. 61, 62, 65. 1917.
  trade in animal products. 1904. B.A.I. An. Rpt., 1904, pp. 505. 1905.
  trade with United States. D.B. 296, pp. 5, 8–44. 1915.
PHILIPS, A. G.—
  "Green feed versus antiseptics as a preventive of intestinal disorders of growing chicks." With others. J.A.R., vol. 20, pp. 869–873. 1921.
  "Meat scraps versus soybean proteins as a supplement to corn for growing chicks." With others. J.A.R., vol. 18, pp. 391–398. 1920.
PHILLIPS, C. E.: "Corn rootrot studies." With Thomas F. Mann. J.A.R., vol. 27, pp. 957–964. 1924.
PHILLIPS, E. F.—
  "A brief survey of Hawaiian beekeeping." Ent. Bul. 75, Pt. V, pp. 43–58. 1909.
  "A wasted sugar supply." Y.B., 1917, pp. 395–400. 1918; Y.B. Sep. 747, pp. 8. 1918.
  "Beekeeping in the buckwheat region." With George S. Demuth. F.B. 1216, pp. 26. 1922.
  "Beekeeping in the clover region." With George S. Demuth. F.B. 1215, pp. 27. 1922.
  "Beekeeping in the tulip-tree region." With George S. Demuth. F.B. 1222, pp. 25. 1922.
  "Bees." F.B. 397, pp. 44. 1910; F.B. 447, pp. 48. 1911.
  "Control of American foulbrood." F.B. 1084, pp. 15. 1920.
  "Historical notes on the causes of bee diseases." With G. F. White. Ent. Bul. 98, pp. 96. 1912.
  "La apicultura Portorriqueña." P.R. Bul. 15, pp. 28. (Spanish edition.) 1915.
  "Outdoor wintering of bees." With George S. Demuth. F.B. 695, pp. 12. 1915.
  "Porto Rican beekeeping." P.R. Bul. 15, pp. 24. 1914.
  "Production and care of extracted honey." Ent. Bul. 75, pp. 1–15. 1911; Ent. Bul. 75, Pt. I, pp. 1–15. 1907.
  "Spring care of bees." News L., vol. 3, No. 30, pp. 3–4. 1916.
  "The bee louse, Braula coeca, in the United States." D.C. 334, pp. 12. 1925.
  "The brood diseases of bees." Ent. Cir. 79, pp. 5. 1906.
  "The control of European foulbrood." F.B. 975, pp. 16. 1918.
  "The insulating value of commercial double-walled beehives." D.C. 222, pp. 10. 1922.
  "The occurrence of bee diseases in the United States." Ent. Cir. 138, pp. 25. 1911.
  "The occurrence of diseases of adult bees." D.C. 218, pp. 16. 1922; D.C. 287, pp. 34. 1923.

PHILLIPS, E. F.—Continued.
"The preparation of bees for outdoor wintering." With George S. Demuth. F.B. 1012, pp. 24. 1918.
"The rearing of queen bees." Ent. Bul. 55, pp. 32. 1905.
"The status of apiculture in the United States." Ent. Bul. 75, pp. 59–80. 1911; Ent. Bul. 75, Pt. VI, pp. 59–80. 1909.
"The temperature of the honey bee cluster in winter." With George S. Demuth. D.B. 93, pp. 16. 1914.
"The treatment of bee diseases." F.B. 442, pp. 22. 1911.
"Wax moths and American foul brood." Ent. Bul. 75, pp. 19–22. 1911; Ent. Bul. 75, Pt. II, pp. 19–22. 1907.
"Wintering bees in cellars." With George S. Demuth. F.B. 1014, pp. 24. 1918.

PHILLIPS, F. J.—
"Emory oak in southern Arizona." For. Cir. 201, pp. 15. 1912.
"Utah juniper in central Arizona." With Walter Mulford. For. Cir. 197, pp. 19. 1912.

PHILLIPS, S. W.: "Soil survey of—
Hamilton County, Ohio." With others. Soil Sur. Adv. Sh., 1915, pp. 39. 1917; Soils F.O., 1915, pp. 1317–1351. 1919.
Marengo County, Ala." With others. Soil Sur. Adv. Sh., 1920, pp. 555–597. 1923; Soils F.O., 1920, pp. 555–597. 1925.
Muhlenberg County, Ky." With others. Soil Sur. Adv. Sh., 1920, pp. 939–964. 1924; Soils F.O., 1920, pp. 939–964. 1925.
Nicholas County, W. Va." Soil Sur. Adv. Sh., 1920, pp. 31. 1922; Soils F.O., 1920, pp. 39–69. 1925.
Tucker County, W. Va." Soil Sur. Adv. Sh., 1921, pp. 1329–1365. 1925.

PHILLIPS, W. F. R.—
address to Weather Bureau officials, second convention. W.B. Bul. 31, pp. 81–82. 1902.
"Proceedings of the second convention of Weather Bureau officials." With James Berry. W.B. Bul. 31, pp. 246. 1902.

PHILLIPS, W. J.—
"Corn-leaf blotch miner." J.A.R., vol. 2, p. 15. 1914.
"Further studies of the embryology of *Toxoptera graminum*." J.A.R., vol. 4, pp. 403–404. 1915.
"Life-history studies of three jointworm parasites." With F. W. Poos. J.A.R., vol. 21, pp. 405–426. 1921.
"*Macrosiphum granarium*, the English grain aphis." J.A.R., vol. 7, pp. 463–480. 1916.
"Studies on a new species of Toxoptera, with an analytical key to the genus and notes on rearing methods." With J. J. Davis. Ent. T.B. 25, Pt. I, pp. 1–16. 1912.
"Studies on the life history and habits of the jointworm flies of the genus Harmolita (Isosoma) with recommendations for control." D.B. 808, pp. 27. 1920.
"The corn earworm: Its ravages on field corn and suggestions for control." With Kenneth M. King. F.B. 1310, pp. 18. 1923.
"The rough-headed corn stalk-beetle." With Henry Fox. D.B. 1267, pp. 34. 1924.
"The rough-headed corn stalk-beetle in the Southern States and its control." With Henry Fox. F.B. 875, pp. 12. 1917.
"The slender seedcorn ground-beetle." Ent. Bul. 85, Pt. II, pp. 13–28. 1909.
"The spring grain-aphis or 'green bug'". With F. M. Webster. Ent. Bul. 110, pp. 153. 1912.
"The timothy stem-borer, a new timothy insect." Ent. Bul. 95, Pt. I, pp. 1–9. 1911.
"The wheat jointworm and its control." F.B. 1006, pp. 14. 1918.
"The wheat strawworm and its control." With F. W. Poos. F.B. 1323, pp. 10. 1923.

Phillyrea sp., susceptibility to *Puccinia triticina*. J.A.R., vol. 22, pp. 152–172. 1921.
Philodromus spp., enemy of leafhoppers. Ent. Bul. 108, p. 34. 1912.
Philoeosinus, insect enemy of incense cedar trees, control. D.B. 604, pp. 30–31. 1918.

Philophela minor—
breeding range and migration habits. Biol. Bul. 35, pp. 21–23. 1910.
See also Woodcock.
Philomachus pugnax. See Ruff.
Philotria. See Water-weed.
Phinotas oil, use—
against mosquito larvae. Ent. Bul. 88, pp. 74, 77–78. 1910.
for control of buffalo gnat. Y.B., 1912, p. 385. 1913; Y.B. Sep. 600, p. 385. 1913.
Phippaia spp., description, distribution and uses. D.B. 772, pp. 15, 132. 1920.
Phlaeotomus pileatus. See Woodpecker, pileated.
Phlebitis, cattle, description and treatment. B.A.I. [Misc.], "Diseases of cattle," rev., pp. 82–83. 1904; rev., p. 84. 1912; rev., p. 86. 1923.
Phlegethontius spp.—
injury to vegetables in Porto Rico. D.B. 192, pp. 7, 11. 1915.
See also Hornworms.
Phleospora spp., occurrence on plants in Texas, and description. B.P.I. Bul. 226, pp. 79, 81, 104. 1912.
Phleum—
alpinum, distribution, description, and feed value. D.B. 201, p. 37. 1915.
spp., description, distribution, and uses. D.B. 772, pp. 14, 140–141. 1920.
Phloem—
necrosis of potato, occurrence and significance. Ernst F. Artschwager. J.A.R., vol. 24, pp. 237–246. 1923.
strands, necrosis, in leaf-roll disease of potatoes. D.B. 64, pp. 23–24. 1914.
sugar-cane, anatomy. J.A.R., vol. 30, pp. 204–220. 1925.
Phloeosinus spp., flight-period and control spraying. D.B. 1079, pp. 5–10. 1922.
Phloeothrips spp., key and description of new species. Ent. T.B. 23, Pt. I, pp. 21–24. 1922.
Phlogacanthus—
pubinervius, importation and description. No. 47849, B.P.I. Inv. 59, p. 67. 1922.
thyrsiflorus, importation and description. No. 39653, B.P.I. Inv. 41, p. 55. 1917.
Phloroglucin, origin, effect on wheat plants. Soils Bul. 47, pp. 30, 39. 1907.
Phlox—
cross-breeding, in color heredity studies, experiments. J.A.R., vol. 4, pp. 296–301. 1915.
crown-gall inoculation from peach. B.P.I. Bul. 213, p. 65. 1911.
description—
cultivation, and characteristics. F.B. 1171, pp. 59–60, 82. 1921.
varieties and climate adaptations. F.B. 1381, pp. 42–45. 1924.
drummondii, color, heredity. J.A.R., vol. 4, pp. 293–302. 1915.
perennial, treatment for beetle larvae. D.B. 1332, pp. 11, 15–16. 1925.
Phlyctaenia rubigalis—
description. J.A.R., vol. 30, pp. 785–786. 1925.
life history. J.A.R., vol. 29, pp. 137–158. 1924.
Phoca spp. See Seal.
Phocaena communis. See Porpoise, common.
Phoebe—
black, occurrence, habits, and food. Biol. Bul. 34, pp. 36–39. 1910; Biol. Bul. 44, pp. 38–41. 1912.
common, enemy of boll weevil. Biol. Bul. 22, p. 10. 1905.
description, range, and food habits. F.B. 630, pp. 21–23. 1915.
occurrence, habits, and food. Biol. Bul. 44, pp. 30–35. 1912.
protection by law. Biol. Bul. 12, rev., pp. 38, 40, 41. 1902.
range and habits. N.A. Fauna 22, pp. 113–114. 1902.
Say's—
food habits. Biol. Bul. 34, pp. 35–36. 1910; D.B. 107, p. 10. 1914.
in Alaska and Yukon Territory. N.A. Fauna 30, pp. 39, 61. 1909.
occurrence, habits, and food. Biol. Bul. 44, pp. 36–38. 1912.
range, and habits. N.A. Fauna 24, p. 70. 1904.

Phoebe—Continued.
  useful food habits, and occurrence in Arkansas. Biol. Bul. 38, p. 53. 1911.
  varieties, Athabaska-Mackenzie region. N.A. Fauna 27, pp. 392-393. 1908.
  See also Flycatcher.
Phoenicococcus—
  marlatti, stages, distribution, and natural enemies. J.A.R., vol. 21, pp. 666-667. 1921.
  scale, enemy of date palm. F.H.B.S.R.A. 71, p. 174. 1922.
Phoenicophorium borsigianum, importation and description. No. 36486, B.P.I. Inv. 37, p. 26. 1916.
Phoenicopterus ruber. See Flamingo.
Phoenix—
  billbug, description, life history, destructiveness, and control. F.B. 1003, pp. 18-19, 21. 1919.
  canariensis. See Palm, Canary Island.
  dactylifera—
    growth temperature, minimum, and absence of resting period. J.A.R., vol. 31, pp. 401-414. 1925.
    host of *Phoenicococcus marlatti*. J.A.R., vol. 21, pp. 669-676. 1921.
    importation and description. No. 34213, B.P.I. Inv. 32, p. 24. 1914.
    See also Date palm.
  reclinata, importations and description. Nos. 51451, 51733-51734, 52210, B.P.I. Inv. 65, pp. 18, 42, 79. 1923.
  spp., importations and descriptions. Nos. 51451, 51733-51734, 52210, B.P.I. Inv. 65, pp. 5, 18, 42, 79. 1923; Nos. 55611-55615, 55665, B.P.I. Inv. 72, pp. 11, 16. 1924.
Phoenix Reservoir Dam, California, concrete spillway, failure, causes. O.E.S. Bul. 249, Pt. I, p. 59. 1912.
Phoenixville, Pa., milk supply, statistics, officials, prices, and ordinances, etc. B.A.I. Bul. 46, pp. 42, 152. 1903.
Pholiota—
  adiposa. See Rot, yellow heart.
  spp., description. D.B. 175, pp. 29-30. 1915.
Pholiurus spp., description, distribution, and uses. D.B. 772, pp. 12, 105-106. 1920.
Phoma—
  apiicola, parasite of *Allium* spp. J.A.R., vol. 20, pp. 687-688. 1921.
  batatae, name first given to *Diaporthe batatatis*. B.P.I. Bul. 281, pp. 7, 10, 15, 37. 1913.
  betae—
    attack on sugar beet. J.A.R., vol. 4, pp. 148-151. 1915; J.A.R., vol. 5, pp. 55-58. 1915.
    causes of damping-off of sugar beets. D.B. 934, pp. 2, 3. 1921.
    description, classification, and relation to beet diseases. J.A.R., vol. 4, pp. 136, 139-151, 165. 1915.
    relation to sugar-beet seedlings. J.A.R., vol. 5, No. 1, pp. 55-58. 1915.
  destructiva, cultural characteristics. J.A.R., vol. 4, pp. 14-16. 1915.
  lingam, cause of—
    blackleg of cabbage. D.B. 1029, pp. 1-27. 1922; F.B. 925, rev., p. 21. 1921.
    damping-off of cabbage. D.B. 934, p. 2. 1921.
  musae—
    cause of banana freckle disease, description. Hawaii A.R., 1918, pp. 37-39. 1919.
    See also Banana, freckle disease.
  okra—
    cause of stem infection of okra. Guam A.R., 1917, p. 52. 1918.
    same as *Ascochyta abelmoschi*. J.A.R., vol. 14, pp. 207, 208. 1918.
  oleracea, cause of black-leg. F.B. 488, p. 24. 1912.
  rot, tomatoes. Off. Rec., vol. 1, No. 24, p. 5. 1922.
  solani, identity with *Phomopsis vexans*, studies. J.A.R., vol. 2, pp. 331-338. 1914.
  spp—
    cause of nursery blight of cedars, studies. J.A.R., vol. 10, pp. 533-540. 1917.
    occurrence in Texas, and description. B.P.I. Bul. 226, p. 27. 1912.
    relation to—
      citrus canker. J.A.R., vol. 6, No. 2, pp. 74, 83-86. 1916.

Phoma—Continued.
  spp.—continued.
    relation to—continued.
      skinspot. J.A.R., vol. 23, pp. 286-287, 290-291. 1923.
  subcircinata, name first given to Lima-bean podblight. J.A.R., vol. 11, pp. 474, 477-479, 501. 1917.
  tuberosa, on Irish potato, studies. J.A.R., vol. 7, pp. 240-251. 1916.
  vexans, identity with *Phomopsis vexans*, studies. J.A.R., vol. 2, p. 338. 1914.
Phonograph needles, bamboo for, report on. D.B. 1329, p. 25. 1925.
Phomopsis—
  characteristics distinguishing from other genera. J.A.R., vol. 1, p. 253. 1913.
  citri—
    cause of rot in citrus, development and control. D.C. 293, pp. 1-10. 1923.
    injury to oranges, studies. B.P.I. Cir. 124, pp. 22-23, 25, 27, 28. 1913.
  kalmia, cause of leaf blight in mountain laurel. J.A.R., vol. 13, p. 211. 1918.
  mali, inoculation experiments with apple leaves. J.A.R., vol. 2, pp. 58, 64, 65. 1914.
  sp. imperfect stage of *Diaporthe batatatis*. B.P.I. Bul. 281, p. 15. 1913.
  vexans—
    cause of damping-off of eggplant. D.B. 934, p. 2. 1921.
    on eggplant, cause of diseases. J.A.R., vol. 2, pp. 331-338. 1914.
    technical description and synonyms. J.A.R., vol. 2, p. 338. 1914.
Phoradendron—
  juniperum—
    enemy of Utah juniper. For. Cir. 197, p. 9. 1912.
    libocedri, cause of mistletoe disease of incense cedar trees. D.B. 604, p. 29. 1918.
  spp., parasitic on hardwoods and conifers. D.B. 1112, p. 3. 1922.
  spp. See also Mistletoe.
Phorantha occidentis—
  parasite of meadow plant bug. J.A.R., vol. 15, p. 197. 1918.
  parasite of chinch bug. D.B. 1016, p. 14. 1922.
Phorbia floccosa, larvae, description. Ent. T.B. 22, p. 30. 1912.
Phoridae, enemies of boll weevil, list. Ent. Bul. 100, pp. 42, 47-48, 54-68. 1912.
Phoridon humuli, description, habits, and control. F.B. 1128, pp. 18, 47-48. 1920.
Phormia—
  regina—
    description and control on sheep. F.B. 1150, p. 16. 1920.
    dispersion by flight. J.A.R., vol. 21, pp. 730-766. 1921.
  terraenovae—
    description and habits. F.B. 459, p. 6. 1911.
    See also Screw worms.
Phormium—
  description, preparation of fiber and use. Y.B., 1911, p. 197. 1912; Y.B. Sep. 560, p. 197. 1912.
  fiber, use in making binder twine. Y.B., 1918, p. 359. 1919; Y.B. Sep. 790, p. 5. 1919.
  production, origin, and importation, 1913-1915. News L., vol. 3, No. 30, pp. 1, 2. 1916.
  tenax, fungous parasite, *Glomerella* sp., and *Physalospora* sp., studies. B.P.I. Bul. 252, pp. 47-48. 1913.
Phorocera—
  claripennis—
    enemy of—
      alfalfa caterpillar. D.B. 124, p. 24. 1914; F.B. 1094, pp. 8-9. 1920.
      catalpa sphinx. F.B. 705, p. 6. 1916.
    parasite of *Neodiprion lecontei*. J.A.R., vol. 20, 757-758. 1921.
    parasite of puss caterpillar. D.C. 288, pp. 13, 14. 1923.
  comstocki, tachinid parasite of *Melitera junctolinella*. Ent. Bul. 113, p. 27. 1912.
  erecta, enemy of southern beet webworm. Ent. Bul. 109, Pt. II, p. 21. 1911.
  saundersii, parasite of alfalfa looper. Ent. Bul. 95, Pt. VII, p. 117. 1912.

Phorodon humuli. *See* Hops, aphid.
Phosgene, fumigation experiments, effects on insects and on seed. D.B. 893, pp. 4–5. 1920.
Phosphate(s)—
  absorbed, removal from Hawaiian soils, studies. Hawaii Bul. 35, p. 28. 1914.
  absorption by soils. Soils Bul. 32, pp. 1–39. 1906.
  acid—
    addition to stable manure to increase value. Y.B., 1916, pp. 377, 379. 1917; Y.B. Sep. 716, pp. 3, 5. 1917.
    American sources, and utilization methods. News L., vol. 3, No. 22, pp. 2–3. 1916.
    and—
      kainit, value for crimson clover. F.B. 550, p. 6. 1913.
      nitrate of soda, retail prices, report, as of May 1, 1919. D.C. 39, pp. 15. 1919.
      phosphoric acid study. Chem. Bul. 90, pp. 130–139. 1905.
    calcium, adulteration. Chem. N.J. 2796. 1914.
    drying, storing, and disintegrating, methods. D.B. 144, pp. 20–23, 27. 1914.
    effect on—
      corn yield. Soils Bul. 64, pp. 24, 25, 26, 27. 1910.
      potato yield. Soils Bul. 65, pp. 15, 16, 17. 1910.
      soil, alone and with other salts. Soils Bul. 48, pp. 33–37. 1908.
      soil reaction. J.A.R., vol. 12, pp. 25, 27–28. 1918.
      tomatoes. D.C. 136, pp. 13–14. 1920.
      wheat stem rust, experiments. J.A.R., vol. 27, pp. 346–359, 362–370. 1924.
    fertilizer for alfalfa, and cotton. F.B. 310, pp. 12, 13. 1907.
    fertilizing power alone and with other salts. Soils Bul. 48, pp. 32, 57. 1908.
    high prices. News L., vol. 7, No. 5, pp. 1, 10. 1919.
    influence on alcohol test of milk. D.B. 202, pp. 9–11. 1915.
    injury to pineapples. F.B. 412, p. 5. 1910.
    manufacture—
      from phosphate rock. Y.B., 1917, pp. 181–183. 1918; Y.B. Sep. 730, pp. 7–9. 1918.
      theoretical basis, process. D.B. 144, pp. 5–6, 26. 1914.
      used in manufacture. D.B. 798, p. 5. 1919.
    mixing with cottonseed meal in fertilizer use, formula. News L., vol. 3, No. 37, p. 4. 1916.
    of calcium, misbranding. Chem. N.J. 3399, p. 1. 1915.
    prices, June 1 and May 1, 1919, by States and counties. D.C. 57, pp. 7–11. 1919.
    production—
      and use on soil, rate. F.B. 704, p. 7. 1916.
      cost and disposal of product. D.B. 144, pp. 23–24, 28. 1914.
    result on soil, study. O.E.S. An.Rpt., 1909, p. 202. 1910.
    retail prices and nitrate of soda. D.C. 39, pp. 1–15. 1919.
    stocks, 1917. Sec.Cir. 104, pp. 5, 7, 10–12. 1918.
    use—
      and value on alfalfa. News L., vol. 4, No. 30, p. 4. 1917.
      as fertilizer for red clover, quantity. F.B. 455, p. 13. 1911.
      as fertilizer for rice. D.B. 1356, pp. 16–17, 19, 32. 1925.
      for fertilizer in United States, 1913, quantity and value. News L., vol. 3, No. 22, p. 1. 1916.
      in alkaline soils in ginseng beds, and value. B.P.I. Bul. 250, pp. 31, 42–43. 1912.
      in fertilizers for destruction of fly larvae. D.B. 408, pp. 6–12. 1916.
      in manure for fly prevention, rate. News L., vol. 4, No. 40, p. 3. 1917.
      in wireworm control, rate, comparison with other insecticides. D.B. 78, pp. 27–28. 1914.
      on ginseng. F.B. 736, p. 18. 1916.
      on manure for control of fly larvae. F.B. 851, pp. 18–19. 1917.

Phosphate(s)—Continued.
  acid—continued.
    value—
      for gardens, use method and rate. News L., vol. 3, No. 32, p. 7. 1916.
      for grain fertilizer. F.B. 905, p. 22. 1918.
      in fertilizers. F.B. 921, p. 20. 1918.
      wheat soils, tests. Soils. Bul. 66, pp. 8, 9, 16, 17, 18. 1910.
      wholesale and retail prices. News L., vol. 6, No. 42, p. 7. 1919.
    addition to dairy feed, experiments and results. D.B. 945, pp. 7–27. 1921.
    adulteration arsenic. Chem. N.J. 1203, pp. 2. 1912.
    amorphous, presence in urine. Chem. Bul. 84, p. 1372. 1908.
    and potassium, absorption by soils. Oswald Schreiner and George H. Failyer. Soils Bul. 32, pp. 39. 1906.
    apple, adulteration and misbranding. Chem. N.J. 796, pp. 2. 1911.
    availability—
      J.A.R., vol. 6, No. 13, pp. 507–508. 1916.
      determination methods. D.B. 699, pp. 6–10. 1918.
      for Hawaiian soils, discussion. Hawaii Bul. 41, pp. 25–30. 1916.
      in Hawaiian soils, studies. Hawaii A.R., 1914, p. 27. 1915.
      in soils, importance. J.A.R., vol. 23, pp. 818–821. 1923.
    beverages, labeling. Chem. S.R.A. 21, p. 71. 1918.
    bone, use on grass soils, directions. Soils Bul. 75, pp. 17, 43, 45, 49, 54. 1911.
    Canadian apatite, phosphorus availability for various crops. J.A.R., vol. 6, No. 13, pp. 497–502. 1916.
    commercial, cost of production, and prices at mines. Soils Bul. 76, pp. 12–13, 20, 23. 1911.
    concentration in soils, effect of moisture variation. J.A.R., vol. 18, pp. 141, 143. 1919.
    content of—
      cropped and uncropped soils, tables. J.A.R., vol. 12, pp. 302–306. 1918.
      phosphorus. F.B. 704, p. 7. 1916.
    crystalline, presence in urine. Chem. Bul. 84, Pt. V, p. 1371. 1908.
    deposits—
      conservation, necessity and importance. Soils Bul. 69, pp. 7, 48. 1910.
      in—
        South Carolina, geography, topography, and origin. D.B. 18, pp. 2–6. 1913.
        United States and foreign countries, discussion. Soils Bul. 76, pp. 3–4. 1911.
        United States, location and value. Y.B., 1920, pp. 218, 224. 1921; Y.B. Sep. 840, pp. 218, 224. 1921.
        various States, study. An. Rpts., 1911, pp. 12, 108. 1912; Sec. A.R, 1911, pp. 10, 106. 1911; Y.B., 1911, pp.10, 106. 1912.
      locating and mapping, cooperation with Geological Survey. An. Rpts., 1909, p. 490. 1910; Soils Chief Rpt., 1909, p. 20. 1909.
      United States. D.B. 312, pp. 3–7. 1915.
    determination in soil solutions. Soils Bul. 70, p. 59. 1910.
    dipotassium, effect on growing chicks. J. A. R., vol. 22, pp. 145–149. 1921.
    double acid, description, production methods. D.B. 144, pp. 25–26, 28. 1914.
    effect—
      in counteracting harmful influence of cumarin. Soils Bul. 77, pp. 11–17. 1911.
      on—
        crop yield, German and French estimates. Y.B., 1919, p. 66. 1920; Y.B. Sep. 801, p. 66. 1920.
        growth and oxidation, experiments. Soils Bul. 56, pp. 38–40. 1909.
        oranges, theories and results of experiments. J.A.R., vol. 8, pp. 127–128, 131–138. 1917.
    efficiency—
      as fertilizers. Chem. Bul. 152, pp. 18–24. 1912.
      in Porto Rican soils, factors affecting. J.A.R., vol. 25, pp. 171–194. 1923.
      relation to colloidal silica. P. L. Gile and J. G. Smith. J.A.R., vol. 31, pp. 247–260. 1925.

Phosphate(s)—Continued.
 ferric, source of iron for plants. J. A. R., vol. 21, pp. 701-728. 1921.
 fertilizer(s)—
  cheapest form. F.B. 465, p. 8. 1911.
  experiments in Hawaii. Hawaii A. R., 1920, pp. 48-49. 1921.
  necessity in old orchards. F.B. 491, pp. 15, 16. 1912.
  testing. O.E.S. An. Rpt., 1911, p. 202. 1912.
 fields of—
  Florida, review. William H. Waggaman. Soils Bul. 76, pp. 23. 1911.
  Idaho, Utah, and Wyoming, review. William H. Waggaman. Soils Bul. 69, pp. 48. 1910.
  South Carolina, report. Wm. H. Waggaman. D.B. 18, pp. 12. 1913.
 Florida—
  prices at mines. Soils Bul. 76, pp. 13, 20. 1911.
  production and shipments, 1907, 1908, 1909, and prices. Soils Bul. 76, pp. 13, 16-17, 20, 21. 1911.
  soft rock, phosphorus availability for various crops. J.A.R., vol. 6, No. 13, pp. 497-502, 511, 512. 1916.
 fusion with feldspar in production of fertilizer. D.B. 143, pp. 4-7. 1914.
 hard-rock, Florida, deposits, description, mining, and output. Soils Bul. 76, pp. 7-17. 1911.
 ground raw rack, value as fertilizer, experiments. W. H. Waggaman and others. D.B. 699, pp. 119. 1918.
 in culture solutions, influence of different amounts. Soils Bul. 70, pp. 87-89, 92-96. 1910.
 in normal and mottled citrus leaves. J.A.R., vol. 20, pp. 166-190. 1920.
 industry in Florida, summary. Soils Bul. 76, p. 23. 1911.
 insoluble. F.B. 281, pp. 5-6. 1907.
 milk pasteurization, chemical changes, filtration, and analysis methods. B.A.I. Bul. 166, pp. 6-10. 1913.
 mineral—
  American mines, comparative study of six kinds. J.A.R., vol. 6, No. 13, pp. 497-502. 1916.
  availability for plant nutrition. J.A.R., vol. 6, No. 13, pp. 485-514. 1916.
 mining details. Soils Bul. 76, pp. 9-12, 19-20, 23. 1911.
 mining in South Carolina, methods and cost. D.B. 18, pp. 6-9. 1913.
 misbranding, eclipse phosphates, gin and celery. Chem. N.J. 1672, p. 4. 1912.
 mixture with cyanamide, experiments. An. Rpts., 1923, p. 498. 1923; Fix. Nit. Lab. A.R., 1923, p. 4. 1923.
 need on poor lands in Southern States. F.B. 986, p. 18. 1918.
 needs in Minnesota. Off. Rec., vol. 2, No. 48, p. 6. 1923.
 of Tennessee, Kentucky, and Arkansas, report. William H. Waggaman. Soils Bul. 81, pp. 36. 1912.
 pebble in Florida, deposits, description, mining, and output. Soils Bul. 76, pp. 18-22. 1911.
 percentage in soil extract. J.A.R., vol. 20, pp. 387-394. 1920.
 potassium—
  effect on growth of storage-rot fungi. J.A.R., vol. 21, p. 190. 1921.
  in ration for pigs. J.A.R., vol. 21, pp. 280-341. 1921.
 ratio to nitrogen in urine. Chem. Bul. 84, Pt. V. pp. 1339-1344. 1908.
 raw rock, value. News L., vol. 6, No. 30, p. 4. 1919.
 recovery from cows' manure. J.A.R., vol. 30, p. 988. 1925.
 relation to soil acidity. F.B. 296, p. 6. 1907.
 requirements—
  and availability for Porto Rico soils. P.R. An. Rpt., 1919, p. 14. 1920.
  for red clover, studies. News L., vol. 3, No. 32, p. 4. 1916.
 rock—
  addition to silage, effects on manure. D.B. 699, pp. 15-16. 1918.

Phosphate(s)—Continued.
 rock—continued.
  analyses for phosphorus. J.A.R., vol. 6, No. 13, p. 491. 1916.
  and methods proposed for its utilization as a fertilizer. William H. Waggaman and William H. Fry. D.B. 312, pp. 37. 1915.
  composition, location of deposits, and value. Y.B., 1917, pp. 177-183. 1918; Y.B. Sep. 730, pp. 9. 1918.
  consumption in United States in 1913. D.B. 283, p. 1. 1915.
  deposits. D.B. 150, pp. 2, 3. 1915.
  determination in commercial fertilizers. D.B. 97, pp. 1-10, 11. 1914.
  distribution, and ownership of deposits by Government. News L., vol. 3, No. 22, p. 2. 1916.
  exports by foreign countries, 1913-1918. D.B. 798, pp. 18-19. 1919.
  fertilizer—
   studies, methods, and results. D.B. 699, pp. 5-112, 115-119. 1918.
   value and composition. Soils Bul. 41, p. 10. 1907.
  grinding for acid phosphate. D.B. 144, pp. 12-17, 27. 1914.
  impurities. D.B. 144, pp. 6-11, 26-27. 1914.
  in South Carolina—
   composition, physical and chemical properties. D.B. 18, pp. 4-6. 1913.
   production, 1893 and 1911. D.B. 18, p. 2. 1913.
  iron and alumina determination methods. Chem. Bul. 105, pp. 157-161. 1907; Chem. Bul. 122, pp. 140-146. 1909.
  mining and conversion into acid phosphate. Y.B., 1917, pp. 179-183. 1918; Y.B. Sep. 730, pp. 5-9. 1918.
  origin, description, mining and disposal of product. Soils Bul. 76, pp. 7-17. 1911.
  production—
   1891-1922. Y.B., 1923, pp. 1179-1184, 1186. 1924; Y.B. Sep. 906, pp. 1179-1184, 1186. 1924.
   and marketing, 1918. D.B. 798, pp. 5-6. 1919.
   and prices. Y.B., 1924, pp. 1164, 1166, 1170. 1925.
  pyrites, effect of hydrochloric acid. Chem. Bul. 122, p. 146. 1909.
  solubility effect of sulphur oxidation in soils. O. M. Shedd. J.A.R., vol. 18, pp. 329-345. 1919.
  solution in soil, discussion. J.A.R., vol. 12, pp. 272, 278, 281, 283. 1918.
  stocks, 1917. Sec. Cir. 104, pp. 5, 8, 10-12. 1918.
  treatment for production of phosphoric acid, processes. D.B. 312, pp. 8-37. 1915.
  use—
   and cost in soil improvement. F.B. 704, pp. 6, 7. 1916.
   in acid phosphate, description, source, and value. D.B. 144, pp. 2, 3-4, 26. 1914.
  value as—
   fertilizer, trials by farmers. D.B. 699, pp. 112-114. 1918.
   source of phosphoric acid. S.R.S. Rpt., 1915, Pt. I, pp. 40, 41. 1917.
  washing—
   and drying, details. Soils Bul. 76, pp. 14-16, 19-20. 1911.
   methods in South Carolina. D.B. 18, pp. 7-8. 1913.
 sodium, feeding experiment with rabbits. Chem. Bul. 123, pp. 1-63. 1909.
 soil, action of water and aqueous solutions upon. Frank K. Cameron and James M. Bell. Soils Bul. 41, pp. 58. 1907.
 solubility in Hawaiian soils. Hawaii Bul. 41, pp. 30-41. 1916.
 soluble and available, manufacture from phosphate rock. Y.B., 1917, pp. 181-183. 1918; Y.B. Sep. 730, pp. 7-9. 1918.
 sources, manufacturing methods, cost, and use. F.B. 704, pp. 6-7. 1916.
 South Carolina land rock, availability for crops. J.A.R., vol. 6, No. 13, pp. 486, 487, 497-502, 512. 1916.
 strawberry fertilizer. F.B. 854, p. 9. 1917.

Phosphate(s)—Continued.
 supply available in U. S., output and use. Y.B.,
  1917, p. 179. 1918; Y.B. Sep. 730, p. 5. 1918.
 Tennessee—
  blue rock, phosphorus availability for various
   crops. J.A.R., vol. 6, No. 13, pp. 497–502.
   1916.
  brown rock, phosphorus availability for various
   crops. J.A.R., vol. 6, No. 13, pp. 492–502,
   511, 512. 1916.
  tests in sand cultures, Hawaii. Hawaii Bul. 41,
   pp. 24–25. 1916.
 tricalcium, solubility, effect of nitrifying bacteria.
  W. P. Kelley. J.A.R., vol. 12, pp. 671–683.
  1918.
 use—
  in—
   ration for pigs. J.A.R., vol. 21, pp. 280–341.
    1921.
   soil improvement, methods. F.B. 704, pp.
    6–7. 1916.
  on—
   Hawaiian soils, availability experiments and
    methods. Hawaii Bul. 41, pp. 8–30. 1916.
   Marion silt loam in eastern United States.
    Soils Cir. 59, p. 7. 1912.
  Utah rock, phosphorus availability for various
   crops. J.A.R., vol. 6, No. 13, pp. 497–502.
   1916.
 western, comparison with that from other sources.
  Soils Bul. 69, pp. 46–47. 1910.
 wheat soils, tests. Soils Bul. 66, pp. 8, 9, 16, 17,
  18. 1910.
 with nitrogen fertilizers, field experiments. D.B.
  1180, pp. 9, 17–37, 39, 42. 1923.
 withdrawal from soils by crops, rate. J.A.R.,
  vol. 12, pp. 300–301. 1918.
 See also Superphosphate.
Phosphatic fertilizers. See Fertilizers; Phosphates.
Phospho-gluco-proteins, composition, and source.
 Chem. Bul. 123, p. 8. 1909.
Phosphomolybdic acid, formula. J.A.R., vol. 7,
 p. 103. 1916.
Phosphoric acid—
 absorption by—
  Hawaiian soils, studies. Hawaii Bul. 35, pp.
   6–10, 16–18, 22–24. 1914.
  plant roots, experiments. J.A.R. Vol. 9, pp.
   76–83, 86–90. 1917.
 wheat seedlings, effect of sodium salts. J.A.R.,
  vol. 7, pp. 413, 415. 1916.
 adulteration of preserves. Chem. N.J. 1391, p.
  1. 1912.
 availability in basic slag, report of committee.
  Chem. Bul. 116, pp. 114–115. 1908; Chem. Bul.
  162, pp. 50–51. 1913.
 carriers, composition, and quantities, per ton,
  various percentages. Y.B., 1918, pp. 186, 188,
  189–190. 1919; Y.B. Sep. 780, pp. 4, 6, 7–8.
  1919.
 citric-soluble, and potash, production and ferti-
  lizer value of. William H. Waggaman. D.B.
  143, pp. 12. 1914.
 compounds, use in sorgo sirup. F.B. 1389, p. 13.
  1924.
 content of—
  bat guanos. P.R. An. Rpt., 1911, p. 17. 1912.
  Hawaiian soil. Hawaii Bul. 42, pp. 8, 9–10.
   1917.
  mottled leaves. J.A.R., vol. 9, pp. 157–166.
   1917.
  rice plant, determinations. Hawaii A.R.
   1912, pp. 72–73. 1913.
  slag, investigations. An. Rpts., 1904, pp. 226–
   227. 1904.
  wheat, relation to fertilizers. J.A.R., vol. 23,
   pp. 65–66. 1923.
 deficiency, relation to osteomalacia. B.A.I.
  Dairy [Misc.], "World's dairy congress, 1923,"
  pp. 1496–1499. 1924.
 determination—
  accuracy. Chem. Bul. 62, p. 44. 1901.
  field method, soils work. Soils Bul. 69, pp.
   12–13. 1910.
  in—
   basic slags. W. L. Whitehouse. Chem.
    Bul. 137, pp. 12–14. 1911.
   fertilizers, methods. Chem. Bul. 107, pp. 1–5.
    1907.

Phosphoric acid—Continued.
 determination—continued.
  in—continued.
   plant ash, method. D.B. 600, p. 25. 1917.
   soft drinks. Chem. Bul. 162, pp. 205, 206–
    207, 208. 1913.
   methods. Chem. Bul. 67, pp. 22–27. 1902;
    Chem. Bul. 73, pp. 16–17. 1903; Chem. Bul.
    81, p. 163. 1904; Chem. Bul. 116, pp. 95–96,
    109–115, 130. 1908; Chem. Bul. 132, pp. 7–16,
    50. 1910; Chem. Cir. 38, p. 2. 1908; Chem.
    Cir. 52, pp. 1–2. 1910; Chem. Cir. 90, pp.
    1–2. 1912; Chem. Cir. 152, pp. 10–25, 83.
    1912.
 effect on—
  citrus seedlings. J.A.R., vol. 18, p. 272. 1919.
  potatoes. B.P.I. Cir. 127, pp. 9–10. 1913.
 efficiency in bat guano, experiments. P.R. Bul.
  25, pp. 21–47, 62. 1918.
 estimation, Kilgore's method. Chem. Bul. 62,
  p. 55. 1901.
 exudation from germinating seeds. Soils Bul.
  47, p. 23. 1907.
 fertilizer, use with tobacco, effects. Y.B., 1908,
  pp. 407, 408. 1909; Y.B. Sep. 490, pp. 407–408.
  1909.
 forms in which applied to soils. D.B. 312, p. 8.
  1915.
 function in plant growth. B.P.I. Doc. 631, p. 5.
  1911; Y.B., 1901, p. 166. 1902; Y.B. Sep. 225,
  p. 166. 1902.
 functions and effects in soils. S.R.S. Doc. 30,
  p. 9. 1916.
 in—
  Hawaiian soils, effect of heat. Hawaii Bul.
   30, pp. 21–22. 1913.
  potato tubers, skins, and sprouts. J.A.R., vol.
   20, pp. 628–634. 1921.
  slags, availability as fertilizer. Soils Bul. 95,
   pp. 8–10. 1912.
  soils analyses, interpretation. Chem. Bul. 132,
   pp. 33–34. 1910.
 investigations, 1920. An. Rpts., 1920, pp. 296–
  298. 1921.
 losses in mining phosphate rock. Y.B., 1917,
  pp. 180–181. 1918; Y.B. Sep. 730, pp. 6–7.
  1918.
 manufacture by volatilization process. William
  H. Waggaman and others. D.B. 1179, pp. 55.
  1923.
 metabolism—
  effects of salicylates in food. Chem. Bul. 84,
   Pt. II, pp. 604–626, 705. 1906.
  in benzoate experiment. Chem. Cir. 39, p. 12.
   1908.
 of food, effect of formaldehyde. Chem. Bul.
  84, Pt. V, p. 1496. 1908.
 of the soil. Chem. Bul. 116, pp. 95–96. 1908.
 organic, in rice. J.A.R., vol. 3, pp. 425–430. 1915.
 percentage in various materials utilized as fertili-
  zer. Y.B., 1917, pp. 285–288. 1918; Y.B. Sep.
  733, pp. 5–8. 1918.
 potash fertilizer, production and methods. D.B.
  143, pp. 2–7. 1914.
 preparation methods. An. Rpts., 1922, pp. 295,
  296. 1922; Soils Chief Rpt., 1922, pp. 7, 8. 1922.
 production—
  by volatilization, possibilities. Y.B., 1917, pp.
   182–183. 1918; Y.B. Sep. 730, pp. 8–9. 1918.
  from phosphate rock, processes. D.B. 312, pp.
   8–37. 1915.
 proportion in fertilizers. Soils Bul. 58, pp. 17–39.
  1910.
 pure, availability. Off. Rec., vol. 3, No. 51, p.
  6. 1924.
 recovery from industrial wastes. Y.B., 1917,
  pp. 256, 257, 259. 1918; Y.B. Sep. 728, pp. 6, 7,
  9. 1918.
 release from phosphate rock by sulphur. S.R.S.
  Rpt., 1916, Pt. I, pp. 36, 191. 1918.
 removal from soil by—
  growing buckwheat. F.B. 1062, pp. 8, 9. 1919.
  potato crop. F.B. 1064, p. 9. 1919.
 report of referee. Chem. Bul. 67, pp. 22–27. 1902.
  Chem. Bul. 73, pp. 16–18. 1903; Chem. Bul.
  90, pp. 130–139. 1905; Chem. Bul. 116, p. 109;
  1908; Chem. Bul. 152, pp. 10–25. 1912; Chem.
  Bul. 162, pp. 9–12, 48. 1913.
 requirements, various crops. D.B. 721, pp.
  25–26. 1918.

Phosphoric acid—Continued.
  residue, treatment. Chem. Bul. 90, pp. 139–141. 1905.
  solubility—
    effect of—
      organic fermentation. D.B. 699, pp. 12–16, 115, 119. 1918.
      grinding phosphate rock. D.B. 699, pp. 10–12. 1918.
    in soil, increase by decomposing organic matter, studies. J.A.R., vol. 9, pp. 255–268. 1917.
  sources. D.B. 1280, p. 5. 1924.
  strawberry fertilizer, quantity per acre. F.B. 1028, p. 31. 1919.
  supply source, in United States. D.B. 150, p. 3. 1915.
  use—
    as fertilizer for peanuts. O.E.S. F.I.L. 13, p. 7, 1912.
    as fertilizer with cottonseed meal, in Alabama, Morgan County. Soil Sur. Adv. Sh., 1918; pp. 15, 23, 25, 35, 37. 1921; Soils F.O., 1918, pp. 583, 591, 593, 603, 605. 1924.
    in cheese making. B.A.I. Bul. 165, p. 30. 1913.
    in clarification of sorghum juice. F.B. 477, p. 21. 1912.
    valuation in basic slag. Chem. Bul. 122, pp. 151–152. 1909.
  volatilization—
    from phosphate rock, experiments by Soils Bureau. News L., vol. 4, No. 37, p. 11. 1917.
    processes. D.B. 312, pp. 15–16, 29–31. 1915.
  wheat, environment studies. J.A.R., vol. 1, p. 287. 1914.
Phosphorite. See Phosphate rock.
Phosphorus—
  absorption by barley during growth. J.A.R., vol. 18, pp. 55–62, 66, 69. 1919.
  addition to barnyard manure, increase in value. B.A.I. Bul. 131, p. 10. 1911.
  amount per ton in phosphates, cost per pound, use method. F.B. 704, p. 7. 1916.
  analyses, various soils. Soils Bul. 54, pp. 15–35. 1908.
  analysis, method in metabolism studies with lambs. J.A.R., vol. 4, pp. 461–462. 1915.
  antidote. Y.B., 1908, p. 423. 1909; Y.B. Sep. 491, p. 425. 1909.
  assimilation by corn. J.A.R., vol. 21, pp. 545–573. 1921.
  available for plant nutrition in mineral phosphates. J.A.R., vol. 6, No. 13, pp. 485–514. 1916.
  changes at different periods of beef storage. D.B. 433, pp. 39–94, 1917.
  compounds—
    in foods, types and nutritive relations. O.E.S. Bul. 227, pp. 23–28. 1910.
    organic, occurrence in soils, studies. Soils Bul. 88, pp. 27–30, 37–38. 1913.
  content of various crops in Kentucky—
    Muhlenberg County. Soil Sur. Adv. Sh., 1920, p. 959. 1924; Soils F.O., 1920, p. 959. 1925.
    Shelby County. Soil Sur. Adv. Sh., 1916, p. 55. 1919; Soils F.O., 1916, p. 1465. 1921.
  deficiency, cause of abnormal appetite in cows. B.A.I. Dairy [Misc.] "World's dairy congress, 1923," p. 1043. 1924.
  deposits, in Porto Rico. P.R. An. Rpt., 1914, p. 10. 1916.
  determination in soils. Chem. Bul. 116, p. 91. 1908; Chem. Bul. 122, pp. 115–118. 1909; Chem. Bul. 132, pp. 25–28, 33–34. 1910.
  effect on—
    clover growth. F.B. 1365, pp. 10–11. 1924.
    sea-island cotton. F.B. 787, p. 14. 1916.
  elimination by herbivora, studies. J.A.R. vol. 4, pp. 459–460. 1915.
  experiments on metabolism, in human organism, with nitrogen, and sulphur. H. C. Sherman. O.E.S. Bul. 121, pp. 47. 1902.
  field mouse poisoning, dangers in use. F.B. 352, pp. 7, 13. 1909.
  forms in fertilizers, necessity for southern farms. Soils Cir. 43, p. 10. 1911.

Phosphorus—Continued.
  in—
    fertilizer. William H. Waggaman. Y.B., 1920, pp. 217–224. 1921; Y.B. Sep. 840, pp. 217–224. 1921.
    flesh. P. F. Trowbridge and Louise M. Stanley. Chem. Bul. 132, pp. 158–160. 1910.
    foods, determination, recommendations. Chem. Bul. 162, pp. 139, 164. 1913.
    slag, under basic Bessemer process. Soils Bul. 95, pp. 7, 8. 1912.
    solutions, assimilation by corn, experiments. J.A.R., vol. 21, No. 8, pp. 545–573. 1921.
  ingestion and excretion by lambs in feeding experiments. J.A.R., vol. 4, pp. 465–472. 1915.
  inorganic, in food and in human body. Chem. Bul. 123, pp. 8–9. 1909.
  metabolism of lambs fed alfalfa hay, corn, and linseed-meal ration. E. L. Ross and others. J.A.R., vol. 4, pp. 459–473. 1915.
  mixture, use against crabs in Guam. Guam Bul. 2, p. 22. 1922.
  necessity to plant growth, and relation to aluminum. J.A.R., vol. 23, p. 819. 1923.
  need in animal feeding, study. O.E.S. An. Rpt., 1910, pp. 215–216. 1911.
  occurrence—
    and metabolism in the body. O.E.S. Bul. 227, pp. 21–23. 1910.
    in soils. D.B. 122, pp. 12–13, 16, 27. 1914.
  organic and inorganic—
    in foods. H. S. Grindley and E. S. Ross. Chem. Bul. 137, pp. 142–144. 1911.
    metabolism, feeding experiment using phytin and sodium phosphates. F. C. Cook. Chem. Bul. 123, pp. 63. 1909.
    separation from meat extracts. Chem. Bul. 114, p. 31. 1908.
  paste(s)—
    effects on bedbugs and roaches. D.B. 707, pp 6, 14, 16. 1918.
    Huntsman's, rat poison, misbranding. Insect. N.J. 113. I. and F.Bd. S.R.A. 5, pp. 78–79. 1914.
    use against—
      leaf-biting insects. F.B. 1362, p. 5. 1924.
      roaches. F.B. 658, p. 13. 1915; F.B. 1180, p. 28. 1921.
  poisoning—
    cattle, symptoms and treatment. B.A.I. [Misc.], "Diseases of cattle," rev., p. 59. 1904; rev., p. 60. 1912; rev., p. 57. 1923.
    cause of fatty degeneration. Chem. Bul. 123, pp. 57–60. 1909.
  rabbit feeding experiment, details and results. Chem. Bul. 123, pp. 30–63. 1909.
  requirements—
    and per cent furnished by various foods. F.B. 1383, pp. 1–2, 9–33. 1924.
    nutrition. O.E.S. Bul. 227, pp. 38–39. 1910.
    of sandy lands, sources of supply. F.B. 716, pp. 3, 22. 1916.
    root of flat turnip, reactions. J.A.R., vol. 11, pp. 359–370. 1917.
  silage corn with and without addition of floats. D.B. 699, pp. 15–16. 1918.
  soil content, effect of sulphur and gypsum. J.A.R., vol. 30, p. 459. 1925.
  sources—
    for—
      corn land. F.B. 414, p. 13. 1910.
      fertilizer. F.B. 968, pp. 13, 14. 1918.
      soils, study course. D.B. 355, pp. 47–50. 1916.
    in foods, notes and charts. D.B. 975, pp. 1–10, 11–36. 1921.
  starvation experiments. Chem. Bul. 123, pp. 11, 15. 1909.
  translocation in growing beans, corn, and potatoes. J.A.R., vol. 5, No. 11, pp. 452–458. 1915.
  use—
    against ground squirrels, danger. Biol. Cir. 76, pp. 14–15. 1910.
    against noxious mammals, directions and cautions. Y.B., 1908, pp. 423–424. 1909; Y.B. Sep. 491, pp. 423–424. 1909.
    as rat poison. Biol. Bul. 33, pp. 46–47. 1909; F.B. 896, p. 17. 1917.

INDEX TO PUBLICATIONS, 1901–1925   1811

Phosphorus—Continued.
  water-soluble in wheat, changes due to tempering. J.A.R., vol. 20, pp. 272–275. 1920.
  yellow, use against rodents. F.B. 484, p. 7. 1912.
Phosphotungstic acid—
  precipitation. Soils Bul. 88, p. 34. 1913.
  use in determination of nitrogen. Hawaii Bul. 33, pp. 9–10. 1914.
Photinia—
  integrifolia, importation and description. No. 39039, B.P.I. Inv. 40, p. 62. 1917.
  villosa—
    description, introduction, and value as stock for loquats. B.P.I. Bul. 205, pp. 7, 18. 1911.
    importation and description. No. 40588, B.P.I. Inv. 43, p. 50. 1918.
Photographic—
  films, use of alcohol, quantity and formula. Chem. Bul. 130, pp. 139, 141. 1910.
  printing papers, specifications. Rpt. 89, p. 44. 1909.
  prints, and lantern slides, filing case. S.R.S. Doc. 34, p. 14. 1918.
Photographs—
  agricultural subjects, instruction to agents. Off. Rec., vol. 1, No. 30, p. 5. 1922.
  collection, Forest Service. D.C. 211, pp. 43–44. 1922.
  insect, methods of obtaining. Ent. Bul. 94, Pt. II, pp. 82–83. 1915.
  use in—
    crop reporting. Off. Rec., vol. 3, No. 25, p. 5. 1924.
    kitchen contests. Off. Rec., vol. 2, No. 49, p. 5. 1923.
Photography—
  research work. An. Rpts., 1904, pp. 222–224. 1904.
  See also Motion Pictures.
Photoperiodism—
  further studies. W. W. Garner and H. A. Allard. J.A.R., vol. 23, pp. 871–920. 1923.
  of *Tephrosia candida.* T. B. McClelland. J.A. R., vol. 28, pp. 445–460. 1924.
  relation to acidity of cell sap and carbohydrate content. J.A.R., vol. 27, pp. 119–156. 1924.
  See also Daylight, effects; Light, effects.
Phragmidium disciflorum, occurrence on plants in Texas, and description. B.P.I. Bul. 226, p. 88. 1912.
Phragmites—
  communis, distribution, description, and feed value. D.B. 201, p. 37. 1915.
  karka, occurrence in Guam. Guam A.R., 1913, p. 16. 1914.
  spp., description, distribution, and uses. D.B. 772, p. 64. 1920.
  spp. *See also* Reed grass.
Phryganidia californica. See Oak worm, California.
Phrygilanthus aphyllus, mistletoe parasitic upon cactus in Chile. B.P.I. Bul. 166, p. 10. 1910.
Phrynosoma douglasii. See Toad, horned.
Phthia picta, injury to vegetables in Porto Rico. D.B. 192, p. 4. 1915.
Phthiracrus spp., description. Rpt. 108, pp. 102, 103. 1915.
Phthorimaea—
  glochinella, description, distribution, habits, and natural control. J.A.R., vol. 26, pp. 567–570. 1923.
  operculella. See Potato tuber moth.
Phu-lo, Chinese plant said to be deterrent to mosquitoes. Ent. Bul. 88, p. 25. 1910.
Phycitidae, affecting cereals. Ent. Bul. 96, Pt. I, pp. 6, 7. 1911.
Phycomyces nitens and *Rhizopus nigricans,* formation of spores in sporangia. Deane B. Swingle. B.P.I. Bul. 37, pp. 40. 1903.
Phycomycetes—
  cause of damping-off of conifers. J.A.R., vol. 30, pp. 332–339. 1925.
  pine seedlings, investigations. D.B. 934, pp. 61–64. 1921.
  See also Pythium; Phytophthora; Peronospora, and other genera of Phycomycetes.
Phyllanthus—
  nivosus, importation and description. No. 36018, B.P.I. Inv. 36, p. 38. 1915.

Phyllanthus—Continued.
  spp., importations and description. Nos. 47751–47753, B.P.I. Inv. 59, pp. 8, 54–55. 1922.
  spp., in Porto Rico, description and uses. D.B. 354, p. 79. 1916.
Phyllaphidina, genera, description, and key. D.B. 826, pp. 6, 23–25. 1920.
Phyllocactus acuminatus. See Cacti.
Phyllocarpus septentrionalis—
  importations and descriptions. No. 50666, B.P.I. Inv. 64, p. 9. 1923; No. 51409, B.P.I. Inv. 65, pp. 2, 14. 1923.
  See also Monkey flower.
Phyllocladus—
  sp. importation and description. No. 44416. B.P.I. Inv. 50, p. 70. 1922.
  trichomanoides, importation and description. No. 47573, B.P.I. Inv. 59, p. 33. 1922.
Phyllocnistis citrella, destruction of citrus foliage. Ent. Bul. 120, pp. 27, 49. 1913.
Phyllocoptes spp.—
  cause of silvering of leaves of deciduous fruits. Ent. Bul. 97, Pt. VI, p. 104. 1912.
  description and habits. Rpt. 108, p. 137. 1915.
  injurious to fruit. Ent. Cir. 154, p. 2. 1912.
Phyllody, cranberry. *See* False blossom.
Phyllophaga cribrosa. See May beetle; June beetle; Lachnosterna.
Phylloselis atra. See Cranberry toadbug.
Phyllostachys—
  bambusoides, description. D.B. 1329, pp. 7–8. 1925.
  pubescens, importations and description. Nos. 51476–51478, B.P.I. Inv. 65, p. 20. 1923.
  spp.—
    damage by scale insects. D.B. 1329, p. 40. 1925.
    importations and descriptions. Nos. 38912, 38913, 38919, 38920, B.P.I. Inv. 40, pp. 44, 45, 46, 47. 1917; Nos. 42659–42667, B.P.I. Inv. 47, pp. 46–49. 1920.
  See also Bamboo.
Phyllosticta—
  acericola, cause of maple leaf spot. B.P.I. Bul. 149, p. 20. 1909.
  batatas, cause of sweet-potato leaf blight. F.B. 714, p. 18. 1916; F.B. 1059, p. 17. 1919.
  betae, identity with *Phoma betae.* J.A.R., vol. 4, pp. 139–141. 1915.
  caryae, description and control. F.B. 1129, pp. 7–8. 1920.
  congesta, cause of plum blotch. John W. Roberts. J.A.R., vol. 22, pp. 365–370. 1921.
  convexula, similarity to *Glomerella cingulata.* J.A.R., vol. 1, pp. 329–330. 1914.
  hortorum—
    cause of eggplant diseases. Guam A.R., 1917, pp. 50–51. 1918.
    relation to *Phomopsis vexans.* J.A.R., vol. 2, pp. 331–338. 1914.
  limitata, inoculation experiments with apple leaves. J.A.R., vol. 2, pp. 58, 61, 65. 1914.
  solitaria—
    cause of apple blotch, life history studies. B.P.I. Bul. 144, pp. 13–15. 1909; F.B. 534, pp. 3, 4–8. 1917; F.B. 492, pp. 29–31. 1912; J.A.R., vol. 22, p. 365. 1921.
    See also Apple blotch.
  sp. on Hevea, Amazon Valley. D.B. 1380, p. 44. 1925.
  spp., occurrence on plants in Texas, and description. B.P.I. Bul. 226, pp. 31, 32, 60, 61, 65, 67, 70, 77, 80, 82, 93, 98, 102. 1912.
Phyllostictina carpogena, fungus causing dewberry blackrot, studies. J.A.R., vol. 23, pp. 745–748, 755–757. 1923.
Phyllotreta pusilla—
  description. D.B. 902, pp. 2, 13. 1920.
  See also Cabbage flea-beetle, western.
Phylloxera—
  description, note. F.B. 1128, p. 36. 1920.
  destruction of California vineyards, vine resistance, factors governing, and table. D.B. 209, pp. 12–15. 1915.
  fumigation with hydrocyanic-acid gas, dosages. J.A.R., vol. 11, pp. 423, 428. 1917.

Phylloxera—Continued.
  grape—
    biology in—
      California. D.B. 903, pp. 27-44, 98, 124-126. 1921.
      eastern United States and Mediterranean region. D.B. 903, pp. 28, 95-98, 124. 1921.
    description, life history, and control. F.B. 1220, pp. 45-47. 1921.
    diffusion means. D.B. 903, pp. 100-122, 123. 1921.
    in California. W. M. Davidson and R. L. Nougaret. D.B. 903, p. 128. 1921.
    life history, hibernation, forms, and habits. D.B. 903, pp. 31-98, 124-126. 1921.
    prevention by use of resistant stocks. D.B. 856, pp. 7, 12-15. 1920.
    rearing experiments, California, methods. D.B. 903, pp. 52-53. 1921.
    treatment with carbon disulphide. D.B. 730, p. 29. 1918.
  hickory—
    description and control. F.B. 1169, pp. 90-91. 1921; F.B. 1364, pp. 32-33. 1924.
    pecan enemy, description, life history, and control. F.B. 843, pp. 31-32. 1917.
    in California and Europe. B.P.I. Bul. 172, pp. 10-11. 1910.
    indications in vineyards. D.B. 903, pp. 15, 18-22. 1921.
    infestation progress in California, map indicating. D.B. 903, p. 12. 1921.
    relation of soil, climate, and other condition to resistance of vine. B.P.I. Bul. 172, pp. 14-16. 1910.
    remedy, calcium carbide. Ent. Bul. 30, p. 95. 1901.
    resistance, foreign determinations inapplicable in America. B.P.I. Bul. 172, pp. 16-17. 1910.
    resistant species, list. B.P.I. Bul. 172, p. 14. 1910.
    spread, accidental and natural, in California. D.B. 903, pp. 7-11. 1921.
    treatment with carbon bisulphide. F.B. 145, pp. 10-14. 1902.
    winged, development, description, and habits. D.B. 903, pp. 73-82. 1921.
Phymata—
  erosa fasciata, enemy of Arizona wild cotton weevil. D.B. 344, p. 23. 1916.
  wolffii. See Ambush bug.
Phymatin, use as tuberculosis test. An. Rpts., 1911, p. 237. 1912; B.A.I. Chief Rpt., 1911, p. 47. 1911.
Phymatotrichum omnivorum, same as Ozonium omnivorum. J.A.R., vol. 18, p. 305. 1919.
Physalis—
  bunyardi, importation and description. No. 42196, B.P.I. Inv. 46, p. 65. 1919.
  cultural directions and use. F.B. 255, p. 39. 1906; F.B. 937, pp. 45-46. 1918.
  grandiflora, importation and description. No. 42528, B.P.I. Inv. 47, p. 25. 1920.
  importations and description. Nos. 54504, 54514, B.P.I. Inv. 69, pp. 18, 19. 1923.
  Peruviana. See Poha.
  pubescens. See Ground cherry.
  spp., importations and description. Nos. 50027, 50175, 50268, 50496, B.P.I. Inv. 63, pp. 30, 42, 49, 73. 1923.
Physaloptera spp., diagnosis, synonymy, and bibliography. B.A.I. Bul. 60, pp. 41-43. 1904.
Physcus varicornis, parasitic enemy of the scurfy scale. Ent. Cir. 121, p. 9. 1910.
Physic nut, importation and description. No. 34714, B.P.I. Inv. 33, p. 50. 1915.
Physical geography and meteorology, a course in. W. N. Allen. W.B. Bul. 39, pp. 35. 1911.
Physical properties of timber, tests. F. E. Olmsted. Y.B. 1902, pp. 533-538. 1903; Y.B. Sep. 288, pp. 533-538. 1903.
Physicians, protection in sale of habit-forming drugs. F.B. 393, p. 9. 1910.
Physiological rôle of mineral nutrients in plants. Oscar Loew. B.P.I. Bul. 45, pp. 70. 1903.
Physiology—
  Endothia parasitica, cultural studies. D.B. 380, pp. 36-48. 1917.
  forest trees, studies. J.A.R. vol. 24, pp. 105-163. 1923.

Physiology—Continued.
  vegetable, study by use of new respiration calorimeter. C. F. Langworthy and R. D. Milner. Y.B. 1911, pp. 491-504. 1912; Y.B. Sep. 586, pp. 491-504. 1912.
Physocephalus sexalatus, anatomical details, and distribution. B.A.I. Bul. 158, pp. 21-34. 1912.
Physoderma—
  corn disease, cause, development, description, and control. F.B. 1124, pp. 3-9. 1920.
  disease, control methods. J.A.R., vol. 16, pp. 152-153. 1919.
  disease of corn. W. H. Tisdale. J.A.R., vol. 16, pp. 137-154. 1919.
  spp.—
    corn diseases, Quar. No. 24. F.H.B.S.R.A. 27, p. 57. 1916.
    injury to corn, notice of hearing. F.H.B.-S.R.A. 26, pp. 35-36. 1916.
    morphology. J.A.R., vol. 20, p. 313. 1920.
    similarity to Urophlyctis alfalfae. J.A.R., vol. 20, pp. 305-306. 1920.
  zeae-maydis, description, germination, and dissemination. J.A.R., vol. 16, pp. 144-152. 1919.
Physopella fici, occurrence in Texas, and description. B.P.I. Bul. 226, p. 26. 1912.
Physotigmine sulphate, injection, effect on fat and milk production of cows. J.A.R., vol. 12, pp. 124, 125, 126, 129. 1920.
Phytalus georgianus. See White grubs.
Phytelephas macrocarpa. See Palm, ivory-nut.
Phytic acid, rice, determination methods and experiments. J.A.R., vol. 3, pp. 425-429. 1915.
Phytin—
  feeding experiments with rabbits. Chem. Bul. 123, pp. 1-63. 1909.
  in rice, isolation and study. Hawaii A. R., 1915, 1915, pp. 14, 31. 1916.
  preparation, method. Chem. Bul. 123, p. 32. 1909.
Phytolacca—
  decandra—
    agency in overwintering of mosaic disease. J.A.R., vol. 31, pp. 32-42. 1925.
    See also Pokeweed.
  dioica, shade tree from Argentina. No. 31482, B.P.I. Bul. 248, p. 18. 1912.
  spp., importations and description. Nos. 42542, 42854, B.P.I. Inv. 47, pp. 27, 75. 1920.
Phytonomus—
  posticus—
    alfalfa weevil, distribution. William C. Cook. J.A.R., vol. 30, pp. 479-491. 1925.
    See Alfalfa weevil.
  punctatus—
    destruction by birds. Biol. Bul. 15, p. 95. 1901.
    See also Clover-leaf weevil.
  spp., allied to the alfalfa weevil. Ent. Bul. 112, p. 15. 1912.
Phytophaga destructor—
  behavior under conditions imposed by emergence cages. Walter H. Larrimer. J.A.R., vol. 31, pp. 567-574. 1925.
  parasite of Polyscelis modestus. J.A.R., vol. 29, pp. 289-295. 1924.
  See also Hessian fly.
Phytophthora—
  cactorum, cause of—
    ginseng mildew—
      and root rot. F.B. 736, pp. 4-7. 1916.
    description. B.P.I. Bul. 250, pp. 18-19. 1912.
    leather rot of strawberries. J.A.R., vol. 28, pp. 357, 358-366. 1924.
  faberi—
    cause of canker disease of cacao. P.R. An. Rpt., 1914, p. 30. 1915.
    characteristics, morphology, and relationships. J.A.R., vol. 25, pp. 268-284. 1923.
    on coconut and cacao in the Philippine Islands, comparative study. Otto August Reinking. J.A.R., vol. 25, pp. 267-284. 1923.
  footrot of rhubarb. George H. Godfrey. J.A.R., vol. 22, pp. 1-26. 1923.
  genus, studies. J. Rosenbaum. J.A.R., vol. 8, pp. 233-276. 1917.
  growth percentage in potatoes in various countries. B.P.I. Bul. 245, pp. 74-84, 87. 1912.

Phytophthora—Continued.
  infestans—
    biochemical and thermal relations, studies. B.P.I. Bul. 245, pp. 54–57. 1912.
    cause of—
      late blight of potatoes. D.B. 81, pp. 2–3. 1914; F.B. 544, p. 11. 1913; Hawaii A.R., 1917, pp. 35–37. 1918.
      potato rot. D.C. 220, pp. 15. 1924.
    epidemic, cause and development. J.A.R., vol. 5, No. 2, pp. 80–85, 89–92. 1915.
    hibernation in the Irish potato. I. E. Melhus. J.A.R., vol. 5, No. 2, pp. 71–102. 1915.
    mycelium spread in potato tubers and stems. J.A.R., vol. 5, No. 2, pp. 73–80, 87–88. 1915.
    perennial mycelium in species of Peronosporaceae. I. E. Melhus. J.A.R., vol. 5, No. 2, pp. 59–70. 1915.
    potato fungus, investigations. L. R. Jones and others. B.P.I. Bul. 245, pp. 100. 1912.
    resting spores, production, studies. B.P.I. Bul. 245, pp. 57–69, 86. 1912.
    studies and comparison with other species. J.A.R., vol. 8, pp. 234–271. 1917.
    See also Potato late-blight.
    mildew and root rot, ginseng, symptoms and control. F.B. 736, pp. 4–7. 1916.
  omnivora, vitality tests under low temperature. J.A.R., vol. 5, No. 14, pp. 654, 655. 1916.
  parasitica—
    cause of rhubarb footrot, description. J.A.R., vol. 23, pp. 9–16, 21. 1923.
    identity with *P. terrestris*. J.A.R., vol. 24, p. 211. 1923.
    rot of pears and apples. Dean H. Rose and Carl C. Lindegren. J.A.R., vol. 30, pp. 463–468. 1925.
  spp.—
    comparisons. J.A.R., vol. 23, pp. 18–21. 1923.
    description. J.A.R., vol. 30, p. 329. 1925.
    inoculation on pine seedlings, experiments. D.B. 934, pp. 59–61. 1921.
    occurrence on various hosts. B.P.I. Bul. 245, pp. 24–26. 1912.
  terrestria, cause of mal di gomma, relation to *Pythiacystis citrophthora*. J.A.R., vol. 24, pp. 191, 210–213, 231. 1923.
Phytosterol—
  acid, description, study. Soils Bul. 74, pp. 26–27. 1910.
  detection in mixtures of animal and vegetable fats. Robert H. Kerr. B.A.I. Cir. 212, pp. 4. 1913.
  determination in fats. Chem. Bul. 13, Pt. X, p. 1423. 1902.
Piano—
  boxes, utilization for chicken houses. F.B. 1331, pp. 5, 6. 1923.
  keys, manufacture from pine. For. Bul. 99, p. 53. 1911.
  manufacture, spruce lumber, uses. For. Cir. 168, pp. 7, 18. 1909.
Pica—
  cattle disease, description and treatment. B.A.I. [Misc.], "Diseases of cattle," rev., pp. 30–31. 1912.
  nuttalli. See Magpie, yellow-billed.
Piccalilli—
  adulteration. See *Indexes Notices of Judgment, in bound volumes and in separates published as supplements to Chemistry Service and Regulatory Announcements.*
  recipes. F.B. 521, pp. 17–18. 1913.
Picea—
  engelmanni, leaf and twig disease, description. J.A.R., vol. 4, pp. 251–254. 1915.
  genus, key. D.B. 327, p. 42. 1916.
  sitkaensis, injury by *Rhizina inflata*. J.A.R. vol. 4, p. 93. 1915.
  smithiana, importations and descriptions. No. 39040, B.P.I. Inv. 40, pp. 7, 62. 1917; No. 47754, B.P.I. Inv. 59, p. 55. 1922.
  spp.—
    food of *Dendroctonus* spp. Ent. T.B. 17, Pt. I, p. 79. 1909.
    hypertrophied lenticels. J.A.R., vol. 20, pp. 255–266. 1920.
    injury by sapsuckers. Biol. Bul. 39, p. 26. 1911.
    susceptibility to dry rot. B.P.I. Bul. 214, p. 12. 1911.
  See also Spruce.

Picicorvus columbianus. See Nutcracker, Clarke's.
Picidae—
  hosts of eye parasite, list. B.A.I. Bul. 60, pp. 47–48. 1904.
  See also Woodpeckers.
Pick, geological, use in collection of botanical specimens. D.C. 76, p. 2. 1920.
Pickering sprays. *See* Sprays.
Pickers—
  cotton, mechanical, tests. D.B. 564, pp. 37–42. 1917.
  soy-bean, description, use, and cost. F.B. 931, pp. 16–18. 1918.
Picking—
  apples, method and utensils. F.B. 1080, pp. 5–8. 1919.
  avocados in Guatemala, practices. D.B. 743, pp. 20–21. 1919.
  black raspberries. F.B. 213, pp. 16–20. 1905.
  citrus fruit—
    handling and management. B.P.I. Bul. 123, pp. 14–15. 1908.
    method of keeping performance records. Y.B., 1919, pp. 262–265. 1920; Y.B. Sep. 813, pp. 262–265. 1920.
    methods and implements. B.P.I. Bul. 123, p. 15. 1908.
  cotton—
    dates. Atl. Am. Agr., Pt. V, Sec. A, p. 10. 1919.
    day's work. F.B. 1000, p. 19. 1918.
    hours per acre. D.B. 896, pp. 36–37. 1920.
    in Arizona. F.B. 1432, pp. 13–14. 1924.
    in San Joaquin Valley, Calif. D.C. 164, pp. 18–19. 1921.
    lessons. M.C. 43, pp. 5–6. 1925.
    time and quantity. D.B. 896, pp. 36–37. 1920.
  cranberries, methods. F.B. 1402, pp. 3–11. 1924.
  duck, directions. F.B. 697, pp. 20–21. 1915.
  Egyptian cotton—
    peculiarities. B.P.I. Doc. 717, pp. 7–8. 1912.
    sources of labor supply. D.B. 742, pp. 8, 14, 15–16. 1919.
  figs and handling directions. F.B. 1031, pp. 38–39, 40. 1919.
  paprika peppers, methods and cost. D.B. 43, pp. 17, 21, 23. 1913.
  peanuts—
    and cleaning. D.C. 128, pp. 8–9. 1920.
    machine and methods. Sec. Cir. 81, p. 5. 1917.
    methods. F.B. 1127, pp. 19–22. 1920.
  raspberries, methods and influence on keeping quality of fruit. F.B. 887, pp. 33–34. 1917.
  strawberries—
    Eastern States, and handling. F.B. 1028, pp. 36–38. 1919.
    in South Atlantic and Gulf States. F.B. 1026, pp. 32–33. 1919.
    methods, cost, and containers. F.B. 854, pp. 19–21. 1917.
    size of forces, supervision, ripeness stage, and methods. F.B. 979, pp. 4–8, 25. 1918.
  tomatoes—
    and handling, directions. F.B. 1233, pp. 18–19. 1921.
    time and methods. F.B. 1291, pp. 6–10. 1922.
  turkeys, details. Y.B., 1916, p. 418. 1917; Y.B. Sep. 700, p. 8. 1917.
  vanilla beans. P.R. Bul. 26, pp. 27–28. 1918.
Pickle—
  spot, cucumber disease, description, control studies. News L., vol. 2, No. 13, p. 2. 1914.
  worms, control, note. F.B. 856, p. 63. 1917.
Pickled—
  brood—
    description. Ent. Bul. 98, pp. 12, 42–44. 1912; F.B. 442, p. 12. 1911.
    distinction from sacbrood. Ent. Cir. 169, pp. 1–3. 1913.
  meat, weight and volume, rulings. B.A.I.S.R.A. 98, pp. 66–67. 1915.
  pork, formula and use. F.B. 913, pp. 17–18. 1917.
Pickles—
  adulteration and misbranding. Chem. N.J. 12504. 1925; Chem. N.J. 13598. 1925.
  alum content—opinion 91. Chem. S.R.A. 9, p. 688. 1914.
  dill, making at home, directions. F.B. 1159, pp. 13–15. 1920.

Pickles—Continued.
　failure, causes and prevention. F.B. 1159, pp. 17–19. 1920.
　fermented—
　　Edwin LeFevre. F.B. 1159, pp. 23. 1920.
　　making. Edwin LeFevre. F.B. 1438, pp. 17. 1924.
　fruits and vegetables, varieties and methods of preparation. O.E.S. Bul. 245, pp. 87–89. 1912.
　green tomato, recipe. S.R.S. Doc. 98, p. 13. 1919.
　green walnuts, directions for making. F.B. 332, p. 24. 1908.
　growing, harvesting, and pickling cucumbers. F.B. 254, pp. 17–22. 1906.
　hollow, causes. F.B. 1159, p. 18. 1920.
　in brine, contents quantity, opinion 225. Chem. S.R.A. 20, p. 64. 1918.
　Japanese, use of onions and radishes. O.E.S. Bul. 159, p. 35. 1905.
　jujube, sweet, recipe. D.B. 1215, p. 22. 1924.
　mixed, making at home. F.B. 1159, pp. 12–13. 1920.
　recipes. F.B. 521, pp. 16–17. 1913.
　salt, making at home, directions. F.B. 1159, pp. 6–11. 1920.
　shriveling, cause. F.B. 1159, p. 18. 1920.
　soft, cause and prevention. F.B. 1159, p. 17. 1920.
　sour, directions. F.B. 1159, pp. 11, 13. 1920.
　source of profit to women, methods, and suggestions. News L., vol. 2, No. 5, p. 3. 1914.
　standards. Chem. Bul. 69, rev., Pt. V, p. 456; Pt. VI, p. 505. 1906.
　sweet—
　　adulteration. Chem. N.J. 2324, p. 1. 1913.
　　directions for making. F.B. 1159, pp. 11–12. 1920.
　　figs, directions for making. F.B. 1031, p. 43. 1919.
　　nubbins, adulteration and misbranding. Chem. N.J. 2879. 1914.
　trade with foreign countries, exports and imports. D.B. 296, p. 41. 1915.
　use as flavoring. F.B. 391, p. 38. 1910.
　use of onions. O.E.S. Bul. 245, p. 34. 1912.
　walnut, directions for making. B.P.I. Bul. 254, pp. 14–15. 1913.
Pickling—
　club work, 1918. S.R.S. Rpt., 1918, pp. 52–53. 1919.
　cucumber, directions, equipment, and supplies. F.B. 1159, pp. 6–15. 1920.
　directions for club members. S.R.S. Doc. 22, pp. 13–15. 1916.
　fish, in sardine industry. D.B. 908, pp. 8, 34–50, 122. 1921.
　lesson outlines for first year, and correlative studies. D.B. 540, pp. 15, 16, 17. 1917.
　olives—
　　and mock olives for home use. F.B. 296, pp. 14–16. 1907.
　　in California, chemical study. D.B. 803, pp. 1–24. 1920.
　　methods and operations, and chemical changes. D.B. 803, pp. 5–7, 19–24. 1920.
　　processes. F.B. 1249, pp. 37–39. 1922.
　　preserving and canning. Mary E. Creswell and Ola Powell. S.R.S. Doc. 22, rev., pp. 16. 1919.
　　recipes. S.R.S. Doc. 22, rev., pp. 14–16. 1919.
　vegetables—
　　directions. D.B. 123, pp. 68–71. 1916.
　　use of vinegar and methods. O.E.S. Bul. 245, pp. 87–90. 1912.
PICKERELL, WATSON: "Ostrich farming in Arizona." Y.B., 1905, pp. 399–466. 1906; Y.B. Sep. 391, pp. 399–466. 1906.
Picnic(s)—
　community, means of county extension work. D.C. 244, pp. 34–35. 1922.
　grounds, rural, description. F.B. 1388, pp. 17–20. 1924.
Picnometer, description, use in specific gravity determination. B.P.I. Cir. 99, pp. 3–4. 1912.
Picobia spp., description and habits. Rpt. 108, pp. 27, 30. 1915.
Picoides spp. See Woodpeckers, three-toed.

Picoline—
　carboxylic acid—
　　isolation in soils, toxic effects on vegetation. Soils Bul. 53, pp. 28–35, 46–49, 52. 1912; Soils Bul. 75, p. 31. 1911.
　　soil constituent, wheat-growing tests, tables. Soils Bul. 87, p. 50. 1912.
　effects on wheat plants. Soils Bul. 47, pp. 29, 38. 1911.
　soil constituent, wheat-growing tests. Soils Bul. 87, p. 65. 1912.
Picrasma—
　excelsa. See Quassia, Jamaica.
　quassioides, importation, and description. No. 40188, B.P.I. Inv. 42, p. 87. 1918.
　spp., sources of quassiin, discussion. J.A.R., vol. 10, pp. 497–500. 1917.
Picric acid—
　absorption in water, alcohol, and benzene. Soils Bul. 52, p. 36. 1908.
　campaigns. Off. Rec., vol. 1, No. 12, p. 5. 1922.
　distribution to farmers. Off. Rec., vol. 1, No. 2, p. 5. 1922.
　method of sugar determination, modifications. J. J. Willaman and F. R. Davison. J.A.R., vol. 28, pp. 479–488. 1924.
　use in land clearing. An. Rpts., 1923, pp. 491–493. 1924; Rds. Chief Rpt., 1923, pp. 29–31. 1923.
Picrorrhiza kurroa, importation, and description. No. 39041, B.P.I. Inv. 40, p. 62. 1917.
Picture frames, manufacture from basswood and other woods. D.B. 1007, pp. 40–41. 1922.
Pie—
　apple, food-value comparisons, chart. D.B. 975, pp. 11, 36. 1921.
　cottage cheese, recipes. Sec. Cir. 109, rev., pp. 16–18. 1918.
　crust—
　　directions for making and baking. F.B. 1136, pp. 33–34, 35. 1920.
　　recipes. F.B. 1450, p. 12. 1925.
　　use of barley flour. Sec. Cir. 111, p. 4. 1918.
　dasheen, recipe. B.P.I. Doc. 1110, p. 11. 1914.
　egg plant and meat, recipe. News L., vol. 5, No. 3, p. 2. 1917.
　filling—
　　adulteration and misbranding. Chem. N.J. 2598, pp. 2. 1913.
　　lemon, adulteration and misbranding. Chem. N.J. 3902. 1915.
　　misbranding and adulteration. See Indexes, Notices of Judgment, in bound volumes and in spearates published as supplements to Chemistry Service and Regulatory Announcements.
　manufacture from Rotundifolia grapes. B.P.I. Bul. 273, p. 39. 1913.
　meat, recipes for making. F.B. 391, pp. 22–23. 1910; U.S. Food Leaf. 5, p. 4. 1917.
　rabbit, directions for making. F.B. 1090, pp. 25–26. 1920.
　recipes. F.B. 1136, pp. 33–37. 1920.
　sugarless, recipe. News L., vol. 5, No. 51, pp. 2–3. 1918.
Piedmont—
　and Blue Ridge regions of Virginia and South Atlantic States, orchard fruits in. H. P. Gould. B.P.I. Bul. 135, p. 102. 1908.
　apple growing, region, varieties, and production. Y.B., 1918, pp. 370, 372, 378. 1919; Y.B. Sep. 767, pp. 6, 8, 14. 1919.
Plateau—
　northern, soils, area, description, and uses. Soils Bul. 78, pp. 84–92. 1911.
　Province, soils, description, area, and uses. Soils Bul. 78, pp. 73–93. 1911; Soils Bul. 96, pp. 17–48. 1913.
　soil, character, and agricultural value, by series. Soils Bul. 55, pp. 127–132. 1909.
　soil, comparison with Coastal Plain soils. Soils Bul. 55, pp. 29–30. 1909.
　soils in Virginia, description and use. D.B. 46, pp. 3–7. 1913.
　southern, soils, area, description, and uses. Soils Bul. 78, pp. 73–84. 1911.
　region—
　　geology. D.B. 180, pp. 18–20. 1915.
　　injuries and losses from soil erosion. D.B. 180, p. 22. 1915.
　　soils, description. B.P.I. Bul. 135, pp. 18–22. 1908.

PIEMEISEL, F. J.—
"Biologic forms of *Puccinia graminis* on cereals and grasses." With E. C. Stakman. J.A.R., vol. 10, pp. 429-495. 1917.
"Can biologic forms of stemrust on wheat change rapidly enough to interfere with breeding for rust resistance?" With others. J.A.R., vol. 14, pp. 111-124. 1918.
"Infection of timothy by *Puccinia graminis*." With E. C. Stakman. J.A.R., vol. 6, No. 21, pp. 813-816. 1916.
"Plasticity of biological forms of *Puccinia graminis*." With others. J.A.R., vol. 15, pp. 221-250. 1918.

PIEMEISEL, R. L.—
"Fungus fairy rings in eastern Colorado and their effect on vegetation." With H. L. Shantz. J.A.R., vol. 11, pp. 191-246. 1917.
"Indicator significance of the natural vegetation of the southwestern desert region." With H. L. Shantz. J.A.R., vol. 28, pp. 721-802. 1924.
"Indicator significance of vegetation in Tooele Valley, Utah." With others. J.A.R., vol. 1, pp. 365-417. 1914.

Pieplant. See Rhubarb.

PIERCE, A. L.: "Proceedings of the twenty-eighth annual convention of the Association of Official Agricultural Chemists, held at Washington, D. C., November 20–22, 1911." With Harvey W. Wiley. Chem. Bul. 152, pp. 268. 1912.

PIERCE, H. B.: "Determination of fatty acids in butter fat: II." With others. J.A.R., vol. 24, pp. 365-398. 1923.

PIERCE, H. C.—
"A knife for killing poultry." Chem. Cir. 61 rev., p. 12. 1915.
"An all-metal poultry-cooling rack." With M. E. Pennington. Chem. Cir. 115, pp. 8, 1913.
"How the produce dealer may improve the quality of poultry and eggs." Y.B., 1912, pp. 345-352. 1913; Y.B. Sep. 596, pp. 345-352. 1913.
"The comparative rate of decomposition in drawn and undrawn market poultry." With others. Chem. Cir. 70, pp. 22. 1911.
"The effect of the present method of handling eggs on the industry and the product." With M. E. Pennington. Y.B., 1910, pp. 461-476. 1911; Y.B. Sep. 552, pp. 461-476. 1911.
"The egg and poultry demonstration car work in reducing our $50,000,000 waste in eggs." With others. Y.B., 1914, pp. 3633-380. 1915; Y.B. Sep. 647, pp. 363-380. 1915.
"The refrigeration of dressed poultry in transit." With others. D.B. 17, pp. 35. 1913.

PIERCE, LESLIE—
"Apple bitter-rot and its control." With John W. Roberts. F.B. 938, pp. 14. 1918.
"Control of cherry leaf spot." With John W. Roberts. F.B. 1053, pp. 8. 1919.

PIERCE, R. G.—
"A nursery blight of cedars." With others. J.A.R., vol. 10, pp. 533-540. 1917.
"Forestation of the sand hills of Kansas and Nebraska." With Carlos G. Bates. For. Bul. 121, pp. 49. 1913.
"The control of damping-off of coniferous seedlings." With Carl Hartley. D.B. 453, pp. 32. 1917.

PIERCE, W. D.—
"A manual of dangerous insects likely to be introduced into the United States through importations." Sec. [Misc.] "A manual * * * insects * * *," pp. 256. 1917.
"A new interpretation of the relationships of temperature and humidity to insect development." J.A.R., vol. 5, No. 25, pp. 1183-1191. 1916.
"Descriptions of some weevils reared from cotton in Peru." Rpt. 102, pp. 16. 1915.
"How insects affect the cotton plant, and means of combating them." F.B. 890, pp. 28. 1917.
"New potato weevils from Andean South America." J.A.R., vol. 1, pp. 347-352. 1914.
"Notes on the biology of certain weevils related to the cotton boll weevil." Ent. Bul. 63, Pt. II, pp. 39-44. 1907.
"Notes on the economic importance of sowbugs." Ent. Bul. 64, Pt. II, pp. 15-22. 1907.
"Some sugar-cane root-boring weevils of the West Indies." J.A.R., vol. 4, pp. 255-264. 1915.

PIERCE, W. D.—Continued.
"Studies of parasites of the cotton boll weevil." Ent. Bul. 73, pp. 63. 1908.
"The insect enemies of the cotton boll weevil." With others. Ent. Bul. 100, pp. 99. 1912.
"The movement of the cotton boll weevil in 1912." With W. D. Hunter. Ent. Cir. 167, pp. 3. 1913.
"The movement of the cotton boll weevil in 1914." With W. D. Hunter. Ent. [Misc.] "The movement * * *," pp. 2. 1915.
"The occurrence of a cotton boll weevil in Arizona." J.A.R., vol. 1, pp. 89-98. 1913.
"The occurrence of the boll weevil in 1918." Ent. [Misc.] "The occurrence * * * boll weevil * * *," pp. 2. 1919.
"The spread of the cotton boll weevil in 1915." With W. D. Hunter. Ent. [Misc.] "The spread of * * *," pp. 2. 1916.
"The spread of the cotton boll weevil in 1916." With W. D. Hunter. Ent. [Misc.] "The spread of * * *," pp. 2. 1916.
"The spread of the cotton boll weevil in 1917." With W. D. Hunter. Ent. [Misc.] "The spread of * * *," pp. 2. 1917.
"Weevils which affect Irish potato, sweet potato, and yam." J.A.R., vol. 12, pp. 601-612. 1918.

Pieris—
formosa, importation and description. No. 55695. B.P.I. Inv. 72, p. 20. 1924.
monuste, injury to vegetables in Porto Rico. D.B. 192, pp. 6, 10, 11. 1915.
ovalifolia, importation and description. No. 47755, B.P.I. Inv. 59, p. 55. 1922.
rapae. See Cabbage worm.
villosa, importation and description. No. 39127, B.P.I. Inv. 40, p. 79. 1917.

PIERRE, W. H.: "Soil survey of—
Union County, South Dakota." With others. Soil Sur. Adv. Sh., 1921, pp. 473-508. 1924.
Walworth County, Wisconsin." With others. Soil Sur. Adv. Sh., 1920, pp. 1381-1430. 1924; Soils F.O., 1920, pp. 1381-1430. 1925.

Piers—
bridge, necessity and cost. Rds. Bul. 43, p. 19. 1912.
highway-bridge, design, construction methods, and cost. Rds. Bul. 39, p. 19. 1911.

PIERSON, A. H.—
"Consumption of firewood in the United States." For. Cir. 181, pp. 7. 1910.
"Exports and imports of forest products, 1907." For. Cir. 153, pp. 26. 1908.
"Exports and imports of forest products: 1908." For. Cir. 162, pp. 29. 1909.
"Lumber cut of the United States, 1870–1920." With R. V. Reynolds. D.B. 1119, pp. 63. 1923.
"Production of lumber, lath, and shingles, in 1916." With Franklin H. Smith. D.B. 673, pp. 43. 1918.
"Production of lumber, lath, and shingles in 1917." With Franklin H. Smith. D.B. 768, pp. 44. 1919.
"Production of lumber, lath, and shingles in 1918." With Franklin H. Smith. D.B. 845, pp. 47. 1920.
"Pulpwood consumption and wood pulp production, 1920." With R. V. Reynolds. For. [Misc.] "Pulpwood consumption * * *," pp. 39. 1921.
"Tight and slack cooperage stock production in 1918." With Franklin H. Smith. For. [Misc.] "Tight and slack * * *," pp. 15. 1919.

PIETERS, A. J.—
"A variety collection of gladiolus." B.P.I. Doc. 177, pp. 24. 1905.
"Agricultural seeds: Where grown and how handled." Y.B., 1901, pp. 233-256; 1902; Y.B. Sep. 238, pp. 233-256. 1902.
"Alsike clover." F.B. 1151, pp. 25. 1920.
"Annual white sweet clover and strains of the biennial form." With L. W. Kephart. D.C. 169, pp. 21. 1921.
"Clover failure." F.B. 1365, pp. 25. 1924.
"Crimson clover seed production." F.B. 1411, rev. pp. 12. 1924.
"Difference of internode lengths between, and effect of variations in light duration upon, seedlings of annual and biennial white sweet clover." J.A.R., vol. 31, pp. 585-596. 1925.

PIETERS, A. J.—Continued.
"Green manuring." With C. V. Piper. F.B. 1250, pp. 45. 1922.
"Hay." With others. Y.B., 1924, pp. 285-376. 1925; Y.B. Sep. 916, pp. 285-376. 1925.
"Illustrated lecture on green manuring." S.R.S. Syl. 34. pp. 24. 1918.
"Kentucky bluegrass seed: Harvesting, curing, and cleaning." With Edgar Brown. B.P.I. Bul. 19, pp. 19. 1902.
"Korean lespedeza." With G. P. Van Eseltine. D.C. 317, pp. 15. 1924.
"Red-clover culture." With W. R. Walton. F.B. 1339, pp. 33. 1923.
"Sugar-beet seed: Production and testing." Rpt. 72, pp. 101-106. 1902.
"The business of seed and plant introduction and distribution." Y.B., 1905, pp. 291-306. 1906; Y.B. Sep. 384, pp. 291-306. 1906.
Piezometers, use in—
drain tile for measuring water flow. D.B. 854, p. 8. 1920.
water flow measurements, attachment. D.B. 376, pp. 17-18, 20. 1916.
Pig(s)—
arthritis, infectious, cause, symptoms, and control. F.B. 1244, p. 6. 1923.
black teeth at birth, removal. News L., vol. 5, No. 33, p. 2. 1918.
blood—
crystals. J.A.R., vol. 3, p. 217. 1914.
normal, morphology. J.A.R., vol. 9, pp. 131-140. 1917.
temperature, effect of muscular exercise and sun heat. J.A.R., vol. 9, pp. 167-182. 1917.
breeding—
in Porto Rico, experiments. P.R. An. Rpt., 1911, p. 42. 1912.
stock selection. F.B. 874, pp. 24-25. 1917.
calcium-feeding experiments. Chem. Bul. 123, p. 27. 1909.
care—
and—
feeding first 10 days. News L., vol. 5, No. 32, p. 3. 1918.
management at farrowing and suckling period. F.B. 1437, pp. 9-15. 1925.
management before and after birth. News L., vol. 3, No. 10, pp. 1-2. 1915.
at birth, studies. News L., vol. 3, No. 26, pp. 1, 4. 1916.
castration, age, time, and details of operation. F.B. 1357, pp. 2-5. 1923.
cereal-crop pasturing, time and method. News L., vol. 3, No. 35, p. 1. 1916.
cholera-infected, sources of infection, experiments. J.A.R., vol. 13, pp. 102-115. 1918.
clubs—
and the swine industry. J. D. McVean. Y.B., 1917, pp. 371-384. 1918; Y.B. Sep. 753, pp. 16. 1918.
benefit to agriculture. Y.B., 1916, pp. 471-473. 1917; Y.B. Sep. 694, pp. 5-7. 1917.
boys'—
and girls', work in increasing pork supply, enrollment of "Junior commissary soldiers." News L., vol. 5, No. 39, p. 4. 1918.
objects. F.B. 566, p. 2. 1913.
organization and cooperative work. B.P.I. Doc. 644, rev., p. 2. 1913.
organization methods, membership, officers, and rules. F.B. 566, pp. 2-5. 1913.
prizes and awards, list. F.B. 566, pp. 5-6. 1913.
with special reference to their organization in South. W. F. Ward. F.B. 566, pp. 16. 1913.
champions, methods and results. Y.B., 1917, pp. 373, 378. 1918; Y.B. Sep. 753, pp. 5, 10. 1918.
cost and profits, 1915. News L., vol. 4, No. 8, pp. 3, 5. 1916.
demonstrations. D.C. 248, pp. 33-34. 1922.
earliest organization, 1910, and enrollment, 1917. News L., vol. 5, No. 22, p. 5. 1917.
financing by bankers, advantages to communities. News L., vol. 3, No. 45, p. 4. 1916.
improvement in hogs. News L., vol. 6, No. 32, pp. 12-13. 1919.

Pig(s)—Continued.
clubs—continued.
in—
Florida, cooperative shipments. News L., vol. 6, No. 43, p. 11. 1919.
Georgia, Bibb County, work of three members. News L., vol. 3, No. 4, p. 2. 1915.
Georgia, loans to members for purchase of purebred pigs. News L., vol. 2, No. 41, p. 5. 1915.
Guam, enrollment and work, 1920. Guam A.R., 1920, pp. 71, 73. 1921.
North and West, demonstrations and results. D.C. 152, pp. 20-21. 1921.
North and West, enrollment and work. S.R.S. Dir. Rpt., 1921, pp. 49-50. 1921.
influence on Florida hog raising. News L., vol. 6, No. 40, pp. 9, 9-10. 1919.
judging, suggestions. J. D. McVean and F. G. Ashbrook. Sec. Cir. 83, pp. 14. 1917.
means of increasing pork production. Sec. Cir. 84, pp. 14-16. 1918.
members financing. Y.B., 1915, pp. 177-179. 1916; Y.B. Sep. 667, pp. 177-179. 1916.
membership increase and work, 1917-1918. News L., vol. 5, No. 44, p. 2. 1918.
need of land for feeding crops. S.R.S. Doc. 29, pp. 2-3. 1915.
number, membership, and results in 1921. D.C. 255, pp. 15, 24-25. 1923.
organization, aid of department. Y.B., 1915, p. 272. 1916; Y.B. Sep. 675, p. 272. 1916.
Red Cross, work in Carroll County, Mississippi. News L., vol. 6, No. 8, p. 7. 1918.
results, Maryland. News L., vol. 6, No. 45, p. 12. 1919.
summary of work, 1918. D.C. 66, pp. 25, 33. 1920.
work—
W. F. Ward. Y.B., 1915, pp. 173-188. 1916; Y.B. Sep. 667, pp. 173-188. 1916.
and popularity. S.R.S. Rpt., 1918, pp. 60, 99. 1919.
in northeast, methods and conditions. News L., vol. 2, No. 42, p. 4. 1915.
in Oklahoma. Off. Rec., vol. 4, No. 44, p. 6. 1925.
in South, records. News L., vol. 6, No. 46, pp. 6-7. 1919.
school studies. D.B. 646, p. 25. 1918.
destruction by eagles. Biol. Bul. 27, pp. 14, 27. 1906.
development, effect of ration. C. O. Swanson. J.A.R., vol. 21, pp. 279-341. 1921.
diseased, blood, excreta, and secretions as sources of infection. J.A.R., vol. 13, pp. 102-115. 1918.
diseases, and ailments. Y.B., 1922, p. 219. 1923; Y.B. Sep. 882, p. 219. 1923.
dry-lot finishing, Huntley experiment farm. D.C. 86, pp. 24-25. 1920.
Duroc, feeding experiments. D.C. 342, pp. 8-13. 1925.
eating by sows, prevention. F.B. 874, p. 20. 1917.
endless chain, establishment in Georgia, methods. News L., vol. 2, No. 41, p. 5. 1915.
fall, experiments in raising on pasture and grain. cost and profits. F.B. 331, pp. 21-22. 1908.
fattening—
cowpeas, value. F.B. 1153, p. 10. 1920.
experiments—
at Huntley experiment farm. 1921. D.C. 275, pp. 18-21. 1923.
dry lot and alfalfa pasture. D.C. 147, pp. 13-21. 1921.
for market. B.A.I. Bul. 47, pp. 60-61. 1904.
on alfalfa pasture and grain. W.I.A. Cir. 24, pp. 19-20. 1918.
on growing crops. Belle Fourche experiment farm. D.C. 60, pp. 20-22, 26-28. 1919.
on sorghum feeds. F.B. 724, pp. 7, 11. 1916.
rations, experiments. S.R.S. Rpt., 1917, Pt. I, pp. 23, 24, 167, 192, 217, 225, 253. 1918.
self-feeder and hand-fed method, comparison. News L., vol. 4, No. 2, p. 3. 1916.
without pasture, experiments and results. D.C. 147, pp. 18-21. 1921.
feed value of slop. F.B. 133, pp. 26-27. 1901.

INDEX TO PUBLICATIONS, 1901–1925   1817

Pig(s)—Continued.
- feeder, production, development of industry. Y.B., 1922, pp. 198–199. 1923; Y.B. Sep. 882, pp. 198–199. 1923.
- feeding—
  - and management—
    - F.B. 355, p. 20. 1909.
    - records, marking. F.B. 874, pp. 22–29. 1917.
    - before weaning. F.B. 411, pp. 11–12. 1910.
    - comparison and experiments, Truckee-Carson project, 1917. W.I.A. Cir. 23, p. 24. 1918.
    - contest, rules and blanks. O.E.S. Bul. 255, pp. 30–31. 1913.
    - directions. M.C. 12, pp. 26–27. 1924.
    - dry-lot finishing on grain rations, Montana. W.I.A. Cir. 22, pp. 25–29. 1918.
    - experimental work, review. George M. Rommel. B.A.I. An. Rpt., 1903, pp. 261–311. 1904; B.A.I. Cir. 63, pp. 51. 1904.
  - experiments—
    - food requirements at different ages. F.B. 388, pp. 25–28. 1910.
    - in Guam, feed and cost. Guam. A.R., 1915, pp. 24–25. 1916.
    - in mineral nutrition. O.E.S. An. Rpt., 1911, pp. 27, 190. 1912.
    - results. S.R.S. Rpt., 1915, Pt. I, pp. 43–44, 59, 118, 128, 165, 172, 176, 213, 245, 277. 1917.
    - with fish meals and tankage, comparisons. D.B. 610, pp. 3–5, 9. 1917.
    - with velvet beans and other feeds. F.B. 962, pp. 35–36, 39. 1918.
  - improved methods introduced by pig clubs. Y.B., 1917, pp. 373–374. 1918; Y.B. Sep. 753, pp. 5–6. 1918.
  - in dry lot, Truckee-Carson farm. W.I.A. 19, pp. 16–17. 1918.
  - metabolic nitrogen studies. J.A.R., vol. 9, pp. 407–409. 1917.
  - on—
    - alfalfa pasture, experiments. D.C. 339, pp. 39–43, 44–46. 1925.
    - cottonseed meal, comparison with polished rice. J.A.R., vol. 5, No. 11, pp. 490–492. 1915.
    - cottonseed meal, experiments. J.A.R., vol. 25, p. 9. 1923.
    - cottonseed products, experiments and results. J.A.R., vol. 14, pp. 442–449, 450. 1918.
    - cottonseed, various forms, results of experiments. J.A.R., vol. 12, pp. 89–97. 1918.
    - with dried pressed potato, experiments and results. D.B. 596, pp. 3–6. 1917.
    - fish meal, experiments and results. D.B. 378, pp. 5, 6, 7, 8, 12–15. 1916.
    - rice meal. F.B. 144, pp. 24–25. 1901.
    - soy beans, experiments. F.B. 973, pp. 21, 29. 1918.
    - tankage or meat meal. F.B. 169, pp. 29–30. 1903.
  - pasture and grain rations. D.C. 86, pp. 21–22, 24–25. 1920.
  - profitable crops. F.B. 133, pp. 27–29. 1901.
  - tests, results in individual variations in grain. J.A.R., vol. 19, pp. 225–232. 1920.
  - together with calves. News L., vol. 4, No. 8, pp. 7, 8. 1916.
  - trough, construction, school exercise. D.B. 527, pp. 32–33. 1917.
- feet—
  - adulteration. See Indexes, Notices of Judgment, in bound volumes and in separates published as supplements to Chemistry Service and Regulatory Announcements.
  - meat inspection regulation. B.A.I.S.A. 60, p. 24. 1912.
  - pickling, directions. F.B. 1186, p. 18. 1921.
- finishing on standing corn, experiments. D.C. 339, pp. 46–47. 1925.
- five little. S.R.S. [Misc.], "Five little pigs," pp. 3. 1917.
- following cattle, gains. B.A.I. Bul. 47, p. 242. 1904.
- forage crops for. C. F. Langworthy. F.B. 124, pp. 25–27. 1901; F.B. 334, pp. 20–22. 1908.
- forage crops for feeding. F.B. 124, pp. 25–27. 1901.

Pig(s)—Continued.
- gains—
  - in hogging-down corn. D.C. 339, pp. 32–33. 1925.
  - on alfalfa pasture supplemented with corn. D.B. 752, pp. 8–15. 1919.
- gestation period. News L., vol. 3, No. 10, p. 1. 1915.
- gossypol feeding experiments. J.A.R., vol. 15, p. 277. 1915.
- growing—
  - feed by club members, in Florida. News L., vol. 6, No. 43, p. 10. 1919.
  - rations with milk. B.A.I. An. Rpt., 1903, p. 284. 1904; B.A.I. Cir. 63, p. 284. 1904.
- handling in winter, methods. News L., vol. 7, No. 18, p. 5. 1919.
- healthy, from tuberculous sows. News L., vol. 6, No. 52, p. 13. 1919.
- housing, cost. F.B. 438, pp. 9–10. 1911.
- immunity to hog-cholera, experiments. An. Rpts., 1912, pp. 376–377. 1913; B.A.I. Chief Rpt., 1912, pp. 80–81. 1912.
- individual, variation in economy of gain. R. C. Ashby and A. W. Malcomson. J.A.R., vol. 19, pp. 225–234. 1920.
- injury from cottonseed meal. F.B. 1179, pp. 6, 13. 1920.
- inoculation with—
  - Bacillus necrophorus, experiments. B.A.I. Bul. 67, pp. 29–30. 1905.
  - Coccidioides immitis, experiments. J.A.R., vol. 14, p. 539. 1918.
  - serum and virus for hog-cholera control. News L., vol. 5, No. 34, p. 2. 1918.
- litters—
  - per year from each sow, discussion. F.B. 985, p. 35. 1918.
  - relative proportions of the sexes. George M. Rommel. B.A.I. Cir. 112, p. 1. 1907.
- loco disease, susceptibility. B.A.I. Bul. 112, p. 104. 1909.
- losses, causes. Y.B., 1922, pp. 224, 225, 226. 1923; Y.B., Sep. 882, pp. 224, 225, 226. 1923.
- management—
  - George M. Rommel. F.B. 205, pp. 40. 1904.
  - and feeding. B.A.I. Bul. 47, pp. 55–62. 1904.
- manure production per year, composition, amount, and value. S.R.S. Doc. 30, pp. 2–3. 1916.
- marketing methods, improvement, club shipments. Y.B., 1917, p. 379. 1918; Y.B. Sep. 753, p. 11. 1918.
- marking by notching ears. F.B. 874, p. 28. 1917.
- May, breeding time, pasturage and feeds. News L., vol. 5, No. 24, p. 5. 1918.
- meal, adulteration and misbranding. See Indexes, Notices of Judgment, in bound volumes and in separates, published as supplements to Chemistry Service and Regulatory Announcements.
- mineral nutrition, studies. P.R. An. Rpt., 1911, p. 44. 1912.
- necrobacillosis, symptoms and control. B.A.I. Doc. A–20, pp. 2. 1917; Sec. Cir. 84, pp. 21–23. 1918.
- necrotic stomatitis (sore mouth) and "calf diphtheria." B.A.I. Bul. 67, pp. 1–48. 1905.
- new-born, treatment and care. F.B. 874, p. 18. 1917.
- newly farrowed, injury by intestinal worms. News L., vol. 5, No. 35, p. 5. 1918.
- number on farms in 1919, map. Y.B., 1921, p. 483. 1922; Y.B. Sep. 878, p. 77. 1922.
- numbers in litters, and average cost. Y.B., 1922, pp. 223–225. 1923; Y.B. Sep. 885, pp. 223–225. 1923.
- on sweet-clover pasture, use and value of tankage feeding, Truckee-Carson project, tests, 1917. W.I.A. Cir. 23, pp. 21–22. 1918.
- parasites and thumps. B. H. Ransom. Y.B., 1920, pp. 175–180. 1921; Y.B. Sep. 837, pp. 175–180. 1921.
- pasture on sweet clover and alfalfa, experiment. W.I.A. Cir. 19, pp. 14–16. 1918.
- pastures, value in reducing cost of pork production. Sec. Cir. 84, pp. 16–17. 1918.
- pasturing—
  - in Guam, and feeding. Guam A.R. 1919, pp. 8, 14–16. 1921.

Pig(s)—Continued.
  pasturing—continued.
    on dry-land crops, experiments and results, 1915-1921. D.B. 1143, pp. 3-17. 1923.
    on red clover. F.B. 1339, pp. 13-14. 1923.
    on sweet clover and red clover, gains. F.B. 485, p. 29. 1912.
  pens. See Hog houses.
  phosphorus feeding experiments. Chem. Bul. 123, pp. 14-15. 1909.
  poisoning by—
    cocklebur, and treatment. D.C. 283, pp. 3, 4. 1923.
    cottonseed, similarity to beriberi. J.A.R., vol. 5, No. 11, pp. 489-493. 1915.
  prize, exhibits at county and state fairs. Y.B., 1915, pp. 181-185. 1916; Y.B. Sep. 667, pp. 181-185. 1916.
  production decline in Corn Belt, 1923. Off. Rec., vol. 3, No. 29, p. 3. 1924.
  profitable feed crops. F.B. 133, pp. 27-29. 1901.
  profits of Tennessee boy. News L., vol. 6, No. 31, p. 14. 1919.
  purebreds—
    and grades, studies, comparisons. F.B. 566, pp. 6-7. 1913.
    gilts, loans to Georgia boys, conditions. News L., vol. 2, No. 41, p. 5. 1915.
    introduction by pig-club work. Y.B., 1917, pp. 374-376. 1918; Y.B. Sep. 753, pp. 6-8. 1918.
  raising—
    by Florida club boys. News L., vol. 6, No. 50, pp. 6-7. 1919.
    by mill operatives, cost and returns. D.B. 602, pp. 8-9. 1918.
    cost from birth to maturity. F.B. 202, pp. 24-27. 1904.
    feeding cost, experiments. D.C. 339, pp. 41-44. 1925.
    study outline for home project. D.B. 346, p. 10. 1916.
    war emergency work. Lib. Leaf. 2, pp. 1-4. 1918.
  recovered, as carriers of hog cholera, investigations. J.A.R., vol. 13, pp. 120-125. 1918.
  red corpuscles, effect of muscular exercise. J.A.R. vol. 9, pp. 168-173. 1917.
  ruptured, castration, directions. F.B. 780, p. 6. 1916; F.B. 1357, p. 5. 1923.
  "schoolhouse," ownership and care by schoolboys, method. News L., vol. 2, No. 41, p. 5. 1915.
  selection for—
    breeding stock. B.A.I. Bul. 47, p. 61. 1904.
    fair exhibit. F.B. 1455, p. 4. 1925.
  sore mouth, occurrence of necrotic stomatitis. B.A.I. Bul. 67, pp. 1-48. 1905.
  spring—
    farrowing, care and feed. News L., vol. 5, No. 27, p. 3. 1918.
    pasturing on alfalfa with various grain rations. D.C. 204, pp. 24-25. 1921.
  studies for southern rural schools. D.B. 305, p. 32. 1915.
  sucking—
    feeding methods and feeds. News L., vol. 5, No. 29, p. 3. 1918.
    vaccination experiments. B.A.I. Bul. 102, pp. 74-81. 1908.
  summer growing, feeds, care, and tonics. News L., vol. 4, No. 50, p. 3. 1917.
  teeth, removal at birth, method. News L., vol. 3, No. 10, pp. 1-2. 1915.
  temperatures—
    in testing anti-hog-cholera serum. B.A.I. S.R.A. 139, p. 93. 1919.
    of blood and body, effects of muscular exercise and the heat of the sun. C. C. Palmer. J.A.R., vol. 9, pp. 167-182. 1917.
  treatment for—
    cocklebur poisoning. Off. Rec., vol. 2, No. 35, p. 3. 1923.
    intestinal worms. F.B. 874, p. 38. 1917.
  use of self-feeder in final fattening. News L., vol. 5, No. 3, p. 8. 1917.
  value increase by blood improvement, West Virginia. News L., vol. 6, No. 31, p. 11. 1919.
  water consumption at various weights. B.A.I. Bul. 47, p. 242. 1904.

Pig(s)—Continued.
  water requirements. News L., vol. 7, No. 18, p. 5. 1919.
  weaned, feeding. B.A.I. Bul. 47, pp. 60-61. 1904.
  weaning, directions. F.B. 411, pp. 12-13. 1910.
  weaning time. News L., vol. 6, No. 51, pp. 7-8. 1919.
  weight—
    at various ages. Sec. Cir. 83, p. 6. 1917.
    cost of gain per 100 pounds, boys' clubs. Y.B., 1915, p. 180. 1916; Y.B. Sep. 667, p. 180. 1916.
    most profitable for marketing. F.B. 985, p. 37. 1918.
    records during fattening period. F.B. 874, pp. 26-27. 1917.
  worms—
    control by carbon tetrachloride, tests. J.A.R., vol. 23, pp. 174-178. 1923.
    control studies. J.A.R., vol. 27, pp. 167-175. 1924.
  young—
    care and feeding. F.B. 411, pp. 8, 11-13. 1910.
    castration. Frank G. Ashbrook. F.B. 780, pp. 6. 1916.
    diseases. B.A.I. Bul. 47, p. 56. 1904.
    feed and pasture, requirements. Y.B., 1907, pp. 396, 397, 398. 1908; Y.B. Sep. 456, pp. 396, 397, 398. 1908.
    immunizing to hog cholera, experiments. O.E.S. An. Rpt., 1912, p. 155. 1913.
    infection with *Ascaris lumbricoides*, experiments. J.A.R., vol. 11, pp. 395-398. 1917.
    management and feeding. Hawaii Bul. 48, pp. 17-19, 27, 29. 1923.
    protection, use of movable houses. Sec. Cir. 102, pp. 1-8. 1918.
    skim-milk diet. B.A.I. Bul. 47, pp. 232-236. 1904.
    treatment for hog cholera. F.B. 384, pp. 29-30. 1917.
  See also Hogs; Swine.
Pigeon—
  berry. See Squaw vine.
  grass, destruction by birds. Biol. Bul. 15, pp. 26, 27, 49, 95. 1901.
  pea. See also Pea, pigeon.
Pigeon(s)—
  band-tailed, game birds, status. Biol. Bul. 12, rev., p. 22. 1902.
  blue, occurrence in Porto Rico, and importance as game. D.B. 326, p. 55. 1916.
  blue-rock, origin of modern breeds and strains. B.A.I. An. Rpt., 1910, pp. 143, 152. 1912.
  breeding for squab raising. F.B. 177, pp. 17-19. 1903.
  buildings for. F.B. 177, pp. 9-14. 1903.
  canning recipe. S.R.S. Doc. 80, pp. 20-21. 1918; rev. 1919.
  Carneaux, description, and value for squab raising. F.B. 684, p. 2. 1915.
  carrier—
    aid to foresters. News L., vol. 7, No. 10, p. 15. 1919.
    of hog cholera, investigations. J.A.R., vol. 13, pp. 125-129. 1918.
  cholera, investigation. B.A.I. An. Rpt., 1907, p. 47. 1909.
  conditions, past and present. Y.B., 1910, p. 244. 1911; Y.B. Sep. 533, pp. 244. 1911.
  crossing, note. B.P.I. Bul. 256, p. 59. 1913.
  diseases and parasites, control. F.B. 177, pp. 27-31. 1903; F.B. 684, pp. 13-14. 1915.
  economic status on farms. Sec. Cir. 107, p. 9. 1918.
  feed(s)—
    and feeding in squab raising. F.B. 177, pp. 19-23. 1903.
    feeding methods, and cost. News L., vol. 3, No. 7, pp. 4-5. 1915.
    varieties, and cost per pair. F.B. 684, pp. 10-12, 14, 15, 16. 1915.
  feeding—
    experiments in vitamin studies. D.B. 1138, pp. 4-20, 23-46. 1923.
    experiments with dried Azotobacter cells. J.A.R., vol. 23, p. 829-830. 1923.
    time and methods. F.B. 684, pp. 10-12. 1915.
    with poultry flesh and eggs, experiments. J.A.R., vol. 28, pp. 462-471. 1924.

Pigeon(s)—Continued.
  flying homers, production for and use by Army Signal Corps. News L., vol. 5, No. 47, p. 13. 1918.
  foreign, importations. An. Rpts., 1923, p. 460. 1924; Biol. Chief Rpt., 1923, p. 42. 1923.
  game birds, status. Biol. Bul. 12, rev., p. 22. 1902.
  harm by spread of hog cholera. D.R.P. Cir. 1, pp. 18, 19, 22. 1915.
  homer, description and value for squab raising. F.B. 684, p. 2. 1915.
  homing, care and training. Alfred R. Lee. F.B. 1373, pp. 14. 1924.
  houses, description—
    conditions and equipment. News L., vol. 3, No. 12, pp. 4, 6. 1915.
    floors, alleys, flies, fixtures, and cost. F.B. 684, pp. 6–9. 1915.
  in Porto Rico, habits and food. D.B. 326, pp. 53–55. 1916.
  infection with coccidiosis, spread of disease. F.B. 1337, pp. 12, 13. 1923.
  infestation by ticks. Rpt. 108, p. 63. 1915.
  injury by experiments. Chem. Bul. 148, pp. 10, 12, 16. 1912.
  inoculation with *Bacillus necrophorus*, experiments. B.A.I. Bul. 67, p. 26. 1905.
  lice on, eradication. H. P. Wood. D.C. 213, pp. 4. 1922.
  loft, construction and arrangement. F.B. 1373, p. 14. 1924.
  management for squab production. F.B. 684, pp. 1–16. 1915.
  manure, uses and market value. F.B. 684, p. 13. 1915; F.B. 1044, p. 10. 1919.
  market quotations. F.B. 1377, p. 9. 1927.
  number, 1909. D.B. 467, p. 2. 1916.
  origin, quality of flesh, food value, and uses. D.B. 467, pp. 5, 21. 1916.
  parasite (*Strongylus quadriradiatus* n. sp.), occurrence. B.A.I. Cir. 47, pp. 1–6. 1904.
  parasites, remedies. F.B. 177, pp. 27–31. 1903.
  passenger—
    Athabaska-Mackenzie region. N.A. Fauna 27, p. 351. 1908.
    extermination. Biol. Bul. 38, p. 35. 1911.
    game bird, status. Biol. Bul. 12, rev., p. 22. 1902.
    range and habits. N.A. Fauna 22, p. 105. 1902.
  possibilities for backyard poultry keepers, and methods. Sec. Cir. 107, pp. 16–17. 1918.
  production, status of industry. Y.B., 1924, p. 419. 1925.
  raising—
    methods. F.B. 177, pp. 1–32. 1903; Sec. Cir. 107, pp. 16–17. 1918.
    on farms, methods, breeds, conditions. News L., vol. 5, No. 46, pp. 9, 10. 1918.
  relation to starlings. D.B. 868, pp. 49–50. 1920.
  remedies for general health. F.B. 177, pp. 29–30. 1903.
  scaled, occurrence in Porto Rico, food habits and importance as game. D.B. 326, pp. 53–54. 1916.
  selection for breeders, mating methods. F.B. 684, pp. 3, 6. 1915.
  septicemia, inoculation study. B.A.I. Bul 36, pp. 16–17. 1902.
  spread of hog cholera. News L., vol. 6, No. 52, p. 13. 1919.
  squab-raising varieties, description, habits, and profits. F.B. 684, pp. 1–16. 1915.
  squab yield per pair. News L., vol. 5, No. 18, p. 2. 1917.
  trapshooting, prohibition in Alabama. D.C. 182, p. 3. 1921.
  treatment for lice. Off. Rec., vol. 1, No. 19, p. 5. 1922.
  varieties for raising squabs. F.B. 177, pp. 15–17. 1903.
  water supply in squab raising. F.B. 177, pp. 22–23. 1903.
  white-crowned, occurrence in Porto Rico, and food habits. D.B. 326, p. 53. 1916.
  wild—
    protection, exception from. Biol. Bul. 12, rev., p. 44. 1902.
    protective legislation. Biol. Bul. 12, rev., pp. 22–25. 1902.

Pigeons(s)—Continued.
  wing lameness, treatment. F.B. 1337, p. 23. 1923.
  See also Squabs.
Pigment(s)—
  behavior in acids and alkalies. J.A.R., vol. 30, pp. 1017–1019. 1925.
  bile, determination in fats, new method devised. B.A.I. An. Rpt., 1911, p. 68. 1913.
  black, testing methods. Chem. Bul. 109, pp. 18–19. 1908.
  blue, testing methods. Chem. Bul. 109, pp. 24–26. 1908.
  calcium, testing methods. Chem. Bul. 109, pp. 14–15. 1908.
  colored, testing methods. Chem. Bul. 109, pp. 19–27. 1908.
  development in Fusaria, rôle of hydrogen-ion concentration. Christos P. Sideris. J.A.R., vol. 30, pp. 1011–1019. 1925.
  effect on linseed oil, with note on manganese content of raw linseed oil. E. W. Boughton. Chem. Cir. 111, pp. 7. 1913.
  formation in plants, relation to length of day. J.A.R. vol. 23, pp. 902–903. 1923.
  inert, use in paints, discussion. F.B. 474, p. 15. 1911.
  iron preservation, value, tests, methods and results. Rds. Bul. 35, pp. 24–30. 1909.
  kinds for paints. F.B. 1452, pp. 2–6. 1925.
  onion scale, relation to disease resistance. J.A.R., vol. 24, pp. 1027–1033. 1923.
  oxide and earth, testing methods. Chem. Bul. 109, pp. 22–24. 1908.
  paste, description. F.B. 474, p. 13. 1911.
  production by Azobacter, influence of nitrates. J.A.R. vol. 12, pp. 203–205. 1918.
  pure, preparation, and physical and chemical properties of—
    carotin. F.M. Schertz. J.A.R., vol. 30, pp. 469–474. 1925.
    xanthophyll. F.M. Schertz. J.A.R., vol. 30, pp. 575–585. 1925.
  relations between xanthophyll and carotin. J.A.R. vol. 30, pp. 575–576, 580–584. 1925.
  rust inhibitors, classification. Rds. Bul. 35, p. 30. 1909.
  testing, white, black, and colored. Chem. Bul. 109, rev., pp. 20–39. 1910.
  white, analysis, general scheme. Chem. Bul. 109, pp. 17–18. 1908.
  yellow, orange, and red, testing methods. Chem. Bul. 109, pp. 19–22. 1908.
  See also Colors; Dyes.
Pigmentation—
  cowpeas, studies. J.A.R., vol. 2, pp. 33–56. 1914.
  onion, relation to disease resistance. J.A.R., vol. 29, pp. 507–514. 1924.
Pigmeophoris spp., description and habits. Rpt. 108, pp. 105, 107–108. 1915.
Pignolia—
  food value. F.B. 332, pp. 13, 15. 1908.
  See also Pine nuts.
Pignut—
  injury from gipsy moth. D.B. 204, p. 15. 1915.
  injury to trees by sapsuckers. Biol. Bul. 39, pp. 30–31, 71. 1911.
  See also Hickory, pignut.
Pigskins, imports and consumption. Y.B., 1917, pp. 438, 443. 1918; Y.B. Sep. 741, pp. 16, 21. 1918.
Pigweed—
  composition and feed value. Hawaii Bul. 50, p. 19. 1923.
  description, distribution, spread, and products injured. F.B. 660, p. 28. 1915.
  description of seed, appearance in red clover seed. F.B. 260, p. 22. 1906.
  destruction by birds. Biol. Bul. 15, p. 27. 1901.
  diseases, Texas, occurrence and description. B.P.I. Bul. 226, p. 99. 1912.
  family, saltbush species, descriptions. D.B. 1345, pp. 28–30. 1925.
  use as potherb. O.E.S. Bul. 245, p. 28. 1912.
  See also Lamb's quarters.
Pika(s)—
  Alaska, range and habits. N.A. Fauna 21, p. 67. 1901.
  American, revision. Arthur H. Howell. N.A. Fauna 47, pp. 57. 1924.

Pika(s)—Continued.
  collared—
    in Alaska, description, occurrence, and habits.
      N.A. Fauna 30, pp. 26-28. 1909.
    range and habits. N.A. Fauna 24, p. 38. 1904.
  occurrence in Colorado and description. N.A.
    Fauna 33, pp. 151-152. 1911.
  Rocky Mountain, in Athabaska-Mackenzie
    region. N.A. Fauna 27, p. 198. 1908.
Pike National Forest, Colorado—
  addition to. Sol. [Misc.], Laws applicable * * *
    Agriculture," Sup. 3rd pp. 26-27. 1915.
  area, description, and laws. Sol. [Misc.], "Laws
    applicable * * * Agriculture." Sup., 2nd
    pp. 35-36. 1915.
  lands reserved for Colorado Springs water supply.
    Sol. [Misc.], "Laws applicable * * * Agri-
    culture," 2nd Sup., pp. 54-57. 1915.
  map. For. Maps. 1925.
  map and directions to hunters and campers.
    For. Map Fold. 1913.
  mountain playgrounds of. D.C. 41, pp. 17.
    1919.
  playgrounds. D.C. 41, pp. 1-17. 1919.
Pike's Peak, Colorado—
  forest types, studies. D.B. 1233, pp. 7-25. 1924.
  wind velocity. Y.B., 1911, pp. 340, 341, 342, 343.
    1912; Y.B. Sep. 573, pp. 340, 341, 342, 343. 1912.
Pike's Peak—
  Highway, toll road, construction. Y.B., 1916,
    pp. 526-527. 1917; Y.B. Sep. 696, pp. 6-7. 1917.
  region, temperature records for various elevations.
    D.B. 1233, pp. 39-45. 1924.
Pilacre faginea, life history. C. L. Shear and B. O.
  Dodge. J.A.R., vol. 30, pp. 407-417. 1925.
Pilau, recipe. F.B. 1195, p. 15. 1921.
Pilchard, identification and advantages. D.B.
  908, pp. 2-3, 118-119. 1921.
Pileolaria toxicodendri, occurrence on plants in Texas,
  and description. B.P.I. Bul. 226, p. 76. 1912.
Pile(s)—
  dams, description. O.E.S. Bul. 249, Pt. II, pp.
    12-13. 1912.
  preservative treatment. For. Bul. 78, p. 25.
    1909.
  production in Connecticut, specifications, and
    cost. For. Bul. 96, p. 19. 1912.
  woods used. For. Cir. 128, p. 3. 1908.
Pilewort. See Fireweed.
Pilgrim Creek Nursery, practices, irrigation and
  shading. D.B. 479, pp. 35, 37, 38, 41, 46, 49, 61,
  67, 69, 85. 1917.
PILHASHY, B. M., report on distilled spirits. Chem.
  Bul. 81, pp. 20-21. 1904.
Pili—
  description and uses. D.B. 772, pp. 273-274.
    1920.
  mountain, Hawaiian grass, composition and
    value. Hawaii Bul. 36, pp. 11, 13, 19. 1915.
  value as source of Hawaiian honey. Hawaii Bul.
    17, p. 9. 1908.
Pili nut—
  growing in Hawaii. Hawaii A.R., 1922, p. 8.
    1924.
  importations and descriptions. No. 28810, B.P.I.
    Bul. 223, p. 53. 1911; Nos. 34368, 34694, B.P.I.
    Inv. 33, pp. 12, 47. 1915; Nos. 37685, 38372,
    38398, B.P.I. Inv. 39, pp. 19, 122, 124. 1917;
    No. 40926, B.P.I. Inv. 44, p. 15. 1918; No.
    43601, B.P.I. Inv. 49, p. 50. 1921; No. 44101,
    B.P.I. Inv. 50, p. 28. 1922; Nos. 47901, 48221-
    48222, B.P.I. Inv. 60, pp. 13, 57. 1922; No.
    54434, B.P.I. Inv. 69, p. 8. 1923.
Piling—
  bridge, use of Norway pine. D.B. 139, p. 15.
    1914.
  grading, specifications, and weights. F.B. 1210,
    pp. 11-12. 1921.
  marketing from woodlots. Y.B., 1915, p. 125.
    1916; Y.B. Sep. 662, p. 125. 1916.
  preservation against marine wood borers. C. S.
    Smith. For. Cir. 128, pp. 15. 1908.
  specifications, weight for different species. F.B.
    715, p. 9. 1916.
  use of Douglas fir, preservative treatment. For.
    Bul. 88, pp. 59-60. 1911.
Pilipiliula, Hawaiian grass, composition and objec-
  tionable character. Hawaii Bul. 36, pp. 11, 13,
  14, 42. 1915.

Pillarcitos Dam, Calif., details of foundation, core
  wall. O.E.S. Bul. 249, Pt. I, pp. 18, 19. 1912.
Pillbugs—
  injury to cotton and control. F.B. 890, p. 7. 1917.
  See also Sowbugs.
Pillows, fir balsam, gipsy-moth quarantine and
  inspection of, ruling. F.H.B.S.R.A., 31, pp. 96-
  97. 1916.
Pills—
  administration to cattle, directions. B.A.I.
    [Misc.], "Diseases of cattle," rev., p. 10, 1904;
    rev., p. 10. 1912; rev., p. 8. 1923.
  diarrhea, calomel, adulteration and misbranding.
    Chem. N.J. 3049. 1914.
  labeling requirements, Regulation 25. Sec. Cir.
    21, rev., pp. 12-13. 1922.
  neuralgic, adulteration and misbranding. Chem.
    N.J. 3046. 1914.
  Tutt's, misbranding. Chem. N.J. 3788. 1915.
Pilocarpine injection, effect on fat and milk produc-
  tion of cows. J.A.R., vol. 12, pp. 123, 124. 1920.
Pilocrocis tripunctata—
  injury to sweet potatoes in Porto Rico, descrip-
    tion. D.B. 192, pp. 9, 11. 1915.
  See also Sweet-potato leaf folder.
Pilot switches in electric wiring. Y.B., 1919, p.
  231. 1920; Y.B. Sep. 799, p. 231. 1920.
Pima Indian—
  Reservation, Sacaton, Ariz., Egyptian cotton
    experiments, 1908. B.P.I. Cir. 29, p. 3. 1909.
  women, expertness in picking Egyptian cotton.
    B.P.I. Doc. 717, p. 8. 1912.
Pimenta—
  acris. See Bay tree.
  sp., importation and description. No. 45355,
    B.P.I. Inv. 53, p. 31. 1922.
Pimento, importation and description. No 45665,
  B.P.I. Inv. 53, p. 74. 1922.
Pimiento—
  and cottage cheese roast, recipe. B.A.I. Doc. A.
    18, p. 2. 1917.
  canned, adulteration. See Indexes, Notices of
    Judgment, in bound volumes, and in separates,
    published as supplements to Chemistry Service
    and Regulatory Announcements.
  cheese making, details, cost, and keeping qualities
    F.B. 960, pp. 10-11, 12, 16, 18. 1918.
  name, use in error for sweet pepper. News L.,
    vol. 2, No. 50, p. 7. 1915.
  processing, directions and time table. F.B. 1211,
    pp. 46, 49. 1921.
  use—
    as food. O.E.S. Bul. 245, pp. 52, 56, 68. 1912.
    in cream cheese, influence on keeping qualities.
      D. B. 669, pp. 26-27. 1918.
    with cheese in food. F.B. 487, pp. 28, 34, 35.
      1912.
  See also Peppers.
Pimenton extract, studies. Chem. Bul. 152, pp. 95-
  96. 1912.
Pimpernel—
  blue. See Skullcap.
  red, seeds, description. F.B. 428, p. 26. 1911.
Pimpinella anisum. See Anise.
Pimpla—
  annulipes, parasite of codling moth, occurrence.
    Ent. Bul. 80, Pt. I, p. 30. 1909.
  conquisitor, parasite of the range caterpillar. D.B.
    443, pp. 8, 10. 1916.
  sanguinipes, parasite of New Mexico range cater-
    pillar. Ent. Bul. 85, p. 88. 1911.
  sp., boll weevil enemy. Ent. Bul. 100, pp. 42, 52-
    68. 1912; Ent. Bul. 114, p. 142. 1912.
Pinaceae—
  injury by sapsuckers. Biol. Bul. 39, pp. 23-27,
    62-66. 1911.
  See also Pines.
Pinacodera limbata, enemy of codling moth. Ent.
  Bul. 115, Pt. I, p. 75. 1912.
Pinanga—
  insignis, importation and description. No. 54986,
    B.P.I. Inv. 71, p. 10. 1923.
  kuhlii, importation and description. No. 51735,
    B.P.I. Inv. 65, p. 42. 1923.
"Pinankaral" importation and description. No.
  34123, B.P.I. Inv. 32, p. 12. 1914.
Pinball. See Buttonbush.

INDEX TO PUBLICATIONS, 1901–1925 1821

PINCHOT, GIFFORD—
"A new method of turpentine orcharding." For. Cir. 24, pp. 8. 1903.
"A primer of forestry." F.B. 173, pp. 48. 1903.
"A primer of forestry." Part II. Practical forestry." F.B. 358, pp. 48. 1909.
"Directions and specifications for building telephone lines on national forests." For [Misc.], "Directions and specifications * * *," pp. 12. 1908.
report of Forester—
1901. An. Rpts., 1901, pp. 325–329. 1901.
1902. An. Rpts., 1902, pp. 109–136. 1902.
1903. An. Rpts., 1903, pp. 497–533. 1903.
1904. An. Rpts., 1904, pp. 169–205. 1904.
1905. An. Rpts., 1905, pp. 199–237. 1905.
1906. An. Rpts., 1906, pp. 267–305. 1907.
1907. An. Rpts., 1907, pp. 343–380. 1908; For. Rpt., 1907. pp. 40. 1907.
1908. An. Rpts., 1908, pp. 409–448. 1909; For. A.R., 1908, pp. 44. 1908.
1909. An. Rpts., 1909, pp. 371–413. 1910; For. A.R., 1909, pp. 45. 1909.
"Self government in industry." B.A.I. Dairy [Misc.], "World's dairy congress, 1923," pp. 135–138. 1924.
"Suggestions to prospective forest students." For. Cir. 23, pp. 5. 1902.
"The conservation of natural resources." F.B. 327, pp. 12. 1908.
"The lumberman and the forester." For. Cir. 25, pp. 11–14. 1903.
PINCKNEY, R. M.—
"Action of soap upon lead arsenates." J.A.R., vol. 24, pp. 87–95. 1923.
"Effect of nitrate applications upon hydrocyanic-acid content of sorghum." J.A.R., vol. 27, pp. 717–723. 1924.
Pincushion flower, description, cultivation, and characteristics. F.B. 1171, pp. 35, 82. 1921.
Pincushion-tree. See Cramp-bark tree.
Pindars. See Peanuts.
PINDELL, L. M.: "Weather symbols on rural free-delivery wagons." W.B. Bul. 31, p. 208. 1902.
Pine—
absorption of creosote, tests, longleaf and loblolly pine. For. Cir. 200, p. 6. 1912.
adaptability for shelter-belt planting. D.B 1113, pp. 11, 14, 15. 1923.
adaptation to central Rocky Mountain region. D.B. 1233, pp. 3–4. 1924.
American and foreign, hosts of blister rust fungus. F.B. 489, pp. 9–10. 1912.
annual yield, forests of South Carolina. For. Bul. 56, pp. 48–50. 1905.
Apache—
description, occurrence, growth, and habits. D.B. 460, pp. 33–35, 46. 1917.
similarity to yellow pine. For. Bul. 99, p. 75. 1911.
Arizona—
beetle, description and habits. Ent. Bul. 83, Pt. I, pp. 72–73. 1909.
description, occurrence and growth habits. D.B. 460, pp. 26–28, 46. 1917.
description, supply, and uses. For. Bul. 99, p. 76. 1911.
association with Douglas fir. D.B. 1200, pp. 4, 14, 19, 20, 42, 43. 1924.
Australian. See Casuarina.
Austrian—
characteristics, uses, and rate of growth in Kansas. For. Bul. 98, p. 51. 1911; For. Cir. 161, pp. 11, 23, 24, 28, 29, 41. 1909.
value as windbreak. For. Bul. 86, pp. 32, 34, 96, 97. 1911.
Banksian, distribution. N.A. Fauna 22, pp. 12, 13, 16. 1902.
banksiana. See Pine, blackjack; Pine, jack.
bark beetle—
description, habits, injuries, and methods of fighting. Y.B., 1902, pp. 275–281. 1903.
eight-toothed, description, habits, and notable depredations. Y.B., 1907, pp. 155–517. 1908; Y.B. Sep. 442, pp. 155–517. 1908.
in North American forests. Ent. Bul. 83, Pt. I, pp. 136–146. 1909.
injuries. Ent. Bul. 83, Pt. I, pp. 84, 95. 1909.

Pine—Continued.
beetles—
control work. An. Rpts., 1923, pp. 410–411. 1924; Ent. A.R., 1923, pp. 30–31. 1923.
damage to standing timber, and control. Ent. Cir. 143, pp. 4–5, 6, 7. 1912.
depredations in—
Europe and North America. Y.B., 1907, pp. 155–157, 162–163. 1908; Y.B. Sep. 442, pp. 155–157, 162–163. 1908.
North American forests. Ent. Bul. 58, pp. 58, 59, 61. 1910.
destructive, invasion, Eastern States and ranges in Southern States. Y.B., 1907, p. 163. 1908; Y.B. Sep. 442, p. 163. 1908.
injury to longleaf pines, control studies. D.B. 1061, p. 48. 1912.
outbreaks. Off. Rec., vol. 2, No. 49, p. 3. 1923.
red-winged, description, habits, and bibliography. Ent. Bul. 83, Pt. I, pp. 136–138. 1909.
roundheaded, description, habits, and control. Ent. Bul. 83, Pt. I, pp. 53–56. 1909.
See also Dendroctonus monticolae.
bigcone—
description, range, and occurrence on Pacific Slope. For. [Misc.], "Forest trees * * * Pacific * * *," pp. 57–58. 1908.
See also Pine, Coulter.
Bishop's, description, range, and occurrence on Pacific slope. For. [Misc.], "Forest trees * * * Pacific * * *," pp. 65–68. 1908.
black. See Pine, Murray.
blackjack—
characteristics. For. Bul. 101, pp. 6, 8, 11, 13, 14, 22, 23, 28–33. 1911.
superior yield of seed. For. Cir. 196, p. 9. 1912.
turpentine gum yield, dip and scrape. For. Bul. 116, p. 11. 1912.
volume in board feet on basis of diameter, table. For. Bul. 101, p. 63. 1911.
See also Pine, Banksian; Pine, jack.
blister rust. See Blister rust.
blue stain in lumber, cause. D.B. 418, p. 15. 1917.
borer—
black-horned, description, life history, and injuries to timbers. Y.B., 1910, pp. 350–358. 1911; Y.B. Sep. 542, pp. 350–358. 1911.
heartwood, large flat-headed, description and injuries. Y.B., 1909, pp. 412–413. 1910; Y.B. Sep. 523, pp. 412–413. 1910.
branches, infected, burning to control Hypoderma deformans. J.A.R., vol. 6, No. 8, pp. 289–296. 1916.
bristle-cone—
description—
occurrence and growth habits. D.B. 460, pp. 23–26, 46. 1917.
range and occurrence on Pacific slope. For. [Misc.], "Forest trees * * * Pacific * * *," pp. 37–39. 1908.
supply and uses. For. Bul. 99, pp. 94–95. 1911.
occurrence, habits, and reproduction. For. Silv. Leaf. 23, pp. 1–2. 1908.
physiological studies. J.A.R., vol. 24, pp. 106–145, 159–160. 1923.
bull, immature form of yellow pine, description. D.B. 418, pp. 5, 29. 1917.
butterfly, description, habits, and forest destruction. Y.B., 1907, pp. 159–160. 1908; Y.B. Sep. 442, pp. 159–160. 1908.
by-products, medicinal use. For. Bul. 99, pp. 16, 53, 69. 1911.
California—
descriptions. M.C. 31, pp. 1–4. 1925.
sugar. See Pine, sugar.
swamp, description, supply, and uses. For. Bul. 99, p. 93. 1911.
California swamp, occurrence and habits. For. Silv. Leaf. 30, pp. 1–2. 1908.
Canary Island, introduction into Guam. O.E.S. Doc. 1137, p. 410. 1908.
characteristics—
and reproduction. For. Bul. 98, pp. 54, 55, 56, 57. 1911; F.B. 468, p. 39. 1911.
generic. D.B. 460, pp. 2–46. 1917.
characters, species on Pacific slope. For. [Misc.], "Forest trees for the Pacific slope," pp. 19–68. 1908.

Pine—Continued.
  Chihuahua, description—
    occurrence, and growth habits. D.B. 460, pp. 36-38, 46. 1917.
    supply, and uses. For. Bul. 99, p. 7. 1911.
  Chilgoza, importation and description. No. 49889. B.P.I. Inv. 63, pp. 2, 17. 1923.
  Chinese—
    species with edible seeds, importations. Nos. 43796, 43861, B.P.I. Inv. 49, pp. 78, 88. 1921.
    white-barked, value as ornamental. Y.B., 1915, p. 220. 1916; Y.B. Sep. 671, p. 220. 1916.
  Colorado, beetle, description and habits. Ent. Bul. 83, Pt. I, pp. 77-80. 1909.
  competition with Norway pine on different soils. D.B. 139, p. 12. 1914.
  compound, adulteration and misbranding. N.J. 795, I. and F. Bd. S.R.A. 42, pp. 1002-1003. 1923.
  cones. See Cones.
  consumption—
    for sulphite-process pulp, 1900-1916. D.B. 620, pp. 2-4. 1918.
    in Arkansas, amount, and value. For. Bul. 106, pp. 7, 8, 10, 11, 13, 14, 15, 16, 17, 18, 19, 20, 21, 22, 23, 24, 29, 30, 33, 39, 40. 1912.
  content of sulphur trioxide, comparison of eastern and western species. Chem. Bul. 89, p. 20. 1905.
  cooperage. See Cooperage.
  cork, a fine supply of white pine. For. Bul. 99, p. 39. 1911.
  Corsican—
    injury by disinfectants, nursery soils. D.B. 169, pp. 7, 15-16. 1915.
    See also *Pinus laricio corsicana*.
  Coulter—
    description—
      range, and occurrence on Pacific slope. For. [Misc.], "Forest trees * * * Pacific * * *," pp. 57-58. 1908.
      description, supply and uses. For. Bul. 99, p. 84. 1911.
      occurrence and reproduction. For. Silv. Leaf. 34, pp. 1-2. 1908.
  crown development, relation to seed production. D.B. 210, pp. 3-5, 12-13. 1915.
  Cuban—
    comparison with western pines. For. Bul. 119, pp. 30, 36. 1913.
    description—
      life habits and value. For. Bul. 43, rev., pp. 32-34. 1907.
      supply, and uses. For. Bul. 99, pp. 7-8, 24-26. 1911.
  cutting—
    methods, relation to reproduction, comparisons. D.B. 1105, pp. 74-82. 1923.
    seasons, relation to southern pine-beetle control. Ent. Bul. 83, Pt. I, p. 69. 1909.
    selective method for control of rots. D.B. 799, p. 23. 1919.
  dead, insect injuries to wood. Ent. Cir. 127, pp. 1-2. 1910.
  dense stands, effect on seed production. For. Cir. 196, pp. 8, 10, 11. 1912.
  derivatives, insecticides, misbranding. N J. 285, 287, 293, I. and F. Bd. S.R.A. 17, pp. 305, 307, 312. 1917.
  description, and occurrence in South Carolina. For. Bul. 56, pp. 8-29, 33-41. 1905.
  destroying barkbeetle, western. J. L. Webb. Ent. Bul. 58, pp. 17-30. 1910; Ent. Bul. 58, Pt. II, pp. 17-30. 1906.
  destruction—
    by—
      insects, and methods of control. Ent. Cir. 125, pp. 1-2, 3. 1910.
      pine beetles. Ent. Bul. 58, Pt. V, pp. 58, 59. 1909.
    for eradication of blister rust. D.B. 957, pp. 82-83, 84, 88-89. 1922.
  digger—
    description, range, and occurrence on Pacific slope. For [Misc.], "Forest trees * * * Pacific * * *," pp. 54-56. 1908.
    occurrence, requirements, and reproduction. For. Silv. Leaf. 33, pp. 1-2. 1908.

Pine—Continued.
  digger—continued.
    oeloresin, examination. For. Bul. 119, pp. 9, 18-22, 30-36. 1913.
    See also Pine, gray.
  disease caused by *Cronartium pyriforme*. George G. Hedgcock and William H. Long. D.B. 247, pp. 20. 1915.
  distillation—
    material used and products, 1906 and 1907. Y.B., 1908, p. 555. 1909.
    wood used, 1906, by States, products, quantity, and value. For. Cir. 121, pp. 6-7. 1907.
  distribution—
    in Central America. B.P.I. Bul. 145, pp. 19-21. 1909.
    of eight species having largest ranges in United States. D.B. 244, p. 2. 1915.
    dying in Southern States, cause, extent, and remedy. A. D. Hopkins. F.B. 476, pp. 15. 1911.
  eating weevil, destruction by birds. Biol. Bul. 30, p. 47. 1907.
  European, Quar. No. 20, summary. F.H.B.S.R.A. 71, p. 175. 1922.
  fir, forest type, study in central Rocky Mountains. D.B. 1233, pp. 10-11, 23, 25. 1924.
  five-leaf—
    Quar. No. 26, amended, summary. F.H.B. S.R.A.71, p. 174. 1922.
    See also Pines, white.
  five-leaved—
    and other, quarantine orders. F.H.B.S.R.A. 74, pp. 52, 53, 54. 1923.
    quarantine, for blister rust. F.H.B. Quar. 26, p. 1. 1917; An. Rpts., 1916, pp. 372, 374-375, 383, 384. 1917; F.H.B. Rpt., 1916, pp. 2, 4-5, 13, 14. 1916.
    Quar. No. 7, amended, summary. F.H.B. S.R.A. 71, p. 175. 1922.
    spread of white pine blister rust. F.B. 1024, pp. 22-25. 1919.
    See also Pines, white.
  five-needle—
    list. F.B. 742, p. 3. 1916.
    quarantine for blister rust. D.C. 226, p. 5. 1922.
    stand in North America. D.C. 226, p. 7. 1922.
    susceptibility to blister rust. D.C. 226, pp. 3, 5-7. 1922.
    See also Pines, white.
  forest(s)—
    brush disposal to favor reproduction. For. [Misc.], "Brush disposal * * *," pp. 11, 12, 14, 15. 1907.
    California, rôle of fire. S. B. Show and E. I. Kotok. D.B. 1294, pp. 80. 1924.
    destruction by settlers and miners prior to 1897. Y.B., 1907, pp. 279-280. 1908; Y.B. Sep. 466, pp. 279-280. 1908.
    devastation by southern pine beetle. Ent. Bul. 83, Pt. I, pp. 63-67. 1909.
    in California, lumbering methods, details and costs. D.B. 440, pp. 1-99. 1917.
    in South, injury by beetles. An. Rpts., 1912, pp. 76-77, 148-149. 1913; Sec. A.R., 1912, pp. 76-77, 148-149. 1912; Y.B., 1912, pp. 76-77, 148-149. 1913.
    in southern belt, value of cut-over lands, stumpage. For. Cir. 35, p. 26. 1905.
    injury by storms in South. Ent. Bul. 58, Pt. IV, p. 43. 1909.
    lands, South Carolina stand of various trees per acre. For. Bul. 56, pp. 9, 11. 1905.
    management in—
      Oregon. D.B. 418, pp. 36-42. 1917.
      South, need of experimental study. Sec. Cir. 183, p. 13. 1921.
    protection from fire. F.B. 1256, pp. 8, 29, 33. 1922.
    range condition, acreage required per animal. For. Bul. 101, p. 59. 1911.
    rotation for control of western red-rot. D.B. 490, pp. 7-8. 1917.
    southern injury by storms 1906, 1907, 1908, and losses. Ent. Bul. 58, p. 43. 1910.
    type of, Nebraska, description. For. Bul. 66, pp. 12-23. 1905.

INDEX TO PUBLICATIONS, 1901-1925 1823

Pine—Continued.
 four-leaf, description, range, and occurrence on Pacific slope. For. [Misc.], "Forest trees * * * Pacific * * *," pp. 33-35. 1908.
 foxtail—
  description—
   range, and occurrence on Pacific slope. For. [Misc.], "Forest trees * * * Pacific * * *," pp. 39-41. 1908.
  supply, and uses. For. Bul. 99, p. 96. 1911.
  occurrence, habits, and reproduction. For. Silv. Leaf. 26, pp. 1-2. 1908.
  occurrence in Colorado, description. N.A. Fauna 33, pp. 212-213. 1911.
  fungous, diseases, causes, descriptions. For. [Misc.], "Forest tree diseases * * *," pp. 33-58. 1914.
  geographic distribution of North American trees. Pt. I. Forest atlas. For. [Misc.], "Forest atlas * * *," maps 36. 1913.
 gray—
  description—
   range, and occurrence on Pacific slope. For. [Misc.], "Forest trees for the Pacific," pp. 54-56. 1908.
  supply and uses. For. Bul. 99, pp. 85-88. 1911.
  See also Pine, digger.
 grinder runs, tables. D.B. 343, pp. 104-114. 1916.
 growing in Great Plains. F.B. 1312, pp. 15-17. 1923.
 growth in—
  different regions, rate. F.B. 1177, rev., pp. 26-27. 1920.
  Illinois. For. Cir. 81 rev., pp. 21, 22. 1910.
  Nebraska sand hills. For. Bul. 121, pp. 46, 47. 1913.
 Himalayan, host of white-pine blister rust. D.B. 116, p. 6. 1914.
 hip canker, caused by Peridermium filamentosum. J.A.R. vol. 5, No. 17, pp. 782, 783. 1916.
 Hongkong, importation and description. No. 53489, B.P.I. Inv. 67, p. 91. 1923.
 Idaho white, western yellow, and sugar, grading rules. D.C. 64, pp. 34-35. 1920.
 importation, special permits. F.H.B.S.R.A. 61, p. 33. 1919.
 importations and descriptions. Nos. 35208, 35289-35294, 35614, 35615, B.P.I. Inv. 35, pp. 22, 33-34, 60. 1915; Nos. 50651, 51085, B.P.I. Inv. 64, pp. 8, 52. 1923; No. 52817, B.P.I. Inv. 66, pp. 1, 80. 1923.
 imported, scientific names required. F.H.B. S.R.A. 2, p. 6. 1914.
 in Louisiana, areas, conditions and amount. For. Bul. 114, pp. 8-13, 19-20. 1912.
 in South Carolina, development, height, and diameter. For. Bul. 43, rev., pp. 37-44. 1907.
 infestation with—
  May beetles. F.B. 543, pp. 10-11. 1913.
  mistletoe. J.A.R., vol. 4, pp. 371, 372. 1915.
 injury by—
  fungous rots. D.B. 658, pp. 3, 4, 6, 11, 16, 17, 19, 21, 22. 1918.
  gipsy moth. D.B. 204, p. 15. 1915.
  grazing animals. For. Serv. Inv. 2, pp. 23-24. 1913.
  Nantucket pine-top moth, Nebraska. For. Bul. 12, pp. 45-46. 1913.
  pine-shoot moth, locality and character. D.B. 170, pp. 2-7. 1915.
  pine squirrels. F.B. 484, p. 26. 1912.
  Sequoia pitch moth. D.B. 111, pp. 4-9. 1914.
 inoculation with—
  blister rust, experiments and results. D.B. 957, pp. 12-14. 1922.
  fungous disease, experiments. J.A.R., vol. 2, pp. 247-249. 1914.
 insect pests, list. Sec. [Misc.] "A manual * * * insects * * *," pp. 70-76. 1917.
 jack—
  William Dent Sterrett. D.B. 820, pp. 47. 1920.
  characteristics—
   and uses. For. Misc., S-18, pp. 1, 3. 1916.
   range, and requirements. D.B. 820, pp. 2-7. 1920.

Pine—Continued.
 jack—continued.
  cost of growing. D.B. 820, pp. 28, 29. 1920.
  description—
   occurrence, and growth habits. D.B. 460, pp. 42-46. 1917.
   supply, and uses. For. Bul. 99, pp. 57-58. 1911.
   uses, associates and planting details. F.B. 888, pp. 9-10, 13, 19. 1917.
  diseases, prevalence in swampy areas. D.B. 212, p. 4. 1915.
  enemies, fire, wind, frost, snow, diseases, and insects. D.B. 820, pp. 20-21. 1920.
  form, growth rate and reproduction. D.B. 820, pp. 7-20. 1920.
  fungous diseases, studies. D.B. 212, pp. 1-10. 1915.
  immature form of yellow pine, description. D.B. 418, pp. 5, 29. 1917.
  injury by disinfectants in nursery soils. D.B. 169, pp. 4, 7, 12, 14, 15-16, 21, 23, 24, 26. 1915.
  injury from wind and fires. D.B. 212, p. 9. 1915.
  management in forests. D.B. 820, pp. 28-33. 1920.
  measurement tables in European countries. D.B. 820, p. 45. 1920.
  pathology, observations on. James R. Weir. D.B. 212, pp. 10. 1915.
  planting—
   and sowing, costs and methods. D.B. 820, pp. 31-32. 1920.
   directions. For. Cir. 195, p. 11. 1912.
   records in Nebraska and Kansas. For. Bul. 121, pp. 20-22, 36, 38, 47-48. 1913.
  range, climate, habits, growth, longevity, and reproduction. For. Sil. Leaf. 44, pp. 1-4. 1909.
  range, cultivation, and uses. For. Cir. 57, pp. 1-2. 1907.
  resistance to root and needle fungi. D.B. 212, p. 7. 1915.
  root system. D.B. 820, pp. 8, 9. 1920.
  sandy lands—
   clearing and breaking, directions. F.B. 323, pp. 8-9, 24. 1908.
   of the North, clover farming in. C. Beaman Smith. F.B. 323, pp. 24. 1908.
  seed, germination tests. D.B. 212, p. 5. 1915.
  seed, production quality and germination. D.B. 820, pp. 18-19. 1920.
  seedlings, establishment and protection. D.B. 820, pp. 19-20, 32. 1920.
  soils, typical. F.B. 323, pp. 5-6. 1908.
  stumpage value per acre, at different ages. D.B. 820, pp. 27-28. 1920.
  use for mechanical pulp, experiments. For. Prod. [Misc.], pp. 1-29. 1912.
  utilization methods. D.B. 820, pp. 23-26. 1920.
  younger form of western yellow pine. D.B. 490, pp. 5, 7, 8. 1917.
  See also Pine, Banksian; Pine, blackjack.
 Java, importation and description. No. 43462. B.P.I. Inv. 49, pp. 8, 28. 1921.
 Jeffrey—
  beetle, damage to standing timber, and control. Ent. Cir. 143, p. 5. 1912.
  beetle, history, habits and control. Ent. Bul. 83, Pt. I, pp. 101-103. 1909.
  description—
   range, and occurrence on Pacific slope. For. [Misc.], "Forest trees * * * Pacific * * *," pp. 47-49. 1908.
   supply, and uses. For. Bul. 99, pp. 73-75. 1911.
   occurrence, habits, and reproduction. For. Silv. Leaf. 21, pp. 1-3. 1908.
  See also Pinus jeffreyi.
 Kauri, importations and descriptions. No. 46387, B.P.I. Inv. 56, pp. 2, 14. 1922; No. 47917, B.P.I. Inv. 60, pp. 2, 14. 1922.
 kernels, use as food, China. B.P.I. Bul. 204, p. 53. 1911.
 knobcone—
  description—
   range, and occurrence For. [Misc.], "Forest trees * * * Pacific * * *," pp. 62-65. 1908.

Pine—Continued.
  knobcone—continued.
    description—continued.
      supply, and uses. For. Bul. 99, pp. 93-94. 1911.
    occurrence, and reproduction. For. Silv. Leaf. 36, pp. 1-2. 1908.
    seed production. J.A.R., vol. 11, p. 25. 1917.
  Korean, introduction into Guam. O.E.S. Doc. 1137, p. 410. 1908.
  lands—
    cut over, of South, for beef-cattle production. F. W. Farley and S. W. Greene. D.B. 827, pp. 51. 1921.
    reforesting, costs. For. Bul. 76, pp. 27-30, 36. 1909.
    southern, acreage and conditions, forest problems. Sec. Cir. 183, p. 21. 1921.
  limber—
    description—
      range, and occurrence on Pacific slope. For. [Misc.], "Forest trees * * * Pacific * * *," pp. 27-30. 1908.
      supply, and uses. For. Bul. 99, pp. 91-93. 1911.
      wood, occurrence and growth habits. D.B. 460, pp. 7-9, 46. 1917; For. Silv. Leaf. 46, pp. 1-4. 1909.
    physiological studies. J.A.R., vol. 24, pp. 106-145, 155-160. 1923.
    preservative treatment used by ranchmen. For. Bul. 99, p. 92. 1911.
    relation to forest conditions in central Rocky Mountains. D.B. 1233, pp. 3-151. 1924.
    study in central Rocky Mountains. D.B. 1233, pp. 12, 16, 25. 1924.
    various names. For. Bul. 99, p. 91. 1911.
    list of kinds infected with blister rust. D.B. 957, pp. 11-24. 1922.
  loblolly—
    For. Cir. 183, pp. 4. 1910.
    and shortleaf, utilization for naval stores, study of possibilities. D.B. 229, p. 42. 1915.
    characteristics, requirements, form, growth, and yield. D.B. 11, pp. 4-11, 43-44. 1914.
    cross-arms, preservative treatment. W. F. Sherfesee. For. Cir. 151, pp. 29. 1908.
    cutting methods, and work after cutting. D.B. 11, pp. 30-33. 1914.
    description—
      reproduction, and common names. For. Bul. 43, rev., pp. 29-32. 1907.
      supply, and uses. For. Bul. 99, pp. 7, 20-24. 1911.
    forest characteristics. For. Bul. 64, pp. 19-27. 1905.
    forest management in Delaware, Maryland, and Virginia. D.B. 11, pp. 59. 1914.
    in Alabama. For. Bul. 68, pp. 17-18, 49-63. 1905.
    in eastern Texas, with special reference to the production of crossties. Raphael Zon. For. Bul. 64, pp. 53. 1905.
    management, profits per acre. D.B. 11, pp. 21-27. 1914.
    nomenclature and characteristics of tree and wood. D.B. 11, pp. 43-44. 1914.
    plantations, management and care. For. Cir. 183, pp. 3-4. 1910.
    preservative treatment, effect on strength. D.B. 286, pp. 3, 6, 7, 10, 12, 13. 1915.
    profit, for ties, estimated cost and returns. For. Bul. 64, pp. 47-49. 1905.
    range, growth habits, and value. For. Cir. 183, pp. 1-4. 1910.
    red heart disease. D.B. 11, p. 10. 1914.
    reforesting by sowing and by planting, cost. D.B. 11, pp. 34-36. 1914.
    reproduction, and requirements. D.B. 11, pp. 6-8, 29-36. 1914.
    seasoning. For. Cir. 151, pp. 9-21. 1908.
    seed—
      bed, requirements. D.B. 11, p. 7. 1914; For. Cir. 183, p. 3. 1910.
      collecting and planting. For. Cir. 183, p. 3. 1910.
      germination. D.B. 39, pp. 7-8. 1914.
      production. For. Bul. 64, pp. 22-23. 1905.
    seedlings, management. For. Cir. 183, pp. 3-4. 1910.

Pine—Continued.
  loblolly—continued.
    stand on well-drained, fertile soil, table. For. Bul. 64, pp. 15-17. 1905.
    strength tests. For. Cir. 32, pp. 6-7, 12-14. 1904.
    structural value, strength, elasticity, and shearing strength. For. Cir. 115, pp. 7-13, 24, 26-28, 32-34, 36, 38, 39. 1907.
    stumpage value. D.B. 11, pp. 16-19. 1914.
    susceptibility to injury by wind, fire, insects, and diseases. D.B. 11, pp. 8-11. 1914.
    tests for strength and elasticity, results. For. Bul. 108, pp. 20-24, 26, 30, 38, 39, 47, 56, 57, 63, 64, 70-73, 97-100, 118-120. 1912.
    ties, method of distinguishing from shortleaf. For. [Misc.] "Guidebook * * *," pp. 73-74. 1917.
    tolerance. For. Bul. 64, p. 22. 1905.
    utilization and value. D.B. 11, pp. 11-20. 1914.
    various names. For. Bul. 99, p. 21. 1911; For. Cir. 183, p. 1. 1910.
    location for planting to avoid blister rust. D.B. 957, p. 86. 1922.
  lodgepole—
    abundance on old forest burns. M.C. 19, p. 3. 1924.
    annual cut, by States. D.B. 234, pp. 9-10. 1915.
    beetle—
      description and habits. Ent. Bul. 83, Pt. I, pp. 138-139. 1909.
      destruction of lodgepole pine. D.B. 154, pp. 20-21. 1915.
    characteristics, strength, and comparison with other pines. D.B. 234, p. 3. 1915.
    comparison of forms. J.A.R., vol. 30, p. 621. 1925.
    cones and seeds, production, number, and distribution. For. Bul. 79, pp. 29-31, 51. 1910.
    cuttings, material secured and left, in Montana and Wyoming. D.B. 234, pp. 28-32, 35-39. 1915.
    description—
      occurrence and growth habits. D.B. 460, pp. 38-42. 1917.
      range and occurrence on Pacific slope. For. [Misc.], "Forest trees * * * Pacific * * *," pp. 49-54. 1908.
      supply, and uses. For. Bul. 99, pp. 69-73. 1911.
    destruction by—
      settlers and miners prior to 1897. Y.B., 1907, pp. 279-280. 1908; Y.B. Sep. 466, pp. 279-280. 1908.
      sheep grazing. D.B. 738, pp. 7-25. 1918.
      smelter fumes. D.B. 154, pp. 22-23. 1915.
    development and growth, relation to light and water. For. Bul. 79, pp. 39-42. 1910.
    distribution, ownership, and supply. D.B. 234, pp. 1-2, 8. 1915.
    enemies, fire, insects and smelter fumes. D.B. 154, pp. 19-27. 1915.
    experimental plantations. D.B. 1204, pp. 31-33. 1925.
    forest tables, Montana and Wyoming. For. Cir. 126, pp. 1-24. 1907.
    forests, future development and treatment. For. Bul. 79, pp. 53-56. 1910.
    gall, formed by *Peridermium filamentosum*. J.A.R., vol. 5, no. 17, p. 782. 1916.
    grading rules. D.C. 64, p. 39. 1920.
    growth rate, and factors determining. For. Bul. 79, pp. 47-50. 1910.
    life history in Rocky Mountains. D. T. Mason. D.B. 154, pp. 35. 1915.
    lumber production—
      and value, by States. D.B. 768, p. 35. 1919.
      and value, by States, 1920. Y.B., 1922, p. 923. 1923.
      by States, 1920. D.B. 1119, p. 54. 1923.
      in 1913, range of tree. D.B. 232, pp. 27, 30, 31. 1915.
      in 1916, by States, mills reporting, and lumber value. D.B. 673, p. 34. 1918.
      in 1918, and States producing. D.B. 845, pp. 38, 44. 1920.

Pine—Continued.
lodgepole—continued.
mistletoe injury, northwestern forests. D.B. 360, pp. 1-37. 1916.
occurrence—
in Colorado, description. N.A. Fauna 33, pp. 215-216. 1911.
in various States. D.B. 234, p. 8. 1915.
with Engelmann spruce in Rocky Mountains. For. Cir. 170, p. 6. 1910.
oleoresin, examination. For. Bul. 119, pp. 9, 25-28, 30-36. 1913.
physiological studies. J.A.R., vol. 24, pp. 106-160. 1923.
production, in 1899-1914, and estimates, 1915. D.B. 506, pp. 13-15, 32. 1917.
protection from fire, insects, disease, and grazing, methods. D.B. 234, pp. 46-48. 1915.
products, stulls, poles, and cordwood, production cost, in Montana. D.B. 234, pp. 17-20. 1915.
range, size, age, and requirements. D.B. 154, pp. 1-9, 28. 1915.
relation to forest conditions in Central Rocky Mountains. D.B. 1233, pp. 3-151. 1924.
reproduction—
methods and requirements. D.B. 154, pp. 9-16. 1915.
on cut-over areas, methods. Y.B., 1907, p. 285. 1908; Y.B. Sep. 466, p. 285. 1908.
on forest burns, and life history. For. Bul. 79, pp. 1-56. 1910.
relation to competition. For. Bul. 79, pp. 42-47. 1910.
seed—
collection, germination tests, cost, etc. D.B. 234, pp. 39-42. 1915.
extraction methods and germination tests. An. Rpts., 1916, p. 181. 1917; For. A.R., 1916, p. 27. 1916.
germination and growth habits. J.A.R., vol. 24, pp. 157-159. 1923.
production and dissemination. D.B. 154, pp. 9-11. 1915.
stands in Deerlodge National Forest, classifications, marking rules and methods. D.B. 234, pp. 25-28, 35-39. 1915.
study in central Rocky Mountains. D.B. 1233, pp. 14-15, 19-20, 21-22, 25. 1924.
tests for telephone poles. D.B. 67, pp. 1-2, 4-7, 11, 12-13, 15-18, 20-25. 1914.
thinning, effect on growth and yield. D.B. 154, pp. 13, 18-19, 33-35. 1915.
uses, cost. D.B. 234, pp. 4-7. 1915.
utilization and management in Rocky Mountains. D. T. Mason. D.B. 234, pp. 54. 1915.
vegetation zone. For. Cir. 169, pp. 8-9. 1909.
volume tables. D.B. 234, pp. 49-54. 1915.
yield, stands under different conditions. D.B. 154, pp. 29-35. 1915.
See also Pine, shore; Pinus contorta; Pinus murrayana.
logs, spraying experiments. D.B. 1079, pp. 5-11. 1922.
long-leaf—
Wilbur R. Mattoon. D.B. 1061, pp. 50. 1922.
absorption and penetration of coal tar and creosote, tests. D.B. 607, p. 43. 1918.
and slash, resin-producing species. D.B. 229, p. 10. 1915.
bending tests, table. For. Bul. 70, pp. 43-45, 102, 105, 108. 1906.
characteristics and range. F.B. 1256, pp. 3-6. 1922.
compression tests, table. For. Bul. 70, pp. 24-26. 1906.
conservation, methods. D.B. 1061, pp. 4-6. 1922.
density determinations. J.A.R., vol. 2, pp. 426-427. 1914.
description, supply, and uses. For. Bul. 99, pp. 7, 8-17. 1911.
distribution, importance, growth habits, and fire resistance. D.B. 1061, pp. 1-4. 1922.
growth and value increase in 18 years, example. D.B. 1061, p. 12. 1922.
in Louisiana, area, conditions, and stand. For. Bul. 114, pp. 11-13, 19, 20. 1912.

Pine—Continued.
long-leaf—continued.
in Mississippi, cut-over lands, condition. J. S. Holmes and J. H. Foster. For. Cir. 149, pp. 8. 1908.
losses from turpentine operations. D.B. 229, pp. 40-41. 1915.
mill waste, yield of various products. Chem. Bul. 159, p. 25. 1913.
in Alabama forest lands, height and diameter of trees, table. For. Bul. 68, p. 47. 1905.
preservative treatment, effect on strength. D.B. 286, pp. 4, 6, 8, 10, 12, 13. 1915.
pulp manufacture, experiments. An. Rpts., 1913, p. 189. 1914; For. A.R., 1913, p. 55. 1913.
seed, production and germination, description and development. D.B. 1061, pp. 36-37. 1922.
seeding habits. D.B. 1061, p. 39. 1922.
shearing tests, table. For. Bul. 70, pp. 58-59. 1906.
soil, reproduction and growth habits. For. Bul. 43, rev., pp. 26-29. 1907.
source of turpentine oil. B.P.I. Bul. 235, p. 7. 1912.
strength tests. For. Cir. 32, pp. 7-8, 12-14. 1904.
structural value, strength and elasticity. For. Cir. 115, pp. 14, 25, 34, 36, 38, 39. 1907.
suitability for paper pulp. Henry E. Surface and Robert E. Cooper. D.B. 72, p. 26. 1914.
supply for turpentine operations, depletion and distribution. D.B. 229, pp. 40-43. 1915.
tests for strength and elasticity, results. For. Bul. 108, pp. 20-23, 43, 56, 57, 63, 65, 70-74, 110. 1912.
thinning methods. D.B. 1061, pp. 34-36. 1922.
transplanting seedlings. F.B. 1453, p. 29. 1925.
turpentining by French system. E. R. McKee. D.C. 327, pp. 16. 1924.
use in street paving. For. Cir. 141, pp. 5, 9, 11, 12, 16, 21. 1908.
value for structural timber. Y.B., 1907, p. 566. 1908; Y.B. Sep. 470, p. 4. 1908.
various names. For. Bul 99, p. 8. 1911.
yellow, distribution, map of area cut over in South. D.B. 827, pp. 4, 15. 1921.
yellow, turpentine source. D.B. 898, pp. 1, 5. 1920.
lumber. See Lumber.
maritime, handling in French forests. F.B. 1256, pp. 22-37. 1922.
Mexican—
beetle, larger, description, and habits. Ent. Bul. 83, Pt. I, p. 75. 1909.
beetle, small, description and habits. Ent. Bul. 83, Pt. I, p. 74. 1909.
white, description—
occurrence and growth habits. D.B. 460, pp. 12-15, 46. 1917.
supply and uses. For. Bul. 99, pp. 76-77. 1911.
Monterey—
description—
range and occurrence on Pacific slope. For. [Misc.], "Forest trees * * * Pacific * * *," pp. 58-61. 1908.
supply and uses. For. Bul. 99, pp. 83-84. 1911.
occurrence and reproduction. For. Silv. Leaf. 39, pp. 1-2. 1908.
moth parasites, life histories. D.B. 295, p. 7. 1915.
moth, Zimmerman. Josef Brunner. D.B. 295, pp. 12. 1915.
mountain, beetle(s)—
control work. An. Rpts., 1913, p. 216. 1914; Ent. A.R., 1913, p. 8. 1913.
damage to standing timber, and control. Ent. Cir. 143, pp. 4-5. 1912.
destruction of lodgepole pine. D.B. 154, p. 20. 1915.
enemy of yellow pine in Oregon, injuries. D.B. 418, p. 13. 1917.
history, habits, and control. Ent. Bul. 83, Pt. I, pp. 80-90. 1909.
occurrence, destruction of conifers, control. Ent. Cir. 125, pp. 2, 3-9. 1910.
Murray, importations and descriptions. Nos. 51753-51754, B.P.I. Inv. 65, p. 44. 1923.

Pine—Continued.
  needles—
    analyses showing injury by smelter fumes. Chem. Bul. 89, pp. 13, 14, 15, 17, 18, 20, 21, 22. 1905.
    and bark, manganese content. D.B. 42, p. 2. 1914.
    northwest coast, distribution. N.A. Fauna 21, pp. 11, 12, 21. 1901.
  Norway—
    description, supply, and uses. For. Bul. 99, pp. 54–57. 1911.
    distribution, description, growth, and yield. D.B. 139, pp. 4–5, 15–25. 1914.
    grades, standard. D.B. 129, p. 13. 1914.
    in the Lake States. Theodore S. Woolsey, jr., and Herman H. Chapman. D.B. 139, pp. 42. 1914.
    injury by disinfectants, nursery soils. D.B. 169, pp. 7, 15–16, 21, 25, 30. 1915.
    management in forest stands. D.B. 139, pp. 25–33. 1914.
    planting, uses, yield, and value. D.B. 153, pp. 19, 29, 32–33, 35. 1915.
    prices for stumps for manufacture of turpentine, Wexford County, Mich. Soil Sur. Adv. Sh., 1908, p. 16. 1909; Soils F.O. 1908, p. 1055. 1911.
    reproduction, natural and artificial. D.B. 139, pp. 5–7, 29–33. 1914.
    sowing seed in artificial reproduction, cost. D.B. 139, pp. 31–33. 1914.
    structural strength and elasticity. For. Cir. 115, pp. 15, 25, 35, 37, 39. 1907.
    supply, cut, prices, markets, and uses. D.B. 139, pp. 12–15. 1914.
    tests, for strength and elasticity, results. For. Bul. 108, pp. 20–24, 34, 38, 39, 51, 56, 57, 64, 65, 70–73, 106–108, 123. 1912.
    use in street paving. For. Cir. 141, pp. 11, 12, 21. 1908.
  nut, occurrence in Colorado and description. N.A. Fauna 33, pp. 216–217. 1911.
  nuts—
    description—
      characteristics and identification key. Chem. Bul. 160, pp. 28–29, 37. 1912.
      value as food. F.B. 332, pp. 9, 13. 1908.
    edible, yield and value. For. Bul. 99, pp. 79–81, 83, 88. 1911.
    occurrence in Colorado, description. N.A. Fauna 33, pp. 212–216. 1911.
    of Rocky Mountain region, characteristics and key. D.B. 460, pp. 1–47. 1917.
    of United States, uses. For. Bul. 99, pp. 1–96. 1911.
  oil compound, misbranding. Chem. N.J. 30, pp. 4–5. 1908.
  oil, effect on Bacillus typhosus. I. and F. Bd. S.R.A. 48, pp. 1125–1126. 1924.
  old-field. See Pine, loblolly.
  Oyster Bay, importation and description. No. 32071, B.P.I. Bul. 261, pp. 24–25. 1912.
  Parry, description, range, and occurrence on Pacific slope. For. [Misc.], "Forest trees * * * Pacific * * *," pp. 33–35. 1908.
  piñon, oleoresin, examination. For. Bul. 119, pp. 9, 28–36. 1913.
  piñon, range, climate, habits, growth, reproduction, and management. For. Silv. Leaf. 47, pp. 1–4. 1909.
  pitch—
    description, supply, and uses. For. Bul. 99, pp. 31–34. 1911.
    planting directions. For. Cir. 195, p. 11. 1912.
    seed collection and drying. For. Bul 76, p. 10. 1909.
    use for light, early times. For. Bul. 99, p. 33. 1911.
  planting—
    and growth in sand hills. M.C. 16, pp. 3, 5–7. 1925.
    directions, use. For. Cir. 99, p. 14. 1907.
    in Nebraska. M.C. 16, pp. 6–7. 1925.
  poles, consumption, 1915. D.B. 519, pp. 1, 2, 3. 1917.

Pine—Continued.
  pond—
    description—
      reproduction and sprouting habits. For. Bul. 43, rev., pp. 34–37. 1907.
      supply, and uses. For. Bul. 99, pp. 26–27. 1911.
    similarity to loblolly pine. For. Bul. 99, p. 27. 1911.
    posts, creosote treatment, results. F.B. 320, p. 32. 1908.
    present and future yields, forest lands, South Carolina. For. Bul. 56, pp. 47–48. 1905.
    preservative treatment, results, and cost. F.B. 744, pp. 17, 25, 26, 28, 30. 1916.
  pricklecone, description, range, and occurrence, Pacific slope. For. [Misc.], "Forest trees * * * Pacific * * *," pp. 65–68. 1908.
  protection in Southern States, cost per acre. F.B. 476, p. 10. 1911.
  pruning in plantation. F.B. 1453, pp. 33–34. 1925.
  quality tests, tables. D.B. 343, pp. 135–140, 146, 147. 1916.
  quantity used in manufacture of wooden products. D.B. 605, pp. 8, 9, 11, 14. 1918.
  quarantine restrictions. F.H.B. Quar. 37, rev., p. 13. 1923.
  railroad ties, number and value, consumption, 1905, 1906. For. Cir. 124, pp. 4–5. 1907.
  red—
    planting directions. For. Cir. 195, p. 10. 1912.
    range, climate, habits, growth, longevity, and reproduction. For. Silv. Leaf. 43, pp. 1–4. 1909.
    range, cultivation, and uses. For. Cir. 60, pp. 1–3. 1907.
    seed collection and drying. For. Bul. 76, p. 10. 1909.
    See also Pine, Norway.
  region, southern, State forest conservation. J. Girvin Peters. D.B. 364, pp. 14. 1916.
  reproduction—
    after logging, value of second cutting. For. Bul. 114, pp. 29–31. 1912.
    in national forests, damage, factors influencing. D.B. 580, pp. 9–16. 1917.
  resin. See Turpentine gum.
  rock, characteristics, uses, and occurrence in Nebraska. For. Bul. 66, pp. 10, 13–18, 33. 1905.
  Rocky Mountain. See Pine, white.
  rosemary. See Pine, loblolly.
  rots, relation to age, site, and other factors. D.B. 799, pp. 6–19. 1919.
  rust—
    disease caused by Cronartium pyriforme. D.B. 247, pp. 1–20. 1915.
    distribution in Canada and United States. D.B. 247, pp. 8–11. 1915.
    occurrence on new hosts. J.A.R., vol. 5, No. 7, pp. 289–290. 1915.
  sand, description, supply, and uses. For. Bul. 99, pp. 28–29. 1911.
  sawfly, imported. William Middleton. D.B. 1182, pp. 22. 1923.
  Scotch—
    characteristics, uses, and rate of growth in Kansas. For. Cir. 161, pp. 11, 23, 24, 41. 1909.
    environment. Off. Rec., vol. 3, No. 34, p. 5. 1924.
    growth, spacing, planting methods, and pruning. Y.B., 1911, pp. 260, 261, 265. 1912; Y.B. Sep. 566, pp. 260, 261, 265. 1912.
    planting—
      directions. For. Cir. 195, p. 10. 1912.
      records in Nebraska and Kansas. For. Bul. 121, pp. 20, 22, 36, 37, 39, 47. 1913.
      uses, yield, and value. D.B. 153, pp. 9, 18, 19, 27–28, 35. 1915.
    range, cultivation, and uses. For. Cir. 68, pp. 1–4. 1907.
    similarity to shortleaf pine, and comparative yields. D.B. 244, pp. 44–45. 1915.
    transpiration tests. J.A.R., vol. 24, pp. 120–145. 1923.
    value as windbreak. For. Bul. 86, pp. 32, 34, 97, 98, 99. 1911.
    See also Pinus sylvestris.

INDEX TO PUBLICATIONS, 1901–1925   1827

Pine—Continued.
  screw, importations and descriptions. Nos. 44779, 44780, B.P.I. Inv. 51, p. 64. 1922; Nos. 51727–51732, B.P.I. Inv. 65, pp. 5, 41. 1923.
  scrub—
    W. D. Sterrett. For. Bul. 94, pp. 27. 1911.
    distribution, occurrence, development, and reproduction. For. Bul. 94, pp. 6–11. 1911.
    injurious enemies, studies, and control methods. For. Bul. 94, pp. 14–16, 25. 1911.
    nomenclature. For. Bul. 94, p. 5. 1911.
    various names. For. Bul. 99, p. 29. 1911.
    See also Pine, white-bark.
  seed(s)—
    amount required for natural reproduction. D.B. 1105, pp. 10–11. 1923.
    cleaning and storage methods. F.B. 1453, pp. 17–18. 1925.
    destruction by ground squirrels. Off. Rec., vol. 3, No. 42, p. 8. 1924.
    distribution, natural, and frequency of crop. D.B. 1105, pp. 18–22. 1923.
    drying, extracting, and cleaning. For. Cir. 208, pp. 9–10, 15, 17, 20. 1912.
    edible—
      food source in India. No. 49889, B.P.I. Inv. 63, pp. 2, 17. 1923.
      importations and descriptions. No. 40216, B.P.I. Inv. 42, p. 97. 1918; No. 45914, B.P.I. Inv. 54, p. 40. 1922.
      use as nuts, description and identification. Chem. Bul. 160, pp. 28–29, 37. 1912.
    germination—
      periods. D.B. 1264, p. 5. 1925.
      vigor, relation to size and age of tree. D.B. 210, pp. 13–15. 1915.
    injury by mistletoe. D.B. 1112, pp. 26–29. 1922.
    method of growth and distribution. D.B. 460, pp. 3, 17, 20, 23. 1917.
    periodicity of production, study. D.B. 210, pp. 1, 2. 1915.
    production, decrease under mistletoe infection. D.B. 1112, pp. 25–29, 35. 1922.
    relation to size of cones. D.B. 210, pp. 10, 13, 14–15. 1915.
    storage—
      experiments. J.A.R., vol. 22, pp. 479–510. 1922.
      methods, tests. For. Bul. 98, pp. 25–28. 1911.
    use and value as food. News L., vol. 5, No. 32, p. 6. 1918.
    value as food. D.B. 460, pp. 3, 17, 20, 23. 1917.
    yield per bushel, cost and methods of gathering. Y.B., 1912, pp. 434–437. 1913; Y.B. Sep. 604, pp. 434–437. 1913.
  seedlings—
    climatic relations. D.B. 1105, pp. 22–29. 1923.
    diseases, causes. J.A.R., vol. 15, pp. 521–558. 1918.
    growing and management. F.B. 1453, pp. 19–25. 1925.
    growth, relation to soil composition. D.B. 1105, pp. 35–38. 1923.
    injury by—
      disinfectants. D.B. 169, pp. 4–16, 21–26, 30–35. 1915.
      fungous disease, *Hypoderma deformans*. J.A.R. vol. 6, No. 8, pp. 283–287. 1916.
      rodents. D.B. 1105, pp. 134–135. 1923.
      stock trampling. J.A.R., vol. 6, No. 8, p 286. 1916.
    resistance to heat, experiments. D.B. 1263, pp. 5–13. 1924.
    sowing density and time, relation to damping-off control. D.B. 453, pp. 5–6. 1917.
    transplanting, effect on behavior in nursery and plantation. J.A.R., vol. 22, pp. 33–52. 1921.
  shore—
    soil requirements and indications, eastern Puget Sound Basin, Wash. Soil Sur. Adv. Sh., 1909, pp. 36, 37. 1911; Soils F.O., 1909, pp. 1548, 1549. 1912.
    See also Pine, lodgepole.
  shortleaf—
    cutting and reproduction methods. D.B. 308, pp. 45–48. 1915.
    description, supply, and uses. For. Bul. 99, pp. 7, 17–20. 1911.

Pine—Continued.
  shortleaf—continued.
    economic importance and forest management. Wilbur R. Mattoon. D.B. 308, pp. 67. 1915.
    enemies in fire, mammals and diseases. D.B. 244, pp. 34–39. 1915.
    in Alabama forest lands, stand of trees per acre, diameters, etc., tables. For. Bul. 68, pp. 49–63. 1905.
    life history. Wilbur R. Mattoon. D.B. 244, pp. 46. 1915.
    Louisiana uplands, area, conditions and stand. For. Bul. 114, pp. 8–10, 19, 20. 1912.
    names in the South. D.B. 244, p. 1. 1915.
    names, present supply, description and uses. D.B. 308, pp. 2–11. 1915.
    plantations, management, and care. For. Cir. 182, pp. 3–4. 1910.
    range, growth habits, and value. For. Cir. 182, pp. 1–4. 1910.
    rapid reproduction, localities. M.C. 39, p. 42. 1925.
    reproduction by seed and sprouts. D.B. 244, pp. 18–28. 1915.
    seed description, weight, germination, and yield. D.B. 244, p. 19. 1915.
    size, age, habit, requirements, reproduction, and growth. D.B. 244, pp. 7–34. 1915.
    slash rotting and brush disposal, Arkansas. D.B. 496, pp. 7–9. 1917.
    sowing and planting, methods and cost. D.B. 308, pp. 51–55. 1915.
    stumpage value in Southern States. D.B. 308, pp. 21–23. 1915.
    tests for strength, elasticity, etc., results. For. Bul. 108, pp. 18, 20–23, 28, 38–41, 45, 56, 63, 65, 70–73, 91–94, 114–115. 1912.
    various names. For. Bul. 99, p. 17. 1911.
    yield in—
      pure and mixed stands. D.B. 244, pp. 39–46. 1915.
      various States. D.B. 308, pp. 27–32, 36, 41–45. 1915.
  silver, description, range, and occurrence on Pacific slope. For. [Misc.], "Forest trees * * * Pacific * * *," pp. 20–23. 1908.
  single-leaf, description—
    occurrence and growth habits. D.B. 460, pp. 21–23, 46. 1917.
    range, occurrence, Pacific slope. For. [Misc.], "Forest trees * * * Pacific * * *," pp. 35–37. 1908.
  slash—
    Wilbur R. Mattoon. F.B. 1256, pp. 41. 1922.
    seed sowing for reforestation, rate and season. F.B. 1256, pp. 29–30. 1922.
    seedlings, growing and planting. F.B. 1256, pp. 30–32. 1922.
  Soledad—
    description, range, and occurrence on Pacific slope. For [Misc.], "Forest trees * * * for Pacific * * *," pp. 41–42. 1908.
    See also Pine, Torrey.
  soluble, adulteration and misbranding. N.J. 831, 837, I. and F.Bd. S.R.A. 44, pp. 1041, 1046. 1923.
  source of turpentine and rosin. D.B. 1061, pp. 22–25. 1922.
  southern—
    beetle—
      control cost. F.B. 1188, pp. 7–8, 12. 1921.
      control work, 1912. An. Rpts., 1912, pp. 631, 633, 634, 635. 1913; Ent. A.R., 1912, pp. 19, 21, 22, 23. 1912.
      depredations in Southern States. Ent. Bul. 58, p. 58. 1910.
      description, habits, and control. Ent. Bul. 83, Pt. 1, pp. 56–72. 1909.
      description, life history, evidences and control. F.B. 1188, pp. 3–5, 10–12. 1921.
      description, work and control. F.B. 476, pp. 5–15. 1911.
      destructive invasions. Ent. Bul. 58, Pt. V, p. 58. 1909.
      distribution. F.B. 476, p. 9. 1911.
      habits and control. F.B. 1188, pp. 1–15. 1921.
      injuries and control methods. D.B. 308, pp. 25–27. 1915.
      injury to loblolly pine. D.B. 11, p. 10. 1914.

Pine—Continued.
  southern—continued.
    beetle—continued.
      injury to pine forests, Gulf States. An. Rpts., 1912, pp. 76, 149. 1913; Sec. A.R., 1912, pp. 76, 149. 1912; Y.B., 1912, pp. 76, 149. 1913.
      injury to pine trees in Louisiana. For. Bul. 114, p. 34. 1912.
      injury to shortleaf pine. D.B. 244, p. 35. 1915.
      injuries to spruce trees, habits, and control methods. D.B. 544, pp. 27–29. 1918.
      occurrence, destruction of conifers. Ent. Cir. 125, pp. 1–2. 1910.
      timber menace of Southern States. A.D. Hopkins. F.B. 1188, pp. 15. 1921.
    belt, need of forest experiment stations. Sec. Cir. 183, pp. 21–22. 1921.
    damage by wood-boring insects. Ent. [Misc.], "Preliminary information on * * *," pp. 2. 1908.
    properties and uses. H. S. Betts. For. Cir. 164, pp. 30. 1909.
    protection need. News L., vol. 6, No. 33, p. 15. 1919.
    region—
      forest conservation for States. D.B. 364, pp. 1–14. 1916.
      timber stand and composition. D.B. 364, p. 3. 1916.
    sawyer—
      description, life history and control. Ent. Bul. 58, pp. 41–56. 1910; Y.B., 1910, pp. 346–347, 357. 1911; Y.B. Sep. 542, pp. 346–347, 357. 1911.
      injury to shortleaf pine. D.B. 244, p. 36. 1915.
      injury to wind-thrown timber. Ent. [Misc.], "Preliminary information on * * *," pp. 2. 1908; For. Bul. 114, p. 13. 1912.
    yellow—
      classification, range, and common names. For. Bul. 108, pp. 10–12. 1912.
      definition and classes of timber. D.C. 295, pp. 18–19. 1923.
      exports. Y.B., 1924, p. 1049. 1925.
      grading rules. D.C. 64, pp. 22, 30. 1920.
      logging waste. J. Girvin Peters. Y.B., 1905, pp. 483–494. 1906; Y.B. Sep. 398, pp. 483–494. 1906.
      stand and annual cut. D.B. 308, pp. 3–6. 1915.
      stumpage in seven States. For. Cir. 97, p. 10. 1907.
      turpentine yield, comparison with western yellow. For. Bul. 116, pp. 9–11. 1912.
      waste in logging. J. Girvin Peters. Y.B., 1905, pp. 483–494. 1906; Y.B. Sep. 398, pp. 483–494. 1906.
  southwestern, beetle, description, habits, and control. Ent. Bul. 83, Pt. I, pp. 49–52. 1909.
  spacing in forest planting, and seed quantity per acre. F.B. 1177, rev., p. 22. 1920.
  spinner, description, habits, and control. Y.B., 1907, p. 151. 1908; Y.B. Sep. 442, p. 151. 1908.
  spruce—
    description, supply, and uses. For. Bul. 99, pp. 27–28. 1911.
    See also Pine, foxtail.
    stands, location of site, relation to injury by rots. D.B. 799, pp. 13–15. 1919.
    storm-felled, injury by sawyer, and pecuniary loss on lumber. Ent. Bul. 58, Pt. IV, p. 56. 1909.
  strength tests of various kinds—
    for cross-arms. For. Cir. 204, pp. 3–4, 6–8, 11–14. 1912.
    results. For. Bul. 115, pp. 10–11. 1913; For. Bul. 122, p. 11. 1913.
  stumps, removal, method and cost of clearing land. Soils Cir. 43, pp. 8–9. 1911.
  sugar—
    Louis T. Larsen and T. D. Woodbury. D.B. 426, pp. 40. 1916.
    and western yellow—
      in California. Albert W. Cooper. For. Bul. 69, pp. 42. 1906.
      injury by cone beetles. John M. Miller. D.B. 243, pp. 12. 1915.

Pine—Continued.
  sugar—continued.
    and white, identification key. D.B. 426, p. 39. 1916.
    cone beetle, description, history, and habits. D.B. 243, pp. 2–8. 1915.
    description—
      range, occurrence, Pacific slope. For. [Misc.], "Forest trees * * * Pacific * * *," pp. 23–27. 1908.
      supply, and uses. For. Bul. 99, pp. 65–69. 1911.
    disease, injury, kinds and description. D.B. 426, pp. 5–6. 1916.
    economic importance, distribution, altitude, and climate. D. B. 426, pp. 1–3. 1916.
    growth, and yield per acre, comparison with other pine species. D.B. 426, pp. 24–30. 1916.
    habit and root system, bark, leaves, flowers, and seed. D.B. 426, pp. 3–4. 1916.
    lumber—
      cut, 1901–1916, grades and value. D.B. 426, pp. 14–18. 1916.
      cut and value, 1906, by States. For. Cir. 122, p. 26. 1907.
      production and value, by States. D.B. 768, pp. 32, 38, 41. 1919.
      production, 1913. D.B. 232, pp. 24, 30–31. 1915.
      production, 1916, by States, mills reporting, and lumber value. D.B. 673, p. 32. 1918.
      production, 1918, and States producing. D.B. 845, pp. 35, 44. 1920.
      production, 1920, by States. D.B. 1119, p. 53. 1923.
    lumbering in California. D.B. 440, pp. 1–99. 1917.
    moisture, soil, and light requirements, effect on reproduction. D.B. 426, pp. 7–8. 1916.
    oleoresin, examination. For. Bul. 119, pp. 9, 22–25, 30–36. 1913.
    production, 1899–1914, and estimates, 1915. D.B. 506, pp. 13–15, 30. 1917.
    quality, strength, hardness, and durability, comparison with other pines. D.B. 426, pp. 10–12. 1916.
    size and longevity, liability to injury and disease. D.B. 426, pp. 4–7. 1916.
    stumpage estimate. For. Cir. 166, p. 10. 1909.
    susceptibility to blister rust, stand in the West. D.C. 226, pp. 3, 6–7. 1922.
    various names. For. Bul. 99, p. 65. 1911.
    volume table. D.B. 426, pp. 37–39. 1916.
    See also Pine, white.
    susceptibility to—
      blister rust. D.B. 957, pp. 3–14, 24–40, 68, 72, 75. 1922.
      sap-stains. D.B. 1128, p. 28. 1923.
  table-mountain, description, supply, and uses. For. Bul. 99, p. 31. 1911.
  tamarack. See Pinus murrayana.
  tar—
    cottonseed-oil, use in control of spinose ear tick, and use methods. F.B. 980, pp. 6–8. 1918.
    misbranding. N.J. 921, I. and F. Bd. S.R.A. 47, p. 20. 1924.
    mixture, use as repellent against Gastrophilus larvae. D.B. 597, pp. 45, 49. 1918.
    use in—
      arsenic dips for cattle, experiments. B.A.I. Bul. 144, pp. 10–34, 44–47. 1912.
      cattle dips. F.B. 1057, p. 23. 1919.
      prevention of screw-worm infestation. F.B. 1330, pp. 15, 16. 1923.
  test of various kinds for pulp manufacture. D.B. 343, pp. 42–45, 49–67. 1916.
  tests for mechanical properties, results. D.B. 556, pp. 34–35, 43–44. 1917; D.B. 676, pp. 31–35 1919.
  ties, distinguishing between shortleaf and loblolly, method. For. [Misc.], "Guidebook for * * *," pp. 73–74. 1917.
  tip moth, injury to—
    nursery seedlings. D.B. 479, p. 76. 1917.
    western yellow pine. F.B. 888, p. 10. 1917.
  Torrey—
    description—
      range, and occurrence on Pacific slope. For. [Misc.], "Forest trees * * * Pacific," pp. 41–42. 1908.
      supply and uses. For. Bul. 99, p. 85. 1911.

Pine—Continued.
  Torrey—Continued.
    range, occurrence, habits, and reproduction. For. Silv. Leaf. 27, pp. 1-2. 1908.
    treatment—
      for blister-rust control. D.B. 957, pp. 88-89. 1922.
      with creosote, tests and results. D.B. 101, pp. 15, 29-36, 37, 39-43. 1914.
    trees—
      beetle infestation, evidences. F.B. 1188, pp. 5, 10-11. 1921.
      character, in study of turpentining. J.A.R., vol. 30, p. 83. 1925.
      chipping methods, comparison and costs. D.B. 567, pp. 2-6, 8. 1917.
      dangers from wild grasses. D.B. 309, p. 3. 1915.
      destruction by pine mice. F.B. 670, p. 6. 1915.
      diseased, improvement in quality of seed. For. Cir. 196, pp. 6-7. 1912.
      growth, height, and diameter. D.B. 1061, pp. 10-13. 1922.
    injury by—
      borers. Y.B., 1909, pp. 404, 411, 412, 413. 1910; Y.B. Sep. 523, pp. 404, 411, 412, 413. 1910.
      Dendroctonus. Ent. Bul. 83, Pt. I, pp. 45, 63, 84, 95, 150, 161. 1909.
      sapsuckers. Biol. Bul. 39, pp. 23-26, 53, 63, 66. 1911.
      sulphur dioxide. Chem. Bul. 113, rev., pp. 11-14, 17-21, 24-27, 36-53. 1910.
      sulphur dioxide, experiments. Chem. Bul. 89, p. 12. 1905.
      turpentine beetles, evidences and extent. Ent. Bul. 83, Pt. I, pp. 150, 160. 1909.
      Zimmerman pine moth. D.B. 295, pp. 1, 3, 8-9. 1915.
    insect injuries, manner of attack. Ent. Bul. 37, pp. 103-105. 1902.
    insects, observations. Ent. Bul. 32, p. 103. 1902.
    light chipping, relation to commercial yield of naval stores. Charles H. Herty. For. Bul. 90, pp. 36. 1911.
    of Rocky Mountain region. George B. Sudworth. D.B. 460, pp. 47. 1917.
    premature selling, warning to owners. D.B. 484, Pt. I, pp. 10-11. 1917.
    protection from gipsy moth. An. Rpts. 1909, p. 494. 1909; Ent. A. R. 1909, p. 8. 1910.
    resin ducts, description. For. Bul. 90, pp. 26-27. 1911.
    susceptibility to rots, factors increasing. D.B. 490, pp. 6-7. 1917.
    turpentine—
      wood structures, description. D.B. 1064, pp. 4-7. 1922.
      See also Pine, longleaf.
    use as crossties, quantity and value. D.B. 549, pp. 2, 3, 4, 5, 6, 7. 1917.
    use in wood paving, comparative value. For. Cir. 194, pp. 4, 7, 9, 11, 15. 1912.
    value for windbreak planting, recommendations and returns. F.B. 788, pp. 12, 13, 15. 1917; F.B. 1405, pp. 13, 15. 1924.
    varieties—
      adapted to western Kansas, rate of growth, and uses. For. Cir. 161, pp. 11, 23, 24, 28, 29, 40-41. 1909.
      furnishing turpentine and rosin. D.B. 896, pp. 1-2. 1920; D.C. 258, pp. 2-3. 1923.
      in Wyoming, distribution and growth. N.A. Fauna 42, pp. 55-57. 1917.
      occurring in Oregon. D.B. 418, p. 1. 1917.
      planting directions. For. Cir. 195, pp. 9-11. 1912.
      preferred by *Diprion simile*. D.B. 1182, pp. 17-19. 1924.
      use in paper making. Chem. Cir. 41, p. 6. 1908.
    vitality of buried seeds. J.A.R., vol. 29, p. 357. 1924.
    volume tables and growth rate. For. Bul. 36, pp. 124-125, 142-143, 149-153, 171-183, 188, 190-191, 192, 193, 194. 1910.
    weevils, description. Ent. T.B. 20, Pt. I, pp. 33-64. 1911.

Pine—Continued.
  western—
    bark beetle, description, life history, and habits. Ent. Bul. 58, pp. 17-30. 1910.
    beetle—
      control. Off. Rec., vol. 2, No. 37, p. 7. 1923.
      control work and demonstrations. An. Rpts., 1916, p. 226. 1917; Ent. A.R. 1916, p. 14. 1916.
      damage to standing timber and control. Ent. Cir. 143, p. 5. 1912.
      description, habits, and control. Ent. Bul. 83, Pt. I, pp. 42-49. 1909.
      destruction of pine trees. Y.B., 1907, p. 162. 1908; Y.B. Sep. 442, p. 162. 1908.
      occurrence, destruction to conifers, and control. Ent. Cir. 125, pp. 2, 3-5. 1910.
      southwestern and roundheaded, habits, description. Ent. Bul. 83, Pt. I, pp. 42-56. 1909.
    lumber—
      cut and value, 1906, several States. For. Cir. 122, p. 18. 1907.
      production, 1913. D.B. 232, pp. 14, 30-31. 1915.
    oleoresins, examination. A. W. Schroger. For. Bul. 119, pp. 36. 1913.
    possibilities as source of naval stores, studies and experiments. D.B. 229, pp. 44-47. 1915.
    source of naval stores, possibilities. H. S. Betts. For. Bul. 116, pp. 23. 1912.
    species, key. D.B. 460, p. 46. 1917.
    stumpage—
      estimate. For. Cir. 166, p. 9. 1909.
      value, 1907. For. Cir. 122, pp. 41-42. 1907.
    white—
      and Noble and silver fir and Douglas fir, laboratory tests. J. V. Hofmann. J.A.R., vol. 31, pp. 197-199. 1925.
      description and range on Pacific Slope. For. [Misc.], "Forest trees * * * Pacific * * *," pp. 20-23. 1908.
      description, supply, and uses. For. Bul. 99, pp. 7, 58-61. 1911.
      field studies of rots and their control. D.B., 799, pp. 4-6, 22-23. 1919.
      lumber production, United States, 1905. For. Bul. 74, p. 21. 1907.
      names, description, wood, and growth habits. D.B. 460, pp. 4-6, 46. 1917.
      occurrence, habits, and reproduction. For. Silv. Leaf. 13, pp. 1-4. 1907.
      reproduction on forest burns, studies. J.A.R. vol. 11, pp. 5, 8-10, 13, 15, 20. 1917.
      rots, study of. James R. Weir and Ernest E. Hulbert. D.B. 799, pp. 24. 1919.
      seed collection, methods, and cost. Y.B., 1912, pp. 437-442. 1913; Y.B. Sep. 604, pp. 437-442. 1913.
      seed, fall sowing and delayed germination. W. G. Wahlenberg. J.A.R., vol. 28, pp. 1127-1131. 1924.
      seed production. Raphael Zon. D.B. 210, pp. 15. 1915.
      seedlings, transplanting, influence upon behavior in nursery and plantation. E. C. Rogers. J.A.R., vol. 22, pp. 33-46. 1921.
      slash disposal in Idaho forests. J. A. Larsen and W. C. Lowdermilk. D.C. 292, pp. 20. 1924.
      See also *Pinus monticolae*.
    yellow—
      For. Cir. 72, pp. 1-2. 1907.
      and loblolly, effect of steaming and creosoting. For. Cir. 39, pp. 20-21. 1906.
      area and timber stand, national forests, Northwest. D.B. 738, pp. 1-2. 1918.
      "blueing" and "red rot," with special reference to the Black Hills forest reserve. Hermann Von Schrenk. B.P.I. Bul. 36, pp. 40. 1903.
      characteristics of wood. D.B. 418, pp. 29-30. 1917; For. [Misc.], S-18, p. 3. 1916.
      description and requirements. D.B. 497, pp. 4-6. 1917.
      description, occurrence, and growth habits. D.B. 460, pp. 28-33, 46. 1917.
      description, supply, and uses. For. Bul. 99, pp. 7, 61-64. 1911.

Pine—Continued.
  western—continued.
    yellow—continued.
      description, range, and occurrence, Pacific Slope. For. [Misc.], "Forest trees * * * Pacific * * *," pp. 42-47. 1908.
      destruction by beetles. For. Bul. 99, p. 62. 1911.
      distillation cost. D.B. 1003, pp. 46-50. 1921.
      experimental plantations. D.B. 1264, pp. 17-23. 1925.
      felled on insect-control projects, deterioration. J. S. Boyce. D.B. 1140, pp. 8. 1923.
      field sowing and planting. For. Bul. 101, pp. 58-59. 1911.
      forest tables. E. A. Ziegler. For. Cir. 127, pp. 23. 1908.
      grading rules. D.B. 718, p. 53. 1918.
      growing season. J.A.R., vol. 29, pp. 203-204. 1924.
      growth in pure and composite stands. For. Bul. 125, pp. 10-23, 31. 1913.
      growth on cut-over and virgin lands in central Idaho. C. F. Korstian. J. A. R., vol. 28, pp. 1139-1148. 1924.
      height in mixture with Douglas fir. For. Bul. 101, p. 22. 1911.
      importance and amount of standing timber, 1921. D.B. 1003, pp. 1-2. 1921.
      in Apache National Forest. For. Bul. 125, pp. 1-32. 1913.
      in Arizona and New Mexico. Theodore S. Woolsey, jr. For. Bul. 101, pp. 64. 1911.
      in California. For. Bul. 69, pp. 1-42. 1906.
      in central Idaho, effect of grazing upon reproduction. W. N. Sparhawk. D.B. 738, pp. 31. 1918.
      in Oregon. Thornton T. Munger. D.B. 418, pp. 48. 1917.
      in Southwest, natural reproduction. G. A. Pearson. D.B. 1105, pp. 144. 1923.
      industry decline. For. [Misc.], "Timber depletion * * *," pp. 19-21. 1920.
      injury by natural causes. For. Bul. 101, pp. 15-20. 1911.
      logging and milling in Oregon. D.B. 418, pp. 32-35. 1917.
      lumber grades, yield, Arizona and New Mexico. For. Bul. 101, pp. 43-46. 1911.
      lumber production and value, 1916, by States, mills reporting. D.B. 673, p. 20. 1918.
      lumber production and value, 1917, by States. D.B 768, pp. 20, 38, 40. 1919.
      lumber, production and value, 1918, and States producing. D.B. 845, pp. 23, 43. 1920.
      lumber production and value, 1920. D.B. 1119, p. 44. 1923; Y.B., 1922, p. 921. 1923.
      lumber production, United States, 1905. For. Bul. 74, p. 19. 1907.
      marking practice and suggestions. D.B. 1105, pp. 82-92. 1923.
      mistletoe, effect on growth and suggestions for control. Clarence F. Korstian and W. H. Long. D.B. 1112, pp. 36. 1922.
      mistletoe injury, northwestern forests. D.B. 360, pp. 1-37. 1916.
      needle fungus, undescribed, Hypoderma deformans. James R. Weir. J. A. R., vol. 6, No. 8, pp. 277-288. 1916.
      oleoresin, examination. For. Bul. 119, pp. 9, 11-18, 30-36. 1913.
      physiological studies. J.A.R., vol. 24, pp. 106-160. 1923.
      planting. D.B. 418, p. 35. 1917.
      preservative treatment. For. Bul. 101, pp. 41-42. 1911.
      relation to forest conditions in central Rocky Mountains. D.B. 1233, pp. 3-151. 1924.
      reproduction in Southwest. G. A. Pearson. For. Cir. 174, pp. 16. 1910.
      reproduction, methods and development. D.B. 418, pp. 6-9. 1917; For. Bul. 101, pp. 54-59. 1911.
      root system. For. Bul. 101, pp. 10-13. 1911.
      sale prospectus, Bear Valley unit, Malheur National Forest, Oreg. For. [Misc.], "Sale prospectus * * *," pp. 22. 1922.

Pine—Continued.
  western—continued.
    yellow—continued.
      seed collection, extraction, and sowing. For. Bul. 101, pp. 56-57. 1911.
      seed crops, 1909, 1910. For. Bul. 98, p. 15. 1911.
      seed gathering for reforestation work. News L., vol. 6, No. 5, p. 13. 1918.
      seed, germination, number per pound, and quantity for sowing. For. Bul. 101, p. 57. 1911.
      seed, hold-over tendency. J.A.R., vol. 30, pp. 245-246, 248. 1925.
      seed, influence of age and condition upon yield. G. A. Pearson. For. Cir. 196, pp. 11. 1912.
      seed, production, and germination. D.B. 418, pp. 6-7. 1917.
      seed, production on sample areas. D.B. 210, pp. 5-11. 1915.
      seed, supply, relation to reproduction D.B. 1105, pp. 9-22, 136. 1923.
      seedling, destruction by sheep grazing. D.B. 738, pp. 7-25. 1918.
      size and age in the southwest. For. Bul. 101, pp. 7-10. 1911.
      sowing and planting season. W. G. Wahlenberg. J.A.R., vol. 30, pp. 245-251. 1925.
      stand and annual cut. D.B. 418, pp. 1-2. 1917.
      study in central Rocky Mountains. D.B. 1233, pp. 9-10, 15-16, 21, 22, 25. 1924.
      stumpwood and logging waste, distillation. M. G. Donk and others. D.B. 1003, pp. 69. 1921.
      supply in United States. For. Cir. 97, p. 11. 1907.
      tests for car sills, joists, and small clear pieces. C. W. Zimmerman. D.B. 497, pp. 16. 1917.
      turpentining experiments and results. For. Bul. 116, pp. 5-18, 20-23. 1912.
      use in tree planting. For. Bul. 65, pp. 31, 37. 1905.
      volume in board feet on basis of diameter. For. Bul. 101, pp. 63-64. 1911.
      volume tables. D.B. 418, pp. 43-45. 1917.
      western red-rot occurrence, preliminary report. D.B. 490, pp. 1-8. 1917.
      yield in Arizona and New Mexico, cut 1909-10. For. Bul. 101, pp. 29-33. 1911.
      See also Pinus ponderosa.
    white—
      ages of trees affected with white-pine blister rust. D.B. 116, p. 6. 1914.
      and other, uses and value, forest planting. For. Cir. 45, pp. 30-31. 1906.
      blight(s)—
        extent and importance. S. T. Dana. For. [Misc.], "Extent and importance * * *," pp. 4. 1908.
        forms, description. B.P.I. Cir. 35, pp. 4-10. 1909.
        present status. Perley Spaulding. B.P.I. Cir. 35, pp. 12. 1909.
      blister-rust—
        infected trees worth treatment, studies. D.C. 177, p. 8. 1921.
        quarantines, foreign and domestic. An. Rpts., 1917, pp. 417, 418, 429. 1918; F.H.B. An. Rpt., 1917, pp. 3, 4, 15. 1917.
        See also Blister rust; Cronartium ribicola; Rust, currant.
      by-products, uses. For. Bul. 99, p. 53. 1911.
      crop, methods of saving (from blister rust). B.P.I. [Misc.], "How to save * * *," Folder. 1925.
      crossties, cost per year for maintenance. For. Bul. 118, p. 46. 1912.
      damage by blister rust in Europe, and control measures. D.B. 1186, pp. 11-25. 1924.
      danger from blister rust, control studies. News L., vol. 3, No. 48, pp. 3-4. 1916.
      decrease in supply. For. Cir. 171, p. 12. 1909.
      description—
        range, and cultivation. For. Cir. 67, pp. 1-6. 1907.
        supply and uses. For. Bul. 99, pp. 7, 35-54. 1911.

Pine—Continued.
white—continued.
diseases and insect enemies. For. Bul. 99, pp. 53-54. 1911.
distribution, production, history of industry, and value. B.D. 13, pp. 2-7. 1914.
eastern or northern, grading rules. D.C. 64, pp. 30-31. 1920.
forest value and annual cut. D.C. 177, pp. 7, 20. 1921.
forests in Lake States, acreage and conditions. Sec. Cir. 183, pp. 22-23. 1921.
growing and planting, annual cost for four years. For. Bul. 76, pp. 27-30. 1909.
growth, spacing, planting methods and products. Y.B., 1911, pp. 260, 261, 263, 265, 267. 1912; Y.B. Sep. 566, pp. 260, 261, 263, 265, 267. 1912.
history, habits, seed formation, distribution, and germination. For. Bul. 63, pp. 7-16. 1905.
importance in the West, stand and stumpage value. D.C. 226, pp. 3, 5-7. 1922.
imports, inspection needs. F.B. 459, pp. 26-29. 1912.
in America, European currant rust on. Perley Spaulding. B.P.I. Cir. 38, p. 4. 1909.
in Idaho, importance and stand. D.C. 226, pp. 6-7. 1922.
logging on cove lands, directions. For. Cir. 118, pp. 11-13. 1907.
lumber, production and value—
1905. For. Bul. 74, p. 16. 1907.
1906, by States. For. Cir. 122, pp. 13-15. 1907.
1913, species and range. D.B. 232, pp. 12-13, 30-31. 1915.
1916, by States, mills reporting. D.B. 673, pp. 18-19. 1918.
1917, by States. D.B. 768, pp. 17-18, 38, 40. 1919.
1918, and States producing. D.B. 845, pp. 20-21, 43. 1920.
1920, by States. D.B. 1119, p. 45. 1923; Y.B., 1922, p. 921. 1923.
lumbering, development and decline. For. Bul. 99, pp. 37-43. 1911.
names, range, description, bark, prices, and uses. B.P.I. Bul. 139, pp. 9-10. 1909.
natural replacement, old fields, New England. S. N. Spring. For. Bul. 63, pp. 32. 1905.
nursery stock, control by cooperation. F.H.B. S.R.A. 26, pp. 36-37. 1916.
original stand, present supply. For. Cir. 97, p. 9. 1907.
ornamental—
infected with blister rust, treatment. J. F. Martin and others. D.C. 177, pp. 20. 1921.
value. D.C. 177, pp. 3, 19. 1921.
planting—
and lumbering directions. For. Cir. 195, p. 9. 1912.
cost and profit. For. Bul. 98, p. 11. 1911.
in New England. F.B. 262, pp. 31-32. 1906.
in New England. Harold B. Kempton. For. Bul. 45, pp. 40. 1903.
in New England and Northern States. Y.B., 1909, pp. 336, 337, 338. 1910; Y.B. Sep. 517, pp. 336, 337, 338. 1910.
leaflet. For. Cir. 67, pp. 1-6. 1907.
uses, yield, and value. D.B. 153, pp. 9, 12, 16, 17, 18, 19, 28-29, 35. 1915.
poor quality as grown in Europe. For. Bul. 87, p. 32. 1911.
production—
1899-1914, and estimates, 1915. D.B. 506, pp. 13-15, 18-19. 1917.
in Connecticut, uses and value. For. Bul. 96, pp. 16-17. 1912.
profitable, protection from blister rust. J. F. Martin. M.C. 40, pp. 8. 1925.
prompt treatment. D.C. 177, pp. 7-8, 19-20. 1921.
protection from blister rust, cooperative studies, and work. News L., vol. 4, No. 47, pp. 3-4. 1917; Sec. A.R., 1925, pp. 57-58. 1925.
range, habits, growth, and uses. For. Cir. 67, pp. 1-3. 1907.
reduction since 1890. For. Cir. 166, p. 23. 1909.

Pine—Continued.
white—continued.
reproduction—
in New England. M.C. 39, p. 25. 1925.
methods and cost. D.B. 13, pp. 14-17, 47-58. 1914.
Rocky Mountain, occurrence in Colorado, description. N.A. Fauna 33, p. 213. 1911.
second-growth—
production in Connecticut forests. For. Bul. 96, p. 12. 1912.
yield per acre in lumber, quality, and value. D.B. 13, pp. 21-34, 36. 1914.
seed—
collection, drying, and storing. For. Bul. 76, pp. 6-12. 1909.
collection, preservation, weight, and planting. For. Cir. 67, pp. 3-4. 1907.
production, distribution, germination, collection methods, and cost. D.B. 13, pp. 14-17, 48-49. 1914; For. Bul. 63, pp. 7-16. 1905.
yield of one tree. D.B. 210, p. 15. 1915.
seedlings—
diseased, in United States, sources. B.P.I. Bul. 206, pp. 16-21, 36-37. 1911.
growth rate, conditions governing. D.B. 13, pp. 16-21. 1914.
planting and care, directions. For. Cir. 67, pp. 4-6. 1907.
planting and care, methods. D.B. 13, pp. 49-56. 1914.
raising and planting. For. Cir. 67, pp. 3-6. 1907.
shipment(s), diseased, destruction. B.P.I. Cir. 129, pp. 11-14. 1913.
shipment restrictions for blister rust control. News L., vol. 3, No. 35, p. 3. 1916.
silvical characteristics. D.B. 13, pp. 10-17, 64. 1914.
stands, characteristics, treatment, and lumbering. D.B. 13, pp. 10, 35-46. 1914.
stumpage estimate. For. Cir. 166, p. 8. 1909.
stumpage value, 1907. For. Cir. 122, p. 35. 1907.
transportation danger. Off. Rec., vol. 3, No. 37, p. 8. 1924.
treatment for blister rust. D.C. 177, pp. 1-20. 1921.
under forest management. E. H. Frothingham. D.B. 13, pp. 70. 1914.
use of wild stock for plantations. F.B. 1453, p. 29. 1925.
value—
and resistance to gipsy moth. Ent. Cir 164, p. 17. 1913.
as windbreak. For. Bul. 86, pp. 32, 34, 50, 63, 70, 98, 99. 1911.
for lumber and cordwood, per acre. For. Bul. 86, pp. 88-89. 1911.
varieties, description, characteristics, and wood. D.B. 460, pp. 4-26. 1917.
volume tables, various States, yield per acre. D.B. 13, pp. 64-70. 1914.
water pipes, descriptions. D.B. 376, pp. 41, 42, 75. 1916.
weevil—
A. D. Hopkins. Ent. Cir. 90, pp. 8. 1907.
damage. Ent. Bul. 58. Pt. V, p. 62. 1909.
injury and control methods. D.B. 13, pp. 62-63. 1914.
injury to forest trees. Ent. Bul. 58, p. 62. 1910.
injury to spruce trees, and control methods. D.B. 544, pp. 27, 28. 1918.
injury to trees. Ent. Cir. 126, p. 3. 1910.
life history. For. Bul. 63, pp. 14-15. 1905.
woods, development on old fields and pastures For. Bul. 63, pp. 16-30. 1905.
See also Pine, 5-leafed; Pine, 5-needled.
whitebark—
description—
of wood, occurrence and growth habits. D. B. 460, pp. 9-12, 46. 1917.
range and occurrence on Pacific slope. For. [Misc.], "Forest trees * * * Pacific * * *," pp. 30-33. 1908.
supply, and uses. For. Bul. 99, pp. 88-90. 1911.
importation and description. No. 42730, B.P.I. Inv. 47, p. 57. 1920.

Pine—Continued.
  whitebark—continued.
    occurrence and reproduction. For. Silv. Leaf. 37, pp. 1-3. 1908.
    vegetation zone. For. Cir. 169, pp. 9-10. 1909.
  wood(s)—
    resistance to termites, relation to resin content. Ent. Bul. 94, Pt. II, pp. 80, 81, 82. 1915.
    waste, pulp, paper and other products. Chem. Bul. 159, pp. 1-28. 1913.
  woodlot management, club work. Off. Rec., vol. 4, No. 23, p. 6. 1925.
  yellow—
    adaptability to sand hills of Nebraska and Kansas. For. Bul. 121, pp. 16-17, 38, 39. 1913.
    cone beetle, description, history, and habits. D.B. 243, pp. 8-10, 20. 1915.
    cut, 1906, increased percentage. For. Cir. 129, pp. 5, 9. 1907.
    cut, in Delaware, Maryland, and Virginia, 1909. D.B. 11, pp. 2, 45. 1914.
    description, uses, associates, and planting details. F.B. 888, pp. 10, 13, 19. 1917.
    disease caused by *Peridermium filamentosum*, control in nurseries. J.A.R., vol. 5, No. 17, pp. 781-785. 1916.
    distillation, destructive, apparatus and products. For. Cir. 114, pp. 4-6. 1907.
    exportations, 1906. For. Cir. 129, p. 6. 1907.
    exports, 1908. For. Cir. 162, p. 18. 1909.
    forests, utilization. D.B. 418, pp. 30-32. 1917.
    growth, comparison with black-jack. For. Bul. 101, pp. 13-14, 22, 23. 1911.
    growth in Oregon, notes and tables, various counties. D.B. 418, pp. 23-29. 1917.
    in Louisiana, output of mills, 1909. For. Bul. 114, p. 22. 1912.
    injury by disinfectants, nursery soils. D.B. 169, pp. 4, 7, 9, 15-16, 21, 23, 30. 1915.
    injury, sources other than fire. D.B. 418, pp. 12-17. 1917.
    log grades in Oregon. D.B. 418, pp. 22-23. 1917.
    lumber production, and value—
      1905. For. Bul. 74, p. 15. 1907.
      1906, by States. For. Cir. 122, pp. 12-13. 1907.
      1913, species and range. D.B. 232, pp. 9-10, 30-31. 1915.
      1916, by States, mills reporting. D.B. 673, pp. 15-16. 1918.
      1917, by States. D.B. 768, pp. 16, 38, 39. 1919.
      1918, by States. D.B. 845, pp. 19, 42. 1920.
      1920, by States. D.B. 1119, p. 43. 1923; Y.B., 1922, p. 920. 1923.
    lumber, profits and losses. Rpt. 114, pp. 24-25, 26, 41. 1917.
    lumbering in California. D.B. 440, pp. 1-99. 1917.
    management, on the national forests. For. Bul. 101, pp. 47-60. 1911.
    mistletoe effects. J.A.R., vol. 12, pp. 716-718. 1918.
    planting records in Nebraska and Kansas. For. Bul. 121, pp. 16-17, 20-22, 36-39, 47-48. 1913.
    production, in 1899-1914, and estimates, 1915. D.B. 506, pp. 13-16, 21. 1917.
    reproduction, factors favorable to. D.B. 1176, pp. 17-18, 20, 23. 1923.
    reproduction in National Forests of Arizona and New Mexico, effects of grazing. Robert R. Hill. D.B. 580, pp. 27. 1917.
    Rocky Mountain, occurrence in Colorado, description. N.A. Fauna 33, pp. 213-215. 1911.
    seed—
      destruction by rodents. J.A.R., vol. 30, p. 640. 1925.
      germination and growth habits. J.A.R., vol. 24, pp. 157-159. 1923.
      germination, effect of age and condition of trees. For. Cir. 196, pp. 5-8. 1912.
      yield, effect of age and condition of trees. For. Cir. 196, pp. 8-10. 1912.
    seedlings—
      development under natural conditions. D.B. 418, pp. 8-9. 1917.

Pine—Continued.
  yellow—continued.
    seedlings—continued.
      distribution with reference to seed trees. D.B. 1105, p. 20. 1923.
    soil and water requirements, eastern Puget Sound Basin, Washington. Soil Sur. Adv. Sh., 1909, pp. 34, 37. 1911; Soils F.O., 1909, pp. 1546, 1549. 1912.
    stands, character, associates, age, and numbers. D.B. 418, pp. 17-23, 28. 1917.
    steam distillation, apparatus and products. For. Cir. 114, pp. 6-7. 1907.
    stumpage—
      estimates, 1907. For. Cir. 129, p. 16. 1907.
      estimates, 1908. For. Cir. 166, p. 8. 1909.
      value, 1907. For. Cir. 122, p. 40. 1907.
    turpentine gum yield, Arizona and Florida. For. Bul. 116, pp. 9-11. 1912.
    uses and freight rates. M.C. 39, p. 49. 1925.
    varieties, description, characteristics, and wood. D.B. 460, pp. 26-46. 1917.
    vegetation zone. For. Cir. 169, pp. 7-8. 1909.
    waste products, utilization. Y.B., 1907, p. 567. 1908; Y.B. Sep. 470, p. 6. 1908.
    yield per acre. For. Bul. 36, pp. 196-201. 1910.
    young, LeConte's sawfly, enemy of. William Middleton. J.A.R., vol. 20, pp. 741-760. 1921.
  See also Conifers.
Pine grass—
  description, habits, and forage value. D.B. 545, pp. 13-15, 58, 59. 1917.
  mountain range lands, occurrence and reproduction. J.A.R., vol. 3, pp. 95, 148. 1914.
Pineapple(s)—
  Abachi, Florida variety, description. F.B. 1237, pp. 9, 10. 1921.
  acreage increase in Hawaii. News L., vol. 6, No. 22, p. 9. 1919.
  analysis, data. Chem. Bul. 87, pp. 32-38. 1904.
  anatomical details. Hawaii Bul. 28, pp. 7-11. 1912.
  and orange pectin jelly, recipe. News L., vol. 5, No. 1, p. 7. 1917.
  Bahia, description and value. D.B. 445, p. 19. 1917.
  bed, preparation, different soils, and systems of laying out. P.R. Bul. 8, pp. 12-15. 1909.
  blackheart, description and remedy. P.R. Bul. 8, p. 41. 1909.
  breeding experiments in Hawaii. Hawaii A.R., 1913, pp. 23-24. 1914.
  by-products. F.B. 140, pp. 46-47. 1901.
  Cabezona, description in detail. P.R. Bul. 8, p. 24. 1909.
  canned—
    adulteration. Chem. N.J. 695, p. 1. 1910; Chem. N.J. 3123. 1914; Chem. N.J. 12907. 1925.
    in Porto Rico, prices, comparison with Hawaii. Hawaii A.R., 1915, pp. 62-63. 1916.
    pack, in Hawaii, 1912. Hawaii A.R., 1912, p. 35. 1913.
  canning—
    directions. S.R.S. Doc. 12, p. 3. 1917.
    for market, home use and flavoring. F.B. 140, pp. 35-36. 1901.
    in Porto Rico, possibilities. P.R. Bul. 8, p. 36. 1909.
    inspection instructions. D.B. 1084, pp. 26-27. 1922.
    seasons. Chem. Bul. 151, p. 35. 1912.
  Cayenne, in Florida and Hawaii, description. F.B. 1237, p. 9. 1921.
  chlorosis—
    cause. D.B. 6, p. 12. 1913.
    cause and control. N. O. Johnson. Hawaii Bul. 52, pp. 38. 1924.
    relation—
      of calcareous soils. P. L. Gile. P.R. Bul. 11, pp. 45. 1911; P.R. Bul. 11, pp. 53 (Spanish edition). 1913.
      to iron in soil. J.A.R., vol. 3, p. 205. 1914.
    studies, relation to lack of iron. J.A.R., vol. 7, p. 84. 1916.
  climate and soil. F.B. 140, pp. 11-15. 1901.
  composition—
    fresh and canned. Chem. Bul. 87, pp. 31-38. 1904.

Pineapple(s)—Continued.
composition—continued.
of—
fruit, upper and lower sides. Hawaii Bul. 28, p. 18. 1912.
leaves and stalks as affected by manganese. Hawaii Bul. 28, p. 13. 1912.
study and comparison. Hawaii A.R., 1910, pp. 45–50. 1911.
cost and profit per acre. P.R. Bul. 8, pp. 37–38. 1909.
crates, types used in different localities. F.B. 1196, p. 33. 1921.
cultivation—
and irrigation. F.B. 140, pp. 34–35. 1901.
in Porto Rico. P.R. An. Rpt., 1907, pp. 27–28. 1908.
methods and implements. P.R. Bul. 8, p. 18. 1909.
culture—
experiments, in Hawaii and Porto Rico, 1908. O.E.S. An. Rpt., 1908, pp. 85, 163. 1909.
geographic distribution. F.B. 1237, p. 3. 1921.
in Hawaii. Hawaii A.R., 1913, pp. 8, 23–24. 1914.
curing, sizing, wrapping, crating, marking, and shipping, directions. P.R. Bul. 8, pp. 31–36. 1909.
disease(s)—
cause, Hawaii. O.E.S. An. Rpt., 1911, pp. 22, 98. 1912.
caused by *Tarsonemus ananas*. Ent. Bul. 97, p. 112. 1913.
control by spraying with Bordeaux mixture. O.E.S. An. Rpt., 1908, p. 87. 1909.
description, cause, and remedies. P.R. Bul. 8, pp. 38–42. 1909.
enemy of sugarcane cuttings in St. Croix, and control. Vir. Is. Bul. 2, p. 23. 1921.
in Florida, description and control methods. F.B. 1237, pp. 27–31. 1921.
in Porto Rico—
caused by carbonate of lime in soil. O.E.S. An. Rpt., 1912, p. 194. 1913.
control methods. P.R. An. Rpt., 1910, p. 36. 1911.
insects and injuries. F.B. 140, pp. 37–43. 1901.
investigations and control experiments. An. Rpts., 1910, pp. 142, 146. 1911; Sec. A.R., 1910, pp. 142, 146. 1910; Y.B., 1910, pp. 141, 144–145. 1911.
on sugar-cane, description and control. B.P.I. Cir. 126, pp. 9–10. 1913.
See also Tangleroot; Wilt.
dried and sugared, preparation experiments. H.C. Gore. Chem. Cir. 57, pp. 8. 1910.
effect of lime on physiology, investigations. P.R. Bul. 11, pp. 31–32. 1911.
exports, 1922–1924. Y.B., 1924, pp. 1043–1044. 1925.
exports from Hawaii, 1915, note. News L., vol. 4, No. 42, p. 5. 1917.
extract, adulteration and misbranding. Chem. N.J. 152, pp. 2. 1910; Chem. N.J. 2533, pp. 2–4. 1913.
fertilizers, use. F.B. 140, pp. 22–30. 1901; F.B. 412, pp. 5–7. 1910.
field, treatment after fruiting. P.R. Bul. 8, pp. 27–29. 1909.
fields, in West Indies, investigations. Hawaii A.R., 1918, pp. 8, 23. 1919.
flavor, misbranding. Chem. N.J. 1057, p. 3. 1911; Chem. N.J. 1675, p. 2. 1912; Chem. N.J. 1906, p. 3. 1913; Chem. N.J. 3328, p. 2. 1914; Chem. N.J. 4325, p. 1. 1916; Chem. N.J. 4326, p. 1. 1916.
fresh and canned, composition. Ed. MacKay Chace and others. Chem. Bul. 87, pp. 31–38. 1904.
fruit fly, distribution. Y.B., 1917, pp. 191–192. 1918; Y.B. Sep. 731, pp. 9–10. 1918.
fruit, growth, maturity, and yield. P.R. Bul. 8, pp. 25–27. 1909.
fumigation—
effect on fruit. B.P.I. Bul. 171, pp. 33–34. 1910.
experiments. B.P.I. Bul. 171, pp. 17–35. 1910; D.B. 186, p. 5. 1915.

Pineapple(s)—Continued.
growing—
Peter H. Rolfs. F.B. 140, pp. 48. 1901.
and breeding, in Hawaii experiments. O.E.S. An. Rpt., 1912, pp. 19, 102. 1913.
and marketing, in Hawaii, progress. Y.B., 1915, pp. 137–138, 144–145. 1916; Y.B. Sep. 663, pp. 137–138, 144–145. 1916.
cost and receipts per acre. F.B. 140, pp. 20–22. 1901.
experiments in Hawaii. Hawaii A.R., 1910, pp. 14–16. 1911.
in Florida—
Fort Lauderdale area. Soil Sur. Adv. Sh., 1915, p. 13. 1915; Soils F.O., 1915, p. 759. 1919.
Indian River area. Soil Sur. Adv. Sh., 1913, pp. 13–14, 18, 21. 1915; Soils F.O., 1913, pp. 683–684, 688, 691. 1916.
suggestions to newcomer. F.B. 1237, p. 35. 1921.
in Florida Keys, method. P. R. Bul. 8, pp. 11–12. 1909.
in Guam, fertilizers and yields. Guam A.R., 1920, p. 51. 1921.
in Hawaii—
1918. Hawaii A.R., 1918, pp. 20–21, 34. 1919.
1920, propogation and fertilizer experiments. Hawaii A.R., 1919, pp. 12, 37, 43, 67. 1920.
1922, soils, tillage and fertilizer experiments. Hawaii A.R., 1921, pp. 7, 52–54. 1922.
extension, and pack of canned pineapples. Hawaii A.R., 1912, pp. 11, 35–36. 1913.
in Porto Rico—
H. C. Henricksen and M. J. Iorns. P.R. Bul. 8, pp. 42. 1909.
Cuba, and Florida, varieties and handling. Hawaii A.R., 1915, pp. 58–65. 1916.
in Virgin Islands. Vir. Is. A.R., 1920, pp. 6, 7, 19. 1921.
on manganiferous soils, observations and experiments. Hawaii Bul. 26, pp. 22–23, 28, 29, 30, 31, 32, 33. 34. 1912.
pot experiments. P.R. Bul. 11, pp. 20–27. 1911.
guava. *See* Feijoa.
Hawaiian—
canned, imports into United States, 1915. News L., vol. 4, No. 39, p. 3. 1917.
immunity to Mediterramean fruit fly attacks. D.B. 640, p. 15. 1918.
industry, needs and cooperative work. Hawaii A.R., 1915, pp. 18, 46, 47, 48, 49, 50. 1916.
introduction into Guam, 1912. O.E.S. An. Rpt., 1912, pp. 18, 101. 1913.
marketing. Hawaii Bul. 14, pp. 7–27. 1907.
marketing, improvement of methods. Hawaii A.R., 1916, pp. 44–45. 1917.
production and exportation, 1909, 1914, 1915. D.B. 483, p. 40. 1917.
quarantine regulations. F.H.B., Quar. 13, rev., pp. 1–3. 1917.
hearts, adulteration and misbranding. Chem. N.J. 12797. 1925.
history of industry in Florida. F.B. 1237, pp. 2, 3–5. 1921.
hybridization, experiments, and difficulties. Y.B., 1905, pp. 281–285. 1906; Y.B. Sep. 383, pp. 281–285. 1906.
hybrids, new varieties, origin, and description. Y.B., 1906, pp. 337–346. 1907; Y.B. Sep. 427, pp. 337–346. 1907.
importations and descriptions. No. 34124, B.P.I. Inv. 32, p. 13. 1914; No. 38908, B.P.I. Inv. 40, p. 44. 1917; Nos. 43026, 43070, 43119–43123, 43223, B.P.I. Inv. 48, pp. 11, 16, 19, 29. 1921; No. 44338, B.P.I. Inv. 50, p. 59. 1922; Nos. 49370, 49714, 49747–49748, B.P.I. Inv. 62, pp. 31, 75, 79–80. 1923; Nos. 49835, 49861, 49895–49897, 50528, B.P.I. Inv. 63, pp. 10, 13, 19, 77. 1923; Nos. 50649, 50727, B.P.I. Inv. 64, pp. 7, 20. 1923; Nos. 51377, 51378, 52298, B.P.I. Inv. 65, pp. 10, 86. 1923; No. 53990, B.P.I. Inv. 68, p. 16. 1923; No. 54663, B. P.I. Inv. 69, p. 36. 1923.
imports—
1903, 1913, value and source. D.B. 296, p. 43. 1915.
1910, value, by countries from which consigned. Stat. Bul. 90, p. 43. 1911.

Pineapple(s)—Continued.
 imports—continued.
  1921, statistics. Y.B. 1921, p. 740. 1922; Y.B. Sep. 867, p. 4. 1922.
  1922-1924. Y.B., 1924, p. 1061. 1925.
 in—
  Florida, pests and diseases, description and control. F.B. 1237, pp. 26-31. 1921.
  Guam, varieties and insects affecting. Guam A.R., 1911, pp. 15, 20, 30. 1912.
  Porto Rico—
   culture and experiments. O.E.S. Bul. 171, pp. 30-32. 1906.
   culture, cover crops, and insect pests. P.R. An. Rpt., 1911, pp. 12, 24. 1912.
   handling, shipments, costs, prices, and losses. P.R. An. Rpt., 1910, pp. 27-33. 1921.
   planting, cultivating, harvesting, and marketing. P.R. Bul. 8, pp. 1-42. 1909.
   shipping facilities. P.R. Bul. 8, pp. 35-36. 1909.
 industry, restoration, methods and studies. F.B. 1237, pp. 32-35. 1921.
 injury by—
  cover crops, experiments, Porto Rico. P.R. Bul. 19, pp. 28-29. 1916.
  Tarsonemus ananas. Ent. Bul. 97, Pt. VI, p. 112. 1912.
 inoculation with fungous disease, experiments and results. B.P.I. Bul. 171, pp. 30-32. 1910.
 insects—
  control work in Hawaii. Hawaii A.R., 1908, pp. 27-28. 1908.
  in Porto Rico, report. P.R. An. Rpt., 1908, pp. 26-27. 1909.
  pests, list. Sec. [Misc.], "A manual * * * insects * * *," p. 171. 1917.
 intercropping with corn and beans, experiments. Hawaii A. R., 1915, p. 49. 1916.
 investigations in Hawaii—
  and Porto Rico, 1910. O.E.S. An. Rpt., 1910, pp. 24, 27, 125, 229, 230. 1911.
  growing and crossing. Hawaii A. R., 1916, pp. 8, 9, 14-16, 23, 36-38. 1917.
 jelly with added pectin, directions. D.C. 254, pp. 8-9. 1923.
 juice, extraction and sterilization, experiments. D.B. 241, pp. 13-14, 19. 1915.
 juice, utilization. Hawaii A.R., 1919, pp. 41, 42. 1920.
 land, clearing, cost per acre. F.B. 140, pp. 30-31. 1901.
 land, laying off and planting. F.B. 140, pp. 31-33. 1901.
 leaves—
  anatomical details. Hawaii Bul. 28, pp. 8-11. 1912.
  content of manganese. D.B. 42, p. 2. 1914.
 MacGregor, introduction into Hawaii, and statement from Queensland. Hawaii A.R., 1917, pp. 12-13. 1918.
 marketing in Porto Rico, Cuba, and Florida. Hawaii A.R., 1915, pp. 61-62, 64, 65, 66. 1916.
 markets and prices. F.B. 140, pp. 19-20. 1901.
 marmalade, recipe. News L., vol. 5, No. 13, p. 5. 1917.
 maturity period, and bearing life of plantations. F.B. 1237, pp. 24, 26. 1921.
 new production of the Department of Agriculture. Rpt. 83, pp. 37-38. 1906; Y.B. 1906, pp. 329-346. 1907; Y.B. Sep. 427, pp. 329-346. 1907.
 oil, adulteration. Chem. N.J. 2470, p. 2. 1913.
 packing—
  for shipment. Hawaii A.R., 1907, p. 17. 1908.
  season. D.B. 196, p. 18. 1915.
 pectin, use in jelly making. F.B. 853, p. 40. 1917.
 plant, effect of manganese in soil. Hawaii Bul. 28, pp. 7-14. 1912.
 plant, structure, propagation, and cultivation methods in detail. P.R. Bul. 8, pp. 7-24. 1909.
 plantation(s)—
  clearing, spacing, and cultivation. F.B. 1237, pp. 16-18. 1921.
  control of brown ant (*Solenopsis geminata* Fab.) and mealy bug (*Pseudococcus citri* Risso). W. V. Tower. P. R. Cir., 7, pp. 3. 1908.
  location and soil. F.B. 1237, pp. 5-8. 1921.
  restoration methods. F.B. 1237, pp. 32-35. 1921.

Pineapple(s)—Continued.
 planting, systems, details, number per acre. P.R. Bul. 8, pp. 10-16. 1909.
 processing, directions and time table. F.B. 1211, pp. 42, 49. 1921.
 production—
  Department of Agriculture. Herbert J. Webber. Y.B., 1906, pp. 329-346. 1907; Y.B. Sep. 427, pp. 329-346. 1907.
  in Hawaii, investigations, 1917. Hawaii A.R., 1917, pp. 11-13, 25, 26-27, 31-32. 1918.
  in Porto Rico, 1910. P.R. An. Rpt., 1910, pp. 10-11. 1911.
 products, labeling. Chem. S.R.A. 21, p. 72. 1918.
 propagation, use of rattoons, suckers, slips, crowns, and seeds. P.R. Bul. 8, pp. 8-10, 15, 26, 28. 1909.
 quarantine restrictions. F.H.B. Quar. 56, pp. 4, 5. 1923.
 Red Spanish—
  description in detail. P.R. Bul. 8, pp. 24-25. 1909.
  in Florida, description. F.B. 1237, pp. 9, 10. 1921.
 respiration studies. Chem. Bul. 142, pp. 15, 19, 25. 1911.
 ripening—
  Hawaiian studies. Hawaii Bul. 28, pp. 14-20. 1912.
  methods, superiority of plant-ripened. F.B. 1237, pp. 23-24. 1921.
 rot caused by *Thielaviopsis paradoxa,* description and control. B.P.I. Bul. 171, pp. 15-35. 1910.
 rotation with pigeon peas, benefit. Hawaii Bul. 46, p. 21. 1921.
 seed, germination and care of seedlings, Hawaii. Hawaii A.R., 1916, pp. 8, 15-16. 1917.
 seed, use in plant propagation. P.R. Bul. 8, pp. 9-10. 1909.
 seedlings, directions for growing. P.R. Bul. 8, pp. 9-10. 1909.
 sensitiveness to lime in the soil. P.R. Bul. 11, p. 28. 1911.
 shade injury. P.R. An. Rpt., 1914, pp. 21-22. 1915.
 shed or packing house, essentials. P.R. Bul. 8, pp. 30-31. 1909.
 shipments—
  by States and by stations, 1916. D.B. 667, pp. 8, 99. 1918.
  to United States, 1915. News L., vol. 4, No. 46, p. 6. 1917.
 soil(s)—
  chemical—
   studies. Hawaii A.R., 1909, pp. 58-63. 1910.
   survey and analyses. P.R. Bul. 11, pp. 8-20. 1911.
  drainage necessity. Hawaii A.R., 1911, pp. 12, 43-44. 1912.
  fertility maintenance. Hawaii A.R., 1916, pp. 36-38. 1917.
  in Florida and West Indies, description and preparation. P.R. Bul. 8, pp. 10-15. 1909.
  in Porto Rico, studies. P.R. An. Rpt., 1910, pp. 20-21. 1911.
 spike disease, comparison with pecan rosette. J.A.R., vol. 3, pp. 170, 171, 174. 1914.
 spraying—
  for chlorosis. S.R.S. Rpt., 1916, Pt. I, p. 101. 1918.
  with fertilizer, in Hawaii, experiments, 1917. Hawaii A.R., 1917, p. 27. 1918.
 statistics, receipts and shipments at trade centers. Rpt. 98, p. 364. 1913.
 strawberry preserves, recipe. F.B. 1026, p. 38. 1919; F.B. 1027, p. 28. 1919; F.B. 1028, p. 48. 1919.
 sugared, dried, preparation experiments. H. C. Gore. Chem. Cir. 57, pp. 8. 1910.
 Taboga, importation and description. No. 31618, B.P.I. Bul. 248, p. 30. 1912.
 varieties—
  for Florida, list. F.B. 1237, pp. 9-10. 1921.
  in Porto Rico—
   testing for commercial value. An. Rpts., 1907, p. 685. 1908.
   tests. O.E.S. An. Rpt., 1911, pp. 26, 189. 1912.

Pineapple(s)—Continued.
varieties—continued.
in West Indies, description in detail. P.R. Bul. 8, pp. 24-25. 1909.
recommendations for various fruit districts. B.P.I. Bul. 151, p. 61. 1909.
vinegar, making in—
Hawaii. Hawaii A. R., 1913, p. 34. 1914.
the home. S.R.S. Doc. 99, p. 6. 1919.
wilt, cause and control. Hawaii A.R., 1918, pp. 25-26. 1919.
yellowing, cause and control. Hawaii A.R., 1916, pp. 9, 23-24. 1917.
yellows, cause and control. Work and Exp., 1917, Pt. I, pp. 45, 99. 1918.
yields and profits in Florida. F.B. 1237, pp. 24-25. 1921.
Pineland, in Mississippi, George County. Soil Sur. Adv. Sh , 1922, pp. 34, 41. 1925.
Pinene—
content of western-pine oleoresins. For. Bul. 119, pp. 12-13, 16, 23, 26, 28, 29-30, 35. 1913.
distillation product of southern pines. D.B. 1064, p. 4. 1922.
occurrence in lemon oil. E. M. Chace. Chem. Cir. 46, pp. 24. 1909.
physical and chemical properties. D.B. 898 pp. 4-5. 1920.
Pinexo, misbranding. N.J. 827, I. and F. Bd. S.R.A. 44, p. 1034. 1923.
Piney Woods region, location and extent, survey, objects and plan. D.B. 827, pp. 2-5, 14-19. 1921.
Pingree, M. H., studies of butterfat, relation to lactation. B.A.I. Bul. 155, pp. 12-13. 1913.
Pingue—
description and poisonous character. D.B. 1245, p. 30. 1924.
poisoning of sheep, plants causing. B.P.I. Chief, Rpt., 1921, p.43. 1921.
prevalence in forests of southwest. D.B. 1105, pp. 46, 49, 53, 54. 1923.
Pinguin, importation, and description. No. 32382, B.P.I. Bul. 282, p. 12. 1913.
Pinhole—
borers—
damage to cypress. Ent. Bul. 58, Pt. V., p. 63. 1909.
description and control methods. F.B. 763, pp. 1-16. 1916; F.B. 1270, p. 66. 1922.
injury to—
conifers. Ent. Bul. 58, p. 63. 1910.
cypress. Ent. Bul. 58, p. 63. 1910.
trees dying or dead. Ent. Cir. 127, p. 2. 1910.
injury, to girdled cypress in the South Atlantic and Gulf States. A. D. Hopkins. Ent. Cir. 55, pp. 5. 1903.
Pinicola enucleator. See Bullfinch, pine; Grosbeak, pine.
Pinipestis cambiicola, injury to pine trees and relation to Zimmerman pine moth. D.B. 295, pp. 6, 7. 1915.
Pinite, product of sugar pine, use. For. Bul. 99, p. 69. 1911.
Pink(s)—
Chinese, description. B.P.I. Doc. 433, p. 4. 1909.
description—
cultivation, and characteristics. F.B. 1171, pp. 60-64, 82. 1921.
varieties, and climatic adaptations. F.B. 1381, pp. 40-42. 1924.
Japanese, importation and description. No. 44572, B.P.I. Inv. 51, p. 26. 1922.
mountain Indian, forage crop, importance and nutritive value. F.B. 425, pp. 10, 12. 1910.
Pink eye. See Influenza; Opthalmia, infectious.
Pink pills, Dr. Williams', misbranding, affirming decree. Sol. Cir. 87, pp. 1-4. 1916.
Pink-rot, apple, description and cause. F.B. 1160, pp. 16-17. 1920.
Pinkapinkahan, importations and descriptions. Nos. 35415, 35468, B.P.I. Inv. 35, pp. 43, 49. 1915.
Pinkroot—
adulteration and misbranding. Chem. N.J. 901, p. 2. 1911; Chem. N.J. 1339, p. 1. 1912.
culture and handling as drug plant, yield, and price. F.B. 663, p. 31. 1915.
description and uses. B.P.I. Bul. 100, Pt. V., pp. 41-44. 1907.

Pinkroot—Continued.
drug known as. W. W. Stockberger. B.P.I. Bul. 100, Pt. I., pp. 41-44. 1907.
growing and uses, harvesting, marketing, and prices. F.B. 663, rev., pp. 41-42. 1920.
habitat, range, description, collection, prices, and uses of roots. B.P.I. Bul. 107, p. 52. 1907.
Pinning insects, directions. F.B. 606, pp. 9-10. 1914.
Piñon—
blister rust, cause. J.A.R., vol. 14, pp. 411-424. 1918.
description, occurrence, growth habits, and value of seeds. D.B. 460, pp. 18-21, 46. 1917.
four-leaf, occurrence, habits, and reproduction. For. Silv. Leaf. 17, pp. 1-2. 1908.
Mexican, description—
occurrence and growth habits. D.B. 460, pp. 15-18, 46. 1917.
supply, and uses. For. Bul. 99, p. 81. 1911.
occurrence in Colorado, description. N. A. Fauna 33, pp. 216-217. 1911.
Parry, description, supply, and uses. For. Bul. 99, p. 83. 1911.
single-leaf—
description, supply, and uses. For. Bul. 99, pp. 77-81. 1911.
occurrence, habits, reproduction, etc. For. Sil. Leaf. 16, pp. 1-2. 1908.
yield of edible nuts. For. Bul. 99, pp. 79-81, 83. 1911.
See also Pine nut.
Pins, insulator, use of locust wood. Y.B., 1914, p. 450. 1915; Y.B. Sep. 651, p. 450. 1915.
Pintail—
Bahama, occurrence in Porto Rico, habits and food. D.B. 326, p. 29. 1916.
breeding range. D.B. 862, p. 31. 1920.
description and food habits. D.B. 862, pp. 31-36, 49-67. 1920; N.A. Fauna 46, p. 47. 1923.
in Alaska. N.A. Fauna 30, pp. 34, 85. 1909.
migration records from birds banded in Utah. D.B. 1145, pp. 9-11. 1923.
occurrence—
and food habits. Biol. Bul. 38, p. 20. 1911.
in Nebraska. D.B. 794, pp. 25-26. 1920.
Pinto bean, growing, directions for club members in Southwest. D.C. 48, p. 11. 1919.
Pinus—
albicaulis. See Pine, white-bark.
apacheca. See Pine, Apache.
aristata. See Pine, bristle-cone; Pine, foxtail.
armandi, importation and description. No. 30688, B.P.I. Bul. 242, pp. 9, 32. 1912.
attenuata. See Pine, knobcone.
balfouriana. See Pine, foxtail.
banksiana. See Pine, jack.
bungeana, importation and description. No. 35916, B.P.I. Inv. 36, pp. 6, 25. 1915.
cembra, original host of Cronartium ribicola. D.B. 957, pp. 3, 4, 5, 6. 1922.
clausa. See Pine, sand.
contorta—
host of Dendroctonus monticolae. J.A.R., vol. 22, pp. 189-220. 1921.
See also Pine, lodgepole.
divaricata. See Pine, Banksian; Pine, jack.
edulis. See Piñon; Pine, nut.
excelsa, host of white-pine blister rust. D.B. 116, p. 6. 1914.
heterophylla. See Pine, Cuban.
koraiensis and P. bungeana, use of seeds as food in China. B.P.I. Bul. 204, p. 53. 1911.
lambertiana. See Pine, sugar.
laricio. See Pine, Corsican.
monophylla. See Piñon, single-leaf.
monticola—
blister rust, study. J.A.R., vol. 30, pp. 593-607. 1925.
influence of period of transplanting on growth of seedlings. J.A.R. vol. 22, pp. 33-46. 1921.
See Pine, western white.
muricata. See Pine, swamp.
murrayana—
host of Recurvaria milleri. J.A.R., vol. 21, No. 3, pp. 127-142. 1921.
identity with Pinus contorta. For. Bul. 119, p. 25. 1913.
palustris. See Pine, long-leaf.

36167°—32——116

Pinus—Continued.
  ponderosa—
    danger from *Dendroctonus monticolae*. J.A.R., vol. 22, pp. 189–220. 1921.
    western red rot occurrence, preliminary report. W. H. Long. D.B. 490, pp. 8. 1917.
    See also Pine, yellow.
    See also Pine, western yellow.
  pungens. See Pine, table mountain.
  pyrenaica, range and uses, importation and description. No. 35107, B.P.I. Inv. 34, p. 42. 1915.
  quadrifolia. See Pine, four-leaf.
  radiata. See Pine, Monterey.
  resinosa. See Pine, red.
  rigida. See Pine, pitch.
  sabiniana. See Pine, digger.
  scopulorum, growing season. J.A.R., vol. 29, pp. 203–204. 1924.
  spp.—
    chlorosis, spraying experiments. J.A.R., vol, 21, No. 3, pp. 153–171. 1921.
    destruction by *Rhizina inflata*. J.A.R., vol. 4, pp. 93, 94. 1915.
    food of *Dendroctonus* beetles. Ent. T. B. 17, Pt. I, pp. 78, 79. 1909.
    growth on calcareous soil. J.A.R., vol. 21, No. 3, p. 154. 1921.
    hosts of blister rust, and natural infection. D.B 957, pp. 3–6, 11–12, 1922.
    hosts of *Cronartium ribicola*. B.P.I. Bul. 206, pp. 21–26. 1911.
    hosts of *Neodiprion lecontei*. J.A.R., vol. 20, p. 757. 1921.
    hypertrophied lenticels. J.A.R., vol. 20, pp. 255–266. 1920.
    importations and description. Nos. 43462, 43796, 43861, B.P.I. Inv. 49, pp. 8, 78, 88. 1921.
    injury by sapsuckers. Biol. Bul. 39, pp. 9, 23–26, 53, 63. 1911.
    new hosts for *Peridermium pyriforme*. J.A.R., vol. 5, No. 7, pp. 289–290. 1915.
    susceptibility to—
      dry rot. B.P.I. Bul. 214, p. 12. 1911.
      sun scorch. D.B. 44, pp. 2, 6. 1913.
    See also Pine.
  strobiformis. See Pine, Mexican white.
  strobus. See also Pine, white.
  torreyana, occurrence in California. For. Bul. 85, p. 11. 1911.
  virginiana—
    use in manufacture of excelsior. For. Bul. 93, p. 10. 1911.
    See also Pine, scrub.
Piona spp., description and habits. Rpt. 108, pp. 49, 53. 1915.
Pioneer Irrigation District, Idaho, location, organization, and work. O.E.S. Bul. 216, p. 35. 1909.
Pioneers, women's needs, and publications suggested. Rpt. 106, pp. 67–69. 1915.
Piophila casei. See Ham and cheese maggot.
Pipe(s)—
  bamboo, for carrying water. D.B. 1329, p. 18. 1925.
  bender, directions for making. F.B. 842, p. 27. 1917.
  cast-iron, test and inspection. D.B. 1216, p. 84. 1924.
  cement-sand and cement-lime-sand, cost. F.B. 317, p. 14. 1908.
  concrete—
    description, cost, laying, and causes of failure. D.B. 906, pp. 4–23. 1921.
    for—
      outlet conduits, details and cost of making and use. O.E.S. Bul. 249, Pt. I, pp. 38–41. 1912.
      subirrigation, cost of making and laying. O.E.S. Cir. 108, p. 22. 1911.
    reinforced, use in irrigation work. D.B. 906, pp. 6–8. 1921; F.B. 899, pp. 24–27. 1917.
    use in irrigation. F. W. Stanley. D.B. 906, pp. 54. 1921.
  continuous stave, description, designing, sizes, and cost. D.B. 155, pp. 3–24. 1914.
  covering and cement, testing. Chem Bul. 109, rev., p. 61. 1910.
  culvert—
    materials, size and weight. Rds. Bul. 45, pp. 9–12. 1913.

Pipe(s)—Continued.
  culvert—continued.
    sampling and testing. D.B. 1216, pp. 78–84. 1924.
    drainage, sampling and testing methods. D.B. 1216, pp. 78–81. 1924.
  farmhouse, suggestions. F.B. 270, pp. 17–20. 1906; F.B. 941, pp. 66–68. 1918.
  fitting tools, requirements and cost. Y.B., 1909, p. 351. 1910; Y.B. Sep. 518, p. 351. 1910.
  heating for lumber drying, description. D.B. 1136, pp. 7–9. 1923.
  hot-air, insulation for heat control. F.B. 1194, p. 18. 1921.
  irrigation—
    description and use. F.B. 404, pp. 17–19. 1910.
    problems, estimates, diagrams, and tables. D.B. 376, pp. 66–73. 1916.
    systems, design. D.B. 906, pp. 23–54. 1921.
    laying in irrigation work, trenching, back filling, and jointing. D.B. 906, pp. 13–15. 1921.
  lead—
    connection, cup-joint method. Y.B., 1909, p. 348. 1910; Y.B. Sep. 518, p. 348. 1910.
    destruction by rats. Biol. Bul. 33, pp. 27, 28, 29. 1909.
  machine-banded, description, uses, cost, and maintenance. D.B. 155, pp. 24–33. 1914.
  making from calabash gourds, directions. B.P.I. Cir. 41, pp. 7–8. 1909.
  metal—
    capacity, comparison with wood-stave pipes. D.B. 376, pp. 72–73. 1916.
    description and use in irrigation. D.B. 906, pp. 2–3, 4. 1921.
    for culverts, specifications. D.C. 331, pp. 1–6. 1925.
    method of irrigation. Y.B., 1909, p. 300. 1910; Y.B. Sep. 514, p. 300. 1910.
  organ, manufacture from pine. For. Bul. 99, pp. 53, 69. 1911.
  plumbing, kinds and sizes. F.B. 1426, pp. 5–15. 1924.
  portable, use in—
    irrigating alfalfa. F.B. 865, pp. 22–25. 1917.
    surface irrigation. F.B. 899, pp. 27–29. 1917.
  reservoir, description and use. F.B. 828, pp. 9–12, 23, 28. 1917.
  sewer selection, testing, tamping, and cementing. F.B. 899, pp. 19–20, 26. 1917.
  smoke, connection with chimneys, insulation, and care. F.B. 1230, pp. 12–14. 1921.
  steel, description, surfacing, or enclosing with concrete. D.B. 906, pp. 2–3, 4. 1921.
  suction and discharge, for drainage pumps, energy loss. D.B. 1067, pp. 3–5. 1922.
  supply, for irrigation (and ditches), location, and capacity. F.B. 1243, pp. 8–10, 16–20. 1922.
  systems, for distribution of irrigation water. F.B. 899, pp. 18–27. 1917.
  terra-cotta, use in irrigation systems. F.B. 899, pp. 18–24. 1917.
  tests, references. D.B. 949, p. 95. 1921.
  use in irrigation, composition, methods of laying, and cost. O.E.S. Bul. 236, pp. 56–60. 1911.
  vitrified clay, use in irrigation. D.B. 906, pp. 3–4. 1921.
  water, kinds, description and installation methods. F.B. 941, pp. 62–63. 1918.
  water, use of pine wood. For. Bul. 99, pp. 50–51, 64. 1911.
  wood, for conveying water for irrigation. S. O. Jayne. D.B. 155, pp. 40. 1914.
  wood, use in irrigation, incasing with concrete. D.B. 906, pp. 3, 4. 1921.
  wood-stave—
    capacity. D.B. 376, pp. 58–66, 72–73. 1916.
    friction losses in wood-stave, tests. D.B. 376, pp. 26–39. 1916.
    increase of use. Rpt. 117, pp. 65–66, 73. 1917.
    water flow. Fred C. Scobey and others. D.B. 376, pp. 96. 1916.
  wrought-iron, standard sizes and weights. D.B. 894, p. 47. 1920.
Pipeless furnace. See Furnace, pipeless.
PIPER, C. V.—
  "Agricultural varieties of the cowpea and immediately related species." B.P.I. Bul. 229, pp. 160. 1912.
  "Alfalfa seed production: Pollination studies." With others. D.B. 75, pp. 32. 1914.

PIPER, C. V.—Continued.
"Bur clover." With Roland McKee. F.B. 693, pp. 15. 1915.
"Carpet grass." With Lyman Carrier. F.B. 1130, pp. 10. 1920.
"Cultivated grasses of secondary importance." F.B. 1433, pp. 43. 1925.
"Five oriental species of beans." With W J. Morse. D.B. 119, pp. 32. 1914.
"Grass lands of the South Alaska coast." B.P.I. Bul. 82, pp. 38. 1905.
"Green manuring." With A. J. Pieters. F.B. 1250, pp. 45. 1922.
"Growing hay in the South for market." With others. F.B. 677, pp. 22. 1915.
"Hairy vetch for the cotton belt." Sec. [Misc.] Spec. "Hairy vetch * * *," pp. 4. 1914.
"Hay." With others. Y.B,. 1924, pp. 285–376. 1925.
"Illustrated lecture on leguminous forage crops for the North." With H. B. Hendrick. S.R.S. Syl. 25, pp. 18. 1917.
"Illustrated lecture on leguminous forage crops for the South." With H. B. Hendrick. S.R.S. Syl. 24, pp. 16. 1917.
"Important cultivated grasses." F.B. 1254, pp. 38. 1922.
"Kudzu." D.C. 89, pp. 7. 1920.
"Leguminous crops for green manuring." F.B. 278, pp. 27. 1907.
"Meadows for the Northern States." F.B. 1170, pp. 13. 1920.
"Orchard enemies in the Pacific Northwest." F.B. 153, pp. 39. 1902.
"Our forage resources." With others. Y.B. 1923, pp. 311–414. 1924; Y.B. Sep. 895, pp. 311–414. 1924.
"Rape as a forage crop in the Cotton Belt." Sec. [Misc.] Spec., "Rape as * * *," pp. 3. 1914.
"Rhode Island bent and related grasses." D.B. 692, pp. 14. 1918.
"Soy beans." With H. T. Nielson. F.B. 372, pp. 26. 1909.
"Structure of the pod and the seed of the Georgia velvet bean, Stizolobium deeringianum." With J. Marion Shull. J.A.R. vol. 11, No. 13, pp. 673–676. 1917.
"Sudan grass, a new drought-resistant hay plant." B.P.I. Cir. 125, pp. 20. 1912.
"The bonavist, lablab, or hyacinth bean." With W. J. Morse. D.B. 318, pp. 15. 1915.
"The Florida velvet bean and related plants." With S. M. Tracy. B.P.I. Bul. 179, pp. 26. 1910.
"The jack bean. D.C. 92, pp. 12. 1920.
"The jack bean and the sword bean." B.P.I. Cir. 110, pp. 29–36. 1913
"The production of hairy vetch seed." With Edgar Brown. B.P.I. Cir. 102, pp. 8. 1913.
"The search for new leguminous forage crops." Y.B. 1908, pp. 245–260. 1909; Y. B. Sep. 478, pp. 245–260. 1909.
"The soy bean, history, varieties, and field studies." With W.J. Morse. B.P.I. Bul. 197, pp. 78. 1910.
"The soy bean, with special reference to its utilization for oil, cake, and other products." With W. J. Morse. D.B. 439, pp. 20. 1916.
"The velvet bean." With W. J. Morse. F B. 1276, pp. 27. 1922.
"The wild prototype of the cowpea." B.P.I. Cir. 124, pp. 29–32. 1913.
"Velvet beans." S.R.S. Doc. 44, pp. 6. 1917.
"Vetches." With Roland McKee. F.B. 515, pp. 28. 1912.
PIPER, S. E.—
attendance at stock-growers' meeting. Off. Rec., vol. 1, No. 11, p. 7. 1922.
"Mouse plagues, their control and prevention." Y.B. 1908, pp. 301–310. 1909; Y.B. Sep. 482, pp. 301–310. 1909.
"The Nevada mouse plague of 1907–1908." F.B. 352, pp. 23. 1909.
Piper—
cubeba, importation and description. No. 34327, B. P. I. Inv. 32, p. 36. 1914.
longum, use in adulteration of pepper. Chem. N.J. 1564, p. 1. 1912; Chem. N.J. 1568, pp. 5. 1912.
macrophyllum. See Pepperwort.

Piper—Continued.
tuberculatum, importation and description. No. 51059, B.P.I. Inv. 64, pp. 3, 49. 1923.
Piper Texas Planation Company irrigation system, details. O. E. S. Bul. 222, pp. 51–52. 1910.
Piperidine—
origin, effect on wheat plants. Soils Bul. 47, pp. 29, 38. 1907.
soil constitutent, wheat-growing tests. Soils Bul. 87, p. 66. 1912.
spraying tests as insecticide. D.B. 1160, pp. 4, 7, 9. 1923.
Piperonal, origin, effect on wheat plants. Soils Bul 47, pp. 35, 39. 1907.
Pipettes, multiple holder for serum, complement-fixation test. J.A.R., vol. 15, pp. 615–618. 1918.
Pipewort, resemblance to wild celery, distinguishing characters. Biol. Cir. 81, pp. 8–9. 1911.
Pipilo spp. See Towhee.
Piping—
greenhouse, for tomatoes. F.B. 1431, pp. 5–6. 1924.
irrigation systems, kinds and description. D.B. 495, pp. 23–25. 1917.
suction and discharge in draining lowlands. O.E.S. Bul. 243, pp. 36–40. 1911.
Pipistrelle, southeastern, description and habits. N.A. Fauna 45, p. 25. 1921.
Pipistrellus hesperus. See Bat, western.
Pipits—
cotton boll weevil destruction in winter. Biol. Cir. 64, p. 4. 1908.
description, useful food habits, and occurrence in Arkansas. Biol. Bul. 38, p. 83. 1911.
food habits, winter and summer. D.B. 1249, pp. 27–32. 1924.
occurrence in—
Alaska and Yukon Territory. N.A. Fauna 30, pp. 43, 64, 91. 1909.
Athabaska-Mackenzie region. N.A. Fauna 27, p. 481. 1908.
Pribilof Islands, and food habits. N.A. Fauna 46, pp. 97–98. 1923.
range and habits. N.A. Fauna 21, pp. 49, 80. 1901; N.A. Fauna 22, p. 128. 1902; N.A. Fauna 24, p. 79. 1904.
See also Titlark.
Pipsissewa, habitat, range, description, uses, collection, and prices. B.P.I. Bul. 219, p. 16. 1911.
Piptadenia—
cebil, importation and description. No. 52504, B.P.I. Inv. 66, pp. 4, 34. 1923.
cebil. See also Cebil.
rigida, importation and description. No. 41306. B.P.I. Inv. 44, p. 61. 1918.
spp., importations and descriptions. Nos. 43458, 43459, B.P.I. Inv. 49, p. 27. 1921; Nos. 48074, 48075, B.P.I. Inv. 60, p. 38. 1922.
Piptanthus—
concolor, importation and description. No. 44398, B.P.I. Inv. 50, p. 66. 1922.
nepalensis, importations and descriptions. No. 39043, B.P.I. Inv. 40, p. 62. 1917; No. 44863, B.P.I. Inv. 51, p. 82. 1922; No. 47756, B.P.I. Inv. 59, p. 55. 1922.
Piptostegia pisonis, substitution for jalap root. Opinion 280. Chem. S.R.A. 23, p. 98. 1918.
Pipunculus industrius, parasites of Eutettix tenella. J.A.R. vol. 20, pp. 250–251. 1920.
Piqui, importation and description. No. 37904, B.P.I. Inv. 39, p. 65. 1917.
Piquia tree, importation and description. No. 50469, B.P.I. Inv. 63, p. 71. 1923.
Piquillin, importation and description. No. 45900. B.P.I. Inv. 54, p. 37. 1922.
Piranga spp. See Tanager.
Piratinera alicastrum. See Bread-nut tree.
Piricularia—
oryzae—
cause of—
rice disease, and results. F.B. 1092, pp. 9, 11, 23. 1920.
rotten-neck of rice. D.B. 1127, p. 15. 1923.
susceptibility of rice plants. D.B. 1356, p. 17. 1925.
sp. occurrence on plants in Texas, and description. B.P.I. Bul. 226, p. 50. 1912.
sp. See also Rice rotten-neck.
PIROCCHI, ANTONY: "Dairy animals in Italy." B.A.I. [Misc.], "World's dairy congress, 1923," pp. 1416–1423. 1924.

Piroplasma—
  bigeminum—
    cause of Texas fever—
      B.A.I. Bul. 78, pp. 9, 11. 1905; F.B. 569, p. 4. 1914.
      description. B.A.I. [Misc.], "Diseases of cattle," rev., pp. 463, 480, 516. 1908; rev., p. 493. 1904; rev., p. 541. 1912; rev., p. 530. 1923.
      history, description, and distribution. B.A.I. An. Rpt., 1910, pp. 425–428. 1912; B.A.I. Cir. 193, pp. 425–428. 1912; B.A.I. Cir. 194, pp. 492–493. 1912.
    See also Texas fever parasite.
    spp. in blood of cows, dogs, and horses, studies. B.A.I. Bul. 119, pp. 11–12, 21–31. 1909.
Piroplasmosis—
  canine, transmission by tick. D.C. 338, p. 12. 1925.
  cattle, transmission by ticks. Ent. Bul. 72, p. 57. 1907.
PIRQUET, CLEMENS: "Milk as a standard of nutrition." B.A.I. [Misc.], "World's dairy congress, 1923," pp. 463–464. 1924.
PIRSCH, G. B.: "Studies on the temperature of individual insects, with special reference to the honey bee." J.A.R., vol. 24, pp. 275–288. 1923.
PIRTLE, T. R.—
  "A handbook of dairy statistics." B.A.I. Doc. A–37, pp. 72. 1922.
  "Trend of the butter industry in the United States and other countries." D.C. 70, pp. 24. 1919.
  "Trend of the cheese industry in the United States and other countries." D.C. 71, pp. 24. 1919.
  "Trend of the dairy-cattle industry in the United States and other countries." D.C. 7, pp. 19. 1919.
Pisgah National Forest and Game Preserve, western North Carolina. Form. [Misc.], "The Pisgah * * *." (Folder.) 1924.
Pisgah National Game Preserve, regulations and information for the public. D.C. 161, pp. 11. 1921.
Pisi spp., identification. D.B. 276, pp. 4–5. 1915.
Pisobia—
  damacensis, breeding range and migration habits. Biol. Bul. 35, p. 42. 1910.
  spp. *See* Sandpiper.
Pisonia alba. See Lettuce tree.
Pissodes—
  genus, anatomical details. Ent. T.B. 20, Pt. I, pp. 12–26. 1911.
  canadensis. See Weevil, Canadian pine.
  schwarzi, injury to pine trees, relation to pine moth. D.B. 295, pp. 5, 8. 1915.
  strobi—
    anatomical comparision with *Dendroctonus* type. Ent. T.B. 17, Pt. I, pp. 11, 16, 17. 1909.
    injuries to white pine, control methods. D.B. 13, pp. 62–63. 1914.
  See also Pine, white, weevil.
Pistache—
  alkali resistance. B.P.I. Bul. 53, pp. 115, 121. 1904.
  Chinese—
    importation and description. No. 45593, B.P.I. Inv. 53, pp. 65–66. 1922.
    introduction and use, Southwest. An. Rpts., 1913, p. 130. 1914; B.P.I. Chief Rpt., 1913, p. 26. 1913.
    plant importations, 1909, and description. B.P.I. Bul. 162, pp. 9, 35. 1909.
  culture, introduction and progress, 1907. An. Rpts., 1907, pp. 281–282. 1908.
  growing in America. B.P.I. Rpt., 1924, pp. 10–11. 1924.
  importations—
    and descriptions. Nos. 29475, 29476, 29499, B.P.I. Bul. 233, pp. 25, 27. 1912; No. 40662, B.P.I. Inv. 43, pp. 7, 62. 1918; No. 42823, B.P.I. Inv. 47, p. 71. 1920; No. 44768, B.P.I. Inv. 51, p. 61. 1922; No. 47362, B.P.I. Inv. 59, p. 11. 1922.
    from Asia. B.P.I. Bul. 106, p. 6. 1907.
  life-history, investigations. An. Rpts., 1904, pp. 95–96. 1904.

Pistache—Continued.
  nut—
    Walter T. Swingle. B. P. I. Doc. 259, p. 1. No date.
    description, value as food. F.B. 332, pp. 9, 13. 1908.
    experiments at San Antonio experiment farm. B.P.I. Cir. 13, p. 15. 1908.
    grafting on wild stock from Palestine, recommendation. B.P.I. Bul. 180, p. 14. 1910.
    growing and uses. B. P. I. C. P. and B. I. Cir. 1, pp. 2. 1916.
    stocks, planting for grafting improved varieties. B. P. I. C. P. and B. I. Cir. 1, p. 2. 1916.
    testing—
      California, uses and value. Y.B., 1916, pp. 139–140. 1917; Y.B. Sep. 687, pp. 5–6. 1917.
      Texas. D.B. 162, pp. 20, 26. 1915.
    tree—
      description and habits. B.P.I.C.P. and B.I. Cir. 1, pp. 1–2. 1916.
      use as ornamentals for streets and grounds. News L., vol. 3, No. 32, p. 2. 1916.
      value as shade tree in South and Southwest. Y.B., 1915, p. 220. 1916 ; Y.B. Sep. 671, p. 220. 1916.
  See also Pistachio; Pistacia.
Pistachio—
  extract, adulteration and misbranding. Chem. N.J. 1041, pp. 2. 1911; Chem. N.J. 2241, p. 7. 1913.
  flavor, misbranding. Chem. N.J. 2146. pp. 1–2. 1913.
  in Texas, suggestions for culture. N.A. Fauna 25, p. 30. 1905.
  insect pests. Sec. [Misc.], "A manual of * * * insects * * *," p. 171. 1917.
  nut, description, histology, and identification key. Chem. Bul. 160, pp. 30–32, 37. 1912.
  See also Pistache.
Pistacia—
  atlantica, importation and description. No. 34212, B.P.I. Inv. 32, p. 24. 1914.
  chinensis. See Pistache, Chinese.
  integerrima. See KaKa; Zebra wood.
  lentiscus—
    adulterant of sumac. Chem. Bul. 117, p. 7. 1908.
    histological features. Chem. Bul. 117, pp. 29–30. 1908.
    importations and descriptions. No. 51698, B.P.I. Inv. 65, p. 37. 1923; No. 54694, B.P.I. Inv. 70, p. 9. 1923.
  spp.—
    introduction and growing, Florida and California. An. Rpts., 1907, pp. 337, 338. 1908.
    Palestine, recommendations as stock for pistache nut. B.P.I. Bul. 180, p. 14. 1910.
  See also Pistache; Pistachio.
PISTOR, A. J.: "The dairy industry." With others. Y.B., 1922, pp. 281–394, 1923; Y.B. Sep. 879, pp. 98. 1923.
Pisum—
  fulvum, importation and description. No. 44560, B.P.I. Inv. 51, p. 24. 1922.
  inheritance studies, genetic factors. Orland E. White. J. A. R., vol. 11, pp. 167–190. 1917.
  sativum—
    inheritance studies, in relation to rogue types. J.A.R., vol. 24, pp. 815–852. 1923.
  See also Pea.
Pitalla, Mexican name for certain species of cactus fruits. B.P.I. Bul. 116, p. 4. 1907.
Pitanga—
  description of plant and fruit, uses. D.B. 445, p. 22. 1917.
  importations and descriptions. No. 34880, B.P.I. Inv. 34, p. 24. 1915; No. 36929, B.P.I. Inv. 37, p. 84. 1916; No. 37026, B.P.I. Inv. 38, p. 28. 1917; No. 52569, B.P.I. Inv. 66, p. 41. 1923.
Pitaya, importation and description. No. 38601, B.P.I. Inv. 39, p. 152. 1917.
Pitch—
  brewers, manufacture with use of turpentine. D.B. 229, p. 9. 1915.
  distillation methods, description, and yield. D.B. 1003, pp. 34–35. 1921.
  from infested trees, value and uses. D.B. 111, p. 11. 1914.

Pitch—Continued.
 injuries to pine lumber, as caused by Zimmerman pine moth. D.B. 295, pp. 8, 9. 1915.
 manufacture from Douglas fir, value. For. Bul. 88, p. 74. 1911.
 moth, Douglas fir. Josef Brunner. D.B. 255, pp. 23. 1915.
 pockets, description and cause. D.B. 1128, p. 12. 1923.
 seams, in Douglas fir, caused by pitch moth. D.B. 255, pp. 1–23. 1915.
 tubes caused by bark beetle on pine trees. Ent. Bul. 58, pp. 19, 25–26. 1910.
 See also Naval stores.
Pith-ray fleck caused by cambium miner in birch. J.A.R., vol. 1, p. 471. 1914.
Pithecolobium—
 bigeminum, importation and description. No. 45926, B.P.I. Inv. 54, p. 43. 1922.
 dulce—
  occurrence in Guam, description. Guam A.R., 1913, p. 22. 1914.
  See also Camachile.
 ligustrinum, importation and description. No. 43420, B.P.I. Inv. 49, p. 15. 1921.
 lobatum, importation and description. No. 35452, B.P.I. Inv. 35, p. 47. 1915.
 saman—
  use for shading coffee, Venezuela. P.R. An. Rpt., 1913, p. 24. 1914.
  See also Rain tree.
 trees, use for shade, in pineapple culture, Porto Rico. P.R. An. Rpt., 1911, p. 25. 1912.
Pitomba—
 description of fruit and tree, uses. D.B. 445, pp. 20–21. 1917.
 importation and description. No. 37017, B.P.I. Inv. 38, pp. 7, 26–27. 1917.
Pitot tube, description and use. O.E.S. Bul. 183, pp. 8–11. 1910.
Pits—
 flower, construction and use. F.B. 1171, p. 19. 1921.
 potato, storage, description, ventilation, and use. F.B. 847, pp. 6, 10–12. 1917.
 root storage. F.B. 305, p. 21. 1907.
 storage, for—
  root crops. F.B. 465, p. 15. 1911.
  sweetpotato, description and disadvantages. F. B. 970, pp. 4, 24–25. 1918.
  sweetpotatoes, directions for making. F.B. 324, p. 29. 1908.
  vegetables. F.B. 879, pp. 13–14. 1917.
 sweetpotato, value and management. F.B. 1442, pp. 18–20. 1925.
PITTIER, HENRY: "'Colombian mahogany.' Its characteristics and its use as a substitute for true mahogany." With others. For. Cir. 185, pp. 16. 1911.
Pitting—
 sugar beet, cost. D.B. 726, pp. 40–41. 1918.
 willows, directions. F.B. 622, pp. 24–25. 1914.
PITTMAN, D. W.—
 "Soil factors affecting the toxicity of alkali." With F. S. Harris. J.A.R., vol. 15, pp. 287–319. 1918.
 "Toxicity and antagonism of various alkali salts in the soil." With others. J.A.R., vol. 24. pp. 317–338. 1923.
Pittosporum—
 crassifolium, importation and description. No. 41290, B.P.I. Inv. 44, p. 59. 1918.
 dallii, importation and description. No. 36068, B.P.I. Inv. 36, p. 48. 1915.
 eugenoides—
  importations and descriptions. No. 34306, B.P.I. Inv. 32, pp. 32–33. 1914.
  See also Tarata.
 floribundum, importations and descriptions. Nos. 39044, 39129, B.P.I. Inv. 40, pp. 63, 79. 1917; No. 47757, B.P.I. Inv. 59, p. 55. 1922.
 hosmeri longifolium, importation and description. No. 45244, B.P.I. Inv. 53, p. 16. 1922.
 mayi, importation and description. No. 30216, B. P. I. Bul. 233, p. 67. 1912.
 ralphii, importation and description. No. 46319, B.P.I. Inv. 56, pp. 2, 8. 1922.

Pittosporum—Continued.
 spp., importations and descriptions. Nos. 39727, 39728, B.P.I. Inv. 42, pp. 17, 18. 1918; Nos. 42177, 42293, 42294, B.P.I. Inv. 46, pp. 60, 74. 1919.
Pittsburgh, Pa.—
 market—
  station, lines of work. Y.B. 1919,, p. 102. 1920; Y.B. Sep. 797, p. 102. 1920.
 statistics for—
  fruits and vegetables, 1919 and 1920. D.B. 982, pp. 224, 225, 245, 251–256, 258, 260, 262–264. 1921.
  livestock, 1910–1920. D.B. 982,-pp. 19, 54, 86. 1921.
 milk supply, statistics, officials, prices, and laws. B.A.I. Bul. 46, pp. 28, 145. 1903.
 potato market, methods. F.B. 1317, pp. 30–31. 1923.
 potatoes, unloads, 1916–1924. S.B. 10, pp. 27, 32. 1925.
PITTUCK, B. C., report of Oklahoma Experiment Station, work and expenditures, 1908. O.E.S. An. Rpt., 1908, pp. 155–156. 1909.
Pituitrin, effect on fat and milk production of cows. J.A.R., vol. 19, p. 124. 1920.
Pitymys pinetorum. See Mouse, pine.
Pityriasis—
 cattle, causes, symptoms, and treatment. B.A.I. [Misc.], "Diseases of cattle," rev., p. 329. 1904; rev., p. 341. 1912; rev. p. 329. 1923.
 See also Dandruff; Scurf.
PITZ, WALTER: "Effect of elemental sulphur and of calcium sulphate on certain of the higher and lower forms of plant life." J.A.R., vol. 5, No. 16, pp. 771–780. 1916.
Placards, value in livestock exhibits. F.B. 822, p. 6. 1917.
Placenta, retention, cause of sterility in cows. B. A. I., Dairy. [Misc.], "World's dairy congress, 1923," pp. 1514–1515. 1924.
Placus balsamifer, importations and descriptions. No. 50521, B.P.I. Inv. 63, p. 75. 1923; No. 51036, B.P.I. Inv. 64, p. 45. 1923; No. 51659, B.P.I. Inv. 65, p. 36. 1923.
Plagia americana, parasite of alfalfa looper, description. Ent. Bul. 95, Pt. VII, p. 116. 1912.
Plagianthus betulinus. See Ribbon wood.
Plagioclase, description and composition. Rds. Bul. 37, pp. 16, 17. 1911.
Plagiolepis longipes, origin and introduction. F.B. 740, p. 5. 1916.
Plagionotus speciosus, description, habits, and control. F.B. 1169, pp. 53–55. 1921.
Plague—
 bubonic. See Bubonic plague.
 Commission, India, studies on bubonic plague, results. Biol. Bul. 33, pp. 31–32. 1909.
 dissemination by ground squirrels through fleas. An. Rpts., 1909, p. 535. 1910; Biol. Chief Rpt., 1909, p. 7. 1909.
 epidemics, introduction by rats, control work of Health Service. Y.B., 1917, pp. 236, 247–248. 1918; Y.B. Sep. 725, pp. 4, 15–16. 1918.
 spread by marmots, discussion. N.A. Fauna 37, pp. 14–15. 1915.
 swine. See Cholera; Septicemia, hemorrhagic.
 transmission by—
  house flies. F.B. 412, p. 11. 1910.
  mouse, control and prevention; Stanley E. Piper. Y.B. 1908, pp. 301–310. 1909; Y.B. Sep. 482,pp. 301–310. 1909.
  rats and ground squirrels. An. Rpts., 1908, pp. 114, 115. 1909; Sec. A. R., 1908, pp. 112, 113. 1908; Y.B., 1908, pp. 114, 115. 1909.
Plains—
 forest plantations, care and treatment. For. Bul. 65, pp. 9–12. 1905.
 high and eroded, Texas Panhandle, description. Soil Sur. Adv. Sh., 1910, pp. 7–10. 1911; Soils F.O. 1910, pp. 963–966. 1912.
 loco-weed disease of. C. Dwight Marsh. B.A.I. Bul. 112, pp. 130. 1909.
 region—
  bird counts, results, 1915. D.B. 396, pp. 7–8. 1916.
  forest planters, advice. Seward D. Smith. F.B. 888, pp. 23. 1917.

Plains—Continued.
  region—continued.
    in United States, alfalfa growing for feeding and fattening of animals. I. D. Graham. B.A.I. An. Rpt., 1904, pp. 242-267. 1905.
    new forage plants, introduction and experiments. Y.B., 1908, pp. 252, 253. 1909; Y.B. Sep. 478, pp. 252, 253. 1909.
    southern, adaptability of milo. F.B. 322, pp. 10-11, 22. 1908.
    subirrigation by natural underflow from Rocky Mountains. Y.B., 1911, p. 488. 1912. Y.B. Sep. 585, p. 488. 1912.
    river flood, description and reclamation possibilities. D.B. 1271, pp. 19-20. 1922.
  States—
    climate changes, so called. Y.B. 1908, pp. 289-300. Y.B. Sep., 431, pp. 289-300. 1909.
    farm management problems, investigations. An. Rpts., 1918, p. 499.1919; Farm M. Chief Rpt., 1918, p. 9. 1918.
    farming types. F.B. 1289, pp. 20-22. 1923.
    weather records, 1889-1907. Y.B. 1908, pp. 294-295. 1909; Y.B. Sep. 481, pp. 294-295. 1909.
  See also Great Plains.
Plane tree—
  description—
    and regions suited to. F.B. 1208, p. 39. 1922.
    use as street tree, and regions adapted to. D.B. 816, pp. 17, 18, 19, 42. 1920.
  insect pests, list. Sec. [Misc.], "A manual * * * insects * * *," p. 171. 1917.
  oriental, importations and descriptions. Nos. 42179, 42201, B.P.I. Inv. 46, pp. 61, 67. 1919; No. 42648, B.P.I. Inv. 47, pp. 43-44. 1920.
  See also Sycamore.
Planera aquatica—
  injury by sapsuckers. Biol. Bul. 39, p. 36. 1911.
  See also Water elm.
Planers, capacity and prices. D.B. 718, p. 15. 1918.
Planes—
  carpenter's, description and use. D.B. 527, p. 4. 1917.
  descriptions and cost. F.B. 347, pp. 9-10. 1909.
Planesticus migratorius. See Robin.
Planets, influence on weather, studies. News L., vol. 1, No. 45, pp. 3-4. 1914.
Planimeter, use in measuring crop acreage. Off. Rec., vol. 2, No. 41, p. 5. 1923.
Planing mill—
  location at lower end of flume. D.B. 87, p. 27. 1914.
  products—
    from black walnut, demands and uses. D.B. 909, pp. 60, 67-68, 89. 1921.
  manufacture—
    from sycamore. D.B. 884, pp. 9, 10, 15, 24. 1920.
  quantity of various woods used. D.B. 605, pp. 8-17. 1918.
  use of lumber in Arkansas. For. Bul. 106, pp. 12-13. 1912.
  small, suggestion for utilization of lumber. M.C. 39, p. 41. 1925.
PLANK, H. K.—
  "Effects of nicotine sulphate as an ovicide and larvicide of the codling moth and three other insects." With others. D.B. 938, pp. 19. 1921.
  "Experiments and suggestions for the control of the codling moth in the Grand Valley of Colorado." With E. H. Siegler. D.B. 959, pp. 38. 1921.
  "Life history of the codling moth in the Grand Valley of Colorado." With E. H. Siegler. D.B. 932, pp. 119. 1921.
  "The blackhead fireworm of cranberry on the Pacific coast." D.B. 1032, pp. 46. 1922.
Planks, exports, 1908. For. Cir. 162, p. 10. 1909.
Plans—
  city milk plants. D.B. 849, pp. 4, 25, 28, 29. 1920.
  garden, and tools. S.R.S. Doc. 84, pp. 7. 1919.
  houses for workers on farms. Y.B., 1918, pp. 352-356. 1919; Y. B. Sep. 789, pp. 8-12. 1919.
  potato storage houses. News L., vol. 6, No. 52, p. 7. 1919.

Plant(s)—
  ability to feed in competition with other plants. J.A.R., vol. 24, pp. 50-51. 1923.
  absorption—
    of—
      poisonous gases, studies. Chem. Bul. 113, rev., pp. 10-11. 1910.
      soil constituents during growth. John S. Burd. J. A. R., vol. 18, pp. 51-72. 1919.
    relation to concentration and reaction of nutrient medium. D. R. Hoagland. J. A. R., vol. 18, pp. 73-117. 1919.
    studies. D.B. 1038, p. 5. 1922.
  acclimatization, discussion. B.P.I. Bul. 150, pp. 25-28. 1909.
  acid and neutral soils, effect of manganese. J. S. McHargue. J.A.R., vol. 24, pp. 781-794. 1923.
  acidity relations during transaction period. J.A.R., vol. 27, pp. 148-149. 1924.
  activities, reproductive and vegetative, relation to length of day. J.A.R., vol. 23, pp. 883-884. 1923.
  adaptation to environment, importance. Y.B., 1908, pp. 454-455. 1909; Y.B. Sep. 494, pp. 454-455. 1909.
  affecting color, odor, and taste of milk. B.A.I. An. Rpt., 1907, p. 157. 1908.
  age, effect on water requirement, experiments. B.P.I. Bul. 285, pp. 70-72. 1913.
  air and moisture, need. F.B. 257, pp. 6-9. 1906.
  Alabama life zones, lists. N.A. Fauna 45, pp. 11, 13-16. 1921.
  Alaska range, check list. D.B. 1089, pp. 70-73. 1922.
  alkali—
    and drought resistant, breeding investigations. An. Rpts., 1908, pp. 323-326. 1910; B.P.I. Chief Rpt., 1908, pp. 51-54. 1909.
    resistant, growing. Soils Bul. 35, p. 17. 1906.
    salts, absorption. Rpt. 71, pp. 66-69. 1902.
  anatomical studies, history. J.A.R., vol. 14, pp. 221-223. 1918.
  and—
    animals, exercises for southern rural schools. E. A. Miller. D.B. 305, pp. 63. 1915.
    drugs, medicinal, report, 1907. Chem. Bul. 116, pp. 81-87. 1908; Chem. Bul. 162, pp. 188-193. 1913.
    plant products, mail shipments, terminal inspection, various States, postal ruling. F.H.B.S.R.A. 50, pp. 32-33. 1918.
    seeds, distribution by Department of Agriculture. B. T. Galloway. B.P.I. Cir. 100, pp. 23. 1912.
    soils, relation of some of rarer elements in. W. O. Robinson and others. D.B. 600, pp. 27. 1917.
  annual flowering, growing. L. C. Corbett, and F. L. Mulford. F.B. 1171, pp. 83. 1921.
  aquatic—
    collection for specimens, directions. D.C. 76, p. 5. 1920.
    for wild fowl. F.B. 1239, p. 13. 1921.
    use in prevention of mosquitoes. Ent. Bul. 88, pp. 27-30. 1910.
    value as duck food, and description. D.B. 58, pp. 1-7, 14-19. 1914.
  aroma, nature, development, and extraction. B.P.I. Bul. 195, pp. 9-27. 1910.
  arsenical injury, relation to excretions from leaves. C. M. Smith. J.A.R., vol. 26, pp. 191-194. 1923.
  as affected by discoloration, disease symptoms. F.B. 430, p. 6. 1911.
  as soil indicators, in California, Pajaro Valley. Soil Sur. Adv. Sh., 1908, p. 13. 1910; Soils F. O., 1908, p. 1339. 1911.
  as alkali indicators, in California, Woodland area. Soil Sur. Adv. Sh., 1909, p. 51. 1911; Soils F.O., 1909, p. 1681. 1912.
  asexually-propagated, varieties. B.P.I. Bul. 167, pp. 25-26. 1910.
  ash, analysis, methods, and composition. D.B. 600, pp. 17-25. 1917.
  associations—
    changes and successions, natural and artificial. B.P.I. Bul. 201, pp. 19, 62-70. 1911.
    range forest, area, and productions. D.B. 1001, pp. 13-15, 69-70. 1922.

Plant(s)—Continued.
attacked by—
corn borer, lists. F.B. 1294, pp. 4-6. 1922.
insects injurious to southern field crops. Y.B. 1911, pp. 203-204. 1912; Y.B. Sep. 561, pp. 203-204. 1912.
spring grain aphid, list. Ent. Bul. 110, p. 43. 1912.
bacteria parasitic on, one-flagellate yellow, cultural characters. B.P.I. Bul. 28, pp. 1-153. 1901.
bacterial nodules (other than legumes). Y.B., 1909, p. 226. 1910; Y.B. Sep. 507, p. 226. 1910.
banana, Quar. No. 32, summary. F.H.B.S.R.A. 71, p. 174. 1922.
behavior in water extracts from different soils. Soils Bul. 80, pp. 7-9. 1911.
bird-food, planting suggestions. F.B. 912, pp. 9-13. 1918.
"boarders," cause of insect introduction and spread in greenhouses. D.B. 513, pp. 9-10. 1917.
boron absorption and distribution, and effect on growth. F. C. Cook. J. A. R., vol. 5, No. 19, pp. 877-890. 1916.
breeder, plant introduction, for. David Fairchild. Y.B. 1911, pp. 411-422. 1912; Y.B. Sep. 580, pp. 411-422. 1912.
breeding—
Willet M. Hayes. B.P.I. Bul. 29, pp. 72. 1901.
and evolution, heterozygosis. E. M. East and H. K. Hayes. B.P.I. Bul. 243, pp. 58. 1912.
application of principles of heredity. W. J. Spillman. B.P.I. Bul. 165, pp. 74. 1909.
at Sitka station, work, 1915. Alaska A.R., 1915, pp. 8-11. 1916.
barley variations, studies and experiments. D.B. 137, pp. 1-38. 1914.
crossing experiments, tools and devices used. B.P.I. Bul. 167, pp. 11-14. 1910.
dry-land—
J. H. Shepperd. B.P.I. Bul. 130, pp. 81-83. 1908.
farming. L. R. Waldron. B.P.I. Bul. 130, pp. 55-57. 1908.
for disease resistance, genetics. J.A.R., vol. 23, pp. 450-453. 1923.
for resistance to root-knot. B.P.I. Bul. 217, pp. 71-72, 75. 1911.
grain and farm crops, experiments in Alaska. News L., vol. 6, No. 25, p. 7. 1919.
in Hawaii, fruits, and nuts. Hawaii A.R. 1916, pp. 8, 17-19. 1917.
new methods. George W. Oliver. B.P.I. Bul. 167, pp. 39. 1910.
on the farm. F.B. 334, pp. 5-9. 1908.
results, 1897-1908. Y.B., 1908, pp. 153-155. 1909.
sex inheritance, discussion. J.A.R. vol. 12, pp. 658-664. 1918.
soil as factor. Soils Bul. 55, pp. 41-42. 1909.
some distinction in our cultivated barleys, with reference to use. Harry V. Harlan. D.B. 137, pp. 38. 1914.
to secure resistant forms. E. M. Wilcox. O.E.S. Bul. 123, pp. 117-118. 1903.
types and methods. B.P.I. Bul. 146, pp. 1-45. 1909.
bug(s)—
as disseminators of plant diseases. Ent. Bul. 86, p. 23. 1910.
associated species. D.B. 779, pp. 33, 34. 1919.
attacking loco weeds. Ent. Bul. 64, p. 41. 1911; Ent. Bul. 64, Pt. V, p. 41. 1909.
banded leaf-footed, injury to artichoke. D.B. 703, p. 4. 1918.
bordered, life history and habits. Ent. Bul. 86, p. 94. 1910.
boxelder, description, habits, and control. F.B. 1169, pp. 75-76. 1921.
cotton, control by hand-picking, directions and cost. Ent. Bul. 86, pp. 68-72, 99. 1910.
enemy of citrus thrips and flower thrips. D.B. 616, p. 26. 1918.
hand picking as control method. D.B. 689, p. 24. 1918.
injuries to crops, and control. F.B. 890, p. 21. 1917.
injurious to—
cotton bolls. A. W. Morrill. Ent. Bul. 86, pp. 110. 1910.

Plant(s)—Continued.
bug(s)—continued.
injurious to—continued.
tobacco. Y.B., 1910, p. 294. 1911; Y.B. Sep. 537, p. 294. 1911.
injury to—
chrysanthemums. F.B. 1306, p. 21. 1923.
cotton, control. D.C. 75, p. 22. 1920; D.C. 221, p. 12. 1922; Ent. Bul. 86, pp. 13-23. 1910; Sec. Cir. 88, p. 14. 1918.
leaf-footed—
cotton injury. Ent. Bul. 57, p. 47. 1906.
description, life history, and natural enemies. Ent. Bul. 86, pp. 88-91. 1910.
meadow, *Miris dolabratus*. Herbert Osborn. J. A. R., vol. 15, No. 3, pp. 175-200. 1918.
tarnished—
injuries to vegetables, and control. F.B. 856, pp. 19-20. 1917.
of celery, injuries. F.B. 856, p. 41. 1917.
southern green—
Thos. H. Jones. D.B. 689, pp. 27. 1918.
life history and technical description. D.B. 689, pp. 3-11, 14-21. 1918.
bulbous, use in gardens. F.B. 1381, p. 73. 1924.
cancer, crown gall, structure and development. Erwin F. Smith and others. B.P.I. Bul. 255, pp. 60. 1912.
carbohydrate relations to photoperiodism. J.A. R., vol. 27, pp. 149-152. 1924.
certification qualified. F.H.B.S.R.A. 24, pp. 12-13. 1916.
character, fixing by breeding. B.P.I. Bul. 146, p. 35. 1909.
chemical composition. Y.B., 1901, p. 299. 1902.
chlorotic, treatment with iron and other salts, experiments. P.R. Bul. 11, pp. 32-34. 1911.
citrus and other subtropical, black fly of. Harry F. Dietz and James Zetek. D.B. 885, pp. 55. 1920.
classification, composition, and germination tests, lesson. D.B. 123, pp. 2-9. 1916.
cold-resistant, necessity of seed from cold climates. B.P.I. Bul. 150, p. 26. 1909.
collection—
data preparation, directions. B.P.I. Cir. 126, pp. 34-35. 1913.
directions and equipment. B.P.I. Cir. 126, pp. 27-35. 1913.
in Alaska, 1908, list. Alaska A.R., 1908, p. 57. 1909.
composition—
and growth, relation of sulphates. H. G. Miller. J.A.R., vol. 17, pp. 87-102. 1919.
elements. O.E.S. Bul. 195, pp. 16-17. 1908.
constituents, inorganic—
analysis. Chem. Bul. 116, pp. 92-95. 1908.
analysis methods. Chem. Bul. 107, pp. 21-24. 1907; rev., pp. 236-238. 1908.
report of referee. Chem. Bul. 105, pp. 151-153. 1907; Chem. Bul. 116, pp. 92-95. 1908; Chem. Bul. 122, pp. 92-94. 1909; Chem. Bul. 152, pp. 60-67. 1912; Chem. Bul. 162, pp. 26-27, 48. 1913; Chem. Cir. 38, p. 2. 1908; Chem. Cir. 90, pp. 4-6. 1912.
cotton, topping useless in boll-weevil control. F.B. 1262, p. 27. 1922.
cover, better soil indicator than single species. B.P.I. Bul. 201, pp. 15-16, 82. 1911.
crop—
adaptability to various grades of alkali. F.B. 446, pp. 12-29, 30-32. 1911.
alkali resistance. F.B. 446, pp. 18-29, 30-32. 1911.
gallworm infestation. B. P. I. Cir. 91, pp. 6, 8-11. 1912.
temperature of leaves, observations. E. C. Miller and A. R. Saunders. J.A.R., vol. 26, pp. 15-43. 1923.
crossbreeding, selection, effect. B.P.I. Bul. 165, pp. 1-74. 1909.
cultivated—
dimorphic branches, various types. B.P.I. Bul. 198, pp. 12-13. 1911.
impermeable seeds, occurrence. J.A.R., vol. 6, No. 20, pp. 762-763. 1916.
currant and gooseberry, Quar. No. 26, amended, summary. F.H.B.S.R.A. 71, p. 174. 1922.
damage by gipsy and brown-tail moth. F.B. 453, pp. 18, 22. 1911.

Plant(s)—Continued.
　dead, importation not prohibited. F.H.B.S.R.A. 2, pp. 5–6. 1914.
　density in Great Plains grazing regions. J.A.R., vol. 19, pp. 67–71. 1920.
　depollination, water method, necessary tools. B.P.I. Bul. 167, pp. 18–22. 1910.
　desert—
　　as potash source. Y.B., 1912, p. 526. 1913; Y.B. Sep. 611, p. 526. 1913.
　　in Utah, soil indications and descriptions. J.A.R., vol. 1, pp. 365–417. 1914.
　method of growth favoring drought resistance. B.P.I. Bul. 192, pp. 24–25. 1911.
　salable products, investigations. An. Rpts., 1908, p. 301. 1909; B.P.I. Chief Rpt., 1908, p. 29. 1908.
　use as emergency stock feed. E.O. Wooten. D.B. 728, pp. 31. 1918.
　deterrent to mosquitoes, discussion. Ent. Bul. 88, pp. 22–30. 1910.
　development from seed, school exercises. F.B. 408, pp. 25–27. 1910.
　diseases—
　　analogies, studies. B.P.I. Bul. 255, pp. 53–60. 1912.
　　and insects—
　　　control, work of Horticultural Board. An. Rpts., 1922, pp. 603–612. 1923; F.H.B. An. Rpt., 1922, pp. 1–10. 1922.
　　　prevention, control and eradication, appropriation proposed. News L., vol. 5, No. 41, p. 1. 1918.
　　bacterial, dissemination studies, resumé. J.A.R., vol. 8, pp. 457–461. 1917.
　　chlorotic types. D.B. 1038, pp. 1–2. 1922.
　　control—
　　　extension work of specialists. S.R.S. Rpt., 1918, pp. 67, 117–118. 1919.
　　　hints for teachers on use of publications. D.C. 68, pp. 1–4. 1919.
　　　importance to farmer. F.B. 981, pp. 35–36. 1918.
　　　in home gardens, and insects. S.R.S. Doc. 52. pp. 1–10. 1917.
　　　methods. F.B. 488, pp. 1–32. 1912.
　　　on new plant introductions. Y.B., 1916, p. 137. 1917; Y.B. Sep. 687, p. 3. 1917.
　　　progress. F.C. Stewart. O.E.S. Bul. 196, pp. 96–99. 1907.
　　　work, 1896–1908. Rpt. 87, pp. 80–81. 1908.
　　　work, in Porto Rico. P.R. An. Rpt., 1917, pp. 28–31. 1918.
　　　work, progress. Off. Rec., vol. 2, No. 50, pp. 1–2. 1923.
　　damage to crops, 1920. An. Rpts., 1920, pp. 27–28. 1921; Sec. A.R., 1920, pp. 27–28. 1920.
　　dissemination methods. F.B. 925, pp. 3–6. 1918.
　　eradication work, costs and progress. Sec. A.R., 1921, pp. 36–41. 1921.
　　extermination work under food production act. News L., vol. 5, No. 3, pp. 1–2, 4. 1917.
　　fungus and bacterial control progress. F.C. Stewart. O.E.S. Bul. 196, pp. 96–99. 1907.
　　fungus, virulence, effect of new hosts and climate. B.P.I. Bul. 206, pp. 42–45. 1911.
　　identification, means. F.B. 243, pp. 30–32. 1906.
　　importation prevention, laws, relation of Agriculture Department to national law. Sec. Cir. 37, pp. 1–11. 1911.
　　in—
　　　1902, study, control methods. Rpt. 73, pp. 10–11. 1902; Y.B., 1902, pp. 714–719. 1903.
　　　1904." W.A. Orton. Y.B., 1904, pp. 581–586. 1905; Y.B. Sep. 367, pp. 581–586. 1905.
　　　1905." W.A. Orton. Y.B., 1905, pp. 602–611. 1906; Y.B. Sep. 409, pp. 602–611. 1906.
　　　1906." W.A. Orton. Y.B., 1906, pp. 499–508. 1907; Y.B. Sep. 437, pp. 499–508. 1907.
　　　1907." W.A. Orton and Adeline Ames. Y.B., 1907, pp. 577–589. 1908; Y.B. Sep. 467 pp. 577–589. 1908.
　　　1908, review." W.A. Orton and Adeline Ames. Y.B., 1908, pp. 533–538. 1909.
　　　Alaska, 1914. Alaska A.R., 1914, p. 24. 1915.

Plant(s)—Continued.
　diseases—continued.
　　in—continued.
　　　Guam, 1917. Guam A.R., 1917, pp. 45–62. 1918.
　　　Hawaii, list. Hawaii, A.R., 1917, p. 42. 1918.
　　　Porto Rico, control methods and fungicides. P.R. Cir. 17, pp. 24–28. 1918.
　　　injuries in Alaska, 1915, list, and control studies. Alaska A.R., 1915, pp. 39–41. 1916.
　　　injurious to vegetables in home garden. D.C. 35, pp. 1–31. 1919.
　　　insect carriers. An. Rpts., 1917, pp. 241–242. 1918; Ent. A.R., 1917, pp. 15–16. 1917.
　　　investigations, in Hawaii—
　　　　1917. Hawaii A.R. 1917, pp. 8–9, 26–27, 33–42. 1918.
　　　　1920. Hawaii A.R., 1920, pp. 14–15, 35, 37–40. 1921.
　　　law for control studies, appropriations. Sol. [Misc.], "Laws applicable * * * Agriculture," Supp. 2, pp. 28, 29. 1915.
　　　losses, causes and prevention. Y.B., 1908, pp. 207–212. 1909; Y.B. Sep. 475, pp. 207–212. 1909.
　　　protection, advances. Y.B., 1902, pp. 600–601. 1903.
　　　relation of cultural conditions. G.E. Stone. O.E.S. Bul. 196, pp. 110–114. 1907.
　　　spread by—
　　　　plant bugs. Ent. Bul. 86, p. 23. 1910.
　　　　wind-blown rain. J.A.R., vol. 10, pp. 639–648. 1917.
　　　sterilization of soil for prevention. F.B. 296, pp. 11–13. 1907.
　　　survey in vicinity of San Antonio, Tex. Frederick D. Heald and Frederick A. Wolf. B.P.I. Bul. 226, pp. 129. 1912.
　　　symptoms, observations. F.B. 430, p. 6. 1911.
　　　two dangerous imported. Perley Spaulding and Ethel C. Field. F.B. 489, pp. 29. 1912.
　　diseased, iron and aluminum distribution. J.A.R., vol. 23, pp. 805–806. 1923.
　　distribution—
　　　by department, origin, object, and methods. B.P.I. Cir. 100, pp. 1–23. 1912.
　　　in Alaska—
　　　　1908, reports from settlers. Alaska. A.R., 1908, pp. 65–72. 1909.
　　　　1915, reports from settlers. Alaska A.R., 1915, pp. 82–92. 1916.
　　　　1916, and seeds, letters reporting results. Alaska A.R., 1916, pp. 69–81. 1918.
　　　　1921, results, letters reporting. Alaska A.R., 1921, pp. 47–49. 1923.
　　　in Guam—
　　　　1916, and experiments in growing. Guam A.R., 1916, p. 26. 1917.
　　　　1917. Guam A.R., 1917, p. 30. 1918.
　　　　1918. Guam A.R., 1918, p. 52. 1919.
　　　　1919. Guam A.R., 1919, p. 41. 1921.
　　　　1920. Guam A.R., 1920, pp. 54–55, 69. 1921.
　　　in Hawaii—
　　　　1907. Hawaii A.R., 1907, p. 59. 1908.
　　　　1915. Hawaii A.R., 1915, pp. 26–27. 1916.
　　　　1916. Hawaii A.R., 1916, pp. 8, 9, 21. 1917.
　　　　1917. Hawaii A.R., 1917, pp. 29, 31, 52. 1918.
　　　　1920. Hawaii A.R., 1920, pp. 22, 68. 1921.
　dormancy—
　　effect of weather. J.A.R., vol. 20, pp. 151–160 1920.
　　relation to length of daylight. J.A.R., vol. 23, pp. 905–908, 919. 1923.
　dormant, resistant to fumigation injury. D.B. 907, p. 33. 1920.
　drought-resistant—
　　breeding experiments in Great Plains area, history, and scope. B.P.I. Bul. 196, pp. 9–12. 1910.
　　hardiness. B.P.I. Bul. 196, pp. 9, 11–14, 18–19, 33. 1910.
　drug—
　　caution to growers. News L., vol. 5, No. 35, p. 7. 1918.
　　cultivation in United States. Rodney H. True. Y.B., 1903, pp. 337–346. 1904; Y.B., Sep. 325, pp. 337–346. 1904.

Plant(s)—Continued.
  drug—continued.
    physiological testing, use of suprarenal glands. Albert C. Crawford. B.P.I. Bul. 112, pp. 32. 1907.
  drying for specimens, directions and equipment. B.P.I. Cir. 126, pp. 27–35. 1913.
  duck-food, in Sandhill regions, effect of alkaline conditions, studies. D.B. 794, pp. 38–40. 1920.
  early—
    for vegetable garden. F.B. 255, p. 12. 1906.
    starting, window boxes, hotbeds, and cold-frames. F.B. 1044, pp. 11–15. 1919.
  eaten by oat aphid, list. D.B. 112, pp. 6–7. 1914.
  economic—
    in Texas. N.A. Fauna 25, pp. 30–33. 1905.
    studies, usefulness to farmers. News L., vol. 2, No. 2, pp. 3–4. 1914.
  edible, classification and composition, lesson. D.B. 123, pp. 2–9. 1916.
  effect—
    of—
      age on wilting coefficient. B.P.I. Bul. 230, pp. 19–22. 1912.
      crude petroleum. O.E.S. Bul. 99, p. 176. 1901.
      hydrocyanic-acid gas, various concentrations. J.A.R. vol. 11, pp. 425–428. 1917.
      manganese, microscopic studies. Hawaii Bul. 26, pp. 28–34. 1912.
      roots of trees. Soils Bul. 40, pp. 15–20. 1907.
    on medium in which they grow. Soils Bul. 40, pp. 20–30. 1907.
  elements, rare, determination in various ashes. D.B. 600, pp. 2–4. 1917.
  enemies, entry in ships, ballast. F.H.B.S.R.A. 61, p. 37. 1919.
  entry regulations. F.H.B.S.R.A. 74, pp. 18–26. 1923.
  entry, restrictive orders. F.H.B.S.R.A. 75, pp. 76–77. 1923.
  entry under bond, T.D. 37433. F.H.B.S.R.A. 47, p. 143. 1918.
  environment—
    necessary. F.B. 257, pp. 13–22. 1906.
    relation—
      of light period to other factors. J.A.R., vol. 23, pp. 910–914. 1923.
      to oil content. J. A. R., vol. 3, pp. 239–241. 1914.
  environmental factors in determination of transpiration rate. Lyman J. Briggs and H. L. Shantz. J. A. R., vol. 5, No. 14, pp. 583–650. 1916.
  enzymic activities, relation to fumigation poisoning. J.A.R., vol. 11, pp. 321–324. 1917.
  excretion, disposition. Soils Bul. 55, pp. 17–18, 58–60, 64–66. 1909.
  exploration, China, fruitful field. Frank N. Meyer. Y.B., 1915, pp. 205–224. 1916; Y.B. Sep. 671, pp. 205–224. 1916.
  exports to England and Wales, requirements. F.H.B.S.R.A. 74, pp. 46–48. 1923.
  fertilization by insects. Ent. Bul. 75, pp. 69, 70. 1911; Ent. Bul. 75, Pt. VI, pp. 69, 70. 1909.
  fibers, commercial, principal. Lyster H. Dewey. Y.B., 1903, pp. 387–398. 1904; Y.B. Sep. 321, pp. 387–398. 1904.
  flowering—
    and—
      ferns, collection and directions. S. F. Blake. D.C. 76, pp. 8. 1920.
      fruiting, control by length of day. W. W. Garner and H. A. Allard. Y.B. 1920, pp. 377–400. 1921; Y.B. Sep. 852, pp. 377–400. 1921.
      fruiting, relation to length of day and night. J.A.R., vol. 23, pp. 873–881. 1923.
      vegetative activity, balance. J.A.R., vol. 23, pp. 881–883. 1923.
    annual. L. C. Corbett. F.B. 195, pp. 48. 1904.
    collection, directions, equipment. D.C. 76, pp. 1–8. 1920.
    uses and adaptations. F.B. 1171, pp. 3–7. 1921.
  food—
    artificial, requirements of soils. B. M. Kilgore. O.E.S. Bul. 115, pp. 73–78. 1902.

Plant(s)—Continued.
  food—continued.
    available—
      and unavailable. Soils Bul. 22, pp. 13–15. 1903.
      determination. Chem. Bul. 90, pp. 170–179. 1905.
      preliminary crop and soil data for cooperative study. C. C. Moore. Chem. Cir. 11, pp. 9. 1903.
    classification, structure, and composition. O.E.S. Bul. 245, pp. 15–20. 1913.
    cotton seed, relative availability in seed and meal. F.B. 286, pp. 8–12. 1907.
    definition, report of Committee, 1906. Chem. Bul. 105, pp. 178–180. 1907.
    extraction from soil—
      by various crops, value. B.P.I. Doc. 629, p. 4. 1911.
      chemical methods. Soils Bul. 22, pp. 16–20. 1903.
    for wild ducks, Sandhill region, Nebraska, list. D.B. 794, Pt. II, pp. 37–79. 1920.
    in soil solution, formation, quantity, factors affecting. Soils Bul. 55, pp. 8–13. 1909.
    injury by imported cabbage webworm, list. Ent. Bul. 109, Pt. III, pp. 30–31. 1912.
    introduction into Guam, catalogue, description. Guam A.R., 1911, pp. 19–25. 1912.
    material translocation, effect of fumigation, studies. J.A.R., vol. 11, pp. 326–327. 1917.
    mineral. F.B. 245, p. 5. 1906.
    movement in soil. J.A.R., vol. 24, pp. 52–53. 1923.
    of—
      chinch bug. F.B. 1223, p. 8. 1922.
      cotton boll weevil, list. Ent. Bul. 114, pp. 31–32. 1912.
      San Jose scale, list. Ent. Cir. 124, pp. 6–8. 1910.
      shoal-water ducks, classified list. D.B. 862, pp. 49–56. 1920.
      tobacco flea-beetle, list. F.B. 1352, p. 5. 1923.
    removal from—
      growing plants by rain or dew. J. A. LeClerc and J. F. Breazeale. Y.B., 1908, pp. 389–402. 1909; Y.B. Sep. 489, pp. 389–402. 1909.
      soil by certain crops. Y.B., 1908, p. 199. 1909; Y.B. Sep. 475, p. 199. 1909; S. R. S. Doc. 30, p. 4. 1916.
    requirements—
      application to agriculture. O.E.S. Bul. 195, pp. 10–22. 1908.
      of bearing fruit trees. F.B. 237, pp. 7–8. 1905.
      of certain crops, determination method. Y.B., 1908, pp. 400–401. 1909; Y.B. Sep. 489, pp. 400–401. 1909.
    study cooperation, plan. C. C. Moore. Chem. Cir. 9, pp. 8. 1902.
    translocation, relation to length of day. J.A.R., vol. 23, pp. 901–902. 1923.
  for propagation, proposed additional entry restrictions, notice of hearings. F.H.B.S.R.A. 50, pp. 30–32. 1918.
  forcing, use of anesthetics. F.B. 320, pp. 23–25. 1908.
  foreign—
    and seed, introduction. An. Rpts., 1909, pp. 357–363. 1910. B.P.I. Chief Rpt., 1909, pp. 105–111. 1909.
    growing in United States. An. Rpts., 1920, pp. 32–33. 1921; Sec. A.R., 1920, pp. 32–33. 1920.
    introduction—
      1902. Rpt. 73, pp. 22–23. 1902.
      1910, work. An. Rpts., 1910, pp. 355–358. 1911. B.P.I. Chief Rpt., 1910, pp. 85–88. 1910.
      1911. An. Rpts., 1911, pp. 333–336. 1912; B.P.I. Chief Rpt., 1911, pp. 85–88. 1911.
      1912. An. Rpts., 1912, pp. 394, 421–424. 1913; B.P.I. Chief Rpt., 1912, pp. 14, 41–44. 1912.
      1913. An. Rpts., 1913, pp. 129–130. 1914; B.P.I. Chief Rpt., 1913, pp. 25–26. 1913.
    packing and shipping to United States, directions. Y.B., 1915, p. 209. 1916; Y.B. Sep. 671, p. 209. 1916.

Plant(s)—Continued.
foreign—continued.
prohibitions, quarantines. F.H. B. [Misc.], "Plants and plant products * * * foreign countries," pp. 4. 1921; rev., 1922.
quarantine regulations. F. H. B. An. Rpt., 1923, pp. 14-15, 34. 1923; An. Rpts. 1923, pp. 628-629, 648. 1924.
forest range, instructions for collecting. For. [Misc.], "Instructions for National * * *," pp. 4. 1925.
form changes denoting disease. F.B. 430, p. 6. 1911.
formations and associations in eastern Colorado, as soil indicators. B.P.I. Bul. 201, pp. 19-62. 1911.
French importations, revision of Quar. No. 37. F.H.B.S.R.A. 71, pp. 104, 168-171. 1922.
frost injury developments, relation to hardening. R. B. Harvey. J. A. R., vol. 15, pp. 83-112. 1918.
fumigated and unfumigated, sulphur-trioxide content of foliage. Chem. Bul. 113, pp. 11-12. 1908.
fumigation—
in greenhouses, list. D.B. 513, pp. 11-20. 1917.
with hydrocyanic acid, effects, studies. J.A. R., vol. 11, pp. 319-338. 1917.
furnishing medicinal leaves and herbs, description. B.P.I. Bul. 219, pp. 8-44. 1911.
garden—
root-knot, clubroot, black-rot, and scab, prevention. F. B. 856, pp. 4-5, 65. 1917.
starting in window boxes. F.B. 936, pp. 17-22. 1918.
wounding, in pruning, prevention. F.B. 856, p. 5. 1917.
grass-like, on ranges. D.B. 545, pp. 31-37. 1917.
greenhouse, value, and losses from insect pests. F.B. 1362, p. 1. 1924.
groups and races, explanation, methods of preserving purity. F.B. 680, pp. 2-4. 1915.
growing—
climatic regions of United States. F.B. 1381, pp. 74-83. 1924.
for garden, planting seed, protecting, and transplanting. Guam Cir. 2, pp. 6-7. 1921.
school studies. D.B. 521, pp. 4-7. 1917.
growth—
absorptions of nutrient salts, studies. D.B. 108, pp. 10-11. 1914.
and—
absorption, nitrogenous soil constituents, effect, study, tables. Soils Bul. 87, pp. 26-31, 50-69. 1912.
climate, in certain vegetative associations. Arthur W. Sampson. D.B. 700, pp. 72. 1918.
composition, effect of sulphates. Harry G. Miller. J. A. R., vol. 22, pp. 101-110. 1921.
oxidation in soil solution, experiments. Soils Bul. 56, pp. 21-51. 1909.
reproduction, effects of environment and other factors. W. W. Garner. J. A. R., vol. 18, pp. 553-606. 1920.
soil organisms, relation of carbon bisulphid. E. B. Fred. J.A.R., vol. 6, No. 1, pp. 1-20. 1916.
artificial shading, effects in Louisiana. H. L. Shantz. B.P.I. Bul. 279, pp. 29. 1913.
chemistry studies. D.C. 137, p. 19. 1922.
conditions essential, school exercises. F.B. 408, pp. 36-47. 1910.
effect of—
boron. F. C. Cook. J. A. R., vol. 5, No. 19, pp. 877-890. 1916.
calcareous soils, studies. P.R. Bul. 16, pp. 1-45. 1914.
calcium and magnesium compounds. F. A. Wyatt. J. A. R., vol. 6, No. 16, pp. 589-619. 1916.
compounds of barium and strontium. J. S. McHargue. J. A. R., vol. 16, pp. 183-194. 1919.
hydrocyanic-acid fumigation. J.A.R., vol. 11, pp. 328-330. 1917.
manganese in the soil, investigations. J.A.R., vol. 24, pp. 781-783. 1923.
sodium salts. Frank B. Headley and others. J. A. R., vol. 6, No. 22, pp. 857-869. 1916.

Plant(s)—Continued.
growth—continued.
effect of—continued.
soil conditions. Y.B., 1901, pp. 157-159. 1902; Y.B. Sep. 225, pp. 157-159. 1902.
soil heating. Soils Bul. 89, pp. 7-12, 32-34. 1912.
organic compounds, table. Soils Bul. 87, pp. 70-79. 1912.
radioactive substances, experiments. D.B. 149, pp. 5-11. 1914.
effect on catalytic power of plants. Soils Bul. 86, pp. 16-18. 1912.
elements, requirements of various crops. D.B. 721, pp. 25-26. 1918.
environment experiments. J.A. R., vol. 18, pp. 560-578, 588-593, 597-601. 1920.
experiments—
correlation between growth and environmental factors. D.B. 700, pp. 41-69. 1918.
in location, preparation of seeds and plants, and planting. D.B. 700, pp. 3-14. 1918.
factors affecting, effects of windbreaks. For. Bul. 86, pp. 16-74. 1911.
influence of lime and magnesia on soils, ratio. P.R. Bul. 12, pp. 1-24. 1913.
manganese, functions. Hawaii Bul. 26, pp. 1-56. 1912.
need of oxygen supply in soil. J.A.R., vol. 25, pp. 133-134. 1923.
on heated and unheated soils. Soils Bul. 89, p. 33. 1912.
physical factors, investigations. An. Rpts., 1907, pp. 320-321. 1908.
relation of—
climate in certain vegetative associations. D.B. 700, pp. 1-72. 1918.
lime and magnesia. B.P.I. Bul. 1, p. 37. 1901.
sulphates. H. G. Miller. J.A.R., vol. 17, pp. 87-102. 1919.
relation to—
concentration and reaction of nutrient medium. D. R. Hoagland. J.A.R., vol. 18, pp. 73-117. 1919.
optimum water content of soil. Soils Bul. 50, pp. 57-59. 1908.
soil, study course. D.B. 355, pp. 10-17. 1916.
shading experiments, methods. B.P.I. Bul. 279, pp. 8-9. 1913.
stimulation by cold. Frederick V. Coville. J.A.R., vol. 20, pp. 151-160. 1920.
toxic properties of unproductive soils. Soils Bul. 36, pp. 7-18. 1907.
zero point, note. B.P.I. Bul. 118, p. 8. 1907.
harboring boll weevil parasites, notes and list. Ent. Bul. 100, pp. 45-54, 64, 65, 67, 73-82, 88, 90. 1912.
hardening process, and developments from frost injury. R. B. Harvey. J.A.R., vol. 15, pp. 83-112. 1918.
Hawaiian, sources of starch. Hawaii A.R., 1919, pp. 42, 67. 1920.
health, relation of nutrition. Albert F. Woods. Y.B., 1901, pp. 155-176. 1902; Y. B. Sep. 225, pp. 155-176. 1902.
herbaceous—
as indicators of pine reproduction possibilities. D.B. 1105, pp. 35, 55. 1923.
ringing, experiments. F.B. 316, pp. 9-11. 1908.
home adornment. L. C. Corbett. Y.B., 1902, pp. 501-518. 1903; Y.B. Sep. 284, pp. 501-518. 1903.
honey—
producing, kinds and location. News L., vol. 6, No. 1, pp. 14, 15. 1918.
sources in—
buckwheat region, list. F.B. 1216, pp. 10-11. 1922.
Hawaii. Ent. Bul. 75, Pt. V, p. 49. 1909.
tulip-tree region. F.B. 1222, pp. 10-11. 1922.
yield in Massachusetts. Ent. Bul. 75, pp. 89-96. 1911.
hosts of—
cypress bark scale. D.B. 838, pp. 8, 22. 1920.
red spider, list. D.B. 416, pp. 4-5, 67. 1917.
weevils having boll weevil parasites, notes and list. Ent. Bul. 100, pp. 45-54, 64, 65, 67, 73-82, 88, 90. 1912.
hotbed, hardening off. F.B. 937, p. 17. 1918.

Plant(s)—Continued.
  hybridizing—
    directions. F.B. 314, pp. 23-24. 1908.
    experiments in Alaska. Alaska A.R., 1913, pp. 7-8, 18. 1914.
  hybrids, early investigations. B.P.I. Bul. 243, pp. 8-17. 1912.
  identification, preparation of specimens, directions. Sidney F. Blake. Ec. and Sys. Bot. Cir. 1, pp. 2. 1919.
  immunity against root-knot. B.P.I. Bul. 217, p. 21. 1911.
  importation(s)—
    by mail, prohibition violations. F.H.B.S.R.A. 60, pp. 19-20. 1919; F.H.B.S.R.A. 63, p. 71. 1919.
    by mail, restrictions, list. F.H.B.S.R.A. 32, p. 125-126. 1916.
    by travelers, warning. F.H.B.S.R.A. 27, pp. 56-57. 1916.
    for Florida, instructions to postmasters. F.H. B.S.R.A. 33, pp. 132-134. 1916.
    from Philippine Islands, by mail. F.H.B. S.R.A. 27, pp. 55-56. 1916.
    in 1913, classes and countries of origin, table. An. Rpts., 1913, pp. 340-341. 1914; F.H.B. An. Rpt., 1913, pp. 6-7. 1913.
    recent, for plant breeders. Y.B., 1911, pp. 420-422. 1912; Y.B. Sep. 580, pp. 420-422. 1912.
    regulations. An. Rpts., 1920, pp. 631-634. 1921.
    restrictions—
      F.H.B. Quar. 37, pp. 12-13. 1921; F.H.B. S.R.A. 74, p. 55. 1923.
      by War Trade Board. F.H.B.S.R.A. 51, pp. 45-46. 1918.
      under corn borer quarantine. F.H.B. Quar. 41, pp. 1-4. 1921.
    under restrictions, record. F. H. B. An. Rpt., 1922, pp. 12-20. 1922; An. Rpts., 1922, pp. 614-622. 1923.
    See also Seeds and plants, importations.
  imported by Agriculture Department, exemption from duty. Sol. [Misc.], "Laws applicable * * * Agriculture," Supp. 2, p. 8. 1915.
  imported, freedom from soil requirement. Quar. 37, amdt. 1. F. H. B. S. R. A. 37, pp. 108-110. 1923.
  imports from—
    France by mail, entry permission. F.H.B. S.R.A. 71, pp. 104-105. 1922.
    Holland, letter of Secretary Houston. F.H.B. S.R.A. 57, pp. 110-111. 1919.
  improvement investigations, disease control, law. Sol. [Misc.], "Laws applicable * * * Agriculture," Sup. 2, pp. 28-31. 1915.
  in—
    Arkansas, lower Austral zone and upper Austral zone, lists. Biol. Bul. 38, pp. 7, 8. 1911.
    Colorado, species, distribution. N.A. Fauna 33, pp. 20-21, 23, 25, 29, 38-39, 45, 49, 51. 1911.
    Guam, pests and diseases, control. Guam Bul. 2, pp. 17-24. 1922.
    Guam, propagation and distribution. Guam A.R., 1912, p. 26. 1913.
    Guam, report. Guam A.R., 1917, pp. 39-44. 1918.
    New Mexico, different life and crop zones. N.A. Fauna 35, pp. 19, 28, 35, 45, 49, 51, 52. 1913.
    North America, geographic distribution. Y.B. 1904, p. 203. 1905.
  inbreeding—
    effects. A. D. Shamel. Y.B., 1905, pp. 377-392. 1906; Y.B. Sep. 389, pp. 377-392. 1906.
    studies. B.P.I. Bul. 243, pp. 17-26. 1912.
  increase in stature, relation to length of day. J.A.R., vol. 23, pp. 886-889. 1923.
  indicator—
    of Tooele Valley, Utah, tissue fluids, composition. J. Arthur Harris and others. J.A.R., vol. 27, pp. 893-924. 1924.
    use in range management. D.B. 791, pp. 2-54, 73-76. 1919.
  industrial progress in work. B. T. Galloway. Y.B., 1902, pp. 219-230. 1903; Y.B. Sep. 264, pp. 219-230. 1903.
  industry, subjects in department Yearbooks, index. J. E. Rockwell. B.P.I. Cir. 17, pp. 55. 1908.

Plant(s)—Continued.
  infestation with—
    parasites, effect on water requirement, review. J.A.R., vol. 27, pp. 108-110. 1923.
    terrapin scale. D.B. 351, p. 4. 1916.
  infested—
    destruction in fall for boll-weevil control. F.B. 1262, pp. 19, 30. 1922.
    with corn borer, feeding to livestock. F.B. 1046, pp. 24-25. 1919.
    with European corn borer, destruction. F.B. 1046, pp. 23-26. 1919.
  influence of environment on chemical composition. H. W. Wiley. Y.B., 1901, pp. 299-318. 1902; Y.B. Sep. 257, pp. 299-318. 1902.
  injured by—
    southern corn rootworm. D.B. 5, pp. 2-3. 1913.
    western corn rootworm. D.B. 8, pp. 5, 8. 1913.
  injuries by—
    scolytid beetles, range. Ent. T.B. 17, Pt. II, pp. 207-209. 1915.
    yellow-bear caterpillar, list. Ent. Bul. 82, pp. 62-63. 1912.
  inoculation with cane mosaic, experiments, results. J.A.R., vol. 24, pp. 248-255. 1923.
  insect enemies, control. News L., vol. 6, No. 37, pp. 9-10. 1919.
  insect-infested, or diseased, importation prevention, relation of Department of Agriculture to national law. James Wilson. Sec. Cir. 37, p. 11. 1911.
  insecticidal properties, testing. N. E. McIndoo and A. F. Sievers. D.B. 1201, pp. 62. 1924.
  inspection—
    and quarantine—
      need of laws. F.B. 453, pp. 14-15. 1911.
      work, necessity. An. Rpts., 1912, pp. 77-78, 247, 254. 1913; Sec. A.R., 1912, pp. 77-78, 247, 254. 1912; Y.B., 1912, pp. 77-78, 247, 254. 1913.
    at—
      New Orleans, La. F.H.B.S.R.A. 60, pp. 18-19. 1919.
      ports of entry. An. Rpts., 1922, pp. 622-624. 1923; F.H.B. An. Rpts., 1922, pp. 20-22. 1922.
    California mail shipments of plants. F.H.B. S.R.A. 16, pp. 37-38. 1915.
    foreign—
      additions and changes to January, 1915. F.H.B.S.R.A. 11, pp. 87-88. 1915.
      countries requiring, list. F.H.B. Quar. 37, p. 13. 1921.
    in Montana, list of plants, and inspection points. F.H.B.S.R.A. 21, pp. 85-86. 1915.
    laws, need of legislation for United States. Sec. Cir. 37, pp. 2-4. 1911.
    mail shipments, law enforcement in various States. News L., vol. 4, No. 12, p. 4. 1916.
    stations for California and Arizona. F.H.B. S.R.A. 20, pp. 77-78, 79. 1915.
    terminal—
      in Arizona, California, and Montana. F.H. B.S.R.A. 23, p. 99. 1916.
      instructions to Arizona postmasters. F.H.B. S.R.A. 46, p. 138. 1918.
      instructions to California postmasters. F.H. B.S.R.A. 71, pp. 166-167. 1922.
      revision of terminal points in Mississippi. F.H.B.S.R.A. 71, p. 168. 1922.
    under gipsy-moth quarantine, notice. F.H.B. S.R.A. 6, pp. 48-49. 1914.
  interstate transportation, marking and certification. F.H.B. Quar. No. 43, rev., reg. 5, pp. 5-6. 1922.
  introduction(s)—
    and distribution in—
      Guam, 1915. Guam A.R., 1915, pp. 13-15. 1916.
      Hawaii. Hawaii A.R., 1911, pp. 39-41. 1912.
    by Bureau of Plant Industry, value. Y.B., 1916, p. 66. 1917; Y.B. Sep. 698, p. 4. 1917.
    commercial. Jared G. Smith. Y.B., 1900, pp. 131-144. 1901; Y.B. Sep. 203, pp. 131-144. 1901.
    dangers and advantages. Y.B., 1908, pp. 460-461. 1909; Y.B. Sep. 494, pp. 460-461. 1909.

Plant(s)—Continued.
 introduction(s)—continued.
  for the plant breeder. David Fairchild. Y.B., 1911, pp. 411–422. 1912; Y.B. Sep. 580, pp. 411–422. 1912.
  from abroad. An. Rpts., 1906, pp. 249–251. 1907.
  garden—
   and field stations. An. Rpts., 1912, pp. 422–424. 1913; B.P.I. Chief Rpt., 1912, pp. 42–44. 1912.
   Chico, Calif., work. An. Rpts., 1906, pp. 263–265. 1907.
   Mississippi Valley. An. Rpts., 1908, p. 394. 1909; B.P.I. Chief Rpt., 1908, p. 122. 1908.
  inspection records and regulations. Y.B., 1916, pp. 137–138. 1917; Y.B. Sep. 687, pp. 3–4. 1917.
  into Porto Rico, experimental growing. P.R. An. Rpt., 1920, pp. 11–12, 19, 37, 39. 1921.
  laws, foreign and United States. Ent. Bul. 84, pp. 33–39. 1909.
  list, 1917–1918. B.P.I. [Misc.], "Plant introductions * * *," pp. 84. 1917.
  new—
   grains, fruits, and other crops. An. Rpts., 1912, pp. 118–122. 1913; Sec. A.R., 1912, pp. 118–122. 1912; Y.B., 1912, pp. 118–122. 1913.
   sixth annual list, 1916–1917. F.S. and P.I. [Misc.], "New plant * * *," pp. 104. 1917.
   seventh annual list, 1917–1918. F.S. and P.I. [Misc.], "New Plant * * *," pp. 84. 1917.
  notes from South Africa. David G. Fairchild. B.P.I. Bul. 25, Pt. III, pp. 13–22. 1903.
  of improved kinds, experiment station work. Y.B., 1902, pp. 593–597. 1903.
  propagation by seedling-inarch method. B.P.I. Bul. 202, p. 14. 1911.
  summary of work. 1908. An. Rpts., 1908, pp. 389–395. 1909; B.P.I. Chief Rpt., 1908, pp. 117–123. 1908.
  testing gardens of the department. P.H. Dorsett. Y.B., 1916, pp. 135–144. 1917; Sep. 687, Y.B. pp. 10. 1917.
  work, 1896–1908. Rpt. 87, pp. 77–78. 1908.
  work of department. Sec. A.R., 1924, pp. 70–72. 1924.
 intumescences, mechanical injury as cause. Frederick A. Wolf. J. A. R., vol. 13, pp. 253–260. 1918.
 iron assimilation studies. J.A.R., vol. 7, pp. 83–87. 1916.
 juices—
  changes in acidity during freezing. J.A.R., vol. 15, pp. 99–101. 1918.
  of, cryoscopic readings. J.A.R., vol. 26, pp. 245, 246, 247, 251, 253, 256. 1923.
  oxidase content, measurement. Herbert H. Bunzel. B.P.I. Bul. 238, pp. 40. 1912.
  oxidizing power in soils, studies and experiments. Soils Bul. 56, pp. 13–45. 1909.
  stalks and leaves, comparative acidities. J. A. R., vol. 25, pp. 462–464. 1923.
  transmission of potato mosaic. J.A.R., vol. 17, pp. 253–255. 1919.
 leaves, effect of shade on thickness. B.P.I. Bul. 279, pp. 24–25. 1913.
 lice—
  control by quassia extracts, formulas and experiments. J.A.R., vol. 10, pp. 507–528. 1917.
  control by use of hemp. B. P. I. Bul. 221, p. 11. 1911.
  cotton, description and remedies. F.B. 223, pp. 6–7. 1905.
  description, injury to cabbage, and control. F.B. 856, p. 35. 1917.
  destruction by ladybirds. Y.B., 1911, pp. 454–457. 1912; Y.B. Sep. 583, pp. 454–457. 1912.
  garden, or aphids. Ent. [Misc.], "Garden, plant-lice * * *," p. 1. 1918.
  habits and treatment. F. B. 1371, rev., pp. 3–4, 12, 18, 46. 1924.
  in greenhouse growing of lettuce. F.B. 1418, p. 21. 1924.

Plant(s)—Continued.
 lice—continued.
  injury to—
   bamboos. D.B. 1329, pp. 42–43. 1925.
   cabbage, treatment and prevention. D.C. 35, pp. 11–12. 1919.
   corn, description and control. Hawaii Bul. 27, pp. 9–10. 1912.
   plants in Guam. Guam A.R., 1911, pp. 28–32. 1912.
   tomatoes, description, and control. S.R.S. Doc. 95, pp. 7–8. 1919.
   vegetables, description and control. F.B. 856, pp. 18–19. 1917.
  injurious to cactus buds, causing proliferation. D.B. 31, p. 20. 1913.
  on greenhouse tomatoes. F.B. 1431, pp. 19–20. 1924.
  parasites, effects. Hawaii Bul. 27, p. 10. 1912.
  potato enemy, habits and control. F.B. 868, pp. 11–13. 1917.
  spread of mosaic disease of tobacco. J.A.R., vol. 10, pp. 626–630. 1917.
  two species inhabiting both witch-hazel and birch. Theo. Pergande. Ent. T.B. 9, pp. 44. 1901.
  See also Aphids; Aphidae; Aphis sp.; Plant louse.
 life—
  effect of elemental sulphur and of calcium sulphate. Walter Pitz. J.A.R., vol. 5, No. 16, pp. 771–780. 1916.
  history, investigations. An. Rpts., 1908, pp. 295–302. 1909; B.P.I. Chief Rpt., 1908, pp. 23–30. 1908.
  history investigations, work of Bureau of Plant Industry. An. Rpts., 1907, pp. 278–283. 1908.
 lists—
  different life zones, Texas. N.A. Fauna 25, pp. 22, 29, 34, 37, 38. 1905.
  for Arizona and California, subject to inspection. F.H.B.S.R.A. 20, pp. 78–79. 1915.
  susceptible to bitter-rot as sources of infection. D.B. 684, pp. 19–20, 23. 1918.
 living, preparation for long-distance shipment. B. T. Galloway. D.C. 323, pp. 12. 1924.
 localization of response to relative length of day and night. W. W. Garner and H. A. Allard. J.A.R., vol. 31, pp. 555–566. 1925.
 long-day, effect of light period on acidity. J.A.R., vol. 27, pp. 140–144. 1924.
 losses by insects and diseases, and cooperative work, various States. Sec. Cir. 103, p. 20. 1918.
 louse—
  apple-tree, destruction by birds. Biol. Bul. 15, p. 18. 1901.
  in the Pribilof Islands, Alaska, description. N.A. Fauna 46, Pt. II., pp. 143–144. 1923.
  injury to field pea crop. F.B. 690, p. 22. 1915.
  wheat, origin, habits, and natural enemies. F. B. 132, pp. 24–25. 1901.
  See also Aphids; Aphis sp.; Plant lice.
 mail—
  importation, restrictions. F.H.B.S.R.A. 75, p. 78. 1923.
  interstate shipments, inspection terminal. An. Rpts., 1915, pp. 352–353. 1916; F.H.B. An. Rpt., 1915, pp. 2–3. 1915.
  shipments—
   inspection, in Arkansas, provisions. F.H.B. S.R.A. 64, p. 87. 1919.
   inspection, in California. F.H.B.S.R.A. 16, pp. 37–38. 1915.
   terminal inspection, legislation and order of Postmaster-General. F.H.B.S.R.A. 15, pp. 20–22. 1915.
  mailing—
   regulations and quarantine decision. F.H.B. S.R.A. 42, p. 85. 1917.
   restrictions—
    instructions to postmasters. F.H.B.S.R.A. 7, p. 67. 1914.
    on account of plant quarantine. F.H.B. S.R.A. 30, pp. 86–87. 1916.
  malvaceous, infestation with pink bollworm. D.B. 918, pp. 32–34. 1921.

Plant(s)—Continued.
  manganese—
    content, investigations. J.A.R., vol. 11, pp. 77–79. 1917.
    function and distribution, with soils. W. P. Kelley. Hawaii Bul. 26, pp. 56. 1912.
    massing, color combinations, suggestions. F.B. 1087, pp. 55–63. 1920.
  material—
    collection and preservation for use in study of agriculture. H.B. Derr and C. H. Lane. F.B. 586, pp. 24. 1914.
    living, how to send to America. David Fairchild. F.S. and P.I. [Misc.], "How to send * * *," pp. 9. 1914.
    presence in soil. Soils Bul. 90, pp. 14–15. 1912.
    use in school study, collection methods, arrangement, sources. F.B. 586, pp. 2–9. 1914.
    measurements, growth, and physical factors, experiments. D.B. 700, pp. 14–27. 1918.
  medicinal—
    determination of alkaloids, report of referee. Chem. Cir. 52, pp. 14–16. 1910.
    drying, note. D.C. 3, p. 18. 1919.
    quack grass rootstocks. F.B. 1307, p. 31. 1923.
    report of referee. Chem. Bul 99, pp. 161–170. 1906; Chem. Bul. 105, pp. 127–142. 1907; Chem. Bul. 116, pp. 81–87, 117. 1908; Chem. Bul. 122, pp. 94–97. 1909; Chem. Bul. 152, pp. 234–236. 1912; Chem. Cir. 38, p. 5. 1908; Chem. Cir. 43, pp. 4–6. 1909.
    medium-day, acidity relations to photoperiodism. J.A.R., vol. 27, pp. 145–147. 1924.
    metabolism, temperature effects. W. E. Tottingham. J.A.R., vol. 25, pp. 13–30. 1923.
  mineral—
    constituents in seeds and tubers, translocation. J.A.R., vol. 5, No. 11, pp. 449–458. 1915.
    nutrients in, physiological rôle. Oscar Loew. B.P.I. Bul. 45, pp. 70. 1903.
  movement from quarantined area, inspection and certification. F.H.B., Quar. 43, Reg. 4, pp. 4–5. 1922.
  movements, regulations. F.H.B.S.R.A. 76, p. 131. 1923.
  native, water requirement in Colorado, 1911, experiments. B.P.I. Bul. 284, pp. 33–34. 1913.
  need of elemental substances. J.A.R., vol. 30, p. 193. 1925.
  nematode-infested, feeding to sheep and other animals, experiments. F.B. 772, p. 13. 1916.
  new—
    care and propagation at field stations. Y.B., 1916, p. 138. 1917; Y.B. Sep. 687, p. 4. 1917.
    introduction, 1908. Rpt. 87, pp. 22–25. 1907.
    introduction into Hawaii, and distribution. Hawaii A.R., 1911, pp. 39–41. 1912.
    testing in plant introduction gardens, descriptions. Y.B., 1916, pp. 138–144. 1917; Y.B. Sep. 687, pp. 4–10. 1917.
  nitrogen-gathering. Karl F. Kellerman. Y.B., 1910, pp. 213–218. 1911; Y.B. Sep. 530, pp. 213–218. 1911.
  novelties, entry, regulations. F.H.B.S.R.A. 74, pp. 18–20. 1923.
  number per acre, by spacing measurement. F.B. 1202, p. 51. 1921.
  nutrients—
    absorption, relation to number of roots. P. L. Gile and J. O. Carrero. J.A.R., vol. 9, pp. 73–95. 1917.
    manganese necessity, investigations. J.A.R., vol. 24, pp. 781–794. 1923.
    mineral—
      content of various soils. Soils Bul. 54, pp. 1–36. 1908.
      physiological rôle. Oscar Loew. B.P.I. Bul. 45, pp. 70. 1903.
    percentage returned in manure. D.B. 355, p. 55. 1916.
  nutrition—
    in Porto Rico, report. P.R. An. Rpt. 1909, p. 31. 1910.
    mineral phosphates, availability. W. L. Burlison. J. A.R., vol. 6, No. 13, pp. 485–514. 1916.
    relation to—
      electricity. James F. Breazeale. J.A.R., vol. 24, pp. 41–54. 1923.
      health. Y.B., 1901, pp. 155–176. 1902. Y.B. Sep. 225, pp. 155–176. 1902.

Plant(s)—Continued.
  nutrition—continued.
    relation to—continued.
      oil content of seeds. J.A.R., vol. 3, pp. 227–249. 1914.
  of—
    Pribilof Islands, list. N.A. Fauna 46, pp. 7–8. 1923.
    Texas, coast prairie and transition zone. N.A. Fauna 25, pp. 19–20, 36–38. 1905.
    Wyoming, species characteristic of different life zones. N.A. Fauna 42, pp. 15–16, 18, 20, 22, 23, 28–30, 32, 36–37, 41, 44–46, 47, 49, 51, 52. 1917.
  organs, manganese, distribution of. Hawaii Bul. 26, pp. 37–38. 1912
  oriental, recommended for introduction into United States. B.P.I. Bul. 180, pp. 13–36. 1910.
  ornamental—
    adaptability to Canal Zone. Rpt. 95, p. 25. 1912.
    for farm grounds, selection and planting. S.R.S. Syl. 28, pp. 6–10. 1917.
    greenhouse, fumigation with hydrocyanic-acid gas. E.R. Sasscer and A. D. Borden. D.B. 513, pp. 20. 1917.
  growing—
    experiments in Alaska, 1911. Alaska A.R., 1911, pp. 21–23. 1912.
    experiments in Alaska, 1915. Alaska A.R., 1915, pp. 37–38. 1916.
    tests, at Yuma experiment farm, 1916. W. I. A. Cir. 20, p. 40. 1918.
  injury by gallworm, list. News L., vol. 3, No. 5, p. 5. 1915.
  insects injurious. F. H. Chittenden. Ent. Bul. 27, pp. 114. 1901.
  marketing methods. Rpt. 98, pp. 50–53. 1913
  overfeeding, results. Y.B., 1901, p. 171. 1902; Y.B. Sep. 225, p. 171. 1902.
  pasture, our native. F. Lamson-Scribner. Y.B., 1900, pp. 581–598. 1901.
  pathology, extension work, 1923. Fred C. Meier. D.C. 329, pp. 20. 1924.
  peat-forming, inorganic composition, comparison with peat. J.A.R., vol. 13, pp. 605–609. 1918.
  perfumery—
    and volatile oils, production in United States. Frank Rabak. B.P.I. Bul. 195, pp. 55. 1910.
    economic importance. B.P.I. Bul. 235, pp. 1–37. 1912.
    production in United States, with volatile oils. Frank Rabak. B.P.I. Bul. 195, pp. 55. 1910.
  photosynthetic activity, effect of fumigation. J.A.R., vol. 11, p. 326. 1917.
  physiological changes during winter, discussion. J.A.R., vol. 3, pp. 331–333, 340. 1915.
  physiology, relation to—
    agriculture. O.E.S. Bul. 99, p. 127. 1901.
    crop physiology. B.P.I. Cir. 116, pp. 4–5. 1913.
    development of agriculture. Albert F. Woods. Y.B., 1904, pp. 119–132. 1905; Y.B. Sep. 336, pp. 119–132. 1905.
    horticulture and agriculture. O.E.S. Bul. 99, p. 127. 1901.
  poisoning—
    livestock losses, prevention. C. Dwight Marsh. F.B. 720, pp. 11. 1916.
    of stock in Montana. E. V. Wilcox. B.A.I. An. Rpt., 1900, pp. 91–121. 1901.
    treatment. For [Misc.], "First-aid manual * * *," pp. 66–67. 1917.
  poisonous—
    danger to—
      Angora goats, prevention. F.B. 1203, p. 26. 1921.
      livestock, and protection. D.B. 575, pp. 21–24. 1918.
    eradication methods, discussion. F.B. 720, pp. 3–5. 1916.
    for cattle. B.A.I. [Misc.], "Diseases of cattle," rev., p. 66. 1904; rev., pp. 67–68. 1912; rev., pp. 63–70. 1923.
    identification. News L., vol. 6, No. 33, p. 8. 1919.
    injurious to grazing animals. D.B. 1001, pp. 11, 71. 1922.
    injury to bees. Ent. Bul. 98, p. 35. 1912.

Plant(s)—Continued.
poisonous—continued.
   larkspur. Albert C. Crawford. B.P.I. Bul. 111, Pt. I, pp. 1-12. 1907.
   list and animals poisoned. News L., vol. 5, No. 52, p. 15. 1918.
   Mexican whorled milkweed (*Acslepias mexicana*). C. Dwight Marsh and A. B. Clawson. D.B. 969, pp. 16. 1921.
   mountain laurel. Albert C. Crawford. B.P.I. Bul. 121, pp. 21-35. 1908.
   of northern stock ranges. V. K. Chesnut. Y.B., 1900. pp. 305-324. 1901; Y.B. Sep. 206, pp. 305-324. 1901.
   of western stock ranges. C.D. Marsh. B.P.I. [Misc.], "Principal poisonous plants * * *," pp. 13. 1914.
   on Hawaiian ranches. Hawaii Bul. 36, p. 42. 1915.
   to livestock. An. Rpts., 1918, pp. 117-118. 1919; B.A.I. Chief Rpt., 1918, pp. 47-48. 1918.
   use in destruction of fly larvae. D.B. 408, pp. 3-5. 1916.
poisons, chemical, use in weed killing, methods, dangers, and cost. News L., vol. 2, No. 7, pp. 3-4. 1914.
poisons, use in killing wild onions, experiments. F.B. 610, pp. 5-6. 1914.
potato, selection for resistance to leaf hoppers. F.B. 1225, pp. 12-13. 1921.
potted and bedding, insect control. F.B. 1362, p. 80. 1924.
production—
   elementary course, syllabus. O.E.S. Cir. 60, pp. 17-18. 1904.
   exercises in elementary agriculture. Dick J. Crosby. O. E. S. Bul. 186, p. 64. 1907.
   publications, list for teachers. Pub. Cir. 19, pp. 6-13. 1912.
   school exercises. Dick J. Crosby. F.B. 408, pp. 48. 1910.
   scope of term. O.E.S. Cir. 77, rev., p. 2. 1908.
   winter course of instruction, University of Missouri. O.E.S. Cir. 106, p. 17. 1911.
products—
   foreign countries, prohibitions, quarantines. F.H.B. [Misc.] "Plants and plant products * * * foreign countries * * *," pp. 4. 1921; rev., 1922.
   imported, pests collected from, notes and lists. F.H.B. An. Let. No. 36, pp. 1-38. 1923.
   inspection at port of New Orleans. F.H.B. S.R.A. 61, p. 32. 1919.
   interstate transportation, marking and certification. F.H.B. Quar. 43, rev. 2, Reg. 5, pp. 5-6. 1922.
   lists for Arizona and California, subject to inspection. F.H.B.S.R.A. 20, pp. 78-79. 1915.
   mail shipments, terminal inspection, legislation and order of Postmaster General. F.H.B. S.R.A. 15, pp. 20-22. 1915.
   movement from quarantined area, inspection and certification. F. H. B. Quar. 43, rev., Reg. 4, pp. 4-5. 1922.
   prohibited or restricted entry from foreign countries, including Hawaii and Porto Rico. F.H.B. [Misc.], "Plants and plant * * *," pp. 4. 1922.
   quarantine restrictions. F.H.B. Quar. 37, pp. 10-11. 1920; F.H.B. Quar. 43, rev., Reg. 2, pp. 2-3. 1922.
prohibited—
   entry for immediate export, regulations. F.H. B.S.R.A. 45, pp. 121-125. 1917.
   entry regulations. E. D. Ball. F.H.B. [Misc.], "Rules and regulations * * * entry * * * prohibited plants * * *," pp. 6. 1920.
   or restricted entry from foreign countries including Hawaii and Porto Rico. F.H.B. [Misc.], "Plants and plant * * *," pp. 4. 1922.
propagation—
   L. C. Corbett. F.B. 157, pp. 24. 1902.
   and pruning, suggestions for teachers in secondary schools. H. P. Barrows. S.R.S. Doc. 63, pp. 12. 1917.
   by cuttings, use of solar propagating frame. D.C. 310, pp. 1-14. 1924.

Plant(s)—Continued.
propagation—continued.
   by double transfer of buds. D.C. 299, p. 10. 1924.
   course for southern schools, references. D.B. 592, pp. 5-7. 1917.
   different methods. O.E.S. Bul. 186, pp. 26-42. 1907.
   methods and projects. S.R.S. Doc. 63, pp. 1-4. 1918.
   seedling-inarch and nurse-plant methods. George W. Oliver. B.P.I. Bul. 202, pp. 43. 1911.
   protection from cutworms, by barriers around stems. D.B. 703, pp. 12-13. 1918.
   pruning, school studies. S.R.S. Doc. 63, pp. 4-12. 1917.
quarantine—
   act—
   August 20, 1912, text. Sec. Cir. 41, pp. 7-11. 1912.
   March 4, 1913, text. F.H.B.S.R.A. 5, pp. 43-45. 1914.
   administration. Y.B., 1921, p. 32. 1922; Y.B. Sep. 875, p. 32. 1922.
   as amended, text. Sec. Cir. 44, pp. 12-15. 1913.
   date and purpose. An. Rpts., 1913, p. 335. 1914; F. H. B. An. Rpt.,1913, p. 1. 1913.
   decision re exclusion notification. Sol. Cir. 66, pp. 3. 1912.
   definitions and regulations. F.H.B.S.R.A. 79, pp. 80-85. 1924.
   enforcement, rules and regulations. Sec. Cir. 44, pp. 1-16. 1913.
   enforcement, appropriations. Sol. [Misc.], "Laws applicable * * * Agriculture," Sup. 2, p. 88. 1915.
   enforcement cooperation of War Trade Board. F.H.B.S.R.A. 54, pp. 71-73. 1918.
   nursery stock, enforcement, rules, and regulations. Sec. Cir. 44, pp. 1-16. 1913.
   of 1912, enforcement. Sec. A.R., 1925, pp. 76-78. 1925.
   purpose and field covered. F.H.B.S.R.A. 74, pp. 48-51. 1923.
   regulations and enforcement, appropriation, 1915. Sol. [Misc.], "Laws applicable * * * agriculture," Sup. 3, pp. 55-56. 1915.
   regulations and enforcement, appropriation, 1916. Sol. [Misc.], "Laws applicable * * * Agriculture," Sup. 4, p. 97. 1917.
   rules and regulations, December 20, 1912. Sec. Cir. 41, rev., pp. 12. 1912.
   scope. Off. Rec., vol. 2, No. 25, p. 5. 1923.
   State inspection officials, and addresses. Sec. Cir. 44, pp. 15-16. 1913.
   status in 1920. An. Rpts., 1920, p. 54. 1921; Sec. A.R., 1920, p. 54. 1920.
   text. F.H.B. [Misc.], "Plant quarantine act * * *," pp. 1-4. 1917.
   violation(s), blank forms. F. H. B. S. R. A. 49, pp. 18-20. 1918.
   violation conviction, Adams Express Company. F.H.B.S.R.A. 51, p. 48. 1918.
   violations, convictions. F.H.B.S.R.A. 8, p. 72. 1914; F.H.B.S.R.A. 71, p. 173. 1922; F.H.B.S.R.A. 73, pp. 134-136. 1923; F.H.B.S.R.A. 74, p. 51. 1923; F.H.B. S.R.A. 75, p. 92. 1923; F.H.B.S.R.A. 76, pp. 124-126. 1923; F.H.B.S.R.A. 77, pp 165-167. 1924.
quarantines. See Quarantines, plant.
relation—
   of nutrition to health. Albert F. Woods. Y.B., 1901, pp. 155-176. 1902; Y.B. Sep. 225, pp. 155-176. 1902.
   of some of the rarer elements, with soils. W. O. Robinson and others. D.B. 600, pp. 27. 1917.
   to photoperiodism. J.A.R., vol. 27, pp. 119-156. 1924.
reproduction, three principal types. B.P.I. Bul. 146, pp. 8-9. 1909.
requirements in soil. An. Rpts., 1918, pp. 158-159. 1919; B.P.I. Chief Rpt., 1918, pp. 24-25. 1918.

Plant(s)—Continued.
  resistance to—
    alkali, discussion. Soils Bul. 35, pp. 21–25, 39–42, 123. 1906.
    gas injury, physiological conditions causing. D.B. 907, pp. 30–33. 1920.
    root knot, list, and use in rotations. F.B. 648, pp. 9–10, 15–17. 1915.
  respiration, bibliography. J.A.R., vol. 23, No. 2, pp 113–115, 129–130. 1923.
  respiratory enzymes, studies. J.A.R., vol. 2, No. 5, pp. 377–378. 1914.
  response to length of day and night, further studies in photoperiodism. W. W. Garner and H. A. Allard. J.A.R., vol. 23, pp. 871–920. 1923.
  response to relative length of day and night, localization. W. W. Garner and H. A. Allard. J.A.R., vol. 31, pp. 555–566. 1925.
  rest period, studies, experiment stations, 1915. S.R.S. Rpt., 1915, Pt. I, pp. 53, 163. 1917.
  restrictive orders, list. F.H.B.S.R.A. 74, pp. 55–56. 1923.
  root(s)—
    carbon absorption. J. F. Brazeale. J.A.R., vol. 26, pp. 303–311. 1923.
    division, use in propagation. F.B. 1381, pp. 20–21. 1924.
    drugs, description, and uses. B.P.I. Bul. 107, pp. 11–65. 1907.
    fungi, control in acid soils. D.B. 6, p. 12. 1913.
    knot susceptibility and immunity, lists. F.B. 1345, pp. 7–10. 1923.
    salad, varieties and uses. O.E.S. Bul. 245, pp. 21–25, 27, 28. 1912.
    school lesson in propagation. D.B. 258, p. 23. 1915.
    seed-bearing, for birds, food supply. F.B. 760, pp. 6–7. 1916.
    selection, individual, advice to seed growers. F.B. 1253, p. 11. 1922.
    semiarid, indicators of land values and possibilities. J.A.R., vol. 28, pp. 100–127. 1924.
    senescence and rejuvenescence, relation to length of daylight. J.A.R., vol. 23, pp. 908–909. 1923.
    setting—
      in home gardens, time and methods. F.B. 936, pp. 31–32. 1918.
      in open ground. F.B. 934, pp. 13–14. 1918; F.B. 937, p. 17. 1918.
      in vegetable garden, illustrated lecture. S.R.S. Syl. 27, p. 10. 1917.
      out, directions. F.B. 818, pp. 21–22. 1917.
    sexually-propagated, varieties. B.P.I. Bul. 127, pp. 25–26. 1910.
    shading experiments in Louisiana, general condition, various periods, tables. B.P.I. Bul. 279, pp. 20–24. 1913.
    shipments by mail—
      in Utah, inspection regulations. F.H.B.S.R.A. 72, pp. 89–90. 1922.
      terminal inspection. F.H.B. An. Rpt., 1921, p. 17. 1921.
    shipping—
      cases for long distances, description. Ent. Bul. 120, pp. 35–36. 1913.
      conditions outside quarantined area. F.H.B. Quar. 43, rev., Reg. 6, p. 6. 1922.
    shore, for bird food, lists. F.B .621, rev., p. 15. 1921.
    short-day, effect of light period on acidity. J.A.R. vol. 27, pp. 128–140. 1924.
    soil requirements. F.B. 257, pp. 9–13. 1906.
    solanaceous, susceptibility to potato wart, tests. D.B. 1156, pp. 11–13. 1923.
    solution, preparation and decolorization in soils, investigations. Soils Bul. 31, pp. 17–18. 1906.
    sources of—
      camphor, borneol, and cineol. B.P.I. Bul. 235, pp. 10–12, 14–37. 1912.
      nectar in clover region. F.B. 1215, pp. 12–13. 1922.
    species forming peat deposits. D.B. 802, pp. 14–15, 21, 22, 23, 26, 28, 33, 34–37. 1919.
    specimens—
      collection, drying, mounting, etc., range plants, national forests. For. [Misc.], "Suggestions * * * collection * * *," pp. 1–4. 1909; rev., 1910; rev., 1911; rev., 1914; rev., 1915.

Plant(s)—Continued.
  specimens—continued.
    preparation for identification, directions. Sidney F. Blake. Ec. and Sys. Bot. Cir. 1, pp. 2. 1919.
  stalk juices, comparison with leaf juices in acidity. J.A.R., vol. 25, pp. 462–464. 1923.
  stock-poisoning, of the range. C. D. Marsh. D.B. 575, pp. 24. 1918; D.B. 1245, pp. 36. 1924.
  structures, changes due to crown-gall inoculation, studies. J.A.R., vol. 6, No. 4, pp. 179–182. 1916.
  stunted, immunity to mosaic disease. J.A.R., vol. 24, p. 257. 1923.
  subtropical, diseases, work of subtropical laboratory. B.P.I. Chief Rpt., 1905, pp. 95–98. 1905.
  succession—
    effect of grazing. D.B. 791, pp. 54–66. 1919.
    in relation to range management. Arthur W. Sampson. D.B. 791, p. 76. 1919.
  suitability for farm home and location. O.E.S.F.I.L. 14, pp. 7–11. 1912.
  susceptibility to—
    arsenical poisoning from sprays, differences. J.A.R., vol. 24, pp. 511–514. 1923.
    gallworm, lists. B.P.I. Cir. 91, pp. 8–11, 12. 1912.
    root-knot, list. B.P.I. Bul. 217, pp. 10–21. 1911.
  sweet-potato—
    growing in Brooks County, Ga., extent of industry. Soil Sur. Adv. Sh., 1916, p. 12. 1918; Soils F.O., 1916, p. 596. 1921.
    propagation. S.R.S. Syl. 26, pp. 3–4. 1917.
  terminal inspection—
    F.H.B.S.R.A. 76, pp. 120–121. 1923; F.H.B. S.R.A. 78, p. 21. 1924.
    of mail shipments, law enforcement, postal ruling. F.H.B.S.R.A. 48, p. 6. 1918.
  textile, fibers, strength. B.P.I. Cir. 128, pp. 17–21. 1913.
  thinning and transplanting for home garden. S.R.S. Doc. 46, p. 2. 1917.
  tissue—
    further studies on isoelectric points. William J. Robbins and Irl T. Scott. J.A.R., vol. 31, pp. 385–399. 1925.
    tannin content, quantitative estimation methods. J.A.R., vol. 26, pp. 257–258. 1923.
  tolerance of alkali-salts tests, comparison. B.P.I. Bul 113, pp. 1–22. 1907.
  toxic effect of dicyanodiamide, studies. F.E. Allison and others. J.A.R., vol. 30, pp. 419–429. 1925.
  transpiration—
    and respiration, experiments with respiration calorimeter. O.E.S. Doc. 1409, p. 606. 1911.
    correlation and causation. J.A.R. vol. 20, pp. 575–585. 1921.
    rate on clear days, determination by cyclic environmental factors. Lyman J. Briggs and H. L. Shantz. J.A.R. vol. 5, No. 14, pp. 583–650. 1916.
    scale, automatic, description. J.A.R., vol. 5, No. 3, pp. 117–132. 1915.
  tropical—
    and subtropical—
      bionomic investigations. An. Rpts., 1907, pp. 284–286. 1907.
      investigations. B.P.I. Chief Rpt., 1905, pp. 154–155. 1905.
    packing for shipment. Hawaii A.R., 1920, p. 23. 1921.
    Porto Rican, distribution to Southern States. P.R. An. Rpt., 1921, pp. 5–6. 1922.
    types in successive development on ranges, uses. D.B. 791, pp. 2–54. 1919.
  under glass, notes on cultivation. Y.B., 1901, pp. 172, 174, 175. 1902.
  use as adulterants of insect powder, notes and list. D.B. 824, pp. 16–20. 1920.
  use of water during growth. Y.B. 1911, pp. 351–353. 1912; Y.B. Sep. 574, pp. 351–353. 1912.
  useful to attract birds and protect fruit. Y.B., 1909, pp. 185–196. 1910; Y.B. Sep. 504, pp. 185–196. 1910.
  valuable, introduction on fenced-in stock ranges. D.B. 1001, pp. 37–38. 1922.

Plant(s)—Continued.
   variation, environment as factor, discussion. Y.B., 1911, pp. 413-415. 1912; Y.B. Sep. 580, pp. 413-415. 1912.
   variety(ies)—
      accidental origin. Y.B., 1911, p. 419. 1912; Y.B. Sep. 580, p. 419. 1912.
      experiment station work. O.E.S. Bul. 99, p. 143. 1901.
      influence on yield of crops. Soils Bul. 22, pp. 56-58. 1903.
      new, origination and selection. Y.B., 1908, p. 459. 1909; Y.B. Sep. 494, p. 459. 1909.
      originating, experiment station work. O.E.S. Bul. 99, p. 143. 1901.
      protein content. News L., vol. 4, No. 24, p. 4. 1917.
      running out, and rejuvenescence. B.P.I. Bul. 146, pp. 29-31. 1909.
      use as feed for beavers. D.B. 1078, pp. 6, 26. 1922.
   various kinds, water requirement, experiments. B.P.I. Bul. 285, pp. 72-84, 90. 1913.
   vegetable—
      gardens, growing in seed boxes and hotbeds. S.R.S. Syl. 27, pp. 6-8. 1917.
      handling and transplanting, special methods. F.B. 255, pp. 16-19. 1906.
   vegetative propagation as method of line breeding. B.P.I. Bul. 146, pp. 11-13, 15-17. 1909.
   wastes, sources of fertilizer. Y.B., 1917, pp. 262-263. 1918; Y.B. Sep. 728, pp. 12-13. 1918.
   water—
      requirements—
         I. Investigations in the Great Plains in 1910 and 1911. Lyman J. Briggs and H. L. Shantz. B.P.I. Bul. 284, pp. 49. 1913.
         II. A review of the literature. Lyman J. Briggs and H. L. Shantz. B.P.I. Bul. 285, pp. 96. 1913.
      influence of hybridization and cross-pollination. Lyman J. Briggs and H. L. Shantz. J.A.R. vol. 4, pp. 391-402. 1915.
      relative. Lyman J. Briggs and H. L. Shantz. J.A.R., vol. 3, pp. 1-64. 1914.
      use, school studies. D.B. 521, p. 14. 1917.
   wild—
      aromatic, distribution. B.P.I. Bul. 235, p. 7. 1912.
      hosts of red spider. F.B. 735, pp. 4, 7. 1916.
      use as potherbs. D.B. 123, pp. 14-15, 16. 1916.
      use in salads, list. Food Thrift Ser. No. 4, p. 4, 1917; News L., vol. 4, No. 38, pp. 10, 11. 1917.
      volatile oil, and their economic importance. I. Black sage. II. Wild sage. III. Swamp bay. Frank Rabak. B.P.I. Bul. 235, pp. 37. 1912.
   wilted, recovery. Off. Rec., vol. 3, No. 11, p. 5. 1924.
   wilting coefficient and its indirect determination. Lyman J. Briggs and H. L. Shantz. B.P.I. Bul. 230, pp. 83. 1912.
   work, industrial progress. B. T. Galloway. Y.B., 1902, pp. 219-230. 1903; Y.B. Sep. 264, pp. 219-230. 1903.
   See also Flora.
Plant Industry Bureau—
   aid to farmers. News L., vol. 1, No. 9, pp. 1-2. 1913.
   aid to housekeepers. Y.B., 1913, pp. 146-147. 1914; Y.B. Sep. 621, pp. 146-147. 1914.
   appropriations—
      and disbursements—
         1910. Accts. Chief Rpt., 1910, pp. 8, 52-53. 1910; An. Rpts., 1910, pp. 570, 614-615. 1911.
         1911. Accts. Chief Rpt., 1911, pp. 12, 18. 1911; An. Rpts., 1911, pp. 558, 564. 1912.
         1912. Accts. Chief Rpt., 1912, pp. 12-13, 23, 31-32. 1912; An. Rpts., 1912, pp. 688-689, 699, 707-708. 1913.
         1915. Sol. [Misc.], "Laws applicable * * * Agriculture," Sup. 2, pp. 26-31. 1915.
   assistance to farmers. News L., vol. 1, No. 21, pp. 3-4. 1913; News L., vol. 1, No. 22, pp. 1-2. 1914.
   bulletins—
      contents and index to Nos. 1-100. J. E. Rockwell. B.P.I. Bul. 101, pp. 102. 1907.

Plant(s)—Continued.
   bulletins—continued.
      list, August, 1908. B.P.I. [Misc.], "Bulletins of the Bureau * * *," pp. 4. 1908.
      213-217, contents and list of plates and text figures. B.P.I. [Misc.], "Bulletins of the Bureau * * *," pp. 15. 1911.
      227-230. Contents, Vol. XXX; B.P.I. [Misc.], "Bulletins of the Bureau * * *," pp. 9. 1912.
      241-247, list and contents. B.P.I. Doc. 787, pp. 16. 1912.
   circulars Nos. 41 to 70, list and contents. B.P.I. [Misc.], "Bulletins of the Bureau * * *," pp. 1-18. 1911.
   directory of field activities. M.C. 30, pp. 62. 1924.
   estimates and appropriations for—
      1911. Accts. Chief Rpt., 1910, pp. 15, 22-23. 1910; An. Rpts., 1910, pp. 577, 584-585. 1911.
      1912. Accts. Chief Rpt., 1911, pp. 19, 24-25. 1911; An. Rpts., 1911, pp. 565, 570-571. 1912.
   exhibit, National Dairy Show, 1920. D.C. 139, pp. 3, 15. 1920.
   experiments in corn tillage for weed control. B.P.I. Bul. 257, pp. 12-32. 1912.
   farm management work. Rpt. 73, pp. 8-9. 1902.
   force, growth, 1881-1908. An. Rpts., 1908, p. 774. 1909; Appt. Clerk A.R., 1908, p. 6. 1908.
   forest pathology studies. D.C. 231, pp. 41-43. 1922.
   functions and efficiency. B.P.I. Cir. 117, pp. 3-12. 1913.
   investigations of grape growing in California, scope and purpose. B.P.I. Bul. 172, p. 17. 1910.
   laws applicable—
      August 28, 1912-March 1, 1913. Sol. [Misc.], "Laws applicable * * * Agriculture," Supp. 1, pp. 17-22. 1913.
      appropriations—
         1915. Sol. [Misc.], "Laws applicable * * * Agriculture," Supp. 3, pp. 20-25. 1915.
         1916. Sol. [Misc.], "Laws applicable * * * Agriculture," Supp. 4, pp. 22-29. 1917.
   motion picture films, list. D.C. 233, pp. 5-6. 1922.
   new work, progress. B. T. Galloway. Y.B., 1907, pp. 139-148. 1908; Y.B. Sep. 441, pp. 139-148. 1908.
   organization—
      1905-1906. Pub. Cir. 1, pp. 9-12. 1905.
      growth since 1881 and present status. An. Rpts., 1909, pp. 795-796, 805-806. 1910; Appt. Clerk A.R., 1909, pp. 7-8, 17-18. 1909.
   publications—
      February, 1909. B.P.I. Doc. 440, pp. 10. 1909.
      June, 1909. B.P.I. Doc. 483, pp. 10. 1909.
      September, 1909. B.P.I. Doc. 504, pp. 11. 1909.
      November, 1909. B.P.I. Doc. 526, pp. 12. 1909.
      February, 1910. B.P.I. Doc. 548, pp. 12. 1910.
   report of chief—
      1901. B. T. Galloway. An. Rpts., 1901, pp. 43-94. 1901; B.P.I. Chief Rpt., 1901, pp. 22. 1901.
      1902. B. T. Galloway. An. Rpts., 1902, pp. 47-108. 1902; B.P.I. Chief Rpt., 1902, pp. 60. 1902.
      1903. B. T. Galloway. An. Rpts., 1903, pp. 85-169. 1903; B.P.I. Chief Rpt., 1903, pp. 75. 1903.
      1904. B. T. Galloway. An. Rpts., 1904, pp. 69-168. 1904; B.P.I. Chief Rpt., 1904, pp. 100. 1904.
      1905. B. T. Galloway. An. Rpts., 1905, pp. 63-197. 1905; B.P.I. Chief Rpt., 1905, pp. 135. 1905.
      1906. B. T. Galloway. An. Rpts., 1906, pp. 175-266. 1907; B.P.I. Chief Rpt., 1906, pp. 92. 1907.
      1907. B. T. Galloway. An. Rpts., 1907, pp. 257-341. 1907; B.P.I. Chief Rpt., 1907, pp. 93. 1908.
      1908. B. T. Galloway. An. Rpts., 1908, pp. 283-407. 1909; B.P.I. Chief Rpt., 1908, pp. 135. 1908.

INDEX TO PUBLICATIONS, 1901–1925
1851

Plant(s)—Continued.
report of chief—continued.
1909. B. T. Galloway. An. Rpts., 1909, pp. 261-370. 1910; B.P.I. Chief Rpt., 1909, pp. 118. 1909.
1910. G. Harold Powell, (acting). An. Rpts., 1910, pp. 279-362. 1911; B.P.I. Chief Rpt., 1910, pp. 92. 1910.
1911. B. T. Galloway. An. Rpts., 1911, pp. 257-341. 1912; B.P.I. Chief Rpt., 1911, pp. 93. 1911.
1912. B. T. Galloway. An. Rpts., 1912, pp. 389-462. 1913; B.P.I. Chief Rpt., 1912, pp. 82. 1912.
1913. William A. Taylor. An. Rpts., 1913, pp. 105-133. 1914; B.P.I. Chief Rpt., 1913, pp. 29. 1913.
1914. Wm. A. Taylor. An. Rpts., 1914, pp. 101-128. 1914; B.P.I. Chief Rpt., 1914, pp. 28. 1914.
1915. Wm. A. Taylor. An. Rpts., 1915, pp. 143-158. 1916; B.P.I. Chief Rpt., 1915, pp. 16. 1915.
1916. Wm. A. Taylor. An. Rpts., 1916, pp. 137-154. 1917; B.P.I. Chief Rpt., 1916, pp. 18. 1916.
1917. Wm. A. Taylor. An. Rpts., 1917, pp. 131-163. 1917; B.P.I. Chief Rpt., 1917, pp. 32. 1917.
1918. K. F. Kellerman, (acting). An. Rpts., 1918, pp. 135-146. 1918; B.P.I. Chief Rpt., 1918, pp. 30. 1918.
1919. Wm. A. Taylor. An. Rpts., 1919, pp. 137-176. 1920; B.P.I. Chief Rpt., 1919, pp. 40. 1919.
1920. Wm. A. Taylor. An. Rpts., 1920, pp. 159-220. 1921; B.P.I. Chief Rpt., 1920, pp. 62. 1920.
1921. Wm. A. Taylor. B.P.I. Chief Rpt., 1921, pp. 52. 1921.
1922. Wm. A. Taylor. An. Rpts., 1922, pp. 161-194. 1922; B.P.I. Chief Rpt., 1922, pp. 34. 1922.
1923. Wm. A. Taylor. An. Rpts., 1923, pp. 255-288. 1923; B.P.I. Chief Rpt., 1923, pp. 34. 1923.
1924. Wm. A. Taylor. B.P.I. Chief Rpt., 1924, pp 46. 1924.
1925. William A. Taylor. B.P.I. Chief Rpt., 1925, pp. 36. 1925.
sugar-beet—
investigations, 1905. Rpt. 82, pp. 127-130. 1906.
work, projects and stations. B.P.I. Bul. 260, pp. 9-13. 1912.
See also Agriculture, workers, list.
Plant Introduction Station, Chico, Calif.—
location, soil, and climate. D.B. 1172, pp. 6-9, 33. 1923.
Sacramento Valley, soils, description. Soil Sur. Adv. Sh., 1913, p. 73. 1915; Soils F.O., 1913, p. 2363. 1916.
Plantain—
adulterant of alfalfa seed. F.B. 660, p. 14. 1915.
buckhorn, names, elimination. D.B. 78, pp. 15, 28. 1914.
description, distribution, spread, and products injured. F.B. 660, p. 28. 1915.
English (buckhorn or rib-grass), description of seed and appearance in red clover seed. F.B. 260, p. 15. 1906.
food of shoal-water ducks. D.B. 862, pp. 6, 34, 45. 1920.
growing in Guam, directions. Guam Bul. 2, pp. 12, 50. 1922.
host of apple aphid. J.A.R., vol. 7, pp. 333, 334, 337, 339, 341. 1916.
insect pests, list. Sec. [Misc.] "A manual * * * insects * * *." pp. 33-34. 1917.
rat-tail, seed, description. F.B. 428, pp. 7, 21, 22. 1911.
seed—
adulterants of redtop seed, description. D.B. 692, pp. 22, 23. 1918.
description. F.B. 428, pp. 7, 21, 22, 28. 1911.
Plantation(s)—
cotton, organization for boll weevil poisoning. D.B. 875, pp. 17-18 1920.

Plantation(s)—Continued.
credit and accounts. D.B. 1269, pp. 60-65. 1924.
definition, number by acreage, and tenancy. Atl. Am. Agr., Adv. Sh. Pt. V, Sec. A., p. 11. 1919.
forest, cultivation, thinning, pruning, and protection. F.B. 888, pp. 19-23. 1917.
in Southern States, area, extent, organization, and labor. D.B. 1269, pp. 2-38, 69-77. 1924.
labor, classes, and wages. D.B. 1269, pp. 19-38, 70-71. 1924.
management in South, systems and cost. D.B. 1269, pp. 11-19, 76-77. 1924.
organization, relation to land tenure. C. O. Brennen. D.B.1269, pp.78. 1924.
regions. Y.B., 1923, p. 530. 1924; Y.B. Sep. 897, p. 530. 1924.
system, diversified farming under. D. A. Brodie and C. K. McClelland. F.B.299, pp. 16. 1907.
tree, cultivation and care. For. Cir. 161, pp. 19-22. 1909.
young trees, protection. For. Misc., S-18, pp. 6, 10. 1916.
Planters—
corn, cotton, potatoes, manufacture and sale. Y.B., 1922, pp. 1022, 1023, 1028. 1923; Y.B.Sep. 887, pp. 1022, 1023, 1028. 1923.
corn, description. S.R.S. Syl. 21, p. 9. 1916.
peanut, description and use. F.B. 1127, p.12. 1920.
potato—
description. F.B. 365, pp. 9-10. 1909; F.B. 1064, pp. 25-26. 1919.
types. F.B. 386, pp. 6-7. 1910; F.B. 1064, pp. 25-26. 1919; Sec. Cir. 92, pp. 19-20. 1918.
Protective Association, tobacco pooling. B.P.I. Bul. 268, pp. 47, 55. 1913.
Planting—
apple trees, details, soil preparation, and spacing systems. F.B. 1360, pp. 14-23. 1924.
asparagus, methods, stock selection. C. T. and F.C.D. Inv. Cir. 7, pp. 6-7. 1919.
beans, time, method, rate, depth, and planters. F.B. 907, pp. 6-7, 8. 1917.
beet, dates, methods, and seed quantity per acre. D.B. 748, pp. 3, 20-21, 35-36. 1919.
blackberries, directions. F.B. 1399, pp. 4-5. 1924.
board, trees, school exercise. D.B. 527, pp. 26-27. 1917.
citrus trees, directions. F.B. 1447, pp. 19-20. 1925.
city gardens, planting table, dates, and zones. F.B. 936, pp. 28-31. 1918.
corn—
dates, in various regions. Y.B., 1921, pp. 183, 184, 775. 1922; Y.B. Sep. 872, pp. 183, 184. 1922; Y.B. Sep. 871, p. 6. 1922.
methods and planters. D.B. 320, pp. 18-22. 1916.
methods to control borer. F.B. 1294, pp. 36-43. 1922.
more profitable method. C. P. Hartley. F.B. 400, pp. 14. 1910.
semiarid regions, time and methods. F.B. 773, pp. 12-16. 1916.
time and method, school studies, topics, exercises, and references. D.B. 653, pp. 5-6. 1918.
time, methods, and rate. F.B. 1149, pp. 9-14. 1920.
cotton—
dates. Atl. Am. Agr., Adv. Sh., Pt. V, Sec. A., p. 10. 1919.
time and methods, studies. D.B. 511, pp. 10-11, 62. 1917.
cottonseed, heavy, advantage. Herbert J. Webber and E. B. Boykin. F.B. 285, pp. 16. 1907.
crops—
day's work. D.B. 3, pp. 18-22. 1913.
movements, north and south. Stat. Bul. 85, pp. 112-131. 1912.
cucumbers, methods. F.B. 254, pp. 7-9, 18, 26. 1906.
dates—
for certain crops. Y.B., 1921, pp. 775-776. 1922; Y.B. Sep. 871, pp. 6-7. 1922.
for several crops. Y.B., 1922, pp. 989-990. 1923; Y.B. Sep. 887, pp. 989-990. 1923.

36167°—32——117

Planting—Continued.
  dates—continued.
    for various crops in North Dakota. D.B. 757, pp. 25-26. 1919.
    on New Hampshire farms. F.B. 337, p. 22. 1908.
  deep, injurious effects on apple trees. D.B. 730, pp. 38-39. 1918.
  directions for sugar grove. For. Bul. 59, pp. 34-35. 1905.
  Dutch bed, economies. D.B. 1331, p. 9. 1925.
  everbearing strawberries, time, methods, and distance. F.B. 901, pp. 9-12. 1917.
  fall, grain, promotion. Y.B., 1917, pp. 39-41, 47-48. 1918.
  fig trees, directions. F.B. 1031, pp. 12-14. 1919.
  forest—
    in intermountain region. C. F. Korstian and F. S. Baker. D.B. 1264, pp. 57. 1925.
    operations, nurseries and seedlings. Y.B., 1907, pp. 287-288. 1908; Y.B. Sep. 466, pp. 287-288. 1908.
    reserve, instructions to officers. For. [Misc.], "Instructions to * * *," pp. 6. 1907.
    seedlings for reforestation of national forest, methods. D.B. 475, pp. 19-20, 23-29, 35-38. 1917.
    trees, reserve. For. Plant. Leaf. 23, pp. 4. 1906.
    trees, successful methods, stock, and cultivation. Y.B. 1911, pp. 262-265. 1912; Y.B. Sep. 566, pp. 262-265. 1912.
  fruit trees, season. F.B. 1001, p. 9. 1919.
  garden, recommendations. S.R.S. Doc. 48, pp. 4. 1917.
  grape cuttings or rooted vines. F.B. 471, pp. 12-13. 1911.
  hardwood trees on farm, methods, season, and spacing. F.B. 1123, pp. 7-12. 1921.
  home flowers, shrubs, grass, and trees. Y.B., 1902, pp. 502-506. 1903.
  intentions report. Off. Rec., vol. 3, No. 34, p. 3. 1924.
  maple groves, directions. For. Bul. 59, pp. 34-35. 1905.
  milo, distances between rows and plants, effects, etc., experiments at San Antonio experiment farm. D.B. 188, pp. 3-20. 1915.
  olive trees, distance apart. F.B. 1249, pp. 22-24. 1922.
  peanut, methods, time, and rate. S.R.S. Doc. 45, pp. 3-4. 1917; O.E.S.F.I.L. 13, pp. 8-10. 1912.
  pecan seed, time, methods, and seed selection. B.P.I. Bul. 251, pp. 18-20. 1912.
  pine seedlings, directions. F.B. 1453, pp. 31-32. 1925.
  plans, farm and forest, preparation and description. F.B. 228, pp. 10-14. 1905.
  pop corn, directions. F.B. 553, pp. 7-8. 1913.
  potatoes—
    day's work. S.B. 10, p. 11. 1925.
    for late crops in South, date and methods. F.B. 1205, pp. 27, 31, 36. 1921.
    in South for early crop, date and methods. F.B. 1205, pp. 17-19. 1921.
    time—
      depth and spacing. News L., vol. 4, No. 33, p. 2. 1917.
      rate, and methods. F.B. 1064, pp. 15-16, 22-27. 1919.
    seed, variety selection, and seed cutting. S.R.S. Doc. 86, pp. 3-4. 1918.
    practices in Colorado, depth, dates, and rates. D.B. 917, pp. 19-21. 1921.
    program for 1919. An. Rpts., 1918, pp. 9-10. 1919; Sec. A.R., 1918, pp. 9-10. 1918.
  raspberries, time, methods, and distance. F.B. 887, pp. 7-14. 1917.
  reports, new. Off. Rec., vol. 2, No. 18, pp. 1-2. 1923.
  rod rows, tests, field technic, experiments. J.A.R. vol. 11, pp. 399-419. 1917.
  rose, distances for different varieties, and depths. F.B. 750, pp. 5-8, 10, 18-20. 1916.
  seasons in Porto Rico, demonstrations. P.R. An. Rpt., 1922, p. 2. 1923.
  spineless prickly pears. F.B. 483, pp. 14-15. 1912.

Planting—Continued.
  sugar beets—
    methods, distance, and cost. D.B. 735, p. 18, 1918.
    practices and cost, Utah and Idaho. D.B. 693, pp. 25-26. 1918.
  sugarcane, time, methods, and rate. D.B. 486. pp. 3-5, 16-21. 1917.
  sweetpotatoes—
    distances for varieties, number per acre. F.B. 999, p. 17. 1919.
    time, method, and distance. S.R.S. Syl. 26, pp. 5-6. 1917.
  table for—
    garden seeds, time for planting and maturity. F.B. 818, pp. 18-19. 1917; F.B. 937, p. 16. 1918.
    gardeners. F.B. 647, p. 28. 1915.
    school and home gardening. D.B. 305, p. 62. 1915.
  thin, necessity for dry-land crops. Y.B., 1911, pp. 359-360. 1912; Y.B. Sep. 574, pp. 359-360. 1912.
  time for field crops, with quantity of seed. Y.B., 1902, pp. 755-757. 1903.
  time, tables for vegetable garden. F.B. 934, pp. 20, 21, 22. 1918.
  tree(s)—
    methods, slit and deep-hole, directions. F.B. 888, pp. 16-17. 1917.
    on rural school grounds. Wm. L. Hall. F.B. 134, pp. 32. 1901.
    plans for—
      private owners, assistance of Forest Service. For. Cir. 165, pp. 3-5. 1909.
      western Kansas and adjacent regions. For. Cir. 161, pp. 26-29. 1909.
    slit method, description. Y.B., 1911, p. 263. 1912; Y.B. Sep. 566, p. 263. 1912.
  velvet beans, soil preparation, time, and method. S.R.S. Doc. 44, pp. 3-4. 1917.
  walnuts, choice of site, and possible production. D.B. 933, pp. 32-40. 1921.
  white pine in New England. Harold B. Kempton. For. Bul. 45, pp. 40. 1908.
  zones, guide for vegetable growers. F.B. 1044, pp. 15-19. 1919.
  See also Transplanting.
Plasmodiophora brassicae—
  cause of cabbage clubroot. F.B. 488, p. 14. 1912; F.B. 925, rev., p. 11. 1921.
  cause of plant galls, comparison with Spongospora subterranea. J.A.R., vol. 14, pp. 543, 567-568. 1918.
  tissue invasion. L. O. Kunkel. J.A.R., vol. 14, pp. 543-572. 1918.
  See also Cabbage clubroot.
Plasmodiophoraceae, description and habits. J.A.R., vol. 14, pp. 568-570. 1918.
Plasmopara—
  cubensis, cause of downy mildew of cucumber. Guam A.R., 1917, p. 50. 1918.
  halstedii, life history. J.A.R., vol. 5, No. 2, pp. 65-66. 1915.
  sp., occurrence on plants in Texas, and description. B.P.I. Bul. 226, p. 33. 1912.
  See also Mildew.
Plaster—
  and Paris green mixture, misbranding. N.J. 74, I. and F. Bd. S.R.A. 1, pp. 11-12. 1914.
  board, substitute for lath and plaster, production. Rpt. 117, pp. 37-39, 71. 1917.
  cellar wall, directions. Y.B., 1919, p. 446. 1920; Y. B. Sep. 824, p. 446. 1920.
  houses, description. O.E.S.F.I.L. 8, p. 4. 1907.
  land. See Gypsum; Land plaster.
  of Paris—
    bandage for fracture, directions. B.A.I. [Misc.], "Diseases of cattle," rev., pp. 270-271. 1904; rev., pp. 279-280. 1912; rev., pp. 273-274. 1923.
    effect on roaches, tests. D.B. 707, pp. 11-12. 1918.
    pad, misbranding. Chem. N.J. 496, pp. 3. 1910.
    walls, painting, preparations. F.B. 1452, pp. 22-23. 1925.
Plastophora crawfordi, enemy of boll weevil parasite. Ent. Bul. 100, p. 42. 1912.

Platanaceae—
  characters. For. [Misc.], "Forest trees for Pacific * * *," p. 334. 1908.
  injury by sapsuckers. Biol. Bul. 39, pp. 39, 51, 80. 1911.
Platanus—
  occidentalis. See Sycamore.
  orientalis, importation and description. No. 42648, B.P.I. Inv. 47, pp. 43-44. 1920.
  spp., injury by sapsuckers. Biol. Bul. 39, pp. 39, 51, 80. 1911.
  spp. See Buttonwood; Sycamore.
Plate girders, steel bridges, description and use. Rds. Bul. 43, pp. 19-20. 1912.
Plate papers, specifications. Rpt. 89, p. 44. 1909.
Platforms, warehouse, contruction and materials. D.B. 801, pp. 40-41, 49-50, 58-59. 1919.
Plathypena scabra—
  parasite enemies. D.B. 1336, pp. 16-18. 1925.
  See Clover worm, green.
Platinum, laboratory utensils. Chem. Bul. 137. pp. 180-181. 1911.
Platonia insignis, stock for mangosteens. B.P.I. Bul. 202, p. 28. 1911.
Platte River and tributaries, water rights within the States. Elwood Mead. B.P.I. Bul. 157, pp. 97-116. 1905.
Platte Valleys, North and South, forest planting. Frank G. Miller. For. Cir. 109, pp. 20. 1907.
Platycampus schiodte, synonyms. Ent. T.B. 20, Pt. II, p. 99. 1911.
Platycarya strobilacea, importation and description. No. 44667, B.P.I. Inv. 51, p. 40. 1922.
Platycodon—
  description and climate adaptations. F.B. 1381, p. 39. 1924.
  grandiflorum, description, cultivation, and characteristics. F.B. 1171, pp. 46-47, 79. 1921.
Platygaster—
  herrickii, enemy of Hessian fly, description. Ent. Bul. 67, p. 96. 1907; F.B. 640, p. 16. 1915.
  vernalis, importance, distribution, life history, and mortality. J.A.R., vol. 25, pp. 31-42. 1923.
Platymetopius spp., description and life history. Ent. Bul. 108, pp. 69-72. 1912.
Platynus placidus, enemy of codling moth. Ent. Bul. 115, Pt. I, p. 75. 1912.
Platynus sp., description. Ent. Bul. 123, p. 13. 1914.
Platyomus lividigaster—
  description and life history. Hawaii A.R., 1912, p. 32. 1913.
  enemy of plant lice, Hawaii. Hawaii Bul. 27, p. 10. 1912.
Platypodidae, key to subfamilies and list of genera. Ent. T.B. 17, Pt. II, pp. 225, 227. 1915.
Playas, in Great Basin, structural development and saline deposits. D.B. 61, pp. 36-60. 1914.
Playgrounds—
  Colorado, San Isabel National Forest. D.C. 5, pp. 1-19. 1919.
  community, establishment in Nebraska, methods. News L., vol. 6, No. 30, p. 10. 1919.
Plectranthus coetsa, importation and description. No. 47758. B.P.I. Inv. 59, p. 56. 1922.
Plectrodera scalator—
  description, habits, and control. F.B. 1169, pp. 66-68. 1921.
  See also Cottonwood borer.
Plectrophenax nivalis. See Bunting; Snowflake.
Plegadis spp. See Ibis.
Pleiogynium solandri, importation and description. No. 52897, B.P.I. Inv. 67, p. 10. 1923.
Pleiospermium alatum, importation and description. No. 40102, B.P.I. Inv. 42, p. 68. 1918.
Plenodomus—
  destruens—
    cause of foot rot of sweet potato. F.B. 714, pp. 13-14. 1916; F.B. 1059, p. 12. 1919; J.A.R., vol. 1, No. 3, pp. 253-255. 1913; S.R.S. Syl. 26, p. 14. 1917.
    description, perpetuation, and characteristics. J.A.R., vol. 1, pp. 255-273. 1913.
    growth in concentrated solutions. J.A.R., vol. 7, pp. 256-259. 1916.
  fuscomaculans—
    cause of apple canker. S.R.S. Rpt., 1915, Pt. I, p. 150. 1917.

Plenodomus—Continued.
  fuscomaculans—continued.
    growth and reproduction, studies. J.A.R., vol. 5, No. 16, pp. 713-769. 1916.
Plethodon cinereus, range and habits. N.A. Fauna 22, p. 134. 1902.
Pleuraphis mutica, distribution and description. D.B. 201, pp. 37-38. 1915.
Pleurisy—
  cattle, symptoms and treatment. B.A.I. [Misc.], "Diseases of cattle," rev., pp. 93-94. 1904; rev., pp. 94-96. 1912; rev., pp. 95-96. 1923.
  hog, cause, symptoms, and treatment. F.B. 1244, p. 14. 1923.
  horse, cause, symptoms, and treatment. B.A.I. [Misc.], "Diseases of the horse," rev., pp. 131-135. 1903; rev., pp. 131-135. 1907; rev., pp. 131-135. 1911; rev., pp. 122-126. 1923.
  root, habitat, range, description, collection, prices, and uses of roots. B.P.I. Bul. 107, p. 56. 1907.
  See also Pneumonia.
Pleuroneura spp., description and synonyms. Ent. T.B. 20, Pt. II, pp. 104-105. 1911.
Pleuropneumonia—
  animal, eradication. Y.B., 1919, pp. 70, 76. 1920; Y.B. Sep. 802, pp. 70, 76. 1920.
  contagious, of cattle, history, causes, description, and treatment. B.A.I. [Misc.], "Diseases of cattle," rev., pp. 364-375, 376. 1904; rev., pp. 379-392. 1912; rev., pp. 366-379. 1923.
  eradication. B.A.I. An. Rpt., 1911, p. 84. 1913; B.A.I. Bul. 32, p. 8. 1901; B.A.I. Cir. 213, p. 84. 1913.
  legislation. B.A.I. Bul. 28, pp. 37, 54, 75, 79, 94-95, 100-101, 138, 144, 167, 172. 1901.
  prevention in United States. Y.B., 1918, pp. 240-241. 1919; Y.B. Sep. 783, pp. 4-5. 1919.
  septic—
    of calves, symptoms. D.B. 674, p. 5. 1918; F.B. 1018, p. 4. 1918.
  See also Septicemia, hemorrhagic.
  See also Influenza; Pneumonia, edematous.
Pleuropogon spp., description, distribution, and uses. D.B. 772, pp. 10, 36, 37. 1920.
Pleurospermum spp., importations and descriptions. Nos. 39045-39047. B.P.I. Inv. 40, p. 63. 1917.
Pleurotropis—
  parasitic on Trachelus tabidus. D.B. 834, p. 12. 1920.
  rugosithorax, parasitic on serpentine leaf-miner. J.A.R., vol. 1, p. 82. 1913.
  table and descriptions of species. Ent. T.B. 19, Pt. II, pp. 22-23. 1910.
  utahensis, parasite of corn-leaf miner. J.A.R., vol. 2, p. 28. 1914.
Pleurotus—
  astreatus. See Mushroom, oyster.
  spp., description. D.B. 175, pp. 12-13. 1915.
Plodia interpunctella—
  description. D.B. 15, p. 2. 1913.
  See also Moth, Indian-meal.
Plot(s)—
  field, experimental, permanence of differences. J. Arthur Harris and C. S. Scofield. J.A.R., vol. 20, pp. 335-356. 1920.
  tests, field technic, experiments. A. C. Arny and H. K. Hayes. J.A.R., vol. 15, pp. 251-262. 1918.
Plough's Prescription C-2223. See Indexes, Notices of Judgment, in bound volumes, and in separates published as supplements to Chemistry Service and Regulatory Announcements.
Plover—
  Azara ring, distribution. Biol. Bul. 35, p. 93. 1910.
  black-bellied, breeding range and migration habits. Biol. Bul. 35, pp. 78-79. 1910.
  boll-weevil enemy, destruction by hunters. Biol. Cir. 64, p. 2. 1908.
  breeding grounds, Great Plains, description. Y.B., 1917, pp. 198-200. 1918; Y.B. Sep. 723, pp. 4-6. 1918.
  field, food habits. Ent. Bul. 30, p. 93. 1901.
  golden—
    breeding range and migration habits. Biol. Bul. 35, pp. 80-85. 1910.

Plover—Continued.
  golden—continued.
   distribution, migration habits, and protection.
    Y.B., 1914, pp. 285–286, 292. 1915; Y.B. Sep.
    642, pp. 285–286, 292. 1915.
   enemy of cutworms, Hawaii. Hawaii Bul. 27,
    p. 9. 1912.
   European, breeding range and migration.
    Biol. Bul. 35, pp. 79–80. 1910.
   flight, comparison with aeroplane motion.
    D.B. 185, p. 35. 1915.
   migration habits and routes, rapid flight.
    D.B. 185, pp. 12, 16–18, 27, 35. 1915.
   occurrence, migration, and decreasing numbers.
    Biol. Bul. 38, p. 33. 1911.
   Pacific, breeding range and migration habits.
    Biol. Bul. 35, p. 85. 1910; N.A. Fauna 46, pp.
    78–79. 1923.
   Pacific, occurrence on Laysan Island. Biol.
    Bul. 42, p. 21. 1912.
   little ringed, breeding and migration. Biol. Bul.
    35, p. 90. 1910.
   Mongolian, breeding range and migration habits.
    Biol. Bul. 35, p. 93. 1910.
   mountain, breeding range and migration habits.
    Biol. Bul. 35, pp. 94–95. 1910.
   occurrence in—
    Athabaska-Mackenzie region. N.A. Fauna 27,
     pp. 332–336. 1906.
    Porto Rico, migration dates. D.B. 326, p. 38.
     1916.
   piping, breeding range and migration habits.
    Biol. Bul. 35, pp. 91–92. 1910.
   piping, occurrence in Nebraska. D.B. 794, p. 35.
    1920.
   range and habits. N.A. Fauna 21, pp. 41, 74.
    1901; N.A. Fauna 22, pp. 100–102. 1902; N.A.
    Fauna 24, pp. 22, 64. 1904.
   range, occurrence, and names. M.C. 13, pp.
    67–71. 1923.
   ringed, breeding range and migration habits.
    Biol. Bul. 35, p. 90. 1910.
   rufous-naped—
    breeding and migration habits. Biol. Bul. 35,
     p. 94. 1910.
    occurrence in Porto Rico. D.B. 326, p. 38. 1916.
   semipalmated—
    breeding range and migration habits. Biol.
     Bul. 35, pp. 88–90. 1910.
    occurrence in Alaska. N.A. Fauna 30, p. 36.
     1909.
   snowy, breeding range and migration habits.
    Biol. Bul. 35, pp. 92–93. 1910.
   upland—
    breeding range and migration habits. Biol.
     Bul. 35, pp. 64–67. 1910.
    description, range, and habits. Biol. Bul. 35,
     pp. 64–67. 1910; F.B. 513, p. 30. 1913.
    distribution, decrease, need of protection.
     Y.B., 1914, pp. 283–284. 1915; Y.B. Sep. 642,
     pp. 283–284. 1915.
    distribution, economic value, and food habits.
     F.B. 497, pp. 14–16. 1912.
    occurrence, breeding range, and food habits.
     Biol. Bul. 38, p. 31. 1911; M.C. 13, p. 63.
     1923.
   usefulness in boll weevil destruction. Biol. Bul.
    29, pp. 7, 20. 1907.
   varieties, breeding range and migration habits.
    Biol. Bul. 35, pp. 64–67, 78–85, 88–95. 1910.
   Wilson's, breeding range and migration habits.
    Biol. Bul. 35, pp. 93–94. 1910.
Plow(s)—
  bottom—
   action on furrow slice, study. J.A.R., vol. 12,
    pp. 149–182. 1918.
   development, history. J.A.R., vol. 12, pp. 173–
    182. 1918.
  care and repair. F.B. 946, pp. 3–6. 1918.
  cost per acre and per day, relation to service
   tables. D.B. 338, pp. 7–9. 1916.
  day's work by kinds in Illinois, by size of team.
   D.B. 814, pp. 4–8. 1920.
  descriptions and uses in corn culture. D.B. 320,
   pp. 11, 13, 14, 24, 26, 28. 1916.
  different kinds, day's work. D.B. 3, pp. 8–14, 43.
   1913.
  disk, description. F.B. 162, pp. 31–32. 1903.
  disk, description, use in peanut culture, sandy
   land. F.B. 431, p. 9. 1911.

Plow(s)—Continued.
  ditching—
   for—
    irrigation. Y.B., 1909, pp. 295, 296. 1910;
     Y.B. Sep. 514, pp. 295, 296. 1910.
    trenching, description. F.B. 698, pp. 3–6.
     1915.
   types and cost. F.B. 1131, pp. 4–9. 1920.
  furrows, use and value in chinch-bug destruction
   and control. News L., vol. 2, No. 40, p. 7.
   1915.
  gang—
   use on cotton lands in the South, description.
    F.B. 326, pp. 10, 19. 1908.
   value, life, repair cost, and acreage worked.
    D.B. 757, pp. 17, 18. 1919.
  kinds, need in dry farming. F.B. 769, pp. 7–8.
   1916.
  manufacture and sale. Y.B., 1922, pp. 1020,
   1021, 1028. 1923; Y.B. Sep. 887, pp. 1020, 1021,
   1028. 1923.
  parts, description, uses, care and repair. F.B.
   946, pp. 3–6. 1918.
  reversible and balance, description. F. B. 392,
   pp. 15–16. 1910.
  riding, use by cotton growers. S. B. 5, p. 31.
   1925.
  Scotch bottom, use for turning sod, description.
   F.B. 464, p. 9. 1911.
  subsoil, description. O.E.S. Bul. 226, p. 29.
   1910.
  sulky, days of service. News L., vol. 3, No. 14,
   p. 7. 1915.
  traction, use in growing sugar beets. Rpt. 86,
   pp. 25, 36. 1908.
  use in sugar-beet growing. D.B. 721, p. 36. 1918.
  walking, average life. News L., vol. 3, No. 12,
   p. 6. 1915.
Plowing—
  acreage, May 1, 1918, with comparisons. News
   L., vol. 5, No. 42, p. 6. 1918.
  alfalfa, methods. F.B. 215, p. 17. 1905.
  beet land, methods and labor requirements.
   D.B. 963, pp. 28–30. 1921.
  beets, farm practices in Michigan and Ohio.
   D.B. 748, pp. 12–13, 32. 1919.
  citrus orchards, practices. F.B. 1447, pp. 26–27.
   1925.
  contour, for prevention of erosion. D.B. 512, p
   4. 1917; F.B. 997, pp. 7, 38. 1918; F.B. 1386,
   p. 5. 1924.
  corn—
   advantages. Guam Cir. 3, p. 2. 1922.
   cultivation, practices in various regions, United
    States. D.B. 320, p. 4. 1916; F.B. 199, pp.
    19–20. 1904.
   in semiarid regions, time and method. F.B.
    773, pp. 10–12. 1916.
   land, practices, twenty-one regions, United
    States. D.B. 320, pp. 13–15. 1916.
   usefulness against drought. F.B. 257, p. 30.
    1906.
  cost—
   per acre, with various sizes of tractors. F.B.
    1004, pp. 19–20. 1918.
   with horses. B.P.I. Bul. 170, pp. 34–36. 1910.
  cotton—
   field preparation. B.P.I. Doc. 523, rev., p. 2.
    1911.
   practices. F.B. 217, pp. 4–5. 1905; F.B. 364,
    pp. 9–10. 1909.
   time and crew. D.B. 896, pp. 34, 35–36. 1920.
  dates for various crops, North Dakota. D.B.
   757, pp. 25–26. 1919.
  day's work—
   for implements, horses, and men. D.B. 412,
    pp. 2, 3–4. 1916; D.B. 1292, pp. 8–12. 1925.
   in Illinois, gang, sulky, and tractor, comparison.
    D.B. 814, pp. 4–8. 1920.
   in New York and Illinois, comparison. D.B.
    814, pp. 30–31. 1920.
   with different plows. D.B. 3, pp. 8–14, 43.
    1913.
  deep—
   advantages. B.P.I. Doc. 503, rev., pp. 5–7.
    1913.
  and—
   cross, value in control of white grubs. F.B.
    856, pp. 16–17, 57. 1917.

INDEX TO PUBLICATIONS, 1901–1925   1855

Plowing—Continued.
  deep—continued
    and—continued.
      shallow, for tobacco, recommendations. Y.B., 1905, p. 227. 1906; Y.B. Sep. 378, p. 227. 1906.
      control of cotton root-rot. B.P.I. Bul. 102, p. 40. 1907.
      cotton lands in the South. F.B. 326, pp. 7, 10, 22. 1908.
      dry farming, notes. Y.B., 1911, pp. 253, 254. 1912; Y.B. Sep. 565, pp. 253, 254. 1912.
      injurious to growing crops, in Clarendon County, S. C. Soil Sur. Adv. Sh., 1910, p. 13. 1912; Soils F.O., 1910, p. 427. 1912.
      injury to growing corn, in Lauderdale County, Miss. Soil Sur. Adv. Sh., 1910, p. 13. 1912; Soils F.O., 1910, p. 741. 1912.
      necessity—
        for corn crop. B.P.I. Doc. 485, p. 1. 1909.
        in beet growing. Rpt. 90, pp. 18, 19, 34. 1909.
        in cotton growing, sandy loam. Soils Cir. 46, p. 12. 1911.
      results in wheat growing. B.P.I. Bul. 178, pp. 11–12, 15–18. 1910.
      use in erosion control. D.B. 180, p. 13. 1915.
      versus shallow. B.P.I. Doc. 503, pp. 2, 4, 6. 1909; rev., 1913; F.B. 245, pp. 8, 10. 1906.
    depth—
      effect on soil bacteria, studies. O.E.S. An. Rpt., 1910, pp. 143, 145. 1911.
      fall and spring, by States, table. Y.B., 1918, p. 700. 1919; Y.B. Sep. 795, p. 36. 1919.
      for wheat land, experiments. B.P.I. Cir. 61, pp. 19, 30. 1910.
      regulation, methods. News L., vol. 5, No. 43, p. 2. 1918.
    distances traveled, per acre. F.B. 1202, p. 51. 1921.
    dry land, effect on crop yields, experiments. D.B. 1293, pp. 7–9. 1925.
    experiments—
      dry farming, fall and spring, deep and shallow. D.B. 157, pp. 5–20. 1915.
      effect of variations in time. D.B. 253, pp. 1–15. 1915.
    fall—
      advantages. F.B. 414, pp. 17–19. 1910.
      and winter, for control of tobacco hornworms. Ent. Cir. 123, pp. 11–12. 1910.
      and winter, value in bollworm control. F.B. 872, p. 9. 1917.
      comparison with summer fallow. S.R.S. Rpt. 1915, Pt. I, pp. 36, 125. 1917.
      deep, and the seed bed. S. A. Knapp. B.P.I. Doc. 403, pp. 7. 1908.
      deep, as control method for beet leafspot. F.B. 618, pp. 11, 13. 1914.
      for control of white grubs. F.B. 543, pp. 17–18. 1913.
      for grubworm control. F.B. 940, p. 24. 1918.
      for South, advantages. News L., vol. 6, No. 5, p. 7. 1918.
      in dry farming, effect on soil moisture. J.A.R., vol. 10, pp. 123–131, 152. 1917.
      method for weed destruction. News L., vol. 3, No. 17, pp. 1–2. 1915.
      necessity for potato growing. F.B. 386, p. 5. 1910.
      or winter, advantages, Bienville Parish, La. Soil Sur. Adv. Sh., 1908, pp. 14–15, 20. 1909; Soils F.O., 1908, pp. 852–853, 858. 1911.
      orchard sod, directions. F.B. 491, pp. 16–17. 1912.
      prevention of root aphids. Ent. Bul. 85, Pt. VI, p. 107. 1910.
      use and value in white-grub control. News L., vol. 3, No. 8, pp. 1, 2–3. 1915.
      value for red-spider control. D.B. 416, pp. 59–60, 68. 1917.
      value in grasshopper destruction. F.B. 747, p. 18. 1916.
      for beans, value comparison with fall plowing method. F.B. 907, p. 5. 1917.
      for corn planting, time, and methods. News L., vol. 4, No. 24, pp. 1, 2. 1917.
      for peanuts, time and depth. F.B. 431, p. 8. 1911.
    grain sorghum, directions. F.B. 1137, p. 18. 1920.

Plowing—Continued.
  in—
    bean growing, time, and method. F.B. 561, p. 3. 1913.
    California sugar-beet districts, methods and depths. D.B. 760, pp. 12–14. 1919.
    North Carolina, Cumberland County. Soil Sur. Adv. Sh., 1922, p. 116. 1925.
    peanut, growing. F.B., 356, pp. 10–11. 1909.
  ineffectiveness in June beetle control. D.B. 891, pp. 45–46. 1922.
  instructions, western Texas and Oklahoma. B.P.I. [Misc.], "Field instructions for Texas and Oklahoma," pp. 4–6. 1913.
  labor-saving practices. F.B. 1042, pp. 4–6. 1919.
  land for corn. F.B. 1149, p. 4. 1920.
  land for irrigation in Oregon. O.E.S. Bul. 226, pp. 29, 61. 1910.
  late—
    for grain-bug control. News L., vol. 6, No. 52, p. 11. 1919.
    for control of corn-stalk borer. F.B. 875, p. 10. 1917.
    remedy for false wireworm. Ent. Bul. 95, Pt. V, pp. 78, 86. 1912.
  method(s)—
    cost in dry farming. D.B. 157, pp. 10–11, 15, 44. 1915.
    in—
      Alaska, Kenai Peninsula. Soil Sur. Adv. Sh., 1916, p. 113. 1919; Soils F.O., 1916, p. 145. 1921.
      Florida, Gadsden County. Soil Sur. Adv. Sh., 1903, p. 348. 1904; Soils F.O., 1903, p. 348. 1904.
      Louisiana, Washington Parish. Soil Sur. Adv. Sh., 1922, p. 353. 1925.
      Missouri, Cooper County. Soil Sur. Adv. Sh., 1909, p. 17. 1911; Soils F.O., 1909, p. 1379. 1912.
      North Dakota, Jamestown area. Soil Sur. Adv. Sh., 1903, pp. 1021–1022. 1904; Soils F.O., 1903, pp. 1021–1022. 1904.
      reclamation of gullies. F.B. 1234, pp. 12–13. 1922.
      southwestern Minnesota. D.B. 1271, pp. 16–17. 1924.
    midsummer, for sandy jack-pine lands, reasons. F.B. 323, pp. 8–9, 10, 24. 1908.
    motor, use of alcohol as fuel. F.B. 269, p. 11. 1906.
    necessity and value for bean production. F.B. 907, p. 5. 1917.
    objects of operation. F.B. 245, p. 9. 1906.
    orchards, to control brown rot. D.B. 1252, pp. 3–4. 1924.
    peach orchard, method and kind of plow. Y.B. 1902, pp. 619–620. 1903.
    practices in Colorado, sugar-beet districts. D.B. 917, pp. 13–15. 1921.
    preparation for rice crop. F.B. 417, pp. 11–12. 1910.
    quality of work, comparison of tractors and horses. F.B. 1278, pp. 23–24. 1922.
    records and estimates, cooperative studies in North Dakota. D.B. 529, p. 6. 1917.
    relation to soil moisture, wetness and dryness. F.B. 245, p. 9. 1906.
    saving labor by larger teams and implements. F.B. 989, pp. 5–6. 1918.
    shallow, necessity for light sandy land. F.B. 323, pp. 9, 24. 1908.
    small-grain stubble in eastern Colorado, effect of different times. O. J. Grace. D.B. 253, pp. 15. 1915.
    specifications in large-scale farm contract. D.C. 351, p. 31. 1925.
    spring—
      and fall—
        as eradication method for wild onions. News L., vol. 3, No. 44, pp. 1–2. 1916.
        cost. Stat. Bul. 73, p. 51. 1909.
        cotton growing, practices, and studies. D.B. 511, pp. 6–8, 61. 1917.
        compared with fall for Wyoming. D.B. 1306, pp. 6–8, 29. 1925.
        comparison with fall plowing for grain. B.P.I. Bul. 187, pp. 51–52. 1910; B.P.I. Cir. 61, pp. 17–18. 1910.
        percentage of pastures, May 1, estimates, various years. F.B. 598, pp. 7, 17. 1914.

Plowing—Continued.
  statistics of day's work with horses and with tractors. Y.B. 1922, pp. 1046, 1047. 1923; Y.B. Sep. 890, pp. 1046, 1047. 1923.
  steam or gasoline, economy of operation, cost, repairs, and labor. B.P.I. Bul. 170, pp. 16-21. 1910.
  stubble, spring and fall, comparison. News L., vol. 3, No. 4, pp. 1, 3. 1915.
  subsoil, value for drained and undrained lands. F.B. 266, pp. 10-11. 1906.
  substitutes for, practices. D.B. 268, pp. 7, 8, 11, 12, 13, 15, 18, 19, 21-22. 1915.
  sugar beet—
    disking and rolling, costs. D.B. 726, pp. 17-25. 1918.
    practices. F.B. 567, pp. 5-6, 13. 1914; Rpt. 92, p. 16. 1910.
    practices and cost in Idaho and Utah. D.B. 693, pp. 17-19. 1918.
    practices, cost per acre. D.B. 733, pp. 11-13. 1918.
    time, depth, and methods, studies. F.B. 568, pp. 4-6, 20. 1914.
  summer, value for white-grub control. News L., vol. 3, No. 36, pp. 2-3. 1916.
  time, manner, and styles of plows. F.B. 266, pp. 12-16. 1906.
  time suitable, and influence on corn-earworm control. F.B. 1310, p. 16. 1923.
  to control quackgrass. F.B. 1307, p. 19. 1923.
  traction—
    L. W. Ellis. B.P.I. Bul. 170, pp. 44. 1910.
    area, depth, and average work per hour. D.B. 174, pp. 23-27, 42. 1915.
    operating cost. News L., vol. 3, No. 49, pp. 3-4. 1916.
    outfits, work done per day, various sized plows. F.B. 1035, pp. 17-18. 1919.
    See also Tractor.
  tractor—
    daily acreage, and cost per acre. F.B. 963, pp. 14-16, 21-22. 1918.
    days used, and work done per day. F.B. 1278, pp. 12-13, 15, 19. 1922.
    field planning. News L., vol. 6, No. 50, pp. 1-2. 1919.
    laying out fields for. H. R. Tolley. F.B. 1045, pp. 40. 1919.
    selection. F.B. 1300, pp. 4-5, 6, 7. 1922.
    turning problems. News L., vol. 6, No. 50, pp. 1-2. 1919.
    use in Corn Belt. F.B. 1093, pp. 5, 10-12, 13-14. 1920.
  treatment of orchards for pear thrips, experiments. Ent. Cir. 131, pp. 10-15. 1911.
  under, crops infested with chinch bugs. F.B. 1223, pp. 33-35. 1922.
  use—
    against subterranean insects. J.A.R. vol. 5, No. 12, p. 528. 1915.
    and value in Hessian-fly control. News L., vol. 2, No. 34, p. 1. 1915.
    and value in wild-onion eradication, methods. F.B. 610, pp. 3-5, 6, 8. 1914.
    in army-worm control. News L., vol. 6, No. 44, pp. 1-2, 15. 1919.
    in wireworm control, experiments and comparisons. D.B. 78, pp. 19-23, 29. 1914.
    of tractors and horses on Corn-Belt farms. F.B. 1295, pp. 5-6. 1923.
  value in—
    control of soil erosion. Soils Bul. 71, pp. 35-36. 1911.
    grasshopper control. F.B. 691, pp. 9, 14. 1915.
    rose-chafer control. Ent. Bul. 97, p. 64. 1913.
    soil improvement. F.B. 704, pp. 4, 8. 1916.
    various sized tractors and plows, total cost per acre. F.B. 1035, p. 23. 1919.
    vineyards for control of grape-berry moth. D.B. 550, pp. 12-13, 40. 1917; Ent. Bul. 116, Pt. II, p. 51. 1912.
  wheat—
    belt, stimulation of early work. D.C. 351, p. 19. 1925.
    for winter. Y.B., 1919, pp. 128, 130, 131, 133, 140. 1920; Y.B. Sep. 804, pp. 128, 130, 131, 133, 140. 1920.

Plowing—Continued.
  wheat—continued.
    methods in dry farming, and results. D.B. 1173, pp. 18-32. 1923.
    suggestions. D.B. 1440, pp. 6-7. 1924.
    winter, for insect control in cotton. F.B. 890, pp. 4, 6, 7, 9, 12, 26. 1917.
    with gasoline traction engines. B.P.I. Cir. 10, pp. 2-3. 1908.
    work done by tractors and by horses on Corn-Belt farms. D.B. 997, pp. 15-19, 26-27, 34-37. 1921.
Plowrightia morbosa, vitality test under low temperature. J.A.R., vol. 5, No. 14, pp. 652, 654, 655. 1916.
Plowrightia morbosa. See also Plum black-knot.
Plowsole—
  control, use of Canadian field pea. B.P.I. Bul. 190, pp. 17, 31. 1910.
  formation, and damage to citrus orchards. F.B. 1447, pp. 26-27. 1925.
  formation in furrow irrigation. D.B. 499, p. 4. 1917.
  in California, Modesto-Turlock area, cause and control. Soil Sur. Adv. Sh., 1908, p. 14. 1909; Soils F.O., 1908, p. 1238. 1911.
  in citrus groves, relation to soil colloids. Charles A. Jensen. J.A.R., vol. 15, pp. 505-519. 1918.
  nature and prevention. F.B. 266, p. 13. 1906.
  water extracts, composition studies. J.A.R., vol. 15, pp. 505-517. 1918.
Plucking, poultry, producers' methods. F.B. 1377, pp. 18-22. 1924.
Plukenetia conophora, importation and description. No. 38644, B.P.I. Inv. 39, pp. 11, 156. 1917.
Plum(s)—
  Abundance, characteristics in Piedmont and Blue Ridge region. B.P.I. Bul. 135, p. 60. 1908.
  acreage, 1910, by States, map. Y.B., 1915, p. 385. 1916; Y.B. Sep. 681, p. 385. 1916.
  American, early history, citations from explorers. D.B. 179, pp. 2-5. 1915.
  American, native species, classification and description. D.B. 179, pp. 1-75. 1915.
  and prunes, imports, statistics. Y.B., 1921, p. 755. 1922; Y.B. Sep. 867, p. 19. 1922.
  aphids—
    control. F.B. 908, pp. 93-94. 1918.
    description, habits, seasonal history, and control. F.B. 1128, pp. 15-20, 38-45, 47, 48. 1920.
    distribution, description, and injuries to trees. F.B. 804, pp. 19-22. 1917.
    mealy, description, habits, and control. F.B. 1128, pp. 19-20, 47-48. 1920.
    rusty, description, habits, and history. F.B. 804, pp. 19-20. 1917.
  aphis, mealy, life history and habits. W. M. Davidson. D.B. 774, pp. 16. 1919.
  bacterial spot, on the market. F.B. 1435, pp. 2-3. 1924.
  beach, description, distribution, varieties, and hybrids. D.B. 179, pp. 7, 8, 9, 12, 55-57. 1915.
  Big-tree, description, distribution, and hybrids. D.B. 179, pp. 29-31. 1915.
  black-knot, use by plum curculio. Ent. Bul. 103, pp. 33, 37-38. 1912.
  blotch, a disease of the Japanese plum, caused by Phyllosticta congesta. John W. Roberts. J.A.R., vol. 22, pp. 365-370. 1921.
  blue-mold rot. F.B. 1435, pp. 3-5. 1924.
  borer—
    American. E. B. Blakeslee. D.B. 261, pp. 13. 1915.
    American, life history. D.B. 261, pp. 3-11. 1915.
    description. Sec. [Misc.], "A manual of insects * * *," p. 173. 1917.
    botanical description and horticultural development. D.B. 179, pp. 5-17. 1915.
    Brazilian, infestation with Mediterranean fruit fly. D.B. 536, pp. 24, 36. 1918.
    breeding at field station near Mandan, N. Dak. D.B. 1301, p. 33. 1925.
    Briancon, description and uses. B.P.I. Bul. 261, p. 12. 1912.
    brown rot—
      on the market. F.B. 1435, pp. 5-9. 1924.

INDEX TO PUBLICATIONS, 1901–1925 1857

Plum(s)—Continued.
　brown rot—continued.
　　resistance. W. D. Valleau. J.A.R., vol. 5, No. 9, pp. 365–396. 1915.
　bud moth, description. Sec. [Misc.], "A manual * * * insects * * *," p. 177. 1917.
　bushel weights, Federal and State. Y.B., 1918, p. 725. 1919; Y.B. Sep. 795, p. 61. 1919.
　butter, making, directions. F.B. 900, pp. 6–7. 1917.
　Canada, classification, description, and distribution. D.B. 179, pp. 7, 9, 19, 21–24. 1915.
　canned, misbranding. Chem. N.J. 92–93, pp. 1–2. 1909; Chem. N.J. 2178, pp. 2. 1913.
　canning—
　　directions. D.B. 1084, p. 28. 1922; F.B. 839, pp. 19–20, 30. 1917; F.B. 853, pp. 17, 28. 1917; S.R.S. Doc. 12, p. 2. 1917.
　　methods, effect of various sirups, fruit weight. D.B. 196, pp. 49–50. 1915.
　　seasons. Chem. Bul. 151, pp. 35, 41. 1912.
　characters. F.B. 468, p. 41. 1911.
　cherry, or wild. See Plum, Myrobalan.
　Chickasaw, description, distribution, varieties, and hybrids. D.B. 179, pp. 7, 8, 9, 12, 42–44. 1915.
　Chinese, importations and descriptions. No. 36112, B.P.I. Inv. 36, pp. 7, 54. 1915; No. 43988, B.P.I. Inv. 50, p. 13. 1922; Nos. 48729–48732, B.P.I. Inv. 61, p. 41. 1922.
　composition and analytical data. Chem. Bul. 66, rev., p. 42. 1905.
　Creek, description and distribution. D.B. 179, pp. 39–40. 1915.
　crop, losses caused by plum curculio, estimation. Ent. Bul. 103, p. 27. 1912.
　cultivation methods. F.B. 149, pp. 21–25. 1902; O.E.S. Bul. 178, pp. 78–80. 1907.
　curculio—
　　A. L. Quaintance and E. L. Jenne. Ent. Bul. 103, pp. 250. 1912.
　　Fred Johnson and A. A. Girault. Ent. Cir. 73, pp. 10. 1906.
　　control, one-spray method, experiments. Ent. Bul. 80, pp. 113–146. 1912.
　　egg-laying, record, table. Ent. Bul. 37, pp. 105–107. 1902.
　　injury to apples and peaches, description, and control by spraying. News L., vol. 4, No. 39, pp. 4, 5. 1917.
　　life history, habits, enemies, and prevention. Y.B., 1905, pp. 325–330. 1906; Y.B. Sep. 386, pp. 325–330. 1906.
　　parasites—
　　　description, and life history. Ent. Bul. 103, pp. 140–151. 1912.
　　　life history. J.A.R., vol. 6, pp. 847–856. 1916.
　　　parasitic attack by Thersilochus conotracheli. R. A. Cushman. J.A.R., vol. 6, No. 22, pp. 847–856. 1916.
　diseases—
　　causes and control. S.R.S. Rpt., 1916, Pt. I, pp. 49, 94–95. 1918.
　　in Texas, occurrence and description. B.P.I. Bul. 226, pp. 31–32, 111. 1912.
　　treatment. F.B. 243, p. 21. 1906.
　drying, directions. D.C. 3, p. 21. 1919; F.B. 841, pp. 23–24. 1917.
　dwarf, importation and description. No. 39946. B.P.I. Inv. 42, p. 42. 1918.
　food value, analysis and comparison with other fruits. F.B. 685, p. 21. 1915.
　freezing points. D.B. 1133, pp. 3, 4, 5, 7. 1923.
　freight rates, 1913 and 1923. Y.B., 1923, p. 1170. 1924; Y.B. Sep. 906, p. 1170. 1924.
　fruitfulness, relation to weather. M. J. Dorsey. J.A.R., vol. 17, pp. 103–126. 1919.
　Golden, description. Y.B., 1905, pp. 500–501. 1906; Y.B. Sep. 399, pp. 500–501. 1906.
　gouger, occurrence and similarity to plum curculio. Ent. Bul. 103, pp. 21, 28. 1912.
　green, use as mock olives. F.B. 296, p. 16. 1907.
　ground, value as pasture. B.P.I. Cir. 31, p. 8. 1909.
　growing—
　　for home use, planting season, and distance. F.B. 1001, pp. 4, 5, 8, 19. 1919.

Plum(s)—Continued.
　growing—continued.
　　in—
　　　Alaska, varieties. Alaska A.R., 1907, pp. 22, 36. 1908.
　　　California, Healdsburg area. Soil Sur. Adv. Sh., 1915, pp. 15, 36, 45, 58. 1917; Soils F.O., 1915, pp. 2209, 2230, 2239, 2248. 1919.
　　　California, San Francisco Bay region. Soil Sur. Adv. Sh., 1914, pp. 18–19. 1917; Soils F.O., 1914, pp. 2690–2691. 1919.
　　　coast region of Pacific Northwest. F.B. 153, pp. 9–11. 1902.
　　　Colorado, Uncompahgre Valley area. Soil Sur. Adv. Sh., 1910, p. 20. 1912; Soils F.O., 1910, p. 1458. 1912.
　　　Minnesota, Stevens County. Soil Sur. Adv. Sh., 1919, p. 12. 1922; Soils F.O., 1919, p. 1384. 1925.
　　　Nevada, blossoming dates and varieties adapted. D.C. 136, pp. 15, 16. 1920.
　　　Oregon, Umatilla experiment farm, variety tests. W.I.A. Cir. 26, p. 24. 1919.
　　　Texas, San Antonio experiment farm. D.C. 209, p. 35. 1922.
　　　Texas, variety testing. D.B. 162, pp. 11–12, 23, 26. 1915.
　　　United States and foreign countries. Sec. [Misc.] Spec. "Geography * * * world's agriculture," pp. 78, 80. 1917.
　　　West Virginia, Kentucky, and Tennessee. D.B. 1189, p. 64. 1923.
　pruning and thinning. F.B. 149, pp. 20–25. 1902.
　hog, description, distribution, and hybrids. D.B. 179, pp. 37–39. 1915.
　hog, in Porto Rico, description and uses. D.B. 354, p. 81. 1916.
　hybrid(s), breeding in South Dakota. O.E.S. An. Rpt., 1910, pp. 81, 237. 1911.
　hybrid, Chinese and Japanese fruits, results in South Dakota. O.E.S. An. Rpt., 1911, pp. 198–199. 1912.
　importations and descriptions. Nos. 29649–29652, 29837, 30320, 30356, 30409, B.P.I. Bul. 233, pp. 34, 37, 76, 80, 84. 1912; Nos. 32017, 32328, B.P.I. Bul. 261, pp. 9, 17, 56. 1912; Nos. 34134, 34267–34268, 34271–34272, B.P.I. Inv. 32, pp. 14, 29–30. 1914; Nos. 36607, 36718–36722, 36804, B.P.I. Inv. 37, pp. 7, 37, 56, 67. 1916; No. 38974, B.P.I. Inv. 40, pp. 51–52. 1917; No. 39436–39438, B.P.I. Inv. 41, pp. 28–29. 1917; No. 41257, B.P.I. Inv. 44, p. 55. 1918; Nos. 41704, 42057, B.P.I. Inv. 46, pp. 7, 11, 51. 1919; Nos. 43039–43048, 43076–43112, 43175–43182, 43202–43212, B.P.I. Inv. 48, pp. 13, 17, 24, 27. 1921; Nos. 45229, 45685, B.P.I. Inv. 53, pp. 13, 78. 1922; Nos. 45716, 45944, B.P.I. Inv. 54, pp. 9, 45. 1922; Nos. 51743, 51878–51882, B.P.I. Inv. 65, pp. 4, 43, 62–63. 1923; Nos. 52580, 52615, B.P.I. Inv. 66, pp. 45, 51. 1923; Nos. 54028, 54393–54395, B.P.I. Inv. 68, pp. 3, 19, 57. 1923; Nos. 55745–55747, 55759–55761, 55783–55784, B.P.I. Inv. 72, pp. 29, 31, 34. 1924; Nos. 55818–55819, 55872, 55901, 55941, 56121, B.P.I. Inv. 73, pp. 6, 11, 14, 19, 39. 1924.
　imports, 1907–1909 (with prunes), quantity and value by countries from which consigned. Stat. Bul. 82, p. 41. 1910.
　Indian, importations and description. Nos. 40223–40235, B.P.I. Inv. 42, pp. 7, 98. 1918.
　injury by—
　　aphids in Georgia. Ent. Bul. 31, p. 56. 1902.
　　hop aphid. Ent. Bul. 111, pp. 31, 37. 1913.
　　Laspeyresia molesta. J.A.R., vol. 7, pp. 375, 378. 1916.
　　mealy plum aphid. D.B. 774, pp. 1, 15. 1919.
　　oriental peach moth. J.A.R., vol. 13, pp. 62, 63. 1918.
　　plum curculio. Ent. Bul. 103, pp. 34–36, 58, 103, 137. 1912.
　　pith-ray flecks. For. Cir. 215, p. 10. 1913.
　inoculation with brown rot, experiments and results. J.A.R., vol. 5, No. 9, pp. 374–379. 1915.
　insect pests, descriptions and lists. Sec. [Misc.], "A manual * * * insects * * *," pp. 17, 20, 21, 56, 105, 109, 111, 114, 172–180. 1917.
　insects, description and control. F.B. 908, pp. 91, 93–94. 1918.

Plum(s)—Continued.
Japanese—
 importations and descriptions. Nos. 43175–43181, B.P.I. Inv. 48, p. 24. 1921; Nos. 47933, 47934, B.P.I. Inv. 60, p. 16. 1922; No. 54756, B.P.I. Inv. 70, p. 16. 123.
 susceptibility to plum curculio. Ent. Bul. 103, p. 36. 1912.
 See also *Prunus triflora*.
Kafir, evergreen shade tree, importation and description. No. 34943, B.P.I. Inv. 34, p. 29. 1915.
Laire, origin and description. Y.B., 1911, pp. 429–430. 1912; Y.B. Sep. 581, pp. 429–430. 1912.
leaf-spot disease, inoculation experiments. J.A.R., vol. 13, pp. 539–569. 1918.
Malta. See Loquat.
Marianna, immunity to peach rosette. J.A.R., vol. 24, pp. 307, 311, 315. 1923.
marketing by parcel post, suggestions. F.B. 703, p. 15. 1916.
Methley, importation from Africa, and description. Inv. No. 31652, B.P.I. Bul. 248, p. 34. 1912.
miner, origin and history. D.B. 179, pp. 12–14. 1915.
misbranding. Chem. N.J. 13405. 1925.
Moncelt, origin and description. Y.B., 1911, pp. 432–433. 1912; Y.B. Sep. 581, pp. 432–433. 1912.
Myrobalan, use as grafting stock for plums. Ent. Bul. 97, p. 68. 1913.
Natal, host of Mediterranean fruit fly. D.B. 536, pp. 24, 48. 1918.
Natal, importation and description. No. 41504, B.P.I. Inv. 45, p. 41. 1918.
native varieties and hybrids, origin and species. D.B. 172, pp. 8–44. 1915.
Ogeche, injury by sapsuckers. Biol. Bul. 39, p. 48. 1911.
packing season. D.B. 196, p. 18. 1915.
pollination, limitation factors, discussion. J.A.R., vol. 17, pp. 118–123. 1919.
preserves compound, misbranding. Chem. N.J. 1584, pp. 2. 1912.
processing, directions and time-table. F.B. 1211, pp. 43, 49. 1921.
promising new varieties, origin and description. Y.B., 1911, pp. 430–433. 1912; Y.B. Sep. 581, pp. 430–433. 1912.
Queensland sour, importation and description. No. 43071, B.P.I. Inv. 48, p. 16. 1921.
red, maggot, description. Sec. [Misc.], "A manual of insects * * *," p. 176. 1917.
resistance to alkali. Soils Bul. 35, p. 40. 1906.
respiration studies. Chem. Bul. 142, pp. 14, 17, 22, 24, 26. 1911.
sand, description, distribution, varieties, and hybrids. D.B. 179, pp. 44–50. 1915.
shipments—
 by States and by stations, 1916. D.B. 667, pp. 6, 85. 1918.
 in carloads (with prunes), by States, 1920–1923. S.B. 8, pp. 56–58. 1925.
skin texture, relation to disease resistance. J.A.R., vol. 5, No. 9, pp. 367, 376–382. 1915.
slug, injuries and control. Ent. Bul. 97, pp. 91–102. 1913.
spraying, danger of poisoning, data. D.B. 1027, p. 23. 1922.
spraying for plum curculio. Ent. Bul. 103, pp. 215–218. 1912.
stem piercer, description. Sec. [Misc.], "A manual * * * insects * * *," p. 173. 1917.
Stoddard, origin and description. Y.B. 1902, pp. 478–479. 1903.
trees—
 acreage in 1919, map. Y.B., 1921, p. 467. 1922; Y.B. Sep. 878, p. 61. 1923.
 budding with rosetted peach buds, results. J.A.R. vol. 24, pp. 308, 309–314. 1923.
 characters, species on Pacific slope. For. [Misc.], "Forest trees * * * Pacific * * *," pp. 351–353. 1908.
 injury by—
  lesser peach borer. Ent. Bul. 68, pp. 32, 33. 1909.
  overfeeding with nitrogen. Y.B., 1901, p. 170. 1902; Y.B. Sep. 225, p. 170. 1902.

Plum(s)—Continued.
trees—continued.
 injury by—continued.
  sapsuckers. Biol. Bul. 39, pp. 42, 43, 44, 52, 81. 1911.
  by slugs. Ent. Bul. 97, Pt. V, p. 100. 1911.
  by smelter fumes. Chem. Bul. 89, p. 18. 1905.
 use for windbreak. For. Bul. 65, p. 20. 1905.
 varietal tests—
  at Belle Fourche experiment farm. D.C. 60, pp. 33–34. 1919.
  at field station near Mandan, N. Dak. D. B. 1301, pp. 18–21. 1925; D.B. 1337, p. 8. 1925.
  in Nevada, Newlands farm. D.C. 352, p. 15. 1925.
  in Oregon, Umatilla experiment farm. W.I.A. Cir. 17, pp. 28–29. 1917.
  in Texas, San Antonio experiment farm. B.P.I. Cir. 120, p. 15. 1913; D.C. 73, p. 31. 1920.
 varieties—
  classification by species. D.B. 172, pp. 4–8. 1915.
  comments on. F.B. 1001, pp. 29, 32–39. 1919.
  derived from native American species. W. F. Wight. D.B. 172, p. 44. 1915.
  for Great Plains area. F.B. 727, p. 33. 1916.
  geographical origin, by States, and for Canada. D.B. 172, pp. 2–3. 1915.
  in Nevada. B.P.I. Cir. 118, p. 27. 1913.
  in Virginia, Georgia, North and South Carolina. B.P.I. Bul. 135, pp. 59–61. 1908.
  parentage. D.B. 172, pp. 3–4. 1915.
  recommendations for various fruit districts. B.P.I. Bul. 151, pp. 42–46. 1909.
  recommended for regions of Tennessee, Kentucky, and West Virginia. D.B. 1189, pp. 64, 77. 1923.
  resistance to brown-rot. J.A.R., vol. 5, No. 9, pp. 365–396. 1915.
  susceptibility to curculio injury. Ent. Bul. 103, pp. 34–35. 1912.
 western, description, range, and occurrence on Pacific slope. For. [Misc.], "Forest trees for Pacific * * *," pp. 352–353. 1908.
 wild—
  Chinese, importation, and description. Nos. 40014, 40015. B.P.I. Inv. 42, pp. 6, 52. 1918.
  growing in Great Plains. F.B. 1312, p. 13. 1923.
  occurrence in—
   Colorado, description. N.A. Fauna, 33, p. 236. 1911.
   Wyoming, distribution and growth. N.A. Fauna 42, p. 72. 1917.
  stocks for hardy fruits, northern Great Plains. D.C. 58, pp. 7, 8. 1919.
 Wild Goose—
  characteristics in Piedmont and Blue Ridge region. B.P.I. Bul. 135, p. 61. 1908.
  origin and history. D.B. 179, pp. 15–16, 36. 1915.
 wilt—
  cause and control. S.R.S. Rpt., 116, Pt. I, pp. 49, 94. 1918.
  relation to gum formation, notes. J.A.R., vol. 24, pp. 227, 229. 1923.
Plumage—
 birds, protection—
  by law. Biol. Bul. 12, rev., pp. 34–37. 1902.
  international cooperation. An. Rpts., 1910, p. 130. 1911; Sec. A.R., 1910, p. 130. 1910; Rpt. 93, p. 82. 1911; Y. B., 1910, p. 129. 1911.
 fowl, relation to feeding. J.A.R., vol. 29, pp. 285–287. 1924.
 importation—
  prohibitions. F.B. 1077, p. 64. 1919; F.B. 1235, pp. 59, 79. 1921.
  tariff act, 1913. F.B. 1010, p. 53. 1918.
  tariff act and regulations. F.B. 1375, pp. 53–54, 69. 1923.
 millinery, use prohibited. Biol. Bul. 12, rev., pp. 15–17. 1902.
 prohibitions, 1917. F.B. 910, pp. 7, 58–59. 1917.
 tariff, Canadian provisions. F.B. 1288, p. 78. 1922.
Plumas National Forest, Calif.—
 information for mountain travelers, map. For. Rec. Map. 1916.
 location, description, and area. D.C. 185, p. 15. 1921.
 map. For. Maps. 1925.

INDEX TO PUBLICATIONS, 1901-1925   1859

Plumas National Forest, Calif.—Continued.
    map and directions to hunters and campers.
       For. Map. Fold. 1915.
PLUMB, C. S.: "Marketing livestock." F.B. 184, pp. 40. 1903.
Plumbing—
    care of and cleaning, directions. F.B. 1180, pp. 21–22. 1921.
    country home, useful hints. O.E.S.F.I.L. 8, p. 7. 1907.
    farm. George M. Warren. F.B. 1426, pp. 22. 1924.
    farmhouse, improvements suggested. F.B. 270, pp. 10–21. 1906.
    fixtures, selection for house. Y.B., 1914, p. 347. 1915; Y.B. Sep. 646, p. 347. 1915.
    for farm homes. D.B. 57, pp. 31–33. 1914.
    necessity and value in city and country homes. News L., vol. 5, No. 34, p. 4. 1918.
    requirements for abattoirs. B.A.I. An. Rpt., 1909. pp. 255–258. 1911. B.A.I. Cir. 173, pp. 255–258. 1911.
    system for sewage disposal, farmhouse. F.B. 527, pp. 23–24. 1913.
    system with septic tank, details and cost. Y.B., 1916, pp. 361–370. 1917. Y.B. Sep. 712, pp. 15–24. 1917.
Plumbism, symptoms and treatment. B.A.I. [Misc.], "Diseases of the horse," rev., pp. 222–223. 1903; rev., p. 223. 1907; rev., p. 223. 1911; rev., p. 245. 1923.
Plumcot—
    Chinese, description. B.P.I. Bul. 204, p. 22. 1911.
    description. B.P.I. Bul. 223, p. 47. 1911.
    See also Apricot, Japanese.
Plume—
    hunters, ravages on Laysan Island, and their control. Y.B., 1911, pp. 163–164. 1912; Y.B. Sep. 557, pp. 163–164. 1912.
    hunting, control. An. Rpts., 1912, p. 677. 1913; Biol. Chief Rpt., 1912, p. 21. 1912.
Plume grass—
    description. D.B. 772, pp. 258, 259. 1920.
    importations and descriptions. No. 41685, B.P.I. Inv. 46, p. 9. 1919; No. 52383, B.P.I. Inv. 66, p. 19. 1923.
Plumeria acutifolia, importation and description. No. 50668, B.P.I. Inv. 64, p. 10. 1923.
PLUMMER, F. G.—
    "Chaparral: Studies in the dwarf forests, or elfinwood, of southern California." For. Bul. 85, pp. 48. 1911.
    "Forest fires: Their causes, extent, and effects, with a summary of recorded destruction and loss." For. Bul. 117, pp. 39. 1912.
    "Lightning in relation to forest fires." For. Bul. 111, pp. 39. 1912.
PLUMMER, J. K.—
    "Availability of potash in some common soilforming minerals and effect of lime upon potash absorption by different crops." J.A.R., vol. 14, pp. 297–316. 1918.
    "Petrography of some North Carolina soils and its relation to their fertilizer requirements." J.A.R., vol. 5, pp. 569–582. 1915.
    "Studies in soil reaction as indicated by the hydrogen electrode." J.A.R., vol. 12, pp. 19–31. 1918.
Plunger—
    dipping vats, description and use. F.B. 798, p. 15. 1917.
    pump, types, description and use in irrigation. F.B. 899, p. 13. 1917.
Plush—
    manufacture from mohair. B.A.I. Bul. 27, pp. 58–60. 1906.
    quantity used in railroad and street cars. B.A.I. Bul. 27, p. 58. 1906.
Plusia—
    brassicae, fungous disease on. Ent. Bul. 95, Pt. VII, p. 118. 1912.
    chalcites, description, life history, and control. Hawaii Bul. 27, pp. 11–12, 14. 1912.
Plutella—
    armoracia. See Horse-radish webworm.
    maculipennis—
       enemy of cabbage and kale. P.R. An. Rpt., 1907, p. 35. 1908.

Plutella—Continued.
    maculipennis—Continued.
       injury to—
          cabbage in Hawaii. Ent. Bul. 109, Pt. III, pp. 32–33. 1912.
          vegetables in Porto Rico, description. D.B. 192. pp. 9, 10, 11. 1915.
       life history. J.A.R., vol. 10, pp. 1–10. 1917.
       See also Moth, diamond back.
Pluteus cervinus, description. D.B. 175, p. 27. 1915.
Plywood—
    construction and use in airplanes. An. Rpts., 1918, p. 196. 1919; For. A.R., 1918, p. 32. 1918.
    definition. News L., vol. 7, No. 11, p. 7. 1919.
    panels, drying directions. D.B. 1136, pp. 41–42. 1923.
    tests, Forest Products Laboratory. D.C. 231, pp. 11–13, 27. 1922.
Pneumoenteritis. See Septicemia, hemorrhagic.
Pneumonia—
    bird, symptoms and treatment. F.B. 770, p. 20. 1916.
    brooder chicks, cause, symptoms, and prevention. F.B. 530, pp. 29–30. 1913; F.B. 1337, pp. 13–14. 1923.
    cattle, symptoms and treatment. B.A.I. [Misc.]. "Diseases of cattle," rev., pp. 94–96. 1904; rev., pp. 96–97. 1912; rev., pp. 96–98. 1923.
    causes, symptoms, and treatment. For. [Misc.] "A manual * * * insects * * *," p. 87. 1917.
    cure—
       "Ammon phenyl," misbranding. Chem. N.J. 942, p. 2. 1911.
       Gowan's, misbranding. Chem. N.J. 180, pp. 2. 1910.
       Hilton's Specific, misbranding. Chem. N.J. 3043. 1914.
       misbranding. Chem. N.J. 3975, p. 1. 1915; Chem. N.J. 3979, p. 1. 1915.
    fur animals, symptoms and treatment. Y.B., 1916, p. 502. 1917; Y.B. Sep. 693, p. 14. 1917.
    hog—
       causes and control. F.B. 1244, p. 15. 1923; Hawaii Bul. 48, p. 23. 1923.
       prevention in garbage feeding. F.B. 1133, p. 20. 1920.
       serious results. Y.B., 1922, p. 219. 1923; Y.B. Sep. 882, p. 219. 1923.
    horse, causes, symptoms, and treatment. B.A.I. [Misc.], "Diseases of the horse," rev., pp. 122–127. 1903; rev., pp. 122–127. 1907; rev., pp. 122–127. 1911; rev., pp. 113–119. 1923.
    lambs, cause and treatment. F.B. 1155, p. 26. 1921.
    mycotic, of poultry, causes and prevention. Y.B., 1911, pp. 186–188. 1912; Y.B. Sep. 559, pp. 186–188. 1912.
    pheasant, symptoms and treatment. F.B. 390, p. 38. 1910.
    pig, similarity to hog cholera. F.B. 384, p. 12. 1917.
    pigs, caused by infection of lungs with Ascaris sp. J.A.R., vol. 11, pp. 397, 398. 1917.
    septic, caused by dead rats. Biol. Bul. 33, p. 33. 1909.
    sheep, cause, symptoms, and treatment. F.B. 1155, p. 26. 1921.
    verminous, of hogs, diagnosis. B.A.I. An.Rpt., 1907, p. 241. 1909; B.A.I. Cir. 144, p. 241. 1909.
Pneumonic plague spread by rats. Y.B., 1917, pp. 235–236, 246, 247–248. 1918; Y.B. Sep. 725, pp. 3–4, 14, 15–16. 1918.
Pneumothorax, cattle, treatment. B.A.I., [Misc.], "Diseases of cattle," rev., p. 97. 1904; rev., p. 99. 1912; rev., p. 99. 1923.
Poa—
    flabellata. See Tussock grass.
    nemoralis—
       var. firmula, host of Puccinia triticina. J.A.R., vol. 22, pp. 164–172. 1921.
       See also Meadow grass, wood.
    sandbergia, occurrence, Utah, and value for grazing. J.A.R., vol. 1, pp. 389, 390, 393. 1914.
    spp.—
       distribution, description, and feed value. D.B. 201, pp. 38–40. 1915; D.B. 772, pp. 11, 38–45. 1920.

Poa—Continued.
spp.—continued.
susceptibility to stem rust. J.A.R., vol. 10, pp. 465-483. 1917.
See also Bluegrass.
trivialis. See Birdgrass.
Poaceae—
general characters. D.B. 772, pp. 5-6. 1920.
See also Grasses.
Poachers, arrest at bird reservation, Laysan Island. Biol. Bul. 42, pp. 26-28. 1912.
Poatae tribes, key to. D.B. 772, pp. 6-7. 1920.
Pocatello Nursery, irrigation practice, shading. D.B. 479, pp. 34, 35, 37, 43, 46, 49, 62, 69, 73. 1917.
Pochard, European, description. N.A. Fauna 46, p. 48. 1923.
Pochote—
fiber, detention at Mexican border. F.H.B. S.R.A. 54, pp. 73-74. 1918.
importation and description. No. 39389, B.P.I. Inv. 41, p. 23. 1917.
Pod(s)—
alfalfa hybrids and parents, variations, and description. B.P.I. Bul. 169, pp. 34, 39. 1910.
black, disease of cacao, symptoms, cause, and control, studies. P.R. An. Rpt., 1913, pp. 26-28. 1914.
length, inheritance in certain crosses of beans. J.A.R., vol. 5, No. 10, pp. 405-420. 1915.
legume, moth and maggot, description. Ent. Bul. 95, Pt. VI, pp. 89-108. 1912.
spot—
of beans, treatment and prevention. F.B. 1371, rev., p. 9. 1927.
of okra, cause, description, and cultural characters. J.A.R., vol. 14, pp. 207-212. 1918.
of peas, prevention. D.C. 35, p. 19. 1919.
Podapolipus spp., description. Rpt. 108, p. 108. 1915.
Podasocys montanus, breeding range and migration habits. Biol. Bul. 35, pp. 94-95. 1910.
Podilymbus podiceps. See Grebe, pied-billed.
Podisus maculiventris—
enemy of—
army worm. Ent. Bul. 66, p. 64. 1910.
Plathypena scabra. D.B. 1336, p. 18. 1925.
potato beetle. Ent.Bul. 82, pp. 3-4. 1912.
See also Soldier-bug, spined.
Podkwassa, powder of yoghurt. B.A.I. An. Rpt., 1909, p. 153. 1911; B.A.I. Cir. 171, p. 153. 1911.
Podocarpus chinensis, root nodules, fixation of nitrogen. P.R. An. Rpt., 1911, p. 38. 1912.
Podocinum spp., description. Rpt. 108, pp. 79, 84. 1915.
Podomys spp., description. N.A. Fauna 28, pp. 226-228. 1909.
Podophyllum emodi, uses and distribution. Inv. 29328, B.P.I. Bul. 233, pp. 8, 11. 1912.
Podopterus guatemalensis, importation and description. No. 50669, B.P.I. Inv. 64, p. 10. 1923.
Podosphaera—
leucotricha—
cause of apple powdery mildew. F.B. 1120, p. 6. 1920.
occurrence in Texas and description. B.P.I. Bul. 226, p. 25. 1912.
See also Mildew.
Poecilonota—
cyanipes, injury to aspen trees. F.B. 1154, p. 9. 1920.
spp., larval structure, distribution, habits and host trees. D.B. 437, pp. 5, 7. 1917.
Pogonomyrmex barbatus—
enemy of leaf hoppers. D.B. 254, p. 15. 1915.
injury to sugarcane. Ent. Cir. 171, p. 6. 1913.
See also Ants, harvest, Texas.
Pogonopus speciosus, importation and description. No. 45360, B.P.I. Inv. 53, pp. 7, 32. 1922.
Pogophila alba. See Gull, ivory.
Pogostemon parviflorus, importation and description. No. 47759, B.P.I. Inv. 59, p. 56. 1922.
Poha—
berry, composition and use. Hawaii A.R., 1914, pp. 65, 67. 1915.
growing, Hawaii, note. Hawaii A.R., 1912, p. 85. 1913.
importations and descriptions. No. 44065, B.P.I. Inv. 50, p. 22. 1922; Nos. 44790-44792, B.P.I. Inv. 51, p. 69. 1922; No. 47514, B.P.I. Inv. 59, p. 24. 1922; Nos. 48180, 48181, B.P.I. Inv. 60, pp. 52-53. 1922.

Poha—Continued.
jelly making in Hawaii. Hawaii Bul. 47, pp. 20-22. 1923.
See also Ground cherry; Physalis.
Pohuehue, food plant of sweet-potato weevil in Hawaii. Hawaii A.R., 1907, p. 29. 1908.
Pohutukawa, importation and description. No. 34715, B.P.I. Inv. 33, p. 51. 1915.
Poi—
Hawaiian food, taro roots. B.P.I. Bul. 164, p. 15. 1910.
making in Hawaii, details. Y.B., 1916, p. 201. 1917; Y.B. Sep. 689, p. 3. 1917.
Poinciana, royal, importation and description. No. 39964, B.P.I. Inv. 42, p. 43. 1918.
Poinsettia—
annual, description, cultivation, and characteristics. F.B. 1171, pp. 35-36, 82. 1921.
growing, experiments with daylight of different lengths. J.A.R., vol. 23, pp. 876-877, 883, 903. 1923.
Point Isabel soils, in South Texas, description and uses. Soil Sur. Adv. Sh., 1909, pp. 63-64. 1910; Soils F.O., 1909, pp. 1087-1088. 1912.
Poison(s)—
alkaline, cause of waterfowl mortality, investigations. D.B. 217, pp. 6-8. 1915.
and poisoning. V. T. Atkinson. B.A.I. [Misc.], "Diseases of cattle," rev., pp. 53-69. 1904; rev., pp. 53-69. 1908; rev., pp. 54-70. 1912; rev., pp. 51-72. 1923.
ant, directions for use. D.B. 377, pp. 11-22. 1916; F.B. 1101, pp. 8-11. 1920.
antidotes. B.A.I. [Misc.], "Diseases of cattle," rev., pp. 55, 56, 57, 58, 59. 1904; rev., pp. 60, 61, 62, 63. 1923; rev., pp. 57, 58, 61, 63, 65, 66, 70. 1912.
baits for army worm, formula and directions. D.C. 35, pp. 3-4. 1919; D.C. 40, pp. 3-4. 1919; F.B. 731, p. 10. 1916; F.B. 835, rev., p. 10. 1920; Hawaii Bul. 45, pp. 14, 31. 1920; Vir. Is. Bul. 1, p. 14. 1921.
bottle for killing insects, description. F.B. 606, pp. 6-9. 1914.
contact—
for sucking insects, preparation and formulas. F.B. 1362, pp. 6-10. 1924.
useless against boll weevil. F.B. 1329, p. 27. 1923.
valueless in boll-weevil control. F.B. 1262, pp. 28, 31. 1922.
copper acetate, from vinegar action. F.B. 1438, p. 14. 1924.
cornstalk disease, discussion. B.A.I. An. Rpt., 1904, pp. 66-75. 1905.
cottonseed—
investigations. Chem. Chief Rpt., 1921, p. 21. 1921.
meal, effect of autoclaving, experiments. J.A. R., vol. 26, pp. 9-10. 1923.
creeper. See Poison ivy.
cyanide and gas, deadly character. F.B. 699, pp. 6-8. 1916.
danger in fumigation with hydrocyanic-acid gas. Ent. Cir. 163, pp. 6-8. 1912.
definition, sources, action, general symptoms, and treatment. B.A.I. [Misc.], "Diseases of cattle," rev., pp. 53-56. 1904; rev., pp. 54-57. 1912; rev., pp. 51-54. 1923.
dogwood. See Sumac poison.
dust for boll weevil control. B.R. Coad. Y.B., 1920, pp. 241-252. 1921; Y.B. Sep. 842, pp. 241-252. 1921.
effect—
of cottonseed products. F.B. 1179, pp. 6-7. 1923.
on—
catalytic power of soils. Soils Bul. 86, pp. 19-23. 1912.
curculios, insectary work, results. D.B. 1205, pp. 7-11, 14-17. 1924.
elder. See Sumac, poison.
fish, derris, use as insecticide, and efficiency. J.A.R., vol. 17, pp. 177-200. 1919.
foliage, by insecticides. Off. Rec., vol. 4, No. 48, p. 5. 1925.
gossypol, in cottonseed meal, studies. J.A.R. vol. 5, No. 7, pp. 261-288. 1915.
hemlock—
culture and handling as drug plant, yield. F.B. 663, p. 21. 1915.

Poison(s)—Continued.
  hemlock—continued.
    drug use, with price, description and range. F.B. 188, pp. 39-41. 1904.
    other names, habitat, description, collection, uses, and prices. D.B. 26, pp. 11-12. 1913.
  in poultry house, for rats and mice. F.B. 896, pp. 17-18. 1917.
  insecticides, use. F.B. 127, pp. 7-14. 1901.
  insects, stomach, experiments with lime-sulphur. Ent. Bul. 116, Pt. IV, pp. 81-90. 1913.
  ivy—
    and poison sumac, and their eradication. C. V. Grant and A. A. Hansen. F.B. 1166, pp. 16. 1920.
    control in cranberry fields. F.B. 1401, p. 13. 1924.
    description—
      destruction by chemicals and control methods. News L., vol. 2, No. 1, pp. 2-3. 1914.
      distribution, spread, and products injured. F.B. 660, p. 29. 1915.
      names, and local forms. F.B. 1166, pp. 3-8. 1920.
    detection in stomach of bird. Biol. Bul. 15, p. 14. 1901.
    distinction from Virginia creeper. F.B. 1166, pp. 7-8. 1920.
    distribution by crows. Biol. Bul. 15, p. 17. 1901.
    eradication methods. F.B. 1166, pp. 14-15. 1920.
    food of crows. Y.B., 1915, pp. 97, 98, 99. 1916; Y.B. Sep. 659, pp. 97, 98, 99. 1916.
    in western Wyoming, distribution and growth. N.A. Fauna 42, p. 72. 1917.
    injury by sapsuckers. Biol. Bul. 39, p. 22. 1911.
    occurrence—
      forms, and description. F.B. 1166, pp. 3-8. 1920.
      in Colorado, description. N.A. Fauna 33, p. 237. 1911.
    seed distribution by crows. D.B. 621, pp. 53, 59, 60. 1918.
    spraying with salt. O.E.S. An. Rpt., 1910, pp. 83, 216. 1911.
  larkspur, description of varieties of plant. F.B. 988, pp. 1-15. 1918.
  mash, use in grasshopper control in sorghum fields. F.B. 1158, p. 30. 1920.
  metal, on sprayed fruits and vegetables. W. D. Lynch and others. D.B. 1027, pp. 66. 1922.
  mineral, cattle, symptoms and treatment. B.A.I. [Misc.], "Diseases of cattle," rev., pp. 56-59. 1904; rev., pp. 57-61. 1912; rev., pp. 54-58. 1923.
  nitrites in bleached flour, notes and discussions. Chem. N.J. 382, pp. 8-45. 1910.
  oak—
    berries, food of birds. Biol. Bul. 30, pp. 21, 45, 53, 56, 65, 73, 83, 93. 1907.
    description, similarity to poison ivy. F.B. 1166, pp. 6-7. 1920.
    rust, occurrence and description, Texas. B.P.I. Bul. 226, p. 76. 1912.
    spread by birds. Biol. Bul. 30, pp. 53, 56, 73, 83, 93. 1907; Biol. Bul. 34, p. 37. 1910.
  Paspalum grass infected with Claviceps paspali. J.A.R., vol. 7, pp. 401-406. 1916.
  plant, use in destruction of fly larvae. D.B. 408, pp. 3-5. 1916.
  precautions in handling and storing. F.B. 1038, pp. 15-16. 1919.
  prussic acid, occurrence in feed of animals. B.A.I. An. Rpt., 1904, p. 66. 1905.
  removal from cottonseed, methods. J.A.R., vol. 12, pp. 86, 87, 88, 89, 90. 1918.
  sale, Federal and State laws. Chem. Bul. 98, rev., Pt. I, pp. 26. 1905.
  secretion by Ascaris. J.A.R., vol. 16, pp. 253-256. 1919.
  sego, danger to livestock. D.B. 575, p. 14. 1918.
  sirup, for control of ants, formulas and use. D.B. 965, pp. 20-41. 1921.
  sprays—
    for caterpillars, formulas and directions for mixing. D.B. 480, pp. 7-8. 1917.
    for control of false chinch bugs. F.B. 762, p. 3. 1916.

Poison(s)—Continued.
  sprays—continued.
    vineyard experiments, northeast Pennsylvania. Ent. Bul. 116, Pt. II, pp. 52-62. 1912.
    stations for mouse control. F.B. 1397, p. 10. 1924.
    stomach, for biting insects, preparation and formulas. F.B. 1362, pp. 4-5. 1924.
    sumac. See Sumac, poison.
    sweetened, valueless in boll-weevil control. F.B. 1262, p. 28. 1922.
  toxicity—
    of onion juice, study. J.A.R., vol. 30, pp. 175-187. 1926.
    variance with different animals, methods of feeding. Chem. Bul. 148, pp. 5-8, 91-95. 1912.
    treatment, horse. B.A.I. [Misc.], "Diseases of the horse," rev., p. 66. 1903; rev., p. 66. 1907; rev., p. 66. 1911; rev., p. 81. 1923.
  use—
    against household pests, precautions. F.B. 1180, pp. 26, 27, 28, 29. 1921.
    against insect pests, directions. P.R. Cir. 17, pp. 4-9. 1918.
    in Argentine ant control, experiments. Ent. Bul. 122, pp. 84-87. 1913; F.B. 928, pp. 17-19. 1918; F.B. 1101, pp. 7, 8, 11. 1920.
    in army-worm control. News L., vol. 6, No. 48, p. 4. 1919.
    in boll weevil control—
      B. R. Coad and T. P. Cassidy. D.B. 875, pp. 31. 1920.
      experiments. News L., vol. 5, No. 50, pp. 1, 5-6. 1918.
      experiments and results. Ent. Cir. 122, pp. 10-12. 1910; F.B. 848, pp. 34-35. 1917. F.B. 512, pp. 40-42. 1912.
    in cotton-insect control, formula. F.B. 890, pp. 5-6, 7, 9, 26. 1917.
    in cutworm control. D.B. 703, pp. 13-14. 1918.
    in destruction of—
      English sparrows. F.B. 383, pp. 10-11. 1910.
      field mice. Biol. Bul. 31, pp. 56-59. 1907; F.B. 352, pp. 13-17. 1909.
      noxious mammals. David E. Lantz. Y.B., 1908, pp. 421-432. 1909; Y.B. Sep. 491, pp. 421-432. 1909.
      prairie dogs, directions, and cautions. Biol. Cir. 32, rev., pp. 1-2. 1902; F.B. 227, pp. 22-24. 1905.
      predatory animals and rodents. An. Rpts. 1922, pp. 333-335, 338-343. 1923; Biol. Chief Rpt. 1922, pp. 3-5, 8-13. 1922.
      wolves, and coyotes, directions. Biol. Cir. 55, p. 4. 1907.
  in—
    flea-beetle control. D.B. 436, pp. 19, 20, 21. 1917.
    grasshopper control, directions. F.B. 1140, pp. 8-16. 1920.
    green June beetle control, failure. D.B. 891, pp. 37-38, 39, 48. 1922.
    house-fly control. F.B. 679, p. 12. 1915; F.B. 851, p. 11. 1917.
    killing predatory animals in Alaska. Biol. S.R.A. 53, p. 3. 1923.
    locust control. Ent. Bul. 57, pp. 21-22, 26. 1906.
    mole control. News L., vol. 3, No. 37, p. 3. 1916.
    rat control, list, and effectiveness, comparisons. F.B. 1302, p. 3. 1923.
    rodent control. Biol. Cir. 78, pp. 2-5. 1911; F.B. 349, pp. 14-16. 1909; F.B.484, pp. 7-16. 1912; F.B. 896, pp. 15-18. 1917; For. Bul. 98, pp. 37, 38. 1911; News L., vol. 3, No. 51, pp. 5-6. 1916; Y.B., 1908, pp. 306-308. 1909; Y.B. Sep. 482, pp. 306-308. 1909; Y.B., 1917, pp. 243, 249-251. 1918; Y.B. Sep. 725, pp. 11, 17-19. 1918.
    rose slug, control. Ent. Cir. 105, pp. 5-6. 1908.
    sapsucker control, methods. Biol. Bul. 39, pp. 97-98. 1911; F.B. 506, p. 15. 1912.
    sowbug and cricket control. Ent. Cir. 155, p. 9. 1912.
    tobacco budworm control, directions and cost. F.B. 819, pp. 6-9. 1917.
    treating woods and pulp-wood products. D.B. 1231, pp. 12-13, 15. 1924.

Poison(s)—Continued.
  use—continued.
    in—continued.
      water-cress sowbug and beetle control. Ent. Bul. 66, pp. 14, 19. 1910.
      on insects in small gardens, directions. F.B. 1044, p. 21. 1919.
      to kill wild animals, prohibition, Alaska. Biol. S.R.A. 59, p. 3. 1924.
    vegetable, medicinal and dietetic. B.A.I. [Misc.], "Diseases of cattle," rev., pp. 63-67. 1904; rev., pp. 64-69. 1912; rev., pp. 61-71. 1923.
    water for drinking, pollution by algae. Y.B., 1902, p. 186. 1903.
  See also Toxicity.
Poisoned—
  bait(s)—
    for—
      animals, injurious to young trees. B.P.I., D.L.A. 4, p. 4. 1919.
      ants, formulas. D.B. 1040, pp. 9, 18. 1922; F.B. 740, p. 11. 1916.
      cutworms and grasshoppers, formulas. D.B. 479, pp. 74, 75. 1917.
      cutworm control. F.B. 739, p. 3. 1916.
      cutworms on lettuce. F.B. 1418, p. 22. 1924.
      destruction of crows. D.B. 621, pp. 77-78. 1918.
      earwigs, direction, precautions, and results. D.B. 566, pp. 8-9, 11, 12. 1917.
      field mice, formulas. F.B. 670, pp. 7-8. 1915.
      flies, precautions. F.B. 734, p. 13. 1916; Sec Cir. 61, p. 7. 1916.
      gophers, preparation and use methods. News L., vol. 5, No. 4, pp. 7-8. 1917.
      gophers, use. M.C. 16, p. 11. 1925.
      grasshoppers. Ent. [Misc.], "Destroy grasshoppers with * *," pp. 4. 1918.
      grasshoppers, effect on parasitic enemies. J.A.R., vol. 2, p. 439. 1914.
      grasshoppers, formulas and directions. W.I.A. Cir. 27, p. 12. 1919; F.B. 637, pp. 9-10. 1915; F.B. 691, rev., pp. 11-14, 1920; Y.B., 1915, pp. 266-272. 1916; Y.B. Sep. 674, pp. 266-272. 1916.
      grasshoppers, improvement by orange or lemon juice, formula. News L., vol. 3, No. 5, p. 3. 1915.
      ground squirrels, formulas. F.B. 484, pp 14-15. 1912.
      mealy bugs, formula. F.B. 1306, p. 22. 1923.
      muskrats. F.B. 869, p. 18. 1917.
      onion maggot flies. D.C. 35, p. 19. 1919.
      rodents, formulas and directions. F.B. 479, pp. 77-79. 1917; F.B. 932, pp. 5-19. 1918; Y.B., 1916, pp. 384-395. 1917; Y.B. Sep. 708, pp. 4-15. 1917.
      rodents in forest plantations. D.B. 475, pp. 50-53. 1917.
      rodents, in grain fields. F.B. 800, p. 16. 1917.
      rodents in tree plantations. F.B. 1312, p. 28. 1923.
      silverfish, formula. F.B. 902, p. 4. 1917.
      sowbugs and crickets in mushroom beds. F.B. 789, pp. 11, 12. 1917.
      tomato-insect control, formula. S.R.S. Doc. 98, pp. 11-12. 1919.
      wolves and coyotes. Biol. Cir. 63, p. 10. 1908.
    formula, and use method. F.B. 890, pp. 5-6. 1917.
    sprays, use against melon fly. D.B. 643, p. 27. 1918.
    use—
      against injurious forest insects. Ent. Bul. 58, pp. 7-8, 38. 1910.
      in control of beet wireworms, experiments. Ent. Bul. 123, pp. 60-61. 1914.
      in control of cutworms, formula, and caution. S.R.S. Doc. 95, pp. 3-4. 1919.
      in control of mole crickets in seed beds and gardens. P.R. Bul. 23, pp. 23-24, 25. 1918.
      in gopher control, formula, use method and cost. News L., vol. 5, No. 26, pp. 7-8. 1918.
  bran—
    for corn earworm in vetch, F.B. 1206, pp. 15-16, 18. 1921.

Poisoned—Continued.
  bran—continued.
    for fall army worm control, directions. F.B. 752, p. 14. 1916.
    formula. F.B. 1140, pp. 8-9. 1920.
    formula for grasshopper control. F.B. 691, pp. 10-11, 15. 1915; F.B. 793, p. 27. 1917.
  mash—
    for cabbage worm control. F.B. 766, pp. 11-12. 1916.
    formulas. F.B. 1362, p. 5. 1924.
    preparation as insecticide. F.B. 1306, p. 27. 1923.
    use in control of grasshoppers. D.B. 293, pp. 11-12. 1915; F.B. 1283, p. 33. 1922.
  remedy for cutworms. Ent. Bul. 67, p. 126. 1907.
  use against crane-flies, formula. D.C. 172, pp. 7-8. 1921.
  use in grasshopper control on cranberry bogs, formula, and method. F.B. 860, p. 27. 1917.
  wounds, horse, treatment. B.A.I. [Misc.], "Diseases of the horse," rev., p. 470. 1903; rev., p. 470. 1907; rev., p. 470. 1911; rev., p. 495. 1923.
Poisoning—
  arsenical—
    of bees, examinations. D.C. 218, pp. 5-6, 12-13. 1922.
    value in corn-borer control. News L., vol. 6, No. 42, p. 7. 1919.
  by—
    arsenate, antidote and treatment. D.C. 268, pp. 2-4. 1923.
    arsenic, papers, fabrics, etc., causes and cases Chem. Bul. 86, pp. 8-21. 1904.
    calcium arsenate—
      dangers and precautions against. D.B. 875, pp. 5-6. 1920.
      for boll-weevil control. F.B. 1262, pp. 16-18. 1922.
    castor-bean, note. D.B. 867, p. 2. 1920.
    chicken pie, cause, discussion. D.B. 467, p. 26. 1916.
    Cicuta, danger, and symptoms. B.A.I. Doc. A-15, pp. 2, 3. 1917.
    Cicuta, prevention and control methods. News L., vol. 4, No. 46, p. 3. 1917.
    Claviceps paspali, experiments. J.A.R., vol. 7, pp. 404-405. 1916.
    coal-tar derivatives. Chem. Bul. 126, pp. 1-85. 1909.
    cocklebur, symptoms, lesions, and treatment. D.C. 283, pp. 3-4. 1923.
    cottonseed—
      meal, prevention. J.A.R., vol. 12, pp. 97-100. 1918.
      products, studies and experiments. J.A.R., vol. 14, pp. 425-452. 1918.
      products, symptoms, and precautions. F.B. 1179, pp. 6-7. 1920.
    death camas, avoidance, methods. F.B. 1273, p. 11. 1922.
    Eupatorium, symptoms in animals. B.A.I. Doc. A-26, p. 3. 1918.
    food, danger from canned meat, discussion. S.R.S. Doc. 80, pp. 5-6. 1918; rev., pp. 5-6. 1919.
    forage, symptoms, and treatment. B.A.I. [Misc.], "Diseases of the horse," rev., pp. 217-219. 1903; rev., pp. 217-219. 1907; rev., pp. 217-219. 1911; rev., pp. 238-241. 1923.
    headache mixtures, investigations, results, and caution. F.B. 377, pp. 4-16. 1909.
    insect powder, instances. D.B. 824, pp. 14-16. 1920.
    ivy, control methods, formula. News L., vol. 2, No. 1, pp. 2-3. 1914.
    ivy, symptoms, prevention, and remedies. F.B. 1166, pp. 11-13. 1920.
    larkspur—
      prevention methods. D.B. 365, pp. 82-84. 1916.
      symptoms. D.B. 365, pp. 61-66. 1916.
      treatment in range cattle, directions. F.B. 988, pp. 12-14. 1918.

Poisoning—Continued.
by—continued.
lead, horse, symptoms and treatment. B.A.I. [Misc.], "Diseases of the horse." rev., pp. 222-223. 1903; rev., p. 223. 1907; rev., p. 223. 1911; rev., p. 245. 1923.
loco-weed—
causes, symptoms, and control. F.B. 1054, pp. 11-15. 1919.
symptoms, horses, cattle, and sheep. F.B. 380, pp. 11-12. 1909.
lupine, symptoms. D.B. 405, pp. 9-13, 21-25, 33-38. 1916.
milkweed, symptoms and remedies. D.B. 800, pp. 25-34. 1920; D.C. 272, p. 3. 1923.
mountain laurel, effect on sheep and rabbits, experiments. B.P.I. Bul. 121, pp. 26-35. 1908.
nicotine, studies with insects and higher animals. J.A.R., vol. 7, pp. 89-122. 1916.
prussic-acid, in sorghum pastures. F.B. 1158, pp. 21, 27-28. 1920.
sneezeweed, remedies. D.B. 947, pp. 7-10, 38-39. 1921.
sumac, symptoms, prevention, and remedies. F.B. 1166, pp. 11-13. 1920.
strychnine, treatment. D.B. 1023, pp. 6-7. 1921.
Zygadenus, symptoms, discussion. D.B. 1012, pp. 10-15, 20-25. 1922.
cattle by larkspur, losses and prevention methods. F.B. 826, pp. 1-23. 1917.
cotton boll weevil—
recent experimental work. B. R. Coad. D.B. 731, pp. 15. 1918.
rules. B. R. Coad and T. P. Cassidy. D.C 162, pp. 4. 1921.
danger from tin can in preserving. Chem. Bul. 13, Pt. X, pp. 1393-1395. 1902.
danger in fumigation of foods with hydrocyanic acid gas. D.B. 1307, pp. 1-8. 1924.
ducks in Maryland. Off. Rec., vol. 3, No. 6, p. 2. 1924.
fatal cases from acetanilid, antipyrin, and phenacetin. Chem. Bul. 126, pp. 14-15, 23, 45,79. 1909.
food—
laws. Chem. Bul. 69, rev., Pts. I-IX, pp. 75, 87, 115, 135, 351, 414, 492, 513, 610, 656, 657. 1905-1906.
food and drugs act, Reg. 11. Sec. Cir. 21, rev., p. 7. 1922.
with Bacillus botulinus. Chem. Chief Rpt., 1921, p. 18. 1921.
for—
animals and insects injurious to corn, methods and poisons. F.B. 773, p. 21. 1916.
bird pests, directions. F.B. 493, pp. 20-23. 1912; rev., pp. 18-21. 1917.
blowflies, for protection of livestock. F.B. 857, pp. 11-12. 1917.
boll weevils—
cost and gains. D.B. 875, pp. 26-28. 1920.
experimental work, 1915-1917. D.B. 731, pp. 2-10. 1918.
experiments, results. F.B. 344, pp. 40-42. 1909.
organization of plantation operations. D.B. 875, pp. 17-18. 1920.
principles governing. D.B. 875, pp. 1-2. 1920.
bollworm, method and cost. F.B. 872, pp. 10, 11. 1917.
English sparrows, directions. F.B. 493, pp. 20-23. 1912.
gophers, directions. Y.B., 1909, pp. 214-215. 1910; Y.B. Sep. 506, pp. 214-215. 1910.
ground squirrels—
and other rodents. F.B. 335, pp. 7, 12, 15, 17, 20, 23, 25. 1908.
methods, and cost. Biol. Cir. 76, pp. 8-14. 1910.
horseflies. D.B. 1218, pp. 34-35. 1924.
mice, directions. F.B. 1397, pp. 9-13. 1924.
pink bollworm, experiments. D.B. 918, pp. 51-52. 1921.
pocket gophers—
directions. Biol. Cir. 52, rev., p. 2. 1906.
methods. F.B. 484, pp. 39-40. 1912.

Poisoning—Continued.
for—continued.
rabbits, directions and caution. F.B. 702, p. 9. 1916; News L., vol. 3, No. 21, pp. 1-2. 1915.
rats—
baits, preparation and distribution. F.B. 1302, pp. 2-4. 1923.
barium carbonate, experiments. D.B. 915, pp. 11. 1920.
directions. Biol. Bul. 33, pp. 44-48. 1909.
rodents, methods, and formulas. F.B. 484, pp. 22-23, 25-26, 28, 31-32, 34-36, 43. 1912.
sparrows. F.B. 493, rev., pp. 18-21. 1917.
weevil, material, machinery, time, and cost for cotton. D.B. 731, pp. 11-15. 1918.
forage—
cerebrospinal meningitis. John R. Mohler. D.B. 65, pp. 14. 1914.
See also Meningitis, cerebrospinal.
fur bearers in Alaska, prohibition. Biol. S.R.A. 56, p. 3. 1923; D.C. 88, p. 11. 1920.
hog, causes, symptoms, lesions, and treatment. F.B. 1244, pp. 17-18. 1923.
lead, in waterfowl. Alexander Wetmore. D.B. 793, pp. 12. 1919.
livestock—
by larkspur species, experimental studies. D.B. 365, pp. 1-91. 1916.
by oleander. F.B. 384, pp. 8-9. 1910.
feeding experiments with death camas. D.B. 1240, pp. 3-13. 1924.
on ranges, prevention methods. F.B. 720, pp. 1-11. 1916.
study of causes. An. Rpts., 1904, pp. 107-108. 1904.
methods for predatory animals. Biol. Chief Rpt., 1924, pp. 5-6. 1924.
oak leaf, of domestic animals. C. Dwight Marsh and others. D.B. 767, pp. 36. 1919.
oak of livestock. C. Dwight Marsh and others. B.A.I. Doc. A-32, pp. 3. 1918.
pigs, by cottonseed, similarity to beriberi. J.A.R., vol. 5, No. 11, pp. 489-493. 1915.
plant, of stock in Montana. E. V. Wilcox. B.A.I. An. Rpt., 1900, pp. 91-121. 1901.
ptomaine—
milk bacteria as cause. B.A.I. Bul. 73, p. 7. 1905.
treatment. D.C. 4, p. 70. 1919; D.C. 138, p. 74. 1920; For. [Misc.], "First-aid * * *," pp. 77-78. 1917.
reindeer, study of plants. Biol. Chief Rpt., 1924, p. 24. 1924.
sheep by—
Mexican whorled milkweed, symptoms. D.B. 969, pp. 7-9, 16. 1921.
sneezeweed on ranges, prevention, suggestions. D.B. 947, pp. 43-45. 1921.
skin, effect of cashew nut. Chem. Bul. 160, p. 32. 1912.
stock—
by sorghum, investigations. J.A.R., vol. 16, pp. 175-181. 1919.
danger in sprayed alfalfa. F.B. 1185, p. 20. 1920.
plants of Montana, preliminary report. V. K. Chesnut and E. V. Wilcox. Bot. Bul. 26, pp. 150. 1901.
white snakeroot. B.A.I. Doc. A-26, pp. 1-7. 1918.
tests, Argentine ant, Louisiana citrus groves. D.B. 647, pp. 60-71. 1918.
treatment. For. [Misc.], "First-aid manual * * *," pp. 66-69. 1917.
uremic, horse, symptoms and treatment. B.A.I. [Misc.] "Diseases of the horse," rev., p. 223. 1903; rev., p. 224. 1907; rev., p. 224. 1911; rev., p. 245. 1923.
wild ducks, investigations. Biol. Chief Rpt., 1924, p. 17. 1924.
Poisonous—
drugs, tablets containing, adulteration and misbranding. Chem. N.J. 1816 pp. 6. 1912.
plant(s)—
Asclepias spp., experimental feeding of sheep. D.B. 942, pp. 1-14. 1921.
cause of sheep losses. Y.B. 1923, pp. 263-264. 1924; Y.B. Sep. 894, pp. 26-264. 1924.

Poisonous—Continued.
  plant(s)—continued.
    cockleburs (species of Xanthium). C. Dwight Marsh and others. D.B. 1274, pp. 24. 1924.
    danger to livestock, research. B.A.I. Chief Rpt., 1925, pp. 32–33. 1925.
    dangerous to cattle, list. B.A.I. [Misc.], "Diseases of cattle," rev., pp. 66–67. 1904; rev., pp. 67–68. 1912; rev., pp. 63–71. 1923.
    Daubentia longifolia, in Southern States. D.C. 82, pp. 1–3. 1920.
    death camas species *Zygadenus paniculatus* and *Z. elegans*. C. Dwight Marsh and A. B. Clawson. D.B. 1012, pp. 25. 1922.
    elimination from ranges. Y.B., 1923, pp. 400–402. 1924; Y.B. Sep. 895, pp. 400–402. 1924.
    Eupatorium urticaefolium, importance. J.A.R., vol. 11, pp. 699–716. 1917.
    for horses. F.B. 162, pp. 22–23. 1903.
    greasewood. C. Dwight Marsh and others. D.C. 279, pp. 4. 1923.
    in pastures and ranges, surveys. An. Rpts., 1922, pp. 168–169. 1922; B.P.I. Chief Rpt., 1922, pp. 8–9. 1922.
    injury to—
      bees. Ent. Bul. 98, p. 35. 1912.
      stock because of food scarcity. F.B. 536, pp. 1–4. 1913.
    investigations. Rpt. 87, pp. 30–31. 1908.
    ivy and sumac and their eradication. C.B. Grant, and A. A. Hansen. F.B. 1166, pp. 16. 1920.
    Johnson grass, investigations. B.P.I. Bul. 90, Pt. IV, pp. 1–6. 1906.
    larkspurs. B.P.I. Bul. 111, pp. 5–12. 1907.
    livestock injury, studies. O.E.S. An. Rpt., 1922, pp. 75, 116–119. 1924.
    lupines. C. Dwight Marsh and others. D.B. 405, pp. 45. 1916.
    meadow death camas (*Zygadenus venenosus*). C. Dwight Marsh and A. B. Clawson. D.B. 1240, pp. 14. 1924.
    menace to range cattle. F.B. 1395, p. 42. 1925.
    mountain laurel. Albert C. Crawford. B.P.I. Bul. 121, pp. 21–35. 1908.
    of—
      eastern United States. Off. Rec., vol. 3, No. 16, p. 5. 1924.
      northern stock ranges. V. K. Chesnut. Y.B., 1900, pp. 305–324. 1901; Y.B. Sep. 206, pp. 305–324. 1901.
      range. C. D. Marsh. D.B. 1245, pp. 36, 1924.
      Utah and Nevada, *Astragalus tetrapterus*. C. Dwight Marsh and A. B. Clawson. D.C. 81, pp. 7. 1920.
      western stock ranges. C.D. Marsh. B.P.I., [Misc.], "Poisonous plants * * *" pp. 13. 1914.
    on Hawaiian ranches. Hawaii Bul. 36, p. 42. 1915.
    protection of livestock against. An. Rpts., 1913, p. 171. 1914; For. A. R., 1913, p. 37. 1913.
    range, information. D.B. 790, pp. 82–88. 1919.
    seed distribution by crows. Y.B. 1916, pp. 97, 98–99. 1916; Y.B. Sep. 659, pp. 97, 98–99. 1916.
    stagger grass (*Chrosperma muscaetoxicum*). C. Dwight Marsh and others. D.B. 710, pp. 15. 1918.
    to livestock, whorled milkweed. C. Dwight Marsh. D.C. 101, pp. 2. 1920.
    western sneezeweed (*Helenium hoopesii*). C. Dwight Marsh and others. D.B. 947, pp. 46. 1921.
    whorled milkweed (*Asclepias galioides*). C. Dwight Marsh and others. D.B. 800, pp. 40. 1920.
    woolly-pod milkweed. D.C. 372, pp. 1–4. 1923.
Poka, importations, and description. Nos. 51400, 51530, B.P.I. Inv. 65, pp. 13, 23. 1923.
Poke, use as potherb. O.E.S. Bul. 245, p. 28. 1912.
Pokeberry—
  fruiting season, and use as bird food. F.B. 912, pp. 11, 13. 1918.
  stains, removal from textiles. F.B. 861, p. 29. 1917.

Pokeweed—
  culture and handling as drug plant, yield, and price. F.B. 663, pp. 31–32. 1915.
  drug use, with prices, description and range. F.B. 188, pp. 20–22. 1904.
  food plant of red spider. Ent. Cir. 172, pp. 6–7, 16, 22. 1913.
  fruiting season and use as bird food, notes. F.B. 844, pp. 11, 13. 1917.
  growing and uses, harvesting, marketing, and prices. F.B. 663, rev., p. 42. 1920.
  habitat, range, description, collection, prices, and uses of roots. B.P.I. Bul. 107, p. 29. 1907.
  leaf-spot, occurrence and description. B.P.I. Bul. 226, p. 99. 1912.
  mosaic disease different from tobacco mosaic, experiments. D.B. 40, pp. 15–16, 28. 1914.
  names, habitat, description, collection uses, and prices. D.B. 26. pp. 5–6. 1913.
  overwintering of mosaic disease. J.A.R., vol. 31, pp. 32–42. 1925.
Polakowskia tacaco—
  importation and description. No. 51606, B.P.I. Inv. 65, p. 31. 1923.
  introduction, description, and uses. B.P.I. Bul. 205, p. 30. 1911.
  See also Tacaco.
Poland—
  agricultural statistics, 1919. D.B. 987, p. 46. 1921.
  meat consumption. Rpt. 109, pp. 128, 130, 133, 271–273. 1916.
  potatoes, production, 1909–1913, 1921–1923. S.B. 10, p. 19. 1925.
Polarization—
  effect of clarifying agents. Chem. Bul. 132, pp. 181–184. 1910.
  of—
    fruit products. Chem. Bul. 66, rev., pp. 18, 48–49, 53. 1905.
    light, measurements. An. Rpts., 1912, p. 265. 1913; W.B. Chief Rpt., 1912, p. 7. 1912.
    maple sirup. Chem. Bul. 134, pp. 16, 65–66. 1910.
    raw sugar, temperature corrections. W. D. Horne. Chem. Bul. 152, pp. 207–210. 1912.
    sugars in storage. J.A.R., vol. 20, pp. 638–653. 1921.
  sky, study with reference to weather conditions. L. G. Schultz. W.B. Bul. 31, pp. 28–31. 1902.
  tables, correction. Chem. Bul. 122, pp. 221–228. 1909.
Pole(s)—
  arborvitae, seasoning and preservative treatment. C. Stowell Smith. For. Cir. 136, pp. 29. 1908.
  bean and other, bamboo for. D.B. 1329, pp. 17, 18, 24. 1925.
  borer, description, life history, and damage to poles. Ent. Cir. 134, pp. 3–4, 5. 1911.
  broadleaf, decay caused by *Polystictus versicolor*. B.P.I. Bul. 149. pp. 53–56. 1909.
  brush and tank treatments. Carl G. Crawford. For. Cir. 104, pp. 24. 1907.
  chestnut—
    cutting, storing, value of different sizes, and uses. F.B. 582, pp. 4, 7–12, 23. 1914.
    insect damage, prevention methods. Ent. Bul. 94, Pt. I, pp. 8–11. 1910.
    preservation, brush and tank methods. Howard F. Weiss. For. Cir. 147, pp. 14. 1908.
    telephone and telegraph, damage by wood-boring insects. Ent. Bul. 94, Pt. I, pp. 1–12. 1910.
    use on telephone line, conditions after five and eight years. C.P. Winslow. For. Cir. 198, pp. 13. 1912.
  consumption in 1906. For. Bul. 77, pp. 84–90. 1908; For. Cir. 129, p. 12. 1907; For. Cir. 137, pp. 9. 1908; Y.B., 1908, p. 556. 1909.
  converter, use of lodgepole pine. D.B. 234, p. 4. 1915.
  creosoting, for prevention of wood-boring insects. Ent. Cir. 134, p. 6. 1911.
  destruction by California woodpeckers. F.B. 506, pp. 7, 8. 1912.
  grades and weights, and protection. F.B. 1210, pp. 10–11, 60. 1921.
  growth rate and form. For. Bul. 84, pp. 38–39. 1911.
  hardwood trees, value. F.B. 1123, p. 4. 1921.

Pole(s)—Continued.
  incense cedar, use, size, and price. D.B. 604, pp. 5, 7. 1918.
  injury by termites, and protection. D.B. 333, pp. 16, 29. 1916.
  larch, value. For. Cir. 81, rev., p. 11. 1910.
  marketing from woodlots. Y.B., 1915, p. 125. 1916; Y.B. Sep. 662, p. 125. 1916.
  preservation, methods. D.B. 519, p. 4. 1917; For. Bul. 78, p. 25. 1909.
  preservative treatment. William H. Kempfer. For. Bul, 84, pp. 55. 1911.
  production, annual, and woods used. For. Cir. 166, p. 20. 1909.
  purchased, 1915. Arthur M. McCreight. D.B. 519, pp. 4. 1917.
  railroad and telegraph, use of Douglas fir. For. Bul. 88, pp. 60-61. 1911.
  seasoning—
    in air. D.B. 552, pp. 12-17. 1917.
    rates, and tables. For. Bul. 84, pp. 49-55. 1911.
    tests, time, loss of weight, and shrinkage. For. Bul. 84, pp. 10-13. 1911.
  specifications. F.B. 715, pp. 7-8. 1916.
  telegraph—
    girdling by sand blast and drift. Soils Bul. 68, pp. 27, 53. 1911.
    production in Connecticut, specifications, and cost. For. Bul. 96, pp. 18, 22-23. 1912.
    stumpage value, determination methods, yields, and lumber type. For. Bul. 96, pp. 28, 41, 67-68. 1912.
  telephone—
    and telegraph—
      damage by wood-boring insects. T. E. Snyder. Ent. Cir. 134, pp. 6. 1911.
      damage by woodpeckers. Biol. Bul. 39, pp. 10-13. 1911.
      destruction by dry rot annually. B.P.I. Bul. 214, pp. 8, 30. 1911.
      seasoning. Henry Grinnell. For. Cir. 103, pp. 16. 1907.
      western hemlock, suitability. For. Bul. 115, p. 42. 1913.
    demand for pine and cedar timber. An. Rpts., 1913, pp. 154, 156. 1914; For. A.R., 1913, pp. 20, 22. 1913.
    lodgepole pine, treated, cost, comparison with untreated western red cedar. D.B. 234, pp. 6-7. 1915.
    preservation. Henry Grinnell. Y.B., 1905, pp. 455-464. 1906; Y.B. Sep. 395, pp. 455-464. 1906.
    preservative treatment. F.B. 744, p. 31. 1916.
    tests of Rocky Mountain woods for. Norman de W. Betts and A. L. Heim. D.B. 67, pp. 28. 1914.
    use of pine varieties. For. Bul. 99, pp. 63, 72, 73, 82. 1911.
  tent, and derricks for placing, specifications. F.B. 1321, pp. 5-6. 1923.
  tests, Pacific Telephone & Telegraph Company. D.B. 67, pp. 26-27. 1914.
  ties, classification based on sapwood content. For. Bul. 118, p. 23. 1912.
  treatment for preservation, methods. D.B. 519, p. 4. 1917.
  treatments, brush and tank. Carl G. Crawford. For. Cir. 104, pp. 24. 1907.
  value of different trees. D.B. 153, pp. 26, 31. 1915.
  wigwam, use of lodgepole pine. For. Bul. 99, p. 71. 1911.
  woods used, 1906, quantity and value. For. Cir. 137, pp. 1-9. 1908.
Polecat. See Skunk, eastern.
Polemonium humile. See Valerian, Greek.
Polenta—
  directions for making, and sauce for. F.B. 1236, pp. 10-11. 1923.
  nutritive value and directions for cooking. F.B. 565, pp. 7, 11. 1914.
  preparation and disgestibility. F.B. 298, pp. 20, 23. 1907.
  See also Mush, corn-meal.
Police remounts, six cities, 1911. B.A.I. An. Rpt., 1910, pp. 108-111. 1912; B.A.I. Cir. 186, pp. 108-111. 1911.
Polishes, leather, composition, when harmful. F.B. 1283, rev., p. 13. 1922.

Polioptila spp. See Gnat catcher.
Polistes—
  annularis, useful habits, and destruction of army worm. Ent. Bul. 66, p. 64. 1910.
  spp., injury to cactus. Ent. Bul. 113, p. 36. 1912.
Political assessments, order of Secretary. No. 142. An. Rpts., 1911, pp. 804-805. 1912; Sol. A.R., 1911, pp. 48-49. 1911.
Political meetings, use of community buildings. F.B. 1274, pp. 6-7, 14, 18, 20, 24, 26, 28, 30-32. 1922.
Poll evil, horse, detection. F.B 779, p. 10. 1917.
Poll-evil See also Fistula.
Pollack, cold storage holdings, 1918, by months (and other fish). D.B. 792, pp. 35-37. 1919.
Pollen—
  barley, germination. Stephen Anthony and Harry V. Harlan. J.A.R., vol. 18, pp. 525-536. 1920.
  baskets, on legs of bees. Ent. T.B. 18, p. 66. 1910.
  collection—
    behavior of the honey bee. D. B. Casteel. Ent. Bul. 121, pp. 36. 1912.
    process. Ent. Bul. 121, pp. 11-13, 22-29. 1912.
  conveyance by thrips. D.B. 104, pp. 4-5. 1914.
  corn, spread prevention. P.R. Cir. 18, p. 18. 1920.
  date, gathering, preservation, and use. F.B. 1016, pp. 20-21. 1919.
  deposition, relation to self-fertilization and cross-fertilization. D.B. 1134, pp. 27-34. 1923.
  development in strawberry, and sterility. J.A.R., vol. 12, pp. 628-655. 1918.
  from barren stalks of corn, effect. O.E.S. An. Rpt., 1911, p. 195. 1912.
  fruit blossoms, injury by rain. J.A.R., vol. 17, pp. 113-118. 1919.
  germination—
    artificial. J.A.R., vol. 18, pp. 535-536. 1920.
    tests. J.A.R., vol. 12, pp. 637-641. 1918.
  honey, microscopical study. Chem. Bul. 110, pp. 70-88. 1908.
  identification in honeys. Chem. Bul. 110, pp. 78-86. 1908.
  in upper air, distribution studies. J.A.R., vol. 24, pp. 600-602. 1923.
  labiate, type and shape of grains. Chem. Bul. 110, p. 76. 1908.
  mango flowers, characteristics and artificial culture. D.B. 542, pp. 9-13. 1917.
  potato, studies. D.B., 195, pp. 9-10. 1915.
  pure, method of securing. B.P.I. Bul. 167, p. 15. 1910.
  red clover, potency in self-pollination. D.B. 289, pp. 10-11. 1915.
  rosaceous, type and shape of grains. Chem. Bul. 110, p. 77. 1908.
  storing in the hive. Ent. Bul. 121, pp. 29-31. 1912.
  sweet-clover, description, and germination. D.B. 844, pp. 9-10. 1920.
  various flowers, identification. Chem. Bul. 110, pp. 73-88. 1908.
Pollenia rudis—
  resemblance to house fly. F.B. 459, pp. 5-6. 1911.
  See also Fly, cluster.
Pollination—
  alfalfa, natural and artificial, insects and hand work. B.P.I. Cir. 24, pp. 8-10. 1909.
  artificial, in corn, improved method. G. N. Collins and J. H. Kempton. B.P.I. Cir. 89, pp. 7. 1912.
  asparagus flowers, details and directions. B.P.I. Bul. 263, pp. 28-31. 1913.
  beet flowers by thrips. D.B. 104, pp. 1-12. 1914.
  belladonna growing, experiments. D.B. 306, pp. 2-3. 1915.
  bur clover, method. B.P.I. Bul. 267, pp. 24-25. 1913.
  corn—
    for production of hybrids. Y.B., 1910, p. 323. 1911; Y.B. Sep. 540, p. 323. 1911.
    relation to development of silk. J.A.R., vol. 18, pp. 261-263. 1919.
    removal of tassels in seed production. Y.B., 1902, p. 548. 1903.
  cowpea. B.P.I. Bul. 229, pp. 25-27. 1912.
  cross. See Cross-pollination.
  cucumber, method. F.B. 1320, pp. 21-23. 1923.

Pollination—Continued.
date—
essentials and directions. F.B. 1016, pp. 18-22. 1919.
palm, method. B.P.I. Bul. 53, pp. 26-29. 1904.
dewberry plants, method. F.B. 728, p. 16. 1916.
Easter lilies, directions. D.B. 962, p. 4. 1921.
fig, methods and studies. D.B. 732, pp. 2, 10-15. 1918.
flowers, details. Y.B., 1908, p. 334. 1909; Y.B. Sep. 485, p. 334. 1909.
forced tomatoes. F.B. 317, pp. 15-17. 1908.
fruit blossoms, effect of smudging. F.B. 1096, pp. 16-18. 1920.
in strawberry growing. News L., vol. 6, No. 40, p. 14. 1919.
lily, Madonna with Easter. D.B. 1331, p. 7. 1925.
mango. Wilson Popenoe. D.B. 542, pp. 20. 1917.
mango trees, influence of weather. D.B. 52, pp. 10-11. 1914.
muscadine grapes, method. F.B. 709, pp. 14-15. 1916.
Persian walnut, difficulties, need of different varieties. B.P.I. Bul. 254, pp. 76-78. 1913.
plum, limitation factors, discussion. J.A.R., vol. 17, pp. 118-123. 1919.
premature, injurious effects, with general notes on artificial pollination and setting of fruit without pollination. Charles P. Hartley. B.P.I. Bul. 22, pp. 39. 1902.
red clover, use of machines, experiments. F.B. 455, p. 34. 1911.
relation to growing plums for prunes. F.B. 1372, pp. 25-26. 1924.
school exercises. F.B. 408, pp. 26-27. 1910.
self and cross, effect on water requirements of plants. J.A.R., vol. 4, pp. 400-401. 1915.
studies, red clover seed production. J. M. Westgate and others. D.B. 289, pp. 31. 1915.
sweet clover, studies. D.B. 844, pp. 1-25. 1920.
vanilla—
directions. P.R. Bul. 26, pp. 20-23. 1919.
effect of foreign pollen on fruit development. T. B. McClelland. J.A.R., vol. 16, pp. 245-252. 1919.
vetch, studies. D.B. 1289, pp. 13-14. 1925.
Pollinia—
fulva, importation and description. No. 39011, B.P.I. Inv. 40, pp. 5, 57. 1917.
glabrata, occurrence in Guam. Guam A.R., 1913, pp. 15, 16. 1914.
Pollinizing machine, use with red clover. D.B. 289, pp. 20-26. 1915.
Pollution, water, sources and protection. Y.B., 1907, pp. 402-408. 1908.
Polonium, effect on plant growth, experiments. D.B. 149, pp. 5-6. 1914.
Polyarthritis, instructions to inspectors. B.A.I. S.R.A. 113, p. 79. 1916.
Polycesta spp., larval structure, distribution, habits, and host trees. D.B. 437, pp. 3, 6, 7. 1917.
Polychrosis—
spp., studies. Ent. Bul. 116, Pt. II, pp. 17-18, 21. 1912.
viteana. See Grape-berry moth.
Polycystus foersteri, parasite of *Cerodonta dorsalis*. D.B. 432, p. 16. 1916.
Polydesmus excitiosus—
cause of mycotic stomatitis. D.C. 322, p. 2. 1924.
fungus, injurious to cattle. B.A.I. [Misc.], "Diseases of cattle," rev., pp. 15, 496. 1904; rev., pp. 15, 518. 1908; rev., pp. 13, 533. 1923.
Polyembryony—
corn, studies. B.P.I. Bul. 278, pp. 13-14. 1913.
problem among parasitic insects. Ent. Bul. 67, p. 67. 1907.
Polygala seneca. See Snakeroot, Seneca.
Polygamist, ineligibility for office, law. Sol. [Misc.], "Laws applicable * * * Agriculture," Sup. 2, p. 97. 1915.
Polygnotus—
hiemalis, parasite of Hessian fly, description. Ent. Bul. 67, p. 95. 1907; F.B. 640, pp. 14-15. 1915; F.B. 1083, p. 12. 1920.

Polygnotus—Continued.
sp., parasite of Hessian fly. Y.B., 1907, pp. 243-246, 252. 1908; Y.B. Sep. 447, pp. 243-246, 252. 1908.
Polygonaceae. See Buckwheat.
Polygonum—
aviculare. See Knotweed.
chinense, importation and description. No. 47760, B.P.I. Inv. 59, p. 56. 1922.
convolvulus. See Bindweed.
hydropiper. See Smartweed.
pollen, type and shape of grains. Chem. Bul. 110, pp. 77. 1908.
spp., description. D.B. 1345, pp. 34-35. 1925.
spp., importations and descriptions. No. 40034, B.P.I. Inv. 42, pp. 6, 57. 1918; Nos. 41527, 41549, B.P.I. Inv. 45, pp. 44, 46. 1918; Nos. 48336-48341, B.P.I. Inv. 60, p. 72. 1922.
tinctorium, importations and descriptions. No. 44805, B.P.I. Inv. 51, p. 71. 1922; No. 45605, B.P.I. Inv. 53, p. 67. 1922.
vaccinifolium, importation and description. No. 39048, B.P.I. Inv. 40, pp. 7, 63. 1917.
Polygraphus, synonymy. Ent. T.B. 17, Pt. II, p. 222. 1915.
Polymnia edulis, importation and description. No. 52894, B.P.I. Inv. 67, p. 10. 1923.
Polyneuritis, control by vitamins in diet. D.B. 1138, pp. 6-46. 1923.
Polypeptides, occurrence in ungerminated—
maize kernel. S. L. Jodidi. J.A.R., vol. 30, pp. 587-592. 1925.
rye kernel. S. L. Jodidi and J. G. Wangler. J.A.R., vol. 30, pp. 989-994. 1925.
Polypi—
nasal and pharyngeal, horse, treatment. B.A.I. [Misc.], "Diseases of the horse," rev., p. 111. 1903; rev., p. 111. 1907; rev., p. 111. 1911; rev., p. 103. 1923.
pharyngeal, cattle, treatment. B.A.I. [Misc.], "Diseases of cattle," rev., pp. 23-24. 1904; rev., pp. 21-22. 1912; rev., pp. 19-20. 1923.
Polypogon—
littoralis. See Beard grass.
monspeliensis, distribution, description, and feed value. D.B. 201, p. 40. 1915.
spp., description, distribution, and uses. D.B. 772, pp. 14, 137-139, 288. 1920.
Polyporaceae, classification, key to genera, and description of species. D.B. 175, pp. 37-43. 1915.
Polyporus—
adustus, description, injuries to wood, and occurrence. B.P.I. Bul. 114, pp. 13-15. 1907.
amarus—
cause of—
dry-rot of incense cedar, description. D.B. 604, pp. 29-30. 1918; D.B. 871, pp. 2, 8-49. 1920.
heart rot, injury to incense cedar. D.B. 275, pp. 5, 13. 1916.
See also Dry-rot fungus.
berkeleyi, cause of string and ray rot of oak. J.A.R., vol. 1, pp. 122-125, 128. 1913.
betulinus—
injury to birch lumber. For. Cir. 163, p. 21. 1909.
occurrence and description. B.P.I. Bul. 149, pp. 49-50, 51-52. 1909.
dryadeus, parasitic on oak roots. W. H. Long. J.A.R., vol. 1, pp. 239-250. 1913.
dryophilus—
cause of heart rot of oaks and poplars, George G. Hedgcock and W. H. Long. J.A.R., vol. 3, pp. 65-78. 1914.
different names, character of rot. J.A.R., vol. 1, pp. 241-242, 250. 1913.
distribution in United States. J.A.R., vol. 3, pp. 72-75. 1914.
similarity to and comparison with *Stereum subpileatum*. J.A.R., vol. 5, pp. 424-425. 1915.
sporophore, description and occurrence. J.A.R. vol. 3, pp. 70-71. 1914.
See also Oak fungus.
ellisianus, cause of western red rot. D.B. 490, pp. 3-4. 1917.
fraxinophilus—
cause of disease of white ash. Herman von Schrenk. B.P.I. Bul. 32, pp. 28. 1903.

Polyporus—Continued.
   frazinophilus—continued.
      injurious to ash trees. D.B. 299, p. 24. 1915; D.B. 523, p. 26. 1917.
   frondosus, cause of straw-colored rot of oaks. J.A.R., vol. 1, pp. 125-127, 128. 1913.
   fulvus, synonym for *Polyporus dryophilus*. J.A.R., vol. 1, p. 240, 250. 1913.
   lucidus. See Butt-rot, yellow.
   obtusus, cause of soft rot, description and infection methods. B.P.I. Bul. 149, pp. 41-42. 1909.
   pilotae, cause of—
      heart-rot, oaks and chestnuts. J.A.R.. vol. 5, p. 424. 1915.
      rots in chestnut trees. D.B. 89, p. 2. 1914.
   schweinitzii—
      cause of heart rot of lodgepole pine. D.B. 154, p. 21. 1915.
      See also Fungus, velvet-top.
      smoky, cause of sap rots in red gum. D.B. 1128, p. 40. 1923.
   spp.—
      attack on conifers after mistletoe injury. D.B. 360, pp. 25, 26. 1916.
      cause of—
         butt rots in oak trees, data. J.A.R., vol. 1, pp. 109, 111, 112. 1913.
         injury to Emory oak. For. Cir. 201, p. 11. 1912.
      cultural data and discussion. J.A.R., vol. 12, pp. 45-46, 47, 60-65, 70-74, 77, 80. 1918.
      description. D.B. 175, pp. 40-41. 1915.
      diseases of jack pine, description. D.B. 212, pp. 7, 8, 10. 1915.
      enemies of spruce trees. D.B. 544, pp. 26, 27. 1918.
      infestation of lumber in storage. D.B. 510, pp. 5, 31, 32. 1917.
      injury to—
         forest trees. D.B. 275, pp. 5, 13, 29, 32, 35. 1916.
         shortleaf pine. D.B. 244, pp. 36-37. 1915.
         slash rotting in Arkansas. D.B. 496, pp. 4, 8. 1917.
   squamosus, cause of white rot, description. B.P.I. Bul. 149, pp. 48-49. 1909.
   sulphur, description, development, and injury to trees. B.P.I. Bul. 149, pp. 37-38, 76. 1909.
   sulphureus. See Fungus, sulphur.
   vulpinus, occurrence on poplar trees. J.A.R., vol. 1, pp. 240, 250. 1913.
Polypuria. See Diuresis.
Polypus, uterine, of cow, description and treatment. B.A.I. [Misc.], "Diseases of cattle," rev., pp. 153-154. 1904; rev., p. 157. 1912; rev., p. 157. 1923.
Polyscelis modestus, minor parasite of Hessian fly. J.A.R., vol. 29, pp. 289-295. 1924.
Polysticta stelleri. See Duck, Steller.
Polystictus—
   abietinus, injury to dead jack pine. D.B. 212, p. 8. 1915.
   hirsutus. See Sap-rot, hairy.
   pergamenus, description, injury to timber, and control. B.P.I. Bul. 149, pp. 56-58, 66. 1909.
   spp.—
      cause of injury to Emory oak. For. Cir. 201, p. 11. 1912.
      description. D.B. 175, pp. 41-42. 1915; F.B. 796, pp. 15-16. 1917.
      slash rotting in Arkansas. D.B. 496, pp. 4, 7, 8, 14. 1917.
   versicolor—
      cause of white sap-rot in hardwoods. D.B. 1128, p. 40. 1923.
      description, injury to timber, and control. B.P.I. Bul. 149, pp. 53-56, 66. 1909.
Polytrias—
   diversiflora, importation and description. No. 32111, B.P.I. Bul. 261, p. 29. 1912.
   praemorsa—
      growing experiments, in Hawaii, 1917. Hawaii A.R., 1917, pp. 49-50. 1918.
      See also Pasture grass.
Polytrincium trifolii, on clover, injury to cattle. B.A.I. [Misc.], "Diseases of cattle," rev., p. 15. 1904; rev., p. 15. 1912; rev., p. 13. 1913.

Pomace—
   apple—
      analyses, table. Chem. Bul. 88, p. 13. 1904.
      analysis. Chem. Bul. 88, pp. 10-19. 1904.
      feed for milk cows. F.B. 186, pp. 21-22. 1904.
      uses and value, yield per ton of apples, and keeping methods. F.B. 1264, pp. 25-26. 1922.
      as possible source of potash, fertilizer value. Y.B., 1912, p. 526. 1913; Y.B. Sep. 611, p. 526. 1913.
      grape, utilization. D.B. 952, pp. 6-20. 1921.
      picker, description and use. D.B. 952, p. 8. 1921.
   sweet-potato, composition and feed value. D.B. 1158, pp. 27, 32-33. 1923.
Pomaderris apetala, importation and description. No. 48684, B.P.I. Inv. 61, p. 36. 1922.
Pomarosa, of Porto Rico, description and uses. D.B. 354, pp. 34, 90. 1916.
Pomegranate(s)—
   alkali tolerance. F.B. 446, rev., pp. 12, 28. 1920.
   composition. Hawaii A.R., 1914, pp. 65, 67. 1915.
   growing—
      at Yuma experiment farm—
         1913, varieties. B.P.I. [Misc.], "The work of Yuma reclamation project, 1913," p. 12. 1914.
         1919. D.C. 75, p. 44. 1920.
      in Texas, variety testing. D.B. 162, pp. 20, 26. 1915.
   importations and descriptions. No. 30354, B.P.I. Bul. 233, p. 79. 1912; No. 35667, B.P.I. Inv. 36, p. 9. 1915; Nos. 37817, 37889, 38185, B.P.I. Inv. 39, pp. 49, 63, 101. 1917; No. 55923, B.P.I. Inv. 73, p. 17. 1924.
   in China, culture and uses. B.P.I. Bul. 204, p. 46. 1911.
   in Palestine, description, uses, and value for alkaline soils. B.P.I. Bul. 180, p. 18. 1910.
   injury by citrus thrips. D.B. 616, pp. 9-10. 1918.
   insect pests. Sec. [Misc.], "A manual * * * insects * * *," pp. 112-180. 1917.
   leaf-spot, occurrence and description, Texas. B.P.I. Bul. 226, pp. 76-77, 109. 1912.
   Malissi, description, value, and uses. B.P.I. Bul. 180, p. 18. 1910.
   new variety, description. B.P.I. Bul. 208, pp. 37, 51, 52. 1911.
   plant importations, 1909, and description. B.P.I. Bul. 162, pp. 8, 45, 54. 1909.
   shipments by States and by stations, 1916. D.B. 667, pp. 8, 99. 1918.
   Syrian, new importations. B.P.I. Bul. 153, p. 8. 1909.
   sirup and sambuca, adulteration and misbranding. Chem. N.J. 3707, p. 1. 1915.
   varieties—
      recommendations for various fruit districts. B.P.I. Bul. 151, p. 62. 1909.
      testing and resistant stocks, San Antonio, 1913. B.P.I. [Misc.], "The work of the San Antonio * * *," pp. 9-10. 1914.
Pomelo—
   cultivation, varieties in Hawaii. Hawaii Bul. 9, pp. 29-30. 1905.
   growing—
      and use. F.B. 169, pp. 18-19. 1903.
      experiments. F.B. 169, pp. 18-19. 1903.
      Texas. O.E.S. Bul. 222, p. 50. 1910.
   importations and descriptions. Nos. 32397-32398, B.P.I. Bul. 282, p. 14. 1913; Nos. 36589, 36698, B.P.I. Inv. 37, pp. 34, 51. 1916; Nos. 37724, 37778, 37780, B.P.I. Inv. 39, pp. 10, 27, 40, 41. 1917.
   insect pests, descriptions and lists. Sec. [Misc.], "A manual * * * insects * * *," pp. 57, 117, 118. 1917.
   of Haiti, importation and description. No. 30367, B.P.I. Bul. 233, p. 81. 1912.
   parasite, *Glomerella cingulata*, studies. B.P.I. Bul. 252, pp. 22-24. 1913.
   seedless varieties, importations and descriptions. Nos. 30001-30004, B.P.I. Bul. 233, p. 48. 1912.
   trees, inoculations with citrus knot fungus. B.P.I. Bul. 247, pp. 44-49, 54-59, 65. 1912.
   varieties—
      Hawaiian orchards. Hawaii A.R., 1911, p. 39. 1912.

Pomelo—Continued.
varieties—continued.
recommendations for various fruit districts. B.P.I. Bul. 151, p. 57. 1909.
See also *Citrus grandis*; Grapefruit; Pummelo.
POMEROY, C. S.—
"Bud selection as related to quality of crop in the Washington naval orange." With others. J.A.R., vol. 28, pp. 521-526. 1924.
"Bud selection as related to quantity production in the Washington naval orange." With others. J.A.R., vol. 26, pp. 319-322. 1923.
"Citrus fruit growing in the Southwest." With others. F.B. 1447, pp. 42. 1925.
"Citrus-fruit improvement: A study of bud variation in the Eureka lemon." With others. D.B. 813, pp. 88. 1920.
"Citrus-fruit improvement: A study of bud variation in the Lisbon lemon." With others. D.B. 815, pp. 70. 1920.
"Citrus-fruit improvement: A study of bud variation in the Marsh grapefruit." With others. D.B. 697, pp. 112. 1918.
"Citrus fruit improvement. A study of bud variation in the Valencia orange." With others. D.B. 624, pp. 120. 1918.
"Citrus fruit improvement. A study of bud variation in the Washington naval orange." With others. D.B. 623, pp. 146. 1918.
"Frost protection in lemon orchards." With others. D.B. 821, pp. 20. 1920.
"Pruning citrus trees in the Southwest." With others. F.B. 1333, pp. 32. 1923.
Pomes, injury by oriental peach moth. J.A.R., vol. 13, pp. 62, 63. 1918.
Pomological—
districts as defined by American Pomological Society. B.P.I. Bul. 151, pp. 10-13. 1909.
investigations, usefulness to farmers. News L., vol. 1, No. 48, pp. 2-3. 1914.
Society, American—
code of nomenclature. B.P.I. Bul. 126, pp. 9-11. 1908.
recommendations of fruit varieties, nomenclature. B.P.I. Bul. 151, pp. 1-69. 1909.
Pomona Valley, Calif., crops, adaptability. O.E.S. Bul. 236, pp. 14-17. 1911; rev., pp. 8-43. 1912.
Ponceau 3R, analysis method. Chem. Bul. 147, pp. 215-217. 1912; Chem. Cir. 113, pp. 3-4. 1913.
Poncirus trifoliata—
citrus stock, importation and description. No. 87809, B.P.I. Inv. 39, p. 46. 1917.
influence of temperature on growth, development, and rest period. J.A.R., vol. 20, pp. 459-471, 483-488. 1921.
susceptibility to *Cladosporium citri*. J.A.R., vol. 21, p. 244. 1921.
See also Orange, trifoliate.
POND, G. A.: "Study of farm organization in southwestern Minnesota." With Jesse W. Tapp. D.B. 1271, pp. 100. 1924.
Pond apple—
importation and description. No. 43264, B.P.I. Inv. 48, p. 36. 1921.
See also Pawpaws.
Ponds—
carbonate, in Nebraska, potash source. Y.B. 1912, p. 527. 1913; Y.B. Sep. 611, p. 527. 1913.
beaver, regulation of water level, for control of beaver damage. D.B. 1078, pp. 11-12. 1922.
drainage methods. F.B. 524, pp. 23-24. 1913.
lilies—
leaf-spot rot caused by *Helicosporium nymphaearum*. J.A.R., vol. 8, pp. 219-232. 1917.
yellow, distribution. N.A. Fauna 22, p. 13. 1902; N.A. Fauna 24, p. 11. 1904.
mosquito breeding, use of fish as remedy. Ent. Bul. 88, pp. 63-67. 1910.
reservoir, use and value at head of flumes, description. D.B. 87, pp. 20-21. 1914.
sawmill, size, use, and cost of labor. D.B. 440, pp. 65-67. 1917.
Pondweeds—
description—
distribution, and value. Biol. Cir. 81, pp. 12-15. 1911.

Pondweeds—Continued.
description—continued.
in eastern Puget Sound basin, Wash. Soil Sur. Adv. Sh., 1909, p. 29. 1911; Soils F.O., 1909, p. 1541. 1912.
distribution. N.A. Fauna 22, p. 17. 1902.
enemies. Biol. Cir. 81, pp. 17-18. 1911.
food of—
mallard ducks. D.B. 720, pp. 5, 12, 17. 1918.
shoal-water ducks. D.B. 862, pp. 4, 11, 16, 24, 29, 32, 40, 49. 1920.
percentage in food of wild ducks. Biol. Cir. 81, pp. 1-2. 1911.
sago, description and food value for waterfowl. D.B. 936, pp. 10-11. 1921.
transplanting, time, method, and suitable places. Biol. Cir. 81, pp. 15-17. 1911.
value as duck food, description, distribution, and propagation studies. D.B. 465, pp. 13-20. 1917.
Pongam pinnata, importation and description. No. 43662, B.P.I. Inv. 49, p. 58. 1921.
Pontia—
protodice. See Butterfly, southern cabbage.
rapae—
destruction of army worm. Ent. Bul. 66, Pt. V, p. 64. 1909.
injury to cabbage in Hawaii. Ent. Bul. 109, Pt. III, pp. 32-33. 1912.
See also Cabbage worms.
Pontoons, use for telephone line. Off. Rec., vol. 2, No. 46, p. 8. 1923.
Pony(ies)—
Celtic, origin, description, and development. B.A.I. An. Rpt., 1910, pp. 163, 164, 167-170. 1912.
classification at county fairs. F.B. 822, p. 12. 1917.
in Guam, description and uses. Guam A.R., 1912, p. 13. 1913.
polo, description. B.A.I. Bul. 37, pp. 28-29. 1902.
Shetland, raising, Parkersburg area, West Virginia. Soil Sur. Adv. Sh., 1908, p. 15. 1909; Soils F.O., 1908, p. 1029. 1911.
Suffolk, imported July 1, to September 30, 1911, B.A.I. [Misc.], "Animals imported * * *," pp. 20-21. 1911.
Udganger, peculiarities. B.A.I. An. Rpt., 1910, pp. 148, 169. 1912.
Welsh and cob, breed recognition. B.A.I. O. 206, pp. 3, 4. 1913.
Welsh, imported July 1 to Sept. 30, 1911. B.A.I. [Misc.], "Animals imported * * * 1911," pp. 21-22. 1911.
Pooecetes gramineus—
occurrence in Arkansas, and description. Biol. Bul. 38, p. 62. 1911.
See also Sparrow, vesper.
POOL, V. W.—
"Climatic conditions as related to *Cercospora beticola*." With M. B. McKay. J.A.R., vol. 6, pp. 21-60. 1916.
"*Phoma betae* on the leaves of the sugar beet." With M. B. McKay. J.A.R., vol. 4, pp. 169-178. 1915.
"Relation of stomatal movement to infection by *Cercospora beticola*." With M. B. McKay. J.A.R., vol. 5, pp. 1011-1038. 1916.
"The control of the sugar-beet leaf-spot." With M.B. McKay. B.P.I. Cir. 121, pp. 13-17. 1913.
Pooling—
cotton, benefit to growers in Texas. D.B. 1111, p. 23. 1922.
cranberries, by selling agency. D.B. 1109, pp. 3, 13-14. 1923.
fruit—
in cooperative associations. Y.B., 1910, pp. 401-402. 1911; Y.B. Sep. 546, pp. 401-402. 1911.
in cooperative packing houses. F.B. 1204, pp. 15, 32. 1921.
in packing houses. D.B. 1261, pp. 9-10. 1924.
shipments, records, forms. D.B. 590, pp. 8, 14-15, 48-49. 1918.
grain by cooperative associations. D.B. 937, p. 19. 1921.
milk supplies in cooperative dairying. B.A.I. [Misc.], "World's dairy congress, 1923," pp. 741-743, 860-861. 1924.

INDEX TO PUBLICATIONS, 1901–1925   1869

Pooling—Continued.
   products of various members, under contract, grading rights. D.B. 1106, pp. 24–25. 1922.
   tobacco in cooperative marketing. Y.B., 1922, pp. 440–442. 1923; Y.B. Sep. 885, pp. 440–442. 1923.

Poolwort. *See* Snakeroot, white.

POORE, H. D.: "Citrus pectin." D.B. 1323, pp. 20. 1925.

POOS, F. W.—
   "Life-history studies of three jointworm parasites." With W. J. Phillips. J.A.R., vol. 21, pp. 405–426. 1921.
   "The wheat strawworm and its control." With W. J. Phillips. F.B. 1323, pp. 10. 1923.

Pop corn—
   balls, recipes. F.B. 553, p. 13. 1913.
   breeding with teosinte, experiments and results. J.A.R., vol. 19, pp. 2–37. 1920.
   bushel weight. F.B. 554, rev., p. 10. 1920.
   characteristics. F.B. 554, p. 5. 1913.
   chocolate dipped, recipe. F.B. 553, p. 13. 1913.
   composition, preparation, and food value. F.B. 298, pp. 17, 22. 1907.
   crossing experiments. Y.B., 1906, pp. 283–284. 1907; Y.B. Sep. 423, pp. 283–284. 1907.
   description, types and classes. F.B. 554, rev., pp. 3–4. 1920.
   Eight-rowed, description and popping quality. F.B. 553, pp. 9, 10. 1913.
   export trade. F.B. 554, p. 15. 1913.
   farm prices, 1912–1918. Y.B., 1918, p. 679. 1919; Y.B. Sep. 795, p. 15. 1919.
   food use and value. F.B. 1236, pp. 20–22. 1923.
   for the—
      home. C. P. Hartley and J. G. Willier. F.B. 553, pp. 13. 1913.
      market. C. P. Hartley and J. G. Willier. F.B. 554, pp. 16. 1913.
   growing—
      and uses. F.B. 554, rev., pp. 5–7, 12. 1920.
      directions and suggestions. F.B. 553, pp. 6–10. 1913.
      methods, soil, harvesting, and marketing. F.B. 554, pp. 8–13. 1913; rev., pp. 8–9. 1920.
   home plat, value and profits. F.B. 553, pp. 6–7. 1913.
   hybrid, brachytic characters. D.B. 925, pp. 2–7, 10. 1921.
   hybridization with sweet corn, and field corn, disadvantages. F.B. 553, p. 6. 1913.
   marketing methods. Rpt. 98, pp. 128–129. 1913.
   planting, directions. F.B. 553, pp. 7–8. 1913.
   popping—
      directions. F.B. 553, pp. 10–11. 1913.
      theory of factors influencing, increase in volume. F.B. 554, p. 7. 1913.
   preparation as substitute for sugar sweets. U. S. Food Leaf. 15, p. 2. 1918.
   production and value, various States, 1909. F.B. 554, pp. 6–7. 1913.
   products, popularity and prices. F.B. 554, rev., p. 12. 1920.
   profits, discussion. F.B. 554, p. 16. 1913.
   recipes. F.B. 1236, p. 22. 1923.
   ripening period. F.B. 554, p. 11. 1913.
   seed, growing, selection, and care. F.B. 554, p. 14. 1913; rev., p. 11. 1920.
   Spanish, description, and breeding experiments. B.P.I. Cir. 107, pp. 6–9. 1913.
   storing. F.B. 553, pp. 8–9. 1913.
   sugared, recipe. F.B. 553, p. 13. 1913.
   varieties—
      adapted for crossbreeding. No. 34426, 34427, B.P.I. Inv. 33, pp. 7, 19. 1915.
      suitable to dry farming region. F.B. 329, p. 14. 1908.
      types. F.B. 554, pp. 5–6. 1913.
   White Pearl, description and popping quality. F.B. 553, pp. 9, 10. 1913.
   White Rice, description and popping quality. F.B. 553, pp. 9, 10. 1913.

Pop-overs, recipe. F.B. 1450, pp. 8, 10–11. 1925.

POPE, G. W.—
   "Determining the age of cattle by the teeth." F.B. 1066, pp. 4. 1919.
   "Practical methods of disinfecting stables." F.B. 480, pp. 16. 1912.

POPE, G. W.—Continued.
   "Some results of Federal quarantine against foreign livestock diseases." Y.B., 1918, pp. 239–246. 1919; Y.B. Sep. 783, pp. 10. 1919.
   "The disinfection of stables." F.B. 954, pp. 12. 1918.

POPE, M. N.—
   "Ash content of the awn, rachis, palea, and kernel of barley during growth and maturation." With Harry V. Harlan. J.A.R., vol. 22, pp. 433–449. 1921.
   "Tests of barley varieties in America." With others. D.B. 1334, pp. 219. 1925.
   "Trebi barley, a superior variety for irrigated land." With others. D.C. 208, pp. 8. 1922.
   "Water content of barley kernels during growth and maturation." With Harry V. Harlan. J.A.R., vol. 23, pp. 333–360. 1923.

POPE, W. T.—
   report of horticulturist, Hawaii Experiment Station—
      1921. Hawaii A.R., 1921, pp. 8–26. 1922.
      1922. Hawaii A.R., 1922, pp. 2–8. 1924.
      1923. Hawaii A.R., 1923, pp. 3–6. 1924.
      1924. Hawaii A.R., 1924, pp. 4–10. 1925.
   "The acid lime fruit in Hawaii." Hawaii Bul. 49, pp. 20. 1923.
   "The Guatemalan avocado in Hawaii." Hawaii Bul. 51, pp. 24. 1924.

Pope olive plantation in California, description and history. B.P.I. Bul. 192, pp. 17–27. 1911.

POPENOE, C. H.—
   "Carbon tetrachlorid as a substitute for carbon disulphid in fumigation against insects." With F.H. Chittenden. Ent. Bul. 96, Pt. IV., pp. 53–57. 1911.
   "Diseases and insects of garden vegetables." With W. W. Gilbert. F.B. 1371, pp. 46. 1924.
   "Diseases and insects of the home garden." With W.W. Gilbert. D.C. 35, pp. 35. 1919.
   "Hydrocyanic-acid gas against household insects." With L.O. Howard. Ent. Cir. 163, pp. 8, 1912; F.B. 699, pp. 8. 1916.
   "Insects injurious to mushrooms." Ent. Cir. 155, pp. 10. 1912.
   "Mushroom pests and how to control them." F.B. 789, pp. 16. 1917.
   "Some insecticidal properties of the fatty acid series." With E. H. Siegler. J.A.R., vol. 29, pp. 259–261. 1924.
   "The Colorado potato beetle in Virginia, in 1908." Ent. Bul. 82, pp. 1–8. 1912; Ent. Bul. 82, pt. 1, pp. 1–8. 1909.
   "The Indian-meal moth and 'weevil-cut' peanuts." Ent. Cir. 142, pp. 6. 1911.

POPENOE, WILSON—
   explorations in—
      Guatemala, and importations. B.P.I. Inv. 49, pp. 5–7, 11–12, 15, 16–22, 30, 34–36, 43, 50, 77, 97–101. 1921.
      South America, and—
         importations. B.P.I. Inv. 65, pp. 1–2. 1923.
         map. B.P.I. Inv. 69, pp. 1, 2. 1923.
   "Freezing-point lowering on the leaf sap of the horticultural types of *Persea americana*." With J. Arthur Harris. J.A.R., vol. 7, No. 6, pp. 261–268. 1916.
   "The avocado in Guatemala." D.B. 743, pp. 69. 1919.
   "The navel orange of Bahia; with notes on some little-known Brazilian fruits." With others. D.B. 445, pp. 35. 1917.
   "The pollination of the mango." D.B. 542, pp. 20. 1917.

Popillia japonica—
   larvae in soil fumigation, experiments. J.A.R., vol. 15, pp. 134–136. 1918.
   See also Japanese beetle.

Poplar—
   adaptability for shelter-belt planting. D.B. 1113, pp. 8, 9, 12, 15. 1923.
   aphids, description and life history, and gall formation. J.A.R., vol. 14, pp. 577–594. 1918.
   balsam—
      distribution. N.A. Fauna 21, pp. 53, 54. 1901; N.A. Fauna 22, pp. 12, 13. 1902; N.A. Fauna 24, pp. 13, 14, 17. 1904.
      occurrence and uses, east-central Alaska. N.A. Fauna 30, p. 11. 1909.

Poplar—Continued.
  beetles, control on young shade trees. B.P.I.
    D.L.A. 4, p. 3. 1919.
  big toothed, injury from gipsy moth. D.B. 204,
    p. 14. 1915.
  borer, description. Sec. [Misc.], "A manual of
    insects * * *," p. 180. 1917.
  borer, mottled, description, habits, and control.
    F.B. 1169, pp. 65–66. 1921.
  canker, caused by *Cytospora chrysosperma*, control.
    J.A.R., vol. 13, pp. 331–345. 1918.
  canker, importation from Europe, description,
    distribution, and control studies. News L.,
    vol. 4, No. 21, pp. 3–4. 1916.
  Carolina—
    adaptability for Truckee-Carson project, description. B.P.I. Cir. 78, p. 7. 1911.
    similarity to cottonwood. For. Cir. 77, p. 1.
      1910.
    value for windbreaks, in Oregon. B.P.I. Cir.
      129, pp. 31. 1913.
    windbreak for figs. F.B. 342, p. 20. 1909.
  characteristics. F.B. 468, p. 41. 1911; For. Cir.
    161, p. 49. 1909.
  characters, species on Pacific slope. For. [Misc.],
    "Forest trees * * * Pacific * * *," pp.
    238–253. 1908.
  Chinese—
    adaptability to Nevada. D.C. 267, p. 15. 1923.
    importations and descriptions. Nos. 39900,
      39924, B.P.I. Inv. 42, pp. 6, 35, 40. 1918;
      No. 44424, B.P.I. Inv. 50, p. 70. 1922.
  comparison with cottonwood. D.B. 24, pp. 48–
    49. 1913.
  consumption for—
    pulpwood, notes and statistics. D.B. 758, pp.
      3, 5, 9, 10, 11, 14. 1919.
    sulphite-process pulp, 1900–1916. D.B. 620,
      pp. 2–4. 1918.
  crown-gall, study and experiments. B.P.I. Bul.
    213, pp. 18, 20, 51, 52, 91–94, 131. 1911.
  cuttings, treatment to avoid canker disease.
    J.A.R., vol 13, p. 339. 1918.
  decrease of supply for wood pulp. Y.B., 1910,
    p. 340. 1911; Y.B. Sep. 541, p. 340. 1911.
  descriptions, use as street tree, and regions
    adapted to. D.B. 816, pp. 18, 19, 40–41. 1920.
  desert, importation and description. No. 30921,
    B.P.I. Bul. 242, p. 53. 1912.
  diseases caused by fungi. B.P.I. Bul. 149, pp.
    19, 30, 57. 1909.
  enemy, the satin moth. D.C. 167, pp. 16. 1921.
  European disease, studies. News L., vol. 4, No.
    21, pp. 3–4. 1916.
  gall insects, description, habits, and control.
    F.B. 1169, pp. 89–90. 1921.
  galls, formation by *Pemphigus populi-transversus*.
    J.A.R., vol. 14, pp. 579–584, 591–592. 1918.
  growing in Great Plains, uses and value. F.B.
    1312, pp. 11–12. 1923.
  heart rot caused by *Polyporus dryophilus*. J.A.R.,
    vol. 3, pp. 65–78. 1914.
  host of bagworm. F.B. 701, p. 3. 1916.
  importations and descriptions. Nos. 30054–
    30057, 30146–30150, 30230, B.P.I. Bul. 233, pp.
    54–55, 62–63, 69. 1912; Nos. 37482, 37542, B.P.I.
    Inv. 38, pp. 63, 71. 1917; Nos. 37953, 38232,
    38255, B.P.I. Inv. 39, pp. 7, 72, 105, 109. 1917;
    No. 43862, B.P.I. Inv. 49, p. 88. 1921; No.
    45704, B.P.I. Inv. 53, p. 80. 1922; Nos. 49040,
    49041, B.P.I. Inv. 61, p. 71. 1922; No. 49678,
    B.P.I. Inv. 62, p. 70. 1923; Nos. 51381, 51876–
    51877, B.P.I. Inv. 65, pp. 4, 6, 10, 61.
    1923; Nos. 52368, 52605, 52705, B.P.I. Inv. 66,
    pp. 2, 16, 49, 62. 1923; Nos. 54640–54641, B.P.I.
    Inv. 69, pp. 4, 31. 1923.
  in North Carolina, use as windbreak. Soils Cir.
    65, p. 13. 1912.
  infestation with May beetles. F.B. 543, pp. 10,
    19. 1913.
  injury by—
    Armillaria mellea. D.B. 89, pp. 4, 6. 1914.
    borers. Ent. Bul. 67, p. 27. 1907; F.B. 1154,
      pp. 3–6, 9–10. 1920.
    sapsuckers. Biol. Bul. 39, pp. 27–28, 50, 66, 67,
      77–78. 1911.
    satin moth caterpillars. D.C. 167, pp. 3, 10,
      16. 1921.
  insect pests, list. Sec. [Misc.], "A manual
    * * * insects * * *," pp. 180–183. 1917.

Poplar—Continued.
  insects injurious. F.B. 1169, pp. 99–100. 1921.
  kinds in Wyoming, distribution and growth.
    N.A. Fauna 42, p. 60. 1917.
  kinds on Truckee-Carson project, experiments,
    1913. B.P.I. [Misc.], "The work * * *
    Truckee-Carson * * *, 1914," pp. 9–10.
    1914.
  leaf-beetles, description and control. F.B. 1169,
    pp. 50–51. 1921.
  Lombardy, value as windbreak. B.P.I. Cir. 129,
    p. 31. 1913; For. Bul. 86, p. 42. 1911.
  lumber cut and value, 1906, several States. For.
    Cir. 122, pp. 19–20. 1907.
  Norway, similarity to Carolina poplar. B.P.I.
    Cir. 78, p. 8. 1911.
  occurrence in—
    Alaska. D.B. 50, pp. 5, 8. 1914.
    Colorado, description. N.A. Fauna 33, pp.
      224–225. 1911.
  paper making, reduction to pulp, quantity, and
    annual use. Chem. Cir. 41, p. 5. 1908.
  preservative treatment results. F.B. 744, p. 17.
    1916.
  protection from insects. D.L.A. 4, p. 3. 1919.
  pulpwood—
    cellulose content, comparison with cotton and
      zacaton. D.B. 309, pp. 18–20. 1915.
    statistics. D.B. 80, pp. 43–47. 1914.
  sap rot, similarity of fungus to *Polyporus dryophilus*. J.A.R., vol. 1, p. 241. 1913.
  spraying for control of satin moth. D.C. 167, pp
    15–16. 1921.
  stumpage value, 1907. For. Cir. 122, p. 38. 1907.
  tests for mechanical properties, results. D.B.
    556, pp. 32, 41. 1917; D.B. 676, p. 27. 1919.
  treatment for borer control. F.B. 1154, p. 11.
    1920.
  tulip—
    description and key. D.C. 223, pp. 6, 9. 1922.
    names, range, description, bark, prices, and
      uses. B.P.I. Bul. 139, pp. 23–25. 1909.
    See also Poplar, yellow; Tulip tree; *Liriodendron tulipifera*.
  undesirable for shade trees in East. Ent. Bul.
    67, p. 29. 1907.
  use as windbreak in Eastern States and Pacific
    Coast States. For. Bul. 86, pp. 99, 100. 1911.
  value for windbreaks in Oregon. W.I.A. Cir. 1,
    p. 18. 1915.
  varieties, growth habits, and regions suited to.
    F.B. 1208, pp. 35–37. 1922.
  volume tables, growth rate. For. Bul. 36, pp.
    139–141, 189, 193. 1910.
  weight—
    per cord, and equivalent in coal. D.B. 718, p.
      59. 1918.
    uses, freight rates, and value. F.B. 715, pp. 4,
      22, 32, 34, 35, 39. 1916.
  wood used for pulp, by States and processes. For.
    Cir. 120, pp. 4–7. 1907.
  yellow—
    consumption in Arkansas, amount, value, etc.
      For. Bul. 106, pp. 7, 10, 16, 21, 22, 40. 1912.
    description, range, and uses. For. Cir. 93, rev.,
      pp. 1–4. 1910.
    growth in different regions, rate. F.B. 1177,
      rev., p. 27. 1920.
    logging on cove lands, directions. For. Cir. 118,
      pp. 11–13. 1907.
    lumber production—
      1899–1914, and estimates, 1915. D.B. 506, pp.
        13–15, 23. 1917.
      1913, species and range. D.B. 232, pp. 16–17,
        31–32. 1915.
      1916, by States, mills reporting, and lumber
        value. D.B. 673, pp. 23–24. 1918.
      1917, and value, by States. D.B. 768, pp. 26,
        38, 43. 1919.
      1918, by States. D.B. 845, pp. 30, 46. 1920.
      1920, by States. D.B. 1119, p. 49. Y.B.,
        1922, p. 924. 1923.
    occurrence in South Carolina, yield, and description. For. Bul. 56, pp. 8, 12, 28, 43–44.
      1905.
    quantity used in manufacture of wooden products. D.B. 605, p. 9. 1918.
    range, habits of growth, care, uses, etc. For.
      Cir. 93, rev., pp. 1–4. 1910.

INDEX TO PUBLICATIONS, 1901–1925 1871

Poplar—Continued.
  yellow—continued.
    spacing in forest planting. F.B. 1177, rev., p. 22. 1920.
    wholesale price at Chicago, comparison with basswood, prices, 1912–1921. D.B. 1007, p. 22. 1922.
    yield per acre. For. Bul. 36, p. 202. 1910.
  See also *Liriodendron tulipifera;* Tulip tree.
  See also Aspen; Cottonwood.
Poppers, corn, descriptions. F.B. 553, pp. 9–10, 12. 1913.
Popping, sorghum grains. D.B. 470, pp. 3. 1916.
Popple. See Aspen.
Poppy(ies)—
  California—
    adaptability for gardens, descriptions. News L., vol. 2, No. 33, p. 4. 1915.
    description. B.P.I. Doc. 433, p. 4. 1909.
  description—
    and suggestions for growing. B.P.I. Doc. 433, p. 7. 1909.
    cultivation and characteristics. F.B. 1171, rev., pp. 49–50, 65, 82. 1920.
  growing in Alaska. Alaska A.R., 1918, pp. 33, 53, 91. 1920.
  importations and descriptions. No. 39022, B.P.I. Inv. 40, p. 60. 1917; Nos. 44742, 44743, B.P.I. Inv. 51, p. 58. 1922; Nos. 46303, 46315, 46537–46559, B.P.I. Inv. 56, pp. 5, 7, 25. 1922.
  oil, as adulterant of olive oil, analytical data, and tables. Chem. Bul. 77, pp. 15, 16, 17, 20, 21, 23, 24, 25, 27. 28, 41–42, 44, 46. 1905.
  seed, adulteration with henbane seed. Chem. S.R.A. 1, p. 3. 1914; Chem. S.R.A. 18, p. 43. 1916.
Population—
  and food products of United States, relations, exclusive of Alaska, and insular possessions, 1850–1900. James H. Blodgett. Stat. Bul. 24, pp. 86. 1903.
  currents to the farm. George K. Holmes. Y.B., 1914, pp. 257–274. 1915; Y.B. Sep. 641, pp. 257–274. 1915.
  increase—
    diminishing rate. Y.B., 1908, p. 181. 1909.
    land requirements. Y.B., 1923, pp. 461–463. 1924; Y.B. Sep. 896, pp. 461–463. 1924.
    maximum maintainable by present resources. Y.B., 1923, pp. 497–500. 1924; Y.B. Sep. 896, pp. 497–500. 1924.
    proportion to crop production. Off. Rec., vol. 4, No. 1, p. 3. 1925.
  relation—
    of food products in United States. James H. Blodgett. Stat. Bul. 24, pp. 86. 1903.
    to livestock, trend, 1850–1924. D.C. 241, pp. 1–5. 1924.
  rural—
    1910, by States, map. Atl. Am. Agr., Adv. Sh., Pt. IX, Sec. 1, pp. 19. 1919; Y.B., 1915, pp. 329, 347. 1916; Y.B. Sep. 681, pp. 329, 347. 1916.
    1915, world countries. Y.B., 1915, pp. 576–577. 1916; Y.B. Sep. 684, pp. 576–577. 1916.
    and agricultural—
      1916, world countries. Y.B., 1916, p. 697. 1917; Y.B. Sep. 721, p. 697. 1917.
      1917, various countries. Y.B., 1917, p. 749. 1918; Y.B. Sep. 761, p. 43. 1918.
      1918, world countries. Y.B., 1918, pp. 713–714. 1919; Y.B. Sep. 795, pp. 49–50. 1919.
      1919, statistics, various countries. Y.B. 1919, pp. 747–748. 1920; Y.B. Sep. 830, pp. 747–748. 1920.
    drift to cities.—
      1920. An. Rpts., 1920, pp. 25–27. 1921; Sec. A.R., 1920, pp. 25–27. 1920.
      1925. Sec. A.R., 1925, pp. 32–33. 1925.
    United States, June, 1900, June, 1910, June, 1916, report of Secretary. News L., vol. 4, No. 23, pp. 1, 2. 1917.
Populus—
  deltoides—
    common names. D.B. 24, p. 11. 1913.
    See also Poplar, Carolina.
  spp.—
    heart-rot caused by *Polyporus dryophilus.* J.A.R., vol. 3, pp. 73, 74, 75. 1914.

*Populus—*Continued.
  spp.—continued.
    injury by—
      pith-ray flecks. For. Cir. 215, p. 9. 1913.
      sapsuckers. Biol. Bul. 39, pp. 27–28, 50. 1911.
      susceptibility to dry rot. B.P.I. Bul. 214, p. 12. 1911.
    See also Aspen; Cottonwood; Poplar.
  tremuloides, chlorosis. J.A.R., vol. 21, No. 3, p. 155. 1921.
Porana racemosa. See Snow creeper.
Porcelain, containers for cottage cheese. D.C. 1, pp. 7–8. 1919.
Porcellio laevis. See Sowbug, dooryard.
Porch(es)—
  kitchen, screen value. D.C. 189, p. 6. 1921.
  protection from earwigs by sticky bands. D.B. 566, p. 11. 1917.
  screened, for farm kitchen, description and value. F.B. 607, pp. 9–10. 1914.
  storm and screened, for farm kitchens, description and value. F.B. 607, pp 9–10. 1914.
  value to farm home. O.E.S.F.I.L. 12, pp. 11–12. 1912.
PORCHER, CHARLES—
  "Cheese nomenclature." B.A.I. [Misc.], "World's dairy congress, 1923," pp. 762–764, 774–775. 1924.
  "International federation of dairying." B.A.I. [Misc.], "World's dairy congress, 1923," pp. 41–45. 1924.
  "The physiology of milk secretion." B.A.I. [Misc.], "World's dairy congress, 1923," pp. 1016–1018. 1924.
Porcupine(s)—
  Alaska, occurrence in Yukon Territory. N.A. Fauna 30, pp. 26, 56, 80. 1909.
  Alaska, range and habits. N.A. Fauna 21, pp. 59, 66–67. 1901; N.A. Fauna 24, p. 38. 1904.
  bounties paid by different States. F.B. 1238, pp. 16, 22. 1921.
  Canada, range and habits. N.A. Fauna 22, p. 59. 1902.
  destruction methods. Biol. Cir. 82, p. 9. 1911.
  destructiveness and control. Biol. Chief Rpt., 1925, p. 9. 1925.
  enemies of pine seedlings. D.B. 1105, p. 135. 1923.
  in Athabaska-Mackenzie region. N.A. Fauna 27, p. 197. 1908.
  injury to—
    lodgepole pine. D.B. 154, p. 26. 1915.
    maple trees. For. Bul. 59, p. 30. 1905.
  occurrence in Montana. Biol. Cir. 82, p. 20. 1911.
  yellow-haired—
    occurrence in—
      Colorado, description. N.A. Fauna 33, pp. 149–151. 1911.
      Texas. N.A. Fauna 25, p. 150. 1906.
Porcupine grass—
  description and forage value. D.B. 545, pp. 9–10, 58, 59. 1917. D.B. 772, pp. 160, 161. 1920.
  growth habits and forage value. D.B. 791, pp. 15–17, 21–32. 1919.
  type of range vegetation, composition and uses. D.B. 791, pp. 22–32, 68–69. 1919.
  western, reproduction and growth. J.A.R., vol. 3, No. 2, pp. 108, 111, 113, 133–141. 1914.
Poria—
  sp., enemy of jack pine. D.B. 212, p. 8. 1915.
  subacida, description and action on crossing strips of lumber piles. B.P.I. Bul. 114, p. 30. 1907.
  weirii, cause of butt-rot of cedar, description and characteristics. D.B. 658, pp. 12, 13, 17. 1918.
Porizon macer, enemy of cabbage webworm. Ent. Bul. 109, Pt. III, pp. 31–32. 1912.
Pork—
  American—
    foreign demand. News L., vol. 6, No. 52, p. 1. 1919.
    foreign restrictions. B.A.I. An. Rpt., 1906, pp. 69–70, 75–76. 1908. B.A.I., Cir. 125, pp. 9–10, 15–16. 1908.
    imported into Germany, 1892–1898. B.A.I. Bul. 30, pp. 33–34. 1901.

Pork—Continued.
 and pork products, imported, amendment to regulations, inspection certificate. B.A.I.O. 211, amdt. 1, pp. 2. 1914.
 bad effects of peanut feeding in fattening hogs. B.A.I. An. Rpt., 1903, p. 294. 1904; B.A.I. Cir. 63, p. 294. 1904.
 barrels, methods of filling. News L., vol. 6, No. 10, pp. 13-14. 1918.
 beef, and lamb, vitamin A in. Ralph Hoagland and George G. Snider. J.A.R., vol. 31, pp. 201-221. 1925.
 breeding for, selection of stock. D.B. 905, p. 60. 1920.
 butchering losses, avoidance methods. News L., vol. 5, No. 28, p. 7. 1918.
 cakes, canning recipe. S.R.S. Doc. 80, p. 19. 1918.
 canning at home, directions and recipes. F.B. 1186, pp. 28-44. 1921; S.R.S. Doc. 80, rev., pp. 14, 18, 19. 1919.
 carcass examination, method. B.A.I. Bul. 61, pp. 118-119. 1904.
 certificates, foreign, for import into United States. B.A.I.O. 211, amdt. 1, pp. 2. 1918.
 chops, adulteration. See *Indexes to Notices of Judgment, in bound volumes and in separates published of Chemistry Service and Regulatory Announcements.*
 cold-storage—
  holdings—
   1915-1924. Stat. Bul. 4, pp. 16-18. 1925.
   1916-1922, graph. Y.B., 1922, p. 254. 1923; Y.B. Sep. 882, p. 254. 1923.
   1916-1923. S.B. 1, pp. 15-16. 1923.
  receipts, deliveries, length of storage. Stat. Bul. 93, pp. 14, 20-21, 30, 32, 34, 37, 40, 43-47, 81. 1913.
 consumption—
  by farm families. F.B. 1082, pp. 6, 19. 1920.
  in England, decrease. B.A.I. Bul. 15, p. 23. 1896.
  in United States. Rpt. 109, pp. 129, 271. 1916.
  per capita—
   1907-1921, and relation to marketing. Y.B., 1922, pp. 182, 247-253. 1923; Y.B. Sep. 882, pp. 182, 247-253. 1923.
   and comparison with other meats. F.B. 1172, p. 3. 1920.
 cooking—
  digestion experiments. O.E.S. Bul. 193, pp. 39-40. 1907.
  requirements under meat inspection. B.A.I. S.R.A. 135, p. 54. 1918.
  to destroy trichinae—
   meat inspection regulations. J.A.R., vol. 17, pp. 201, 220. 1919.
   warning by department. An. Rpts., 1911, p. 202. 1912; B.A.I. Chief Rpt., 1911, p. 12. 1911.
 cost of production, labor and material requirements for 100 pounds. Y.B., 1921, p. 845. 1922; Y.B. Sep. 876, p. 42. 1922.
 cost reduction by home butchering. News L., vol. 5, No. 18, p. 5. 1917.
 curing—
  and handling by ice companies in South, costs. F.B. 809, pp. 11-12. 1917.
  and hog killing. F. G. Ashbrook and G. A. Anthony. F.B. 913, pp. 40. 1917.
  at home, club work. Y.B., 1915, pp. 185-186. 1916; Y.B. Sep. 667, pp. 185-186. 1916.
  directions—
   and formulas. F.B. 1186, pp. 15-18. 1921.
   for Hawaii. Hawaii Bul. 48, p. 42. 1923.
  experiments for destruction of trichinae. D.B. 880, pp. 4-34. 1920.
  in South, suggestions. Sec. Cir. 30, p. 8. 1909.
  method, vessels needed, curing agents. F.B. 913, pp. 14-18. 1917.
  methods on farms. News L., vol. 6, No. 20, p. 8. 1918.
  preservatives. F.B. 913, pp. 14-15. 1917.
  processes, effects on trichinae. B. H. Ransom and others. D.B. 880, pp. 37. 1920.
  with molasses, recipes. News L., vol., 7, No. 18, p. 5. 1919.

Pork—Continued.
 cuts—
  and grades. F.B. 435, p. 19. 1911.
  description and percentage yields. D.C. 300, pp. 5-9. 1924.
  home methods. Y.B., 1922, p. 268. 1923; Y.B. Sep. 882, p. 268. 1923.
 danger from trichinae, cooking as preventive. F.B. 1133, p. 18. 1920.
 dietary value, comparison with cheese. B.A.I. Cir. 166, p. 21. 1911.
 domestic consumption, increase. Off. Rec., vol. 2, No. 39, p. 4. 1923.
 dry curing, formulas, comparison with brine, cured. F.B. 913, pp. 15-16, 17. 1917.
 examination for trichinae, discontinuance. B.A.I. Cir. 125, pp. 35-37. 1908.
 experimental tests on commercial scale. D.B. 1086, pp. 3-40. 1922.
 exports—
  1790, 1867-1871, 1877-1881. Y.B., 1922, pp. 186, 190. 1923; Y.B. Sep. 882, pp. 186, 190. 1923.
  1851-1910. Y.B., 1910, pp. 676-677. 1911; Y.B. Sep. 553, pp. 676-677. 1911.
  1890-1906, by countries. Stat. Bul. 55, pp. 26-35. 1907.
  1901-1924. Y.B., 1924, pp. 1042, 1074. 1925.
  1902-1904. Stat. Bul. 36, pp. 37-40. 1905.
  1917 and 1918. Sec. Cir. 123, pp. 3, 5. 1918.
  1917-1919, 1910-1919. Y.B., 1920, pp. 12-13, 34. 1921; Y.B. Sep. 864, pp. 12-13, 34. 1921.
  and—
   after-war needs, with comparisons. News L., vol. 6, No. 14, pp. 6-7. 1918.
  imports, 1904-1908, 1851-1908. Y.B., 1908, pp. 764, 778-779. 1909; Y.B. Sep. 498, pp. 764, 778-779. 1909.
  imports, 1910-1920, by world countries. Y.B., 1921, p. 729. 1922; Y.B. Sep. 870, p. 55. 1922.
  cuts, description. D.C. 300, p. 8. 1924.
  distribution. Rpt. 67, pp. 16-18. 1901.
  fluctuations, 1794-1919. Y.B., 1922, pp. 248-250, 273-275, 277. 1923; Y.B. Sep. 882, pp. 248-250, 273-275, 277. 1923.
  from nine countries of surplus production. Rpt. 109, pp. 88-92, 95, 216, 218-230. 1916.
  increase, 1923. An. Rpts., 1923, p. 40. 1924; Sec. A.R., 1923, p. 40. 1923.
  prohibitions. Y.B., 1906, pp. 249-251. 1907; Y.B. Sep. 421, pp. 249-251. 1907.
  statistics, 1921. Y.B., 1921, pp. 744, 750, 751, 759. 1922; Y.B. Sep. 867, pp. 8, 14, 15, 23. 1922.
  to Netherlands, certificate requirements. B.A.I.S.R.A. 197, p. 78. 1923.
  total and per capita, 1851-1908. Stat. Bul. 75, pp. 6, 13, 33-35. 1910.
  trade, breeds suitable. B.A.I. Bul. 47, pp. 236-237. 1904.
  value, destination and trend. Y.B., 1922, pp. 184, 251-253, 273-275, 277. 1923; Y.B. Sep. 882, pp. 184, 251-253, 273-275, 277. 1923.
 exportation increase for war needs. News L., vol. 5, No. 14, pp. 2-3. 1917.
 fat—
  food value, chart. F.B. 1383, p. 31. 1924.
  salt, food-value comparisons, chart. D.B. 975, pp. 10, 34. 1921.
  See also Lard.
 foreign demand and trade, discussion. Y.B., 1922, pp. 248-253, 273, 279. 1923; Y.B. Sep. 882, pp. 248-253, 273, 279. 1923.
 freight rates, Chicago to New York, graph 1896-1922. Y.B., 1922, p. 252. 1923; Y.B. Sep. 882, p. 252. 1923.
 fresh—
  cold-storage, consumption, monthly. Stat. Bul. 101, pp. 54, 55, 57, 60, 65, 66. 1913.
  for Netherlands, reporting, regulation. B.A.I. S.R.A. 204, p. 43. 1924.
  frozen, for France. B.A.I.S.R.A. 204, pp. 42-43. 1924; Off. Rec., vol. 3, No. 19, p. 3. 1924.
  handling for Great Britain, regulation. B.A.I. S.R.A. 183, p. 80. 1922.
  price compilation, sources, and grades. Stat. Bul. 101, pp. 37, 39, 40, 42, 44, 47, 48. 1913.
  prices, wholesale, various markets, 1880-1911. Stat. Bul. 101, pp. 79-80, 102. 1913.
 frozen, storage holdings, 1918, by localities, and by months. D.B. 792, pp. 8-12. 1919.

Pork—Continued.
   garbage-fed hogs—
      quality. F.B. 1133, p. 18. 1920.
      value, comparison with grain-fed hogs. Sec. Cir. 80, p. 8. 1917.
   importance and method of production. News L., vol. 5, No. 30, p. 3. 1918.
   imported, inspection certificate. B.A.I.O. 211, rev., pp. 60–66. 1922.
   imports—
      and exports, 1913–1915 and 1852–1915 and destination. Y.B., 1915, pp. 541, 549, 556, 566. 1916; Y.B. Sep. 685, pp. 541, 549, 556, 566. 1916.
      fifteen principal countries. Rpt. 109, pp. 108–111, 231–262. 1916.
   increase requirements for winning war. News L. vol. 5, No. 14, pp. 2–3. 1917.
   inspection—
      microscopic, for trichinae, results, 1898–1906. Y.B., 1922, p. 219. 1923; Y.B. Sep. 882, p. 219. 1923.
      of lymph glands, directions. B.A.I. An. Rpt., 1910, pp. 377–395. 1912; B.A.I. Cir. 192, pp. 377–395. 1912.
   killing and curing, economic suggestions, summary. F.B. 1186, pp. 27–28. 1921.
   labeling, cheek meat and head meat, notice. B.A.I.S.R.A. 181, p. 58. 1922.
   loin(s)—
      adulteration. Chem. N.J. 3996, p. 1. 1915.
      food value, chart. F.B. 1383, p. 21. 1924.
   low temperature, value. Off. Rec., vol. 3, No. 20, p. 3. 1924.
   market-statistics, imports, exports, and prices, 1910–1920. D.B. 982, pp. 58–61, 126–130. 1921.
   meat inspection regulations for trichinae. D.B. 880, pp. 1–2. 1920.
   microscopic inspection, discontinuance. An. Rpts., 1907, pp. 28, 194–195, 203. 1908; Rpt. 85, p. 18. 1907; Sec. A.R., 1907, p. 26. 1907; Y.B., 1907, pp. 27. 1908.
   oily—
      description and comparison with soft pork. D.B. 1086, pp. 2, 9–12, 13. 1922.
      hard and soft, curing tests. B.A.I. Chief Rpt., 1924, p. 8. 1924.
      increase in South, and causes. D.B. 1086, pp. 1–3. 1922.
   packing in Canada, statistics. B.A.I. Bul. 47, pp. 284–285. 1904.
   percentage of total meat imports, various countries. Rpt. 109, pp. 113, 261–262. 1916.
   pickling, directions. F.B. 1186, p. 18. 1921.
   preparation—
      for canning. F.B. 1186, pp. 30–31. 1921.
      regulations. News L., vol. 6, No. 52, p. 13. 1919.
   prices—
      1906. B.A.I. An. Rpt., 1906, pp. 316, 317, 318. 1908.
      1909, wholesale and retail. Sec. A.R., 1909, pp. 29–30. 1909; Y.B., 1909, pp. 29–30. 1910.
      1913–1924. Y.B., 1924, p. 918. 1925.
      1918, discussion. News L., vol. 5, No. 18, p. 2. 1917.
      comparison—
         American and European, 1906–1907. B.A.I. An. Rpt., 1907, pp. 400–401. 1909.
         American and European, 1907–1909. B.A.I. An. Rpt., 1909, pp. 310–311. 1911.
         with hog prices. Rpt. 109, pp. 143–152, 157–158, 163–164, 279–301. 1916.
      control agreements, statement by Food Administrator. News L., vol. 5, No. 31, p. 8. 1918.
      home and foreign countries, 1909–1911. B.A.I. An. Rpt., 1911, pp. 279–280. 1913.
      in United States and Europe, 1911–1913. Y.B., 1913, p. 486. 1914; Y.B. Sep. 360, p. 486. 1914.
      increase by lice. News L., vol. 6, No. 48, pp. 6–7. 1919.
      minimum, in packers' yards. Sec. Cir. 84, p. 11. 1918.
   production—
      1907–1923. D.C. 241, pp. 15, 16. 1924.
      1910–1916. News L., vol. 4, No. 50, p. 8. 1917.
      1913–1919, and exports, 1915–1919. Sec. Cir. 142, pp. 24–25. 1919.
      and consumption. Off. Rec., vol. 3, No. 10, p. 2. 1924.

Pork—Continued.
   production—continued.
      and saving, North and West, method and plans. News L., vol. 5, No. 27, p. 3. 1918.
      animal feeding. B.A.I. Bul. 108, pp. 1–89. 1908.
      by pasturing on irrigated peas, cost and profit. O.E.S. Bul. 218, p. 43. 1910.
      cost on soybean pasture. F.B. 372, pp. 15–16. 1909.
      cost reduction by use of fall forage and pasturage. News L., vol. 5, No. 10, p. 6. 1917.
      economy studies and experiments in Iowa. F.B. 704, p. 36. 1916.
      estimates, 1900–1921. Y.B., 1922, p. 276. 1923; Y.B. Sep. 882, p. 276. 1923.
      experimental work, recent. B.A.I. Bul. 47, pp. 71–285. 1904.
      feed requirement for pound. Off. Rec., vol. 2, No. 41, p. 5. 1923.
      for home use, cost and profit. Sec. Spec., "How * * * start in pig raising," pp. 1, 4. 1914.
      forecast, 1919, and estimates, 1909–1919. An. Rpts., 1919, pp. 5, 8. 1920; Sec. A.R., 1919, pp. 7, 10. 1919.
      from—
         acre of staple crops. F.B. 877, p. 5, 10. 1917.
         food wastes. News L., vol. 5, No. 2, p. 5. 1917.
         municipal garbage, cooperative experiment in Massachusetts. News L., vol. 5, No. 2, p. 2. 1917.
      in South, cost per pound by different methods. Sec. Cir. 30, pp. 1, 4–5. 1909.
      in Southern States, experiment. F.B. 310, p. 6. 1907.
      in United States, 1900. Rpt. 109, pp. 117, 263. 1916.
      increase—
         1900–1918. News L., vol. 6, No. 50, pp. 1, 5. 1919.
         1918. Y.B., 1918, pp. 291, 301–302. 1919; Y.B. Sep. 773, pp. 5, 15–16. 1919.
         in Mississippi. News L., vol. 7, No. 11, pp. 6–7. 1919.
         in South Carolina. News L., vol. 6, No. 52, p. 12. 1919.
         need for 1919, and stabilizing price. Sec. Cir. 123, pp. 3–8. 1918.
         result of cholera-control work. Y.B., 1918, p. 192. 1919; Y.B., Sep. 777, p. 4. 1919.
         since 1914. An. Rpts., 1918, pp. 6, 8. 1919; Sec. A.R., 1918, pp. 6, 8. 1918.
         work of Agriculture Department, and methods. News L., vol. 5, No. 3, pp. 6–7. 1917.
      investigations—
         and tests. B.A.I. An. Rpt., 1910, p. 33. 1912.
         Beltsville experiment farm. An. Rpts., 1916, pp. 81–82. 1917; B.A.I. Chief Rpt., 1916, pp. 15–16. 1916.
      lessons for elementary rural schools. E. A. Miller. D.B. 646, pp. 26. 1918.
      methods and cost, experiments. Sec. Cir. 30, pp. 4–5. 1909.
      on alfalfa pasture, Yuma experiment farm. D.C. 75, pp. 75–76. 1920.
      on irrigated lands. D.B. 752, pp. 1–4, 35–37. 1919.
      on irrigation farms, opportunities. Y.B., 1916, pp. 187–189. 1917; Y.B. Sep. 690, pp. 11–13. 1917.
      on irrigation project, Nebraska, organization. Y.B., 1915, p. 272. 1916; Y.B. Sep. 675, p. 272. 1916.
      possibilities, in Provo area. D.B. 582, p. 30. 1918.
      stimulation by pig-club work. Y.B., 1917, pp. 377–378. 1918; Y.B. Sep. 753, pp. 9–10. 1918.
      use and value of small grains and alfalfa, comparison studies. News L., vol. 2, No. 28, pp. 2–3. 1915.
   products—
      1916 and 1917, decrease in 1917. Sec. Cir. 84, pp. 3–4. 1918.
      curing, experiments for destruction of trichinae. D.B. 880, pp. 4–34. 1920.

Pork—Continued.
  products—continued.
    eaten raw, preparation method's regulations. B.A.I.S.R.A. 100, pp. 95-96. 1915; B.A.I.S. R.A. 117, p. 2. 1917; B.A.I.S.R.A. 126, pp. 107-108. 1917.
    preparation, curing, refrigeration, and heating. B.A.I.S.R.A. 128, pp. 131-133. 1918.
    statistics, 1923. Y.B., 1923, pp. 967-976. 1924; Y.B. Sep. 902, pp. 967-976. 1924.
    quality and quantity from garbage feeding. F.B. 1133, pp. 5-6, 16, 17, 18, 25, 26. 1920.
    raw, use for food, danger of trichinosis. B. H. Ransom. B.A.I. Cir. 108, pp. 6. 1907.
    relative production of hogs before and after weaning. B.A.I. Bul. 47, pp. 240-241. 1904.
    roast, canning directions. F.B. 1186, pp. 36-37. 1921.
    roast, with cowpeas, recipe. F.B. 391, p. 25. 1910.
  salt—
    branding. B.A.I.S.R.A. 118, p. 22. 1917.
    cold-storage holdings, 1918, localities, and by months. D.B. 792, pp. 19-25. 1919.
    commercial stocks in the United States on August 31, 1917. Sec. Cir. 101, pp. 6-9. 1918.
    cooking with milk gravy, recipe. F.B. 391, p. 36. 1910.
    curing, methods, and formula. News L., vol. 2, No. 4, p. 4. 1914.
    salted, American, imported into Germany, danger of trichinosis. B.A.I. Bul. 30, pp. 186-192. 1901.
    shipments to Netherlands. B.A.I.S.R.A. 201, p. 2. 1924.
    smoked, color studies. J.A.R., vol. 3, pp. 218, 219, 223. 1914.
    smoking and storing. F.B. 1186, pp. 22-26. 1921.
  soft—
    age as factor in production. Work and Exp., 1923, p. 61. 1925.
    and bacon. F.B. 162, pp. 26-27. 1903.
    causes. B.A.I. Bul. 47, pp. 211-212. 1904; Y.B., 1922, pp. 214-215. 1923; Y.B. Sep. 882, pp. 214-215. 1923.
    causes, and prevention by feeding system. F.B. 985, pp. 25-26. 1918.
    description, and increase in South with causes. D.B. 1086, pp. 1-3. 1922.
    investigations. B.A.I. Chief Rpt., 1924, pp. 7-9. 1924.
    objections, in Southern markets. F.B. 809, pp. 13-14. 1917.
    shrinkage under commercial conditions. L. B. Burk. D.B. 1086, pp. 40. 1922.
    study. F.B. 162, pp. 26-27. 1903.
  statistics—
    1924. Y.B., 1924, pp. 918, 920-924, 1042, 1074. 1925.
  exports—
    1907-1911, and 1851-1911. Y.B., 1911, pp. 669, 680-681. 1912; Y.B. Sep. 588, pp. 669, 680-681. 1912.
    1908-1912, and 1851-1912. Y.B., 1912, pp. 727, 738-739. 1913; Y.B. Sep. 615, pp. 727, 738-739. 1913.
    1917. Y.B., 1917, pp. 768-769, 778. 1918; Y.B. Sep. 762, pp. 12-13, 22. 1918.
    1918. Y.B., 1918, pp. 628, 636, 645, 655. 1919; Y.B. Sep. 794, pp. 4, 12, 21, 31. 1919.
    and imports, 1914-1916, and 1852-1916. Y.B., 1916, pp. 708, 715-716, 724, 733. 1917; Y.B. Sep. 722, pp. 2, 9-10, 18, 27. 1917.
    and imports, 1919. Y.B., 1919, pp. 683, 691, 701, 711. 1920; Y.B. Sep. 829, pp. 683, 691, 701, 711. 1920.
    production, prices, imports, and exports. Y.B., 1922, pp. 809, 895-897, 906-908, 910-911, 950, 956, 962, 972. 1923; Y.B. Sep. 888, pp. 809, 895-897, 906-908, 910-911. 1923; Y.B. Sep. 880, pp. 950, 956, 962, 972. 1923.
    tariff duties, summary. Y.B., 1922, pp. 279-280. 1923; Y.B.Sep.882, pp. 279-280. 1923.
  trade—
    conditions, December, 1918. Y.B., 1918, p. 382. 1919; Y.B. Sep. 788, p. 6. 1919.
    international, 1922. Y.B., 1922, pp. 273-275, 906. 1923; Y.B. Sep. 882, pp. 273-275. 1923; Y.B. Sep. 888, p. 906. 1923.

Pork—Continued.
  uncooked, cause of trichinosis, use, danger, and warning. News L., vol. 3, No. 21, pp. 3-4. 1915.
  use as children's food, cooking recipe. F.B. 717, p. 17. 1916.
  uses and food value. Y.B., 1922, pp. 184-186. 1923; Y.B. Sep. 882, pp. 184-186. 1923.
  vitamin A content. J.A.R., vol. 31, pp. 211-215, 220. 1920.
  vitamin B content. Off. Rec., vol. 3, No. 41, p. 6. 1924.
  with beans, adulteration. See also *Indexes, Notices of Judgment, in bound volumes of Chemistry Service and Regulatory Announcements.*
  See also Meats.
Poronotus triacanthus. See Butterfish.
Porosagrotis sp. See Cutworm, little-known.
Porous plaster, hot x-ray, misbranding. Chem. N.J. 4188. 1916.
Porpoise—
  harbor, range, and habits. N.A. Fauna 24, p. 27. 1904.
  occurrence—
    at Pribilof Islands. N.A. Fauna 46, p. 118. 1923.
    in Alaska region, occurrence. N.A. Fauna 24, p. 27. 1904.
  range and habits. N.A. Fauna 21, p. 25. 1901.
Port(s)—
  British, for live cattle and sheep. B.A.I.S.R.A. 101, p. 108. 1915.
  crop export movement, relative importance. Stat. Bul. 38, pp. 9-10. 1905.
  exports, forest products, 1908. For. Cir. 162, pp. 5-6. 1909.
  facilities and crop export movement on the Atlantic and Gulf coasts. Frank Andrews. Stat. Bul. 38, pp. 80. 1905.
  imports, forest products, 1908. For. Cir. 162, pp. 22-24. 1909.
  of entry—
    foreign cotton, waste, burlap, etc. F.H.B. S.R.A. 39, pp. 37-38. 1917.
    plant inspection. Off. Rec., vol. 2, No. 30, p. 3. 1923.
    quarantine and inspection stations. B.A.I.O. 266, pp. 2-3. 1919.
  regulations for rat control. Y.B., 1917, p. 248. 1918; Y.B. Sep. 725, p. 16. 1918.
  wheat, on Pacific coast. Y.B., 1901, p. 567. 1902.
Port Arthur—
  Rice and Irrigation Company, canal, rice irrigation details. O.E.S. Bul. 222, pp. 37-38. 1910.
  Tex., trade center for farm products, statistics. Rpt. 98, pp. 288, 328. 1913.
Port wine—
  adulteration and misbranding. Chem. N.J. 824, pp. 2. 1911; Chem. N.J. 3541, p 1. 1915.
  American, labeling. F.I.D. 122, p. 1. 1910.
  hot, adulteration and misbranding. See *Indexes, Notices of Judgment, in bound volumes, and in separates published as supplements to Chemistry Service and Regulatory Announcements.*
  Old Bass Island brand, Ohio, adulteration and misbranding. Chem. S.R.A. Sup. 2, p. 67. 1915.
PORTE, W. S.—
  "Collar-rot of tomato." With Fred J. Pritchard. J.A.R., vol. 21, pp. 179-184. 1921.
  "Relation of horse nettle (*Solanum carolinense*) to leafspot of tomato (*Septoria lycopersici*)." With Fred J. Pritchard. J.A.R., vol. 21, pp. 501-506. 1921.
  "The control of tomato leaf-spot." With Fred J. Pritchard. D.B. 1288, pp. 19. 1924.
  "Watery-rot of tomato fruits." With Fred J. Pritchard. J.A.R., vol. 24, pp. 895-906. 1923.
PORTER, B. A.—
  "The bud moth." D.B. 1273, pp. 20. 1924.
  "The cankerworms." With C. H. Alden. D.B. 1238, pp. 38. 1924.
PORTER, H. C —
  "Experiments on losses in cooking meat." With others. O.E.S. Bul. 102, pp. 64. 1901.
  "Studies of the effect of different methods of cooking upon the thoroughness and ease of digestion of meat at the University of Illinois." With others. O.E.S. Bul. 193, pp. 100. 1907.

INDEX TO PUBLICATIONS, 1901-1925   1875

Porter—
  analysis methods and results. D.B. 498, pp. 3-4, 7, 9, 11. 1917.
  labeling, opinion Chem. S.R.A. 17, p. 41. 1916.
Porterhouse steak, cooking recipes. F.B. 391, p. 33. 1910.
Porters loam and Porters black loam, soils of the eastern United States and their use—XVII. Jay A. Bonsteel Soils Cir. 39, pp. 19. 1911.
Portfolio, collecting, for botanical specimens, directions for making. B.P.I. Cir. 126, pp. 28-30. 1913.
Porthetria dispar—
  host selection. J.A.R., vol. 22, pp. 191-220. 1921.
  See also Gipsy moth.
Portland, Me., milk supply, statistics, officials, and prices. B.A.I. Bul. 46, pp. 30, 82. 1903.
Portland, Oreg.—
  market station, lines of work. Y.B., 1919, p. 96. 1920; Y.B. Sep. 797, p. 96. 1920.
  milk supply, statistics, officials, prices and laws. B.A.I. Bul. 46, pp. 32, 143. 1903.
  trade center for farm products, statistics. Rpt. 98, pp. 287-290. 1913.
Portneuf-Marsh Valley Irrigation Company, work in Idaho. O.E.S. Bul. 216, p. 50. 1909.
Porto Rican beekeeping. E. F. Phillips. P.R. Bul. 15, pp. 24. 1914; pp. 28 (Spanish edition). 1915.
Porto Rico—
  acid soils, studies on. Oscar Loew. P.R. Bul. 13, pp. 23. 1913.
  agricultural—
    college establishment and work. O.E.S. An. Rpt., 1908, p. 255. 1909.
    investigations—
      1901. Y.B., 1901, pp. 504-510. 1902; Y.B. Sep. 252, pp. 2-8. 1902.
      1905, report. D. W. May. O.E.S. Bul. 171, pp. 47. 1906.
    products, shipments to United States. Y.B., 1924, pp. 1069-1070. 1925.
    statistics, 1909-1920. D.B. 987, pp. 66-67. 1921.
  appropriation for agricultural instruction. O.E.S. An. Rpt., 1909, p 321. 1910.
  area, population, resources, and conditions, summary of work, 1914. P.R. An. Rpt., 1914, pp. 7-12. 1915.
  as market for products of United States. Y.B., 1900, p. 69. 1901.
  avocado varieties. B.P.I. Bul. 77, pp. 23-24. 1905.
  avocado varieties desirable for Hawaii. Hawaii A.R., 1915, pp. 70-71. 1916.
  bat guanos and their fertilizing value. P. L. Gile and J. O. Carrero. P.R. Bul. 25, pp. 66. 1918.
  beekeepers, need of Spanish books on beekeeping. P.R. Bul. 15, pp. 19-20. 1914.
  beekeeping. W. V. Tower. P.R. Cir. 13, pp. 32. 1911.
  bird reservation, details and summary. Biol. Cir. 87, pp. 9, 10, 16. 1912.
  birds. Alex Wetmore. D.B. 326, pp. 140. 1916.
  boll-weevil quarantine regulations. Ent. Bul. 114, p. 167. 1912.
  calcareous soils, effect on growth and ash composition of certain plants. P. L. Gile and C. N. Ageton. P.R. Bul. 16, pp. 45. 1914.
  cattle fever, quarantine area—
    1918. B.A.I.O. 255, pp. 4, 9. 1918; B.A.I.O. 262, p. 5. 1918.
    December, 1919. B.A.I.O. 269, p. 5. 1919.
    Dec. 10, 1922. B.A.I.O. 279, p. 4. 1922.
  changa or mole cricket (*Scapteriscus didactylus* Latr.). O. W. Barrett. P.R. Bul. 2, pp. 20. 1902. (Also Spanish edition).
  citrus—
    fertilization, experiments. C. F. Kinman. P.R. Bul. 18, pp. 33. 1915; pp. 34 (Spanish edition). 1917.
    fruits, picking and packing. P.R. Cir. 8, pp. 1-18. 1909.
    fruits, varieties, adaptability, studies. F.B. 538, p. 15. 1913.
    growing industry. D.B. 1290, pp. 4-5. 1924.
  climate—
    effect on vegetable seed. P.R. Bul. 20, pp. 5, 7, 8, 26. 1916.

Porto Rico—Continued.
  climate—continued.
    relation to mango growing. P.R. Bul. 24, pp. 5-7. 1918.
    wind, temperature, and rainfall. D.B. 354, pp. 7-9. 1916.
  climatology. W. H. Alexander. W.B. [Misc.], "Proceedings, third convention * * *," pp. 239-246. 1904.
  coconut diseases, investigations. B.P.I. Bul. 228, pp. 34-36. 1912.
  coffee—
    experiments, yields, expenses, diseases and insect pests. P.R. An. Rpt., 1907, pp. 10, 39-40. 1908.
    fungous disease caused by *Pellicularia koleroga*. J.A.R., vol. 2, pp. 231-233. 1914.
    industry. J. W. van Leenhoff. P.R. Cir. 2, pp. 2. 1904.
    lands, some profitable and unprofitable. T. B. McClelland. P.R. Bul. 21, pp. 13. 1917; pp. 15 (Spanish edition). 1919.
    leaf spot (*Stilbella flavida*). T. B. McClelland. P.R. Bul. 28, pp. 12. 1921. (Also Spanish edition.)
    planting—
      J. W. van Leenhoff. P.R. Cir. 5, pp. 14. 1904. (Also Spanish edition.)
      suggestions. T. B. McClelland. (Also Span. ed.). P.R. Cir. 15, pp. 26. 1912.
    production. Sec. [Misc.], Spec. "Geography * * * world's agriculture," p. 94. 1917.
    production, exports. Stat. Bul. 79, pp. 10, 60-64. 1912.
    report of specialist. O.E.S. Bul. 171, pp. 42-47. 1906.
    varieties. T. B. McClelland. P.R. Bul. 30, pp. 27. 1924.
  cooperation among farmers. P.R. An. Rpt., 1919, p. 5. 1920.
  cotton—
    and cotton products, quarantine against. F.H.B. Quar., 47, pp. 1-4. 1920.
    sea-island. R. M. Walker. P.R. Cir. 3, pp. 4. (Also Spanish edition.) 1904.
  cover crops for. C. F. Kinman. P.R. Bul. 19, pp. 32. 1916; pp. 30 (Spanish edition). 1918.
  crops—
    experiments. O.E.S. Bul. 171, pp. 8-18. 1906.
    injury by changa or mole cricket. P.R. Bul. 23, pp. 3, 5, 7-8. 1918.
  dairying. D. W. May. P.R. Bul. 29, pp. 19. 1922.
  description, physical and economic conditions. D.B. 354, pp. 2-20. 1916.
  Desecheo Island Bird Reservation, conditions. An. Rpts., 1913, p. 231. 1914; Biol. Chief Rpt., 1913, p. 9. 1913.
  drug laws. Chem. Bul. 98, p. 169. 1906; rev., Pt. I, pp. 270-271. 1906.
  eradication of cattle tick. Sec. A.R., 1925, pp. 95-96. 1925.
  Experiment Station—
    establishment, location, and purpose. F. D. Gardner. P.R. Bul. 1, pp. 15. 1903. (Also Spanish edition.)
    plant chlorosis studies. J.A.R., vol. 7, pp. 83-86. 1916.
    publications, distribution. O.E.S. Cir. 70, rev., pp. 16-17. 1908.
    report—
      1901. F. D. Gardner. O.E.S. An. Rpt., 1901, pp. 381-415. 1902.
      1902. F. D. Gardner. O.E.S. An. Rpt., 1902, pp. 331-357. 1903.
      1903. F. D. Gardner. O.E.S. An. Rpt., 1903, pp. 419-468. 1904.
      1904. D. W. May. O.E.S. An. Rpt., 1904, pp. 383-424. 1905.
      1905. D. W. May. O.E.S. An. Rpt., 1905, pp. 124-127. 1906.
      1906. D. W. May and others. P.R. An. Rpt., 1906, pp. 584-587. 1907.
      1907. D. W. May and others. P.R. An. Rpt., 1907, pp. 55. 1908.
      1908. D. W. May and others. P.R. An. Rpt., 1908, pp. 44. 1909.
      1909. D. W. May and others. P.R. An Rpt., 1909, pp. 43. 1910.

Porto Rico—Continued.
Experiment Station—Continued.
report—continued.
1910. D. W. May and others. P.R. An. Rpt., 1910, pp. 44. 1911.
1911. D. W. May and others. P.R. An. Rpt., 1911, pp. 44. 1912.
1912. D. W. May and others. P.R. An. Rpt., 1912, pp. 44. 1913.
1913. D. W. May and others. P.R. An. Rpt., 1913, pp. 39. 1914.
1914. D. W. May and others. P.R. An. Rpt., 1914, pp. 35. 1915.
1915. D. W. May and others. P.R. An. Rpt., 1915, pp. 45. 1916.
1916. D. W. May and others. P.R. An. Rpt., 1916, pp. 31. 1918.
1917. D. W. May and others. P.R. An. Rpt., 1917, pp. 40. 1918.
1918. D. W. May and others. P.R. An. Rpt., 1918, pp. 24. 1920.
1919. D. W. May and others. P.R. An. Rpt., 1919, pp. 37. 1920.
1920. D. W. May and others. P.R. An. Rpt., 1920, pp. 39. 1921.
1921. D. W. May and others. P.R. An. Rpt., 1921, pp. 27. 1922.
1922. D. W. May and others. P.R. An. Rpt., 1922, pp. 18. 1923.
1923. D. W. May and others. P.R. An. Rpt., 1923, pp. 18. 1924.
1925. D. W. May. P.R. An. Rpt., 1925, pp. 40. 1925.
rice soils, studies. J.A.R., vol. 3, pp. 205-215. 1914.
work and expenditures—
1908. D. W. May. O.E.S. An. Rpt., 1908, pp. 162-164. 1909.
1909. D. W. May. O.E.S. An. Rpt., 1909, pp. 176-178. 1910.
1910. D. W. May. O.E.S. An. Rpt., 1910, pp. 229-230. 1911.
1911. D. W. May. O.E.S. An. Rpt., 1911, pp. 188-191. 1912.
1912. D. W. May. O.E.S. An. Rpt., 1912, pp. 193-195. 1913.
1913. D. W. May. O.E.S. An. Rpt., 1913, p. 76. 1915.
1914. D. W. May. O.E.S. An. Rpt., 1914. pp. 203-206. 1915.
1915. D. W. May. S.R.S. Rpt., 1915, Pt. I, pp. 232-235. 1916.
1916. D. W. May. S.R.S. Rpt., 1916, Pt. I, pp. 238-240. 1918.
1917. D. W. May. S.R.S. Rpt., 1917, Pt. I, pp. 234-236. 1918.
1918. S.R.S. Rpt., 1918, pp. 47, 71-73. 1920.
exports—
1901, 1921, with comparisons. P.R. An. Rpt., 1921, p. 1. 1922.
agricultural. 1913. P.R. An. Rpt., 1913, pp. 7, 8, 9. 1914.
farmers' institute work—
1902. O.E.S. Bul. 120, p. 33. 1902.
1903. O.E.S. Bul. 135, rev., p. 29. 1903.
1906. O.E.S. Rpt., 1906, p. 345. 1907.
1907. O.E.S. An. Rpt., 1907, p. 343. 1908.
1908. O.E.S. An. Rpt., 1908, p. 324. 1909.
1909. O.E.S. An. Rpt., 1909, p. 352. 1910.
1910. O.E.S. An. Rpt., 1910, p. 413. 1911.
1911. O.E.S. Bul. 241, p. 36. 1911.
fauna and flora, general notes. D.B. 354. pp. 21-24. 1916.
fertilizer(s)—
D. W. May. P.R. Cir. 6 (Spanish ed.), pp. 18. 1906.
deposits survey. S.R.S. Rpt., 1916, Pt. I, p. 238. 1918.
sources, description. P.R. An. Rpt., 1914, pp. 10-11. 1916.
studies, efficiency of phosphates in soils. J.A.R., vol. 25, pp. 171-194. 1923.
fiber plants, introduction. Y.R. 1911, p. 200. 1912; Y.B. Sep. 560, p. 200. 1912.
field work of Plant Industry Bureau, December, 1924. M.C. 30, p. 44. 1925.
food laws—
1903. Chem. Bul. 83, Pt. I, pp. 104-124. 1904.
1904. Chem. Bul. 83, Pt. II, p. 22. 1904.

Porto Rico—Continued.
food laws—continued.
1905. Chem. Bul. 69, rev., Pt. VII, pp. 549-568. 1906.
1906. Chem. Bul. 104, pp. 45-47. 1906.
1907. Chem Bul. 112, Pt. II, p. 68. 1908.
enforcement. Chem Cir. 16, rev., p. 20. 1908.
forests—
area, 1918. Y.B., 1918, p. 718. 1919; Y.B. Sep. 795, p. 54. 1919.
past, present and future, physical and economic environment. Louis S. Murphy. D.B. 354, pp. 99. 1916.
fruit—
exports, 1914-1915. D.B. 483, p. 12. 1917.
growers organizations. P.R. An. Rpt., 1920, pp. 10, 37. 1921.
growing, comparison with that of Hawaii. Hawaii A. R., 1915, pp. 58-73. 1916.
growing, experiments. O.E.S. Bul. 171, pp. 23-34. 1906.
industry, increase in importance. An. Rpts., 1912, pp. 105, 219-220. 1913; Sec. A. R., 1912, pp. 105, 219-220. 1912, Y.B. 1912, pp. 105, 219-220. 1913.
shipments to United States, 1915, value. News L., vol. 4, No. 46, p. 6. 1917.
fungous diseases of coffee. G.L. Fawcett. P.R. Bul. 17, pp. 31. 1915; pp. 31 (Spanish Edition). 1916.
fur animals, laws—
1923-24. F.B. 1387, p. 21. 1923.
1924-25. F.B. 1445, p. 15. 1924.
game laws, 1911. F.B. 470, p. 13. 1911.
grain supervision district and headquarters. Mkt. S. R. A. 14, p. 2. 1916.
grapefruit grove near Manati, fertilization experiments. P.R. Bul. 18, pp. 27-30. 1915.
henequen and sisal fibers, growing and cleaning. Y.B., 1918, p. 365. 1919; Y.B. Sep. 790, p. 11. 1919.
honey production, records of two hives. P.R. Cir. 13, pp. 25-27. 1911.
honey shipments to United States. D.B. 685, pp. 33, 35. 1918.
horticulture, experiments. O.E.S. Bul. 171, pp. 23-41. 1906. P.R. An. Rpt., 1913, pp. 8-9, 16-18, 22-24. 1914.
industries, value of the climate and crop and storm-warning services of the Weather Bureau. G. Harold Noyes. W.B. Bul. 31, pp. 60-62. 1902.
insects, fungi, and other pests in, some means of controlling. R. H. Van Zwaluwenburg and H. E. Thomas. P.R. Cir. 17, pp. 30. 1918.
land, distribution, utilization, and taxation. D.B. 354, pp. 9-16. 1916.
land laws, need of improvement. P.R. An. Rpt., 1913, p. 10. 1914.
laws, contagious diseases of domestic animals, control. B.P.I. Bul. 54, pp. 37-38. 1902-1903.
laws, nursery stock shipments. Ent. Cir. 75, rev., p. 7. 1909.
Leonhardt's orange grove, fertilization experiments. P.R. Bul. 18, pp. 17-27. 1915.
livestock—
admission, sanitary requirements. B.A.I. Doc. A-28, pp. 35-36. 1917; B.A.I. Doc. A-36, pp. 53-54. 1920; M.C. 14, p. 69. 1924.
and dairy work, 1912. P.R. An. Rpt., 1912, pp. 39-44. 1913.
experiments. O.E.S. Bul. 171, pp. 18-19. 1906.
industry report for 1911. P.R. An. Rpt., 1911, pp. 40-44. 1912.
Luquillo Forest Reserve—
John C. Gifford. For. Bul. 54, pp. 52. 1905.
ownership and conditions. D.B. 354, pp. 10, 31-32, 55. 1916.
mango growing—
C. F. Kinman. P.R. Bul. 24, pp. 30. 1918.
G. N. Collins. B.P.I. Bul. 28, pp. 36. 1903.
varieties and methods. Hawaii A. R., 1915, pp. 72-73. 1916.
Mayaguez—
center of beekeeping industry of island. P.R. Bul. 15, pp. 7, 10, 16. 1914.
mosquito survey. P.R. Cir. 20, pp. 1-10. 1921.

Porto Rico—Continued.
  mosquitoes, study on San Juan. W. V. Tower.
    P.R. Cir. 14, pp. 23. 1912.
  national forests, location, date and area, Jan. 31,
    1913. For. [Misc.], "The use book, 1913,"
    p. 88. 1913.
  new plants from Venezuela, introduction. P.R.
    An. Rpt., 1913, pp. 24, 25. 1914.
  normal temperature of. Oliver L. Fassig. W. B.
    [Misc.], "The normal temperature of * * *,"
    pp. 6. 1911.
  oranges, marketing and propagation. H. C.
    Henricksen. P.R. Bul. 4, pp. 24. (Also Spanish edition.). 1904.
  physiography and bird life in various localities.
    D.B. 326, pp. 3–7. 1916.
  pineapple—
    industry, details. Hawaii A. R., 1915, pp. 58–64. 1916.
    soils, chemical survey. P.R. Bul. 11, pp. 8–18. 1911.
    planting, cultivating, harvesting, and marketing. H. C. Henricksen and M. J. Iorns. (Also Span. ed.) P.R. Bul. 8, pp. 42. 1909.
  pink bollworm, occurrence. Off. Rec., vol. 1, No. 1, p. 16. 1922.
  plant(s)—
    diseases, control methods and fungicides. P.R. Cir. 17, pp. 24–28. 1918.
    honey sources. P.R. Bul. 15, pp. 11–15. 1914.
    introduction, and breeding. P.R. An. Rpt., 1907, pp. 28–30. 1908.
    population, character, density, and occupations. D.B. 354, pp. 16–18. 1916.
    potato importation regulations, amendment. F.H.B.S.R.A. 23, p. 96. 1916.
  poultry—
    conditions and prices. P.R. Cir. 19, p. 3. 1921.
    keeping in. H. C. Henricksen. P.R. Cir. 19, pp. 22. 1921. (Also Spanish edition.)
    production and trade, increase since 1900. P.R. An. Rpt., 1911, p. 9. 1912.
  Pueblo Viejo and Bayamon soils, analyses and description. P.R. An. Rpt., 1912, pp. 19–21. 1913.
  quarantine—
    against cotton-boll weevil. Ent. Bul. 114, p. 167. 1912.
    for Texas fever. B.A.I.O. 251, amdt. 2, p. 1. 1917; B.A.I.O. 271, p. 5. 1920; B.A.I.O. 285, pp. 3, 5. 1923; B.A.I.O. 290, p. 3. 1924.
    on plants and plant products. F.H.B. [Misc.], "Plants and plant * * *," pp. 4. 1922.
  queen-bee rearing. R. H. Van Zwaluwenburg and Rafael Vidal. P.R. Cir. 16, pp. 12. 1918. (Also Spanish edition.)
  red clay soil of. P. L. Gile and C. N. Ageton. P.R. Bul. 14, pp. 24. 1914.
  roads, tests of rock used, results, table. D.B. 370, p. 99. 1916.
  seed corn selection. H. C. Henricksen. P.R. Cir. 18, pp. 22. 1920.
  shipments of farm and forest products to and from United States—
    1901–1908, tables. Stat. Bul. 77, pp. 16, 17, 18, 20–23. 1910.
    1901–1909, 1907–1909, tables. Stat. Bul. 83, pp. 17, 18, 19, 20, 34–37. 1910.
    1901–1910, 1908–1910, tables. Stat. Bul. 91, pp. 17, 18, 19, 20, 34–37. 1911.
    1901–1911, tables. Stat. Bul. 96, pp. 17, 18, 20, 34–37. 1912.
    1904–1906. Stat. Bul. 54, pp. 19–23. 1907.
    1905–1907. Stat. Bul. 70, pp. 13, 15. 1909.
    Stat. Bul. 71, pp. 14–16. 1909.
    1906–1908. Stat. Bul. 76, p. 16. 1909.
    1907–1909. Stat. Bul. 82, pp. 14, 18. 1910.
    1908–1910. Stat. Bul. 90, pp. 15, 19. 1911.
    1909–1911. Stat. Bul. 95, pp. 15, 19. 1912.
    1913–1915. Y.B., 1915, p. 564. 1916; Y.B. Sep. 685, p. 564. 1916.
    1915–1917. Y.B., 1917, p. 788. 1918; Y.B. Sep. 762, p. 32. 1918.
    1917–1919. Y.B., 1919, p. 709. 1920; Y.B. Sep. 829, p. 709. 1920.
    1918–1919. Y.B., 1920, p. 32. 1921; Y.B. Sep. 864, p. 32. 1921.
  sisal and henequen growing, increase. An. Rpts., 1918, p. 161. 1919; B.P.I. Chief Rpt., 1918, p. 27. 1918.

Porto Rico—Continued.
  soils—
    analyses. P.R. An. Rpt., 1910, pp. 20–22. 1911.
    azotobacter and protozoa, occurrence, studies, and tests. P.R. An. Rpt., 1910, pp. 15–17. 1911.
    entry, hearing. F.H.B.S.R.A. 74, pp. 41–42. 1923.
    fertilizer requirements, experiments. P.R. Bul. 9, pp. 20–30, 34–35. 1910.
    quarantine withheld. Off. Rec., vol. 1, No. 11, p. 4. 1922.
    "sick." Oscar Loew. P.R. Cir. 12, pp. 24. 1910.
    studies. P.R. Bul. 12, pp. 1–24. 1913.
    studies by physiologist and chemist. P.R. An. Rpt., 1912, pp. 13–22. 1913.
    survey areas mapped. Y.B., 1921, p. 27. 1922; Y.B. Sep. 875, p. 27. 1922.
    survey from Aricebo to Ponce. Clarence W. Dorsey and others. P.R. Bul. 3, pp. 54. 1903; Soils F.O. Sep., 1902, pp. 793–839. 1903; Soils F.O., 1902, pp. 793–839. 1903.
  Southern Cross Plantation, citrus fertilization experiments. P.R. Bul. 18, pp. 8–17. 1915.
  statistics, farm and forest products, shipments to and from United States, 1914–1916. Y.B., 1916, p. 731. 1917; Y.B. Sep. 722, p. 25. 1917.
  sugar—
    acreage and production. Sec. [Misc.], Spec. "Geography * * * world's agriculture," pp. 72, 73, 76. 1917.
    industry, 1899–1914. D.B. 473, pp. 4, 17–18. 1917.
    production—
      1856–1921. Y.B., 1921, p. 657. 1922; Y.B. Sep. 869, p. 77. 1922.
      and shipments to United States, 1901–1913. D.B. 66, pp. 4, 17, 19. 1914.
      shipments, yield and value. Y.B., 1917, p. 452. 1918; Y.B. Sep. 756, p. 8. 1918.
      statistics, 1901–1912. D.B. 66, pp. 3, 4, 17, 19. 1914.
  sugar-cane—
    D. W. May. (Also Spanish edition.) P.R. Bul. 9, pp. 40. 1910.
    disease, history. D.B. 829, pp. 1–2. 1919.
    Producers' Association and Experiment Station. O.E.S. An. Rpt., 1910, p. 65. 1911.
  tick eradication. Sec. A.R., 1925, p. 95. 1925.
  timber supply in forests, imports, and demands. D.B. 354, pp. 39–44. 1916.
  tobacco—
    beetle control. Off. Rec., vol. 2, No. 10, p. 3. 1923.
    experiments, fermentation, diseases and insects. P.R. An. Rpt., 1907, pp. 11, 16–18, 34. 1908.
    investigations during 1903–04. J. Van Leenhoff, jr. P.R. Bul. 5, pp. 44. 1904; pp. 44 (Spanish edition). 1905.
    shipments to and from United States. Y.B., 1919, pp. 162–163. 1920; Y.B. Sep. 805, pp. 162–163. 1920.
  trade—
    in animals and animal products, 1904. B.A.I. An. Rpt., 1904, p. 504. 1905.
    increase, 1920. P.R. An. Rpt., 1920, p. 5. 1921.
    with United States, shipments to and from, 1919–1921. Y.B. 1922, p. 969. 1923; Y.B. Sep. 880, p. 969. 1923.
  trees, names and descriptions. D.B. 354, pp. 56–99. 1916.
  vanilla, promising new crop. T.B. McClelland. P.R. Bul. 26, pp. 32. 1919.
  vegetable(s)—
    crops, insects affecting. Thomas H. Jones. D.B. 192, pp. 11. 1915.
    experiments on supposed deterioration of varieties, with suggestions for seed preservation. C. F. Kinman and T. B. McClelland. P.R. Bul. 20, pp. 30. 1916; pp. 30 (Spanish edition). 1919.
    growing. H. C. Henricksen. P.R. Bul. 7, pp. 58. (Also Spanish edition.) 1906.
  weevils, injuries to sugarcane and bananas, proposed quarantine, press notices. F.H.B.S.R.A. 49, pp. 17–18. 1918; F.H.B.S.R.A. 50, p. 34. 1918.
  yam culture. C. F. Kinman. P.R. Bul. 27, pp. 22. 1921.

Porto Rico—Continued.
   yautias and taros, description. B.P.I. Bul. 164, pp. 18, 19, 20, 22, 23, 24, 26, 32, 33, 35. 1910.
   yautias, or taniers. O. W. Barrett. P. R. Bul. 6, pp. 27. (Also Spanish edition.) 1905.
Portsmouth—
   and Norfolk, Va., milk supply, details and statistics. B.A.I. Bul. 70, pp. 6–7, 21–22. 1905.
   sandy loam soils, eastern United States, and their use—III. Jay A. Bonsteel. Soils Cir. 24, pp. 12. 1911.
Portugal—
   agricultural—
      research work in Africa. O.E.S. An. Rpt., 1908, p. 59. 1909.
      statistics, 1904–1920. D.B. 987, p. 47. 1921.
   citrus fruits, condition, 1914–1915, and estimates. F.B. 629, p. 13. 1914.
   forest resources. For. Bul. 83, pp. 49–50. 1910.
   fruit exports and imports. D.B. 483, p. 35. 1917.
   grain production, acreage. Stat. Bul. 68, pp. 75–78. 1908.
   grain trade. Stat. Bul. 69, pp. 40–41. 1908.
   grape acreage and production. Sec. [Misc.], Spec. "Geography * * * world's agriculture," pp. 86, 87. 1917.
   livestock statistics, numbers of cattle, sheep, and hogs. Rpt. 109, pp. 32, 37, 48, 51, 60, 63, 204, 214. 1916.
   meat consumption. Rpt. 109, pp. 128, 133, 271–273. 1916.
   potatoes, production, 1909–1913, 1921–1923. S.B. 10, p. 19. 1925.
   wheat imports, 1885–1905. Stat. Bul. 66, p. 53. 1908.
Portulacaria afra. See Spekboom.
Portulacca—
   description, cultivation, and characteristics. F.B. 1171, pp. 71–72, 82. 1921.
   oleracea. See Pursland.
Porzana—
   carolina—
      occurrence in Arkansas. Biol. Bul. 38, p. 28. 1911.
   See also Sora.
Posey, G. B.—
   "Gipsy-moth larvae as agents in dissemination of the white-pine blister rust." With G. Flippo Gravatt. J.A.R., vol. 12, pp. 459–462. 1918.
   "Survey of blister rust infection on pines at Kittery Point, Me., and the effect of Ribes eradication in controlling the disease." With E. R. Ford. J.A.R., vol. 28, pp. 1253–1258. 1924.
   "Treatment of ornamental white pines infected with blister rust." With others. D.B. 177, pp. 20. 1921.
Posson, R. J.—
   "Requirements and cost of producing market milk in northwestern Indiana." With J. B. Bain. D.B. 858, pp. 31. 1920.
   "Unit requirements for producing market milk in Vermont." With others. D.B. 923, pp. 18. 1923.
Post, C. B.—
   "Reconnoissance soil survey of—
      north part of north-central Wisconsin." With others. Soil Sur. Adv. Sh., 1914, pp. 76. 1916; Soils F.O., 1914, pp. 1655–1725. 1919.
      northeastern Wisconsin." With others. Soil Sur. Adv. Sh., 1913, pp. 101. 1915; Soils F.O., 1913, pp. 1561–1657. 1916.
      south part of north-central Wisconsin." With others. Soil Sur. Adv. Sh., 1915, pp. 65. 1917; Soils F.O., 1915, pp. 1585–1645. 1921.
   "Soil survey of Wood County, Wis." With others. Soil Sur. Adv. Sh., 1915, pp. 51. 1917; Soils F.O., 1915, pp. 1537–1583. 1921.
Post, W. L., address on public documents. O.E.S. Bul. 212, pp. 32–35. 1909.
Post-mortem—
   diagnosis of glanders, differentiation of nodules. B.A.I. An. Rpt., 1910, 347–349. 1912; B.A.I. Cir. 191, pp. 347–349. 1912.
   examinations, aborting cows, necessity and results. D.B. 106, pp. 1, 41–49. 1914.
   inspection of—
      animals, details, tags, and disposition of meats. Y.B. 1916, pp. 81–87. 1917; Y.B. Sep. 714, pp. 5–11. 1917.

Post-mortem—Continued.
   inspection of—continued.
      slaughtered animals, 1907. B.A.I. An. Rpt., 1907, p. 20. 1909.
      tuberculous animals. F.B. 1069, p. 18. 1919.
Post office—
   duty of furnishing names of producers to buyers of farm products, list. F.B. 703, p. 2. 1916.
   fraud orders, work of Chemistry Bureau. An. Rpts., 1908, pp. 452–453. 1909; Chem. Chief Rpt., 1908, pp. 8–9. 1908.
Post Office Department—
   aid by Chemistry Bureau in studying purity of drugs. D.C. 137, p. 21. 1922.
   regulations concerning college and station publications. D.C. 251, pp. 13–14, 24–26. 1923.
   regulations concerning experiment station publications. O.E.S. Cir. 111, rev., pp. 15–17. 1912.
Post roads—
   construction and preliminary studies. An. Rpts. 1913, pp. 289, 290–291. 1914; Rds. Chief Rpt., 1913, pp. 5, 6–7. 1913.
   construction under road act, regulations. Sec. Cir. 65, pp. 5–12. 1916.
   experimental, mileage under construction in various States, kind, cost, and maintenance. News L., vol. 3, No. 6, p. 8. 1915.
   status of road projects under Federal aid act. Y.B., 1917, pp. 135–137. 1918; Y.B. Sep. 739, pp. 11–13. 1918.
   work of department from July 1, 1913, to December 31, 1914. D.B. 284, pp. 52–53, 59. 1915.
Postage, foreign mail, regulations. Off. Rec., vol. 2, No. 46, p. 4. 1923.
Postal—
   laws—
      for mailing specimens of diseased animal tissues. B.A.I., An. Rpt., 1906, p. 206. 1908; B.A.I. Cir. 123, p. 10. 1908.
      franking and other privileges under college, experiment station, and extension funds. D.C. 251, pp. 13, 35–37, 52–55. 1925.
      transmission of drugs. Chem. Bul. 98, rev., Pt. I, pp. 25–27. 1905.
   packages, danger in spread of Mediterranean fruit fly. D.B. 536, p. 20. 1918.
   rates, parcels, limitations, and zones. F.B. 703, pp. 3–5. 1916.
   regulations, butter packages, by parcel post. F.B. 930, p. 12. 1918.
Posters—
   gipsy moth, warning to tourists and campers. F.B. 1335, p. 9. 1923.
   milk, contests by school children, suggestions. D.C. 250, pp. 7–10, 21, 22. 1923.
   milk-for-health, by school children. Jessie M. Hoover. M. C. 21, pp. 8. 1924.
   value in teaching health habits and diet. B.A.I. Daily [Misc.], "World's dairy congress, 1923," pp. 670–671, 673, 678, 691–692. 1924.
   670–671, 673, 678, 691–692. 1924.
Postmaster General, order, plants in mail shipments, inspection in California. F.H.B.S.R.A. 16, p. 38. 1915.
Postmasters—
   aid to parcel post marketing. F.B. 703, p. 2. 1916.
   instructions—
      in regard to quarantines of plants and seeds. F.H.B.S.R.A. 75, pp. 68, 78, 83, 90. 1923.
      on gipsy and brown-tail moth quarantine. F.H.B.S.R.A. 76, pp. 123–124. 1923.
      plant quarantine. F.H.B.S.R.A. 7, pp. 66–68. 1914.
      regarding quarantined areas. F.H.B.S.R.A. 18, pp. 51–53. 1915; F.H.B.S.R.A. 72, pp. 90–94. 1922.
Posts—
   cement, reenforcement with bamboo. D.B. 1329, p. 18. 1925.
   chestnut, value, and specifications. F.B. 582, pp. 3, 21. 1914.
   concrete—
      comparison with wooden. F.B. 403, p. 5. 1910.
      for fences, manufacturing methods, reinforcement, experiments. D.B. 321, pp. 25–26, 27. 1916.
      molding, curing, and reinforcing. F.B. 403, pp. 25–26, 31. 1910.

Posts—Continued.
cost and—
selling price, country yards. Rpt. 116, p. 52. 1918.
value of different woods. D.B. 153, pp. 3, 4, 25. 1915.
fence. *See* Fence posts.
hardwood trees most valuable for. F.B. 1123, p. 4. 1921.
incense cedar, use and durability, price stumpage and yield. D.B. 604, pp. 5–6, 12. 1918.
insect injury, cause and prevention. Ent. Cir. 128, pp. 3, 4, 5, 9. 1910.
jack pine utilization. D.B. 820, p. 26. 1920.
mesquite, and cordwood, protection from borers. F. C. Craighead and George Hofer. F.B. 1197, pp. 12. 1921.
peeling and seasoning to retard decay. F.B. 744, pp. 4–6, 10, 11. 1916.
pine, creosote treatment, results. F.B. 320, p. 32. 1908.
preservative treatment. For. Bul. 78, p. 26. 1908.
recommendations for Great Plains. F.B. 1312, pp. 12, 13, 15, 30. 1923.
rubbing, for hog yards. Hawaii Bul. 48, pp. 10–11. 1923.
setting in concrete to retard decay. F.B. 744, p. 7. 1916.
slash-pine, yield and value. F.B. 1256, pp. 14, 37. 1922.
steel, advantages and disadvantages for fencing. D.B. 321, p. 25. 1915.
treatment with preservatives to retard decay. F.B. 744, pp. 7–28. 1916.
trees adapted to in Plains region. F.B. 888, pp. 6, 8, 10, 11, 12, 13, 19. 1917.
trees best suited for cultivation and care. For. Cir. 154, pp. 20–22. 1908.
value—
availability of different trees and time of growth. Y.B., 1911, pp. 258–260, 266, 269. 1912; Y.B. Sep. 566, pp. 258–260, 266, 269. 1912.
of Oregon oak. For Silv. Leaf, 52, p. 4. 1912.
of various trees. For. Cir. 81, rev., pp. 8, 11, 13, 15, 17, 18. 1910.
walnut, utilization of small and defective logs. D.B. 909, pp. 59, 81. 1921.
willow, value and cost. D.B. 316, pp. 34–35. 1915.
wooden, comparison with concrete. F.B. 403, p. 5. 1910.
Pot planting method for forest trees. D.B. 475, pp. 1–29. 1917.
Pot roast—
fireless cooker, directions. O.E.S. Syl. 15, p. 7. 1914.
recipe for cooking. F.B. 391, p. 29. 1910.
Potamogeton spp. *See* Pondweed.
Potable waters, investigation. An. Rpts., 1908, pp. 453–454, 477. 1909; Chem. Chief Rpt., 1908, pp. 9–10, 33. 1908.
Potash—
absorption by—
Hawaiian soils, studies. Hawaii Bul. 35, pp. 10–12, 19–20, 24–25. 1914.
roots, experiments. J.A.R., vol. 9, pp. 83–85. 1917.
wheat seedlings. Chem. Bul. 138, pp. 9–11. 1911.
wheat seedlings, effect of sodium salts. J.A.R., vol. 7, pp. 413, 415. 1916.
alunite as source. W. H. Waggaman. Soils Cir. 70, pp. 4. 1912.
American sources. R. O. E. Davis. D.C. 61, pp. 7. 1919.
analysis—
in cement samples and raw mix. D.B., 572, pp. 14–15. 1917.
methods. Chem. Bul. 73, pp. 28–34. 1903; Chem. Bul. 81, pp. 125–134. 1904; Chem. Cir. 43, pp. 1–2. 1906.
results obtained with mixtures containing acid phosphate. Chem. Bul. 73, pp. 35–36. 1903.
and phosphoric acid, citric-soluble, production and fertilizer value. William H. Waggaman. D.B. 143, pp. 12. 1914.
availability—
in orthoclase soils, effect of lime or gypsum J.A.R., vol. 8, pp. 21–28. 1917.

Potash—Continued.
availability—continued.
in soil-forming minerals, and effect of lime. J. K. Plummer. J.A.R., vol. 14, pp. 297–316. 1918.
report of associate referee, and recommendations. Chem. Bul. 162, pp. 20–22, 48. 1913.
bearing minerals, analyses. Soils Cir. 71, pp. 1–2. 1912.
available—
from kelp, Pacific Coast States. Rpt. 100, pp. 46–47, 49. 1915.
in ground rock. B.P.I. Bul. 104, pp. 11–26. 1907.
beds, use and value for fertilizer. News L., vol. 6, No. 33, p. 7. 1919.
borax content, crop injury. News L., vol. 7, No. 7, p. 4. 1919.
carriers, composition, and quantities per ton, various percentages. Y.B., 1918, pp. 186, 188, 189–190. 1919; Y.B. Sep. 780, pp. 4, 6, 7–8. 1919.
caustic—
addition to nitrate of soda for winter sprays, formula. J.A.R., vol. 1, p. 437. 1914.
adulteration and misbranding. Insect. N.J. 460, 461, I. and F. Bd. S.R.A. 26, pp. 584–586. 1919.
use in—
cattle dips, description. F.B. 603, p. 4. 1914.
dehorning calves. F.B. 350, pp. 13–14. 1909; B.A.I. An. Rpt., 1907, pp. 305–306. 1909.
citric-soluble, production and fertilizer value, with phosphoric acid. William H. Waggaman. D.B. 143, pp. 12. 1914.
commercial manufacture from kelp, capital required, and difficulties. News L., vol. 3, No. 22, p. 2. 1916.
condition in mixtures of slag with limestone and feldspar. Soils Bul. 95, p. 16. 1912.
content of blast-furnace by-products. News L., vol. 6, No. 22, p. 14. 1919.
deficiency as cause of chlorosis of tobacco. J.A.R., vol. 23, pp. 35–36. 1923.
deposits, natural, location and value. Y.B., 1916, pp. 306–308. 1917; Y.B. Sep. 717, pp. 6–8. 1917.
determination—
in—
fertilizers, methods. Chem. Bul. 107, pp. 11–12. 1907.
soils, experiments and methods. J.A.R., vol. 15, pp. 62–74. 1918.
methods. Chem. Bul. 67, pp. 17–22. 1902; Chem. Bul. 116, pp. 118–123, 129. 1908; Chem. Bul. 122, pp. 121–125. 1909; Chem. Bul. 132, pp. 21–25, 51. 1910; Chem. Bul. 152, pp. 29, 41–42, 84. 1912; Chem. Cir. 38, p. 2. 1908; Chem. Cir. 52, p. 3. 1910.
effect on—
citrus fruit growth and yield, notes. P.R. Bul. 18, pp. 10–32. 1915.
clover growth. F.B. 1365, pp. 11–12. 1924.
oranges, theories, and results of experiments. J.A.R., vol. 8, pp. 127–128, 131–138. 1917.
soils. S.R.S. Rpt., 1915, Pt. I, p. 145. 1917.
erection of plant, and production, on Pacific coast. News L., vol. 4, No. 20, p. 7. 1916.
examination of materials, cooperative laboratory at Reno, Nev. Sec. [Misc.], "Cooperative laboratory at * * *," pp. 4. 1912.
extraction from alunite, influence of fine grinding. D.B., 415, pp. 11–12, 14. 1916.
feldspar, experiments testing availability. B.P.I. Bul. 104, pp. 13–26. 1907.
fertilizer—
requirements for various crops. F.B. 465. p. 9. 1911.
residues in Hagerstown silty loam soil, condition. J.A.R., vol. 15, pp. 59–81. 1918.
sources. D.B. 798, pp. 12–13. 1919; Y.B., 1914, p. 295. 1915; Y.B. Sep. 643, p. 295. 1915.
use with tobacco, effects. Y.B., 1908, pp. 407, 408. 1909; Y.B. Sep. 490, pp. 407, 408. 1909.
formalin, use as incubator disinfectant. News L., vol. 5, No. 31, p. 6. 1918.
forms—
muriate and sulphate, comparison. P.R. Bul. 18, pp. 16, 26, 33. 1915.
used in fertilizers. Soils Cir. 43, p. 10. 1911.

Potash—Continued.
from kelp—
development and growth of *Macrocystis pyrifera*. R. P. Brandt and J. W. Turrentine. D.B. 1191, pp. 40. 1923.
surveys and experiments. An. Rpts., 1916, pp. 31-33. 1917; Sec. A. R., 1916, pp. 33-35. 1916; Y.B., 1916, pp. 44-46. 1917.
function—
and effects in soils. S.R.S. Doc. 30, p. 9. 1916.
in plant life. B.P.I. Doc. 631, p. 5. 1911.
imports—
1912-1923. Y.B., 1923, pp. 1187, 1188. 1924; Y.B. Sep. 906, pp. 1187, 1188. 1924.
1924. Y.B., 1924, p. 1168. 1925.
and domestic production, 1913-1918. D.C. 61, p. 3. 1919.
in culture solutions, influence of different amounts. Soils Bul. 70, pp. 91-96. 1910.
in feldspar, difficulty of making available for fertilizer. F.B. 430, p. 5. 1911.
in Hawaiian soils, effect of heat. Hawaii Bul. 30, p. 20. 1913.
influence on yield and quality of tobacco. B.P.I. Doc. 629, pp. 1-3. 1910.
loss through volatilization in cement manufacture. D.B. 572, pp. 3-11. 1917.
losses in blast-furnace industry. D.B. 1226, pp. 2-3, 15-16. 1924.
manufacture from kelp, experiments in California. News L., vol. 4, No. 22, p. 5. 1917.
methods of determination in fertilizers. Chem. Bul. 73, pp. 38-41. 1903.
mine in desert basin, possibility. Y.B., 1912, p. 531. 1913; Y.B. Sep. 611, p. 531. 1913.
muriate—
as tobacco fertilizer. Y.B., 1905, p. 225. 1906; Y.B. Sep. 378, p. 225. 1906.
effect on—
corn yield. Soils Bul. 64, pp. 24, 25, 26, 28. 1910.
potato yield. Soils Bul. 65, pp. 15, 16, 17. 1910.
use—
as fertilizer for red clover, and quantity. F.B. 455, p. 13. 1911.
as source of potash in soils. D.B. 355, p. 51. 1916.
on asparagus. F.B. 829, p. 5. 1917.
necessity in orchard fertilization. F.B. 491, pp. 15, 16. 1912.
need on muck lands, Indiana, White County. Soil Sur. Adv. Sh., 1915, pp. 33, 40. 1917; Soils F.O., 1915, pp. 1473, 1479. 1919.
nitrate. See Saltpeter.
occurrence in—
desert basins of United States. D.B. 54, pp. 1-65. 1914.
soils. D.B. 122, pp. 12-13, 16, 27. 1914.
percentage in—
flue dust from different plants. D.B. 572, pp. 15-17. 1917.
various materials utilized as fertilizer. Y.B., 1917, pp. 285-288. 1918; Y.B. Sep. 733, pp. 5-8. 1918.
permanganate, use—
against mosquitoes, unsatisfactory. Ent. Bul. 88, p. 73. 1910.
as remedy for scorpion bite. Sec. Cir. 61, pp. 21, 22. 1916.
for chicken roup and colds. F.B. 1040, p. 27. 1919.
in chicken diseases. F.B. 1337, pp. 2, 3, 5, 8, 13, 15, 23. 1923.
in control of canker sore mouth. D.R.P. Cir. 1, p. 23. 1915.
in disinfection of incubators. Y.B., 1911, p. 182. 1912; Y.B. Sep. 559, p. 182. 1912.
in drinking water for poultry. Y.B., 1911, p. 180. 1912; Y.B. Sep. 559, p. 180. 1912.
in pheasant diseases. F.B. 390, pp. 36, 38. 1910.
in prevention of chicken diseases. B.A.I. Cir. 208, p. 6. 1913.
in production of formaldehyde gas. F.B. 345, p. 7. 1908.
in treatment of roup. D.C. 20, p. 5. 1919.
in water to prevent chicken diseases. F.B. 1337, pp. 2, 13, 15. 1923.
plants in United States and methods of production. D.B. 572, pp. 18-22. 1917.

Potash—Continued.
possible sources in the United States. Y.B., 1912, pp. 523-536. 1913; Y.B. Sep. 611, pp. 523-536. 1913.
prices, June 1, 1919, and May 1, 1919, by States and counties. D.C. 57, pp. 3-4. 1919.
production—
by use of feldspar in cement manufacture, estimated annual yield and value. Soils Cir. 71, p. 10. 1912.
from alunite, method. D.B. 415, pp. 6-11. 1916.
from cement-plant dust. News L., vol. 5, No. 16, p. 3. 1917.
in Germany. Off. Rec., vol. 3, No. 22, p. 3. 1924.
possible from kelp. Rpt. 100, pp. 1-122. 1915.
in fertilizers. Soils Bul. 58, pp. 17-39. 1910.
quantity in soil after two years' cropping. J.A.R., vol. 14, pp. 312-313. 1918.
recovery—
as by-product in—
blast-furnace industry. Albert R. Merz and William H. Ross. D.B. 1226, pp. 22. 1924.
in cement industry. William H. Ross and others. D.B. 572, pp. 23. 1917.
from—
alunite. W. H. Waggaman and J. A. Cullen. D.B. 415, pp. 14. 1916.
alunite, cost and value. Soils Cir. 70, pp. 1-4. 1912.
cement plants. An. Rpts., 1920, pp. 298-299. 1921.
cows' manure. J.A.R., vol. 30, p. 988. 1925.
flue dust. Y.B., 1912, p. 529. 1913; Y.B. Sep. 611, p. 529. 1913.
industrial wastes. Y.B., 1917, pp. 177, 254-255, 260, 261, 262, 265. 1918; Y.B. Sep. 728, pp. 4-5, 10, 11, 12, 13. 1918; Y.B. Sep. 730, p. 3. 1918.
kelp, experimental plant work. An. Rpts., 1920, pp. 301-305. 1921.
rocks, brines, and plant materials. Y.B., 1920, pp. 364-375. 1921; Y.B. Sep. 851, pp. 364-375. 1921.
wool-scouring waste. Chem. Chief Rpts., 1921, pp. 38, 39. 1921.
in 1920. An. Rpts., 1920, pp. 40-41. 1921; Sec. A .R., 1920, 00. 40-41. 1920.
removal from soil by—
growing buckwheat. F.B. 1062, pp. 8, 9. 1919.
potato crop, requirements. F.B. 1064, pp. 9, 11. 1919.
vetch. F.B. 360, p. 30. 1909.
report of referee. Chem. Bul. 62, p. 13. 1901; Chem. Bul. 67, pp. 17-22. 1902; Chem. Bul. 73, pp. 28-36. 1903; Chem. Bul. 90, pp. 107-114. 1905; Chem. Bul. 99, pp. 135-143. 1906; Chem. Bul. 105, pp. 190-196. 1907; Chem. Bul. 116, pp. 118-123, 129. 1908; Chem. Bul. 137, pp. 16-25. 1911; Chem. Bul. 152, pp. 28-42. 1912; Chem. Bul. 162, pp. 16-20, 48. 1913.
requirements—
for red clover, studies. News L., vol. 3, No. 32, p. 4. 1916.
of sandy lands, sources of supply. F.B. 716, pp. 3, 22-23. 1916.
of various crops. D.B. 721, pp. 25-26. 1918.
resources—
development, importance. F. W. Brown. Y.B., 1916, pp. 301-310. 1917; Y.B. Sep. 717, pp. 10. 1917.
investigations, Soils Bureau. An. Rpts., 1919, pp. 241-245. 1920; Soils Chief Rpt., 1919, pp. 7-11. 1919.
sale to farm bureaus. News L., vol. 6, No. 30, p. 14. 1919.
salts—
American sources. News L., vol. 3, No. 22, p. 2. 1916.
and other salines in the Great Basin region. G. J. Young. D.B. 61, pp. 96. 1914.
imports, 1912, 1913. Rpt. 100, p. 11. 1915.
investigation of Otero Basin, N. Mex., for. E. E. Free. Soils Cir. 61, pp. 7. 1912.
use for fertilizer in United States, 1913, kinds, amount, and value. News L., vol. 3, No. 22, pp. 1, 2. 1916.
use in control of root-knot, experiments. B.P.I. Bul. 217, pp. 50, 52, 54, 56, 57, 58, 75. 1911.

Potash—Continued.
Searles Lake, borax content, injury to crops. D.B. 1126, pp. 1-2, 17, 26. 1923.
shipments from France, 1919. News L., vol. 6, No. 28, p. 1. 1919.
silicate, presence in rock powders. Chem. Bul. 92, pp. 5, 10, 22, 23. 1905.
slag, solubility in water with carbon dioxide. D.B. 143, pp. 7-9. 1914.
solubility—
and its soil relations. J.A.R., vol. 16, pp. 259-261. 1919.
in soils, effect of gypsum. J.A.R., vol. 14, pp. 61-66. 1918.
source(s)—
for fertilizers. D.B. 1280, p. 5. 1924; F.B. 968, pp. 13, 14. 1918.
for fertilizing cornfields. F.B. 1149, p. 6. 1920.
in Alaska, Kenai Peninsula region. Soil Sur. Adv. Sh., 1916, p. 116. 1919; Soils F.O., 1916, p. 148. 1921.
in America. William H. Ross. Y.B., 1920, pp. 363-376. 1921; Y.B. Sep. 851, pp. 363-376. 1921.
in kelp, Alaska, Kenai Peninsula. Soil Sur. Adv. Sh., 1916, p. 116. 1918; Soils F.O., 1916, p. 148. 1921.
in Porto Rico. P.R. An. Rpt., 1914, pp. 10-11. 1916.
needs and estimated production, 1919, conference discussion. News L., vol. 6, No. 14, p. 1. 1918.
possibilities of sage brush and greasewood. S.R.S. Rpt., 1916, Pt. I, p. 263. 1918.
stocks, 1917. Sec. Cir. 104, pp. 3-4, 6, 10-12. 1918.
strawberry fertilizer, quantity per acre. F.B. 1028, p. 31. 1919.
sulphate—
as tobacco fertilizer. Y.B., 1905, p. 225. 1906; Y.B. Sep. 378, p. 225. 1906.
effect on soils, alone and with other salts. Soils Bul. 48, p. 32. 1908.
effect on yields of rice. D.B. 1356, pp. 17, 18, 32. 1925.
fertilizer constituent for potatoes. F.B. 407, p. 16. 1910.
fertilizing power alone and with other salts. Soils Bul. 48, pp. 32-57. 1908.
use in—
pasture restoration, quantity and methods. F.B. 499, pp. 5-6. 1912.
wireworm control, rate, etc., comparison with other insecticides. D.B. 78, pp. 27-28. 1914.
supply, in United States, discussion by Secretary. An. Rpts., 1915, pp. 24-26. 1916; Sec. A. R., 1915, pp. 26-28. 1915.
tobacco fertilizers, forms, recommendation. F.B. 416, p. 12. 1910.
use and value of—
cottonseed hulls as source. News L., vol. 2, No. 11, pp. 3-4. 1914.
wood ashes as source. News L., vol. 2, No. 11, pp. 3-4. 1914.
use as fertilizer—
for peanuts. O.E.S.F.I.L. 13, p. 7. 1912.
to control cotton rust. F.B. 1187, p. 25. 1921.
use in—
control of cotton rust, Fairfield County, S. C. Soil Sur. Adv. Sh., 1911, p. 16. 1913; Soils F.O., 1911, p. 490. 1914.
house cleaning. F.B. 1180, p. 8. 1921.
tobacco production, cost, and quantity required. B.P.I. Doc. 629, pp. 1-3. 1910.
use on—
muck lands. F.B. 761, p. 25. 1916.
oats, value and directions. F.B. 424, p. 9. 1910.
volatilization percentage in cement plants. D.B. 572, pp. 11-13. 1917.
volumetric estimation as phosphomolybdate. Chem. Bul. 90, pp. 219-222. 1905.
Potassium—
absorption—
by barley during growth. J.A.R., vol. 18, pp. 55-62, 66, 67, 69. 1919.
by plants, relation to sodium nitrate. J.A.R., vol. 26, p. 309. 1923.

Potassium—Continued.
absorption—continued.
by plants, studies. P.R. An. Rpt., 1916, p. 16. 1918.
from carbonate solution. Soils Bul. 52, pp. 88-95. 1908.
adsorption by soils of different kinds, experiments. J.A.R., vol. 1, pp. 182-188. 1913.
analyses, various soils. Soils Bul. 54, pp. 15-35. 1908.
and phosphates, absorption by soils. Oswald Schreiner and George H. Failyer. Soils Bul. 32, pp. 39. 1906.
arsenate—
composition. D.B. 1147. pp. 10, 11. 1923.
dip with soap, experiments. B.A.I. Bul. 144, pp. 38-44. 1912.
use in killing papaya fruit fly. D.B. 1081, pp. 9-10. 1922.
assimilation by corn. J.A.R., vol. 21, pp. 545-573. 1921.
bicarbonate, use in increasing cheese digestibility. F.B. 487, p. 16. 1912.
bichromate—
and sulphuric acid, tests on alkaloids. Chem. Bul. 150, pp. 36-40. 1912.
effect on daisy tumor, studies. B.P.I. Bul. 255, pp. 51-53. 1912.
use in butter color standard. B.A.I. Cir. 200, p. 2. 1912.
use in whitewash. F.B. 499, pp. 23-24. 1912.
binoxalate, preparation and use in removing stains. F.B. 861, pp. 16, 21, 23. 1917.
bromide solutions, solubility of carbon dioxide. Soils Bul. 49, p. 14. 1907.
carbonate, use in treatment of cocoas. D.B. 666, pp. 3, 4, 6, 8. 1918.
chloride—
absorption by plants. J.A.R., vol. 20, pp. 616-617. 1921.
action on dried blood in sandy and clay soils. J.A.R., vol. 13, pp. 219, 221, 222. 1918.
addition to soil, changes in solution and composition. J.A.R., vol. 11, pp. 536-544. 1917.
by-product of salt manufacture. P.R. An. Rpt., 1914, pp. 10-11. 1916.
determination in commercial fertilizers. D.B. 97, pp. 1-10, 11. 1914.
effect on—
growth and oxidation, experiments. Soils Bul. 56, pp. 36-38. 1909.
growth of storage-rot fungi. J.A.R., vol. 21, p. 190. 1921.
soil acidity. J.A.R., vol. 12, p. 146. 1918.
soil acidity and calcium content. J.A.R., vol. 26, pp. 91-114, 118. 1923.
wheat stem rust, experiments. J.A.R., vol. 27, pp. 346-369. 1924.
preparation from help. Rpt. 100, pp. 21-22. 1915.
relation to sand-drown disease of tobacco. J.A.R., vol. 23, pp. 27-40. 1923.
solutions, solubility of calcium carbonate and carbon dioxide. Soils Bul. 49, p. 52. 1907.
compounds, preparation by commercial methods. Soils Bul. 94, pp. 81-88. 1913.
concentration in orthoclase solutions not a measure of its availability to wheat seedlings. J. F. Breazeale and Lyman J. Briggs. J.A.R., vol. 20, pp. 615-621. 1921.
concentration in soils, effect of moisture variation. J.A.R., vol. 18, pp. 141, 142, 143. 1919.
content of—
kelps. D.B. 150, pp. 57, 58, 59, 60, 61, 63. 1915.
various crops in Kentucky—
Muhlenberg County. Soil Sur. Adv. Sh., 1920, p. 959. 1924; Soils F.O., 1920, p. 959. 1925.
Shelby County. Soil Sur. Adv. Sh., 1916, p. 55. 1919; Soils F.O., 1916, p. 1465. 1921.
cyanide—
analysis, methods. Chem. Bul. 68, p. 53. 1902; Chem. Bul. 73, p. 163. 1903. Chem. Bul. 76, pp. 50-51. 1903; Chem. Bul. 80, p. 18. 1904; Chem. Bul. 81, pp. 201-202. 1904; Chem. Bul. 107, p. 30. 1907.
brands, handling, proportions in fumigation and price. Ent. Bul. 79, pp. 30, 32-34, 39, 45, 55. 1907.
composition. Chem. Bul. 76, p. 51. 1908.

Potassium—Continued.
    cyanide—continued.
        cost, handling and dosage in fumigation. Ent.
            Bul. 79, pp. 30, 32-34, 39. 1909; Ent. Cir. 111,
            pp. 7-8, 10. 1909.
        danger of explosion, caution. Ent. Bul. 79, p.
            40. 1909.
        fumigation, amount per tree. Ent. Bul. 79, pp.
            21-22. 1909.
        fumigation, greenhouse thrips, experiments.
            Ent. Bul. 64, Pt. VI, p. 56. 1905.
        handling and care, precautions. Ent. Bul. 76,
            pp. 25, 55. 1908; Ent. Cir. 163, pp. 6-8. 1912.
        ingredient in hydrocyanic-acid gas. Ent. Cir.
            112, p. 8. 1910.
        proportions for use in hydrocyanic-acid gas.
            Ent. Cir. 112, pp. 8-11. 1910.
        substitute, paradichlorobenzene. D.B. 167, p.
            6. 1915.
        use against—
            fig moth. Ent. Bul. 104, p. 32. 1911.
            ground squirrels, danger. Biol. Cir. 76, pp.
                14-15. 1910; F.B. 484, p. 8. 1912.
            prairie dogs. Y.B., 1908, pp. 426, 428-429.
                1909; Y.B. Sep. 491, pp. 426, 428-429. 1909.
        use as poison for Argentine ants. D.B. 647, pp.
            60-71. 1918; Ent. Bul. 64, pp. 74-78. 1910.
        use in control of—
            ants, experiments. Ent. Bul. 64, Pt. IX, pp.
                74-78. 1910; Sec. Cir. 61, p. 23. 1916.
            beet wireworm, experiments. Ent. Bul. 123,
                pp. 52, 59-60, 60-61. 1914.
            fly larvae in horse manure, tests. D.B. 118,
                pp. 13, 15. 1914.
        value for fumigation, studies. Ent. Bul. 90, pp.
            40-41, 83-85, 90, 92-96. 1912; Ent. Cir. 112,
            pp. 21-22. 1910.
    danger in use. F.B. 393, p. 9. 1910.
    determination—
        in saline solution, method. Soils Bul. 94, pp.
            49-50. 1913.
        in soils. Chem. Bul. 116, p. 91. 1908; Chem.
            Bul. 122, pp. 119, 120. 1909; Chem. Bul. 137,
            pp. 25. 1911; Soils Bul. 70, p. 59. 1910.
        in water, modified method. Chem. Bul. 152,
            pp. 80-81. 1912.
        methods. Chem. Bul. 132, pp. 28-30, 38-42.
            1910.
    distribution between soil and solution. Soils Bul.
        52, pp. 37-38. 1908.
    effect on sea-island cotton. F.B. 787, pp. 13-14.
        1916.
    estimation as cobalti-nitrite, report and discussion. Chem. Bul, 152, pp. 42-50. 1912.
    greensand, availability, effect of manure-sulphur composts. A. G. McCall and A. M. Smith.
        J.A.R., vol. 19, pp. 239-256. 1920.
    hydroxides—
        effect on growth and oxidation, experiments.
            Soils Bul. 56, p. 38. 1909.
        solubility of lime. Soils Bul. 49, p. 27. 1907.
    importance as plant food. Y.B., 1901, pp. 162-165. 1902; Y.B. Sep. 225, pp. 162-165. 1902.
    in plants, general distribution. Rpt. 100, pp.
        57-58. 1915.
    in solutions, assimilation by corn experiments.
        J.A.R., vol. 21, pp. 545-573. 1921.
    iodide—
        solution—
            solubility of carbon dioxide. Soils Bul. 49, p.
                15. 1907.
            use in testing milk and cream. D.B. 1114,
                p. 2. 1922.
        use in treatment of—
            actinomycosis. B.A.I. [Misc.], "Diseases of
                cattle," rev., pp. 433-434. 1904; rev., pp.
                454-455. 1912; rev., pp. 447. 1923.
            milk fever. F.B. 206, pp. 9-10. 1904.
    losses from soils by weathering. J.A.R., vol. 26,
        p. 115. 1923.
    monophosphate, relation to involution forms of
        potato scab. J.A.R., vol. 4, p. 133. 1915.
    nitrate—
        adulteration of saffron. Chem. N.J. 1288, pp. 2.
            1912.
        animal origin. Soils Cir. 62, p. 5. 1912.
        concentrated solutions, effect on growth of
            fungi. J.A.R., vol. 7, pp. 256-259. 1916.

Potassium—Continued.
    nitrate—continued.
        effect on—
            growth and oxidation, experiments. Soils
                Bul. 56, pp. 33, 37. 1909.
            soil bacteria, experiments. J.A.R., vol. 12,
                pp. 188, 191, 194-195, 203-227. 1918.
        oxide, absorption by plants. J.A.R., vol. 20, pp.
            616-617. 1921.
        oxide, percentage in maple products. Chem. Cir.
            40, pp. 8-9. 1908.
    permanganate—
        description and price. F.B. 407, p. 13. 1910.
        preparation and use in removing stains. F.B.
            861, pp. 7, 13, 14, 15, 19, 22, 26, 29, 30, 33, 34.
            1917.
        use in—
            control of Zygadenus poisoning of sheep.
                D.B. 125, pp. 38-39. 1915.
            generating formaldehyde gas, cost. F.B. 316,
                p. 12. 1908; F.B. 926, pp. 4-6. 1918.
    phosphate, effect on growth of storage-rot fungi.
        J.A.R., vol. 21, p. 190. 1921.
    phosphate, in ration for pigs. J.A.R., vol. 21, pp.
        280-341. 1921.
    salts—
        effect on—
            ammonia fixation in soils. J.A.R., vol. 9, p.
                151. 1917.
            growth and oxidation, experiments. Soils
                Bul. 56, pp. 35-38. 1909.
            nitric nitrogen of the soil. J.A.R., vol. 16,
                pp. 112-114. 1919.
            plant growth in presence of other salts.
                J.A.R., vol. 24, pp. 327-331. 1923.
            wheat at different stages of growth. J.A.R.,
                vol. 23, pp. 57-62. 1923.
        in soils, effect on plants. J.A.R., vol. 5, pp.
            1-53. 1915.
        occurrence in the salines of the United States,
            and analyses. J. W. Turrentine and others.
            Soils Bul. 94, pp. 96. 1913.
        possible deposits in United States. Soils Bul.
            94, pp. 88-96. 1913.
        production possible from Pacific kelp beds.
            Rpt. 100, pp. 9-32. 1915.
        proportions in culture solutions for buckwheat.
            J.A.R., vol. 14, pp. 153-154, 163-167. 1918.
        separation from solutions of other salts. Soils
            Bul. 94, pp. 67-81. 1913.
        sources, discussion. An. Rpts., 1915, pp. 205-207. 1916; Soils Rpt., 1915, pp. 5-7. 1915.
    soils, determination. Chem. Bul. 105, p. 147.
        1907.
    solubility in pegmatite and orthoclase as affected
        by calcium. J.A.R., vol. 8, pp. 22-24. 1917.
    sources for—
        corn land. F.B. 414, p. 13. 1910.
        soils, study course. D.B. 355, pp. 50-52. 1916.
    sulphate—
        determination in commercial fertilizers. D.B.
            97, pp. 1-10, 11. 1914.
        effect on—
            growth and oxidation, experiments. Soils
                Bul. 56, pp. 36-38. 1909.
            soil acidity, studies. J.A.R., vol. 12, pp. 25,
                26-27. 1918.
        proteids soluble. Chem. Bul. 90, pp. 122-124.
            1905.
        relation to sand drown disease of tobacco.
            J.A.R., vol. 23, pp. 27-40. 1923.
        solutions, solubility of calcium carbonate.
            Soils Bul. 49, p. 53. 1907.
    sulphide—
        formula and use on roses. F.B. 750, pp. 34-35.
            1916.
        solution, use in control of red spiders or mites,
            formula. News L., vol. 6, No. 6, p. 4. 1918.
        use—
            as insecticide. F.B. 243, p. 17. 1906.
            as spray in control of red spider. F.B. 735,
                p. 10. 1916.
            in control of beet wireworms, experiments.
                Ent. Bul. 123, pp. 52, 58. 1914.
            in treatment of infested sugar-cane. D.B.
                746, pp. 50-52. 1919.
    sulphocarbonate, use in control of root-knot.
        B.P.I. Bul. 217, pp. 50, 54. 1911.
    sulphocyanate solutions, solubility of carbon
        dioxide. Soils Bul. 49, p. 17. 1907.

Potassium—Continued.
  sulphur compound, value in insect control. News
    L., vol. 3, No. 5, p. 4. 1915.
  tellurate, internal remedy for protection of ani-
    mals against flies. D.B. 131, pp. 6-7, 23. 1914.
  translocation in growing beans, corn, and pota-
    toes. J.A.R., vol. 5, No. 11, pp. 452-458. 1915.
  withdrawal from soils by crops, rate. J.A.R.,
    vol. 12, pp. 300-301. 1918.
Potato(es)—
  absorption of boron, and distribution. J.A.R.,
    vol. 5, No. 19, pp. 884, 887, 888. 1916.
  acre value in food. F.B. 877, pp. 4, 7. 1917.
  acreage—
    1907-1911, in France. Stat. Cir. 21, p. 9. 1911.
    1919, map. Y.B., 1921, p. 456. 1922; Y.B. Sep.
      878, p. 50. 1922.
  and production—
    1909-1918, in South. D.C. 85, p. 17. 1920;
      S.R.S. Doc. 96, pp. 11, 14. 1919.
    1910-1914, in countries of world. Y.B., 1916,
      pp. 533, 545. 1917; Y.B. Sep. 713, pp. 3, 15.
      1917.
    1914-1918. An. Rpts., 1918, p. 7. 1918; Sec.
      A.R. 1918, p. 7. 1918.
    1916. Y.B., 1916, pp. 19, 20. 1917.
    1925. Sec. A.R., 1925, pp. 3, 102-103. 1925.
    in North Carolina, Haywood County. Soil
      Sur. Adv. Sh., 1922, pp. 207, 208, 222-223.
      1925.
  and yield—
    1916, per farm. D.B. 320, p. 11. 1916.
    1918, need for and suggestions. Sec. Cir. 103,
      p. 14. 1918.
    1923, prices, marketing, etc. Y.B., 1923, pp.
      759-773. 1924; Y.B. Sep. 900, pp. 759-773.
      1924.
    1924, by countries and States. Y.B., 1924,
      pp. 707-710. 1925.
  increase since 1866. D.B. 695, pp. 4, 19. 1918.
  production—
    and farm price, 1868-1912. F.B. 533, p. 3.
      1913.
    and value, 1904-1917. Sec. Cir. 92, pp. 3, 5.
      1918.
    and value, 1913, estimate. F.B. 570, pp. 8,
      9, 16, 17, 18, 21, 29. 1913.
    and value, 1913, 1914, by States, estimates.
      F.B. 645, p. 32. 1914.
    and value, 1914, comparison, by States. F.B.
      611, pp. 3, 31. 1914.
    foreign trade, supply and consumption.
      George K. Holmes. D.B. 695, pp. 24. 1918.
    yield, and variety tests, Nevada, Truckee-
      Carson farm. W.I.A. Cir. 3, pp. 4, 8-9.
      1915.
  adaptability to—
    acid soils. D.B. 6, p. 8. 1913.
    Marion silt loam, eastern United States. Soils
      Cir. 59, p. 7. 1912.
    San Luis Valley, Colo. Soils Cir. 52, pp. 22,
      23, 26. 1912.
  adulteration and misbranding. Chem. N.J.
    13693. 1925.
  aerial—
    importation and description. No. 33350, B.P.I.
      Inv. 31, p. 16. 1914.
    tubers, effect of leaf-roll disease. D.B. 64, pp.
      33-34. 1914.
  affected with wart disease, disposal. F.B. 412,
    p. 10. 1910.
  air—
    growing on Dioscorea sativa, description. P.R.
      Bul. 27, p. 18. 1921.
    See also Yam, Hawaiian bitter.
  Alaskan, quality. Off. Rec., vol. 1, No. 1, p.
    5. 1922.
  alcohol—
    making, experimental run. Chem. Bul. 130,
      p. 67. 1910.
    manufacture, value. F.B. 268, pp. 20-28.
      1906.
    source, advantages, increase of use. D.B. 182,
      pp. 2, 4, 7-8, 11-14, 15. 1915.
  American—
    group classification and varietal descriptions.
      William Stuart. D.B. 176, pp. 56. 1915.
    varieties, wart susceptibility and immunity,
      list. D. C. 111, pp. 10-17. 1920.

Potato(es)—Continued.
  American Giant—
    comparison with Irish Cobbler, yield. D.B.
      677, pp. 20, 24-25. 1918.
    description and yield. F.B. 472, pp. 20, 22.
      1911.
  analyses—
    and fattening results. D.B. 610, pp 5-8. 1917.
    before and after inoculation with Fusarium
      spp. J.A.R., vol. 6, No. 5, pp. 185-194.
      1916.
    comparison with bananas. Chem. Bul. 130,
      p. 104. 1910.
    of separate parts of sprouted tubers. J.A.R.,
      vol. 5, No. 11, p. 457. 1915.
    whole potatoes, skins, and slop. F.B. 410, pp.
      32-34. 1910.
  and—
    other crops, in Nevada, nematode gallworm
      on. C. S. Scofield. B.P.I. Cir. 91, pp. 15.
      1912.
    other root crops as food. C. F. Langworthy.
      F.B. 295, pp. 45. 1907.
    sweet potatoes, statistics, year ended July 31,
      1924, with comparable data for earlier years.
      S.B. 10, pp. 51. 1925.
  Andean, introduction. Off. Rec., vol. 4, No. 18,
    pp. 1, 8. 1925.
  aphid(s)—
    description and control. F.B. 1349, pp. 12-13.
      1923.
    control by nicotine sulphate. An. Rpts.,
      1918, pp. 241, 249. 1919; Ent. A.R., 1918, pp.
      9, 17. 1918.
    habits and control. Sec. Cir. 92, pp. 33-34.
      1918.
    injury to apples, description. F.B. 804, p. 17.
      1917.
    outbreak and control. Off. Rec., vol 1, No. 30,
      p. 2. 1922.
    relation to spinach blight, transmission. J.A.R.,
      vol. 14, pp. 10-50. 1918.
    See also Macrosiphum solanifolii.
  arsenical injury, cause and avoidance. Hawaii
    Bul. 45, p. 35. 1920.
  as a truck crop. L. C. Corbett. F.B. 407, pp. 24.
    1910.
  attack by rot, infection of fungus. D.C. 220,
    p. 3. 1924.
  Australian, prohibition (T.D. 37416). F.H.B.
    S.R.A. 46, p. 138. 1918.
  baking for economy. News L., vol. 5, No. 17,
    p. 5. 1917.
  bacterial decay organismcom, parison with
    Bacterium aplatum. J.A.R., vol. 1, pp. 209-210.
    1913.
  barrel for, requirements. News L., vol. 6, No.
    52, p. 4. 1919.
  Beauty of Hebron, introduction. D.B., 195,
    pp. 5-6. 1915.
  beetle—
    arsenical spray tests. D.B., 1147, pp. 26, 27-
      32, 38, 40-41. 1923.
    behavior in Great Britain. Ent. Bul. 54, pp.
      65-68. 1905.
    Colorado—
      F.H. Chittenden. Ent. Cir. 87, pp. 15.
        1907.
      control by use of arsenite of zinc and lead
        chromate. Ent. Bul. 109, Pt. V, pp. 53-56.
        1912.
      description, distribution, life habits, and
        control. D.C. 35, p. 23. 1919; Ent. Cir.
        87, pp. 1-15. 1907; F.B. 868, pp. 3-8, 18.
        1917; F.B. 1349, pp. 1-7. 1923; Sec. Cir. 92,
        pp. 30-31. 1918.
      enemies, insect and bird. Ent. Bul. 82, pp.
        85-88. 1912.
      fluctuation in distribution. C. H. Batch-
        elder. J.A.R., vol. 31, pp. 541-547. 1925.
      in Virginia in 1908. C. H. Popenoe. Ent.
        Bul. 82, Pt. I, pp. 1-8. 1909; Ent. Bul. 82,
        pp. 1-8. 1912.
      injuries, distribution and control. F.B.
        856, pp. 55-56. 1917.
      injuries in the South, 1901. Ent. Bul. 38,
        pp. 100-101. 1902.
      spread of mosaic disease. J.A.R., vol. 19, p.
        329. 1920.

36167°—32——119

Potato(es)—Continued.
beetle—continued.
control—
by arsenical spraying. News L., vol. 5, No. 46, p. 16. 1918.
by derris sprays and powder. J.A.R., vol. 17, No. 5, pp. 190–191, 195. 1919.
by hand gathering. F.B. 325, p. 9. 1908.
by plant insecticides. D.B. 1201, pp. 4–24. 1924.
methods. F.B. 1064, pp. 30–31. 1919.
description. Sec. [Misc.], "A manual * * * insects * * *," p. 183. 1917.
destruction by—
bobwhite. Biol. Bul. 21, pp. 39–40. 1905.
guinea fowls. Ent. Bul. 82, Pt. VII, p. 88. 1911.
grosbeaks. Y.B., 1907, pp. 173. 1908; Y.B. Sep. 443. 1908.
starlings. D.B. 868, p. 19. 1921.
effects of nicotine sulphate as ovicide and larvacide. D.B. 938, pp. 9, 14. 1921.
egg production, molts and instars, records, table. J.A.R., vol. 5, No. 20, pp.918–923. 1916.
eggs, insecticide experiments, volatile compounds. J.A.R., vol. 12, pp. 580–586. 1918.
in freight cars. News L., vol. 6, No. 30, p. 14. 1919.
larvae control by derris, experiments. J.A.R., vol. 17, p. 195. 1919.
life history studies. J.A.R., vol. 5, No. 20, pp. 917–926. 1916.
rejection by birds. Biol. Bul. 15, p. 24. 1901.
school lesson. D.B. 258, pp. 5–6. 1915.
spraying. F.B. 868, pp. 6–8, 9, 10, 18. 1917.
spraying with arsenicals and Bordeaux mixture. B.F. 407, p. 18. 1910.
spread by fruit and vegetable cars. F.H.B.S. R.A. 59, p. 3. 1919.
Belgian, quarantine regulations. F.H.B.S.R.A. 2, p. 9. 1914.
biscuit, recipe. Sec. Cir. 106, p. 4. 1918.
bitter, importation and description. Nos. 35899, 36093, B.P.I. Inv. 36, pp. 22, 52. 1915.
black—
heart, cause and prevention. C.T. and F.C.D. Inv. Cir. 2, pp. 3. 1918.
heart, caused by overheated cars in shipment, warning. News L., vol. 5, No. 33, p. 7. 1918.
rot, in field from inoculation. J.A.R., vol. 6, pp. 304–305. 1916.
scab, description. B.P.I. Cir. 93, pp. 4, 5. 1912.
scab. See also Potato, wart disease.
scurf and rosette, cause, description, and control. Hawaii Bul. 45, pp. 5,17, 24–25. 1920.
wart, origin and description. Hawaii Bul. 45, pp. 36–37. 1920.
blackleg—
anatomy. Ernst F. Artschwager. J.A.R., vol. 20, pp. 325–330. 1920.
cause, description, and control. Hawaii Bul. 45, pp. 38–39. 1920.
control. O.E.S. An. Rpt., 1912, p. 129. 1913.
control by seed selection and disinfection. J.A.R., vol. 8, pp. 88, 91–94. 1917.
description and control methods. B.P.I. Bul. 245, pp. 17, 18. 1912; B.P.I. Cir. 93, pp. 4, 5. 1912; F.B. 544, pp. 8–9. 1913; F.B. 419, pp. 18–19. 1910; Sec. Cir. 92, p. 27. 1918.
disease, description, distribution, and control. F.B. 419, pp. 18–19. 1910; J.A.R., vol. 8, pp. 79–126. 1917.
effect of temperature and precipitation. J.A.R. vol. 13, pp. 507–513. 1918.
organisms causing, descriptions and comparisons. J.A.R., vol. 8, pp. 94–124. 1917.
origin, spread, and control. D.B. 81, p. 3. 1914
outbreak in Kansas. News L., vol. 6, No. 52. pp. 15–16. 1919.
pathological anatomy. Ernst F. Artschwager. J.A.R., vol. 20, pp. 325–330. 1920.
tuber-rot under irrigation. M. Shapovalov and H. A. Edson. J.A.R., vol. 22, pp. 81–92. 1921.

Potato(es)—Continued.
blight(s)—
and rot, resistance of varieties. B.P.I. Bul. 87, pp. 20–28. 1904.
annual losses. Y.B., 1908, p. 453. 1909; Y.B. Sep. 494, p. 453. 1909.
cause and control, studies. News L., vol. 4, p. 1. 1917.
control in Michigan, Calhoun County. Soil Sur. Adv. Sh., 1916, p. 15. 1919; Soils F.O., 1916, p. 1639. 1921.
control methods. F.B. 1064, pp. 30, 32. 1919; F.B. 1205, pp. 21–22, 36. 1921.
description, cause, and control. F.B. 868, pp. 13–16, 17, 18–20. 1917; F.B. 1064, p. 30. 1919; Sec. Cir. 93, p. 26. 1918.
injuries, in Hawaii, causes and control. Hawaii, A.R., 1917, pp. 34–38. 1918.
late, control by Bordeaux-mixture spraying. News L., vol. 5, No. 32, p. 8. 1918.
resistant, experiments, Hawaii, 1917. Hawaii A.R., 1917, pp. 9–10, 34–40, 46–48. 1918.
seed treatment for prevention. C.T. and F.C.D. Inv. Cir. 3, p. 3. 1918.
spraying with Bordeaux mixture. F.B. 407, p. 18. 1910; F.B. 527, pp. 7–9. 1913.
studies and comparison with other species. J.A.R., vol. 8, pp. 233–276. 1917.
blister beetles, description, habits and control. F.B. 868, p. 9. 1917; F.B. 1349, pp. 7–8. 1923; Sec. Cir. 92, pp. 21–22. 1918.
Bordeaux-mixture sprayed, yield, comparision with unsprayed. News L., vol. 5, No. 32, p. 8. 1918.
botanical origin, study. An. Rpts., 1910, p. 306. 1911. B.P.I. Chief Rpt., 1910, p. 36. 1910.
bread—
recipes. F.B. 807, pp. 19–21. 1917; F.B. 1136, pp. 14–15. 1920; Sec. Cir. 106, pp. 3–4. 1918; Food Leaf. 10, p. 2. 1917.
substitute, discussion. News L., vol. 2, No. 31, p 4. 1915.
breeding—
and selection. William Stuart. D.B. 195, pp. 35. 1915.
definition of term. D.B. 195, pp. 2–3, 35. 1915.
new varieties, Sitka Experiment Station. Alaska A.R., 1918, p. 24. 1920.
practices. F.B. 342, pp. 10–14. 1909.
Brown Beauty, description and adaptation to various sections. F.B. 1190, p. 8. 1921.
brown rot. F. C. Meier and G. K. K. Link. D.C. 281, pp. 6. 1923.
brown spot, description. Hawaii Bul. 45, p. 40. 1920.
browning disease, description and cause, notes. J.A.R., vol. 8, pp. 80, 81. 1917.
bruising by rough handling in loading. F.B. 1050, pp. 7–8. 1919.
bug—
bird. See Grosbeak, rose-breasted.
destroyer, nonpoisonous, composition. Chem. Bul. 76, p. 51. 1903.
See also Potato beetles.
Burbank, description and adaptation to various sections. F.B. 1190, p. 7. 1921.
Burbank's Seedling, introduction. D.B. 195, p. 5. 1915.
bushel weights, Federal and State. Y.B., 1918, p. 725. 1919; Y.B. Sep. 795, pp. 61, 62. 1919.
by-products, benefit to German soil. D.B. 47, p. 4. 1913.
Canadian—
importation regulations, amendments. F.H.B. S.R.A. 35, pp. 154–155. 1917.
quarantine amendment, and restrictions. News L., vol. 4, No. 21, p. 4. 1916.
quarantine regulations against scab. F.H.B. S.R.A. 12, p. 6. 1915.
quarantine removal, Sept. 1, 1915. News L., vol. 3, No. 21, p. 2. 1915.
"canker." See Potato, wart disease.
canned. F.B. 295, pp. 17, 18. 1907.
car-lot shipments, by States—
1917–1922. Y.B., 1922, pp. 679, 775, 777. 1923; Y.B. Sep. 884, pp. 679, 775, 777. 1923.
1918–1923. S.B. 7, pp. 26–33. 1925.

Potato(es)—Continued.
  carload—
    commercial unit measurement. F.B. 1317, pp. 4, 18. 1923.
    shipments. F.B. 1050, p. 3. 1919.
  "cauliflower." See Potato, wart disease.
  cellars—
    for storing, for dry-rot control. News L., vol. 5, No. 35, p. 6. 1918.
    fumigation, methods, and fungicides. News L., vol. 6, No. 3, p. 3. 1918.
  certified, for seed. News. L., vol. 1, No. 41, p. 4. 1914.
  Cetewayo or Zulu, food use. F.B. 295, p. 23. 1907.
  Charles Downing—
    description and adaptation to various sections. F.B. 1190, p. 8. 1921.
    stolons and tubers, studies. D.B. 958, pp. 17–20, 23. 1921.
  Cheyenne farm, experiments and results. O.E.S. Cir. 92, pp. 29–33. 1910.
  Chile, importations, and description. Inv. Nos. 31411–31464, 31655–31676. B.P.I. Bul. 248, pp. 17, 35. 1912.
  chips—
    methods of manufacture. Off. Rec., vol. 1, No. 21, p. 5. 1922.
    misbranding. Chem. N.J. 2916. 1914.
  chowder, recipe. F.B. 712, p. 21. 1916.
  climbing air. See Acom.
  club(s)—
    acreage, yields and demonstration, 1919. D.C. 152, pp. 12–14. 1921.
    boys', Southern States, results, 1917. S.R.S. Rpt., 1917, Pt. II, p. 31. 1919.
    champions, 1913. News L., vol. 1, No. 20, p. 2. 1913.
    demonstrations. D.C. 248, p. 33. 1922.
    for boys, progress. O.E.S. An. Rpt., 1911, p. 337. 1912.
    for North and West, enrollment and demonstrations. D.C. 192, pp. 30–32. 1921.
    number, membership, and results in 1921. D.C. 255, pp. 15, 22. 1923.
    organization, scope, membership. News L., vol. 1, No. 16, p. 4. 1913.
    successful work, Maine and Massachusetts. D.C. 66, pp. 21–22, 33. 1920.
    yields, and cost, 1915. News L., vol. 4, No. 8, pp. 3, 4. 1916.
  color, indications of water conditions. B.P.I. Cir. 90, p. 3. 1912.
  commercial handling, grading, and marketing. C. T. More and C. R. Dorland. F.F. 753, pp. 40. 1916.
  commercial varieties, immunity from wart disease. J.A.R., vol. 31, p. 301. 1925.
  comparison with dasheen as table vegetable. Y.B., 1916, p. 203. 1917; Y.B. Sep. 689, p. 5. 1917.
  competition with sugar beets. D.B. 995, p. 34. 1921.
  composition—
    as source of alcohol. F.B. 429, p. 1. 1911.
    changes caused by *Fusarium* species. J.A.R., vol. 6, No. 5. pp. 183–196. 1916.
    comparison with yautias. B.P.I. Bul. 164, p. 14. 1910.
    from sprayed and unsprayed plants. D.B. 1146, pp. 3–4, 7–10, 12, 14–15. 1923.
    of tubers, skins, and sprouts of three varieties. F. C. Cook. J.A.R., vol. 20, pp. 632–634. 1921.
    protein and carbohydrates. B.P.I. Doc. 1110, p. 3. 1914; D.B. 468, pp. 4–7. 1917.
  condemnation under plant quarantine act, case. Sol. Cir. 66, pp. 1–3. 1912.
  conservation, expert work on special surveys. An. Rpts., 1917, p. 21. 1918; Sec. A.R., 1917, p. 23. 1917.
  consumption—
    by farm families. F.B. 1082, pp. 9, 19. 1920.
    comparison, in United States with Germany and Austria-Hungary. News L., vol. 5, No. 43, p. 9. 1918.
    per capita. News L., vol. 6, No. 48, p. 5. 1919.
    per capita, United States and Germany. D.B. 47, pp. 1, 3, 11. 1913

Potato(es)—Continued.
  consumption—continued.
    total and per capita, 1849–1916. D.B. 695, pp. 13–16, 24. 1918.
    content of lime, comparison with that of milk. D.C. 129, p. 3. 1920.
  cookies, recipe. Sec. Cir. 106, p. 5. 1918.
  cooking—
    methods. D.B. 123, pp. 25–30. 1916; D.B. 468, pp. 7–11. 1917; F.B. 295, pp. 13–17. 1907.
    quality, factors affecting. F.B. 244, pp. 13–21. 1906.
    recipes. News L., vol. 3, No. 10, pp. 7–8. 1915; F.B. 526, pp. 27–30. 1906; Sec. Cir. 106, p. 4. 1918; S.R.S. Doc. 16, pp. 3–5. 1915.
  corky scab, cause, description, and control. Hawaii Bul. 45, pp. 5, 18, 26–28. 1920.
  corn-meal muffins, recipe. Sec. Cir. 106, p. 4. 1918.
  Corticium vagum, infection, pathogenicity, relation to soil temperature. J.A.R., vol. 23, pp. 761–770. 1923.
  cost(s)—
    production—
      labor and material requirements per acre. Y.B., 1921, pp. 810–811, 823–824. 1922; Y.B. Sep. 876, pp. 7–8, 20–21. 1922.
      per acre and per bushel, Nebraska. F.B. 325, p. 10. 1908.
      per bushel. S.B. 10, p. 15. 1925.
      statistics. D.B. 1188, pp. 13–16, 33–39. 1924.
      table. Stat. Bul. 48, p. 52. 1906.
    record account, sample. F.B. 572, rev., p. 12 1920.
  cottage cheese, recipes. Sec. Cir. 109, pp. 11–12. 1918.
  council, formation and recommendations. Off. Rec., vol. 1, No. 43, pp. 1, 5. 1922.
  crop(s)—
    1902, yields, prices, imports, and values. Y.B. 1902, pp. 805–809. 1903.
    1907, remarks by Secretary. Y.B., 1907, p. 16. 1908; An. Rpts., 1907, p. 16. 1907; Sec. A.R., 1907, p. 14. 1907; Rpt. 85, p. 9. 1907.
    1909, and price. Sec. A.R., 1909, p. 11. 1909; Y.B., 1909, p. 11. 1910.
    1910, amount and value. An. Rpts., 1910, p. 13. 1911; Sec. A.R., 1910, p. 13. 1910; Report 93, p. 10. 1911; Y.B., 1910, p. 13. 1911.
    1911, amount and value. An. Rpts., 1911, p. 17. 1912; Sec. A.R., 1911, p. 15. 1911; Y.B., 1911, p. 15. 1912.
    1913, and holdings, 1909-1914. D.B. 81, pp. 16–17. 1914.
    1917, 1918, 1919. Sec. Cir. 142, p. 17. 1919.
    and market news, sources. F.B. 1317, pp. 8–9, 34. 1923.
    early, marketing. George B. Fiske and Paul Froehlich. F.B. 1316, pp. 33. 1923.
    increase by spraying. F. H. Chittenden and W. A. Orton. F.B. 868, pp. 22. 1917; F.B. 1349, pp. 22. 1923.
    increase by spraying, teaching by F.B. 868. F. E. Heald. S.R.S. [Misc.], "How teachers may use * * *," pp. 2. 1917.
    losses, extent and causes, 1909–1921. Y.B., 1922, p. 672. 1923; Y.B. Sep. 884, p. 672. 1923.
    of United States, 1866–1906. S.B. 62, pp. 37. 1908.
    of world, acreage and production. F.B. 581, pp. 23–25. 1914.
    periods, and practices in regard to late crop. F.B. 1190, pp. 16–19. 1921.
    crossing experiments, 1909, 1910. D.B. 1915, pp. 11–18, 35. 1915.
    crown-gall inoculations from daisy. B.P.I. Bul. 213, p. 30. 1911.
  crust, for beef pie, recipe. Sec. Cir. 106, p. 6. 1918.
  culls—
    as source of industrial alcohol. A. O. Wente and L. M. Tolman. F.B. 410, pp. 40. 1910.
    from truck-crop, use as second crop seed, discussion. F.B. 1205, pp. 33–36. 1921.
    uses. B.P.I. Doc. 884, pp. 8–9. 1913.
    utilization by farmers for stock feed, studies by Chemistry Bureau. D.C. 137, p. 21. 1922.
    utilization for drying and flour. Sec. Cir. 126, p. 9. 1919.

Potato(es)—Continued.
 cultivation—
  days' work. D.B. 3, p. 26. 1913.
  directions. F.B. 1064, pp. 27–29. 1919.
  in Alaska. Alaska A.R., 1907, pp. 39–40. 1908.
  in South. F.B. 1205, pp. 19–20, 21, 36. 1921.
  objects and methods. F.B. 1064, pp. 27–29. 1919; F.B. 1190, pp. 18–20. 1921.
  under irrigation. F.B. 953, p. 11. 1918.
  See also Soils Field Operations, for various States, areas, and counties.
 cultural—
  directions. F.B. 937, pp. 16, 19, 23, 46. 1918; F.B. 934, pp. 39–40. 1918; F.B. 1044, p. 35. 1919; Sec. Cir. 92, pp. 7–25. 1918; S.R.S. Doc. 49, pp. 2, 6. 1917.
  methods, fertilizers, seeding, and harvesting. F.B. 472, pp. 18–22. 1911.
  methods for control of disease. B.P.I. Cir. 109, pp. 9–10. 1913.
  practices, yield, Wisconsin, Waushara County. Soils F.O., 1909, pp. 1210, 1214, 1216, 1217, 1222. 1912; Soil Sur. Adv. Sh., 1909, pp. 12, 16, 18, 19, 24. 1911.
  suggestions. F.B. 225, pp. 14–16. 1905; F.B. 818, pp. 32–35. 1917.
 culture—
  cost and yield, intensive farming. F.B. 325, pp. 8–10. 1908.
  in Europe. B.P.I. Bul. 87, p. 9. 1905.
  institute, courses, schedule of daily work. O.E.S. Bul. 199, pp. 41–42. 1908.
  near Greeley, Colo. J. Max Clark. Y.B., 1904, pp. 311–322. 1905; Y.B. Sep. 349, pp. 311–322. 1905.
  on irrigated farms of the West. E. G. Grubb. F.B. 386, pp. 13. 1910.
  systems, level or ridge. F.B. 1064, p. 27. 1919.
  under irrigation. William Stuart and others. F.B. 953, pp. 24. 1918.
  See also Potato growing.
 curly-dwarf—
  appearance and effect on yield. F.B. 1436, pp. 8–9. 1924.
  control by tuber-unit selection. F.B. 533, p. 7. 1913.
  description and control. D.B. 64, pp. 37–40. 1914; F.B. 544, p. 14. 1913; Hawaii Bul. 45, p. 40. 1920.
  occurrence and effect on yield. F.B. 1436, pp. 8–9. 1924.
  oxidases, comparison with healthy potatoes. H. H. Bunzel. J.A.R., vol. 2, pp. 373–404. 1914.
 cutting—
  and planting in "tuber-unit" method of improvement. B.P.I. Cir. 113, pp. 25–26. 1913.
  for planting, practices in irrigation districts. F.B. 953, pp. 6–9. 1918.
  for seed and care of cut pieces. F.B. 1190, pp. 13–15. 1921.
  handling, and planting in Southern States. F.B. 1205, pp. 15–19, 36. 1921.
 damage by root knot, and spread of disease. F.B. 648, pp. 3–4, 12, 17. 1915.
 dangers from eating. F.B. 295, pp. 19–20. 1907.
 decay, cause and remedial measures. B.P.I. Cir. 23, pp. 11–12. 1909.
 decayed, danger to manure. B.P.I. Bul. 281, pp. 36, 37. 1913.
 degeneration diseases, infection and dissemination experiments. E. S. Schultz and Donold Folsom. J.A.R., vol. 30, pp. 493–528. 1925.
 Delta, description, distribution, and propagation, as wild-duck food. D.B. 58, pp. 1–4. 1914; D.B. 465, pp. 21–24. 1917; D.B. 862, pp. 5, 6, 34, 45, 59. 1920.
 demand for United States grades. Off. Rec., vol. 1, No. 51, p. 8. 1922.
 demand in Pennsylvania. Off. Rec., vol. 2, No. 50, p. 2. 1923.
 destruction by field mice. F.B. 670, p. 5. 1915.
 digestibility, place in diet. F.B. 295, pp. 21–23. 1907.
 digestion experiment. O.E.S. Bul. 159, pp. 169, 171. 1905.
 digger—
  days' work comparison with plow. D.B. 3, p. 38. 1913.

Potato(es)—Continued.
 digger—continued.
  description. F.B. 356, pp. 19–20. 1909; F.B. 365, pp. 12–13. 1909.
  description and use. News L., vol. 7, No. 10, pp. 1–2. 1919.
  description and use in harvesting peanuts. F.B. 356, pp. 19–20. 1919; F.B. 431, p. 18. 1911; Sec. Cir. 81, pp. 1–2. 1917.
 digging—
  day's work. S. B. 10, p. 12. 1925.
  grading, etc., Markets Bureau advice. News L., vol. 5, No. 9, pp. 1, 5. 1917.
  injurious habits. F.B. 1050, pp. 4–5. 1919.
  saving labor by machinery. F.B. 989, p. 15. 1918.
  sorting, and marketing. F.B. 753, pp. 2–18, 29, 27–36. 1916.
  storage, and value in bread. News L., vol. 5, No. 9, pp. 1, 2. 1917.
  time, method, and equipment. News L., vol. 4, No. 17, pp. 1–2. 1916.
 disease(s)—
  and—
   disease resistance in Europe. B.P.I. Bul. 87, pp. 12–19, 28–30. 1905.
   insect enemies, prevalence in Hawaii. Hawaii A.R., 1918, pp. 10, 33, 40–42. 1919.
   insect pests, control. D.C. 35, pp. 21–23. 1919; F.B. 1064, pp. 30–32. 1919.
   their treatment, syllabus of illustrated lecture. F. C. Stewart and H. J. Eustace. O.E.S. F.I.L. 2, pp. 17. 1904.
  causing "running-out." F.B. 1436, pp. 1–21. 1924.
  control—
   experiments. S.R.S. Rpt., 1917, Pt. I, pp. 43, 115, 172, 200, 226, 257, 260. 1918.
   in Michigan, Calhoun County. Soil Sur. Adv. Sh., 1916, p. 15. 1919; Soils F.O., 1916, p. 1639. 1921.
   in seed plot, method. News L., vol. 4, No. 22, p. 4. 1917.
   necessity of State laws. D.B. 81, pp. 18–19. 1914.
   studies, 1916. S.R.S. Rpt., 1916, Pt. I, pp. 49, 138–139, 179. 1918.
   studies, 1922. O.E.S. An. Rpt., 1922, pp. 39–41. 1924.
  description and control. F.B. 868, pp. 3, 13–20. 1917; F.B. 1349, pp. 13–17. 1923; Sec. Cir. 92, pp. 26–30. 1918.
  detection—
   by examinations, list and descriptions. C. T. and F.C.D. Inv. Cir. 3, p. 3. 1918.
   in seed. Hawaii Bul. 45, pp. 5, 17, 19, 20, 23, 24, 38. 1920.
  epidemics, spread by infected seed potatoes. J.A.R., vol. 5, No. 2, pp. 80–85, 89–92. 1915.
  found by inspectors. F.B. 1316, pp. 18–19. 1923.
  free, production experiments. News L., vol. 4, No. 19, pp. 3–4. 1916.
  fungi causing, studies. J.A.R., vol. 7, No. 5, pp. 213–254. 1916.
  general types. F.B. 1367, pp. 2–3. 1924.
  in—
   California, San Joaquin County. W. A. Orton. B.P.I. Cir. 23, pp. 14. 1909.
   Hawaii, and their control. C. W. Carpenter. Hawaii Bul. 45, pp. 42. 1920.
   Hawaii, experiments and studies, 1917. Hawaii A.R., 1917, pp. 9–10, 31, 34–40, 46–48. 1918.
   Texas, occurrence and description. B.P.I. Bul. 226, p. 42. 1912.
  influence on potato yields. D.B. 47, pp. 7–8, 12. 1913.
  introduction—
   cause, distribution, and control methods. B.P.I. Bul. 245, pp. 19–26, 84. 1912.
   dangers, and spread. D.B. 81, pp. 2–10. 1914.
  nature of injury and control. F.B. 1190, p. 20. 1921.
  nomenclature and occurrence on other hosts. B.P.I. Bul. 245, pp. 24–26. 1912.
  occurrence in Hawaii, classification, identification, and descriptions. Hawaii Bul. 45, pp. 15–35. 1920.

Potato(es)—Continued.
　disease(s)—continued.
　　occurring under market, storage, and transit conditions. B.P.I. [Misc.], "Handbook of the * * *," pp. 43-61. 1919.
　　outbreak in Nevada, 1910-11. B.P.I. Cir. 91, p. 3. 1912.
　　perpetuation and spread, methods. J.A.R., vol. 25, pp. 96-102. 1923.
　　prevalence—
　　　and prevention, 1908. Y.B., 1908, p. 533. 1909.
　　　in new land, southern Idaho. J.A.R., vol. 6, pp. 573-575. 1916.
　　prevention. Hawaii A.R., 1919, p. 65. 1920.
　　production by Rhizoctonia. J.A.R., vol. 9, pp. 421-426. 1917.
　　relation of soil fungi in southern Idaho. O. A. Pratt. J.A.R., vol. 13, pp. 73-100. 1918.
　　resistance—
　　　L. R. Jones. B.P.I. Bul. 87, pp. 44. 1905.
　　　definition, history, and comparison of varieties. B.P.I. Bul. 87, pp. 20-35. 1905.
　　　possibilities. Y.B., 1908, pp. 455, 464. 1909; Y.B. Sep. 494, pp. 455, 464. 1909.
　　　studies. B.P.I. Bul. 245, pp. 69-84, 86. 1912.
　　　importation and description. Nos. 34663, 34664. B.P.I. Inv. 33, pp. 7, 44. 1915.
　　　varieties of America. B.P.I. Bul. 87, pp. 31-35. 1905; B.P.I. Bul. 245, pp. 70-74. 1912; F.B. 259, pp. 17-18. 1906.
　　spraying for control, and methods. News L., vol. 4, No. 51, p. 4. 1917.
　　spread. J.A.R., vol. 30, pp. 521-528. 1925.
　　spread by infected seed potatoes. J.A.R., vol. 5, No. 2, pp. 80-85, 89-92. 1915.
　　studies and control method. D.B. 784, pp. 19-21. 1919; News L., vol. 4, No. 22, pp. 1, 3-4. 1917.
　　transmission—
　　　by manures, experiments. O.E.S. An. Rpt., 1910, p. 154. 1911.
　　　variation and control. E. S. Schultz and Donald Folsom. J.A.R., vol. 25, pp. 43-118. 1923.
　　treatment. F.B. 1202, p. 60. 1921.
　　wilt, leaf-roll, and related diseases. W. A. Orton. D.B. 64, pp. 48. 1914.
　　See also Potato-tuber diseases.
　dishes with cottage cheese, recipes. Sec. Cir. 109, rev., pp. 11-12. 1918.
　disinfection—
　　and planting directions. News L., vol. 6, No. 35, p. 6. 1919.
　　before storing, results. J.A.R., vol. 6, No. 21, pp. 827-831. 1916.
　　methods of treatment, and time. C.T. and F.C.D. Inv. Cir. 3, p. 8. 1918.
　　of cellars. B.P.I. Cir. 110, p. 14. 1913.
　　of storage house or bin. C.T. and F.C.D. Inv. Cir. 1, p. 4. 1918.
　distillation, experimental. Chem. Bul. 130, p. 67. 1910.
　distillery, cost, operation, details, and schedules. F.B. 410, pp. 9-10, 11-18, 28-31. 1910.
　dried—
　　cooking recipes. F.B. 841, p. 27. 1917; F.B. 295, pp. 17-18. 1905.
　　feed value for fattening hogs. News L., vol. 5, No. 24, p. 4. 1918.
　　pressed, manufacture at Arlington farm, chemical analysis and composition. D.B. 596, pp. 1, 3. 1917.
　　use and value as grain subsitute. D.B. 47, p. 11. 1913.
　　value as hog feed. News L., vol. 7, No. 3, p. 8. 1919.
　dry—
　　farming experiments. O.E.S. Cir. 95, p. 8. 1910.
　　rot, causes, and inoculation experiments. J.A.R., vol. 5, No. 5, pp. 195-201. 1915.
　　rot, due to *Fusarium oxysporum*. Erwin F. Smith and Deane B. Swingle. B.P.I. Bul. 55, pp. 64. 1904.
　drying—
　　and ensiling processes, and feeding experiments. An. Rpts., 1916, p. 197. 1917; Chem. Chief Rpt., 1916, p. 7. 1916.

Potato(es)—Continued.
　drying—continued.
　　and utilization methods. News L., vol. 3, No. 22, p. 4. 1916.
　　directions. D.B. 1335, p. 37. 1925; D. C. 3, p. 15. 1919; F.B. 841, p. 21. 1917; F.B. 984, pp. 49-50. 1918.
　　experiments and advantages. Sec. Cir. 126, pp. 4-5, 8, 9. 1919.
　　studies and suggestions. D.B. 47, pp. 4, 11, 12. 1913.
　early—
　　and late, film distribution. Off. Rec., vol. 1, No. 7, p. 6. 1922.
　　blight, cause, description and control. Hawaii Bul. 45, pp. 17, 23-24. 1920.
　　blight, description, and control. B.P.I. Bul. 245, pp. 15, 84. 1912; D.C. 35, p. 22. 1919; F.B. 856, p. 58. 1917; F.B. 1349, p. 17. 1923.
　　digging time, graph. D.C. 183, p. 41. 1922.
　　growing—
　　　as truck crop. F.B. 407, pp. 1-24. 1910.
　　　as truck, in Atlantic coast region. Y.B. 1912, pp. 422, 423, 425, 429, 430, 431. 1913; Y.B. Sep. 603, pp. 422, 423, 425, 429, 430, 431. 1913.
　　harvesting—
　　　and marketing in South. F.B. 1205, pp. 5-26. 1921.
　　　for control of potato tuber moth. D.B. 427, pp. 48-50. 1917.
　　　in Mississippi, Lauderdale County. Soil Sur. Adv. Sh. 1910, pp. 17-18. 1912; Soils F.O., 1910, pp. 745-746. 1912.
　　　on Norfolk fine sand. Soils Cir. 23, pp. 10-11. 1911.
　　　on Sassafras soils, and yields. D.B. 159, pp. 21, 27, 31, 46. 1915.
　　location of industry in Southern States. F.B. 407, pp. 6-7. 1910.
　　planting time, graph. D.C. 183, p. 40. 1922.
　Early Ohio—
　　description and adaptation to various sections F.B. 1190, p. 6. 1921.
　　introduction. D.B. 195, p. 5. 1915.
　　selection and environment, experiments. J.A.R., vol. 23, pp. 950-958. 1923.
　Early Rose, introduction by Albert Bresee. D.B. 195, pp. 3, 4. 1915.
　eelworm infested—
　　effect on stand and yield. D.C. 80, p. 14. 1920.
　　germination and yield tests, Truckee-Carson project, 1917. W.I.A. Cir. 23, pp. 18-21. 1918.
　　quarantine establishment in California. B.P.I. Cir. 91, pp. 3-4. 1912.
　effect of—
　　borax in fertilizers, experiments. D.C. 84, pp. 12-24. 1920.
　　manganese, experiments at Arlington farm, 1907-1912, 1913-1915. D.B. 441, pp. 2, 3-4, 6-11. 1916.
　　manganese sulphate. D.B. 42, pp. 23-24. 1914.
　　storage on quality. D.B. 468, pp. 12-14. 1917.
　end rot, cause, and description. B.P.I. Bul. 245, p. 17. 1912.
　entry—
　　from Canada, regulations. F.H.B., S.R.A. 34, pp. 145-148. 1916.
　　regulations. F.H.B.S.R.A. 76, p. 131. 1923; F.H.B.S.R.A. 78, pp. 21, 22, 29, 32. 1924.
　　report form for importer or broker. F.H.B., S.R.A. 23, pp. 95-96. 1916.
　environment, effect on phloem necrosis. J.A.R., vol. 24, pp. 240-241. 1923.
　estimates, 1910-1922. M.C. 6, p. 10. 1923.
　European crop, 1923. Off. Rec., vol. 2, No. 46, p. 3. 1923.
　European, importation, danger from wart diseases. News L., vol. 6, No. 13, p. 5. 1918.
　evaporated and canned, preparation methods, and value. D.B. 468, p. 12. 1917; F.B. 295, pp. 17-18. 1907.
　exclusion, decision on notification. Sol. Cir. 66, pp. 1-3. 1912.
　experiments—
　　at field station near Mandan, N. Dak. D.B. 1301, pp. 46-47. 1925.

Potato(es)—Continued.
experiments—continued.
in Nevada, Newlands farm. D.C. 352, pp. 10-11. 1925.
in seed selection. B.P.I. Bul. 165, pp. 31-32. 1909.
with borax fertilizer in 1920, results. D.B. 1126, pp. 8-10, 17-20, 21-22, 26, 28. 1923.
yield of different varieties. Soils Bul. 22, p. 57. 1903.
farms—
in Jefferson County, Ky., management, expenses, and profits. D.B. 678, pp. 15-17, 22-23. 1918.
in New Jersey, labor hiring. D.B. 1285, pp. 4-6. 1925.
in New York, labor data for different seasons. Y.B., 1911, pp. 276-278. 1912; Y.B. Sep. 567, pp. 276-278. 1912.
prices, 1914, increase over 1913, comparison. News L., vol. 1, No. 45, p. 4. 1914.
feed—
for hogs, experiments. B.A.I. Bul. 47, pp. 169-171. 1904.
for hogs, experiments. F.B. 411, p. 37. 1910.
use. Y.B., 1923, p. 364. 1924; Y.B. Sep. 895, p. 364. 1924.
feeding—
to dairy cows, effect on milk flavor and odor, experiments. D.B. 1297, pp. 9-12. 1924.
to hogs, experiments. D.B. 596, pp. 1-11. 1917.
value, notes. News L., vol. 5, No. 12, p. 6. 1917.
fermenting for silage studies, Chemistry Bureau. Chem. Chief Rpt., 1921, p. 17. 1921.
fertilizer(s)—
choice and application. F.B. 1190, pp. 9-11. 1921.
constituents and distribution. F.B. 407, pp. 15-16. 1910.
experiments. B.P.I. Chief Rpt., 1921, p. 47. 1921.
for. F.B. 210, pp. 31-32. 1904.
formulas, and grades for southern crop. F.B. 1205, pp. 7-9, 28. 1921.
home-mixed and factory-mixed. F.B. 210, pp. 21-32. 1904; F.B. 222, pp. 6-7. 1905.
proportions and directions. S.R.S. Doc. 30, p. 12. 1916.
requirements, and composition of various brands. F.B. 1064, pp. 9-12. 1919; Soils Bul. 58, pp. 9, 22, 25, 27, 30. 1910.
tests in Alaska. Alaska A.R., 1911, pp. 26, 40-41. 1912.
fertilizing with fish waste, formula. F.B. 320, p. 8. 1908.
field rot, in West, caused by *Fusarium radicicola*. J.A.R., vol. 6, No. 9, pp. 397-310. 1916.
fields, clearing in Mississippi. Off. Rec., vol. 2, No. 24, p. 3. 1923.
financial outlook, 1924. Off. Rec., vol. 3, No. 47, p. 3. 1924.
flea beetles—
control. F.B. 407, p. 20. 1910; F.B. 953, p. 14. 1918; F.B. 1064, p. 31. 1919; F.B. 1190, p. 21. 1921; F.B. 1205, p. 21. 1921.
description, habits, and control. F.B. 868, pp. 9-10. 1917; D.C. 35, pp. 23, 25, 26. 1919; Sec. Cir. 92, p. 32. 1918.
injuries and control. F.B. 856, pp. 6, 9, 57. 1917.
flour—
and bread, analyses and characteristics. D.B. 701, pp. 4-9. 1918.
definition of term. Chem. S.R.A. 14, p. 10. 1915.
production experiments. An. Rpts., 1919, p. 225. 1920; Chem. Chief Rpt., 1919, p. 15. 1919.
utilization of culls. Sec. Cir. 126, p. 9. 1919.
foliage diseases, relation to variations of the tuber and sprout. Alfred H. Gilbert. J.A.R., vol. 25, pp. 255-266. 1923.
food value—
C. F. Langworthy. Y.B., 1900, pp. 337-348. 1901; Y.B. Sep. 213, pp. 337-348. 1901.
and prices. News L., vol. 5, No. 4, p. 8. 1917.
and uses. D.B. 468, pp. 15-17, 28. 1917; D.B. 784, pp. 21-23. 1919; U.S. Food Leaf. 10, pp. 1-4. 1917.

Potato(es)—Continued.
food value—continued.
comparisons—
chart. D.B. 975, pp. 5, 6, 11-12. 1921.
with cereals. F.B. 817, p. 21. 1917.
with grains. News L., vol. 5, No. 8, pp. 7, 8. 1917.
with other foods. News L., vol. 4, No. 46, p. 8. 1917.
foreign admission under restriction, order of Secretary. David F. Houston. F.H.B. [Misc.], "Order governing admission * * *," p. 1. 1914.
foreign, using for seed, danger. William Stuart and W. A. Orton. B.P.I. Cir. 93, pp. 5. 1912.
freezing—
injury. R. C. Wright and George F. Taylor. D.B. 916, pp. 15. 1921.
point(s)—
determination. D.B. 1133, pp. 2, 5, 6, 8. 1923.
determination by thermoelectric method. R. C. Wright and R. B. Harvey. D.B. 895, pp. 7. 1921.
of 18 varieties. D.B. 895, pp. 3-5. 1921.
of seven varieties, studies. D.B. 916, pp. 4-7. 1921.
freight rates in south Texas. Soil Sur. Adv. Sh., 1909, p. 11. 1910; Soils F.O., 1909, p. 1035. 1912.
from Canada and Mexico, restrictions removed. F.H.B. S.R.A. 74, p. 43. 1923.
from Holland, importation and regulation. F.H. B.S.R.A. 6, p. 50. 1914.
from Netherlands, quarantine release. F.H.B. S.R.A. 2, pp. 4-5. 1914.
frost necrosis, physiology, studies. D.B. 916, pp. 2-4. 1921.
fungous diseases, control. F.B. 953, pp. 6, 15. 1918.
Fusarium tuber rot. George K. K. Link and F. C. Meier. D.C. 214, pp. 8. 1922.
fungus—
growth in pure culture, studies. B.P.I. Bul. 245, pp. 42-54, 85. 1912.
Phytophthora infestans—
hibernation. J.A.R., vol. 5, No. 2, pp. 71-102. 1915.
investigations. L. R. Jones and others. B. P.I. Bul. 245, pp. 100. 1912.
Rhizoctonia solani, new strain. J.A.R., vol. 9, pp. 413-420. 1917.
spread, action of heat and moisture. J.A.R., vol. 5, No. 2, pp. 73-80. 1915.
Fusarium blight under irrigation. J.A.R., vol. 16, pp. 279-304. 1919.
Fusarium wilt, cause, description, and control. Hawaii Bul. 45, pp. 5, 17, 18-20. 1920.
German, uses. D.B. 47, pp. 2, 4, 10, 11. 1913.
grades—
description. D.C. 96, pp. 1-4. 1920.
in United States. Harold W. Samson. D.C. 238, pp. 4. 1922.
penalty for misuse. Off. Rec. vol. 2, No. 15, p. 4. 1923.
recommended by United States Department of Agriculture and United States Food Administration. Mkts., Doc. 7, pp. 4. 1917.
terms, definition. D.C. 96, p. 4. 1920.
grading—
advantages. News L., vol. 6, No. 45, p. 8. 1919.
and graders, standardization. News L., vol. 4, No. 17, p. 2. 1916.
and grades. F.B. 1317, pp. 14-15, 25, 27. 1923.
and marketing. F.B. 407, pp. 23-24. 1910; F.B. 753, pp. 1-40. 1916.
on farm, benefits. F.B. 1050, pp. 5-6. 1919.
packing and marketing in Southern States. F.B. 1205, pp. 25-26, 37. 1921.
storing and marketing. Sec. Cir. 92, pp. 34-39. 1918.
storing and shipping from field. B.P.I. Doc. 884, p. 8. 1913.
Green Mountain, description and adaptation to various sections. F.B. 1190, p. 7. 1921.
growers—
American, lessons from German experiences. W. A. Orton. D.B. 47, pp. 12. 1913.
and shippers, Maine, Service Notice 2. F.H.B. S.R.A. 9, pp. 75-81. 1914.

Potato(es)—Continued.
growers—continued.
association, Houghton County, Mich., work. News L., vol. 1, No. 41, p. 4. 1914.
help by market station. Y.B., 1919, pp. 113, 114. 1920; Y.B. Sep. 797, pp. 113, 114. 1920.
national organization, aid by department. Y. B., 1915, p. 272. 1916; Y.B. Sep. 675, p. 272. 1916.
on irrigated lands, suggestions to. L. C. Corbett. B.P.I. Cir. 90, pp. 6. 1912.
value of Government reports. Sec. Cir. 152, p. 5. 1920.
growing—
acreage and States. Y.B., 1916, pp. 437–446. 1917; Y.B. Sep. 702, pp. 3–12. 1917.
and handling as truck crop. Y.B., 1907, pp. 429–432. 1908; Y.B. Sep. 459, pp. 429–432. 1908.
and yield—
effect of borax in fertilizer. B. E. Brown. D.B. 998, pp. 8. 1922.
on Chester loam, Pennsylvania. Soils Cir. 55, p. 8. 1912.
on Knox silt loam, central prairie States. Soils Cir. 33, pp. 13, 16. 1911.
on Norfolk sand. Soils Cir. 44, pp. 13, 17. 1911.
on Orangeburg fine sandy loam soils. Soils Cir. 46, pp. 16, 19. 1911.
on Porters loam and Porters black loam. Soils Cir. 39, pp. 10, 13. 1911.
on Volusia silt loam. Soils Cir. 63, pp. 4, 8, 9, 12, 13. 1912.
as an educational problem. M.C. 3, p. 3. 1923.
as club work in North and West. William Stuart. B.P.I. Doc. 884, pp. 10. 1913.
as truck crop on Norfolk sandy loam. Soils Cir. 45, p. 10. 1911.
at Akron Field Station. D.B. 1304, pp. 21–22. 1925.
at Umatilla experiment farm, varieties and yields. B.P.I. [Misc.], "The work of the Umatilla * * *," p. 9. 1914.
climatic conditions and blackleg disease. J.A.R., vol. 13, pp. 507–513. 1918.
club demonstrations. D.C. 321, p. 17. 1924.
Clyde soils, yields. D.B. 141, pp. 22, 27, 30, 41, 42, 46. 1914.
conditions governing, comparison of American and German. D.B. 47, pp. 4–6, 11–12. 1913.
contest, rules, blanks, and score cards. O.E.S. Bul. 255, pp. 25–28. 1913.
cost accounts for series of five years, details. Y.B., 1917, pp. 165–166. 1918; Y.B. Sep. 735, pp. 15–16. 1918.
cost, yield, and income. F.B. 454, pp. 20–21. 1911.
date of various operations in North Dakota. D.B. 757, pp. 25–26. 1919.
directions—
William Stuart. F.B. 1190, pp. 28. 1921.
and varieties recommended for home gardens. F.B. 936, pp. 49–50. 1918.
at Yuma experiment farm. D.C. 75, pp. 58–59. 1920.
for club members. D.C. 48, pp. 9–10. 1919.
experiments, at Newlands experiment farm, 1919. D.C. 136, pp. 9–13. 1920.
extent and importance of crop, production in different sections. F.B. 1205, pp. 3–4. 1921.
for truck, in Nevada, cost, varieties, and irrigation. B.P.I. Cir. 113, pp. 15–18. 1913.
from seed, in Alaska, experiments. Alaska A.R., 1917, pp. 7–8. 1919.
hand and machine labor, comparison, time and cost. Stat. Bul. 94, p. 65. 1912.
hints for boys' and girls' club work. George F. Farrell. S.R.S. Doc. 10, pp. 4. 1915.
improvement to soil, experience in Germany. News L., vol. 1, No. 20, p. 3. 1913.
in Alabama—
Baldwin County. Soil Sur. Adv. Sh., 1909, p. 13. 1911; Soils F.O., 1909, p. 713. 1912.
Coffee County. Soil Sur. Adv. Sh., 1909, pp. 11, 34. 1911; Soils F.O., 1909, pp. 807, 830. 1912.
Escambia County. Soil Sur. Adv. Sh., 1913, pp. 12, 26, 27, 37, 39, 43. 1915; Soils F.O., 1913, pp. 834, 848, 849, 859, 861, 865. 1916.

Potato(es)—Continued.
growing—continued.
in Alabama—Continued.
Pickens County. Soil Sur. Adv. Sh., 1916, pp. 9, 11, 18, 22, 37. 1917; Soils F.O., 1916, pp. 905, 914, 918, 933. 1921.
in Alaska—
central part. Soil Sur. Adv. Sh., 1914, pp. 32, 49, 80, 132, 148, 155, 157–158, 191, 202. 1915; Soils F.O., 1914, pp. 66, 83, 114, 166, 182, 189, 191–192, 215, 226. 1919.
experiments, 1914. D.B. 50, pp. 11, 12, 14, 16, 17, 20, 21. 1914.
experiments, methods, varieties, and yields. Alaska A.R., 1913, pp. 10–11, 14, 15, 16, 25, 26, 27, 32–33, 37, 38, 46–47, 54, 62, 63, 65, 66, 68, 73. 1914.
Kenai Peninsula region. Soil Sur. Adv. Sh., 1916, pp. 70, 71, 76, 90, 94–95. 1919; Soils F.O., 1916, pp. 103, 117, 118, 122, 126, 130. 1921.
yields, reconnaissance. Soil Sur. Adv. Sh., 1914, pp. 49, 57, 67, 80, 102–103, 157, 183, 192. 1915; Soils F.O., 1914, pp. 83, 91, 101, 114, 137, 191–192, 218. 1919.
in Arizona, Yuma experiment farm, yields. W.I.A. Cir. 25, p. 45. 1919.
in Arkansas—
Drew County. Soil Sur. Adv. Sh., 1917, pp. 13, 23, 25, 28. 1919; Soils F.O., 1917, pp. 1287, 1297, 1299, 1302. 1923.
Jefferson County. Soil Sur. Adv. Sh., 1915, p. 13. 1916; Soils F.O., 1915, p. 1171. 1919.
Mississippi County. Soil Sur. Adv. Sh., 1914, pp. 11, 31–33. 1916; Soils F.O., 1914, pp. 1331, 1351–1353. 1919.
place in rotation. F.B. 1000, pp. 7–9, 11–18. 1918.
in California—
Honey Lake area, yields. Soil Sur. Adv. Sh., 1915, pp. 12, 48. 1917; Soils F.O., 1915, p. 2262. 1919.
lower San Joaquin Valley, acreage and varieties. Soil Sur. Adv. Sh., 1915, pp. 20–21. 1918; Soils F.O., 1915, pp. 2596–2597. 1919.
Pajaro Valley. Soil Sur. Adv. Sh., 1908, pp. 10, 28. 1910; Soils F.O., 1908, pp. 1336, 1354. 1911.
Riverside area. Soil Sur. Adv. Sh., 1915, pp. 18, 50. 1917; Soils F.O., 1915, pp. 2380, 2412. 1919.
San Joaquin Valley. Soil Sur. Adv. Sh., 1915, pp. 20–21. 1918; Soils F.O., 1915, pp. 2596–2597. 1919.
upper San Joaquin Valley. Soil Sur. Adv. Sh., 1917, p. 22. 1921; Soils F.O., 1921, p. 2550. 1923.
Yuma experiment farm, yields. W.I.A. Cir. 12, pp. 21–22. 1916.
in Colorado—
farm practices (with other crops). D.B. 917, pp. 11–40. 1921.
labor distribution and cost. D.B. 917, pp. 7, 9, 10, 11, 45. 1921.
Uncompahgre Valley area. Soil Sur. Adv. Sh., 1910, pp. 12, 14–15, 34–40, 46, 47. 1912; Soils F.O., 1910, pp. 1450, 1452–1453, 1472, 1474, 1476, 1478, 1484, 1485. 1912.
in Connecticut—
New London County. Soil Sur. Adv. Sh., 1912, pp. 13, 20, 24. 1913; Soils F.O., 1912, pp. 39, 46, 50. 1915.
Windham County, yield. Soil Sur. Adv. Sh., 1911, pp. 12, 18, 20, 25, 28. 1912; Soils F.O., 1911, pp. 76, 82, 84, 89. 1914.
in Delaware, Sussex County. Soil Sur. Adv. Sh., 1920, pp. 1535, 1538, 1545–1561. 1924.
in Florida—
Duval County. Soil Sur. Adv. Sh., 1921, pp. 25, 26, 33–35. 1923.
Flagler County. Soil Sur. Adv. Sh., 1918, pp. 7–13, 18, 20, 28, 34–36, 41. 1922; Soils F.O., 1918, pp. 539–543, 548, 550, 558, 564–571. 1924.
Hillsborough County. Soil Sur. Adv. Sh., 1916, pp. 11, 14. 1918; Soils F.O., 1916, pp. 755, 758. 1921.
Orange County. Soil Sur. Adv. Sh., 1919, pp. 5, 6, 7, 13, 23, 25. 1922; Soils F.O., 1919, pp. 951, 952, 953, 959, 969, 971. 1925.

Potato(es)—Continued.
 growing—continued.
  in Florida—Continued.
   Putnam County, details. Soil Sur. Adv. Sh., 1914, pp. 13-14, 26, 39-40. 1916; Soils F.O., 1914, pp. 1005, 1018, 1024-1032. 1919.
   St. Johns County. Soil Sur. Adv. Sh., 1917, pp. 9, 10, 11, 14, 18-29, 33. 1920; Soils F.O. 1917, pp. 669, 670, 671, 674, 678-689, 693. 1923.
  in Georgia—
   Brooks County, costs and yields. D.B. 648, pp. 48, 55. 1918.
   Chatham County, yield and season. Soil Sur. Adv. Sh., 1911, pp. 9, 16, 17, 21, 24. 1912; Soils F.O., 1911, pp. 567, 574, 575, 579 582. 1914.
   Mitchell County. Soil Sur. Adv. Sh., 1920, pp. 4, 9. 1922; Soils F.O., 1920, pp. 4, 9. 1925.
   Terrell County. Soil Sur. Adv. Sh., 1914, pp. 15, 32, 39, 52. 1915; Soils F.O., 1914, pp. 871, 888, 895, 908. 1919.
  in Germany—
   acreage, increase, and yields. D.B. 182, pp. 7, 11-14. 1915.
   and America, acreage, yield, and comparison. D.B. 47, pp. 1-2, 11. 1913.
  in Great Britain emergency conditions. Sec. [Misc.], "Report * * * agricultural commission * * *," pp. 35, 38-42. 1919.
  in Hawaii—
   production, exports, and imports. Hawaii Bul. 45, pp. 3-4. 1920.
   spraying and fertilizer tests. Hawaii A.R., 1915, pp. 15, 40. 1916.
   varieties, fertilizers, and yields. Hawaii A.R., 1919, pp. 48, 64-67, 68, 73. 1920.
  in Idaho—
   experiments with clean seed on new land. J.A.R., Vol. 6, No. 15, pp. 573-575. 1916.
   Kootenai County. Soil Sur. Adv. Sh., 1919, pp. 10, 21-39. 1923; Soils F.O., 1919, pp. 10, 21-39. 1925.
   Latah County. Soil Sur. Adv. Sh., 1915, p. 18. 1917; Soils F.O., 1915, p. 2192. 1919.
   Portneuf area. Soil Sur. Adv. Sh., 1918, pp. 16, 31-38, 47. 1921; Soils F.O., 1918, pp. 1508, 1523-1530, 1534. 1924.
   Twin Falls area. Soil Sur. Adv. Sh., 1921, pp. 1372-1373, 1380. 1925.
  in Indiana—
   Elkhart County. Soil Sur. Adv. Sh., 1914, pp. 13-22. 1916; Soils F.O., 1914, pp. 1579-1588. 1919.
   Grant County. Soil Sur. Adv. Sh., 1915, p. 12. 1917; Soils F.O., 1915, p. 1360. 1919.
   Starke County, acreage, and methods. Soil Sur. Adv. Sh., 1915, pp. 10, 12, 14, 22, 25, 36. 1917; Soils F.O., 1915, pp. 1392, 1394, 1405, 1416, 1421. 1915.
   White County. Soil Sur. Adv. Sh., 1915, p. 12. 1917; Soils F.O., 1915, p. 1456. 1919.
  in Iowa—
   Bremer County. Soil Sur. Adv. Sh., 1913, pp. 9, 19, 20, 28, 36. 1914. Soils F.O., 1913, pp. 1693, 1703, 1704, 1712, 1720. 1916.
   Clay County. Soil Sur. Adv. Sh., 1916, pp. 12, 23, 28, 34, 37. 1918; Soils F.O., 1916, pp. 1840, 1849-1865. 1921.
   Clinton County. Soil Sur. Adv. Sh., 1915, p. 18. 1917; Soils F.O., 1915, p. 1660. 1919.
   Fayette County. Soil Sur. Adv. Sh., 1919, pp. 11, 13. 1922; Soils F.O., 1919, pp. 1465, 1467. 1925.
   Jasper County. Soil Sur. Adv. Sh., 1921, p. 1132. 1925.
   Jefferson County. Soil Sur. Adv. Sh., 1922, pp. 311, 312. 1925.
   Louisa County. Soil Sur. Adv. Sh., 1918, pp. 11, 16. 1921; Soils F.O., 1918, pp. 1025, 1030-1031. 1924.
   Mills County. Soil Sur. Adv. Sh., 1920, pp. 107, 108, 112, 120, 129. 1923; Soils F.O., 1920, pp. 107, 108, 112, 120, 129. 1925.
   Pottawattamie County. Soil Sur. Adv. Sh., 1914, p. 12. 1916; Soils F.O., 1914, p. 1892. 1919.

Potato(es)—Continued.
 growing—continued.
  in Iowa—Continued.
   Scott County. Soil Sur. Adv. Sh., 1915, pp. 10, 11, 14, 21, 32. 1917; Soils F.O., 1915, pp. 1713, 1716, 1723, 1734, 1743. 1919.
   Sioux County, yields. Soil Sur. Adv. Sh., 1915, pp. 24, 29, 32. 1917; Soils F.O., 1915, pp. 1755-1756, 1766. 1919.
   Worth County. Soil Sur. Adv. Sh., 1922, p. 286. 1925.
  in Kansas—
   Leavenworth County. Soil Sur. Adv. Sh., 1919, pp. 213, 215, 219, 249, 264. 1923; Soils F.O., 1919, pp. 213, 215, 219, 249, 264. 1925.
   Shawnee County, yield. Soil Sur. Adv. Sh., 1911, pp. 15, 38. 1913; Soils F.O., 1911, pp. 2069, 2092. 1914.
   yield. O.E.S. Bul. 158, pp. 573, 579-582. 1905.
  in Kentucky, labor, seasonal requirements. D.B. 678, p. 9. 1918.
  in Louisiana—
   East Feliciana Parish. Soil Sur. Adv. Sh., 1912, p. 15. 1913; Soils F.O., 1912, p. 979. 1915.
   Lafayette Parish. Soil Sur. Adv. Sh., 1915, pp. 10, 13-14. 1916; Soils F.O., 1915, pp. 1056, 1059-1060. 1919.
   Lincoln Parish. Soil Sur. Adv. Sh., 1909, pp. 13, 21. 1910; Soils F.O., 1909, pp. 929, 937. 1912.
  in Maine—
   Aroostook area, acreage and yields. Soil Sur. Adv. Sh., 1917, pp. 11-14, 25-39. 1921; Soils F.O., 1917, pp. 13-16, 27-41. 1923.
   cost and profits. F.B. 365, pp. 14, 20-26. 1916.
   Cumberland County, acreage. Soil Sur. Adv. Sh., 1915, pp. 18, 20, 47, 54, 61, 64, 72, 77. 1917; Soils F.O., 1915, pp. 49, 52. 1919.
   Orono area. Soil Sur. Adv. Sh., 1909, pp. 13, 14, 24, 36. 1910; Soils F.O., 1909, pp. 49, 50, 60, 72. 1912.
  in Maryland—
   Allegheny County, 1879-1919. Soil Sur. Adv. Sh., 1921, pp. 1068, 1078. 1925.
   Carroll County. Soil Sur. Adv. Sh., 1919, p. 20. 1922; Soils F.O., 1919, p. 622. 1925.
   Charles County. Soil Sur. Adv. Sh., 1918, pp. 10, 46. 1922; Soils F.O., 1918, pp. 82, 98. 1924.
   Frederick County. Soil Sur. Adv. Sh., 1919, pp. 10, 32, 48, 73. 1922; Soils F.O., 1919, pp. 650, 672-688, 713. 1925.
   Howard County. Soil Sur. Adv. Sh., 1916, pp. 9, 18, 23, 28, 30. 1917. Soils F.O. 1916, pp. 283, 292-304. 1921.
   Somerset County. Soil Sur. Adv. Sh., 1920, pp. 1291-1292, 1301-1314. 1924; Soils F.O., 1920, pp. 1291-1292, 1301-1314. 1925.
   Wicomico County. Soil Sur. Adv. Sh., 1921, pp. 1016, 1018, 1019. 1925.
  in Massachusetts—
   Norfolk, Bristol, and Barnstable Counties, Soil Sur. Adv. Sh., 1920, pp. 1047, 1050. 1053, 1063-1109. 1924; Soils F.O., 1920, pp. 1047, 1050, 1053, 1063-1109. 1925.
   Plymouth County. Soil Sur. Adv. Sh., 1911, pp. 16, 25. 1912; Soils F.O., 1911, pp. 42, 51. 1914.
  in Michigan—
   Calhoun County. Soil Sur. Adv. Sh., 1916, pp. 11, 13, 25-42. 1919; Soils F.O., 1916, pp. 1635, 1637, 1649-1666. 1921.
   Genesee County. Soil Sur. Adv. Sh., 1912, pp. 10, 15-32. 1914; Soils F.O., 1912, pp. 1378, 1383-1409. 1915.
   Ontonagon County. Soil Sur. Adv. Sh., 1921, pp. 79, 80, 88-95. 1923.
   Wexford County. Soil Sur. Adv. Sh., 1908, pp. 10-15. 1909; Soils F.O., 1908, pp. 1056-1061. 1911.
  in Minnesota—
   Anoka County. Soil Sur. Adv. Sh., 1916, pp. 9, 10, 17-24. 1918; Soils F.O., 1916, pp. 1811, 1812, 1819-1828. 1921.
   Pennington County, acreage. Soils F.O., 1914, p. 1731. 1919; Soil Sur. Adv. Sh., 1914, p. 9. 1916.

Potato(es)—Continued.
  growing—continued.
    in Minnesota—continued.
      Ramsey County. Soil Sur. Adv. Sh., 1914, pp. 9, 11. 1916; Soils F.O., 1914, pp. 1755, 1757. 1919.
      Stevens County. Soil Sur. Adv. Sh., 1919, pp. 10, 12, 21, 23, 27. 1922; Soils F.O., 1919, pp. 1382, 1384, 1393, 1395, 1399. 1925.
    in Mississippi—
      Adams County. Soil Sur. Adv. Sh., 1910, pp. 14, 22, 24. 1911; Soils F.O., 1910, pp. 714, 722, 724. 1912.
      George County. Soil Sur. Adv. Sh., 1922, p. 38. 1925.
      Jefferson Davis County. Soil Sur. Adv. Sh., 1915, pp. 9, 27. 1916; Soils F.O., 1915, pp. 1031, 1049. 1919.
      Jones County, acreage and yield. Soil Sur. Adv. Sh., 1913, pp. 8, 9. 1915; Soils F.O., 1913, pp. 924, 925. 1916.
      Lauderdale County. Soil Sur. Adv. Sh., 1910, pp. 17-18. 1912; Soils F.O., 1910, pp. 745-746. 1912.
    in Missouri—
      Buchanan County. Soil Sur. Adv. Sh., 1915, pp. 13, 26. 1917; Soils F.O., 1915, pp. 1817, 1830. 1919.
      Newton County. Soil Sur. Adv. Sh., 1915, p. 12. 1917; Soils F.O., 1915, p. 1858. 1919.
      St. Louis County. Soil Sur. Adv. Sh., 1919, pp. 527, 530, 543, 549, 555, 558. 1923; Soils F.O., 1919, pp. 527, 530, 543, 549, 555, 558. 1925.
    in Nebraska—
      Box Butte County. Soil Sur. Adv. Sh., 1916, pp. 11-13, 21-26, 31. 1918; Soils F.O., 1916, pp. 2047, 2048, 2057-2069. 1921.
      Chase County. Soil Sur. Adv. Sh., 1917, pp. 16, 32-60. 1919; Soils F.O., 1917, pp. 1802, 1818-1846. 1923.
      Dakota County. Soil Sur. Adv. Sh., 1919, pp. 11, 13, 23-39. 1921; Soils F.O., 1919, pp. 1681, 1683, 1693-1709. 1925.
      Dawes County. Soil Sur. Adv. Sh., 1915, pp. 12-13, 21, 28. 1917; Soils F.O., 1915, pp. 1970-1971, 1979, 1986. 1919.
      Dawson County. Soil Sur. Adv. Sh., 1922, pp. 398, 401. 1925.
      Dodge County, acreage and yields, 1909. Soil Sur. Adv. Sh., 1916, p. 14. 1918; Soils F.O., 1916, p. 2080. 1921.
      Gage County. Soil Sur. Adv. Sh., 1914, pp. 14, 39. 1916; Soils F.O., 1914, pp. 2332, 2351. 1919.
      Morrill County. Soil Sur. Adv. Sh., 1917, pp. 14, 28-61. 1920; Soils F.O., 1917, pp. 1862, 1876-1909. 1923.
      Nemeha County. Soil Sur. Adv. Sh., 1914, pp. 13, 21-35. 1916; Soils F.O., 1914, pp. 2297, 2305-2319. 1919.
      North Platte Reclamation Project, statistics. D.C. 173, pp. 8, 9. 1921.
      Redwillow County. Soil Sur. Adv. Sh., 1919, pp. 12, 13, 37, 42, 44. 1921; Soils F.O., 1919, pp. 1720, 1721, 1745, 1750, 1752. 1925.
      rotations and yields. B.P.I. [Misc.], "The work of the Scottsbluff * * *, 1913," pp. 7-8, 17-18. 1914.
      Scottsbluff, variety tests. W.I.A. Cir. 27, pp. 8, 9, 10, 21-24. 1919.
      Sheridan County. Soil Sur. Adv. Sh., 1918, pp. 11, 13, 14, 25-50, 54. 1921; Soils F.O., 1918, pp. 1447, 1449, 1450, 1461-1486, 1490. 1924.
      Sioux County. Soil Sur. Adv. Sh., 1919, pp. 10, 11, 22, 29-36. 1922; Soils F.O., 1919, pp. 1766, 1767, 1778, 1785-1792. 1925.
      varieties, irrigation, tillage, and yields. W.I.A. Cir. 11, pp. 17-20. 1916.
      Washington County, yields. Soil Sur. Adv. Sh., 1915, pp. 13, 26. 1917; Soils F.O., 1915, pp. 2067, 2091. 1915.
      western, yield. Soil Sur. Adv. Sh., 1911, pp. 55, 78, 98. 1913; Soils F.O., 1911, pp. 1923, 1946, 1966. 1914.
    in Nevada—
      for home garden, varieties. B.P.I. Cir. 110, p. 24. 1913.
      Newlands experiment farm, 1920. D.C. 267, pp. 7-10. 1923.

Potato(es)—Continued.
  growing—continued.
    in New Jersey—
      Belvidere area. Soil Sur. Adv. Sh., 1917, pp. 13, 35-45, 62. 1920; Soils F.O., 1917, pp. 133, 155-165, 182. 1923.
      Bernardsville area. Soil Sur. Adv. Sh., 1919, pp. 416, 441, 442, 458. 1923; Soils F.O., 1919, pp. 416, 441, 442, 458. 1925.
      Camden area, 1909. Soil Sur. Adv. Sh., 1915, pp. 10, 11, 12. 1917; Soils F.O., 1915, pp. 160, 161, 162, 174. 1919.
      Chatsworth area. Soil Sur. Adv. Sh., 1919, pp. 475, 478, 488-500, 505. 1923; Soils F.O., 1919, pp. 475, 478, 488-500, 505. 1925.
      Freehold area. Soil Sur. Adv. Sh., 1913, pp. 12, 22, 23, 25, 26, 29, 39. 1916; Soils F.O., 1913, pp. 102, 112, 113, 115, 116, 119, 129. 1916.
      Millville area. Soil Sur. Adv. Sh., 1917, pp. 14, 15, 16, 28-40. 1921; Soils F.O., 1917, pp. 202, 203, 204, 216-228. 1923.
      soils. D.B. 677, pp. 20-25, 30, 31, 38, 41, 51, 52, 61, 63. 1918.
    in New York—
      Chatauqua County. Soil Sur. Adv. Sh., 1914, pp. 15, 25, 27-47. 1916; Soils F.O., 1914, pp. 281, 290-313. 1919.
      Chenango County. Soil Sur. Adv. Sh., 1918, pp. 10, 17-31. 1920; Soils F.O., 1918, pp. 16, 23-37. 1924.
      Clinton County, acreage and yields. Soil Sur. Adv. Sh., 1914, pp. 9, 10, 12, 16, 17, 25. 1916; Soils F.O., 1914, pp. 241-249, 257, 267. 1919.
      Cortland County. Soil Sur. Adv. Sh., 1916, pp. 10, 11, 16-23. 1917; Soils F.O., 1916, pp. 199, 206-214. 1921.
      Jefferson County, yield. Soil Sur. Adv. Sh., 1911, pp. 16, 43-71. 1913; Soils F.O., 1911, pp. 106, 133-161. 1914.
      Monroe County. Soil Sur. Adv. Sh., 1910, pp. 13, 15, 23, 24, 29, 31, 33, 38, 48. 1912; Soils F.O., 1910, pp. 51-76, 86. 1912.
      Oneida County. Soil Sur. Adv. Sh., 1913, pp. 17-24, 27, 31, 34, 41, 47, 49, 50. 1915; Soils F.O., 1913, pp. 51-92. 1916.
      Orange County, acreage and yields. Soil Sur. Adv. Sh., 1912, pp. 16, 29, 32, 34, 47, 53. 1914; Soils F.O., 1912, pp. 68, 81, 84, 86, 99, 105. 1915.
      Saratoga County. Soil Sur. Adv. Sh., 1917, pp. 9, 10, 16-35. 1919; Soils F.O., 1917, pp. 91, 92, 98-117. 1923.
      Tompkins County. Soil Sur. Adv. Sh., 1921, p. 1574. 1924.
      Washington County. Soil Sur. Adv. Sh., 1909, pp. 19, 22, 32, 37, 39, 40, 45, 47, 49, 52, 55, 57. 1911; Soils F.O., 1909, pp. 119, 122, 132, 137, 139, 140, 145, 147, 149, 152, 155, 157. 1912.
      Wayne County. Soil Sur. Adv. Sh., 1919, pp. 283, 300-336. 1923; Soils F.O., 1919, pp. 283, 300-336. 1925.
      White Plains area. Soil Sur. Adv. Sh., 1919, pp. 10, 22-39, 43. 1922; Soils F.O., 1919, pp. 572, 584-595. 1925.
    in North and West. Sec. Cir. 92, pp. 16-23. 1918.
    in North Carolina—
      Beaufort County. Soil Sur. Adv. Sh., 1917, pp. 12, 13, 20-36. 1919; Soils F.O., 1917, pp. 414, 415, 422-438. 1923.
      Buncombe County. Soil Sur. Adv. Sh., 1920, pp. 789-791, 798-809. 1923; Soils F.O., 1920, pp. 789-791, 798-809. 1925.
      Cherokee County. Soil Sur. Adv. Sh., 1921, p. 309. 1924.
      New Hanover County. Soil Sur. Adv. Sh., 1906, pp. 33-34. 1906; Soils F.O., 1906, pp. 273-274. 1908.
      Pitt County. Soil Sur. Adv. Sh., 1909, pp. 10, 11, 19, 21, 23. 1910; Soils F.O., 1909, pp. 394, 395, 403, 405, 407. 1912.
      Randolph County, yields. Soil Sur. Adv. Sh., 1913, p. 27. 1915; Soils F.O., 1913, p. 223. 1916.
      Tyrrell County. Soil Sur. Adv. Sh., 1920, pp. 842-843, 848-854. 1924; Soils F.O., 1920, pp. 842-843, 848-854. 1925.

Potato(es)—Continued.
growing—continued.
in North Dakota—
Barnes County. Soil Sur. Adv. Sh., 1912, pp. 13, 19, 21. 1914; Soils F.O., 1912, pp. 1929, 1935, 1937. 1915.
Bottineau County. Soil Sur. Adv. Sh., 1915, pp. 13–14, 20, 21, 24, 27, 31. 1917; Soils F.O., 1915, pp. 2137–2138, 2145, 2148, 2151. 1919.
Dickey County. Soil Sur. Adv. Sh., 1914, pp. 25, 41, 46. 1916; Soils F.O., 1914, pp. 2431, 2447, 2452. 1919.
Lamoure County, yields. Soil Sur. Adv. Sh., 1914, pp. 14, 22, 24, 44. 1917; Soils F.O., 1914, pp. 2370, 2378, 2380, 2400. 1919.
McHenry County. Soil Sur. Adv. Sh., 1921, pp. 935, 936, 941, 942. 1925.
Sargent County. Soil Sur. Adv. Sh., 1917, pp. 13, 19–31. 1920; Soils F.O., 1917, pp. 2011, 2017–2029. 1923.
Traill County. Soil Sur Adv. Sh., 1918, pp. 11, 15, 24–44. 1920; Soils F.O., 1918, pp. 1367, 1371, 1380–1400. 1924.
in Ohio—
Geauga County, acreage and yield. Soil Sur. Adv. Sh., 1915, pp. 11, 21, 31. 1916; Soils F.O., 1915, pp. 1289, 1297. 1919.
Hamilton County, acreage, varieties, and yields. Soil Sur. Adv. Sh., 1915, pp. 11, 33, 34. 1917; Soils F.O., 1915, pp. 1323, 1345, 1350. 1919.
Mahoning County. Soil Sur. Adv. Sh., 1917, pp. 9–11, 19–29, 35. 1919; Soils F.O., 1917, pp. 1045–1047, 1055–1065. 1923.
Marion County. Soil Sur. Adv. Sh., 1916, pp. 9, 10, 18, 21. 1918; Soils F.O., 1916, pp. 1553, 1554, 1562, 1565. 1921.
Portage County, yields. Soil Sur. Adv. Sh., 1914, pp. 23, 31. 1916; Soils F.O., 1914, pp. 1511, 1518–1536. 1919.
Sandusky County. Soil Sur. Adv. Sh., 1917, pp. 11, 19, 45–57. 1920; Soils F.O., 1917, pp. 1085, 1093, 1119–1131. 1923.
Stark County. Soil Sur. Adv. Sh., 1913, p. 11. 1915; Soils F.O., 1913, p. 1349. 1916.
Trumbull County. Soil Sur. Adv. Sh., 1914, pp. 10, 20–39. 1916; Soils F.O., 1914, pp. 1460, 1470–1489. 1919.
in Oregon—
Benton County. Soil Sur. Adv. Sh., 1920, pp. 1436–1438, 1454–1469. 1924; Soils F.O., 1920, pp. 1436–1438, 1454–1469. 1925.
Josephine County. Soil Sur. Adv. Sh., 1919, pp. 354–356, 391–402. 1923; Soils F.O., 1919, pp. 354–356, 391–402. 1925.
Marshfield area. Soil Sur. Adv. Sh., 1909, pp. 12, 30, 33. 1911; Soils F.O., 1909, pp. 1608, 1626, 1629. 1912.
Multnomah County. Soil Sur. Adv. Sh., 1919, pp. 51, 52, 53, 67–94. 1922; Soils F.O., 1919, pp. 51, 52, 53, 67–94. 1925.
Washington County. Soil Sur. Adv. Sh., 1919, pp. 12, 32–49. 1923; Soils F.O., 1919, pp. 1842, 1862–1879. 1925.
Yamhill County. Soil Sur. Adv. Sh., 1917, pp. 13, 34–59. 1920; Soils F.O., 1917, pp. 2267, 2288–2313. 1923.
in Pennsylvania—
Berks County. Soil Sur. Adv. Sh., 1909, pp. 11, 13, 23, 29, 33. 1911; Soils F.O., 1909, pp. 167, 169, 179, 185, 189. 1912.
Blair County, acreage and yields. Soil Sur. Adv. Sh., 1915, pp. 10, 12, 30. 1917; Soils F.O., 1915, pp. 202, 204. 1919.
Bradford County, yields. Soil Sur. Adv. Sh., 1911, pp. 24, 32, 37. 1913; Soils F.O., 1911, pp. 250, 258, 263. 1914.
Cambria County, seed rate and varieties. Soil Sur. Adv. Sh., 1915, pp. 14, 19, 21. 1917; Soils F.O., 1915, pp. 245, 246, 250. 1919.
Clearfield County. Soil Sur. Adv. Sh., 1916, pp. 11, 12, 25, 26. 1919; Soils F.O., 1916, pp. 257, 258, 271, 272. 1921.
Lancaster County, acreage and yields. Soil Sur. Adv. Sh., 1914, pp. 10, 12, 21–49, 60, 61. 1916; Soils F.O., 1914, pp. 332, 334, 343–370. 1919.
Lehigh County. Soil Sur. Adv. Sh., 1912, p. 15–44. 1914; Soils F.O., 1912, pp. 115–140. 1915.

Potato(es)—Continued.
growing—continued.
in Pennsylvania—continued.
northeastern part, methods and yield. Soil Sur. Adv. Sh., 1911, pp. 15, 30, 31, 40–46. 1913; Soils F.O., 1911, pp. 279, 294, 295, 304–310. 1914.
south-central. Soil Sur. Adv. Sh., 1910, pp. 52–59. 1912; Soils F.O., 1910, pp. 240–247. 1912.
southeastern part. Soil Sur. Adv. Sh., 1912, pp. 19, 20, 33–95. 1914; Soils F.O., 1912, pp. 259, 260, 273–335. 1915.
Washington County. Soil Sur. Adv. Sh., 1910, p. 32. 1911; Soils F.O., 1910, p. 294. 1912.
in Porto Rico—
1919. P. R. An. Rpt., 1919, p. 26. 1920.
1920. P.R. An. Rpt., 1920, pp. 20, 22. 1921.
experiments. P.R. An. Rpt., 1918, p. 20. 1920.
in South. William Stuart. F.B. 1205, pp. 39. 1921.
in South and Southwest. Sec. Cir. 92, pp. 8–16. 1918.
in South Carolina—
Horry County. Soil Sur. Adv. Sh., 1918, pp. 11, 22–24. 1920; Soils F.O., 1918, pp. 335, 346–368. 1924.
Spartanburg County. Soil Sur. Adv. Sh., 1921, p. 415. 1924.
in Tennessee, Meigs County, experiments with fertilizers. Soil Sur. Adv. Sh., 1919, p. 34. 1921; Soils F.O., 1919, p. 1282. 1925.
in Texas—
Corpus Christi area. Soil Sur. Adv. Sh., 1908, pp. 12, 25, 27. 1909; Soils F.O., 1908, pp. 906, 919, 921. 1911.
Denton County. Soil Sur. Adv. Sh., 1918, pp. 7, 8. 1922; Soils F.O., 1918, pp. 779, 780. 1924.
Jefferson County, yields. Soil Sur. Adv. Sh., 1913, pp. 15, 26, 27. 1915; Soils F.O., 1913, pp. 1011, 1022, 1023. 1916.
Morris County. Soil Sur. Adv. Sh., 1909, pp. 10, 11. 1910; Soils F.O., 1909, pp. 990, 991. 1912.
in United States and foreign countries, acreage. Sec. Spec. [Misc.] "Geography * * * world's agriculture," pp. 66–70. 1917.
in Utah—
Cache Valley area, yields. Soil Sur. Adv. Sh., 1913, pp. 19, 34. 1915; Soils F.O., 1913, pp. 2113, 2128. 1916.
cost, yield per acre, value, and profit. D.B. 117, pp. 9, 15. 1914.
in Vermont, Windsor County. Soil Sur. Adv. Sh., 1916, pp. 9, 16, 18, 21. 1919; Soils F.O., 1916, pp. 179, 186–191. 1921.
in Virginia—
Accomac and Northampton Counties. Soil Sur. Adv. Sh., 1917, pp. 19–22, 25–26, 38–46. 1920; Soils F.O., 1917, pp. 368–372, 375–376, 383–391. 1923.
Fairfax County. Soil Sur. Adv. Sh., 1915, pp. 10, 11, 34. 1917; Soils F.O., 1915, pp. 304, 305, 328. 1919.
Norfolk area. Soil Sur. Adv. Sh., 1903, pp. 234, 237, 239, 242, 247, 250, 251. 1904; Soils F.O., 1903, pp. 234, 237, 239, 242, 247, 250, 251. 1904.
in Washington—
Bellingham area. Soil Sur. Adv. Sh., 1907, p. 12. 1909; Soils F.O., 1907, p. 1022. 1909.
Benton County. Soil Sur. Adv. Sh., 1916, pp. 15, 30, 53, 59, 61. 1919; Soils F.O., 1916, pp. 2213, 2228, 2251, 2257, 2259. 1921.
eastern Puget Sound Basin. Soil Sur. Adv. Sh., 1909, p. 28. 1911; Soils F.O., 1909, p. 1538. 1912.
Quincy area. Soil Sur. Adv. Sh., 1911, p. 18. 1913; Soils F.O., 1911, p 2240. 1914.
southwestern part, yields. Soil Sur. Adv. Sh., 1911, pp. 48–122. 1913; Soils F.O., 1911, pp. 2138–2212. 1914.
Spokane County Soil Sur. Adv. Sh., 1917, pp. 23, 40–104. 1921; Soils F.O., 1917, pp. 2173, 2190–2254. 1923.
Stevens County. Soil Sur. Adv. Sh., 1913, p. 29. 1915; Soils F.O., 1913, p. 2187. 1916.

Potato(es)—Continued.
 growing—continued.
  in Washington—continued.
   Wenatchee area. Soil Sur. Adv. Sh., 1918, pp. 15, 17, 44, 46, 52, 60, 79. 1922; Soils F.O., 1918, pp. 1555, 1557, 1584, 1586, 1592, 1600, 1619. 1924.
   western Puget Sound Basin. Soil Sur. Adv. Sh., 1910, pp. 32, 38, 53–104. 1912; Soils F.O., 1910, pp. 1516, 1522, 1537–1588. 1912.
  in West Virginia—
   Barbour and Upshur Counties. Soil Sur. Adv. Sh., 1917, pp. 11, 12, 29, 31, 45. 1919; Soils F.O., 1917, pp. 999, 1000, 1017, 1019, 1033. 1923.
   Braxton and Clay Counties. Soil Sur. Adv. Sh., 1918, pp. 10, 12, 21–36. 1920; Soils F.O., 1918, pp. 890, 892, 901–916. 1924.
   Huntington area, yields. Soil Sur. Adv. Sh., 1911, pp. 13, 14, 23–42. 1912; Soils F.O., 1911, pp. 1295, 1296, 1305–1324. 1914.
   Kanawha County, yields. Soil Sur. Adv. Sh., 1912, pp. 10, 15, 20. 1914; Soils F.O., 1912, pp. 1184, 1189, 1194. 1915.
   Lewis and Gilmer Counties, acreage and production. Soil Sur. Adv. Sh., 1915, pp. 11, 22, 28. 1917; Soils F.O., 1915, pp. 1243, 1254, 1260. 1919.
   McDowell and Wyoming Counties. Soil Sur. Adv. Sh., 1914, pp. 9, 11, 19–29. 1916; Soils F.O., 1914, pp. 1433, 1441–1451. 1919.
   Morgantown area. Soil Sur. Adv. Sh., 1911, pp. 11, 23. 1912; Soils F.O., 1911, pp. 1333, 1345. 1914.
   Nicholas County. Soil Sur. Adv. Sh., 1920, pp. 8, 21, 25. 1922; Soils F.O., 1920, pp. 46, 59, 63. 1925.
   Preston County. Soil Sur. Adv. Sh., 1912, pp. 13, 15, 24, 26, 32, 39. 1914; Soils F.O., 1912, pp. 1213, 1215, 1224, 1226, 1232, 1239. 1915.
   Raleigh County. Soil Sur. Adv. Sh., 1914, pp. 11, 17–20, 26, 29. 1916; Soils F.O., 1914, pp. 1409–1421. 1919.
   Spencer area. Soil Sur. Adv. Sh., 1909, pp. 11, 23, 25, 26, 28, 30. 1910; Soils F.O., 1909, pp. 1181, 1193, 1195, 1196, 1198, 1200. 1912.
  in Wisconsin—
   Adams County. Soil Sur. Adv. Sh., 1920, pp. 1124, 1131–1146. 1924; Soils F.O., 1920, pp. 1124, 1131–1146. 1925.
   Columbia County, yields. Soil Sur. Adv. Sh., 1911, pp. 11, 22–54. 1913; Soils F.O., 1911, pp. 1371, 1382–1414. 1914.
   Door County. Soil Sur. Adv. Sh., 1916, pp. 10, 22–39. 1918; Soils F.O., 1916, pp. 1744, 1756–1773. 1921.
   Fond du Lac County, yields. Soil Sur. Adv. Sh., 1911, pp. 11, 19, 20, 24, 25. 1913; Soils F.O., 1911, pp. 1429, 1437, 1438, 1442, 1443. 1914.
   Jackson County. Soil Sur. Adv. Sh., 1918, pp. 9, 11, 17, 18, 23, 30–38, 43, 44. 1922; Soils F.O., 1918, pp. 946, 947, 953, 954, 959, 966–974, 979, 980. 1924.
   Juneau County, yields. Soil Sur. Adv. Sh., 1911, pp. 12, 33–45. 1913; Soils F.O., 1911, pp. 1470, 1491–1503. 1914.
   Kewaunee County, yields. Soil Sur. Adv. Sh., 1911, pp. 24, 26, 29, 45. 1913; Soils F.O., 1911, pp. 1532, 1534, 1537, 1553. 1914.
   La Crosse County, yields. Soil Sur. Adv. Sh., 1911, pp. 11, 18, 25–38. 1913; Soils F.O., 1911, pp. 1567, 1574, 1581–1594. 1914.
   Marinette County. Soil Sur. Adv. Sh., 1909, pp. 25, 26, 28, 29, 31, 33. 1911; Soils F.O., 1909, pp. 1253, 1254, 1256, 1257, 1259, 1261. 1912.
   Milwaukee County. Soil Sur. Adv. Sh., 1916, pp. 10, 18–29. 1918; Soils F.O., 1916, pp. 1784, 1791–1804. 1921.
   north-central, north part. Soil Sur. Adv. Sh., 1914, pp. 20, 21, 35, 43, 50–69. 1916; Soils F.O., 1914, pp. 1670, 1671, 1685, 1693, 1700–1719. 1919.
   northeastern, varieties, and yields. Soil Sur. Adv. Sh., 1913, pp. 20–21, 22, 39, 43, 46, 57, 62, 67, 74, 80, 87. 1915; Soils F.O., 1913, pp. 1576–1577, 1578, 1595, 1599, 1602, 1613, 1618, 1623, 1630, 1636, 1645. 1916.

Potato(es)—Continued.
 growing—continued.
  in Wisconsin—continued.
   Outagamie County. Soil Sur. Adv. Sh., 1918, pp. 10, 11, 16–28. 1921; Soils F.O., 1918, pp. 986, 987, 992–1004. 1924.
   Portage County. Soil Sur. Adv. Sh., 1915, pp. 10, 11, 19–40. 1917; Soils F.O., 1915, pp. 1494, 1508, 1510, 1516. 1921.
   Rock County. Soil Sur Adv. Sh., 1917, pp. 9, 11, 12, 19, 27–49. 1920; Soils F.O., 1917, pp. 1187, 1189, 1190, 1197, 1205–1227. 1923.
   south part of north central. Soil Sur. Adv. Sh., 1915, pp. 17, 35, 64. 1917; Soils F.O., 1915, pp. 1597, 1615, 1644. 1919.
   Walworth County. Soil Sur. Adv. Sh., 1920, pp. 1385–1387, 1398, 1414, 1417, 1420. 1920; Soils F.O., 1920, pp. 1385–1387, 1398, 1414, 1417, 1420. 1925.
   Waupaca County. Soil Sur. Adv. Sh., 1917, pp. 9, 10, 13, 20–41. 1920; Soils F.O., 1917, pp. 1235, 1236, 1239, 1246–1267. 1923.
   Wood County. Soil Sur. Adv. Sh., 1915, p. 11. 1917; Soils F.O., 1915, pp. 1543, 1557, 1573. 1919.
  in Wyoming—
   experiments. D.B. 1306, pp. 27–28, 29–30. 1925.
   Nebraska, Fort Laramie area. Soil Sur. Adv. Sh., 1917, pp. 11–12, 15, 24–46. 1921; Soils F.O., 1917, pp. 2047–2048, 2051, 2060–2082. 1923.
 in young peach orchard, remarks. Y.B., 1902, pp. 614–615. 1903.
 investigations. D.B. 958, pp. 1–4, 27. 1921.
 irrigated lands. B.P.I. Cir. 90, pp. 1–6. 1912.
 irrigation experiments, Nebraska. D.B., 133, pp. 13–14. 1914.
 labor and materials, requirements in various States. D.B. 385, p. 24. 1916; D.B. 1000, pp. 15–19. 1921.
 losses by crows. D.B. 621, pp. 51–52. 1918.
 methods and varieties. F.B. 647, pp. 21–23. 1915.
 on—
  abandoned lands of New York, notes. B.P.I. Cir. 64, pp. 6, 7. 1910.
  cut-over lands, Michigan, Wisconsin, and Minnesota. D.B. 425, pp. 6, 19, 20. 1916.
  irrigated land, need of community cooperation. Y.B., 1917, pp. 181–182. 1917; Y.B. Sep. 690, pp. 5–6. 1917.
  manganiferous soils. Hawaii Bul. 26, pp. 25, 29. 1912.
  Miami soils, yields. D.B. 142, pp. 19, 22, 25, 53. 1914.
  Norfolk fine sandy loam, yield. Soils Cir. 22, pp. 9, 11, 13. 1911.
  Scottsbluff experiment farm, 1916. W.I.A. Cir. 18, pp. 16–17. 1918.
  successful New York farm, methods and profits. D.B. 32, pp. 8, 12–13, 15. 1913.
  Truckee-Carson project, variety tests, yield, etc., 1913. B.P.I. [Misc.], "The work * * * Truckee-Carson * * *," pp. 7–8. 1914.
 practices in five States, 1919, statistics. D.B. 1188, pp. 17–29. 1924.
 practices in North and Northwest. An. Rpts., 1909, pp. 328, 331. 1910; B.P.I. Chief Rpt., 1909, pp. 76, 79. 1909.
 preparation of soil. F.B. 386, pp. 5, 7. 1910.
 project, suggestions and references. S.R.S. Doc. 73, p. 5. 1917.
 relation to temperature and length of day. J.A.R., vol., 23, pp. 889–890, 891–892. 1923.
 rotation with sugar beets. D.B. 721, p. 33. 1918.
 rotations suited. F.B. 472, p. 9. 1911.
 sections, northern, farm management. Lawrence G. Dodge. F.B. 365, pp. 31. 1909.
 soil selection and preparation. F.B. 1190, pp. 4–5. 1921.
 statistics of day's work for several operations. Y.B., 1922, pp. 1059–1062. 1923; Y.B. Sep. 890, pp. 1059–1062. 1923.
 study outline, for home project. D.B. 346, pp. 8–9. 1916.

Potato(es)—Continued.
  growing—continued.
    tillage, fertilizers, experiments, Delta experiment farm, 1912. B.P.I. Cir. 127, pp. 5-12. 1913.
    translocation of mineral constituents, experiments. J.A.R., vol. 5, No. 11, pp. 457-458. 1915.
    under irrigation in Columbia River Valley. B.P.I. Cir. 60, p. 17. 1910.
    under irrigation in the West. Sec. Cir. 92, pp. 23-27. 1918.
    under irrigation, yields and rotations. D.C. 339, pp. 17-18. 1925.
    under straw, directions and results. F.B. 353, pp. 9-10. 1909.
    variety tests and yields, Newlands experiment farm, 1918. D.C. 80, pp. 11-14. 1920.
    work of county agents, North and West. S.R.S. Rpt., 1918, p. 83. 1919.
  growth, normal rate. J.A.R., vol. 2, pp. 376-377. 1914.
  handling—
    and loading. News L., vol. 6, No. 47, p. 3. 1919.
    at digging time. News L., vol. 5, No. 35, pp. 5-6. 1918.
    importance in control of Fusarium rot. D.C. 214, p. 8. 1922.
    in country markets, grading and sacking. F.B. 1317, pp. 14-18, 26-27. 1923.
    in Hawaii, sorting, grading, and storing. Hawaii Bul. 45, pp. 14-15. 1920.
  harvested and marketed each month, by States. Y.B., 1918, pp. 685-686. 1919; Y.B. Sep. 795, pp. 21-22. 1919.
  harvesting—
    and storage. News L., vol. 7, No. 10, pp. 1-2. 1919.
    date and method in Southern States. F.B. 1205, pp. 22-24, 28, 37. 1921.
    dates, 1918. News L., vol. 6, No. 26, p. 15. 1919.
    day's work. D.B. 3, pp. 37-38. 1913.
    digging and packing. F.B. 407, pp. 20-22. 1910.
    grading and marketing, lessons. D.B. 784, pp. 6-8. 1919.
    grading and storage. F.B. 1190, pp. 23-26. 1921.
    methods, causes of losses in marketing. Sec. Cir. 48, p. 3. 1915.
    sizing and storage. F.B. 1064, pp. 32-38. 1919.
    storing and marketing in irrigation districts. F.B. 959, pp. 19-23. 1918.
    time and method. Sec. Cir. 92, pp. 13, 16, 22, 25. 1918.
  hill-selection methods and studies. D.B. 195, pp. 33-35. 1915.
  history, extent of cultivation and composition. F.B. 295, pp. 7-13. 1907; D.B. 468, pp. 2-7. 1917.
  history, uses and cooking methods. O.E.S. Bul. 245, pp. 39-41, 43-44. 1912.
  hold-over crop from 1914, stock on hand, January 1, 1915, and prices. News L., vol. 2, No. 34, p. 4, 1915.
  hollow, description and control. Hawaii Bul. 45, p. 35. 1920.
  house, insulated frame, description and cost. F.B. 847, pp. 19-23, 25. 1917.
  hybrid, Hamakua, origin and successful growing in Hawaii. Hawaii Bul. 45, pp. 22-23. 1920.
  hybrid immunity to blight. B.P.I. Bul. 205, p. 8. 1911.
  Idaho Rural, suceptibility to black rot, inoculation experiments. J.A.R., vol. 6, No. 9, pp. 300-309. 1916.
  immunity to *Thielavia basicola*. J.A.R., vol. 7, p. 295. 1916.
  importance—
    in Alaska, yield and price. News L., vol. 2, No. 49, p. 2. 1915.
    in diet, starch content. News L., vol. 5, No. 4, p. 8. 1917.
    of botanical relations, suggestions to teachers. D.B. 784, pp. 1-4. 1919.

Potato(es)—Continued.
  importation(s)—
    and descriptions. No. 29547, B.P.I. Bul. 233, p. 22. 1912; No. 34313, B.P.I. Inv. 32, p. 34. 1914; Nos. 35491-35569, B.P.I. Inv. 35, pp. 8, 52-55. 1915; Nos. 37947, 38300-38301, 38356-38360, B.P.I. Inv. 39, pp. 8, 71, 115, 121. 1917; Nos. 41163, 41197-41243, B.P.I. Inv. 44, pp. 7, 46, 50-53. 1918; Nos. 44580, 44803, B.P.I. Inv. 51, pp. 27, 71. 1922; No. 46536, B.P.I. Inv. 56, p. 25. 1922; Nos. 47448-47491, B.P.I. Inv. 59, pp. 20-21. 1922; Nos. 49412-49431, B.P.I. Inv. 62, p. 36. 1923; Nos. 50307, 50357, B.P.I. Inv. 63, pp. 53-54, 61. 1923; Nos. 51348-51349, 51355, B.P.I. Inv. 64, pp. 88, 89. 1923; Nos. 51416-51417, 51697, 52303, B.P.I. Inv. 65, pp. 15, 37, 88. 1923; Nos. 52315-52317, 52520-52522, 52722-52730, 52845-52848, B.P.I. Inv. 66, pp. 8, 37, 67, 83. 1923. Nos. 52901, 53187-53197, 53216, 53445, 53463-53464, 53494, 53617-53620, 53846, B.P.I. Inv. 67, pp. 11, 38, 40, 49, 52, 56, 70, 91. 1923; Nos. 54059-54060, 54312-54315, B.P.I. Inv. 68, pp. 2, 25, 50. 1923; Nos. 54981, 55406-55407, 55456-55462, 55510-55514, 55557-55558, B.P.I. Inv. 71, pp. 3, 9, 39, 45, 53, 57. 1923.
    and entry application forms. F.H.B.S.R.A. 23, pp. 92-94. 1916.
    from—
      Australia, prohibition. F.H.B.S.R.A. 44, p. 112. 1917; F.H.B.S.R.A. 41, pp. 57-58. 1917.
      Canada, prohibition. F.H.B.S.R.A. 14, p. 10. 1915.
      Denmark, Bornholm Islands. F.H.B.S.R.A. 12, p. 5. 1915.
      Ireland, quarantine modification refusal. F.H.B.S.R.A. 71, pp. 106, 160. 1922.
      South America. B.P.I. Inv. 36, pp. 11, 14-18, 53, 57. 1915.
      Victoria, Australia, admission. F.H.B.S.R.A. 38, pp. 22-23. 1917.
    into United States, prohibition by Agriculture Secretary. D.B. 47, pp. 8-9, 12. 1913; F.H.B.S.R.A. 72, pp. 81-88. 1913.
    regulation(s). F.H.B.S.R.A. 1, pp. 1, 3-5, 6, 7-8, 1914; F.H.B.S.R.A. 2, pp. 1-2. 1914; F.H.B.S.R.A. 4, pp. 23-25. 1914; F.H.B.S.R.A. 5, p. 31. 1914; F.H.B.S.R.A. 8, p. 71. 1914; F.H.B.S.R.A. 10, p. 84. 1914; F.H.B.S.R.A. 23, pp. 91-98. 1916; F.H.B.S.R.A. 24, p. 1. 1916; F.H.B.S.R.A. 33, pp. 131-132. 1916; F.H.B.S.R.A. 42, p. 83. 1917; F.H.B.S.R.A. 59, p. 14. 1919, F.H.B.S.R.A. 74, pp. 42-43. 1923.
    regulation, amendments. F.H.B., [Misc.], "Regulations governing the importation * * *," pp. 10. 1913.
    regulations, problems, recent notices. D.B. 81, pp. 10-13. 1914.
    regulations, revised February 28, 1922. Henry C. Wallace. F.H.B., [Misc.], "Regulations governing importation of potatoes * * *," pp. 7. 1922.
    restrictions from—
      Canada and Bermuda, removal. News L., vol. 4, No. 48, p. 6. 1917.
      Denmark. F.H.B.S.R.A. 4, pp. 23-24. 1914.
      Holland, prohibition. F.H.B.S.R.A. 4, pp. 24-25. 1914.
  imports—
    1866-1921. Y.B., 1921, p. 583. 1922; Y.B. Sep. 869, p. 3. 1922.
    1900, 1910-1913. F.B. 575, p. 31. 1914.
    1900-1911. D.B. 81, p. 16. 1914.
    1901-1924. Y.B., 1924, p. 1076. 1925.
    1907-1909, quantity and value, by countries from which consigned. Stat. Bul. 82, p. 61. 1910.
    and exports—
      1849-1916, and supply. D.B. 695, pp. 8-13, 20-23. 1918.
      1906-1910. Y.B., 1910, pp. 664, 673. 1911; Y.B. Sep. 554, pp. 664, 673. 1911.
      and supply, 1849-1916. D.B. 695, pp. 8-10, 20. 1918.
    characteristics. B.P.I. Cir. 93, p. 3. 1912.
    for world countries, 1921. Y.B., 1921, pp. 583, 590. 1922; Y.B. Sep. 869, pp. 3, 10. 1922.

Potato(es)—Continued.
  imports—continued.
    statistics, 1921. Y.B., 1921, pp. 742, 754. 1922.
      Y.B. Sep. 867, pp. 6, 18. 1922.
  improved—
    culture. F.B. 149, p. 6. 1902.
    varieties, need in United States. News L., vol. 1, No. 22, p. 3. 1914.
  improvement—
    and disease control. An. Rpts. 1922, pp. 184-185. 1923; B.P.I. Chief Rpt., 1922, pp. 24-25. 1922.
    by selection, studies. D.B. 195, pp. 21-22, 35. 1915.
    in brine, label—opinion 80. Chem. S.R.A. 8, p. 635. 1914.
    in hands of growers and dealers, Jan. 1, 1915, estimates. F.B. 651, pp. 5-7. 1915.
    in North Dakota, acreage, 1910-1915. D.B. 757, pp. 6, 8. 1919.
    increased use, educational campaign, by home demonstration workers. News L., vol. 5, No. 41, pp. 1-2. 1918.
  Indian, description, and nutritive value as forage crop. F.B. 425, pp. 9, 12. 1910.
  industry—
    American, and the potato quarantine. W. A. Orton. D.B. 81, pp. 20. 1914.
    culture, fertilizers, yield and uses, Caribou area, Maine. Soil Sur. Adv. Sh. 1908, pp. 11, 15-19. 1910; Soils F. O. 1908, pp. 41, 45-49. 1911.
    infected, spread of silver scurf. J.A.R., vol. 6, pp. 346-347, 349. 1916.
  infection—
    and dissemination, control methods, studies in Vermont. B.P.I. Bul. 245, pp. 33-42, 44-54, 60-69. 1912.
    with black rot, storage experiments. J.A.R., vol. 6, No. 9, pp. 306-307. 1916.
    with *Corticium vagum*, studies. J.A.R., vol. 25, pp. 431, 437, 443. 1923.
    with powdery scab, methods, study. J.A.R., vol. 4, pp. 265-273. 1915.
  infestation by *Tylenchus penetrans*, and control. J.A.R., vol. 11, pp. 27-33. 1917.
  influence on hog raising in Alaska. News L., vol. 2, No. 49, p. 7. 1915.
  injury by—
    army worm, Florida. Ent. Bul. 66, Pt. V, pp. 53, 58-61. 1909.
    Australian tomato weevil. D.C. 282, p. 6. 1923.
    blister beetle. D.B. 967, pp. 3, 23-24. 1921.
    brown rot. D.C. 281, pp. 2-4. 1923.
    digging, increase in fungous disease. J.A.R., vol. 6, No. 17, pp. 628, 635-636. 1916.
    digging process. D.B. 577, pp. 3-5. 1917.
    leaf hoppers in 1921. D.B. 1103, pp. 37-39. 1922.
    leaf-roll, effect on tubers. D.B. 64, pp. 20-23. 1914.
    root-knot. F.B. 1345, pp. 2, 4-5, 9. 1923.
    splitworm. Hawaii Bul. 34, p. 8. 1914.
    Spondylocladium atrovirens. J.A.R., vol. 6, No. 10, pp. 344-346. 1916.
    termites. D.B. 333, p. 20. 1916.
    white grubs. F.B. 543, pp. 6, 11, 17. 1913.
    wireworms. D.B. 156, pp. 2, 6, 12, 17. 1915.
  inoculation with—
    blackleg cultures, experiments. J.A.R., vol. 8, pp. 119-120. 1917.
    frost necrosis, experiments. D.B. 916, pp. 7-14. 1921.
    fungi in studies of "leak" disease. J.A.R., vol. 6, No. 17, pp. 628, 632-635. 1916.
    Fusarium spp., details. J.A.R., vol. 6, No. 5, pp. 184-185. 1916; J.A.R., vol. 5, No. 5, pp. 189-194, 201-203. 1915.
    mosaic disease, experiments. J.A.R., vol. 19, pp. 320-326. 1920.
    Sclerotium rolfsii, experiments. J.A.R., vol. 23, pp. 41-44. 1923.
    various fungi. J.A.R., vol. 14, pp. 214-219. 1918.
  insect(s)—
    and diseases attacking. F.B. 856, pp. 55-60. 1917.
    and diseases, control by spraying. F.B. 868, pp. 1-22. 1917.

Potato(es)—Continued.
  insect(s)—continued.
    and diseases, control, and spray formulas. D.B. 784, pp. 19-21, 23. 1919.
    and eelworms, control. F.B. 1190, pp. 21-22. 1921.
    control methods, quantity of poison per acre. F.B. 472, p. 21. 1911.
    description and control. Sec. Cir. 92, pp. 30-34. 1918.
    injurious, control. F.B. 1205, pp. 20-21, 22, 36. 1921.
    pests, descriptions and list. Sec. [Misc.], "A manual * * * insects * * *," pp. 183-185. 1917.
  inspection—
    certificate, sample. F.H.B.S.R.A. 23, pp. 94-95. 1916; Y.B., 1919, p. 328. 1920; Y.B. Sep. 811, p. 328. 1920.
    en route and at destination, instructions F.H.B.S.R.A. 15, pp. 18-19. 1915.
    imported, regulations. D.B. 81, pp. 13-15. 1914.
    service in Maine, notice, July, 1914. F.H.B. S.R.A. 12. p. 1. 1915.
    under quarantine regulations. F.H.B.S.R.A. 14, pp. 13-14. 1915.
    value in improving market conditions. Sec. Cir. 48, pp. 4, 5, 7. 1915.
  introduction and distribution. B.P.I. Bul. 245, p. 19. 1912.
  invasion of *Pythium debaryanum*, studies. J.A.R., vol. 18, pp. 275-298. 1919.
  Irish—
    and sweet, body-fuel content, note. News L., vol. 4, No. 50, p. 8. 1917.
    and sweet, starch content, note. News L., vol. 5, No. 4. p. 6, 1917.
    growing and handling, illustrated lecture. William Stuart. S.R.S. Syl. 32, pp. 14. 1918.
    mosaic disease, investigations. E.S. Schultz. With others. J.A.R., vol. 17, pp. 247-273. 1919.
  Irish Cobbler—
    description and adaptation to various sections. F.B. 1190, p. 6. 1921.
    early variety for coastal plain States. F.B. 1205, pp. 9, 31, 33. 1921.
    irrigation method. B.P.I. Cir. 90, p. 4. 1912; B.P.I. Cir. 109, p. 10. 1913.
  irrigated—
    crop, cost and yield, Yakima Valley, Wash. O.E.S. Bul. 188, pp. 60-61. 1907.
    and unirrigated yields. O.E.S. Bul. 209, p. 66. 1909.
    cost per acre in Colorado. O.E.S. Bul. 218, p. 42. 1910.
    Fusarium blight. H. G. MacMillan. J.A.R., vol. 16, pp. 279-304. 1919.
    rotations, yield experiments, Huntley project. D.C. 204, pp. 9-11. 1921; W.I.A. Cir. 2, p. 6. 1915.
    yield after alfalfa. D.B. 881, pp. 3-7. 1920.
    yields, effect of farm manure, experiments. J.A.R., vol. 15, pp. 495-499. 1918.
  irrigation—
    experiments, comparison with summer fallowing. O.E.S. Cir. 95, pp. 5, 6, 7. 1910.
    furrow method. Y.B., 1909, pp. 305-306. 1910; Y.B. Sep. 514, pp. 305-306. 1910.
    method. B.P.I. Cir. 116, p. 18. 1913; F.B. 263, pp. 32-33. 1906; F.B. 864, pp. 30-31. 1917; Y.B., 1900, p. 509. 1901.
    practices. F.B. 953, pp. 11-14. 1918.
  jarring, cause of freezing. D.B. 916, pp. 3, 5-14. 1921.
  jelly-end rot, description and cause. J.A.R., vol. 5, No. 5, pp. 194-195. 1915; J.A.R., vol. 6, No. 9, pp. 305-306. 1916.
  Jersey Red, use as fall crop in coastal plain. F.B. 1205, p. 30. 1921.
  judging, lesson for rural schools. D.B. 784, pp. 10-12. 1919.
  juice—
    shoots, stems, leaves, and tubers, oxidase activities. J.A.R., vol. 2, pp. 379-389. 1914.
    transmission of mosaic disease by inoculation. J.A.R., vol. 19, pp. 320-326. 1920.

Potato(es)—Continued.
juice—continued.
   use in experiments for measurement of oxidase in plant juices. B.P.I. Bul. 238, pp. 23-33. 1912.
killing frosts, dates, 1919. D.B. 1188, p. 10. 1924.
labor—
   income, relation to crop area, studies in eastern Pennsylvania. D.B. 341, pp. 35-36. 1916.
   requirements. D.B. 1181, pp. 8, 37, 61. 1924.
   requirements and field practice in Georgia. D.C. 83, pp. 19, 20. 1920.
   requirements per acre, Georgia farms. F.M. Cir. 3, pp. 27, 28. 1919.
land, newly cleared, advantages. D.B. 6, p. 2. 1913.
land preparation, irrigated regions. B.P.I. Cir. 90, p. 3. 1912.
late blight—
   control in Maine, Aroostook area. Soil Sur. Adv. Sh., 1917, p. 13. 1921; Soils F. O., 1917, p. 15. 1923.
   description and control. D.B. 81, pp. 2-3. 1914; D.C. 35, p. 22. 1919; Hawaii A.R., 1918, pp. 33, 40-42. 1919; Hawaii Bul. 45, pp. 17, 20-23. 1920.
   injuries and control studies in Hawaii. Hawaii A.R., 1917, pp. 35-37. 1918.
   occurrence, characteristics, and studies. B.P.I. Bul. 245, pp. 10-15, 84. 1912.
   origin and spread. D.B. 81 pp. 2-3. 1914.
   spraying. F.B. 320, pp. 22-23. 1908.
   tuber rot. Off. Rec. vol. 1, No. 23, p. 5. 1922.
late—
   crop, 1918. News L., vol. 7, No. 9, p. 4. 1919.
   growing, climate and soil requirements, and location. F.B. 1064, pp. 4-6. 1919.
   handling in city markets. F.B. 1317, pp. 28-32. 1923.
   or main crop, production. William Stuart. F.B. 1064, pp. 39. 1919.
   percentage of crop marketed and otherwise used. F.B. 1317, pp. 1-3, 34. 1923.
   production, carload shipments, by States, 1917-1922. F.B. 1317, p. 3. 1923.
   regional zones. F.B. 1064, pp. 4-5. 1919.
   varieties, adaptation to different localities. F. B. 1064, pp. 13-15. 1919.
"lazy bed," use. F.B. 353, pp. 9-10. 1909.
leaf hopper—
   control. J. E. Dudley, jr. F.B. 1225, pp. 16. 1921.
   outbreaks in 1921. D.B. 1103, pp. 37-39. 1922.
leaf roll—
   description and control measures. B.P.I. Cir. 109, pp. 7-10. 1913.
   disease, symptoms and experiments. J.A.R., vol. 30, pp. 494-501, 506, 514, 516-517, 524-525. 1925.
   histological studies, researches, and bibliography. J.A.R., vol. 15, pp. 559-570. 1918.
   relation to phloem necrosis. J.A.R., vol. 24, pp. 243-245. 1923.
leak—
   cause and control. Hawaii Bul. 45, p. 40. 1920.
   confusion with blackleg tuber rot. J.A.R., vol. 22, pp. 81-92. 1921.
   control experiments. Lon A. Hawkins. D.B. 577, pp. 5. 1917.
leaves, cover with arsenic adhering from sprays of arsenates. D.B. 1147, pp. 21, 22. 1923.
Leinster Wonder, importation and description. No. 42210, B.P.I. Inv. 46, p. 68. 1919.
lessons for elementary rural schools. Alvin Dille. D.B. 784, pp. 24. 1919.
line-selection work. O. B. Whipple. J.A.R., vol. 19, pp. 543-573. 1920.
loading in Maine. Service Notice 4. F.H.B. S.R.A. 9, p. 78. 1914.
loading on cars, directions for protection from cold. Mkts. Doc. 17, pp. 15-16, 20-22, 24-25. 1918.
loss(es)—
   annually from insects and diseases, control methods. News L., vol. 5, No. 38, p. 2. 1918.
   causes and extent, 1909-1920. Y.B., 1921, p. 587. 1922; Y.B. Sep. 869, p. 7. 1922.
   from insects and diseases. F.B. 868, pp. 2, 3. 1917.

Potato(es)—Continued.
loss(es)—continued.
   from specified causes, in various localities, 1909-1918. D.B. 1043, pp. 6, 8, 11. 1922.
   in marketing, mistakes of shippers and receivers. F.B. 1317, pp. 32-33. 1923.
   in storage, and control methods. News L., vol. 5, No. 36, p. 3. 1918.
McCormick, description and—
   adaptation to various sections. F.B. 1190, p. 8. 1921.
   quality, and use as fall crop. F.B. 1205, p. 30. 1921.
mail shipments, instructions to postmasters. F.H.B.S.R.A. 12, pp. 2-3. 1915.
mailing restrictions in Maine, instructions to postmasters. F.H.B.S.R.A. 7, p. 67. 1914.
Maine, marketing. C. T. More and G. V. Branch. Sec. Cir. 48, pp. 7. 1915.
market(s)—
   conditions forecasting, importance to producers. F.B. 1317, pp. 4-6, 34. 1923.
   need in Northwest. Off. Rec., vol. 2, No. 50, p. 2. 1923.
   reports from Hastings, Fla. Off. Rec., vol. 1, No. 10, p. 4. 1922.
   reports, sources. F.B. 1317, pp. 8-9, 24, 27, 34. 1923.
   statistics, 1919 and 1920. D.B. 982, pp. 223, 237-239, 243-250, 260, 264, 265. 1921.
   trend, 1916-1923. F.B. 1317, pp. 12-14. 1923.
marketing—
   bibliography. M.C. 35, pp. 42-43. 1925.
   commercial, handling and grading. C. T. More and C. R. Dorland. F.B. 753, pp. 40. 1916.
   improvement of methods, suggestions. Sec. Cir. 48, pp. 4-6. 1915.
   in Colorado. D.B. 917, pp. 41-42. 1921.
   in Hawaii. Hawaii A.R., 1920, p. 69. 1921.
   main crop. Wells A. Sherman and others. F.B. 1317, pp. 37. 1923.
   method, and conditions governing. F.B. 386, p. 10. 1910; News L., vol. 4, No. 17, pp. 1-2. 1916.
   methods, grades, etc., regulations and recommendations. Mkts. Doc. 7, pp. 1-4. 1917.
   the early crop. George B. Fiske and Paul Froehlich. F.B. 1316, pp. 33. 1923.
   times. News L., vol. 6, No. 9, p. 11. 1918.
meal, feeding to cows, results. D.B. 1272, p. 5. 1924.
misbranding. Chem. N.J. 13213. 1925; Chem. N.J. 13439. 1925; Chem. N.J. 13717. 1925.
mite—
   control. Hawaii Bul. 45, pp. 13, 32. 1920.
   disease, description and control. Hawaii A.R., 1918, p. 40. 1919; Hawaii Bul. 45, pp. 13, 17, 31-33. 1920.
   in Hawaii, description and control studies. Hawaii A.R., 1917, pp. 39-40. 1918.
moisture content, shipping studies. News L., vol. 1, No. 10, p. 4. 1913.
mosaic disease—
   investigations. E. S. Schultz. With others. J.A.R., vol. 17, pp. 247-273. 1919.
   kinds, symptoms, and inoculation experiments. J.A.R., vol. 30, pp. 493-525. 1925.
   transmission. E. S. Schultz and Donald Folsom. J.A.R., vol. 19, pp. 315-338. 1920.
movement between Canada and United States, regulations. F.H.B.S.R.A. 26, p. 41. 1916.
need of ample supply. Sec. Cir. 92, pp. 1-39. 1918.
new varieties, descriptions. B.P.I. Bul. 208, pp. 12, 27-28, 43. 1911.
news service, stations. Off. Rec., vol. 1, No. 39, p. 7. 1922.
normal stocks, January 1, 1919. News L., vol. 6, No. 32, p. 4. 1919.
northern—
   commercial crop, graphs. D.C. 183, pp. 42-43. 1922.
   selling outlets for growers. F.B. 753, pp. 31-36. 1916.
   use for seed in South. F.B. 407, p. 9. 1910.
on irrigated lands in Nebraska. B.P.I. Doc. 454, pp. 1-2. 1909.
outlook, 1913, and forecast of condition and price, by States. F.B. 558, pp. 3-4, 14, 19. 1913.
oxidases, healthy and diseased plants, comparison. J.A.R., vol. 2, pp. 373-404. 1914.

Potato(es)—Continued.
  packages, types used in southern States. F.B. 1205, p. 25. 1921.
  Paraguay, importation and description. No. 45363, B.P.I. Inv. 53, p. 33. 1922.
  Paraguayan, importation and description. No. 47972, B.P.I. Inv. 60, pp. 3, 23. 1922.
  parasitic diseases, Hawaii, classification and description. Hawaii Bul. 45, pp. 15, 17-34. 1920.
  Pearless, description and adaptation to various sections. F.B. 1190, p. 8. 1921.
  per capita and per family consumption. News L., vol. 6, No. 13, p. 3. 1918.
  Perfect Peachblow, description and adaptation to various sections. F.B. 1190, p. 8. 1921.
  pests—
    insects and diseases. F.B. 953, pp. 14-15. 1918.
    new, from Peru. An. Rpts., 1913, p. 221. 1914; Ent. A.R., 1913, p. 13. 1913.
    prevention and control methods. Hawaii Bul. 45, pp. 4-15. 1920.
  phloem necrosis, occurrence and significance. Ernst F. Artschwager. J.A.R., vol. 24, pp. 237-246. 1923.
  plant(s)—
    absorption of copper from soil. F. C. Cook. J.A.R., vol. 22, pp. 281-287. 1921.
    anatomy, with special reference to ontogeny of the vascular system. J.A.R., vol. 14, No. 6, pp. 221-252. 1918.
    diseased with curly dwarf, oxidases, studies. J.A.R., vol. 2, pp. 389-399. 1914.
    effect of selection and environment on form. J.A.R., vol. 23, pp. 950-958. 1923.
    food loss from tops of plant. Y.B., 1908, p. 400. 1909; Y.B. Sep. 489, p. 400. 1909.
    infection with tomato rot, experiments. J.A.R. vol. 4, pp. 10-11. 1915.
    injury by wart disease. C.T. and F.C.D. Inv. Cir. 6, pp. 4-6. 1919.
    juices, osmotic pressure, further observations. B. F. Lutman. J.A.R., vol. 26, pp. 245-256. 1923.
    technical description, anatomy, and ontogeny. J.A.R., vol. 14, pp. 221-252. 1918.
    vascular system, relation to diseases, investigations. J.A.R., vol. 14, pp. 221-252. 1918.
  planters, types. F.B. 1064, pp. 25-26. 1919.
  planting—
    and cultivation. F.B. 325, p. 9. 1908.
    and digging dates, and acreage, 1916. Y.B., 1917, pp. 576-579. 1918; Y.B. Sep. 758, pp. 42-45. 1918.
    and harvesting dates, by states and zones. Sec. [Misc.], Spec. "Geography * * * world's agriculture," pp. 66-67. 1917.
    cutting, covering, day's work. D.B. 3, pp. 21-22, 26, 27, 37-38. 1913.
    depth. F.B. 1064, pp. 26-27. 1919.
    directions, depth, spacing, and time of planting. F.B. 1190, pp. 15-16. 1921.
    for irrigation, practices. F.B. 953, pp. 9-10. 1918.
    for late crops in South, date and methods. F.B. 1205, pp. 27, 31, 36. 1921.
    in South for early crop, date and methods. F.B. 1205, pp. 17-19. 1921.
    intentions, and outlook for 1924. M.C. 23, pp. 3, 4, 14-15. 1924.
    machines and size of seed. F.B. 386, pp. 6-7. 1910.
    quantity required per acre. F.B. 1064, pp. 22-25. 1919.
    rate and depth. Sec. Cir. 92, pp. 12, 19, 20, 24. 1918.
    time and distance tests, in Nevada. D.C. 136, pp. 9-10. 1920.
    time, rate, and methods. F.B. 1064, pp. 15-16, 22-27. 1919.
    whole compared with cut seed. F.B. 533, pp. 13-14. 1913.
  plat, selection, preparation, and planting. William Stuart and H. B. Hendrick. S.R.S. Doc. 86, pp. 4. 1918.
  powdery dry-rot—
    cause, description, and control. B.P.I. Cir. 110, pp. 13-15. 1913.

Potato(es)—Continued.
  powdery dry-rot—continued.
    description and control. W. A. Orton and G. K. K. Link. C.T. and F.C.D. Inv. Cir. 1, pp. 4. 1918.
    caused by *Fusarium trichothecioides*, control. J.A.R., vol. 6, No. 21, pp. 817-832. 1916.
  powdery scab—
    (*Spongospora subterranea*). I. E. Melhus. D.B. 82, pp. 16. 1914.
    cause, description, and control. Hawaii Bul. 45, pp. 37-38. 1920.
    control in Maine. F.H.B.S.R.A. 1, pp. 7-9. 1914; F.H.B.S.R.A. 11, p. 90. 1915.
    description, cause, spread, and quarantine. D.B. 81, pp. 1, 5-10. 1914.
    interstate movement, quarantine regulations, 1-14. F.H.B.S.R.A. 5, pp. 31-36. 1914.
    life history, study, a contribution. J.A.R., vol. 4, pp. 265-278. 1915.
    origin, injuries, distribution, and control. News L., vol. 3, No. 25, pp. 1, 5. 1916.
    public hearing, notice. F.H.B.S.R.A. 10, p. 81. 1914.
    quarantine, August 1, 1914. F.H.B. Quar. 14, p. 1, 1014.
    quarantine, November 16, 1914. F.H.B. Quar. 18, p. 1. 1914.
    quarantine, revocation. F.H.B.S.R.A. 19, pp. 57-58. 1915.
    relation to skinspot. Michael Shapovalov. J.A.R., vol. 23, pp. 285-294. 1923.
  prices—
    and farm values, 1849-1917. D.B. 695, pp. 7-8, 19. 1918.
    by States and by months. Y.B., 1921, pp. 583, 587-590. 1922. Y.B. Sep. 869, pp. 3, 7, 10. 1922.
    factors determining, and use of records by farmers. F.B. 1317, pp. 6-7, 9-12, 34. 1923.
    farm and market. Y.B., 1924, pp. 717, 718-721. 1925.
  improvement by community specialization on varieties. News L., vol. 3, No. 18, pp. 2-3. 1915.
  in—
    Alaska, 1911. Alaska A.R., 1911, pp. 29, 49. 1912.
    Germany, comparison with United States. D.B. 47, p. 3. 1913.
  increase by grading. News L., vol. 5, No. 32, p. 8. 1918.
  wholesale, 1900. Y.B., 1900, p. 800. 1901.
  production—
    1839-1909. Sec. [Misc.] Spec. "Geography * * * world's agriculture," p. 67. 1917.
    1908. Y.B., 1908, pp. 13, 650. 1909.
    1909, by States and by counties. F.B. 1064, pp. 4-5. 1919.
    1914, and crop estimate for 1915. An. Rpts., 1915, pp. 3, 6. 1916; Sec. A.R., 1915, pp. 5, 8. 1915.
    1916, 1917, discussion by Secretary. An. Rpts., 1917, p. 3. 1918; Sec. A.R., 1917, p. 5. 1917.
    1920. An. Rpts., 1920, p. 3. 1921; Sec. A.R., 1920, p. 3. 1920.
  and—
    exports by world countries. Y.B. Sep. 871, p. 12. 1922; Y.B., 1921, p. 781. 1922.
    farm value, in bulk, in South. F.B. 1205, rev., pp. 3, 4. 1923.
    food use in United States, comparison with Germany. D.B. 195, pp. 1-2, 35. 1915.
    per capita, 1899, 1909, 1915, report of Secretary. News L., vol. 4, No. 23, p. 1. 1917.
    price, 1913, amount unsold January 1, 1914, comparison with other years. F.B. 575, pp. 29-30, 40-41. 1914.
    price trends, discussion. D.B. 1188, pp. 5-7. 1924.
    value, 1908. An. Rpts., 1908, p. 13. 1909; Sec. A.R., 1908, p. 11. 1908.
    value, 1912, decrease in value. An. Rpts., 1912, p. 15. 1913; Sec. A.R., 1912, p. 15. 1912; Y.B., 1912, p. 15. 1913.
    value, 1917. News L., vol. 5, No. 35, p. 6. 1918.
    yield, 1913. An. Rpts., 1913, p. 55. 1914; Sec. A.R., 1913, p. 53. 1913; Y.B., 1913, p. 67. 1914.

Potato(es)—Continued.
  production—continued.
    costs(s)—
      and farm practices, 1919. W. C. Funk. D.B. 1188, pp. 40. 1924.
      by regions and by States. D.C. 340, pp. 22-25. 1925.
      per acre on fertilized and unfertilized land. Stat. Bul. 73, pp. 47-48, 67. 1909.
    demand, imports, and exports, 1849-1917. News L., vol. 6, No. 13, pp. 2-3. 1918.
    estimate for 1917, importance in wheat conservation. News L., vol. 5, No. 4, p. 3. 1917.
    fertilization, cultivation, spraying, and marketing. F.B. 454, pp. 15-19. 1911.
    imports and exports, annual and average, by countries. Stat. Cir. 31, pp. 14, 29, 30. 1912.
    in—
      five leading counties of principal States. F.B. 1064, pp. 4-5. 1919.
      Germany, 1911-1919. Y.B., 1919, pp. 62, 67. 1920; Y.B. Sep. 801, pp. 62, 67. 1920.
      Hawaii, shipments and extent of industry. Hawaii A.R., 1917, pp. 34-35. 1918.
      Maine and total for United States, comparison. Sec. Cir. 48, p. 1. 1915.
      Northern States, and per cent of total crop. F.B. 1205, rev., p. 3. 1923.
      United States, 1900-1912, acreage, yield, value, imports and exports, table. D.B. 47, p. 2. 1913.
      United States, 1911-1914, proportion from Maine. Sec. Cir. 48, p. 1. 1915.
      United States, increase necessity, studies. D.B. 47, pp. 8-9, 12. 1913.
      Western States, and per cent of total. F.B. 1205, rev., p. 3. 1923.
      world countries, 1904-1908. Y.B., 1909, pp. 490-491. 1910; Y.B. Sep. 524, pp. 490-491. 1910.
    increase desirable. F.B. 1190, p. 4. 1921.
    per acre, variations since 1866. An. Rpts., 1910, p. 711. 1911; Stat. Chief Rpts., 1910, p. 21. 1910.
    record crop in Utah. News L., vol. 6, No. 9, p. 11. 1918.
    since 1849, and yield per acre and per capita. D.B. 695, pp. 5-7, 19. 1918.
    yield, and—
      prices, 1914, with comparisons, by States. F.B. 641, p. 26. 1914.
      prices, estimates and comparison, by States. F.B. 563, p. 10. 1913.
      quality, November 1, 1915, estimate. News L., vol. 3, No. 16, p. 1. 1915.
  products, studies. D.B. 468, pp. 11-12. 1917.
  profits on irrigated farms of the West. F.B. 386, p. 13. 1910.
  program for Western States, report of subcommittee. D.C. 335, pp. 12, 14. 1924.
  project, record blank, school studies. S.R.S. Doc. 38, pp. 3-4. 1917.
  protection from—
    cold in transit, lining and loading cars. F.B. 1091, pp. 27. 1920.
    cold in transportation. F.B. 1317, pp. 18, 25, 27. 1923.
    cold, lining and loading cars for. H. S. Bird and A. M. Grimes. Mkts. Doc. 17, pp. 26. 1918.
    disease, necessity of State laws. D.B. 81, pp. 18-19. 1914.
    tuber moth, directions. News L., vol. 1, No. 1, p. 1. 1913.
  purchasing power, 1909-1920, and 1867-1920. D.B. 999, pp. 58, 61, 64, 70. 1921.
  quarantine—
    and American potato industry. W. A. Orton. D.B. 81, pp. 20. 1914.
    and restrictive orders. F.H.B.S.R.A. 74, pp. 53, 55. 1923.
    conference. F.H.B.S.R.A. 16, pp. 35-36. 1915.
    December, 1913. F.H.B. Quar. 11 (foreign), p. 1. 1913.
    decision, and evidence, summary. News L., vol. 1, No. 21, pp. 1-2. 1913.
    orders, causes, amendments. An. Rpts., 1914, pp. 307, 308, 314. 1914; F.H.B. An. Rpt., 1914, pp. 3, 4, 10. 1914.

Potato(es)—Continued.
  quarantine—continued.
    regulations, 1915. An. Rpts., 1915, pp. 353, 354, 359. 1915; F.H.B. An. Rpt., 1915, pp. 3, 4, 9. 1915.
    restrictions, 1923. F.H.B. Quar. 37, rev., p. 13. 1923.
  quarantined—
    districts, warning to shippers. F.H.B.S.R.A. 15, pp. 17-18. 1915.
    information and warning. F.H.B.S.R.A. 16, pp. 36-37. 1915.
  receipes for various dishes. Sec. Cir. 106, pp. 5-7. 1918.
  recipes, use in bread as substitute for wheat flour. F.B. 955, pp. 11, 14, 16, 17, 18, 19. 1918.
  relation to—
    bacterial activity and nitrogen content of soils. J.A.R., vol. 9, pp. 297, 308-310, 315-320, 323-324, 329-336. 1917.
    Mucor racemosus. J.A.R., vol. 30, p. 968. 1925.
  requirements—
    for 1919-1920, and available stocks. Sec. Cir. 125, pp. 14-15. 1919.
    of water with growth. D.B. 1340, p. 26. 1925.
  resistance to—
    alkali. Soils Bul. 35, p. 41. 1906.
    powdery scab, variety testing. J.A.R., vol. 7, pp. 233-236. 1916.
    roguing in isolated fields. F.B. 1436, p. 17. 1924.
  root(s)—
    description, anatomy, and growth. J.A.R., vol. 14, pp. 224, 233, 244-246. 1918.
    knot infestation and spread. B.P.I. Bul. 217, pp. 19, 38-39, 40, 69, 70, 73. 1911.
    susceptibility to *Spongospora subterranea*. J.A.R., vol. 7, pp. 219-221. 1916.
    system. F.B. 233, pp. 9-10. 1905.
  rot—
    and wilt fungi, temperature relations. H. A. Edson and M. Shapovalov. J.A.R., vol. 18, pp. 511-524. 1920.
    caused by—
      Fusarium infection, experiments. J.A.R., vol. 6, No. 5, pp. 183-196. 1916.
      Fusarium solani, identical with gray-rot of aroids. J.A.R., vol. 6, No. 15, pp. 558, 570. 1916.
      Fusarium sp. C. W. Carpenter. J.A.R., vol. 5, No. 5, pp. 183-209. 1915.
      Phoma tuberosa, description. J.A.R., vol. 7, pp. 240-251. 1916.
      Sclerotium rolfsii, description and study. J.A.R., vol. 23, pp. 41-46. 1923.
    causes and control. F.B. 1367, pp. 10-15, 17-20. 1924; Hawaii Bul. 45, pp. 18-19, 28. 1920.
    control. D.C. 220, p. 5. 1924.
    effect on tubers and plant. D.C. 220, p. 2. 1924.
    fungi causing. J.A.R., vol. 2, pp. 260, 264-266, 268, 269. 1914.
    fungi, temperature relations. J.A.R., vol. 18, pp. 511-524. 1920.
    in western fields caused by *Fusarium radicicola*. J.A.R., vol. 6, No. 9, pp. 297-310. 1916.
    late-blight—
      appearance, cause and control. F.B. 1349, pp. 13-16. 1923.
      tuber. George K. K. Link and F. C. Meier. D.C. 220, p. 5. 1924.
    occurrence, and characteristics. B.P.I. Bul. 245, pp. 10-15. 1912.
    similar to tuber rot or "leak." J.A.R., vol. 6, No. 17, p. 636. 1916.
    spraying results. F.B. 320, pp. 22-23. 1908.
    States suffering serious loss. D.C. 220, pp. 2-3. 1924.
  rotation—
    in Montana, Huntley farm. D.C. 330, pp. 9, 10. 1925.
    on irrigated lands. B.P.I. Cir. 90, pp. 4-5. 1912.
    with peanuts. F.B. 431, p. 10. 1911.
  Rough Purple Chili, introduction by Rev. C. E. Goodrich. D.B. 195, pp. 3, 4. 1915.
  running out, cause. E. S. Schultz. F.B. 1436, pp. 21. 1924.
  Rural, description and adaptation to various sections. F.B. 1190, p. 7. 1921.

INDEX TO PUBLICATIONS, 1901–1925   1899

Potato(es)—Continued.
  Rural New Yorker, tubers, growth, and yield, studies. D.B. 958, pp. 5-6, 12-15, 22, 23, 24. 1921.
  Russian varieties, introduction. An. Rpts., 1907, p. 332. 1908.
  sacking, advantages. F.B. 1317, pp. 16-17. 1923.
  sacks, responsibility for spread of powdery scab. D.B. 82, p. 14. 1914.
  sale increases and price reduction, campaign in Idaho. News L., vol. 5, No. 48, p. 7. 1918.
  sale methods in producing sections. F.B. 1317, p. 16. 1923.
  scab—
    abnormal forms produced in germination tests. J.A.R., vol. 4, p. 132. 1915.
    cause, description, and control. B.P.I. Bul. 245, p. 18. 1912; F.B. 316, pp. 11-12. 1908; F.B. 1367, pp. 21-23, 24-26. 1924.
    cause, preventive measures, and loss from disease in California. B.P.I. Cir. 23, pp. 8-11. 1909.
    comparison with powdery scab. D.B. 81, p. 5. 1914.
    control—
      by growing in acid soil. D.B. 6, p. 8. 1913.
      by low temperatures. S.R.S. Rpt., 1916, Pt. I, pp. 138, 139. 1918.
    directions for treatment of seed. F.B. 407, pp. 13-14. 1910; News. L., vol. 3, No. 34, pp. 2-3. 1916.
    measures. B.P.I. Chief Rpt., 1924, pp. 11-12. 1924.
    danger to sugar beets. D.B. 721, p. 33. 1918.
    description and prevention. D.C. 35, pp. 21-22. 1919.
    description and spread. Sec. Cir. 92, p. 28. 1918.
    disinfection. B.P.I. Cir. 113, p. 18. 1913.
    formaldehyde treatment. Y.B., 1905, pp. 478, 482. 1906; Y.B. Sep. 397, pp. 478, 482. 1906.
    formalin treatment. F.B. 1064, pp. 18, 19. 1919.
    fumigation. B.P.I. Bul. 171, p. 17. 1910.
    germination and growth, temperature relations. J.A.R., vol. 4, pp. 129-134. 1915.
    increase by use of barnyard manures. F.B. 1205, p. 9. 1921.
    injuries and control treatment. F.B. 856, pp. 8, 58. 1917.
    organism, germination and growth, temperature relations. J.A.R., vol. 4, pp. 129-134. 1915.
    quarantine removal, September 1, 1915. News L., vol. 3, No. 8, p. 8. 1915.
    spread, studies. S.R.S. Rpt., 1915, Pt. I, pp. 55, 137, 260. 1917.
    treatment of seed. F.B. 533, p. 15. 1913.
    treatment with sulphuric acid. B.P.I. Cir. 127, p. 9. 1913.
    varieties, causes. B.P.I. Bul. 87, pp. 14-17. 1905.
  scabby—
    reduced value for market. D.B. 81, p. 9. 1914.
    rejection by American consumers. News L., vol. 1, No. 36, Apr. 15. 1914.
  Sclerotium rolfsii, parasitism. H. A. Edson and M. Shapovalov. J.A.R., vol. 23, pp. 41-46. 1923.
  Sclerotium wilt, history, cause, description, and control. Hawaii Bul. 45, pp. 13, 17, 25-26. 1920.
  score card for school use. D.B. 132, p. 35. 1915.
  scurf, corrosive-sublimate treatment. F.B. 1064, p. 18. 1919.
  second-crop, use for seed. F.B. 407, pp. 10-12. 1910.
  seed—
    and how to produce them. William Stuart. F.B. 1332, p. 18. 1923.
    certification and selection, disinfection, and cutting. Hawaii Bul. 45, pp. 4-9. 1920.
    certification discontinuance on account of powdery scab. F.H.B.S.R.A. 14, pp. 10-11. 1915.
    clean, experiments on new land, southern Idaho. J.A.R., vol. 6, No. 15, pp. 573-575. 1916.

Potato(es)—Continued.
  seed—continued.
    cold storage before planting. F.B. 1205, pp. 17, 35. 1921.
    cutting—
      economical methods. B.P.I. [Misc.], "Economical methods * * *," pp. 4. 1917.
      greening, and disinfecting. Hawaii Bul. 45, pp. 8-9. 1920.
      handling and planting in Southern States. F.B. 1205, pp. 15-19, 36. 1921.
    disease-free, importance of selection. News L., vol. 4, No. 35, p. 3. 1917.
    disease spread, experiments. J.A.R., vol. 30, p. 521. 1925.
    disinfection after selection. C.T. and F.C.D. Inv. Cir. 3, p. 6. 1918.
    disinfection, directions. F.B. 1064, pp. 18-19, 1919; F.B. 1190, pp. 11-12. 1921; Hawaii Bul. 45, p. 9. 1920.
    disinfection for control of blackleg disease. J.A.R., vol. 8, pp. 91-94. 1917.
    economy in selection, method. News L., vol. 4, No. 33, pp. 1-2. 1917.
    eelworm-infected, treatment and results. D.C. 136, pp. 12-13. 1920.
    effect of powdery scab, control treatment. D.B. 82, pp. 7-8, 12-14. 1914.
    from diseased crop, danger. F.B. 412, p. 10. 1910.
    from Maine, quarantine regulations, warning. F.H.B.S.R.A. 2, p. 9. 1914.
    germination hastening, methods in use. F.B. 1205, pp. 33-35. 1921.
    good, production methods. William Stuart. F.B. 533, pp. 16. 1913.
    growing—
      for early southern crop, selection. F.B. 1205, pp. 10-12, 31. 1921.
      in Aroostook area, Maine, for Southern States. Soil Sur. Adv. Sh., 1917, p. 12-15. 1921; Soils F.O., 1917, p. 13-16. 1923.
      localities. F.B. 1205, pp. 11-12, 32-36. 1921.
      under mulch. F.B. 305, p. 8. 1907.
    handling, disinfection, and cutting. F.B. 1064, pp. 16-25. 1919.
    harvesting methods, handling, sorting, and storing. C.T. and F.C.D. Inv. Cir. 5, pp. 7-8. 1918.
    home-grown supply. B.P.I. Cir. 90, p. 4. 1912.
    hybridized, production, sale, and price. D.B. 195, p. 4. 1915.
    immature production, compared to mature seed. F.B. 533, pp. 10, 13-14. 1913.
    immature, yields, comparison with other. W.I.A. Cir. 11, p. 20. 1916.
    importance of purity and freedom from disease. F.B. 1064, pp. 16-17. 1919.
    importations, January 1 to March 31, 1914. Nos. 36941, 36992, 36997, B.P.I. Inv. 38, pp. 11, 20, 21. 1917.
    improvement—
      and disease control. An. Rpts., 1923, pp. 273-274. 1923; B.P.I. Chief Rpt., 1923, pp. 19-20. 1923.
      of stock. An. Rpts., 1922, p. 184. 1923; B.P.I. Chief Rpt., 1922, p. 24. 1922.
      through tuber selection. J.A.R., vol. 19, pp. 543-573. 1920.
      "tuber-unit" method. B.P.I. Cir. 113, pp. 25-31. 1913.
    infected—
      cause of an epidemic of *Phytophthora infestans*. J.A.R., vol. 5, No. 2, pp. 80-85. 1915.
      planting experiments. J.A.R., vol. 6, No. 9, pp. 307-308. 1916.
      transmission to yields. J.A.R., vol. 21, pp. 836-839. 1921.
      with dry-rot, effect of planting. J.A.R., vol. 6, No. 21, pp. 822-824. 1916.
      with eelworms, control. D.C. 136, p. 12. 1920.
      with silver scurf. B.P.I. Cir. 127, pp. 23-24. 1913.
    injury from powdery scab, control treatment. D.B. 82, pp. 7-8, 12-14. 1914.
    kinds, quantity, and handling for truck crop. F.B. 407, pp. 9-15. 1910.
    local and imported, experiments, California. B.P.I. Cir. 127, pp. 11-12. 1913.

36167°—32——120

Potato(es)—Continued.
　seed—continued.
　　Maine certificate, necessity. News L., vol. 1, No. 35, p. 3. 1914.
　　Maine, certified sacks. F.H.B.S.R.A. 11, pp. 88–89. 1915.
　　mixture, cause of loss to growers. F.B. 533, pp. 6–7. 1913.
　　need of high-grade stock. F.B. 1190, pp. 8–9. 1921.
　　northern-grown, advantages for southern growers. F.B. 1205, pp. 11–12, 33. 1921.
　　number of bushels per acre at different spacings. F.B. 1064, p. 24. 1919.
　　pieces per acre at different spacings. F.B. 1064, p. 23. 1919.
　　planting depth, dates and rates in Colorado. D.B. 917, pp. 20–21. 1921.
　　planting rate. F.B. 1064, pp. 22–25. 1919.
　　plat, selection, preparation, and planting methods. S.R.S. Doc. 86, pp. 4. 1918.
　　powdery scab infected, certification, discontinuance. News L., vol. 2, No. 32, pp. 3–4. 1915.
　　preparation—
　　　and planting, quantity per acre, and average cost. F.B. 472, pp. 20, 36. 1911.
　　　and selection for growing under irrigation. F.B. 953, pp. 6–9, 16–18. 1918.
　　　by sprouting. Stat. Bul. 10, p. 10. 1925.
　　production directions. F.B. 1332, pp. 1–18. 1923; News L., vol. 1, No. 35, pp. 2–3. 1914.
　　purity necessity in powdery-scab control. News L, vol. 3, No. 25, p. 5. 1916.
　　quantity per acre. F.B. 325, p. 9. 1908; F.B. 1190, p. 12. 1921; S.B. 10, p. 14. 1925.
　　quantity per acre for early truck crop, spacing. F.B. 1205, pp. 12–13. 1921.
　　root-knot spread. F.B. 1345, p. 13. 1923.
　　saving and storing. F.B. 884, p. 12. 1917; F.B. 1390, p. 11. 1924; News L., vol. 7, No. 8, p. 7. 1919.
　　scab control treatment, directions. B.P.I. Cir. 23, pp. 10–11. 1909; F.B. 407, pp. 13–14. 1910; F.B. 533, p. 15. 1913.
　　selection—
　　　and cutting. B.P.I. Doc. 884, pp. 4, 8. 1913.
　　　and results. F.B. 386, pp. 7, 10–12. 1910; F.B. 365, pp. 26–28. 1909; News L., vol. 6, No. 51, p. 8. 1919.
　　　and breeding experiments. F.B. 342, pp. 10–14. 1909.
　　　and treatment for tuber diseases. F.B. 1367, pp. 4, 5–8. 1924.
　　　and treatment to avoid diseases. W. A. Orton. C.T. and F.C.D. Inv. Cir. 3, p. 8. 1918.
　　　at Scottsbluff experiment farm, 1914–1916. W.I.A. Cir.18, p. 17. 1918.
　　　during growing season. C.T. and F.C.D. Inv. Cir. 3, p. 4. 1918.
　　　experiments. F.B. 342, pp. 10–14. 1909.
　　　for control of tuber diseases. F.B. 1367, p. 4. 1924.
　　　for control of wilt and dry rot. F.B. 856, pp. 58, 59. 1917.
　　　hints. News L., vol. 2, No. 52, p. 1. 1915.
　　　method, result of experiments. F.B. 342, pp. 10–14. 1909.
　　　methods. F.B. 544, pp. 14–15. 1913.
　　　warning against powdery scab. News L., vol. 3, No. 25, p. 5. 1916.
　　shipments from northern States to the South, cost. F.B. 1205, p. 12. 1921.
　　sources, favorable conditions. D.B. 64, p. 14. 1914.
　　sources, treating for disease, cutting and planting. Sec. Cir. 92, pp. 10–12, 18. 1918.
　　standardizing. Sec. Cir. 48, p. 4. 1915.
　　stock, high-grade, growing. H. A. Edson and William Stuart. C.T. and F.C.D. Inv. Cir. 5, pp. 8. 1918.
　　storage, and disease investigations. B.P.I. Chief Rpt. 1925, pp. 9–10. 1925.
　　testing in South. News L., vol. 7, No. 18, p. 8. 1919.
　　tests for Fusarium infection. D.B. 64, pp. 13–14. 1914.

Potato(es)—Continued.
　seed—continued.
　　treatment—
　　　before planting. D.B. 784, pp. 16–17. 1919; News L., vol. 6, No. 35, p. 6. 1919.
　　　for control of Corticium vagum. J.A.R., vol. 23, No. 9, pp. 764–768. 1923.
　　　for control of diseases. Sec. Cir. 92, pp. 11, 29. 1918.
　　　for control of powdery scab. J.A.R., vol. 7, No. 5, pp. 229–233. 1916.
　　　for control of tuber diseases. F.B. 1367, pp. 5–8. 1924.
　　　for disease control. S.R.S. Rpt. 1916, Pt. I, p. 263. 1918.
　　　for fungus diseases. F.B. 953, p. 6. 1918.
　　　for scab control. News L., vol. 3, No. 34, pp. 2–3. 1916.
　　tuber-unit seed plat. F.B. 1436, pp. 17–18, 20. 1924.
　　uninfested with gallworm, necessity. B.P.I. Cir. 91, pp. 7–8, 14. 1912.
　　use of eye portion only, method. News L., vol. 4, No. 33, pp. 1–2. 1917.
　　whole, use to avoid Fusarium blight. J.A.R., vol. 16, No. 11, pp. 286, 300. 1919.
　　wilt diseases, transmission. M. B. McKay. J.A.R., vol. 21, pp. 821–848. 1921.
　seedlings—
　　growing and testing methods. D.B. 195, pp. 18–21, 35. 1915.
　　handling and planting experiments. An. Rpts., 1911, p. 318. 1912; B.P.I. Chief Rpt., 1911, p. 70. 1911.
　　leaf-roll, pathology. D.B. 64, pp. 29–31. 1914.
　　susceptibility to potato wart. D.B. 1156, pp. 1–11. 1923.
　selection—
　　blanks, sample form. B.P.I. Cir. 113, pp. 30–31. 1913.
　　definition of term. D.B. 195, pp. 2–3, 35. 1915.
　　for seed, defects, and description, list. C.T. and F.C.D. Inv. Cir. 3, pp. 4–5. 1918.
　　for table use, influences governing. D.B. 468, pp. 14–15. 1917.
　　in first lesson for rural schools. D.B. 784, pp. 4–6. 1919.
　　preparation, and planting of plat. S.R.S. Doc. 86, pp. 4. 1918.
　　tuber-unit method, experiments, and yields. D.B. 195, pp. 29–35. 1915.
　selling, by cooperation. News L., vol. 7, No. 6, p. 8. 1919.
　sets, size with comparisons of whole and cut seed. William Stuart and others. D.B. 1248, pp. 44. 1924.
　shading experiments in Louisiana. B.P.I. Bul. 279, pp. 16–17, 25, 28. 1913.
　shipments—
　　by States, 1916, and by stations. D.B. 667, pp. 11, 125–154. 1918.
　　by States, 1924. Y.B., 1924, pp. 712, 713–716, 1076, 1141, 1142. 1925.
　　in carloads, by States, 1920–1923. S.B. 9, pp. 47–82. 1925.
　　from South America, infestation with weevils. J.A.R., vol. 1, No. 4, pp. 347–352. 1914.
　　interstate, under quarantine, regulations. amdt. 10. F.H.B.S.R.A. 14, pp. 11–14. 1915.
　shippers, advice. News L., vol. 7, No. 17, p. 6. 1919.
　shipping—
　　containers. News L., vol. 7, No. 1, pp. 3, 5, 6. 1919.
　　on consignment. F.B. 753, pp. 32–33, 35. 1916.
　　precautions. News L., vol. 7, No. 18, p. 6. 1919.
　　sections, location, and methods. F.B. 1317, pp. 19–24. 1923.
　shrinkage, natural. F.B. 753, pp. 37–38. 1916.
　silage. See Silage, potato.
　silver scurf, caused by Spondylocladium atrovirens. Eugene S. Scultz. J.A.R., vol. 6, No. 10, pp. 339–350. 1916; B.P.I. Cir. 127, pp. 15–24. 1913.
　size, relation to wilt-producing organisms. J.A.R. vol. 21, pp. 831–835. 1921.
　sizing in field. F.B. 1064, pp. 35–36. 1919.

INDEX TO PUBLICATIONS, 1901-1925   1901

Potato(es)—Continued.
 skins—
  analysis. F.B. 410, p. 33. 1910.
  composition of three varieties. F. C. Cook. J.A.R., vol. 20, pp. 623-635. 1921.
  diseases, description and control methods. F.B. 544, pp. 4-8. 1913.
  skinspot, relation to powdery scab. Michael Shapovalov. J.A.R., vol. 23, pp. 285-294. 1923.
  slop, feeding value, comparison with grain slop. F.B. 410, pp. 35-37. 1910.
  snowflake, introduction. D.B. 195, p. 4. 1915.
  soft-rot, description, cause and control. J.A.R., vol. 8, p. 89. 1917.
 soil(s)—
  adapted, and fertilizer requirements. D.B. 355, p. 82. 1916.
  fertilizers for. Milton Whitney. Soils Bul. 65, pp. 19. 1910.
  in Virginia, location. D.B. 4ͻ, pp. 3, 10, 13, 15, 17. 1913.
  preparation, fertilizers, planting and cultivating, lessons. D.B. 784, pp. 15-19. 1919.
  requirements, and preparations. F.B. 407, pp. 8-9. 1910.
 sorting and grading. F.B. 953, pp. 19-20. 1918.
 soundness, certification of soundness by food-products inspection. News L., vol. 5, No. 35, p. 6. 1918.
 soup, cream, preparation and canning, recipe. News L., vol. 3, No. 1, p. 2. 1915.
 South American—
  importations and description. Nos. 31229-31231, 31275, B.P.I. Bul. 242, pp. 10, 74-75, 79. 1912; Nos. 36384, 36656-36658, B.P.I. Inv. 37, pp. 20, 45. 1916.
  introductions for plant breeders. Y.B., 1911, p. 420. 1912; Y.B. Sep. 580, p. 420. 1912.
 southern bacterial wilt, description and control. Hawaii Bul. 45, p. 39. 1920.
 southern, crop, estimate. News L., vol. 7, No. 9, p. 4. 1919.
 southern new, handling and loading. A. M. Grimes. F.B. 1050, pp. 20. 1919.
 Spaulding No. 4—
  description and adaptation to various sections. F.B. 1190, p. 7. 1921.
  early variety for Florida. F.B. 1205, p. 10. 1921.
  spindle tuber disease, symptoms and experiments. J.A.R., vol. 30, pp. 494-506, 514-516, 522-525. 1925.
  spindling-sprout. J.A.R., vol. 21, pp. 47-80. 1921.
 sprayer, cooperative purchase. News L., vol. 6, No. 47, p. 16. 1919.
 spraying—
  advantages. F.B. 527, pp. 7-9. 1913.
  calendar. S.R.S. Doc. 52, p. 9. 1917.
  day's work. D.B. 3, p. 28. 1913.
  experiments, profits. F.B. 251, pp. 9-10. 1906.
  for beetles, methods, cost and results. Ent. Bul. 82, Pt. I, pp. 4-8. 1909; Ent. Bul. 82, pp. 4-8. 1912.
  for control of late blight, method and spray. News L., vol. 5, No. 1, p. 1. 1917.
  for diseases, results in Pennsylvania. D.C. 329, p. 13. 1924.
  in the South, methods and formulas. F.B. 1205, pp. 20-22, 28, 36. 1921.
  practice in different localities. F.B. 407, pp. 17-20. 1910.
  profit. F.B. 320, pp. 22-23. 1908.
  tests, at New York Experiment Station. O.E.S. An. Rpt., 1912, p. 169. 1913.
  with Bordeaux mixture and Pickering sprays, comparison of results. D.B. 866, pp. 8-22. 1920.
  with Bordeaux mixture, effect on crop. O.E.S. An. Rpt., 1911, p. 216. 1912.
 sprays, directions and formulas. F.B. 1064, pp. 30-32. 1919; F.B. 1190, pp. 22-23. 1921.
 sprouting before planting, experiments at Alaska Experiment Station. Alaska A.R., 1910, pp. 14-16. 1911.
 stalk weevil, notes. Ent. Bul. 82, Pt. VII, pp. 88-89. 1911; Ent. Bul. 82, pp. 88-89. 1912.
 standardization experiments in Minnesota and Wisconsin. News L., vol. 4, No. 11, p. 7. 1916.
 standards, use by potato growers. Off. Rec., vol. 1, No. 43, p. 3. 1922.

Potato(es)—Continued.
 starch—
  content increase, development. Chem. Bul. 130, p. 98. 1910.
  digestibility, experiments, comparison with cereal and arrowroot starches. O.E.S. Bul. 202, pp. 1-42. 1908.
  grains, microscopic appearance. Y.B., 1907, p. 380. 1908; Y.B. Sep. 455, p. 380. 1908.
  homemade, making and use. O. H. Benson. S.R.S. Doc. 8, p. 1. 1915.
  microscopical examinations. Chem. Bul. 130, p. 136. 1910.
  use as food. O.E.S. Bul. 245, p. 43. 1912.
  use in custards and cakes, recipes. S.R.S. Doc. 16, pp. 1-3. 1915.
  yield, in Maine, Caribou area. Soil Sur. Adv. Sh., 1908, p. 18. 1910; Soils F.O., 1908, p. 48. 1911.
 statistics—
  1851-1912, acreage, production, value, imports, and exports. Y.B., 1912, pp. 607-613, 725, 735, 744. 1913; Y.B. Sep. 614, pp. 607-613. 1913; Y.B. Sep. 615, pp. 725, 735, 744. 1913.
  1900-1912, acreage, production, exports, imports. D.B. 81, pp. 15-16. 1914.
  1901. Y.B., 1901, pp. 740-744. 1902.
  1904-1917, acreage, production, and value. Sec. Cir. 92, pp. 3, 5. 1918.
  1905. Y.B., 1905, pp. 697-703. 1906; Y.B. Sep. 404, pp. 697-703. 1906.
  1906. Y.B., 1906, pp. 585-591. 1907; Y.B. Sep. 436, pp. 585-591. 1907.
  1907, acreage, yield, value, exports, and imports. Y.B., 1907, pp. 651-657, 746, 755. 1908; Y.B. Sep. 465, pp. 651-657, 746, 755. 1908.
  1910, acreage, production, prices, imports, and exports. Y.B., 1910, pp. 555-562, 664, 673. 1911; Y.B. Sep. 553, pp. 555-562, 664, 673. 1911; Y.B. Sep. 555, pp. 554-562. 1911.
  1911, acreage, production, value, imports, and exports. Y.B., 1911, pp. 565-571, 667, 676, 685-686. 1912; Y.B. Sep. 587, pp. 565-571. 1912; Y.B. Sep. 588, pp. 667, 676, 685-686. 1912.
  1913, acreage, production, yield, exports, and imports. Y.B., 1913, pp. 408-413, 500, 506, 511. 1914; Y.B. Sep. 360, pp. 408-413. 1914; Y.B. Sep. 361, pp. 500, 506, 511. 1914.
  1914, acreage, production, yield, value, and exports. Y.B., 1914, pp. 557-564, 648, 658, 665. 1915; Y.B Sep. 655, pp. 557-564. 1915; Y.B. Sep. 656, p. 648. 1915; Y.B. Sep. 657, pp. 658, 665. 1915.
  1915, acreage, production, yield, prices, exports, and imports. Y.B., 1915, pp. 454-460, 547, 553, 559. 1916; Y.B. Sep. 683, pp. 454-460. 1916; Y.B. Sep. 685, pp. 547, 553, 559. 1916.
  1916, acreage, production, yield, prices, exports, and imports. Y.B., 1916, pp. 611-617, 714, 720, 726. 1917; Y.B. Sep. 720, pp. 1-7. 1917; Y.B. Sep. 722, pp. 8, 14, 20. 1917.
  1917, acreage, production, yield, prices, exports, and imports. Y.B., 1917, pp. 655-661, 767, 774. 1918; Y.B. Sep. 760, pp. 3-9. 1918; Y.B. Sep. 762, pp. 11, 18. 1918.
  1918, imports and exports. Y.B., 1918, pp. 507-516, 634, 641, 648. 1919; Y.B. Sep. 794, pp. 3-12. 1919; Y.B. Sep. 795, pp. 10, 17, 24. 1919.
  1919, acreage, production, prices, exports, and imports. Y.B., 1919, pp. 568-576, 690, 697, 703, 704. 1920; Y.B. Sep. 827, pp. 568-576. 1920; Y.B. Sep. 829, pp. 690, 697, 703, 704. 1920.
  1920, acreage, production, and value. Y.B., 1920, pp. 3-15. 1921; Y.B. Sep. 862, pp. 3-15. 1921.
  1921, acreage, production, and value. Y.B., 1921, pp. 71, 72, 581-591, 770. 1922; Y.B. Sep. 869, pp. 1-11. 1922; Y.B. Sep. 871, p. 1. 1922; Y.B. Sep. 875, pp. 71, 72. 1922.
  1922, acreage, production, and prices. Y.B., 1922, pp. 69, 73, 666-679. 1923; Y.B. Sep. 884, pp. 666-679. 1923.
  1924. S.B. 10, pp. 1-41. 1925; Y.B., 1924, pp. 705-721. 1925.
  acreage, production, value, exports, imports, and consumption. D.B. 695, pp. 19-24. 1918.
  for Hungary, pre-war and 1921-22. D.B. 1234, pp. 27-29, 42. 1924.

Potato(es)—Continued.
  statistics—continued.
    graphic showing of average production, United States. Stat. Bul. 78, p. 24. 1910.
    graphic showing of average production, world. Stat. Bul. 78, p. 61. 1910.
    production and value in Southern States, 1914–1919. F.B. 1205, pp. 4, 5. 1921.
    receipts and shipments at trade centers. Rpt. 98, pp. 365–366. 1921.
    Southern States, 1914–1919. F.B. 1205, pp. 4, 5. 1921.
    10 leading States, 1908. F.B. 365, p. 6. 1909.
  stem—
    diseases, description and control methods. F.B. 544, pp. 8–11. 1913.
    lesions, causes. J.A.R., vol. 14, pp. 213–219. 1918.
    streak, relation to phloem necrosis. J.A.R., vol. 24, p. 242. 1923.
  stocks, March 1, 1924. Off. Rec., vol. 3, No. 15, p. 3. 1924.
  stolons, arrangement and length. D.B. 958, p. 4. 1921.
  storage—
    and storage houses. William Stuart. F.B. 847, pp. 27. 1917.
    and transit diseases, control. F.B. 1367, pp. 3–4. 1924.
    effect on quality. F.B. 295, pp. 18–19. 1907.
    for home use. F.B. 375, p. 33. 1909; F.B. 549, pp. 9–15. 1913; F.B. 879, p. 20. 1917.
    handling, temperature, and storage period. D.B. 729, p. 4. 1918.
    in Southern States, inferiority and needs. F.B. 1205, pp. 12, 37–38. 1921.
    influence on the quality of the seed. F.B. 533, p. 14. 1913.
    methods—
      and temperature. F.B. 386, p. 9. 1910.
      cellars, and houses. News L., vol. 4, No. 51, pp. 1, 6–7, 8. 1917.
      in Maine. F.B. 365, pp. 13–14. 1909.
    temperatures, importance and effects on tubers. F.B. 847, pp. 4–6. 1917.
  streak—
    appearance and effect on yields. F.B. 1436, pp. 7–8. 1924.
    description and transmission experiments. J.A.R., vol. 25, pp. 53–54, 61. 1923.
    symptoms, experiments. J.A.R., vol. 30, pp. 494–507, 510–512, 516. 1925.
  stuffing, recipe. Sec. Cir. 106, p. 5. 1918.
  substitute, use of rice. F.B. 1195, pp. 8–9. 1921.
  supplementary feed for hogs on alfalfa pasture, results. D.B. 752, pp. 18–19. 1919.
  supply and prices, 1909–1914. Fews L., vol. 1, N6. 25, p. 1. 1914.
  surplus—
    industrial uses and importance of drying. D.B. 81, pp. 19–20. 1914.
    production areas, costs and practices, 1919. D.B. 1188, pp. 9–12. 1924.
    uses, disposition, studies and suggestions. D.B. 47, pp. 9–11, 12. 1913.
  susceptibility to sweet-potato pox. J.A.R., vol. 13, pp. 443–444. 1918.
  sweet potatoes, and other starchy roots as food. C. F. Langworthy. D.B. 468, pp. 29. 1917.
  sweet. See Sweet potato; Ipomea batatas.
  temperature and humidity studies of Fusaria rots. J.A.R., vol. 22, pp. 65–80. 1921.
  testing for resistance to Fusarium blight. J.A.R., vol. 16, pp. 295–296. 1919.
  tests—
    and yields, Nephi substation, 1908–9. B.P.I. Cir. 61, p. 34. 1910.
    of varieties. D.B. 1337, p. 11. 1925.
    on Truckee-Carson farm, Nevada. W.I.A. Cir. 19, pp. 11–12. 1918.
  thistle, recipes for, use with meat or fish. Sec. Cir. 106, p. 6. 1918.
  trade—
    international, 1911–1921. Y.B., 1922, p. 675. 1923; Y.B. Sep. 884, p. 675. 1923.
    with foreign countries, exports and imports since 1851. D.B. 296, pp. 40–41. 1915.
  transmission of virus diseases. F.B. 1436, pp. 2, 9, 10, 12–14, 19, 20. 1924.

Potato(es)—Continued.
  transpiration studies at Akron, Colo. J.A.R., vol. 7, pp. 169–173, 177, 180. 1916.
  transportation, temperature requirements. F.B. 1317, pp. 17–18, 25, 27. 1923.
  treatment for control of *Tylenchus penetrans*. J.A.R., vol. 11, pp. 31, 33. 1917.
  Triumph—
    description and adaptation to various sections. F.B. 1190, p. 6. 1921.
    early variety for Southern States, description. F.B. 1205, pp. 9, 31, 33. 1921.
  truck—
    crop value. L. C. Corbett. F.B. 407, pp. 24. 1910.
    farms, in Kentucky, Jefferson County, management, expenses, and profits. D.B. 678, pp. 15–17, 19–22. 1918.
  tuber(s)—
    and plant structure, lesson for rural schools. D.B. 784, p. 12. 1919.
    development. Charles F. Clark. D.B. 958, pp. 27. 1921.
    diseases—
      W. A. Orton. F.B. 544, pp. 16. 1913.
      characters, causes, and control. F.B. 1367, pp. 8–37. 1924.
      control. Michael Shapovalov and G. K. K. Link. F.B. 1367, pp. 38. 1924.
      control methods. F.B. 544, pp. 4–14. 1913.
      Fusarium species, identification. H. E. Norris and Grace B. Nutting. J.A.R., vol. 24, pp. 339–364. 1923.
      infection with *Phoma destructiva*. J.A.R., vol. 4, p. 11. 1915.
      invasion by *Pythium debaryanum*, studies. J.A.R., vol. 18, pp. 275–298. 1919.
  Irish—
    vascular discoloration. H. A. Edson. J.A.R., vol. 20, pp. 277–294. 1920.
    yield and composition, effect of copper sprays. F. C. Cook. D.B. 1146, pp. 27. 1923.
  moth—
    F. H. Chittenden. F.B. 557, pp. 7. 1913.
    J. E. Graf. D.B. 427, pp. 56. 1917.
    control by rotation. F.B. 953, p. 15. 1918.
    control studies, losses in California. An. Rpts., 1913, p. 217. 1914; Ent. A.R., 1913, p. 9. 1913.
    description, habits, damage, and control. Hawaii Bul. 45, pp. 17, 29. 1920.
    parasites, list, and descriptions. D.B. 427, pp. 33–47. 1917.
    preliminary report. F. H. Chittenden. Ent. Cir. 162, pp. 5. 1912.
  production relation to seed piece and variety. D.B. 958, pp. 20–23. 1921.
  production, relation to soil type and irrigation. D.B. 958, pp. 23–25. 1921.
  productivity of small and large, comparison. Hawaii Bul. 45, pp. 6–7. 1920.
  rot, description and cause, studies. Hawaii Bul. 45, pp. 18–19, 28. 1920; J.A.R., vol. 6, No. 17, pp. 627–640. 1916.
  rots caused by species of Fusarium. J.A.R., vol. 5, No. 5, pp. 183–209. 1915.
  studies. Ernst Artschwager. J.A.R., vol. 27, pp. 809–836. 1924.
  symptoms, relation to wilt-producing fungi. J.A.R., vol. 21, pp. 823–829. 1921.
  tissue, study of isoelectric points. J.A.R., vol. 31, pp. 386–389, 395–398. 1925.
  undercooling, relation to freezing point. D.B. 895, pp. 5–7. 1921.
  unmarketable, feed value for hogs and poultry. News L., vol. 5, No. 42, p. 3. 1918.
  use—
    as horse feed. F.B. 1030, p. 20. 1919.
    as substitute for cereals. F.B. 871, pp. 5–6. 1917.
    economical method. News L., vol. 5, No. 17, p. 5. 1917.
    for sheep feed. D.B. 20, p. 46. 1913.
    in bread making. News L., vol. 5, No. 5, p. 6. 1917.
    in manufacture of denatured alcohol. Chem. Bul. 130, pp. 30, 46–48, 97–99. 1910.
    in rotation with timothy. F.B. 502, p. 22. 1912.
  of lime, precautions. F.B. 472, pp. 13, 18. 1911.

Potato(es)—Continued.
  use—continued.
    per capita. News L., vol. 6, No. 6, p. 3. 1918.
    relation to food habits in various sections. D.B. 695, pp. 3-4. 1918.
    to save wheat. Sec. Cir. 106, pp. 8. 1918.
    value and prices. News L., vol. 5, No. 5, pp. 1, 6, 8. 1917.
    with cheese in soups. F.B. 487, p. 33. 1912.
    with meats, in place of bread, suggestions. News L., vol. 5, No. 10, p. 7. 1917.
  utilization of crop in Germany. Y.B., 1919, p. 67. 1920; Y.B. Sep. 801, p. 67. 1920.
  value—
    as food. C. F. Langworthy. Y.B., 1900, pp. 337-348. 1901.
    as food, cooking methods. News L., vol. 4, No. 26, p. 3. 1917.
    as wheat savers, and recipes. News L., vol. 5, No. 25, pp. 6-7. 1918.
    in pig feeding. B.A.I. An. Rpt., 1903, pp. 298-299. 1904; B.A.I. Cir. 63, pp. 298-299. 1904.
    of crop, comparison with wheat. Y.B., 1921, p. 80. 1922; Y.B. Sep. 873, p. 80. 1922.
    of late spraying, and production increase. News L., vol. 5, No. 32, p. 8. 1918.
  varietal affinity, studies. D.B. 195, pp. 16-17. 1915.
  variety(ies)—
    adaptability to—
      Truckee-Carson project. B.P.I. Cir. 78, p. 17. 1911.
      various sections. B.P.I. Doc. 884, p. 2. 1913.
      irrigated farms of the West. F.B. 386, p. 12. 1910.
    and planting-time tests, Truckee-Carson project, 1917. W.I.A. Cir. 23, pp. 13-14. 1918.
    description, characteristics, and uses. F.B. 1190, pp. 6-8. 1921.
    early, for the Southern States, description. F.B. 1205, pp. 9-10. 1921.
    experimental growing. An. Rpts., 1911, pp. 66-67. 1912; Sec. A. R., 1911, pp. 64-65. 1911; Y.B., 1911, pp. 64-65. 1912.
    fertilizers, and harvesting for late crop in South. F.B. 1205, pp. 26-29. 1921.
    for late crop, adaptability to regions. F.B. 1064, pp. 13-15. 1919.
    for various sections. Sec. Cir. 92, pp. 10, 15, 18. 1918.
    freezing points. D.B. 895, pp. 3-5. 1921; D.B. 916, pp. 4-7. 1921.
    from South America, introduction. An. Rpts., 1913, p. 48. 1914; Sec. A. R., 1913, p. 46. 1913; Y.B., 1913, p. 59. 1914.
    full list, and descriptions. D.B. 176, pp. 1-56. 1915.
    immune to virus diseases. F.B. 1436, p. 16. 1924.
    immune to wart, testing, and list. D.C. 111, pp. 10-17. 1920.
    importance of community specialization. News L., vol. 3, No. 18, pp. 2-3. 1915.
    improvement, spraying, yield, experiments in Hawaii, 1917. Hawaii A.R., 1917, pp. 31, 48. 1918.
    late, for Southern States, description and use. F.B. 1205, pp. 27, 30-31. 1921.
    leaf roll studies. J.A.R., vol. 15, pp. 561-568. 1918.
    permanence. Fred A. Krantz. J.A.R., vol. 23, pp. 947-962. 1923.
    principal shipping section. F.B. 1317, pp. 20, 21, 22, 23. 1923.
    recommended. Alaska A.R., 1910, pp. 40, 52-53, 58. 1911.
    relation to—
      low yields. D.B. 47, p. 6. 1913.
      tuber production, studies. D.B. 958, pp. 21-23. 1921.
    resistant to late blight, yields. Hawaii A.R., 1918, pp. 41-42. 1919.
    test(s)—
      and yields after alfalfa, Nebraska. D.C. 173, pp. 22-24. 1921.
      at Belle Fourche experiment farm, 1914-1916. W.I.A. Cir. 14, p. 25. 1917.
      in Alaska, 1912. Alaska A.R., 1912, pp. 16, 52-55. 1913.

Potato(es)—Continued.
  variety(ies)—continued.
    test(s)—continued.
      in Hawaii. Hawaii A.R., 1920, pp. 28, 60. 1921.
      in Montana, Huntley experiment farm. W.I.A. Cir. 8, p. 20. 1916.
      in Nevada, Newlands experiment farm, 1919. D.C. 136, p. 11. 1920; D.C. 267, pp. 9-10. 1923.
      in South Dakota, Belle Fourche experiment farm. W.I.A. Cir. 9, p. 22. 1916.
    testing—
      and yield, Nebraska. B.P.I. Cir. 116, pp. 14, 15, 17. 1913.
      for different localities. B.P.I. An. Rpts., 1912, pp. 456-457. 1913; B.P.I. Chief Rpt., 1912, pp. 76-77. 1912.
      for susceptibility to *Pythium debaryanum*. J.A.R., vol. 18, pp. 278-292. 1919.
    used in irrigation regions. F.B. 953, p. 5. 1918.
    various countries, disease resistance, studies and experiments. B.P.I. Bul. 245, pp. 74-84, 86-87. 1912.
    wart resistant, importations. Nos. 47232-47260, B.P.I. Inv. 58, p. 45. 1922.
    yield, and growing experiments in Alaska. Alaska A.R., 1911, pp. 26, 29, 41-42, 47-49, 66, 68-75. 1912.
  vitality of buried seed. J.A.R., vol. 29, pp. 355. 1924.
  warehouse—
    construction, and requirements. F.B. 549, pp. 9-15. 1913.
    regulations under United States warehouse act. B.A.E. S.R.A. 83, pp. 1-27. 1924.
  wart, dangerous new disease. D.C. 32, pp. 4. 1919.
  wart (disease)—
    G. R. Lyman and others. D.C. 111, pp. 19. 1920.
    anatomical studies. Ernst F. Artschwager. J.A.R., vol. 23, pp. 963-968. 1923.
    cause and description. B.P.I. Bul. 245, p. 18. 1912; F.B. 544, p. 8. 1913; F.B. 1367, p. 27. 1924.
    control by growing immune varieties. D.C. 111, pp. 10, 17. 1920.
    control methods, and warning to gardeners. News L., vol. 6, No. 13, p. 5. 1918.
    control work, 1920-1921. F.H.B.S.R.A. 71, pp. 105-106. 1922.
    danger in United States. B.P.I. Cir. 52, pp. 1-11. 1910.
    dangerous European disease liable to be introduced into United States. W.A. Orton and Ethel C. Field. B.P.I. Cir. 52, pp. 11. 1910.
    description, distribution, and danger. B.P.I. Cir. 52, pp. 3-6. 1910; B.P.I. Cir. 93, pp. 4, 5. 1912; F.B. 412, pp. 7-10. 1910.
    disinfection of soil, chemical and steam. N. Rex Hunt and others. J.A.R., vol. 31, pp. 301-363. 1925.
    distribution, description, and studies. F.H.B. S.R.A. 56, pp. 90-91. 1918.
    embargo continuation. Off. Rec., vol. 4, No. 46, p. 3. 1925.
    eradication. News L., vol. 6, No. 52, p. 16. 1919.
    fungus, cause and means of exclusion. B.P.I. Cir. 52, pp. 6-8. 1910.
    history. C.T. and F.C.D. Inv. Cir. 6, pp. 11-12. 1919.
    immune varieties, stability. D.B. 1156, pp. 20-21. 1923.
    in United States, introduction and spread. D.C. 111, pp. 3-10. 1920.
    infestation and control. News L., vol. 6, No. 31, pp. 4-5. 1919.
    introduction and spread. News L., vol. 6, No. 44, p. 8. 1919.
    introduction into United States. An. Rpts., 1918, pp. 445-446. 1919; F.H.B. An. Rpt., 1918, pp. 15-16. 1918.
    investigations. Freeman Weiss and others. D.B. 1156, pp. 22. 1923.
    morphological nature. J.A.R., vol. 23, pp. 966-967. 1923.
    need of watching for. B.P.I. [Misc.], "Does potato wart occur * * * ?" p. 1. 1919.

Potato(es)—Continued.
wart (disease)—continued.
occurrence, surveys. F.H.B. An. Rpt., 1924, p. 8. 1924.
origin and description. Hawaii Bul. 45, pp. 36-37. 1920.
origin, nature, and control work. C.T. and F.C.D. Inv. Cir. 6, pp. 14. 1919; D.B. 81, pp. 1, 4. 1914.
proposed quarantine in Pennsylvania, notice of hearing. F.H.B.S.R.A. 59. pp. 9-10. 1919.
quarantine, 1913. News L., vol. 1, No. 4, p. 3. 1913.
quarantine, 1924. F.H.B.S.R.A. 78, pp. 22, 29. 1924.
surveys. F.B. 489, pp. 19-29. 1912; F.H.B. An. Rpt., 1924, p. 8. 1924.
See also *Chrysophlyctis endobiotica*.
wart-infested, boiling. News L., vol. 6, No. 43, p. 13. 1919.
wart-resistant varieties. C.T. and F.C.D. Inv. Cir. 6, p. 9. 1919.
warty, warning against. News L., vol. 6, No. 44, p. 11. 1919.
waste—
in paring. News L., vol. 4, No. 44, p. 1. 1917.
use as pig feed. An. Rpts., 1916, p. 82. 1917; B.A.I. Chief Rpt., 1916, p. 16. 1916.
water—
consumption per ton. Y.B., 1910, p. 172. 1911; Y.B. Sep. 526, p. 172. 1911.
requirement in Colorado, 1911, experiments. B.P.I. Bul. 284, pp. 32, 37, 47. 1913.
requirements. J.A.R., vol. 3, pp. 41, 42, 52, 53, 56, 59. 1914.
week, designation for October 22-27, and suggestions for daily menu. News L., vol. 5, No. 11, p. 6. 1917.
weevils—
descriptions. J.A.R., vol. 12, pp. 601-612. 1918; Sec. [Misc.], "A manual of insects * * *," pp. 183-184. 1917.
interception in imports. F.H.B. An. Rpt., 1924, p. 15. 1924.
new, from Andean South America. J.A.R., vol. 1, pp. 347-352. 1914.
new, introduction from South America. An. Rpts., 1914, p. 314. 1914; F.H.B. An. Rpt., 1914, p. 10. 1914.
sweet potato and yam. D. Dwight Pierce. J.A.R., vol., vol. 12, pp. 601-612. 1918.
table and descriptions. J.A.R., vol. 12, pp. 601-604. 1918.
weighing. F.B. 753, pp. 38-39. 1916.
White Star, early variety for Louisiana. F.B. 1205, pp. 10 31. 1921.
wild—
and cultivated, sterilities of, with reference to breeding from seed. A. B. Stout and C. F. Clark. D.B. 1195, pp. 32. 1924.
importations and descriptions. No. 42026, B.P.I. Inv. 46, p. 45. 1919; Nos. 44128, 44184 44186, 44360, B.P.I. Inv. 50, pp. 32, 39, 62. 1922.
importations by Bureau of Plant Industry. B.P.I. Bul. 223, pp. 42, 45, 47, 49. 1911.
pollination experiments. D.B. 1195, pp. 5-6, 23-26. 1924.
use in Alaska. Soil Sur. Adv. Sh., 1914, pp. 67, 84. 1915; Soils F.O., 1914, pp. 101, 118. 1916.
See also Potato, Delta.
wilt—
leaf roll and related diseases. D.B. 64, p. 48. 1914.
resistant varieties, need of developing. B.P.I. Cir. 23, p. 7. 1909.
See also Wilt.
wilting coefficient, determinations. B.P.I. Bul. 230, pp. 37, 45. 1912.
winter storage, lesson for rural schools. D.B. 784, p. 9. 1919.
world acreage and production, by countries, 1909-1922. Y.B., 1922, pp. 666-667. 1923; Y.B. Sep. 884, pp. 666-667. 1923.
wound parasitism, testing method. J.A.R., vol. 5, No. 5, pp. 185-187. 1915.
yield(s)—
after different rotation crops in—
Montana, Huntley experiment farm. W.I.A. Cir. 8, pp. 8-9. 1916.

Potato(es)—Continued.
yield(s)—continued.
after different rotation crops in—continued.
Nebraska, Scottsbluff experiment farm. W.I.A. Cir. 11, p. 11. 1916.
South Dakota, Belle Fourche experiment farm. D.C. 60, pp. 10-12. 1919; W.I.A. Cir. 9, pp. 9-11. 1916.
and composition, effect of copper sprays. F.C. Cook. D.B. 1146, pp. 27. 1923.
and returns per acre on Washington irrigated land. O.E.S. Bul. 214, pp. 24, 43. 1909.
and water relations. D.B. 1340, pp. 15, 17, 18, 19, 41-42, 49, 50, 52. 1925.
as affected by irrigation. F.B. 210, pp. 14-15. 1904.
by countries and by States. Y.B., 1921, pp. 583, 585. 1922; Y.B. Sep. 869, pp. 3, 5. 1922.
changes since 1876. Y.B., 1919, pp. 21, 22, 23. 1920.
clubs, comparison of States. D.C. 152, p. 13. 1921.
comparison of Germany and United States. Chem. Bul. 130, pp. 97, 158. 1910.
fall-irrigated plats, South Dakota, 1914, 1915, 1916. D.B. 546, pp. 6-7. 1917.
in borax experiments, Maine. D.B. 998, pp. 5-6. 1922.
in line-selection experiments. J.A.R., vol. 19, pp. 547-570. 1920.
in rotation experiments, Huntley experiment farm. D.C. 275, pp. 10, 11. 1923.
in rotation experiments with other crops. W.I.A. Cir. 6, p. 6. 1915; W.I.A. Cir. 22, pp. 10, 11. 1918.
in South Dakota. News L., vol. 6, No. 43, p. 10. 1919.
in United States. D.B. 47, pp. 6-8. 1913.
increase, 1866-1874, 1885-1894, 1905-1914, 1915-1916. News L., vol. 6, No. 12, p. 8. 1918.
on Crowley silt loam. Soils Cir. 54, p. 6. 1912.
on irrigated farms of West. F.B. 386, pp. 12-13. 1910.
per acre—
1923, by countries. Y.B. 1923, p. 467. 1924; Y.B. Sep. 896, p. 467. 1924.
1925. D.B. 1338, pp. 4-5. 1925.
crop-rotation experiment, Belle Fourche farm, 1916. W.I.A. Cir. 14, pp. 14-16. 1917.
in central New Jersey. F.B. 472, p. 22. 1911.
increase since 1908. Sec. A.R. 1919, pp. 16, 17. 1919; An. Rpts., 1919, pp. 14, 15. 1920.
relation to—
size and kind of seed piece. D.B. 958, pp. 20-21. 1921.
variations in soil. J.A.R. vol. 19, pp. 284-286. 1920.
tidal-marsh reclamation, New Jersey. O.E.S. Bul. 240, p. 43. 1911.
under different volumes of water, Idaho. D.B. 339, pp. 10, 11, 13, 14, 17, 19, 20, 28-31. 1916.
under irrigation in Nebraska, varieties and methods. W.I.A. Cir. 6, pp. 14-16. 1915.
under irrigation in Oregon. O.E.S. Bul. 226, pp. 39, 40, 42, 54, 55, 56, 61. 1910.
See also *Solanum tuberosum*.
Potency, meaning of term. B.P.I. Bul. 256, p. 33. 1913.
Potentilla—
fruticosa, importations and description. Nos. 40590, 40591. B.P.I. Inv. 43, p. 51. 1918.
fruticosa vilmoriniana, importation and description. No. 42694, B.P.I. Inv. 47, p. 53. 1920.
spp., importations and descriptions. Nos. 47762, 47763, B.P.I. Inv. 59, p. 56. 1922; Nos. 48342-48349, B.P.I. Inv. 60, pp. 72-73. 1922.
tridentata, distribution. N.A. Fauna 22, p. 14. 1902.
Potherbs—
canning directions. F.B. 839, pp. 18-19, 30. 1917.
chicory leaves. D.C. 108, p. 3. 1920.
cooking directions, lesson. D.B. 123, pp. 14-20. 1916.
cultivated and wild, list. Y.B. 1911, pp. 442-444. 1912; Y.B. Sep. 582, pp. 442-444. 1912.
use—
as food, flavor and preparation. Y.B. 1911, pp. 442, 444, 449-451. 1912; Y.B. Sep. 582, pp. 442, 444, 449-451. 1912.

Potherbs—Continued.
 use—continued.
  of tops of root vegetables. D.B. 503, p. 2. 1917.
  of various plants, studies. O.E.S. Bul. 245, pp. 27–32. 1912.
 washing as protection against insecticides. O.E.S. Bul. 245, p. 23. 1912.
 wild and cultivated, description and food value, lesson. D.B. 123, pp. 14–20. 1916.
 See also Greens.
Potomac Flats—
 grasses and fodder plants. C. R. Ball. Agros. Cir. 28, pp. 18. 1901.
 sugar-beet experiments. Chem. Bul. 95, pp. 6–8. 1905.
Potomac River—
 jurisdiction of. Off. Rec., vol. 3, No. 41, p. 5. 1924.
 silt carried per year. Y.B. 1913, p. 214. 1914; Y.B. Sep. 624, p. 214. 1914.
POTTEIGER, C. R.: "Factors influencing the change in flavor in storage butter." With others B.A.I. Bul. 162, pp. 69. 1913.
POTTER, A. A.
 "Cereal smuts and the disinfection of seed grain." With Harry B. Humphrey. F.B.939, pp. 28. 1918.
 "Head smut of sorghum and maize." J.A.R., vol. 2, pp. 339–372. 1914.
 "Study of the life history and ecologic relations of the smut of maize." With Leo E. Melchers. J.A.R. vol. 30, pp. 161–173. 1925.
POTTER, A. F.—
 "Instructions regarding term occupancy permits." For. [Misc.], "Instructions regarding * * *," pp. 4. 1915.
 report of acting forester, 1917. An. Rpts., 1917, pp. 163–198. 1918; For. A. R., 1917, pp. 36. 1917.
POTTER, G. M.: "Contagious abortion of cattle." With Adolph Eichhorn. F.B. 790, pp. 12. 1917.
POTTER, R. S.—
 "Decomposition of green and stable manures in soil." With R. S. Snyder. J.A.R. vol. 11, pp. 677–698. 1917.
 "Soluble nonprotein nitrogen of soil." With R.S. Snyder. J.A.R. vol. 6, No. 2, pp. 61–64. 1916.
POTTS, C. G.—
 "Farm slaughtering and use of lamb and mutton." F.B. 1172, pp. 32. 1920.
 "Flushing and other means of increasing lamb yields." With F.R. Marshall. D.B. 996, pp. 14, 1921; rev., pp. 15. 1923.
 "Raising sheep on temporary pastures." With F. R. Marshall. F.B. 1181, pp. 18. 1921.
POTTS, R. C.—
 "Handbook for use in the inspection of whole-milk American cheese under the food products inspection law." With C. W. Fryhofer. Sec. Cir. 157, pp. 16. 1923.
 "Marketing butter and cheese by parcel post." With Lewis B. Flohr. F.B. 930, pp. 12. 1918.
 "Marketing creamery butter." With H. F. Meyer. D.B. 456, pp. 38. 1917.
 "Marketing practices of Wisconsin and Minnesota creameries." D.B. 690, pp. 15. 1918.
 "Suggestions for the manufacture and marketing of creamery butter in the South." With William White. Sec. Cir. 66, pp. 12. 1916.
Poughkeepsie-Newton Square line, experimental chestnut poles, conditions. For. Cir. 198, pp. 11–12, 13. 1912.
Poultices, making and use. For. [Misc.], "First aid manual * * *" pp. 21–22. 1917.
Poultry—
 accounting system. Rob R. Slocum. B.A.I. Cir. 176, pp. 6. 1911.
 accounts. Alfred R. Lee and Sheppard Haynes. F.B. 1427, pp. 6. 1924.
 alternate-yard plan. D.B. 464, pp. 28–29. 1916.
 and dairy farm, successful. W. J. Spillman. F.B. 355, pp. 40. 1909.
 and egg(s)—
  industry, distribution and magnitude. George Fayette Thompson. B.A.I. Cir. 73, pp. 22. 1905.
  industry of leading European countries. Andrew Fossum. B.A.I. Bul. 65, pp. 79. 1904.

Poultry—Continued.
 and egg(s)—continued.
  marketing, bibliography. M.C. 35, pp. 31–32. 1925.
 and game, exports, 1866–1868, and 1879–1908. Stat. Bul. 75, p. 36. 1910.
 appliances for poultry-club members, home made. B.A.I.A.H. G-27, pp. 7. 1918.
 as food. Helen W. Atwater. F.B. 182, pp. 40. 1903.
 as promising industry in Columbia River Valley. B.P.I. Cir. 60, pp. 15–16. 1910.
 associations, national. Y.B., 1920, p. 513. 1921; Y.B. Sep. 866, p. 513. 1921.
 bacillary white diarrhea, study and testing. S.R.S. Rpt., 1916, Pt. I, pp. 42, 148, 153, 232. 1918.
 back-yard, keeping, odorless and noiseless methods. News L., vol. 5, No. 24, p. 4. 1918.
 back-yard, practices. News L., vol. 6, No. 44, p. 3. 1919.
 blackhead, description, cause, symptoms, and treatment. F.B. 530, pp. 16–19. 1913; F.B. 957, pp. 28–31. 1918.
 bleeding for market, directions. Chem. Cir. 61, pp. 1–15. 1910.
 bleeding, importance in keeping qualities of flesh. Chem. Cir. 64, p. 39. 1910.
 body analyses, comparison with other animals. B.A.I. Bul. 56, pp. 74. 1904.
 body weight and cost of assimilated nutrients. B.A.I. Bul. 56, pp. 69–71. 1904.
 bollworm destruction. J.A.R., vol. 9, p. 361. 1917.
 breed(s)—
  and types, school studies. S.R.S. Doc. 58, pp. 7–10. 1917.
  best for fattening. B.A.I. Bul. 140, pp. 11–13. 1911.
  best general-purpose fowls. Y.B., 1919, p. 309, 1920; Y.B. Sep. 800, p. 3. 1920.
  classes. S.R.S. Syl. 17, p. 2. 1916.
  classification and characteristics, importance to industry. News L., vol. 5, No. 26, p. 6. 1918.
  laying and meat-producing, characteristics, adaptability, and value comparison. Sec. Cir. 107, pp. 19–20. 1918.
  on Kansas farms, percentage of different kinds. B.A.I. Bul. 141, p. 23. 1911.
  selection. F.B. 528, p. 5. 1913.
  selection for community work. Y.B., 1918, pp. 109–110, 111. 1919; Y.B. Sep. 778, pp. 3–4, 5. 1919.
  selection, general purpose, eggs, and meat. F.B. 1040, pp. 3–7. 1919.
  utility. Sec. Cir. 107, pp. 19–20. 1918.
 breeding—
  associations, community. J. W. Kinghorne. Y.B., 1918, pp. 109–114. 1919; Y.B. Sep. 778, pp. 8. 1919.
  associations, community, organization and work, various States. News L., vol. 5, No. 23, p. 5. 1918.
  business, increase. B.A.I. An. Rpt., 1911, pp. 248, 249, 251. 1913.
  cleanliness essential, directions. Y.B., 1911, pp. 183, 187–189, 192. 1912; Y.B. Sep. 559, pp. 183, 187, 189, 192. 1912.
  community work. S.R.S. Syl. 17, pp. 2–3. 1916.
  directions. S.R.S. Syl. 17, p. 16. 1916.
  establishment of new general-purpose breed. Sec. A.R., 1921, p. 25. 1921.
  for egg production. F.B. 549, pp. 16–18. 1913.
  for exhibits, discussion. Sec. Cir. 107, pp. 18–19. 1918.
  in small space, methods, feeding, and care. Sec. Cir. 107, pp. 15–16. 1918.
  stock, selection and care. S.R.S. Doc. 67, pp. 1–3. 1917.
  stock, selection and care. Rob R. Slocum. F.B. 1116, pp. 10. 1920.
 brooder house, successful. F.B. 225, pp. 27, 31. 1905.
 broodiness, studies and experiments. S.R.S. Rpt., 1916, Pt. I, pp. 42, 148. 1918.
 buildings on Kansas farms, investigations. B.A.I. Bul. 141, pp. 34–35. 1911.
 buildings, sizes. News L., vol. 6, No. 42, p. 5. 1919.

Poultry—Continued.
  buying on quality basis, hints to produce dealers.
    Y.B., 1912, pp. 345-347. 1913; Y.B. Sep. 596.
    pp. 345-347. 1913.
  canned, directions for sterilizing. D.B. 467,
    pp. 19-20. 1916.
  canning, methods and profits. News L., vol. 6,
    No. 24, pp. 4-5. 1919.
  canning recipes. News L., vol. 5, No. 8, p. 7,
    1917.
  capons and caponizing. B.A.I. Cir. 107, pp. 1-10.
    1907.
  care—
    and culling for April. News L., vol. 6, No. 35,
      pp. 5-6. 1919.
    during warm weather. S.R.S. Doc. 77, pp. 1-3.
      1918.
    essential to produce good quality eggs. F.B.
      1378, p. 12. 1924.
    of houses and nests, egg gathering. News L.,
      vol. 5, No. 36, p. 7. 1918.
  carloads, shipping from Mississippi. News L.,
    vol. 6, No. 47, p. 13. 1919.
  car-lot marketing. Off. Rec., vol. 4, No. 26, p. 6.
    1925.
  cars, precooling and loading. News L., vol. 7,
    No. 4, p. 5. 1919.
  catching hook, use. F.B. 317, pp. 31-32. 1908.
  chemical analysis, fresh and cold-stored, methods,
    and tables of results. Chem. Bul. 115, pp. 59-74.
    1908.
  chemical composition of various fowls and classes.
    D.B. 467, pp. 20-21. 1916.
  chilling methods, cartons. Chem. Cir. 64, pp.
    15-21. 1910.
  classification at county fairs. F.B. 822, p. 12.
    1917.
  cleanliness essential. News L., vol. 6, No. 52,
    p. 4. 1919.
  club(s)—
    benefit to agriculture. Y.B., 1916, pp. 471-473.
      1917; Y.B. Sep. 694, pp. 5-7. 1917.
    boys' and girls'—
      daily record book. B.A.I. [Misc.], "Girls'
        and boys' * * *," blank forms. 1922.
      distribution, work, and profits. News L.,
        vol. 5, No. 23, p. 7. 1918.
      four years' work, schedule. F.B. 562, pp.
        4-5. 1913.
      growth, membership, and work in South,
        1914. News L., vol. 2, No. 50, p. 5. 1915.
      number of members. News L., vol. 3, No.
        23, p. 2. 1916.
      organization. Harry M. Lamon. F.B. 562,
        pp. 12. 1913.
      work in Virginia. News L., vol. 1, No. 15,
        pp. 1-2. 1913.
    cost and profits, 1915. News L., vol. 4, No. 8,
      p. 5. 1916.
    demonstration work of children. B.A.I. Doc.
      A-29, p. 4. 1918.
    demonstrations. D.C. 312, p. 24. 1924.
    for North and West, enrollment, demonstrations, and products. D.C. 192, pp. 26-28. 1921.
    girls—
      demonstration work. B.P.I. Doc. 865, p. 1-8.
        1913.
      organization. Harry M. Lamon. B.A.I.
        Cir. 208, pp. 11. 1913.
      in Guam, results of work. Guam A. R., 1921,
        pp. 38, 39. 1923.
    in North and West, demonstrations and results.
      D.C. 152, p. 22. 1921.
    meetings. B.A.I. Doc. A-29, p. 2. 1918.
    number, membership, and results in 1921.
      D.C. 255, pp. 15, 26-28. 1923.
    objects, members, and results. Y.B., 1915,
      pp. 195-196, 199-200, 272e-272f. 1916; Y.B.
      Sep. 669, pp. 195-196, 199-200, 272e-272f. 1916;
      Y.B. Sep. 675, pp. 272e-272f. 1916.
    of Middletown (Va.) High School, scope, and
      methods. News L., vol. 2, No. 44, p. 8.
      1915.
    organization and work, aid of department.
      Y.B., 1915, pp. 195-196, 199-200, 272e-272f.
      1916; Y.B. Sep. 675, pp. 195-196, 199-200,
      272e-272f. 1916; Y.B. Sep. 669, pp. 272. 1916.
    organization, instructions, and procedure,
      method. B.A.I. Doc. A-29, pp. 4. 1918;
      S.R.S. Doc. 53, pp. 1-6. 1917.

Poultry—Continued.
  club(s)—continued.
    products, use of. D.C. 36, pp. 14. 1919;
      S.R.S. Doc. 91, pp. 14. 1918.
    profits. News L., vol. 6, No. 52, p. 14. 1919.
    suggestions to local leaders. S.R.S. Doc. 53,
      pp. 7. 1917.
    women's, work in South, 1915. News L., vol. 3,
      No. 33, p. 3. 1916.
    work—
      1918, summary. D.C. 66, pp. 27, 33. 1920.
      among girls in Southern States. Y.B., 1916,
        pp. 252, 253, 257, 263, 264, 265. 1917; Y.B.
        Sep. 710, pp. 2, 3, 7, 13, 14, 15. 1917.
  brood coops and appliances. D.C. 13, pp. 8.
    1919.
  care of baby chicks. D.C. 14, pp. 7. 1919.
  culling for eggs and market. D.C. 18, pp. 8.
    1919.
  growth, 1913-1915. Y.B., 1915, p. 198. 1916;
    Y.B. Sep. 669, p. 198. 1916.
  lice, mites, and cleanliness. D.C. 16, pp. 8.
    1919.
  management of growing chicks. D.C. 17,
    pp. 5. 1919.
  poultry diseases. D.C. 20, pp. 7. 1919.
  preserving eggs. D.C. 15, pp. 8. 1919.
  in the South. Rob R. Slocum. Y.B., 1915,
    pp. 195-200. 1916; Y.B. Sep. 669, pp. 195-
    200. 1916.
  coccidiosis. B.A.I. Cir. 128, pp. 4-7. 1908.
  cold storage—
    discussion. D.B. 467, pp. 13-16. 1916.
    effects. Chem. Bul. 115, pp. 1-117. 1908.
    holdings, 1916-1924. S.B. 4, pp. 12-14. 1925.
    holdings, 1917-1923. S.B. 1, pp. 11-13. 1923.
    studies. O.E.S. An. Rpt., 1909, pp. 370, 375,
      381-382. 1910.
    transportation. Chem. Cir. 64, pp. 21-27. 1910.
    use methods, studies. News L., vol. 4, No. 24,
      p. 3. 1917.
  cold-stored and fresh, chemical studies, methods.
    Chem. Bul. 115, pp. 59-74. 1908.
  colony houses, construction and requirements.
    F.B. 374, pp. 26-30. 1909.
  color and comb heredity. D.B. 905, p. 33. 1920.
  commercial farms, investment cost and profits,
    items. Y.B., 1924, pp. 400-403. 1925.
  composition—
    comparison with other foods. D.B. 467, pp.
      20-22. 1916.
    of flesh before and after fleshing. D.B. 1052, pp.
      20-22. 1922.
  conditions—
    in Porto Rico. P.R. An. Rpt., 1907, p. 15.
      1908.
    on farm, investigations. B.A.I. Bul. 141, pp.
      19-39. 1911.
    on rented dairy farms. F.B. 1272, p. 13. 1922.
  Congress of World. Off. Rec., vol. 2, No. 23,
    p. 4. 1923.
  consumption—
    by farm families. F.B. 1082, pp. 5, 19. 1920.
    per capita, comparison with other meats.
      J.A.R., vol. 28, p. 461. 1924.
  cooking, fireless cooker. O.E.S. Syl. 15, p. 7.
    1914.
  cooking, methods and effects on nutritive value.
    D.B. 467, pp. 18-19, 28. 1916.
  cooling plant, description, cost, capacity, and
    operating cost. News L., vol. 3, No. 8, pp. 4-6.
    1915.
  cooling rack, all-metal. M. E. Pennington and
    H. E. Pierce. Chem. Cir. 115, pp. 8. 1913.
  cooperative marketing in Arkansas. News L.,
    vol. 7, No. 12, p. 5. 1919.
  cost comparison of nutritive value of constituents.
    F.B. 182, pp. 33-35. 1903.
  cost, increase in prices. D.B. 467, pp. 26-27, 28.
    1916.
  crossing, results. B.P.I. Bul. 165, pp. 14-15, 66.
    1909.
  culling—
    clubs, work in New York. News L., vol. 6,
      No. 31, p. 12. 1919.
    demonstrations. News L., vol. 6, No. 29, p. 14.
      1919.
    extension. D.C. 347, pp. 28, 30. 1925.
    the flock. B.A.I.A.H., G-31, pp. 4. 1918.

Poultry—Continued.
  damage by rats. Biol. Bul. 33, pp. 22-23. 1909.
  danger from—
    poisoned grasshoppers and bran. F.B. 1140, p. 11. 1920.
    salt. D.C. 356, p. 4. 1925.
  decrease and needs, European allied countries. Sec. [Misc.], "Report * * * agricultural commission * * *," pp. 27, 51, 52, 57, 59. 1919.
  demand abroad. News L., vol. 7, No. 9, p. 3. 1919.
  demonstration—
    car, work in reducing waste in eggs. M. E. Pennington and others. Y.B., 1914, pp. 363-380. 1915; Y.B. Sep. 647, pp. 363-380. 1915.
    work, in Southern States, report and results. S.R.S. Doc. 28, pp. 5-6. 1915.
    work, results. D.C. 285, pp. 15-16. 1923.
  destruction by—
    crows. D.B. 621, pp. 36-38, 65, 84. 1918; F.B 366, pp. 28-29. 1909.
    eagles. Biol. Bul. 27, pp. 13, 29. 1906.
    hawks. F.B. 513, p. 28. 1913.
    predaceous birds and mammals. Y.B., 1908, pp. 189-193. 1909; Y.B. Sep. 474, pp. 189-193. 1909.
    skunks. F.B. 587, pp. 7-9, 22. 1914.
  dietary studies, discussion. B.A.I. Bul. 56, pp. 74-77. 1904.
  digestibility and healthfulness. D.B. 467, pp. 25-26. 1916; F.B. 276, pp. 26-27. 1907.
  digestion experiments with. E. W. Brown. B.A.I. Bul. 56, pp. 1-112. 1904.
  diseases—
    Bernard A. Gallagher. F.B. 1337, pp. 41. 1923.
    D. M. Green. F.B. 1114, pp. 8. 1920.
    bad habits, and insect pests. F.B. 287, rev., pp. 34-38. 1921.
    common. D.C. 20, pp. 1-7. 1919; S.R.S. Doc. 56, pp. 1-7. 1917.
    description and control. F.B. 287, rev., pp. 34-36. 1921.
    diarrhea and scaly leg, school lesson. D.B. 258, p. 6. 1915.
    important. D. E. Salmon. F.B. 530, pp. 36. 1913; F.B. 957, pp. 48. 1918.
    in Guam, control work. Guam A.R., 1915, pp. 34-41. 1916.
    losses from and prevention methods. Y.B., 1915, pp. 160, 171 1916; Y.B. Sep. 666, pp. 160, 171. 1916.
    misnamed, found to be tuberculosis. B.A.I. An. Rpt., 1908, p. 165. 1910.
    prevention—
      and treatment. Geo. B. Morse. Y.B., 1911, pp. 177-192. 1912; Y.B. Sep. 559, pp. 177-192. 1912.
      methods. F.B. 530, pp. 4-5. 1913; F.B. 957, pp. 4-5. 1918.
    school lesson. D.B. 258, pp. 32-33. 1915.
    spread, prevention and control F.B. 1337, pp. 1-3. 1923.
  disinfectant label. Insect N.J. 25, I. and F.Bd. S.R.A. 2, p. 28. 1914.
  drawing, sanitary considerations. Y.B., 1912, p. 287. 1913; Y.B. Sep. 591, p. 287. 1913
  drawn—
    and undrawn, comparison. Chem. Bul. 115, pp. 110-112. 1908; D.B. 467, pp. 11-12 1916; F.B. 375, pp. 23, 26, 34, 39. 1909.
    preparing, directions. F.B. 353, pp. 13-14. 1909
  dressed—
    analyses after haul in refrigerator cars D.B. 17, pp. 6-7, 11. 1913.
    cold-storage—
      holdings. Y.B., 1924, pp. 433, 436, 438. 1925.
      receipts, deliveries, and length of storage. Stat. Bul. 93, pp. 15, 22-23, 30, 33, 34, 37, 40, 43-47. 1913.
    grading, packing, and shipping. Y.B., 1912, pp. 289-292. 1913; Y.B. Sep. 591, pp. 289-292. 1913.
    handling a thousand miles from market. M. E. Pennington. Y.B., 1912, pp. 285-292. 1913; Y.B. Sep. 591, pp. 285-292. 1913.
    preparation and packing for shipment. D.B. 17, p. 5. 1913.

Poultry—Continued.
  dressed—continued.
    price compilation, sources, and grades. Stat. Bul. 101, pp. 36, 37, 39, 42, 44, 47, 48. 1913.
    prices, wholesale, various markets, 1880-1911 Stat. Bul. 101, pp. 80-82, 103-104. 1913.
    refrigeration in transit. M. E. Pennington and and others. D.B. 17, pp. 35. 1913.
    spoilage in shipment, prevention methods. News L., vol. 6, No. 21, p. 3. 1918.
    storage, preparation, packing, temperature, and storage period. D.B. 729, pp. 8-9. 1918.
    temperatures required for transportation long distances. D.B. 17, pp. 10-13, 31-33. 1913.
    dressing and packing for shipment. F.B. 144. pp. 25-27. 1901; F.B. 182, pp. 16-18 1903.
  droppings—
    utilization. News L., vol. 6, No. 46, p. 4. 1919.
    value per 25 hens for six months. F.B. 384, p. 5. 1910.
  dry—
    feeding and self-feeders. F.B. 244, pp. 25-29 1906.
    picking, process. F.B. 1377, p. 19. 1924.
  early laying, records of selected hens. F.B. 357, p. 6. 1909.
  earnings per hour. News L., vol. 6, No. 35, p. 11 1919.
  egg-production increase, January 1 to July 1, 1918, with comparisons. News L., vol. 6, No. 3, pp. 6, 7. 1918.
  enemies of termites. D.B. 333, p. 9. 1916.
  equipment, articles and prices. F.B. 816, p. 10. 1917.
  excrement weight, comparison with daily consumption, summary. B.A.I. Bul. 56, pp. 90-94. 1904.
  exhibition birds, value to poultry industry. See Cir. 107, pp. 18-19. 1918.
  exhibits—
    by Department of Agriculture. B.A.I. [Misc.], "Poultry exhibit * * *," pp. 8. 1916.
    community. Y.B., 1918, p. 114. 1919; Y.B Sep. 778, p. 8. 1919.
    of department at New York, December 28, 1916 to January 3, 1917. B.A.I. Doc. A-10, pp. 7. 1916.
    school studies. S.R.S. Doc. 58, p. 11. 1917.
    value to club members and importance of attending. F.B. 1115, pp. 3, 10. 1920.
  exports—
    1902-1904. Stat. Bul. 36, p. 40. 1905.
    1918. Y.B., 1918, p. 636. 1919; Y.B. Sep. 794, p. 12. 1919.
    1922-1924. Y.B., 1924, pp. 1041, 1042. 1925.
  extension work, in North and West, 1916. S.R.S. Rpt., 1916, Pt. II, p. 169. 1917.
  farm(s)—
    score card. B.A.I. Bul. 141, p. 21. 1911.
    small, labor used, and profits. D.B. 582, pp. 4, 18, 19-20. 1918.
    southern New Hampshire, areas, capital, receipts and expenses. B.P.I. Cir. 75, pp. 10, 13-14, 15. 1911.
    Washington logged-off lands, development, costs, and profits. D.B. 1236, pp. 8-18, 25, 27-30, 32, 34, 35. 1924
  farming—
    in southern Arizona, acreage, and income. D.B. 654, pp. 3, 35-36. 1918.
    types, requirements, and advantages. Y.B., 1908, p. 365. 1909; Y.B. Sep. 487, p. 365 1909.
  fat, description and uses. D.B. 469, p. 11. 1916.
  fattening—
    Alfred R. Lee. B.A.I. Bul. 140, pp. 60. 1911.
    and killing cost. Rpt. 98, p. 130. 1913.
    at feeding stations. Y.B., 1912, p. 286. 1913; Y.B. Sep. 591, p. 286. 1913.
    commercial. Alfred R. Lee. D.B. 21, pp. 55. 1914.
    cramming by hand or machine. F.B. 287, pp. 36-38. 1907.
    effect on food value. F.B. 182, pp. 14-16. 1903.
    in the packing house, rations. D.B. 1052, pp. 1-24. 1922.
  Federation, National War Emergency, organization and conference, Chicago, July 15-18, 1918. News L., vol. 6, No. 1, p. 6. 1918.

Poultry—Continued.
  feed—
    adulteration and misbranding. Chem., N.J. 3893. 1915.
    alfalfa. F.B. 339, p. 31. 1909.
    alleged adulteration and misbranding, "Red feather." Chem. N. J. 1654, pp. 1–2. 1912.
    and labor requirements, southwestern Minnesota. D.B. 1271, pp. 63–66. 1924.
    buckwheat, value. F.B. 1062, pp. 12, 18. 1919.
    composition and analysis. B.A.I. Bul. 56, p. 92. 1904.
    composition, and compounding for fleshing rations. Chem. Bul. 108, pp. 56–59. 1908; D.B. 1052, pp. 4, 22–24. 1922.
    cost in relation to digestibility. B.A.I. Bul. 56, pp. 68–69. 1904.
    cost reduction by careful buying. News L., vol. 5, No. 27, p. 4. 1918.
    crawfish, use and value. Y.B., 1911, p. 323. 1912; Y.B. Sep. 571, p. 323. 1912.
    crops, school lesson. D.B. 464, pp. 22–23. 1916.
    for winter. News L., vol. 7, No. 6, p. 8. 1919.
    formula. Off. Rec., vol. 2, No. 39, p. 5. 1923.
    grain sorghum, demand and value. F.B. 686, pp. 10–11. 1915.
    kinds and rations. News L., vol. 3, No. 21, p. 7. 1915.
    meats condemned, allowed in manufacture. B.A.I.S.R.A. 83, p. 32. 1914.
    misbranding. Chem. N.J. 3934. 1915.
    mixtures, potential acidity and alkalinity, study. B. E. Kaupp and J. E. Ivey. J.A.R. vol. 20, pp. 141–149. 1920.
    proteins of certain insects and food value. J.A.R., vol. 10, pp. 633–637. 1917.
    requirements. D.B. 1296, pp. 49–51. 1925.
    selection, cost, and value. Sec. Cir. 107, pp. 20–21. 1918.
    southern, mineral content, and requirements. J.A.R., vol. 14, pp. 125–134. 1918.
    sprouted oats, production and value. F.B. 549, pp. 18–20. 1913.
    supply, necessity and value of green stuff. News L., vol. 3, No. 19, pp. 1–2. 1915.
    use of alfalfa. B.A.I. An. Rpt., 1904, p. 266. 1905.
    value in egg production, and results. D.B. 561, pp. 11–16, 41–47. 1917.
    value of kafir and milo. B.P.I. [Misc.], "Field instructions * * * Texas and Oklahoma," p. 15. 1912.
    value of milo. F.B. 322, p. 23. 1908.
    value of salmon fish scrap. News L., vol. 3, No. 33, pp. 7–8. 1916.
    wheatless, feeding tests by Animal Industry Bureau. News L., vol. 5, No. 22, p. 7. 1917.
    with charcoal or grits, labeling. S.R.A. Chem. 1, p. 5. 1914.
  feeding—
    and egg laying contests. S.R.S. Rpt., 1916, Pt. I, pp. 41, 84, 114, 118, 129, 165, 170, 176, 210. 292. 1918.
    and housing in winter. S.R.S. Doc. 61, pp. 1–4. 1917.
    experiments with fish meal, and results. D.B. 378, pp. 2, 5, 8, 11–12, 15. 1916.
    for effect on quality of flesh. D.B. 467, pp. 9–10. 1916.
    for egg production, cost and results. D.B. 561, pp. 1–42. 1917.
    hoppers, construction. F.B. 316, pp. 30–32. 1908.
    fish heads, value. News L., vol. 6, No. 49, p. 8. 1919.
    in packing house, rations. J. S. Hepburn and R. C. Holder. D.B. 1052, pp. 42. 1910.
    lesson from Nature. News L., vol. 7, No. 5, p. 10. 1919.
    methods on Kansas farms. B.A.I. Bul. 141, pp. 25–26. 1911.
    on avocados. D.B. 743, p. 5. 1919.
    on cowpea seed and hay. F.B. 318, p. 15. 1908; F.B. 1153, pp. 10, 17. 1920.
    school lesson. D.B. 464, pp. 12–15. 1916.
    sorghum grain. B.P.I. Bul. 237, p. 29. 1912; F.B. 686, pp. 10–11. 1915; F.B. 724, pp. 5, 6. 1916; F.B. 972, p. 15. 1918.

Poultry—Continued.
  feeding—continued.
    sprouted oats, purpose and management. F.B. 549, p. 20. 1913.
    systems. News L., vol. 6, No. 50, p. 5. 1919.
    table waste methods. News L., vol. 5, No. 16, p. 3. 1917.
    use of beet molasses. Y.B. 1908, p. 448. 1909; Y.B. Sep. 493, p. 448. 1909.
    use of oats. F.B. 420, p. 20. 1910.
  feedstuffs, composition, and table. F.B. 1067, p. 5. 1919.
  flea infestation, control measures. F.B. 683, pp. 13–14. 1915.
  flesh—
    ammoniacal nitrogen increase, index of deterioration. D.B. 17, pp. 10–11. 1913.
    changes. D.B. 467, pp. 12–13. 1916.
    factors influencing table quality. D.B. 467, pp. 8–10. 1916.
    vitamin content. J.A.R., vol. 28, pp. 461–472. 1924.
  flock, culling directions. D.C. 31, pp. 4. 1919.
  flock, size, suitability, to farm and housing. Y.B. 1918, pp. 311–312. 1920; Y.B. Sep. 800, pp. 5–6. 1920.
  food(s)—
    adulteration and misbranding. See Indexes, Notices of Judgment, in bound volumes and in separates published as supplements to Chemistry Service and Regulatory Announcements.
    composition. Chem. Bul. 108, pp. 56–59. 1908.
    condimental and medicinal. F.B. 144, pp. 22–24. 1901.
    containing limestone or calcium phosphate. Opinion 72. Chem. S.R.A. 7, p. 530. 1914.
    retention in crop. B.A.I. Bul. 56, pp. 77–78. 1904.
    use. F.B. 182, pp. 1–40. 1903.
    value and uses. Helen W. Atwater. D.B. 467, pp. 29. 1916.
  fresh-air requirements, methods of securing. News L., vol. 3, No. 21, pp. 4–5. 1915.
  from farm to consumer, studies. M. E. Pennington. Chem. Cir. 64, pp. 42. 1910.
  frozen—
    cold storage reports, 1917–1918. D.B. 776, pp. 31–44. 1919.
    packing, shipping, and thawing, directions. Chem. Cir. 64, pp. 19–33. 1910.
  gapeworm control. S.R.S. Rpt., 1915, Pt. I, pp. 57, 275. 1917.
  good table, determination methods. News L., vol. 4, No. 24, p. 3. 1917.
  grades, packing and marketing. Rpt., 98, pp. 130–131. 1913.
  grain rations. News L., vol. 7, No. 8, pp. 1–2. 1919.
  grazing crops—
    list. News L., vol. 4, No. 22, p. 5. 1917.
    seed date and rate of sowing. D.B. 464, p. 29. 1916.
  handling and dressing methods and suggestions. D.B. 467, pp. 10–13. 1916.
  hatching methods in Kansas. B.A.I. Bul. 141, pp. 26–27. 1911.
  Hawaiian industry, progress, 1915. Hawaii A. R. 1915, pp. 54–56. 1916.
  healthy, protection from diseases and insects. F.B. 305, pp. 8–32. 1907.
  house(s)—
    Alfred R. Lee. F.B. 1113, pp. 8. 1920.
    and fixtures, hints. F.B. 528, p. 9. 1913.
    and yards, school lesson. D.B. 464, pp. 11–12. 1916.
    boys' and girls' poultry-club work. D.C. 19, pp. 8. 1919.
    construction—
      Alfred R. Lee. F.B. 574, pp. 20. 1914; F.B. 1413, pp. 28. 1924.
      and fixtures. F.B. 1040, pp. 14–15, 18. 1919.
      and ventilation experiments. F.B. 227, pp. 28–32. 1905.
      directions. News L. vol. 1, No. 38, pp. 2–3. 1914.
      descriptions. B.A.I. Bul. 90, pp. 27–35. 1906; F.B. 355, pp. 20–25. 1909; S.R.S. Syllabus 17, pp. 3–5. 1915.

Poultry—Continued.
 house(s)—continued.
  essentials. F.B. 574, pp. 1-2. 1914.
  estimating material for. F.B. 1413, pp. 17-19. 1924.
  floor materials, and construction. F.B. 574, pp. 10, 15-16. 1914.
  for duck farming, description, appliances, and use methods. F.B. 697, Rev., pp. 11-14. 1923.
  location, construction, and interior arrangement. D.C. 19, pp. 1-8. 1919.
  materials, plans, and cost. B.A.I. Cir. 208, pp. 4-5. 1913; F.B. 574, pp. 12-13, 17-20. 1914; F.B. 1331, pp. 4-11. 1923; F.B. 1413, pp. 1-27. 1924; S.R.S. Syl. 17, pp. 3-5. 1916.
  portable, description, and use on grubby land. F.B. 940, pp. 19-20. 1918.
  rat poisoning methods. Biol. Bul. 33, p. 47. 1909.
  sanitary requirements and studies. F.B. 801, p. 26. 1917.
  school lesson. D.B. 258, pp. 6-7. 1915.
  tick-proof construction. F.B. 1070, pp. 14-15. 1919.
  ventilation. News L., vol. 6, No. 49, p. 8. 1919.
  with single pitch roof. News L., vol. 6, No. 42, p. 5. 1919.
  See also Chicken houses.
 housing—
  and culling. Off. Rec., vol. 2, No. 40, p. 6. 1923.
  colony plan on farms. News L., vol. 5, No. 20, p. 4. 1917.
 husbandry—
  building at Cornell University, description. O.E.S. An. Rpt., 1912, pp. 313-314. 1913.
  educational methods, development. B.A.I. An. Rpt., 1911, pp. 250-251. 1913.
  importance of breeding stock, selection and care, on farms. Sec. Cir. 107, pp. 10-11, 13-15. 1918.
 improvement—
  advantage of concentration on one breed. Y.B., 1918, pp. 109-110. 1919; Y.B. Sep. 778 pp. 3-4. 1919.
  methods in Arkansas. News L., vol. 6, No. 41, p. 8. 1919.
  study outline for home project. D.B. 346, pp. 14-15. 1916.
 in—
  Great Britain. B.A.I. An. Rpt., 1901, p. 508. 1902.
  North and West, work in March. News L., vol. 6, No. 31, p. 13. 1919.
  Porto Rico—
   high price of feeds. P.R. An. Rpt., 1913, pp. 33-34. 1914.
   raising, improvement and prices. P.R. An. Rpt., 1921, pp. 4-5. 1922.
  Texas, destruction by foxes. N.A. Fauna 25, p. 181. 1905.
 increase—
  of production urged. News L., vol. 5, No. 7, p. 3. 1917.
  campaign, phases for special emphasis. Sec. Cir. 123, p. 13. 1918.
 increased production—
  cost reduction, breeds, and conditions governing. News L., vol. 6, No. 12, p. 4. 1918.
  emergency campaign. News L., vol. 5, No. 43, p. 6. 1918.
 incubation periods for different varieties. F.B. 1363, pp. 3-4. 1923.
 industry—
  M. A. Jull and others. Y.B., 1924, pp. 377-456, 1925; Y.B. Sep. 917, pp. 377-456. 1925.
  adaptability for blind men. News L., vol. 6, No. 41, p. 15. 1919.
  distribution and magnitude. George Fayette Thompson. Y.B., 1902, pp. 295-308. 1903; Y.B. Sep. 273, pp. 295-308. 1903.
  in California—
   central southern area. Soil Sur. Adv. Sh., 1917, p. 34. 1921; Soils F.O., 1917, p. 2432. 1923.
   Petaluma. P. H. Lawler. B.A.I. Cir. 92, pp. 7. 1906; B.A.I. Chief. Rpt. 1904, pp. 316-322. 1904.

Poultry—Continued.
 industry—continued.
  in California—Continued.
   San Francisco Bay region, increase, 1900-1910. Soil Sur. Adv. Sh., 1914, p. 27. 1917; Soils F.O., 1914, p. 2699. 1919.
  in Hawaii—
   1921. Hawaii A.R., 1921, pp. 4, 34, 44, 51, 57-59. 1922.
   improvement in marketing conditions. Y.B., 1915, pp. 135, 140, 142. 1916; Y.B. Sep. 663, pp. 135, 140, 142. 1916.
  in—
   Iowa, O'Brien County, value. Soil Sur. Adv. Sh., 1921, p. 220. 1924.
   Missouri, Ripley County, importance. Soil Sur. Adv. Sh., 1915, pp. 13, 34. 1917; Soils F.O., 1915, pp. 1897, 1918. 1919.
   New Hampshire, Nashua area, possibilities. Soil Sur. Adv. Sh., 1909 p. 14. 1910; Soils F.O., 1909, p. 84. 1912.
   Porto Rico, progress. P.R. An. Rpt., 1912, p. 42. 1913.
   Texas, Taylor County, 1915. Soil Sur. Adv. Sh., 1915, p. 11. 1918; Soils F.O., 1915, p. 1133. 1919.
   United States. B.A.I. An. Rpt., 1911, pp. 247-251. 1913; O.E.S.F.I.L. 10, p. 3. 1909; rev., 1910.
  numbers kept, and consumption per capita. D.B. 467, p. 2. 1916.
  situation, 1925. Sec. A.R., 1925, p. 11. 1925.
 infestation—
  and injury from fleas. F.B. 897, pp. 7-9. 1917.
  by—
   mites, description, habits, and control. Rpt. 108, pp. 59, 63-64, 78, 132, 133. 1915.
   ticks and control. Rpt. 108, pp. 59, 63-64, 78. 1915.
 information distribution in Porto Rico, 1919. P.R. An. Rpt., 1919, p. 34. 1920.
 injury by jays, destruction of eggs and young chickens. F.B. 630, pp. 19, 20, 21. 1915.
 institutes, held by American Poultry Association. B.A.I. An. Rpt., 1908, p. 359. 1910.
 instructors, International Association, progress. O.E.S. An. Rpt., 1912, pp. 307-308. 1913.
 intestinal worms, description, symptoms, and treatment. F.B. 957, pp. 36-38. 1918.
 investigations at Maine Agricultural Experiment Station. Clarence D. Woods and Gilbert M. Gowell. B.A.I. Bul. 90, pp. 42. 1906.
 judging, score card at agricultural colleges. B.A.I. Bul. 61, pp. 113-116. 1904.
 keeping—
  back-yard. Rob R. Slocum. F.B. 889, pp. 23. 1917; F.B. 1331, pp. 23. 1923.
  back-yard, teaching by use of F.B. 889. F. E Heald. S.R.S. [Misc.], "How teachers may use * * *," pp. 2. 1917.
  cleanliness, importance in egg production. D.B. 471, p. 17. 1917.
  common sense directions. Rob R. Slocum, Y.B., 1918, pp. 307-317. 1920; Y.B. Sep. 800, pp. 11. 1920.
  extension work of specialists, North and West. S.R.S. Rpt., 1918, pp. 110-111. 1919.
  features for profit. B.A.I.A.H. G-28, p. 8. 1919.
  in—
   Maine. News L., vol. 6, No. 48, pp. 7-8. 1919.
   New Jersey, Millville area. Soil Sur. Adv. Sh., 1917, p. 15. 1921; Soils F.O., 1917, p. 203. 1923.
   Porto Rico. H. C. Hendricksen. P.R. Cir. 19, pp. 22. 1921.
  income, relation to labor income of farm studies in eastern Pennsylvania. D.B. 341, pp. 42-43. 1916.
  increase and profits. F.B. 560, p. 25. 1913.
  instruction, needs of farm women, and publications. Rpt. 103, pp. 86, 95. 1915; Rpt. 104, pp. 73-75, 86, 95. 1915; Rpt. 105, pp. 74-75, 82. 1915; Rpt. 106, pp. 77-78, 85. 1915.
  labor saving methods. Sec. Cir. 122, pp. 12-14. 1918.
  on small lots in cotton-mill towns. D.B. 602, p. 8. 1918.

Poultry—Continued.
  keeping—continued.
    sanitation, suggestions for Porto Rico. P.R. Cir. 19, pp. 20-21. 1921.
    work of women on farm, disposal of profits. Y.B., 1914, p. 314. 1915; Y.B. Sep. 644, p. 314. 1915.
  killing—
    and bleeding for market. M. E. Pennington and H. M. P. Betts. Chem. Cir. 61, pp. 15. 1910.
    and dressing for market, methods. F.B. 183, pp. 20-21. 1903; F.B. 353, pp. 12-14. 1909; Y.B., 1912, pp. 287-288. 1913; Y.B. Sep. 591, pp. 287-288. 1913.
    plucking, and cooling. D.B. 467, p. 11. 1916.
    producers' methods. F.B. 1377, pp. 17-18. 1924.
  labor and feed requirements on farms in southwestern Minnesota. D.B. 1271, pp. 63-66. 1924.
  laws, State, for Massachusetts, 1906. Chem. Bul. 104, p. 33. 1906.
  lessons for rural schools. F.E. Heald. D.B. 464, pp. 34. 1916.
  lice—
    control—
      methods. F.B. 435, pp. 20-21. 1911.
      treatment, time, and method. F.B. 801, pp. 19-26. 1917.
    killers, liquid, dangers in use. B.A.I. Bul. 110, Pt. I, p. 18. 1909.
    mites, and cleanliness. D.C. 16, pp. 8. 1919.
  live—
    handling in shipping and feeding. B.A.I. Bul. 140, pp. 9-11. 1911.
    selection methods. News L., vol. 1, No. 17, p. 1. 1913.
    shipping, directions. F.B. 287, rev., p. 31. 1921; Y.B., 1912, p. 286. 1913; Y.B. 591, p. 286. 1913.
  management—
    G. Arthur Bell. B.A.I. An. Rpt., 1905, pp. 213-226. 1907; F.B. 287, pp. 48. 1907; F.B. 287, rev., pp. 39. 1921.
    and income on 160-acre hog forms in Indiana. F.B. 1463, pp. 14-15. 1925.
    at Maine Agricultural Experiment Station, methods. Raymond Pearl. F.B. 357, pp. 39. 1909.
    for improvement—
      instructions to produce dealers. Y.B., 1912, pp. 345-352. 1913; Y.B. Sep. 596, pp. 345-352. 1913.
    of market eggs. F.B. 517, p. 15. 1912.
    in Florida. News L., vol. 7, No. 43, p. 9. 1919.
    project, suggestions and references. S.R.S. Doc. 73, p. 6. 1917.
    raising, feeding, and housing. B.A.I. Bul. 90, pp. 16-42. 1906.
    school lesson. D.B. 258, p. 6. 1915.
    separation of sexes after hatching season. Y.B. 1911, p. 475. 1912; Y.B. Sep. 584, p. 475. 1912.
    suggestions to farmers. B.A.I. Bul. 141, pp. 42-43. 1911.
  manure—
    management and value, annual yield. D.B. 464, pp. 29-30. 1916.
    preparation and value. F.B. 384, pp. 5-6. 1910.
    production per 100 chickens, value and uses. B.A.I. Bul. 140, p. 51. 1911.
    value and use. F.B. 1044, p. 10. 1919.
  market—
    killing and bleeding methods. M. E. Pennington, and H. M. P. Betts. Chem. Cir. 61, pp. 15. 1910; Chem. Cir. 61, rev., pp. 12. 1915.
    statistics, stocks in storage. D.B. 982, p. 154. 1921.
  marketing—
    Rob R. Slocum. F.B. 1377, pp. 30. 1924.
    alive. D.B. 467, p. 10. 1916.
    by parcel post—
      advantages and methods. News L., vol. 5, No. 14, pp. 1, 3. 1917.
      preparation, classes and quality. F.B. 703, pp. 12-13. 1916.
    community work, advantages. Y.B. 1918, p. 113. 1919; Y.B. Sep. 778, p. 7. 1919.
    cooperation. D.C. 347, p. 19. 1925.

Poultry—Continued.
  marketing—continued.
    directions, B.A.I. An. Rpt., 1905, pp. 256-259. 1907; F.B. 182, pp. 16-18. 1903; Rpt. 98, pp. 130-131. 1913; S.R.S. Syl. 17, pp. 11-13. 1915.
    directions for wrapping heads. D.C. 52, folder. 1919.
    killing, dressing, packing, and shipping. F.B. 287, rev., pp. 30-31. 1921.
    school work on problems. S.R.S. Doc. 72, pp. 6-8. 1917.
    suggestions. S.R.S. Syl. 17, pp. 11-13. 1915.
    suggestions for club members. D.C. 18, p. 8. 1919.
  marking to determine age, suggestions. B.A.I. Bul. 141, pp. 27-28. 1911.
  mating for eggs for hatching. F.B. 1363, pp. 2-3. 1923.
  meat, misbranding. Chem. S.R.A. Sup. 3, p. 153. 1915.
  mites—
    and lice—
      F. C. Bishopp and H. P. Wood. F.B. 801, pp. 27. 1917.
      Nathan Banks. Ent. Cir. 92, pp. 8. 1907.
    description, habits, and control. D.C. 16, pp. 3-4, 6. 1919; F.B. 957, pp. 41-44. 1918; F.B. 1110, pp. 6, 9. 1920; News L., vol. 4, No. 40, p. 6. 1917; News L., vol. 5, No. 39, p. 7. 1918; Rpt. 108, pp. 59, 63-64, 78, 132, 133. 1915; S.R.S. Doc. 71, pp. 1-4. 1918.
    tropical, history and control. D.C. 79, pp. 3-8. 1920.
  need in South for meat supply. Sec. Cir. 56, p. 6. 1916.
  new breeds, explanation. Off. Rec., vol., 2, No. 41, p. 8. 1923.
  number(s)—
    and distribution on farm. Sec. [Misc.], Spec. "Geography * * * world's agriculture," p. 147. 1917.
    and value, January 1, 1920, graph and map Y.B., 1921, pp. 470, 487. 1922; Y.B. Sep. 878, pp. 64, 81. 1923.
    in world countries. Y.B., 1922, pp. 802-803. 1923; Y.B. Sep. 888, pp. 802-803. 1923.
    on farms, and outlook for 1924. M.C. 23, pp. 21-22. 1924.
    prices, and marketing, 1923. Y.B., 1923, pp. 1036-1048. 1924; Y.B. Sep. 903, pp. 1036-1048. 1924.
    nutritive value. D.B. 467, pp. 20-26. 1916.
    on farms, number, census 1910, by States, map. Y.B., 1915, p. 402. 1916; Y.B. Sep. 681, p. 402. 1916.
  one hundred hens on every farm. Sec. Cir. 107, pp. 1-24. 1918.
  opportunities for specialists, early hatching, increased production. Sec. Cir. 107, p. 17. 1918.
  packages, refrigerator cars, temperature records. D.B. 17, pp. 27-30. 1913.
  packed dry, advantages. News. L, vol. 5, No. 9, p. 7. 1917.
  packed in ice, injury and advice against purchase. News L., vol. 5, No. 9, p. 7. 1917.
  packing—
    and handling, methods. News L., vol. 3, No. 16, p. 1. 1915.
    centralization, comparison of industry with meat industry. News L., vol. 2, No. 11, p. 1. 1914.
    local establishments, importance to industry. News L., vol. 2, No. 11, p. 1. 1914.
  parasites, internal, description and control. Guam A.R., 1915, pp. 38-41. 1916.
  pasturing on alfalfa. F.B. 1229, p. 21. 1921.
  pests, method of avoiding. F.B. 801, p. 26. 1917.
  pox, description, cause, symptoms, and treatment. F.B. 957, pp. 13-15. 1918.
  precooling and fleshing for market. An. Rpts., 1916, pp. 196, 199. 1917; Chem. Chief Rpt., 1916, pp. 6, 9. 1916.
  preparation for market. F.B. 1105, pp. 7-8. 1920.
  price(s)—
    1908. An. Rpts., 1908, p. 15. 1909; Sec. A.R., 1908, p. 13. 1908.

Poultry—Continued.
price(s)—continued.
range, 1918. News L., vol. 6, No. 33, p. 14. 1919.
farm, city, and export, comparison. Stat. Bul. 101, pp. 70-71. 1913.
producers' shares. An. Rpts., 1910, pp. 21-22. 1911; Sec. A.R., 1910, pp. 21-22. 1910; Rpt. 93, p. 18. 1911; Y.B., 1910, p. 22. 1911.
wholesale, for live and dressed. Y.B., 1924, p. 443. 1925.
primer, illustrated. Harry M. Lamon and Jos. Wm. Kinghorne. F.B. 1040, pp. 28. 1919.
production—
1919, forecast and statistics. Y.B., 1919, pp. 11, 14, 28. 1920.
and value in United States, 1922. F.B. 1377, p. 2. 1924.
culling poor layers from flocks. News L., vol. 5, No. 52, p. 10. 1918.
decrease, 1911-1917. Sec. Cir. 107, pp. 5-6. 1918.
estimate of value for 1911. An. Rpts., 1911, p. 11. 1912; Sec. A.R., 1911, p. 9. 1911; Y.B., 1911, p. 9. 1912.
for food, increase, suggestions. News L., vol. 4, No. 52, p. 4. 1917.
in back yards, methods and profits. Sec. Cir. 107, pp. 12-13. 1918.
in California, Yuma experiment farm, increase. W.I.A. Cir. 12, p. 6. 1916.
increase—
1918 over 1917. News L., vol. 6, No. 41, p. 14. 1919.
Agriculture Department recommendation to farmers. News L., vol. 5, No. 23, pp. 1-2. 1918.
in South. News L., vol. 6, No. 43, pp. 2-3. 1919.
on the farm, and eggs, illustrated lecture. Harry M. Lamon. S.R.S. Syl. 17, pp. 22. 1915.
war, opportunity for general farmers. Sec. Cir. 107, pp. 6-7. 1918.
products—
annual food increase, methods. News L., vol. 4, No. 42, p. 1. 1917.
disposal and profits on successful farm. F.B. 355, pp. 39-40. 1909.
gain, 1910-1916. News L., vol. 4, No. 31, p. 2. 1917.
increased production and increased use on farms, value as war measure. Sec. Cir. 107, pp. 23-24. 1918.
market news reports, branch offices and work. Y.B., 1920, pp. 143-145. 1921; Y.B. Sep. 834, pp. 143-145. 1921.
marketing, 1924. B.A.E. Chief Rpt., 1924, pp. 27-31. 1924.
value per capita, 1899, 1909, 1915, report of Secretary. News L., vol. 4, No. 23, p. 1. 1917.
profits in Arizona. News L., vol. 6, No. 46, p. 13. 1919.
projects, organization and forms. D.B. 464, pp. 1-4, 30-32. 1916.
protection—
from crows. F.B. 1102, pp. 15, 16. 1920.
from rats. News L., vol. 6, No. 40, p. 7. 1919.
from rodents and other animals. F.B. 335, p. 28. 1908.
purebred—
increased value in market. News L., vol. 6, No. 40, p. 14. 1919.
stock and eggs distribution among farmers. Y.B., 1912, p. 349. 1913; Y.B. Sep. 596, p. 349. 1913.
utility. D.C. 235, pp. 14, 17. 1922.
quality and quantity. News L., vol. 6, No. 35. p. 13. 1919.
raisers—
amateur, suggestions. F.B. 237, pp. 22-25. 1905.
hints. G. Arthur Bell. B.A.I. Cir. 82, pp. 3. 1905.
hints. Harry M. Lamon. B.A.I. Cir. 206, pp. 5. 1912; F.B. 528, pp. 12. 1913.
raising—
care of baby chicks. Alfred R. Lee. F.B. 1108, pp. 8. 1920.

Poultry—Continued.
raising—continued.
costs and profits. News L., vol. 6, No. 52, p. 14. 1919.
economic aspects. Sec. Cir. 107, pp. 8-13. 1918.
in Alaska—
Kenai Peninsula region. Soil Sur. Adv. Sh., 1916, pp. 70, 111. 1919; Soils F.O., 1916, pp. 102, 143. 1921.
reconnaissance. Soil Sur. Adv. Sh., 1914, pp. 92, 167, 184. 1915; Soils F.O., 1914, pp. 126, 189, 201, 218. 1919.
in Arizona, Benson area. Soil Sur. Adv. Sh., 1921, pp. 253, 265, 270. 1924.
in bamboo grove. D.B. 1329, p. 19. 1925.
in Belgium. B.A.I. An. Rpt., 1900, p. 506. 1901.
in Brazil, breeds and prices. D.C. 228, p. 33. 1922.
in California—
Pajaro Valley. Soil Sur. Adv. Sh., 1908, p. 11. 1910; Soils F.O., 1908, p. 1337. 1911.
San Francisco Bay region. Soil Sur. Adv. Sh., 1914, pp. 27, 44. 1917; Soils F.O., 1914, pp. 2699, 2716. 1919.
upper San Joaquin Valley. Soil Sur. Adv. Sh., 1917, p. 31. 1921; Soils F.O., 1917, p. 2559. 1923.
in Guam—
1913, methods and varieties. Guam A.R., 1913, pp. 12-14. 1914.
progress, 1921. Guam A.R., 1921, pp. 5-7. 1923.
in Hawaii, egg production. Hawaii A.R., 1923, pp. 8, 12, 14. 1924.
in Indiana, White County. Soil Sur. Adv. Sh., 1915, p. 13. 1917; Soils F.O., 1915, p. 1457. 1919.
in Iowa—
Dallas County, importance. Soil Sur. Adv. Sh., 1920, p. 1161. 1924; Soils F.O., 1920, p. 1161. 1925.
Mills County. Soil Sur. Adv. Sh., 1920, p. 109, 112. 1923; Soils F.O., 1920, p. 109, 112. 1923.
Page County. Soil Sur. Adv. Sh., 1921, p. 356. 1924.
in Louisiana, Washington Parish. Soil Sur. Adv. Sh., 1922, p. 353. 1925.
in Maryland—
Charles County. Soil Sur. Adv. Sh., 1918, pp. 11, 46. 1922; Soils F.O., 1918, pp. 83, 118. 1924.
Frederick County. Soil Sur. Adv. Sh., 1919, pp. 9, 11, 45, 57, 79. 1922; Soils F.O., 1919, pp. 649, 651, 685, 697, 719. 1925.
in Massachusetts, Plymouth County. Soil Sur. Adv. Sh., 1911, pp. 15-16, 25. 1912; Soils F.O., 1911, pp. 41-42, 51. 1914.
in Missouri—
Carroll County. Soil Sur. Adv. Sh., 1912, pp. 13-14. 1914; Soils F.O., 1912, pp. 1641-1642. 1915.
Harrison County, value of products. Soil Sur. Adv. Sh., 1914, p. 13. 1916; Soils F.O., 1914, p. 1951. 1919.
Ozark region. D.B. 941, pp. 33-34. 1921.
Pike County. Soil Sur. Adv. Sh., 1912, p. 11. 1914; Soils F.O., 1912, p. 1717. 1915.
in Nebraska, Jefferson County. Soil Sur. Adv. Sh., 1921, p. 1451. 1925.
in Nevada, Newlands farm. D.C. 352, pp. 23-26. 1925.
in New Jersey—
Bernardsville area. Soil Sur. Adv. Sh., 1919, pp. 415, 416, 436, 445, 448, 453. 1923; Soils F.O., 1919, pp. 415, 416, 436, 445, 448, 453. 1925.
Chatsworth area. Soil Sur. Adv. Sh., 1919, pp. 475, 476. 1923; Soils F.O., 1919, pp. 475, 476. 1925.
in New York, Tompkins County. Soil Sur. Adv. Sh., 1921, p. 1573. 1924.
in Oregon, Multnomah County. Soil Sur. Adv. Sh., 1919, p. 53. 1922. Soils F.O., 1919, p. 53. 1925.
in Pennsylvania, Chester County, importance and extent of industry. D.B. 341, p. 22. 1916.

Poultry—Continued.
  raising—continued.
    in Texas—
      Denton County. Soil Sur. Adv., Sh., 1918, pp. 8, 11, 12, 27. 1922; Soils F.O., 1918, pp. 780, 783, 784, 799. 1924.
      Taylor County. Soil Sur. Adv. Sh., 1915, p. 11. 1918; Soils F.O., 1915, p. 1133. 1919.
    in Utah, Uinta River Valley area. Soil Sur. Adv. Sh., 1921, p. 1495. 1925.
    in Washington, Wenatchee area. Soil Sur. Adv. Sh., 1918, pp. 10, 14, 17. 1922; Soils F.O., 1918, pp. 1550, 1554, 1557. 1924.
    issuance of teachers' guide by States Relations Service. News L., vol. 5, No. 26, p. 4. 1918.
    lectures, and syllabus. O.E.S. Cir. 100, pp. 23–29, 42–46. 1911.
    making a start. F.B. 287, rev., p. 3. 1921.
    methods, intensive and colony, comparison. News L., vol. 1, No. 38, p. 2. 1914.
    on farm. D. E. Salmon. F.B. 141, pp. 16. 1901.
    suggestions. F.B. 237, pp. 22–25. 1905.
    suggestions for southern farmer. Sec. [Misc.] Spec. "Suggestions on poultry raising * * *," pp. 4. 1914.
    town and country, methods. F.B. 522, pp. 17–18. 1913.
  range for breeding stock. F.B. 1116, p. 8. 1920.
  rations, composition, balancing, and formulas. F.B. 1067, pp. 4–8. 1919.
  reduced prices, and causes. News L., vol. 4, No. 51, p. 3. 1917.
  refrigeration, studies. Y.B., 1912, pp. 288–289, 291–292. 1913; Y.B. Sep. 591, pp. 288–289, 291–292. 1913; Chem. Cir. 64, pp. 1–42. 1910.
  reproduction studies on dwarf eggs. J.A.R., vol. 6, No. 25, pp. 977–1042. 1916.
  requirements for 1919–20. Sec. Cir. 125, p. 20. 1919.
  roosting closets, discontinuance of use. F.B. 499, pp. 14–15. 1912.
  rotation feeds. News L., vol. 4, No. 30, p. 3. 1917.
  runts, causes and prevention. Y.B., 1920, pp. 235–237. 1921; Y.B. Sep. 841, pp. 235–237. 1921.
  safety in barberry eradication. D.C. 332, pp. 2, 4. 1925.
  sale by meat packers, with butter and eggs. B.A.I. Dairy [Misc.], "World's dairy congress, 1923," pp. 226–228, 230. 1924.
  sand utilization, experimental data. B.A.I. Bul. 56, pp. 71–73. 1904.
  scalding, unsatisfactory results on keeping qualities. Chem. Cir. 64, pp. 10, 30, 41. 1910.
  school lessons. D.B. 258, pp. 3–4, 6–7, 10, 13–14, 17–18, 22, 27, 28, 32–33. 1915.
  seasonal suggestions. F.B. 1202, pp. 4–49. 1921.
  selection—
    and preparation for exhibition. J. W. Kinghorne. F.B. 1115, p. 11. 1920.
    early laying a valuable indication. F.B. 357, p. 5. 1909.
    for breeding. D.B. 905, pp. 49–50, 62. 1920.
    for eggs and breeding, culling methods. News L., vol. 6, No. 5, p. 11. 1918.
    for table, cooking methods. News L., vol. 4, No. 24, p. 3. 1917.
    of flock, school lesson. D.B. 464, pp. 8–10. 1916.
  shipments, long transit, methods of record keeping, for investigations D.B. 17, pp. 5–13. 1913.
  shipping—
    crates and cars. B.A.I. Bul. 140, pp. 9–11. 1911.
    dry, advantages over ice-packed shipments. News L., vol. 5, No. 14, p. 5. 1917.
  show(s)—
    at county fairs, value to industry. Y.B., 1912, p. 348. 1913; Y.B. Sep. 596, p. 348. 1913.
    in New York City. Off. Rec., vol. 1, No. 5, p. 3. 1922.
    training, feeding, and care of exhibits. News L., vol. 5, No. 52, pp. 11–12. 1918.
    value, educational and commercial. B.A.I. An. Rpt., 1908, pp. 357–363. 1910.
  simple trap nest for. Alfred R. Lee. F.B. 682, pp. 3. 1915.

Poultry—Continued.
  situation. Sec. Cir. 107, pp. 24. 1918.
  sorghum seed as feed, value. F.B. 246, p. 35. 1906.
  specialty clubs, directory. Y.B., 1920, p. 513. 1921; Y.B. Sep. 866, p. 513. 1921.
  standard bred, advantages. F.B. 1111, p. 7. 1920.
  statistics—
    1922 prices, receipts and exports. Y.B., 1922, pp. 863–866, 956. 1923; Y.B. Sep. 888, pp. 863–866. 1923; Y.B. Sep. 880, p. 956. 1923.
    1924. Y.B., 1924, pp. 991–997, 1041, 1042. 1925.
    receipts and shipments, Boston and Indianapolis. Rpt. 98, p. 367. 1913.
  stock and poultry products, discussion. Y.B., 1902, pp. 296–303. 1903.
  storage and care in the home. F.B. 1374, p. 8. 1923.
  study courses in raising ducks, geese, and turkeys, suggestions. H. P. Barrows. S.R.S. Doc. 57, pp. 10. 1917.
  stuffing, nuts as ingredient. F.B. 332, p. 17. 1908.
  summer management, school lesson. D.B. 464, pp. 23–24. 1916.
  supply, need of increase. B.A.I. [Misc.], "More poultry needed * * *," pp. 4. 1918.
  table—
    breeding classes, desirability in poultry shows. B.A.I. An. Rpt., 1908, pp. 361–363. 1910.
    marks of age and sex. D.B. 467, pp. 16–17. 1916.
    taint by disinfectants. Off. Rec., vol. 4, No. 8, p. 3. 1925.
    testing for white diarrhea. S.R.S. Rpt., 1915, Pt. I, p. 146. 1917.
    thawing directions. D.B. 467; p. 16. 1916.
  tick. See Tick, fowl.
  tonic, adulteration and misbranding, N.J. 843. I. and F. Bd. S.R.A. 44, p. 1050. 1923.
  transportation and refrigeration. M. E. Pennington and others. D.B. 17, pp. 35. 1913.
  trap nest, construction details. S.R.S. Doc. 66, pp. 3. 1918.
  tuberculin testing. D.C. 249, p. 25. 1922.
  tuberculosis—
    increasing prevalence and danger. B.A.I. An. Rpt., 1908, p. 160. 1910.
    transmission to hogs. B.A.I. Chief Rpt., 1909, p. 38. 1909; An. Rpts., 1909, p. 228. 1910.
    transmission to mammals. B.A.I. An. Rpt., 1908, pp. 165–176. 1910.
  tuberculous, danger in use of flesh and eggs. B.A.I. An. Rpt., 1908, pp. 167–170, 175. 1910.
  use in control of—
    caterpillars in alfalfa fields. F.B. 1094, pp. 12, 16. 1920.
    grain insects, plowed land. F.B. 835, pp. 13, 17. 1917.
    uselessness in June beetle control. D.B. 891, p. 46. 1922.
    utilization in destruction of grasshoppers. F.B. 691, pp. 9, 13, 15. 1915.
  vaccination for chicken-pox, experiments. S.R.S. Rpt., 1915, Pt. I, pp. 57, 75, 180. 1917.
  value—
    1908. Y.B., 1908, p. 15. 1909.
    as livestock enterprise in Provo area. D.B. 582, p. 30. 1918.
    comparison to other livestock. B.A.I. An. Rpt., 1907, p. 358. 1909.
    in child's diet, restrictions. F.B. 717, p. 12. 1916.
    in control of cutworms. F.B. 739, p. 3. 1916.
    on a general farm. F.B. 325, p. 29. 1908.
  water pans, construction. F.B. 317, pp. 28–30. 1908.
  weight lost in dressing. D.B. 1052, pp. 20–21. 1922.
  wintering methods. News L., vol. 3, No. 20, p. 8. 1915.
  wire netting, grades and testing. Y.B., 1909, p. 291. 1910; Y.B. Sep. 513, p. 291. 1910.
  work—
    Animal Industry Bureau. B.A.I. Doc. A–11, pp. 8. 1916; B.A.I. An. Rpt., 1907, pp. 353–360. 1909.
    at Glenwood substation, Hawaii, experiments. Hawaii A.R., 1917, p. 9. 1918.

INDEX TO PUBLICATIONS, 1901–1925 — 1913

Poultry—Continued.
work—continued.
experiment stations, value to dealers and farmers. Y.B., 1912, pp. 350–351. 1913; Y.B. Sep. 596, pp. 350–351. 1913.
in Guam, 1915. Guam A.R., 1915, pp. 8–9, 16, 34–41. 1916.
in Hawaii, 1919, summary and report, and notes. Hawaii A.R., 1919, pp. 15, 54–55, 59, 68, 72. 1920.
of farm women, records, and returns. D.C. 148, pp. 11, 22. 1920.
of negro women and girls. D.C. 190, pp. 15, 17. 1921.
world conditions. Sec. Cir. 142, p. 26. 1919.
worms—
control methods. F.B. 530, pp. 31–33. 1913.
treatment with various remedies, effect. J.A.R., vol. 12, pp. 425, 428, 439, 442. 1918.
yards—
and fences, construction. F.B. 574, p. 2. 1914.
protection by pit traps. F.B. 896, p. 15. 1917.
See also Chickens; Ducks; Geese.
Poults—
blackhead symptoms. F.B. 1337, p. 19. 1923.
care and management. F.B. 791, pp. 18–20. 1917; Y.B. 1916, p. 415. 1917; Y.B. Sep. 700, p. 5. 1917.
mortality, causes, and control. F.B. 791, pp. 16–18. 1917.
Pourpartia axillaris, importation and description. No. 36164, B.P.I. Inv. 36, p. 61. 1915; No. 39136, B.P.I. Inv. 40, pp. 6, 81. 1917; No. 44519, B.P.I. Inv. 51, pp. 18–19. 1922.
Pouteria caimito. See Abieiro.
Poverty grass, analytical key and description of seedling. D.B. 461, pp. 6, 10. 1917.
"Poverty jaw," cattle, caused by twisted stomach worm. B.A.I. [Misc.], "Diseases of cattle," rev., p. 484. 1904; rev., p. 530. 1912; rev., p. 527. 1923.
Poverty weed—
alkali indicator, injurious spread in Oregon, Klamath area. Soil Sur. Adv. Sh., 1908, pp. 17, 43. 1910; Soils F. O. 1908, pp. 1385, 1411. 1911.
seeds, description. F. B. 428, pp. 27, 28. 1911.
Powder (s)—
absorbent, use in—
house cleaning. F. B. 1180, pp. 9, 13. 1921.
removal of stains from textiles. F. B. 861, p. 17. 1917.
antiseptic, for use in foot-rot, formula. B.A.I. Bul. 63, p. 38. 1905.
chicken lice, effectiveness for lice and dog flea control. D.B. 888, pp. 5, 11. 1920.
cleaning manufacturers, notice. I. and F. Bd. S.R.A. 17, pp. 295, 296. 1917.
condition for—
hog, formula. F.B. 379, p. 19. 1909.
stock, formulas. F.B. 430, p. 8. 1911.
explosive—
description, cost, and directions in stump removal. B.P.I. Cir. 25, pp. 13–14. 1909.
thawing, directions. For. Misc., 0–6, p. 38. 1915.
fly repellents. D.B. 131, pp. 8, 22, 23. 1914.
insecticide—
formulas. F.B. 908, pp. 16–17. 1918.
tests on various insects. D.B. 707, pp. 4–5, 9–11, 13, 23, 32. 1918.
Powder-post—
beetle—
control. Ent. A.R. 1921, p. 28. 1921.
description, habits, and principal species. F.B. 778, pp. 8–15. 1917.
history and characteristics. Ent. 20, Pt. III, pp. 111–138. 1911.
injuries to—
forest products, and control. Ent. Cir. 128, pp. 3, 6–9. 1910.
hickory lumber, and control. For. Cir. 187, p. 13. 1911.
lumber, extent and control. Ent. Bul. 58, pp. 66, 81, 82. 1910.
prey of *Tarsostenus univittatus.* J.A.R., vol. 29, pp. 49–51. 1924.
wood products, cause and prevention. J.A.R. vol. 6, No. 7, pp. 273–276. 1916.
temperatures fatal, determination. J.A.R., vol. 28, pp. 1033–1038. 1924.

Powder-post—Continued.
borers, description, life history and control. F.B. 1197: pp. 8–9, 10, 12. 1921.
damage by lyctus beetles to seasoned hardwood. A. D. Hopkins and T. E. Snyder. F.B. 778, pp. 20. 1917.
injury to—
lumber, prevention. Ent. Bul. 58, pp. 81, 82. 1910.
seasoned wood products. A. D. Hopkins. Ent. Cir. 55, pp. 5. 1903.
Powder, skin, acetanilid content, poisonous effects. Chem. Bul. 126, pp. 14, 16, 17, 40–41, 43, 44, and 45. 1909.
Powdered milk. See Milk, condensed.
Powdering, food, food and drugs act, Regulation 10. Sec. Cir. 21, rev., p. 7. 1922.
POWELL, E. C., report of Division of Publications (acting) Chief, 1923. An. Rpts., 1923, pp. 515–526. 1924. Pub. A.R., 1923, pp. 12. 1923.
POWELL, G. H.—
"Cold storage, with special reference to the pear and peach." With S. H. Fulton. B.P.I. Bul. 40, pp. 28. 1903.
"Cooperation in the handling and marketing of fruit." Y.B., 1910, pp. 391–406. 1911; Y.B. Sep. pp. 391–406. 1911.
"Italian lemons and their by-products. The Italian lemon industry." With E. M. Chace. B.P.I. Bul. 160, pp. 57. 1909.
"Relation of cold storage to commercial apple culture." Y.B., 1903, pp. 225–238. 1904; Y.B. Sep. 317, pp. 225–238. 1904.
report of Bureau of Plant Industry (acting) Chief; 1910. An. Rpts., 1910, pp. 279–362. 1911; B.P.I. Chief Rpt., 1910, pp. 92. 1910.
report of California Fruit Growers' Exchange. Rpt., 98, pp. 169–171. 1913.
"The apple in cold storage." With S. H. Fulton. B.P.I. Bul. 48, pp. 66. 1903.
"The California citrus industry, its organization and operation." Sec. [Misc.] "Organization * * * market service * * *," pp. 2–12. 1913.
"The decay of oranges while in transit from California." With others. B.P.I. Bul. 123. pp. 79. 1908.
"The handling of fruit for transportaton." Y.B., 1905, pp. 349–362. 1906. Y.B. Sep. 387, pp. 349–362. 1906.
"The status of the American lemon industry." Y.B., 1907, pp. 343–360. 1908; Y.B. Sep. 453, pp. 343–360. 1908.
"Top working orchard trees." Y.B., 1902, pp. 245–258. 1903; Y.B. Sep. 266, pp. 245–258. 1903
POWELL, OLA—
"Canning." With Mary E. Creswell. B.P.I. Doc. 631, rev., pp. 6. 1915.
"Canning, preserving, pickling." With Mary E. Creswell. S.R.S. Doc. 22, rev., pp. 16. 1919.
"Home canning of fruits and vegetables." With Mary E. Creswell. F.B. 853, pp. 42. 1917.
"Home demonstration bears fruit in the South." With O. B. Martin. Y.B., 1920, pp. 111–126. 1921; Y.B. Sep. 833, pp. 111–126. 1921.
"Peppers." With Mary E. Creswell. F.C.D. W.S. Cir. 1, pp. 8. 1915; S.R.S. Doc. 39, pp. 8. 1917.
"Sewing for girls' club work." D.C. 2, pp. 20. 1919.
POWELL, T. F.—
"Concentrating and storage in transit arrangements in transporting farm products." F.B. 672, pp. 15–16. 1915.
"Possibilities of a market-train service." With G. C. White. Y.B., 1916, pp. 477–487. 1917; Y.B. Sep. 701, pp. 11. 1917.
Powell National Forest, Utah, map. For. Map. 1924.
POWER, F. B.—
"Chemical examination of Chufa, the tubers of *Cyperus esculentus* Linné." With Victor K. Chesnut. J.A.R., vol. 26, pp. 69–75. 1923.
"Chemistry of chaulmoogra, hydnocarpus, and gynocardia oils." D.B. 1057, pp. 7–10. 1922.
"Examination of authentic grape juices for methyl anthranilate." With V. K. Chesnut. J.A.R., vol. 23, pp. 47–53. 1923.

Power—
  alcohol use in engines. Chem. Bul. 130, pp. 141–146. 1910.
  companies, proposals for Muscle Shoals. Off. Rec., vol 3, No. 6, p. 2. 1924.
  cost and utilization on farms where tractors are owned, in Ohio, Indiana, and Illinois, 1920. H. R. Tolley and L. A. Reynoldson. D.B. 997, pp. 61. 1921.
  development—
    on farm. Y.B., 1915, p. 108. 1916; Y.B. Sep. 660, p. 108. 1916.
    relation of soil erosion. Y.B., 1913, pp. 211–212. 1914; Y.B. Sep. 624, pp. 211–212. 1914.
  electric—
    and light from small streams. A. M. Daniels. Y.B., 1918, pp. 221–238. 1919; Y.B. Sep. 770, pp. 20. 1919.
    in the farm home, and light. A. M. Daniels. Y.B., 1919, pp. 223–238. 1920; Y.B. Sep. 799, 1919, pp. 223–238. 1920.
    rights of way, national forests, laws and decisions. Sol. [Misc.], "Laws * * * forest," pp. 83–84, 89–91. 1916.
    use in farm homes, discussion. Rpt. 104, pp. 30–34, 38. 1915.
  farm—
    advantages and disadvantages of kinds. D.B. 1348, pp. 46–50. 1925.
    annual use and cost. D.B. 1348, pp. 7–9. 1925.
    available, conveniences. F.B. 270, pp. 7–9. 1906.
    average required in horsepower-hours per acre, table. D.B. 1348, p. 60. 1925.
    costs per drawbar horsepower-hour, table. D.B. 1348, p. 70. 1925.
    demands, cost-of meeting and project outline. Sec. Cir. 149, p. 8. 1920.
    engine, sources and cost. F.B. 277, pp. 5–6. 1907.
    from small streams. A. N. Daniels and others. F.B. 1430, pp. 36. 1925.
    relation to labor requirements. D.B. 1348, pp. 17–42, 57–59. 1925.
    requirements, supply and cost. D.B. 1348, pp. 1–76. 1925.
    seasonal distribution. D.B. 1348, pp. 20–42. 1925.
    sources and uses, investigations. An. Rpts., 1923, pp. 486, 487. 1924; Rds. Chief Rpt., 1923, pp. 24, 25. 1923.
    United States, an appraisal. C. D. Kinsman. D.B. 1348, pp. 76. 1925.
    use of tractors for running machinery, and costs. F.B. 963, pp. 8, 9, 22. 1918; F.B. 1093, pp. 5, 12–13. 1920.
    utilization—
      factors affecting. D.B. 1348, pp. 42–45. 1925.
      in limestone grinding. Y.B., 1919, pp. 336, 339. 1920; Y.B., Sep. 814, pp. 336, 339. 1920.
    work, cost data. Y.B., 1921, pp. 805–807. 1922; Y.B. Sep. 876, pp. 2–4. 1922.
  horse and tractor, relation to farm size, and enterprises. Sec. Cir. 149, p. 8. 1920.
  horsepower-hours per acre required in various sections, table. D.B. 1348, p. 60. 1925.
  hydroelectric, development from mountain streams. M.C. 47, pp. 14–16. 1925.
  irrigation, in pumping from wells. F.B. 1404, p. 22. 1924.
  milking machine, cost. D.B. 423, p. 13. 1916.
  outfits, use in stump pulling. F.B. 974, pp. 24–25. 1918.
  plant(s)—
    government buildings, authorization. Sol. [Misc.], "Laws * * * applicable * * *," Sup. 2, pp. 8–10. 1915.
    in national forests, regulations. For. [Misc.], "The use book, 1908," pp. 43–45. 1908.
  presses for baling hay, important features, costs. F.B. 1049, pp. 8–12, 29–31. 1919.
  requirements—
    for ethyl alcohol production. D.B. 983, p. 67. 1922.
    in wheat production. D.B. 1198, pp. 5–10. 1924.
  selection for creameries. D.B. 747, pp. 28–31. 1919.
  sites, national forest reservations. For. [Misc.], "Laws * * * forest," p. 22. 1916.

Power—Continued.
  supply and use on farms, horsepower hours. D.B. 1348, pp. 10–14. 1925.
  threshing—
    machines, utilization and regulation. F.B. 991, pp. 4–5. 1918.
    outfit, selection and guide. Y.B., 1918, p. 253. 1919; Y.B. Sep. 772, p. 9. 1919.
    units, installations on farms. D.B. 1348, pp. 9, 53. 1925.
  water. See Water power.
Power Commission, Federal, issuance of power licenses in forests. D.C. 211, p. 20. 1922.
POWERS, RAY: "Commercial dehydration of fruits and vegetables." With others. D.B. 1335, pp. 40. 1925.
POWICK, W. C.—
  "Changes in fresh beef during cold storage above freezing." With others. D.B. 433, pp. 100. 1917.
  "Compounds developed in rancid fats, with observations on the mechanism of their formation." J.A.R., vol. 26, pp. 323–362. 1923.
  "The chemical composition of edible viscera from meat-producing animals." With Ralph Hoagland. J.A.R., vol. 28, pp. 339–346. 1924.
Poxte, Annona variety, importation and description. No. 40305, B.P.I. Inv. 42, pp. 7, 103. 1918.
Prairie—
  belt, central, in Alabama, location and description. N.A. Fauna 45, p. 8. 1921.
  chickens—
    destruction by hunters, need of protection. F.B. 497, pp. 6–7. 1912.
    distribution, value as game and as insect destroyer, and food habits. F.B. 497, pp. 5–7. 1912.
    feeding habits, slaughter and disappearance. Y.B., 1900, p. 432. 1901.
    hunting laws, Montana and Idaho. For. [Misc.], "Trespass on national * * *," p. 28. 1922.
    occurrence, in Arkansas, danger of extermination. Biol. Bul. 38, p. 34. 1911.
  dog(s)—
    black-tailed, descriptions and distribution. N.A. Fauna 40, pp. 12–23. 1916.
    control—
      cooperative campaigns. Y.B., 1917, p. 231. 1918; Y.B. Sep. 724, p. 9. 1918.
      methods and cost, and distribution maps. Biol. Chief. Rpt., 1915, pp. 2, 8. 1915; An. Rpts. 1915, pp. 234, 240. 1916.
      national forests by Biological Survey. For. A.R., 1913, p. 37. 1913; An. Rpts., 1913, p. 171. 1914.
    damage and control—
      1920. Y.B., 1920, pp. 422–432. 1921; Y.B. Sep. 855, pp. 422–432. 1921.
      1924. Biol. Chief Rpt., 1924, pp. 9–10. 1924.
    description, habits, and control. F.B. 932, pp. 15–17. 1918.
    destruction—
      campaigns. Biol. Chief Rpt., 1924, p. 10. 1924.
      directions for. C. Hart Merriam. Biol. Cir. 32, pp. 22. 1901; rev., pp. 2. 1902.
      in Wyoming, methods. Off. Rec., vol. 1, No. 6, p. 7. 1922.
      methods. F.B. 227, pp. 22–24. 1905.
    distribution, habits, food, pelages, and molts. N.A. Fauna 40, pp. 5–7, 9. 1916.
    eradication—
      1923, campaigns, acreage, cost, and saving. An. Rpts., 1923, pp. 427–429. 1924; Biol. Chief Rpt., 1923, pp. 9–11. 1923.
      1925. Biol. Chief Rpt., 1925, pp. 6–7. 1925.
    Gunnison—
      descriptions. N.A. Fauna 40, pp. 29–31. 1916.
      occurrence in Colorado, description. N.A. Fauna 33, pp. 95–97. 1911.
    habits and control. Y.B., 1916, pp. 392–393. 1917. Y.B. Sep. 708, pp. 12–13. 1917.
    injuries to—
      alfalfa and other crops, poisoning by strychnine. News L., vol. 5, No. 22, p. 6. 1917.
      farm products, destruction by poison bait. News L., vol. 4, No. 40, p. 11. 1917.

Prairie—Continued.
dog(s)—continued.
measurement tables. N.A. Fauna 40, pp. 34–36. 1916.
methods of destroying. N.A. Fauna 25, p. 90. 1905.
nomenclature, discussion. N.A. Fauna 40, pp. 7–9. 1916.
occurrence in—
Colorado, description. N.A. Fauna 33, pp. 94–98. 1911.
Wyoming. N.A. Fauna 42, pp. 16, 24, 33, 34. 1917.
of Great Plains. C. Hart Merriam. Y.B., 1901, pp. 257–270. 1902; Y.B. Sep. 227, pp. 13. 1902.
of Texas, distribution, habits, food, value as food. N.A. Fauna 25, pp. 89–92. 1905.
poisoning—
cost per acre. News L., vol. 4, No. 11, p. 4. 1916.
directions. Y.B., 1908, pp. 427–429. 1909; Y.B. Sep. 491, pp. 427–429. 1909.
in Colorado, 1918. News L., vol. 6, No. 21, p. 8. 1918.
systematic account. N. Hollister. N.A. Fauna 40, pp. 37. 1916.
white-tailed—
descriptions and distribution. N.A. Fauna 40, pp. 23–34. 1916.
occurrence in Colorado, description. N.A. Fauna 33, pp. 97–98. 1911.
Zuni, damage to range grasses. W. P. Taylor and J. V. G. Loftfield. D.B. 1227, pp. 16. 1924.
farm—
model, tree-planting plan. F.B. 228, pp. 14–15. 1905.
value by States. Y.B., 1923, p. 540. 1924; Y.B. Sep. 897, p. 540. 1924.
grass—
formation, Great Plains area, occurrence, discussion. B.P.I. Bul. 201, pp. 23–24, 54–62, 83, 84, 85. 1911.
hay, shrinkage, studies at experiment stations. D.B. 873, pp. 5–7. 1920.
hog pasture, value. B.P.I. Bul. 111, Pt. IV, pp. 17–19. 1907.
hay—
grades, official. F.B. 362, p. 24. 1909.
making and baling. F.B. 943, p. 28. 1918.
prices at main markets, monthly. S.B. 11, pp. 70–73. 1925.
prices to producers, monthly. S.B. 11, pp. 58–59. 1925.
value and use. Y.B., 1924, pp. 309–310. 1925.
hen—
conditions, past and present. Y.B., 1910, pp. 244, 245, 248, 253. 1911; Y.B. Sep. 533, pp. 244, 245, 248, 253. 1911.
destruction by crows. D.B. 621, pp. 34, 89. 1918.
distribution, general habits, and use for food. Biol. Bul. 24, pp. 10–18. 1905.
lesser, distribution, and habits. Biol. Bul. 24, pp. 19–20. 1905.
lands—
drained, southern Louisiana, run-off. Charles W. Okey. J.A.R., vol. 11, pp. 247–279. 1917.
Louisiana, formation, and description. O.E.S. An. Rpt., 1909, pp. 415–416. 1910.
northern—
farm, plan for location of windbreaks. For. Bul. 86, pp. 97–98. 1911.
forest planting. James M. Fetherolf. For. Cir. 145, pp. 26. 1908.
plains in western North Dakota, description, and drainage. Soil Sur. Adv. Sh., 1908, pp. 8–10, 71–79. 1910; Soils F.O., 1908, pp. 1156–1158, 1225–1227. 1911.
reservoirs, discussion. O.E.S. Bul. 179, pp. 24–82. 1907.
rice, in Gulf region, location, climate, and soils. F.B. 1092, pp. 3–5. 1920.
sod, crops at Akron (Colo.) Experiment Station. D.B. 1304, p. 24. 1925.
soils—
and vegetation, studies. J.A.R., vol. 24, pp. 104, 164. 1923.

Prairie—Continued.
soils—continued.
residual, location, character, and agricultural value, by series. Soils Bul. 55, pp. 164–168. 1909.
Texas, fauna, flora, and soil. N.A. Fauna 25, pp. 18, 19, 89. 1905.
Texas, south, change of vegetation. O.F. Cook. B.P.I. Cir. 14, pp. 7. 1908.
wet, of Texas, pure stand of loblolly pine, tables. For. Bul. 64, pp. 9–11. 1905.
Prairie states, northern, wheat varietal experiments and results. D.B. 400, pp. 9–15, 39. 1916.
PRATAPAS, D. B.: "Soil survey of—
Erath County, Texas." With others. Soil Sur. Adv. Sh., 1920, pp. 371–408. 1923; Soils F.O., 1920; pp. 371–408. 1925.
St. Louis County, Mo." With H. H. Krusekopf. Soils F.O., 1919, pp. 517–562. 1925; Soil Sur. Adv. Sh., 1919, pp. 517–562. 1923.
Pratia montana, importation and description. No. 47764, B.P.I. Inv. 59, p. 56. 1922.
PRATT, D. S.—
"A modification in the determination of malic acid." Chem. Cir. 87, pp. 2. 1911.
"Determination of citric acid." Chem. Cir. 88, pp. 7. 1912.
PRATT, F. C.—
"Catalogue of the exhibit of economic entomology at the Louisiana Purchase Exposition, St. Louis, Mo., 1904." With E. S. G. Titus. Ent. Bul. 47, pp. 155. 1904.
"Notes on Punkies." Ent. Bul. 64, Pt. III, pp. 23–28. 1907.
"Notes on the pepper weevil." Ent. Bul. 63, Pt. V, pp. 55–58. 1907.
"The principal cactus insects of the United States." With others. Ent. Bul. 113, pp. 71. 1912.
PRATT, H. A.—
"Dietary studies at the Government Hospital for the Insane, Washington, D. C." With R. D. Milner. O.E.S. Bul. 150, pp. 170. 1904.
"Dietary studies in public institutions in Baltimore." With others. O.E.S. Bul. 223, pp. 15–98. 1910.
PRATT, H. E., report on Alaska Kodiak Livestock and Breeding Station—
1917. Alaska A.R., 1917, pp. 72–81. 1919.
1918. Alaska A.R., 1918, pp. 84–90. 1920.
PRATT, O. A.—
"A western field rot of the Irish potato tuber caused by *Fusarium radicicola*." J.A.R., vol. 6, No. 9, pp. 297–310. 1916.
"Control of the powdery dry-rot of western potatoes caused by *Fusarium trichothecioides*." J.A.R., vol. 6, No. 21, pp. 817–832. 1916.
"Experiments with clean seed potatoes on new land in southern Idaho." J.A.R., vol. 6, No. 15, pp. 573–575. 1916.
"Soil fungi in relation to diseases of the potato in southern Idaho." J.A.R., vol. 13, pp. 73–100. 1918.
PRATT, R. W.: "The disinfection of sewage effluents for the protection of public water supplies." With others. B.P.I. Bul. 115, pp. 47. 1907.
Prays citri, injuries to citrus blossoms, control. D.B. 134, pp. 22, 25, 26. 1914.
PREBLE, E. A.—
"A biological investigation of the Athabaska-Mackenzie region." N.A. Fauna 27, pp. 574. 1908.
"A biological investigation of the Hudson Bay region." N.A. Fauna 22, pp. 140. 1902.
"Birds and mammals of the Pribilof Islands, Alaska." With W. L. McAtee. N.A. Fauna 46, Pt. I, pp. 128. 1923.
explorations in Athabaska-Mackenzie region, 1907. N.A. Fauna 27, p. 85. 1906.
"Report on condition of elk in Jackson hole, Wyoming, in 1911." Biol. Bul. 40, pp. 23. 1911.
Precipitates, ignition without use of blast lamp. Percy H. Walker and J. B. Wilson. Chem. Cir. 101, pp. 8. 1912.
Precipitation—
agency in spread of blister rust in Pacific Northwest. J.A.R., vol. 30, pp. 603–604. 1925.
and evaporation in Texas. O.E.S. Bul. 158, pp. 319–321. 1905.

Precipitation—Continued.
and temperature, diagrams and tables. Y.B. 1900, p. 720. 1901.
annual—
average—
1917, map. Atl. Am. Agr. Adv. Sh. 1. 1917.
1921. Y.B. 1921, p. 418. 1922; Y.B. Sep. 878, p. 12. 1922.
number of days, for United States. W.B. [Misc.], "Average annual number * * *." chart. 1915.
chart. Y.B., 1923, p. 132. 1924.
in Russia, Siberia, and Northwestern States. D.B. 428, p. 5. 1917.
in United States, 1872-1907. W.B. Abs. D. 3, pp. 17.
in United States, 1913. Soils Bul. 92, p. 8. 1913.
world map. Y.B., 1924, p. 464. 1925.
at San Antonio experiment farm, 1907-1915. W.I.A. Cir. 10, pp. 2, 3. 1916.
at San Francisco, tables. Y.B., 1902, pp. 192-197. 1903.
at Williston Experiment Station, 1879-1914. D.B. 270, pp. 3-6, 35. 1915.
available in Colorado, 1911, determination by soil sampling, experiments. B.P.I. Bul. 284, pp. 41-42, 48. 1913.
by States, average, and departure from normal, 1903, 1904, 1905. B.P.I. Bul. 216, pp. 60-63. 1911.
daily normal, and the temperature of the United States. Frank Hagar Bigelow. W.B. Bul. R, pp. 186. 1908.
data for forest stations, central Rocky Mountains. D.B. 1233, pp. 115-120. 1924.
in—
Alabama and Mississippi, 1902-1909. Rpt. 96, p. 34. 1911.
Alaska, 1915. S.R.S. Rpt., 1915, pp. 7, 13, 22, 43, 44, 54-57, 69-70, 71-72, 76, 94-100. 1916.
Pomona Valley, Calif., mean monthly, 1883-84 to 1908-9. O.E.S. Bul. 236, pp. 11-14. 1911.
central Rocky Mountains, variations and relations. D.B. 1233, pp. 76-78, 115-120, 138-140. 1924.
coastal plain region, 1902-1907. B.P.I. Bul. 194, pp. 11-16. 1911.
Crater National Forest, uses. For. Bul. 100, pp. 7-9. 1911.
Great Basin. B.P.I. Bul. 103, pp. 16-21. 1907.
Great Basin region, notes and tables. D.B. 61, pp. 3, 9, 10, 71-72. 1914.
Great Plains area, 1907-1914. D.B. 214, p. 5. 1915.
high altitudes, measurement. An. Rpts., 1916, pp. 52-53. 1917; W.B. Chief Rpt., 1916, pp. 4-5. 1916.
New Mexico. D.B. 211, pp. 3-5. 1915.
Panhandle region, Texas. W.B. Abs. D. 1, pp. 2. 1908.
southeastern Wyoming. D.B. 1315, p. 3. 1925.
western Kansas. W.B. Abs. D. 2, pp. 6. 1907.
western United States. B.P.I. Bul. 188, pp. 32-66. 1910.
influence in sugar-beet growing. Chem. Bul. 96, pp. 52-54. 1905; D.B. 995, pp. 19, 22-24. 1921.
normal—
in inches, five charts. W.B. [Misc.], "Climatic charts of U. S.," pp. 7-12. 1904.
annual, in inches, for United States—
1890-1901. W.B. [Misc.], "Normal annual precipitation * * *." Chart. 1909.
to 1915. W.B. [Misc.], "Normal annual precipitation * * *." Chart. 1915.
January, for United States. W.B. [Misc.], "Normal January temperature * * *." Chart. 1915.
range and amount, various countries. Y.B., 1915, p. 323. 1916; Y.B. Sep. 680, p. 323. 1916.
reaction, glanders diagnosis. B.A.I. Cir. 191, pp. 360-364. 1912. B.A.I. An. Rpt., 1910, pp. 360-364. 1912.
recording device, discussion. O. L. Fassig. W.B. Bul. 31, pp. 213-214. 1902.
records—
1895-1914 and other periods. Atlas Am. Agr. Adv. Sh. Pt. II, Sec. A, pp. 5-44. 1922.

Precipitation—Continued.
records—continued.
1902, diagrams and charts, average departures. Y.B. 1902, pp. 693-711. 1903.
1906-1909, Great Plains area. B.P.I. Bul. 187, pp. 72-74. 1910.
1911. Y.B., 1911, pp. 509, 510, 511, 512, 513, 514. 1912.
for various States, counties, and areas. See Soil surveys.
relation to—
crop yields, Akron Field Station, 1908-1923. D.B. 1304, pp. 2-4. 1925.
ostrich industry. B.A.I. An. Rpt., 1909, p. 233. 1911; B.A.I. Cir. 172, p. 233. 1911.
stream-flow at Cincinnati. W.B. Bul. 40, pp. 1-40. 1912.
wheat growing. Y.B. 1921, pp. 107-108. 1922; Y.B. Sep. 873, pp. 107-108. 1922.
yield of corn. J. Warren Smith. Y.B., 1903, pp. 215-224. 1904; Y.B. Sep. 302, pp. 215-224. 1904.
statistics—
1912-1923. Y.B., 1923, pp. 1210-1222. 1924; Y.B. Sep. 906, pp. 1210-1222. 1924.
1913-1924. Y.B., 1924, pp. 1218-1229. 1925.
January-December, 1922, reports, by States. Y.B., 1922, pp. 1033-1044. 1923; Y.B. Sep. 887, pp. 1033-1044. 1923.
See also Rainfall.
Precipitators, electrical, use in recovery of potash from dust fumes. Y.B., 1916, p. 303. 1917; Y.B. Sep. 717, p. 3. 1917.
Precooling—
Bartlett pears, investigations, Rogue River Valley, Oreg. B.P.I. Cir. 114, pp. 19-24. 1913.
berries, investigations. An. Rpts., 1923, p. 272. 1924; B.P.I. Chief Rpt., 1923, p. 18. 1923.
celery, advantage in long distance shipment. F.B., 1269, p. 17. 1922.
cherries and prunes, experiments in Oregon, 1911, 1913. D.B. 331, pp. 2-4, 9-13, 20-26. 1916.
citrus fruits. D.B. 63, pp. 45-46, 50. 1914; F.B. 696, pp. 25-27. 1915.
discussion by fruit growers. Off. Rec., vol. 2, No. 7, p. 6. 1923.
experiments—
in Florida. D.B. 601, pp. 4-6. 1917.
with red raspberries, at Puyallup, 1911, 1912. D.B. 274, pp. 27-32, 34-35, 36, 37. 1915.
fruit(s)—
A. V. Stubenrauch and S. J. Dennis. Y.B., 1910, pp. 437-448. 1911; Y.B. Sep. 550, pp. 437-448. 1911.
effect on keeping quality, tests. D.B. 830, pp. 1-6. 1920.
for shipment, object, and value. B.P.I. Bul. 123, pp. 52-57. 1908.
for shipment, studies. B.P.I. An. Rpts., 1912, pp. 450, 451. 1913; B.P.I. Chief Rpt., 1912, pp. 70, 71. 1912.
for transportation. Y.B., 1909, pp. 373-374. 1910; Y.B. Sep. 520, pp. 373-374. 1910.
plants, types, and description. Y.B., 1910, pp. 442-448. 1911.; Y.B. Sep. 550, pp. 442-448. 1911.
oranges, prevention of decay in transit, experiments. B.P.I. Bul. 123, pp. 49-50. 1908.
plant, portable, description. Y.B., 1910, p. 440. 1911; Y.B. Sep. 550, p. 440. 1911.
use in prevention of diseases of stone fruits. F.B. 1435, p. 14. 1924.
value in handling and shipping eggs. News L., vol. 5, No. 44, p. 6. 1918.
See also Refrigeration; Cold storage.
Predatory animals—
control. 1916. Y.B., 1916, pp. 29-30. 1917.
control, 1924. Y.B., 1924, p. 79. 1925; Sec. A.R. 1924, pp. 78-79. 1924.
danger to reindeer. D.B. 1089, p. 52. 1922.
destruction, annual livestock saving to ranchers, and value of hides sold. News L., vol. 6, No. 7. p. 6. 1918.
occurrence in Wyoming. N.A. Fauna 42, pp. 34, 43, 48, 51. 1917.
relation to sheep husbandry. Y.B., 1914, p. 321. 1915; Y.B. Sep. 645, p. 321. 1915.
See also Animals, wild.

Pregnancy—
    cows, signs, duration, and hygienic treatment.
        B.A.I. [Misc.], "Diseases of cattle" rev., pp.
        154–158. 1904; rev., pp. 157–161. 1912; rev., pp.
        157–160. 1923.
    mare, indications and duration. B.A.I. [Misc.],
        "Diseases of the horse," pp. 154–155. 1903; rev.,
        pp. 154–155. 1907; rev., pp. 154–155. 1911; rev.,
        pp. 175–177. 1923.
Preissnitz bandage, description. B.A.I. [Misc.],
    "Diseases of cattle," rev., p. 267. 1904; rev., p. 275.
    1912; rev., p. 270. 1923.
Preisz bacillus, cause of caseous lymphadenitis.
    F.B. 1155, p. 14. 1921.
Premaxillary bone, horse, fractures, symptoms,
    and treatment. B.A.I. [Misc.], "Diseases of
    the horse," p. 312. 1903; rev., p. 312. 1907; rev., p.
    312. 1911; rev., p. 336. 1923.
Premiums—
    boys' corn clubs, list, and award rules. B.P.I.
        Doc. 644, rev., pp. 4–6, 8–9. 1913.
    club work, suggestions. B.P.I. Doc. 803, p. 11.
        1913.
    community fairs, kinds, value, and basis on which
        awarded. F.B. 870, pp. 8–9. 1917.
    for remedies for the plum curculio. Ent. Bul. 103,
        pp. 167–168. 1912.
    insurance on hail losses paid, 1890–1919, and special
        problems. D.B. 912, pp. 24–32. 1920.
    livestock exhibits. F.B. 822, pp. 7–8. 1917.
    use in exhibits of flowers, fruits, and vegetables.
        D.C. 62, pp. 32–33. 1919.
Premna—
    microphylla, importation and description. No.
        41260, B.P.I. Inv. 44, p. 56. 1918.
    odorata, importation and description. No. 35453,
        B.P.I. Inv. 35, p. 47. 1915.
Premnotrypes solani—
    description. J.A.R., vol. 12, pp. 601–602. 1918.
    description, and injury to potatoes. J.A.R.,
        vol. 1, pp. 348–349, 352. 1914.
Prenolepis—
    imparis, boll weevil enemy. Ent. Bul. 100, pp. 41,
        73. 1912; Ent. Bul. 114, p. 140. 1912.
    longicornis, injury to vegetable seeds in Porto Rico,
        description. D.B. 192, p. 10. 1915.
    spp. See Ants, house.
Preoviposition period of the house fly, Musca
    domestica, notes on. R. H. Hutchison. D.B. 345,
    pp. 14. 1916.
Prepotency—
    animals, discussion and examples. F.B. 1167,
        pp. 11–16. 1920.
    heredity in livestock. D.B. 905, pp. 34–36. 1920.
PRESCOTT, S. C.: "Relation of dehydration to agri-
    culture." Sec. Cir. 126, pp. 11. 1919.
Prescription—
    compounding, regulations. Chem. Bul. 98, rev.,
        Pt. I, pp. 30–31, 35, 38, 42–44, 53, 58, 60, 65–66,
        69–70, 77–78, 85, 98, 108, 112, 125, 133, 135, 144,
        147, 152–153, 166, 179–180, 185, 187, 189, 193, 195,
        203, 210, 214, 219, 225, 237–238, 244–247, 250–252,
        257, 260, 279–280, 291, 292, 295, 303, 305, 307, 308,
        312–314, 319–320, 325–329, 332, 337–339. 1909.
    frauds, patent and proprietary medicines, warning
        by Agriculture Department. News L., vol. 1,
        No. 16, pp. 3–4. 1913.
    1,000, external, misbranding. See Indexes, Notices
        of Judgment, in bound volumes, of Chemistry
        Service and Regulatory Announcements.
    physicians' entering interstate commerce, status.
        F.I.D. 57. Chem. F.I.D. 54–59, pp. 4–5. 1907.
Preservation—
    timber. See Timber preservation.
    vegetables, by fermentation and salting. L. A.
        Round and H. L. Lang. F.B. 881, pp. 15. 1917.
    wood—
        in the United States. W. F. Sherfesee. For.
            Bul. 78, pp. 31. 1909.
        methods for use on farms, and cost. F.B. 744,
            pp. 1–32. 1916.
Preservative(s)—
    absorption by wood, measurement. For. Bul.
        118, pp. 27–35. 1912.
    analysis, report of referee. Chem. Bul. 116, pp.
        12–16. 1908; Chem. Bul. 132, pp. 138–149. 1910.
    and artificial colors, influence on health and diges-
        tion. H. W. Wiley and others. Chem. Bul.
        84, pp. 1500. 1908.

Preservative(s)—Continued.
    canning, objections to use. S.R.S. Doc. 17, p. 4.
        1915.
    chemical—
        presence in food. Chem. Bul. 90, pp. 45–64.
            1905.
        use in apple juice, law prohibition. F.B. 1264,
            p. 5. 1922.
        use in milk, effects. F.B. 363, pp. 17–18, 43.
            1909.
    coatings for steel and iron. Rds. Bul. 35, pp.
        15–34. 1909.
    crossties, analyses. For. Bul. 126, pp. 80–92.
        1913.
    danger in use in home canning. S.R.S. Doc. 80,
        rev., p. 6. 1919.
    detection—
        and determination in food. Chem. Bul. 107,
            pp. 179–189. 1907.
        in canned meat, methods. Chem. Bul. 13,
            Pt. X, pp. 1403–1411. 1902.
        in milk and cream. B.A.I. Doc. A–7, pp. 34–35.
            1916; B.A.I. Doc. A–12, pp. 38–39. 1917.
    experiments, with tomato ketchup. Chem. Bul.
        119, pp. 22–28. 1909.
    food, determination, provisional, methods. Asso-
        ciation Official Agricultural Chemists, 1905.
        Chem. Cir. 28, pp. 13. 1906.
    food. See also Food preservatives.
    in fruit products, detection and discussion.
        Chem. Bul. 66, rev., pp. 22–23, 34–35. 1905.
    in milk—
        determination. D.B. 1, p. 34. 1913.
        detection, methods, A.O.A.C. report, 1903.
            Chem. Bul. 81, pp. 25–26. 1904.
        effect on catalase production. B.A.I. An. Rpt.
            1911, pp. 204–205. 1913.
    in sausages. F.I.D. 34, pp. 2. 1905.
    laws, State—
        1905. Chem. Bul. 69, rev., Pts. I–IX, pp. 62,
            145, 193, 211, 278, 317, 443, 455, 521, 540–541, 566,
            587, 595, 617, 631, 656, 687, 692, 702. 1905–1906.
        1907. Chem. Bul. 112, Pt. I, pp. 21, 24, 27, 57,
            113. 1908; Chem. Bul. 112, Pt. II, pp. 60, 90,
            106, 129, 145. 1908.
        1908. Chem. Bul. 121, pp. 36, 48, 67. 1909.
    meat. See Meat preservative.
    report of referee. Chem. Bul. 81, p. 31. 1904;
        Chem. Bul. 99, pp. 85–89. 1906; Chem. Bul.
        116, pp. 12–16. 1908; Chem. Bul. 122, pp. 64–78.
        1909; Chem. Bul. 137, pp. 108–118. 1911; Chem.
        Bul. 152, pp. 167. 1912; Chem. Bul. 162, pp.
        135–138, 164. 1913.
    road, investigations, roads office, 1909. An. Rpts.
        1909, pp. 712, 735. 1910; Rds. Chief Rpt., 1909,
        pp. 4, 27. 1909.
    treatment, farm timbers. George M. Hunt.
        F.B. 744, pp. 32. 1916.
    unnecessary in canning fruits and vegetables.
        S.R.S. Doc. 17, p. 5. 1915.
    use in—
        crosstie preservation, list. For. Bul. 126, pp.
            11–18. 1913; For. Cir. 209, pp. 6–25. 1912.
        experimental dipping of red-oak blocks, kinds,
            and chemical content. D.B. 1037, pp. 47–48.
            1922.
    fish industry. Chem. Bul. 133, pp. 39–40. 1911.
    foodstuffs in the United Kingdom, report of
        committee. Chem. Bul. 143, pp. 14–16. 1911.
    meats. An. Rpts., 1908, pp. 220, 247. 1909;
        B.A.I. Chief Rpt., 1908, pp. 6, 33. 1908.
    wood. See Wood preservatives.
Preserved—
    egg, whole, adulteration. Chem. N.J. 508, pp. 5.
        1910.
    fruits, recipes, use of honey. F.B. 653, pp. 24–25.
        1915.
    meats, adulteration. Chem. Bul. 13, Pt. X, p.
        1–375. 1902.
Preserves—
    adulteration and misbranding. See Notices of
        judgment in bound volumes of Chemistry Service
        and Regulatory Announcements.
    blackberry, adulteration, and misbranding.
        Chem. N. J. 701, p. 1. 1910.
    canned fruit and jellies, household methods of
        preparation. Maria Parloa. F.B. 203, pp. 31.
        1905.

Preserves—Continued.
  canning directions. F.B. 839, pp. 22, 30. 1917.
  care in the home. Thrift Leaf. 13, p. 4. 1919.
  cherry and strawberry recipes. S.R.S. Doc. 12, p. 4. 1917.
  compound—
    and jams, misbranding. Chem. N.J. 1756, pp. 1-2. 1912.
    tomato and plum, misbranding. Chem. N.J. 1584, pp. 1-2. 1912.
  currant, misbranding, glucose. Chem. N.J. 1081, p. 1. 1911.
  danger from zinc corrosion. News L., vol. 6, No. 3, p. 3. 1918.
  fig, directions. F.B. 1031, p. 42. 1919.
  household methods of preparation, with canned fruit and jellies. Maria Parloa. F.B. 203, pp. 31. 1905.
  laws. See Foods.
  lesson outlines for first year, and correlative studies. D.B. 540, p. 15. 1917.
  litchi, directions for making. Hawaii Bul. 44, pp. 14-15. 1917.
  manufacture from rotundifolia grapes. B.P.I. Bul. 273, p. 39. 1913.
  misbranding—"L. P. C." brand. Chem. N.J. 952, p. 1. 1911.
  muscadine grapes, directions for making. F.B. 859, pp. 19-20. 1917; F.B. 1454, pp. 16-17. 1925.
  nut, use as food. F.B. 332, p. 20. 1908.
  peach—
    adulteration and misbranding. Chem. N.J. 700, pp. 1-12. 1910.
    and apple, adulteration and misbranding, glucose. Chem. N.J. 1038, p. 1. 1911.
  persimmon, recipe. F.B. 685, p. 24. 1915.
  raspberry, adulteration and misbranding. Chem. N.J. 12834. 1925.
  standards. Chem. Bul. 69, rev., Pts. I–IX, pp. 171, 212, 319, 443, 456, 545, 562. 1905-6.
  strawberry—
    adulteration and misbranding. Chem. N.J. 13537. 1925.
    directions and recipes. F.B. 1026, pp. 37-39. 1919; F.B. 1027, pp. 26-27. 1919; F.B. 1028, pp. 47-48. 1919.
  tomato, recipe. F.B. 521, p. 18. 1913.
  use—
    and value of sugar. F.B. 535, pp. 27-29. 1913.
    in cheese salads. F.B. 487, p. 34. 1912.
  See also Fruit products.
Preserves, game—
  establishment, 1917. F.B. 910, pp. 6-7. 1917.
  private, and their future in the United States. T.S. Palmer. Biol. Cir. 72, pp. 11. 1910.
Preserving—
  and canning, utensils. F.B. 203, pp. 9-11. 1905.
  canning and pickling. Mary E. Creswell and Ola Powell. S.R.S. Doc. 22, rev., pp. 16. 1919.
  chemicals, natural occurrence in fruits. Chem. Bul. 90, pp. 60-62. 1905.
  directions for club members. S.R.S. Doc. 22, pp. 10-12. 1916.
  effects of high pressure on fruit juices, experiments. O.E.S. An. Rpt., 1910, pp. 81, 258. 1911.
  eggs—
    directions and references. S.R.S. Syl. 17, p. 20. 1916.
    for home use. S.R.S. Doc. 75, p. 2. 1918; S.R.S. Syl. 17, p. 20. 1915.
    in water-glass. F.B. 296, pp. 29-31. 1907; F.B. 830, pp. 5-6. 1917.
    methods. D.B. 471, pp. 21-24. 1917.
    poultry club work. D.C. 15, pp. 1-8. 1919.
  food products, Hawaii. Hawaii A.R., 1919, pp. 13, 41. 1920.
  fruit, recipes. F.B. 203, pp. 20-21. 1905; S.R.S. Doc. 22, rev., pp. 11-13. 1919.
  fruits and vegetables, experiments in Hawaii. Hawaii A.R., 1920, p. 13. 1921.
  juices of fruit. Off. Rec., vol. 4, No. 42, p. 6. 1925.
  mushrooms, wild. F.B. 342, pp. 27-29. 1909.
  powders—
    so-called. F.B. 359, p. 8. 1910.
    uselessness and danger in use. News L., vol. 3, No. 5, p. 7. 1915.
  principles, and directions. F.B. 853, pp. 33-36. 1917.

Preserving—Continued.
  sweet potatoes, methods. F.B. 169, pp. 25-26. 1903.
  vegetables, methods, and studies. O.E.S. Bul. 245, pp. 81-86. 1912.
Preservol, tests as wood preservative. D.B. 145, pp. 9-20. 1915.
President—
  control of national forests, authority. Sol. [Misc.], "Laws * * * forest," pp. 9, 10, 22, 23, 95. 1916.
  letter appointing National Committee of Conservation, June 8, 1908. For. Cir. 157, pp. 21-24. 1908.
  message on revision of reclamation laws. Off. Rec., vol. 3, No. 18, p. 2. 1924.
  proclamation—
    in regard to licensees of stockyards. Sec. Cir. 116, pp. 13-14. 1918.
    of license system for farm-implement industry. News L., vol. 5, No. 43, pp. 1, 4, 5-6. 1918.
    of treason. News L., vol. 4, No. 40, p. 5. 1917.
    on migratory bird treaty. Biol. S.R.A. 27, pp. 1-11. 1919.
    on migratory bird treaty act. Biol. S.R.A. 25, pp. 1-4. 1918.
  transmission of reorganization chart. Off. Rec. vol. 2, No. 9, p. 1. 1923.
President Coolidge, speech on Budget. Off. Rec., vol. 3, No. 30, pp. 1-2, 5. 1924.
President Harding—
  message on agriculture. Off. Rec., vol. 1, No. 52, p. 1. 1922.
  speech on Budget. Off. Rec., vol. 2, No. 26, pp. 1-2, 5. 1923.
President Wilson—
  fertilizer regulations, promulgation. Sec. Cir. 145, pp. 1-4. 1919.
  proclamation—
    and statement on wheat price. News L., vol. 5, No. 31, pp. 1-2. 1918.
    on protection of migratory birds. Biol. S.R.A. 11, pp. 6. 1916; F.B. 692, pp. 19-23. 1915.
    setting aside Pisgah National Game Preserve. D. C. 161, pp. 10-11. 1921.
Presoak, seed treatment to prevent injury by chemicals, etc. J.A.R., vol. 19, pp. 363-392. 1920.
Press(es)—
  cheese, screw-type and home-made, description. F.B. 1191, pp. 14, 15. 1921.
  cotton, description and use. F.B. 764, pp. 15-16. 1916; F.B. 764, rev., pp. 18-20, 27. 1917.
  cotton, description of kinds. F.B. 1465, pp. 16-18. 1925.
  for cider making, kinds, descriptions, and use. F.B. 1264, pp. 17-26. 1922.
  grape, homemade, directions. F.B. 758, pp. 4-6. 1916. F.B. 1075, pp. 11, 12, 13, 28. 1919.
  hay—
    economy of ownership. F.B. 1049, pp. 28-31. 1919.
    gasoline power, use in hay baling, costs. D.B. 578, pp. 44-49. 1918.
    horsepower, use in hay baling, costs. D.B. 578, pp. 38-43. 1918.
    types in use, and sizes. F.B. 508, pp. 17-20, 21. 1912; F.B. 1049, pp. 4-12. 1919.
  hops baling, description. F.B. 304, pp. pp. 34-36. 1907.
  hydraulic—
    and filter, for sweetpotato sirup, description and cost. D.B. 1158, pp. 9, 11, 25. 1923.
    for use in treating fish waste. D.B. 150, pp. 29, 41, 44, 46. 1915.
  oil, types used in various countries. Y.B., 1916, pp. 161, 165, 171. 1917; Y.B. Sep. 691, pp. 3, 7, 13. 1917.
  plant, for botanical specimens, description and use. B.P.I. Cir. 126, pp. 30, 32-33. 1913; D.C. 76, p. 3. 1920.
  steam, use in baling hay, costs. D.B. 578, p. 46. 1918.
  use for lidding apple boxes. F.B. 1204, p. 37. 1921.
Pressure treatments, use in preservation of mine timbers, methods, and cost. For. Bul 107, pp 9-10, 11, 12-14. 1912.
PRESTON, P. J.: "Irrigation in Colorado." With C. W. Beach. O.E.S. Bul. 218, pp. 48. 1910

Preston's Hed-ake, misbranding. Chem. N.J 258, p. 1. 1910.
Pribilof Islands—
life-zone relationships. N.A. Fauna 46, pp. 5–9. 1923.
location, history, and description. N.A. Fauna 46, pp. 1–2. 1923.
sealskins and fox skins, value to Government. D.C. 135, p. 5. 1920.
Pribilof Reservation, Alaska, description. Biol. Cir. 71, pp. 12–13. 1910.
PRICE, D. J.—
"Dust explosions and fires in grain separators in the Pacific Northwest." With E. B. McCormick. D.B. 379, pp. 22. 1916.
"Grain-dust explosions." With others D.B. 681, pp. 54. 1918.
"Unprotected electric lights. A recently developed dust explosion and fire hazard." With Hylton R. Brown. D.C. 171, pp. 7. 1921
PRICE, H. C.—
"Agricultural cooperation for obtaining credit." O.E.S. Bul. 256, pp. 31–36. 1913.
Ohio, extension work in agriculture and home economics, 1915. S.R.S. Rpt., 1915, Pt. II, pp. 280–286. 1916.
"The sphere of agricultural extension." O.E.S. Bul. 231, pp. 31–38 1910.
PRICE, O. W.—
"The forests of the United States: Their use." With others. For. Cir. 171, pp. 25. 1909.
"The influence of forestry upon the lumber industry." Y.B., 1902, pp. 309–312. 1903; Y.B. Sep. 274, pp. 309–312. 1903.
PRICE, T. M.—
"A method for the determination of starch in meat food products." B.A.I. Cir. 203, pp. 6. 1912.
"A method for the separation of the seven permitted coal-tar colors when occurring in mixtures." B.A.I. Cir. 180, pp. 7. 1911.
"Effect of nitrates and nitrites on the turmeric test for boric acid." With E. H. Ingersoll Chem. Bul. 137, pp. 115–116. 1911.
"Enzymes in cornstalks and their relation to cornstalk disease." B.A.I. Cir. 84, pp. 12. 1905.
"Influence of formaldehyde on the digestive enzymes." B.A.I. Cir. 59, pp. 8. 1904.
PRICE, W. H.: "Administration of milk control." B.A.I. Dairy [Misc.], "World's dairy congress, 1923," pp. 1340–1347. 1924.
Prices—
1917, compared with pre-war. D.B. 757, pp. 34–35. 1919.
agricultural products—
comparisons. Y.B., 1923, pp. 131–133. 1924.
stabilizing. Off. Rec., vol. 1, No. 4, p. 2. 1922.
See also under name of commodity.
apples, trend 1916–1919, by varieties D.B. 935, pp. 9–11. 1921.
articles bought by farmers, 1909–1919. Y.B., 1919, pp. 736–738. 1920; Y.B. Sep. 830, pp. 736–738. 1920.
average paid by farmers. Off. Rec., vol. 2, No. 50, pp. 1, 3. 1923.
beans, stabilizing. News L., vol. 6, No. 44, p. 15. 1919.
beef and butterfat, effect on industry. D.B. 1271, pp. 88–89. 1924.
beef, daily reports, December, 1918. Y. B., 1918, pp. 382–383. 1919; Y.B. Sep. 788, pp. 6–7. 1919.
Bermuda onion, 1916–1923, and factors affecting. D.B. 1283, pp. 29–52, 53–54. 1925.
black-walnut trees. F.B. 1459, p. 1. 1925.
butter—
and eggs in New York. Stat. Bul. 101, pp. 12–16, 27–35. 1913.
eggs, meat and poultry, uniformity through year, comparisons. Stat. Bul. 101, pp. 68–70. 1913.
fixing in Denmark. D.B. 1266, pp. 29–30. 1924.
method of fixing. Y.B., 1922, pp. 376, 379, 383–385. 1923; Y.B. Sep. 879, pp. 81, 84–85, 88–90. 1923.
studies. G. P. Warber. D.B. 682, pp. 24. 1918.
cabbage, fluctuation. D.B. 1242, pp. 43–46, 57–58. 1924.

Prices—Continued.
canning-club products, effect of careful and prompt delivery, suggestions. Mkts. Doc. 5, p. 8. 1917.
cattle; 1921. Y.B., 1921, pp. 292–305, 692–695, 734. 1922; Y.B. Sep. 874, pp. 292–305. 1922; Y.B. Sep. 870, pp. 18–21, 60. 1922.
changes in leading crops, 1918–1919. Y.B., 1919, pp. 109–110. 1920; Y.B. Sep. 797, pp. 109–110. 1920.
cheese, basis and control. Y.B., 1922, pp. 363, 385–386. 1923; Y.B. Sep. 879, pp. 70, 90–91. 1923.
cheese, trend, 1850–1919. D.C. 71, p. 20. 1919
coffee, wholesale, in New York, 1902–1911. Stat. Bul. 79, pp. 118–119. 1912.
cold-storage commodities, compilation by Statistics Bureau, source. Stat. Bul. 101, pp. 36–48. 1913.
conciliation in milk industry, economic and social factors. B.A.I. Dairy [Misc.], "World's dairy congress, 1923," pp. 869–875. 1924.
control by cooperative marketing. M. C. 32, pp. 79–84. 1924.
corn—
during war period, with comparison. Y.B., 1921, pp. 215–217. 1922; Y.B. Sep. 872, pp. 215–217. 1922.
factors in various counties. D.B. 1083, pp. 2–3. 1922.
variations, annual and seasonal. Y.B., 1921, pp. 209–215. 1922; Y.B. Sep. 872, pp. 209–215. 1922.
correlation of factors. D.B. 1351, pp. 11–13. 1925.
cotton—
and variations. Y.B., 1921, pp. 385–390, 400. 1922; Y.B. Sep. 877, pp. 385–390, 400. 1922.
determination and variations. Atl. Am. Agr. Adv. Sh., Pt. V, Sec. A, pp. 26–27. 1919.
influence of warehousing. Y.B. 1918, pp. 400–403. 1919; Y.B. Sep. 763, pp. 4–7. 1919.
relation to cost of production. D.B. 896, pp. 45–49. 1920.
sea-island, factors governing. F.B. 787, pp. 7–8. 1916.
crops and livestock, 1918. An. Rpts., 1918, p. 8. 1919; Sec. A.R., 1918, p. 8. 1918.
dairy, irregularity. Sec. A.R., 1924, pp. 13–14. 1924.
dairy products, discussion. Y.B., 1922, pp. 375–386. 1923; Y.B. Sep. 879, pp. 80–91. 1923.
dimension stock, remarks. M.C. 39, p. 51. 1925.
farm—
and terminal market, wheat, corn, and oats. J. W. Strowbridge. D.B. 1083, pp. 58. 1922.
by States, increase for July, 1914. F.B. 615, pp. 16–17, 34–35. 1914.
crops, 1900, statistics. Y.B., 1900, p. 854. 1901.
crops, 1917, comparisons with 1915. News L., vol. 5, No. 29, p. 5. 1918.
equalization. Off. Rec., vol. 3, No. 4, p. 1. 1924.
for meat animals. News L., vol. 6, No. 16, p. 8. 1918.
oats, variations, and regional differences. D.B. 755, p. 2. 1919.
for potatoes, 1914, comparison with 1913, increase. News L., vol. 1, No. 45, p. 4. 1914.
for wheat—
by States and counties, 1910–1914. D.B. 594, pp. 34–46. 1918.
corn, and oats in leading States. D.B. 1083, p. 2. 1922.
implements and outfit, 1909–1918. Y.B., 1918, pp. 694–695. 1919; Y.B. Sep. 795, pp. 30–31. 1919.
in 1913, estimate, and comparisons. F.B. 570, pp. 17–18. 1913.
lands—
increase, 1919. News L., vol. 7, No. 8, pp. 1–2. 1919.
increase, 1920. An. Rpts., 1920, pp. 22–23. 1921; Sec. A.R., 1920, pp. 22–23. 1920.
in Red River wheat belt, North Dakota. D.C. 351, p. 2. 1925.
in various States, counties, and areas. See Soil surveys.
pre-war and post-war. Y.B., 1924, p. 18. 1925.

Prices—Continued.
  for wheat—continued.
    products—
      average for 1925. Sec. A.R. 1925, p. 2. 1925.
      change, 1923, discussions by Secretary. An. Rpts., 1923, pp. 2-4. 1924; Sec. A.R., 1923, pp. 2-4. 1923.
      comparison of farm and city. Stat. Bul. 101, pp. 70-71. 1913.
      decline in 1920. An. Rpts., 1920, pp. 11-12. 1921; Sec. A.R., 1920, pp. 11-12. 1920.
      discussion by Secretary. Y.B., 1922, pp. 3-8, 10-12. 1923; Y.B. Sep. 883, pp. 3-8, 10-12. 1923.
      factors affecting. M.C. 32, pp. 13-14. 1924.
      in the United States. G.F. Warren. D.B. 999, pp. 72. 1921.
      outlook, 1923. Off. Rec., vol. 2, No. 20, p. 3. 1923.
      stabilizing. Off. Rec., vol. 3, No. 10, p. 1. 1924.
      statistics, May, 1914. F.B. 598, pp. 15-16, 18-20. 1914.
    purchasing power of farm products. Sec. A.R., 1924, p. 6. 1924.
    relation to wages. D.B. 999, pp. 10-12. 1921.
    request for early records. Off. Rec., vol. 4, No. 19, p. 2. 1925.
    statistics, 1924. Y.B., 1924, pp. 612-615, 637, 641-647, 648, 661, 662-663, 669-673, 675-676, 687, 688, 689, 692, 693, 694, 695, 697, 698, 699, 741, 744, 755-763, 765, 784-789, 850, 851-864, 874-883, 885-887, 891, 911-916, 918, 926, 929, 983-985, 1001-1003, 1079, 1172-1182. 1925.
    studies and comparisons, 1901-1918. News L., vol. 6, No. 5, p. 16. 1918.
    supplies, changes, and graphic showing. Y.B., 1922, p. 119. 1922; Y.B. Sep. 873, p. 119. 1922.
    timber, and markets. F.B. 1210, pp. 41-43. 1921.
    trend, December, January, and February, 1914-1916. News L., vol. 3, No. 29, p. 8. 1916.
  farmers'—
    purchases—
      1899, 1909, 1910. An. Rpts., 1911, pp. 653-655. 1912; Stat. Chief Rpt., 1911, pp. 17-19. 1911.
      1909-1921, and comparisons. D.B. 999, pp. 14-18, 36-55. 1921.
      1914-1918. News L., vol. 6, No. 38, p. 11. 1919.
      1922. Y.B., 1922, pp. 994-995. 1923; Y.B. Sep. 887, pp. 994-995. 1923.
      1923. Y.B., 1923, pp. 1150-1152. 1924; Y.B. Sep. 906, pp. 1150-1152. 1924.
    supplies, graphic showing of changes. Y.B., 1921, pp. 782-783. 1922; Y.B. Sep. 871, pp. 13-14. 1922.
  feedstuffs, cost per ton, and total expended by farmers, 1919, 1920 D.B. 1124, pp. 1-2. 1922.
  fertilizer—
    June 1, 1919, and May 1, 1919, by States and counties. D.C. 57, pp. 1-11. 1919.
    nitrate of soda and acid phosphate. D.C. 39, pp. 1-15. 1919.
  field seeds, various markets and sections of United States. S.B. 2, pp. 15-76. 1924.
  fixing—
    by Government, discussion. Off. Rec., vol. 2, No. 35, p. 2. 1923.
    in retail meat market. M.C. 54, pp. 27-30. 1925.
    policy and scope, statement of Food Administrator. News L., vol. 5, No. 31, pp. 7-8. 1918.
    use of cost production. D.B. 994, pp. 6-7. 1921.
  food crops, conditions determining. Y.B., 1921, pp. 2-3. 1922; Y.B. Sep. 875, pp. 2-3. 1922.
  food products, fixing, and publicity. News L., vol. 4, No. 38, pp. 2-3. 1917.
  Forest Service supplies, Ogden, Utah. For. [Misc.], "Contract prices for supplies * * *, 1911," pp. 12. 1910.
  grain—
    effect of futures trading—
      1924. Gr. Fut. A.R., 1924, pp. 38-40. 1924.
      1925. Gr. Fut. A.R., 1925, pp. 7-8. 1925.
    relation to futures market, remarks. Sec. A.R., 1924, pp. 60-61. 1924.

Prices—Continued.
  hides—
    and leather, causes of variations. F.B. 1055, pp. 9-11. 1919.
    and skins, course. Y.B., 1917, pp. 445-446. 1918; Y.B. Sep. 741, pp. 23-24. 1918.
    and skins, schedule, 1918, and range, 1898-1918. F.B. 1055, pp. 53-62. 1919.
    in Chicago and New York. News L., vol. 6, No. 49, p. 5. 1919.
  high, vegetable products, reason for. Y.B., 1912, p. 355. 1913; Y.B. Sep. 597, p. 355. 1913.
  honey, 1913-1917. D.B. 685, pp. 35-39. 1918.
  hogs, fluctuations, problem of marketing. Y.B., 1922, pp. 256-259. 1923; Y.B. Sep. 882, pp. 256-259. 1923.
  in New York, Tompkins County. Soil Sur. Adv. Sh., 1921, p. 1577. 1924.
  influence of cold storage. George K. Holmes. Stat. Bul. 101, pp. 116. 1913.
  labor and materials in wheat production. D.B. 1198, pp. 14-17. 1924.
  lamb and mutton, 1921-1923. S.B. 3, pp. 35-40. 1924.
  lamb, fluctuation at Jersey City market, control work. Off. Rec., vol. 1, No. 46, p. 1. 1922.
  level—
    changes, effect on industries. D.B. 999, pp. 4, 7-10, 22. 1921.
    butter and eggs in New York, studies. Stat. Bul. 101, pp. 17-26. 1913.
    pork, butter, and eggs for United States. Stat. Bul. 101, pp. 49-67. 1913.
  livestock—
    1910-1914. Rpt. 113, pp. 64-73. 1916.
    1925. Sec. A.R., 1925, pp. 8-10. 1925.
  lumber—
    retail, factors and changes. Rpt. 116, pp. 61-97. 1918.
    timber depletion, lumber exports, and concentration of ownership. Earle H. Clapp. For. [Misc.], "Timber depletion * * *," pp. 71. 1920.
    wholesale. For. [Misc.], "Wholesale * * *." Folder. 1908.
    wholesale, 1886-1906. For. [Misc.], "Wholesale lumber * * *." Folder.
  maple products. For. Bul. 59, pp. 16-17, 44-45. 1905.
  market—
    for corn, determination at Chicago. Y.B., 1921, p. 217. 1922; Y.B. Sep. 872, p. 217. 1922.
    for meat, method of fixing, suggestions. F.B. 391, p. 9. 1910.
    phrases, explanation. Y.B., 1919, pp. 102-104. 1920; Y.B. Sep. 797, pp. 102-104. 1920.
  oats, factors governing in several counties. D.B. 1083, pp. 2-3. 1922.
  oats, zone flexibility and sectional changes, retrospect, 1871-1915. D.B. 755, pp. 11-12, 13. 1919.
  potato(es)—
    at retail, 1913-1924. S.B. 10, pp. 39-41. 1925.
    factors determining, and use of records by farmers. F.B. 1317, pp. 6-7, 9-12, 34. 1923.
    producers' and consumers', comparison. F.B. 1289, pp. 10-11. 1923.
    purchasing power. Off. Rec., vol. 3, No. 47, p. 5. 1924.
    quotations, for grain, unreliability. D.B. 558, pp. 18-19. 1917.
    reduction for 10 leading crops. Y.B., 1921, p. 12. 1922; Y.B. Sep. 875, p. 12. 1922.
    retail, analysis, and margin studies. B.A.E. Chief Rpt. 1924, pp. 38-39. 1924.
    retail, meat, comparison with producers. F.B. 391, p. 8. 1910.
    rise and fall, effect of war periods. D.B. 999, pp. 1-4, 12-16, 28-35. 1921.
    seed, 1917, 1918, effect of the war. Y.B., 1918, pp. 209-211. 1919; Y.B. Sep. 775, pp. 17-19. 1919.
    September, as basis for season estimate. D.B. 1351, pp. 18-19. 1925.
  sheep—
    and lambs, 1910-1917. Sec. Cir. 93, p. 8. 1918.
    and wool, 1867-1918. Y.B., 1917, pp. 421-422. 1918; Y.B. Sep. 751, pp. 23-24. 1918.
    lambs, and ewes. S.B. 3, pp. 23-35. 1924.
  spread, investigation. Sec. A.R., 1924, pp. 46-47. 1924.

Prices—Continued.
  spreads in distribution. Sec. A.R., 1925, pp. 34–36. 1925.
  statistics, farm products, May, 1914. F.B. 604, pp. 10–16, 18–20. 1914.
  store, to farmers' wives, 1914, 1918. News L., vol. 6, No. 38, p. 8. 1919.
  strawberries, at various markets, 1915, and qualities. D.B. 477, pp. 13–18. 1917.
  sugar, at New York and New Orleans, 1909–1912. D.B. 66, pp. 15–16. 1914.
  sugar, establishment by Government. Sec. Cir. 86, pp. 27–28. 1918.
  summary of information. D.B. 1325, pp. 46–49, 65–67. 1925.
  sweetpotatoes, jobbing, 1919–1924. S.B. 10, p. 48. 1925.
  terminal, wheat, corn, and oats, at four markets. D.B. 1083, p. 2. 1922.
  tobacco, by leading types and grades, 1909–1922, 1863–1921, 1618–1853. Y.B., 1922, pp. 442–444, 465. 1923; Y.B. Sep. 885, pp. 442–444, 465. 1923.
  tractor outfits, sizes. F.B. 1035, pp. 11–12. 1919.
  variation as cause of loss in lumber industry. M.C. 39, p. 42. 1925.
  vegetable seed. S.B. 2, pp. 92–93. 1924.
  wages and cost of living, index numbers. Y.B., 1924, p. 1182. 1925.
  water meter, rating. J.A.R., vol. 2, pp. 78, 79, 80. 1914.
  wheat—
    1889–1891, comparison showing effect of bad crops, etc. Y.B., 1900, p. 179. 1901.
    corn and oats at farms and terminals, computation methods. D.B. 1083, pp. 1–2. 1922.
    factors governing in various counties. D.B. 1083, pp. 2–3. 1922.
    fluctuations, 1921, causes. Y.B., 1921, pp. 122, 137–147. 1922; Y.B. Sep. 873, pp. 122, 137–147. 1922.
    fluctuations, 1923. Y.B., 1923, pp. 96, 98–99, 109. 1924.
    geography. L. B. Zapoleon. D.B. 594, pp. 46. 1918.
    relation of foreign exporters and foreign exchange. Y.B., 1919, pp. 191–196. 1920; Y.B. Sep. 807, pp. 191–196. 1920.
    rise in 1924. Sec. A.R., 1924, pp. 6–8. 1924.
  wholesale—
    1791–1921. D.B. 999, pp. 2–4, 12–16, 28–35. 1921.
    for—
      butter, relation to standards and grades. D.B. 682, pp. 5–9. 1918.
      softwood lumber, trend, fluctuations, and factors influencing. Rpt. 115, pp. 64–93. 1917.
    wool, 1910–1923. S.B. 3, pp. 43–57. 1924.
  See also *under names of commodities.*
Prickly pear(s)—
  analyses. B.A.I. Bul. 106, p. 11. 1908; J.A.R., vol. 4, pp. 413, 432, 439–440, 445. 1915.
  and—
    alfalfa, digestibility. B.A.I. Bul. 106, pp. 23–25. 1908.
    cottonseed meal, digestibility. B.A.I. Bul. 106, pp. 25–29. 1908.
    other cacti as feed for stock. B.P.I. Bul. 102, pt. 1, pp. 1–16. 1907.
    other cacti as food for stock. David Griffiths. B.P.I. Bul. 74, pp. 48. 1905.
  as—
    farm crop. David Griffiths. B.P.I. Bul. 124, pp. 37. 1908.
    stock feed. David Griffiths. F.B. 1072, pp. 24. 1920.
  cultivation and yield. Chem. Bul. 130, p. 108. 1910.
  description and analysis. B.P.I. Bul. 116, p. 59. 1907; D.B. 160, pp. 15–16. 1915.
  digestibility by cattle, experiments. R. F. Hare. B.A.I. Bul. 106, pp. 38. 1908.
  diseases, Texas, occurrence and description. B.P.I. Bul. 226, p. 100. 1912.
  distribution of cuttings by department, suggestions. F.B. 483, pp. 19–20. 1912.
  effect on digestibility of other feeding stuffs for cattle. B.A.I. Bul. 106, pp. 31–34. 1908.
  enemies. B.P.I. Bul. 124, pp. 28–31. 1908.

Prickly pear(s)—Continued.
  energy value as feed for dairy cows. J.A.R., vol. 4, No. 5, pp. 413–414. 1915.
  experiments in feeding to stock in Texas. B.A.I. Bul. 91, pp. 11–22. 1906.
  feed—
    for dairy cows, investigations and results. J.A.R., vol. 4, pp. 405–450. 1915.
    value in droughty seasons. F.B. 1072, pp. 3–4. 1920.
  feeding to—
    dairy cows, effect on milk, butter, and offspring. J.A.R., vol. 4, pp. 411–427. 1915.
    stock in Texas. David Griffiths. B.A.I. Bul. 91, pp. 23. 1906.
  forms, distribution and requirements. F.B. 1072, pp. 4–7, 9–12. 1920.
  fruits, description, use in manufacture of alcohol. Chem. Bul. 130, p. 108. 1910.
  harvesting, singeing, and chopping. J.A.R., vol. 4, pp. 430–431. 1915.
  importations and descriptions. No. 29633, B.P.I. Bul. 233, p. 33. 1912; Nos. 33321–33335, B.P.I. Inv. 31, pp. 5, 14–15. 1914; Nos. 36350–36357, B.P.I. Inv. 37, p. 18. 1916; Nos. 36954, 37025, B.P.I. Inv. 38, pp. 14, 28. 1917; Nos. 37746–37747, 37822–37828, 37851–37853, 38063–38084, B.P.I. Inv. 39, pp. 32, 49, 57, 85. 1917.
  insect(s)—
    affecting. Ent. Bul. 113, pp. 1–71. 1912.
    pests, list. Sec. [Misc.], "A manual * * * insects * * *, pp. 185–186. 1917.
  Mexican importations, value. B.P.I. Bul. 140, pp. 15–16. 1909.
  native—
    harvesting dates and yields, Brownsville, Tex. D.B. 208, pp. 2–7, 11. 1915.
    yields in Southern Texas. David Griffiths. D.B. 208, pp. 11. 1915.
  nutrients digested by dairy cows in feeding experiments. J.A.R., vol. 4, pp. 413, 440–444. 1915.
  planting, cultivation, and method. B.P.I. Bul. 124, pp. 12–22. 1908; F.B. 1072, pp. 12–17. 1920.
  preparation for feeding. F.B. 1072, pp. 18–19. 1920.
  "spineless"—
    David Griffiths. B.P.I. Bul. 140, pp. 24. 1909.
    behavior under cultural conditions. D.B. 31, pp. 2–4, 9, 11, 13, 16, 22. 1913.
    compared to spiny form, value. J.A.R., vol. 4, pp. 431–432. 1915.
    cultivation for stock feed. An. Rpts., 1909, pp. 335–336. 1910; B.P.I. Chief Rpt., 1909, pp. 83–84. 1909.
    distribution and limitations. F.B. 1072, pp. 4–7, 11. 1920.
    importations and description. Nos. 41104, 41116, 41283. B.P.I. Inv. 44, pp. 38, 40, 59. 1918.
    improvement, suggestions. B.P.I. Bul. 140, pp. 15–18. 1909.
    origin, areas, and characteristics. B.P.I. Bul. 140, pp. 7–11. 1909.
    stability of spineless character. F.B. 483, pp. 17–18. 1912.
    temperature and moisture requirements. B.P.I. Bul. 140, pp. 15–18. 1909.
    use of term. F.B. 483, pp. 5–6. 1912.
  thornless—
    David Griffiths. F.B. 483, pp. 20. 1912.
    composition and value as forage. F.B. 483, pp. 10–11. 1912.
    growing, propagation, etc. F.B. 483, pp. 12–17. 1912.
    transportation, management. F.B. 483, pp. 18–19. 1912.
  use in manufacture of denatured alcohol. Chem. Bul. 130, pp. 107–109. 1910.
  utilization, experimental plantings. Ent. Bul. 113, pp. 10, 11. 1912.
  value as forage plant. Y.B., 1908, p. 157. 1909.
  varieties—
    for distribution by Department of Agriculture. B.P.I. Bul. 140, pp. 20–22. 1909.
    for fruit and forage. F.B. 483, p. 20. 1912; F.B. 1072, pp. 23–24. 1920.
    most valuable for fruit. F.B. 1072, pp. 23–24. 1920.

Prickly pear(s)—Continued.
  yields from cuttings or old stumps, San Antonio, Tex. D.B. 208, pp. 7-11. 1915.
  See also Cactus; Tuna.
Prigsley, C. W., "Agricultural cooperation for the federation of agricultural education." O E.S. Bul. 256, pp. 63-66. 1913.
Prima vera, quantity used in manufacture of wooden products. D.B. 605, p. 16. 1918.
Primer, poultry, illustrated. Harry M. Lamon and Jos. Wm. Kinghorne. F.B. 1040, pp. 28. 1919.
Priming—
  pumps, use of steam ejector or air pump. O.E.S. Bul. 243, p. 33. 1911.
  tobacco, practices. F.B. 416, p. 16. 1910.
  woodwork, directions. F.B. 474, pp. 10-11. 1911.
Primrose—
  evening—
    growing directions. F.B. 195, p. 30. 1904.
    habitat, range, description, uses, collection, and prices. B.P.I. Bul. 219, p. 14. 1911.
    indicator value, on range. D.B. 791, pp. 37, 38, 43, 44. 1919.
    pollen, type, and shape of grains. Chem. Bul. 110, p. 75. 1908.
    powdery mildew, occurrence, Texas. B.P.I. Bul. 226, p. 94. 1912.
    reproduction and study. B.P.I. Bul. 146, pp. 16-17. 1909.
    seeds, description. F.B. 428, p. 26. 1911.
    See also Oenothera.
  growth, relation to length of day. Y.B., 1921, p. 27. 1922; Y.B. Sep. 875, p. 27. 1922.
  importations and descriptions. Nos. 34307-34308, B.P.I. Inv. 32, p. 33. 1914; No. 40857, B.P.I. Inv. 43, pp. 8, 91. 1918; Nos. 41277-41281, B.P.I. Inv. 44, p. 58. 1918; Nos. 41404, 41406-41416, 41520, 41521, 41528, 41535-41548, 41552, 41581, 41587, 41593, B.P.I. Inv. 45, pp. 24, 43-46, 51, 52. 1918; Nos. 48350-48394, B.P.I. Inv. 60, pp. 6, 73-78. 1922; Nos. 55308-55351, B.P.I. Inv. 71, pp. 33-35. 1923.
  See also Primula.
Primula—
  forrestii, importation and description. No. 34308. B.P.I. Inv. 32, p. 33. 1914.
  sinolisteri, importation and description. No. 34307. B.P.I. Inv. 32, p. 33. 1914.
  spp. See Primrose.
Prince Edward Island—
  birds and game officials and organizations, 1921. D.C. 196, pp. 12, 18. 1921.
  farmers' institute work, report, 1907. O.E.S. Bul. 199, p. 25. 1908.
  fur animals, laws—
    1915. F.B. 706, p. 23. 1916.
    1916. F.B. 783, pp. 24, 28. 1916.
    1917. F.B. 911, pp. 28, 31. 1917.
    1918. F.B. 1022, pp. 27, 31. 1918.
    1919. F.B. 1079, pp. 29, 31. 1919.
    1920. F.B. 1165, p. 28. 1920.
    1921. F.B. 1238, pp. 28, 31. 1921.
    1922. F.B. 1293, p. 26. 1922.
    1923-24. F.B. 1387, p. 29. 1923.
    1924-25. F.B. 1445, p. 21. 1924.
    1925-26. F.B. 1469, pp. 25-26. 1925.
  game laws—
    1904. F.B. 207, p. 27. 1904.
    1905. F.B. 230, p. 26. 1905.
    1906. F.B. 265, pp. 10, 25, 33, 39, 48. 1906.
    1907. F.B. 308, pp. 9, 23, 32, 39, 48. 1907.
    1908. F.B. 336, pp. 26, 36, 46, 54. 1908.
    1909. F.B. 376, pp. 31, 37, 44, 52. 1909.
    1910. F.B. 418, pp. 24, 30, 46. 1910.
    1911. F.B. 470, pp. 28, 35, 42, 52. 1911.
    1912. F.B. 510, pp. 24, 31, 36, 39, 48. 1912.
    1913. D.B. 22, pp. 36, 42, 50, 59. 1913; D.B. 22, rev., pp. 36, 42, 50, 59. 1913.
    1914. F.B. 628, pp. 27, 34, 35, 39, 43, 44, 54. 1914.
    1915. F.B. 692, pp. 37, 44, 53, 62, 64. 1915.
    1916. F.B. 774, pp. 35, 42, 53, 62. 1916.
    1917. F.B. 910, p. 45. 1917.
    1918. F.B. 1010, p. 42. 1918.
    1919. F.B. 1077, pp. 45, 78. 1919.
    1920. F.B. 1138, pp. 49-50. 1920.
    1921. F.B. 1235, p. 52. 1921.

Prince Edward Island—Continued.
  game laws—continued.
    1922. F.B. 1288, pp. 48, 56, 72-78. 1922.
    1923-24. F.B. 1375, pp. 45-46, 51. 1923.
    1924-25. F.B. 1444, pp. 33, 38. 1924.
    1925-26. F.B. 1466, pp. 41, 46. 1925.
  game officials directory, 1920, and organizations. D.C. 131, pp. 11, 16. 1920.
Prince's feather, description, cultivation, and characteristics. F.B. 1171, pp. 31, 82. 1921.
Prince's pine. See Pipsissewa.
Prinos. See Alder, black.
Prinsepia—
  uniflora, importations and descriptions. No. 39432, B.P.I. inv., 41, pp. 8, 28. 1917; No. 43863, B.P.I. Inv. 49, pp. 10, 88. 1921.
  utilis, importations and descriptions. No. 42623, B.P.I. Inv. 47, p. 39. 1920; No. 55719, B.P.I. Inv. 72, pp. 1, 24. 1924.
Printing—
  allotment, restrictions. Sol. [Misc.], "Laws applicable * * * Agriculture," Sup. 2, pp. 109-110. 1915.
  papers, specifications. Rpt. 89, pp. 10-11, 31-45. 1909.
  provisions and appropriations. Sol. [Misc.], "Laws applicable * * * Agriculture," Sup. 4, pp. 16, 57, 10-121. 1917.
Printing Office, Government, branches, establishment, and restrictions. Sol. [Misc.], "Laws applicable * * * Agriculture," Sup. 2, p. 109. 1915.
Prionidae—
  classification and description. Ent. T.B. 20, Pt. V, p. 155. 1912.
  anatomical characteristics, key to genera. Rpt. 107, pp. 8-12. 1915.
  larvae, descriptions. Rpt. 107, pp. 12-21. 1915.
Prionoxystus robiniae—
  description, habits, and control. F.B. 1169, pp. 69-70. 1921.
  See also Oak borer.
Prionus sp. See Borer, round-headed.
Priononyx atrata, enemy of long winged grasshopper, habits. D.B. 293, pp. 8-10. 1915.
Priotropis cytisoides, importation and description. No. 47765, B.P.I. Inv. 59, p. 56. 1922.
Prisoners, farm labor, in allied countries of Europe. Sec. [Misc.], "Report * * * agricultural commission * * *," pp. 11, 33. 1919.
Pritchard, F. J.—
  "Collar-rot of tomato." With W. S. Porte. J.A.R., vol. 21, pp. 179-184. 1921.
  "Development of wilt-resistant tomatoes." D.B. 1015, pp. 18. 1922.
  "Relation of adaptation to the improvement of sugar-beet varieties for American conditions." B.P.I. Bul. 260, pp. 43-48. 1912.
  "Relation of horse nettle (Solanum carolinense) to leaf-spot of tomato (Septoria lycopersici)." With W. S. Porte. J.A.R., vol. 21, pp. 501-506. 1921.
  "The control of tomato leaf-spot." With W. B. Clark. C.T. and F.C.D. Inv. Cir. 4, pp. 4. 1918.
  "The control of tomato leaf-spot." With W. S. Porte. D.B. 1288, pp. 19. 1924.
  "Watery-rot of tomato fruits." With W. S. Porte. J.A.R., vol. 24, pp. 895-906. 1923.
Pritchard, F. P.—
  "A new penetration needle for use in testing bituminous materials." With Charles S. Reeve. J.A.R., vol. 5, No. 24, pp. 1121-1126. 1916.
  "Effect of controllable variables upon the penetration test for asphalts and asphalt cements." With Prevost Hubbard. J.A.R., vol. 5, No. 17, pp. 805-818. 1916.
Pritchard, Judge, Fourth Circuit, case twenty-eight hour law. Sol. Cir. 21, pp. 1-10. 1909.
Pritchett, H. S.: "The Carnegie Foundation." O.E.S. Bul. 212, pp. 49-52. 1909.
Privet—
  diseases, Texas, occurrence and description. B.P.I. Bul. 226, pp. 77, 109, 111. 1912.
  food plants of white fly. Ent. Bul. 102, p. 10. 1912.
  fruiting season and use as bird food. F.B. 844, pp. 12, 13. 1917; F.B. 912, pp. 12, 13. 1918.
  hedges, planting directions for southern rural schools. D.B. 305, p. 46. 1915.

Privet—Continued.
  importations and descriptions. No. 38807, B.P.I. Inv. 40, p. 31. 1917; Nos. 42211–42222, B.P.I. Inv. 46, pp. 68–69. 1919; Nos. 43694, 43695, 43852, 43853, B.P.I. Inv. 49, pp. 63–64, 87. 1921; No. 47706, B.P.I. Inv. 59, p. 49. 1922; Nos. 49675–49677, B.P.I. Inv. 62, pp. 69–70. 1923; No. 55089, B.P.I. Inv. 71, p. 21. 1923.
  injury by sapsuckers. Biol. Bul. 39, p. 49. 1911.
  mottled leaves, composition. J.A.R., vol. 9, pp. 163–164, 165. 1917.
  parasitic growth of *Glomerella cingulata* and *Gloeosporium cingulatum*, studies. B.P.I. Bul. 252, pp. 36–38. 1913.
  scale insect infestation. Ent. T.B. 16, Pt. II, pp. 17–19. 1908.
  swamp, value as duck food, description, distribution, and propagation. D.B. 205, pp. 12–13. 1915.
Privy(ies)—
  chemical type. F.B. 1227, pp. 18–22. 1922.
  dry-earth, description. F.B. 1227, pp. 13–18. 1922; Y.B., 1916, pp. 353–356. 1917; Y.B. Sep. 712, pp. 7–10. 1917.
  farm, sanitary conditions, study. F.B. 463, p. 13. 1911.
  kinds, construction methods and cost. F.B. 463, pp. 13–29. 1911.
  nuisance prevention. F.B. 1227, pp. 25–26. 1922.
  pit, description. F.B. 1227, pp. 12–13. 1922.
  portable pit, description and plans. Y.B., 1916, pp. 350–352. 1917; Y.B. Sep. 712, pp. 4–6. 1917.
  sanitary—
    C. W. Stiles and L. L. Lumsden. F.B. 463, pp. 32. 1911.
    description. F.B. 1227, pp. 11–18. 1922; Y.B., 1916, pp. 352–353. 1917; Y.B. Sep. 712, pp. 6–7. 1917.
  types for various conditions, description, directions, and objections. Y.B., 1916, pp. 350–361. 1917; Y.B. Sep. 712, pp. 4–15. 1917.
  See also Sewage.
Prize(s)—
  boys' and girls' clubs—
    recommendations. News L., vol. 1, No. 29, pp. 6–7. 1914.
    scope and value. B.P.I. Doc. 865, pp. 3–4. 1913.
  clubs, description, and competitions. D.C. 38, pp. 19–21. 1919.
  contests, farmers', introduction, discussion. O.E.S. Bul. 225, pp. 30–33. 1910.
  pig-club work. Y.B., 1915, pp. 179, 182–185. 1916; Y.B. Sep. 667, pp. 179, 182–185. 1916.
  pig clubs, list. F.B. 566, pp. 5–6. 1913.
  winners, parades at fairs. F.B. 822, p. 6. 1917.
Probang, description, and use in relief of choking cattle. B.A.I. [Misc.], "Diseases of cattle," rev., pp. 25–26, 57, 293. 1904; rev., pp. 23–24, 51, 293. 1908; rev., pp. 23–24, 52, 303. 1912; rev., pp. 21–22, 49. 1923.
Probes, for locating gopher tunnels, description. Y.B., 1916, p. 389. 1917; Y.B. Sep. 708, p. 9. 1917.
Procellariidae, occurrence on Laysan Island, number and description. Biol. Bul. 42, pp. 17–19. 1912.
Process butter. *See* Butter, renovated.
Processing—
  canned—
    beef, methods. B.A.I. An. Rpt., 1907, pp. 280–281. 1909.
    meat, methods, and temperature. Chem. Bul. 13, Pt. X, pp. 1376–1377, 1391. 1902.
    pork, methods. F.B. 1186, p. 35. 1921.
    products, inspection instructions. D.B. 1084, pp. 6, 16. 1922.
  dried fruits, formulas and effect on insects infesting. D.B. 235, pp. 5–7. 1915.
  eggs, for cold storage. F.B. 1378, p. 27. 1924.
  food, methods. F.B. 1211, pp. 10–14. 1921.
  fruits and vegetables, tables. B.P.I. Doc. 631, rev., p. 6. 1915; F.B. 853, pp. 14, 25. 1917; F.B. 1211, pp 38–50. 1921.
  intermittent, experiments in testing temperature changes. D.B. 956, pp. 45–53. 1921.
  meats in canning. Y.B., 1911, pp. 387, 389. 1912; Y.B. Sep. 577, pp. 387, 389. 1912.
  necessity after packing in container. F.B. 1211, p. 7. 1921.

Processing—Continued.
  persimmons to render them nonastringent, experiments. H. C. Gore. Chem. Bul. 141, pp. 31. 1911.
  single-period, experiments in testing temperature changes. D.B. 956, pp. 17–45. 1921.
  steel to form rust preventive coating. Rds. Bul. 35, p. 35. 1909.
  value in food preservation, importance in canning. F.B. 1211, pp. 5–6. 1921.
Prociphilini, genera, description and key. D.B. 826, pp. 9, 75–77. 1920.
Prociphilus—
  corrugatans. *See* Thorn aphid, woolly.
  spp., injury to deciduous trees, habits, and control. F.B. 1169, pp. 86–88. 1921.
  spp., morphological characters. J.A.R., vol. 5, No. 23, pp. 1116–1119. 1916.
  tessellata, synonyms, description, and economic importance. Ent. T.B. 24, pp. 1–28. 1912.
Proctophyllodes spp., description. Rpt. 108, pp. 122, 123. 1915.
Proctotrypidae, description. Ent. T.B. 19, Pt. I, p. 12. 1910.
Procyon spp. *See* Raccoon.
Prodenia—
  eridania. *See* Army worm, semitropical.
  ornithogalli—
    injury to vegetable crops in Porto Rico. D.B. 192, p. 8. 1915.
  See also Cotton-boll cutworm.
Produce—
  and fruit auctions, American. Admer D. Miller and Charles W. Hauck. D.B. 1362, pp. 36. 1925.
  associations, cooperative, location, number, and methods. D.B. 547, pp. 9–10, 12, 32–34, 49–51, 56–59. 1917.
  dealer, poultry and eggs improvement, instructions. Y.B., 1913, pp. 345–351. 1913; Y.B. Sep. 596, pp. 345–351. 1913.
  dealers, responsibility, methods of determination. D.B. 266, pp. 6–7. 1915.
  farm, shrinkage. F.B. 149, pp. 10–15. 1902.
  freezing in transit, losses. D.B. 1133, pp. 1–3. 1923.
  growers' associations, exchanges, reports and by-laws. Rpt. 98, pp. 166–284. 1913.
  handling and packing, improved methods, Hawaii. Y.B. 1915, pp. 143–144. 1916; Y.B. Sep. 663, pp. 143–144. 1916.
  inspection—
    advantages. H. E. Kramer and G. B. Fiske. Y.B. 1919, pp. 319–334. 1920; Y.B. Sep. 811, pp. 319–334. 1920.
    cost and value of certificates. Y.B. 1918, p. 285. 1919; Y.B. Sep. 768, p. 11. 1919.
    securing service, method and cost. Y.B. 1919, pp. 330–331. 1920; Y.B. Sep. 811, pp. 330–331. 1920.
  marketing by parcel post, business methods. F.B. 922, pp. 1–20. 1918.
  marketing, organization, in Delaware. News L. vol. 6, No. 47, p. 12. 1919.
  perishable, marketing, waste reduction, methods. Y.B. 1911, pp. 165–176. 1912; Y.B. Sep. 558, pp. 165–176. 1912.
  prices, determination in parcel-post marketing. F.B. 922, pp. 14–17. 1918.
  supply and demand, study of market. G. B. Fiske. Y.B. 1918, pp. 277–288. 1919; Y.B. Sep. 768, pp. 14. 1919.
Production—
  cost, study, details. Off. Rec., vol. 3, No. 31, pp. 1–2. 1924.
  relation to wage rates. Y.B. 1910, p. 196. 1911. Y.B. Sep. 528, p. 196. 1911.
  rural, committee work, and suggested readings. Y.B. 1914, pp. 97–102, 138. 1915; Y.B. Sep. 632, pp. 11–16, 53. 1915.
Productivity, soil, water extractions as criteria. J.A.R. vol. 12, pp. 297–309. 1918.
Products—
  perishable, laws. Chem. Bul. 69, rev. Pt. I, pp. 68–71. 1905.
  surplus, estimates, demand for. An. Rpts., 1919, pp. 329, 331. 1920; Crop Est. Chief Rpt., 1919, pp. 7, 8. 1919.
Profenusa collaris. *See* Sawfly leaf miner.

Professional service, grades and compensation. Off. Rec., vol. 2, No. 13, p. 4. 1923.
Profichi, use in caprification of Smyrna figs. B.P.I. Doc. 438, pp. 1, 6. 1909; B.P.I. Doc. 537, rev., pp. 1, 6. 1912.
Profiteering, wool, regulations. Markets S.R.A. 50, pp. 11–12. 1919.
Progeny rows, cotton, use in selection. B.P.I. Cir. 66, pp. 18–21. 1910; B.P.I. Cir. 92, pp. 13–19. 1912; B.P.I. Doc. 813, p. 6. 1913; F.B. 314, pp. 11–13. 1908.
Progne subis. See Martin, purple.
Programs—
  extension, determination, and advancement. An. Rpts., 1923, pp. 596–598. 1923; S.R.S. Rpt., 1923, pp. 44–46. 1923.
  of work for clubs in agriculture and home making. D.C. 66, pp. 8–10. 1920.
Prohibition, effect on barley trade. Y.B. 1922, p. 496. 1923; Y.B. Sep. 891, p. 496. 1923.
Project(s)—
  Animal Industry Bureau, division of expenditures. B.A.I.S.R.A. 110, pp. 55–58. 1916.
  farm-management, nature and work. Sec. Cir. 132, pp. 6–8. 1919.
  Federal aid, standards governing the form, and arrangement of plans, specifications and estimates. Sec. [Misc.], "Standards governing the * * *," pp. 28. 1917.
  food and drug act, enforcement. Chem. [Misc.], "Food and drug manual," p. 74. 1920.
  home, for school credit, agricultural practice. F. E. Heald. D.B. 385, pp. 27. 1916.
  pig-club, description and scope of work, prizes. Y.B. 1917, pp. 371–372. 1918; Y.B. Sep. 753, pp. 3–4. 1918.
  statements, description and use. Sec. [Misc.], "Project statements," pp. 14. 1908.
  system, in experiment station work, advantages. Work and Exp., 1914, pp. 19–20. 1915.
Projectors, motion-picture, types, prices, and choice by purchaser. D.C. 114, pp. 7–9. 1920.
Proks, Josef: "Influence of the acidification of milk on the water content of white cheese." B.A.I. [Misc.], "World's dairy congress, 1923," pp. 336–339. 1924.
Proliferation—
  aid in destruction of boll weevil. F.B. 1262, pp. 13–14. 1922.
  alfalfa, two types. B.P.I. Cir. 115, pp. 3–13. 1913.
  cotton, description, study, and control of boll weevil. Ent. Bul. 74, pp. 19–20, 35. 1907.
  cotton, factor in boll weevil, control. W. E. Hinds. Ent. Bul. 59, pp. 45. 1906.
  definition, methods of study, and causes. Ent. Bul. 59, pp. 8–9, 38–41. 1906.
Promissory notes, cooperative associations, character and uses. D.B. 1106, pp. 30–32. 1922; D. B. 1106, rev., pp. 29–31. 1923.
Promoter (horse), pedigree. B.A.I. An. Rpt., 1907, pp. 96, 141. 1909; B.A.I. Cir. 137, pp. 96, 141. 1908.
Promotions—
  Civil Service regulations and executive orders. Appt. Clerk A.R., 1909, pp. 23–28. 1909; An. Rpts., 1909, pp. 811–816. 1910.
  efficiency basis. Sec. [Misc.], "Promotions based on efficiency," pp. 2. 1913.
Pronghorn—
  census, results, 1924. D.B. 1346, pp. 22–64. 1925.
  connecting link between Cervidae and Bovidae. B.A.I. An. Rpt., 1910, pp. 189, 211. 1912.
  number in North America. Off. Rec., vol. 4, No. 37, p. 3. 1925.
  origin, distribution, and description. Biol. Bul. 36, pp. 11–13. 1910.
  See also Antelope.
Propagating gardens, needs, value, in Canal Zone, recommendations. Report 95, pp. 48–49. 1912.
Propagation—
  and cultivation of silkworm food plants. George W. Oliver. B.P.I. Bul. 34, pp. 20. 1903.
  and marketing oranges in Porto Rico. H. C. Henricksen. P.R. Bul. 4, pp. 24. 1904. (Also Spanish edition.)
  apple, methods. F.B. 1360, pp. 8–9. 1924.
  asexual, aid in breeding rootstocks. Walter Scott Malloch. J.A.R. vol. 29, pp. 515–521. 1924.

Propagation—Continued.
  avocado, seedlings, and budding. Hawaii Bul. 51, pp. 5–8. 1924.
  blackberry, methods. F.B. 1399, p. 4. 1924.
  bluegrass, methods. B.P.I. Bul. 84, pp. 12–14. 1905.
  bud, asparagus plants. B.P.I. Bul. 263, p. 53. 1913.
  bulbs, natural and artificial, methods. D.B. 797, pp. 23–26. 1919.
  cacti, from seeds and cuttings. B.P.I. Bul. 262, pp. 8–12. 1912.
  chyrsanthemums, methods. F.B. 1311, pp. 9–12. 1923.
  citrus trees, methods for Gulf States. F.B. 1122, pp. 20–23. 1920.
  cranberry, methods. F.B. 176, pp. 10–12. 1903.
  cultivation, and marketing of avocado in Florida. P. H. Rolfs. B.P.I. Bul. 61, pp. 36. 1904.
  currants—
    and gooseberries, details. F.B. 1398, pp. 3–5. 1924; S.R.S. Doc. 94, p. 6. 1919.
    by use of cuttings, directions. F.B. 1024, pp. 6–7. 1919.
  date palm—
    by seed and by offshoots. B.P.I. Bul. 53, pp. 18–25. 1904.
    details and directions. F.B. 1016, pp. 4–9. 1919.
  Easter lily, from seed. George W. Oliver. B.P.I. Bul. 39, pp. 24. 1903.
  fig, by cuttings. F.B. 342, pp. 22–23. 1909; F.B. 1031, pp. 9–10. 1919.
  frame for—
    dates, construction. F.B. 1016, p. 9. 1919.
    rooting citrus and other subtropical plants. Walter T. Swingle and others. D.C. 310, pp. 1–13. 1924.
  fruit(s)—
    for northern Great Plains. D.C. 58, pp. 6–9. 1920.
    plants, methods. O.E.S. Bul. 178, pp. 62–67. 1907.
    trees, tropical, and other plants. George W. Oliver. B.P.I. Bul. 46, pp. 28. 1903.
  game, different States. F.B. 470, p. 8. 1911.
  gooseberry, by layering and by cuttings, details. F.B. 1024, pp. 5–6. 1919.
  grapevine, methods. F.B. 156, pp. 5–9. 1902.
  herbaceous perennials, methods. F.B. 1381, pp. 20–24. 1924.
  hyacinths, methods. D.B. 28, pp. 5–13. 1913.
  jujube, methods. D.B. 1215, pp. 11–15. 1924.
  lemons, methods. B.P.I. Bul. 160, pp. 24–25. 1909.
  mango, methods. Hawaii Bul. 20, pp. 1–16. 1910; P.R. Bul. 24, pp. 9–13. 1918.
  mulberry, methods. B.P.I. Bul. 119, pp. 8–16. 1907.
  onions, methods. F.B. 354, pp. 14–17. 1909.
  papaya, methods and experiments. Hawaii Bul. 32, pp. 8–9. 1914.
  pecans, directions and suggestions. F.B. 700, pp. 5–17. 1916.
  pineapples in—
    Florida, methods. F.B. 1237, pp. 10–16. 1921.
    Porto Rico, methods. P.R. Bul. 8, pp. 7–23. 1909.
  plants—
    L. C. Corbett. F.B. 157, pp. 24. 1902.
    different methods. O.E.S. Bul. 186, pp. 26–42. 1907.
    methods, school exercises. F.B. 408, pp. 19–35. 1910.
    seedling-inarch and nurse-plant methods. George W. Oliver. B.P.I. Bul. 202, pp. 43. 1911.
    temperature and humidity. J.A.R., vol. 23, p. 233. 1923.
  prickly pear, spineless, methods. B.P.I. Bul. 140, pp. 8, 11–14, 17–18. 1909; F.B. 483, pp. 12–14. 1912; F.B. 1072, pp. 12–13. 1920.
  raspberry plants, methods. F.B. 887, pp. 35–36. 1917.
  rice, wild, and its uses. Edgar Brown and Carl S. Scofield. B.P.I. Bul. 50, pp. 24. 1903.
  strawberry plants, directions for Gulf States. F.B. 1026, pp. 11–13. 1919.
  sweetpotatoes—
    methods. F.B. 324, pp. 9–16. 1908; F.B. 999, pp. 8–13. 1919.

INDEX TO PUBLICATIONS, 1901–1925   1925

Propagation—Continued.
  sweetpotatoes—continued.
    methods used in Virgin Islands. Vir. Is. Bul. 5, pp. 5-6. 1925.
    tropical fruits. O.E.S. An. Rpt., 1904, p. 406. 1905.
  vegetative—
    advantage in alfalfa breeding. B.P.I. Bul. 258, pp. 12, 17-18. 1913.
    application to leguminous forage plants. J.M. Westgate and George W. Oliver. B.P.I. Bul. 102, Pt. IV, pp. 33-37. 1907.
    of plants, as method of line breeding. B.P.I. Bul. 146, pp 11-13, 15-17. 1909.
    See also *under specific subjects.*
Propeller, airplane, walnut stock, prices and consumption. D.B. 909, pp. 74, 77-79. 1921.
Property—
  condemned, custody and accountability. Adv. Com. F. and B. M. [Misc.], "Property regulations * * *," pp. 15-17. 1916.
  department, regulations, amdt. 5. Sec. Cir. 361, pp. 1-3. 1921.
  lost, stolen, damaged, or destroyed, and individual accountability, property regulations, department, effective July 1, 1916. D. F. Houston. Adv. Com. F. and B. M. [Misc.], "Property regulations * * * amdt. 1," pp. 2. 1916.
  protection in forests, Federal, Montana, and Idaho laws. For. [Misc.], "Trespass on national * * *," pp. 13, 14, 18, 29-33, 47-52. 1922.
  records, keeping by farmers. Thrift Leaf. 18, p. 3. 1919.
  regulations, report advisory committee on finance and business. Adv. Com. F. and B. M. [Misc.] "Property regulations * * *," pp. 141. 1916.
  sale or other disposition in general, regulations, department, effective July 1, 1916. E. T. Meredith. Adv. Com. F. and B. M. [Misc.], "Property regulations * * *," amdt. 4, pp. 3. 1920.
Propionic-acid bacteria, relation to flavor of cheese. An. Rpts., 1913, p. 82. 1914; B.A.I. Chief Rpt., 1913, p. 12. 1913.
Propolis—
  product in North Carolina, description and source. D.B. 489, p. 9. 1916.
  scraping from honeycomb sections. F.B. 1039, p. 38. 1919.
Props, mine—
  insect damage, prevention. T. E. Snyder. Ent. Cir. 156, pp. 4. 1912.
  timbers, description and prices. F.B. 715, p. 10. 1916.
Proso—
  analyses and discussion of results. Chem. Bul. 120, pp. 40-42, 44, 62. 1909.
  description and value as crop, climate and soil requirements. F.B. 1162, pp. 3-8. 1920.
  description, habits, and uses. F.B. 1433, pp. 14-16. 1925.
  digestibility, experiments. D.B. 525, pp. 1-11. 1917.
  experiments—
    at Akron field station, varieties and yields. D.B. 402, pp. 32, 34. 1916.
    at Cheyenne farm, varieties and yield, 1913-1915. D.B. 430, pp. 36-37, 39. 1916.
    in Virginia. D.B. 336, p. 49. 1916.
  food use and value. F.B. 1162, pp. 13-14. 1920.
  growing—
    experiment at Williston station, variety and yield. D.B. 270, pp. 33, 34, 35, 36. 1915.
    in Colorado, experiments. D.B. 1287, p. 50. 1925.
    in Texas Panhandle, varieties, yields, seeding rate, and date. F.B. 738, pp. 14-15. 1916.
  seeding, harvesting, and uses. F.B. 1162, pp. 11-14. 1920.
  harvesting and threshing. F.B. 1162, p. 13. 1920.
  importations and descriptions. No. 36081, B.P.I. Inv. 36, p. 50. 1915; Nos. 54752-54755, 54762-54766, B.P.I. Inv. 70, pp. 16, 17. 1923.
  introduction from Russia. F.B. 1162, p. 10. 1920.
  millet, bacterial stripe disease. Charlotte Elliott. J.A.R., vol. 26, pp. 151-160. 1923.
  or hog millet. John H. Martin. F.B. 1162, pp. 15. 1920.

Proso—Continued.
  source of carbohydrates, studies. News L., vol. 4, No. 35, p. 3. 1917.
  sowing, method, rate, and date. F.B. 1162, pp. 6, 12. 1920.
  varieties, characters, and key. F.B. 1162, pp. 8-11. 1920.
  water requirements. J.A.R., vol. 3, pp. 26-27, 51, 58. 1914.
  yields and weight per bushel. F.B. 1162, pp. 6, 15. 1920.
  See also Millet.
Prosopis—
  description and occurrence. D.B. 1194, pp. 2-3. 1923.
  glandulosa—
    host plant of huisache girdler. D.B. 184, pp. 5, 6. 1915.
    injury by sapsuckers. Biol. Bul. 39, p. 43. 1911.
    growing in Hawaii. Hawaii A.R., 1919, p. 37. 1920.
  juliflora—
    host of *Cyllene crinicornis.* J.A.R., vol. 22, p. 203. 1921.
    See also Algaroba.
  spp., importations and descriptions. Nos. 42643, 42807, B.P.I. Inv. 47, pp. 43, 67. 1920; Nos. 43282, 43336, B.P.I. Inv. 48, pp. 38, 49. 1921; Nos. 48685, 49004, 49023, B.P.I. Inv. 61, pp. 36, 65, 68. 1922; Nos. 50092-50101, 50381, B.P.I. Inv. 63, pp. 3, 4, 34-35, 64. 1923; No. 52505, B.P.I. Inv. 66, p. 34. 1923.
  spp. See also Mesquite.
Prosopothrips cognatus—
  description and life history. J.A.R., vol. 4, pp. 219-224. 1915.
  See also Thrips, wheat.
Prospaltella—
  aurantii, parasitic on Howard scale. Ent. Bul. 67, p. 90. 1907.
  berlesei, parasitic on mulberry scale, introduction into Italy. Y.B., 1916, pp. 286-287. 1917; Y.B. Sep. 704, pp. 14-15. 1917.
  laborensis, parasitic on citrus white fly, discovery and attempted importations. Ent. Bul. 120, pp. 21, 26-27, 34, 37-38. 1913.
  murtfeldtii, parasitic on grape scale, rearing. Ent. Bul. 97, Pt. VII, pp. 119, 120. 1912.
  sp., parasitic on scurfy scale. Ent. Cir. 121, p. 9. 1910.
  sp., parasitic on white fly, studies. Ent. Bul. 102, p. 8. 1912.
Prospecting, development and utilization of mineral resources of lands acquired under act of Mar. 1, 1911 (36 Stat. 961), rules and regulations permitting. For. [Misc.], "Rules and regulations * * *," pp. 19. 1917.
Protea—
  argentea. See Silver tree; Wittleboom.
  lepidocarpodendron, importation and description. No. 48546, B.P.I. Inv. 61, p. 21. 1922.
  spp., importations and description. Nos. 48182-48185, B.P.I. Inv. 60, p. 53. 1922.
Protease—
  apple pulp, study. J.A.R., vol. 5, No. 3, pp. 113-114. 1915.
  experimental work with Penicillium and Aspergillus molds. B.A.I. Bul. 120, pp. 18-21, 39-45. 1910.
Proteid(s)—
  crude, in excrements of fowls, discussion. B.A.I. Bul. 56, pp. 31-33, 45. 1904.
  in meat and vegetables report of referee. Chem. Bul. 90, pp. 121-122, 125-126, 127. 1905; Chem. Bul. 137, pp. 116-117. 1911.
  in meat, report on separation. Chem. Bul. 81, pp. 104-110. 1904; Chem. Bul. 105, pp. 91-98. 1907; Chem. Bul. 116, pp. 44-51. 1908; Chem. Bul. 132, pp. 153-158. 1910; Chem. Bul. 137, pp. 148-149. 1911; Chem. Cir. 38, pp. 7-8. 1908.
  in milk, need in diet. F.B. 413, p. 12. 1910.
  insoluble and coagulable, separation from meat extracts. Chem. Bul. 114, pp. 33-34. 1908.
  plant, compounds arising from. Soils Bul. 47, pp. 15-22. 1907.
  vegetable, report on separation. Chem. Bul. 81, pp. 93-103. 1904; Chem. Bul. 105, pp. 88-90. 1907; Chem. Bul. 116, p. 52. 1908; Chem. Bul. 137, pp. 149-151. 1911; Chem. Cir. 38, p. 8. 1908; Chem. Bul. 162, pp. 154-159. 1913.

Protein(s)—
  as body building material and fuel. F.B. 142, pp. 9–10. 1902.
  bacterial, in natural digestion, discussion. B.A.I. Bul. 139, pp. 20–28, 44, 45. 1911.
  cereal, comparison with soy-bean and peanut proteins. D.B. 717, pp. 5–12. 1918.
  cereal, peanut and soybean, comparison of biologic values. D.B. 717, pp. 8–12. 1918.
  changes in cow in milk production. D.B. 1281, pp. 17–18. 1924.
  classification. Chem. Bul. 123, pp. 5–8. 1909.
  composition. O.E.S. Bul. 200, p. 12. 1908.
  compounds, milk, proportion, uses, and digestibility. F.B. 363, pp. 10, 21–23, 25, 27–28, 30, 33–35, 42, 44. 1909; F.B. 1207, pp. 4, 32. 1921.
  content of—
    barleys, studies. Chem. Bul. 124, pp. 8–17, 35–42. 1909.
    corn, breeding effects. F.B. 366, pp. 10–11. 1909.
    flour, importance in marketing. Sec. A.R., 1924, p. 39. 1924.
    foods, relation to health. News L., vol. 5, No. 7, pp. 10–11. 1917.
    milk at different lactation stages. B.A.I. Bul. 155, pp. 32–42, 48. 1913.
    milk, in breeding experiments. B.A.I. Bul. 156, pp. 14–15. 1913.
    milk, value. F.B. 1359, p. 3. 1923.
    milk, variations for individual cows. B.A.I. Bul. 157, pp. 9, 15–18, 21–27. 1913.
    peanut butter and of round steak. D.C. 128, p. 3. 1920.
    simple mixed diet with young veal as meat. J.A.R., vol. 6, No. 16, pp. 583–585. 1916.
    various forage crops, variation. F.B. 320, pp. 13–22. 1908.
    wheat and flour, correlations. J.A.R., vol. 23, p. 531. 1923.
    wheat, as affected by time of seeding. B.P.I. Bul. 178, pp. 29–30. 1910.
  control of source, dietary studies. O.E.S. Bul. 227, pp. 59–68. 1910.
  control, tuna, albuminoids, and amides. B.P.I. Bul. 116, pp. 34–35. 1907.
  corn, statistical study. J.A.R., vol. 11, pp. 106–113, 145. 1917.
  cost per pound in feeds, determinations. D.B. 637, pp. 9–13. 1918.
  cottonseed products, cost per pound in feeds. F.B. 1179, pp. 7–8. 1923.
  crude in wheat varieties. D.B. 1183, pp. 7–8, 28, 40, 52, 75, 79, 80. 1924.
  decomposition by microorganisms, studies. J.A.R., vol. 30, pp. 263–265, 275–278. 1925.
  determination—
    in antitoxin mixtures. J.A.R., vol. 13, No. 10, pp. 480–482. 1918.
    methods in grain analyses. Chem. Bul. 120, p. 6. 1909.
  dietary requirements. F.B. 391, pp. 6–7. 1910; O.E.S. Bul. 159, pp. 10–15. 1905.
  digestibility, study of metabolic nitrogen. J.A.R., vol. 9, pp. 405–411. 1917.
  distribution in vegetable tissues. Chem. Bul. 162, pp. 154–155. 1913.
  essential in food, sources. Y.B., 1902, pp. 387–406. 1903.
  factor, wheat products—opinion 84. Chem. S.R.A. 8, p. 635. 1914.
  feeding value. J.A.R., vol. 24, p. 977. 1923.
  feeds—
    cost per ton. F.B. 1179, pp. 7–8. 1920.
    cost. F.B. 824, pp. 10–12. 1917.
    effects on milk yield. B.A.I. Bul. 139, pp. 40–44. 1911.
    excess per pound in specified nutritive ratios. D.B. 637, p. 3. 1918.
    for cows, comparison of home-grown with purchased. F.B. 202, pp. 22–25. 1904.
    flour content, relation to wheat protein. J.A.R., vol. 23, p. 531. 1923.
    foods and charts showing per cent of constituents supplied. F.B. 1383, pp. 5–6, 17–23. 1924.
    rich in. Caroline L. Hunt and Helen W. Atwater. F.B. 824, pp. 19. 1917.
    use and value for children. F.B. 712, pp. 6, 8. 1916.

Protein(s)—Continued.
  feeds—continued.
    value and calorie portions in various weights, etc. F.B. 1228, pp. 5, 12, 22. 1921.
    value determination. D.B. 717, pp. 4–5. 1918.
    formation from nonprotein in feed. B.A.I. Bul. 139, pp. 12–45. 1911.
    functions in nutrition studies. O.E.S. An. Rpt., 1908, pp. 340–341, 351. 1909.
    gain of cattle at different ages, tables. B.A.I. Bul. 108, pp. 17–21. 1908.
    insect, eaten by poultry and value as food. J.A.R., vol. 10, pp. 633–637. 1917.
    lack, cause of disease. O.E.S. Bul. 159, p. 59. 1905.
    legume in hog feed. News L., vol. 6, No. 2, pp. 1–2. 1918.
  milk—
    as source, comparison with other foods. Sec. Cir. 85, p. 6. 1918.
    determination and comparisons. B.A.I. Dairy [Misc.], "World's dairy congress, 1923," pp. 440–441. 1924.
    pasteurization, chemical changes, analysis methods. B.A.I. Bul. 166, pp. 11–15. 1913.
  mixtures from corn and various concentrates, nutritive value. D. Breese Jones and others. J.A.R., vol. 24, pp. 971–978. 1923.
  needs in food, amount. F.B. 824, pp. 4–6, 18. 1917.
  nuts as source. F.B. 332, pp. 13, 18, 25. 1908.
  presence in different rations. J.A.R., vol. 21, pp. 281–341, 327–334. 1921.
  proportion in animal and plant fiber. F.B. 346, pp. 5–7. 1909.
  ratio to total katabolism in fasting animals. B.A.I. Bul. 143, pp. 11–13. 1912.
  relation to animal growth. Off. Rec. vol. 3, No. 37, pp. 1–2. 1924.
  relative values, studies. B.A.I. Bul. 143, pp. 99–110. 1912.
  requirements—
    and content furnished by various foods. F.B. 1383, pp. 1–2, 9–33. 1924.
    fattening—
      cattle, tables. B.A.I. Bul. 108, pp. 57–60, 70–71. 1908.
      hogs, tables. B.A.I. Bul. 108, pp. 73–76. 1908.
      sheep, table. B.A.I. Bul. 108, pp. 72–73. 1908.
    for maintenance in farm animals, relative value. B.A.I. Bul. 143, pp. 74–110. 1912.
    in food, variety of sources, and factors affecting. O.E.S. Cir. 110, pp. 20–22. 1911.
    in livestock feeding and content in feeds. M.C. 12, pp. 3, 38–40. 1924.
    of Carnivora and Omnivora. B.A.I. Bul. 139, p. 12. 1911.
    of men of different sizes and occupations. Y.B., 1907, pp. 369, 370, 371. 1908; Y.B. Sep. 454, pp. 369, 370, 371. 1908.
  serum, reaction to formaldehyde, observations on mechanism. R. R. Henley. J.A.R., vol. 29, pp. 471–482. 1924.
  sources—
    and nutritive value, investigations. Chem. Chief Rpt., 1924, pp. 4–5. 1924.
    groups of food according to value. Y.B., 1902, p. 405. 1903; Y.B. Sep. 280, p. 405. 1903.
    in feed. D.B. 1151, p. 40. 1923.
    in foods, notes and charts. D.B. 975, pp. 1–10, 11–36. 1921; F.B. 871, pp. 3, 5, 6. 1917.
    in milk and butter. Y.B., 1922, p. 286. 1923; Y.B. Sep. 879, p. 5. 1923.
  milk value in diet. D.C. 121, p. 2. 1921.
  special studies and standards. O.E.S. An. Rpt., 1909, pp. 390–394. 1910.
  standard, certified milk. D.B. 1, p. 33. 1913.
  study of daily requirement. O.E.S. Bul. 159, p. 101. 1905.
  sugar-beet-top silage. J.A.R., vol. 20, pp. 538–450. 1921.
  sunflower and corn silage. J.A.R., vol. 20, pp. 881–885. 1921.
  supplied by soybean and peanut press-cake flours, digestibility. Arthur D. Holmes. D.B. 717, pp. 28. 1918.

Protein(s)—Continued.
synthesis of Azotobacter. O. W. Hunter. J. A. R., vol. 24, pp. 263-274. 1923.
test for presence. O.E.S. Bul. 200, pp. 13-14. 1908.
use as supplements to corn in fattening pigs. D.C. 204, p. 23. 1921.
use in animal body. F.B. 362, p. 16. 1909.
value in diet, and week's supply of foods for average family. F.B. 1313, pp. 3, 8-9. 1923.
value of vetch hay, experiments in feeding cows. F.B. 360, p. 30. 1909.
vegetable—
  determination, methods. Chem. Bul. 162, pp. 155-159. 1913.
  foods, comparison with meat and milk. J.A.R., vol. 10, pp. 633-634. 1917.
  properties. Chem. Bul. 162, p. 155. 1913.
wheat—
  and flour, American varieties. D.B. 557, pp. 24-25. 1917.
  content, relation to flour characters. D.B. 878, pp. 42-43. 1920; J.A.R., vol. 23, pp. 531, 534-538. 1923.
  effect of climate. Chem. Bul. 128, pp. 8-9, 14-15. 1910.
  effect of soil and climate. J.A.R., vol. 1, p. 285. 1914.
  flour, determination methods. D.B. 1187, pp. 27-30, 36-42. 1924.
  grain, relation between weight and percentage. Chem. Bul. 128, pp. 17-18. 1910.
  relation to hardness. J.A.R., vol. 21, pp. 507-522. 1921.
Proteolytic—
compounds, cheese and milk, methods of estimating, 1902. Chem Bul. 73, pp. 87-98. 1903.
enzymes, characteristics and powers. Chem Bul. 130, p. 34. 1910.
Proteoses—
and peptones, contained in meat extracts. Chem. Bul. 114, pp. 34-35, 48. 1908.
determination in canned meats. Chem. Bul. 13, Pt. X, pp. 1396-1397. 1902.
determination in processed fetilizers, methods. D.B. 158, pp. 17-19. 1914.
properties, referee's report, 1903. Chem. Bul. 81, pp. 101-102. 1904.
Proteracrum columbianum, description, occurrence in sheep, and treatment. F.B. 1150, pp. 42-45. 1920.
Protexol, misbranding. Insect N. Judg. 876. I. and F. Bd. S.R.A. 46, p. 1089. 1923.
Protocalliphora chrysorrhoea, larvae description, injury to young birds. Ent. T.B. 22, p. 21. 1912.
Protocoronospora nigricans, disease of hairy vetch. D.B. 876, p. 32. 1920.
Protonotaria citrea—
occurrence in Arkansas, and food habits. Biol. Bul. 38, p. 75. 1911.
See also Warbler, prothonotary.
Protoparce—
carolina, injury to vegetables in Porto Rico. D.B. 192, p. 7. 1915.
spp. *See* Hornworms.
Protopine, alkaloid in *Bikukulla* spp. J.A.R., vol. 23, pp. 71-76. 1923.
Protozoa—
activity in soils, relation to moisture and temperature. J.A.R., vol. 5, No. 11, pp. 479-485. 1915.
cause of—
  rabies, description. B.A.I. An. Rpt., 1909, pp. 203-204. 1911; F.B. 449, pp. 7-8. 1911.
  specific diseases, discovery and transmission. B.A.I. An. Rpt., 1910, pp. 465-498. 1912; B.A.I. Cir. 194, pp. 465-498. 1912.
  Texas fever, description, and action in animal body. B.A.I., [Misc.], "Diseases of cattle," rev. pp. 493. 1904; rev., pp. 463-464, 486. 1908; rev., pp. 481-482, 484. 1912.
classification. An. Rpts., 1910, pp. 469-948. 1912; B.A.I. Cir. 194, pp. 469-498. 1912.
counting methods. J.A.R., vol. 4, pp. 511-516. 1915.
description and life history. B.A.I. An. Rpt., 19 0, pp. 467-469. 1912; B.A.I. Cir. 194, pp. 467-469. 1912.
disease of cattle. B.A.I. Dairy [Misc.], "World's dairy congress," 1923, pp. 1452-1460. 1924.

Protozoa—Continued.
in Porto Rico, relation to soil sickness, studies. P.R. An. Rpt., 1910, pp. 15-17. 1911.
in soil—
  activity. J.A.R., vol. 5, No. 11, pp. 477-488. 1915.
  development, relation to temperature. J.A.R., vol. 4, pp. 542-557. 1915.
  Porto Rico, studies. P.R. An. Rpt., 1912, pp. 13-14. 1913.
  separation. J.A.R., vol. 5, No. 3, pp. 137-140. 1915.
  studies. J.A.R., vol. 4, pp. 511-559. 1915.
life histories, disease transmission. Y.B., 1905, pp. 140, 162-166. 1906; Y.B. Sep. 374, pp. 140, 162-166. 1906.
nicotine poisioning, effects. J.A.R., vol. 7, p. 114. 1916.
relation to ammonification and nitrification, discussion. Hawaii Bul. 37, pp. 25, 33. 1915.
spread by dogs, and diseases caused. D.B. 260, pp. 22-23. 1915.
transmission by ticks. Ent. Bul. 106, p. 44. 1912.
types in soils and culture solutions. J.A.R., vol. 4, pp. 527, 541. 1915.
Protractor, field, use in date-palm measurements, description. D.B. 223, p. 13. 1915.
Proventriculus in fowls, contents and function. B.A.I. Bul. 56, pp. 18-19. 1904.
Proverbs, weather, useful. W. J. Humphreys. Y.B., 1912, pp. 373-382. 1913; Y.B. Sep. 599, pp. 373-382. 1913.
Providence, R. I., milk supply, statistics, officials, prices, and laws. B.A.I. Bul. 46, pp. 28, 153, 210. 1903.
Prunaringia, importation and description. No. 34268, B.P.I. Inv. 32, p. 29. 1914.
Prune(s)—
acreage, 1910, by States, map. Y.B., 1915, p. 385. 1916; Y.B. Sep. 681, p. 385. 1916.
adulteration. See *Indexes to Notices of Judgment, in bound volumes of Chemistry Service and Regulatory Announcements.*
and prune culture in western Europe, and the Pacific Northwest. Edward R. Lake. Pom. Bul. 10, pp. 23. 1901.
dried, shipments by States, and by stations, 1916. D.B. 667, pp. 7, 92. 1918.
bark, Virginia. *See* Cherry, wild.
blossom infection by brown-rot fungus. D.B. 368, pp. 2-4. 1916.
brown-rot, and cherries, control in Pacific Northwest. D. F. Fisher and Charles Brooks. F.B. 1410, pp. 13. 1924; D.B. 368, pp. 10. 1916.
butter, adulteration and misbranding. See *Indexes, Notices of Judgment, in bound volumes of Chemistry Service and Regulatory Announcements.*
canning methods. D.B. 1084, p. 28. 1922.
care and handling, effect on markets. News L., vol. 3, No. 39, pp. 2-3. 1916.
Chinese, importation. No. 42748, B.P.I. Inv. 47, p. 58. 1920.
coast region, Pacific Northwest. F.B. 153, pp. 9-11. 1902.
crops, losses since 1904 from injuries by thrips. D.B. 173, pp. 7-11. 1915.
description, varieties, and value for drying. D.B. 1141, p. 50. 1923.
destruction by ground squirrels. Biol. Cir. 76, p. 6. 1910.
dipping and glossing after drying, details. F.B. 903, pp. 36-37, 58-59. 1917.
dried—
  cooking recipes. F.B. 841, p. 28. 1917.
  packing for market. F.B. 903, pp. 58-59. 1917.
  preparation and use, source of supply, and food value. Y.B., 1912, pp. 510-511, 519. 1913; Y.B. Sep. 610, pp. 510-511, 519. 1913.
  production in California. D.B. 1141, p. 2. 1923.
  shipments in carloads, by States, 1920-1923. S.B. 8, pp. 58-60. 1925.
drying—
  directions, peeling, and lye dipping. D.B. 1335, p. 35. 1925; F.B. 984, pp. 44-45. 1918.
  in sun, details. F.B. 903, pp. 54-55. 1917.
evaporated, adulteration. Chem. N.J. 3837, 3838. 1915.

Prune(s)—Continued.
  evaporating by artificial heat, details and shrinkage. F.B. 903, pp. 35-39. 1917.
  evaporation, details. D.B. 1141, pp. 51-54. 1923.
  exports—
    1902-1904. Stat. Bul. 36, p. 54. 1905.
    1903, 1913, destination. D.B. 296, p. 42. 1915.
    1921, statistics. Y.B., 1921, p. 760. 1922; Y.B. Sep. 867, p. 24. 1922.
  and imports—
    1887-1915 and destination of exports. Y.B., 1915, pp. 557, 559, 567. 1916; Y.B. Sep. 685, pp. 557, 559, 567. 1916.
    1901-1924. Y.B., 1924, pp. 1043, 1044, 1075, 1077. 1925.
  fig, cereal, misbranding. Chem. N.J. 1777, p. 1. 1912.
  food-value comparisons, chart. D.B. 975, pp. 6, 19. 1921.
  fresh, shipments by States, and by stations, 1916. D.B. 667, pp. 6, 86. 1918.
  fruit-rot control by spraying. D.B. 368, pp. 5-8. 1916.
  glucose compound (lekvar), misbranding. Chem. N.J. 1788, p. 1. 1912.
  grading—
    and packing, importance, effect on keeping. D.B. 331, pp. 17-18, 27, 28. 1916.
    methods. Rpt. 98, p. 250. 1913.
  growing—
    extent of industry, distribution. D.B. 331, p. 13. 1916.
    in California—
      Healdsburg area, details. Soil Sur. Adv. Sh., 1915, pp. 11, 15-16, 32-58. 1917; Soil F.O., 1915, pp. 2209-2210, 2230, 2339, 2242. 1919.
      Marysville area, yield and profit. Soils F.O., 1909, pp. 1699, 1713. 1912; Soil Sur. Adv. Sh., 1909, pp. 15, 29. 1911.
      middle San Joaquin Valley. Soils F.O., 1916, p. 2445. 1921; Soil Sur. Adv. Sh., 1916, p. 31. 1919.
      San Francisco Bay region. Soil Sur. Adv. Sh., 1914, pp. 18-19. 1917; Soils F.O., 1914, pp. 2690-2691, 2712, 2719, 2727, 2742, 2750, 2757, 2760, 2776. 1919.
      Ukiah area. Soil Sur. Adv. Sh., 1914, pp. 15, 17, 39-48. 1916; Soils F.O., 1914, pp. 2639, 2641, 2663-2672. 1919.
      upper San Joaquin Valley. Soil Sur. Adv. Sh., 1917, pp. 28-29. 1921; Soils F.O., 1917, p. 2556-2557. 1923.
    in Oregon—
      Benton County. Soil Sur. Adv. Sh., 1920, pp. 1436, 1437, 1446-1466. 1924.
      Umatilla experiment farm, variety tests. W.I.A. Cir. 26, p. 24. 1919.
      Washington County. Soil Sur. Adv. Sh., 1919, pp. 13, 26-31. 1923; Soils F.O. 1919, pp. 1843, 1856-1861. 1925.
      Yamhill County. Soil Sur. Adv. Sh., 1917, pp. 12, 13, 15-17, 26-38, 66. 1920; Soils F.O. 1917, pp. 2266, 2267, 2269-2271, 2280-2292, 2320. 1923.
    in United States and foreign countries. Sec. [Misc.], Spec. "Geography * * * world's agriculture," pp. 78, 80. 1917.
    in Washington—
      southwestern. Soil Sur. Adv. Sh., 1911, pp. 30, 79, 82, 83, 88, 104. 1913; Soils F.O. 1911, pp. 2120, 2169, 2172, 2173, 2178, 2194. 1914.
      Wenatchee area. Soil Sur. Adv. Sh., 1918, pp. 14, 16, 17, 20. 1922; Soils F.O., 1918, pp. 1554, 1556, 1557, 1560. 1924.
  handling and shipping, investigations and purpose. D.B. 331, pp. 14-26. 1915.
  importations and descriptions. Nos. 30315, 30349, 30350, 30410, B.P.I. Bul. 233, pp. 75, 79, 85. 1912; No. 42748, B.P.I. Inv. 47, p. 58. 1920; Nos. 53402-53414, B.P.I. Inv. 67, p. 48. 1923.
  imports, 1907-1909, with plums, quantity and value, by countries from which consigned. Stat. Bul. 82, p. 41. 1910.
  imports and exports, 1852-1921. Y.B., 1922, pp. 964, 967. 1923; Y.B. Sep. 880, pp. 964, 967. 1923.

Prune(s)—Continued.
  injury by—
    mealy plum aphid. D. B. 774, pp. 1, 2, 10, 15. 1919.
    pear thrips. D.B. 173, pp. 7-10, 16-18. 1915; Ent. Bul. 68, p. 6. 1909.
  insect pests, list. Sec. [Misc.], "A manual * * * insects * * *," pp. 172-180. 1917.
  juice, imports, 1907-1909, quantity and value, by countries from which consigned. Stat. Bul. 82, p. 39. 1910.
  kernel, description and microscopic identification. Chem. Bul. 160, pp. 14-15, 37. 1912.
  kernels as by-products of fruit industry. B.P.I. Bul. 133, pp. 34. 1908.
  orchards, spraying tests. Ent. Bul. 80, pp. 147-160. 1912.
  orchards, treatment for pear thrips, experiments. Ent. Cir. 131, pp. 10-16. 1911.
  picking time, maturity tests, studies. D.B. 331, p. 26. 1916.
  precooling, effect on carrying and keeping quality. D.B. 331, pp. 20-24. 1916.
  production, in Santa Clara Valley, 1900-1912. D.B. 173, p. 8. 1915.
  resistance to alkali. Soils Bul. 35, p. 40. 1906.
  rot development, temperature experiments. J.A.R., vol. 22, p. 452. 1922.
  shipment, relation to keeping quality, experiments. D.B. 331, pp. 18-20. 1915.
  shipments in carloads, with plums, by States, 1920-1923. S.B. 8, pp. 56-58. 1925.
  shipping from Willamette Valley, experiments. D.B. 331, pp. 1-4, 14-28. 1916.
  spraying—
    for brown rot. D.B. 368, pp. 4-9. 1916.
    to prevent rots in transportation, experiments. J.A.R., vol. 22, pp. 471-477. 1922.
  statistics, imports and exports. Y.B., 1918, pp. 639, 645, 648, 656. 1919; Y.B. Sep. 794, pp. 15, 21, 24, 32. 1919.
  stones, ground, use in adulteration of coffee essence. Chem. N.J. 1189, pp. 1-2. 1911.
  stuffed, confection as sugar substitute. U. S. Food Leaf. No. 15, p. 3. 1918.
  trees, acreage in 1919, map. Y.B., 1921, p. 467. 1922; Y.B. Sep. 878, p. 61. 1922.
  variety tests in Texas. D.B. 162, p. 18. 1915.
  vinegar, methods of making. F.B. 233, p. 32. 1905.
  See also Plums; Prunus.
Prunella vulgaris, susceptibility to Puccinia triticina. J.A.R., vol. 22, pp. 152-172. 1921.
Pruning—
  L. C. Corbett. F.B. 181, pp. 40. 1903.
  apple trees—
    and hauling brush, cost. D.B. 446, pp. 10, 14-15. 1917.
    and pear trees, work for February, and importance. News L., vol. 5, No. 27, p. 1. 1918.
    control of disease. B.P.I. Bul. 144, p. 21. 1909.
    details, directions, and tools. F.B. 1284, pp. 15-21. 1922; F.B. 1360, pp. 37-47. 1924.
    for control of powdery mildew. F.B. 1120, pp. 7-8. 1920; D.B. 712, pp. 24-26. 1918.
    for mildew control. D.B. 120, pp. 22-24, 26. 1914.
    for renewal of orchard, method, and season. F.B. 491, pp. 11-15, 21. 1912.
    in Payette Valley, Idaho. D.B. 636, pp. 15-16. 1918.
    methods and costs, Oregon, Hood River Valley. D.B. 518, pp. 19-20. 1917.
    New York orchard, method, time, and cost. D.B. 130, p. 7. 1914.
    planting directions. F.B. 1360, pp. 25-29. 1924.
  avocado trees, directions. F.B. 1399, pp. 6-7. 1924; Hawaii Bul. 51, p. 11. 1924.
  blackberry plants. F.B. 1399, pp. 6-7. 1924.
  blueberry, requirements. D.B. 974, pp. 20-21. 1921.
  camphor trees to control thrips, methods and directions. D.B. 1225, pp. 23-26. 1924.
  cherry trees, directions. F.B. 776, pp. 12-13 ,16-23. 1916.
  chrysanthemums, directions. F.B. 1311, pp. 3-5. 1923.

Pruning—Continued.
  citrus—
    directions. F.B. 1122, pp. 27–28, 34–35. 1920.
    for control of melanose. D.C. 259, pp. 2–3. 1923.
    in Hawaii, time and method. Hawaii A.R., 1920, pp. 24–25. 1921.
    in Southwest. A. D. Shamel and others. F.B. 1333, pp. 32. 1923.
    practices. F.B. 238, p. 17. 1905; F.B. 542, pp. 7–8. 1913; F.B. 1447, pp. 29–30. 1925.
  coffee plants. P.R. Cir. 15, pp. 20–21. 1912.
  Colorado orchards, method and labor cost. D.B. 500, p. 16. 1917.
  cotton, perennial growth, Hawaii, results. Hawaii A.R., 1911, pp. 58, 60. 1912.
  cranberries, directions. F.B. 1401, p. 16. 1924.
  currant grapes and training vines. D.B. 856, pp. 9–10. 1920.
  currants, directions. F.B. 1024, pp. 13–14. 1919.
  date, directions. F.B. 1016, p. 17. 1919.
  dewberry, systems in various sections. F.B. 728, pp. 8–13. 1916; F.B. 1403, pp. 7–11. 1924.
  effect on—
    branch development of cotton plants. B.P.I. Bul. 249, pp. 22–24, 28. 1912.
    concentration of cell sap. J.A.R., vol. 21, pp. 87–91. 1921.
  fig trees, directions. D.B. 732, p. 32. 1918; F.B. 342, pp. 23–24. 1909; F.B. 1031, pp. 18–25. 1919.
  forest—
    seedlings, directions. F.B. 423, p. 18. 1910.
    trees, advisability, and care of wounds. D.B. 153, pp. 16–18. 1915; F.B. 888, pp. 21–22. 1917; For. Cir. 161; pp. 22–23. 1909; Y.B., 1911, p. 265. 1912; Y.B. Sep. 566, p. 265. 1912.
    trees on farm. F.B. 1123, pp. 15–16. 1921.
  fruit tree(s)—
    and berry, directions. F.B. 154, pp. 10–11. 1902.
    at field station near Mandan, N. Dak. D.B. 1301, pp. 27–28. 1925.
    central-leader type. F.B. 776, pp. 22–23. 1916.
    demonstration work by county agents. D.C. 244, pp. 26–28. 1922.
    directions. F.B. 181, pp. 1–40. 1903; F.B. 388, pp. 19–21. 1910; S.R.S. Syl. 31, pp. 7–8. 1918.
    experiments in Oregon. W.I.A. Cir. 1, pp. 13–16. 1915.
    in Great Plains area. F.B. 727, pp. 19–27. 1916.
    in home garden, directions. F.B. 1001, pp. 15–20. 1919.
    winter-injured, importance. F.B. 251, pp. 10–14. 1906.
  gipsy-moth control. Ent. Bul. 87, p. 19. 1910.
  gooseberries, directions. F.B. 1024, pp. 14–17. 1919.
  grapevines, methods. F.B. 156, pp. 14–18. 1902; F.B. 471, pp. 13–16. 1911.
  hook, misuse in tree repairing. Y.B., 1913, p. 185. 1914; Y.B. Sep. 622, p. 185. 1914.
  hops, methods. F.B. 304, p. 12. 1907.
  implements. F.B. 181, pp. 22–23. 1903.
  influence in stimulating growth of plants. J.A.R., vol. 20, p. 155. 1920.
  jujubes, directions. D.B. 1215, p. 17. 1924.
  lemon trees. B.P.I. Bul. 160, p. 25. 1909; Y.B., 1907, p. 352. 1908; Y.B. Sep. 453, p. 352. 1908.
  loganberries, time and methods. F.B. 998, pp. 14–15. 1918.
  muscadine grapes and training. F.B. 709, pp. 15–19. 1916.
  olive trees—
    directions. F.B. 1249, pp. 30–34. 1922.
    in Tunis. B.P.I. Bul. 125, pp. 27–30, 38. 1908.
  orchard, directions. F.B. 908, p. 59. 1918; S.R.S. Syl. 23, pp. 7–8. 1916.
  papaya and thinning fruits. Hawaii A.R., 1911, p. 30. 1912.
  peach trees—
    crew work, data. D.B. 29, p. 9. 1913.
    for control of bud mite. Ent. Bul. 97, pp. 108, 113–114. 1913.
    objects, methods, and details. F.B. 632, pp. 1–9. 1915; F.B. 1917, pp. 23–33. 1918.
    time and methods. News L., vol. 5, No. 36, pp. 1, 6. 1918.

Pruning—Continued.
  pear trees—
    effect on growth of new shoots. J.A.R., vol. 21, pp. 852–857. 1921.
    various forms. F.B. 482, pp. 16–19. 1912.
  pecan trees—
    experiments for control of rosette. J.A.R., vol. 3, No. 2, pp. 152, 172, 174. 1914.
    methods in wood-rot control. F.B. 995, pp. 3–8. 1918.
    time, and tools needed. F.B. 995, p. 8. 1918.
  pine trees—
    at planting. F.B. 1453, pp. 33–34. 1925.
    for control of shoot moth. D.B. 170, p. 9. 1915.
  plants, school studies. S.R.S. Doc. 63, pp. 4–12. 1917.
  plums, in Northwest prune growing. F.B. 1372, pp. 49–54. 1924.
  principles applied to specific plants. F.B. 181, pp. 24–39. 1903.
  raisin grapes, systems. D.B. 349, pp. 6–8. 1916.
  raspberry—
    for production of late fruit, method. F.B. 887, p. 29. 1917.
    systems. F.B. 887, pp. 17–29. 1917.
  reasons for practice. F.B. 181, pp. 7, 10. 1903.
  relation to—
    fruit-bud formation. S.R.S. Rpt., 1916, Pt. I, pp. 45, 104, 160, 228, 264, 271. 1918.
    insect injury. F.B. 1169, pp. 15–16. 1921.
  removal of large branches. F.B. 181, pp. 16–19. 1903.
  root, forest seedlings. D.B. 479, pp. 44–45, 52. 1917.
  rose, different varieties. F.B. 750, pp. 8, 10–12, 20–23. 1916.
  rotundifolia grapevines, methods. B.P.I. Bul. 273, pp. 29–33. 1913.
  rubber trees, directions. Hawaii Bul. 16, p. 13. 1908.
  scuppernong grapes, loss of sap at different seasons, suggestions, etc. F.B. 374, pp. 11–12. 1909.
  shade tree, time and method. News L., vol. 3, No. 27, pp. 1, 4. 1916.
  shears, dewberry, description. F.B. 728, p. 9. 1916.
  shelter belt, precautions. D.L.A. Cir. 4, pp. 2–3. 1919.
  sweetpotatoes, effect on yield. Hawaii Bul. 50, pp. 7, 20. 1923.
  tea plant, directions. B.P.I. Bul. 234, pp. 18–20. 1912; F.B. 301, pp. 11–12. 1907.
  tomatoes, practices in different localities. D.B. 392, p. 14. 1916; D.C. 27, p. 13. 1919; F.B. 642, pp. 7–8. 1915; F.B. 1338, pp. 21, 33. 1923; S.R.S. Doc. 98, pp. 9–11. 1919.
  tools useful in renovation of old apple orchards. F.B. 491, pp. 14–15. 1912.
  top, effect on hypertrophy of conifers. J.A.R., vol. 20, p. 258. 1920.
  tree(s)—
    crops for drought resistance. Y.B., 1911, p. 360. 1912; Y.B. Sep. 574, p. 360. 1912.
    for mistletoe infection directions. B.P.I. Bul. 166, pp. 25–27. 1910.
    in Great Plains plantations. F.B. 1312, pp. 27–28. 1923.
    in street planting. F.B. 1209, pp. 25–26, 27–30. 1921.
    in surgery work. F.B. 1178, pp. 6–11. 1920.
    injured by borers, and treatment of stubs. F. B. 708, p. 8. 1916.
    value in ant control. F.B. 1037, p. 15. 1919.
    young and mature, for shade. D.B. 816, pp. 50–51, 53–55. 1920.
  usefulness against codling moth. Ent. Bul. 41, p. 63. 1903.
  value in control of European pine-shoot moth. News L., vol. 2, No. 41, p. 8. 1915.
  vanilla vines and supporting shrubs. P.R. Bul. 26, pp. 16–18. 1919.
  walnut trees, directions. B.P.I. Bul. 254, pp. 83–84. 1913.
  watermelon vines, directions. F.B. 1394, p. 12. 1924.
  Yakima Valley orchards, work required and cost per acre. D.B. 614, pp. 21–24. 1918.

Pruning—Continued.
yam vines, experiments. P.R. Bul. 27, pp. 10–11. 1921.
young orchard trees, directions. B.P.I. Cir. 118, pp. 21–22. 1913.
See also Tree surgery.

Prunus—
americana—
importations and descriptions. Nos. 34269, 34270, B.P.I. Inv. 32, p. 30. 1914.
See Plum, wild.
andersonii. See Almond, wild, Nevada.
armeniaca. See Apricot.
besseyii. See Cherry, sand.
brigantina, importations and descriptions. No. 31954, B.P.I. Bul. 261, p. 12. 1912; No. 34851, B.P.I. Inv. 34, pp. 6, 20. 1915.
cerasifera divaricata, importations and descriptions. Nos. 28948, 28951, 29224, B.P.I. Bul. 227, pp. 7, 18, 19, 47. 1911.
cerasus. See Cherry, red sour.
demissa. See Chokecherry, western.
domestica—
importations and description. Nos. 34268, 34271, 34272, B.P.I. Inv. 32, pp. 29–30. 1914.
See also Prune.
dwarf, imported, value as almond or peach stock. Nos. 28943–28944. B.P.I. Bul. 227, pp. 7, 17. 1911.
emarginata. See Cherry, bitter.
eriogyna. See Apricot, desert.
fasciculata. See Almond, desert.
maximowiczii, importation and description. No. 40189, B.P.I. Inv. 42, pp. 87–88. 1918.
melanocarpa. See Chokecherry.
nana, poisoning of sheep. D.B. 575, pp. 17–18. 1918.
napaulensis, importation and description. No. 55696. B.P.I. Inv. 72, pp. 3, 20. 1924.
oregana. See Prune, Oregon; Plum, Oregon.
prostrata, importation and description. No. 28945, B.P.I. Bul. 227, pp. 7, 18. 1911.
pubescent-fruited of Southwestern States. J.A.R., vol. 1, pp. 147–178. 1913.
salicifolia. See Cereza.
serotina. See Capulin; Cherry, wild; Chokecherry.
serrulata spontanea, importation and description. No. 55717, B.P.I. Inv. 72, p. 24. 1924.
sibirica, importation and description. No. 34134, B.P.I. Inv. 32, p. 14. 1914.
spp.—
from Palestine, recommendation as stock for almonds and apricots. B.P.I. Bul. 180, p. 15. 1910.
importations and descriptions. Nos. 37072, 37073, 37463, 37464, 37474, 37619, 37628–37630, 37642, 37645, 37646, B.P.I. Inv. 38, pp. 33, 61, 62, 86, 89, 90, 91, 92. 1917; 41704, 41817–41870, 42057, B.P.I. Inv. 46, pp. 7, 11, 25, 51. 1919; Nos. 42439, 42440, 42576, 42581–42584, 42748, B.P.I. Inv. 47, pp. 13, 30, 31, 58. 1920; Nos. 43039–43048, 43076–43112, 43175–43182, 43202–43212, 43304–43310, B.P.I. Inv. 48, pp. 13, 17, 24, 27, 42–43. 1921; Nos. 43405–43408, 43425, 43558, 43740, 43864–43871, B.P.I. Inv. 49, pp. 10, 13, 16, 42, 71, 88–89. 1921; Nos. 46431, 46432, 46473, 46533, 46572, B.P.I. Inv. 56, pp. 17, 19, 24, 27. 1922; Nos. 47534, 47535, 47567, 47766, 47767, B.P.I. Inv. 59, pp. 28, 32, 57. 1922; Nos. 47932–47938, 47950, 48013, 48276, B.P.I. Inv. 60, pp. 5, 16, 18, 28, 65. 1922; Nos. 51393, 51743, 51878–51882, B.P.I. Inv. 65, pp. 1, 12, 43, 62–63. 1923; Nos. 52578–52580, 52614–52615, 52663, 52720, 52739, B.P.I. Inv. 66, pp. 43–45, 51, 56, 65, 69. 1923; Nos. 52914, 53402–53414, 53416–53427, 53442, B.P.I. Inv. 67, pp. 13, 48, 49. 1923.
in Southwestern States, pubescent-fruited. Silas C. Mason. J.A.R., vol. 1, pp. 147–178. 1913.
injury by—
pith-ray flecks. For. Cir. 215, p. 10. 1913.
sapsuckers. Biol. Bul. 39, p. 43, 52. 1911.
inoculation experiments with Coccomyces spp. J.A.R., vol. 13, pp. 539–569. 1918.
native American. W. F. Wight. D.B. 179, pp. 75. 1915.
systematic botany, synopsis, and key to species. D.B. 179, pp. 17–72. 1915.

Prunus—Continued.
spp.—continued.
wild, use as food for birds. Biol. Bul. 30, pp. 11, 26. 1907.
See also Apricots; Cherries; Peaches; Plums; Prune; Chokecherry.
subcordata, importation and description. No. 32168. B.P.I. Bul. 261, p. 36. 1912.
texicana. See Peach, wild, Texas.
tomentosa—
hardy variety from Canada, experiments in Iowa. B.P.I. Bul. 176, pp. 8, 21. 1910.
See also Cherry, bush.
triflora, host of Phyllosticta congesta. J.A.R., vol. 22, pp. 365–370. 1921.
trilobia, importation and description. No. 36112, B.P.I. Inv. 36, pp. 7, 54. 1915.
Pruritis, cattle, causes, and treatment. B.A.I. [Misc.], "Diseases of cattle," rev., pp. 322–323. 1904; rev. pp. 334–335. 1912; rev. pp. 322–323. 1923.
Prussian blue, use—
as coloring matter. Chem. Cir. 91, p. 1. 1912.
in paints. F.B. 474, pp. 17, 22. 1911.
Prussic acid—
development in sorghum and other forage plants, studies. An. Rpts., 1912, p. 412. 1913; B.P.I. Chief. Rpt., 1912, p. 32. 1912.
in Sudan grass, poisoning of livestock. F.B. 1126, pp. 18–19. 1920; F.B. 1126, rev., pp. 16–17. 1925.
occurrence in green sorghums and in milo. F.B. 322, pp. 21, 23. 1908.
poison in sorghum, discussion and recommendations. F.B. 1158, pp. 27–28. 1920.
presence in beans, Item 219. Chem. S.R.A. 20, p. 62. 1917.
See also Hydrocyanic acid.
Pryor, W. L.: "Length of cotton lint, crops, 1916 and 1917." D.B. 733, pp. 8. 1918.
Psathyrella disseminata, description. D.B. 175, p. 36. 1915.
Psedera quinquefolia—
injury by sapsuckers. Biol. Bul. 39, p. 22. 1911.
See also Virginia creeper.
Pseudaonidia duplex. See Scale, camphor.
Pseudapanteles etiellae, parasite of the legume pod moth. Ent. Bul. 95, Pt. VI, p. 104. 1912.
Pseudarthria hookeri, importation and description. No. 50052, B.P.I. Inv. 63, p. 31. 1923.
Pseudoamphistomum truncatum, spread by dogs. D.B. 260, p. 23. 1915.
Pseudococcus—
adonidum, injury to bamboo. D.B. 1329, p. 41. 1925.
gahani, technical description, same as P. citrophilus. D.B. 1040, p. 5. 1922.
spp.—
descriptions. J.A.R., vol. 31, pp. 488–493. 1925.
enemy of Ceara rubber tree. Hawaii Bul. 16, p. 30. 1908.
occurrence in Hawaii. Hawaii Bul. 34, p. 17. 1914.
See also Mealybug.
Pseudocyphona spp., description. Ent. T.B. 20, Pt. II, p. 106. 1911.
Pseudoglobulin, transformation into euglobulin. W. N. Berg. J.A.R., vol. 8, pp. 449–456. 1917.
Pseudogryphus californianus. See Vulture, California.
Pseudoleukemia, hogs, post-mortem appearances. An. Rpts., 1909, p. 223. 1910; B.A.I. Chief Rpt., 1909, p. 33. 1909.
Pseudolus longulus, enemy of Ceara rubber tree. Hawaii Bul. 16, p. 30. 1908.
Pseudomonas—
apii, cause of leaf spot of celery. J.A.R., vol. 21, pp. 185–188. 1921.
avenae—
cause of blade-blight in oats. J.A.R., vol. 11, p. 627. 1917.
comparison with Bacterium coronafaciens. J.A.R., vol. 19, p. 169. 1920.
dry heat treatment. J.A.R., vol. 18, pp. 386, 387. 1920.
campestris—
cause of turnip disease, study. B.P.I. Bul. 266, p. 20. 1913.
cultural characters. Veg. Phys. and Path. Bul. 28, pp. 1–153. 1901.

Pseudomonas—Continued.
  campestris—continued.
    vitality tests under low temperature. J.A.R., vol. 5, No. 14, p. 654. 1916.
  caudatus, description and characteristics. J.A.R. vol. 16, pp. 342-346. 1919.
  citri—
    cause of citrus canker, description and life history. J.A.R., vol. 4, pp. 97-100. 1915; J.A.R., vol. 6, No. 2, pp. 74-86. 1916.
    decline in the soil. H. R. Fulton. J.A.R., vol. 19, pp. 207-223. 1920.
    growth, infection, and development, influence of temperature, with host plants. George L. Peltier. J.A.R., vol. 20, pp. 447-506. 1920.
    overwintering in bark of citrus hybrids. J.A.R., vol. 14, pp. 523-524. 1918.
    persistence in autoclaved soils and in water, J.A.R., vol. 19, pp. 219-220. 1920.
    susceptibility of rutaceous plants. J.A.R., vol. 15, pp. 661-666. 1919.
    technical description. J.A.R., vol. 4, pp. 99-100. 1915.
  destructans, enzyme production. J.A.R., vol. 21, p. 611. 1921.
  fluorescens, description and characteristics of similar organisms. J.A.R., vol. 16, pp. 333-342. 1919.
  hyacinthi, *Ps. campestris*, *Ps. phaseoli*, and *Ps. stewarti*—four one-flagellate, yellow bacteria parasitic on plants, cultural characters. Irwin F. Smith. Veg. Phys. and Path. Bul. 28, pp. 153. 1901.
  japonica, possible name for cowpea-soybean nodule bacteria. J.A.R., vol. 20, p. 551. 1921.
  juglandis, cause of walnut blight. B.P.I. Bul. 254, p. 89. 1913.
  medicaginis, cause of alfalfa stem blight. O.E.S. An. Rpt., 1910, p. 106. 1911.
  phaseoli, cultural characters. Veg. Phys. and Path. Bul. 28, pp. 1-153. 1901.
  radicicola—
    commercial cultures, investigations. O.E.S. An. Rpt., 1910, pp. 193, 243, 255. 1911.
    longevity under desiccation, studies. J.A.R., vol. 5, No. 20, pp. 929, 932-935. 1916.
  stewarti, cultural characters. Veg. Phys. and Path. Bul. 28, pp. 1-153. 1901.
  subcretus, description and cultural features. B.P.I. Bul. 266, pp. 37-39, 52. 1913.
  taxifolia, chlorosis. J.A.R., vol. 21, No. 3, pp. 153-171. 1921.
  tenuis, comparison with *Bacterium aptatum*. J.A.R., vol. 1, pp. 206-208. 1913.
Pseudopeziza spp.—
  cause of leaf-spot diseases of alfalfa and red clover. Fred Reuel Jones. D.B. 759, pp. 38. 1919.
  characteristics, synonomy, and morphological studies. D.B. 759, pp. 5-19. 1919.
  occurrence on plants in Texas, and description. B.P.I. Bul. 226, p. 48. 1912.
Pseudopyrellia cornicina, larvae, description and occurrence. Ent. T.B. 22, p. 23. 1912.
Pseudotsuga—
  mucronata—
    injury by sapsuckers. Biol. Bul. 39, p. 26. 1911.
    See also Spruce, Douglas; Fir, red.
  spp.—
    food of Dendroctonus beetles. Ent. T.B. 17, Pt. I, p. 79. 1909.
    injury by *Rhizina inflata*. J.A.R., vol. 4, pp. 93, 94. 1915.
    susceptibility to dry rot. B.P.I. Bul. 214, p. 12. 1911.
    See also Hemlocks, false.
Pseudotuberculosis, sheep, cause and treatment. F.B. 1155, p. 14. 1921.
Psidium—
  guajava. See Guava.
  laurifolium, introduction and value for jelly making. B.P.I. Bul. 205, pp. 8, 45. 1911.
  pumilum, importation and description. No. 43762, B.P.I. Inv. 49, p. 74. 1921.
  sp., importation and description. Nos. 35973, 35979, 36072, 36157, 36063, B.P.I. Inv. 36, pp. 32, 33, 47, 49, 60. 1915.
Psilapodinus flaviceps, enemy of the sorghum midge. Ent. Bul. 85, p. 57. 1911.

Psilocybe, ferment in organic débris. Charles Thom and Elbert C. Lathrop. J.A.R., vol. 30, pp. 625-628. 1925.
Psilura monacha. See Moth, nun.
Psittacidae, hosts of eye parasites. B.A.I. Bul. 60, p. 47. 1904.
Psittacula insularis. See Lovebird, Tres Marias.
Psocids—
  description and habits. F.B. 1260, p. 41. 1922.
  or book lice, annoying household pests. E. A. Back. F.B. 1104, pp. 4. 1920.
  See also Book lice.
Psoralea—
  corylifolia, importation and description. No. 40744, B.P.I. Inv. 43, p. 75. 1918.
  esculenta, importation and description. No. 41453, B.P.I. Inv. 45, p. 31. 1918.
  lanceolata, value as sand binder, occurrence. J.A.R., vol. 1, pp. 387, 388. 1914.
  spp., nodule occurrence. B.P.I. Cir. 31, p. 6. 1909.
  tenuifolia, poisonous, injury to animals. D.B. 575, p. 20. 1918.
  tenuiflora. See also Alfalfa, wild.
Psorergates spp., description and habits. Rpt. 108, pp. 27, 28. 1915.
Psoriasis, cattle, description and treatment. B.A.I. [Misc.], "Diseases of Cattle," rev., pp. 326-327. 1904; rev., pp. 338-339. 1912; rev., pp. 326-327. 1923.
Psoroptes—
  communis—
    description, habits, and control on sheep. F.B. 1150, pp. 10-13. 1920.
  ovis—
    cause of sheep scab, description and life history. F.B. 713, pp. 3-5. 1916.
    description, and scab caused. B.A.I. Bul. 40, pp. 1-23. 1902; F.B. 1017, pp. 3, 4-9. 1919.
    See also Mite, sheep-scab.
  spp., description and habits. Rpt. 108, pp. 130, 131. 1915.
Psychotria—
  bacteriophila, importations and description. Nos. 44119, 44273, B.P.I. Inv. 50, pp. 6, 31, 51. 1922.
  erratica, importation and description. No. 47768, B.P.I. Inv. 59, p. 57. 1922.
  undata, importation and description. No. 47165, B.P.I. Inv. 58, p. 35. 1922.
Psychrometer—
  description and use. D.B. 509, p. 7. 1917; F.B. 401, pp. 16, 22-23. 1910; Y.B., 1909, p. 391. 1910; Y.B. Sep. 522, p. 391. 1910.
  sling, use in determination of atmospheric moisture. F.B. 1096, pp. 46-48. 1920; Y.B., 1908, pp. 439-441. 1909; Y.B. Sep. 492, pp. 439-441. 1909.
Psylla—
  apple, description. Sec. [Misc.], "A manual * * * insects * * *," p. 16. 1917.
  mango shoot, description. Sec. [Misc.], "A manual * * * insects * * *," p. 143. 1917.
  pear—
    description. F.B. 908, pp. 85-86. 1918. Sec. [Misc.], "A manual * * * insects * * *," p. 167. 1917.
    winter spraying with lime-sulphur. Y.B., 1908, p. 270. 1909; Y.B. Sep. 480, p. 270. 1909.
  plum, description. Sec. [Misc.], "A manual * * * insects * * *," p. 172. 1917.
Psylliodes—
  punctulata. See Hop flea beetle.
  spp., food plants. Ent. Bul. 66, Pt. VI, pp. 76-77, 81. 1909.
Ptarmigan—
  general distribution, value and habits. Biol. Bul. 24, pp. 8, 44-48. 1905.
  in Alaska—
    conditions, report. D.C. 88, p. 9. 1920.
    increase. D.C. 225, p. 5. 1922; D.C. 260, p. 3. 1923.
    varieties and descriptions. N.A. Fauna 24, pp. 65-67. 1904; Y.B., 1907, p. 482. 1908; Y.B. Sep. 462, p. 482. 1908.
  in Yukon Territory. N.A. Fauna 30, pp. 59-60. 1909.
  northern white-tailed, in Yukon Territory. N.A. Fauna 30, p. 60. 1909.

Ptarmigan—Continued.
　range and habits. N.A. Fauna 21, p. 75. 1901;
　　N.A. Fauna 22, pp. 103–104. 1902; N.A. Fauna
　　24, pp. 22, 65–67. 1904.
　rock, in Alaska and Yukon Territory. N.A.
　　Fauna 30, pp. 37, 60, 87. 1909.
　value as game birds in Alaska, decrease. Biol.
　　Doc. 110, p. 8. 1919.
　varieties, in Athabaska-Mackenzie region. N.A.
　　Fauna 27, pp. 342–348. 1908.
　willow in Alaska and Yukon Territory. N.A.
　　Fauna 30, pp. 37, 59, 87. 1909.
Ptelea trifoliata. See Wafer-ash.
Pteris aquilina. See Brake.
Pterocarpus—
　dekindtianus, importation, and description. No.
　　48475, B.P.I. Inv. 61, p. 12. 1922.
　indicus, importation, and description. No.
　　32121, B.P.I. Bul. 261, p. 30. 1912.
　marsupium. See Kino tree.
　spp., importation, and description. Nos. 50178–
　　50180, B.P.I. Inv. 63, pp. 42–43. 1923.
Pterocarya—
　caucasica. See Walnut, Caucasian.
　fraxinifolia, importation, and description. No.
　　44590, B.P.I. Inv. 51, p. 29. 1922.
　stenoptera, importation, and description. No.
　　45587, B.P.I. Inv. 53, p. 63. 1922.
Pterochlorina, description, and key. D.B. 826,
　　pp. 17–19. 1920.
Pterocommina, description, and key. D.B. 826,
　　pp. 7, 35–36. 1920.
Pterocyclon mali. See Ambrosia beetles.
Pterodectes spp., description. Rpt. 108, p. 122.
　　1915.
Pterogyne ni-ens, importation and value as lumber.
　　No. 45485, B.P.I. Inv. 53, p. 40. 1922.
Pterolichus spp., description and habits. Rpt. 108,
　　pp. 122, 123. 1915.
Pteromalid, parasite of huisache girdler. D.B. 184,
　　p. 8. 1915.
Pteromalidae—
　enemies of boll weevil, list. Ent. Bul. 100, pp.
　　42, 51, 52, 54–68. 1912.
　parasitic on corn-leaf miner. J.A.R., vol. 2, p.
　　29. 1914.
Pteromalids, parasites of alfalfa weevil eggs, intro-
　　duction. D.C. 301, pp. 2, 4. 1924.
Pteromalus—
　egregius—
　　establishment in New England. D.B. 204, p.
　　　11. 1915. Ent. Bul. 91, pp. 65, 69, 262,
　　　267–278. 1911.
　　parasite of Apanteles lacteicolor. J.A.R., vol.
　　　14, pp. 192, 201. 1918.
　eurymi, enemy of alfalfa caterpillar. D.B. 124,
　　pp. 21–23. 1914; F.B. 1094, p. 9. 1920.
　gelechiae, enemy of Angoumois grain moth. F.B.
　　1156, p. 19. 1920.
Pteronyssus spp., description and habits. Rpt. 108,
　　pp. 122, 126. 1915.
Pteroptrichoides, parasitic on scale insects, descrip-
　　tion. Hawaii A.R., 1912, pp. 27–28. 1913.
Pterostichus—
　anatomical comparison with Dendroctonus type.
　　Ent. T.B. 17, Pt. I, pp. 11, 15. 1909.
　lucublandus, destruction of Colorado potato beetle.
　　Ent. Bul. 82, Pt. VII, p. 85. 1911.
　sayi, destruction by birds. Biol. Bul. 15, p. 47.
　　1901.
Pterygium, cattle, characteristics, and treatment.
　　B.A.I. [Misc.], "Diseases of cattle," rev., p. 349.
　　1904; rev., p. 362. 1912; rev., p. 349–350. 1923.
Pterygosoma spp., description and habits. Rpt.
　　108, p. 31. 1915.
Pterygota alata, importation, and description. No.
　　51822, B.P.I. Inv. 65, p. 54. 1923.
Ptilinus ruficornis, habits. D.B. 737, p. 7. 1919.
Ptilonyssus spp., description. Rpt. 108, pp. 76, 77.
　　1915.
Ptinidae—
　family, classification and synonymy. D.B.
　　737, pp. 4–5. 1919.
　insects affecting cereals. Ent. Bul. 96, Pt. I,
　　p. 4. 1911.
　spp., food habits, injuries, and names. D.B.
　　737, p. 7. 1919.

Ptocharus spp., description and habits. Rpt. 108,
　　p. 87. 1915.
Ptomaines—
　method of detection in canned meats. Chem. Bul.
　　13, Part 10, pp. 1394–1395. 1902.
　poisoning—
　　causes. B.A.I. An. Rpt., 1909, p. 135. 1911;
　　　B.A.I. Cir. 171, p. 135. 1911.
　　causes, and comparison with toxin of bac'lli.
　　　Chem. Bul. 156, pp. 42–43. 1912.
　　milk bacteria as cause. B.A.I. Bul. 73, p. 7.
　　　1905.
　　treatment. D.C. 4, p. 70. 1919; D.C. 138, p.
　　　74. 1920; For. [Misc.], "First-aid manual
　　　* * *," pp. 77–78. 1917.
　transmission to food by rats. Biol. Bul. 33, p. 33.
　　1909.
Ptosima spp., larval structure, distribution, habits,
　　and host trees. D.B. 437, pp. 6, 7. 1917.
Ptyalin, action of formaldehyde. B.A.I. Cir. 59,
　　pp. 116–117. 1904.
Ptyalism, horse, cause and treatment. B.A.I.
　　[Misc.], "Diseases of the horse," p. 45. 1903; rev.,
　　p. 45. 1907; rev., p. 45. 1911; rev., p. 61. 1923.
Ptychandra glauca, importation, and description.
　　No. 51736, B.P.I. Inv. 65, p. 42. 1923.
Ptychodes trilineatus. See Fig-tree borer, three-
　　lined.
Pualele, composition and feeding value. Hawaii
　　Bul. 36, pp. 11, 33. 1915.
Pubescence, relation to length of day. J.A.R., vol.
　　23, p. 900. 1923.
Public—
　and the forecaster. Harvey M. Watts. W.B.
　　Bul. 31, pp. 142–145. 1902.
　domain—
　　grazing control methods. Y.B., 1923, pp. 404–
　　　405. 1924; Y.B. Sep. 895, pp. 404–405. 1924.
　　use in agriculture, discussion of policy. Sec.
　　　A.R., 1925, pp. 28–30. 1925.
　grazing lands, systems of leasing. For. Bul. 62,
　　pp. 32–67. 1905.
　lands—
　　consolidation of scattered holdings. D.B. 1001,
　　　pp. 54–55. 1922.
　　disposal, laws governing. D.B. 1001, pp. 20–27.
　　　1922.
　　entries for eleven Western States, 1910–1920.
　　　D.B. 1001, pp. 51–53. 1922.
　　entry for settlement 1909–1914, reduction of
　　　range. Rpt. 110, pp. 8–9. 1916.
　　fire prohibitions. For. Law Leaf. 21, pp. 5–6.
　　　1917.
　　for homesteaders, methods of acquisition, sug-
　　　gestions, and documents. News L., vol. 2,
　　　No. 20, pp. 4–5. 1914.
　　grazing on. For. Bul. 62, pp. 67. 1905.
　　in—
　　　Kansas, location, and cost of homestead
　　　　entry. O.E.S. Bul. 211, pp. 11–12. 1909.
　　　New Mexico, acreage. O.E.S. Bul. 215, p. 16.
　　　　1909.
　　　Oregon, distribution conditions, settlement,
　　　　and cost. O.E.S. Bul. 209, pp. 20–24, 56–59.
　　　　1909.
　　　Texas, acreage and condition. O.E.S. Bul.
　　　　222, pp. 29–30. 1910.
　　　Texas, classes. For. Bul. 62, pp. 35–40. 1905.
　　　Washington, area and distribution. O.E.S.
　　　　Bul. 214, p. 8. 1909.
　　information agencies, Federal and State. D.B.
　　　1271, pp. 33–34. 1922.
　　open for settlement, remarks and tables. Y.B.,
　　　1902, pp. 748–750. 1903.
　　policies in use, discussion. Sec. A.R., 1925, pp.
　　　28–30. 1925.
　　transfer to various States, opposition. D.B.
　　　1001, pp. 55–56. 1922.
　　unappropriated, in far western States, regula-
　　　tions. Rpt. 110, pp. 17–19. 1916.
　　See also Homesteads; Reclamation projects.
　moneys. See Moneys.
　property, protection regulations. For. [Misc.],
　　"The use book," rev. 5, pp. 30–31. 1915.
　ranges, pasteurizing capacity, causes of increase
　　and decrease. For. Bul. 62, pp. 15–19. 1905.
Public Health Service, studies of pellagra cause.
　　News L., vol. 3, No. 18, p. 3. 1915.

INDEX TO PUBLICATIONS, 1901-1925   1933

Public Road Inquiries Office—
  report of director—
    1901. Martin Dodge. An. Rpts., 1901, pp. 419-443. 1901; Rds. Chief Rpt., 1901, pp. 18. 1901.
    1902. Martin Dodge. An. Rpts., 1902, pp. 325-347. 1902; Rds. Chief Rpt., 1902, pp. 12. 1902.
    1903. Martin Dodge. An. Rpts., 1903, pp. 305-316. 1903; Rds. Chief Rpt., 1903, pp. 23. 1903.
    1904. Martin Dodge. An. Rpts., 1904, pp. 235-252. 1904; Rds. Chief Rpt., 1904, pp. 16. 1904.
  See also Public Roads and Rural Engineering Office; Public Roads Bureau; Public Roads Office.
Public Roads and Rural Engineering Office—
  new name proposed for Roads Office. An. Rpts., 1914, p. 44. 1915; Sec. A.R., 1914, p. 46. 1914.
  report of Director—
    1916. L. W. Page. An. Rpts., 1916, pp. 329-344. 1917; Rds. Chief Rpt., 1916, pp. 16. 1916.
    1917. L. W. Page. An. Rpts., 1917, pp. 359-380. 1918; Rds. Chief Rpt., 1917, pp. 22. 1917.
    1918. Logan Waller Page. An. Rpts., 1918, pp. 373-392. 1919; Rds. Chief Rpt., 1918, pp. 20. 1918.
    1919. Thos. H. MacDonald. An. Rpts., 1919, pp. 391-426. 1920; Rds. Chief Rpt., 1919, pp. 36, 1919.
  See also Public Roads Bureau; Public Road Inquiries Office; Public Roads Office.
Public Roads Bureau—
  building plans, supply to farmers. F.B. 1132, p. 24. 1920.
  duties and authority, remarks by the Secretary. Y.B., 1919, pp. 48, 52. 1920.
  exhibit, report for Brazil exposition. Thomas H. MacDonald. Rds. [Misc.], "Bureau of Public Roads * * *," pp. 7. 1922.
  motion-picture films, list. D. C. 233, pp. 12-13. 1922.
  pyrotol distribution. Off. Rec., vol. 3, No. 36. p. 3. 1924.
  report of Chief—
    1920. Thos. H. MacDonald. An. Rpts., 1920, pp. 491-529. 1921; Rds. Chief Rpt., 1920, pp. 39. 1920.
    1921. Thos. H. MacDonald. Rds. Chief Rpt., 1921, pp. 44. 1921.
    1922. Thos. H. MacDonald. An. Rpts., 1922, pp. 461-503. 1923; Rds. Chief Rpt., 1922, pp. 42. 1922.
    1923. Thos. H. MacDonald. An. Rpts., 1923, pp. 463-494. 1924; Rds. Chief Rpt., 1923, pp. 32. 1923.
    1924. Thos. H. MacDonald. An Rpts., 1924, pp. 30. 1924; Rds. Chief Rpt., 1924 pp. 30. 1924.
    1925. Thos. H. MacDonald, An. Rpts., 1925- pp. 44. 1925; Rds. Chief Rpt., 1925, pp. 44. 1925.
  substitution of Highways Commission, discussion. Y.B., 1919, pp. 50-54. 1920.
  surplus war material. Off. Rec., vol. 4, No. 10, p. 4. 1925.
  tractors from war surplus. Off. Rec., vol. 1, No. 21, p. 4. 1922.
  workers. See Agriculture, workers, list.
  See also Public Road Inquiries Office; Public Roads Office; Public Roads and Rural Engineering Office.
Public Roads Office—
  aid to housekeepers by road improvement. Y.B., 1913, p. 147. 1914; Y.B. Sep. 621, p. 147. 1914.
  appropriations, 1915. Sol. [Misc.], "Laws applicable * * * Agriculture," Sup. 3, pp. 51-53. 1915.
  appropriations, 1916. Sol. [Misc.], "Laws applicable * * * Agriculture," Sup. 4, pp. 67-69. 1917.
  change of title to Bureau of Roads. An. Rpts., 1918, p. 373. 1919; Rds. Chief Rpt., 1918, p. 1. 1918.
  cooperation in experimental convict road camp. D.B. 583, pp. 1-4, 24, 57-64. 1918.

Public Roads Office—Continued.
  exhibit at Alaska-Yukon-Pacific Exposition. Rds. [Misc.], "Exhibit, Office of Public Roads * * *," pp. 23. 1909.
  in Alaska. Off. Rec., vol. 2, No. 26, p. 6. 1923.
  inspection, tests, and advice to local officials regarding bridge and culvert building. Rds. Bul. 39, pp. 8, 21-22. 1911.
  organization work, program for 1915. Sec. [Misc.] "Program of work * * * 1915," pp. 263-271. 1914.
  publications, list. Pub. Cir. 10, pp. 3. 1911; Rds. Cir. 88, pp. 5. 1907; rev., pp. 5. 1908; rev., pp. 7. 1909.
  report of director—
    1905. Logan Waller Page. An. Rpts., 1905, pp. 423-438. 1905; Rds. Chief Rpt., 1905, pp. 16. 1905.
    1906. Logan Waller Page. An. Rpts., 1906, pp. 617-639. 1907; Rds. Chief Rpt., 1906, pp. 27. 1906.
    1907. Logan Waller Page. An. Rpts., 1907, pp. 717-740. 1908; Rds. Chief Rpt., 1907, pp. 28. 1907.
    1908. Logan Waller Page. An. Rpts., 1908, pp. 745-770. 1909; Rds. Chief Rpt., 1908, pp. 30. 1908.
    1909. Logan Waller Page. An. Rpts., 1909, pp. 711-738. 1910; Rds. Chief Rpt., 1909, pp. 30. 1909.
    1910. L. W. Page. An. Rpts., 1910, pp. 152-157. 1911; Rds. Chief Rpt., 1910, pp. 30. 1910.
    1911. Logan Waller Page. An. Rpts., 1911, pp. 715-758. 1912; Rds. Chief Rpt., 1911, pp. 48. 1911.
    1912. Logan Waller Page. An. Rpts., 1912, pp. 847-887. 1913; Rds. Chief Rpt., 1912, pp. 43. 1912.
    1913. Logan Waller Page. An. Rpts., 1913, pp. 285-297. 1914; Rds. Chief Rpt., 1913, pp. 13. 1913.
    1914. Logan Waller Page. An. Rpts., 1914, pp. 269-280. 1914; Rds. Chief Rpt., 1914, pp. 12. 1914.
    1915. Logan Waller Page. An. Rpts., 1915, pp. 313-326. 1916; Rds. Chief Rpt., 1915, pp. 14. 1915.
  salaries and general expenses, 1915, appropriations. Sol. [Misc.], "Laws applicable * * * Agriculture," Sup. 2, pp. 68-87. 1915.
  See also Public Roads Bureau; Public Roads and Rural Engineering Office; Public Road Inquiries Office.
Public Service, laws relating to, enacted August 28, 1912-March 4, 1913. Sol. [Misc], "Laws applicable * * * agriculture," Sup. 1, pp.50-54. 1913.
Publications—
  agricultural—
    distribution to boys' corn club members by Agricultural Department. B.P.I. Doc. 644, rev., pp. 7-8. 1913.
    purpose. Off. Rec. vol. 4, No. 28, pp. 1-2. 1925.
    reading course, list. Pub. [Misc.], "List of publications * * *," p. 1. 1914.
  annual reports on work under Hatch, Adams, and Smith-Lever Acts. D.C. 251, p. 56. 1925.
  bulletins—
    and circulars available for free distribution, list. (Ed. 7-14). Pub. [Misc.], "List of bulletins * * *," pp. 39. 1902-1906.
    of interest to residents of cities and towns, lists. Pub. [Misc.], "Bulletins of interest * * *," pp. 21. 1911-1924.
  coupon system, reestablishment. News L., vol. 2, No. 32, p. 3. 1915.
  dissemination of results of research work in dairy industry. B.A.I. Dairy [Misc.], "World's dairy congress, 1923," pp. 352-358. 1924.
  distribution, departmental order. An. Rpts., 1912, pp. 767-769. 1913; Pub. A. R., 1912, pp. 11-13. 1912.
  exchange with foreign countries. Off. Rec., vol. 1, No. 22, p. 5. 1922.
  for free distribution, with index. Pub. Cir. 2, pp. 69. 1901; rev., pp. 48. 1906; rev., pp. 45. 1909; rev., pp. 49. 1909; rev., pp. 79. 1910.

1934　UNITED STATES DEPARTMENT OF AGRICULTURE

Publications—Continued.
　for sale. Pub. Cir. 3, pp. 79. 1906; rev., pp. 93. 1907; rev., pp. 85. 1909; rev., pp. 106. 1910.
　free—
　　and available, of interest to farm women. Sec. [Misc.], "List of free * * *," pp. 11. 1913.
　　for farm women. News L., vol. 1, No. 14, pp. 2-3. 1913.
　Government—land-grant colleges as depositories, act, 1907. O.E.S. Cir. 111, p. 8. 1911.
　Hawaiian, on bee keeping. Ent. Bul. 75, Pt. V, p. 43. 1909.
　issuance and distribution. Pub. A. R. 1924, pp. 8-14. 1924.
　issued, 1890-1912. An. Rpts., 1912, pp. 763, 765. 1913; Pub. A.R., 1912, pp. 7, 9. 1912.
　laws applicable. Sol. [Misc.], "Laws applicable * * * Agriculture," sup. 2, p. 111. 1915.
　list(s)—
　　Animal Industry Bureau—
　　　April, 1907. B.A.I. Cir. 106, pp. 24. 1907.
　　　1908. B.A.I. Cir. 134, pp. 8. 1908.
　　　February, 1911. Pub. Cir. 15, pp. 8. 1911.
　　　February, 1915. B.A.I.S.R.A. 94, pp. 27-28. 1915.
　　Biological Survey—
　　　1906. Biol. Cir. 51, pp. 6. 1906.
　　　1907. Biol. Cir. 60, pp. 7. 1907.
　　　available for general distribution. Biol. [Misc.], "List of publications * * *," pp. 3, 1915.
　　Chemistry Bureau—
　　　1901-1903. Chem. [Misc.], "Publications of Bureau * * *," pp. 7. 1901; rev., 1902; rev., 1903.
　　　1904. Chem. Cir. 14, pp. 17-27. 1904.
　　　1910. Chem. Cir. 14, rev., pp. 18-28. 1910.
　　Crop Estimates Bureau, by title and by subject, 1863-1920. D.C. 150, pp. 64. 1920.
　　department—
　　　1897-1908. An. Rpts., 1908, p. 178. 1909; Sec. A.R., 1908, p. 176. 1908.
　　　July 1, 1913, to April 1, 1914. Pub. [Misc.], "List of bulletins * * * 1914," pp. 16. 1914.
　　　July 1, 1913, to October 1, 1914. Pub. [Misc.], "List of bulletins * * * 1914," rev., pp. 28. 1914.
　　　by titles. R. B. Handy and Minna A. Cannon. Pub. Bul. 6, pp. 216. 1902.
　　　classified for use of teachers. O.E.S. Cir. 94, pp. 35. 1910; Pub. Cir. 19, pp. 36. 1912.
　　　library, February 27, 1911. Pub. Cir. 18, pp. 1-3. 1911.
　　Entomology Bureau—
　　　Mabel Colcord. Ent. Cir. 76, pp. 29. 1906. rev., pp. 32. 1910.
　　　February 1, 1911. Pub. Cir. 16, pp. 9. 1911.
　　Experiment Stations Office—
　　　June 30, 1906. O.E.S. Bul. 180, pp. 104. 1907.
　　　June 30, 1907. O.E.S. Cir. 70, pp. 20. 1907.
　　　June 30, 1908. O.E.S. Cir. 70, rev., pp. 19. 1908.
　　　June 30, 1909. O.E.S. Cir. 70, rev., pp. 20. 1909; O.E.S. Doc. 1184, pp. 14. 1909.
　　　February 15, 1911. Pub. Cir. 17, pp. 12. 1911.
　　　issued and received 1905. O.E.S. Cir. 66, pp. 1-14. 1906.
　　　on agricultural education. O.E.S. Doc. 933, pp. 10. 1906; O.E.S. Doc. 992, pp. 11. 1907.
　　　for agricultural reading course. Pub. [Misc.], "List * * * reading course," pp. 2. 1914.
　　Forest Service—
　　　January 30, 1911. Pub. Cir. 11, pp. 6. 1911.
　　　and guide to contents. For. Cir. 36, pp. 27-34. 1905.
　　Markets Office, 1913-1915. Mkts. Doc. 1, p. 16. 1915.
　　of interest to farm women. Rpt. 103, pp. 90-95. 1915; Rpt. 104, pp. 90-95. 1915; Rpt. 105, pp. 78-83. 1915; Rpt. 106, pp. 81-86. 1915.
　　references to irrigation and land drainage. Ellen A. Hedrick. Lib. Bul. 41, pp. 181. 1902.
　　on irrigation and drainage, Office of Experiment Stations. O.E.S. Doc. 994, pp. 11. 1907.

Publications—Continued.
　list(s)—continued.
　　Plant Industry Bureau—
　　　June, 1909. B.P.I. Doc. 483, pp. 10. 1909.
　　　November, 1909. B.P.I. Doc. 526, pp. 12. 1909.
　　　September, 1909. B.P.I. Doc. 504, pp. 11. 1909.
　　　February, 1910. B.P.I. Doc. 548, pp. 12. 1910.
　　Public Roads Office. Rds. Cir. 88, pp. 5. 1907.
　　Secretary's Office. Pub. Cir. 9, pp. 1-4. 1911.
　　Soils Bureau, February 24, 1911. Pub. Cir. 14, pp. 6. 1911.
　　Solicitor's office. Pub. Cir. 9, pp. 1-4. 1911.
　　Statistics Bureau, February 6, 1911. Pub. Cir. 12, pp. 5. 1911.
　　of agricultural experiment stations—
　　　growth and character, discussion. O.E.S. An. Rpt., 1910, p. 79. 1911.
　　　mailing regulations. D.C. 251, pp. 24-26. 1923.
　　Post Office Department regulations. O.E.S. Cir. 68, rev., pp. 13-15. 1912.
　　postal laws and regulations. O.E.S. Cir. 111, pp. 14-16. 1911; rev., pp. 15-17. 1912.
　　provisions for. D.C. 251, p. 20. 1925.
　　sale, ruling. D.C. 251, p. 28. 1925.
　　See also *under reports of individual stations*.
　of department—
　　and their distribution. Pub. Cir. 6, pp. 3. 1909; Y.B., 1909, pp. 417-418. 1910.
　　and their distribution. Jos. A. Arnold. Y.B., 1910, pp. 477-479. 1911; Y.B., 1911, pp. 505-507. 1912.
　　new classification. An. Rpts., 1913, pp. 33-34. 1914; Sec. A.R., 1913, pp. 31-32. 1913; Y.B., 1913, pp. 41-42. 1914.
　　notes for guidance in preparation. O.E.S. [Misc.], "Notes for guidance * * *," pp. 2. 1907.
　of Hawaii Experiment Station, July 1, 1901, to December 31, 1911, index. A. T. Longley. Hawaii [Misc.], "Index to publications * * *," pp. 38. 1912.
　on bird food, contents and index, 1885-1911. W. L. McAtee. Biol. Bul. 43, pp. 69. 1913.
　on forestry, in department library, catalogue. Lib. Bul. 76, pp. 302. 1912.
　reclassification. An. Rpts., 1914, pp. 214-216. 1914; Pub.A.R. 1914, pp. 2-4. 1914.
　relating to—
　　botany in department library, catalogue. Lib. Bul. 42, pp. 242. 1902.
　　irrigation and land drainage, list of references. Ellen A. Hedrick. Lib. Bul. 41, pp. 181. 1902.
　　serial, in department library—
　　　catalogue. Lib. Bul. 37, pp. 362. 1901.
　　　current list. D.C. 187, pp. 358. 1922.
　　　published in foreign countries, geographical list, with contents and index. D.C. 187, Pt. IV, pp. 279-356. 1922.
　　State, on agriculture. Charles H. Greathouse. Y.B., 1904, pp. 521-526. 1905; Y.B. Sep. 365, pp. 521-526. 1905.
　　station and college, franking privilege, rulings. D.C. 251, pp. 35-37. 1925.
　　See also Official Record, weekly, *for list of articles by department workers*.
　Publications Division—
　　appropriations, 1915. Sol. [Misc.], "Laws applicable * * * Agriculture," Sup. 4, pp. 57-58. 1917.
　　changes. Off. Rec., vol. 1, No. 50, p. 8. 1922; Off. Rec., vol. 2, No. 9, p. 8. 1923.
　　growth, 1881-1908. An. Rpts., 1908, p. 777. 1909; Appt. Clerk Rpt., 1908, p. 9. 1908.
　　new features of work. An. Rpts., 1915, pp. 261-262. 1916; Pub. A. R., 1915, pp. 9-10. 1915.
　　printing and binding appropriation, 1915. Sol. [Misc.], "Laws appicable * * * Agriculture," Sup. 2, pp. 77-78. 1915.
　　report of Chief—
　　　1917. Joseph A. Arnold. An. Rpts., 1917, pp. 271-294. 1918; Pub. A. R., 1917, pp. 24. 1917.
　　　1918. Joseph A. Arnold. An. Rpts., 1918, pp. 281-304. 1918; Pub.A.R., 1918, pp. 24. 1918.

Publications Division—Continued.
report of Chief—Continued.
1919. Edwy B. Reid. An. Rpts., 1919, pp. 303-324. 1920; Pub. A.R., 1919, pp. 22. 1919.
1920. Edwy B. Reid. An. Rpts. 1920, pp. 383-404. 1921; Pub. A.R., 1920, pp. 22. 1920.
1922. John L. Cobbs, jr. An. Rpts., 1922, pp. 377-394. 1923; Pub. A.R., 1922, pp. 18. 1922.
1923. Edwin C. Powell, assistant, in charge. An. Rpts., 1923, pp. 515-526. 1924; Pub. A.R., 1923, pp. 12. 1923.
report of editor—
1901. George William Hill. An. Rpts., 1901, pp. 271-324. 1901; Pub. A.R., 1901, pp. 54. 1901.
1902. George William Hill. An. Rpts., 1902, pp. 317-376. 1902.
1903. George William Hill. An. Rpts., 1903, pp. 369-438. 1903; Pub. A.R., 1903, pp. 70. 1903.
1904. George William Hill. An. Rpts., 1904, pp. 339-404. 1904; Pub. A.R., 1904, pp. 16. 1904.
1905. George William Hill. An. Rpts., 1905, pp. 327-404. 1905; Pub. A.R., 1905, pp. 78. 1905.
1906. George William Hill. An. Rpts., 1906, pp. 451-540. 1907; Pub. A.R., 1906, pp. 94. 1906.
1907. Joseph A. Arnold, acting in charge. An. Rpts., 1907, pp. 541-627. 1908; Pub. A.R., 1907, pp. 91. 1907.
1908. George William Hill. An. Rpts., 1908, pp. 627-702. 1909; Pub. A.R., 1908, pp. 80. 1908.
1909. Joseph A. Arnold. An. Rpts., 1909, pp. 591-654. 1910; Pub. A.R., 1909, pp. 66. 1909.
1910. Joseph A. Arnold. An. Rpts., 1910, pp. 621-694. 1911; Pub. A.R., 1910, pp. 78. 1910.
1911. Joseph A. Arnold. An. Rpts., 1911, pp. 615-637. 1912; Pub. A.R., 1911, pp. 27. 1911.
1912. Joseph A. Arnold. An. Rpts., 1912, pp. 759-779. 1913; Pub. A.R., 1912, pp. 23. 1912.
1913. Joseph A. Arnold. An. Rpts., 1913, pp. 243-256. 1914; Pub. A.R., 1913, pp. 14. 1913.
1914. Joseph A. Arnold An. Rpts., 1914, pp. 213-231. 1914; Pub. A.R., 1914, pp. 19. 1914.
1915. Joseph A. Arnold. An. Rpts., 1915, pp. 253-273. 1916; Pub. A.R., 1915, pp. 21. 1915.
1916. Joseph A. Arnold. An. Rpts., 1916, pp. 257-276. 1917; Pub. A.R., 1916, pp. 20. 1916.
scope of work, usefulness to farmers. News L., vol. 3, No. 8, p. 7. 1915.
work for farmers. Y.B., 1920, pp. 106-110. 1921; Y.B. Sep. 832, pp. 106-110. 1921.
workers. See Agriculture, workers list.
Publications Office, report of Director, 1924. L. J. Haynes. An. Rpts., 1924, pp. 14. 1924; Pub. A.R., 1924, pp. 14. 1924.
Publicity—
expert, payment restrictions, law. Sol. [Misc.], "Laws applicable * * * Agriculture." Sup. 2, p. 99. 1915.
farm management, extension work. D.C. 302, pp. 19-20. 1924; D.C. 347, pp. 30, 32. 1925.
importance in milk and cream contests. D.C. 53, p. 24. 1919.
milk campaigns. D.C. 250, pp. 16-19, 22, 24, 36. 1923.
need for mobilization of harvest labor. D B. 1020, pp. 24-26. 1922.
work of county agents, North and West. S.R.S. Rpt., 1918, p. 81. 1919.
Puca campacho, importation and description. No. 41329, B.P.I. Inv. 45, pp. 5, 15. 1918
Puccinellia—
airoides, distribution, description, and feed value. D.B. 201, p. 41. 1915.
spp., description, distribution, and uses. D B 772, pp. 11, 36, 38, 39. 1920.
Puccinia—
andropogonis, morphological characters, influence of host with P. ellisiana. W. H. Long. J.A.R., vol. 2, pp. 303-319. 1914.
asparagi. See Rust, asparagus.
coronata. See Rust, crown.
dispersa. See Rust, leaf, rye.
ellisiana, morphological characters, influence of host. J.A.R., vol. 2, pp. 303-319. 1914.

Puccinia—Continued.
frazinata, cause of rust on ash trees. B.P.I. Bul. 149, p. 19. 1909.
glumarum—
specialized varieties, and hosts for variety tritici Charles W. Hungerford and C. E. Owens. J.A.R., vol. 25, pp. 363-402. 1923.
stripe rust of cereals and grasses. J.A.R., vol 29, pp. 209-227. 1924.
See also Rust, stripe.
graminis—
and resistant plants, relation. E. C. Stakman. J.A.R., vol. 4, pp. 193-200. 1915.
biologic forms—
differences in dimension. J.A.R., vol. 16, pp. 48-49, 103-105. 1919.
on cereals and grasses. J.A.R., vol. 10, pp. 429-496. 1917.
on varieties of Avena spp. E. C. Stakman and others. J.A.R., vol. 24, pp. 1013-1018 1923.
study of comparative morphology. M. N. Levine. J.A.R., vol. 24, pp. 539-568. 1923.
durum wheat resistance, inheritance mode. J.A.R., vol. 24, pp. 979-996. 1923.
infection of resistant grains, experiments. J.A.R., vol. 4, pp. 194-198. 1915.
inoculation experiments with grains. J.A.R., vol. 5, No. 5, pp. 211-216. 1915.
on wheat, a third biological form. M. N. Levine and E. C. Stakman. J.A.R., vol. 13, pp. 651-654. 1918.
similarity to Puccinia phlei-pratense. B.P.I. Bul. 224, pp. 8, 11, 16. 1911.
timothy infection, inoculation experiments. J.A.R., vol. 6, No. 21, pp. 813-816. 1916.
urediniospores—
effect of certain ecological factors. E. C. Stakman and M. N. Levine. J.A.R., vol. 16, pp. 43-77. 1919.
morphology. J.A.R., vol. 10, pp. 484-487 1917.
See also Rust, stem.
graminis tritici—
damage to spring wheat in Great Plains D.B. 878, pp. 37-40. 1920.
forms, and, cytology. Ruth F. Allen. J.A.R., vol. 26, pp. 571-604. 1923.
resistance of wheat, studies. C. R. Hursh. J.A.R., vol. 27, pp. 381-412. 1924.
wheat infection. Ruth F. Allen. J.A.R., vol. 23, pp. 131-152. 1923.
peckiana, raspberry infection, experiments. J.A.R., vol. 25, p. 499. 1923.
podophylli Schw., composite life history. H. H. Whetzel and others. J.A.R., vol. 30, pp. 65-79 1925.
simplex. See Rust, barley.
spp.—
aecia on ranunculaceous hosts. J.A.R., vol. 22, p. 154. 1921.
attacking wheat. J.A.R., vol. 22, pp. 151-172. 1921.
cause of cattle diseases. B.A.I. [Misc.], "Diseases of cattle," rev., pp. 15, 496. 1904; rev., pp. 15, 543. 1912; rev., pp. 13, 533. 1923.
occurrence on—
cereal and grass seeds. J.A.R., vol. 19, pp. 257, 258. 1920.
plants in Texas, and description. B.P.I. Bul. 226, pp. 34, 46, 47. 1912.
triticina—
orange leafrust of wheat, aecial stage. H. S. Jackson and E. B. Mains. J.A.R., vol. 22, pp. 151-172. 1921.
resistance of various hosts. J.A.R., vol. 22, pp. 155-172. 1921.
Pucciniastrum—
americanum, morphology and host relations. B. O. Dodge. J.A.R., vol. 24, pp. 885-894. 1923.
myrtilli, cause of rust of cranberry. F.B. 1081, p. 17. 1920.
Pudding, fruit, misbranding, Chem. N.J. 3329. 1914; Chem. N.J. 3425, pp. 1-4. 1914; Chem. N.J. 3428, pp. 1-4. 1915.
Pudding(s)—
cereal-milk, for children's recipes. F.B. 717, pp. 8-9. 1916.

Pudding(s)—Continued.
  cooking, directions for use of fireless cookers. F.B. 771, p. 16. 1916; F.B. 771, rev., p. 15. 1918; O.E.S. Syl., 15, pp. 8-9. 1914.
  corn-meal, recipes. F.B. 565, pp. 22-23. 1914; F.B. 1236, p. 16. 1923.
  cottage cheese, recipes. Sec. Cir. 109, rev., pp. 16-18. 1918.
  food value. F.B. 817, pp. 16-17. 1917.
  cottage, recipe. F.B. 1450, pp. 8, 12. 1925.
  dasheen, recipe. B.P.I. Doc. 1110, p. 11. 1914.
  hominy-date, recipe. U.S. Food Leaf., 19, p. 3. 1918.
  Indian, use of bread crumbs, recipe. News L., vol. 4, No. 39, p. 7. 1917.
  oatmeal, recipe. U.S. Food Leaf., 6, p. 2. 1917.
  potato starch, recipes. S.R.S. Doc. 16, p. 2. 1915.
  rice, recipe. F.B. 1195, pp. 19-20. 1921; U.S. Food Leaf. 18, p. 4. 1918.
  use and value of milk, varieties and formulas. F.B. 1207, p. 31. 1921.
Puddle, clay, as ditch lining, test, and cost. F.B. 317, p. 11. 1908.
Puddler, chain, irrigation work. O.E.S. Cir. 67, pp. 27-29. 1906.
Puddling—
  irrigation canals. O.E.S. An. Rpt., 1908, p. 376. 1908.
  reservoirs, management. F.B. 394, p. 31. 1910.
Pueblo, Colo, milk supply, statistics, officials, prices, and ordinances. B.A.I. Bul. 46, pp. 34, 52. 1903.
Pueblo Indians, irrigation in New Mexico, historical notes. O.E.S. Bul. 215, p. 19. 1909.
Pueraria—
  peduncularis, importation and description. No. 50371, B.P.I. Inv. 63, pp. 4, 63. 1923.
  phaseoloides, importation and description. No. 47850, B.P.I. Inv. 59, pp. 8, 67. 1922.
  thunbergia—
    digestion experiment. O.E.S. Bul. 159, pp. 170, 173. 1905.
  See also Kudzu.
Puerperal fever. See Milk fever.
Puffball(s)—
  descriptions and warning. F.B. 796, p. 17. 1917; B.P.I. Bul. 85, pp. 18, 47. 1905; D.B. 175, pp. 48-51. 1915.
  giant, description and edible value. F.B. 796, p. 17. 1917.
  pear-shaped, description. F.B. 796, p. 17. 1917.
Puffin—
  horned, description, habits, and food. N.A. Fauna 46, p. 19. 1923.
  occurrence in Alaska. N.A. Fauna 24, p. 52. 1904.
  range and habits. N.A. Fauna 21, p. 38. 1901; N.A. Fauna 24, p. 52. 1904.
  tufted, description and habits. N.A. Fauna 46, pp. 17-19. 1923.
Puffinus sp. See Shearwater.
Puget Sound—
  kelp beds. Rpt. 100, pp. 50-59. 1915.
  log scaling and grading rules, and logging costs. D.B. 711, pp. 20, 26-27. 1918.
  log towing rates. D.B. 711, pp. 246-247. 1918.
  winds. J.A.R., vol. 30, p. 602. 1925.
Puget Sound Basin—
  eastern, Washington, reconnaissance survey. A. W. Mangum and others. Soil Sur. Adv. Sh., 1909, pp. 5-88. 1911; Soils F.O., 1909, pp. 1517-1600. 1912.
  Washington, climate, market, and transportation. D.B. 1236, pp. 4-5. 1924.
PUGSLEY, C. W.—
  "A successful community drying plant." F.B. 916, pp. 12. 1917.
  "The relation of agricultural education to farm organizations." M.C. 3, pp. 19. 1923.
  report of Nebraska, extension work in agriculture and home economics—
    1915. S.R.S. Rpt., 1915, Pt. I, pp. 249-252. 1917.
    1916. S.R.S. Rpt., 1916, Pt. II, pp. 273-280. 1917.
    1917. S.R.S. Rpt., 1917, Pt. II, pp. 277-283. 1919.

Pulex irritans—
  occurrence. Ent. Cir. 108, pp. 1-2. 1909.
  See also Flea, human.
Pull-down. See Dodder.
Pullets—
  care and management. F.B. 355, pp. 30-31. 1903; S.R.S. Syl. 17, p. 9. 1915.
  early-hatched, greater egg production. B.A.I. A.H. G-28, p. 6. 1919.
  egg production in winter, feeding, watering, and care. Sec. Cir. 71, pp. 1-4. 1917.
  feed requirements, winter quarters and winter rations. News L., vol. 5, No. 14, p. 7. 1917.
  good layers, selection methods and points indicating. News L., vol. 5, No. 41, p. 6. 1918.
  inferior, use as food rather than layers. D.C. 18, p. 8. 1919.
  superiority over hens for winter egg production. Sec. Cir. 71, pp. 1-2. 1917.
  value as breeders. F.B. 357, p. 6. 1909.
  winter quarters, location time. News L., vol. 7, No. 7, p. 7. 1919.
Pulleys—
  manufacture from basswood and other woods. D.B. 1007, p. 51. 1922.
  threshing machine, care and repair. F.B. 1036, pp. 12-13. 1919; F.B. 991, pp. 6-7. 1918.
Pulmonaria—
  montana, host of Puccinia bromina. J.A.R., vol. 22, pp. 154-172. 1921.
  officinalis, failure of infection from basidiospores of Puccinia rubigo-vera. J.A.R., vol. 22, pp. 152-172. 1921.
Pulmonic syrup, misbranding. Chem. N.J. 3718, p. 1. 1915; Chem. N.J. 3771, p. 1. 1915.
Pulp—
  and paper industries, bibliography. Henry E. Surface. For. Bul. 123, pp. 48. 1913.
  apple-pectin, composition and feeding value. D.B. 1166, pp. 18-22, 29-32. 1923.
  aspen, manufacture and use. For. Bul. 93, p. 9. 1911.
  beet—
    dried, composition, drying process, and value. Chem. Bul. 108, p. 13. 1908; Y.B., 1908, pp. 446-447. 1909; Y.B. Sep. 493, pp. 446-447. 1909.
    effect on milk, comparison of wet with dry. J.A.R., vol. 6, No. 4, pp. 174-175. 1916.
    silage value. News L., vol. 7, No. 16, p. 7. 1919.
    use in stock feeding. Rpt., 112, p. 26. 1916; F.B. 1095, pp. 2-5, 19-22. 1919.
    value as fertilizer and feed, uses, and selling price. Y.B., 1908, pp. 445-447. 1909; Y.B. Sep. 493, pp. 445-447. 1909.
  citrus fruits, infestation by fruit fly after persistent attacks. J.A.R., vol. 3, pp. 322-323. 1915.
  coffee, by-products, uses and value. Hawaii A.R., 1919, pp. 34-37. 1920.
  currency, utilization. Off. Rec., vol. 2, No. 10, p. 2. 1923.
  decay control, and in pulpwood. Otto Kress and others. D.B. 1298, pp. 80. 1925.
  drying plants in beet-sugar factories. Rpt. 90, pp. 6, 12, 40. 1909.
  experimental and commercial, comparison of standards. For. [Misc.], "Paper pulps * * * forest woods * * *," pp. 18-22, 23-29. 1912.
  flax straw, preparation, laboratory tests. D.B. 322, pp. 6-11. 1916.
  freight rates from Alaska. D.B. 950, pp. 20-22. 1921.
  ground wood—
    injury by fungi. D.B. 1298, pp. 67-78. 1925.
    manufacture and grinding. J. H. Thickens and G. C. McNaughton. D.B. 343, pp. 151. 1916.
    manufacturing cost, increase in 1900-1909. D.B. 343, pp. 5-6. 1916.
  hemlock—
    comparison with other pulps. For. [Misc.], "Paper pulps * * * forest woods * * *," pp. 21, 25, 27, 28. 1912.
    use and value. D.B. 152, pp. 10-12. 1915.
  industry, importance of decay problem. D.B. 1298, pp. 1-4. 1925.

INDEX TO PUBLICATIONS, 1901–1925   1937

Pulp—Continued.
jack pine—
comparison with other pulps. For. [Misc.], "Paper pulps * * * forest woods * * *," pp. 20, 24, 26, 27. 1912.
utilization. D.B. 820, pp. 25–26. 1920.
Kraft, description, comparison with other pulps. D.B. 72, pp. 1–2. 1914.
making—
experiments, machinery and equipment. For. [Misc.], "Paper pulps * * * forest woods * * *," pp. 8–9. 1912.
factors influencing, studies and experiments. For. Bul. 127, pp. 6–54. 1913; D.B. 72, pp. 4–26. 1914.
methods, tests, and fiber studies. For. [Misc.], "Paper pulps * * * forest woods * * *," pp. 10–12. 1912.
processes applicable to longleaf pine. D.B. 72, pp. 3–4. 1914.
production, quality, and factors influencing. For. [Misc.], "Paper pulps * * * forest woods * * *," pp. 15–18. 1912.
yields, comparison of various woods. For. [Misc.], "Paper pulps * * * forest woods * * *," pp. 13–15. 1912.
manufacture—
Alaska, possibilities. Off. Rec., vol. 2, No. 43, pp. 1–2. 1923.
sulphite process, discovery, and growth of industry, 1867–1916. D.B. 620, p. 2. 1918.
various methods with barks and woods. An. Rpts., 1917, p. 197. 1918; For. A.R., 1917, p. 35. 1917.
markets for Alaska. D.B. 950, pp. 19–22. 1921.
mechanical—
grinding of spruce for. J. H. Thickens. For. Bul. 127, pp. 54. 1913.
use of jack pine and hemlock experiments. For. [Misc.], "Paper pulps * * * forest woods * * *," pp. 1–29. 1912.
mills—
Alaska, operating materials and supplies, and sources of supply. D.B. 950, pp. 14–15. 1921.
in New York, Clinton County. Soil Sur. Adv. Sh., 1914, pp. 6, 16. 1916; Soils F.O., 1914, pp. 247, 257. 1919.
wood consumption, annual. For. Cir. 171, p. 9. 1909.
mixed, comparison with other pulps. For. [Misc.], "Paper pulps * * * forest woods * * *," pp. 21–22, 27. 1912.
paper—
cooking processes. D.B. 309, pp. 12–13, 21–23. 1915.
manufacture from lumber mill waste, possibilities. Y.B., 1910, p. 261. 1911; Y.B. Sep. 534, p. 261. 1911.
manufacture from Sitka spruce. D.B. 1060, pp. 7–8. 1922.
manufacture from spruce, in New England. For. Cir. 168, pp. 7–11. 1909.
microscopic examination and identification of fiber. Rpt. 89, pp. 25–28. 1909.
processes, improvement. D.C. 231, pp. 28–32. 1922.
production, availability of crop materials. B.P.I. Cir. 82, pp. 4–5, 7–18. 1911; B.P.I. Cir. 1, pp. 4–15. 1916.
suitability of longleaf pine. Henry E. Surface and Robert E. Cooper. D.B. 72, pp. 26. 1914.
use—
and value of lodgepole pine. D.B. 234, p. 7. 1915.
of poplar wood. F.B. 1154, p. 4. 1920.
of willow wood. D.B. 316, pp. 31–32. 1915.
yields from different materials. Chem. Cir. 41, p. 6. 1908.
preservation by chemical treatment. D.B. 1298, pp. 31–51. 1925.
processes, kind, and amounts of wood used, 1906. For. Cir. 120, pp. 6–7. 1907.
production from waste resinous woods, and other products. F. P. Veitch and J. L. Merrill. Chem. Bul. 159, pp. 28. 1913.
properties from sound and decayed woods. D.B. 1298, pp. 14–25. 1925.

Pulp—Continued.
quality determination. For. Bul. 127, p. 10. 1913.
soda, from aspen, effects of certain cooking conditions in producing. Henry E. Surface. D.B. 80, pp. 63. 1914.
sources, relative merits and uses, studies. For. [Misc.], "Forest Products Laboratory * * *," pp. 28–32. 1922.
storage, methods and effects on quality. D.B. 1298, pp. 25–31. 1925.
sugar-beet—
drying, commercial value of products. Rpt. 86, pp. 18, 45, 49, 51, 52. 1908.
feeding to stock. Rpt. 69, pp. 30–33. 1901; [Misc.], "Progress * * * beet-sugar industry * * *, 1903." Pp. 118–125. 1903; Rpt. 86, pp. 17, 41–58. 1908.
use in feeding horses. F.B. 316, p. 24. 1908.
utilization methods, and value per ton. B.P.I. Bul. 260, pp. 24–25, 34. 1912.
value—
as feed for stock, comparison with other feeds. Sec. Cir. 86, pp. 23–25. 1918.
as feed, use in the United States. Rpt. 90, pp. 6, 12, 25–41. 1909.
for cattle feed, and use. D.B. 995, pp. 41–42, 49–50. 1921.
sulphite, cooking directions, variations, experiments, and results. D.B. 620, pp. 14–21. 1918.
timber, sale prospectus, West Admiralty Island Unit, Tongass National Forest, Alaska. For. [Misc.], "Sale prospectus * * *," pp. 20. 1921.
tomato—
adulteration. Chem. N.J. 900, p. 1. 1911; Chem. N.J. 2442, pp. 2. 1913.
analyses. D.B. 581, pp. 2–5, 18. 1917.
canning, inspection instructions. D.B. 1084, p. 16. 1922.
chemical analyses. Chem. Cir. 78, pp. 4–11. 1911.
making from trimmings or small tomatoes. D.B. 569, pp. 21–23. 1917.
tuna, description, and analyses. B.P.I. Bul. 116, p. 16. 1907.
turnip, extractions, examination for phosphorus. J.A.R., vol. 11, pp. 363–366. 1917.
use of cottonwood in manufacture. D.B. 24, p. 5. 1913.
waste wood, cooking data. Chem. Bul. 159, pp. 15–16. 1913.
wood—
balsam fir, use, value, and price. D.B. 55, pp. 1, 8, 9, 10, 11–15, 17, 19, 22. 1914.
by-product of lumbering, value and uses. Rpt. 114, p. 73. 1917.
consumption—
1869–1922. Y.B., 1923, pp. 1080, 1081, 1091. 1924. Y.B., Sep. 904, pp. 1080, 1081, 1091. 1924.
1889–1914. Rpt. 117, pp. 68–69. 1917.
1899, and 1905–1910, and cost, 1907–1909. D.B. 80, pp. 43–44. 1914.
1906. For. Bul. 77, pp. 69–76. 1908; For. Cir. 120, pp. 10. 1907; For. Cir. 129, p. 10. 1907.
1907, and value. For. Cir. 166, pp. 14, 21. 1909.
1917, and wood-pulp production. Franklin H. Smith. D.B. 758, pp. 19. 1919.
and imports, 1924. Y.B., 1924, pp. 1021, 1026–1029, 1067. 1925.
and requirements. Y.B., 1922, pp. 109, 110, 127, 175. 1923; Y.B., Sep. 886, pp. 109, 110, 127, 175. 1923.
and supply, research work. For. A.R., 1924, pp. 34–35. 1924.
and wood pulp production, 1916. Franklin H. Smith and R. K. Helphenstine, jr. For. [Misc.], "Pulpwood consumption * * *," pp. 30. 1916.
and wood pulp production, 1918. Franklin H. Smith. For. [Misc.], "Pulpwood consumption * * *," pp. 20. 1919.
and wood pulp production, 1920. R.V. Reynolds and Albert H. Pierson. For. [Misc.], "Pulpwood consumption * * *," pp. 39. 1921.

Pulp—Continued.
  wood—continued.
    costs of wood, and range of prices, and condition, by species. D.B. 758, pp. 4–6, 11–14. 1919.
    decay as economic waste. M.C. 39, p. 67. 1925.
    decay control. Otto Kress and others. D.B. 1298, pp. 80. 1925.
    demand for. D.B. 950, p. 2. 1921.
    exports—
      1898–1908. Stat. Bul. 51, p. 22. 1909.
      1908. For. Cir. 162, p. 15. 1909.
      and imports, 1903–1908, 1851–1908. Y.B., 1908, pp. 666, 757, 783–784. 1909; Y.B. Sep. 498, pp. 666, 757, 783–784. 1909.
      and imports, 1914, quantity and value. D.B. 296, p. 48. 1915.
      and imports, annual average, by countries. Stat. Cir. 31, pp. 28, 29, 30. 1912.
      statistics, 1921. Y.B., 1921, pp. 746, 749, 756. 1922; Y.B. Sep. 867, pp. 10, 13, 20. 1922.
    grades, description and requirements. D.B. 1241, pp. 15–19. 1924.
    handling and storing, practices and suggestions. D.B. 1298, pp. 7–13. 1925.
    hauling, distance, by States. D.B. 758, pp. 5, 15. 1919.
    hemlock, value, comparison with other species. D.B. 152, p. 11. 1915.
    imports—
      1880–1908. Stat. Bul. 51, p. 31. 1909.
      1907–1909, quantity and value by countries from which consigned. Stat. Bul. 82, p. 72. 1910.
      1908. For. Cir. 162, p. 28. 1909.
      1908–1910, quantity and value, by countries from which consigned. Stat. Bul. 90, pp. 76–77. 1911.
      1909–1911, by countries from which consigned. Stat. Bul. 95, p. 80. 1912.
      1914, quantity and value. D.B. 296, p. 47. 1915.
      1922, statistics. Y.B., 1921, pp. 740, 749, 756, 768. 1922; Y.B. Sep. 867, pp. 4, 13, 20, 32. 1922.
      and exports, 1906–1910, and imports, 1851–1910. Y.B., 1910, pp. 659, 669, 686–687. 1911; Y.B. Sep. 554, pp. 659, 669, 686–687. 1911.
      and exports, 1919–1921 and 1852–1921. Y.B., 1922, pp. 952, 958, 961, 968, 981. 1923; Y.B. Sep. 880, pp. 952, 958, 961, 968, 981. 1923.
    in demand by manufacturers. Y.B., 1914, p. 449. 1915; Y.B. Sep. 651, p. 449. 1915.
    insect injury, cause and prevention. Ent. Cir. 128, pp. 2, 5. 1910.
    international trade, imports and exports, 1911–1913 and 1852–1913. Y.B., 1913, pp. 455, 496, 504, 513. 1914; Y.B. Sep. 360, p. 455. 1914; Y.B. Sep. 361, pp. 496, 504, 513. 1914.
    logging methods, cost. For. Bul. 93, pp. 10–11. 1911.
    loss in storage. M.C. 39, p. 11. 1925.
    making as a saving in lumbering. M.C. 39, p. 31. 1925.
    making from waste at Austin, Pa. M.C. 39, p. 28. 1925.
    manufacture from—
      aspen trees, cost, and value. For. Bul. 93, pp. 10–11. 1911.
      logging and sawmill waste. M.C. 39, p. 12. 1925.
    measuring, methods. D.B. 55, pp. 19–22. 1914.
    mechanical, imports, 1908–1911. D.B. 343, pp 3–4. 1916.
    new uses, result of war work. News L., vol. 6, No. 47, p. 6. 1919.
    paper making—
      use, cost, and supply. Chem. Cir. 41, pp. 4–6, 19. 1908.
      value and supply. Y.B., 1910, p. 340. 1911; Y.B. Sep. 541, p. 340. 1911.
    production—
      1905, 1906, and 1907, by kinds. Y.B., 1908, p. 555. 1909.
      1917, and pulpwood consumption. Franklin H. Smith. D.B. 758, pp. 19. 1919.
      1923. Y.B., 1923, pp. 1078, 1081–1083, 1088. 1924; Y.B., Sep. 904, pp. 1078, 1081–1083, 1088. 1924.

Pulp—Continued.
  wood—continued.
    production—continued.
      and pulpwood consumption, 1916. Franklin H. Smith and R. K. Helphenstine, jr. For. [Misc.], "Pulpwood consumption * * *," pp. 30. 1916.
      and pulpwood consumption, 1920. R. V. Reynolds and Albert H. Pierson. For. [Misc.], "Pulpwood consumption * * *," pp. 39. 1921.
    requirements in United States, sources of supply. Earle H. Clapp and Charles W. Boyce. D.B. 1241, pp. 100. 1924.
    resources of Tongass National Forest, Alaska, regional development. Clinton G. Smith. D.B. 950, pp. 40. 1921.
    sales in Alaska. Off. Rec., vol. 2, No. 29, p. 3. 1923.
    slash pine, value and yield per acre. F.B. 1256, pp. 14–15, 16, 17, 39. 1922.
    sources supplemental to spruce. Y.B., 1907, p. 566. 1908; Y.B., 1907, Sep. 470, p. 4. 1908.
    statistics—
      1906. Y.B., 1906, p. 627. 1907; Y.B. Sep. 436, p. 627. 1907.
      1909–1917, exports and imports. Y.B., 1918, pp. 586, 631, 638, 643, 650–651, 665. 1919; Y.B. Sep. 792, p. 82. 1919; Y.B. Sep. 794, pp. 7, 14, 19, 26–27, 41. 1919.
      1916, exports and imports. Y.B., 1916, pp. 657, 710, 718, 729, 743. 1917; Y.B. Sep. 720, p. 47. 1917; Y.B. Sep. 722, pp. 4, 12, 23, 37. 1917.
      1917, exports and imports. Y.B., 1917, pp. 707, 763, 785. 1918; Y.B. Sep. 760, p. 55. 1918; Y.B. Sep. 762, pp. 7, 29. 1918.
    steamed, uses. D.B. 343, pp. 29–32. 1916.
    storage methods and suggestions. D.B. 1298, pp. 6–13. 1925.
    supplies in Alaska. Y.B., 1921, pp. 59–60. 1922; Y.B. Sep. 875, pp. 59–60. 1922.
    supply from Aroostook area, Maine. Soil Sur. Adv. Sh., 1917, pp. 6, 11. 1921; Soils F.O., 1917, pp. 8, 13. 1923.
    trade, international—
      1901–1910. Stat. Bul. 103, pp. 54–55. 1913.
      1902–1906. Y.B., 1907, pp. 693, 741, 751. 1908; Y.B. Sep. 465, pp. 693, 741, 751. 1908.
      1909–1921. Y.B., 1922, p. 794. 1923; Y.B. Sep. 884, p. 794. 1923.
    treatment with poison to prevent termite injury. D.B. 1231, pp. 15–16. 1924.
    use—
      and imports, 1900–1913. D.B. 309, p. 2. 1915.
      and value, increase, 1900–1909. For. [Misc.], "Paper pulps * * * forest woods * * *," pp. 5–6. 1912.
      by species, States, and processes, 1906. For. Cir. 120, pp. 4–7. 1907.
      in explosives. News L., vol. 6, No. 38, p. 7. 1919.
      of basswood, 1920. D.B. 1007, p. 7. 1922.
      of loblolly pine. D.B. 11, pp. 12–13. 1914.
      of pine varieties. For. Bul. 99, pp. 14, 19, 30, 35, 51, 58. 1911.
      used in 1905. H. M. Hale. For. Cir. 44, pp. 11. 1906.
    various processes, production, and value, 1890–1916. D.B. 620, p. 2. 1918.
    yield, quality, and cost, influences affecting. For. Bul. 127, pp. 6–7, 11–54. 1913.
    yellow pine, utilization. D.B. 418, p. 31. 1917.
    yield of wood, conditions governing. D.B. 343, pp. 11, 14–15. 1916.
    zacaton, preparation and tests. D.B. 309, pp. 10–24. 1915.
Pulping—
  machines, description, and use. D.B. 927, pp. 5–8. 1921.
  tomato, industry, seed waste, commercial utilization. J. H. Shrader and Frank Rabak. D.B. 927, pp. 29. 1921.
Pulse—
  cattle, examination, directions. B.A.I. [Misc.], "Diseases of cattle," rev., pp. 73, 88. 1904; rev., 74, 89. 1912; rev., pp. 90. 1923.
  determination and indications, in human beings. For. [Misc.], "First-aid manual * * *," pp. 73–74. 1917.

INDEX TO PUBLICATIONS, 1901–1925 — 1939

Pulse—Continued.
  rate during mental work, experiments. O.E.S. Bul. 208, pp. 59, 94. 1909.
Pulse (plant). See Legumes.
Pultaceous deposits, gravel, of cattle, description. B.A.I. [Misc.], "Diseases of cattle," rev., p. 135. 1904; rev., p. 138. 1912; rev., p. 138. 1923.
Pulverizers, limestone, use on farms, power and cost. Y.B., 1919, pp. 336–340. 1920; Y.B. Sep. 814, pp. 336–340. 1920.
Pulvinaria—
  innumerabilis. See Cottony maple scale.
  psidii—
    injury to orange and coffee. P.R. An. Rpt., 1907, p. 38. 1908.
    See also Scale, oriental cotton.
  spp., destruction by Hyperaspis binotata. J.A.R., vol. 6, No. 5, p. 197. 1916.
  vitis, description, habits, and control. F.B. 1169, p. 82. 1921.
Puma. See Cougar.
Pumice, use in house cleaning. F.B. 1180, p. 9. 1921.
Pummelo—
  Chinese, importation and description. No. 46336, B.P.I. Inv. 56, pp. 2, 10. 1922.
  importations and descriptions. No. 39875, B.P.I. Inv. 42, p. 30. 1918; Nos. 45249, 45313, 45314, B.P.I. Inv. 53, pp. 18, 24. 1922; Nos. 52388, 52389, B.P.I. Inv. 66, pp. 19–20. 1923.
  leaves, inoculation with citrus canker, experiments. J.A.R., vol. 19, pp. 190–200. 1920.
  susceptibility to citrus canker. J.A.R., vol. 14, pp. 346, 353. 1918; J.A.R., vol. 19, pp. 350, 353, 360. 1920.
  See also Pomelo; Grapefruit; Citrus grandis.
Pump(s)—
  air-displacement, description and value. F.B. 941, pp. 53–54. 1918; Y.B., 1448, p. 29. 1925.
  air-lift, description and efficiency. F.B. 1448, p. 27. 1925; Y.B., 1916, pp. 511, 513. 1917; Y.B. Sep. 703, pp. 5, 7. 1917.
  and irrigation plants, southern Texas, tests. O.E.S. Bul. 158, pp. 474–478. 1905.
  and pumping plants, used for irrigation and drainage in Louisiana in 1905 and 1906, mechanical tests. W. B. Gregory. O.E.S. Bul. 183, pp. 72. 1907.
  barrel, for orchard spraying. F.B. 933, pp. 8–9. 1918.
  belt-driven, steam requirements. D.B. 747, pp. 26–27. 1919.
  capacity—
    allowance, in Louisiana drainage work. J.A.R. vol. 11, pp. 277–279. 1917.
    for farmstead water supply. F.B. 1448, p. 27. 1925.
  centrifugal—
    description, and efficiency. O.E.S. Cir. 101, pp. 12–14, 22. 1910; Y.B., 1916, pp. 510, 511, 512, 513, 514. 1917; Y.B. Sep. 703, pp. 4, 5, 6, 7, 8. 1917.
    irrigation, tests and cost. O.E.S. Bul. 158, pp. 233–240, 249. 1905.
    types description and use in irrigation. F.B. 899, pp. 11–13. 1917; O.E.S. Bul. 243, pp. 31–32. 1911.
  chamber-wheels, or rotary, description. O.E.S. Cir. 101, p. 11. 1910.
  cylinder, description and efficiency. Y.B., 1916, pp. 510–511, 512, 513. 1917; Y.B. Sep. 703, pp. 4–5, 6, 7. 1917.
  deep well—
    description. O.E.S. Cir. 101, p. 11. 1910.
    turbine, tests. F. L. Bixby. J.A.R., vol. 31, pp. 227–246. 1925.
  description and standard sizes for water-spray dry kiln. D.B. 894, pp. 42–44. 1920.
  drainage—
    buildings and foundations. D.B. 304, pp. 42–43. 1915.
    description. O.E.S. Bul. 240, pp. 64–66. 1911.
    pumping plants, kinds and description. D.B. 1067, pp. 2–3. 1922.
  farm, description, and selection. News L., vol. 7, No. 15, pp. 5–6. 1919.
  for household use. Y.B., 1909, p. 349. 1910; Y.B. Sep. 518, p. 349. 1910.

Pump(s)—Continued.
  for irrigation—
    on farm, types and efficiency. Y.B., 1916, pp. 510–514. 1917; Y.B. Sep. 703, pp. 4–8. 1917.
    use in Hawaii. Jared G. Smith. O.E.S. Bul. 133, pp. 249–258. 1903.
  head loss, calculation, formula. O.E.S. Cir. 101, pp. 16–22. 1910.
  hot water and steam, installation. B.A.I. Cir. 209, pp. 11–12. 1913.
  house, cotton warehouse, construction. D.B. 801, p. 60. 1919.
  house for electric motor, description and cost. Y.B., 1907, pp. 423–424. 1908; Y.B. Sep. 458, pp. 423–424. 1908.
  irrigation—
    for use in wells. F.B. 1404, pp. 1–28. 1924.
    horsepower required to lift water to elevations of 10 to 300 feet. F.B. 1404, p. 21. 1924.
    in Colorado, Nebraska, and Kansas. O. V. P. Stout. O.E.S. Bul. 158, pp. 595–608. 1905.
    in Texas. C. E. Tait. O.E.S. Bul. 158, pp. 341–346. 1905.
    selection, installation, and operation. F.B. 1404, pp. 19–20. 1924.
    tests. J. N. Le Conte. O.E.S. Bul. 158, pp. 195–255. 1905.
    types, discussion. F.B. 1404, pp. 2, 10, 12, 13, 14–20. 1924.
  land drainage, uses. S. M. Woodward and C. W. Okey. D.B. 304, pp. 60. 1915; O.E.S. Bul. 243, pp. 44. 1911.
  logs. See Pipe wood.
  manufacture from pine. For. Bul. 99, p. 14. 1911.
  rotary, use in forcing circulation of hot-water systems. F.B. 1318, pp. 27–29. 1923.
  size, calculation for drainage districts, and power. D.B. 304, pp. 39–42. 1915.
  spray—
    bucket, knapsack, and barrel. Y.B., 1908, pp. 280–282. 1909; Y.B. Sep. 480, pp. 280–282. 1909.
    for cattle, description. F.B. 378, pp. 19, 25. 1909.
    for fruit growing. F.B. 161, pp. 19–22. 1902.
    for use on cattle in lice eradication. F.B. 909, pp. 9–10. 1918.
    for small operations. F.B. 908, pp. 62–64. 1918; F.B. 1169, pp. 20–22. 1921.
    irrigation, types, description, and capacity. D.B. 495, pp. 25–29. 1917.
  steam, description. O.E.S. Cir. 101, p. 10. 1910.
  suction lift, description. F.B. 1448, p. 25. 1925.
  triplex plunger, irrigation tests. O.E.S. Bul. 158, pp. 240–242. 1905.
  types, dynamic head, losses, foundations, and cost. O.E.S. Cir. 101, pp. 10–22. 1910.
  types for alfalfa spraying. F.B. 1185, pp. 10–12, 13–14. 1920.
  use in—
    cranberry fields. F.B. 1400, pp. 22–23. 1924.
    drainage work in southern Louisiana. D.B. 71, pp. 26, 32, 33, 36, 40, 41, 44, 48, 51. 1914.
    milk plants, advantages and disadvantages. D.B. 849, pp. 8–9, 14–16, 26. 1920.
    rice irrigation. Soils Cir. 54, p. 6. 1912.
  varieties, description, suction lift, and capacity. F.B. 941, pp. 45–50. 1918.
  windmill, description and use in irrigation. F.B. 394, pp. 25–28. 1910; F.B. 866, pp. 24–27. 1917.
Pumpelly, Raphael, explorations at Anau, Russian Turkestan, and collections. B.A.I. An. Rpt., 1910, pp. 125, 153, 157, 163, 196. 1912.
Pumping—
  districts, desirable size. D.B. 304, p.8. 1915; O.E.S. Bul. 243, p. 13. 1911.
  drainage, cost of installing and operating, and form for records. D.B. 304, pp. 34–35, 49–59. 1915; O.E.S. Bul. 243, pp. 40–42. 1911.
  drainage water from swamps into irrigation ditches. O.E.S. An. Rpt., 1910, pp. 499–501. 1911.
  effect on milk. D.B. 1344, pp. 16–18. 1925.
  engine, capacity, computation, and directions. D.B. 718, p. 58. 1918.
  farmstead, horsepower. F.B. 1448, p. 29. 1925.
  for irrigation on the farm. P. E. Fuller. Y.B. 1916, pp. 507–520. 1917; Y.B. Sep. 703, pp. 14. 1917.

Pumping—Continued.
    from wells for irrigation—
        Paul A. Ewing. F.B. 1404, pp. 28. 1924.
        in Pajaro Valley, California. Soil Sur. Adv. Sh., 1908, p. 41. 1910; Soils F.O., 1908, p. 1367. 1911.
        of rice in Louisiana and Arkansas, cost. W. B. Gregory. O.E.S. Bul. 201, pp. 39. 1908.
    irrigation—
        cost of installation. F.B. 1404, pp. 24-27. 1924.
        cost of operations. O.E.S. An. Rpt., 1908, pp. 383-394. 1909.
        electricity rates. F.B. 1404, p 22. 1924.
        experiments, Kearney Experiment Station, Calif. J.A.R., vol. 11, pp. 339-357. 1917.
        in Colorado, cost. O.E.S. Bul. 218, pp. 30-33. 1910.
        investigations in California. O.E.S. Cir. 108, pp. 18-21. 1911.
    machinery—
        capacity and relation to rainfall. O.E.S. Bul. 243, pp. 21-29, 33-36. 1911.
        in Pomona Valley, Calif., types, description, and cost. O.E.S. Bul. 236, pp. 45-55. 1911; rev., pp. 45-55. 1912.
        types, relation to cost, life, and fuel. O.E.S. Bul. 243, pp. 30-31. 1911.
    plant(s)—
        and pumps, irrigation and drainage use in Louisiana in 1905 and 1906, mechanical tests. W. B. Gregory. O.E.S. Bul. 183, pp. 72. 1907.
        capacity and cost, southern Louisiana. D.B. 71, pp. 65-82. 1914.
        costs. D.B. 652, pp. 56-66. 1918.
        estimate, cost of installation and operation. O.E.S. Bul. 158, pp. 245-255. 1905.
        farm irrigation details. F.B. 899, pp. 11-17. 1917.
        for drainage—
            design, capacity of machinery, types, cost, and power. D.B. 304, pp. 20-48. 1915.
            in South, operation cost of various types. D.B. 1067, pp. 44-54. 1922.
            size and calculation. D.B. 304, pp. 39-43. 1915.
            tests in Southern States. W. B. Gregory. D.B. 1067, pp. 54. 1922.
        for irrigation—
            and drainage, cost and operation. O.E.S. Bul. 183, pp. 61-70. 1907.
            description and cost. O.E.S. Bul. 211, pp. 20, 27. 1909; Y.B. 1907, pp. 418-424. 1908; Y.B. Sep. 458, pp. 418-424. 1908.
            designing. D.B. 495, pp. 32-35. 1917.
            size, installation, and costs. Y.B., 1916, pp. 508-510, 514-517, 519-520. 1917; Y.B. Sep. 703, pp. 2-4, 8-11, 13-14. 1917.
            tests. O.E.S. Bul. 158, pp. 196-255. 1904.
        for spray irrigation, description, and use methods. D.B. 495, pp. 6-12. 1917.
        in California—
            mechanical tests. J. N. Le Conte and C. E. Tait. O.E.S. Bul. 181, pp. 72. 1907.
            Pomona Valley, number, description, and total cost. O.E.S. Bul. 236, pp. 43-55. 1911.
            tests, efficiency, fuel, and cost. O.E.S. Cir. 108, pp. 18-21. 1911.
        in Colorado, Nebraska, and Kansas. O.E.S. Bul. 158, pp. 595-608. 1905.
        in Kansas, possibilities. O.E.S. Bul. 211, pp. 10, 19-20, 27. 1909.
        in Louisiana—
            and Texas. O.E.S. Bul. 158, pp. 534-541. 1904.
            drainage districts and capacity costs. D.B. 652, pp. 24, 28, 33, 36, 45-58. 1918; J.A.R., vol. 11, pp. 247-279. 1917.
            reclamation of wet prairie lands. O.E.S. An. Rpt., 1909, pp. 437-439. 1910.
        in Texas. O.E.S. Bul. 158, pp. 341-346. 1905.
        measurement of fuel power, lift, and water. O.E.S. Bul. 181, pp. 9-16. 1907.
        mechanical tests, results, discussions. O.E.S. Bul. 183, pp. 55-69. 1907.
        reports, discharge and costs. O.E.S. Bul. 158, pp. 52-63. 1905.
        reservoirs, building and management. F.B. 592, pp. 18-25. 1914.

Pumping—Continued.
    plant(s)—continued.
        rice irrigation in Arkansas. O.E.S. Bul. 158, pp. 557-564. 1904.
        small, machinery, selection and installation. W. B. Gregory. O.E.S. Cir. 101, pp. 40. 1910.
        small water supplies. Y.B., 1907, pp. 418-424. 1908; Y.B. Sep. 458, pp. 418-428. 1908.
        southern Louisiana drainage districts, capacity and cost. D.B. 71, pp. 26, 32, 36, 40, 44, 48, 51, 56. 1914.
        Southern States, sources of power. D.B. 1067, pp. 5-6. 1922.
        tests, methods and results. O.E.S. Bul. 201, pp. 6-39. 1908.
        various types, efficiency. O.E.S. An. Rpt., 1908, pp. 388-389. 1909.
    power—
        for use in farmhouse water supply. Y.B., 1914, pp. 151-152. 1915; Y.B. Sep. 634, pp. 151-152. 1915.
        in use. F.B. 1448, p. 31. 1925.
        sources, tests, steam, gas, and electricity. O.E.S. Bul. 243, pp. 25-26, 32. 1911.
        used in different localities. O.E.S. Bul. 240, p. 66. 1911.
    records, daily, form. D.B. 71, p. 81. 1914.
    shallow wells, effect on ground-water table. Walter W. Weir. J.A.R., vol. 11, pp. 339-357. 1917.
    value for irrigation in dry farming districts. O.E.S. Bul. 215, p. 41. 1909.
Pumpkin(s)—
    bugs—
        control in citrus groves. F.B. 1122, p. 30. 1920.
        See also Plant-bug.
    canning—
        directions. Chem. Bul. 151, pp. 35, 54-55. 1912; D.B. 196, pp. 62-63. 1915; D.B. 1084, p. 35. 1922; F.B. 359, p. 15. 1910; F.B. 839, pp. 16, 29. 1917; S.R.S. Doc. 17, p. 3. 1915.
        experiments in testing temperature changes. D.B. 956, pp. 34-36, 51, 52. 1921.
    cooking directions. D.B. 123, p. 37. 1916.
    cultural directions for home gardens. S.R.S. Doc. 49, p. 6. 1917.
    destruction by melon fly, Hawaii. D.B. 491, pp. 10-13. 1917.
    digestion experiment. O.E.S. Bul. 159, pp. 161, 171. 1905.
    downy mildew disease, description, causes, and remedy. F.B. 231, pp. 5-7, 11-13. 1905.
    drying directions. D.B. 1335, pp. 37-38. 1925; D.C. 3, p. 15. 1919; F.B. 841, p. 22. 1917; F.B. 984, pp. 52-53. 1918.
    feed—
        for—
            cattle, energy value. J.A.R., vol. 3, p. 452. 1915.
            pigs, value. B.A.I. Bul. 47, pp. 163-164. 1904.
        value, and planting with corn. News L., vol. 4, No. 46, p. 3. 1917.
    growing—
        for canning, Iowa, Muscatine County. Soils F.O. 1914, p. 1838. 1919; Soil Sur. Adv. Sh., 1914, p. 18. 1916;
        in—
            Guam, cultural directions. Guam Cir. 2, p. 15. 1921; Guam. Bul. 2, pp. 12, 50. 1922.
            Nevada, for home garden, varieties. B.P.I. Cir. 110, p. 24. 1913.
    growth temperatures, minimum, optimum, and maximum. J.A.R., vol. 13, p. 133. 1918.
    hog-feeding value. F.B. 331, p. 18. 1908.
    importations and descriptions. Nos. 47444, 47445, B.P.I. Inv. 59, p. 19. 1922; Nos. 48764-48767, 48813, B.P.I. Inv. 61, pp. 45, 51. 1922; Nos. 49153, 49205-49206, 49234, 49584, B.P.I. Inv. 62, pp. 8, 11, 15, 56. 1923.
    leaf temperature, studies. J.A.R., vol. 26, pp. 20, 21, 31, 32, 33, 37. 1923.
    marmalade, recipe. News L., vol. 5, No. 13, p. 5. 1917.
    mildew, cause. Guam A.R., 1917, p. 54. 1918.
    packing season. D.B. 196, p. 18. 1915.
    planting, directions for club members. D.C. 48, p. 10. 1919.

Pumpkin(s)—Continued.
  processing, directions and time table. F.B. 1211, pp. 46, 49. 1921.
  seeds—
    effect on growth of rats. Benjamin Masurovsky. J.A.R. vol. 27, pp. 39-42. 1923.
    growing, localities, acreage, yield, production, and consumption. Y.B., 1918, pp. 201, 206, 207. 1919; Y.B. Sep. 775, pp. 9, 14, 15. 1919.
    oil, digestion experiments. D.B. 781, pp. 12-13. 1919.
    shipments by States, and by stations, 1916. D.B. 667, pp. 10, 112. 1918.
  spraying calendar. S.R.S. Doc. 52, p. 9. 1917.
  storage for home use. F.B. 879, p. 21. 1917.
  tops, use as potherb. O.E.S. Bul. 245, p. 29. 1912.
  use—
    as—
      horse feed. F.B. 1030, p. 21. 1919.
      sheep feed. D.B. 20, p. 43. 1913.
      in dodgers. F.B. 955, p. 17. 1918.
    value in pig feeding. B.A.I. An. Rpt., 1903, p. 295. 1904; B.A.I. Cir. 63, p. 295. 1904.
    varieties, use as food. O.E.S. Bul. 245, p. 51. 1912.
  variety tests, Yuma experiment farm. D.C. 75, p. 59. 1920.
  water requirements. J.A.R., vol. 3, pp. 40, 52, 59. 1914.
  with edible seed, importation, No. 39890. B.P.I. Inv. 42, p. 32. 1918.
  See also *Cucurbita pepo.*
Punch—
  cherry, grape, raspberry, and strawberry. Chem. N.J. 3939, p. 1. 1915.
  for farm use, kinds. F.B. 347, p. 13. 1916.
  grape, use of unfermented grape juice, recipe. F.B. 644, p. 15. 1915.
Punica granatum. See Pomegranate.
"Punkies," notes on. F.C. Pratt. Ent. Bul. 64, Pt. III, pp. 23-28. 1907.
Pupae, Mediterranean fruit fly, destruction by refrigeration. J.A.R., vol. 6, No. 7, pp. 251-260. 1916.
Puparia, papaya fruit fly, development, and moisture effect. D.B. 1081, pp. 4-5. 1922.
Pupation, green June beetle. D.B. 891, pp. 24-25. 1922.
Pupunha, importations and description. Nos. 50482-50484, B.P.I. Inv. 63, pp. 4, 72. 1923.
Purchasing—
  cooperative, reading list, index. M.C. 11, p. 49. 1923.
  demonstrations in the South. Bradford Knapp. Y.B., 1919, pp. 205-222. 1920; Y.B. Sep. 808, pp. 205-222. 1920.
  power, farmers' organization. J. M. Mehl. Y.B., 1919, pp. 381-390. 1920; Y.B. Sep. 819, pp. 381-390. 1920.
PURDOM. J. M.: Farm management in the Ozark region of Missouri." With H. M. Dixon. D.B. 941, pp. 51. 1921.
Purdue University—
  course for creamery superintendents. B.A.I. Dairy [Misc.], "World's dairy congress, 1923," p. 770. 1924.
  course in forestry. O.E.S. An. Rpt., 1907, p. 284. 1908.
Pure-food—
  laws—
    of European countries affecting American exports. W. D. Bigelow. Chem. Bul. 61, pp. 39. 1901.
    suggestions for compliance. Chem. Bul. 112, Pt. II, pp. 35-38. 1908.
    See also Food and Drugs.
  rulings, Iowa, 1907. Chem. Bul. 112, Pt. I, pp. 88-96. 1908.
Purebred(s)—
  animals—
    on farms, January 1, 1920, distribution. D.C. 241, pp. 4, 5-6. 1924.
    purchase, aid. Off. Rec. vol. 3, No. 36, p. 5. 1924.
    recognition and regulations. B.A.I.O. 288, pp 6. 1924.
    record books, list. B.A.I.O. 186, pp. 3-5. 1912.
  cattle, percentage in United States, 1900. B.A.I. Bul. 55, p. 13. 1930.

Purebred(s)—Continued.
  introduction on farms, result of club work. Y.B., 1920, pp. 487-491. 1921; Y.B. Sep. 859, pp. 487-491. 1921.
  livestock—
    breeding standards, and knowledge required F.B. 1167, pp. 24-25. 1920.
    breeding, stimulation in European countries. Y.B., 1919, pp. 408, 411, 414, 420. 1920; Y.B. Sep. 821, pp. 408, 411, 414, 420. 1920.
    definition. Y.B., 1919, p. 349. 1920; Y.B. Sep. 816, p. 349. 1920.
    increase by Better Sires campaign. Y.B., 1920, pp. 331-338. 1921; Y.B. Sep 848, pp. 331-338. 1921.
    increase through work of club members. D.C. 66, pp. 34, 37. 1920.
    introduction into Guam, 1920. Guam A.R., 1920, pp. 5, 67. 1921.
    selling to South America. David Harrell and H. P. Morgan. Y.B., 1919, pp. 369-380. 1920; Y.B. Sep. 818, pp. 369-380. 1920.
    utility value. D. S. Burch. D.C. 235, pp. 22. 1922.
  poultry, results. Off. Rec., vol. 3, No. 25, p. 2. 1924.
  sires, ranking States. Off. Rec., vol. 3, No. 31, p. 3. 1924.
  superiority, points and explanation. D.C. 235, pp. 5-7. 1922.
  surplus, selling for breeding stock. D.C. 235, pp. 7-9. 1922.
  value in grading-up. D.B. 905, pp. 54-63. 1920.
  See *Names of animals and plants bred.*
Puree of—
  beans, recipe. F.B. 526, p. 27. 1913.
  cowpeas, recipe. News L., vol. 4, No. 41, p. 10. 1917.
  tomato, adulteration. See *Indexes, Notices of Judgment, in bound volumes, to Chemistry Service and Regulatory Announcements.*
Purgatives, effect on worms in dogs. J.A.R., vol. 12, No. 7, pp. 399-401. 1918.
Purifier, flour, invention, and value for hard wheats. Y.B., 1914, p. 391. 1915; Y.B. Sep. 649, p. 391. 1915.
Purine bases—
  isolation and identification in soils, transformation. Soils Bul. 89, pp. 18-20, 28. 1912.
  occurrence in soil, description. Soils Bul. 74, pp. 39-43. 1910.
  sources, determination in processed fertilizers, methods. D.B. 158, pp. 11-12, 13-14, 23. 1914.
Puriri tree, importation and description. No. 42790, B.P.I. Inv. 47, p. 64. 1920.
Purity, standards for food products. Sec. Cir. 136, pp. 22. 1919.
Purnell Act—
  aid to agriculture. Sec. A.R., 1925, pp. 78-79. 1925.
  effect. Off. Rec. vol. 4, No. 47, pp. 1, 3. 1925.
  experiment stations endowment, text. D.C. 251, pp. 22-23. 1925.
  provisions. Off. Rec., vol. 4, No. 16, pp. 1-2. 1925.
Purple-top grass, description, distribution, and uses. D.B. 772, pp. 76, 77. 1920.
Purples. See Nematode disease.
Purpura hemorrhagic, horse, after influenza, description and treatment. B.A.I. [Misc.], "Diseases of the horse," rev., pp. 247-248, 508-512. 1903; rev., pp. 247-248, 508-512. 1907; rev., pp. 247-248, 508-512. 1911; rev., pp. 270-271, 531-535. 1923.
Purslane—
  characters. News L., vol. 2, No. 40, p. 3. 1915.
  description, distribution, spread, and products injured. F.B 660, p. 29. 1915.
  feed for hogs, value. B.A.I. Bul. 47, p. 156. 1904.
  importation and description. No. 34510, B.P.I. Inv. 33, p. 29. 1915.
  injury, by webworm. Ent. Bul. 109, Pt. III, pp. 30-31. 1912.
  insect pests, list. Sec. [Misc.], "A manual * * * insects * * *," p. 186. 1917.
  use as salad and potherb. O.E.S. Bul. 245, p. 28. 1912.
  value as forage. F.B. 320, p. 17. 1908.
  white rust, occurrence in Texas. B.P.I. Bul. 226, p. 101. 1912.
  See also Mexican clover.

Pus-forming organism, typical reaction, results of tests. J.A.R., vol. 1, pp. 507-508. 1914.
Pusa, importation and description. No. 48838, B.P.I. Inv. 61, pp. 4, 54. 1922.
Puss caterpillar—
 and effects of its sting on man. F.G. Bishopp. D.C. 288, pp. 14. 1923.
 bacterial disease. D.C. 288, p. 12. 1923.
 parasites, description and habits. D.C. 288, pp. 13-14. 1923.
Pustular—
 rot, peaches, control. F.B. 1435, pp. 10-11. 1924.
 spot, control in peaches and apricots. F.B. 1435, p. 11. 1924.
Pustule(s)—
 bacterial, of soybean—
  Frederick A. Wolf. J.A.R., vol. 29, pp. 57-68. 1924.
  and a comparison of *Bacterium phaseoli* Hedges with *Bacterium phaseoli* E. F. S. Florence Hedges. J.A.R., vol. 29, pp. 229-251. 1924.
 cattle, causes, symptoms, and treatment. B.A.I. [Misc.], "Diseases of cattle," rev., pp. 339-340 1912; rev., pp. 327-328. 1904; rev., pp. 327-328. 1923.
 malignant. *See* Anthrax.
Puta, importations and description. No. 42082, B.P.I. Inv. 40, pp. 55-56. 1919.
Putnam, G. A.—
 "A common topic for discussion in institutes." O.E.S. Bul. 251, pp. 29-30. 1912.
 "Holding separate institutes for women and organizing rural women's clubs." O.E.S. Bul. 225, pp. 40-42. 1910.
 "Plan for organizing and conducting advisory work." O.E.S. Bul. 225, pp. 29-30. 1910.
 "Relationship between farmers' institutes and agricultural colleges and experiment stations." O.E.S. Bul. 256, pp. 24-25. 1913.
Putorius spp. *See* Weasel.
Putranjiva roxburghii, importation and description. No. 52296, B.P.I. Inv. 65, p. 86. 1923.
Putrefaction—
 intestinal, relation to protein elements of diet. B.A.I. An. Rpt., 1909, pp. 140, 141. 1911; B.A.I. Cir. 171, pp. 140, 141. 1911.
 processes, effect on oxidation. Soils Bul. 56, p. 50. 1909.
Putrefactive products, Camembert cheese, studies. B.A.I. Bul. 109, pp. 21-22. 1908.
Puya importation and description. No. 42082. B.P.I. Inv. 46, pp. 55-56. 1919.
Pycnidia, fruit fungi, cavities, origin. B.O. Dodge. J.A.R., vol. 23, pp. 743-760. 1923.
Pycnidium formation of *Plenodomus fuscomaculans*, growth factors. George Herbert Coons. J.A.R., vol. 5, No. 16, pp. 713-769. 1916.
Pycnometer—
 bitumen testing. D.B. 949, pp. 36-37. 1921.
 description. D.B. 314, pp. 5-6. 1915.
Pycnospores of *Endothia parasitica*, longevity tests. J.A.R., vol. 2, pp. 67-75. 1914.
Pyemia—
 cattle, causes, symptoms, and treatment. B.A.I. [Misc.], "Diseases of cattle," rev., pp. 387-389. 1904; rev., pp. 256-257, 403-405. 1912; rev., pp. 395-397. 1923.
 hogs, diagnosis. B.A.I. An. Rpt., 1907, p. 242. 1909; B. A. I. Cir. 144, p. 242. 1909; B. A. I. Cir. 201, p. 35. 1912.
 nodules, characteristics. B.A.I. Cir. 191, p. 348. 1912; B.A.I. An. Rpt., 1910, p. 348. 1912.
Pygeum preslii, importation and description. No. 47620, B.P.I. Inv. 59, p. 38. 1922.
Pyocyanase, immunizing power in anthrax control, experiments. B.A.I. Bul. 137, pp. 30-34. 1911.
Pyometritis, cattle, cause and treatment. B.A.I. Dairy [Misc.], "World's dairy congress, 1923,' pp. 1516-1517. 1924.
Pyracantha—
 crenulata, importations and descriptions. No. 50292, B.P.I. Inv. 63, p. 51. 1923; No. 52687, B.P.I. Inv. 66, p. 60. 1923.
 crenulata yunnanensis, importations and descriptions. No. 42689, B.P.I. Inv. 47, p. 52. 1920; No. 54991, B.P.I. Inv. 71, p. 11. 1923.

Pyracantha—Continued.
 gibbsii, importations and descriptions. No. 44399, B.P.I. Inv. 50, p. 66. 1922; No. 52938, B.P.I. Inv. 67, p. 16. 1923.
 sp., importations and description. Nos. 40736, 40737, B.P.I. Inv. 43, pp. 73-74. 1918.
Pyralid—
 corn, description. Sec. [Misc.], "A manual * * * insects * * * ," p. 85. 1917.
 grapevine, description. Sec. [Misc.], "A manual * * * insects * * * ," pp. 129, 130. 1917.
 larvae, fumigation in containers, experiments. J.A.R., vol. 15, p. 264. 1918.
 rice, injury to crop in Guam. Guam A.R., 1920, p. 43. 1921.
Pyralidae—
 defense against Argentine ants. D.B. 647, pp. 51. 1918.
 similarity of certain species to *Pectinophora gossypiella*. J.A.R., vol. 20, pp. 828-834. 1921.
Pyralis farinalis—
 description. D.B. 15, p. 2. 1913.
 See also Moth, meal snout.
Pyramids, hay, stacking and curing. F.B. 677, p. 5. 1915.
Pyrausta—
 ainsliei. *See* Smartweed borer.
 nubilalis, bibliography. J. S. Wade. M.C. 46, pp. 20. 1925.
 nubilalis. *See also* Corn borer.
 penitalis. *See* Lotus borer.
 spp.—
  characters and descriptions. D.B. 1076, pp. 1-2. 1922; J.A.R., vol. 18, pp. 171-178. 1919.
  descriptions. J.A.R., vol. 30, pp. 778-785. 1925.
Pyraustomyia penitalis, parasite of *Pyrausta ainsliei*. J.A.R., vol. 20, pp. 843-844. 1921.
Pyrenopeziza medicaginis, cause of yellow leafblotch of alfalfa. J.A.R., vol. 13, pp. 307-330. 1918.
Pyrethrotoxic acid, active principle of pyrethrum powder. D.B. 824, pp. 74, 79. 1920.
Pyrethrum—
 analysis. Chem. Bul. 68, pp. 38-40. 1902; Chem. Bul. 76, pp. 13-21. 1903.
 containing poisonous metals. Chem. Bul. 76, pp. 7-21. 1903.
 content of manganese, study. J.A.R., vol. 11, pp. 77-82. 1917.
 culture and handling as drug plant, yield, and price. F.B. 663, pp. 26-27. 1915.
 effect on various household insects, tests. D.B. 707, pp. 4, 10, 16, 23, 26, 28, 32. 1918.
 effectiveness against chicken lice and dog fleas. D.B. 888, pp. 5-8, 9-10. 1920.
 exposure to—
  dry heat, testing, effect. D.B. 771, pp. 5-6. 1919.
  weather, effects, testing. D.B. 711, pp. 2-3, 6. 1919.
 flowers, importations and description. Nos. 40511-40513, 40542-40548, 40627-40644, B.P.I. Inv. 43, pp. 8, 37, 42, 58. 1918.
 formulas and use as poison insecticide. S.R.S. Doc. 52, pp. 4, 7. 1917.
 fumes, use in fumigation against roaches, precaution. F.B. 658, p. 14. 1915.
 growing in California, Merced area, soils suitable. Soil Sur. Adv. Sh., 1914, pp. 15-16. 1916; Soils F.O., 1914, p. 2795. 1919.
 importations and description. Nos. 32012-32013, B.P.I. Bul. 261, p. 17. 1912.
 imports, 1922-1924. Y.B., 1924, p. 1066. 1925.
 insect powder, use in flea control. News L., vol. 3, No. 3, p. 5. 1915.
 insecticidal value, tests. D.B. 1201, pp. 6, 10-20, 32, 53, 54. 1924.
 sealing for strength retention. News L., vol. 6, No. 36, p. 5. 1919.
 soaking in water, testing, effect. D.B. 771, p. 5. 1919.
 storage—
  effect of heat and moisture. W. S. Abbott. D.B. 771, pp. 7. 1919.
  in sealed glass containers, testing, effect. D.B. 771, pp. 3-5. 1919.

Pyrethrum—Continued.
toxic element. Off. Rec., vol. 3, No. 22, p. 4. 1924.
use against—
cyclamen mites. J.A.R., vol. 10, p. 389. 1917.
mushroom maggots. Ent. Cir. 155, p. 3. 1912.
roaches. F.B. 658, p. 13. 1915.
silverfish. F.B. 681, p. 4. 1915.
striped cucumber beetle. Ent. Cir. 31, rev., p. 7. 1909.
use as—
fly repellent. D.B. 131, pp. 8, 22, 23, 24. 1914.
fumigant against mosquitoes. Ent. Bul. 88, pp. 30-32. 1910.
insecticide. F.B. 1362, p. 9. 1924.
use in—
control of—
Argentine ants. D.B. 965, pp. 13-15. 1921.
cabbage worms. F.B. 766, p. 12. 1916.
mushroom pests. F.B. 789, pp. 5, 9. 1917.
vermin on birds. F.B. 770, pp. 17, 18. 1916.
flea control. F.B. 683, pp. 10, 12, 13. 1915; Sec. Cir. 61, p. 20. 1916.
flea eradication. Ent. Cir. 108, pp. 2-4. 1909.
fly larvae, destruction in manure, experiments. D.B. 245, pp. 17, 21. 1915.
insect control, Porto Rico. P.R. Cir. 17, p. 17. 1918.
mite control. D.B. 1228, p. 5. 1924.
moth control. F.B. 1353, p. 17. 1923.
silverfish destruction, methods. News L., vol. 3, No. 1, pp. 3-4. 1915.
See also Insect powder.
Pyrgota undata, parasitic on May beetle. F.B. 543, pp. 14, 15. 1913.
Pyrheliometer, use, Weather Bureau. An. Rpts., 1908, p. 192. 1909; W.B. Chief Rpt., 1908, p. 6. 1908.
Pyridine—
bases, use as denaturants for alcohol. F.B. 429, p. 9. 1911.
nature and production. Chem. Bul. 130, pp. 28-29, 81. 1910.
origin, effects on wheat plants. Soils Bul. 47, pp. 28, 38. 1907.
soil constituent, wheat-growing tests. Soils Bul. 87, p. 65. 1912.
spraying tests for insecticidal value. D.B. 1160, pp. 4, 7, 9, 13. 1923.
use in—
denaturing alcohol. Chem. Bul. 130, pp. 78, 79, 162, 163. 1910.
fly larvae destruction in manure, experiments. D.B. 245, pp. 9-10, 12-13, 20. 1915.
lithium separation method. Chem. Bul. 153, pp. 15-16. 1912.
Pyrite—
description and composition. Rds. Bul. 37, pp. 16, 20. 1911.
foreign and domestic, fertilizer stocks, 1917. Sec. Cir. 104, pp. 4, 6-7, 10-12. 1918.
production and prices—
1923. Y.B., 1923, pp. 1177-1179, 1186. 1924; Y.B. Sep. 906, pp. 1177-1179, 1186. 1924.
1924. Y.B., 1924, pp. 1164, 1166. 1925.
Pyrocatechin, origin, effect on wheat plants. Soils Bul. 47, pp. 30, 39. 1907.
Pyroderces rileyi—
similarity to *Pectinophora gossypiella*. J.A.R., vol. 20, p. 820. 1921.
See also Corn worm, pink.
Pyrofume, fumigant for mosquitoes. Ent. Bul. 88, pp. 34-35. 1910.
Pyrogallol—
color changes in testing oxygen-supplying power of soils. J.A.R., vol. 25, pp. 133-140. 1923.
effect on wheat plants. Soils Bul. 47, pp. 30, 41. 1907.
use in experiments for measurement of oxidase in plant juices. B.P.I. Bul. 238, pp. 23, 25-28. 1912.
Pyrol, wooly. See Urd.
Pyrola umbellata. See Pipsissewa.
Pyroligneous acid—
aqueous distillate. Chem. Cir. 36, pp. 32-38. 1907.
effect on meat. Off. Rec., vol. 3, No. 17, p. 5. 1924.

Pyroligneous acid—Continued.
manufacture from Douglas fir, value. For. Bul. 88, p. 73. 1911.
use in control of fly larvae in horse manure, tests. D.B. 118, p. 9. 1914.
yield per cord from certain hardwoods. D.B. 508, pp. 7-8. 1917.
yields from various hardwoods, results of distillation. D.B. 129, pp. 5-6, 15-16. 1914.
Pyronema omphalodes, fungus developing in heated soils. Soils Bul. 89, p. 11. 1912.
Pyronia, importation and description. No. 37606, B.P.I. Inv. 38, pp. 8, 83. 1917.
Pyrophosphoric acid, poisonous constituent of cotton-seed meal. An. Rpts., 1910, pp. 265-266. 1911; B.A.I. Chief Rpt., 1910, pp. 71-72. 1910.
Pyroplasmosis. See Texas fever.
Pyrosoma bigeminum. See *Babesia bigeminum*.
Pyrotol—
nature and use. Off. Rec., vol. 3, No. 39, p. 5. 1924.
priming method. Rds. [Misc.]. "Prime pyrotol this way * * *," pp. 4. 1924.
use(s)—
and distribution. Off. Rec., vol. 3, No. 36, p. 3. 1924.
for ditching. Off. Rec., vol. 3, No. 42, p. 5. 1924.
in clearing land. Rds. Chief Rpt., 1925, pp. 43-44. 1925.
Pyrrhocoridae. See Cotton stainers.
Pyrrhuloxia spp. See Grosbeak, gray.
Pyrus—
aucuparia. See Mountain ash.
baccata. See Crab, Siberian.
communis. See Pear.
coronaria—
organic acids and *Acer saccharum*. Charles E. Sando and H. H. Bartlett. J.A.R., vol. 22, pp. 221-229. 1921.
See also Crab apple.
nivalis eleagrifolia, importation and description. No. 37689, B.P.I. Inv. 39, p. 19. 1917.
spp.—
importations and description. Nos. 39538-39541, 39547-39548, B.P.I. Inv. 41, pp. 7, 37, 39. 1917.
injury by pith-ray flecks. For. Cir. 215, p. 10. 1913.
injury by sapsuckers. Biol. Bul. 39, p. 41, 51. 1911.
Pythiacystis citrophthora—
cause of citrus gummosis, and control. J.A.R., vol. 24, pp. 191-213, 226, 228, 231. 1923.
See also Lemon brown rot.
Pythium—
aphanidermatum, cause of cottony leak in cucumbers. Charles Drechsler. J.A.R., vol. 30, pp. 1035-1042. 1925
complectens, n. sp. cause of geranium stem rot. Harry Braun. J.A.R., vol. 29, pp. 339-419. 1924.
debaryanum—
and two related species from geranium, studies. Harry Braun. J.A.R., vol. 30, pp. 1043-1062. 1925.
cause of—
damping-off, control experiments. D.B. 818, pp. 2-13. 1920.
disease in beets. J.A.R., vol. 4, pp. 136, 139, 159-161, 165. 1915.
disease in conifer seedlings. J.A.R., vol. 15, pp. 522, 530-546. 1918.
potato "leak," studies and experiments J.A.R., vol. 6, No. 17, pp. 629-638. 1916; D.B. 577, pp. 1-2. 1917.
rot in geranium, study. J.A.R., vol. 30, pp. 1043-1062. 1925.
rot in taro. Hawaii A.R., 1919, p. 50. 1920.
comparative study and of two related species from Geranium. Harry Braun. J.A.R., vol. 30, pp. 1043-1062. 1925.
confused with causal organism of blackleg potato tuber rot. J.A.R., vol. 22, pp. 81-92. 1921.
history, description, habits, and control on conifers. D.B. 934, pp. 2, 6-8, 35-55, 65-73, 79-90. 1921.
parasitism on potato tuber, studies. J.A.R., vol. 18, pp. 275-298. 1919.

Pythium—Continued.
  debaryanum—continued.
    resemblance to *Rheosporangium aphanidermatus.* J.A.R., vol. 4, p. 279. 1915.
    rootlet rot of sweet potatoes. L. L. Harter. J.A.R., vol. 29, pp. 53-55. 1924.
    spp. cause of root rot of peas. J.A.R., vol. 30, p. 293. 1925.
"Pyxol" (disinfectant), misbranding. N.J. 180. I. and F. Bd. S.R.A. 10, pp. 48-49. 1915.

Qolqas. See Taro, Egyptian.
Quack grass—
  analytical key and description of seedlings. D. B. 461, pp. 7, 15. 1917.
  characters. News L., vol. 2, No. 40, p. 3. 1915.
  control by rotations. S.R.S. Rpt. 1916, Pt. I, pp. 33, 161, 291. 1918.
  control methods. News L., vol. 3, No. 48, pp. 2-3. 1916.
  description, control, and utilization. L. W. Kephart. F.B. 1307, pp. 32. 1923
  description, distribution, spread, and products injured. F.B. 660, p. 29. 1915.
  distribution and history. F.B. 1307, pp. 3-5. 1923.
  eradication—
    J. S. Cates. F.B. 464, pp. 11. 1911.
    demonstration farm work, Minnesota. O.E.S. An. Rpt., 1909, pp. 59, 129. 1910.
  in cultivated fields, habits of growth, eradication. F.B. 464, pp. 6-7. 1911.
  lands, types. F.B. 464, pp. 6-8. 1911.
  prevalence in Kewaunee County, Wisconsin. Soil Sur. Adv. Sh., 1911, p. 15. 1913; Soils F.O., 1911, p. 1523. 1914.
  prevention on farms. F.B. 1307, pp. 25-26. 1923.
  seeds, and certain wheat grasses, distinguishing characters. F. H. Hillman. B.P.I. Cir. 73, pp. 9. 1911.
  seeds, description. B.P.I. Cir 73, p. 6. 1911; D.B. 772, p. 87. 1920; F.B. 428, pp. 18, 19. 1911; F.B. 1307, p. 5. 1923.
  uses and eradication. B.P.I. Bul. 107, p. 13. 1907.
  utilization. F.B. 1307, pp. 26-31. 1923.
  See also *Agropyron repens.*

Quagga hybrid, breeding experiments. B.A.I. An. Rpt., 1910, pp. 129-131. 1912.
Quail(s)—
  and bobwhite, United States, in their economic relation. Sylvester D. Judd. Biol. Bul. 21, pp. 66. 1905.
  breeding for food use. D.B. 467, p. 7. 1916.
  California—
    distribution and life habits. Biol. Bul. 21, pp. 47-56. 1905; F.B. 497, pp. 7-11. 1912.
    food habits, relation to fruit industry. Biol. Bul. 34, pp. 9-14. 1910.
    injury to grapes and grain fields. F.B. 497, pp. 7, 8, 9, 10, 11. 1912.
  chickens, and eggs, cold-storage effects, preliminary study. H. W. Wiley and others. Chem. Bul. 115, p. 117. 1908.
  cold storage, organoleptic tests. Chem. Bul. 115, pp. 37-39, 99-100. 1908.
  conditions—
    1907. Y.B., 1907, p. 594. 1908; Y.B. Sep. 469, p. 594. 1908.
    1908. Y.B., 1908, p. 582 1909; Y.B. Sep. 500, p. 582. 1909.
    1909. Biol. Cir. 73, p. 6. 1910.
  past and present. Y.B., 1910, pp. 244, 248, 252, 253. 1911; Sep. 533, pp. 244, 248, 252, 253 1911.
  Cuban, introduction into Porto Rico and extinction there. D.B. 326, pp 14, 34. 1916.
  disease—
    cause of depletion of birds. D.B. 1049, p. 35. 1922.
    in United States. Geo. Byron Morse. B.A.I. Cir. 109, pp. 11. 1907.
    reappearance and fatality among Mexican quail. News L. vol. 3, No. 28, p. 4. 1916.
    symptoms, ravages, 1907. Y.B., 1907, p. 595. 1908; Y.B., Sep. 469, p. 595. 1908.
  distribution, hunting, restrictions, and sale prohibitions. D.B. 1049, p. 7. 1922.
  doves, occurrence in Porto Rico, and food habits. D.B. 326, pp. 48-49. 1916.

Quail(s)—Continued.
  enemy of the spring grain aphid. Ent. Bul. 110, p. 135. 1912.
  food habits, value to farmer. Y.B., 1907, p. 172. 1908; Y.B. Sep. 443, p. 172. 1908.
  food plants for coverts. Y.B., 1909, p. 194. 1910; Y.B. Sep. 504, p. 194. 1910.
  Gambel's distribution, habits, food. Biol. Bul. 21, pp. 56-58. 1905.
  hunting laws, Montana and Idaho. For. [Misc.], "Trespass on national * * *," pp. 28, 41. 1922.
  hunting limitations and conditions in different States. D.B. 1049, pp. 16-18. 1922.
  importation(s)—
    details. F.B. 197, pp. 7, 9, 14. 1904.
    from Mexico. Biol. Chief Rpt., 1924, pp. 38-39. 1924.
    from Mexico, regulations. Biol. S.R.A. 13, pp. 4. 1916.
    from northeastern Mexico, permit, amendment to regulations. Biol. S.R.A. 19, p. 1. 1918; Biol. S.R.A. 49, p. 1. 1922.
  introduction, note. F.B. 197, pp. 17, 18. 1904.
  Mearns's, distribution, habits, description, and food. Biol. Bul. 21, pp. 63-64. 1905.
  Messina, colonization experiments. Y.B., 1909, p. 249. 1910; Y.B. Sep. 510, p. 249. 1910.
  mountain, distribution, habits, and food. Biol. Bul. 21, pp. 8, 58-60. 1905.
  plants desirable for food, list. D.B. 715, p. 4. 1918.
  protection, new laws in 1915. News L., vol. 3, No. 9, p. 7. 1915.
  restocking depleted areas, efforts and results. D.B. 1049, pp. 34-35, 36. 1922.
  scaled, distribution, habits, and food. Biol. Bul. 21, pp. 61-63. 1905.
  shooting limitations, 1915. F.B. 692, pp. 4, 5, 6, 10, 11, 17, 25-38. 1915.
  useful against—
    chinch bug. F.B. 1223, p. 15. 1922.
    weevils. An. Rpts., 1913, p. 226. 1914; Biol. Chief Rpt., 1913, p. 4. 1913.
  valley, food habits. D.B. 107, p. 8. 1914.
  See also Bobwhite.

Quaillie. See Plover, upland.

Quaintance, A. L.—
  "A new genus of Aleyrodidae, with remarks on *Aleyrodes nubifera* Berger and *Aleyrodes citri* Riley and Howard." Ent. T. B. 12, Pt. IX, pp. 169-174. 1909.
  "Aleyrodidae, or white flies attacking orange—three new species of economic importance." With A. C. Baker. J.A.R., vol. 6, No. 12, pp. 459-472. 1916.
  "Aphids injurious to orchard fruits, currant, gooseberry, and grape." With A. C. Baker. F.B. 804, pp. 42. 1917.
  "Classification of the Aleyrodidae." With A. C. Baker. Ent. T.B. 27, Pt. I, pp. 1-93. 1913; Pt. II, pp. 95-109. 1914.
  "Control of aphids injurious to orchard fruits, currant, gooseberry, and grape." With A. C. Baker. F.B. 1128, pp. 48. 1920.
  "Control of the brown-rot and plum curculio on peaches." With W. M. Scott. Ent. Cir. 120, pp. 7. 1910.
  "Demonstration spraying for codling moth." With others. Ent. Bul. 68, Pt. VII, pp. 69-76. 1908.
  "Fumigation of apples for the San Jose scale." Ent. Bul. 84, pp. 43. 1909.
  "Information about spraying for orchard insects." Y.B., 1908, pp. 267-288. 1909; Y.B. Sep. 480, pp. 267-288. 1909.
  "Information for fruit growers about insecticides, spraying apparatus, and important insect pests." With E. H. Siegler. F.B. 908, pp. 99. 1918.
  "Insect and fungous enemies of the grape." With C. L. Shear. F.B. 1220, pp. 75. 1921.
  "Insect and fungous enemies of the grape east of the Rocky Mountains." With C. L. Shear. F.B. 284, pp. 48. 1907.
  "*Laspeyresia molesta*, an important new insect enemy of the peach." With W. B. Wood. J.A.R. vol. 7, pp. 373-378. 1916.

QUAINTANCE, A. L.—Continued.
"Life history of the codling moth in the Pecos Valley, N. M." With E. W. Geyer. D.B. 429, pp. 90. 1917.
"Lime-sulphur washes for San Jose scale." Y.B., 1906, pp. 429–446. 1907; Y.B. Sep. 433, pp. 429-446. 1907.
"Notes on the peach bud mite." Ent. Bul. 97, Pt. VI, pp. 103–114. 1912.
"Poisonous metals on sprayed fruits and vegetables." With others. D.B. 1027, pp. 66. 1922.
"Report of experiments with lime, salt, and sulphur wash against the San Jose scale in Maryland." Ent. Bul. 37, pp. 37–40. 1902.
report of insecticide and fungicide board—
  1912. With others. I. and F. Bd. Rpt., 1912, pp. 10. 1912; An. Rpts., 1912, pp. 1093–1100. 1913.
  1915. With others. I. and F. Bd. A. R., 1915, pp. 4. 1915; An. Rpts., 1915, pp. 347–350. 1916.
"Spray to save the fruit crop from insects and disease." With John W. Roberts. News L., vol. 4, No. 39, pp. 4–6. 1917; Ent. [Misc.], "Spray * * * fruit crop * * *," pp. 4. 1917.
"Spraying for apple dieases and the codling moth in the Ozarks." With W. M. Scott. F.B. 283, pp. 42. 1907.
"Spraying peaches for the control of brown rot, scab, and curculio." With W. M. Scott. F.B. 440, pp. 40. 1911.
"The aphides affecting the apple." Ent. Cir. 81, pp. 10. 1907.
"The apple maggot or railroad worm." Ent. Cir. 101, pp. 12. 1908.
"The apple-tree tent caterpillar." Ent. Cir. 98, pp. 8. 1908; F.B. 662, pp. 10. 1915.
"The codling moth or apple worm." Y.B., 1907, pp. 435–450. 1908; Y.B. Sep. 460, pp. 435–450. 1908.
"The control of the codling moth in the Pecos Valley in New Mexico." D.B. 88, pp. 8. 1914.
"The cotton bollworm." With C. T. Brues. Ent. Bul. 50, pp. 155. 1905; E.B. 191, pp. 24. 1904.
"The cotton bollworm." With F. C. Bishopp. F.B. 212, pp. 32. 1905.
"The feeding habits of adults of the periodical cicada." Ent. Bul. 37, pp. 90–94. 1902.
"The leaf blister mite." Ent. Cir. 154, pp. 6. 1912.
"The leaf blister mite of pear and apple." F.B. 722, pp. 8. 1916.
"The lesser apple worm." Ent. Bul. 68, Pt. I, pp. 49–60. 1908.
"The Mediterranean fruit fly." Ent. Cir. 160, pp. 25. 1912.
"The more important Aleyrodidae infesting economic plants, with description of a new species infesting the orange." Ent. T.B. 12, Pt. V, pp. 89–94. 1907.
"The more important apple insects." With E. H. Siegler. F.B. 1270, pp. 95. 1923.
"The more important insect and fungous enemies of the fruit and foliage of the apple." With W. M. Scott. F.B. 492, pp. 48. 1912.
"The one-spray method in the control of the codling moth and the plum curculio." With others. Ent. Bul. 80, Pt. VII, rev., pp. 113–146. 1910.
"The one-spray method in the control of the codling moth and plum curculio." With E. W. Scott. Ent. Bul. 115, Pt. II, pp. 87–112. 1912.
"The oyster-shell scale and scurfy scale." With E. R. Sasscer. Ent. Cir. 121, pp. 15. 1910.
"The oyster-shell scale and the scurfy scale." With E. R. Sasscer. F.B. 723, pp. 16. 1916.
"The peach borer: How to prevent or lessen its ravages; the para-dichlorobenzene treatment." F.B. 1246, pp. 14. 1921.
"The plum curculio." With E. L. Jenne. Ent. Bul. 103, pp. 250. 1912.
"The principal insect enemies of the peach." Y.B., 1905, pp. 325–348. 1906; Y.B. Sep. 386, pp. 325–348. 1906.

QUAINTANCE, A. L.—Continued.
"The rose chafer." With F. H. Chittenden. F.B. 721, pp. 8. 1916.
"The San Jose scale and its control." Ent. Cir. 124, pp. 18. 1910; F.B. 650, pp. 27. 1915; rev., pp. 22. 1919.
"The spring canker-worm." Ent. Bul. 68, Pt. II, pp. 17–22. 1907.
"The trumpet leaf miner of the apple." Ent. Bul. 68, Pt. III, pp. 23–30. 1907.
Quaker oil, misbranding. Chem. N.J. 4148, p. 1. 1916.
Quaking disease, bees, description, and causes. Ent. Bul. 98, p. 35. 1912.
Quaking grass—
  description, distribution, and uses. D.B. 772, pp. 10, 45, 46. 1920.
  Hawaii, growth and value, note. Hawaii Bul. 36, p. 20. 1915.
Quamasia quamash. See Camas.
Quamoclidion multiflorum, importation and description. No. 45192, B.P.I. Inv. 52, p. 46. 1922.
Quandong, importations and descriptions. No. 35323, B.P.I. Inv. 35, pp. 9, 38. 1915; No. 43423, B.P.I. Inv. 49, pp. 10, 15–16. 1921; No. 48837, B.P.I. Inv. 61, p. 54. 1922; Nos. 49893, 50325, B.P.I. Inv. 63, pp. 3, 18, 56. 1923.
Quanine, soil constituent, wheat-growing tests. Soils Bul. 87, p. 36. 1912.
Quantity statement, package goods. F.I.D. 163, Chem. S.R.A. 16, p. 27. 1916.
Quaqua, importation and description, source. No. 34161, B.P.I. Inv. 32, p. 17. 1914.
Quarantine—
  against—
    avocado insect enemies. F.B. 1261, p. 31. 1922.
    cottonseed and hulls, for pink bollworm control. D.B. 723, pp. 15–20. 1918.
    fruit flies from Hawaii. D.B. 643, pp. 29–30. 1918.
    Hawaiian plant pests, text. F.H.B. S.R.A. 71, pp. 107, 162–166. 1922.
    livestock from Philippine Islands. B.A.I. [Misc.], "Diseases of cattle," rev., p. 395. 1912.
  alfalfa weevil, State laws. F.B. 741, p. 3. 1916.
  animal—
    regulations for United States. B.A.I.O. 259, pp. 22. 1918; B.A.I.O. 281, pp. 18. 1923; B.A.I.S.R.A. 141, pp. 6–7. 1919.
    See also Animals, quarantine.
  application to all cattle-carrying railroads. Sol. [Misc.] "Laws applicable * * * Agriculture," Sup. 2, p. 17. 1915.
  Arkansas, for cattle fever. B.A.I.O. 271, amdt. 1, pp. 2. 1921.
  bamboo—
    against pest introduction. D.B. 1329, p. 2. F.H.B. Quar. 34, pp. 2. 1925.
    against smut and other diseases. F.H.B. Quar. 34, pp. 2. 1918; F.H.B.S.R.A. 53, p. 65. 1918.
    seed, plants, and cuttings. F.H.B.S.R.A. 56, p. 93. 1918.
  banana plant, domestic and foreign, notice. F.H.B. Quar. 32, p. 1. 1918; F.H.B.S.R.A. 50, pp. 33, 34. 1918.
  bees, postal regulation. Off.Rec., vol. 1, No. 15, p. 4. 1922.
  black stem-rust, No. 38, modification. F.H.B. S.R.A. 62, pp. 58–59, 60. 1919; F.H.B.S.R.A. 73, pp. 126–127. 1923.
  blister rust. See Blister rust quarantine; Blister rust, white-pine quarantine; Currants, quarantine; Ribes quarantine; Gooseberry quarantine.
  boll weevil—
    California regulations. B.P.I. Cir. 29, p. 17. 1909.
    laws suggested and existing for cotton region. F.B. 216, pp. 26–32. 1905; F.B. 512, p. 40. 1912; F.B. 848, p. 34. 1917.
    necessity of enforcement. F.B. 344, pp. 39–40. 1909.
    State. Ent. Bul. 114, pp. 164–168. 1912.
  bollworm—
    1917. F.H.B.S.R.A. 44, pp. 115–118. 1917.
    pink, district modification in Louisiana. F.H.B.S.R.A. 71, pp. 136–138. 1922.

Quarantine—Continued.
bollworm—continued.
  pink, establishment in Texas, Louisiana, and New Mexico. F.H.B.Quar. 52, pp. 13. 1922.
bulbs, discussion. Off.Rec., vol. 4, No. 47, p.5. 1925.
California, for Texas fever, history. B.A.I. An. Rpt., 1909, pp. 284–285. 1911; B.A.I. Cir. 174, pp. 284–285. 1911.
camphor scale in Alabama and Louisiana, hearing. F.H.B.S.R.A. 73, pp. 127–129. 1923.
cattle—
  convictions for violations in Virginia. B.A.I. S.A. 40, p. 54. 1910.
  establishment, congressional act. B.A.I.O. 210, pp. 33–34. 1914.
  fever, areas—
    September 15, 1915, release. B.A.I.O. 235, amdt. 2, pp. 3. 1915.
    December 1, 1917, and releases. B.A.I.O. 255, pp. 9. 1917.
    December 10, 1922. B.A.I.O. 279, pp. 7. 1922.
    Polk County, Tenn. B.A.I.O. 178, amdt. 1, p. 1. 1911.
    See also Cattle, quarantine for cattle fever.
  for—
    contagious diseases. B.A.I. [Misc.], "Diseases of cattle," rev., pp. 383, 393, 495. 1923.
    splenetic, southern, or Texas, fever, map to indicate area. B.A.I. [Misc.], "Map to indicate * * *." Map. 1911.
    tuberculosis, Illinois counties, release. B.A.I.O. 247, p. 1. 1916.
    tuberculosis, prohibition of interstate movement. B.A.I.O. 210, amdt. 1, pp. 3. 1914.
  law, decision of Judge Grubb, Alabama, March, 1910. Sol. Cir. 34, pp. 7. 1910.
  law, opinion of Judge Walter Evans. Sol. Cir. 13, pp. 7. 1909.
  modification, Mississippi - Alabama fair. B.A.I.O. 178, amdt. 3, pp. 2. 1911.
  North Carolina, Brunswick County. B.A.I.O. 262, amdt. 3, p. 1. 1919.
  North Carolina, Columbus County. B.A.I.O. 262, amdt. 4, p. 1. 1919.
  pens and yards, regulation. B.A.I.O. 210, amdt. 3, p. 1. 1915.
  regulation, 1921. B.A.I.O. 266, amdt. 6, pp. 2. 1921.
  scabies—
    in Montana and Texas. B.A.I.O. 167, amdt. 3, pp. 2. 1912.
    order, 1914. B.A.I.O. 213, rule 2, rev. 5, pp. 2. 1914.
    release of parts of Montana, Wyoming, and Texas. B.A.I.O. 197, amdt. 3, pp. 2. 1914.
    shipment for fair exhibits, special order. B.A.I.O. 277, pp. 2. 1922.
  tick, map showing areas freed. F.B. 498, p. 7. 1912.
  tick, progress of work, and area released. S.R.S. Syl. 22, pp. 7–8. 1916.
  violation of act, United States court, South Carolina district, decision by Judge Brawley. Sol. Cir. 50, pp. 7. 1911.
cereals, regulations. News L., vol. 6, No. 32, pp. 1–2. 1919.
chestnut. See Chestnut bark disease, quarantine.
Christmas trees and greens from Canada. F.H.B. Quar. 57, p. 1. 1924.
citrus—
  canker, necessity in protection of citrus industry. J.A.R., vol. 6, No. 2, p. 95. 1916.
  fruits, No. 28, regulations. F.H.B. Quar. 28, pp. 5. 1917.
  plant introduction, practices. D.C. 299, pp. 15. 1924.
corn borer—
  provisions, districts and enforcement methods. F.B. 1294, pp. 32–34. 1923.
  regulations. F.H.B. Quar. 21, p. 1. 1915; F.H.B. Quar. 43, amdt. 3, p. 1. 1920; F.H.B. Quar. 43, amdt. 4, p. 1. 1920; F.H.B. Quar. 43, amdt. 4, pp. 1. 1923; F.H.B. Quar. 43, amdt. 5, pp. 2. 1923; F.H.B. Quar. 43, amdt. 6, pp. 1. 1921; F.H.B. Quar. 43, rev., pp. 6. 1921; F.H.B. Quar. 43, 2d rev., pp. 7. 1922; F.H.B.S.R.A. 62, pp. 57, 60. 1919; F.H.B. S.R.A. 78, pp. 15–28, 31. 1924.

Quarantine—Continued.
cotton—
  exemption of Lower California, Mexico. F.H.B. Reg. 6, amdt. 1, p. 1. 1920.
  from Hawaii and Porto Rico, with regulations. F.H.B. Quar. 47, pp. 4. 1920.
  from Mexico, regulations. F.H.B.S.R.A. 38, pp. 15–22. 1917.
  Hawaiian, notice and regulations. F.H.B. Quar. No. 23, pp. 12. 1916.
  lint, regulation amendment and instructions. F.H.B.S.R.A. 18, pp. 53–54. 1915.
  products from Mexico, for pink bollworm. Y.B., 1917, pp. 58–59, 71. 1918.
currants. See Blister rust quarantine; Blister rust, white pine quarantine; Currant quarantine; Gooseberry quarantine; Ribes quarantine.
disease eradication in New Mexico stock ranges. D.B. 211, p. 35. 1915.
dogs, against importation from any country except North America. B.A.I.O. 176, pp. 2. 1910.
domestic and foreign, list. F.H.B.S.R.A. 71, pp. 174–175. 1922; F.H.B.S.R.A. 75, pp. 94–97. 1923; F.H.B.S.R.A. 79, pp. 87–91. 1924.
enforcement—
  by hog breeders. F.B. 874, p. 32. 1917.
  necessity in control of sugar-cane diseases. D.B. 486, pp. 32–33. 1917.
  of laws. Sol. A.R. 1924, pp. 10, 13. 1924.
  on national forest ranges, reg. G–27. Forest [Misc.], "The use book," 1921, p. 69. 1922.
European pine shoot moth, regulations. F.H.B. Quar. 20, p. 1. 1915.
flag smut. See Smut, flag.
foot-and-mouth disease—
  explanation of orders. News L., vol. 2, No. 20, p. 5. 1914.
  in Europe. Y.B. 1902, pp. 650–652. 1903.
  method of enforcing. F.B. 666, pp. 5, 6, 13. 1915.
  nature, explanations. Sec. [Misc.], Spec., "Notice regarding foot-and-mouth disease," pp. 2–3. 1915.
  poultry unaffected. News L., vol. 2, No. 16, p. 4. 1914.
  regulations. B.A.I.O. 229, amdts. 1–7. 1914; B.A.I.O. 230, pp. 4. 1914; B.A.I.O. 234, pp. 11. 1915; B.A.I.O. 234, amdts. 1, 2, pp. 5. 1915; B.A.I.O. 236, pp. 13. 1915; B.A.I.O. 236, amdt. 3, pp. 5. 1915; B.A.I.O. 238, amdts. 9, 10, 12, 14–24. 1915; B.A.I.O. 238, amdts. 24–32, pp. 1–3. 1915; B.A.I.O. 238, amdts. 35–41, pp. 20. 1915; B.A.I.O. 238, amdts. 46–48, pp. 1–2, 1916; B.A.I.O. 243, p. 1. 1916; B.A.I.O. 244, pp. 2. 1916; B.A.I.O. 244, amdt. 1, p. 1. 1916; B.A.I.O. 246, p. 1. 1916; B.A.I.O. 287, amdt. 2, p. 1. 1924; B.A.I.O. 287, amdt. 3, pp. 2. 1924; News L., vol. 2, No. 18, pp. 3–4. 1914; Off. Rec., vol. 4, No. 45, p. 3. 1925.
  State restrictions, necessity. D.C. 325, pp. 14, 17–18. 1924.
foreign, list. F.H.B.S.R.A. 71, pp. 175–177. 1922.
forest reserves. For. [Misc.], "The use book, 1910," pp. 64–65. 1910.
free areas, handling stock, rules. B.A.I.O. 292, pp. 12, 16. 1925.
fruit(s)—
  and grape stocks, studies. Off. Rec., vol. 4, No. 37, pp. 1, 7. 1925.
  and vegetables, regulations. F.H.B. Quar. 56, pp. 8. 1923; F.H.B. Quar. 56, amdt. 2, pp. 2. 1924; F.H.B.S.R.A. 76, pp. 111–118. 1923; F.H.B.S.R.A. 76, p. 124. 1923; F.H.B. S.R.A. 78, pp. 16–20, 28–32. 1924; Off. Rec., vol. 2, No. 45, p. 3. 1923.
  flies, and other pests. F.H.B. Quar. 13, rev., pp. 4, 1917; F.H.B. Quar. 38, pp. 23–28. 1917; Off. Rec. vol. 2, No. 34, pp. 2, 5. 1923.
  Hawaiian, use and value in fruit-fly control. D.B. 640, pp. 41–42, 43. 1918.
  stocks, cuttings, buds, and scions, from Asiatic countries. F.H.B. Quar. 44, pp. 2. 1920.
gipsy moth and brown-tail moth—
  inspection work. An. Rpts., 1920, pp. 328–329. 1921; Ent. A.R., 1925, pp. 10–11. 1925.
  mailing restrictions. F.H.B.S.R.A. 18, pp. 51–53. 1915; F.H.B.S.R.A. 54, p. 74. 1918.

INDEX TO PUBLICATIONS, 1901-1925 1947

Quarantine—Continued.
gipsy moth and brown-tail moth—continued.
regulations. F.H.B. Quar. 4, pp. 4. 1912; F.H.B. Quar. 10, pp. 5. 1913; F.H.B. Quar. 45, amdt. 3, pp. 4. 1922; F.H.B. Quar. 45, amdt. 4, pp. 4. 1923; F.H.B.S.R.A. 42, p. 85. 1917; F.H.B.S.R.A. 71, pp. 102-103, 150-151, 174. 1922; F.H.B.S.R.A. 72, pp. 77-80. 1922.
See also Brown-tail moth quarantine; Gipsy moth quarantine.
goats, Malta fever, result. Y.B., 1919, pp. 75-76. 1920; Y.B. Sep. 802, pp. 75-76. 1920.
gooseberry. See Blister rust quarantine; Currants, quarantine; Gooseberry quarantine; Ribes quarantine.
green corn, in New Jersey, for Japanese-beetle control, regulations. F.H.B.S.R.A. 56, pp. 91-92. 1918.
Hawaii—
against certain plants. F.H.B. Quar. 51, pp. 3. 1921.
Mediterranean fruit fly and melon fly, revision. F.H.B.S.R.A. 73, pp. 120-124. 1923.
regulations against insect pests. F.H.B. An. Rpt., 1921, pp. 10-11, 17. 1921.
Illinois—
bovine tuberculosis, order. B.A.I.O. 217, p. 1. 1914.
foot-and-mouth disease. B.A.I.O. 242, p. 1. 1916.
infested nursery stock, proposed legislation, progress, etc., Sec. Cir. 37, pp. 4-10. 1911.
insect and plant work, May, 1919. F.H.B. S.R.A. 63, pp. 65-75. 1919.
insect pests, need of Federal laws. An. Rpts., 1909, pp. 523-525. 1910; Ent. A.R., 1909, pp. 37-39. 1909.
inspection service. An. Rpts., 1923, pp. 633-636. 1923; F.H.B. An. Rpt., 1923, pp. 19-22. 1923.
interstate, against tuberculous cattle, suggestion. B.A.I. An. Rpt., 1907, p. 214. 1909.
island, New York harbor, establishment. B.A.I. An. Rpt., 1905, p. 36. 1907.
Japanese beetle, regulations. F.H.B. Quar. 36, pp. 2. 1918; F.H.B. Quar. 40, pp. 3. 1920; F.H.B. Quar. 48, pp. 4. 1920; rev., pp. 7. 1922; rev., pp. 7. 1923; F.H.B.S.R.A. 78, pp. 10-15, 29. 1924; Off. Rec., vol. 2, No. 18, p. 4. 1926; Off. Rec., vol. 3, No. 17, p. 3. 1924.
law(s)—
and regulations, cases, prosecutions. An. Rpts., 1908, pp. 20, 802-804. 1909; Sol. A.R., 1908, pp. 14-17. 1908.
animal, violations, August, 1915. B.A.I.S.R.A. 100, p. 100. 1915.
enforcement, 1908. Y.B., 1908, p. 20. 1909.
for District of Columbia, draft. F.H.B.S.R.A. 58, pp. 124-125. 1919.
violations. See B.A.I.S.A. for various dates.
livestock—
act, text. B.A.I.O. 273, rev., p. 33. 1923.
diseased, regulations. B.A.I.O. 292, p. 3. 1925.
diseases, some results. G.W. Pope. Y.B., 1918, pp. 239-246. 1919; Y.B. Sep. 783, pp. 10. 1919.
enforcement and violations. An. Rpts., 1917, pp. 402-404. 1917; Sol. A.R., 1917, pp. 22-24. 1917.
from England, 1923. Off. Rec., vol. 2, No. 28, p. 3. 1923.
importation regulations. B.A.I. An. Rpt., 1911, pp. 83-89. 1913; B.A.I. Cir. 213, pp. 83-99. 1913; B.A.I.O. 180, pp. 26. 1911; B.A.I.O. 180, amdt. 1, pp. 2. 1912; B.A.I.O. 209, pp. 23. 1914; B.A.I.O. 266, pp. 24. 1919.
interstate movement, law. Off. Rec., vol. 1, No. 15, p. 4. 1922.
stations in Maine. B.A.I.O. 209, amdt. 8, pp. 2. 1917.
Massachusetts, for control of European corn borer. F.H.B.S.R.A. 56, pp. 92-93. 1918.
Mexican bean beetle, regulations. F.H.B. Quar., 50, pp. 4. 1921.
Mexican quails, use in control of quail disease. News L., vol. 3, No. 28, p. 4. 1916.
Mexico, tick-infested cattle. B.A.I.O. 179, pp. 2. 1911.

Quarantine—Continued.
nursery stock, plants, and seeds, regulations. F.H.B. Quar. 3, pp. 2. 1913; F.H.B. Quar. 30, p. 1. 1919; F.H.B. Quar. 37, 2d ed., pp. 12. 1920; F.H.B. Quar. 37, pp. 14. 1921; F.H.B. Quar. 37, rev., pp. 11. 1921; F.H.B. Quar. 37, amdt. 1, pp. 2. 1922; F.H.B. Quar. 37, rev., pp. 15. 1923; F.H.B.S.R.A. 57, pp. 101-110. 1919; F.H.B.S.R.A. 71, pp. 104-105. 1922; F.H.B.-S.R.A. 74, pp. 15-26. 1923; F.H.B.S.R.A. 75, pp. 69-79. 1923.
orders, current foreign, and others restrictive, list. F.H.B. [Misc.], "List of current * * *," pp. 3. 1920.
plant(s)—
and plant products, prohibited or restricted entry from foreign countries including Hawaii and Porto Rico. F.H.B. [Misc.], "Plants and plant * * *," pp. 4. 1922.
conference, April, 1924, work and personnel. F.H.B.S.R.A. 79, pp. 67-79. 1924.
importance in Porto Rico. P.R. Cir. 17, p. 28. 1918.
imports, aid to horticulture. F.H.B. An. Rpt., 1924, pp. 8-9. 1924.
instructions to postmasters. F.H.B.S.R.A. 7, pp. 66-68. 1914; F.H.B.S.R.A. 73, pp. 132-133. 1923.
necessity. F.B. 453, pp. 14-15. 1911; Y.B., 1922, pp. 28, 33-34. 1923; Y.B. Sep. 883, pp. 28, 33-34. 1923.
penalties summary. F.H.B.S.R.A. 74, p. 45. 1923.
regulations, observance by collectors, Treasury Decision 36429. F.H.B.S.R.A. 28, p. 62. 1916.
regulations, summary. News L., vol. 6, No. 29, pp. 2-3. 1919.
rules and regulations. Sec. Cir. 41, pp. 12. 1912.
value to agriculture. Y.B., 1916, pp. 42-44. 1917.
violations and convictions, September, 1914. F.H.B.S.R.A. 8, p. 72. 1914.
warning to passengers in Hawaii. F.H.B. [Misc.], "Warning to passengers * * *," (in English, Spanish, and Portuguese), pp. 2. 1914.
port inspection, contraband interception, 1921. F.H.B.S.R.A. 71, pp. 107-108. 1922.
Porto Rico products. Off. Rec., vol. 4, No. 24, p. 3. 1925.
potato—
and the American potato industry. W.A. Orton. D.B. 81, pp. 20. 1914.
interstate shipment regulations. F.H.B.S.R. A. 1, pp. 1-8. 1914; F.H.B.S.R.A. 14, pp. 11-14. 1915.
value in control of tuber moth. D.B. 427, p. 51. 1917.
powers, State and Federal, limitations, decisions. F.H.B.S.R.A. 79, pp. 67-73, 74. 1924.
restrictions, instructions to postmasters. F.H. B.S.R.A. 18, pp. 51-53. 1915.
San Clements Island, California, for scab control. News L., vol. 6, No. 36, p. 12. 1919.
satin moth, notice and regulations. F.H.B. Quar. 53, pp. 3. 1922; amdt. 1, p. 1. 1923; amdt. 2, p. 1. 1924.
station(s)—
admission and public sales. B.A.I.O. 281, pp. 6-7. 1923.
animal, location and description. B.A.I. An. Rpt., 1911, pp. 95. 1913; B.A.I. Cir. 213, p. 95. 1923.
conditions, recommendations. B.A.I. An. Rpt., 1906, pp. 22-23. 1908.
livestock, Buenos Aires, Argentine, regulations. Y.B., 1913, pp. 355-356. 1914; Y.B. Sep. 629, pp. 355-356. 1914.
stone and quarry products, against gipsy moth, regulations. F.H.B. Quar. 22, pp. 4-6. 1915; F.H.B. S.R.A. 16, pp. 42-43. 1915.
value in control of Mediterranean fruit fly. News L., vol. 5, No. 33, p. 6. 1918.
Yuma project, value against boll weevil and bollworm, 1919-1920. D.C. 221, p. 13. 1922.
Quarantine Division, Animal Industry Bureau, scope of work. News L., vol. 2, No. 45, p. 7. 1915.

36167°—32——123

1948   UNITED STATES DEPARTMENT OF AGRICULTURE

Quarry(ies)—
  and crushing plants, Minnesota, location, kind of stone, quantity, and capacity. Rds. Bul. 40, pp. 9–15. 1911.
  conditions, survey in relation to road materials. An. Rpts., 1918, pp. 385–386. 1919; Rds. Chief Rpt., 1918, pp. 13–14. 1918.
  products, quarantine—
    for gipsy moth—
      1915. F.H.B.S.R.A. 16, pp. 42–43. 1915.
      1918. F.H.B. Quar. 45, pp. 2, 4–5. 1920.
      regulations. Sec. [Misc.], "Quarantine on stone and quarry products * * *," pp. 3. 1916.
    mailing restrictions. F.H.B.S.R.A. 18, pp. 51–52. 1915.
Quarrying, cost of crushed stone. D.B. 724, pp. 61, 75. 1919.
Quarter-ill. See Blackleg.
Quartz—
  description and composition. Rds. Bul. 37, pp. 16–17, 27. 1911.
  grains, size suspended in air currents, measurements. Soils Bul. 68, pp. 43–45, 46. 1911.
  primary mineral in road-building rocks, description. D.B. 348, pp. 6, 7. 1916.
Quartzite, unfit for road building. Rds. Bul. 44, p. 30. 1912.
Quassia—
  extract, use as contact insecticide. J.A.R., vol. 10, pp. 497–531. 1917.
  Jamaica, description of wood, and percentage of quassiin. D.B. 165, pp. 2, 7. 1915.
  spp., sources of quassiin, discussion. J.A.R., vol. 10, pp. 497–500. 1917.
  spray, formulas. Ent. Bul. 111, p. 29. 1913.
  Surinam, description of wood. D.B. 165, p. 2. 1915.
  use in—
    soap spray. F.B. 908, p. 37. 1918.
    spraying hop aphids, description, preparation, and results. Ent. Bul. 111, pp. 23, 28–30. 1913.
Quassiin—
  as a contact insecticide. William B. Parker. D.B. 165, pp. 8. 1914.
  extraction from bark and from solutions. D.B. 165, pp. 2–4, 7. 1915.
  solubility tests. D.B. 165, p. 4. 1915.
QUAYLE, H. J.: "Citrus fruit insects in Mediterranean countries." D.B. 134, pp. 35. 1914.
Quebec—
  farmers' institute work, report, 1907. O.E.S. Bul, 199, p. 25. 1908.
  fur animals, laws—
    1915. F.B. 706, p. 23. 1916.
    1916. F.B. 783, pp. 3, 24–25, 28. 1916.
    1917. F.B. 911, pp. 28, 31. 1917.
    1918. F.B. 1022, pp. 28, 31. 1918.
    1919. F.B. 1079, p. 30. 1919.
    1920. F.B. 1165, pp. 28–29. 1920.
    1921. F.B. 1238, p. 29. 1921.
    1922. F.B. 1293, p. 27. 1922.
    1923–24. F.B. 1387, p. 30. 1923.
    1924–25. F.B. 1445, p. 21. 1924.
    1925–26. F.B. 1469, p. 26. 1925.
  game laws—
    1902. F.B. 160, pp. 26, 43, 46, 52, 54, 56. 1902.
    1903. F.B. 180, pp. 17, 26, 40, 44, 46, 48, 56. 1903.
    1904. F.B. 207, pp. 27, 41, 45, 47, 52, 63. 1904.
    1905. F.B. 230, pp. 40, 48. 1905.
    1906. F.B. 265, p. 25. 1906.
    1907. F.B. 308, p. 48. 1907.
    1908. F.B. 336, pp. 10, 26, 36, 42, 46, 55. 1908.
    1909. F.B. 376, pp. 31, 37, 41, 44, 52. 1909.
    1910. F.B. 418, pp. 9, 24, 30, 34, 37, 46. 1910.
    1911. F.B. 470, p. 52. 1911.
    1912. F.B. 510, p. 48. 1912.
    1913. D.B. 22, pp. 18, 36, 42, 47, 50, 59. 1913; D.B. 22, rev., pp. 36, 42, 47, 50, 59. 1913.
    1914. F.B. 628, pp. 2, 28, 34, 35, 39, 43, 44, 45, 54. 1914.
    1915. F.B. 692, p. 63. 1915.
    1916. F.B. 774, pp. 12, 35, 42, 48, 53, 62. 1916.
    1917. F.B. 910, pp. 45, 57. 1917.
    1918. F.B. 1010, pp. 42, 50. 1918.
    1919. F.B. 1077, pp. 46, 78. 1919.
    1920. F.B. 1138, p. 50. 1920.
    1921. F.B. 1235, pp. 52, 80. 1921.

Quebec—Continued.
  game laws—continued.
    1922. F.B. 1288, pp. 6, 49, 56, 72–78. 1922.
    1923–24. F.B. 1375, pp. 46, 51. 1923.
    1924–25. F.B. 1444, pp. 34, 38. 1924.
    1925–26. F.B. 1466, pp. 41, 46. 1925.
  hunting laws. Biol. Bul. 19, pp. 15, 17, 18, 23, 29, 30, 56–57, 60, 62. 1904.
  legislation protecting birds. Biol. Bul. 12, rev., pp. 42, 44, 47, 50, 132–133. 1902.
Quebracho—
  colorado, importation and description. No. 41310, B.P.I. Inv. 44, p. 62. 1918.
  extract—
    for tanning. Chem. Bul. 90, pp. 193, 195, 196, 207, 211. 1905.
    imports, 1913–1915. Y.B., 1915, p. 543. 1916; Y.B. Sep. 685, p. 543. 1916.
    imports, value, 1906. For. Cir. 129, p. 13. 1907.
    use and importation. For. Cir. 42, p. 3. 1906.
  importations and descriptions. No. 43332, B.P.I. Inv. 48, p. 45. 1921; Nos. 43461, 43548, B.P.I. Inv. 49, pp. 28, 41. 1921.
  imports—
    1907–1908. For. Cir. 166, p. 22. 1909; Stat. Bul. 51, p. 29. 1909.
    1907–1909, quantity and value by countries from which consigned. Stat. Bul. 90, p. 72. 1910.
    1907–1910. For. Cir. 202, pp. 9–10. 1912.
  prices in Argentina and Paraguay. For. Cir. 202, p. 10. 1912.
  red, description. For. Cir. 202, pp. 5, 11. 1912.
  tannin extracting and marketing. For. Cir. 202, pp. 8–9. 1912.
  tanning extract, consumption, quantity, and value, 1906. For. Cir. 119, pp. 3, 6–8. 1913.
  white, description. For. Cir. 202, pp. 5, 10–11. 1912.
  wood—
    and extract imports, 1908–1910, quantity and value by countries. Stat. Bul. 90, p. 72. 1911.
    and extract, imports, 1909–1911, by countries. Stat. Bul. 95, pp. 75–76. 1912.
    and substitutes, identification key. For. Cir. 202, pp. 11–12. 1912.
    substitutes. Clayton D. Mell and Warren D. Brush. For. Cir. 202, pp. 12. 1912.
Queen Charlotte Island, British Columbia, natural history, and of Cook Inlet region, Alaska. Wilfred H. Osgood. N.A. Fauna 21, pp. 87. 1901.
Queen-of-the-meadow, habitat, range, description, collection, prices, and uses of roots. B.P.I. Bul. 107, p. 61. 1907.
Queensland, Australia—
  desert kumquat, occurrence, and uses. J.A.R. vol. 2, pp. 90, 91, 95–96. 1914.
  fruit fly, description and plants infested. F.B. 1257, p. 21. 1922.
  growth of bovine tuberculosis. B.A.I. Bul. 32, pp. 17–18. 1901.
Queensland nut—
  adaptability to California and Florida. B.P.I. Bul. 176, pp. 7, 17. 1910.
  description. Sec. [Misc.], "Macadamia ternifolia," p. 1. 1908.
  importations and descriptions. No. 41472, B.P.I. Inv. 45, pp. 7, 34. 1918; No. 41808, B.P.I. Inv. 46, pp. 6, 23. 1919; No. 46463, B.P.I. Inv. 56, pp. 3, 18. 1922.
  See also Macadamia nut.
Queensland umbrella tree, importation and description. No. 34123 B.P.I. Inv. 32, p. 12. 1914.
Quequeste. See Yautia.
Quercetin—
  from apple peels, isolation and identification. Charles E. Sando. J.A.R., vol. 28, pp. 1243–1245. 1924.
  in cotton varieties. J.A.R., vol. 13, pp. 346, 347. 1918.
  occurrence in Emerson's brown-husked type of maize. Charles E. Sando and H. H. Bartlett. J.A.R., vol. 22, pp. 1–4. 1921.
  presence in cotton glands, and relations. J.A.R. vol. 13, pp. 423–431. 1918.
Quercus—
  alba—
    host of Neoclytus capraea. J.A.R., vol. 22, pp. 210–211. 1921.
    See also Oak, white.

Quercus—Continued.
spp.—
    attacked by *Polyporus dryadeus*. J.A.R., vol. 1, pp. 245-247. 1913.
    heart-rot caused by *Polyporus dryophilus*. J.A.R., vol. 3, pp. 66, 72-75. 1914.
    injury by sapsuckers. Biol. Bul. 39, pp. 33-35, 51, 74. 1911.
    occurrence in chaparral, and value. For. Bul. 85, pp. 7, 9, 24, 34-36, 37, 42, 44. 1911.
    susceptibility to twig blight. J.A.R., vol. 1, pp. 339, 341-342. 1914.
    See also Oak.
tomentella, description, range, and occurrence on Pacific slope. For. [Misc.], "Forest trees * * * Pacific * * *," pp. 300-303. 1908.
Querquedula sp. See Teal.
QUESENBERRY, J. R.: "Steer feeding in the sugar-cane belt." D.B. 1318, pp. 14. 1925.
Queso de tuna, manufacture and use. B.P.I. Bul. 116, p. 26. 1907.
Questionnaire on farm loans, answers from different States. D.B. 968, p. 3. 1921.
Quick-beam. See Mountain ash.
Quicklime, use—
    as disinfectant. F.B. 926, pp. 10-11. 1918.
    in destruction of carcasses. F.B. 857, p. 9. 1917.
Quicksand, occurrence in wells. F.B. 1448, pp. 13, 16, 20. 1925.
Quickstep, Frye's Remedy, misbranding. Chem. S.R.A. 4, pp. 230-231. 1915.
Quiebra hacha tree, Porto Rico, description and uses. D.B. 354, p. 82. 1916.
Quillaja brasiliensis, importation and description. No. 48686, B.P.I. Inv. 61, pp. 36-37. 1922.
Quillay tree, importations, and description. Nos. 42550, 42877, B.P.I. Inv. 47, pp. 27, 77. 1920.
Quince—
    aphids, description, and history. F.B. 804, p. 18. 1917; F.B. 1128, p. 14. 1920; O.E.S. Bul. 115, p. 123. 1902.
    canning directions. F.B. 839, pp. 20, 30. 1917.
    canning seasons. Chem. Bul. 151, p. 35. 1912.
    Chinese, importations and descriptions. Nos. 35458, 35639, B.P.I. Inv. 35, pp. 48, 62. 1915; No. 40160, B.P.I. Inv. 42, pp. 8, 77. 1918; No. 44249, B.P.I. Inv. 50, p. 48. 1922; No. 46130, B.P.I. Inv. 55, p. 28. 1922.
    crown-gall, occurrence and injury to trees, experiments. B.P.I. Bul. 213, pp. 20, 78-80, 103, 130, 188. 1911.
    diseases, treatment. F.B. 243, p. 20. 1906.
    drying, directions. F.B. 841, p. 23. 1917.
    growing—
        for home use, planting season, distance. F.B. 1001, pp. 4, 5, 8, 11, 19. 1919.
        in Oregon, Umatilla experiment farm, variety tests. W.I.A. Cir. 26, p. 24. 1919.
    host of Mediterranean fruit fly. D.B. 536, pp. 24, 36. 1918.
    importations and descriptions. No. 30059, B.P.I. Bul. 233, p. 55. 1912; Nos. 45889, 45890, B.P.I. Inv. 54, p. 35. 1922.
    injury by oriental peach moth. J.A.R., vol. 13, pp. 62, 63. 1918.
    insect—
        description and control. F.B. 908, pp. 87-88. 1918.
        pests, list. Sec. [Misc.], "A manual * * * insects * * *," pp. 17, 19, 115, 186. 1917.
    jam, adulteration and misbranding. Chem. N.J. 698, pp. 2. 1910.
    Japanese—
        importation and description. No. 40161, B.P.I. Inv. 42, p. 78. 1918.
        varieties grown in China. B.P.I. Bul. 204, pp. 32, 33. 1911.
    knots, or stem tumor, description. B.P.I. Cir. 3, pp. 1-16. 1908.
    misbranding. See *Indexes, Notices of Judgment, in bound volumes and in separates published as supplements to Chemistry Service and Regulatory Announcements.*
    origin and cultivation. O.E.S. Bul. 178, pp. 74-75. 1907.
    packing season. D.B. 196, p. 18. 1915.
    paste, making, directions. F.B. 853, p. 32. 1917.

Quince—Continued.
    seed, adulteration. Y.B., 1910, p. 212. 1911. Y.B. Sep. 529, p. 212. 1911.
    shipments by States and stations, 1916. D.B. 667, pp. 6, 86. 1918.
    trees—
        destruction by roundheaded borers. F.B. 675, pp. 2, 3. 1915.
        inoculation with hairy root. B.P.I. Bul. 213, p. 103. 1911.
        stem tumors or knots, and apple trees. George G. Hedgcock. B.P.I. Cir. 3, pp. 16. 1908.
        use as stock for dwarf pears. F.B. 482, pp. 6, 9, 13. 1912.
    varietal tests, Oregon, Umatilla experiment farm. W.I.A. Cir. 17, p. 28. 1917.
    varieties—
        comments on. F.B. 1001, p. 30. 1919.
        in Palestine. B.P.I. Bul. 180, p. 18. 1910.
        recommendations for various fruit districts. B.P.I. Bul. 151, p. 47. 1909.
Quincy, Ill., milk supply, statistics, officials, and prices. B.A.I. Bul. 46, pp. 34, 66. 1903.
Quinic acid, origin, effect on wheat plants. Soils Bul. 47, pp. 32, 39. 1907.
Quinine—
    and rum, hair tonic, adulteration and misbranding. Chem. N.J. 2321, pp. 2. 1913.
    bisulphate tablets, adulteration and misbranding. Chem. N.J. 13396. 1925.
    bush, description, range, and occurrence on Pacific slope. For. [Misc.], "Forest trees * * * Pacific * * *," pp. 416-418. 1908.
    detection in mixtures. Chem. Chief Rpt., 1912, p. 32. 1912; An. Rpts., 1912, p. 582. 1913.
    effects on febrile conditions and in health, experiments. Chem. Cir. 81, p. 6. 1911.
    estimation in headache mixtures, method. Chem. Bul. 162, pp. 200, 201. 1913.
    hair tonic, misbranding. Chem. N.J. 2567, pp. 2. 1913.
    iron and strychnine, elixir, misbranding. Chem. N.J. 2428, p. 1. 1913.
    laxative tablets, adulteration and misbranding. Chem. N.J. 3019, p. 1. 1914; Chem. N.J. 3742, p. 1. 1915.
    substitutes, investigations. Chem. Bul. 80, pp. 30-31. 1904.
    sulphate tablets, adulteration and misbranding. Chem. N.J. 3019, p. 1. 1914; Chem. N.J. 13411, p. 1. 1925; Chem. N.J. 13399, p. 1. 1925; Chem. N.J. 13608, p. 1. 1925.
    toxicity studies. Chem. Bul. 148, pp. 7, 92. 1912.
    whiskey, adulteration and misbranding. Chem. N.J. 885, pp. 2. 1911; Chem. N.J. 2731, p. 2. 1914.
    See also Cinchona.
Quininets, misbranding. Chem. N.J. 965, pp. 2. 1911.
QUINN, C. E.: "Forage crops for hogs in Kansas and Oklahoma." B.P.I. Bul. 111, Pt. IV, pp. 31-50. 1907; F.B. 331, pp. 24. 1908.
QUINN, E. J.: "Soil survey of—
    Boone County, Ind." With W. E. Tharp. Soil Sur. Adv. Sh., 1912, pp. 39. 1914; Soils F.O., 1912, pp. 1409-1443. 1915.
    Hendrick County, Ind." With W. E. Tharp. Soil Sur. Adv. Sh., 1913, pp. 38. 1915; Soils F.O., 1913, pp. 1407-1440. 1916.
QUINN, J. P.—
    "The relationship between the weight of eggs and the weight of chicks according to sex." With M. A. Jull. J.A.R., vol. 31, pp. 223-226. 1925.
    "The shape and weight of eggs in relation to the sex of chicks in the domestic fowl." With M. A. Jull. J.A.R., vol. 29, pp. 195-201. 1924.
"Quinness patent," butter making prohibition. Chem. Bul. 69, rev., Pt. V, p. 448. 1906.
Quinoa, importations and descriptions. No. 31240, B.P.I. Bul. 242, p. 75. 1912; No. 34823, B.P.I. Inv. 34, p. 17. 1915; Nos. 36305-36312, B.P.I. Inv. 37, pp. 15-16. 1916; No. 41340, B.P.I. Inv. 45, pp. 6, 18. 1918; No. 46658, B.P.I. Inv. 57, p. 17. 1922; Nos. 55051, 55471, B.P.I. Inv. 71, pp. 17, 47. 1923.
Quinoline—
    origin and effect on wheat plants. Soils Bul. 47, pp. 29, 38. 1907.
    soil constituent, wheat-growing tests. Soils Bul. 87, p. 66. 1912.

Quinoline—Continued.
  spraying tests as insecticide. D.B. 1160, pp. 4, 7, 9. 1923.
Quinone—
  effect on plant growth, experiments. Soils Bul. 77, pp. 22-31. 1911.
  origin, effect on wheat and other plants. Soils Bul. 47 pp. 32, 39. 1907.
Quiscalus sp. See Blackbird; Grackle.
Quisco varieties, importation and description. Nos. 33824-33827, B.P.I. Inv. 31, p. 59. 1914.
QUISENBERRY, K. S.: "A study of variability in the Burt oat." With others. J.A.R., vol. 30, pp. 1-64. 1925.
Quita naranjo, importation and description. No. 41113. B.P.I. Inv. 44, pp. 6, 39. 1918.
Quittor—
  necrotic, causes and conditions. B.A.I. An. Rpt., 1904, p. 94. 1905.
  subhorny, horse, causes, symptoms, and treatment. B.A.I., [Misc.], "Diseases of the horse," pp. 388-389. 1903; rev., pp. 388-389. 1907; rev., pp. 388-389. 1911; rev., pp. 414-415. 1923.
  tendinous, horse, cause, symptoms, and treatments. B.A.I. [Misc.], "Diseases of the horse," rev., pp. 384-387. 1903; rev., pp. 385-388. 1907; rev., pp. 385-388. 1911; rev., pp. 411-414. 1923.
  See also Fistula.

RABAK, FRANK—
  "Aroma of hops: A study of the volatile oil with relation to the geographical sources of the hops." J.A.R., vol. 2, pp. 115-159. 1914.
  "Commercial utilization of grape pomace and stems from the grape-juice industry." With J. H. Shrader. D.B. 952, pp. 24. 1921.
  "Commercial utilization of waste seed from the tomato pulping industry." With J. H. Shrader. D.B. 927, pp. 29. 1921.
  "Influence on linseed oil of the geographical source and variety of flax." D.B. 655, pp. 16. 1918.
  "Peach, apricot, and prune kernels as by-products of the fruit industry of the United States." B.P.I. Bul. 133, pp. 34. 1908.
  "Red cedar chests as protectors against moth damage." With E. A. Back. D.B. 1051, pp. 14. 1922.
  "Some effects of refrigeration on sulphured and unsulphured hops." With W. W. Stockberger. B.P.I. Bul. 271, pp. 21. 1912.
  "The effect of cultural and climatic conditions on the yield and quality of peppermint oil." D.B. 454, pp. 16. 1916.
  "The production of volatile oils and perfumery plants in the United States." B.P.I. Bul. 195, pp. 55. 1910.
  "The utilization of cherry by-products." D.B. 350, pp. 24. 1916.
  "The utilization of waste raisin seeds." B.P.I. Bul. 276, pp. 36. 1913.
  "The utilization of waste tomato seeds and skins." D.B. 632, pp. 15. 1917.
  "Utilization of almonds for various food products." With A. F. Sievers. D.B. 1305, pp. 22. 1924.
  "Wild volatile-oil plants and their economic importance; I. Black sage; II. Wild Sage; III. Swamp bay." B.P.I. Bul. 235, pp. 37. 1912.
Rabbit(s)—
  age indication. F.B. 1090, p. 13. 1920.
  Alaska—
    danger to crops and orchards. O.E.S. Bul. 169, pp. 12-13, 54. 1906.
    peninsula, characters and distribution. N.A. Fauna 29, pp. 71-72. 1909.
    tundra, characters and distribution. N.A. Fauna 29, pp. 69-70. 1909.
    varying, characters and distribution. N.A. Fauna 29, pp. 100-102. 1909.
  American—
    arctic, characters and distribution. N.A. Fauna 29, pp. 61-64. 1909.
    blue, description. F.B. 1090, pp. 8-9. 1920.
  Angora, description and uses. F.B. 1090, p. 11. 1920.
  antelope jack, characters and distribution. N.A. Fauna 29, pp. 117-118. 1909.

Rabbit(s)—Continued.
  actic, characters, distribution, etc. N.A. Fauna 29, pp. 59-61. 1909.
  arid regions, description, habits, and use as food. F.B. 335, pp. 24-26. 1908.
  Arizona jack, characters and distribution. N.A. Fauna 29, pp. 140-141. 1909.
  bacterial diseases, ravages. F.B. 702, p. 10. 1916.
  black-tailed jack, description, and characters. N.A. Fauna 29, pp. 40-41. 1909.
  breeding, feeding, and uses. F.B. 1090, pp. 17-31. 1920.
  breeds, description. F.B. 1090, pp. 4-12, 1920; Y.B., 1918, pp. 148-150. 1919; Y.B. Sep. 784, pp. 6-8. 1919.
  British Columbia snowshoe, characters and distribution. N.A. Fauna 29, pp. 102-104. 1909.
  brush, characters and distribution. N.A. Fauna 29, pp. 42-44. 1909.
  caffein—
    elimination, experiments. Chem. Bul. 157, pp. 9-18, 21, 22. 1912; Chem. Bul. 166, pp. 11-20. 1913.
    experiments with. Chem. N.J. 1455, pp. 19-20. 27-29, 38, 42, 53. 1912.
    feeding, effects, experiments. Chem. Bul 148, pp 9-17 18-43, 63-75, 96. 1912.
  California—
    brush, characters and distribution. N.A. Fauna 29, pp. 247-250, 252-253. 1909.
    jack, characters and distribution. N.A. Fauna 29, pp. 129-132. 1909.
  canning, recipe. S.R.S. Doc. 80, rev., p. 24. 1919.
  Cape St. Lucas—
    brush, characters and distribution. N.A. Fauna 29, p. 255. 1909.
    jack, characters and distribution. N.A. Fauna 29, pp. 155-156. 1909.
  Cascade mountain snowshoe, characters and distribution. N.A. Fauna 29, pp. 112-114. 1909.
  Central American forest, characters and distribution. N.A. Fauna 29, pp. 257-265. 1909.
  Cerros Island brush, characters and distribution. N.A. Fauna 29, pp. 255-256. 1909.
  clubs—
    boys' and girls', value of work to the industry. F.B. 1090, p 34. 1920.
    demonstrations and results. D.C. 152, p. 23. 1921.
    work in production of meat and fur. Y.B., 1918, p. 152. 1919; Y.B. Sep. 784, p. 10. 1919.
  coast swamp, characters and distribution. N.A. Fauna 29, pp. 273-275. 1909.
  color, variations. N.A. Fauna 29, pp. 24-27. 1909.
  Colorado desert jack, characters and distribution. N.A. Fauna 29, pp. 137-140. 1909.
  control in—
    orchards. F.B. 1360, pp. 47-48. 1924.
    tree plantations. F.B. 1312, p. 28. 1923.
  cooking, recipes and directions. F.B. 1090, pp 22-27. 1920.
  Costa Rica forest, characters and distribution. N.A. Fauna 29, pp. 259-261. 1909.
  damage—
    and control. Biol. Chief Rpt., 1924, pp. 11-12. 1924.
    to crops, Oregon, control methods. W.I.A. Cir. 1, p 3. 1915.
  description and distribution. N.A. Fauna 29, pp. 15-21, 37-280. 1909.
  destruction—
    by—
      coyotes. Biol. Bul. 20, p. 12. 1905.
      crows. D.B. 621, pp. 39, 89. 1918.
      poisoned bait. For. Bul. 98, p. 38. 1911.
    methods. Biol. Cir. 82, pp. 8-9. 1911.
    of young forest trees. For. Bul. 121, p. 46. 1913.
  disease(s) description and control. F.B. 496, pp. 15-16. 1912; F.B. 1090, pp. 31-34. 1920.
  disease indications. F.B. 1090, pp. 13, 31-34. 1920.
  distribution—
    and habits. F.B. 484, pp. 40-42. 1912; Y.B., 1907, pp. 330-334. 1908; Y.B. Sep. 452, pp. 330-334. 1908.
    in United States. Y.B., 1907, pp. 329-330. 1908; Y.B. Sep. 452, pp. 329-330. 1908.
    numbers killed, and value as meat supply. D.B. 1049, p. 6. 1922.

Rabbit(s)—Continued.
  domestic, raising for meat and fur. An. Rpts., 1918, pp. 262-263. 1918; Biol. Chief Rpt., 1918, pp. 6-7. 1918.
  dressing, directions. F.B. 1090, pp. 21-22. 1920.
  drives, in Western States, description. F.B. 702, p. 6. 1916; Y.B., 1916, p. 394. 1917; Y.B. Sep. 708, p. 14. 1917.
  Durango jack, characters and distribution. N.A. Fauna 29, pp. 121-122. 1909.
  Dutch, description and uses. F.B. 1090, pp. 9-10. 1920.
  enemies of pine seedlings. D.B. 1105, p. 135. 1923.
  Espiritu Santo jack, characters and distribution. N.A. Fauna 29, pp. 156-158. 1909.
  European, introduction and increase, California and Hawaii. An. Rpts., 1912, pp. 671-672, 673, 1913; Biol. Chief. Rpt., 1912, pp. 15-16, 17. 1912.
  farm and orchard pest. Y.B., 1907, pp. 329-342. 1908; Y.B. Sep. 452, pp. 329-342. 1908.
  fattening, directions. F.B. 1090, p. 18. 1920.
  feeding—
    as protection to young orchards. F.B. 702, p. 12. 1916.
    coal-tar colors, experiments. Chem. Bul. 147, p. 71. 1912.
    cottonseed products, experiments and results. J.A.R., vol. 14, pp. 435-438, 450. 1918.
    directions. F.B. 1090, pp. 17-19. 1920.
    with ash extracts of alfalfa, and loco weeds. B.P.I. Bul. 246, pp. 48-49, 51, 56-61. 1912.
    with barium salts, experiments. B.P.I. Bul. 246, pp. 26-30. 1912.
    with gossypol, experiments. J.A.R., vol. 28, pp. 191-196. 1924.
  Flemish giant—
    characteristics, weight, and uses. F.B. 1090, pp. 6-7. 1920.
    origin and description. Y.B., 1918, p. 149. 1919; Y.B. Sep. 784, p. 7. 1919.
  Florida marsh, characters and distribution. N.A. Fauna 29, pp. 269-270. 1909.
  food value. F.B. 484, pp. 43-44. 1912; F.B. 496, pp. 3, 5, 13, 16. 1912; N.A. Fauna 29, p. 12. 1909.
  fur, production in United States, comparison with foreign fur. News L., vol. 4, No. 41, p. 5. 1917.
  Gaillard jack, characters and distribution. N.A. Fauna 29, pp. 120-121. 1909.
  giant, varieties and description. Y.B., 1918, pp. 148-149. 1919; Y.B. Sep. 784, pp. 6-7. 1919.
  gossypol-feeding experiments. J.A.R., vol. 5, No. 7, pp. 265-276, 278-283. 1915.
  gray-sided jack, characters and distribution. N.A. Fauna 29, pp. 126-129. 1909.
  Great Plains jack, characters and distribution. N.A. Fauna 29, pp. 146-148. 1909.
  growing to supplement meat supply. Ned Dearborn. Y.B., 1918, pp. 145-152. 1919; Y.B. Sep. 784, p. 10. 1919.
  habits and control. F.B. 932, pp. 18-19. 1918.
  handling directions. F.B. 1090, p. 31. 1920.
  hepatic coccidia, correct name for *Eimeria stiedae*. Ch. Wardell Stiles. B.A.I. Bul. 35, p. 18. 1902.
  Hidalgo jack, characters and distribution. N.A. Fauna 29, pp. 151-152. 1909.
  Himalayan, description and origin. F.B. 1090, p. 11. 1920.
  Hudson Bay arctic, characters and distribution. N.A. Fauna 29, pp. 65-69. 1909.
  hunting—
    and trapping. F.B. 702, pp. 6-8. 1916.
    conditions, 1920. D.B. 1049, p. 17. 1922.
    laws, in Idaho. For. [Misc.], "Trespass on national * * *," p. 40. 1922.
    legislation, open seasons, and methods. Y.B., 1907, pp. 334-335, 336-338. 1908; Y.B. Sep. 452, pp. 335, 336-338. 1908.
  hutches and yards, plans and directions. F.B. 1090, pp. 13-17. 1920.
  ice in shipment for spoilage prevention. News L., vol. 6, No. 21, p. 16. 1918.
  Idaho pigmy, characters and distribution. N.A. Fauna 29, pp. 46, 275-278. 1909.
  infestation with *Multiceps serialis*. B.A.I. Bul. 125, pt. I, pp. 58-63. 1910.

Rabbit(s)—Continued.
  injury(ies)—
    by rabbit ticks. Y.B., 1910, pp. 228-229. 1911; Y.B. Sep. 531, pp. 228-229. 1911.
  to—
    conifers. D.B. 1291, p. 19. 1925.
    cottonwood trees. D.B. 24, p. 15. 1913.
    crops, and extermination methods and cost. News L., vol. 5, No. 22, p. 6. 1917.
    crops and fruit trees. F.B. 484, pp. 41-42. 1912.
    crops in Alaska, control studies. Alaska A.R., 1913, pp. 15-16, 31, 61. 1914.
    fruits and farm crops. N.A. Fauna 29, pp. 11-12. 1909.
    orchard trees. Biol. Bul. 31, pp. 28, 29, 30. 1907.
    soybeans. D. C., 120, p. 2. 1920; F.B. 973, pp. 4, 32. 1918.
    trees, prevention. B.P.I. Bul. 157, p. 28. 1909; F.B. 710, pp. 2, 3, 7. 1916.
    vegetation on bird reservations. Y.B. 1911, p. 157. 1912; Y.B. Sep. 557, p. 157. 1912.
  inoculation with—
    Bacillus necrophorus, experiments. B.A.I. Bul. 63, pp. 24-25. 1905; B.A.I. Bul. 67, pp. 22-25. 1905; B.A.I. An. Rpt., 1904, pp. 108-110. 1905.
    Coccidioides immitis, experiments. J.A.R., vol. 14, p. 537. 1918.
    surra, method and results. B.A.I. An. Rpt., 1909, pp. 85, 91-94. 1911.
    tubercle bacilli. B.A.I. An. Rpt., 1906, pp. 119-156. 1908.
  introduction on Laysan Island, control methods. Biol. Bul. 42, pp. 9-10, 26, 28. 1912.
  jack—
    black-tailed, description, habits, and use as food. F.B. 335, pp. 24-25. 1908.
    characters. F.B. 484, pp. 40-42. 1912.
    control in Northwest. An. Rpts., 1914, p. 100. 1914; Biol. Chief Rpt., 1914, p. 2. 1914.
    habits and control. Y.B., 1916, pp. 394-395. 1917; Y.B. Sep. 708, pp. 14-15. 1917.
    damage in Oregon grain fields, control methods. F.B. 800, pp. 15-16. 1917.
    injuries to fruits and farm crops. N.A. Fauna 29, pp. 11-12. 1909.
    Kansas, occurrence in Colorado, description. N.A. Fauna 33, pp. 155-156. 1911.
    occurrence, and habits. N.A. Fauna 25, pp. 151-155. 1905; N.A. Fauna 29, pp. 12-22. 1909; N.A. Fauna 33, pp. 152-158. 1911.
    white-tailed—
      characters and distribution. N.A. Fauna 29, pp. 72-78. 1909.
      occurrence in Montana. Biol. Cir. 82, p. 20. 1911.
      western, characters and distribution. N.A. Fauna 29, pp. 78-82. 1909.
      western, occurrence in Colorado, and description, etc. N.A. Fauna 33, pp. 153-154. 1911.
  killing by Biological Survey, number annually, and value for food and skins. News L., vol. 6, No. 4, p. 5. 1918.
  Lower California brush, characters and distribution. N.A. Fauna 29, p. 254. 1909.
  Mackenzie varying, characters and distribution. N.A. Fauna 29, pp. 98-100. 1909.
  Magdalen Island jack, characters and distribution. N.A. Fauna 29, pp. 155-156. 1909.
  marketing, cooperative work. F.B. 1090, pp. 20-21. 1920.
  marsh, characters and distribution. N.A. Fauna 29, pp. 266-269. 1909.
  meat, composition, comparison with poultry. F.B. 1090, pp. 22-23. 1920.
  meat, imports into Great Britain, 1910, value. Y.B., 1918, p. 146. 1919; Y.B. Sep. 784, p. 4. 1919.
  Meriam jack, characters and distribution. N.A. Fauna 29, pp. 148-150. 1909.
  Mexican pigmy, characters, distribution. N.A. Fauna 29, pp. 279-280. 1909.
  Michoacan, characters and distribution. N.A. Fauna 29, pp. 181-183. 1909.
  Minnesota varying, characters and distribution. N.A. Fauna 29, pp. 95-96. 1909.

Rabbit(s)—Continued.
  mock, cooking recipe. F.B. 391, pp. 34-35. 1910.
  natural enemies. F.B. 702, pp. 5-6. 1916.
  nephrectomized, caffein elimination and toxicity. William Salant and J. B. Rieger. Chem. Bul. 166, pp. 31. 1913.
  New Zealand red, description. F.B. 1090, pp. 7-8. 1920; Y.B., 1918, p. 150. 1919; Y.B. Sep. 784, p. 8. 1919.
  Newfoundland, characters and distribution. N.A. Fauna 29, pp. 64-65. 1909.
  North American—
    classes and occurrence. F.B. 702, pp. 1-2. 1916.
    list of species with type, localities, and key. N.A. Fauna 29, pp. 47-48. 1909.
  Nova Scotia varying, characters, and distribution. N.A. Fauna 29, pp. 90-92. 1909.
  occurrence in—
    Alabama, description and habits. N.A. Fauna 45, pp. 70-74. 1921.
    Athabaska-Mackenzie region. N.A. Fauna 27, pp. 199-208. 1908.
    Wyoming. N.A. Fauna 42, pp. 20, 22, 24, 26, 33, 34, 48. 1917.
  of North America. E. W. Nelson. N.A. Fauna 29, pp. 314. 1909.
  Omilteme, characters and distribution. N.A. Fauna 29, pp. 264-265. 1909.
  open season, by States. F.B. 702, p. 5. 1916.
  Oregon snowshoe, characters and distribution. N.A. Fauna 29, pp. 107-109. 1909.
  Pacific coast brush, characters and distribution. N.A. Fauna 29, pp. 245-247. 1909.
  pedigreed, marketing. F.B. 1090, p. 20. 1920.
  pelage, variations and molts. N.A. Fauna 29, pp. 24-32. 1909.
  phosphorus feeding experiment, details and results. Chem. Bul. 123, pp. 30-62. 1909.
  poisoning—
    by lupine, experiments. D.B. 405, pp. 7, 9, 12-13. 1916.
    directions. F.B. 702, p. 9. 1916; Y.B., 1908, pp. 430-431. 1909; Y.B. Sep. 491, pp. 430-431. 1909.
  Popocatepetl, characters and distribution. N.A. Fauna 29, pp. 46-47. 1909.
  "Potbellied," treatment. F.B. 496, pp. 14, 15. 1912.
  profits in raising. Y.B., 1918, p. 148. 1919; Y.B. Sep. 784, p. 6. 1919.
  proof fences, value for orchards and gardens. F.B. 484, p. 42. 1912.
  protection, legislation, discussion. F.B. 702, pp. 3-4. 1916.
  raising—
    Ned Dearborn. F.B. 1090, pp. 35. 1920.
    at home, profits. Y.B., 1918, pp. 150-151. 1919; Y.B. Sep. 784, pp. 8-9. 1919.
    directions, and Belgian hares. David E. Lantz F.B. 496, pp. 16. 1912.
    for meats, methods, varieties, and profits. News L., vol. 4, No. 48, p. 2. 1917.
    in America, utility breeds, and outlook. Y.B. 1918, pp. 147-152. 1919; Y.B. Sep. 784, pp. 5-10. 1919.
  redwood brush, characters and distribution. N.A. Fauna 29, pp. 250-252. 1909.
  repression by natural enemies and other means. Y.B., 1907, pp. 336-339. 1908; Y.B. Sep. 452, pp. 336-339. 1908.
  Rocky Mountain snowshoe—
    characters and distribution. N.A. Fauna 29, pp. 109-112. 1909.
    occurrence in Colorado, description. N.A. Fauna 33, pp. 154-155. 1911.
  saccharine, experiments. Rpt. 94, pp. 125-129. 1911.
  San Diego jack, characters, and distribution. N.A. Fauna 29, pp. 136-137. 1909.
  San Joaquin Valley jack, characters and distribution. N.A. Fauna 29, pp. 133-136. 1909.
  San Jose Island brush, characters and distribution. N.A. Fauna 29, pp. 256-257. 1909.
  San Luis Potosi jack, characters and distribution. N.A. Fauna 29, pp. 150-151. 1909.
  San Miguel Island, characters and distribution. N.A. Fauna 29, pp. 261-262. 1909.
  San Pedro Martin jack, characters and distribution. N.A. Fauna 29, pp. 152-154. 1909.

Rabbit(s)—Continued.
  septicemia, inoculation study. B.A.I. Bul. 36, p. 17. 1902.
  serum, method of obtaining, study. B.A.I Bul. 136, pp. 9-11. 1911.
  Sierra white-tailed jack, characters and distribution. N.A. Fauna 29, pp. 82-84. 1909.
  silver, description and uses. F.B. 1090, p. 10. 1920.
  Sinaloa jack, characters and distribution. N.A. Fauna 29, pp. 118-119. 1909.
  skins—
    countries producing, uses and value. News L., vol. 4, No. 28, pp. 2-3. 1917.
    preparation and tanning. F.B. 1090, pp. 27-31. 1920.
    utilization and value. Y.B., 1918, p. 151. 1919; Y.B. Sep. 784, p. 9. 1919; N.A. Fauna 29, p. 13. 1909.
  snowshoe—
    characters. F.B. 484, pp. 40-42. 1912.
    occurrence in Montana. Biol. Cir. 82, p. 20. 1911.
  stock selection, directions. F.B. 1090, pp. 12-13. 1920.
  studies for southern rural schools. D.B. 305, pp. 25-26. 1915.
  substitute for chickens, experiment and results. Y.B., 1918, p. 148. 1919; Y.B. Sep. 784, p. 6. 1919.
  swamp, characters and distribution. N.A. Fauna 29, pp. 44-46, 270-273. 1909.
  Tamaulipas jack, characters and distribution. N.A. Fauna 29, pp. 124-125. 1909.
  Tehuantepec jack, characters and distribution. N.A. Fauna 29, pp. 125-126. 1909.
  Texas jack, characters and distribution. N.A. Fauna 29, pp. 142-146. 1909; N.A. Fauna 25, pp. 151-161. 1905.
  Texas jack, occurrence in Colorado, description. N.A. Fauna 33, pp. 157-158. 1911.
  tick infestation. Ent. Bul. 72, pp. 50, 53-54. 1907; F.B. 484, p. 41. 1912.
  tolerance of strychnine, and lethal dose. D.B. 1023, p. 3. 1921.
  trap, Wellhouse, construction. F.B. 702, pp. 6-7. 1916.
  trapping—
    directions. Y.B., 1919, p. 455. 1920; Y.B. Sep. 823, p. 455. 1920.
    new Kentucky law. F.B. 418, p. 7. 1910.
  tree girdling. F.B. 1369, pp. 1, 2, 3, 7. 1923.
  tubercle bacilli, human and bovine, virulence. B.A.I. Bul. 52, Pt. I, pp. 3-29. 1905.
  Turtle Mountain snowshoe, characters and distribution. N.A. Fauna 29, pp. 97-98. 1909.
  use—
    for meat in European countries. Y.B., 1918, p. 146. 1919; Y.B. Sep. 784, p. 4. 1919.
    in testing medicines. Chem. Bul. 122, p. 104. 1909.
    in trichinae observations and experiments. J.A.R., vol. 15, pp. 467-469. 1918.
  utility, value of industry in United States and foreign countries. F.B. 1090, pp. 3-4. 1920.
  value as game and hunting legislation. Y.B., 1907, pp. 334-335. 1908; Y.B. Sep. 452, pp. 334-335. 1908.
  Vera Cruz forest, characters and distribution. N.A. Fauna 29, pp. 262-264. 1909.
  Virginia varying, characters and distribution. N.A. Fauna 29, pp. 92-95. 1909.
  warbles, cause and control. F.B. 1090, p. 34. 1920.
  Washington jack, characters and distribution. N.A. Fauna 29, pp. 132-133. 1909.
  Washington varying, characters and distribution. N.A. Fauna 29, pp. 105-107. 1909.
  white, characters and distribution. N.A. Fauna 29, pp. 87-89. 1909.
  white-sided jack, description, range, and classification. N.A. Fauna 29, pp. 115-117. 1909.
  wild—
    bounties paid by different States. F.B. 1238, pp. 8, 19. 1921.
    extermination, 1920. An. Rpts., 1920, pp. 350-351. 1921.
    extermination, 1925. Biol. Chief Rpt., 1925, pp. 7-8. 1925.
  wood, characters and distribution. N.A. Fauna 29, pp. 44-46. 1909.

INDEX TO PUBLICATIONS, 1901–1925   1953

Rabbit(s)—Continued.
  worm control, carbon tetrachloride tests. J.A.R., vol 23, pp. 167–168. 1923.
  young—
    characteristics of different classes. F.B. 702, p. 2. 1916.
    condition at birth. N.A. Fauna 29, pp. 14–15. 1909.
    feeding and care. F.B. 496, pp. 12–13. 1912.
    See also Cottontail; Hare.
Rabbit brush—
  occurrence with sagebrush, etc., Utah. J.A.R., vol. 1, No. 5, pp. 376, 378, 386–387, 405, 406. 1914.
  See also Sage, yellow.
Rabbitry—
  construction directions. F.B. 496, pp. 7–9. 1912.
  cost of starting and maintaining. F.B. 1090, p. 12. 1920.
Rabbit's-flower. See Foxglove.
Rabies—
  case(s), diagnosis. An. Rpts., 1922, p. 147. 1922; B.A.I. Chief Rpt., 1922, p. 49. 1922.
  case in woman, pathological report. John R. Mohler. B.A.I. Cir. 54, pp. 7. 1904.
  cattle—
    danger in milk supply. B.A.I. An. Rpt., 1907, p. 154. 1909.
    symptoms and course of disease. F.B. 449, p. 10. 1911.
    symptoms and treatment. B.A.I. [Misc.], "Diseases of cattle," rev., pp. 394–397. 1904; rev., pp. 410–414. 1912; rev., pp. 402–406. 1923.
  cause, frequency, and treament. D.E. Salmon. Y.B., 1900, pp. 211–246. 1901; Y.B. Sep. 192, pp. 211–246. 1902.
  control in predatory animals. An. Rpts., 1920, p. 346. 1921.
  control, wild animals, law, 1916. Sol. [Misc.], "Laws applicable * * * Agriculture," Sup. 4, p. 56. 1917.
  cows at St. Elizabeth, affected. B.A.I. Bul. 44, p. 5. 1903.
  description of typical case in a woman. B.A.I. An. Rpt., 1909, pp. 206–207. 1911; F.B. 449, pp. 13–14. 1911.
  diagnosis, laboratory methods. B.A.I. Cir. 129, pp. 17–19. 1908.
  dog, vaccination as a prophylactic against, studies of single-injection method. Harry W. Schoening. J.A.R., vol. 30, pp. 431–439. 1925.
  eradication—
    from Great Britain by enforcement of muzzling. B.A.I. An. Rpt., 1910, p. 85. 1912.
    in United States, recommendations. B.A.I. Cir. 129, pp. 23–25. 1908.
  forms and symptoms. F.B. 449, pp. 8–10. 1911.
  frequency and distribution, and danger from dogs. B.A.I. Cir. 120, pp. 4–6, 9–11. 1908.
  history and prevalence in District of Columbia. B.A.I. Cir. 129, pp. 5–6. 1912.
  Hogyes treatment. B.A.I. Cir. 129, p. 22 1908.
  horse, symptoms, treatment, and prevention. B.A.I. [Misc.], "Diseases of the horse," rev., pp. 222, 545–547. 1903; rev., pp. 222–223, 545–547. 1907; rev., pp. 222–223, 545–547. 1911; rev., pp. 244–245, 559–562. 1923.
  horse, two cases, details and symptoms. B.A.I. Cir. 120, pp. 6–9. 1908.
  increasing prevalence. George H. Hart. B.A.I. Cir. 129, pp. 126. 1908.
  legislation. B.A.I. Bul. 28, pp. 50, 54. 1901.
  nature, cause and prevalence. John R. Mohler. B.A.I. An. Rpt., 1909, pp. 201–216. 1911; F.B. 449, pp. 23. 1911.
  number treated, 1912. An. Rpts., 1912, pp. 366–367. 1913; B.A.I. Chief Rpt., 1912, pp. 70–71. 1912.
  observations—
    frequency and distribution, history of cases. B.A.I. An. Rpt., 1906, pp. 181–136. 1908.
    on E. C. Schroeder. B.A.I. Cir. 120, pp. 16. 1908.
  outbreak(s)—
    among noxious animals, control work in Nevada. News L., vol. 4, No. 19, p. 4. 1916.
    and control. Biol. Chief Rpt., 1924, pp. 8–9. 1924.

Rabies—Continued.
  Pasteur treatment, method, results, and value. B.A.I. Cir. 129, pp. 19–22. 1908.
  prevalence in different States, and in foreign countries. B.A.I. An. Rpt., 1909, pp. 209–214. 1911; F.B. 449, pp. 15–20. 1911.
  prevention and—
    control studies. B.A.I. Chief Rpt., 1924, p. 36. 1924.
    eradication, suggestions. B.A.I. An. Rpt., 1909, pp. 214–216. 1911; F.B. 449, pp. 20–23. 1911.
  sheep, cause, symptoms, and treatment. F.B. 1155, pp. 15–16. 1921.
  spread and control in predatory animals. Biol. Chief Rpt., 1925, pp. 2, 5. 1925.
  spread by coyotes. Off. Rec., vol. 4, No. 5, p. 5. 1925.
  serum therapy treatment. B.A.I. Cir. 129, pp. 22–23. 1908.
  specimen for examination, directions for packing. B.A.I. An. Rpt., 1906, pp. 200–201. 1908. B.A.I. Cir. 123, pp. 4–5. 1908.
  statistics, 1900–1908. B.A.I. An. Rpt., 1909, pp. 212, 213. 1911; F.B. 449, pp. 18–19. 1911.
  suppression, suggestions. B.A.I. An. Rpt., 1906, pp. 193–195. 1908.
  symptoms—
    in animals, and post-mortem appearances. F.B. 449, pp. 8–11. 1911.
    spread, and prevention. D.B. 260, pp. 3–5. 1915.
  transmission by milk, and meat, dangers. B.A.I. An. Rpt., 1909, pp. 205–206. 1911; F.B. 449, pp. 11–13. 1911.
  treatment. For. [Misc.], "First-aid manual * * *," pp. 68–69. 1917.
  virus, inoculation method, cause and nature of contagion. B.A.I. An. Rpt., 1909, pp. 201–205. 1911; F.B. 449, pp. 5–8. 1911.
RABILD, HELMER—
  "Cow-testing associations." B.A.I. An. Rpt., 1909, pp. 98–118. 1911. B.A.I. Cir. 179, pp. 98–118. 1911.
  "Homemade silos." With others. F.B. 589, pp. 47. 1914.
  "Homemade silos." With K. E. Parks. F.B. 855, pp. 55. 1917.
  "The feeding of dairy cows." With others. F.B. 743, pp. 23. 1916.
  "Measures which have been most effective in raising the production of dairy cows in the United States." B.A.I. Dairy [Misc.], "World's dairy congress, 1923," pp. 1354–1362. 1924.
Rable, description and uses. No. 34385, B.P.I. Inv. 33, pp. 6, 13. 1915.
Raccoons—
  destruction of rodents. Y.B., 1908, p. 192. 1909; Y.B. Sep. 474, p. 192. 1909.
  enemy of Calosoma beetles. D.B. 417, pp. 12, 13. 1917.
  growing for fur, value and costs, inclosures, and feed. Y.B., 1916, pp. 494, 496, 498, 500. 1917; Y.B. Sep. 693, pp. 6, 8, 10, 12. 1917.
  occurrence in—
    Alabama, description and habits. N.A. Fauna 45, pp. 34–35. 1921.
    Colorado, description. N.A. Fauna 33, pp. 193–194. 1911.
    Texas, habits. N.A. Fauna 25, pp. 192–195. 1909.
  protection laws, summary. F.B. 911, p. 29. 1917; F.B. 1022, p. 29. 1918; F.B. 1079, pp. 3–30. 1919.
  trapping directions and curing skins. Y.B., 1919, p. 470. 1920; Y.B. Sep. 823, p. 470. 1920.
  value against green June beetles, note. D.B. 891, p. 36. 1922.
  See also Coon.
Racehorse grass. See Johnson grass.
Racemic lactic acid production in ripening cheese, investigations. J.A.R., vol. 2, pp. 206–213, 214. 1914.
Rachis, barley spike, inheritance of length of internode. H. K. Hayes and Harry V. Harlan. D.B. 869, pp. 26. 1920.
Rachitis—
  condition of bones and cause of disease. Chem. Bul. 123, pp. 25, 29. 1909.

Rachitis—Continued.
  pigs, cause, symptoms, and treatment. F.B. 1244, p. 18. 1923.
  relation to phosphorus in food. Chem. Bul. 123, pp. 16. 1909.
  See also Rickets.
Racine, Wis., milk supply, statistics, officials, and prices. B.A.I. Bul. 46, pp. 38, 163. 1903.
Rack(s)—
  draining, for making cottage cheese, description and use. F.B. 850, pp. 8, 13. 1917.
  feed, for sheep, description and use. F.B. 810, pp. 18–21. 1917.
  for portable ironing board, for farm home, description. F.B. 927, pp. 13–14. 1918.
  hay curing, bamboo for. D.B. 1329, pp. 17–18. 1925.
  poultry-cooling, all-metal. M. E. Pennington and H. C. Pierce. Chem. Cir. 115, pp. 8. 1913.
  silage, directions for making. F.B. 578, p. 7. 1914.
  straw, threshing machine, care and repair. F.B. 1036, p. 8. 1919.
Radal, importation, and description. No. 52597, B.P.I. Inv. 66, p. 48. 1923.
Radam's Microbe Killer, misbranding. Chem. N.J. 205, pp. 3. 1910; Chem. N.J. 3004, pp. 1–6. 1914.
"Radekrankheit." *See* Nematode disease.
RADER, F. E., report of—
  Matanuska Experiment Station, Alaska—
    1917. Alaska A.R., 1917, pp. 81–84. 1919.
    1918. Alaska A.R., 1918, pp. 71–84. 1920.
    1919. Alaska A.R., 1919, pp. 65–78. 1920.
    1920. Alaska A.R., 1920, pp. 48–58. 1922.
    1921. Alaska A.R., 1921, pp. 16–23. 1923.
  Rampart Experiment Station, Alaska—
    1906. Alaska A.R., 1906, pp. 43–47. 1907.
    1907. Alaska A.R., 1907, pp. 42–49. 1908.
Radiant energy, influence on soil. Soils Bul. 55, p. 19. 1909.
Radiation, solar, investigations by Weather Bureau. W.B. Chief. Rpt., 1924, pp. 15–16. 1924.
Radiators, paints for, nature and use. F.B. 1452, p. 11. 1925.
Radicicole, grape phylloxera, description and life history. D.B. 903, pp. 44–73. 1921.
Radicula—
  armoracia. *See* Horse-radish.
  sp. *See* Cress.
Radio—
  advantage in marketing hogs. Off. Rec., vol. 3, No. 41, p. 4. 1924.
  distribution of weather information on Pacific coast. W.B. [Misc.], "Distribution of weather * * *," pp. 4. 1922.
  elements, properties. D.B. 149, pp. 3–5. 1914.
  extension work, use. D.C. 251, p. 41. 1925.
  news service, value in marketing. Y.B., 1923, pp. 28–29. 1924.
  weather code for vessel observers. W.B. [Misc.], "Radiographic weather code * * ," pp. 51. 1917.
Radio-sulpho brew, misbranding. Chem. N.J. 1049, pp. 10. 1911.
Radioactive—
  substances, use as fertilizers. William H. Ross. D.B. 149, pp. 14. 1914.
  waters, mineral, fraudulent, warning against. News L., vol. 1, No. 8, pp. 2–3. 1913.
Radiograph, use in weather reports. Off. Rec., vol. 1, No. 4, p. 4. 1922.
Radiometer, description, and use in forest study. D.B. 1059, p. 49. 1922.
Radiomicrometer, description, and use in forest study. D.B. 1050, p. 49. 1922.
Radiotelegraph. *See* Wireless.
Radish(es)—
  absorption of boron, distribution, studies. J.A.R., vol. 5, No. 19, pp. 885, 887, 888. 1916.
  attack by *Rheosporangium aphanidermatus*. J.A.R., vol. 4, pp. 279–291. 1915.
  Chinese, importations and descriptions. Nos. 36771–36772, B.P.I. Inv. 37, p. 63. 1916; No. 38328, B.P.I. Inv. 39, p. 117. 1917; Nos. 38784, 38785, B.P.I. Inv. 40, p. 28. 1917.
  composition and food value, and comparison with other foods. D.B. 503, pp. 3, 5, 6, 11. 1917.
  cooking directions. D.B. 123, p. 32. 1916.

Radish(es)—Continued.
  cultural directions—
    and varieties. F.B. 255, p. 49. 1906; F.B. 818, p. 28. 1917; F.B. 934, p. 41. 1918; F.B. 937, pp. 16, 19, 23, 48. 1918; F.B. 936, p. 50. 1918; S.R.S. Doc. 49, pp. 2, 6. 1917.
    for small gardens. F.B. 1044, pp. 25–26. 1919.
  digestion experiment. O.E.S. Bul. 159, pp. 177, 178. 1905.
  diseases occurring under market, storage, and transit conditions. B.P.I. [Misc.], "Handbook of the * * *," pp. 61–62. 1919.
  Egyptian black, importation and description. Nos. 35890, 36115, B.P.I. Inv. 36, pp. 20, 55. 1915.
  fertilizing with sulphur and sulphates, experiments. J.A.R., vol. 5, No. 6, pp. 237, 242, 250. 1915.
  food, use. F.B. 295, pp. 38–39. 1907; O.E.S. Bul. 159, p. 35. 1905.
  growing—
    as truck crop, Alabama, Butler County. Soil Sur. Adv. Sh., 1907, pp. 16, 22. 1909; Soils F.O., 1907, pp. 448, 454. 1909.
    experiments with daylight of different lengths. J.A.R., vol. 23, pp. 887–888, 896. 1923.
    in—
      Alaska. Alaska A.R., 1918, pp. 27, 80, 91, 93. 1920.
      frames, directions. F.B. 460, p. 21. 1911.
      Guam, directions. Guam Bul. 2, pp. 12, 50–51. 1922.
      manganese soils, experiments. J.A.R., vol. 24, pp. 784, 786, 787. 1923.
      Norfolk trucking districts. D.B. 1005, pp. 4, 23, 42, 70. 1922.
    methods and varieties. F.B. 647, p. 23. 1915.
  growth and composition on calcareous and non-calcareous soils, experiments. P.R. Bul. 16, pp. 14, 22–24, 33–45. 1914.
  growth, effect of street sweepings, comparison with manure. Soils Cir. 66, pp. 5–6, 7. 1912.
  importations and descriptions. Nos. 43061–43069, B.P.I. Inv. 48, p. 15. 1921; Nos. 44293, 44429–44430, B.P.I. Inv. 50, pp. 54, 71. 1922; Nos. 44731–44739, B.P.I. Inv. 51, p. 57. 1922; No. 54793, B.P.I. Inv. 70, p. 2. 1923.
  injury by webworm. Ent. Bul. 109, Pt. III, pp. 24, 26, 27, 30, 32. 1912.
  insect pests, description and list. Sec. [Misc.], "A manual * * * insects * * *," p. 187. 1917.
  insects and diseases attacking. F.B. 856, pp. 60–61. 1917.
  Japanese, injury by webworm. Ent. Bul. 109, Pt. III, pp. 30–31. 1912.
  labor requirements. D.B. 1181, pp. 8, 50, 61. 1924.
  maggot, western, description, and natural enemies. Ent. Bul. 66, pp. 95–96. 1910.
  marketing, note. F.B. 460, p. 29. 1911.
  mulching, effects and cultivation. J.A.R., vol. 23, p. 736. 1923.
  pot culture in manganiferous soils. Hawaii Bul. 26, p. 27. 1911.
  powdery mildew, occurrence and description in Texas. B.P.I. Bul. 226, p. 42. 1912.
  root-knot, description. B.P.I. Cir. 91, pp. 11, 13. 1912.
  seed—
    growing and saving, directions. F.B. 884, pp. 8–9, 14. 1917; F.B. 1390, pp. 7, 12. 1924.
    growing, localities, acreage, yield, production, and consumption. Y.B., 1918, pp. 203, 206, 207. 1919; Y.B. Sep. 775, pp. 11, 14, 15. 1919.
    quantity to acre. F.B. 255, p. 42. 1906.
    selection methods. News L., vol. 5, No. 8, pp. 1, 2. 1917.
    supply and source. Y.B., 1917, p. 532. 1918; Y.B. Sep. 757, p. 38. 1918.
  shading experiments in Louisiana. B.P.I. Bul. 279, pp. 16, 25, 28. 1913.
  shipments by States, and by stations, 1916. D.B. 667, pp. 11, 167–169. 1918.
  spraying calendar. S.R.S. Doc. 52, p. 9. 1917.
  summer, response to length of daylight, experiments. J.A.R., vol. 27, pp. 141–143. 1924.

Radish(es)—Continued.
use as—
food. O.E.S. Bul. 245, pp. 46, 67. 1912.
salad. O.E.S. Bul. 245, pp. 21-22, 24. 1912.
varieties, growing experiments in Alaska. Alaska A.R., 1911, pp. 21, 66, 69, 71, 74. 1912.
variety tests, Yuma experiment farm. D.C. 75, pp. 59-60. 1920.
white rust, description and control. F.B. 925, rev., p. 26. 1921.
winter, importation from China, and description. Inv. No. 31697, B.P.I. Bul. 248, pp. 8, 38. 1912.
Radium—
emanation, formation and effects on vegetation. D.B. 149, p. 4. 1914.
identification and properties. D.B. 149, pp. 3-5. 1914.
Radol—
misbranding. Chem. N.J. 184, pp. 2. 1910.
so-called cancer cure, fraudulent character. An. Rpts., 1909, p. 433. 1910; Chem. Chief Rpt., 1909, p. 23. 1909.
Radway's Ready Relief, misbranding. Chem. N.J. 3704. 1915.
RAFFENSBERGER, H. B.: "Effects of pork-curing processes on trichinae." With others. D.B. 880, pp. 37. 1920.
Raffia—
importation and description. No. 48146, B.P.I. Inv. 60, p. 47. 1922.
use in grafting. B.P.I. Bul. 251, p. 23. 1912, B.P.I. 262, p. 12. 1912.
Raffinose—
fermentation in milk, studies. D.B. 782, pp. 16-17. 1919.
hydrolysis by invertase. Chem. Cir. 50, pp. 7-8. 1910.
study of. J.A.R., vol. 30, p. 964. 1925.
Rafting, log, methods and costs. D.B. 711, pp. 241-245. 1918.
Rag-doll—
germinator, description and use. F.B. 1176, pp. 15-18. 1920.
seed tester. George J. Burt and others. F.B. 948, pp. 7. 1918.
tester for corn seed. Guam Cir. 3, p. 12. 1922.
RAGAN, E. T.: "Drug legislation in the United States." With Lyman F. Kebler. Chem. Bul. 98, pp. 217. 1906.
RAGAN, W. H.—
"Fruits recommended by the American Pomological Society for cultivation in the various sections of United States and Canada." B.P.I. Bul. 151, pp. 69. 1909.
"Nomenclature of the apple: A catalogue of the known varieties referred to in American publications from 1804 to 1904." B.P.I. Bul. 56, pp. 383. 1905.
"Nomenclature of the pear: A catalogue-index of the known varieties referred to in American publications from 1894 to 1907." B.P.I. Bul. 126, pp. 268. 1908.
"Varieties of fruits recommended for planting." F.B. 208, pp. 48. 1904.
Ragged-robin, description, cultivation, and characteristics. F.B. 1171, pp. 32-33, 80. 1921.
Ragi—
importation and cultural directions. No. 34768, 35075, B.P.I. Inv. 34, pp. 12, 38. 1915.
yields of straw and grain, variations, studies. J.A.R., vol. 19, pp. 291-294. 1920.
RAGLAND, R. L., statement on origin and curing of yellow tobaccos. B.P.I. Bul. 244, pp. 56-57. 1912.
Ragout, mutton, with farina balls, recipe. F.B. 391, p. 22. 1910.
Rags—
imports for paper making, quantity and use. D.B. 322, pp. 2, 23. 1916.
oily, disposal to prevent spontaneous combustion. F.B. 1219, pp. 7-8. 1921.
use in paper making. Chem. Cir. 41, pp. 15-17. 1908; D.B. 1241, pp. 6, 7, 12, 31. 1924; Rpt. 89, pp. 9, 14-15. 1909.
RAGSDALE, A. C.: "The minimum milk requirement for calf raising." With C. W. Turner. J.A.R., vol. 26, pp. 437-446. 1923.

Ragweed—
cause of hay fever, control methods. News L., vol. 5, No. 33, p. 8. 1918.
description, distribution, spread, and products injured. F.B. 660, p. 29. 1915.
description of seed, appearance in red clover seed. F.B. 260, p. 17. 1906.
destruction by birds. Biol. Bul. 15, p. 27. 1901.
giant, destruction by birds. Biol. Bul. 15, p. 87. 1901.
giant, diseases in Texas, occurrence and description. B.P.I. Bul. 226, p. 95. 1912.
great. See Kinghead.
growing, environment experiments. J.A.R., vol. 18, pp. 565, 568, 578, 579, 594. 1920.
host of—
bagworm. F.B. 701, p. 3. 1916.
cucumber beetle. F.B. 1038, pp. 6, 9. 1919.
seed, description. F.B. 428, pp. 21, 22. 1911.
use as fertilizer on wheat in Tennessee. F.B. 1250, p. 45. 1922.
white, injury to grain fields. B.P.I. Bul. 240, p. 10. 1912.
Ragworts, cause of horse disease. B.A.I. An. Rpt., 1906, p. 38. 1908.
RAHN, OTTO: "The formation of butter in churning." B. A. I. Dairy [Misc.], "World's dairy congress, 1923," pp. 1008-1013. 1924.
Rai-jaman, importation and description. No. 36184, B.P.I. Inv. 36, pp. 64-65. 1915.
Rail(bird)—
belding, range. D.B. 128, p. 17. 1914.
black, range and migration. D.B. 128, pp. 33-35. 1914.
breeding grounds, Great Plains, description. Y.B., 1917, pp. 198-200. 1918; Y.B. Sep. 723, pp. 4-6. 1918.
Caribbean clapper, occurrence in Porto Rico and food habits. D.B. 326, pp. 36-37. 1916.
Carolina, flying endurance. News L., vol. 2, No. 42, p. 5. 1915.
clapper, range and migration. D.B. 128, pp. 18, 19-22. 1914.
closed seasons, regulations. Biol. Cir. 92, pp. 4, 5. 1913; Biol. S.R.A. 9, pp. 3, 4. 1916.
Farallon, distribution and breeding grounds. D.B. 128, pp. 35-36. 1914.
king, range and migration. D.B. 128, pp. 14-17. 1914.
Laysan, occurrence on Laysan Island, number and description. Biol. Bul. 42, p. 21. 1912.
light-footed, distribution. D.B. 128, p. 18. 1914.
migration habits and route. D.B. 185, p. 35. 1915.
North American, distribution and migration, and their allies. Wells W. Cooke. D.B. 128, pp. 50. 1914.
occurrence in—
Arkansas, habits and breeding range. Biol. Bul. 38, pp. 27-28. 1911.
Athabaska-Mackenzie region. N.A. Fauna 27, pp. 313-315. 1908.
Porto Rico. D.B. 326, p. 36. 1916.
range—
and habits. N.A. Fauna 22, pp. 92-93. 1902.
occurrence, and names. M.C. 13, pp. 40-45. 1923.
Virginia, range and migration. D.B. 128, pp. 22-25. 1914.
"wingless," Laysan Island. Y.B., 1911, p. 160. 1912; Y.B. Sep. 557, p. 160. 1912.
wood, range and migration. D.B. 128, pp. 25-26. 1914.
yellow, range and migration. D.B. 128, pp. 31-33. 1914.
Rail(s)—
fastenings, treated timbers, and cross-tie forms. Herman von Schrenk. For. Bul. 50, pp. 70. 1904.
fence, production in Connecticut, specifications, cost. For. Bul. 96, p. 19. 1912.
incense cedar, use, value, and price. D.B. 604, pp. 5-6. 1918.
logging railroads, weight, costs, layings, and removal. D.B. 711, pp. 196-199. 1918.
pens for storing corn, bad effects. F.B. 313, p. 23. 1907.
Railings, bridge, reinforced concrete, details. Rds. Bul. 45, pp. 26-27. 1913.

Raillietia spp., description and habits. Rpt., 108, pp. 73, 74, 82. 1915.
Railroad(s)—
 abandonment, influence and responsibility of lumber desecration. D.B. 638, pp. 19-20. 1918.
 Administration—
  cooperation in livestock drought relief. Y.B., 1919, pp. 392-396, 404. 1920; Y.B. Sep. 820, pp. 392, 396, 404. 1920.
  specifications for crossties. F.B. 1210, pp. 13-15. 1921.
 agreement with Maine, in control of potato powdery scab. F.H.B.S.R.A. 1, p. 8. 1914.
 and wagon roads. Rds. Cir. 37. pp. 4. 1904.
 benefits of St. Francis Valley drainage project, Ark. O.E.S. Bul. 230, Pt. I, p. 82. 1911.
 billing in potato marketing. F.B. 753, pp. 36-37. 1916.
 carrying capacity and charges, livestock, 1907, 1908. Rpt. 98, pp. 110-111. 1913; Y.B., 1908, pp. 239-242. 1909; Y.B. Sep. 477, pp. 239-242. 1909.
 cause of forest fires, and prevention methods. Y.B., 1910, pp. 415, 418-419. 1911; Y.B. Sep. 548, pp. 415, 418-419. 1911.
 charges—
  effect on farm production. Off. Rec. vol. 1, No. 18, p. 3. 1922.
  livestock and meat, comparative economy. Y.B., 1908, pp. 241, 243. 1909; Y.B. Sep. 477, pp. 241, 243. 1909.
 committee on wood preservation and its work. M.C. 39, pp. 64-65. 1925.
 companies—
  aid in agricultural extension, methods. O.E.S. Cir. 112, pp. 5-6. 1911.
  See also Transportation companies
  consolidation. Off. Rec., vol. 3, No. 6, p. 2. 1924.
 damages by drainage work. D.B. 1207, pp. 44-46. 1924.
 damages to national forests, litigation. An. Rpts. 1910, pp. 878, 879, 891, 893. 1911; Sol. A.R., 1910, pp. 90, 91, 93, 95. 1910.
 drainage assessments against, citations of cases. D.B. 1207, pp. 32-44. 1924.
 early, methods of handling farm products. Y.B., 1916, p. 479. 1917; Y.B. Sep. 701, p. 3. 1917.
 electric, distribution of market produce. Y.B., 1911, pp. 166, 175. 1912; Y.B. Sep. 558, pp. 166, 175. 1912.
 facilities in—
  North Dakota, McHenry County. Soil Sur. Adv. Sh., 1921, p. 931. 1925.
  Texas, Panhandle region. Soil Sur. Adv. Sh., 1910, pp. 13-14. 1911; Soils F.O. 1910, pp. 969-970. 1912.
 fines for violations of quarantine and 28-hour laws. News L., vol. 1, No. 46, p. 4. 1914.
 fines under shipping laws. Off. Rec., vol. 2, No. 12, p. 4. 1923.
 fire lines, location and patrol. For. Bul. 82, pp. 34, 41. 1910.
 forest protection work, opportunities for foresters. For. Cir. 207. p. 15. 1912.
 forestry laws, Colorado. For. Law Leaf. 21, p. 6. 1917.
 freight rates—
  farm products, 1911. Y.B., 1911, pp. 650, 652, 653, 655. 1912; Y.B. Sep. 588, pp. 650, 652, 653, 655. 1912.
  farm products, 1912. Y.B., 1912, pp. 703-711. 1913; Y.B. Sep. 615, pp. 703-711. 1913.
  for grain. Y.B., 1921, pp. 207-208. 1922; Y.B. Sep. 872, pp. 207-208. 1922.
 freight tonnage. Y.B., 1919, p. 745. 1920; Y.B. Sep. 830, p. 745. 1920.
 grade crossings, dangers and laws relating to. Roads Bul. 42, pp. 15-16. 1912.
 Great Lakes region, and United States, mileage, and equipment, 1898-1908. Stat. Bul. 81, p. 65. 1910.
 handling eggs, suggestions. B.A.I. Bul. 141, p. 43. 1911.
 hauling, effect on carlots of eggs, testing. D.B. 664, pp. 9-10, 27-28. 1918.
 in—
  Alaska, location. Alaska Cir. 1, pp. 13, 21-22. 1916; rev., p. 16. 1923.

Railroad(s)—Continued.
 in—continued.
  Alaska, survey for location, reconnoissance. Soil Sur. Adv. Sh., 1914, pp. 10-11. 1915; Soils F.O., 1914, pp. 44-45. 1916.
  New Mexico, location. O.E.S. Bul. 215, p. 9. 1909.
  Pennsylvania, Greene County. Soil Sur. Adv. Sh., 1921, p. 1253. 1925.
  Wyoming, lines and mileage. O.E.S. Bul. 205, p. 10. 1909.
 relation to agriculture. O.E.S. Bul. 120, p. 107. 1902.
 inclines in logging, description and costs. D.B. 711, pp. 217-225. 1918.
 influence on exploitation of forests. For. Bul. 83, p. 10. 1910.
 land(s)—
  acquisition, Colorado and Nebraska. O.E.S. Bul. 157, pp. 37, 39. 1905.
  acreage leased for farming and grazing. Y.B., 1923, p. 525. 1924; Y.B. Sep. 897, p. 525. 1924.
  grants, national forests, laws. Sol. [Misc.], "Laws * * * forest," pp. 78-79, 113. 1916.
 laws on forestry, West Virginia. For. Law Leaf. 22, pp. 8-9. 1917.
 livestock regulations, 1904. B.A.I. An. Rpt., 1904, pp. 560-562. 1905.
 logging—
  construction, details and costs. D.B. 440, pp. 46-64. 1917.
  transportation. D.B. 711, pp. 175-217. 1918.
 mileage—
  comparison with wagon roads. Rds. Bul. 32, p. 11. 1907.
  operated, and land area affected, and statistics. Stat. Bul. 100, pp. 11-18. 1912.
  tonnage, freight rates, and receipts. Y.B., 1914, pp. 211-212. 1915; Y.B. Sep. 638, pp. 211-212. 1915.
 milk transportation in bulk. H. E. Black. B.A.I Dairy [Misc.], "World's dairy congress, 1923," pp. 817-824. 1924.
 operation and maintenance in logging, costs. D.B. 711, pp. 208-217. 1918.
 promotion of agriculture—
  mileage operated and farms. Y.B., 1912, pp. 710-711. 1913; Y.B. Sep. 615, pp. 710-711. 1913.
  summary and list. Stat. Bul. 100, pp. 37-47. 1912.
 protection by windbreaks. For. Bul. 86, pp. 42, 43. 1911.
 quarantine law cases. An. Rpts., 1908, p. 803. 1909; Sol. A.R., 1908, p. 15. 1908.
 rates, statistics, 1900. Y.B., 1900, p. 836. 1901.
 relation to—
  farming. Frank Andrews. Stat. Bul. 100, pp. 47. 1912.
  forest fires. For. Bul. 117, pp. 9-10, 25-39. 1912.
  forests and forest products. For. Cir. 35, pp. 15-17. 1905.
  sugar industry. D.B. 995, pp. 50-51. 1921.
 right(s) of way—
  act. (March 3, 1875; 18 Stat. 482.) Sol. Cir. 32, pp. 3. 1910.
  national forests, laws and decisions. Sol. [Misc.], "Laws * * * forest," pp. 79, 87. 1916.
 source of forest fires, necessity of control. For. Bul. 82, pp. 18, 34, 41. 1910.
 spikes, holding force in wooden ties. W. Kendrick Hatt. For. Cir. 46, pp. 7. 1906.
 station, grounds in small town, improvement, example. F.B. 1325, p. 28. 1923.
 steam, crossties purchased and used, 1915. D.B. 549, pp. 3-6. 1917.
 steam, ties purchased in 1906. For. Cir. 124, pp. 3-5. 1907.
 terminals, description. Stat. Bul. 38, pp. 55-79. 1905.
 ties—
  consumption, 1906. For. Cir. 124, pp. 1-6. 1907.
  hewed, production 1906. For. Cir. 129, p. 10. 1907.
  preservation, use of treated ties, 1906. For. Cir. 124, p. 6. 1907.

INDEX TO PUBLICATIONS, 1901–1925   1957

Railroad(s)—Continued.
  ties—continued.
    purchases, United States, 1905. For. Bul. 74, pp. 30–35. 1907.
    red-oak and hard-maple, preservative treatment, experiments. Francis M. Bond. For. Bul. 126, pp. 92. 1913.
    service tests. For. Cir. 209, pp. 1–25. 1912.
    treated strength, experiments, tests. For. Cir. 39, pp. 8–31. 1906.
    treated timbers, and rail fastenings. For. Bul. 50, pp. 1–70. 1904.
    treating with zinc chloride. Off. Rec., vol. 1, No. 17, p. 3. 1922.
    use of dead timber. For. Cir. 113, p. 3. 1907.
    waste in hewing, prevention methods. For. Cir. 118, pp. 5–8. 1907.
    yield per acre under different methods of cutting, table. For. Cir. 118, p. 8. 1907.
    See also Crossties; Ties.
  timberland ownership. Rpt. 114, p. 11. 1917.
  timbers, use of pine. For. Bul. 99, pp. 12, 23, 25, 63, 73, 79, 92. 1911.
  track(s) and docks—
    meat loading, sanitary reports. B.A.I.S.R.A. 112, p. 71. 1916.
    sanitation requirements under meat inspection laws. B.A.I.S.R.A. 116, pp. 109–111. 1907.
    track scales, hay weighing, directions. D.B. 978, pp. 24–28. 1921.
    transportation of milk, discussion. Y.B., 1922, pp. 306, 353–356. 1923; Y.B. Sep. 879, pp. 21, 62–64. 1923.
    violation of 28-hour law, list. News L., vol. 2, No. 5, p. 2. 1914.
    work for agricultural interests. O.E.S. An. Rpt., 1906, pp. 306–307, 328. 1907.
    See also Railway.
Railroad Valley—
  location, formation, artesian waters, and borings. D.B. 61, pp. 8, 13, 39, 56–59, 64, 83–85. 1914.
  soil and saline analyses. D.B. 61, pp. 56–59, 83–85. 1914.
Railroad worm. See Apple maggot.
Railways—
  conservation of timber by fire protection. M.C. 39, p. 66. 1925.
  development, effect on marketing of farm products. News L., vol. 4, No. 7, p. 2. 1916.
  fills, hydraulic method, details, and cost. O.E S. Bul. 249, Pt I, pp. 74–800. 1912.
  freight tonnage, farm products and other, 1916–1921. Y.B. 1921, p. 790. 1922; Y.B. Sep. 871, p. 21. 1922.
  in Mississippi, George County. Soil Sur. Adv. Sh., 1922, pp. 34–35. 1925.
  land grants, adjustment. Off. Rec. vol. 3, No. 15, p. 2. 1924.
  milk transportation, electric and steam rates, comparison. D.B. 639, p. 12. 1918.
  rates, grain, Russia. Stat. Bul. 65, pp. 38–49. 1908.
  regulations for saving lumber in handling. M.C. 39, p. 66. 1925.
  relation to wood preservation. R. H. Aishton. M.C. 39, pp. 62–66. 1925.
  Russia, mileage, distribution, facilities, and wheat transportation. Stat. Bul. 65, pp. 31–38, 65–69. 1908.
  station reservations. F.B. 1441, pp. 29–30. 1925.
  stations in villages. F.B. 1441, pp. 28–29. 1925.
  substitutions for wood as timber preservation. M.C. 39, p. 66. 1925.
  system development, 1830–1904, Russia and United States, comparison. Stat. Bul. 65, pp. 32. 1908.
  ties, jack-pine utilization. D.B. 820, p. 23. 1920.
  ties, specifications. Off. Rec., vol. 1, No. 52, p. 2. 1922.
  timber, preservation statistics. M.C. 39, p. 63. 1925.
  tonnage—
    1913–1915. Y.B., 1916, p. 696. 1917; Y.B. Sep. 721, p. 38. 1917.
    1914–1916. Y.B., 1917, p. 748. 1918; Y.B. Sep. 761, p. 42. 1918.
  use of timber, annual purchase. M.C. 39, p. 63. 1925.

Rain—
  agency in spread of—
    alfalfa weevil. J.A.R., vol. 30, pp. 486–487. 1925.
    blister rust in Pacific Northwest. J.A.R., vol. 30, pp. 603–606. 1925.
    root rot of peas. J.A.R., vol. 30, p. 320. 1925.
  colored, causes, and historical records. For. Bul. 117, pp. 21–22. 1912.
  control of rose aphid. D.B. 90, pp. 9, 12. 1914.
  crop season, 1902. Y.B., 1902, p. 699–711. 1903.
  drainage away from house. Y.B., 1919, pp. 430–431. 1920; Y.B. Sep. 824, pp. 430–431. 1920.
  effect on—
    alfalfa seed. F.B. 495, pp. 16–17. 1912.
    date palm. B.P.I. Bul. 53, pp. 52–58, 118. 1904.
    insects. Y.B., 1908, p. 386. 1909; Y.B. Sep. 488, p. 386. 1909.
  excessive, cause of orange decay. B.P.I. Cir. 124, pp. 19–21. 1913.
  formation, discussion. Y.B., 1902, pp. 627–629. 1903.
  formation, mountain lands. Y.B., 1910, p. 409. 1911; Y.B. Sep. 547, p. 409. 1911.
  gage—
    adaptation as a transpiration balance. J.A.R., vol. 5, No. 3, p. 119. 1915.
    description, use and price. Y.B., 1908, pp. 435–436. 1909; Y.B. Sep. 492, pp. 435–436. 1909.
    homemade, directions for making. Y.B., 1907, p. 274. 1908; Y.B. Sep. 471, p. 274. 1908.
    new model. An. Rpts., 1913, pp. 69–70. 1914; W.B. Chief Rpt., 1913, pp. 7–8. 1913.
  insurance companies, weather data. Off. Rec., vol. 3, No. 35, p. 5. 1924.
  local thunderstorms, forecasting difficulties. News L., vol. 3, No. 1, p. 5. 1915.
  origin, relation to atmospheric dust. Y.B., 1915, p. 322. 1916; Y.B. Sep. 680, p. 322. 1916.
  red, discussion of origin, different theories. Soils Bul. 68, pp. 90–91, 92. 1911; Y.B. 1908, p. 291, 1909; Y.B. Sep. 481, p. 291. 1909.
  red, occurrence in Europe, record. For. Bul. 117, p. 22. 1912.
  relation to—
    erosion of range lands. D.B. 675, pp. 11–15. 1918.
    fruit setting. J.A.R., vol. 17, pp. 110–118, 123, 124. 1919.
    usefulness of soil mulch. J.A.R., vol. 30, pp. 819–820, 826–830. 1925.
    wheat production. Y.B., 1921, pp. 107–108. 1922; Y.B. Sep. 873, pp. 107–108. 1922.
  rot, sheep, cause and treatment. F.B. 713, p. 12. 1916; F.B. 1155, pp. 36–37. 1921.
  salt, occurrence and causes. Soils Bul. 68, pp. 112–114. 1911.
  washing plant food from growing plants. J.A. LeClerc and J. F. Breazeale. Y.B., 1908, pp. 389–402. 1909; Y.B. Sep. 489, pp. 389–402. 1909.
  water—
    domestic use, and construction of cisterns. Y.B., 1914, pp. 145–147. 1915; Y.B. Sep. 634, pp. 145–147. 1915.
    tanks or barrels, breeding places for mosquitoes, protection. Ent. Bul. 88, pp. 19, 92–93, 96. 1910.
    supply, objections. F.B. 1448, p. 7. 1925.
    wind-blown, factor in disease dissemination. R. C. Faulwetter. J.A.R., vol. 10. pp. 639 648. 1917.
  See also Precipitation; Rainfall.
Rain crow—
  protection by law. Biol. Bul. 12, rev., p. 38. 1902.
  See also Cuckoo.
Rain tree, Porto Rico, description and uses. D.B. 354, p. 72. 1916.
Rainfall—
  absorption by soil, necessity. F.B. 414, p. 10. 1910.
  agency in spread of blister rust in Pacific Northwest. J.A.R., vol. 30, pp. 603–606. 1925.
  agricultural provinces of West, basis of classification. Y.B., 1915, p. 331. 1916; Y.B. Sep. 681, p. 331. 1916.
  and climatic conditions, western Oregon. O.E.S. Bul. 226, pp. 12, 15, 18, 19–27, 34–37. 1910.

Rainfall—Continued.
 and drainage conditions, North Carolina, Robeson County. O.E.S. Bul. 246, pp. 8-18, 34-40. 1912.
 and irrigation. Edward A. Beals. Y.B., 1902, pp. 627-642. 1903; Y.B. Sep. 294, pp. 627-642. 1903.
 annual—
  average, central United States. Y.B., 1911, p. 483. 1912; Y.B. Sep. 585, p. 483. 1912.
  distribution and amount. Soils Bul. 71, pp. 16-20. 1911.
  for different sections of United States. B.P.I. Bul. 260, pp. 16-18. 1912.
  relation to usefulness of soil mulch. J.A.R., vol. 30, pp. 819-820, 826-830. 1925.
 at—
  Bellingham, Wash. D.B. 28, p. 3. 1913.
  Cheyenne experiment farm, 1900-1915. D.B. 430, pp. 4-6, 38. 1916.
  Claremont, Calif., seasons, 1891-1892 to 1908-1909. O.E.S. Bul. 236, p. 14. 1911.
  Dickinson substation, 1892-1913. D.B. 33, pp. 4-6, 42. 1914.
  Nephi substation, 1908-1912. D.B. 30, pp. 6-8, 48. 1913.
  Newell, S. Dak., relation to grain yields. D.B. 1039, pp. 6-8, 70. 1922.
  St. Croix, 1852-1920. Vir. Is. Bul. 2, pp. 6-7. 1921.
  Saint Francis Valley, Ark., various stations, 1893-1908. O.E.S. Bul. 230, Pt. I, pp. 19-25. 1911.
  San Antonio, Tex., 1907-1913. D.B. 151, p. 1. 1914.
  Texas stations. O.E.S. Bul. 222, p. 9. 1910.
 boll-weevil control, effect. Ent. Bul. 74, pp. 13, 17, 37, 40, 42, 47, 75. 1907.
 character, relation to usefulness. B.P.I. Bul. 188, pp. 14-16. 1910.
 conditions, relation to capacity of pumping plants. O.E.S. Bul. 243, pp. 27-29. 1911.
 data, for insurance companies. Off. Rec., vol. 3, No. 35, p. 5. 1924.
 dry farming regions, distribution. B.P.I. Bul. 188, pp. 10-12. 1910.
 effect on—
  corn yield. Y.B., 1921, pp. 184-185. 1922; Y.B. Sep. 872, pp. 184-185. 1922.
  crop yields in North Dakota, controlling factor. D.B. 991, pp. 3-6, 19-22. 1921.
  grain rust. B.P.I. Bul. 216, pp. 58-60. 1911.
  nitrate distribution in citrus soils. J.A.R., vol. 9, pp. 244-250. 1917.
  sugar beets, notes and tables. Chem. Bul. 95, pp. 7, 10, 14, 15, 16, 18, 19, 20, 21, 22, 24, 26, 27, 39. 1905.
 grain-sorghum belt, annual and seasonal. F.B. 448, pp. 6, 18-19. 1911.
 in Alaska, record. Alaska Cir. 1, pp. 6, 7. 1916.
 in Algeria, records. B.P.I. Bul. 80, pp. 24, 29. 1905.
 in Arizona, average annual. O.E.S. Bul. 235, pp. 15-17. 1911.
 in California—
  raisin belt. D.B. 349, p. 11. 1916.
  Sacramento Valley, relation to irrigation. O.E.S. Bul. 207, pp. 12-16. 1909.
  table and charts for January. Y.B., 1902, pp. 198-200. 1903.
  variations in different sections. O.E.S. Bul. 237, pp. 9-11. 1911.
 in central West, 1877-1906. Y.B., 1908, p. 293. 1909; Y.B. Sep. 481, p. 293. 1909.
 in Colorado—
  Akron field station. D.B. 1304, pp. 2-3. 1925.
  with run-off and water loss, records. April to September, 1909. B.P.I. Bul. 201, pp. 28-38, 83. 1911.
 in Florida, records. D.B. 462, pp. 3-10. 1917.
 in Great Plains area, with altitude and evaporation. D.B. 218, pp. 3-4. 1915; D.B. 219, pp. 4-6. 1915; D.B. 222, pp. 4-5. 1915.
 in Hawaii—
  Castner forage-crop station, 1918-1919. Hawaii A.R., 1919, p. 49. 1920.
  records and notes. Hawaii Bul. 36, pp. 8-10, 16. 1915.
 in Indiana, Kankakee River Valley. O.E.S. Cir. 80, pp. 11-13. 1909.

Rainfall—Continued.
 in Kansas—
  Marais des Cygnes watershed, 1898-1908, records. O.E.S. Bul. 234, pp. 14-18, 44-52. 1911.
  record, August 1, 1903 to July 31, 1909, at McPherson. B.P.I. Bul. 240 p. 10. 1912.
  western and adjacent regions. For. Cir. 161, pp. 8-10. 1909.
 in Manti National Forest, Utah, character, amount, and responsibility for floods. For. Bul. 91, pp. 13-15. 1911.
 in Michigan and Ohio, beet-growing sections. D.B. 748, pp. 6-7. 1919.
 in Mississippi—
  Belzoni drainage district. O.E.S. Bul. 244, pp. 15-22. 1912.
  Delta region. O.E.S. Cir. 81 p. 11. 1909.
  record 1871-1910. O.E.S. Cir. 104, pp. 11-18. 1911.
 in Mississippi Valley, records, relation to drainage. D.B. 304, pp. 24-33. 1915.
 in Nebraska—
  1910-1913. D.B. 133, p. 2. 1914.
  relation to planting of trees. M.C. 16, p. 4. 1925.
 in Nevada—
  Newlands farm. D.C. 352, p. 6. 1925.
  Truckee-Carson project. B.P.I. Cir. 114, p. 29. 1913.
 in Oklahoma, Woodward Field Station. D.B. 1175 pp. 3-9. 1923.
 in Olympic National Forest. For. Bul. 89, pp. 8-9. 1911.
 in Oregon, records. O.E.S. Bul. 209, pp. 9-12, 64. 1909.
 in Panhandle, records. F.B. 738, pp. 4-5. 1916.
 in Pomona Valley, Calif., 1883-1909. O.E.S. Bul. 236, rev., pp. 11-14. 1912.
 in Souf region, Sahara Desert. B.P.I. Bul. 86, p. 14. 1905.
 in South Dakota and Colorado, annual and seasonal, 1903-1914. D.B. 291, pp. 3-4. 1916.
 in Texas—
  Panhandle, 1892-1911. B.P.I. Bul. 283, pp. 14-20, 23, 74-75, 77, 79. 1913.
  records. O.E.S. Bul. 158, pp. 347-349. 1905.
  San Antonio section, 1907-1912, table. B.P.I. Cir. 106, pp. 5-6. 1913.
 in United States, annual average. Soils Bul. 55, pp. 32-34. 1909.
 in Utah—
  Juab Valley, annual and seasonal, 1893-1909. B.P.I. Cir. 61, pp. 5-6. 1910.
  Uinta River Valley area. Soil Sur. Adv. Sh., 1921, pp. 1492-1493. 1925.
 in Virgin Islands, records, 1919, 1920. Vir. Is. A.R., 1920, p. 35. 1921.
 in western Oregon and Washington. F.B. 271, p. 8. 1906.
 in Wyoming—
  factor in crop growing in Wyoming. D.B. 1306, p. 29. 1925.
  records. O.E.S. Bul. 205, p. 18. 1909.
 influence on—
  alfalfa-seed production. F.B. 495, p. 8. 1912.
  effect of borax in fertilizer. D.B. 1126, pp. 11-14. 1923.
 measurements, Louisiana wet prairie lands. O.E.S. An. Rpt., 1909, pp. 426-430. 1910.
 measuring, methods, and apparatus. News L., vol. 1, No. 31, pp. 1-2. 1914.
 minimum, for crops without irrigation. Y.B., 1918, p. 434. 1919; Y.B. Sep. 771, p. 4. 1919.
 monthly—
  distribution, Great Plains, intermountain, in Pacific coast regions. B.P.I. Bul. 188, pp. 12-13. 1910.
  relation to farm practice. B.P.I. Bul. 188, p. 13. 1910.
 needs in wheat growing. S.R.S. Syl. 11, rev., pp. 13-14. 1918.
 observers, special, of Weather Bureau, instructions to. W.B. [Misc.], "Instructions to special * * *," pp. 46. 1904; pp. 47. 1909; pp. 24. 1912; pp. 27. 1915.
 range and amount, various localities. Y.B., 1915, p. 323. 1916; Y.B. Sep. 680, p. 323. 1916.
 record(s)—
  coastal plain, 1902-1907. B.P.I. Bul. 194, pp. 13-15. 1911.

Rainfall—Continued.
  record(s)—continued.
    for southwestern Minnesota. D.B. 1271, p. 4. 1924.
    keeping, directions. Y.B., 1908, p. 436. 1909; Y.B. Sep. 492, p. 436. 1909.
  relation to—
    birds in spreading chestnut-blight fungus. J.A.R., vol.2, pp. 414–415. 1914.
    development of cabbage backleg. D.B. 1029, p. 14–17. 1922.
    dry farming, and evaporation. Lyman J. Briggs and J. O. Belz. B.P.I. Bul. 188, pp. 71. 1910.
    forests. F.B. 358, p. 35. 1909.
    handling of red raspberries. D.B. 274, p. 19. 1915.
    irrigation average at representative points. Y.B., 1911, pp. 310–316. 1912. Y.B. Sep. 570, pp. 310–316. 1912.
    osteomalacia. B.A.I. Dairy [Misc.], "World's Dairy Congress, 1923," pp. 1499–1501. 1924.
    pine-seed germination and survival. D.B. 1105, pp. 24–29. 1923.
    spread of alfalfa weevil. J.A.R., vol. 30, pp. 486–487. 1925.
    sugar content of sweet corn, discussion. Chem. Bul. 127, p. 25, 59–67. 1909.
    wheat culture. O.E.S.F.I.L., 11, pp. 16–17. 1910.
    wheat yield. D.B. 1309, p. 4. 1925.
  requirements—
    for citrus-fruit groves. F.B. 538, p. 11. 1913.
    indications of vegetation. B.P.I. Bul. 188, p. 20. 1910.
    olive growing, dry regions. B.P.I. Bul. 192, pp. 41–42. 1911.
    run-off from forest and from cleared land. Y.B., 1916, pp. 107–109. 1917; Y.B. Sep. 688, pp. 1–3. 1917.
    statistics, 1912–1923. Y.B., 1923, pp. 1210–1222. 1924; Y.B. Sep. 906, pp. 1210–1222. 1924.
    study on west Florida coast. B. Bunnemeyer. W.B. [Misc.], "Proceedings, third convention * * *," pp. 235–238. 1904.
    tables, southern Louisiana, drainage districts. and run-off. J.A.R., vol. 11, pp. 262–266. 1917.
    utilization, cultural methods. Y.B., 1913, p. 215. 1914; Y.B. Sep. 624, p. 215. 1914.
    variation, arid regions. William B. Stockman. W.B. Bul. N., pp. 15. 1905.
    warning, use by farmers. Y.B., 1909, pp. 390–397. 1910; Y.B. Sep. 522, pp. 390–397. 1910.
    See also Precipitation; Rain; Soil Surveys, for various States and counties.
Rainier National Forest, Wash.—
  map. For. Maps. 1923.
  map and directions to hunters and campers. For. Map Fold. 1915.
Raisin(s)—
  adulteration, and misbranding. See Indexes to Notices of Judgment in bound volumes of Chemistry Service and Regulatory Announcements.
  brandy, adulteration and misbranding. Chem. N.J. 4001. 1916.
  bread, recipe. F.B. 1136, p. 13. 1920.
  classes and grades. D.B. 349, pp. 13–14. 1916.
  drying and uses. Y.B., 1912, pp. 507, 511–512, 517, 520, 521. 1913; Y.B. Sep. 610, pp. 507, 511–512, 517, 520–521. 1913.
  exports, 1903, 1913, increase with decrease of imports. D.B. 296, pp. 42–43. 1915.
  food-value comparisons, chart. D.B. 975, pp. 6, 20. 1921.
  grape, and wine production in the United States. George C. Husmann. Y.B., 1902, pp. 407–420. 1903; Y.B. Sep. 281, pp. 407–420. 1903.
  growers' exchanges and cooperative work. D.B. 349, p. 4. 1916.
  growing in California, Fresno County, cost, yields, and production. Soil Sur. Adv. Sh., 1912, p. 16. 1914; Soils F.O., 1912, p. 2100. 1915.
  harvesting and drying, dipping and scalding. D.B. 349, pp. 11–13. 1916.
  imports—
    1885–1915. D.B. 349, p. 3. 1916.
    1901–1924. Y.B., 1924, p. 1077. 1925.
    1907–1909, quantity and value by countries from which consigned. Stat. Bul. 82, p. 41. 1910.

Raisin(s)—Continued.
  imports—continued.
    1908–1912 and 1851–1912. Y.B., 1912, pp. 719, 745. 1913; Y.B. Sep. 615, pp. 719, 745. 1913.
    1919–1921 and 1852–1921. Y.B., 1922, pp. 952, 967. 1923; Y.B. Sep. 880, pp. 952, 967. 1923.
  and exports—
    1911–1913, and imports, 1852–1913. Y.B., 1913, pp. 497, 504, 511. 1914; Y.B. Sep. 361, pp. 497, 504, 511. 1914.
    1913–1915, and imports 1887–1915. Y.B., 1915, pp. 544, 551, 559. 1916; Y.B. Sep. 685, pp. 544, 551, 559. 1916.
    1921, statistics. Y.B., 1921, pp. 740, 746, 755. 1922; Y.B. Sep. 867, pp. 4, 10, 19. 1922.
  industry—
    George C. Husmann. D.B. 349, pp. 15. 1916.
    Fresno, Calif., history. Soils Bul. 42, pp. 8–9. 1907.
    origin and growth, United States. D.B. 349, pp. 1–3. 1916.
  misbranding. Chem. N.J. 316, p. 1. 1910; Chem. N.J. 1938, p. 1. 1913.
  mold determination test. Sec. A.R., 1925, p. 74. 1925.
  packing, directions. D.B. 349, p. 13. 1916.
  production, in California, 1914, by counties. D.B. 349, p. 3. 1916.
  protection from rain while drying. Y.B., 1909, p. 390. 1910; Y.B. Sep. 522, p. 390. 1910.
  seed(s)—
    accumulation, present uses. B.P.I. Bul. 276, pp. 7–9. 1913.
    examination for commercial products. B.P.I. Bul. 276, pp. 10–11. 1913.
    oil, uses, and extraction methods. P.B.I. Bul. 276, pp. 7–9, 14–30, 35–36. 1913.
    waste, utilization. Frank Rabak. B.P.I. Bul. 276, pp. 36. 1913.
  seeded, adulteration. Chem. N.J. 4010. 1916.
  seeding, machines and process, extent of industry. D.B. 349, pp. 14–15. 1916.
  seedless, adulteration. Chem. N.J., 145, pp. 2. 1910; Chem. N.J. 146, pp. 2. 1910; Chem. N.J. 162, pp. 2. 1910.
  shipments by States, and by stations, 1916. D.B. 667, pp. 7, 92. 1918.
  statistics—
    1918. Y.B., 1918, pp. 631, 639, 648. 1919; Y.B. Sept. 794, pp. 7, 14, 15. 1919.
    import and exports, 1883–1911. Y.B., 1911, pp. 662, 672, 687. 1912; Y.B. Sep. 588, pp. 662, 672, 687. 1912.
    receipts and shipments at San Francisco. Rpt. 98, p. 367. 1913.
  tree, importation and description. No. 43339, B.P.I. Inv. 48, p. 46. 1921; No. 45620, B.P.I. Inv. 53, p. 71. 1922.
  value as food. O.E.S. Bul. 245, p. 77. 1912.
  yields in Fresno district, California, 1870–1900. O.E.S. Bul. 217, p. 9. 1909.
Rakes—
  chain, on threshing machines, care and repair. F.B. 1036, p. 7. 1919.
  hay, cost per acre and per day, relation to service, table. D.B. 338, p. 18. 1916.
  hay, description and use. F.B. 943, pp. 9–11, 16–17, 22–24. 1918.
  hay, labor-saving, use. F.B. 1021, pp. 15–21. 1919.
  marker, for planting rows, description. F.B. 324, p. 19. 1908.
  push, use in hay making. D.B. 578, pp. 22–37. 1918; F.B. 987, pp. 9–19. 1919; F.B. 1009, pp. 6–7. 1919.
Raking hay—
  cost per ton. F.B. 677, p. 13. 1915.
  labor-wasting and labor-saving. F.B. 987, pp. 6–7, 8, 14–16. 1918.
  methods and cost. D.B. 641, p. 7. 1918.
  practices. F.B. 943, pp. 9–11, 16–17, 22–24, 27. 1918.
Raleigh, N. C., milk supply, details and statistics. B.A.I. Bul. 70, pp. 6–7, 25. 1905.
Rallidae, Laysan Island, number, and description. Biol. Bul. 42, p. 21. 1912.
Rallinae. See Rails.
Rallus spp. See Rail.
Rambe, importation and description. No. 34495, B.P.I. In. 33, pp. 6, 26. 1915.

Ramboetan, plant importations, 1909, and description. B.P.I. Bul. 162, p. 65. 1909.
Rambutan—
importations and descriptions. No. 34494, B.P.I. Inv. 33, pp. 6, 25–26. 1915; No. 42086, B.P.I. Inv. 46, p. 56. 1919; Nos. 42384, 42814, B.P.I. Inv. 47, pp. 9, 69. 1920; No. 45805, B.P.I. Inv. 54, p. 23. 1922; Nos. 47196, 47197, B.P.I. Inv. 58, pp. 37–38. 1922; No. 51473, B.P.I. Inv. 65, p. 20 1923.
propagation, possibilities for Canal Zone. B.P.I. Bul. 202, p. 38. 1911.
resemblance to litchi, and botanical status. Hawaii Bul. 44, p. 20. 1917.
Ramie—
Lyster H. Dewey. B.P.I. Cir. 103, pp. 9. 1912.
climate, soil and fertilizer requirements. B.P.I. Cir. 103, pp. 3–5. 1912.
importation and description. No. 41878, B.P.I. Inv. 46, p. 27. 1919.
investigations, and trial of decorticator. An. Rpts., 1908, p. 312. 1909; B.P.I. Chief Rpt., 1908, p. 40. 1908.
propagation and harvesting methods. B.P.I. Cir. 103, pp. 5–7. 1912.
See also China grass.
Ramon. *See* Breadnut tree.
Ramon's pepsin headache cure, misbranding. Chem. N.J. 465, pp. 2. 1910.
Ramona stachyoides. See Sage, black.
Rampart Experiment Station, Alaska—
grain growing and breeding. O.E.S. An. Rpt., 1911, pp. 18, 73. 1913.
report—
1901. O.E.S. An. Rpt., 1901, pp. 267–273. 1901.
1902. O.E.S. An. Rpt., 1902, pp. 254–255. 1902.
1903. O.E.S. An. Rpt., 1903, p. 361. 1903.
1904. O.E.S. An. Rpt., 1904, pp. 332–333. 1904.
1905. O.E.S. An. Rpt., 1905, p. 47. 1905.
1906. Fred E. Rader. Alaska A.R. 1906, pp. 16–18, 43–47. 1907.
1907. Frederick E. Rader Alaska A.R., 1907, pp. 29–31, 42–49. 1908.
1908. G.W. Gasser. Alaska A.R., 1908, pp. 14, 32–43. 1909.
1909. G.W. Gasser. Alaska A.R., 1909, pp. 14–20, 43–51. 1910.
1910. G.W. Gasser. Alaska A.R., 1910, pp. 29–35, 44–53, 1911.
1911. G. W. Gasser. Alaska A.R., 1911, pp. 23–27, 33–45. 1912.
1912. G. W. Gasser. Alaska A. R., 1912, pp. 33–38, 57–67. 1913.
1913. G. W. Gasser. Alaska A. R., 1913, pp. 17–20, 37–48. 1914.
1914. G. W. Gasser Alaska A.R., 1914, pp. 34–39, 54–65. 1915.
1915. G. W. Gasser. Alaska A. R., 1915, pp. 17–22, 54–69. 1916.
1916. G. W. Gasser. Alaska A.R., 1916, pp. 17–22, 23–37. 1918.
1917. G. W. Gasser. Alaska A.R., 1917, pp. 21–28, 34–57. 1919.
1918. G. W. Gasser. Alaska A.R., 1918, pp. 8, 10–13, 33–54. 1920.
1919. G. W. Gasser. Alaska A.R., 1919, pp. 9–13, 30–44. 1920.
1920. G. W. Gasser. Alaska A.R., 1920, pp. 5, 20–36. 1922.
1921. C. S. Hahn. Alaska A.R., 1921, pp. 4–6, 33–44. 1923.
Rams—
beet feeding experiments, formation of calculi, illustrations. F.B. 465, p. 16. 1911.
breeding—
choosing and buying, and feeding. Sec. Spec. [Misc.], "Producing sheep * * *," p. 1. 1914.
sales and prices, Australia. D.B. 313, pp. 14–15, 16. 1915.
care, feed, and duration, for breeding purposes. D.B. 20, pp. 33–34. 1913.
community use, advantages. News L., vol. 6, No. 39, p. 9. 1919.
grade, Karakul, breeding experiments. Y.B., 1915, pp. 260–261. 1916; Y.B. Sep. 673, pp. 260–261. 1916.

Rams—Continued.
Karakul, mating with ewes of other breeds, experiments and results. Y.B., 1915, pp. 249, 250, 256–261. 1916; Y.B. Sep. 673, pp. 249, 250, 256–261. 1916.
relation of age to fertility. J.A.R., vol. 22, pp. 232–233. 1921.
score for size and conformation, ideal. J.A.R., vol. 10, p. 97. 1917.
selection and management at breeding time. D.B. 20, pp. 7–8. 1913; F.B. 840, pp. 8–9, 11–12. 1917.
RAMSER, C. E.—
"A report on the methods and cost of reclaiming the overflowed lands along the Big Black River, Miss." With others. D.B. 181, pp. 39. 1915.
"Gullies: How to control and reclaim them." F.B. 1234, pp. 44. 1922.
"Prevention of the erosion of farm lands by terracing." D.B. 512, pp. 40. 1917.
"Terracing farm lands." F.B. 997, pp. 40. 1918; F.B. 1386, pp. 22. 1924.
"The flow of water in dredged drainage ditches." D.B. 832, pp. 60. 1920.
RAMSEY, G. B.—
"A form of potato disease produced by Rhizoctonia." J.A.R., vol. 9, pp. 421–426. 1917.
"Botrytis rot of globe artichoke." With others. J.A.R., vol. 29, pp. 85–92. 1924.
"Influence of temperature and precipitation on the blackleg of potato." With J. Rosenbaum. J.A.R., vol. 13, pp. 507–513. 1918.
RAMSEY, H. J.—
"Bartlett pear precooling, and storage investigations in the Rogue River Valley. With A. V. Stubenrauch. B.P.I. Cir. 114, pp. 19–24. 1913.
"Factors governing the successful shipment of oranges from Florida." With others. D.B. 63, pp. 50. 1914.
"Factors governing the successful shipment of red raspberries from the Puyallup Valley." D.B. 274, pp. 37. 1915.
"Handling and shipping citrus fruits in the Gulf States." F.B. 696, pp. 28. 1915.
"Heavy loading of freight cars in the transportation of northwestern apples." Mkts. Doc. 1, pp. 23. 1918.
"Management of common storage houses for apples in the Pacific Northwest." With S. J. Dennis. F.B. 852, pp. 23. 1917.
"The handling and precooling of Florida lettuce and celery." With E. L. Markell. D.B. 601, pp. 29. 1917.
"The handling and shipping of fresh cherries and prunes from the Willamette Valley." D.B. 331, pp. 28. 1916.
"The handling and storage of apples in the Pacific Northwest." With others. D.B. 587, pp. 32. 1917.
Ramularia—
areola, cause of areolate mildew of cotton. F.B. 1187, p. 30. 1921.
spp., occurrence on plants in Texas, and description. B.P.I. Bul. 226, pp. 61, 67, 69, 82, 101. 1912.
Rana—
septentrionalis, range, and habits. N.A. Fauna 22, p. 134. 1902.
spp. *See* Frog.
Ranch(es)—
apple packing houses, location, construction, and lighting. F.B. 1204, pp. 3, 6, 10. 1921.
cattle, choosing and improvement. F.B. 1395, pp. 9–18. 1925.
fox—
description of dens and inclosures, and cost. D.B. 301, pp. 8–18, 30. 1915.
selection of site, and organization of work. D.B. 1151, pp. 6–32. 1923.
property, description and definition of terms. For. [Misc.], "The use book, 1921," pp. 37–38. 1922.
water supply, and development. F.B. 1395, pp. 11–14. 1925.
Rancher, fox, qualifications and requirements. D.B. 1151, p. 46. 1923.
Ranching—
conditions, western North Dakota, and outlook. Soil Sur. Adv. Sh., 1908, pp. 37–42. 1908; Soils F.O., 1908, pp. 1185–1190. 1911.

Ranching—Continued.
  extent, methods in Nebraska, western part. Soil Sur. Adv. Sh., 1911, pp. 34-36. 1913; Soils F.O., 1911, pp. 1902-1904. 1914.
  turkey, development and management. Y.B. 1916, p. 414. 1917; Y.B. Sep. 700, p. 4. 1917.
  western Kansas, decrease of industry. Rpt. 95, p. 92. 1912.
Rancidity—
  definition of term. J.A.R., vol. 26, pp. 323, 324. 1923.
  oils and fats, causes and effects, studies. Chem. Bul. 77, pp. 29-31. 1905.
  studies. Wilmer C. Powick. J.A.R., vol. 26, pp. 323-362. 1923.
RAND, F. V.—
  "Bacterial wilt of cucurbits." With Ella M. A. Enlows. D.B. 828, pp. 43. 1920.
  "Dissemination of bacterial wilt of cucurbits." J.A.R., vol. 5, pp. 257-260. 1915.
  "Leafspot rot of pond lilies caused by *Helicosporium nymphaearum.*" J.A.R., vol. 8, pp. 219-232. 1917.
  "Pecan rosette." With W. A. Orton. J.A.R., vol. 3, pp. 149-174. 1914.
  "Pecan rosette: Its histology, cytology, and relation to other chlorotic diseases." D.B. 1038, pp. 42. 1922.
  "Some disease of pecans." J.A.R., vol. 1, pp. 303-338. 1914.
  "Stewart's disease of corn." With Lillian C. Cash. J.A.R., vol. 21, pp. 263-264. 1921.
  "Transmission and control of bacterial wilt of cucurbits." With Ella M. A. Enlows. J.A.R., vol. 6, No. 11, pp. 417-434. 1916.
RANDALL, E. W., report of Minnesota Experiment Station, work and expenditures, 1908. O.E.S. An. Rpt. 1908, pp. 116-119. 1909.
Randall grass. See Fescue, meadow.
Randa aculeata—
  importation and description. No. 44461, B.P.I. Inv. 51, p. 15. 1922.
  See also Inkberry.
Randia uliginosa, importations and descriptions. No. 39655, B.P.I. Inv. 41, p. 55. 1917; No. 47769, B.P.I. Inv. 59, p. 57. 1922; No. 53587, B.P.I. Inv. 67, p. 66. 1923.
RANDLETT, G. W., report of South Dakota, extension work in agriculture and home economics—
  1916. S.R.S. An. Rpt., 1916, Pt. II, pp. 335-341. 1917.
  1917. S.R.S. An. Rpt., 1917, Pt. II, pp. 343-347. 1919.
RANDS, R. D.—
  "Bean varietal tests for disease resistance." With Wilbur Brotherton, jr. J.A.R., vol. 31, pp. 101-154. 1925.
  "Snails as predisposing agents of sugar cane 'root disease' in Louisiana." J.A.R., vol. 28, pp. 969-970. 1924.
  "South American leaf disease of Para rubber." D.B. 1286, pp. 19. 1924.
RANE, F. W.: "Courses in agriculture, horticulture, and allied subjects." O.E.S. Bul. 164, pp. 77-89. 1906.
Range, kitchen—
  management. Thrift Leaf. 11, pp. 1-3. 1919.
  use of dampers to save fuel, directions. U. S. Food Leaf, No. 12, pp. 1-3. 1918.
Range(s)—
  Alaska, reindeer grazing and management of herds. D.B. 1089, pp. 19-40. 1922.
  area per cow, map. F.B. 1395, p. 20. 1925.
  beef-cattle production. Virgil V. Parr. F.B. 1395, pp. 44. 1925.
  beef-cattle production, outlook. Sec. A.R., 1925, p. 42. 1925.
  burning—
    by herders, cessation of practice. D.C. 134, pp. 4, 10. 1920.
    for control of caterpillars. D.B. 443, p. 11. 1916; Ent. Bul. 85, p. 94. 1911.
  carrying capacity—
    decrease, causes. Y.B., 1915, pp. 300-303. 1916; Y.B. Sep. 678, pp. 300-303. 1916.
    effect of pasturage system. For. Cir. 178, pp. 19, 20, 27-28, 30-32, 39. 1910.
    factors in estimation. F.B. 1395, pp. 18-21. 1925.

Range(s)—Continued.
  carrying capacity—continued.
    national forests, of Northwest. D.B. 738, p. 2. 1918.
  caterpillar—
    control by natural enemies. An. Rpts., 1914, pp. 192, 202. 1914; Biol. Chief Rpt., 1914, p. 4. 1914; Ent. A.R., 1914, p. 10. 1914.
    decrease. An. Rpts., 1917, p. 239. 1918; Ent. A.R., 1917, p. 13. 1917.
    New Mexico—
      C. N. Ainslie. Ent. Bul. 85, Pt. V, pp. 59-96. 1910.
      and its control. V. L. Wildermuth and D. J. Caffrey. D.B. 443, pp. 12. 1916.
      description, life history, and enemies. Ent. Bul. 85, pp. 59-96. 1911.
    injury to pasture. An. Rpts., 1910, p. 530. 1911; Ent. A.R., 1910, p. 26. 1910.
    life history and natural enemies. D.B. 443, pp. 6-9. 1916.
    parasites, description and use. Ent. Bul. 85, pp. 87-92. 1911.
  cattle—
    change to sheep ranges. Off. Rec., vol. 4, No. 14, p. 5. 1925.
    cost of keeping. Off. Rec., vol. 3, No. 27, p. 7. 1924.
    danger from tuberculosis. B.A.I. Bul. 32, pp. 16-20. 1901.
    dehorning methods. B.A.I. An. Rpt., 1907, pp. 300-304. 1909; F.B. 350, pp. 11-13. 1909.
    industry, development. Y.B., 1921, pp. 235-238. 1922; Y.B. Sep., 874, pp. 235-238. 1922.
    management. F.B. 1395, pp. 18-21. 1925.
    national forests, larkspur eradication. A. E. Aldous. F.B. 826, pp. 23. 1917.
  conditions—
    leading to sheep poisoning. D.B. 405, pp. 39-41. 1916.
    national forests, 1909, and management. An. Rpts., 1909, pp. 390-397. 1910; For. A.R., 1909, pp. 22-29, 1909.
    use, and management. For. A.R., 1924, pp. 20-25. 1924.
  control—
    and improvement, 1908. Y.B., 1908, pp. 541-542. 1909.
    benefits to State and the general public. D.B., 1001, pp. 41-42. 1922.
    council, formation and work. Off. Rec., vol. 1, No. 52, p. 1. 1922.
  country—
    cattle and sheep raising. Rpt. 98, p. 107. 1913.
    location. Y.B., 1908, p. 232. 1909; Y.B. Sep. 477, p. 232. 1909.
  crane-flies in California. C. M. Packard and B. G. Thompson. D.C. 172, pp. 8. 1921.
  cut-over pine lands, grazing capacity. Y.B., 1921, pp. 255-256. 1922; Y.B. Sep. 874, pp. 255-256. 1922.
  depleted and native pastures, reseeding. David Griffiths. B.P.I. Bul. 117, pp. 27. 1907.
  deterioration, cause of decrease in livestock in West. Rpt. 110, pp. 12-13, 53, 56, 60, 64, 68, 73, 78, 82, 87. 1916.
  finders for locating fires in forests, description, cost, and uses. For. Bul. 113, pp. 11-14. 1912.
  fires, injury to pastures in Piney Woods section. D.B. 827, pp. 23-26. 1921.
  forage plants. See Forage plants.
  forest—
    management. Y.B., 1920, pp. 316-320. 1921; Y.B. Sep. 847, pp. 316-320. 1921.
    research investigations. An. Rpts., 1920, pp. 252-256. 1921.
    sheep pasturing experiments. An. Rpts., 1910, pp. 304, 332, 403-404. 1911; B.P.I. Chief Rpt., 1910, pp. 34, 62. 1910; For. A.R., 1910, pp. 43-44. 1910.
  goat—
    management, division, and rotation grazing. D.B. 749, pp. 6-11. 1919.
    management, grasses, and weeds. F.B. 1203, pp. 11-21. 1921.
    requirements and character of browse. D.B. 749, pp. 2-6. 1919.

Range(s)—Continued.
 grass(es)—
  and forage plant experiments at Highmore, S. Dak. F. Lamson-Scribner. Agros. Cir. 33, pp. 5. 1901.
  damage by Zuni prairie dog. W. P. Taylor and J. V. G. Loftfield. D.B. 1227, pp. 16. 1924.
  drought resistance in South Dakota. Agros. Cir. 33, pp. 1-5. 1901.
 grazing—
  investigations. For. A.R., 1925, pp. 49-50. 1925.
  southern Arizona, carrying capacity. E. O. Wooton. D.B. 367, pp. 40. 1916.
 improvement(s) and administration. O.E.S. Bul. 115, p. 85. 1902.
 improvement—
  Arizona. David Griffiths. B.P.I. Bul. 4, p. 31. 1901.
  by deferred and rotation grazing. Arthur W. Sampson. D.B. 34, pp. 16. 1913.
  by natural revegetation, studies, New Mexico. D.B. 588, pp. 4-9, 28. 1917.
  central Texas, experiments. H. L. Bentley. B.P.I. Bul. 13, pp. 72. 1902.
  description, charges, and payments. For. [Misc.], "The use book, 1921," pp. 16-20. 1922.
  in Hawaii, 1912. Hawaii A.R., 1912, pp. 78-82. 1913.
  in Southwest. D.B. 588, pp. 1-32. 1917.
  methods. Y.B., 1923, pp. 396-402. 1924; Y.B. Sep. 895, pp. 396-402. 1924.
  national forests, regulations. For. [Misc.], "The use book," rev. 5, pp. 76-78. 1915.
  recommendations. Y.B., 1906, pp. 227-233. 1907; Y.B., Sep. 419, pp. 227-233. 1907.
 injury by—
  caterpillars. D.B. 443, pp. 4-6. 1916.
  driveways and bed grounds. D.B. 791, pp. 56-61, 71-72. 1919.
 inspection details and directions. D.B. 790, pp. 76-82. 1919.
 investigations—
  by experiment stations. O.E.S. An. Rpt., 1922, pp. 113-126. 1924.
  in Arizona. David Griffiths. B.P.I. Bul. 67, pp. 62. 1904.
  injury by grazing, forage plants. For. A.R., 1921, p. 40. 1921.
 lands—
  carrying capacity, increase in national forests. Rpt. 110, pp. 15-17. 1916.
  control by stockmen, legislation desired. D.B. 728, p. 25. 1918.
  grazing systems, relation to revegetation, natural. J.A.R. vol. 3, pp. 115-143. 1914.
  in the West, improvement and management. Y.B., 1915, pp. 299-310. 1916; Y.B. Sep. 678, pp. 299-310. 1916.
  legalized control, objections and studies. D.B. 211, pp. 37, 38-39. 1915.
  revegetation. J.A.R., vol. 3, pp. 93-148. 1914.
  sodded and unsodded, comparison of vegetative characteristics. B.P.I. Bul. 117, p. 18. 1907.
  trails to inaccessible water, building and management. F.B. 592, p. 9. 1914.
  watering places, artificial, management. F.B. 592, pp. 9-25. 1914.
 livestock, protection by government hunters. Y.B., 1920, pp. 289-290, 291-293, 298. 1921; Y.B. Sep. 845, pp. 289-290, 291-293, 298. 1921.
 management—
  J. S. Cotton. Y.B., 1906, pp. 225-238. 1907; Y.B. Sep. 419, pp. 225-238. 1907.
  and grazing fees. For. A.R., 1925, pp. 30-36. 1925.
  deferred grazing, application. D.B. 34, pp. 13-14. 1913; J.A.R., vol. 3, pp. 143-146. 1914.
  discussion by Secretary. Sec. A.R., 1925, pp. 83-89. 1925.
  during drought. James T. Jardine and Clarence L. Forsling. D.B. 1031, pp. 84. 1922.
  in New Mexico, factors affecting. E. O. Wooton. D.B. 211, pp. 39. 1915.
  in relation to plant succession. Arthur W. Sampson. D.B. 791, pp. 76. 1919.
  in Washington. J. S. Cotton. B.P.I. Bul. 75, pp. 28. 1905.

Range(s)—Continued.
 management—continued.
  on the national forests. James T. Jardine and Mark Anderson. D.B. 790, pp. 98. 1919.
  studies. D.B. 201, pp. 2-3. 1915.
 methods to control stock poisoning. F.B. 720, pp. 5-6, 9-10. 1916.
 mountain meadows, improvement. B.P.I. Bul. 127, pp. 1-29. 1908.
 national forests—
  area available and number of livestock. D.B. 34, p. 1. 1913.
  grazing regulations. For. [Misc.], "The use book, 1913," pp. 33-59. 1913.
  larkspur eradication. A. E. Aldous. F.B. 826, pp. 23. 1917.
 New Mexico—
  damage by Kangaroo rats. Biol. Chief Rpt., 1924, p. 13. 1924.
  description, and destruction by caterpillars. Ent. Bul. 85, Pt. V, pp. 61-62, 93, 94. 1910.
  vegetation types, and capacity. D.B. 1031, pp. 4-41. 1922.
 oak poisoning. B.A.I. Doc. A-32, pp. 3. 1918.
 old, cultivation, results. B.P.I. Bul. 117, p. 19. 1907.
 overgrazed, revegetation. Arthur W. Sampson. For. Cir. 158, pp. 21. 1908.
 overgrazing by reindeer, results. D.B. 1089, pp. 30-31. 1922.
 overstocking, danger and control. F.B. 1428, pp. 3-5. 1925.
 pasture, steer grazing, Scottsbluff experiment farm. D.C. 289, p. 36. 1924.
 plants—
  and miscellaneous, growing in Guam, use, as stock feed. Guam A. R., 1913, pp. 15-17. 1914.
  important, life history and forage value. Arthur W. Sampson. D.B. 545, pp. 63. 1917.
  national forests, collections of specimens, suggestions. For. [Misc.], "Suggestions * * * range plants * * *," pp. 3. 1910.
  national forests, instructions for work, 1925. For. [Misc.], "Instructions for * * *," pp. 4. 1925.
  soil-moisture requirements, blooming periods D.B. 545, pp. 58-60. 1917.
  use as cattle feed during drought. F.B. 1073, p. 14. 1919.
 preservation on western grazing lands, and relation to erosion. Arthur W. Sampson and Leon H. Weyl. D.B. 675, pp. 35. 1918.
 protection—
  by grasshopper control. F.B. 1140, p. 13. 1920.
  from wild animals. News L., vol. 6, No. 45, pp. 4-5. 1919.
 public—
  pasturing capacity, causes of increase and decrease. For. Bul. 62, pp. 15-19. 1905.
  regulation and management. An. Rpts., 1923, pp. 60-64, 72-77, 318-324, 340-343. 1924; Sec. A.R., 1923, pp. 60-64, 72-77. 1923; For. A.R., 1923, pp. 30-36, 52-55. 1923.
 reconnaisance and inspection, objects and details. D.B. 790, pp. 74-82. 1919.
 recovery under protection. D.B. 367, pp. 16-18. 1916.
 reindeer, overgrazing results. D.B. 1089, pp. 30-31. 1922.
 requirements for chickens. D.C. 17, p. 5. 1919.
 reseeding methods. D.B. 790, pp. 56-66. 1919.
 rotations, various kinds of herds, benefits. F.B. 720, pp. 9-10. 1916.
 seasonal use, Jornada Range Reserve. D.B. 1031, pp. 50-52. 1922.
 sheep—
  carrying capacity. For. Cir. 160, pp. 29-32, 35-36. 1909.
  investigations, Laramie, Wyo. An. Rpts., 1916, pp. 79-80. 1917; B.A.I. Chief Rpt., 1916, pp. 13-14. 1916.
  operation and cost. Y.B., 1923, pp. 251-260. 1924; Y.B. Sep. 894, pp. 251-260. 1924.
  pasturage system for handling. J. T. Jardine. For. Cir. 178, pp. 40. 1910.
  raising, management, and importance. Y.B., 1923, pp. 251-260. 1924; Y.B. Sep. 894, pp. 251-260. 1924.

Range(s)—Continued.
  southwestern—
    carrying capacity, acreage per head of cattle. D.B. 588, pp. 8, 12-20. 1917.
    cattle emergency feeds, chopped soapweed. C. L. Forsling. D.B. 745, pp. 20. 1919.
    cattle production increase. James T. Jardine and L. C. Hurtt. D.B. 588, pp. 32. 1917.
    management for saving livestock. C. L. Forsling. F.B. 1428, pp. 22. 1925.
    States, for western livestock production. Will C. Barnes and James T. Jardine. Rpt. 110, pp. 100. 1916.
  stock—
    conditions in West. An. Rpts., 1908, p. 224. 1909; B.A.I. Chief Rpt., 1908, p. 10. 1908; B.A.I. An. Rpt., 1908, p. 14. 1910.
    feeding in dry season, necessity and importance. D.B. 728, pp. 1-2, 17-18, 23-25. 1918.
    grade improvement. Y.B. 1906, pp. 235-237. 1907; Y.B. Sep. 419, pp. 235-237. 1907.
    in Arizona, protected. David Griffiths. B.P.I. Bul. 177, pp. 28. 1910.
    in New Mexico, improvement. N.A. Fauna 35, p. 74. 1913.
    northern, poisonous plants. V. K. Chestnut. Y.B., 1900 pp. 1901; Y.B. Sep. 206, pp. 20. 1901.
    poisoning plants. C. D. Marsh. D.B. 1245, p. 36. 1924.
    reseeding, natural and artificial, results. B.P.I. Bul. 177, pp. 11-14. 1910.
  Texas—
    and New Mexico, drought. Off. Rec., vol. 1, No. 41, p. 4. 1922.
    injury by rodents. N.A. Fauna 25, pp. 91, 152, 154. 1905.
    type used for breeding Brahman cattle. F.B. 1361, pp. 14-15. 1923.
  treatment for extermination of sneezeweed. D.B. 947, pp. 39-43. 1921.
  use when plants are least poisonous. F.B. 720, pp. 5-6. 1916.
  vegetation development and plant types. D.B. 791, pp. 2-54. 1919.
  water supply, need, suggestions. F.B. 592, pp. 1-2. 1914.
  western—
    carrying capacity, for cattle and horses. Y.B., 1921, pp. 245-253. 1922; Y.B. Sep. 874, pp. 245-253. 1922.
    goat production. W. R. Chapline. D.B. 749, pp. 35. 1919.
    worms. See Range caterpillar.
Rangers, forest—
  activities in forest protection. M.C. 19, pp. 12-16. 1924.
  duties. D.C. 211, p. 33. 1922. For. Cir. 207, pp. 7, 9, 11, 12. 1912.
  qualifications and duties. For. Misc., O-9, p. 3. 1919.
  use of carrier pigeons. Off. Rec., vol. 1, No. 7, p. 3. 1922.
Rangifer spp. *See* Caribou.
RANKIN, F. H.—
  "Agricultural extension in college and station work." O.E.S. Bul. 196, pp. 77-80. 1907.
  "Boys' and girls' institutes." O.E.S. Bul. 251, pp. 15-20. 1912.
  "The annual round-up institute." O.E.S. Bul. 251, pp. 57-59. 1912.
RANSOM, B. H.—
  "A new nematode (*Gongylonema ingluvicola*) parasite in the crop of chickens." B.A.I. Cir. 64, pp. 3. 1904.
  "Ascaris sensitization." With others. J.A.R., vol. 28, pp. 577-582. 1924.
  "Effects of heat on trichinae." With Benjamin Schwartz. J.A.R., vol. 17, pp. 201-221. 1919.
  "Effects of pork-curing processes on trichinae." With others. D.B. 880, pp. 37. 1920.
  "Effects of refrigeration upon the larvae of *Trichinella spiralis*." J.A.R., vol. 5, pp. 819-854. 1916.
  "How parasites are transmitted." Y.B., 1905, pp. 139-166. 1906; Y.B. Sep. 374, pp. 139-166. 1906.

RANSOM, B. H.—Continued.
  "Investigations relative to arsenical dips as remedies for cattle ticks." With H. W. Graybill. B.A.I. Bul. 144, pp. 65. 1912.
  "Life history of *Ascaris lumbricoides* and related forms." With W. D. Foster. J.A.R., vol. 11, pp. 395-398. 1917.
  "Manson's eye worm of chickens (*Oxyspirura mansoni*), with a general review of nematodes parasitic in the eyes of birds." B.A.I. Bul. 60, pp. 72. 1904.
  "Measles in cattle." B.A.I. An. Rpt., 1911, pp. 101-117. 1913; B.A.I. Cir. 214, pp. 17. 1913.
  "Notes on parasitic nematodes, including descriptions of new genera and species, and observations on life histories." B.A.I. Cir. 116, pp. 7. 1907.
  "Observations on the life history of *Ascaris lumbricoides*." With W. D. Foster. D.B. 817, pp. 47. 1920.
  "Pig parasites and thumps." Y.B., 1920, pp. 175-180. 1921; Y.B. Sep. 837, pp. 175-180. 1921.
  "Prevention of losses among sheep, from stomach worms." B.A.I. An. Rpt., 1908, pp. 269-278. 1910.
  "Prevention of parasitic infection in lambs." B.A.I. An. Rpt., 1906, pp. 207-212. 1908.
  "Some unusual host relations of the Texas fever tick." B.A.I. Cir. 98, pp. 8. 1906.
  "Stomach worms (*Haemonchus contortus*) in sheep." B.A.I. Cir. 102, pp. 7. 1907.
  "The action of anthelmintics on parasites located outside of the alimentary canal." With Maurice C. Hall. B.A.I. Bul. 153, pp. 23. 1912.
  "The animal parasites of cattle." B.A.I. [Misc.], "Diseases of cattle," rev., pp. 495-515. 1908; rev., pp. 518-541. 1912; rev. pp. 502-531. 1923.
  "The gid parasite (*Coenurus cerebralis*): Its presence in American sheep." B.A.I. Bul. 66, pp. 23. 1905.
  "The life history of *Habronema muscae* (Carter), a parasite of the horse transmitted by the house fly." B.A.I. Bul. 163, pp. 36. 1913.
  "The life history of the twisted wireworm (*Haemonchus contortus*) of sheep and other ruminants." B.A.I. Cir. 93, pp. 7. 1906.
  "The nematodes parasitic in the alimentary tract of cattle, sheep, and other ruminants." B.A.I. Bul. 127, pp. 132. 1911.
  "The prevention of losses among sheep from stomach worms (*Haemonchus contortus*). B.A.I. Cir. 157, pp. 10. 1910.
  "The tapeworms of American chickens and turkeys." B.A.I. Cir. 85, pp. 18. 1905.
  "The turkey an important factor in the spread of gapeworms." D.B. 939, pp. 13. 1921.
  "The use of arsenical dips in tick eradication." With H. W. Graybill. B.A.I. An. Rpt., 1910, pp. 267-284. 1912.
  "Trichinosis: A danger in the use of raw pork for food." B.A.I. Cir. 108, pp. 6. 1907.
Ranunculaceae, anatomical studies. D.B. 365, pp. 17-19. 1916.
Ranunculus—
  occidentalis. *See* Buttercup, prairie.
  spp.—
    importations and description. Nos. 49811-49812, 49868, B.P.I. Inv. 63, pp. 7-8, 15. 1923.
    resistance to *Puccinia rubigo-vera*. J.A.R., vol. 22, pp. 152-172. 1921.
    susceptibility to *Puccinia triticina*. J.A.R., vol. 22, pp. 152-172. 1921.
Rape—
  alkali resistance. F.B. 446, rev., pp. 12, 13, 15, 16, 20. 1920.
  as forage crop. A. S. Hitchcock. F.B. 164, pp. 16. 1903.
  beetles, description. Sec. [Misc.], "A manual * * * insects * * *," pp. 187-188. 1917.
  Cotton Belt, forage crop. Sec. [Misc.], Spec. "Rape as a forage * * *," pp. 3. 1914.
  definition, seed importation regulations. B.P.I. S.R.A. 1, p. 1. 1914.
  definition under seed-importation act. Sec. Cir. 42, p. 3. 1913.

36167°—32——124

Rape—Continued.
  description—
    and value for cotton States. F.B. 1125, rev., p. 49. 1920.
    varieties, uses, and soil. F.B. 164, pp. 5-7. 1903.
  Dwarf Essex, growing in Hawaii, use of stable manure, and yield per acre. Hawaii A.R., 1917, p. 45. 1918.
  fertilizer of sulphur, experiments. J.A.R., vol. 5, pp. 237, 243-245. 1915.
  forage-crop—
    experiments in Texas. B.P.I. Cir. 106, p. 26. 1913.
    for hogs, food value and results. F.B. 331, pp. 13-14. 1908.
    value in Pacific Northwest. F.B. 271, pp. 30-31. 1906.
  grazing—
    crop for hogs. F.B. 985, pp. 7, 9, 10, 14-15, 27. 1918.
    value and caution. F.B. 1125, rev., p. 49. 1920.
  growing—
    as forage crop for hogs. F.B. 951, pp. 9, 18. 1918.
    for sheep pasture, methods and value. F.B. 929, pp. 19-20. 1918.
    in Hawaii, yield tests. Hawaii A.R., 1916, p. 31. 1917.
    in mixture with oats. F.B. 424, p.13. 1910.
    in northern Great Plains, experiments. D.B. 1214, p. 44. 1924.
    methods. F.B. 164, pp. 8-10. 1903.
  growth and composition, effect of sulphur fertilizers. J.A.R., vol. 17, pp. 97-98. 1919.
  hog pasture—
    bad effects, control. B.P.I. Bul. 111, Pt. IV, p. 14. 1907.
    experiments and comparisons. B.A.I. Bul. 47, pp. 152-155. 1903.
    value. D.B. 68, pp. 12-13, 17, 18, 19. 1914.
    value, number of hogs to acre. B.P.I. Bul. 111, Pt. IV, pp. 13-14, 18. 1907.
  hogging-off on Huntley farm, experiments, 1912-1920. D.C. 204, pp. 21-22. 1921.
  injury by serpentine leaf-miner. J.A.R., vol. 1, pp. 71, 74-75. 1913.
  insects, description, list. Sec. [Misc.], "A manual of * * * insects * * *," pp. 187-188. 1917.
  oil, as adulterant of olive oil, analytical data and tables. Chem. Bul. 77, pp. 15, 16, 17, 20, 21, 23, 24, 25, 27, 28, 38-40, 44, 45. 1905.
  oil, uses, and importations, 1916, 1917. D.B. 769, p. 30. 1919.
  pastures, for hogs, value and experiments. F.B. 411, pp. 23-24. 1910.
  planting for sheep, supplemental pasture. F.B. 1051, pp. 12-13. 1919.
  protein content, value as forage. F.B. 320, p. 15. 1908.
  seed—
    adulteration and testing directions. F.B. 428, pp. 7, 45. 1911.
    area, production, and exports, British India, 1891-1912. Stat. Cir. 36, p. 12. 1912.
    coats, description. Bot. Bul. 29, pp. 15-16. 1901.
    description. F.B. 428, p. 7. 1911.
    oil, imports, 1912-1914, value and sources. D.B. 296, p. 35. 1915.
    oil, uses, food value, and digestibility. D.B. 687, pp. 13-15. 1918.
    quantity per acre. B.P.I. Bul. 111, Pt. IV, p. 13. 1907; F.B. 331, p. 13. 1908.
    selection for protein content. F.B. 320, p. 15. 1908.
    supply, source. Y.B., 1917, p. 533. 1918; Y.B. Sep. 757, p. 39. 1918.
    varieties, substitutes for winter rape seed. Y.B., 1915, p. 314. 1916; Y.B. Sep. 679, p. 314. 1916.
    worm, description. Sec. [Misc.] "A manual of * * * insects * * *," p. 188. 1917.
  silage, analyses. J.A.R., vol. 6, No. 14, pp. 529-530. 1916.
  smother crops to control quack grass. F.B. 1307, p. 21. 1923.
  sowing for hogging down. F.B. 704, p. 36. 1916.

Rape—Continued.
  suitability for—
    hog forage. News L., vol. 3, No. 35, pp. 1, 2. 1916.
    pasture crop in Pacific Northwest. F.B. 599, pp. 12, 13, 17, 18-20. 1914.
    trap crop for beet-root nematode, experiment. B.P.I. Bul. 217, pp. 61-62. 1911.
  use as—
    forage crop in cotton region. F.B. 509, p. 35. 1912.
    temporary pastures for sheep. D.B. 20, p. 41. 1913; F.B. 1181, pp. 7, 8, 11, 13, 16. 1921.
  value—
    for emergency forage crop. Sec. Cir. 36, pp. 2-3. 1911.
    for green-manure crop. F.B. 1250, p. 43. 1922.
    in pig feeding. B.A.I. Cir. 63, pp. 288-289. 1904.
  water requirements. J.A.R., vol. 3, pp. 41, 42, 52, 59. 1914.
  water requirements in Colorado, 1911, experiments. B.P.I. Bul. 284, pp. 32, 33, 37, 47. 1913.
  winter, distinction from other varieties, value as forage. Y.B., 1915, p. 314. 1916. Y.B. Sep. 679, p. 314. 1916.
  with clover, seed quantity per acre. B.P.I. Cir. 28, p. 6. 1909.
  yield and value as hog pasture. Sec. [Misc.], Spec. "Rape as a forage * * *," p. 3. 1914.
Raphanus sativus. See Radish, winter.
Raphia gaertneri, importation and description. No. 46329, B.P.I. Inv. 56, p. 9. 1922.
Raphignathus spp., description and habits. Rpt. 108, pp. 33, 34. 1915.
Raphionacme utilis, rubber source from West Africa. B.P.I. Bul. 168, pp. 8, 31-32. 1909.
RASCHBACHER, H. G.: "Irrigation from Snake River, Idaho." O.E.S. Cir. 65, pp. 16. 1906.
Rash—
  brown-tail, cause and description. F. B. 1335, p. 13. 1923.
  caused by Pediculoides mites, parasites of grain insects. Rpt. 108, pp. 106-107. 1915.
  sheep, cause, symptoms, and treatment. F.B. 1155, pp. 36-37. 1921.
RASMUSSEN, FREDERIK: "Cattle breeders' associations in Denmark." B.A.I. Bul. 129, pp. 40. 1911.
Raspberry(ies)—
  L. C. Corbett. F.B. 213, pp. 38. 1905.
  acreage in United States, 1909, by States. F.B. 887, pp. 4-5. 1917.
  adaptability to acid soils. D.B. 6, p. 8. 1913.
  adulteration. Chem. N.J. 2223, p. 1. 1913; Chem. N.J. 13403, p. 1. 1915.
  Antwerp, origin, description, and sectional suitability. F.B. 887, pp. 38-39. 1917.
  black—
    bluestem, occurrence in Washington. D.C. 227, p. 7. 1922.
    characteristics, propagation, soil, cultivation. F.B. 213, pp. 11-20. 1915.
    eastern bluestem occurrence. R. B. Wilcox. D.C. 227, p. 12. 1922; pp. 10, rev. 1923.
    evaporations, directions. D.B. 1141, pp. 54-56. 1923.
    evaporation methods. F.B. 213, pp. 20-28. 1905.
    fungous parasite, Glomerella spp., and Gloeosporium sp., studies. B.P.I. Bul. 252, p. 52. 1913.
    losses from stem diseases. D.C. 227, p. 4. 1922.
    varieties, susceptibility to eastern bluestem. D.C. 227, pp. 7-8. 1922.
  blackberry hybrid, wild, importation and description. No. 42476, B.P.I. Inv. 47, p. 21. 1920.
  Canadian varieties, importations and descriptions. Nos. 43195-43201, B.P.I. Inv. 48, pp. 7, 26-27. 1921.
  cane borer. F. H. Chittenden. F.B. 1286, pp. 5. 1922.
  canning—
    adulteration. Chem. N.J. 12499. 1924.
    inspection instructions. D.B. 1084, p. 23. 1922.
    methods, effect of various sirups. D.B. 196, p. 51. 1915.
    seasons. Chem. Bul. 151, pp. 35, 41-42. 1912.

Raspberry(ies)—Continued.
  cold storage. B.P.I. Bul. 108, pp. 1–28. 1907.
  Columbia, origin, description, and sectional suitability. F.B. 887, p. 41. 1917.
  composition and analytical data. Chem. Bul. 66, rev., pp. 42, 44, 45, 46. 1905.
  cooling, effect on resistance to wounding, tests. D.B. 830, pp. 1, 4, 5. 1920.
  crown-gall—
    inoculations from daisy and peach. B.P.I. Bul. 213, pp. 41, 71. 1911.
    losses. B.P.I. Bul. 213, pp. 188–189. 1911.
  cultivation—
    and propagation. O.E.S. Bul. 178, pp. 87–90. 1907.
    in Alaska. Alaska A.R., 1907, pp. 38–39. 1908.
  culture. George M. Darrow. F.B. 887, pp. 45. 1917.
  Cumberland, origin, description, and sectional suitability. F.B. 887, p. 41. 1917.
  curing. F.B. 213, pp. 20–23. 1905.
  Cuthbert, adaptation to Alaska. Alaska A.R., 1908, pp. 12, 28. 1909.
  dewberry hybrid, importations and description. Nos. 47296–47298, B.P.I. Inv. 58, p. 47. 1922.
  diploid and polyploid forms, cytological studies. Albert E. Longley and George M. Darrow. J.A.R., vol. 27, pp. 737–748. 1924.
  diseases—
    list, control information, and source. F.B. 887, p. 35. 1917.
    treatment. F.B. 243, p. 23. 1906.
  distribution. N.A. Fauna 21, p. 56. 1901.
  distribution and growth in Wyoming. N.A. Fauna 42, p. 70. 1917.
  dried, cooking, recipe. F.B. 841, p. 28. 1917.
  drying, directions. F.B. 841, p. 23. 1917.
  Eaton, description. Y.B., 1908, pp. 479–480. 1909; Y.B. Sep. 496, pp. 479–480. 1909.
  Erskine, description and value. F.B. 887, p. 42. 1917.
  extract, adulteration and misbranding. Chem. N.J. 1217, pp. 4. 1912; Chem. N.J. 1212, pp. 2. 1912; Chem. N.J. 4165, p. 1. 1916.
  false, occurrence in Colorado, description. N.A. Fauna 33, pp. 232–233. 1911.
  farmer, origin, description, and sectional suitability. F.B. 887, p. 41. 1917.
  flavor, misbranding. Chem. N.J. 1057, p. 3. 1911; Chem. N.J. 3328, p. 1. 1914.
  food value, analysis and comparison with other fruits. F.B. 685, p. 21. 1915.
  freezing points. D.B. 1133, pp. 4, 5, 7. 1923.
  fruit syrup, adulteration and misbranding. Chem. N.J. 892, pp. 2. 1911.
  Golden Evergreen, hybridization studies, origin, description, and value. F.B. 887, p. 42. 1917.
  Gregg, origin, description, and sectional suitability. F.B. 887, p. 41. 1917.
  growing—
    and yield, eastern Puget Sound, Wash. Soils F.O., 1909, pp. 1538, 1574. 1912; Soil Sur. Adv. Sh., 1909, pp. 26, 62. 1911.
  in—
    Alaska. Alaska A.R., 1915, pp. 9–10, 12, 31, 40, 51, 83, 85, 87, 88. 1916; Alaska A.R., 1916, pp. 6, 48, 65. 1918; Alaska A.R., 1920, pp. 13, 14, 57, 63–66. 1922.
    Alaska, Kenai Peninsula region. Soil Sur. Adv. Sh., 1916, pp. 85, 98. 1919; Soils F.O., 1916, pp. 117, 130. 1921.
    Athabaska-Mackenzie region. N.A. Fauna 27, pp. 526–527. 1908.
    Great Plains area, varieties. F.B. 727, pp. 36–37. 1916.
    Tennessee, Kentucky, and West Virginia. D.B. 1189, p. 67. 1923.
    young orchards, Pajaro Valley, Calif. Soil Sur. Adv. Sh., 1908, pp. 16, 19–20. 1910; Soils F.O., 1908, pp. 1342, 1345–1346. 1911.
  planting distances and varieties, etc. F.B. 1001, pp. 4, 5, 8, 11, 13, 32–39. 1919.
  propagation, training, and disease control. S.R.S. Doc. 93, pp. 9–12.
  practices. S.R.S. Doc. 93, pp. 9–12. 1919.
  under irrigation, Belle Fourche, S. Dak. W.I.A. Cir. 24, p. 31. 1918.
  Hailsham, origin, introduction, and value. F.B. 887, p 42. 1917.

Raspberry(ies)—Continued.
  Himalayan, importation and description. No. 47781, B.P.I. Inv. 59. pp. 7, 59. 1922.
  historical and cytological description. J.A.R., vol. 27, pp. 739–745. 1924.
  honey source, dates of blooming periods. D.B. 685, pp. 45, 50–51, 54. 1918.
  Hoosier, history and description. F.B 887, p. 41. 1917; Y.B., 1910, pp. 429–430. 1911; Y.B. Sep. 549, pp. 429–430. 1911.
  hybrid, importation and description. No. 36609, B.P.I. Inv. 37, p. 38. 1916.
  hybridization, Alaska, Sitka Experiment Station. O.E.S. An. Rpt., 1912, pp. 17, 71. 1913.
  importations and descriptions. Nos. 35197, 35580, B.P.I. Inv. 35, pp. 9, 20, 56. 1915; No. 37885, B.P.I. Inv. 39, p. 62. 1917; Nos. 39130–39132, 39187, B.P.I. Inv. 40, pp. 6, 79, 90. 1917; Nos. 41964–41976, B.P.I. Inv. 46, pp. 40–41. 1919; No. 48278, B.P.I. Inv. 60, pp. 5, 65. 1922; Nos. 49174, 49743, 49735, 49741, B.P.I. Inv. 62, pp. 10, 77, 78. 1923; No. 51094, B.P.I. Inv. 64, pp. 2, 54. 1923; Nos. 51536, 52214, B.P.I. Inv. 65, pp. 2, 24, 79. 1923; Nos. 52490–52491, 52736–52772, 52852–52853, B.P.I. Inv. 66, pp. 32, 72–73, 84. 1923; Nos. 53186, 53218, B.P.I. Inv. 67, pp 2, 37, 41. 1923; Nos. 54497–54498, B.P.I. Inv. 69, pp. 16–17. 1923; Nos. 55499, 55505–55508, B.P.I. Inv. 71, pp. 51, 52. 1923; No. 55785, B.P.I. Inv. 72, p. 34. 1924; Nos. 55891, 55903, B.P.I. Inv. 73, pp. 13, 14. 1924.
  infection with orange rust, studies. J.A.R., vol. 25, pp. 212–219, 235, 239. 1923.
  injury by—
    Pucciniastrum americanum. J.A.R., vol. 24, pp. 885–894. 1923.
    red-banded leaf-roller. D.B. 914, pp. 2, 5, 6, 10, 12. 1920.
    red-necked cane-borer. F.B. 1286, pp. 3–4. 1922.
  insect pests, list. Sec. [Misc.], "A manual of * * * insects * * *," p. 47. 1917.
  irrigation in humid region. Y.B., 1911, p. 313. 1912; Y.B. Sep. 570, p. 313. 1912.
  jelly adulteration. Chem. N.J. 1235, pp. 3. 1912; Chem. N.J. 1742, p 2. 1912.
  juice, adulteration and misbranding, alleged. Chem. N.J. 1596, pp. 2. 1912.
  juice, extraction and sterilization, experiments D.B. 241, pp. 12–13, 19. 1915.
  Kansas, origin, description, and sectional suitability. F.B. 877, p. 41. 1917.
  kinds, and cultural directions for permanent gardens. F.B. 1242, pp. 9–12. 1921.
  loganberry hybrid, description. B.P.I. Bul. 205, pp. 8, 25. 1911.
  marketing by parcel post, suggestions. F.B. 703, p. 14. 1916.
  mosaic, inoculation into potatoes, results. J.A.R., vol. 25, p. 92. 1923.
  names, habitat, description, collection, uses, and prices. D.B. 26, p. 8. 1913.
  Ohio, origin, description, and sectional suitability. F.B. 887, p. 41. 1917.
  oil, adulteration and misbranding. Chem. N.J. 13542. 1925.
  Older, origin, description, and sectional suitability. F.B. 887, p. 41. 1917.
  Orange-rusts, further data. J.A.R., vol. 19, pp. 501–512. 1920.
  packing season. D.B. 196, p. 18. 1915.
  Pearl, origin, description, and sectional suitability. F.B. 887, p. 41. 1917.
  Peruvian, importation and description. No. 41319. B.P.I. Inv. 45, p. 11. 1918.
  plant, selection, treatment at setting, and cultivation methods. F.B. 887, pp. 9–14. 1917.
  plantations—
    distribution, location, and land preparation. F.B. 887, pp. 5–7. 1917.
    years of duration and profitableness. F.B. 887, pp. 32–33. 1917.
  Ranere, origin, description and sectional suitability. F.B. 887, pp. 40, 42. 1917.
  red—
    decay in transit, causes, control methods. D.B. 274, pp. 16–19, 36. 1915.
    evaporation methods. F.B. 213, p. 10. 1905.

Raspberry(ies)—Continued.
  red—continued.
    experiments in handling in 1911, 1912, in Puyallup Valley, Wash. D.B. 274, pp. 20-26. 1915.
    growing, relation to keeping quality. D.B. 274, pp. 19-20. 1915.
    handling and shipping, methods. D.B. 274, pp. 10-16, 21-26. 1915.
    marketing, propagation, cultivation, picking, and drying. F.B. 213, pp. 6-10. 1905.
    occurrence in—
      China. B.P.I. Bul. 204, p. 49. 1911.
      Colorado, description. N.A. Fauna 33, p. 233. 1911.
    production of late fruit by pruning. F.B. 887, p. 29. 1917.
    shipment from Puyallup Valley, factors governing. H. J. Ramsey. D.B. 274, pp. 37. 1915.
    spur blight, cause and control. S.R.S. Rpt., 1915, Pt. I, pp. 54, 79. 1917.
    yellow, symptoms and host plants. D.C. 227, p. 7. 1922.
  respiration studies. Chem. Bul. 142, pp. 13, 24, 25. 1911.
  salmonberry, hybridization experiments in Alaska. Alaska A.R., 1911, p. 11. 1912.
  shipments by States, and by stations, 1916. D.B. 667, pp. 9, 102. 1918.
  shipping by parcel post, 1915-1916, size of containers and crates, and shipping rates. D.B. 688, pp. 13-15. 1918.
  species from China, value as new types. B.P.I. Bul. 205, pp. 7, 32-33. 1911.
  stomata, development and distribution, relation to orange rusts. J.A.R., vol. 25, pp. 495-500. 1923.
  strawberry preserves, recipe. F.B. 1026, p. 38. 1919; F.B. 1027, p. 28. 1919; F.B. 1028, p. 48. 1919.
  susceptibility to grape crown-gall. B.P.I. Bul. 183, pp. 23, 24. 1910.
  tests of varieties at Mandan, N. Dak. D.B. 1337, p. 9. 1925.
  uses, production by States, and canning methods. F.B. 887, pp. 42. 1917.
  Van Fleet, characteristics. Off. Rec., vol. 4, No. 8, p. 6. 1925.
  Van Fleet, new hybrid variety. George M. Darrow. D.C. 320, pp. 15. 1924.
  varietal tests at field station near Mandan, N. Dak. D.B. 1301, pp. 23-24. 1925.
  varieties—
    adaptability to Alaska, experiments. Alaska A.R., 1911, pp. 15-16, 71. 1912.
    descriptions. D.B. 1189, pp. 67-69. 1923; F.B. 887, p. 3. 1917.
    for each United States fruit district. F.B. 213, pp. 35-37. 1905.
    for northern Great Plains, growing requirements. D.C. 58, p. 4. 1919.
    importations, and description. Nos. 32101, 32130, 32131, B.P.I. Bul. 261, pp. 28, 31. 1912.
    origin, description, and sectional suitability. F.B. 887, pp. 36-42. 1917.
    recommendations for Southern States. S.R.S. Doc. 93, p. 9. 1919.
    susceptibility to eastern bluestem. D.C. 227, pp. 5-6, 8. 1923.
  vinegar, misbranding. Chem. N.J. 1871, p. 1. 1913.
  wilt caused by *Acrostalagmus* sp. J.A.R., vol. 12, pp. 531-533, 544. 1918.
  Winfield, description and origin. Y.B., 1909, p. 380. 1910; Y.B. Sep. 521, p. 380. 1910.
  winter protection, methods and cost. B.P.I. Doc. 1081, p. 18. 1914; F.B. 887, pp. 30-31. 1917.
  yellows, distinction from bluestem. D.C. 227, pp. 1, 3. 1923.
  yield per acre. D.B. 1338, p. 5. 1925; F.B. 887, pp. 14, 34-35. 1917.
"Rassalzige" milk, danger in cheese making. B.A.I. Dairy [Misc.], "World's dairy congress, 1923," p. 300. 1924.
Rat(s)—
  agency in food pollution and destruction, and control methods. F.B. 1374, p. 3. 1923.

Rat(s)—Continued.
  albino—
    classification. Biol. Bul. 33, pp. 13-14. 1909.
    feeding with chlorinated milk. J.W. Read and Harrison Hale. J.A.R., vol. 30, pp. 889-892. 1925.
  Allegheny cliff, description and habits. N.A. Fauna 45, pp. 53-54. 1921.
  Arizona bushy-tailed, wood, occurrence in Colorado, and description. N.A. Fauna 33, p. 113. 1911.
  attack on orange packing house. Off. Rec., vol. 4, No. 11, p. 8. 1925.
  Bailey wood, occurrence in Colorado, description. N.A. Fauna 33, pp. 114-115. 1911.
  black, distribution, habits and description. Biol. Bul. 33, pp. 11, 13, 15, 18, 25. 1909; Y.B., 1917, p. 238. 1918; Y.B. Sep. 725, p. 6. 1918.
  blood, use in—
    preparing antigens for complement fixation. J.A.R., vol. pp. 573-576. 1918.
    recovering trypanosomes for antigen purposes. J.A.R., vol. 14, pp. 573-576. 1918.
  breeding habits—
    notes. Y.B., 1917, p. 238. 1918; Y.B. Sep. 725, p. 6. 1918.
    of different species. Biol. Bul. 33, pp. 15-16. 1909.
  brown—
    description and habits. Y.B., 1917, pp. 237-238. 1918; Y.B. Sep. 725, pp. 5-6. 1918.
    in United States. David E. Lantz. Biol. Bul. 33, pp. 54. 1909.
    introduction, habits, fecundity and destructiveness. F.B. 896, pp. 3-4. 1917.
    or common, harmful habits, control. F.B. 335, p. 17. 1908.
  carriers of—
    disease. An. Rpts., 1910, pp. 121-122, 127. 1911; Biol. Bul. 33, pp. 31-33. 1909; Sec. A.R., 1910, pp. 121-122, 127. 1910; Y.B. 1910, pp. 121, 126. 1911.
    hog cholera infection, investigation. J.A.R., vol. 13, pp. 129,130, 131. 1918.
    trichinae. Y.B., 1922, pp. 218, 219. 1923; Y.B. Sep. 882, pp. 218, 219. 1923.
  Colorado bushy-tailed wood, occurrence in Colorado, and description. N.A. Fauna 33, pp. 111-113. 1911.
  control—
    by—
      crib construction, directions. F.B. 1029, pp. 31-35. 1919.
      fumigation directions. F.B. 896, pp. 18-19. 1917.
      hydrocyanic-acid gas fumigation, note. Ent. Cir. 163, p. 2. 1912.
      natural enemies. Y.B., 1918, pp. 248-249. 1918. Y.B. Sep. 725, pp. 16-17. 1918.
    campaigns. Biol. Chief Rpt., 1924, pp. 13-15. 1924.
    directions. F.B. 1180, p. 29. 1921.
    general recommendations, summary. Biol. Bul. 33, pp. 53-54. 1909.
    important measures, summary. F.B. 896, pp. 22-23. 1917.
    in—
      abattoirs and packing houses. B.A.I. An. Rpt., 1909, pp. 262-263. 1911. B.A.I. Cir. 173, pp. 262-263. 1911.
      buildings. F.B. 932, p. 21. 1918.
      buildings, studies. An. Rpts., 1910, p. 552. 1911; Biol. Chief Rpt., 1910, p. 6. 1910.
      corn cribs. S.R.S. Syl. 21, p. 21. 1916.
      Florida. News L., vol. 7, No. 10, pp. 14-15. 1919.
      Guam. Guam Bul. 2, pp. 23-24. 1922.
    methods. Biol. Bul. 33, pp. 33-53. 1909; Y.B. 1916, pp. 396-397. 1917; Y.B. Sep. 708, pp. 16-17. 1917.
    necessity. An. Rpts., 1908, pp. 113-114, 573-574, 587. 1909; Biol. Chief Rpt., 1908, pp. 5-6, 19. 1908; Sec. A.R., 1908, pp. 111-112. 1908.
    on farms. Y.B., 1917, pp. 238-244. 1918; Y.B. Sep. 725, pp. 6-12. 1918.
    organized efforts, community, State and national. F.B. 896, pp. 20-22. 1917.
    work in French trenches by Biological Survey. News L., vol. 6, No. 8, pp. 5-6. 1918.
  corn cribs, protection. F.B. 313, p. 27. 1907.

Rat(s)—Continued.
cotton—
damages to crops, rice and dates. Biol. Bul. 33, pp. 21, 25. 1909.
description, habits, and control. F.B. 932, pp. 7–8. 1918; N.A. Fauna 45, p. 52. 1921; Y.B. 1916, p. 386. 1917; Y.B. Sep. 908, p. 6. 1917.
damage—
and control. Y.B., 1920, pp. 437–438. 1921. Y.B. Sep. 855, pp. 437–438. 1921.
and control. Biol. Chief Rpt., 1925, pp. 8–9. 1925.
reduction methods, summary. Y.B., 1917, p. 251. 1918; Y.B. Sep. 725, p. 19. 1918.
depredations in cities, cost. Biol. Bul. 33, pp. 30–31. 1909.
desert—
kangaroo, description, habits, and control. F.B. 335, pp. 23–24. 1908.
wood, description, food and flesh as food. F.B. 335, p. 18. 1908.
destruction—
by—
drive in city, cooperative. News L., vol. 7, No. 5, pp. 15–16. 1919.
fumigation with hydrocyanic-acid gas. F.B. 699, p. 2. 1916.
micro-organisms artificially distributed, experiments. Biol. Bul. 33, p. 50. 1909.
methods—
David E. Lantz. F.B. 369, pp. 20. 1909.
in Montana. Biol. Cir. 82, p. 8. 1911.
traps, poisons, and other means. F.B. 896, pp. 11–20. 1917.
of—
cattle ticks. Ent. Bul. 72, p. 37. 1907.
poultry and eggs, game birds and eggs. Biol. Bul. 33, pp. 22–24. 1909.
destructive habits. Y.B., 1908, p. 193. 1909; Y.B. Sep. 474, p. 193. 1909.
destructiveness, and control work. An. Rpts., 1923, pp. 433–435. 1924; Biol. Chief Rpt., 1923, pp. 15–17. 1923.
disease transmission from slaughterhouses. B.A.I. An. Rpt., 1908, p. 86. 1910; B.A.I. Cir. 154, p. 4. 1910.
Drummond wood—
occurrence in Athabaska-Mackenzie region, description. N.A. Fauna, 27, p. 176. 1908.
range and habits. N.A. Fauna 22, p. 50. 1902.
enemies—
natural. F.B. 297, p. 8. 1907; F.B. 369, pp. 9–10. 1915; F.B. 896, p. 20. 1917.
of guinea pigs, control methods. F.B. 525, p. 12. 1913.
of pine seedlings. D.B. 1105, p. 135. 1923.
wild and domestic. Biol. Bul. 33, pp. 34–36, 48. 1909.
eradication—
James Silver. F.B. 1302, pp. 14. 1923.
methods. Y.B., 1917, pp. 241–244, 247–251. 1918; Y.B. Sep. 725, pp. 9–12, 15–19. 1918.
with virus of disease, experiments in Hawaii. Hawaii A.R., 1914, p. 22. 1915.
estimate of damage, control work, 1908. Rpt. 87, p. 57. 1908.
extermination—
methods. David E. Lantz. F.B. 369, pp. 20. 1909.
needs of farm women. Rpt. 104, pp. 76–78, 94. 1915.
organized work. Biol. Bul. 33, pp. 51–53. 1909.
factor in disease transmission by insects. Rpt. 108, pp. 84–85. 1915.
factors in flea abundance and spread, control studies. D.B. 248, pp. 8, 10, 11, 12, 13, 14, 15. 1915.
feeding—
cottonseed products, experiments and results. J.A.R., vol. 14, pp. 430–435, 450. 1918.
experiments with—
milk and velvet beans. J.A.R., vol. 24, pp. 434–439. 1923.
milk, results, illustration. D.C. 250, p. 22. 1923.
B.A.I. Bul. 139, p. 12. 1911.
tests with breads. B.A.I. Dairy [Misc.], "World's dairy congress, 1923," pp. 179–180, 191, 192. 1924.

Rat(s)—Continued.
feeding—continued.
with—
Ascaris eggs, experiments and results. J.A.R., vol. 11, pp. 395–398. 1917.
frozen trichina larvae, experiments. J.A.R., vol. 5, No. 18, pp. 823, 850. 1916.
raw cottonseed, experiments. J.A.R., vol. 12, pp. 84–86. 1918.
fleas. See Fleas, rat.
Florida wood, description and habits. N.A. Fauna 45, pp. 52–53. 1921.
fumigants and deterrents. F.B. 1302, pp. 7–8. 1923.
fumigation for extermination in fields, buildings, and ships. Biol. Bul. 33, pp. 48–50. 1909.
Gale wood, occurrence in Colorado, and description. N.A. Fauna 33, pp. 117–118. 1911.
growth, effect of pumpkin seeds. Benjamin Masurovsky. J.A.R., vol. 27, pp. 39–42. 1923.
habits and damages. Biol. Bul. 33, pp. 14–31. 1909.
harbors, description and destruction. Y.B., 1917, pp. 239, 245, 247. 1918; Y.B. Sep. 725, pp. 7, 13, 15. 1918.
hoary wood, occurrence in Colorado and description. N.A. Fauna 33, pp. 115–116. 1911.
house—
control work, 1922. An. Rpts., 1922, pp. 342–343. 1922; Biol. Chief Rpt., 1922, pp. 12–13. 1922.
destruction of property and conveyance of disease. Y.B., 1908, pp. 113–114. 1909.
destructiveness. David E. Lantz. Y.B., 1917, pp. 235–251. 1918; Y.B. Sep. 725, pp. 19. 1918.
habits and control. F.B. 896, pp. 1–24. 1917.
habits and control campaigns. Biol. Chief Rpt., 1921, pp. 10–11. 1921.
Indiana campaign against. News L., vol. 7, No. 17, pp. 7–8. 1919.
infestation by fleas, and dangers of disease spread. F.B. 683, pp. 2, 9–10. 1915.
injury to—
coffee trees. P.R. An. Rpt., 1914, p. 24. 1915.
timber in Crater National Forest. For. Bul. 100, p. 12. 1911.
kangaroo—
control by poisoned baits. D.B. 479, pp. 77, 78. 1917.
description and control. F.B. 335, pp. 22–24. 1908; F.B. 932, pp. 8–9. 1918; Y.B., 1916, pp. 386–387. 1917; Y.B. Sep. 708, pp. 6–7. 1917.
identification and description. D.B. 1091, pp. 3–7, 38–39. 1922.
life history. Charles T. Vorhies and Walter P. Taylor. D.B. 1091, pp. 40. 1922.
Moki, occurrence in Colorado, and description. N.A. Fauna 33, pp. 142–143. 1911.
occurrence in Colorado, descriptions. N.A. Fauna 33, pp. 139–143. 1911.
parasites, kinds and description. D.B. 1091, p. 35. 1922.
Richardson, occurrence in Colorado, description. N.A. Fauna 33, pp. 140–142. 1911.
San Luis, occurrence in Colorado, description. N.A. Fauna 33, pp. 139–140. 1911.
killing—
device, electric. B.A.I. S.A. 42, p. 66. 1910.
suggestions. B.A.I.S.R.A. 125, p. 102. 1917.
kinds in America, origin and habits. Y.B., 1917, pp. 237–238, 239. 1918; Y.B. Sep. 725, pp. 5–6, 7. 1918.
losses—
by depredations. Biol. Bul. 33, pp. 18–19. 1909.
in cities, estimates in money value. Y.B., 1917, pp. 236, 245. 1918; Y.B. Sep. 725, pp. 4, 13. 1918.
menace to life and property, world countries. Y.B., 1917, pp. 235–237. 1918; Y.B. Sep. 725, pp. 3–5. 1918.
migrations and invasions. Biol. Bul. 33, pp.16–18. 1909.
mite, attacks on man. F. C. Bishopp. D.C. 294, pp. 4. 1923.
mountain, susceptibility to spotted fever. Ent. Bul. 105, p. 34. 1911.

Rat(s)—Continued.
Norway—
occurrence in Colorado, description. N.A. Fauna 33, p. 99. 1911.
range and habits. N.A. Fauna 21, pp. 28, 64. 1901; N.A. Fauna 24, pp. 33. 1904.
number in United States, annual damage and control methods. D.B. 248, pp. 15, 25. 1915.
occurrence in—
Alabama, description and habits. N.A. Fauna 45, pp. 51-54, 58-59. 1921.
Colorado, descriptions. N.A. Fauna 33, p. 99. 1911.
Wyoming. N.A. Fauna 42, pp. 16, 20, 22, 24, 26, 33, 34. 1917.
pallid bushy-tailed wood, occurrence in Colorado and description. N.A. Fauna 33, p. 114. 1911.
poison—
directions for use. P.R. Cir. 17, pp. 29-30. 1918.
formulas and use. News L., vol. 3, No. 51, pp. 5-6. 1916.
misbranding—
N.J. 113, I. and F. Bd. S.R.A. 5, pp. 78-79. 1914.
N.J. 147, I. and F. Bd. S.R.A. 8, pp. 12-13. 1915.
use of barium carbonate. Off. Rec. vol. 3, No. 48, p. 6. 1924.
poisoning—
baits, preparation and distribution. F.B. 1302, pp. 2-4. 1923.
directions. Y.B., 1908, p. 431. 1909; Y.B. Sep. 491, p. 431. 1909.
directions and precautions. Y.B., 1917, pp. 243, 249-251. 1918; Y.B. Sep. 725, pp. 11, 17-19. 1918.
methods and suggestions. F.B. 349, pp. 14-16. 1909.
with barium carbonate. Erich W. Schwartze. D.B. 915, pp. 11. 1920.
pouched. See Gophers, pocket.
prevention methods. F.B. 349, pp. 6-9. 1909.
proof construction, directions. Biol. Bul. 33, pp. 10, 36-39. 1909.
proofing of buildings, directions. F.B. 1302, pp. 8-9. 1923.
relation to leprosy. Ent. Bul. 67, p. 118. 1907.
rice—
damages to rice crops. Biol. Bul. 33, p. 21. 1909.
North America. Edward A. Goldman. N.A. Fauna 43, pp. 100. 1918.
roof—
description and habits. Biol. Bul. 33, pp. 11, 12, 13, 21. 1909; Y.B., 1917, p. 238. 1918; Y.B. Sep. 725, p. 6. 1918.
injury to sugar-cane in Hawaii, control by mongoose. Ent. Bul. 93, p. 47. 1911.
sage, control in grain fields. F.B. 800, p. 16. 1917.
susceptibility to avian tuberculosis, and means of spread. F.B. 1200, p. 11. 1921.
swamp rice, description and habits. N.A. Fauna 45, p. 51. 1921.
toxicity of strychnine. Erich W. Schwartze. D.B. 1023, pp. 19. 1921.
trapping—
directions. F.B. 1302, pp. 5-7. 1923; Y.B., 1919, pp. 452-454. 1920; Y.B. Sep. 823, pp. 452-454. 1920.
method for meat establishments. B.A.I. S.R.A. 114, p. 92. 1916.
methods. F.B. 297, pp. 5-6. 1907.
traps, description and construction. F.B. 369, pp. 10-11. 1909.
use in trichinae observations and experiments. J.A.R., vol. 15, pp. 467-469. 1918.
Warren wood, occurrence in Colorado, and description. N.A. Fauna 33, pp. 116-117. 1911.
wharf, occurrence in Colorado, description. N.A. Fauna 33, p. 99. 1911.
white, feeding experiments with dried Azotobacter cells. J.A.R., vol. 23, pp. 826, 828. 1923.
wood—
American, distribution habits, economic status, and characteristics. N.A. Fauna 31, pp. 7-12. 1910.

Rat(s)—Continued.
wood—continued.
and cotton, habits and control. An. Rpts., 1919, pp. 281-282. 1920; Biol. Chief Rpt., 1919, pp. 7-8. 1919.
as tick hosts. F.B. 484, p. 31. 1912.
control by poison baits. D.B. 479, p. 79. 1917.
distribution and destruction. F.B. 484, pp. 31-32. 1912.
occurrence in—
Colorado and descriptions. N.A. Fauna 33, pp. 111-119. 1911.
Montana, host of fever ticks. Biol. Cir. 82, p. 16. 1911.
of genus Neotoma, revision. Edward A. Goldman. N.A. Fauna 31, pp. 124. 1910.
skulls and molars. N.A. Fauna 31, pp. 108-122. 1910.
Texas, occurrence, habits and use of flesh as food for man. N.A. Fauna 25, pp. 107-114. 1905.
use as food in Mexico. N.A. Fauna 31, p. 11, 1910.
Rata, importation and description. No. 42851, B.P.I. Inv. 47, p. 74. 1920.
Ratama, description, range and occurrence on Pacific slope. For. [Misc.], "Forest trees * * * Pacific * * *," pp. 371-373. 1908.
RATCLIFFE, NORMAN—
"Fat in commercial casein." With Harry Jephcott. B.A.I. Dairy [Misc.], "World's dairy congress, 1923," pp. 1271-1276. 1924.
"The attainment of bacterial purity in the manufacture of dried milk." With others. B.A.I. Dairy [Misc.], "World's dairy congress, 1923," pp. 1265-1271. 1924.
Rathay's disease of orchard grass, similarity to bacterial blight of barley. J.A.R., vol. 11, pp. 627, 642. 1917.
RATHBURN-GRAVATT, ANNIE: "Direct inoculation of coniferous stems with damping-off fungi." J.A.R., vol. 30, pp. 327-329. 1925.
Ratibida columnifera appendiculata, description and importation. No. 43390, B.P.I. Inv. 48, p. 50. 1921.
Ration(s)—
army and navy, Japanese, study and modification. O.E.S. Bul. 159, pp. 13-15. 1905.
balanced—
economical, calculation method. J.C. Rundles. D.B. 637, pp. 19. 1918.
for cattle on a model farm. F.B. 242, pp. 8, 10. 1906.
from restricted sources, physiological effect on growth and reproduction. E. B. Hart and others. J.A.R., vol. 10, No. 4, pp. 175-198. 1917.
importance in feeding dairy cows, cost. F.B. 743, pp. 10-12. 1916.
balancing for horse, importance. F.B. 1030, pp. 4-5. 1919.
beef cattle, including silage. F.B. 578, pp. 21-22. 1914.
breeding—
cows, in baby-beef production. F.B. 811, p. 13. 1917.
ewes. M.C. 12, p. 30. 1924.
for bulls in beef-cattle herd. F.B. 1379, p. 5. 1923; F.B. 1412, p. 2. 1924.
herd of beef cattle. F.B. 1218, pp. 4, 8. 1921.
calf(ves)—
and substitute feeds. F.B. 1135, pp. 17-18. 1920.
baby beef, finishing. F.B. 517, pp. 9-10, 1912; F.B. 811, p. 21. 1917.
feeding experiments in Alabama, kind and cost. B.A.I. Bul. 147, pp. 11-15, 20, 21, 22, 23-24, 28-29, 30-31, 35, 36. 1912.
in different feeding methods. F.B. 381, pp. 15, 16, 17, 18. 1909.
campers, one man one day, list. D.C. 4, pp. 55-57. 1919.
cattle—
alfalfa hay and starch, energy values. J.A.R., vol. 15, pp. 270-286. 1918.
amount, protein and energy content, digestibility, and nutritive effect. B.A.I. Bul. 128, pp. 60-61, 71-88, 94-100, 131-136, 161-166, 189-197. 1911.

Ration(s)—Continued.
cattle—continued.
balanced, effect on growth and reproduction. J.A.R., vol. 10, pp. 175-198. 1917.
digestibility, relation to fatness of animal. J.A.R., vol. 11, pp. 451-472. 1917.
fattening, average daily. D.B. 761, pp. 3-4, 11. 1919; B.A.I. Bul. 159, pp. 12-14, 26, 31, 43, 50-52. 1912.
fattening, comparison of various feeds. B.A.I. Bul. 108, pp. 60-69. 1908.
feeding for exhibition. F.B. 486, pp. 5-12. 1912.
feeding, use in comparison experiments. D.B. 762, pp. 5, 11, 19-20, 27-28. 1919.
for winter use. Rpt. 112, pp. 13, 14-15, 22. 1916.
quality and results, experiments. S.R.S. Rpt., 1915, Pt. I, pp. 42, 43, 44. 1917.
quantity, kinds, costs, and value, four-year experiments. D.B. 870, pp. 7-20. 1920.
relation to tick infestation. Ent. Bul. 72, p. 35. 1907.
requirements daily for calves, yearlings, and cows. F.B. 325, p. 16. 1908.
use of slop and other materials. F.B. 410, pp. 39-40. 1910.
chicken—
and miscellaneous feeds. F.B. 287, rev., p. 16. 1921; M.C. 12, pp. 33-35. 1924.
balanced, proportions of nutrients. D.B. 561, pp. 37-40. 1917.
fattening experiments. D.B. 21, pp. 6, 8, 10, 11, 13, 14, 17, 18, 20, 28-29. 1914.
mixtures and proportions. B.A.I. Bul. 140, pp. 17-20. 1911.
protein and energy value. D.B. 21, pp. 28-29. 1914.
comparison of bulky with concentrated feeds for cattle. F.B. 479, p. 17. 1912.
computation, directions. D.B. 459, pp. 19-29. 1916.
convicts at road camps, description, care, and cost, various States. D.B. 414, pp. 157-190. 1916.
cottonseed for various classes of livestock. F.B. 1179, pp. 10-14. 1923.
cows—
grade beef, costs. D.B. 1024, pp. 15-17. 1922.
in beef-cattle herds. F.B. 1379, pp. 8-9. 1923.
wintering in various sections. F.B. 1073, pp. 13-16. 1919.
daily, family of five. F.B. 817, p. 8. 1917.
dairy cows—
computation and choice of feeding stuffs. D.B. 459, pp. 22-29. 1916; B.A.I. Bul. 139, pp. 47, 49. 1911.
during lactation. B.A.I. Bul. 155, pp. 19-20. 1913.
European countries. B.A.I. Cir. 76, pp. 41-70. 1905.
experiments, distribution of energy in milk production. D.B. 1281, pp. 5-6, 9-11, 13-14, 25. 1924.
influence of calcium, and phosphorus on milk yield. D.B. 945, pp. 5-27. 1921.
mixtures with pasture and with roughage. F.B. 743, pp. 5-6, 18-22. 1916.
on Minnesota farms. Stat. Bul. 73, p. 38. 1909.
relation to composition of milk. J.A.R., vol. 6, No. 4, pp. 167-178. 1916.
saving, results of feeding schools by county agents. D.C. 244, pp. 33-34. 1922.
standard insufficient for optimum milk yield. D.B. 945, pp. 3-8, 12. 1921.
value of minerals. B.A.I. Dairy [Misc.], "World's dairy congress, 1923," pp. 1055-1060. 1924.
with and without pasture. M.C. 12, pp. 21-22. 1924.
effect on development of pigs. C. O. Swanson. J.A.R., vol. 21, pp. 279-341. 1921.
egg-laying, formulas. F.B. 1067, pp. 7-8. 1919; F.B. 1105, pp. 4-5. 1920.
essentials, and factor of toxicity in natural foods. J.A.R., vol. 10, pp. 175, 195. 1917.
farm animals, computation by use of energy values. Henry Prentiss Armsby. F.B. 346, pp. 32. 1909; D.B. 459, pp. 31. 1916.

Ration(s)—Continued.
fattening, for steers in Corn Belt. F.B. 1382, pp. 7-12. 1924.
fattening two-year-old steers with and without silage. F.B. 1218, pp. 25-27. 1921.
feed-utilization experiments, protein and energy content. B.A.I. Bul. 128, pp. 60-61, 70-77. 1911.
foxes, table. D.B. 1151, p. 44. 1923.
goat, used in diuretics experiments. J.A.R., vol. 5, No. 13, pp. 561, 562. 1915.
grain—
for chicks, experiments and results. J.A.R., vol. 16, pp. 305-312. 1919.
for fattening chickens. O.E.S.F.I.L. 10, p. 15. 1909.
suggestions. F.B. 222, pp. 18-19. 1905.
heifers, and feeding directions. F.B. 1336, pp. 16-17. 1923.
hog(s)—
comparative value of different feeds. F.B. 331, pp. 8-10, 15-16, 17, 21-22, 24. 1908.
dried-pressed-potato, chemical composition, and value. D.B. 596, pp. 1-3. 1917.
on alfalfa pasture. W.I.A. Cir. 6, pp. 7, 9. 1915; D. C. 173, p. 14. 1921.
tests, quantity discussed. B.A.I. Bul. 47, pp. 89-96, 146-147, 194-206. 1904.
using self-feeders. F.B. 906, p. 12. 1917.
homing pigeons. F.B. 1373, p. 13. 1924.
horses—
and mules. Sec. [Misc.], Spec. "Horse and mule raising * * *," p. 3. 1914.
computation principles and method. F.B. 1030, pp. 5-21. 1919.
daily, suggestions. F.B. 1030, pp. 22-24. 1919.
feeds containing cottonseed meal, suggestions. D.B. 929, pp. 9-10. 1920.
in winter. F.B. 384, p. 12. 1910.
recommendations. F.B. 1419, pp. 7-8. 1924; M.C. 12, p. 13. 1924.
Japanese army. O.E.S. Bul. 159, p. 123. 1905.
Japanese naval, details. O.E.S. Bul. 159, p. 59. 1905.
laying hens, suggestions. F.B. 1040, pp. 19-20. 1919.
livestock—
computation. B.A.I. Bul. 139, pp. 47-49. 1911.
containing cottonseed products, and results. F.B. 1179, pp. 8-18. 1920.
containing grain sorghums. F.B. 724, pp. 12-14. 1916.
for utilization of farm wastes. F.B. 873, pp. 7-12. 1917.
in interstate transportation. B.A.I.S.R.A. 144, pp. 39-40. 1919.
pigeon pea mixtures. Hawaii Bul. 46, pp. 18-20. 1921.
maintenance—
of farm animals. Henry Prentiss Armsby. B.A.I. Bul. 143, pp. 110. 1912.
Savage and other standards. D.B. 945, pp. 2, 11, 17. 1921.
milk cows, deficiency of mineral nutrients, evidence of. B.A.I. Dairy [Misc.], "World's dairy congress, 1923," pp. 1036-1046. 1924.
pasture and cottonseed meal, steer fattening. D.B. 628, pp. 21-22. 1918.
pig, gain on different mixtures. F.B. 334, p. 21. 1908.
pig, with or without pasture. Sec. Cir. 84, pp. 16, 17. 1918.
poultry—
composition, balancing, and formulas. F.B. 1067, pp. 4-8. 1919.
directions. F.B. 1331, pp. 13-14. 1923.
for feeding in packing house. J. S. Hepburn and R. C. Holder. D.B. 1052, pp. 24. 1922.
suggestions for southern farmers. Sec. [Misc.], Spec. "Suggestions on poultry raising * * *," pp. 2-4. 1914.
sheep—
and lambs. F.B. 840, pp. 11, 12-13, 22. 1917.
suggestions. Sec. [Misc.], Spec. "Producing sheep on * * *," p. 2. 1914.
skim milk, for calves. F.B. 233, pp. 23-24. 1905.
steer(s)—
beet products and other feeds. F.B. 1095, pp. 11, 22. 1919.

Ration(s)—Continued.
  steer(s)—continued.
    comparison of grain and hay for fattening. F.B. 1382, p. 13. 1924.
    fattening. M.C. 12, p. 20. 1924.
    fattening in South. F.B. 1379, pp. 14-15. 1923.
    on pasture. D.B. 777, pp. 5, 9, 13-14, 17. 1919.
    wintering, cost. D.B. 1251, pp. 16-23. 1924.
    with pasture. F.B. 1382, pp. 12-15. 1924.
  stock—
    beet products, daily allowance. Y.B., 1908, pp. 446, 448. 1909; Y.B. Sep. 493, pp. 446, 448. 1909.
    feeding standards. F.B. 170, pp. 30-36. 1903.
  stocker calves—
    and yearlings. F.B. 1073, pp. 17-18. 1919.
    winter feeding. F.B. 1218, p. 8. 1921.
  weights of beet by-products for different animals. F.B. 1095, pp. 2, 4-5, 11, 22, 23. 1919.
  wheat, effects of sodium variation. George A. Olson and J. L. St. John. J.A.R., vol. 31, pp. 365-375. 1925.
  wheatless, for chickens, composition and use experiments. D.B. 657, pp. 2-3, 11-12. 1918.
  whole-wheat, correctives for cattle feeding. J.A.R., vol. 10, pp. 190-192, 194. 1917.
  winter—
    effect on pasture gains. E. W. Sheets and R. H. Tuckwiller. D.B. 1042, pp. 15. 1922.
    effect on pasture gains of 2-year-old steers. E. W. Sheets and R. H. Tuckwiller. D.B. 1251, pp. 24. 1924.
    for steers—
      and effect on summer gains. D.B. 954, pp. 7-13. 1921.
      effects on pasture gains. E. W. Sheets. J.A.R., vol. 28, pp. 1215-1232. 1924.
      influence on growth on pasture. E. W. Sheets. D.C. 166, pp. 11. 1921.
    for yearling steers, effect on pasture gains later. E. W. Sheets and R. H. Tuckwiller. D.B. 870, pp. 20. 1920.
RATTLIFFE, G. T.: "The work of the San Antonio Experiment Farm in 1919 and 1920." D.C. 209, pp. 39. 1922.
Ratoon(s)—
  cane crop, treatment and yields. F.B. 1034, pp. 19, 22-23. 1919.
  cotton crops, Guam, yields. Guam A.R., 1917, pp. 23-24. 1918.
  cotton crops, testing, Guam. Guam A.R., 1918, pp. 33-34. 1919.
  crops of kafir and sorghum, test growing, Guam. Guam A.R., 1918, pp. 30-31. 1919.
  pineapple, use in propagation, description. F.B. 1237, pp. 10-16. 1921; P.R. Bul. 8, pp. 8-9, 10, 26, 28. 1909.
  sorghum yields in Guam. Guam Bul. 3, pp. 22-23. 1922.
Ratooning—
  cotton—
    effect on yields. D.C. 75, pp. 26-27. 1920.
    possibility under irrigation and objections to. D.B. 324, pp. 3, 12. 1915.
    Egyptian cotton, objections to practice. D.B. 332, p. 25. 1916; D.B. 742, p. 24. 1919.
Rattan—
  importations and descriptions. Nos. 25858, 25859, B.P.I. Bul. 176, pp. 18-19. 1910; No. 33561, B.P.I. Inv. 31, p. 31. 1914; No. 44181, B.P.I. Inv. 50, pp. 6, 39. 1922; No. 55653, B.P.I. Inv. 72, p. 15. 1924.
  imports, 1922-1924. Y.B., 1924, p. 1068. 1925.
  insect pests. Sec. [Misc.], "A manual of * * * insects * * *," p. 188. 1917.
  palm, description and uses, cultivation in Canal Zone. B.P.I. Bul. 176, pp. 7, 18-19. 1910.
  palm, importations and descriptions. No. 32109, B.P.I. Bul. 261, p. 29. 1912; No. 42855, B.P.I. Inv. 47, p. 75. 1920; No. 49567, B.P.I. Inv. 62, p. 55. 1923.
  use in basket and furniture making. F.B. 341, p. 35. 1909.
  vine, injury by sapsuckers. Biol. Bul. 39, p. 22. 1911.
Rattlebox, name for Dioscorea. B.P.I. Bul. 189, p. 25. 1910.
Rattlepod, value as legume for green manure, Hawaii. Hawaii A.R., 1914, p. 21. 1915.

Rattler—
  for testing paving brick, construction and use. D.B. 1216, pp. 35-39. 1924.
  test for paving brick, machine and method. D.B. 246, pp. 7, 31-36. 1915; D.B. 373, pp. 6-8, 34-39. 1916; D.B. 23, pp. 7-8, 29-34. 1913.
Rattlesnake(s)—
  bounty laws. F.B. 1079, pp. 13, 17, 26. 1919; F.B. 1238, pp. 10, 14, 24. 1921.
  occurrence in—
    Texas. N.A. Fauna 25, pp. 49-51. 1905.
    Wyoming. N.A. Fauna 42, pp. 16, 19, 22, 24, 27. 1917.
  oil, misbranding. Chem. S.R.A. Supp. 19, p. 702. 1916.
  venin, inefficacy of echinacea against. J.A.R., vol. 20, pp. 75-77. 1920.
Rattleweed—
  loco poisoning. F.B. 380, pp. 7-9. 1909.
  See also *Aragallus lamberti;* Loco weed.
Rattus spp. See Rats.
RAUB, A. J.: "The 28-hour law regulating the interstate transportation of livestock: Its purpose, requirements, and enforcement." With Harry Goding. D.B. 589, pp. 20. 1918.
Rauli, Chilean tree, importation and description. No. 34386, B.P.I. Inv. 33, p. 14. 1915.
Raulin's culture medium, composition. B.A.I. Bul. 120, pp. 12, 37. 1910; B.P.I. Bul. 247, p. 36. 1912.
Raupenleim, importations and use in gipsy moth control. D.B. 899, pp. 1-2. 1920; Ent. Cir. 24, rev., p. 7. 1909.
Raven—
  decreasing numbers, Arkansas. Biol. Bul. 38, p. 56 1911
  economic position and range. D.B. 621, p. 3. 1918.
  northern, occurrence in Alaska and Yukon Territory. N.A. Fauna 30, pp. 40, 62, 90. 1909.
  northern range and habits. N.A. Fauna 21, pp. 18, 46-47, 77. 1901; N.A. Fauna 22, pp. 115-116. 1902; N.A. Fauna 24, pp. 71-72. 1904.
  occurrence in Pribilof Islands. N.A. Fauna 46, pp. 86-87. 1923.
  protection by law. Biol. Bul. 12, rev., p. 38. 1902.
  See also Crow.
RAVENEL, M. P.: "Report on meat inspection." With Dr. Veranus A. Moore. Sec. Cir. 58, pp. 4-10. 1916.
Ravenelia spp., occurrence on plants in Texas. B.P.I. Bul. 226, pp. 63, 73, 102. 1912.
RAWL, B. H.:
  "How to build a stave silo." With J. A. Conover. B.A.I. Cir. 136, pp. 18. 1909.
  "Opportunities for dairying. IV. The South." Y.B., 1906, pp. 417-422. 1907; Y.B. Sep. 432, pp. 417-422. 1907.
  "The dairy industry in the South." With others. F.B. 349, pp. 37. 1909.
  "The relations between the manufacturer and the producer." B.A.I. Dairy [Misc.], "World's dairy congress, 1923," pp. 69-77. 1924.
  "Why dairying is undeveloped in the South." F.B. 349, pp. 29-37. 1909; B.A.I. An. Rpt., 1907, pp. 329-337. 1909.
RAY, S. H.—
  "Fattening beef calves." Revised by Arthur T. Semple. F.B. 1416, pp. 13. 1924.
  "Live stock classification at county fairs." F.B. 822, pp. 12. 1917.
  "Methods and costs of growing beef cattle in the Corn Belt States." With others. Rpt., 111, pp. 64. 1916.
  "The production of baby beef." F.B. 811, pp. 22. 1917.
  "Utilization and efficiency of available American feed stuffs." With W. F. Ward. Rpt., 112, pp. 27. 1916.
  "Utilization of farm wastes in feeding livestock." F.B. 873, pp. 12. 1917.
Ray fungus, actinomycosis, description, prevention, and treatment. B.A.I. Dairy [Misc.], "Diseases of cattle," rev., pp. 427-436. 1904; rev., 447-457. 1912; rev., pp. 440-449. 1923.
Ray-grass, introduction, and value as forage in arid regions. B.P.I. Bul. 205, pp. 8, 25. 1911.

Razoumofskya—
campylopoda, age on conifers. D.B. 360, p. 24. 1916.
cryptopoda, description and spread. D.B. 1112, p. 4. 1922.
robuata, injury to western yellow pine. For. Bul. 101, p. 17. 1911.
spp.—
    infestation with, *Wallrothiella arceuthobii*. J.A.R., vol. 4, pp. 370-374. 1915.
    injuries to conifers, comparison with Pharadendron. For. [Misc.], "Forest tree diseases * * *," pp. 21, 23, 54, 56, 57. 1914.
    injury to conifers in northwestern forests. D.B. 360, pp. 39. 1916.
    See also Mistletoe.
Razzle Dazzle, adulteration and misbranding. *See Indexes Notices of Judgment, in bound volumes, and in separates published as supplements to Chemistry Service and Regulatory Announcements*.
Reactors, post-mortem inspection, reporting. B.A.I.S.R.A. 175, p. 32. 1922.
READ, J. W.—
    "Biological analysis of the seed of the Georgia velvet bean, *Stizolobium deeringianum*." With Barnett Sure. J.A.R., vol. 22; pp. 5-15. 1921.
    "Feeding chlorinated milk to the albino rat." With Harrison Hale. J.A.R., vol. 30, pp. 889-892. 1925.
Reading, Pa., milk supply, statistics, officials, prices, and laws. B.A.I. Bul. 46, pp. 32, 147. 1903.
Reading—
    courses, agricultural, conducted by colleges in different States. O.E.S. Cir. 106, rev. p. 23., 1912.
    list, agricultural cooperation, purchasing, marketing, and credit. Chastina Gardner. M.C. 11, pp. 55. 1923.
Reagents—
    chemical, testing. Chem. [Misc.], "The testing of chemical * * *," pp. 5. 1905.
    chemical, testing, report. Chem. Bul. 116, p. 100. 1908; Chem. Bul. 132, p. 52. 1910; Chem. Bul. 137, p. 50-51. 1911.
    use in manufacture of sulphuric acid, tables. D.B. 283, pp. 15-39. 1915.
Reaper(s)—
    care and repair with details of adjustment. F.B. 947, pp. 7-8. 1918.
    motor, use of alcohol as fuel. F.B. 269, p. 13. 1906.
    self-binder, introduction into Alaska. Alaska A.R., 1911, p. 28. 1912.
    self-rake—
        description and use for sweet-clover seed. F.B. 836, pp. 5-7. 1917.
        use in harvesting cowpeas. F.B. 318, pp. 19, 20. 1908.
    wheat, development and use. Y.B., 1921, pp. 87, 89, 92. 1922; Y.B. Sep. 873, pp. 87, 89, 92. 1922.
Reaping machines, evolution. Merritt Finley Miller. O.E.S. Bul 103, pp 43. 1902.
REBER, L. E., "University extension." O.E.S. Bul. 231, pp. 86. 1910.
Reboisement. *See* Reforestation.
Receipts—
    cotton warehouses, regulations. Sec. Cir. 143, pp. 10-13. 1919.
    grain warehouse, regulations. Sec. Cir. 141, pp. 10-13. 1919.
Recipes—
    apple sirup in cakes and custards. Y.B., 1914, pp. 232-233. 1915; Y.B. Sep. 639, pp. 232-233. 1915.
    beef broth and soup. D.B. 27, pp. 5-7. 1913.
    canning meats and sea foods, in farm homes. S.R.S. Doc. 80, pp. 13-28. 1918; S.R.S. Doc. 80 rev., 13-30. 1919.
    cheese combinations. F.B. 960, pp. 24-35. 1918.
    cooking—
        for—
            bamboo. D.B. 1329, p. 21. 1925.
            use with fireless cooker. F.B. 771, pp. 11-16. 1916; rev., pp. 11-15. 1918.
        mutton and lamb. F.B. 1172, pp. 20-32. 1920.
        snails. Y.B., 1914, pp. 499-501. 1915; Y.B. Sep. 653, pp. 499-501. 1915.
    cottage cheese. Sec. Cir. 109, pp. 1-19. 1918.

Recipes—Continued.
    economical methods of cooking meat in the home. F.B. 391, pp. 21-40. 1910.
    fish, and fish sauces, timbale, and loaf. U. S. Food Leaf, 17, pp. 3-4. 1918.
    peanut flour, cooking. Sec. Cir. 110, pp. 1-4. 1918.
    persimmon, bread, cake, and preserves. F.B. 685, pp. 23-24. 1915.
Reclamation—
act—
    projects planned, work accomplished. Rpt. 87, pp. 92-93. 1908.
    provisions and cost. D.B. 1257, pp. 7-13. 1924.
alkali—
    land—
        Utah, Salt Lake Valley. Clarence W. Dorsey. Soils Bul. 43, pp. 28. 1907.
    methods, cost, and crop production. D.B. 135, pp. 6-19. 1914.
    progress. An. Rpts., 1904, pp. 257-261. 1904.
    Worden tract, Montana, experiments. W.I.A. Cir. 2, pp. 20-23. 1915.
soils—
    experiments, Newlands experiment farm, Nevada. D.C. 80, pp. 16-18. 1920; D.C. 136, pp. 16-21. 1920.
    Montana, Billings. Clarence W. Dorsey. Soils Bul. 44, pp. 21. 1907.
    methods, and attempts, various localities. O.E.S. Cir. 103, pp. 28-33. 1911.
    white-ash lands, Fresno, Calif. W. W. Mackie. Soils Bul. 42, pp. 47. 1907.
and ownership, swamp and overflowed lands in the United States. O. Wright. O.E.S. Cir. 76, pp. 23. 1907.
ash-covered lands of Alaska. Alaska A.R., 1914, pp. 40, 68, 72. 1915.
by drainage, effectiveness and requirements. O.E.S. Bul. 243, pp. 8-10. 1911.
crops for alkali land. F.B. 446, rev., p. 15. 1920.
deferred payment. Off. Rec. vol. 3, No. 7, p. 2. 1924.
desert land, difficulties, ignorance of settlers. Sec. Cir. 124, p. 12. 1919.
drainage, effectiveness. D.B. 304, pp. 2-4. 1915.
Egypt, alkali lands, crops used. Thomas H. Kearney and Thomas H. Means. Y.B., 1902, pp. 573-588. 1903. Y.B. Sep. 291, pp. 573-588. 1903.
eroded lands, methods and cost. Y.B., 1913, pp. 216-217. 1914; Y.B. Sep. 624, pp. 216-217. 1914.
experiment at Belle Fourche farm, 1919 to 1922, inclusive. Beyer Aune. D.C. 339, pp. 48. 1925.
experiment farm at—
    Belle Fourche, S. Dak., work in—
        1914. Beyer Aune. W.I.A. Cir. 4, pp. 16. 1915.
        1915. Beyer Aune. W.I.A. Cir. 9, pp. 26. 1916.
        1916. Beyer Aune. W.I.A. Cir. 14, pp. 28. 1917.
        1917. Beyer Aune. W.I.A. Cir. 24, pp. 31. 1918.
    Huntley, Mont., work in—
        1914. Dan Hansen. W.I.A. Cir. 2, pp. 23. 1915.
        1915. Dan Hansen. W.I.A. Cir. 8, pp. 24. 1916.
        1916. Dan Hansen. W.I.A. Cir. 15, pp. 25. 1917.
        1917. Dan Hansen. W.I.A. Cir. 22, pp. 29. 1918.
    San Antonio, Tex., work in—
        1914. S. H. Hastings. W.I.A. Cir. 5, pp. 16. 1915.
        1915. S. H. Hastings. W.I.A. Cir. 10, pp 17. 1916.
        1916. C. R. Letteer. W.I.A. Cir. 16, pp. 23. 1917.
        1917. C. R. Letteer. W.I.A. Cir. 21, pp. 28. 1918.
    Scottsbluff, Nebr., work in—
        1914. Fritz Knorr. W.I.A. Cir. 6, pp. 19. 1915.
        1915. Fritz Knorr. W.I.A. Cir. 11, pp. 22. 1916.

Reclamation—Continued.
experiment farm at—continued.
Scottsbluff, Nebr., work in—Continued.
1916. Fritz Knorr. W.I.A. Cir. 18, pp. 18. 1918.
1917. J. A. Holden. W.I.A. Cir. 27, pp. 28. 1919.
Truckee-Carson, Nev., work in—
1914. F. B. Headley. W.I.A. Cir. 3, pp. 12. 1915.
1915. F. B. Headley. W.I.A. Cir. 13, pp. 14. 1916.
1916. F. B. Headley. W.I.A. Cir. 19, pp. 18. 1918.
1917. F. B. Headley. W.I.A. Cir. 23, pp. 24. 1918.
Umatilla (Oregon), work in—
1914. R. W. Allen. W.I.A. Cir. 1, pp. 16. 1915.
1915 and 1916. R.W. Allen. W.I.A. Cir. 17, pp. 39. 1917.
1917. R.W. Allen. W.I.A. Cir. 26, pp. 30. 1919.
Yuma (Arizona and California) work in—
1914. R.E. Blair. W.I.A. Cir. 7, pp. 24. 1915.
1915. R.E. Blair. W.I.A. Cir. 12, pp. 27. 1916.
1916. R.E. Blair. W.I.A. Cir. 20, pp. 40. 1918.
1917. R.E. Blair. W.I.A. Cir. 25, pp. 45. 1919.
1919 and 1920. E.G. Noble. D.C. 221, pp. 37. 1922.
field stations, experiments with farm manure. J.A.R., vol. 15, pp. 493-503. 1918.
flood lands, Louisiana, Iberia Parish. Soil Sur. Adv. Sh., 1911, pp. 45-48. 1912; Soils F.O. 1911, pp. 1169-1172. 1914.
irrigation and drainage investigations—
1906. An. Rpts., 1906, pp. 601-615. 1907.
1923. An. Rpts., 1923; pp. 562-565. 1924.
lands, washed or galled, methods. F.B. 342, pp. 6-8. 1909.
law, irrigation districts, bill passage. Off. Rec., vol. 1, No. 18, p. 2. 1922.
Louisiana—
swamp districts, description of several areas. D.B. 71, pp. 22-53. 1914.
wet lands. D.B. 652, pp. 21-67. 1918.
low lands by pump drainage. D.B. 304, pp. 1-60. 1915.
marsh lands, cost and profits. O.E.S. Bul. 240, pp. 27-29, 33, 44-46, 52, 57, 76-77, 91. 1911.
methods for abandoned farms. Rpt. 70, pp. 30-48. 1901.
of—
alkali lands, methods. Soils Bul. 35, pp. 168-174. 1906.
eroded lands. Y.B., 1916, pp. 131-134. 1917; Y.B. Sep. 688, pp. 25-28. 1917.
meadowlands by dyking and draining. Soils Cir. 68, pp. 9, 12, 17, 19. 1912.
wet land, Illinois River valley, cost per acre. O.E.S. Rpt., 1904, pp. 463-464. 1905.
overflowed lands, along the Big Black River, Miss.—
methods and cost report. Lewis A. Jones and others. D.B. 181, pp. 39. 1915.
Marais des Cygnes Valley, Kans., report. S. H. McCrory and others. O.E.S. Bul. 234, pp. 53. 1911.
policies, Federal, acts providing for. D.B. 1257, pp. 3-14. 1924.
progress in Great Basin. D.B. 1340, pp. 37-38. 1925.
projects—
authorization to Agriculture Secretary, appropriation. Sol. [Misc.], "Laws applicable * * * Agriculture," Supp. 2, p. 12. 1915.
cost and results of work. D.B. 1259, pp. 8-13. 1924.
farm(s)—
acreage, and percentage of various crops. Y.B., 1916, pp. 178-179. 1917; Y.B. Sep. 690, p. 2-3. 1917.
loans on lands, bill. Off. Rec. vol. 1, No. 14. p. 2. 1922.
units. Off. Rec., vol. 2, No. 10, p. 2. 1923.
farmer's water rights. D.B. 913, p. 11. 1920.

Reclamation—Continued.
projects—continued.
Government, agriculture on. C.S. Scofield and F.D. Farrell. Y.B., 1916, pp. 177-198. 1917; Y.B. Sep. 690, pp. 22. 1917.
hogs, feeding on irrigated crops. D.B. 752, pp. 5-37. 1919.
in California, location and scope. O.E.S. Bul. 237, pp. 41-43. 1911. O.E.S. Cir. 108, pp. 38-39. 1916.
in South Dakota, description. O.E.S. Bul. 210, pp. 40-44. 1909.
in western North Dakota, description. Soils F.O., 1908, pp. 1223-1225. 1911; Soil Sur. Adv. Sh., 1908, pp. 75-77. 1910.
location and cooperative work. D.R.P. Cir. 1, pp. 1, 4-5. 1915.
northern, irrigated pastures. F.D. Farrell. D.R.P. Cir. 2, pp. 16. 1916.
water-supply systems. O.E.S. Bul. 229, pp. 68-82. 1910.
St. Francis Valley, Ark., study of problem. O.E.S. Bul. 230, Pt. I, pp. 17-18. 1911.
salt-land, Montana, by alternate irrigation and cultivation. B.P.I. Cir. 121, pp. 27-28. 1913.
salt marshes. F.B. 320, pp. 9-12. 1908.
sand dunes—
acacias, use and value. D.B. 9, pp. 9-15. 1913.
by tree planting. F.B. 358, p. 42. 1909.
Scottsbluff Reclamation Project Experiment Farm, work in 1916. Fritz Knorr. W.I.A. Cir. 18, pp. 18. 1918.
swamp—
and overflowed lands. O.E.S. Cir. 76, pp. 1-23. 1907.
for mosquitoes, and value of land. Ent. Bul. 88 pp. 42-62. 1910.
moor method, adaptation in Guam. O.E.S. An. Rpt., 1907, p. 411. 1908.
tidal marshes. O.E.S. Bul. 240, pp. 19-99. 1911.
wet lands of Effingham County, Ga. F.G. Eason. O.E.S. Cir. 113, pp. 24. 1911.
wet lands of southern Louisiana. D.B. 71, pp. 1-2, 10-14, 22-82. 1914.
wet prairie lands, southern Louisiana. O.E.S. An Rpt., 1909, pp. 415-439. 1910.
Worden tract, Huntley project, experiments. B.P.I. [Misc.], "The work * * * Huntley * * * 1914," pp. 13-14. 1914.
work—
at Huntley farm, Montana in 1921. Dan Hansen. D.C. 275, pp. 27. 1923.
in Wyoming, under Carey Act. O.E.S. Bul. 205, pp. 57-58. 1909.
Bureau of Soils, 1904, review by Secretary. Rpt. 79, pp. 61-62. 1904.
worn-out land, value of leguminous trees, Porto Rico. P.R. An. Rpt., 1914, p. 9. 1915.
Reclamation Service—
examples of siphon spillways. D.B. 831, pp. 16, 28-31. 1920.
projects—
in Colorado, Uncompahgre Valley. O.E.S. Bul. 218, p. 28. 1910.
in Kansas. O.E.S. Bul. 211, pp. 15, 17. 1909.
in Oregon. O.E.S. Bul. 209, pp. 22-24, 30-33. 1909.
relation to irrigation districts. D.B. 1177, pp. 33-35. 1923.
work in—
developing irrigation in Sacramento Valley. O.E.S. Bul. 207, pp. 29-31, 82. 1909.
Yakima Valley, Wash. O.E.S. Bul. 188, pp. 19, 21, 36, 87. 1907.
Reclassification bill, provisions. Off. Rec., vol. 2, No. 12, pp. 1, 6. 1923.
Reconstruction, in South, relation to cotton growing. Atl. Am. Agr. Adv. Sh., 4, Pt. V, Sec. A, pp. 21-22. 1919.
RECORD, SAMUEL J., "Suggestions to woodlot owners in the Ohio Valley region." For. Cir. 138, pp. 15. 1908.
Record(s)—
accounting, for country creameries. D.B. 559, pp. 37. 1917.
and follow-up file, for county agents, use method. S.R.S. Doc. 34, pp. 14-16. 1918.
book(s)—
Australian horses. B.A.I.O. 175, amend. 2, p. 1. 1911.

INDEX TO PUBLICATIONS, 1901–1925   1973

Record(s)—Continued.
 book(s)—continued.
  farm inventory, description and cost. F.B. 1182, pp. 4–7. 1921.
  livestock pedigrees, certifications, and withdrawals, 1906. B.A.I. An. Rpt., 1906, pp. 347, 350, 352–361. 1908.
  purebred animals, Canada. B.A.I.O. 186, amend. 2, p. 1. 1912.
 citrus trees, method of keeping. Y.B., 1919, pp. 261–265. 1920; Y.B. Sep. 813, pp. 261–265. 1920.
 climate, superiority over memory. Y.B., 1908, pp. 289–290. 1909; Y.B. Sep. 481, pp. 289–290. 1909.
 court, discussion—
  C. E. Linney. W.B. Bul. 31, pp. 180–182. 1902.
  P. F. Lyons. W.B. Bul. 31, pp. 183–184. 1902.
 dairy cows, value and importance, in economic milk production. Clarence B. Lane. B.A.I. An. Rpt., 1905, pp. 111–145. 1907. B.A.I. Cir. 103, pp. 38. 1907.
 farm—
  home, methods of keeping. F.B. 964, pp. 3–9. 1918.
  keeping, value. An. Rpts., 1917, pp. 473–474. 1918; Farm M. Chief Rpt., 1917, pp. 1–2. 1917.
  types. F.B. 511, rev., pp. 7–10. 1920.
  value to farmer. J. S. Ball. Y.B., 1917, pp. 153–167. 1918; Y.B. Sep. 735, pp. 17. 1918.
 field and office, system for county extension workers. M. C. Wilson. D.C. 107, pp. 13. 1920; D.C. 107, rev., pp. 13. 1924.
 keeping, field experiments. O.E.S.F.I.L. 6, pp. 16, 20. 1905.
 meteorological, preservation means. S. C. Emery. W.B. Bul. 31, pp. 175–177. 1901.
 milk and butter, directions for keeping. F.B. 334, pp. 26–27. 1908.
 necessity in horse breeding. F.B. 803, rev., pp. 8–9. 1923.
 permanent, paper—
  durability, and economy. H. W. Wiley and C. Hart Merriam. Rpt. 89, pp. 51. 1909.
  requirements. F. P. Veitch. Y.B., 1908, pp. 261–266. 1909; Y.B. Sep. 479, pp. 261–266. 1909.
 pig weights during fattening period. F.B. 874, pp. 26–27. 1917.
 pumping, form. O.E.S. Bul. 243, p. 41. 1911.
 weather, wind, and moisture, Plains States, 1889–1907. Y.B., 1908, pp. 294–295. 1909; Y.B. Sep. 481, pp. 294–295. 1909.
Recreaming, effect on milk. D.B. 1344, pp. 14–15. 1925.
Recreation—
 desirability for rural sections. Rpt. 103, pp. 37–40. 1915.
 farm women's, needs and value. D.C. 148, pp. 7, 23–24. 1920.
 forests in Utah, privileges to visitors. D.C. 198, p. 24. 1921.
 ground, sunshine, of a nation. Arizona and New Mexico national forests. For. [Misc.], "The sunshine * * *," folder. 1922.
 national forests—
  Colorado, vacation days. For. [Misc.], "Vacation days * * * Colorado's * * *," pp. 1–60. 1919.
  game conservation. For. A.R., 1925, pp. 36–39. 1925.
  management. An. Rpts., 1922, pp. 227–231. 1923; For. A.R., 1922, pp. 33–37. 1922.
 Oregon forests, vacation land. D.C. 4, pp. 1–72. 1919.
 Pike National Forest play grounds. D.C. 41, pp. 1–17. 1919.
 places, social aspects. Wayne C. Nason. F.B. 1388, pp. 30. 1924.
 resources—
  destruction by forest fires. M.C. 19, p. 11. 1924.
  of forests in California. M.C. 7, p. 5. 1923.
 use(s) of—
  Arizona forests. D.C. 318, pp. 4–5, 7, 9, 15, 18. 1924.
  California forests. Off. Rec., vol. 3, No. 9, p. 5. 1924.

Recreation—Continued.
 use(s) of—continued.
  community buildings. F.B. 1274, pp. 5–6, 13–14, 18, 19–21, 24, 28, 31–32. 1922.
  Kenai Peninsula region, Alaska, and scenic features. Soil Sur. Adv. Sh., 1916, pp. 129–131. 1919; Soils F.O., 1916, pp. 161–163. 1921.
  national forests. D.C. 211, pp. 11–13. 1922; For. A.R., 1924, pp. 25–29. 1924.
  national forests, camping, hunting, and fishing. For. A.R. 1921, pp. 14, 26–27. 1921.
  national forests, development by road building. Y.B., 1916, pp. 58, 521, 522, 523–524, 525, 529. 1917; Y.B. Sep. 696, pp. 1, 2, 3–4, 5, 9. 1917.
  southwestern forests. M.C. 15, p. 8. 1924.
 Wichita National Forest, camps. M.C. 36, pp. 8–11. 1925.
 See also Playgrounds.
Rectal injections, cattle, uses and methods. B.A.I. [Misc.], "Diseases of cattle," rev., p. 11. 1904; rev., p. 11. 1912; rev., p. 9. 1923.
Recurvaria—
 crataegella—
  same as Recurvaria nanella. D.B. 113, pp. 2, 4. 1914.
  similarity to lesser bud-moth. J.A.R., vol. 2, pp. 161–162. 1914.
 milleri—
  host, life cycle, and natural enemies. J.A.R., vol. 21, No. 3; pp. 122–137. 1921.
  lodgepole pine needle-miner, in Yosemite National Park, Calif., life history. J. E. Patterson. J.A.R., vol. 21, No. 3. p. 127–142. 1921.
 nanella—
  control and life history. F.B. 1270, p. 31. 1922.
  See also Bud-moth, lesser.
Recurvirostra americana—
 breeding range and migration habits. Biol. Bul 35, pp. 19–20. 1910.
 See also Avocet.
Red—
 belt—
  fomes, description, and injury to conifers. For. [Misc.], "Forest tree diseases * * *," pp. 47–48. 1914.
  injury to lodgepole pine. D.B 154, p. 25. 1915.
 bugs—
  apple control. F.B. 908, p. 79. 1918; F.B. 1270, pp. 11–12. 1923.
  control as pests of poultry. F.B. 1110; pp. 8–9. 1920.
 See also Mites, harvest; Chiggers.
 heart—
  disease, loblolly pine. D.B. 11, p. 10. 1914.
  disease, shortleaf pine, cause, and injury resulting. D.B. 244, pp. 36–37. 1915.
  See also Red rot.
 lands, description and location in—
  Georgia, Troup County. Soil Sur. Adv. Sh., 1912, pp. 16–18. 1913; Soils F.O., 1912, pp. 644–646. 1915.
  South Carolina, Chester County. Soil Sur. Adv. Sh., 1912, p. 25. 1913; Soils F.O., 1912, p. 477. 1915.
 lead, use on seed grain as deterrent for crows. F.B. 1102, p. 16. 1920.
 rice—
  control experiments. D.B. 1356, pp. 30–31. 1925.
  injury to rice crop, remedies. F.B. 417, pp. 18–19. 1910.
 ring, coconut, spread by termites. D.B. 1232, pp. 12, 13–16, 19–20. 1924.
 rot—
  and bluing, western yellow pine, Black Hills forest reserve. Hermann von Schrenk. B.P.I. Bul. 36, pp. 40. 1903.
  cause, and comparison with western red rot. D.B. 490, pp. 1, 3. 1917.
  conifer, fungus causing. J.A.R., vol. 12, p. 64. 1918.
  control on sugar-cane. Sec. Cir. 86, p. 15. 1918.
  fungous disease of sugar-cane. D.B. 486, p. 32. 1917.
  Louisiana pines, control study. An. Rpts., 1904, p. 92. 1904.

Red—Continued.
rot—continued.
sugar-cane—
description, and history. B.P.I. Cir. 126, pp. 3-5. 1913.
distribution, losses caused, and prevention. F.B. 1034, pp. 26-27. 1919.
western, description and fungus causing. D.B. 490, pp. 1-4. 1917.
western, occurrence in *Pinus ponderosa*, preliminary report. W. H. Long. D.B. 490, pp. 8. 1917.
spider—
apical swarming, control methods. D.B. 416, pp. 58-67. 1917.
classification and synonymy. D.B. 416, p. 3. 1917.
common. F. H. Chittenden. Ent. Cir. 104, pp. 11. 1909.
control—
by flour paste. William B. Parker. Ent. Cir. 166, pp. 5. 1913.
by gases, fumigation experiments. D.B. 893, pp. 4, 6, 7, 10. 1920.
by spraying. F.B. 735, p. 10. 1916; F.B. 933, pp. 21-23. 1918.
in green houses. F.B. 1320, pp. 23-24. 1923.
on tomato. D.C. 40, pp. 8-9. 1919.
studies. Work and Exp., 1919, pp. 67-68. 1921.
cotton, enemy of southern field crops. Y.B. 1911, pp. 202, 203, 204. 1912; Y.B. Sep. 561, pp. 202, 203, 204. 1912.
damages and treatment. F.B. 1371, pp. 5-6. 1924.
description, habits, and control. F.B. 1169, pp. 93-94. 1921; F.B. 1270, pp. 59-60. 1923; F.B. 1362, pp. 62-63. 1924; Rpt. 108, pp. 19, 32-38. 1915.
destruction by larvae of lacewing fly. J.A.R., vol. 6, No. 14, p. 516. 1916.
dispersion, agencies and sources. D.B. 416, pp. 27-32, 68. 1917.
enemies, list, description, and studies. D.B. 416, pp. 34-58. 1917.
generations and seasonal history. D.B. 416, pp. 21-27. 1917.
habits and control. D.C. 35, pp. 4-5. 1919.
host plants. D.B. 416, pp. 4-5. 1917; Ent. Cir. 172, pp. 6-7, 18. 1913.
influence of climate on control. D.B. 416, pp. 33-34. 1917.
injury—
and control methods. F.B. 1261, pp. 21-29, 30. 1922.
to citrus fruits, description, and control methods. P.R. Bul. 10, p. 12. 1911; D.B. 134, p. 23. 1914.
to cotton, description, and control. F.B. 890, pp. 12-13. 1917.
to cotton in South. D.B. 416, pp. 20-21, 67. 1917.
to pineapple, and control. F.B. 1237, pp. 26-27. 1921.
to tomatoes, description, and control. S.R.S. Doc. 95, pp. 8-9. 1919.
to vegetables and control. F.B. 856, p. 21. 1917.
introduction, danger, and description. Sec. [Misc.], "A manual of * * * insects * * *," pp. 7-8, 43, 62, 197, 212. 1917.
life history—
and control in greenhouses. F.B. 1306, pp. 11-13. 1923.
description, and habits. D.B. 416, pp. 5-20. 1917; Ent. Bul. 117, pp. 10-35. 1913.
mango enemy, description, life history, and control. F.B. 1257, pp. 6-8. 1922.
natural enemies. Ent. Cir. 104, p. 6. 1909.
on avocado. G.F. Moznette. D.B. 1035, pp. 15. 1922.
on cotton—
E. A. McGregor. Ent. Cir. 150, pp. 13. 1912; Ent. Cir. 172, pp. 22. 1913.
E. A. McGregor, and F. L. McDonough. D.B. 416, pp. 72. 1917.
E. S. G. Titus. Ent. Cir. 65, pp. 5. 1905.
control measures. E. A. McGregor. F.B. 735, pp. 12. 1916; F.B. 831, pp. 16. 1917.

Red—Continued.
spider—continued.
on greenhouse tomatoes. F. B. 1431, p. 20 1924.
on hops, Sacramento Valley, Calif. William B. Parker. Ent. Bul. 117, pp. 41. 1913.
on raspberries. F.B. 887, p. 35. 1917.
on strawberries, investigations. Off. Rec., vol. 1, No. 16, p. 7. 1922.
remedies. F.B. 831, pp. 10-15. 1917.
spraying experiments. J.A.R., vol. 7, pp. 389, 390, 398. 1916.
two-spotted, description, distribution, and remedies. Ent. Bul. 27, pp. 35-42. 1901.
zonal distribution in southeast. D.B. 416, pp. 2-3. 1917.
spot—
sorghum, description and destructiveness. F.B. 1158, pp. 28-29. 1920.
Sudan grass, description and control by rotation. F.B. 1126, p. 24. 1920.
See also Sorghum blight.
stain, boxelder. Ernest E. Hubert. J. A.R., vol. 26, pp. 447-457. 1923.
stem—
control in rice fields. D.B. 1155, p. 55. 1923.
occurrence and control in rice fields. F.B. 1240, p. 24. 1924.
water—
cattle, cause, symptoms, and treatment. B.A.I. [Misc.], "Diseases of cattle," rev., pp. 117-119. 1904.
name for Texas fever. B.A.I. An. Rpt., 1910, p. 425. 1912; B.A.I. Cir. 193, p. 425. 1912.
sheep, occurrence and treatment. F.B. 1155, p. 18. 1921.
See also Urine, bloody; Texas fever.
Red Cross—
sign, Federal law. Chem. Bul. 98, rev., Pt. I, p. 28. 1909.
use of community buildings. F.B. 1274, pp. 12, 14, 19, 28. 1922.
Red Lake-Red Lake River drainage project. D.B. 1017, pp. 72-76. 1922.
Red River—
Farmers' Club Hall, Minnesota, community building, history, description, and uses. F.B. 1274, pp. 15-17. 1922.
of the North, drainage and overflow prevention. P. T. Simons and Forest V. King. D.B. 1017, pp. 89. 1922.
Valley—
description, and physical characteristics. D.B. 1017, pp. 3-11. 1922.
wheat production. Y.B., 1921, pp. 93, 96. 1922; Y.B. Sep. 873, pp. 93, 96. 1922.
Redbird—
protection by law. Biol. Bul. 12, rev., pp. 38, 39, 40, 41. 1902.
See also Grosbeak; Cardinal.
Redbug—
California, description, range, and occurrence on Pacific slope. For. [Misc.], "Forest trees for Pacific * * *," pp. 367-368. 1908.
description and key. D.C. 223, pp. 6, 10. 1922; F.B. 468, p. 42. 1911.
leaf-spot, occurrence and description, in Texas. B.P.I. Bul. 226. pp. 77-78. 1912.
See also *Cercis canadensis*; Judas tree.
REDDING, R. J.: "Essential steps in securing an early crop of cotton." F.B. 217, pp. 16. 1905.
REDDY, C. S.—
"Bacterial blight of barley." With others. J.A.R., vol. 11, pp. 625-643. 1917.
"Bacterial blight of rye." With James Godkin and A. G. Johnson. J.A.R., vol. 28, pp. 1039-1040. 1924.
"Investigations of heat canker of flax." With W. E. Brentzel. D.B. 1120, pp. 18. 1922.
"The black-bundle disease of corn." With James R. Holbert. J.A.R., vol. 27, pp. 177-206. 1924.
REDFIELD, H. W.—
discussion of effect of salt on butter. B.A.I. Dairy [Misc.], "World's dairy congress, 1923, pp. 972-973, 974. 1924.
"Examination of frozen-egg products and interpretation of results." D.B. 846, pp. 96. 1920.
Redfieldia spp., description, distribution, and uses. D.B. 772, pp. 10, 54-56. 1920.

REDINGTON, P. G: "Law enforcement on the national forests, California district." For. [Misc.], "Law enforcement * * *," pp. 102. 1923.
enforcement * * *," pp. 102. 1923.
Redheads—
migration records from birds banded in Utah. D.B. 1145, pp. 11–13. 1923.
occurrence—
and food habits. Biol. Bul. 38, pp. 20–21. 1911.
in Nebraska. D.B. 794, pp. 26–27. 1920.
Redpolls—
food habits as winter visitants. D.B. 1249, pp. 14–16. 1924.
occurrence in—
Alaska and Yukon Territory. N.A. Fauna 30, pp. 40, 62, 90. 1909.
Pribilof Islands, and food habits. N.A. Fauna 46, pp. 90–91. 1923.
range and habits. N.A. Fauna 21, pp. 77–78. 1901; N.A. Fauna, 22, p. 118. 1902; N.A. Fauna 24, pp. 22, 72–73. 1904.
varieties in Athabaska-Mackenzie region. N.A. Fauna 27, pp. 417–420. 1908.
Redroot, control in cranberry fields. F.B. 1401, p. 14. 1924.
Redshank (*Totanus totanus*), range, and habits. N.A. Fauna 22, p. 98. 1902; Biol. Bul. 35, p. 54. 1910.
Redstart—
American, occurrence in Porto Rico, habits and food. D.B. 326, pp. 98–99. 1916.
description, food habits, and occurrence in Arkansas. Biol. Bul. 38, p. 83. 1911.
migration habits and route. D.B. 185, pp. 3, 23, 39. 1915; Biol. Bul. 18, pp. 9–11, 13–15, 134–138. 1904; N.A. Fauna 22, p. 128. 1902.
occurrence in Athabaska-Mackenzie region. N.A. Fauna 27, p. 479. 1908.
painted, migration routes. Biol. Bul. 18, p. 12. 1904.
protection by law. Biol. Bul. 12, rev., pp. 38, 40, 41. 1902.
red-bellied, range. Biol. Bul. 18, p. 139. 1904.
Redtop—
(*Agrostis alba*). Lyman Carrier. D.C. 43, pp. 2. 1919.
adaptability to acid soils. D.B. 6, p. 9. 1913.
adulteration and misbranding, list of dealers. Sec. Cir. 35, pp. 2–6. 1911.
Alpine, description, habits, and forage value. D.B. 545, pp. 12–13, 58, 59. 1917.
Australian. See Natal grass.
cultivation in Alaska. Alaska A.R., 1907, p. 28. 1908.
description—
and value for cotton States. F.B. 1125, rev., p. 20. 1920.
characteristics, and uses. D.B. 692, pp. 3–5, 17–20. 1918; D.B. 772, pp. 128–129. 1920; D.C. 43, pp. 1–2. 1919; F.B. 1254, pp. 10–11. 1922.
distributions. Y.B., 1923, p. 380. 1924; Y.B. Sep. 895, p. 380. 1924.
false, analytical key and description of seedlings. D.B. 461, pp. 8, 24. 1917.
for southern pastures. Sec. [Misc.] Special, "Permanent pastures for * * *," p. 4. 1914.
growing in Alaska, Kenai Peninsula region, natural meadows. Soil Sur. Adv. Sh., 1916, pp. 38, 71, 78, 85, 100, 109, 134. 1919; Soils F.O., 1916, pp. 70, 103, 110, 117, 132, 141, 166. 1921.
hay, feeding value. F.B. 362, pp. 17, 18. 1909.
injury to timothy fields, control methods. F.B. 502, p. 25. 1912.
introduction to western pasture lands, methods. requirements. B.P.I. Bul. 117, pp. 11–15. 1907.
meadows in Alaska, natural growth (reconnaissance). Soil Sur. Adv. Sh., 1914, pp. 79, 82–83, 120, 161. 1915; Soils F. O., 1914, pp. 113, 116–117, 154, 195. 1919.
Natal, growing, Hawaii, composition, habits, and value. Hawaii Bul. 36, pp. 11, 13, 26, 39. 1915.
seed—
adulteration—
and misbranding. Sec. Cir. 35, pp. 2–6. 1911.
and misbranding. B. T. Galloway. Sec. Cir. 43, pp. 6. 1913.

Redtop—Continued.
seed—continued.
adulteration—continued.
and misbranding, list of dealers. B.P.I.-S.A.R. 6, pp. 3. 1923.
and testing directions. F.B. 382, p. 14. 1909; F.B. 428, pp. 7, 41–42. 1911.
with timothy seed Y.B., 1915, p. 315. 1916; Y.B., Sep. 679, p. 315. 1916.
and other bent grass seeds. D.B. 692, pp. 15–26. 1918.
description, weight, and quantity for seeding an acre. D.C. 43, p. 2. 1919.
marketing methods. Rpt. 98, pp. 148–149. 1913.
production and demand. Y.B., 1917, pp. 511–512. 1918; Y.B. Sep. 757, pp. 17–18. 1918.
quantity per acre in mixture for pasture and hay. F.B. 337, pp. 8, 9, 12. 1908.
soils adaptable and mixtures with other grasses. Soils Bul. 75, pp. 16, 18. 1911.
stem rust, studies. J.A.R., vol. 24, pp. 536–598. 1923.
tall, destruction by birds. Biol. Bul. 15, p. 37. 1901.
use—
and value in reseeding experiments. D.B. 4, pp. 7, 10, 12–13, 14, 17, 18, 20, 21, 22, 23, 24, 25, 26, 28, 29, 32. 1913.
as forage crop in cotton region, description, etc. F.B. 509, pp. 15–16. 1912.
as pasture plant for logged-off land, seed rates. F.B. 462, p. 13. 1911.
in hay meadows, Nebraska. B.P.I. Cir. 80, p. 13. 1911.
on lawns. F.B. 494, pp. 29, 30, 32, 33, 37, 39. 1912.
with lespedeza as farm crop. F.B. 441, pp. 9–10. 1911.
values—
as hay in mixtures, and tolerance of wet and acid soils. F.B. 1170, pp. 5–6, 11. 1920.
for pasture on mountain lands. F.B. 981, pp. 17, 21, 23, 26, 28. 1918.
for wet lands. F.B. 1125, rev., p. 20. 1920.
in tobacco rotation, use and methods. D.B. 16, pp. 6–8. 1913.
See also *Agrostis alba*.
Reductase—
determination in eggs, method and results. Chem. Cir. 104, pp. 4, 6–7. 1912.
occurrence in chicken fat. Chem. Cir. 103, p. 11. 1912.
test of milk. B.A.I. An. Rpt., 1911, pp. 212–215. 1913.
Reduviolus ferus—
enemy of—
flea-beetle. D.B. 436, p. 17. 1917.
leaf hopper. Ent. Bul. 108, p. 32. 1912.
spring grain aphid. Ent. Bul. 110, p. 136. 1912.
See Gray-damsel bug.
Redwing—
bicolored, food habits, relation to agriculture. Biol. Bul. 34, pp. 56–59. 1910.
occurrence in Arkansas. Biol. Bul. 38, pp. 57–58. 1911.
thick-billed, food habits. D.B. 107, pp. 18–20. 1914.
tricolored, food habits, relation to agriculture. Biol. Bul. 34, p. 59. 1910.
western, food habits, relation to agriculture. Biol. Bul. 34, p. 59. 1910.
Redwood—
Richard T. Fisher and others. For. Bul. 38, pp. 40. 1903.
brown rot, description. D.B. 1128, p. 36. 1923.
California, immunity to ants. Ent. Bul. 30, pp. 95–96. 1901.
characters, species on Pacific slope. For. [Misc.], "Forest trees for Pacific * * *," pp. 138–147. 1908.
description, range, occurrence, Pacific slope. For. [Misc.], "Forest trees * * * Pacific slope." pp. 145–147. 1908.
exports—
1906. For. Cir. 110, p. 15. 1907.
1908. For. Cir. 162, pp. 15–17. 1909.

Redwood—Continued.
  grading rules. D.C. 64, pp. 36–37. 1920; For. Cir. 193, pp. 28–32. 1912; For. Bul. 71, p. 104. 1906.
  growth rate. For. Bul. 36, pp. 192, 194. 1910.
  injury by sapsuckers. Biol. Bul. 39, p. 26. 1911.
  lumber production—
    1899–1914, and estimates, 1915. D.B. 506, pp. 13–15, 24. 1917.
    1905, by States. For. Bul. 74, p. 20. 1907.
    1906, and value. For. Cir. 122, p. 20. 1907; For. Cir. 129, p. 9. 1907.
    1913, species and range. D.B. 232, pp. 13, 30–31. 1915.
    1916, by States, mills reporting, and lumber value. D.B. 673, pp. 24–25. 1918.
    1917, and value, by States. D.B. 768, pp. 24, 38, 40. 1919.
    1918, and States producing. D.B. 845, pp. 27, 43. 1920.
    1920, and value. D.B. 1119, p. 47. 1923; Y.B. 1922, p. 922. 1923.
  lumber profits and losses. Rpt. 114, p. 26. 1917.
  occurrence, habits, growth, and management. For. Silv. Leaf. 18, pp. 1–5. 1908.
  pipes, descriptions. D.B. 376, pp. 41, 42, 44, 74–77. 1916.
  quantity used in manufacture of wooden products. D.B. 605, p. 11. 1918.
  resistance to termites, use in Philippines. D.B. 333, p. 27. 1916.
  strength tests, results. For. Bul. 115, p. 10. 1913; For. Bul. 122, p. 11. 1913.
  stumpage value—
    1907. For. Cir. 122, p. 41. 1907.
    1909. For. Cir. 166, p. 10. 1909.
  supply in United States. For. Cir. 97, p. 11. 1907.
  tests for physical properties. D.B. 676, p. 35. 1919; For. Bul. 108, pp. 20–73, 103–123. 1912; For. Cir. 193, pp. 6–23. 1912.
  timbers, strength values, and tables. For. Cir. 189, pp. 4, 5, 6, 7. 1912.
  treatment with creosote, tests and results. D.B. 101, pp. 15, 21, 36, 37, 38. 1914.
  uses, and physical characteristics. For. Cir. 193, pp. 5–6, 23–28. 1912.
  See also Sequoias; Big tree.
REED, A. J.: "Cheesemaking brings prosperity to farmers of southern mountains." With C. F. Doane. Y.B., 1917, pp. 147–152. 1918; V.B. Sep. 737, p. 8. 1918.
REED, C. A.—
  "Black walnut for timber and nuts." With Wilbur R. Mattoon. F.B. 1392, pp. 30. 1924.
  "Opportunities in pecan culture." B.P.I. Cir. 112, pp. 3–9. 1913.
  "Pecan culture. With special reference to propagation and varieties." F.B. 700, pp. 32. 1916.
  "The pecan." B.P.I. Bul. 251, pp. 58. 1912.
REED, F. W.—
  "A working plan for forest lands in central Alabama." For. Bul. 68, pp. 71. 1905.
  "Report on an examination of a forest tract in western North Carolina." For. Bul. 60, pp. 32. 1905.
REED, G. M.—
  "Relative susceptibility of selections from a Fulghum-Swedish select cross to the smuts of oats." With T. R. Stanton. J.A.R., vol. 30, pp. 375–391. 1925.
  "Smuts and varietal resistance in sorghums." With Leo E. Melchers. D.B. 1284, pp. 56. 1925.
  "Varietal susceptibility of oats to loose and covered smuts." With others. D.B. 1275, pp. 40. 1925.
REED, H. S.—
  "Certain organic constituents of soils in relation to soil fertility." With others. Soils Bul. 47, pp. 52. 1907.
  "Certain relationships between the flowers and fruits of the lemon." J.A.R., vol. 17, pp. 153–165. 1919.
  "Correlation and growth in the branches of young pear trees." J.A.R., vol. 21, pp. 849–876. 1921.
Redwood—

REED, H. S.—Continued.
  "Effect of temperature and other meteorological factors on the growth of sorghums." With H. N. Vinall. J.A.R., vol. 13, pp. 133–148. 1918.
  "Growth and composition of orange trees in sand and soil cultures." With A. R. C. Haas. J.A.R., vol. 24, pp. 801–814. 1923.
  "Growth and sap concentration." J.A.R., vol. 21, pp. 81–98. 1921.
  "Relation of the variability of yields of fruit trees to the accuracy of field tests." With L. D. Batcheler. J.A.R., vol. 12, pp. 245–283. 1918.
  "Some factors influencing soil fertility." With Oswald Schreiner. Soils Bul. 40, pp. 40. 1907.
  "Some relations between the growth and composition of young orange trees and the concentration of the nutrient solution." With A. R. C. Haas. J.A.R., vol. 28, pp. 277–284. 1924.
  "The pseudo-antagonism of sodium and calcium in dilute solutions." With A. R. C. Haas. J.A.R., vol. 24, pp. 753–758. 1923.
  "The rôle of oxidation in soil fertility." With Oswald Schreiner. Soils Bul. 56, pp. 52. 1909.
REED, J. B.—
  "By-products from crushing peanuts." D.B. 1096, pp. 12. 1922.
  "The by-products of rice milling." With F. W. Liepsner. D.B. 570, pp. 16. 1917.
REED, J. C.—
  "Determination of stearic acid in butter fat." With others. J.A.R., vol. 6, No. 3, pp. 101–113. 1916.
  "Stability of olive oil." With others. J.A.R., vol. 13, pp. 353–366. 1918.
REED, J. F. "Comparative tests of sugar beet varieties." With J. E. W. Tracey. B.P.I. Cir. 37, pp. 21. 1909.
REED, J. O.: "Production of sirup from sweet potatoes." With others. D.B. 1158, pp. 34 1923.
REED, MINNIE: "Seaweeds of Hawaii." Hawaii A. R., 1906, pp. 61–88. 1907.
REED, W. G.: "Frost and the growing season." Atl. Am. Agri. Adv. Sh., 2, Pt. 2, Sec. 1, pp. 12. 1918.
REED, W. M.—
  "Irrigation along Pecos River and its tributaries." O.E.S. Bul. 104, pp. 61–81. 1902.
  "Irrigation in New Mexico." O.E.S. Bul. 119, pp. 37–50. 1902.
Reed grass—
  leaf spot, occurrence and description, Texas. B.P.I. Bul. 226, p. 53. 1912.
  peat formation. D.B. 802, pp. 26, 27. 1919.
  slender, description, habits and forage value. D.B. 545, pp. 11–12, 58, 59. 1917.
  wood, description. D.B. 772, p. 134. 1920.
Reedbird—
  game bird, status. Biol. Bul. 12, rev. pp. 25–26. 1902.
  See also Bobolink; Ricebird.
Reeds—
  common, utilization in manufacture of matting. An. Rpts., 1908, pp. 44, 393. 1909; B.P.I. Chief Rpt. 1908, p. 121. 1908.
  description, distribution, and uses. D.B. 772, pp. 60–65. 1920.
  host of the mealy plum aphid. D.B. 774, pp. 9, 10, 16. 1919.
REESE, H. C.: "Production of sirup from sweet potatoes." With others. D.B. 1158, pp. 34. 1923.
REESE, H. H.:
  "Breeding horses for the United States Army." Y.B., 1917, pp. 341–356. 1918; Sep. 754, pp. 18. 1918.
  "Breeding Morgan horses at the United States Morgan Horse Farm." D.C. 199, pp. 13. 1921; D.C. 199, rev. pp. 22. 1923.
  "Breeds of light horses." F.B. 952, pp. 16. 1918.
  "Horse-breeding suggestions for farmers." F.B. 803, pp. 22. 1917; F.B. 803, rev., pp. 20. 1923.
  "How to select a sound horse." F.B. 779, pp. 27. 1917.
REESE, M. J.: "Farm home conveniences." F.B. 927, pp. 32. 1918.

REEVE, C. S.—
"A new penetration needle for use in testing bituminous materials." With Fred P. Pritchard. J.A.R., vol. 5, No. 24, pp. 1121–1126. 1916.
"Methods for the examination of bituminous road materials." With Prevost Hubbard. D.B. 314, pp. 48. 1915; Rds. Bul. 38, pp. 45. 1911.
"Toughness of bituminous aggregates." With Richard H. Lewis. J.A.R., vol. 10, pp. 319–330. 1917.
"Typical specifications for bituminous road materials." With Prevost Hubbard. D.B. 691, pp. 60. 1918.

REEVES, G. I.—
"Spraying for the alfalfa weevil." With others. F.B. 1185, pp. 20. 1920.
"The alfalfa weevil and methods of controlling it." With others. F.B. 741, pp. 16. 1916.
"The western grass-stem sawfly." With F. M. Webster. Ent. Cir. 117, pp. 6. 1910.
"The wheat strawworm in the Northwest." Ent. Cir. 106, pp. 11–15. 1909.

Reexports, farm and forest products, discussion. D.B. 296, pp. 49–50. 1915.

Referee board—
of consulting scientific experts—
personnel and duties. Sec. A R., 1909, pp. 37–38. 1909; Y.B., 1909, pp. 37–38. 1910.
report on alum in foods. D.B. 103, pp. 1–7. 1914.
report on saccharin. Rpt. 94, pp. 7–8. 1911.
report on "Influence of vegetables greened with copper salts on the nutrition and health of man." Rpt. 97, pp. 461. 1913.

Referees' recommendations, report of committees. Chem. Bul. 162, pp. 48–49, 159–166, 185–186. 1913.

Refinery(ies)—
corn-oil, equipment, plan, and refining methods, and cost. D.B. 1010, pp. 21–25. 1922.
sugar, number in United States, and output. Y.B., 1917, p. 458. 1918; Y.B. Sep. 756, p. 14. 1918.
sugar stocks reported, 1916, 1917. Sec. Cir. 96, pp. 7, 10–13, 20, 25–28, 38, 39. 1918.

Reforestation—
activities, relation to environmental conditions. J.A.R., vol. 23, pp. 845, 846, 895. 1924.
areas planted and agencies at work. Y.B., 1922, p. 941. 1923; Y.B. Sep. 889, p. 94.1 1923.
artificial, cost and profit for different species. For. Bul. 98, pp. 10–12. 1911.
ash stands, natural and artificial methods. D.B. 299, pp. 40–48. 1915.
bill. Off. Rec., vol. 4, No. 10, p. 1. 1925.
chaparral lands. For. Bul. 85, pp. 43–48. 1911.
cut-over lands in forests of Southwest, results. D.B. 1105, pp. 68–82. 1923.
denuded forest lands. An. Rpts., 1919, p. 189. 1920; For. A.R., 1919, p. 13. 1919.
Douglas fir, methods, yields, cost, etc. For. Cir. 175, pp. 72–73. 1911.
factors influencing, methods. For. Bul. 96, pp. 44–48. 1912.
farm woods, methods. F.B. 1177 rev., pp. 17–23. 1920.
forest land, remedy for depletion of forests. Y.B., 1920, pp. 152–158. 1921; Y.B. Sep. 835, pp. 152–158. 1921.
hazards. F.B. 1417, pp. 10, 11–13, 17. 1924.
jack pine, methods. D.B. 820, pp. 31–32. 1920.
land, public and private, legislation needed. D.C. 112, pp. 13, 15. 1920.
lodgepole-pine zone, methods, germination tests, costs, etc. D.B. 234, pp. 39–46. 1915.
longleaf pine lands, methods and time. D.B. 1061, pp. 41–44. 1922.
Mississippi, George County. Soil Sur. Adv. Sh., 1922, p. 41. 1925.
national forest(s)—
William T. Cox. For. Bul. 98, pp. 57. 1911.
C. R. Tillotson. D.B. 475, pp. 63. 1917.
1910, work and plans. An. Rpts., 1910, pp. 87, 386–392, 422. 1911; For. A. R., 1910, pp. 26–32, 62. 1910; Sec. A. R., 1910, pp. 87–88. 1910; Rpt. 93, p. 60. 1911; Y.B., 1910, pp. 86–87. 1911.

Reforestation—Continued.
national forest(s)—continued.
1911, conditions, methods, and cost. An. Rpts., 1911, pp. 97–100. 1912; Sec. A. R., 1911, pp. 95–98. 1911; Y.B., 1911, pp. 95–98. 1912.
1911, work and plans. An. Rpts., 1911, pp. 372–383, 416, 1912; For. A. R., 1911, pp. 32–43, 76. 1911.
1912, work. Sec. A. R., 1912, pp. 67–68. 1912; An. Rpts., 1912, pp. 67–68. 1913; Y.B., 1912, pp. 67–68. 1913.
1912, work and investigations. An. Rpts., 1912, pp. 505–511, 513. 1913; For. A. R., 1912, pp. 47–53, 55. 1912.
1913, work and investigations. An. Rpts., 1912, pp. 162–164, 183. 1914; For. A. R., 1913, pp. 28–30, 49. 1913.
1914, work and investigations. An. Rpts., 1914, pp. 143–146, 157. 1914; For. A. R., 1914, pp. 15–18, 29. 1914.
1915, methods, cost, and progress, 1915. For. A. R., 1915, pp. 10–12, 24. 1915 An. Rpts., 1915, pp. 168–170, 182. 1916.
1916 by States, cost and nursery stock. An. Rpts., 1916, pp. 166–163, 181–182. 1917; For. A.R., 1916, pp. 12–14, 27–28. 1916.
1917, acreage replanted. An. Rpts., 1917, pp. 175–177, 192. 1917; For. A. R., 1917, pp. 13–15, 30. 1917.
1918, acreage replanted. An. Rpts., 1918, p. 183. 1918; For. A. R., 1918, p. 19. 1918.
1921, by States. For. A. R., 1921, pp. 21–22. 1921.
experiment in Black Hills. Biol. Cir. 78, pp. 1–2. 1911.
need(s)—
and achievements. For. Cir. 171, pp. 16–17. 1909.
appropriation, and planting on national forests. For. A.R., 1925, pp. 9–10. 1925.
in national forests, area to be replanted, etc. Y.B., 1912, pp. 433–434. 1913; Y.B. Sep. 604, pp. 433–434. 1913.
Norway pine, cost, etc. D.B. 139, pp. 6, 29–32. 1914.
pine lands, costs. For. Bul. 76, pp. 27–30, 36. 1909.
planting on national forests. An. Rpts., 1920, pp. 233–234. 1921.
Porto Rico—
experiments. P.R. An. Rpt., 1914, p. 9. 1915.
planting of forest trees and ornamentals. P.R. An. Rpt., 1921, p. 5. 1922.
species adaptable and cover crops. P.R. An. Rpt., 1923, p. 2. 1924.
prevention by fires. D.C. 358, pp. 7–8. 1925.
program. F.B. 1417, pp. 16–21. 1924.
program, immediate needs. An. Rpts., 1922, pp. 198–199. 1922; For. A. R., 1922, pp. 4–5. 1922.
projects and planting, 1923. For. A.R., 1924, pp. 18–20. 1924.
promotion. For. A. R., 1923, pp. 3, 29, 47. 1923; An. Rpts., 1923, pp. 69, 70, 71, 291, 317, 335. 1924; Sec. A R., 1923, pp. 69, 70, 71. 1923.
provisions. Off. Rec., vol. 3, No. 27, p. 2. 1924.
railway, note. M.C. 39, p. 66. 1925.
rodent injuries, control experiments. An. Rpts., 1912, p. 662. 1913; Biol. Chief Rpt., 1912, p. 6. 1912.
Salvation Army camp. Off. Rec., vol. 3, No. 29, p. 4. 1924.
seed sowing in Northern Rocky Mountains. W. G. Wahlenberg. J.A.R., vol. 30, pp. 637–641. 1925.
seed-tree law for Louisiana, summary. D.B. 1061, pp. 40–41. 1922.
seeding for, failure in Germany. J.A.R., vol. 30, p. 641. 1925.
seeds source. Off. Rec., vol. 2, No. 43, p. 5. 1923.
slash-pine lands. F.B. 1256, pp. 27–32. 1922.
spruce forests, sowing or planting, methods. D.B. 544, pp. 64–67. 1918.
spruce trees, unfavorable competition from other tree species. D.B. 544, pp. 19–22. 1918.
suggestions. M.C. 39, pp. 24–26. 1925.
suitability of jack pine. D.B. 212, pp. 5–6, 10. 1915.
use of young growth. M.C. 39, p. 29. 1925.
Virgin Islands experiments. Vir. Is. A. R., 1923, p. 12. 1924.

Reforestation—Continued.
  wood lots, seeding, sprouting, or artificial sowing or planting, methods. F.B. 711, pp. 19–24. 1916.
Refractive index—
  oils, determination method. Chem. Bul. 77, pp. 15–17. 1905.
  solution formula. D.B. 679, p. 4. 1918.
Refractometer—
  butyro, use in determination of refractive index, oils. Chem. Bul. 77, 15–17. 1905.
  water bath control. H. C. Gore. Chem. Cir. 72, pp. 2. 1911.
Refrigerating—
  canning, and preserving, development of industry. Y.B., 1900, pp. 563–566. 1901.
  machinery, care, operation methods. D.B. 98, pp. 34–38. 1914.
  machines for greenhouse work, type. J.A.R., vol. 26, p. 190. 1923.
  plants—
    combination with ice house for farm products storage. F.B. 475, pp. 17–18. 1911.
    requirements for dairy purposes, methods. D.B. 98, pp. 63–65. 1914.
    size estimation, methods. D.B. 98, pp. 57–59. 1914.
Refrigeration—
  agricultural products, bibliography. M.C. 35, p. 12. 1925.
  application to the handling of milk. John T. Bowen. D.B. 98, pp. 88. 1914.
  avocado, degree recommended. Hawaii Bul. 25, pp. 31–32. 1911.
  beef, systems, coolers, temperature, humidity. D.B. 433, pp. 2–4. 1917.
  cantaloupes in transit. F.B. 1145, pp. 9–20. 1921.
  cantaloupes, shipment, use of salt, and other practices. Mkts. Doc. 10, pp. 1, 12–16. 1918.
  celery, use of short-type car. D.B. 1353, pp. 1–28. 1925.
  cheese, ice and mechanical, comparison. B.A.I. Bul. 85, pp. 20–21. 1906.
  cheese, system for cold storage. B.A.I. Bul. 83, p. 10. 1906.
  citrus fruits—
    en route, by sea. Off. Rec. ,vol. 1, No. 6, p. 2. 1922.
    Florida. D.B. 63, pp. 9–11, 45–46, 50. 1914.
    precooling, and cold storage. F.B. 696, pp. 24–25. 1915.
  cold-storage holdings to October, 1924. S.B. 4, pp. 1–32. 1925.
  definition of terms. D.B. 98, pp. 2–3. 1914.
  development. Y.B., 1900, pp. 563–566. 1901.
  effect(s) on—
    apple shipments and marketing. D.B. 302, pp. 12–13. 1915.
    bean weevils. J.A.R., vol. 27, pp. 100–105. 1923.
    pupae of Mediterranean fruit fly. J.A.R., vol. 6, No. 7, pp. 251–260. 1916.
    sulphured and unsulphured hops. W. W. Stockberger and Frank Rabak. B.P.I. Bul. 271, pp. 21. 1912.
    larvae of *Trichinella spiralis*. B. H. Ransom. J.A.R., vol. 5, No. 18, pp. 819–854. 1916.
  eggs, demonstration, methods and importance. Y.B., 1914, pp. 365, 371, 374. 1915; Y.B. Sep. 647, pp. 365, 371, 374. 1915.
  eggs in transit, relation to kind of buffing used. D.B. 664, pp. 22–26. 1918.
  facilities, need in markets. Y.B., 1914, pp. 176, 177. 1915; Y.B. Sep. 636, pp. 176, 177. 1915.
  factor in hog marketing. Y.B., 1922, pp. 189, 255. 1923; Y.B. Sep. 882, pp. 189, 255. 1923.
  fish, methods. Y.B., 1915, pp. 156–157. 1916. Y.B. Sep. 665, pp. 156–157. 1916.
  food, development, increased space, and value. Y.B., 1917, pp. 363–370. 1918; Y.B. Sep. 745, pp.1–11. 1918.
  food, thrift in the home. Thrift Leaf. 14, pp. 1–4. 1919.
  frozen meat exports from countries of surplus. Stat. Bul. 39, pp. 67–68, 70–76, 83, 85, 94. 1905.
  fruit(s)—
    cooling for transportation. Y.B. Sep. 387, pp. 358–360. 1906; Y.B., 1905, pp. 358–360. 1906.

Refrigeration—Continued.
  fruit(s)—continued.
    deciduous. Y.B., 1909, pp. 372–374. 1910; Y.B. Sep. 520, pp. 372–374. 1910.
    work, 1909. An. Rpts. 1909, p. 349. 1910; B.P.I. Chief Rpt., 1909, p. 97. 1909.
  function, systems, methods, and apparatus. D.B. 98, pp. 17–34, 38–49. 1914.
  grapes in transit, importance. D.B. 35, pp. 23–24. 1913.
  indoor plant, construction and arrangement. J.A.R., vol. 26, pp. 184–186. 1923.
  industrial application to chicken industry. Chem. Cir. 64, pp. 14–38. 1910.
  market poultry. Y.B., 1912, pp. 288–289, 291–292. 1913; Y.B. Sep. 591, pp. 288–289, 291–292. 1913.
  meat—
    Argentina. B.A.I. An. Rpt., 1908, pp 316, 330. 1910.
    Australia and New Zealand, for export trade. Y.B., 1914, pp. 428, 431. 1915; Y.B. Sep. 650, pp. 428, 431. 1915.
    in retail market. M.C. 54, pp. 22–24. 1925.
    needs in South. F.B. 809, pp. 10–11. 1917.
    system invention, results in Argentina. Y.B., 1913, p. 351. 1914; Y.B. Sep. 629, p. 351. 1914.
  mechanical, production cost in small plants, studies. D.B. 98, pp. 59–63. 1914.
  milk—
    directions. B.A.I. Dairy [Misc.], "Turn cold into gold," pp. 3. 1918.
    in city plants, requirements and methods. D.B. 849, pp. 12, 20, 24, 25, 26, 32. 1920.
    in handling and shipment. Y.B., 1922, pp. 337, 354, 355. 1923; Y.B. Sep. 879, pp. 47, 63, 64. 1923.
    in transit, Michigan methods. D.B. 639, p. 12. 1918.
    plant systems. D.B. 890, pp. 34–37. 1920.
  ocean shipments of citrus fruits. D.B. 1290, pp. 2–4, 7–18. 1924.
  pork products to be eaten without cooking. B.A.I.S.R.A. 128, pp. 133–134. 1918.
  potato-storage houses. F.B. 847, pp. 21–23, 27. 1917.
  poultry and eggs, studies. Chem. Cir. 64, pp. 5–42. 1910.
  poultry in transit. M. E. Pennington and others. D.B. 17, pp. 35. 1913.
  scientific data. Chem. Cir. 64, pp. 6–14, 38–42. 1910.
  shipping citrus fruits, icing and management of cars. B.P.I. Bul. 123, pp. 18–20. 1908.
  spinach in transit. F.B. 1189, pp. 6, 11–15. 1921.
  statistics, 1923. Y.B., 1923, p. 1145. 1924; Y.B. Sep. 906, p. 1145. 1924.
  strawberries in—
    shipment from Florida. F.B. 664, p. 16. 1915.
    transit. D.B. 531, pp. 11–13. 1917.
  tomato shipments, discussion. D.B. 859, pp. 28–29. 1920.
  transit, investigations. An. Rpts., 1917, pp. 156–158. 1918; B P.I. Chief Rpt., 1917, pp. 26–28. 1917.
  use of salt and ice mixtures, temperatures obtained, etc. D.B. 98, pp. 14–17. 1914.
  See also Cold storage; Precooling.
Refrigerator car(s)—
  air circulation, discussion. D.B. 1353, pp. 2, 13, 20, 27. 1925.
  berry shipping, temperature conditions, use of ice and salt, requirements. D.B. 274, pp. 33–35, 36, 37. 1915.
  combination with heaters, for perishable products. News L., vol. 5, No. 50, p. 7. 1918.
  construction, comparison of types for efficiency. D.B. 17, pp. 18–26. 1913.
  delays in unloading. News L., vol. 7, No. 11, p. 6. 1919.
  for cantaloupes, construction and insulation. Mkts. Doc. 10, pp. 1, 10–12. 1918.
  iced, prompt loading of cantaloupes after picking a necessity, experiments. Mkts. Doc. 9, pp. 7–8. 1918.
  improvement, investigations. An. Rpts., 1916, pp. 152–153. 1917; B.P.I. Chief Rpt., 1916, pp. 16–17. 1916.
  loading tomatoes, methods. F.B. 1291, pp. 31–32. 1922.

INDEX TO PUBLICATIONS, 1901-1925　　1979

Refrigerator car(s)—Continued.
　open-bulkhead type, loading with grapes. Mkts. Doc. 14, p. 7. 1918.
　routes to meat retailers. D.B. 1317, pp. 6-7. 1925.
　shipping poultry. D.B. 467, p. 14. 1916.
　short-type, efficiency of. R. G. Hill and others. D.B. 1353, pp. 28. 1925.
　shortage of supply, causes. D.B. 191, p. 21. 1915.
　standardization, discussion. D.B. 1353, p. 2. 1925.
　use for protection from cold. Mkts. Doc. 17, pp. 22-25. 1918.
　use in—
　　milk transportation. Y.B., 1922, pp. 354-356. 1923; Y.B. Sep. 879, pp. 63-64. 1923.
　　shipment of spinach. F.B. 1189, pp. 11-12. 1921.
　　shipping eggs and poultry. F.B. 1378, pp. 25-26. 1924.
　　shipping fish from Pacific coast. Y.B., 1915, p. 155. 1916; Y. B. Sep. 665, p. 155. 1916.
　　shipping potatoes from California. F.B. 1050, p. 17. 1919.
　　transporting oranges. D.B. 63, pp. 10-11. 1914.
　ventilation and freezing prevention, methods. F.B. 1091, pp. 22-25. 1920.
Refrigerators—
　care in the home. F.B. 413, p. 7. 1910.
　cleaning directions. F.B. 1180, pp. 22-23. 1921.
　farm and dairy, construction and cost, details. F.B. 353, pp. 29-31. 1909.
　farm, construction method, etc. F.B. 475, pp. 18-19. 1911.
　home, care of. F.B. 1359, p. 10. 1923; Thrift Leaf. 14, pp. 3-4. 1919.
　iceless—
　　directions for making. Off. Rec., vol. 1, No. 25, p. 8. 1922.
　　for farm home, description, operation, and care. F.B. 927, pp. 14-17. 1918.
　　homemade, description and cost. News L., vol. 3, No. 38, pp. 2-3. 1916.
　　importance of cleanliness. News L., vol. 2, No. 47, pp. 1, 8. 1915.
　　manufacture from basswood and other woods. D.B. 1007, pp. 44-46. 1922.
　　necessity and value for milk keeping. F.B. 1207, pp. 20, 32. 1921.
　storage effect on composition of peaches. Chem. Bul. 97, pp. 29-32. 1905.
　strawberry shipping, description. F.B. 1026, p. 34. 1919; F.B. 1027, p. 23. 1919.
　use—
　　in the home, directions. F.B. 1374, pp. 5-6. 1923.
　　of cooking box, principles, directions. O.E.S. Syl. 15, pp. 11-13. 1914.
Refuges—
　antelope, establishment. D.B. 1346, pp. 14-18. 40-41. 1925.
　bird, community. W. L. McAtee. F.B. 1239, pp. 13. 1921.
　game, national and State, establishments, 1913. D.B. 22, pp. 3, 11. 1913; D.B. 22, rev., pp. 3, 10. 1913.
Refuse—
　camp, disposal. D.C. 4, p. 63. 1919; D.C. 185, p. 31. 1921.
　farmhouse, disposal suggestions. F.B. 270, p. 35. 1906.
REGAN, S. A.: "Nematode galls as a factor in the marketing and milling of wheat." With D. A. Coleman. D.B. 734, pp. 16. 1918.
REGAL, ROBERT, work in classification of barley varieties. D.B. 622, pp. 5, 32. 1918.
Regenerator, pasteurizing apparatus, economy in use. D.B. 85, pp. 4-6. 1914.
"Registered"—
　poultry definition. B.A.I. Bul. 90, p. 9. 1906.
　use of word on blown bottles. Opinion 101, Chem. S.R.A. 11, p. 752. 1915.
Registration—
　breeding stock, methods, inequalities. B.A.I. An. Rpt., 1905, pp. 156-157. 1907.
　livestock, procedure and value. B.A.I. Bul. 34, pp. 28-29. 1902.
　milch goats. B.A.I. Bul. 68, pp. 49-50. 1905.

Registration—Continued.
　stallion, law, Washington. O.E.S. An. Rpt., 1911, p. 219. 1912.
　trucks and license fees, cost. D.B. 1254, p. 20. 1924.
　value in purchasing milch goats. B.A.I. Bul. 68, p. 42. 1905.
Registry, livestock associations, directory. Farm M. [Misc.], "Directory of American agricultural organizations, 1920," pp. 66, 67, 68. 1920.
Regression equations, egg dimensions, tests and table. B.A.I. Bul. 110, Pt. 3, pp. 223-225. 1914.
Regulations—
　cotton warehouses, approved June 22, 1922. Sec. Cir. 158, pp. 37. 1922.
　department, fiscal, property and administrative. Adv. Com. F. and B. M. [Misc.], "Regulations of the United States * * *," pp. 1231. 1924.
　migratory-birds protection, proposed. Biol. S.R.A. 9, pp. 4. 1916.
Regulator—
　humidity. William Mansfield Clark. B.A.I. Cir. 211, pp. 6. 1913.
　misbranding. See *Indexes, Notices of judgmen in bound volumes, and in separates published as supplements to Chemistry Service and Regulatory Announcements.*
Regulatory work—
　relation to research work. Y.B., 1921, p. 33. 1922; Y.B. Sep. 875, p. 33. 1922.
　various bureaus, statutory history. Sol. [Misc.], "A * * * statutory history * * *," pp. 17-21. 1916.
Regulus spp. *See* Kinglet.
"Reh," alkali deposit from irrigation canals, India. J.A.R., vol. 10, p. 332. 1917.
REICH, F. W.: "Soil survey of Emmet County, Iowa." With D. S. Gray. Soil Sur. Adv. Sh., 1920, pp. 409-443. 1923; Soils F.O., 1920, pp. 409-443. 1925.
Reichert-Meissl number—
　butterfat in breed experiments. B.A.I. Bul. 156, pp. 21-22. 1913.
　butterfat variations for individual cows. B.A.I. Bul. 157, pp. 11-12, 15, 19, 21-27. 1913.
　of milk in lactation studies. B.A.I. Bul. 155, pp. 59-62. 1913.
REID, D. H.: "The effect of feeding thyroid on the plumage of the fowl." With L. J. Cole. J.A.R., vol. 29, pp. 285-287. 1924.
REID, E. B., report as Chief of Publications Division—
　1919. An. Rpts., 1919, pp. 303-324. 1920; Pub. A.R., 1919, pp. 22. 1919.
　1920. An. Rpts., 1920, pp. 383-404. 1921; Pub. A.R., 1920, pp. 22. 1920.
REID, F. R.—
　"Studies in soil catalysis." With M. X. Sullivan. Soils Bul. 86, pp. 31. 1912.
　"Studies in soil oxidation." With others. Soils Bul. 73, pp. 57. 1910.
　"Studies on the properties of unproductive soil." With others. Soils Bul. 28, pp. 39. 1905.
　"The action of manganese in soils." With others. D.B. 42, pp. 32. 1914.
　"The action of manganese under acid and neutral soil conditions." With J. J. Skinner. D.B. 441, pp. 12. 1916.
　"The effect of borax on the growth and yield of crops." With others. D.B. 1126, pp. 31. 1923.
　"Toxicity studies with dicyanodiamide on plants." With others. J.A.R., vol. 30, pp. 419-429. 1925.
REID, H. W.: "Soil survey of—
　Pottawattamie County, Iowa." With others. Soil Sur. Adv. Sh., 1914, pp. 30. 1916; Soils F.O., 1914, pp. 1885-1910. 1919.
　Van Buren County, Iowa." With Clarence Lounsbury. Soil Sur. Adv. Sh., 1915, pp. 32. 1917; Soils F.O., 1915, pp. 1781-1808. 1919.
Reid process of nitrogen fixation. Y.B., 1917, p. 146. 1918; Y.B. Sep. 729, p. 10. 1918.
Reimarochloa spp., description, distribution, and uses. D.B. 772, pp. 20, 225, 226. 1920.
REIMER, F. C., importations of resistant forms of pears. Nos. 45821-45850, B.P.I. Inv. 54, pp. 1-2, 26-31. 1922.
Reindeer—
　and caribou. C. C. Georgeson. B.A.I. Cir. 55, pp. 14. 1904.

Reindeer—Continued.
  branding and recording, Alaska. Off. Rec., vol. 2, No. 30. p. 1. 1923.
  breaking to sleds. D.B. 1089, pp. 50-51. 1922.
  breeding experiments in Alaska, distribution, and economic importance. D.B. 50, pp. 22-25, 26, 30. 1914.
  characteristics. Biol. Bul. 36, pp. 16-17. 1910.
  crossbreeding studies. D.B. 50, pp. 23-24. 1914.
  crossing with caribou. Off. Rec., vol. 4, No. 36, p. 6. 1925.
  destruction by predaceous animals. Biol. Chief Rpt., 1924, p. 25. 1924.
  does, care of, during fawning period. D.B. 1089, pp. 48-49. 1922.
  domesticated, importation into Alaska, increase, total number in 1913. D.B. 50, pp. 22-23, 24-25, 30. 1914.
  feeding experiments. D.B. 1089, pp. 49-50. 1922.
  foot disease, similarity to sheep foot rot, cause. B.A.I. Bul. 63, pp. 11, 26. 1905.
  foot rot, treatment. D.B. 1089, p. 54. 1922.
  gid occurrence. B.A.I. Bul. 125, Pt. 1, pp. 10, 34, 36. 1910.
  grazing, lease of Alaskan lands, bill. Off. Rec., vol. 1, No. 30, p. 3. 1922.
  importations from Norway. Off. Rec., vol. 1, No. 14, p. 7. 1922.
  importations, quarantine. Off. Rec., vol. 3, No. 3, p. 3. 1924.
  in Alaska—
    Seymour Hadwen and Lawrence J. Palmer. D.B. 1089, pp. 74. 1922.
    conditions, report. D.C. 88, p. 12. 1920.
    dangers of tapeworms from dogs. An. Rpts., 1915, p. 134. 1916; B.A.I. Chief Rpt., 1915, p. 58. 1915.
    numbers, management. Biol. Chief Rpt., 1924, pp. 23-24. 1924.
    origin and number. Off. Rec., vol. 2, No. 47, p. 5. 1923.
    transfer. An. Rpts., 1914, p. 209. 1914; Biol. Chief Rpt., 1914, p. 11. 1914.
    weight. D.B. 1089, pp. 3, 12. 1922.
  in Athabaska-Mackenzie region. N.A. Fauna 27, pp. 135-143. 1906.
  in Norway, numbers, 1845-1907. B.A.I. Doc. A-37, p. 59. 1922.
  industry in Alaska—
    growth and importance. D.C. 168, p. 10. 1921.
    progress. Biol. Chief Rpt., 1921, pp. 33-34. 1921; Off. Rec., vol. 2, No. 1, p. 8. 1923; Off. Rec., vol. 3, No. 2, p. 2 1924.
  interbreeding with caribou. D.B. 1089, pp. 3, 40. 1922.
  introduction on Pribilof Islands, and increase of herd. N.A. Fauna 46, pp. 114-115. 1923.
  investigations, feeding, rearing, and ranges. An. Rpts., 1923, pp. 419, 446-447. 1924; Biol. Chief Rpt., 1923, pp. 1, 28-29. 1923.
  measles, cause and spread by dogs. D.B. 260, p. 14. 1915.
  meat—
    availability. Off. Rec., vol. 4, No. 15, p. 6. 1925.
    marketing. Biol. Chief Rpt., 1924, pp. 24-25. 1924.
  milk—
    cheese, description, process, and analysis. B.A.I. Bul. 105, pp. 30, 43, 61. 1908; B.A.I. Bul. 146, pp. 33, 48, 67. 1911.
    yields, possibilities. D.B. 1089, p. 18. 1922.
  moss—
    distribution. N.A. Fauna, 24, pp. 17, 20. 1904.
    white, distribution, use and value as reindeer feed. D.B. 50, pp. 24, 30. 1914.
  numbers—
    by countries. Y.B., 1924, pp. 986, 987. 1925.
    world countries. Y.B., 1907, p. 702. 1908; Y.B. Sep. 465, p. 702. 1908.
  occurrence in Alsaka, food value, and breeding experiments. Biol. Doc. 110, pp. 7-8. 1919.
  parasites, habits and control. D.B. 1089, pp. 57-68. 1922.
  place in animal husbandry. Off. Rec., vol. 2, No. 16, p. 3. 1923.
  protection, and breeding experiments. Biol. Chief Rpt., 1925, pp. 5, 19-20. 1925.
  slaughtering, Alaska methods. D.B. 1089, pp. 12-17. 1922.

Reindeer—Continued.
  statistics—
    1906. Y.B., 1906, p. 636, 1907; Y.B. Sep. 436, p. 636. 1907.
    1911, for different countries. Y.B., 1911, pp. 623-625. 1912; Y.B. Sep. 588, pp. 623-625. 1912.
    1910, world countries. Y.B., 1910, pp. 618-620. 1911. Y.B. Sep. 553, pp. 618-620. 1911.
    graphic showing of average numbers, world. Stat. Bul. 78, p. 51. 1910.
  tapeworm infestation with *Taenia krabbei*. J.A.R. vol. 1, pp. 36-38. 1913.
  white, characteristics. D.B. 1089, pp. 5-6. 1922.
  worms, prevention and treatment. D.B. 1089, pp. 60-61. 1922.
  See also Caribou.
Reinforcement—
  concrete, in warehouse construction. D.B. 801, pp. 32-37. 1919.
  necessity in concrete silos, methods. F.B. 589, pp. 19-20. 1914.
REINKING, O. A.—
  "Comparative study of *Phytophthora faberi* on coconut and Cacao in the Philippine Islands." J.A.R., vol. 25, pp. 267-284. 1923.
  "Fundamentals for taxonomic studies of Fusarium." With others. J.A.R., vol. 30, pp. 833-843. 1925.
Reinspection, food products, regulation 8. See. Cir. 160, p. 4. 1922.
Reinstatement(s)—
  memorandum of administrative assistant. Off. Rec. vol. 1, No. 3, p. 4. 1922.
  rules, and amendments. Off. Rec., vol. 2, No. 44, p. 4. 1923.
Reithrodontomys—
  genus, revision (American harvest mice). Arthur H. Powell. N.A. Fauna 36, pp. 97. 1914.
  spp. distribution, and habits. N.A. Fauna 36, pp. 19-26, 30-47, 54-81. 1914.
  spp. See also Mouse, harvest.
Rejalar. See Yautia.
Relabeling—
  meat and meat products. B.A.I. An. Rpt., 1906, pp. 376-378, 387. 1908.
  notice to importers of foods and drugs. Chem. S.R.A. 14, p. 10. 1915.
Relapsing fever. See African relapsing fever.
Relief Association—
  Employees'. Off. Rec., vol. 1, No. 5, p. 4. 1922; vol. 2, No. 3, p. 5. 1923.
  Immediate, organization, work, and officers. Off. Rec. vol. 1, No. 8, p. 5. 1922.
Relish (es)—
  containing peppers, recipes. F.C.D.W.S. Cir. 1, pp. 4-5. 1915.
  Dixie, use of peppers, recipe. S.R.S. Doc. 39, p. 4. 1917.
  misbranding. See *Indexes, Notices of Judgment, in bound volumes, and in separates published as supplements to Chemistry Service and Regulatory Announcements.*
  recipes. News L., vol. 3, No. 3, p. 7. 1915.
  use as food. O.E.S. Bul. 3, pp. 67-68. 1912.
REMINGTON, W. A.: "Hints to settlers on the Sun River project." With J. S. Cotton. B.P.I. Doc. 462, pp. 7. 1909.
Remnant system of corn breeding. C. G. Williams. Y.B., 1909, pp. 312-313. 1910; Y.B. Sep. 515, pp. 312-313. 1910.
Remount breeding plan, advantages. Y.B., 1917, pp. 353-354. 1918; Y.B. Sep. 754, pp. 15-16. 1918.
RENSEN, IRA, report of referee board, on saccharin. With others. Rpt. 94, pp. 7-8. 1911.
Rennet—
  action in curdling milk. F.B. 490, p. 14. 1912.
  calf's, action of formaldehyde. B.A.I. Cir. 59, pp. 114-115. 1904.
  effect on flavor, keeping and weight. B.A.I. Bul. 85, pp. 14, 39, 68. 1906.
  extract manufacture, experiments. Renwich Hutson Leitch. B.A.I. Dairy [Misc.], "World's dairy congress, 1923," pp. 339-341. 1924.
  extracts, testing methods. O.E.S. Bul. 166, pp. 30-34. 1906.
  hernia, cattle, cause and treatment. B A.I. [Misc.], "Diseases of cattle," rev., pp. 38-39. 1923.

INDEX TO PUBLICATIONS, 1901-1925   1981

Rennet—Continued.
   imports, 1907-1909, amount and value, by countries from which consigned. Stat. Bul. 82, p. 32. 1910.
   influence on alcohol test of milk. D.B. 202, pp. 14-15. 1915.
   preparation and use. F.B. 237, p. 31. 1905.
   quantities advisable for cold-cured cheese. B.A.I. Bul. 85, pp. 31-32, 42-65, 68. 1906.
   test, determination of milk condition for Cheddar cheese, comparison with acid test. E. G. Hastings and Alice C. Evans. B.A.I. Cir. 210, pp. 6. 1913.
   use in—
     Camembert cheese. D.B. 1171, pp. 6, 7. 1923.
     cheese making. D.B. 669, pp. 6, 13-15, 27. 1918.
     cheese making, directions. F.B. 1191, p. 6. 1921.
     making cottage cheese. B.A.I. Doc. A-17, p. 2. 1917; F.B. 850, pp. 9-11, 14-15. 1917.
     pasteurized milk for cheese. B.A.I. Bul. 165, pp. 46-48. 1913.
     various amounts, effect on moisture content of cheese. B.A.I. Bul. 122, pp. 25-29. 1910.
   vegetable, derivation from withania berries. B.A.I. Bul. 105, p. 54. 1908; B.A.I. Bul. 146, p. 60. 1911.
RENNIE, JOHN, study of Isle of Wight disease. D.C. 287, pp. 3-4, 7-16, 29. 1923.
Rennin, reaction with milk, importance in cheese making. B.A.I. Dairy [Misc.], "World's dairy congress, 1923," pp. 300-302. 1924.
Reno, Nev., laboratory, cooperative, for the examination of potash-bearing materials. Sec. [Misc.], "Cooperative laboratory at * * *," pp. 4. 1912.
Renovated butter. *See* Butter.
Rent—
   black land, contracts and relation of landlord and tenant. D.B. 1068, pp. 19-22. 1922.
   buildings, Department of Agriculture, appropriations, 1915. Sol. [Misc.], "Laws applicable * * *," Sup. 3 pp. 10-11. 1915.
   cash—
     ratio to farm value. Y.B., 1923, pp. 545-547. 1924; Y.B. Sep. 897, pp. 545-547. 1924.
     relation to land value. D.B. 1224, pp. 26-28. 1924.
   charge against crops. D.B. 648, p. 43. 1918.
   contracts in wheat belt. E. A. Rogers. D.B. 850, pp. 15. 1920.
   farm—
     cash and share. F.B. 1164, pp. 4-6, 26-27, 29. 1920.
     home, per cent of total cost. D.B. 1214, pp. 9, 10, 13-15, 22, 24-25. 1924.
     items. D.B. 1322, pp. 4-7, 15-16, 23. 1925.
     lands, increase. Y.B., 1921, pp. 10-11. 1922; Y.B. Sep. 875, pp. 10-11. 1922.
     ratio to land value, 1900-1920. D.B. 1224, pp. 19-26. 1924.
   land, cotton farms, Ellis County, Texas. D.B. 659, pp. 11, 15, 46. 1918.
   retail meat stores. D.B. 1317, pp. 58-59. 1925.
   statement, to be made in estimates. Sol. [Misc.], "Laws applicable * * *," Sup. 3, p. 8. 1915.
   sugar-beet production cost, California. D.B. 760, pp. 40-42. 1919.
   tobacco land, per cent of cost of production. Y.B., 1922, p. 428. 1923; Y.B. Sep. 885, p. 428. 1923.
Rental(s)—
   farm, practices. *See* Soil Surveys *for various States, counties, and areas.*
   land, as factor of cost in crop production. Stat. Bul. 73, pp. 25, 53. 1909.
   options, specifications in large-scale farm contract. D.C. 351, pp. 32-33, 34. 1925.
   terms on tenant farm. F.B. 437, pp. 9-10. 1911.
Rented buildings, in District of Columbia, annual reports, requirements. Sol. [Misc.], "Laws applicable * * *," Sup. 2, p. 104. 1915.
Renters' Union of America, organization in Texas. D.B. 1068, p. 2. 1922.
Renting—
   dairy farms. Howard A. Turner. F.B. 1272, pp. 24. 1922.
   farms in Utah Lake Valley, comparison with buying. D.B. 582, pp. 7-8. 1918.

Renting—Continued.
   farms on shares, lease contracts. E. V. Wilcox. D.B. 650, pp. 36. 1918.
   land, Yazoo-Mississippi Delta, methods. D.B. 337, pp. 6-7. 1916.
   plantations in Southern States. D.B. 1269, pp. 38-42. 1924.
   systems—
     in wheat belt. D.B. 850, pp. 1-15. 1920.
     shares and cash rents. D.B. 850, pp. 3-7. 1920.
Rent Division, Agriculture Department—
   in District of Columbia, organization and work. Sec. [Misc.], "Program of work * * * 1915," p. 31. 1914.
Rents in District of Columbia, restrictions. Sol. [Misc.], "Laws applicable * * *," Sup. 2, pp. 11-12. 1915.
Reorganization department, law. Off. Rec., vol. 2, No. 11, p. 1. 1923.
Repair(s)—
   cost on farms, Georgia, Sumter County. D.B. 1034, pp. 25, 26, 27, 28. 1922.
   farm—
     buildings, provisions in leases. F.B. 1164, pp. 17-18. 1920.
     equipment. W. R. Beattie. F.B. 347, pp. 32. 1909.
   tractors, costs. F.B. 963, pp. 13-14. 1918.
   tractors, per acre plowed. F.B. 1035, pp. 13, 15, 21-22. 1919.
   motor truck(s),—
     costs. D.B. 931, pp. 22-24. 1921.
     transportation, estimation. D.B. 770, p. 13. 1919.
   requirements of farm tractors, and cost per year. F.B. 1035, pp. 15-16. 1919.
   shops, savings effected by. Y.B., 1922, p. 56. 1923; Y.B. Sep. 883, p. 56. 1923.
   tractors, charges per year, Western States. D.B. 174, pp. 17, 35-36, 42. 1915.
   work, soldering, home directions. S.R.S. Doc. 11, pp. 3-4. 1916.
Repellent(s)—
   for—
     Argentine ant control. D.B. 965, pp. 9-18. 1921.
     clothes moths. Off. Rec., vol. 3, No. 51, p. 3. 1924.
     corn-root aphid. F.B. 835, p. 21. 1917; F.B. 891, p. 11. 1917.
     flea-beetle. F.B. 436, p. 18. 1917.
     fleas, kinds and use. F.B. 897, pp. 13-14. 1917.
     flies and other insects, formulas and use. B.A.I. [Misc.], "Diseases of cattle, rev., pp. 495-496. 1908; rev., pp. 518-519. 1912; Ent. Cir. 115, pp. 7-9. 1910.
     flies on farm animals, formulas, use. News L., vol. 2, No. 5, p. 4. 1914.
     insects attacking animals. Sec. Cir. 61, p. 24. 1916.
     insects, description and directions for use. P.R. Cir. 17, pp. 18-20. 1918.
     lead-boring beetles, control experiments. D.B. 1107, pp. 21-23, 27-30, 39-40. 1922.
     mole crickets. P.R. Bul. 23, pp. 21, 25. 1918.
     mosquito. Sec. Cir. 61, p. 16. 1916.
     protecting animals from attacks of flies. H. W. Graybill. D.B. 131, pp. 26. 1914.
     wireworm control, varieties, formulas, D.B. 78, pp. 25-28, 29. 1914.
   use in protection of animal wounds from flies, formulas. News L., vol. 2, No. 7, p. 4. 1914.
Reporters, crop, township, character of men, cooperation in well-records work. Soils Bul. 92, pp. 16-18. 1913.
Reports, annual—
   department branches. *See under names of Bureaus and Offices.*
   printing and binding, provision. Sol. [Misc.], "Laws applicable * * *," Sup. 3, p. 59. 1915.
   required by law. An. Rpts., 1908, pp. 631-632. 1909; Ed. An. Rpt., 1908, pp. 9-10. 1908.
   restrictions. Sol. [Misc.], "Laws applicable * * *," Sup., 2, p. 103. 1915.
Reports, farm-production cost, blanks and details. D.B. 994, pp. 3, 5, 10, 12, 15, 18, 30-36. 1921.
Reproduction—
   animal, discussion. D.B. 905, pp. 2-11. 1920.
   cypress trees, studies. D.B. 272, pp. 29-34, 64-69. 1915.

Reproduction—Continued.
dietary factor essential for, hitherto unknown. B. A. I. Dairy [Misc.]. "World's dairy congress, 1923." pp. 1027-1034. 1924.
forest—
experiments in composite forest type. For. Bul. 125, pp. 23-27. 1913.
studies, effects of burns, etc. J.A.R. vol. 11, pp. 1-26. 1917.
trees, various species, notes. For. Bul. 98, pp. 51-57. 1911.
hindrance causes with sugar pine. D.B. 426, pp. 8-9. 1916.
incense cedar, conditions, methods, D.B. 604, pp. 19-20. 1918.
plant, three principal types. B.P.I. Bul. 146, pp. 8-9. 1909.
scrub pine, studies. For. Bul. 94, pp. 11-14, 22-24. 1911.
spruce, soil, moisture, and light requirements. D.B. 544, pp. 14-15, 16-22. 1918.
Utah juniper in central Arizona, methods. For. Cir. 197, p. 19. 1912.
Reptiles—
eaten by crows. D.B. 621, pp. 28, 63, 89. 1918.
food habits, studies. Biol. Chief Rpt., 1924, p. 19. 1924.
importation into Hawaii, permits, regulations. Biol. Cir. 36, p. 1. 1902.
in—
Athabaska-Mackenzie region. N.A. Fauna 27, pp. 500-502. 1906.
Colorado, species, distribution, description. N.A. Fauna 33, pp. 21-22, 23-24, 25-27, 39-40, 45. 1911.
New Mexico, different life zones. N.A. Fauna 35, pp. 19, 34, 45. 1913.
Wyoming, species characteristic of different life zones. N.A. Fauna 42, pp. 16, 19, 20, 22, 24, 26, 33. 1917.
See also Snakes; Lizards.
Republican River, South Fork, irrigation in Kansas. O.E.S. Bul. 211, pp. 9, 12, 22-24. 1909.
Resacas in Texas, Brownsville area, description and formation. Soil Sur. Adv. Sh., 1907, pp. 6-7. 1908; Soils F.O. 1907, pp. 706-707. 1909.
Rescue grass—
analytical key and description of seedlings. D.B. 461, pp. 8, 22. 1917.
and chess, seeds. B.P.I. Bul. 25, pp. 1-4. 1903.
and wheat, seeds, B.P.I. Bul. 25, p. 6. 1903.
description, and uses. F.B. 1433. pp. 18-22. 1925.
description and value for cotton States. F.B. 1125, rev., pp. 20-21. 1920.
growing in Hawaii, composition and value. Hawaii Bul. 36, pp. 11, 13, 19. 1915.
seeds. F. H. Hillman. B.P.I. Bul. 25, Pt. I, pp. 5-8. 1903.
winter grazing, value. F.B. 1125, rev., p. 20. 1920.
Research—
agencies in the United States. B.A.I. Dairy [Misc.], "World's dairy congress, 1923," pp. 87-90. 1924.
agriculture—
including dairying, address, by A.C. True. B.A.I. Dairy [Misc.], "World's dairy congress, 1923," pp. 86-100. 1924.
value. Off. Rec., vol. 4, No. 7, pp. 1, 6. 1925.
and administration, relation between work. O.E.S. Cir. 82, pp. 1-5. 1908.
basic work of department. Sec. A.R. 1921, pp. 24-26. 1921.
dairy industry, results, disseminating by publications. B.A.I. Dairy [Misc.], "World's dairy congress, 1923," pp 352-358 1924.
dairying, results of studies. Sec. A.R. 1925, pp. 49-51. 1925.
forest—
management products, and uses. D.C. 211, pp. 38-41. 1922.
need in reducing waste of wood. F.B. 1417, pp. 19-20. 1924.
legislative provisions for. An. Rpts., 1906, pp. 559-561. 1907.
need in disease eradication work. Sec. A.R. 1921, pp. 37-39, 40-41. 1921.
problems, importance to agricultural progress. Sec. Cir. 153, pp. 3-5. 1920.

Research—Continued.
projects, cooperation, Federal and State. Off. Rec. vol. 1, No. 52, p. 1. 1922.
Statistical and Historical Division, foreign reports. Off. Rec. vol. 1, No. 33, p. 1. 1922.
work—
experiment stations, relation to administration. O.E.S. Cir. 82, pp. 1-5. 1908.
Roads Bureau, character and details. Rds. Chief Rpt. 1921, pp. 4, 31-35, 37-44. 1921.
with food and drugs, by Chemistry Bureau. D.C. 137, pp. 18-21. 1922.
workers, need of better salaries. Y.B., 1921, pp. 62-64. 1922; Y.B. Sep. 875, pp. 62-64. 1922.
Research Council, National—
location and chairman. Off. Rec. vol. 2, No. 25, p. 4. 1923.
roads. Off. Rec. vol. 1, No. 44, p. 3. 1922.
work in regard to sulphuric acid supplies. J.A.R. vol. 18, p. 330. 1919.
Reseeding—
artificial, New Mexico stock ranges, methods. D.B. 211, pp. 32-33. 1915.
bur clover, methods. F.B. 532, p. 18. 1913.
denuded mountain grazing lands. An. Rpts. 1910, p. 73. 1911; Sec. A.R., 1910, p. 73. 1910; Rpt. 93, p. 53. 1911; Y.B., 1910, p. 72. 1911.
depleted—
grazing lands to cultivated forage plants. Arthur W. Sampson. D.B. 4, pp. 34. 1913.
range and native pastures. David Griffiths. B.P.I. Bul. 117, pp. 27. 1907.
experiments—
causes of failure. D.B. 4, pp. 8-9. 1913.
on mountain grazing lands, progress. For. Cir. 169, pp. 25-28. 1909.
grazing lands—
cost per acre, tables. D.B. 4, pp. 26-30. 1913.
methods, seedling stands on different plots, comparison. D.B. 4, pp. 16-20. 1913.
longleaf pines, seed-tree methods, seedlings. D.B. 1061, pp. 37-41. 1922.
native forage plants on stock ranges. B.P.I. Bul. 177, pp. 11, 13-14. 1910.
range(s)—
experiments, Arizona. D.B. 367, pp. 34-35, 38. 1916.
methods. D.B. 730, pp. 56-66. 1919.
Reservations—
Alaska, bird and mammal, in charge of Department of Agriculture. Biol. Cir. 71, pp. 15. 1910.
bird—
and game, report for 1908. Y.B., 1908, pp. 583-585. 1909; Y.B. Sep. 500, pp. 583-585. 1909.
attraction methods. D.B. 715, pp. 1-13. 1918.
description, summary. An. Rpts. 1906, pp. 408-410. 1907; Biol. Chief R., 1906, pp. 14-16. 1907.
establishment and location. An. Rpts., 1908, pp. 120, 581, 589. 1909; Biol. Chief Rpt., 1908, pp. 13, 21. 1908.
new, 1907. Y.B., 1907, p. 596. 1908; Y.B. Sep. 460, p. 596. 1908.
game and bird—
conditions. 1916. An. Rpts., 1916, pp. 243-248. 1917. Biol. Chief Rpt., 1916, pp. 7-12. 1916.
work in 1921. Biol. Chief Rpt., 1921, pp. 20-25. 1921.
Indian and military, cooperative work of Forest Service. An. Rpts., 1908, p. 432. 1909. For. A.R., 1908, p. 28. 1909.
mammal and bird, location and work, 1919. An. Rpts., 1919, pp. 290-293. 1920; Biol. Chief Rpt., 1919, pp. 16-19. 1919.
national—
for protection of wild life. T. S. Palmer. Biol. Cir. 87, pp. 32. 1912.
planting and improving bird coverts. D.B. 715, pp. 2-5. 1918.
public and semipublic, attraction of birds. W. L. McAtee. D.B. 715, pp. 13. 1918.
Reserve(s)—
Alaska, discussion by Governor. D.C. 88, p. 5. 1920.
bird and mammal, Alaska, description and conditions. D.C. 168, p. 14. 1921.
forest. See Forest reserves.

INDEX TO PUBLICATIONS, 1901–1925   1983

Reservists, keeping in touch with, departments, law, 1916. Sol. [Misc.], "Laws applicable * * *," Sup. 4, p. 115. 1917.
Reservoir(s)—
attraction for birds. D.B. 715, p. 10. 1918.
canals, southern Louisiana, drainage districts. D.B. 71, pp. 25, 30, 35, 39, 43, 47, 50, 55, 64. 1914.
cement, for pumping-plant building cost. F.B. 592, p. 19. 1914.
cobblestone, description. F.B. 828, pp. 34–36. 1917.
community, for sugar-beet growing, use, methods, and cost. D.B. 935, pp. 20–21. 1921.
concrete-lined, directions for construction. F.B. 828, pp. 31–34. 1917.
construction, materials, details, and cost. O.E.S. Bul. 249, Pt. I, pp. 1–95. 1912; O.E.S. Bul. 249, Pt. II, pp. 1–64. 1912.
cranberry irrigation, location, construction, and depth of water. O.E.S. Bul. 158, pp. 636–358. 1905.
destruction by soil erosion, causing filling up. Y.B., 1913, p. 212. 1914; Y.B. Sep. 624, p. 212. 1914.
earth, soil requirements. F.B. 592, pp. 11–12. 1914.
farm. Samuel Fortier. F.B. 828, pp. 36. 1917.
flood and storm waters, South Dakota irrigation. O.E.S. Bul. 210, pp. 37–40, 58, 60. 1909.
for frost protection, temperature conditions. Y.B., 1911, pp. 212–213. 1912; Y.B. Sep. 562, pp. 212–213. 1912.
for pumping plants, requirements and cost. Y.B., 1916, pp. 508, 509, 519. 1917; Y.B. Sep. 703, pp. 2, 3, 13. 1917.
for storm waters, use in south Texas. Soils F.O., 1909, pp. 1126–1127. 1912; Soil Sur. Adv. Sh. 1909, pp. 102–103. 1910.
from spring, construction, method, and cost. Y.B., 1907, p. 411. 1908; Y.B. Sep. 458, p. 411. 1908.
grounds, utilization and planting for bird refuges. F.B., 1239, p. 13. 1921.
in Rocky Mountain States. Y.B., 1901, pp. 415–430. 1902.
irrigation—
as sources of water supply. F.B. 864, p. 6. 1917.
cost, value, and cost of maintenance. Y.B., 1901, pp. 417, 419. 1902.
in Kansas. O.E.S. Bul. 211, pp. 9, 15, 17, 20, 27. 1909.
use in sugar-beet growing. D.B. 721, p. 19. 1918.
lining to prevent seepage losses. F.B. 317, pp. 10–12. 1908.
linings, in Western States. Y.B., 1907, pp. 415, 419. 1908; Y.B. Sep. 458, pp. 415, 419. 1908.
loss of water by evaporation and filtration. F.B. 592, p. 15. 1914.
outlets, concrete pipes, cost and details of work. O.E.S. Bul. 249, Pt. I, pp. 36–51. 1912.
pollution by algae, preventives, discussion. Y.B., 1902, p. 184. 1903.
pumping plants, building, cost, equipment, etc. F.B. 592, pp. 18–19. 1914.
range lands, location, building, and cost. F.B. 592, pp. 10–15. 1914.
site(s)—
Arizona, capacity. O.E.S. Bul. 235, pp. 52–53. 1911.
patents, bill. Off. Rec., vol. 1, No. 11, p. 7. 1922.
selection. O.E.S. Bul. 249, Pt. I, pp. 11–13, 20. 1912.
small—
in Wyoming, Montana, and South Dakota. F. C. Hermann. O.E.S. Bul. 179, pp. 100. 1907.
linings, materials, and cost. O.E.S. Bul. 249, Pt. I, pp. 60–66. 1912.
use and value for flumes, description. D.B. 87, pp. 19–21. 1914.
water supplies, details. Y.B., 1907, pp. 415–416, 419. 1908; Y.B. Sep. 458, pp. 415–416, 419. 1908.
spillways for (and canals). A. T. Mitchelson. D.B. 831, pp. 40. 1920.

Reservoir(s)—Continued.
storm-water, cost of building and maintenance. O.E.S. An. Rpt., 1908, pp. 396–397. 1909.
stream-bed, construction. F.B. 828, pp. 21–24. 1917.
system of Cache La Poudre Valley. E. S. Nettleton. O.E.S. Bul. 92, pp. 48. 1901.
types, for irrigation and stock watering on farms. F.B. 828, pp. 17–36. 1917.
typical, in Rocky Mountain States. Elwood Mead. Y.B., 1901, pp. 415–430. 1902; Y.B. Sep. 228, pp. 415–430. 1902.
use—
and value in irrigation of sugar beets, description. D.B. 995, pp. 19–20. 1921.
in irrigation, in Pomona Valley, Calif., construction methods, etc. O.E.S. Bul. 236, pp. 62–64. 1911; rev., 1912.
in storage of farm water, types and construction. News L., vol. 5, No. 16, p. 4. 1917.
water—
exchange system, Colorado. O.E.S. Bul. 218, pp. 36–38. 1910.
losses. F.B. 828, pp. 6–9. 1917.
windmill—
plants, capacity and construction. F.B. 394, pp. 28–35. 1910.
pumping in irrigation. F.B. 866, pp. 27–29. 1917.
Reshipments, imported cotton, reporting, instructions. F.H.B.S.R.A. 21, p. 81. 1915.
Residual petroleum, analyses, application to roads, experiments. Rds. Cir. 99, pp. 7–9, 23–24. 1913.
Residues—
bituminous distillation, value and uses. Y.B., 1910, pp. 298–299. 1911; Y.B. Sep. 538, pp. 298–299. 1911.
feed, changes during digestion by cattle. P. V Ewing and L. H. Wright. J.A.R., vol. 13, pp. 639–646. 1918.
Resin(s)—
ducts—
conifers, relation to preservative treatment of ties. For. Bul. 118, p. 21. 1912.
in pine trees, description. For. Bul. 90, pp. 26–27. 1911.
esters, description, analysis. Soils Bul. 74, pp. 27–28. 1910.
fish-oil soap—
addition to spray for brown rot, formula. D.B. 368, pp. 6, 7, 8, 9. 1916.
preparation. F.B. 1410, p. 11. 1924.
use in vineyard sprays. Ent. Bul. 116, Pt. II, pp. 54–60. 1912.
use with fungicides for black rot of grape. B.P.I. Bul. 155, pp. 12, 14, 15, 18, 19, 20, 21, 22, 23, 25, 26, 32, 33. 1909.
flow, cause, discussion. For. Bul. 90, pp. 25–27. 1911.
formation and flow in living trees, study. D.B. 229, pp. 10–12. 1915.
from pitch-moth-infested trees, composition. D.B. 111, p. 11. 1914.
gum—
crude—
collection, commercial methods, and tools. D.B. 229, pp. 14–22. 1915.
commercial distillation, methods, apparatus. D.B. 229, pp. 27–31. 1915.
yield per month, from yellow pine, experiments in California. D.B. 229, pp. 44–45. 1915.
distillation, principles and methods. D.B. 229, pp. 12–14. 1915.
French methods of collecting and distilling. D.B. 229, pp. 32–40. 1915.
hard, in sulphured and unsulphured hops, experiments. D.B. 282, pp. 7–9. 1915.
hop samples, experiments. D.B. 282, pp. 7–10, 19. 1915.
oil test. Chem. Bul. 107, p. 144. 1907.
pine. See Turpentine gum.
soft—
in sulphured and unsulphured hops, cold and open storage, study. G. A. Russell. D.B. 282, pp. 19. 1915.
of hops, composition changes. D.B. 282, pp. 10–11, 19. 1915.

Resin(s)—Continued.
  soft—continued.
    of sulphured and unsulphured hops, chemical values, studies. D.B. 282, pp. 15–18, 19. 1915.
  stains, removal from textiles. F.B. 861, p. 29. 1917.
  statistics, 1906. Y.B., 1906, p. 625. 1907; Y.B. Sep. 436, p. 625. 1907.
  wash—
    formula, and use against citrus thrips. D.B. 616, pp. 30, 37. 1918.
    formulas, value and use. F.B. 127, pp. 21–22. 1901.
    use in Ohio, notes. Ent. Bul. 37, pp. 33–35. 1902.
    use in red-spider control, formula. D.B. 416, p. 66. 1917.
  yield—
    effect of heights and depths of chipping, comparative experiments. D.B. 229, pp. 24–25. 1915.
    relation to light chipping. For. Bul. 90, pp. 5–36. 1911.
  See also Oleoresin.
Resinous wood(s)—
  distillation by saturated steam. L. F. Hawley and R. C. Palmer. For. Bul. 109, pp. 31. 1912.
  waste, pulp, paper, and other products. F. P. Veitch and J. L. Merrill. Chem. Bul. 159, pp. 28. 1913.
Respiration—
  apparatus, Pettenkofer, description. B.A.I. An. Rpt., 1906, pp. 267–269. 1908.
  apple(s), in common and cold storage. Chem. Bul. 94, pp. 40–44. 1905.
  apple seeds. George T. Harrington. J.A.R., vol. 23, pp. 117–130. 1923.
  artificial—
    cattle, directions. B.A.I. [Misc.], "Diseases of cattle," rev., p. 109. 1908.
    Sylvester's method. For. [Misc.], "First-aid manual," pp. 64–65. 1917.
  atmospheric changes in calorimeter determination. J.A.R., vol. 5, No. 8, pp. 304–314. 1915.
  calorimeter—
    development since 1897, and studies. Sec. A. R., 191, p. 222. 1912; An. Rpts., 1912, p. 222. 1913; Y.B., 1912, p. 222. 1913.
    experiments with bicycle riders. O.E.S. Bul. 208, pp. 19–27. 1909.
    improved, for use in experiments with man. C. F. Langworthy and R. D. Milner. J.A.R., vol. 5, No. 8, pp. 299–348. 1915.
    improvements. O.E.S. An. Rpt., 1911, p. 188. 1912.
    installation in new department building. An. Rpts., 1909, p. 708. 1910; O.E.S. Dir. Rpt., 1909, p. 30. 1909.
    small, construction, work, and tests. J.A.R., vol. 6, No. 18, pp. 703–720. 1916.
  See also Calorimeter.
  experiments—
    calculation, formulae, and recording. J.A.R., vol. 23, pp. 109–113. 1923.
    with sweet potatoes. Heinrich Hasselbring and Lon A. Hawkins. J.A.R., vol. 5, No. 12, pp. 509–517. 1915.
  fruit—
    relation to temperature. F.B. 334, p. 17. 1908.
    studies. H. C. Gore. Chem. Bul. 142, pp. 40. 1911.
  grain, measurement. J.A.R., vol. 12, pp. 688–689. 1918.
  plant, effects of fumigation, experiments with tomatoes. J.A.R., vol. 11, pp. 324–326. 1917.
  wheat in storage. C. H. Bailey and A. M. Gurjar. J.A.R., vol. 12, pp. 685–713. 1918.
Respiratory organs, diseases—
  noncontagious. William Herbert Lowe. B.A.I. [Misc.], "Diseases of cattle," rev., pp. 85–98. 1904; rev., pp. 85–98. 1908; rev., pp. 86–100. 1912; rev., pp. 87–100. 1923.
  of. W. H. Harbaugh. B.A.I. [Misc.], "Diseases of the horse," rev., pp. 104–141. 1903; rev., pp. 104–141. 1907; rev., pp. 104–141. 1911; rev., pp. 95–133. 1916; rev., pp. 95–133. 1923.

Respirometer, seeds and other small objects, directions for its use. George T. Harrington and William Crocker. J.A.R., vol. 23, pp. 101–116. 1923.
Rest—
  corner, in kitchen, description, equipment, etc. D.C. 189, pp. 7–8. 1921; rev., p. 3. 1923.
  rooms—
    farm women's accommodation in cities and towns, establishment. S.R.S. Rpt., 1918, p. 51. 1919.
    financing methods. Y.B., 1917, pp. 220–222. 1918; Y.B. Sep. 726, pp. 6–8. 1918.
  for—
    farm men and women visiting towns. Rpt. 103, pp. 40–41. 1915.
    women in marketing centers. Anne M. Evans. Y.B., 1917, pp. 217–224. 1918; Y.B. Sep. 726, pp. 10. 1918.
  utilization of community buildings. F.B. 1274, pp. 10–11, 14, 16, 20, 28, 32. 1922.
Restaurants, food care, importance. F.B. 375, p. 45. 1909.
"Restraint of trade," meaning of term, and court decisions. D.B. 1106, pp. 35–47. 1922.
Resurfacing macadam roads, cost, various States and counties. Rds. Bul. 48, pp. 14–17, 21–32. 1913.
Resuscitation of cattle after lightning stroke, directions. B.A. [Misc.], "Diseases of cattle," rev., pp. 111–112. 1912.
Retailing, meat marketing. Henry C. Marshall. D.B. 1317, pp. 86. 1925.
Retama, sooty mold, occurrence and description, Texas. B.P.I. Bul. 226, pp. 78, 111. 1912.
Retarders, use in milk pasteurization, description. B.A.I. Cir. 184, pp. 17–28. 1912.
Retem, importation and description. No. 43655, B.P.I. Inv. 49, p. 57. 1921.
Retesting, herds for tuberculosis. F.B. 1069, pp. 8, 29. 1919.
Reticulitermes—
  spp., control. D.B. 1232 pp. 23, 24. 1924.
  See also Ants, white; Termites.
Retinia frustrana. See Moth, Nantucket pine-tip.
Retirement—
  act—
    amendments. O.R., vol. 1, No. 2, p. 1. 1922; O.R., vol. 1, No. 4, p. 2. 1922; O.R., vol. 1, No. 7, p. 2. 1922; O.R., vol. 1, No. 9, p. 2. 1922; O.R., vol. 1, No. 10, pp. 1, 8. 1922; O.R., vol. 1, No. 12, p. 2. 1922; O.R., vol. 1, No. 14, p. 2. 1922; O.R., vol. 1, No. 16, p. 2. 1922; O.R., vol. 1, No. 17, p. 1. 1922; O.R., vol. 1, No. 18, p. 2. 1922; O.R., vol. 1, No. 19, p. 3. 1922; O.R., vol. 1, No. 20, p. 2. 1922; O.R., vol. 1, No. 24, p. 2. 1922; O.R., vol. 1, No. 27, p. 2. 1922; O.R., vol. 1, No. 28, p. 1. 1922; O.R., vol. 1, No. 33, p. 1. 1922; O.R., vol. 1, No. 38, p. 1. 1922; O.R., vol. 1, No. 39, p. 2. 1922; O.R., vol. 1, No. 40, p. 2. 1922; O.R., vol. 1, No. 50, p. 1. 1922; O.R., vol. 3, No. 15, p. 2. 1924; B.A.I.S.R.A. 187, p. 136. 1922.
    pension rights, act restoring. Off. Rec., vol. 1, No. 13, p. 2. 1922.
    provisions for military service. Off. Rec., vol. 4, No. 17, p. 4. 1925.
  age and service requirements. Off. Rec., vol. 4, No. 35, p. 5. 1925.
  application for, because of disability, regulation. B.A.I.S.R.A. 175, pp. 38–39. 1922.
  bill. Off. Rec., vol. 2, No. 10, p. 2. 1923.
  employees', list. See Official Record, each issue.
  fund deductions, increase. Off. Rec., vol. 3, No. 28, p. 4. 1924.
RETTGER, L. F.: "Lactic acid bacteria, with special reference to the Bacillus acidophilus type." B.A.I. Dairy [Misc.], "World's dairy congress, 1923," pp. 1136–1144. 1924.
Retting—
  flax—
    objects, and factors affecting. D.B. 1185, pp. 2–5. 1923; F.B. 669, pp. 14–15. 1915.
    relation to stem anatomy. Robert L. Davis. D.B. 1185, pp. 27. 1923.
  hemp—
    effect on character of hurds. D.B. 404, pp. 2–3. 1916.

Retting—Continued.
 hemp—continued.
  improved process. An. Rpts., 1908, p. 311.
   1909; B.P.I. Chief Rpt., 1908, p. 39. 1908.
  methods. B.P.I. Cir. 57, p. 6. 1910.
  methods, directions, and precautions. Y.B.,
   1913, pp. 327-329. 1914; Y.B. Sep. 628, pp.
   327-329. 1914.
  maguey, wasteful method. D.B. 930, p. 7. 1920.
  methods, flax and hemp. B.P.I. Chief Rpt.,
   1907, pp. 78-79. 1907.
Reumantine gontaline, Elmore's, misbranding.
  Chem. S.R.A., Supp. 18, pp. 556-558. 1916.
REUTER, B. E.: "The production and conservation
  of fats and oils in the United States." With
  Herbert S. Bailey. D.B. 769, pp. 48. 1919;
  Suppl., pp. 7. 1919.
Revanala madagascariensis. See Traveler's tree.
Revegetation—
 natural—
  for improvement of ranges, studies. D.B. 588,
   pp. 4-9, 28. 1917.
  of depleted mountain grazing lands. A. W.
   Sampson. For. Cir. 169, pp. 28. 1909.
 range—
  lands, based upon growth required and life
   history of the vegetation. Arthur W. Sampson. J.A.R., vol. 3, pp. 93-148. 1914.
  relation to erosion and soil depletion. D.B.
   675, pp. 22-24. 1918.
Revetment, bank, use of willows, instruction. D.B.
  316, pp. 39-41. 1915.
Review boards, personnel. Off. Rec., vol. 3, No.
  51, p. 4. 1924.
Rex, lime and sulphur dip, use, for pear scale,
  results, and price. Ent. Bul. 67, pp. 90-93. 1907.
Rexall headache wafers, misbranding. Chem.
  N.J., 559, p. 1. 1910.
Rexo dip, adulteration and misbranding. Insect.
  N.J. 82. I. and F. Bd. S.R.A. 1, pp. 18-20. 1914.
REYNOLDS, F. H.—
 "A multiple pipette holder for the distribution
  of serum for complement-fixation test." J.A.R.
  vol. 15, No. 11, pp. 615-618. 1918.
 "An improved method of recovering trypanosomes from the blood of rats." With H. W.
  Schoening. J.A.R., vol. 14, pp. 573-576. 1918.
REYNOLDS, R. V.—
 "Grazing and floods: A study of conditions in the
  Manti National Forest, Utah." For. Bul. 91,
  pp. 16. 1911.
 "Lumber cut of the United States, 1870-1920."
  With Albert H. Pierson. D.B. 1119, pp. 63.
  1923.
 "Pulpwood consumption and woodpulp production, 1920." With Albert H. Pierson. For.
  [Misc.], "Pulpwood consumption * * *,"
  pp. 39. 1921.
Reynoldson, L. A.—
 "Changes effected by tractors on Corn Belt
  farms." With H. R. Tolley. F.B. 1296, pp.
  12. 1922.
 "Choosing a tractor (for a Corn-Belt farm)."
  With H. R. Tolley. F.B. 1300, pp. 13. 1922.
 "Cost of using tractors on Corn-Belt farms."
  With H. R. Tolley. F.B. 1297, pp. 15. 1923.
 "Field and crop labor on Georgia farms (coastal
  plain area)." D.B. 1292, pp. 28. 1925.
 "Influence of the tractor on use of horses." F.B.
  1093, pp. 26. 1920.
 "Shall I buy a tractor?" With H. R. Tolley.
  F.B. 1299, pp. 10. 1922.
 "Standards of labor on the hill farms of Louisiana."
  With M. Bruce Oates. D.B. 961, pp. 27. 1921.
 "The cost and utilization of power on farms where
  tractors are owned." With H. R. Tolley.
  D.B. 997, pp. 61. 1921.
 "What tractors and horses do on Corn-Belt
  farms." With H. R. Tolley. F.B. 1925, pp.
  14. 1923.
Rhabdias nigrovenosa, development, processes.
  Y.B., 1914, pp. 464-465. 1915; Y.B. Sep. 652, pp.
  464-465. 1915.
Rhabdocnemis obscurus—
 enemy of banana plants. F.H.B.S.R.A. 71, p.
  174. 1922.
 See also Hawaiian weevils.
Rhabdopterus picipes. See Cranberry root worm.
"Rhadochlorogen," nomenclature for chromogens.
  B.P.I. Bul. 264, pp. 14, 18-19. 1912.

Rhagidia spp. description and habits. Rpt. 108,
  pp. 21-22. 1915.
Rhagoletis—
 pomonella—
  control, life history, etc. F.B. 1270, pp. 13-15.
   1922.
  See also Apple maggot.
 spp., larvae, description and occurrence. Ent.
  T.B. 22, pp. 32-33. 1912
Rhamnaceae—
 family, characters. For. [Misc.], "Forest trees
  for Pacific * * *," p. 400. 1908.
 injury by sapsuckers. Biol. Bul. 39, pp. 46, 84.
  1911.
Rhamnose, occurrence in soils, description. Soils
 Bul. 88, pp. 22-24. 1912.
Rhamnus—
 napalensis, importation and description. No.
  47770, B.P.I. Inv. 59, p. 57. 1922.
 purshiana. See Cascara.
 smithi. See Buckthorn.
 sp(p).—
  crown rust dissemination. S. M. Dietz. D.B.
   1162, pp. 19. 1923.
  importations and descriptions. No. 36735,
   B.P.I. Inv. 37, p. 58. 1916; No. 39433, B.P.I.
   Inv. 41, p. 28. 1917; Nos. 43873-43874, B.P.I.
   Inv. 49, p. 89. 1921.
  injury by sapsuckers. Biol. Bul. 39, p. 46.
   1911.
  resistance to basidiospores of Puccinia rubigovera. J.A.R., vol. 22, pp. 152-172. 1921.
Rhamphicarpa fistulosa, importation. No. 52211,
  B.P.I. Inv. 65, p. 79. 1923.
Rhaphis spp., description, distribution, and uses.
  D.B. 772, pp. 21, 270, 272-273. 1920.
Rheedia—
 brasiliensis. See Bakopary.
 edulis—
  importations and descriptions. No. 37384,
   B.P.I. Inv. 38, pp. 7, 55. 1917; No. 54052,
   B.P.I. Inv. 68, p. 23. 1923.
  See also Limao do matto.
 lateriflora. See Hatstand tree.
 madruno, importation and description. No.
  52301, B.P.I. Inv. 65, p. 87. 1923.
Rheosporangium aphanidermatus—
 inoculation on pine seedlings. D.B. 934, pp.
  55-59. 1921.
 new genus and species of fungus parasitic on sugar
  beets and radishes. H. A. Edson. J.A.R.,
  vol. 4, pp. 279-291. 1915.
Rheumatic remedy, misbranding. See Indexes,
 Notices of judgment, in bound volumes and in
 separates published as supplements to Chemistry
 Service and Regulatory Announcements.
Rheumatism—
 cattle, cause, symptoms, prevention, and treatment. B.A.I. [Misc.], "Diseases of cattle,"
  rev., pp. 282-284. 1904; Rev., pp. 291-294.
  1912; rev., pp. 286-288. 1923.
 causes and treatment. For. [Misc.], "First-aid
  manual * * *," p. 91. 1917.
 cures, misbranding. See Indexes to Notices of judgment in bound volumes of Chemistry Service and
  Regulatory Announcements.
 fowls. See Tuberculosis.
 hog—
  cause, symptoms, and treatment. F.B. 1244,
   p. 19. 1923.
  control. Hawaii Bul. 48, p. 24. 1923.
 reindeer, treatment. D.B. 1089, p. 56. 1922.
 sheep, cause and treatment. F.B. 1155, p. 21.
  1921.
Rhexia virginica, infection with tobacco budworm.
  F.B. 819, pp. 5, 6. 1917.
Rhigopsidius tucumanus—
 description. J.A.R., vol. 12, pp. 601-602. 1918.
 description, and injury to potatoes. J.A.R., vol.
  1, pp. 350-351, 352. 1914.
Rhine provinces, flour imports. Off. Rec. vol. 2,
  No. 47, p. 1. 1923.
Rhinitis, necrotic, of pigs, cause, symptoms, lesions,
  and treatment. B.A.I. Doc. A-20, p. 1. 1917;
  F.B. 1244, p. 12. 1923; Sec. Cir. 84, pp. 21-22.
  1918.
Rhinocarpus excelsa. See Anacardium excelsum.
Rhinoceros beetle—
 description. Sec. [Misc.], "A manual * * *
  insects * * *," p. 160. 1917.

Rhinoceros beetle—Continued.
  description and distribution. Ent. Bul. 38, pp. 28-32. 1902.
  of coconuts, damages and control. P.R. An. Rpt., 1914, p. 44. 1916.
Rhinology. See Nose diseases.
Rhinoncus pyrrhopus, weevil having boll weevil parasites. Ent. Bul. 100, pp. 45, 79. 1912.
Rhipicephalinae, genera, occurence, and description. Ent. Bul. 72, pp. 47-54. 1907.
Rhipicephalus—
  sanguineus. See Tick, dog.
  spp.—
    description and injurious habits. Rpt. 108, 59, 62, 68. 1915.
    occurrence and description. Ent. Bul. 72, pp. 47-49. 1907.
    transmission of protozoan parasites of animals. B.A.I. Cir. 194, p. 493. 1912; B.A.I. An. Rpt. 1910, p. 493. 1912.
Rhipidomys genus, similarity to Oryzomys and Nectomys. N.A. Fauna 43, pp. 13, 14. 1918.
Rhipiphorus paradoxus, comparison with Perilampus spp. and Orasema spp. Ent. T. B. 19, Pt. IV, pp. 60-61. 1912.
Rhizina inflata, parasitism, spread and distribution. J.A.R., vol. 4, pp. 93-95. 1915.
Rhizobium leguminosarum, relation to acid and alkali. J.A.R., vol. 14, pp. 317-336. 1918.
Rhizobius—
  spp., description. D.B. 826, p. 88. 1920.
  ventralis. See Ladybird.
Rhizoctonia—
  betae, root-rot of beets, treatment. An. Rpts., 1908, p. 352. 1909; B.P.I. Chief Rpt., 1908, p. 80. 1908.
  cause of potato black scurf, control studies. News L., vol. 4, No. 2, p. 3. 1917.
  crocorum, comparison with new strain on potato. J.A.R., vol. 9, pp. 418-419. 1917.
  disease of potato—
    description. Sec. Cir. 92, p. 28. 1918.
    description, results, and control. Hawaii Bul. 45, pp. 5, 17, 24-25. 1920.
    infection, cause of potato disease. D.B. 64, pp. 40-41. 1914.
    injury to plants and control. F.B. 856, p. 22. 1917.
    potato disease. J.A.R., vol. 9, No. 12, pp. 421-426. 1917.
    root-rot, occurrence on plants in Texas, and description. B.P.I. Bul. 226, pp. 39, 41, 42, 43, 44. 1912.
    scab, potato, cause and control. F.B. 1367, pp. 24-26. 1924.
  solani—
    cause of collar-rot of tomato. J.A.R., vol. 21, pp. 179-184. 1921.
    inoculation of potato plants, experiments. J.A.R., vol. 14, pp. 214-218. 1918.
    on potato, new strain. J.A.R., vol. 9, pp. 413-420. 1917.
    similarity to Corticium vagum. J.A.R., vol. 22, p. 51. 1921.
  See also Corticium vagum.
  spp.—
    cause of damping off of conifer seedlings. D.B. 44, p. 17. 1913.
    description, classification, relation to beet diseases. J.A.R., vol. 4, pp. 136, 151-159, 165. 1915.
    effect on germination of cottonseed. J.A.R., vol. 5, No. 25, pp. 1173-1174. 1916.
    in soil, control by hot water, experiments. D.B. 818, pp. 2-13. 1920.
    occurrence on plants in Texas, and description. B.P.I. Bul. 226, pp. 38, 40, 41. 1912.
Rhizoglyphus spp., description and habits. Rpt. 108, pp. 112, 113, 116-117. 1915.
Rhizomes—
  development, and their functions, relations to hardiness. B.P.I. Bul. 258, pp. 12-15. 1913.
  nonrooting, value in protection of plants. B.P.I. Bul. 258, pp. 16-17. 1913.
Rhizopertha—
  dominica. See Grain borer, lesser.
  pusilla, presence in Hawaii. Hawaii AR.., 1907, p. 43. 1908.
Rhizophora candelaria. See Mangrove.

Rhizophoraceae, Porto Rico, description and uses. D.B. 354, p. 88. 1916.
Rhizopods, description, genera. B.A.I. An. Rpt., 1910, p. 484. 1912; B.A.I. Cir. 194, p. 484. 1912.
Rhizopus—
  comparison of pectinase produced by different species. L. L. Harter and others. J.A.R., vol. 22, pp. 371-377. 1921.
  disease of potatoes, character of fungus. B.P.I. Cir. 23, p. 11. 1909.
  infection, relation of Botrytis. D.B. 686, pp. 10-12, 13. 1918.
  injury to berries, description, importance, and control. D.B. 686, pp. 2-8, 12. 1918
  nigricans—
    and Phycomyces nitens, spore formation in sporangia. Deane B. Swingle. B.P.I. Bul. 37, pp. 40. 1903.
    cause of—
      black mold rot. J.A.R., vol. 22, pp. 451, 467. 1922.
      decay in sweet potato, tests of varieties. J.A.R., vol. 22, pp. 511-515. 1922.
      potato "leak." B.P.I. Cir. 23, p. 11. 1909; D.B., 573, pp. 1-2. 1917; J.A.R., vol. 6, No. 17, pp. 628-629, 637, 638. 1916.
      root sickness of beets. J.A.R., vol. 4, pp. 163-164. 1915.
      sweetpotato soft rot. F.B. 714, p. 20. 1916; F.B., 1059, p. 19. 1919; S.R.S. Syl. 26, p. 15. 1917.
      sweetpotato storage rots. J.A.R., vol. 15, pp. 340-344, 353. 1918.
    description, humidity, temperature, hosts, etc. D.B. 531, pp. 4-11. 1917.
    growth on tragacanth gum, note. D.B. 109, p. 4 1914.
    in corn meal. J.A.R., vol. 22, pp. 185-188. 1921.
    inability to utilize cane sugar. J.A.R., vol. 21, p. 189. 1921.
    koji infection, results in soy fermentation. D.B. 1152, p. 11. 1923.
    pasteurization experiments. J.A.R., vol. 6, No. 4, pp. 155, 159, 161. 1916.
    relation to sweetpotato storage rot. B.P.I. Chief Rpt., 1921, p. 31 1921
    strains, variations. L. L. Harter and J. L. Weimer. J.A.R., vol. 26, pp. 363-371. 1923.
    susceptibility of injured seeds. J.A.R., vol. 21, No. 2, pp. 99-122. 1921.
    temperature limitations. J.A.R., vol. 24, pp. 1-7, 9, 21, 31-39. 1923.
  rot—
    stone fruits. F.B., 1435, pp. 13-14. 1924.
    stone fruit, description of fungus and rot. F.B. 1435, pp. 11-12. 1924.
    stone fruits, experiments. J.A.R., vol. 22, pp. 452, 455-462, 464, 465. 1922.
    strawberries in transit. Neil E. Stevens and R. B. Wilcox. D.B. 531, pp. 22. 1917.
    See also Rot, black mold.
  spp.—
    cause of decay in sweetpotatoes. J.A.R., vol. 22, No. 9, p. 511. 1922.
    causing decay of sweetpotatoes. J. I. Lauritzen and L. L. Harter. J.A.R., vol. 24, pp. 441-456. 1913.
    effect on strawberries and comparison with Botrytis spp. J.A.R., vol 6, No. 10, pp. 363-366. 1916.
    from potatoes in Idaho soils. J.A.R., vol. 13, pp. 80, 95-96. 1918.
    growth, control by temperature, graphs. J.A.R., vol. 24, pp. 8-30. 1923.
    growth in concentrated solutions. J.A.R., vol. 7, pp. 256-259. 1916.
    hydrogen-ion changes caused by. J.A.R., vol. 25, No. 3, pp. 155-160. 1923.
    infection of sweet potatoes, influence of temperature. J. I. Lauritzen and L. L. Harter. J.A.R., vol. 30, pp. 793-810. 1925.
    spore germination, growth, and fruiting, studies. J.A.R., vol. 24, pp. 1-40. 1923.
    strawberry infection, sources, and prevention. D.B. 531, pp. 13-19. 1917.
    study as rot fungi in storage goods. J.A.R., vol. 30, p. 961. 1925.
    temperature relations. J.L. Weimer and L.L. Harter. J.A.R., vol. 24, pp. 1-40. 1923.

Rhizopus—Continued.
  tonkinensis, inversion of cane sugar. J.A.R., vol. 21, p. 189. 1921.
  tritici—
    acid production in decaying sweetpotatoes. H. A. Edson. J.A.R., vol. 25, pp. 9–12. 1923.
    activity, relation to light. J.A.R., vol. 25, pp. 157–160. 1923.
    cause of—
      decay in sweetpotato, tests of varieties. J.A.R., vol. 22 pp. 511–515. 1922.
      potato rot. J.A.R., vol. 21, pp. 211–226. 1921.
    glucose as a source of carbon. J.A.R., vol. 21, pp, pp. 189–210. 1921.
    pectinase production, relation to acidity, studies. J.A.R., vol. 24, pp. 861–876. 1923.
    pectinase secretion, studies in physiology of parasitism with special reference to. L. L. Harter and J. L. Weimer. J.A.R., vol. 21, pp. 609–625. 1921.
    prevention of infection by wound-cork formation. J.A.R., vol. 21, pp. 642–646. 1921.
    secretion and action of amylase. L. L. Harter. J.A.R., vol. 20, pp. 761–789. 1921.
    secretion of enzymes. J.A.R., vol. 21, pp. 609–625. 1921.
    secretion of pectinase. J.A.R., vol. 21, pp. 609–625. 1921.
RHOADES, VERNE, description of Pisgah National Game Preserve. D.C. 161, pp. 1–2. 1921.
RHOADS, A. S.—
  "Hypertrophied lenticels on the roots of conifers and their relation to moisture and aeration." With others. J.A.R., vol. 20, pp. 253–266. 1920.
  "Root rot of the grapevine in Missouri caused by *Clitocybe tabescens* (Scop.) Bres." J.A.R., vol. 30, pp. 341–364. 1925.
  "Seedling diseases of conifers." With others. J.A.R., vol. 15, pp. 521–558. 1918.
  "The formation and pathological anatomy of frost rings in conifers injured by late frosts." D.B. 1131, pp. 16. 1923.
Rhode Island—
  accredited herds, list. D.C. 54, pp. 8, 17. 1919; D.C. 142, pp. 6, 11, 37, 47, 48, 49. 1920; D.C. 143, pp. 5, 47. 1920.
  agricultural—
    college—
      and experiment station, organization and studies, 1910. O.E.S. Bul. 224, pp. 61–62. 1910.
      first poultry school. B.A.I. An. Rpt., 1911, p. 251. 1913.
      See also Agriculture, workers, list.
    conditions and methods. Soils F. O. 1904, pp. 68–72. 1905.
    education, extension work, 1906. O.E.S. Bul. 196, p. 33. 1907.
    extension work, statistics. D.C. 253, pp. 6, 8, 12–13, 17, 18. 1923.
    organizations, directory. Farm M. [Misc], "Directory * * * organizations," p. 49. 1920.
  apple growing, areas and varieties, and production. D.B. 485, pp. 15, 44–47. 1917.
  appropriation for—
    agricultural college work. O.E.S. An. Rpt., 1912, p. 311. 1913.
    experiment station work. O.E.S. An. Rpt., 1912, p. 196. 1913.
  barley crops, 1866–1906, acreage, production and value. Stat. Bul. 59, pp. 7–26, 27. 1907.
  bean-growing experiments. D.B. 119, pp. 7, 8. 1914.
  bee disease. Ent. Cir. 138, p. 20. 1911.
  bees and honey statistics. D.B. 685, pp. 6, 9, 12, 14, 16, 17, 19, 21, 23, 26, 29, 30. 1918.
  bird(s)—
    and game officials and organizations, 1921. D.C. 196, pp. 9, 19. 1921.
    protection. *See* Bird protection officials.
  bounty laws, 1907. Y.B., 1907, p. 564. 1908; Y.B. Sep. 473, p. 564. 1908.
  buckwheat crops, 1867–1892, acreage, production, and value. Stat. Bul. 61, pp. 5–6, 8–13, 18. 1908.
  closed season for shorebirds and woodcock. Y.B., 1914, pp. 292, 293. 1915; Y.B. Sep. 642, pp. 292, 293. 1915.

Rhode Island—Continued.
  coast, poisoning ducks. Off. Rec., vol. 1, No. 6, p. 7. 1922.
  cooperative marketing experiments. News L., vol. 5, No. 2, pp. 4–5. 1917.
  corn—
    borer quarantine. F.H.B. Quar. 43, amdts. 1, 3, pp. 1, 2. 1922; Off. Rec., vol. 2, No. 15, p. 4. 1923.
    crops, 1866–1906, acreage, production, and value. Stat. Bul. 56, pp. 7–27, 28. 1907.
    production, movements, consumption and prices. D.B. 696, pp. 14, 16, 27, 29, 33, 36, 40, 51. 1918.
    yields and prices, 1866–1915. D.B. 515, p. 5. 1917.
  court decisions on nonresident license laws. Biol. Bul. 19, p. 49. 1904.
  credits, farm-mortgage loans, costs and sources. D.B. 384, pp. 2, 3, 4, 7, 10. 1916.
  crop planting and harvesting, important crops. Stat. Bul. 85, pp. 18, 53, 74. 1912.
  currants and gooseberries, control by law. F.B. 1398, p. 35. 1924.
  dairy farms, cropping systems. F.B. 337, p. 17. 1908.
  demonstration farm work, 1909. O.E.S. An. Rpt., 1909, p. 60. 1910.
  demurrage provisions, regulations, etc. D.B. 191, pp. 3, 26–27. 1915.
  dog laws, digest. F.B. 935, p. 20. 1918; F.B. 1268, p. 21. 1922.
  drug laws. Chem. Bul. 98, pp. 170–172. 1906; Chem. Bul. 98, rev., Pt. I, pp. 272–278. 1906.
  early settlement, historical notes. *See* Soil surveys *for various counties and areas.*
  Experiment Station—
    spraying experiments with Paris green. Chem. Bul. 82, pp. 19–20. 1904.
    work and expenditures—
      1905. H. J. Wheeler. O.E.S. An. Rpt., 1905, pp. 127–128. 1908.
      1906. H. J. Wheeler. O.E.S. An. Rpt., 1906, pp. 151–153. 1907.
      1907. H. J. Wheeler. O.E.S. An. Rpt., 1907, pp. 164–165. 1908.
      1908. H. J. Wheeler. O.E.S. An. Rpt., 1908, pp. 164–166. 1909.
      1909. H. J. Wheeler. O.E.S. An. Rpt., 1909, pp. 178–180. 1910.
      1910. H. J. Wheeler. O.E.S. An. Rpt., 1910, pp. 231–233. 1911.
      1911. H. J. Wheeler. O.E.S. An. Rpt., 1911, pp. 191–194. 1912.
      1912. B. L. Hartwell. O.E.S. An. Rpt., 1912, pp. 196–198. 1913.
      1913. B. L. Hartwell. Work and Exp., 1913, pp. 77–78. 1915.
      1914. B. L. Hartwell. Work and Exp., 1914, pp. 206–209. 1915.
      1915. B. L. Hartwell. S.R.S. Rpt., 1915, Pt. I, pp. 235–239. 1916.
      1916. B. L. Hartwell. S.R.S. Rpt., 1916, Pt. I, pp. 241–244. 1918.
      1917. B. L. Hartwell. S.R.S. Rpt., 1917, Pt. I, pp. 236–240. 1918.
      1918. S.R.S. Rpt., 1918, pp. 29, 31, 41, 71–80 1920.
  experiments in liming soils. F.B. 1365, p. 9., 1924.
  extension work—
    funds allotment, and county-agent work. S.R.S. Doc. 40, pp. 4, 7, 11, 18, 23, 25, 28. 1918.
    in agriculture and home economics—
      1915. A. E. Stene. S.R.S. Rpt., 1915, Pt. II, pp. 299–301. 1916.
      1916. Howard Edwards. S.R.S. Rpt., 1916, Pt. II, pp. 331–335. 1917.
      1917. A. E. Stene. S.R.S. Rpt., 1917, Pt. II., pp. 339–342. 1919.
    statistics. D.C. 306, pp. 3, 7, 11, 16, 20, 21. 1924.
  fairs, number, kind, location, and dates. Stat. Bul. 102, pp. 13, 14, 60. 1913.
  farm—
    animals, statistics, 1867–1907. Stat. Bul. 64, p. 99. 1908.
    bureaus, membership gain. News L., vol. 6, No. 43, p. 9. 1919.

Rhode Island—Continued.
farm—continued.
  conditions, letters from women. Rpt., 104, pp. 23, 52, 57, 75. 1915; Rpt., 105, pp. 11, 30. 1915; Rpt., 106, p. 43. 1915.
  having highest record for birds. D.B. 1165, p. 24. 1923.
  values, changes, 1900-1905. Stat. Bul. 43, pp. 11-17, 29-46. 1906.
farmers'—
  experience with motor trucks. D.B. 910, pp. 1-37. 1920.
  institute work. O.E.S. An. Rpt., 1907, p. 344. 1908.
fertilizer prices, 1919, by counties. D.C. 57, pp. 4, 5, 7. 1919.
field work of Plant Industry Bureau, December, 1924. M.C. 30, p. 45. 1925.
food law(s)—
  1903. Chem. Bul. 83, Pt. I, p. 125. 1904.
  1905. Chem. Bul. 69, rev., Pt. VII, pp. 569-574. 1904.
  1906. Chem. Bul. 104, pp. 48-51. 1906.
  enforcement. Chem. Cir. 16, rev., p. 21, 1908.
foot-and-mouth disease, quarantine area. B.A.I. O. 229, Amdt. 4, p. 1. 1914; B.A.I. O. 231, p. 8. 1915; B.A.I. O. 231, Amdt. 3, p. 2. 1915; B.A.I. O. 232, and Amdt. 1915; B.A.I. O. 234, p. 7. 1915; B.A.I. O. 236, pp. 1, 7. 1915; B.A.I. O. 238, p. 7. 1915; B.A.I. O. 238, Amdts. 1, 6, 7, pp. 3, 4, 1915; B.A.I. O. 238, Amdt. 8, pp. 1, 3, 4. 1915.
forest—
  fires, statistics. For. Bul. 117, p. 35. 1912.
  laws, 1921, summary. D.C. 239, p. 24. 1922.
  legislation, 1907. Y.B. 1907, p. 576. 1908; Y.B. 1907, Sep. 470, p. 16. 1908.
  legislation, 1908. Y.B. 1908, p. 549. 1909.
funds for cooperative extension work, sources. S.R.S. Doc. 40, pp. 4, 6, 11, 18. 1917.
fur animals, laws—
  1915. F.B. 706, p. 16. 1916.
  1916. F.B. 783, pp. 2, 17-18, 27. 1916.
  1917. F.B. 911, pp. 20, 31. 1917.
  1918. F.B. 1022, pp. 20. 1918.
  1919. F.B. 1079, pp. 6, 22. 1919.
  1920. F.B. 1165, p. 20. 1920.
  1921. F.B. 1238, pp. 20. 1921.
  1922. F.B. 1293, p. 18. 1922.
  1923-24. F.B. 1387, p. 21. 1923.
  1924-25. F.B. 1445, p. 15. 1924.
  1925-26. F.B. 1469, p. 19. 1925.
game laws—
  1902. F.B. 160, pp. 20, 33, 54. 1902; Biol. Bul. 12, rev. p. 65. 1902.
  1903. F.B. 180, pp. 14, 24, 34, 44, 46, 55. 1903.
  1904. F.B. 207, pp. 23, 35, 44, 62. 1904.
  1905. F.B. 230, pp. 11, 22, 32, 39, 46. 1905.
  1906. F.B. 265, pp. 8, 9, 21, 31, 38, 46. 1906.
  1907. F.B. 308, pp. 8, 19, 30, 37, 45. 1907.
  1908. F.B. 336, pp. 1, 6, 21-22, 33, 41, 52. 1908.
  1909. F.B. 376, pp. 6, 9, 14, 17, 26, 35, 40, 43, 50. 1909.
  1910. F.B. 418, pp. 9, 19-20, 28, 33, 37, 44. 1910.
  1911. F.B. 470, pp. 13, 24, 33, 39, 42, 50. 1911.
  1912. F.B. 510, pp. 19-20, 25-26, 29, 35, 36, 38, 39, 40, 41, 46. 1912.
  1913. D.B. 22, pp. 15, 20, 31, 41, 46, 49, 56. 1913.
  1914. F.B. 628, pp. 2, 3, 6, 10, 11, 12, 23, 28-29, 33, 38, 42, 44, 45, 51. 1914.
  1915. F.B. 692, pp. 2, 15, 32, 43, 48, 53, 60. 1915.
  1916. F.B. 774, pp. 10, 30, 41, 47, 52, 60. 1916.
  1917. F.B. 910, pp. 33, 48, 54. 1917.
  1918. F.B. 1010, pp. 30, 46, 49. 1918.
  1919. F.B. 1077, pp. 33, 50, 72, 73. 1919.
  1920. F.B. 1138, p. 36. 1920.
  1921. F.B. 1235, pp. 37, 57. 1921.
  1922. F.B. 1288, pp. 34, 55. 1922.
  1923-24. F.B. 1375, pp. 34, 50. 1923.
  1924-25. F.B. 1444, pp. 24, 37. 1924.
  1925-26. F.B. 1466, pp. 31, 45. 1925.
game protection. See Game protection officials.
gipsy moth—
  and brown-tail moth—
    quarantine area. F.H.B. Quar. 45, amdt. 2, p. 1. 1922; amdt. 4, pp. 2, 3. 1923; F.H.B. Quar. 10, pp. 1, 2. 1913.
    work. F.B. 1335, pp. 2, 25. 1923.

Rhode Island—Continued.
gipsy moth—continued.
  and brown-tail moth—continued.
    work, 1910. An. Rpts., 1910, p. 512. 1911; Ent. A.R., 1910, p. 8. 1910.
    work, 1911. An. Rpts., 1911, p. 497. 1912; Ent. A.R., 1911, p. 7. 1911.
    work, 1912. An. Rpts., 1912, pp. 618, 620. 1913; Ent. A.R., 1912, pp. 6, 8. 1912.
  control, work and results. Ent. Bul. 87, pp. 45, 47, 54-56. 1910.
  infested area. J.A.R., vol. 4, p. 102. 1915.
  quarantine areas. F.H.B. Quar. 45, Amdt. 3, pp. 2, 3. 1922; F.H.B.S.R.A. 6, p. 48. 1914.
  work—
    1908. An. Rpts., 1908, p. 533. 1909; Ent. A.R., 1908, p. 11. 1908.
    1909. An. Rpts., 1909, p. 494. 1910; Ent. A.R., 1909, p. 8. 1909.
hay crops, 1866-1906, acreage, production, and value. Stat. Bul. 63, pp. 5-25, 26. 1908.
irrigation plants. O.E.S. Bul. 167, pp. 42-43. 1906.
lard supply, wholesale and retail, August 31, 1917, tables. Sec. Cir. 97, pp. 13-31. 1918.
law(s)—
  against Sunday shooting. Biol. Bul. 12, rev., p. 63. 1902.
  for inspection of lumber. For. Bul. 71, p. 10. 1906.
  nursery stock interstate shipment, digest. Ent. Cir. 75, rev., p. 7. 1909; F.H.B.S.R.A. 57, p. 114. 1919.
legislation—
  protecting birds. Biol. Bul. 12, rev., pp. 34, 36, 37, 41, 44, 46, 49, 114-115, 137. 1902.
  relative to tuberculosis. B.A.I. Bul. 28, pp. 136-141. 1901.
livestock admission, sanitary requirements. B.A.I. Doc. A-28, p. 36. 1917; B.A.I. Doc. A-36, p. 54. 1920; M.C. 14, p. 69. 1924.
lumber—
  cut, 1920, 1870-1920, value, and kinds. D.B. 1119, pp. 28, 30-35, 48, 57, 59. 1923.
  production, 1918, by mills, by woods, and lath and shingles. D.B. 845, pp. 6-11, 14, 16, 28, 42-47. 1920.
market exchanges, scope and profits. News L., vol. 6, No. 29, p. 15. 1919.
Meadow soil, area. Soils Cir. 68, p. 21. 1912.
milk supply and laws. B.A.I. Bul. 46, pp. 28, 38, 153-154, 210. 1903.
milling tests of cotton. D.B. 990, pp. 8-10. 1921.
mineral waters, analyses. Chem. Bul. 139, pp. 90-95. 1911.
moth control, use of Calosoma sycophanta, 1913-1914. D.B. 251, p. 39. 1915.
Newport, earwig, introduction, ravages, and control. D.B. 566, pp. 1-2, 4-12. 1917.
oats crops, 1866-1906, acreage, production, and value. Stat. Bul. 58, pp. 5-25, 26. 1907.
pasture land on farms. D.B. 626, pp. 14, 72. 1918.
peach—
  growing, production, districts, and varieties. D.B. 806, pp. 4, 5, 8, 11-12. 1919.
  varieties, names and ripening dates. F.B. 918, p. 11. 1918.
pear growing, distribution, and varieties. D.B. 822, p. 6. 1920.
potato crops, 1866-1906, acreage, production, and value. Stat. Bul. 62, pp. 7-27, 28. 1908.
public roads, mileage and expenditures, 1904. Rds. Cir. 83, pp. 2. 1907.
raw rock phosphate, field experiments, and results. D.B. 699, pp. 100-107. 1918.
road(s)—
  bond-built, amount of bonds and rate. D.B. 136, pp. 13, 35, 61, 75, 85. 1915.
  building-rock test(s)—
    1916 and 1917. D.B. 670, pp. 17, 27. 1918.
    results. D.B. 1132, pp. 31, 50, 52. 1923.
  discussion and statistics. D.B. 388, pp. 19-21, 40, 69. 1917.
  laws, 1908. Y.B., 1908, pp. 594-595. 1909.
  laws and mileage. Y.B., 1914, pp. 214, 222. 1915; Y.B. Sep. 638, pp. 214, 222. 1915.
  materials, tests. Rds. Bul. 44, pp. 73-74. 1912.

Rhode Island—Continued.
  road(s)—continued.
    mileage and expenditures—
      January 1, 1915. Sec.Cir. 52, pp. 2, 5, 6. 1915.
      1916. Sec. Cir. 74, pp. 4, 6, 7, 8. 1917.
      statistics, 1909. Rds. Bul. 41, pp. 33, 41, 42, 102. 1912.
    projects approved, 1918, 1919. Rds. Chief Rpt., 1919, pp. 12, 13, 16, 18. 1919; An. Rpts., 1919, pp. 402, 403, 406, 408. 1920.
    tests of rock used, results, table. D.B. 370, pp. 72-73. 1916.
  rye crops, 1866-1892, acreage, production, and value. Stat. Bul. 60, pp. 5-18, 26. 1908.
  San José scale, occurrence. Ent.Bul. 62, p. 30. 1906.
  schools, agricultural, work. O.E.S. Cir. 106, rev., pp. 18, 24. 1912.
  shellfish industry, extent and value. Y.B., 1910, pp. 371, 372. 1911; Sep. 544, pp. 371, 372. 1911.
  shipments of fruits and vegetables, and index to station shipments. D.B. 667, pp. 6-13, 44. 1918.
  soil survey. F. E. Bonsteel and E. P. Carr. Soil Sur. Adv. Sh., 1904, pp. 30. 1905; Soils F.O., 1904, pp. 47-72. 1905.
  standard containers. F.B. 1434, p. 18. 1924.
  State College, teachers' courses. O.E.S.Cir. 118, p. 23. 1913.
  trucking industry, acreage and crops. Y.B., 1916, pp. 455-465. 1917; Y.B. Sep. 702, pp. 21-31. 1917.
  wage rates, farm labor, 1846, and 1866-1909. Stat. Bul. 99, pp. 12, 29-43, 68-70. 1912.
  water supply, wells, springs, etc., records, by counties. Soils Bul. 92, pp. 130-131. 1913.
  wheat—
    acreage and varieties. D.B. 1074, p. 215. 1922.
    crops, acreage, production, and value. Stat. Bul. 57, pp. 5-25, 26. 1907; Stat. Bul. 57, rev., pp. 5-25, 26, 36. 1908.
    yields and prices, 1866-1883. D.B. 514, p. 5. 1917.
  See also New England States.
RHODES, L. L.: "Soil survey of Montgomery County, Iowa." With A. M. O'Neal, jr. Soil Sur. Adv. Sh., 1917, pp. 30. 1919; Soils F.O., 1917, pp. 1725-1750. 1923.
Rhodes grass—
  S. M. Tracy. F.B. 1048, pp. 16. 1919.
  Australian, importation and description. No. 36255, B.P.I. Inv. 36, p. 67. 1915; No. 46884, B.P.I. Inv. 57, p. 46. 1922.
  characteristics, history, regional adaptability, soil requirements. F.B. 1048, pp. 2-6. 1919.
  description—
    and uses. D.B. 772, p. 189. 1920.
    and value for cotton States. F.B. 1125, rev., pp. 14-16. 1920.
    value, and hay yields. News L., vol. 6, No. 48, p. 5. 1919.
  extension, Florida and Texas. An. Rpts., 1917, p. 149. 1917; B.P.I. Chief Rpt., 1917, p. 19. 1917.
  forage-crop experiments in Texas. B.P.I.Cir. 106, pp. 25, 27. 1913.
  growing in—
    Florida, Hernando County, yields and value. Soil Sur. Adv. Sh., 1914, pp. 9, 17. 1915; Soils F.O., 1914, pp. 1049-1050, 1057. 1919.
    Hawaii, composition, habits, and value. Hawaii Bul. 36, pp 11, 13, 24, 32, 39, 41. 1915.
    Texas, San Antonio experiment farm. D.C. 73, pp. 27-29. 1920.
  hay cuttings and value. F.B. 1125, rev., p. 16. 1920.
  history, characteristics, culture, and adaptation. Y.B., 1912, pp. 496-499. 1913; Y.B. Sep. 609, pp. 496-499. 1913.
  importation and description. No. 41896. B.P.I. Inv. 46, p. 30. 1919.
  introduction—
    and growing in Florida. An. Rpts., 1910, p. 359. 1911; B.P.I. Chief. Rpt, 1910, p. 89. 1910.

Rhodes grass—Continued.
  introduction—continued.
    and value on Gulf coast. An. Rpts., 1911, p. 338. 1912; B.P.I. Chief Rpt., 1911, p. 90. 1911.
    in South. News L., vol. 6, No. 48, p. 5. 1919.
    Southern States and California. Sec. A. R., 1909, p. 70. 1909; Y.B., 1909, p. 70. 1910.
    nativity, habits, description, and fertilizer need. F.B. 1254, pp. 23-25. 1922.
  seed, description, successful growing in Australia. Y.B., 1912, p. 497. 1913; Y.B. Sep. 609, p. 497. 1913.
  seed, saving methods, yield, and value. F.B. 1048, pp. 12-14. 1919.
  soils adaptable. News L., vol. 6, No. 29, p. 1. 1919.
  testing—
    for hay. An.Rpts., 1909, p. 356. 1910; B.P.I. Chief Rpt., 1909, p. 113. 1909.
    in Texas, San Antonio experiment farm. D.C. 209, p. 33. 1922.
  use as forage crop in cotton region, description. F.B. 509, pp. 13-14. 1912.
  value in—
    Gulf coast region, description and seed habits. An. Rpts., 1910, p. 85. 1911; Sec. A. R., 1910, p. 85. 1910; Y.B., 1910, p. 84. 1911.
    South. News L., vol. 6, No. 48, p. 5. 1919.
  yield and value in Southern States. An.Rpts., 1911, p. 74. 1912; Sec. A. R., 1911, p. 72. 1911; Y.B., 1911, p. 72. 1912.
  See also Chloris gayayna.
Rhodesia—
  agricultural extension work, 1912. O.E.S. An. Rpt., 1912, p. 358. 1913.
  experiment station, establishment. O.E.S. An. Rpt., 1911, p. 67. 1912.
  potatoes, production, 1909-1913, 1921-1923. S.B. 10, p. 20. 1925.
Rhodesian fever of cattle, cause and transmission. B.A.I. An. Rpt., 1910, p. 493. 1912; B.A.I. Cir. 194, p. 493. 1912.
Rhodocarus spp., description. Rpt. 108, pp. 79, 80. 1915.
Rhododendron—
  albiflorum, poisonous character. D.B. 1245, p. 24. 1924.
  soil requirements. Off. Rec. vol. 2, No. 15, p. 3. 1923.
  spp., importations and descriptions. Nos. 37973-37974, 38413, B.P.I. Inv. 39, pp. 74, 127. 1917; Nos. 39051-39068, B.P.I. Inv. 40, pp. 7, 64-71. 1917; Nos. 47771-47777, 47851, B.P.I. Inv. 59, pp. 8, 57-58, 67. 1922; Nos. 42460, 52603, 52621, B.P.I. Inv. 66, pp. 5, 29, 49, 52. 1923; Nos. 53727-53730, B.P.I. Inv. 67, pp. 82-83. 1923; Nos. 55697-55701, B.P.I. Inv. 72, pp. 20-21. 1924.
  tests for mechanical properties, results. D.B. 556, pp. 32, 41. 1917. D.B. 676, p. 27. 1919.
Rhodomyrtus tomentosa, importations and descriptions. No. 32103, B.P.I. Bul. 261, p. 28. 1912; No. 48583, B.P.I. Inv. 61, p. 25. 1922.
Rhodostethia rosea. *See* Gull, Ross's.
Rhogas autographae, parasitic growth on alfalfa looper, description. Ent. Bul. 95, Pt. VII, p. 114, 1912.
Rhoicissus erythrodes, importation and description. No. 47100, B.P.I. Inv. 58, p. 24. 1922.
Rhombognathus spp., description. Rpt. 108, pp. 55, 56. 1915.
Rhopaloblaste hexandra, importation and description. No. 51737, B.P.I. Inv. 65, p. 42. 1923.
Rhopalomyces cucurbitarum, identity with *Choanephora cucurbitarum*. J.A.R., vol. 8, p. 319. 1917.
Rhopalosiphum—
  dianthi, injury to cabbage in Hawaii. Ent. Bul. 109, Pt. III, pp. 32-33. 1912.
  lactucae, description, history, and injury to currants. F.B. 804, pp. 28-29. 1917.
  nymphaea, description, habits and control. F.B. 1128, pp. 17-18, 47-48. 1920.
  persicae—
    description, habits and history. F.B. 804, pp. 25-26. 1917.
    See also Spinach aphid.

Rhopalosiphum—Continued.
  prunifoliae, description, habits, and control. F.B. 1128, pp. 10–12, 38–47. 1920; F.B. 1270, pp. 25–26. 1922.
  prunifoliae. See also Apple-grain aphid.
  pseudoavenae, description, habits, and control. F.B. 1128, pp. 23, 47–48. 1920.
Rhopalostylis sapida. See Nikau palm.
Rhopobota vacciniana. See Fireworms, blackhead.
Rhubarb—
  acid, use and value in scouring aluminum ware. News L., vol. 4, No. 17, p. 4. 1916.
  bed, starting in small garden. F.B. 818, p. 42. 1917.
  canning—
    methods. D.B. 196, p. 63. 1915; D.B. 1084, p. 36. 1922; F.B. 853, pp. 17–18. 1917; S.R.S. Doc. 12, p. 3. 1917.
    seasons and methods. Chem. Bul. 151, pp. 35, 55–56. 1912.
  coloring matters used, methods of analysis. Chem. Cir. 25, pp. 38–39. 1905.
  crown rot, study in 1923. Work and Exp., 1923, p. 41. 1925.
  cultural directions. F.B. 934, pp. 41–42. 1918; F.B. 937, pp. 19, 48–49. 1918; S.R.S. Doc. 49, p. 6, 1916.
  danger in use of leaves, note. Food Thrift Ser. 5, p. 4. 1917.
  dried, cooking recipes. F.B. 841, p. 27. 1917.
  drying directions. F.B. 841, p. 21. 1917; D.C. 3, p. 16. 1919.
  flea-beetle. See Hop flea-beetle.
  food value and cultural directions. F.B. 1242, pp. 7–9. 1921.
  forcing with ether. F.B. 233, pp. 18–20. 1905; F.B. 320, pp. 23–24. 1908.
  growing directions. F.B. 647, p. 23. 1915; F.B. 936, p. 50. 1918.
  growing in Alaska. Alaska A.R., 1917, pp. 8, 57. 1919; Alaska A.R., 1918, pp. 28, 81, 91. 1920; Alaska A.R., 1919, pp. 24, 77. 1920; D.B. 50, p. 17. 1914.
  home garden, culture hints. F.B. 255, p. 42. 1906.
  importations and descriptions. Nos. 39049, 39050, B.P.I. Inv. 40, pp. 6, 63–64. 1917; No. 48020, B.P.I. Inv. 60, p. 29. 1922.
  nsect pests, list. Sec. Misc.], "A manual * * * insects * * *," p. 189. 1917.
  jelly with added pectin, directions. D.C. 254, p. 9. 1923.
  leaves, poisonous nature, and warning. News L., vol. 4, No. 42, p. 2. 1917.
  packing season. D.B. 196, p. 18. 1915.
  Phytophthora foot rot. George H. Godfrey. J.A.R., vol. 23, No. 1, pp. 1–26. 1923.
  planting, directions for club members. D.C. 48, p. 10. 1919.
  processing, directions and time table. F.B. 1211, pp. 43, 49. 1921.
  seed saving. F.B. 1390, p. 13. 1924.
  shipments by States and by stations, 1916. D.B. 667, pp. 12, 183. 1918.
  spraying—
    calendar. S.R.S. Doc. 52, p. 9. 1917.
    for control of Phytophthora foot rot. J.A.R., vol. 23, pp. 21–23. 1923.
  strawberry preserves, recipe. F.B. 1026, p. 38. 1919; F.B. 1027, p. 28. 1919; F.B. 1028, p. 48. 1919.
  use as fruit. O.E.S. Bul. 245, p. 30. 1912.
Rhus—
  copallina. See Sumac, dwarf.
  coriaria, histological features. Chem. Bul. 117, pp. 28–29. 1908.
  diversiloba. See Poison oak.
  gall forming aphids, note. D.B. 826, p. 73. 1920.
  glabra—
    histological features. Chem. Bul. 117, p. 30. 1908.
    organic acids. J.A.R., vol. 22, pp. 221–229. 1921.
    See also Sumac, smooth.
  potanini, importation and description. No. 50519. B.P.I. Inv. 63, p. 75. 1923.
  quercifolia, description. F.B. 1166, p. 7. 1920.
  rufa, importation and description, No. 44075. B.P.I. Inv. 50. p. 24. 1922.

Rhus—Continued.
  spp.—
    growing experiments with daylight of different lengths. J.A.R., vol. 23, pp. 903–904. 1923.
    importations and descriptions. Nos. 40716, 40717, B.P.I. Inv. 43, pp. 7, 71. 1918; Nos. 48733, 48821, B.P.I. Inv. 61, pp. 4, 41, 52. 1922.
    occurrence in chaparral, valuable qualities. For. Bul. 85, pp. 11, 34, 36, 42. 1911.
    seed distribution by crows. D.B. 621, pp. 53, 69, 71. 1918.
  toxicodendron—
    injury by sapsuckers. Biol. Bul. 39, p. 22. 1911.
    See also Poison ivy.
  trichocarpa, importation and description, No. 43875. B.P.I. Inv. 49, p. 90. 1921.
  verniciflua. See Lacquer tree.
  viminalis. See Karree boom.
Rhyacophilus glareola, occurrence in Pribilof Islands. N.A. Fauna 46, p. 75. 1923.
Rhynchaenus—
  argula, synonym for *Conotrachelus nenuphar*. Ent. Bul. 103, p. 14. 1912.
  cerasi, description by Peck, same as *Conotrachelus nenuphar*. Ent. Bul. 103, pp. 14, 16, 17, 37, 162. 1912.
Rhyncholus latinasus. See *Caulophilus latinasus*.
Rhynchophanes mccownii. See Longspur, McCown's.
Rhynchophora—
  destruction by crows. D.B. 621, pp. 18, 58. 1918.
  four, attacking corn in storage. Richard T. Cotton. J.A.R., vol. 20, pp. 605–614. 1921.
  insects affecting cereals. Ent. Bul. 96, Pt. I, p. 5. 1911.
  linearis. See *Sitophilus linearis*.
Rhynchoprion spinorum. See Tick, ear, spinose.
Rhynchosia sp., importation and description. No. 44118, B.P.I. Inv. 50, p. 31. 1922.
Rhynchotechum vestitum, importation and description. No. 47852, B.P.I. Inv. 59, p. 68. 1922.
Rhyolite, origin, classification, and mineral constituents. Rds. Bul. 37, pp. 13, 14–23, 26. 1911.
Rhysotheca geranii, occurrence on plants in Texas, and description. B.P.I. Bul. 226, p. 92. 1912.
Rhyssalus trilineatus. See Pecan cigar case-bearer.
Rhytisma—
  acerinum, cause of—
    maple leaf blight. B.P.I. Bul. 149, p. 19. 1909.
    tar-spot disease of maple. B.P.I. Bul. 149, p. 19. 1909; For. [Misc.], "Forest tree diseases * * *," p. 33. 1914.
    occurrence in Texas, and description. B.P.I. Bul. 226, pp. 75, 111. 1912.
Rib grass—
  host of apple aphid. J.A.R., vol. 7, pp. 333–334, 341. 1916.
  See also Buckhorn; Plantain.
Ribbon cane, name given improperly to shallu sorghum, remarks. B.P.I. Cir. 50, pp. 10–12. 1910.
Ribbonwood—
  importation and description. No. 38969, B.P.I. Inv. 40, p. 51. 1917.
  large-flowered, importation and description. No. 38049, B.P.I. Inv. 39, p. 83. 1917.
Ribes—
  blister rust. See Blister rust; *Cronartium ribicola*; Rust, currant.
  cereum. See Currant, red.
  cultivated, susceptibility to white-pine blister rust. D.B. 116, pp. 5–6. 1914.
  eradication for control of blister rust. B.P.I. Chief Rpt. 1921, p. 42. 1921; Work and Exp. 1923, p. 42. 1925.
  grossularia, susceptibility to *Puccinia triticina*. J.A.R. vol. 22; pp. 152–172. 1921.
  himalayense, importation and description. No. 35194. B.P.I. Inv. 35, p. 19. 1915.
  host of white-pine blister rust, notes, discussion. D.B. 116, pp. 1, 3, 4–6. 1914.
  inoculation of blister rust on, experiment tests, tables. D.B. 957, pp. 16–23. 1922.
  laxiflorum. See Currant.
  longeracemosum, importation and description. No. 51617. B.P.I. Inv. 65, pp. 5, 32. 1923.
  longiflorum. See Currant, golden.
  oxyacanthoides. See Gooseberry.
  pasturing, to control blister rust. D.B. 957, p. 87. 1922.

INDEX TO PUBLICATIONS, 1901–1925   1991

Ribes—Continued.
 removal—
  in various States for blister-rust control. D.B. 957, pp. 84–85. 1922.
  of diseased parts and plants, for rust control. D.B. 957, pp. 87–88. 1922.
  season of infection, determination in Pacific Northwest. J.A.R., vol. 30, pp. 593–598. 1925.
 spp.—
  danger in spreading white-pine blister rust. B.P.I. Cir. 129, pp. 10–17. 1913.
  distribution. N.A. Fauna 21, pp. 13, 21. 1901.
  eradication, effect on pine infection by blister rust, survey. J.A.R., vol. 28, pp. 1253–1258. 1924.
  France, importations and description. Nos. 40406–40496. B.P.I. Inv. 43, pp. 7, 14–35. 1918.
  host of white-pine blister rust. F.B. 489, pp. 5, 6, 8, 10, 14. 1912.
  importations and descriptions. Nos. 42624, 42739, 42749, 42780, B.P.I. Inv. 47, pp. 39, 58, 59, 63. 1920; Nos. 43876, 43877, B.P.I. Inv. 49, p. 90. 1921; Nos. 44004, 44347–44349, B.P.I. Inv. 50, pp. 16, 61. 1922; Nos. 55092–55093, B.P.I. Inv. 71, p. 22. 1923.
  importations, special permits. F.H.B.S.R.A. 61, p. 33. 1919.
  infected with blister rust, list. D.B. 1186, pp. 5–6. 1924.
  infection—
   list, by States and Provinces. D.B. 957, pp. 14–15. 1922.
   with blister rust, description. J.A.R. vol. 15, pp. 621, 634–639. 1919.
   with *Cronartium occidentale*. J.A.R., vol. 14, pp. 411, 413, 416–417. 1918.
   with *Cronartium ribicola*, internal sori. J.A.R., vol. 8, pp. 330–331. 1917.
  inoculation with blister rust, experiments and results. D.B. 957, pp. 14–24, 61. 1922.
  promising varieties, occurrence in China. B.P.I. Bul. 204, p. 49. 1911.
  quarantine—
   restrictions. F.H.B., Quar. 37, rev., p. 13, 1923.
   See also Blister rust quarantine; Currant quarantine; Gooseberry quarantine.
  susceptibility to blister rust. D.B. 957, pp. 14–24, 40–68, 68–72, 76. 1922.
  wintering of blister rust spores in Pacific Northwest. J.A.R. vol. 30, p. 605. 1925.
  See also Currants; Gooseberries.
  susceptibility to white-pine blister rust. D.B. 957, pp. 23–24. 1922.
  wild, eradication methods for control of white-pine blister rust. An. Rpts. 1919, pp. 175–176. 1920; B.P.I. Chief Rpt. 1919, pp. 39–40. 1919.
 wolfi, occurrence in Colorado, description. N.A. Fauna 33, p. 232. 1911.
Ribs—
 cattle, fracture, treatment. B.A.I. [Misc.], "Diseases of cattle," rev., p. 287. 1912; rev., p. 281. 1923.
 fracture, horse, treatment. B.A.I. [Misc.], "Diseases of the horse," rev., p. 315. 1903.
 spare, adulteration. See *Indexes to Notices of Judgment, in bound volumes, and in separates published as supplements to Chemistry Service and Regulatory Announcements.*
Ricciella. See Duckweeds.
RICE, A. G.—
 "Areas surveyed and mapped by the Bureau of Soils"—
  1907. Y.B. 1907, pp. 556–559. 1908.
  1908. Y.B. 1908, pp. 564–567. 1909.
RICE, T. D.—
 "Reconnoissance soil survey of—
  Ohio." With George N. Coffey. Soil Sur. Adv. Sh., 1912, pp. 134. 1914; Soils F.O., 1912, pp. 1245–1372. 1915.
  Nebraska." With others. Soil Sur. Adv. Sh., 1911, pp. 121. 1913; Soils F.O., 1911, pp. 1875–1989. 1914.
  western Kansas." With others. Soil Sur. Adv. Sh., 1910, pp. 104. 1912; Soils F.O., 1910, pp. 1345–1442. 1912.
 "Soil reconnoissance in Alaska, with an estimate of the agricultural possibilities." With Hugh H. Bennett. Soil Sur. Adv. Sh., 1914, pp. 202. 1915. Soils F.O., 1914, pp. 43–236. 1919.

RICE, T. D.—Continued.
 "Soil survey of—
  Acadia Parish, La." With Lewis Griswold. Soil Sur. Adv. Sh. 1903, pp. 25. 1904; Soils F.O. 1903, pp. 461–485. 1904.
  Allegan County, Mich." With Elmer O. Fippin. Soils F.O. Sep. 1901, pp 32. 1903; Soils F.O. 1901, pp. 93–124. 1902.
  Bastrop County, Tex." With others. Soil Sur. Adv. Sh., 1907, pp. 46. 1908; Soils F.O., 1907, pp. 663–704. 1909.
  Bienville Parish, La." With others. Soil Sur. Adv. Sh., 1908, pp. 36. 1909; Soils F.O. 1908, pp. 843–874. 1911.
  Camp County, Tex." With others. Soil Sur. Adv. Sh. 1908, pp. 20. 1910; Soils F.O. 1908, pp. 953–968. 1911.
  Cedar County, Iowa." With others. Soil Sur., 1919, pp. 31. 1921; Soils F.O., 1919, pp. 1427–1457. 1925.
  Dougherty County, Ga." With others. Soil Sur. Adv. Sh., 1912, pp. 63. 1913; Soils F.O., 1912, pp. 573–631. 1915.
  McCracken County, Ky." Soil Sur. Adv. Sh. 1905, pp. 16. 1906; Soils F.O., 1905, pp. 679–694. 1907.
  Ouachita Parish, La." Soil Sur. Adv. Sh., 1903, pp. 20. 1904; Soils F.O., 1903, pp. 419–438. 1904.
  Phelps County, Nebr." With others. Soil Sur. Adv. Sh. 1917, pp. 38. 1919; Soils F.O., 1917, pp. 1919–1956. 1923.
  Portage County, Wis." With others. Soil Sur. Adv. Sh., 1915, pp. 52. 1917; Soils F.O., 1915, pp. 1489–1536. 1919.
  Richland County, S. C." With others. Soil Sur. Adv. Sh., 1916, pp. 72. 1918; Soils F.O., 1916, pp. 521–588. 1921.
  Scott County, Iowa." With others. Soil Sur. Adv. Sh., 1915, pp. 43. 1917; Soils F.O., 1915, pp. 1707–1745. 1919.
  Sioux County, Nebr." With others. Soil Sur. Adv. Sh., 1919, pp. 43. 1922; Soils F.O., 1919, pp. 1757–1799. 1925.
  Tattnall County, Ga." With others. Soil Sur. Adv. Sh., 1914, pp. 48. 1915; Soils F.O., 1914, pp. 817–860. 1919.
  the Cooper area, Texas." With H. C. Smith. Soil Sur. Adv. Sh., 1907, pp. 24. 1908; Soils F.O., 1907, pp. 733–752. 1909.
  the Morton area, North Dakota." With others. Soil Sur. Adv. Sh., 1907, pp. 26. 1908; Soils F.O., 1907, pp. 837–858. 1909.
  the Tishomingo area, Indian Territory." With O. L. Ayrs. Soil Sur. Adv. Sh., 1906, pp. 28. 1907; Soils F.O., 1906, pp. 539–562. 1908.
  the Williston area, North Dakota." With others. Soil Sur. Adv. Sh., 1906, pp. 28. 1908; Soils F.O., 1906, pp. 999–1022. 1908.
  Titus County, Tex." With E. B. Watson. Soil Sur. Adv. Sh., 1909, pp. 37. 1910; Soils F.O., 1909, pp. 1005–1027. 1912.
  Wayne County, Nebr." With others. Soil Sur. Adv. Sh., 1917, pp. 46. 1919; Soils F.O., 1917, pp. 1957–2002. 1923.
  Wood County, Wis." With others. Soil Sur. Adv. Sh., 1915, pp. 51. 1917; Soils F.O., 1915, pp. 1537–1583. 1919.
RICE, W. E.: "Squab raising." F.B. 177, pp. 32. 1903.
Rice—
 absorption of nutrients by roots, experiments. J.A.R., vol. 9, pp. 75–76, 77–90. 1917.
 acre value in food. F.B. 877, pp. 4, 7. 1917.
 acreage—
  and production—
   1910–1923. An. Rpts., 1923, pp. 90, 91. 1923; Sec. A. R., 1923, pp. 90, 91. 1923.
   1914–1921. Sec. A. R., 1921, pp. 62, 63. 1921.
   in Southern States, 1909–1919. D.C. 85, p. 18. 1920.
   since 1909, Southern States. S R.S. Doc. 96, p. 15. 1919.
   world countries, 1910–1914. Y.B., 1916, pp. 533, 541. 1917; Y.B. Sep. 713, pp. 3, 11. 1917.
  and yields in California, 1913–1914. F.B. 688, p. 5. 1915.
  census, 1909, and estimate, 1915, by States, map. Y.B., 1915, p. 359. 1916; Y.B. Sep. 681, p. 359. 1916.

Rice—Continued.
  acreage—continued.
    extension. Y.B., 1916, p. 36. 1917.
    in—
      1919, map. Y.B., 1921, p. 446. 1922; Y.B. Sep. 878, p. 40. 1922.
      India, decrease. Off. Rec., vol. 3, No. 3, p. 3. 1924.
      South, in 1909-1918. Y.B., 1921, p. 337. 1922; Y.B. Sep. 877, p. 337. 1922.
      Texas. O.E.S. Bul. 222, pp. 13, 29, 34. 1910.
    production and value—
      1913, estimate. F.B. 570. pp. 8, 14-15, 17, 19, 32. 1913.
      1913, 1914, by States, estimates. F.B. 645, p. 36. 1914.
      in California, 1912-1919. F.B. 1141, pp. 3-4. 1920.
      straw yield and value. Y.B., 1910, p. 334. 1911; Y.B. Sep. 541, p. 334. 1911.
  adaptability to climate and soil, Sacramento Valley, variety tests and methods. B.P.I. Cir. 97, pp. 3-9, 10. 1912.
  adulteration—
    and misbranding. Chem. N.J. 1030, p. 1. 1911; Chem. N.J. 2379, p. 2. 1913; Chem. N.J. 2568, pp. 2. 1913; Chem. N.J. 13230, p. 1. 1925; Chem. N.J. 13770, p. 1. 1925.
    laws, State of Louisiana. Chem. Bul. 69, rev., Pt. III, p. 219. 1905.
  African, importation and description. No. 45717, B.P.I. Inv. 54, pp. 4, 9 1922.
  alcohol manufacture, value. F.B. 268, pp. 28-29. 1906.
  alkali tolerance. F.B. 446, rev., pp. 14, 15, 26. 1920.
  analyses—
    different stages of milling and food value. D.B. 570, pp. 9-15. 1917.
    food value. F.B. 417, pp. 25-26. 1910.
    and its by-products as feeding stuffs. F.B. 412, pp. 16-20. 1910.
  assimilation of—
    iron colloidal. P. L. Gile and J. O. Carrero. J.A.R., vol. 3, pp. 205-210. 1914.
    nitrogen. W. P. Kelley. Hawaii Bul. 24, pp. 20. 1911.
  association, American, officers. Y.B., 1900, p. 643. 1901.
  barley, diets, experiments, Japan. O.E.S. Bul. 159, pp. 113-114. 1905.
  Bassein, description and analyses. D.B. 323, pp. 4, 6, 7. 1915.
  Bezembo, success in Hawaii. Work and Exp., 1914, pp. 94-95. 1915.
  billbug, outbreak and disappearance. F.B. 1086, p. 3. 1920.
  black, importations and description. Nos. 52404-52410, 52496, 52598. B.P.I. Inv. 66, pp. 26, 33, 48. 1923.
  blast—
    cause and similarity to "brusone." An. Rpts., 1907, p. 263. 1908.
    description and cause. D.B. 1116, p. 5. 1922.
  bleaching disease caused by *Tarsonemus oryzae*. Ent. Bul. 97, p. 111. 1913.
  blight, cause and results. F.B. 1092, pp. 9, 11, 23. 1920.
  Blue Rose—
    classification and grade requirements. Mkts. Doc. 15, pp. 3, 6, 10. 1918.
    description. F.B. 1092, pp. 10-11. 1920.
  boiled, recipe and directions. F.B. 1195, pp. 10-12. 1921.
  botanical description. D.B. 772, pp. 204, 205. 1920.
  bran—
    adulteration and misbranding. N.J. 4535, Chem. S.R.A. Sup. 21, p. 50. 1917.
    analysis. F.B. 417, p. 26. 1910.
    and polish-feeding to pigs, experiments. O.E.S. An. Rpt., 1911, p. 78. 1912.
    feed for hogs, experiments. F.B. 411, p. 17. 1910.
    value as feed. F.B. 412, pp. 18-19. 1910.
  bread recipe. F.B. 807, pp. 21-22. 1917; F.B. 1136, p. 15. 1920.
  breakage in milling. D.B. 330, pp. 15-17. 1916.
  breeding, studies and experiments. Work and Exp., 1919, p. 46. 1921.

Rice—Continued.
  brewers', demand decrease. News L., vol. 6, No. 30, p. 14. 1919.
  British India, statistics, 1891-1912. Stat. Cir. 36, pp. 5-6. 1912.
  brown-spot disease. P.R. An. Rpt., 1922, pp. 16-18. 1923.
  bug—
    habits and control. Guam A. R., 1918, pp. 36-37. 1919.
    injuries and control in Guam. Guam A. R., 1920, pp. 40, 43. 1921.
    injuries, and control measures. Guam A.R., 1919, pp. 6, 33. 1921.
  bushel weights, by States. Y.B., 1918, p. 725. 1919; Y.B. Sep. 795, p. 61. 1919.
  by-products—
    analyses. D.B. 570, pp. 4-13. 1917.
    feed for pigs. B.A.I. Bul. 47, pp. 109-111. 1904.
    use as pig feed. B.A.I. An. Rpt., 1903, p. 274. 1904; B.A.I. Cir. 63, p. 274. 1904.
    use, Louisiana, Acadia Parish. Soil Sur. Adv. Sh., 1903, p. 483. 1904; Soils F.O., 1903, p. 483. 1904.
  cake, food preparation of Japanese. O.E.S. Bul. 159, p. 21. 1905.
  Calcutta, recipe. U. S. Food Leaf. 8, p. 3. 1917.
  Canadian. See Rice, wild.
  Carolina White and Gold, growth and yield, California. F.B. 688, p. 12. 1915.
  chemical composition of different types, from various mills. D.B. 330, pp. 20-22, 27. 1916.
  chemical studies. Hawaii A.R., 1908, pp. 51-58, 69. 1908.
  Chinese, description and analyses. D.B. 323, pp. 4, 6, 7, 8. 1915.
  chlorosis—
    cause, studies. J.A.R., vol. 7, pp. 503-528. 1916.
    relation to—
      iron in soil. J.A.R., vol. 3, p. 205. 1914.
      nitrogenous fertilizers. L. G. Willis and J. O. Carrero. J.A.R., vol. 24, pp. 621-640. 1923.
  class and grade determination, methods. Mkts. Doc. 16, pp. 2-5. 1918.
  coating—
    machinery and process. D.B. 330, pp. 11-12, 31. 1916.
    prohibition by food inspection decision. An. Rpts., 1912, p. 245. 1913; Sec. A. R., 1912, p. 245 1912; Y.B., 1912, p. 245. 1913.
  consumption—
    exports and imports. Y.B., 1922, pp. 522, 523, 567. 1923; Y.B. Sep. 891, pp. 522, 523, 567. 1923.
    in selected countries, 1902-1911. Y.B., 1918, p. 684. 1919; Y.B. Sep. 795, p. 20. 1919.
    in world countries, 1909-1918. Y.B., 1921, p. 580. 1922; Y.B. Sep. 868, 1921, p. 74. 1922.
    per capita. News L., vol. 6, No. 48, p. 5. 1919.
  cooking, methods and directions. F.B. 1195, pp. 9-20. 1921; News L., vol. 3, No. 28, pp. 3-4. 1916.
  cost of production, discussion. Y.B., 1922, pp. 556-557. 1923; Y.B. Sep. 891, pp. 556-557. 1923.
  crop—
    1907, remarks by Secretary. An. Rpts., 1907, p. 18. 1908; Y.B., 1907, p. 17. 1908; Sec. A. R., 1907, p. 16. 1907; Rpt. 85, p. 10. 1907.
    1910, amount and value, estimate. An. Rpts. 1910, p. 15. 1911; Sec. A. R., 1910, p. 15. 1910; Rpt. 93, p. 12. 1911; Y.B., 1910, p. 15. 1911.
    1911, amount, estimate. An. Rpts., 1911, p. 19. 1912; Sec. A. R., 1911, p. 17. 1911; Y.B., 1911, p. 17. 1912.
    damage by straighthead. F.B. 1212, pp. 2-4. 1921.
    distribution and value. D.B. 330, pp. 1-2, 29. 1916.
    estimates of Crop Estimates Bureau, accuracy. An Rpts., 1917, p. 304. 1917; Crop Est. Chief Rpt., 1917, p. 10. 1917.
    importance, distribution and varieties. F.B. 1195, pp. 3-6. 1921.
    increase. Off. Rec. vol. 3, No. 44, p. 3. 1924.
    losses from grain diseases. D.B. 1116, p. 1. 1922.
    Louisiana, survey. Off. Rec vol. 3, No. 49, p. 3. 1924.

Rice—Continued.
crop—continued.
United States—
1712–1910. Y.B., 1910, pp. 688–695. 1911;
Y.B. Sep. 553, pp. 688–695, 1911.
1712–1911. Stat. Cir. 34, pp. 11. 1912.
location and varieties planted. **F.B.** 1195, **pp.** 4–5. 1921.
value, and position in American agriculture. Y.B., 1922, pp. 470, 566–567. 1923; Y.B. Sep. 891, pp. 470, 566–567. 1923.
world, decrease, 1924. Off. Rec., vol. 3, No. 12, p. 3. 1924.
cultivation in—
Hawaii. Hawaii A. R., 1907, pp. 21–24, 90. 1908.
India. B.P.I. Bul. 35, pp. 22–37. 1903.
cultural experiments in southwestern Louisiana. D.B. 1356, pp. 8–15. 1925.
culture—
S. A. Knapp. F.B. 417, pp. 30. 1910.
breeding, irrigation, etc., investigations. B.P.I. An. Rpts., 1912, pp. 426–427. 1913; B.P.I. Chief Rpt., 1912, pp. 46–47. 1912.
by-products. F.B. 417, pp. 26–27. 1910.
experiments, 1913. Hawaii A.R., 1913, pp. 35–36. 1914.
extension. F.B. 305, pp. 5–8. 1907.
in California. Charles E. Chambliss and E. L. Adams. F.B. 688, pp. 20. 1915.
in Louisiana substation, 1909. O.E.S. An. Rpt. 1909, pp. 57, 115. 1910.
damage by—
bobolinks and wild ducks. An. Rpts., 1919, pp. 286–287. 1920; Biol. Chief Rpt., 1919, pp. 12–13. 1919.
rats and mice. Biol. Bul. 33, p. 21. 1909.
wild ducks and blackbirds. An. Rpts., 1918, p. 264. 1918; Biol. Chief Rpt., 1918, p. 8. 1918.
decrease of acreage in India. Off. Rec., vol. 3, No. 2, p. 2. 1924.
destruction by—
birds, prevention. Y.B., 1918, pp. 314–315. 1919; Y.B. Sep. 785, pp. 14–15. 1919.
bobolinks. F.B. 630, p. 17, 1915; Y.B., 1907, p. 171. 1908; Y.B. Sep. 443, p. 171. 1908.
the fig moth. Ent. Bul. 104, pp. 9, 16, 17, 19, 20. 1911.
diets, experiments, Japan. O.E.S. Bul. 159, pp. 113–114. 1905.
digestion experiments. O.E.S. Bul. 159, pp. 147, 149, 152–154, 156, 158–165, 175, 176, 178–185, 189, 195–196, 197–198, 204. 1905.
diseases—
and insects, in Guam, report. Guam A.R., 1917, pp. 54–55, 59. 1918.
control by seed treatment. W. H. Tisdale. D.B. 1116, pp. 11. 1922.
control experiments. An. Rpts., 1908, p. 287. 1909; B.P.I. Chief Rpt., 1908, p. 15. 1908.
description and control. F.B. 1092, pp. 23–24. 1920.
distribution and food value. News L., vol. 4, No. 37, p. 1. 1917.
drainage for control of water-weevil. F.B. 1086, p. 7. 1920.
drainage, requirements and provisions. F.B. 1141, pp. 7, 14–15. 1920.
dry-land, value for hay and forage. An. Rpts., 1907, p. 683. 1908.
effect of—
salicylic aldehyde in nutrient solution. D.B. 108, p. 5. 1914.
soil aeration. Hawaii A.R., 1915, pp. 15, 39–40. 1916.
Egyptian agriculture. B.P.I. Bul. 62, pp. 55–58. 1904.
enemies attacking. O.E.S. Bul. 158, pp. 515–517. 1905; Y.B., 1922, p. 519. 1923; Y.B. Sep. 891, p. 519. 1923.
estimates, 1910–1922. M.C. 6, p. 9. 1923.
Experiment Station, Crowley, La.—
organization. O.E.S. Bul. 247, p. 33. 1912.
production methods. D.B. 1356, pp. 1–32. 1925.
work, 1910. O.E.S. An. Rpt., 1910, p. 152. 1911.

Rice—Continued.
exports—
1851–1908. Stat. Bul. 75, pp. 8, 56–57. 1910.
statistics, 1921. Y.B., 1921, pp. 747, 749, 752. 1922; Y.B. Sep. 867, pp. 11, 13, 16. 1922.
extra fancy, so-called, misbranding. Chem. S.R.A. Sup. 2, p. 119. 1915.
farming—
diversification importance. S.R.S. Doc. 96, pp. 5–6. 1919.
principles essential to success. D.C. 85, pp. 9. 12. 1920.
farms, value per acre by States, 1900–1905. Stat. Bul. 43, pp. 11, 15–16, 17, 28, 38. 1906.
feeding to livestock. Y.B., 1922, pp. 524–525. 1923; Y.B. Sep. 891, pp. 524–525. 1923.
feeds for hogs, experiments. F.B. 411, pp. 16–18. 1910.
fertilizer—
experiments in—
Hawaii. Hawaii A.R., 1910, pp. 43–44. 1911; Hawaii Bul. 31, pp. 8–15. 1914.
southwestern Louisiana. D.B. 1356, pp. 15–19. 1925.
investigations, American and Japanese. Hawaii Bul. 24, pp. 6, 7–9, 17, 18. 1911.
investigations, in Porto Rico. S.R.S. Rpt., 1921, pp. 3, 22. 1921.
nitrogen forms, comparative value, experiments. Hawaii Bul. 24, pp. 1–20. 1911.
study, Hawaii. An. Rpts., 1912, p. 219. 1913; Sec. A. R., 1912, p. 219. 1912; Y.B., 1912, p. 219. 1913.
tests. Soils Bul. 67, pp. 49–50. 1910.
use. F.B. 1092, pp. 16–17. 1920.
fertilizing experiments. Hawaii A.R., 1908, pp. 70–79. 1908.
fields—
injury by muskrats. F.B. 396, p. 18. 1910.
insects control, best methods. F.B. 1086, p. 9. 1920.
insects infesting. F.B. 1086, pp. 3, 9. 1920.
treatment for control of rice bug. Guam A.R., 1918, p. 37. 1919.
flour. See Flour.
food—
of mallard ducks. D.B. 720, pp. 12, 15, 17. 1918.
of shoal-water ducks. D.B. 862, pp. 6, 12, 19, 24, 33, 40, 50. 1920.
qualities and relation to disease. O.E.S. Bul. 159, pp. 13–14. 1905.
use. F.B. 1195, pp. 22. 1921.
use and value. F.B. 417, pp. 25–26. 1910; Y.B., 1922, pp. 512, 523–524. 1923; Y.B. Sep. 891, pp. 512, 523–524. 1923.
value—
and defects as exclusive diet. F.B. 1195, pp. 7–8. 1921.
and use recipes. Food Thrift Ser., No. 1, p. 3. 1917.
comparisons, chart. D.B. 975, pp. 5, 6, 28. 1921; News L., vol. 4, No. 46, p. 8. 1917.
cooking, and recipes. Sec. Food Leaf. 18, pp. 1–4. 1918.
products, and place in the diet. Sec. Cir. 89, pp. 3–4. 1918.
studies by Home Economics Office. News L., vol. 3, No. 28, pp. 3–4. 1916.
forecast, general and by States, September, 1913, price. F.B. 558, pp. 12, 16. 1913.
fragrant, from China, importation. No. 45732, B.P.I. Inv. 54, p. 13. 1922.
glutinous, difference from ordinary. O.E.S. Bul. 159, p. 22. 1905.
Goldseed, description, value. F.B. 417, pp. 5–6. 1910.
grades—
adoption and use. An. Rpts., 1919, p. 442. 1920; Mkts. Chief Rpt., 1919, p. 16. 1919.
and by-products, uses and food value. F.B. 1141, pp. 21–22. 1920.
and prices. F.B. 417, pp. 24–25. 1910.
description. F.B. 1092, p. 25. 1920.
relation to food value. F.B. 1195, pp. 6–7. 1921.
United States. D.C. 133, pp. 16. 1920.

Rice—Continued.
 grading—
  apparatus. Mkts. Doc. 16, p. 6. 1918.
  machinery in modern mills. D.B. 330, pp. 12–14, 16. 1916.
 grain, structure, technical description. D.B. 330, pp. 2–4, 29. 1916.
 growers, duck shooting, permission. News L., vol. 7, No. 18, p. 2. 1919.
 growing—
  acreage and equipment for one man. O.E.S. Bul. 222, pp. 38, 39, 40, 43, 44, 45, 46, 85. 1910.
  advancement. S. A. Knapp. Y.B., 1911, p. 152. 1912; Y.B. Sep. 556, p. 152. 1912.
  and milling, States. D.B. 570, p. 1. 1917.
  area for one man and wages in different countries. F.B. 417, p. 20. 1910.
  at Crowley Experiment Station, experiments. D.B. 1356, pp. 1–32. 1925.
  decline, in Georgia, Chatham County. Soil Sur. Adv. Sh., 1911, pp. 8, 26, 27, 30, 33. 1912; Soils F.O., 1911, pp. 566, 584, 585, 588, 591. 1914.
  failure on account of alkali accumulation. O.E.S. Cir. 103, pp. 7, 12, 15. 1911.
  in Arizona, Yuma experiment farm. W.I.A. Cir. 25, p. 32. 1919.
  in Arkansas—
   Ashley County, methods and yields. Soil Sur. Adv. Sh., 1913, pp. 12–13. 1914; Soils F.O., 1913, pp. 1192–1193. 1916.
   Craighead County. Soil Sur. Adv. Sh., 1916, pp. 12, 25, 28, 31. 1917; Soils F.O., 1916, pp. 1168, 1181–1187. 1921.
   Jefferson County. Soil Sur. Adv. Sh., 1915, p. 12. 1916; Soils F.O., 1915, p. 1170. 1919.
   Lonoke County. Soil Sur. Adv. Sh., 1921, pp. 1284–1287. 1925.
   Prairie County. Soil Sur. Adv. Sh., 1906, p. 34. 1908; Soils F.O., 1906, p. 658. 1907.
  in California—
   area, methods, and varieties. F.B. 688, pp. 1–20. 1915.
   experiments. Jenkin W. Jones. D.B. 1155, pp. 60. 1923.
   increase in acreage. An. Rpts., 1916, p. 25. 1917; Sec. A.R., 1916, p. 27. 1916.
   lower San Joaquin Valley, irrigation and yields. Soil Sur. Adv. Sh., 1915, pp. 19–20, 98, 152. 1918; Soils F.O., 1915, pp. 2595–2596, 2690, 2726, 2728. 1919.
   middle San Joaquin Valley. Soil Sur. Adv. Sh., 1916, pp. 25–26. 1919; Soils F.O., 1916, pp. 2439–2940, 2493, 2502. 1921.
   Sacramento Valley, soils. Soil Sur. Adv. Sh., 1913, pp. 18, 91, 125. 1915; Soils F.O., 1913, pp. 2308, 2381. 1916.
   upper San Joaquin Valley. Soil Sur. Adv. Sh., 1917, pp. 24–25, 75, 76. 1921; Soils F.O., 1917, pp. 2552–2553, 2642. 1923.
  in central Gulf coast area, Texas, extent of industry, etc. Soil Sur. Adv. Sh., 1910, pp. 61, 66–67. 1911; Soils F.O., 1910, pp. 915, 920–921. 1912.
  in Florida, St. Johns County. Soil Sur. Adv Sh., 1917, pp. 9, 13, 18, 20. 1920; Soils F.O., 1917, pp. 669, 673, 678, 680. 1923.
  in Georgia—
   Chatham County, yields, and decline. Soil Sur. Adv. Sh., 1911, pp. 8, 26–30. 1912; Soils F.O., 1911, pp. 506, 584–588. 1914.
   Glynn County, methods and yields. Soil Sur. Adv. Sh., 1911, pp. 10, 11–12, 51. 1912; Soils F.O., 1911, pp. 598, 599–600, 637, 639. 1914.
   practices. Soils Cir. 21, pp. 3–4, 19. 1910.
  in Guam—
   experiments. Guam A.R., 1916, pp. 11–13. 1917; Guam A.R., 1922, pp. 12–13. 1924.
   fertilizers, yields, and insects. Guam A.R., 1919, pp. 6, 32–33. 1921.
   variety tests. Guam A.R., 1921, pp. 19–21. 1923.
   variety tests, and insect control. Guam A.R., 1918, pp. 35–38. 1919.
  in Hawaii—
   experiments, 1908. Hawaii A.R., 1908, pp. 65–82. 1908.
   Japanese varieties. Hawaii A.R., 1912, pp. 14, 75–76. 1913.

Rice—Continued.
 growing—continued.
  in Hawaii—Continued.
   rotation tests. Hawaii A.R., 1918, p. 46. 1919.
   soil aeration tests, yield, 1917. Hawaii A.R., 1917, p. 48. 1918.
   work, 1916. Hawaii A.R., 1916, p. 26. 1917.
  in iron-free solutions, experiments. J.A.R. Vol. 7, pp. 83–84. 1916.
  in Louisiana—
   Acadia Parish. Soil Sur. Adv. Sh., 1903, pp. 463, 470, 473, 474, 479, 483, 484, 485. 1904; Soils F.O., 1903, pp. 463, 470, 473, 474, 479, 483, 484, 485. 1904.
   East Carroll Parish. Soil Sur. Adv. Sh., 1908, p. 10. 1909; Soils F.O. 1908, p. 880. 1911.
   Iberia Parish, varieties, yields, etc. Soil Sur. Adv. Sh., 1911, pp. 16–18. 1912; Soils F.O., 1911, pp. 1140-1142. 1914.
   Lafayette Parish. Soil Sur. Adv. Sh., 1915, pp. 12–13, 24, 25, 26. 1916; Soils F.O., 1915, pp. 1056, 1058–1059, 1070. 1919.
   Lake Charles area. Soils F.O. Sep., 1901, pp. 640–644, 646–647. 1903; Soils F.O., 1901, pp. 640–644, 646–647. 1902.
   St. Martin's Parish. Soil Sur. Adv. Sh., 1917, pp. 10, 11–12, 23–26. 1919; Soils F.O., 1917, pp. 942, 943–944, 955–958. 1923.
  in manganiferous soils, notes. Hawaii Bul. 6, pp. 24, 27, 32, 34. 1912.
  in Mississippi, Wilkinson County, methods and yields. Soil Sur. Adv. Sh., 1913, p. 12. 1915; Soils F.O., 1913, p. 960. 1916.
  in Porto Rico—
   acreage and importance as food. P.R. An. Rpt., 1919, pp. 10, 32, 36–37. 1920.
   fertilizer experiments, and variety tests. P.R. An. Rpt., 1920, pp. 13–14, 38. 1921.
   needs and possibilities. P.R. An. Rpt., 1916, p. 9. 1918.
   soils and variety tests. An. Rpts., 1922, p. 432. 1922; S.R.S. Rpt., 1922, p. 20. 1922.
  in Sacramento Valley. Jenkin W. Jones. F.B. 1240, pp. 27. 1924.
  in South Carolina—
   Berkeley County. Soil Sur. Adv. Sh., 1916, pp. 12, 15, 38. 1918; Soils F.O., 1916, pp. 490, 493, 515–517. 1921.
   Dorchester County, introduction and decrease. Soil Sur. Adv. Sh., 1915, pp. 8–9, 34. 1917; Soils F.O., 1915, pp. 548–549, 574. 1919.
   Georgetown County, rise and decline. Soil Sur. Adv. Sh., 1911, pp. 11–14, 47, 51–52. 1912; Soils F.O., 1911, pp. 519–522, 555, 559–560. 1914.
   Horry County, decline. Soil Sur. Adv. Sh., 1918, p. 9. 1920; Soils F.O., 1918, p. 333. 1924.
  in Southern States and Hawaii. An. Rpts., 1910, pp. 146, 151. 1911; Sec. A. R., 1910, pp. 146, 151. 1910; Rpt., 93, pp. 91, 94. 1911; Y.B., 1910, pp. 144, 150. 1911.
  in Texas—
   Brownsville area, experiments and failure. Soil Sur. Adv. Sh., 1907, pp. 10, 22. 1908; Soils F.O., 1907, pp. 710, 722. 1909.
   Jefferson County, acreage, methods, and yields. Soil Sur. Adv. Sh., 1913, pp. 7, 10–12, 21, 24, 28. 1915; Soils F.O., 1913, pp. 1003, 1006–1008, 1017, 1020, 1024. 1916.
   southern part, introduction and abandonment. Soil Sur. Adv. Sh., 1909, p. 85. 1910; Soils F.O., 1909, p. 1109. 1912.
  in world, acreage, production, and cost by countries. Sec. [Misc.], Spec. "Geography * * * world's agriculture," pp. 46–49. 1917.
  investigations in Hawaii. Hawaii A.R., 1908, pp. 14–15. 1908.
  irrigation practice. C. G. Haskell. F.B. 673, pp. 12. 1915.
  localities adapted. F.B. 1289, p. 17. 1923.
  methods. B.P.I. Cir. 97, pp. 6–10. 1912.
  methods and cost, Louisiana, Concordia Parish. Soil Sur. Adv. Sh., 1910, pp. 13–14. 1911; Soils F.O., 1910, pp. 835–836. 1912.
  on Crowley silt loam, irrigation, drainage, and yields. Soils Cir. 54, pp. 4, 5, 6. 1912.

Rice—Continued.
 growing—continued.
  on demonstration farms. An. Rpts., 1913, p. 119. 1914; B.P.I. Chief Rpt., 1913, p. 15. 1913.
  precautions to control straighthead, summary. F.B. 1212, p. 16. 1921.
  region, weather service. An. Rpts., 1916, p. 58. 1917; W.B. Chief Rpt., 1916, p. 10. 1916.
  report, 1922. Off. Rec. vol. 1, No. 44, p. 3. 1922.
  requirements and difficulties. Y.B., 1908, p. 356. 1909; Y.B. Sep. 374, p. 356. 1909.
  Sacramento Valley, preliminary report. Charles E. Chambliss. B.P.I. Cir. 97, pp. 10. 1912.
  season, and climatic requirements, regions where grown. F.B. 673, p. 1. 1915.
  shocking methods, acreage and varieties. An. Rpts., 1919, pp. 139, 154. 1920; B.P.I. Chief Rpt., 1919, pp. 3, 18. 1919.
  statistics of day's work in several operations. Y.B., 1922, p. 1073. 1923; Y.B. Sep. 890, p. 1073. 1923.
  under irrigation—
   Arkansas. An. Rpts., 1913, pp. 280–281. 1914; O.E.S. Chief Rpt. 1913, pp. 10–11. 1913.
   cost. O.E.S. Bul. 222, p. 85. 1910.
  use of—
   bur clover as green-manure crop. F.B. 693, pp. 10–11. 1915.
   farm tractors. News L., vol. 6, No. 43, p. 9. 1919.
 growth—
  in nutrient solutions, effect of manganese, iron, and calcium. Hawaii Bul. 52, pp. 11–24. 1924.
  on calcareous soil. J.A.R. vol. 20, pp. 3 8–58. 1920.
 Guam, fertilizer tests. Guam A.R., 1923, p. 9. 1925.
 handling to produce high grades. W. D. Smith. F.B. 1420, pp. 22. 1924.
 harvesting—
  and threshing. F.B. 688, pp. 10–12. 1915.
  directions. News L., vol. 5, No. 5, p. 7. 1917.
  factors. Sec. Cir. 89, pp. 18–21. 1918.
  shocking and threshing. F.B. 1092, pp. 19–20. 1920; F.B. 1141, pp. 15–17. 1920.
 hauling from farm to shipping points, costs. Stat. Bul. 49, pp. 29–30, 40. 1907.
 Hawaii, imports and exports. Hawaii A.R. 1910, pp. 51–52. 1911.
 heads, straighthead symptoms. F.B. 1212, pp. 4–6. 1921.
 Honduras—
  classification and grade requirements. Mkts. Doc. 15, pp. 3, 4–5, 8, 10. 1918.
  description and value. F.B. 417, p. 6. 1910; F.B. 1092, pp. 8–9. 1920.
  description, injury in milling, and yield. D.B. 330, pp. 2, 15–29, 30, 31. 1916.
  growth period and yields, California. F.B. 688, p. 12. 1915.
  seeding and irrigation. Y.B., 1909. pp. 301–302. 1910; Y.B. Sep. 514, pp. 301–302. 1910.
 host of *Sclerotium rolfsii* and *S. oryzae*. J.A.R., vol. 21, pp. 649–658. 1921.
 hulling, machines and process. D.B. 570, pp. 2, 3. 1917.
 hulls—
  adulterant in stock feed. Chem. N.J. 104, pp. 4–6. 1909.
  adulteration for rice by-products, F.I.D. 203. Chem. S.R.A. 19, p. 52. 1917.
  analysis, uses. F.B. 417, pp. 26–27. 1910.
  uses, and value. F.B. 412, p. 18. 1910.
 importance—
  in oriental countries and uses. F.B. 1195, pp. 3–4. 1921.
  in Japanese diet. O.E.S. Bul. 159, p. 134–137. 1905.
  of early harvesting, harvesting time. News L., Vol. 6, No. 5, p. 5. 1918.

Rice—Continued.
 importation—
  and descriptions. Nos. 37215, 37517–37521, 37632–37637, B.P.I. Inv. 38, pp. 46, 69, 89. 1917; Nos. 37696–37697, 37730–37731, 37737–37740, 37854–37860, 38044, 38088–38093, 38327, 38361–38371, 38493–38494, 38530–38532, B.P.I. Inv. 39, pp. 20, 29, 30, 58, 82, 86, 116, 121, 138, 143. 1917; Nos. 39384, 39444–39446, 39545, B.P.I. Inv. 41, pp. 22, 30, 38. 1917; Nos. 45266–45268, 45316, 45464, B.P.I. Inv. 53, pp. 20, 24, 37. 1922; Nos. 46476, 46563, B.P.I. Inv. 56, pp. 19, 26. 1922; Nos. 46953, 46954, 46976, 47115, 47116, B.P.I. Inv. 58, pp. 10, 13, 25. 1922; Nos. 49879, 49880, 49969–49970, 50491–50495, 50587, B.P.I. Inv. 63, pp. 4, 16, 25, 73, 81. 1923; Nos. 51444–51445, 51475, 51520–51524, 51642–51644, B.P.I. Inv. 65, pp. 17, 20, 23, 33, 34. 1923; Nos. 53978, 54282–54296, 54336–54341, 54344, 54346–54349, B.P.I. Inv. 68, pp. 3, 14, 45–46, 53, 54. 1923.
  by Bureau of Plant Industry. B.P.I. Bul. 223, p. 13. 1911.
  restrictions, hearings. F.H.B.S.R.A. 75, pp. 88–89. 1923.
  yield, source. Nos. 34220–34249, B.P.I. Inv. 32, pp. 25–26. 1914.
 imported, importance, character and countries of origin. D.B. 323, pp. 1–8. 1915.
 imports—
  1902–1904. Stat. Bul. 35, pp. 13, 61. 1905.
  1907–1909, quantity and value by countries from which consigned. Stat. Bul. 82, p. 53. 1910.
  1908–1910, quantity and value, by countries from which consigned. Stat. Bul. 90, p. 57. 1911.
  1921, statistics. Y.B., 1921, pp. 741, 749, 754. 1922; Y.B. Sep. 867, pp. 5, 13, 18. 1922.
  and culture. F.B. 417, p. 7. 1910.
 and exports—
  1906–1910. Y.B. Sep. 554, 1910, pp. 662, 672, 681. 1911.
  1918. Y.B., 1918, pp. 633, 640, 643, 646, 653. 1919; Y.B. Sep. 794, pp. 9, 16, 19, 22, 29. 1919.
  1919–1921, and 1852–1921. Y.B., 1922, pp. 953, 959, 961, 964, 966. 1923; Y.B. Sep. 880, pp. 953, 959, 961, 964, 966. 1923.
  data. Sec. Cir. 89, p. 4. 1918.
  from Mexico, regulations. F.H.B. Quar. 55, pp. 2–3. 1923.
  into Hawaii. Hawaii A.R., 1914, pp. 36–37. 1915.
  of world countries, 1909–1920. Y.B., 1921, p. 579. 1922; Y.B. Sep. 868, 1921, p. 73. 1922.
 improved strains, distribution. An. Rpts., 1913, p. 118. 1914; B.P.I. Chief Rpt., 1913, p. 14. 1913.
 improvement—
  and building up new industry. Y.B., 1902, pp. 226–227. 1903.
  by selection. F.B. 688, p. 14. 1915.
 Indian—
  key to genera, and descriptions. D.B. 772, pp. 18, 206–213. 1920.
  See also Rice, wild.
 industry—
  extension, prospects. F.B. 417, p. 30. 1910.
  growth, aid of department. An. Rpts., 1912, p. 118. 1913; Sec. A. R., 1912, p. 118. 1912; Y.B., 1912, p. 118. 1913.
 in—
  Hawaii, introduction and growth. Y.B., 1901, p. 513. 1902.
  Texas, history in brief. O.E.S. Bul. 222, p. 34. 1910.
  United States, sections, production, etc. F.B. 417, pp. 7–8. 1910.
 infestation by lesser grain borer. Ent. Bul. 96, Pt. III, pp. 33, 35. 1911.
 injury by—
  curlew bug, notes. Ent. Bul. 95, Pt IV, pp. 54–57, 60–61. 1912.
  lime carbonate in soil. P.R. An. Rpt., 1913, p. 15. 1914.

Rice—Continued.
  injury by—continued.
    rice moth. D.B. 783, pp. 1, 2, 5–6, 7. 1919.
    Siamese grain beetle. Ent. Bul. 96, Pt. I, p. 14. 1911.
    termites. D.B. 333, p. 17. 1916.
  insects—
    control work. An. Rpts., 1913, pp. 213–214. 1914; Ent. A.R., 1913, pp. 5–6. 1913.
    description and control. F.B. 1092, pp. 24–25. 1920.
    description, habits, and control. J. L. Webb. F.B. 1086, pp. 11. 1920.
    enemies and rotations to control, notes. Y.B., 1911, pp. 202–209. 1912; Y.B. Sep. 561, pp. 202–209. 1912.
    in Guam, control. Guam A.R., 1918, pp. 36–38. 1919.
    investigations, 1925. Ent. A.R., 1925, pp. 26–27. 1925.
    pests, description. F.B. 1260, pp. 18, 33, 36. 1922; Sec. [Misc.], "A manual * * * insects," pp. 189–191. 1917.
    studies, program for 1915. Sec. [Misc.], "Program of work * * * 1915," p. 230. 1914.
  introduction and cultivation in South Carolina, Charleston area. Soil Sur. Adv. Sh., 1904, p. 7. 1905; Soils F.O., 1904, p. 208. 1905.
  investigations—
    1906. Rpt. 83, p. 32. 1906.
    1910. An. Rpts., 1910, pp. 66, 312, 1911; Sec. A.R., 1910, p. 66. 1910; Rpt. 93, p. 49. 1911. B.P.I. Chief Rpt., 1910, p. 42. 1910; Y.B., 1910, p. 66. 1911.
    diseases and irrigation. An. Rpts., 1911, p. 291. 1912; B.P.I. Chief Rpt., 1911, p. 43. 1911.
    growing with and without irrigation. An. Rpts., 1911, pp. 71–72. 1912; Sec. A.R., 1911; pp. 69–70. 1911; Y.B., 1911, pp. 69–70. 1912.
    in Hawaii, report, 1907. Hawaii A.R., 1907, pp. 21–24, 67–90. 1908.
    in Hawaii, 1908. O.E.S. An. Rpt., 1908, pp. 21, 23, 85. 1909.
    in Porto Rico factors governing growth. P.R. An. Rpt., 1922, p. 3. 1923.
    in Southern States. An. Rpts., 1908, pp. 47, 330, 332. 1909; B.P.I. Chief Rpt., 1908, pp. 58, 60. 1908.
  iron assimilation from—
    certain nutrient solutions. P. L. Gile and J. O. Carrero. J.A.R., vol. 7, pp. 503–528. 1916.
    nutrient solutions. P.R. An. Rpt., 1916, p. 15. 1918.
  irrigation—
    and drainage—
      California. F.B. 688, pp. 7–10. 1915.
      need and methods. F.B. 1092, pp. 5–8, 17–18. 1920.
    area and production, 1911, Louisiana, Mississippi, and Arkansas. An. Rpts., 1912, p. 225. 1913; Sec. A.R., 1912, p. 225. 1912; Y.B., 1912, p. 225. 1913.
    by pumping from wells, cost in Louisiana and Arkansas. W.B. Gregory. O.E.S. Bul. 201, pp. 39. 1908.
    canal companies, and acreages, list. O.E.S. Bul. 222, pp. 48–49. 1910.
    experiments. D.B. 1356, pp. 21–26. 1925.
    in Arkansas prairie land. C. E. Tait. O.E.S. Bul. 158, pp. 545–565. 1905.
    in humid sections. O.E.S. Bul. 113, pp. 55, 56, 68–73. 1905.
    in Louisiana—
      and Arkansas cost of pumping from wells. W. B. Gregory. O.E.S. Bul. 201, pp. 39. 1908.
      and Texas. Frank Bond. O.E.S. Bul. 133, pp. 178–194. 1903.
      and Texas, cost and profits. O.E.S. An. Rpt., 1908, pp. 398–404. 1909.
      and Texas in 1903 and 1904. W. B. Gregory. O.E.S. Bul. 158, pp. 509–544. 1905.
      use of water. O.E.S. Bul. 158, pp. 524–526. 1905.
    in North Carolina. O.E.S. Bul. 113, p. 59. 1902.
    in Texas—
      and Louisiana. Frank Bond. O.E.S. Bul. 133, pp. 178–195. 1903.

Rice—Continued.
  irrigation—continued.
    in Texas—continued.
      Jefferson County. Soil Sur. Adv. Sh., 1913, pp. 10–11, 43–45. 1915; Soils F.O., 1913, pp. 1006–1008, 1039–1041. 1916.
    systems, cost, and requirements. O.E.S. Bul. 222, pp. 36–49. 1910.
    in the United States. Frank Bond and G. H. Keeney. O.E.S. Bul. 113, pp. 77. 1902.
    methods and results. Y.B., 1909, pp. 301–302. 1910; Y.B. Sep. 514, pp. 301–302. 1910.
    on prairie land of Arkansas. C. E. Tait. O.E.S. Bul. 158, pp. 545–565. 1905.
    on uplands of Louisiana and Texas. O.E.S. Bul. 113, p. 11. 1902.
    preparation of fields, and application of water. F.B. 1141, pp. 7–8, 13–14. 1920.
    use and value of St. Francis, Ark., reservoir water. O.E.S. Bul. 230, Pt. I, p. 81. 1911.
  Japanese—
    adaptability to Hawaii. Hawaii A.R., 1910, pp. 52–55. 1911.
    classification and grade requirements. Mkts. Doc. 15, pp. 4, 7, 10. 1918.
    description and analyses. D.B. 323, pp. 4, 6, 7, 8. 1915.
    description, and injury in milling, yield, etc. D.B. 330, pp. 2, 15–29, 30, 31. 1916.
    experiments in Hawaii. O.E.S. An. Rpt., 1908, pp. 23, 84. 1909.
    fertilizer experiments. Hawaii Bul. 24, pp. 8, 17. 1911.
    introduction—
      S. A. Knapp. Y.B., 1911, p. 152. 1912; Y.B. Sep. 556, p. 152. 1912.
      into United States, cost and results. B.P.I. Cir. 100, p. 21. 1912.
    testing in Hawaii. O.E.S. An. Rpt., 1912, pp. 19, 102. 1913.
    varieties, description, yield, etc., Hawaii. Hawaii A.R., 1911, pp. 15, 54–56. 1912.
  Java, description and analyses. D.B. 323, pp. 4, 6, 7. 1915.
  jungle—
    disease, Texas, occurrence and description. B.P.I. Bul. 226, p. 52. 1912.
    growing and use, Hawaii. Hawaii Bul. 36, p. 21. 1915.
  Kiushu—
    introduction in Texas. Y.B., 1901, p. 126. 1902.
    value. F.B. 417, p. 6. 1910.
  Korean, importation and cultural directions. B.P.I. Inv. 51, p. 72. 1922.
  labeling, geographical names, decision. F.I.D. 123, pp. 1–2. 1910.
  labor requirements, etc. D.B. 1181, pp. 8, 51, 61. 1924.
  lands—
    crops adaptable. An. Rpts., 1907, p. 299. 1908.
    diversification of crops, investigations. B.P.I. Chief Rpt., 1906, pp. 47–48. 1906.
    fallow, cause of insect increase. Y.B., 1911, pp. 204–205, 209. 1912; Y.B. Sep. 561, pp. 204–205, 209. 1912.
    methods of cultivation. O.E.S. Bul. 158, pp. 514–516. 1905.
  leaf folder, habits and control. Guam A.R., 1918, p. 38. 1919.
  leaf spot, cause, description, and control. J.A.R., vol. 24, pp. 643, 724–728. 1923.
  losses—
    by breakage. F.B. 417, pp. 24–25. 1910.
    causes and extent, 1909–1918. Y.B., 1921, p. 579. 1922; Y.B. Sep. 868, p. 73. 1922.
    causes and extent, 1909–1921. Y.B., 1922, p. 660. 1923; Y.B. Sep. 881, p. 660. 1923.
    from specified causes, in various localities, 1909–1918. D.B. 1043, pp. 6, 8, 10. 1922.
  marketing—
    and milling. Y.B., 1922, pp. 519–522. 1923; Y.B. Sep. 891, pp. 519–522. 1923.
    associations, membership. Off. Rec., vol. 3, No. 24, p. 3. 1924.
    bibliography. M.C. 35, p. 20. 1925.
    methods. Rpt. 98, pp. 131–133. 1913.
    plantation system. D.B. 1269, p. 66. 1924.

Rice—Continued.
 meal—
  feed for hogs, experiments, etc. F.B. 411, pp. 17–18. 1910.
  feeding, to pigs. F.B. 144, pp. 24–25. 1901.
  imports, 1907–1909 (with rice flour, etc.), quantity and value, by countries from which consigned. Stat. Bul. 82, p. 53. 1910.
  misbranding. Chem. N.J. 579, p. 1. 1910.
 milled—
  grades. H. J. Besley and others. D.C. 291, pp. 17. 1923.
  grades in United States. D.C. 133, pp. 16. 1920.
  imported, importance and character. F. B. Wise. D.B. 323, pp. 8. 1915.
  sampling, handling, analyzing, and grading instructions. F. B. Wise. Markets Doc. 16, pp. 6. 1918.
  standards. Markets Doc. 15, pp. 10. 1918.
 milling—
  by-products. J. B. Reed and F. W. Liepsner. D.B. 570, pp. 16. 1917.
  for food, and value of by-products. F.B. 1195, pp. 5–6. 1921.
  machinery and processes, description. D.B. 570, pp. 2–4. 1917.
  mechanical and chemical, effect on grain. F.B. Wise and A. W. Broomell. D.B. 330, pp. 31. 1916.
  methods, primitive and modern. D.B. 330, pp. 4–14. 1916.
  object, methods, and losses. F.B. 417, pp. 21–23, 24–25. 1910.
 mills—
  description. F.B. 417, pp. 21–23. 1910.
  equipment and operation. D.B. 330, pp. 4–14. 1916.
  samples of grain and by-products, results. D.B. 570, pp. 9–13. 1917.
  misbranding. See *Indexes to Notices of Judgment found in bound volumes of Chemistry Service and regulatory Announcements.*
 moth—
  F. H. Chittenden. D.B. 783, pp. 15. 1919.
  control. News L., vol. 6, No. 52, p. 4. 1919.
  description and habits. F.B. 1260, p. 18. 1922.
 mountain, description. D.B. 772, pp. 156, 159. 1920.
 new varieties—
  description. B.P.I. Bul. 207, pp. 81–82. 1911; B.P.I. Bul. 208, pp. 31, 61, 69, 79. 1911.
  introduction. An. Rpts., 1908, p. 156. 1909; Sec. A.R., 1908, p. 154. 1908.
  introduction and results. Y.B., 1908, p. 156. 1909.
  seed importations, 1909. B.P.I. Bul. 162, pp. 9, 12, 22. 1909.
 nonirrigated, tests, Kansas experiments. B.P.I. Bul. 240, pp. 19, 21. 1912.
 nutrients, proportion in Japanese diet. O.E.S. Bul. 159, p. 135. 1905.
 Omachi, description and yield. F.B. 688, pp. 12, 13. 1915.
 paddy, quarantine, enforcement, and order. An. Rpts., 1923, pp. 628, 649. 1924; F.H.B. An. Rpt., 1923, pp. 14, 35. 1923.
 Patna, description and analyses. D.B. 323, pp. 4, 6, 7, 8. 1915.
 pearling, machinery and operation. D.B. 330, pp. 10, 30. 1916.
 perennial, importations and descriptions. No. 34092, B.P.I. Inv. 31, pp. 7, 82–83. 1914; No. 36533, B.P.I. Inv. 37, pp. 8, 28. 1916.
 periodical. M.C. 11, p. 52. 1923.
 phosphoric-acid content, organic. Alice R. Thompson. J.A.R., vol. 3, pp. 425–430. 1915.
 plant—
  chemical studies, sulphur and chlorin determination. Hawaii A.R., 1912, pp. 13, 64–73. 1913.
  composition study. W. P. Kelley and Alice R. Thompson. Hawaii Bul. 21, pp. 51. 1910.
  description. D.B. 1127, pp. 3–5. 1923.
  leaching experiments, for plant food loss determination. Y.B. 1908, p. 396. 1909; Y.B. Sep. 489, p. 396. 1909.
  roots, ash analyses. J.A.R., vol. 5, No. 9, pp. 360–363. 1915.

Rice—Continued.
 plantation—
  hullers, use capacity, effect on grain. D.B. 330, pp. 4, 6–7, 15. 1916.
  location, areas, renting and cropping systems. D.B. 1269, pp. 2, 3, 17, 40–42, 53–54, 69. 1924.
  planting intentions, and outlook for 1924. M.C. 23, pp. 2, 4, 11. 1924.
 polish—
  analyses and yields. D.B. 570, pp. 8, 9, 10, 11, 12, 13. 1917.
  analysis, feed value. F.B. 417, pp. 26, 27. 1910.
  by-product, chemical composition and use. D.B. 330, pp. 25–26, 28–29. 1916.
  description and use. F.B. 1092, p. 26. 1920.
  feed for hogs, value, note. F.B. 411, p. 17. 1910.
  feed, influence on pork, experiments. B.A.I. Chief Rpt., 1924, p. 8. 1924.
  use as feed. F.B. 412, p. 20. 1910; F.B. 1141, p. 22. 1920.
 polished—
  feeding—
   experiments with pigeons. D.B. 1138, pp. 6–7, 17–18, 24–31, 37–45. 1923.
   to pigs, comparison with cottonseed meal. J.A.R., vol. 5, No. 11, pp. 490–492. 1915.
   unpolished and bran, phytin content. J.A.R., vol. 3, pp. 426, 429. 1915.
  polishing—
   and coating. F.I.D. 67, Chem. F.I.D. 66–67, pp. 2–3. 1907.
   effect on nutrition and flavor. F.B. 417, pp. 23–24. 1910.
   injury to food value. F.B. 1141, p. 21. 1920.
   machinery in modern mills. D.B. 330, pp. 11, 30. 1916.
   Porto Rico, experiments, notes. P.R. An. Rpt., 1906, pp. 13–14. 1907.
  prairie, growing in the United States. Charles E. Chambliss. F.B. 1092, p. 26. 1920.
  preparation—
   and cooking. O.E.S. Bul. 200, pp. 36–37. 1908.
   for culture medium. B.P.I. Cir. 131, p. 13. 1913.
  prices—
   1901–1923. Y.B., 1922, p. 520. 1923; Y.B. Sep. 891, p. 520. 1923.
   farm and market, 1909–1924. Y.B. 1924, pp. 655, 657–658. 1925.
   wholesale. Y.B., 1902, p. 827. 1930.
  produce more for consumption and export. Sec. Cir. 89, pp. 1–24. 1918.
  production—
   1908. Y.B., 1908, pp. 12, 695. 1909.
   1920. An. Rpts., 1920, p. 3. 1921; Sec. A.R., 1920, p. 3. 1920.
   and feed use. Y.B., 1923, p. 364. 1924; Y.B. Sep. 895, p. 364. 1924.
   and importation. F.B. 417, pp. 6–7. 1910.
   and increase for 1918. News L., vol. 5, No. 30, p. 4. 1918.
   and value, 1912, estimates. An. Rpts., 1912, p. 16. 1913; Sec. A.R., 1912, p. 16. 1912; Y.B., 1912, p. 16. 1913.
   cost. F.B. 688, p. 12. 1915.
   exports, imports, and consumption. Stat. Cir. 34, pp. 1–11. 1912.
   imports and exports—
    1918. Sec. Cir. 89, pp. 4–22. 1918.
    annual and average, by countries. Stat. Cir. 31, pp. 19–20, 29, 30. 1912.
   in Japan, 1902–1910. Stat. Cir. 25, pp. 15–16. 1911.
   in Porto Rico, effect of various fertilizers, studies. P.R. An. Rpt., 1921, pp. 7–9. 1922.
   in southwestern Louisiana, experiments. Charles E. Chambliss and J. Mitchell Jenkins. D.B. 1356, pp. 32. 1925.
   in United States, graph. Stat. Bul. 78, p. 22. 1910.
   increase, 1923. Off. Rec., vol. 2, No. 28, p. 2. 1923.
   marketing and uses, discussion and historical notes. Y.B., 1922, pp. 512–525. 1923; Y.B. Sep. 891, pp. 512–525. 1923.

Rice—Continued.
  production—continued.
    on swamp land of South Atlantic coast. Soils Cir. 69, p. 9. 1912.
    survey in Hawaii. Hawaii A.R., 1920, pp. 13, 37. 1921.
    yields in Porto Rico. P.R. An. Rpt., 1921, p. 15. 1922.
  products—
    and uses. F.B. 688, p. 15. 1915.
    chemical studies. Hawaii A.R., 1908, pp. 51-58. 1908.
    description. F.B. 1092, pp. 25-26. 1920.
    investigations, 1919. An. Rpts., 1919, pp. 214, 225. 1920; Chem. Chief Rpt., 1919, pp. 4, 15. 1919.
  pudding, use for children, recipe. F.B. 717, p. 9. 1916.
  quarantine—
    extension, discussion. Off. Rec., vol. 2, No. 26, p. 4. 1923.
    for take-all disease. F.H.B. Quar. 39, p. 1. 1919.
  ration, comparison with other rations. O.E.S. Bul. 159, p. 84. 1905.
  rats of North America (genus *Oryzomys*). Edward A. Goldman. N.A. Fauna 43, pp. 100. 1918.
  receipts and shipments at trade centers. Rpt. 98, pp. 368-369. 1913.
  recipes—
    and directions. U.S. Food Leaf. 18, pp. 1-4. 1918.
    soups, stews, cakes, breads, salads, and desserts. F.B. 1195, pp. 12-20. 1921.
    use in bread as substitute for wheat flour. F.B. 955, pp. 8, 11, 14, 15, 17. 1918.
  red—
    Chinese preparation. Chem. Chief Rpt., 1921, p. 18. 1921.
    description and control. F.B. 1092, pp. 21-22. 1920.
    injurious weed in rice fields, control. F.B. 1141, p. 20. 1920.
    prevention. Soils Cir. 54, p. 5. 1912.
    weed in rice fields, control. F.B. 688, pp. 18-19. 1915.
  region, weather stations. An. Rpts., 1907, p. 161. 1908.
  requirements—
    for 1919-20 and available stocks. Sec. Cir. 125, p. 12. 1919.
    in irrigation and drainage. F.B. 1092, pp. 5-6. 1920.
    irrigation and drainage, source of water. F.B. 1141, pp. 7-8. 1920.
  root(s)—
    absorption of nitrogen, phosphorus, potassium, and iron. J.A.R., vol. 9, pp. 75-76, 77-90. 1917.
    grass, name for zacaton. D.B. 309, p. 3. 1915.
    maggot, larvae of rice water-weevil, description and food habits. Ent. Cir. 152, p. 1. 1912; F.B. 1086, pp. 4-7. 1920; F.B. 1092, pp. 24-25. 1920.
    straighthead, symptoms. F.B. 1212, pp. 6-8. 1921.
    weevil, enemy of southern field crops. Y.B., 1911, pp. 202-204. 1912; Y.B. Sep. 561, pp. 202-204. 1912.
  rotation experiments. D.B. 1356, pp. 26-31. 1925.
  rotten-neck disease, cause, and susceptibility of varieties. D.B. 1127, p. 15. 1923; F.B. 1212, p. 10. 1921.
  rough—
    grading for market. D.C. 290, pp. 1-10. 1923.
    imports, 1912-1914. D.B. 323, p. 2. 1915.
    United States grades for. H. J. Besley and others. D.C. 290, pp. 10. 1923.
    value as feed. F.B. 412, p. 17. 1910.
  sales at warehouses, method. Y.B., 1909, p. 166. 1910; Y.B. Sep. 502, p. 166. 1910.
  sales regulations. Chem. Bul. 69, rev., Pts. I-IX, pp. 219, 443, 584, 768. 1905-1906.
  samples, methods of obtaining and handling. Mkts. Doc. 16, pp. 2-5. 1918.
  sampling, handling, analyzing, and grading, instructions. Mkts. Doc. 16, pp. 1-6. 1918.

Rice—Continued.
  Sclerotium diseases, two: W. H. Tisdale. J.A.R., vol. 21, pp. 649-658. 1921.
  seasoning ingredients. News L., vol. 3, No. 28, p. 4. 1916.
  second-growth, value for hay. F.B. 1125, rev., p. 23. 1920.
  seed—
    bed, preparation. D.B. 1356, pp. 10-12. 1925; F.B. 688, p. 5. 1915; F.B. 1092, pp. 11-13. 1920.
    cost in growing crop. Y.B., 1922, p. 557. 1923; Y.B. Sep. 891, p. 557. 1923.
    or paddy, quarantine. F.H.B. Quar. 55, pp. 3. 1923; F.H.B.S.R.A. 75, pp. 88-89. 1923; F.H.B.S.R.A. 76, pp. 109-111. 1923.
    preparation and—
      germination test. F.B. 1141, pp. 11-12. 1920.
      quantity per acre. F.B. 688, pp. 5-6. 1915.
      testing. F.B. 1092, pp. 13-14. 1920.
    selection and—
      seeding. F.B. 1240, pp. 12-14. 1924.
      sowing, better methods. Sec. Cir. 89, pp. 16-17. 1918.
    shipments, quarantine. Off. Rec., vol. 2, No. 31, p. 3. 1923.
    supply for the United States. Y.B. 1917, pp. 507-508. 1918; Y.B. Sep. 757, pp. 13-14. 1918.
    treatment for control of blight and stack burn. D.B. 1116, pp. 6-10. 1922.
    varieties, description. F.B. 1092, pp. 8-11. 1920.
  seeding—
    manner, depth, rate, and time. F.B. 688, pp. 6-7. 1915.
    method, time, rate, and depth. F.B. 1092, pp. 14-15. 1920; F.B. 1141, pp. 12-13. 1920.
  seedling blight—
    and stack-burn and hot-water seed treatment. W. S. Tisdale. D.B. 1116, pp. 11. 1922.
    blight, cause and control. B.P.I. Chief Rpt., 1921, p. 36. 1921.
    blight, control by seed treatment. D.B. 1116, pp. 1-11. 1922.
  selection, breeding experiments in Hawaii. Hawaii A.R., 1910, pp. 54-55. 1911.
  Shinriki, description, growth period, and yield. F.B. 688, pp. 12, 13. 1915.
  Siam, description and analyses. D.B. 323, pp. 4, 6, 7. 1915.
  soils—
    Atlantic and Gulf Coastal Plains. Soils Bul. 78, pp. 37, 47, 49, 53, 61, 63. 1911.
    description and location. F.B. 417, pp. 8-10. 1910.
    Hawaii—
      effect of heat. Hawaii Bul. 30, pp. 24-25. 1913.
      fertilization and management. W. P. Kelley, Hawaii Bul. 31, pp. 23. 1914.
      nitrogen study. Hawaii Bul. 33, pp. 1-20. 1914.
    Japan, liming prohibited. Hawaii A.R., 1907, p. 80. 1908.
    origin and composition, mechanical and chemical. Hawaii Bul. 31, pp. 4-8. 1914.
    South Carolina, irrigation. O.E.S. Bul. 113, p. 59. 1902.
  sowing, methods. F.B. 417, pp. 13-14. 1910.
  spraying with fertilizer in Hawaii, experiments, 1917. Hawaii A.R., 1917, p. 27. 1918.
  squaw. *See* Rice, wild.
  stalk-borer, habits and control. F.B. 1086, pp. 8-9. 1920.
  standard grades, establishment. News L., vol. 6, No. 10, p. 15. 1918.
  standardization, progress. An. Rpts., 1912, p. 419. 1913; B.P.I. Chief Rpt., 1912, p. 39. 1912.
  standards—
    adoption of grades by millers. Off. Rec., vol 2, No. 41, p. 2. 1923.
    for rough and milled. B.A.E. Chief Rpt., 1923, p. 22. 1923; An. Rpts., 1923, p. 152. 1924.
  starch—
    grains, microscopic appearance. Y.B., 1907, p. 380. 1908; Y.B. Sep. 455, p. 380. 1908.
    microscopical examinations. Chem. Bul. 130, p. 136. 1910.

Rice—Continued.
  statistics, acreage, production, value, prices, exports, and imports—
    1906. Y.B., 1906, pp. 613-616. 1907; Y.B. Sep. 436, pp. 613-616. 1907.
    1907. Y.B., 1907, pp. 679-682, 744, 754. 1908; Y.B. Sep. 465, pp. 679-682, 744, 754. 1908.
    1908. Y.B., 1908, pp. 692-695, 760, 770, 775, 779-780. 1909; Y.B. Sep. 498, pp. 692-695, 760, 770, 775, 779-780. 1909.
    1910. Y.B., 1910, pp. 593-596, 662, 672, 687. 1911; Y.B. Sep. 553, pp. 593-596, 662, 672, 690-695. 1911; Y.B. Sep. 555, pp. 586-589. 1911.
    1911. Y.B., 1911, pp. 593-596, 665, 675, 681-682, 685-686. 1912; Y.B. Sep. 587, pp. 593-596. 1912; Y.B. Sep. 588, pp. 665, 675, 681-682, 685-686. 1912.
    1912. Y.B., 1912, pp. 635-639, 723, 734, 740. 1913; Y.B. Sep. 614, pp. 635-639. 1913; Y.B. Sep. 615, pp. 723, 734, 740. 1913.
    1913. Y.B., 1913, pp. 436-439, 499, 506, 509. 1914; Y.B. Sep. 360, pp. 436-439. 1914; Y.B. Sep. 361, pp. 499, 506, 509. 1914.
    1914. Y.B., 1914, pp. 590-593, 648, 657, 664. 1915; Y.B. Sep. 654, pp. 590-593. 1915; Y.B. Sep. 656, p. 648. 1915; Y.B. Sep. 657, pp. 657, 664. 1915.
    1915. Y.B., 1915, pp. 483-487, 546, 553. 1916; Y.B. Sep. 682, pp. 483-487. 1916; Y.B. Sep. 685, pp. 546, 553. 1916.
    1916. Y.B., 1916, pp. 607-610, 713, 720. 1917; Y.B. Sep. 719, pp. 47-50. 1917; Y.B. Sep. 722, pp. 7, 14. 1917.
    1917. Y.B., 1917, pp. 651-654, 766, 773. 1918; Y.B. Sep. 759, pp. 47-50. 1918; Y.B. Sep. 762, pp. 10, 17. 1918.
    1918. Y.B., 1918, pp. 503-506. 1919; Y.B. Sep. 791, pp. 57-60. 1919.
    1919. Y.B., 1919, pp. 561-564, 565, 566, 688, 696, 702, 703-704. 1920; Y.B. Sep. 826, pp. 561-564, 565, 566. 1920; Y.B. Sep. 829, pp. 688, 696, 702, 703-704. 1920.
    1920. Y.B., 1920, pp. 603-607. 1921; Y.B. Sep. 861, pp. 72-76. 1921.
    1921. Y.B., 1921, pp. 71, 72, 576-579, 580, 770. 1922.
    1922. Y.B., 1922, pp. 657-663. 1923; Y.B. Sep. 881, pp. 657-663. 1923.
    1923. Y.B., 1923, pp. 716-724. 1924; Y.B. Sep. 899, pp. 716-724. 1924.
    1924. Y.B., 1924, pp. 649-658, 1044, 1062, 1075, 1076. 1925.
  stem borers—
    damage and control. F.B. 1092, p. 24. 1920.
    description. Sec. [Misc.], "A manual of * * * insects * * *," p. 189. 1917.
    habits and control. Guam A.R., 1918, p. 38. 1919.
  stem rot, cause, spread, and resistant varieties. B.P.I. Chief Rpt., 1921, p. 36. 1921.
  sterility, forms other than straighthead, causes. F.B. 1212, pp. 8-10. 1921.
  stocks in United States, August 31, 1917. Sec. Cir. 99, pp. 13-16. 1918.
  storage warehouses, distribution and capacity. News L., vol. 5, No. 8, p. 5. 1917.
  straighthead—
    and its control. W. H. Tisdale and J. Mitchell Jenkins. F.B. 1212, p. 16. 1921.
    varieties immune to. D.B. 1127, p. 15. 1923.
  straw—
    analysis, feed value, etc. F.B. 417, pp. 26, 27. 1910.
    use—
      and value in paper making, experiments. B.P.I. Cir. 82, pp. 12-13. 1911; P.P.I. Cir. 1, pp. 9-10. 1916.
      in Orient. F.B. 1195, p. 4. 1921.
      in paper making, experiments. Y.B., 1910, pp. 333-334. 1911; Y.B. Sep. 541, pp. 333-334. 1911.
    value as feed. F.B. 412, p. 17. 1910.
  strawberry, origin, distribution, ripening, and characteristics. F.B. 1043, pp. 15, 23, 34. 1919.
  substitute for—
    potatoes. F.B. 1195, pp. 8-9. 1921.
    wheat in bread. S.R.S. Doc. 64, pp. 4, 9. 1917.

Rice—Continued.
  testing for moisture, directions. B.P.I. Cir. 72, rev., p. 12. 1914.
  trade, international—
    1901-1910. Stat. Bul. 103, pp. 36-37. 1913.
    1909-1921. Y.B., 1922, p. 663. 1923; Y.B. Sep. 881, p. 663. 1923.
    map and discussion, 1920. Y.B., 1922, pp. 521-523. 1923; Y.B. Sep. 891, pp. 521-523. 1923.
  transplanting, cost. Hawaii A.R., 1907, p. 90. 1908.
  tribe, key to genera, and descriptions. D.B. 772, pp. 18, 204-206. 1920.
  types, foreign, description and analyses. D.B. 323, pp. 4-8. 1915.
  unpolished and uncoated—
    description, studies. News L., vol. 2, No. 7, pp. 1-2. 1914.
    distinction. Chem. S.R.A. 14, p. 11. 1915.
  upland—
    ash composition at various stages of growth. P. L. Gile and J. O. Carrero. J.A.R., vol. 5, No. 9, pp. 357-364. 1915.
    growth and composition on calcareous and non-calcareous soils, experiments, methods, etc. P.R. Bul. 16, pp. 14, 29-45. 1914.
  use as—
    food, United States and oriental countries. F.B. 389, p. 16. 1910.
    forage crop in cotton region. F.B. 509, p. 18. 1912.
    hay. Hawaii A.R., 1908, pp. 81-82. 1908.
    horse feed. F.B. 1030, p. 13. 1919.
    vegetable. F.B. 487, pp. 25, 27. 1912; O.E.S. Bul. 245, p. 59. 1912.
  use in beer making, analyses of worts and beers. D.B. 493, pp. 6, 12-16, 20. 1917.
  value—
    1917. News L., vol 5. No. 35, p. 6. 1918.
    and use methods. Food Thrift Ser., No. 3, p. 8. 1917.
    as source of Hawaiian honey. Hawaii Bul. 17, p. 9. 1908.
    for invalids and young children. News L., vol. 3, No. 49, p. 4. 1916.
  varieties—
    and production. An. Rpts., 1920, pp. 170-171. 1921.
    description—
      and characteristics. D.B. 1127, pp. 5-15. 1923; F.B. 417, pp. 5-6. 1910; F.B. 1092, pp. 8-11. 1920; F.B. 1195, p. 5. 1921.
      period of growth, and yield, California. F.B. 688, pp. 12-14. 1915.
      studies in Japan. Hawaii A.R., 1910, pp. 52-54. 1911.
    distribution. B.P.I. Chief Rpt., 1921, p. 6. 1921.
    from Turkestan, description. Inv. Nos. 31823-31832. B.P.I. Bul. 248, pp. 8, 53-54. 1912.
    grown in Texas, Louisiana, and Arkansas. D.B. 570, p. 1. 1917.
    importations and descriptions. Nos. 31099, 31116-31192, B.P.I. Bul. 242, pp. 10, 66, 68-70. 1912; Nos. 32040, 32041, 32057, B.P.I. Bul. 261, pp. 21-22, 23. 1912; Nos. 38685-38686, 38752-38755, 38845-38846, 38867, 39148, 39199-39218, B.P.I. Inv. 40, pp. 5, 6, 10, 23, 35, 39, 83, 92. 1917.
    introduction. An. Rpts., 1907, p. 332. 1908.
    new. Charles E. Chambliss and J. Mitchell Jenkins. D.B. 1127, pp. 18. 1923.
    percentages in leading States, 1916-1918. Y.B., 1918, p. 683. 1919; Y.B. Sep. 795, p. 19. 1919.
    popularity changes. News L., vol. 6, No. 14, p. 8. 1918.
    testing—
      Hawaii experiments. An. Rpts., 1907, pp. 682-683. 1908.
      in California, and description. D.B. 1155, pp. 29-47. 1923.
  waffles, recipe. F.B. 1136, p. 32. 1920.
  warehouses, licensing. Off. Rec., vol. 1, No. 43, p. 4. 1922.
  Wataribune, description. F.B. 688, pp. 12, 13. 1915; F.B. 1092, pp. 9-12. 1920.
  water requirements on different soils. O.E.S. Cir. 101, p. 7. 1910.

Rice—Continued.
  water weevil—
    and methods for its control. E. S. Tucker. Ent. Cir. 152, pp. 20. 1912.
    bird enemies. Ent. Cir. 152, p. 12. 1912.
    control by drainage. An. Rpts., 1914, p. 189. 1914; Ent. A.R., 1914, p. 7. 1914.
    description, life history, habits, and control. F.B. 1086, pp. 4-7. 1920.
    food plants. Ent. Cir. 152, pp. 5-6. 1912.
  weeds—
    control by crop rotation. An. Rpts., 1914, p. 113. 1914; B.P.I. Chief Rpt., 1914, p. 13. 1914.
    injurious, description and control. F.B. 1141, pp. 17-21. 1920.
    injurious in Arkansas, Lonoke County. Soil Sur. Adv. Sh., 1921, p. 1286. 1925.
  weevil—
    (Calandra) *Sitophilus oryza*. Richard T. Cotton. J.A.R., vol. 20, pp. 409-422. 1920.
    control by parasite *Aplastomorpha vandinei*. Richard T. Cotton. J.A.R., vol. 23, pp. 549-556. 1923.
    control in stored corn. Work and Exp., 1914, pp. 45, 56. 1915.
    description and habits. Ent. Bul. 100, pp. 45, 80. 1912; F.B. 1029, pp. 8-15, 18, 23. 1919.
    destruction by California towhee. Biol. Bul. 34, p. 89. 1910.
    fumigation experiments. D.B. 186, p. 5. 1915.
    in corn, control methods. S.R.S. Rpt., 1916, Pt. I, pp. 55, 133. 1918.
    injury to—
      corn, studies of State experiment stations. News L., vol. 5, No. 2, p. 4. 1917.
      stored grains, Hawaii, life history. Hawaii Bul. 27, pp. 19-20. 1912.
      tobacco. D.B. 737, p. 29. 1919.
    life history—
      and control. O.E.S. An. Rpt., 1911, p. 69. 1912.
      comparison with that of parasite. J.A.R., vol. 23, p. 555. 1923.
      occurrence in Porto Rico. P.R. An. Rpt., 1907. p, 37. 1908.
    or black, description and habits. F.B. 1260, pp. 5-8, 43. 1922.
    or corn, control studies. Work and Exp., 1919, p. 64. 1921.
    parasite. J.A.R., vol. 23, pp. 549-556. 1923.
  weight per bushel, testing. D.B. 472, pp. 5, 6, 7. 1916.
  white, description, value. F.B. 417, pp. 5-6. 1910.
  wild—
    Charles E. Chambliss. D.C. 229, pp. 16. 1922.
    composition, chemical and biological analyses J.A.R., vol. 27, pp. 220-224. 1924.
    description, distribution and value. Biol. Cir. 81, pp. 2-5. 1911; D.B. 772, pp. 209, 210. 1920.
    destruction by birds. Biol. Bul. 15, pp. 65, 93. 1901.
    distribution, description, and varieties. D.C. 229, pp. 4-7. 1922.
    enemies and their control. Biol. Cir. 81, pp. 17-18. 1911; D.B. 465, pp. 20-21. 1917.
    growing, place, methods, etc. D.C. 229, pp. 7-15. 1922.
    importations and descriptions. No. 44069, B.P.I. Inv. 50, p. 23. 1922; No. 55584, B.P.I. Inv. 72, p. 6. 1924.
    nutritive properties. Cornelia Kennedy. J.A.R., vol. 27, pp. 219-224. 1924.
    percentage in food of wild ducks. Biol. Cir. 81, pp. 1-2. 1911.
    propagation, time and methods. D.C. 229, pp. 11-13. 1922.
    salt water limits. Carl S. Scofield. B.P.I. Bul. 72, Pt. II, pp. 9-14. 1905.
    seed—
      germination, growth period, and seeding period. D.C. 229, pp. 10-11. 1922.
      harvesting and shipping, methods. D.C. 229, pp. 13-15. 1922.
      keeping, treatment, etc. Biol. Cir. 81, pp. 6-7. 1911.

Rice—Continued.
  wild—continued.
    seed—continued.
      storage and germination. J. W. T. Duvel. B.P.I. Bul. 90, Pt. I, pp. 5-14. 1906.
      warning against infertile. D.C. 229, pp. 8-9. 1922.
    soils adaptable, and conditions governing growth. D.C. 229, pp. 7-8. 1922.
    southern duck food plant, so-called. D. B. 58, p. 12. 1914.
    transplanting, time, methods, and place. Biol. Cir. 81, pp. 5-7. 1911; D.C. 229, pp. 9-10. 1922.
    use(s)—
      and ornamental value for parks, lakes, and ponds. D.C. 229, p. 16. 1922.
      and propagation. Edgar Brown and Carl S. Scofield. B.P.I. Bul. 50, pp. 23, 1903.
      and value. D.C. 229, pp. 3, 15-16. 1922.
      as food. F.B. 1195, p. 21. 1921.
    value—
      as duck food, description, distribution, and propagation studies. D.B. 465, pp. 4-9. 1917.
      as feed for game birds. D.C. 229, pp. 3-4. 1922.
      of spring seeding. D.C. 229, p. 8. 1922.
    See also Millet, wild.
    wilting coefficient, determinations. B.P.I. Bul. 230, pp. 22, 26-29, 31, 32, 35-38, 42, 75. 1912.
  wine. See Sáke.
  world—
    acreage and production, by countries, 1909-1922. F.B., 1922, pp. 657-658. 1923; Y.B. Sep. 881, pp. 657-658. 1923.
    exports and imports, 1909-1920. Y.B., 1921, p. 579. 1922; Y.B. Sep. 868, p. 73. 1922.
    yield—
      and value per acre, and price. Y.B. 1921, p. 578. 1922; Y.B. Sep. 868, p. 72. 1922.
      by States, 1909-1924. Y.B., 1924, p. 649. 1925.
      per acre in different parts in the United States. F.B. 417, pp. 20-21. 1910.
      variations, studies. J.A.R., vol. 19, pp. 295-296. 1920.
Rice corn—
  use of name for shallu sorghum. B.P.I. Cir. 50, p. 4. 1910.
  See also Durra.
Rice grass—
  Hawaii, objections. Hawaii Bul. 36, pp. 11, 14, 42. 1915.
  meadow, importation. No. 44802, B.P.I. Inv. 51, pp. 9, 71. 1922.
  New Zealand, introduction, and value as pasture. B.P.I. Bul. 205, pp. 8, 16. 1911.
Ricebirds—
  control, regulation. F.B. 1235, p. 73. 1921.
  food habits, use as food and destruction in Southern States. Biol. Bul. 12, rev., p. 25. 1902.
  migration habits. News L., vol. 2, No. 43, p. 1. 1915.
  protection, and exception from. Biol. Bul. 12, rev., pp. 38, 43. 1902.
  See also Bobolink.
RICHARDS, B. L.—
  "A dry-rot canker of sugar beets." J.A.R., vol. 22, p. 47-52. 1921.
  "Further studies of the pathogenicity of *Corticium vagum* on the potato as affected by soil temperature." J.A.R., vol. 23, pp. 761-770. 1923.
  "Pathogenicity of *Corticium vagum* as affected by soil temperature." J.A.R., vol. 21, pp. 459-482. 1921.
  "Soil temperature as a factor affecting the pathogenicity of *Corticium vagum* on the pea and the bean." J.A.R. vol. 25, pp. 431-450. 1923.
RICHARDS, C. A.: "Control of decay in pulp and pulp wood." With others. D.B. 1298, pp. 80. 1925.
RICHARDS, E. H.: "Dietary studies in Boston and Springfield, Mass., Philadelphia, Pa., and Chicago, Ill." With others. O.E.S. Bul. 129, pp. 103. 1903.
RICHARDSON, C. H.—
  "Studies on contact insecticides." With C. R. Smith. D.B. 1160, pp. 16. 1923.
  "The oviposition response of insects." D.B. 1324, pp. 18. 1925.

RICHARDSON, H. W.—
  address on temperature forecasts and their relation to iron ore shipments during late fall and early winter months. W.B. [Misc.], "Proceedings, third convention * * *," pp. 97–99. 1904.
  "Substitution of acetylene gas for oil in storm-warning lanterns." W.B. Bul. 31, pp. 154–156. 1902.
RICHARDSON, R. W.: "Progress of road building in the Middle West." Y.B., 1903, pp. 453–462. 1904; Y.B. Sep. 305, pp. 453–462. 1904.
RICHARDSON, W. D.: Analyses of commercial meat extracts. Chem. Bul. 116, p. 51. 1908.
Richardsonia scabra. See Clover, Mexican.
RICHEY, F. D.—
  "Adjusting yields to their regression on a moving average as a means of correcting for soil heterogeneity." J.A.R. vol. 27, pp. 79–90. 1923.
  "A statistical study between the relation of seed-ear characters and productiveness in corn." With J. G. Willier. D.B. 1321, pp. 20. 1925.
  "Effects of continuous selection for ear type in corn." With H. S. Garrison. D.B. 1341, pp. 11. 1925.
  "Effects of selection on the yield of a cross between varieties of corn." D.B. 1209, pp. 20. 1924.
  "Handling the soft-corn crop." D.C. 333, pp. 8. 1924.
  "The productiveness of successive generations of self-fertilized lines of corn and of crosses between them." With L. S. Mayer. D.B. 1354, pp. 19. 1925.
Richmond, Ind.,— milk supply, statistics, officials, prices. B.A.I. Bul. 46, pp. 40, 73, 69–73. 1903.
Richmond, Va.—
  dairy inspection results. B.A.I. Cir. 153, p. 12. 1910.
  milk supply, details and statistics. B.A.I. Bul. 46, pp. 32, 159. 1903; B.A.I. Bul. 70, pp. 6–7, 20–21. 1905; B.A.I. Cir. 139, pp. 14–17. 1909.
  seeds, market prices, 1920–1923, tables. S.B. 2, pp. 22–63. 1924.
  tobacco market and manufacturing center. B.P.I. Bul. 268, pp. 27–30. 1913.
Richweed. See Snakeroot, white.
Ricin, origin, effect on wheat plants. Soils Bul. 47, pp. 29, 38. 1907.
"Ricin preparat," toxicity studies. An. Rpts., 1912, pp. 569, 575. 1913; Chem. Chief Rpt., 1912, pp. 19, 25. 1912.
Ricinoleic acid, constituent of castor bean, properties. D.B. 867, p. 35. 1920.
Ricinus communis—
  host of *Bacterium solanacearum*. J.A.R. vol. 21, pp. 255–262. 1921.
  See also Castor bean.
RICKER, P. L.—
  "Directions for collecting plants." B.P.I. Cir. 126, pp. 27–35. 1913
  "Nonperennial medicagos. The agronomic value and botanical relationship of the species." With Roland McKee. B.P.I. Bul. 267, pp. 38. 1913.
Rickets—
  calf, cause and prevention. B.A.I. [Misc.], "Diseases of cattle," rev., pp. 260, 264. 1904; rev., 268, 272–273. 1912; rev., 263, 267. 1923.
  cause and prevalence. Off. Rec., vol. 4, No. 29, p. 8. 1925.
  lambs, symptoms and treatment. F.B. 1155, p. 20. 1921.
  pig, control. Hawaii Bul. 48, p. 24. 1923.
  prevention by feeds containing fat-soluble vitamins. O.E.S. An. Rpt., 1922, pp. 81, 82, 83, 85, 1924.
  reindeer, control. D.B. 1089, p. 57. 1922.
  See also Rachitis.
Rickett, H. T., work and experiments with spotted-fever tick. Ent. Bul. 105, pp. 7–9, 11, 32, 46, 47. 1911; Y.B., 1910, p. 226. 1911; Y.B. Sep. 531, p. 226. 1911.
Ricks—
  broomcorn curing. D.B. 1019, p. 7. 1922.
  hay. See Haystacks.
Ridge—
  culture, potatoes. F.B. 1064, pp. 27, 29. 1919.
  terrace, description and construction. F.B. 997, pp. 13–22, 38–39. 1918.

Ridgelings, castration, directions. F.B. 1357, pp. 6–7. 1923.
Ridger, adjustable, use in irrigation construction. F.B. 865, p. 6. 1917.
RIDGWAY, C. S.: "Grain of the tobacco leaf." J.A.R. vol. 7, pp. 269–288. 1916.
RIDGWAY, ROBERT, bird protection experiments. D.B. 396, pp. 17–18. 1916.
Ridgway Ornithological Club of Portland, Oregon, services in protecting birds. Biol. Bul. 12, rev., p. 65. 1902.
RIDLEY, V. W.—
  "Factors in transportation of strawberries from the Ozark region." Mkts. Doc. 8, pp. 10. 1918.
  "Handling spinach for long-distance shipping." F.B. 1189, pp. 15. 1921.
RIEGER, J. B.—
  "The elimination and toxicity of caffein in nephrectomized rabbits." With William Salant. Chem. Bul. 166, pp. 31. 1913.
  "The elimination of caffein: An experimental study on Herbivora and Carnivora." With William Salant. Chem. Bul. 157, pp. 23. 1912.
  "The toxicity of caffein: An experimental study on different species of animals." With William Salant. Chem. Bul. 148, pp. 98. 1912.
RIETZ, H. L.—
  "A statistical study of some indirect effects of certain selections in breeding Indian corn." With L. H. Smith. J.A.R., vol. 11, pp. 105–146. 1917.
  "Degree of resemblance of parents and offspring with respect to birth as twins for registered Shropshire sheep." With Elmer Roberts. J.A.R., vol. 4, pp. 479–510 1915.
RIETZ, J. H.: "Investigations concerning the sources and channels of infection in hog cholera." With others. J.A.R., vol. 13, pp. 101–131. 1918.
RIGG, G. B.—
  "The kelp beds of Puget Sound." Rpt. 100, pp. 50–59. 1915.
  "The kelp beds of western Alaska." Rpt. 100, pp. 105–122. 1915.
RIGGS, THOMAS, Jr.: "Annual report of the Governor of Alaska on Alaska game laws—
  1918." Biol. Doc. 110, pp. 14. 1919.
  1919." D.C. 88, pp. 18. 1920.
  1920." D.C. 168, pp. 18. 1921.
Right of way—
  for roads, width. Y.B., 1917, p. 279. 1918; Y.B. Sep. 727, p. 17. 1918.
  logging railroads, clearing and grading, cost. D.B. 711, pp. 183–190. 1918.
  national forests, laws and decisions. Sol. [Misc.], "Laws * * * forests." pp. 14, 79–91 1916.
  national forests, railroads and pipe lines, laws. Sol. [Misc.] "Laws applicable * * * Agriculture," Sup. 3 pp. 27–28. 1915.
  use as bird refuges, planting suggestions. F.B. 1239, pp. 6–8. 1921.
RIKER, A. J.—
  "Some morphological responses of the host tissue to the crowngall organism." J.A.R., vol. 26, pp. 425–436. 1923.
  "Some relations of the crowngall organism to its host tissue." J.A.R., vol. 25, pp. 119–132. 1923.
RILEY, C. V.—
  studies on serpentine leaf-miner. J.A.R., vol. 1, pp. 64–65. 1913.
  work—
    in introduction of Australian lady bird. Y.B. 1916, pp. 274–275. 1917; Y.B. Sep. 704, pp. 2–3. 1917.
    on chiggers. D.B. 986, pp. 1–2, 5, 8. 1921.
    on plum curculio. Ent. Bul. 103, pp. 17, 39, 100, 107, 113, 125, 126, 130, 152, 171, 179, 181, 185. 1912.
RILEY, D. C., experimental work in growing insect flowers. D.B. 824, pp. 8, 9. 1920.
RILEY, E. H., note on zebra hybrid breeding. B.A.I. An. Rpt., 1909, pp. 229–232. 1911.
RILEY, J. G.: "A study of American beers and ales." With L. M. Tolman. D.B. 498, pp. 23. 1917.
RILEY, SMITH, in charge of game and bird refuges. An. Rpts., 1923, p. 420. 1923; Biol. Chief Rpt., 1923, p. 2. 1923.

Rimu, importations and descriptions. No. 46575, B.P.I. Inv. 56, pp. 4, 28. 1922; No. 47154, B.P.I. Inv. 58, pp. 7, 33. 1922.
Rind—
  cheese, colors caused by different ripening agents. B.A.I. Bul. 115, p. 33. 1909.
  citrus fruit, value in judging quality. D.B. 1255, pp. 4, 15, 16, 17, 18. 1924.
  disease, sugar-cane, causes and control, discussion. B.P.I. Cir. 126, p. 13. 1913; Ent. Bul. 93, pp. 19, 26–28. 1911.
  tuna, description and analyses. B.P.I. Bul. 116, pp. 13–15. 1907.
Rinderpest—
  cattle, history, cause, symptoms and treatment. "Diseases of cattle," rev., pp. 375–380. 1904; rev., pp. 392–395. 1912; rev., pp. 379–383. 1923.
  danger of introduction from Philippines. B.A.I. An. Rpt., 1911, p. 90. 1913; B.A.I. Cir. 213, p. 90. 1913.
  foreign investigations. O.E.S. An. Rpt., 1904, pp. 569–573. 1905.
  legislation. B.A.I. Bul. 28, pp. 54, 75, 94–95, 144, 167, 172. 1901.
  nature and fatal results in foreign countries. Y.B., 1919, pp. 76–77. 1920; Y.B. Sep. 802, pp. 76–77. 1920.
  serious nature, and strict quarantine excluding. Y.B., 1918, pp. 243–244. 1919; Y.B. Sep. 783, pp. 7–8. 1919.
  virus, transmission methods. B.A.I. [Misc.], "Diseases of cattle," rev., p. 377. 1904; rev. p. 393. 1912; rev. p. 379. 1923.
RINEHART, E. F.: "The sheep industry on the Minidoka reclamation project." D.B. 573, pp. 28. 1917.
RINER, JUDGE, decision on twenty-eight-hour law, Minnesota, 1909. Sol. Cir. 33, pp. 6. 1910.
Ring—
  budding, directions, care, and tools. F.B. 700, pp. 12–14, 15–16. 1916.
  sweet potato—
    cause, description, and spread. J.A.R., vol. 15, pp. 340–344. 1918.
    description, and control. F.B. 714, pp. 21, 24–25. 1916; S.R.S. Syl. 26, p. 16. 1917.
  spot, cauliflower, description, cause, and control. F.B. 925, rev., pp. 29–30. 1921.
Ringbone(s), horse—
  description and treatment. B.A.I. [Misc.], "Diseases of the horse," rev., pp. 289–291, 412–413. 1903; rev., pp. 289–291, 413–414. 1907; rev., pp. 289–291, 413–414. 1911; rev., pp. 313–316, 439–441. 1923.
  detection. F.B. 779, p. 16. 1917.
Ringing—
  bull, directions and instruments. B.A.I. [Misc.], "Diseases of cattle," rev., pp. 297–298, 314. 1912; rev., p. 291. 1923; F.B. 1412, pp. 15–16. 1924.
  grapes, directions. D.B. 856, pp. 10–12. 1920.
  herbaceous plants, experiments. F.B. 316, pp. 6–8. 1908.
Ringworm—
  calves, cause and control. F.B. 1073, p. 22. 1919.
  cattle, cause, symptoms, and treatment. B.A.I. [Misc.], "Diseases of cattle," rev., pp. 344–345. 1912; rev., p. 332. 1923.
  horses, cause, symptoms and treatment. B.A.I. [Misc.], "Diseases of the horse," rev., p. 449–450. 1903; rev., pp. 449–450. 1907; rev., pp. 449–450. 1911; rev., pp. 477–478. 1923.
  sheep—
    cause, description, and control. B.A.I. An. Rpt., 1911, pp. 55–67. 1913; F.B. 1155, p. 37. 1921.
    description and effect on wool. B.A.I.S.A. 48, p. 25. 1911.
    diagnosis, cause, and treatment. An. Rpts., 1911, p. 234. 1912; B.A.I. Chief Rpt., 1911, p. 44. 1911.
Rinsers, descriptions, for cleaning utensils. D.B. 663, p. 22. 1918.
Rio Bravo Irrigation Co., irrigation system, details. O.E.S. Bul. 222, p. 57. 1910.
Rio de Janeiro—
  coffee production, 1906–1910. Stat. Bul. 79, p. 10. 1912.
  yellow-fever eradication. Ent. Bul. 88, pp. 95–98. 1910.

Rio Grande district—
  description, drainage area, and discharge. O.E.S. Bul. 222, pp. 27–28. 1910.
  irrigated lands, description. D.B. 665, pp. 1–3. 1918.
  lower, status of farming under irrigation. Rex E. Willard. D.B. 665, pp. 24. 1918.
Rio Grande Big Bend, irrigation systems, details. O.E.S. Bul. 222, p. 76. 1910.
Rio Grande National Forest, Colo. For. [Misc.], "Rio Grande * * *." Folder, map. 1922.
Rio Grande River, Colo., description, stream flow, and measurements. O.E.S. Bul. 218, p. 19. 1910.
Rio Grande Valley, Tex.—
  irrigation. O.E.S. Bul. 158, pp. 423–444. 1905.
  rail transportation and markets. D.B. 665, pp. 22–23. 1918.
Riparia riparis—
  occurrence and food habits. Biol. Bul. 38, p. 71. 1911.
  See also Swallow, bank.
Riparian rights—
  explanation. John B. Green. Y.B., 1918, p. 235. 1919; Y.B., Sep. 770, p. 17. 1919.
  investigations. O.E.S. Bul. 157, pp. 37–38, 43–80, 82, 85–86. 1905.
Ripe rot—
  grape, description and control. F.B. 1220, pp. 56, 58–59. 1921.
  plums, discussion. J.A.R., vol. 5, No. 9, pp. 388–389. 1915.
"Ripened milk," use of term. D.B. 319, p. 9. 1916.
Ripening—
  and pickling, California olives, chemical study. R. W. Hilts and R. S. Hollingshead. D.B. 803, pp. 24. 1920.
  and respiration of fruits, review of work. Chem. Bul. 94, pp. 9–40. 1905.
  fruit—
    calorimeter experiments. O.E.S. An. Rpt., 1911, pp. 31–32. 1912.
    control. Y.B., 1912, p. 295. 1913; Y.B. Sep. 592, p. 295. 1913.
    study by use of respiration calorimeter. Y.B., 1911, pp. 492–494, 503–504. 1912; Y.B. Sep. 586, pp. 492–494, 503–504. 1912.
  meat, commercial practices. D.B. 433, p. 5. 1917.
  vegetable products, calorimeter studies. An. Rpts., 1912, p. 844. 1913; O.E.S. Chief Rpt., 1912, p. 30. 1912.
RIPPERTON, J. C.—
  "Application of the principles of jelly making to Hawaiian fruits." Hawaii Bul. 47, pp. 24. 1923.
  "Edible canna in Hawaii." With H. L. Chung. Hawaii Bul. 54, p. 16. 1924.
  report of the Chemical Division, Hawaii Experiment Station—
    1921. Hawaii A.R., 1921, pp. 35–41. 1922.
    1922. Hawaii A.R., 1922, pp. 12–18. 1924.
    1923. Hawaii A.R., 1923, pp. 8–11. 1924.
    1924. Hawaii A.R., 1924, pp. 14–18. 1925.
  "The Hawaiian tree fern as a commercial source of starch." Hawaii Bul. 53, pp. 16. 1924.
RIPPEY, J. R., statement on situation in Missouri with reference to bovine tuberculosis. B.A.I. Bul. 28, pp. 71–72. 1901.
Riprap, use on embankment slopes. O.E.S. Bul. 249, Pt. I, pp. 52–53. 1912.
Rissa spp. See Kittiwakes.
RISSER, A. K.—
  "Dairying and its relation to agriculture in semiarid regions." Y.B., 1912, pp. 463–470. 1913; Y.B. Sep. 606, pp. 463–470. 1913.
  "Homemade silos." With others. F.B. 589, pp. 47. 1914.
RITTUE, E. D.: "The development of single-germ beet seed." With C. O. Townsend. B.P.I. Bul. 73, pp. 20. 1905.
RITZMAN, E. G.—
  "Baby beef." B.A.I. Cir. 105, pp. 34. 1907.
  "Ewes' milk: Its fat content and relation to growth of lambs." J.A.R., vol. 8, pp. 29–36. 1917.
  "Family performance and basis for selection in sheep." With C. B. Davenport. J.A.R., vol. 10, pp. 93–97. 1917.

INDEX TO PUBLICATIONS, 1901–1925

RITZMAN, E. G.—Continued.
"Mendelism of short ears in sheep." J.A.R., vol. 6, No. 20, pp. 797-798. 1916.
"Nature and rate of growth in lambs during the first year." J.A.R., vol. 11, pp. 607-624. 1917.
report of the—
assistant animal husbandman, Porto Rico Experiment Station—
1908. P.R. An. Rpt., 1908, pp. 37-39. 1909.
1909. P.R. An. Rpt., 1909, pp. 37-43. 1910.
animal husbandman, Porto Rico Experiment Station—
1910. P.R. An. Rpt., 1912, pp. 39-44. 1913.
1911. P.R. An. Rpt., 1911, pp. 40-44. 1912.
1913. P.R. An. Rpt., 1913, pp. 30-34. 1914.
"The development of live-stock shows and their influence on cattle breeding and feeding." B.A.I. An. Rpt., 1908, pp. 345-356. 1910.
RIVAS, D., method of identifying *Bacillus coli*. B.P.I. Bul. 228, pp. 79, 85-87, 118. 1912.
River(s)—
Alaska, location, description, size, etc. D.B. 50, pp. 5-6, 28. 1914.
and flood service, Weather Bureau work, 1922. An. Rpts., 1922, pp. 78-80. 1922; W.B. Chief Rpt., 1922, pp. 12-14. 1922.
as water supply for farms, dangers. B.P.I. Bul. 154, pp. 16, 82. 1909.
Atlantic Seaboard and Ohio tributaries, development of water power, relation of Appalachian Mountains. For. Cir. 144, pp. 1-54. 1908.
banks, protection from erosion. Y.B., 1916, pp. 127-128. 1917; Y.B. Sep. 688, pp. 21-22. 1917.
channel—
carrying capacity, method of obtaining. O.E.S. Bul. 198, pp. 18-19. 1908.
improvements, possible. O.E.S. Bul. 198, pp. 22-23. 1908.
fever, transmission by chiggers in Japan. D.B. 986, pp. 12-13. 1921.
flood plains—
province, soils, description, area, and uses. Soils, Bul. 96, pp. 303-380. 1913.
soil, character and agricultural value, by series. Soils Bul. 55, pp. 118-126. 1909.
flood warnings. An. Rpts., 1923, pp. 112-113. 1923; W.B. Chief Rpt., 1923, pp. 10-11. 1923.
forecasts at Cairo, Ill., practical rules. W.B. [Misc.], "Proceedings, third convention * * *," pp. 102-109. 1904.
gages—
automatic, introduction. Weston M. Fulton. W.B. Bul. 31, pp. 220-222. 1902.
upper Mississippi Valley. W. W. Carlisle. W.B. Bul. 31, pp. 222-224. 1902.
Improvement and Drainage Association of California, personnel, and purpose. O.E.S. Bul. 207, pp. 17-19. *1909.
in—
Arizona, location, description, and monthly flow. O.E.S. Bul. 235, pp. 29-50. 1911.
California, location, tributaries, importance, etc. O.E.S. Bul. 237, pp. 15-26. 1911.
Colorado, description, stream flow, measurement, etc. O.E.S. Bul. 218, pp. 14-23. 1910.
Nebraska, Antelope County. Soil Sur. Adv. Sh., 1921, pp. 757, 758, 759. 1924.
Nebraska, Deuel County. Soil Sur. Adv. Sh., 1921, pp. 707-710. 1924.
New England, water power and navigation, relation of mountain forests. For. Cir. 168, pp. 17-30. 1909.
New Mexico, description. O.E.S. Bul. 215, pp. 11-13. 1909.
Pennsylvania, Greene County. Soil Sur. Adv. Sh., 1921, p. 1252. 1925.
Pike National Forest. D.C. 41, pp. 10-11. 1919.
South Dakota, description, and stream measurement and utilization. O.E.S. Bul. 210, pp. 11-19. 1909.
Texas, description. O.E.S. Bul. 222, pp. 14-28. 1910.
United States, silt outflow per year. Y.B. 1913, pp. 212, 213, 214 1914. Y.B. Sep. 624, pp. 212, 213, 214. 1914.
Wyoming, drainage areas. O.E.S. Bul. 205, pp. 11-17. 1909.
navigable, Washington. O.E.S. Bul. 214, pp. 11-12. 1909.

River(s)—Continued.
observers, special, of Weather Bureau, instructions to. W.B. [Misc.], "Instructions to special * * *," pp. 46. 1904; rev., pp. 47, 1909; rev., pp. 24, 1912; rev., pp. 27, 1915.
records, North Dakota, 1903-1908. O.E.S. Bul. 219, p. 14. 1909.
Russian, source, description, and economic importance. Stat. Bul. 84, pp. 25-28. 1911.
Sacramento and San Joaquin watersheds. Nathaniel R. Taylor. W.B. Bul. 43, pp. 92. 1913.
southern Appalachian, relation of mountains. For. Cir. 143, pp. 8-35. 1908.
stages—
daily, at river gage stations on the principal rivers of the United States—
1900-1904. H. C. Frankenfield. W.B.D.R.S. Pt. VII, pp. 728. 1905.
1905-6. H. C. Frankenfield. W.B.D.R.S. Pt. VIII, p. 270. 1909.
1907-8. H. C. Frankenfield. W.B.D.R.S. Pt. IX, pp. 368. 1909.
1909-10. H. C. Frankenfield. W.B.D.R.S. Pt. X, pp. 397. 1911.
1911-12. Alfred J. Henry. W.B.D.R.S. Pt. XI, pp. 380. 1913.
1913-14. Alfred J. Henry. W.B.D.R.S. Pt. XII, pp. 400. 1915.
1915. Alfred J. Henry. W.B.D.R.S. Pt. XIII, p. 176. 1916.
1916. Alfred J. Henry. W.B.D.R.S. Pt. XIV, pp. 278. 1917.
1917. Alfred J. Henry. W.B.D.R.S. Pt. XV, pp. 286. 1918.
1918. Alfred J. Henry. W.B.D.R.S. Pt. XVI, pp 288. 1919.
1919. Alfred J. Henry. W.B.D.R.S. Pt. XVII, pp. 291. 1920.
1920. H. C. Frankenfield. W.B.D.R.S. Pt. XVIII, pp. 182. 1922.
1921. H. C. Frankenfield. W.B.D.R.S. Pt. XIX, pp. 277. 1922.
1922. H. C. Frankenfield. W.B.D.R.S. Pt. XX, pp. 268. 1923.
1923. H. C. Frankenfield. W.B.D.R.S. Pt. XXI, pp. 188. 1924.
1924. H. C. Frankenfield. W.B.D.R.S. Pt. XXII, pp. 183. 1925.
Weather Bureau Service, districts and stations. Y.B., 1924, pp. 540-542. 1925.
terraces—
and glacial lake province, soils studies. Soils Bul. 78, pp. 131-168. 1911.
glacial, description and soils. Soils Bul. 96, pp. 165-219. 1913.
soil character and agricultural value, by series. Soils Bul. 55, pp. 153-164. 1909.
traffic—
advantages and needs. Y.B., 1907, p. 303. 1908; Y.B. Sep. 449, p. 303. 1908.
definition, importance, etc. D.B. 74, pp 1-3, 15-16. 1914.
transportation, advantages over rail transportation. D.B. 74, pp. 4-5. 1914.
waters, analyses, comparison with lake water. D.B. 61, pp. 27-30, 80. 1914.
See also Floods; Names of rivers; Navigation; Waterways.
Rivina—
laevis, importation and description. No. 36045, B.P.I. Inv. 36, p. 42. 1915.
leaf-spot, occurrence and description, Texas. B.P.I. Bul. 226, p. 101. 1912.
Rivoltasia spp., description and habits. Rpt. 108, pp. 122, 123. 1915.
RIXFORD, G. P.: "Smyrna fig culture." D.B. 732, pp. 48. 1918.
Riz du Canada. See Rice, wild.
Roach and Seber Co., experiments on cold curing of cheese. B.A.I. Bul. 49, p. 11. 1903.
Roach(es)—
control—
by derris, experiments. J.A.R. vol. 17, No. 5, p. 192. 1919.
by gases, fumigation experiments. D.B. 893, pp. 4, 6, 7, 10. 1920.
by plant insecticides, notes. D.B. 1201, pp. 5-14, 21-46. 1924.

Roach(es)—Continued.
  control—continued.
    by pyrethrum. D.B. 771, pp. 1-6. 1919;
      D.B. 824, pp. 13, 22, 38, 75, 81. 1920.
    directions. F.B. 1180, p. 28. 1921.
    Porto Rico. P.R. Cir. 17, pp. 7, 17. 1918.
    remedies. F.B. 658, pp. 12-15. 1915.
    tests of various substances. D.B. 707, pp. 8-16. 1918.
    trap and exterminators. B.A.I.S.R.A. 95, p. 32. 1915.; B.A.I.S.R.A. 96, p. 42. 1915.
  destroyer misbranding—"Dead Shot." N.J. 86, I. and F. Bd. S.R.A. 1, p. 22. 1914.
  distribution, characteristics, and habits. F.B. 658, pp. 2-6, 8-11. 1915.
  domestic, common, varieties, distribution, description, and habits. F.B. 658, pp. 8-11. 1915.
  experiments testing insecticide penetration. J.A.R., vol. 13, pp. 526-530. 1918.
  food, Peterman's, misbranding. I. and F. Bd. N.J. 29, pp. 3. 1913.
  habits and control. News L., vol. 6, No. 17, p. 9. 1918.
  infesting grain, list. Ent. Bul. 96, Pt. I, p. 7. 1911.
  injuries, benefits, etc. F.B. 658, pp. 4-6, 8-11. 1915.
  killer, active and inert ingredient, misbranding. I. and F. Bd. S.R.A. 1, p. 9. 1914.
  migratory habits. F.B. 658, p. 6. 1915.
  pastes, analysis. Chem. Bul. 68, pp. 44-46. 1902.
  poisons, adulteration and misbranding, "Odell's roach powder." I. and F. Bd. N.J. 43, pp. 2. 1914.
  powders—
    and pastes, analysis and composition, discussion. Chem. Bul. 68, pp. 30-31, 44-46, 53. 1902.
    labeling for inert ingredients, opinion. I. and F. Bd. S.R.A. 14, pp. 153-154. 1916; I. and F. Bd. 15, pp. 210, 216-217, 225. 1917.
    labeling, opinion. I. and F. Bd. S.R.A. 3, pp. 34-35. 1914; I. and F. Bd. S.R.A. 6, pp. 83-84. 1914.
  preventives, misbranding. N.J. 907, 915, 922, I. and F. Bd. S.R.A. 47, pp. 6, 14, 20. 1924.
  spread of fungus spores. D.B. 1053, p. 37. 1922.
  transformation. F.B. 658, pp. 6-8. 1915.
  traps, description, use methods. F.B. 658, pp. 14-15. 1915.
  See also Cockroach.
Roachsault, analysis. Chem. Bul. 68, p. 53. 1902.
Road(s)—
  H. S. Fairbanks. Y.B., 1920, pp. 339-352. 1921; Y.B. Sep. 849, pp. 339-352. 1921.
  accidents, prevention. Off. Rec. vol. 2, Nos. 32, 33, p. 3. 1923.
  administrative work, improved methods. An. Rpts., 1920, pp. 493-494. 1921.
  aggregates, bituminous, toughness. J.A.R., vol. 10, pp. 319-330. 1917.
  and bridge(s)—
    bonds—
      construction, total issued to January 1, 1914, by States. D.B. 136, pp. 3-5, 34-85. 1915.
      in Central and Western States. D.B. 389, pp. 4, 9-25, 30-40, 44, 45, 49-51, 54. 1917.
      outstanding in New England States, 1915. D.B. 388, p. 4. 1917.
      outstanding in United States, January 1, 1915; D.B. 390, pp. 3, 8. 1917.
    construction and maintenance from 1913 to 1914. D.B. 284, pp. 64. 1915.
    expenditures—
      in 1915. News L., vol. 4, No 18, p. 4. 1916.
      per mile, 1904, 1915. News L., vol. 4, No. 11, p. 1. 1916; No. 20, p. 3. 1916.
      State, cash, 1904, 1913, and 1915. Sec. Cir. 63, p. 8. 1916.
    and road—
      building—
        details. O.E.S.F.I.L. 7, pp. 16. 1907.
        materials, Georgia. Rds. Bul. 23, p. 50. 1902.
      materials, publications. D.B. 347, p. 28. 1916.
  annual expenditures, note. News L., vol. 4, No. 12, p. 5. 1916.
  application of oils, methods. Rds. Bul. 34, pp. 26-38. 1908.

Road(s)—Continued.
  appropriations—
    1917-1921, by States, table. News L., vol. 6, No. 31, p. 7. 1919.
    1926. Off. Rec., vol. 3, No. 50, pp. 1, 2. 1924.
  approval of new projects, March and April, 1918. News L., vol. 5, No. 44, p. 5. 1918.
  asphalt-block, description, and construction methods. D.B. 220, p. 19. 1915; Rds. Bul. 47, p. 26. 1913.
  asphalt, object-lesson, various States. An. Rpts., 1911, pp. 719, 720. 1912; Rds. Chief Rpt., 1911, pp. 9, 10. 1911.
  associations, national, State and local, and kindred organizations in U. S., list. Rds. Cir. 36, pp. 14. 1902.
  automobile administrative provisions, January 1, 1916. Sec. Cir. 59, pp. 12-15. 1916.
  availability to population. Off. Rec., vol. 2, No. 22, p. 2. 1923.
  bases, use of oil-mixed concrete, formula. D.B. 230, p. 15. 1915.
  bearing power of various soils. D.B. 724. pp. 39-43. 1919.
  benefits—
    of improvements. F.B. 505, pp. 20. 1912.
    to nonabutting property owners, studies. News L., vol. 2, No. 17, pp. 3-4. 1914.
  better, in Maine. News L., vol. 7, No. 12, p. 8. 1919.
  binder(s)—
    bituminous and dust preventives. Prevost Hubbard. Y.B., 1910, pp. 297-306. 1911; Y.B. Sep. 538, pp. 297-306. 1911.
    coal-tar, quality required. Rds. Cir. 97, p. 11. 1912.
    distinction from dust preventives, uses. Y.B., 1910, pp. 299-300, 301, 302. 1911; Y.B. Sep. 538, pp. 299-300, 301, 302. 1911.
    investigations, machine for testing. Rds. Chief Rpt., 1909, pp. 4, 27-29. 1909; An. Rpts., 1909, pp. 712, 735-737. 1910.
    semipermanent, description and uses. Y.B., 1910, pp. 301-303, 1911; Y.B. Sep. 538, pp. 301-303. 1911.
    use in construction of macadam roads. F.B. 338, pp. 19, 27. 1908.
    See also Bitumens.
  binding—
    experiments—
      cost data. Rds. Cir. 90, p. 10. 1909.
      progress work, 1913. D.B. 105, pp. 46. 1914.
      report. Rds. Cir. 90, pp. 2-10, 19-23. 1909.
    use of by-products. Y.B., 1908, pp. 148, 172. 1909.
  Bitterroot-Bighole, historical notes. Y.B., 1919, pp. 182, 185. 1920; Y.B. Sep. 806, pp. 182, 185. 1920.
  bituminous—
    aggregates—
      extraction, equipment, and method. D.B. 314, pp. 35-38. 1915; Rds. Bul. 38, pp. 35-37. 1911.
      toughness. J.A.R., vol. 10, pp. 319-330. 1917.
    and nonbituminous, investigations. An. Rpts. 1918, pp. 385-386. 1918; Rds. Chief Rpt., 1918, pp. 13-14. 1918.
    concrete—
      advantages, and disadvantages, experiments. D.B. 249, pp. 17-18, 29. 1915; D.B. 284, p. 26. 1915.
      District of Columbia specifications, analysis, use at Chevy Chase, Maryland. Rds. Cir. 99, pp. 15-16. 1913.
      experiments, 1912-1913, cost. D.B. 53, pp. 2-3. 1913.
      Topeka specifications, analysis, use on road at Chevy Chase, Md. Rds. Cir. 99, pp. 12-14. 1913.
    construction and maintenance, experimental. An. Rpts., 1917, p. 372. 1917; Rds. Chief Rpt., 1917, p. 14.
    macadam—
      description, construction methods. Rds. Bul. 47, pp. 20-23. 1913.
      experiments, 1912-1913, cost. D. B. 53, p. 4. 1913.

Road(s)—Continued.
  bituminous—continued.
    macadam—continued.
      object lesson, details and cost. An. Rpts., 1912, pp 849-850. 1913; Rds. Chief Rpt., 1912, pp. 5-6. 1912.
    materials—
      examination methods. Charles S. Reeve. D.B. 314, pp. 48. 1915.
      experimental, list and cost. Sec. Cir. 77, pp. 1-8. 1917.
      sampling and testing. D.B. 1216, pp. 43-50, 53-67, 70-71. 1924.
      testing and standardization. An. Rpts., 1916, pp. 339-340. 1917; Rds. Chief Rpt., 1916, pp. 11-12. 1916.
      testing, new penetration needle. J.A.R., vol. 5, pp. 1121-1126. 1916.
      testing, standardization. An. Rpts., 1919, p. 422. 1920; Rds. Chief Rpt., 1919, p. 32. 1919.
      typical specifications. Prevost Hubbard and Charles S. Reeve. D.B. 691, pp. 60. 1918.
    surface, experiments. D.B. 407, pp. 2-23, 32-35, 40, 57-59. 1916.
    surface modifications, and adaptations. Y.B., 1917, pp. 274, 275. 1918; Y.B. Sep. 727, pp. 9, 13. 1918.
    tests of rocks, interpretation of results. D.B. 370, pp. 10-11. 1916.
    types and uses. Y.B., 1924, pp. 123-126. 1925.
  block and brick, cost, New Jersey. D.B. 386, p. 9. 1916.
  bond-built—
    cost comparison, tables. D.B. 136, rev., pp. 18-24. 1917.
    economic conditions, studies. D.B. 136, rev., pp. 31-33. 1917.
  bonds—
    interest studies, sinking fund, annuity. D.B. 136, pp. 91-129. 1915.
    issuance by various countries, description. D.B. 393, pp. 2-4, 11-14, 28-30, 37-39, 45-48, 53-56, 62-64, 69-72, 79-81. 1916.
    issuance, legal restrictions, advantages, and necessity. D.B. 136, pp. 27-33. 1915.
    issues—
      1918. News L., vol. 6, No. 20, p. 4. 1918.
      interest rate, length, value comparisons. D.B. 136, pp. 14-24. 1915.
      study by department. An. Rpts., 1912, p. 113, 211. 1913; Sec. A.R., 1912, p. 113 211. 1912; Y.B., 1912, p. 113, 211. 1913.
      voting. News L., vol. 6, No. 51, p. 8. 1919.
    life period, and payment. News L., vol. 4, No. 17, p. 4. 1916.
    New York, New Jersey, and Pennsylvania, 1914. D.B. 386, pp. 3, 11, 15, 19, 23-24. 1916.
    outstanding, 1917. Sec. Cir. 74, pp. 1-8. 1917.
    State issues, remarks by Secretary. Y.B., 1919, p. 520. 1920.
    summary statement. D.B. 1279, p. 9. 1925.
    time for sale. News L., vol. 4, No. 16, p. 4. 1916.
    totals to January 1, 1914, by States. D.B. 136, rev., pp. 3-5. 1917.
  brick—
    Vernon M. Peirce and Charles H. Moorefield. D.B. 373, pp. 40. 1916.
    bituminous filler, analysis. Rds. Cir. 92, p. 23-26. 1910.
    cinder, experiments, 1912-1913, cost. D.B. 53, p. 15. 1913.
    construction details, cost, and maintenance. D.B. 23, pp. 8-21. 1913; D.B. 220, pp. 19-20. 1915; D.B. 246, pp. 8-21. 1915; D.B. 284, p. 24. 1915; D.B. 373, pp. 1-40. 1916; Rds. Bul. 47. p. 26. 1913.
    maintenance, report of traffic. D.B. 407, pp. 59-60. 1916.
    mileage, United States, 1904. Rds. Bul. 32, p. 15. 1907.
    model, exhibit. Rds. Bul. 36, p. 18. 1911.
    specifications. D.B. 246, pp. 22-31. 1915.
    surface design modifications, and adaptations. Y.B., 1917, pp. 270, 273, 275. 1918; Y.B. Sep. 727, pp. 8, 11, 13. 1918.
    surfacing and maintenance. S.R.S. Syl. 29, pp. 8-9. 1917.
    use in several States. Rds. Bul. 48, p. 9. 1913.
    wheel-track. Rds. Bul. 21, p. 68. 1901.

Road(s)—Continued.
  builders' wages, trend. Off. Rec., vol. 1, No. 27, p. 5. 1922.
  building—
    1919, comparison. News L. vol. 6, No. 36, pp. 1, 11-12. 1919.
    aid by Agriculture Department to War Department. News L., vol. 5, No. 21, p. 7. 1917.
    and—
      advantages. H.S. Fairbank. Y.B., 1920, pp. 339-352. 1921; Y.B. Sep. 849, pp. 339-352. 1921.
      blasting, management of explosives. For. Misc., O-6, pp. 36-42. 1915.
      laws, in Massachusetts. Rds. Bul. 21, p. 34. 1901.
    maintenance, investigations. An. Rpts., 1919, pp. 412-414. 1920; Chief Rds. Rpt., 1919, pp. 22-24. 1919.
    maintenance, investigations, program for 1915. Sec. [Misc.], "Program of work * * * 1915," pp. 265-268. 1914.
    maintenance, use of automobile fees. News L., vol. 3, No. 51, p. 1. 1916.
    roads, syllabus of illustrated lecture. O.E.S. F.I.L. 7, pp. 16. 1907.
  appropriation of canvas duck from war surplus. Off. Rec., vol. 1, No. 10, p. 3. 1922.
  appropriations, 1919. News L., vol. 6, No. 33, pp. 1-2. 1919.
  available appropriations, and expenditures, 1918. News L., vol. 6, No. 20, p. 4. 1918.
  benefit of surplus war materials. An. Rpts., 1923, p. 489-493. 1923; Rds. Chief Rpt., 1923, p. 28. 1923.
  concrete, and testing. D.B. 949, pp. 16-17, 63, 64-67. 1921.
  conditions in 1920, 1921. Rds. Chief Rpt., 1921, pp. 1-2. 1921.
  convict labor, Southern States. J. A. Holmes. Y.B., 1901, pp. 319-332. 1902; Y.B. Sep. 240, pp. 319-332. 1902.
  cooperation of department with States. An. Rpts., 1913, pp. 42, 58, 59. 1914; Sec. A.R., 1913, pp. 40, 56, 57, 1913; Y.B., 1913, pp. 51-53, 71, 73. 1914.
  cost in various States. Rds. Bul. 41, pp. 9-12. 1912.
  cost per square yard. Rds. Cir. 90, pp. 12, 15, 16, 18, 19. 1909.
  crew, organization, camp and outfit. For. Misc., 0-6, pp. 22-24, 57, 62-65. 1915.
  equipment, War Department gift to States. News L., vol. 6, No. 50, p. 15. 1919.
  European war, Government policy. News L., vol. 5, No. 27, pp. 2-3. 1918.
  expansion, importance to farmers. Sec. Cir. 131, pp. 7-8. 1919.
  experimental convict camp, Fulton County, Ga. H. S. Fairbank and others. D.B. 583, pp. 64. 1918.
  Federal-aid, and how obtainable. News L., vol. 5, No. 37, p. 14. 1918.
  from engineer's standpoint. Rds. Bul. 21, p. 45. 1901.
  fund, request for additional. Off. Rec. vol. 1, No. 10, p. 3. 1922.
  in—
    Middle West, progress. R. W. Richardson. Y.B., 1903, pp. 453-462. 1904; Y.B. Sep. 305, pp. 453-462. 1904.
    mountainous countries. Rds. Bul. 23, p. 63. 1902.
    new lands of Lake States. D.B. 1295, p. 53. 1925.
    South. News L., vol. 6, No. 49. p. 1919.
    Tenn., Madison County. Sam C. Lancaster. Y.B., 1904, pp. 323-340. 1905; Y.B. Sep. 350, pp. 323-340. 1905.
  inquiries, organization and duties. Y.B., 1901, pp. 12, 99-101, 613. 1902.
  labor requirements. News L., vol. 6, No. 25, p. 3. 1919.
  location and alignment. D.B. 220, p. 7. 1915.
  machinery, description, uses, and value. D.B. 220, pp. 22-24. 1915.
  mechanical analysis of materials. D.B. 1216, pp. 67-68. 1924.

Road(s)—Continued.
building—continued.
methods, improvement in department work. Sec. A.R., 1913, pp. 39-41, 56, 57. 1913; An. Rpts., 1913, pp. 41-42, 58, 59. 1914; Y.B. 1913, pp. 51-53, 71, 73. 1914.
methods, tests by South American experts. Off. Rec., vol. 3, No. 25, p. 7. 1924.
mileage appropriation increase. News L., vol. 6, No. 32, p. 1. 1919.
national forests—
O. C. Merrill. Y.B., 1916, pp. 521-529. 1917; Y.B. Sep. 696, pp. 9. 1917.
expenditure authorization to Forest Service. News L., vol. 2, No. 36, p. 1. 1915.
objects, report of Secretary. News L., vol. 3, No. 50, p. 4. 1916.
recommendations by Secretary. News L., vol. 3, No. 20, p. 1. 1915.
practical, in Tennessee, Madison County, Sam C. Lancaster. Y.B., 1904, pp. 323-340. 1905; Y.B. Sep. 350, pp. 323-340. 1905.
practical problems. Rds. Bul. 23, p. 53. 1902.
progress in Middle West. R. W. Richardson. Y.B., 1903, pp. 453-462. 1904; Y.B. Sep. 305, pp. 453-462. 1904.
projects, and cost, various States. News L., vol. 7, No. 15, pp. 15-16. 1919.
proposals, approval by highway council. News L., vol. 6, No. 12, p. 2. 1918.
prospect for 1923. Off. Rec., vol. 2, No. 25, p. 2. 1923.
rock, physical tests including all compression tests, results in 1916. Prevost Hubbard and Frank H. Jackson, jr. D.B. 537, pp. 23. 1917.
sand—
clay, mixing. F.B. 311, pp. 7-10. 1907; D.B. 949, pp. 14-16, 64, 72. 1921.
testing and sampling. D.B. 949, pp. 9-11, 14, 71. 1921; D.B. 1216, pp. 3-5, 10, 12, 14, 19-20. 1924.
value. D.B. 724, p. 2. 1919.
slag and other by-products, use. An. Rpts., 1908, p. 148. 1909; Sec. A.R., 1908, p. 146. 1908.
specifications for corrugated metal pipe culverts. D.C. 331, pp. 1-6. 1925.
State aid and recent improvements in methods. Y.B., 1910, pp. 270-274. 1911; Y.B. Sep. 535, pp. 270-274. 1911.
studies and experiments, 1912-1913. D.B. 53, pp. 1-33. 1913.
suggestion. Rds. Bul. 21, p. 87. 1901.
syllabus of illustrated lecture. O.E.S. F.I.L. 7, pp. 16. 1907.
systems, studies and experiments, in various counties. News L., vol. 1, No. 46, p. 4. 1914.
under Federal-aid road act, organization and procedure. Sec. Cir. 65, pp. 5-19. 1916; Y.B., 1917, pp. 133-134. 1918; Y.B. Sep. 739, pp. 9-10. 1918.
use of—
national forest moneys, in national forests. Sol. [Misc.], "Laws applicable * * * Agriculture," Sup. 2, pp. 32-33. 1915.
revenues from automobile registration. Sec. Cir. 59, pp. 2-3, 5-6, 12-15. 1916.
surplus war materials. Y.B., 1921, pp. 50, 51. 1922; Y.B. Sep. 875, pp. 50, 51. 1922.
pyrotol. Off. Rec., vol. 3, No. 36, p. 3. 1924.
war materials, utilization. Off. Rec., vol. 2, No. 23, p. 2. 1923.
war policy, statement by Secretary Houston. News L., vol. 5, No. 49, pp. 1, 2. 1918.
waste of funds for want of proper maintenance. News L. vol. 1, No. 3, pp. 3-4. 1913.
Bureau, International, establishment. An. Rpts., 1908, p. 147. 1909; Sec. A.R., 1908, p. 145. 1908; Y.B. 1908, p. 147. 1909.
burnt-clay—
and sand-clay—
William L. Spoon. Rds. Bul. 27, pp. 19. 1906; F.B. 311, pp. 22. 1907.
construction. O.E.S. F.I.L. 7, pp. 5-6. 1907.
experiments, 1908. Y.B. 1908, pp. 146-147, 172. 1909.

Road(s)—Continued.
burnt-clay—continued.
and sand-clay—continued.
in the Middle West. W. L. Spoon. Rds. Cir. 91, pp. 31. 1910.
construction and cost. F.B. 311, pp. 16-19. 1907.
experimental. An. Rpts., 1908, pp. 754-755. 1909; Rds. Chief Rpt. 1908, pp. 14-15. 1908.
experiments in Mississippi, success. Y.B. 1908, pp. 146-147. 1909.
business a question of education Rds. Bul., 21, p. 66. 1901.
Canal Zone, relation to agricultural development. Rpt 95, pp. 18-19. 1912.
care and—
maintenance, use and value of drag. News L., vol. 6, No. 17, p. 9. 1918.
management, department suggestions. News L., vol. 3, No. 5, p. 3. 1915.
cement concrete—
James T. Voshell, and R. E. Toms. D.B. 1077, pp. 67. 1922.
grading aggregate used, importance. J.A.R., vol. 10, pp. 263-274. 1917.
cement, dust prevention experiments. D.B. 105, pp. 1-6, 36. 1914.
Chevy Chase, experiments by Roads Office. An. Rpts., 1912, p. 862. 1913; Rds. Chief Rpt., 1912, p. 18. 1912.
colonial times and early national, historical notes. Y.B., 1910, pp. 265-269 1911; Y.B. Sep. 535, pp. 265-269. 1911
common schools, effect. Rds. Bul. 23, p. 39. p. 39. 1902.
concrete—
building and use. Y.B., 1924, pp. 126-128. 1925.
cement, description and construction methods. D.B. 220, pp. 17-18. 1915.
construction, capital required and equipment cost. D.B. 249, pp. 23-25. 1915.
cost in Illinois, 1912. D.B. 249, pp. 26-27. 1915.
degree of hardness of rock used, studies. Off. Rec. vol. 1, No. 10, p. 3. 1922.
description, construction methods. Rds. Bul. 47, p. 25. 1913.
designs, types, descriptions. D.B. 1077, pp. 10-27. 1922.
dust prevention experiments. D.B. 105, pp. 1-6, 11-17, 36-40. 1914.
expansion and contraction. A. T. Goldbeck and F. H. Jackson, jr. D.B. 532, pp. 31. 1917.
heaving. Off. Rec., vol. 1, No. 1, pp. 4-5. 1922.
increase, 1909-1914, advantages. News L., vol. 3, No. 4, p. 5. 1915.
oil-mixed, object-lesson, Washington, D. C. and New York. An. Rpts., 1911, pp. 720-722. 1912; Rds. Chief Rpt., 1911, pp. 10-12. 1911.
pavement, formula, studies. D.B. 249, pp. 6-7, 29. 1915.
Portland cement. James T. Voshell and R. E. Toms. D.B 1077, pp. 67. 1922.
proportioning materials. D.B. 1077, pp. 6-9, 61, 62. 1922.
surface design modifications and adaptations. Y.B., 1917, pp. 271, 273, 275. 1918; Y.B. Sep. 727, pp. 9, 11, 13. 1918.
surfacing—
analyses and use. D.B. 407, pp. 34, 57-59, 62, 65. 1916.
and maintenance. S.R.S. Syl. 29, pp. 8, 9. 1917.
tests. Y.B. 1924, pp. 129-137. 1925.
wear, measurement, apparatus. J.A.R. vol 5, pp. 951-954. 1916.
condition(s)—
1860-1890, and road census of 1904, figures. Y.B., 1910, pp. 269-270. 1911; Y.B. Sep. 535, pp. 269-270. 1911.
effect upon country school attendance. News L., vol. 1, No. 36, Apr. 15. 1914.
Congress—
international, U S. membership. Off. Rec., vol. 2, No. 3, p. 2. 1923.
Pan American. Off. Rec. vol 4, No. 35, pp. 1 7. 1925.

INDEX TO PUBLICATIONS, 1901-1925 — 2007

Road(s)—Continued.
  construction—
    1906-1915, area of each type. An. Rpts., 1915, p. 316. 1916; Rds. Chief Rpt., 1915, p. 4. 1915.
    1912-1916, mileage and expenditure. News L., vol. 4, No. 19, p. 3. 1916.
    1917, mileage and cost, and types of road. Y.B., 1917, pp. 133-134. 1918; Y.B. Sep. 739 pp. 9-10. 1918.
    1919. News L., vol. 6, No. 36, pp. 1, 11-12. 1919.
    and care, conference Off. Rec., vol. 1, No. 21, p. 3. 1922.
    and labor regulations. Sec. Cir. 65, pp. 10-11, 18. 1917.
    and maintenance—
      bitumens and their essential constitutents. Prévost Hubbard. Rds. Cir. 93, pp. 16. 1911.
      details. Rds. Bul. 36, pp. 10-18. 1911.
      experimental work, 1917. An. Rpts., 1917, pp. 364-367. 1917; Rds. Chief Rpt., 1917. pp. 6-9. 1917.
      from July 1, 1913, to December 31, 1914, with bridges. D.B. 284, pp. 64. 1915.
      in national forests. For. A.R., 1924, pp. 30-33. 1924.
    appropriations, 1923, 1924, 1925. Off. Rec., vol. 1, No. 24, p. 1. 1922.
    contracts, 1919. News L., vol. 6, No. 43, p. 8. 1919.
    convict labor. studies. An. Rpts., 1916, pp. 335-336. 1917; Rds. Chief Rpt., 1916, pp. 7-8. 1916.
    costs. D.B. 463, pp. 33-34, 44-45, 56-58. 1917.
    data available. Off. Rec., vol. 1, No. 21, p. 5. 1922.
    division, work, July 1, 1913, to December 31, 1914, review. D.B. 284, pp. 2-57. 1915.
    expenditures, 1923. Off. Rec., vol. 2, No. 45, p. 1. 1923.
    features involved in drag maintenance. F.B. 597, pp. 10-13. 1914.
    in—
      Alabama, Jefferson County, improvements. Rds. Bul. 23, p. 31. 1902.
      Alaska, conditions and needs in Kenai Peninsula region. Soil Sur. Adv. Sh., 1916, p. 51. 1919; Soils F.O., 1916, pp. 82-83. 1921.
      Alaska, projects. Off. Rec., vol. 1, No. 25, p. 3. 1922.
      Belgium. Rds. Bul. 21, p. 87. 1901.
      Florida, progress of improvement. Rds. Bul. 21, p. 60. 1901.
      foreign countries, administration and maintenance An. Rpts., 1908, p. 149. 1909; Sec. A.R., 1908, p. 147. 1908.
      Idaho, Boise, experiments, results. Rds. Cir. 99, p. 45. 1913.
      Iowa, Ames, experiments, results. Rds. Cir. 99, pp. 45-46. 1913.
      Kansas, experiments, results and cost. Rds. Cir. 91, pp. 24-31. 1910.
      Kansas, Independence, experiments, results. Rds. Cir. 99, pp. 50-51. 1913.
      Kentucky, Bowling Green, experiments, results. Rds. Cir. 99, pp. 51. 1913.
      Maryland, Chevy Chase, treatment for dust prevention and preservation. Rds. Cir. 99, pp. 5-21, 27-31. 1913.
      Massachusetts, materials, cost, specifications. F.B. 338, pp. 8, 22-24, 28-35. 1908.
      Massachusetts, Newton, experiments, results. Rds. Cir. 99, p. 48. 1913.
      national forests. An. Rpts., 1923, pp. 329-331, 465-466. 1923; For. A. R., 1923, pp. 41-43. 1923; Rds. Chief Rpt., 1923, pp. 3-4. 1923.
      New Hampshire, report of inspection, August, 1911. Rds. Bul. 42, pp. 1-35. 1912.
      New Jersey, materials, cost. F.B. 338, pp. 22, 23, 35. 1908.
      New Jersey, Ridgewood, experiments, results. Rds. Cir. 99, p. 44. 1913.
      New York, Ithaca, experiments, results, etc. Rds. Cir. 99, pp. 40-44. 1913.
      New York, Jamaica, treatment for dust prevention and preservation, results, etc. Rds. Cir. 99, pp. 31-39. 1913.

Road(s)—Continued.
  construction—continued.
    in—continued.
      New York City, experiments and results. Rds. Cir. 99, p. 44. 1913.
      Ohio, Youngstown, experiments, results. Rds. Cir. 99, pp. 46-48. 1913.
      Olympic National Forest, length, cost, and need. For. Bul. 89, pp. 19-20. 1911.
      Oregon National Forest, Mount Hood region. D.C. 105, pp. 1-32. 1920.
      South America, remarks. T. H. MacDonald. Off. Rec., vol. 4, No. 50, p. 4. 1925.
    inspection and maintenance, 1914. An. Rpts., 1914, pp. 269-275. 1915; Rds. Chief Rpt., 1914, pp. 1-7. 1914.
    interest at Brazil exposition. Off. Rec., vol. 1, No. 38, p. 4. 1922.
    map of detour. Rds. [Misc.], "Road under construction * * *," pp. 3. 1924.
    materials, war supplies, distribution. An. Rpts., 1919, pp. 411-412. 1920; Rds. Chief Rpt., 1919, pp. 21-22. 1919.
    methods. News L., vol. 2, No. 45, p. 4. 1915; O.E.S.F.I.L. 7, pp. 4-10. 1907.
    progress and problems and Federal-aid funds. Sec. A.R., 1921, pp. 41-44. 1921.
    publications, list. D.B. 670, p. 30. 1918.
    record under Federal-aid road act. Y.B., 1921, pp. 47-51. 1922; Y.B. Sep. 875, pp. 47-51. 1922.
    resumption and extension. News L., vol. 6, No. 20, p. 1. 1918.
    State supervision. News L., vol. 6, No. 36, p. 12. 1919.
    tars, methods of application. Rds. Bul. 34, pp. 19-20. 1908.
    terms. D.B. 660, pp. 39-41. 1918.
    with bitumens, methods, penetration, and mixing. Y.B., 1910, pp. 303-305. 1911; Y.B. Sep. 538, pp. 303-305. 1911.
    work and labor, maintenance. Sec. Cir. 65, pp. 10, 18. 1916.
    work, Federal approval requirements, plans for 1919. News L., vol. 6, No. 6, p. 2. 1918.
  convention—
    at—
      Jackson, Tenn. 1901. Y.B., 1904, p. 324. 1905; Y.B. Sep. 350, p. 324. 1905.
      Raleigh, N. C., proceedings, 1902. J. A. Holmes. Rds. Bul. 24, pp. 72. 1903.
      St. Louis, Mo., proceedings, 1903. Rds. Bul. 26, pp. 80. 1903.
      in Southern States and object-lesson roads. Rds. Bul. 23, pp. 1-89. 1902.
      third annual, of State of New York, held at Albany, January, 1902, proceedings. Rds. Bul. 22, pp. 63. 1902.
  cooperative researches. An. Rpts., 1923, pp. 473-475. 1923; Rds. Chief Rpt., 1923, pp. 11-13. 1923.
  cost(s)—
    by types. Y.B., 1924, pp. 113-114. 1925.
    elements, 1908-1911, Maine, Massachusetts, and New Jersey. D.B. 136, pp. 86-90. 1915.
    in various localities. Y.B., 1914, pp. 219-223. 1915; Y.B. Sep. 638, pp. 219-223. 1915.
    of construction and maintenance. D.B. 136, pp. 10-14, 24-27. 1915.
  country—
    and suburban, dust preventives. Rds. Bul. 34, pp. 49-53. 1908.
    mileage in United States, 1916, and miles improved during 1915. News L., vol. 4, No. 11, p. 1. 1916.
    pavements, Portland cement concrete. D.B. 249, pp. 34. 1915.
    vitrified brick pavements. Vernon M. Peirce and Charles H. Moorefield. D.B. 23, pp. 34. 1913; D.B. 246, pp. 38. 1915.
  county—
    and rail in—
      California, Victorville area. Soil Sur. Adv. Sh., 1921, p. 627. 1924.
      Iowa, Benton County. Soil Sur. Adv. Sh., 1921, p. 1223. 1925.
      Iowa, Cedar County. Soil Sur., 1919, p. 7. 1921; Soils F.O., 1919, p. 1429. 1925.
      Iowa, Delaware County. Soil Sur., Adv. Sh., 1922, p. 4. 1925.

Road(s)—Continued.
  county—continued.
    and rail in—continued.
      Iowa, Jefferson County. Soil Sur. Adv. Sh. 1922, p. 309. 1925.
      Nebraska, Boone County. Soil Sur. Adv. Sh., 1921, p. 1172. 1925.
      Nebraska, Dawson County. Soil Sur. Adv. Sh., 1922, p. 393. 1925.
      Nebraska, Perkins County. Soil Sur. Adv. Sh., 1921, p. 885. 1925
      North Carolina, Cumberland County. Soil Sur. Adv. Sh., 1922, pp. 112. 1925.
      Tennessee, Henry County. Soil Sur. Adv. Sh., 1922, pp. 80-81. 1925.
  benefit from timber sales, etc., national forests. News L., vol. 1, N o. 3, p. 2. 1913.
  classes, studies. D.B. 136, rev., pp. 5–10. 1917.
  drainage methods, and foundations. E. W. James and others. D.B. 724, pp. 86. 1919.
  investigations by Roads Office. An. Rpts., 1913, pp. 288-289, 290-291. 1914; Rds. Chief Rpt., 1913, pp. 4-5, 6-7. 1913.
  model systems designed by Roads Office for various States. An. Rpts., 1912, pp. 865-875. 1913; Rds. Chief Rpt., 1912, pp. 25-31. 1912.
  planning systems for various States. An. Rpts., 1910, p. 873. 1911; Rds. Chief Rpt., 1910, p 21. 1910.
  superintendence, from July 1, 1913, to December 31, 1914. D.B. 284, pp. 23-50. 1915.
  systems, advice of department. News L., vol. 2, No. 48, pp. 1, 7. 1915.
  systems, superintendence and inspection, 1914. An. Rpts., 1914, pp. 271-272. 1915; Rds. Chief Rpt., 1914, pp. 3-4. 1914.
  course for southern schools, references, etc. D.B. 592, pp. 29-30. 1917.
  crust, effect of heavy loads on different types. D.B. 724, pp. 43-45. 1919.
  damage by heavy traffic during war. Y.B., 1919, p. 46. 1920.
  dangerous, elimination. Off. Rec. vol. 1, No. 41, p. 2. 1922.
  demand for, and increase. Rds. Chief Rpt., 1921, p. 3. 1921.
  department, establishment in various Southern States. D.B. 387, p. 3. 1917.
  destruction, agencies. Rds. Bul. 44, p. 6. 1912.
  deterioration, agencies causing. D.B. 370, p. 2. 1916.
  development—
    aid of department. An. Rpts., 1916, pp. 37-38, 39-40. 1917; Sec. A.R., 1916, pp. 39-40, 41-42. 1916; Y.B., 1916, pp. 51-52. 1917.
    in national forests. Y.B., 1916, pp. 54, 521-529. 1917.
  District of Columbia, treatment for dust prevention and preservation, experiments. Rds. Cir. 99, pp. 21-26. 1913.
  districts, location and personnel. Y.B., 1917, pp. 133, 137. 1918; Y.B. Sep. 739, pp. 9, 13. 1918.
  drag—
    description and use. D.B. 463, pp. 58-61. 1917; F.B. 597, pp. 1-15. 1914; Rds. Bul. 48, pp. 44-48. 1913.
    use. F.B. 597, pp. 15. 1914.
  dragging, methods and value. News L., vol. 6, No. 18, p. 20. 1918.
  drainage—
    ditches, and gutters. D.B. 463, pp. 7-9. 1917.
    necessities and methods. News L., vol. 6, No. 17, p. 3. 1918.
    principles and general construction. D.B. 724, pp. 3-11. 1919.
    problem studies. News L., vol. 6, No. 24, p. 14. 1919.
    work, specifications. D.B. 724, pp. 76-86. 1919.
  dust preventives—
    progress report of experiments. Rds. Cir. 89, pp. 29. 1908.
    tars, kinds and properties. Rds. Bul. 34, pp. 15-19. 1908.
  earth—
    Maurice O. Eldridge. F.B. 136, pp. 24. 1902.
    and gravel—
      maintenance, cost. D.B. 264, pp. 63-64. 1915.

Road(s)—Continued.
  earth—continued.
    and gravel—continued.
      width of wagon tires recommended for loads of varying magnitudes. E. B. McCormick. Sec. Cir. 72, pp. 6. 1917.
    asphalt, experiment—
      cost and results. Rds. Cir. 90, pp. 10-12. 1909.
      Kansas, 1908. Rds. Cir. 92, p. 30. 1910.
    building. News L., vol. 7, No. 12, pp. 7-8. 1919.
    construction—
      by roads office, 1907, cost. An. Rpts., 1907, p. 722. 1908.
      grading and costs. D.B. 463, pp. 15-34. 1917.
    cost and location. News L., vol. 1, No. 30, pp. 2-3. 1914.
    description, construction methods, and costs. An. Rpts., 1908, pp. 753-754. 1909; D.B. 220, pp. 10-11. 1915; D.B. 284, pp. 21-23, 25, 26, 34-36, 52-53. 1915; Rds. Bul. 47, pp. 15-17. 1913; Rds. Chief Rpt., 1908, pp. 13-14. 1908.
    experiments, 1912-1913, cost. D.B. 53, pp. 27-31. 1913.
    log and plank drags, directions for building. News L., vol. 1, No. 12, pp. 1-2. 1913.
    maintenance, experiment in system patrol. An. Rpts., 1912, p. 113. 1913; Sec. A.R., 1912, p. 113. 1912; Y.B., 1912, p. 113. 1913.
    model exhibit of machines. Rds. Bul. 36, pp. 10-12. 1911.
    object lesson, various States—
      1910. An. Rpts. 1910, pp. 779-780. 1911; Rds. Chief Rpt., 1910, pp. 17-18. 1910.
      1911. An. Rpts., 1911, pp. 734-735. 1912; Rds. Chief Rpt., 1911, pp. 24-25. 1911.
      1912. An. Rpts., 1912, pp 860-862. 1913; Rds. Chief. Rpt., 1912, pp. 16-18. 1912.
    oil asphalt, binding experiments. D.B. 105, p. 45. 1914.
    repair and maintenance. Rds. Bul. 48, pp. 35-48. 1913.
    sand-clay, and gravel field. Charles H. Moore. D.B. 463, pp. 68. 1917.
    sand-clay, and gravel, description, construction methods. Rds. Bul. 47, pp. 15-18. 1913.
    split-log drag for improvement. O.E.S. F.I.L. 7, pp. 5-6. 1907.
    spring-work requirements. News L., vol. 3, No. 34, pp. 4-5. 1916.
    surface modifications and adaptation. Y.B., 1917, p. 274. 1918; Y.B. Sep. 727, p. 12. 1918.
    surfacing and maintenance. S.R.S. Syl. 29. p. 6. 1917.
    use of split-log drag. D. Ward King. F.B. 321, pp. 14. 1908.
    Virginia and Georgia, construction methods. Rds. Cir. 95, p. 15. 1911.
  economic value, measurement. Off. Rec., vol. 3, No. 19, p. 2. 1924.
  effect—
    of different kinds on use of trucks. F.B. 1201, pp. 11-12. 1921.
    on use of trucks, and mileage of use per year. D.B. 931, pp. 17-18, 20-21. 1921.
  engineers training methods. Off. Rec. vol. 1, No. 35, p. 5. 1922.
  equipment—
    Army, award to States. News L., vol. 6, No. 47, pp. 1-2. 1919.
    rental table. D.B. 660, pp. 50-52. 1918.
  exhibits, models, etc., 1914. An. Rpts., 1914, pp. 277-278. 1914; Rds. Chief Rpt., 1914, pp. 9-10. 1914.
  expenditures—
    1914, and mileage to January 1, 1915, by States. News L., vol. 3, No. 10, p. 3. 1915.
    1913, by States, table. News L., vol. 1, No. 52, pp. 1, 2. 1914.
    department and State, 1912-1913. Off. Rec., vol. 2, No. 30, p. 8. 1923.
  increase—
    1904-1915. News L., vol. 4, No. 11, p. 1. 1916.
    1904-1917. News L., vol. 5, No. 48, p. 5. 1918.
    since 1904. News L., vol. 4, No. 17, p. 3. 1916.
    State funds, increase, 1904-1915. News L., vol. 4, No. 11, p. 1. 1916.

INDEX TO PUBLICATIONS, 1901-1925   2009

Road(s)—Continued.
experimental—
1912-1913, location, progress. D.B. 53, pp. 31-33. 1913.
Arlington Farm. Off. Rec. vol. 1, No. 44, p. 2. 1922.
construction and cost. An. Rpts., 1913, pp. 285, 287. 1914; Rds. Chief Rpt., 1913, pp. 1, 3. 1913.
in Virginia, work of Roads Bureau. Off. Rec. vol. 1, No. 1, p. 16. 1922.
in various sections. An. Rpts., 1908, pp. 754-756. 1909; Rds. Chief Rpt., 1908, pp. 14-16. 1908.
maintenance by Roads Bureau. Rds. Chief Rpt., 1921, pp. 35-36. 1921.
Washington, D. C., and vicinity. B. A. Anderson and J. T. Pauls. Sec. Cir. 77, pp. 8. 1917.
work, 1909. An. Rpts., 1909, pp. 728-731. 1910; Rds. Chief Rpt., 1909, pp. 20-23. 1909.
work, 1911. An. Rpts., 1911, p. 147. 1912; Sec. A.R., 1911, p. 145. 1911; Y.B., 1911, p. 145. 1912.
experiments and tests. Y.B., 1924, pp. 129-138. 1925.
experts, employment, requirements of good-roads act. News L., vol. 4, No. 4, p. 2. 1916.
factor in milk transportation. Off. Rec., vol. 3, No. 37, p. 5. 1924.
farm—
bituminous surfacing. News L., vol. 7, No. 15, p. 7. 1919.
location, construction, and maintenance. News L., vol. 3, No. 19, pp. 3-4. 1915.
materials for surfacing. F.B. 1087, pp. 30-31. 1920.
Federal-aid act—
accomplishments. Sec. A.R., 1925, pp. 91-94. 1925.
administration, and projects—
1917. An. Rpts., 1917, pp. 359-363. 1917; Rds. Chief Rpt., 1917, pp. 1-5. 1917.
1918. An. Rpts., 1918, pp. 375-379. 1918; Rds. Chief Rpt., 1918, pp. 3-7. 1918.
advisory work of Solicitor, 1919. An. Rpts., 1919, pp. 474, 481-482. 1920; Sol. A.R., 1919,, pp. 6, 13-14. 1919.
amended. News L., vol. 6, No. 36, pp. 1, 11-12. 1919
application of regulations, regulation 2. Sec. Cir. 161, pp. 1-2. 1922.
apportionment of funds to States. Sec. Cir. 62, pp. 2. 1916.
appropriations for national forest roads. Y.B., 1916, pp. 51, 521, 522, 528. 1917; Y.B. Sep. 696 pp. 1-2, 8. 1917.
assistance to road building, national forests. An. Rpts., 1917, pp. 185-187. 1917; For. A.R., 1917, pp. 23-25. 1917.
benefits. Sec. [Misc.], "Remarks of D. F. Houston * * *," p. 13. 1918.
benefits to farmers. Sec. Cir. 133, pp. 9-10. 1919; Y.B., 1916, pp. 11, 74. 1917; Y.B. Sep. 698, p. 12. 1917.
enactment, administration, and apportionment. An. Rpts., 1916, pp. 4, 37-38, 40. 1917; Sec. A.R., 1916, pp. 6, 39-40, 42. 1916; News L., vol. 4, No. 21, pp. 1, 2. 1916.
factors of apportionment to States under appropriation for fiscal year 1917. Sec. Cir. 62, pp. 2. 1916.
increase in funds and expansion of work. Rds. Chief Rpt., 1921, pp. 5-6. 1921.
passage, amendment, and results. Y.B., 1919, pp. 46-50, 55, 56. 1920.
projects, types of construction, 1917, 1918, 1919. An. Rpts., 1919, pp. 395-408. 1920; Rds. Chief Rpt., 1919, pp. 5-18. 1919.
provisions, funds, limitations, and projects. Y.B., 1920, pp. 343-349. 1921; Y.B. Sep. 849, pp. 343-349. 1921.
rules and regulations. Sec. Cir. 65, pp. 24. 1916; Sec. Cir. 65, pp. 19. 1917.
standards governing the form and arrangement of pans, specifications, and estimates for projects. Sec. [Misc.], "Standards governing the * * *," pp. 28. 1917.
text. Sec. Cir. 65, Appendix, pp. 4. 1917.

Road(s)—Continued.
Federal-aid—
amount, 1923. Off. Rec., vol. 2, No. 28, p. 5. 1923.
appropriations. Off. Rec., vol. 1, No. 19, p. 3. 1922; Off. Rec., vol. 3, No. 25, p. 3. 1924; Off. Rec., vol. 3, No. 52, p. 2. 1924.
appropriations, work, and proposed work, Secretary's annual report. News L., vol. 5, No. 19, p. 4. 1917.
attitude of Agriculture Department, address of Secretary. News L., vol. 4, No. 4, pp. 2-3. 1916.
construction, mileage, and cost—
1921. Sec. A.R., 1922, pp. 33-34. 1922; Y.B., Sep. 875, pp. 47-51. 1922.
1922. An. Rpts., 1922, pp. 33-34. 1923; Sec. A.R., 1922, pp. 33-34. 1922; Y.B., 1922, pp. 41-43. 1923. Y.B. Sep. 883, pp. 41-43. 1923.
1923. An. Rpts., 1923, pp. 49-50, 464. 1923; Sec. A.R., 1923, pp. 49-50. 1923; Rds. Chief Rpt., 1923, p. 2. 1923.
1925. Rds. Chief Rpt., 1925, pp. 1-25. 1925; Sec. A.R., 1925, pp. 91-94. 1925.
construction, sampling, and testing materials. D.B. 1216, pp. 1-96. 1924.
cooperation of States. News L., vol. 6, No. 20, p. 3. 1918.
estimates for twenty years. Off. Rec., vol. 1, No. 42, p. 2. 1922.
funds available. Sec. Cir. 131, p. 8. 1919.
in public land States. Off. Rec., vol. 1, No. 30, p. 8. 1922.
interstate systems. Off. Rec., vol. 1, No. 25, p. 1. 1922.
law enactments by 42 States, projects, and expenditures, 1916, 1917. News L., vol. 5, No. 22, p. 6. 1917.
location, character, and progress of work, 1924. Rds. Chief Rpt., 1924, pp. 1-8. 1924.
method of securing. Off. Rec., vol. 2, No. 27, p. 4. 1923.
new law, 1921. Sec. A.R., 1921, pp. 42-44. 1921.
profit in. Off. Rec., vol. 4, No. 29, p. 3. 1925.
project(s)—
agreements, location, and character. Rds. Chief Rpt., 1921, pp. 5-10. 1921.
and cost, April, 1919. News L., vol. 6, No. 42, p. 8. 1919.
approval and execution, 1921. Rds. Chief Rpt., 1921, pp. 12-19. 1921.
design and cost data. Y.B., 1917, pp. 265-270. 1918; Y.B. Sep. 727, pp. 3-8. 1918.
in national forests. An. Rpts., 1918, pp. 191-192. 1919; For. A.R., 1918, pp. 27-28. 1918.
miles and types, 1917, 1918, 1919. An. Rpts., 1919, pp. 398-408. 1920; Rds. Chief Rpt., 1919, pp. 8-18. 1919.
record for May, 1919. News L., vol. 6, No. 46, p. 8. 1919.
results, and proposed changes in law. An. Rpts., 1919, pp. 35-42, 43, 44. 1920; Sec, A.R., 1919, pp. 37-44, 45, 46. 1919.
status. See Public Roads monthly of Public Roads Bureau.
system, tabulation. Off. Rec., vol. 2, No. 30, p. 3. 1923.
to. J. E. Pennybacker and L. E. Boykin. Y.B., 1917, pp. 127-138. 1918; Y.B. Sep. 739, pp. 14. 1918.
total appropriation, and method of apportionment among States. News L., vol. 3, No. 50, pp. 1, 4. 1916.
Federal—
and State aid, statement by Secretary. News L., vol. 4, No. 4, pp. 1-2. 1916.
fund. Off. Rec., vol. 3, No. 26, p. 8. 1924.
fund administration. Off. Rec., vol. 1, No. 28, pp. 1, 5. 1922.
funds, apportionment 1917, by States. News L., vol. 4, No. 27, p. 2. 1917.
funds, apportionment, 1919, by States. News L., vol. 5, No. 7, p. 5. 1917.
mileage increase, 1923. Off. Rec., vol. 2, No. 42, p. 3. 1923.

Road(s)—Continued.
　Federal—Continued.
　　system and map. Sec. A.R., 1924, p. 56. 1924.
　　system, progress. Off. Rec., vol. 2, No. 22, pp. 1-2. 1923.
　　forest—
　　　and trails administering, rules and regulations under Federal highway act. Sec. [Misc.], "Rules and regulations * * *," pp. 14. 1922.
　　　appropriation, 1923. Off. Rec., vol. 2, No. 3, p. 2. 1923.
　　　benefits to tourists and vacation seekers. Y.B., 1919, p. 185. 1920; Y.B. Sep. 806, p. 185. 1920.
　　　cooperative building. Off. Rec., vol. 3, No. 47, p. 6. 1924.
　　　damage by grazing, Reg. G-23. For. [Misc.], "Use book, 1921," p. 66. 1922.
　　　expenditures, 1922. Off. Rec., vol. 2, No. 30, p. 3. 1923.
　　　Federal funds apportioned. Off. Rec., vol. 1, No. 5, p. 2. 1922.
　　　importance to work of Forest Service. Y.B., 1919, pp. 177-180. 1920; Y.B. Sep. 806, pp. 177-180. 1920.
　　　keeping clean for fire lines, cost, and methods. For. Bul. 82, pp. 29-33. 1910.
　　　mileage built in 1925. Off. Rec., vol. 4, No. 16, p. 5. 1925.
　　　of Colorado, approval and cost. Off. Rec., vol. 1, No. 26, p. 3. 1922.
　　　of Wyoming. Off. Rec., vol. 2, No. 28, p. 3. 1923.
　　　rules and regulations for administering. M.C. 60, pp. 25-30. 1925.
　　foundation(s)—
　　　bearing power, types, construction, cost, and specifications. D.B. 724, pp. 39-76, 82-86. 1919.
　　　for brick paving, directions. D.B. 23, pp. 10-13. 1913.
　　　or subgrades, and shoulders, description, construction. Rds. Bul. 47, pp. 12-15. 1913.
　　Fourth of July Canyon, historical note. Y.B., 1919, p. 185. 1920; Y.B. Sep. 806, p. 185. 1920.
　　Franklin County, construction cost. D.B. 393, pp. 57-58. 1916.
　　French, history, description, and construction methods. Rds. Bul. 47, pp. 9-11. 1913.
　　funds—
　　　apportionment—
　　　　among States, map and discussion. Y.B., 1917, p. 136. 1918; Y.B. Sep. 739, p. 12. 1918.
　　　　and applications for, regulations. Sec. Cir. 65, pp. 14-16. 1917.
　　　　of Federal aid and progress of work. Y.B., 1920, pp. 343-349. 1921; Y.B. Sep. 849, pp. 343-349. 1921.
　　　bond-issue plans, comparisons. News L., vol. 4, No. 12, p. 1. 1916.
　　　expenditures and sources, 1921. Off. Rec., vol. 1, No. 21, p. 8. 1922.
　　　Federal, apportionment by Secretary, by States. News L., vol. 3, No. 52, p. 1. 1916.
　　　national forests, use on State roads. Off. Rec., vol. 1, No. 37, p. 3. 1922.
　　good—
　　　advantages and value to rural communities. News L., vol. 4, No. 16, p. 1. 1915.
　　　benefit to crop production. News L., vol. 1, No. 51, p. 4. 1914.
　　　country, value and profit. News L., vol. 1, No. 2, p. 1. 1913.
　　　duty of Government. Rds. Bul. 23, p. 31. 1902.
　　　effect on—
　　　　school centralization. News L., vol. 5, No. 42, p. 7. 1918.
　　　　value of farm land. News L., vol. 4, No. 14, p. 1. 1916.
　　　hauling capacity, comparison with poor roads. News L., vol. 4, No. 15, p. 3. 1916.
　　　how to get them. Rds. Bul. 21, p. 78. 1901.
　　　importance to—
　　　　farmers, discussion. Y.B., 1914, pp. 43-46. 1915.
　　　　new settlers, irrigated lands. Y.B., 1912, p. 490. 1913; Y.B. Sep. 608, p. 490. 1913.

Road(s)—Continued.
　good—continued.
　　interstate, and Jefferson Memorial, convention, held at Charlottesville, Va., April 2-4, 1902, proceedings. Rds. Bul. 25, pp. 60. 1902.
　　Kentucky organizations. Rds. Bul. 21, p. 81. 1901.
　　material progress, relation. Rds. Bul. 23, p. 26. 1902.
　　movement, progress and present status, United States. Logan Waller Page. Y.B., 1910, pp. 265-274. 1911; Y.B. Sep. 535, pp. 265-274. 1911.
　　national association, officers, 1900. Y.B., 1900, p. 664. 1901; Y.B., 1901, p. 633. 1902.
　　national convention, held at St. Louis, April 27-29, 1903, proceedings. Rds. Bul. 26, pp. 80. 1903.
　　need of—
　　　firm foundation, and drainage. News L., vol. 6, No. 32, pp. 15-16. 1919.
　　　women on farm. Y.B. 1914, p. 315. 1915; Y.B. Sep. 644, p. 315. 1915.
　　North Carolina convention, held at Raleigh, Feb. 12 and 13, 1902, proceedings. Rds. Bul. 24, pp. 72. 1903.
　　question of the hour. Rds. Bul. 23, p. 47. 1902.
　　reduction of hauling cost, note. News L., vol. 4, No. 12, p. 7. 1916.
　　relation to—
　　　beet-sugar industry. D.B. 995, pp. 50-51. 1921.
　　　industrial development. Rds. Bul. 23, p. 78. 1902.
　　saving in motor costs. Off. Rec., vol. 2, No. 45, p. 1. 1923.
　　work—
　　　for new century. Rds. Bul. 21, p. 52. 1901.
　　　of Federal Government. Rds. Bul. 23, p. 43. 1902.
　graders, description, etc. Rds. Bul. 36, pp. 19-20, 1911. Rds. Bul. 47, pp. 28-29. 1913.
　grades—
　　discussion. Y.B. 1917, pp. 279-281. 1918; Y.B. Sep. 727, pp. 17-18. 1918.
　　factors affecting, and maximum. D.B. 463, pp. 11-14. 1917.
　grading—
　　methods and machines. D.B. 463, pp. 20-31, 63-65. 1917.
　　national forests. Y.B. 1916, p. 526. 1917; Y.B. Sep. 696, p. 6. 1917.
　gravel—
　　construction—
　　　and cost, Hennepin County, Minn. Rds. Bul. 21, p. 96. 1901.
　　　materials and cost. D.B. 463, pp. 45-58, 66-68. 1917.
　　cost in various localities. Y.B. 1914, p. 223. 1915; Y.B. Sep. 638, p. 223. 1915.
　　description and—
　　　construction methods. D.B. 220, pp. 12-13. 1915; Rds. Bul. 47, p. 18. 1913; Rds. Bul. 48, p. 49. 1913.
　　　cost. An. Rpts., 1908, pp. 752-753. 1909; Rds., Chief Rpt., 1908, pp. 12-13. 1908.
　　details and cost. D.B. 284, pp. 6-11, 24, 25, 27-34, 36-50, 52-53. 1915.
　　disadvantages under heavy traffic. Rds. Bul. 42, pp. 7-10. 1912.
　　experiments, 1912-1913, cost. D.B. 53, pp. 10-14. 1913.
　　macadam experiments, 1912-1913, cost. D.B. 53, pp. 14-15. 1913.
　　maintenance with drag. F.B. 597, pp. 10, 12. 1914.
　　model, exhibit. Rds. Bul. 36, p. 13. 1911.
　　object-lesson, various States—
　　　1910. An. Rpts., 1910, pp. 771, 773-774. 1911; Rds. Chief Rpt., 1910, pp. 9, 11-12. 1910.
　　　1911. An. Rpts., 1911, pp. 719, 723. 1912; Roads Rpt., 1911, pp. 9, 13. 1911.
　　　1912, details and cost. An. Rpts., 1912, pp. 852-853. 1913; Rds. Chief Rpt., 1912, pp. 8-9. 1912.
　　oil-asphalt, binding experiments. D.B. 105, p. 41. 1914.
　　or macadam, foundation, or subgrade, and shoulders, description. D.B. 220, pp. 7-10. 1915.

INDEX TO PUBLICATIONS, 1901–1925   2011

Road(s)—Continued.
  gravel—continued.
    repair and maintenance. Rds. Bul. 48, pp. 48–52. 1913.
    selection and testing. D.B. 463, pp. 46–52. 1917.
    shell and stone, construction, details. O.E.S. F.I.L. 7, pp. 8–10. 1907.
    specifications and testing. D.B. 704, pp. 14–17, 25, 31–32, 36. 1918.
    surfacing, analyses. D.B. 407, pp. 5, 7, 12, 14, 25, 33. 1916.
    surfacing and maintenance. S.R.S. Syl. 29, pp. 7, 9. 1917.
    gravelly, use of a drag for maintaining. F.B. 321, p. 11. 1908.
  hard, materials, tools, and machinery for construction. O.E.S.F.I.L. 7, pp. 8–10. 1907.
  hauling with trucks, saving time and labor. D.B. 1254, pp. 11–13. 1924.
  highway, classification, and economic value, studies. D.B. 136, pp. 5–10. 1915.
  importance to farmers, administration and discussion. Y.B. 1919, pp. 45–55. 1920.
  improved—
    benefits. F.B. 505, pp. 20. 1912.
    department aid to communities. News L., vol. 2, No. 48, pp. 1, 7. 1915.
    influence on school attendance. News L., vol. 6, No. 40, p. 16. 1919.
    mileage—
      1904. Rds. Bul. 32, p. 11. 1907.
      and percentage, various States, 1909. Rds. Bul. 41, pp. 7–9. 1912.
      in United States. Off. Rec., vol. 3, No. 9, p. 5. 1924.
    saving in hauling cost in various States. News L., vol. 4, No. 15, pp. 1–2. 1916.
    saving in Wisconsin. News L., vol. 6, No. 51, p. 8. 1919.
  improvement(s)—
    1896–1908, review by Secretary. Rpt. 87, pp. 89–90. 1908.
    and maintenance, recommendations. Rds. Bul. 42, pp. 26–27, 29–35. 1912.
    bonds issued, various States, character. D.B. 393, pp. 2–4. 1916.
    by county associations, Kentucky and Virginia. Y.B., 1915, pp. 229–230, 235, 246. 1916; Y.B. Sep. 672, pp. 229, 230, 235, 246. 1916.
    county, economic surveys. D.B. 393, pp. 1–86. 1916.
    economic effect, comparative analysis. D.B. 393, pp. 2–10. 1916.
    effect on rural land values. An. Rpts., 1923, p. 470. 1923; Rds. Chief Rpt., 1923, p. 8. 1923.
    Federal and State appropriations. Sec. Cir. 130, p. 14. 1919.
    influence of St. Francis Valley drainage project. O.E.S. Bul. 230, Pt. I, p. 81. 1911.
    influence on school attendance. D.B. 393, pp. 9, 27–28, 36, 51–52, 77–78. 1916.
    lecturers furnished to communities. News L., vol. 2, No. 48, p. 1. 1915.
    lectures, in various States. An. Rpts., 1908, pp. 758–763. 1909; Rds. Chief Rpt., 1908, pp. 18–23. 1908.
    organizations, aid of department. Y.B., 1915, p. 272. 1916; Y.B. Sep. 675, p. 272. 1916.
    prospects in South. Rds. Bul. 23, p. 17. 1902.
    relation of rural free delivery. Rds. Bul. 21, p. 92. 1901.
    relation to motor vehicles and tourists. F.B. 505, pp. 16–18. 1912.
    requisites. Rds. Bul. 23, p. 26. 1902.
    selection, management, and maintenance. D.B. 393, pp. 2–6, 15–19, 30–32, 39–41, 48–49, 53–54, 56–57, 64–66, 72–75, 82–83. 1916.
    State expenditures, materials and construction. An. Rpts., 1908, pp. 171–173. 1909; Sec. A.R., 1909, pp. 170–171. 1908.
    tar and oil; report of progress of experiments at Jackson, Tenn. Rds. Cir. 47, p. 8. 1906.
    use of mineral oil. James W. Abbott. Y.B., 1902, pp. 439–454. 1903; Y.B. Sep. 296, pp. 439–454. 1903.
    work of women's organizations. D.B. 719, p. 12. 1918.

Road(s)—Continued.
  in—
    sand-hill regions, use of sand-clay, methods, experiments and results. Rds. Cir. 91, pp. 17–23. 1910.
    Southern States, special problems. D. H. Winslow. Rds. Cir. 95, pp. 15. 1911.
    spruce forests, location. For. Cir. 131, p. 10. 1907.
  injury by—
    automobiles, necessity of road preservatives. Y.B., 1907, p. 136. 1908; An. Rpts., 1907, p. 138, 1908, Sec. A.R., 1907, p. 137. 1907; Rpt. 85, p. 98. 1907.
    traffic, causes. J.A.R., vol. 10, pp. 263–274. 1917.
  inspection and advice, engineers assigne[1] to different States. An. Rpts., 1915, pp. 315–316. 1916; Rds. Chief Rpt., 1915, pp. 3–4. 1915.
  International Congress, Buffalo, N. Y., September, 1901. Rds. Chief Bul. 21, pp. 100. 1901.
  Jefferson memorial, object lesson. Rds. [Misc.], "Object-lesson road * * *," p. 1. 1902.
  kinds—
    description, construction methods, and cost. D.B. 220, pp. 10–20. 1915.
    effect on use of motor trucks. D.B. 1254, pp. 14–15. 1924.
    mileage data, etc., studies of Roads Office. News L., vol. 3, No. 22, p. 8. 1916.
    required under Federal road act, explanation by Agriculture Secretary. News L., vol. 4, No. 30, p. 1. 1917.
  labor, prices, decrease. Off. Rec., vol. 1, No. 15, p. 2. 1922.
  lack in Alaska, obstacle to homesteaders. D.B. 50, pp. 13, 28. 1914.
  laws—
    American colonies, 1632 to 1735, historical notes. Y.B., 1910, pp. 265–267. 1911; Y.B., Sep. 535, pp. 265–267. 1911.
    and road building in Mass. Rds. Bul. 21, p. 34. 1901.
    enacted 1906. M. O. Eldridge. Y.B., 1906, pp. 521–523. 1907.
    enacted 1907. Y.B., 1907, pp. 597–607. 1908.
    enacted 1908. Y.B., 1908, pp. 590–596. 1909.
    State—
      aid in enforcement of Federal road act, work, 1917. News L., vol. 5, No. 43, p. 7. 1918.
      cooperation with Federal road laws. Y.B., 1917, pp. 132–133. 1918; Y.B. Sep. 739, pp. 8–9. 1918.
      essential features, and compilation. Y.B., 1914, pp. 214–215, 224–225. 1915; Y.B. Sep. 638, 214–215, 224–225. 1915.
    laying out, methods, studies. News L., vol. 1 No. 18, pp. 2–3. 1913.
    legislation and improvement, different States—
      1901. Y.B., 1901, p. 679. 1902.
      1902. Y.B., 1902, p. 734. 1903.
      1903. Y.B., 1903, p. 569. 1904.
      1904. Y.B., 1904, p. 610. 1905.
      1905. Y.B., 1905, pp. 624–627. 1906; Y.B. Sep. 407; p. 624–627. 1906.
    levy rates, per $100 assessed valuation. Rds. Bul. 32, pp. 18–19. 1907.
    light traffic, surfacing. Y.B., 1910, p. 302, 1911; Y.B. Sep. 538, p. 302, 1911.
    loam and alkali, improvement, methods and results. Rds. Cir. 91, pp. 16–17. 1910.
    location and design survey, drainage, grades, and slopes. D.B. 463, pp. 2–15. 1917; S.R.S. Syl. 29, pp. 4–6. 1917.
  log—
    McKenzie Highway, Oregon. D.C. 104, pp. 24–27. 1920.
    old Willamette Military Road. D.C. 104, pp. 28–31. 1920.
    logging, preparation. D.B. 718, p. 44. 1918.
    macadam. Austin B. Fletcher. F.B. 338. pp. 39. 1908.
  macadam—
    bituminous—
      description, construction methods, resurfacing. D.B. 220, pp. 14–16. 1915; Rds. Bul. 42, pp. 11–14. 1912.
      Washington, D. C., and vicinity. Sec. Cir. 77, pp. 1–8. 1917.

36167°—32——127

Road(s)—Continued.
  macadam—continued.
    construction—
      Austin B. Fletcher. Rds. Bul. 29, pp. 56. 1907.
      rock hardness and toughness, limits. J.A.R., vol. 5, pp. 906-907. 1916.
    cost—
      in various localities. Y.B., 1914, pp. 222-223. 1915; Y.B. Sep. 638, pp. 222-223. 1915.
      New Jersey. D.B. 386, p. 9. 1916.
      of surface and maintenance. Rds. Bul. 29, pp. 24-29. 1907.
    description, construction methods, dates, and materials. D.B. 220, pp. 5-6. 1915; D.B. 284, pp. 3-5, 26, 27, 36, 50-53. 1915.
    drainage directions. F.B. 338, pp. 13-16. 1908; Rds. Bul. 29, pp. 14-17. 1907.
    experiments, 1912-1913, cost. D.B. 53, pp. 4-10. 1913.
    first in the country, southeastern Pennsylvania. Soil Sur. Adv. Sh., 1912, p. 12. 1914; Soils F.O., 1912, p. 252. 1915.
    history, description, and construction, methods. Rds. Bul. 47, pp. 11, 19-24. 1913.
    maintenance. F.B. 338, pp. 25-27. 1908.
    materials, selection. Y.B., 1900, pp. 349-356. 1901; Y.B. Sep. 204, pp. 349-356. 1901.
    model, exhibit. Rds. Bul. 36, pp. 13-18. 1911.
    number of cubic yards per 100 feet, various road widths. D.B. 660, p. 42. 1918.
    object lesson, various States—
      1909. An. Rpts., 1909, pp. 716-719. 1910; Rds. Chief Rpt., 1909, pp. 8-11. 1909.
      1910. An. Rpts., 1910, pp. 770, 771-773. 1911; Rds. Chief Rpt., 1910, pp. 8, 9-11. 1910.
      1911. An. Rpts., 1911, pp. 718, 719, 722. 1912; Rds. Chief Rpt., 1911, pp. 8, 9, 12. 1911.
      1912. An. Rpts., 1912, pp. 849-852. 1913; Rds. Chief Rpt., 1912, pp. 5-8. 1912.
    oil-gravel, binding experiments. D.B. 105, p. 41. 1914.
    repair and maintenance, methods and cost Rds. Bul. 48, pp. 9-35. 1913.
    resurfacing cost, bituminous materials. Rds. Bul. 48, pp. 21-32. 1913.
    resurfacing work, cost. Rds. Cir. 99, pp. 9-11. 1913.
    rock-asphalt, description, and construction methods. D.B. 220, p. 17. 1915.
    selection of material. Logan Waller Page. Y.B., 1900, pp. 349-356. 1901; Y.B. Sep. 204, pp. 349-356. 1901.
    stone for building, quality, weight. F.B. 338, pp. 6-8. 1908.
    surface, modifications, and adaptations. Y.B., 1917, pp. 272-273, 275. 1918; Y.B. Sep. 727, pp. 10-11, 13. 1918.
    surfacing and maintenance. S.R.S. Syl. 29, pp. 7-8, 9. 1917.
    surfacing and maintenance experiments. D.B. 407, pp. 2-23, 30-32. 1916.
    water-bound—
      description and construction methods. D.B. 220, pp. 13-14. 1915; Rds. Bul. 47, pp. 19-20. 1913.
      tests of rocks, interpretation of results. D.B. 370, pp. 9-10. 1916.
  machinery, description. Rds. Bul. 47, pp. 26-29. 1913.
  machines, rollers, etc., value in road building. F.B. 338, p. 10. 1908.
  maintenance—
    and repair, methods, importance. News L., vol. 2, No. 8, pp. 3-4. 1914.
    by use of road drag. News L., vol. 6, No. 16, p. 8. 1918.
    cost. D.B. 136, rev., pp. 12-14. 1917.
    cost per year with and without drag. F.B. 321, p. 12. 1908.
    difficulties. Y.B., 1921, pp. 48, 50. 1922; Y.B. Sep. 875, pp. 48, 50. 1922.
    duty of States. Sol. [Misc.], "Laws applicable * * * agriculture," Sup. 4, pp. 64-65. 1917.
    experiment—
      Alexandria County, Va. An. Rpts., 1912, pp. 879-881. 1913; Rds. Chief Rpt., 1912, pp. 35-37. 1912.

Road(s)—Continued.
  maintenance—continued.
    experiment—continued.
      Maryland and Virginia, 1913. An. Rpts., 1913, pp. 291-293. 1914; Rds. Chief Rpt., 1913, pp. 7-9. 1913.
      importance. S.R.S. Syl. 29, p. 9. 1917.
    in Hawaii. Hawaii Bul. 2, pp. 1-2. 1917.
    methods and cost. D.B. 463, pp. 58-62. 1911; Rds. Bul. 42, pp. 18-20, 23, 24, 26. 1912.
    national forests, methods and cost. Y.B., 1916, p. 527. 1917; Y.B. Sep. 696, p. 7. 1917; For. Misc., 0-6, pp. 59-60. 1915.
    provision of law, necessity and importance. Rds. Chief Rpt., 1921, pp. 10-11. 1921; Sec. A.R. 1921, pp. 43-44. 1921.
    responsibility of States. News L., vol. 3, No. 50, p. 1. 1916.
    with drag, cost annually. F.B. 321, p. 12. 1908.
  making equipment, rental, table. D.B. 660, pp. 50-52. 1918.
  management—
    and economics, surveys, models, and exhibits—
      1917. An. Rpts., 1917, pp. 367-371. 1917; Rds. Chief Rpt., 1917, pp. 9-12. 1917.
      1918. An. Rpts., 1918, pp. 381-383. 1918; Rds. Chief Rpt., 1918, pp. 9-11. 1918.
    State, progress and history. Y.B., 1914, pp. 213-215. 1915; Y.B. Sep. 638, pp. 213-215. 1915.
    United States and foreign countries, cost. Rds. Bul. 48, pp. 53-68. 1913.
  material(s)—
    and designs, studies. Sec. A.R., 1921, p. 26. 1921.
    bituminous—
      classification and selection. Rds. Bul. 38, pp. 7-8. 1911; Y.B., 1910, pp. 299-301. 1911; Y.B. Sep. 538, pp. 299-301. 1911.
      description and classification. Rds. Cir. 93, pp. 1-16. 1911.
      disperse colloids, ultra-microscopic examination. E. C. E. Lord. J.A.R., vol. 17, No. 4, pp. 167-176. 1919.
      examination methods. Prévost Hubbard and Charles S. Reeve. Rds. Bul. 38, pp. 45. 1911; D.B. 314, pp. 48. 1915.
      testing methods. D.B. 691, pp. 47-58. 1918; D.B. 949, pp. 36-61. 1921.
      tests. D.B. 949, pp. 36-61. 1921.
      typical specifications. Prévost Hubbard and Charles S. Reeve. D.B. 691, pp. 60. 1908.
    brick roads, requirements. D.B. 373, pp. 14-16, 27-30. 1916.
    cementing—
      power. Logan Waller Page and Allerton S. Cushman. Chem. Bul. 85, pp. 24. 1904.
      value, and measure. Rds. Bul. 28, pp. 14, 15. 1907.
    control by United States Highways Council. An. Rpts., 1918, p. 41. 1918; Sec. A.R., 1918, p. 41. 1918.
    correlation of physical properties with mineral composition. Rds. Bul. 31, pp. 25-28. 1907.
    cost, comparison. Rds. Cir. 90, p. 2. 1909; Y.B., 1906, p. 146. 1907; Y.B. Sep. 412, p. 146. 1907.
    distillation test, equipment, method, and use. Rds. Bul. 38, pp. 24-27. 1911.
    distribution, cementing value. Chem. Bul. 85, pp. 17-24. 1904.
    dust prevention and road preservation, experiments. Rds. Cir. 99, pp. 5-51. 1913.
    flash and burning points, determination, equipment, method, and use. Rds. Bul. 38, pp. 21-23. 1911.
    float test, equipment, method, and use. Rds. Bul. 38, pp. 14-16. 1911.
    for macadam, selection. Y.B., 1900, pp. 349-356. 1901; Y.B. Sep. 204, pp. 349-356. 1901.
    geographical distribution and cementing value. Chem. Bul. 85, pp. 17-24. 1904.
    investigation—
      and selection. Rpt. 83, pp. 90-93. 1906.
      program for 1915. Sec. [Misc.], "Program of work * * * 1915," pp. 268-270. 1914.
    laboratory—
      exhibit at Pan-American Exposition. Chem. Bul. 63, pp. 25-29. 1901.

Road(s)—Continued.
material(s)—continued.
laboratory—continued.
studies, analyses, tests, laboratory locations. Y.B., 1900, pp. 27, 54, 355, 356. 1901.
tests, Chemistry Bureau, 1902. Rpt. 73, p. 59. 1902.
Maine, southern and eastern. Henry Leighton and Edson S. Bastin. Rds. Bul. 33, pp. 56. 1908.
measurements, tables. D.B. 660, pp. 42–46. 1918.
melting-point determination, equipment, method, and use. Rds. Bul. 38, pp. 19–21. 1911.
Minnesota—
resources. George W. Cooley. Rds. Bul. 40, pp. 24. 1911.
tests by Roads Office, comparison with other road materials. Rds. Bul. 40, pp. 23–24. 1911.
nonbituminous—
tests and proposed modifications. D.B. 949, pp. 3–35, 62–67. 1921.
typical specifications. Prevost Hubbard and Frank H. Jackson, jr. D.B. 704, pp. 40. 1918.
paraffin-scale determination, equipment, method, and use. Rds. Bul. 38, pp. 33–34. 1911.
penetration test, equipment, method, use, etc. Rds. Bul. 38, pp. 16–19. 1911.
physical properties—
classification. Rds. Bul. 31, pp. 23–25. 1907.
relation to mineral composition and rock structure. E. C. E. Lord. D.B. 348, pp. 26. 1916.
requirements physical tests, and machines. Rds. Bul. 44, pp. 7–26. 1912.
sampling and testing—
methods recommended by State highway testing engineers. D.B. 949, pp. 98. 1921.
practices. Rds. Bul. 33, pp. 9–11. 1908.
standard methods. D.B. 555, pp. 45–52. 1917.
tentative standards. D.B. 1216, pp. 1–96. 1924.
selection, aid from Roads Office. An. Rpts., 1907, pp. 730–731, 732. 1908.
specific—
gravity, determination methods, etc. Rds. Bul. 38, pp. 9–12. 1911.
gravity test. D.B. 1216, pp. 12–13. 1924.
viscosity, determination methods. Rds. Bul. 38, pp. 13–14. 1911.
specifications, harmonizing. Off. Rec., vol. 1, No. 14, p. 2. 1922.
standard forms, tests, reports, and methods for sampling. D.B. 555, pp. 56. 1917.
testing device. Off. Rec., vol. 1, No. 12, p. 3. 1922.
standardization. An. Rpts., 1917, p. 373. 1918; Rds. Chief Rpt., 1917, p. 15. 1917.
testing, methods recommended. D.B. 555, pp. 30–37. 1917.
tests—
and research, 1925. Rds. Chief Rpt., 1925, pp. 29–33. 1925.
exhibit at Buffalo Exposition. Chem. Bul. 63, pp. 25–29. 1901.
inauguration in France and continuation in United States. D.B. 347, p. 2. 1916.
object, methods, value, and equipment. D.B. 347, pp. 3–22, 26. 1916.
results. Rds. Bul. 44, pp. 26–92. 1912.
review by Secretary, 1904. Rpt. 79, pp. 55–57. 1904.
samples, selection and shipping. D.B. 691, pp. 58, 59, 60. 1918.
sampling, time, place, and frequency. D.B. 691, pp. 58, 59, 60. 1918.
standardization. Off. Rec., vol. 1, No. 30. p. 4. 1922.
transfer. Off. Rec., vol. 3, No. 21, p. 2. 1924.
transportation, improvement in 1921. Y.B., 1921, p. 48. 1922; Y.B. Sep. 875, p. 48. 1922.
volatilization test, equipment, method, and use. Rds. Bul. 38, pp. 23–24. 1911.

Road(s)—Continued.
mileage—
and cost—
1916–1923. Off. Rec., vol. 2, No. 22, p. 2. 1923.
1921. Off. Rec., vol. 1, No. 52, p. 3. 1922.
and per cent of improvement, various counties. D.B. 393, pp. 9–10, 17, 27. 1916.
and types, summary for 1917, 1918, 1919, 1920. An. Rpts., 1920, p. 507. 1921.
character, and cost, data collection by department. News L., vol. 2, No. 41, pp. 7–8. 1915.
cost, and haulage summary. An. Rpts., 1908, pp. 144–145. 1909; Sec. A.R., 1908, pp. 142–143. 1908.
in New Jersey, 1914. News L., vol. 4, No. 6, p. 8. 1916.
in United States, investigations, 1904–1907, and results. An. Rpts., 1912, p. 211. 1913; Sec. A.R., 1912, p. 211. 1912; Y.B., 1912, p. 211. 1913.
kinds and estimated cost. Y.B., 1908, pp. 144–145. 1909.
military—
Nashville, Tenn., to New Orleans, La., aid in settlement. Soil Sur. Adv. Sh., 1911 (Lowndes County, Miss.), p. 11. 1912; Soils F.O., 1911, p. 1089. 1914.
old Willamette road, log. D.C. 104, pp. 28–31. 1920.
model(s)—
description. D.B. 220, pp. 24. 1915.
exhibit(s) by Public Roads Office, 1909–1915, list, description. D.B. 220, pp. 1–2. 1915.
exhibit, descriptive catalogue. Rds. Bul. 36, pp. 20, 1911.
Roads Office, descriptive catalogue. Rds. Bul. 47, pp. 29. 1913.
systems—
construction, maintenance, and administration. Rds. Chief Rpt., 1911, pp. 36–41. 1911; An. Rpts., 1911, pp. 746–751. 1912.
development, exhibits, and educational value. An. Rpts., 1912, pp. 111, 209. 1913; Sec. A.R., 1912, pp. 111, 209. 1912; Y.B., 1912, pp. 111, 209. 1913.
moneys paid to States from receipts of Forest Service. An. Rpts., 1913, p. 178. 1914; For. A.R., 1913, p. 44. 1913.
mountain—
James W. Abbott. Y.B., 1900, pp. 183–198. 1901; Y.B. Sep. 210, pp. 183–198. 1901.
as a source of revenue. James W. Abbott. Y.B., 1901, pp. 527–540. 1902; Y.B. Sep. 253, pp. 527–540. 1902.
national and interstate systems, development. An. Rpts., 1922, pp. 461–463. 1922; Rds. Chief Rpt., 1922, pp. 1–3. 1922.
national forests—
and national parks, 1913–1914. D.B. 284, pp. 54–57. 1915.
annual appropriations. News L., vol. 3, No. 50, pp. 1, 4. 1916.
construction and improvement, 1925. For. A.R., 1925, pp. 41–44. 1925.
construction progress, 1920, 1921. Rds. Chief Rpt., 1921, pp. 20–24. 1921.
cooperative, construction, regulations. Sec. Cir. 65, pp. 13–19. 1916.
cost, needs, and development. Y.B., 1914, pp. 57–58, 84–88. 1915; Y.B. Sep. 633, pp. 57–58, 84–88. 1915.
development and advantages. An. Rpts., 1916, pp. 38, 39–40, 155, 159, 177. 1917; For. A.R., 1916, pp. 1, 5, 23. 1916; Sec. A.R., 1916, pp. 40, 41–42. 1916.
funds for building. M.C. 47, p. 19. 1925.
improvement, 1922. D.C. 240, pp. 8, 9. 1922.
mileage and expenditures, by States, 1920–1922. For. A.R., 1921, pp. 31–34. 1921.
open roads, through. John L. Cobbs, jr. Y.B., 1919, pp. 177–188. 1920; Y.B. Sep. 806, pp. 177–188. 1920.
regulations and permits. For. [Misc.], "The use book, 1908," pp. 42, 97. 1908.
use in developing resources. Y.B., 1916, pp. 521–529. 1917; Y.B. Sep. 696, pp. 1–9. 1917.

Road(s)—Continued.
   national forests—continued.
      work since 1912, and maintenance. Y.B., 1916, pp. 522, 525-527. 1917; Y.B. Sep. 696, pp. 2, 5-7. 1917.
      national routes and marks. Off. Rec., vol. 4, No. 49, p. 2. 1925.
      necessity for drainage. News L., vol. 6, No. 32, pp. 15-16. 1919.
      new projects, 1919. News L., vol. 7, No. 10, p. 15. 1919.
      object lesson—
         Logan Waller Page. Y.B., 1906, pp. 137-150. 1907; Y.B. Sep. 412, pp. 137-150. 1907.
      and experimental—
         1910. An. Rpts., 1910, pp. 153, 769-782. 1911; Sec. A.R. 1910, p. 153. 1910; Rpts. 93, p. 95. 1911; Y.B., 1910, p. 151. 1911.
         1912, and 1897-1912. An. Rpts., 1912, pp. 111, 207-208. 1913; Sec. A.R. 1912, pp. 111,; 207-208. 1912.
         1912-13. D.B. 53, pp. 1-33. 1913.
         1913-14. D.B. 284, pp. 2-23. 1915.
      and road conventions in Southern States. Rds. Bul. 33, pp. 89. 1902.
      construction—
         1905-1913, material and areas. D.B. 53, pp. 1-2. 1913.
         1905-1914. An. Rpts. 1914, p. 270. 1915; Rds. Chief Rpt. 1914, p. 2. 1914.
         1915, location and type. An. Rpts., 1915, p. 314. 1916; Rds. Chief Rpt., 1915, p. 2. 1915.
         1917, and maintenance. An. Rpts., 1917, pp. 365-566. 1918; Rds. Chief Rpt., 1917, pp. 7, 8. 1917.
         1918, experimental work for States. An. Rpts 1918, p. 381. 1919; Rds. Chief Rpt. 1918, p. 9. 1918.
         grants of assistance. An. Rpts., 1905, pp. 423-426. 1905; Rds. Chief Rpt., 1905, pp. 423-426. 1905.
         inspection, 1912. An. Rpts., 1912, pp. 864-868. 1913; Rds. Chief Rpt., 1912, pp. 20-24. 1912.
      oil—
         control of chinch bug. F.B. 657, p. 21. 1915.
         coralline rock, road-binding experiments, Miami, Fla. D.B. 105, pp. 25-29. 1914.
         for hot and cold application, specifications. D.B. 691, pp. 5-8. 1918.
         mileage, United States, 1904. Rds. Bul. 32, p. 15. 1907.
         permit requirements. News L., vol. 5, No. 44, p. 5. 1918.
         sale restrictions and permit requirements. News L., vol. 5, No. 47, p. 16. 1918.
         stains, removal from textiles. F.B. 861, p. 32. 1917.
      oiled, repairs. Y.B., 1902, pp. 452-453. 1903.
      oiling, experiments, 1904, review by Secretary. Rpt. 79, p. 57. 1904.
      "Old National," project for completion. News L., vol. 7, No. 5, p. 15. 1919.
      operations, time and cost, records. D.B. 660, pp. 23-38. 1918.
      paved—
         description and construction methods. Rds. Bul. 47, pp. 24-26. 1913.
         other than brick, description, and construction methods. D.B. 220, pp. 18-20. 1915.
      paving, cost. Off. Rec., vol. 1, No. 10, p. 3. 1922.
      periodical, resumption. Off. Rec., vol. 3, No. 6, p. 4. 1924.
      physical research and tests. An. Rpts., 1923, pp. 470-476. 1924; Rds. Chief Rpt., 1923, pp. 8-14. 1923.
      Porto Rico, description. D.B. 354, pp. 18-20. 1916.
      post—
         appropriation. Off. Rec., vol. 2, No. 3, p. 2. 1923.
         consideration in House. Off. Rec., vol. 1, No. 21, p. 1. 1922.
         construction and improvements, 1915. Sec. [Misc.], "Program of work * * *," p. 268. 1914.
         experimental, mileage under construction in various States, kind, cost, and maintenance. News L., vol. 3, No. 6, p. 8. 1915.

Road(s)—Continued.
   post—continued.
      Federal-aid bill. Off. Rec., vol. 1, No. 11, p. 7. 1922.
      laws and appropriations, 1916. Soil [Misc.], "Laws applicable * * * Agriculture," Sup. 4, pp. 62-67. 1917.
      projects completed and in progress, 1912-1916. News L., vol. 4, No. 19, p. 3. 1916.
   preservation—
      and construction, and dust prevention, experiments, progress reports—
         1908. Rds. Cir. 90, pp. 23. 1909.
         1909. Rds. Cir. 92, pp. 32. 1910.
         1910. Rds. Cir. 94, pp. 56. 1911.
         1911. Rds. Cir. 98, pp. 47. 1912.
         1912. Rds. Cir. 99, pp. 51. 1913.
         1913. D.B. 105, pp. 46. 1914.
         1914. D.B. 257, pp. 44. 1915.
         1915. D.B. 407, pp. 71. 1916.
         1916. D.B. 586, pp. 78. 1918.
   problems—
      public sentiment, finance, and engineering. S.R.S. Syl. 29, pp. 2-4. 1917.
      special inspection and advice. An. Rpts., 1917, pp. 366, 369-370. 1917; Rds. Chief. Rpt., 1917, pp. 8, 11-12. 1917.
   projects—
      1917, number, mileage, and cost. Y.B., 1917, pp. 53-54, 96. 1918.
      1918, Federal aid, assent of States, and action during 1918. An. Rpts., 1918, pp. 375-379. 1918; Rds. Chief Rpt., 1918, pp. 3-7. 1918.
      1919, approval by highways council. An. Rpts., 1919, p. 395. 1920; Rds. Chief Rpt., 1919, p. 5. 1919; Y.B., 1919, p. 49. 1920.
      1921, mileage and cost. Off. Rec., vol. 1, No. 6, p. 2. 1922.
      1922, by States and by types. An. Rpts., 1922, pp. 468-484. 1923; Rds. Chief Rpt., 1922, pp. 8-24. 1922.
      payments to States. Off. Rec., vol. 2, No. 22 p. 2. 1923.
   protection—
      from soil blowing. F.B 421, p. 19. 1910.
      use of canvas duck. Off. Rec., vol. 1, No. 10, p. 3. 1922.
   public—
      building in the States. News L., vol. 7, No. 5, p. 14. 1919.
      design. Charles H. Moorefield. Y.B., 1917, pp. 265-281. 1918; Y.B. Sep. 727, pp. 19. 1918.
   improvement, illustrated lecture. S.R.S. Syl. 29, pp. 12. 1917.
   in—
      Alabama, mileage and expenditures in 1904. Rds. Cir. 46, pp. 3. 1906.
      Arizona, mileage and expenditures, 1904. Rds. Cir. 40, pp. 2. 1906.
      Arkansas, mileage and expenditures in 1904. Rds. Cir. 41, pp. 3. 1906.
      California, mileage and expenditures in 1904. Rds. Cir. 69, pp. 3. 1907.
      Colorado, mileage and expenditures in 1904. Rds. Cir. 65, pp. 3. 1906.
      Connecticut, mileage and expenditures in 1904. Rds. Cir. 86, pp. 2. 1907.
      Delaware, mileage and expenditures in 1904. Rds. Cir. 81, pp. 2. 1907.
      Florida, mileage and expenditures, 1904. Rds. Cir. 59, pp. 3. 1906.
      Georgia, mileage and expenditures in 1904. Rds. Cir. 76, pp. 4. 1907.
      Idaho, mileage and expenditures in 1904. Rds. Cir. 64, pp. 2. 1906.
      Illinois, mileage and expenditures, 1904. Rds. Cir. 70, pp. 4. 1907.
      Indiana, mileage and expenditures in 1904. Rds. Cir. 66, pp. 4. 1907.
      Iowa, mileage and expenditures in 1904. Rds. Cir. 43, pp. 4. 1906.
      Kansas, mileage and expenditures in 1904. Maurice O. Eldridge. Rds. Cir. 63, pp. 4. 1906.
      Kentucky, mileage and expenditures in 1904. Rds. Cir. 58, pp. 4. 1906.
      Louisiana: Mileage and expenditures in 1904. Rds. Cir. 73, pp. 4. 1907.

INDEX TO PUBLICATIONS, 1901–1925 2015

Road(s)—Continued.
public—continued.
in—continued.
Maine, mileage and expenditures in 1904. Rds. Cir. 51, pp. 2. 1906.
Maryland, mileage and expenditures in 1904. Rds. Cir. 50, pp. 2. 1906.
Middle Atlantic States, mileage and revenues, 1914. D.B. 386, pp. 28. 1916.
Massachusetts, mileage and expenditures in 1904. Rds. Cir. 84, pp. 4. 1907.
Michigan, mileage and expenditures, 1904 Rds. Cir. 82, pp. 4. 1907.
Minnesota, mileage and expenditures in 1904. Maurice O. Eldridge. Rds. Cir. 80, pp. 4. 1907.
Mississippi, mileage and expenditures in 1904. Rds. Cir. 77, pp. 4. 1907.
Missouri, mileage and expenditures in 1904. Rds. Cir. 72, pp. 4. 1907.
Montana, mileage and expenditures in 1904. Rds. Cir. 54, pp. 2. 1906.
Nebraska, mileage and expenditures in 1904. Rds. Cir. 61, pp. 4. 1906.
Nevada, mileage and expenditures, 1904. Rds. Cir. 62, pp. 2. 1906.
New Hampshire, mileage and expenditures in 1904. Rds. Cir. 49, pp. 2. 1906.
New Jersey, mileage and expenditures in 1904. Maurice O. Eldridge. Rds. Cir. 71, pp. 3. 1907.
New Mexico, mileage and expenditures in 1904. Rds. Cir. 52, pp. 2. 1906.
New York, mileage and expendirutes in 1904. Rds. Cir. 74, pp. 4. 1907.
North Carolina, mileage and expenditures in 1904. Rds. Cir. 45, pp. 4. 1906.
North Dakota, mileage and expenditures in 1904. Rds. Cir. 56, pp. 2. 1906.
Ohio, mileage and expenditures in 1904. Rds. Cir. 75, pp. 4. 1907.
Oklahoma, mileage and expenditures in 1904. Rds. Cir. 67, pp. 3. 1907.
Oregon, mileage and expenditures in 1904. Rds. Cir. 42, pp. 2. 1906.
Pennsylvania, mileage and expenditures in 1904. Rds. Cir. 53, pp. 4. 1906.
Rhode Island, mileage and expenditures in 1904. Rds. Cir. 83, pp. 2. 1907.
Russia, mileage and conditions. Stat. Bul. 65, pp. 55-57. 1908.
South Carolina, mileage and expenditures in 1905. Rds. Cir. 60, pp. 4. 1906.
South Dakota, mileage and expenditures in 1904. Rds. Cir. 57, pp. 3. 1906.
Tennessee, mileage and expenditures in 1904. Rds. Cir. 48, pp. 4. 1906.
Texas, mileage and expenditures in 1904. Rds. Cir. 85, pp. 6. 1907.
Utah, mileage and expenditures in 1904. Rds. Cir. 68, pp. 3. 1907.
Vermont, mileage and expenditures in 1904. Rds. Cir. 87, pp. 2. 1907.
Virginia, mileage and expenditures in 1904. Rds. Cir. 44, pp. 4. 1906.
Washington, mileage and expenditures in 1904. Rds. Cir. 39, pp. 2. 1906.
West Virginia, mileage and expenditures in 1904. Rds. Cir. 78, pp. 3. 1907.
Wisconsin, mileage and expenditures in 1904. Rds. Cir. 79, pp. 3. 1907.
Wyoming, mileage and expenditures in 1904. Rds. Cir. 55, pp. 2. 1906.
mileage and cost—
summary and table. Rds. Bul. 41, pp. 7–8, 40–41. 1912.
United States, 1909. J. E. Pennybacker, jr., and Maurice O. Eldridge. Rds. Bul. 41, pp. 120. 1912.
mileage and expenditures, U. S., 1904. O.E.S.F.I.L. 7, pp. 15–16. 1907.
mileage and revenues—
Central, Mountain, and Pacific States, 1914. D.B. 389, pp. 56, I-LXXV. 1917.
Middle Atlantic States, 1914. D.B. 386, pp. 28. 1916.
New England States 1914. D.B. 388, pp. 74. 1917.
Southern States, 1914. D.B. 387, pp. 123. 1917.
United States, 1914. D.B. 390, pp. 12. 1917.

Road(s)—Continued.
public—continued.
mileage, revenues, and expenditures in the United States in 1904. Maurice O. Eldridge. Rds. Bul. 32, pp. 100. 1907.
State and local, mileage outside incorporated cities. D.B. 387, pp. XLVI-LXXI. 1917.
State management, its development and trend, article. Y.B., 1914, pp. 211–226. 1915; Y.B. Sep. 638, pp. 211–226. 1915.
work of Forest Service, 1913. An. Rpts., 1913, pp. 176–178, 181. 1914; For. A.R., 1913, pp. 42–44, 47. 1913.
publications, list. D.B. 386, p. 28. 1916; S.R.S. Syl. 29, pp. 10, 12. 1917.
question, importance. Rds. Bul. 21, p. 18. 1901.
relation to—
beet-sugar industry. D.B. 721, pp. 49–50. 1918.
farming, legislation needed. An. Rpts., 1914, pp. 30–32. 1915; Sec. A.R., 1914, pp. 32–34. 1914.
rural population. Rds. Bul. 23, p. 34. 1902.
rural schools. News L., vol. 1, No. 31, pp. 4. 1914.
school consolidation. O.E.S. Bul. 232, pp. 91–94. 1910.
repairs, cost, Maryland and Virginia. An Rpts. 1913, pp. 291–293. 1914; Rds. Chief Rpt., 1913' pp. 7–9. 1913.
requirements in national forests, estimates. Off. Rec., vol. 1, No. 28, p. 5. 1922.
revenue(s)—
and expenditures, 1914, Southern States, by States. D.B. 387, pp. I-XXXIII. 1917.
Central and Western States. D.B. 389, pp. 2–3. 1917.
New England States, 1914, increase over 1904. D.B. 388, p. 3. 1917.
sources, various States. Rds. Bul. 32, pp. 20–22. 1907.
United States, relation to mileage population, and valuation, 1914 and 1904. D.B. 390, pp. 3, 7. 1917.
rock-asphalt, binding experiments. D.B. 105, p. 46. 1914.
rock for building. See Rock, road-building.
roller, steam, history, use, and value in road building. D.B. 220, p. 22. 1915.
rolling resistance, variation. Y.B., 1924, pp. 139–140. 1925.
Roman, early history, description, and construction methods. Rds. Bul. 47, pp. 8–9. 1913.
rural—
appropriations, 1916–1920. News L., vol. 4, No. 11, p. 4. 1916.
construction and maintenance, suggestions. News L., vol. 3, No. 12, p. 2. 1915.
delivery, inspection by Roads Office. Rds. Chief Rpt., 1907, p. 19. 1908.
expenditures, by States. Y.B., 1924, pp. 1195–1197. 1925.
naming and numbering of rural houses. Rds. Bul. 21, p. 19. 1901.
post—
broadening of definition. News L., vol. 6, No. 32, p 1. 1919.
construction, certificate of deduction and apportionment from appropriation. Sec. [Misc.], "Certificate of deduction * * *," pp. 3. 1916; rev., pp. 3. 1919; rev., pp. 3. 1921; rev., pp. 3. 1922; rev., pp. 3. 1923.
legislation for Federal aid. M.C. 60, pp. 24. 1925.
provision for. Off. Rec., vol. 2, No. 2, p. 1. 1923.
samples, selection and shipping instructions. Rds. [Misc.], "Instructions for selecting * * *," p. 1. 1907.
sand-clay—
and burnt-clay—
William L. Spoon. F.B. 311, pp. 22. 1907.
construction. William L. Spoon. Rds. Bul. 27, pp. 19. 1906.
construction, details, and tools. O.E.S.F.I.L. 7, pp. 5–6. 1907.
experiments. An. Rpts., 1908, p. 146. 1909; Sec. A.R., 1908, p. 144. 1908.
and earth, in the Middle West. W. L. Spoon. Rds. Cir. 91, pp. 31. 1910.

Road(s)—Continued.
  sand-clay—continued.
    building in Southern States. W. L. Spoon.
      Y.B., 1903, pp. 259–266. 1904; Y.B. Sep.
      332, pp. 259–266. 1904.
    construction—
      and maintenance, directions and cost. News
        L., vol. 1, No. 26, p. 3. 1914.
      cost and use. F.B. 311, pp. 7–16. 1907.
      materials and costs. D.B. 463, pp. 34–45, 65.
        1917.
      methods and results. Rds. Cir. 91, pp. 14–
        16. 1910.
    cost in various localities. Y.B., 1914, p. 223.
      1915; Y.B. Sep. 638, p. 223. 1915.
    cost, New Jersey. D.B. 386, p. 9. 1916.
    description and cost. An. Rpts., 1908, pp.
      750–752. 1909; Rds. Chief Rpt., 1908, pp.
      10–12. 1908.
    description, construction methods. D.B. 220,
      pp. 10, 12, 1915; Rds. Bul. 47, pp. 17–18.
      1913.
    details and cost. D.B. 285, pp. 11–18. 1915.
    development. Off. Rec., vol. 2, No. 37, p. 6.
      1923.
    experiments—
      1912–1913, cost. D.B. 53, pp. 15–24. 1913.
      1914, reports. D.B. 257, pp. 43–44. 1915.
      Kansas, 1908. Rds. Cir. 92, pp. 15–19, 30–31.
        1910; Y.B., 1908, p. 146. 1909.
    maintenance, inspection. D.B. 407, pp. 69–71.
      1916.
    maintenance with drag. F.B. 597, pp. 10, 12.
      1914.
    mileage, United States, 1904. Rds. Bul. 32,
      p. 15. 1907.
    model exhibit. Rds. Bul. 36, p. 12. 1911.
    object-lesson, various States—
      1910. An. Rpts., 1910. pp. 774–779. 1911;
        Rds. Chief Rpt., 1910, pp. 12–17. 1910.
      1911. An. Rpts., 1911, pp. 726–734. 1912;
        Rds. Chief Rpt., 1911, pp. 16–24. 1911.
      1912, details and cost. An. Rpts., 1912,
        pp. 854–859. 1913; Rds. Chief Rpt., 1912.
        pp. 10–15. 1912.
    repair and maintenance. Rds. Bul. 48, pp.
      52–53. 1913.
    use of sand-oil covering, experiments and
      results. Rds. Cir. 91, pp. 23–24. 1910.
  sand—
    or clay, Southern States, improvement methods. Rds. Cir. 95, pp. 14–15. 1911.
    gumbo experiments, 1912–1913, cost. D.B. 53,
      pp. 24–25. 1913.
    pavements, selection, care required and analysis. D.B. 249, p. 4. 1915.
    specifications and testing. D.B. 704, pp. 9–15,
      17, 19, 21–25, 30, 37. 1918.
  school lesson. D.B. 258, p. 19. 1915; F.B. 638,
    p. 24. 1915.
  scrapers, description and use. D.B. 463, pp.
    26–31. 1917.
  selection for Federal aid. Off. Rec., vol. 1, No.
    51, p. 4. 1922.
  shell—
    description and cost. An. Rpts., 1908, p. 755.
      1909; Rds. Chief Rpt., 1908, p. 14. 1908.
    experiments, 1912–1913, cost. D.B. 53, pp.
      25–27. 1913.
    mileage in United States, 1904. Rds. Bul. 32,
      p. 15. 1907.
    object lesson work, 1909. An. Rpts., 1909;
      p. 721. 1910; Rds. Chief Rpt. 1909, p. 13.
      1909.
  situation in Iowa. Rds. Bul. 21, p. 64. 1901.
  slabs, impact tests and experiments. An. Rpts.,
    1923, pp. 470–471. 1924; Rds. Chief Rpt., 1923,
    pp. 8–9. 1923.
    8–9. 1923.
  spring work, necessity and value. News L.,
    vol. 4, No. 38, p. 11. 1917.
  standards adoption. Y.B., 1917, p. 134. 1918;
    Y.B. Sep. 739, p. 10. 1918.
  State-aid—
    New Jersey, cost. Rds. Bul. 29, pp. 50. 1907.
    New York. Rds. Bul. 21, p. 20. 1901.
    plan, remarks by Secretary, 1904. Rpt. 79,
      pp. 77–78. 1904.
    provisions of Virginia law. D.B. 393, pp. 47–48.
      1916.

Road(s)—Continued.
  State-aid—continued.
    reasons for, and leading states, with mileage.
      Y.B., 1914, pp. 212–214, 216–221, 222. 1915;
      Y.B. Sep. 638, pp. 212–214, 216–221, 222. 1915.
    specifications, excerpts. Rds. Bul. 29, pp.
      30–54. 1907.
  State—
    apportionment of funds under Federal aid act
      for 1917. Sec. Cir. 62, pp. 1–2. 1916.
    control, annual expenditures, and maintenance
      cost per mile. News L., vol. 3, No. 5, p. 8.
      1915.
    control, discussion. Y.B., 1924, pp. 98–100,
      107–108. 1925.
    cost per mile in various States. News L.,
      vol. 3, No. 8, p. 3. 1915.
    expenditures, per cent of improved mileage.
      Y.B., 1908, p. 173. 1909.
    Federal-aid funds, participation. Y.B., 1919,
      pp. 46–50, 52. 1920.
    forest funds available for. For. A.R., 1915,
      pp. 19–20. 1915; An. Rpts., 1915, pp. 177–178.
      1916.
    forest, receipts for. Sol. [Misc.] "Laws * * *
      forests," pp. 20, 119. 1916.
    laws, methods, and appropriations, review.
      Y.B., 1910, pp. 270–274. 1911; Y.B. Sep. 535,
      pp. 270–274. 1911.
    mileage and expenditures—
      1915. Sec. Cir. 52, pp. 1–6. 1915.
      1916. Sec. Cir. 74, pp. 1–8. 1917.
    systems, Federal and State-aid appropriations.
      News L., vol. 5, No. 49, pp. 1–2. 1918.
    statistics—
      1904. Y.B., 1910, pp. 269–270. 1911; Y.B. Sep.
        535, pp. 269–270. 1911.
      1924. Y.B., 1924, pp. 1184–1198. 1925.
    Southern States, sources and plan of obtaining.
      D.B. 387, pp. 2–3. 1917.
  steel-track, description. Rds. Bul. 21, p. 68.
    1901.
  study in Great Britain and France. Off. Rec.
    vol. 3, No. 16, p. 5. 1924.
  subdrainage, construction, cost, and specifications. D.B. 724, pp. 28–39, 81–84. 1919.
  subsoil, preparation. F.B. 311, pp. 11–13. 1907.
  surface(s)—
    preservation. Y.B., 1907, pp. 257–259. 1908;
      Y.B. Sep. 448, pp. 257–259. 1908.
    types, adaptation to traffic classes. Y.B., 1917,
      pp. 274–276. 1918; Y.B. Sep. 727, pp. 12–14.
      1918.
    wear. News L., vol. 7, No. 13, p. 2. 1919.
  surfaced, mileage—
    by types in Middle Atlantic States. D.B. 386,
      p. 6. 1916.
    survey. Off. Rec., vol 2, No. 50, p. 3. 1923.
  surfacing—
    costs for labor and materials. D.B. 407, pp. 23,
      28, 35, 37, 39, 45, 54, 55, 60, 64. 1916.
    earth, sand-clay, gravel, and macadam. S.R.S.
      Syl. 29, pp. 6–9. 1917.
    experiments, progress reports, 1915. D.B. 407,
      pp. 1–71. 1916.
    material. News L., vol. 7, No. 13, p. 2. 1919.
    with gravel, directions and specifications.
      D.B. 463, pp. 54–56, 66–68. 1917.
    with sand-clay aggregate. D.B. 1216, pp. 16–19.
      1924.
  surveys, superintendence, advice, etc., by department. News L., vol. 2, No. 48, pp. 1, 7. 1915.
  system—
    Government, Yellowstone National Park.
      Rds. Bul. 21, p. 72. 1901.
    in Pennsylvania. Rds. Bul. 21, p. 25. 1901.
  tars—
    consistency, effect of napthalene, tests. Rds.
      Cir. 96, pp. 1–12. 1911.
    naphthalene in. Prevost Hubbard and Clifton
      N. Draper. Rds. Cir. 96, pp. 12. 1911.
  Telford, history, description, and construction
    methods. Rds. Bul. 47, p. 12. 1913.
  temporary repairs, methods and suggestions.
    News L., vol. 3, No. 14, p. 4. 1915.
  Tennessee, Knoxville, experiments, results. Rds.
    Cir. 99, p. 46. 1913.
  tests of—
    motor-truck impact. Y.B., 1924, pp. 134–136.
      1925.

INDEX TO PUBLICATIONS, 1901-1925   2017

Road(s)—Continued.
  tests of—continued.
    rock used in various States, Cuba, Porto Rico, and Canada, table. D.B. 370, pp. 13-100. 1916.
  toll, early days, historical notes. Y.B., 1910, pp. 268-269. 1911; Y.B. Sep. 535, pp. 268-269. 1911.
  total cost, various charges, with comparisons. D.B. 136, rev., pp. 24-27, 70-71. 1917.
  treatment—
    for dust prevention and preservation, progress reports. Rds. Cir. 90, pp. 1-23. 1909; Rds. Cir. 92, pp. 1-32. 1910; Rds. Cir. 94, pp. 1-56. 1911; Rds. Cir. 98, pp. 1-47. 1912; Rds. Cir. 99, pp. 1-51. 1913; D.B. 105, pp. 1-46. 1914; D.B. 257, pp. 1-44. 1915; D.B. 407, pp. 1-71. 1916; D.B. 586, pp. 1-78. 1918.
    of sides. D.B. 220, pp. 21-22. 1915.
  trunk-line, States constructing. Y.B., 1910, pp. 273-274. 1911; Y.B. Sep. 535, pp. 273-274. 1911.
  type(s)—
    adaptable to South America. Off. Rec., vol. 3, No. 30, p. 1. 1924.
    and condition, effect on use of trucks. D.B. 910, pp. 17-19. 1920.
    and costs. Y.B., 1924, pp. 113-115. 1925.
    conducive to accidents. Off. Rec., vol. 4, No. 16, p. 5. 1925.
    distribution in Central and Western States. D.B. 389, pp. 7. 1917.
    exhibit at Alaska-Yukon-Pacific Exposition Rds. [Misc.], "Exhibit, Office of Public Roads * * *," pp. 5-18. 1909.
    New England States, January 1, 1915. D.B. 388, pp. 5-6. 1917.
    relation to—
      area and population. D.B. 390, pp. 3-5, 9-10. 1917.
      use of trucks. F.B. 1314, p. 9. 1923.
    selection basis. Off. Rec., vol. 3, No. 19, p. 2. 1924.
  use, census figures. Off. Rec., vol. 1, No. 25, p. 8. 1922.
  wagon, and rail. A. L. Craig. Rds. Cir. 37, pp. 4. 1904.
  Wendover Cut-off, importance. Off. Rec., vol. 4, No. 25, pp. 1, 6. 1925.
  widths—
    and right of way, discussion. Y.B., 1917, pp. 277-279. 1918; Y.B. Sep. 727, pp. 15-17. 1918.
    area of surface, rights of way, etc. D.B. 463, pp. 4, 11. 1917.
  winter care, and methods. News L., vol. 3, No. 13, p. 1. 1915.
  work—
    and appropriations, 1919. News L., vol. 6, No. 31, p. 1. 1919.
    and expenditures of Roads Office, 1915. News L., vol. 3, No. 22, p. 8. 1916.
    and practices, film illustrations of bulletin. Off Rec., vol. 1, No. 8, p. 6. 1922.
    convict—
      cooperative experiment, Federal and State. D.B. 583, pp. 57-64. 1918.
      digest of laws, various States. D.B. 414, pp. 193-218. 1916.
    early history, development, and influences governing, studies. D.B. 414, pp. 6-17. 1916.
    labor for. J. E. Pennybacker and others. D.B. 414, pp. 218. 1916.
    reduction, 1904-1915. News L., vol. 4, No. 11, p. 1. 1916.
    experimental, description. D.B. 284, pp. 50-52. 1915.
    Federal-aid, State advice. News L., vol. 6, No. 43, p. 8. 1919.
    in March, 1919. News L., vol. 6, No. 37, p. 8. 1919.
    in New England States, working plans and information sources. D.B. 388, p. 2. 1917.
    in Pennsylvania. News L., vol. 6, No. 39, p. 12. 1919.
    object-lesson, Government cooperation. Martin Dodge, Y. B., 1901, pp. 409-414. 1902; Y. B. Sep. 245, pp. 409-414. 1902.
    project approvals to June 30, 1919. News L., vol. 6, No. 51, p. 7. 1919.
    restriction regulations by Highways Council. News L., vol. 5, No. 47, p. 16. 1918.

Road(s)—Continued.
  work—continued.
    restrictions removal. News L., vol. 6, No. 17, p. 12. 1918.
    specifications, typical, earth, sand-clay and gravel roads. D.B. 463, pp. 63-68. 1917.
  working—
    out part of expenditure, News L., vol. 4, No. 15, p. 3. 1916.
    with log and plank drags. News L., vol. 1, No. 12, pp. 1-2. 1913.
  See also Highways; Soil surveys *for those in various States, counties, and areas.*
Road runner, protection by law. Biol. Bul. 12, rev., p. 40. 1902.
Roadbed—
  concrete pavement, preparation methods. D.B. 249, pp. 8-9. 1915.
  construction for brick roads. D.B. 373,. pp. 8-9, 30-31. 1916.
  preparation, burnt-clay roads. F.B. 311, p. 17. 1907.
  preparation for brick pavement. D.B. 246, pp. 8-9. 1915.
  shaping and rolling for macadam surface. F.B. 338, p. 16. 1908.
ROADHOUSE, J. E.—
  "Irrigation conditions in Imperial Valley, California." O.E.S. Bul. 158, pp. 175-194. 1905.
  "Irrigation in the Sacramento Valley, Calif." With others. O.E.S. Bul. 207, pp. 99. 1909.
Roads Bureau. *See* Public Roads Bureau.
Roads Office. *See* Public Roads Office.
Roads, Public, Bureau. *See* Public Roads Bureau.
Roadsides—
  attractions for birds, methods. D.B. 715, p. 9. 1918; F.B. 1239, pp. 5-6. 1921.
  care and ornamentation. F.B. 338, pp. 21-22. 1908.
  ditches, use as terrace outlets, precautions. F.B. 997, pp. 23, 39. 1918.
  grazing sheep to utilize waste. F.B. 873, p. 7. 1917.
  mowing to eradicate weeds. F.B. 833, pp. 12, 13. 1917.
  neglected, source of insect trouble. Y.B., 1908, p. 369. 1909; Y.B. Sep. 488, p. 369. 1909.
  treatment for attracting birds. F.B. 1239, pp. 5-6. 1921.
  tree(s)—
    objections and advantages. D.C. 8, pp. 15-16. 1919; D.C. 265, pp. 8-9. 1923; For. Cir. 161, p. 29. 1909.
    planting in Michigan. News L., vol. 6, No. 49, p. 7. 1919.
    value for pasturage and hay. News L., vol. 4, No. 46, p. 3. 1917.
Roadway(s)—
  village, planning. F.B. 1441, pp. 31-33. 1925.
  wood-paved, travel records. For. Cir. 194, pp. 6, 16-19. 1912.
Roan Guantlet (bull), pedigree. D.B. 905, pp. 52-53. 1920.
Roanoke River, silt carried per year. Y.B., 1913, p. 212. 1914; Y.B. Sep. 624, p. 212. 1914.
ROARK, R. C.—
  "Adulteration of insect powder with powdered daisy (*Chrysanthemum leucanthemum*.)" With G. L. Keenan. D.B. 795, pp. 12. 1919; rev., pp., pp.-10. 1 23.
  "Determination of lead in lead arsenate or lead chromate." With C. G. McDonnell. Chem. Bul. 137, pp. 40-42. 1911.
  "Fumigation against grain weevils with various volatile organic compounds." With others. D.B. 1313, pp. 40, 1925.
  "Insect powder." With others. D.B. 824, pp. 100. 1920.
  "Occurrence of manganese in insect flowers and insect flower stems. "With C. C. McDonnell. J.A.R., vol. 11, pp. 77-82. 1917.
Roast(s)—
  bean-pot, cooking, recipe. F.B. 391, p. 30. 1910.
  casserole, cooking, recipe. F.B. 391, p. 31. 1910.
  cottage cheese combinations with beans, recipes. B.A.I. Doc. A.I. 18, p. 2. 1917.
  mutton, recipes. F.B. 1172, pp. 23-24. 1920.
  pot, recipe for cooking. F.B. 391, p. 29. 1910.
Roasters—
  cold storage reports, 1917-18. D.B. 776, pp. 32, 33, 35, 37, 41, 43. 1919.

Roasters—Continued.
fattening rations, composition and results. D.B. 1052, pp. 10, 12–17, 18–22. 1922.
production—
for market. S.R.S. Syl. 17, p. 10. 1916.
on the farm, directions. S.R.S. Syl. 17, pp. 10–11. 1915.
Roasting—
ear(s)—
corn varieties, testing, Texas. D.C. 73, pp. 19–20. 1920.
preparation, Indian method. Y.B., 1918, p. 131. 1919; Y.B. Sep. 776, p. 11. 1919.
worm. See Corn ear worm.
peanut(s)—
and cooling, in making peanut butter. D.C. 128, pp. 5–7. 13. 1920.
directions. B.P.I. Cir. 98, pp. 5–7. 1912.
Rob Roy (horse), description, pedigree. B.A.I. An. Rpts., 1907, pp. 116, 141. 1909; B.A.I. Cir. 137, pp. 116, 141. 1908.
Robb, C. H.—
decision on adulterated flour. Sol. Cir. 70, pp. 1–5. 1913.
opinion on bleached flour mandamus proceedings. Chem. N. J. 498, pp. 3–6. 1910.
Robb, N. S.: "Soil survey of Greenwood County, Kans." With others. Soil Sur. Adv. Sh., 1912 pp. 34. 1914; Soils F.O., 1912, pp. 1823–1852. 1915.
Roberts, W. R.:
"Soil survey of Sussex area, New Jersey." With others. Soil Sur. Adv. Sh., 1911, pp. 62. 1913; Soils F.O., 1911, pp. 329–386. 1914.
Robbins, F. E.: "Red-clover seed production.: Pollination studies." With others. D.B. 289, pp. 31. 1915.
Robbins, W. J.: "Further studies on isoelectric points for plant tissue. With Irl T. Scott. J.A.R., vol. 31, pp. 385–399. 1925.
Roberts, Elmer—
"Correlation between the percentge of fat in cow's milk and the yield." J.A.R., vol. 14, pp. 67–96. 1918.
"Degree of resemblance of parents and offspring with respect to birth as twins for registered Shropshire sheep." With H. L. Rietz. J.A.R., vol. 4, pp. 479–510. 1915.
"Fertility in Shropshire sheep." J.A.R., vol. 22, pp. 231–234. 1921.
Roberts, H. F.—
"Relation of hardness and other factors to protein content of wheat." J.A.R., vol. 21, pp. 507–522. 1921.
"Yellow berry in hard winter wheat." J.A.R., vol. 18, pp. 158–161. 1919.
Roberts, J. W.—
"A budrot of the peach caused by a species of Fusarium." J.A.R., vol. 26, pp. 507–512. 1923.
"Apple bitter rot and its control." With Leslie Pierce. F.B. 938, pp. 14. 1918.
"Apple blotch and its control." D.B. 534, pp. 11. 1917.
"Control of cherry leaf spot." With Leslie Pierce F.B. 1053, pp. 8. 1919.
"Control of peach bacterial spot in southern orchards " D.B. 543, pp. 7. 1917.
"Controlling the curculio, brown-rot, and scab in the peach belt of Georgia." With others. D.C. 216, pp. 30. 1922.
"Experiments with apple leaf-spot fungi." J.A.R., vol. 2, pp. 57–64. 1914.
"Morphological characters of Alternaria mali." J.A.R., vol. 27, pp. 699–708. 1924.
"Plum blotch, a disease of the Japanese plum, caused by Phyllosticta congesta Heald and Wolf." J.A.R., vol. 22, pp. 365–370. 19 1.
"Sources of the early infections of apple bitter-rot." J.A.R., vol. 4, No. 1, pp. 59–64. 1916.
"Spray to save the fruit crop from insects and diseases." With A. L. Quaintance. News L., vol. 4, No. 39, pp. 4–6. 1917; Ent. [Misc.,] "Spray to save * * *," pp. 4. 1917.
"The fungus causing the common brown rot of fruits in America." With John C. Dunegan. J.A.R., vol. 28, pp. 955–960. 1924.
"The Jonathan fruit spot." With W. M. Scott. B.P.I. Cir. 112, pp. 11–16. 1913.
"The 'rough-bark' disease of the Yellow Newton apple." B.P.I. Bul. 280, pp. 16. 1913.

Roberts, J. W.—Continued.
"The sources of apple bitter-rot infections." B.D. 684, pp. 26. 1918.
Roberts, John—
"Food animals and meat consumption in the United States." D.C. 241, pp. 21. 1922.
"Highland cattle." B.A.I. Cir. 88, pp. 15. 1905.
"Miscellaneous information concerning the live stock industry." B.A.I. An. Rpt., 1910, pp. 499–524. 1912.
"The slaughter and consumption of food animals in the United States for the year 1909." B.A.I. An. Rpt., 1911, pp. 253–267. 1913.
"Welsh Black cattle." B.A.I. Cir. 104, pp. 20. 1907.
Roberts, Otis H.: "Soil survey of Norfolk, Bristol, and Barnstable Counties, Mass." With others. Soil Sur. Adv. Sh., 1920, pp. 1033–1120. 1924; Soils F.O., 1920, pp. 1033–1120. 1925.
Roberts, R. W.—
report as appointment clerk—
1911. An. Rpts., 1911, pp. 949–965. 1912; Appt. Clerk A.R., 1911, pp. 19. 1911.
1912. An. Rpts., 1912, pp. 1077–1092. 1913; Appt. Clerk A.R., 1912, pp. 20. 1912.
1913. An. Rpts., 1913, pp. 327–329. 1914; Appt. Clerk A.R., 1913, pp. 3. 1913.
Roberts'—
anti-abortion serum, test. Sec. Cir. 29, p. 1. 1909.
system of labor records for farmer. F.B. 511, p. 24. 1912.
Robertson, A. B.: "Machine milking in New Zealand." B.A.I. Dairy [Misc.], "World's dairy congress, 1923," pp. 1228–1232. 1924.
Robertson, A. H.: "Sterilization of milking machines." With Roberts S. Breed. B.A.I. Dairy [Misc.], "World's dairy congress, 1923," pp. 1324–1329. 1924.
Robertson, F. E.: "Some profitable and unprofitable farms in New Hampshire." With Lawrence G. Dodge. B.P.I. Cir. 128, pp. 3–15. 1913.
Robertson, H. C., Jr.—
"A study of the enzymes of the egg of the common fowl." With M. E. Pennington. Chem. Cir. 104, pp. 8. 1912.
"The refrigeration of dressed poultry in transit." With others. D.B. 17, pp. 35. 1913.
Robertson, J. W.—
address on Macdonald movement for rural conditions in Canada. O.E.S. Bul. 213, pp. 10–16. 1909.
work on silage mixture. D.B. 1045, pp. 3–4. 1922
Robertson, Lynn—
"Successful farming on 80-acre farms in central Indiana." With H. W. Hawthorne. F.B. 1421, pp. 22. 1924.
"Successful farming on 160-acre farms in central Indiana." With H. W. Hawthorne. F.B. 1463, pp. 30. 1925.
Robins—
abundance in eastern United States. D.B. 1165, p. 22. 1923.
banded, returns, 1920 to 1923. D.B. 1268, pp. 51–52. 1924.
description—
nest, song, and food habits. Y.B. 1913, pp. 135, 1914; Y.B. Sep. 620, pp. 135–141. 1914.
range and habits. D.B. 171, pp. 1–19. 1915; F.B. 513, p. 7. 1913; F.B. 630, pp. 3–4. 1915.
destruction of olives. Biol. Bul. 30, pp. 94–97. 1907.
economic value and protection. News L., vol. 2, No. 41, p. 6. 1915.
enemy of codling moth. Y.B. 1911, p. 243. 1912; Y.B. Sep. 564, p. 243. 1912.
English, protection by law. Biol. Bul. 12, rev., p. 41. 1902.
food—
habits—
and control. Biol. Chief Rpt., 1921, pp. 13, 28. 1921.
and occurrence in Arkansas. Biol. Bul. 38, p. 92. 1911.
and relation to fruits. Y.B., 1900, pp. 303, 413. 1901.
good and bad. Y.B., 1907, pp. 168–169. 1908; Y.B. Sep. 443, pp. 168–169. 1908.

INDEX TO PUBLICATIONS, 1901–1925   2019

Robins—Continued.
  food—continued.
    studies, examination of stomachs. D.B. 171, pp. 5–19. 1915.
    supply, necessity. News L., vol. 2, No. 42, p. 6. 1915.
    use of insects. D.B. 171, pp. 1–19. 1915.
  game bird, status. Biol. Bul. 12, rev., p. 29. 1902.
  golden. *See* Oriole, Baltimore.
  ground. *See* Towhee.
  habits, economic importance. News L., vol. 3, No. 10, p. 5. 1915.
  host of eye parasite. B.A.I. Bul. 60, p. 49. 1904.
  Hungarian, protected by law. Biol. Bul. 12, rev., p. 41. 1902.
  injuries to small fruits. D.B. 171, pp. 4–5, 10–14. 1915.
  Louisiana law putting on game list. F.B. 418, p. 7. 1910.
  migration habits and routes. D.B. 185, pp. 8, 31, 45–47. 1915.
  numbers. D.B. 187, pp. 10, 11. 1915.
  occurrence in—
    Alaska. N. A. Fauna 24, p. 81. 1904.
    Alaska and Yukon Territory. N.A. Fauna 30, pp. 44, 65, 91. 1909.
    Athabaska-Mackenzie region. N.A. Fauna 27, pp. 495–498. 1908.
    Pribilof Islands. N.A. Fauna 46, p. 101. 1923.
  Oregon—
    distribution and food habits. D.B. 171, pp. 16–19. 1915; Y.B., 1913, pp. 136, 140. 1914; Y.B. Sep. 620, pp. 136, 140. 1914.
    protection by law. Biol. Bul. 12, rev., p. 40. 1902.
  protection by law. Biol. Bul. 12, rev., pp. 38, 39, 40, 41, 42. 1902.
  range and habits. N.A. Fauna 21, pp. 18, 50, 81. 1901; N.A. Fauna 22, p. 130. 1902; N.A. Fauna 24, p. 81. 1904.
  relation to starlings. D.B. 868, pp. 49, 52. 1921.
  use as food and question of protection. Biol. Bul. 12, rev., pp. 28–30. 1902.
  value as a destroyer of insects. Biol. Bul. 12, rev., pp. 29–30. 1902.
  western, food habits. Biol. Bul. 30, pp. 93–97. 1907; D.B. 107, pp. 43–45. 1914.

Robinia pseudoacacia—
  host of *Xylotrechus colonus*. J.A.R., vol. 22, pp. 195–198. 1921.
  injury by sapsuckers. Biol. Bul. 39, p. 44. 1911.
  See also Locust, black.

Robinson, J. H.: "The telegraph and the weather service." W.B. Bul. 31, pp. 145–146. 1902.

Robinson, J. S.: "Factors affecting the evaporation of moisture from the soil." With F. S. Harris. J.A.R., vol. 7, pp. 439–461. 1916.

Robinson, R. H.—
  "Action of sodium nitrite in the soil." J.A.R., vol. 26, pp. 1–7. 1923.
  "Spreaders for spray materials and the relation of surface tension of solutions to their spreading qualities." J.A.R., vol. 31, pp. 71–81. 1925.
  "The calcium arsenates." J.A.R., vol. 13, No. 5, pp. 281–294. 1918.
  "Toxic values and killing efficiency of the arsenates." With A. L. Lovett. J.A.R., vol. 10, pp. 199–207. 1917.

Robinson, S. J.: "The pasteurization of cheese." B.A.I. Dairy [Misc.], "World's dairy congress, 1923," pp. 273–278. 1924.

Robinson, T. R.—
  "Beneficial bacteria for leguminous crops." With George T. Moore. F.B. 214, pp. 48. 1905.
  "Conditions affecting legume inoculation." With Karl F. Kellerman. B.P.I. Bul. 100 Pt. VIII, pp. 73–83. 1907.
  "Culture of citrus fruits in the Gulf States." With E. D. Vosbury. F.B. 1343, pp. 42. 1923.
  "Inoculation of legumes." With Karl F. Kellerman. F.B. 240, pp. 7. 1905.
  "Legume inoculation and the litmus reaction of soils." With Karl F. Kellerman. B.P.I. Cir. 71, pp. 11. 1910.
  "Progress in legume inoculation." With Karl F. Kellerman. F.B. 315, pp. 20. 1908.

Robinson, T. R.—Continued.
  "Quarantine procedure to safeguard the introduction of citrus plants." With others. D.C. 299, pp. 15. 1924.
  "Seed sterilization and its effect upon seed inoculation." B.P.I. Cir. 67, pp. 11. 1910.
  "Tangelos: What they are. The value in Florida of the Sampson and Thornton tangelos." With Walter T. Swingle. B.P.I.C.P. and B.I. Cir. 4, pp. 3. 1918.
  "The fertilizing value of hairy vetch for Connecticut tobacco fields." B.P.I. Cir. 15, pp. 5. 1908.
  "The solar propagating frame for rooting citrus and other subtropical plants." With others. D.C. 310, pp. 14. 1924.
  "Two important new types of citrous hybrids for the home garden—citrangequats and limequats." With Walter T. Swingle. J.A.R., vol. 23, pp. 229–238. 1923.

Robinson, W. O.—
  "Absorption by colloidal and noncolloidal soil constituents." With others. D.B. 1122, pp. 20. 1922.
  "Estimation of colloidal material in soils by adsorption." With others. D.B. 1193, pp. 42. 1924.
  "Manganese as a fertilizer." With M. X. Sullivan. Soils Cir. 75, pp. 3. 1912.
  "The chemical composition of soil colloids." With R. S. Holmes. D.B. 1311, pp. 42. 1924.
  "The color of soils." With W. J. McCaughey. Soils Bul. 79, pp. 29. 1911.
  "The inorganic composition of some important American soils." D.B. 122, pp. 27. 1914.
  "The relation of some of the rarer elements in soils and plants." With others. D.B. 600, pp. 27. 1917.
  "Variation in the chemical composition of soils." With others. D.B. 551, pp. 16. 1917.

Robiola. *See* Rebbiola.

Roble trees, Porto Rico, description and uses. D.B. 354, p. 95. 1916.

Robotka, Frank—
  "A system of bookkeeping for grain elevators." With others. D.B. 811, pp. 48. 1919.
  "Accounting records and business methods for livestock shipping associations." D.B. 1150, pp. 52. 1923.

Rocambole, onion species, use for food. O.E.S. Bul. 245, p. 35. 1912.

Rochdale plan of cooperative association. D.B. 394, pp. 1, 19–20. 1916; Y.B., 1917, p. 392. 1918; Y.B. Sep. 738, p. 10. 1918.

Rochester, N. Y., milk supply, statistics, officials, prices, and ordinances. B.A.I. Bul. 46, pp. 28, 128–129, 180. 1903.

Rock, J. F.—
  explorations in search of chaulmoogra trees. B.P.I. Inv. 65, p. 4. 1923.
  researches in India, and map of regions. B.P.I. Inv. 67, p. 2. 1923.
  "The chaulmoogra tree and some related species." D.B. 1057, pp. 29. 1922.

Rock(s)—
  abrasion test, and machine used. Rds. Bul. 44, p. 16. 1912.
  Arkansas-Missouri, Ozark region, description. Soil Sur. Adv. Sh., 1911, pp. 40–144. 1914; Soils F.O., 1911, pp. 1760–1864. 1914.
  asphalt(s)—
    roads, macadam, description and construction methods. Rds. Bul. 47, p. 23. 1913.
    use in road building. Y.B., 1910, pp. 305–306. 1911; Y.B. Sep. 538, pp. 305–306. 1911.
  cementing value, importance in road building. D.B. 348, pp. 11, 14, 16, 19, 21–24. 1916.
  classification and description. Rds. Bul. 37, pp. 11–14. 1911.
  coralline, use in road experiments, 1914, reports. D.B. 257, pp. 1–17, 44. 1915.
  country, alkali content. J.A.R., vol. 10, p. 352. 1917.
  crushed—
    for concrete, requirements and use. F.B. 403, pp. 7, 23, 24. 1910.
    use in road building. Rds. Cir. 98, pp. 13, 18–19, 26–27, 33, 34, 35, 36, 47. 1912
  crushing-strength tests. D.B. 1132, pp. 46–52. 1923.

Rock(s)—Continued.
 decomposition—
  colloid theory. Chem. Bul. 92, pp. 12–16, 22. 1905.
  under the action of water, study. Allerton S. Cushman. Rds. Cir. 38, pp. 10. 1905.
 deposits, Minnesota, location and kind. Rds. Bul. 40, pp. 15–20. 1911.
 dust—
  cementing power, causes. Chem. Bul. 85, pp. 14–17. 1904.
  cementing value, testing. Rds. Bul. 37, pp. 24, 26. 1911.
  grinding and molding for test of cementing value. Rds. Bul. 44, pp. 19–23. 1912.
 feldspathic, use as fertilizers. Allerton S. Cushman. B.P.I. Bul. 104, pp. 32. 1907.
 fertilizer constituents, difficulty of application. F.B. 430, p. 5. 1911.
 for road building, cementing power, importance. Rds. Cir. 38, p. 1. 1905.
 formations, Minnesota, location and description. Rds. Bul. 40, pp. 6–9. 1911.
 gardens, herbaceous perennials adapted to. F.B. 1381, pp. 12–13, 50–58. 1924.
 Great Basin region, extent, distribution, and character. D.B. 61, pp. 13–18, 65, 75–76. 1914.
 grinding, wet and dry, effect on cementing value of powder. Chem. Bul. 92, pp. 5–7. 1905.
 hardness—
  test and machine used. Rds. Bul. 44, pp. 7–8. 1912.
  testing method, and limit in road construction. J.A.R., vol. 5, No. 19, pp. 902–903, 906. 1916.
 igneous, description, origin and value in road building. Rds. Bul. 37, pp. 11, 12–13, 25, 26. 1911.
 lava, requirements for concrete. F.B. 1279, p. 6. 1922.
 metamorphic, description, origin, and classification. Rds. Bul. 37, pp. 11, 14, 27. 1911.
 mineral composition and physical properties. D.B. 348, pp. 1–26, 1916; Rds. Bul. 37, pp. 14–28. 1911.
 occurrence of barium. Soils Bul. 72, p. 10. 1910.
 petrographic analysis methods, macroscopic and microscopic. Rds. Bul. 37, pp. 8–11. 1911.
 phosphate. See Phosphate, rock.
 physical properties with reference to mineral composition and structure. Rds. Bul. 37, pp. 23–28. 1911.
 potash-holding, decomposition under water, importance. Rds. Cir. 38, pp. 1–2. 1905.
 powders—
  absorptive power. Chem. Bul. 92, pp. 16–22. 1905.
  alkali, method of extracting. Rds. Cir. 38, pp. 4–7. 1905.
  cementing value, table. Chem. Bul. 92, pp. 6–7. 1905.
  cementing value, tests and machines used. Rds. Bul. 44, pp. 17–23. 1912.
  decomposition, efficacy of electrical endosmosis. Rds. Cir. 38, pp. 5–10. 1905.
  effect of water. Allerton S. Cushman. Chem. Bul. 92, pp. 24. 1905.
  soluble alkali. Rds. Cir. 38, pp. 2–3. 1905.
 pulverizers, use in grinding phosphate rock, kinds and description. D.B. 144, pp. 12–13. 1915.
 road-building—
  analyses and tests. An. Rpts. 1913, pp. 286–294. 1914; Rds. Chief Rpt., 1913, pp. 2, 10. 1913.
  examination and classification. D. B. 348, pp. 2–4. 1916.
  examination and classification. Edwin C. E. Lord. Rds. Bul. 31, pp. 29. 1907; Rds. Bul. 37, pp. 28. 1911.
  hardness and toughness, relation between. J.A.R., vol. 5, No. 19, pp. 903–907. 1916.
  mineral composition. D.B. 348, pp. 4–9. 1916; Rds. Bul. 31, pp. 14–23. 1907.
  physical properties, determination methods. Frank H. Jackson, jr. D.B. 347, pp. 28. 1916.
  physical tests—
   1916, including all compression tests, results. Prevost Hubbard and Frank H. Jackson, jr. D.B. 537, pp. 23. 1917.

Rock(s)—Continued.
 road-building—continued.
  physical tests—continued.
   methods and results. Albert T. Goldbeck and Frank H. Jackson, jr. Rds. Bul. 44, pp. 96. 1912.
   results. Prevost Hubbard and Frank H. Jackson, jr. D.B. 370, pp. 100. 1916.
   results, 1916 and 1917. Prevost Hubbard and Frank H. Jackson, jr. D.B. 670, pp. 30. 1918.
   results, 1916–1921, inclusive. D.B. 1132, pp. 52. 1923.
  properties most important. Y.B. 1900, pp. 350–353. 1901; Y.B. Sep. 204, pp. 350–353. 1901.
  selection, factors influencing. D.B. 370, pp. 2–3. 1916.
  specific gravity and weight. F.B. 338, pp. 7–8. 1908.
  testing—
   and sampling, methods. D.B. 949, pp. 4–7. 1921.
   by Roads Office. An. Rpts., 1911, pp. 739, 741. 1912; Rds. Chief Rpt., 1911, pp. 29, 31. 1911.
   exhibit at Buffalo Exposition. Chem. Bul. 63, pp. 25–29. 1901.
   methods and work of Roads Office. News L., vol. 3, No. 34, p. 6. 1916.
   toughness tests, and petrographic analyses. J.A.R., vol. 10, pp. 320, 323, 327. 1917.
  samples—
   for testing, directions, blank forms. Rds. Bul. 44, pp. 92–96. 1912.
   tested to Jan. 1, 1917, geographical distribution. D. B. 537, p. 22. 1917.
   tests by Roads Office. Rds. Bul. 40, pp. 23–24. 1911.
   tests, tables and interpretation of results. Rds. Bul. 44, pp. 26–92. 1912.
  sedimentary, description, origin, and classification. Rds. Bul. 37, pp. 11, 13–14, 26. 1911.
  selection for road building and physical properties importance. Y.B. 1900, pp. 349, 350–353. 1901.
  silicate—
   potash—
    extraction. William H. Ross. Soils Cir. 71, pp. 1–10. 1912.
    source, location and amount. D.C. 61, p. 6. 1919.
    treatment for recovery of potash. Y.B., 1920, pp. 364–369. 1921; Y.B. Sep. 851, pp. 364–369. 1921.
  slides, forest trails, management. For. Misc., 0–6, pp. 34–36. 1915.
  soils, and soil separates, comparison. Soils Bul. 54, pp. 33–35. 1908.
  specific gravity, testing and results. Rds. Bul. 44, pp. 23–24, 26. 1912.
  specimens—
   collection and care. F.B. 606, p. 16. 1914.
   for testing, preparation, and machines used. Rds. Bul. 44, pp. 12–15, 19, 1912.
  structure and mineral composition, relation to physical properties of road materials. E. C. E. Lord. D.B. 348, pp. 26. 1916.
  testing—
   for hardness, toughness, cementing value, and specific gravity. Rds. Bul. 44, pp. 7–26. 1912.
   for toughness, and limits for road-building. D.B. 1216, pp. 7–8. 1924; J.A.R. vol. 5, No. 19, pp. 903, 907. 1916.
   laboratory equipment. Rds. Bul. 44, p. 96. 1912.
  trap—
   origin, classification, and mineral constituents. Rds. Bul. 37, pp. 13, 14–23. 1911.
   use in macadam roads. F.B. 338, pp. 8, 22, 23, 33, 34. 1908.
   value in road building and results of tests. D.B. 348, pp. 7–26. 1916; D.B. 370, pp. 5, 13–100. 1916; Rds. Bul. 44, p. 29. 1912.
  use—
   as road material. Rds. Bul. 38, p. 8. 1911.
   in fireless cookers. News L., vol. 7, No. 10, p. 11. 1919.

INDEX TO PUBLICATIONS, 1901–1925   2021

Rock candy—
　drips and whiskey, misbranding. Chem. N.J. 467, p. 1. 1910.
　misbranding. Chem. N.J. 4057. 1916.
Rock cony, occurrence in Montana. Biol. Cir. 82, p. 20. 1911.
Rock Creek National Park, arboretum establishment. An. Rpts., 1913, p. 187. 1914; For. A.R., 1913, p. 53. 1913.
Rock River, diminished flow in Wisconsin and Illinois, relation to surrounding forests. G. Frederick Schwarz. For. Bul. 44, pp. 27. 1903.
Rockberry. *See* Bearberry.
Rockefeller Institute, experiments in hookworm control. Off. Rec., vol. 1, No. 27, p. 1. 1922.
Rockets, use for upper-air data. Off. Rec., vol. 3, No. 7, p. 2. 1924.
Rockfish, cold storage holdings, 1918, by months. D.B. 792, pp. 48, 49, 51. 1919.
ROCKIE, W. A.: "Soil survey of—
　Burke County, Ga." With others. Soil Sur. Adv. Sh., 1917, pp. 31. 1919; Soils F.O., 1917 pp. 539–565. 1923.
　Eastland County, Tex." With others. Soil Sur. Adv. Sh., 1916, pp. 37. 1918; Soils F.O., 1916, pp. 1281–1313. 1921.
　Nemaha County, Nebr." With others. Soil Sur. Adv. Sh., 1914, pp. 38. 1916; Soils F.O., 1914, pp. 2289–2322. 1919.
　Rapides Parish, La." With others. Soil Sur. Adv. Sh., 1916, pp. 43. 1918; Soils F.O., 1916, pp. 1121–1159. 1921.
　Seward County, Nebr." With others. Soil Sur. Adv. Sh., 1914, pp. 40. 1916; Soils F.O., 1914, pp. 2253–2287. 1919.
　Sioux County, Nebr." With others. Soil Sur., Adv. Sh., 1919, pp. 43. 1922; Soils F.O., 1919, pp. 1757–1800. 1925.
　Smith County, Tex." With others. Soil Sur. Adv. Sh., 1915, pp. 51. 1917; Soils. F.O., 1915, pp. 1079–1125. 1921.
　Thurston County, Nebr." With others. Soil Sur. Adv. Sh., 1914, pp. 44. 1916; Soils F.O., 1914, pp. 2213–2252. 1919.
Rockweed—
　analysis. Chem. Bul. 122, pp. 159–160. 1909.
　mixtures, use in analysis of cattle feeds. Chem. Bul. 132, p. 175. 1910.
　occurrence—
　　and value as potash source. Rpt. 100, pp. 34, 49, 69. 1915.
　　on Pacific coast, analyses. J.A.R., vol. 4, pp. 42, 43, 45, 46, 48, 50, 51. 1915.
ROCKWELL, J. E.—
　"Contents of and index to bulletins of the Bureau of Plant Industry. Nos. 1–100, inclusive." B.P.I. Bul. 101, pp. 102. 1907.
　"Index to papers relating to plant-industry subjects in Yearbooks of the United States Department of Agriculture." B.P.I. Cir. 17, pp. 55. 1908.
　"Visitors' guide to the exhibits of the Bureau of Plant Industry at the Louisiana Purchase Exposition, St. Louis, 1904. B.P.I. Doc. 120, pp. 53. 1904.
ROCKWOOD, L. P.—
　"Controlling the clover-flower midge in the Pacific Northwest." With C. W. Creel. F.B. 942, pp. 12. 1918.
　"The control of the clover-flower midge." With C. W. Creel. F.B. 971, pp. 12. 1918.
Rockwork, forest trails. For. Misc. 0–6, pp. 34–42. 1915.
Rocky Ford—
　melons. *See* Cantaloupe, Rocky Ford; Melons, Rocky Ford.
　use of name as applied to cantaloupes. F.I.D. 115, pp. 1–2. 1910. F.I.D. 166, pp. 1–2. 1916.
Rocky Mountains—
　and—
　　Pacific coast forms of Douglas fir, study. E. H. Frothingham. For. Cir. 150, pp. 38. 1909.
　　Plateau region soils, description, area, and uses. Soils Bul. 96, pp. 465–495. 1913.
　Basins, and tributaries, description. D.B. 54, pp. 52–53. 1914.
　central, forest types as affected by climate and soil. Carlos G. Bates. D.B. 1233, pp. 152. 1924.

Rocky Mountains—Continued.
　Engelmann spruce, growth, volume and reproduction. E. R. Hodson and J. H. Foster. For. Cir. 170, pp. 23. 1910.
　forest(s)—
　　acreage and cut. M.C. 15, p. 5. 1924.
　　area and stand. For. Cir. 166, pp. 5, 6. 1909.
　　conditions and need of experiment station. Sec. Cir. 183, pp. 27–29. 1921.
　　planting. Off. Rec., vol. 2, No. 19, p. 3. 1923.
　lodgepole pine—
　　life history. D. T. Mason. D.B. 154, pp. 35. 1915.
　　utilization and management. D. T. Mason. D.B. 234, pp. 54. 1915.
　reforestation by seed sowing. W. G. Wahlenberg. J.A.R., vol. 30, pp. 637–641. 1925.
　region—
　　central, aspen studies. Frederick S. Baker. D.B. 1291, pp. 47. 1925.
　　conifers, miscellaneous. George B. Sudworth. D.B. 680, pp. 45. 1918.
　　cypress and juniper trees. George B. Sudworth. D.B. 207, pp. 36. 1915.
　　forest types and management of Douglas fir forests. For. Cir. 150, pp. 18, 30–37. 1909.
　　pine, characteristics. George B. Sudworth. D.B. 460, pp. 47. 1917.
　　soil, character and value, by series. Soils Bul. 55, pp. 178–188. 1909.
　　spruce and balsam fir trees. George B. Sudworth. D.B. 327, pp. 43. 1916.
　　woods for telephone poles. D.B. 67, pp. 1–28. 1914.
　spotted fever—
　　tick, control in Montana. W. D. Hunter and F. C. Bishopp. Ent. Bul. 105, pp. 47. 1911.
　　transmission by ticks. An. Rpts., 1908, pp. 110, 552. 1909; Ent. A.R., 1908, p. 30. 1908; Sec. A.R., 1908, p. 108. 1908.
　stumpage appraisal for small operation. For. [Misc.], "Instructions for appraising * * *," pp. 47–50. 1922.
　trees, physiological requirements. Carlos G. Bates. J.A.R., vol. 24, pp. 97–164. 1923.
　woods for telephone poles, tests. Norman de W. Betts and A. L. Heim. D.B. 67, pp. 28. 1914.
Rocky Mountain States—
　beet leaf-beetle, injury to beets. F.B. 1193, p. 3. 1921.
　bird counts, results, 1915. D.B. 396, pp. 8–10. 1916.
　cheese-making possibilities, studies. News L., vol. 3, No. 33, pp. 1–2. 1916.
　piñon-jay control. Off. Rec., vol. 1, No. 5, p. 8. 1922.
　pulpwood resources. D.B. 1241, pp. 57–59. 1924.
　reservoirs. Y.B., 1901, p. 415. 1902.
　sheep statistics, comparison with Australia. D.B. 313, p. 4. 1915.
　some typical reservoirs. Elwood Mead. Y.B. 1901, pp. 415–430. 1902; Y.B. Sep. 228, pp. 415–430. 1902.
　sugar beets, injury by beet leaf-beetle. D.B. 892, pp. 1, 8–9. 1920.
"Rococola" soft drink containing caffeine and cocaine, adulteration and misbranding. Chem. N.J. 466, p. 1. 1910.
Rods—
　portiere and other, bamboo for. D.B. 1329, p. 18. 1925.
　reinforcing, specification forms, and tests. D.B. 555, pp. 28, 37. 1917.
　spray, comparison with spray gun. D.B. 1035, p. 13. 1922.
RODDENBERRY, W. B.—
　"Experimental work in the production of table sirup at Waycross, Ga., 1905, together with a summary of the four-year experiment on fertilization of sugar cane." With others. Chem. Bul. 103, pp. 38. 1906.
　"Experiments in the culture of sugar cane and its manufacture into table sirup." With others. Chem. Bul. 93, pp. 78. 1905.
　"Fertilizer experiments on sugar cane." Chem. Bul. 75, pp. 24. 1903.
　report on cane growing experiments in Georgia. Chem. Bul. 93, pp. 20–27. 1905.

Rodents—
  alfalfa enemies, control. F.B. 339, p. 40. 1908.
  cause of failure of reforestation. J.A.R., vol. 30, p. 640. 1925.
  comparison with mole. F.B. 1247, p. 4. 1922.
  control—
    appropriation. News L., vol. 5, No. 41, p. 1. 1918.
    by bacterial disease, study and experiments. Y.B. 1908, pp. 304, 306. 1909; Y.B. Sep. 482, pp. 304, 306. 1909.
    by carbon bisulphide, warnings. News L., vol. 5, No. 9, p. 7. 1917.
    by poisoning. An. Rpts., 1910, pp. 123, 124, 125, 550, 551. 1911; Biol. Chief Rpt., 1910, pp. 4, 5. 1910; Rpt. 93, pp. 78, 79. 1911; Sec. A.R., 1910, pp. 123, 124, 125. 1910; Y.B. 1910, pp. 122, 123, 124. 1911.
    campaign in various States, value of crops saved. News L., vol. 6, No. 8, p. 7. 1918.
    cooperative campaigns. Y.B., 1917, pp. 225–233. 1918; Y.B. Sep. 724, pp. 1–11. 1918.
    extension work, 1920. Coop. Ext. Wk. 1920, p. 7, 1922.
    extension work, 1923. D.C. 347, pp. 30–31. 1925.
    in—
      grain farming. F.B. 800, pp. 15–16. 1917.
      pear orchards. F.B. 482, p. 20. 1912
      prevention of tree-seed destruction. For. Bul. 93, pp. 36–39. 1911.
      protection of white pine, methods, etc., D.B. 13, pp. 58–59. 1914.
      Red River Valley. Off. Rec., vol. 3, No. 25, p. 3. 1924.
    methods in forest nurseries. D.B. 479, pp. 76–79. 1917.
    national forests, methods and cost. An. Rpts., 1913, pp. 223–224. 1914; Biol. Chief Rpt., 1913, pp. 1–2. 1913.
    necessity of cooperation. F.B. 932, pp. 22–23. 1918.
    of damage to food and feed crops. News L., vol. 5, No. 51, pp. 1, 6. 1918.
    studies and experiments. An. Rpts., 1915, pp. 234–236, 240. 1916; Biol. Chief Rpt., 1915, pp. 2–4, 8. 1915.
    work—
      1912, importance. An. Rpts., 1912, pp. 81, 175. 1913; Y.B., 1912, pp. 81, 175. 1913; Sec. A.R., 1912, pp. 81, 175. 1912.
      by farmers, 1921. S.R.S.Rpt. 1921, p. 11. 1923.
      of county agents, results, 1920–1921. D.C. 244, p. 39. 1922.
  damage to—
    crops, annual losses. Y.B., 1917, pp. 226–227. 1918; Y.B. Sep. 724, pp. 4–5. 1918.
    crops in various States. News L., vol. 5, No. 45, p. 1. 1918.
    forest plantings in intermountain region. D.B. 1264, pp. 42–44. 1925.
    ranges. F.B. 1428, p. 3. 1925.
  depredations, Europe and America, estimates. Y.B., 1907, p. 329. 1908; Y.B. Sep. 452, p. 329. 1908.
  destruction—
    W. B. Bell. Y.B., 1920, pp. 821–838. 1921; Y.B. Sep. 855, pp. 821–838. 1921.
    by—
      eagles. Biol. Bul. 27, pp. 14, 19, 24, 26. 1906.
      hawks and owls. F.B. 513, pp. 26, 27. 1913.
      predacious birds and mammals. Y.B., 1908, pp. 189–194. 1909; Y.B. Sep. 474, pp. 189–194. 1909.
      skunks. F.B. 587, pp. 11–12. 1914.
    methods and cost. Y.B., 1917, pp. 229–232. 1918; Y.B. Sep. 724, pp. 7–10. 1918.
    on ranges, national forests. An. Rpts., 1916, p. 172. 1917; For. A.R. 1916, p. 18. 1916.
  destructive work, and control. Biol. Chief Rpt., 1925, pp. 5–10, 17. 1925.
  elimination from ranges. Y.B., 1923, pp. 399–400. 1924; Y.B. Sep. 895, pp. 399–400. 1924.
  eradication work—
    cost and saving. Y.B., 1922, pp. 28–29. 1923; Y.B. Sep. 883, pp. 28–29. 1923.

Rodents—Continued.
  eradication work—continued.
    in Kansas and South Dakota. Off. Rec. vol. 1, No. 2, p. 1. 1922.
  experiments with epidemic diseases. An. Rpts., 1906, p. 76. 1907; Rpt. 83, p. 70. 1906; Sec. A.R., 1906, p. 78. 1906.
  extermination—
    W. B. Bell. Y.B., 1920, pp. 421–438. 1921; Y.B. Sep. 855, pp. 421–438. 1921.
    on national forests. An. Rpts., 1917, pp. 181, 253–254. 1918; For. A.R., 1917, p. 19. 1917; Biol. Chief Rpt., 1917, pp. 3–4. 1918.
    work in Montana, raising and use of funds. News L., vol. 6, No. 7, p. 7. 1918.
  factors in distribution of Douglas fir seed. D.B. 1200, pp. 12, 33, 34. 1924.
  farm pests. David E. Lantz. F.B. 932, pp. 23. 1918.
  forage destruction. Y.B., 1916, pp. 28–29. 1917.
  forest injuries. An. Rpts., 1910, pp. 124, 551. 1911; Sec. A.R., 1910, p. 124. 1910; Rpt. 93, p. 78. 1911; Biol. Chief Rpt., 1910, p. 5. 1910; Y.B., 1910, p. 123. 9111.
  harmful, distribution and life habits, investigations and methods. D.B. 1091, pp. 1–3. 1922.
  hindrance to reforestation. J.A.R., vol. 30, p. 640. 1925.
  hosts of—
    chiggers, investigations. D.B. 986, pp. 6–7. 1921.
    spotted-fever tick. Ent. Bul. 105, pp. 28, 30, 34. 1911.
  in Alaska, description of varieties. N.A. Fauna 24, pp. 30–38. 1904.
  in Texas, destruction by wild animals. N.A. Fauna 25, pp. 169, 171, 177, 182, 184, 197, 202. 1905.
  injurious—
    destruction by crows. D.B. 621, pp. 38–40, 66–67, 84. 1918.
    to yellow pine seedlings. D.B. 1105, pp. 134–135. 1923.
  injury (ies) to—
    alfalfa, and control. F.B. 1283, p. 35. 1922.
    alfalfa root growth. D.B. 1087, p. 8. 1922.
    aspen and conifers. D.B. 1291, pp. 18–19. 1925.
    corn, prevention. Sec. Cir. 91, p. 13. 1918.
    dikes, control work. An. Rpts., 1910, p. 551, 1911. 1911; Biol. Chief Rpt., 1910, p. 5. 1910. 1910.
    forage on forest ranges. An. Rpts., 1916, p. 19. 1917; Sec. A.R., 1916, p. 21. 1916.
    forest plantations, and control methods. D.B. 475, pp. 49–53. 1917.
    grain, orchard, and field crops, and control. News L., vol. 5, No. 22, p. 6. 1917.
    range forage. News L., vol. 6, No. 28, pp. 1–2. 1919.
    range grasses, experimental studies. D.B. 1227, pp. 1–16. 1924.
    sugar-beet stand. D.B. 721, pp. 17–18. 1918.
    sugar pine. D.B. 426, p. 5. 1916.
    western yellow pine. For. Bul. 101, p. 20. 1911.
    young trees. D.B. 153, p. 19. 1915.
  introduced, house mice and rats, control. Y.B., 1916, pp. 396–397. 1917; Y.B. Sep. 708, pp. 16–17. 1917.
  investigations and control. An. Rpts., 1923, pp. 426–435. 1923; Biol. Chief Rpt., 1923, pp. 8–17. 1923.
  national forests, eradication on public range. An. Rpts., 1915, p. 173. 1916; For. A.R., 1915, p. 15. 1915.
  native, harmful, description, habits, and control. F.B. 932, pp. 4–20. 1918; Y.B., 1916, pp. 382–396. 1917; Y.B. Sep. 708, pp. 2–16. 1917.
  pests on farms, destruction. D. E. Lantz. Y.B., 1916, pp. 381–398. 1917; Y.B. Sep. 708, p. 18. 1918.
  pine-seed consumption. Off. Rec. vol. 3, No. 42. p. 8. 1924.
  poisoning—
    cooperation, methods. F.B. 484, pp. 9–10. 1912.
    cooperative work, report. Off. Rec. vol. 3, No. 10, p. 3. 1924.

Rodents—Continued.
 poisoning—continued.
  directions. Y.B., 1908, pp. 427–432. 1909; Y.B. Sep. 491, pp. 427–432. 1909.
  means and methods. F.B. 484, pp. 7–16. 1912.
  season most effective. F.B., 484, pp. 8–9. 1912.
  with strychnine, formulas for baits. D.B. 1023, pp. 15–16. 1921.
  publications relating to. F.B. 932, p. 23. 1918.
  relation to forage production, studies. An. Rpts., 1919, pp. 289–290. 1920; Biol. Chief Rpt., 1919, pp. 15–16. 1919.
 seed-corn destruction, prevention methods. F.B. 405, p. 8. 1910.
 seed-eating habits. D.B. 1200, pp. 12, 33, 34. 1924.
 spread of plague and other diseases by means of insects. Sec. A.R., 1910, pp. 121–125; Biol. Chief Rpt., 1910, pp. 3–4. 1910; Rpt. 93, p. 77; An. Rpts., 1910, pp. 121–125, 549–550. 1911; Y.B., 1910. pp. 120–124. 1911.
 sugar-beet enemies, control by poisoning or trapping. D.B. 995, p. 18. 1921.
 tick-harboring, relation to spotted fever. An. Rpts., 1910, pp. 124–125, 549. 1911; Sec. A.R., 1910, pp. 124–125. 1910; Biol. Chief Rpt., 1910, p. 3. 1910; Rpt. 93, p. 79. 1911; Y.B., 1910, pp. 123–124. 1911.
 trapping, directions, and types of traps. Y.B., 1919, pp. 452–457. 1920; Y.B. Sep. 823, pp. 452–457. 1920.
 use of mole runways, injuries to gardens. F.B. 1247, pp. 13–14. 1922.
 See also Beavers; Gophers; Mice; Prairie dogs; Squirrels; Woodchucks.
Rodentia, occurrence in Alabama. N.A. Fauna 45, pp. 43–70. 1921.
Rodgersia aesculifolia, importation. No. 42695, B.P.I. Inv. 47, p. 53. 1920.
ROE, G. C.—
 "Cockleburs (species of Xanthium) as poisonous plants." With others. D.B. 1274, pp. 24. 1924.
 "Livestock poisoning by cocklebur." With others. D.C. 283, pp. 4. 1923.
 "Sweet-clover-seed screenings not injurious to sheep." With C. Dwight Marsh. D.C. 87, pp. 7. 1920.
 "The 'alkali disease' of livestock in the Pecos Valley." With C. Dwight Marsh. D.C. 180, pp. 8. 1921.
Roe, fish, canning recipe. S.R.S. Doc. 80, p. 26. 1918.
ROEDING, F. W.—
 "Irrigation in California." O.E.S. Bul. 237, pp. 62. 1911.
 "Irrigation of sugar beets." F.B. 392, pp. 52. 1910.
Roentgen. See Röntgen.
ROESER, H. M.: "Errors in the weight of print butter: Their causes and prevention." With H. Runkel. Sec. Cir. 95, pp. 15. 1918.
ROESER, JACOB, Jr.: "Relative resistance of tree seedlings to excessive heat." With Carlos G. Bates. D.B. 1263, pp. 16. 1924.
Roesperia hypogaea, life history. J.A.R., vol. 27, pp. 609–616. 1924.
Roestelia koreaensis, relation to Gymnosporangium spp. J.A.R., vol. 5, No. 22, pp. 1003–1009. 1916.
ROETHE, H. E.—
 "Experimental production of straw gas." D.B. 1203, pp. 11. 1923.
 "Grounding cotton gins to prevent fires." D.C. 271, pp. 4. 1923.
 "The installation of dust-collecting fans on threshing machines for the prevention of explosions and fires, and for grain cleaning." With E. N. Bates. D.C. 98, pp. 11. 1920.
ROGERS, D. M.—
 "Digest of laws and regulations affecting interstate shipment of nursery stock." F.H.B. S.R.A. 57, pp. 112–114. 1919; F.H.B. [Misc.], "Digest of laws * * *," pp. 4. 1919.
 "Report on the field work against the gipsy moth and the brown-tail moth." A. F. Burgess. Ent. Bul. 87, pp. 81. 1910.
ROGERS, E. C.: "Influence of the period of transplanting western white pine seedlings upon their behavior in nursery and plantation." J.A.R., vol. 22, pp. 33–46. 1921.

ROGERS, J. S.—
 "American sumac: A valuable tanning material and dyestuff." With F. P. Veitch. D.B. 706, pp. 12. 1918.
 "Leather investigations: The composition of some sole leathers." With F. P. Vietch. Chem. Bul. 165, pp. 20. 1913.
 "Tannin." Chem. Bul. 137, pp. 171–179. 1911.
ROGERS, JUDGE—
 appeal decision, Weeks & Co. v. United States, misbranding of "Creamthick." Sol. Cir. 81, pp. 1–12. 1914.
 opinion on transportation of livestock, R. S. 4386—4390. Sol. Cir. 27, pp. 18–21. 1909.
ROGERS, L. A.—
 "Bacteria in milk." F.B. 348, pp. 24. 1909; F.B. 490, pp. 23. 1912; Y.B., 1907, pp. 179–196. 1908. Y.B. Sep. 444, pp. 179–196. 1908.
 "Directions for the home Pasteurization of milk." B.A.I. Cir. 152, pp. 2. 1909; B.A.I. Cir. 197, pp. 3. 1912.
 "Factors influencing the change in flavor in storage butter." With others. B.A.I. Bul. 162, pp. 69. 1913.
 "Fermented milks." B.A.I. Cir. 171, pp. 29. 1911; D.B. 319, pp. 31. 1916.
 "Fishy flavor in butter." B.A.I. Cir. 146, pp. 20. 1909.
 "Influence of acidity of cream on the flavor of butter." With C. E. Gray. B.A.I. Bul. 114, pp. 22. 1909.
 "Interpretation of results of bacteriological examinations of milk." With S. H. Ayers. B.A.I. Cir. 158, pp. 46–52. 1910.
 "Investigations in the manufacture and storage of butter. II. Preventing molds in butter tubs." B.A.I. Bul. 89, pp. 13. 1906.
 "Methods of classifying the lactic-acid bacteria." With Brooke J. Davis. B.A.I. Bul. 154, pp. 30. 1912.
 "Paraffining butter tubs." B.A.I. Cir. 130, pp. 6. 1908.
 "Studies upon the keeping quality of butter. I. Canned butter." B.A.I. Bul. 57, pp. 24. 1904.
 "The bacteria of pasteurized and unpasteurized milk under laboratory conditions." B.A.I. Bul. 73, pp. 32. 1905.
 "The care of milk and its use in the home." With others. F.B. 413, pp. 20. 1910.
 "The dissemination of disease by dairy products, and methods for prevention." With others. B.A.I. Cir. 153, pp. 57. 1910.
 "The influence of acidity of cream on the flavor of butter." With C. E. Gray. B.A.I. Bul. 114, pp. 22. 1909.
 "The manufacture of butter for storage." With others. B.A.I. Bul. 148, pp. 27. 1912.
 "The origin of some of the streptococci found in milk." With Arnold O. Dahlberg. J.A.R., vol. 1, pp. 491–511. 1914.
 "The relation of bacteria to the flavors of Cheddar cheese." B.A.I. Bul. 62, pp. 38. 1904.
 "The temperature of pasteurization for butter making." With others. B.A.I. An. Rpt., 1910, pp. 307–326. 1912; B.A.I. Cir. 189, pp. 20. 1912.
 "The viability of tubercle bacilli in butter." With others. B.A.I. An. Rpt., 1909, pp. 179–185. 1911.
 "Proceedings of the world's dairy congress, October 2–10, 1923." With others. B.A.I. Dairy [Misc.], "World's dairy congress, 1923," pp. 1599. 1924.
ROGERS, M. W.: "Recipes for the use of potatoes and homemade potato starch." S.R.S. Doc. 16, pp. 6. 1915.
ROGERS, R. F.: "Soil survey of—
 Calhoun County, Mich." With William G. Smith. Soil Sur. Adv. Sh., 1916, pp. 54. 1919; Soils F.O., 1916, pp. 1629–1678. 1921.
 Chase County, Nebr." With others. Soil Sur. Adv. Sh., 1917, pp. 66. 1919; Soils F.O., 1917, pp. 1791–1852. 1923.
 Jackson County, Tenn." With J. H. Derden. Soil Sur. Adv. Sh., 1913, pp. 29. 1915; Soils F.O., pp. 1269–1293. 1916.
 La Salle Parish, La." With Clarence Lounsbury. Soil Sur. Adv. Sh., 1918, pp. 42. 1920; Soils F.O., 1918, pp. 677–714. 1924.

ROGERS: "Soil survey of—Continued.
Pettis County, Mo." With H. H. Krusekopf. Soil Sur. Adv. Sh., 1914, pp. 41. 1916; Soils F.O., 1914, pp. 2057-2093. 1919.
Robertson County, Tenn." With others. Soil Sur. Adv. Sh., 1912, pp. 26. 1914; Soils F.O., 1912, pp. 1127-1148. 1915.
San Saba County, Tex." With others. Soil Sur. Adv. Sh., 1916, pp. 67. 1917; Soils F.O., 1916, pp. 1315-1377. 1921.
Stevens County, Minn." With others. Soil Sur. Adv. Sh., 1919, pp. 32. 1922; Soils F.O., 1919, pp. 1377-1404. 1925.
Taylor County, Tex." With others. Soil Sur. Sh., 1915, pp. 40. 1918; Soils F.O., 1915, pp. 1127-1162. 1921.
Webster Parish, La." With others. Soil Sur. Sh., 1914, pp. 40. 1916; Soils F.O., 1914, pp. 1239-1279. 1919.

ROGERS, S. J.—
"Hints to settlers on the Truckee-Carson project, Nevada." With Thomas H. Means. B.P.I. Doc. 451, pp. 8. 1909.
"The Truckee-Carson Experiment Farm." With Carl S. Scofield. B.P.I. Bul. 157, pp. 38. 1909.

Rog-R-Pils, misbranding. See *Indexes to Notices of Judgment, in bound volumes, and in separates published as supplements to Chemistry Service and Regulatory Announcements.*

Rogue—
type, garden peas, inheritance studies. Wilber Brotherton, jr. J.A.R., vol. 24, pp. 815-852. 1923.
seedsmen's name for undesirable seed plants. F.B. 1253, pp. 9-10. 1922.
treatment in farmers' stocks of Alaska peas. F.B. 1253, pp. 12-13. 1922.

Rogue River Valley, Oregon—
Bartlett pears, precooling and storage. B.P.I. Cir. 114, pp. 19-24. 1913.
physical characteristics, water, soils, and climate. O.E.S. Bul. 226, pp. 15-19, 64. 1910.

Roguing—
bulbs at flowering time. D.B. 797, pp. 10-11, 23. 1919.
cotton—
breeding method to obtain wilt-resistant varieties. F.B. 333, p. 23. 1908.
necessity in production of pure seed. B.P.I. Bul. 159, p. 56. 1909; B.P.I. Doc. 747, p. 3. 1912; D.B. 60, pp. 2, 4. 1914.
effect on—
increase of seed price of peas. F.B. 1253, pp. 10-11. 1922.
potato mosaic. J.A.R., vol. 17, pp. 270-271. 1919.
uniformity of Pima cotton. D.C. 247, p. 4. 1922.
variations in cotton. J.A.R., vol. 21, pp. 233-235. 1921.
inferior plants, in seed collection. B.P.I. Doc. 813, p. 5. 1913.
narcissus, results. D.B. 1270, p. 8. 1924.
potato fields, for seed improvement. F.B. 1332, pp. 9, 12. 1923.
prevention of loose smuts of wheat and barley. B.P..I. Bul. 152, pp. 20, 34-37. 1909.
seed plats grown for seed market, requirements. Rpt. 98, p. 141. 1913.
sorghum seed plats. News L., vo. 7, No. 1, p. 2. 1919.
sugar-cane, to eliminate mosaic disease. D.B. 829, pp. 21-22. 1919.
time and methods. F.B. 1253, pp. 9-11. 1922.
value in control of potato streak, mosaic and black leg. News L., vol. 4, No. 22, p. 1. 1917

ROHWER, CARL: "The farmer's short-box measuring flume." D.B. 1110, pp. 13. 1922.

ROHWER, S. A.—
"Chalcidids injurious to forest-tree seeds." Ent. T.B. 20, Pt. VI, pp. 157-163. 1913.
"Studies in the sawfly genus *Hoplocampa*." Ent. T.B. 20, pt. 4, pp. 139-148. 1911.
"The genotypes of the sawflies and woodwasps, or the superfamily Tenthredinoidea." Ent. T.B. 20, Pt. II, pp. 69-109. 1911.

ROLFS, P. H.—
"Citrus fruit growing in the Gulf States." F.B. 238, pp. 48. 1905.

ROLFS, P. H.—Continued.
"Culture, fertilization, and frost protection of citrus groves in the Gulf States." F.B. 542, pp. 20. 1913.
"New opportunities in subtropical fruit growing." Y.B., 1905, pp. 439-454. 1906; Y.B. Sep. 394, pp. 439-454. 1906.
"Number of lectures for each inst`tute." O.E.S. Bul. 251, pp. 31-33. 1912.
"Pineapple growing." F.B. 140, pp. 48. 1901.
"Propagation of citrus trees in the Gulf States." F.B. 539, pp. 16. 1913.
"Relative value of one day and two or three day institutes." O.E.S. Bul. 256, pp. 66-70. 1913.
report of Florida Experiment Station—
1909. O.E.S. An. Rpt., 1909, pp. 90-92. 1910.
1910. O.E.S. An. Rpt., 1910, pp. 116-121. 1911.
1911. O.E.S. An. Rpt., 1911, pp. 91-93. 1912.
1912. O.E.S. An. Rpt., 1912, pp. 94-97. 1913.
1913. O.E.S., An. Rpt., 1913, pp. 39-40. 1914.
1914. O.E.S., An. Rpt., 1914, pp. 84-87. 1915.
"Sites, soils, and varieties of citrus groves in the Gulf States." F.B. 538, pp. 15. 1913.
"The avocado in Florida: Its propagation, cultivation, and marketing." B.P.I. Bul. 61, pp. 36. 1904.
"Wither-tip and other diseases of citrus trees and fruits caused by *Colletotrichum glœosporioides*." B.P.I. Bul. 52, pp. 22. 1904.

Rolled-oats bread, recipe. News L., vol. 4, No. 42, p. 6. 1917.

Roller(s)—
and packer, value, life, repair cost, and acreage worked. D.B. 757, pp. 17, 19. 1919.
cost per acre and per day, relation to service, table. D.B. 338, pp. 11-12. 1916.
description and use on corn lands. D.B. 320, p. 17. 1916.
kinds, use in dry farming. F.B. 769, pp. 9-10. 1916.
mills, invention, and value for hard wheats. Y.B., 1914, pp. 391, 394, 408. 1915; Y.B. Sep. 649, pp. 391, 394, 408. 1915.
process, corn meal manufacture, description, analyses, etc. D.B. 215, pp. 4-5, 6-9, 11-13. 1915.
tray wagon, description and cost. News L., vol. 4, No. 7, p. 3. 1916.
two-horse, day's work in acreage. D.B. 412, p. 6. 1916.
with drag for marking rows, description. F.B. 324, p. 18. 1908.

Rolling—
alfalfa fields, for caterpillar control. F.B. 1094, pp. 15, 16. 1920.
California sugar-beet districts, before and after planting. D.B. 760, pp. 16-17. 1919.
fields, for destruction of hop flea beetle. Ent. Bul. 66, p. 87. 1910.
land, day's work. D.B. 3, pp. 17-18, 43. 1913.
macadam roads, directions. F.B. 338, pp. 20-21. 1908.
sugar beets—
farm practice, Michigan and Ohio. D.B. 748, pp. 18-20, 33. 1919.
methods, and cost. D.B. 735, pp. 17, 19-20. 1918.
practices and cost, Utah and Idaho. D.B. 693, pp. 23-24. 1918.
use of tractors and horses on Corn-Belt farms. F.B. 1295, pp. 6-8. 1923.
wheat seed bed. Y.B., 1919, pp. 132-135, 150. 1920; Y.B. Sep. 804, pp. 132-135, 150. 1920.

Rollinia—
introduction, Florida, Miami field station. An. Rpts., 1913, p. 129. 1914; B.P.I. Chief Rpt., 1913, p. 25. 1913.
mucosa—
importations and descriptions. No. 38674, B.P.I. Inv. 40, p. 10. 1917; No. 50497, B.P.I. Inv. 63, p. 73. 1923.
orthopetala, importation and description. No. 36561 B.P.I. Inv. 37, pp. 8, 31. 1916.
spp., importations and descriptions. Nos. 37872, 37879-37880, 37882, 37892, 37930, 38171, B.P.I. Inv. 39, pp. 11, 61, 62, 63, 69, 99. 1917; No. 44094, B.P.I. Inv. 50, pp. 8, 27. 1922.

Rolliniopsis discreta. See Monkey fruit.

Rolls—
cottage cheese, recipe. B.A.I. Doc. A-18, pp. 1-2. 1917.
meat-and-pastry, use in conservation of meat scraps, recipe. News L., vol. 5, No. 11, p. 6. 1917.
meat, savory, recipe for making. F.B. 391, pp. 33-34. 1910.
recipes. F.B. 807, p. 17. 1917; F.B. 1136, pp. 16-19. 1920.
wheat flour and substitutes, recipes and directions. F.B. 955, pp. 8, 12-13. 1918.
yeast, directions for making. F.B. 1450, p. 7. 1925.
Roman roads, description, construction methods, dates, and material. D.B. 220, pp. 2-3. 1915.
Rome, International Institute of Agriculture. purpose, representatives of governments. Off. Rec., vol. I, No. 8, p. 1. 1922.
Rome, N. Y., milk supply, statistics, and prices. B.A.I. Bul. 46, pp. 40, 135. 1903.
Romerolagus—
characters and distribution. N.A. Fauna 29, pp. 46-47. 1909.
groups and species. N.A. Fauna 29, pp. 279-280. 1909.
ROMMEL, G. M.—
"A note on the feeding value of coconut and peanut meals for horses." With W. F. Hammond. B.A.I. Cir. 168, pp. 2. 1911.
"A plan for the improvement of American breeding stock." B.A.I. Cir. 62, pp. 20. 1904.
"A review of some experimental work in pig feeding." B.A.I. Cir. 63, pp. 51. 1904.
"American breeds of beef cattle with remarks on pedigrees." B.A.I. Bul. 34, pp. 34. 1902.
"An outline of the work of the Animal Husbandry Office." B.A.I. [Misc.], "An outline of * * *," pp. 13. 1906.
"Beriberi and cottonseed poisoning in pigs". With E .B. Vedder. J.A.R., vol. 5, No. 11, pp. 489-493. 1915.
"Classification for American carriage horses.", B.A.I. Cir. 113, rev., pp. 4. 1908.
"Essentials of animal breeding." F.B. 1167, pp. 38. 1920.
"Have sheep a place on American farms?" F.B. 575, pp. 18-19. 1914.
"Horse and mule raising in the South." B.A.I. An. Rpt., 1906, pp. 247-261. 1908; B.A.I. Cir. 124, pp. 15. 1908.
"Information for importers of animals for breeding purposes." B.A.I. Cir. 50, pp. 16. 1904.
"Labor saving in livestock production." Sec. Cir. 122, pp. 14. 1918.
"Livestock and reconstruction." Y.B., 1918, pp. 289-302. 1919; Y.B. Sep. 773, pp. 16. 1919.
"Livestock conditions in Europe." Sec. [Misc.], "Report of agricultural * * *," pp. 48-63. 1919.
"Livestock drought relief work in 1919." Y.B., 1919, pp. 391-405. 1920; Y.B. Sep. 820, pp. 391-405. 1920.
"Market classes of horses." B.A.I. Bul. 37, pp. 29. 1902.
"Meat production in the Argentine and its effect upon the industry in the United States." With A. D. Melvin. Y.B., 1914, pp. 381-390. 1915; Y.B. Sep. 648, pp. 381-390. 1915.
"Notes on the animal industry of Argentina." B.A.I. An. Rpt., 1908, pp. 315-333. 1910.
"Pig management." F.B. 205, pp. 40. 1904.
"Relative proportions of the sexes in litters of pigs." B.A.I. Cir. 112, p. 1. 1907.
"Silage for horses." F.B. 556, pp. 17-19. 1913; F.B. 578, pp. 17-19. 1914.
"State stock breeders associations." B.A.I. Bul. 64, pp. 53. 1904.
"Suggestions for horse and mule raising in the South." B.A.I. Cir. 124, pp. 15. 1908.
"Swine management." With F. G. Ashbrook. F.B. 874, pp. 38. 1917.
"The Army remount problem." B.A.I. An. Rpt., 1910, pp. 103-124. 1912; B.A.I. Cir. 186, pp. 22. 1911.
"The development of the export trade in purebred livestock." B.A.I. An. Rpt., 1907, pp. 345-352. 1909.

ROMMEL, G. M.—Continued.
"The educational value of livestock exhibitions." Y.B., 1902, pp. 259-264. 1903; Y.B. Sep. 267, pp. 259-264. 1903.
"The fecundity of Poland China and Duroc Jersey sows." B.A.I. Cir. 95, pp. 12. 1906.
"The function of livestock in agriculture." Y. B., 1916, pp. 467-475. 1917; Y.B. Sep. 694, pp. 9. 1917.
"The hog industry." B.A.I. Bul. 47, pp. 298. 1904.
"The preservation of our native types of horses." B.A.I. Cir. 137, pp. 59. 1908; B.A.I. An. Rpt., 1907, pp. 85-143. 1909.
"The regeneration of the Morgan horse." B.A.I. Cir. 163, pp. 14. 1910.
"The score card in stock breeding." B.A.I. Bul. 76, pp. 54. 1905.
"The score card in stock judging at agricultural colleges." B.A.I. Bul. 61, pp. 124. 1904.
ROMMELL, WM.: "Soil survey of Barnes county, N. Dak." With others. Soil Sur. Adv. Sh., 1912, pp. 47. 1914; Soils F.O., 1912, pp. 1921-1963. 1915.
Rongalite, effect on polarization of dextrose, levulose, and sucrose. Chem. Bul. 116, pp. 76-77. 1908.
Röntgen rays—
insect control, experiments. An. Rpts., 1912, 1912, pp. 630-631. 1913; Ent. A.R., 1912, pp. 18-19. 1912.
tube, new form, experiments with cigarette beetles. J.A.R., vol. 6, No. 11, pp. 383-388. 1916.
use in control of tobacco beetle. F.B. 846, pp. 21-22. 1917.
See also X rays.
Roofs—
connection with chimneys. F.B. 1230, p. 12. 1921.
connection with plumbing in farmhouse. F.B. 1426, p. 32. 1924.
paints for, nature and use. F.B. 1452, pp. 10, 19. 1925.
poultry house. F.B. 1413, pp. 5-7, 16. 1924.
slabs, use of cement concrete, oil-mixed. Rds. Bul. 46, p. 17. 1912.
suggestions for farmhouses. F.B. 126, pp. 27-29. 1901.
warehouse, construction details and materials. D.B. 801, pp. 32-35, 38-39, 46-49. 1919.
water from, reckoning of quantity. F.B. 1448, p. 8. 1925.
Roofing(s)—
corrugated, use to protect hay stacks. F.B. 1009, pp. 21, 22. 1919.
substitutes for shingles. Rpt. 114, p. 55. 1917.
tar and gravel, description. D.B. 801, p. 38. 1919.
use of oil-mixed concrete, methods. D.B. 230, p. 14. 1915.
wood and substitutes, manufacture and use. Rpt. 117, pp. 33-36. 1917.
Rook, eye parasite of. B.A.I. Bul. 60, p. 49. 1904.
Rookeries, seal, disinfection by fire. B.A.I. Bul. 35, p. 17. 1902.
Rooms, cleaning, general directions. F.B. 1180, pp. 25-26. 1921.
Roosevelt, Theodore, President—
address on labor, Lansing, Mich., May 31, 1907. Sec. Cir. 24, pp. 14. 1907.
Arbor-Day letter to school children. D.C. 265. p. 10. 1923.
"Forestry and foresters." For. Cir. 25, pp. 4-8. 1903.
"Regulations governing appointments to positions of mere unskilled labor under the Department of Agriculture." With James Wilson. [Misc.], "Regulations governing appointments * * *," pp. 4. 1902.
selection of members of Referee Board. An. Rpts., 1912, p. 243. 1913; Sec. A.R., 1912, p. 243. 1912; Y.B., 1912, p. 243. 1913.
Roosevelt Dam, location, building, capacity, and water rights. D.B. 654, pp. 6-7. 1918; O.E.S. Bul. 235, p. 65. 1911.
Rooster(s)—
day, May 16, establishment in Kentucky and Tennessee. News L., vo. 1, No. 37, p. 4. 1914.

Rooster(s)—Continued.
  day, origin. An. Rpts., 1914, p. 63. 1915; B.A.I. Chief Rpt., 1914, p. 7. 1914.
  elimination from flock. News L., vol. 6, No. 44, pp. 12–15. 1919.
  elimination from flocks after breeding season. Y.B., 1914, p. 373. 1915; Y.B. Sep. 647, p. 373. 1915.
  impracticability of keeping in towns and cities. News L., vol. 6, No. 10, p. 5. 1918.
  killing. News L., vol. 6, No. 50, pp. 11–12. 1919.
  points, chart. F.B. 1052, p. 4. 1919.
  purebred, influence on weight of chickens and on egg production. Sec. Cir. 107, p. 11. 1918.
  separation from hens, advantages. News L., vol. 2, No. 52, pp. 4–5. 1915.
  Sunday, observance. News L., vol. 6, No. 50, p. 11–12. 1919.
  See also Cock; Cockerel.
Roosting habits of crows. Y.B., 1915, pp. 86–87. 1916; Y.B. Sep. 659, pp. 86–87. 1916.
Roost(s)—
  bird, provision and requirements. F.B. 1456, pp. 20–21. 1925.
  chicken, protection from ticks. Ent. Cir. 170, p. 12. 1913.
  chicken, remarks on. B.A.I. An. Rpt., 1905, p. 220. 1907.
  crow—
    location and eradication methods. F.B. 1102, pp. 6–7, 19, 20. 1920.
    location and numbers. D.B. 621, pp. 6–9. 1918.
    winter. Y.B., 1915, pp. 83–100. 1916; Y.B. Sep. 659, pp. 83–100. 1916.
  medicated, for mite control. D.B. 1228, pp. 3, 4. 1924.
  mites, comparison with tropical fowl mite. D.C. 79, pp. 4–5. 1920.
  poultry—
    air supply and warmth. F.B. 227, pp. 28–32. 1905.
    construction to prevent tick infestation. F.B. 1070, pp. 11–12. 1919.
    houses, location and arrangement. F.B. 1113 pp. 7–8. 1920; F.B. 1413, p. 10. 1924.
  starling, destruction methods. D.B. 868, pp. 54. 56, 59. 1921.
Root, A. S.: "Soil survey of Gadsden County, Fla." With Elmer O. Fippin. Soil Sur. Adv. Sh., 1903, pp. 23. 1904; Soils F.O., 1903, pp. 331–353. 1904.
Root(s)—
  absorption and excretion of salts, influence of culture solutions. Rodney H. True and Harley Harris Bartlett. B.P.I. Bul. 231, pp. 36. 1912.
  action on soil, study, experiments. Soils Bul. 40 pp. 20–30. 1907.
  alcohol yield and cost per gallon. F.B. 429, pp. 18–20. 1911.
  alfalfa, modifications of growth. D.B. 1087, pp. 2–8, 24. 1922.
  and seeds, injury by disinfectants in sandy soils. Carl Hartley. D.B. 169, pp. 35. 1915.
  aphid. See under host.
  as sources of alcohol. F.B. 429, pp. 18–20. 1911.
  blight, radish, causes and control. F.B. 856, p. 61. 1917.
  borer, prionid, injury to bamboo. D.B. 1329, p. 42. 1925.
  cellars, Alaska, construction methods. Alaska A.R., 1912, pp. 37, 58. 1913.
  citrus trees, cankers holding over, sources of disease. J.A.R., vol. 19, pp. 204, 205. 1920.
  composition and energy value as feeding stuff, per 100 pounds. F.B. 346, pp. 7–8, 14–15. 1909.
  condimental uses. D.B. 123, p. 33. 1916; F.B. 295, pp. 41–42. 1907; O.E.S. Bul. 245, p. 47. 1912.
  crops—
    acreage, production, and feed use. Y.B., 1923, p. 365. 1924; Y.B. Sep. 895, p. 365. 1924.
    as food (including potatoes). C.F. Langworthy. F.B. 295, pp. 45. 1907.
    benefit to soil and relation to intensive farming. B.P.I. Bul. 260, pp. 34–42. 1912.
    cultivation in western Oregon and Washington. F.B. 271, pp. 35–38. 1906.
    culture and varieties. F.B. 309, pp. 7–15. 1907.

Root(s)—Continued.
  crops—continued.
    culture, Oregon and Washington, western slope. B.P.I. Bul. 94, pp. 35–38. 1906.
    dasheen, names and general description. F.B. 1396, pp. 1–4. 1924.
    dasheen, value for the Southern States. B.P.I. Cir. 127, pp. 25–36. 1913.
    destruction by meadow mice. J.A.R., vol. 27, p. 533. 1924.
    domestication in America. B.P.I. Bul. 164, p. 33. 1910.
    for—
      hogs, experiments. F.B. 411, pp. 36–37. 1910.
      stock. Rpt. 112, p. 24. 1916.
      stock, experimental growing, Porto Rico. P.R. An. Rpt., 1912. p. 43. 1913.
    garden, cultural suggestions. F.B. 818, pp. 31–32. 1917.
    growing in—
      Alaska. Alaska A.R., 1918, pp. 13, 14, 25, 48, 67, 79, 83. 1920.
      Alaska, Kodiak station. Alaska A.R., 1910, pp. 62–63. 1911.
      Guam. Guam A.R., 1919, pp. 29–30. 1921.
      Guam and uses. Guam A.R., 1920, pp. 29–33. 1921.
      Hawaii, 1921. Hawaii A.R., 1921, pp. 26–28. 1922.
      Hawaii, 1922. Hawaii A.R., 1922, pp. 8–9. 1924.
      Hawaii for hog pastures. Hawaii Bul. 48, pp. 31, 33–34. 1923.
      northern Great Plains for feed, yields. D.B. 1244, pp. 44–46, 49. 1924.
      Porto Rico, experiments. P.R. An. Rpt., 1914, pp. 17–18. 1915.
    Hawaiian, feeding value, comparisons. Hawaii Bul. 54, pp. 12–13. 1924.
    pits and cellars. F.B. 305, p. 21. 1907
    production and portion fed. Y.B., 1923, pp. 339–340. 1924; Y.B. Sep. 895, pp. 339–340. 1924.
    promising, for the South. O. W. Barrett and O. F. Cook. B.P.I. Bul. 164, pp. 43. 1910.
    selection and storing for seed production, list. S.R.S. Doc. 87, pp. 2–3. 1918.
    shipments by States, and by stations, 1916. D.B. 667, pp. 11, 165–170. 1918.
    starch extraction experiments. Hawaii A.R., 1921, pp. 4, 7, 38, 55–57. 1922.
    storage. F.B. 465, p. 15. 1911.
    value as hog feed. B.P.I. Bul. 111, Pt. IV, p. 17. 1907; F.B. 599, pp. 21–22. 1914D
    varietal tests, Belle Fourche experiment farm, 1916. W.I.A. Cir. 14, pp. 25–26. 1917.
    variety testing, Porto Rico Experiment Station. O.E.S. An. Rpt., 1912, pp. 20, 194. 1913.
  curculio, clover. See Curculio, clover-root.
  cutting for—
    eradication of larkspur, experiments. B.A.I. Doc. A.-34, pp. 2–4. 1918.
    propagation of plants. F.B. 157, pp. 14–15. 1902.
  development, relation to drought resistance. Y.B., 1911, pp. 356, 361. 1912; Y.B. Sep. 574, pp. 356, 361. 1912.
  disease(s)—
    coconut, description of symptoms. B.P.I. Bul. 228, pp. 25, 26, 32, 33, 148, 150, 161. 1912.
    coffee, description, and control work. P.R. Bul. 17, pp. 15–21, 29. 1915.
    sugarcane—
      and banana, caused by Tylenchus similis. J.A.R., vol. 4, pp. 561–568. 1915.
      cause, description and control. B.P.I. Cir. 126, pp. 12–13. 1913.
      relation to snails. R.D. Rands. J.A.R., vol. 28, pp. 969–970. 1924.
  Douglas fir, infection by fungous rots. D.B. 1163, pp. 8–10 1923.
  drugs, American. Alice Henkel. B.P.I. Bul. 107, pp. 80. 1907.
  drugs, collection and curing. F.B. 188, pp. 8–9. 1904.
  edible, use in manufacture of alcohol, and cost per gallon. Chem. Bul. 130, pp. 30, 97–103. 1910.

INDEX TO PUBLICATIONS, 1901–1925

Root(s)—Continued.
excretions, effect on soils, discussion. Soils Bul. 75, pp. 33–35. 1911.
feed—
experiments with rice and corn. J.A.R., vol 9, pp. 73–95. 1917.
for—
farm animals. F.B. 305, pp. 19–22. 1907.
pigs, use and value. B.A.I. Bul. 47, pp. 164–172. 1904.
sheep in winter. F.B. 929, p. 31. 1918.
protein and net energy values per 100 pounds. D.B. 459, p. 12. 1916.
value for dairy cows, comparison with other foods. F.B. 384, pp. 14–15. 1910.
Fomes, description, and injury to pine trees. D.B. 799, pp. 2, 4, 23. 1919.
food, publications list. D.B. 503, p. 19. 1917.
fruit trees—
discussion. F.B. 1001, pp. 7–8. 1919.
injury by arsenical poisons in sprays. J.A.R., vol. 8, pp. 284, 311–314. 1917.
length in dry farming localities. F.B. 727, pp. 14–15. 1916.
gall(s)—
infectious nature. B.P.I. Bul. 213, pp. 186–190. 1911.
nematode—
ginseng disease, history, symptoms, cause, control, etc. B.P.I. Bul. 250, pp. 26–28. 1912.
peach, description, remedies. Y.B., 1905, p. 348. 1906; Y.B., Sep. 386, p. 348. 1906.
soil population, estimation. Agr. Tech. Cir. 1, pp. 1–48. 1918.
See also Root knot.
gallworm infection, list, description. B.P.I. Cir. 91, pp. 8–11. 1912.
grafting in apple propagation. F.B. 1360, p. 9. 1924.
growth—
as influenced by sulphur. J.A.R., vol. 30, p. 938. 1925.
effect on toxic solutions. Soils Bul. 47, pp. 42, 50. 1907.
relation to length of day. J.A.R., vol. 23, p. 900. 1923.
grubs, enemy of St. Croix sugar cane, control. Vir. Is. Bul. 2, p. 22. 1921.
insects, treatment. F.B. 127, pp. 32–36. 1901.
juice compound, misbranding. Chem. S.R.A. Sup. 18, p. 515. 1916.
knot—
and its control. Ernst A. Bessey. B.P.I. Bul. 217, pp. 89. 1911.
cabbage, description, cause, and control. F.B. 925, pp. 11–12. 1918; F.B. 925, rev., pp. 11–13. 1921; F.B. 1351, pp. 9–11. 1923.
cabbage, description, distribution, and control methods. F.B. 488, pp. 14–16. 1912.
carriers, studies. News L., vol. 2, No. 40, p. 6. 1915.
cause and control. G. H. Godfrey. F.B. 1345, pp. 27. 1923.
conditions favoring in soil, moisture and temperature. B.P.I. Bul. 217, pp. 41–44, 73. 1911.
control—
Ernst A. Bessey and L. P. Byars. F.B. 648, pp. 19. 1915.
by use of resistant crops. F.B. 1026, pp. 7–9. 1919; F.B. 1027, pp. 10–11. 1919.
methods for greenhouses and fields. B.P.I. Bul. 217, pp. 44–69, 74. 1911.
studies for South. News L., vol. 6, No. 31, p. 3. 1919.
cotton—
and truck crops, control studies. An. Rpts., 1917, p. 134. 1917; B.P.I. Chief Rpt., 1917, p. 4. 1917.
and wilt, control. W. A. Orton and W. W. Gilbert. B.P.I. Cir. 92, pp. 19. 1912.
and wilt, control. W. A. Orton. B.P.I. Doc. 648, pp. 4. 1911.
cause and prevention. Y.B., 1921, p. 356. 1922; Y.B. Sep. 877, p. 356. 1922.
cause, description, injuries to various crops and plants, control methods. News L., vol. 2, No. 42, pp. 7–8. 1915.

Root(s)—Continued.
knot—continued.
cotton—continued.
control by rotation of crops. F.B. 986, p. 24. 1918.
control methods. News L., vol. 5, No. 24, p. 3. 1918.
control methods and time. News L., vol. 3, No. 12, p. 7. 1915.
crop rotations for infested land. B.P.I. Doc. 813, p. 14. 1913.
crops immune and crops susceptible. F.B. 1187, p. 11. 1921.
description, and control. F.B. 333, pp. 18–21. 1908; F.B., 625, pp. 1–4, 8–13. 1914.
description, distribution, causes, injuries, and control. News L., vol. 5, No. 15, pp. 3–4. 1917.
relation to wilt. F.B. 625, p. 6. 1914.
symptoms and cause. B.P.I. Cir. 92, pp. 4–7. 1912.
cowpea—
H. J. Webber. O.E.S. Bul. 115, pp. 113–114. 1902.
description, cause, and control. F.B. 1148, pp. 21–22. 1920.
disease. B.P.I. Bul. 229, p. 25. 1912.
crops—
immune and crops susceptible. B.P.I. Cir. 92, p. 7. 1912.
immune for rotation. News L., vol. 3, No. 12, p. 7. 1915.
resistant, suggestions. B.P.I. Cir. 91, p. 12. 1912.
susceptible and crops immune, lists. F.B. 625, pp. 9–10. 1914.
cross-inoculation experiments. B.P.I. Bul. 217, pp. 22–23. 1911.
cucumber, control in greenhouse. F.B. 1320, p. 26. 1923.
dasheen, cause and control. F.B. 1396, pp. 22–24. 1924.
description, cause, and control. F.B. 1187, pp. 10–14. 1921.
description, injuries to gardens, and control, F.B. 856, p. 23. 1917.
distribution throughout world. B.P.I. Bul. 217, pp. 23–25. 1911.
effect on plants, cause, and appearance. F.B. 648, pp. 1–6. 1915.
greenhouse tomatoes, study. F.B. 1431, p. 22. 1924.
immunity, crops suitable for rotation with cotton. F.B. 625, pp. 7, 10, 11–13. 1914.
injury to—
cotton, peaches, vegetables, tobacco, etc., description and control studies. F.B. 787, p. 38. 1916.
plants, causes, symptoms, control methods. News L., vol. 2, No. 40, p. 6. 1915.
investigations, history. B.P.I. Bul. 217, pp. 8–10. 1911.
lettuce, in greenhouses. F.B. 1418, p. 20. 1924.
nematode—
control by hot water. D.B. 818, pp. 1–14. 1920.
depth distribution. J.A.R. vol. 29, pp. 93–98. 1924.
description, cause of cotton root knot. B.P.I. Cir. 92, pp. 6, 7. 1912.
description, life history, spread, and results. B.P.I. Bul. 217, pp. 25–41, 73. 1911.
Heterodera radicicola, depth distribution in Florida soils. G. H. Godfrey. J.A.R. vol. 29, pp. 93–98. 1924.
onion, description, cause, and control. F.B. 1060, pp. 14–15. 1919.
plants susceptible and plants immune. B.P.I. Bul. 217, pp. 10–22, 72. 1911.
resistant crops, list. B.P.I. Doc. 648, p. 3. 1911.
similarity to nodules, precaution F.B. 315, p. 12. 1908.
spread, means. F.B. 648, pp. 11–12. 1915.
spread, methods and agents. B.P.I. Bul. 217, pp. 37–39, 73. 1911.
strawberry, description and control. F.B. 1458, pp. 6–8. 1925.
sugar-beet, spread, and control. B.P.I. Bul. pp. 11, 37. 1912.

36167°—32——128

Root(s)—Continued.
  knot—continued.
    symptoms. B.P.I. Bul. 217, pp. 7-8, 75. 1911.
    tobacco, control studies. D.B. 16, pp. 25-26. 1913.
    tobacco, description and control. F.B. 571, rev. p., 22. 1920.
    tomato, cause and prevention. D.C. 40, p. 12. 1919.
    tomato, description and control. S.R.S. Doc. 95, pp. 12, 18. 1919.
    watermelon—
      cause and prevention. F.B. 1277, pp. 7, 30. 1922.
      control. F.B. 1394, p. 13. 1924.
      description, cause, and control. F.B. 821, pp. 3, 6. 1917.
    See also Crown-gall.
  length, influence on oxidation. Soils Bul. 56, pp. 14, 42. 1909.
  louse—
    control on sugar beets. W.I.A. Cir. 2, pp. 17-18. 1915.
    crucifer, life history. J.A.R., vol. 14, pp. 577-594. 1918.
    damage to vineyards in France. D.B. 856, p. 2. 1920.
    strawberry—
      in Tennessee. S. Marcovitch. J.A.R. vol. 30, pp. 441-449. 1925.
      life history, notes. J.A.R. vol. 27, pp. 513, 516, 517, 519, 521. 1924.
      methods of destruction. Ent. Bul. 37, p. 100. 1902.
    sugar-beet—
      colonies increase rate, relation to moisture. J.A.R. vol. 4, pp. 241-250. 1915.
      control, on Huntley experiment farm. W.I.A. Cir. 8, pp. 16-18. 1916; W.I.A. Cir. 22, pp. 19-20. 1918.
      control work, Huntley experiment farm. D.C. 86, pp. 16-17. 1920.
      injuries and control work. D.C. 147, pp 11-12. 1921.
    See also Aphids; under specific hosts.
  maggot(s)—
    Alaska, injury. Alaska A.R. 1907, p. 24. 1908.
    and how to control them. F. H. Chittenden. Ent. Cir. 63, pp. 7. 1905.
    damage to crops, Alaska. Alaska A. R. 1914, p. 24. 1915.
    injury to vegetables in Alaska. Alaska A.R., 1916, p. 9. 1918.
    loco, description, and occurrence. Ent. Bul. 64, pt. 5, p. 35. 1908.
    raddish. See Raddish maggot.
    rice, description and control. F.B. 1092, pp. 24-25. 1920.
    rice, water-weevil larvae, description, food habits. Ent. Cir. 152, p. 1. 1912.
    See also Maggots; under specific hosts.
  medicinal, harvesting, general directions. F.B. 663, rev., p. 8. 1920.
  mite, potato, description. Sec. [Misc.], "A manual * * * insects * * *," p. 183. 1917.
  nematode of citrus, Tylenchulus semipenetrans. J.A.R. vol. 2, pp. 217-230. 1914.
  nodule(s)—
    as affecting composition of soy beans and cowpeas. F.B. 244, pp. 8-10. 1906.
    bacteria, varieties and efficiency. Y.B., 1906, pp. 132-135. 1907; Y.B. Sep. 411, pp. 132-135. 1907.
    organisms, differences in various legumes, investigations. O.E.S. An.Rpt. 1910, p. 146. 1911; O.E.S. Doc. 1387, p. 146. 1911.
    of royal palm, study. P.R. An. Rpt., 1911, pp. 38-39. 1912.
    types on different plants, description. Y.B., 1910, pp. 214-217. 1911; Y.B. Sep. 530, pp. 214-217. 1911.
  nursery plants, root-knot spread. F.B. 1345, p. 13. 1923.
  nutrient absorption, studies and experiments. J.A.R., vol. 9, pp. 73-95. 1917.
  oxidizing power in soils, studies. Soils Bul. 56, pp. 13-45. 1909.
  parasite, Polyporus dryadeus. J.A.R., vol. 1, pp. 239-250. 1913.

Root(s)—Continued.
  pineapple, anatomical details. Hawaii Bul. 23, pp. 7-8. 1912.
  plant—
    carbon absorption. J. F. Breazeale. J.A.R., vol. 26, pp. 303-311. 1923.
    moisture absorption, school studies. D.B. 521, pp. 5-6. 1917.
    relation to alkali soils. F.B. 446, rev., p. 9. 1920.
  pruning—
    forest seedlings. D.B. 479, pp. 44-45, 52. 1917.
    mango trees, directions. P.R. Bul. 24, p. 8. 1918.
    practices. F.B. 181, pp. 11-12. 1903.
  range plants, comparative depth of penetration. D.B. 791, p. 48. 1919.
  residues, feeding after starch extraction, feed value. Hawaii A.R., 1921, pp. 55-56. 1922.
  rots(s)—
    alfalfa, description, and prevention by rotation. F.B. 339, p. 41. 1908.
    and taro, investigations in Hawaii. Hawaii A.R., 1920, pp. 14-15. 1921.
    apple, description and effects. J.A.R., vol. 9, pp. 269-276. 1917.
    apple, symptoms, and associated fungi. J.A.R. vol. 10, pp. 163-167. 1917.
    Armillaria mellea, cause of death of chestnuts and oaks. D.B. 89, pp. 1-9. 1914.
    beet, control by slaked lime, and crop rotation. An. Rpts., 1909, p. 308. 1910; B.P.I. Chief Rpt., 1909, p. 56. 1909.
    beet, description and treatment. An. Rpts., 1908, p. 352. 1909; B.P.I. Chief Rpt., 1908, p. 80. 1908.
    black, of apple, caused by Xylaria species. J.A.R., vol. 10, pp. 163-174. 1917.
    brown alfalfa, description and control. F.B. 1283, p. 32. 1922.
    cabbage, cause in flooding. F.B. 925, p. 23, rev. 1921.
    Clitocybe, of grapevines, relation to timbered lands and drainage. J.A.R., vol. 30, pp. 358-361, 362. 1925.
    conifer seedlings. D.B. 44, p. 17. 1913.
    control experiments, San Antonio farm, 1916. 1917. W.I.A. Cir. 21, pp. 22-24. 1918.
    control possibility. J.A.R., vol. 26, pp. 416-417. 1923.
    corn—
      and stalk rot and ear rot. James R. Holbert and George N. Hoffer. F.B. 1176, pp. 24. 1920.
      effect of soil treatment. J.A.R., vol. 23, pp. 806-807. 1923.
      relation of endosperm. Off. Rec., vol. 1, No. 23, p. 5. 1922.
      relation to aluminum and iron compounds in corn plant. J.A.R., vol. 23, pp. 801-824. 1923.
      relation to wheat scab. J.A.R., vol. 14, No. 13, pp. 611-612. 1918.
      relation to wheat scab. J.A.R., vol. 27, pp. 869-871. 1924.
      resistance, relation to selective absorption of salts. J.A.R., vol. 23, pp. 803-804. 1923.
      studies. Thomas F. Manns and Claude E. Phillips. J.A.R., vol. 27, pp. 957-964. 1924.
    cotton—
      cause and results. Y.B., 1921, p. 356. 1922; Y.B. Sep. 877, p. 356. 1922.
      control. B.P.I. Bul. 102, pp. 39-42. 1907.
      control by crop rotation. News L., vol. 5, No. 19, p. 7. 1917.
      control by rotation and tillage. W.I.A. 16, pp. 9-10. 1917.
      control by rotation and tillage, and other methods. D.C. 209, pp. 15, 32-33. 1922.
      control experiments San Antonio experiment farm. D.C. 73, pp. 15, 32-34. 1920.
      early planting as control method. B.P.I. Bul. 220, p. 16. 1911.
      effect of rotation and tillage, experiments at San Antonio. W.I.A. Cir. 10, pp. 8-9. 1916.
      fungus producing. J.A.R., vol. 30, pp. 475-477. 1925.

Root(s)—Continued.
  rots(s)—continued.
    cotton—continued.
      habits of fungus. C. J. King. J.A.R., vol. 26, pp. 405-418. 1923.
      in Arizona. C. J. King. J.A.R., vol. 23, pp. 525-527. 1923.
      in the San Antonio rotations. J.A.R., vol. 21, No. 3, pp. 117-125. 1921.
      injury to quality of fiber. An. Rpts., 1912, p. 415. 1913; B.P.I. Chief Rpt., 1912, p. 35, 1912.
      prevention. B.P.I. Cir. 29, 9. 17. 1909.
      soils, control studies. B.P.I. Chief Rpt., 1910, pp. 57, 90, 1910; An.Rpts., 1910, pp. 327, 360. 1911.
      spread and control, southwest Texas. Soil Sur. Adv. Sh., 1911, p. 29. 1912; Soils F.O., 1911, p. 1197. 1914.
      spots, variations. J.A.R., vol. 18, pp. 305-310. 1919.
      study in 1923. Work and Exp., 1923, p. 44. 1925.
      Texas, control. B.P.I. Bul. 102, Pt. V, pp. 8. 1907.
      Texas, control by rotations. B.P.I. Cir. 120, p. 13. 1913.
      damping-off fungi as cause. D.B. 934, pp. 70-73. 1921.
    forest trees, cause and description. B.P.I. Bul. 149, pp. 22-24. 1909.
    fungus, Texas, *Ozonium omnivorum* Shear, life history. C. L. Shear. J.A.R., vol. 30, pp. 475-477. 1925.
    ginseng, cause and control. J.A.R., vol. 5, No. 4, pp. 181-182. 1915.
    ginseng, causes, symptoms, and control. F.B. 736, pp. 2-12. 1916.
    grape, causes and control. F.B. 1220, pp. 63-64. 1921.
    grape, fungus, *Roesleria hypogaea*, life history. Angie M. Beckwith. J.A.R., vol. 27, pp. 609-616. 1924.
    grapevine—
      control measures. J.A.R., vol. 30, pp. 359-361. 1925.
      history, symptoms, distribution. J.A.R., vol. 30, pp. 341-364. 1925.
      in Missouri caused by *Clitocybe tabescens* (Scop.) Bres. Arthur S. Rhoads. J.A.R., vol. 30, pp. 341-364. 1925.
    in seed beds, cause, spread, and control. F.B. 996, p. 4. 1918.
    injury to—
      cotton and legumes. B.P.I. Cir. 84, pp. 3, 4, 5, 9-10, 14, 20. 1911.
      red clover, description. F.B. 455, p. 40. 1911.
      sugar beets, description and control methods. D.B. 959, pp. 18, 47. 1921.
      sugarcane, control studies. D.B. 486, p. 32. 1917.
    peas—
      caused by *Aphanomyces euteiches*. Fred Reuel Jones and Charles Drechsler. J.A.R., vol. 30, pp. 293-325. 1925.
      caused by *Fusarium* spp. and stemrot. Fred Reuel Jones. J.A.R., vol. 26, pp. 459-476. 1923.
      development, environmental factors. J.A.R., vol. 26, pp. 465-468. 1923.
      in United States, caused by *Aphanomyces euteiches*. Fred Reuel Jones and Charles Drechsler. J.A.R., vol. 30, pp. 293-325. 1925.
      persistence in soil, causes. J.A.R., vol. 26, pp. 469-471. 1923.
      recurrence during successive years. J.A.R., vol. 26, pp. 412-414. 1923.
      seed bed, cause, spread, and control. F.B. 996, p. 4. 1918.
      shade trees, cause, detection, and prevention. Y.B., 1907, p. 491. 1908; Y.B. Sep. 463, p. 491. 1908.
      spread methods, and comparison with other organisms. J.A.R., vol. 26, pp. 406, 412-416. 1923.
      sugar beets, causes and control. D.B. 721, p. 46. 1918.

Root(s)—Continued.
  rots(s)—continued.
    sugar beets, relation to seedling diseases. J.A.R., vol. 4, pp. 135-168. 1915.
    sugar-cane—
      anatomy. J.A.R., vol. 30, pp. 215-217. 1925.
      description and control. F.B. 1034, p. 27. 1919.
    sweet potato—
      description, cause, and control. F.B. 1059, pp. 15-16. 1919.
      description, distribution, and control. F.B. 714, pp. 16-18. 1916.
      study and control. S.R.S.Rpt., 1915, Pt. I, pp. 87-88. 1917.
    taro. T. F. Sedgwick. Hawaii Bul. 2, pp. 21. 1902.
    taro, Hawaii, experiments. Y.B. 1902, p. 104. 1903.
    Texas. See Texas root rot; Cotton root rot.
  Thielavia—
    host plants. J.A.R., vol. 7, pp. 289-300. 1916.
    of tobacco, control studies. An.Rpts., 1918, p. 156. 1918; B.P.I. Chief Rpt., 1918, p. 22. 1918.
    of tobacco, steam treatment. B.P.I.Bul. 217, p. 63. 1911.
    tobacco. See Tobacco root rot.
    udo, cause, description, and control. J.A.R., vol. 26, pp. 271-275. 1923.
    wheat, control treatment of seed. F.B. 419, p. 18. 1910.
  Rubus spp., susceptibility to orange rust. J.A.R., vol. 25, pp. 227-229, 232-234. 1923.
  starchy—
    (including potatoes and sweet potatoes) as food. C. F. Langworthy. D.B. 468, pp. 29. 1917.
    composition and energy value, comparison with potatoes and sweet potatoes. D.B. 468, pp. 27-28. 1917.
    dasheen, use and value. Y.B., 1916, pp. 199, 202-203. 1917; Y.B. Sep. 689, pp. 1, 4-5. 1917.
    publications on. D.B. 468, p. 29. 1917.
    use and value as food. D.B. 468, pp. 1-29. 1917.
  stocks, citrus, growing and management. F.B. 1447, p. 13. 1925.
  studies for school. F.B. 218, pp. 19-20. 1905.
  studies for southern rural schools. D.B. 305, pp. 13, 23. 1915.
  succulent—
    composition, comparison with other foods. D.B. 503, pp. 3, 5, 6. 1917.
    description and preparation for the table, lesson. D.B. 123, pp. 30-34. 1916.
    food use, including turnips and beets. C. F. Langworthy. D.B. 503, pp. 19. 1917.
    varieties, food value. F.B. 295, pp. 32-41. 1907.
  suffocation—
    causes. Y.B., 1907, p. 485. 1908; Y.B., Sep. 463, p. 485. 1908.
    shade trees, causes, prevention. Y.B., 1907, p. 485. 1908; Y. B. Sep. 463, p. 485. 1908.
  system(s)—
    corn and sorghums, comparative studies. J.A.R., vol. 6, No. 9, pp. 311-332. 1916.
    field crop. F.B. 233, pp. 5-11. 1905.
    plant, isolation in field, method, details. J.A.R., vol. 6, No. 9, pp. 315-317. 1916.
    variations, relation to methods of clearing lands. F.B. 150, pp. 14-18. 1902.
    western yellow pine. For. Bul. 101, pp. 10-13. 1911.
  thickening, relation to length of day and night. J.A.R., vol. 23, pp. 889-898. 1923.
  tree—
    conditions influencing growth and extent. For. Bul. 86, pp. 35-36. 1911.
    destruction by pocket gophers. Y.B., 1909, pp. 211-212. 1910; Y.B. Sep. 506, pp. 211-212. 1910.
    diseases caused by fungi, symptoms, and causes. For. [Misc.], "Forest tree diseases * * *," pp. 19-20, 21, 40-42, 47, 52, 53. 1914.
    effects on other plants. Soils Bul. 40, pp. 15-20. 1907.

Root(s)—Continued.
   tree—continued.
      formation of good system by transplanting in nursery. F.B. 1209, pp. 16-17. 1921.
      protection during transplanting. D.B. 816, pp. 45, 46, 47, 49. 1920.
      puddling in transplanting. For. Cir. 61, rev., p. 2. 1907.
      tropical starch-bearing, composition. F.B. 295, pp. 29-32. 1907.
      tropical starch-bearing, list, and descriptions. D.B. 468, pp. 22-28. 1917.
      tumors. See Crown gall.
      use as—
         condiments. D.B. 503, pp. 15-17. 1917.
         feed for—
            horses. F.B. 1030, p. 20. 1919.
            milch goats. B.A.I. Bul. 68, p. 35. 1905.
            sheep, value and dangers. D.B. 20, pp. 41-42. 1913.
         food. O.E.S. Bul. 245, pp. 39-44. 1912.
         food, cooking directions. D.B. 123, pp. 24-34. 1916.
      use in—
         feeding exhibition cattle. F.B. 486, pp. 5-12. 1912.
         pig feeding. B.A.I. An. Rpt., 1903, pp. 295-301. 1904; B.A.I. Cir. 63, pp. 295-301. 1904.
         value for cow feed. F.B. 743, p. 9. 1916.
      vegetables—
         canning directions. S.R.S. Doc. 17, p. 2. 1915.
         cultural directions for small gardens. F.B. 1044, pp. 23-26. 1919.
         growing in Alaska, experiments and results. Alaska A.R., 1916, pp. 36, 73-81. 1918.
         seed saving. F.B. 884, pp. 13-14. 1917.
         storage for home use. F.B. 375, p. 33. 1909.
         use as food, studies. O.E.S. Bul. 245, pp. 45-48. 1912.
      Veratrum, composition and use regulations. Chem., S.R.A. 28, p. 36. 1923.
      weed, eradication methods. D.C. 108, p. 4. 1920.
      wrapping as protection from mole crickets. P.R. Bul. 23, pp. 20-21. 1918.
      See also under name of plant.
Rooting, citrus and other subtropical plants, solar propagating frame. Walter T. Swingle and others. D.C. 310, pp. 14. 1924.
Rootlet rot. See Rot, Pythium rootlet.
Rootstock(s)—
   breeding, aid of asexual propagation. Walter Scott Malloch. J.A.R., vol. 29, pp. 515-521. 1924.
   characters and habits of growth. F.B. 464, p. 5. 1911.
   comparison with roots, difference. F.B. 464, p. 5. 1911.
   grasses, eradication. F.B. 464, pp. 5-11. 1911.
   quack grass, description, identification, use in medicine. F.B. 1307, pp. 7-8, 13-14, 31. 1923.
   relation of development to the top of plant. F.B. 464, p. 5. 1911.
Rootworm(s)—
   corn—
      F. H. Chittenden. Ent. Cir. 59, pp. 8. 1905.
      control methods. News L., vol. 6, No. 26, p. 24. 1919.
      enemies, birds and insects. D.B. 5, pp. 9-10. 1913; D.B. 8, p. 6. 1913.
      enemy of southern field crops. Y.B., 1911, p. 203. 1912; Y.B. Sep. 561, pp. 203. 1912.
      injury to rice. F.B. 1086, p. 9. 1920.
      investigations South and West. An. Rpts., 1912, pp. 640, 641. 1913; Ent. A.R., 1912, pp. 28, 29. 1912.
      oviposition, time. Y.B., 1908, p. 373. 1909; Y.B. Sep. 488, p. 373. 1909.
   corn, southern—
      control. F.B. 1149, pp. 9-10. 1920.
      economic importance and common names. F.B. 950, pp. 3-4. 1918.
      farm practices to control it. Philip Luginbill. F.B. 950, pp. 12. 1918.
      injuries and control. F.B. 856, pp. 41-42, 44. 1917; F.B. 950, pp. 5-10. 1918.
      or budworm. F. M. Webster. D.B. 5, pp. 11. 1913.
   corn, western—
      F.M. Webster. D.B. 8, pp. 8. 1913.

Rootworm(s)—Continued.
   corn, western——continued.
      crop rotation as preventive. News L., vol. 1, No. 12, p. 3. 1913.
      injuries to corn crop, and control work. Y.B., 1913, pp. 83, 84. 1914; Y.B. Sep. 616, pp. 83, 84. 1914.
   cranberry—
      H. B. Scammell. D.B. 263, pp. 8. 1915.
      control recommendations. D.B. 263, pp. 5-7. 1915.
      history, distribution, food plants, injuries. D.B. 263, pp. 1-3, 7-8. 1915.
      injury, history, and control. F.B. 860, pp. 37-42. 1917.
      life history and habits. D.B. 263, pp. 3-5, 7-8. 1915.
      distribution and geographic range. F.B. 950, p. 4. 1918.
   grape—
      control. F.B. 908, pp. 94-95. 1918.
      control by spraying. Ent. Bul. 97, p. 63. 1913.
      description. Sec. [Misc.]. "A manual * * * insects * * *" p. 127. 1917.
      description, life history, and control. F.B. 1220, pp. 40-43. 1921.
      injury, life history, enemies, treatment, etc. F.B. 284, pp. 6-12, 26-27. 1907.
      investigations in 1907. Fred Johnson. Ent. Bul. 68, pp. 61-68. 1909.
   strawberry, life history, development, habits, and control. F.B. 1344, pp. 4-14. 1923.
Rope—
   injury by webworm. Ent. Bul. 109, Pt. III, pp. 24, 30. 1912.
   splices, course for southern schools, references, etc. D.B. 592, p. 30. 1917.
   wire, for yarding logs, life, costs, etc. D.B. 711, pp. 102-108, 119, 132-133, 174. 1918.
   wire, testing for road-building use. D.B. 1216, pp. 91-92. 1924.
   work—
      for school exercises, reference to publications. D.B. 527, p. 37. 1917.
      laboratory exercises for schools. F.B. 638, pp. 1-5. 1915.
      value in agricultural training. News L., vol. 6, No. 52, p. 5. 1919.
Ropebark. See Moosewood.
Ropes, E. H.—
   "A modified Boerner sampler." With E. G. Boerner. D.B. 857, pp. 8. 1920.
   "The test weight of grain: A simple method of determining the accuracy of the testing apparatus." With E. G. Boerner. D.B. 1065, pp. 13. 1922.
Ropy milk. See Milk, ropy.
Roquefort Penicilium. See Cheese, Roquefort mold.
Roquette, importation and description. No. 46501, B.P.I. Inv. 56, p. 22. 1922.
Rorer, J. B.—
   "Apple blotch, a serious disease of southern orchards." With W. M. Scott. B.P.I. Bul. Bul. 144, pp. 28. 1909.
   "Apple leaf-spot caused by Sphaeropsis malorum." With W. M. Scott. B.P.I. Bul. 121, Pt. V, pp. 47-53. 1908.
Rorty, M. C., address at forestry convention on telephone contracts. For. [Misc.], "Forest fire protection * * *," pp. 55-59. 1914.
Rosa—
   beggeriana, importation and description. No. 52458, B.P.I. Inv. 66, p. 29. 1923.
   canina. See Rose, Mexican.
   eglanteria, description and uses. F.B. 750, pp. 4, 5. 1916.
   gentiliana, importation and description. No. 46789, B.P.I. Inv. 57, p. 35. 1922.
   laxa, importation and description. No. 47161, B.P.I. Inv. 58, p. 34. 1922.
   lucida, description and uses. F.B. 750, pp. 3, 26. 1916.
   manca. See Rose.
   rubiginosa. See Sweetbrier.
   rugosa, growing in Alaska. Alaska A.R. 1910, p. 26. 1911.

Rosa—Continued.
spp.—
  importation and description. Nos. 39317, 39593. B.P.I. Inv. 41, pp. 5, 10, 47. 1917.
  See also Rose.
xanthima, description and value. News L., vol. 3, No. 29, p. 7. 1916.

Rosaceae
  characteristics. For. [Misc.], "Forest trees for Pacific * * *," p. 336. 1908.
  injury by sapsuckers. Biol. Bul. 39, pp. 39-40, 80. 1911.

Roscheria melanchaetes, importation and description. B.P.I. Inv. 31, No. 33347, p. 16. 1914.

Rose, C. M.: "Soil survey of Clinton County, Indiana." With others, Soil Sur. Adv. Sh. 1914, pp. 28. 1915; Soils F.O. 1914, pp. 1631-1654. 1919.

Rose, D. H.—
  "Diseases of apples on the market." D.B. 1253, pp. 24. 1924.
  "Diseases of stone fruits on the market." F.B. 1435, pp. 17. 1924.
  "Leather rot of strawberries." J.A.R., vol. 28, pp. 357-376. 1924.
  "Phytophthora rot of pears and apples." With Carl C. Lindegren. J.A.R., vol. 30, pp. 463-468. 1925.
  "Spraying strawberries for the control of fruit rots." With others. D.C. 309, pp. 4. 1924.

Rose, R. C.: "Soil survey of Charles County, Maryland." With Howard C. Smith. Soil Sur. Adv. Sh. 1918, pp. 47. 1922; Soils F. O. 1918, pp. 73-119. 1924.

Rose, W. H.: "The computation of fertilizer mixtures from concentrated materials." With Albert R. Merz. D.B. 1280, pp. 16. 1924.

Rose(s)—
aphids—
  control. F.B. 750, pp. 30, 31. 1916.
  description, life history, and control. H.M. Russell. D.B. 90, pp. 15. 1914.
  habits, reproduction. D.B. 90, pp. 5-9. 1914.
  injuries, habits, and control methods. News L., vol. 3, No. 42, p. 4. 1916.
  insect enemies. News L., vol. 3, No. 42, p. 4. 1916.
  natural control by rains, heat, birds, and parasites. D.B. 90, pp. 9-12. 1914.
  parasites, description. D.B. 90, pp. 10-12. 1914.
arbor and trellis varieties, planting and pruning. F.B. 750, pp. 8-12. 1916.
Arkansas, description and uses. F.B. 750, p. 4. 1916.
bagging for protection against rose chafer. F.B. 721, p. 8. 1916.
beetle—
  control by culture and hand picking. F.B. 1344, pp. 12-13. 1923.
  description. Sec. [Misc.], "A manual * * * insects * * *," p. 191. 1917.
Fuller's—
  description, distribution, enemies, and control. Ent. Bul. 27 pp. 88-94. 1901.
  habits and control. Hawaii Bul. 49, p. 12. 1923.
  Hawaiian Islands, habits and life history, notes. Ent. Bul. 30, pp. 88-90. 1905.
  investigations and experiments in Southern California, report. Fdk. Maskew. Ent. Bul. 44, pp. 46-50. 1904.
  similarity to plum curculio. Ent. Bul. 103, pp. 26, 28-29. 1912.
bloom, cranberry—
  in Massachusetts. D.B. 444, p. 1. 1916.
  See also False blossom.
breeding. B.P.I. Chief Rpt. 1924, p. 29. 1924.
brown canker—
  caused by *Diaporthe umbrina*. J.A.R., vol. 15, No. 11, pp. 593-600. 1918.
  control measures. J.A.R., vol. 15, pp. 598, 599. 1918.
buds, cecidomyians destructive to. Ent. Bul. 22, p. 44. 1904.
bug(s)—
  destruction by birds, notes. Biol. Bul. 44, pp. 12, 58. 1912.

Rose(s)—Continued.
bug(s)—Continued.
  injury to grapes—
    control. Ent. Bul. 67, p. 35. 1907.
    grapes, control by arsenate of lead. B.P.I. Bul. 155, pp. 35-36. 1909.
    peaches, note. Ent. Bul. 67, p. 86. 1907.
    short-tail shrew. Ent. Bul. 67, p. 48. 1907.
  cabbage, description and use. F.B. 750; p. 4. 1916.
  Carolina, description and uses. F.B. 750; p. 3. 1916.
chafer—
  adults and larvae, habits. Ent. Bul. 97, pp. 54-57. 1913.
  control methods. Ent. Bul. 97, Pt. III, pp. 57-64. 1911; F.B. 750, p. 30. 1916.
  control on grapes. F.B. 908, p. 96. 1918.
  description, habits, injuries, and control. F.B. 1270, pp. 17-19. 1923.
  destruction by *Pentatoma punicea*. Ent. Bul 82, Pt. VII, p. 87. 1911.
  destructive garden and vineyard pest. F. H. Chittenden and A. L. Quaintance. F. B 721, pp. 8. 1916.
  grape enemy, description, life history, and control. F.B. 1220, pp. 20-23. 1921.
  hand picking. F.B. 721, p. 7. 1916.
  injuries, description, and control studies. News L., vol. 3, No. 43, pp. 1, 3. 1916.
  injury to grape, life history. F.B. 284, pp. 24-26, 27. 1907.
  larvae, destruction. F.B. 721, p. 8. 1916.
  poisonous to chickens. F.B. 721, pp. 3-4. 1916.
  similarity to grape root worm, description. Ent. Bul. 89, p. 17. 1910.
  vineyard spraying experiments, Lake Erie Valley. Ent. Bul. 97, pp. 53-64. 1913.
  See also Rose bug.
Cherokee, pruning. F.B. 750, p. 12. 1916.
Chinese, importations and description. Nos. 35196, 35200, B.P.I. Inv. 35, pp. 20, 21. 1915; Nos. 54735, 54740, B.P.I. Inv. 70, pp. 2, 13, 15. 1923; No. 55721, B.P.I. Inv. 72, pp. 1, 24. 1924.
classes best adapted for cut flowers. F.B. 750, pp. 13-14. 1916.
cliff, occurrence in Colorado, and description. N.A. Fauna 33, p. 234. 1911.
climbing, varieties, planting and pruning. F.B. 750, pp. 8-12. 1916.
crown gall, study and experiments. B.P.I. Bul. 213, pp. 17, 43, 72, 75-78, 129, 149, 189. 1911.
curculio, description and remedies. Ent. Bul. 27, pp. 98-100. 1901.
currant blight, occurrence. J.A.R., vol. 27, pp. 839-840. 1924.
cut flower, varieties, planting, and pruning. F.B. 750, pp. 12-24. 1916.
cutting methods. News L., vol. 4, No. 5, p. 8. 1916.
damask, description and use. F.B. 750, p. 4. 1916.
diseases—
  description and control. F.B. 750, pp. 32-35. 1916.
  injuries and control methods. News L., vol. 4, No. 11, p. 6. 1916.
  Texas, occurrence and description. B.P.I. Bul. 226, p. 88. 1912.
dusting with arsenicals, tobacco dust and ashes. F.B. 1344, pp. 11-12, 13. 1923.
everblooming, adapted to California, Yuma experiment farm. W.I.A. Cir. 12, pp. 25-26. 1916.
everlasting, description, cultivation, and characteristics. F.B. 1171, pp. 54, 82. 1921.
fall propagation, methods. News L., vol. 4, No. 12, p. 8. 1916.
family, injury to trees by sapsuckers. Biol. Bul. 39, pp. 39-40, 80. 1911.
fertilizers—
  and temperature, studies. S.R.S. Rpt., 1915, Pt. I, p. 108. 1917.
  formula. Y.B., 1902, pp. 554-559. 1903; Y.B. Sep. 290, pp. 1-5. 1903.
for the home. F. L. Mulford. F.B. 750, pp. 36. 1916.
freezing point of cut flowers. D.B. 1133, pp. 7, 8. 1923.

Rose(s)—Continued.
  fungi attacking, description and control. F.B. 750, pp. 32–35. 1916.
  gardens, fall work in disease control and pruning. News L., vol. 4, No. 11, p. 6. 1916.
  giant Himalayan, importation, and description. No. 39593, B.P.I. Inv. 41, pp. 5, 47. 1917.
  growing in Alaska—
    1917, experiments. Alaska A.R., 1917, p. 21. 1919.
    1918, winter protection. Alaska A.R., 1918, pp. 31–32. 1920.
    1919. Alaska A.R., 1919, pp. 28, 29. 1920.
  growing on Yuma experiment farm, varieties. D.C. 75, pp. 71, 73. 1920.
  home grounds, cultural hints. News L., vol. 1, No. 43, pp. 1–2. 1914.
  hybrid, production. An. Rpts., 1909, p. 357. 1910; B.P.I. Chief Rpt., 1909, p. 105. 1909.
  immunity to pear blight. Off. Rec., vol. 4, No. 31, p. 5. 1925.
  importations and descriptions Nos. 29729–29730, 30254–30263, B.P.I. Bul. 233, pp. 36, 71. 1912; Nos. 37977–37979, 38159–38166, B.P.I. Inv. 39, pp. 74, 97–98. 1917; Nos. 40699–40702, 40768, B.P.I. Inv. 43, pp. 6, 68–69, 77. 1918; Nos. 42973–42982, B.P.I. Inv. 47, pp. 82–84. 1920; Nos. 43587–43589, 43706–43726, 43878–43916, 43942, B.P.I. Inv. 49, pp. 9, 48, 86–89, 90–95, 101. 1921; Nos. 44400, 44426, B.P.I. Inv. 50, pp. 67, 71. 1922; Nos. 44540–44546, B.P.I. Inv. 51, p. 22. 1922; Nos. 45729, 45819, B.P.I. Inv. 54, pp. 5, 12, 26. 1922; Nos. 46002, 46058, 46077–46079, 46097, 46098, B.P.I. Inv. 55, pp. 12, 18, 20, 23. 1922; Nos. 48086, 48407, B.P.I. Inv. 60, pp. 4, 41, 78. 1922; Nos. 48584, 48735–48738, 48845, 49043–49049, 49102–49123, B.P.I. Inv. 61, pp. 5, 25, 41, 55, 71, 77–78. 1922; Nos. 49951–49954, 50427–50428, B.P.I Inv. 63, pp. 23–24, 68. 1923; Nos. 53731–53743, B.P.I. Inv. 67, pp. 3, 83–84. 1923, Nos. 54104–54163, 54165–54265, B.P.I. Inv. 68, pp. 30–41. 1923; Nos. 55094–55095, B.P.I. Inv. 71, p. 22. 1923.
  injury by—
    aphids, description. D.B. 90, pp. 4–5. 1914.
    rose chafers. F.B. 721, pp. 2, 6. 1916.
    slug caterpillar. Ent. Bul. 124, p. 5. 1913.
  insects—
    control in greenhouses. F.B. 1362, pp. 56–68. 1924.
    injurious—
      and to other ornamental plants. Ent. Bul. 27, pp. 114. 1901.
      California flower beetle, observations and remedies. Ent. Bul. 27, pp. 96–98. 1901.
      control. F.B. 750, pp. 29–31. 1916.
      miscellaneous, observations. Ent. Bul. 27, pp. 100–102. 1901.
      with violet and other ornamental plants. F. H. Chittenden. Ent. Bul. 27, p. 114. 1901.
    pests, descriptions and list. Sec. [Misc.], "A manual * * * insects * * *," pp. 191–192. 1917.
  Japanese, growing in Alaska. Alaska A.R., 1910, p. 26. 1911.
  lawn and border, varieties, planting and pruning. F.B. 750, pp. 2–8. 1916.
  leaf hopper, description, distribution, life history, and control. D.B. 805, pp. 20–29, 32–33. 1919.
  leaf tyer, distribution and remedies. Ent. Bul. 27, p. 87. 1901.
  love. See Cramp-bark tree.
  macho, importation and description. No. 54490, B.P.I. Inv. 69, p. 16. 1923.
  Mexican, introduction, value as grafting stock. B.P.I. Bul. 205, p. 31. 1911.
  midge. E. R. Sasscer and A. D. Borden. D. B. 778, pp. 8. 1919.
  mildew, control. D.B. 90, p. 14. 1914.
  multiflora, description and uses. F.B. 750, pp. 9–11. 1916.
  musk, importation from China. No. 43283, B.P.I. Inv. 48, p. 38. 1921.
  new varieties, description. B.P.I. Bul. 207, pp. 23, 41, 67, 69, 79. 1911.
  occurrence in Colorado, description. N.A. Fauna 33, pp. 234–235. 1911.
  of Jericho, fraudulent claims. Off. Rec., vol. 3, No. 29, p. 3. 1924.

Rose(s)—Continued.
  of Sharon, fraudulent claims. Off. Rec., vol. 3, No. 29, p. 3. 1924.
  oil, derivation, import and value. B.P.I. Bul. 195, pp. 8, 10, 30, 41, 45. 1910.
  oil-yielding, importation and growing. An. Rpts., 1912, p. 140. 1913; Sec. A.R., 1912, p. 140. 1912; Y.B., 1912, p. 140. 1913.
  petals, use as food, note. O.E.S. Bul. 245, pp. 49, 50. 1912.
  planting—
    and care, methods and time. News L., vol. 4, No. 10, pp. 6–7, 7–8. 1916.
    distances and depths for different varieties. F.B. 750, pp. 5–8, 10, 18–20. 1916.
  Polyantha, description and use. F.B. 750, p. 4. 1916.
  powdery-mildew occurrence. Off. Rec., vol. 2, No. 51, p. 5. 1923.
  Prairie, description and use. F.B. 750, pp. 3–4. 1916.
  propagation—
    by inarching. B.P.I. Bul. 202, pp. 11–13. 1911.
    methods. F.B. 750, pp. 15–16, 27–29. 1916.
  protection for winter. News L., vol. 3, No. 10, p. 2. 1915.
  pruning, different varieties. F.B. 750, pp. 8, 10–12, 20. 1916.
  root knot, treatment. B.P.I. Bul. 217, pp. 47–48. 1911.
  roots, injury by strawberry rootworm. F.B. 1344, pp. 2, 4, 5–6. 1923.
  Rugosa, description and uses. F.B. 750, pp. 2–3, 5, 24–25. 1916.
  shows, rules, schedules, classes, judging, premium, etc. D.C. 62, pp. 6–9, 11, 14–15, 17–27, 31–34. 1919.
  slug(s)—
    F. H. Chittenden. Ent. Cir. 105, pp. 12. 1908.
    bristly, occurrence, description, control. F.B. 1252, pp. 4–12. 1922.
    caterpillar. F. H. Chittenden. Ent. Bul. 124, pp. 9. 1913.
    control and foliage protection. F.B. 1252, pp. 13–14. 1922.
    parasites. Ent. Cir. 105, pp. 9, 12. 1908.
  Society, American, cooperation in Arlington rose garden. Off. Rec., vol. 1, No. 43, p. 3. 1922.
  soil, formula, experiments. B.P.I. Bul. 193, pp. 14, 15–16. 1910.
  spraying for—
    control of strawberry rootworms and beetles. F.B. 1344, pp. 10, 13. 1923.
    red-spider control. Ent. Bul. 117, p. 35. 1913.
  sprays, nicotine, adulteration and misbranding. Insect. N.J. 91, 92, I. and F.Bd. S.R.A. 3, pp. 38–40. 1914.
  stock(s)—
    experiments. An. Rpts., 1922, pp. 183–184. 1922; B.P.I. Chief Rpt., 1922, pp. 23–24. 1922.
    for propagation purposes. F.H.B.S.R.A. 73, p. 107. 1923.
  infestation with pierids. Off. Rec., vol. 1, No. 10, p. 2. 1922.
  tea, uses, soil, drainage, planting, pruning, etc., F.B. 750, pp. 13–24. 1916.
  test garden, national, plans. An.Rpts., 1923, p. 286. 1923; B.P.I.Chief Rpt., 1923, p. 32. 1923.
  treatment for control of rose aphid. D.B. 90. pp. 12–15. 1914.
  trimming time and methods. News L., vol. 3, No. 31, p. 7. 1916.
  value in perfumery production. B.P.I. Bul. 195, pp. 11, 40, 41. 1910.
  varieties—
    collection at Arlington test gardens, contributions solicited. News L., vol. 4, No. 29, p. 3. 1917.
    importations and descriptions. Nos. 36638, 36857–36859, B.P.I. Inv. 37, pp. 7, 43, 75. 1916; Nos. 38821, 38823, 39186, B.P.I. Inv. 40, pp. 33, 90. 1917; Nos. 40191–40193, B.P.I. Inv. 42, pp. 8, 9, 89–90. 1918; Nos. 49343, 49683–49684, B.P.I. Inv. 62, pp. 28, 70. 1923.
    influence of introduction of Bengal rose. Y.B., 1911, p. 415. 1912; Y.B. Sep. 580, p. 415. 1912.
  Wichuraiana, description and uses. F.B. 750, pp. 9–11. 1916.

Rose(s)—Continued.
  wild—
    N.A. Fauna 21, p. 56. 1901.
    fruiting season and use as bird food, notes.
      F.B. 844, pp. 11, 13. 1917; F.B. 912, pp. 11, 13. 1918.
    spraying experiments for testing arsenates.
      J.A.R., vol. 10, p. 201. 1917.
    winter protection. F.B. 750, pp. 12, 23. 1916.
    worm, coiled, occurrence, description and control.
      F.B. 1252, pp. 12-13. 1922.
    yellow, Chinese, value in rose breeding. Y.B., 1915, pp. 220-221. 1916; Y.B. Sep. 671, pp. 220-221. 1916.
Rose apple—
  Australian, importation and description. No. 35578, B.P.I. Inv. 35, p. 56. 1915.
  cultivation in Porto Rico. P.R. An. Rpt., 1907, p. 23. 1908.
  description, importation. No. 43296, B.P.I. Inv. 48, p. 41. 1921.
  fruit, description. Guam A.R., 1921, p. 24. 1923.
  gum, importation and description. No. 36043. B.P.I. Inv. 36, p. 42. 1915.
  importations and descriptions. No. 36978, B.P.I. Inv. 38, p. 17. 1917; No. 44891, B.P.I. Inv. 51, p. 86. 1922.
  in Hawaii, fruit-fly infestation and parasitism. J.A.R., vol. 12, pp. 105, 106. 1918.
    infestation with Mediterranean fruit fly in Hawaii. D.B. 536, pp. 24, 36. 1918.
  large, introduction from Hawaii, description and use. B.P.I. Bul. 205, p. 45. 1911.
Rosebud(s)—
  destruction by strawberry beetles, and losses to florists. F.B. 1344, pp. 2, 3. 1923.
  worm, description, distribution, remedies, etc. Ent. Bul. 27, pp. 83-87. 1901.
Rosebushes—
  injuries from rose aphid and control studies. News L., vol. 3, No. 42, p. 4. 1916.
  pruning time and methods. News L., vol. 3, No. 31, p. 7. 1916.
Roselle—
  composition. Hawaii A.R., 1914, pp. 65, 67. 1915.
  cultivation in Hawaii. Hawaii A.R., 1907, pp. 56-57. 1908.
  culture—
    and uses. P. J. Webster. F.B. 307, pp. 16. 1907.
    in Hawaii, 1906. O.E.S. An. Rpt., 1906, p. 34. 1907.
  fungous diseases and insect enemies. F.B. 307, p. 16. 1907.
  growing—
    directions, Yuma experiment farm. D.C. 75, p. 60. 1920.
    experiments. F.B. 169, pp. 22-24. 1903.
    in Guam—
      and value for jelly making. Guam A.R., 1918, pp. 46-47. 1919.
      directions. Guam Bul. 2, pp. 12 ,51-52. 1922.
      planting and harvesting dates, and yields. Guam A.R., 1920, p. 50. 1921.
    in Hawaii, planting yield, drying, and uses. Hawaii A.R., 1914, pp. 11, 52-54. 1915.
    on Yuma experiment farm, 1913, description and uses. B.P.I. [Misc.], "The work of the Yuma * * * 1913," p. 16. 1914.
  importations and descriptions. Nos. 37698, 38107, B.P.I. Inv. 39, pp. 8, 21, 88. 1917; Nos. 42471-42475, 42818, 42819, B.P.I. Inv. 47, pp. 6, 19-21, 70. 1920; Nos. 45800, 45801, B.P.I. Inv. 54, pp. 4, 22. 1922; No. 47119, B.P.I. Inv. 58, pp. 7, 26. 1922; No. 51268, B.P.I. Inv. 64, pp. 82-83. 1923.
  improvement by selection. An. Rpts., 1907, p. 337. 1908.
  jelly making in Hawaii. Hawaii Bul. 47, pp. 17-20. 1923.
  juice, composition. Hawaii Bul. 47, pp. 17-18. 1923.
  new, description. B.P.I. Bul. 207, pp. 19-20. 1911.
  new promising variety, Victor, description and origin. Y.B., 1909, pp. 381-382. 1910; Y.B. Sep. 521, pp. 381-382. 1910.

Roselle—Continued.
  occurrence, uses, description, and cultivation. Y.B., 1909, pp. 381-382. 1910; Y.B. Sep. 521, pp. 381-382. 1910.
  seed importation and description. No. 37012, B.P.I. Inv. 38, p. 24. 1917; No. 40204, 40205, 40299, 40300, B.P.I. Inv. 42, pp. 94, 102. 1918.
Rosellinia bunodes. See Coffee, black-root.
Rosemary—
  flowers, oil, adulteration. Chem. N.J. 2123, pp. 2. 1913; Chem. N.J. 2141, p. 1. 1913; Chem. N.J. 2748, p. 1. 1914; Chem. N.J. 3027, p. 1. 1914.
  pine. See Pine, shortleaf.
  value in perfumery production. B.P.I. Bul. 195, p. 42. 1910.
ROSEN, H. R.: "Pathogenicity of Ophiobolus cariceti in its relationship to weakened plants." With J. A. Elliott. J.A.R., vol.25, pp. 351-35.8. 1923.
ROSENAU, M. J.—
  "The dissemination of disease by dairy products, and methods for prevention." With others. B.A.I. Cir. 153, pp. 57. 1910
  "The origin of the 1908 outbreak of foot-and-mouth disease in the United States." With John R. Mohler. B.A.I. [Misc.] pp. 23. 1915.
  "The origin of the recent outbreak of foot and mouth disease in the United States." With John R. Mohler. B.A.I. Cir. 147, pp. 29. 1909.
ROSENBAUM, J.—
  "A new strain of Rhizoctonia solani on the potato." With others. J.A.R., vol. 9, pp. 413-420. 1917.
  "Alternaria panax, the cause of a root-rot of ginseng." With C. L. Zinnsmeister. J.A.R., vol. 5, pp. 181-182. 1915.
  "Ginseng diseases and their control." With others. F.B. 736, pp. 23. 1916.
  "Influence of temperature and precipitation on the blackleg of potato." With G. B. Ramsey. J.A.R., vol. 13, pp. 507-513. 1918.
  "Pathogenicity and identity of Sclerotina libertiana and Sclerotina smilacina on ginseng." J.A.R., vol. 5, pp. 291-298. 1915.
  "Spongospora subterranea and Phoma tuberosa on the Irish potato." With others. J.A.R., vol. 7, pp. 213-254. 1916.
  "Studies on the genus Phytophthora." J.A.R., vol. 8, pp. 233-276. 1917.
  "The diseases of ginseng and their control." With H. H. Whetzel. B.P.I. Bul. 250, pp. 44. 1912.
ROSENGREN, L. F.: "Dairy instruction in Sweden." B.A.I. Dairy [Misc.], "World's dairy congress," 1923, pp. 633-635. 1924.
Rosenmallow description, varieties and climate adaptations. F.B. 1381, pp. 63-66. 1924.
Roseroot, importation and description. Nos. 32153, 32154, B.P.I. Bul. 261, pp. 33-34. 1912.
Rosette—
  crystals, formation in cold-stored eggs. Chem. Bul. 115, pp. 36-37, 104-105. 1908.
  detection methods and control studies. D.B. 1038, pp. 17-19. 1922.
  histological and cytological studies. D.B. 1038, pp. 19-30. 1922.
  injury to—
    pecan trees, control studies. News L., vol. 6, No. 32, p. 14. 1919.
    potato, Hawaii, control studies. Hawaii A.R., 1917, p. 38. 1918.
    lettuce, in greenhouses. F.B. 1418, p. 20. 1924.
  peach—
    comparison with pecan rosette. J.A.R., vol. 3, pp. 170, 174. 1914.
    infectious mosaic. J. A. McClintock. J.A.R., vol. 24, pp. 307-316. 1923.
    similarity to peach yellows. D.B. 1038, p. 7. 1922.
    transmission to other fruits, experiments. J.A.R., vol. 24, pp. 308-314. 1923.
    treatment. F.B. 243, p. 21. 1906.
  pecan—
    control studies. An. Rpts., 1917, p. 136. 1917; B.P.I. Chief Rpt., 1917, p. 6. 1917.
    description, cause, and control. D.B. 1038, pp. 13-31. 1922; F.B. 1129, pp. 13-14, 21. 1920.

Rosette—Continued.
pecan—continued.
histology, cytology, and relation to other chlorotic diseases. Frederick V. Rand. D.B. 1038, pp. 42. 1922.
investigations and control suggestions. J.A.R., vol. 3, pp. 149-174. 1914.
prevention and control, cultural methods. D.B. 756, pp. 9-10. 1919.
relation to soil deficiencies. S. M. McMurran. D.B. 756, pp. 11. 1919.
symptoms, and similarity to other diseases. J.A.R., vol. 3, pp. 150-151, 169-171, 173, 174. 1914.
potato—
cause and description. B.P.I. Bul. 245, p. 17. 1912; D.B. 64, pp. 40-41. 1914; Hawaii Bul. 45, pp. 17, 24-25. 1920.
cause, description, and control. Hawaii Bul. pp. 17, 24-25. 1920.
occurrence. D.B. 64, pp. 40-41. 1914.
wheat—
cause and control. Harold H. McKinney. J.A.R., vol. 23, pp. 771-800. 1923.
control by uses of immune varieties. J.A.R., vol. 26, pp. 269-270. 1923.
description and control. Aaron G. Johnson and others. F.B. 1414, pp. 10. 1924.
intracellular bodies associated with. J.A.R., vol. 26, pp. 605-608. 1923.
relation to fly experiments. D.B. 1137, pp. 1-5. 1923.
spread method, investigations. J.A.R., vol. 23, p. 789. 1923.
symptoms. F.B. 1414, pp. 2-7. 1924; J.A.R., vol. 23, pp. 775-778. 1923.
symptoms, comparison with insect injuries. Harold McKinney and Walter H. Larrimer. D.B. 1137, pp. 8. 1923.
varietal resistance. R. W. Webb and others. J.A.R., vol. 26, pp. 261-270. 1923.
winter wheat and rye, relation to mosaic disease. D.B. 1361, pp. 1-11. 1925.
Rosewood, quantity used in manufacture of wooden products. D.B. 605, p. 16. 1918.
Rosin—
acids, determination. B.A.I. Bul. 107, pp. 17-20. 1908.
American standards. Off. Rec. vol. 2, No. 17, p. 3. 1923.
analyses, western pines. For. Bul. 119, pp. 13-15, 17, 21, 25, 27, 36. 1913.
commercial utilization. D.B. 229, pp. 9-10. 1915.
description and analysis, method. For. Bul. 119, pp. 9, 10-11. 1913.
determination in—
chocolate and confectionery coatings. Chem. Bul. 132, p. 60. 1910.
paper sizing. Rpt. 89, p. 20. 1909.
distillates, uses. D.B. 229, p. 10. 1915.
distillation—
in Germany and France. D.B. 229, p. 10. 1915.
product of longleaf pine, description. D.B. 1064, pp. 3-4. 1922.
exports—
1851-1908. Stat. Bul. 51, p. 17. 1909.
1860-1900, 10-year periods, by States. D.B. 229, pp. 7-8. 1915.
1860-1913, quantity, and value. D.B. 229, p. 7. 1915.
1908. For. Cir. 162, p. 7. 1909.
1919-1921, and 1852-1921. Y.B. 1922, pp. 957, 968, 975. 1923; Y.B. Sep. 880, pp. 957, 968, 975. 1923.
1922-1924. Y.B., 1924, p. 1047. 1925.
and imports—
1903-1908, 1851-1908. Y.B., 1908, pp. 707, 766, 783. 1909; Y.B. Sep. 948, pp. 707, 766, 783. 1909.
1906-1911, and exports, 1907-1911, 1851-1911. Y.B., 1911, pp. 615, 671, 689. 1912; Y.B. Sep. 588, pp. 615, 671, 689. 1912.
1908-1912, exports, 1851-1912. Y.B., 1912, pp. 661-662, 729, 748-749. 1913; Y.B. Sep. 615, pp. 661-662, 729, 748-749. 1913.
1909-1917. Y.B., 1918, pp. 582-583, 637, 650, 659. 1919; Y.B. Sep. 792, pp. 78-79. 1919; Y.B. Sep. 794, pp. 13, 26, 35. 1919.

Rosin—Continued.
exports—continued.
and imports—continued.
1913-1915, and 1852-1915. Y.B., 1915, pp. 504, 550, 561, 569. 1916; Y.B. Sep. 683, pp. 504. 1916; Y.B. Sep. 685, pp. 550, 561, 569. 1916.
1914. Y.B., 1914, pp. 609, 661, 681. 1915; Y.B. Sep. 655, p. 609. 1915; Y.B. Sep. 687, pp. 661, 681. 1915.
1917. Y.B., 1917, p. 704, 770, 784, 793. 1918; Y.B. Sep. 760, p. 52. 1918; Y.B. Sep. 762, pp. 14, 28, 37. 1918.
1919. Y.B., 1919, pp. 641, 693, 705, 715. 1920; Y.B. Sep. 827, p. 641. 1920; Y.B. Sep. 829, pp. 693, 705, 715. 1920.
average annual, by countries. Stat. Cir. 31, pp. 27, 29, 30. 1912.
by various countries, 1901-1910. D.B. 229, p 5. 1915.
statistics, 1921. Y.B., 1921, pp. 745, 762. 1922; Y.B. Sep. 867, pp. 9, 26. 1922.
See also Forest products, exports.
grades, establishment. An. Rpts., 1916, p. 199. 1917; Chem. Chief Rpt., 1916, p. 9. 1916; Chem. Chief Rpt., 1921, pp. 31, 33. 1921.
grading—
and inspection. Off. Rec., vol. 3, No. 35, p. 5. 1924.
at still. F.P. Veitch and C. F. Sammet. Chem. Cir. 100, pp. 4. 1912.
method and device. An. Rpts., 1911, p. 83. 1912; Sec. A.R., 1911, p. 81. 1911; Y.B., 1911, p. 81. 1912.
studies. An. Rpts., 1912, pp. 596-597. 1913; Chem. Chief Rpt., 1912, pp. 46-47. 1912.
work of Chemistry Bureau, 1911. An. Rpts., 1911, p. 465. 1912; Chem. Chief Rpt., 1911, p. 51. 1911.
imports—
1924. Y.B., 1924, p. 1033. 1925.
by various countries, 1901-1910. D.B. 229, p. 6. 1915.
injurious to leather belting. F.B. 1183, rev., p. 19. 1922.
international, trade—
1901-1910. Stat. Bul. 103, pp. 38-39. 1913.
1902-1906. Y.B., 1907, pp. 691, 750. 1908; Y.B. Sep. 465, pp. 691, 750. 1908.
1909-1921. Y.B., 1922, p. 791. 1923; Y.B. Sep. 884, p. 791. 1923.
and exports, 1852-1913. Y.B., 1913, pp. 452, 503, 513. 1914; Y.B. Sep. 360, pp. 452. 1914; Y.B. Sep. 361, pp. 503, 513. 1914.
and exports, 1906-1910, 1851-1910. Y.B., 1910, pp. 610, 668, 685-686. 1911; Y.B. Sep. 553, pp. 610, 668. 1911; Y.B. Sep. 554, pp. 685-686. 1911.
labeling, regulations. M.C. 22, p. 6. 1924.
oil, production and yield from resinous waste wood. Chem. Bul. 159, pp. 8-15, 17-18, 21-27. 1913.
oil, use in tree-banding material, cost, etc. D.B. 899, pp. 3-4, 6, 7. 1920.
prices—
1916. D.B. 567, p. 8. 1917.
1924. Y.B., 1924, p. 1035. 1925.
processes, investigations. Chem. Chief Rpt., 1924, pp. 14-15. 1924.
producers associations. Off. Rec., vol. 2, No. 7, p. 2. 1923; vol. 4, No. 3, p. 4. 1925.
production—
1904. For. Cir. 129, p. 13. 1907.
1908. For. Cir. 166, p. 22. 1909.
decrease, 1906-1921. D.B. 1061, p. 24. 1922.
from second growth longleaf pine, yearly yields average. D.B. 1061, pp. 22-25. 1922.
improvement. An. Rpts., 1923, pp. 358-359, 362. 1923; Chem. Chief Rpt., 1923, pp. 14-15, 18. 1923; Chem. Chief Rpt., 1925, p. 13. 1925.
in United States, 1810-1913, establishment, quantity, and value. D.B. 229, p. 6. 1915.
investigations program for 1915. Sec. [Misc.], "Program of work * * * 1915," pp. 186-187. 1914.
marketing, 1923. Y.B., 1923, pp. 1084, 1085, 1090. 1924. Y.B. Sep. 904, pp. 1084, 1085, 1090. 1924.
report. Off. Rec., vol. 1, No. 42, p. 2. 1922.

Rosin—Continued.
production—continued.
sources and methods. Chem. Bul. 135, p. 10. 1911.
recovery from waste lumber products. An. Rpts., 1912, pp. 57, 200. 1913; Sec. A.R., 1912, pp. 57, 200. 1912; Y.B., 1912, pp. 57, 200. 1913.
soap, mixture with cresol solution, results. D.B. 855, pp. 2-3. 1920.
spirits, detection in turpentine. Chem. Bul. 135, pp. 17, 19, 29. 1911; Chem. Cir. 85, pp. 9-10. 1912.
standards—
adoption, various cities. An. Rpts., 1915, p. 200. 1916; Chem. Chief Rpt., 1915, p. 10. 1915.
cleaning. Off. Rec., vol. 1, No. 42, p. 6. 1922.
for grading and classification. M.C. 22, p. 4. 1924.
statistics—
collection. Off. Rec., vol. 2, No. 12, p. 4. 1923.
production, and exports, 1910-1920. D.B. 898, pp. 49-51. 1920.
production, exports, and consumption, 1910-1920. D.C. 258, p. 7. 1923.
types, sets, preparation by Chemistry Bureau. An. Rpts., 1917, pp. 204-205. 1917; Chem. Chief Rpt., 1917, pp. 6-7. 1917.
use in—
manufacture of soap, paper, oilcloth, printing inks, and medicines. D.B. 229, p. 9. 1915.
shellac adulteration. Chem. Cir. 91, pp. 1-2. 1912.
western pine oleoresins, examination. For. Bul. 119, pp. 10, 13-15, 17, 20, 25, 27, 29, 36. 1913.
world production, trade and consumption (and turpentine). V. E. Grotlisch. D.C. 258, pp. 13. 1923.
yield(s) from—
double chipping (and turpentine). A. W. Schorger and R. L. Pettigrew. D.B. 567, pp. 9. 1917.
western yellow pine and piñon. For. Bul. 116, pp. 12, 18, 20. 1912.
See also Naval stores.
Rosmarins officinalis—
source of camphor and borneol. B.P.I. Bul. 235, p. 12. 1912.
See also Rosemary.
Rosolio di China, misbranding. Chem. N.J. 2893. 1914.
Ross, B. B., report as referee on potash. Chem. Bul. 132, pp. 21-25. 1910.
Ross, D. W.—
"Duty of water in Idaho." O.E.S. Bul. 104, pp. 221-239. 1902.
"The distribution of water from canals in Idaho." O.E.S. Bul. 119, pp. 199-223. 1902.
Ross, E. L.—
"Organic and inorganic phosphorus in foods." With H. S. Grindley. Chem. Bul. 137, pp. 142-144. 1911.
"Phosphorus metabolism of lambs fed a ration of alfalfa hay, corn, and linseed meal." With others. J.A.R., vol. 4, pp. 459-473. 1915.
Ross, J. F.—
"Cereal crops in the Panhandle of Texas." F. B. 738, pp. 16. 1916.
"Cereal experiments in the Texas Panhandle." With A. H. Leidigh. B.P.I. Bul. 283, pp. 79. 1913.
Ross, Judge, decision on 28 hour law, transportation of horses. Sol. Cir. 12, pp. 4. 1909.
Ross, L. M., report of the poultry division, Hawaii Experiment Station, 1919. Hawaii A.R., 1919, pp. 54-55. 1920.
Ross, P. H.—
"Dairy practice at Kenai station." Alaska A.R., 1907, pp. 62-74. 1908.
"Haymaking at Kenai Experiment Station." O.E.S. Alaska Bul. 3, pp. 13. 1907.
report of Kenai Experiment Station, Alaska—
1904. O.E.S. An. Rpt., 1904, pp. 302-312. 1905.
1906. Alaska A.R., 1906, pp. 47-52. 1907.
1907. Alaska A.R., 1907, pp. 62-73. 1908.
Ross, S. H.—
"A study of the preparation of frozen and dried eggs in the producing section." With others. D.B. 224, pp. 99. 1916.

Ross, S. H.—Continued.
"Determination of glycerine in vinegar and characteristic glycerine ratio." Chem. Bul. 137, pp. 61-64. 1911.
"Suggested modification of the Winton lead number, especially as applied to mixtures of maple and cane sugar sirups." Chem. Cir. 53, pp. 9. 1910.
Ross, W. G.: "Reconnaissance soil survey of—
northeastern Pennsylvania." With others. Soil Sur. Adv. Sh., 1911, pp. 63. 1913; Soils F.O., 1911, pp. 329-386. 1914.
south central Pennsylvania." With others. Soil Sur. Adv. Sh., 1910, pp. 77. 1912; Soils F.O., 1910, pp. 193-265. 1912.
southeastern Pennsylvania." With others. Soil Sur. Adv. Sh., 1912, pp. 100. 1914; Soils F.O., 1912, pp. 247-340. 1915.
Ross, W. H.—
"Analyses of salines of the United States." With others. Soils Bul. 94, pp. 96. 1913.
"Fertilizers from industrial wastes." Y.B., 1917, pp. 253-263. 1918; Y.B. Sep. 728, pp. 13. 1918.
"Getting our potash." Y.B., 1920, pp. 363-376. 1921; Y.B. Sep. 851, pp. 363-376. 1921.
"The computation of fertilizer mixtures from concentrated materials." With Albert R. Merz. D.B. 1280, pp. 16. 1924.
"The extraction of potash from silicate rocks." Soils Cir. 71, pp. 10. 1912.
"The recovery of potash as a by-product in the cement industry." With others. D.B. 572, pp. 23. 1917.
"The recovery of potash as a by-product of the blast-furnace industry." With Albert R. Merz. D.B. 1226, pp. 22. 1924.
"The use of radioactive substances as fertilizers." D.B. 149, pp. 14. 1914.
Rot(s)—
apples—
and peach, spraying. Soils F.O., 1916, p. 1494. 1921.
causes, description, and control. F.B. 1160, 10-12, 13-17. 1920.
causes, studies. S.R.S. Rpt., 1917, pt.1, pp. 42, 204, 264, 265. 1918.
fungi causing, temperature relations, studies. J.A.R., vol. 8, pp. 139-163. 1917.
on market, inspection data, 1917-1920. D.B. 1253, pp. 5-15, 22-23. 1924.
relation of Jonathan spot disease. J.A.R., vol. 11, pp. 288. 1917.
aroids, economic. J.A.R., vol. 6, No. 15, pp. 549-571. 1916.
bacteria in oysters. J.A.R., vol. 30, pp. 973-975. 1925.
beet, caused by *Phoma betae*. J.A.R., vol. 4, pp. 144-148. 1915.
bitter. See Bitter rot.
black—
mold, development in stone fruits, experiments. J.A.R., vol. 22, pp. 452, 455-462, 464, 465. 1922.
of tobacco, cause and control. Work and Exp., 1914, p. 248. 1915.
sweet potatoes, study, Delaware, 1914. Work and Exp., 1914, p. 82. 1915.
walnut. D.B. 909, p. 6. 1921.
blossom-end of—
tomato, control treatment. F.B. 856, p. 69. 1917; F.B. 1338, p. 26. 1923; F.B. 1431, p. 23. 1924; S.R.S. Doc. 95, pp. 15, 18. 1919.
watermelon, description and control. F.B. 821, pp. 17-18. 1917; F.B. 1277, p. 30. 1922.
blue mold—
of citrus fruits, prevention, results of borax treatment. J.A.R., vol. 28, pp. 961-968. 1924.
See also *Penicillium expansum*.
botrytis, of globe artichoke. George K. K. Link and others. J.A.R., vol. 29, pp. 85-92. 1924.
brown. See Brown-rot.
bud. See Bud rot.
butt. See Butt rot.
cabbage, causes. B.P.I. Cir. 39, pp. 4, 5, 6. 1909.
cabbage, description, cause, and control. F.B 925, pp. 13-14, 21-22. 1918.

Rot(s)—Continued.
  cacti, description and control methods. B.P.I. Bul. 262, p. 15. 1912.
  cedar, causes and spread. D.B. 871, pp. 8–49. 1920.
  charcoal, of sweet potatoes, description and cause. F.B. 1059, pp. 21–22. 1919.
  citrus fruits, causes in handling, and prevention. F.B. 696, pp. 2–4, 6–15. 1915.
  citrus stem-end, control. John R. Winston and others. D.C. 293, pp. 10. 1923.
  clover injury, control. F.B. 1339, p. 28. 1923; F.B. 1365, p. 21. 1924.
  conifer, from two new fungi, description. J.A.R. vol. 2, pp. 163–164, 166. 1914.
  corn—
    effect on vigor and grain yield of plant. James R. Holbert and others. J.A.R., vol. 23, pp. 583–630. 1923.
    injuries to corn, causes and control. Y.B., 1921, p. 186. 1922; Y.B. Sep. 872, p. 186. 1922.
    root, relation to character of seed. D.B. 1062, pp. 1–7. 1922.
    roots and stalk, relation to iron and aluminum compounds. J.A.R., vol. 23, pp. 801–824. 1923.
    studies. O.E.S. Chief Rpt., 1922, pp. 38–39. 1924.
    symptoms at stages of growth. F.B. 1176, pp. 6–9. 1920.
  cotton root, cause and results. Y.B., 1921, p. 356. 1922; Y.B. Sep. 877, p. 356. 1922.
  cranberry—
    causes and control. D.B. 714, pp. 6–18. 1918.
    description and control. F.B. 1081, pp. 5–11, 16–17. 1920.
    fungus causing, description and treatment. B.P.I. Bul. 110, pp. 26–30. 1907.
    treatment. F.B. 221, pp. 7–8. 1905.
  crown. See Crown rot.
  dasheen, prevention. Y.B., 1916, pp. 207–208. 1917; Y.B. Sep. 689, pp. 9–10. 1917; F.B. 1396, p. 24. 1924.
  diseases, corn, control. James R. Holbert and George N. Hoffer. F.B. 1176, pp. 24. 1920.
  Douglas fir, causes, entrance, description, and amount of injury. D.B. 1163, pp. 3–17. 1923.
  dry—
    coloration of wood, discussion. D.B. 871, pp. 22–24. 1920.
    control by heat and ventilation. D.B. 801, pp. 55, 56. 1919.
    of corn—
      cause of diseases of animals, experiments. B.A.I. An. Rpt., 1907, pp. 260–261, 275. 1909.
      description, damage and control. F.B. 334, p. 11. 1908.
    of incense cedar—
      J. S. Boyce. D.B. 871, pp. 58. 1920.
      control by fire protection, scaling, and marking. D.B. 871, pp. 49–55. 1920.
    of potato(es)—
      causes, and inoculation experiments. J.A.R., vol. 5, No. 5, pp. 195–201. 1915.
      due to *Fusarium oxysporum*. Erwin F. Smith and Deane B. Swingle. B.P.I. Bul. 55, pp. 64. 1904.
    of sweet potatoes—
      caused by *Diaporthe batatatis*. L. L. Harter and Ethel C. Field. B.P.I. Bul. 281, pp. 38. 1913.
      description and cause. F.B. 1059, p. 21. 1919; J.A.R., vol. 2, pp. 251, 265, 276. 1914.
      description and prevalence in hotbed, field, and storage. B.P.I. Bul. 281, pp. 8–10. 1913.
      dissemination and control. B.P.I. Bul. 281, pp. 35–36. 1913.
    of tomato, cause and microscopic appearance. Y.B., 1911, p. 301. 1912; Y.B. Sep. 569, p. 301. 1912.
    See also Rot, timber.
  early, of cranberry, description, cause, and control. F.B. 1081, pp. 5–8. 1920.
  egg, descriptions. D.B. 565, pp. 14, 16. 1918.
  end—
    of cranberry, description, cause, and control. F.B. 1081, p. 9. 1920.

Rot(s)—Continued.
  end—continued.
    of oranges, caused by new species of Stemphylium. B.P.I. Bul. 171, pp. 13–14. 1910.
  foot. See Foot rot.
  fruit—
    caused by *Rhizopus nigricans*. D.B. 531, pp. 9–11. 1917.
    in transit from Porto Rico, cause and prevention, study. P.R. An. Rpt., 1920, pp. 33–37. 1921.
    in transportation, relation to orchard spraying. Charles Brooks and D. F. Fisher. J.A.R., vol. 22, pp. 467–477. 1922.
    temperature relations, experiments. J.A.R., vol. 22, pp. 451–465. 1922.
  Fusarium—
    occurrence, place and time. D.C. 214, p. 5. 1922.
    of onion, description and control. F.B. 1060, p. 13. 1919.
    of potatoes—
      George K. K. Link and F. C. Meier. D.C. 214, pp. 8. 1922.
      description, and effect on the tubers. D.C. 214, pp. 3–4. 1922.
      temperature and humidity studies. R. W. Goss. J.A.R., vol. 22, pp. 65–80. 1921.
  garden vegetables, treatment, and prevention. F.B. 1371, pp. 15–16, 35, 37. rev. 1924.
  geranium, symptoms of disease. J.A.R., vol. 30, pp. 1043–1048. 1925.
  ginseng—
    caused by *Sclerotinia* spp. J.A.R., vol. 5, No. 7, pp. 291–298. 1915.
    causes, symptoms, and control. B.P.I. Bul. 250, pp. 28–37. 1912; F.B. 736, pp. 2–12. 1916.
  grape, description, causes, and control. F.B. 1220, pp. 49–51, 56–59, 62–64. 1921.
  gray powdery of aroids, cause, studies, and inoculation experiments. J.A.R., vol. 6, No. 15, pp. 556–559. 1916.
  ground, of watermelon, description, and control. F.B. 821, p. 18. 1917; F.B. 1277, pp. 4, 8–9. 1922.
  hard, cranberry, description, cause, and control. F.B. 1081, pp. 10–11. 1920.
  heart. See Heart-rot.
  heartwood of incense cedar, causes, description, and results. D.B. 871, pp. 8–49. 1920.
  honeycomb, description, trees attacked, and characteristics. D.B. 658, pp. 3, 4, 7, 16. 1918.
  injurious to Douglas fir. D.B. 1200, p. 53. 1924.
  injury to—
    aspen. D.B. 1291, p. 15. 1925.
    felled pines. D.B. 1140, pp. 2, 5–6. 1923.
    trees, causes and indications. F.B. 1177, rev., pp. 15, 16. 1920.
    yellow pine in Oregon. D.B. 418, p. 14. 1917.
  inoculation into corn, experiments and results. J.A.R., vol. 27, pp. 961–963. 1924.
  jelly-end, of potato—
    description and cause. J.A.R., vol. 5, No. 5, pp. 194–195. 1915.
    in field, from inoculation. J.A.R., vol. 6, No. 9, pp. 305–306. 1916.
  late-blight tuber—
    control in field and in storage. D.C. 220, p. 5. 1922.
    of potato. George K. K. Link and F. C. Meier. D.C. 220, pp. 5. 1922.
    start and development, conditions favoring. D.C. 220, pp. 3–4. 1922.
  leather, strawberry. Dean H. Rose. J.A.R., vol. 28, pp. 357–376. 1924.
  lettuce, bacterial diseases, studies. J.A.R., vol. 13, pp. 367–388. 1918.
  Madonna lily, causes and control. D.B. 1331, pp. 14–15. 1925.
  moldy, on stone fruits, influence of orchard spraying. J.A.R., vol. 22, pp. 467–477. 1922.
  mycelial neck, of onion, control by artificial curing. J. C. Walker. J.A.R., vol. 30, pp. 365–373. 1925.
  necessity for removal from cider apples. F.B. 1264, pp. 10, 52. 1922.
  oak, caused by *Polyporus dryadeus*, description. J.A.R., vol. 1, pp. 241–243. 1913.
  onion bulb, cause and relation to environment. J.A.R., vol. 28, pp. 683–694. 1924.

Rot(s)—Continued.
oyster, organisms. Albert C. Hunter and Bernard A. Linden. J.A.R., vol. 30, pp. 971-975. 1925.
pea-root, injuries. News L., vol. 6, No. 48, p. 6. 1919.
peach, effect on quality of peach juice. Chem. Cir. 51, p. 6. 1910.
Phoma, of tomatoes. George K. K. Link and F. C. Meier. D.C. 219, pp. 5. 1922.
Phytophthora—
description and distribution. J.A.R., vol. 30, pp. 463-464. 1925.
of pears and apples. Dean H. Rose and Carl C. Lindegren. J.A.R., vol. 30, pp. 463-468. 1925.
pine, relation to age and site of trees, and other factors. D.B. 799, pp. 6-19. 1919.
pineapple—
caused by *Thielaviopsis paradoxa*, description and control. B.P.I. Bul. 171, pp. 15-35. 1910.
causes and control. Hawaii A. R., 1915, p. 61. 1916.
piped—
caused by *Polyporus*—
dryophilus, description and control. J.A.R., vol. 3, pp. 66-68, 76. 1914.
pilotae, hardwood trees. J.A.R., vol. 1, pp. 114-122, 128. 1913.
chestnut tree tops, caused by *Polyporus pilotae*. D.B. 89, p. 2. 1914.
powdery dry, of potato, cause description and control. C.T. and F.C.D. Inv. Cir. 1, pp.4. 1918.
Pythium rootlet, of sweet potatoes. L. L. Harter. J.A.R., vol, 29, pp.53-55. 1924.
red gum tree, description. B.P.I. Bul. 114, pp. 9-10. 1907.
Rhizopus, of strawberries in transit. Neil E. Stevens and R. B. Wilcox. D.B. 531, pp. 22. 1917.
root. See Root rot.
sap, forest trees, deciduous, causes, description, and control. B.P.I. Bul. 149, pp. 52-61, 66. 1909.
Sclerotinia, of ginseng, description and control. F.B. 736, pp. 11-12. 1916.
slimy soft, of potato, cause and losses of early potatoes. F.B. 1316, p. 19. 1923.
soft. See Soft rot.
softwoods, and fungi causing. D.B. 1128, pp. 34-37. 1923.
soil, of sweet potato, description, cause, and control. J.A.R., vol. 13, pp. 437-450. 1918.
southern Sclerotium, fungus causing, description, and symptoms. J.A.R., vol, 18, pp. 127-138. 1919.
stem-end—
injury to citrus fruits, causes and control. News L., vol. 3, No. 17, p. 2. 1915.
injury to Porto Rican grapefruit, causes and control studies. P.R. An. Rpt., 1921, pp. 26-27. 1922.
of citrus fruits. D.B. 1290, p. 5. 1924.
of watermelon—
and fungous causing. J.A.R., vol. 6, No. 4, pp. 149-152. 1916.
description, cause, relations, and control. F.B. 821, pp. 3, 11-17. 1917; F.B. 1277, pp. 18-27. 1922; F.B. 1394, pp. 15-17. 1924.
treatment. News L., vol. 6, No. 43, p. 4. 1919.
stone fruits in transportation, relation to orchard spraying. Charles Brooks and D. F. Fisher. J.A.R., vol. 22, pp. 467-477. 1922.
straw-colored, of oaks, caused by *Polyporus pondorus*. J.A.R., vol. 1, pp. 125-127, 128. 1913.
string and ray, caused by *Polyporus berkeleyi* in oak trees. J.A.R., vol. 1, pp. 122-125, 128. 1913.
timber—
caused by *Lenzites sepiaria*. Perley Spaulding. B.P.I. Bul. 214, pp. 46. 1911.
fungi causing. J.A.R., vol. 12, p. 64. 1918.
transportation, of stone fruits, as influenced by orchard spraying. Charles Brooks and D. F. Fisher. J.A.R., vol. 22, pp. 467-477. 1921.

Rot(s)—Continued.
trees—
characteristics, and trees attacked. D.B. 658, pp. 3-22. 1918.
description of fungi causing. D.B. 799, pp. 2-4. 1919.
vegetables, occurring under market, storage, and transit conditions. B.P.I. [Misc.], "Handbook of the * * * ," pp. 18-22, 25, 28-29, 34-35, 38-40, 41, 45-51, 52-53, 62, 63-65, 66, 67-70, 71, 72-73. 1919.
watery, of tomato fruits. Fred J. Pritchard and W. S. Porte. J.A.R., vol. 24, pp. 895-906. 1923.
western white pine, study. Ernest E. Hubert and James R. Weir. D.B. 799, pp. 24. 1919.
wood—
destruction of trees attacked by aspen borers. F.B. 1154, pp. 6, 10. 1920.
identification by cultural characters. J.A.R., vol. 12, pp. 63-65. 1918.
indications in lumber for airplane construction. D.B. 1128, pp. 32-34. 1923.
of pecan trees—
prevention. S. M. McMurran. F.B. 995, pp. 8. 1918.
result of wrong trimming. F.B. 995, p. 3. 1918.
yellow heart, description, trees attacked, and characteristics. D.B. 658, pp. 15, 17, 18. 1918.
See also *under special hosts.*
Rotation—
adoption in Georgia, Mitchell County. Soil Sur. Adv. Sh., 1920, p. 9. 1922; Soils F.O., 1920, p. 9. 1925.
advantages, suggestions, relation of statistics. Stat. Bul. 48, pp. 12-19, 21. 1906.
alfalfa—
experiments. D.B. 881, pp. 2-12. 1920.
long and short cost and returns. F.B. 339, pp. 33-34. 1908.
need and value. Rpt. 96, pp. 15-16, 48. 1911.
on Corn-Belt farms. F.B. 1021, pp. 5-8. 1919.
pasture fields, system in Arizona. Sec. Cir. 54, pp. 1-4. 1915.
yields of various crops. F.B. 373, p. 38. 1909.
and fertilizers, sugar beet growing. Rpt. 86, p. 32. 1908.
and soil fertility, study course. D.B. 355, pp. 84-89. 1916.
and tillage experiments at Nephi, Utah. P. V. Cardon. D.B. 157, pp. 45. 1915.
barley growing. F.B. 968, pp. 11-12. 1918.
barley with other crops, experiments. F.B. 443, pp. 16-19. 1911.
beet growing. D.B. 963, pp. 21-22. 1921; Rpt. 90, pp. 17, 19. 1909.
beet growing. Rpt. 90, pp. 17, 19. 1909.
benefits to worn soils. Rpt. 70, pp. 32-33. 1901.
buckwheat growing. F.B. 1062, pp. 7-8. 1919.
bulb growing. D.B. 797, p. 5. 1919.
commercial bean growing. F.B. 425, p. 6. 1910.
comparison with continuous cropping. D.B. 991, p. 22. 1921; B.P.I. Bul. 187, pp. 20-40, 68-70. 1910.
control of meadow plant bug. J.A.R. vol. 15, p. 198. 1918.
corn—
club work. S.R.S. Doc. 27, pp. 4-5. 1915. S.R.S. Doc. 29, p. 3. 1915.
larger stalk borer, control. F.B. 1025, p. 11. 1919.
tests for effect of various crops on yield. F.B. 317, pp. 20-21. 1908.
cotton—
after corn, etc., for rootworm control. F.B. 950, p. 9. 1918.
growing, requirements of Orangeburg fine sandy loam. Soils Cir. 46, p. 12. 1911.
in, lessons. M.C. 43, pp. 17-18. 1925.
intensive farming. F.B. 519, pp. 8-11. 1913.
land infested with root knot. B.P.I. Doc. 813, p. 14. 1913.
with other crops in Alabama, Colbert County. Soil Sur. Adv. Sh., 1908, pp. 10-11. 1909; Soils F.O., 1908, pp. 560-561. 1911.
cottonwood stands, time, cost, and lumber value. D.B. 24, pp. 42-45. 1913.

Rotation—Continued.
  cowpeas for soil improvement, Southern States. F.B. 318, pp. 22-24, 28. 1908; F.B. 1148, pp. 16-17. 1920.
  crimson clover, uses. F.B. 1142, pp. 6-8. 1920.
  crop(s)—
    and cultural methods at Akron (Colo.) Field Station, 1909-1923. J. F. Brandon. D.B. 1304, pp. 28. 1925.
    and cultural methods at Edgeley. John S. Cole. D.B. 991, pp. 24. 1921.
    as preventive of western corn rootworm. News L., vol. 1, No. 12, p. 3. 1913.
    as remedy for insect pests. Y.B., 1905, pp. 467-469. 1906; Y.B. Sep. 396, pp. 467-469. 1906.
    as remedy for root knot, with list of resistant crops. B.P.I. Doc. 648, pp. 2-3. 1911.
    at agricultural experiment stations, results. F.B. 144, pp. 8-11. 1901.
    at Belle Fourche experiment farm. W.I.A. Cir. 4, pp. 5-8. 1915.
    at Huntley experiment farm, 1913-1921. D.C. 275, pp. 7-11. 1923; W.I.A. Cir. 22, pp. 8-14. 1918.
    at San Antonio experiment farm, results. B.P.I. Cir. 13, pp. 7-9. 1908; W.I.A. Cir. 5, pp. 4-6. 1915; W.I.A. Cir. 21, pp. 7-8. 1918.
    barley growing, Great Plains area. D.B. 222, pp. 8-9. 1915.
    benefits to humus content. F.B. 144, pp. 8-11. 1901.
    bluegrass region. D.B. 482, p. 7. 1917.
    clubs, suggestions. D.C. 38, pp. 10-11. 1919.
    combination with boys' corn and pig clubs, methods. News L., vol. 1, No. 15, p. 1. 1913.
    corn growing in Great Plains area. D.B. 219, pp. 6-7. 1915.
    cotton farms. F.B. 319, p. 14. 1908; F.B. 364, pp. 8-9. 1909.
    cowpeas for soil improvement, Southern States. F.B. 318, pp. 22-24, 28. 1908.
    diversification farm, Alabama. F.B. 310, p. 7. 1907.
    dry-farming systems. B.P.I. Bul, 215, pp. 35-37 1911; Y.B., 1907, pp. 459-463. 1908; Y.B. Sep. 461, pp. 459-463. 1908.
    dry-land agriculture, cooperative experiments, Fort Hays branch station. D.B. 1094, pp. 7-29, 30. 1922.
    dry lands of central Oregon. F.B. 800, pp. 10-11. 1917.
    experiments in—
      Hawaii. Hawaii A.R., 1920, p. 13. 1921.
      Montana Huntley Experiment Station. D.C. 147, pp. 7-9. 1921.
      Oregon, Umatilla experiment farm. W.I.A. Cir. 17, pp. 16-18. 1917; W.I.A. Cir. 26, pp. 12-14. 1919.
      South Dakota. D.C. 339, pp. 12-20, 28-31. 1925.
    experiments, on successful New York farm. D.B. 32, pp. 8-10. 1913.
    for control of—
      beet leaf-spot. F.B. 618, pp. 11-13, 18. 1914.
      billbugs. F.B. 835, rev., p. 18. 1920; F.B. 1003, pp. 21, 22. 1919.
      boll weevil. F.B. 319, pp. 14-15. 1908; F.B. 344, p. 23. 1909.
      cabbage diseases. F.B. 488, pp. 11-12. 1912; F.B. 925, rev., pp. 8-13, 20, 22, 25, 28. 1921; F.B. 1351, p. 7. 1923.
      celery storage rots. F.B. 1269, p. 18. 1922.
      chinch bug. Ent. Cir. 113, pp. 18, 25. 1909.
      corn disease. J.A.R., vol. 16, pp. 153, 154. 1919.
      corn root aphid. F.B. 891, p. 10. 1917.
      cotton anthracnose. F.B. 555, pp. 7-8. 1913.
      cotton diseases. F.B. 625, pp. 7, 11-13. 1914; F.B. 1187, pp. 10-12, 16, 19, 32. 1921; Y.B., 1921, pp. 356, 357. 1922; Y.B. 877, pp. 356-357. 1922.
      crown-gall. D.B. 203, p. 8. 1915.
      curlew bug on corn and rice. Ent. Bul. 95, Pt. IV, p. 70. 1912.
      cutworms. News L., vol. 3, No. 12, p. 2. 1915.
      dodder. F.B. 1161, pp. 18, 20. 1921.

Rotation—Continued.
  crop(s)—continued.
    for control of—continued.
      eelworm. News L., vol. 6, No. 35, p. 15. 1919.
      grubworm. F.B. 940, pp. 23-24. 1918.
      Hessian fly. F.B. 640, p. 18. 1915.
      insects in alfalfa and clover. D.B. 889, p. 23. 1920.
      June-beetle. D.B. 891, p. 46. 1922.
      nematode. F.B. 772, pp. 16-17, 19. 1916.
      pea blight. News L., vol. 5, No. 34, p. 4. 1918.
      potato-tuber moth, schedule. F.B. 557, pp. 3-4. 1913.
      potato wilt. D.B. 64, pp. 14-15. 1914.
      red spider. F.B. 416, pp. 59-60, 68. 1917; F.B. 831, p. 12. 1917.
      root knot. B.P.I. Bul. 217, pp. 65-66. 1911; F.B. 648, pp. 15-17. 1915; F.B. 1345, pp. 19-23. 1923.
      sawfly. D.B. 834. p. 13. 1920.
      soil erosion. Soils Bul. 71, p. 45. 1911.
      sugar-beet nematode. F.B. 1248, pp. 13-15. 1922.
      take-all disease. F.B. 1063, p. 8. 1919.
      timothy stem borer. Ent. Bul. 95, Pt. 1, p. 9. 1911.
      tobacco-wilt. News L., vol. 5, No. 10. p. 2. 1917.
      tomato blight. News L., vol. 5, No. 34, p. 8. 1918.
      tomato leaf-spot. D.B. 1288, pp. 11-12. 1924.
      watermelon diseases. F.B 821, pp. 5, 6. 1917.
      weeds. B.P.I. Bul. 257, pp. 33, 34. 1912.
      western corn rootworm. D.B. 8, pp. 3, 6-8. 1913.
      wheat nematode disease. D.B. 842, pp. 34-35. 1920.
      white grubs. F.B. 543, p. 18. 1913; F.B. 856, pp. 16-17. 1917; News L., vol. 3, No. 8, pp. 1, 2-3. 1915.
      wild oats. News L., vol. 5, No. 8, pp. 4-5. 1917.
      wireworm. D.B. 78, pp. 16-19, 29. 1914; F.B. 733, pp. 6-7. 1916.
      wireworm and corn root-aphid. F.B. 890, p. 22. 1917.
    for—
      corn, wheat, and cotton. Y.B., 1921, pp. 97, 176-178, 356, 357. 1922; Y.B. Sep. 873, p. 97. 1922; Y.B. Sep. 872, pp. 176-178. 1922; Y.B. Sep. 877, pp. 356, 357. 1922.
      dairy farms, New England. F.B. 337, pp. 8, 11, 12, 13, 18, 20, 23. 1908.
      fall oats. F.B. 1119, p. 12. 1920.
      flax. F.B. 785, pp. 11-13. 1917; F.B. 1328, pp. 7-8. 1924.
      Guam soils, experiments. Guam A.R., 1921, p. 23. 1923.
      Hawaiian soils. Hawaii Bul. 40, p. 17. 1915.
      hay farm. F.B. 312, pp. 8-10. 1907.
      hemp growing. B.P.I. Cir. 57, p. 4. 1910; Y.B., 1913, pp. 312-315. 1914; Y.B. Sep. 628, pp. 312-315. 1914.
      increasing yields on mountain farms. F.B. 905, pp. 10-14, 22-27. 1918.
      Indiana farms. F.B. 1421, pp. 4-6, 7-8. 1924.
      mountain farms. F.B. 981, pp. 19-32. 1918.
      nematode control, crops available, list. F.B. 772, p. 17. 1916.
      North Carolina, Catawba County. D.B. 1070, pp. 17-23. 1922.
      Northern States, including legumes. S.R.S. Syl. 25, pp. 4-6. 1917.
      Onslow County, North Carolina. Soil Sur. Adv. Sh., 1921, pp. 105, 110-111. 1923.
      peat lands of California, suggestions. B.P.I. Cir. 23, pp. 7, 9, 12-14. 1909.
      Portsmouth sandy loam. Soils Cir. 17, pp. 3-5. 1905.
      potatoes on irrigated lands. B.P.I. Cir. 90, pp. 4-5. 1912.
      prevention of cabbage diseases. F.B. 925, p. 8. 1918.
      red clover. F.B. 1339, pp. 18-19. 1923.

INDEX TO PUBLICATIONS, 1901–1925   2039

Rotation—Continued.
 crop(s)—continued.
  for—continued.
   rice land in California. D.B. 1155, pp. 55–57. 1923.
   rye growing. F.B. 894, pp. 6–8. 1917.
   sheep, and grazing afforded, Beltsville sheep farm. F.B. 1181, p. 13. 1921.
   sheep pasturage. News L., vol. 6, No. 50, p. 8. 1919.
   southern farms. F.B. 951, p. 19. 1918.
   southwestern Pennsylvania. Y.B., 1909, p. 331. 1910; Y.B. Sep. 516, p. 331. 1910.
   spring wheat, reasons for and examples. F.B. 678, pp. 7–11. 1915.
   strawberries. F.B. 664, p. 13. 1915.
   tenant farms, 4-field and 5-field systems and returns. F.B. 437, pp. 7–9, 10, 11–15. 1911.
   tobacco, scheme. Y.B., 1908, pp. 415–420. 1909; Y.B. Sep. 490, pp. 415–420 1909.
   various States, counties, and areas. See Soil Surveys.
   vegetable garden. F.B. 937, pp. 23–24. 1918.
  fields, hogging-down system F.B. 614. pp. 6–7. 1914.
  growing with peas. F.B. 1255, pp. 6–8, 20. 1922.
  importance in flax growing. F.B. 274, p. 21. 1907.
  improvement. Y.B., 1902, p. 597. 1903.
  in—
   Alaska, Fairbanks Experiment Station. Alaska A.R., 1920, p. 42. 1922
   Arkansas, systems for different sections. F.B. 1000, p. 5–18. 1918.
   beet growing. D.B. 963, pp. 21–22. 1921
   dairy farming, comparison of systems. F.B. 517, pp. 11–13. 1912.
   different systems of crop growing. Y.B., 1908, pp. 357–358, 359, 360. 1909; Y.B. Sep. 487, pp. 357–358, 359, 360. 1909.
   grain farming in Great Basin. B.P.I. Cir. 61, pp. 29–30. 1910.
   growing peas. F.B. 1255, pp. 6–8, 20. 1922
   growing sugar beets. D.B. 693, pp. 11–14 1918.
   Iowa, Jefferson County. Soil Sur. Adv. Sh., 1922, pp. 316, 323. 1925.
   Iowa, Page County. Soil Sur. Adv. Sh., 1921, pp. 356–357. 1924.
   irrigated district of southern Idaho. F.B. 1103, p. 10. 1920.
   irrigation farming, experiments. D.C. 339 pp. 12–20. 1925.
   Maryland, Frederick County, practices Soil Sur. Adv. Sh., 1919, pp. 14, 36–37, 45, 48, 49, 77, 79. 1922.
   Michigan, Lenawee County, studies. D.B. 694, pp. 26–27. 1918.
   Minnesota, Stevens County. Soil Sur. Adv. Sh., 1919, pp. 13–14, 21, 24. 1922; Soils F.O., 1919, pp. 1385–1386, 1393, 1396. 1925.
   Minnesota, suggestion. Stat. Bul. 48, pp 12–19, 21, 40. 1906.
   Missouri, Cooper County. Soil Sur. Adv. Sh., 1909, p. 15. 1911; Soils F.O , 1909, p. 1377. 1912.
   Montana, Huntley farm, experiments, 1916. W.I.A. Cir. 15, pp. 5–11. 1917.
   Nebraska, Jefferson County. Soil Sur. Adv. Sh., 1921, p. 1451. 1925.
   New Jersey farming. F.B. 472, pp. 8–24, 25, 27, 38. 1911.
   North Carolina, Cumberland County. Soil Sur. Adv. Sh., 1922, pp. 116–117. 1925.
   onion culture. F.B. 354, pp. 9, 35. 1909.
   Oregon, relation to soil and farming type D.B. 705, p. 6. 1918.
   peanut growing. F.B. 356, pp. 11–12. 1909; F.B. 431, pp. 9–12. 1911; F.B. 1127, p. 5. 1920; J.A.R., vol. 8, pp. 441–442, 445. 1917; O.E.S. F I L 13, p. 7. 1912; S.R.S. Doc. 45, p. 4. 1917.
   Pennsylvania, Chester County, practices. D.B. 341, pp. 83–86. 1916.
   Pennsylvania, York County, practices. Soil Sur. Adv. Sh., 1912, p. 18. 1914; Soils F. O., 1912, p. 168. 1915.
   potato growing. F.B. 1064, pp. 6–7. 1919; Sec. Cir. 92, pp. 8, 16, 23. 1918.

Rotation—Continued.
 crop(s)—continued.
  in—continued.
   strawberry growing, Eastern States. F.B. 1028, p. 13. 1919.
   sugar-beet growing. F.B. 567, pp. 20–21. 1914; [Misc.], "Progress * * * beet-sugar * * * 1903," pp. 73–74. 1904.
   sugar-beet irrigation. F.B. 392, pp. 38–40. 1910.
   tobacco growing Y.B., 1922, pp. 415, 465. 1923; Y.B. Sep. 885, pp. 415, 465. 1923.
   tomato growing. F.B. 1338, pp. 3–4. 1923.
   wheat growing. An. Rpts., 1910, p. 311. 1911; B.P.I. Chief Rpt., 1910, p. 41. 1910.
   Wisconsin, northeastern, suggestions. Soil Sur. Adv. Sh., 1914, pp. 27, 63, 81, 88, 90. 1915.
  increase in South. News L., vol. 6, No. 17, pp. 7, 8–9. 1918.
  influence on yield of corn. O.E.S. An. Rpt,. 1904, pp. 494–495. 1905.
  investigation at Edgeley, N. Dak. John S. Cole. D.B. 991, pp. 24. 1921.
  irrigated—
   experiments, in Nebraska. W.I.A. Cir. 6, pp. 5–7. 1915.
   in Montana, Huntley experiment farm. D. C. 86, pp. 8–12. 1920; D. C. 204, pp. 9–11. 1921; W.I.A. Cir. 8, pp. 6–11. 1916.
   in South Dakota, Belle Fourche experiment farm. B.P.I. Cir. 119, pp. 18–19. 1913; D.C. 60, pp. 9–12. 1919; W.I.A. Cir. 9, pp. 6–11. 1916; W.I.A. Cir. 14, pp. 12–19. 1917; W.I.A. Cir. 24, pp. 10–17. 1918.
   lands in Nebraska. B.P.I. Doc. 454, pp. 2–3. 1909.
   lands, suggestions. B.P.I. Doc. 455, p. 3. 1909.
   sections, Montana, hints. B.P.I. Doc. 462, pp. 6–7. 1909.
   yields in South Dakota. W.I.A. Cir. 24, pp. 10–17. 1918.
  lack in coastal plain section, discussion. F.B. 924, pp. 14–17. 1918.
  necessity—
   and value in wheat-scab control. F.B. 1224, p. 15. 1921.
   in irrigation farming. Y.B.,1909, pp. 201–202. 1910; Y.B. Sep. 505, pp. 201–202. 1910.
   in potato growing, B.P.I. Cir. 109, p. 9. 1913.
   in tobacco growing. D.B. 765, pp. 1–2. 1919.
  oat growing, discussion. D.B. 218, p. 7. 1915.
  on alkali lands in Egypt. Y.B. 1902, p. 584. 1903.
  on farms in Corn Belt, systems with sweet clover. F.B. 1005, pp. 11–25. 1919.
  on typical livestock farm. Y.B., 1902, pp. 355–572. 1903.
  pigeon pea, value. Hawaii Bul. 46, p. 21. 1921.
  place of corn, school studies. D.B. 653, p. 4. 1918.
  place of oats. F.B. 424, pp. 10–11. 1910; F.B. 492, pp. 6–8. 1917.
  plans for cotton-growing States. O.E.S. Bul. 220, p. 27. 1909.
  practices—
   George K. Holmes. Y.B., 1902, pp. 519–532. 1903; Y.B. Sep. 289, pp. 519–532. 1903.
   in Pennsylvania, Chester County. D.B. 341, p. 17. 1916.
   on cut-over lands, Michigan, Wisconsin, and Minnesota. D.B. 425, pp. 18–21. 1916.
  prevention of—
   root aphids. Ent. Bul. 85, pp. 101, 106. 1911.
   wheat insects. F.B. 132, pp. 12, 21, 24. 1901.
  principles, factors involved, and rules. B.P.I. Bul. 187, pp. 65–67. 1910; Soils Bul. 55, pp. 58–61. 1909.
  profitable, study of systems. News L., vol. 3, No. 13, p. 3. 1915.
  recommendation for control of Fusarium rot of potatoes. D.C. 214, p. 8. 1922.
  reduction of disease and insect injury. F.B. 856, p. 6. 1917.
  relation to—
   cotton yields, studies. D.B. 511, pp. 14–15, 62. 1917.
   crop yield. D.B. 757, p. 32. 1919.

Rotation—Continued.
crop—continued.
relation to—continued.
diseases caused by *Gibberella saubinetii.* J.A.R., vol. 27, pp. 861-880. 1924.
use of fertilizers. F.B. 398, p. 6. 1910.
remedy for—
Hessian fly. Ent. Cir. 70, p. 14. 1906.
insect pests. Y.B., 1905, pp. 467-469. 1906; Y.B. Sep. 396, pp. 467-469. 1906.
wheat strawworm. Ent. Cir. 106, pp. 11, 14. 1909.
schedule for—
bean growing, Washington, Oregon, and Idaho. F.B. 907, p. 16. 1917.
clover with other crops. News L., vol 3, No. 14, p. 7. 1915.
hogging-down crops as labor saver. News L., vol. 2, No. 18, pp. 1-2. 1914.
soil improvement. News L., vol. 5, No. 33, p. 3. 1918.
sheep farm, note. Y.B., 1902, p. 361. 1903.
simple and complex, examples. Y.B., 1907, pp. 386-388. 1908; Y.B. Sep. 456, pp. 386-388. 1908.
suggestions—
and discussion of forms and requirements. F.B. 704, pp. 4, 12-17. 1916.
for southwestern Pennsylvania. Y.B., 1909. p. 331. 1910; Y.B. Sep. 516, p. 331. 1910.
Shenandoah Valley farms. F.B. 432, pp. 25-27. 1911.
suitability for Texas black lands, experiments. B.P.I. Cir. 84, pp. 10-20. 1911.
suitability of Sudan grass. F.B. 605, p. 12. 1914.
tobacco culture, with intensive methods. E. H. Mathewson. Y.B., 1908, pp. 403-420. 1909; Y.B. Sep. 490, pp. 403-420. 1909.
typical livestock farm. Y.B., 1902, pp. 355-357. 1903.
under irrigation—
Huntley project experiments, 1913. B.P.I. [Misc.], "The work * * * Huntley * * *" 1913," pp. 4-6. 1914.
Montana, yield, 1912. B.P.I. Cir. 121, pp. 22-23. 1913.
Scottsbluff experiment farm. W.I.A. Cir. 11, pp. 9-11. 1916; W.I.A. Cir. 18, pp. 9-11. 1918.
use of—
clover methods. F.B. 455, pp. 44-46. 1911.
hairy vetch. F.B. 515, pp. 14, 20, 27. 1912.
meadow fescue. F.B. 361, p. 13. 1909.
timothy. F.B. 990, pp. 3-6. 1918.
value in—
control of weeds. F.B. 660, pp. 24-25. 1915.
growing winter wheat, lists. F.B. 596, pp. 5-6. 1914.
insect control in Virgin Islands. Vir. Is. A.R., p. 24. 1922.
reduction of cotton root rot. News L., vol. 5, No. 19, p. 7. 1917.
soil improvement. F.B. 704, p. 4. 1916.
weed control. News L., vol. 5, No. 33, p. 8. 1918.
value of—
soy beans. S.R.S. Doc. 43, p. 3. 1917.
sweet clover. F.B. 820, pp. 31. 1917.
various types of farming. F.B. 370, pp. 10, 13, 15, 21, 23, 24, 31. 1909.
vegetable gardens in South. F.B. 647, pp. 5-6, 26. 1915.
with bur clover. F.B. 693, pp. 10-11. 1915.
with cereals. An. Rpts., 1910, pp. 310-311. 1911; B.P.I. Chief Rpt., 1910, pp. 40-41. 1910.
with Natal grass. F.B. 726, pp. 6-7. 1916.
with peanuts. Sec. [Misc.], Spec. "Peanut growing in * * *," p. 4. 1915.
with wheat. O.E.S.F.I.L. 11, p. 16. 1910.
with winter oats. F.B. 436, pp. 17-18, 31. 1911.
yield after sorghum, experiments. F.B. 1158, pp. 5-6. 1920.
cropping methods, New York farm. F.B. 454, p. 12. 1911.
cutting and thinning methods, spruce forests. D.B. 544, p. 67. 1918.

Rotation—Continued.
cuttings, forest regulations, discussion. D.B. 275, pp. 6-8, 59-61. 1916.
cutting of pine forests. For. Bul. 101, pp. 51-52. 1911.
dry farming—
experiments. D.C. 339, pp. 28-31. 1925.
practice at Akron Field Station. D.B. 1304, pp. 7-9. 1925.
systems. B.P.I. Bul. 215, pp. 35-37. 1911.
dry land—
at Huntley farm. D.C. 330, pp. 13-18. 1925.
central Oregon. F.B. 800, pp. 10-11. 1917.
experiments. Y.B., 1907, pp. 459-463. 1908; Y.B. Sep. 461, pp. 459-463. 1908; D.B. 1315, pp. 5-10, 11-15. 1925.
effect(s)—
of crops on yields, review. Sec A.R., 1925, pp. 56-57. 1925.
of succeeding crops, especially on tobacco. W. W. Garner and others. J.A.R., vol. 30, pp. 1095-1132. 1925.
on soil. Y.B., 1908, pp. 409-415. 1909; Y.B. Sep. 490, pp. 409-415. 1909.
on yields. Sec. A.R., 1925, pp. 56-57. 1925.
experiments—
at San Antonio experiment farm. W.I.A. Cir. 10, pp. 4-9. 1916; D.C. 73, pp. 10-12. 1920; D.C. 209, pp. 9-11. 1922.
at Huntley farm in 1922. D.C. 330, pp. 7-10 1925.
at Mandan, North Dakota. D.B. 1337, p. 14. 1925.
at University farm, Minnesota. B.P.I. Bul. 236, pp. 20-39. 1912.
in western North Dakota. Leroy Moomaw. D.B. 1293, pp. 1-23. 1925.
on corn yield, Missouri Experiment Station. O.E.S. An. Rpt., 1912, p. 63. 1913.
results, Rhode Island Experiment Station. O.E.S. An. Rpt., 1912, p. 197. 1913.
yield per acre of crops, San Antonio experiment farm. B.P.I. Cir. 120, pp. 10-11. 1913.
farming in Shenandoah Valley. F.B. 432, p. 8. 1911.
field peas, comparison with other crops. F.B. 690, pp. 19-20. 1915.
five-year—
Anderson County, South Carolina. D.B. 651, p. 32. 1918.
outline. B.P.I. Bul. 187, p. 57. 1910.
flaxseed growing, study by North Dakota station. An. Rpts., 1912, p. 97. 1913; Sec. A.R., 1912, p. 97. 1912; Y.B., 1912, p. 97. 1913.
flue-cured tobacco growing, methods and value. D.B. 16, pp. 5-10. 1913.
for conservation of organic matter in the soil. B.P.I. Bul. 187, pp. 55-65. 1910.
for jack pine. D.B. 820, p. 29. 1920.
for prevention of plant diseases. Y.B. 1908, p. 212. 1909; Y.B. Sep. 475, p. 212. 1909.
for specified crops. Y.B., 1902, pp. 521-526. 1903.
four-year, outline. B.P.I. Bul 187, pp. 62, 63, 64. 1910.
garden, importance and value in checking losses. F.B. 934, pp. 8-9. 1918.
grain farming, Great Basin. B.P.I. Cir. 61, pp. 29-30. 1910.
grazing—
and deferred grazing, for range improvement. Arthur W. Sampson. D.B. 34, pp. 16. 1913.
description. D.B. 1170, pp. 8-10, 41. 1923.
for improvement of forest ranges, studies. An. Rpts., 1913, p. 185. 1914; For. A.R., 1913, p. 51. 1913.
in goat ranges. D.B. 749, pp. 9-10. 1919.
method for improvement of native pastures. Y.B., 1915, pp. 308-310. 1916; Y.B. Sep. 678, pp. 308-310. 1916.
hairy vetch—
as winter crop. Sec. [Misc.], Spec. "Hairy vetch in * * *" p. 4. 1914.
methods. D.B. 876, pp. 9-10, 27-28. 1920.
hay farm. F.B. 312, pp. 8-10. 1907.
hay lands, necessity. F.B. 362, pp. 8, 15, 20. 1909.
in Corn-Belt. C. B. Smith. Y.B., 1911, pp. 325-336. 1912; Y.B. Sep. 572, pp. 325-336. 1912.

Rotation—Continued.
  in Great Plains area, cultivation methods, study.
    E. C. Chilcott. B.P.I. Bul. 187, pp. 78. 1910.
  in Maryland and Virginia. F.B. 786, pp. 7-8.
    1917.
  in Mississippi, George County. Soil Sur. Adv.
    Sh., 1922, p. 40. 1925.
  in Missouri, Andrew County. Soil Sur. Adv.
    Sh., 1921, p. 823. 1925.
  in New York, Tompkins County. Soil Sur.
    Adv. Sh., 1920, p. 1576. 1924.
  in North Carolina, Cumberland County. Soil
    Sur. Adv. Sh., 1922, pp. 116-57. 1925.
  in soy-bean growing. F.B. 372, p. 20. 1909;
    F.B. 931, pp. 7-11. 1918; F.B. 973, pp. 17-18.
    1918; S.R.S. Syl. 35, pp. 11-12. 1919.
  incense cedar, with other species, management.
    D.B. 604, pp. 32-34. 1918.
  influence on yield of crops. Soils Bul. 22, pp.
    55-56. 1903.
  irrigation farming in South Dakota. D.C. 339,
    pp. 12-20. 1925.
  legumes and various grains, studies in Hawaii.
    Hawaii A.R. 1910, pp. 55-57. 1911.
  lodgepole pine stands, annual growth. D.B.
    234, pp. 22-23. 1915.
  meadow fescue. F.B. 361, p. 14. 1909.
  methods, for flag-smut control in wheat. D.C.
    273, pp. 3-4. 1923.
  methods with scrub pine. For. Bul. 94, pp. 21-22.
    1911.
  millet, value. F.B. 793, pp. 24-25. 1917.
  modifications to reduce insect injury. Y.B., 1911,
    pp. 204-208. 1912; Y.B. Sep. 561, pp. 204-208.
    1912.
  necessity—
    and value in wheat-scab control. F.B. 1224,
      p. 15. 1921.
    in potato growing, for control of disease. D.B.
      64, pp. 11, 14-15, 18. 1914.
    on mountain farms, and recommendations.
      F.B. 981, pp. 8, 19-32. 1918.
  need, Missouri, Howell County. Soils F.O.
    Sep., 1902, p. 606. 1903; Soils F.O., 1902, p. 606.
    1903.
  Oklahoma, relation to soil culture work. L. A.
    Moorhouse. B.P.I. Bul. 130, pp. 69-80. 1908.
  on farms in eastern Pennsylvania. F.B. 978,
    pp. 9, 10-24. 1918.
  on New York farm, methods. F.B. 454, p. 12.
    1911.
  pasture, for—
    control of cattle ticks. F.B. 1057, pp. 17-21.
      1919.
    control of sheep parasites. An. Rpts., 1916, pp.
      127-128. 1917; B.A.I. Chief Rpt.. 1916, pp.
      61-62. 1916.
    sheep, advantages. F.B. 1181, pp. 4-11, 13-15.
      1921.
    sheep, control of stomach worms. D.C. 47, pp.
      5-6, 9-10. 1919.
    sheep, stomach-worm prevention. B.A.I An.
      Rpt., 1908, pp. 273, 275-277. 1910; B.A.I.
      Cir. 157, pp. 5-6, 7-9. 1910.
    tick control, demonstration. B.A.I. Bul. 78,
      pp. 36-38. 1905; B.A.I. Cir. 148, pp. 1-4.
      1909; F.B. 378, pp. 12-19. 1909; F.B. 498,
      pp. 14-24. 1912.
  peanut growing, for control of leafspot, tests.
    J.A.R., vol. 5, No. 19, pp. 891-892. 1916.
  period lengths, model and typical. B.P.I. Bul.
    236, pp. 19, 25-26, 30-37. 1912.
  pine forests—
    for control of western red rot. D.B. 490, pp.
      7-8. 1917.
    practices. D.B. 308, pp. 32-34. 1915.
  pineapple fields. P.R. Bul. 8, pp. 28-29. 1909.
  plan for labor distribution on farm, schedule.
    Y.B., 1911, pp. 280-284. 1912; Y.B. Sep. 567,
    pp. 280-284. 1912.
  potato, growing—
    control of virus diseases. F.B. 1436, p. 17.
      1924.
    for late crop. F.B. 1064, pp. 6-7. 1919.
    in northern sections. F.B. 365, p. 8. 1909.
    in the South. F.B. 1205, pp. 6, 29. 1921.
    methods. D.B. 784, pp. 13-15. 1919; Sec.
      Cir. 92, pp. 8, 16, 23. 1918.
    Nebraska. F.B. 325, pp. 7-8, 14-15. 1908.

Rotation—Continued.
  potato, growing—continued.
    necessity for control of disease. D.B. 64, pp.
      11, 14-15, 18. 1914.
    on irrigated lands. B.P.I. Cir. 90, pp. 4-5.
      1912.
    under irrigation. F.B. 953, pp. 14, 15. 1918.
  practice—
    for control of clover stem borer. D.B. 889, p. 23.
      1920.
  in—
    Nebraska, Boone County. Soil Sur. Adv.
      Sh., 1921, p. 1182. 1925.
    rice growing. F.B. 1240, pp. 4-5. 1924.
    southwestern Minnesota. D.B. 1271, p. 12.
      1924.
  principles governing. Y.B., 1911, pp. 334-335.
    1912; Y.B. Sep. 572, pp. 334-335. 1912.
  range, various kinds of herds, benefits. F.B. 720,
    pp. 9-10. 1916.
  rice with lespedeza, Lonoke County, Arkansas.
    Soil Sur. Adv. Sh., 1921, p. 1286. 1925.
  sandy—
    lands, Indiana and Michigan. F.B. 716, pp.
      15-21. 1916.
    soils, improvement. F.B. 329, p. 9. 1908.
  schemes, comparison. B.P.I. Bul. 236, pp. 18-20.
    1912.
  school lesson. D.B. 258, p. 16. 1915.
  sea-island cotton growing, results accomplished
    and systems. F.B. 787, pp. 9-12. 1916.
  six-year, outline. B.P.I. Bul. 187, p. 61. 1910.
  spotted bur clover with various crops. News L.,
    vol. 4, No. 1, p. 6. 1916.
  spring-wheat growing in Great Plains. News L.,
    vol. 2, No. 47, p. 2. 1915.
  spruce forest, possibilities. D.B. 1060, p. 32.
    1922.
  sugar beet(s)—
    effect on soil, control of pests. D.B. 995, pp.
      31-32. 1921.
    growing. B.P.I. Bul. 260, pp. 34, 38, 39. 1912;
      D.B. 726, pp. 11-13. 1918; D.B. 748, pp. 3,
      8-10. 1919; F.B. 568, pp. 14-15, 20. 1914;
      Rpt. 86, pp. 32, 59. 1908.
    irrigation. F.B. 392, pp. 38-40. 1910.
    relation to soil improvement and plant pests.
      D.B. 721, pp. 29-34. 1918.
    with other crops. Rpt. 80, pp. 156-157. 1905.
  sugar-cane, growing. F.B. 1034, p. 12. 1919;
    D.B. 726, pp. 11-13. 1918.
  sugar-cane growing, influence on fertilizer require
    ments. D.B. 486, p. 15. 1917.
  sugar lactones, and configuration, table. Chem.
    Cir. 49, pp. 4-5. 1910.
  sweet clover as catch crop, hay, pasture, or seed.
    F.B. 1005, pp. 11-25. 1919.
  sweet potato(es)—
    for—
      control of weevils. F.B. 1020, pp. 18-19.
        1919.
      disease control. News L., vol. 5, No. 39, p. 8.
        1918.
      stem-rot control. S.R.S. Syl. 26, p. 14. 1917.
    growing. F.B. 324, pp. 5, 7, 16. 1908; F.B. 999,
      pp. 5-6. 1919; S.R.S. Syl. 26, pp. 2-3. 1917;
      Sec. [Misc.] Spec., "Sweet-potato grow-
      ing * * *" p. 2. 1915.
    in Hawaii. Hawaii Bul. 50, p. 2. 1923.
    value in stem-rot control. F.B. 714, p. 5. 1916.
  system(s)—
    advantages over one-crop system. B.P.I. Bul.
      259, pp. 21-23, 67. 1912.
    and schedules. D.B. 625, pp. 9-11. 1918.
    as labor saver in Corn Belt, schedule. F.B.
      614, pp. 2-4. 1914.
    Colorado. B.P.I. Bul. 260, pp. 54-56. 1912.
    for controlling root knot and wilt in cotton.
      F.B. 333, p. 21 1908.
    in Ohio, 1912-1916. D.B. 716, pp. 25-27. 1918.
    in practice. See Soil Surveys for various States,
      counties, and areas.
    on 160-acre farms in Indiana. F.B. 1463, pp.
      4-10. 1925.
    relation to insect injury in the South. Y.B.,
      1911, pp. 201-210. 1912; Y.B. Sep. 561, pp.
      201-210. 1912.
    sea-island cotton. F.B. 302, pp. 18-20, 45, 47.
      1907.

Rotation—Continued.
　tests at field station near Mandan, N. Dak. D.B. 1301, pp. 47-57. 1925.
　three-crop systems. F.B. 472, pp. 8-24. 1911.
　three-year, results, discussion. B.P.I. Bul. 187, pp. 20-54, 68-70. 1910.
　tobacco—
　　culture, yield under different fertilizers. F.B. 381, pp. 11-12. 1909; Y.B., 1905, p. 223. 1906; Y.B. Sep. 378, p. 223. 1906.
　　growing. F.B. 416, pp. 9, 23. 1910. Y.B., 1908, pp. 415-420. 1909; Y.B. Sep. 490, pp. 415-420. 1909.
　　growing, for control of wilt disease, experiments. D.B. 562, pp. 10-17, 19. 1917.
　　soils, systems. F.B. 343, pp. 12-14. 1909.
　　tomato growing. F.B. 642, p. 8. 1915; F.B. 1338, pp. 3-4. 1913.
　　tree harvesting, application to incense cedar. D.B. 871, pp. 54-55. 1920.
　use—
　　by clover growers in Oregon. B.P.I. Cir. 28, pp. 7-8. 1909.
　　of cotton, corn, and oats with lespedeza, as farm crop. F.B. 441, pp. 10-14. 1911.
　　of quackgrass. F.B. 1307, pp. 18, 30-31. 1923.
　　of red clover with other crops. F.B. 455, pp. 27-30, 44-46. 1911.
　　of Sudan grass. D.B. 891, pp. 24-25. 1921.
　value in—
　　cabbage disease control. News L., vol. 5, No. 34, p. 5. 1918.
　　control of cucumber and melon diseases. News L., vol. 6, No. 21, p. 12. 1918.
　　sugar-beet growing, schedule studies. D.B. 995, pp. 30-32. 1921.
　value on Yuma reclamation project, methods. B.P.I. Cir. 124, pp. 6, 7, 8. 1913.
　various crops, farm practice studies. An. Rpts., 1918, p. 493. 1919; Farm M. Chief Rpt., 1918, p. 3. 1918.
　various grains and legumes, studies in Hawaii. Hawaii A.R., 1910, pp. 55-57. 1911.
　vegetable gardens—
　　in Guam, directions. Guam Bul. 2, p. 16. 1922.
　　practices. F.B. 818, pp. 22-24. 1917.
　vetch—
　　growing. D.B. 1289, pp. 18-19. 1925.
　　with various crops. D.B. 1289, pp. 18-19. 1925.
　watermelons with other crops. F.B. 1394, pp. 3-4. 1924.
　weed control method. Y.B., 1917, pp. 210, 212. 1918; Y.B. Sep. 732, pp. 8, 10. 1918.
　wheat—
　　for control of jointworm. F.B. 1006, pp. 13-14. 1918.
　　growing. Sec. Cir. 90, p. 23. 1918; S.R.S. Syl. 11, rev., pp. 12-13. 1918.
　　in Southeastern States. F.B. 885, pp. 5-6. 1917.
　　nematode control. F.B. 1041, p. 10. 1919.
　　winter barley, adaptations to several States. F.B. 518, pp. 9-11. 1912.
　　with irrigated crops, Montana, experiments. W.I.A. Cir. 2, pp. 5-9. 1915.
　　with vetch for various kinds of farming. F.B. 529, pp. 16-19. 1913.
　　Wyoming experiments, 1917-1923. D.B. 1306, pp. 4-15, 29. 1925.
Rotch, A. L.—
　"A method for the systematic exploration of the atmosphere by means of kites." W.B. Bul. 31, pp. 66-67. 1902.
　experiments with sounding balloons, upper air. An. Rpts., 1911, pp. 156, 158, 159. 1912; W.B. Chief Rpt., 1911, pp. 6, 8, 9,. 1911.
Roth, E. G.: "Soil survey of Anoka County, Minn." With others. Soil Sur. Adv. Sh., 1916, pp. 30. 1918; Soils F.O., 1916, pp. 1807-1832. 1921.
Roth, Filibert: "Grazing in the forest reserves." Y.B., 1901, pp. 333-348. 1902; Y.B. Sep. 241, pp. 333-348. 1902.
Rothamsted soils—
　results of investigations. Bernard Dyer. O.E.S. Bul. 106, pp. 180. 1902.
　wheat fertilizers, plat tests for long periods. Soils Bul. 66, pp. 29-46. 1910.

Rothgeb, B. E.—
　"Broomcorn experiments at Woodward, Oklahoma." With John B. Sieglinger. D.B. 836, pp. 53. 1920.
　"Cultural experiments with grain sorguhms in the Texas Panhandle." D.B. 976, pp. 43. 1922.
　"Dwarf broom corns." F.B. 768, pp. 16. 1916.
　"Grain-sorghum experiments in the Panhandle of Texas." With Carlton R. Ball. D.B. 698, pp. 91. 1918.
　"Grain sorghums: How to grow them." F.B. 1137, pp. 26. 1920.
　"How to use sorghum grain." With Carlton R. Ball. F.B. 972, pp. 18. 1918.
　"Kafir as a grain crop." With Carlton R. Ball. F.B. 552, pp. 19. 1913.
　"Milo, a valuable grain crop." F.B. 1147, pp. 19. 1920.
　"Shallu, or Egyptian wheat." F.B. 827, pp. 8. 1917.
　"Standard broom corn." F.B. 958, pp. 20. 1918.
　"United States grades for grain sorghums." With others. D.C. 245, pp. 8. 1922.
　"Uses of sorghum grain." With Carlton R. Ball. F.B. 686, pp. 15. 1915.
Rotten-neck, rice—
　cause, and susceptibility of varieties. D.B. 1127, p. 15. 1923.
　symptoms. F.B. 1212, p. 10. 1921.
Rottenstone, use in house cleaning. F.B. 1180, pp. 9, 18. 1921.
Rotterdam cotton exchange, adoption of United States cotton standards. Mkts. S.R.A. 16, p. 13. 1916.
Rotting—
　plant, symptoms of disease. F.B. 430, p. 6. 1911.
　slash, investigations in Arkansas. W. H. Long. D.B. 496, pp. 15. 1917.
Roualt, M. F., formula for walnut fertilizer. B.P.I. Bul. 254, p. 86. 1913.
Rouge, use in house cleaning. F.B. 1180, pp. 9, 17. 1921.
Rough-bark disease, Yellow Newton apple. John W. Roberts. B.P.I. Bul. 280, pp. 16. 1913.
"Rough on rats," analysis. Chem. Bul. 68, p. 30. 1902.
Roughage(s)—
　crops, miscellaneous value as feedstuffs. Rpt. 112, pp. 21-24. 1916.
　dry, feed for dairy cows in winter, quantity. F.B. 743, pp. 10, 17-18, 22. 1916.
　dry, use in feeding steers, effect on pasture gains. D.C. 166, pp. 5, 7, 10. 1921.
　feed for calves. F.B. 1336, pp. 6-7. 1923.
　feeding brood mares. F.B. 803, p. 13. 1917.
　fertilizer value when used on the farm. F.B. 437, pp. 8, 16-17, 20. 1911.
　horse feeding, quantity and cost. D.B. 560, pp. 5-6. 1917.
　horse feeds, description, use, and feed value. F.B. 1030, pp. 16-19. 1919.
　livestock feeding, experiments, Pennsylvania station. O.E.S. An. Rpt., 1912, p. 191. 1913.
　low-protein and high-protein. M.C. 12, p. 39. 1924.
　marketing through beef cattle. Y.B., 1921, pp. 227-228. 1922; Y.B. Sep. 874, pp. 227-228. 1922.
　protein and net energy values per 100 pounds. D.B. 459, pp. 11-12, 20-24. 1916.
　range cattle in Southwest. D.B. 588, pp. 26-27. 1917.
　sorghum fodder, value. F.B. 1125, rev., p. 25. 1920.
　steer fattening—
　　in South, comparisons. W. F. Ward and others. D.B. 762, pp. 36. 1919.
　　silage, hays, stover, and straw. F.B. 1218, pp. 13-20. 1921.
　suitability and value for horses and breeding mares. F.B. 803, rev., p. 11. 1923.
　sweet-clover straw, value. F.B. 836, p. 23. 1917.
　use—
　　as sheep feed, feeding methods. D.B. 20, pp. 37-38. 1913.
　　as horse feed, economy. F.B. 1298, pp. 5, 7, 12. 1922.

INDEX TO PUBLICATIONS, 1901–1925 — 2043

Roughage(s)—Continued.
use—continued.
  in pig feeding. B.A.I. An. Rpt., 1903, pp. 301–304. 1904; B.A.I. Cir. 63, pp. 301–304. 1904.
  utilization—
    by beef cattle. F.B. 1379, pp. 2, 10, 11, 13. 1923.
    by feeder cattle. F.B. 1382, pp. 4, 5–6, 8–11, 16. 1924.
    corn silage and clover hay. F.B. 504, pp. 7–8. 1912.
  value of spineless prickly pears. B.P.I. Bul. 140, p. 19. 1909.
  winter, utilization in beef production. B.A.I. Bul. 131, p. 11. 1911.
Roughness, necessity in cattle feeding. F.B. 320, p. 26. 1908.
Roumania—
agricultural—
  education, progress, 1910. O.E.S. An. Rpt., 1910, p. 330. 1911.
  extension. *See* Agricultural extension.
  statistics, 1911–1920. D.B. 987, pp. 47–49. 1921.
cereals, area and production, 1907–1910. Stat. Cir. 25, p. 14. 1911.
corn acreage and production map. Sec. [Misc.], Spec. "Geography * * * agriculture," p. 33. 1917.
corn exports, 1908–1910, by countries. Stat. Cir. 26, p. 4. 1912.
cows and cattle, numbers, 1884–1920. B.A.I. Doc. A.-37, p. 60. 1922.
crops, acreage and production, 1909–1911. Stat. Cir. 37, p. 15. 1912.
flax acreage and production of fiber. Sec. [Misc.], Spec. "Geography * * * agriculture," p. 59. 1917.
food laws affecting American exports. Chem. Bul. 61, pp. 27–33. 1901.
forest resources. For. Bul. 83, pp. 29–30. 1910.
fruit production, imports, and exports, 1909–1913. D.B. 483, pp. 30–31. 1917.
grain production, acreage, etc. Stat. Bul. 68, pp. 78–79. 1908.
grain trade. Stat. Bul. 69, pp. 42–43. 1908.
hemp acreage and production, map. Sec. [Misc.], Spec. "Geography * * * agriculture," p. 56. 1917.
livestock statistics, numbers of cattle, sheep, and hogs. Rpt. 109, pp. 32, 37, 48, 51, 60, 63, 204, 214. 1916.
potatoes, production, 1909–1913, 1921–1923. Stat. Bul. 10, p. 19. 1925.
sugar industry, 1903–1914. D.B. 473, pp. 58–60. 1917.
tobacco acreage and production. Sec. [Misc.], Spec. "Geography * * * agriculture, p. 64. 1917.
wheat acreage—
  percentage of total land area, and increase since 1886. Y.B., 1909, pp. 262, 263, 264. 1910; Y.B. Sep. 511, pp. 262, 263, 264. 1910.
  production and trade, 1909–1917. Y.B., 1917, pp. 465, 471, 476. 1918; Y.B. Sep. 752, pp. 6, 13, 18. 1918.
  winter wheat acreage. Off. Rec. vol. 3, No. 9, p. 3. 1924.
ROUND, L. A.: "Preservation of vegetables by fermentation and salting." With H. L. Lang. F.B. 881, pp. 15. 1917.
Round-ups, reindeer methods. D.B. 1089, pp. 40–41. 1922.
Roundheaded borer—
damage to—
  chestnut poles. Ent. Bul. 94, Pt. I, p. 8. 1910.
  hardwood trees and forest products. Ent. Bul. 58, Pt. V, p. 64. 1909.
description, life history and habits. J. L. Webb. Y.B., 1910, pp. 341–344. 1911; Y.B. Sep. 542, pp. 341–344. 1911.
destruction of trees and timber. Ent. Bul. 58, p. 64. 1910.
enemy of aspen, occurrence. F.B. 1154, p. 10. 1920.
giant, damage to chestnut poles. Ent. Cir. 134, p. 5. 1911.
injuries—
  and control, Porto Rico. P.R. An. Rpt., 1914, p. 44. 1916.

Roundheaded borer—Continued.
injuries—continued.
  to forests and forest products. J. L. Webb. Y.B., 1910, pp. 341–358. 1911; Y.B. Sep. 542, pp. 341–358. 1911.
  to forest products, and control. Ent. Cir. 128, pp. 1–2, 4–5, 8–9. 1910.
See also *under names of hosts.*
Roundwood. *See* Mountain ash, American.
Roundworm(s)—
cattle—
  description and control. B.A.I. [Misc.], "Diseases of cattle," rev. pp. 524–526. 1923.
  stable fly as host, note. F.B. 540, p. 9. 1913.
chicken, description and treatment. F.B. 1337, pp. 31–32. 1923.
control by various anthelmintics, notes. J.A.R. vol. 12, No. 7, pp. 399–439, 441–443. 1918.
control work. Off. Rec. vol. 3, No. 42, p. 2. 1924.
dogs, symptoms and treatment. D.C. 338, pp. 17–19. 1925.
genera, list and determination of generic types. Ch. Wardell Stiles and Albert Hassall. B.A.I. Bul. 79, pp. 150. 1905.
hog—
  control. An. Rpts., 1922, pp. 154–155. 1922; B.A.I. Chief Rpt., 1922, pp. 56–57. 1922.
  description. B.A.I. Bul. 158, pp. 1–47. 1912.
  diagnosis. B.A.I. Cir. 201, p. 35. 1912.
  investigations and control. An. Rpts., 1918, p. 125. 1918; B.A.I. Chief Rpt., 1918, p. 55. 1918.
  key and classified list. B.A.I. Bul. 158, pp. 38–44. 1912.
  lungs, diagnosis. B.A.I. An. Rpt., 1907, p. 241. 1909; B.A.I. Cir. 144, p. 241. 1909.
  preventive and medicinal treatment. B.A.I. Bul. 158, p. 37. 1912.
  similarity to parasite of man. An. Rpts., 1913, p. 103. 1914; B.A.I. Chief Rpt., 1913, p. 33. 1913.
  transmission, investigations. An Rpts., 1917, p. 123. 1917; B.A.I. Chief Rpt., 1917, p. 57. 1917.
intestinal, of—
  cattle, description and treatment. B.A.I. [Misc.], "Diseases of cattle," rev. pp. 535–536. 1912.
  man, life history and infection methods. J.A.R. vol. 11, No. 8, pp. 395–398. 1917.
lamb, prevention experiments. B.A.I. An. Rpt., 1906, pp. 207–212. 1908.
life history and transmission. Y.B., 1905, pp. 140, 149–156. 1906.
life history, observations. D.B. 817, pp. 1–47. 1920.
pigs, life history and control. Y.B., 1920, pp. 175–180. 1921; Y.B. Sep. 837, pp. 175. 1921.
reindeer, prevention and treatment. D.B. 1089, p. 60. 1922.
sheep—
  and hogs, study, and control. An. Rpts., 1923, pp. 248, 249. 1924; B.A.I. Chief Rpt., 1923, pp. 50, 51. 1923.
  control. An. Rpts., 1922, p. 154. 1922; B.A.I. Chief Rpt., 1922, p. 56. 1922.
  control by changing pastures. An. Rpts., 1909, p. 60. 1910; Sec. A.R., 1909, p. 60. 1909; Y.B. 1909, p. 60. 1910.
  control work. An. Rpts., 1917, pp. 117–118. 1917; B.A.I. Chief Rpt., 1917, pp. 51–52. 1917.
  description, life history, habits, and control. F.B. 1330, pp. 37–53. 1923.
  description, life history, symptoms, and control. F.B. 1150, pp. 37–53. 1920.
  experimental studies. An. Rpts., 1916, pp. 127–128. 1917; B.A.I. Chief Rpt., 1916, pp. 61–62. 1916.
  goats, and cattle, treatment. Ch. Wardell Stiles. B.A.I. Bul. 35, pp. 7–14. 1902.
  prevention experiments. An. Rpts., 1907, pp. 230–231. 1908; B.A.I. An. Rpt., 1907, pp. 54–55. 1909.
  spread methods. B.A.I. An. Rpt., 1911, p. 75. 1913.
  spread by dogs. D.B. 260, pp. 17–18. 1915.
Strongylus subtilis, diagnoses. B.A.I. Bul. 35, pp. 41–42. 1902.
swine, control experiments. B.A.I. Chief Rpt., 1925, p. 38. 1925.

Roundworms—Continued.
  transmission by stable fly. Y.B., 1912, p. 391. 1913; Y.B. Sep. 600, p. 391. 1913.
  treatment in sheep and goats. Ch. Wardell Stiles. B.A.I. Cir. 35, pp. 8. 1901.
  See also Stomach worms.
Roup—
  chicken—
    control. F.B. 1040, p. 26. 1919.
    description and treatment. F.B. 287, p. 43. 1907; F.B. 287, rev., pp. 34–35. 1921.
    symptoms and treatment. D.C. 20, pp. 4–6. 1919; Y.B., 1911, pp. 189–191. 1912; Y.B. Sep. 559, pp. 189–191. 1912.
    treatment. B.A.I. Cir. 206, p. 5. 1912; F.B. 528, p. 11. 1913.
  crows, description and results. D.B. 621, pp. 72–73. 1918.
  diphtheritic, chicken disease, description and control work, Guam. Guam A.R., 1915, pp. 36–37. 1916.
  diseases related, general treatment. Y.B., 1911, pp. 189–191. 1912; Y.B. Sep. 559, pp. 189–191. 1912.
  pheasant, symptoms and control. F.B. 390, p. 38. 1910.
  poultry, cause and treatment. F.B. 530, pp. 9–12. 1913; F.B. 1114, pp. 4–6. 1920.
  turkey, symptoms and control methods. F.B. 791, pp. 25–26. 1917; F.B. 1409, p. 20. 1924.
  See also Catarrh, contagious.
Routt National Forest—
  map and directions to hunters and campers. For. Map Fold. 1913.
  vacation days. For. [Misc.], "Vacation days in * * *," pp. 13. 1917.
Rove-beetle, violet. F. H. Chittenden. D.B. 264, pp. 4. 1915.
Row header machine, description, necessity in harvesting milo. F.B. 322, pp. 17–18, 23. 1908.
Rowan tree—
  American. See Mountain ash.
  importation and description. No. 40021, B.P.I. Inv. 42, pp. 6, 53. 1918.
  insect pests, list. Sec. [Misc.], "A manual * * * insects * * *," p. 149. 1917.
Rowe, R. W.: "Soil survey of—
  Dale County, Ala." With others. Soil Sur. Adv. Sh., 1910, pp. 39. 1911; Soils F.O., 1910, pp. 605–639. 1912.
  Hale County, Ala." With others. Soil Sur. Adv. Sh., 1909, pp. 40. 1910; Soils F.O., 1909, pp. 677–703. 1912.
  the Caribou area, Maine." With H. L. Westover. Soil Sur. Adv. Sh., 1908, pp. 40. 1910; Soils F.O., 1908, pp. 35–70. 1911.
  the Marianna area, Florida." With others. Soil Sur. Adv. Sh., 1909. pp. 30. 1910; Soils F.O., 1909, pp. 619–644. 1912.
Roweling. See Setoning.
Rowell, H. H. S., report of Lewiston Orchards Association, Lewiston, Idaho. Rpt. 98, pp. 212–219. 1913.
Rowen, feed for cattle, energy value. J.A.R., vol. 3, pp. 478, 485. 1915.
Rows—
  cotton, distance apart, relation to weevil control. D.B. 1153, pp. 6–9. 1923.
  garden, laying off. D.C. 48, p. 6. 1919.
Royal Gorge, Colo., description and locality. D.C. 5, p. 15. 1919.
"Royal headache tablets," danger in use, note. F.B. 393, p. 15. 1910.
Royal jelly of bees. See Beebread.
Royal Roach Powder, analysis. Chem. Bul. 68, pp. 30–31. 1902.
Royal Veterinary College, returns from testing British cattle with tuberculin. B.A.I. Bul. 32, p: 12. 1901.
Royle, R. W.: "Milk collection, treatment, and distribution in the industrial cooperative movement in England." With Albert Park. B.A.I. Dairy [Misc.], "World's dairy congress, 1923," pp. 725–729. 1924.
Roystonea—
  borinquena. See Palm, royal.
  floridana. See Palm, Florida royal.
  regia. See Palm, Cuban royal.
  spp. See Palm, royal.

Rozinek, F., honorary chairman, dairy congress, session 18, remarks. B.A.I. Dairy [Misc.], "World's dairy congress, 1923," p. 851. 1924.
Ruata, Guido, method of making Endos fuchsin agar. B.P.I. Bul. 228, pp. 88–90. 1912.
Rubacer parviflorus. See Salmonberry.
Rubber—
  Assam, insect pests, list. Sec. [Misc.], "A manual * * * insects * * *," pp. 100–103. 1917.
  Ceara—
    characteristics of plant. Hawaii Bul. 16, pp. 7–9. 1908.
    curing and marketing. Hawaii A.R., 1912, p. 91. 1913.
    development in Hawaii. Hawaii A.R., 1913, pp. 9–10. 1914.
    fertilizers, effect on yield. Hawaii A.R., 1914, pp. 55–56. 1915.
    growing in Guam. Guam A.R., 1913, p. 22. 1914; O.E.S. An. Rpt., 1911, p. 29, 96. 1912.
    handling, method. Hawaii Bul. 16, pp. 17–19. 1908.
    Hawaii, culture. J.G. Smith and O. O. Bradford. Hawaii Bul 16, pp. 30. 1908.
    importations and descriptions. No. 46809, B.P.I. Inv. 57, p. 37. 1922; No. 49594, B.P.I. Inv. 62, p. 57. 1923.
    in Hawaii. J. G. Smith and O. O. Bradford. Hawaii Bul. 16, pp. 30. 1908.
    insect enemies. Hawaii Bul. 16, p. 30. 1908.
    insects injurious, Hawaii, 1906. Hawaii A.R., 1906, p. 29. 1907.
    introduction into Guam. O.E.S. Doc. 1137, p. 410. 1908.
    introduction into Guam, growing, and insect enemies. Guam A.R., 1911, pp. 18, 32. 1912.
    planting and cultivation. Hawaii Bul. 16, pp. 9–14. 1908.
    propagation by cuttings. Hawaii A.R. 1914, pp. 11, 51. 1915.
    tapping, Hawaii, method, cost, yield, and value. Hawaii A.R. 1912, pp. 82–91. 1913.
    tapping experiments. E. V. Wilcox. Hawaii Bul. 19, pp. 27. 1909.
    tapping systems. Hawaii Bul. 16, pp. 14, 19–27. 1908.
  cement (gas-tight), formula for making. B.A.I. Bul. 151, p. 14. 1912.
  composition, Hawaiian and Malay. Hawaii A.R., 1912, pp. 62–63. 1913.
  compound, preparation from sweet potatoes. D.B. 1041, p. 6. 1922.
  crude—
    investigation. Off. Rec., vol. 3, No. 5, p. 2. 1924.
    new sources, study. Off. Rec., vol. 2, No. 52, p. 5. 1923.
    sources, study. An. Rpts., 1923, pp. 282–284. 1924; B.P.I. Chief Rpt., 1923; pp. 28–30. 1923.
  culture, experiments, Hawaii, 1905. O.E.S. Bul. 170, p. 22. 1906.
  fertilizer experiments in Hawaii. Hawaii A.R., 1910, pp. 44–45. 1911.
  gums, imports, 1907–1909, quantity and value by countries from which consigned. Stat. Bul. 82, pp. 65–66. 1910.
  Hawaiian, market value. Hawaii Bul. 19, pp. 18–19. 1909.
  heat-resistant, development, advantages in dairy equipment. B.A.I. Dairy [Misc.], "World's dairy congress, 1923," p. 1325. 1924.
  India—
    imports—
      1907–1909, quantity and value, by countries from which consigned. Stat. Bul. 82, pp. 65–66. 1910.
      1908–1910, quantity and value, by countries from which consigned. Stat. Bul. 90, pp. 69–70. 1911.
      1910, 1914, and reexports, 1901–1914, discussion. D.B. 296, pp. 47–48, 49. 1915.
      1918–1920. Y.B., 1921, p. 739. 1922; Y.B. Sep. 867, p. 3. 1922.
    imports and exports—
      1903–1907, 1904–1908, 1851–1908. Y.B., 1908, pp. 708, 756, 783. 1909; Y.B. Sep. 498, pp. 708, 756, 783. 1909.

INDEX TO PUBLICATIONS, 1901–1925   2045

Rubber—Continued.
 India—Continued.
  imports and exports—continued.
   1906–1910, 1907–1911, 1862–1911. Y.B., 1911, pp. 616, 660–691. 1912; Y.B. Sep. 588, pp. 616, 660–691. 1912.
   1908–1912 and 1851–1912. Y.B., 1912, pp. 717, 749–750. 1913; Y.B. Sep. 615, pp. 717, 749–750. 1913.
   1913–1915 and 1852–1915. Y.B., 1915, pp. 505, 543, 561, 575. 1916; Y.B. Sep. 683, p. 505. 1916; Y.B. Sep. 685, pp. 543, 561, 575. 1916.
   1919. Y.B., 1919, pp. 642, 685, 706, 721. 1920; Y.B. Sep. 827, p. 642. 1920; Y.B. Sep. 829, pp. 685, 706, 721. 1920.
   annual average, by countries. Stat. Cir. 31, pp. 28, 29, 30. 1912.
  international trade—
   1901–1910. Stat. Bul. 103, pp. 32–33. 1913.
   1902–1906. Y.B., 1907, pp. 693, 740. 1908; Y.B. Sep. 465, pp. 693, 740. 1908.
   1905–1909, and imports, 1906–1910, 1851–1910. Y.B., 1910, pp. 612, 657, 686–687. 1911; Y.B. Sep. 553, pp. 612, 657, 1911; Y.B. Sep 554, pp. 686–687. 1911.
   1909–1920, by countries. Y.B., 1921, p. 673. 1922; Y.B. Sep. 869, p. 93. 1922.
   1923. Y.B., 1923. p. 1086, 1089. 1924; Y.B. Sep. 904, pp. 1086, 1089. 1924.
  industry—
   Hawaii Substation, Nahiku. Hawaii A.R. 1914, pp. 11, 51–55. 1915.
   in Hawaii. O.E.S. An. Rpt., 1909, p. 23. 1910.
   in Mexico. No. 34413. B.P.I., Inv. 33, p. 16. 1915.
   turpentine as factor. D.B. 229, p. 8. 1915.
  investigations, work of department. Sec. A.R., 1924, pp. 72–73. 1924.
  latex, coagulation, methods employed. Hawaii Bul. 16, pp. 17–18. 1908.
  leaf disease—
   environmental factors, biologic and climatic. D.B. 1286, pp. 12–13. 1924.
   South American, description, cause, spread, and control. D.B. 1286, pp. 9–15. 1924.
  Manicoba, importation and description. Nos. 39337–39340. B.P.I. Inv. 41, pp. 12–13. 1917.
  markers, use in feeding tests of steers, results. J.A.R., vol. 10, pp. 57–58. 1917.
  mixture with castor oil, nature of product. D.B. 867, p. 38. 1920.
  Nicoya, importations and descriptions. No. 42386, B.P.I. Inv. 47, p. 9. 1920; No. 51117, B.P.I. Inv. 64, p. 58. 1923.
  Palay, importation and description. No. 44786, B.P.I. Inv. 51, p. 68. 1922.
  Panama, insect pests. Sec. [Misc.], "A manual * * * insects * * *," p. 163. 1917.
  Para—
   fertilizing experiments. Hawaii A.R. 1908, pp. 63–64. 1908.
   insect pests. Sec. [Misc.], A manual * * * insects * * *," p. 164. 1917.
   plantings in South America, and occurrence of leaf disease. D.B. 1286, pp. 2–6, 12–13. 1924.
   South American leaf disease. R. D. Rands. D.B. 1286, pp. 19. 1924.
  plant—
   milkweed from West Africa for rubber, manufacture. B.P.I. Bul. 168, pp. 8, 31–32. 1909.
   new variety, description. B.P.I. Bul. 208, p. 45. 1911.
   of Colorado, poisonous to sheep, description, and distribution. D.B. 575, pp. 18–19. 1918.
   parasitic growth of *Glomerella cingulata* and *Neozimmermannia elasticae*, studies. B.P.I. Bul. 252, pp. 31–32. 1913.
   possibilities in the United States. Sec. A.R., 1925, pp. 51–53. 1925.
  production—
   from guayule, experiments, Texas. O.E.S. Bul. 222, p. 31. 1910.
   Hawaii, sources and methods. O.E.S. Chief Rpt., 1912, p. 20. 1912; An. Rpts., 1912, p. 834. 1913.
   in Porto Rico, 1910. P.R. An. Rpt., 1910, pp. 12–13. 1911.
   in United States, experiments Sec. A.R., 1925, pp. 51–53. 1925.

Rubber—Continued.
 production—continued.
  methods, study and improvement. Hawaii A. R., 1912, pp. 20, 56, 103. 1913.
  outlook. Hawaii Bul. 16, pp. 28–30. 1908.
  planting, in Porto Rico, experiments. P.R. An. Rpt., 1910, p. 39. 1911.
  study of plants for United States. Y.B., 1923, p. 49. 1924.
 seedlings, infection with coconut bud-rot. J.A. R., vol. 25, p. 270. 1923.
 silk, insect pests, list. Sec. [Misc.], "A manual * * * insects * * *," p. 195. 1917.
 source(s). Off. Rec., vol. 4, No. 39, pp. 1–2. 1925.
 source(s), *Euphorbia lorifolia*, experiments, Hawaii. An. Rpts., 1912, pp. 20, 103. 1913.
 synthetic, making from gum turpentine. D.B. 898, p. 7. 1920.
 tapping systems, and experiments. Hawaii Bul. 16, pp. 14–17, 19–27. 1908.
 testing. Chem. Bul. 109, rev., pp. 62–64. 1910.
 tree—
  Central American—
   Castilloa. Rpt. 73, p. 15. 1902.
   culture. O. F. Cook. B.P.I. Bul. 49, pp. 861. 1903.
   importation and description. No. 35892, B.P.I. Inv. 36, p. 21. 1915; Nos. 33743, 33744, B.P.I. Inv. 31, pp. 49–50. 1914.
  description, and regions suited to. F.B. 1208, p. 37. 1922.
  destruction by leaf disease. D.B. 1286, pp. 2–8, 12. 1924.
  dimorphic branches, studies. B.P.I. Bul. 198, pp. 31–34, 49, 53–54, 55, 56. 1911.
  discovery. Off. Rec., vol. 2, No. 47, p. 2. 1923.
  growing in—
   Guam. Guam A.R., 1917, p. 43. 1918.
   Porto Rico, experiments, varieties. P.R. An. Rpt., 1912, pp. 29–30. 1913.
  importation and description. Nos. 42363, 42367, B.P.I. Inv. 46, pp. 83, 84. 1919.
  pruning, study. B.P.I. Bul. 198, p. 34. 1911.
  resistant to leaf disease, possibilities. D.B. 1286, pp. 14–15. 1924.
  tapping experiments. An. Rpts., 1907, pp. 681–682. 1908; O.E.S. An. Rpt., 1907, pp. 22, 91. 1908.
  use as street tree and regions adapted to. D.B. 816, pp. 20, 41. 1920.
  young shoots, destruction for control of leaf disease. D.B. 1286, p. 14. 1924.
 virgin, plant importations January to March, 1909, and description. B.P.I. Bul. 162, pp. 9, 32. 1909.
 weed, poisonous, properties, investigations. An. Rpts., 1912, p. 412. 1913; B.P.I. Chief Rpt., 1912, p. 32. 1912.
 yield from Ceara rubber trees, Hawaii. Hawaii A.R., 1914, pp. 51, 55–56. 1915.
 See also Caoutchouc.
Rubbers, canning, testing directions. F.B. 1211, pp. 21–22, 29. 1921.
Rubbish—
 burning for insect control. D.B. 889, p. 23. 1920.
 cleaning and burning, after tomato gathering. S.R.S. Doc. 92, p. 15. 1919.
 destruction for control of injurious insects. F.B. 1074, p. 6. 1919.
Rubia—
 cordifolia. *See* Madder, Indian.
 spp., importations and description. Nos. 47780, 47853. B.P.I. Inv. 59, pp. 59, 68. 1922.
Rubiaceae—
 family, characters. For. [Misc.], "Forest trees for Pacific * * *," p. 431. 1908.
 Porto Rico, description and uses. D.B. 354, pp. 96–97. 1916.
Rubidium—
 chloride solutions, solubility of carbon dioxide. Soils Bul. 49, p. 14. 1907.
 determination in various plant ash. D.B. 600, pp. 3, 16, 17. 1917.
 occurrence in soils. D.B. 122, pp. 4, 12–13, 14. 1914.
 search for in saline concentrates. Soils Bul. 94, pp. 95–96. 1913.

RUBINOW, I. M.—
"Russian wheat and wheat flour in European markets." Stat. Bul. 66, pp. 99. 1908.
"Russia's wheat surplus: Conditions under which it is produced." Stat. Bul. 42, pp. 103. 1906.
"Russia's wheat trade." Stat. Bul. 65, pp. 77. 1908.

Rubus—
arcticus, importation and description. No. 32231, B.P.I. Bul. 261, p. 45. 1912.
Hawaiensis. See Akala.
idaeus. See Raspberry, red.
infections with orange rusts. B. C. Dodge J.A.R. vol. 25, pp. 209–242. 1923.
macraei. See Akala berry.
occidentalis. See Raspberry, black.
orange rusts, effect on development and distribution of stomata. J.A.R. vol. 25, pp. 495–500. 1923.
pedunculosus, importation and description. No. 41676. B.P.I. Inv. 45, pp. 7, 59. 1918.
phoenicolasius. See Wineberry, Japanese.
spp.—
Himalayan, importations and description. Nos. 39657–39658 B.P.I. Inv. 41, p. 56. 1917.
importations and description. Inv. Nos. 29974–29978, 30154–30187, 30265. B.P.I. Bul. 233, pp. 63–65, 71. 1912; Nos. 36571, 36572, 36609, 36758, 36759, B.P.I. Inv. 37, pp. 33, 38, 61. 1916; Nos. 37885, 37887, 38054–38055, 38114–38115, 38571–38576, 38646, B.P.I. Inv. 39, pp. 62, 63, 84, 89, 148–149, 157. 1917; Nos. 40194–40195, B.P.I. Inv. 42, pp. 90–91. 1918; Nos. 42476, 42566, 42585–42595, 42626, 42750–42757, 42766, 42782–42789, B. P. I. Inv. 37, pp. 21, 29, 32, 40, 42, 59–60, 61, 63–64. 1920; Nos. 44401, 44402, B.P.I. Inv. 50, p. 67. 1922; Nos. 45356, 45365, B. P.I.Inv. 53, pp. 6, 31, 33. 1922; Nos. 47417–47420, 47781, 47782, B.P.I. Inv. 59, pp. 16, 59. 1922; Nos. 48739–48742, 48751, 48752, B.P.I. Inv. 61, pp. 41, 42, 43. 1922; Nos. 50293–50305, 50328–50330, 50401, 50619, B.P.I. Inv. 63, pp. 51–53, 56–57, 67, 86. 1923; Nos. 50631, 50691, 50723, 50907, 51033, 51044, 51123, 51354, B.P.I. Inv. 64, pp. 2, 12, 14, 19, 32, 45, 54, 60, 89. 1923; Nos. 51401–51402, 51535–51536, 51569, 51615, 51706, 52214, 52302, B.P.I. Inv. 65, pp. 1, 2, 13, 24, 27, 32, 39, 46, 79, 87. 1923; Nos. 52490–52491, 52717, 52733–52734, 52763–52773, 52816, 52852–52853, B.P.I. Inv. 66, pp. 4, 32, 65, 68, 72–73, 80, 84. 1923; Nos. 52939–52951, 53218–53219, 53378–53379, 53480–53482, 53535–53540, 53545, 53625, 53759–53760, 53847, B.P.I. Inv. 67, pp. 17–18, 37, 41, 48, 54, 58, 59, 70, 87, 91. 1923; Nos. 53845, 53995, 54279–54280, 54320, B.P.I. Inv. 68, pp. 12, 17, 44, 51. 1923; Nos. 55370–55371, 55408–55409, 55499, 55505–55508, B.P.I. Inv. 71, pp. 37, 40, 51, 52. 1923; Nos. 55630–55631, 55666, 55755, 55785–55788, B.P.I. Inv. 72, pp. 13, 16, 30, 33, 34. 1924.
orange-rusts, further data. L. O. Kunkel. J.A.R. vol. 19, pp. 501–512. 1920.
promising new types from China. B.P.I. Bul. 205, pp. 32–33. 1911.
value as bird food. Y.B. 1909, pp. 186–192. 1910. Y.B. Sep. 504, pp. 186–192. 1910.
See also Blackberries; Dewberries; Gooseberries; Raspberries.
spectabilis. See Salmonberry.
strigosus. See Raspberry, red.
trivalis. See Dewberry, white.
tuerckheimii. See Mora.
villosus. See Blackberry.

Rudbeckia—
bicolor, response to length of daylight, experiments. J.A.R. vol. 27, pp. 143–144. 1924.
description and varieties. F.B. 1381, pp. 58–59. 1924.
description, cultivation, and characteristics. F.B. 1171, pp. 44–45, 82. 1921
occidentalis. See Coneflower.

RUDDICK, J. A.—
discussion of cheese making. B.A.I. Dairy [Misc.], "World's dairy congress, 1923," pp. 277, 278. 1924.
"Some aspects of the international trade in dairy produce." B.A.I. Dairy [Misc.], "World's dairy congress, 1923," pp. 20–26. 1924.

RUDDIMAN, E. A.—
"Analysis of beef, iron, and wine." With L. F Kebler. Chem. Bul. 137, pp. 194–197. 1911.

RUDDIMAN, E. A.—Continued.
"Examination of hydrogen dioxid solutions." Chem. Bul. 150, Pt. I, pp. 5–23. 1912.

RUDDIMAN, H. D.: "Statistics of fruits in principal countries." D.B. 483, pp. 40. 1917.

RUDOLFS, WILLEM—
"Effect of seeds upon hydrogen-ion concentration equilibrium in solution." J.A.R. vol. 30, pp. 1021–1026. 1925.
"Influence of temperature and initial weight of seeds upon the growth rate of *Phaseolus vulgaris* seedlings." J.A.R. vol. 26, pp. 537–539. 1923.

RUDOLPH, B. A.: "Spoilage of cranberries after harvest." With others. D.B. 714, pp. 20. 1918.

Rue family—
injury to trees by sapsuckers. Biol. Bul. 39, pp. 44, 52, 82. 1911.
See also Rutaceae.

RUEHLE, G. L. A.: "Methods of bacterial analyses of air." J.A.R. vol. 4, pp. 343–368. 1915.

Ruellia—
rust, occurrence and description, Texas. B.P.I. Bul. 226, p. 101. 1912.
tuberosa importation, description and uses. No. 33713, B.P.I. Inv. 31, p. 47. 1913.

Ruff, occurrence—
and breeding range. Biol. Bul. 35, p. 34. 1910.
and names. M.C. 13, p. 63. 1923.
in Pribilof Islands. N.A. Fauna 46, p. 77. 1923.

Rugs—
arsenic content. Chem. Bul. 86, pp. 44. 1904.
ingrain, description and use. F.B. 1219, pp. 19–20. 1921.
oriental, manufacture and testing for quality. F.B. 1219, pp. 23–24. 1921.
selection for house. Y.B. 1914, p. 353. 1915; Y.B. Sep. 646, p. 353. 1915.
storing directions. F.B. 1219, p. 31. 1921.
types and care of. F.B. 1219, pp. 19–35. 1921.
Wilton, description and use. F.B. 1219, pp. 21–22. 1921.
See also Carpets.

RUHLEN, LA MOTT: "Soil survey of Shelby County, Missouri." With R. T. Avon Burke. Soil Sur. Adv. Sh. 1903, pp. 15. 1904; Soils F.O. 1903, pp. 875–889. 1904.

Ruins, cliff dwellings, Bandalier National Monument. M.C. 5, pp. 1–18. 1923.

Rulings, Food and Dairy Commissioner, South Dakota. Chem. Bul. 112, Pt. II, pp. 77–82. 1908.

Rum—
and quinine, hair tonic, adulteration and misbranding. Chem. N. J. 2321, pp. 2. 1913.
exportation from St. Croix, 1777–1807, 1835–1897. Vir. Is. Bul. 2, pp. 5–6, 1921.
Jamaica, adulteration and misbranding. See *Indexes, Notices of Judgment*, in bound volumes and in separates published as supplements to Chemistry Service and Regulatory Announcements.
manufacture in Canal Zone. Rpt. 95, p. 20. 1912
misbranding, Palmetto Jamaica. Chem. N.J. 1511, p. 2. 1912.
production in and exportation from St. Croix, 1898–1921. Vir. Is. Bul. 2, pp. 3–4. 1921.
so-called, adulteration and misbranding. Chem. S.R.A. Sup. 3, p. 163. 1915.
See also Alcoholic beverages.

Rumen—
distention in cattle, cause and treatment. B.A.I. Cir. 68, rev., pp. 4–5. 1908; B.A.I. [Misc.], "Diseases of cattle," rev., pp. 27–28, 303–304, 314. 1912.
hernia, cause, description, and treatment. B.A.I. [Misc.], "Diseases of cattle," rev., pp. 39–40, 41. 1912.

Rumenotomy, cattle, description. B.A.I. [Misc.], "Diseases of cattle," rev., pp. 293–294. 1904; rev., pp. 303–304. 1912; rev., pp. 294–295. 1923.

Rumex—
abyssinicus, growing in Florida. An. Rpts. 1920, p. 186. 1921.
acetosa, susceptibility to *Puccinia triticina*. J.A.R., vol. 22, pp. 152–172. 1921.
acetosella. See Sorrel.
crispus—
roots, description. Chem. S.R.A. 21, p. 69. 1918.
See also Dock, curled.
spp., description. D.B. 1345, pp. 35–36. 1925.

INDEX TO PUBLICATIONS, 1901-1925 2047

Rumex—Continued.
  spp., importations and description. Nos. 53906–53907. B.P.I. Inv. 68, p. 7. 1923.
Ruminants—
  Canadian, other than cattle and sheep, importation. B.A.I. O. 281, p. 11. 1923.
  imported, inspection and quarantine regulations. B.A.I. An. Rpt., 1911, pp. 84, 86–87. 1913; B.A.I. Cir. 213, pp. 84, 86, 87. 1913; B.A.I.O. 266, pp. 5–8, 21. 1919.
  parasitic nematodes, occurrence and description. B.A.I. Cir. 116, pp. 1–7. 1907.
  See also Cattle; Sheep; Goats.
Rumsey, W. E., paper on manner of birth of woolly aphid, and other aphids. Ent. Bul. 67, pp. 31–33. 1907.
Run-off—
  drained prairie lands of southern Louisiana. J.A.R., vol. 11, pp. 247–279. 1917.
  factors affecting, measurement, etc. O.E.S. Bul. 230, Pt. I, pp. 19–34. 1911.
  Jefferson County, Tex., measurements and rainfall. D.B. 193, pp. 10–13. 1915.
  surface waters, Great Basin area. D.B. 61, pp. 8–10, 73–74. 1914.
Rundles, J. C.:—
  "A method of calculating economical balanced rations." D.B. 637, pp. 19. 1918.
  "Alfalfa on Corn-Belt farms." With others. F.B. 1021, pp. 32. 1919.
  "Sweet clover on Corn-Belt farms." With J. A. Drake. F.B. 1005, pp. 28. 1919.
  "The thrashing ring in the Corn Belt." Y.B., 1918, pp. 247–268. 1919; Y.B. Sep. 772, pp. 24. 1919.
Runkel, H.—
  "Errors in the weight of print butter; Their causes and prevention." With H. M. Roeser. Sec. Cir. 95, pp. 15. 1918.
  "Volume variation of bottled foods." With J. C. Munch. D.B. 1009, pp. 20. 1921.
  "Weight variation of package foods." D.B. 897, pp. 20. 1920.
Runner, G. A.—
  "Control of the grape-berry moth in northern Ohio." With H. G. Ingerson. D.B. 837, pp. 26. 1920.
  "Effect of Röntgen rays on the tobacco or cigarette beetle and the results of experiments with a new form of Röntgen tube." J.A.R., vol. 6, No. 11, pp. 383–388. 1916.
  "The so-called tobacco wireworm in Virginia." D.B. 78, pp. 30. 1914.
  "The three-banded grape leafhopper and other leafhoppers injuring grapes." With C. I. Bliss. J.A.R., vol. 26, pp. 419–424. 1923.
  "The tobacco beetle: An important pest in tobacco products." With Adam G. Böving. D.B. 737, pp. 71. 1919.
  "The tobacco beetle and how to prevent damage by it." F.B. 846, pp. 23. 1917.
"Running with land," meaning of cooperative association term, and decisions. D.B. 1106, p. 29. 1922.
Runts—
  livestock, causes. Y.B., 1920, pp. 228, 240. 1921; Y.B. Sep. 841, pp. 228, 240. 1921.
  pigeon, description, and value for squab raising. F. B. 684, p. 2. 1915.
  pigs, preventive measures. Off. Rec., vol. 3, No. 39, p. 6. 1924.
  poultry, causes and prevention. Y.B., 1920, pp. 235–237. 1921; Y.B. Sep. 841, pp. 235–237. 1921.
  prevention. John R. Mohler. Y.B., 1920, pp. 225–240. 1921; Y.B. Sep. 841, pp. 225–240. 1921.
Ruping process, wood preservation. For. Bui. 78, p. 16. 1909.
Rupp, Philip—
  "A study of the alkali-forming bacteria found in milk." With others. D.B. 782, pp. 39. 1919.
  "Chemical changes produced in cows' milk by Pasteurization." B.A.I. Bul. 166, pp. 15. 1913.
  "Harmfulness of headache mixtures." With others. F.B. 377, pp. 16. 1909.
  "The detection of hypochlorites and chloramins in milk and cream." D.B. 1114, pp. 5. 1922.
  "The harmful effects of acetanilid, antipyrin, and phenacitin." With others. Chem. Bul. 126 pp. 85. 1909.
Ruppia maritima. See Widgeon-grass.

Rupture(s)—
  heart, cattle, cause and results. B.A.I. [Misc.], "Diseases of cattle," Rev., p. 80. 1912.
  kinds in horse, symptoms and treatment. B.A.I. [Misc.], "Diseases of the horse," rev., pp. 51, 52, 67–71, 73, 141, 186, 240, 244, 352. 1903; rev., pp. 51, 52, 67–71, 73–74, 141, 186, 187, 240, 244, 352, 377. 1907; rev., pp. 51, 52, 67–71, 73–74, 141, 186, 187, 240, 244, 352, 377. 1911; rev., pp. 68, 82–85, 89–90, 133, 206–207, 262, 266–267, 377–379, 403–404. 1923.
  of womb, cow, treatment. B.A.I. [Misc.], "Diseases of cattle," rev., pp. 162–221. 1912.
  ventral, of cattle, causes, symptoms and treatment. B.A.I. [Misc.], "Diseases of cattle," rev., pp. 39–45, 52, 257. 1912.
  See also Hernia.
Rural—
  activities, social and educational work of Markets Office. An. Rpts., 1916, p. 405. 1917; Mkts. Doc. 1, pp. 14–15. 1915; Mkts. Chief Rpt., 1916, p. 21. 1916.
  beautification, committee work and suggested readings. Y.B., 1914, pp. 92, 133–135, 138. 1915; Y.B. Sep. 632, pp. 6, 47–49, 58. 1915.
  common schools, some problem lessons. Y.B., 1901, p. 133. 1902.
  communication and transportation, committee work and suggested readings. Y.B., 1914, pp. 121–123, 138. 1915; Y.B., Sep. 632, pp. 35–37, 55. 1915.
  community(ies)—
    buildings in the United States. W. C. Nason and C. W. Thompson. D.B. 825, pp. 26. 1920.
    buildings, organization. W. C. Nason. F.B. 1192, pp. 42. 1921.
    clubs, work in South, 1915. News L., vol. 3, No. 33, p. 3. 1916.
    need of organization, advantages and plan. Y.B., 1914, pp. 90–97. 1915; Y.B. Sep. 632, pp. 4–11. 1915.
    organization. T. N. Carver. Y.B., 1914, pp. 89–138. 1915; Y.B. Sep. 632, pp. 58. 1915.
    problems, national importance. D.B. 984, p. 55. 1921.
    social and educational activities. An. Rpts., 1915, pp. 391–392. 1916; Mkts. Chief Rpt., 1915, pp. 29–30. 1915.
  conditions. See Farm conditions.
  conference, calling by President. News L., vol. 7, No. 17, p. 5. 1919.
  cooperation, work of Markets Bureau. An. Rpts. 1919, pp. 435–436. 1920; Mkts. Chief Rpt., 1919, pp. 9–10. 1919.
  credit(s)—
    act, object, provisions, and enforcement method. News L., vol. 3, No. 51, pp. 1–4. 1916.
    act. See also Farm loan act.
    appointment of joint Congressional Committee to report bill. News L., vol. 2, No. 36, p. 8. 1915.
    benefits in Porto Rico. P. R. An. Rpt., 1923, p. 2. 1924.
    bill, endorsement by Secretary. Off. Rec., vol. 2, No. 9, p. 4. 1923.
    bills in Senate, 1923. Off. Rec., vol. 2, No. 3, p. 1. 1923.
    borrowing methods. News L., vol. 1, No. 45, p. 1. 1914.
    cooperative associations, description, scope, etc., discussion by Secretary in annual report. News L., vol. 2, No. 20, p. 3. 1914.
    cooperation studies, authorization to Agriculture Secretary, appropriation. Sol. [Misc.], Sup. 2, "Laws applicable * * * Agriculture," p. 13. 1915.
    costs and sources of farm-mortgage loans in United States. D.B. 384, pp. 1–16. 1916.
    crop-rate sheets, description and use methods, studies. News L., vol. 2, No. 37, p. 4. 1915.
    discussion by Secretary—
      1913. An. Rpts., 1913, pp. 25–30. 1914; Sec. A.R., 1913, pp. 23–28. 1913; Y.B., 1913, pp. 32–37. 1914.
      1914. An. Rpts., 1914, pp. 24–30. 1915.; Rpt., 106, pp. 92–95. 1915; Sec. A.R., 1914, pp. 26–32. 1914; Y.B., 1914, pp. 35–43. 1915.
      1915. An. Rpts., 1915, pp. 34–36. 1916; Sec. A.R., 1915, pp. 36–38. 1915.
    failure of pending legislation. News L., vol. 2, No. 36, p. 8. 1915.

Rural—Continued.
  credit(s)—continued.
    insurance and communication, work of Markets Office. Mkts. Doc. 1, pp. 14–16. 1915.
    legislation, preparation. Off. Rec. vol. 1, No. 52, p. 1, 1922.
    legislation recommended by Secretary. News L., vol. 3, No. 20, pp. 1, 2. 1915.
    personal and collateral, December 31, 1920. D.B. 1048, pp. 1–4, 25. 1922.
    problem, studies by Agriculture Department. News L., vol. 1, No. 16, p. 1. 1913.
    tricksters, warning to farmers by Agriculture Department. News L., vol. 3, No. 32, p. 5. 1916.
    See also Agricultural credit.
  districts—
    development of telephone systems, 1875–1907. F.B. 1245, pp. 5–7. 1922.
    domestic science teaching. O.E.S. Bul. 120, p. 91. 1902.
    effect of insects on health. L. O. Howard. F.B. 155, pp. 20. 1902.
    motor transportation. J. H. Collins. D.B. 770, pp. 32. 1919.
  economics—
    course for southern schools. D.B. 592, pp. 32–40. 1917.
    marketing phase. S.R.S. Doc. 72, pp. 9–11. 1917.
  education, comparison with city conditions. O.E.S. Bul. 212, pp. 53–59. 1909.
  engineering—
    course for southern schools. D.B. 592, pp. 22–31. 1917.
    extension work, North and West, 1916. S.R.S. Rpt., 1916, Pt. II, p. 171. 1917.
  free delivery—
    discussion. Y.B., 1901, p. 691. 1902; Y.B., 1902, p. 746. 1903.
    establishment of first routes, growth, and appropriations. Y.B. 1900, p. 513. 1901.
    relation to road improvement. Rds. Bul. 21, p. 92. 1901.
    report. Y.B., 1900, p. 513. 1901.
    roads, inspection by Roads Office experts, 1907. An. Rpts., 1907, p. 731, 738. 1908; Rds. Chief Rpt., 1907, p. 19. 1907.
    routes. Y.B., 1901, p. 691. 1902.
    service, improvement by good roads. F.B. 505, pp. 18–19. 1912.
  health, improvement methods. Sec. Cir. 130, p. 15. 1919.
  heather, typhoid fever control. News L., vol. 6, No. 19, p. 5. 1918.
  homes—
    for ex-service men. Off. Rec., vol. 1, No. 10, p. 8. 1922.
    See also Farm homes.
  improvement, farmers' cooperative demonstration work. S. A. Knapp. B.P.I. Cir. 21, pp. 20. 1908.
  interests, organization. T. N. Carver. Y.B., 1913, pp. 239–258. 1914; Y.B. Sep. 626, pp. 239–258. 1914.
  life—
    agricultural, expenditure by department, 1916. News L., vol. 4, No. 11, p. 3. 1916.
    discussion by Secretary Houston. News L., vol. 6, No. 42, p. 2. 1919.
    encouragement of interest of city residents. O.E.S. Bul. 182, pp. 56–62. 1907.
    improvement and sanitation, necessity. Sec. Cir. 131, pp. 7, 8. 1919; Sec. Cir. 133, pp. 11–13. 1919.
    need for various cooperative organizations. News L., vol. 1, No. 16, pp. 2–3. 1913.
    organization, promotion by department. Y.B. 1915, pp. 272. 1916; Y.B. Sep. 675, pp. 272. 1916.
    suggestions for improvement. M.C. 32, pp. 95–100. 1924.
    teachers directory. Off. Rec., vol. 2, No. 26, p. 4. 1923.
  Life and Farm Population Division, report. B.A.E. Chief Rpt., 1924, pp. 48–49. 1924.
  mail(s) carriers—
    collection of statistics. Off. Rec., vol. 3, No. 19, p. 3. 1924.

Rural—Continued.
  mail(s) carriers—continued.
    free delivery. C. H. Greathouse. Y.B., 1900, pp. 513–528. 1901; Y.B. Sep. 219, pp. 513–528. 1901.
    use for agricultural census experiments. Stat. Cir. 17, rev., p. 19. 1915.
    use in obtaining farm statistics. An. Rpts., 1914, pp. 239–240. 1915; Stat. Chief Rpt., 1914, pp. 7–8. 1914.
    See also Rural free delivery.
  motor operator, business stabilization. D.B. 770, pp. 28–31. 1919.
  nurse, visiting, work in Alabama, scope. News L., vol. 1, No. 41, pp. 2–3. 1914.
  organization(s)—
    T. N. Carver. Y.B., 1913, pp. 239–258. 1914; Y.B. Sep. 626, pp. 239–258. 1914.
    committees, readings, suggestion. Y.B., 1914, pp. 53–58. 1915; Y.B. Sep. 632, pp. 53–58. 1915.
    extension work of specialists. S.R.S. Rpt., 1918, p. 69. 1919.
    investigations, Markets Office. An. Rpts., 1915, pp. 389–392. 1916; Mkts. Chief Rpt., 1915, pp. 27–30. 1915.
    principles in cooperation, marketing, and credit. Y.B., 1913, pp. 254–258. 1914; Y.B. Sep. 626, pp. 254–258. 1914.
    problems, discussion. An. Rpts., 1913, p. 30. 1914; Sec. A.R., 1913, p. 28. 1913; Y.B., 1913, p. 37. 1914.
    stimulation and development. Y.B., 1917, pp. 22–23, 95. 1918.
    women's, and their activities. Anne M. Evans. D.B. 719, pp. 15. 1918.
  planning—
    social aspects. Wayne C. Nason. F.B. 1325, pp. 30. 1923.
    social aspects of recreation places. Wayne C. Nason. F.B. 1388, pp. 30. 1924.
    the village. Wayne C. Nason. F.B. 1441, pp. 46. 1925.
  population—
    drift from farms to cities, results. An. Rpts., 1923, pp. 8–9, 10, 19. 1923; Sec. A.R., 1923, pp. 8–9, 10, 19. 1923.
    relation of roads. Rds. Bul. 23, p. 34. 1902.
  post roads, appropriation(s)—
    1923. Off. Rec., vol. 2, No. 9, p. 1. 1923.
    definition, and State participation. Y.B., 1919, pp. 46, 48. 1920.
  progress, address by G. E. Farrell. Off. Rec., vol. 3, No. 8, p. 4. 1924.
  prosperity, relation of city to country population, address of Secretary. News L., vol. 4, No. 9, pp. 1–4. 1916.
  road naming and house numbering. Rds. Bul. 21, p. 19. 1901.
  sanitation, needs and work of department. News L., vol. 1, No. 6, p. 1. 1913.
  social and educational activities, work of Markets Office. Mkts. Doc. 1, p. 14. 1915.
  social problems, lectures. Off. Rec., vol 2, No. 9, p. 6. 1923.
  societies, pioneers in Belleville community, N. Y. D.B. 984, p. 47. 1921
  survey, need of. Y.B., 1919, p. 58. 1920.
Rural Engineering Office. *See* Public Roads Bureau; Public Roads Office.
Rural Organization Office. *See* Markets Office.
Rural Organization Service—
  department, need and value. Y.B., 1913, pp. 252, 255. 1914; Y.B. Sep. 626, pp. 252, 255. 1914.
  establishment, 1913. Pub. [Misc.], "Organization of the Department * * *," pp. 2–3. 1913.
Rusa-oil grass, importation and description. Nos. 45966, 45967, B.P.I. Inv. 54, p. 51. 1922.
RUSBY, H. H., testimony, Coca Cola composition and effects. Chem. N.J. 1455, pp. 18–19. 1912.
RUSH, A. L.—
  "A portable farm granary." With others. Mkts. Doc. 11, pp. 8. 1918.
  administration of warehouse act. Off. Rec., vol. 1, No. 20, p. 4. 1922.
  "The bulk handling of grain." With E. N. Bates. F.B. 1290, pp. 22. 1922.

Rush(es)—
  control in cranberry fields. F.B. 1401, p. 14. 1924.
  description and forage value on range. D.B. 545, pp. 32, 35–37, 58, 59. 1917.
  description, habits, and forage value. D.B. 545, pp. 35–36, 58, 59. 1917.
  distinction from grasses. D.B. 772, p. 3. 1920.
  grass, red-sheathed, seeds, food for birds. Biol. Bul. 15, p. 37. 1901.
  mat, growing experiments in Hawaii. Hawaii A.R., 1908, p. 82. 1908.
  nut. See Chufa.
  slender, field, and wood, seed, descriptions. B.P.I. Bul. 84, p. 37. 1905.
  spike, occurrence and control in rice fields. F.B. 1240, pp. 23–24. 1924.
  wood, description, habits, and forage value. D.B. 545, pp. 36–37, 58, 59. 1917.
Rusk, J. M., Secretary, recommendations for establishment of Federal inspection. B.A.I. An. Rpt., 1906, pp. 70–71, 72. 1908; B.A.I. Cir. 125, pp. 10–12, 1908.
Rusk—
  citrange—
    influence of temperature and humidity on development of *Pseudomonas citri*. J.A.R., vol. 20, pp 494–497. 1920.
    influence of temperature on growth. J.A.R., vol. 20, pp. 459–471. 1920.
  Holland, misbranding. Chem. N.J. 429, p. 1. 1910.
Russ, G. W., elk raising. Biol. Bul. 36, pp. 33–36. 1910; F.B. 330, pp 10–11. 1908.
Russell, E. Z.—
  "Breeds of swine." F.B. 1263, pp. 22. 1922.
  "Fitting, showing, and judging hogs." F.B. 1455, pp. 22. 1925.
  "Hog production and marketing." With others. Y.B., 1922, pp. 181–280. 1923; Y.B. Sep. 882, pp. 181–280. 1923.
  "Hogs." Sec. Cir. 122, pp. 7–9. 1918.
  "Swine production." F.B. 1437, pp. 30. 1925.
  "The live-stock industry in South America." With L. B. Burk. D.C. 228, pp. 36. 1922.
Russell, Frank, explorations in Athabaska-Mackenzie region, 1892–1894. N.A. Fauna 27, pp. 78–79. 1908.
Russell, F. M.: "Soil survey of Palo Alto County, Iowa." With others. Soil Sur. Adv. Sh., 1918, pp. 36. 1921; Soils F.O., 1918, pp. 1133–1164. 1924.
Russell, G. A.—
  "A detailed description of a new machine for peeling citrus fruits." D.B. 399, pp. 13–19. 1916.
  "A machine for trimming camphor trees." D.C. 78, pp. 8. 1920.
  "A study of the soft resins in sulphured and unsulphured hops in cold and in open storage." D.B. 282, pp. 19. 1915.
  "Drying crude drugs." F.B. 1231, pp. 16. 1921.
  "Effect of removing the pulp from camphor seed on germination and subsequent growth of the seedlings." J.A.R., vol. 17, pp. 223–238. 1919.
  "The production of sweet-orange oil and a new machine for peeling citrus fruits." With S. C. Hood. D.B. 399, pp. 19. 1916.
Russell, H. L.—
  discussion on—
    effectiveness of tuberculous milk. B.A.I. Bul. 44, pp. 18, 93. 1903.
    testing cattle for tuberculosis. O.E.S. Bul. 212, pp. 102–104. 1909.
  paper on summer institutes, places for holding. O.E.S. Bul. 225, pp. 33–35. 1910.
  report of Wisconsin—
    Experiment Station, work and expenditures—
      1907. O.E.S. An. Rpt., 1907, pp. 186–189. 1908.
      1908. O.E.S. An. Rpt., 1908, pp. 186–188. 1909.
      1909. O.E.S. An. Rpt., 1909, pp. 203–207. 1910.
      1910. O.E.S. An. Rpt., 1910, pp. 261–267. 1911.
      1911. O.E.S. An. Rpt., 1911, pp. 223–227. 1912.
      1912. O.E.S. An. Rpt., 1912, pp. 226–229. 1913.

Russell, H. L.—Continued.
  report of Wisconsin—continued.
    Experiment Station, etc.—continued.
      1913. O.E.S. An. Rpt., 1913, pp. 88–89. 1915.
      1914. O.E.S. An. Rpt., 1914, pp. 245–250. 1915.
      1915. S.R.S. Rpt., 1915, Pt. I, pp. 277–282. 1916.
      1916. S.R.S. Rpt., 1916, Pt. I, pp. 286–293. 1918.
      1917. S.R.S. Rpt., 1917, Pt. I, pp. 277–282. 1918.
    extension work in agriculture and home economics, 1915. S.R.S. Rpt., 1915, Pt. II, pp. 318–323. 1916.
  "Soil survey of—
    Iowa County, Wis." With others. Soil Sur. Adv. Sh., 1910, pp. 29. 1912.
    Waushara County, Wis." With others. Soil Sur. Adv. Sh., 1909, pp. 33. 1911.
  "The cold curing of cheese." With others. B.A.I. Bul. 49, pp. 88. 1903.
Russell, H. M.—
  "An internal parasite of Thysanoptera." Ent. T. B. 23, Pt. II, pp. 25–52. 1912.
  "The bean thrips." Ent. Bul. 118, pp. 49. 1912.
  "The greenhouse thrips." Ent. Bul. 64, Pt. VI, pp. 43–60. 1909; Ent. Cir. 151, pp. 9. 1912.
  "The pecan cigar case-bearer." Ent. Bul. 64, Pt. X, pp. 79–86. 1910.
  "The red-banded thrips." Ent. Bul. 99, Pt. II, pp. 17–29. 1912.
  "The rose aphis." D.B. 90, pp. 15. 1914.
  "The semitropical army worm." With F. H. Chittenden. Ent. Bul. 66, pp. 53–70. 1910.
Russell, J. C.: "Use of the moisture equivalent for the indirect determination of the hygroscopic coefficient." With F. J. Alway. J.A.R., vol. 6, No. 21, pp. 833–846. 1916.
Russell, N. A., report of home demonstration activities, Hawaii Experiment Station—
  1921. Hawaii A.R., 1921, pp. 46–47. 1922.
  1922. Hawaii A.R., 1922, p. 20. 1924.
  1923. Hawaii A.R., 1923, p. 15. 1924.
Russell, N. J.: "Soil survey of Mills County, Iowa." With Grove B. Jones. Soil Sur. Adv. Sh., 1920, pp. 103–134. 1923; Soils F.O., 1920, pp. 103–134. 1925.
Russet—
  apple, caused by copper fungicides, experiments. B.P.I. Cir. 58, pp. 3, 9–15, 18. 1910.
  plum and prune, cause and symptoms. F.B. 1435, p. 14. 1924.
Russia—
  agricultural—
    cooperation, study. Off. Rec., vol. 1, No. 32, p. 8. 1922.
    education, progress. O.E.S. An. Rpt., 1911, p. 292. 1912.
    exploration and importations. B.P.I. An. Rpts., 1912, pp. 421–422. 1913; B.P.I. Chief Rpt., 1912, pp. 41–42. 1912.
    production, comparison with United States. Y.B., 1921, p. 407. 1922; Y.B. Sep. 878, p. 1. 1922.
    statistics, 1911–1916. D.B. 987, pp. 50–52. 1921.
  area and population of territorial divisions, precipitation, and soils. Stat. Bul. 84, pp. 14–25. 1911.
  barley acreage, production, and yield, maps. Sec. [Misc.], Spec. "Geography * * * world's agriculture," pp. 41, 43. 1917.
  beet-sugar production and exports, 1913. Sec. Cir. 86, p. 6. 1918.
  blister-rust occurrence and distribution. D.B. 957, pp. 3, 5. 1922.
  butter trade, 1860–1915. D.C. 70, p. 14. 1919.
  cattle—
    breeds, ancestry. B.A.I. An. Rpt., 1910, p. 221. 1912.
    breeds, quality and milk production and number of cows. B.A.I. Dairy [Misc.], "World's dairy congress, 1923," pp. 951, 954–955. 1924.
    numbers, maps. Sec. [Misc.], Spec. "Geography * * * world's agriculture," pp. 121, 123. 1917.
  cereal crops—
    acreage, 1911, conditions, May–June, 1911. Stat. Cir. 37, pp. 16, 19, 1912.

Russia—Continued.
  cereal crops—continued.
    area and production by governments and provinces. Edward T. Peters. Stat. Bul. 84, pp. 99. 1911.
    conditions. Off. Rec., vol. 4, No. 47, p. 2. 1925.
  corn—
    acreage and production, map. Sec. [Misc.], Spec. "Geography * * * world's agriculture," p. 33, 1917.
    exports, 1908–1910, by countries. Stat. Cir. 26, p. 4. 1912.
  cotton—
    crops, area and production, 1906–1910, and imports, 1906–1910. Stat. Cir. 39, pp. 12–15. 1912.
    production. Sec. [Misc.], Spec. "Geography * * * world's agriculture," pp. 51, 52. 1917.
    production, localities and extent. Atl. Am. Agr. Adv. Sh., Pt. V, sec. A, pp. 6, 7. 1919.
  dairy—
    industry. G. N. Kaminsky. B.A.I. Dairy [Misc.], "World's dairy congress, 1923, pp. 949–958. 1924.
    statistics, 1860–1920. B.A.I. Doc. A–37, pp. 60–61. 1922.
  deep tillage experiments. J.A.R., vol. 14, p. 519. 1918.
  egg exports from. B.A.I. An. Rpt., 1900, p. 512. 1901.
  emmer, production and use as food. F.B. 139, pp. 7, 13. 1901.
  farming methods, exhibitions by department. News L., vol. 6, No. 23, pp. 1–2. 1919.
  flax—
    acreage and production of seed and fiber. Sec. [Misc.], Spec. "Geography * * * world's agriculture," pp. 57, 59. 1917.
    production. F.B. 669, pp. 2, 18. 1915.
  flaxseed statistics, 1906–1910. Stat. Cir. 40, pp. 16–19. 1912.
  forest resources. For. Bul. 83, pp. 18–21. 1910.
  forestry policy for replacement of timber. Sec. Cir. 140, p. 3. 1919.
  fruits, production, imports, and exports, 1909–1913. D.B. 483, pp. 27–28. 1917.
  goats, numbers, map. Sec. [Misc.], Spec. "Geography * * * world's agriculture," p. 142. 1917.
  grain—
    exports—
      1851–1905. Stat. Bul. 66, pp. 7–9. 1908.
      and export routes. Stat. Bul. 65, pp. 9, 16, 64–77. 1908.
    farmers, disadvantages. Stat. Bul. 65, pp. 10, 23. 1908.
    production and acreage. Stat. Bul. 68, pp. 79–85. 1908.
    trade. Stat. Bul. 69, pp. 44–48. 1908.
    transportation, facilities, rates. Stat. Bul. 65, pp. 31–64. 1908.
  grasshoppers injurious, efforts for control. Ent. Bul. 38, pp. 61–66. 1902.
  hay acreage. Sec. [Misc.] Spec. "Geography * * * world's agriculture," p. 106. 1917.
  hemp—
    acreage and production map. Sec. [Misc.] Spec, "Geography * * * world's agriculture," p. 56. 1917.
    growing and retting. Y.B., 1913, pp. 294, 299, 328, 336. 1914; Y.B. Sep. 628, pp. 294, 299, 328, 336. 1914.
    production, note. B.P.I. Cir. 57, p. 3. 1910.
  hogs, numbers, maps. Sec. [Misc.] Spec., "Geography * * * world's agriculture," pp. 130, 131, 133. 1917.
  horses, numbers, and maps. Sec. [Misc.] Spec., "Geography * * * world's agriculture." pp. 111, 113. 1917.
  imports of meat animals and packing-house products. Stat. Bul. 41, pp. 17–21. 1906.
  Kherson region similarity to parts of United States. D.B. 823, pp. 3–4. 1920.
  laws—
    governing sale of arsenical papers and fabrics. Chem. Bul. 85, pp. 49–50. 1904.
    on fruit and plant introduction. Ent. Bul. 84, p. 36. 1909.
  livestock. B.A.I. An. Rpt., 1901, p. 606. 1902.

Russia—Continued.
  meat—
    consumption. Rpt. 109, pp. 17, 20, 128, 130, 133, 271–273. 1916.
    exports, statistics (and meat animals). Rpt. 109, pp. 74, 75, 89, 91–94, 223, 229. 1916.
    imports, statistics. Rpt. 109, pp. 102–114, 241–242, 254, 259, 262. 1916.
  oat acreage, production, and yield, maps. Sec. [Misc.] Spec., "Geography * * * world's agriculture," pp. 36, 38. 1917.
  origin of Kherson and Sixty-day oats. F.B. 395, p. 8. 1910.
  potato(es)—
    acreage, production, and yield. Sec. [Misc.] Spec., "Geography * * * world's agriculture," pp. 68, 70. 1917.
    production, 1909–1913, 1921–1923. S.B. 10, p. 20. 1925.
  publications on agricultural cooperation, list. M.C. 11, p. 54. 1923.
  railways, mileage, distribution, facilities and wheat transportation. Stat. Bul. 65, pp. 31–38, 65–69. 1908.
  roads, mileage and condition. Stat. Bul. 65, pp. 55–57. 1908.
  sheep numbers—
    and wool production. Y.B., 1917, pp. 403–404, 405. 1918; Y.B. Sep. 751, pp. 5–6, 7. 1918.
    maps. Sec. [Misc.] Spec., "Geography * * * world's agriculture," pp. 137, 139. 1917.
  statistics, livestock—
    1916. Rpt. 109, pp. 32, 37, 48, 52, 60, 63, 204, 214. 1916.
    1917. Y.B., 1917, pp. 430, 431, 432, 1918; Y.B. Sep. 741, pp. 8, 9, 10. 1918.
    and crops, 1912, 1914, graphs. Y.B., 1916, pp. 533, 536, 553. 1917; Y.B. Sep. 713, pp. 3, 6–23. 1917.
  sugar—
    industry, 1903–1914. D.B. 473, pp. 43–46. 1917.
    production, consumption and beet sugar. Sec. [Misc.] Spec., "Geography * * * world's agriculture," pp. 73, 75. 1917.
  sunflowers growing, varieties and uses. D.B. 1045, p. 8. 1922.
  tobacco acreage, production, and exports. Sec. [Misc.] Spec., "Geography * * * world's agriculture," pp. 61, 62, 64. 1917.
  trade with—
    resolution. Off. Rec., vol. 3, No. 4. p. 5. 1924.
    United States, notes. D.B. 296, pp. 5, 8, 15–45. 1915.
  wheat—
    acreage—
      percentage of total land area, and increase since 1894. Y.B. 1909, pp. 262, 263, 264. 1910; Y.B. Sep. 511, pp. 262, 263, 264. 1910.
    production and yield, maps. Sec. [Misc.] Spec., "Geography * * * world's agriculture," pp. 20–23. 1917.
    production, trade, and war conditions. Y.B. 1917, pp. 463, 466, 469, 470, 472, 475. 1918; Y.B. Sep. 752, pp. 5, 8, 11, 12, 14, 17. 1918.
    flour exports, cost of production, transportation. Stat. Bul. 66, pp. 83–97. 1908.
    growing in dry prairie regions, hard wheats. Y.B. 1914, pp. 392, 398–400, 407. 1915; Y.B. Sep. 649, pp. 392, 398–400, 407. 1915.
    market prices, 1887–1906 and 1883–1906. Stat. Bul. 66, pp. 64–70. 1908.
    production,—
      1907–1910, and exports, by countries, 1905–1910. Stat. Cir. 25, pp. 14–15. 1911.
      trade and transportation conditions. Stat. Bul. 66, pp. 98–99. 1908.
    surplus, conditions under which produced. I. M. Rubinow. Stat. Bu.. 42, pp. 103. 1906.
    trade. Stat. Bul. 65, pp. 77. 1908.
  wool imports, 1910. Y.B. 1917, p. 409. 1918; Y.B. Sep. 751, p. 11. 1918.
Russian—
  brome. See Bromegrass.
  clover. See Orel clover.
  crops, estimates. Stat. Cir. 14, pp. 11. 1901.
  thistle. See Thistle, Russian.
  vetch. See Vetch, hairy.
  zyemstros, conflict with enemies of agriculture. Ent. Bul. 38, p. 61. 1902.

RUSSOM, V. M.: "Soil survey of Perkins County, Nebraska." With others. Soil Sur. Adv. Sh., 1921, pp. 883-928. 1924.
Russula spp., description. D.B. 175, pp. 22-23. 1915.
RUST, E. W.: "Edible snails." Y.B. 1914, pp. 491-503. 1915; Y.B. Sep. 653, pp. 491-503. 1915.
Rust—
presence in water, and remedy. F.B. 1448, p. 38. 1925.
prevention, iron and steel. Rds. Bul. 35, pp. 1-40. 1909.
Rust(s)—
aecidial stage, cultural experiments, tables. B.P.I. Bul. 216, pp. 28-45. 1911.
apple—
control by destruction of red cedar. News L., vol. 5, No. 21, p. 3. 1917.
spread and control, experiment stations, 1915. S.R.S. Rpt. 1915, Pt. I, pp. 54, 266, 274. 1917.
spread by means of "cedar apple." For. Cir. 154, p. 16. 1908.
spread methods, studies. S.R.S. Rpt. 1916, Pt. I, pp. 48, 49, 104, 112, 160, 273, 283. 1918.
See also Cedar rust.
Asiatic forms, establishment in Oregon. J.A.R. vol. 5, No. 22, pp. 1003-1010. 1916.
asparagus—
and its control. F.B. 259, pp. 21-22. 1906.
control. An. Rpts. 1913, p. 109. 1914; B.P.I. Chief Rpt. 1913, p. 5. 1913; F.B. 856, p. 25. 1917.
description and control. F.B. 829, pp. 13-15. 1917.
history, description, and control. B.P.I. Bul. 263, pp. 9, 12-14, 59-60. 1913.
bamboo, injury to bamboo and control. D.B. 1329, pp. 37-38. 1925.
barley—
danger. F.B. 1464, p. 30. 1925.
varieties, description. F.B. 443, pp. 44-45. 1911.
bayberry, aecidiospore discharge, studies. J.A.R. vol. 27, pp. 749-756. 1924.
bean—
cause and results. Guam A.R., 1917, p. 46. 1918.
occurrence on cowpeas. B.P.I. Bul. 229, p. 28. 1912.
varietal susceptibility. J.A.R. vol. 21, pp. 385-404. 1921.
black—
injuries to wheat and other spring grains. News L., vol. 5, No. 35, pp. 4, 7. 1918.
prevention in Denmark by barberry destruction. News L., vol. 5, No. 35, p. 4. 1918.
prevention in Europe by barberry eradication. E. C. Stakman. D.C. 269, pp. 15. 1923.
reduction by eradication of common barberry. Y.B., 1918, pp. 88-100. 1919; Y.B. Sep. 796, pp. 16-28. 1919.
spread from the barberry, typical cases. Y.B. 1918, pp. 94-98. 1919; Y.B. Sep. 796, pp. 22-26. 1919.
black stem—
and the barberry. E. C. Stakman. Y.B., 1918, pp. 75-100. 1919; Y.B. Sep. 706, pp. 28. 1919.
control by barberry destruction. News L., vol. 6, No. 37, p. 15. 1919; News L., vol. 6, No. 40, p. 8. 1919.
epidemics, occurrence, spread and life history. D.C. 188, pp. 3-8. 1921.
investigations in Europe. Off. Rec., vol. 1, No. 18. p. 3. 1922.
of wheat—
and other cereals. B.P.I. Chief Rpt., 1921, p. 39. 1921.
control. An. Rpts. 1919, pp. 521-522. 1920; F.H.B. An. Rpt. 1919, pp. 17-18. 1919.
control. F.H.B. An. Rpt., 1924. p. 8. 1924.
oats, barley, and rye, control by barberry eradication in Europe. D.C. 269, pp. 1-3. 1923.
quarantine. An. Rpts., 1923, pp. 627, 646. 1924; F.H.B. An. Rpt., 1923, pp. 13, 32. 1923.
relation to barberry plants. An. Rpts., 1918, p. 153. 1919; B.P.I. Chief Rpt., 1918, p. 19. 1918.

Rust(s)—Continued.
black stem—continued.
quarantine, modification. F.H.B.S.R.A. 73, pp. 126-127. 1923.
quarantine No. 38, summary. F.H.B.S.R.A. 71, p. 174. 1922.
resistance in winter wheat varieties, studies. D.B. 1046, pp. 1-32. 1922.
See also Rust, stem.
blackberry, description and control. S.R.S. Doc. 93, p. 6. 1919.
blister. *See* Blister rust.
broom-forming, injury to Sitka spruce. D.B. 1060, p. 18. 1922.
brown, of bromes, relation to resistant plants. J.A.R., vol. 4, p. 193. 1915.
cedar. *See* Cedar rust.
cereal(s)—
annual losses. Y.B., 1908, p. 453. 1909; Y.B. Sep. 494, p. 453. 1909.
control studies, 1917. An. Rpts., 1917, pp. 135-136. 1918; B.P.I. Chief Rpt., 1917, pp. 5-6. 1917.
culture in greenhouses. D.B. 629, pp. 2-5. 1918.
description, causes, and control. Y.B., 1917, pp. 75, 484-486, 488-494. 1918; Y.B. Sep. 755, pp. 5-7, 11-15. 1918.
investigations. An. Rpts., 1912, pp. 427-428. 1913; B.P.I. Chief Rpt., 1912, pp. 47-48. 1912.
relation to fertilizers. J.A.R., vol. 27, pp. 342-345. 1924.
resistance of oats, greenhouse experiments. D.B. 629, pp. 1-16. 1918.
characteristics, life histories, and physiological specializations. B.P.I. Bul. 216, pp. 12-28. 1911.
clover—
cause of disease in cattle. B.A.I. [Misc.], "Diseases of cattle," rev., p. 543. 1912.
description. F.B. 455, p. 40. 1911.
common names. B.P.I. Bul. 216, p. 8. 1911.
conifer, danger from *Melampsora pinitorqua*. J.A.R., vol. 15, pp. 550-551. 1918.
corn, similarity to Physoderma disease. J.A.R., vol. 16, p. 142. 1919.
cotton—
cause and control. F.B. 787, pp. 39-40. 1916; Y.B., 1921, p. 356. 1922; Y.B. Sep. 877, p. 356. 1922.
caused by red spider infestation. Ent. Cir. 150, p. 1. 1912; F.B. 735, p. 1. 1916.
control by use of potash fertilizer. Soils F.O., 1916, p. 1051. 1921.
control in Georgia, Grady County. Soil Sur. Adv. Sh., 1908, pp. 12, 14, 33. 1909; Soils F.O., 1908, pp. 348, 369, 404. 1911.
description, cause, and control. F.B. 1187, pp. 23-25. 1921.
cowpea, disease. B.P.I. Bul. 229, p. 25. 1912.
cranberry, description, cause, and control. F.B. 1081, p. 17. 1920.
Cronartium ribicola and *C. occidentale*, urediniospores, biometric comparison. Reginald H. Colley. J.A.R., vol. 30, pp. 283-291. 1925.
crown—
of oats, description, distribution, and importance. D.B. 629, pp. 1-2. 1918.
spread by genus Rhamnus. S. M. Dietz. D.B. 1162, pp. 19. 1923.
currant—
European, description, life history, transmission to white pine, and control. B.P.I. Cir., 38, pp. 2-4. 1909.
European, on white pine in America. Perley Spaulding. B.P.I. Cir. 38, pp. 4. 1909.
on white pine, study and publication. B.P.I. Chief Rpt., 1909, p. 20. 1909; An. Rpts., 1909, p. 272. 1910.
See also Blister rust; *Cronartium ribicola*.
damage to—
oats, barley, rye, and flax. Y.B., 1922, pp. 477, 496, 509, 543. 1923; Y.B. Sep. 891, pp. 477, 496, 509, 543. 1923.
wheat. Y.B., 1921, pp. 110, 127. 1922; Y.B. Sep. 873, pp. 110, 127. 1922.
development, effect of certain mineral nutrients. J.A.R., vol. 27, No. 2, pp. 115-117. 1923.
development of internal sori in host plants, list. J.A.R., vol. 8, p. 329. 1917.

Rust(s)—Continued.
  epidemics, conditions and causes, studies. B.P.I. Bul. 216, pp. 58–66. 1911.
  fig, cause and control. F.B. 1031, pp. 27–28. 1919.
  flax, description and control. F.B. 1328, p. 7. 1924.
  forage plants, injurious effects on cattle. B.A.I. [Misc.], "Diseases of cattle," rev., pp. 15, 167, 543. 1912.
  forest trees, description and control. B.P.I. Bul. 149, pp. 19–20. 1909.
  gall-forming, jack pine. D.B. 820, p. 21. 1920.
  ginseng, symptoms and control. B.P.I. Bul. 250, pp. 28–32. 1912; F.B. 736, p. 15. 1916.
  grain—
    biologic forms, statistical study. J.A.R., vol. 24, pp. 539–568. 1923.
    characteristics and hosts. Y.B., 1918, p. 77. 1919; Y.B. Sep. 796, p. 5. 1919.
    distribution in United States. B.P.I. Bul. 216, pp. 8–12. 1911.
    epidemic of 1904, lessons from. Mark Alfred Carleton. F.B. 219, pp. 24. 1905.
    first appearance in spring, observations. B.P.I. Bul. 216, pp. 55–58. 1911.
    in United States. E. M. Freeman and Edward C. Johnson. B.P.I. Bul. 216, pp. 87. 1911.
    losses, and resistant varieties. Y.B., 1908, p. 208. 1909; Y.B. Sep. 475, p. 208. 1909.
    occurrence in various States in 1904, damage to wheat crop. B.P.I. Bul. 216, pp. 7–8. 1911.
    prevention methods. B.P.I. Bul. 216, pp. 66–73. 1911.
    publication list. D.C. 188, p. 37. 1921.
    resistance, studies. J.A.R., vol. 23, pp. 131–133, 145–148. 1923.
  grape, study. B.P.I. Chief Rpt., 1924, p. 8. 1924.
  in nursery, Manhattan, Kansas, experiments with wheat varieties. D.B. 1046, pp. 4–14. 1922.
  infection, effect on water requirements of wheat. Freeman Weiss. J.A.R., vol. 27, pp. 107–118. 1923.
  injury to cottonwood trees, control methods. D.B. 24, p. 14. 1913.
  investigations. Mark Alfred Carleton. B.P.I. Bul. 63. pp. 32. 1904.
  iron, milk contamination. B.A.I. Bul. 162, pp. 50–55. 1913.
  lily, injury to and remedy. D.B. 1331, p. 14. 1925.
  may apple—
    Puccinia podophylli, expulsion of aecidiospores. B. O. Dodge. J.A.R., vol. 28, pp. 923–926. 1924.
    study of composite life history. J.A.R., vol. 30, pp. 65–79. 1925.
  mite—
    citrus fruit, control. Hawaii A.R., 1915, pp. 68, 69. 1916.
    citrus, spraying season, and effects of Bordeaux-oil emulsion. D.B. 1178, pp. 3, 11, 13–17. 1923.
    citrus trees, control Ent. Bul. 67, p. 122. 1907.
    control by spraying. D.B. 924, pp. 3–5. 1921; F.B. 933, pp. 29–30, 32. 1918.
    injury to citrus fruits, description, and control methods. P.R. Bul. 10, p. 12. 1911.
    orange, control. Ent. Cir. 168, p. 7. 1913.
    orange, control studies. An. Rpts., 1923, p. 398. 1923; Ent. A.R., 1923, p. 18. 1923.
    orange, injury to citrus fruits. F.B. 172, pp. 38–41. 1903.
    relation to tear-stain of citrus fruits. D.B. 924, pp. 1–5, 11. 1921.
  oat—
    description, injury. F.B. 424, pp. 40–41. 1910.
    injury to meadow fescue seed and hay. F.B. 361, p. 14. 1909.
    prevention. F.B. 436, p. 27. 1911.
    relationships. J.A.R., vol. 30, p. 1. 1925.
    occurrence on—
      hard red winter wheat. D.B. 1276, pp. 37–39. 1925.
      plants in Texas, and description. B.P.I. Bul. 226, pp. 26, 28, 32, 34, 38, 46–52, 56, 63, 64, 70, 73, 76, 83, 87, 88, 90–99, 101–105. 1912.

Rust(s)—Continued.
  orange—
    cause and control. Rpt. 108, p. 137. 1915.
    distribution and control. J.A.R., vol. 25, pp. 239–240. 1923.
    infection—
      of raspberry and blackberry in greenhouses. J.A.R., vol. 25, pp. 215–217, 234–235. 1923.
      types on Rubus. J.A.R., vol. 25, pp. 224–234. 1923.
    long-cycled and short-cycled, relationships. J.A.R., vol. 19, pp. 507–511. 1920.
  of blackberry—
    new type. B. O. Dodge. J.A.R., vol. 25, No. 12, pp. 391–494. 1923.
    uninucleated aecidiospores. J.A.R., vol. 28, pp. 1045–1058. 1924.
  of raspberry, injury. J.A.R., vol. 24, pp. 885–894. 1923.
  of Rubus—
    effect on development and distribution of stomata. B. O. Dodge. J.A.R., vol. 25, pp. 495–500. 1923.
    further data. L. O. Kunkel. J.A.R., vol. 19, No. 10, pp. 501–512. 1920.
    systemic infections. B. O. Dodge. J.A.R., vol. 25, pp. 209–242. 1923.
    specialized races on blackberry, dewberry, and raspberry. J.A.R., vol. 25, pp. 235–237. 1923.
  phylogenetic relationship. J.A.R., vol. 30, p. 78. 1925.
  pine—
    blister. See Blister rust; Cronartium ribicola; Rust, currant.
    caused by fungus Cronartium pyriforme. D.B. 247, pp. 1–20. 1915.
    distribution, Canada and United States. D.B. 247, pp. 8–11. 1915.
    occurrence on new hosts. J.A.R., vol. 5, No. 7, pp. 289–290. 1915.
  Puccinia ellisiana and Puccinia andropogonis, study. J.A.R., vol. 2, pp. 303–319. 1914.
  quarantine of barberry and mahonia species. F.H.B. Quar. No. 38, pp. 2. 1919.
  red, summer stage of black stem rust, propagation on barberry. D.C. 188, p. 8. 1921.
  resistance—
    asparagus—
      breeding. Y.B., 1907, p. 141. 1908; Y.B. Sep. 441, p. 141. 1908.
      breeding methods. J.B. Norton. B.P.I. Bul. 263, pp. 60. 1913.
    by Marquis-Kota wheat cross, study. J.A.R., vol. 24. pp. 997–1012. 1923.
    crosses of wheat for. J.A.R., vol. 29, pp. 1–47. 1924.
    durum wheat. Y.B., 1914, pp. 407–408. 1915; Y.B. Sep. 649, pp. 407–408. 1915.
    grains, varieties, desirability. Y.B., 1908, p. 208. 1909; Y.B. Sep. 475, p. 208. 1909.
    of—
      asparagus plants, causes, discussion. B.P.I. Bul. 263, pp. 23–25. 1913.
      cereal varieties. F.B. 219, pp. 9–20. 1905.
      cereals, evidences, and authorities cited. D.B. 629, pp. 5–8. 1918.
      crosses of varieties of Triticum vulgare with varieties of T. durum and T. dicoccum. H. K. Hayes and others. J.A.R., vol. 19, pp. 523–542. 1920.
      Kanred wheat. D.C. 194, pp. 6–7. 1921.
      Kota wheat, discovery and comparisons. D.C. 280, pp. 2, 3, 5–7. 1923.
      oat varieties, greenhouse experiments. John H. Parker. D.B. 629, pp. 16. 1918.
      oats, experiments and results. D.B. 629, pp. 8–12. 1918.
      plants, causes, discussion, and experiments. J.A.R., vol. 4, pp. 193–198. 1915.
      wheat crosses. J.A.R., 19, pp. 523–542. 1920.
      wheat varieties, studies in relation to stem-rust. J.A.R., vol. 14, pp. 111–124. 1918.
      winter emmer. F.B. 466. pp. 9, 22. 1911.
      winter-wheat varieties. L. E. Melchers and John H. Parker. D.B. 1046, pp. 32. 1922.
    relation to—
      structure of wheat stem. J.A.R., vol. 27, pp. 390–394. 1924.

INDEX TO PUBLICATIONS, 1901-1925   2053

Rust(s)—Continued.
resistance—continued.
 relation to—continued.
  wheat sap properties. J.A.R., vol. 27, pp. 401-404. 1924.
  tall fescue. F.B. 361, p. 20. 1909.
  timothy varieties. B.P.I. Bul. 224, pp. 14-16, 17. 1911.
  wheat—
   breeding and results. Y.B., 1917, pp. 490-494. 1918; Y.B. Sep. 755, pp. 11-15. 1918.
   relation of cross-fertilization in breeding. B.P.I. Bul. 274, pp. 39, 50, 54. 1913.
   varieties, selection, breeding, etc. B.P.I. Bul. 216, pp. 70-73. 1911.
 rose, description and control. F.B. 750, p. 33. 1916.
 rye note. F.B. 756, p. 15. 1916.
 snapdragon, control by sulphur. Work and Exp., 1923, p. 42. 1925.
 sorghum, cause. D.B. 981, p. 63. 1921.
 spores, dissemination in upper air. J.A.R., vol. 24, pp. 600-605. 1923.
 spot disease of plants, occurrence and description, Texas. B.P.I. Bul. 226, p. 30. 1912.
 stem—
  biological forms—
   morphology, statistical study. J.A.R., vol. 24, pp. 539-568. 1923.
   new. J.A.R., vol. 16, pp. 103-105. 1919.
  cereals and grasses, studies and experiments. J.A.R., vol. 10, pp. 429-496. 1917.
  control work. An. Rpts., 1919, p. 168. 1920; B.P.I. Chief Rpt., 1919, p. 32. 1919.
  development, relation to nutrient salts. J.A.R., vol. 27, pp. 394-401. 1924.
  ecological factors, effect on morphology of urediniospores. J.A.R., vol. 16, pp. 43-77. 1919.
  germ tubes entrance to wheat, factors influencing. J.A.R., vol. 27, pp. 384-390, 404. 1924.
  infection of—
   Marquis-Kota wheat cross, experiments. J.A.R., vol. 24, pp. 1001-1010. 1923.
   wheat. J.A.R., vol. 26, pp. 571-604. 1923.
   wheat seed, and transmission, studies. J.A.R., vol. 19, pp. 258, 259-274. 1920.
  of oats—
   biological forms on varieties. J.A.R., vol. 24, pp. 1013-1018. 1923.
   description, distribution, and importance. D.B. 629, pp. 1-2. 1918.
  of rye—
   studies and experiments. J.A.R., vol. 10, pp. 430-492. 1917.
   study of biologic form. J.A.R., vol. 24, pp. 539-568. 1923.
  of wheat—
   biological forms, studies, experiments, and control. J.A.R., vol. 15, pp. 221-250. 1918.
   changes and relation to rust resistance. E. C. Stakman and others. J.A.R., vol. 14, pp. 111-124. 1918.
   control by eradication of barberry. F.H.B. Quar. Letter No. 28, p. 1. 1918; Sec. Cir. 142, pp. 15-16. 1919.
   control measures. Sec. A.R., 1924, pp. 65-66. 1924.
   cytology. Ruth F. Allen. J.A.R., vol. 26, pp. 571-604. 1923.
   infection in spring wheat variety, experiments. D.B. 878, pp. 37-40. 1920.
   losses in North Dakota, 1919-1922. D.C. 280, p. 7. 1923.
   new biological form. J.A.R., vol. 13, pp. 651-654. 1918.
   relation to fertilizers. E. C. Stakman and O. S. Aamodt. J.A.R., vol. 27, pp. 314-380. 1924.
   resistance in a cross of common wheat. Olaf S. Aamodt. J.A.R., vol. 24, pp. 457-470. 1923.
   resistance, notes. J.A.R., vol. 23, pp. 446, 450, 451. 1923.
   resistance, studies. C. R. Hursh. J.A.R., vol. 27, pp. 381-412. 1924.
   spread by barberry. Y.B., 1921, p. 45. 1922; Y.B. Sep. 875, p. 45. 1922.
   studies and experiments. J.A.R., vol. 23, pp. 131-152. 1923.

Rust(s)—Continued.
 stem—continued.
  of wheat—continued.
   varietal resistance, relation to hydrogen-ion concentration. Annie May Hurd. J.A.R., vol. 23, pp. 373-386. 1923.
   quarantine. F.H.B.S.R.A. 62, pp. 58-59, 60. 1919.
  resistance—
   inheritance in durum wheat crosses, color relations. J.A.R., vol. 24, pp. 979-996. 1923.
   of oat varieties. William W. Mackie and Ruth F. Allen. J.A.R., vol. 28, pp. 705-720. 1924.
   of wheat crosses to. J.A.R., vol. 19, pp. 523-542. 1920.
   relation to wheat acidity changes during growth period. Annie May Hurd. J.A.R., vol. 27, pp. 725-735. 1924.
  See also Rust, black stem.
 stripe—
  cereals, discovery and study. Y.B., 1917, pp. 75, 481, 484, 486. 1918; Y.B. Sep. 755, pp. 2, 5, 7. 1918.
  injury to—
   cereals, control methods. News L., vol. 3, No. 40, p. 4. 1916.
   grains and grasses, symptoms, control studies. News L., vol. 3, No. 33, p. 1. 1916.
   wheat, symptoms, control studies. News L. vol. 3, No. 33, p. 1. 1916.
  life history studies. Charles W. Hungerford. J.A.R., vol. 24, pp. 607-620. 1923.
  (Puccinia glumarium) of cereals and grasses in United States. H. B. Humphrey and others. J.A.R., vol. 29, pp. 209-227.
  specialized varieties, discussion. J.A.R., vol. 25, pp. 363-366. 1923.
  viability, winter and summer, studies. J.A.R., vol. 24, pp. 607-610, 612. 1923.
  yellow, wheat infection, studies. J.A.R., vol. 23, pp. 131, 133, 148. 1923.
 study on oats. B.P.I. Chief Rpt., 1924, pp. 17-18. 1924.
 sunflowers, prevention by rust-proof varieties. D.B. 1045, pp. 9, 30. 1922.
 timothy—
  caused by Puccinia graminis, experiments. J.A.R., vol. 6, No. 21, pp. 813-816. 1916.
  in the United States. Edward C. Johnson. B.P.I. Bul. 224, pp. 20. 1911.
  infection experiments. J.A.R., vol. 5, No. 5. pp. 211-216. 1915.
 tobacco, same as bacterial leafspot. J.A.R., vol. 23, pp. 481, 484, 491. 1923.
 tomatoes, control. Off. Rec., vol. 3, No. 52, p. 2. 1924.
 treatment. F.B. 243, pp. 19-20. 1906.
 true, cotton, cause, and description. F.B. 1187, p. 31. 1921.
 uredo generation, wintering experiments. B.P.I. Bul. 216, pp. 45-53. 1911.
 varieties in United States. B.P.I. Bul. 216, p. 8. 1911.
 wheat—
  barley, and rye control. An. Rpts., 1919, pp. 168-170. 1920; B.P.I. Chief Rpt., 1919, pp. 32-34. 1919.
  causes, forms, and control. An. Rpts., 1920; pp. 202-204. 1921.
  control by barberry eradication. B.P.I. Chief Rpt., 1924, pp. 16-17. 1924; F.H.B.S.R.A. 51, pp. 42-43. 1918.
  control. S.R.S. Syl., 31, rev., pp. 16-17. 1918; Sec. Cir. 90, p. 28. 1918.
  in seed, relation to seedling infection. Charles W. Hungerford. J.A.R., vol. 19, pp. 257-278. 1920.
  new resistant strain. Off. Rec., vol. 2, No. 46, p. 2. 1923.
  propagation on barberry and related plants. B.P.I. Bul. 274, p. 39. 1913.
  spread by barberry. F.B. 1058, pp. 3-7. 1919; Y.B., 1921, p. 45. 1922; Y.B. Sep. 875, p. 45. 1922.
  treatment. F.B. 885, p. 11. 1917.
 white—
  cabbage, description, distribution, and control methods. F.B. 488, p. 30. 1912. F.B. 925, p. 26. 1918; rev., 1921.

Rust(s)—Continued.
white—continued.
occurrence on plants in Texas, description. B.P.I. Bul. 226, pp. 44, 86, 90, 92, 98, 99 101. 1912.
sweet potato—
description. F.B. 1058, p. 18. 1918.
symptoms, description, cause, and distribution. F.B. 714, pp. 19–20. 1916.
See also Scurf, sweet-potato.
white-pine blister. See Blister rust, white pine; Cronartium ribicola; Rust, currant.
Rusting—
iron and steel pipes, in certain soils, studies. Off. Rec., vol. 1, No. 2, p. 5. 1922.
wire fencing, discussion of causes. Y.B., 1909, pp. 285–286. 1910; Y.B. Sep. 513, pp. 285–286. 1910.
Rusty leaf, occurrence —
in Wyoming, distribution and growth. N.A. Fauna 42, p. 75. 1917.
on plants in Texas, and description. B.P.I. Bul. 226, p. 26. 1912.
Rutabaga(s)—
as nurse crop for clover. F.B. 323, p. 14. 1908.
cultivation in the home garden. F.B. 255, p. 43. 1906.
cultural directions—
and use. F.B. 937, p. 49. 1918.
for home gardens. S.R.S. Doc. 49, p. 6. 1917.
drying directions. D.C. 3, p. 12. 1919.
food-value comparisons. D.B., 975, p. 6. 1921.
growing—
in Alaska. Alaska A.R., 1919, pp. 21, 74. 1920; Alaska A.R., 1920, pp. 31, 57, 64–66. 1922; Alaska A.R., 1921, pp. 12, 21, 29, 44. 1923; S.R.S. Rpt., 1915, 34–35, 82–84, 86–89, 91. 1916.
in Nevada, for home garden. B.P.I. Cir. 110, p. 25. 1913.
methods and variety. F.B. 647, p. 26. 1915.
injury by webworm. Ent. Bul. 109, Pt. III, p. 30. 1912.
insect pests, description and list. Sec. [Misc.], "A manual * * * insects * * *," pp. 218–219. 1917.
seed, quantity to acre. F.B. 255, p. 43. 1906.
shipments, by States and by stations, 1916. D.B. 667, pp. 11, 168. 1918.
spraying calendar. S.R.S. Doc. 52, p. 9. 1917.
Rutaceae—
injury by sapsuckers. Biol. Bul. 39, pp. 44, 82. 1911.
inoculation with citrus canker, summary. J.A. R., vol. 15, pp. 662–663. 1919.
Rutaceous plants—
outside the genus Citrus, susceptibility to citrus canker. J.A.R., vol. 19, No. 8, pp. 341–348. 1920.
susceptibility to attack by the citrus-scab fungus. John R. Winston and others. J.A.R., vol. 30, pp. 1087–1093. 1925.
susceptibility to citrus canker. H. Atherton Lee. J.A.R., vol. 15, pp. 661–666. 1919.
Ruthenia, agricultural conditions, land utilization, and crop statistics. D.B. 1234, pp. 89–92. 1924.
RUTHERFORD, J. G.: Work on glanders in Canada. B.A.I. An. Rpt., 1910, p. 353. 1912; B.A.I. Cir. 191, p. 353. 1912.
Rutherglen bug, description. Sec. [Misc.], "A manual * * * insects * * *," p. 109. 1917.
RUTIMEYER, L.: Classification of cattle breeds. B.A.I. An. Rpt., 1910, p. 229. 1912.
RUTLEDGE, R. H.: "Government forest work in Utah." D.C. 198, pp. 31. 1921.
RUTTER, F. R.—
"Cereal production of Europe." Stat. Bul. 68, pp. 100. 1908.
"European grain trade." Stat. Bul. 69, pp. 63. 1908.
"Foreign restrictions on American meat." Y.B., 1906, pp. 247–264. 1907; Y.B. Sep. 421, pp. 247–264. 1907.
"International sugar situation. Origin of the sugar problem and its present aspects under the Brussels convention." Stat. Bul. 30, pp. 98. 1904.

RUZEK, C. V.: "Soil survey of—
Multnomah County, Oreg." With E. J. Carpenter. Soil Sur. Adv. Sh., 1919, pp. 47–98. 1922; Soils F. O., 1919, pp. 47–98. 1925.
Washington County, Oreg." With others. Soil Sur. Adv. Sh., 1919, pp. 51. 1923; Soils F.O., 1919, pp. 1835–1881. 1925.
Yamhill County, Oreg." With others. Soil Sur. Adv. Sh., 1917, pp. 66. 1920; Soils F.O., 1917, pp. 2259–2320. 1923.
RYAN, W. H.: "The home vineyard." F.B. 156, pp. 24. 1902.
Rye—
acre value in food. F.B. 877, pp. 4, 7. 1917.
acreage and—
condition, 1914, comparison with 1913. F.B. 645, p. 8. 1914.
condition, estimates and prices, May 1, various years, by States. F.B. 598, pp. 6, 15. 1914.
production—
1909, estimates, 1915. F.B. 756, p. 2. 1916.
1917–18, estimates, recommendations. Sec. Cir. 75, pp. 9–11. 1917.
1918. News L., vol. 6, No. 39, p. 16. 1919.
in Iowa, Delaware County. Soil Sur. Adv. Sh., 1922, pp. 6, 8. 1925.
in Nebraska, Nance County. Soil Sur. Adv. Sh., 1922, pp. 230, 232. 1925.
in North Dakota, McHenry County. Soil Sur. Adv. Sh., 1921, pp. 935, 936, 939. 1925.
value of crop, comparison with wheat. Y.B., 1921, pp. 80, 99. 1922; Y.B. Sep. 873, pp. 80, 99. 1922.
yield per farm. D.B. 320, p. 11. 1916.
acreage—
by countries of Europe, 1885, 1895, 1905. Stat. Bul. 68, pp. 15–16. 1908.
by States, 1914, and condition. F.B. 645, p. 37. 1914.
by States, 1914–1918. Sec. Cir. 142, p. 13. 1919
census 1909, and estimate 1915, by States, map. Y.B., 1915, p. 358. 1916; Y.B. Sep. 681, p. 358. 1916.
condition and price, April 1, 1915, with comparisons. F.B. 672, p. 21. 1915.
graphic showing. Y.B., 1921, p. 103. 1922; Y.B. Sep. 873, p. 103. 1922.
in 1919, map. Y.B., 1921, p. 443. 1922; Y.B. Sep. 878, p. 37. 1922.
increase—
for 1918, by States, program and estimates by agriculture officials. News L., vol. 5, No. 2, pp. 1, 2–3. 1917.
in South, suggestions. News L., vol. 5, No. 5, pp. 1–2. 1917; News L., vol. 5, No. 9, p. 1. 1917.
studies by conferences. News L., vol. 5, No. 6, p. 2. 1917.
urged as wheat supplement. News L., vol. 5, No. 9, pp. 4, 5. 1917.
production, and—
consumption, maps. Farm M. Sec. [Misc.] Spec. "Geography * * * world's agriculture," pp. 27–28. 1917.
value, 1913, estimate. F.B. 570, pp. 8, 14, 16, 18, 20, 25, 31, 34–35. 1913.
value, 1913, 1914, by States, estimates. F.B. 645, p. 30. 1914.
value, 1914, estimate and comparison. F.B. 611, pp. 3, 26. 1914.
to be sown, reports. Off. Rec. vol. 2, No. 34, p 1. 1923.
adaptability—
for South, uses and value. News L., vol. 5, No. 9, p. 5. 1917.
to acid or poor soil, comparison with wheat. News L., vol. 4, No. 20, p. 5. 1916.
to acid soils, note. D.B. 6, p. 8. 1913.
to various soils. News L., vol. 4, No. 12, p. 7. 1916.
agency in removal of potash from soils, experiments. J.A.R., vol. 14, pp. 308–309. 1918.
alcohol manufacture, value. F.B. 268, p. 29. 1906.
alkali tolerance. F.B. 446, rev., pp. 12, 13, 16, 25. 1920.
amino acids and polypeptides of ungerminated kernel. S. L. Jodidi and J. L. Wangler. J.A.R., vol. 30, pp. 898–994. 1925.

Rye—Continued.
  analysis—
    as source of alcohol. F.B. 429, p. 17. 1911.
    discussion of results. Chem. Bul. 120, pp. 34–35, 44, 57. 1909.
    analytical key and description of seedlings. D.B. 461, pp. 27, 30. 1917.
  and peas, green manure crop, directions for handling. B.P.I. Bul. 178, pp. 13–15. 1910.
  area—
    and production, by world countries, 1907–1911. Stat. Cir. 19, pp. 8–9, 11. 1911; Stat. Cir. 29, pp. 13–15. 1912.
    sown in 1913, condition, estimate. F.B. 570, p. 20. 1913.
  as cover and grazing crop, mixture with vetch or clover. Sec. [Misc.] Spec. "Permanent pastures * * *," p. 4. 1914.
  as nurse crop for clover, seeding method. F.B. 323, p. 13. 1908.
  bacterial blight. C. S. Reddy, James Godkin, and A. G. Johnson J.A.R., vol. 28, pp. 1039–1040. 1924.
  beach—
    growth in Alaska. B.P.I. Bul. 82, p. 16. 1905.
    use in Alaska for silage. Alaska A.R., 1908, p. 20. 1909.
  bread—
    digestibility coefficients. O.E.S. Bul. 156, p. 45. 1905.
    recipe. F.B. 807, p. 22. 1917; F.B. 1450, p. 8. 1925.
  breeding for resistance to leaf rust, results. J.A.R., vol. 25, pp. 245–247. 1923.
  brittle straw and other abnormalities. F.R. Davison and others. J.A.R., vol. 28, pp. 169–172. 1924.
  buckwheat. *See* Buckwheat, Tartary.
  bushel weights, Federal and State. Y.B., 1918, p. 725. 1919; Y.B. Sep. 795, p. 61. 1919.
  comparison with—
    wheat. Sec. Cir. 90, pp. 28–30. 1918; Y.B., 1922, pp. 507–509. 1923; Y.B. Sep. 891, pp. 507–509. 1923
  wheat—
    as to Hessian fly. News L., vol. 6, No. 39, pp. 3–4. 1919.
    as winter crop. Sec. Cir. 108, pp. 8–9. 1918.
    for bread, straw, and soil improvement. Y.B., 1918, pp. 171–174. 1919; Y.B. Sep. 769, pp. 5–8. 1919.
  composition of ungerminated kernel J.A.R., vol. 30, pp. 990–993. 1925.
  condition—
    acreage, and prices, for May, 1914. F.B. 598, pp. 6, 15, 21. 1914.
    and price, April 1, 1915, estimates. F.B. 672, pp. 1–2. 1915.
    April, 1914. F.B. 590, p. 14. 1914.
  conference, Chicago. News L., vol. 6, No. 2, pp. 2–3, 6. 1918.
  consumption—
    in selected countries, 1902–1911. Y.B., 1918, p. 684. 1919; Y.B. Sep. 795, p. 20. 1919.
    Russia, total and per capita. Stat. Bul. 66, pp. 19–20. 1908.
  content of manganese and occurrence. J.A.R., vol. 5, No. 8, p. 353. 1915.
  cost of production—
    discussion. Y.B., 1922, pp. 553–556. 1923; Y.B. Sep. 891, pp. 553–556. 1923.
    labor and material requirements, by States. Y.B., 1921, pp. 8–14, 822. 1922; Y.B. Sep. 876, pp. 11, 19. 1922.
  cover crop for orchards. S.R.S. Syl. 23, p. 7. 1916.
  crop—
    amount and value—
      1910, estimate. An. Rpts., 1910, p. 15. 1911; Sec. A.R., 1910, p. 15. 1910; Rpt. 93, p. 12. 1911; Y.B., 1910, p. 15. 1911.
      1911, estimate. An. Rpts., 1911, p. 18. 1912; Sec. A.R., 1911, p. 16. 1911; Y.B., 1911, p. 16. 1912.
    condition, May 1, 1918, with comparisons. News L., vol. 5, No. 42, p. 1. 1918.
    importance and value in crop rotation for hogging down system. F.B. 614, pp. 7–11, 16. 1914.

Rye—Continued.
  crop—continued.
    of United States—
      1866–1906. Stat. Bul. 60, pp. 35. 1908.
      1915–1919. Sec. Cir. 142, pp. 11–12. 1919.
    uses. Sec. Cir. 90, p. 30. 1918.
    uses, food, stock feed, cover crop, pasture, and silage. F.B. 894, pp. 5–6. 1917.
    visible supply, yields, prices, exports, values, and freight rates. Y.B., 1902, pp. 795–802. 1903.
    world, area, and production. F.B. 581, pp. 21–23. 1914.
  culture in—
    eastern half of United States. Clyde E. Leighty. F.B. 756, pp. 16. 1916.
    Eastern States, teaching by use of F.B. 756. F. E. Heald. S.R.S. [Misc.], "How teachers may use * * *," pp. 2. 1917.
  demand, estimate. News L., vol. 7, No. 9, p. 1. 1919.
  demonstration work and results, 1921. Coop. Ext. Wk., 1921, p. 8. 1923
  description—
    and value as legume. S.R.S. Syl. 34, p. 21. 1918.
    composition, and use in bread making. F.B. 389, pp. 14, 16. 1910.
  diseases—
    description and control. F.B. 756, pp. 15–16. 1916; F.B. 894, p. 14. 1917.
    losses and control. Y.B., 1917, pp. 483, 484, 488. 1918; Y.B. Sep. 755, pp. 4, 5, 9. 1918.
  drought resistance and value as forage. B.P.I. Cir. 12, p. 6. 1908.
  effect of—
    manganese, experiments at Arlington farm, 1907–1912, 1913–1915. D.B. 441, pp. 2, 3–4, 6–11. 1916.
    manganese sulphate. D.B. 42, p. 21. 1914.
  entry regulations. F.H.B. Quar. 39, pp. 1–3. 1919.
  estimates, 1910–1922. M.C. 6, p. 7. 1923.
  experiments at—
    Akron Experiment Station, yield. D.B. 402, pp. 31, 34. 1916.
    Copper Center Station. Alaska A.R., 1904, pp. 326–327. 1905.
    Nevada, Newlands farm. D.C. 352, p. 10. 1925.
  exports—
    1922–1924. Y.B., 1924, p. 1044. 1925.
    from Germany before the War. Y.B., 1919, p. 66. 1920; Y.B. Sep. 801, p. 66. 1920.
    from Russia, 1851–1905. Stat. Bul. 66, p. 8. 1908.
    statistics, 1921. Y.B., 1921, pp. 814, 822. 1922; Y.B. Sep. 876, pp. 11, 19. 1922.
  fall sowing—
    and use for pasturage in South. News L., vol. 6, No. 5, pp. 6–7. 1918.
    time, method and rate, Maryland and Virginia. F.B. 786, pp. 11, 12. 1917.
  fall-sown, suggestions for sowing, 1918, by States. Sec. Cir. 108, pp. 6–8. 1918.
  feed for poultry. F.B. 287, p. 21. 1907.
  feeding green, effect on flavor and odor of milk. C. J. Babcock. D.B. 1352, pp. 8. 1925.
  fertilizers—
    requirements and formulas. F.B. 894, p. 9. 1917.
    tests. Soils Bul. 67, pp. 28–29. 1910.
  flour. *See* Flour, rye.
  for sheep pastures. D.B. 20, p. 41. 1913.
  forage-crop experiments in Texas. B.P.I. Cir. 106, pp. 15–16, 27. 1913.
  foreign demand. Off. Rec., vol. 2, No. 22, p. 4. 1923.
  futures trading—
    January 1, 1921–May 31, 1924. S.B. 6, pp. 6–15. 1924.
    1922–1924, report. Gr. Fut. Ad. A.R., 1924, pp. 18–74. 1924.
    1924–1925. Gr. Fut. Ad. A.R., 1925, pp. 18–19, 22–29. 1925.
  German, importation and description. No. 32073, B.P.I. Bul. 261, p. 25. 1912.
  grade(s)—
    and sample grade. B.A.E.S.R.A. 73, pp. 3–5. 1923.

Rye—Continued.
grade(s)—continued.
official. Off. Rec. vol. 2, No. 12, p. 3. 1923.
recommendation by Agricultural Economics Bureau. D.C. 246, pp. 3-5. 1922.
requirements, tabulation. D.C. 246, p. 6. 1922.
United States. H. S. Besley and others. D.C. 246, pp. 6. 1922.
grading law, need. D.C. 246, p. 3. 1922.
grazing crop for hogs. F.B. 985, pp. 7, 9, 10, 14, 27. 1918.
green, feeding to cows, effect on milk. B.A.I. Chief Rpt., 1924, p. 13. 1924.
green-manure crop, value. D.B. 991, pp. 15, 16. 1921.
green manure, use. F.B. 245, p. 14. 1922.
growing—
and harvesting, day's work. D.B. 1292, pp. 26-27. 1925.
and value, comparison with wheat. F.B. 756, pp. 7-8. 1916.
and yield in Washington, Quincy area. Soil Sur. Adv. Sh., 1911, pp. 17, 19, 31, 33, 35. 1913; Soils F.O., 1911, pp. 2239, 2241, 2253, 2255. 1914.
as cover crop and soil improver in South. F.B. 986, p. 17. 1918.
at Akron Field Station. D.B. 1304, p. 21. 1925.
experiment(s)—
and results at Belle Fourche farm, S. Dak. D.B. 297, p. 38. 1915.
at Williston station, 1909–1914, varieties and yield. D.B. 270, pp. 33, 34, 36. 1915.
in Alaska. Alaska A.R., 1911, pp. 51, 52. 1912; D.B. 50, pp. 11, 21, 22. 1914; S.R.S. Rpt. 1915, pp. 13-15, 19, 21, 48-49, 60-64. 1916; S.R.S. Rpt. 1917, pp. 25, 40-43, 53. 1919.
with nitrogen fertilizers. D.B. 1180, pp. 15, 16, 17. 1923.
for temporary pasture in South. D.B. 827, p. 29. 1921.
hand and machine labor, comparison, time and cost. Stat. Bul. 94, p. 66. 1912.
harvesting, southwestern Minnesota. D.B. 1271, pp. 32-35. 1924.
in central Oregon, varieties and methods. F.B. 800, pp. 18-20. 1917.
in Colorado, experiments. D.B. 1287, pp. 48-49. 1925.
in Georgia—
Mitchell County. Soil Sur. Adv. Sh., 1920, pp. 4, 6, 15, 32. 1922; Soils F.O., 1920, pp. 4, 6, 15, 32. 1925.
Rabun County. Soil Sur. Adv. Sh., 1920, pp. 1196-1197, 1203-1211. 1924; Soils F.O., 1920, pp. 1196-1197, 1203-1211. 1925.
in Indiana, Starke County. Soil Sur. Adv. Sh., 1915, pp. 11-12, 14. 1917; Soils F.O., 1915, pp. 1391-1392, 1394. 1919.
in Iowa—
Clinton County. Soil Sur. Adv. Sh., 1914, pp. 14, 17. 1917; Soils F.O., 1915, pp. 1657, 1659. 1919.
Des Moines County. Soil Sur Adv. Sh., 1921, pp. 1097, 1099. 1925.
Louisa County. Soil Sur. Adv. Sh., 1918, pp. 11, 14, 16, 28-44. 1921; Soils F.O., 1918, pp. 1025, 1028, 1030, 1032-1058. 1924.
Muscatine County. Soil Sur. Adv. Sh., 1914, pp. 12-16, 27-58. 1916. Soils F.O., 1914, pp. 1832-1836, 1847-1878. 1919.
Scott County. Soil Sur. Adv. Sh., 1915, 1915, pp. 11, 41. 1917; Soils F.O., 1915, pp. 1713, 1743. 1919.
Van Buren County. Soil Sur. Adv. Sh., 1915, pp. 10, 31. 1917; Soils F.O., 1915, pp. 1786, 1807. 1919.
in Maryland—
Charles County. Soil Sur. Adv. Sh., 1918, pp. 10, 32-37. 1922; Soils F.O., 1918, pp. 82, 104-107. 1924.
Frederick County. Soil Sur. Adv. Sh., 1919, pp. 9, 10, 14. 1922; Soils F.O., 1919, pp. 649, 650, 654. 1925.
Wicomico County. Soil Sur. Adv. Sh. 1921,, p. 1017. 1925.
in Michigan, St. Joseph County. Soil Sur. Adv. Sh., 1921, pp. 53, 54, 60-67. 1923.

Rye—Continued.
growing—continued.
in Minnesota—
Anoka County. Soil Sur. Adv. Sh., 1916, pp. 10, 17-24. 1918; Soils F.O., 1916, pp. 1812, 1819-1826. 1921.
Pennington County. Soil Sur. Adv. Sh., 1914, pp. 9, 17-24. 1916; Soils F.O., 1914, pp. 1731, 1739-1747. 1919.
Stevens County. Soil Sur. Adv. Sh., 1919, pp. 10, 21, 1922; Soils F.O., 1919, pp. 1382, 1393. 1925.
in Nebraska—
1913. yields. B.P.I. Doc. 1081, pp. 11-12. 1914.
Banner County. Soil Sur. Adv. Sh., 1919, pp. 12, 14, 29-40, 49-55. 1921; Soils F.O., 1919, pp. 1624, 1626, 1641-1652, 1661-1667. 1925.
Dawes County. Soils F.O., 1915, pp. 1970, 1986. 1919; Soil Sur. Adv. Sh., 1915, pp. 12, 28. 1917.
Dawson County. Soil Sur. Adv. Sh., 1922, pp. 398, 401. 1925.
in New Jersey—
Belvidere area. Soil Sur. Adv. Sh., 1917, pp. 12-14, 25-66. 1920; Soils F.O., 1917, pp. 132, 133, 145-191. 1923.
Sussex area. Soil Sur. Adv. Sh., 1911, pp. 24, 29, 42. 1913; Soils F.O., 1911, pp. 348, 353, 366. 1914.
in New York, Saratoga County. Soil Sur. Adv. Sh., 1917, pp. 9, 16-37. 1919; Soils F.O., 1917, pp. 91, 98-120. 1923.
in North and South Dakota, western part. F.B. 878, pp. 15-16. 1917.
in North Carolina, Cherokee County. Soil Sur. Adv. Sh., 1921, p. 309. 1924.
in North Dakota, Bottineau County. Soil Sur. Adv. Sh., 1915, pp. 12, 22, 23. 1917; Soils F.O., 1915, pp. 2136, 2146, 2147. 1919.
in northwest Texas. Soil Sur. Adv. Sh., 1919, p. 19. 1922; Soils F.O., 1919, p. 1117. 1925.
in Pennsylvania—
Cambria County. Soil Sur. Adv. Sh., 1915, pp. 11, 13-14. 1917; Soils F.O., 1915, pp. 245, 247, 248-249. 1919.
Clearfield County. Soil Sur. Adv. Sh., 1916, pp. 11, 12, 25, 26. 1919; Soils F.O., 1916, pp. 257, 258, 271, 272. 1919.
York County, practices and yield. Soil Sur. Adv. Sh., 1912, p. 14. 1914; Soils F.O., 1912, p. 164. 1915.
in Southeastern States. Clyde E. Leighty. F.B. 894, pp. 16. 1917.
in Texas Panhandle, varieties, yields, and seeding rate and date. F.B. 738, p. 13. 1916.
in Virginia, Pittsylvania County. Soil Sur. Adv. Sh., 1918, pp. 19-20. 1922; Soils F.O., 1918, pp. 136-137. 1924.
in Washington, Quincy area, yields. Soil Sur. Adv. Sh., 1911, pp. 17, 19, 27, 31, 33, 35. 1913; Soils F.O., 1911, pp. 2239, 2241, 2249, 2253, 2255, 2257. 1914.
in western half of the United States. John H. Martin and Ralph W. Smith. F.B. 1358, pp. 19. 1923.
in Wisconsin—
Buffalo County, acreage and yields. Soil Sur. Adv. Sh., 1913, pp. 12, 29, 36, 44. 1915; Soils F.O., 1913, pp. 1448, 1465, 1472, 1480. 1916.
Jackson County. Soil Sur. Adv. Sh., 1918, pp. 9, 12, 17, 22, 23, 34, 38. 1922; Soils F.O., 1918, pp. 945, 948, 953, 958, 959, 970, 974. 1924.
Kewaunee county, yields. Soil Sur. Adv. Sh., 1911, pp. 12, 21-40. 1913; Soils F.O., 1911, pp. 1520, 1529-1548. 1914.
La Crosse County, yields. Soil Sur. Adv. Sh., 1911, pp. 11, 22, 29, 31, 35, 36. 1913; Soils F.O., 1911, pp. 1567, 1578, 1585, 1587, 1591, 1592. 1914.
North-central, north part. Soil Sur. Adv. Sh., 1914, pp. 20, 21, 67, 68. 1916; Soils F.O., 1914, pp. 1670, 1671, 1717, 1718. 1919.

Rye—Continued.
  growing—continued.
    in Wisconsin—Continued.
      northeastern, acreage and yields. Soil Sur. Adv. Sh., 1913, pp. 20, 22, 43, 46, 67, 80, 87, 90. 1915; Soils F.O., 1913, pp. 1576, 1578, 1599, 1602, 1623, 1636, 1643, 1646. 1916.
      Portage County. Soil Sur. Adv. Sh., 1915, pp. 10, 22, 24. 1917; Soil, F.O., 1915, pp. 1494, 1506, 1508. 1921.
      Wood County. Soil Sur. Adv. Sh., 1915, pp. 10, 11, 12, 22. 1917; Soils F.O., 1915, pp. 1541, 1542, 1543, 1553. 1919.
    labor and implements. D.B. 1292, pp. 5, 7. 1925.
    labor and materials, requirements in various States. D.B. 1000, pp. 38–40. 1921.
    on alkali land in Montana, experiments and yields. D.B. 135, pp. 2, 7, 18, 19. 1914.
    on Arlington Farm, varieties and yields. D.B. 1309, pp. 17–19. 1925.
    on Miami soils, yields. D.B. 142, pp. 19, 21, 22, 25, 53. 1914.
    with hairy vetch. D.B. 876, p. 9. 1920.
    work of county agents, North and West. S.R.S. Rpt., 1918, p. 83. 1919.
  growth, effect of—
    manures treated with borax and colemanite. J.A.R., vol. 13, pp. 464–466. 1918.
    mineral phosphates, analyses and notes. J.A.R. vol. 6, No. 13, pp. 494, 495, 503, 504. 1916.
  harvesting—
    and threshing, time and method. F.B. 756, pp. 13–14. 1916.
    shocking, threshing, and yield. F.B. 894, pp. 11–13. 1917.
  hauling from farm to shipping points, costs. Stat. Bul. 49, pp. 30, 41. 1907.
  holdings, June 1, 1918. News L., vol. 5, No. 51, p. 11. 1918.
  importations and description. Nos. 48096, 48196, 48197. B.P.I. Inv. 60, pp. 42, 55. 1922.
  imports—
    1907–1909, quantity and value, by countries from which consigned. Stat. Bul. 82, p. 43. 1910.
    and exports, 1906–1910. Y.B., 1910, pp. 659, 669. 1911; Y.B. Sep. 554, pp. 659, 669. 1911.
    entry regulations under Plant Quarantine No. 39, and forms. F.H.B.S.R.A. 64, pp. 78–81. 1919.
    of world countries. Y.B., 1921, p. 565. 1922; Y.B. Sep. 868, p. 59. 1922.
  improved variety and yield. News L., vol. 6, No. 27. p. 10. 1919.
  in the Cotton Belt. Clyde E. Leighty. Sec. Spec., "Rye in the * * *," pp. 4. 1914.
  increase, need. Off. Rec. vol. 2, No. 23, p. 3. 1923.
  increased acreage for South, Agriculture Department advice. News L., vol. 4, No. 52, p. 8. 1917.
  infection with rust, sizes of urediniospores, etc. J.A.R., vol. 16, pp. 55–56, 63. 1919.
  infestation by—
    jointworms. D.B. 808, pp. 13–14. 1920.
    strawworms. D.B. 808, pp. 14–15. 1920.
  influence on wheat prices. Edward T. Peters. Y.B., 1900, pp. 167–182. 1901; Y.B. Sep. 209, pp. 167–184. 1901.
  injury by—
    European frit fly. J.A.R., vol. 18, pp. 451, 466. 1920.
    Helminthosporium sativum. J.A.R., vol. 24, pp. 694–700, 704. 1923.
    nematode disease. J.A.R., vol. 27, pp. 926–933, 953. 1924.
  inoculation(s) with—
    cereal fungi, experiments. J.A.R., vol. 1, pp. 476–481. 1914.
    Puccinia graminis, experiments. J.A.R., vol. 4, pp. 194–198. 1915.
    timothy rust. B.P.I. Bul. 224, p. 9. 1911; J.A.R., vol. 5, No. 5, pp. 211–215. 1915.
  insect(s)—
    attacking growing stems. Ent. Bul. 42, pp. 1–13, 23–35, 36–62. 1903.
    enemies, control. F.B. 894, p. 13. 1917.
  Ivanow, high protein content. Chem. Bul. 120, p. 35. 1909.

Rye—Continued.
  labor and seed requirements on farms in southwestern Minnesota. D.B. 1271, pp. 32–35. 1924.
  land adaptable. News L., vol. 6, No. 40, p. 12. 1919.
  land, newly cleared, advantages. D.B. 6, p. 2. 1913.
  leaf miner, spike-horned, occurrence. D.B. 432, pp. 2, 5. 1916.
  leaf rust(s)—
    control. An. Rpts., 1919, pp. 169–170. 1920; B.P.I. Chief Rpt., 1919, pp. 33–34. 1919.
    Puccinia dispersa, aecial stages. J.A.R., vol. 28, pp. 1119–1126. 1924.
    resistance. E. B. Mains and C. E. Leighty. J.A.R., vol. 25, pp. 243–252. 1923.
    Texas, occurrence and description. B.P.I. Bul. 226, p. 47. 1912.
  losses from—
    black stem rust in 1919. D.C. 188, p. 4. 1921.
    diseases. Off. Rec. vol. 2, No. 5,, p. 4. 1923.
  market statistics, prices, exports and imports, etc., 1910–1921. D.B. 982, pp. 199–204. 1921.
  marketing, bibliography. M.C. 35, p. 19. 1925.
  Maryland, Allegany County, 1879–1919. Soil Sur. Adv. Sh., 1921, p. 1068. 1925.
  meal, bushel weights, by States. Y.B., 1918, p. 725. 1919; Y.B. Sep. 795, p. 61. 1919.
  milling yields, comparison with wheat, cockle, kinghead, and vetch. D.B. 328, p. 10. 1915.
  nutritive value as dairy feed. F.B. 743, p. 17. 1916.
  ocean freight rates, to Liverpool and Cork, 1886–1906. Stat. Bul. 67, pp. 9, 11. 1907.
  official grain standards, handbook. B.A.E. [Misc.], "Handbook of official grain * * *," pp. 5. 1923.
  pasture—
    experiments with hogs. D.C. 330, pp. 18–19. 1925.
    for hogs. B.P.I. Chief Rpt., 1909, p. 75. 1909; An. Rpts., 1909, p. 327. 1910.
    for hogs, value and number of hogs per acre. F.B. 331, pp. 11–12. 1908.
  pasturing with hogs, experiments. D.B. 1143, pp. 3, 5, 7, 10, 12, 14, 16, 18. 1923.
  place in American agriculture. Clyde E. Leighty. Y.B., 1918, pp. 169–184. 1919; Y.B. Sep. 769, pp. 17. 1919.
  planting—
    and harvesting dates, by season and by States. Stat. Bul. 85, pp. 72–81, 122–124, 129. 1912.
    intentions, and outlook for 1924. M.C. 23, pp. 2, 9. 1924.
  pollination studies. B.P.I. Chief Rpt., 1913, p. 15. 1913; An. Rpts., 1913, p. 119. 1914.
  prices, farm and market. Y.B. 1924, pp. 599, 600. 1925.
  production—
    1908. Y.B., 1908, pp. 12, 639. 1909.
    1918, estimates, annual report of Agriculture Secretary. News L., vol. 5, No. 19, pp. 1–2. 1917.
    and foreign trade, 1925. Sec. A.R., 1925, pp. 4, 102–104. 1925.
    and portion fed. Y.B., 1923, p. 358. 1924; Y.B. Sep. 895, p. 358. 1924.
    and value, 1909. An. Rpts., 1909, p. 13. 1910; Rpt. 91, p. 8. 1909; Sec. A.R., 1909, p. 13. 1909; Y.B., 1909, p. 13. 1910.
    and value, 1912. Sec. A.R., 1912, p. 16. 1912; An. Rpts., 1912, p. 16. 1913; Y.B., 1912, p. 16. 1913.
    and value, 1917. News L., vol. 5, No. 35, p. 6. 1918.
    and yield, 1913. An. Rpts., 1913, pp. 55, 56. 1914; Sec. A.R., 1913, pp. 53, 54. 1913; Y.B., 1913, pp. 67, 69. 1914.
    cost table. Stat. Bul. 48, p. 53. 1906.
    distribution by States. F.B. 756, pp. 1–2. 1916.
    European countries, tables, 1883–1906. Stat. Bul. 68, pp. 27–28, 32–35, 50–99. 1908.
    imports and exports, annual and average, by countries. Stat. Cir. 31, pp. 13, 29, 30. 1912.
    in Russia, area, yields, and comparisons, 1901–1910. Stat. Bul. 84, pp. 8–98. 1911.
    in United States, 1915, and per cent of world crop. News L., vol. 4, No. 23, p. 3. 1917.

Rye—Continued.
production—continued.
  increase, 1910-1918. News L., vol. 6, No. 27, p. 24. 1919.
  increase since 1849, annual since 1909. Y.B., 1918, pp. 169-171. 1919; Y.B. Sep. 769, pp. 3-5. 1919.
  marketing and uses, discussion and historical notes. Y.B., 1922, pp. 501-512. 1923; Y.B. Sep. 891, pp. 501-512. 1923.
  per acre, increase since 1886. An. Rpts., 1910, p. 711. 1911; Stat. Chief Rpt., 1910, p. 21. 1910.
  responsibility of United States. News L., vol. 5, No. 9, pp. 4-5. 1917.
  statistics, 1924. D.B. 1351, p. 36. 1925.
  world countries—
    1905-1909. Y.B., 1909, p. 477. 1910; Y.B. Sep. 524, p. 477. 1910.
    1910-1914. Y.B., 1916, pp. 533. 1917. Y.B. Sep. 713, p. 3. 1917.
proteids, analysis, A.O.A.C. report, 1903. Chem. Bul. 81, pp. 96-97. 1904.
receipts at markets, 1909-1924. Y.B., 1924, p. 597. 1925.
requirements—
  and surplus, various countries. Sec. Cir. 142, pp. 5-6. 1919.
  of Europe, 1919-1920. Sec. Cir. 142, pp. 4-6. 1919.
resistance to alkali. Soils Bul. 35, pp. 52, 55. 1906.
returns in Western States. F.B. 1358, p. 18. 1923.
root development. F.B. 233, p. 8. 1905.
root-knot resistant crop. News L., vol. 2, No. 40, p. 6. 1915.
rotations, place. F.B. 756, pp. 6-9. 1916.
rust-resistant, importation and description. No. 45367, B.P.I. Inv. 53, p. 33. 1922.
scab, cause of losses in 1917-1921. Y.B., 1922, p. 509. 1923; Y.B. Sep. 891, p. 509. 1923.
seed—
  bed preparation. F.B. 756, p. 9. 1916; F.B. 894, pp. 8-9. 1917; Sec. [Misc.], Spec., "Rye * * *, Cotton Belt," pp. 2-3. 1914.
  cleaning and testing. F.B. 894, p. 10. 1917.
  occurrence in wheat, and effect on flour. D.B. 328, pp. 5-6, 12-13, 15-18. 1915.
  preparation. F.B. 756, p. 11. 1916.
  quantity per acre. Sec. [Misc.], Spec. "Rye in the * * *," p. 4. 1914.
  quantity per acre for orchard cover crops. F.B. 491, p. 18. 1912.
  selection and holding for 1918, official action by Agriculture Department. News L., vol. 5, No. 11, p. 3. 1917.
  supply for the United States. Y.B., 1917, p. 506. 1918; Y.B., Sep. 757, p. 12. 1918.
  treatment by dry heat, experiments. J.A.R., vol. 18, pp. 382-385, 387. 1920.
seeding—
  and use as pasture. F. B. 704, p. 12. 1916.
  methods, time, and rate. F.B. 756, pp. 11-13. 1916.
  rate in the Cotton Belt. Sec. [Misc.], Spec., "Rye in the * * *," p. 4. 1914.
  time, method, and rate. F. B. 894, pp. 10-17 1917.
separation from hairy-vetch seed. D.B. 876, pp. 20-21. 1920.
smuts, description and control. F.B. 939, pp. 4-11, 15-24. 1918.
smutty, description. B.A.E., S.R.A. 73, p. 3. 1923.
soil(s)—
  adaptability. F.B. 756, p. 5. 1916.
  and fertilizers in the Cotton Belt. Sec. [Misc.], Spec., "Rye in the * * *," p. 2. 1914.
  requirements—
    insects injurious, and harvesting. News L., vol. 4, No. 12, p. 7. 1916.
    seed-bed, and sowing time. Y.B., 1922, pp. 555, 559. 1923; Y.B. Sep. 891, pp. 555, 559. 1923.
sowing—
  and harvesting, average date, by States. Y.B., 1910, pp. 490, 492. 1911.
  in fall, suggestions based on world conditions. Sec. Cir. 142, pp. 11-13. 1919.

Rye—Continued.
sowing—continued.
  in standing corn, for pasturage. News L., vol. 5, No. 52, p. 4. 1918.
  time and method in the Cotton Belt. Sec. [Misc.], Spec., "Rye in the * * *," p. 3. 1914.
specifications in large-scale farm contract. D.C. 351, p. 30. 1925.
spring—
  and winter, growing experiments, Belle Fourche farm. D.B. 1039, pp. 37, 41, 71, 72. 1922.
  growing in Hawaii, injuries by aphid and plant lice, yield. Hawaii A.R., 1917, p. 45. 1918.
standards—
  official. B.A.E., S.R.A. 73, pp. 5. 1923.
  official, handbook. E. G. Boerner. B.A.E. [Misc.], "Handbook of official. * * *," with other grains, pp. 74, rev. 1924.
  promulgation. B.A.E., Chief Rpt. 1923, p. 22. 1923; An. Rpts., 1923, p. 152. 1924.
starch, microscopical examinations. Chem. Bul. 130, p. 136. 1910.
statistics—
  1900. Y.B., 1900, p. 787. 1901.
  1901. Y.B., 1901, pp. 731-737. 1902.
  1905. Y.B., 1905, pp. 688-694. 1906; Y.B. Sep. 404, pp. 688-694. 1906.
  1906. Y.B., 1906, pp. 575-581. 1907; Y.B. Sep. 436, pp. 575-581. 1907.
  1907, acreage, yield, value, exports and imports. Y.B., 1907, pp. 641-647, 742, 751. 1908; Y.B. Sep. 465, pp. 641-647, 742, 751. 1908.
  1908, acreage. Y.B., 1908, pp. 637-644, 758, 768. 1909; Y.B. Sep. 498, pp. 637-644, 758, 768. 1909.
  1909, acreage, production prices, exports and imports. Y.B., 1909, pp. 476-484, 603, 613. 1910; Y.B. Sep. 524, pp. 476-484, 603, 613. 1910.
  1910, acreage, production, value, prices, exports and imports. Y.B., 1910, pp. 541-549, 659, 669. 1911; Y.B. Sep. 553, pp. 541-549, 659, 669. 1911; Y.B. Sep. 555, pp. 541-549, 659, 669. 1911.
  1911, acreage, yield, prices, imports and exports. Y.B., 1911, pp. 555-562, 663, 672. 1912; Y.B. Sep. 587, pp. 555-562. 1912; Y.B. Sep. 588, pp. 663-672. 1912.
  1912, acreage, yield, prices, imports and exports. Y.B., 1912, pp. 597-604, 720, 731. 1913; Y.B. Sep. 614, pp. 597-604. 1913; Y.B. Sep. 615, pp. 720, 731. 1913.
  1913, acreage, production, yield, value and exports. Y.B., 1913, pp. 400-405, 504. 1914; Y.B. Sep. 360, pp. 400-405. 1914; Y.B. Sep. 361, p. 504. 1914.
  1914, acreage, production, yield and value, imports and exports. Y.B., 1914, pp. 548-554, 648, 662. 1915; Y.B. Sep. 654, pp. 548-554. 1915; Y.B. Sep. 656, p. 648. 1915; Y.B. Sep. 657, p. 662. 1915.
  1915, acreage, production, yield, prices, and exports. Y.B., 1915, pp. 445-451, 551. 1916; Y.B. Sep. 682, pp. 445-451. 1916; Y.B. Sep. 685, p. 551. 1916.
  1916, acreage, production, yield, prices, exports, and imports. Y.B., 1916, pp. 594-600, 718. 1917; Sep. 719, Y.B., 1916, pp. 34-40. 1917; Y.B., Sep. 722, p. 12. 1917.
  1917, acreage, production, yield, prices, exports and imports. Y.B., 1917, pp. 638-644, 771. 1918; Y.B. Sep. 759, pp. 34-40. 1918; Y.B. Sep. 762, p. 15. 1918.
  1918, acreage, production, yield, prices, exports and imports. Y.B., 1918, pp. 490-496, 639. 1919; Y.B. Sep. 791, pp. 44-50. 1919; Y.B. Sep. 794, p. 15. 1919.
  1919, acreage, production, prices, exports and imports. Y.B., 1919, pp. 547-554, 565, 567. 1920; Y.B. Sep. 826, pp. 547-554, 565, 567. 1920.
  1920, acreage, production, and value. Y.B., 1920, pp. 55-63. 1921; Y.B. Sep. 861, pp. 55-63. 1921.
  1921, acreage, production, and value. Y.B., 1921, pp. 71, 72, 74, 559-565, 770. 1922; Y.B. Sep. 868, pp. 53-59. 1922; Y.B. Sep. 871, p. 1. 1922; Y.B. Sep. 875, pp. 71, 72, 74. 1922; Sec. A.R., 1921, pp. 62, 63, 65. 1921.

INDEX TO PUBLICATIONS, 1901–1925   2059

Rye—Continued.
  statistics—continued.
    1922, acreage, production, and prices. Y.B., 1922, pp. 69, 70, 73, 637–643. 1923; Y.B. Sep. 881, pp. 637–643. 1923; Y.B. Sep. 883, pp. 69, 70, 73. 1923.
    1923, acreage, production, and prices. Sec. A.R., 1923, pp. 90, 91, 92. 1924; An. Rpts., 1923, pp. 90, 91, 92. 1923; Y.B., 1923, pp. 635–645. 1924; Y.B., Sep. 898, pp. 636–645. 1924.
    1924, acreage, yield, and prices. Y.B., 1924. pp. 592–600, 1044, 1084, 1100, 1133. 1925.
    Austria, pre-war and 1919–1922. D.B. 1234, pp. 48–55. 1924.
    for Czechoslovakia, pre-war and 1920–1922. D.B. 1234, pp. 71–76, 80, 81, 82, 84–88, 90–92. 1924.
    for Hungary, pre-war and 1921–1922. D.B. 1234, pp. 16–19, 38, 42. 1924.
    for Yugoslavia. D.B. 1234, pp. 95–101, 104–109. 1924.
    foreign countries, 1908–1912, and 1895–1912. Stat. Cir. 45, pp. 14–16. 1913.
    graphic showing of average production, world. Stat. Bul. 78, p. 58. 1910.
    receipts and shipments at trade centers. Rpt. 98, pp. 290, 369–374. 1913.
    stocks, 1918, with comparisons. News L., vol. 6, No. 1, p. 9. 1918.
    substituting for oats, effect on returns. D.B. 1271; pp. 97–98. 1924.
    suggestions for 1918 crop. News L., vol. 5, No. 5, pp. 1, 2. 1917.
    suitability for hog forage. News L., vol. 3, No. 35, p. 1. 1916.
    supplement to alfalfa silage, experiments. J.A.R. vol. 10, pp. 279–292. 1917.
    supply, in May, 1919. News L., vol. 6, No. 45, p. 7. 1919.
    technical description. D.B. 772, pp. 91–92. 1920.
    testing for moisture, directions. B.P.I. Cir. 72, rev., p. 12. 1914.
    trade international, 1911–1921. Y.B., 1922, p. 643. 1923; Y.B. Sep. 881, p. 643. 1923.
  transpiration—
    and environmental data, June and July, 1914. J.A.R., vol. 5, No. 14, pp. 602–607. 1916.
    studies, Akron, Colo. J.A.R., vol. 7, pp. 158–161, 165, 168–183, 191–195. 1916.
  use(s)—
    and rations for farm animals. News L., vol. 7, No. 7, p. 3. 1919.
    and value—
      as green-manure crop. F.B. 1250, pp. 43–44. 1922.
      as hog feed. News L., vol. 2, No. 28, p. 2. 1915.
      in soil improvement, coastal plain section. F.B. 924, pp. 12, 18. 1918.
    as feed, storing and marketing. Y.B., 1918, pp. 180–181. 1919; Y.B. Sep. 769, pp. 14–15. 1919.
    as forage crop in cotton region. F.B. 509, p. 18. 1912.
    as green manure in barley growing. F.B. 427, p. 7. 1919.
    as horse feed. F.B. 1030, pp. 12–13. 1919.
    as orchard cover crop. F.B. 917, p. 20. 1918.
    discussion. F.B. 1358, p. 16. 1923.
    for bread, recipe. News L., vol. 4, No. 42, p. 6. 1917.
    in Corn-Belt rotations. Y.B. 1911, p. 333. 1912; Y.B. Sep. 572, p. 333. 1912.
    in distillation. Y.B. 1918, p. 181. 1919.
    in manufacture of alcohol, and cost per gallon. Chem. Bul. 130, pp. 31, 44, 95. 1910.
    in manufacture of denatured alcohol, value. Chem. Bul. 130, p. 31. 1910.
    on old orchards, seeding rate. S.R.S. Syl. 31, p. 11. 1918.
  value—
    and position in American agriculture. Y.B. 1922, pp. 470, 566. 1923; Y.B. Sep. 891, pp. 470, 566. 1923.
    as cover crop—
      for orchard, seeding. F.B. 491, pp. 17, 18, 22. 1912.
      in soil-blowing prevention. F.B. 421, pp. 16–17, 22–23. 1910; Soils Bul. 68, pp. 169, 172. 1911.

Rye—Continued.
  value—continued.
    as grain feed in the Cotton Belt. Sec. [Misc.], Spec., "Rye in the * * *," pp. 1–2. 1914.
    as green manure and cover crop. F.B. 398, pp. 7–8. 1910.
    as soil improver. F.B. 981, pp. 18, 24, 25, 28. 1918.
    for emergency forage crop. Sec. Cir. 36, p. 3. 1911.
    for feed and grazing. F.B. 894, pp. 5, 6. 1917.
    for winter pastures and for hay in the South. F.B. 1125, rev. p. 23. 1920.
    varietal tests at Dickinson substation, 1911, 1913, yields. D.B. 33, pp. 37–38. 1914.
  varieties—
    adaptability to various States. F.B. 756, pp. 3–4. 1916.
    character and value. F.B. 894, p. 5. 1917.
    choice for Cotton Belt. Sec. [Misc.] Spec., "Rye in the * * *," p. 4. 1914.
    for Maryland and Virginia. F.B. 786, pp. 1–24. 1917.
    grown in western United States. F.B. 1358; pp. 7–13. 1923.
    importations and descriptions. Nos. 43315–43318. B.P.I. Inv. 48, p. 44. 1921.
    resistance to leaf rust, studies. J.A.R., vol. 25, pp. 248–250. 1923.
    winter and spring, adaptation and value. Y.B., 1918, pp. 175–176. 1919. Y.B. Sep. 769, pp. 9–10. 1919.
    volunteer, objections in wheat fields. F.B. 894, pp. 7–8. 1917.
  water requirement(s)—
    effect of previous crop, experiments. B.P.I. Bul. 285, pp. 56–57. 1913.
    in Colorado, 1911, experiments. B.P.I. Bul. 284, pp. 23–24, 35, 36, 47. 1913.
    of different varieties. J.A.R., vol. 3, pp. 14, 50, 51, 55, 59. 1914.
  weevily, description. B.A.E., S. R. A. 73, p. 3. 1923.
  weight per bushel, testing. D.B. 472, pp. 5, 6, 7. 1916.
  wheat adulterant, milling and baking tests. D.B. 328, pp. 1–24. 1915.
  wholesale prices, 1896–1909. Y.B., 1909, p. 483. 1910; Y.B. Sep. 524, p. 483. 1910.
  wild—
    Alaska, value for pasture and silage. Alaska A.R., 1910, p. 59. 1911.
    and cultivated, discovery in Palestine. B.P.I. Bul. 180, pp. 45–46, 50. 1910.
    description. D.B. 772, pp. 94, 95. 1920.
    smooth, description, habits, and forage value. D.B. 545, pp. 29–30, 58, 59. 1917.
    Virginia, destruction by birds. Biol. Bul. 15, p. 37. 1901.
  wilting coefficient, determination. B.P.I. Bul. 230, pp. 22, 26–29, 31, 32, 35–38, 75. 1912.
  winter—
    experiments on irrigated land, Belle Fourche farm. D.B. 1039, pp. 60–61, 72. 1922.
  growing—
    for control of wild oats in wheat. F.B. 833, pp. 14, 16. 1917.
    in Alaska, experiments. Alaska A.R., 1910, p. 32. 1911.
    importance of saving for seed, and of publicity. News L., vol. 4, No. 52, p. 5. 1917.
  mosaic disease of, with wheat. Harold H. McKinney. D.B. 1361, pp. 11. 1925.
  pasture. F.B. 411, p. 25. 1910.
  pasturing hogs, methods. D.C. 204, pp. 17–18. 1921.
  varietal—
    experiments in Texas, yield. B.P.I. Bul. 283, pp. 25, 27, 42, 43, 72, 76, 77. 1913.
    tests, Maryland and Virginia. D.B. 336, pp. 30–34. 1916.
  yield in—
    Kansas, experiments, 1904–1909. B.P.I. Bul. 240, pp. 18, 19. 1912.
    Texas, 1905–1906. B.P.I. Bul. 283, p. 30. 1913.
  world—
    acreage and production, by countries, 1920–1922. Y.B., 1922, pp. 637–638. 1923; Y.B. Sep. 881, pp. 637–638. 1923.

Rye—Continued.
  world—continued.
    production, and leading countries. Y.B., 1918, p. 171. 1919; Y.B. Sep. 769, p. 5. 1919.
  yellow, importation and breeding experiments. No. 45784, B.P.I.Inv. 54, p. 20. 1922.
  yield—
    European countries, 1886–1905. Stat.Bul. 68, pp. 20, 21. 1908.
    per acre by—
      countries. Y.B., 1923, p. 467. 1924; Y.B. Sep. 896, p. 467. 1924.
      estimate, June 1, by States. F.B. 598, p. 21. 1914.
    price, money income per acre, comparison with wheat. F.B. 614, pp. 10–11, 16. 1914.
  See also *Secale cereale*.
Ryegrass(es)—
  cultivation and use for hay and silage. F.B. 355, pp. 10, 11. 1909.
  descriptions, and value for cotton States. F.B. 1125, rev., pp. 19–20. 1920.
  English—
    description, use as adulterant. F.B. 428, pp. 7, 8, 9, 38, 39, 42. 1911.
    seed—
      adulterant, use and description. F.B. 382, pp. 12, 15, 19. 1909.
      quantity per acre for hog pasture. D.B. 68, p. 14. 1914.
    sowing for hog pasture, Pacific Northwest. D.B. 68, p. 14. 1914.
    suitability for pasture crop in Pacific Northwest. F.B. 599, p. 14. 1914.
  forage value in Pacific Northwest. F.B. 271, pp. 26–27. 1906.
  giant, growth on old ranges. B.P.I.Bul. 117, p. 10. 1907.
  Italian—
    (*Lolium multiflorum*). Lyman Carrier. D.C. 44. pp. 2. 1919.
    analytical key and description of seedlings. D.B. 461, pp. 7, 14. 1917.
    growing—
      for market hay in Cotton Belt. F.B. 677, p. 9. 1915.
      with slow-starting grasses, value. F.B. 1125, rev., p. 19. 1920.
    mixture with carpet grass. F.B. 1130, p. 10. 1920.
    seed—
      adulterant, use and description. F.B. 382, p. 20. 1909.
      description and quantity to sow per acre. F.B. 677, p. 9. 1915.
      weight, and quantity for seeding an acre. D.C. 44, p. 2. 1919.
    soils adaptable. Soils Bul. 75, pp. 16, 19. 1911.
    use—
      as pasture plant for logged-off land, seed rate. F.B. 462, p. 12. 1911.
      on lawns, and objectionable features. F.B. 494, pp. 31, 32. 1912.
    value for southern pastures. Sec. [Misc.], Spec., "Permanent pastures * * *," p. 4. 1914.
    varieties, description, and hay value. F.B. 1254, pp. 31–32. 1922.
  perennial—
    (*Lolium perenne*). Lyman Carrier. D.C. 42, pp. 2. 1919.
    analytical key and description of seedling. D.B. 461, pp. 6, 9. 1917.
    growing, Hawaii, composition and value. Hawaii Bul. 36, pp. 11, 13, 19. 1915.
    nativity, description, and seeding methods. F.B. 1254, pp. 32–33. 1922.
    use on lawns, and objectionable features. F.B. 494, p. 32. 1912.
  seed, English and Italian, detection in adulterated seed. F.B. 382, pp. 19–20. 1910.
  use and value in reseeding experiments. D.B. 4, pp. 7, 26, 32. 1913.
  use as forage crop in cotton region, description. F.B. 509, p. 15. 1912.
  water requirements at Logan, Utah. D.B. 1340, p. 43. 1925.
  western. *See* Wheatgrass, slender.

Ryegrass(es)—Continued.
  wild, analytical key and description of seedlings. D.B. 461, pp. 7, 15–16. 1917.
Rymandra excelsa, importation and description. No. 44956. B.P.I. Inv. 52, p. 11. 1922.
Rynchophora. *See* Weevils.
Rynchospora spp., occurrence in Guam. Guam A.R. 1913, p. 16. 1914.
Rytilix—
  granularis, importation and description. No. 47783. B.P.I. Inv. 59, p. 59. 1922.
  spp., description, distribution, and uses. D.B. 772, pp. 21, 278, 280. 1920.

S–K remedy, misbranding. Chem. N.J. 13239. 1925.
Sabadilla—
  effect on household insects, tests. D.B. 707, p. 5. 1918.
  importation and description, No. 45810. B.P.I. Inv. 54, p. 24. 1922.
  seed—
    insecticidal value, tests. D.B. 1201, pp. 9, 10, 11, 14–16, 49, 53. 1924.
    powder, use in mite control. D.B. 1228, pp. 5, 9. 1924.
    standards. Chem. S.R.A. 16, p. 30. 1916.
Sabal. *See* Palmetto.
Sabicu, importation and description. No. 46762. B.P.I. Inv. 57, p. 29. 1922.
Sabine River, Texas, description, drainage area, and discharge. O.E.S. Bul. 222, pp. 14–15. 1910.
Sabinea carinalis, importations and descriptions. No. 46026, B.P.I. Inv. 55, pp. 6, 14. 1922; No. 55041, B.P.I. Inv. 71, p. 15. 1923.
Sable—
  protection laws, 1919. F.B. 1079, pp. 6, 19, 20, 27, 28, 29, 30. 1919.
  See also Marten.
Sablefish, cold storage holdings, 1918, by months. D.B. 792, pp. 50, 51. 1919.
Sac tree, Indian, introduction. B.P.I. Bul. 176, p. 18. 1910.
Sacahuista—
  feed value in emergency feeding. D.B. 745, pp. 17, 19. 1919.
  feeding to range cattle, description and use. D.B. 728, pp. 7, 9, 11, 13, 15, 17. 1918.
Sacapari, importation and description. No. 41338. B.P.I. Inv. 45, p. 17. 1918.
Sacaton, testing station, location and history. D.C. 277, pp. 1–3. 1923.
Sacbrood—
  G. F. White. D.B. 431, pp. 55. 1917.
  a disease of bees. G. F. White. Ent. Cir. 169, pp. 5. 1913.
  cause and nature. Ent. Cir. 169; pp. 1–5. 1913.
  description and heat determination for control. D.B. 92, pp. 4–5, 8. 1914.
  diagnosis, characteristics, and cultures. D.B. 671, pp. 10–11. 1918.
  history, description, and conflicting names. D.B. 431, pp. 1–6. 1917.
  infectious nature, experimental work. Ent. Cir. 169, pp. 4–5. 1913.
  occurrence in North Carolina. D.B. 489, p. 5. 1916.
  symptoms at various stages, causes, and control treatment. D.B. 431, pp. 10–30, 50–52. 1917.
  transmission methods. D.B. 431, pp. 46–48, 51–52. 1917.
Saccaton grass, description. D.B. 772, pp. 150–151, 152. 1920.
Saccellium lanceolatum, importation and description. No. 43460. B.P.I. Inv. 49, p. 27. 1921.
Saccharic acid, occurrence in soils, description. Soils Bul. 88, pp. 11–12. 1912.
Saccharimeter—
  readings, limits permissible. Chem. Bul. 130, pp. 119, 127. 1910.
  use in—
    jelly making. F.B. 1454, p. 13. 1925.
    testing sugar in fruit juice, cost and use. F.B. 859, p. 15. 1917.
  See also Saccharometer.
Saccharimetric—
  determinations, in distillery mashes. Chem. Bul. 130, pp. 70–71. 1910.
  observations, unification. Chem. Bul. 122, pp. 221–228. 1909.

INDEX TO PUBLICATIONS, 1901–1925   2061

Saccharin—
  adulterant for food, department ruling. News L., vol. 6, No. 14, p. 11. 1918.
  adulteration and misbranding. See *Indexes, Notices of Judgment, in bound volumes and in separates published as supplements to Chemistry Service and Regulatory Announcements.*
  content of canned corn, misbranding. Chem. N.J., 40. 1909.
  detection—
    in canned meats. Chem. Bul. 13, Pt. X, p. 1410. 1902.
    methods. Chem. [Misc.], "Recent methods suggested * * *," pp. 6. 1904; Chem. Bul. 90, pp. 54–57. 1905; Chem. Bul. 107, p. 182. 1907.
  determination in fruits and fruit products. Chem. Bul. 66, rev., p. 23. 1905.
  effect on digestive enzymes. Rpt. 94, pp. 102–122. 1911.
  in aromatized castor oil. Chem. S.R.A. 13, p. 6. 1915.
  in food. F.I.D. 135, p. 1. 1911.
  influence on—
    Bacillus coli communis and *Bacillus typhosus.* Rpt. 94, pp. 122–125. 1911.
    nutrition and health of man. Christian A. Herter and Otto Folin. Rpt. 94, pp. 375. 1911.
  malt, adulteration and misbranding. Chem. N.J. 2195, pp. 2. 1913.
  maple, alleged production from maple wood. Chem. N.J. 47, pp. 10–11. 1909.
  materials available for manufacture of denatured alcohol, value. Chem. Bul. 130, pp. 25–30. 1910.
  origin, nature, names, and use in fruit products. Chem. Bul. 66, rev., p. 38. 1905.
  products, analysis methods. Chem. Bul. 65, p. 43. 1902; Chem. Bul. 107, pp. 64–74. 1907; Chem. Bul. 116, p. 10. 1908; Chem. Bul. 162, pp. 59, 159–160. 1913.
  prohibition in foods. Chem. Bul. 69, rev., Pts. V, VII, VIII, IX, pp. 456, 587, 595, 666, 768. 1906.
  sorghums for forage. Carleton R. Ball. F.B. 246, pp. 38. 1906.
  use as sugar substitute, description. F.B. 535, p. 11. 1913.
  use in food, decision. F.I.D. 142, pp. 2. 1912; F.I.D. 146, p. 1. 1912.
Saccharometer—
  sugar concentration measurement. F.B. 1159, pp. 12, 21. 1920.
  use in grading sirup. D.C. 149, p. 13. 1920.
  See also Saccharimeter.
Saccharomyces—
  albicans, cause of aptha in young calves. B.A.I. [Misc.], "Diseases of cattle," rev., p. 268. 1912.
  farciminosus—
    description, staining methods, and cultures. B.A.I. An. Rpt., 1908, p. 230. 1910; B.A.I. Cir. 155, pp. 1–5. 1910.
    See also Lymphangitis, epizootic.
  kefir, fermenting organism in kefir. B.A.I. An. Rpt., 1909, p. 148. 1911; B.A.I. Cir. 171, p. 148. 1911.
Saccharomycetes, true yeasts, distinction from pseudo yeasts. D.B. 819, pp. 2–3, 13, 14. 1920.
Saccharose, fermentation in milk, studies. D.B. 782, pp. 16–17. 1919.
Saccharum—
  biflorum, importation and description. No. 42551, B.P.I. Inv. 47, pp. 7, 28. 1920.
  ciliase. See Elephant grass.
  officinarum—
    anatomy of vegetative organs. Ernst Artschwager. J.A.R., vol. 30, pp. 197–242. 1925.
    occurrence in Guam. Guam A.R., 1913, p. 16. 1914.
    ribbon sugarcane. B.P.I. Cir. 50, pp. 10–12. 1910.
    See also Sugarcane.
  spp., description, distribution, and uses. D.B. 772, pp. 21, 255, 257. 1920.
  spontaneum, host of *Sclerospora* spp. J.A.R., vol. 20, pp. 669–684. 1921.
Sacciolepsis spp., description, distribution, and uses. D.B. 772, pp. 20, 236–237. 1920.

Sachaline, use as forage, origin, introduction, and description. News L., vol. 3, No. 51, p. 6. 1916.
SACHS, JULIUS, study of corn growing from mutilated seeds. D.B. 1011, pp. 1, 12. 1922.
SACKETT, H. S.—
  "Consumption of wood preservatives and quantity of wood treated in the United States in 1910." For. Cir. 186, pp. 4. 1911.
  "Wooden and fiber boxes." With Hu Maxwell. For. Cir. 177, pp. 14. 1911.
Sacking cowpeas for marketing. F.B. 1308, p. 11. 1923.
Sacks—
  agency in spreading disease. News L., vol. 1, No. 36, p. 2. 1914.
  cantaloupe picking, description. F.B. 707, p. 6. 1916.
  flour, handling to avoid insect infestation. D.B. 872, pp. 8–10. 1920.
  grain, fumigation to prevent infestation of grain. F.B. 1260, p. 45. 1922.
  potato—
    kinds in use, cost. F.B. 1317, pp. 17, 29. 1923.
    loading methods. F.B. 1050, pp. 11–14. 1919.
  wheat, rent cost. D.B. 943, p. 45. 1921.
Sacramento, Calif.—
  legislation on cold storage. Chem. Bul. 115, p. 113. 1908.
  milk supply, statistics, officials, prices, ordinances, etc. B.A.I. Bul. 46, pp. 34, 50. 1903.
Sacramento Mountains, N. Mex., location, description, fauna, and flora. N.A. Fauna 35, pp. 70–74. 1913.
Sacramento River drainage, California, tributaries, location. O.E.S. Bul. 237, pp. 15–17. 1911.
Sacramento Valley, Calif., irrigation. Samuel Fortier and others. O.E.S. Bul. 207, pp. 99. 1909.
Saddle leaf. See Poplar, tulip.
Saddled prominent, control by *Calosoma frigidum* and *Telenomus graptae.* Y.B., 1911, p. 460. 1912; Y.B. Sep. 553, p. 460. 1912.
Sadleria cyatheoides. See Amau.
Safflower, culture and handling as drug plant, yield, and price. F.B. 663, p. 32. 1915; rev., pp. 42–43. 1920.
Saffron—
  adulteration. An. Rpts., 1908, p. 472. 1910; Chem. Bul. 122, p. 138. 1909; Chem. N.J. 1288, pp. 2. 1912; Chem. Chief Rpt., 1908, p. 28. 1908.
  American. See Safflower.
  culture and handling as drug plant, yield, and price. F.B. 663, pp. 32–33. 1915.
  growing experimentally. B.P.I. Chief Rpt., 1924, p. 29. 1924.
  importation and description. No. 47577, B.P.I. Inv. 59, p. 34. 1922.
  true, growing and uses, harvesting, marketing, and prices. F.B. 663, rev., p. 43. 1920.
  use in—
    coloring cheese. B.A.I. Bul. 105, pp. 27, 32, 34. 1908; B.A.I. Bul. 146, pp. 29, 35, 37. 1911.
    foods. O.E.S. Bul. 245, pp. 49, 50. 1912.
  See also *Crocus sativus.*
Safrol, constituent of camphor oil. Y.B., 1910, p. 459. 1911; Y.B. Sep. 551, p. 459. 1911.
Sagachomi. See Bearberry.
Sage(s)—
  black—
    alkali indicator in Oregon, Klamath project. Soil Sur. Adv. Sh., 1908, p. 43. 1910; Soils F.O., 1908, p. 1411. 1911.
    description, distribution, oil distillation, and camphor identification. B.P.I. Bul. 235, pp. 14–21. 1912.
    economic importance. B.P.I. Bul. 235, pp. 14–21. 1912.
  California—
    introduction into Hawaii as honey plants. Ent. Bul. 75, Pt. V, p. 54. 1909.
    value as honey source. Ent. Bul. 75, p. 49. 1911; Ent. Bul. 75, Pt. V, p. 49. 1909.
    culture and handling as drug plant, yield and price. F.B. 663, p. 33. 1915.
    drying and use. D.C. 3, p. 17. 1919.
    Greek and Spanish, substitute for true sage, 277. Chem. S.R.A. 23, p. 97. 1918.
    growing and uses, harvesting, marketing, and prices. F.B. 663, rev., pp. 43–44. 1920.

Sage(s)—Continued.
　hen, hunting laws, Montana. For. [Misc.], "Trespass on national * * *," p. 28. 1922.
　importations and descriptions. No. 50331, B.P.I. Inv. 63, p. 57. 1923; Nos. 53068, 53757, B.P.I. Inv. 67, pp. 25, 87. 1923.
　Indian. See Boneset.
　mountain, water requirement in Colorado, 1911, experiments. B.P.I. Bul. 284, pp. 33–34, 37, 38. 1913.
　of Bethlehem. See Spearmint.
　pasture, injury to grazing at Mandan, N. Dak. D.B. 1337, p. 17. 1925.
　poisoning similar to loco disease. B.A.I. Bul. 112, p. 41. 1909.
　rust occurrence, Texas. B.P.I. Bul. 226, p 101. 1912.
　sand, occurrence, description, and soil indications. B.P.I. Bul. 201, pp. 21, 22, 53, 57, 58, 59, 64, 65, 91. 1911.
　scarlet, description, cultivation, and characteristics. F.B. 1171, pp. 36, 82. 1921.
　shade drying, methods. F.B. 1231, pp. 6–7. 1921.
　sweet, growth habits and indicator value. D.B. 791, pp. 23–27, 32–36, 43. 1919.
　varieties, indicators of land value and possibilities, notes. J.A.R., vol. 28, pp. 100–113, 117–126. 1924.
　white—
　　and associated plants, occurrence, Utah. J.A.R., vol. 1, pp. 388–394. 1914.
　　and black, occurrence in chaparral. For. Bul. 85, p. 34. 1911.
　　feed value, and dissemination methods, studies. Work and Exp., 1919, p. 72. 1921.
　　See also *Kochia vestita*.
　wild—
　　description, distribution, oil distillation, and identification. B.P.I. Bul. 235, pp. 21–29. 1912.
　　economic importance. B.P.I. Bul. 235, pp. 21–29. 1912.
　　in Wyoming, distribution and growth. N.A. Fauna 42, p. 81. 1917.
　　occurrence of borneol. B.P.I. Bul. 235, pp. 28, 37. 1912.
　　use as perfumery plants. An. Rpts., 1909, p. 282. 1910; B.P.I. Chief Rpt., 1909, p. 30. 1909.
　　yellow, alkali indicator in Oregon, Klamath area. Soil Sur. Adv. Sh., 1908, p. 43. 1910; Soils F.O., 1908, p. 1411. 1911.
　　yellow. See also Rabbit brush.
　See also Artemisia; Sagebrush; Salvia; Spices.
Sagebrush—
　and associated plants, indicator significance, discussion. J.A.R., vol. 1, pp. 377–386. 1914.
　characteristic vegetation of arid lands in Great Basin. B.P.I. Cir. 61, p. 8. 1910.
　clearing, cost per acre. F.B. 372, p. 11. 1909; O.E.S Bul. 210, p. 54. 1909.
　hedges, use in New Mexico for windbreaks. For. Bul. 86, p. 99. 1911.
　in Wyoming, distribution and growth. N.A. Fauna 42, pp. 79–81. 1917; O.E.S. Bul. 205, pp. 18–19. 1909.
　land, characteristics. J.A.R., vol. 1, pp. 380–385, 412, 415. 1914.
　occurrence in Colorado, description, etc. N.A. Fauna 33, p. 246. 1911.
　source of camphor, studies. B.P.I. Bul. 235, p. 11. 1912.
　value for windbreaks. F.B. 1405, p. 13. 1924.
　See also Artemisia.
Sageretia pycnophylla, importation, and description. No. 43918, B.P.I. Inv. 49, p. 95. 1921.
Sagittaria—
　arifolia. See Wapato.
　latifolia. See Arrow grass; Wapato.
　platyphylla. See Potato, delta.
　resemblance to wild celery. Biol. Cir. 81, p. 9. 1911.
　sagittifolia, importations. Inv. Nos. 29886, 30421, 30423, B.P.I. Bul. 233, pp. 39, 86. 1912.
　spp. See Arrowhead.
Sago—
　cheese, description and use as flavoring. B.A.I. Cir. 166, p. 20. 1911.
　imitation, misbranding. F.I.D. 128, pp. 2. 1910.

Sago—Continued.
　imports—
　　1907–1909, value by countries from which consigned. Stat. Bul. 82, p. 54. 1910.
　　1913–1915. Y.B., 1915, p. 546. 1916; Y.B. Sep. 685, p. 546. 1916.
　　1921, statistics. Y.B., 1921, pp. 741, 749. 1922; Y.B. Sep. 867, pp. 5, 13. 1922.
　misbranding. Chem. N.J. 2590, p. 1. 1913.
　origin, and food use. D.B. 123, p. 28. 1916.
　pondweed, description and distribution. Biol. Cir. 81, pp. 12–15. 1911.
　preparation for market and labeling. F.I.D. 128, pp. 2. 1910.
　starch, use as food. O.E.S. Bul. 245, p. 43. 1912.
　uses as food. O.E.S. Bul. 245, pp. 42, 43. 1912.
Saguerus—
　mindorensis. See Palm, Phillippine.
　saccharifer. See Palm, sugar.
Sahara Desert—
　agriculture without irrigation. Thomas H. Kearney. B.P.I. Bul. 86, pp. 27. 1905.
　dates, cultivation, yield, and value. B.P.I. Bul. 86, pp. 19–26. 1905.
　origin of sirocco dust, discussion. Soils Bul. 68, pp. 92–96. 1911.
　soils, investigation, relation to date growing. B.P.I. Bul. 53, pp. 11, 73–99. 1904.
　temperature conditions, relation to date growing, notes. B.P.I. Bul. 53, pp. 61–70. 1904.
　temperature, humidity. B.P.I. Bul. 80, pp. 26–29. 1905.
　topography, water supply. B.P.I. Bul. 80, pp. 16–18. 1914.
SAHR, C. A.: Report of the agronomy division, Hawaii Experiment Station—
　1913. Hawaii A.R., 1913, pp. 43–49. 1914.
　1914. With C. K. McClelland. Hawaii A.R., 1914, pp. 36–42. 1915.
　1915. Hawaii A.R., 1915, pp. 39–44. 1916.
　1916. Hawaii A.R., 1916, pp. 26–31. 1917.
　1917. Hawaii A.R., 1917, pp. 48–55. 1918.
　1918. Hawaii A.R., 1918, pp. 45–51. 1919.
Sailors, disabled, eligibility and efficiency ratings. B.A.I.S.R.A. 148, p. 92. 1919.
Sainfoin, importations and descriptions. No. 35313, B.P.I. Inv. 35, pp. 9, 36. 1915; No. 39343, B.P.I. Inv. 41, p. 14. 1917.
St. Benedict's thistle. See Thistle, blessed.
St. Croix Experiment Station, work and expenditures—
　1920. Vir. Is. A.R., 1920, pp. 7–20, 35. 1921.
　1921. Work and Exp., 1921, pp. 3–11. 1923.
St. Croix Island—
　climatic records. Vir. Is. Bul. 2, pp. 3, 6–8. 1921.
　description and industry. Vir. Is. A.R., 1919, pp. 5–6. 1920.
　size, description, and agricultural conditions. S.R.S. [Misc.], "Report of Virgin Islands agricultural experiment station, 1921," p. 1. 1922.
　sugar—
　　and rum, production and exportation, 1898–1920. Vir. Is. Bul. 2, pp. 3–4. 1921.
　　production. Off. Rec., vol. 1, No. 3, p. 6. 1922.
　sugar cane in. Longfield Smith. Vir. Is. Bul. 2, pp. 23. 1921.
St. Francis Valley drainage project, Arkansas—
　preliminary report. Arthur E. Morgan. O.E.S. Cir. 86, pp. 31. 1909.
　report. Arthur E. Morgan and O. G. Baxter. O.E.S. Bul. 230, Pt. I, pp. 100. 1910.
ST. GEORGE, R. A.—
　"Biology of the false wireworm *Eleodes suturalis* Say. With J. S. Wade. J.A.R., vol. 26, pp. 547–566. 1923.
　"Determination of temperatures fatal to the powder-post beetle, *Lyctus planicollis* Leconte, by steaming infested ash and oak lumber in a kiln." With T. E. Snyder. J.A.R., vol. 28, pp. 1033–1038. 1924.
　"Egg and first-stage larva of *Tarsostenus univittatus*, a beetle predaceous on powder-post beetles." J.A.R., vol. 29, pp. 49–51. 1924.
St. Joe National Forest, Idaho, map. For. Maps. 1925.
St. John, B. H. "A comparison of values obtained for the refractive indices of aqueous solutions of ethyl and methyl alcohols." Chem. Bul. 162, pp. 221–223. 1913.

St. John, E. Q.—
"A bacteriological and chemical study of commercial eggs in the producing districts of the central West." With others. D.B. 51, pp. 77. 1914.
"A study of the preparation of frozen and dried eggs in the producing section." With others. D.B. 224, pp. 99. 1916.
St. John, J. L. "The nutritive value of wheat. I. Effect of variation of sodium in a wheat ration." J.A.R. vol. 31, pp. 365-375. 1925.
St. John, Virgin Islands—
agricultural conditions. Vir. Is.A.R. 1920, pp. 6-7. 1921.
description and industry. Vir. Is.A.R. 1919, p. 7. 1920.
St.-Johns-bread—
adulteration. Chem. N.J. 3223. 1914.
host of Araeocerus fasciculatus. Hawaii A. R. 1907, p. 48. 1908.
See also Carob.
St. John's disease, peas in Holland, records and cause. J.A.R., vol. 26, pp. 461-462. 1923.
St. Johns Island, location, description, harbor facilities and industries. Vir. Is. A. R. 1921, p. 2. 1922.
St. John's-wort—
cause of skin disease of cattle. B.A.I. [Misc.], "Diseases of cattle", rev., p. 340. 1912.
characters. News L., vol. 2, No. 40, p. 3. 1915.
description, distribution, spread, and products injured. F.B. 660, p. 29. 1915.
importations and descriptions. No. 39644, B.P.I. Inv. 41, p. 54. 1917; Nos. 43692, 43849, B.P.I. Inv. 49, pp. 63, 86. 1921; No. 44390, B.P.I. Inv. 50, p. 66. 1922; Nos. 47581, 47695, B.P.I. Inv. 59, pp. 35, 48. 1922.
St. Joseph, Mo.—
market statistics for livestock, 1910-1920. D.B. 982, pp. 18, 53, 84. 1921.
milk supply, statistics, officials, prices, and ordinances. B.A.I. Bul. 46, pp. 26, 108. 1903.
trade center for farm products, statistics. Rpt., 98, pp. 287-290, 311, 347, 352, 378. 1913.
St. Lawrence Valley, emmer and spelt growing, experiments. D.B. 1197, pp. 28-30, 55. 1924.
St. Lazaria Reservation, Alaska, description. Biol. Cir. 71, pp. 8-9. 1910.
St. Louis—
butter receipts, by months, 1880-1911. Stat. Bul. 93, pp. 59, 65. 1913.
conference, agricultural situation. An. Rpts., 1917, pp. 5-7. 1917; Sec. A.R., 1917, pp. 7-9. 1917.
east, national stockyards, prices of horses and mules. S.B. 5, pp. 50-52. 1925.
egg receipts, by months, 1880-1911. Stat. Bul. 93, pp. 59, 65. 1913.
Exposition, 1904, Louisiana Purchase, exhibits of insect enemies. A. D. Hopkins. Ent. Bul. 48, p. 56. 1904.
Horticultural Society, recommendations on curculio control. Ent. Bul. 103, pp. 166-167. 1912.
market—
for grain 1920-1921, tables. D.B. 1083, pp. 13-15, 18-25, 28-29, 38-42, 53-58. 1922.
station, lines of work. Y.B. 1919, p. 96. 1920; Y.B. Sep. 797, p. 96. 1920.
statistics for fruits and vegetables, 1919 and 1920. D.B. 982, pp. 224, 225, 246, 251-256, 258, 260, 262-264. 1921.
statistics for grain, 1910-1921. D.B. 982, pp. 156, 179. 1921.
milk supply, statistics, officials, prices, and ordinances. B.A.I. Bul. 46, pp. 26, 106. 1903.
potato market, methods. F.B. 1317, p. 29. 1923.
prices of wheat, and discounts by grades. Y.B. 1921, p. 144. 1922; Y.B. Sep. 873, p. 144. 1922.
seeds, market prices, 1920-1923, tables. S.B. 2, pp. 22-63. 1924.
tobacco market and trade center. B.P.I. Bul. 268, pp. 32, 36, 42, 45. 1913.
St. Luke's summer, application of term. Off. Rec., vol. 2, No. 42, p. 5. 1923.
St. Mary's Falls canals, freight traffic, comparison with railroad traffic, 1898-1908. Stat. Bul. 81, pp. 59-60. 1910.

St. Matthew Island, Alaska, description of reservation. Biol. Cir. 71, pp. 2-3. 1910.
St. Paul—
market statistics for—
fruits and vegetables, 1919 and 1920. D.B. 982, pp. 224, 225, 247, 252, 254, 255, 257, 259, 261-264. 1921.
livestock, 1910-1920. D.B. 982, pp. 16, 51, 81. 1921.
milk supply, statistics, officials, prices, and ordinances. B.A.I. Bul. 46, pp. 26, 104-105. 1903.
trade center for farm products, statistics. Rpt., 98, pp. 287-290, 347, 352, 379. 1913.
St. Thomas, Virgin Islands—
agricultural conditions. Vir. Is.A.R. 1920, pp. 5-6. 1921.
description and industry. Vir. Is.A.R. 1919, p. 6. 1920.
horticultural work. Vir. Is.A.R. 1923, p. 13. 1924.
proposed work for 1923. Vir. Is.A.R. 1922, p. 2. 1923.
St. Thomas Island, location, description, and importance. Vir. Is. A. R. 1921, pp. 1-2. 1922.
Saipan, disease of coconuts caused by scale insect. Guam A.R., 1920, p. 61. 1921.
Saissetia—
aleae, enemy of Ceara rubber tree. Hawaii A.R., 1907, p. 46. 1908.
hemisphaerica, injury to vegetables in Porto Rico. D.B. 192, p. 10. 1915.
hemisphaerica. See also Scale, brown; Scale, hemispherical.
nigra, enemy of—
Ceara rubber tree. Hawaii Bul. 16, p. 30. 1908.
papaya. Hawaii Bul. 32, p. 44. 1914.
pepper tree. Hawaii A.R., 1907, p. 46. 1908.
oleae—
enemy of—
Ceara rubber tree. Hawaii Bul. 16, p. 30. 1908.
citrus fruits, description. Ent. Bul. 90, Pt. I, pp. 8-9. 1911.
See also Scale, black, olive.
Sake—
beer, use in processing persimmons. Chem. Bul. 141, pp. 6-8. 1911.
content of acid ferment similar to salicylic acid. An. Rpts., 1916, p. 194. 1917; Chem. Chief Rpt., 1916, p. 4. 1916.
Saker, D. G.: "The work of a county dairy instructress in England and Wales." B.A.I. Dairy [Misc.], "World's dairy congress, 1923," pp. 374-381. 1924.
Sakieh, use in irrigation of dates, Africa. D.B. 271, pp. 20-21. 1915.
Sal, insect pests, list. Sec. [Misc.], "A manual * * * insects * * *," pp. 193-194. 1917.
"Sal-codeia bell," danger in use. F.B. 393, p. 15. 1910.
Sal-Tonik, misbranding. Chem. N.J. 13459. 1925.
Salacin, derivation from willows, uses in medicine. B.P.I. Bul. 139, p. 13. 1909.
Salad(s)—
and salad dressings, cottage cheese, recipes. Sec. Cir. 109, rev., pp. 12-14. 1918.
beans and peas, directions. U. S. Food Leaf. 14, p. 4. 1918.
chicory leaves blanched. D.C. 108, p. 3. 1920.
composition, notes. O.E.S. Bul. 245, pp. 21, 75. 1912.
containing Neufchatel and cream cheese. F.B. 960, pp. 25-27. 1918.
cottage cheese, and salad dressings. Sec. Cir. 109, pp. 12-14. 1918.
cottage cheese, recipe. B.A.I. Doc. A-18, p. 1. 1917.
crops, shipments by States, and by stations, 1916. D.B. 667, pp. 12, 178-182. 1918.
cucumber, recipe. S.R.S. Doc. 22, rev., p. 15. 1919.
dasheen—
greens, preparation for table. B.P.I. Doc. 1110, p. 11. 1914.
recipe. B.P.I. Doc. 1110, p. 10. 1914.

Salad(s)—Continued.
  dressing(s)—
    adulteration and misbranding. Chem. N.J. 2307, pp. 2. 1913; Chem. N.J. 3294, p. 1. 1914.
    description and studies. O.E.S. Bul. 245, pp. 25, 26. 1912.
    formulas. D.B. 123, pp. 14, 47. 1916.
    lessons for first-year classes, and correlative studies. D.B. 540, pp. 55, 56. 1917.
    misbranding. Chem. N.J. 2104, pp. 2. 1913; Chem. N.J. 2513, pp. 2-3. 1913; Chem. N.J. 3930, p. 1. 1915.
    peanut-butter recipe. D.C. 128, p. 14. 1920.
    recipes. D.C. 36, p. 9. 1919; F.B. 712, p. 24. 1916.
    stains, removal from textiles. F.B. 861, pp. 29-30. 1917.
  egg, recipes. D.C. 36, p. 8. 1919.
  egg, use and recipe. S.R.S. Doc. 91, p. 8. 1919.
  fruit, tropical, use of avocado. G. N. Collins. B.P.I. Bul. 77, pp. 52. 1905.
  meat, recipes for making. F.B. 391, pp. 25-26. 1910.
  mushroom, cooking recipe. F.B. 796, p. 21. 1917.
  nuts as ingredients. B.P.I. 332, p. 17. 1908.
  oil—
    adulteration and misbranding. See *Indexes to Notices of Judgment, in bound volumes and in separates published as supplements to Chemistry Service and Regulatory Announcements.*
    definition and description, regulation revocation. Chem. S.R.A. 28, pp. 40-41. 1923.
    kinds and chemical limits. Chem. [Misc.], "Salad oils for which * * *," pp. 1. 1905.
    labeling, opinion. Chem. S.R.A. 2, p. 23. 1914.
    standards. Chem. [Misc.], "Standards of purity * * *," pp. 5-6. 1905.
    value of peanut oil. Y.B., 1917, pp. 121-122, 299, 1918; Y.B. Sep. 746, pp. 13. 1918; Y.B. Sep. 748, pp. 11-12. 1918.
    value with other foods. D.B. 123, pp. 10, 14, 56. 1916.
  peanut with bananas, recipe. News L., vol. 5, No. 41, p. 7. 1918.
  plants—
    cultural directions. F.B. 1044, pp. 33-34. 1919.
    preparation for use, lesson. D.B. 123, pp. 9-14. 1916.
    use as food, flavor, and care in preparation. Y.B., 1911, pp. 442, 444, 446. 1912; Y.B. Sep. 582, pp. 442, 444, 446. 1912.
    varieties and uses, studies. O.E.S. Bul. 245, pp. 21-25, 27, 28. 1912.
    washing, as protection against insecticides. O.E.S. Bul. 245, p. 23. 1912.
  potato and other vegetables. S.R.S. Doc. 16, p. 5. 1915.
  preparation, and value in diet. D.B. 123, pp. 9-14, 58. 1916.
  rabbit, directions for making. F.B. 1090, p. 25. 1920.
  recipes containing peppers. F.C.D.W.S. Cir. 1, pp. 5-6. 1915.
  rice, recipes. F.B. 1195, p. 18. 1921.
  use—
    and value of wild plants, and plant list. Food Thrift Ser. No. 4, p. 4. 1917.
    of peppers, fresh and canned. D.C. 160, pp. 8-9. 1921.
    of peppers, recipe. S.R.S. Doc. 39, pp. 5-6. 1917.
Saladeros. *See* Salting establishments.
Salakka edulis, importation and description. B.P.I. Bul. 261, p. 30. 1912.
Salal, soil requirements, occurrence in Washington, eastern Puget Sound Basin. Soil Sur. Adv. Sh., 1909, pp. 36, 37. 1911; Soils F.O. 1909, pp. 1548, 1549. 1912.
Salamanders, use against mosquitoes in Hawaii. Ent. Bul. 88, p. 62. 1910.
SALANT, WILLIAM—
  "The action of drugs under pathological conditions." Chem. Cir. 81, pp. 16. 1911.
  "The elimination and toxicity of caffein in nephrectomized rabbits." With J. B. Rieger. Chem. Bul. 166, pp. 31. 1913.

SALANT, WILLIAM—Continued.
  "The elimination of caffein: An experimental study on herbivora and carnivora." With J. B. Rieger. Chem. Bul. 157, pp. 23. 1912.
  "The toxicity of caffein: An experimental study on different species of animals." With J.B. Rieger. Chem. Bul. 148, pp. 98. 1912.
  testimony, Coca Cola and caffeine, harmfulness. Chem. N. J. 1455, pp. 28-29. 1912.
Salary(ies)—
  claim cases, handling by solicitor. An. Rpts., 1912, pp. 928, 931. 1913; Sol. A.R., 1912, pp. 44, 47. 1912.
  classification work. Y.B., 1923, p. 76. 1924.
  computing method. B.A.I.S.R.A. 92, p. 183. 1915.
  deduction for absence without pay, regulations. B.A.I.S.R.A. 181, p. 64. 1922.
  double, memorandum of Secretary. Off. Rec. vol. 1, No. 41, p. 4. 1922.
  employees, instructions concerning. B.A.I. S.R.A. 217, p. 49. 1925.
  field, adjustment by reclamation bill. Off. Rec., vol. 1, No. 7, p. 2. 1922.
  fiscal regulations and salary tables. Adv. Com. F. and B.M. [Misc.], "Fiscal regulations * * *," pp. 11-16, 61-73. 1915; rev., pp. 11-16, 62-119. 1922.
  Government employees, contributions to prohibited. B.A.I.S.R.A. 120, pp. 45-46. 1917.
  grades, professional, in reclassification bill. Off. Rec., vol. 1, No. 7, p. 2. 1922.
  increase—
    for scientific workers, Y.B., 1922, pp. 30-31. 1923; Y.B. Sep. 883, pp. 30-31. 1923.
    need, and comparison with outside salaries. Sec. A.R., 1921, pp. 53-55. 1921.
    on transfer, payment without certificate. Off. Rec., vol. 1, No. 30, p. 4. 1922.
    July, 1917. B.A.I.S.R.A. 121, p. 56. 1917.
  lump-sum limit, raise. Off. Rec., vol. 1, No. 10, p. 1. 1922.
  professional, standards outside department. Y.B., 1921, pp. 63-64. 1922; Y.B. Sep. 875, pp. 63-64. 1922.
  regulations, accounts, and tables. Sec. [Misc.], "Fiscal regulations," pp. 14-18, 69-89. 1917.
  restriction and exemption. Sol. [Misc], "Laws applicable * * * agriculture * * *," Sup. 4, p. 100. 1917.
  schedules, reclassification bill. Off. Rec., vol. 1, No. 1, p. 14. 1922.
  scientific, maximum. Off. Rec., vol. 1, No. 16, p. 1. 1922; Off. Rec., vol. 2, No. 3, p. 1. 1923.
  tables. Sec. [Misc.], "Fiscal regulations," pp. 71-89. 1917.
SALDANA, J. A.—
  report of the assistant in plant breeding and horticulture, Porto Rico Experiment Station—
    1921. P.R. An. Rpt. 1921, pp. 16-22. 1922.
    1922. With W. P. Snyder. P.R. An. Rpt. 1922, pp. 10-13. 1923.
    1923. With W. P. Snyder. P.R. An. Rpt. 1923, pp. 8-11. 1924.
SALE, J. W.—
  "Composition and food value of bottled soft drinks." With W. W. Skinner. Y.B., 1918, pp. 115-122. 1919; Y.B. Sep. 774, pp. 10. 1919.
  "Formulas for sugar-saving sirups." With W. W. Skinner. Chem. [Misc.], "Formulas for sugar-saving * * *," pp. 2. 1918.
Sale(s)—
  auction, fruits and vegetables, discussion. D.B. 1362, pp. 19-23. 1925.
  by farmers, average monthly. M.C. 6, p. 22. 1923.
  farm products, receipts, percentage by classes. Y.B., 1921, pp. 779, 780. 1922; Y.B. Sep. 871, pp. 10, 11. 1922.
  game birds, prohibition. Y.B., 1918, p. 313. 1919. Y.B. Sep. 785, p. 13. 1919.
  produce, at shipping points. Y.B., 1918, p. 284. 1919; Y.B. Sep. 768, p. 10. 1919.
  public property, regulations. Sec. [Misc.], "Property regulations," pp. 27-29. 1916.
  timber, agreement, blank forms. D.B. 950. pp. 29-38. 1921.
Salem, Mass., milk supply, statistics, officials, and prices. B.A.I. Bul. 46, pp. 36, 94. 1903.

Salicaceae, injury by sapsuckers. Biol. Bul. 39, pp. 27-29, 66, 67. 1911.
Salicin—
hydrolysis by the enzym emulsion. C.S. Hudson and H. S. Paine. Chem. Cir. 47, pp. 8. 1909.
yield by acacias. D.B. 9, p. 34. 1913.
Salicornia—
ambigua. See Saltwort.
utahensis, occurrence and description. J.A.R., vol. 1, pp. 409, 411-412. 1914.
See also Samphire.
Salicylate(s)—
ammonium tablets, adulteration and misbranding. Chem. N.J., 2894, p. 126. 1914.
and salicylic acid, influence on digestion and health. H. W. Wiley and others. Chem. Bul. 84, Pt. II, pp. 479-760. 1906.
effect upon digestion and health, results of experiments. H. W. Wiley. Chem. Cir. 31, pp. 12. 1906.
influence on digestion and health, tests. Chem. Bul. 84, Pt. II, pp. 479-759. 1906.
methyl, investigations. An. Rpts., 1910, pp. 440, 441. 1911; Chem. Chief Rpt., 1910, pp. 16, 17. 1910.
sodium, tablets, adulteration and misbranding. Chem. N.J., 3019, p. 1. 1914.
synthetic methyl, substitute for wintergreen. Y.B., 1908, p. 341. 1909; Y.B. Sep. 485, p. 341. 1909.
Salicylic—
acid—
and salicylates, effect on digestion and health. H. W. Wiley and others. Chem. Bul. 84, Pt. II, pp. 477-760. 1906.
as preservatives of cactus solution. D.B. 160, p. 14. 1915.
detection in—
canned meats. Chem. Bul. 13, Pt. X, p. 1408. 1902.
food. Chem. Bul. 116, p. 12. 1908.
fruits and fruit products, method. Chem. Bul. 66, rev., p. 22. 1905.
determination—
in food. Chem. Bul. 107, pp. 179-181. 1907; Chem. Bul. 122, pp. 64-68. 1909.
in headache mixtures. Chem. Bul. 152, p. 237. 1912.
methods and results. Chem. Bul. 105, pp. 51-58. 1907.
effects in febrile conditions and in health experiments. Chem. Cir. 81, p. 7. 1911.
effects on the nitrogenous elements of the urine. Chem. Bul. 84, Pt. II, pp. 706-753. 1906.
in milk, determination. D.B. 1, p. 34. 1913.
influence on digestion and health, tests. H. W. Wiley and others. Chem. Bul. 84, Pt. II, pp. 479-759. 1906.
injury to health in fruits and vegetables. News L., vol. 3, No. 5, p. 7. 1915.
mixtures, melting temperature, studies. Chem. Bul. 162, pp. 202-203. 1913.
report, 1907. Chem. Bul. 116, pp. 12-13. 1908.
use in—
mince meat. Chem. N.J. 1067, p. 1. 1911.
vinegar adulteration. Chem. N.J. 1252, pp. 2. 1912.
See also Preservatives.
aldehyde—
harmful effects on vegetation, studies. An. Rpts., 1913, p. 207. 1914; Soils Chief Rpt., 1913, p. 7. 1913.
occurrence in soils, description. Soils Bul. 88, p. 20. 1912.
tablets, misbranding. N.J. 4675, 4677, Chem. S.R.A. Sup. 24, pp. 233, 235. 1917.
Salina formation, stratigraphy, distribution, and formation. Soils Bul. 94, pp. 14-19. 1913.
Salinas Valley, irrigation problems. Charles D. Marx. O.E.S. Bul. 100, pp. 193-213. 1901.
Saline(s)—
collection in surface waters, Great Basin area, discharge from rivers. D.B. 61, pp. 27-32, 80-81. 1914.
deposits—
Great Basin, occurrence and analyses. D.B. 61, pp. 32-36, 66-89. 1914.
occurrence and description. D.B. 61, pp. 32-37, 66, 67. 1914.

Saline(s)—Continued.
deposits—continued.
value as potash sources. Y.B., 1912, pp. 527, 530-533. 1913; Y.B. Sep. 611, pp. 527, 530-533. 1913.
description and sources. D.B. 61, pp. 14-20. 1914.
of United States, potassium salts, occurrence. J. W. Turrentine and others. Soils Bul. 94, pp. 96. 1913.
Salinity, effect on kelp growth. D.B. 1191, p. 28. 1923.
Salinometer—
description, use, and tables. F.B. 1438, pp. 3-4, 14. 1924.
use in measuring salt percentage in brines. F.B. 1159, pp. 9, 20. 1920.
SALISBURY, G. N.: "Under existing conditions of station work, is it practicable to require assistants to pursue a systematic course of meteorological study?" W.B. Bul. 31, pp. 82-85. 1902.
Salithol. See Phenetol.
Saliya, effect of saccharin. Rpt. 94, pp. 103-108, 212, 221. 1911.
Salivation—
cattle, causes and treatment. B.A.I. [Misc.], "Diseases of cattle," rev., pp. 16-17. 1904; rev., pp. 17-18. 1912; rev., pp. 15-16. 1923.
horse, treatment. B.A.I. [Misc.], "Diseases of the horse," p. 45. 1903; rev., p. 45. 1907; rev., p. 45. 1911; rev., p. 61. 1923.
Salix—
amygdalina, description. F.B. 341, pp. 33-34. 1909.
chlorophylla, occurrence in Colorado, description. N.A. Fauna 33, p. 226. 1911.
cordata mackenzieana, value for posts and fuel. For. Bul. 86, p. 81. 1911.
geyeriana, occurrence in Colorado, description. N.A. Fauna 33, p. 226. 1911.
glaucops, occurrence in Colorado, description. N.A. Fauna 33, p. 226. 1911.
perrostrata, occurrence in Colorado, description. N.A. Fauna 33, p. 226. 1911.
pruinosa acutifolia, description. F.B. 341, p. 34. 1909.
purpurea, description. F.B. 341, p. 34. 1909.
spp.—
description, yield, and value. F.B. 622, pp. 5-9. 1914.
injury by pith-ray flecks. For. Cir. 215, p. 9. 1913.
injury by sapsuckers. Biol. Bul. 39, pp. 28-29, 50-51, 67. 1911.
See also Willows.
Salmo irideus. See Trout, rainbow.
SALMON, CECIL—
"Cereal investigations on the Belle Fourche Experiment Farm." D.B. 297, pp. 43. 1915.
"Dry-land grains for western North and South Dakota." B.P.I. Cir. 59, pp. 24. 1910.
"Durum wheat." With J. Allen Clark. F.B. 534, pp. 16. 1913.
"Winter wheat in western South Dakota." B.P.I. Cir. 79, pp. 10. 1911.
SALMON, D. E.—
"Actinomycosis, or lumpy jaw." With Theobald Smith. B.A.I. Cir. 96, pp. 10. 1906.
"Animal breeding and feeding investigations by the Bureau of Animal Industry." B.A.I. Cir. 77, pp. 12. 1906.
"Animal breeding and feeding investigations by the Bureau of Animal Industry." Y.B., 1904, pp. 527-538. 1905; Y.B. Sep. 366, pp. 527-538. 1905.
"Anthrax in cattle, horses, and men." With Theobald Smith. B.A.I. Cir. 71, pp. 10. 1905.
"Emergency report on surra." With Ch. Wardell Stiles. B.A.I. Bul. 42, pp. 1-130. 1902.
experiments concerning tuberculosis. B.A.I. Bul. 52, pt. 2, pp. 97, 100. 1905.
"Foot-and-mouth disease: Warning to all owners of cattle, sheep, and swine." B.A.I. Cir. 38, pp. 3. 1902.
"Foot-and-mouth disease." With Theobald Smith. B.A.I. Cir. 141, pp. 8. 1908.
"Foot-and-mouth disease." With Theobald Smith. Revised by D. E. Salmon and John R. Mohler. B.A.I. Cir. 141, pp. 8. 1908.

SALMON, D. E.—Continued.
"Foot and mouth disease." Y.B., 1902, pp. 643–658. 1903. Y.B. Sep. 295, pp. 643–658. 1903.
"Important poultry diseases." F.B. 530, pp. 36. 1913.
"Infectious diseases of cattle." With Theobald Smith. B.A.I. [Misc.], "Diseases of cattle," rev., pp. 357–472. 1904; pp. 357–494. 1908; pp. 371–517. 1912.
"Instructions concerning foot-and-mouth disease." B.A.I. [Misc.], "Instructions concerning * * *," pp. 3. 1902.
"Legislation regarding bovine tuberculosis." B.A.I. Bul. 28, pp. 173. 1901.
"Mexico as a market for purebred cattle from the United States." B.A.I. Bul. 41, pp. 28. 1902.
"Milk supply of two hundred cities and towns." B.A.I. Bul. 46, pp. 210. 1903.
"Poultry diseases." F.B. 957, pp. 48. 1918.
"Poultry raising on the farm." F.B. 141, pp. 16. 1901.
"Preliminary report on Argentina as a market for pure-bred cattle from the United States." B.A.I. Cir. 37, pp. 37. 1902.
"Rabies; cause, treatment, and frequency." Y.B., 1900, pp. 211–246. 1901.
"Relation of bovine tuberculosis to the public health." B.A.I. Bul. 33, pp. 36. 1901.
"Relations of Federal Government to control of contagious diseases of animals." Y.B., 1903, pp. 491–506. 1904; Y.B. Sep. 303, pp. 491–506. 1904.
report of chief, Animal Industry Bureau—
1901. An. Rpts., 1901, pp. 15–42. 1901; B.A.I. An. Rpt., 1901, pp. 7–39. 1902.
1902. An. Rpts., 1902, pp. 25–46. 1903; B.A.I. An. Rpt., 1902, pp. 7–32. 1903.
1903. An. Rpts., 1903, pp. 47–83. 1903; B.A.I. An. Rpt., 1903, pp. 7–40. 1904.
1904. An. Rpts., 1904, pp. 43–67. 1904; B.A.I. An. Rpt., 1904, pp. 9–38. 1905.
1905. An. Rpts., 1905, pp. 29–62. 1905; B.A.I. An. Rpt., 1905, pp. 9–47. 1907.
"Reports on bovine tuberculosis and public health." B.A.I. Bul. 53, pp. 63. 1904.
"Scab in sheep." With Ch. Wardell Stiles. F.B. 159, pp. 47. 1903.
"Texas fever, or southern cattle fever." With Theobald Smith. B.A.I. Cir. 69, pp. 13. 1905.
"The tuberculin test for tuberculosis." B.A.I. Cir. 79, pp. 14. 1905; Y.B., 1901, pp. 581–592. 1902; Y.B. Sep. 231, pp. 581–592. 1902.
"The tuberculin test of imported cattle." B.A.I. Bul. 32, pp. 22. 1901.
"Tuberculosis of cattle." With Theobald Smith. B.A.I. Cir. 70, pp. 28. 1905.
"Tuberculosis of the food-producing animals." B.A.I. Bul. 28, pp. 99. 1906.

SALMON, S. C.—
"Kanred wheat." With J. Allen Clark. D.C. 194, pp. 13. 1921.
"Losses of organic matter in making brown and black alfalfa." With others. J.A.R., vol. 18, pp. 299–304. 1919.
"Relation of kinds and varieties of grain to Hessian fly injury." With James W. McColloch. J.A.R., vol. 12, pp. 519–527. 1918.
"Relation of the density of cell sap to winter hardiness in small grains." With F. L. Fleming. J.A.R., vol. 13, pp. 497–506. 1918.

SALMON, W. D.: "Influence of the plane of nutrition on the maintenance requirement of cattle." With others. J.A.R., vol. 22, pp. 115–121. 1921.

Salmon—
by-products plant as part of cannery, details and cost. D.B. 150, pp. 44–52. 1915.
canned—
adulteration. See Indexes, Notices of Judgment, in bound volumes, and in separates published as supplements to Chemistry Service and Regulatory Announcements.
labeling. F.I.D. 105, pp. 2. 1909.
production 1913, Pacific Coast, and 1909–1913. D.B. 150, pp. 12–13, 16. 1915.
supply in the United States, Aug. 31, 1917. Sec. Cir. 98, pp. 13. 1918.
survey, reports, tables. Sec. Cir. 98, pp. 7–13. 1918.

Salmon—Continued.
cannery(ies)—
value of fish scrap for fertilizer, feed, and oil. News L., vol. 3, No. 33, pp. 7–8. 1916.
waste, source of fish meal. D.B. 378, p. 19. 1916.
canning—
details. D.B. 150, pp. 9–12, 13–16. 1915.
importance of industry, history, and methods. Chem. Bul. 151, pp. 66–68. 1912.
industry, in Alaska, Kenai Peninsula region, laws. Soil Sur. Adv. Sh., 1916, pp. 126, 127–129. 1919; Soils F.O., 1916, pp. 156, 157–161. 1919.
methods. D.B. 196, pp. 73–74. 1915.
catching, packing, and shipping to market. Y.B. 1915, pp. 155–158. 1916; Y.B. Sep. 665, pp. 155–158. 1916.
cold storage holdings, 1918, by months. D.B. 792, pp. 52–54, 56. 1919.
common names of species. F.I.D. 105, p. 1. 1909.
cured, storage holdings, 1918, by months. D.B. 792, pp. 78–79. 1919.
decrease in inland streams, causes. Y.B., 1913, p. 199. 1914; Y.B. Sep. 623, p. 199. 1914.
digestion experiments. O.E.S. Bul. 159, pp. 148, 150, 204. 1905.
fishing, methods, traps, seines, nets, and wheels. D.B. 150, pp. 4–8. 1915.
fly, occurrence, habits, life history, and control. J.A.R., vol. 13, pp. 37–41. 1918.
food value—
chart. F.B. 1383, p. 22. 1924.
digestion experiments. D.B. 649, pp. 12–13, 14. 1918.
fresh, food-value comparisons, chart. D.B. 975, p. 25. 1921.
occurrence in Athabaska-Mackenzie region. N.A. Fauna 27, p. 509. 1908.
packing—
and canning regulations. Chem. Bul. 69, rev., pp. 505–509, 664. 1906.
industry, centers, United States. D.B. 150, pp. 13–16. 1915.
waste—
amount, character, composition, products, and uses. D.B. 150, pp. 16–25, 28–36. 1915.
treatment in large and small plants, details and cost. D.B. 150, pp. 36–52. 1915.
Salmon River project, in Idaho, irrigation work. O.E.S. Bul. 216, p. 45. 1909.
Salmonberry—
distribution. N.A. Fauna 21, p. 13. 1901.
in Alaska, description and efforts to cultivate. Alaska A.R. 1909, p. 10. 1910.
occurrence in Colorado, description. N.A. Fauna 33, p. 232. 1911.
raspberry, hybridization experiments in Alaska. Alaska A.R. 1911, p. 11. 1912.
Salol—
preparation and investigation. Chem. Bul. 80, p. 32. 1904.
tablets, adulteration and misbranding. Chem. N.J. 3019. 1914.
use in treatment of hepatic distomatiasis. B.A.I. Bul. 153, p. 11. 1912.
volumetric determination by bromin solutions, report. C. C. Le Febvre. Chem. Bul. 162, pp. 203–204. 1913.
Salometer, use in salting olives. D.B. 803, p. 6. 1920.
Saloon trespass—
national forests, court opinion, syllabus. Sol. Cir. 40, pp. 11. 1910.
national forests, prosecutions. For. [Misc.], "Field program," Jan., 1911, p. 92. 1911.
Saloop. See Sassafras.
Salpichroa rhomboidea, importation and description. No. 53208, B.P.I. Inv. 67, pp. 4, 68. 1923.
Salpiglossis, description, cultivation, and characteristics. F.B. 1171, pp. 47, 82. 1921.
Salpinctes obsoletus. See Wren, rock.
Salsify—
canning directions. F.B. 839, pp. 18, 29. 1917.
composition and food value. D.B. 503, pp. 3, 11. 1917.
crown-gall inoculation from daisy. B.P.I. Bul. 213, pp. 29, 132. 1911.

Salsify—Continued.
cultural directions, and use. D.B. 1044, p. 25.
1919; F.B. 255, p. 43. 1906; F.B. 934, p. 42. 1918;
F.B. 937, pp. 16, 19, 23, 49. 1918; S.R.S. Doc.
49, p. 6. 1917.
drying directions. D.C. 3, p. 12. 1919.
food use. F.B. 295, p. 38. 1907; O.E.S. Bul. 245,
p. 47. 1912.
growing—
directions and variety recommended for home
gardens. F.B. 936, pp. 50-51. 1918.
in Alaska. Alaska A.R. 1912, p. 22. 1913;
Alaska A.R. 1919, p. 77. 1920.
methods, and variety. F.B. 647, pp. 23-24.
1915.
name applied to various vegetables, note. News
L., vol. 4, No. 38, p. 11. 1917.
planting, directions for club members. D.C. 48,
p. 10. 1919.
root-knot, description. B.P.I.Cir. 91, pp. 11,13.
1912.
seed—
growing, localities, acreage, yield, production,
and consumption. Y.B., 1918, pp. 200, 206,
207. 1919; Y. B. Sep. 775, pp. 8, 14, 15. 1919.
quantity to acre. F.B. 255, p. 43. 1906.
saving, directions. F.B. 884, p. 13. 1917;
F.B. 1390, p. 11. 1924.
selection, methods. News L., vol. 5, No. 8,
pp. 1, 2. 1917.
storage for home use. F.B. 879, p. 22. 1917.
Salsola—
kali rosacea. *See* Thistle, Russian.
pestifer—
description. D.B. 1345, pp. 26-27. 1925.
water requirement in Colorado, 1911, experiments. B.P.I.Bul. 284, pp. 33, 34, 37. 1913.
Salt—
adulteration with barium chloride. Chem.
S.R.A. 13, p. 5. 1915.
brick, misbranding. *See Indexes to Notices of
Judgment, in bound volumes and in separates
published as supplements to Chemistry Service
and Regulatory Announcements.*
brine, wheat-seed treatment for eelworm disease.
F.B. 1041, pp. 8-9. 1919.
brush, usefulness as alkali indicator, Oregon,
Klamath area, and description. Soil Sur. Adv.
Sh., 1908, p. 44. 1910; Soils F.O., 1908, p. 1412.
1911.
butter-inspection rules. D.C. 236, p. 3. 1922.
by-product of kelp industry, value. An.Rpts.,
1919, pp. 243, 244. 1920; Soils Chief Rpt., 1919,
pp. 9, 10. 1919.
cause of thirst, explanation. Off.Rec., vol. 3,
No. 12, p. 5. 1924.
clean, effect on meat inspection. B.A.I.S.R.A.
116, p. 109. 1917.
content of—
cotton fiber. Thomas H. Kearney and C. S.
Scofield. J.A.R., vol. 28, pp. 293-295. 1924.
soils, determination by freezing-point method.
J.A.R., vol. 15, pp. 331-336. 1918.
daily requirements, of dairy cows. News L.,
vol. 4, No. 1, p. 5. 1916.
deposits in—
Kansas, Jewell County. Soil Sur. Adv. Sh.,
1912, pp. 39, 42. 1914; Soils F.O., 1912, pp.
1887, 1890. 1915.
various States, stratigraphy. Soils Bul. 94,
pp. 14-43. 1913.
destructive to poultry. D.C. 356, p. 4. 1925.
determination in—
butter—
comparison of methods. B.A.I. Cir. 202,
pp. 7-8. 1912.
method. C. E. Gray. B.A.I.Bul. 149, pp.
9-10. 1912.
new method for use in creameries. Roscoe
H. Shaw. B.A.I.Cir. 202, pp. 8. 1912.
dairy products. D.B. 524, pp. 3-5, 7, 16. 1917.
saline solution, methods and results. Soils
Bul. 94, pp. 47-66. 1913.
waters and soils. Hawaii A.R., 1907, p. 62.
1908.
dry—
effect on sardines. D.B. 908, pp. 42-46. 1921.
use in eradicating hawkweed. D.C. 130, p. 6.
1920.

Salt—Continued.
effect on—
beef tapeworm. B.A.I.An.Rpt., 1911, p. 115.
1913; B.A.I.Cir. 214, p. 115. 1913.
butter and milk in cold storage. B.A.I.Bul.
162, pp. 27-32. 1913.
enzyms in milk, in cold storage. B.A.I.Bul.
162, pp. 27-32. 1913.
growth of sugar beets. Rpt. 80, p. 176. 1905.
precipitation of casein by acetic acid. B.A.I.
Bul. 162, pp. 16-18. 1913.
feeding to cattle for prevention of worms. B.A.I.
[Misc.], "Diseases of cattle," rev., p. 171.
1912.
fertilizer for asparagus, experiments. F.B. 233,
p. 11. 1905.
flats, in Utah, vegetation, types and species.
J.A.R., vol. 1, pp. 408-412, 415. 1914.
food standard. Sec. Cir. 136, p. 21. 1919.
for farm animals. M.C. 12, pp. 13, 19, 23, 28, 32.
1924.
grass—
alkali indication. B.P.I. Bul. 157, p. 32.
1909.
as alkali indicator in Oregon, Klamath area.
Soil Sur. Adv. Sh., 1908, p. 43. 1910; Soils
F.O., 1908, pp. 1411-1412. 1911.
description, and occurrence in salt-water bogs,
eastern Puget Sound Basin, Wash. Soil Sur.
Adv. Sh., 1909, p. 31. 1911; Soils F.O., 1909,
p. 1543. 1912.
eradication for control of flea beetle. D.B.
436, pp. 20-21. 1917.
fertilizers, tests. Soils Bul. 67, p. 58. 1910.
See also *Distichlis spicata*.
importance in cooking cereal foods. F.B. 817,
pp. 4, 15, 16. 1917.
impurities—
effect on percentage of calcium oxide in ash of
dairy products. D.B. 524, pp. 15-19. 1917.
removal of barium content. Chem. Chief Rpt.,
1921, pp. 13-14. 1921.
in butter—
influence on flavor. A. C. Dahlberg. B.A.I.
Dairy [Misc.], "World's dairy congress, 1923,"
pp. 966-974. 1924.
relation to fishy flavor. B.A.I. [Misc.],
Dairy "World's dairy congress, 1923," pp.
976, 982. 1924.
relation to moldiness. J.A.R., vol. 3, pp. 305-
307, 309. 1915.
in cottonseed meal and hulls, addition and ruling.
Chem. S.R.A. 18, p. 46. 1916.
injurious effects in food. Chem. Bul. 116, pp. 16-
17. 1908.
injury to—
potato, prevention. F.B. 1367, p. 37. 1924.
rice in irrigation water. O.E.S. Bul. 158, pp.
510-513, 518. 1905.
lands in national forests, location and purchase.
Soil. [Misc.], "Laws * * * national forests,"
p. 59. 1916.
lime-sulphur wash, and its substitutes. J. K.
Haywood. Chem. Bul. 101, pp. 29. 1907.
manufacture—
and sale, regulations. Chem. Bul. 69, rev.,
Pts. I-IX, pp. 297-304, 487, 488, 647 ,768. 1906.
in Porto Rico. P.R. An. Rpt., 1914, pp. 10-11.
1916.
technology, various States. Soils Bul. 94, pp.
43-46. 1913.
marsh(es)—
caterpillar. *See* Caterpillar, salt-marsh.
drainage in California. Ent. Bul. 88, pp. 44-47.
1910.
drainage in New Jersey, law. Ent. Bul. 88,
pp. 48-50. 1910.
lands in New Jersey, value when reclaimed.
Ent. Bul. 88, pp. 59-62. 1910.
lands, reclamation. Thomas H. Means. Soils
Cir. 8, pp. 10. 1903.
reclamation. F.B. 320, pp. 9-12. 1908.
medicated, preparation and use in mycotic
stomatitis of cattle. B.A.I. [Misc.], "Diseases
of cattle," rev., p. 500. 1904; rev., p. 522. 1908;
rev., p. 547. 1912; rev., p. 537. 1923.
misbranding. Chem. N.J. 280, pp. 3. 1910;
Chem. N.J., 2391, pp. 2. 1913; Chem. N.J.
2446, pp. 2. 1913.

Salt—Continued.
  percentage in brines, measurement. F.B. 1159, pp. 9, 20. 1920.
  poisoning of cattle, symptoms and treatment. B.A.I. [Misc.], "Diseases of cattle," rev., p. 62–63. 1904; rev., pp. 64–65. 1912; rev., pp. 61. 1923.
  preservative—
    effects on food. Chem. Bul. 116, p. 16. 1908.
    in tomato ketchup, experiments. Chem. Bul. 119, p. 23. 1909.
  production, Point Pleasant area, W. Va. Soil Sur. Adv. Sh., 1910, p. 8. 1911; Soils F.O., 1910, p. 1080. 1912.
  purity standards. Sec. Cir. 136, p. 21. 1919.
  repellent of slugs in mushroom beds. F.B. 789, p. 12. 1917.
  requirement for—
    Angora goats. F.B. 1203, p. 16. 1921.
    dairy cows. F.B. 743, p. 23. 1916.
  rising bread, recipe. F.B. 389, p. 21. 1910.
  rock—
    deposits, possible source of potash salts. Y.B. 1912, p. 527. 1913; Y.B. Sep. 611, p. 527. 1913.
    use in rust control. Sec. A.R., 1924, p. 66. 1924; Y.B., 1924, p. 67. 1925.
    samples, Railroad Valley, Nev., analyses. D.B. 61, pp. 83–85. 1914.
  soil(s)—
    absorption. An. Rpts., 1901, pp. 132–133, 137–138. 1901.
    effect on calcium solubility. J.A.R., vol. 9, No. 5, pp. 153–154. 1917.
    soluble, determination in soils by electrical bridge. R. O. E. Davis and H. Bryan. Soils Bul. 61, pp. 36. 1910.
  solution, use—
    and value in control of ergot in rye. F.B. 756, p. 16. 1916.
    as dust preventive. Rds. Bul. 34, pp. 35–39. 1908; Y.B., 1907, p. 264. 1908; Y.B. Sep. 448, p. 264. 1908.
    in immunizing hogs against cholera. O.E.S. An. Rpt., 1911, p. 105. 1912.
    spray, use in fern eradication, experiments and cost. F.B. 687, pp. 7, 9–10. 1915.
    standards. Chem. Bul. 69, rev., Pt. IV, pp. 300, 303. 1905.
  table—
    poison elimination, process, introduction. An. Rpts., 1916, p. 35. 1917; Sec. A.R., 1916, p. 37. 1916.
    use with zeolite softeners. F.B. 1448, pp. 37–38. 1925.
  tree, description and importation. No. 42283, B.P.I. Inv. 46, p. 72. 1919.
  use—
    against barberry. Off. Rec., vol. 4, No. 22, p. 3. 1925.
    and value in—
      beet leaf-spot control. F.B. 618, p. 17. 1914.
      control of fleas. F.B. 897, pp. 12–13, 14. 1917.
      icing strawberry refrigerator cars. News L., vol. 5, No. 42, p. 2. 1918.
    as refrigeration aid in cantaloupe shipments. Mkts. Doc. 10, pp. 1, 12–14. 1918.
    as spray in fern control in pastures, rate. News J., vol. 3, No. 43, p. 3. 1916.
    for barberry control, directions. D.C. 268, pp. 1–2. 1923; D.C. 332, pp. 1–4. 1925; D.C. 356, pp. 2–4. 1925.
    in—
      brining salinometer readings, table. F.B. 1438, p. 14. 1924.
      canning. S.R.S. Doc. 33, p. 4. 1917.
      cement mix for potash recovery. D.B. 572, pp. 12–13. 1917.
      chicken-feeding experiment. D.B. 21, p. 16. 1914.
      control of beet wireworms, experiments. Ent. Bul. 123, pp. 52, 58. 1914.
      control of liver flukes. Guam A.R., 1915, p. 32. 1916.
      control of weeds. D.B. 247, pp. 18, 19. 1915.
      curing fish, varieties, analyses. Chem. Bul. 133, pp. 18–20. 1911.
      eradication of Canada thistle. F.B. 1002, p. 9. 1918.

Salt—Continued.
  use—continued.
    in—continued.
      flea control. D.B. 248, pp. 25–26. 1915. News L., vol. 3, No. 3, p. 5. 1915.
      meat allowed. B.A.I.O. 150, amdt. 2, p. 1. 1913.
      pickling hams, and relation to souring. B.A.I. Bul. 132, pp. 10, 19, 34, 41, 42, 54. 1911.
      preparation of anti-hog-cholera serum, directions. J.A.R., vol. 6, No. 9, pp. 335–336. 1916.
      preserving and drying foods, notes. O.E.S. Bul. 245, p. 78. 1912.
      prevention of concrete freezing and methods. F.B. 1279, p. 22. 1922.
      rape silage, note. J.A.R., vol. 6, No. 14, p. 527. 1916.
      sheep feed. D.B. 20, p. 46. 1913.
      soy-bean fermentation. D.B. 1152, pp. 5, 6, 14, 19. 1923.
      weed control, method. News L., vol. 2, No. 7, pp. 3–4. 1914.
    of solution in dipping figs for drying. F.B. 1031, pp. 43, 45. 1919.
    on soils rich in nitrogen. Y.B., 1901, p. 165. 1902; Y.B. Sep. 225, p. 165. 1902.
    to prevent freezing. D.B. 801, pp. 62–63. 1919.
    with ice to hasten refrigeration. F.B. 1145, pp. 15–20. 1921.
  value—
    as preservative. Off. Rec., vol. 3, No. 10, p. 5. 1924.
    for pigeons and method of use. F.B. 684, pp. 11–12, 14, 15. 1915.
    water limits of wild rice. Carl S. Scofield. B.P.I. Bul. 72, Pt. II, pp. 9–14. 1905.
  See also Sodium chloride.
Salt Lake City—
  alkali lands, reclamation. W. H. Heileman. Soils Cir. 12, pp. 8. 1904.
  milk supply, statistics, officials, prices, ordinances. B.A.I. Bul. 46, pp. 32, 158, 196. 1903.
  water supply, law for lands reserved. Sol. [Misc.] "Laws applicable * * * Agriculture," supp. 2, pp. 58–60. 1915.
Salt Lake Valley, alkali lands, reclamation. Clarence W. Dorsey. Soils Bul. 43, pp. 28. 1907.
Salt River project, Arizona, size and capacity. Y.B., 1908, p. 176. 1909.
Salt River watershed, snowfall records, 1915. An. Rpts., 1915, pp. 61–62. 1916; W.B. Chief Rpt., 1915, pp. 5–6. 1915.
Salt River Valley, Ariz.—
  date growing experiments, varieties. B.P.I. Bul. 53, pp. 127–129. 1904.
  Egyptian-cotton growers' association, organization. D.B. 332, p. 15. 1915.
  irrigation. W. H. Code. O.E.S. Bul. 104, pp. 83–125. 1902.
  irrigation, farm practices. O.E.S. Bul. 235, pp. 67–74. 1911.
  irrigation in. W. H. Code. O.E.S. Bul. 86, pp. 83–135. 1902.
  irrigation investigations, 1901. W. H. Code. O.E.S. Bul. 119, pp. 51–87. 1902.
Saltbush(es)—
  alkali indication. B.P.I. Bul. 157, p. 32. 1909.
  alkali resistance. F.B. 446, rev., pp. 11, 21. 1920; Soils Bul. 34, pp. 14–15. 1906.
  and their allies in the United States. G. L. Bidwell and E. O. Wooton. D.B. 1345, pp. 40. 1925.
  Australian—
    Roland McKee. D.B. 617, pp. 12. 1919.
    alkali resistant, use as forage. B.P.I. Bul. 53, pp. 115, 121. 1904.
    analysis, sodium chloride absorption. J.A.R., vol. 24, p. 53. 1923.
    analysis, sodium chloride content. D.B. 617, pp. 7, 8. 1919.
  characters in general. D.B. 1345, pp. 2–3. 1925.
  commercial, seeds of. G. N. Collins. Bot. Bul. 27, pp. 28. 1901.
  common names and equivalents. D.B. 1345, p. 37. 1925.
  diseases. D.B. 617, pp. 10–11. 1919.
  forage crop, adapted to alkali lands, remarks of Secretary. Rpt. 79, pp. 32–33. 1904.

INDEX TO PUBLICATIONS, 1901–1925 2069

Saltbush(es)—Continued.
  forage value. D.B. 9, p. 30. 1913.
  gray, occurrence in Colorado, description. N.A. Fauna 33, pp. 228–229. 1911.
  growing, Hawaii experiments. Hawaii A.R., 1914, pp. 18–39. 1915.
  habits, propagation methods, and uses. B.P.I. Cir. 69, pp. 5–6. 1910.
  Hawaii, use as feed. Hawaii Bul. 36, p. 34. 1915.
  importations and description. Nos. 46874–46880, B.P.I. Inv. 57, pp. 44–46. 1922.
  in Wyoming, distribution and growth. N.A. Fauna 42, pp. 65–66. 1917.
  nutritive value, experiments. F.B. 374, pp. 15–16. 1909.
  occurrence in Colorado, description. N.A. Fauna 33, pp. 228–230. 1911.
  ornamental value. David Griffiths. B.P.I. Cir. 69, pp. 6. 1910.
  Palestine, value for forage. B.P.I. Bul. 180, p. 28. 1910.
  publications list. D.B. 1345, pp. 38–39. 1925.
  resistance to alkali. Soils Bul. 35, p. 41. 1906.
  rosy, troublesome weed. News L., vol. 6, No. 44, p. 14. 1919.
  round-leaved, occurrence in Colorado, description, N.A. Fauna 33, p. 229. 1911.
  seed, harvesting. D.B. 617, p. 10. 1919.
  seeding on range land and under cultivation. D.B. 617, p. 9. 1919.
  value of respective species. News L., vol. 6, No. 44, p. 14. 1919.
  wild, seeds, description. F.B. 428, p. 24. 1911.
  See also Shadscale.
SALTER, R. M.: "Effect of reaction of solution on germination of seeds and on growth of seedlings." With T. C. McIlvaine. J.A.R., vol. 19, pp. 75–96. 1920.
Salting—
  butter, method and rate. F.B. 541, pp. 27–28. 1913.
  Camembert cheese, directions. D.B. 1171, p. 10. 1923.
  cattle on ranges, method. F.B. 1395, p. 33. 1925.
  cheese curd, directions. F.B. 1191, p. 13. 1921.
  cottage-cheese curd, directions. B.A.I. Doc. A–19, p. 3. 1917; D.B. 576, p. 8. 1917.
  establishments, Uruguay and Paraguay, for jerked beef. Y.B., 1913, pp. 360, 361. 1914.
  fish in sardine industry. D.B. 908, pp. 8, 34–50, 122. 1921.
  goats, directions. B.A.I. Bul. 68, p. 33. 1905; D.B. 749, p. 17. 1919.
  hides and skins, directions. F.B. 1055, pp. 29–36, 52. 1919.
  livestock—
    importance on ranges. D.B. 1031, p. 53. 1922.
    in fern patches. F.B. 687, pp. 5–6. 1915.
  olives, directions. D.B. 803, p. 6. 1920.
  pork, salter for injecting brine into meat. Hawaii Bul. 48, p. 42. 1923.
  reindeer, methods. D.B. 1089, p. 37. 1922.
  sheep on ranges. D.B. 738, p. 29. 1918.
  soft corn, directions. D.C. 333, p. 8. 1924.
  vegetables without fermentation. F.B. 881, p. 11. 1917.
Salton Basin—
  date culture, successful ripening of Deglet Noor variety. An. Rpts., 1907, p. 279. 1908.
  description, origin, climatic notes, date-growing possibilities. B.P.I. Bul. 53, pp. 12–13, 31, 32, 47–50, 101–114, 122. 1904.
  location, description, and area. D.B. 54, pp. 46–48. 1914.
Salton Sea—
  evaporation, comparison with Denver laboratory. J.A.R., vol. 10, p. 223. 1917.
  formation and evaporation studies. An. Rpts. 1907, pp. 152–157. 1908; Y.B., 1910, pp. 410–411. 1911; Y.B. Sep. 547, pp. 410–411. 1911.
Saltpeter—
  action on the red color of meats. An. Rpts., 1908, p. 248. 1909; B.A.I. Chief Rpt., 1908, p. 34. 1908; B.A.I. An. Rpt., 1908, pp. 41, 301–314. 1910.
  analysis for borates. B.A.I.S.R.A. 98, p. 65. 1915.
  Chile, use in destruction of fly larvae. D.B. 408, pp. 5–6. 1916.

Saltpeter—Continued.
  drug product, misbranding. N.J. 86, Chem. N.J. 83–90, pp. 8–9. 1909.
  misbranding (nitrate-potash.) Chem. N.J. 86. 1909.
  poisoning, cattle, symptoms and treatment. B.A.I. [Misc.], "Diseases of cattle," rev., p. 63. 1912.
  reduction to nitrites, and effect on hemoglobin. B.A.I. An. Rpt., 1908, pp. 307–309. 1910.
  relation to color of salted meats. J.A.R., vol. 3, pp. 211, 212, 224. 1914.
  use in—
    curing—
      hams. F.B. 479, pp. 20, 21. 1912.
      meats allowed. B.A.I.O. 150, amdt. 2, p. 1. 1913.
      pork, importance. F.B. 1186, p. 16. 1921.
    pickling hams, and relation to souring of hams. B.A.I. Bul. 132, pp. 10, 19, 34, 54. 1911.
  wheat growing, nitrogen supply. Y.B., 1902, pp. 334–335. 1903.
  See also Nitrates.
Salts—
  action on aloin oxidation. Soils Bul. 73, p. 36. 1910.
  addition to imperfect rations, effect on cattle growth. J.A.R., vol. 10, pp. 180–183, 184–186. 1917.
  alkali. See Alkali salts.
  assimilation by corn. J.A.R., vol. 21, pp. 545–573. 1921.
  balance in soil, relation to moisture supply and plant growth. J.A.R., vol. 18, p. 357–378. 1920.
  buckwheat requirements, culture solutions, studies. John W. Shive and William H. Martin. J.A.R., vol. 14, pp. 151–175. 1918.
  calcium and magnesium, effects on calcium carbonate. Soils Bul. 49, p. 55. 1907.
  dissolved, influence on capillary rise of soil waters. Soils Bul. 19, p. 5. 1902.
  distribution between gelatine and solution. Soils Bul. 52, pp. 41–42. 1908.
  effect on—
    barley yield. J.A.R., vol. 4, pp. 201–218. 1915.
    citrus seedlings in water cultures. J.A.R., vol. 18, pp. 267–274. 1919.
    gluten hydration capacity. J.A.R., vol. 13, p. 400. 1918.
    infectivity of tobacco mosaic virus. J.A.R., vol. 13, pp. 619–637. 1918.
    nitrifying powers of soil, comparison. J.A.R., vol. 16, p. 127. 1919.
    soils, and relative efficiency. Soils Bul. 48, pp. 24–30, 38–44. 1908.
  fertilizer—
    efficiency. Soils Bul. 48, pp. 24–31. 1908.
    See also Fertilizers.
  ground water, testing, home method. F.B. 373, p. 45. 1909.
  human body, study, and review of literature. Chem. Bul. 123, pp. 18–21. 1909.
  in food, necessity and nutritive value. Chem. Bul. 123, pp. 18–21. 1909.
  influence on—
    nitric nitrogen in the soil. J. E. Greaves and others. J.A.R., vol. 16, pp. 107–135. 1919.
    oxidation of soils, studies and experiments. Soils Bul. 73, pp. 37–49. 1910.
  inorganic—
    identification tables. William H. Fry. D.B. 1108, pp. 22. 1922.
    in treated wood, penetration, determination, visual method. E. Bateman. For. Cir. 190, pp. 5. 1911.
  iron, use in treatment of plant chlorosis. J.A.R., vol. 7, No. 2, pp. 84–85. 1916.
  irrigation water, effect on soil, with remedies. Y.B., 1902, pp. 287–291. 1903.
  Jad, misbranding. See Indexes, Notices of Judgment, in bound volumes and in separates published as supplements to Chemistry Service and Regulatory Announcements.
  metallic, precipitation. Soils Bul. 88, pp. 33–34. 1912.
  milk, composition and balance and relation to coagulation. B.A.I. Dairy [Misc.], "World's dairy congress, 1923," pp. 1243–1247, 1277, 1283. 1924.

Salts—Continued.
　mineral water, labeling. Letter to branch laboratories. Chem. S.R.A. 1, pp. 3-4. 1914.
　mines; potash deposits. Rpt. 100, pp. 9, 10. 1915.
　mixed, chemical composition and use as fertilizer. D.B. 1180, pp. 3, 4, 8-9, 23-26, 27-38. 1923.
　movement in soils under irrigation. Work and Exp., 1914, pp. 50-51. 1915.
　nutrient—
　　absorption in plant growth, studies. D.B. 108, pp. 10-11. 1914.
　　assimilation by corn. P. L. Gile and J. O. Carrero. J.A.R., vol. 21, pp. 545-573. 1921.
　　relation to development of stem rust. J.A.R., vol. 27, pp. 394-401. 1924.
　of lemon. See Potassium binoxalate.
　organic acids, fermentation of milk. D.B. 782, pp. 19-29. 1919.
　potash—
　　and other salines in Great Basin region. G. J. Young. D.B. 61, pp. 96. 1914.
　　investigations, Otero Basin, N. Mex. E. E. Free. Soils Cir. 61, pp. 7. 1912.
　potassium, production possible from Pacific kelp beds. Rpt. 100, pp. 9-32. 1915.
　requirements of peach trees and other plants, studies. Work and Exp., 1919, p. 31. 1921.
　seidlitz, German, misbranding. Chem. N.J. 843, pp. 2. 1911.
　sodium—
　　and potassium, effects of solutions on calcium carbonate. Soils Bul. 49, p. 53. 1907.
　　effect on plant growth. Frank B. Headley and others. J.A.R., vol. 6, No. 22, pp. 857-869. 1916.
　　in water cultures, effect on absorption of plant food by wheat seedlings. J. F. Breazeale. J.A.R., vol. 7, pp. 407-416. 1916.
　soil(s)—
　　effect on—
　　　evaporation of soil moisture. J.A.R., vol. 7, pp. 458-459. 1916.
　　　fixation of ammonia. J.A.R., vol. 9, pp. 149-153. 1917.
　　　solution, effect on concentration. J.A.R., vol. 15, pp. 310-315. 1918.
　　　toxicity, relation to character of soil. J.A.R., vol. 13, pp. 213-223. 1918.
　　soluble—
　　　effect on—
　　　　physical properties of soils. R. O. E. Davis. Soils Bul. 82, pp. 38. 1911.
　　　　soil moisture, studies. J.A.R., vol. 4, pp. 187-192. 1915.
　　　　soil structure, experiments. Soils Bul. 82, pp. 35-37. 1911.
　　in soils—
　　　analyses. D.B. 61, pp. 78-79. 1914.
　　　and irrigation waters, determination methods. Y.B., 1900, pp. 406-409. 1901.
　　　laboratory studies. An. Rpts., 1904, pp. 265-268. 1904.
　　　movement through soils, studies. M. M. McCool and L. C. Wheeting. J.A.R., vol. 11, pp. 531-547. 1917.
　　of soils, effect of irrigation water and manure. J.A.R., vol. 8, pp. 333-359. 1917.
　solutions, use as spray in fertilizing plants, Hawaii. Hawaii A.R., 1918, pp. 23-24, 49-51. 1919.
　stimulation of nitrifying organisms of soil, comparison. J.A.R., vol. 16, pp. 127-129. 1919.
　toxicity to nitrifying organisms of soil, comparisons. J.A.R., vol. 16, pp. 129-133. 1919.
　use as fertilizer for asparagus. F.B. 233, pp. 11-13. 1905.
　varieties, use in wood preservatives. D.B. 227, pp. 1-38. 1915.
　vegetables, food value. U. S. Food Leaf. 9, p. 1. 1917.
　wheat nutrition. J.A.R., vol. 28, pp. 387-393. 1924.
　See also Ammonium; Calcium; Magnesium; Potassium; Salines.
Saltusaphidina genera, description and key. D.B. 826, pp. 6, 30-31. 1920.
Saltwort—
　alkali indication. B.P.I. Bul 157, p. 32. 1909.

Saltwort—Continued.
　description and occurrence in salt-water bogs, Washington, eastern Puget Sound Basin. Soil Sur. Adv. Sh., 1909, p. 32. 1911; Soils F.O., 1909, p. 1544. 1912.
Salvador, coffee production and exports. Stat. Bul. 79, pp. 10, 43-44. 1912.
Salvadora persica, importation and description. No. 53845, B.P.I. Inv. 67, p. 91. 1923.
Salvarsan, use—
　as anthelmintic. B.A.I. Bul. 153, pp. 14, 15. 1912.
　in control of bursitis of horses, cost. News L., vol. 3, No. 2, p. 5. 1915.
Salvia—
　description, cultivation, and characteristics. F.B. 1171, pp. 36, 82. 1921.
　hempsteadiana, importation and description. No. 44995, B.P.I. Inv. 52, pp. 6, 15. 1922.
　hispanica—
　　importation and description. No. 46146, B.P.I. Inv. 55, p. 31. 1922.
　　See also Chia.
　officinalis—
　　occurrence of cineol. B.P.I. Bul. 235, p. 12. 1912.
　　See also Sage.
　sagittata, importation and description. No. 53992, B.P.I. Inv. 68, p. 16. 1923.
Samanea saman, importation and description. No. 51455, B.P.I. Inv. 65, p. 18. 1923.
Samar—
　Egyptian, introduction into Southwest. An. Rpts., 1908, p. 392. 1909; B.P.I. Chief Rpt., 1908, p. 120. 1908.
　use in reclamation of alkali lands in Egypt. Y.B., 1902, pp. 583-585. 1903.
Sambuca liquor, adulteration and misbranding. Chem. N.J. 3709. 1915.
Sambucus—
　glauca, injury by sapsuckers. Biol. Bul. 39, p. 50. 1911.
　javanica, importation, and description. No. 39671, B.P.I. Inv. 41, p. 58. 1917.
　melanocarpa—
　　occurrence in Colorado, description. N.A. Fauna 33, pp. 244-245. 1911.
　　See also Elder, mountain.
　pubens, growing in Alaska. Alaska A. R., 1910, pp. 26-27. 1911.
　spp. See Elder.
Samh, importation and description. Inv. 30041, B.P.I. Bul. 233, p. 51. 1912.
SAMMET, C. F.—
　"A measurement of the translucency of papers." Chem. Cir. 96, pp. 3. 1912.
　"Grading rosin at the still." With F. P. Veitch. Chem. Cir. 100, pp. 4. 1912.
　"Identification of tanned skins." Chem. Cir. 110, pp. 2. 1913.
　"The detection of faulty sizing in high-grade papers." Chem. Cir. 107, pp. 3. 1913.
SAMMIS, J. L.—
　"Factors controlling the moisture content of cheese curds." With others. B.A.I. Bul. 122, pp. 61. 1910.
　"The manufacture of cheese of the Cheddar type from pasteurized milk." With A. T. Bruhn. B.A.I. Bul. 165, pp. 95. 1913.
Samoa—
　shipments of farm and forest products to United States, 1908-1910. Stat. Bul. 90, p. 20. 1911.
　Tutuila, shipments of farm and forest products to and from U. S.—
　　1901-1908, tables. Stat. Bul. 77, pp. 16, 18, 19, 34. 1910.
　　1901-1909, 1907-1909, tables. Stat. Bul. 83, pp. 17, 18, 19, 20, 38. 1910.
　　1901-1910, 1908-1910, tables. Stat. Bul. 91, pp. 17, 18, 20, 37. 1911.
　　1901-1911, tables. Stat. Bul. 96, pp. 17, 19, 20, 37. 1912.
Samphire, duck food, occurrence in Utah. D.B. 936, p. 12. 1921.
Sampler, grain. See Grain sampler.
Samples—
　collection under insecticide act of 1910, instructions regarding. Sec. [Misc.], "Instructions regarding collection * * *," pp. 10. 1911.

INDEX TO PUBLICATIONS, 1901-1925   2071

Samples—Continued.
 cotton—
  importation, regulations. F.H.B. S.R.A. 74, pp. 35-36. 1923.
  presentation by warehousemen. Sec. Cir. 143, amdt. 2, p. 1. 1920.
  quarantine importation rules. F.H.B., [Misc.] "Rules and regulations * * * ," pp. 7-8. 1923.
  suggestions. Mkts. S.R.A. 4, p. 24. 1915.
 food—
  and drugs—
   collection, classification, analysis, reports, and cases. Chem. [Misc.], "Food and drug manual," pp. 28-73. 1920.
   inspection and analyses, 1915. An. Rpts., 1915, pp. 197-200. 1916; Chem. Chief Rpt., 1915, pp. 7-10. 1915.
  collection under food and drugs act. Chem. [Misc.], "Collection of samples * * * ," pp. 6. 1910.
 grain, for moisture testing, handling and weighing. B.P.I. Cir. 72, rev., p. 12. 1914.
 inspection, notice to importer. F.I.D. 183, pp. 1-2. 1922.
 laboratory inspection, handling directions. B.A.I.S.R.A. 180, p. 44. 1922.
 meat-inspection violations, packing and sealing, directions. B.A.I.S.R.A. 108, p. 36. 1916.
 sale, provisions, March 5, 1915. Sol. [Misc.], "Laws applicable * * * Agriculture," Sup. 3, p. 8. 1915.
Sampling—
 apple(s)—
  by weight, accounting records. J. H. Conn and A. V. Swarthout. D.B. 1006, pp. 13. 1921.
  test form. Mkts. Doc. 4, p. 25. 1917.
 avocados for analysis. D.B. 1073, p. 3. 1922.
 broomcorn, directions. D.B. 1019, pp. 25-26. 1922.
 cotton—
  bales, directions. D.C. 278, pp. 33-34. 1924.
  methods. D.B. 458, pp. 11-12. 1917.
  practices, cause of loss to grower, suggestions. Y.B., 1918, pp. 416-417. 1919; Y.B. Sep. 763, pp. 20-21. 1919.
 device, for grain, seeds, and other material. E. G. Boerner. D.B. 287, pp. 4. 1915.
 food, laws. Chem. Bul. 69, rev, Pts. I-IX, pp. 53, 54, 83, 101, 107, 109, 122, 123, 131, 149, 161, 216, 248, 255, 322-323, 363, 375, 413, 416, 439, 447, 449, 460, 537, 620, 622, 632-637. 1905-1906.
 grain for inspection, directions. Y.B., 1918, pp. 338, 344. 1919; Y.B. Sep. 766, pp. 6, 12. 1919.
 highway materials, and testing, tentative standards. D.B. 1216, pp. 96. 1924.
 imported seed, regulations. B.P.I.S.R.A. 3, pp. 18-19, 20. 1916.
 milk for butterfat test. D.B. 973, p. 3. 1923.
 road materials, standard methods. D.B. 555, pp. 45-52. 1917; D.B. 949, pp. 69-74. 1921.
 seed, directions and form of advertising. F.B. 1232, pp. 8, 9, 26. 1921.
Sampson, A. P.: "Natural revegetation of range lands based upon growth requirements and life history of the vegetation." J.A.R., vol. 3, pp. 93-148. 1914.
Sampson, A. W.—
 "Climate and plant growth in certain vegetative associations." D.B. 700, pp. 72. 1918.
 "Effect of grazing upon aspen reproduction." D.B. 741, pp. 29. 1919.
 "Important range plants." D.B. 545, pp. 63. 1917.
 "Natural revegetation of depleted mountain grazing lands. Progress report." For. Cir. 169, pp. 28. 1909.
 "Plant succession in relation to range management." D.B. 791, pp. 76. 1919.
 "Range improvement by deferred and rotation grazing." D.B. 34, pp. 16. 1913.
 "Range preservation and its relation to erosion control on western grazing lands." With Leon H. Weyl. D.B. 675, pp. 35. 1918.
 "The reseeding of depleted grazing lands to cultivated forage plants." D.B. 4, pp. 34. 1913.
 "The revegetation of overgrazed range areas. Preliminary report." With Frederick V. Coville. For. Cir. 158, pp. 21. 1908.

Sampson, H. O.: "Some exercises in farm handicraft for rural elementary schools." D.B. 527, pp. 38. 1917.
Samshu. See Whiskey, Chinese.
Samson, H. W.—
 "Northwestern apple packing houses." With Raymond R. Pailthorp. F.B. 1204, pp. 39. 1921.
 "Preparation of barreled apples for market." With others. F.B. 1080, pp. 40. 1919.
 "Preparation of peaches for market." F.B. 1266, pp. 34. 1922.
 "The march of standardization." Y.B., 1920, pp. 353-362. 1921; Y.B. Sep. 850, pp. 353-362. 1921.
 "United States grades for potatoes." D.C. 238, pp. 4. 1922.
Samuel Stone (horse) pedigree. B.A.I. An. Rpt., 1907, pp. 96, 141. 1909; B.A.I. Cir. 137, pp. 96, 141. 1908.
Samuela carnerosana, description and uses. Inv. Nos. 29521, 30206, B.P.I. Bul. 233, pp. 29, 66. 1912.
Samuels, L. T.: "Instructions for aerological observers." With others. W.B. [Misc.], "Instructions for aerological * * *," pp. 115. 1921.
Samuu, ornamental, importation and description. No. 39336, B.P.I. Inv. 41, p. 12. 1917.
San Angelo, Tex., irrigation systems, details. O.E.S. Bul. 222, pp. 68-69. 1910.
San Antonio—
 cotton plantings and weevil damage. D.B. 1320, pp. 3-29. 1925.
 crop yield, rainfall and summer tillage, 1907-1919. B.P.I. Bul. 188, pp. 30-32. 1910.
 description, soils, climatology, crops and native plants. B.P.I. Bul. 226, pp. 12-22. 1912.
 district, grain sorghums, growing. C. R. Letteer. F.B. 965, pp. 12. 1918.
 experiment farm—
  diagram showing fields and crops, 1919, 1920. D.C. 209, pp. 4, 5. 1922.
  heterogeneity of fields, studies. J.A.R., vol. 19, pp. 302-308. 1920.
  location and nature of soil. B.P.I. Cir. 106, p. 7. 1913.
  location, size, and increase. W.I.A. Cir. 10, pp. 1, 2. 1916.
  olive growing, experiments. B.P.I. Bul. 192, pp. 34-35. 1911.
  subsoiling experiments. J.A.R., vol. 14, p. 519. 1918.
  work, 1907. Frank B. Headley and Stephen H. Hastings. B.P.I. Cir. 13, pp. 16. 1908.
  work, 1908. Frank B. Headley and Stephen H. Hastings. B.P.I. Cir., 34, pp. 17. 1909.
  work, 1912. S. H. Hastings. B.P.I. Cir. 120, Pt. B, pp. 7-20. 1913.
  work, 1913. S. H. Hastings. B.P.I. [Misc.], "The work of the San Antonio * * * 1913," pp. 15. 1914.
  work, 1914. S. H. Hastings. W.I.A. Cir. 5, pp. 16. 1915.
  work, 1915. S. H. Hastings. W.I.A. Cir. 10, pp. 17. 1916.
  work, 1916. C. R. Letteer. W.I.A. Cir. 16, pp. 23. 1917.
  work, 1917. C. R. Letteer. W.I.A., Cir. 21, pp. 28. 1918.
  work, 1918. C. R. Letteer. D.C. 73, pp. 38. 1920.
  work, 1919 and 1920. George T. Ratliffe. D.C. 209, pp. 39. 1922.
 field station—
  crop production under irrigation. Sec. [Misc.], "The work of the San Antonio * * * 1913," pp. 137-138. 1914.
  forage-crop experiments. S. H. Hastings. B.P.I. Cir. 106, pp. 27. 1913.
  horticultural experiments. Stephen H. Hastings and R. E. Blair. D.B. 162, pp. 26. 1915.
  Sudan grass growing, 1911, 1912. B.P.I. Cir. 125, pp. 11-12. 1913.
 milk supply, statistics, officials, prices, etc. B.A.I. Bul. 46, pp. 32, 158. 1903.
 plant disease survey. Frederick D. Heald and Frederick A. Wolf. B.P.I. Bul. 226, pp. 129. 1912.
 prickly pear, experimental plantings. B.P.I. Bul. 140, pp. 12-13. 1909.

San Antonio—Continued.
region—
climatic and soil conditions. B.P.I. Bul. 237, pp. 8–11. 1912; B.P.I. [Misc.], "The work of the San Antonio * * *, 1913," pp. 2–4. 1914; W.I.A. Cir. 5, pp. 2–4. 1915; W.I.A. Cir. 10, pp. 2–4. 1916; W.I.A. Cir. 16, pp. 2–5. 1917; W.I.A. Cir. 21, pp. 4–6. 1918; D.B. 151, pp. 1–2. 1914; D.B. 162, pp. 2–4. 1915; D.C. 73, pp. 3–9. 1920; D.C. 209, pp. 4–9. 1922.
milo production, importance of thick seeding. Stephen H. Hastings. D.B. 188, pp. 21. 1914.
production of grain-sorghums. Carleton R. Ball and Stephen H. Hastings. B.P.I. Bul. 237, pp. 30. 1912.
single-stalk cotton culture. Rowland M. Meade. D.B. 279, pp. 20. 1915.
subsoiling experiments. S. H. Hastings and C. R. Letteer. B.P.I. Cir. 114, pp. 9–14. 1913.
San Antonio River, Tex., description and power plants. O.E.S. Bul. 222, pp. 24–25. 1910.
San Benito Land and Water Company, irrigation system, details. O.E.S. Bul. 222, pp. 53–54. 1910.
San Bernardino Valley, water supply. E. W. Hilgard. O.E.S. Bul. 119, pp. 103–146. 1902.
San Clements Island, California, quarantine for scab control. News L., vol. 6, No. 36, p. 12. 1919.
San Diego, Scripps Institution, study of giant kelp. D.B. 1191, pp. 1, 24. 1923.
San Francisco—
butter receipts, 1880–1921. B.A.I. Doc. A–37, p. 28. 1922.
climate. Alexander G. McAdie. W.B. Bul. 44, pp. 33. 1913.
Golden Gate Park, highest record for birds. D. B. 1165, p. 23. 1923.
hay market, methods, demands, grading, and inspection. Rpt. 98, pp. 99–101. 1913.
market—
for late potatoes. F.B. 1317, p. 32. 1923.
station, lines of work. Y.B., 1919, p. 96. 1920: Y.B. Sep. 797, p. 96. 1920.
statistics for dairy products, 1918–1920. D.B. 982, pp. 142, 144, 145, 148, 149, 154. 1921.
marketing office for Hawaiian products. Hawaii A.R. 1914, p. 14. 1915.
milk supply, statistics, officials, prices, and ordinances. B.A.I. Bul. 46, pp. 26, 47, 180. 1903.
trade center for farm products statistics. Rpt. 98, pp. 287–290. 1913.
water supply, law for right-of-way. Sol. [Misc.], "Laws applicable * * * Agriculture," Sup. 2, pp. 43–54. 1915.
San Isabel National Forest, Colo., map. For. Map. 1924.
San Jacinto River, Calif., problem of water storage. O.E.S. Bul. 100, pp. 353–395. 1901.
San Joaquin River—
drainage, California, tributaries, and location. O.E.S. Bul. 237, pp. 17–19. 1911.
irrigation. Frank Soulé. O.E.S. Bul. 100, pp. 215–258. 1901.
San José—
Irrigation and Power Co., irrigation plant, details. O.E.S. Bul. 222, pp. 67–68. 1910.
milk supply, statistics, officials, prices, and ordinances. B.A.I. Bul. 46, pp. 40, 50. 1903.
or Chinese, scale. C. L. Marlat. Ent. Bul. 62, pp. 89. 1906.
San Jose scale—
appearance, destructiveness, and methods of control. Y.B., 1905, pp. 335–339. 1906; Y.B. Sep. 386, pp. 335–339. 1906.
apple injury, and control in orchards. F.B. 492, pp. 22–23. 1912.
control—
by Asiatic ladybird, attempts. Y.B., 1911, p. 462. 1912; Y.B. Sep. 583, p. 462. 1912.
by lime-sulphur spray. F.B. 435, pp. 13, 14. 1911.
by lime-sulphur spray in the East. Ent. Cir. 52, pp. 1–8. 1903.
methods—
A. L. Quaintance. Ent. Cir. 124, pp. 18. 1910; F.B. 650, pp. 27. 1915; F.B. 650, rev., pp. 22. 1919.
and experiments. Ent. Bul. 62, pp. 8–10, 72–80. 1906.

San Jose scale—Continued.
control—continued.
on currants and gooseberries. F.B. 1024, pp. 19, 25. 1919.
on pears. F.B. 1056, pp. 17–18. 1919.
proposed legislation progress. Sec. Cir. 37, pp. 4–10. 1911.
use of soluble oils. F.B. 281, pp. 17–18. 1907.
with lubricating-oil emulsion. A. J. Ackerman. D.C. 263, pp. 18. 1923.
description—
habits, and control. Ent. Bul. 62, pp. 34–54. 1906; F.B. 650, rev., pp. 2–6. 1919; F.B. 908, pp. 18, 24, 25, 27, 28, 31, 76, 84, 87, 93, 98. 1918; F.B. 1169, pp. 77–78. 1921; F.B. 1270, pp. 62–64. 1923.
remedies, Pacific Northwest. F.B. 153, pp. 14, 23–25. 1902.
diseases attacking. Ent. Bul. 62, pp. 69–71. 1906.
distribution means. Ent. Cir. 124, pp. 5–6. 1910.
distribution methods. F.B. 650, pp. 7–9. 1915.
dormant spraying with lime-sulphur. Y.B., 1908, p. 270. 1909; Y.B. Sep. 480, p. 270. 1909.
enemies. F.B. 650, pp. 11–13. 1915.
experimental work in New York. Ent. Bul. 37, pp. 35–36. 1902.
food plants, list. Ent. Cir. 124, pp. 6–8. 1910; F.B. 650, rev., pp. 6–7. 1919.
fruit trees affected by. News L., vol. 6, No. 31, p. 15. 1919.
fumigation on apple. A. L. Quaintance. Ent. Bul. 84, pp. 43. 1909.
hydrocyanic acid gas as remedy. Ent. Bul. 31, p. 39. 1902.
in California, introduction and spread. Ent. Bul. 62, pp. 10, 15. 1906.
in Japan—
and China, remarks. Ent. Bul. 37, pp. 65–78. 1902.
report. Ent. Bul. 31, p. 41. 1902.
in Maryland, experiments. Ent. Bul. 37, pp. 37–40. 1902.
infested fruit importation, fumigation. An. Rpts., 1908, p. 542. 1909; Ent. A.R., 1908, p. 20. 1908.
injury to—
apples and peaches, spraying for control. News L., vol. 4, No. 39, pp. 4, 5. 1917.
pear trees, and control. F.B. 482, pp. 21–22. 1912.
insecticide experiments. D.B. 278, pp. 35–38, 43. 1915; Ent. Bul. 30, pp. 33–39. 1901; Ent. Bul. 37, pp. 42–48. 1902; Ent. Bul. 60, pp. 137–138. 1906.
introduction into Eastern States. Ent. Bul. 62, pp. 16–17. 1906.
ladybird, enemy, experiments in Washington, D. C. Ent. Bul. 37, pp. 84–87. 1902.
legislation. Ent. Bul. 62, p. 80. 1906.
lime-sulphur washes. Y.B., 1906, pp. 429–446. 1907; Y.B. Sep. 433, pp. 429–446. 1907.
lime-sulphur-salt wash, experiments. Ent. Bul. 37, pp. 33–35, 37. 1902.
native home and natural enemy. C. L. Marlatt. Y.B., 1902, pp. 155–174. 1903; Y.B. Sep. 261, pp. 20. 1903.
occurrence on importations of fruit trees from China. An. Rpts., 1907, p. 471. 1908.
origin, studies, 1902. Rpt. 73, pp. 61–62, 66. 1902.
parasites. Ent. Bul. 62, pp. 58–71. 1906; Ent. Cir. 124, pp. 10–11. 1910; F.B. 650, p. 13. 1915.
restrictive measures adopted by foreign countries. Y.B., 1902, p. 157. 1903.
spraying Colorado orchards for control and spray formula. D.B. 500, p. 30. 1917.
spraying emulsion, successful use. O.E.S. An. Rpt., 1907, pp. 84, 86. 1908.
spraying, experiments. Ent. Bul. 67, p. 39. 1907.
studies for southern rural schools. D.B. 305, pp. 36–37. 1915.
San Juan Mountains, in New Mexico, location and description. N.A. Fauna 35, p. 57. 1913.
San Juan River, irrigation projects, New Mexico. O.E.S. Bul. 215, pp. 12, 25, 27. 1909.
San Luis Mountains, New Mexico, location, description, and climate. N.A. Fauna 35, pp. 66–68. 1913.

INDEX TO PUBLICATIONS, 1901-1925   2073

San Luis Valley, Colorado, soils. Macy Lapham. Soils Cir. 52, pp. 26. 1912.
San Mateo Mountains, New Mexico, location, description, and climate. N.A. Fauna 35, p. 65. 1913.
San Pedro, breakwater, kelp studies. D.B. 1191, pp. 7, 9, 10, 27. 1923.
San Pedro Valley, Arizona, history and agricultural conditions. Soil Sur. Adv. Sh., 1921, pp. 249-254. 1924.
San Salvador, lard imports, regulation. B.A.I. S.R.A. 102, p. 116. 1915.
San-Yak, misbranding. See *Indexes, Notices of Judgment, in bound volumes and in separates published as supplements to Chemistry Service and Regulatory Announcements.*
Sanatoriums for drug addicts. F.B. 393, p. 3. 1910.
Sanborn, Judge, decision on twenty-eight hour law—
against Wabash R. R. Co. Sol. Cir. 35, pp. 1-8. 1910; Sol. Cir. 43, pp. 1-4. 1911.
Kansas, 1909. Sol. Cir. 36, pp. 1-4. 1910; Sol. Cir. 37, pp. 1-5. 1910.
Nebraska. Sol. Cir. 63, pp. 1-5. 1912; Sol. Cir. 64, pp. 1-3. 1912.
Sanctuaries, game. *See* Refuges.
Sand—
adulterant of—
ground kamala. Chem. N.J. 1011, p. 1. 1911.
drugs. Chem. Bul. 122, p. 94. 1909.
and kerosene, use against root-maggots. Ent. Cir. 63, p. 2. 1905.
binders—
from Turkestan, plant importations, Jan. to Mar., 1909. B.P.I. Bul. 162, pp. 8, 22-23. 1909.
grasses, use. Y.B., 1904, pp. 421-580. 1905.
value of brome grass. B.P.I. Bul. 111, p. 62. 1907.
willows, use recommendations. D.B. 316, pp. 41-42. 1915.
binding—
grasses, display at Pan-American Exposition. Y.B., 1901, p. 31. 1902.
methods and plants in use. Soils Bul. 68, pp. 28-30, 74-77, 169-172. 1911.
plants, importations from Asiatic Russia. Nos. 28973-28977, B.P.I. Bul. 227, pp. 8, 21. 1911.
blast action of wind, effects on rocks and vegetation. Soils Bul. 68, pp. 24-28. 1911.
blowing—
injury to crops, Washington, Quincy area. Soil Sur. Adv. Sh., 1911, pp. 27, 37. 1913; Soils F.O. 1911, pp. 2249, 2259. 1914.
prevention by windbreaks. For. Bul. 86, pp. 41-42. 1911.
blows, description and disadvantages. Soil Sur. Adv. Sh., 1910, pp. 19-20. 1912.
box, tester for corn seed. Guam Cir. 3, pp. 11-12. 1922.
bur—
control. D.C. 342, p. 7. 1925.
description, distribution, spread, and products injured. F.B. 660, p. 27. 1915.
Hawaii, growing and value. Hawaii Bul. 36, pp. 13, 23, 32. 1915.
seed, description. F.B. 428, pp. 18, 19. 1911.
smut, Texas, occurrence and description. B.P.I. Bul. 226, p. 53. 1912.
burn disease, Texas, symptoms, study, similarity to trifoliosis. An. Rpts., 1909, p. 231. 1910; B.A.I. Chief Rpt., 1909, p. 41. 1909; B.A.I. An. Rpt., 1909, p. 48. 1911.
cherry(ies)—
susceptibility to brown rot. J.A.R., vol. 5, pp. 369-370, 380, 390. 1915.
tests at field station near Mandan, N. Dak. D.B. 1301, p. 21. 1925.
tests of varieties at Mandan, N. Dak. D.B. 1337, p. 9. 1925.
coarse, water-holding capacity, studies. J.A.R., vol. 9, pp. 55-57, 69. 1917.
clay roads. *See* Roads, sand-clay.
concrete, requirements. F.B. 403, pp. 6, 23. 1910.
crystals in ice cream, cause. B.A.I. Dairy [Misc.], "World's dairy congress, 1923," pp. 501-503. 1924.

Sand—Continued.
cultures, plant absorption of nutrients, experiments. J.A.R., vol. 18, pp. 78-86. 1919.
deposits, injury to land. Y.B., 1913, p. 216. 1914; Y.B. Sep. 624, p. 216. 1914.
description, washing, and use in concrete. F.B. 1279, pp. 2-3. 1922.
drifting—
control methods. F.B. 421, pp. 21-23. 1910.
formation of dunes. Soils Bul. 68, pp. 53-77. 1911.
drown, chlorosis of tobacco due to magnesium deficiency. W. W. Garner and others. J.A.R., vol. 23, No. 1, pp. 27-40. 1923.
dunes—
binders, useful plants in Palestine. B.P.I. Bul. 180, pp. 35-36. 1910.
binding methods. Soils Bul. 68, pp. 74-77. 1911.
Cape Cod, reclamation. J. M. Westgate. B.P.I. Bul. 65, pp. 38. 1904.
control methods. F.B. 421, pp. 20-23. 1910.
controlling and reclaiming, methods. A. S. Hitchcock. B.P.I. Bul. 57, pp. 36. 1904.
crescentic formations, peculiarities. Soils Bul. 68, pp. 61-64. 1911.
fixation by forest experimental work, France. Sec. Cir. 183, p. 10. 1921.
flora, description and references to literature. Soils Bul. 68, pp. 71, 75. 1911.
formation of sandstone. Soils Bul. 68, pp. 141-143. 1911.
Hatteras, probable origin. Soils Bul. 68, p. 163. 1911.
in California, Santa Maria area, description and cause. Soil Sur. Adv. Sh., 1916, pp. 8, 48. 1919; Soils F.O., 1916, pp. 2532, 2572. 1921.
methods for controlling and reclaiming. A. S. Hitchcock. B.P.I. Bul. 57, pp. 36. 1904.
movement in Oregon, Marshfield area. Soil Sur. Adv. Sh., 1909, p. 26. 1911; Soils F.O., 1909, p. 1622. 1912.
movement, rate per year. Soils Bul. 68, pp. 58-60. 1911.
nature and formation. Soils Bul. 68, pp. 53-77. 1911.
of—
Colorado, San Isabel National Forest. D.C. 5, p. 14. 1919.
France, reclamation for forests, value. Sec. [Misc.], "Report * * * agricultural commission * * *," p. 9. 1919.
Georgia, Chatham County, description. Soil Sur. Adv. Sh., 1911, p. 32. 1912; Soils F.O., 1911, p. 590. 1914.
Indiana, Porter County. Soil Sur. Adv. Sh., 1916, pp. 6, 44. 1919; Soils F.O., 1916, pp. 1696, 1737. 1921.
Indiana, White County, formation and reclamation. Soil Sur. Adv. Sh., 1915, pp. 14, 17. 1917; Soils F.O., 1915, pp. 1461-1462. 1919.
Nebraska, Chase County, origin and uses. Soil Sur. Adv. Sh., 1917, pp. 23, 62-64. 1919; Soils F.O., 1917, pp. 1809, 1848-1850. 1923.
south Texas, origin, location , and description Soil Sur. Adv. Sh., 1909, pp. 66, 67, 68. 1910; Soils F.O., 1909, pp. 1090, 1091, 1092. 1912.
Washington, Franklin County, description. Soil Sur. Adv. Sh., 1914, pp. 87-88. 1971, Soils F.O., 1914, p. 2614. 1919.
Washington, Quincy area, description. Soil Sur. Adv. Sh., 1911, p. 40. 1913; Soils F.O., 1911, p. 2262. 1914.
reclamation—
by planting pine trees. F.B. 1256, pp. 27, 33; 1922.
by tree planting. F.B. 358, p. 42. 1909.
use of acacias. D.B. 9, pp. 9-15. 1913.
work. An. Rpts., 1905, pp. 125-126. 1905. B.P.I. Chief Rpt., 1905, pp. 125-126 1905.
utilization by foresting. Soils Bul. 68, p. 76. 1911.
water-holding capacity, studies. J.A.R., vol. 9, pp. 53-55. 1917.
evaporation studies. J.A.R., vol. 10, pp. 242-259. 1917.

Sand—Continued.
 filter—
  for water supply. F.B. 1448, p. 9. 1925.
  sewage, treatment with copper sulphate. B.P.I. Bul. 115, pp. 14-18, 33. 1907.
 grading for cement work. J.A.R., vol. 10, pp. 265-267. 1917.
 grape, description, resistance to phylloxera and climatic conditions. B.P.I. Bul. 172, pp. 22-23. 1910.
 grass—
  description, western North Dakota (reconnaissance). Soil Sur. Adv. Sh., 1908, p. 80. 1910; Soils F.O., 1908, p. 1188. 1911.
  occurrence, description, and soil indications. B.P.I. Bul. 201, pp. 58, 61, 65, 91. 1911.
 hill(s)—
  forestation, Nebraska and Kansas. Carlos G. Bates and Roy G. Pierce. For. Bul. 121, pp. 49. 1913.
  Nebraska—
   forage crops. H. N. Vinall. B.P.I. Cir. 80, pp. 23. 1911.
   forestation work of forest experiment station. Sec. Cir. 183, pp. 4-5. 1921.
   location, topography, climate, and crops. B.P.I. Cir. 80, pp. 4-8, 23. 1911.
   New Mexico, breeding ground for grasshoppers. D.B. 293, p. 4. 1915.
   region, Nebraska, lakes forming, counties, and vegetation surrounding. D.B. 794, pp. 10-21. 1920.
  soil moisture, favorable to tree planting. For. Cir. 161, p. 7. 1909.
  Texas Panhandle, formation and description. Soil Sur. Adv. Sh., 1910, p. 21. 1911; Soils F.O., 1910, p. 977. 1912.
  Utah, vegetation types, species, indications. J.A.R., vol. 1, pp. 386-388. 1914.
  vegetation. For. Bul. 121, pp. 15-17. 1913.
 moisture movement, relation to temperature, studies. J.A.R., vol. 5, No. 4, pp. 145-147, 157, 162, 167. 1915.
 origin and physical properties. F.B. 311, p. 6. 1907.
 plants growing with and without manganese, experiments. J.A.R., vol. 24, pp. 791-792. 1923.
 prohibition of entry from Porto Rico, notice of hearing. F.H.B.S.R.A. 72, pp. 88-89. 1922.
 relation to arable land conditions. Y.B., 1918, p. 434. 1919; Y.B. Sep. 771, p. 4. 1919.
 soils—
  glacial and loessial province, description and uses. Soils Bul. 78, pp. 97-104. 1911.
  groups of coastal plains, description, uses, etc. Soils Bul. 78, pp. 17-27. 1911.
  river flood plains, description, area, and uses. Soils Bul. 78, pp. 208-212. 1911.
 south Texas, description and control. Soil Sur. Adv. Sh., 1909, pp. 64-68. 1910; Soils F.O., 1909, pp. 1088-1092. 1912.
 specification forms, tests, and sampling methods. D.B. 555, pp. 19-21, 33, 47-48. 1917.
 spot wireworm. See Wireworm, corn-and-cotton.
 spurs, control in citrus groves by growing Natal grass. F.B. 726, p. 12. 1916.
 tarred, road-binding experiments, results. Rds. Cir. 90, pp. 6, 8, 9. 1909.
 testing for use in road building. D.B. 1216, pp. 3-5, 10-20. 1924.
 traps, use in protection of tile drains. F.B. 524, p. 22. 1913.
 tray, use in corn testing, description. F.B. 704, p. 28. 1916.
 use—
  and rate in concrete roads, and warning against stone screenings. D.B. 1077, pp. 3-4. 1922.
  as cushion and filler for brick pavements. D.B. 246, pp. 13-14, 15, 17-18, 24, 27. 1915.
  in—
   concrete, selection. F.B. 461, pp. 7-8. 1911.
   control of farm fires. F.B. 904, pp. 15-16. 1918.
   cotton adulteration, discussion and opinions. Mkts. S.R.A. 5, pp. 72-73. 1915.
   extinguishing forest fires. For. Bul. 82, p. 44. 1910.

Sand—Continued.
 use—continued.
  in—continued.
   filtering sorghum sirup. F.B. 135, pp. 21, 30. 1901.
   siloing beet roots. Y.B., 1909, p. 177. 1910; Y.B. Sep. 503, p. 177. 1910.
  on—
   clay soils for lawns. D.C. 49, p. 4. 1919.
   cranberry bogs. F.B. 227, p. 17. 1905.
   cranberry fields, directions. F.B. 1401, pp. 2, 4, 17, 19. 1924.
   peat soils. D.B. 802, pp. 8, 15. 1919.
  vetch. See Vetch, hairy.
  with—
   alkali salts, germination and growth of plants, experiments. J.A.R., vol. 5, pp. 18-21, 29-45. 1915.
   clay, use in road preservation, experiments, and cost. Rds. Cir. 94, pp. 54-55. 1911.
Sandalwood—
 false, importation and description. Nos. 49167, 49250, 49467, 49602-49604. B.P.I. Inv. 62, pp. 9, 16, 40, 58. 1923.
 importation and description. No. 40782, B.P.I. Inv. 43, p. 80. 1918.
oil—
 adulteration and misbranding. Chem. N.J. 3547, p. 1. 1915.
 misuse of term, Chem. Bureau opinion. Chem. S.R.A. 3, p. 114. 1914; Chem. S.R.A. 13, p. 6. 1915.
Sandbox tree—
 importation and description. No. 35592. B.P.I. Inv. 35, p. 58. 1915.
 insecticidal value, tests. D.B. 1201, pp. 8, 15, 21, 53. 1924.
Sanderling—
 breeding range and migration habits. Biol. Bul. 35, pp. 48-50. 1910.
 occurrence in Athabaska-Mackenzie region. N.A. Fauna 27, p. 324. 1908.
 range and habits. M.C. 13, p. 57. 1923; N.A. Fauna 21, p. 41. 1901; N.A. Fauna 22, p. 97. 1902.
SANDERS, J. G.—
 "Catalogue of recently described Coccidae." Ent. T.B. 12, Pt. I, pp. 1-18. 1906.
 "Catalogue of recently described Coccidae—II." Ent. T.B. 16, Pt. III, pp. 33-60. 1909.
 "The cottony maple scale." Ent. Cir. 64, pp. 6, 1905.
 "The euonymus scale." Ent. Cir. 114, pp. 5. 1909.
 "The terrapin scale." Ent. Cir. 88, pp. 4. 1907.
SANDERS, J. T.—
 "Farm ownership and tenancy." With others; Y.B., 1923, pp. 507-600. 1924; Y.B. Sep. 897, pp. 507-600. 1924.
 "Farm ownership and tenancy in the Black Prairie of Texas." D.B. 1068, pp. 60. 1922.
Sanders dust, composition and experimental use. F.B. 1269, p. 19. 1922.
SANDERSON, E. D.—
 "Aphids of the apple, pear, and quince." O.E.S. Bul. 115, pp. 123-127. 1902.
 "Hibernation and development of the cotton boll weevil." Ent. Bul. 63, Pt. I, pp. 1-38. 1907.
 "Miscellaneous cotton insects in Texas." F.B. 223, pp. 24. 1905.
 "Notes from Delaware on aphides." Ent. Bul. 37, pp. 97-102. 1902.
 report as chairman of national committee on control of insect pests. Ent. Bul. 67, p. 19. 1907.
 report of—
  New Hampshire Experiment Station, work and expenditures—
   1907. O.E.S. An. Rpt., 1907, pp. 134-135. 1908.
   1908. O.E.S. An. Rpt., 1908, pp. 132-134. 1909.
  West Virginia Experiment Station, work and expenditures—
   1911. O.E.S. An. Rpt., 1911, pp. 220-222. 1912.
   1912. O.E.S. An. Rpt., 1912, pp. 224-226. 1913.

SANDERSON, E. D.—Continued.
report of—continued.
West Virginia Experiment Station, work and expenditures—Contd.
1913. O.E.S. An. Rpt., 1913, p. 87. 1915.
1914. O.E.S. An. Rpt., 1914, pp. 241–245. 1915.
"Report on miscellaneous cotton insects in Texas." Ent. Bul. 57, pp. 63. 1906.
"Spray nozzle for mixture of oil with water." Ent. Bul. 67, pp. 112–117. 1907.
"What research in economic entomology is legitimate under the Adams Act?" Ent. Bul. 67, pp. 77–84. 1907.
Sandiness, ice cream, effect of various factors, study. B.A.I. Dairy [Misc.], "World's dairy congress, 1923," pp. 505–510. 1924.
Sanding—
cranberry bogs, effects on yield and temperature. Y.B., 1911, pp. 211–212, 216–218. 1912; Y.B. Sep. 562, pp. 211–212, 216–218. 1912.
cranberry bogs, for control of girdler. D.B. 554, pp. 17–19. 1917.
road, machine. Y.B., 1902, pp. 450–451. 1903.
use in control of cranberry girdler. F.B. 860, pp. 32–33. 1917.
value in control of cranberry tipworms, method. F.B. 860, pp. 16–17. 1917.
SANDLES, A. P.: "Round-table method of farmers' instruction." O.E.S. Bul. 256, pp. 25–27. 1913.
SANDO, C. E.—
"Effect of temperature on the resistance to wounding of certain small fruits and cherries." With Lon A. Hawkins. D.B. 830, pp. 6. 1920.
"Notes on the organic acids of *Pyrus coronaria*, *Rhus glabra*, and *Acer saccharum*." With H. H. Bartlett. J.A.R., vol. 22, pp. 221–229. 1921.
"Occurrence of quercetin in Emerson's brown-husked type of maize." With H. H. Bartlett. J.A.R., vol. 22, pp. 1–4. 1921.
"The isolation and identification of quercetin from apple peels." J.A.R., vol. 28, pp. 1243–1245. 1924.
"The process of ripening in the tomato, considered especially from the commercial standpoint." D.B. 859, pp. 38. 1920.
SANDO, W. J.: "The blooming of wheat flowers." With C. E. Leighty. J.A.R., vol. 27, pp. 231–244. 1924.
Sandpiper(s)—
Alaskan varieties. N.A. Fauna 24, pp. 62–64. 1904.
least, breeding range and migration habits. Biol. Bul. 35, pp. 41–42. 1910; N.A. Fauna, 30, p. 35. 1909.
migration habits, decrease, and need of protection. Y.B., 1914, pp. 290–291. 1915; Y.B. Sep. 642, pp. 290–291. 1915.
occurrence in Arkansas, habits and food. Biol. Bul. 38, pp. 30–32. 1911.
occurrence in Porto Rico, and food habits. D.B. 326, p. 44. 1916.
occurrence in Pribilof Islands, description, and food habits. N.A. Fauna 46, pp. 66–73, 74, 75. 1923.
protection by law. Biol. Bul. 12, rev., p. 39. 1902.
range and habits. N.A. Fauna 21, pp. 41, 74. 1901; N.A. Fauna 22, pp. 95–100. 1902; N.A. Fauna 24, pp. 62–64. 1904.
range, occurrence, and names. M.C. 13, pp. 52–57, 61–62, 65. 1923.
semipalmated—
breeding range and migration habits. Biol. Bul. 35, pp. 46–47. 1910.
occurrence in Porto Rico and food habits. D.B. 326, pp. 43–44. 1916.
solitary—
breeding range and migration habits. Biol. Bul. 35, pp. 58–60. 1910.
occurrence in Porto Rico, and food habits. D.B. 326, p. 42. 1916.
spotted—
Alaska and Yukon Territory. N.A. Fauna 30, pp. 36, 59, 66. 1909.
breeding range and migration habits. Biol. Bul. 35, pp. 69–71. 1910.
occurrence in Arkansas, and food habits. Biol. Bul. 38, p. 32. 1911.
occurrence in Porto Rico, and food habits. D.B. 326, pp. 41–42. 1916.

Sandpiper(s)—Continued.
varieties—
Athabaska-Mackenzie region. N.A. Fauna 27, pp. 319–331. 1908.
breeding range and migration habits. Biol. Bul. 35, pp. 29–31, 33–48, 58–60, 67–69. 1910.
western, breeding range and migration habits. Biol. Bul. 35, pp. 47–48. 1910.
western solitary—
description, habits, Alaska and Yukon Territory. N.A. Fauna 30, pp. 35–36, 58. 1909.
occurrence and migration. Biol. Bul. 35, p. 60. 1910.
white-rumped—
breeding range and migration habits. Biol. Bul. 35, pp. 37–39. 1910.
occurrence in Nebraska. D.B. 794, p. 34. 1920.
wood, breeding and migration, note. Biol. Bul. 35, p. 61. 1910.
SANDSTEDT, R. M.: "Nutrient requirements of growing chicks. Nutritive deficiencies of corn." With others. J.A.R., vol. 22, pp. 139–149. 1921.
Sandston(es)—
effect of alkali and means of protection. F.B. 353, p. 21. 1909.
natural reservoirs of seepage waters, oil, gas, and brine. Soils Bul. 94, p. 22. 1913.
origin, composition, and various names. Rds. Bul. 37, p. 14. 1911.
soluble salts. J.A.R., vol. 10, pp. 336–338, 344–350. 1917.
use in road building. Rds. Bul. 44, p. 30. 1912.
value in road building and results of tests. D.B. 370, pp. 6, 13–100. 1916.
Sandwich Islands. *See* Hawaii.
Sandwich(es)—
cottage cheese, recipes. Sec. Cir. 109, rev., pp. 14–15. 1918.
egg, recipes. S.R.S. Doc. 91, p. 8. 1919.
use of cottage cheese fillings. Sec. Cir. 109, pp. 14–16. 1918.
SANFORD, H. L.—
"Effect of hydrocyanic-acid gas under vacuum conditions on subterranean larvae." With E. R. Sasscer. J.A.R., vol. 15, pp. 133–136. 1918.
"Chrysanthemum midge." With C. A. Weigel. D.B. 833, pp. 23. 1920.
Sangre de Cristo Mountains, New Mexico, location, description, and climate. N.A. Fauna 35, pp. 53–57. 1913.
Sanguinary. *See* Yarrow.
Sanguisorba minor. *See* Burnet.
Sangvin, misbranding. *See Indexes, Notices of Judgment, in bound volumes, and in separates published as supplements to Chemistry Service and Regulatory Announcements.*
Sanicle. *See* Snakeroot, white.
Sanis alba. *See* Wolf, northern.
Sanita, misbranding. Chem. N.J. 13314. 1925.
Sanitary—
boards—
livestock, State officers. *See* Yearbook indexes.
secretaries and State veterinarians. Y.B. 1900, p. 653. 1901.
conditions—
fish handling and storage. Chem. Bul. 133, pp. 34–39. 1911.
meat inspection. Sec. Cir. 58, pp. 2–3, 6–7, 8–9. 1916.
Conference, Pan American. Off. Rec., vol. 3, No. 15, p. 2. 1924.
conveniences for the farm home. F.B. 317, p. 9. 1908.
fluid, misbranding, Magic-Oleum. N.J. 143, I. and F. Bd. S.R.A. 8, p. 8. 1915.
officers, livestock, State, list. B.A.I. Cir. 164, pp. 4. 1910.
ordinances, District of Columbia, relating to animal feces and food contamination. Ent. Bul. 78, pp. 32–33. 1909.
precautions essential in food factories. Chem. Bul. 158, pp. 16–17. 1912.
relations of milk supply. B.A.I. Cir. 111 pp. 7. 1907.
requirements—
farm house, drainage. Y.B. 1909, p. 351. 1910; Y.B. Sep. 518, p. 351. 1910.
in abattoirs and packing houses. B.A.I. An. Rpt., 1909, pp. 247–263. 1911; B.A.I. Cir. 173, pp. 247–263. 1911.

Sanitary—Continued.
  requirements—continued.
    livestock admission by States. B.A.I. Doc. A-28, pp. 44. 1917; B.A.I. [Misc.], "State sanitary requirements * * *," pp. 23. 1911; M.C. 14, pp. 91. 1924.
    surveys, water supplies, Minnesota, summary tables. B.P.I. Bul. 154, pp. 68-81. 1909.
    system for farm home, description and importance. News L., vol. 1, No. 32, pp. 1-3. 1914.
    water supply requirements for farms. Y.B. 1907, pp. 400, 408. 1908; Y.B. Sep. 457, pp. 400, 408. 1908.
Sanitation—
  barns, practices. F.B. 1069, pp. 6-7, 26-27. 1919.
  bird houses, importance and methods. F.B. 1456, p. 19. 1925.
  camp—
    information by Agriculture Department to War Department. News L., vol. 5, No. 21, p. 7. 1917.
    national forests. For. [Misc.], "Superior National Forest," p. 12. 1919; "Battlement National Forest," pp. 11-12. 1919.
    regulations. D.C. 41, p. 10. 1919.
    suggestions. For. [Misc.], "First-aid manual * * *," pp. 95-98. 1917.
  cannery, studies. D.B. 196, pp. 4-6. 1915.
  chicken yards. F.B. 1331, pp. 12, 21. 1923.
  city milk plants, practices. D.B. 973, pp. 25-28. 1923.
  cleaning milking machines. F.B. 1315, pp. 1-16. 1923.
  conveniences installed in farm homes, 1920. D.C. 178, pp. 11, 18, 20. 1921.
  convict camps, methods and importance. D.B. 414, pp. 89-115. 1916; D.B. 583, pp. 19-24, 45-46. 1918.
  dairy, improvement. Y.B., 1922, pp. 335-337. 1923; Y.B. Sep. 879, pp. 45-47. 1923.
  dairy, milk contests. An. Rpts., 1916, pp. 96-97. 1917; B.A.I. Chief Rpt., 1916, pp. 30-31. 1916.
  demonstration work, Southern States. S.R.S. Doc. 28, p. 7. 1915.
  factories for tomato canning, control. Burton J. Howard and Charles H. Stephenson. D.B. 569, pp. 29. 1917.
  farm—
    committee work and suggested readings. Y.B., 1914, pp. 92, 129, 138. 1915; Y.B. Sep. 632, pp. 6, 43, 56-57. 1915.
    course for southern schools, references. D.B. 592, p. 27. 1917.
    for prevention of hog cholera. F.B. 834, pp. 15-16, 32. 1917.
    homes, studies. D.B. 57, pp. 1-46. 1914; F.B. 126, pp. 47-48. 1901; Y.B. 1915, pp. 108-111. 1916; Y.B. Sep. 1915, pp. 108-111. 1916.
  Federal regulations regarding Texas fever. B.A.I. Bul. 78, pp. 42-44. 1905.
  fox(es)—
    disease prevention. D.B. 1350, pp. 29-31. 1925.
    farms, practices. D.B. 1151, pp. 55-57. 1923.
  hog—
    houses for prevention of disease. F.B. 1244, pp. 3, 4, 6, 15, 19, 20, 23-25. 1923.
    lot, studies. B.A.I. Bul. 47, pp. 64-67. 1904; F.B. 874, pp. 28-30. 1917.
    McClean County system. F.B. 1244, p. 24. 1913.
  home, importance in canning fruits and vegetables. News L., vol. 3, No. 28, p. 4. 1916.
  house-fly control, for prevention of disease spread. F.B. 851, pp. 9-23. 1917.
  importance in—
    grocery stores, control by State laws. News L., vol. 3, No. 45, p. 2. 1916.
    hog production and methods. D.B. 646, pp. 21-22. 1918; O.E.S.F.I.L. 16, pp. 3-4. 1914.
    influence on and value in tuberculosis control in cattle, studies. F.B. 473, pp. 22-23. 1911.
    laws, livestock, States and territories. B.A.I. Bul. 97, pp. 13, 28-30. 1907.
  lessons for first-year classes. D.B. 540, pp. 23, 24, 25, 34, 42. 1917.
  livestock—
    farms, importance. Y.B., 1916, pp. 473-474. 1917; Y.B. Sep. 694, pp. 7-8. 1917.
    new ruling. Off. Rec., vol. 3, No. 29, p. 3. 1925.

Sanitation—Continued.
  lumber yards. D.B. 510, pp. 11-27, 41-42. 1917.
  meat—
    inspection, regulations. B.A.I.O. 150, pp. 11-14. 1908; B.A.I.O. 211, pp. 15-19. 1914.
    market, retail. M.C. 54, p. 11. 1925.
    shops, retail. D.B. 1317, pp. 35-37. 1925.
  military camps, insects and their control. Sec. Cir. 61, pp. 1-24. 1916.
  milk for city supply. B.A.I. Bul. 81, pp. 29, 47, 59. 1905.
  necessity and value in poultry production. Sec. Cir. 107, pp. 22-23. 1918.
  need and value in disease and insect control in gardens. F.B. 856, pp. 6, 68. 1917.
  onion growing. F.B. 1060, pp. 6, 10, 16, 23. 1919.
  orchard—
    effect on peach-scab control. D.B. 395, p. 60. 1917.
    practices in prune growing and shipping. D.B. 331, pp. 24-26, 28. 1916.
  peach orchards, necessity for curculio control, methods. D.C. 216, pp. 7-9. 1922.
  pigeon houses. F.B. 1373, p. 14. 1924.
  poultry, recommendations. Sec. Cir. 107, pp. 21-22. 1918.
  practical utilities, kinds and descriptions. F.B. 1227, pp. 11, 24. 1922.
  principles, studies, and advice. F.B. 1227, pp. 1-56. 1922.
  publications for use of farm women. Rpt. 103, pp. 81-82, 94, 98-99. 1915; Rpt. 104, pp. 81-82, 94, 98-99. 1915; Rpt. 105, pp. 69-70, 82, 86-87. 1915; Rpt. 106, pp. 72-73, 85, 89-90. 1915.
  relation to rural organization. Y.B., 1913, p. 253. 1914; Y.B. Sep. 626, p. 253. 1914.
  sardine packing. D.B. 908, pp. 98-101, 124. 1921.
  tomato-canning factories. Burton J. Howard and Charles H. Stephenson. D.B. 569, pp. 29. 1917.
  use and value in canning factories, methods. Chem. Bul. 151, pp. 16-19. 1912.
  value—
    in control of hog cholera. Y.B., 1919, pp. 200-202, 204. 1920; Y.B. Sep. 798, pp. 200-202, 204. 1920.
    of meat inspection service. Y.B., 1915, pp. 273, 275. 1916; Y.B. Sep. 676, pp. 273, 275. 1916.
  watersheds, necessity, study. An. Rpts., 1913, pp. 160-161, 176. 1914; For. A.R., 1913, pp. 26-27, 42. 1913.
  work, among negroes, home demonstrations. D.C. 190, pp. 13, 15, 17. 1921.
  See also Hygiene; Public Health Service.
Sanitoria, misbranding. Insect. N.J. 743,744, I. and F.Bd. S.R.A. 40, pp. 948-951. 1922.
Sanninoidea exitiosa. See Peach tree borer.
Sansapote, importations and descriptions. Nos. 36590, 36591, B.P.I. Inv. 37, p. 34. 1916; Nos. 41393, 41485, B.P.I. Inv. 45, pp. 6, 22, 37. 1918.
Sansevieria. (In Spanish.) O. W. Barrett. P.R. Cir. 1, pp. 4. 1903.
SANSON, A., classification of cattle breeds. B.A.I. An. Rpt., 1910, p. 229. 1912.
Santa Ana wind—
  description and effects. For. Bul. 86, pp. 9, 100. 1911; Y.B., 1911, p. 347. 1912; Y.B. Sep. 573, p. 347. 1912.
  protection against, trees used as windbreaks. F.B. 788, p. 13. 1917.
Santa Barbara National Forest, Calif.—
  location, description, and area. D.C. 185, p. 20. 1921.
  map. For. Maps. 1924.
Santa Clara Valley, irrigation. S. Fortier. O.E.S. Bul. 158, pp. 77-91. 1905.
Santa Fe National Forest, N. Mex.—
  Bandalier Monument. M.C. 5, pp. 1-18. 1923.
  map. For. Maps. 1924.
Santa Maria Irrigation Company, canal, details. O.E.S. Bul. 222, p. 55. 1910.
Santiam National Forest, Oreg.—
  description and recreational uses. D.C. 4, pp. 33-37. 1919; For. [Misc.], "An ideal vacation land * * *," pp. 23-26. 1923.
  map. For. Map Fold. 1913; For. Map. 1923.
Santo Domingo, coffee production and exports. Stat. Bul. 79, pp. 10, 55-56. 1912.

Santo Domingo, potatoes, importation, regulation, January 1, 1916. F.H.B. [Misc.], "Regulations governing * * *" amdt. 1, pp. 1-2. 1915.
Santonin—
  solutions, use in plant culture experiments. Soils Bul. 56, p. 43. 1909.
  use—
    against dog parasites. D.C. 338, pp. 19, 23. 1925.
    as—
      anthelmintic, results. J.A.R., vol. 12, pp. 419-422. 1918.
      pig vermifuge. F.B. 1244, p. 24. 1923.
Santos, coffee production, 1906-1910. Stat. Bul. 79, p. 10. 1912.
Sap—
  cell, density, relation to environmental conditions in the Wasatch Mountains, Utah. C. F. Korstian. J.A.R., vol. 28, pp. 845-907. 1924.
  composition in orange leaves. J.A.R., vol. 20, pp. 182-187. 1920.
  concentration, relation to growth. J.A.R., vol. 21, pp. 81-89. 1921.
  density, relation to—
    acidity in stalks and leaves of plants. J.A.R., vol. 25, pp. 462-467. 1923.
    transpiration rates, studies. J.A.R., vol. 24, pp. 131-145. 1923.
  desert plants, investigations. J.A.R., vol. 27, pp. 893-924. 1924.
  grapevine and sugar-maple, mineral composition. J.A.R., vol. 5, No. 12, pp. 530-532, 539. 1915.
  leaf, avocado, freezing-point lowering. J.A.R., vol. 7, pp. 261-268. 1916.
  maple—
    characteristics and conditions. F.B. 1366, pp. 24-25. 1924.
    composition, comparison with sugar sirup. D.B. 466, p. 38. 1917.
    discussion. For. Bul. 59, pp. 35-36, 37, 38, 39. 1905.
    pressure, flow, and sugar content. For. Bul. 59, pp. 35-36. 1905.
    qualities, different species and conditions. Chem. Bul. 134, pp. 8, 10-11, 12, 93-94. 1910.
    yields of sirup and sugar. F.B. 1366, p. 33. 1924.
  osmotic pressure, determination from freezing point, table. D.B. 1059, p. 198. 1922.
  reaction to culture solutions. J.A.R., vol. 26, p. 308. 1923.
  removal by leaf seasoning. B.P.I. Bul. 114, p. 27. 1907.
  rot(s)—
    and other diseases of the red gum. Hermann von Schrenk. B.P.I. Bul. 114, pp. 37. 1907.
    forest trees, deciduous, causes, description, and control. B.P.I. Bul. 149, pp. 52-61, 66. 1909.
    hairy, description and distribution. B.P.I. Bul. 114, p. 29. 1907.
    injury to felled pine. D.B. 1140, pp. 5-6. 1923.
    parasitic on forest trees, description. B.P.I. Bul. 149, pp. 49-52. 1909.
    red gum—
      and other diseases. Hermann von Schrenk. B.P.I. Bul. 114, pp. 37. 1907.
      lumber, occurrence, description, and effects. B.P.I. Bul. 114, pp. 10-15. 1907.
      preventive measures. B.P.I. Bul. 114, pp. 15-27. 1907.
      treatment, tests, results. B.P.I. Bul. 114, pp. 17-26. 1907.
  stain—
    control measures. D.B. 1037, pp. 21-50. 1922.
    description, kinds, and causes. D.B. 1037, pp. 1-12. 1922.
    losses and economic importance. D.B. 1037, pp. 18-21. 1922.
    lumber—
      causes and control. D.B. 1128, pp. 25-29. 1923.
      prevention. Howard F. Weiss and Charles T. Barnum. For. Cir. 192, pp. 19. 1911.
      tobacco, medium of mosaic disease. D.B. 40, pp. 12-14, 18-19, 22-24, 33. 1914.
  wheat, physicochemical properties, relation to rust resistance. J.A.R., vol. 27, pp. 401-404. 1924.
Sapeli, identification key, and description. D.B. 1050, pp. 3, 8-9. 1922.

Saperda—
  calcarata—
    description, habits, and control. F.B. 1169, pp. 58-59. 1921.
    See also Aspen borer.
  candida—
    control and life history. F.B. 1270, pp. 71-73. 1922.
    See also Apple borer, roundheaded.
  crenata—
    control and life history. F.B. 1270, pp. 75-77. 1922.
    See also Apple-tree borer, spotted.
  tridentata—
    description, habits, and control. F.B. 1169, pp. 55-56. 1921.
    See also Elm-tree borer.
  vestita, description, habits, and control. F.B. 1169, p. 57. 1921.
Sapindus—
  mukorossi, introduction and use as soap in China. B.P.I. Bul. 205, p. 34. 1911.
  saponaria, new, use as soap. B.P.I. Bul. 208, p. 50. 1911.
  vitiensis, importation and description. No. 43663, B.P.I. Inv. 49, p. 58. 1921.
  See Soapberry.
SAPIRO, AARON: "Cooperative marketing movement." B.A.I. Dairy [Misc.], "World's dairy congress, 1923," pp. 100-107. 1924.
Sapium—
  jenmani (rubber-producing plant), new variety, description. B.P.I. Bul. 208, p. 45. 1911.
  sebiferum. See Tallow tree.
Sapodilla—
  family, injury to trees by sapsuckers. Biol. Bul. 39, pp. 48-49, 88. 1911.
  growing, in—
    Bahia, and use. D.B. 445, p. 18. 1917.
    Porto Rico, description and uses. D.B. 354, p. 91. 1916.
  host of Mediterranean fruit fly in Hawaii. D.B. 536, p. 24. 1918.
  importations and descriptions. No. 38859, B.P.I. Inv. 40, p. 37. 1917; Nos. 44855, 44866, 44890, B.P.I. Inv. 51, pp. 79, 82, 85. 1922; No. 45907, B.P.I. Inv. 54, p. 39. 1922; Nos. 46148, 46237, B.P.I. Inv. 55, pp. 31, 39. 1922; No. 47584, B.P.I. Inv. 59, p. 35. 1922; No. 48596, B.P.I. Inv. 61, p. 27. 1922.
  insect pests. Sec. [Misc.], "A manual * * * insects * * *," p. 194. 1917.
  varieties, marketing. Y.B., 1905, pp. 448-449. 1906.
  See also Sapota; Sapote.
"Sapokarbolin" (coal-tar creosote oil), misbranding. N.J. 177, I. and F. Bd. S.R.A. 10, pp. 43-47. 1915.
Saponaria officinalis mixture with insecticides as spreader. S.R.S. Rpt., 1915, Pt. I, pp. 51, 153. 1917.
Saponification—
  number—
    butterfat, variations for individual cows. B.A.I. Bul. 157, pp. 13, 15, 19-27. 1913.
    hop oils from various sources. D.B. 282, pp. 13-14, 19. 1915; J.A.R., vol. 2, pp. 125-126, 139-147. 1914.
    of milk in lactation experiments. B.A.I. Bul. 155, p. 24. 1913.
    various oils. Chem. Bul. 77, p. 25. 1905.
Saponin—
  poison found in cockle seed. D.B. 328, p. 23. 1915.
  spray formula. F.B. 1120, p. 13. 1920.
  use in food products. Chem. S.R.A. 17, p. 39. 1916.
  yield by Acacia species. D.B. 9, p. 34. 1913.
Sapota—
  Cuban, composition, chemical. Chem. Bul. 87, p. 24. 1904.
  description, use, and growth in Cuba. Chem. Bul. 87, p. 24. 1904.
  importation, and description. No. 34320, B.P.I. Inv. 32, p. 35. 1914.
  infestation with Mediterranean fruit fly in Hawaii. D.B. 536, pp. 24, 26. 1918.
  See also Sapodilla; Sapote.

Sapotaceae—
  injury by sapsuckers. Biol. Bul. 39, pp. 48–49, 88. 1911.
  occurrence in Porto Rico, description and uses. D.B. 354, pp. 91–93. 1916.
Sapote(s)—
  black—
    growing in Hawaii. Hawaii A.R.. 1921, p. 22. 1922.
    importations and descriptions. No. 39719, B.P.I. Inv. 42, pp. 7, 16. 1918; No. 41723, B.P.I. Inv. 46, p. 15. 1919; Nos. 44130, 44187, B.P.I. Inv. 50, pp. 33, 40. 1920; No. 52377, B.P.I. Inv. 66, p. 17. 1923.
  green, importation and description. Nos. 43439, 43788. B.P.I. Inv. 49, pp. 8, 22, 77. 1921.
  importations and descriptions. Nos. 31479, 31480, 31637, 31642, B.P.I. Bul. 248, pp. 18, 31, 33. 1912; Nos. 35673, 35674, B.P.I. Inv. 36, pp. 10, 69. 1915; Nos. 37813, 38478–38481, 38566, 38634, B.P.I. Inv. 39, pp. 10, 48, 135, 148, 155. 1917; No. 46236, B.P.I. Inv. 55, p. 38. 1922; Nos. 47424, 47516, B.P.I. Inv. 59, pp. 17, 25. 1922; Nos. 47870, 47956, B.P.I. Inv. 60, pp. 8, 20. 1922.
  susceptibility to citrus canker. J.A.R. vol. 19, p. 341. 1920.
  white, importations and descriptions. No. 36602, B.P.I. Inv. 37, pp. 8, 36. 1916; No. 46375, B.P.I. Inv. 56, pp. 2, 12. 1922; No. 46661, B.P.I. Inv. 57, p. 18. 1922; Nos. 47565, 47624, B.P.I. Inv. 59, pp. 32, 39. 1922; Nos. 53491, 53496, B.P.I. Inv. 67, pp. 6, 56. 1923; Nos. 54046, 54051, B.P.I. Inv. 68, pp. 3, 22, 23. 1923.
  See also Sapodilla; Sapota.
"Sapozol," misbranding and adulteration. Insect. N.J. 473, 474. I. and F. Bd. S.R.A. 26, pp. 605–606. 1919.
Sapranthus sp., importation and description. No. 46786, B.P.I. Inv. 57, pp. 6, 34. 1922.
Saprophytes, distinction from parasites. F.B. 490, p. 7. 1912.
Sapsuckers—
  carriers of chestnut-blight fungus. J.A.R., vol. 2, pp. 410, 413, 414. 1914.
  distribution, habits, and damage to trees. Biol. Bul. 39, pp. 16–55, 56–99. 1911.
  effects of work on—
    appearance and health of trees. Biol. Bul. 39, pp. 18–21. 1911.
    lumber and finished wood products. Biol. Bul. 39, pp. 56–91. 1911.
  food, injurious habits, and control measures. Biol. Bul. 39, pp. 95–99. 1911; F.B. 506, pp. 12–15. 1912.
  injurious habits, notes. Biol. Bul. 34, pp. 22, 29. 1910.
  northern red-breasted, range and habits. N.A. Fauna 21, p. 45. 1901.
  occurrence in Athabaska-Mackenzie region. N.A. Fauna 27, pp. 384–385. 1908.
  red-breasted—
    distribution, food habits, and destruction of insects. Biol. Bul. 37, pp. 31–32. 1911.
    food habits, relation to agriculture. Biol. Bul. 34, pp. 21–22. 1910.
  Williamson, distribution, food habits, and destruction to insects. Biol. Bul. 37, pp. 32–33. 1911.
  yellow-bellied, description, range, and habits. Biol. Bul. 38, p. 47. 1911; F.B. 506, p. 14. 1912; F.B. 513, p. 24. 1913; N.A. Fauna 22, p. 112. 1902.
  See also Woodpecker, yellow-bellied.
Sapium verum. See Rubber, virgin.
Sapucaia nut—
  description and identification key. Chem. Bul. 160, p. 30. 1912.
  importation and description. No. 53850, B.P.I. Inv. 67, p. 92. 1923.
Sapwood—
  absorption of preservatives, percentage in various woods. For. Bul. 118, pp. 23–25, 47. 1912.
  formation, relation to diameter growth. D.B. 933, pp. 25–26. 1921.
  importance in life of tree. F.B. 173, pp. 13–14. 1903; Y.B. 1913, pp. 164, 165. 1914.

SAR, M. E.: "Soil survey of Lee County, Iowa." With L. V. Davis. Soil Sur. Adv. Sh., 1914, pp. 36. 1916; Soils F. O., 1914, pp. 1911–1942. 1919.
Sar—
  solution, use in treatment of grain smuts, formula. F.B. 507, pp. 18, 31. 1912.
  treatment, stinking smut of wheat, directions. F.B. 250, pp. 5–8, 16. 1906.
Saraca—
  declinata, importation and description. No. 44900, B.P.I. Inv. 51, p. 87. 1922.
  indica, importation and description. Nos. 36026, 36092. B.P.I. Inv. 36, pp. 40, 51. 1915.
Sarcina lutea, destruction by chlorine, tests. J.A.R. vol. 26, pp. 379, 382. 1923.
Sarcobatus spp. *See* Greasewood.
Sarcocele, horse. description and treatment. B.A.I. [Misc.], "Diseases of the horse," rev. pp. 143–144. 1903; rev., pp. 143–144. 1907; rev. 143–144. 1911; rev. 165–166. 1923.
Sarcocolla satigna, importation and description. No. 42628. B.P.I. Inv. 47, p. 40. 1920.
Sarcocystis—
  in cattle, diagnosis. B.A.I. An. Rpt., 1911, p. 114. 1913; B.A.I. Cir. 214. p. 114. 1913.
  miescheriana infestation of hams. An. Rpts., 1914, p. 91. 1915; B.A.I. Chief Rpt., 1914, p. 35. 1914.
  spp., description, occurrence, and diseases caused. B.A.I. An. Rpt., 1910, p. 496–498. 1912; B.A.I. Cir. 194, pp. 496–498. 1912.
  tenella, infestation of western sheep. An. Rpts., 1912, p. 381. 1913; B.A.I. Chief Rpt., 1912, p. 85. 1912.
Sarcoma—
  and crown-gall. Erwin F. Smith. B.P.I. Cir. 85, pp. 4. 1911.
  cattle, description and treatment. B.A.I. [Misc.], "Diseases of cattle," rev., p. 327. 1912; rev., p. 315. 1923.
  similarity to crown-gall. B.P.I. Bul. 213, pp. 166, 167. 1911.
Sarcoomatosis in chickens, prevalence. An. Rpts., 1908, p. 246. 1909; B.A.I. Chief Rpt., 1908, p. 32. 1908.
Sarcophaga—
  barbata, enemy of sheep. Hawaii A.R. 1907, p. 47. 1908.
  georgina, parasite of *Melanoplus differentialis*. Ent. Bul. 67, p. 98. 1907.
  kellyi—
    description. J.A.R. vol. 2, pp. 443–445. 1914.
    discovery, habits, and technical description. J.A.R. vol. 2, pp. 435–446. 1914.
    parasitic enemy of long-winged grasshopper. D.B. 293, pp. 7–9. 1915.
  pallinerris, enemy of sheep. Hawaii A.R. 1907, p. 47. 1908.
  spp.—
    dispersion by flight. J.A.R., vol. 21, pp. 736–766. 1921.
    enemies of grasshoppers. F.B. 637, pp. 4–6. 1915.
    known to parasitize grasshoppers. J.A.R. vol. 2, p. 441. 1914.
  See also Flies, gray, flesh.
  utilis, parasite of green June beetle, description. D.B. 891, pp. 31–32. 1922.
Sarcophagidae—
  habits, investigation. Ent. T.B. 19, Pt. III, pp. 25–32. 1911.
  larvae, description and occurrence in food. Ent. T.B. 22, pp. 13, 15–20, 36. 1912.
Sarcophagids, relation to grasshoppers studies. J.A.R., vol. 2, pp. 435–446. 1914.
Sarcopsylla gallinacea. See Flea, chicken.
Sarcoptes—
  laevis, cause of scab in pheasants. F.B. 390, p. 39. 1910.
  mutans, cause of scurfy legs, in pheasant. F.B. 390, p. 38. 1910.
  scabiei, spread by dogs. D.B. 260, p. 24. 1915.
  scabiei bovis, description, and scab caused. F.B., 1017, pp. 3, 10–13. 1919.
  scabiei suis. See Mite, sarcoptic mange.
  spp. description, habits, and control. Rpt. 108, pp. 129, 130. 1915.
Sarcopteidea, classification, description, and habits. Rpt. 108, pp. 18, 104–133. 1915.

Sarcoratus vermiculatus, description. D.B. 1345, p. 27. 1925.
Sarcosporidia, description, occurrence, and diseases caused thereby. B.A.I. An. Rpt., 1910, p. 496. 1912; B.A.I. Cir. 194, p. 496. 1912.
Sarcosporidioses, life history and nature of disease caused. B.A.I. Dairy [Misc.], "World's dairy congress, 1923," p. 1459. 1924.
Sardines—
analysis methods. D.B. 908, pp. 12-14. 1921.
canned—
adulteration. See *Indexes, Notices of Judgment, in bound volumes, and in separates published as supplements to Chemistry Service and Regulatory Announcements.*
food value, comparison with other foods. D.B. 908, p. 5. 1921.
cannery, sanitation. D.B. 908, pp. 98-101, 124. 1921.
canning, methods. Chem. Bul. 151, p. 68. 1912; D.B. 196, p. 75. 1915.
cans, description, sizes, and types. D.B. 908, pp. 11-12. 1921.
deviled, preparation. D.B. 908, pp. 110-111. 1920.
fish species used for. D.B. 908, pp. 1-3. 1921.
freezing and thawing during storage, effects. D.B. 908, pp. 78-80. 1921.
French, packing and export. Chem. Bul. 102, p. 43. 1906.
imported, misbranding and adulteration. Y.B., 1910, pp. 209-210. 1911; Y.B. Sep. 529, pp. 209-210. 1911.
imports, 1910-1916. D.B. 908, pp. 117-118. 1921.
industry in—
Maine. F. C. Weber and others. D.B. 908, pp. 127. 1921.
United States, history of development. D.B. 908, pp. 3-4. 1921.
invoice declaration. Chem. [Misc.], "Food and drug manual," pp. 103-104. 1920.
label. F.I.D. 27, p. 1. 1905; F.I.D. 60-64, p. 5. 1907.
pack, standardization. D.B. 908, pp. 96-98, 124. 1921.
packing—
methods and sanitary precautions. D.B. 908, pp. 6-12, 98-101, 103-105, 124. 1921.
use of peanut oil. F.B. 751, p. 4. 1916.
paste, preparation. D.B. 908, p. 109. 1921.
pickling and salting, details, and changes occurring. D.B. 908, pp. 34-50, 122. 1921.
processing. D.B. 908, pp. 10, 69-70. 1921.
Russian, preparation. D.B. 908, p. 106. 1921.
storing, and changes during storage. D.B. 908, pp. 10-11, 70-80, 122. 1921.
stuffed, preparation. D.B. 908, p. 108. 1920. 1920.
swelled cans, cause, prevention, and canning method. An. Rpts., 1916, pp. 193, 197. 1917; Chem. Chief Rpt., 1916, pp. 3, 7. 1916.
waste, utilization—
as feed. D.B. 378, pp. 2, 9-10, 18. 1916.
in canneries. D.B. 908, pp. 102-115. 1921.
Sargaritis sp., enemy of Florida fern caterpillar. Ent. Bul. 125, p. 10. 1913.
Sarsaparilla—
adulteration. See *Indexes, Notices of Judgment, in bound volumes, and in separates published as supplements to Chemistry Service and Regulatory Announcements.*
importation and description. No. 35417, B.P.I. Inv. 35, p. 43. 1915; No. 45731, B.P.I. Inv. 54, pp. 12-13. 1922.
root adulterations. An. Rpts., 1908, p. 471. 1909; Chem. Chief Rpt., 1908, p. 27. 1908.
wild—
fruiting season and use as bird food. F.B. 912, pp. 12, 13. 1918.
habitat, range, description, collection, prices and uses of roots. B.P.I. Bul. 107, p. 48. 1907.
Sarson, importation and description. No. 44787, B.P.I. Inv. 51, p. 68. 1922.
Sartoin skin food, misbranding. Chem. N.J. 16, pp. 9-11. 1908.
SARVIS, J. T.—
"Composition and density of the native vegetation in the vicinity of the Northern Great Plains Field Station." J.A.R., vol. 19, pp. 63-72. 1920.

SARVIS, J. T.—Continued.
"Effects of different systems and intensities of grazing upon the native vegetation at the Northern Great Plains Field Station." D.B. 1170, pp. 46. 1923.
"Report of the Northern Great Plains Field Station for the 10-year period, 1913-1922, inclusive." With others. D.B. 1301, pp. 80. 1925.
"Work of the Northern Great Plains Field Station in 1923." With others. D.B. 1337, pp. 18. 1925.
Sasa—
argenteo-striata, characteristics. D.B. 1329, p. 36. 1925.
disticha, characteristics. D.B. 1329, p. 36. 1925.
japonica, characteristics. D.B. 1329, p. 36. 1925.
pumila, characteristics. D.B. 1329, p. 36. 1925.
Sasage, description. B.P.I. Bul. 229, p. 10. 1912.
Sash(es)—
greenhouse, description and requirements. F.B. 1318, pp. 16, 18. 1923.
hotbed, description, glazing, and sizes. F.B. 937, p. 13. 1918; F.B. 1171, p. 17. 1921.
manufacture, utilization of sycamore. D.B. 884, pp. 9, 10, 15, 24. 1920.
Saskatchewan—
animals, fur-bearing, laws, 1916. F.B. 783, pp. 3, 25, 28. 1916.
birds and game officials and organizations, 1921. D.C. 196, pp. 13, 18. 1921.
Cooperative Elevator Co., organization and operation. D.B. 937, pp. 5, 6, 7, 8-10. 1921.
dry farming, notes. Y.B., 1911, pp. 252-253. 1912; Y.B. Sep. 565, pp. 252-253. 1912.
emmer and spelt growing, experiments. D.B. 1197, pp. 41-42. 1924.
farmers' institute work, report, 1907. O.E.S. Bul. 199, p. 25. 1908.
fur animals, laws—
1915. F.B. 706, p. 24. 1915.
1916. F.B. 783, p. 25. 1916.
1917. F.B. 911, pp. 28, 31. 1917.
1918. F.B. 1022, pp. 28, 31. 1918.
1919. F.B. 1079, pp. 7, 29-30. 1919.
1920. F.B. 1165, p. 29. 1920.
1921. F.B. 1238, p. 29. 1921.
1922. F.B. 1293, p. 27. 1922.
1923-24. F.B. 1387, p. 30. 1923.
1924-25. F.B. 445, pp. 21-22. 1924.
1925-26. F.B. 1469, p. 26. 1925.
game laws—
1906. F.B. 265, pp. 25, 33, 39, 49. 1906.
1907. F.B., 308, pp. 9, 24, 32, 39, 48. 1907.
1908. F.B. 336, pp. 27, 36, 42, 46, 55. 1908.
1909. F.B. 376, pp. 31, 37, 41, 44, 52. 1909.
1910. F.B. 418, pp. 24, 25, 30, 34, 37, 47. 1910.
1911. F.B. 470, pp. 40, 42, 52. 1911.
1912. F.B. 510, pp. 24, 31, 36, 39, 48. 1912.
1913. D.B. 22, pp. 18, 36, 42, 47, 50, 59. 1913.
1914. F.B. 628, pp. 2, 3, 4, 7, 13, 28, 34, 35, 39, 43, 54. 1914.
1915. F.B. 706, p. 24. 1916.
1916. F.B. 774, pp. 12, 35, 43, 48, 53, 62. 1916.
1917. F.B. 910, pp. 46, 57. 1917.
1918. F.B. 1010, pp. 43. 1918.
1919. F.B. 1077, pp. 46-47, 62. 1919.
1920. F.B. 1138, p. 51. 1920.
1921. F.B. 1235, p. 53. 1921.
1922. F.B. 1288, pp. 50, 56, 72-78. 1922.
1923. F.B. 1375, pp. 46, 51. 1923.
1923-24. F.B. 1375, pp. 46-47, 51. 1923.
1924-25. F.B. 1444, pp. 34, 38. 1924.
1925-26. F.B. 1466, pp. 41-42, 46. 1925.
Saskatoon. See Shadblow.
Sassafras—
agency in spread of bitter-rot fungus. D.B. 684, p. 19. 1918.
bark, powdered, effectiveness against dog fleas. D.B. 888, p. 11. 1920.
characters. F.B. 468, p. 41. 1911.
description and key. D.C. 223, pp. 6, 9. 1922.
distillation, uses. B.P.I. Bul. 235, pp. 7, 8. 1912.
fly repellent, formula and experiments. D.B. 131, pp. 19, 24. 1914.
fruiting season and use as bird food. F.B. 844, pp. 11, 13. 1917.
injury from gipsy moth. D.B. 204, p. 15. 1915.
leaves, use as food relish. O.E.S. Bul. 245, p. 68. 1912.

Sassafras—Continued.
loam, constituents, water-soluble. Soils Bul. 22, pp. 26–27. 1903.
names, range, description, bark, prices, and uses. B.P.I. Bul. 139, pp. 25–26. 1909.
oil—
adulteration. Chem. N.J. 2136, p. 1. 1913.
artificial, a by-product of camphor. Y.B., 1910, p. 459. 1911; Y.B. Sep. 551, p. 459. 1911.
distillation and value. B.P.I. Bul. 195, p. 37. 1910.
effectiveness against dog fleas. D.B. 888, pp. 11, 14. 1920.
production in Arkansas. For. Bul. 106, p. 31. 1912.
quantity used in manufacture of wooden products. D.B. 605, p. 16. 1918.
root, tea, use as beverage. News L., vol. 4, No. 37, p. 6. 1917.
series, soils. Jay A. Bonsteel. D.B. 159, pp. 52. 1915.
silt loam—
heating experiments. Soils Bul. 89, pp. 14–36. 1912.
soils of the eastern United States and their use— IV. Jay A. Bonsteel. Soils Cir. 25, pp. 14. 1911.
sprouts, destruction, use of carbon bisulphid. F.B. 281, pp. 16–17. 1907.
tests for mechanical properties, results. D.B. 556, pp. 32, 41. 1917; D.B. 676, p. 27. 1919.
trees, injury by sapsuckers. Biol. Bul. 39, pp. 38, 79. 1911.
uses as condiment, extract, and tea. D.B. 503, p. 17. 1917.
variifolium—
injury by sapsuckers. Biol. Bul. 39, pp. 38, 79. 1911.
source of camphor. B.P.I. Bul. 235, p. 11. 1912.

SASSCER, E. R.—
"A method of fumigating seed." With Lon A. Hawkins. D.B. 186, pp. 5. 1915.
"Brief notes of pests intercepted on fo.eign plants offered for entry." F.H.B.S.R.A., 72, pp. 29–36. 1922.
"Catalogue of recently described Coccidae— III." Ent. T.B. 16, Pt. IV, pp. 61–74. 1911.
"Catalogue of recently described Coccidae—IV." Ent. T.B. 16, Pt VI, pp. 83–97. 1912.
"Effect of hydrocyanic-acid gas under vacuum conditions on subterranean larvae." With H. L. Sanford. J.A.R., vol. 15, pp. 133–136. 1918.
"Fumigation of Cattleya orchids with hydrocyanic-acid gas." With H. F. Dietz. J.A.R., vol. 15, pp. 263–268. 1918.
"Fumigation of ornamental greenhouse plants with hydrocyanic-acid gas." With A.D. Borden. D.B. 513, pp. 20. 1917; F.B. 880, pp. 20. 1917.
"Index to catalogues of recently described Coccidae." Ent. T.B. 16, Pt. VII, pp. 99–116. 1913.
"Insects injurious to ornamental greenhouse plants." With C.A. Weigel. F.B. 1362, pp. 81. 1924.
"The genus Fiorinia in the United States." Ent. T. B. 16, Pt. V., pp. 75–82. 1912.
"The oyster-shell scale and scurfy scale." With A.L. Quaintance. Ent. Cir. 121, pp. 15. 1910; F.B. 723, pp. 16. 1916.
"The rose midge." With A. D. Borden. D.B. 778, pp. 8. 1919.

SATER, JUDGE—
charge to jury on misbranding of maraschino cherries. Chem. N.J. 1664, pp. 3–8. 1912.
opinion in case of Doctor Tucker's specific for asthma. Chem. N.J. 1077, pp. 2–3. 1911.
Satin moth, quarantine modification, October 1, 1924. F.H.B. Quar. 53, amdt. 2, p. 1. 1924.
Satinleaf, importation and description. No. 45107, B.P.I. Inv. 52, p. 35. 1922.
Satinwood—
injury by sapsuckers. Biol. Bul. 39, p. 44. 1911.
occurrence in Porto Rico, description and uses. D.B. 354, p. 76. 1916.
quantity used in manufacture of wooden products. D.B. 605, p. 17. 1918.
West Indian. See Aceitillo.

SATO, MASAYOSHI—
"Dairy farming in Japan." B.A.I. Dairy [Misc.], "World's dairy congress, 1923," pp. 1437–1451. 1924.
"Freezing point of colostrum milk, normal milk, and end milk of lactation; and its practical value for detection of water added," B.A.I. Dairy [Misc.], "World's dairy congress, 1923," pp. 1173–1174. 1924.
"On fat phagocytosis of leucocytes." B.A.I. Dairy [Misc.], "World's dairy congress, 1923," pp. 1152–1153. 1924.
"On the mineral constituents of colostrum milk.', B.A.I. Dairy [Misc.], "World's dairy congress, 1923," pp. 1171–1173. 1924.
"On the presence of amylase in milk and cheese." B.A.I. Dairy [Misc.], "World's dairy congress, 1923," pp. 1174–1175. 1924.
"Sediments of evaporated milk." B.A.I. Dairy [Misc.], "World's dairy congress, 1923," pp. 1284–1285. 1924.
"The crystals found in sweetened condensed milk." B.A.I. Dairy [Misc.], "World's dairy congress, 1923," p. 1285. 1924.
"The variation in the mineral constituents of milk in disease." B.A.I. Dairy [Misc.], "World's dairy congress, 1923," pp. 1170–1171. 1924.

SATTERTHWAIT, A. F.—
"How to control billbugs destructive to cereal and forage crops." F.B. 1003, pp. 23. 1919.
"Life-history studies of Cirphis unipuncta, the true army worm." With John J. Davis. J.A.R., vol. 6, No. 21, pp. 799–812. 1916.
"The chinch bug and its control." With J. R. Horton. F.B. 1223, pp. 35. 1922.
Saturday half-holidays, executive order. B.A.I. S.R.A. 206, p. 72. 1924.
Satureja hortensis. See Summer savory.
Satyriasis, bull, causes, and treatment. B.A.I. [Misc.], "Diseases of cattle," rev., p. 145. 1904; rev., pp. 148–149. 1912; rev., p. 148. 1923.
Sauce(s)—
composition studies. O.E.S. Bul. 245, p. 88. 1912.
condimental, adulteration. Chem. Bul. 100, pp. 21–22. 1906.
cottage cheese, recipes. Sec. Cir. 109, rev., pp. 4–5. 1918.
cream, recipe. D.C. 160, p. 10. 1921.
creola, recipe. D.C. 160, p. 10. 1921.
egg recipes. D.C. 36, pp. 8–9. 1919; S.R.S. Doc. 91, pp. 8–9. 1919.
fish, recipes and directions. U.S. Food Leaf. 17, p. 3. 1918.
lamb and mutton. F.B. 1324, pp. 7, 8, 9. 1923.
meat—
misbranding. Chem. N.J. 2104, pp. 2. 1913.
preparation, general principles. F.B. 391, pp. 39–40. 1910.
mustard, for pickles, formula. D.B. 123, p. 71. 1916.
mutton. F.B. 526, pp. 20–21, 23, 25, 26, 28. 1913.
polenta, recipes. F.B. 565, p. 11. 1914.
recipes—
for creamed dishes. U.S. Food Leaf, No. 11, p. 4. 1918.
use of honey. F.B. 653, pp. 25–26. 1915.
soy, preparation and use. Y.B., 1917 pp. 107, 109–110. 1918; Y.B. Sep. 740, pp. 9, 11–12. 1918.
tomato, analyses. D.B. 581, p. 19. 1917.
use as relish, recipes. F.B. 712, p. 23. 1916.
white—
directions for making. D.B. 123, p. 18. 1916; F.B. 1359, p. 16. 1923.
stains, removal from textiles. F.B. 861, p. 35. 1917.

Sauerkraut—
adulteration and misbranding. See Indexes, Notices of Judgment, in bound volumes and in separates published as supplements to Chemistry Service and Regulatory Announcements.
arsenic content, investigation at Maryland Hospital for Insane. Off. Rec. vol. 1, No. 6, p. 5. 1922.
cabbage varieties, adaptability. F.B. 433, pp. 16, 20. 1911; F.B. 1423, p. 12. 1924.

INDEX TO PUBLICATIONS, 1901–1925   2081

Sauerkraut—Continued.
  canned, adulteration, and warnings by Agriculture Department. News L., vol. 5, No. 29, p. 5. 1918.
  canning—
    inspection instructions. D.B. 1084, p. 36. 1922.
    seasons and methods. Chem. Bul. 151, pp. 36, 75–76. 1912; F.B. 839, pp. 16, 29. 1917.
  definition and standard, revised and amended. F.I.D. 196, p. 1. 1925.
  description, canning methods, and brine use. D.B. 196, pp. 78–79. 1915.
  directions for making. F.B. 881, pp. 8–9. 1917; F.B. 1159, pp. 15–16. 1920; F.B. 1438, pp. 10–11. 1924.
  failure to pickle, causes and prevention. F.B. 1159, pp. 18–19. 1920.
  fermentation, influence of inoculation. O. R. Brunkow and others. J.A.R., vol. 30, pp. 955–960. 1925.
  important industry to growers, sources of supply. Y.B., 1907, p. 429. 1908; Y.B. Sep. 459, p. 429. 1908.
  manufacture, methods, and composition. O.E.S. Bul. 245, p. 79. 1912.
  manufacturing methods and prices. News L., vol. 5, No. 2, p. 8. 1917.
  packages, quantity declaration. Chem. S.R.A. 13, p. 4. 1915.
  packing season. D.B. 196, p. 18. 1915.
  preparation. D.B. 123, p. 61. 1916.
  quality testing. J.A.R., vol. 30, p. 960. 1925.
  standard. Off. Rec., vol. 4, No. 36, p. 3. 1925.
  use of—
    cabbages in manufacture, methods. News L., vol. 2, No. 18, p. 4. 1914.
    early cabbage, and methods. News L., vol. 4, No. 47, p. 7. 1917.
SAUNDERS, A. R.: "Some observations on the temperature of the leaves of crop plants." With Edwin C. Miller. J.A.R., vol. 26, pp. 15–43. 1923.
SAUNDERS, D. A.: "Custom ginning as a factor in cotton-seed deterioration." With P. V. Cardon. D.B. 288, pp. 8. 1915.
SAUNDERS, W. L.: "Close utilization of Lake States hardwoods." M.C. 39, pp. 45–46. 1925.
SAUNDERS, WILLIAM, introduction of navel orange into United States. D.B. 445, pp. 4–6. 1917.
Saurauja—
  napaulensis, importations and descriptions. No. 46102, B.P.I. Inv. 55, p. 24. 1922; No. 47784, B.P.I. Inv. 59, p. 59. 1922.
  spp., importation and description. Nos. 55702–55703. B.P.I. Inv. 72, p. 21. 1924.
Sauromalus ater. See Chuckwalla.
Sauropus albicans, importation and description. No. 44785, B.P.I. Inv. 59, p. 59. 1922.
Saurothera vieillot. See Cuckoo, ground; Vieillots.
Sausage—
  adulteration with cereals, ruling. Chem. S.R.A. 18, p. 45. 1916.
  bologna-style, preparation. F.B. 1186, pp. 20–40. 1921; F.B. 1415, p. 29. 1924.
  branding, regulation. B.A.I.S.R.A. 127, p. 120. 1918.
  Canada entry requirements. B.A.I.S.R.A. 203, p. 26. 1924.
  canned, composition. Chem. Bul. 13, Pt. X, pp. 1442–1443. 1902.
  canning directions. F.B. 1186, pp. 40–41, 42. 1921; S.R.S. Doc. 80, p. 19. 1918.
  casings—
    exports—
      1890–1906. Stat. Bul. 55, pp. 8, 11, 32–35. 1907.
      1902–1904. Stat. Bul. 36, p. 46. 1905.
      1924. Y.B., 1924, pp. 1042, 1043. 1925.
    imports—
      1907–1909, value, by countries from which consigned. Stat. Bul. 82, p. 32. 1910.
      1913–1915, and exports. Y.B., 1915, pp. 541, 549. 1916; Y.B. Sep. 685, pp. 541, 549. 1916.
      1922–1924. Y.B., 1924, p. 1061. 1925.
    regulation. B.A.I.S.R.A. 183, p. 80. 1922.
  cereal content, instructions. B.A.I.S.A. 71, p. 17. 1913.
  coloring, artificial, regulation. B.A.I.S.A. 40, p. 52. 1910.

Sausage—Continued.
  containers, net weight, regulation. B.A.I.S.R.A. 98, p. 65. 1915.
  contents, decision under meat inspection law. Sol. Cir. 74, pp. 1–4. 1913.
  cottage cheese, ingredients. News L., vol. 6, No. 20, p. 2. 1918.
  curing, experiments for destruction of trichinae. D.B. 880, pp. 7–22. 1920.
  fresh, dry, or pickle, weight and volume, rulings. B.A.I.S.R.A. 98, pp. 67–68. 1915.
  imports—
    1907–1909, amount and value, by countries from which consigned. Stat. Bul 82, p. 32. 1910.
    and exports, 1908–1912. Y.B., 1912, pp. 714, 728. 1913; Y.B. Sep. 615, pp. 714, 728. 1913.
  in boxes for United States Navy, weight. B.A.I.S.R.A. 206, p. 67. 1924.
  in oil, preparation methods. B.A.I.S.A. 64, p. 63. 1912.
  infection with Subtilis bacilli, investigations. B.A.I. An. Rpt., 1911, p. 69. 1913.
  inspection—
    amendments. B.A.I.O. 211, rev., amdt. 3, pp. 2–4. 1925.
    regulation for addition of water. B.A.I.S.R.A. 184, p. 93. 1922.
  laws, Roumania, affecting American export. Chem. Bul. 61, p. 33. 1901.
  making—
    directions. F.B. 1186, pp. 18–22. 1921.
    inspection. B.A.I. Cir. 125, p. 28. 1908.
    on the farm, directions. F.B. 183, p. 33. 1903.
  marking regulations. B.A.I.S.R.A. 196, p. 70. 1923.
  meat, adulteration. See also Indexes, Notices of Judgment, in bound volumes, and in separates published as supplements to Chemistry Service and Regulatory Announcements.
  mutton, recipe. F.B. 1172, p. 32. 1920.
  pork, formula for making at home. News L. vol. 6, No. 20, p. 8. 1918.
  potato, recipe. U.S. Food Leaf. 10, p. 3. 1917.
  preparation. B.A.I.S.R.A. 126, p. 108. 1917.
  pure pork, recipe. F.B. 1186, p. 19. 1921.
  smoked, recipe. F.B. 1186, p. 19. 1921.
  uncooked, meat-inspection regulations. B.A.I. S.R.A. 114, pp. 89–90. 1916.
  use with chopped beef. F.B. 391, p. 38. 1910.
  varieties and recipes. F.B. 913, pp. 18–21, 22–23. 1917.
Sausage tree, importation and description. No. 38698, B.P.I. Inv. 40, p. 13. 1917.
Saussure harvest mouse, habitat, description, and characters. N.A. Fauna 36, pp. 70–72. 1914.
Saussurea—
  deltoides, importation and description. No. 47786, B.P.I. Inv. 59, p. 59. 1922.
  lappa, importation and description. No. 51852, B.P.I. Inv. 65, p. 58. 1923.
Sauterne, sparkling, adulteration and misbranding. Chem. N.J. 1665, pp. 2. 1912.
SAVAGE, G. O.: "Proceedings of twenty-ninth annual convention of Association of Agricultural Chemists, 1912." With W. D. Bigelow. Chem. Bul. 162, pp. 245. 1913.
SAVAGE, W. G.—
  "Method of milk testing." D.B. 940, pp. 3–6. 1921.
  study on identification of Bacillus coli. B.P.I. Bul. 228, pp. 75, 79. 1912.
  "The extent to which bacteriology can be used administratively to improve the milk supply." B.A.I. Dairy [Misc.], "World's dairy congress, 1923," pp. 1295–1300. 1924.
Savannah-Charleston hurricane, August 27–28, 1911, charts, with explanation. Willis L. Moore. W.B. [Misc.], "Savannah-Charleston hurricane * * *," Folder. 1911.
Savannah, Ga.—
  milk supply—
    details and statistics. B.A.I. Bul. 70, pp. 6–7, 29–30. 1905.
    statistics, officials, and prices. B.A.I. Bul. 46, pp. 30, 60. 1903.
  trade center for farm products. Rpt. 98, pp. 288, 329. 1913.

Savannah River—
　bench marks. O.E.S. Cir. 113, p. 24. 1911.
　silt carried per year. Y.B., 1913, p. 212. 1914;
　　Y.B. Sep. 624, p. 212. 1914.
Savanol, misbranding. See *Indexes, Notices of Judgment, in bound volumes and in separates, published as supplements to Chemistry Service and Regulatory Announcements.*
SAVELY, H. E.—
　"Farm fertilizers." With W. B. Mercier. B.P.I. Doc. 692, pp. 14. 1911.
　"Farm manures and fertilizers." With W. B. Mercier. S.R.S. Doc. 30, pp. 14. 1916.
Savenac Nursery, irrigation and other practices, capacity. D.B. 479, pp. 2, 10, 35, 37, 44, 46, 47, 49, 56, 59, 61, 65, 67, 69, 71, 73, 74. 1917.
Savin, trailing, Wyoming, distribution and growth. N.A. Fauna 42, p. 60. 1917.
SAVINA, ELIA: "The acetic index in the analysis of butter." B.A.I. Dairy [Misc.], "World's dairy congress, 1923," pp. 792–795. 1924.
Saving—
　seven steps toward. Thrift Leaf. 2, pp. 4. 1919.
　stimulation to members of cooperative credit associations. F.B. 654, p. 13. 1915.
Savings bank deposits, increase at 3 and 4 per cent, table. News L., vol. 2, No. 6, p. 2. 1914.
Savory—
　drippings, contents. F.B. 391, p. 20. 1910.
　fat, directions for making. F.B. 526, p. 9. 1913.
　leaves, standards, Opinion 162. Chem. S.R.A. 16, p. 30. 1916.
　rolls, recipe for making. F.B. 391, pp. 33–34. 1910.
　sauce for mutton, recipe. F.B. 1172, p. 27. 1920.
　summer, value in perfumery production. B.P.I. Bul. 195, p. 42. 1910.
　See also Spices.
Saw(s)—
　circular—
　　for firewood, size and speed. F.B. 1023, pp. 6–7. 1919.
　　for small mills, kinds, costs, and filing. D.B. 718, pp. 25–31. 1918.
　　cost and operating expense, comparison. F.B. 1023, pp. 12–16. 1919.
　crew for small logging operations. D.B. 718, p. 38. 1918.
　crosscut, description and filing directions. D.B. 718, pp. 39–41. 1918.
　dehorning—
　　description and directions for use. F.B. 949, pp. 5–6. 1918.
　　use on cattle. B.A.I. An. Rpt., 1907, pp. 298–299. 1909; F.B. 350, pp. 7, 9. 1909.
　description and use. D.B. 527, pp. 2–3. 1917.
　diamond, rock testing, description. D.B. 949, p. 6. 1921; Rds. Bul. 44, pp. 12–15. 1912.
　filing, directions. D.B. 718, pp. 29–31, 39–41. 1918.
　friction reduction as factor in saving lumber. M.C. 39, p. 60. 1925.
　gin, description and use, comparisons and directions. F.B. 764, pp. 10–14, 24. 1916.
　gauge, Stubs's standard English. D.B. 718, p. 62. 1918.
　hand, cross-cut, and compass, description and cost. F.B. 347, pp. 7–8. 1909.
　logging, description and prices. D.B. 711, pp. 34, 41–42, 45–46. 1918.
　mill, speed calculation. D.B. 718, p. 62. 1918.
　pruning, description of type. F.B. 491, p. 15. 1912.
　setting, directions. D.B. 718, p. 39. 1918.
　table, firewood, kinds and description. F.B. 1023, pp. 7–8. 1919.
　thin, advantage in saving timber. M.C. 39, p. 60. 1925.
　tree cutting, experiments. M.C. 39, p. 59. 1925.
　wastefulness in lumbering. M.C. 39, pp. 33–34. 1925.
Sawdust—
　briquets, practicability for fuel. D.B. 753, p. 7. 1919.
　conveyors, description and prices. D.B. 718, p. 15. 1918.
　filler, redwood, preparation and grades. D.B. 35, pp. 9–12. 1913.

Sawdust—Continued.
　hydrolyzed, feed value. J.A.R., vol. 27, No. 5, p. 251. 1924; Off. Rec., vol. 3, No. 36, p. 8. 1924.
　hydrolyzed, feeding to cows, results. D.B. 1272, pp. 9–12. 1924.
　oak, as litter, objections, note. D.B. 767, p. 5. 1919.
　packing for eggs, danger of resin spoiling eggs. F.B. 390, p. 34. 1910.
　redwood—
　　and spruce, use in grape packing. An. Rpts., 1919, p. 439. 1920; Mkts. Chief Rpt., 1919, p. 13. 1919.
　　use and value as packing for grapes, comparison with granulated cork. D.B. 35, pp. 6–12, 13–16, 20–21. 1913.
　　use in packing grapes. An. Rpts., 1911, pp. 324, 325. 1912; B.P.I. Chief Rpt., 1911, pp. 76, 77. 1911.
　use in packing grapes. An. Rpts., 1914, p. 124. 1915; B.P.I. Chief Rpt., 1914, p. 24. 1914.
　stock food production. D.C. 231, p. 35. 1922.
　storage and protection from rain. D.B. 983, pp. 63–64. 1922.
　use—
　　as packing for apple scald prevention, experiments. J.A.R., vol. 16, pp. 215, 216. 1919.
　　for insulation in storage, objections. F.B. 852, pp. 21–22. 1917.
　　in—
　　　cleaning grapefruit. D.B. 63, p. 7. 1914.
　　　control of oil fires on farms. F.B. 904, p. 16. 1918.
　　　manufacture of alcohol. Chem. Bul. 130, p. 95. 1910.
　　　packing fruit. Work and Exp., 1914, p. 231. 1915.
　　　poison for cutworms. News L., vol. 6, No. 24, p. 13. 1919.
　　　road making. For. Bul. 99, p. 52. 1911.
　value in preserving poultry manure. F.B. 384, p. 5. 1910.
Sawfly(ies)—
　allantine. See False worm, dock.
　apple, description. Sec. [Misc.], "A manual * * * insects * * *," p. 23. 1917.
　black grain-stem—
　　occurrence in Maryland, identification and history. D.B. 834, pp. 2–3. 1920.
　　of Europe, in United States. A. B. Gahan. D.B. 834, pp. 18. 1920.
　cherry fruit, description, life history, and control. Ent. Bul. 116, Pt. III, pp. 73–79. 1913.
　description and control studies. F.B. 1252, pp. 1–14. 1922.
　dock. See False worm, dock.
　elm and willow, description, habits, and control. F.B. 1169, pp. 51–52. 1921.
　food plants, European and American. D.B. 834, pp. 5–7. 1920.
　genotypes. Ent. T.B. 20, Pt. II, pp. 69–109. 1911.
　genus Hoplocampa, studies. Ent. T.B. 20, Pt. IV, 139–148. 1911.
　grass, distribution, habits, and preventives. F.B. 132, pp. 37–38. 1901.
　injurious to—
　　pines and roses. Off. Rec., vol. 1, No. 15, p. 6. 1922.
　　rose foliage." William Middleton. F.B. 1252, pp. 14. 1922.
　interception in plant imports. F.H.B. An. Let. No. 36, pp. 1, 16, 18, 23, 25. 1923.
　larch, control studies. An. Rpts., 1923, p. 411. 1923; Ent. A.R., 1923, p. 31. 1923.
　leaf-feeding, injury to wheat, descriptions, precautions. F.B. 132, pp. 36–38. 1901.
　leaf miner, cherry and hawthorn, life history and control. J.A.R., vol. 5, No. 12, pp. 517–528. 1915.
　LeConte's—
　　description, life history, and control. F.B. 1259, pp. 5–11. 1922.
　　enemy of young pines. William Middleton. J.A.R., vol. 20, pp. 741–760. 1921.
　　injurious to young pines. William Middleton. F.B. 1259, pp. 11. 1922.
　　See also *Neodiprion lecontei.*
　occurrence in New Jersey, description. D.B. 834, p. 2. 1920.

Sawfly(ies)—Continued.
  parasites—
    list and description. D.B. 841, pp. 23-24. 1920.
    of peach and plum leaf, description. Ent. Bul. 97, Pt. V, pp. 100-102. 1911.
  peach—
    B. H. Walden. Ent. Bul. 67, pp. 85-87. 1907.
    and plum, life history, habits, and enemies. Ent. Bul. 97, pp. 94-100. 1913.
    spraying with arsenate of lead. O.E.S. An. Rpt., 1907, p. 82. 1908.
  pear—
    social, description. Sec. [Misc.], "A manual * * * insects * * *," p. 169. 1917.
    See also Leafworm, pear.
  pine, imported. William Middleton. D.B. 1182, pp. 22. 1923.
  plum, description. Sec. [Misc.], "A manual * * * insects," pp. 177-178. 1917.
  sweet-potato, control. F.B. 856, pp. 64-65. 1917.
  tamarack, control, study, parasite introduction. O.E.S. An. Rpt. 1911, p. 132. 1913.
  turnip, hosts and habits. Sec. [Misc.], "A manual * * * insects * * *," p. 219. 1917.
  violet, descriptions, distribution, enemies, and remedies. Ent. Bul. 27, pp. 26-35. 1901.
  western grass-stem—
    C. N. Ainslie. D.B. 841, pp. 27. 1920.
    F. M. Webster and George I. Reeves. Ent. Cir. 117, pp. 6. 1910.
    control by burning stubble and straw. D.B. 841, pp. 24-25. 1920.
    development and description of larva. D.B. 841, pp. 11-17. 1920.
  willow-shoot, remedy. F.B. 341, pp. 22-23. 1909.
Sawhorse, construction, school exercise. D.B. 527, pp. 10-11. 1917.
Sawmill(s)—
  California, types. D.B. 440, pp. 4-5, 67-80. 1917.
  capacity and actual output, 1909, and investment. Rpt. 114, pp. 7-8. 1917.
  cause of forest fires, notes. For. Bul. 117, pp. 9-10, 25-39. 1912.
  classes, number, capacity, and production, 1908-1917. D.B. 768, pp. 4-11. 1919.
  equipment and accessories. D.B. 718, pp. 12-21. 1918.
  labor, classes and wages. D.B. 440, pp. 68-69, 72, 76-77, 79, 83. 1917.
  losses, kinds and percentages. M.C. 39, p. 94. 1925.
  Louisiana, output of lumber, 1909. For. Bul. 114, pp. 21-24. 1912.
  lumber production by classes of mills and by States. D.B. 845, pp. 3-15. 1920.
  number—
    and production by States, 1915, with comparisons. D.B. 506, pp. 4-12. 1917.
    operating, 1899-1915, and lumber cut. D.B. 506, pp. 3, 7-12. 1917.
    producing lumber, lath, and shingles, 1916, by States, and output of each, by kinds. D.B. 673, pp. 38-43. 1918.
    reporting, and estimated cut, 1899, 1904-1920, and 1915-1920. D.B. 1119, pp. 24-26. 1923.
  owners, suggestions for small operations. D.B. 718, pp. 2-10. 1918.
  portable, equipment, construction, and operation. D.B. 718, pp. 1-68. 1918.
  small—
    conditions affecting, location, capital, and markets. D.B. 718, pp. 2-10. 1918.
    equipment, construction, and operation. Daniel F. Seerey. D.B. 718, pp. 68. 1918.
    management for profitable marketing. F.B. 715, pp. 44-45. 1916.
    operation to reduce waste and increase profit. F.B. 1210, pp. 56-57. 1921.
    national forests, capital, profit. Y.B., 1912, pp. 410-411. 1913; Y.B. Sep. 602, pp. 410-411. 1913.
    waste and its remedy. M.C. 39, pp. 41-43. 1925.
  statistics. For. Cir. 107, pp. 2. 1907.
  timber handling. D.B. 510, pp. 7, 10-27. 1917.
  See also Mills.

Sawtooth National Forest—
  Idaho, map. For. Maps. 1924.
  map and directions to campers and travelers. For. Map Fold. 1915.
SAWYER, H. E.—
  "Manufacture of denatured alcohol." With others. Chem. Bul. 130, pp. 166. 1910.
  "Model denatured alcohol distillery." Chem. [Misc.], "Model * * * distillery," pp. 7. 1908.
  report on distilled spirits. Chem. Bul. 81, pp. 18-20. 1904.
  report on methods for analysis of molasses. Chem. Bul. 81, pp. 175-177. 1904.
  "Industrial alcohol: Sources and manufacture." H. W. Wiley. F.B. 429, pp. 32. 1911.
Sawyers—
  destruction of conifers. Ent. Bul. 58, p. 63. 1910.
  injuries to conifers. Ent. Bul. 58, Pt. V, p. 63. 1909.
SAX, KARL: "A genetic and cytological study of certain hybrids of wheat species." With E. F. Gaines. J.A.R., vol. 28, pp. 1017-1032. 1924.
Saxicola oenanthe. See Wheatear.
Saxifraga oppositifolia, destruction by birds. Biol. Bul. 15, p. 52. 1901.
Saxifragaceae, family characters. For. [Misc.], "Forest trees for Pacific * * *," p. 331. 1908.
Saxifrage, importations and descriptions. Nos. 38855, 39074. B.P.I. Inv. 40, pp. 36, 71. 1917.
Saxony—
  forest(s)—
    improvement under good management. For. Cir. 172, p. 15. 1909.
    results of forest experiment stations' work. Sec. Cir. 183, p. 11. 1921.
  goat, description and milk yield. B.A.I. Bul. 68, pp. 61-62. 1905.
  hog tuberculosis, prevalence. B.A.I. An. Rpt., 1907, p. 219. 1909; B.A.I. Cir. 144, p. 219. 1909.
  milch-goat industry. B.A.I. Bul. 68, pp. 13, 28. 1905.
  tuberculosis, hog, prevalence. B.A.I. Cir. 201, p. 11. 1912.
SAY, THOMAS, description of Chryptorhynchus argula same as Conotrachelus nenuphar. Ent. Bul. 103, pp. 14, 17. 1912.
SAYLOR, C. F.—
  "Methods and benefits of growing sugar beets." Sec. Cir. 11, pp. 27. 1904.
  "Progress of the beet-sugar industry in the United States in—
    1900." Sec. [Misc.], "Progress * * * beet sugar industry, 1900," pp. 122. 1901.
    1901. Report of special agent." Rpt. 72, pp. 89. 1902; Y.B., 1901, pp. 487-502. 1902; Y.B. Sep. 251, pp. 487-502. 1902.
    1902." Report of special agent." Rpt. 74, pp. 139. 1903.
    1903." Sec. [Misc.], "Progress * * * beet sugar industry, 1903," pp. 184. 1904.
    1904." Rpt. 80, pp. 183. 1905.
    1905. Report of the special agent." Rpt. 82, pp. 126. 1906.
    1906. Report of the special agent." Rpt. 84, pp. 131. 1907.
    1907. Report of the special agent." Rpt. 86, pp. 83. 1908.
    1908." Rpt. 90, pp. 74. 1909.
    1909. Report of the special agent." Rpt. 92, pp. 70. 1910.
Sayornis phoebe. See Phoebe.
Scab—
  apple, life history and control. Work and Exp., 1914, pp. 126, 157, 173. 1915.
  black of potato, description. B.P.I. Cir. 93, pp. 4, 5. 1912.
  brown rot and curculio, control in Georgia peach belt. Oliver I. Snapp and others. D.C. 216, pp. 30. 1922.
  cattle—
    and methods of control and eradication. Marion Imes. F.B. 1017, pp. 29. 1919.
    cause and treatment. B.A.I. [Misc.], "Diseases of cattle," rev., pp. 513-518. 1923.
    contagiousness. F.B. 1017, pp. 7-9, 12-13. 1919.
    dipping for control. News L., vol. 6, No. 29, p. 12. 1919.

Scab—Continued.
  cattle—continued.
    forms, causes and control. Marion Imes. F.B. 1017, pp. 29. 1919.
    occurrence in range area. F.B. 1395, p. 43. 1925.
    regulations, 1904. B.A.I. An. Rpt., 1904, pp. 572-574. 1905.
    spread of disease, efforts to control, 1904. Rpt. 79, pp. 17-18. 1904.
    treatment. F.B. 152, pp. 11-13. 1902.
    See also Mange, psoroptic.
  common—
    or psoroptic, cause and description, spread and control. F.B. 1017, pp. 3-9. 1919.
    potato disease, description and control methods. F.B. 544, pp. 4-6, 15. 1913.
  control in peach belt. Off. Rec., vol. 1, No. 24, p. 5. 1922.
  corky, cause in potato, description and control. Hawaii Bul. 45, pp. 5, 18, 26-28. 1920.
  curculio, and brown rot, control in Georgia peach belt. Oliver I. Snapp, and others. D.C. 216, pp. 30. 1922.
  damage to wheat. Y.B., 1921, p. 110. 1922; Y.B. Sep. 873, p. 110. 1922.
  false, of sheep, cause and treatment. F.B. 1155, p. 38. 1921.
  foot, of sheep, treatment. F.B. 1150, p. 13. 1920.
  head, of sheep, treatment. F.B. 1150, p. 13. 1920.
  lands, cover, use of Canada bluegrass. F.B. 402, p. 12. 1910.
  occurrence on plants in Texas and description. B.P.I. Bul. 226, pp. 42, 66, 76. 1912.
  of grain, propagation. J.A.R., vol. 19, pp. 235-237. 1920.
  of onions. See *Colletotrichum circinans.*
  pheasant, cause, symptoms, and treatment. F.B. 390, p. 39. 1910.
  potato—
    cause and control. Work and Exp., 1914, pp. 126, 178, 229. 1915.
    in Hawaii, control studies. Hawaii A.R., 1917, p. 39. 1918.
    increased virulence in United States. D.B. 81, p. 9. 1914.
  powdery—
    causes, injury to potatoes, and control studies. News L., vol. 3, No. 8, p. 8. 1915.
    description and importance. News L., vol. 1, No. 36, p. 1-2. 1914.
    injury to potato crop and seed potatoes. D.B. 82, pp. 7-10. 1914.
    of potato(es)—
      (*Spongospora subterranea*). I. E. Melhus. D.B. 82, p. 16. 1914.
      cause, description, and control. Hawaii Bul. 45, pp. 37-38. 1920.
      cause of quarantine. An Rpts. 1914, pp. 307, 308, 314, 315. 1915; F.H.B. Chief Rpt., 1914, pp. 3, 4, 10, 11. 1914.
      control in Maine. F.H.B.S.R.A. 1, pp. 7-8. 1914.
      danger degree, studies. D.B. 82, pp. 8-10. 1914.
      description, cause, and spread. D.B. 81, pp. 1, 5-10. 1914; F.B. 544, pp. 7, 14. 1913.
      distribution and control methods. J.A.R., vol. 7, pp. 213-240. 1916.
      history, other names, description, and distribution. D.B. 82, pp. 1-6. 1914.
      importation regulations and quarantine establishment. F.H.B.S.R.A. 4, pp. 23-25. 1914.
      infection by spore balls, methods. D.B. 82, pp. 11-12. 1914.
      injurious effects and danger in importations. News L., vol. 1, No. 21, p. 2. 1913.
      life history, study, a contribution. J.A.R., vol. 4, pp. 265-278. 1915.
      Maine, areas infected, quarantine notice. F.H.B.S.R.A. 11, p. 90. 1915.
      new hosts. J.A.R., vol. 7, pp. 221-223. 1916.
      occurrence and distribution, United States. D.B. 81, p. 8. 1914.
      public hearing, notice, New York. F.H.B.S.R.A. 10, p. 81. 1914.

Scab—Continued.
  powdery—continued.
    of potato(es)—continued.
      quarantine regulations. An. Rpts., 1915, p. 354. 1916; F.H.B., An. Rpt., 1915, p. 4. 1915; F.H.B., Quar. 14, p. 1. 1914; F.H.B., Quar. 18, p. 1. 1914; F.H.B. [Misc.], "Regulations governing importation * * *," pp. 5. 1914; F.H.B.S.R.A. 3, p. 19. 1914; F.H.B.S.R.A. 5, pp. 31-36. 1914; F.H.B.S.R.A. 9, p. 75. 1914; F.H.B.S.R.A. 10, pp. 82-83. 1914; F.H.B.S.R.A. 12, pp. 1-2. 1914; F.H.B.S.R.A. 14, p. 10. 1915; F.H.B.S.R.A. 14, amdt. 10, pp. 11-14. 1915; F.H.B.S.R.A. 23, pp. 97-98. 1916.
      quarantine releases. C. L. Marlatt. F.H.B. [Misc.], "Notice of lifting of powdery scab * * *," p. 1. 1915.
      quarantine removal, September 1, 1915. News L., vol. 3, No. 8, p. 8. 1915.
      quarantine revocation. F.H.B.S.R.A. 19, pp. 57-58. 1915.
      relation to skinspot. Michael Shapovalov. J.A.R., vol. 23, pp. 285-294. 1923.
      soil and climatic conditions. News L., vol. 3, No. 25, pp. 1, 5. 1916.
    quarantine—
      areas, Maine. F.H.B.S.R.A. 6, p. 50. 1914.
      areas, New York. C. L. Marlatt. F.H.B. [Misc.] "Quarantined areas in New York * * *," p. 1. 1914.
      lifting, 1915. An. Rpts., 1916, pp. 375, 379. 1917; F.H.B. Chief Rpt., 1916, pp. 5, 9. 1916.
      of Maine potatoes. News L., vol. 1, No. 40, p. 4. 1914.
      sulphur for control. News L., vol. 1, No. 43, p. 4. 1914.
      See also *Spongospora subterranea.*
    russet, potato, description and control methods. F.B. 544, pp. 6-7. 1913.
    sarcoptic, cause, description, spread, and control. F.B. 1017, pp. 9-13. 1919.
  sheep—
    D. E. Salmon and Ch. Wardell Stiles. F.B. 159, pp. 47. 1903.
    Marion Imes. F.B. 713, pp. 36. 1916.
    arsenical dip, Trasbot's, note. B.A.I. Bul. 144, p. 34. 1912.
    cause, symptoms, and treatment. F.B. 1150, pp. 10-13. 1920; F.B. 1330, pp. 10-13. 1923; Rpt. 108, p. 131. 1915.
    contagiousness and difficulty of eradication. F.B. 713, pp. 12-14, 27-28. 1916.
    control by dipping. F.B. 929, p. 23. 1918.
    dips, experiments. F.B. 527, p. 19. 1913.
    efficacy of dips. B.A.I. An. Rpt., 1904, pp. 454-457. 1905.
    eradication. Y.B., 1919, pp. 72, 77, 78. 1920; Y.B. Sep. 802, pp. 72, 77, 78. 1920.
    immunity of cattle. B.A.I. Bul. 40, p. 8. 1902.
    in Argentina, regulations. Y.B., 1913, p. 356. 1914; Y.B. Sep. 629, p. 356. 1914.
    legislation. B.A.I. Bul. 28, pp. 54, 106, 107, 108, 172. 1912; F.B. 159, pp. 42-47. 1903.
    mite, description, distribution, results, and control. B.A.I. An. Rpt., 1910, pp. 456-461. 1912; B.A.I. Cir. 193, pp. 456-461. 1912.
    quarantine work, map. B.A.I. An. Rpt., 1910, pp. 458-461. 1912; B.A.I. Cir. 193, pp. 458-461. 1912.
    relation to cattle itch. B.A.I. Bul. 40, p. 8. 1902.
    spread by dogs. D.B. 260, p. 24. 1915.
    symptoms, description. F.B. 713, pp. 5-9. 1916.
    treatment. F.B. 159, pp. 16-33. 1903.
    vitality and life history. F.B. 159, pp. 12-14. 1903.
  Spongospora and Oospora, macroscopic differences, D.B. 82, pp. 10-11. 1914.
  susceptibility of rutaceous plants. J.A.R., vol. 30, pp. 1083-1090. 1925.
  wheat, cause of potato rot, studies. Work and Exp., 1919, p. 57. 1921.
  See also *under host;* Mange; Scabies.

INDEX TO PUBLICATIONS, 1901-1925 2085

Scabies—
 cattle—
  Richard W. Hickman. F.B. 152, pp. 32. 1902.
  affected, movement regulations. B.A.I.O. 263, p. 16. 1919.
  and sheep—
   eradication as aid in increasing meat output. News L., vol. 4, No. 23, p. 2. 1917.
   eradication, method, and progress. Y.B., 1915, pp. 162-163. 1916.
   interstate movement of livestock. B.A.I.O. 245, amdt. 2, p. 1. 1917.
   official dip, formula. B.A.I.S.R.A. 88, p. 116. 1914.
  cause, life history, and treatment. F.B. 152, pp. 1-24. 1902.
  control regulations. B.A.I.S.R.A. 217, p. 48. 1925.
  dips, regulations controlling. B.A.I.O. 143, amdt. 9, p. 1. 1913; B.A.I.S.R.A. 183, p. 83. 1922.
  eradication—
   progress. News L., vol. 3, No. 44, p. 4. 1916.
   retarded by removal of fences, public range. B.A.I. An. Rpt., 1907, pp. 16-17. 1909.
  horses, and sheep areas released from quarantine. An. Rpts., 1913, p. 88. 1914; B.A.I. Chief Rpt., 1913, p. 18. 1913.
  infected or exposed during transit, regulation. B.A.I.O. 263, pp. 18-19. 1919.
  official dips. B.A.I.S.A. 35, p. 20. 1910.
  prevention of spread, regulations. B.A.I.O. 152, amdt. 3, rule 2, rev. 2, p. 1. 1909; B.A.I.O. 167, rule 2, rev. 3, p. 3. 1909; B.A.I.O. 167, rule 2, rev 3, p. 3. 1910; B.A.I.O. 210, pp. 15-21. 1915; B.A.I.O. 273, pp. 17-21. 1921; B.A.I.O. 273, rev., pp. 15-19. 1923.
  quarantine—
   areas in Montana and Texas. B.A.I.O. 167, amdt. 3, pp. 2. 1912.
   regulations. B.A.I.O. 143, pp. 5-7, 11-16, 23-28. 1907; B.A.I.O. 213, rule 2, rev. 5, pp. 2. 1914.
   release for Kansas and parts of South Dakota, Nebraska, and Texas. B.A.I.O. 167, amdt. 4, pp. 2. 1912.
   release for Kansas, Counties Trego, Sheridan, and Thomas. B.A.I.O. 152, amdt. 2, p. 1. 1908.
   release for Oklahoma and Texas. B.A.I.O. 197, amdt. 2, pp. 2. 1914.
   release for part of Kansas and New Mexico, October 15, 1908. B.A.I.O. 152, amdt. 1, rule 2, rev. 2, pp. 2. 1908.
   release for parts of Montana, Wyoming, and Texas. B.A.I.O. 197, amdt. 3, pp. 2. 1914.
   release for Texas. B.A.I.O. 197, amdt. 1, rule 2, rev. 4, p. 1. 1913; B.A.I.O. 213, amdt. 2, p. 1. 1915.
  sheep, and horses, control. An. Rpts., 1908, pp. 32, 231-232. 1909; B.A.I. Chief Rpt., 1908, pp. 17-18. 1908.
  spread prevention regulations—
   1905. B.A.I. An. Rpt., 1905, pp. 325-326, 334. 1907.
 depluming, injury to fowls, and treatment. F.B. 1337, p. 36. 1923.
 dips—
  cattle and sheep. B.A.I.O. 263, pp. 19-20. 1919; B.A.I.S.R.A. 183, p. 83. 1922.
  preparation and application. B.A.I. [Misc.], "Instructions concerning preparation * * *," pp. 16. 1907.
 eradication in cattle and sheep. Y.B., 1919, pp. 71, 77, 78. 1920; Y.B. Sep. 802, pp. 71, 77, 78. 1920.
 fowls and pigeons, cause, symtoms, and treatment. F.B. 530, pp. 33-34. 1913.
 hog and louse. Earl C. Stevenson. B.A.I. Bul. 69, pp. 44. 1905.
 in cattle. Richard W. Hickman. B.A.I. Bul. 40, pp. 23. 1902; F.B. 152, pp. 23. 1902.
 livestock, eradication work. B.A.I. Chief Rpt., 1924, p. 22. 1924.
 lotion, misbranding. Insect. N.J. 124, I. and F. Bul. S.R.A. 7, pp. 96-97. 1915.
 poultry, description, control treatment, and ointment formula. F.B. 957, p. 42. 1918.

Scabies—Continued.
 prevention in sheep, regulations. B.A.I.O. 263, pp. 20-23. 1919.
 reports for animals enroute. B.A.I.S.R.A. 94, p. 24. 1915.
 sheep—
  dipping regulation for use of tobacco and nicotine. B.A.I.O. 143, amdt. 5, p. 1. 1911.
  dips—
   permitted. B.A.I.S.A. 35, p. 20. 1910; B.A.I.S.R.A. 183, p. 83. 1922.
   preparation and application. B.A.I. [Misc.], "Instructions concerning preparation * * *," pp. 16. 1907.
  outbreaks and eradication, various States. News L., vol. 5, No. 20, pp. 3. 1917.
  prevention of spread, regulations. B.A.I.O. 146, amdt. 2, p. 1. 1908; B.A.I.O. 146, amdt. 6, rule 3, rev. 1, p. 2. 1909; B.A.I.O. 146, amdt. 9, p. 1. 1911; B.A.I.O. 146, amdt. 11, rule 3, p. 1. 1911; B.A.I.O. 195, amdt. 1, p. 1. 1913; B.A.I.O. 245, pp. 19-23. 1916; B.A.I.O. 292, pp. 18-22. 1925; B.A.I. An. Rpt., 1905, pp. 326-327. 1907.
  quarantine area, release—
   for Blue Grass Fair, Lexington, Ky. B.A.I.O. 146, amdt. 10, rule 3, pp. 2. 1911.
   in California. B.A.I.O. 212, amdt. 2, p. 1. 1915.
   in Montana and portions of North Dakota and South Dakota, April 15, 1909. B.A.I.O. 146, amdt. 3, p. 1. 1909.
   in Texas counties. B.A.I.O. 212, amdt. 4, p. 1. 1917.
   in Utah and Nevada. B.A.I.O. 195, amdt. 1, p. 1. 1913.
  quarantine—
   of Louisiana counties. B.A.I.O. 211, amdt. 5, p. 1. 1918; B.A.I.O. 212, amdt. 5, p. 1. 1918.
   regulations. B.A.I.O. 143, pp. 16-20. 1907; B.A.I.O. 195, rule 3, rev. 2, pp. 3. 1913; B.A.I.O. 208, pp. 2. 1914; B.A.I.O. 212, rule 3, rev. 4, pp. 2. 1914; B.A.I.O. 272, rule 3, rev. 6, pp. 2. 1921.
  tobacco dip, nicotine content. B.A.I.O. 143, amdt. 5, p. 1. 1911.
 two kinds affecting cattle. B.A.I. Bul. 40, pp. 1-2. 1902.
 See also Mange; Scab.
Scabiosa, description, cultivation, and characteristics. F.B. 1171, pp. 35, 82. 1921.
Scabious. See also Fleabane, Canada.
Scabish. See Primrose, evening.
Scald—
 apple—
  and its control. Charles Brooks and others. F.B. 1380, pp. 17. 1923.
  cause, description, and control. F.B. 1160, pp. 21-23, 24. 1920.
  comparison with internal browning. J.A.R., vol. 24, pp. 178-179. 1923.
  control—
   by air renewal in storage houses. News L., vol. 5, No. 18, p. 3. 1917.
   in barrels. J.A.R., vol. 29, pp. 129-135. 1924.
   oiled wrappers, oils, and waxes. Charles Brooks and others. J.A.R., vol. 26, pp. 513-536. 1923.
  description and effect of storage conditions. J.A.R., vol. 11, pp. 294-312. 1917.
  development in storage, causes. D.B. 587, pp. 6-7, 8. 1917.
  in storage, cause and control. Y.B., 1916, pp. 99, 100, 101. 1917; Y.B. Sep. 686, pp. 1, 2, 3, 1917.
  nature and control. J.A.R., vol. 16, pp. 195-217. 1919; J.A.R., vol. 18, pp. 211-240. 1919.
  on market, inspection data, 1917-1920. D.B. 1253, pp. 5-15, 18-21, 23. 1924.
 cranberry, fungus causing, description and treatment. B.P.I. Bul. 110, pp. 12-26. 1907.
 disease of plants, occurrence and description, Texas. B.P.I. Bul. 226, p. 100. 1912.
 pears, in storage, causes. D.B. 1072, pp. 15-16. 1922.
 potato, description and cause. F.B. 1316, p. 19. 1923.

Scald—Continued.
  soft, apple, cause, description, and control. F.B. 1160, pp. 20–21. 1920.
  sun, of apples, cause and control methods. F.B. 1270, p. 82. 1923.
Scalding—
  raisins, solutions, formulas. D.B. 349, pp. 12–13. 1916.
  water, use for cleansing in poultry yard. Y.B., 1911, p. 185. 1912; Y.B. Sep. 559, p. 185. 1912.
Scalds—
  cattle, treatment. B.A.I. [Misc], "Diseases of cattle," rev., p. 333. 1909; rev., p. 346. 1912; rev., p. 333. 1923.
  horse, treatment. B.A.I. [Misc.], "Diseases of the horse," rev., pp. 455, 471–473. 1903; rev., pp. 455–456, 471–473. 1907; rev., pp. 455–456, 471–473. 1911; rev., pp. 483, 496–498. 1923.
  treatment, first-aid. For. [Misc.], "A first-aid manual * * *," pp. 38–40. 1917.
Scale—
  armored—
    immunity to Argentine ant attack. D.B. 647, pp. 16–20. 1918.
    oranges, relation of Argentine ant. F.B. 928, pp. 8–9. 1918.
  bamboo, injuries and control. D.B. 1329, pp. 39–40. 1925.
  black—
    control—
      in European countries, parasites. Ent. Bul. 120, p. 51. 1913.
      on citrus trees. F.B. 1321, pp. 50, 55. 1923.
      parasite, study. An. Rpts., 1904, pp. 272–273. 1904; Ent. Bul. 90. pp. 1–3. 1912.
    description, and control. Ent. Bul. 90, pp. 8–9, 59–60, 90. 1912.
    distribution, injury, and propagation. Ent. Bul. 79, pp. 12, 15, 16, 48–49. 1909.
    history, enemies, etc., Mediterranean countries. D.B. 134, pp. 12–15, 24. 1914.
    injury to olive, note. B.P.I. Bul. 192, p. 33. 1911.
    occurrence and control, relation of Argentine ant. F.B. 928, pp. 6, 7. 1918.
    of citrus, description and natural control. F.B. 172, pp. 27–30. 1903.
    spread by pepper tree. F.B. 1447, p. 39. 1925.
    See also Fly, black; Citrus black fly.
  black olive—
    destruction by birds. Biol. Bul. 30, pp. 39, 45, 48, 51, 52, 58, 65, 69, 71, 72, 75, 85. 1907.
    destruction by Bullock oriole. Biol. Bul. 34, p. 69. 1910.
    destruction by thrushes. Y.B., 1913, pp. 139–140. 1914; Y.B. Sep. 620, pp. 139–140. 1914.
    injuries and control. F.B. 1249, pp. 39–41. 1922.
  brown or hemispherical, injury to orange. P.R. An. Rpt., 1907, p. 32. 1908.
  camphor—
    discussion. F.H.B.S.R.A. 76, p. 118. 1923.
    no quarantine for. Off. Rec., vol. 2, No. 1, p. 8. 1923.
    outbreaks in 1921. D.B. 1103, pp. 31–32. 1922.
    outbreak in Louisiana, injuries, and control. F.H.B.S.R.A. 71, pp. 103–104. 1922.
    quarantine hearing. F.H.B.S.R.A. 73, pp. 127–129. 1923.
  cherry, control. F.B. 908, p. 91. 1918.
  Chinese, new name for San Jose scale. Y.B., 1902, p. 169. 1903.
  citricola, control on citrus trees. F.B. 1321, pp. 50, 55. 1923.
  citrus—
    fruit(s)—
      control by fungous diseases. Hawaii A.R., 1915, pp. 67, 68, 69. 1916.
      injuries and control. Porto Rico Bul. 10, pp. 11–14. 1911.
    palm, and oleander, control. Ent. A.R., 1921, pp. 22, 23. 1921.
    tree—
      description, and control, dosage, etc. Ent. Bul. 90, pp. 7–10, 53–63, 89–90. 1912.
      distribution, injury, propagation, and fumigation. Ent. Bul. 79, pp. 73. 1909.
      relations with Argentine ant. D.B. 647, pp. 48–52. 1918.

Scale—Continued.
  citrus—continued.
    tree—continued.
      in Florida, and their control. F.B. 933, pp. 3–4, 16–21, 30. 1918.
      coconut, injury to trees. Guam A.R., 1920, pp. 61–62. 1921.
      control in Guam, funds. Off. Rec., vol. 3, No. 25, p. 1. 1924.
      cotton, oriental, introduction into United States on nursery stock, need of control legislation. Sec. Cir. 37, p. 3. 1911.
      cottony cushion—
        control by Australian ladybird, experiments. Y.B., 1911, p. 461. 1912; Y.B. Sep. 583, p. 461. 1921.
        destruction by ladybeetle, Novius cardinalis. Ent. Bul. 120, pp. 13–14. 1913.
      injury to—
        acacias. D.B. 9, p. 5. 1913.
        citrus fruits, and control. D.B. 134, pp. 20–21. 1914.
        pigeon peas, and natural control. Hawaii Bul. 46, p. 22. 1921.
      cottony maple—
        J. G. Sanders. Ent. Cir. 64, pp. 6. 1905.
        description and control on shade trees. F.B. 1169, p. 82. 1921.
        destruction by Hyperaspis binotata. J.A.R., vol. 6, No. 5, p. 198. 1916.
        natural enemies, observations. Ent. Bul. 67, pp. 48–52. 1907.
      cypress bark—
        F. B. Herbert. D.B. 838, pp. 23. 1920.
        life history and habits. Bul. 838, pp. 12–17, 22. 1920.
      date, eradication, 1924. F.H.B. Chief Rpt., 1924, p. 7. 1924.
      diaspine, control by lime-sulphur spraying. Y.B., 1908, p. 270. 1909; Y.B. Sep. 480, p. 270. 1909.
      Dictyospermum, injury, history, and control. F.B. 1261, pp. 4–8, 30. 1922.
      elm, European—
        control by spraying with water at high pressure. O.E.S. An. Rpt., 1912, p. 158. 1913.
        in the West. Frank B. Herbert. D.B. 1223, pp. 20. 1924.
      enemies, imported. Rpt. 79, pp. 68–69. 1904.
      Eugenia, introduction from China. F.H.B. An. Letter Inf. 21, p. 1. 1916.
      Euonymus. J. G. Sanders. Ent. Cir. 114, pp. 5. 1909.
      flat, avocado, pest, description and control. Hawaii Bul. 25, p. 23. 1911.
      Florida red, injury to—
        citrus fruits, description and control methods. Porto Rico Bul. 10, pp. 11–12. 1911.
        mango, and control. F.B. 1257, pp. 17–18. 1922.
      Florida wax, description and control. F.B. 1257, pp. 21–21. 1922.
      fluted—
        characteristics. F.B. 172, pp. 32–36. 1903.
        description, injuries and control by Australian ladybird. Y.B., 1916, pp. 273–288. 1917; Y.B. Sep. 709, pp. 1–6. 1917.
        destruction by ladybird. News L., vol. 6, No. 24, p. 14. 1919.
        infestation of trees in New Orleans, note. D.B. 647, p. 7. 1918.
        influence of Argentine ant in Louisiana and California. D.B. 647, pp. 34–36. 1918.
        occurrence and control, relation of Argentine ant. F.B. 928, pp. 5, 7. 1918.
      fringed, injury to silk oak trees, and control. P.R. An. Rpt., 1914, p. 35. 1915.
      gloomy, control work. S.R.S. Rpt., 1916, Pt. I, p. 209. 1918.
      grape—
        description and control. F.B. 1220, pp. 35–36. 1921.
        description, food plants, enemies, and control. Ent. Bul. 97, pp. 115–124. 1913.
        spraying directions and schedules. Ent. Bul. 97, Pt. VII, pp. 120–121. 1912.
      green, coffee, control by shade. Hawaii A.R., 1918, p. 43. 1919.

INDEX TO PUBLICATIONS, 1901-1925   2087

Scale—Continued.
  hemispherical, injury to citrus fruits, description and control methods. P.R. Bul. 10, p. 15. 1911.
  Howard, in Colorado, economic work against. E. P. Taylor. Ent. Bul. 67, pp. 87-93. 1907.
  in Porto Rico, control. P.R. Cir. 17, pp. 9-11, 14. 1918.
  injury to coconut trees. Guam A.R., 1918, p. 53. 1919.
  insect(s)—
    and mite enemies of citrus trees. C. L. Marlatt. Y.B., 1900, pp. 247-290. 1901; Y.B. Sep. 207, pp. 247-290. 1901.
    and mites on citrus trees. C. L. Marlatt. F.B. 172, pp. 43. 1903.
    attacked by the cinnamon fungus. Ent. Bul. 102, p. 38. 1912.
    banana, fumigation experiments. Hawaii A.R., 1912, pp. 42-43. 1913.
    cactus plants. Ent. Bul. 113, pp. 15, 23-25. 1912.
    catalogue of recently described coccidae, II. J. G. Sanders. Ent. T.B. 16, Pt. III, pp. 33-60. 1919.
    catalogue of recently described coccidae—III. E. R. Sasscer. Ent. T.B. 16, Pt. IV, pp. 61-74. 1911.
    chrysanthemum, control. F.B. 1306, pp. 18-20. 1923.
    citrus—
      control directions. F.B. 1321, pp. 49-52, 55-56. 1923.
      Mediterranean countries. D.B. 134, pp. 12-21, 24-26. 1914.
      losses, prevention. Ent. Bul. 76, pp. 60-62. 1908.
      spraying season and effects of Bordeaux-oil emulsion. D.B. 1178, pp. 3, 10-18. 1923.
      tree, and mites. C. L. Marlatt. F.B. 172, pp. 43. 1903.
    classification of subfamily Ortheziinae. Harold Morrison. J.A.R., vol. 30, pp. 97-154. 1925.
    control—
      by dormant spraying. Y.B., 1908, p. 270. 1909; Y.B. Sep. 480, p. 270. 1909.
      by fall spraying. News L., vol. 3, No. 10, p. 1. 1915.
      on citrus trees. F.B. 172, pp. 9-18. 1903.
      progress. Off. Rec. vol. 2, No. 52, p. 6. 1923.
    danger to horticulture. O.E.S. Bul. 99, p. 171. 1901.
    destruction by—
      birds. Biol. Bul. 30, pp. 39, 45, 46, 48, 51, 52, 58, 65, 69, 71, 72, 75, 85. 1907; F.B. 506, pp. 8, 26, 33. 1912; F.B. 630, pp. 6, 14, 15. 1915.
      larvae of lacewing fly. J.A.R., vol. 6, No. 14, p. 517. 1916.
    diaspine, new species. C. L. Marlatt. Ent. T.B. 16, pt. 2, pp. 11-32. 1908.
    dissemination means. F.B. 723, p. 4. 1916.
    effect of—
      climatic conditions on. Ent. Bul. 90, Pt. I, pp. 76-77. 1911.
      hydrocyanic-acid fumigation. J.A.R., vol. 11, p. 328. 1917.
    fern, control. F.B. 1362, pp. 45-47. 1924.
    fumigation, dosage requirements, and number of treatments. Ent. Bul. 90, Pt. I, pp. 51-65. 1911.
    fumigation in greenhouses, cost, and results. F.B. 880, pp. 11, 13-17. 1917.
    habits, control, and descriptions of different species. F.B. 1169, pp. 76-83. 1921.
    importance in California, destruction by birds. Biol. Bul. 30, p. 76. 1907.
    in Guam, occurrence on crop plants and fruit. Guam A.R., 1911, pp. 27-32. 1912.
    in Virgin Islands, host plants, and control. Vir. Is. A. R. 192, pp. 20-25. 1921.
    injurious—
      danger to American horticulture. O.E.S. Bul. 99, pp. 171-172. 1901.
      to apples, control by spraying. News L., vol. 4, No. 39, p. 4. 1917.
      to avocado trees in Guatemala. D.B. 743, p. 35. 1919.
      to legumes, Hawaii, and natural control. Hawaii A.R., 1911, pp. 18, 19. 1912.

Scale—Continued.
  insect(s)—continued.
    insecticide experiments. Ent. Bul. 30, pp. 33-39. 1901.
    introduction, and descriptions. Sec. [Misc.], "A manual * * * insects * * *," pp. 5, 7, 9-11, 23-222. 1917.
    lemon, control. Y.B., 1907, p. 355. 1908; Y.B. Sep. 453, p. 355. 1908.
    mites feeding on. Rpt. 108, pp. 13, 27, 28, 40, 112, 116, 118. 1915.
    national collection of coccidæ. C. F. Marlatt. Ent. T.B. 16, Pt. I, pp. 10. 1908.
    natural enemies. Y.B., 1906, pp. 190-192. 1907; Y.B. Sep. 416, pp. 190-192. 1907.
    of subfamily Ortheziinæ, classification. Harold Morrison. J.A.R., vol. 30, pp. 97-154. 1925.
    on mangoes and their parasites. P.R. An. Rpt. 1911, p. 35. 1912.
    oyster-shell and scurfy, description and control. Ent. Cir. 121, pp. 1-15. 1910.
    parasites, classification, list and hosts. Hawaii A.R., 1912, pp. 26-31. 1913.
    propagation method. Ent. Bul. 79, p. 16. 1909.
    purple, black, red, and yellow on citrus fruits. Ent. Bul. 90, Pt. I, pp. 7-10. 1911.
    recently described, catalogue — IV. Ent. T.B. 16, Pt. VI, pp. 83-97. 1912.
    spraying, miscible oils. F.B. 329, p. 27. 1908.
    spread by Argentine ant. F.B. 1101, p. 4. 1920.
    varieties and control in Virgin Islands, 1921. Vir. Is. A. 1921, pp. 20, 21-24. 1922.
  introduction on Japanese camellias. An. Rpts., 1909, p. 523. 1910; Ent. A.R., 1909, p. 37. 1909.
  lecanium, control by mineral-oil sprays. Y.B., 1908, p. 270. 1909; Y.B. Sep. 480, p. 270. 1909.
  long, citrus pest, occurrence. D.B. 134, pp. 18, 24. 1914.
  mango—
    description and control. F.B. 1257, p. 19. 1922.
    shield, description, life history, and control. F.B. 1257, pp. 12-16. 1922.
  maple, destruction by birds. Biol. Bul. 15, p. 95. 1901.
  mulberry, parasite, exportations to Italy. Y.B., 1916, pp. 286-287. 1917; Y.B. Sep. 704, pp. 14-15. 1917.
  nail-head or Florida red, control by sprays. Ent. Cir. 168, pp. 7-8. 1913.
  obscure, on—
    pecan, control. F.B. 1364, p. 48. 1924.
    shade trees, description, habits, and control. F.B. 1169, p. 79. 1921.
  olive, prevalence in Palestine, destruction by cold. B.P.I. Bul. 180, p. 21. 1910.
  oleander, injury to citrus fruits, Mediterranean countries. D.B. 134, pp. 19, 24. 1914.
  on palms, control. F.B. 1362, pp. 54, 55, 56. 1924.
  orchids and palms, control. F.B. 1362, pp. 52-55. 1924.
  oyster-shell—
    and scurfy. A. L. Quaintance and E. R. Sasscer. Ent. Cir. 121, pp. 15. 1910; F.B. 723, pp. 16. 1916.
    control by—
      derris spray, experiments. J.A.R., vol. 17, p. 194. 1919.
      use of sulphur. O.E.S. An. Rpt., 1909, p. 139. 1910.
    description and control—
      measures. F.B. 723, pp. 2-6, 9-14. 1916; F.B. 908, p. 76. 1918; F.B. 1270, p. 65. 1923.
      on shade trees. F.B. 1169, p. 77. 1921.
    injury to—
      apple and shade trees. Ent. Bul. 67, p. 36. 1907.
      ash trees. D.B. 299, p. 24. 1915.
      cranberries, description and control. F.B. 860, pp. 36-37. 1917.
    life history, distribution, food plants, and control. Ent. Cir. 121, pp. 2-6, 10-15. 1910.
    parasites. Ent. Cir. 121, p. 6. 1910.
  peach, West Indian, description, life-history, and remedies. Y.B., 1905, pp. 339-340. 1906; Y.B. Sep. 386, pp. 339-340. 1906.

Scale—Continued.
  pear, European, and European fruit lecanium, tests of sprays against. P. R. Jones. Ent. Bul. 80, pp. 147-160. 1912; Ent. Bul. 80, Pt. VIII, pp. 147-160. 1910.
  pigeon-pea, description and control. Hawaii Bul. 46, pp. 22-23. 1921.
  pigmentation, relation to disease resistance in onion. J.A.R., vol. 29, pp. 507-514. 1924.
  purple—
    control—
      by fungus. Ent. Bul. 102, pp. 38, 70. 1912.
      by sprays. Ent. Cir. 168, p. 7. 1913.
      in European countries. Ent. Bul. 120, pp. 50-51. 1913.
      on citrus trees. F.B. 1321, pp. 50, 55. 1923.
    description and control. Ent. Bul. 90, pp. 8, 53-57, 89. 1912.
    eradication by fumigation. Ent. Bul. 79, p. 46. 1909.
    fumigation experiments with sodium cyanide. Ent. Bul. 90, pt. II, pp. 86-87. 1911.
    increase by woolly white fly infestation. F.B. 1011, pp. 8-9. 1919.
    injury to—
      citrus fruits, description and control methods. P.R. Bul. 10, p. 13. 1911.
      orange. P.R. An. Rpt., 1907, p. 32. 1908.
    investigations in California. Ent. Bul. 79, pp. 11, 14, 16, 40-46, 49. 1909.
    life history and control, Mediterranean countries. D.B. 134, pp. 17-18, 24, 25. 1914.
  Putnam, injury to cranberries, description and control. F.B. 860, pp. 36-37. 1917.
  pyriform, injury, history, and control. F.B. 1261, pp. 12-15. 1922.
  red—
    control on citrus trees. F.B. 1321, pp. 50, 55. 1923.
    description and control. Ent. Bul. 90, pp. 9, 57-58, 89. 1912.
    Florida—
      control on citrus trees. F.B. 1321, p. 51. 1923.
      enemy of coconut palm. Hawaii A.R., 1907, p. 45. 1908.
      injury to orange. P.R. An. Rpt., 1907, p. 32. 1908.
      investigations in California. Ent. Bul. 79, pp. 13, 14, 16, 49. 1909.
    of date palm, biological study. Arthur D. Borden. J.A.R., vol. 21, pp. 659-668. 1921.
    of date palm, technical description. Harold Morrison. J.A.R., vol. 21, pp. 669-676. 1921.
    parasitism, discovery. An. Rpts., 1908, p. 555. 1909; Ent. A. R., 1908, p. 33. 1908.
  rufous, injury to range and lemon. P.R. An. Rpt. 1907, p. 38. 1908.
  San Jose. See San Jose scale.
  scurfy—
    and oyster-shell. A. L. Quaintance and E. R. Sasscer. Ent. Cir. 121, pp. 15. 1910.
    description and control. Ent. Cir. 121, pp. 6-15. 1910; F.B. 723, pp. 6-14. 1916; F.B. 908, p. 77. 1918; F.B. 1270, pp. 65-66. 1923.
    injury to trees, description and control. News L. vol. 3, No. 40, p. 3. 1916.
    parasitic enemies. Ent. Cir. 121, p. 9. 1910.
  shade trees, causes, description, and control. F.B. 1169, pp. 76-83. 1921.
  soft—
    of tulip tree and magnolia, description and control. F.B. 1169, pp. 80-81. 1921.
    protection and spread by Argentine ants. F.B. 928, pp. 4-8. 1918.
    relation to Argentine ant. D.B. 647, pp. 14-15, 20-38. 1918.
  soft brown—
    influence of Argentine ant in Louisiana and California. D.B. 647, pp. 36-38. 1918.
    injury to fig trees. F.B. 1031, p. 33. 1919.
    occurrence and control, relation of Argentine ant. F.B. 928, pp. 6, 7. 1918.
    spread—
      by ant colonies, Porto Rico. P.R. An. Rpt., 1914, p. 42. 1916.
      relation of Argentine ants. D.B. 965, pp. 2-4, 35. 1921.

Scale—Continued
  tea—
    description, distribution, food plants, and enemies. Ent. T.B. 16; Pt. V, pp. 76-79. 1912.
    introduction on Japanese camellias. An. Rpts., 1909, p. 523. 1910; Ent. A.R., 1909, p. 37. 1909.
  terrapin—
    description and control. F.B. 908, p. 87. 1918.
    distribution. D.B. 351, p. 3. 1916.
    insect enemy of peach orchards. F. L. Simanton. D.B. 351, pp. 96. 1916.
    life history. D.B. 351, pp. 3-62. 1916.
    life history, control failure, and parasites. Ent. Bul. 67, p. 37. 1907.
    parasites. D.B. 351, pp. 65-66. 1916.
  tessellated, control on mango. F.B. 1257, pp. 16-17. 1922.
  tulip, destruction by Hyperaspis binotata, note. J.A.R., vol. 6, No. 5, p. 819. 1916.
  varieties, injuries to apples, Yakima Valley, Wash., and control studies. D.B. 614, p. 7. 1918.
  various kinds, dosage recommendations in fumigation for. Ent. Bul. 90, Pt II, pp. 89-90. 1911.
  wax, injury to rose and orange. P.R. An. Rpt., 1907, p. 38. 1908.
  white, injury to citrus fruits, description and control methods. P.R. Bul. 10, p. 14. 1911.
  woolly maple-leaf—
    destruction by Hyperaspis binotata. J.A.R., vol. 6, p. 198. 1916.
    destruction by spraying. Ent. Bul. 60, p. 161. 1906.
  yellow—
    control on citrus trees. F.B. 1321, p. 51. 1923.
    description and control. Ent. Bul. 90, pp. 10, 60-61, 89. 1912.
    investigations. Ent. Bul. 79, pp. 13, 16, 49. 1909.
Scalecide, tests, experiments. Ent. Bul. 67, pp. 30, 47, 48, 91, 103. 1907.
SCALES, F. M.—
  "Experiments in the destruction of fly larvae in horse manure." With others. D.B. 118, pp. 26. 1914.
  "Further experiments in the destruction of fly larvae in horse manure." With others. D.B. 245, pp. 22. 1915.
  "The destruction of cellulose by bacteria and filamentous fungi." With I. G. McBeth. B.P.I. Bul. 266, pp. 52. 1913.
Scales—
  corrosion in butter factories. Sec. Cir. 95, pp. 6-7. 1918.
  farm and elevator, importance of accuracy. D.B. 558, pp. 31-33. 1917.
  platform, description and use in weighing hay. D.B. 978, pp. 8-13. 1921.
  railroad track, hay weighing, directions. D.B. 978, pp. 24-28. 1921.
  selection for commercial use. D.B. 897, pp. 2-4. 1920.
  testing work at stockyards. Pack. and S. Ad. Rpt., 1924, pp. 9-10. 1924.
  thermometer, description. Y.B., 1914, p. 161. 1915; Y.B. Sep. 635, p. 161. 1915.
  track—
    accuracy, comparisons. D.B. 25, pp. 4-5. 1913.
    hay weighing, directions. D.B. 978, pp. 24-28. 1921.
  use in farm butter making. F.B. 541, p. 26. 1913.
  wagon, hay weighing. D.B. 978, pp. 13-24. 1921.
Scaling—
  incense cedar, for control of dry-rot. D.B. 871, pp. 51, 55. 1920.
  logs, practices and rules. D.B. 711, pp. 17-19. 1918; D.B. 718, pp. 51-53. 1918; F.B. 715, pp. 14-16. 1916; F.B. 1210, pp. 21-23. 1921; For. Bul. 36, pp. 34-43. 1910.
  timber—
    national forests. Y.B. 1911, p. 364. 1912; Y.B. Sep. 575, p. 364. 1912.
    national forests, instructions. For. [Misc.], S-19, pp. 91. 1915.
    regulation and log rule. For. [Misc.], "The use book," rev. 5. pp. 48-51. 1915.
Scallion, definition. D.C. 95, p. 4. 1920.

INDEX TO PUBLICATIONS, 1901-1925　　　　　　　　2089

Scallops—
　adulteration. See Indexes, Notices of Judgment, in bound volumes and in separates published as supplements to Chemistry Service and Regulatory Announcements.
　composition. O.E.S. Bul. 245, p. 75. 1912.
　law violation by "soaking" or washing. News L., vol. 5, No. 13, p. 3. 1917.
　production and value. Y.B. 1910, p. 371. 1911; Y.B. Sep. 544, p. 371. 1911.
　soaking, Inf. 30. Chem. S.R.A. 12, p. 753. 1915.
　vegetable, preparation. D.B. 123, p. 58. 1916.
Scalma, horse, description, symptoms, and treatment. B.A.I. [Misc.], "diseases of the horse," pp. 515-518. 1903; rev., pp. 516-518. 1907; rev., pp. 516-518. 1911.
Scalopus spp.—
　descriptions, and key to species and subspecies. N.A. Fauna 38, pp. 27-54. 1915.
　See also Moles.
Scaly leg—
　chicken, description, treatment, and prevention. D.C. 20, pp. 6-7. 1919; F.B. 287, rev., p. 36. 1921; F.B. 528, p. 12. 1913; F.B. 1040, p. 27. 1919.
　fowls and birds, cause, symptoms, and treatment. F.B. 530, pp. 34-35. 1913.
　poultry, description, symptoms, treatment, and ointment formula. F.B. 957, pp. 42-44. 1918; F.B. 1114, pp. 6-7. 1920; F.B. 1337, pp. 36-38. 1923; Rpt. 108, p. 132. 1915.
　remedy, Talbott's, misbranding. Insect. N. Judg. 81. I. and F. Bd. S.R.A. 1, pp. 17-18. 1914.
Scambus sp., parasite of Recurvaria milleri. J.A.R., vol. 21, No. 3, p. 138. 1921.
SCAMMEL, H. B.—
　"Cranberry insect problems and suggestions for solving them." F.B. 860, pp. 45. 1917.
　"The cranberry girdler." D.B. 554, pp. 20. 1917.
　"The cranberry rootworm." D.B. 263, pp. 8. 1915.
Scammony, importation and description. No. 45582, B.P.I. Inv. 53, p. 62. 1922.
Scandinavia—
　cattle breeds, origin and ancestry. B.A.I. An. Rpt., 1910, p. 224. 1912.
　trade of United States. For. Mkts. Bul. 22, pp. 124. 1901.
Scandinavians, method of calculating food values of feeding stuffs. B.A.I. Dairy [Misc.], "World's dairy congress, 1923," pp. 1081-1089, 1095. 1924.
Scantling exports, 1908. For. Cir. 162, p. 11. 1909.
Scapanus spp., description and key to species and subspecies. N.A. Fauna, 38, pp. 54-76. 1915.
Scapteriscus didactylus—
　injury to—
　　sugar-cane, Hawaii. Ent. Bul. 93, pp. 45-46. 1911.
　　vegetables in Porto Rico. D.B. 192, pp. 4-5, 10, 11. 1915.
　See also Cricket, mole, West-Indian.
Scaptognathus spp., description. Rpt. 108, pp. 55, 56. 1915.
Scapula horse, fracture, symptoms, and treatment. B.A.I. [Misc.], "Diseases of the horse," rev., p. 319-320. 1903; rev., p. 319-320. 1907; rev., p. 319-320. 1911; rev., p. 344-345. 1923.
Scarab, ancient Egyptian, description. Y.B., 1913, pp. 76, 77. 1914; Y.B. Sep. 616, pp. 76, 77. 1914.
Scarabaeid—
　damage to chestnut poles. Ent. Bul. 94, Pt. I, p. 8. 1910.
　destruction by starlings, notes on species. D.B. 868, pp. 19-20, 41, 61. 1921.
Scarabaeidae, destruction by crows. D.B. 621, pp. 13-16, 57-58. 1918.
Scarabee, sweet-potato, quarantine notice. F.H.B. Quar. 30, p. 1. 1917; F.H.B.S.R.A. 45, p. 121. 1917; F.H.B.S.R.A. 71, p. 174. 1922.
SCARBOROUGH, R. J.: "Soil survey of—
　Cass County, Nebr." With others. Soil Sur. Adv. Sh., 1913, pp. 46. 1914; Soils F.O., 1913, pp. 1925-1966. 1916.
　Saunders County, Nebr." With others. Soil Sur. Adv. Sh., 1913, pp. 52. 1915; Soils F.O., 1913, pp. 2011-2058. 1916.
Scarecrows—
　use in deterring crows, effects. D.B. 621, p. 74. 1918.

Scarecrows—Continued.
　value in protection of orchard fruit. Y.B., 1913, pp. 141-142. 1914; Y.B. Sep. 620, pp. 141-142. 1914.
Scarifier—
　road, different types used and cost. Rds. Bul. 48, pp. 10-13. 1913.
　sweet-clover seed, machine. F.B. 797, p. 20. 1917.
Scarites subterraneus, enemy of green June beetle. D.B. 891, p. 35. 1922.
Scarlet berry. See Bittersweet.
Scarlet fever—
　relation to mammitis in dairy cows. B.A.I. [Misc.], "Diseases of cattle," rev., pp. 235-236. 1904; rev., pp. 242-243. 1912; rev., pp. 238-239. 1923.
　transmission in milk, danger. F.B. 490, p. 19. 1912.
Scars—
　Douglas fir, causes and infection by various rots. D.B. 1163, pp. 6-10. 1923.
　glanders, characteristics. B.A.I. An. Rpt., 1910, pp. 346, 347. 1912; B.A.I. Cir. 191, pp. 346, 347. 1912.
Scatophaga spp., key and details. N.A. Fauna 46, Pt. II, pp. 200-207, 226. 1923.
Scaup duck—
　lesser, occurrence. Biol. Bul. 38, p. 21. 1911.
　lesser, occurrence in Alaska and Yukon Territory. N.A. Fauna 30, pp. 34, 85. 1909.
Scavenger worm. See Pyroderces rileyi.
Scelio monticola, parasite of grasshopper, habits. F.B. 691, p. 7. 1915.
Scenic reservations, national forests, uses and administration. For. [Misc.[, "Recreation uses on * * *," pp. 10-13, 37. 1918.
Scenopinus fenestralis—
　description and habits. F.B. 459, p. 7. 1911.
　See also Fly, window-pane.
Scented fern. See Tansy.
Scents, use in trapping animals, preparation. Y.B. 1919, pp. 467, 468. 1920; Y.B. Sep. 823, pp. 467, 468. 1920.
SCHAEFFER, T. H.: "The common mole of the eastern United States." F.B. 583, pp. 10. 1914.
SCHAFFER, J. M.: "Saponified cresol solutions." D.B. 855, pp. 5. 1920.
Schedius kuvanae—
　description. Ent. T.B. 19, Pt. I, pp. 3-5. 1910.
　distribution, New England. An. Rpts., 1915, p. 213. 1916; Ent. A.R., 1915, p. 3. 1915.
　egg parasite of gipsy moth, establishment in New England. An. Rpts., 1912, p. 622. 1913; D.B. 204, pp. 5-6, 12. 1914; Ent. A. R., 1912, p. 10. 1912; F.B. 564, p. 7. 1914.
　importation as moth parasite. J.A.R., vol. 30, pp. 643-675. 1925.
　introduction. Ent. Bul. 91, pp. 75, 311. 1911; Y.B., 1916, pp. 284-285. 1917. Y.B. Sep. 704, pp. 12-13. 1917.
　relation to low temperatures. D.B. 1080, pp. 12, 13. 1922.
　See also Gipsy moth, parasite.
Schedonnardus spp., description, distribution, and uses. D.B. 772, pp. 17, 179-180, 181. 1920.
Scheelea insignis, importation and description. No. 51140, B.P.I. Inv. 64, p. 63. 1923.
Scheele's green—
　analysis. Chem. Bul. 68, pp. 25-26. 1902.
　formula. Y.B., 1908, p. 275. 1909; Y.B. Sep. 480, p. 275. 1909.
Scheelia excelsa, importation and description. No. 43055, B.P.I. Inv. 48, p. 14. 1921.
SCHEFFER, T. H.—
　"American moles as agricultural pests and as fur producers." F.B. 1247, pp. 23. 1922.
　"The common mole of the eastern United States." F.B. 583, pp. 10. 1914.
　"Trapping moles and utilizing their skins." F.B. 832, pp. 14. 1917.
Schefflera—
　actinophylla, importation and description. No. 34123, B.P.I. Inv. 32, p. 12. 1914.
　spp., importations and description. Nos. 47787, 47788, B.P.I. Inv. 59, pp. 59-60. 1922.
Schenectady, N. Y., milk supply, statistics, officials, and prices. B.A.I. Bul. 46, pp. 36, 133. 1903.

SCHERFFIUS, W. H.: "The cultivation of tobacco in Kentucky and Tennessee." With others. F.B. 343, pp. 31. 1909.
SCHERTZ, F. M.—
"Some physical and chemical properties of carotin, and the preparation of the pure pigment." J.A.R., vol. 30, pp. 469–474. 1925.
"Some physical and chemical properties of xanthophyll and the preparation of the pure pigment." J.A.R., vol. 30, pp. 575–585. 1925.
"The quantitative determination of carotin by means of the spectrophotometer and the colorimeter." J.A.R., vol. 26, pp. 383–400. 1923.
"The quantitative determination of xanthophyll by means of the spectrophotometer and the colorimeter." J.A.R., vol. 30, pp. 253–261. 1925.
Scheuchzeria spp. See Arrow-grass.
SCHEY, L. T. C.: "The education of the producer as to the value of a better product as a means of increasing sales." B.A.I. Dairy [Misc.], "World's dairy congress, 1923," p. 888. 1924.
Schiff's bacillus, inoculation experiments, characteristics. B.P.I. Bul. 131, pp. 27–29, 38–39. 1908.
Schima—
  noronhae, importation and description. No. 50709, B.P.I. Inv. 64, p. 16. 1923.
  wallichii, importation and description. No. 47789, B.P.I. Inv. 59, p. 60. 1922.
Schindler method of testing acidity of grain products. J.A.R., vol. 18, pp. 33–43. 1919.
Schinopsis lorentzii. See Quebracho.
Schinus—
  lentiscifolius, importation and description. No. 48687, B.P.I. Inv. 61, p. 37. 1922.
  molle—
    injury by sapsuckers. Biol. Bul. 39, p. 52. 1911.
    See also Pepper tree.
  terebinthifolius, importations and descriptions. No. 36259, 36708, B.P.I. Inv. 37, pp. 9, 54. 1916; No. 43664, B.P.I. Inv. 49, p. 59. 1921.
Schist—
  origin, classification, and mineral constituents. Rds. Bul. 37, pp. 14–23, 27. 1911.
  unfit for road building. Rds. Bul. 44, p. 30. 1912.
  value in road building, and results of tests. D.B. 370, pp. 7, 13–100. 1916.
Schistocerca americana, destruction by sarcophagid parasite. J.A.R., vol. 2, p. 436. 1914.
Schistoceros cornutus, destruction to fence posts and stakes in Virgin Islands.
  Vir. Is. A. R. 1921, p. 21. 1922.
Schistosoma—
  bovis, parasite of cattle causing disease. B.A.I. [Misc.], "Diseases of cattle," rev., p. 541. 1912.
  japonicum, spread by dogs. D.B. 260, p. 23. 1915.
Schistosomum haematobium, treatment in human. B.A.I. Bul. 153, pp. 14–15. 1912.
Schizandra—
  chinensis, importation and description. No. 36755, B.P.I. Inv. 37, p. 61. 1916.
  sphenanthera, importation and description. No. 40025. B.P.I. Inv. 42, pp. 6, 54. 1918.
Schizanthus grahami, host of *Phytophthora infestans*. B.P.I. Bul. 245, p. 26. 1912.
Schizocarpus spp., classification and description. Rpt. 108, p. 127. 1915.
Schizocerus ebenus. See Sawflies, sweet-potato.
Schizolobium parahybum, importation and description. No. 45621, B.P.I. Inv. 53, p. 71. 1922.
Schizomycetes, cause of crown-gall tumor. B.P.I. Bul. 255, p. 16. 1912.
Schizoneura lanigera. See Aphid, woolly; Plant louse, apple-tree.
Schizonotus sorbifolius, importation and description. No. 36799, B.P.I. Inv. 37, p. 66. 1916.
Schizoparme straminea, cause of strawberry disease, study of pycnidium. J.A.R., vol. 23, pp. 750–757. 1923.
Schizophragma hydrangeoides, importation and description. No. 40068, B.P.I. Inv. 42, p. 64. 1918.
Schizophragma sp., importation and description. No. 45942, B.P.I. Inv. 54, p. 45. 1922.

Schizophyllum commune—
  infestation of lumber in storage. D.B. 510, pp. 6, 33. 1917.
  injuries to gum logs. B.P.I. Bul. 114, p. 22. 1907.
Schizopods. See Shrimps.
Schizoprymus phillippsi, parasitic attack on timothy stem-borer. Ent. Bul. 95, Pt. I, p. 9. 1911.
Schizostachyum sp., importation and description. No. 50648, B.P.I. Inv. 64, p. 7. 1923.
Schizura concinna, control and life history. F.B. 1270, pp. 39–42. 1922.
SCHLEUSSNER, O. W.—
  "Marketing and distribution of strawberries in 1915." With J. C. Gilbert. D.B. 477, pp. 32. 1917.
  "Marketing and distribution of western muskmelons in 1915." With C. W. Kitchen. D.B. 401, pp. 38. 1916.
  "Strawberry supply and distribution in 1914." With others. D.B. 237, pp. 10. 1915.
SCHLICK, W. J.—
  "Report on the methods and cost of reclaiming the overflowed lands along the Big Black River, Mississippi." With others. D.B. 181, pp. 39. 1915.
  "Report upon the Cypress Creek drainage district, Desha and Chicot Counties, Ark." With others. D.B. 198, pp. 20. 1915.
Schmaltzia—
  glabra. See Sumac.
  trilobata. See Skunk bush.
SCHNEIDER, F. I. C., introduction of navel orange into U. S. D.B. 445, p. 6. 1917.
SCHODER, E. W.: Discussion of water flow in woodstave pipes. D.B. 376, pp. 81–96. 1916.
Schoenacaulon officinale. See Sabadilla.
SCHOENE, W. J.: Report of Virginia Experiment Station, work and expenditures—
  1915. S.R.S. An. Rpt., 1915, Pt. I, pp. 263–267. 1916.
  1916. S.R.S. An. Rpt., 1916, Pt. I, pp. 271–275. 1918.
SCHOENING, H. W.—
  "A study of the serology, the cerebrospinal fluid, and the pathological changes in the spinal cord in dourine." With Robert J. Formad. J.A.R. vol. 26, pp. 497–505. 1923.
  "An improved method of recovering trypanosomes from the blood of rats, for antigen purposes in connection with complement fixation." With F. H. Reynolds. J.A.R., vol. 14, pp. 573–576. 1918.
  "Conglutination test for the diagnosis of glanders." J.A.R., vol. 11, pp. 65–75. 1917.
  "Dourine of horses." With J. R. Mohler. F.B. 1146, pp. 12. 1920.
  "Studies on the single-injection method of vaccination as a prophylactic against rabies in dogs." J.A.R., vol. 30, pp. 431–439. 1925.
SCHOENMANN, L. R.—
  "Reconnoissance soil survey of—
    north part of north-central Wisconsin." With others. Soil Sur. Adv. Sh., 1914, pp. 76. 1916; Soils F.O., 1914, pp. 1655–1795. 1919.
    northeastern Wisconsin." With others. Soil Sur. Adv., 1913, pp. 101. 1915; Soils F.O., 1913, pp. 1561–1657. 1916.
  "Soil survey of—
    Bowie County, Tex." With others. Soil Sur. Adv. Sh., 1918, pp. 62. 1921; Soils F.O., 1918, pp. 715–772. 1924.
    Crenshaw County, Ala." With others. Soil Sur. Adv. Sh., 1921, pp. 375–407. 1924.
    Fond du Lac County, Wis." With others. Soil Sur. Adv. Sh., 1911, pp. 43. 1913; Soils F.O., 1911, pp. 1423–1461. 1914.
    Geneva County, Ala." With others. Soil Sur. Adv. Sh., 1920, pp. 287–314. 1924; Soils F.O., 1920, pp. 287–314. 1925.
    Jefferson County, Tex." With others. Soil Sur. Adv. Sh., 1913, pp. 47. 1915; Soils F.O., 1913, pp. 1001–1043. 1916.
    Juneau County, Wis." With others. Soil Sur. Adv. Sh., 1911, pp. 54. 1913; Soils F.O., 1911, pp. 1463–1512. 1914.
    Logan County, Ky." With others. Soil Sur. Adv. Sh., 1919, pp. 56. 1922; Soils F.O., 1919, pp. 1201–1252. 1925.

SCHOENMANN, L. R.—Continued.
"Soil survey of—Continued.
Lowndes County, Ala." With R. T. A. Burke. Soil Sur. Adv. Sh., 1916, pp. 68. 1918; Soils F.O., 1916, pp. 787-850. 1921.
Portage County, Wis." With others. Soil Sur. Adv. Sh., 1915, pp. 52. 1917; Soils F.O., 1915, pp. 1489-1536. 1919.
Shelby County, Ky." With others. Soil Sur. Adv. Sh., 1916, pp. 67. 1919; Soils F.O., 1916, pp. 1415-1464. 1921.
Smith County, Tex." With others. Soil Sur. Adv. Sh., 1915, pp. 51. 1917; Soils F.O., 1915, pp. 1079-1125. 1921.
the Bayfield area, Wisconsin." With others. Soil Sur. Adv. Sh., 1910, pp. 28. 1912; Soils F.O., 1910, pp. 1123-1146. 1912.
Walworth County, Wis." With others. Soil Sur. Adv. Sh., 1920, pp. 1381-1430. 1924; Soils F.O., 1920, pp. 1381-1430. 1925.
Scholarships—
agricultural, giving to club prize winners in place of excursions, department recommendations. News L., vol. 1, No. 29, pp. 6-7. 1914.
at agricultural colleges. Y.B., 1900, pp. 674-686. 1901.
School(s)—
accounting, by States. Off. Rec., vol. 3, No. 7, p. 3. 1924.
activities in milk campaigns. D.C. 250, pp. 5, 6-14, 36. 1923.
administration, basis of credit for home practice. D.B. 385, pp. 13-17. 1916.
agricultural—
correspondence. O.E.S. Cir. 83, pp. 17, 20. 1909; O.E.S. Cir. 106, pp. 17, 20. 1911; O.E.S. Cir. 106, rev., pp. 20, 23. 1912.
community teaching. Y.B., 1910, pp. 177-188. 1911; Y.B. Sep., 527, pp. 177-188. 1911.
district, Alabama, description and history. O.E.S. Bul. 220, pp. 1-30. 1909.
elementary, 1902. Rpt. 73, pp. 77-78. 1902.
extension and—
home economics, North and West, organization. S.R.S. Rpt., 1916, Pt. II, pp. 161-164. 1917.
usefulness. Rpt. 83, pp. 81-82. 1906.
for adults in continental countries. John Hamilton. O.E.S. Bul. 163, pp. 32. 1905.
for negroes in Southern States, discussion. Y.B. 1902, pp. 492-494. 1903.
high—
and secondary courses in agriculture. Y.B., 1902, pp. 487-492. 1903.
established in 1907. O.E.S. An. Rpt., 1907, p. 298. 1908.
in different States. O.E.S. Cir. 83, pp. 20-25. 1909; O.E.S. Cir. 97, rev., pp. 4-9, 13-33. 1912; O.E.S. Cir. 106, pp. 20-26. 1911; O.E.S. Cir. 106, rev., pp. 24-30. 1912.
laboratory exercises in farm mechanics. Daniels Scoates. F.B. 638, pp. 26. 1915.
receiving State aid. O.E.S. Cir. 97, pp. 4, 5. 1910.
relation of Farmers' Institutes. F. L. Stevens. O.E.S. Bul. 213, pp. 53-57. 1909.
States providing for. An. Rpts., 1911, p. 140. 1912; Sec. A.R., 1911, p. 138. 1911; Y.B., 1911, p. 138. 1912.
importance, recommendations. Willet M. Hays. O.E.S. Cir. 84, pp. 4-40. 1909.
in United States, 1910. O.E.S. Cir. 97, pp. 1-15. 1910.
movable, course in—
cereal foods and their preparation. Margaret J. Mitchell. O.E.S. Bul. 200, pp. 78. 1908.
cheese making. L. L. Van Slyke. O.E.S. Bul. 166, pp. 63. 1906.
fruit growing. Samuel B. Greene. O.E.S. Bul. 178, pp. 100. 1907.
vegetable foods for self-instructed classes. Anna Barrows. D.B. 123, pp. 78. 1916.
progress—
1908. Y.B., 1908, pp. 132-134. 1909.
1909. Sec. A.R., 1909, pp. 135-138. 1909; Y.B., 1909, pp. 135-138. 1910.
1911, State aid. Y.B., 1911, pp. 515-517. 1912.

School(s)—Continued.
agricultural—continued.
progress—continued.
1912, cooperation of department. An. Rpts., 1912, pp. 824-826. 1913; O.E.S. Chief Rpt., 1912, pp. 10-12. 1912.
pupils, sources, and distance from school. D. B. 213, p. 8. 1915.
southern, home economics, first-year course. Louise Stanley. D.B. 540, pp. 58. 1917.
State, in Arkansas. C. H. Lane. O.E.S. Bul. 250, pp. 20. 1912.
American, card index, Experiment Stations Office. O.E.S. An. Rpt., 1912, p. 284. 1913.
attendance—
at consolidated and district rural schools. O.E.S. Bul. 232, pp. 50-55. 1910.
comparison to population. Atl. Am. Agr. Adv. Sh., Pt. IX, Sec. 1, pp. 8, 10. 1919.
increase, responsibility of improved roads. News L., vol. 4, No. 11, p. 6. 1916; News L., vol. 4, No. 16, p. 1. 1916.
influence of road improvement, various counties. D.B. 393, pp. 9, 27-28, 36, 51-52, 77-78. 1916.
bird study, progress. Biol. Bul. 12, rev., pp. 67-69. 1902.
Black-Land, enrollment of pupils. D.B. 1068, pp. 57-60. 1922.
boys—
aid by corn and pig-raising clubs, methods. News L., vol. 1, No. 15, p. 1. 1913.
on Luzon Island. Off. Rec., vol. 2, No. 11, p. 5. 1923.
buildings—
improvement, examples. F.B. 1325, pp. 13-15, 16. 1923.
plans and suggestions. O.E.S. Cir. 84, pp. 28-31. 1909.
canning club, demonstration work, program. F.B. 521, pp. 29-32. 1913.
centralization by good roads. News L., vol. 5, No. 42, p. 7. 1918.
children—
instruction in mosquito work, advantages. Ent. Bul. 88, pp. 86-87. 1910.
need for warm lunches. News L., vol. 6, No. 40, p. 16. 1919.
of California, handbook of forest-fire prevention. M.C. 7, pp. 24. 1923.
physical and dietary surveys, form. D.C. 250, pp. 11-15, 29-31. 1923.
clubs, boys' and girls'—
cooperative work with interesting members. D.B. 281, p. 5. 1915.
lesson schedule, September to June. D.B. 281, pp. 6-25. 1915.
organization. D.B. 281, pp. 1-4. 1915.
common, effect of roads. Rds. Bul. 23, p. 39. 1902.
consolidated—
advantages and disadvantages, discussion. Rpt. 105, pp. 10-22. 1915.
cost of maintenance. O.E.S. Bul. 232, pp. 33-50. 1910.
educational efficiency, division of time, etc. O.E.S. Bul. 232, pp. 56-62. 1910.
State-aid, Vermont and Minnesota. O.E.S. Bul. 232, p. 35. 1910.
study of agriculture. O.E.S. An. Rpt., 1905, pp. 352-357. 1906.
cooperation with farm home. O.E.S. An. Rpt., 1911, pp. 338-341. 1912.
corn lessons. C. H. Lane. F.B. 617, pp. 15. 1914.
correspondence—
agricultural extension work. O.E.S. An. Rpt., 1911, pp. 357-363. 1912.
farmers' institute work, 1913. D.B. 83, pp. 11-12. 1914.
country—
poultry management, importance of teaching. Y.B., 1912, p. 349. 1913; Y.B. Sep. 596, p. 349. 1913.
provision for, remarks. Y.B., 1913, p. 242. 1914; Y.B. Sep. 626, p. 242. 1914.
reorganization. Alvin Dille. Y.B., 1919, pp. 289-306. 1920; Y. B. Sep. 812, pp. 289-306. 1920.

School(s)—Continued.
  county—
    agriculture and domestic economy, Wisconsin. A. A. Johnson. O.E.S. Bul. 242, pp. 24. 1911.
    income from timber sales, national forests. News L., vol. 1, No. 3, p. 2. 1913.
    of agriculture in Wisconsin. O.E.S. An. Rpt., 1904, pp. 677–686. 1905.
    system, organization. O.E.S. Bul. 232, pp. 63–99. 1910.
  courses—
    in agriculture, adaptation to southern conditions. D.B. 521, pp. 1–3. 1917.
    needs of farm children, vocational training. Rpt. 105, pp. 23–29. 1915.
  credits, agriculture for home practice. F. E. Heald. D.B. 385, pp. 27. 1916.
  dairy farm, one-day, holding in Minnesota. Off. Rec., vol. 1, No. 21, p. 6. 1922.
  distances from farm homes, reports. D.C. 148, p. 12. 1920.
  effect of social and church privileges, and on farm selection. F.B. 1088, p. 20. 1920.
  excursions for normal-school instruction in agriculture. O.E.S. Cir. 90, pp. 24–25. 1909.
  exhibits—
    permanent, work of school clubs. D.B. 281, p. 28. 1915.
    preparation for school fair. S.R.S. Doc. 42, pp. 5–6. 1917.
    suggestions for school clubs, practical examples. D.B. 281, pp. 25–42. 1915.
    usefulness. D.B. 132, pp. 31–32. 1915.
    value, types, and plans. S.R.S. Doc. 42, pp. 1–5. 1917.
  exposition, for prize winners of boys' and girls' clubs, scope and attendance. B.P.I. Doc. 865, p. 8. 1913.
  extension—
    North and West, work, 1917. S.R.S. Rpt., 1917, Pt. II, pp. 179–181. 1919.
    organization and work. S.R.S. Doc. 90, p. 5. 1918.
  farm management and accounting. B.P.I. Bul. 236, pp. 44–53. 1912; D.C. 302, pp. 10–11, 14–15, 23. 1924.
  farmers' short courses, objects and benefits. O.E.S. Bul. 231, pp. 69, 74–75. 1910.
  farming, conditions in different sections, United States. D.B. 213, pp. 1–12. 1915.
  field—
    for citrus growers. News L., vol. 6, No. 44, p. 16. 1919.
    use in demonstration work. Y.B., 1909, pp. 157–158. 1910; Y.B. Sep. 501, pp. 157–158. 1910.
  foreign, card index, Experiment Stations Office. O.E.S. An. Rpt., 1912, p. 284. 1913.
  forest nurseries. Walter M. Moore and Edwin R. Jackson. F.B. 423, pp. 24. 1910.
  forestry—
    advances, 1907. Y.B., 1907, p. 567. 1908; Y.B. Sep. 470, p. 6, 18–19. 1908.
    establishment, location, and courses of study. For. Cir. 207, pp. 3, 7. 1912.
    list. Y.B., 1907, p. 518. 1908; Y.B. Sep. 464, p. 518. 1908.
  funds—
    available from national forest receipts. An. Rpts., 1917, pp. 187–188. 1917; For. A.R., 1917, pp. 25–26. 1917.
    from sales of cut-over timberlands. Y.B., 1914, p. 71. 1915; Y.B. Sep. 633, p. 71. 1915.
    use as loans to farmers. D.B. 384, p. 12. 1916.
  garden(s)—
    B. T. Galloway. O.E.S. Bul. 160, pp. 47. 1905.
    L. C. Corbett. B.P.I. Doc. 140, pp. 6. 1905; F.B. 218, pp. 40. 1905.
    discussion. F.B. 195, pp. 10–11. 1904.
    educational and economic value to children. F.B. 936, pp. 6, 7–10. 1918.
    Guam, 1921, work and exhibits. Guam A.R., 1921, pp. 31–33. 1923.
    Hawaii, 1914, by classes in Hilo high school. Hawaii A.R., 1914, p. 57. 1915.
    Hawaii, 1921. Hawaii A.R., 1921, pp. 50–51. 1922.
    needs and value in Canal Zone, recommendations. Rpt. 95, pp. 48–49. 1912.

School(s)—Continued.
  garden(s)—continued.
    planning and planting. F.B. 195, pp. 10–11. 1904.
    plans for rural schools. D.B. 132, pp. 29–31. 1915.
    studies in soil, plants, and cuttings. F.B. 218, pp. 12–31. 1905.
    window boxes. F.B. 218, pp. 31–33. 1905.
    work—
      and instruction, normal school. O.E.S. Cir. 90, pp. 18–22. 1909.
      correlation of classroom and garden studies, table. O.E.S. Bul. 160, pp. 26–31. 1905.
      District of Columbia. O.E.S. Bul. 160, pp. 8–19. 1905.
      public schools. O.E.S. An. Rpt., 1908, p. 233. 1909.
    seed distribution by department. An. Rpts., 1912, p. 460. 1913; B.P.I. Chief Rpt., 1912, p. 80. 1912.
    value to pupils. O.E.S. Bul. 160, p. 7. 1905.
  gardening and nature study in English rural schools and in London. Susan B. Sipe. O.E.S. Bul. 204, pp. 37. 1909.
  graduate. See Graduate school.
  grain grading, discontinuance. Off. Rec., vol. 1, No. 9, p. 4. 1922.
  grounds—
    annuals, trees, and shrubs, suitable. F.B. 218, pp. 37–40. 1905.
    attracting of birds, methods. D.B. 715, p. 10. 1918.
    decoration, plans, and drawings. F.B. 218, pp. 33–37. 1905.
    improvement. News L., vol. 6, No. 39, p. 6. 1919.
    rural, tree planting. Wm. L. Hall. F.B. 134, pp. 32. 1901.
    trees and shrubs recommended, various sections. News L., vol. 2, No. 37, p. 1. 1915.
    tree planting, suggestions. F.B. 423, pp. 20–21. 1910.
    with bamboo groves. D.B. 1329, pp. 19–20. 1925.
  high—
    extension work, various States, 1910. O.E.S. An. Rpt., 1910, pp. 374–378. 1911.
    public suggestions for courses in agriculture. Y.B., 1902, pp. 495–499. 1903.
  horticultural, Hartford, Conn. O.E.S. Bul. 160, pp. 19–21. 1905.
  improvement as result of good roads. F.B. 505, p. 18. 1912.
  in Alaska—
    cooperation in game protection. D.C. 260, p. 2. 1923.
    system and number. Alaska Cir. 1, p. 22. 1916.
  index, foreign and American, Experiment Stations Office. An. Rpts., 1912, p. 825. 1913; O.E.S. Chief Rpt., 1912, p. 11. 1912.
  Indian and Negro, agricultural instruction. O.E.S. Cir. 83, pp. 10, 26–27. 1909.
  industrial—
    and agricultural, establishment, course of study. O.E.S. An. Rpt., 1906, pp. 258–270. 1907.
    for women. O.E.S. Cir. 97, pp. 5–7. 1910; rev., pp. 9–12. 1912.
  introduction of elementary agriculture. Y.B., 1906, pp. 151–164. 1907; Y.B. Sep. 413, pp. 151–164. 1907.
  kitchens, use as canning centers, methods. News L., vol. 6, No. 3, p. 7. 1918.
  laboratory equipment. D.B. 521, p. 35. 1917.
  laboratory materials for exercises in plant production. F.B. 408, pp. 8–10. 1910.
  lands—
    donation to States for educational purposes. D.B. 1001, p. 17. 1922.
    exchange, national forests. An. Rpts., 1912, pp. 473–475. 1913; For. A.R., 1912, pp. 15–17. 1912.
    Idaho, description. O.E.S. Bul. 216, p. 27. 1909.
    national forests, laws applicable. Sol. [Misc.], "The * * * forest manual," pp. 49–50. 1913.

School(s)—Continued.
lands—continued.
national forest, titles, exchanges, and decisions. Sol. [Misc.], "Laws * * * forests," pp. 76–77, 78. 1916.
lessons—
elementary agriculture for Alabama, outlined by months. E. A. Miller. D.B. 258, pp. 36. 1915.
in corn. Dick J. Crosby and F. W. Howe. F.B. 409, pp. 29. 1910.
on cotton. F. A. Merrill. M.C. 43, pp. 27. 1925.
library, agricultural literature. D.B. 281, pp. 29–30. 1915.
lunch(es)—
Caroline L. Hunt and Mabel Ward. F.B. 712, pp. 27. 1916.
clubs, serving of hot lunches, use of milk. D.C. 152, pp. 29, 30. 1921.
demonstration work, results. D.C. 285, p. 8. 1923.
dietary studies. O.E.S. An. Rpt., 1909, p. 387. 1910.
dishes, recipes. F.B. 712, pp. 19–25. 1916.
for children. News L., vol. 6, No. 49, p. 6. 1919.
hot, directions. News L., vol. 4, No. 12, p. 8. 1916.
hot, extension work. D.C. 349, pp. 17–18. 1925.
preparation at schools. O.E.S. Cir. 110, pp. 25, 30. 1911.
relation to other meals, dietary essentials. News L., vol. 4, No. 6, pp. 4, 6. 1916.
suggestions by Agriculture Department. News L., vol. 5, No. 10, p. 7. 1917.
sweets, recipes. News L., vol. 4, No. 10, pp. 5–6. 1916.
maintenance in national forests, regulations. Sol. [Misc.], "Laws * * * forests," p. 12. 1916.
marketing, establishment in Oregon. Off. Rec., vol. 2, No. 1, p. 7. 1923.
milk supply, importance of healthy cows. News L., vol. 7, No. 1, p. 5. 1919.
money paid to States from receipts of Forest Service—
1913. An. Rpts., 1913, p. 178. 1914; For. A.R., 1913, p. 44. 1913.
1916 and 1917. An. Rpts., 1916, pp. 177–178. 1917; For. A.R., 1916, pp. 23–24. 1916.
movable—
agriculture—
course in cereal foods and their preparation. Margaret J. Mitchell. O.E.S. Bul. 200, pp. 78. 1908.
daily schedule. O.E.S. Cir. 79, p. 8. 1908.
equipment. O.E.S. Cir. 79, p. 7. 1908.
form of organization. O.E.S. Cir. 79, pp. 8. 1908.
home study and practice. O.E.S. Cir. 79, p. 8. 1908.
length of course. O.E.S. Cir. 79, p. 6. 1908.
report of committee. O.E.S. Bul. 251, pp. 12–15. 1912.
sample courses of study. O.E.S. Cir. 79, p. 8. 1908.
work, 1910. O.E.S. An. Rpt., 1910, p. 388, 1911.
extension work. Sec. Cir. 47, p. 8. 1915.
for negroes. D.C. 355, pp. 21–22. 1925; Off. Rec., vol. 3, No. 22, p. 5. 1924.
for women and young people, work, 1912. An. Rpts., 1912, p. 827. 1913; O.E.S. Chief Rpt., 1912, p. 13. 1912.
foreign countries, 1912. O.E.S. An. Rpt., 1912, pp. 354, 355, 357. 1913.
in Mississippi. Off. Rec., vol. 2, No. 15, p. 5. 1923.
maintenance plan for the entire year. O.E.S. Bul. 225, pp. 38–40. 1910.
motor truck. D.C. 190, p. 18. 1921.
number and attendance. O.E.S. An. Rpt., 1912, pp. 334, 335–336. 1913.
report of committees. O.E.S. Bul. 213, pp. 23–28. 1909.
soils extension course for self-instructed classes. A. R. Whitson and H. B. Hendrick. D.B. 355, pp. 92. 1916.

School(s)—Continued.
national forests, appropriations by Congress. Y.B., 1914, pp. 85–86. 1915; Y.B. Sep. 633, pp. 85–86. 1915.
normal—
agricultural work, various States, 1910. O.E.S. An. Rpt., 1910, pp. 378–382. 1911.
and land-grant colleges. K. C. Babcock. O.E.S. Bul. 164, pp. 117–118. 1906.
for institute workers. O.E.S. An. Rpt., 1904, pp. 625–628. 1905.
for women. O.E.S. Cir. 97, rev., pp. 9–12. 1912.
instruction in agriculture. M. J. Abbey. O.E.S. Cir. 90, pp. 31. 1909.
relation of farmers' institutes. F. H. Hall. O.E.S. Bul. 213, pp. 51–53. 1909.
pharmacy drug gardens. Y.B., 1917, pp. 159–160. 1918; Y.B. Sep. 734, pp. 9–10. 1918.
plant studies. F.B. 218, pp. 15–19. 1905.
poultry flock management. Y.B., 1915, p. 198. 1916; Y.B. Sep. 669, p. 198. 1916.
primary, agricultural education. O.E.S. Cir. 83, pp. 25–26. 1909; O.E.S. Cir. 106, pp. 26–27. 1911; O.E.S. An. Rpt., 1904, pp. 600–616. 1905.
privately endowed, agricultural instruction. O.E.S. Cir. 83, p. 25. 1909.
public—
and land-grant colleges. A. C. True. O.E.S. Bul. 164, pp. 124–126. 1906.
and the Weather Bureau. Y.B., 1907, pp. 267–276. 1908; Y.B. Sep. 471, pp. 267–276. 1908.
forestry teaching. Hugo A. Winkenwerder. For. Cir. 130, pp. 20. 1907.
high, teaching agriculture. Dick J. Crosby. Y.B., 1912, pp. 471–482. 1913; Y.B. Sep. 607, pp. 471–482. 1913.
in Northern States, subjects, correlation with agriculture. C. H. Lane and F. E. Heald. D.B. 281, pp. 42. 1915.
in Southern States, subjects, correlation with agriculture. C. H. Lane and E. A. Miller. D.B. 132, pp. 41. 1915.
nature study, experiments, and textbooks. O.E.S. An. Rpt., 1905, pp. 278–300. 1907.
of Philadelphia. Edwin C. Broome. B.A.I. Dairy [Misc.], "World's dairy congress, 1923," pp. 121–123. 1924.
system, relation to land-grant colleges. D.B. Purinton. O.E.S. Bul. 184, pp. 81–84. 1907.
teaching agriculture. O.E.S. Bul. 120, p. 81. 1902.
receipts from national forests. For. Misc. F–4, pp. 6. 1916; Y.B., 1921, p. 70. 1922; Y.B. Sep. 875, p. 70. 1922.
road building, establishment, remarks by Secretary. Rpt. 79, pp. 57–58. 1904.
rural—
agriculture—
correlating with other studies, suggestions. D.B. 132, pp. 1–41. 1915.
teaching. O.E.S. Cir. 60, pp. 20. 1904.
aid from farmers' institutes. L. H. Bailey. O.E.S. Bul. 182, pp. 53–56. 1907.
chemistry in agriculture, exercises. O.E.S. Bul. 195, pp. 1–22. 1908.
common—
lessons on cotton. C. H. Lane. D.B. 294, pp. 16. 1915.
problems. A. C. True. Y.B., 1901, pp. 133–154. 1902. Y.B. Sep. 233, pp. 133–154. 1902.
consolidated—
and organization of a county system. George W. Knorr. O.E.S. Bul. 232, pp. 99. 1910.
courses of study. O.E.S. Cir. 84, pp. 1–40. 1909.
description and various forms. O.E.S. Bul. 232, pp. 23–33. 1910.
discussion and recommendations. O.E.S. Bul. 165, pp. 53–59. 1906.
discussion by farm women. Y.B., 1914, pp. 315–316. 1915; Y.B. Sep. 644, pp. 315–316. 1915.
consolidation, advantages. O.E.S. Cir. 60, pp. 9–10. 1904; O.E.S. Bul. 232, pp. 7–16. 1910; Y.B., 1919, pp. 302–306. 1920; Y.B. Sep. 812, pp. 302–306. 1920.
curriculum improvement, discussion. O.E.S. Cir. 60, p. 13. 1904.

School(s)—Continued.
rural—continued.
educational courses. O.E.S. An. Rpt., 1905, pp. 331-342. 1906.
elementary lessons—
in pork production. E. A. Miller. D.B. 646, pp. 26. 1918.
on corn. C. H. Lane. D.B. 653, pp. 19. 1918.
on potatoes. Alvin Dille. D.B. 784, pp. 24. 1919.
England, school gardening and nature study. Susan B. Sipe. O.E.S. Bul. 204, pp. 37. 1909.
exercise in farm handicraft. H. O. Sampson. D.B. 527, pp. 38. 1917.
high, community work. Dick J. Crosby and B. H. Crocheron. Y.B., 1910, pp. 177-188. 1911; Y.B. Sep. 527, pp. 177-188. 1911.
improvement—
1902. Rpt. 73, pp. 76-77. 1902.
books and transportation for children. Rpt. 105, pp. 10-22. 1915.
methods and teachers' pay. Sec. Cir. 130, p. 14. 1919.
influence on country-life improvement. O.E.S. Bul. 231, p. 36. 1910.
lessons on—
poultry. F. E. Heald. D.B. 464, pp. 34. 1916.
tomatoes. E. A. Miller. D.B. 392, pp. 18. 1916.
model, Kirkwood, Mo., description and plans. O.E.S. An. Rpt., 1910, pp. 383-386. 1911.
planning. F.B. 1441, pp. 41-42. 1925.
relation—
of farmers' institutes. A. B. Graham. O.E.S. Bul. 213, pp. 46-51. 1909.
of women. O.E.S. Cir. 85, pp. 4-5. 1909.
to agricultural education. O.E.S. Bul. 199, pp. 9-13. 1908.
to agriculture. O.E.S. Bul. 120, p. 109. 1902.
reorganization. Alvin Dille. Y.B., 1919, pp. 289-306. 1920; Y.B. Sep. 812, pp. 289-306. 1920.
small, excessive cost per pupil. O.E.S. Bul. 232, pp. 35-45. 1910.
southern, excercises with plants and animals. E. A. Miller. D.B. 305, pp. 63. 1915.
study courses, aid by department. Y.B., 1921, p. 30. 1922; Y.B. Sep. 875, p. 30. 1922.
teaching agriculture, illustrative material. 1901. O.E.S. Bul. 99, pp. 5-6. 1910; O.E.S. Bul. 153, pp. 43-56. 1905; Y.B., 1905, pp. 257-274. 1906; Y.B. Sep. 382, pp. 257-274. 1906.
testing seeds on farm and in the home. F. H. Hillman. F.B. 428, pp. 47. 1911.
use of illustrative material in teaching agriculture. Dick J. Crosby. Y.B., 1905, pp. 257-274. 1906; Y.B. Sep. 382, pp. 18. 1905.
secondary—
agricultural education. O.E.S. An. Rpt., 1904, p. 599. 1905.
introduction of elementary agriculture. O.E.S. An. Rpt., 1908, pp. 272-273. 1909.
judging horses as subject of instruction. H. P. Barrows. D.B. 487, pp. 31. 1917.
southern, agriculture courses. H. P. Barrows. D.B. 521, pp. 53. 1917.
teachers of agriculture, training work by colleges. O.E.S. Cir. 118, pp. 29. 1913.
teaching suggestions—
agricultural exhibits and contests. H. P. Barrows. S.R.S. Doc. 42, pp. 1-8. 1917.
beef production. H. P. Barrows. S.R.S. 81, pp. 11. 1918.
farm records and accounts. H. P. Barrows. S.R.S. Doc. 38, pp. 10. 1917.
home floriculture and home-ground improvements. H. P. Barrows. S.R.S. Doc. 62, pp. 12. 1917.
plant propagation and pruning. H. P. Barrows. S.R.S. Doc. 63, pp. 12. 1917.
types and breeds of farm animals. H. P. Barrows. S.R.S. Doc. 58, pp. 12. 1917.
types teaching agriculture, various States. Y.B., 1912, pp. 471-472. 1913; Y.B. Sep. 607, pp. 471-472. 1913.

School(s)—Continued.
secondary—continued.
use of land in teaching agriculture. Eugene Merritt. D.B. 213, pp. 12. 1915.
use of text and bulletins in classroom instruction. S.R.S. Doc. 38, p. 2. 1917.
vocational instruction in dairying. J. R. Dice. B.A.I. Dairy [Misc.], "World's dairy congress, 1923," pp. 603-609. 1924.
with courses in agriculture. O.E.S. Cir. 83, pp. 24-25. 1909; O.E.S. Cir. 106, pp. 20-26. 1911; rev., pp. 24-30. 1912.
southern, secondary courses in agriculture. H. P. Barrows. D.B. 521, pp. 53. 1917.
States—
forest receipts available for. Sol. [Misc.], "Laws * * * forests," pp. 20, 119. 1916.
normal, teaching agriculture. Y.B., 1907, pp. 212-214. 1908; Y.B. Sep. 445, pp. 212-214. 1908.
studies—
corn, suggestive correlations. D.B. 653, pp. 18-19. 1918.
for South, suggestions for home projects. D.B. 521, p. 35. 1917.
summer—
addition to various agricultural college courses. O.E.S. An. Rpt., 1908, pp. 262-265. 1909.
agricultural courses. O.E.S. Cir. 106, p. 17. 1911.
in Arkansas, popularity. News L., vol. 6, No. 37, p. 15. 1919.
normal teaching in agriculture. O.E.S. Cir. 60, p. 8. 1904.
use of national forests. For. [Misc.], "Recreation uses on * * * ," pp. 17, 19. 1918.
teaching buttermaking by use of Farmers' Bulletin 876. E. H. Shinn. D.C. 69, pp. 4. 1919.
teaching control of home-garden pests. D.C. 68, pp. 1-4. 1919.
technical, agriculture and domestic science discussion. O.E.S. Bul. 251, pp. 47-52. 1912.
testing of seed corn, methods. F. H. Howe. O.E.S. Cir. 96, pp. 7. 1910.
traveling for—
threshing work. News L., vol. 6, No. 47, p. 4. 1919.
women, discussion. Rpt. 105, pp. 37-45. 1915.
use of publications on home storage of fruits and vegetables. S.R.S. [Misc.], "How teachers in elementary schools may use * * *," pp. 2. 1918.
vocational, discussion by farm women. Rpt. 105, pp. 24-26. 1915.
wool grading, instruction. Off. Rec., vol. 3, No. 33, p. 8. 1924.
work of Dairy Council. B.A.I. Dairy [Misc.], "World's dairy congress, 1923," p. 131. 1924.
working model, for erosion. Don Carlos Ellis. O.E.S. Cir. 117, pp. 11. 1912.
Schoolhouse(s)—
Lake region, provision for. D.B. 1295, p. 54. 1925.
rural, improvement and description. News L., vol. 6, No. 17, pp. 4-5. 1918.
rural, plan and equipment, suggestions. Y.B., 1919, pp. 299-301. 1920; Y.B. Sep. 812, pp. 299-301. 1920.
Schopmeyer, C. H.: "How teachers may use Farmers' Bulletin 1087, beautifying the farmstead." D.C. 155, pp. 6. 1921.
Schorger, A. W.—
"An examination of the oleoresins of some western pines." For. Bul. 119, pp. 36. 1913.
"Increased yield of turpentine and rosin from double chipping." With R. L. Pettigrew. D.B. 567, pp. 9. 1917.
"The naval stores industry." With H. S. Betts. D.B. 229, pp. 58. 1915.
Schoth, H. A.—
"Common vetch and its varieties." With Roland McKee. D.B. 1289, pp. 20. 1925.
"Hungarian vetch." With Roland McKee. D.B. 1174, pp. 12. 1923.
Schotia—
latifolia, importation and description. No. 51892, B.P.I. Inv. 65, p. 64. 1923.
speciosa, importation and description. No. 48547, B.P.I. Inv. 61, p. 21. 1922.

SCHOTTELIUS, MAX, experiments concerning tuberculosis. B.A.I. Bul. 52, Pt. II, pp. 78-79, 98. 1905.
Schraders' grass. *See* Rescue grass.
Schrankia leptocarpa, importation and description. No. 46719, B.P.I. Inv. 57, pp. 8, 24. 1922.
SCHREIBER, HERMAN—
"A method for the determination of tin in canned goods." With W. C. Taber. Chem. Cir. 67, pp. 9. 1911.
"The determination of total sulphur in organic matter." Chem, Cir. 56, pp. 9. 1910.
SCHREIBER, OSWALD:—
"A beneficial organic constituent of soils: Creatinine." With others. Soils Bul. 83, pp. 44. 1911.
"Certain organic constituents of soils in relation to soil fertility." With others. Soils Bul. 47, pp. 52. 1907.
"Chemical nature of soil organic matter." With Edmund C. Shorey. Soils Bul. 74, pp. 48. 1910.
"Colorimetric, turbidity, and titration methods used in soil investigations." With George H. Failyer. Soils Bul. 31, pp. 60. 1906.
"Crop injury by borax in fertilizers." With others. D.C. 84, pp. 35. 1920.
"Examination of soils for organic constituents, especially dihydroxystearic acid." With Elbert C. Lathrop. Soils Bul. 80, pp. 33. 1911.
"Harmful effects of aldehydes in soils." With J. J. Skinner. D.B. 108, pp. 26. 1914.
"Lawn soils." With J. J. Skinner. Soils Bul. 75, pp. 55. 1911.
"Lawn soils and lawns." With others. F.B. 494, pp. 48. 1912.
"Nitrogenous soil constituents and their bearing on soil fertility." With J. J. Skinner. Soils Bul. 87, pp. 84. 1912.
"Occurrence and nature of carbonized material in soils." With B. E. Brown. Soils Bul. 90, pp. 28. 1912.
"Organic compounds and fertilizer action." With J. J. Skinner. Soils Bul. 77, pp. 31. 1911.
"Some effects of a harmful organic soil constituent." With J. J. Skinner. Soils Bul. 70, pp. 98. 1910.
"Some factors influencing soil fertility." With Howard S. Reed. Soils Bul. 40, pp. 40. 1907.
"Studies in soil oxidation." With others. Soils Bul. 73, pp. 57. 1910.
"The absorption of phosphates and potassium by soils." With George H. Failyer. Soils Bul. 32, pp. 39. 1906.
"The chemistry of steam-heated soils." With Elbert C. Lathrop. Soils Bul. 89, pp. 37. 1912.
"The isolation of harmful organic substances from soils." With Edmund C. Shorey. Soils Bul. 53, pp. 53. 1909.
"The organic constituents of soils." Soils Cir. 74, pp. 18. 1912.
"The role of oxidation in soil fertility." With Howard S. Reed. Soils Bul. 56, pp. 52. 1909.
SCHRENK, VON. *See* von Schrenk.
Schriever and Half System, irrigation plant, details. O.E.S. Bul. 222, p. 60. 1910.
SCHROEDER, E. C.—
"Animal breeding and disease." With A.D. Melvin. B.A.I. An. Rpt., 1906, pp. 213-222. 1908.
"Danger of infection with tuberculosis by different kinds of exposure." With W. E. Cotton. B A.I. Cir. 63, pp. 22. 1905.
"Experiments with milk artificially infected with tubercle bacilli." With W. E. Cotton. B.A.I. Bul. 86, pp. 19. 1906.
"Medical milk commissions and bovine tuberculosis." B.A.I. An. Rpt., 1909, pp. 193-200. 1911.
"Milk and its products as carriers of tuberculosis infection." B.A.I. Cir. 143, pp. 17. 1909.
"Milk and milk products as carriers of tuberculosis infection." B.A.I. An. Rpt., 1907, pp. 183-199. 1907.
"Some facts about abortion disease." With W. E. Cotton. J.A.R., vol. 9, pp. 9-16. 1917.
"Some facts about tuberculous cattle." Y.B., 1908, pp. 217-226. 1909; Y.B. Sep. 476, pp. 217-226. 1909.

SCHROEDER, E. C.—Continued.
"Some observations on rabies." B.A.I. An. Rpt., 1906, pp. 181-196. 1908; B.A.I. Cir. 120, pp. 16. 1908.
"Studies in immunity from tuberculosis." B.A.I. Bul. 52, Pt. III, pp. 101-114. 1905. B.A.I. Bul. 52, pp. 101-114. 1905.
"Tests concerning tubercle bacilli in the circulating blood." With W. E. Cotton. B.A.I. Bul. 116, pp. 23. 1909.
"The bacillus of infectious abortion found in milk." With W. E. Cotton. B.A.I. An. Rpt., 1911, pp. 139-146. 1913; B.A.I. Cir. 216, pp. 139-146. 1913.
"The comparative virulence of human and bovine tubercle bacilli for some large animals." With others. B.A.I. Bul. 52, Pt. II, pp. 31-100. 1905.
"The danger from tubercle bacilli in the environment of tuberculous cattle." With W. E. Cotton. B.A.I. Bul. 99, pp. 24. 1907.
"The dissemination of disease by dairy products, and methods for prevention." With others. B.A.I. Cir. 153, pp. 57. 1910.
"The persistence of tubercle bacilli in the tissues of animals after injection." With W. E. Cotton. B.A.I. Bul. 52, Pt. III, pp. 115-125. 1905.
"The relation of the tuberculous cow to public health." B.A.I. An. Rpt., 1908, pp. 109-153. 1910.
"The relation of tuberculous lesions to the mode of infection." With W. E. Cotton. B.A.I. Bul. 93, pp. 19. 1906.
"The tuberculin test of hogs and some methods of their infection with tuberculosis." With John R. Mohler. B.A.I. Bul. 88, pp. 51. 1906.
"The unsuspected but dangerously tuberculous cow." B.A.I. Cir. 118, pp. 19. 1907.
"The vaccination of cattle against tuberculosis." With others. B.A.I. An. Rpt., 1910, pp. 327-343. 1912; B.A.I. Cir. 190, pp. 17. 1912.
"Tubercle bacilli in butter: Their occurrence, vitality, and significance." With W. E. Cotton. B.A.I. Cir. 127, pp. 23. 1908.
SCHROEDER, F. C.: "Soil survey of—
Bastrop County, Tex." With others. Soil Sur. Adv. Sh., 1907, pp. 46. 1908; Soils F.O. 1907, pp. 663-704. 1909.
Marion County, Ind." With W. J. Geib. Soil Sur. Adv. Sh., 1907, pp. 24. 1908; Soils F.O., 1907, pp. 793-812. 1909.
Montgomery County, Miss." With Thomas A. Caine. Soil Sur. Adv. Sh., 1906, pp. 24. 1907; Soils F.O., 1906, pp. 385-404. 1908.
the Crookston area, Minn." With A. W. Mangum. Soil Sur. Adv. Sh., 1906, pp. 31. 1907; Soils F.O., 1906, pp. 865-891. 1908.
Wilson County, Tex." With W. S. Lyman. Soil Sur. Adv. Sh., 1907, pp. 26. 1908; Soils F.O., 1907, pp. 641-662. 1909.
Schryver method of tin determination, comparison with other methods. Chem. Cir. 67, pp. 2, 3, 4, 5, 6, 8. 1911.
SCHULTE, J. I.—
"Corn-breeding work at the experiment stations." Y.B., 1906, pp. 279-294. 1907; Y.B. Sep. 423, pp. 279-294. 1907.
"Illustrated lecture on wheat culture." S.R.S., Syl. 11, rev., pp. 20. 1918.
"Illustrations of the influence of experiment station work on culture of field crops." Y.B., 1905, pp. 407-422. 1906; Y.B. Sep. 392, pp. 407-422. 1906.
"Range investigations by experiment stations." With others. O.E.S. An. Rpt., 1922, pp. 113-126. 1924.
"Statistics of the stations." O.E.S. An. Rpt., 1922, pp. 127-136. 1924.
"Syllabus of illustrated lecture on wheat culture." O.E.S.F.I.L. 11, pp. 22. 1910; rev., 1918.
"Work and expenditures of the agricultural experiment stations—
1910." With E. W. Allen. O.E.S. An. Rpt., 1910, pp. 61-169. 1911.
1911." With E. W. Allen. O.E.S. An. Rpt., 1911, pp. 53-230. 1912.
1912." With E. W. Allen. O.E.S. An. Rpt., 1912, pp. 43-231. 1913.
1913." With E. W. Allen. O.E.S. An. Rpt., pp. 110. 1915.

SCHULTE, J. I.—Continued.
"Work and expenditures of the agricultural experiment stations—continued.
1915." With others. Work and Exp., 1915, pp. 321. 1917.
1917." With others. Work and Exp., 1917, pp. 335. 1918.
1918." With others. Work and Exp., 1918, pp. 80. 1920.
1919." With others. Work and Exp., 1919, pp. 94. 1921.
1920." With others. Work and Exp., 1920. pp. 94. 1922.
1921." With others. Work and Exp., 1921, pp. 138. 1923.

SCHULTZ, E. S.—
"A transmissible mosaic disease of Chinese cabbage, mustard, and turnip." J.A.R., vol. 22, pp. 173-178. 1921.
"Infection and dissemination experiments with degeneration diseases of potatoes, observations in 1923." With Donald Folsom. J.A.R., vol. 30, pp. 493-528. 1925.
"Investigations on the mosaic disease of the Irish potato." With others. J.A.R., vol. 17, pp. 247-273. 1919.
"Leaf roll, net-necrosis, and spindling-sprout of the Irish potato." With Donald Folsom. J.A.R., vol. 21, pp. 47-80. 1921.
"Silver scurf of the Irish potato caused by *Spondylocladium atrovirens*." J.A.R., vol. 6, No. 10, pp. 339-350. 1916.
"*Spongospora subterranea* and *Phoma tuberosa* on the Irish potato." With others. J.A.R., vol. 7, pp. 213-254. 1916.
"Transmission of the mosaic disease of Irish potatoes." With Donald Folsom. J.A.R., vol. 19, pp. 315-338. 1920.
"Transmission, variation, and control of certain degeneration diseases of Irish potatoes." With Donald Folsom. J.A.R., vol. 25, pp. 43-118. 1923.
"Why potatoes run out." F.B. 1436, pp. 21. 1924.

SCHULTZ, E. R.: "Effects of sodium arsenite when used to kill barberry." With Noel F. Thompson. D.B. 1316, pp. 19. 1925.

SCHULTZ, L. G.: "Study of sky polarization with reference to weather conditions." W.B. Bul. 31, pp. 28-31. 1902.

Schütte, German name for needle-cast disease. D.B. 44, p. 13. 1913.

SCHUYLER, J. D.: "Problems of water storage on torrential streams of southern California as typified by Sweetwater and San Jacinto Rivers." O.E.S. Bul. 100, pp. 353-395. 1901.

SCHWARTZ, BENJAMIN—
"A blood-destroying substance in *Ascaris lumbricoides*." J.A.R., vol. 16, pp. 253-258. 1919.
"*Ascaridia lineata*, a parasite of chickens in the United States." J.A.R., vol. 30, pp. 763-772. 1925.
"Effects of pork-curing processes on Trichinae." With others. D.B. 880, pp. 37. 1920.
"Effects of x-rays on Trichinae." J.A.R., vol. 20, pp. 845-854. 1921.
"Hemotoxins from parasitic forms." J.A.R., vol. 22, pp. 379-432. 1921.
"Observations and experiments on intestinal trichinae." J.A.R., vol. 15, pp. 467-482. 1918.
"Preparasitic stages in the life history of the cattle hookworm, *Bustomum phlebotomum*." J.A.R., vol. 29, pp. 451-458. 1924.

SCHWARTZ, E. A., description of billbug larva and pupa. Ent. Bul. 95, Pt. II. pp. 16-17, 19-20. 1911.

SCHWARTZE, E. W.—
"Pharmacology of gossypol." With Carl L. Alsberg. J.A.R., vol. 28, pp. 191-198. 1924.
"Quantitative variation of gossypol and its relation to the oil content of cottonseed. With Carl L. Alsberg. J.A.R., vol. 25, pp. 285-295. 1923.
"Relation between toxicity of cottonseed and its gossypol content." With Carl L. Alsberg. J.A.R., vol. 28, pp. 173 189. 1924.
"The relative toxicity of strychnine to the rat." D.B. 1023, pp. 19. 1922.
"Toxicity of barium carbonate to rats." D.B. 915, pp. 11. 1920.

SCHWARZ, G. F. "The diminished flow of the Rock River in Wisconsin and Illinois, and its relation to the surrounding forests." For. Bul. 44, pp. 27. 1903.

Schwarzbeinigkeit. *See* Potato blackleg.

Sciadopitys certicillata, importation and description. No. 35300, B.P.I. Inv. 35, p. 35. 1915.

SCIALLERO, M., experiments with tubercle bacilli. B.A.I. An. Rpt., 1906, p. 120. 1908.

Sciara—
inconstans. *See* Midge, fickle.
multiseta, description and control. Ent. Cir. 155, pp. 1-3. 1912.

Sciatica cure, misbranding. Chem. N.J. 2997. 1914.

Science—
agricultural, advances, and results on production, 1896-1908. An. Rpts., 1908, pp. 152-185. 1909; Rpt. 87, pp. 75-100. 1908; Sec. A.R., 1908, pp. 150-183. 1908.
relation to farmer. L. C. Everard. Y.B., 1920, pp. 105-109. 1921; Y.B. Sep. 832, pp. 105-109. 1921.
study, necessity and importance. W. H. Jordan. O.E.S. Bul. 196, pp. 61-66. 1907.

Scientific—
investigations, Weather Bureau employees, advisability of supplying apparatus for, under certain conditions. Weston M. Fulton. W.B. Bul. 31, pp. 22-28. 1902.
investigators, Agriculture Department, salary limitation. Sol. [Misc.], "Laws applicable * * *," Sup 2, p. 5. 1915.
research, work progress. Y.B., 1923, pp. 39-41. 1924.
service, grades and compensation. Off. Rec., vol. 2, No. 13, p. 4. 1923.
work, Director—
appointment. Off. Rec., vol. 2, No. 28, p. 4. 1923; Y.B., 1921, p. 29. 1922; Y.B. Sep. 875, p. 29. 1922.
duties. An.Rpts., 1923, p. 41. 1923; Off. Rec., vol. 2, No. 10, p. 1. 1923; Sec. A.R., 1923, p. 41. 1923.
workers, salary bill. Off. Rec., vol. 2, No. 10, p. 1. 1923.

Scientists—
department, cooperative work for farmers. Sec. A.R., 1921, pp. 20, 21, 26. 1921.
relation to farmer. Y.B. 1911, pp. 255-256. 1912; Y.B. Sep. 565, pp. 255-256. 1912.
salaries. Off. Rec., vol. 2, No. 3, p. 1. 1923. Off. Rec., vol. 2, No. 9, p. 8. 1923.
trained, value to Nation, need of better salaries. Y.B., 1921, pp. 62-64. 1922; Y.B. Sep. 875, pp. 62-64. 1922.
work for farmers, practical application. Y.B., 1920, pp. 105-110. 1921; Y.B. Sep. 832, pp. 105-110. 1921.

Scillitin, use against rodents. Y. B., 1908, p. 427. 1909; Y. B. Sep. 491, p. 427. 1909.

Scions—
fruit quarantine. F.H.B. Quar. 44, pp. 2. 1920.
grafting, cutting, and packing. F.B. 1284, p. 26. 1922.
grafting, keeping dormant until use. F.B. 1369, p. 5. 1923.
packing to keep for long periods. B.P.I. Cir. 111, p. 31. 1913.
preparation for shipment. D.C. 323, pp. 7-8, 9. 1924.
walnut, selection and preparation for grafting. B.P.I. Bul. 254, pp. 63-64, 67-69. 1913.

Sciroppo—
amarena, adulteration and misbranding. Chem. N.J. 3525, p. 28. 1915.
di tamarindo, adulteration and misbranding. Chem. N.J. 3543. 1915.

Scirpus—
erectus, occurrence in Guam. Guam A.R., 1913, p. 16. 1914.
lacustris, distribution. N.A. Fauna 22, p. 13. 1902.
microcarpus, forage value and association, in meadows. J. A. R., vol. 6, No. 19, pp. 753, 755. 1916.
occidentalis. *See* Tule.
sp., importation and description. No. 36050, B.P.I. Inv. 36, p. 43. 1915.

INDEX TO PUBLICATIONS, 1901–1925 2097

Sciulus spp., description and habits. Rpt., 108, pp. 80, 85. 1915.
Sciuridae family. See Marmots; Squirrels; Chipmunks; Woodchuck; Groundhog.
Scleria spp., occurrence in Guam. Guam A.R., 1913, p. 16. 1914.
Sclerocarya caffra, importation and description. No. 52216, B.P.I. Inv. 65, p. 79. 1923; No. 52915, 53753, B.P.I. Inv. 67, pp. 13, 86. 1923.
Scleroderma, cattle, description. B.A.I. [Misc.], "Diseases of cattle," rev., p. 329. 1909.
Scleroderma. See also Elephantiasis.
Scleroderma spp., description. D.B. 175, p. 52. 1915.
Scleropoa rigida, description. D.B. 772, p. 34. 1920.
Scleropogon brevifolius, distrivution, description, and feed value. D.B. 201, p. 41. 1915.
Scloropogon spp., description, distribution, and uses. D.B. 772, pp. 9, 81, 82. 1920.
Sclerospora—
  conidial, new species on Philippine maize. William H. Weston, jr. J.A.R., vol. 20, pp. 669–684. 1921.
  graminicola, nocturnal production of conidia. William H. Weston, jr. J.A.R., vol. 27, pp. 771–784. 1924.
  macrospora, cause of downy mildew of wheat. D.C. 186, p. 3. 1921.
  maydis, quarantine. F.H.B. Quar. 21, p. 1. 1915; F.H.B.S.R.A. 13, p. 1. 1915; F.H.B.S.R.A. 14, pp. 9–10. 1915.
  philippinensis, cause of Philippine downy mildew, identification. J.A.R., vol. 19, pp. 113–120. 1920.
  sacchari, Quarantine Notice No. 24. F.H.B.S.R.A. 27, p. 57. 1916.
  spp.—
    comparative descriptions and hosts. J.A.R., vol. 19, pp. 104–120. 1920.
    conidia production, comparisons. J.A.R., vol. 27, pp. 775–781. 1924.
    See also Mildew, downy.
Sclerotinia—
  carunculoides, cause of disease of the mulberry. Eugene A. Siegler and Anna E. Jenkins. J.A.R., vol. 23, pp. 833–836. 1923.
  cinerea—
    cause of brown rot. F.B. 1160, p. 17. 1920; F.B. 1435, p. 5. 1924; J.A.R., vol. 8, pp. 142–163. 1917; J.A.R., vol. 22, pp. 451, 467. 1922.
    growth in concentrated solutions. J.A.R., vol. 7, pp. 256–259. 1916.
    life history, description, and various stages. J.A.R., vol. 5, No. 9, pp. 365–369, 370–374. 1915.
    production of oxalic acid. J.A.R., vol. 21, p. 631. 1921.
    vitality tests under low temperature. J.A.R., vol. 5, No. 14, pp. 652, 654, 655. 1916.
    See also Brown rot.
  fructigenia—
    cause of peach brown-rot, control. Ent. Cir. 120, pp. 1–7. 1910.
    effect on apple composition. J.A.R., vol. 6, No. 5, p. 194. 1916.
    See also Brown rot.
  libertiana—
    cause of—
      cabbage drop. F.B. 925, rev., p. 27. 1921.
      citrus gummosis. J.A.R., vol. 24, pp. 220–221, 229, 231. 1923.
      drop disease of cabbage and lettuce. F.B. 925, p. 27. 1918.
    drop disease of lettuce, and control. F.B. 460, p. 25–26. 1911; J.A.R., vol. 23, pp. 645–654. 1923.
    on lettuce, symptoms, control investigations in Florida. D.B. 601, . 1–18 pp, 27–28. 1917.
    on ginseng, pathogenicity and identity. J.A.R., vol. 5, No. 7, pp. 291–298. 1915.
    parasitism method. J.A.R., vol. 18, p. 275. 1919.
    secretion of ferment. J.A.R., vol. 21, p. 610. 1921.
  minor, n. sp., the cause of decay of lettuce, celery, and other crops. Ivan C. Jagger. J.A.R., vol. 20, pp. 331–334. 1925.
  oxycocci, cause of hard rot and tip blight of cranberry. F.B. 1081, pp. 10–11. 1920.

Sclerotinia—Continued.
  panacis, cause of black rot in ginseng. B.P.I. Bul. 250, pp. 36–37. 1912.
  ricini, cause of gray mold of castor bean. J.A.R., vol. 23, pp. 688–702. 713. 1923.
  rots, ginseng, description and control. F.B.736, pp. 10–12. 1916.
  shiraiana, cause of mulberry disease in Japan. J.A.R., vol. 23, pp. 834–835. 1923.
  smilacina on ginseng, pathogenicity and identification. J.A.R., vol. 5, No. 7, pp. 291–298. 1915.
  spp., cause of—
    udo disease, studies. J.A.R., vol. 26, pp. 272–275, 1923.
    white rot and black rot of ginseng. F.B. 736, pp. 10–12. 1916.
  trifoliorum. See Stem rot.
Sclerotiopsis concava, cause of strawberry rot, studies. J.A.R., vol. 23, pp. 748–750, 754, 756. 1923.
Sclerotium—
  alfalfa disease. F.B. 339, p. 41. 1908.
  bataticola—
    cause of—
      charcoal rot of sweet potato. J.A.R., vol. 15, p. 351. 1918; F.B. 714, p. 24. 1916.
      potato rot. J.A.R., vol. 21, pp. 211–226. 1921.
    glucose as a source of carbon. J.A.R., vol. 21, pp. 189–210. 1921.
  blight, tomato, cause and control. D.C. 40, p. 12. 1919; S.R.S. Doc. 95, pp. 12, 18. 1919.
  oryzae, cause of stemrot of rice. J.A.R., vol. 21, pp. 655–657. 1921.
  rhizodes, on wheat, cause of disease. D.B. 1347, p. 34. 1925.
  rolfsii—
    cause of—
      ground rot of watermelon. F.B. 821, p. 18. 1917; F.B. 1277, p. 8. 1922.
      peanut rot disease. S.R.S. Rpt., 1915, Pt. I, p. 60. 1917.
      peanut wilt, spread and control. J.A.R., vol. 8, pp. 441–448. 1917.
    sclerotium rot of aroids, studies, etc. J.A.R., vol. 6, No. 15, pp. 559–561, 567, 569. 1916.
    seedling blight of rice. J.A.R., vol. 21, pp. 649–655. 1921.
    host plants, racial strains, and symptoms. J.A.R., vol. 18, pp. 128–136. 1919.
    identification, isolation, and inoculation experiments. J.A.R., vol. 8, pp. 443–444. 1917.
    parasitism on Irish potatoes. H. A. Edson and M. Shapovalov. J.A.R., vol. 23, pp. 41–46. 1923.
    recent studies. J. J. Taubenhaus. J.A.R., vol. 18, pp. 127–138. 1919.
    varietal strains. J.A.R., vol. 23, p. 44. 1923.
    See also Sclerotium, sugar-cane.
  rot—
    of aroids, cause, studies, and inoculation experiments. J.A.R., vol. 6, No. 15, pp. 559–561. 1916.
    southern, description and symptoms. J.A.R., vol. 18, pp. 127–138. 1919.
    sugar-cane, description and control. B.P.I. Cir. 126, pp. 10–12. 1913.
  wilt, potato, history, cause, description, and control. Hawaii Bul. 45, pp. 13, 17, 25–26. 1920.
Scoates, Daniels, "Laboratory exercises in farm mechanics for agricultural high schools." F.B. 638, pp. 26. 1915.
Scobey, F. C.—
  "Behavior of cup current meters under conditions not covered by standard ratings." J.A.R., vol. 2, pp. 77–83. 1914.
  formula for water flow. D.B. 376, pp. 49–54, 96. 1916.
  "Gate structures for irrigation canals." D.B. 115, pp. 61. 1914.
  "The flow of water in irrigation channels." D.B. 194, pp. 68. 1915.
  "The flow of water in wood-stave pipe." With others. D.B. 376, pp. 96. 1916.
Scobicia declivis—
  technical description of larva and adult. D.B. 1107, pp. 50–56. 1922.
  See also Lead-cable borer.

SCOFIELD, C. S.—
"Agriculture on Government reclamation projects." With F. D. Farrell. Y.B., 1916, pp. 177-198. 1917. Y.B. Sep. 690, pp. 22. 1917.
"Agriculture on the Yuma reclamation project." B.P.I. Cir. 124, pp. 3-8. 1913.
"Community production of Egyptian cotton in the United States." With others. D.B. 332, pp. 30. 1916.
"Cotton as a crop for the Yuma reclamation project." With others. B.P.I. Doc. 1009, pp. 6. 1913.
"Cotton rootrot in the San Antonio rotations." J.A.R., vol. 21, No. 3, pp. 117-125. 1921.
"Cotton rootrot spots." J.A.R., vol. 18, pp. 305-310. 1919.
"Description of wheat varieties." B.P.I. Bul. 47, pp. 18. 1903.
"Dry farming in the Great Basin." B.P.I. Bul. 103, pp. 43. 1907.
"Effect of farm manure in stimulating the yields of irrigated field crops." J.A.R., vol. 15, pp. 493-503. 1918.
"Effect on plant growth of sodium salts in the soil." With others. J.A.R., vol. 6, pp. 857-868. 1916.
"Effects of alfalfa on the subsequent yields of irrigated field crops." D.B. 881, pp. 13. 1920.
"Egyptian cotton culture in the Southwest." B.P.I. Cir. 123, pp. 21-28. 1913.
"Growing Egyptian cotton in the southwest." B.P.I. Doc. 717, pp. 10. 1912.
"Permanence of difference in the plots of an experimental field." With J. Arthur Harris. J.A.R., vol. 20, pp. 335-356. 1920.
"Preliminary report on the Klamath Marsh Experiment Farm." With Lyman J. Briggs. B.P.I. Cir. 86, pp. 10. 1911.
"Production of American Egyptian cotton." With others. D.B. 742, pp. 30. 1919.
"Quality of irrigation water in relation to land reclamation." With Frank B. Headley. J.A.R., vol. 21, pp. 265-278. 1921.
"The Algerian durum wheats: A classified list, with descriptions." B.P.I. Bul. 7, pp. 19. 1902.
"The botanical history and classification of alfalfa." B.P.I. Bul. 131, Pt. II. pp. 11-19. 1908.
"The commercial grading of corn." B.P.I. Bul. 41, pp. 24. 1903.
"The economics of crop disposal." B.P.I. Cir. 118, pp. 3-10. 1913.
"The movement of water in irrigated soils." J.A.R., vol. 27, pp. 617-693. 1924.
"The nematode gallworm on potatoes and other crop plants in Nevada." B.P.I. Cir. 91, pp. 15. 1912.
"The present outlook for irrigation farming." Y.B., 1911, pp. 371-382. 1912; Y.B. Sep. 576, pp. 371-382. 1912.
"The problems of an irrigation farmer." Y.B., 1909, pp. 197-208. 1910; Y.B. Sep. 505, pp. 197-208. 1910.
"The salt content of cotton fiber." With Thomas H. Kearney. J.A.R., vol. 28, pp. 293-295. 1924.
"The salt water limits of wild rice." B.P.I. Bul. 72, Pt. II, pp. 9-14. 1905.
"The settlement of irrigated lands." Y.B., 1912, pp. 483-494. 1913; Sep. Y.B. 608, pp. 483-494. 1913.
"The Truckee-Carson Experiment Farm." With J. Rogers Shober. B.P.I. Bul. 157, pp. 38. 1909.
"Wild rice: Its uses and propagation." With Edgar Brown. B.P.I. Bul. 50, pp. 23. 1903.

Scolecophagus—
carolinus. See Blackbird, rusty.
cyanocephalus. See Blackbird, Brewer's.
sale as reedbirds. Biol. Bul. 12, rev., p. 26. 1902.

SCOLLARD, J. A.: "Cooperative manufacturing and marketing of dairy products." B.A.I. Dairy [Misc.], "World's dairy congress, 1923," pp. 911-917. 1924.

Scolopacidae, occurrence on Laysan Island, number, and description. Biol. Bul. 42, p. 21. 1912.

Scolopax rusticola, breeding range and migration habits. Biol. Bul. 35, p. 21. 1910.

Scolothrips sexmaculatus—
enemy of red spider. Ent. Bul. 117, p. 19. 1913; Ent. Cir. 172, p. 16. 1913.
See also Thrips, six-spotted.

Scolytidae, key to subfamilies and list of genera. Ent. T.B. 17, Pt. II, pp. 225, 227. 1915.

Scolytus—
elm, introduction from Europe, and injury to shade trees. An. Rpts., 1910, p. 545. 1911; Ent. A.R., 1910, p. 41. 1910.
quadrispinosus—
description, habits, and control. F.B. 1169, pp. 62-74. 1921.
See also Hickory bark beetle.
rugulosus—
control and life history. F.B. 1270, pp. 66-67. 1922.
See also Bark beetles.
spp., synonymy. Ent. T.B. 17, Pt. II, pp. 219-220. 1915.

Scomber scombrus. See Mackerel, Boston.

Scoop—
ditching for trenching, description. F.B. 698, p. 4. 1915.
shovelers, grain-handling methods and results. D.B. 558, pp. 21-23. 1917.
wheels, use in pumping. O.E.S. Bul. 243, p. 32. 1911.

Scoopers, cranberry, use, comparison with hand picking. D.B. 714, p. 14. 1918.

Scooping, hyacinth bulbs for propagation, description. D.B. 28, pp. 7-9, 11-13. 1913; D.B. 797, pp. 24-25. 1919.

Scoparia alconalis, synonym for *Hellula undalis*. Ent. Bul. 109, Pt. III, p. 28. 1912.

Scopola, detection in adulterated drugs. Chem. Bul. 122, p. 138. 1909.

Scorch, stains, removal from textiles. F.B. 861, p. 30. 1917.

Score card(s)—
agricultural products, school use. D.B. 132, pp. 32-38. 1915.
Angora goats, suggestion. F.B. 573, p. 16. 1914.
beef cattle, fat, feeder, and breeding. F.B. 1068, pp. 13, 17. 1919.
butter, judging. B.A.I. Dairy [Misc.], "World's dairy congress, 1923," p. 998. 1924.
cattle judging, Denmark. B.A.I. Bul. 129, pp. 23, 24, 25. 1911.
copra judging. Guam A.R., 1920, p. 64. 1921.
community, studies. Off. Rec., vol. 1, No. 43, p. 6. 1922.
corn judging, school exercise. D.B. 653, pp. 2-3. 1918; F.B. 409, p.13. 1910.
cotton judging. D.B. 294, p. 6. 1915.
dairy—
cattle breeds. F.B. 893, pp. 6, 9-10, 14-15, 19-20, 25-27, 31-33. 1917.
cow and dairy bull judging. D.B. 434, pp. 7-8. 1916.
distribution and use. An. Rpts., 1913, p. 75. 1914; B.A.I. Chief Rpt., 1913, p. 5. 1913.
form and explanation. B.A.I. An. Rpt., 1909, pp. 120-121. 1911; B.A.I. Cir. 170, pp. 120-121. 1911; F.B. 499, pp. 16-18. 1912.
history, use, and forms. B.A.I. Cir. 199, pp. 8-20, 21, 27, 29. 1912.
inspection averages of various cities, 1907-1909. An. Rpts., 1909, p. 258. 1910; B.A.I. Chief Rpt., 1909, p. 68. 1909; B.A.I. Cir. 142, pp. 169-172. 1909.
farm—
approval by Agriculture Department, scope, sample. News L., vol. 2, No. 1, pp. 3-4. 1914.
products, blank forms for school clubs. D.B. 281, pp. 35-42. 1915.
hog, description and use. Sec. Cir. 83, pp. 8-10. 1917.
jelly, judging points. D.C. 254, p. 11. 1923.
kitchen. D.C. 189, rev., p. 4. 1923
market milk and cream, with directions for scoring. B.A.I. Cir. 117, pp. 9-13. 1907.
milk—
average, demonstrating weakest points in samples. D.B. 356, pp. 15-17. 1916.
contests. B.A.I. Cir. 205, pp. 13-14. 1912.
inspection in stores. B.A.I. Cir. 217, p. 245. 1913; B.A.I. An. Rpt., 1911, p. 245. 1913.

Score card(s)—Continued.
  milk—continued.
    plant inspection, form and details of use. D.C. 276, pp. 26–28. 1923.
  mules, judging. F.B. 1341, pp. 16–17. 1923.
  mutton sheep, and use in judging. D.B. 593, pp. 9, 15–17. 1917.
  potato, judging points. D.B. 784, pp. 19, 21 1919.
  stock—
    breeding. George M. Rommel. B.A.I. Bul. 76, pp. 54. 1905.
    judging at agricultural college. George M. Rommel. B.A.I. Bul. 61, pp. 124. 1904.
  system of dairy inspection. B.A.I. Cir. 139, pp. 32. 1911; B.A.I. Cir. 199, pp. 32. 1912.
  use in—
    elimination of poorer flax selections. D.B. 1092, pp. 10, 14. 1922.
    judging mutton sheep. F.B. 1199, p. 5. 1921.
    tomato-judging contests, sample. F.B. 521, p. 33. 1913.
  value to exhibitors. F.B. 1455, pp. 16–17. 1925.
Scoring—
  bread, directions F.B. 955, pp. 21–22. 1918; F.B. 1136, pp. 19–21, 28. 1920.
  cheese, characteristics required. D.C. 157, pp. 12–14. 1923.
  dairy farms. S.R.S. Syl. 18, pp. 14–15. 1915.
  food lessons for first-year classes, and correlative studies. D.B. 540, pp. 17, 21. 1917.
  hogs, illustration, suggestions. F.B. 1455, pp. 16, 18–22. 1925
  hyacinth bulbs for propagation, description. D.B. 797, pp. 24–25. 1919.
  milk—
    and cream—
      Ivan C. Weld. B.A.I. Cir. 151, pp. 26–29. 1909.
    methods and blanks. D.C. 53, pp. 3–6. 1919.
    method, score cards and points marked. D.B. 356, pp. 7–11. 1916.
Scorophaga helicis, parasite of green June beetle, description. D.B. 891, pp. 32–33. 1922.
Scorpion fly, description—
  and details. N.A. Fauna 46, Pt. II, p. 158. 1923.
  and remedy for bite. Sec. Cir. 61, p. 21. 1916.
Scotch mercury. See Foxglove.
Scotch oats, misbranding. Chem. N.J. 620, pp. 2. 1910.
Scoter—
  Pacific white-winged, occurrence in Pribilof Islands, and food habits. N.A. Fauna 46, p. 59. 1923.
  surf, occurrence in Yukon Territory. N.A. Fauna 30, p. 58. 1909.
  varieties, range and habits. N.A. Fauna 24, pp. 58–59. 1904.
  white-winged, migration habits and routes. D.B. 185, pp. 20, 21–23. 1915.
Scotland—
  dietary studies, poorhouses, and prisons. O.E.S. Bul. 223, pp. 44, 45, 84. 1910.
  farming and cooperative dairying. B.A.I. Dairy [Misc.], "World's dairy congress, 1923," pp. 917–926. 1924.
  game preserves, acreage. Biol. Cir. 72, pp. 4, 5. 1910.
  milk—
    administration. B.A.I. Dairy [Misc.], "World's dairy congress, 1923," pp. 1293–1294, 1336–1340. 1924.
    recording—
      William Stevenson. B.A.I. Dairy [Misc.], "World's dairy congress, 1923," pp. 392–299. 1924.
      and records, 1912, 1920. B.A.I. Dairy [Misc.], "World's dairy congress, 1923," pp. 1405–1416. 1924.
  nursery-stock inspection. F.H.B.S.R.A. 7, p. 65. 1914; F.H.B.S.R.A. 20, p. 75. 1915; F.H.B.S.R.A. 32, p. 120. 1916.
  potatoes, production, 1909–1913, 1921–1923. S.B. 10, p. 29. 1925.
  publications on agricultural cooperation. M.C. 11, pp. 54–55. 1923.
  sheep raising, management. B.A.I. Bul. 77, pp. 79–85. 1905; B.A.I. Cir. 81, pp. 79–85. 1905.
  soils, chemical composition. Soils Bul. 57, p. 99. 1909.

Scotland—Continued.
  steer-feeding method. F.B. 486, pp. 9–12. 1912.
  use of American paper birch. For. Cir. 163, p. 9. 1909.
Scott, E. W.—
  "Homemade lime-sulphur concentrate." D.B. 197, pp. 6. 1915.
  "Lesser bud-moth." With J. H. Paine. J.A.R. vol. 2, pp. 161–162. 1914.
  "Lime-sulphur as a stomach poison for insects." With E. H. Siegler. Ent. Bul. 116, Pt. IV, pp. 81–90. 1913.
  "Miscellaneous insecticide investigations." With E. H. Siegler. D.B. 278, pp. 47. 1915.
  "Results of experiments with miscellaneous substances against bedbugs, cockroaches, clothes moths, and carpet beetles." With others. D.B. 707, pp. 36. 1918.
  "The lesser bud-moth." With J. H. Paine. D.B. 113, pp. 16. 1914.
  "The one-spray method in the control of the codling moth and the plum curculio." With A. L. Quaintance. Ent. Bul. 115, Pt. II, pp. 87–112. 1912.
  "The one-spray method in the control of the codling moth and the plum curculio." With others. Ent. Bul. 80, Pt. VII, rev., pp. 113–146. 1910.
Scott, Ewing: "Soil survey of—
  Archer County, Tex." With others. Soil Sur. Adv. Sh., 1912, pp. 52. 1914; Soils F.O., 1912, pp. 1007–1054. 1915.
  Muskogee County, Okla., With others. Soil Sur. Adv. Sh., 1913, pp. 43. 1915; Soils F.O., 1913, pp. 1853–1891. 1916.
Scott, G. A.—
  "Pit silos." With T. Pryse Metcalfe. F.B. 825, pp. 14. 1917.
  "The feeding of grain sorghums to live stock." F.B. 724, pp. 15. 1916.
Scott, I. T.: "Further studies on isoelectric points for plant tissue." With William J. Robbins. J.A.R., vol. 31, pp. 385–399. 1925.
Scott, J. E.: "The Wichita National forest and game preserve." With S. M. Shanklin. M.C. 36, pp. 1–11. 1925.
Scott, L. B.—
  "Citrus-fruit improvement: A study of bud variation in the—
    Eureka lemon." With others. D.B. 813, pp. 88. 1920.
    Lisbon lemon." With others. D.B. 815, pp. 70. 1920.
    Marsh grapefruit." With others. D.B. 697, pp. 112. 1918.
    Valencia orange." With others. D.B. 624, pp. 120. 1918.
    Washington navel orange." With others. D.B. 623, pp. 146. 1918.
  "Frost protection in lemon orchards." With others. D.B. 821, pp. 20. 1920.
  "Varieties of the Satsuma orange group in the United States." Hort. and Pom. Cir. 1, pp. 7. 1918.
Scott, W. M.—
  "Apple blotch, a serious disease of southern orchards." With James B. Rorer. B.P.I. Bul. 144, pp. 28. 1909.
  "Apple leaf spot caused by Sphaeropsis malorum." With James B. Rorer. B.P.I. Bul. 121, Pt. V., pp. 47–53. 1908.
  "Control of the brown-rot and plum curculio on peaches." With A. L. Quaintance. Ent. Cir. 120, pp. 7. 1910.
  "Description of jarring for curculio control." With W. F. Fiske. Ent. Bul. 103, p. 172. 1912.
  development of self-boiled lime-sulphur wash. Ent. Bul. 103, p. 211. 1912.
  "Lime-sulphur mixtures for the summer spraying of orchards." B.P.I. Cir. 27, pp. 17. 1909.
  "Preliminary report on apple packing houses in the Northwest." With W. B. Alwood. Mkts. Doc. 4, pp. 31. 1917.
  "Preparation of barreled apples for market." With others. F.B. 1080, pp. 40. 1919.
  "Self-boiled lime sulphur mixture as promising fungicide." B.P.I. Cir. 1, pp. 18. 1908.
  "Some practical experiments with various insecticides for the San Jose scale in Georgia." Ent. Bul. 37, pp. 41–51. 1902.

## 2100	UNITED STATES DEPARTMENT OF AGRICULTURE

Scott, W. M.—Continued.
  "Spraying for apple diseases and the codling moth in the Ozarks." With A. L. Quaintance. F.B. 283, pp. 42. 1907.
  "Spraying peaches for the control of brown rot, scab, and curculio." With A. L. Quaintance. F.B. 440, pp. 40. 1911.
  "The control of apple bitter-rot." B.P.I. Bul. 93, pp. 33. 1906.
  "The control of peach brown-rot and scab." With T. Willard Ayres. B.P.I. Bul. 174, pp. 31. 1910.
  "The Jonathan fruit spot." With J. W. Roberts. B.P.I. Cir. 112, pp. 11-16. 1913.
  "The more important insect and fungous enemies of the fruit and foliage of the apple." With A. L. Quaintance. F.B. 492, pp. 48. 1912.
  "The substitution of lime-sulphur preparations for Bordeaux mixture in the treatment of apple diseases." B.P.I. Cir. 54, pp. 15. 1910.
Scottsbluff—
  Experiment Farm, work—
    1912. Fritz Knorr. B.P.I. Cir. 116, pp. 11-21. 1913.
    1913. Fritz Knorr. B.P.I. [Misc.], "The work of the Scottsbluff * * *," pp. 19. 1914.
    1920 and 1921. James A. Holden. D.C. 289, pp. 38. 1924.
  experiment farm. See also Scottsbluff Reclamation Project Experiment Farm.
  reclamation project—
    climatic and agricultural conditions. B.P.I. Cir. 116, pp. 11-14. 1913; D.C. 173, pp. 5-11. 1921; W.I.A. Cir. 6, pp. 2-5. 1915; W.I.A. Cir. 11, pp. 1-6. 1916; W.I.A. Cir. 18, pp. 2-6. 1918; W.I.A. Cir. 27, pp. 5-12. 1919.
    Experiment Farm—
      crop production under irrigation. B.P.I. [Misc.], "The work of the Scottsbluff * * *, 1913," p. 139. 1914.
      crops under fall irrigation, experiments. Fritz Knorr. D.B. 133, pp. 17. 1914.
      dry-land studies. Sec. [Misc.], "The work of the Scottsbluff * * *, 1913," p. 136. 1914.
      irrigated pastures, experiments. D.R.P. Cir. 2, pp. 1-16. 1916.
      rainfall and soil conditions. D.B. 546, pp. 10-12. 1977.
      spring-wheat production, various methods, 1912-1914, yields and cost. D.B. 214, pp. 25-26, 37-42. 1915.
      work, 1914. Fritz Knorr. W.I.A. Cir. 6, pp. 19. 1915.
      work, 1915. Fritz Knorr. W.I.A. Cir. 11, pp. 22. 1916.
      work, 1916. Fritz Knorr. W.I.A. Cir. 18, pp. 18. 1918.
      work, 1917. James A. Holden. W.I.A. Cir. 27, pp. 28. 1918.
      work, 1918 and 1919. James A. Holden. D.C. 173, pp. 36. 1921.
    See also Scottsbluff experiment farm.
Scouring powders, manufacturers' notice. I. and F. Bd. S.R.A. 17, p. 296. 1917.
Scours—
  acute contagious, newborn calves, symptoms, and prevention. B.A.I. [Misc.], "Diseases of cattle," rev., pp. 261-263. 1923.
  calf, causes, symptoms, and treatment. B.A.I. Cir. 68, rev., pp. 10-11. 1908; F.B. 238, pp. 23-25. 1905; F.B. 1135, p. 12. 1920; F.B. 1336, pp. 15-16. 1923; Sec. [Misc.], Spec., "Feeding * * * dairy calves," p. 4. 1914.
  foal, cause and treatment. F.B. 803, p. 18. 1917; rev., p. 16. 1923.
  pig, description, and control methods. F.B. 566, p. 9. 1913.
  white—
    of calves, dangers, prevention. B.A.I. [Misc.], "Diseases of cattle," rev., pp. 257-259. 1909; rev., pp. 266-268. 1912.
    of lambs, cause, symptoms, and treatment. F.B. 840, pp. 15-16. 1917; F.B. 1155, p. 13. 1921.
  See also Diarrhea.
Scouting, gipsy-moth control. Ent. Bul. 87, pp. 16-17. 1910.
Scoutmasters, cooking lessons. News L., vol. 6, No. 51, p. 6. 1919.

Scovell, M. A., report of Kentucky Experiment Station—
  work, 1906. O.E.S. An. Rpt., 1906, pp. 108-110. 1907.
  work and expenditures—
    1908. O.E.S. An. Rpt., 1908, pp. 102-104. 1909.
    1909. O.E.S. An. Rpt., 1909, pp. 113-114. 1910.
    1910. O.E.S. An. Rpt., 1910, pp. 146-148. 1911.
    1911. O.E.S. An. Rpt., 1911, pp. 115-117. 1912.
Scoville, R. W., chairman, session 3, remarks. B.A.I. Dairy [Misc.], "World's dairy congress, 1923," pp. 65, 69, 77, 82, 86, 100, 107. 1924.
Scranton, Pa., milk supply, statistics, officials, prices, and laws. B.A.I. Bul. 46, pp. 28, 146. 1903.
Scrap—
  fish, from salmon waste, manufacture, composition and uses. D.B. 150, pp. 28-35. 1915.
  meat, meaning of term. Chem. S.R.A. 13, p. 6. 1915.
Scraper(s)—
  description, types used in irrigation construction. F.B. 865, pp. 7, 12, 17, 26. 1917.
  description, use in ditch making. F.B. 373, pp. 21-22, 26. 1909.
  excavators, for trenching, description. F.B. 698, pp. 17-18. 1915.
  leveling, for irrigated fields, use in beet growing. D.B. 721, p. 37. 1918.
  road, description and use. D.B. 463, pp. 26-31. 1917.
  wooden, homemade, directions for use in terracing. S.R.S. Doc. 41, pp. 7-8. 1917.
Scrapple—
  nutritive value and directions for making. F.B. 565, pp. 8, 13. 1914.
  preparation directions. F.B. 1236, p. 15. 1923.
  recipe. F.B. 913, p. 23. 1917.
Screens—
  cottonwood trunk, protection from borer. D.B. 424, pp. 6-7. 1916.
  doors and windows, value for farm kitchens. F.B. 607, p. 10. 1914.
  for irrigation pumps, description. D.B. 495, pp. 12-14. 1917.
  kitchen, use against fly. D.C. 189, p. 6. 1921.
  lath, frost protection. F.B. 104, rev., p. 18. 1910.
  motion picture, requirements, and substitutes. D.C. 114, p. 9. 1920.
  selection for houses. Y.B., 1914, pp. 348-349. 1915; Y.B. Sep. 646, pp. 348-349. 1915.
  sewing, directions. S.R.S. Doc. 83 pp. 10-12. 1918.
  use—
    against flies. F.B. 851, p. 11. 1917.
    against mosquitoes. F.B. 444, pp. 6-7. 1911.
    in control of house flies. F.B. 679, p. 11. 1915.
    in excluding house flies. F.B. 1408, pp. 7-8. 1924.
    in irrigation systems. D.B. 906, pp. 27-29. 1921.
    in mosquito control. F.B. 1354, pp. 11, 13. 1923.
  window, necessity for farm home and description. F.B. 927, p. 30. 1918.
  wire—
    in rat-proof construction. Biol. Bul. 33, pp. 37, 38, 39. 1909.
    testing. An. Rpts., 1917, p. 236. 1917; Ent. A.R., 1917, p. 10. 1917.
    use in banding trees. F.B. 1169, p. 18. 1921.
Screening—
  cabbage seed beds, webworm control. F.B. 479, pp. 5-8. 1912; Hawaii A.R., 1914, p. 46. 1915.
  farmhouse for protection from insects. Y.B., 1909, p. 352. 1910; Y.B. Sep. 518, p. 352. 1910.
  for mosquito protection. Ent. Bul. 88, pp. 14-19. 1910.
  stones for macadam courses, diameter of stones used. F.B. 338, p. 17. 1908.
Screenings—
  adulteration and misbranding. Chem. N.J. 13466, 13496. 1925.
  corncockle, analyses, and dangers. D.B. 328, pp. 22-23. 1915.
  feed value. Off. Rec., vol. 3, No. 27, p. 5. 1924.
  infected with nematode galls, objectionable feed. D.B. 734, p. 15. 1918.
  loss in spring-wheat. Off. Rec., vol. 3, No. 29, p. 3. 1924.

Screenings—Continued.
milled rice, class, and grade requirements. D.C. 291, pp. 4, 12–14, 16. 1923.
rice—
classification and grade requirements. Mkts. Doc. 15, pp. 4, 9, 10. 1918.
description. F.B. 1092, p. 25. 1920.
food value and uses. F.B. 1195, p. 7. 1921.
grades. D.C. 133, pp. 14, 16. 1920.
sweet-clover, not injurious to sheep. C. Dwight Marsh and Glenwood C. Roe. D.C. 87, pp. 7. 1920.
testing for specific gravity. D.B. 1216, pp. 12–13. 1924.
use in seed adulteration. F.B. 382, pp. 6, 8, 9, 10, 12. 1909
wheat—
adulteration and misbranding. Chem. N.J. 12489, 12491. 1924.
for dockage determination. F.B. 1118, pp. 4, 9–20. 1920.
occurrence of hairy-vetch seed. D.B. 876, pp. 6–7. 1920.
Screnoa serrulata. See Palmetto, saw.
Screw-drivers, description and cost. F.B. 347, p. 9. 1909.
Screw worms—
and other maggots affecting animals. F. C. Bishopp and others. F.B. 857, pp. 20. 1917.
cattle, description, life history, and treatment. B.A.I. [Misc.], "Diseases of cattle," rev., pp. 521–522. 1912; rev., p. 506. 1923.
control by destruction of carcasses. F.B. 857, pp. 9–10. 1917.
description, life history, and control. Y.B. 1912, pp. 393–394. 1913; Y.B. Sep. 600, pp. 393–394. 1913.
fly—
description, life history, and control. B.A.I. [Misc.], "Diseases of cattle," rev., p. 506. 1923; F.B. 857, pp. 5–13. 1917; Y.B., 1912, pp. 293–294. 1913; Y.B. Sep. 600, pp. 393–394. 1913.
injury to animals, and control by repellents. D.B. 131, pp. 1, 12, 23. 1914.
injury to livestock bitten by ear ticks. Y.B., 1910, p. 223, 1911; Y.B. Sep. 531, p. 223, 1911.
See also *Chrysomya macellaria.*
infection in wounds, control. F.B. 949, pp 7–8. 1918.
infestation of—
cattle, control. F.B. 1073, p. 22. 1919.
reindeer, control. D.B. 1089, pp. 66–67. 1922.
sheep, description, life history, and control. F.B. 1150, pp. 15–16. 1920; F.B. 1330, pp. 15–16. 1923.
injury to—
cattle, Argentina. Y.B., 1913, p. 359 1914; Y.B. Sep. 629, p. 359. 1914.
horses. Ent. Bul. 106, pp. 19, 141, 203. 1912.
occurrence as parasite of men and cattle. Ent. T.B. 22, pp. 10, 11, 19. 1912.
spread by dogs. D.B. 260, p. 24. 1915.
tobacco, destruction. Off. Rec., vol. 2, No. 14, p. 3. 1923.
Scribner decimal "C" log rule for scaling timber. For. [Misc.], "The use book," rev., 5, p. 49. 1915.
Scribneria spp., description, distribution, and uses. D.B. 772, pp. 12, 91, 93. 1920.
Scrip—
railroad administration, use by department employees, farm requirements. B.A.I.S.R.A. 137, p. 76. 1918.
use by department employees, reports. B.A.I. S.R.A. 188, p. 148. 1922.
Scrofula cure, misbranding—"Mixer's cancer and scrofula syrup." Chem. N.J. 797, pp. 2. 1911.
Scrofularia, analysis. Chem. Bul. 68, p. 49. 1902.
Scrub(s)—
bulls, elimination. F.B. 993, p. 7. 1918; Y.B., 1916, pp. 315–316. 1917. Y.B. Sep. 718, pp. 5–6, 1917.
cows, cost of keeping. F.B. 1446, p. 19. 1925.
free area, comparison with tick-free area. News L, vol. 6, No. 35, p. 16. 1919
livestock—
comparison with purebred stock. D. S. Burch. Y.B. 1920, pp. 331–338. 1921; Y.B. Sep. 848, pp. 331–338. 1921

Scrub(s)—Continued.
livestock—continued.
elimination by use of purebred sires. Y.B., 1919, pp. 349–350. 1920; Y.B. Sep. 816, pp. 349–350. 1920.
Scrubbing chariot, description and cost. News L., vol. 4, No. 7, p. 3. 1916.
SCRUGHAM, Gov. J. G., establishment of antelope refuges. D.B. 1346, pp. 14, 15, 16. 1925.
Scudderia texensis. See Katydid, cranberry.
Scurf—
black, cause in potatoes, description, results, and control. Hawaii Bul. 45, pp. 5, 24–25. 1920.
cattle, causes, symptoms, and treatment. B.A.I. [Misc.], "Diseases of cattle," rev., p. 329. 1923.
silver, potato, cause, description, and control. Hawaii Bul. 45, p. 39. 1920; D.B. 81, pp. 3–4. 1914; F.B. 544, pp. 8, 14. 1913; F.B. 1367, pp. 26–27. 1924.
sweet potato—
cause, description, and susceptible varieties. J.A.R., vol. 15, p. 352. 1918.
cause, study. J.A.R., vol. 5, No. 21, pp. 995–1002. 1916.
description and control. F.B. 714, pp. 14–16. 1916; F.B. 1059, pp. 13–15. 1919; S.R.S. Syl. 26, p. 15. 1917.
fungus causing, description. J.A.R., vol. 5, No. 17, pp. 787–792. 1916.
other names. F.B. 714, p. 14. 1916.
See also Dandruff.
Scurfy—
ears, cattle, treatment. B.A.I. [Misc.], "Diseases of cattle," rev., . 355. 1909; rev., p. 368. 1912.p
legs, pheasant, cause and treatment. F.B. 390, pp. 38–39. 1910.
Scurvish. See Primrose, evening.
Scurvy, prevention by use of—
green vegetables. Y.B., 1911, p. 448. 1912; Y.B. Sep. 582, p. 448. 1912.
lemons. B.A.I. Dairy [Misc.], "World's dairy congress, 1923," p. 424. 1924.
Scutacarus spp., description and habits. Rpt. 108, pp. 108, 109. 1915.
Scutellaria—
lateriflora. See Skullcap.
sp., importation and description. No. 36763, B.P.I. Inv. 37, p. 62. 1916.
Scutellista cyanea—
enemy of black scale. D.B. 134, pp. 14–15. 1914.
fumigation, effect. Ent. Bul. 90, Pt. I, pp. 77–78. 1911.
parasite of the black scale, introduction and test. Ent. Bul 90, pp. 1–3, 76–77. 1912; Ent. Bul. 91, pp. 31–34. 1911.
See also Scale, black.
Scutovertex spp., description. Rpt. 108, pp. 95, 98. 1915.
Scymnus—
notescens, description and life history. Hawaii A.R., 1912, pp. 32–33. 1913.
puncticollis, enemy of artichoke aphid. D.B. 703, p. 2. 1918.
punctum, enemy of—
clover mite. Ent. Cir. 158, p. 5. 1912.
common red spider. Ent. Cir. 104, p. 6. 1909.
sordidus, enemy of citrophilus mealybug. D.B. 1040, p. 19. 1922.
spp.—
enemies of the avocado red spider. D.B. 1035, p. 10. 1922.
enemy of plant lice, Hawaii. Hawaii Bul. 27, p. 10. 1912.
See also Ladybird beetles.
Sea—
ash. See Ash, prickly, southern.
bass, cold-storage holdings, 1918, by months. D.B. 792, pp. 55, 56–57. 1919.
birds, species protected on reservations in various districts. Biol. Cir. 87, pp. 10–15. 1912.
blite, host of beet leaf beetle. D.B. 892, pp. 7–8. 1920.
foods—
canning in homes, recipes. S.R.S. Doc. 80, pp. 24–28. 1918.
conservation, work of Chemistry Bureau. An. Rpts., 1918, pp. 208–209. 1918; Chem. Chief Rpt., 1918, pp. 8–9. 1918.

Sea—Continued.
  foods—continued.
    handling, transportation, and utilization, investigations. Chem. Chief Rpt., 1921 p. 26. 1921.
    leek. *See* Squills.
  level, reducing barometer readings, directions. Y.B., 1908, p. 438. 1909; Y.B. Sep. 492, p. 438. 1909.
  lions—
    occurrence in Alaska, conditions and uses, report. D.C. 88, p. 11. 1920.
    stellar range, and habits. N.A. Fauna, 21, p. 34. 1901; N.A. Fauna 46, pp. 107–108. 1923.
  products, canning, varieties and methods. Chem. Bul. 151, pp. 61–71. 1912; D.B. 196, pp. 71–76. 1915.
  water—
    salinity, relation to kelp. Rpt. 100, pp. 50–52, 62. 1915.
    solar refineries, on Pacific coast. Soils Bul. 94, p. 46. 1913.
    solubility of calcium carbonate. Soils Bul. 49, p. 54. 1907.
Sea Islands, selection of sea-island cotton, methods and varieties. F.B. 787, pp. 18–28. 1916.
SEABURY, V. H.: "Soil survey of—
  Hall County, Nebr." With J. O. Veatch. Soil Sur. Adv. Sh., 1916, pp. 41. 1918; Soils F.O., 1916, pp. 2141–2177. 1921.
  Morrill County, Nebr." With others. Soil Sur. Adv. Sh., 1917, pp. 69. 1920; Soils F.O., 1917, pp. 1853–1917. 1923.
Seaforthia elegans, importation and description. No. 51738, B.P.I. Inv. 65, p. 42. 1923.
Seal—
  Alaska, conditions and uses, value of exports, 1919. D.C. 88, p. 11. 1920; N.A. Fauna 24, pp. 47–49. 1904.
  bearded western, range and habits. N.A. Fauna 24, pp. 47–48. 1904.
  fur—
    lice, occurrence in the Pribilof Islands, Alaska. N.A. Fauna 46, Pt. II, p. 142. 1923.
    reservations, list, date of establishment and area. Biol. Cir. 87, pp. 13–15, 29. 1912.
  hair, conditions, Alaska, uses and objectionable habits. D.C. 168, pp. 10–11. 1921.
  harbor, Pacific, range and habits. N.A. Fauna 24, pp. 48–49. 1904.
  imitation, use of rabbit skins. F.B. 1090, p. 30. 1920.
  occurrence in Athabaska-Mackenzie region, varieties. N.A. Fauna 27, pp. 241–242. 1908.
  Pacific bearded, description. N.A. Fauna 46, p. 112. 1923.
  Pribilof fur, habits, numbers, and value. N.A. Fauna 46, pp. 108–111. 1923.
  Pribilof harbor, description and uses. N.A. Fauna 46, p. 111. 1923.
  range and habits. N.A. Fauna 21, pp. 34–35. 1901; N.A. Fauna 22, pp. 70–71. 1902.
  ribbon, occurrence in Pribilof Islands. N.A. Fauna 46, p. 111. 1923.
Sealer, mechanical, for glass jars, directions for use. S.R.S. Doc. 97, p. 8. 1919.
Sealing—
  cans of sardines, methods, machines, and precautions. D.B. 908, pp. 10, 101. 1921.
  cans, temperature importance. D.B. 1022, pp. 21, 28, 29, 32, 34, 40, 48, 51. 1922.
  glass jar, after processing. F.B. 1211, p. 30. 1921.
  jelly, with paraffin. F.B. 853, p. 38. 1917.
  tin cans, directions. F.B. 1211, pp. 33, 36. 1921.
Sealskins, Pribilof Islands, value to Government. D.C. 135, p. 5. 1920.
SEAMANS, A. E.—
  "Dry-land pasture crops for hogs at Huntley, Mont." D.B. 1143, pp. 24. 1923.
  report on dry-land farming, 1920. D.C. 204, pp. 12–20. 1921.
SEAMANS, H. L.—
  "Pale western cutworm (*Porosagrotis orthogonia* Morr.)." With others. J.A.R., vol. 22, pp. 289–322. 1921.
  "Wheat-sheath miner." J.A.R., vol. 9, pp. 17–25. 1917.

Seaports, protection against rats, methods. Y.B., 1917, pp. 247–248. 1918; Y.B. Sep. 725, pp. 15–16. 1918.
Searles Lake, Calif.—
  brine, source of potash. An. Rpts., 1915, p. 207. 1916; Soils Chief Rpt., 1915, p. 7. 1915.
  description, value of potash deposit. Y.B., 1912, p. 532. 1913; Y.B. Sep. 611, p. 532. 1913.
  potash source. Y.B., 1916, pp. 307–308. 1917; Y.B. Sep. 717, pp. 7–8. 1917.
  deposits, as source of potash. An. Rpts., 1915, p. 26. 1916; Sec. A.R., 1915, p. 28. 1915.
  potash, borax content injurious to crops. D.B. 1126, pp. 1–2, 17, 26. 1923.
  source of feldspar, development difficulties. News L., vol. 3, No. 22, p. 2. 1916.
Searles Marsh, description, nature of saline deposits. D.B. 61, pp. 33–34, 48–53, 86–88. 1914.
SEARS, O. H.: "Soil survey of Decatur County, Ind." With others. Soil Sur. Adv. Sh., 1919, pp. 32. 1922; Soils F.O., 1919, pp. 1287–1305. 1925.
Seashore—
  food plants for attracting birds. F.B. 844, p. 14. 1917.
  lawns, grasses adaptable. F.B. 494, p. 30. 1912.
Seasickness remedy, misbranding "Fernet Milano." Chem. N.J. 1152, pp. 2. 1911.
Seasonal variations, effect on codling moth, studies, 1909, 1910, 1911. Ent. Bul. 115, Pt. I, pp. 70–73. 1912.
Seasoning—
  and preservative treatment, arborvitae poles. C. Stowell Smith. For. Cir. 136, pp. 29. 1908.
  chestnut poles. For. Cir. 147, pp. 6–9. 1908.
  cross-ties, hemlock and tamarack, and preservative treatment. W. F. Sherfesee. For. Cir. 132, pp. 31. 1908.
  Douglas fir, rate, shrinkage and, effect on strength. For. Bul. 88, pp. 48–58. 1911.
  herbs used for, flavor and food value. Y.B., 1911, pp. 443, 444, 445. 1912; Y.B. Sep. 582, pp. 443, 444, 445. 1912.
  leaf, for removal of sap. B.P.I. Bul. 114, p. 27. 1907.
  loblolly pine cross arms. For. Cir. 151, pp. 9–21. 1908.
  lumber—
    losses, reduction. M.C. 39, pp. 34, 37–40, 97–98. 1925.
    southern pine. For. Cir. 164, pp. 10–11, 18. 1909.
    waste in. M.C. 39, pp. 13–14. 1925.
  methods, eucalyptus. For. Cir. 179, pp. 20–24. 1910.
  mine timbers to prevent insect injury. Ent. Cir. 156, p. 3. 1912.
  post, directions. F.B. 744, pp. 5–6, 11. 1916.
  telephone and telegraph poles. Henry Grinnell. For. Cir. 103, pp. 16. 1907.
  tests, poles, time, weight loss, factors affecting, checking, and shrinkage. For. Bul. 84, pp. 10–13. 1911.
  ties, methods, and rate of different woods. For. Bul. 118, pp. 9–19. 1912.
  timber—
    Hermann Von Schrenk and Reynolds Hill. For. Bul. 41, pp. 48. 1903.
    decay prevention. For. Bul. 78, pp. 9–10. 1909.
    experiments with crossties. For. Cir. 146, pp. 7–12, 13–16. 1908.
    losses. M.C. 39, p. 94. 1925.
    methods and value. For. Cir. 139, pp. 5–6. 1908.
    use and value in durability increase of mine timbers, methods. For. Bul. 107, pp. 7–8. 1912.
    western hemlock, practices. For. Bul. 115, pp. 27–32. 1913.
    western larch, practices. For. Bul. 122, pp. 26–32. 1913.
    western yellow pine, effect on strength. D.B. 497, pp. 11–14, 15. 1917.
  wood—
    Harold S. Betts. D.B. 552, pp. 28. 1917.
    air, steaming and kiln drying, effect on fungi. Ernest E. Hubert. D.B. 1262, pp. 20. 1914.
    by electricity. Off. Rec., vol. 2, No. 19, p. 3. 1923.

Seasoning—Continued.
  wood—continued.
    effect of kiln drying, seasoning, and air on certain fungi. Ernest E. Hubert. D.B. 1262, pp. 20. 1924.
    for airplane construction. D.B. 1128, p. 10. 1923.
    See also Drying; Kiln drying.
Seasons—
  California, wet and dry. Alexander G. McAdie. Y.B., 1902, pp. 187-204. 1903; Y.B. Sep. 271, pp. 187-204. 1903.
  effect on—
    changes in soil extract. J.A.R., vol. 12, pp. 311-368. 1918.
    physical state of soil. J.A.R., vol. 20, pp. 397-404. 1920.
    ripening of sweet corn. J.A.R., vol. 20, pp. 798-799. 1921.
  for fur animals, first and last days. F.B. 1293, p. 2. 1922.
  for game—
    definitions of open and close. Henry Oldys. Biol. Cir. 43, pp. 8. 1904.
    summary for States and provinces. F.B. 1010, pp. 6-44. 1918.
    proverbs forecasting. Y.B., 1912, p. 374. 1913; Y.B. Sep. 599, p. 374. 1913.
Seattle—
  milk supply, statistics, officials, and prices. B.A.I. Bul. 46, pp. 32, 160. 1903.
  trade center for farm products, statistics. Rpt. 98, pp. 289, 342, 359, 364, 388. 1913.
SEATON, C. H.: "Uses of the soil survey." Y.B., 1920, pp. 413-419. 1921; Y.B. Sep. 854, pp. 413-419. 1921.
Seaweed(s)—
  California (checchoy) exports to Hawaii for use of Chinese. Hawaii A.R., 1906, p. 76. 1907.
  Chinese, imports to Hawaii, prices of different varieties. Hawaii A. R., 1906, p. 75. 1907.
  composition, comparison with other foods. Hawaii A.R., 1906, pp. 77-79. 1907.
  economic, of Hawaii, and their food value. Minnie Reed. Hawaii A.R., 1906, pp. 61-88. 1907.
  edible, composition, comparison with other food. Hawaii A.R., 1906, pp. 77-79. 1907.
  forage for cattle. Alaska A.R., 1908, p. 62. 1909.
  Hawaii—
    and Japanese, comparison. Hawaii A.R., 1906, pp. 82-84. 1907.
    edible and their food value. Hawaii A.R., 1906, pp. 61-88. 1907.
    imported by Chinese and Japanese, value and prices. Hawaii A.R., 1906, pp. 75-76. 1907.
  industry, Hawaii, possibilites as source of wealth. Hawaii A.R., 1906, pp. 85-88. 1907.
  Japanese—
    sales to Hawaii and United States. Hawaii A.R., 1906, p. 75. 1907.
  uses and comparison with giant kelps. J.A.R., vol. 4, pp. 40, 53. 1915.
  use as food, notes. O.E.S. Bul. 245, pp. 30-31. 1912.
  value for fertilizer. News L., vol. 6, No. 39, p. 12. 1919.
  See also Limus.
Seban aegyptiacum, importation and description. No. 54894, B.P.I. Inv. 70, p. 24. 1923.
Sebesten, importation and description. No. 34251, B.P.I. Inv. 32, pp. 26-27. 1914; No. 43654, B.P.I. Inv. 49, pp. 56-57. 1921.
Seborrhea. *See* Dandruff.
Secale—
  cereale—
    host of *Gibberella saubinetii*. J.A.R., vol. 20, pp. 1-32. 1920.
    susceptibility to aeciospores of *Puccinia triticina*. J.A.R., vol. 22, pp. 163-172. 1921.
    See also Rye.
  spp., description, distribution, and uses. D.B. 772, pp. 12, 91-92. 1920.
Secodella acrobasis, chalcidoid parasite of pecan leaf case bearer. D.B. 571, p. 15. 1917.
Second-growth sprout forests, management. H. S. Graves. Y.B., 1910, pp. 157-168. 1911; Y.B. Sep. 525, pp. 157-168. 1911.

Secretary of Agriculture—
  address—
    at conference of editors of agricultural journals, 1918. Sec. [Misc.], "Remarks D. F. Houston * * * at conference editors * * *," pp. 19. 1918.
    at Dubuque, Iowa, June 20, 1918. D. F. Houston. News L., vol. 5, No. 47, pp. 1, 3-8. 1918.
    before—
      Association of American Agricultural Colleges and Experiment Stations. D.F. Houston. Sec. Cir. 147, pp. 11. 1919.
      Economics Club, New York, December 6, 1917. David F. Houston. Sec. [Misc.], "Steps to victory," pp. 22. 1918.
      joint conference of bankers, February, 1919. D. F. Houston. Sec. Cir. 131, pp. 11. 1919.
      National Association of Commissioners of Agriculture. D. F. Houston. Sec. Cir. 146, pp. 12. 1919.
      the Governors' Conference, 1918. D. F. Houston. Sec. Cir. 133, pp. 15. 1919.
    in New York, December 6, 1917. D. F. Houston. News L., vol. 5, No. 20, pp. 7-12. 1917.
    on—
      "Agricultural and commercial cooperation," Cleveland, Ohio, September 25, 1916. Secretary Houston. News L., vol. 4, No. 9, pp. 1-4. 1916.
      "Federal-aid road act," August 16, 1916. Secretary Houston. News L., vol. 4, No. 4, pp. 1-3. 1916.
      food production, November 20, 1918. Secretary Houston. News L., vol. 6, No. 18, pp. 1, 5-11. 1918.
      marketing. Sec. [Misc.], "Organization and conduct of a market service * * *," pp. 1-2. 1913.
    to agricultural chemists. Secretary Wilson. Chem. Bul. 73, pp. 120-121. 1903.
  administration of forest laws, authority. Sol. [Misc.], "Laws * * * forest," pp. 9-10, 12-15, 17-18, 19, 23, 24, 28, 34, 85, 93, 97, 100, 102, 118. 1916.
  Assistant—
    creation of office. Off. Rec., vol. 3, No. 24, p. 2. 1924.
    duties. Y.B., 1900, p. 633. 1901.
  authority—
    in game administration, refuges. F.B. 1466, p. 12. 1925.
    to enforce Stockyard Act. Sec. Cir. 156, pp. 11, 19-27, 29. 1922.
  collection of seed-grain loans. Off. Rec., vol. 1, No. 25, p. 1. 1922.
  defense of classification of Agriculture Department employees by draft boards. News L., vol. 5, No. 46, pp. 1, 2-7. 1918.
  discussion of—
    grain standards act. News L., vol. 5, No. 12, pp. 3-4. 1917.
    unproductive farm. Secretary Wilson. Sec. Cir. 25, pp. 8. 1907.
  duties. Y.B., 1908, p. 491. 1909; Y.B. Sep. 497, p. 491. 1909.
  duties under amendments to warehouse act. Off. Rec., vol. 2, No. 14, pp. 1-2. 1923.
  duties under meat-inspection law. Sec. Cir. 156, pp. 16-29. 1921; Y.B., 1915, p. 274. 1916; Y.B. Sep. 676, p. 274. 1916.
  establishment of corn standard, text of order. News L., vol. 4, No. 6, pp. 1-2, 3. 1916.
  farm-labor problems, reply to Advisory Agricultural Committee, Ellicott City, Md. News L., vol. 5, No. 39, pp. 2-3. 1918.
  fertilizer situation, statement. Secretary Houston. News L., vol. 3, No. 22, pp. 1-3. 1916.
  findings on cotton futures, status. Mkts. S.R.A. 4, pp. 46-47. 1915.
  food—
    production outlook for 1918, with comparisons with other years, statement. Sec. [Misc.], "Food crops must be increased," pp. 2. 1918.
    report to United States Senate, April 18, 1917. Secretary Houston. News L., vol. 4, No. 39, pp. 1-3. 1917.
    situation, statement. Secretary Houston. News L., vol. 4, No. 31, pp. 1-3. 1917.

2104　UNITED STATES DEPARTMENT OF AGRICULTURE

Secretary of Agriculture—Continued.
functions of Advisory Committee, address. Sec. [Misc.], "Report of advisory committee of agricultural and livestock producers," pp. 3–5, 9–10. 1918.
in foot-and-mouth investigations. Off. Rec., vol. 3, No. 33, pp. 1, 5. 1924.
increase of grazing permit rates, regulations. News L., vol. 6, No. 20, pp. 2–3. 1918.
letter on—
  bollworm quarantine in Texas. Secretary Houston. F.H.B.S.R.A. 49, pp. 14, 15–16. 1918.
  continuance of extension work, and appropriations. Secretary Houston. News L., vol. 6, No. 26, pp. 1–2, 23–24. 1919.
  Cuban cut-flowers. Secretary Houston. F.H.B.S.R.A. 37, p. 7. 1917.
  food and feed production in South. Secretary Houston. News L., vol. 6, No. 24, p. 1. 1919.
  food production. Secretary Houston. News L., vol. 5, No. 46, pp. 2–7. 1918.
  licensing of farm-equipment industry, explanatory letter. Secretary Houston. News L., vol. 5, No. 45, pp. 1, 6. 1918.
list and historical data. F.B. 1202, p. 63. 1921.
member of National Defense Council, law. Sol. [Misc.], "Laws applicable * * * Agriculture," Sup. 4, p. 10. 1917.
memorandum on—
  amendment to fiscal regulations. Off. Rec., vol. 1, No. 14, p. 4. 1922.
  correspondence. Off. Rec., vol. 2, No. 30, p. 4. 1923.
  double pay. Off. Rec., vol. 1, No. 41, p. 4. 1922.
  foreign work. Off. Rec., vol., 3, No. 19, p. 4. 1924.
  imports for scientific use. Off. Rec., vol. 1, No. 49, p. 4. 1922.
  leave. Off. Rec., vol. 4, No. 46, p. 4. 1925.
  peddling. Off. Rec., vol. 1, No. 22, p. 3. 1922.
  Press Service and fiscal regulations. Off. Rec., vol. 1, No. 17, p. 4. 1922.
  reclamation projects. Off. Rec., vol. 3, No. 34, p. 4. 1924.
message to farmers, on wheat crop. Secretary Houston. News L., vol. 6, No. 2, p. 8. 1918.
necessity for food crops increase, statement. Secretary Houston. News L., vol. 4, No. 37, pp. 1–3. 1917.
nitrate sale to farmers, statement. Secretary Houston. News L., vol. 5, No. 23, p. 6. 1918.
offices—
  appropriations, March 4, 1915. Sol. [Misc.], "Laws applicable * * * Agriculture," Sup. 3, pp. 8–13. 1915.
  appropriations, August 11, 1916. Sol. [Misc.], "Laws applicable * * * Agriculture," Sup. 4, p. 12. 1917.
  organization, 1908. Pub. Cir. 1, rev., pp. 1–3. 1908.
  organization, statutes relating to. Sol. [Misc.], "A brief * * * history," p. 7. 1916.
  workers, Federal and State lists. Pub. [Misc.], "List of workers in subject pertaining to agriculture, 1921–1922, Pt. I, pp. 5–7. 1922.
on cooperation, Secretary Wallace. Off. Rec., vol. 3, No. 33, p. 1. 1924.
paper outlook, statement, Secretary Houston. News L., vol. 4, No. 34, pp. 1–4. 1917.
purposes of Food Producers' Advisory Committee, statement, Secretary Houston. News L., vol. 5, No. 36, pp. 7–8. 1918.
recommendations for establishment of Federal inspection. B.A.I. An. Rpt., 1906, pp. 70–71. 1908; B.A.I. Cir. 125, pp. 10–11. 1908.
regulation of cooperative associations. Off. Rec., vol. 1, No. 13, pp. 1–2. 1922.
report—
  1901. James Wilson. An. Rpts., 1901, pp. IX–CXV. 1901; Y.B., 1901, pp. 9–115. 1902.
  1902. James Wilson. An. Rpts., 1902, pp. IX–CXXIV. 1902; Rpt. 73, pp. 96. 1902; Y.B., 1902, pp. 9–124. 1903.
  1903. James Wilson. An. Rpts., 1903, pp. IX–CVIII. 1903; Rpt. 76, pp. 99. 1903; Y.B., 1903, pp. 9–108. 1904.

Secretary of Agriculture—Continued.
report—continued.
  1904. James Wilson. An. Rpts., 1904, pp. IX–CXVII. 1904; Rpt. 79, pp. 99. 1904; Y.B., 1904, pp. 9–132. 1905.
  1905. James Wilson. An. Rpts., 1905, pp. IX–CXXXIV. 1905; Rpt. 81, pp. 100. 1905; Sec. A.R., 1905, pp. IX–CXXXIV. 1905; Y.B., 1905, pp. 9–122. 1906.
  1906. James Wilson. An. Rpts., 1906, pp. 9–100. 1907; Rpt. 83, pp. 94. 1906; Sec. A.R., 1906, pp. 112. 1906; Y.B., 1906, pp. 9–120. 1907.
  1907. James Wilson. An. Rpts., 1907, pp. 9–140. 1908; Rpt. 85, pp. 100. 1907; Y.B., 1907, pp. 9–140. 1908.
  1908. James Wilson. An. Rpts., 1908, pp. 9–186. 1909; Rpt. 87, pp. 100 (abridged). 1908; Y.B., 1908, pp. 9–186. 1909.
  1909. James Wilson. An. Rpts., 1909, pp. 152. 1910; Rpt. 85, pp. 100. 1907; Y.B., 1909, pp. 1–152. 1910.
  1910. James Wilson. An. Rpts., 1910, pp. 158. 1911; Rpt. 93, pp. 98. 1910; Y.B., 1910, pp. 1–158. 1911.
  1911. James Wilson. An. Rpts., 1911, pp. 152. 1912; Sec. A.R., 1911, pp. 162. 1911; Y.B., 1911, pp. 1–152. 1912.
  1912. James Wilson. An. Rpts., 1912, pp. 9–259. 1913; Sec. A.R., 1912, pp. 279. 1912; Y.B., 1912, pp. 9–259. 1913.
  1913. D. F. Houston. An. Rpts., 1913, pp. 60. 1914; Sec. A.R., 1913, pp. 58. 1913; Y.B., 1913, pp. 1–60. 1914.
  1914. D. F. Houston. An. Rpts., 1914, pp. 46. 1914; Sec. A.R., 1914, pp. 48. 1914; Y.B., 1914, pp. 1–46. 1915.
  1915. D. F. Houston. An. Rpts. 1915, pp. 3–53. 1916; Sec. A.R., 1915, pp. 55. 1915; Y.B., 1915, pp. 9–72. 1916.
  1916. D. F. Houston. An. Rpts., 1916, pp. 3–46. 1917; Sec. A.R., 1916, pp. 48. 1916; Y.B., 1916, pp. 9–61. 1917.
  1917. D. F. Houston. An. Rpts., 1917, pp. 44. 1918; Sec. A.R., 1917, pp. 46. 1917; Y.B., 1917, pp. 1–44. 1918.
  1918. D. F. Houston. An. Rpts., 1918, pp. 3–54. 1919; Sec. A.R., 1918, pp. 54. 1918; Y.B., 1918, pp. 9–73. 1919.
  1919. D. F. Houston. An. Rpts., 1919, pp. 3–46. 1920; Sec. A.R., 1919, pp. 48. 1919; Y.B., 1919, pp. 9–59. 1920.
  1920. An. Rpts., 1920, pp. 1–62. 1921; Sec. A.R., 1920, pp. 62. 1920; Y.B., 1920, pp. 9–84. 1921.
  1921. Henry C. Wallace. Sec. A.R., 1921, pp. 67. 1921; Y.B., 1921, pp. 1–76. 1922; Y.B. Sep. 875, pp. 1–76. 1922.
  1922. Henry C. Wallace. An. Rpts., 1922, pp. 1–64. 1923; Sec. A.R., 1922, pp. 64. 1922.
  1923. Henry C. Wallace. An. Rpts., 1923, pp. 100. 1924; Y.B., 1923, pp. 1–100. 1924.
  1924. Howard M. Gore, Acting. An. Rpts., 1924, pp. 96. 1924; Sec. A.R., 1924, pp. 96. 1924; Y.B., 1924, pp. 1–96. 1925.
  1925. W. M. Jardine. Sec. A. R., 1925, l p. 105. 1925.
report on wheat situation. Y.B., 1923, pp. 95–150. 1924.
road information, Regulation 3. Sec. Cir. 161, p. 2. 1922.
rules and regulations—
  for carrying out Federal highway act and amendments thereto. M.C. 60, pp. 21–30. 1925.
  for food-products inspection. Sec. Cir. 160, pp. 6. 1922.
  of cotton futures act. Sec. Cir. 46, pp. 24. 1915.
speech before Americus Club, Pittsburgh, April 1907. Secretary Wilson. Sec. Cir. 23, pp. 8. 1907.
statement on—
  "Agriculture and the War," Secretary Houston. News L., vol. 5, No. 17, pp. 1–3. 1917.
  food production outlook for 1918, with comparisons, Secretary Houston. News L., vol. 5, No. 30, pp. 7–8. 1918.
  status of extension employees. D.C. 251, pp. 48–49. 1923.

INDEX TO PUBLICATIONS, 1901-1925 2105

Secretary of Agriculture—Continued.
  statement on—continued.
    supervision of Hatch and Adams funds. D.C. 251, p. 29. 1925.
    wheat and shelled corn, establishment of United States standards, order. Mkts. S.R.A. 33, pp. 30. 1918.
    wheat-price guarantee. News L., vol. 6, pp. 1, 3-6. 1919.
Secretion, milk—
  physiology. Charles Porcher. B.A.I. Dairy [Misc.], "World's dairy congress, 1923," pp. 1016-1017. 1924.
  solids, variations and mode of. John W. Gowen. J.A.R., vol. 16, pp. 79-102. 1919.
SECRIST, E. L.: "Transferring bees to modern hives." F.B. 961, pp. 15. 1918.
Securidica—
  lamarckii. See Easter blossom.
  longipedunculata, importation and description. No. 39298, B.P.I. Inv. 40, p. 97. 1917.
  spp., importation and description. Nos. 48477, 48478. B.P.I. Inv. 61, pp. 12-13. 1922.
Security Rice and Irrigation Company, canal, rice irrigation, details. O.E.S. Bul. 222, pp. 43-44. 1910.
Sedge(s)—
  Alaska growth. B.P.I. Bul. 82, p. 17. 1905.
  broom—
    analytical key and description of seedling. D.B. 461, pp. 6, 10. 1917.
    description, distribution, spread, and products injured. F.B. 660, p. 27. 1915.
    destruction by birds. Biol. Bul. 15, p. 53. 1901.
    straw-colored, destruction by birds. Biol. Bul. 15, p. 38. 1901.
  control in cranberry fields. F.B. 1401, p. 14. 1924.
  description, and forage value on range. D.B. 545, pp. 32-35, 58, 59. 1917.
  description, use as hay, eastern Puget Sound Basin, Wash. Soils F.O., 1909, p. 1541. 1912; Sur. Adv. Sh., 1909, p. 29. 1911.
  disease caused by Kawakamia cyperi, description. B.P.I. Bul. 171, pp. 7-14. 1910.
  distinction from grasses. D.B. 772, p. 3. 1920.
  food of—
    mallard ducks. D.B. 720, pp. 4, 12, 16, 18. 1918.
    shoal-water ducks. D.B. 863, pp. 4, 18, 24, 29, 32, 39, 51. 1920.
  Franks', food plant of curlew bug. Ent. Bul. 95, Pt. IV, p. 58. 1912.
  grass, cattle feed, value in South. Y.B., 1913, p. 277. 1914; Y.B. Sep. 627, p. 277. 1914.
  growing—
    experiments in Hawaii. Hawaii A.R., 1908, p. 15. 1908.
    in Guam, varieties. Guam A.R., 1913, p. 16. 1914.
  importation and description. No. 46298, B.P.I. Inv. 55, p. 42. 1922.
  indicator of soil acidity. F.B. 431, p. 11. 1911.
  oil. See Oil, chufa.
  oval-headed, seeds, description. B.P.I. Bul. 84, p. 37. 1905.
  peat formation. D.B. 802, pp. 27-28. 1919.
  seeds, description. F.B. 428, pp. 23, 24. 1911.
  sheep, description, habits, and forage value on range. D.B. 545, pp. 33-34, 58, 59. 1917.
  sickle, abundance and character as forage on mountain ranges. For. Cir. 169, pp. 12, 25. 1909.
  tall swamp, description, habits, and forage value. D.B. 545, pp. 32-33, 58, 59. 1917.
  three-square, value as pasture for milk cows. O.E.S. Bul. 240, p. 27. 1911.
SEDGWICK, T. F.—
  "Chickens and their diseases." Hawaii Bul. 1, pp. 23. 1901.
  "Root rot of taro." Hawaii Bul. 2, pp. 21. 1902.
SEDGWICK, W. T.—
  remarks on sanitary regulations. Chem. Bul. 136, p. 8. 1911.
  "Report on meat inspection." Sec. Cir. 58, pp. 2-4. 1916.
Sediment(s)—
  evaporated milk. B.A.I. Dairy [Misc.], "World's dairy congress, 1923," pp. 1284-1285. 1924.

Sediment(s)—Continued.
  milk test, comparison with bacterial count. An. Rpts., 1914, p. 89. 1915; B.A.I. Chief Rpt., 1914, p. 33. 1914.
Sedimentation, apple juice, time and methods. F.B. 1264, pp. 26-27, 35-36. 1922.
Sedum—
  description, varieties and uses. F.B. 1381, pp. 50-53. 1924.
  spectabile—
    source of sugar, studies. An. Rpts., 1917, pp. 199, 201. 1917; Chem. Chief Rpt., 1917, pp. 1, 3. 1917.
    treatment for destruction of beetle larvae. D.B. 1332, pp. 12, 15-16. 1925.
  spp., importations and descriptions. Nos. 39075, 39076. B.P.I. Inv. 40, pp. 71-72. 1917.
Seed(s)—
  acclimatization—
    and adaptation, importance in securing good results. B.P.I. Cir. 95, pp. 6-8. 1912.
    necessity. Y.B., 1908, p. 204. 1909; Y.B. Sep. 475, p. 204. 1909.
  adulterants—
    classification and description. F.B. 428, pp. 16-28. 1911.
    indication of European origin. F.B. 428, pp. 5, 8, 18, 34, 35, 36, 37, 38, 42, 43. 1911.
  adulterated—
    and misbranded, losses to farmers. Y.B., 1908, p. 207. 1909; Y.B. Sep. 475, p. 207. 1909.
    cause of crop failures. Y.B., 1915, p. 315. 1916; Y.B. Sep. 679, p. 315. 1916.
    exclusion from United States. B.P.I.S.R.A. 2, pp. 9-13. 1915.
  adulteration—
    and misbranding—
      alfalfa, red clover, and grass. B. T. Galloway. Sec. Cir. 26, pp. 6. 1907.
      alfalfa, red clover, Kentucky bluegrass, orchard grass, and redtop. Wm. A. Taylor. Sec. Cir. 35, pp. 6. 1911.
      alfalfa, red clover, orchard grass and Kentucky bluegrass. A. F. Woods. Sec. Cir. 31, pp. 4. 1910.
      alfalfa, red clover, orchard grass, and Kentucky bluegrass. B. T. Galloway. Sec. Cir. 28, pp. 5. 1909.
      Kentucky bluegrass, redtop, and orchard grass. B. T. Galloway. Sec. Cir. 43, pp. 6. 1913.
    examination, seed laboratory. An. Rpts., 1906, p. 256. 1907.
    forage plants. F. H. Hillman. F. B. 382, pp. 23. 1909.
    Kentucky bluegrass and orchard grass. James Wilson. Sec. Cir. 15, pp. 5. 1906.
    red clover, Kentucky bluegrass, orchard grass, and hairy vetch. B. T. Galloway. Sec. Cir. 39, pp. 7. 1912.
    tests by Agriculture Department, requirements. Sec. [Misc.], "The adulteration and misbranding * * * Kentucky bluegrass and redtop," p. 4. 1914.
    under importation act. Off. Rec., vol. 4, No. 34, p. 5. 1925.
    with weed seeds, prevention. F.B. 660, pp. 13-14. 1915.
    work of department. B.P.I. Chief Rpt., 1905, pp. 167-168. 1905.
  agricultural—
    analysis, State law, Maine. Chem. Bul. 69, rev., Pt. III, p. 221. 1905.
    localities, where grown and handling methods. A. J. Pieters. Y.B., 1901, pp. 233-256. 1902; Y.B. Sep. 238, pp. 233-256. 1902.
  Agropyron, identification. J.A.R., vol. 3, pp. 275-282. 1914.
  American—
    foreign demand. News L., vol. 6, No. 33, p. 14. 1919.
    grown versus foreign grown, table. An. Rpts., 1905, pp. 182-183. 1905; B.P.I. Chief Rpt., 1905, pp. 182-184. 1905.
  amount per acre for various crops. Y.B., 1922, p. 990. 1923; Y.B. Sep. 887, p. 990. 1923.
  analyses, by department, and publication of seedsmen's names. Y.B., 1915, p. 315. 1916; Y.B. Sep. 679, p. 315. 1916.

Seed(s)—Continued.
and plant(s)—
 distribution, congressional. B.P.I. Bul. 25, Pt. IV, pp. 23-82. 1903.
 for the home garden. C. P. Close. S.R.S. Doc. 46, pp. 2. 1917.
 importations, inventory—
  No. 9. Nos. 4351-5500. B.P.I. Bul. 5, pp. 79. 1902.
  No. 10. Nos. 5501-5896, B.P.I. Bul. 66, pp. 333. 1905.
  No. 11. Nos. 9897-16796, B.P.I. Bul. 97, pp. 255. 1907.
  No. 12. Nos. 16797-19057, B.P.I. Bul. 106, pp. 125. 1907.
  No. 13. Nos. 19058-21730, B.P.I. Bul. 132, pp. 192. 1908.
  No. 14. Nos. 21732-22510, B.P I. Bu 137, pp. 64. 1908.
  No. 15. Nos. 22511-23322, B.P.I. Bul. 142, pp. 81. 1909.
  No. 16. Nos. 23323-23744, B.P.I. Bu'. 148, pp. 37. 1909.
  No. 17. Nos. 23745-24429, B.P.I. Bul. 153, pp. 58. 1909.
  No. 18. Nos. 24430-25191, B.P.I. Bul. 162, pp. 73. 1909.
  No. 19. Nos. 25192-25717, B.P.I. Bul. 168, pp. 45. 1909.
  No. 20. Nos. 25718-26047, B.P.I. Bul. 176, pp. 34. 1910.
  No. 21. Nos. 26048-26470, B.P.I. Bul. 205, pp. 54. 1911.
  No. 22. Nos. 26471-27480, B.P.I. Bul. 207, pp. 100. 1911.
  No. 23. Nos. 27481-28324, B.P.I. Bul. 208, pp. 88. 1911.
  No. 24. Nos. 28325-28880, B.P.I. Bul. 223, pp. 70. 1911.
  No. 25. Nos. 28883-29327, B.P.I. Bul. 227, pp. 60. 1911.
  No. 26. Nos. 29328-30461, B.P.I. Bul. 233, pp. 98. 1912.
  No. 27. Nos. 30462-31370, B.P.I. Bul. 242, pp. 99. 1912.
  No. 28. Nos. 31371-31938, B.P.I. Bul. 248, pp. 71. 1912.
  No. 29. Nos. 31939-32368, B.P.I. Bul. 261, pp. 65. 1912.
  No. 30. Nos. 32369-33278, B.P.I. Bul. 282, pp. 99. 1913.
  No. 31. Nos. 33279-34092, B.P.I. Inv. 31, pp. 98. 1914.
  No. 32. Nos. 34093-34339, B.P.I. Inv. 32, pp. 44. 1914.
  No. 33. Nos. 34340-34727, B.P.I. Inv. 33, pp. 60. 1915.
  No. 34. Nos. 34724-35135, B.P.I. Inv. 34, pp. 51. 1915.
  No. 35. Nos. 35135-35666, B.P.I. Inv. 35, pp. 69. 1915.
  No. 36. Nos. 35667-36258, B.P.I. Inv. 36, pp. 74. 1915.
  No. 37. Nos. 36259-36936, B.P.I. Inv. 37, pp. 95. 1916.
  No. 38. Nos. 36937-37646, B.P.I. Inv. 38, pp. 105. 1917.
  No. 39. Nos. 37647-38665, B.P.I. Inv. 39, pp. 183. 1917.
  No. 40. Nos. 38666-39308, B.P.I. Inv. 40, pp. 110. 1917.
  No. 41. Nos. 39309-39681, B.P.I. Inv. 41, pp. 67. 1917.
  No. 42. Nos. 39682-40388, B.P.I. Inv. 42, pp. 123. 1918.
  No. 43. Nos. 40389-40895, B.P.I. Inv 43. pp. 106. 1918.
  No. 45. Nos. 41315-41684, B.P.I. Inv. 45, pp. 66. 1918.
  No. 46. Nos. 41685-42383, B.P.I. Inv. 46, pp. 97. 1919.
  No. 47. Nos. 42384-43012, B.P.I. Inv. 47, pp. 96. 1920.
  No. 48. Nos. 43013-43390, B.P.I. Inv. 48, pp. 56. 1921.
  No. 49. Nos. 43391-43979, B.P.I. Inv. 49, pp. 117. 1921.
  No. 50. Nos. 43980-44445, B.P.I. Inv. 50, pp. 83. 1922.

Seed(s)—Continued.
and plants—continued.
 importations, inventory—continued.
  No. 51. Nos. 44446-44934, B.P.I. Inv. 51, pp. 100. 1922.
  No. 52. Nos. 44935-45220, B.P.I. Inv. 52, pp. 55. 1922.
  No. 53. Nos. 45221-45704, B.P.I. Inv. 53, pp. 86. 1922.
  No. 54. Nos. 45705-45971, B.P.I. Inv. 54, pp. 56. 1922.
  No. 55. Nos. 45972-46302, B.P.I. Inv. 55, pp. 48. 1922.
  No. 56. Nos. 46303-46587, B.P.I. Inv. 56, pp. 34. 1922.
  No. 57. Nos. 46588-46950, B.P.I. Inv. 57, pp. 54. 1922.
  No. 58. Nos. 46951-47348, B.P.I. Inv. 58, pp. 56. 1922.
  No. 59. Nos. 47349-47864, B.P.I. Inv. 59, pp. 77. 1922.
  No. 60. Nos. 47865-48426, B.P.I. Inv. 60, pp. 87. 1922.
  No. 61. Nos. 48427-49123, B.P.I. Inv. 61, pp. 88. 1922.
  No. 62. Nos. 49124-49796, B.P.I. Inv. 62, pp. 96. 1923.
  No. 63. Nos. 49797-50647, B.P.I. Inv. 63, pp. 99. 1923.
  No. 64. Nos. 50648-51357, B.P.I. Inv. 64, pp. 99. 1923.
  No. 65. Nos. 51358-52305, B.P.I. Inv. 65, pp. 96. 1923.
  No. 66. Nos. 52306-52854, B.P.I. Inv. 66, pp. 91. 1923.
  No. 67. Nos. 52855-53895, B.P.I. Inv. 67, pp. 100. 1923.
  No. 68. Nos. 53896-54425, B.P.I. Inv. 68, pp. 65. 1923.
  No. 69. Nos. 54426-54676, B.P.I. Inv. 69, pp. 41. 1923.
  No. 70. Nos. 54677-54968, B.P.I. Inv. 70, pp. 37. 1923.
  No. 71. Nos. 54969-55568, B.P.I. Inv. 71, p p 62. 1923.
  No. 72. Nos. 55569-55813, B.P.I. Inv. 72, pp. 42. 1924.
  No. 73. Nos. 55814-56144, B.P.I. Inv. 73, pp. 45. 1924.
 introduction and distribution. A. J. Pieters. Y.B. 1905, pp. 291-306. 1906. Y.B. Sep. 384, pp. 291-306. 1906.
 introduction, work of Agricultural Department. O.E.S. Bul. 99, p. 145. 1901.
 and roots in sandy soils, injury by disinfectants. Carl Hartley. D.B. 169, pp. 35. 1915.
 and skins, tomato waste, utilization. Frank Rabak. D.B. 632, pp. 15. 1917.
 annual flowering plants, sowing, germination, and care of seedlings. F.B. 1171, pp. 11-14. 1921.
 balls, potato—
  development in Alaska and use for new varieties. Alaska A.R. 1917, pp. 7-8. 1919.
  responsibility for new potato varieties. D.B. 195, pp. 4, 5-6. 1915.
  source of varieties, importance. D.B. 1195, pp. 1-2. 1924.
 bearing trees, and seedless, list, Kansas forest planting. For. Cir. 161, p. 23. 1909.
 bed(s)—
  and deep fall plowing. S. A. Knapp. B.P.I. Doc. 403, pp. 7. 1908.
  care of seedlings, vegetable garden. F.B. 255, pp. 15-17. 1906.
  conditions, relation to germination of grain. J.A.R., vol. 23, pp. 86-87, 96. 1923.
  conifer, treatment for control of damping-off. D.B. 934, pp. 23-27. 1921.
  coniferous, care and management. F.B. 1453, pp. 19-25. 1925.
  covering, in forest nurseries, description of frames. D.B. 479, pp. 29-32. 1917.
  disinfection, methods. D.B. 934, pp. 22-27. 1921.
  equipment, forest nurseries. D.B. 479, pp. 17-18, 22. 1917.
  fall-breaking and preparation. S. A. Knapp. B.P.I. Doc. 503, pp. 8. 1909; rev. 1913.

Seed(s)—Continued.
  bed(s)—continued.
    forest nursery, preparation and care. F.B. 423, pp. 13–14, 15–16. 1910; D.B. 479, pp. 17–36. 1917.
    grain, preparation—
      dry-land farming. B.P.I. Cir. 61, p. 22. 1910; F.B. 749, pp. 4–10. 1916; F.B. 786, pp. 8–9. 1917.
      treatment of cornfields and fallow. Sec. Cir. 108, pp. 11–12. 1918.
    infestation after sterilization, precautions against. F.B. 996, pp. 13–14. 1918.
    irrigation project, preparation methods. B.P.I. Cir. 83, pp. 4–5. 1911.
    management in muck lands. F.B. 761, pp. 24–25. 1916.
    outdoor—
      directions. D.C. 48, p. 7. 1919; S.R.S. Doc. 49, p. 7. 1918.
      for late vegetables. S.R.S. Doc. 49, p. 4. 1917.
    preparation—
      essentials. F.B. 266, p. 22. 1906; Y.B., 1911, p. 254. 1912; Y.B. Sep. 565, p. 254. 1911.
      for celery growing. F.B. 1269, p. 7. 1922.
      for corn, school studies and exercises, references. D.B. 653, pp. 4–5. 1918.
      for crops, Colorado sugar-beet districts. D.B. 917, pp. 12–19. 1921.
      for grains in dry lands. F.B. 883, pp. 7–9. 1917.
      for oat crop. F.B. 424, pp. 13–16. 1910; F.B. 892, pp. 9–11. 1917.
      methods and value for Great Plains grain. News L., vol. 4, No. 37, p. 4. 1917.
      needs and method in dry farming. F.B 769, pp. 14–16. 1916.
      southwestern Minnesota. D.B. 1271, pp. 14–17. 1924.
      See also under specific crop.
    root-knot control, methods and experiments. B.P.I. Bul. 217, pp. 44–48, 74. 1911.
    small gardens, preparation. F.B. 818, p. 20. 1917.
    sterilization—
      for root-knot nematodes. F.B. 1345, pp. 14–17. 1923.
      for various diseases. S.R.S. Rpt., 1916, Pt. I, pp. 50, 82, 87, 91, 132, 155, 192, 193. 1918.
      of soil for control of tobacco disease. An. Rpts., 1907, pp. 265, 271. 1908.
    tree seedlings, location, preparation, and care of. F.B. 1123, pp. 22, 27. 1921.
    vegetable garden. F.B. 937, pp. 14–15. 1918.
  biennial vegetables, saving, importance and methods. News L., vol. 5, No. 8, pp. 1, 2. 1917.
  box(es)—
    and mail order, germination tests, comparison, by firms and kinds. B.P.I. Cir. 101, pp. 4–9. 1912.
    early plants, description, soil and location. F.B. 936, pp. 17–18. 1918.
    early vegetables, directions for making and using. F.B. 818, pp. 10–11. 1917.
    home garden, description and use methods. S.R.S. Doc. 46, pp. 1–2. 1917.
    hot water disinfection for eelworms and fungi. D.B. 818, pp. 7–8, 9, 11, 13. 1920.
    use in producing early vegetables, description and use. News L., vol. 4, No. 34, p. 1. 1917.
    value for starting early vegetables, directions. F.B. 934, pp. 9–10. 1918.
    vegetable growing in Guam, directions. Guam Bul. 2, pp. 12–13. 1922.
  breeding—
    and selection, art. Y.B., 1907, pp. 221–236. 1908; Y.B. Sep. 446, pp. 221–236. 1908.
    art and science, and purpose. Y.B., 1907, pp. 223–224. 1908; Y.B. Sep. 446, pp. 223–224. 1908.
  buried, vitality—
    J. W. T. Duvel. B.P.I. Bul. 83, pp. 22. 1905. W. L. Goss. J.A.R., vol. 29, pp. 349–362. 1924.
  bushel weight, customary and legal. Edgar Brown. B.P.I. Bul. 51, Pt. V, pp. 27–34. 1905.

Seed(s)—Continued.
  buying—
    cooperative saving. News L., vol. 6, No. 47, p. 13. 1919.
    season and methods recommended. F.B. 1232, pp. 28–30. 1921.
    sources, and directions. F.B. 1232, pp. 14–30, 31. 1921.
  catalase and oxidase content, relation to dormancy, age, vitality, and respiration. William Crocker and George T. Harrington. J.A.R., vol. 15, pp. 137–174. 1918
  cause of water becoming unfree. J.A.R., vol. 20, pp. 587–593. 1921.
  cereal(s)—
    composition, comparison. D.B. 981, pp. 51–52. 1921.
    crops, cooperative work in securing 1919 supply in various States. News L., vol. 5, No. 49, p. 7. 1918.
    effect of formalin and copper sulphate. J.A.R., vol. 19, pp. 386–387. 1920.
    marketing methods. Rpt. 98, pp. 136–138. 1913.
    supply for the United States. Y.B., 1917, pp. 504–509. 1918; Y.B. Sep. 757, pp. 10–15. 1918.
    treatment by dry heat. D. Atanasoff and A. G. Johnson. J.A.R., vol. 18, pp. 379–390. 1920.
  characters in Pima cotton. J.A.R., vol. 21, pp. 231–233. 1921.
  cheap, losses to farmers. Y.B., 1908, p. 206. 1909; Y.B. Sep. 475, p. 206. 1909.
  clean—
    necessity in prevention of weeds. Y.B., 1917, p. 212. 1918; Y.B. Sep. 732, p. 10. 1918.
    sugar-cane, importance in eradicating mosaic disease. D.B. 829, p. 22. 1919.
  cleaning machine, description and cost. F.B. 1232, pp. 6–7. 1921.
  coat(s)—
    Brassica, certain species. A. J. Pieters and Vera K. Charles. Bot. Bul. 29, pp. 19. 1901.
    cowpeas, coloration. Albert Mann. J.A.R., vol. 2, pp. 33–56. 1914.
    injury and viability of seeds of wheat and barley as factors in susceptibility to molds and fungicides. Annie May Hurd. J.A.R., vol. 21, No. 2, pp. 99–122. 1921.
    light line, structure and functions. D.B. 844, pp. 23–30, 32. 1920.
    structure and chemical nature. D.B. 844, pp. 26–35. 1920.
    sweet-clover seed, structure and microchemistry. D.B. 844, pp. 31–34. 1920.
  collection—
    forest extension. For. [Misc.], "The national forest manual * * *," pp. 16–18. 1911.
    in forests, as occupation for lumberjacks and others. Y.B., 1912, pp. 438–440. 1913; Y.B. Sep. 604, pp. 438–440. 1913.
    labeling and packing for shipment. D.C. 323, pp. 2–6. 1924.
    with plants for specimens, identification and care. B.P.I. Cir. 126, p. 32. 1913.
  color, durum wheat crosses, relation to resistance to Puccinia graminis. J.A.R., vol. 24, pp. 979–996. 1923.
  combinations with cotton for nurse planting. D.B. 668, pp. 3–6. 1918.
  "commission" germination tests and comparison with congressional seed distribution. B.P.I. Bul. 131, pp. 5–9. 1908.
  committee, appointment by Agriculture Secretary, membership and duties. News L., vol. 4, No. 40, p. 9. 1917.
  common vetch, viability and yields. D.B. 1289, pp. 10–12. 1925.
  composites, infestation with Tylenchus dipsaci. G. H. Godfrey. J.A.R., vol. 28, pp. 473–478. 1924.
  conifer(s)—
    amount required per 48 square feet. For. Bul. 76, p. 34. 1909.
    cleaning and storing. For. Cir. 208, pp. 18–22, 23. 1912.
    collection directions. F.B. 1453, pp. 9–14. 1925.

36167°—32——133

Seed(s)—Continued.
  conifer(s)—continued.
    collection, drying, and storing, directions. For. Bul. 76, pp. 6-12. 1909.
    cost of sowing. For. Bul. 98, pp. 39-42. 1911.
    damage, character and cause. D.B. 95, pp. 2-5. 1914.
    destruction by chipmunks. F.B. 335, p. 9. 1908.
    extracting and cleaning. For. Cir. 208, pp. 1-23. 1912.
    extraction, testing, and storing. For. Bul. 98, pp. 19-28. 1911.
    germination—
      and growth habits. J.A.R., vol. 24, pp. 157-159. 1923.
      percentage of different species. For. Bul. 98, p. 24. 1911.
      under different conditions of storage. For. Bul. 98, pp. 25-28. 1911.
    injury(ies) by—
      chalcidid flies. Ent. T.B. 20, Pt. VI, pp. 158-162. 1913.
      mistletoe infection. D.B. 360, pp. 30-31. 1916.
    number per pound of different species. For. Bul. 98, p. 24. 1911.
    planting and protection in seed bed. For. Bul. 76, pp. 18-20. 1909.
    quantity per acre. For. Bul. 98, pp. 35-36, 43, 44, 47, 48. 1911.
    sowing broadcast and in strips and spots. For. Bul. 98, pp. 32-35. 1911.
    storage. C. R. Tillotson. J.A.R., vol. 22, pp. 479-510. 1921.
    storage methods, containers, and temperature tests. For. Bul. 98, pp. 25-28. 1911.
    yield and cost of different species. D.B. 475, pp. 17-18. 1917.
  containers—
    air-tight, use in Guam. Guam Bul. 4, p. 9. 1922.
    Guam, tests of efficiency. Guam Bul. 2, pp. 5-8. 1922.
  cost—
    as factor in wheat production and profits. Y.B., 1921, pp. 117, 120. 1922; Y.B. Sep. 873, pp. 117, 120. 1922.
    per acre, items in tables. Stat. Bul. 48, pp. 41-54. 1906.
  cotton, Pima, characters. J.A.R., vol. 21, pp. 231-233. 1921.
  cover-crop mixture, quantity per acre. F.B. 472, pp. 11, 16, 22-23, 25-26. 1911.
  crop(s)—
    composition percentage. J.A.R., vol. 5, No. 25, p. 1162. 1916.
    forest trees, measurement method. D.B. 210, pp. 2-5. 1915.
    growing, advantages and disadvantages. B.P.I. Bul. 184, pp. 10-11. 1910.
  cucurbit—
    anthracnose spread. D.B. 727, pp. 44-53. 1918.
    disinfection for anthracnose. D.B. 727, pp. 4, 6, 53-55, 60-62. 1918.
    extraction method. D.B. 727, pp. 47-49. 1918.
    mosaic transmission, possibility, studies. D.B. 879, pp. 36, 53-56. 1920.
  damage by—
    broad-nosed grain weevil. D.B. 1085, pp. 1, 2. 1922.
    carpet beetles. F.B. 1346, pp. 4, 6. 1923.
  dead, adulterant, use and detection. F.B. 382, pp. 6, 13, 17. 1909.
  definitions. B.P.I.S.R.A. 1, pp. 1-3. 1914.
  dilution material, sterilizing. F.B. 996, pp. 13-14. 1918.
  dipping, for sweet potato stem rot control. S.R.S. Syl. 26, p. 13. 1917.
  disease-free, importance in cabbage growing. D.B. 1029, pp. 23-25. 1922.
  disinfection—
    and crop production. F.B. 419, pp. 15-18. 1910.
    by formaldehyde vapor. J.A.R., vol. 17, pp. 33-39. 1919.
    for control of cabbage black-leg. F.B. 856, p. 38. 1917.
    for injurious diseases. F.B. 419, p. 17. 1910.
    importance and value in control of crop wastes. News L., vol. 4, No. 35, p. 1. 1917.

Seed(s)—Continued.
  disinfection—continued.
    relation to crop production. F.B. 419, pp. 15-18. 1910.
  distribution—
    by—
      birds on Laysan Island. Biol. Bul. 42, p. 11. 1912.
      crows. F.B. 1102, p. 13. 1920; Y.B., 1915, pp. 98-99. 1916; Y.B. Sep. 659, pp. 98-99. 1916.
    department, origin, object, and methods. B.P.I. Cir. 100, pp. 1-23. 1912; Rpt. 73, pp. 21-22. 1902; Rpt. 83, p. 43. 1906.
    congressional—
      1923. An. Rpts., 1923, p. 288. 1923; B.P.I. Chief Rpt., 1923, p. 34. 1923.
      change of method recommended by Agriculture Secretary. News L., vol. 1, No. 17, pp. 1-2. 1913.
      comparison of seed with "commission" seed. B.P.I. Bul. 131, p. 9. 1908.
      scope and work. Sec. [Misc.]. "Program of work * * * 1915," pp. 160-161. 1914.
    grasses and forage plants. F. Lamson-Scribner. B.P.I. Bul. 10, pp. 23. 1902.
    in Alaska, 1920, and reports from farmers. Alaska A.R., 1920, pp. 9, 45, 63-66. 1922; Alaska A.R., 1921, pp. 47-49. 1923.
    in Great Basin, dry-land farmers. B.P.I. Cir. 61, p. 37. 1910.
    in Guam. Guam A.R., 1920, pp. 54-55, 69. 1921.
    in Hawaii. Hawaii A.R., 1923, pp. 8, 13. 1924.
    in Virgin Islands. Vir. Is. A.R., 1923, p. 10. 1924.
    new and improved crops, details. An. Rpts., 1917, pp. 147-148. 1918. B.P.I. Chief Rpt., 1917, pp. 17-18. 1917.
    office, closing in North Dakota. Off. Rec., vol. 1, No. 7. p. 3. 1922.
  dodder-infested, examination and cleaning. F.B. 1161, pp. 9, 12-13. 1921.
  dodder, production, description, and characteristics. F.B. 1161, pp. 4, 6, 9, 10, 12. 1921.
  dormancy, mechanics. J.A.R., vol. 15, pp. 137-139. 1918.
  drought-resistant—
    distribution, results. News L., vol. 1, No. 35, p. 4. 1914.
    plants, distribution. An. Rpts., 1913, p. 133, 1914; B.P.I. Chief Rpt., 1913, p. 29. 1913.
  dry-land alfalfa, growing in rows, advantages. D.C. 122, p. 3. 1920.
  drying—
    and storing, Guam. Guam A.R., 1919, pp. 30-31, 32. 1921.
    effect on germination and vitality, experiments. J.A.R., vol. 14, No. 12, pp. 527-531. 1918.
  eaters, national forests, control methods. Biol. Cir. 78, pp. 1-5. 1911.
  enemy, Bruchus obtectus effect of low temperatures on. Walter Carter. J.A.R., vol. 31, pp. 165-182. 1925.
  environment, influence upon. Off. Rec., vol. 3, No. 34, p. 5. 1924.
  Europe, situation in 1919. Sec. [Misc.], "Report of Agricultural * * *," pp. 5, 36-38. 1919.
  examination—
    delivery in bond, regulation. Sec. Cir. 42, p. 5. 1913.
    for iron and manganese. J. S. McHargue. J.A.R., vol. 23, pp. 395-399. 1923.
  exports—
    1902-1904. Stat. Bul. 36, pp. 82-84. 1905.
    1910-1922, clover and timothy. S.B. 2, pp. 81-82. 1924.
    1922-1924. Y.B., 1924, p. 1045. 1925.
    statistics. Y.B., 1921, pp. 748, 749, 761. 1922; Y.B. Sep. 867, pp. 12, 13, 25. 1922.
  extracting from dried cones, shaking devices. For. Cir. 208, pp. 15-18. 1912.
  fairs, regulations for operating. O.E.S. Bul. 225, pp. 36-38. 1910.
  fall, aid to farmers in securing work of extension office, North and West. News L., vol. 4, No. 49, pp. 1, 8. 1917.

Seed(s)—Continued.
  farm(s)—
    and garden, time for selection and care in the South. News L., vol. 5, No. 18, p. 5. 1917.
    cost accounting methods. Sec. Cir. 132, p. 12. 1919.
    crops, production and sources of supply. F.B. 1232, pp. 14-25. 1921.
    crops, saving of home-grown, value. News L., vol. 5, No. 44, p. 4. 1918.
    establishment, work of field agents. F.B. 422, p. 16. 1910.
    Farmers' Bulletins, list. Pub. [Misc.], "Alphabetical subject index * * *," pp. 7-8. 1915.
    impurities, classification and description. F.B. 428, pp. 16-28. 1911.
    relation of Agriculture Department. News L., vol. 4, No. 42, p. 3. 1917.
    relation of dodder. F. H. Hillman. F.B. 306, pp. 27. 1907.
    testing, home and rural school. F. H. Hillman. F.B. 428, pp. 27. 1911.
  farming in California, Santa Maria area. Soil Sur. Adv. Sh., 1916, pp. 13, 44, 45. 1919; Soils F. O., 1916, pp. 2539, 2570, 2571. 1921.
  fiber crops, supply for the United States. Y.B., 1917, pp. 525-527. 1918; Y.B. Sep. 757, pp. 31-33. 1918.
  field—
    American, need of central empires, 1920. News L., vol. 6, No. 41, pp. 1, 5. 1919.
    and forage crop, labeling importance. News L., vol. 5, No. 8, p. 7. 1917.
    and garden, lifting of all rail embargoes. News L., vol. 5, No. 36, p. 4. 1918.
    importance of purity labels. News L., vol. 5, No. 7, p. 5. 1917.
    imports, 1911-1922. Stat. Bul. 2, pp. 76-80. 1924.
    new and rare, distribution. B.P.I. Inv. 58, pp. 51-52. 1922.
    new and rare, distribution. An. Rpts., 1923, pp. 263-264. 1923; B.P.I. Chief Rpt., 1923, pp. 9-10. 1923.
    prices, various markets and sections of United States. Stat. Bul. 2, pp. 15-76. 1924.
    production in various States, map. Y.B., 1917, p. 500. 1918; Y.B. Sep. 757, p. 6. 1918.
    quantity per acre. Y.B., 1901, p. 692; Y.B. 1902, p. 756. 1902.
    requirements in various States. D.B. 1000, pp. 5-50. 1922.
    stocks and shipments. S.B. 2, pp. 9-14. 1924.
    weight per bushel. S.B. 2, p. 82. 1924.
  flax. See Flaxseed; Linseed.
  flood relief, appropriation bills. Off. Rec., vol. 1, No. 22, pp. 1, 2. 1922.
  flower—
    and garden, commercial production program, 1915. Sec. [Misc.], "Program of work * * * 1915," p. 147. 1914.
    and vegetable, value on farms, 1899, 1909, 1919. S.B. 2, p. 94. 1924.
    growing and saving, directions. S.R.S. Doc. 87, p. 8. 1918.
    growing in California, Santa Maria area. Soil Sur. Adv. Sh., 1916, pp. 13, 44, 45. 1919; Soils F.O., 1916, pp. 2539, 2570, 2571. 1921.
    growing in New York, Monroe County. Soil Sur. Adv. Sh., 1910, pp. 16, 33. 1912; Soils F.O., 1910, pp. 54, 71. 1912.
    home-grown, value to gardeners. News L., vol. 5, No. 43, p. 10. 1918.
    marketing methods. Rpt. 98, pp. 140-146. 1913.
  food of—
    mallard ducks. D.B. 720, pp. 6-7, 12-13, 16, 19-23. 1918.
    shoal-water ducks. D.B. 862, pp. 5-8, 14, 19-20, 24-25, 29, 32-35, 40, 42-46. 1920.
  for food acre in South, advice to seed dealers. News L., vol. 5, No. 3, p. 6. 1917.
  for planting, selection, and storage. News L., vol. 5, No. 9, p. 1. 1917.
  forage—
    crop(s)—
      amendment to seed importation act. News L., vol. 4, No. 12, p. 6. 1916.

Seed(s)—Continued.
  forage—continued.
    crop(s)—continued.
      color and indication of protein content. F.B. 320, pp. 14-15. 1908.
      requirements for reseeding. D.B. 876, p. 3. 1920.
      supply for the United States. Y.B., 1917, pp. 509-517. 1918; Y.B. Sep. 757, pp. 15-23. 1918.
    plants—
      adulteration. F. H. Hillman. F.B. 382, pp. 23. 1909.
      description. F.B. 382, pp. 15-21. 1909.
      importations. An. Rpts., 1922, p. 194. 1923; B.P.I. Chief Rpt., 1922, p. 34. 1922.
      sorghums, supply sources. F.B. 1232, pp. 5, 21. 1921.
  foreign—
    in spring wheat, removal methods. F.B. 1287, pp. 3-21. 1922.
    introduction and investigations, program of work, 1915. Sec. [Misc.], "Program of work * * * 1915," pp. 152-156. 1914.
    packing and shipping to United States, precautions. Y.B., 1915, p. 209. 1916; Y.B. Sep. 671, p. 209. 1916.
    red clover, caution. Off. Rec., vol. 2, No. 48, p. 3. 1923.
  forest-tree(s)—
    chalcidids injurious. Ent. T. B. 20, Pt. VI, pp. 157-163. 1913.
    collection—
      and cost, extraction and sowing. An. Rpts., 1914, pp. 144-145, 157. 1915; For. A.R., 1914, pp. 16-17, 29. 1914.
      and cost per pound, 1909, 1910, 1911. An. Rpt., 1912, p. 509. 1913; For. A.R., 1912, pp. 51. 1912.
      and purchase, 1913. An. Rpts., 1913, p. 162. 1914; For. A.R., 1913, p. 28. 1913.
      and purchase, 1916. An. Rpts., 1916, p. 168. 1917; For. A.R., 1916, p. 14. 1916.
      drying, testing, and storing. For. Bul. 98, pp. 13-28. 1911.
      extraction, and cleaning. D.B. 475, pp. 3-18. 1917.
      on a large scale. Henry H. Farquhar. Y.B., 1912 pp. 433-442. 1913; Y.B. Sep. 604, pp. 433-442. 1913.
      yield and cost. D.B. 1264, pp. 2-3. 1925.
    crops, "seed years" and "off years." For. Bul. 98, pp. 13-16. 1911.
    destruction by mammals, control work. An. Rpts., 1910, p. 551. 1911; Biol. Chief. Rpt., 1910, p. 5. 1910.
    dispersion methods, lesson for rural schools. D.B. 863, pp. 27-30. 1920.
    extracting and cleaning. For. Cir. 208, pp. 23. 1912.
    germination tests. For. Bul. 98, pp. 23, 24. 1911.
    keeping over winter. For. Cir. 154, p. 16. 1908.
    natural storage in duff, for reproduction. J. V. Hoffmann. J.A.R., vol. 11, pp. 1-26. 1917.
    prices. For. Bul. 98, pp. 19, 40. 1911.
    propagation, directions. For. Cir. 161, p. 16. 1909.
    silvicultural systems. F.B. 358, pp. 12-15. 1909.
    sowing in nurseries, methods and care. For. Bul. 121, pp. 29-32. 1913.
    sowing in open field, experiments on sand hills. For. Bul. 121, p. 44. 1913.
    sowing methods, seasons, amounts, and covering. D.B. 475, pp. 18-39. 1917; D.B. 479, pp. 18-32. 1917.
    stored in duff, germination. J.A.R., vol. 11, pp. 19-22. 1917.
    transportation agencies. J.A.R., vol. 11, pp. 16, 21. 1917.
  formula for pastures in Nebraska, Thurston County. Soil Sur. Adv. Sh., 1914, p. 23. 1916; Soils F.O., 1914, p. 2231. 1919.
  foul, sale prevention. News L., vol. 6, No. 50, p. 5. 1919.

Seed(s)—Continued.
  free—
    appropriation elimination. Off. Rec., vol. 2, No. 9, p. 1. 1923.
    to be replaced by expenditures for good roads. Rpt. 103, pp. 14, 69, 70. 1915.
  fruit(s)—
    and flowers, medicinal, American. Alice Henkel. D.B. 26, pp. 16. 1913.
    and weed, eaten by flycatchers, lists. Biol. Bul. 44, pp. 18, 35, 40, 48, 54, 66. 1912.
    identification by microscopic examination of fruit products. Chem. Bul. 66, rev., pp. 105, 107. 1905.
    fumigated, absorption of hydrocyanic acid. D.B. 1149, pp. 10–14. 1923.
  fumigation—
    Porto Rico. P.R. Cir. 17, p. 21. 1918.
    method. E. R. Sasscer and Lon A. Hawkins. D.B. 186, pp. 5. 1915.
  fund, Oklahoma, use in furnishing seed wheat to farmers. News L., vol. 5, No. 15, p. 8. 1917.
  garden—
    appropriation. Off. Rec., vol. 2, No. 3, p. 1. 1923.
    conservation. News L., vol. 5, No. 41, p. 3. 1918.
    elements of value. B.P.I. Bul. 184, pp. 9–10. 1910.
    growing and storing, directions. S.R.S. Doc. 87, pp. 4–8. 1918.
    importance of growing for own use by club members. S.R.S. Doc. 87, p. 2. 1918.
    labeling importance and methods. News L., vol. 6, No. 5, p. 7. 1918.
    planting time. D.C. 48, p. 5. 1919; S.R.S. Doc. 49, p. 5. 1918.
    quantity for family of four. F.B. 937, p. 11. 1918.
    selection and planting methods. F.B. 647, pp. 8–9, 10–27. 1915; F.B. 936, pp. 15–17. 1918.
    testing and conserving, importance. S.R.S. Doc. 49, pp. 5–6. 1918.
    value, appearance, vitality, and purity. Y.B., 1909, pp. 276–277. 1910. Y.B. Sep. 512, pp. 276–277. 1910.
    See also Seed, vegetable.
  germination—
    after treatment with various disinfectants. B.P.I. Cir. 67, pp. 3–5. 1910.
    and purity tests, and weight per bushel. S.B. 2, p. 82. 1924.
    and purity tests, school exercises. F.B. 408, pp. 20–25. 1910.
    and weight, table. Y.B., 1922, p. 704. 1923; Y.B. Sep. 884, p. 704. 1923.
    effect of—
      green manures. J.A.R., vol. 5, No. 25, pp. 1161–1176. 1916.
      hydrocyanic-acid gas and solutions. J.A.R., vol. 11, pp. 423–425. 1917.
      reaction of solution, experiments. J.A.R., vol. 19, pp. 73–96. 1920.
      various toxic gases. D.B. 893, pp. 5, 6, 8–9, 11. 1920.
    function of the mesocotyl. J.A.R., vol. 1, pp. 294–295. 1914.
    promotion by treating with sulphuric acid. F.B. 517, pp. 5–6. 1912.
    stimulation by fumigation. J.A.R., vol. 11, pp. 328. 1917.
    sulphate formation. J.A.R., vol. 11, pp. 100, 103. 1917.
    temperature studies and experiments. J.A.R., vol. 23, pp. 296–329. 1923.
  test(s)—
    details. F.B. 428, pp. 30–31, 1911; O.E.S. Bul. 245, p. 20. 1912; P.R. Bul. 20, pp. 27–28. 1916.
    school studies. D.B. 521, pp. 4–5. 1917.
    use of temperature alternations. G. T. Harrington. J.A.R., vol. 23, pp. 295–332. 1923.
  germinator(s)—
    and tester, construction and use, school exercise. D.B. 527, pp. 13–17. 1917.
    types, descriptions, and use. F.B. 1176, pp. 14–19. 1920.
  good—
    help in control of Hessian fly. F.B. 640, p. 20. 1915.

Seed(s)—Continued.
  good—continued.
    importance to success in farming. F.B. 981, pp. 34–35. 1918.
    testing for farmers, by Bureau of Plant Industry. Rpt. 83, p. 34. 1906.
  grader, for preparing flax seed for planting. F.B. 669, p. 8. 1915.
  grain—
    and other material, sampling device. E. G. Boerner. D.B. 287, pp. 4. 1915.
    effect of fumigants. D.B. 1313, p. 38. 1925.
    loan committee, repayments for loans. Accts. Chief Rpt., 1923, p. 5. 1923; An. Rpts., 1923, p. 511. 1923.
    loans collection. Off. Rec., vol. 2, No. 8, p. 2. 1923; Off. Rec., vol. 2, No. 11, p. 1. 1923.
    loans, distribution. Y.B., 1923, p. 120. 1924.
    use for study of agriculture, collection. F.B. 586, pp. 9–17. 1914.
  grass—
    characters. F.B. 428, p. 16. 1911.
    description, general. F.B. 382, p. 16. 1909.
    Johnson and Sudan, distinguishing characters. F. H. Hillman. D.B. 406, pp. 5. 1916.
    supply for the United States. Y.B., 1917, pp. 510–517. 1918; Y.B. Sep. 757, pp. 16–23. 1918.
    trade conditions, mixtures, and impurities. D.B. 692, pp. 15–16, 22–24. 1918.
  growers' association and seed supply in Denmark. D.B. 1266, pp. 61–64. 1924.
  growing—
    and needs, European allied countries. Sec. [Misc.], "Report * * * agricultural commission * * *," pp. 5–23, 36–40. 1919.
    and testing. An. Rpts., 1904, pp. 158–161. 1904.
    as crop under irrigation, advantages and needs. Y.B., 1916, pp. 182–184. 1917; Y.B. Sep. 690, pp. 6–8. 1917.
    by contract. Rpt. 98, pp. 140, 141, 143–145. 1913.
    commercial. B.P.I. Cir. 100, pp. 11, 13. 1912.
    contracts with farmers, disadvantages and peculiarities. Y.B., 1909, pp. 278–280, 283. 1910; Y.B. Sep. 512, pp. 278–280, 283. 1910.
    cooperation of farmer and seedsman, methods. B.P.I. Bul. 184, p. 8. 1910.
    development of industry by war conditions, distribution. News L., vol. 6, No. 13, p. 4. 1918.
    experimental cooperative work. Rpt. 98, p. 137. 1913.
    for home gardens, boys' and girls' club work. C. P. Close. S.R.S. Doc. 87, pp. 8. 1918.
    for sale, farming opportunities. Y.B., 1908, p. 358. 1909; Y.B. Sep. 487, p. 358. 1909.
    improvements, suggestions. B.P.I. Bul. 184, pp. 11–14. 1910.
    in Alaska. Off. Rec. vol. 2, No. 15, p. 2. 1923.
    in Nebraska, Douglas County, varieties. Soil Sur. Adv. Sh., 1913, pp. 11, 14–15, 39. 1915; Soils F.O., 1913, pp. 1973, 1976–1977, 2001. 1916.
    methods, need of improvement, and suggestions. Y.B., 1909, pp. 281–283. 1910; Y.B. Sep. 512, pp. 281–283. 1910.
    specializing in certain sections. Y.B., 1917, pp. 502, 503. 1918; Y.B. Sep. 757, pp. 8, 9. 1918.
    sugar-beet work and progress. An. Rpts., 1905, pp. 181–182. 1905; B.P.I. Chief Rpt., 1905, pp. 181–182. 1905.
  hairy vetch, adulteration and misbranding. B.P.I.S.R.A. 7, pp. 2. 1924.
  handling, specialization necessary. Y.B., 1917, p. 499. 1918; Y.B. Sep. 757, p. 5. 1918.
  hard—
    treatment for quick germination, use of sulphuric acid. F.B. 485, pp. 16–17. 1912.
    See also Seeds, impermeable.
  hardwood trees, sowing, methods, quantity, and season. F.B. 1123, pp. 10, 23–25. 1921.
  harvesters for drug plants, descriptions. F.B. 663, rev., p. 9. 1920.
  harvesting methods, notes. Y.B., 1917, pp. 511, 512, 515, 518–531. 1918; Y.B., Sep. 757, pp. 17, 18, 21, 24–27. 1918.

Seed(s)—Continued.
  heads, removal from sorghum, effect on juice.
      J.A.R., vol. 18, pp. 27-28. 1919.
  high prices, influence on crop acreage for 1918.
      Sec. Cir. 75, pp. 13-14. 1917.
  home grown—
      annual demand and use, importation suspension. News L., vol. 5, No. 51, p. 15. 1918.
      increase, effects of the war. Y.B., 1918, p. 195.
          1919; Y.B. Sep. 775, p. 3. 1919.
  Hungarian, for America, note. Off. Rec., vol. 3,
      No. 4, p. 4. 1924.
  Ichang lemon, description. J.A.R., vol. 1, No. 1,
      p. 9. 1913.
  identification, laboratory methods. J.A.R., vol.
      3, pp. 275-282. 1914.
  impermeable—
      agricultural value. George T. Harrington.
          J.A.R., vol. 6, No. 20, pp. 761-796. 1916.
      germination tests, varying conditions. J.A.R.,
          vol. 6, No. 20, pp. 767-770, 775-784. 1916.
      of sweet clover, relation to structure of seed
          coat. D.B. 844, pp. 23-35. 1920.
      soaking in sulphuric acid, results. D.B. 844,
          pp. 28, 35. 1920.
  importance—
      of purity labels. News L., vol. 5, No. 7, p. 5.
          1917.
      to farmers, amount used, and sources of supply.
          F.B. 1232, pp. 3-5. 1921.
  importation(s)—
      1913, classes and countries of origin, table.
          An. Rpts., 1913, pp. 340-341. 1914; F. H. B.
          An. Rpt., 1913, pp. 6-7. 1913.
      act—
          August 24, 1912, rules and regulations. Sec.
              Cir. 42, pp. 6. 1913.
          administration. Sol. [Misc.] "A * * *
              statutory history * * *," pp. 18, 20.
              1916.
          and amendment, text. B.P.I.S.R.A. 3, pp.
              21-22. 1916.
          effect on quality of imported seeds. Off.
              Rec., vol. 4, No. 24, p. 6. 1925; Y.B., 1915,
              pp. 313-314. 1916; Y.B. Sep. 679, pp. 313-
              314. 1916.
          enforcement, 1925. B.P.I. Chief Rpt., 1925,
              p. 18. 1925.
          passage and effect. Y.B., 1917, p. 501. 1918;
              Y.B. Sep. 757, p. 7. 1918.
          regulations, enforcement by Plant Industry
              Bureau. Chem. [Misc.] "Food and drug
              manual," pp. 94-96. 1920.
          regulations, joint, Secretaries of Agriculture
              and Treasury. B.P.I.S.R.A. 1, pp. 7.
              1914; B.P.I.S.R.A. 2, rev., pp. 9-14.,
              1915; B.P.I.S.R.A. 3, pp. 15-22. 1916.
          text. B.P.I.S.R.A. 1, p. 7. 1914.
      alfalfa, clover, and vetch, 1915-1916, with comparisons. News L., vol. 4, No. 26, p. 2. 1917.
      by Agriculture Department, exemption from
          duty. Sol. [Misc.], 2nd Supp., "Laws applicable * * * Agriculture", p. 8. 1915.
      by mail, restrictions, list of plants. F.H.B.
          S.R.A. 32, pp. 125-126. 1916.
      from Central America. Off. Rec., vol. 1, No.
          20, p. 1. 1922.
      quarantine regulations. An. Rpts., 1923, pp.
          628, 649. 1923; F.H.B. An. Rpts., 1923, pp. 14,
          34. 1923.
      restriction, necessity of legislation. B.P.I.
          Bul. 111, Pt. III, p. 18. 1907.
      specifications. Opinion 71. Notice to importers. Chem. S.R.A. 7, p. 529. 1914.
  imported—
      cleaning, and disposal of refuse, regulations.
          B.P.I.S.R.A. 3, pp. 19-20. 1916.
      decrease in quantity and quality. An. Rpt.,
          1915, p. 158. 1916; B.P.I. Chief Rpt., 1915,
          p. 16. 1915.
      definitions of forage plants and weeds. B.P.I.
          S.R.A. 3, pp. 15-18. 1916.
      mail entry, permission. Off. Rec., vol. 1,
          No. 6, p. 3. 1922.
      quality, improvement under testing regulations. Y.B., 1915, pp. 312-314. 1916; Y.B.
          Sep. 679, pp. 312-314. 1916.
      sampling, regulations. B.P.I.S.R.A. 3, pp.
          18-19, 20. 1916.

Seed(s)—Continued.
  imports—
      1907-1909, quantity and value, by countries
          from which consigned. Stat. Bul. 82, p. 54.
          1910.
      1908-1910, quantity and value, by countries
          from which consigned. Stat. Bul. 90, pp.
          57-59. 1911.
      1909-1911, by countries from which consigned.
          Stat. Bul. 95, pp. 61-62. 1912.
      1911-1913. Y.B., 1913, pp. 499, 506. 1914;
          Y.B. Sep. 361, pp. 499, 506. 1914.
      1922-1924. Y.B., 1924, p. 1064. 1925.
      and distribution. F.H.B. An. Rpt., 1924, pp.
          17-19. 1924.
      and exports—
          1906-1910. Y.B., 1910, pp. 662-672. 1911;
              Y.B. Sep. 553, pp. 662-672. 1911.
          1907-1911. Y.B., 1911, pp. 666, 675. 1912;
              Y.B. Sep. 588, pp. 666, 675. 1912.
          1913-1915, and value. Y.B., 1915, pp. 546,
              553, 555, 574. 1916; Y.B. Sep. 685, pp. 546,
              553, 555, 574. 1916.
          1914-1918, effects of the war. Y.B., 1918, pp.
              195-197. 1919; Y.B. Sep. 775, pp. 3-5.
              1919.
          1919-1921. Y.B., 1922, pp. 954, 960, 961, 980.
              1923; Y.B. Sep. 880, pp. 954, 960, 961, 980.
              1923.
          and countries of origin. Y.B., 1914, pp. 657,
              664, 686. 1915; Y.B., Sep. 657, pp. 657, 664,
              686. 1915.
      from France by mail, entry permission. F.H.B.
          S.R.A. 71, pp. 104-105, 172. 1922.
      license requirements, cooperative studies and
          work. News L., vol. 5, No. 50, pp. 7-8.
          1918.
  improvement—
      association, Ohio, work. Off. Rec., vol. 4,
          No. 39, p. 5. 1925.
      in 1923. D.C. 343, pp. 8-10. 1925.
      work by department specialists, results. An.
          Rpts., 1916, p. 24. 1917; Sec. A.R., 1916,
          p. 26. 1916.
  in sandy soils, injury by disinfectants. D.B. 169,
      pp. 1-35. 1915.
  increased production during German war. News
      L., vol. 6, No. 25, p. 2. 1919.
  industry of United States, effects of the war.
      W. A. Wheeler and G. C. Edler. Y.B., 1918,
      pp. 195-214. 1919; Y.B. Sep. 775, pp. 22. 1919.
  infected—
      agency in disease spread. F.B. 925, rev., pp.
          4, 13. 1921.
      cause of seedling blight of corn and wheat.
          J.A.R., vol. 23, pp. 840, 868. 1923.
      source of cabbage diseases and preventive treatment. F.B. 925, pp. 4, 6-7. 1918.
      spread of cabbage diseases. F.B. 1351, p. 2.
          1923.
  injury by—
      chalcid fly. D.B. 812, pp. 3-4. 1920.
      chemicals, control by presoak method. J.A.R.,
          vol. 19, pp. 363-392. 1920.
  inspection—
      at ports of entry. An. Rpts., 1922, pp. 622-623.
          1923; F.H.B. An. Rpt., 1922, pp. 20-22. 1922.
      laws, passage by North Carolina and Wisconsin. O.E.S. An. Rpt., 1910, p. 70. 1911.
  introduction(s)—
      and distribution, Guam, 1915. Guam A.R.,
          1915, pp. 13-15. 1916.
      and distribution, work of year, and plans.
          B.P.I. Chief Rpt., 1905, pp. 171-197. 1905.
      foreign, aid to farmers and gardeners. News L.,
          vol. 1, No. 30, p. 1. 1914.
      progress, 1904. Rpt. 79, pp. 39-40. 1904.
      summary of work. An. Rpts., 1908, pp. 389-
          395. 1909; B.P.I. Chief Rpt., 1908, pp. 117-
          123. 1908.
  kinds found in wheat dockage. F.B. 1118, pp. 6,
      8, 9, 10-12, 15-19. 1920.
  labeling, agreement of seedmen, and failure in
      trade. Y.B., 1919, pp. 344-345. 1920; Y.B.
      Sep. 815, pp. 344-345. 1920.
  labeled. News L., vol. 6, No. 37, pp. 1, 11. 1919.
  large, advantages, studies. Work and Exp., 1914,
      pp. 48, 229. 1915.
  laws, list of States having. F.B. 1232, p. 9. 1921.

Seed(s)—Continued.
  legumes—
    for green-manure, rate of seeding per acre. B.P.I. Bul. 190, pp. 17, 18, 23, 24, 29, 30, 32. 1910.
    impermeability, studies. J.A.R., vol. 6, No. 20, pp. 762-795. 1916.
    inoculation methods. News L., vol. 3, No. 39, p. 4. 1916.
    investigations, historical summary. D.B. 844, pp. 26-30. 1920.
    planting in Guam, rate and methods. Guam Bul. 4, p. 7. 1922.
    poor, cause of many failures in growing. F.B. 326, p. 17. 1908.
    supply importance, and sections producing. Y.B., 1917, pp. 509-517. 1918; Y.B. Sep. 757, pp. 15-23. 1918.
    treatment with nodule-forming bacteria. F.B. 214, pp. 20, 21-22. 1905.
    weights—
      moisture and nitrogen. Hawaii Bul. 43, p. 5. 1917.
      shelling percentage record. Guam Bul. 4, p. 9. 1922.
  leguminous—
    and oil, feed and energy values per 100 pounds. D.B. 459, p. 12. 1916.
    characteristics. F.B. 428, p. 15. 1911.
    description, general. F.B. 382, p. 15. 1909.
    inoculating cultures, distribution. News L., vol. 2, No. 32, p. 4. 1915.
    plants, quantity per acre. F.B. 147, pp. 26, 27, 31, 34. 1902.
  loans, collections, appropriation. Off. Rec., vol. 1, No. 28, p. 1. 1922.
  lodgepole pine, production, distribution, and germination. For. Bul. 79, pp. 29-31, 34-39, 51-52. 1910.
  mail importation, restrictions. F.H.B.S.R.A. 75, p. 78. 1923.
  market—
    reports. Sec. A.R., 1924, p. 43. 1924.
    statistics, timothy, clover, and alfalfa. D.B. 982, pp. 213-215. 1921.
  marketing—
    hints for the farmer. George C. Edler. F.B. 1232, pp. 31. 1921.
    methods. Rpt. 98, pp. 133-151. 1913.
    through advertisement. Off. Rec., vol. 2, No. 34, p. 6. 1923.
  meadow grass, species, descriptions. B.P.I. Bul. 84, pp. 26-31. 1905.
  medicinal—
    American, flowers and fruits. Alice Henkel. D.B. 26, pp. 16. 1913.
    gathering time, care, and packing methods. D.B. 26, pp. 1-2. 1913.
    harvesting, general directions. F.B. 663, rev., p. 9. 1920.
  millet, kafir, and milo, use as horse feed, precautions. F.B. 1030, p. 15. 1919.
  misbranding, red clover, Kentucky bluegrass, orchard grass, and hairy vetch. B. T. Galloway. Sec. Cir. 39, pp. 7. 1912.
  mixtures with crimson clover, and selling rates. F.B. 1142, pp. 18-19. 1920.
  moisture tester, methods for use. B.P.I. Cir. 72, pp. 1-15. 1910.
  monthly reports. An. Rpts., 1917, pp. 461-462. 1917; Mkts. Chief Rpt., 1917, pp. 31-32. 1917.
  mosaic transmission, experiments. J.A.R., vol. 24, pp. 260-261. 1923.
  mutilated, effect on growth and productiveness, studies. D.B. 1011, pp. 1-3. 1922.
  new and rare—
    distribution, 1920. An. Rpts., 1920, pp. 194-195. 1921.
    purchase and distribution, program, work. Sec. [Misc.], "Program of work * * * 1915," p. 161. 1914.
  noble and silver fir, western white pine and Douglas fir, effect of heat, laboratory tests. J. V. Hofmann. J.A.R., vol. 31, pp. 197-199. 1925.
  noxious weeds, description. F.B. 428, pp. 18-22. 1911.
  nursery stock for citrus groves, selection and keeping, methods. F.B. 539, pp. 5-6. 1913.

Seed(s)—Continued.
  nuts, storage directions. F.B. 1123, pp. 20-21. 1921.
  oil(s)—
    by-products, value as feed stuffs. Rpt. 112, pp. 16-21. 1916.
    content as affected by the nutrition of the plant. J.A.R., vol. 3, pp. 227-249. 1914.
    detection by specific gravity tests. Chem. Bul. 77, p. 14. 1905.
    digestibility. A. D. Holmes. D.B. 687, pp. 20. 1918.
  orchard grass, adulteration and misbranding. B.P.I.S.R.A. 5, pp. 2. 1922; B.P.I.S.R.A. 7, pp. 2. 1924.
  pasturage, and soiling crops, distribution by Hawaii Experiment Station, 1917. Hawaii A.R., 1917, p. 52. 1918.
  peach, planting for peach growing. F.B. 917, p. 9. 1918.
  pear, treatment and planting. F.B. 482, pp. 7-8. 1912.
  perennial, use in propagating plants. F.B. 1381, pp. 21-24. 1924.
  permeable and impermeable, comparison. D.B. 844, pp. 34-35. 1920.
  pine. See Pine nuts.
  planting—
    and testing, school work. F.B. 218, pp. 16-19. 1905.
    depths, dates, and rates for various crops. D.B. 917, pp. 20-21. 1921.
    for early results, instructions for club members. D.C. 27, pp. 5-7. 1919.
    in berry boxes for early start. F.B. 818, p. 10. 1917.
  plat—
    necessity and value in growing high-grade potato seed, methods, time, strain, etc. C.T. and F.C.D. Inv. Cir. 5, pp. 1-4. 1918.
    oats improvement, directions for use. B.P.I. Cir. 30, pp. 5-6. 1909.
    potato, planting, roguing, hill selection, and tuber selection. Hawaii Bul. 45, pp. 5-7. 1920.
    smut elimination, directions. B.P.I. Bul. 152, pp. 39-41. 1909.
    value in smut control, description and location. F.B. 507, pp. 27-28. 1912.
  pod(s)—
    alfalfa hybrids and parents, description. B.P.I. Bul. 169, pp. 34, 39. 1910.
    removal, effect on oil content of soybeans. J.A.R., vol. 3, p. 234. 1914.
  poor, losses—
    causes and prevention by care and testing. Y.B., 1908, pp. 204-207. 1909; Y.B. Sep. 475, pp. 204-207. 1909.
    to farmers. Y.B., 1915, pp. 311, 313, 315. 1916; Y.B. Sep. 679, pp. 311, 313, 315. 1916.
  preparation for market, cleaning, sacking, and testing. F.B. 1232, pp. 5-10, 30. 1921.
  preservation—
    effect on vitality. J.A.R., vol. 29, pp. 349-362. 1924.
    from weevils, use of air-slaked lime. P.R. Cir. 17, p. 19. 1918.
    in Guam. Guam Bul. 2, pp. 5-6. 1922.
    in Porto Rico, suggestions, experimental studies. P.R. Bul. 20, pp. 1-30. 1916.
  prices—
    1917, 1918, effect of the war. Y.B., 1918, pp. 209-211. 1919; Y.B. Sep. 775, pp. 17-19. 1919.
    paid by farmers, November 15, 1914, by States, with comparisons. F.B. 645, pp. 42, 43. 1914.
  timothy and clover, exports and imports. Y.B., 1914, pp. 572, 657, 664. 1915; Y.B. Sep. 655, p. 572. 1915; Y.B. Sep. 657, pp. 657, 664. 1915.
  production—
    and distribution in Alaska. Alaska A.R., 1919, pp. 12, 39, 53, 78. 1920.
    and value, leading States, 1909. Y.B., 1914, pp. 648-649. 1915; Y.B. Sep. 656, pp. 648-649. 1915.
    for distribution in Guam. Guam A.R., 1920, p. 69. 1921.
  forage plants, on mountain ranges. For. Cir. 169, pp. 19-25. 1909.

Seed(s)—Continued.
    production—continued.
        Hawaii, increase of industry and demand for.
            Y.B., 1915, p. 143. 1916; Y.B. Sep. 663, p.
            143. 1916.
        in Engelmann spruce. J.A.R., vol. 30, pp.
            995-1009. 1925.
        localities, maps, and details. F.B. 1232, pp.
            14-25. 1921.
        problems involved. D.B. 210, pp. 1-2. 1915.
        red clover, methods. F.B. 455, pp. 30-34. 1911.
    profiteering, control work of Agriculture Department and Food Administrator. News L.,
        vol. 5, No. 33, p. 1. 1918.
    pumpkin and—
        gourd, use as food in China. B.P.I. Bul. 204,
            p. 56. 1911.
        squash, use for oil, investigations. D.B. 769,
            p. 43. 1919.
    purchase—
        and distribution, 1915, appropriation. Sol.
            [Misc.], "Laws applicable * * * Agriculture," Supp. 2, pp. 26-27, 30-31. 1915.
        and sale to farmers—
            appropriations. News L., vol. 5, No. 41,
                pp. 1-7. 1918.
            emergency work. An. Rpts., 1918, pp. 142-
                143. 1918; B.P.I. Chief Rpt., 1918, pp. 8-9.
                1918.
    pure—
        compared with poor. F.B. 296, pp. 7-8. 1907.
        importance in grain farming. B.P.I. Cir. 61,
            pp. 22-23, 31. 1910.
        laws ensuring, suggestions by farm women.
            Rpt. 106, pp. 64, 65, 66-67. 1915.
        necessity in growing potatoes. F.B. 533,
            pp. 7-8. 1913.
        production and care. Y.B., 1907, p. 235. 1908;
            Y.B. Sep. 466, p. 235. 1908.
        winter garden varieties. News L., vol. 7,
            No. 11, p. 2. 1919.
    purity determination by Agriculture Department. D.B. 78, p. 15. 1914.
    quantity per acre—
        irrigated lands, North Dakota. B.P.I. Doc.
            455, p. 2. 1909.
        various crops. M.C. 6, p. 25. 1923; S.B. 2,
            p. 82. 1924; Y.B., 1921, p. 776. 1922; Y.B.
            Sep. 871, p. 7. 1922.
    quarantine—
        No. 37—
            and importations in 1920-1921. F.H.B.
                Chief Rpt., 1921, pp. 13, 14. 1921.
            rules and regulations. F.H.B.S.R.A. 57,
                pp. 101-110. 1919; F.H.B.S.R.A. 60, p. 21.
                1919; F.H.B.S.R.A. 71, p. 176. 1922.
            selective features and explanatory circulars.
                F.H.B.S.R.A. 73, pp. 103-107. 1923.
        for corn diseases. F.H.B. S.R.A. 39, p. 43. 1917.
        modification. F.H.B. Quar. 37, amdt. 1,
            pp. 2. 1922.
        notice and regulations. F.H.B.S.R.A. 75,
            pp. 69-79. 1923.
        orders covering. An. Rpts., 1916, pp. 382, 383.
            1917; F.H.B. An. Rpt., 1916, pp. 12, 13. 1916.
        regulations. F.H.B. Quar. 37, pp. 14. 1921;
            F.H.B.S.R.A. 74, pp. 15-26. 1923.
    range—
        forage plants, fertility and reproduction.
            J.A.R., vol. 3, pp. 105-115. 1914.
        plants, production, scattering, and planting.
            D.B. 34, pp. 4-6. 1913.
    recleaning, regulation. Sec. Cir. 43, p. 5. 1913.
    redtop—
        adulteration and misbranding, list of dealers.
            B.P.I.S.R.A. 6, pp. 3. 1923.
        and other bent grasses, and their impurities.
            D.B. 692, pp. 15-26. 1918.
    reforestation, source. Off. Rec., vol. 2, No. 43,
        p. 5. 1923.
    registration bill, by Sen. Capper. Off. Rec.,
        vol. 1, No. 32, p. 1. 1922.
    relation between injury of coats and susceptibility
        to molds and fungicides. J.A.R., vol. 21, No. 2,
        pp. 99-122. 1921.
    reporting service of Bureau of Markets. Y.B.,
        1918, pp. 212-214. 1919. Y.B. Sep. 775, pp. 20-
        22. 1919.

Seed(s)—Continued.
    reports on foreign kinds. Sec. A.R., 1924, pp.
        42-43. 1924.
    requirements—
        for—
            city gardens. F.B. 1044, p. 11. 1919.
            crops on farms in southwestern Minnesota.
                D.B. 1271, pp. 22, 27, 31, 34, 38, 43. 1924.
        in wheat growing, and prices. D.B. 1198, pp.
            11, 15, 18-21. 1924.
    rescue grass and chess. F.H. Hillman. B.P.I.
        Bul. 25, Pt. I, pp. 5-8. 1903.
    resistance to—
        desiccation. J.A.R., vol. 14, pp. 525-532. 1918.
        high temperatures, experiments. J.A.R., vol.
            18, pp. 381-387. 1920.
    respirometer, directions for use. George T.
        Harrington and William Crocker. J.A.R.,
        vol. 23, pp. 101-116. 1923.
    rest periods, investigations, experiment stations,
        1915. S.R.S. Rpt., 1915, Pt. I, pp. 53, 163.
        1917.
    sacking for market. F.B. 1232, p. 7. 1921.
    sale to farmers by Agriculture Secretary, appropriation asked for. News L., vol. 5, No. 23,
        pp. 2-3. 1918.
    saltbushes, commercial. G. N. Collins. Bot.
        Bul. 27, pp. 28. 1901.
    sample(s)—
        case, construction and use, school exercise.
            D.B. 527, pp. 18-19. 1917.
        description and use. F.B. 1232, p. 8. 1921.
        testing. Off. Rec., vol. 4, No. 48, p. 5. 1925.
        testing by department, directions for sending.
            S.R.S. Syl. 20, p. 11. 1916.
    sampling—
        device, description and uses. News L., vol. 3,
            No. 8, p. 7. 1915.
        directions and form of advertising. F.B. 1232,
            pp. 8, 26. 1921.
        regulations. B.P.I.S.R.A. 1, pp. 3-5, 6. 1914.
        saving by farmers, need. News L., vol. 5, No.
            5, p. 5. 1917.
    scarifying to hasten germination, experiments.
        D.B. 844, pp. 27-28. 1920.
    school garden studies. F.B. 218, pp. 15-16. 1905.
    selection—
        and breeding, art. A. D. Shamel. Y.B., 1907,
            pp. 221-236. 1908; Y.B. Sep. 466, pp. 221-236.
            1908.
        and care, factor in successful farming. F.B.
            1121, p. 15. 1920.
        and separation. F.B. 329, p. 15. 1908.
        boys' corn-club work. B.P.I. Doc. 644, p. 4.
            1913.
        for control of plant diseases. P.R. Cir. 17, p.
            24. 1918.
        for southern farms. S. A. Knapp and D. N.
            Barrow. B.P.I. Doc. 386, pp. 8. 1908.
        for strains resistant to root knot, directions.
            B.P.I. Bul. 217, pp. 72, 75. 1911.
        importance and value in control of food-crop
            wastes. News L., vol. 4, No. 35, p. 1. 1917.
        improvement of cereals. Y.B., 1902, pp. 220-
            222. 1903.
        influence in corn-earworm control, and desirable
            varieties. F.B. 1310, p. 15. 1923.
        reasons for. B.P.I. Doc. 747, p. 1. 1912.
        requirements in demonstration work. Y.B.,
            1909, pp. 155, 158. 1910; Y.B. Sep. 501, pp.
            155, 158. 1910.
        resistant strains, development. Y.B., 1908, p.
            205. 1909; Y.B. Sep. 475, p. 205. 1909.
        storing, and testing, school exercises. D.B. 132,
            pp. 28-29. 1915.
        sweet potatoes, importance in stem-rot control.
            F.B. 714, pp. 3-4. 1916.
        value against corn diseases, 1923. Work and
            Exp., 1923, pp. 43, 44. 1925.
        value in control of cotton anthracnose. F.B.
            555, p. 7. 1913.
        with reference to rust. F.B. 219, pp. 20-22.
            1905.
        yield, effects of crossing corn varieties. Frederick D. Richey. D.B. 1209, pp. 20. 1924.
    selling—
        on credit by farmers. News L., vol. 7, No. 5,
            p. 13. 1919.
        various methods. F.B. 1232, pp. 11-14, 30.
            1921.

Seed(s)—Continued.
  separation—
    buckhorn from red clover and alfalfa, method. Harry B. Shaw. B.P.I. Cir. 2, pp. 12. 1908.
    devices, description. F.B. 329, pp. 15-16. 1908.
  sharing expense on tenant farm. D.B. 650, p. 17. 1918.
  small, inoculation in soil, methods. F.B. 704, pp. 24-25. 1916.
  sorghum, variety of forms, and uses. Y.B., 1913, pp. 221, 224, 229. 1914; Y.B. Sep. 625, pp. 221-224, 229. 1914.
  sowing—
    apparatus for forest nurseries. D.B. 479, pp. 21-22. 1917.
    density, relation to damping-off. D.B. 934, pp. 74-75. 1921.
    on ranges, Arizona. D.B. 367, pp. 34-35, 38. 1916.
  sorghum, broadcasting methods. F.B. 1158, pp. 10, 13, 15. 1920.
  spurge nettle, description and chemical analysis. J.A.R., vol. 26, pp. 259-260. 1923.
  statistics—
    1923. Y.B., 1923, pp. 858-865. 1924; Y.B. Sep. 901, pp. 858-865. 1924.
    May 31, 1923. S.B. 2, pp. 100. 1924.
    1924. Y.B., 1924, pp. 735-738, 814-821, 1045, 1064, 1099, 1172. 1925.
  sterilization—
    and effect upon seed inoculation. T. R. Robinson. B.P.I. Cir. 67, pp. 11. 1910.
    residual effects. B.P.I. Cir. 67, pp. 5-9. 1910.
  stimulants, experiments. F.B. 251, pp. 7-9. 1906.
  stocks, committee—
    Agriculture Department, notification of surplus cotton seed. News L., vol. 5, No. 21, p. 3. 1917.
    emergency work, 1918. An. Rpts., 1918, pp. 142-143. 1918; B.P.I. Chief Rpt., 1918, pp. 8-9. 1918.
  storage—
    effect of temperature and geographical location. J.A.R., vol. 22, pp. 493-509. 1922.
    in air-tight containers, experiments. J.A.R., vol. 22, pp. 479, 482, 484-493. 1922.
    in forest floor, natural reproduction. J. V. Hoffmann. J.A.R., vol. 11, pp. 1-26. 1917.
    studies by European foresters. J.A.R., vol. 22, pp. 479-480. 1922.
  storing—
    directions. F.B. 1232, pp. 9-10. 1921.
    experiments in Porto Rico. P.R. An. Rpt., 1921, p. 16. 1922.
    in Guam. Guam Bul. 4, pp. 9, 28. 1922.
    protection from pea and bean weevils, methods and fumigants. News L., vol. 6, No. 4, p. 7. 1918.
  stripper(s)—
    clover, homemade, description and use, method. News L., vol. 4, No. 41, p. 4. 1917; News L., vol. 5, No. 35, pp. 1-2. 1918.
    crimson clover. F.B. 646, pp. 2-8. 1915.
    description and use methods. F.B. 646, pp. 2-8. 1915.
  supply(ies)—
    and demand, suggestions to seedsmen. B.P.I. Bul. 184, p. 10. 1910.
    farm, discussion at California conference. News L., vol. 5, No. 41, p. 5. 1918.
    for seed-eating birds, methods of securing. F.B. 760, pp. 6-7. 1916.
    for spring sowing, 1919, conditions. Sec. Cir. 125, pp. 21-23. 1919.
    forecast for 1919. News L., vol. 6, No. 26, pp. 14-15. 1919.
    of the Nation. R. A. Oakley. Y.B., 1917, pp. 497-536. 1918; Y.B. Sep. 757, pp. 42. 1918.
    shortage, and means of increasing. F.B. 884, pp. 3-4. 1917.
  surpluses and shortages, advisory work of Agriculture Department. News L., vol. 5, No. 2, p. 5. 1917.
  tagging, directions and form of tags. F.B. 1232, pp. 9, 10. 1921.
  tester, homemade, description. F.B. 405, p. 10. 1910.

Seed(s)—Continued.
  testing—
    after storage, operation. J.A.R., vol. 22, pp. 483-484. 1922.
    and preparation for planting by spraying. News L., vol. 5, No. 36, p. 1. 1918.
    apparatus, directions. F.B. 428, pp. 11-15. 1911.
    at home, directions. F.B. 326, pp. 17-18. 1908.
    before distribution. B.P.I. Cir. 100, pp. 8-11. 1912.
    by department, 1909, alfalfa, red clover, orchard grass, and Kentucky bluegrass. Sec. Cir. 31, pp. 1-4. 1910.
    directions. F.B. 1232, pp. 8-9, 27. 1921; S.R.S. Syl. 20, p. 11. 1916.
    for adulteration, directions. F.B. 382, pp. 21-23. 1909.
    for farmers, to control weed introduction. F.B. 660, p. 14. 1915.
    help to farmer. E. Brown. Y.B., 1915, pp. 311-316. 1916; Y.B. Sep. 679, pp. 311-316. 1916.
    importance in control of food-crop wastes. News L., vol. 4, No. 35, p. 1. 1917.
    in home and rural school. F. H. Hillman. F.B. 428, pp. 47. 1911.
    instruction for club members. D.C. 48, pp. 5-6. 1919.
    program of work, 1915. Sec. [Misc.], "Program of work * * *, 1915," pp. 111-112. 1914.
    public service. F.B. 382, p. 23. 1909.
    publications, list. Y.B., 1915, pp. 315-316. 1916; Y.B. Sep. 679, pp. 315-316. 1916.
    purchase and distribution. Sol. [Misc.], "Laws applicable * * * Agriculture," Sup. 4, pp. 23-24, 27. 1917.
    requirements and advantages. F.B. 704, pp. 26, 31. 1916.
    stations, Europe. B.P.I. Bul. 111, Pt. III, p. 5. 1907.
    to insure against loss from seed failure. D.B. 1043, p. 14. 1922.
  Testing Congress—
    methods recommended. Off. Rec., vol. 1, No. 42, p. 8. 1922.
    purpose. Off. Rec., vol. 3, No. 16, p. 5. 1924.
  tests—
    details of procedure. F.B. 428, pp. 29-32. 1911.
    for purity and germination, average per cent. F.B. 1232, p. 29. 1921.
    purpose and necessity. F.B. 428, pp. 9-10. 1911.
  threshing directions for farmers. F.B. 1232, pp. 5-6. 1921.
  trade—
    associations and publications. Rpt. 98, p. 145. 1913.
    conditions. F.B. 428, pp. 4-8. 1911.
    representatives, meeting and agreement, 1917. Y.B., 1919, p. 344. 1920; Y.B. Sep. 815, p. 344. 1920.
    with foreign countries, exports and imports. D.B. 296, pp. 38-39. 1915.
  transportation by birds. Y.B., 1911, pp. 156-157. 1912; Y.B. Sep. 557, pp. 156-157. 1912.
  treatment—
    experiments for flag-smut control in wheat, solutions and use methods. D.C. 273, p. 3. 1923.
    for—
      bunt prevention, history. D.B. 1210, pp. 5, 6, 8, 13-18. 1924.
      control of cucumber diseases. News L., vol. 6, No. 21, p. 12. 1918.
      grain smuts, ineffectiveness, causes. F.B. 507, pp. 23-25, 32. 1912.
      potato disease. Work and Exp., 1923, p. 46. 1925.
      prevention of false wireworm, negative results. Ent. Bul. 95, Pt. IV, p. 87. 1912.
      smut and other diseases, importance. Sec. Cir. 125, p. 22. 1919.
      smut prevention. B.P.I. Cir. 62, p. 5. 1910; Y.B., 1917, pp. 31, 75, 487-490. 1918; Y.B. Sep. 755, pp. 8-11. 1918.
    presoak method, prevention of seed injury by disinfectants and increase of germicidal efficiency. Harry Braun. J.A.R., vol. 19, pp. 363-392. 1920.

INDEX TO PUBLICATIONS, 1901–1925   2115

Seed(s)—Continued.
  treatment—continued.
    to prevent crows from eating. D.B. 621, pp. 74–77. 1918.
  tree—
    collection—
      and purchase for reforestation work. An. Rpts., 1917, p. 177. 1917; For. A.R., 1917, p. 15. 1917.
      and storage. F.B. 423, pp. 9–13, 14, 15, 23, 24. 1910.
      extraction, and storage. F.B. 1123, pp. 17–22. 1921.
      preparation, and care. Y.B., 1905, pp. 184–186. 1906; Y.B. Sep. 376, pp. 184–186. 1906.
      preparation, and handling. Y.B., 1905, pp. 184–186. 1906; Y.B. Sep. 376, pp. 184–186. 1906.
    germination—
      hastening methods. F.B. 1123, pp. 25–26. 1921.
      in second year. J.A.R., vol. 30, p. 640. 1925.
    importation and distribution. An. Rpts., 1923, pp. 637, 638. 1924; F.H.B. An. Rpt., 1923, pp. 23, 24. 1923.
    law, for—
      Louisiana, summary. D.B. 1061, pp. 40–41. 1922.
      purchase by Secretary in open market. Sol. [Misc.], "Laws applicable * * * Agriculture," Sup. 2, p. 61. 1915.
    planting. F.B. 423, pp. 14–15, 23. 1910.
    quantity per acre, various species. F.B. 1177, rev. pp. 22–23. 1920.
    ripening in spring and summer, list and treatment. F.B. 1123, pp. 18, 19. 1921.
    sowing for reforestation, failure. J.A.R., vol. 30, pp. 637–641. 1925.
    storage methods adapted to various species. F.B. 1123, pp. 19–22. 1921.
    testing. F.B. 423, pp. 12–13. 1910; F.B. 468, p. 29. 1911.
    use in shelter-belt planting at Mandan, N. Dak. D.B. 1337, p. 3. 1925.
  umbelliferous plants, use in perfumery production. B.P.I. Bul. 195, pp. 12, 40, 42. 1910.
  untested, risk of poor corn crop. News L., vol. 5, No. 31, pp. 1–8. 1918.
  use—
    as food, cooking directions. D.B. 123, pp. 41–48. 1916.
    in reseeding experiments, viability. D.B. 4, pp. 14–15. 1913.
    varieties, uses as food, studies. O.E.S. Bul. 245, pp. 55–62. 1912.
  vegetable—
    acreage and yield, 1923. Y.B., 1923, pp. 783–786. 1924; Y.B. Sep. 900, pp. 783–786. 1924.
    amount required for 100-foot row in Guam. Guam Bul. 2, p. 12. 1922.
    and flower, congressional distribution. Y.B., 1905, pp. 305–306. 1906.
    and flower, growing in California, San Francisco Bay region. Soil Sur. Adv. Sh., 1914, p. 27. 1917; Soils F.O., 1914, p. 2699. 1919.
    commercial packages, germination tests. B.P.I. Cir. 101, pp. 1–9. 1912.
    "Commission" seeds vs. seeds distributed by department. B.P.I. Bul. 131, Pt. I, pp. 8–10. 1908.
    crop condition, June 28, 1922, estimates. News L., vol. 6, No. 1, p. 8. 1918.
    exports, 1914–1918. Y.B., 1918, pp. 196, 198. 1919; Y.B. Sep. 775, pp. 4, 6. 1919.
    for the home and market garden. W. W. Tracy and D. N. Shoemaker. F.B. 1390, pp. 14. 1924.
    fumigating, labeling, and storing. F.B. 884, pp. 14–16. 1917.
    garden for a family of four. F.B. 934, p. 15. 1918.
    germination. Edgar Brown and Willard L. Goss. B.P.I. Bul. 131, Pt. I, pp. 1–10. 1908.
    growing—
      as a business. Y.B., 1909, pp. 273–284. 1910; Y.B. Sep. 512, pp. 273–284. 1910.
      conditions and practices. B.P.I. Bul. 184, pp. 8–14. 1910.

Seed(s)—Continued.
  vegetable—continued.
    growing—continued.
      early methods, growth of business, and localities for supplies. Y.B., 1909, pp. 273–275. 1910; Y.B. Sep. 512, pp. 273–275. 1910.
      experiments in Alaska. Alaska A.R., 1913, pp. 19, 47–48. 1914; Alaska A.R., 1920, pp. 31–32. 1922.
      in various sections, demand and supply. Y.B., 1917, pp. 502, 503, 529–535. 1918; Y.B. Sep. 757, pp. 8, 9, 35–41. 1918.
      localities, acreage, yield, production, and consumption. Y.B., 1918, pp. 199–208. 1919; Y.B. Sep. 775, pp. 7–16. 1919.
    handling practices, commercial. Y.B., 1909, pp. 277–279. 1910; Y.B. Sep. 512, pp. 277–279. 1910.
    home-growing, advantages and directions. F.B. 1390, pp. 1–14. 1924.
    longevity in Guam—
      and storing methods. Guam A.R., 1916, p. 36. 1917; Guam A.R., 1917, pp. 35–37. 1918.
      germination tests. Guam Bul. 2, pp. 7–8. 1922.
    marketing methods. Rpt. 98, pp. 140–146. 1913.
    packeted, necessity for germination guarantee. B.P.I. Cir. 101, p. 9. 1912.
    planting—
      dates, quantities. F.B. 934, pp. 18–22. 1918.
      in drills, rows, and hills. F.B. 818, pp. 20–21. 1917.
      time and laying off rows, and rates. S.R.S. Doc. 49, pp. 3–7. 1917.
      time, guides for Eastern and Western States. F.B. 937, pp. 18–21. 1918.
    preservation in Porto Rico, suggestions. P.R. Bul. 20, pp. 30. (Also Spanish edition.) 1919
    production—
      1917–1919. Y.B., 1919, p. 734. 1920; Y.B. Sep. 830, p. 734. 1920.
      in Holland. News L., vol. 6, No. 41, pp. 1, 5. 1919.
      survey, 1918. News L., vol. 6, No. 3, p. 7. 1918.
      sweet corn and garden peas and beans. W. W. Tracy, sr. B.P.I. Bul. 184, pp. 39. 1910.
    quantity per 100 ft. of row. F.B. 255, pp. 46–47. 1906; F.B. 937, p. 16. 1918.
    requirements for home gardens. News L., vol. 4, No. 34, p. 4. 1917.
    saving for home and market garden. W. W. Tracy, sr. F.B. 884, pp. 16. 1917.
    selection and—
      saving, importance and method. News L., vol. 5, No. 8, pp. 1–2. 1917.
      testing for farm garden. S.R.S. Syl. 27, p. 5. 1917.
    shortage for 1919, and saving urged for 1918. News L., vol. 5, No. 34, p. 7. 1918.
    sources of supply in United States. Y.B., 1909, p. 275. 1910; Y.B. Sep. 512, p. 275. 1910.
    sowing directions and planting table. F.B. 937, pp. 15–16. 1918.
    statistics, acreage, production, yield, prices, and imports. Y.B., 1922, pp. 705–708. 1923; Y.B. Sep. 884, pp. 705–708. 1923.
    supply for Guam, preservation and germination tests. Guam Bul. 2, pp. 4–8. 1922.
    viability duration. F.B. 1390, p. 14. 1924.
  vitality—
    and germination—
      J. W. T. Duvel. B.P.I. Bul. 58, pp. 96. 1904.
      test, label notice. Y.B., 1919, p. 344. 1920; Y.B. Sep. 815, p. 344. 1920.
      testing, economy in farming. Y.B., 1908, pp. 205–207. 1909; Y.B. Sep. 475, pp. 205–207. 1909.
  walnut, preservation and planting, directions. B.P.I. Bul. 254, p. 63. 1913.
  waste, from tomato-pulping industry, commercial utilization. J. H. Shrader and Frank Rabak. D.B. 927, pp. 29. 1921.

Seed(s)—Continued.
  weed—
    adulterants of—
      redtop seed, descriptions. D.B. 692, pp. 22, 23, 24. 1918.
      vetch seed. F.B. 515, pp. 26–27. 1912.
      and other, eaten by crows. D.B. 621, pp. 42, 43, 54. 1918.
    birds eating, Southeastern States. F.B. 755, pp. 14, 16, 21, 36. 1916.
    description—
      and characteristics. F.B. 428, pp. 17–28. 1911.
      of kinds mixed with bluegrass seed. B.P.I. Bul. 84, pp. 32–38. 1905.
    destruction by—
      birds. Biol. Bul. 30, pp. 17, 19, 22, 45, 65. 1907.
      birds in California, notes and lists. Biol. Bul. 34, pp. 9–96. 1910.
      rotting in manure piles, Rice County, Minn. Soil Sur. Adv. Sh., 1909, p. 18. 1911; Soils F.O., 1909, p. 1282. 1912.
    grinding to utilize as feed. An. Rpts., 1915, p. 158. 1916; B.P.I. Chief Rpt., 1915, p. 16. 1915.
    in—
      feeding stuffs. F.B. 366, pp. 16–17. 1909.
      manure and in feeding stuffs. F.B. 334, pp. 18–19. 1908.
      rice, kinds and quantities per acre. F.B. 1420, pp. 5–7. 1924.
    indication source of clover seed. F.B. 260, p. 24. 1906.
    injurious effects in wheat. F.B. 1287, pp. 9–11. 1922.
    injury to grains, annual losses. News L., vol. 2, No. 39, p. 6. 1915.
    introduction methods on farms, and control. F.B. 660, pp. 12–18. 1915.
    removal from bluegrass seed. F.B. 402, pp. 15–16. 1910.
    use for study of agriculture, collection. F.B. 586, pp. 9–17. 1914.
    weights per bushel, legal and customary. Edgar Brown. B.P.I. Bul. 51, Pt. V, pp. 27–34. 1905.
    wild, distribution by crows. D.B. 621, pp. 53–54. 68–71, 85. 1918.
    wilt transmission, studies. D.B. 828, p. 21. 1920.
    wings removal in cleaning methods. For. Cir. 208, pp. 19–20. 1912.
    winter grains, scarcity, influence on acreage-increase for 1918. News L., vol. 5, No. 6, p. 2. 1917.
    See also *specified crop.*
Seeder(s)—
  end-gate, for clover seed or plaster. B.P.I. Cir. 22, pp. 13–14. 1909.
  grass, wheelbarrow, description. B.P.I. Cir. 22, p. 9. 1909.
Seeding—
  alfalfa—
    directions. D.C. 115, pp. 4–5. 1920.
    in Hawaii, time methods. Hawaii Bul. 23, pp. 11–13. 1911.
    land preparation, methods and cost. Rpt. 96, pp. 25–41. 1911.
    methods and rate. B.P.I. Cir. 24, pp. 14–17. 1909; D.C. 115, pp. 4–5. 1920; F.B. 339, pp. 13–16. 1908; S.R.S. Syl. 20, pp. 12–13. 1916.
    time, methods and rate, in South Dakota. W.I.A. Cir. 9, pp. 16–18. 1916.
  alsike clover, methods and rate, alone and in mixtures. F.B. 1151, pp. 6–8, 11–12, 14, 15, 18. 1920.
  barley—
    date and rate, Montana dry lands. F.B. 749, pp. 19, 22. 1916.
    rate and methods. D.B. 398, pp. 32–34. 1916; F.B. 443, pp. 26–28. 1911; F.B. 738, p. 14. 1916; F.B. 968, pp. 17–21. 1918; F.B. 1464, pp. 13–16. 1925.
  broomcorn, experiments, date, rate, and yields. D.B. 836, pp. 26–34. 1920.
  bur clover, methods. F.B. 693, pp. 4–5. 1915.
  button clover, time. F.B. 730, pp. 6–7. 1916.
  cereals—
    Akron Field Station, dates and rates. D.B. 402, pp. 13, 33–34. 1916.
    crops in irrigated district, southern Idaho. F.B. 1103, pp. 13–14. 1920.

Seeding—Continued.
  corn, date, effect on germination, growth, and development. E. B. Brown and H. S. Garrison. D.B. 1014, pp. 11. 1922.
  cowpeas, time, rate, and methods, and yield tests. F.B. 1148, pp. 13–15. 1920.
  crimson clover, rate and methods. F.B. 550, pp. 5, 6, 8–13. 1913; F.B. 1142, pp. 13–15. 1920.
  dates—
    experiments with grain sorghums. D.B. 1175, pp. 36–52, 65. 1923.
    flax tests, South Dakota, Belle Fourche. D.B. 297, pp. 39–40. 1915.
    grain, experiments, California. D.B. 1172, pp. 32, 33. 1923.
    wheat—
      relation to rosette disease. J.A.R., vol. 23, pp. 795–797. 1923.
      tests, South Dakota, Belle Fourche. D.B. 297, pp. 24–27. 1915.
  direct, forest trees, directions and cost. D.B. 153, pp. 8, 10. 1915.
  dry-land crops, rates and dates. D.B. 1315, pp. 16–18. 1925.
  emmer, rate and date. D.B. 1197, pp. 49–53. 1924; F.B. 738, p. 12. 1916.
  feterita, rate and method. D.C. 124, p. 2. 1920; F.B. 965, pp. 9–10. 1918.
  flax, date and rate—
    experiments and results. D.B. 883, pp. 21–22, 29. 1920; F.B. 1328, pp. 12–14. 1924.
    Montana dry lands. F.B. 749, pp. 20–21, 22. 1916.
    Yuma experiment farm. D.C. 75, pp. 38–39. 1916.
  forest—
    extension, methods. For. [Misc.], "The national forest manual * * *," pp. 18–19. 1911.
    nurseries, costs. D.B. 479, pp. 18, 30. 1917.
    trees—
      for reproduction, methods and cost. For. Bul. 98, pp. 29–50. 1911.
      successful instances on national forests. For. Bul. 98, pp. 42–50. 1911.
  fruit for drying. D.B. 1335, pp. 7–8. 1925.
  grain(s)—
    day's work in central Illinois. D.B. 814, pp. 19–21. 1920.
    in dry-land farming. F.B. 883, pp. 16–17, 18, 19, 20. 1917.
    relation of irrigation to quantity of seed. F.B. 399, p. 20. 1910.
    sorghums, methods, time, and rate. F.B. 1137, pp. 19–21. 1920.
    time, method, and rate for fall sowing. F.B. 786, pp. 10–12. 1917.
    use of horses and tractors on Corn-Belt farms. F.B. 1295, p. 8. 1923.
  grass(es)—
    and hay mixtures, method, time, and rate. F.B. 1170, pp. 8–10. 1920.
    for pastures on Belle Fourche farm. D.C. 339, pp. 36–37. 1925.
    on canal banks, soil preparation and quantity of seed. B.P.I. Cir. 115, pp. 30, 31. 1913.
  hairy vetch, time, method, rate, and mixtures. D.B. 876, pp. 11–14, 28. 1920.
  hay, amount and cost, New York and Pennsylvania. D.B. 641, pp. 4–5. 1918.
  horse beans, time and method. F.B. 969, pp. 6–7. 1918.
  irrigated—
    lands, Minidoka project, Idaho. B.P.I. Doc. 452, p. 3. 1909.
    pastures. D.R.P. Cir. 2, pp. 9, 14. 1916.
  lawns, directions and quantities of seed. D.C. 49, pp. 2–3. 1919.
  lespedeza, time, methods, and rate. F.B. 1143, pp. 6–9. 1920.
  logged-off land for pasture, time. F.B. 462, p. 16. 1911.
  long-leaf pine lands, methods and time. D.B. 1061, pp. 41–44. 1922.
  method, in reclamation of gullies. F.B. 1234, pp. 12–13. 1922.
  millet, date, rate, and method. F.B. 793, pp. 17–19. 1917.
  milo, method, time, and rate. F.B. 965, pp. 9–10. 1918; F.B. 1147, pp. 12–13. 1920.

Seeding—Continued.
  Natal grass, time, rate, and methods. F.B. 726, pp. 5–6. 1916.
  oats—
    Colorado experiments. D.B. 1287, pp. 43–44. 1924.
    date and rate, Montana dry lands. F.B. 749, pp. 17, 22. 1916.
    open-furrow method. F.B. 436, p. 22. 1911.
    requirements and practices in Kansas. D.B. 1296, pp. 26–30. 1925.
    time and methods. D.B. 398, p. 29. 1916; F.B. 424, pp. 20–22. 1910; F.B. 436, pp. 20–23. 1911; F.B. 738, p. 14. 1916; F.B. 1119, pp. 14–17. 1920.
  pastures, mixture of grasses and rate of seeding, Huntley, Mont. D.C. 275, p. 22. 1923.
  peas for canning, directions. F.B. 1255, pp. 13–14. 1922.
  proso, rate and date. F.B. 738, p. 14. 1916.
  purple vetch, time and rate, various localities. F.B. 967, pp. 6–7, 8. 1918.
  raisins, preparation, packing and grading of product. D.B. 349, pp. 14–15. 1916.
  rate—
    alfalfa-seed production, methods. F.B. 495, pp. 9–10. 1912.
    and dates, Belle Fourche experiment farm. D.B. 1039, p. 12. 1922.
    cereals, grasses, and clovers. F.B. 1202, p. 52. 1921.
    oats, tests, Belle Fourche, South Dakota. D.B. 297, pp. 32–33. 1915.
    of grain, relation to irrigation. F.B. 863, p. 21. 1917.
    wheat, tests—
      of Stoner and other varieties. D.B. 357, pp. 22–24. 1916.
      South Dakota, Belle Fourche. D.B. 297, pp. 20–21. 1915.
  red clover, methods. F.B. 1339, pp. 7–10, 15–17. 1923.
  Rhodes grass, soil preparation, time, methods, and rate. F.B. 1048, pp. 6–9. 1919.
  rice, methods, time, rate, and depth. D.B. 1155, pp. 9–15. 1923; F.B. 688, pp. 6–7. 1915; F.B. 1092, pp. 14–15. 1920; F.B. 1141, pp. 12–13. 1920; F.B. 1240, pp. 12–14. 1924.
  rye, method, time, and rate. F.B. 738, p. 13. 1916; F.B. 756, pp. 11–13. 1916; F.B. 1358, pp. 14–15. 1923.
  saltbush on range land under cultivation. D.B. 617, p. 9. 1919.
  sandy new land, suggestions. B.P.I. Cir. 60, pp. 11–13. 1910.
  small grains—
    rates and dates. F.B. 738, pp. 11, 12, 13, 15. 1916.
    rates and dates at Arlington farm. D.B. 1309, pp. 7–8. 1925.
  sorghum(s) date—
    and method, experiments in Texas. D.B. 976, pp. 13–41. 1922.
    rate and method. F.B. 1158, pp. 10–16. 1920.
    rate, and methods, in Great Plains. D.B. 1260, pp. 57–85. 1924.
  sorgo, time, method, and rate. F.B. 1389, p. 5. 1924.
  soy beans, rate and method. D.C. 120, p. 2. 1920; S.R.S. Doc. 43, pp. 2–3. 1917.
  specifications in large-scale farming. D.C. 351, p. 28. 1925.
  spelt, rate and date. F.B. 738, p. 12. 1916.
  spring—
    and autumn, comparisons in reseeding experiments. D.B. 4, pp. 8–9, 15–16, 33. 1913.
    wheats, rate and date, experiments, Moro, 1912–1915. D.B. 498, pp. 25–26, 37. 1917.
  Sudan grass, date, methods, and rate. D.B. 981, pp. 27–34. 1921; F.B. 605, pp. 7–10. 1914; F.B. 1126, pp. 12–14. 1920; F.B. 1126, rev., pp. 8–12. 1925.
  sugar-beet(s)—
    California, area, time, rate, and distance. D.B. 760, pp. 21–22. 1919.
    crop. Rpt. 92, pp. 18–19. 1910.
  sunflowers, date, rate, and methods. D.B. 1045, pp. 10–11. 1922.

Seeding—Continued.
  sweet clover—
    difficulties in obtaining good stand. F.B. 485, pp. 16–18. 1912.
    rate and methods. F.B. 797, pp. 22–27. 1917.
  tall fescue, directions. News L., vol. 6, No. 44, p. 4. 1919.
  tests—
    rate and date, in Wyoming. D.B. 1306, pp. 20–22, 30. 1925.
    small grains, in Texas, rate, date, and yield. B.P.I. Bul. 283, pp. 28–29, 44–47, 50–52, 53–56, 58, 63–64. 1913.
  time, flax, and rate. F.B. 785, pp. 14–16. 1917.
  timothy, time, method, and rate. F.B. 502, pp. 15–17, 32. 1912; F.B. 990, pp. 7–11. 1918.
  vetch, methods. D.B. 1289, pp. 14–18. 1925.
  wheat—
    and seed selection. D.B. 1440, p. 7. 1924.
    Colorado, experiments. D.B. 1287, pp. 26–31, 36. 1925.
    dates and rate. D.B. 398, pp. 19–20. 1916; F.B. 596, pp. 8–10. 1914; F.B. 738, pp. 11–12. 1916; S.R.S. Syl. 11, rev., pp. 11–12, 15. 1918.
    dates and rates, Montana dry lands. F.B. 749, pp. 12–13, 15, 22. 1916.
    in dry farming, directions. D.B. 1173, pp. 46–56, 60. 1923; F.B. 1047, pp. 20–22. 1919.
    rate and time, relation to sterility of spikelets. J.A.R., vol. 6, No. 6, pp. 236–242. 1916.
    requirements per acre. D.B. 1296, p. 22. 1925.
  wild rice, methods. D.C. 229, pp. 7–9. 1922.
  winter—
    cereals, dry farming, time, rate and depth, experiments. D.B. 157, pp. 21–31. 1915.
    wheat in western South Dakota, time, method, and rate per acre. B.P.I. Cir. 79, pp. 7–8. 1911.
  with drills and other seeders, day's work. D.B. 3, pp. 18–20, 44. 1913.
  yellow-flowered alfalfa, broadcast, rows and hills, yield comparisons. D.B. 428, pp. 51–56, 65. 1917.
Seedling blight—
  corn and wheat, development, influence of soil temperature and moisture. James G. Dickson. J.A.R., vol. 22, pp. 837–870. 1923.
  of rice. See *Sclerotium rolfsii.*
Seedlings—
  conifer—
    blight diseases. D.B. 44, pp. 1–21. 1913.
    disease. Carl Hartley and others. J.A.R., vol. 15, pp. 521–558. 1918.
    injury by—
      drouth. J.A.R., vol. 15, pp. 554–555. 1918.
      mistletoe. D.B. 360, pp. 10–11, 35. 1916.
    inoculation with damping-off fungi, experiments. D.B. 934, pp. 31–32, 34–35, 41–59, 61. 1921.
    losses caused by wind, water, insect, rodents, and birds. J.A.R., vol. 15, pp. 551–554. 1918.
    root-growth habits, comparisons. J.A.R., vol. 24, pp. 157–160. 1923.
    survival in cut-over stands. J.A.R., vol. 30, pp. 1004–1008. 1925.
  crowding, cause of sun scorch. D.B. 44, pp. 3, 5, 11. 1913.
  effect of hydrocyanic-acid gas and solutions. J.A.R., vol. 11, pp. 425–427. 1917.
  failure, relation to green manures. E. B. Fred. J.A.R., vol. 5, No. 25, pp. 1161–1176. 1916.
  forage establishment on ranges. D.B. 34, pp. 7–8. 1913.
  forest—
    care, shading, watering, and mulching. D.B. 479, pp. 36–45. 1917.
    destruction by *Rhizina inflata.* J.A.R., vol. 4, pp. 93–95. 1915.
    diseases and injuries in nursery, and insects. D.B. 479, pp. 68–79. 1917.
    heeling in, directions. For. Cir. 195, p. 7. 1912.
    importations into the United States, varieties. B.P.I. Bul. 206, pp. 8–9. 1911.
    lifting from seed beds. D.B. 479, pp. 50–52. 1917.
    loss before fifth year, pine, fir, and spruce. For. Bul. 125, pp. 27–28. 1913.
    nursery, care. F.B. 423, pp. 15–16. 1910.

Seedlings—Continued.
 forest—continued.
  planting, directions, and methods. D.B. 153, pp. 6–12. 1915; D.B. 475, pp. 19–20, 23–29, 35–38. 1917; D.B. 479, pp. 45–64. 1917.
  prices, Kansas and Nebraska. For. Cir. 161, p. 18. 1909.
  sales, 1906–1908. Y.B., 1909, p. 341. 1910; Y.B. Sep. 517, p. 341. 1910.
  wilting coefficient, determination. D.B. 1059, pp. 80–100, 136–137. 1922.
 germination and growth, technic of experiments. J.A.R., vol. 19, p. 78. 1920.
 grass, analytical key and descriptions. D.B. 461, pp. 6–26. 1917.
 groves, comparison with budded groves. F.B. 539, p. 9. 1913.
 growing in acid solutions, changes in hydrogen-ion concentration. Jehiel Davidson and Edgar T. Wherry. J.A.R., vol. 27, pp. 207–217. 1924.
 growth and germination, effect of reaction of solution on. Robert M. Slater and T. C. McIlvaine. J.A.R., vol. 19, pp. 73–96. 1920.
 hardwood—
  growing and planting on the farm. C. B. Tillotson. F.B. 1123, pp. 29. 1921.
  removal from nursery. F.B. 1123, pp. 27–28. 1921.
  sprouting, protection, shading, and cultivation. F.B. 1123, pp. 26–27. 1921.
 inarch method of plant propagation. B.P.I. Bul. 202, pp. 143. 1911.
 increase in size by disinfectants. D.B. 453, pp. 22–23. 1917.
 leguminous, production under varying conditions. J.A.R., vol. 6, No. 20, pp. 784–792. 1916.
 nursery—
  heights in inches of different species. D.B. 479, p. 63. 1917.
  protection against snow mold, results. J.A.R., vol. 24, pp. 744–746. 1923.
  stem lesions caused by excessive heat. J.A.R., vol. 14, pp. 595–604. 1918.
 production—
  by States, nurserymen's prices. F.B. 711, p. 24. 1916.
  cost and price. D.B. 453, pp. 20–21. 1917.
  shortleaf pine, cost and planting. For. Cir. 182, pp. 3–4. 1910.
  small-grain, analytical key and description. D.B. 461, pp. 27–30. 1917.
 tree(s)—
  planting and cultivation with corn. For. Cir. 154, p. 20. 1908.
  transplanting. Y.B., 1905, pp. 190, 192. 1906; Y.B. Sep. 376, pp. 190, 192. 1906.
  wild, home-grown, and nursery, comparison. F.B. 134, pp. 13–16. 1901.
 use in grape propagation. F.B. 471, p. 5. 1911.
 vegetable, growing, thinning, transplanting, and shading in Guam. Guam Bul. 2, pp. 12–14. 1922.
 See also under specific names.
Seeds, K. B.—
 "Handbook of official hay standards." With Edward C. Parker. B.A.E. [Misc.], "Handbook of official * * *," pp. 48. 1925.
 "Marketing grain at country points." With George Livingston. D.B. 558, pp. 45. 1917.
Seedsman, duty to farmers. Edgar Brown. Y.B., 1919, pp. 343–346. 1920; Y.B. Sep. 815, pp. 34. 1920.
Seedsmen—
 agreement on labeling. News L., vol. 6, No. 37, pp. 1, 11. 1919.
 card index of firms. B.P.I. Chief Rpt., 1905, p. 192. 1905.
 dealing in adulterated grass seeds, list. B.P.I. S.R.A. 5, pp. 2. 1922.
 list(s)—
  1909, sale of adulterated seed. Sec. Cir. 31, pp. 2, 3. 1910.
  adulteration of clover seed. Sec. Cir. 18, p. 1. 1906.
  with analyses of redtop seed handled. B.P.I. S.R.A. 6, pp. 3. 1923.
 problems, changes in conditions of trade. Y.B., 1918, pp. 211–212. 1919; Y.B. Sep. 775, pp. 19–20. 1919.

Seedsmen—Continued.
 work in seed breeding, and agreement. Y.B., 1917, pp. 499–501. 1918; Y.B. Sep. 757, pp. 5–7. 1918.
Seedtime—
 and harvest—
  J. R. Covert. Y.B., 1910, pp. 488–494. 1911.
  Oliver E. Baker and others. D.C. 183, pp. 53. 1922.
  dates, various crops, graphs and maps. Y.B., 1917, pp. 550–589. 1918; Y.B. Sep. 758, pp. 16–55. 1918.
  number of days between, States and sections. Stat. Bul. 85, pp. 133–143. 1912.
  cereals, flax, cotton, and tobacco, States east of meridians 102–104. Stat. Bul. 85, pp. 1–152. 1912.
Seeker, A. F.—
 method for determination of sodium benzoate in food. Chem. Bul. 132, p. 145. 1910.
 report on spices. Chem. Bul. 132, p. 145. 1910; Chem. Bul. 137, pp. 80–85. 1911.
 "The estimation of iodin in organic compounds and its separation from other halogens." With W. E. Mathewson. Chem. Cir. 56, pp. 5. 1910.
Seeley, D. A.: "Instruments for making weather observations on the farm." Y.B., 1908, pp. 433–442. 1909; Y.B. Sep. 492, pp. 433–442. 1909.
Seem, importation and description. No. 43675. B.P.I. Inv. 49, p. 60. 1921.
Seepage—
 causes producing. O.E.S. An. Rpt., 1910, pp. 490–491. 1911.
 ditches and reservoirs, lining to prevent losses. F.B. 317, pp. 10–12. 1908.
 effect on sugar beets. D.B. 721, pp. 23–25. 1918.
 from reservoirs, prevention methods. F.B. 394, pp. 34–35. 1910.
 Imperial Valley, Calif. O.E.S. Bul. 158, pp. 186–189. 1905.
 injury to sugar-beet land, kinds and descriptions. D.B. 995, pp. 24–26. 1921.
 investigations, irrigation canals, Idaho. D.B. 339, pp. 47–52. 1916.
 irrigation—
  canals, Western States, and factors affecting. D.B. 126, pp. 2–38. 1915.
  water, prevention. O.E.S. An. Rpt., 1907, pp. 369–380. 1908.
 losses from canals—
  causes and control methods. O.E.S. An. Rpt., 1908, pp. 373–379. 1909; O.E.S. Bul. 158, pp. 35–38. 1905; O.E.S. Cir. 67, pp. 16–29. 1906.
  in Oregon. O.E.S. Cir. 67, pp. 16–29. 1906.
 problems in drainage of irrigated land. D.B. 190, pp. 18–20. 1915.
 return—
  from irrigation, Colorado, amount and uses. D.B. 1026, pp. 10–12, 69, 83. 1922.
  increase to flow of streams. O.E.S. Bul. 157, pp. 47–58. 1905.
 shale land, causes, and varying opinions. D.B. 502, p. 11. 1917.
 water(s)—
  cause of abandonment of farms. Rpt. 70, pp. 10–13. 1901.
  Colorado irrigation. O.E.S. Bul. 218, p. 21. 1910.
Seeps—
 influence on ground water, description and control. F.B. 941, pp. 23–25. 1918.
 range lands, development, suggestions. F.B. 592, p. 8. 1914.
Seery, D. F.: "Small sawmills: Their equipment, construction, and operation." D.B. 718, pp. 68. 1918.
Seguidilla—
 bean, description. Guam Bul. 4, pp. 25, 29. 1922.
 growing in Guam, directions. Guam Bul. 2, pp. 12, 30. 1922.
Seidell, Atherton: "Solution studies of salts occurring in alkali soils." With others. Soils Bul. 18, pp. 89. 1901.
Seidlitz salts, German, misbranding. Chem. N.J. 843, pp. 2. 1911.
Seifert, E. M., Jr.: "The distribution of northwestern boxed apples." With others. D.B. 935, pp. 27. 1921.

SEIGLER, E. A., "*Sclerotinia carunculoides*, the cause of a serious disease of the mulberry." With Anna E. Jenkins. J.A.R., vol. 23, pp. 833–836. 1923.
SEIL, H. A.: "A study of the lead number of asafetida and allied products." With E. C. Merrill. Chem. Bul. 162, pp. 217–218. 1913.
Seines, use in salmon fishing. D.B. 150, pp. 6–7. 1915.
SEITZ, C. E.: "Power for the farm from small streams." With others. F.B. 1430, pp. 36. 1925.
Seius pomi, enemy of leaf blister mite. Ent. Cir. 154, p. 5. 1912.
Selandria spp., mistaken for Hoplocampa, description. Ent. T. B. 20, Pt. IV, p. 146. 1911.
Selasphorus spp. See Hummingbird.
Selection—
  breeding animals, methods. D.B. 905, pp. 47–50. 1920.
  cotton seed—
    for improvement of varieties. B.P.I. Bul. 156, pp. 7, 25–27. 1909; B.P.I. Doc. 716, pp. 3–7. 1912.
    to control boll-weevil damage. F.B. 314, pp. 17–21, 27–28. 1908.
    to preserve superior varieties. F.B. 501, rev., pp. 18–19. 1920.
  effects in plant breeding. B.P.I. Bul. 146, pp. 22, 24–27, 28–29. 1909.
  plant, methods and uses. B.P.I. Bul. 256, pp. 44–46. 1913.
  seed—
    and breeding. A. D. Shamel. Y.B., 1907, pp. 221–236. 1908; Y.B. Sep. 446, pp. 221–236. 1908.
    corn, importance of stalk, ear, and kernel. Y.B., 1902, p. 542. 1903.
  use in—
    breeding, discussion. B.P.I. Bul. 256, pp. 64–69. 1913.
    modifying development of plants. B.P.I. Bul. 256, pp. 50–53. 1913.
    preservation of improved cotton varieties. B.P.I. Bul. 256, p. 76. 1913.
Selenaspidus articulatus. See Scale, rufous.
Self-binder, wheat, use in threshing. Y.B., 1921, pp. 92, 93. 1922; Y.B. Sep. 873, pp. 92, 93. 1922.
Self-feeder—
  for hogs—
    F. G. Ashbrook and R. E. Gongwer. F.B. 906, pp. 12. 1917.
    advantages and results. Sec. Cir. 84, pp. 12–13. 1918.
    and pigs. Hawaii Bul. 48, pp. 11–12. 1923.
    requirements, description, and use. F.B. 906, pp. 3–6, 9–12. 1917.
    use in Lyon County, Kans., description. Off. Rec., vol. 3, No. 11, p. 6. 1924.
  for pigs, building by club boys. News L., vol. 6, No. 46, p. 10. 1919.
  Ohio type, sizes and grain capacity. F.B. 906, p. 12. 1917.
  saving in feeding livestock. Sec. Cir. 122, pp. 7, 10, 11, 13. 1918.
  use—
    and value in fattening stock. F.B. 704, p. 38. 1916; M.C. 12, pp. 7, 27, 35. 1924.
    for hogs and cattle, experiments. S.R.S. Rpt., 1917, Pt. I, p. 24, 25, 163, 266. 1918.
    in feeding hogs. Y.B., 1922, p. 205. 1923; Y.B. Sep. 882, p. 205. 1923.
    in pig feeding, results, feed and weight tables. Y.B., 1917, p. 373. 1918; Y.B. Sep. 753, p. 5. 1918.
Self-fertilization—
  corn, productiveness, study. D.B. 1354, pp. 1–19. 1925.
  of plants, relation to vegetative propagation. B.P.I. Bul. 146, pp. 15–17, 18–20. 1909.
Self-service, retailing of food products, meaning of term, advantages and disadvantages. D.B. 1044, pp. 2–13. 1922.
SELIGMAN, RICHARD: "Milk and metals." B.A.I. Dairy [Misc.], "World's dairy congress, 1923," pp. 1202–1212. 1924.
Selinum tenuifolium, importation and description. No. 39077, B.P.I. Inv. 40, p. 72. 1917; No. 47790, B.P.I. Inv. 59, p. 60. 1922.

SELKREGG, E. R.: "Further notes on *Laspeyresia molesta*." With W. B. Wood. J.A.R., vol. 13, pp. 59–72. 1918.
SELLARDS, E. H., work on enemies of citrus white fly. Ent. Bul. 102, pp. 10, 37. 1912.
Selling—
  farm products, cooperative and direct methods. Rpt. 106, pp. 62–64. 1915.
  fruits and vegetables, by weight versus by measure. F.B. 1196, pp. 10–12. 1921.
Selskosoyous, cooperative associations of Russia. B.A.I. Dairy [Misc.], "World's dairy congress, 1923," pp. 949–958. 1924.
SELTZER, WILLIAM: "Soil survey of—
  Chenango County, N.Y." With E. T. Maxon. Soil Sur. Adv. Sh., 1918, pp. 37. 1920; Soils F.O., 1918, pp. 11–43. 1924.
  the Chatsworth area, New Jersey." With others. Soil Sur. Adv. Sh., 1919, pp. 469–515. 1923; Soils F.O., 1919, pp. 469–515. 1925.
  Wayne County, N.Y." With others. Soil Sur. Adv. Sh., 1919, pp. 273–348. 1923; Soils F.O., 1919, pp. 273–348. 1925.
Semasia spp., similarity to lesser apple worm. Ent. Bul. 68, pp. 50, 59. 1909.
Semiarid—
  districts—
    of United States, possibility of yearly crop without irrigation. Y.B., 1900, pp. 530–533. 1901.
    successful wheat growing. Mark Alfred Carleton. Y.B., 1900, pp. 529–542. 1901; Y.B. Sep. 195, pp. 529–542. 1901.
    wheat growing, practices. Y.B., 1900, p. 529. 1901.
  land(s)—
    definition. D.B. 1001, p. 5. 1922.
    systems for utilization. O.E.S. Cir. 92, pp. 5–6. 1910.
    West and Southwest, investigations and experiments. An. Rpts., 1908, pp. 319–326. 1909. B.P.I. Chief Rpt., 1908, pp. 47–54. 1908.
  plains—
    forest plantation, cultivation and care. For. Cir. 54, pp. 4. 1907.
    forest-planting suggestions. For. Cir. 99, pp. 15. 1907.
  region(s)—
    alfalfa growing. F.B. 339, p. 47. 1908.
    alfalfa seed production in cultivated rows. Charles J. Brand and J. M. Westgate. B.P.I. Cir. 24, pp. 23. 1909.
    climatic conditions, description. B.P.I. [Misc.], "Field Instructions * * * Texas and Oklahoma," pp. 1–3. 1913.
    crops suitable. F.B. 266, pp. 24–27. 1906.
    emmer for. Mark Alfred Carleton. F.B. 139, pp. 16. 1901.
    Great Plains—
      agriculture in central part. J. A. Warren. B.P.I. Bul. 215, pp. 43. 1911.
      extent, climate, precipitation, and evaporation. B.P.I. Bul. 215, pp. 10–17. 1911.
      settlement, historical notes. B.P.I. Bul. 215, pp. 20–22. 1911.
    growing emmer. F.B. 139, pp. 1–16. 1901.
    irrigation and crop returns per acre. O.E.S. An. Rpt., 1908, pp. 394–398. 1909.
    rains, conditions. F.B. 266, pp. 18–19. 1906.
    soil moisture, conservation, management. F.B. 266, pp. 1–32. 1906.
    sorghum seed growing. F.B. 458, pp. 12, 21. 1911.
    sugar-beet industry development. B.P.I. Bul. 260, pp. 19–21. 1912.
    wheat growing, seeding rate. S.R.S. Syl. 11, rev., pp. 14–15. 1918.
  sections, dairying and agriculture. Y.B., 1912, pp. 463–470. 1913; Y.B. Sep. 606, pp. 463–470. 1913.
  soils, nitrification. W. P. Kelley. J.A.R., vol. 7, pp. 417–437. 1916.
  United States, vegetation, types and their significance. J.A.R., vol. 28, pp. 99–128. 1924.
  West—
    climatic changes, so called. Richard H. Sullivan. Y.B., 1908, pp. 289–300. 1909; Y.B. Sep. 481, pp. 289–300. 1909.
    new wheat industry. Mark Alfred Carleton. B.P.I. Cir. 18, pp. 8. 1901.

Semiarid—Continued.
  West—continued.
    use of windmills in irrigation. P. E. Fuller.
      F.B. 394, pp. 44. 1910; F.B. 866, pp. 38.
      1917.
    wheat belt, wheats adaptable. F.B. 732, pp.
      5–6. 1916.
Semiotellus isosomatis, parasite of wheat straw-
    worm, description. Ent. Cir. 106, p. 9. 1909.
Semmer, E., infectiveness of tuberculous milk.
    B.A.I. Bul. 44, pp. 14, 93. 1903.
Semola, misbranding. See Indexes, notices of Judg-
    ments, in bound volumes and in separates, published
    as supplements to Chemistry Service and Regulatory
    Announcements.
Semolina—
  durum wheat—
    qualities required by industry. D.B. 1192,
      pp. 9–10. 1923.
    use for macaroni. Y.B., 1914, p. 413. 1915;
      Y.B. Sep. 649, p. 413. 1915.
  making and use. Y.B., 1921, p. 124. 1922; Y.B.
    Sep. 873, p. 124. 1922.
  manufacture—
    Robert P. Skinner. B.P.I. Bul. 20, pp. 31.
      1902.
    from durum wheat. F.B. 1304, p. 1. 1923.
    qualities of wheat desirable for. D.B. 522, p.
      7. 1917.
Sempervivum funckii. See Houseleek.
SEMPLE, A. T.—
  "Hay." With others. Y.B., 1924, pp. 285–376.
    1925. Y.B. Sep. 916, pp. 285–376. 1925.
  "Beef production in the Cotton Belt." F.B.
    1379, pp. 19. 1923.
  "Fattening beef calves." Revised by Sam H.
    Ray. F.B. 1416, rev., pp. 13. 1924.
  "Fattening steers on velvet beans." With S. W.
    Greene. D.B. 1333, pp. 27. 1925.
Seneca—
  grass, importations and description. Nos. 52888,
    53174, B.P.I. Inv. 67, pp. 9, 34. 1923.
  root, adulteration and misbranding. Chem.
    N.J. 1674, pp. 4. 1912.
Senecio—
  hieracifolius. See Fireweed.
  pimpinellaefolius, importation and description.
    No. 53758, B.P.I. Inv. 67, p. 87. 1923.
  spp., importations and description. No. 33812,
    B.P.I. Inv. 31, pp. 6, 58. 1914; Nos. 39078–
    39080, B.P.I. Inv. 40, p. 72. 1917; Nos. 47791,
    47792, B.P.I. Inv. 59, p. 60. 1922.
  toxicity studies. An. Rpts., 1916, p. 120. 1917;
    B.A.I. Chief Rpt., 1916, p. 54. 1916.
  triangularis. See Butterweed.
Senna—
  adulteration—
    and misbranding, alleged. Chem. N.J. 1881,
      pp. 11. 1913.
    and misbranding, "Gr'd Alex"—sand. Chem.
      N.J. 1010, p. 1. 1911.
    regulations. F.I.D. 200, Chem. S.R.A. 19, p.
      52. 1917.
  Alex leaves, adulteration and misbranding.
    Chem. N.J. 871, pp. 2. 1911.
  American, habitat, range, description, uses,
    collection, and prices. B.P.I. Bul. 219, p. 13.
    1911.
  bladder, importation and description. No. 52878–
    52879, B.P.I. Inv. 67, p. 8. 1923.
  diseases, Texas, occurrence and description.
    B.P.I. Bul. 226, pp. 101–102, 110. 1912.
  family, injury to trees by sapsuckers. Biol. Bul.
    39, pp. 44, 81–82. 1911.
  importations and descriptions. No. 42429, B.P.I.
    Inv. 47, p. 12. 1920; No. 47974, B.P.I. Inv. 60,
    p. 23. 1922.
  imports, 1922–1924. Y.B., 1924, p. 1066. 1925.
  leaves, adulteration and misbranding, Alexan-
    drian and Tinnevely. Chem N.J. 1674, pp. 4.
    1912.
  marilandica. See Senna, American.
  misbranding "Pow'd Senna." Chem. N.J. 1009,
    p. 1. 1911.
SENSTIUS, M. W.: "Soil survey of Greene County,
  Pennsylvania." With others. Soil Sur. Adv.
  Sh., 1921, pp. 1251–1278. 1925.
Separation—
  cream, methods in butter-fat experiments.
    B.A.I. Bul. 111, pp. 6–10. 1909.

Separation—Continued.
  seed, devices, description. F.B. 329, pp. 15–16.
    1908.
Separator(s)—
  beet-seed, description. F.B. 1152, pp. 19–20.
    1920.
  castor oil, description. D.B. 867, pp. 29–31.
    1920.
  cream—
    care and management. B.A.I. Bul. 59, pp.
      12–17. 1904.
    directions for use and cleaning, care of cream.
      F.B. 237, p. 25. 1905.
    introduction, cause of change in butter produc-
      tion. Y.B., 1910, p. 276. 1911; Y.B. Sep.
      536, p. 276. 1911.
    on western farms. Ed. H. Webster and C. E.
      Gray. F.B. 201, pp. 24. 1904.
    principles, errors in operating, regulating flow,
      and care of machine. F.B. 241, pp. 11–16.
      1905.
    standardization need. B.A.I. Dairy [Misc.],
      "World's dairy congress, 1923," p. 1181. 1924.
    use, and care of. B.A.I. Bul. 55, pp. 33–34.
      1903; F.B. 201, pp. 7–9. 1904; F.B. 541, p. 21.
      1913; F.B. 876, pp. 4–6, 20, 22. 1917.
  fans, use for removal of smut from grain. F.B.
    1213, p. 6. 1921.
  farm, relation to creamery and creamery patron.
    Ed. H. Webster. B.A.I. Bul. 59, pp. 47. 1904.
  grain—
    care and repair. Elmer Johnson. F.B. 1036,
      pp. 20. 1919.
    dust explosions, and fires in Pacific Northwest.
      David J. Price and E. B. McCormick. D.B.
      379, pp. 22. 1916.
    operation. F.B. 991, pp. 1–15. 1918.
    use in—
      threshing cowpeas. F.B. 1153, p. 7. 1920.
      threshing sweet-clover seed. F.B. 836, pp.
        19–21. 1917.
      wheat threshing. Y.B., 1921, p. 92. 1922;
        Y.B. Sep. 873, p. 92. 1922.
  honey, use in comb-honey production, descrip-
    tion. F.B. 503, pp. 15–16. 1912.
  milk—
    cleaning after use, precaution. F.B. 976, p. 16.
      1918.
    relation to dairying. Y.B., 1922, p. 317. 1923;
      Y.B. Sep. 879, p. 31. 1923.
    sterilization of parts. F.B. 748, pp. 8–9. 1916.
    use in dairies in New Zealand. B.A.I. Dairy
      [Misc.], "World's dairy congress, 1923," p.
      p. 995. 1924.
  refuse, hog feeding, cause of tuberculosis. B.A.I.
    An. Rpt., 1907, pp. 37, 222. 1909; B.A.I. Cir.
    144, pp. 37, 222. 1909.
  rotor, for dust-explosion control device. Off.
    Rec., vol. 1, No. 43, p. 2. 1922.
  seed, description, and use in cleaning hairy vetch
    seed. D.B. 876, pp. 20–21. 1920.
  speed effect on richness of cream. F.B. 479, pp.
    22–24. 1912.
  use in clarifying apple juice, experiments. Chem.
    Bul. 118, pp. 15–17. 1908.
  wheat cleaning at elevators. F.B. 1287, pp. 13–14.
    1922.
  See also Threshing machines.
Sepsis violacea—
  description and habits. F.B. 459, p. 7. 1911.
  See also Fly, dung.
September, farm work, seasonal suggestions. F.B.
  1202, pp. 34–37. 1921.
Septic tank—
  construction suggestions, details and cost. Y.B.,
    1916, pp. 362–370. 1917; Y.B. Sep. 712, pp.
    16–24. 1917.
  for abattoir, description, and plan. B.A.I. Cir.
    185, pp. 252, 253. 1912. B.A.I. An. Rpt., 1910,
    pp. 252, 253. 1912.
Septicemia—
  apoplectiform, of chickens. Victor A. Norgaard
    and John R. Mohler. B.A.I. Bul. 36, pp. 24.
    1902.
  cattle, causes, symptoms, and treatment. B.A.I.
    [Misc.], "Diseases of cattle, rev., pp. 387–389.
    1904; rev., pp. 403–405. 1912; rev., pp. 395–397.
    1923.
  cutworm. G. F. White. J.A.R., vol. 26, pp.
    487–496. 1923.

INDEX TO PUBLICATIONS, 1901-1925   2121

Septicemia—Continued.
gangrenous. *See* Edema, malignant.
hemorrhagic—
Henry J. Washburn. D.B. 674, pp. 11. 1918;
F.B. 1018, pp. 8. 1918.
buffalo, treatment by vaccination. An. Rpts.,
1912, pp. 365-366. 1913; B.A.I. Chief Rpt.,
1912, pp. 69-70. 1912.
cattle, symptoms, lesions, prevention. B.A.I.
[Misc.], "Diseases of cattle," rev., pp. 389-
392. 1904; rev., pp. 405-408. 1912; rev., pp.
397-401. 1923.
causes. F.B. 1018, p. 3. 1918.
chickens and pigeons, similarity to swine plague.
An. Rpts., 1907, p. 224. 1908.
control studies. O.E.S. An. Rpt., 1922, p. 72.
1924.
description, symptoms, diagnosis, prevention,
and treatment. F.B. 1018, pp. 3-8. 1918.
difference from blackleg. B.A.I. Cir. 31, rev.,
p. 8. 1911.
disinfection, of infected premises, methods.
D.B. 674, p. 9. 1918; F.B. 1018, p. 8. 1918.
distinction from blackleg. B.A.I. [Misc.],
"Diseases of cattle," rev., pp. 408, 467. 1912.
other names. F.B. 1018, p. 2. 1918.
symptoms diagnonsis, prevention and control.
D.B. 674, pp. 5-9. 1918.
hornworm. G.F. White. J.A.R., vol. 26, pp.
477-486. 1923.
inefficacy of echinacea against. J.A.R., vol. 20,
pp. 72-74. 1920.
livestock, autopsy, symptoms shown by. B.A.I.
Bul. 36, pp. 7-10. 1902.
study in 1923. Work and Exp., 1923, pp. 68, 69.
1925.
transmission by house flies, note. F.B. 412, p. 11.
1910.
"Septicide," misbranding. Chem. N.J. 907, p. 2.
1911.
Septico, misbranding. N.J. 796. I. and F. Bd.
S.R.A. 42, p. 1003. 1923.
Septoria—
apii, cause of leaf spot in celery, and effect.
J.A.R., vol. 31, p. 289. 1925.
bataticola, cause of sweet-potato leaf spot. F.B.
714, p. 19. 1916; F.B. 1059, pp. 17-18. 1919.
blight, treatment of celery seed for control.
Webster S. Krout. J.A.R., vol. 21, pp. 369-372.
1921.
leaf-spot, tomato, control studies. An. Rpts., 1918,
p. 157. 1919; B.P.I. Chief Rpt., 1918, p. 23. 1918.
lycopersici—
cause of leaf spot of tomato, nature and control.
D.B. 1288, pp. 1-19. 1924.
difference from *Bacterium exitiosum*. J.A.R.,
vol. 21, No. 2, p. 127. 1921.
relation to *Solanum carolinense*. J.A.R., vol.
21, pp. 501-506. 1921.
petroselini apii, fungus causing celery disease,
Hawaii. Hawaii A.R., 1916, p. 42. 1917.
spp., occurrence on plants in Texas, and descrip-
tion. B.P.I. Bul. 226, pp. 33, 44, 51, 58, 59, 64,
110. 1912.
Sequa, importation and description. No. 43213,
B.P.I. Inv. 48, p. 27. 1921.
Sequoia—
distribution, physical properties, supply, and
uses. For. Bul. 95, pp. 47-62. 1911.
pitch moth—
control work, 1915. An. Rpts., 1915, p. 223.
1916; Ent. A.R., 1915, p. 13. 1915.
menace to pine in western Montana. Joseph
Brunner. D.B. 111, pp. 11. 1914.
sempervirens—
chlorosis. J.A.R., vol. 21, No. 3, p. 155. 1921.
host of *Hylotrupes ligneus*. J.A.R., vol. 22, pp.
209-210. 1921.
See also Redwood.
spp., injury by sapsuckers. Biol. Bul. 39, p. 26.
1911.
washingtoniana. *See* Bigtree.
Sequoia National Forest, Calif.—
location, description, and area. D.C. 185, p. 18.
1921.
map. For. Map. 1925.
map and directions to tourists and campers.
For. Map Fold. 1915.

Sequoia National Park—
condition of game, 1908. Y.B., 1908, p. 584. 1909;
Y.B. Sep. 500, p. 584. 1909.
game protection, 1909. Biol. Cir. 73, p. 8. 1910.
Serbia—
agricultural conditions. D.B. 1234, pp. 103-104.
1924.
assistance by farm bureaus of States. News L.,
vol. 6, No. 44, p. 14. 1919.
food shortage, relief by work of Minnesota Experi-
ment Station. Work and Exp., 1918, p. 45.
1920.
fruit production, exports and imports, 1904-1906,
1909-1910. D.B. 483, p. 31. 1917.
See also Servia.
Sereh, sugar-cane disease, description and occur-
rence. B.P.I. Cir. 126, pp. 8-9. 1913.
"Serghi," fig-drying beds, infestation with fig
moth. Ent. Bul. 104, pp. 44-45. 1911.
Serial numbers—
no longer used with guaranties. F.I.D. 153,
Chem. S.R.A. 4, p. 204. 1914.
on labels, F.I.D. 167 (amending F.I.D. 153, 155),
Chem. S.R.A. 17, p. 37. 1916.
use on labels and containers. F.I.D. 167, p. 1.
1916.
Serials—
department library, current list. Claribel R.
Barnett. D.C. 187, pp. 358. 1922.
list received in library, circular review. Off.
Rec., vol. 2, No. 10, p. 7. 1923.
Serica vespertina, destruction by birds. Biol. Bul.
15, p. 86. 1901.
Sericotes holosericeus, occurrence in Porto Rico and
food habits. D.B. 326, pp. 71-72. 1916.
Sericothrips, spp., key and description of new
species. Ent. T.B. 23, Pt. I, pp. 5-8. 1912.
Sericulture. *See* Silk culture.
Seriola sp. called yellow-tail and amber fish. Chem.
S.R.A. 20, p. 62. 1917.
Serodiagnosis, glanders, work, review and litera-
ture. J.A.R., vol. 11, pp. 65-66. 1917.
Serous cysts, cattle, description and treatment.
B.A.I. [Misc.], "Diseases of cattle," rev., p. 330.
1912.
Serpentaria—
culture and handling as drug plant, yield and
price. F.B. 663, p. 34. 1915.
growing and uses, harvesting, marketing and
prices. F.B. 663, rev., p. 45. 1920.
habitat, range, description, collection, prices,
and uses of roots. B.P.I. Bul. 107, p. 26. 1907.
Serpentine, composition and description. Rds.
Bul. 37, pp. 21, 22, 26. 1911.
Serum(s)—
act—
and regulations for human use. Chem. [Misc.],
"Food and drug manual," pp. 89-90. 1920.
See also Virus act.
agglutination test for glanders, directions. B.A.I.
Cir. 191, pp. 356-360. 1912; B.A.I. An. Rpt.,
1910, pp. 356-360. 1912.
and spore vaccine, treatment against anthrax.
An. Rpts., 1916, p. 113. 1917; B.A.I. Chief
Rpt., 1916, p. 47. 1916.
animal—
diseases, preparation, and sale regulations.
B.A.I.O. 265, amdt. 1, pp. 4. 1920.
preparation and diagnosis tests. J.A.R., vol.
11, pp. 67-68, 72-74. 1917.
treatment, regulations governing. B.A.I.O.
196, pp. 8. 1913.
anthrax—
concentration. D.B. 340, pp. 15-16. 1915.
globulin, preparation, analyses, and standardi-
zation. J.A.R., vol. 8, pp. 38-41, 45-50, 52-55.
1917.
immunity studies on. A. E. Eichhorn and R.
A. Kelser. J.A.R., vol. 8, pp. 37-56. 1917.
preparation, animals used, and tests, details.
D.B. 340, pp. 4-7. 1915.
Sobernheim's method. F.B. 784, pp. 13-14
1917.
use in prevention of losses. Off. Rec., vol. 3,
No. 31, p. 5. 1924.
use on sheep. O.E.S. An. Rpt., 1911, pp. 62, 90.
1912.

Serum(s)—Continued.
  anti-hog-cholera—
    administration, methods, details. F.B. 834, pp. 18–25. 1917.
    beneficial effects. An. Rpts. 1916, p. 14. 1917; Sec. A.R., 1916, p. 16. 1916.
    cause of foot-and-mouth disease reappearance in Illinois. News L., vol. 3, No. 16, p. 3. 1915.
    clear and sterilized, production. M. Dorset and R. R. Henley. J.A.R., vol. 6, No. 9, pp. 333–338. 1916.
    cost. F.B. 379, p. 23. 1909.
    directions for use, and results. B.A.I.An.Rpt. 1910, pp. 410–411. 1912.
    discovery, development and use, and control. D.B. 584, pp. 4–5, 13, 14, 16, 17. 1917.
    distribution, Minnesota Experiment Station, 1912 O.E.S. An. Rpt., 1912, pp. 62, 142. 1913.
    efficacy. Off. Rec., vol. 3, No. 31, p. 5. 1924.
    experiments in Southern States, summary. News L., vol. 2, No. 9, p. 3. 1914.
    field tests, 1907. B.A.I. An. Rpt., 1908, pp. 177–217. 1910.
    hyperimmune, curative value. B.A.I. Bul. 102, pp. 81–86, 92. 1908.
    improvement by Federal supervision. News L., vol. 6, No. 22, p. 16. 1919.
    increased use and use regulations. News L., vol. 6, No. 7, pp. 1–2. 1918.
    inoculation experiments. B.A.I. Bul. 72, pp. 34–98. 1905.
    inspection, license refusals, and prosecutions. News L., vol. 2, No. 47, pp. 7–8. 1915.
    manufacture. D.C. 228, p. 9. 1922.
    manufacture and distribution. An. Rpts., 1912, pp. 46–47, 169. 1913; Sec. A.R., 1912, pp. 46–47, 169. 1912; Y.B. 1912, pp. 46–47, 169. 1913.
    manufacture and use. Y.B. 1915, pp. 169–170. 1916; Y.B. Sep. 666, pp. 169–170. 1916.
    Missouri plant, establishment, cost and extent. Work and Exp., 1914, p. 145. 1915.
    necessity for prompt use. News L., vol. 4, No. 45, p. 3. 1917.
    preparation—
      and distribution by stations. O.E.S. An. Rpt., 1911, pp. 107, 114, 142, 148, 175, 181, 206. 1912.
      and use, description and cost. B.A.I. An. Rpt., 1908, pp. 178–180, 219–221. 1910.
      by States, use methods. O.E.S.F.I.L. 16, pp. 3–4. 1914.
      in Hungary. Adolph Eichhorn. B.A.I. An. Rpt., 1910, pp. 401–413. 1912.
      regulation. B.A.I.S.R.A. 126, p. 111. 1918.
    price per dose, Hungary. B.A.I. An. Rpt., 1910, p. 412. 1912.
    production—
      February, 1922. B.A.I.S.R.A. 175, p. 36. 1922.
      July, 1922. B.A.I.S.R.A. 184, p. 96. 1922.
      August, 1922. B.A.I.S.R.A. 185, p. 105. 1922.
      October, 1922. B.A.I. S.R.A., 187, p. 133. 1922.
      1924. B.A.I. Chief Rpt., 1924, p. 31. 1924.
      methods. B.A.I.O. 276, pp. 23–33. 1922.
      use, and cost. F.B. 379, pp. 20–23. 1909; B.A.I. Bul. 102, pp. 10–12, 18–20. 1908.
    purity and potency, test regulations. B.A.I. S.R.A., 136, pp. 64–65. 1918.
    quantities, 1916–1919. B.A.I.S.R.A. 147, p. 73. 1919.
    regulation. B.A.I.O. 276, amd. 1, p. 2. 1923.
    relation to reappearance of foot-and-mouth disease. News L., vol. 3, No. 14, pp. 1–2. 1915.
    requirements, preparation and use. B.A.I. S.R.A. 122, pp. 64–76. 1917.
    researches and experiments. An. Rpts., 1916, pp. 70, 121–124. 1917; B.A.I. Chief Rpt., 1916, pp. 4, 55–58. 1916.
    State plant, Lexington Experiment Station, Kentucky. Y.B. 1915, p. 233. 1916. Y.B. Sep. 672, p. 233. 1916.
    test(s)—
      and tables. B.A.I. Bul. 102, pp. 28–81. 1908; Sec. Cir. 27, pp. 1–2. 1908.

Serum(s)—Continued.
  anti-hog-cholera—continued.
    test(s)—continued.
      for purity and potency. B.A.I.S.R.A. 134, pp. 47–49. 1918.
      testing—
        observation. B.A.I.S.R.A. 106, p. 18. 1916
        regulations. B.A.I.O. 265, amdt. 1, p. 4. 1920.
        temperatures of pigs. B.A.I.S.R.A. 139, p. 93. 1919.
    use—
      B.A.I. Doc. A–5, pp. 5. 1914; B.A.I.O. 292, p. 28. 1925; F.B. 590, pp. 3–7. 1914; F.B. 1244, p. 3. 1923.
      at public stockyards. An. Rpts., 1918, pp. 17, 74, 1919; B.A.I. Chief Rpt., 1918, p. 4. 1918; Sec. A.R., 1918, p. 17. 1918; Y.B., 1918, p. 27. 1919.
      of salt solution. O.E.S. An. Rpt., 1910, pp. 84, 135. 1911.
      on North Platte reclamation project, cost and saving. News L., vol. 3, No. 15, p. 3. 1915.
      to control spread of disease. Y.B., 1919, pp. 200, 204. 1920; Y.B. Sep. 798, pp. 200, 204. 1920.
      value as preventive. An. Rpts., 1911, pp. 11, 51–52. 1912; Sec. A.R., 1911, pp. 9, 49–50. 1911; Y.B., 1911, pp. 9, 49–50. 1912.
  antiabortion, test of Roberts. Sec. Cir. 29, p. 1. 1909.
  antiblackleg, preparation. F.B. 1355, p. 9. 1923.
  antitoxic, sale, Federal and State laws. Chem. Bul. 98, rev., Pt. I, pp. 23–24, 59. 1909.
  blood—
    effect on efficacy of chlorine disinfectants. J.A.R., vol. 20, pp. 89–110. 1920.
    filtration rate. B.A.I. Bul. 113, pp. 28–29. 1909.
    hog cholera, preparation and bottling. B.A.I. An. Rpt., 1910, pp. 408–409. 1912.
    hog cholera, production and test, details. Y.B., 1908, pp. 325–328. 1909; Y.B. Sep. 484, pp. 325–328. 1909.
    method of obtaining for tuberculosis experiments. B.A.I. Bul. 52, Pt. III, pp. 112–114. 1905.
    of hogs, bacteriolytic power. B.M. Bolton. B.A.I. Bul. 95, pp. 62. 1914.
  centrifuging, heating, and filtering. J.A.R., vol. 6, No. 9, p. 336. 1916.
  changes in composition in milk filtration table. B.A.I. Bul. 166, pp. 8–10. 1913.
  chicken, effect on sheep cells, experiments. J.A.R., vol. 27, pp. 714–715. 1924.
  commercial, inspection of establishments. News L., vol. 2, No. 47, pp. 7–8. 1915.
  complement-fixation, multiple pipette holder. J.A.R., vol. 15, pp. 615–618. 1918.
  contaminated, destruction by department, sale prohibition. News L., vol. 3, No. 14, pp. 1–2. 1915.
  control, State laws. D.B. 584, p. 16. 1917.
  control. See also Virus-serum-toxin act.
  diagnosis, infectious abortion. B.A.I. An. Rpt., 1911, p. 166. 1913; B.A.I. Cir. 216, p. 166. 1913.
  effect on hookworm hemolysin. J.A.R., vol. 22, pp. 412–413. 1921.
  foot-and-mouth, use to prevent disease. B.A.I. Dairy [Misc.], "World's dairy congress, 1923," p. 1512. 1924.
  formolized experiments. J.A.R., vol. 29, pp. 414–479. 1924.
  fowl, action on cells of various animals, literature. J.A.R., vol. 27, pp. 709–711, 715. 1924.
  harmful, sale and shipment, restrictions. Sol. [Misc.] "Laws applicable * * * Agriculture," Sup. 2, pp. 20–22. 1915.
  heating—
    for removal of protein, experiments, and results. J.A.R., vol. 8, pp. 449–451, 454–455. 1917.
    to prevent foot-and-mouth disease contamination. J.A.R., vol. 6, No. 9, pp. 333, 336, 338. 1916.
  human, testing for tuberculosis by complement fixation. J.A.R., vol. 8, p. 17. 1917.
  immunization for control of hog cholera. B.A.I. An. Rpt., 1908, pp. 219–224. 1910.

Serum(s)—Continued.
 importation regulations. Chem. [Misc.], "Food and drug manual," pp. 93–94. 1920.
 institute, Budapest, Hungary, location, capacity, work and staff. B.A.I. An. Rpt., 1910, pp. 402–409, 413. 1912.
 labels, regulation. B.A.I.O. 265, Amdt. 2, pp. 2. 1921.
 manufacture—
   and importation, licenses, 1914. B.A.I.S.R.A. 85, p. 75. 1914.
   and sale, new regulations. News L., vol. 3, No. 2, p. 1. 1915.
   Kansas. S.R.S. Rpt., 1915, Pt. I, p. 124. 1917.
   licenses. See Bureau of Animal Industry Service and Regulatory Announcements for various dates.
 milk, preparation methods, comparison. Chem. Bul. 122, pp. 51–52. 1909.
 preparation—
   and sale, regulations 22, 23, 24. B.A.I.O. 196, amdt, pp. 2. 1915.
   and shipment, regulation amendments. News L., vol. 3, No. 11, pp. 1–2, 3. 1915.
   from defibrinated hog's blood. J.A.R., vol. 6, No. 9, pp. 334–336. 1916.
   sale, and barter, regulations. B.A.I.O. 265, pp. 34. 1919.
   sale and importation. News L., vol. 1, No. 49, p. 2. 1914.
   use of guinea pigs. F.B. 525, pp. 6–7. 1913.
 production under veterinary license, report by months. See Bureau of Animal Industry Service and Regulatory Announcements.
 protein changes during hyperimmunization. J.A.R., vol. 8, pp. 50–52. 1917.
 proteins, reaction to formaldehyde. J.A.R., vol. 29, pp. 471–482. 1924.
 regulations by Secretary, and law text. B.A.I.O. 276, pp. 35. 1922.
 shipment—
   by department, limited to interstate commerce. News L., vol. 3, No. 11, pp. 2, 3. 1915.
   control by department. An. Rpts., 1913, p. 101. 1914; B.A.I. Chief Rpt., 1913, p. 31. 1913.
 supervision—
   and control, cooperative studies. News L., vol. 1, No. 9, p. 4. 1913.
   legislation needed. B.A.I. An. Rpt., 1910, p. 23. 1912.
   necessity. B.A.I. An. Rpt., 1909, pp. 19–20. 1911.
   need of additional authority for Secretary. An. Rpts., 1909, pp. 205–206. 1910; B.A.I. Chief Rpts. 1909, pp. 15–16. 1909.
 testing—
   for tuberculosis by complement fixation. J.A.R., vol. 8, pp. 11–17. 1917.
   production control, recommendations by Secretary. News L., vol. 3, No. 20, pp. 1, 5, 6. 1915.
 tests for dourine. J.A.R., vol. 26, pp. 498–499. 1923.
 treatment for hog cholera. Sec. Cir. 84, p. 19. 1918.
 use in—
   animal diseases. Y.B., 1915, pp. 163–166, 169–170. 1916; Y.B. Sep. 666, pp. 163–166, 169–170. 1916.
   anthrax immunity production, formula and experiments. B.A.I. Bul. 137, pp. 43–47. 1911.
   sheep diseases. F.B. 1155, pp. 7, 8, 13. 1921.
 See also Virus.
Servia—
 forest resources. For. Bul. 83, p. 56. 1910.
 grain production and acreage. Stat. Bul. 68, pp. 85–87. 1908.
 grain trade. Stat. Bul. 68, pp. 48–50. 1908.
 livestock statistics, numbers of cattle, sheep, and hogs. Rpt. 109, pp. 32, 38, 48, 52, 60, 63, 205, 214. 1916.
 progress in agricultural education. O.E.S. An. Rpt., 1907, p. 252. 1908.
 wheat acreage, percentage of total land area, and increase since 1893. Y.B., 1909, pp. 262, 264. 1910; Y.B. Sep. 511, pp. 262, 264. 1910.
 See also Serbia.
Service and Regulatory Announcements. See under subjects administered by various bureaus.

Serviceberry—
 cambium miner, description and life history. J.A.R., vol. 10, pp. 316–317. 1917.
 distribution. N.A. Fauna 21, p. 56. 1901.
 food plant of apple root borer. J.A.R., vol. 3, pp. 179, 180, 185. 1914.
 leaf blister mite, occurrence. F.B. 722, p. 4. 1916.
 importation and description. No. 43301, B.P.I. Inv. 48, p. 41. 1921.
 injury by—
   Armillaria mellea. D.B. 89, p. 4. 1914.
   pith-ray flecks. For. Cir. 215, p. 10. 1913.
 occurrence in Wyoming, distribution and growth. N.A. Fauna 42, p. 71. 1917.
 tests for mechanical properties, results. D.B. 556, pp. 32, 41. 1917.
 tests for shrinkage and strength. D.B. 676, p. 27. 1919.
 western, description, range, and occurrence on Pacific slope. For. [Misc.], "Forest trees for Pacific * * *," pp. 345–346. 1908.
 See also Service tree.
Service tree—
 American. See Mountain ash, American.
 distributor of apple-tree borer. D.B. 847, p. 5. 1920.
 importations and descriptions. Nos. 41703, 41804, B.P.I. Inv. 46, pp. 7, 11, 23. 1919; No. 51420, B.P.I. Inv. 65, p. 15. 1923.
 See also Serviceberry.
Sesame—
 importations and descriptions. No. 36896, B.P.I. Inv. 37, pp. 79–80. 1916; No. 39171, B.P.I. Inv. 40, p. 86. 1917; Nos. 44763, 44879, B.P.I. Inv. 51, pp. 60, 83. 1922; Nos. 50033–50034, 50085–50086, 50436, B.P.I. Inv. 63, pp. 30, 34, 69. 1923.
 infestation by rice moth. D.B. 783, p. 5. 1919.
 oil—
   adulterant of olive oil, analytical data and table. Chem. Bul. 77, pp. 15, 16, 17, 20, 21, 23, 25, 27, 28, 35–36, 44, 45. 1905.
   digestion experiments, details and results. D.B. 505, pp. 13–15. 1917.
   importation from Mexico. D.B. 769, p. 30. 1919.
   presence in olive oil, detection, methods. Chem. Bul. 13, Pt. X, pp. 1430–1431. 1902.
   test. Chem. Bul. 107, p. 146. 1907.
 Palestine, culture and value as rotation crop. B.P.I. Bul. 180, pp. 31–32. 1910.
 source of sesame oil. D.B. 505, p. 13. 1917.
Sesamoid bones, horse, fracture, treatment. B.A.I. [Misc.], "Diseases of the horse," rev., pp. 328–329. 1903; rev., pp. 328–329. 1907; rev., pp. 328–329. 1911; rev., pp. 352–354. 1923.
Sesamum—
 angolense, importation and description. No. 46332, B.P.I. Inv. 56 pp. 2, 9. 1922.
 area, production and exports, British India, 1891–1912. Stat. Cir. 36, p. 13. 1912.
 indicum. See Sesame.
 orientale, importation, and description. No. 34290, B.P.I. Inv. 32, p. 31. 1914.
Sesban—
 grandiflorum, new varieties, description and uses. B.P.I. Bul. 208, pp. 22–23. 1911.
 growing in date gardens for green manure. F.B. 1016, p. 14. 1919.
 sp., importation and description. No. 32123, B.P.I. Bul. 261, p. 31. 1912.
Sesbania macrocarpa. See Hemp, wild.
Sesia—
 brunneri, injury to pine trees and association with Pinipestis. D.B. 295, p. 5. 1915.
 novaroensis. See Pitch moth, Douglas fir.
Sesquicentennial Exhibition, invitation to members of dairy congress. B.A.I. Dairy [Misc.], "World's dairy congress, 1923," p. 135. 1924.
Sessions, Byron, letter on beet-sugar industry, Wyoming. Rpt. 86, pp. 82–83. 1908.
Setaphidini, description. D.B. 826, pp. 8, 38–39. 1920.
Setaria—
 equina, relation to Eosiniphiles. J.A.R., vol. 21, pp. 679–688. 1921.
 flava, occurrence in Guam. Guam A.R., 1913, p. 16. 1914.
 italica. See Millet, common.

36167°—32——134

Setarian glucosid in millet hay, injury to horses. F.B. 793, p. 21. 1917.
Setoning, cattle—
 directions. B.A.I. [Misc.], "Diseases of cattle," rev., pp. 291–292. 1904; rev., pp. 301–302. 1912; rev., pp. 293–294. 1923.
 for blackleg, objections. B.A.I. Cir. 31, rev., pp. 14–15, 23. 1911.
Setophaga ruticilla. See Redstart, American
Settlement, cost, New Mexico irrigated lands. O.E.S. Bul. 215, pp. 37–39. 1909.
Settlers—
 aid by irrigation service. O.E.S. An. Rpt., 1911, p. 35. 1912.
 benefit from timber sale policy, national forests. Y.B., 1912, p. 412. 1913; Y.B. Sep. 602, p. 412. 1913.
 forest homesteads, information and suggestions. For. Misc. L–1, pp. 11. 1915.
 homestead rights. B.P.I. Bul. 82, p. 31. 1905.
 in Alaska—
  cooperative work of stations. Alaska A. R., 1919, p. 7, 53, 78. 1920.
  farm and garden work, 1918. Alaska A. R., 1918, pp. 18–19, 81–84, 90–93. 1920.
  prospective, information for. C. C. Georgeson. Alaska Cir. 1, rev., pp. 18. 1923.
  reports of results of seeds and plant growing. Alaska A. R., 1916, pp. 69–81. 1918.
 information and experience, advantages and sources. F.B. 1385, pp. 28–29. 1923.
 instructions for irrigated lands in North Dakota. O.E.S. Bul. 219, pp. 37–38. 1909.
 irrigated lands, Wyoming, information as to cost. O.E.S. Bul. 205, pp. 45–50. 1909.
 irrigation district, Idaho, location, organization, and work. O.E.S. Bul. 216, pp. 36–37. 1909.
 Kansas irrigated lands, requirements. O.E.S. Bul. 211, pp. 11–12, 25–27. 1909.
 national forests—
  free use of timber and range. An. Rpts., 1916, pp. 155–156, 161, 163, 170, 171. 1917; For. A.R., 1916, pp. 1–2, 7, 9, 16, 17. 1916.
  need of good roads. Y.B., 1919, pp. 179–180. 1920; Y.B. Sep. 806, pp. 179–180. 1920.
  winter employment, cutting timber. Y.B., 1912, pp. 412–413. 1913; Y.B. Sep. 602, pp. 412–413. 1913.
 need—
  in irrigation districts. O.E.S. An. Rpt., 1911, pp. 35–36. 1912.
  of special advice and assistance. Y.B., 1919, p. 30. 1920.
 new—
  irrigated lands, assistance required, discussion. Y.B., 1912, pp. 488–489. 1913; Y.B. Sep. 608, pp. 488–489. 1913.
  soliciting by railroads, methods and inducements. Stat. Bul. 100, pp. 23–25. 1912.
 progress summary. D.B. 1295, pp. 67–69, 74. 1925.
 prospective, Alaska, information for. C. C. Georgeson. Alaska Cir. 1, pp. 30. 1916.
 Southwest, classes and characteristics. B.P.I. Cir., 132, pp. 11, 12, 17. 1913.
 Washington logged-off lands, financial progress, and factors affecting. D.B. 1236, pp. 19–24. 1924.
SEVERANCE, GEORGE, report of Washington Experiment Station, work and expenditures, 1917. S.R.S. An. Rpt., 1917, Pt. I, pp. 266–271. 1918.
SEVERENS, Judge, U. S. Circuit Court of Appeals, opinion, 28-hour law. Sol. Cir. 3, pp. 1–3. 1908.
Severinia buxifolia, importations and descriptions. No. 54658, B.P.I. Inv. 69, pp. 5, 35. 1923; No. 55495, B.P.I. Inv. 71, p. 50. 1923.
SEVERSON, B. O.; "A statistical study of body weights, gains, and measurements of steers during the fattening period." With Paul Gerlaugh. J.A.R., vol. 11, pp. 383–394. 1917.
Sevier Bridge Dam, Utah, slope protection and wasteway, details. O.E.S. Bul. 249, Pt. I, pp. 52, 58. 1912.
Sevier River, water rights, court adjudications. Frank Adams. O.E.S. Bul. 124, pp. 267–300. 1903.
Sewage—
 absorption system, ground plan for farm home. F.B. 527, p. 22. 1913.

Sewage—Continued.
 and sewerage of farm homes. George M. Warren. F.B. 1227, pp. 56. 1922.
 composition, and availability for fertilizer. Y.B., 1914, pp. 296–298. 1915; Y.B. Sep. 643, pp. 296–298. 1915.
 composting with peat. D.C. 252, pp. 8–9. 1922.
 conditions, New York, in vicinity of oyster beds. Chem. Bul. 156, pp. 31–33. 1922.
 contamination—
  collated opinions. Chem. Bul. 136, pp. 40–48. 1911.
  oysters, effects, and remedies. Y.B., 1910, pp. 375–378. 1911; Y.B. Sep. 544, pp. 375–378. 1911.
 creamery, disposal, cooperative research. Y.B., 1918, p. 154. 1919; Y.B.Sep. 765, p. 6. 1919.
 definition, nature, and quantity. F.B. 1227, p. 4. 1922.
 disinfection—
  for protection of water supplies. Karl F. Kellerman. B.P.I. Bul. 115, pp. 47. 1907.
  use of copper sulphate and chlorine. An. Rpts., 1907, p. 287. 1908.
 disposal—
  convict road camp, method and cost. D.B. 583, pp. 22–23. 1918.
  farm, methods. Y.B., 1915, p. 110. 1916; Y.B. Sep. 660, p. 110. 1916.
  for rural homes, system for 7-room house. F.B. 527, pp. 19–24. 1913.
  from abattoirs. B.A.I. Cir. 185, pp. 252, 253. 1912; B.A.I. An. Rpts., 1910, pp. 252, 253. 1912.
  importance on farm. News L., vol. 3, No. 1, p. 5. 1915.
  on the farm. George M. Warren. Y.B., 1916, pp. 347–373. 1917; Y.B.Sep. 712, pp. 27. 1917.
  relation to farm water supply. News L., vol. 7, No. 15, pp. 5–6. 1919.
  relation to fly-borne diseases. F.B. 679, pp. 20–21. 1915; F.B. 1408, p. 15. 1924.
  sanitation for control of house flies. F.B. 851, pp. 22–23. 1917.
  unsafe practices. F.B. 1227, pp. 6–7. 1922.
  vital safety measures. F.B. 1227, pp. 7–9. 1922.
 drainage for farm home. Y.B., 1909, pp. 351–352. 1910; Y.B. Sep. 518, pp. 351–352. 1910.
 farm, disposal, suggestions. F.B. 270, pp. 22–35. 1906; F.B. 432, p. 9. 1911.
 house, distribution system, tile, and method of laying. F.B. 1227, pp. 43–48. 1922.
 importance of air in treatment. F.B. 1227, pp. 10–11. 1922.
 irrigation—
  experiments. An. Rpts., 1908, p. 735. 1909; O.E.S. Dir. Rpt., 1908, p. 21. 1908.
  in New Jersey, benefit to crops. News L., vol. 1, No. 35, p. 4. 1914.
 nature and decomposition changes. Y.B., 1916, pp. 349–350. 1917; Y.B. Sep. 712, pp. 3–4. 1917.
 polluted—
  oysters, as cause of typhoid and other gastrointestinal disturbances. George W. Stiles, jr. Chem. Bul. 156, pp. 44. 1912.
  waters, shellfish contamination. George Whitfield Stiles, jr. Chem. Bul. 36, pp. 53. 1911.
 purification and disposal for farm homes. D.B. 57, pp. 33–46. 1914.
 regulations for water protection. Chem. Bul. 69 rev., Pts. I–IX, pp. 96–98, 179, 233, 243, 258–271, 346, 360, 404–407, 410, 489, 507, 605, 630, 651–652, 671. 1905–6.
 switch, house sewer, description and installation methods. F.B. 1227, pp. 48–51, 52–53. 1922.
 See also Privies; Sewerage.
SEWARD, W. B.: "Soil survey of New Castle County, Del." With others. Soil Sur. Adv. Sh., 1915, pp. 34. 1917; Soils F.O., 1915, pp. 269–298. 1921.
SEWELL, M. C.: "Relation of the molecular proportions in the nutrient solution to the growth of wheat." J.A.R., vol. 28, pp. 387–393. 1924.
Sewellel—
 habits and control. An. Rpts., 1919, p. 281. 1920; Biol. Chief Rpt., 1919, p. 7. 1919.
 See also Mountain beaver.

Sewer(s)—
  definition. F.B. 1227, p. 4. 1922.
  house, distribution field, care and protection. F.B. 1227, p. 43. 1922.
  traps, mosquito extermination. Ent. Bul. 88, p. 21. 1910.
Sewerage—
  and sewage, of farm homes. George M. Warren. F.B. 1227, pp. 56. 1922.
  cost, city and country. Off. Rec., vol. 1, No. 11, p. 6. 1922.
  definition. F.B. 1227, p. 4. 1922.
  farmhouse, suggestions. F.B. 270, pp. 20–21. 1906.
  installation of works on farms. F.B. 1227, pp. 3–4, 52. 1922.
  See also Sewage.
Sewing—
  clubs—
    competitors, 1915. News L., vol. 4, No. 8, p. 5. 1916.
    girls', work in Indiana. News L., vol. 6, No. 40, p. 9. 1919.
    work in California. News L., vol. 7, No. 10, pp. 10–11. 1919.
  contests, girls and women, rules. O.E.S. Bul. 255, pp. 42–44. 1913.
  demonstration, in Arizona. News L., vol. 6, No. 49, p. 6. 1919.
  for girls' club work. S.R.S. Doc. 83, pp. 16. 1918.
  for girls' club work. Ola Powell. D.C. 2, pp. 20. 1919.
  four-year program for club work. D.C. 2, pp. 19–20. 1919.
  lessons, outlines for first-year classes, and correlative studies. D.B. 540, pp. 9, 14, 17, 21, 28, 31–33, 35, 36, 37, 38, 39, 41, 42, 43, 46, 48, 49, 50, 51, 52, 53, 54, 56. 1917.
  machines—
    black walnut, uses. D.B. 909, pp. 68, 89. 1921.
    manufacture from basswood and other woods. D.B. 1007, p. 51. 1922.
    manufacture, utilization of sycamore. D.B. 884, pp. 9, 10, 17, 24. 1920.
  patterns, directions for using. D.C. 2, pp. 15–16. 1919.
  screen, directions for making. D.C. 2, pp. 12–14. 1919; S.R.S. Doc. 83, pp. 10–12. 1918.
  work of farm women, conditions and aid. D.C. 148, pp. 8, 19. 1920.
  work of home, needs of farm women. Rpt. 104, pp. 54–56. 1915.
Sex—
  chick, relation to shape and weight of egg. J.A.R., vol. 29, pp. 195–201. 1924.
  control, possibility by artificial insemination. Jay L. Lush. J.A.R., vol. 30, pp. 893–913. 1925.
  determination—
    chromosome theory and others. J.A.R., vol. 30, pp. 894–896. 1925.
    in animal breeding, discussion. D.B. 905, pp. 23–29. 1920.
    in breeding, remarks. B.P.I. Bul. 256, p. 37. 1913.
    references in study. J.A.R., vol. 30, pp. 912–913. 1925.
  horses, effect upon market price. B.A.I. Bul. 37, p. 15. 1902.
  inheritance in plant breeding. J.A.R., vol. 12, pp. 658–664. 1918.
  relation to—
    gestation period length. J.A.R., vol. 30, pp. 904–905. 1925.
    weight of eggs and weight of chicks. M. A. Jull and J. P. Quinn. J.A.R., vol. 31, pp. 223–226. 1925.
Sex-Co tablets, misbranding. See *Indexes, Notices of Judgment, in bound volumes, and in separates published as supplements to Chemistry Service and Regulatory Announcements.*
Seymour-Jones disinfection method for hides. J.A.R., vol. 4, pp. 65–67, 90. 1915.
Shabdar. See Shaftal.
Shad—
  adulteration (cold storage). Chem. N.J. 1087, p. 1. 1911; Chem. N.J. 1088, p. 1. 1911.
  cold storage holdings, 1918, by months (and shad roe). D.B. 792, pp. 57–60. 1919.
  See also Fish.
Shad-flower. See Gravel plant.

Shad scale—
  land, characteristics. J.A.R., vol. 1, pp. 394–400, 412, 415. 1914.
  useful for hedges. B.P.I. Cir. 69, p. 5. 1910.
  See also Saltbush.
Shadberry, food of apple root borer. J.A.R., vol. 3, pp. 179, 180. 1914.
Shadbush, injury from gipsy moth. D.B. 204, p. 14. 1915.
Shaddock—
  importations, January 1 to March 31, 1914. Nos. 36944–36946, B.P.I. Inv. 38, p. 12. 1917.
  infestation by Mediterranean fruit fly. J.A.R., vol. 3, pp. 313, 315, 317, 321, 322. 1915.
  infestation with Mediterranean fruit fly in Hawaii. D.B. 536, pp. 24, 33. 1918.
  See also Pomelo.
Shade—
  cloth, tobacco, tests. Off. Rec., vol. 2, No. 45, p. 5. 1923.
  coffee—
    insects injurious to trees, Porto Rico. P.R. An. Rpt., 1914, pp. 31, 42–43. 1916.
    plantations—
      necessity and results. P.R. Bul. 17, pp. 23–26. 1915.
      temporary and permanent. P.R. Cir. 15, pp. 23–25. 1912.
    trees available for. Hawaii A.R., 1918, p. 43. 1919.
  crops, use in eradication of Bermuda grass. F.B. 945, pp. 2, 8–9. 1918.
  effect on—
    evaporation of soil moisture. J.A.R., vol. 7, pp. 440, 442, 450–451. 1916.
    fruit-bud formation. O.E.S. An. Rpt., 1922, p. 91. 1924.
    oil yield of peppermint plants. D.B. 454, pp. 11–12. 1916.
    osmotic pressure in plant juices. J.A.R., vol. 26, pp. 252, 253, 255. 1923.
    plant growth and reproduction, experiments. J.A.R., vol. 18, pp. 581–588. 1920.
    plants, and use of laths. D.B. 974, pp. 12, 15. 1921.
    reproduction of Engelmann spruce. J.A.R., vol. 30, p. 1006. 1925.
    strawberries and vegetables. F.B. 210, pp. 15–19. 1904.
  sugar pine and other *Pinus* species, list. D.B. 426, p. 8. 1916.
  water requirement of crop plants, experiments. B.P.I. Bul. 285, pp. 61–63. 1913.
  for citrus grove, Porto Rico. P.R. An. Rpt., 1920, p. 27. 1921.
  for forest seed beds and seedlings. D.B. 479, pp. 29–32, 36–40, 61–62. 1917.
  for ginseng plantations. F.B. 1184, pp. 7–9. 1921.
  for vegetables in Guam, materials used. Guam Bul. 2, p. 14. 1922.
  frames for nursery seedling, use and removal. D.B. 479, pp. 37–40. 1917.
  ginseng growing, directions. F.B. 551, pp. 8–9. 1913.
  grown tobacco, notes. B.P.I. Bul. 244, pp. 22–26. 1912.
  lawn grass, adaptable. F.B. 494, pp. 33–34. 1912.
  mountain, effect on slope orchards. Y.B., 1912, p. 313. 1913; Y.B. Sep. 593, p. 313. 1913.
  necessity for bee protection. D.B. 489, p. 3. 1916.
  relation to farming in Southwest. B.P.I. Cir. 132, pp. 16–17. 1913.
  requirement for—
    goldenseal. F.B. 613, pp. 9–11, 12. 1914.
    hogs. News L., vol. 6, No. 49, p. 3. 1919.
    vanilla plants. P.R. Bul. 26, pp. 15–16. 1919.
  tobacco growing—
    building, cost, and endurance in Jefferson County, Fla. Soil Sur. Adv. Sh., 1907, p. 15. 1908; Soils F.O., 1907, pp. 354–355. 1909.
    effect on yields and quality of leaves. Guam A.R., 1918, pp. 41, 42, 43. 1919.
  tolerance by trees, experiments. For. Bul. 92, pp. 1–14. 1911.
  trees. See Trees, shade.
  use for control of sun scorch of conifer seedings. D.B. 44, pp. 5, 10–11. 1913.

Shade—Continued.
  value for chicks and methods of obtaining. S.R.S. Doc. 77, p. 2. 1918.
  windbreaks, effects on crops, measurement results. For. Bul. 86, pp. 21–32. 1911.
Shading—
  artificial, effects on plant growth in Louisiana. H. L. Shantz. B.P.I. Bul. 279, pp. 29. 1913.
  effect on—
    soil conditions. J. B. Stewart. Soils Bul. 39, pp. 19. 1907.
    soil, studies. J.A.R., vol. 5, No. 10, pp. 439–440, 441. 1915.
  experiments in Louisiana, plant conditions, various periods. B.P.I. Bul. 279, pp. 20–24. 1913.
Shaftal—
  culture in Persia. B.P.I. Bul. 205, p. 19. 1911.
  importation and description. No. 30481, B.P.I. Bul. 242, p. 12. 1912.
  introduction. An. Rpts., 1908, pp. 42, 302. 1909; B.P.I. Chief Rpt., 1908, p. 30. 1908; Y.B., 1908, p. 42. 1909.
  seed importations, January to March, 1909. B.P.I. Bul. 162, pp. 8, 21–22. 1909.
  tests in Cotton Belt. An. Rpts., 1909, p. 277. 1910; B.P.I. Chief Rpt., 1909, p. 25. 1909.
  See also Clover, Persian.
Shagbark. See Hickory, shagbark.
Shake(s)—
  in timber, definition and effect on strength. For. Bul. 108, p. 42. 1912.
  lumber, definitions. D.C. 296, p. 65. 1923.
  making from sugar pine, description. For. Bul. 99, p. 67. 1911.
Shale(s)—
  description, distribution, and use in road building. Rds. Cir. 91, pp. 12–13. 1910.
  Georgia deposits, potash source. D.C. 61, p. 6. 1919.
  lands, location, area, and geological features. D.B. 502, pp. 2–3, 39. 1917.
  oil, use on road surfaces. Y.B., 1907, p. 260. 1908; Y.B. Sep. 448, p. 260. 1908.
  soluble salts. J.A.R., vol. 10, pp. 338–340, 345–350. 1917.
Shallot—
  description and use. F.B. 818, p. 31. 1917.
  insect pests, list. Sec. [Misc.], "A manual * * * insects * * *," pp. 157–158. 1917.
Shallu—
  analysis, comparison with corn and other grains. F.B. 724, p. 4. 1916.
  chemical composition and food value. F.B. 686, pp. 2–5. 1915.
  classification, description, and yields. D.B. 698, pp. 19, 86–87. 1918.
  comparison with milo, feterita, or kafir, as dry-land crop. F.B. 827, p. 3. 1917.
  composition, comparison with corn. F.B. 972, p. 5. 1918.
  description. B.P.I. Bul. 175, pp. 17, 22. 1910.
  growing—
    in Guam, description. Guam Bul. 3, p. 10. 1922.
  requirements and yields. F.B. 1137, p. 12. 1920.
  history, description, and yield, experiments. F.B. 827, pp. 3–8. 1917.
  or "Egyptian wheat." Benton E. Rothgeb. F.B. 827, pp. 8. 1917.
  varietal experiments in Oklahoma. D.B. 1175, pp. 33, 36, 37. 1923.
Shallu. See also Sorghum, grain; Sorghum, non-saccharine.
Shamel, A. D.—
  "A humidifier for lemon curing rooms." D.B. 494, pp. 11. 1917.
  "A study of the improvement of citrus fruits through bud selection." B.P.I. Cir. 77, pp. 19. 1911.
  "Bud selection as related to quality of crop in the Washington navel orange." With others. J.A.R., vol. 28, pp. 521–526. 1924.
  "Bud selection as related to quantity production in the Washington navel orange." With others. J.A.R., vol. 26, pp. 319–322. 1923.
  "Citrus fruit growing in the Southwest." With others. F.B. 1447, pp. 42. 1925.

Shamel, A. D.—Continued.
  "Citrus-fruit improvement: A study of bud variation in the Eureka lemon." With others. D.B. 813, pp. 88. 1920.
  "Citrus-fruit improvement: A study of bud variation in the Lisbon lemon." With others. D.B. 815, pp. 70. 1920.
  "Citrus-fruit improvement: A study of bud variation in the Marsh grapefruit." With others. D.B. 697, pp. 112. 1918.
  "Citrus fruit improvement: A study of bud variation in the Valencia orange." With others. D.B. 624, pp. 120. 1918.
  "Citrus fruit improvement: A study of bud variation in the Washington navel orange." With others. D.B. 623, pp. 146. 1918.
  "Citrus-fruit improvement: How to secure and use tree performance records." F.B. 794, pp. 16. 1917.
  "Cooperative improvement of citrus varieties." Y.B., 1919, pp. 249–275. 1920; Y.B. Sep. 813, pp. 249–275. 1920.
  "Frost protection in lemon orchards." With others. D.B. 821, pp. 20. 1920.
  introduction to bulletin on fruit composition. D.B. 1255, pp. 1–2. 1924.
  "New tobacco varieties." Y.B., 1906, pp. 387–404. 1907; Y.B. Sep. 431, pp. 387–404. 1907.
  "Pruning citrus trees in the Southwest." With others. F.B. 1333, pp. 32. 1923.
  "The art of seed selection and breeding." Y.B., 1907, pp. 221–236. 1908; Y.B. Sep. 446, pp. 221–236. 1908.
  "The effect of inbreeding in plants." Y.B., 1905, pp. 377–392. 1906; Y.B. Sep. 389, pp. 377–392. 1906.
  "The improvement of tobacco by breeding and selection." Y.B., 1904, pp. 435–452. 1905; Y.B. Sep. 358, pp. 435–452. 1905.
  "The navel orange of Bahia; with notes on some little-known Brazilian fruits." With others. D.B. 445, pp. 35. 1917.
  "Tobacco breeding." With W. W. Cobey. B.P.I. Bul. 96, pp. 71. 1907.
  "Varieties of tobacco seed distributed in 1905–1906, with cultural directions." With W. W. Cobey. B.P.I. Bul. 91, pp. 40. 1906.
Shamels, dust winds, description, effects on date culture. B.P.I. Bul. 53, p. 71. 1904.
Shanahan, J. D.: "American export corn in Europe." With others. B.P.I. Cir. 55, pp. 42. 1910.
Shanghai, fruit markets, varieties and prices of fruits. D.C. 146, pp. 5, 6, 7, 14, 15. 1920.
Shanklin, S. M.: "The Wichita National Forest and game preserve." With James E. Scott. M.C. 36, pp. 11. 1925.
Shantz, H. L.—
  "An automatic transpiration scale of large capacity for use with freely exposed plants." J.A.R., vol. 5, No. 3, pp. 117–132. 1915.
  "Comparison of the hourly evaporation rate of atmometers and free water surfaces with the transpiration rate of Medicago sativa." With Lyman J. Briggs. J.A.R., vol. 9, pp. 277–292. 1917.
  "Daily transpiration during the normal growth period and its correlation with the weather." With L. J. Briggs. J.A.R., vol. 7, pp. 155–212. 1916.
  "Desert shrub vegetation." Atl. Am. Agr. Adv. Sh. 6, pp. 7, 21–26, 27. 1924.
  "Effect of frequent cutting on the water requirements of alfalfa, and its bearing on pasturage." With Lyman J. Briggs. D.B. 228, pp. 6. 1915.
  explorations in Africa and importations. B.P.I. Inv. 62, pp. 1, 2. 1923; B.P.I. Inv. 65, pp. 2–3. 1923.
  "Fungus fairy rings in Eastern Colorado and their effect on vegetation." With R. L. Piemeisel. J.A.R., vol. 11, pp 191–246. 1917.
  "Grass land vegetation." Atl. Am. Agr. Adv. Sh. 6, pp. 7, 15–21, 27. 1924.
  "Hourly transpiration rate on clear days as determined by cyclic environmental factors." With Lyman J. Briggs. J.A.R., vol. 5, No. 14, pp. 583–650. 1916.
  importations from Zanzibar in 1920. Nos. 50726–50966. B.P.I. Inv. 64, pp. 2, 20–37. 1923.

SHANTZ, H. L.—Continued.
"Indicator significance of the natural vegetation of the southwestern desert region." With R. L. Piemeisel. J.A.R., vol. 28, pp. 721-802. 1924.
"Indicator significance of vegetation in Tooele Valley, Utah." With others. J.A.R., vol. 1, pp. 365-417. 1914.
"Influence of hybridization and crosspollination in the water requirements of plants." With Lyman J. Briggs. J.A.R., vol. 4, pp. 391-402. 1915.
"Natural vegetation as an indicator of the capabilities of land for crop production in the Great Plains area." B.P.I. Bul. 201, pp. 100. 1911.
"Relative water requirements of plants." With L. J. Briggs. J.A.R., vol. 3, pp. 1-64. 1914.
report on East African agriculture. Off. Rec., vol. 4, No. 42, p. 2. 1925.
"The effects of artificial shading on plant growth in Louisiana." B.P.I. Bul. 279, pp. 29. 1913.
"The water economy of dry-land crops." With Thomas H. Kearney. Y.B., 1911, pp. 351-362. 1912; Y.B. Sep. 574, pp. 351-362. 1912.
"The water requirement of plants: I. Investigations in the Great Plains in 1910-1911." With Lyman J. Briggs. B.P.I. Bul. 284, pp. 49. 1913.
"The water requirement of plants: II. A review of the literature." With Lyman J. Briggs. B.P.I. Bul. 285, pp. 96. 1913.
"The wilting coefficient for different plants and its indirect determination." With Lyman J. Briggs. B.P.I.Bul. 230, pp. 83. 1912.
"Types of vegetation in the semiarid portion of the United States and their economic significance." With A. E. Aldous. J.A.R., vol. 28, pp. 99-128. 1924.
SHAPLEIGH, AMELIA: "Dietary studies in Boston and Springfield, Mass., Philadelphia, Pa., and Chicago, Ill." With others. O.E.S. Bul. 129, pp. 103. 1903.
SHAPOVALOV, MICHAEL—
"A new strain of *Rhizoctonia solani* on the potato." With others. J.A.R., vol. 9, pp. 413-420. 1917.
"Blackleg potato tuber-rot under irrigation." With H. A. Edson. J.A.R., vol. 22, pp. 81-92. 1921.
"Control of potato-tuber diseases." With George K. K. Link. F.B. 1367, pp. 38. 1924.
"Crop injury by borax in fertilizers." With others. D.C. 84, pp. 35. 1920.
"Effect of temperature on germination and growth of the common potato-scab organism." J.A.R., vol. 4, pp. 129-134. 1915.
"Parasitism of *Sclerotium rolfsii* on Irish potatoes." With H. A. Edson. J.A.R., vol. 23, pp. 41-46. 1923.
"Potato-stem lesions." With H. A. Edson. J.A.R., vol. 14, pp. 213-219. 1918.
"Relation of potato skinspot to powdery scab." J.A.R., vol. 23, pp. 285-294. 1923.
"Temperature relations of certain potato-rot and wilt-producing fungi." With H. A. Edson. J.A.R., vol. 18, pp. 511-524. 1920.
Share—
cropper, half-and-half system, Yazoo-Mississippi Delta. D.B. 337, pp. 6, 7. 1916.
leases, special problems, discussion. F.B. 1164, pp. 24-28, 30-33. 1920.
renting of farms, general systems, and various kinds of farms. D.B. 650, pp. 23-24. 1918.
Shark, food value of meat. News L., vol. 6, No. 39, pp. 10-11. 1919.
SHARP, L. T.—
"Acidity and adsorption of soils as measured by the hydrogen electrode." With D. R. Hoagland. J.A.R., vol. 7, pp. 123-145. 1916.
"Relation of carbon dioxide to soil reaction as measured by the hydrogen electrode." With D. R. Hoagland. J.A.R., vol. 12, pp. 139-148. 1918.
Sharpshooter(s)—
cotton injuries. Ent. Bul. 57, pp. 49-58. 1906.
glassy-winged—
banana insect, note. Ent. Bul. 30, p. 95. 1901.
description, life history, food plants, and parasite. Ent. Bul. 57, pp. 49-54. 1906.

"Sharptail." *See* Pintail.
Shasta National Forest, Calif.—
increase. Off.Rec., vol. 3, No. 7, p. 3. 1924.
lands. Off.Rec., vol. 2, No. 10, p. 2. 1923.
location, description, and area. D.C. 185, pp. 13-14. 1921.
map. For. Maps. 1924.
map and directions to hunters and campers. For. Map Fold. 1914.
SHATTUCK, C. H.: "The distillation of stump-wood and logging waste of western yellow pine." With others. D.B. 1003, pp. 69. 1921.
Shavings—
bedding for stock, water-holding capacity. J.A.R., vol. 14, pp. 187-190. 1918.
use for storage-house insulation, warning. F.B. 852, pp. 21-22. 1917.
SHAW, C. F.—
"Reconnaissance soil survey of—
northeastern Pennsylvania." With others. Soil Sur. Adv. Sh., 1911, pp. 63. 1913; Soils F.O., 1911, pp. 269-327. 1914.
northwestern Pennsylvania." With others. Soil Sur. Adv. Sh., 1908, pp. 51. 1910; Soils F.O., 1908, pp. 197-243. 1911.
south-central Pennsylvania." With others. Soil Sur. Adv. Sh., 1910, pp. 77. 1912; Soils F.O., 1910, pp. 193-265. 1912.
southeastern Pennsylvania." With others. Soil Sur. Adv. Sh., 1912, pp. 100. 1914; Soils F.O., 1912, pp. 247-340. 1915.
southwestern Pennsylvania." With Henry J. Wilder. Soil Sur. Adv. Sh., 1909, pp. 69. 1911; Soils F.O., 1909, pp. 205-269. 1912.
"Soil survey of—
Caddo Parish, La." With others. Soil Sur. Adv. Sh., 1906, pp. 36. 1907; Soils F.O., 1906, pp. 427-458. 1908.
Center County, Pa." With others. Soil Sur. Adv. Sh., 1908, pp. 52. 1910; Soils F.O., 1908, pp. 245-292. 1911.
Robertson County, Tex." With Hugh H. Bennett. Soil Sur. Adv. Sh., 1907, pp 54. 1909; Soils F.O., 1907, pp. 591-640. 1909.
the Fayetteville area, Arkansas." With H. J. Wilder. Soil Sur. Adv. Sh., 1906, pp. 45. 1907; Soils F.O., 1906, pp. 587-627. 1908.
SHAW, E. L.—
"Domestic breeds of sheep in America." With L. L. Heller. D.B. 94, pp. 59. 1914.
"Milk goats." F.B. 920, pp. 36. 1918.
"Silage for sheep." F.B. 556, pp. 23-24. 1913; F.B. 578, pp. 24. 1914.
"The Angora goat." With George Fayette Thompson. F.B. 137, rev., pp. 48. 1908.
"The management of sheep on the farm." With Lewis L. Heller. D.B. 20, pp. 52. 1913.
SHAW, H. B.:—
"An improved method of separating buckhorn from red clover and alfalfa seeds." B.P.I. Cir. 2, pp. 12. 1908.
"Control of the sugar-beet nematode." F.B. 772, pp. 19. 1916.
"Loss in tonnage of sugar beets by drying." D.B. 199, pp. 12. 1915.
"Lost motion in the sugar-beet industry." B.P.I. Bul. 260, pp. 61-67. 1912.
"Sugar beets: Preventable losses in culture." D.B. 238, pp. 21. 1915.
"The curly-top of beets." B.P.I. Bul. 181, pp. 46. 1910; Rpt. 92, pp. 79-87. 1910.
"Thrips as pollinators of beet flowers." D.B. 104, pp. 12. 1914.
SHAW, R. H.—
"A chemical and physical study of the large and small fat globules in cows' milk." With C. H. Eckles. B.A.I. Bul. 111, pp. 16. 1909.
"A comparative study of the composition of the sunflower and corn plants at different stages of growth." With P. A. Wright. J.A.R., vol. 20, pp. 787-793. 1921.
"A new method for determining fat and salt in butter, especially adapted for use in creameries." B.A.I. Cir. 202, pp. 8. 1912.
"A study of ensiling a mixture of Sudan grass with a legume." With P. A. Wright. J.A.R., vol. 28, pp. 255-259. 1924.

SHAW, R. H.—Continued.
"Chemical testing of milk and cream." B.A.I. Doc. A–7, pp. 38. 1916; B.A.I. Doc. A–12, pp. 42. 1917.
"Digestion of starch by the young calf." With others. J.A.R., vol. 12, pp. 575–578. 1918.
"Effect of water in the ration on the composition of milk." With others. J.A.R., vol. 6, No. 4, pp. 167–178. 1916.
"Moldiness in butter." With Charles Thom. J.A.R., vol. 3, pp. 301–310. 1915.
"Nitrogen and other losses during the ensiling of corn." With others. D.B. 953, pp. 16. 1921.
"The estimation of total solids in milk by the use of formulas." With C. H. Eckles. B.A.I. Bul. 134, pp. 31. 1911.
"The influence of breed and individuality on the composition and properties of milk." With C. H. Eckles. B.A.I. Bul. 156, pp. 27. 1913.
"The influence of the stage of lactation on the composition and properties of milk." With C. H. Eckles. B.A.I. Bul. 155, pp. 88. 1913.
"The normal composition of American creamery butter." With others. B.A.I. Bul. 149, pp. 31. 1912.
"Variations in the composition and properties of milk from the individual cow." With C. H. Eckles. B.A.I. Bul. 157, pp. 27. 1913.

SHAW, R. S., report of Michigan Experiment Station, work and expenditures—
1908. O.E.S. An. Rpt., 1908, pp. 114–116. 1909.
1909. O.E.S. An. Rpt., 1909, pp. 125–128. 1910.
1910. O.E.S. An. Rpt., 1910, pp. 163–166. 1911.
1911. O.E.S. An. Rpt., 1911, pp. 130–133. 1912.
1912. O.E.S. An. Rpt., 1912, pp. 137–140. 1913.
1913. O.E.S. An. Rpt., 1913, pp. 54–55. 1915.
1914. O.E.S. An. Rpt., 1914, pp. 135–139. 1915.
1915. S.R.S. Rpt., 1915, Pt. I, pp. 149–154. 1916.
1916. S.R.S. Rpt., 1916, Pt. I, pp. 151–156. 1918.
1917. S.R.S. Rpt., 1917, Pt. I, pp. 146–152. 1918.

SHAW, THOMAS: "Canadian field peas." F.B. 224, pp. 16. 1905.
She-ham-shi, fruit from India, importation. No. 49886. B.P.I. Inv. 63, p. 17. 1923.
Shea-nut oil, description, source, use, and production, 1916–1918. D.B. 769, p. 32. 1919.

SHEAR, C. L.—
"Botryosphaeria and Physalospora on currant and apple." With others. J.A.R., vol. 28, pp. 585–598. 1924.
"Cranberry diseases." B.P.I. Bul. 110, pp. 64. 1907.
"Cranberry diseases and their control." F.B. 1081, pp. 22. 1920.
"Cranberry spraying experiments in 1905." B.P.I. Bul. 100, Pt. I, pp. 7–12. 1907.
"Cultural characters of the chestnut-blight fungus and its near relatives." With Neil E. Stevens. B.P.I. Cir. 131, pp. 3–18. 1913.
"*Endothia parasitica* and related species." With others. D.B. 380, pp. 82. 1917.
"Endrot of cranberries." J.A.R., vol. 11, pp. 35–42. 1917.
"False blossom of the cultivated cranberry." D.B. 444, pp. 8. 1916.
"Fungous diseases of the cranberry." F.B. 221, pp. 16. 1905.
"Insect and fungous enemies of the grape." With A. L. Quaintance. F.B. 1220, pp. 75. 1921.
"Insect and fungous enemies of the grape east of the Rocky Mountains." With A. L. Quaintance. F.B. 248, pp. 48. 1907.
"Life history of *Pilacre faginea* (Fr.) B. & Br." With B. O. Dodge. J.A.R., vol. 30, pp. 407–417. 1925.
"Spoilage of cranberries after harvest." With others. D.B. 714, pp. 20. 1918.
"Studies of fungous parasites belonging to the genus Glomerella." With Anna K. Wood. B.P.I. Bul. 252, pp. 110. 1913.
"Texas root-rot of cotton: Field experiments in 1907." With George F. Miles. B.P.I. Cir. 9, pp. 7. 1908.
"The control of black-rot of the grape." With others. B.P.I. Bul. 155, pp. 42. 1909.
"The control of Texas root-rot of cotton." With George F. Miles. B.P.I. Bul. 102, Pt. V, pp. 39–42. 1907.

SHEAR, C. L.—Continued.
"The life history of the Texas root rot fungus *Ozonium omnivorum* Shear." J.A.R., vol. 30, pp. 475–477. 1925.
"Shear," meaning of term as applied to wood. D.B. 556, p. 22. 1917.

Shearing—
angora goats—
methods. B.A.I., An. Rpt., 1900, pp. 348–351. 1901; B.A.I., An. Rpt., 1901, pp. 467–469. 1902; B.A.I. Bul. 27, pp. 50–52. 1901; F.B. 137, pp. 20–21, 42–44. 1901; F.B. 573, pp. 9, 12–13. 1914; F. B. 1203, p. 16. 1921.
on the range. D.B. 749, pp. 17–18. 1919.
effect on gains made by lambs. F.B. 162, pp. 25–26. 1903.
machines—
and tables, description, use on Angora goats. B.A.I. An. Rpt., 1900, pp. 348–351. 1901; B.A.I. Bul. 27, pp. 50–52. 1901.
compared with hand shears. B.A.I. Bul. 27, pp. 50–51. 1906.
for sheep. F.B. 810, p. 27. 1917.
sheds, Australian, description, cooperative work. Y.B., 1914, pp. 333–334. 1915; Y.B. Sep. 645, pp. 333–334. 1915.
sheep—
and care of fleeces. Sec. [Misc.] Spec., "Producing sheep on * * *," p. 3. 1914.
Australia, sheds, methods, and cost. D.B. 313, pp. 23, 28, 31. 1915.
comparison of methods. D.B. 206, pp. 10–11. 1915.
contests. News L., vol. 6, No. 44, p. 15. 1919.
effect on tick invasion. D.B. 45, pp. 4, 5, 9. 1913.
methods and time, comparisons. D.B. 20, pp. 47–49. 1913.
Minidoka project, time and methods. D.B. 573, pp. 23–24. 1917.
new sheds, use in Wyoming, plans. Y.B., 1916, pp. 227–230. 1917; Y.B. Sep. 709, pp. 1–4. 1917.
on farm, directions. F.B. 840, p. 17. 1917.
strength, wood, determination. D.B. 556, pp. 17–18. 1917; For. Cir. 38, rev., p. 23. 1909.

Shears, sheep, use. F.B. 810, p. 27. 1917.

Shearwater—
occurrence on Laysan Island, nesting habits. Biol. Bul. 47, p. 17. 1912; Y.B., 1911, p. 161. 1912; Y.B. Sep. 557, p. 161. 1912.
range and habits. N.A. Fauna 21, p. 39. 1901.
slender-billed—
occurrence on Pribilof Islands. N.A. Fauna 46, p. 39. 1923.
range and habits. N.A. Fauna 24, p. 54. 1904.

Sheath-gall, wheat jointworm, life history, injury to grain, and control. D.B. 808, pp. 8–11, 23–25. 1920.

Shed(s)—
centralized, for tomato packing. F.B. 1338, pp. 28, 30. 1925.
construction for manure preservation. F.B. 192, pp. 22–24. 1904.
curing, for broomcorn. D.B. 1019, p. 7. 1922.
detached, for cotton warehouses, construction. D.B. 801, p. 59. 1919.
field, for hay, description. F.B. 312, p. 12. 1907.
for cattle, protection from drafts. F.B. 517, p. 11. 1912.
for livestock, use in control of horseflies. News L., vol. 3, No. 1, p. 2. 1915.
for sheep, plans, drawings, and cost. F.B. 810, pp. 15–17. 1917.
goat-sheltering, necessity and description. F.B. 1203, p. 15. 1921.
lath for protection of citrus trees from cold. Y.B., 1909, p. 395. 1910; Y.B. Sep. 522, p. 395. 1910.
market, types, description. D.B. 1002, pp. 14–15. 1921.
open, for dairy cows, comparison with closed barns. T. E. Woodward and others. D.B. 736, pp. 15. 1918.
packing, for strawberries, location, description, and management. F.B. 979, pp. 14–16, 26. 1918.
pineapple, in Florida, description and cost. F.B. 1237, pp. 20–21. 1921.
remodeling for poultry house. D. C. 19, p. 6. 1919.

Shed(s)—Continued.
  sheep-shearing, new, description and plans. Y.B., 1916, pp. 227-230. 1917. Y.B. Sep. 709, pp. 1-4. 1917.
  steel, for retail markets. Y.B., 1914, pp. 171, 178. 1915; Y.B. Sep. 636, pp. 171, 178. 1915.
  use—
    and value for fattening cattle. F.B. 580, p. 14. 1914.
    in protecting citrus fruit against cold. F.B. 238, pp. 30-32. 1906.
SHEDD, O. M.—
  "A rapid method for the determination of total potassium in soils." Chem. Bul. 132, pp. 38-42. 1910.
  "An improved method for the determination of nicotine in tobacco and tobacco extracts." J.A.R., vol. 24, pp. 961-970. 1923.
  "Effect of oxidation of sulphur in soils on the solubility of rock phosphate and on nitrification." J.A.R., vol. 8, pp. 344-345. 1919.
  "Effect of sulphur on different crops and soils." J.A.R., vol. 11, pp. 91-103. 1917.
  "Inorganic plant constituents." Chem. Bul. 137, pp. 30-35. 1911; Chem. Bul. 152, pp. 60-67. 1912.
  "The determination of nitrate and ammonia in nitrogenous materials." J.A.R., vol. 28, pp. 527-539. 1924.
  "Variations in mineral composition of sap, leaves, and stems of the wild grape vine and sugar-maple tree." J.A.R., vol. 5, No. 12, pp. 529-542. 1915.
Sheep—
  adaptability to Southwest, types and characteristics, studies. F.B. 532, pp. 18-22. 1913.
  admission, sanitary requirements, various States. B.A.I. Doc. A-28, pp. 1-44. 1917.
  African woolless, use and propagation in Porto Rico. P.R. An. Rpt., 1909, p. 39. 1910.
  age, estimation by condition of teeth. D.B. 593, pp. 23-24. 1917.
  air requirement per day. F.B. 190, pp. 23, 24. 1904.
  alfalfa—
    pasturing experiments, Belle Fourche experiment farm, 1916. W.I.A. Cir. 14, pp. 11-12. 1917.
    ration. B.A.I. Cir. 86, pp. 265-266. 1905.
  American, gid parasite (Coenurus cerebralis). B. H. Ransom. B.A.I. Bul. 66, pp. 23. 1905.
  and intensive farming. F. R. Marshall. Y.B., 1917, pp. 311-320. 1918; Y.B. Sep. 750, pp. 12. 1918.
  and wool conference, report of committee. News L., vol. 1, No. 47, pp. 1-2. 1914.
  anthrax, treatment, tests of simultaneous method. D.B. 340, pp. 13, 14, 15. 1915.
  appearance, relation to market price. Off. Rec., vol. 1, No. 46, p. 1. 1922.
  Arabi—
    and Danadar, cross, origin of Karakul type. Y.B., 1915, p. 253. 1916; Y.B. Sep. 673, p. 253. 1916.
    origin of fur-bearing sheep. Y.B., 1915, p. 253. 1916; Y.B. Sep. 673, p. 253. 1916.
    See also Sheep, Karakul.
  Arctic, Alaska, distribution, numbers, and conditions, reports. D.C. 88, p. 8. 1920.
  Argali, ancestor of domestic sheep. B.A.I. An. Rpt., 1910, pp. 153, 154, 156. 1912.
  associations, directory. Farm M. [Misc.]., pp. 67-68. 1920.
  autopsy in milk-weed poisoning. D.B. 969, pp. 9-13. 1921.
  Barbados—
    crossing with Karakul, results in fur production. Y.B., 1915, pp. 252, 258, 259, 260. 1916; Y.B., Sep. 673, pp. 252, 258, 259, 260. 1916.
    origin, history, distribution, and description. D.B. 94, pp. 55-56, 59. 1914.
  Barbary, description. D.B. 94, pp. 56, 59. 1914.
  barn(s)—
    and sheds, plans, drawings, and cost. F.B. 810, pp. 10-13, 15-17. 1917.
    with horse and cattle equipment, plans and cost. F.B. 810, pp. 13-15. 1917.
  bed grounds, injury to range forage, studies. D.B. 791, pp. 58-61, 71-72. 1919.
  bighead. See Bighead.

Sheep—Continued.
  births and slaughter. D.C. 241, pp. 7, 9. 1922.
  blackleg, cause, symptoms, and diagnosis. F.B. 1155, pp. 4-5. 1921.
  bladderworms, description, life history, symptoms, and treatment. F.B. 1150, pp. 24-33. 1920; F.B. 1330, pp. 24-33. 1923.
  bleeding, use in control of zygadenus poisoning. D.B. 125, p. 43. 1915.
  blind, cause and treatment. F.B. 1155, pp. 24-25. 1921.
  bloating, causes and prevention. F.B. 1051, pp. 12, 13, 20, 24, 25, 28. 1919; F.B. 1155, pp. 28-29. 1921; F.B. 1229, p. 19. 1921; F.B. 1339, p. 14. 1923.
  blood—
    crystals. J.A.R., vol. 3, p. 217. 1914.
    effect of serum from fowls. J.A.R., vol. 27, pp. 709-715. 1924.
    poisoning in New Zealand. B.A.I. An. Rpt., 1901, p. 233. 1902.
  body—
    composition. D.B. 459, p. 3. 1916.
    outlines and bones, chart. D.B. 593, p. 4. 1917.
  botfly. See Botfly; Oestrus ovis.
  brains, destruction in gid eradication, necessity and methods. B.A.I. Cir. 165, pp. 13-18. 1910.
  branding paints, formula. F.B. 522, pp. 20-21. 1913.
  breeders—
    associations for different breeds. F.B. 576, pp. 4, 5, 7, 8, 9, 10, 11, 12, 13, 14, 16. 1914.
    associations, organization in Texas. News L., vol. 6, No. 5, p. 13. 1918.
    organization, county agents' work, results. D.C. 244, p. 30. 1922.
  breeding—
    and lambing season. Sec. [Misc.] Spec., "Producing sheep on * * *," pp. 2-3. 1914.
    at Wyoming Experiment Station. B.A.I. An. Rpt., 1908, p. 56. 1910; B.A.I. Chief Rpt., 1908, pp. 46-47. 1908; An. Rpts., 1908, pp. 260-261. 1909.
    carcass contests, champions. D.B. 94, pp. 57-58. 1914.
    crosses of Karakul with other breeds, results. Y.B., 1915, pp. 249, 250, 252, 256-261. 1916; Y.B. Sep. 673, pp. 249, 250, 252, 256-261. 1916.
    demonstrations, cooperative exhibit at Michigan fairs. News L., vol. 6, No. 14, p. 5. 1918.
    experiments in Alaska. D.B. 50, pp. 5, 11, 25-27. 1914.
    experiments in Illinois. News L., vol. 3, No. 4, p. 3. 1915.
    for mutton and wool, Wyoming Experiment Station. B.A.I. An. Rpt., 1911, p. 267. 1913.
    for wool—
      Australian methods. Y.B., 1914, pp. 322-326. 1915; Y.B. Sep. 645, pp. 322-326. 1915.
      improvement. F.B. 527, p. 10. 1913.
    grading for market. F.B. 360, p. 27. 1909.
    in Alaska and injury by eruption of Mount Katmai. Alaska A.R., 1912, pp. 43, 68, 72, 76. 1913.
    in Argentina. B.A.I. An. Rpt., 1908, pp 323-325. 1910.
    in Australia, balanced method. B.P.I. Bul. 146, pp. 31-32. 1909.
    in Porto Rico, experiments and studies. P.R. An. Rpt., 1910, pp. 43-44. 1911.
    management of ewes and rams. F.B. 840, pp. 11-12. 1917.
    Mendelism of short ears. J.A.R., vol. 6, No. 20, pp. 797-798. 1916.
    on western ranches. News L., vol. 6, No. 52, p. 16. 1919.
    percent of females, 1900-1910. F.B. 575, p. 23. 1914.
    type, and characters of ewe and ram. D.B. 593, p. 14. 1917.
  breeds—
    and books of record, list. B.A.I.O. 288, pp. 4, 5. 1924
    and breeding. D.B. 929, pp. 26-28. 1918.
    and types, in Australia and New Zealand D.B. 313, pp. 9-21. 1915.

Sheep—Continued.
  breeds—continued.
    certification regulations. B.A.I.O. 293, pp. 1–6. 1925.
    certified to June 30, 1909. B.A.I. An. Rpt., 1909, pp. 321, 324. 1911.
    classification. D.B. 94, pp. 4–6, 57–59. 1914. D.B. 593, pp. 4–9. 1917.
    desirable in Great Britain. O.E.S. Bul. 196, p. 45. 1907.
    ewes' milk, fat content, average and range. J.A.R., vol. 8, pp. 30–31. 1917.
    for the farm. F. R. Marshall. F.B. 576, pp. 16. 1914.
    protection from animals and dogs, legislation urged. News L., vol. 1, No. 47, pp. 1–2. 1914.
    record books and publishers, list. B.A.I.O. 278, p. 4. 1922.
    variations in ewes' milk quantity and composition. J.A.R., vol. 17, pp. 23–27. 1919.
    wool grades. D.B. 206, p. 21. 1915.
  browsing, effect on aspen reproduction. D.B. 741, pp. 3–14, 25–27. 1919.
  buildings and equipments. F.B. 1051, pp 8–19. 1919.
  Canadian—
    importation for—
      exhibition purposes. B.A.I. An. Rpt., 1910, pp. 547, 553. 1912. B.A.I.O. 173, 177. 1912; B.A.I.O. 192, p. 1. 1912.
      exposition at Chicago, special order. B.A.I.O. 173, p. 1. 1910; B.A.I.O. 249, p. 1. 1916.
      exposition, Seattle, special order. B.A.I.O. 161, p. 1. 1910.
      Michigan State Fair, special order. B.A.I.O. 216, p. 1. 1914.
    importation regulations. B.A.I. An. Rpt., 1909, pp. 352–353, 382. 1911; B.A.I.O. 177, p. 1. 1910.
    quarantine, modification. B.A.I.O. 185, p. 1. 1911.
  carcass(es)—
    cutting up, directions. F.B. 1172, pp. 13–15. 1920.
    shipment in Alaska. Biol. Cir. 89, p. 2. 1912.
    tapeworm cysts, location. J.A.R., vol. 1, pp. 39–41, 53. 1913.
  care—
    and feeding. News L., vol. 6, No. 17, p. 8. 1918.
    and feeding, school studies. D.B. 521, pp. 44–45. 1917.
    in New England. F.B. 929, pp. 17–23. 1918.
    in spring. F.B. 929, p. 22. 1918.
    necessary for profit. News L., vol. 6, No. 46, p. 12. 1919.
  castrating and docking lambs. E. W. Baker and G. H. Bedell. F.B. 1134, pp. 14. 1920.
  certified, breeds and books of record, lists. B.A.I.O. 186, pp. 4–5, 6. 1912.
  Cheviot—
    crossing with Karakul, effect on fur production. Y.B., 1915, pp. 252, 258. 1916; Y.B. Sep. 673, pp. 252, 258. 1916.
    description. F.B. 576, pp. 9–10. 1914.
    origin, history, distribution, and description. D.B. 94, pp. 28–30, 57, 58, 59. 1914.
    score cards. B.A.I. Bul. 76, p. 42. 1905.
  cicuta feeding, experiments in Colorado. D.B. 69, pp. 9–13, 16–17, 20, 21, 23, 24. 1914.
  classification—
    at county fairs. F.B. 822, p. 10. 1917.
    by market grades, summary. F.B. 360, pp. 28–29. 1909.
  clubs—
    boys' and girls', demonstrations. D.C. 152, pp. 18–20. 1921; D.C. 312, p. 23. 1924.
    for North and West, enrollment, progress, and demonstrations. D.C. 192, pp. 25–26. 1921.
    number, membership, and results in 1921. D.C. 255, pp. 15, 26. 1923.
  color heredity. D.B. 905, p. 33. 1920.
  Columbia, new type, popularity. Off. Rec., vol. 1, No. 38, p. 2. 1922.
  compensation to owners, and sources. F.B. 652, p. 9. 1915.
  condemnation at slaughter, 1907–1921. Y,B., 1921. p. 736. 1922; Y.B. Sep. 870, p. 62. 1922.

Sheep—Continued.
  conditions, April 1, 1915, losses from disease and exposure. F.B. 672, pp. 16–19. 1915.
  conference, Boston, November 2, 1917, resolutions on sheep-industry extension. News L., vol. 5, No. 17, p. 7. 1917.
  conformation, types. J.A.R., vol. 11, pp. 609–610. 1917.
  conservation for increase of wool supply. Sec. Cir. 93, pp. 9–11. 1918.
  control on ranges to prevent overgrazing. D.B. 675, p. 30. 1918.
  corrals and shutes, arrangement for dipping. F.B. 713, pp. 29–30. 1916.
  Corriedale—
    adaptability for western plains, studies. News L., vol. 2, No. 38, p. 3. 1915.
    description of various flocks in New Zealand. D.B. 313, pp. 17–21. 1915.
    importation, and trial in Wyoming. An. Rpts., 1915, p. 92. 1916; B.A.I. Chief Rpt., 1915, p. 16. 1915.
    New Zealand breed, origin. Y.B., 1914, p. 437. 1915; Y.B. Sep. 650, p. 437. 1915.
    origin, description, and characteristics. News L., vol. 2, No. 38, p. 3. 1915.
    range investigations. An. Rpts., 1916, p. 80. 1917; B.A.I. Chief Rpt., 1916, p. 14. 1916.
  cost of care per year. Stat. Bul. 73, pp. 63, 69. 1909.
  Cotswold—
    breeding in Alaska, description. Alaska A.R., 1911, p. 32. 1912.
    crossing with Karakul, effect on fur production. Y.B. 1915, pp. 252, 258. 1916; Y.B. Sep. 673, pp. 252, 258. 1916.
    origin, history, distribution, and description. D.B. 94, pp. 42–45, 57, 59. 1914; F.B. 576, p. 11. 1914.
    score card. B.A.I. Bul. 76, pp. 43–44. 1905.
  crossbred—
    characteristics, studies. D.B. 20, p. 5. 1913.
    inferior quality. F.B. 576, p. 16. 1914.
  crossing experiments in Arizona. F.B. 532, pp. 19–22. 1913.
  cuts of meat for market. F.B. 1199, p. 23. 1921.
  Dall—
    in Alaska, occurrence, and habits. N.A. Fauna 30, pp. 20–21. 1909.
    range and habits. N.A. Fauna 21, pp. 59, 62. 1901.
  damage by needle grass. Off. Rec. vol. 2, No. 31, p. 3. 1923.
  Dandadar and Arabi cross, origin of Karakul type Y.B., 1915, p. 253. 1916; Y.B. Sep. 673, p. 253. 1916.
  danger of continuous bedding in same place. F.B. 536, pp. 3–4. 1913.
  decrease—
    1899–1909. An. Rpts., 1914, p. 6. 1915; Sec. A. R., 1914, p. 8. 1914.
    1900–1910, and increase in valuation. F.B. 652, p. 2. 1915.
    1914. News L., vol. 6, No. 46, p. 1. 1919.
    in—
      France. News L., vol. 6, No. 52, p. 3. 1919.
      number, causes. O.E.S. Bul. 196, p. 46. 1907.
      United Kingdom. News L., vol. 7, No. 1, p. 3. 1919.
  destruction—
    by—
      bobcats and coyotes, protection. F.B. 335, pp. 26, 27. 1908.
      brown bears on Kodiak Island, control suggestions. Alaska A. R., 1915, p. 82. 1916.
      coyotes and dogs. F.B. 226, pp. 13–15. 1905.
      dogs, prevention. F.B. 935, pp. 1–32. 1918.
      of aspen sprouts. D.B. 1291, pp. 17–18. 1925.
  digestion of sunflower silage, experiment. J.A.R., vol. 20, pp. 881–888. 1921.
  dip(s)—
    approved formulas. B.A.I. An. Rpt., 1911, pp. 332–333. 1913.
    coal-tar creosote and cresylic acid, analysis. Robert M. Chapin. B.A.I. Bul. 107, pp. 35. 1908.
    constituents and application methods. F.B. 1150, pp. 7, 8, 9, 13. 1920.

Sheep—Continued.
dip(s)—continued.
Disinfectall, misbranding. N.J. 148, I. and F. Bd. S.R.A. 8, pp. 13–14. 1915.
for—
scabies, formulas. B.A.I.O. 245, pp. 22–23. 1916; B.A.I.O. 273, rev., p. 22. 1923; F.B. 713, pp. 22–25. 1916; Rpt. 108, p. 131. 1915.
ticks, formulas and mixing. F.B. 798, pp. 18–23. 1917.
lime-sulphur, standardizing. D.B. 163, p. 7. 1915; D.B. 451, p. 15. 1916.
misbranding. N.J. 202, 214. I. and F. Bd. S.R.A. 14, pp. 156–157, 173–174. 1916.
nicotine, misbranding. N.J. 93, I. and F. Bd. S.R.A. 3, p. 40. 1914.
official. See *Bureau of Animal Industry Service Announcements, monthly.*
substances used. F.B. 1330, pp. 7, 9, 13. 1923.
sulphur with tobacco experiments. O.E.S. An. Rpt., 1912, p. 123. 1913.
tobacco, nicotine regulation. B.A.I. An. Rpt., 1911, pp. 309, 332. 1913.
dipping—
chutes and draining pens. F.B. 798, pp. 25–26. 1917.
cost. F.B. 798, p. 17. 1917.
department regulations. B.A.I.O. 143, pp. 16–20. 1907.
directions. F.B. 798, pp. 11–23. 1917.
directions, dips, and vats. F.B. 713, pp. 15–27, 28–36. 1916.
effect on wool prices. D.B. 206, p. 10. 1915.
equipment and permanent plants, construction. F.B. 798, pp. 23–31. 1917.
for eradication of ticks. Marion Imes. F.B. 798, pp. 31. 1917.
for external parasites, directions. F.B. 1330, pp. 7–8, 9, 13. 1923.
for scabies, number, 1916. An. Rpts., 1916, p. 107. 1917; B.A.I. Chief Rpt., 1916, p. 41. 1916.
for scabies, regulations under B.A.I.O. 263. B.A.I [Misc.], "Instructions * * * under B.A.I.O. 263 * * * ," pp. 11–20. 1919.
necessity and value, time and method. D.B. 20, p. 25. 1913.
necessity in eradication of fever tick. D.B. 45, p. 9. 1913.
nicotine content in tobacco dip. B.A.I.O. 143, amdt. 5, p. 1. 1911.
on farm, precautions. F.B. 840, pp. 17–18. 1917.
portable and permanent vats. F.B. 798, pp. 23–24, 26–31. 1917.
precautions. F.B. 840, pp. 17–18. 1917.
regulation(s)—
1909. B.A.I. An. Rpt., 1909, pp. 352–354. 1911.
and official dips. B.A.I.S.A. 40, p. 53. 1910.
of use of tobacco and nicotine. B.A.I.O. 143, amdt. 5, p. 1. 1911.
diseases—
caused by protozoan parasites. B.A.I. An. Rpt., 1910, pp. 477, 479, 485, 493, 497. 1912; B.A.I. Cir. 194, pp. 477, 479, 485, 493, 497. 1912.
caused by worms. Off. Rec., vol. 3, No. 41, p. 3. 1924.
description, causes, and control. Bernard A. Gallagher. F.B. 1155, pp. 39. 1921.
detection in lymph glands. B.A.I. An. Rpt., 1910, pp. 382, 386, 388, 395. 1912; B.A.I. Cir. 192, pp. 382, 386, 388, 395. 1912.
digestive, cause and control remedies. D.B. 573, pp. 22–23. 1917.
eradication work. An. Rpts., 1910, pp. 48, 49. 1911; Sec. A.R., 1910, pp. 48, 49. 1910; Rpt. 93, p. 36. 1911; Y.B., 1910, pp. 48, 49. 1911.
infectious, description, causes, and treatment. F.B. 1155, pp. 3–17. 1921.
insects and dogs, control. F.B. 929, pp. 23–25. 1918.
investigations, 1909, and control measures, B.A.I. An. Rpt., 1909, pp. 30, 41, 47, 56, 57, 381–384. 1911.
investigations, 1911. B.A.I. An. Rpt., 1911, pp. 10, 45, 55–57, 76. 1913.
Minidoka project, control methods. D.B. 573, pp. 20, 21, 22, 23. 1917.

Sheep—Continued.
diseases—continued.
of head and air passages, causes and symptoms. F.B. 1155, pp. 21–26. 1921.
paralysis of pregnant ewes, symptoms and conditional treatment. An. Rpts., 1909, p. 221. 1910; B.A.I. Chief Rpt., 1909, p. 31. 1909.
parasitic, diagnosis and prevention. F.B. 1150, pp. 4–5. 1920.
parasitic, distribution and importance. B.A.I. An. Rpt., 1910, pp. 419–463. 1912; B.A.I. Cir. 193, pp. 419–463. 1912.
similar to scab. F.B. 713, pp. 9–12. 1916.
spread by dogs. D.B. 260, pp. 5–14, 18, 23, 24. 1915.
transmission by ticks and other mites. Rpt. 108, pp. 15, 61, 62, 69, 131. 1915.
domestic—
breeds in America. E. L. Shaw and L. L. Heller. D.B. 94, pp. 59. 1914.
origin and type. B.A.I. An. Rpt., 1910, pp. 153–156. 1912.
Dorset Horn, origin, history, distribution, and description. D.B. 94, pp. 24–26, 57–59. 1914; F.B. 576, pp. 8–9. 1914.
dosing with copper sulphate for stomach worms, effects. J.A.R., vol. 12, pp. 406–408. 1918.
Down, description of different breeds. F.B. 576, pp. 3–7, 10. 1914.
drenching, apparatus and directions. D.C. 47, p. 5. 1919.
drenching with copper sulphate solution, directions. F.B. 1150, pp. 39–41. 1920.
driving and bedding, methods to prevent poisoning. F.B. 720, pp. 7–9. 1916.
effect of mountain laurel, remedies. B.P.I. Bul. 121, Pt. II, pp. 26–34. 1908.
establishing a flock, selection and methods. D.B. 20, pp. 3–10. 1913.
estimates, 1911–1923. M.C. 6, p. 19. 1923.
exclusion from landing at United States ports from Asia and Africa. B.A.I.O. 174, p. 1. 1910.
exhibits, loans by department. Off. Rec., vol. 1, No. 21, p. 2. 1922.
exhibits, preparation by department. News L., vol. 7, No. 4, p. 8. 1919.
Exmoor Horn, origin, history, distribution, and description. D.B. 94, pp. 34–35, 57, 59. 1914.
export(s)—
1902–1904. Stat. Bul. 36, p. 28. 1905.
1922–1924. Y.B., 1924, p. 1041. 1925.
by countries, 1890–1906. Stat. Bul. 55, pp. 17–19. 1907.
by countries to which consigned, 1897–1906. B.A.I. An. Rpt., 1907, pp. 346, 393–395. 1909.
from nine countries of surplus production. Rpt., 109, pp. 71–72, 216–229. 1916.
from United States, 1895–1913. Rpt., 109, pp. 71, 224, 226–228. 1916.
number and value, 1851–1908. Stat. Bul. 75, p. 23. 1910.
shipping regulations. B.A.I.O. 264, pp. 9, 17–18, 19, 21. 1919.
statistics, 1921. Y.B., 1921, p. 743. 1922; Y.B. Sep. 867, p. 7. 1922.
transportation regulations. Dec. 1, 1906. B.A.I.O. 139, pp. 1–18. 1906.
extension of industry in East, recommendations of Sheep Conference, Nov. 2, 1917. News L., vol. 5, No. 17, p. 7. 1917.
farm—
flock, starting. F.B. 1051, pp. 7–8. 1919.
industry development. Sec. Cir. 93, pp. 11–13. 1918.
methods of cropping and care. Y.B., 1902, pp. 360–364. 1903.
plan, acreage, rotations, number of animals, and returns. F.B. 370, pp. 17–23. 1909.
starting a flock, selection and number. F.B. 840, pp. 9–10. 1917.
farming—
New Zealand, mutton production and new breed. Y.B., 1914, pp. 423, 425, 437. 1915; Y.B. Sep. 650, pp. 423, 425, 437. 1915.
on cut-over lands in Lake States. D.B. 425, pp. 7, 8. 1916.
specialized, soils, fencing, and labor distribution. F.B. 1181, pp. 15–16. 1921.
system. News L., vol. 6, No. 50, p. 3. 1919.

Sheep—Continued.
  farming—continued.
    types, profits, and requirements. Y.B., 1908, p. 362. 1909; Y.B. Sep. 487, p. 362. 1909.
  fattening—
    cottonseed meal and linseed meal, comparisons. F.B. 1179, p. 18. 1923.
    value of emmer. F.B. 466, p. 17. 1911.
  feed—
    and care, in winter. F.B. 840, pp. 12–14. 1917.
    and labor costs, and profits. F.B. 929, pp. 11–13. 1918.
    and labor requirements, southwestern Minnesota. D.B. 1271, pp. 61–63. 1924.
    experiments in Vermont. News L., vol. 4, No. 10, p. 5. 1916.
    protein and energy value, requirements. F.B. 346, pp. 16–20. 1909.
    requirements for maintenance, growth, and fattening. D.B. 459, pp. 14–17. 1916.
    "Sugarota," misbranding. N.J. 810, pp. 2. 1911.
    value of alfalfa. F.B. 339, p. 29. 1908.
    varieties and studies. D.B. 20, pp. 37–44, 46. 1913.
  feeder, grading for market. F.B. 360, pp. 24–27. 1909.
  feeding—
    and breeding, experiments. S.R.S. Rpt., 1917, Pt. I, pp. 26, 102, 105, 110, 127, 167, 175, 206, 220, 227, 231, 246. 1918.
    and grazing, number equivalent to 1,000-pound steer. F.B. 812, p. 8. 1917.
    and management. Great Britain, Ireland, and France. B.A.I. Bul. 77, pp. 71–87. 1905.
    cottonseed meal experiments. J.A.R., vol. 26, p. 10. 1923.
    directions. M.C. 12, pp. 29–32. 1924.
    experiments—
      at Umatilla experiment farm, 1918–19. D.C. 110, pp. 22–24. 1920.
      in Vermont, methods and feeds. News L., vol. 4, No. 10, p. 5. 1916.
      results. Work and Exp., 1913, pp. 29, 43, 72, 79. 1915.
      with Mexican whorled milkweed. D.B. 969, pp. 4–16. 1921.
      with nonproteins. B.A.I. Bul. 139, pp. 16, 22–28, 31–36, 40, 42, 43. 1911.
      with zygadenus. D.B. 125, pp. 8–9, 10–29, 34, 37–43. 1915.
    fish meal, experiments and results. D.B. 378, pp. 2, 3, 4, 5, 6, 7, 8. 1916.
    for meat production. Henry Prentiss Armsby. B.A.I. Bul. 108, pp. 89. 1908.
    grain sorghums and rations, suggested. F.B. 724, pp. 5, 11, 14. 1916.
    in Europe, with cattle and hogs. Willard John Kennedy. B.A.I. Bul. 77, pp. 78. 1905.
    in Nebraska, North Platte reclamation project. D.C. 289, p. 7. 1924.
    investigations by experiment stations. Work and Exp., 1918, pp. 24, 40. 1920.
    labor-saving methods. Sec. Cir. 122, pp. 9–11. 1918.
    larkspur experiments and results. D.B. 365, pp. 55–59, 59–61. 1916.
    on—
      alfalfa hay. F.B. 1229, p. 15. 1921.
      alsike hay, value. F.B. 1151, p. 9. 1920.
      beet tops and pulp, results. F.B. 1095, pp. 2, 5, 6–7, 12, 13. 1919.
      cottonseed products, rations, and results. F.B. 1179, pp. 14, 18. 1920.
      cowpea hay, experiments. F.B. 1153, p. 16. 1920.
      forage crops. News L., vol. 6, No. 41, p. 2. 1919.
      millet hay. F.B. 793, p. 20. 1917.
      oats and oat hay. F.B. 420, pp. 20, 22. 1910.
      pea-vine silage, value. B.P.I. Cir. 45, pp. 8–9. 1910.
      silage, amount. F.B. 556, pp. 23–24. 1913; F.B. 578, p. 24. 1914.
      soy-bean meal. S.R.S. Syl. 35, p. 2. 1919.
      sugar-beet by-products. D.B. 721, p. 40. 1918; Rpt. 86., pp. 20, 41, 44, 58. 1908; Rpt. 90, pp. 29, 30, 35, 38. 1909.
      sunflower silage, experiments and results. D.B. 1045, pp. 27–29. 1922.

Sheep—Continued.
  feeding—continued.
    on—continued.
      sweet clover, experiments. B.P.I. Cir. 80, p. 14. 1911.
      sweet-clover screenings, experiments. C. Dwight Marsh and Glenwood C. Roe. D.C. 87, pp. 7. 1920.
    protection of wool from roughage, importance. F.B. 527, pp. 10–11. 1913.
    racks and troughs. F.B. 810, pp. 18–22. 1917.
    requirements. F.B. 1051, pp. 9–14. 1919.
    stations, in United States, list and capacity. B.A.I. Bul. 63, p. 27. 1905.
    suggestions. Sec. Spec. [Misc.], "Producing sheep on * * *," p. 2. 1914.
    summer and winter. F.B. 929, pp. 17–22. 1918.
    time, feeds, and methods. D.B. 20, pp. 35–46. 1913.
    use of beet molasses. Y.B., 1908, p. 448. 1909; Y.B. Sep. 493, p. 448. 1909.
    value of soybeans, experiments. F.B. 372, pp. 20–21. 1909.
    with—
      apple by-products, experiments. D.B. 1166, pp. 2, 22, 23. 1923.
      death camas, experiments, symptoms, and results. D.B. 1012, pp. 3–8, 17–20. 1922.
      hydrolyzed grain hulls. J.A.R., vol. 27, p. 252. 1924.
      poisonous milkweeds, experiments and results. D.B. 942, pp. 3–14. 1921.
      sneezeweed, experiments and results, D.B. 947, pp. 7–15, 19–22, 23–30, 31–38. 1921.
      soy beans, experiments. F.B. 973, pp. 21–22. 1918.
      vegetable ivory. J.A.R., vol. 7, pp. 306–311. 1916.
  fencing and hurdles. F.B. 810, pp. 23–25. 1917.
  fever tick, North American, occurrence, note. W. D. Hunter. Ent. Cir. 91, pp. 3. 1907.
  fine wool, breeds. D.B. 593, pp. 4, 5, 13. 1917.
  flock management, Australia. D.B. 313, pp. 8–9. 1915.
  flock, size, recommendations for New England. F.B. 929, p. 25. 1918.
  flukes, description, life history, and control. F.B. 1150, pp. 33–37. 1920.
  flushing, for lamb increase. D.B. 996, pp. 1–14. 1921.
  foot-and-mouth disease—
    description, and comparison to foot-rot. B.A.I. Bul. 63, pp. 33–34. 1905.
    quarantine, areas and regulations. B.A.I.O. 231, pp. 12. 1915; B.A.I.O. 232, pp. 13. 1915; B.A.I.O. 234, pp. 11. 1915; B.A.I.O. 234, amdt. 1, pp. 5. 1915; B.A.I.O. 234, amdt. 2, pp. 5. 1915; B.A.O.O. 238, pp. 13. 1915; B.A.I.O. 238, amdts. 1–8, pp. 1–34. 1915.
    slaughter. B.A.I. Rpt., 1924, p. 21. 1924.
    warning to owners. D. E. Salmon. B.A.I. Cir. 38, pp. 3. 1902.
    See also Foot-and-mouth disease.
  foot louse, description, habits, and control. F.B. 1330, pp. 6, 7. 1923.
  foot-rot—
    cause, nature, and treatment. John R. Mohler and Henry J. Washburn. B.A.I. An. Rpt., 1904, pp. 117–137. 1904; B.A.I. Bul. 63, pp. 39. 1904.
    economic importance. B.A.I. Bul. 63, pp. 26–29. 1905.
    inspection instructions. B.A.I.S.A. No. 9, p. 1. 1908.
    prevention. B.A.I. Bul. 63, pp. 34–35. 1905.
    See also Foot-rot.
  foot, wounds and diseases similar to foot-rot, treatment. B.A.I. Bul. 63, pp. 29–34. 1905.
  for farms, desirable breeds, markings. News L., vol. 2, No. 34, p. 3. 1915.
  freight rates—
    1910, in Pacific Coast States. Stat. Bul. 89, pp. 63, 65. 1911.
    1911. Y.B., 1911, p. 652. 1912; Y.B. Sep. 588, p. 652. 1912; Y.B., 1912, p. 707. 1913; Y.B. Sep. 615, p. 707. 1913.
    1924. Y.B., 1923, pp. 1174, 1175. 1924; Y.B. Sep. 906, pp. 1174, 1175. 1924.
  from Mexico, dipping regulations, November 1, 1909. B.A.I.O. 142, amdt. 8, p. 1. 1909.

INDEX TO PUBLICATIONS, 1901–1925   2133

Sheep—Continued.
  gid—
    description, life history, symptoms, and treatment. B.A.I. Cir. 159, pp. 1–7. 1910; B.A.I. Cir. 193, pp. 436–438. 1912; F.B. 1150, pp. 27–31. 1920.
    disease, historical review. B.A.I. Bul. 125, Pt. I, pp. 1–68. 1910.
  giddy, disposal methods. B.A.I. Cir. 165, pp. 18–20. 1910.
  grade flock, establishment, conversion into purebred flock, methods. D.B. 20, p. 4. 1913.
  gravel, cause, symptoms, and treatment. F.B. 1155, p. 32. 1921.
  grazing—
    adaptability of forest ranges. D.B. 791, pp. 29–32, 41–44, 52, 53. 1919.
    areas, national forests, improved transit needed. An. Rpts., 1912, p. 516. 1913; For. A.R., 1912, p. 58. 1912.
    benefits to forest reproduction and production. D.B. 738, pp. 25–27. 1918.
    bluegrass pastures, cost and returns. D.B. 397, pp. 11–12. 1916.
    cooperation of settlers on Minidoka project, Idaho. News L., vol. 5, No. 47, p. 13. 1918.
    coyote-proof pasture, experiments. For. Cir. 156, pp. 1–32. 1908.
    effect on western yellow pine—
      Arizona and New Mexico. For. Bul. 101, p. 17. 1911.
      central Idaho. D.B. 738, pp. 1–31. 1918.
    for control of—
      Canada thistle. News L., vol. 3, No. 37, p. 2. 1916.
      range caterpillar. D.B. 443, p. 12. 1916.
    habits, usefulness on farms. F.B. 812, pp. 6, 8–9, 10. 1917.
    improvement to range lands, aid to reseeding. Y.B., 1915, pp. 305–306. 1916; Y.B. Sep. 678, pp. 305–306. 1916.
    in coyote-proof pasture, results. For. Cir. 160, pp. 11–38. 1909.
    in Idaho, in proposed forest-reserve regions. For. Bul. 67, pp. 47–50. 1905.
    in Louisiana forests, injuries. For. Bul. 114, pp. 10, 13, 27. 1912.
    in national forests—
      1905 and 1912, permits. An. Rpts., 1912, p. 242. 1913; Sec. A.R., 1912, p. 242. 1912; Y.B., 1912, p. 242. 1913.
      1918, numbers and conditions. An. Rpts., 1918, pp. 184, 185, 186, 187. 1918; For. A.R., 1918, pp. 20, 21, 22, 23. 1918.
    in New Mexico national forests. D.C. 240, pp. 7, 11, 13, 15, 16, 18, 19. 1922.
    in Texas, Erath County. Soil Sur. Adv. Sh., 1920, pp. 378, 395. 1923.
    in Washington, Franklin County. Soils F.O., 1914, pp. 2578–2584, 2600. 1919.
    in Wyoming, conditions. N.A. Fauna 42, pp. 10, 19, 21, 37, 53. 1918.
    injury to pine reproduction, and control methods. D.B. 1105, pp. 48, 115–122, 128–129, 130–132, 140. 1923.
    lands, location. Y.B., 1908, p. 232. 1909; Y.B. Sep. 477, p. 232. 1909.
    larkspur areas on cattle ranges. F.B. 826, pp. 20–21, 22. 1917.
    management on forest ranges, methods. D.B. 738, pp. 27–31. 1918.
    systems, relation to revegetation of range lands. J.A.R., vol. 3, pp. 115–143. 1914.
    value in—
      control of chiggers. D.B. 986, p. 16. 1921.
      wild onion eradication. F.B. 610, p. 6. 1914.
  growth—
    during first year, rate and nature, study. J.A.R., vol. 11, pp. 607–624. 1917.
    of industry, per cent of wool and mutton types, and distribution. News L., vol. 5, No. 44, p. 9. 1918.
  grub parasite, symptoms similar to loco disease. B.A.I. Bul. 112, pp. 66–72, 92. 1909.
  Hampshire Down—
    description. F.B. 576, pp. 6–7. 1914.
    origin, history, distribution, and description. D.B. 94, pp. 19–21, 57–59. 1914.
    score card. B.A.I. Bul. 76, p. 45. 1914.

Sheep—Continued.
  handling—
    in judging, directions. D.B. 593, pp. 17–26. 1917; F.B. 1199, pp. 7–18. 1921.
    loading pens and fencing. D.B. 20, pp. 13–17. 1913.
    on national forests. (English and Spanish.) For. [Misc.], "The handling * * *," pp. 11. 1920.
    on range to prevent poisoning. D.B. 1245, pp. 33, 34. 1924.
  harvesting alfalfa and corn, Belle Fourche experiment farm, 1916. W.I.A. Cir. 14, pp. 18–19. 1917.
  head grub, description, habits, symptoms, treatment, and prevention. F.B. 1150, pp. 17–19. 1920.
  heads, destruction in gid eradication, necessity, and methods. B.A.I. Cir. 165, pp. 13–18. 1910.
  hemorrhagic septicemia, symptoms. F.B. 1018, p. 5. 1918.
  herding—
    by girls. News L., vol. 6, No. 35, pp. 13–14. 1919.
    conditions in North Dakota, McKenzie area. Soil Sur. Adv. Sh., 1907, p. 10. 1908; Soils F.O., 1907, p. 864. 1909.
    coyote-proof pastures. An. Rpts., 1909, p. 288. 1910; B.P.I. Chief Rpt., 1909, p. 36. 1909.
    on forest ranges. D.B. 790, pp. 50–54. 1919.
  heredity studies, as to twin bearing, in Shropshire sheep. J.A.R., vol. 4, pp. 479–510. 1915.
  hookworm, description, life history, symptoms, and prevention. F.B. 1150, pp. 45–47. 1920.
  hosts of spotted-fever tick. Ent. Bul. 105, pp. 28, 30, 33. 1911.
  housing, barns, and sheds. D.B. 20, pp. 17–19. 1913.
  husbandry—
    Agriculture Department publications, lists. S.R.S. Doc. 76, pp. 11–12. 1918.
    demonstration, 1918. S.R.S. Rpt., 1918, pp. 40, 65, 110. 1919.
    in Australia, general conditions. D.B. 313, pp. 4–16, 21–28. 1915.
    increase, need, aid methods. Y.B., 1917, pp. 318–320. 1918; Y.B. Sep. 750, pp. 10–12. 1918.
    school and home methods, equipment and uses. S.R.S. Doc. 76, pp. 1–3. 1918.
    with goats, instruction, suggestions for teachers in secondary schools. H. P. Barrows. S.R.S. Doc. 76, p. 12. 1918.
    See also Sheep raising.
  hydatid, description, life history, and prevention. F.B. 1150, pp. 31–33. 1920.
  Iceland, livestock farm in Alaska, recommendation. Alaska A.R., 1909, p. 28. 1910.
  immunity to larkspur poisoning. F.B. 988, pp. 12, 14–15. 1918.
  immunizing by use of anthrax serum, experiments. O.E.S. An. Rpt., 1911, pp. 62, 90. 1912.
  imports—
    1851–1908. Stat. Bul. 74, p. 22. 1910.
    1892–1911. Y.B., 1911, pp. 638–656. 1912; Y.B. Sep. 588, pp. 638–656. 1912.
    1902–1904. Stat. Bul. 35, pp. 14, 27. 1905.
    1907–1909, number and value by countries from which consigned. Stat. Bul. 82, p. 20. 1910.
    1908–1910, number and value by countries from which consigned. Stat. Bul. 90, p. 21. 1911.
    1909–1911, by countries from which consigned. Stat. Bul. 95, p. 21. 1912.
    1918–1920. Y.B., 1921, p. 737. 1922; Y.B. Sep. 867, p. 1. 1922.
    breeds, certification regulations. B.A.I.O. 175, pp. 4, 5. 1910.
    by various countries, statistics. Rpt., 109, pp. 231–260. 1916.
    from Canada—
      dipping and quarantine regulations, October 20, 1909. B.A.I.O. 142, amdt. 7, pp. 2. 1909.
      for breeding purposes, quarantine regulations, June 4, 1908. B.A.I.O. 142, amdt. 3, pp. 2. 1908.
      for exhibition purposes. B.A.I.O. 177, p. 1. 1910.
      inspection regulations. B.A.I.O. 209, amdt. 7, p. 1. 1917.

Sheep—Continued.
  imports—continued.
    inspection and quarantine regulations. B.A.I.
      An. Rpt., 1911, pp. 84-88. 1913; B.A.I. Cir.
      213, pp. 84-88. 1913; B.A.I.O. 142, p. 21.
      1913; B.A.I.O. 180, pp. 26. 1911; B.A.I.O.
      209, pp. 23. 1914; B.A.I.O. 266, pp. 5-8, 15, 16,
      20-21. 1919.
    improved types, descriptions. Y.B., 1923, pp.
      241-246. 1924; Y.B. Sep. 894, pp. 241-246. 1924.
    improvement—
      by grading up. D.B. 905, pp. 44, 61. 1920.
      by use of purebred sires. D.C. 235, pp. 6, 8, 10,
        12, 15. 1922.
      campaign. Off. Rec., vol. 2, No. 7, p. 1. 1923.
      of industry in New England, suggestions.
        F.B. 929, pp. 13-16. 1918.
  inclosures—
    disinfection. F.B., 1150 pp. 8, 9-10, 13. 1920.
    dog-proof, use and value in raising lambs, description. News L., vol. 2, No. 19, pp. 1-2.
      1914.
  income, feed cost, and profits, experiments in
    Vermont, 1916-17. News L., vol. 5, No. 6,
    pp. 4-5. 1917.
  increase—
    in Alaska, illegal killing, and law enforcement.
      Biol. Doc. 110, p. 4. 1919.
    in farm States, reports from crop correspondents
      by States. F.B. 652, pp. 5-6. 1915.
    in 36 farm States, without sheep-killing dogs.
      News L., vol. 5, No. 38, p. 7. 1918.
    necessity. Sec. Cir. 93, pp. 1-14. 1918.
    profits, studies. F.B. 560, p. 25. 1913.
  industry(ies)—
    A. D. Spencer and others. Y.B., 1923, pp. 229-310. 1924; Y.B. Sep. 894, pp. 229-310. 1924.
    conditions and extension. Y.B., 1916, pp. 30-31.
      1917.
    conference at Columbus, Ohio, 1918. News L.,
      vol. 6, No. 3, p. 6. 1918.
    decline, 1925. Off. Rec., vol. 4, No. 4, p. 3.
      1925.
    development in United States. Y.B., 1923, pp.
      234-241. 1924; Y.B. Sep. 894, pp. 234-241.
      1924.
    establishment in North Dakota. News L.,
      vol. 6, No. 29, pp. 6-7. 1919.
    expansion, 1923. Off. Rec., vol. 2, No. 50, p. 2.
      1923.
    importance. B.A.I. Bul. 63, pp. 26-29. 1905.
    in—
      Alaska, conditions. D.C. 260, p. 3. 1923;
        N.A. Fauna 24, p. 30. 1904.
      Argentina. B.A.I. Bul. 48, pp. 61-68. 1903;
        Y.B., 1914, p. 381. 1915; Y.B. Sep. 648, p.
        381. 1915.
      Australia. Stat. Bul. 39, p. 73. 1905.
      Austria, requirements. D.B. 1234, pp. 61-63.
        1924.
      Canada. Stat. Bul. 39, pp. 77-78. 1905.
      England, Scotland, Ireland, and France.
        Willard John Kennedy. B.A.I. Cir. 81,
        pp. 17. 1905.
      farm States, drawbacks. News L., vol. 2,
        No. 34, p. 3. 1915.
      France, 1840-1920. B.A.I. Doc. A-37, p. 51.
        1922.
      Great Britain, number per acre and per 100
        cattle. Y.B., 1917, p. 318. 1918; Y.B. Sep.
        750, p. 10. 1918.
      Hungary, statistics, pre-war and 1920-21.
        D.B. 1234, pp. 31, 35-36. 1924.
      irrigation farming, advantages and problems.
        Y.B., 1916, pp. 191-193. 1917; Y.B. Sep.
        690, pp. 15-17. 1917.
      Italy, 1881-1918. B.A.I. Doc. A-37, p. 54.
        1922.
      New England, expansion possibilities. F.B.
        929, p. 16. 1918.
      Northwest, increase in value. News L.,
        vol. 7, No. 3, p. 6. 1919.
      Russia, 1851-1903. Stat. Bul. 39, p. 88. 1905.
      South Africa, 1895-1904. Stat. Bul. 39, pp.
        92-93. 1905.
      South American countries. Stat. Bul. 39,
        pp. 65, 86, 94. 1905; Y.B., 1919, pp. 375-377,
        379. 1920; Y.B. Sep. 818, pp. 375-377, 379.
        1920.
      Texas, 1907. O.E.S. Bul. 222, p. 13. 1910.

Sheep—Continued.
  industry(ies)—continued.
    in—continued.
      Texas, depredations by wild animals. N.A
        Fauna 25, pp. 172, 174, 177. 1905.
      West Virginia, Parkersburg. Soil Sur. Adv.
        Sh., 1908, p. 14. 1911. Soils F.O., 1908,
        p. 1028. 1911.
      western South Dakota, 1905 and 1909. Soil
        Sur. Adv. Sh., 1909, p. 67. 1911.
      world, and in United States. Stat. Bul. 55,
        pp. 42-45. 1907.
    need of uniform dog laws in all States. News L.,
      vol. 5, No. 33, p. 7. 1918.
    of United States, New Zealand, and Australia,
      comparison. F. R. Marshall. D.B. 313,
      pp. 35. 1915.
    on Minidoka reclamation project. E. F.
      Rinehart. D.B. 573, pp. 28. 1917.
    on Minidoka reclamation project, future development, and influences governing. D.B.
      573, pp. 25-28. 1917.
    outlook. Y.B., 1923, pp. 350-310. 1924; Y.B.
      Sep. 894, pp. 305-310. 1924.
    rise and decline in Lenawee County, Mich.,
      1860-1910. D.B. 694, pp. 4-5. 1918.
    situation. Y.B., 1923, p. 5. 1924.
    stabilization of farming. News L., vol. 5, No.
      45, p. 8. 1918.
    value of lambs over wool. News L., vol. 2,
      No. 52, p. 2. 1915.
    wool, production and increase in meat output.
      News L., vol. 4, No. 23, pp. 2-3. 1917.
  infection in transit, rules. B.A.I.O. 292, p. 20.
    1925.
  infestation with tapeworms, stomach worms, and
    nodular worms. B.A.I. An. Rpt., 1910, pp.
    438-453. 1912; B.A.I. Cir. 193, pp. 438-453.
    1912.
  infestation with twisted wireworm from pastures.
    B.A.I. Cir. 93, pp. 7. 1906.
  injury(ies)—
    dipping. F.B., 159, pp. 33-35. 1903; F.B. 713,
      pp. 26-27. 1916; F.B. 798, pp. 22-23. 1917.
    lice, symptoms. F.B. 1150, p. 7. 1920.
    Lucilia sericata. Ent. T.B. 22, pp. 11, 22. 1912.
    nematodes. Y.B., 1914, p. 461. 1915; Y.B.
      Sep. 652, p. 461. 1915.
    scab. F.B. 713, pp. 1-3, 5-9. 1916.
    smelter fumes, post-mortem notes. B.A.I.
      An. Rpt., 1908, pp. 253, 255, 256. 1910.
    stomach worms. D.C. 47, p. 4. 1919.
    tucolote seed in California. B.P.I. Bul. 117,
      p. 16. 1907.
    to Utah juniper in Arizona. For. Cir. 197, p. 10.
      1912.
  inoculation with—
    anthrax serum. J.A.R., vol. 8, pp. 44-45. 1917.
    Bacillus necrophorus, experiments. B.A.I.
      Bul. 63, pp. 13, 19-24. 1905; B.A.I. Bul.
      67, p. 29. 1905.
    Coccidicides immitis, experiments. J.A.R., vol.
      14, p. 538. 1918.
    tubercle bacilli. B.A.I. An. Rpt., 1906, pp. 119,
      141, 142. 1908.
    vaccine virus, foot-and-mouth disease, experiments. B.A.I. [Misc.], "Instructions * * *
      eradicating foot-and-mouth disease," pp.
      15-17. 1915; B.A.I. Cir. 147, pp. 21-23. 1909.
  inspection(s)—
    and condemnations, 1907-1914. Y.B., 1914,
      pp. 639, 640. 1915; Y.B. Sep. 656, pp. 639,
      640. 1915.
    and dipping for scabies control, 1917. News L.,
      vol. 5, No. 20, p. 3. 1917.
    and quarantine, regulations. B.A.I.O. 259,
      pp. 22. 1918.
    diseases for which condemned. An. Rpts.,
      1913, p. 85. 1914; B.A.I. Chief Rpt., 1913,
      p. 15. 1913.
    for necrobacillosis, instructions. B.A.I.S.A.
      30, pp. 80, 81. 1909.
  introduction at Matanuska Experiment Station,
    Alaska. Alaska A.R., 1920, pp. 4, 51. 1922.
  jaundice, cause, symptoms, and treatment. F.B.
    1155, p. 18. 1921.
  judging—
    G. H. Bedell. F.B. 1199, pp. 23. 1921.
    as a subject of instruction in secondary schools.
      H. P. Barrows. D.B. 593, pp. 31. 1917.

Sheep—Continued.
  judging—continued.
    contests, value in education. D.B. 593, pp. 26–29. 1917.
    score card at agricultural colleges. B.A.I. Bul. 61, pp. 97–113. 1904.
    systematic, steps, and suggestions. F.B. 1199, pp. 8–10. 1921.
  Karakul—
    F. R. Marshall and others. Y.B., 1915, pp. 249–262. 1916; Y.B. Sep. 673, pp. 249–262. 1916.
    breeding, experimental work. Y.B., 1915, pp. 250, 252, 256–261. 1916; Y.B. Sep. 673, pp. 250, 252, 256–261. 1916.
    introduction and demand. Y.B., 1923, p. 246. 1924; Y.B. Sep. 894, p. 246. 1924.
    origin, history, distribution, and description. D.B. 94, pp. 53–55. 1914.
    use in production of Persian lamb fur, experiments. B.A.I. Chief Rpt., 1915, p. 16. 1915; An. Rpts., 1915, p. 92. 1916.
  Kenai, range, and habits. N.A. Fauna 24, p. 30. 1904.
  Kerry Hill—
    Flock Book, registration. B.A.I.O. 175, amdt. 5, p. 1. 1911.
    origin, history, distribution, and description. D.B. 94, pp. 36–37, 57, 59. 1914.
  killing—
    and dressing. F.B. 183, pp. 14–17. 1903.
    by dogs—
      annually, 15 States east of Rocky Mountains. News L., vol. 5, No. 38, p. 7. 1918.
      control. D.B. 260, pp. 1, 2, 25, 27. 1915.
      losses. News L., vol. 1, No. 44, pp. 2–3. 1914.
    dogs—
      J. F. Wilson. F.B. 935, p. 32. 1918.
      V. O. McWhorter. F.B. 652, pp. 13. 1915.
  labor and feed requirements on farms in southwestern Minnesota. D.B. 1271, pp. 61–63. 1924.
  lamb-crop maximum, hints. News L., vol. 6, No. 52, p. 16. 1919.
  lambing enclosures on national forest ranges. B.P.I. Chief Rpt., 1910, p. 34. 1910; For. A.R. 1910, p. 44. 1910; An. Rpts., 1910, pp. 304, 404. 1911.
  large range in New England, management problems. F.B. 929, pp. 28–29. 1918.
  larkspur poisoning. F.B. 531, p. 12. 1913.
  Leicester, description. F.B. 576, p. 12. 1914.
  Leicester, origin, history, distribution, and description. D.B. 94, pp. 39–42, 57, 59. 1914.
  lice, description, kinds, life history, symptoms, and control. F.B. 1150, pp. 5–8. 1920.
  lice, description, symptoms, and control. F.B. 1330, pp. 5–8. 1923.
  lice, treatment and control. B.A.I. Chief Rpt., 1917, p. 52. 1917; An. Rpts., 1917, p. 118. 1917.
  Lincoln—
    breeding in Alaska, description. Alaska A.R., 1911, p. 32. 1912.
    crossing with Karakul, results in fur production. Y.B., 1915, pp. 252, 257, 259. 1916; Y.B. Sep. 673, pp. 252, 257, 259. 1916.
    description. F.B. 576, p. 11. 1914.
    origin, history, distribution, and description. D.B. 94, pp. 45–47, 57, 59. 1914.
    susceptibility to scab. Y.B., 1913, p. 356. 1914; Y.B. Sep. 629, p. 356. 1914.
  lip-and-leg ulceration—
    A. D. Melvin and John R. Mohler. B.A.I. Cir. 160, pp. 35. 1910.
    interstate movement, notice. B.A.I. [Misc.], "Notice * * * interstate movement * * *," p. 1. 1911.
    quarantine regulations, 1909. B.A.I. An. Rpt., 1909, pp. 381–384. 1911.
    quarantine release, Wyoming. B.A.I.O. 169, p. 1. 1910; B.A.I.O. 181, rule 9, p. 1. 1911.
  liver fluke, life history, distribution, and results. B.A.I. An. Rpt., 1910, pp. 428–432. 1912; B.A.I. Cir. 193, pp. 428–432. 1912.
  loco plant, feeding experiments. B.A.I. Bul. 112, pp. 66–72. 1909.
  loco poisoning, symptoms and treatment. F.B. 380, pp. 11, 13. 1909; F.B. 1054, pp. 14–15, 16–17. 1919.

Sheep—Continued.
  long-wooled, adaptability to Alaska. Off. Rec., vol. 2, No. 22, p. 6. 1923.
  Lonk, origin, history, distribution, and description. D.B. 94, pp. 38, 57, 59. 1914.
  loss(es)—
    1913, and condition. April, 1914. F.B. 590, pp. 7, 16. 1914.
    by dogs, State control. News L., vol. 6, No. 29, p. 1. 1919.
    from lupine poisoning. D.B. 405, pp. 3, 4, 36–38, 40. 1916.
    from sneezeweed poisoning, prevention, suggestions. D.B. 947, pp 43–45. 1921.
    in European countries. Y.B., 1918, pp. 293, 295, 296, 297, 302. 1919; Y.B. Sep. 773, pp. 7, 9, 10, 11, 16. 1919.
    number killed by dogs, 1913. F.B. 935, p. 4. 1918.
    on ranges, 1912. An. Rpts., 1912, p. 517. 1913; For. A.R., 1912, p. 59. 1912.
    prevention by dog-proof fence. News L., vol. 5, No. 36, p. 4. 1918.
  louping ill, relation to ticks. Ent. Bul. 72, p .56. 1907.
  lungworms, description, life history, and control. F.B. 1150, pp. 50–53. 1920.
  lymph glands, anatomical notes. B.A.I. Cir. 192, pp. 381, 382, 386, 388, 391, 395. 1912; B.A.I. An. Rpt., 1910, pp. 381, 382, 386, 388, 391, 395. 1912.
  maggot—
    fly, life history and control work. Hawaii A.R., 1908, pp. 21–23. 1908.
    in head, enemy of. Hawaii A.R., 1907, p. 47. 1908.
    injury to sheep and wool, description. Ent. T.B. 22, pp. 11, 21–22. 1912.
  maintenance ration, requirement. B.A.I. Bul. 143, pp. 48–51. 1912; D.B. 20, pp. 49–50. 1913.
  management—
    and feeding, small sheep farm. F.B. 370, pp. 19–23. 1909.
    in dipping vats. F.B. 798, p. 16. 1917.
    Minidoka project, methods. D.B. 573, pp. 6–25. 1917.
    on farm. Edward L. Shaw and Lewis L. Heller. D.B. 20, pp. 52. 1913.
    on range, control and handling. D.B. 790, pp. 48–55. 1919.
  mange, spread by dogs. D.B. 260, p. 24. 1915.
  manure—
    composition and value. F.B. 192, pp. 8–14. 1904.
    dried, use as top dressing for lawns. Soils Bul. 75, pp. 49, 54. 1911.
    production per year, composition, amount, and value. S.R.S. Doc. 30, pp. 2–3. 1916.
    value and use. F.B. 1044, p. 10. 1919.
    value on farm. F.B. 1051, pp. 27, 32. 1919.
  market—
    classes and grades. D.B. 593, p. 8. 1917; F.B. 360, pp. 17–29. 1909.
    prices, 1906. B.A.I. An. Rpt., 1906, pp. 311–313. 1908.
    prices, 1908, and range, 1897–1908, Chicago. B.A.I. An. Rpt., 1908, p. 396. 1910.
    statistics, prices, and shipments, 1910–1920. D.B. 982, pp. 69–90, 91–99, 141–142. 1921.
  marketing—
    1900–1918. Y.B., 1918, p. 704. 1919; Y.B. Sep. 795, p. 40. 1919.
    at Omaha, September, 1919. News L., vol. 7, No. 15, p. 16. 1919.
    history, movement, and prices. Y.B., 1923, pp. 275–290. 1924; Y.B. Sep. 894, pp. 275–290. 1924.
    in Louisiana. News L., vol. 7, No. 6, p. 8. 1919.
    in Pacific Coast States, numbers, rates, and methods. Stat. Bul. 89, pp. 19–26, 58, 59, 61, 63, 65, 91–94. 1911.
    methods, by States and by sections. Rpt. 98, pp. 105–117. 1913; Rpt. 113, pp. 11, 14, 15. 1916.
  marking—
    for shipment, methods. F.B. 718, pp. 10–11. 1916.
    implements and methods, directions. F.B. 810, pp. 26–27. 1917.

Sheep—Continued.
　marking—continued.
　　in cooperative shipments. F.B. 1292, pp. 8. 1923
　measles. *See* Measles.
　meat yields, per 100 pounds. D.C. 241, pp. 10, 12. 1924.
　men, cooperative associations. F.B. 1051, p. 14. 1919.
　Merino—
　　breeding in Alaska, description. Alaska A.R., 1911, p. 32. 1912.
　　crossing with Karakul, results on fur production. Y.B., 1915, p. 258. 1916; Y.B. Sep. 673, p. 258. 1916.
　　Delaine, score card. B.A.I. Bul. 76, pp. 46–47. 1905.
　　description and characteristics. F.B. 576, pp. 13–15. 1914.
　　origin, history, distribution, description, and price. D.B. 94, pp. 6–10, 57, 59. 1914.
　　Spanish, score card. B.A.I. Bul. 76, pp. 47–49. 1905.
　milk—
　　cheese, notes. B.A.I. Bul. 105, pp. 7, 11, 22, 28, 29, 30, 33, 35, 39, 40, 44, 45, 46, 50, 51. 1908; B.A.I. Bul. 146, pp. 7, 12, 31–38, 42–48, 51, 52, 56. 1911.
　　composition, comparison with cow's milk. D.B. 970, pp. 6, 27. 1921.
　　use in cheese making. B.A.I. Bul. 68, p. 25. 1905.
　milkweed poisoning control, investigations. D.B. 969, pp. 4–16. 1921.
　Mouflon—
　　gid occurrence. B.A.I. Bul. 125, Pt. I, pp. 31–34. 1910.
　　types, origin, characteristics, etc. B.A.I. An. Rpt., 1910, pp. 154–155, 156. 1912.
　mountain—
　　and goats in Alaska, habits, distribution, and hunting methods. Y.B., 1907, pp. 474–478. 1908; Y.B. Sep. 462, pp. 474–478. 1908.
　　Bighorn, Texas, occurrence, habits, and food. N.A. Fauna 25, pp. 70–75. 1905.
　　condition in United States, 1908. Y.B., 1908, p. 582. 1909; Y.B. Sep. 500, p. 582. 1909.
　　enumeration and value. D.B. 1049, pp. 24, 25. 1922.
　　in Alaska—
　　　decrease. D.C. 168, p. 6. 1921.
　　　habitat, conditions, and protection. Sec. [Misc.], "Report of the Governor * * * 1915," pp. 2, 3, 5, 16–17. 1916.
　　　habits, distribution, and hunting methods. Y.B., 1907, pp. 474–477. 1908; Y.B. Sep. 462, pp. 474–477. 1908.
　　　regulations. Biol. S.R.A. 15, p. 1. 1917; Biol. S.R.A. 22, pp. 2, 3. 1918.
　　infestation with scab mite. B.A.I. An. Rpt. 1910, p. 458. 1912; B.A.I. Cir. 193, p. 458. 1912.
　　investigations, Colorado. An. Rpts., 1913, p. 228. 1914; Biol. Chief Rpt., 1913, p. 6. 1913.
　　killing in Alaska. Biol. S.R.A. 53, p. 2. 1923.
　　Mexican, occurrence in Texas, habits and food. N.A. Fauna 25, pp. 70–75. 1905.
　　number—
　　　and condition in Alaska. D.C. 225, p. 5. 1922.
　　　and distribution. Biol. Chief Rpt., 1924, pp. 28–29. 1924.
　　　and value as game, Alaska, Kenai region. Soil Sur. Adv. Sh., 1916, pp. 120–122. 1919; Soils F.O. 1916, pp. 152–153. 1921.
　　　in forests. Off. Rec. vol. 2, No. 46, p. 1. 1923.
　　occurrence in—
　　　Colorado, description. N.A. Fauna 33, pp. 62–64. 1911.
　　　Montana. Biol. Cir. 82, p. 10. 1911.
　　protection. Biol. Cir. 73, p. 5. 1910; Biol. Doc. 105, pp. 8–10, 14. 1917; Biol. S.R.A. 12, p. 1. 1916; Biol. S.R.A. 28, pp. 1–3. 1919.
　　raising in Alaska, reconnaissance. Soil Sur. Adv. Sh., 1916, p. 91. 1918; Soils F.O., 1916, p. 125. 1921.
　　varieties, description, and habits, Athabaska-Mackenzie region. N.A. Fauna 27, pp. 155–158. 1908.

Sheep—Continued.
　movement, interstate, rules. B.A.I.O. 292, p. 18. 1925.
　muscle and viscera, vitamin-content studies. D.B. 1138, pp. 12–14, 25–27, 28, 35–38. 1923.
　mutton—
　　and wool, breed selection, outline study. S.R. S. Doc. 76, pp. 3–7. 1918.
　　breeds. D.B. 593, pp. 4–6. 1917.
　　grading for market. F.B. 360, pp. 18–24. 1909.
　　score card for judging, directions for use. F.B. 1199, p. 5. 1921.
　national-forest grazing, bedding regulations For. [Misc.], "The use book, 1921," pp. 66–67. 1922.
　necrotic dermatitis, cause, symptoms, and control. An. Rpts., 1907, p. 222. 1908; B.A.I. An. Rpt., 1907, p. 44. 1909.
　needs and habits, note. News L., vol. 5, No. 45, p. 8. 1918.
　notes. George M. Rommel. F.B. 575, pp. 18–19. 1914.
　number—
　　1840–1917, and in foreign countries. Y.B., 1917, pp. 427–428, 430–432. 1918; Y.B. Sep. 741, pp. 5–6, 8–10. 1918.
　　1850–1924. D.C. 241, pp. 2–3. 1924.
　　and kinds at various ages. News L., vol. 2, No. 34, p. 3. 1915.
　　and value, total and on farms Jan. 1, 1920, graph and map. Y.B., 1921, pp. 470, 485. 1922; Y.B. Sep. 878, pp. 64, 79. 1922.
　　census 1910, and estimate 1915, by States, map. Y.B., 1915, p. 399. 1916; Y.B. Sep. 681, p. 399. 1916.
　　changes in European countries since 1914, notes. Y.B., 1919, pp. 409–423. 1920; Y.B. Sep. 821, pp. 409–423. 1920.
　　decline, 1910–1916. Y.B., 1917, pp. 311–312. 1918; Y.B. Sep. 750, pp. 3–4. 1918.
　　decrease since 1900. Y.B., 1914, pp. 319, 320. 1915; Y.B. Sep. 645, pp. 319, 320. 1915.
　　grazed on national forests and fees, 1920, 1921. For. A.R., 1921, pp. 23, 24. 1921.
　　grazing on national-forest ranges. An. Rpts., 1916, p. 18. 1917; Sec. A.R., 1916, p. 20. 1916.
　　in arid Southwest, certain counties. D.B. 728, p. 23. 1918.
　　in New Zealand, comparison with Wyoming. News L., vol. 3, No. 14, p. 8. 1915.
　　in United States and foreign countries. Sec. Spec. [Misc.], "Geography * * * world's agriculture," pp. 135–136, 137–141. 1917; Rpt. 109, pp. 14, 44–55, 192–215. 1916.
　　in various countries, comparison. Rpt. 109, pp. 53–55, 67. 1916.
　　in Western States. For. Bul. 97, p. 7. 1911.
　　in world countries—
　　　1916, graphs and tables. Y.B., 1916, pp. 552, 659–662. 1917. Y.B. Sep. 713, p. 22. 1917; Y.B. Sep. 721, pp. 1–4. 1917.
　　　1917. Y.B., 1917, pp. 401–404. 1918; Y.B. Sep. 751, pp. 3–6. 1918.
　　　1918. Y.B., 1918, pp. 587–591. 1919; Y.B. Sep. 793, pp. 3–7. 1919.
　　　1919. Y.B., 1919, pp. 644–648. 1920; Y.B. Sep. 828, pp. 644–648. 1920.
　　　1921. Y.B., 1921, pp. 675–680. 1922. Y.B. Sep. 870, pp. 1–6. 1922.
　　　1922. Y.B., 1922, pp. 795–801. 1923; Y.B. Sep. 888, pp. 795–801. 1923.
　　before and after the war. Sec. Cir. 142, pp. 23, 24. 1919.
　　increase since 1914. An. Rpts., 1918, pp. 6, 8. 1919; Sec. A.R., 1918, pp. 6, 8. 1918.
　　killed by dogs, various States, 1913, per cent of total number. F.B. 652, pp. 4–5. 1915.
　　on farms—
　　　January 1, 1915, estimates by States, with comparisons. F.B. 651, p. 18. 1915.
　　　January 1, 1920. Y.B., 1921, p. 485. 1922; Y.B. Sep. 878, p. 79. 1922.
　　　increase possibilities, and profitableness. News L., vol. 4, No. 23, p. 3. 1917.
　　on western ranges, changes since 1910, causes, discussion. Rpt. 110, pp. 6–13, 51, 55, 56, 59, 62, 63, 67, 72, 76, 77, 81, 82, 86, 89, 90, 93, 95. 1916.

INDEX TO PUBLICATIONS, 1901-1925   2137

Sheep—Continued.
 number—continued.
  per acre—
   United States and United Kingdom, comparison. F.B. 652, p. 1. 1915.
   with or without other stock. F.B. 840, pp. 5, 7-8. 1917.
  prices, and marketing, 1923. Y.B., 1923, pp. 981-1010. 1924; Y.B. Sep. 903, pp. 981-1010. 1924.
  slaughtered under Federal inspection, 1909. B.A.I. An. Rpt. 1909, pp. 319-320. 1911; F.B. 1055, p. 4. 1919.
  under one shepherd in pasturage system. For. Cir. 178, pp. 21-22. 1910.
  value, distribution, and marketing, estimates. F.B. 575, pp. 2-3, 8, 11, 12, 15-19, 23, 36. 1914.
 on—
  irrigated farms in the Northwest. Stephen O. Jayne. F.B. 1051, pp. 32. 1919.
  Minidoka project, status. D.B. 573, pp. 4-6. 1917.
  New England farms. F. H. Branch. F.B. 929, pp. 30. 1918.
  reclamation projects, number and breeds. F.B. 1051, pp. 5-7. 1919.
  western ranches, study. News L., vol. 6, No. 52, p. 16. 1919.
 owners, compensation for losses by dogs. F.B. 935, pp. 8-9, 11-22, 27. 1918.
 owners, Northwest, value of storm warnings of Weather Bureau. News L., vol. 4, No. 2, p. 4. 1916.
 Oxford, description. F.B. 576, pp. 7-8. 1914.
 Oxford Down—
  origin, history, distribution, and description. D.B. 94, pp. 22-23, 57, 58, 59. 1914.
  score card. B.A.I. Bul. 76, pp. 49-50. 1905.
 parasites—
  and parasitic diseases. Maurice C. Hall. F.B. 1150, pp. 53. 1920; F.B. 1330, pp. 54. 1923.
  control remedies. D.B. 573, pp. 21-22. 1917.
  distribution and importance. B.A.I. An. Rpt., 1910, pp. 419-463. 1912; B.A.I. Cir. 193, pp. 419-463. 1912.
  eradication studies. News L., vol. 2, No. 49, p. 6. 1915.
  in so-called locoed animals. B.A.I. Bul. 112, pp. 31, 66, 67, 69. 1909.
  internal, studies. B.A.I. Chief Rpt., 1924, p. 38. 1924.
  nematode occurrence and description. B.A.I. Cir. 116, pp. 1-6. 1907.
  occurrence and injury. Y.B., 1923, pp. 266-269. 1924. Y.B. Sep. 894, pp. 266-269. 1924.
 parasitic—
  diseases, distribution and importance (and cattle parasites). Maurice C. Hall. B.A.I. An. Rpt., 1910, pp. 419-463. 1912; B.A.I. Cir. 193, pp. 44. 1912.
  worms, spread by dogs, diseases caused. D.B. 260, pp. 5-15. 1915.
 parts, chart. D.B. 593, p. 3. 1917.
 pasturage—
  in Alps, cause of destructive torrents. F.B. 358, p. 40. 1909.
  on alfalfa. D.B. 228, p. 5. 1915.
  requirements. F.B. 370, pp. 20-21. 1909.
  use of ditch banks. News L., vol. 6, No. 29, p. 5. 1919.
 pasture rotations for control of stomach worms. D.C. 47, pp. 5-6, 9-10. 1919.
 pasturing—
  bindweed eradication. F.B. 368, p. 17. 1909.
  experiments, Belle Fourche Experiment Farm D.C. 339, pp. 33-34, 36-37. 1925.
  experiments, Huntley experiment farm D.C. 86, p. 32. 1920; D.C. 147, pp. 23-24. 1921.
  for control of hop flea beetle. Ent. Bul. 66, p. 90. 1910.
  in New England. F.B. 929, pp. 18-20. 1918.
  on alfalfa—
   and sweet clover, Nebraska, experiments. W.I.A. Cir. 27, pp. 18, 19. 1919.
   corn and beet tops, in South Dakota. D.C. 60, pp. 22-24. 1919.

Sheep—Continued.
 pasturing—continued.
  on alfalfa—continued.
   danger of bloat, and precautions. F.B. 1229, p. 19. 1921.
   experiments. D.C. 173, p. 16. 1921.
   gains. W.I.A. Cir. 24, pp. 16-19. 1918.
   in South Dakota, Belle Fourche experiment farm. W.I.A. Cir. 9, p. 14. 1916.
   practices. D.C. 339, pp. 33-34. 1925; F.B. 1021, pp. 29-30. 1919.
  on—
   bluegrass and sweet clover. F.B. 1005, pp. 26-27. 1919.
   cowpeas. F.B. 1153, p. 18. 1920.
   cut-over lands, various States. News L., vol. 5, No. 52, p. 11. 1918.
   forest ranges, experiments. An. Rpts., 1910, pp. 304, 332, 403-404. 1911; B.P.I. Chief Rpt., 1910, pp. 34, 62. 1910; For. A.R., 1910, pp. 43-44. 1910.
   irrigated farms. F.B. 1051, pp. 10-13, 15-32. 1919.
   irrigated meadows, carrying capacity. W.I.A. Cir. 22, p. 17. 1918.
   irrigation ditches, Yuma, Arizona. W.I.A. Cir. 25, pp. 33-34. 1919.
   irrigation ditches, Yuma experiment farm in 1920. D.C. 221, p. 37. 1922.
   lands for control of weeds. F.B. 660, pp. 12, 20-21. 1915.
   lawns and parks, value, profits, and action of President. News L., vol. 5, No. 44, p. 1. 1918.
   Sudan grass. F.B. 1126, pp. 18, 19. 1920.
 pedigree-record—
  associations and books. B.A.I. An. Rpt., 1909, pp. 324-325. 1911.
  books, list. B.A.I. An. Rpt., 1906, pp. 356-357, 359, 361. 1908.
  place on New England farms. F. H. Branch. F.B. 929, pp. 30. 1918.
 points—
  and score cards. B.A.I. Bul. 76, pp. 41-54. 1905.
  in judging. D.B. 593, pp. 9, 11-12. 1917.
 poisoning by—
  Astragalus tetrapterus. D.C. 81, pp. 3, 6. 1920.
  cockleburs, symptoms and results. D.B. 1274, pp. 10-11, 12-18. 1924.
  Daubentonia longifolia, symptoms and treatment. D.C. 82, pp. 1, 3. 1920; J.A.R., vol. 20, pp. 507-513. 1920.
  death camas. D.B. 1240, pp. 3-5, 7-11. 1924; F.B. 1273, pp. 4, 11. 1922.
  greasewood, reports and experiments. D.C. 279, pp. 2-4. 1923.
  menziesia, symptoms and control methods. B.P.I. [Misc.], "Menziesia, * * * stock poisoning plant * * *," pp. 1-3. 1914.
  milkweed, symptoms. D.B. 1212, pp. 1-2, 4-13. 1924.
  mountain laurel, remedies. B.P.I. Bul. 121, pp. 26, 29, 34. 1908.
  oak leaves. D.B. 767, pp. 1, 7, 16. 1919.
  plants on the range, symptoms and prevention. D.B. 1245, pp. 4, 5, 7, 13-20. 1924.
  sneezeweed, history, feeding experiments, etc. D.B. 947, pp. 1-3, 6-15, 19-38, 43-45. 1921.
  stagger grass, experimental feeding. D.B. 710, pp. 5, 7-11. 1918.
  white snakeroot. J.A.R., vol. 11, pp. 702-706, 708, 713. 1917.
  whorled milkweed, history, and experiments. D.B. 800, pp. 1-4, 8, 9-12, 17-20, 26-38. 1920; D.C. 101, pp. 1, 2. 1920.
  wild cherry leaves, experiments. D.B. 575, pp. 17-18. 1918.
  woody aster, control work, Wyoming Experiment Station. O.E.S. An. Rpt., 1912, p. 64. 1913.
  woolly-pod milkweed, and treatment. D.C. 272, p. 3. 1923.
  zygadenus, symptoms. D.B. 125, pp. 7, 24-29, 44. 1915.
 poisoning—
  cause and control methods. F.B. 536, pp. 3-4. 1913.
  on range, prevention methods. F.B. 720, pp. 1-11. 1916.

Sheep—Continued.
poisoning—continued.
plant of the Southern States. C. Dwight Marsh. D.C. 82, pp. 4. 1920.
prevention methods. D.B. 405, pp. 3, 4, 37, 39–42. 1916.
stock ranges, prevention. Rpt. 73, pp. 13–14. 1902.
poisonous plants on ranges, descriptions and remedies. B.P.I. [Misc.]. "Principle poisonous plants * * *," pp. 2–7, 12–13. 1914.
pox—
cause, symptoms, and prevention. F.B. 1155, p. 17. 1921.
relation to necrosis bacillus. B.A.I. An. Rpt., 1904, p. 92. 1905.
premises, cleaning and disinfecting. F.B. 713, pp. 27–28. 1916.
prices—
1867–1918. Y.B., 1917, pp. 421–422. 1918; Y.B. Sep. 751, pp. 23–24. 1918.
1910–1914. Rpt. 113, pp. 66, 68. 1916.
1910–1917. Sec. Cir. 93, p. 8. 1918.
at Chicago—
1899–1909. B.A.I. An. Rpt., 1909, pp. 301, 303, 304. 1911.
1911 and 1900–1911. B.A.I. An. Rpt., 1911, pp. 270, 272. 1913.
and Omaha, 1892–1907. B.A.I. An. Rpt., 1907, p. 379. 1909.
comparison with mutton and lamb prices. Rpt. 109, pp. 143–152, 155–156, 161–162, 279–301. 1916.
farm and market. Y.B., 1924, pp. 942–949, 1175. 1925.
farm, city, and export, comparison. Stat. Bul. 101, pp. 70–71. 1913.
in California and Oregon, 1909–1910. Stat. Bul. 89, pp. 57–59. 1911.
to farmers, 1912–1915. News L., vol. 2, No. 42, p. 1. 1915.
primary splenomegaly. B.A.I. An. Rpt., 1910, pp. 415–418. 1912.
production—
1917, methods and obstacles. News L., vol. 5, No. 30, p. 3. 1918.
1918, increase, consideration governing. Sec. Cir. 103, pp. 10–11. 1918.
cost under western range conditions. Rpt. 110, pp. 44–48, 50. 1916.
in Australia and New Zealand. Y.B., 1914, pp. 422, 423, 437. 1915; Y.B. Sep. 650, pp. 422, 423, 437. 1915.
on reclamation projects. An. Rpts., 1917, pp. 152–153. 1918; B.P.I. Chief Rpt., 1917, pp. 22–23. 1917.
on southern farms. Sec. Spec. [Misc.], "Producing sheep on * * *," pp. 3. 1914.
on waste land. News L., vol. 5, No. 32, p. 7. 1918.
sectional prospects, United States. F.B. 840, pp. 4–5. 1917.
profits from high price of wool and mutton. News L., vol. 5, No. 39, p. 6. 1918.
profits per year in keeping. News L., vol. 6, No. 35, p. 12. 1919.
protection—
against dogs, use of elk in pastures. F.B. 330, p. 11. 1908.
against wool maggots. F.B. 857, pp. 17–18. 1917.
by dog-proof fences. F.B. 935, pp. 5–6. 1918; F.B. 1268, pp. 4–5, 6. 1922.
by fences on New Mexico ranges. D.B. 211, p. 36. 1915.
by goats. F.B. 137, pp. 16, 31. 1901.
by law. Biol. Bul. 12, rev., pp. 38, 40. 1902.
from anthrax by use of serum. An. Rpts., 1912, p. 99. 1913; Sec. A.R., 1912, p. 99. 1912; Y.B., 1912, p. 99. 1913.
from dogs. F.B. 1181, p. 16. 1921; F.B. 1268, pp. 1–29. 1922; News L., Vol. 5, No. 47, p. 15. 1918.
from parasites, important measures. F.B. 1330, pp. 2, 4–5, 8, 9, 13, 16, 19, 26, 32, 35, 41–42, 44, 47, 49. 1923.
from storms and dogs. Sec. [Misc.], Spec. "Producing sheep on * * *," p. 1. 1914.
in Alaska, regulations. Biol. S.R.A. 5, p. 1. 1915; Biol. S.R.A. 10, pp. 2. 1916.

Sheep—Continued.
protection—continued.
in California. Off. Rec., vol. 4, No. 46, p. 6. 1925.
protein requirement, studies. B.A.I. Bul. 143, pp. 94–96. 1912.
purebred—
certifications, 1909. B.A.I. An. Rpt., 1909, pp. 347, 348, 349. 1911.
flock, establishment and advantages. D.B. 20, pp. 4–5, 6. 1913.
record books. B.A.I. An. Rpt., 1910, pp. 532, 550–551, 552. 1912; B.A.I.O. 175, pp. 4, 5. 1911.
quarantine—
for foot-and-mouth disease, Pennsylvania and New York, November 19, 1908. B.A.I.O. 156, pp. 2. 1908.
for lip-and-leg ulceration, control. B.A.I. Cir. 160, pp. 7–11. 1910.
for lip-and-leg ulceration, Wyoming counties, August 12, 1909. B.A.I.O. 169, amdt. 1, rule 8, rev. 2, p. 1. 1910; B.A.I.O. 163, amdt. 1, p. 1. 1909; B.A.I.O. 163, rule 8, pp. 3. 1909; B.A.I.O. 181, rule 9, p. 1. 1911.
for scabies, Blue Grass Fair, Lexington, Ky., release. B.A.I.O. 146, amdt. 10, rule 3, pp. 2. 1911.
for scabies, regulations. B.A.I. An. Rpt., 1910, pp. 458–461. 1912; B.A.I. Cir. 193, pp. 458–461. 1912; B.A.I.O. 146, amdt. 7, rule 3, rev. 1, pp. 2. 1910; B.A.I.O. 195, amdt. 1, p. 1. 1913; B.A.I.O. 195, rule 3, rev. 2, pp. 3. 1913; B.A.I.O. 212, amdt. 1, p. 1. 1914; B.A.I.O. 212, amdt. 3, p. 1. 1916; B.A.I.O. 212, amdt. 4, p. 1. 1917; B.A.I.O. 212, rule 3, rev. 4, pp. 2. 1914; B.A.I.O. 272, rule 3, rev. 6, pp. 2. 1921.
in Kentucky, regulations, August 16, 1909. B.A.I.O. 146, amdt. 4, p. 1. 1909.
in Texas, regulations, August 18, 1909. B.A.I.O. 146, amdt. 5, p. 1. 1909.
raisers, American, suggestions from Australasia. F.R. Marshall. Y.B., 1914, pp. 319–338. 1915; Y.B. Sep. 645, pp. 319–338. 1915.
raisers' organizations, in Australia. D.B. 313, pp. 33–34. 1915.
raising—
aid to beginners by sheep-extension specialists. News L., vol. 5, No. 45, p. 7. 1918.
aids, summary. Sec. Cir. 93, pp. 13–14. 1918.
and feeding in Iowa, Page County. Soil Sur. Adv. Sh., 1921, p. 355. 1924.
decline in eastern Pennsylvania, factors influencing. D.B. 341, p. 10. 1916.
decrease in New England, menace of dogs. News L., vol. 5, No. 21, p. 8. 1917.
economic phases, feed and labor costs. Y.B., 1917, pp. 315–316. 1918; Y.B. Sep. 750, pp. 7–8. 1918.
expensive equipment unnecessary. News L., vol. 6, No. 10, p. 6. 1918.
experiments for increasing lamb yields. D.B. 996, rev., pp. 1–15. 1923.
farm equipment. V. O. McWhorter. F.B. 810, pp. 28. 1917.
farm, for beginners. F.R. Marshall and R. B. Millin. F.B. 840, pp. 24. 1917.
for wool and mutton, project; references. S.R.S. Doc. 73, pp. 7–8. 1917.
in Alaska—
conditions and difficulties. Alaska A.R., 1914, pp. 41–42, 76–78. 1915.
experience. B.P.I. Bul. 82, p. 22. 1905.
Kenai Peninsula region. Soil Sur. Adv. Sh., 1916, p. 111. 1919; Soils F.O., 1916, p. 143. 1921.
possibilities. Alaska Cir. 1, p. 19. 1916.
in Argentina, breeds, size of flocks and ranges, feeding, care, and marketing. D.C. 228, pp. 6–8. 1922.
in—
Arizona, southern, acreage, and income. D.B. 654, p. 34. 1918.
California, Upper San Joaquin Valley. Soil Sur. Adv. Sh., 1917, p. 30. 1921; Soils F.O., 1917, p. 2558. 1923.
Florida, Flagler County. Soil Sur. Adv. Sh., 1913, p. 12. 1922; Soils F.O., 1918, p. 542. 1924.

Sheep—Continued.
raising—continued.
  in—continued.
    Georgia, Stewart County, decline. Soil Sur. Adv. Sh., 1913, p. 10. 1915; Soils F.O., 1913, p. 550. 1916.
    Iowa, Fayette County. Soil Sur. Adv. Sh., 1919, pp. 14. 1922; Soils F. O., 1919, p. 1468. 1925.
  in Kentucky—
    Rockcastle County, profits. Soil Sur. Adv. Sh., 1910, pp. 13–14. 1911; Soils F.O., 1910, pp. 1025–1026. 1912.
    Shelby County. Soil Sur. Adv. Sh., 1916, pp. 24, 42. 1919; Soils F.O., 1916, pp. 1434, 1452. 1921.
  in Maryland—
    Charles County. Soil Sur. Adv. Sh., 1918, pp. 11, 46. 1922; Soils F.O., 1918, pp. 83, 118. 1924.
    Frederick County. Soil Sur. Adv. Sh., 1919, pp. 9, 11, 28, 39, 76. 1922; Soils F.O., 1919, pp. 649, 651, 668, 679, 716. 1925.
  in Minnesota, Stevens County. Soil Sur. Adv. Sh., 1919, pp. 12, 13, 21, 31. 1922; Soils F.O., 1919, pp. 1384, 1385, 1393, 1403. 1925.
  in Missouri, Ozark region. D.B. 941, p. 33. 1921.
  in Montana, irrigated sections, advantages. B.P.I. Doc. 462, p. 6. 1909.
  in Nevada, Newlands experiment farm. D.C. 352, p. 20. 1925.
  in New England. News L., vol. 6, No. 44, p. 16. 1919.
  in New York—
    Chenango County, decline. Soil Sur. Adv. Sh., 1918, p. 11. 1920; Soils F.O., 1918, p. 17. 1924.
    Jefferson County. Soil Sur. Adv. Sh., 1911, p. 17. 1913; Soils F.O., 1911, p. 107. 1914.
    Orange County, decline. Soil Sur. Adv. Sh., 1912, pp. 15–16. 1914; Soils F.O., 1912, pp. 1973–1974. 1915.
    Tompkins County. Soil Sur. Adv. Sh., 1921, p. 1573. 1924.
    Washington County, decline in industry. Soil Sur. Adv. Sh., 1909, pp. 19–20, 57. 1911; Soils F.O., 1909, pp. 119–120, 157. 1912.
  in North Carolina, Alleghany County. Soil Sur. Adv. Sh., 1915, p. 11. 1917; Soils F.O., 1915, p. 345. 1919.
  in North Dakota, western, conditions. Soil Sur. Adv. Sh., 1908, pp. 39–40. 1910; Soils F.O., 1908, pp. 1187–1188. 1911
  in Ohio, Meigs County. Soil Sur. Adv. Sh., 1906, pp. 12–13, 31. 1908; Soils F.O., 1906, pp. 708–709. 1908.
  in Pennsylvania—
    eastern, Chester County. D.B. 341, pp. 48–49. 1916.
    Greene County. Soil Sur. Adv. Sh., 1921, p. 1256. 1925.
  in semiarid West, remarks. O.E.S. Bul. 179, p. 83. 1907.
  in Tennessee and Kentucky. News L., vol. 6, No. 37, p. 14. 1919.
  in Texas—
    Denton County. Soil Sur. Adv. Sh., 1918, pp. 11, 12, 27, 57. 1922; Soils F.O., 1918, pp. 783, 784, 799, 829. 1924.
    northwest. Soil Sur. Adv. Sh., 1919, pp. 17, 74. 1922; Soils F.O., 1919, pp. 1115, 1172. 1925.
    south-central, importance of industry. Soil Sur. Adv. Sh., 1913, pp. 31, 36. 1915; Soils F.O., 1913, pp. 1097, 1102. 1916.
  in Uruguay, grazing with cattle, breeds, increase, and profits. D.C. 228, pp. 19–20. 1922.
  in Virginia, Pittsylvania County. Soil Sur. Adv. Sh., 1918, p. 11. 1922; Soils F.O., 1918, p. 127. 1924.
  in Washington, Wenatchee area. Soil Sur. Adv. Sh., 1918, p. 10. 1922; Soils F.O., 1918, p. 1550. 1924.
  in West Virginia—
    Barbour and Upshur Counties. Soil Sur. Adv. Sh., 1917, pp. 10, 13–14. 1919; Soils F.O., 1917, pp. 998, 1001–1002. 1923.

Sheep—Continued.
raising—continued.
  in West Virginia—Continued.
    Middlebourne area, decrease. Soil Sur. Adv. Sh., 1907, pp. 11, 14. 1909; Soils F.O., 1907, pp. 171, 174. 1909.
    Morgantown area, rise and decline. Soil Sur. Adv. Sh., 1911, p. 10. 1912; Soils F.O., 1911, p. 1332. 1914.
    Point Pleasant area, rise and decline. Soil Sur. Adv. Sh., 1910, pp. 14–15. 1911; Soils F.O., 1910, pp. 1086–1087. 1912.
    Spencer area. Soil Sur. Adv. Sh., 1909, pp. 12, 31. 1910; Soils F.O., 1909, pp. 1182, 1201. 1912.
    Webster County. Soil Sur. Adv. Sh., 1918, pp. 11, 23. 1920; Soils F.O., 1918, pp. 927, 939. 1924.
  in Wisconsin, Waukesha County. Soil Sur. Adv. Sh., 1910, p. 13. 1912; Soils F.O., 1910, p. 1181. 1912.
  increase. Off. Rec., vol. 3, No. 17, p. 1. 1924.
  increase in West. News L., vol. 6, No. 45, p. 16. 1919.
  increasing interest among farmers and farm boys. News L., vol. 5, No. 23, pp. 6–7. 1918.
  industry, Pennsylvania, Washington County, rise and decline. Soil Sur. Adv. Sh., 1910, pp. 10–11, 15. 1911; Soils F.O., 1910, pp. 272–273, 277. 1912.
  industry, world, discussion and maps, by counties. Sec. Spec. [Misc.], "Geography * * * world's agriculture," pp. 135–141. 1917.
  lands for, bill. Off. Rec. vol. 1, No. 6, p. 2. 1922.
  lectures, syllabus. O.E.S. Cir. 100, pp. 18–21, 39–40. 1911.
  management on farms and ranges. Y.B., 1923, pp. 246–274. 1924; Y.B., Sep. 894, pp. 246–274. 1924.
  on—
    farm, methods, care, and size of flocks. News L., vol. 4, No. 49, pp. 5–6. 1917.
    Indiana hog farms, suggestions. F.B. 1463, p. 16. 1925.
    irrigated farms, Northwest, profits. News L., vol. 7, No. 5, p. 16. 1919.
    reclamation projects. B.P.I. Chief Rpt., 1921, p. 50. 1921.
    southern farms. Sec. [Misc.] Spec., "Producing sheep on, * * *," pp. 1–3. 1914.
    temporary pastures. F. R. Marshall, and C. G. Potts. F.B. 1181, pp. 18. 1921.
    White House grounds by President. News L., vol. 5, No. 41, p. 1. 1918.
  profits, comparison with dairying. F.B. 929, pp. 9–13. 1918.
  relation to climate. Everett L. Johnson. J.A.R., vol. 29, pp. 491–500. 1924.
  requirements essential for success. F.B. 1051, pp. 7–14. 1919.
  small labor requirements, obstacles overcome. News L., vol. 5, No. 39, p. 6. 1918.
  starting flock with ewe lambs. News L., vol. 5, No. 11, p. 3. 1917.
  use of wire fencing, advantages. Y.B., 1909, pp. 291–292. 1910; Y.B. Sep. 513, pp. 291–292. 1910.
  value of weeds as feed. News L., vol. 5, No. 47, p. 13. 1918.
  war emergency work. Lib. Leaf. 3, pp. 1–4. 1918.
  work of—
    club members. D.C. 66, pp. 25–27, 33. 1920.
    experiment stations, results. O.E.S. An. Rpt., 1922, pp. 58–59, 73–74. 1924.
Rambouillet—
  origin, history, distribution, and description. D.B. 94, pp. 10–13, 57, 59. 1914; F.B. 576, pp. 15–16. 1914.
  score card. B.A.I. Bul. 76, pp. 50–52. 1905.
ranches, wool improvement, methods and advantages. News L., vol. 2, No. 52, p. 2. 1915.
range—
  breeding by Department of Agriculture. A. D. Melvin. B.A.I. [Misc.], "Breeding of range sheep * * *," pp. 4. 1911.
  capacity of national forests of Northwest. D.B. 738, p. 2. 1918.

Sheep—Continued.
   range—continued.
      coyote-proof inclosures. Rpt., 87, p. 33. 1908.
      increase in production in future, possibilities. Rpt., 110, pp. 13–26. 1916.
      information due to markets reports of Markets Bureau. Y.B., 1918, p. 388. 1919; Y.B. Sep. 788, p. 12. 1919.
      management. Off. Rec., vol. 3, No. 32, p. 3. 1924.
      pasturage system for handling. J. T. Jardine. For. Cir. 178, pp. 40. 1910.
      pasturing in coyote-proof enclosure, experiments. An. Rpts., 1908, pp. 62–63, 572. 1909; Sec. A.R., 1908, pp. 60–61. 1908; Y.B., 1908, p. 62. 1909.
      starvation and prevention. F.B. 1428, pp. 17–22. 1925.
      supplemental feeds. F.B. 1428, pp. 19–20. 1925.
   rations for using farm wastes. F.B. 873, pp. 10–11. 1917.
   ratios to population in different regions. Y.B., 1923, p. 326. 1924; Y.B. Sep. 895, p. 326. 1924.
   receipts—
      and shipments—
         1904. B.A.I. An. Rpt., 1904, pp. 524–552. 19 5.
         1906. B.A.I. An. Rpt., 1906, pp. 320–322. 1908.
         at Chicago, July, 1919. News L., vol. 7, No. 5, p. 14. 1919.
         at principal markets, August, 1918, with comparisons. News L., vol. 6, No. 9, pp. 9–10. 1918.
         at stockyards, December, 1917, and 1918, reports. Y.B., 1918, pp. 394–397. 1919; Y.B. Sep. 788, pp. 18–21. 1919.
      region, location. Off. Rec., vol. 3, No. 27, p. 5. 1924.
      registered—
         1907, number and breeds. B.A.I. An. Rpt., 1907, p. 402. 1909.
         1908. B.A.I. An. Rpt., 1908, p. 409. 1910.
         on farms, Jan. 1, 1920, map. Y.B., 1921, p. 484. 1922; Y.B. Sep. 878, p. 78. 1922.
         purebred, on farms, January 1, 1920. D.C. 241, pp. 5–7. 1922.
      registry associations. Y.B., 1920, p. 512. 1921; Y.B. Sep. 866, p. 512. 1921.
      removal from drought areas, 1919. Y.B., 1919, pp. 399, 401, 403. 1920; Y.B. Sep. 820, pp. 399, 401, 403. 1920.
      reports and estimates plan. Off. Rec., vol. 1, No. 44, p. 2. 1922.
      requirements for 1919–1920, for meat and wool. Sec. Cir. 125, pp. 19–20. 1919.
      returns from meat and wool. F.B. 840, pp. 7–8. 1917.
      ringworm, description, and effects on wool. B.A.I.S.A. 48, p. 25. 1911.
   Romney Marsh, origin, history, distribution, and description. D.B. 94, pp. 47–49, 57, 59. 1914.
   roundworms—
      control by changing pastures. An. Rpts., 1909, p. 60. 1910; Sec. A.R., 1909, p. 60. 1909; Y.B., 1909, p. 60. 1910.
      description, life history, symptoms, and control. F.B. 1150, pp. 37–53. 1920.
      treatment. Ch. Wardell Stiles. B.A.I. Bul. 35, pp. 7–14. 1902.
   Ryeland, origin, history, distribution, and description. D.B. 94, pp. 35–36, 59. 1914.
   sanitary requirements. B.A.I. Doc. A–36, pp. 1–67. 1920.
   scab. See Scab; Scabies.
   scabies-infected—
      interstate movement, regulations. B.A.I.O. 263, p. 20. 1919.
      other than for slaughter, shipment regulations. B.A.I.O. 263, pp. 21–22. 1919.
      shipment for immediate slaughter, regulations. B.A.I.O. 263, pp. 20–21. 1919.
      shipment from stockyards. B.A.I.O. 263, p. 23. 1919.
   scabies. See also Scabies.
   score card, and use in judging. D.B. 593, pp. 9, 15–17. 1917.

Sheep—Continued.
   selection—
      and size of flock. News L., vol. 6, No. 8, pp. 1, 4. 1918.
      for breeding, family performance as basis. E. G. Ritzman and C. B. Davenport. J.A.R., vol. 10, pp. 93–97. 1917.
      for slaughtering, precautions. D.B. 20, p. 51. 1913.
   selling, commission rates. Off. Rec., vol. 2, Nos. 32, 33, p. 5. 1923.
   septicemia—
      immunity. B.A.I. Bul. 36, p. 19. 1902.
      symptoms and control. D.B. 674, pp. 3, 6, 8–9. 1918.
   shearing—
      and care of fleece. Sec. [Misc.] Spec., "Producing sheep on * * *," p. 3. 1914.
      contests. News L., vol. 6, No. 44, p. 15. 1919.
      establishment, locations, premium list. Stat. Bul. 102, pp. 8–9. 1913.
      hand and machine, comparison. D.B. 206, pp. 10–11. 1915.
      in Australia, sheds, methods, and cost. D.B. 313, pp. 23, 28, 31. 1915.
      methods and time, comparisons. D.B. 20, pp. 47–48. 1913.
      sheds—
         Australian, description and cooperative work. Y.B., 1914, pp. 333–334. 1915; Y.B. Sep. 645, pp. 333–334. 1915.
         erection in Sevier National Forest. News L., vol. 6, No. 5, p. 11. 1918.
         new, use in Wyoming, plans. Y.B., 1916, pp. 227–230. 1917; Y.B. Sep. 709, pp. 1–4. 1917.
   shipment(s)—
      exhibition at Lexington and Louisville, Ky. B.A.I. 146, amdt. 13, pp. 2. 1912.
      interstate, rules. B.A.I.O. 292, pp. 18–21. 1925.
      reports, December 19, 1918. Y.B., 1918, pp. 384–387. 1919; Y.B. Sep. 788, pp. 8–11. 1919.
      shipping crates. F.B. 810, p. 26. 1917.
   short-eared, Mendelism. J.A.R., vol. 6, pp. 797–798. 1916.
   short-tailed, occurrence and probable ancestry. B.A.I. An. Rpt., 1910, p. 155. 1912.
   Shropshire—
      fertility. Elmer Roberts. J.A.R., vol. 22, pp. 231–234. 1921.
      origin, history, distribution, and description. D.B. 94, pp. 16–19, 57, 58, 59. 1914; F.B. 576, pp. 4–6. 1914.
      score card. B.A.I. Bul. 76, p. 52. 1905.
   Siberian, adaptability to South Dakota conditions. Work and Exp., 1914, p. 213. 1915.
   skinning, directions. F.B. 1055, pp. 27–28. 1919; F.B. 1172, pp. 8–12. 1920.
   slaughter—
      at principal places, 1884–1914, numbers. Rpt. 109, p. 307. 1916.
      consumption and export, 1909, and weight. B.A.I. An. Rpt., 1911, pp. 254–256. 1913.
      under Federal inspection, 1917 and 1918. Sec. Cir. 123, p. 9. 1918.
   slaughtered for—
      meat in United States, 1907. B.A.I. An. Rpt., 1908, p. 86. 1910; B.A.I. Cir. 154, p. 4. 1910.
      scabies, claim for recovery of value, decision, 1909. Sol. A.R., 1909, p. 41. 1909; An. Rpts., 1909, p. 775. 1910.
   slaughtering—
      and dressing, directions. F.B. 1172, pp. 6–1 1920.
      methods. D.B. 20, pp. 51–52. 1913.
      on farm, and use of lamb and mutton. C. G. Potts. F.B. 1172, pp. 32. 1920.
      waste, percentage of weight. F.B. 1324, p. 5. 1923.
   Soay, origin and description. B.A.I. An. Rpt., 1910, p. 154. 1912.
   sores similar to scab. F.B. 713, pp. 11–12. 1916.
   Southdown—
      description. F.B. 576, pp. 3–4. 1914.
      origin, history, distribution, and description. D.B. 94, pp. 13–16, 57–59. 1914.
      score card. B.A.I. Bul. 76, p. 53. 1905.
   Spanish Merino, ancestors of Merino breeds, classes and types. D.B. 94, p. 6. 1914.

Sheep—Continued.
special reports. B.A.E. Chief Rpt., 1923, pp. 14–15. 1923; An. Rpts., 1923, pp. 144–145. 1923.
spewing sickness—
cause and control. C. Dwight Marsh. B.A.I. Doc. A–9, pp. 4. 1916.
characteristics and cause. D.B. 947, pp. 1–2, 13–15, 25–26. 1921.
statistics—
1840–1916, numbers, by geographic divisions. Rpt. 109, pp. 209–211. 1916.
1867–1906. Y.B., 1906, pp. 656–658. 1907; Y.B. Sep. 436, pp. 656–658. 1907.
1867–1907, by States and by years. Stat. Bul. 64, pp. 67–80, 95–145. 1908.
1902, including prices. Y.B., 1902, pp. 839–844. 1903.
1905. Y B., 1905, pp. 746–747. 1906; Y.B. Sep. 404, pp. 746–747. 1906.
1906, world. Y.B., 1906, pp. 632–635. 1907; Y.B. Sep. 436, pp. 632–635. 1907.
1907, number, value, exports and imports. Y.B., 1907, pp. 6.8–701, 721–723, 736, 747. 1908. Y.B. Sep. 465, pp. 698–701, 721–723, 736, 747. 1908.
1907–1911, numbers, prices, imports and exports. Y.B. 1911, pp. 637–640, 656, 668. 1912; Y.B. Sep. 588, pp. 637–640, 656–668. 1912.
1908. Y.B., 1908, pp. 729–731, 752, 763. 1909; Y.B. Sep. 498, pp. 729–731, 752, 763. 1909.
1910, numbers, prices, imports and exports. Y.B., 1910, pp. 615–618, 635–636, 653, 665. 1911; Y.B. Sep. 553, pp. 615–618, 635–636, 653, 665. 1911.
1911–1913, number, prices, imports and exports. Y.B. 1913, pp. 455–458, 473–478, 493, 501. 1914; Y.B. Sep. 361, pp. 455–458, 473–478, 493, 501. 1914.
1914, numbers, prices, imports and exports, Y.B., 1914, pp. 612–614, 631–637, 651, 659. 1915; Y.B. Sep. 656, pp. 612–614, 631–637. 1915; Y.B. Sep. 657, pp. 651, 659. 1915.
1914, Western States and New Zealand, comparison. Y.B., 1914, pp. 330, 335. 1915; Y.B. Sep. 645, pp. 330, 335. 1915.
1915, numbers, value, imports and exports. Y.B., 1915, pp. 507–510, 529–531, 540, 548. 1916; Y.B. Sep. 684, pp. 507–510, 529–531. 1916; Y.B. Sep. 685, pp. 540, 548. 1916.
1916, numbers, value, prices, exports and imports. Y.B., 1916, pp. 683–686, 707, 715. 1917; Y.B. Sep. 721, pp. 25–28. 1917; Y.B. Sep. 722, pp. 1, 9. 1917.
1917, numbers, values, prices, exports and imports. Y.B., 1917, pp. 734–737, 759, 768. 1918; Y.B. Sep. 761, pp. 28–31. 1918; Y.B., Sep. 762, pp. 3, 12. 1918.
1918, numbers and value, imports, exports, and prices. Y.B., 1918, pp. 613–617, 627, 635. 1919; Y.B., Sep. 793, pp. 29–33. 1919; Y.B. Sep, 794, pp. 3, 11. 1919.
1919, number, value, imports and exports. Y.B., 1919, pp. 668–671, 682, 691. 1920; Y.B. Sep. 828, pp. 668–671. 1920; Y.B. Sep. 829, pp. 682, 691. 1920.
1920, number, value, imports exports, etc. Y.B., 1920, pp. 45–49. 1921; Y.B., Sep. 863, pp. 45–49. 1921.
1921, number, value, imports and exports. Y.B., 1921, pp. 710–718. 1922; Y.B. Sep. 870, pp. 36–44. 1922; Y.B., 1922, pp. 867–884, 913, 931–952, 965, 970–972, 986–990, 1041, 1064, 1175. 1923; Y.B. Sep. 888, pp. 867–884, 913. 1923; Y.B. Sep. 880, pp. 949, 955. 1923.
for South Dakota, on Belle Fourche experiment farm. D.C. 60, pp. 6, 7. 1919.
for United States and other countries. D.B. 313, pp. 2–4. 1915.
graphic showing of average numbers, world. Stat. Bul. 78, p. 46. 1919.
lamb, mutton, and wool, year ended March 31, 1923, with earlier years. S.B. 3, pp. 100. 1924.
numbers, receipts, shipments, exports, imports, and prices. S.B. 3, pp. 3–16, 23–35, 41. 1924.
receipts and shipments at trade centers. Rpt. 98, pp. 290, 634–679. 1913.
stock selection, importance and methods. D.B. 20, pp. 6–10. 1913.

Sheep—Continued.
stockyard receipts, thirty-six cities, in June, 1917 and 1918. News L., vol. 5, No. 51, p. 15. 1918.
stomach—
description, comparison with that of ox. B.A.I. [Misc.], "Diseases of cattle," rev., p. 51. 1912.
worms—
(*Haemonchus contortus*). B. H. Ransom. B.A.I. Cir. 102, pp. 7. 1907.
detection. D.C. 47, pp. 3–4. 1919.
exhibit. Off. Rec. vol. 3, No. 41, p. 3. 1924.
infestation. B.A.I. Bul. 127, pp. 1–132. 1911.
medicinal treatment. B.A.I. An. Rpt., 1908, p. 276. 1910, B.A.I. Cir. 157, p. 8. 1910.
prevention and treatment. D.C. 47, pp. 12. 1919.
prevention by rotation of pastures. F.B. 1181, pp. 4, 9–10, 15, 17. 1921.
prevention methods. B.A.I. An. Rpt., 1908, pp. 269–278. 1910; B.A.I. Cir. 157, pp. 10. 1910.
Stone, occurrence in Yukon Territory. N.A. Fauna 30, p. 77. 1909.
studies for southern rural schools. D.B. 305, p. 45. 1915.
Suffolk—
description. F.B. 576, p. 10. 1914.
pedigree record book, withdrawal of certification. B.A.I.O. 136, amdt. 12, p. 1. 1910.
score card. B.A.I. Bul. 76, p. 54. 1905.
Suffolk Down, origin, history, distribution and description. D.B. 94, pp. 26–28, 57, 58, 59. 1914.
superiority of British breeds. News L., vol. 5, No. 46, p. 9. 1918.
supply of South America and other countries. Y.B., 1913, pp. 362–363. 1914; Y.B. Sep. 629, pp. 362–363. 1914.
susceptibility to—
anthrax, dangers of swampy ground. F.B. 784, pp. 6, 7–9. 1917.
foot-and-mouth disease. F.B. 666, pp. 1, 3, 5, 7, 10. 1915.
swell head, study in 1923. O.E.S. [Misc.], "Work and expenditures * * *, 1923," pp. 67–68. 1925.
tapeworms—
description, life history, symptoms, and control. F.B. 1150, pp. 20–23. 1920.
infection. S.R.S. Rpt., 1917, Pt. I, pp. 54, 283. 1918.
not transmissible to man. J.A.R., vol. 1, pp. 16, 18, 26, 27, 28, 47, 50. 1913.
teeth, position and indications of age. D.B. 593, pp. 4, 23–24. 1917.
temperature normal. Y.B., 1914, p. 166. 1915; Y.B. Sep. 635, p. 166. 1915.
threadworms, description, causes, and control. News, L., vol. 3, No. 38, pp. 1–2. 1916.
tobacco feeding for worms, unsuccessful. B.A.I. An. Rpt., 1908, pp. 277–278. 1910; B.A.I. Cir. 157, pp. 9–10. 1910.
trails as factor in fire control in forests. D.C. 134, pp. 6, 7–8. 1920.
transportation charges. Rpt., 98, p. 112. 1913; Y.B., 1907, p. 731. 1908; Y.B. Sep. 465, p. 731. 1908; Y.B., 1908, p. 242. 1909; Y.B. Sep. 477, p. 242. 1909.
treatment for worms outside of alimentary canal, experiments. B.A.I. Bul. 153, pp. 7, 9–19. 1912.
Tunis, crossing with native sheep, in Arizona, results. O.E.S. An. Rpt. 1911, p. 76. 1912.
twin-bearing, heredity studies. J.A.R., vol. 4, pp. 479–510. 1915.
type(s)—
adaptability for the farm, studies. D.B. 20, p. 5. 1913.
and breeds, school studies. D.B. 521, p. 39. 1917.
ideal, description. F.B. 532, pp. 20–21. 1913.
unloading, violation of twenty-eight hour law. Sol. Cir., 7, pp. 1–5. 1908.
use as tramplers in reseeding experiments, methods. D.B. 4, pp. 6, 16–18, 19–20, 27. 1913.

Sheep—Continued.
  use in—
    eradication of Rocky Mountain spotted fever tick. H. P. Wood. D.B. 45, pp. 11. 1913.
    insect destruction along fences and roadsides. News L., vol. 2, No. 28, pp. 1-2. 1915.
    production of anthrax serum. D.B. 340, pp. 5, 6. 1915.
    usefulness in destruction of weeds. News L., vol. 6, No. 17, p. 9. 1918.
  utilization of—
    cut-over Michigan lands for pasture. News L., vol. 6, No. 3, p. 7. 1918.
    pasture crops, mountain farms. F.B. 905, p. 25. 1918.
    turnips for feed, experiments. F.B. 469, p. 8. 1911.
  vaccination for anthrax. B.A.I. An. Rpt., 1909, pp. 224, 225, 227. 1911; F. B. 439, pp. 12, 13, 15. 1911.
  value—
    as source of meat on farm. F.B. 1082, p. 8. 1920.
    comparison with cattle and hogs. Y.B., 1921, p. 228. 1922; Y.B. Sep. 874, p. 228. 1922.
    in economizing farm labor. News L., vol. 5, No. 52, p. 7. 1918.
    in weed destruction. News L., vol. 5, No. 8, p. 4. 1917.
    increase by breeding. News L., vol. 6, No. 31, p. 11. 1919.
    on farm. D.B. 20, pp. 2-3. 1913.
  viscera edible, and blood, average yield. D.B. 1138, p. 22. 1923.
  war losses and gains. News L., vol. 7, No. 12, pp. 1, 6. 1919.
  water requirements. F.B. 1488, p. 7. 1925. F.B. 592, p. 2. 1914.
  weed destroyers in corn fields, methods. F.B. 1000, p. 23. 1918.
  Welsh Mountain, origin, history, distribution, and description. D.B. 94, pp. 33-34, 59. 1914.
  Wensleydale, origin, history, distribution, and description. D.B. 94, pp. 49-53, 57, 59. 1914.
  white, in Yukon Territory, description and occurrence. N.A. Fauna 30, pp. 51-54. 1909.
  wild, of Asia, ancestor of domestic sheep. B.A.I. An. Rpt., 1910, pp. 153, 154, 156. 1912.
  wintering, feeds and comparative value. News L., vol. 5, No. 14, p. 6. 1917.
  wool-maggots, description, habits, and control. F.B. 857, pp. 13-14, 18. 1917; F.B. 1150, p. 16. 1920.
  woolless—
    African, breeding, in Porto Rico. O.E.S. An. Rpt., 1910, pp. 29, 230. 1911; P.R. An. Rpt., 1913, p. 32. 1914.
    importation. B.A.I. An. Rpt., 1904, p. 38. 1905.
  world number, decrease. Off. Rec., vol. 3, No. 28, p. 3. 1924.
  worms—
    and cattle worms, studies. An. Rpts., 1914, p. 98. 1915; B.A.I. Chief Rpt., 1914, p. 42. 1914.
    control by carbon tetrachloride, tests. J.A.R., vol. 23, pp. 180-182. 1923.
    control methods. F.B. 929, p. 23. 1918.
    kinds and control remedies on Minidoka project. D.B. 573, pp. 21-22. 1917.
    samples for field workers. News L., vol. 7, No. 5, p. 15. 1919.
    treatment with various remedies, effects. J.A.R., vol. 12, pp. 404, 406, 409-414, 438, 442. 1918.
  yards, Argentina, La Tablada, description and regulations. Y.B., 1913, p. 356. 1914; Y.B. Sep. 629, p. 356. 1914.
  yearling, grading for market and age index. F.B. 360, pp. 21-23. 1909.
  See also Lambs; Mutton; Wethers.
Sheepberry. See Viburnum, sweet.
Sheepmen—
  advantages of fenced-in stock ranges. D.B. 1001, pp. 39-40. 1922.
  range areas, adjustments, legal control. D.B. 1001, p. 42. 1922.
  weather service, special warnings. An. Rpts., 1916, p. 59. 1917; W.B. Chief Rpt., 1916, p. 11. 1916.

Sheep's-milk cheese, Italy, description, process analysis, and varieties. B.A.I. Bul. 105, pp. 39, 60. 1908; B.A.I. Bul. 146, pp. 42-43, 66. 1911.
Sheepskins—
  bundling methods. News L., vol. 7, No. 7, p. 3. 1919.
  imports—
    1907-1909, amount and value, by countries from which consigned. Stat. Bul. 82, pp. 29-30. 1910.
    1921, statistics. Y.B., 1921, pp. 738, 765. 1922; Y.B. Sep. 867, pp. 2, 29. 1922.
    1922-1924. Y.B., 1924, pp. 1059, 1060. 1925.
  production, foreign trade, supply, and consumption. Y.B., 1917, pp. 434-444. 1918; Y.B. Sep. 741, pp. 12-22. 1918.
  salting and curing, folding and tagging. F.B. 1055, pp. 32, 36, 38-39. 1919.
Sheepweed. See Snakeweed.
SHEETS, E. W.—
  "A handbook for better feeding of livestock." With William Jackson. M.C. 12, pp. 48. 1924; rev., pp. 49. 1925.
  "Beef-cattle barns." With M. A. R. Kelley. F.B. 1350, pp. 17. 1923.
  "Breeds of beef cattle." F.B. 612, rev., pp. 31. 1921.
  "Effect of winter rations on pasture gains of calves." With R. H. Tuckwiller. D.B. 1042, pp. 15. 1922.
  "Effect of winter rations on pasture gains of 2-year-old steers." With R. H. Tuckwiller. D.B. 1251, pp. 24. 1924.
  "Effect of winter rations on pasture gains of yearling steers." With R. H. Tuckwiller. D.B. 870, pp. 20. 1920.
  "Effect of winter rations on subsequent pasture gains of steers." J.A.R., vol. 28, pp. 1215-1232. 1924.
  "Feeding cottonseed products to livestock." With E. H. Thompson. F.B. 1179, pp. 18. 1920.
  "Feeding experiment with grade beef cows raising calves." With R. H. Tuckwiller. D.B. 1024, pp. 17. 1922.
  "Hay." With others. Y.B., 1924, pp. 285-376. 1925.
  "Influence of winter rations on the growth of steers on pasture." D.C. 166, pp. 11. 1921.
  "Our beef supply." With others. Y.B., 1921, pp. 227-322. 1922; Y.B. Sep. 874, pp. 227-322. 1922.
  "Our forage resources." With others. Y.B., 1923, pp. 311-414. 1924; Y.B. Sep. 895, pp. 311-414. 1924.
  "The beef calf: Its growth and development." F.B. 1135, pp. 32. 1920.
SHEIB, S. H., report on electrolytic reduction of nitrogen in metallic nitrates. Chem. Bul. 81, pp. 87-88. 1904.
Shell flower. See Balmony.
Shell roads. See Roads, shell.
Shell Creek Project, irrigation in North Dakota, proposed work. O.E.S. Bul. 219, p. 26. 1909.
Shellac—
  adulteration of candy. Chem. N.J. 1243, p. 1. 1912; Chem. N.J. 1244, p. 1. 1912; Chem. N.J. 1351, pp. 2. 1912; Chem. N.J. 1645, pp. 2. 1912.
  adulteration with rosin. Chem. Cir. 91, pp. 1-2. 1912.
  arsenic content—
    and food contamination from this source. Chem. Cir. 91, pp. 4. 1912.
    determination method. Chem. Cir. 102, p. 11. 1912.
  coatings on candy, arsenic adulteration. Chem. N.J. 1506, p. 1. 1912.
  coatings, prohibition, Food Inspection Decisions. An. Rpts., 1912, p. 245. 1913; Sec. A.R., 1912, p. 245. 1912; Y.B., 1912, p. 245. 1913.
  determination, chocolate and confectionery. Chem. Bul. 132, p. 59. 1910.
  gum, imports, 1860-1868, 1884-1908. Stat. Bul. 51, p. 27. 1909.
  gum orange, adulteration. Chem. N.J. 2982. 1914.
  imports—
    1906-1910, and 1851-1910. Y.B., 1910, pp. 657, 686-687. 1911; Y.B. Sep. 553, pp. 657, 686-687. 1911.

Shellac—Continued.
  imports—continued.
    1907-1909, quantity and value, by countries from which consigned. Stat. Bul. 82, p. 65. 1910.
    1908-1910, quantity and value, by countries from which consigned. Stat. Bul. 90, p. 70. 1911.
    1908-1912, and 1851-1912. Y.B., 1912, pp. 717, 749-750. 1913; Y.B. Sep. 615, pp. 717, 749-750. 1913.
    1911-1913, and 1852-1913. Y.B., 1913, pp. 496, 513. 1914; Y.B. Sep. 361, pp. 496, 513. 1914.
    1913-1915, and 1852-1915. Y.B., 1915, pp. 543, 561. 1916; Y.B. Sep. 685, pp. 543, 561. 1916.
    1916, statistics. Y.B., 1916, pp. 710, 729. 1917; Y.B. Sep. 722, pp. 4, 23. 1917.
    1918, statistics. Y.B., 1918, pp. 630, 650-651. 1919; Y.B. Sep. 794, pp. 6, 26-27. 1919.
    1922-1924. Y.B., 1924, p. 1067. 1925.
  mercuric, use on tree bands against Argentine ant. D.B. 647, pp. 63-64. 1918.
  testing. Chem. Bul. 109, rev., pp. 16-17. 1910.
  use—
    by brewers. Chem. Cir. 91, pp. 2, 3. 1912.
    by confectioners, danger to children. Chem. Cir. 91, p. 2. 1912.
    for coating chocolates and other confections. F.I.D. 119, p. 1. 1910.
    in tree pruning, method. News L., vol. 3, No. 27, pp. 1, 4. 1916.
    on tree wounds, directions and care of brush. F.B. 1178, pp. 8, 10, 11. 1920.
  varnish, formula and use on floors. F.B. 1219, pp. 10-11. 1921.
Shell bark—
  big and king-nut hickory, description. Silv. Leaf. 50, pp. 4. 1909.
  big. See also Hickory, big shellbark.
  trees, injury by sapsuckers. Biol. Bul. 39, pp. 30, 71. 1911.
Shelldrake. See Merganser.
Shellfish—
  and fish, digestion experiment. O.E.S. Bul. 159, pp. 180, 182, 183. 1905.
  bacteriological examination for contamination, collection of samples. Chem. Bul. 136, pp. 9-15. 1911.
  contamination—
    from sewage-polluted waters and from other sources. George Whitfield Stiles, jr. Chem. Bul. 136, pp. 53. 1911.
    identification of organisms. Chem. Bul. 136, pp. 12-15. 1911.
    sources. Chem. Bul. 136, pp. 15-37. 1911.
  destruction by—
    crows. D.B. 621, pp. 26-27, 63, 89. 1918.
    gulls. Off. Rec. vol. 3, No. 42, p. 8. 1924.
    wild fowl. An. Rpts., 1922, pp. 347-348. 1922; Biol. Chief Rpt., 1922, pp. 17-18. 1922.
  digestion experiment. O.E.S. Bul. 159, pp. 180, 182. 1905.
  floating regulations. F.I.D. 121, p. 1. 1910.
  industry, value, and protection of oysters from sewage contamination. George W. Stiles, jr. Y.B., 1911, pp. 371-378. 1911; Y.B. Sep. 544, pp. 371-378. 1911.
  inspection, work of Chemistry Bureau. An. Rpts., 1913, p. 193. 1914; Chem. Chief Rpt., 1913, p. 3. 1913.
  investigations, program for 1915. Sec. [Misc.], "Program of work * * *, 1915," p. 193. 1914.
  laws of Massachusetts. Chem. Bul. 69, rev., Pt. III, pp. 265-236. 1905.
  preparation and shipment, regulations. F.I.D. 110, pp. 1-2. 1909.
  samples, for bacteriological examination, preparation methods. Chem. Bul. 136, pp. 10-11. 1911.
  sewage-polluted, cause of typhoid and other diseases. Chem. Bul. 156, pp. 1-44. 1912.
  source, disease transmission, responsibility. Chem. Bul. 136, pp. 40-48. 1911.
  See also Clams; Oysters.
Shelling—
  peas, machine and method. Chem. Bul. 125, pp. 5, 11-12. 1909.
  seed corn, directions. F.B. 415, p. 12. 1910; F.B. 1175, pp. 13-14. 1920.

Shells—
  burning to produce lime. Y.B., 1919, pp. 338-339. 1920; Y.B. Sep. 814, pp. 338-339. 1920.
  fertilizer use, determination of composition. D.B. 97, pp. 1-10, 13. 1914.
  oyster and clam, composition and use in agriculture. F.B. 921, p. 5. 1918.
Shelter belts—
  cooperative—
    at Mandan station. D.B. 1337, pp. 2-6. 1925.
    conifers, planting, care and cultivation instructions. D.L.A. Cir. 6, pp. 3. 1919.
    development on the northern Great Plains. D.L.A. Cir. 2, pp. 3. 1916; D.L.A. Cir. 3, pp. 2. 1917.
    northern Great Plains—
      care. D.L.A. Cir. 4, pp. 7. 1919.
      conifer additions. D.L.A. Cir. 5, pp. 7. 1919.
      demonstrations. Robert Wilson and F. E. Cobb. D.B. 1113, pp. 28. 1923.
      planting. D.L.A. Cir. 1, pp. 7. 1916.
  experiments in Hawaii. Hawaii A.R., 1921, p. 64. 1922.
  in Great Plains, recommendations. F.B. 1312, pp. 6-17, 22, 25-26. 1923.
  location, size, and shape, preparation, planting, and care. D.L.A. Cir. 1, pp. 2-5. 1916.
  plan, scope. D.L.A. Cir. 2, p. 1. 1916.
  planting in North Central and Western States. Y.B., 1909, pp. 339, 342, 343. 1910; Y.B. Sep. 517, pp. 339, 342, 343. 1910.
  trees recommended. For. Cir. 81, pp. 30-32. 1910.
  use and planting directions, trees adaptable, western Kansas. For. Cir. 161, pp. 11-12, 17, 27. 1909.
  use of willow trees. D.B. 316, pp. 42-43. 1915.
  value of evergreens. F.B. 329, pp. 18-19. 1908.
Shelters—
  effect on fattening animals. B.A.I. Bul. 108, pp. 79-89. 1908.
  for cattle, value in fattening, experiments. B.A.I. Bul. 159, pp. 40-47. 1912.
  for chrysanthemums. F.B. 1311, pp. 7-9. 1923.
  for hogs, description and arrangement. F.B. 272, pp. 9-10. 1906.
  for farm implements, description. Y.B., 1908, p. 435. 1909; Y.B., Sep. 492, p. 435. 1909.
  See also Barns; Coops; Henhouses.
Shelves, farm kitchens, description and location. D.C. 189, p. 7. 1921; F.B. 607, pp. 18-19. 1914.
Shenandoah-Cumberland region, apple-growing industry. Y.B., 1918, pp. 370, 372, 377, 378. 1919; Y.B. Sep. 767, pp. 6, 8, 13, 14. 1919.
Shenandoah National Park, provision for. F.B. 1466, p. 2. 1925.
Shenandoah Valley—
  farm, management by city family. F.B. 432, pp. 1-28. 1911.
  See also West Virginia, Berkeley, Jefferson, and Morgan Counties.
SHEPARD, J. H.—
  discussion of flour bleaching by Alsop process. Chem. N.J. 382, pp. 10-16. 1910.
  "Macaroni wheat." Y.B., 1903, pp. 329-336. 1904; Y.B. Sep. 326, pp. 329-336. 1904.
SHEPARD, Justice, opinion on antikamnia tablets. Chem. N.J. 1056, pp. 5-11. 1911.
SHEPARD, WARD—
  "Lands, utilization for crops, pasture and forests." With others. Y.B., 1923, pp. 415-506. 1924; Y.B. Sep. 896, pp. 415-506. 1924.
  "Timber: Mine or crop?" With others. Y.B., 1922, pp. 83-180. 1923; Y.B. Sep. 886, pp. 83-180. 1923.
Shepherd's pie, recipe. U.S. Food Leaf. 10, p. 3. 1917.
Shepherd's purse—
  injury by webworm. Ent. Bul. 109, Pt. III, pp. 30-31. 1912.
  seeds, description. B.P.I. Bul. 84, p. 32. 1905; F.B. 428, pp. 7, 25, 26. 1911.
  use as potherb. O.E.S. Bul. 245, p. 28. 1912.
SHEPPERD, J. H.: "Dry-land plant breeding." B.P.I. Bul. 130, pp. 81-83. 1908.
Sherardizing process of coating iron with zinc. Rds. Bul. 35, p. 18. 1909.
SHERBAKOFF, C. D.: "Fundamentals for taxonomic studies of Fusarium." With others. J.A.R., vol. 30, pp. 833-843. 1925.

2144　UNITED STATES DEPARTMENT OF AGRICULTURE

Sherbet—
  buttermilk, description and value for invalids. F.B. 486, p. 21. 1912.
  grape, use of unfermented grape juice, recipe. F.B. 644, p. 15. 1915.
SHERE, L.: "Effect of various factors on the creaming ability of market milk." With others. D.B. 1344, pp. 24. 1925.
SHERFESEE, W. F.—
  "A primer of wood preservation." For. Cir. 139, pp. 15. 1908.
  "The preservative treatment of loblolly pine crossarms." For. Cir. 151, pp. 29. 1908.
  "The seasoning and preservative treatment of hemlock and tamarack cross-ties." For. Cir. 132, pp. 31. 1908.
  "Wood preservation in the United States." For. Bul. 78, pp. 31. 1909.
Sheridan (Wyo.) Field Station, work, 1917-1923. R. S. Towle. D.B. 1306, pp. 30. 1925.
Sherley—
  Act, medicine labels, enforcement. An. Rpts., 1913, p. 192. 1914; Chem. Chief Rpt., 1913, p. 2. 1913.
  amendment—
    directions for collection of samples. Chem. [Misc.], "Food and Drug manual," pp. 45, 116-117, 135. 1920.
    first seizure of patent medicine. News L., vol. 1, No. 1, p. 4. 1913.
    food and drugs act, enforcement. An. Rpts., 1916, pp. 34-35. 1917; Sec. A.R., 1916, pp. 36-37. 1916.
SHERMAN, C. B.: "Australia and New Zealand as markets for American fruit." With Samuel B. Moomaw. D.C. 145, pp. 16. 1921.
SHERMAN, FIELD, report of Randolph Fruit Company, Los Angeles, Calif. Rpt. 98, pp. 175-177. 1913.
SHERMAN, H. C.—
  "Calcium, magnesium, and phosphorus in food and nutrition." With others. O.E.S. Bul. 227, pp. 70. 1910.
  "Experiments on the metabolism of nitrogen, sulphur, and phosphorus in the human organism." O.E.S. Bul. 121, pp. 47. 1902.
  "Iron in food and its functions in nutrition." O.E.S. Bul. 185, pp. 80. 1907.
  "The effect of severe and prolonged muscular work on food consumption, digestion, and metabolism." With W. O. Atwater. O.E.S. Bul. 98, pp. 7-56. 1901.
  "The optimum amount of milk for children." B.A.I. Dairy [Misc.], "World's dairy congress, 1923," pp. 445-447. 1924.
SHERMAN, J. M.—
  "Corn-stover silage." With S. I. Bechdel. J.A.R., vol. 12, pp. 589-600. 1918.
  "The use of bacterial cultures for controlling the fermentation in Emmental cheese." B.A.I. Dairy [Misc.], "World's dairy congress, 1923," pp. 287-290. 1924.
SHERMAN, W. A.—
  "Behavior of seed cotton in farm storage." With Charles J. Brand. B.P.I. Cir. 123, pp. 11-20. 1913.
  "Cantaloupe marketing in the larger cities with car-lot supply, 1914." With others. D.B. 315, pp. 20. 1915.
  "Marketing main-crop potatoes." With others. F.B. 1317, pp. 37. 1923.
  "Methods of wholesale distribution of fruits and vegetables on large markets." With J. H. Collins and J. W. Fisher, jr. D.B. 267, pp. 28. 1915.
  "Outlets and methods of sale for shippers of fruits and vegetables." With J. W. Fisher, jr., and J. H. Collins. D.B. 266, pp. 28. 1915.
  "Peach supply and distribution in 1914." With others. D.B. 298, pp. 16. 1915.
  "Rail shipments and distribution of fresh tomatoes, 1914." With others. D.B. 290, pp. 12. 1915.
  "Spinning tests of upland long-staple cottons." With Fred Taylor. D.B. 121, pp. 20. 1914.
  "Strawberry supply and distribution in 1914." With others. D.B. 237, pp. 10. 1915.

SHERMAN, W. A.—Continued.
  "Studies of primary cotton market conditions in Oklahoma." With others. D.B. 36, pp. 36. 1913.
Sherman Act, restraint of trade, provisions and court decisions. D.B. 1106, pp. 37-39. 1922.
SHERRARD, T. H.—
  "A working plan for forest lands in Hampton and Beaufort Counties, S. C." For. Bul. 43, pp. 54. 1903.
  "National forests and the lumber supply." Y.B., 1906, pp. 447-452. 1907; Y.B. Sep. 434, pp. 447-452. 1907.
Sherry, adulteration and misbranding. Chem. N.J. 3516. 1915; Chem. N.J. 3541. 1915.
Sherry, American, labeling. F.I.D. 122, p. 1. 1910.
SHERWIN, C. P.: "Observations on milk supply under tropical and subtropical conditions." B.A.I. Dairy [Misc.], "World's dairy congress, 1923," pp. 161-163. 1924.
SHERWOOD, S. F.—
  analysis of American grapes. D.B. 452, pp. 4-7. 1916.
  "An improved method of making sugar-beet sirup." With C. O. Townsend. F.B. 1241, pp. 16. 1921.
  "Chemical analysis and composition of imported honey from Cuba, Mexico, and Haiti." With others. Chem. Bul. 154, pp. 21. 1912.
  "Composition of filter press (lime) cake." D.C. 257, pp. 3. 1923.
  "Composition of sugar-beet pulp and tops, and of silage therefrom." D.C. 319, pp. 12. 1924.
  "Development of sugar and acid in grapes during ripening." With others. D.B. 335, pp. 28. 1916.
  "Maple sugar: Composition, methods of analysis, effect of environment." With others. D.B. 466, pp. 46. 1917.
  "Production of maple sirup and sugar." With others. F.B. 1366, pp. 35. 1924.
  "Sorgo-sirup manufacture." With A. Hugh Bryan. F.B. 1389, pp. 29. 1924.
  "Sugar." With others. Y.B., 1923, pp. 151-228. 1924; Y.B. Sep. 893, pp. 98. 1924.
  "The chemical composition of American grapes grown in the Central and Eastern States." With others. Bul. 452, pp. 20. 1916.
Shetland ponies—
  breed recognition. B.A.I.O. 206, p. 3. 1913.
  imported, 1914, list. B.A.I. [Misc.], "Animals imported * * * 1914," p. 18. 1915.
  origin and characteristics. B.A.I. An. Rpt., 1910, pp. 169-170. 1912.
  origin, history, distribution, and description. D.B. 94, pp. 38-39, 59. 1914.
  score card. B.A.I. Bul. 76, p. 9. 1905.
Sheyenne Delta, Richland County, N. D., origin and description. Soil Sur. Adv. Sh., 1906, p. 15. 1909; Soils F. O., 1908, p. 1131. 1911.
Shibata, studies of mold enzymes. B.A.I. Bul. 120, p. 21. 1910.
Shibu kaki, Japanese persimmon, use in making water-proofing liquid. No. 30678. B.P.I. Bul. 242, pp. 9, 31. 1912.
Shield budding the mango. J. E. Higgins. Hawaii Bul. 20, pp. 16. 1910.
Shields, sticky, for jarring grape leafhoppers, directions for making. D.B. 19, pp. 35-36. 1914.
SHIFFLER, C.W.: "Soil survey of—
  Geauga County, Ohio." With others. Soil Sur. Adv. Sh., 1915, pp. 37. 1916; Soils F.O., 1915, pp. 1283-1315. 1919.
  Paulding County, Ohio." With H. G. Lewis. Soil Sur. Adv. Sh., 1914, pp. 29. 1915; Soils F.O., 1914, pp. 1545-1569. 1919.
  Portage County, Ohio." With others. Soil Sur. Adv. Sh., 1914, pp. 44, 1916; Soils F.O., 1914, pp. 1505-1544. 1919.
SHILLINGER, J. E.—
  "A test of raw onions in the diet as a control measure for worms in dogs." With others. J.A.R., vol. 30, pp. 155-159. 1925.
  "Critical tests of miscellaneous anthelmintics." With Maurice C. Hall. J.A.R., vol. 29, pp. 313-332. 1924.
  "Miscellaneous tests of carbon tetrachlorid as an anthelmintic." With M. C. Hall. J.A.R., vol. 23, pp. 163-192. 1923.

INDEX TO PUBLICATIONS, 1901–1925 2145

Shingle(s)—
  chestnut, value and use. F.B. 582, pp. 6, 20–21. 1914.
  cost and selling price, country yards. Rpt. 116, p. 52. 1918.
  creosoting, experiments, cost and results. S.R.S. Rpt. 1917, Pt. I, pp. 32,233. 1918.
  decrease of 1917 cut. News L., vol. 6, No. 37, p. 4. 1919.
  displacement by other roofing materials. Rpt. 114, p. 55. 1917.
  exports, 1906. For. Cir. 110, p. 12. 1907.
  exports, 1908. For. Cir. 162, pp. 11–12. 1909.
  hemlock, consumption. D.B. 152, p. 14. 1915.
  imports, 1907–1909, quantity and value, by countries from which consigned. Stat. Bul. 82, p. 70. 1910.
  imports, 1922–1924. Y.B., 1924, p. 1067. 1925.
  incense cedar, use and price per cord. D.B. 604, p. 8. 1918.
  manufacture from pine. For. Bul. 99, pp. 46–47, 68. 1911.
  metal, production and use. Rpt. 117, pp. 35, 37. 1917.
  on hand, January 1, 1907, by varieties. For. Cir. 122, p. 34. 1907.
  preservative treatment. F.B. 744, pp. 30–31. 1916; For. Bul. 78, p. 27. 1909.
  preservatives, methods of use, advantages and disadvantages. F.B. 387, pp. 18–19. 1910.
  production—
    1905, United States. For. Bul. 74, p. 28. 1907.
    1906, by varieties. For. Bul. 77, pp. 35–36. 1908; For. Cir. 122, pp. 29–30. 1907; For. Cir. 129, p. 10. 1907.
    1907, woods used. For. Cir. 166, p. 20. 1909; Y.B., 1908, p. 553. 1909.
    1907–1922, by States. Y.B., 1923, pp. 1073–1076. 1924; Y.B. Sep. 904, pp. 1073–1076. 1924.
    1909, Louisiana. For. Bul. 114, p. 23. 1912.
    1912, 1915–1916, by States, mills reporting, and shingles value. D.B. 673, p. 36. 1918.
    1915, and mills reporting, by States. D.B. 506, pp. 37–41. 1917.
    1915–1917. D.B. 768, pp. 37–44. 1919.
    1916. D.B. 673, p. 36. 1918.
    1918, number of mills, and amount by States. D.B. 845, pp. 39–40, 47. 1920.
    1920, by States, and by species, with lath. D.B. 1119, pp. 56–59, 61. 1923.
  prolonging life, preservative treatment and methods. F.B. 387, pp. 17–19. 1910.
  stains for, and use. F.B. 1452, pp. 19–20. 1925.
  wood, substitutes. Rpt. 117, pp. 33–36, 71. 1917.
Shinn, C. H.—
  "An economic study of acacias." D.B. 9, pp. 38. 1913.
  "Let's know some trees." M.C. 31, pp. 16. 1925.
  "How teachers may use Farmers' Bulletin 876, Making butter on the farm." D.C. 69, pp. 4. 1919.
Ship(s)—
  American, use for foreign travel, memorandum of Mr. Jump. Off. Rec., vol. 1, No. 1, p. 10. 1922.
  ballast, source of imported plant enemies. F.H.B.S.R.A. 61, p. 37. 1919.
  banana, equipment. Y.B., 1912, pp. 297–298. 1913; Y.B. Sep. 592, pp. 297–298. 1913.
  concrete, construction problems, Roads Bureau. An. Rpts., 1919, pp. 393–394. 1920; Rds. Chief Rpt., 1919, pp. 3–4. 1919.
  fumigation, port regulations. Biol. Bul. 33, p. 49. 1909.
  grain stowage, improvements, suggestions. B.P.I. Cir. 55, pp. 26, 39. 1910.
  stores—
    destruction by rats. Biol. Bul. 33, p. 30. 1909.
    Hawaiian fruits and vegetables, quarantine regulations. F.H.B. Quar. 13, rev., p. 3. 1917.
  weather code, radiographic, for observers on. W.B. [Misc.], "Radiographic weather code * * *," pp. 51. 1917.
Shipbuilding—
  demand for black locust, ash, and oak. Y.B., 1918, pp. 320, 321. 1919; Y.B. Sep. 779, pp. 6, 7. 1919.

Shipbuilding—Continued.
  use of—
    ash lumber. D.B. 523, pp. 33, 48, 5v. 1917.
    greenheart wood. For. Cir. 211, p. 6. 1913.
    pine species. For. Bul. 99, pp. 11, 20, 25, 34, 43–44, 55–56, 68. 1911.
    wood and substitutes. Rpt. 117, pp. 49–52, 72. 1917.
    various woods, quantity used. D.B. 605, pp. 8–17. 1918.
Shipmasters, circular by Weather Bureau. W.B. [Misc.], "Circular to shipmasters," p. 1. 1911.
Shipment(s)—
  carload, economy to producers. Rpt. 98, pp. 28–31. 1913.
  cattle, interstate, regulations for tuberculosis prevention. B.A.I.O. 263, amdt. 3, pp. 4. 1920.
  citrus fruits, methods. F.B. 696, pp. 23–24. 1915.
  cream, condition and frequency. F.B. 201, pp. 15–18. 1904.
  diversion in transit. Y.B., 1909, p. 164. 1910; Y.B. Sep. 502, p. 164. 1910.
  export animals, regulations. B.A.I.O. 264, pp. 7–23. 1919.
  express, poultry. F.B. 1377, pp. 10–12. 1924.
  field seeds. S.B. 2, pp. 9–14. 1924.
  freight, poultry. F.B. 1377, pp. 12–13. 1924.
  fruits—
    and melons—
      in carloads from stations, 1920–1923. S.B. 8, pp. 79. 1925.
      summary of totals, 1920–1923. S.B. 8, p. 2. 1925.
    and vegetables, 1916, by States. D.B. 667, pp. 6–13. 1918.
    and vegetables, car-lot, in United States in 1916. Paul Froehlich. D.B. 667, pp. 196. 1918.
    and vegetables, market report. An. Rpts., 1917, pp. 456–457; Mkts. Chief Rpt., 1917, pp. 26–27. 1917.
    reports, invoice and manifest, forms. D.B 590, pp. 7–8, 45–47. 1918.
    vegetables, and grapes, law violations. News I., vol. 4, No. 22, p. 4. 1917.
  game laws—
    1908, Federal and State. F.B. 336, pp. 27–36. 1908.
    1913. D.B. 22, pp. 37–43, 50–52. 1913.
  grain, interstate, regulations. Mkts. S.R.A. 47, pp. 7, 9, 11–19. 1919.
  grape, 1916–1919. D.B. 861, pp. 3, 26, 30, 34, 38, 44, 46, 48, 49. 1920.
  Hawaiian fruits and vegetables, inspection and certification. F.H.B. Quar. 13, rev., p. 3. 1917.
  hay, billing and invoicing, directions. F.B 1265, pp. 15–24. 1922.
  interstate—
    of furs. F.B. 1445, p. 3. 1924.
    tuberculous cattle, regulation. B.A.I.O.273, pp. 2, 1923.
  livestock—
    daily reports. Y.B., 1918, pp. 384–390. 1919; Y.B. Sep. 788, pp. 8–14. 1919.
    inspection in transit. B.A.I.O. 263, p. 6. 1919.
    regulations. B.A.I. An. Rpt., 1905, pp. 322–329. 1907.
  logs, charges. F.B. 1459, p 10. 1925.
  loss, reporting, instructions to employees. F.H. B.S.R.A. 74, p. 50. 1923.
  mail reports. Markets Chief Rpt., 1917, p. 5. 1917; An. Rpt., 1917, p. 435. 1918.
  meat-inspection regulations, blank forms. B.A. I.O. 211, pp. 59–68. 1914.
  meat, under exemption. An. Rpts., 1918, pp. 101–102. 1919; B.A.I. Chief Rpt., 1918, pp. 31–32. 1918.
  milk in bulk, sources of supply, and concentration. B.A.I. Dairy [Misc.], "World's dairy congress, 1913," pp. 816–817. 1924.
  nursery stock, interstate requirements. A. F. Burgess. Ent. Cir. 75, rev., pp. 7. 1908; rev., p. 9. 1909.
  onion, volume. D.B. 1325, pp. 44–46, 61–65. 1925.
  perishables, loading methods, improvement. An. Rpts., 1918, p. 464. 1919; Mkts. Chief Rpt., 1918, p. 14. 1918.

Shipment(s)—Continued.
  plants and products, quarantine area, by Agriculture Department. F.H.B. Quar. 43, reg. 9, p. 7, 1922.
  produce, inspection and sample certificates. Y.B., 1919, pp. 323-330. 1920; Y.B. Sep. 811, pp. 323-330. 1920.
  record forms for livestock shipping associations. D.B. 1150, pp. 7-10. 1923.
  reporting plan. Off. Rec., vol. 2, No. 24, p. 4. 1923.
  strawberry, 1914 and 1915, amounts and seasons. F.B. 1028, pp. 6-7. 1919.
  timber, description and directions. For. Cir. 38, rev., p. 13. 1909.
  to market, selection, suggestions and precautions. Y.B., 1917, pp. 321-325. 1918; Y.B. Sep. 736, pp. 3-7. 1918.
  truck crops, discussion. Y.B., 1900, pp. 441-447. 1901.
  vegetables, in carloads, summary of totals, 1920-1923. S.B. 9, p. 2. 1925.
  watermelons, seasons in various States. F.B. 1394, p. 2. 1924.
SHIPPEN, L. P.: "Pine-oil and pine distillate product emulsions: Method of production, chemical properties, and disinfectant action." With E. L. Griffin. D.B. 989, pp. 16. 1921.
Shippers—
  aid in weevil control in corn. News L., vol. 6, No. 41, p. 8. 1919.
  aid of farm weather forecasts. News L., vol. 2, No. 38, p. 7. 1915.
  American, fruit transportation to Australia and New Zealand, costs. D.C. 145, pp. 10-11. 1921.
  associations, telegraphic report on crop movements. Y.B., 1915, p. 272. 1916; Y.B. Sep. 675, p. 272. 1916.
  certificate, meat inspection, conditions, and authorized form. News L., vol. 2, No. 42, p. 7. 1915.
  farm products, suggestions. Y.B., 1917, pp. 321-325. 1918; Y.B. Sep. 736, pp. 3-7. 1918.
  fruit(s)—
    and vegetables, cooperation with carriers. News L., vol. 4, No. 49, pp. 1, 2. 1917.
    trade with China, recommendations. D.C. 146, pp. 17-23. 1920.
  grain—
    notice to. Chem. S.R.A. 13, pp. 6-8. 1915.
    requirements. Off. Rec., vol. 2, No. 27, p. 4. 1923.
  hay—
    country, functions and competition. D.B. 977, pp. 9-11, 14-19. 1921.
    directions for drawing drafts. F.B. 1265, pp. 19-23. 1922.
    loss from shrinkage. D.B. 873, pp. 1, 3-4, 27-28, 32-33. 1920.
    methods of buying and selling in country. D.B. 979, pp. 2-24. 1921.
    trade rules to prevent losses. F.B. 1265, pp. 9-11. 1922.
  livestock, cooperative, suggestions. F.B. 1292, pp. 14-17, 27. 1923.
  livestock, duties. Rpt. 98, p. 109. 1913.
  market study, steadying influence. Y.B., 1918, pp. 278-279. 1919; Y.B. Sep. 768, pp. 4-5. 1919.
Shipping—
  agencies, types. B.D. 403, p. 2. 1916.
  and handling, cherries and prunes, fresh, from Willamette Valley. H. J. Ramsey. D.B. 331, pp. 28. 1916.
  and packing young forest trees. For. Cir. 55, pp. 2. 1907.
  antelopes, crating and transportation. D.B. 1346, pp. 21-22. 1925.
  apples, cooperation of shippers and carriers on tonnage requirements. Mkts. Doc. 13, pp. 1, 23. 1918.
  association(s)—
    advantages and forms of organization. F.B. 718, pp. 2-7. 1916.
    fees and sinking funds. F.B. 718, pp. 4, 5, 6, 11-12. 1916.
    livestock, cooperative, growth, usefulness, and methods. News L., vol. 3, No. 40, pp. 1, 4. 1916.

Shipping—Continued.
  Bermuda onions, time and distribution. D.B. 1283, pp. 5-22. 1925.
  Board—
    coordinator. Off. Rec., vol. 3, No. 15, p. 4. 1924.
    meat grading for. Off. Rec., vol. 2, No. 7, p. 1. 1923.
    request for aid in foreign markets. News L., vol. 6, No. 21, p. 1. 1918.
    work of inspectors. Off. Rec., vol. 2, No. 27, p. 5. 1923.
  box, use in farm butter making, description. F.B. 541, pp. 26-27. 1913.
  boxes, better designs as source of lumber saving. M.C. 39, pp. 52-54. 1925.
  bulbs, and packing. D.B. 797, pp. 28-29. 1919.
  bulls, directions and plan of shipping crate. F.B. 1412, pp. 13, 14. 1924.
  by parcel post, experiments. An. Rpts., 1915, pp. 379-380. 1916; Mkts. Chief Rpt., 1915, pp. 17-18. 1915.
  cabbage, bulk and crate, and dimensions of packages. D.B. 1242, pp. 18-19, 51-56. 1924.
  cases—
    for comb honey, description. F.B. 1039, p. 39. 1919.
    for tender plants, long distances, description. Ent. Bul. 120, pp. 35-36. 1913.
    use of cottonwood in manufacture. D.B. 24, p. 4. 1913.
  cattle, interstate regulations. B.A.I.O. 273, amdt. 1, p. 1. 1922.
  cattle to market, cost and essentials. F.B. 1218, pp. 28-29. 1921.
  citrus fruits, car service. B.P.I. Bul. 123, pp. 18-20, 46-49. 1908.
  coop for exhibition fowls, description and dimensions. D.C. 13, pp. 5-6. 1919.
  cooperative, Indiana hogs. News L., vol. 6, No. 50, p. 5. 1919.
  coordinating system, value. Off. Rec., vol. 1, No. 37, p. 4. 1922.
  crates for sheep. F.B. 810, p. 26. 1917.
  cream, experiments. B.A.I. Bul. 59, pp. 32-42. 1904.
  dasheens, directions. Y.B., 1916, p. 208. 1917; Y.B. Sep. 689, p. 10. 1917.
  delays, perishable commodities, faults of shippers. News L., vol. 5, No. 10, p. 1. 1917.
  eggs—
    for hatching, directions. F.B. 1363, p. 3. 1923.
    loading on cars, points No. 1. D.C. 55, pp. 16, 1919.
    methods. B.A.I. Bul. 141, pp. 35-39. 1911; F.B 1378, pp. 24-26. 1924.
  feeder cattle, directions. F.B. 1382, p. 17. 1924.
  fever of cattle. See Hemorrhagic septicemia.
  figs, fresh, experiments. D.B. 732, p. 25. 1918; F.B. 1031, p. 39. 1919.
  fish to market, three thousand miles. E. D. Clark. Y.B., 1915, pp. 155-158. 1916; Y.B. Sep. 665, pp. 155-158. 1916.
  fowls for exhibition, directions. F.B. 1115, pp. 9-10. 1920.
  foxes, directions. D.B. 1151, p. 51. 1923.
  frauds, warning to shippers of grain, hay, and feed. News L., vol. 5, No. 5, p. 5. 1917.
  freight classification, compendium with directions as to making shipments. Accts. [Misc.], "Compendium of the * * *," pp. 272. 1910.
  fruits, by water. D.B. 1290, pp. 2-19. 1924.
  fruit, organization, accounting system. G. A. Nashtoll and John R. Humphrey. D.B. 590, pp. 60. 1918.
  game, licenses, Alaska, 1916. Biol. Doc. 105, pp. 5-6. 1917.
  game, licenses, details and summary, United States and Canada. F.B. 336, pp. 27-36. 1908.
  grapes, loading methods. D.B. 35, pp. 16-18. 1913.
  hay to markets, methods. F.B. 508, pp. 23-25. 1912.
  hides and skins, directions. F.B. 1055, pp. 39-40, 52. 1919.
  hides, regulations and caution. F.B. 1334, p. 2. 1923.

Shipping—Continued.
  hog(s)—
    cooperative methods. News L., vol. 6, No. 27, p. 18. 1919.
    for exhibition. F.B. 1455, pp. 12-14. 1925.
    losses, causes, and prevention. F.B. 1244, pp. 25-26. 1923.
    value of cooperation. News L., vol. 6, No. 41, p. 10. 1919.
    improvement of packing. News L., vol. 6, No. 47, p. 5. 1919.
  licenses, Alaska—
    1913, holders' residence, kind of game, fees. Sec. [Misc.], "Report of the Governor of Alaska * * * on the Alaskan game law," p. 6. 1913.
    1914, holders' residence, fees, kind of game. Sec. [Misc.], "Report of the Governor * * * 1914," pp. 6-7. 1914.
    report of governor, 1910. Biol. Cir. 77, pp. 5-6. 1911.
    report of governor, 1911. Biol. Cir. 85, pp. 6-7. 1912.
  live and dead animals in same car, prohibition. News L., vol. 4, No. 4, p. 4. 1916.
  livestock—
    associations, accounts system. John R. Humphrey and W. H. Kerr. D.B. 403, pp. 15. 1916.
    cooperation, advantages for South. F.B. 809, pp. 5-7. 1917.
    cooperative associations. S. W. Doty and L. D. Hall. F.B. 718, pp. 16. 1916.
    cooperative associations, organization and management. F.B. 1292, pp. 28. 1923.
    interstate, regulations. B.A.I. [Misc.], "Regulations of the * * *," pp. 27. 1905.
    the 28-hour law. Sec. [Misc.], "The 28-hour law * * *," pp. 7. 1908.
  lumber practices and weights, grades, and forms. D.C. 296, pp. 3, 31-33, 39, 40, 42, 43, 45, 48, 51, 53, 55. 1923.
  manure, methods. Y.B., 1916, pp. 375-376. 1917; Y.B. Sep. 716, pp. 1-2. 1917.
  milk at low temperatures. D.B. 744, pp. 24-28. 1919.
  northwestern apples, methods, 1917, season. Mkts. Doc. 13, pp. 13-20. 1918.
  oranges—
    experiments, tests. B.P.I. Cir. 19, pp. 5-8. 1908.
    percentage of decay, experiments. B.P.I. Bul. 123, pp. 43-49. 1908.
  peach, season and areas of production. D.B. 298, pp. 3-6. 1916.
  perishable products, amplification of forecasts for benefit of. W. M. Wilson. W.B. [Misc.], "Proceedings, third convention * * *," pp. 49-52. 1904.
  permits, lumber and forest products, use in gipsy moth control. Ent. Bul. 87, pp. 57-60. 1910.
  pineapples, Porto Rico, facilities. P.R. Bul. 8, pp. 35-36. 1909.
  plant material, instructions. F.S. and P.I. [Misc.], "How to send * * *," pp. 9. 1914.
  point(s)—
    field stations, value. Off. Rec., vol. 3, No. 29. p. 2. 1924.
  inspection—
    Canada. Off. Rec., vol. 3, No. 36, p. 3. 1924.
    service. B.A.I. Chief Rpt., 1923, pp. 37-40. 1923; An. Rpts., 1923, p. 31-33, 167-170. 1924; Sec. A.R., 1923, pp. 31-33. 1923.
  poultry, practices. F.B. 1377, pp. 10-13, 27-28. 1924.
  short-type efficiency of refrigerator car. R. G. Hill and others. D.B. 1353, pp. 28. 1925.
  spinach, loading on cars, directions. F.B. 1189, pp. 6-7. 1921.
  stations, by States, index to tables, and tables. D.B. 667, pp. 14-50, 51-196. 1918.
  strawberries—
    crates and carriers. F.B. 1026, pp. 33-34. 1919; F.B. 1027, p. 23. 1919.
    packages, types, sizes, and description. F.B. 979, pp. 17-19, 26. 1918.
    practices and refrigeration. D.B. 531, pp. 11-13. 1917.

Shipping—Continued.
  strawberries—continued.
    varieties adapted to. F.B. 1043, pp. 6, 20-21. 1919.
  sweet potatoes, methods. D.B. 1206, pp. 32-34. 1924.
  tags for cotton seed, data requirements. D.B. 1056, pp. 20-21, 24. 1922.
  timber, cooperation. F.B. 1459, p. 10. 1925.
  tropical plants, packing methods. Hawaii A.R., 1920, p. 23. 1921.
  tulip bulbs, packing methods, sizing and weights, etc. D.B. 1082, pp. 25-27. 1922.
  turkeys alive. Y.B., 1916, p. 419. 1917. Y.B. Sep. 700, p. 9. 1917.
  vegetables, Agriculture Department publications, list. D.B. 601, p. 29. 1917.
  yams to market, suggestions. D.B. 1167, p. 9. 1923.
  See also Freight.
Shire Horse Association, American, studbook issues, name and address of Secretary. F.B. 619, p. 14. 1914.
Shipworms, description and habits. For. Cir. 128, pp. 4-6. 1908.
SHIRAS, Justice, opinion on transportation of livestock, 28-hour law. Sol. Cir. 27, pp. 14-18. 1909.
Shishan, importation and description. No. 54554-54555, B.P.I. Inv. 69, pp. 4, 25. 1923.
Shittimwood. See Cascara sagrada.
SHIVE, J. W.—
  "A comparative study of salt requirements for young and mature buckwheat plants in solution cultures." With William H. Martin. J.A.R., vol. 14. pp. 151-175. 1918.
  "Effect of ammonium sulphate upon plants in nutrient solutions supplied with ferric phosphate and ferrous sulphate as sources of iron." With Linus H. Jones. J.A.R., vol. 21, pp. 701-728. 1921.
  "Relation of moisture in solid substrata to physiological salt-balance for plants and to the relative plant-producing value of various salt proportions." J.A.R. vol. 18, pp. 357-378. 1920.
Shock, treatment, first-aid. For. [Misc.], "First aid manual * * *," pp. 56-58. 1917.
Shocker, corn, description, cost and efficiency. F.B. 303, pp. 19-22. 1907; O.E.S. Bul. 173, pp. 26-46. 1907.
Shocking—
  barley, directions. F.B. 968, p. 23. 1918.
  corn—
    day's work, central Illinois. D.B. 814, pp. 14-17. 1920.
    methods. F.B. 313, pp. 14-17. 1907.
  flax, methods. F.B., 785, pp. 17-18. 1917.
  oats, methods. F.B. 424, pp. 26-27. 1910.
  rice—
    directions. F.B. 1092, pp. 19-20. 1920; F.B. 1141, pp. 15-16. 1920; F.B. 1240, p. 18. 1924.
    to prevent damage. F.B. 1420, pp. 13-15. 1924.
  wheat—
    acreage and costs. D.B. 627, p. 11. 1918; F.B. 678, p. 15. 1915.
    methods and effect on quality. B.P.I. Cir. 68, pp. 4-5, 8. 1910.
Shocks—
  corn—
    building and tying. F.B. 313, pp. 12, 15-17. 1907.
    value as feed for livestock. Stat. Bul. 73, pp. 33-34. 1909.
Shoe(s)—
  boil of horse, cause, symptoms, and treatment. B.A.I. [Misc.[, "Diseases of the horse," rev., pp. 354-357. 1903; rev., pp. 354-357. 1907; rev., pp. 354-357. 1911; rev., pp. 379-383. 1923.
  drying, oiling, and greasing. F.B. 1183, rev., pp. 8-9. 1920.
  leather, wearing qualities. F. P. Veitch, and others. D.B. 1168, pp. 25. 1923.
  number used in United States annually. F.B. 1183, rev., p. 3. 1922.
  oiling, polishing, and care. News L., vol. 4, No. 42, p. 4. 1917.
  oiling, waterproofing, and polishing. F.B. 1183, rev., pp. 9-13. 1922.
  peg and shank manufacture and annual consumption. For. Cir. 163, pp. 7-8. 1909.

Shoe(s)—Continued.
  pegs, use of birch in manufacture. D.B. 12, pp. 25-26. 1913.
  polish, stains, removal from textiles. F.B. 861, pp. 30-31. 1917.
  repairing, importance and economy. F.B. 1183, rev., pp. 7-8. 1920.
  selection, care, and preservation methods. F.B. 1089, pp. 20, 28-29. 1920; F.B. 1183, rev., pp. 5-13. 1922.
  soft-soled, for climbing living trees. F.B. 1178, pp. 6, 28. 1920.
  soles, waterproofing, directions and formulas. F.B. 1334, pp. 15, 20. 1923.
  toe wear of different types, and remedy suggested. D.B. 1168, p. 6. 1923.
Shoeing. John W. Adams. B.A.I. [Misc.], "Diseases of the horse," rev., pp. 552-574. 1903; rev., pp. 559-581. 1907; rev., pp. 565-587. 1911; rev., pp. 583-605. 1916; rev., pp. 583-605. 1923.
Shoemaker, D. N.—
  "Distribution of cotton seed in 1909." B.P.I. Doc. 432, pp. 16. 1908.
  "Distribution of cotton seed in 1910." B.P.I. Doc. 535, pp. 13. 1910.
  "Seed peas for the canner." F.B. 1253, pp. 16. 1922.
  "Vegetable seeds for the home and market garden." F.B. 1390, pp. 14. 1924.
Shollenberger, J. H.—
  "Experimental milling and baking." With others. D.B. 1187, pp. 54. 1923.
  "Milling and baking experiments with American wheat varieties." With J. Allen Clark. D.B. 1183, pp. 93. 1924.
  "Moisture in wheat and mill products." D.B. 788, pp. 12. 1919.
  "The influence of relative humidity and moisture content of wheat on milling yields and moisture content of flour." D.B. 1013, pp. 12. 1921.
  "Tables for converting crude protein and ash content to a uniform moisture base." With D. A. Coleman. M.C. 28, pp. 30. 1924.
Sholteek. See Alfalfa, wild.
Shook(s)—
  apple box, hauling and use, cost. D.B. 446, pp. 26-27, 33. 1917.
  box and other, exports, 1908. For. Cir. 162, pp. 12-13. 1909.
  swarming, to prevent the spread of bee diseases. Ent. Bul. 75, pp. 31-32. 1911.
Shoop's cures, misbranding. Chem. N.J. 3972, 3985. 1915.
Shooting—
  autumn, of waterfowl, distribution, and conditions governing. D.B. 794, pp. 8-9. 1920.
  grounds, public. Off. Rec., vol. 2, No. 8, p. 2. 1923.
  grounds, public, bill. Off. Rec., vol. 1, No. 20, p. 2. 1922.
  spring, bad effects on waterfowl breeding. D.B. 794, pp. 3-8. 1920.
  star, (plant), description, occurrence on Washington prairie lard, eastern Puget Sound Basin. Soil Sur. Adv. Sh., 1909, p. 33. 1911; Soils F.O., pp. 1545. 1912.
Shops, retail meat, grouping methods and weighting. D.B. 1317, pp. 50-52. 1925.
Shore plants, use in bird food, lists. F.B. 621, rev., p. 15. 1921.
Shorea spp. See Mahogany, Philippine.
Shorey, E. C.—
  "A beneficial organic constituent of soils: Creatinine." With others. Soils Bul. 83, pp. 44. 1911.
  "A nitrogenous soil constituent; tetracarbonimid." With E. H. Walters. J.A.R. vol. 3, pp. 175-178. 1914.
  "Calcium compounds in soils." With others. J.A.R., vol. 8, pp. 57-77. 1917.
  "Chemical nature of soil organic matter." With Oswald Schreiner. Soils Bul. 74, pp. 48. 1910.
  "Organic nitrogen in Hawaiian soils." Hawaii A.R., 1906, pp. 37-59. 1907.
  "Some organic soil constituents." Soils Bul. 88, pp. 41. 1912.
  "The composition of some Hawaiian feeding stuffs." Hawaii Bul. 13, pp. 23. 1906.

Shorey, E. C.—Continued.
  "The isolation of harmful organic substances from soils." With Oswald Schreiner. Soils Bul. 53, pp. 53. 1909.
  "The presence of some benzene derivatives in soils." J.A.R., vol. 1, pp. 357-363. 1914.
  "The principles of the liming of soils." F.B. 921, pp. 30. 1918.
Short-circuit beetle. See Lead-cable borer.
Short-grass—
  cover, effect of breaking, grazing, and fires. B.P.I. Bul. 201, pp. 40-43. 1911.
  formations, Great Plains area, occurrence, and discussion. B.P.I. Bul. 201, pp. 20, 21, 22-23, 24-48, 83, 84, 85. 1911.
  lands, Colorado, crop productions. B.P.I. Bul. 201, pp. 70-74, 78-82. 1911.
Shortcake—
  recipe. F.B. 1450, p. 12. 1925.
  strawberry, or other fruits. F.B. 1136, p. 32. 1920.
Shorthorn Breeders Association, cooperative exhibition work. News L., vol. 7, No. 5, pp. 11-12. 1919.
Shorthorns. See Cattle, Shorthorn; Cows, Shorthorn.
Shorts—
  adulteration and misbranding. Chem. N.J. 11455. 1923; Chem. N.J. 13466. 1925.
  and skim milk, feed for sows at farrowing time. F.B. 411, pp. 10-11. 1910.
  feed for pigs, value. B.A.I. Bul. 47, p. 108. 1904.
  feeding to hogs on alfalfa pasture. W.I.A. 9, pp. 12-13. 1916.
  gray, adulteration and misbranding. Chem. N.J. 12489, 12491. 1924; Chem. N.J. 13283. 1925; Chem. N.J. 13446. 1925; Chem. N.J. 13465, 13495-13496. 1925; Chem. N.J. 13558. 1925.
  prices at main markets. S.B. 11, pp. 103-104, 106, 109. 1925.
  use as horse feed. F.B. 1030, p. 14. 1919.
  use in fattening poultry. D.B. 21, pp. 6, 7, 8, 11, 13. 1914.
  yield of wheat varieties. D.B. 1183, pp. 27, 30, 42, 53, 74, 83, 84. 1924.
Shot—
  poison to waterfowl. News L., vol. 7, No. 3, p. 4. 1919.
  waste, danger to waterfowl, feeding in marshes. D.B. 793, pp. 1, 3, 9-11. 1919.
Shot-hole borer—
  enemy of guama and guava, control. P.R. An. Rpt., 1914, p. 33. 1915.
  red-shouldered, description and control. F.B. 843, p. 41. 1917; F.B. 1364, pp. 41-42. 1924.
  on plants, in Texas, occurrence and description. B.P.I. Bul. 226, pp. 25, 28, 32, 79. 1912.
  perforations, disease symptom in plants. F.B. 430, p. 6. 1911.
  See also Leaf spot.
Shote, use of term, care and feed. F.I.L. 16, p. 6. 1914.
Shoulder(s)—
  commercial stocks in the United States on August 31, 1917. Sec. Cir. 101, pp. 1-6. 1918.
  dry-salt cured, records of treatment. D.B. 1086, pp. 39-40. 1922.
  home curing, methods and brine formula. News L., vol. 6, No. 20, p. 8. 1918.
  horse, desirable conformation. F.B. 779, pp. 11-12. 1917.
  joint, cattle sprain, symptoms and treatment. B.A.I. [Misc.], "Diseases of cattle," rev., p. 266. 1904; rev., p. 274-275. 1912; rev., p. 269. 1923.
  joint, horse, dislocation, description. B.A.I. [Misc.], "Diseases of the horse," pp. 337-338. 1903; rev., pp. 337-338. 1907; rev., pp. 337-338. 1911; rev., p. 363. 1923.
  lameness, horse, causes, symptoms, and treatment. B.A.I. [Misc.], "Diseases of the horse," pp. 340-343. 1903; rev., 340-343. 1907; rev., 340-343. 1911; rev., pp. 365-368. 1923.
  mutton, boning directions. F.B. 1172, p. 15. 1920.
  pickle-cured, records of treatment. D.B. 1086, pp. 26-32. 1922.
  pork, cutting methods. D.C. 300, p. 7. 1924.

INDEX TO PUBLICATIONS, 1901-1925   2149

Shoveler—
   breeding range, food habits, and occurrence in Arkansas. Biol. Bul. 38, p. 19. 1911.
   description. N.A. Fauna 46, p. 46. 1923.
   migration records from birds banded in Utah. D.B. 1145, p. 8. 1923.
   occurrence in—
      Nebraska. D.B. 794, pp. 24-25. 1920.
      Porto Rico. D.B. 326, pp. 29-30. 1916.
Shovels, corn cultivators, description. S.R.S. Syl. 21, p. 13. 1916.
SHOW, S. B.—
   "Fire and the forest." (California Pine Region.) With E. I. Kotok. D.C. 358, pp. 20. 1925.
   "Forest fires in California, 1911-1920." With E. I. Kotok. D.C. 243, pp. 80. 1923.
   "The rôle of fire in the California pine forests." With E. I. Kotok. D.B. 1294, pp. 80. 1924.
Shower bath, homemade, description and cost. News L., vol. 3, No. 38, p. 3. 1916.
Shows—
   fox, educational features. D.B. 1151, p. 59. 1923.
   See also Exhibitions; Exhibits.
Shoyu, Japanese name for soy-bean sauce. D.B. 1152, p. 2. 1923.
SHRADER, H. L.—
   "A wheatless ration for the rapid increase of flesh on young chickens." With others. D.B. 657, pp. 12. 1918.
   "The egg and poultry demonstration car work in reducing our $50,000,000 waste in eggs." With others. Y.B., 1914, pp. 363-380. 1915; Y.B. Sep. 647, pp. 363-380. 1915.
SHRADER, J. H.—
   "Commercial utilization of grape pomace and stems from the grape-juice industry." With Frank Rabak. D.B. 952, pp. 24. 1921.
   "Commercial utilization of waste seed from the tomato pulping industry." With Frank Rabak. D.B. 927, pp. 29. 1921.
   "Difficulties encountered and results obtained in enforcing the milk pasteurization requirements in Baltimore." With R. S. Craig. B.A.I. Dairy [Misc.], "World's dairy congress, 1923," pp. 1239-1336. 1924.
   "Standardization applied to the sterilization of milk bottles." With R. Sewell Craig. B.A.I. Dairy [Misc.], "World's dairy congress, 1923," pp. 1317-1324. 1924.
   "The castor oil industry." D.B. 867, pp. 40. 1920.
   "The preparation of an edible oil from crude corn oil." With A. F. Sievers. D.B. 1010, pp. 25. 1922.
Shredded corn—
   cost and value, comparison with other feeds. Stat. Bul. 73, p. 32. 1909.
   stover, value as feed. F.B. 312, p. 11. 1907.
Shredded wheat, adulteration. See *Indexes,Notices of Judgment, in bound volumes, and in separates published as supplements to Chemistry Service and Regulatory Announcements.*
Shredders, corn, advantages. S.R.S. Syl. 21, p. 19. 1916.
Shreveport, La., trade center for farm products, statistics. Rpt. 98, pp. 288, 329. 1913.
Shrew—
   Alaska, description of varieties. N.A. Fauna 24, pp. 49-50. 1904; N.A. Fauna, 30, p. 32. 1909.
   Bachman, description and habits in Alabama. N.A. Fauna 45, pp. 22-23. 1921.
   Carolina short-tailed, description and habits. N.A. Fauna 45, pp. 21-22. 1921.
   common, occurrence in Montana. Biol. Cir. 82, p. 23. 1911.
   Dobson, occurrence in Colorado, description. N.A. Fauna 33, p. 203. 1911.
   dusky, occurrence in Montana. Biol. Cir. 82, p. 23. 1911.
   dwarf, occurrence in Colorado, description. N.A. Fauna 33, p. 203. 1911.
   least, description and habits in Alabama. N.A. Fauna 45, p. 22. 1921.
   masked, occurrence in Colorado, description. N.A. Fauna 33, p. 202. 1911.
   occurrence in—
      Alabama, description and habits. N.A. Fauna 45, pp. 21-23. 1921.

Shrew—Continued.
   occurrence in—continued.
      Athabaska-Mackenzie region. N.A. Fauna 27, pp. 242-249. 1908.
      Colorado, description. N.A. Fauna 33, pp. 202-204. 1911.
      Pribilof, measurements. N.A. Fauna 46, p. 102. 1923.
      range and habits. N.A. Fauna 21, pp. 17, 35-36, 70-71. 1901; N.A. Fauna 22, pp. 71-73. 1902; N.A. Fauna 24, pp. 49-50. 1904.
      Rocky Mountain, occurrence in Colorado, description. N.A. Fauna 33, pp. 202-203. 1911.
      Texas, occurrence and habits. N.A. Fauna 25, pp. 207-208. 1905.
      tundra in Alaska and Yukon Territory. N.A. Fauna 30, pp. 32, 58. 1909.
      water, occurrence in Montana. Biol. Cir. 82, p. 23. 1911.
      water, white-bellied, occurrence in Colorado, description. N.A. Fauna 33, pp. 203-204. 1911.
Shrike—
   California, habits and food. Biol. Bul. 30, pp. 33-38. 1909.
   eye parasites of. B.A.I. Bul. 60, p. 49. 1904.
   food habits and—
      description. F.B. 506, pp. 29-32. 1912.
      occurrence in Arkansas. Biol. Bul. 38, pp. 72-73. 1911.
   loggerhead—
      description, range, and habits. F.B. 513, p. 13. 1913.
      food habits. Biol. Bul. 15, p. 21. 1901.
   mouse-eating habits. Biol. Bul. 31, p. 51. 1907.
   northern—
      in Alaska and Yukon Territory, notes. N.A. Fauna 30, pp. 42, 63, 91. 1909.
      range and habits. N.A. Fauna 21, p. 79. 1901; N.A. Fauna 22, p. 124. 1902; N.A. Fauna 24, p. 78. 1904.
   protection and exception from. Biol. Bul. 12, rev., p. 44. 1902.
   varieties in Athabaska-Mackenzie region. N.A. Fauna 27, pp. 459-460. 1908.
   See also Butcher bird.
Shrimp—
   adulteration with borax or boric acid. Inf. 27, Chem. S.R.A. 11, p. 751. 1915.
   Barataria, labeling, 298. Chem. S.R.A. 23, p. 105. 1918.
   brine, food of wild ducks. D.B. 936, p. 15. 1921.
   canned—
      adulteration. Chem. N.J. 3767, 3768. 1915; Chem. N.J. 3810, 3817. 1915; Chem. N.J. 13758. 1925.
      misbranding. Chem. N.J. 12476. 1924; Chem. N.J. 13623. 1925.
      occurrence of tin salts. W. D. Bigelow and R. F. Bacon. Chem. Cir. 79, pp. 6. 1911.
      statement of contents—opinion 88. Chem. S.R.A. 9, p. 688. 1914.
      study. Chem. Cir. 79, pp. 3-5. 1911.
   canning—
      recipe. S.R.S. Doc. 80, p. 26. 1918; rev., p. 28. 1919.
      season and methods. Chem. Bul. 151, pp. 69-71. 1912.
      weights, 297. Chem. S.R.A. 23, pp. 104-105. 1918.
   cooking, directions. D.B. 538, pp. 2-4. 1917.
   corrosive quality, investigation. Chem. Cir. 79, pp. 3-5. 1911.
   description and canning methods. D.B. 196, pp. 75-76. 1915.
   dried, meats, and paste, preparation and value. D.B. 538, p. 6. 1917.
   food of sea herring, description and effect on fish. D.B. 908, pp. 17, 18, 22-23, 121. 1921.
   food value, comparison with other foods. D.B. 538, p. 7. 1917.
   handling, transportation, and uses. Ernest D. Clark and Leslie McNaughton. D.B. 538, pp. 8. 1917.
   meats, and paste, preparation and value. D.B. 538, p. 6. 1917.
   packing and preparing for market. D.B. 538 pp. 5-6. 1917.
Shrinkage—
   cans during processing, causes. S.R.S. Doc. 33, p. 2. 1917.

Shrinkage—Continued.
  cattle in transit—
    factors affecting. D.B. 25, pp. 5-20, 22-23, 69-70, 71, 73, 77-78. 1913.
    prevention methods. D.B. 25, pp. 28-30, 31-32, 52. 1913.
    variation in different classes. D.B. 25, pp. 5-6. 1913.
  cheese, as affected by age at which paraffined. B.A.I. Cir. 181, pp. 8-10. 1911.
  corn—
    estimates. F.B. 313, p. 28. 1907.
    in cribs. F.B. 317, pp. 22-26. 1908; S.R.S. Syl. 21, p. 22. 1916.
    shelled in cars in transit. J. W. T. Duvel and Laurel Duvel. D.B. 48, pp. 21. 1913.
    definition of term, importance to shippers. D.B. 25, pp. 1-2. 1913.
  eggs during storage. D.B. 775, pp. 23-26. 1919.
  farm products, experiments. F.B. 149, pp. 10-17. 1902.
  food weight, investigations. An. Rpts., 1913, p. 192. 1914; Chem. Chief Rpt., 1913, p. 2. 1913.
  grain, and moisture content. J. W. T. Duvel. B.P.I. Cir. 32, p. 13. 1909.
  grain in storage. D.B. 558, pp. 27-28, 35, 43. 1917.
  influence on wool prices. D.B. 206, pp. 3-5. 1915.
  livestock in transit. Rpt. 113, p. 36. 1916.
  lumber, southern pine. For. Cir. 164, pp. 9-10. 1909.
  market hay. H. B. McClure. D.B. 873, pp. 33. 1920.
  pineapple, control. P. R. An. Rpt., 1923, p. 17. 1924.
  potatoes, percentage. F.B. 753, pp. 37-38. 1916.
  soft pork under commercial conditions. L. B. Burk. D.B. 1086, pp. 40. 1922.
  stress, in wood, causes and remedies. D.B. 1136, pp. 23-26. 1923.
  sweetpotatoes in storage. D.B. 1063, pp. 8, 9, 10, 11, 13. 1922; F.B. 520, p. 14. 1912.
  tobacco, causes. B.P.I. Bul. 268, p. 64. 1913.
  weight of beef cattle in transit. W. F. Ward and James E. Downing. D.B. 25, pp. 78. 1913.
  wood—
    causes and rate in various species. D.B. 552, pp. 2-10. 1917.
    effect. For. Bul. 70, pp. 76-79. 1908.
    in kiln drying, and defects caused by. D.B. 1136, pp. 23-26. 1923.
    testing. D.B. 556, pp.1-12. 1917.
SHRIVER, A. K., invention of steam cooker for canning. Y.B., 1911, p. 384. 1912; Y.B. Sep. 577, p. 384. 1912.
Shrubbery—
  planting advice to farm women. S.R.S. Rpt. 1920, p. 9. 1922.
  spread on western ranges, causes and results. B.P.I. Bul. 177, pp. 21-23. 1910.
Shrubby fern. See Sweet fern.
Shrubs—
  alkali resistance. F.B. 446, pp. 30, 32. 1911.
  and fruit trees, inoculation with crown-gall. George G. Hedgecock. B.P.I. Bul. 131, Pt. III, pp. 21-23. 1908.
  and trees, school ground, cultural directions. F.B. 218, pp. 38-40. 1905.
  bearing nitrogen-gathering nodules on roots. Y.B., 1910, pp. 215-216, 218. 1911; Y.B. Sep. 530, pp. 215-216, 218. 1911.
  care in fall and winter. News L., vol. 4, No. 14, p. 4. 1916.
  damage from white ants, and control. F.B. 1037, pp. 9-10, 15-16. 1919.
  diseases in Texas, occurrence and description. B.P.I. Bul. 226, pp. 57-82. 1912.
  distribution in Nevada, Truckee-Carson project. W.I.A. Cir. 3, p. 5. 1915; W.I.A. Cir. 13, p. 6. 1916.
  evergreen and deciduous, growing at Yuma experiment farm. D.C. 75, pp. 70, 72. 1920.
  farm grounds, selection and planting, directions. S.R.S. Syl. 28, pp. 7-9. 1917.
  flowering, forcing with ether, F.B. 320, p. 24. 1908.

Shrubs—Continued.
  for school grounds, cultural directions, various localities. F.B. 218, pp. 38-40. 1905.
  fruit, cross-inoculation with crown-gall. B.P.I. Bul. 131, pp. 21-23. 1908.
  hardy, insects control. Ent. A.R., 1921, p. 28. 1921.
  honey sources, dates of blooming periods. D.B 685, pp. 44-46. 1918.
  medicinal bark, common names and description. B.P.I. Bul. 139, pp 9-49. 1909.
  occurrence in—
    Athabaska-Mackenzie regions. N.A. Fauna 27, pp. 515-534. 1908.
    Wyoming, and trees, notes on distribution and growth. N.A. Fauna 42, pp. 55-81. 1917.
  ornamental—
    adapted to California, Yuma experiment farm. W.I.A. Cir. 12, pp. 25-26. 1916.
    extension work with, 1923. C. P. Close and others. D.C. 346, pp. 16. 1925.
    growing in Alaska, tests of hardiness. Alaska A.R., 1917, pp. 14-15. 1919.
    importation from China, and description. Nos. 36726-36764, B.P.I. Inv. 37, pp. 57-62 1916.
    mistletoe value. B.P.I. Bul. 166, pp. 8, 31, 33. 1910.
    spraying for scale pests. Ent. Cir. 121, p. 13. 1910.
    varietal tests, Huntley experiment farm, 1911 and 1913. W.I.A. Cir. 15, pp. 23-24. 1917.
  peat material. D.B. 802, pp. 34-36. 1919.
  planting—
    irrigated land, South Dakota, Belle Fourche experiment farm. W.I.A. Cir. 9, pp. 25-26. 1916.
    to beautify farm home grounds. F.B. 1087, pp. 47-52, 61-63. 1920.
  principal, of Colorado. N.A. Fauna 33, pp. 212-246. 1911.
  pruning, time and methods. News L., vol. 3, No. 31, p. 7. 1916.
  selection and use for home grounds. F.B. 185, pp. 9-15. 1904
  soil-water indications, list, Washington, eastern Puget Sound Basin. Soil Sur. Adv. Sh., 1909, p. 39. 1911; Soils F.O. 1909, p. 1543. 1912.
  spraying for control of scale insects. F.B. 723, p. 11. 1916.
  suitability for various sections, planting suggestions. News L., vol. 2, No. 37, p. 1. 1915.
  testing at field station near Mandan, N. Dak. D.B. 1301, pp. 34-36, 40. 1925.
  transplanting, directions. F.B. 1087, pp. 61-62 1920.
  treatment on lawns and home surroundings. F.B. 494, p. 47. 1912.
  use in beautifying the earth. Y.B., 1902, p. 502 1903.
  valuable as goat browse. D.B. 749, p. 3. 1919.
  Wasatch Mountains, freezing-point depressions and osmotic pressures. J.A.R., vol. 28, pp 866-871, 878-879. 1924.
Shuck(s)—
  corn—
    characters, relation to insect infestation of ears. D.B. 708, pp. 2-8. 1918.
    prevention of weevils by close fit. D.B. 1085, p. 3. 1922.
    relation to—
      mold and discoloration. D.B. 708, pp. 11-12. 1918.
      weevil damage. F.B. 915, pp. 4-6. 1918.
    weaving, profits. Off. Rec., vol. 2, No. 48, p. 3. 1923.
  protection for ear corn. C. H. Kyle. D.B. 708, pp. 16. 1918.
  shellers, use in shucking corn. D.B. 708, p. 14. 1918.
Shucking corn—
  cost, relation to length of shucks. D.B. 708, pp. 14-15. 1918.
  for weevil control and saving storage. F.B. 1029, pp. 20, 23, 24, 28. 1919.
  methods. F.B. 313, pp. 17-20. 1907.
  See also Husking.

SHULL, J. M.: "Structure of the pod and the seed of the Georgia velvet bean *Stizolobium deeringianum*." With Charles V. Piper. J.A.R., vol. 11, pp. 673–676. 1917.
SHULTS, E. A., importation of Angora goats. B.A.I. Bul. 27, p. 21. 1906.
Shuteria hirsuta, importation and description. No. 47793, B.P.I. Inv. 59, p. 60. 1922.
Shutters—
poultry house. F.B. 1413, p. 8. 1924.
tin-clad, value in warehouse construction. D.B. 801, p. 35. 1919.
Shuttles, use of dogwood and persimmon trees. Y.B., 1914, p. 450. 1915; Y.B. Sep. 651, p. 450. 1915.
Sialia sialis fulva. See Bluebird, eastern.
Siam—
explorations by Joseph F. Rock. D.B. 1057, pp. 10–12. 1922.
rice production. Y.B., 1922, pp. 513, 514. 1923; Y.B. Sep. 891, pp. 513, 514. 1923.
Siberia—
agricultural—
conditions, comparison with Alaska. Soil Sur. Adv. Sh., 1914, pp. 199–202. 1915; Soils F.O., 1914, pp. 233–236. 1919.
exploration and importations. An. Rpts., 1912, pp. 421–422. 1913; B.P.I. Chief Rpt., 1912, pp. 41–42. 1912.
alfalfas and clovers, wild, with perspective view of alfalfas of world. N. E. Hansen. B.P.I. Bul. 150, pp. 31. 1909.
hardy plants, importations and description. Nos. 32175–32245, B.P.I. Bul. 261, pp. 37–47. 1912.
wheat movements. Stat. Bul. 65, pp. 70–73. 1908.
Sibine stimulea. See Caterpillar, saddle-back.
Sibinia peruana, new species from Peru, description. Rpt. 102, p. 13. 1915.
Sibiraea laevigata, importation and description. No. 39917, B.P.I. Inv. 42, pp. 38–39. 1918.
Sibthorpia europea, erroneous name for lawn pennywort. D.C. 165, p. 3. 1921.
Sicana odorifera. See Melocoton.
Sicily—
citrus fruit insects. D.B. 134, pp. 1–35. 1914; Ent. Bul. 120, pp. 16, 40–51. 1913.
lemon—
industry. B.P.I. Bul. 160, p. 8. 1909.
oil industry. Y.B., 1908, pp. 337–339. 1909; Y.B. Sep. 485, pp. 337–339. 1909.
producing districts. Chem. Cir. 46, pp. 4–5. 1909.
source of supply of *Apanteles melanoscelus*. D.B. 1028, pp. 14–16. 1922.
Sick—
care of, general directions. For. [Misc.], "First aid manual * * *," pp. 69–70. 1917.
leave, regulations, 1911. An. Rpts., 1911, pp. 809–810. 1912; Sol. A.R., 1911, pp. 53–54. 1911.
Sickle, use in wheat harvest. Y.B., 1921, pp. 87, 88. 1922; Y.B. Sep. 873, pp. 87, 88. 1922.
Sickness—
care of, in rural homes, needs of farm women. Rpt. 104, pp. 56–65. 1915; Rpt. 105, pp. 37, 38, 39, 40, 59, 60. 1915.
poultry, indications. D.C. 31, p. 3. 1919.
Sida—
acuta, importation and description. No. 47794, B.P.I. Inv. 59, p. 60. 1922.
bonariensis, importation and description. No. 41311. B.P.I. Inv. 44, p. 62. 1918.
rhombifolia, importation and description. No. 50606, B.P.I. Inv. 63, p. 85. 1923.
spp., importation and description. No. 51540, B.P.I. Inv. 65, p. 24. 1923.
spiny, description of seed, appearance in red clover seed. F.B. 260, pp. 19–20. 1916.
Sidebones, horse foot, detection. F.B. 779, p. 16. 1917.
SIDERIS, C. P.: "The role of the hydrogen-ion concentration on the development of pigment in Fusaria." J.A.R., vol. 30, pp. 1011–1019. 1925.
Sideroxylon—
australe, importation, and description. No. 44072, B.P.I. Inv. 50, p. 24. 1922.
costatum, importation, and description. No. 46320, B.P.I. Inv. 56, pp. 2, 8. 1922.
foetidissimum. See Ausubo.

Sideroxylon—Continued.
macranthum, importation, and description. No. 54895, B.P.I. Inv. 70, p. 25. 1923.
Sidewalks—
concrete, construction. F.B. 235, pp. 15–18. 1905.
wooden and other materials, construction, 1915. Rpt. 117, p. 33. 1917.
Sidewinder. See Rattlesnake, horned.
SIEDELL, A.: "Analysis of the Mexican plant *Tecoma mollis* H. B. K." With L. F. Kebler. Chem. Cir. 24, pp. 6. 1905.
SIEGLER, L. H.—
"Experiments and suggestions for the control of the codling moth in the Grand Valley of Colorado." With H. K. Plank. D.B. 959, pp. 38. 1921.
"Information for fruit growers about insecticides, spraying apparatus, and important insect pests." With A. L. Quaintance. F.B. 908, pp. 99. 1918.
"Life history of the codling moth in Maine." With F. L. Simanton. D.B. 252, pp. 50. 1915.
"Life history of the codling moth in the Grand Valley of Colorado." With H. K. Plank. D.B. 932, pp. 119. 1921.
"Lime-sulphur as a stomach poison for insects." With E. W. Scott. Ent. Bul. 116, Pt. IV, pp. 81–90. 1913.
"Lime-sulphur concentrate." With A. M. Daniels. F.B. 1285, pp. 42. 1922.
"Miscellaneous insecticide investigations." With E. W. Scott. D.B. 278, pp. 47. 1915.
"Some insecticidal properties of the fatty acid series." With C. H. Popenoe. J.A.R., vol. 29, pp. 259–261. 1924.
"The more important apple insects." With A. L. Quaintance. F.B. 1270, pp. 95. 1923.
SIEGLINGER, J. B.—
"Broom corn experiments at Woodward, Oklahoma." With Benton E. Rothgeb. D.B. 836, pp. 53. 1920.
"Grain-sorghum experiments at the Woodward Field Station in Oklahoma." D.B. 1175, pp. 66. 1923.
"Seed-color inheritance in certain grain-sorghum crosses." J.A.R., vol. 27, pp. 53–64. 1923.
Sieglingia sesleroides. See Redtop, tall.
Sierra National Forest, California—
information for mountain travelers, map. For. Rec. Map. 1916.
location, description, and area. D.C. 185, pp. 17–18. 1921.
law for land exchange for Yosemite National Forest lands. Sol. [Misc.], "Laws applicable * * * Agriculture," Sup. 2, pp. 40–41. 1915.
map. For. Maps. 1924; 1925.
map and directions to tourists and campers. For. Map Fold. 1915.
Sierra Nevada—
region, forest types, and management of Douglas fir forests. For. Cir. 150, pp. 15, 34. 1909.
snowfall. Off. Rec., vol. 3, No. 8, p. 5. 1924.
Sieve(s)—
for screening corn samples, description. D.B. 168, pp. 4–5. 1915.
laboratory, patent. Off. Rec., vol. 3, No. 47, p. 2. 1924.
seed separating, directions for making and using. F.B. 353, pp. 7–9. 1909.
trap for English sparrows. F.B. 493, pp. 12–13. 1912.
use in analysis for road materials, methods. D.B. 949, pp. 12, 63. 1921.
wheat screening, description and use. F.B. 1118, pp. 4, 9–20. 1920.
SIEVERS, A. F.—
"A preliminary study of the forced curing of lemons as practiced in California." With Rodney H. True. B.P.I. Bul. 232, pp. 38. 1912.
"Comparison of corn oils obtained by expeller and benzol extraction methods." D.B. 1054, pp. 20. 1922.
"Derris as an insecticide." With others. J.A.R., vol. 17, pp. 177–200. 1919.
"Individual variation in the alkaloidal content of belladonna plants." J.A.R., vol. 1, pp. 129–146. 1913.

SIEVERS, A. F.—Continued.
"Plants tested for or reported to possess insecticidal properties." With N. E. McIndoo. D.B. 1201, pp. 62. 1924.
"Quassia extract as a contact insecticide." With N. E. McIndoo. J.A.R., vol. 10, No. 10, pp. 497, 531. 1917.
"Some effects of selection on the production of alkaloids in belladonna." D.B. 306, pp. 20. 1915.
"Some factors affecting the keeping quality of American lemons." With Rodney H. True. B.P.I. Cir. 26, pp. 17. 1909.
"The preparation of an edible oil from crude corn oil." With J. H. Shrader. D.B. 1010, pp. 25. 1922.
"The production and utilization of corn oil in the United States." D.B. 904, pp. 23. 1920.
"Utilization of almonds for various food products." With Frank Rabak. D.B. 1305, pp. 22. 1924.
SIEVERS, F. J.: "Management of marsh soils." With A. R. Whitson. F.B. 465, pp. 7-9. 1911.
Siffleur. See Marmot; Woodchuck.
Sigalphus—
curculionis, enemy of boll weevil. Ent. Bul. 100, pp. 9, 42, 45, 53, 54-68, 77-80. 1912; Ent. Bul. 114, p. 142. 1912.
spp., parasitic on—
broad-bean weevil. Ent. Bul. 96, Pt. V, p. 72. 1912.
plum curculio, hosts and description. Ent. Bul. 103, pp. 142-147. 1912.
Sigger, flax from Turkestan, importation and description. Inv. Nos. 31817-31818, B.P.I. Bul. 248, p. 51. 1912.
Sigmodon hispidus. See Rat, cotton.
Sign(s)—
language, nature, well known among farmers. Y.B., 1918, p. 327. 1919; Y.B. Sep. 786, p. 3. 1919.
local weather and weather folk-lore. Edward B. Garriott. W.B. Bul. 33, pp. 153. 1903.
road, recommendations by highway board. Off. Rec., vol. 4, No. 32, pp. 1-2. 1925.
Signal Corps, specifications and tests for airplane cloth. D.B. 882, pp. 2-6, 16-17. 1920.
Signals—
lost and distress, code. D.C. 138, pp. 72-73. 1920.
responses by kangaroo rat. D.B. 1091, pp. 11-12. 1922.
systems in—
fire protection for cotton warehouses. D.B. 801, p. 73. 1919.
forest patrol. For. Bul. 82, pp. 37-38. 1910.
Signiphora pulchra, parasitic on grape scale, rearing. Ent. Bul. 97, Pt. VII, p. 120. 1912.
Silage—
acidity, comparison of various crops. J.A.R., vol. 14, pp. 395-409. 1918.
addition of rock phosphate, effect on manure. D.B. 699, pp. 15-16. 1918.
advantages, list. F.B. 556, pp. 1-2. 1913.
alfalfa—
and mixtures, microbial content, tables. J.A.R., vol. 15, pp. 575-579, 581-583. 1918.
bacteriological studies. O. W. Hunter. J.A.R., vol. 15, pp. 571-592. 1918.
comparison with sweet-clover silage. C. O. Swanson and E. L. Tague. J.A.R., vol. 15, pp. 113-132. 1918.
difficulty of curing. F.B. 339, p. 26. 1908.
effect on flavor and odor of milk, feeding experiments. D.B. 1097, pp. 15-17. 1922.
feeding after milking, experiments. D.B. 1097, pp. 16-17. 1922.
fermentation, effect of carbohydrates in mixture. J.A.R., vol. 15, pp. 586-587. 1918.
making, chemical studies. J.A.R., vol. 10, pp. 275-292. 1917.
making, quality. F.B. 339, p. 26. 1908.
use and value. F.B. 1229, pp. 3, 21-23. 1921.
alsike clover, value. F.B. 1151, p. 20. 1920.
analyses—
at different stages of fermentation. J.A.R., vol. 19, pp. 175-178. 1920.
methods. J.A.R., vol. 19, pp. 174-175. 1920.
rape and corn, and combinations. J.A.R., vol. 6, No 14, pp .529-530, 532. 1916.

Silage—Continued.
and silo construction for the South, syllabus. Andrew M. Soule. O.E.S.F.I.L. 5, pp. 32. 1905; O.E.S.F.I.L. 5, rev., pp. 32. 1912.
antiseptic, analytical data. J.A.R., vol. 8, p. 365. 1917.
apple pomace, composition and feeding value. D.B. 1166, pp. 8-10, 25-26. 1923.
bacteriological—
and chemical studies of different kinds. Charles A. Hunter. J.A.R., vol. 21, pp. 767-789. 1921.
technic. J.A.R., vol. 15, pp. 572-573. 1918.
beach-grass, Alaska. O.E.S. An. Rpt., 1904, p. 285. 1905.
beet-tops—
analysis, comparison with corn silage. F.B. 1095, p. 11. 1919.
and other by-products of sugar beets. James W. Jones. F.B. 1095, pp. 24. 1919.
and pulp—
composition, and variations. D.C. 319, pp. 6-11. 1924.
quality of feed and value. Y.B., 1908, pp. 445, 446. 1909; Y.B. Sep. 493, pp. 445, 446. 1909.
comparison with alfalfa. News L., vol. 7, No. 16, p. 7. 1919.
beggarweed, value for giving "June flavor" to winter butter, note. F.B. 1125, rev., p. 59. 1920.
cane tops, experiments. Hawaii A.R., 1915, pp. 52-53, 304. 1916; O.E.S. Chief Rpt., 1915, p. 10. 1915.
canned corn, without tin. B.A.I. Doc. A-23, pp. 2. 1917.
census queries. News L., vol. 7, No. 18, pp. 1-2. 1919.
changes, investigations and history. D.B. 953, pp. 1-5, 15-16. 1921.
chemistry, comparison with sweet-clover and alfalfa silage. J.A.R., vol. 15, pp. 113-132. 1918.
combinations containing rape. J.A.R., vol. 6, No. 14, pp. 528-530. 1916.
comparison with prickly pears as feed. J.A.R., vol. 4, pp. 411-414, 417, 428, 430, 435-450. 1915.
composition—
comparison of sunflower, corn, and sorghum. D.B. 1045, pp. 20-21. 1922.
corn and pea-vine, comparison. B.P.I. Cir. 45, p. 7. 1910.
corn—
analysis, comparison with beet-top silage. F.B. 1095, p. 11. 1919.
and—
cowpeas, value. Sec. [Misc.], Spec. "Cowpeas in the * * *," p. 5. 1915.
soybeans, feed value. F.B. 514, pp. 22-23. 1912.
sunflowers, experiments in Nebraska. W.I. A. Cir. 27, pp. 25-26. 1919.
velvet beans, analyses and comparisons. F.B. 962, p. 20. 1918.
velvet beans, analysis, comparison with corn silage. F.B. 1276, p. 17. 1922.
annual acreage used. Y.B., 1921, pp. 164-165, 178, 179. 1922; Y.B. Sep. 872, pp. 164-165, 178-179. 1922.
composition, comparison with beet pulp and apple-pectin pulp. D.B. 1166, pp. 15, 16, 20-22. 1923.
cutting, time. News L., vol. 7, No. 9, p. 8. 1919.
degree of ripeness necessary for best results. F.B. 313, p. 7. 1907.
digestibility, when fed singly or in combinations with alfalfa hay and velvet-bean meal. P. V. Ewing and F. H. Smith. J.A.R., vol. 13, pp. 611-618. 1918.
early-planting advantages. News L., vol. 6, No. 32, p. 8. 1919.
effect—
of atmosphere on flavor and odor of milk. D.B. 1097, pp. 5-7. 1922.
on flavor and odor of milk, experiments. D.B. 1097, pp. 5-15, 23. 1922.
experiment in—
Montana, Huntley farm. D.C. 330, p. 11. 1925.

Silage—Continued.
corn—continued.
experiment in—continued.
Nevada, Truckee-Carson farm, W.I.A. Cir. 19, p. 10. 1918.
feed—
for horses, experiments. F.B. 316, p. 25. 1908.
value and cost, comparison with other feeds. D.B. 1024, pp. 7-16. 1922.
value for calves. D.B. 1042, pp. 7-11. 1922.
feeding—
after milking, effects. D.B. 1097, pp. 12-13, 23. 1922.
in unventilated stables. D.B. 1097, pp. 7-8. 1922.
value. F.B. 1379, p. 4. 1923.
fermentation, microorganisms and enzymes. J.A.R., vol. 8, pp. 361-380. 1917.
for dairy cows. F.B. 320, pp. 28-29. 1908.
growing, in New York, Jefferson County, yield. Soil Sur. Adv. Sh., 1911, pp. 27-76. 1913; Soils F.O., 1911, pp. 117-166. 1914.
labor and materials, requirements in various States. D.B. 1000, pp. 8-11. 1921.
losses of nitrogen and other elements during ensiling. R. H. Shaw and others. D.B. 953, pp. 16. 1921.
percentage of corn acreage used. Rpt. 112, p. 15. 1916.
steer fattening, comparison with other feeds. D.B. 762, pp. 4-16. 1919.
stover, fermentation studies. J.A.R., vol. 12, pp. 589-600. 1918.
substitute for, in feeds. M.C. 12, p. 36. 1924.
use, advantages. Sec. Cir. 91, pp. 11-12. 1918.
use with velvet beans. News L., vol. 6, No. 6, p. 6. 1918.
value in dairy-herd feeding. O.E.S. An. Rpt., 1911, pp. 65, 225. 1912.
with clover hay, value as feed. F.B. 504, pp. 7-8. 1912.
with cottonseed meal, value for wintering cattle, note. News L., vol. 5, No. 35, p. 3. 1918.
cost—
and feeding value. O.E.S.F.I.L. 5, pp. 4-7. 1905.
and feeding value, Minnesota. Stat. Bul. 73, pp. 36-38, 67. 1909.
and value, in winter rations for yearling steers. D.B. 870, pp. 14-20. 1920.
factors influencing. F.B. 578, p. 12. 1914.
of production, labor and material requirements, per acre. Y.B., 1921, pp. 808, 832. 1922; Y.B. Sep. 876, pp. 5, 29. 1922.
per ton. F.B. 556, p. 12. 1913.
cottonseed and corn, cattle-feeding experiments in Mississippi, 1915-1916. News L., vol. 4, No. 8, pp. 7, 8. 1916.
cow feed, quantity per cow. B.A.I. Cir. 136, p. 1. 1909.
cowpeas—
and other crops in mixture. F.B. 1148, p. 18. 1920.
value. F.B. 1153, pp. 19-20. 1920.
crop(s)—
acreage in 1919, map. Y.B., 1921, p. 436. 1922; Y.B. Sep. 878, p. 30. 1922.
adaptability and value. F.B. 556, pp. 2-5. 1913.
and—
combinations for South. Y.B., 1913, p. 267. 1914; Y.B. Sep. 627, p. 267. 1914.
methods of packing. F.B. 355, pp. 11-12. 1909.
mixtures for cotton States. F.B. 1125, rev., pp. 24, 25, 35, 38, 58-59. 1920.
tests, Huntley experiment farm. D.C. 86, pp. 12-15. 1920.
composition, comparisons. F.B. 1153, p. 20. 1920.
cultivation, yield, and harvesting. F.B. 578, pp. 2-9. 1914.
for—
cattle in the Piney Woods region. D.B. 827, pp. 42-43. 1921.
New England dairy farms. F.B. 337, pp. 8, 10, 12, 14, 17, 22, 23, 24. 1908.

Silage—Continued.
crop(s)—continued.
growing—
Huntley experiment farm, yields. D.C. 275, pp. 11-12. 1923.
in Montana. D.C. 147, pp. 10-11. 1921.
in northern Great Plains. D.B. 1244, pp. 23-24. 1924.
in semiarid region, feed value. Y.B., 1912, pp. 467-469. 1913; Y.B. Sep. 606, pp. 467-469. 1913.
kinds and culture. O.E.S.F.I.L. 5, pp. 7-13. 1905.
production and portion fed. Y.B., 1923, pp. 339-340. 1924; Y.B. Sep. 895 pp. 339-340. 1924.
sunflower. H. N. Vinall. D.B. 1045, pp. 32. 1922.
test at field station near Mandan, N. Dak. D.B. 1301, p. 62. 1925.
testing at Umatilla experiment farm. D.C. 110, pp. 12-15. 1920.
tests, Belle Fourche experiment farm. D.C. 60, pp. 24-25. 1919.
under irrigation, experiments, Montana. W.I.A. Cir. 22, pp. 20-21. 1918.
variety, time of siloing, and cost per ton. F.B. 509, p. 43. 1912.
cutters, description and use methods. News L., vol. 1, No. 44, p. 4. 1914.
cutting and—
filling, labor employed, cost per ton and per acre. F.B. 292, pp. 5-9. 1907.
packing, methods, machinery, and labor requirements. F.B. 556, pp. 7-11. 1913.
daily ration for each animal. News L., vol. 2, No. 4, p. 4. 1914.
dairy—
cows, uses in summer and winter. F.B. 743, pp. 7-8, 9. 1916.
feed, cost in milk production. Y.B., 1922, pp. 334, 349. 1923; Y.B. Sep. 879, pp. 44, 58. 1923.
use. F.B. 151, pp. 30-32. 1902; F.B. 222, pp. 31-32. 1905.
early use, and advantages. News L., vol. 5, No. 47, p. 15. 1918.
effect on flavor—
and odor of milk. J. A. Gamble and Ernest Kelly. D.B. 1097. pp. 24. 1922.
of milk. F.B. 267, pp. 29-31. 1906.
extracts, water and alcohol, methods of making. J.A.R., vol. 15, pp. 113-132. 1918.
feeding—
in baby-beef production. F.B. 811, pp. 12-14. 1917.
to—
beef cattle, rations and use methods. B.A.I. Bul. 159, pp. 14-17, 19. 1912; F.B. 556, pp. 19-23. 1913; F.B. 588, pp. 14-15. 1914.
dairy cattle, amount and time. B.A.I. Bul. 104, p. 11. 1908; D.B. 1, p. 26. 1913; D.B. 1097, p. 5. 1922; F.B. 556, pp. 14-17. 1913.
horses, value, danger, and use. F.B. 556, pp. 17-19. 1913.
range stock. F.B. 1428, p. 12. 1925.
sheep, amount. F.B. 556, pp. 23-24. 1913; F.B. 1051, p. 13. 1919.
steers, effect on pasture gains. D.C. 166, pp. 5, 7, 10. 1921.
steers in Louisiana experiments. D.B. 1318, pp. 4-7. 1925.
value—
composition, succulence, and palatability, tables. F.B. 556, pp. 13-14. 1913; F.B. 578, pp. 13-14. 1914.
for dairy cows, comparison with roots. F.B. 384, pp. 13-14. 1910.
of different crops. O.E.S.F.I.L. 5, pp. pp. 11-13. 1905.
fermentation—
chemical changes, rate. J.A.R., vol. 8, pp. 366-373. 1917.
effect on starch content, experiments. A. W. Dox and Lester Yoder. J.A.R., vol. 19. pp. 173-188. 1920.
microorganisms and heat production. J.A.R., vol. 10, pp. 75-83. 1917.
theories, discussion. J.A.R., vol. 12, pp. 595-599. 1918.

Silage—Continued.
  field pea, value and management. F.B. 690, p. 17, 1915.
  from cured corn fodder, experiments. F.B. 316, p. 21. 1908.
  frosted corn, value. F.B. 309, p. 19. 1907.
  growing under irrigation, yields and rotations. D.C. 339, pp. 18-19. 1925.
  harvesting, cutting, and packing details, and cost. F.B. 578, pp. 4, 5-13. 1914.
  hoisting from pit silos, devices and equipment. F.B. 825, pp. 10-12. 1917.
  importance and investment value for farmers. News L., vol. 5, No. 42, p. 2. 1918.
  improvement work in 1923. D.C. 343, pp. 5-6. 1925.
  in Alaska, management at Kodiak station. Alaska A.R., 1910, p. 63. 1911.
  injury by preservative treatment of silo staves. News L., vol. 4, No. 9, pp. 4-5. 1916.
  irrigated lands, hints to settlers. B.P.I. Doc. 455, p. 3. 1909.
  keeping, conditions governing, packing requirements. News L., vol. 3, No. 8, pp. 6, 8. 1915.
  kinds fed to steers, cost and profits. D.B. 1318, pp. 12-13. 1925.
  legume, experiments, discussion D.B. 1097, pp. 21, 23. 1922.
  losses in preparation. F.B. 133, pp. 31-32. 1901.
  making—
    and feeding. T. E. Woodward and others. F.B. 556, pp. 24. 1913; F.B. 578, pp. 24. 1914.
    experiments. F.B. 316, pp. 19-21. 1908.
    mixtures. F.B. 334, p. 10. 1908.
    mixtures, alfalfa with corn and other grains. F.B. 1229, p. 22. 1921.
    packing and covering. F.B. 578, pp. 10-11. 1914.
  pea-vine—
    composition and value, comparison with corn. Chem. Bul. 125, p. 32. 1909.
    handling and uses. F.B. 1255, pp. 22-23, 24. 1922.
    value for cattle and sheep. B.P.I. Cir. 45, pp. 4-9. 1910.
  pearl millet, value. F.B. 168, p. 15. 1903.
  potato—
    and corn, comparison. Off. Rec., vol. 3, No. 36, p. 8. 1924.
    feeding to cows, results. D.B. 1272, pp. 7-8. 1924.
    feeding to livestock, experiments. An. Rpts., 1916, p. 197. 1917; Chem. Chief Rpt., 1916, p. 7. 1916.
  practice in Porto Rico, report. P.R. An. Rpt., 1909, pp. 41-42. 1910.
  preparation in small quantities, method. J.A.R., vol. 24, pp. 770, 796. 1923.
  preservation, importance of careful packing, methods. News L., vol. 6, No. 2, p. 5. 1918.
  production—
    1919, by States. Y.B., 1921, p. 262. 1922; Y.B. Sep. 874, p. 262. 1922.
    and utilization, Chester County, Pa. D.B., 341, pp. 92-93. 1916.
    for dairy cattle, importance. Sec. Cir. 85, pp. 14-15. 1918.
    in Alaska—
      1916. Alaska A.R., 1916, pp. 57-58. 1918.
      1922. Alaska A.R., 1922, pp. 6-7. 1923.
  quack grass mixed with other plants. F.B. 1307, pp. 29-30. 1923.
  rape, experimental studies. J.A.R., vol. 6, No. 14, pp. 527-533. 1916.
  ration for milk cows. B.P.I. Bul. 82, p. 20. 1905.
  red clover, value. F.B. 1339, p. 13. 1923.
  relation to temperature condition. S.R.S. Rpt., 1916, Pt. I, pp. 33, 169. 1918.
  requirements, relation to size of herd for winter feeding. F.B. 825, p. 5. 1917.
  Robertson mixture, tests. D.B. 1045, pp. 3-4. 1922.
  rye, value as feed. F.B. 894, p. 6. 1917.
  sandy or moldy, dangers. F.B. 1095, pp. 14, 23. 1919.
  school lesson. D.B. 258, pp. 34-35. 1915.
  securing in Alaska. Alaska A.R., 1911, pp. 59-61. 1912.
  sheep feeding, value. F.B. 840, pp. 6, 13. 1917.

Silage—Continued.
  soft-corn, whole-plant and ears, directions. D.C. 333, pp. 3-4. 1924.
  sorghum—
    and other crops, feeding experiments. S.R.S. Rpt., 1916, Pt. I, pp. 91, 105, 113, 135, 164, 170, 181. 1918.
    cattle feeding, comparison with other feeds. D.B. 762, pp. 17-32. 1919.
    feeding value. F.B. 724, pp. 6-7. 1916.
    preparation. F.B. 246, pp. 28-33. 1906.
    saccharine, feeding value. F.B. 246, pp. 33-34. 1906.
    use, value, and yields, comparison with corn. F.B. 1158, pp. 22-25. 1920.
    value and cost. F.B. 334, pp. 9-11. 1908; D.B. 1125, rev. p. 25. 1920.
    value for Cotton Belt. Sec. [Misc.], Spec. "Sorghum for forage * * *," pp. 3-4. 1914.
  sour and sweet, definition. J.A.R., vol. 10, p. 75. 1917.
  soy bean—
    effect on flavor and odor of milk, experiments. D.B. 1097, pp. 19-21. 1922.
    feeding before and after milking. D.B. 1097, pp. 20-21, 23. 1922.
    in mixtures, value and conditions. F.B. 973, pp. 18-19, 29-31. 1918.
    value. S.R.S. Doc. 43, p. 4. 1917.
    with corn, feeding value. S.R.S. Syl. 35, pp. 4, 11. 1919.
  spoiled, warning against. D.B. 1097, pp. 13-14. 1922.
  statistics of day's work for several operations. Y.B., 1922, p. 1059. 1923; Y.B. Sep. 890, p. 1059. 1923.
  steamed, tests. F.B. 316, pp. 19-21. 1908.
  steer feeding, digestion studies. J.A.R., vol. 13, pp. 640-641. 1918.
  Sudan grass—
    comparison with corn silage. D.B. 981, pp. 50-51. 1921.
    value. F.B. 1126, p. 17. 1920; rev. p. 14. 1925.
  sugar-beet-top. Ray E. Neidig. J.A.R., vol. 20, pp. 537-542. 1921.
  sugar-cane leaves and tops, value. F.B. 1034, pp. 32-33. 1919.
  sunflower—
    acidity, relation to time of cutting. J.A.R., vol. 24, pp. 775-776, 779. 1923.
    chemical study and analyses. J.A.R., vol. 18, pp. 325-327. 1919.
    composition tables and discussion. J.A.R., vol. 24, pp. 771-775. 1923.
    digestion experiment with cattle and sheep. Ray E. Neidig and others. J.A.R., vol. 20, pp. 881-888. 1921.
    feed value, palatability, color, odor, acidity. D.B. 1045, pp. 19-29. 1922.
    value. News L., vol. 6, No. 45, p. 14. 1919.
    yields, comparison with corn and sorgo. D.B. 1045, pp. 17-19. 1922.
  sweet-clover—
    comparison with—
      alfalfa silage. C. O. Swanson and E. L. Tague. J.A.R., vol. 15, pp. 113-132. 1918.
      other silage. F.B. 820, pp. 4, 4-10. 1917.
    composition and acidity. J.A.R., vol. 24, pp. 757-799. 1923.
    effect on flavor and odor of milk, experiments. D.B. 1097, pp. 17-19. 1922.
    feeding after milking. D.B. 1097, pp. 18-19. 1922.
    feeding before milking. D.B. 1097, pp. 17-18. 1922.
    use and value. F.B. 1005, pp. 9, 18, 21. 1919.
  Swiss fodders, bacteriological tests. B.A.I., Dairy [Misc.], "World's dairy congress, 1923," pp. 280-283. 1924.
  tests of corn and sunflowers, Nebraska, Scottsbluff experiment farm. D.C. 173, pp. 26-28. 1921.
  trampling to prevent spoilage. F.B. 355, p. 12. 1909.
  use and value—
    as cattle feed, experiments. F.B. 522, pp. 11-17. 1913.
    for dairy cows in Oneida County, N. Y. Soil Sur. Adv. Sh., 1913, pp. 10, 17-50. 1915; Soils F.O., 1913, pp. 44, 51-84. 1916.

INDEX TO PUBLICATIONS, 1901–1925   2155

Silage—Continued.
  use and value—continued.
    in grain conservation. F.B. 855, p. 2. 1917.
    of corn fodder. News L., vol. 4, No. 50, p. 1. 1917.
    of potato culls, methods and feeding tests. News L., vol. 5, No. 19, p. 6. 1917.
    of red clover. F.B. 455, p. 24. 1911.
    of Sudan grass. F.B. 605, pp. 14–15. 1914.
  use as—
    sheep feed, kinds. D.B. 20, p. 42. 1913.
    stock feed in grain farming. F.B. 704, p. 35. 1916.
    succulent feed for horses, precautions. F.B. 1030, p. 21. 1919.
  use in—
    fattening steers in the Corn Belt. F.B. 1382, pp. 8–11. 1924.
    northern Great Plains, possibilities. D.B. 1244, pp. 49–50. 1924.
    Porto Rico. P.R. Bul. 29, pp. 12–13. 1922.
    solving winter feed problem. News L., vol. 6, No. 6, p. 2. 1918.
  use of—
    corn fodder as winter cow feed, cost. D.B. 615, pp. 10–11. 1917.
    rye, value. Y.B., 1918, p. 179. 1919; Y.B. Sep. 769, 1918, p. 13. 1919.
  use on—
    dairy farms, New England, and crops utilized. F.B. 337, pp. 8, 10, 12, 13, 14, 17, 22, 23, 24. 1908.
    160-acre hog and dairy farm. F.B. 1463, pp. 22–23. 1925.
    ranges. D.B. 1031, p. 71. 1922.
  utilization of—
    frosted corn, method. News L., vol. 3, No. 6, pp. 1–2. 1915.
    immature corn. News L., vol. 5, No. 46, p. 11. 1918.
    sugarcane by-products. D.B. 486, pp. 43–45. 1917.
    sunflower crop. H. N. Vinall. D.B. 1045, pp. 32. 1922.
  value—
    for breeding herd of beef cattle and for steers. F.B. 1218, pp. 7, 8, 13–16, 26–27. 1921.
    in steer feeding, gains per steer. News L., vol. 5, No. 29, p. 6. 1918.
    of beet tops. B.P.I. Cir. 121, pp. 16–17. 1913.
    variety tests, Huntley farm project, 1920. D.C. 204, p. 12. 1921.
    various crops, acidity examination. Ray E. Neidig. J.A.R., vol. 14, pp. 395–409. 1918.
    vetch, as feed for cows. F.B. 360, pp. 29–30. 1909.
    vetch, practicability. F.B. 529, p. 14. 1913.
    weight per foot in silos of given capacity, table. F.B. 825, p. 5. 1917.
  yields from—
    beet tops per acre. F.B. 1095, pp. 4–5. 1919.
    corn and sunflowers. D.C. 342, p. 19. 1925.
Silani, importation and description. No. 49870, B.P.I. Inv. 63, pp. 2, 15. 1923.
SILCOX, F. A.: "Fire prevention and control on the national forests." Y.B., 1910, pp. 413–424. 1911; Y.B. Sep. 548, pp. 413–424. 1911.
Silesia. See Czechoslovakia.
Silica—
  content in Hawaiian soil. Hawaii Bul. 42, pp. 8, 9. 1917.
  contents of various fodder plants, effect on urine of cattle. B.A.I. [Misc.], "Diseases of cattle," rev., p. 135. 1912.
  determination in—
    plant ash, methods. D.B. 600, p. 18. 1917.
    water, modified method. Chem. Bul. 152, p. 77. 1912.
  excretion of fowls, estimation. B.A.I. Bul. 56, pp. 43, 104–105. 1904.
  gelatinous, use as clarifying agent for fruit juices. D.B. 1025, pp. 9–10. 1922.
  heating experiments. Chem. Cir. 101, pp. 2–5. 1912.
  in Hawaiian soils, effect of heat. Hawaii Bul. 30, pp. 13–14. 1913.
  occurrence in—
    phosphate rock, description. D.B. 144, pp. 7, 26. 1914.
    soils. D.B. 122, pp. 12–13, 15, 16, 27. 1914.

Silica—Continued.
    relation to efficiency of phosphates. P. L. Gile and J. G. Smith. J.A.R., vol. 31, pp. 247–260. 1925.
Silicate(s)—
    calcium and magnesium, comparison to chlorides. J.A.R., vol. 6, No. 16, p. 589. 1916.
    calcium, effect on growth of plants. J.A.R., vol. 20, pp 40–44. 1920.
    occurrence in phosphate rock, description. D.B. 144, p. 7. 1914.
    peroxide, composition, and value. Chem. Bul. 76, pp. 42–43. 1903.
    potash, occurrence, distribution, and extraction methods. Y.B., 1912, pp. 528–530. 1913; Y.B. Sep. 611, 528–520. 1913.
    rocks, potash extract on. William H. Ross. Soils Cir. 71, pp. 10. 1912.
    sodic, gluelike nature. Chem. Bul. 92, pp. 5, 7, 9, 14. 1905.
    sodium and potassium. See Water glass.
    soil, source of lime, magnesia, and potash. J.A.R. vol. 16, p. 260. 1919.
Silicic oxides, relation to soil acidity and moisture. J.A.R., vol. 15, p. 327. 1918.
Silicon—
    on iron, rust prevention. Rds.Bul.35,p. 35. 1909.
    translocation in growth of beans, corn, and potatoes. J.A.R., vol. 5, No. 11, pp. 452–458. 1915.
Silicotungstate method, nicotin determination. B.A.I. Bul. 133, pp. 10–19. 1911.
Silicotungstic acid, use in determination of nicotin. B.A.I. Bul. 133, pp. 10–11. 1911.
Silk—
  cotton, insects, list. Sec. [Misc.], "A manual * * * insects * * *," p. 194. 1917.
  culture—
    Department of Agriculture. L. O. Howard. Y.B., 1903, pp. 137–148. 1904; Y.B. Sep. 313, pp. 137–148. 1904.
    in Hawaii. O.E.S. Bul. 170, pp. 41–43. 1906; Hawaii A.R., 1907, pp. 41–42. 1908.
    work, circular of information. L. O. Howard. Ent. [Misc.], "Circular of information * * *," p. 1. 1905.
  damage by carpet beetles. F.B. 1346, pp. 1, 2, 4, 5, 6. 1923.
  exports—
    1869–1908. Stat. Bul. 75, pp. 25–26. 1910.
    1921 statistics. Y.B., 1921, p. 743. 1922; Y.B. Sep. 867, p. 7. 1922.
  fiber, imports, countries of origin, 1907–1914. Y.B., 1914, p. 683. 1915; Y.B. Sep. 657, p. 683. 1915.
  freshening methods. Thrift Leaf. No. 8, p. 3. 1919.
  imports—
    1851–1908. Y.B., 1908, p. 773. 1909; Y.B. Sep. 498, p. 773. 1909.
    1867–1920. Y.B., 1921, pp. 737, 749, 753, 764. 1922. Y.B. Sep. 867, pp. 1, 13, 17, 28. 1922.
    1901–1924. Y.B., 1924, p. 1075. 1925.
    1907–1909, amount and value, by countries from which consigned. Stat. Bul. 82, pp. 22–23. 1910.
    1908–1910, amount and value by countries from which consigned. Stat. Bul. 90, p. 23–24. 1911.
    1917–1919, 1910–1919. Y.B., 1920, pp. 3, 40. 1921; Y.B. Sep. 864, pp. 3, 40. 1921.
    and exports, 1903–1907. Y.B., 1907, pp. 737, 747. 1908; Y.B. Sep. 465, pp. 737, 747. 1908.
  industry, in California, Grass Valley area, failure. Soil Sur. Adv. Sh., 1918, p. 14. 1921; Soils F.O., 1918, p. 1698. 1924.
  of Lepidoptera, natural coloration, origin. G. Leverat and A. Conte. Ent. Bul. 44, pp. 75–80. 1904.
  production—
    and prices, 1923. Y.B., 1923, pp. 1049. 1924; Y.B. Sep. 869, p. 1049. 1924.
    in Georgia, early attempts. Soils F.O., 1911, pp. 566, 597. 1914.
    in world countries, and imports, 1913–1915. Y.B., 1915, pp. 506, 540, 558, 571. 1916; Y.B. Sep. 683, p. 506. 1916; Y.B. Sep. 685, pp. 540, 558, 571. 1916.
    in world countries, 1921. Y.B., 1921, p. 674. 1922; Y.B. Sep. 869, p. 94. 1922.

Silk—Continued.
 raw—
  imports, and countries of origin, 1919-1921 and 1852-1921. Y.B., 1922, pp. 949, 961, 965, 977. 1923; Y.B. Sep. 880, pp. 949, 961, 965, 977. 1923.
  production in world countries, 1902-1906. Y.B., 1907, p. 694. 1908; Y.B. Sep. 465, p. 694. 1908.
  production in world countries, 1903-1907. Y.B., 1908, p. 709. 1909; Y.B. Sep. 498, p. 709. 1909.
  statistics, graphic showing of average production, world. Stat. Bul. 78, p. 53. 1910.
  reeled, sale and prices per pound. An. Rpts., 1907, p. 476. 1908.
 statistics—
  1905. Y.B., 1905, pp. 731-732. 1906; Y.B. Sep. 404, pp. 731-732. 1906.
  1906. Y.B., 1906, p. 628. 1907; Y.B. Sep. 436, p. 628. 1907.
  1906-1910 and 1851-1910, production and imports. Y.B., 1910, pp. 614, 654, 679. 1911; Y.B. Sep. 553, pp. 614, 654, 679. 1911; Y.B. Sep. 554, pp. 614, 654, 679. 1911.
  1907-1911 and 1864-1911, production, imports, and exports. Y.B., 1911, pp. 617, 657, 668, 683-684. 1912; Y.B. Sep. 588, pp. 617, 657, 668, 683-684. 1912.
  1908-1912 and 1851-1912, production, imports, and exports. Y.B., 1912, pp. 664, 713, 726, 741-742. 1913; Y.B. Sep. 615, pp. 664, 713, 726, 741-742. 1913.
  1909-1921, production in world countries. Y.B., 1922, p. 794. 1923; Y.B. Sep. 884, p. 794. 1923.
  1911-1913 and 1852-1913, production, imports, and exports. Y.B., 1913, pp. 454, 493, 501, 510. 1914; Y.B. Sep. 360, p. 454. 1914; Y.B. Sep. 361, pp. 493, 501, 510. 1914.
  1912-1916, production and imports. Y.B., 1917, p. 706, 759, 780. 1918; Y.B. Sep. 760, p. 54. 1918; Y.B. Sep. 762, p. 3, 24. 1918.
  1914, imports and exports. Y.B., 1914, pp. 611, 651, 659, 669, 683. 1915; Y.B. Sep. 655, p. 611. 1915; Y.B. Sep. 657, pp. 659, 669, 683. 1915.
  1916, imports and exports. Y.B., 1916, pp. 707, 715, 725, 738. 1917; Y.B. Sep. 722, pp. 1, 9, 19, 32. 1917.
  1918, production, exports, and imports. Y.B., 1918, pp. 586, 627, 642, 647, 661. 1919; Y.B. Sep. 792, p. 81. 1919; Y.B. Sep. 794, pp. 3, 18, 23, 37. 1919.
  1919, imports and exports. Y.B., 1919, pp. 643, 682, 702-703, 717. 1920; Y.B. Sep. 827, p. 643. 1920; Y.B. Sep. 829, pp. 682, 702-703, 717. 1920.
 textiles, quality, use, and testing directions. F.B. 1089, pp. 9, 10, 11, 12. 1920.
 tree, importation and description. No. 36810, B.P.I. Inv. 37, p. 68. 1916.
 washing and pressing, directions. F.B. 1099, pp. 20-22. 1920.
Silkworm—
 culture. Henrietta Aiken Kelly. F.B. 165, pp. 32. 1903.
 diseases—
  cause. B.A.I. Cir. 194, pp. 465, 495. 1912; B.A.I. An. Rpt., 1910, pp. 465, 495. 1912.
  descriptions, and remedies. F.B. 165, pp. 28-32. 1903.
 effects of nicotine sulphate as ovicide and larvacide. D.B. 938, pp. 2-3, 14. 1921.
 eggs—
  distribution, 1907. An. Rpts., 1907, pp. 475-476. 1908.
  distribution by Agriculture Department discontinued. News L., vol. 2, No. 26, p. 4. 1915.
  purchase and distribution. An. Rpts., 1908, p. 563. 1909; Ent. A.R., 1908, p. 41. 1908.
  wintering and hatching. F.B. 165, pp. 13-16. 1903.
 food plants—
  cultivation and propagation. George W. Oliver. B.P.I. Bul. 34, pp. 20. 1903.
  mulberry and other. George W. Oliver. B.P.I. Bul. 119, pp. 22. 1907.
  requirement. F.B. 165, pp. 9-12. 1903.
 food, Russian mulberry leaves. For. Cir. 83, p. 2. 1907.

Silkworm—Continued.
 growing and use. F.B. 165 pp. 1-32. 1903.
 immunity to *Streptococcus disparis*. J.A.R., vol. 13, pp. 518-521. 1918.
 injury by plant insecticides. D.B. 1201, pp. 4-14, 21-24, 41. 1924.
 mulberry, culture. Henrietta Aiken Kelly. Ent. Bul. 39, pp. 32. 1903.
 nicotine poisoning. J.A.R., vol. 7, p. 115. 1916.
 poisoning—
  by quassia extracts. J.A.R., vol. 10, p. 519. 1917.
  with arsenic, tests. D.B. 1147, pp. 27-32, 35-41, 44-47. 1923.
 rearing. F.B. 165, pp. 16-25. 1903.
 susceptibility to cutworm septicemia. J.A.R., vol. 26, pp. 488, 490, 495. 1923.
Sills—
 mine timber, description. F.B. 715, p. 11. 1916.
 preservative treatment. F.B. 744, p. 32. 1916.
Silo(s)—
 adaptability, kinds, description, location and cost. F.B. 589, pp. 1-9. 1914.
 aid in establishment of dairy industry in South. News L., vol. 5, No. 37, p. 12. 1918.
 air-tight lining. F.B. 1202, p. 56. 1921.
 and silage for the South, lecture syllabus. Andrew M. Soule. O.E.S. F.I. L. 5, pp. 31. 1905; rev., pp. 32. 1912.
 beet-top—
  sealing with straw or pulp. F.B. 1095, p. 19. 1919.
  types and directions for making and filling. F.B. 1095, pp. 14-22. 1919.
 brick and stone, description, comparison with concrete silos. F.B. 589, p. 4. 1914.
 building in—
  Mississippi, opposition and success. Y.B., 1917, p. 306. 1918; Y.B. Sep. 744, p. 6. 1918.
  Southern States. B.A.I. An. Rpt., 1909, p. 69. 1911.
  Virginia. News L., vol. 6, No. 34, p. 7. 1919.
 building, increase since eradication of cattle tick. B.A.I. [Misc.], "Cattle-tick eradication," p. 4. 1914.
 capacity—
  determination. F.B. 1202, p. 56. 1921.
  for given diameter, table. F.B. 825, p. 5. 1917.
 cement, construction directions. F.B. 405, pp. 21-32. 1910.
 cement-block, three types, description and directions for construction. F.B. 405, pp. 26-32. 1910.
 combination, construction, details. F.B. 353, pp. 24-27. 1909.
 concrete—
  and tile, durability studies. News L., vol. 2, No. 28, p. 4. 1915.
  building—
   Dunn County school, Wisconsin. O.E.S. Bul. 242, p. 10. 1911.
   methods and cost of material. F.B. 589, pp. 2, 3, 9-30, 47. 1914.
  coating with—
   coal-tar mixture. News L., vol. 1, No. 7, p. 4. 1913.
   paraffin. News L., vol. 7, No. 7, p. 7. 1919.
  construction—
   beginning in Europe and America. Y.B., 1918, p. 134. 1919; Y.B. Sep. 776, p. 14. 1919.
   essential features. F.B. 855, pp. 6-11. 1917.
   faults and suggested remedies. F.B. 353, pp. 21-27. 1909.
   for the South. O.E.S.F.I.L. 5, pp. 13-20. 1905.
   lumber, requirements. Rpt. 117, pp. 54, 72. 1917.
   progress in South and West, 1912, cost. An. Rpts., 1912, pp. 325-326. 1913; B.A.I. Chief Rpt., 1912, pp. 29-30. 1912.
   wood, and substitute, numbers, 1915. Rpt. 117, pp. 52-54, 72. 1917.
  cost, influence on profits in stock raising. F.B. 704, p. 37. 1916.
  dairy farm, designs for building. B.A.I. An. Rpt., 1906, pp. 301-304. 1908; B.A.I. Cir. 131, pp. 18-21. 1908.
  demonstration work in Kentucky and Virginia. Y.B., 1915, pp. 232, 243. 1916; Y.B. Sep. 672, pp. 232, 243. 1916.

Silo(s)—Continued.
  diameter, ratio to number of cows fed. B.A.I. Cir. 136, p. 1. 1909.
  early use, and increase. Y.B. 1921, p. 180. 1922; Y.B. Sep. 872, p. 180. 1922.
  equipment. F.B. 292, pp. 12-15. 1907.
  failures, causes and remedies. F.B. 353, pp. 22-24. 1909.
  filling—
    cost. Lyman Carrier. F.B. 292, pp. 15. 1907.
    cost per ton. F.B. 556, pp. 11-12. 1913.
    details and cost. F.B. 578, pp. 8-12. 1914.
    methods. News L., vol. 3, No. 8, pp. 6, 8. 1915.
    to capacity, methods, and sealing after filling. News L., vol. 6, No. 8, p. 5. 1918.
    with sunflowers, caution. D.B. 1045, pp. 15-17. 1922.
  food material, losses. F.B. 578, p. 13. 1914.
  foundations, different types, description, and material. F.B. 430, pp. 12-14. 1911.
  Gurler, description and disadvantages. F.B. 589, pp. 3-4. 1914.
  hollow-walled, cement, description, materials, and doors. F.B. 405, pp. 24-26. 1910.
  homemade—
    Helmer Rabild and K. E. Parks. F.B. 855, pp. 55. 1917.
    Helmer Rabild and others. F.B. 589, pp. 47. 1914.
  in Alaska, description, use, method, and silage. Alaska A.R., 1913, pp. 52, 53, 54, 73-74. 1914.
  in Hawaii, experiments. Hawaii A.R., 1914, pp. 10, 58, 61. 1915.
  in Iowa—
    Bremer County, increase and value. Soil Sur. Adv. Sh., 1913, pp. 10, 36. 1914; Soils F.O., 1913, pp. 1694-1720. 1916.
    description, materials and labor, details. F.B. 430, pp. 11-24. 1911; F.B. 589, p. 4. 1914.
  in Oregon and Washington, need and value. F.B. 271, pp. 11-13. 1906.
  in United States, development, historical notes. O.E.S.F.I.L. 5, pp. 3-4. 1905.
  increase—
    and number in Wisconsin, 1918. News L., vol. 6, No. 38, p. 7. 1919.
    for beef-cattle breeders, campaign in South. News L., vol. 5, No. 49, p. 7. 1918.
    in Southern States. Y.B., 1917, pp. 328, 333, 335. 1918; Y.B. Sep. 749, pp. 4, 9, 11. 1918.
    in Utah, 1912-1918. News L., vol. 6, No. 35, p. 13. 1919.
    since cattle-tick eradication. News L., vol. 1, No. 45, p. 2. 1914.
  kinds and use, in Maryland, Frederick County. Soil Sur. Adv. Sh., 1919, pp. 15, 48. 1922; Soils F.O., 1919, pp. 655, 688. 1925.
  kinds, description, and cost. F.B. 855, pp. 3-6. 1917.
  losses of—
    food material, studies and experiments. F.B. 556, p. 12. 1913.
    weight from fermentation of green crops. F.B. 316, p. 19. 1908.
  manufacture, various woods used, and quantity. D.B. 605, pp. 8-13. 1918.
  material for construction. F.B. 353, pp. 24-26. 1909.
  number and—
    capacity, 1917, and relation to corn crop. Y.B. 1918, p. 134. 1919; Y.B. Sep. 776, p. 14. 1919.
    capacity in important dairy States, 1918. B.A.I. Doc. A-37, p. 17. 1922.
    capacity, in important States. Y.B., 1918, p. 677. 1919; Y.B. Sep. 795, p. 13. 1919.
    increase in Indiana. News L., vol. 3, No. 12, p. 7. 1915.
    locations in Taylor County, Tex. Soil Sur. Adv. Sh., 1915, p. 13. 1918; Soils F.O., 1915, p. 1135. 1919.
    uses in Minnesota, Stevens County. Soil Sur. Adv. Sh., 1919, pp. 12, 21. 1922. Soils F.O., 1919, pp. 1384, 1393. 1925.
  octagonal, construction and merits. F.B. 190, pp. 21-23. 1904.
  packing methods. News L., vol. 1, No. 44, p. 4. 1914.

Silo(s)—Continued.
  pit—
    T. Pryse Metcalfe and George A. Scott. F.B. 825, pp. 14. 1917.
    comparisons. Off. Rec. vol. 2, No. 31, p. 5. 1923.
    for cattle feed in winter. F.B. 1158, p. 25. 1920.
    location and character of soil required. F.B. 825, p. 4. 1917.
    value for Great Plains. News L., vol. 5, No. 5, p. 3. 1917.
  plastered, description and construction methods, studies and experiments. F.B. 469, pp. 19-24. 1911.
  practicability and value. News L., vol. 6, No. 35, p. 5. 1919.
  reenforced brick, construction, method, and cost. F.B. 457, pp. 23-24. 1911.
  relation to size of herd for winter feeding. F.B. 825, p. 5. 1917.
  saving per acre on corn crop. News L., vol. 5, No. 46, p. 11. 1918.
  size—
    and capacity. M.C. 12, pp. 40-42. 1924.
    capacity for given diameter and height. B.A.I. Cir. 136, p. 2. 1909.
    relation to number of animals. News L., vol. 2, No. 4, p. 4. 1914.
  solid-wall cement, description, and materials. F.B. 405, pp. 21-24. 1910.
  stave—
    building directions. B.H. Rawl and J. A. Conover. B.A.I. Cir. 136, pp. 18. 1909.
    construction. B.A.I. An. Rpt., 1906, pp. 301-302. 1908. B.A.I. Cir. 131, pp. 19, 20. 1908; F.B. 589, pp. 2, 3, 30-43, 47. 1914.
  storing corn, methods. S.R.S. Syl. 21, p. 16. 1916.
  strengthening with iron bands. D.B. 1045, p. 17. 1922.
  summer, use for dairy cows. F.B. 743, pp. 7-8. 1916.
  timber treatment. F.B. 744, pp. 29-30. 1916.
  time for filling in South and silage. News L., vol. 5, No. 9, p. 1. 1917.
  use—
    and cost in Kansas. O.E.S. Bul. 231, pp. 58-59. 1910.
    and value in—
      Chile. D.C. 228, p. 35. 1922.
      South. News L., vol. 3, No. 29, p. 2. 1916.
      stock raising. F.B. 704, p. 37. 1916.
    during summer droughts to aid milk flow. News L., vol. 5, No. 52, p. 7. 1918.
    for pea vines in blight control. News L., vol. 5, No. 34, p. 4. 1918.
    in—
      beef production, numbers in Cotton Belt States. F.B. 1379, p. 4. 1923.
      bluegrass region. D.B. 397, p. 7. 1916.
      Kansas, Greenwood County. Soil Sur. Adv. Sh., 1912, p. 13. 1914; Soils F.O., 1912, p. 1831. 1915.
      South, comparative cost of stave and concrete construction. B.A.I. Chief Rpt., 1910, p. 37. 1910; An. Rpts., 1910, p. 231. 1911.
      western Oregon and Washington. F.B. 271, pp. 11-13. 1906.
      Wisconsin, Jackson County. Soil Sur. Adv. Sh., 1918, pp. 11, 12, 17, 21. 1922; Soils F.O., 1918, pp. 947, 948, 953, 957. 1924.
  usefulness in corn feeding. News L., vol. 4, No. 50, p. 1. 1917.
  value—
    and need in semiarid regions. Y.B., 1912, pp. 469-470. 1913; Y.B. Sep. 606, pp. 469-470. 1913.
    as grain savers. News L., vol. 4, No. 49, p. 6. 1917.
    filling. News L., vol. 4, No. 52, p. 4. 1917.
    in South, silage crops and preparations. News L., vol. 5, No. 44, pp. 3-4. 1918.
    in utilization of fodder. News L., vol. 5, No. 6, p. 4. 1917.
    to dairy farms. D. B.1144, p. 19. 1923.
  walls, reinforcement, directions. F.B. 430, pp. 15-16, 17, 18. 1911.
  watering the chopped feed. News L., vol. 6, No. 8, p. 5. 1918.

Silo(s)—Continued.
　Wisconsin, modified, description. B.A.I. An. Rpt., 1906, pp. 302-304. 1908; B.A.I. Cir. 131, pp. 20, 22. 1908; F.B. 589, pp. 3, 43-47. 1914.
　wooden, care before filling. News L., vol. 7, No. 7, p. 1. 1919.
　wooden, preservative treatment, effects and benefits. News L., vol. 4, No. 9, pp. 4-5. 1916.
Siloing—
　beet(s)—
　　expense. Y.B., 1906, p. 278. 1907; Y.B. Sep. 422, p. 278. 1907.
　　methods. Y.B., 1909, pp. 177-178. 1910; Y.B. Sep. 503, pp. 177-178. 1910.
　　roots for seed production, directions. Y.B., 1916, pp. 407-408. 1917; Y.B. Sep. 695, pp. 9-10. 1917.
　canning method of saving corn crop for cattle. News L., vol. 4, No. 49, p. 6. 1917.
　seed beets. Rpt. 86, p. 87. 1908.
　stecklings for seed beets. F.B. 1152, pp. 9-12. 1920.
　sugar beets—
　　directions. F.B. 392, pp. 1-38. 1910.
　　test, Huntley experiment farm. W.I.A. Cir. 8, pp. 18-19. 1916.
Silt—
　basins. See Sand traps.
　control in irrigation and drainage. Rds. Chief Rpt., 1921, pp. 38, 39. 1921.
　damage in pumping drainage and prevention. D.B. 304, pp. 14-15. 1915.
　injury to alfalfa. F.B. 373, p. 46. 1909.
　loam—
　　Cecil, of Lancaster County, S. C., manurial requirements. F. D. Gardner and F. E. Bonsteel. Soils Cir. 16, pp. 7. 1905.
　　depth, relation to Egyptian cotton growing. B.P.I. Cir. 112, pp. 17-20. 1913.
　　glacial and loessial province, description and uses. Soils Bul. 78, pp. 110-116. 1911.
　　suitable for grass, location in different States. F.B. 494, p. 20. 1912.
　measurements—
　　report. J. C. Nagle. O.E.S. Bul. 104, pp. 293-324. 1902.
　　report, second. J. C. Nagle. O.E.S. Bul. 119, pp. 365-392. 1902.
　　third progress report. J. C. Nagle. O.E.S. Bul. 133, pp. 196-217. 1903.
　outflow of certain rivers, tons per year. Y.B., 1913, p. 212. 1914; Y.B. Sep. 624, p. 212. 1914.
　river—
　　description and use in road building. Rds. Cir. 91, p. 13. 1910.
　　chemical investigations. An. Rpts., 1914, p. 180. 1915; Soils Chief Rpt., 1914, p. 6. 1914.
Silting, alfalfa, for control of alfalfa weevil. F.B. 741, pp. 11-12. 1916.
Silvanus—
　gemellatus. See Grain beetle, square necked.
　mercator, enemy of stored products. Hawaii A.R., 1907, p. 48. 1908.
　surinamensis—
　　control in flour mills. D.B. 872, pp. 27-39. 1920.
　　fumigation with carbon tetrachloride, experiments. Ent. Bul. 96, Pt. IV, p. 54. 1911.
　　injury to—
　　　stored cereals. D.B. 15, p. 2. 1913.
　　　stored peanuts. Ent. Cir. 142, p. 2. 1911.
　　　tobacco. D.B. 737, p. 29. 1919.
SIVASLIAN, G. K.: "Soil survey of—
　Marion County, Ohio." With others. Soil Sur. Adv. Sh., 1916, pp. 37. 1918; Soils F.O., 1916, pp. 1549-1581. 1921.
　Sandusky County, Ohio." With others. Soil Sur. Adv. Sh., 1917, pp. 64. 1920; Soils F.O., 1917, pp. 1079-1138. 1923.
SILVER, JAMES—
　"How to get rid of rats." F.B. 1302, pp. 14. 1923.
　"Mouse control in field and orchard." F.B. 1397, pp. 14. 1924.
　"The European hare (*Lepus européus* Pallas) in North America." J.A.R., vol. 28, pp. 1133-1137. 1924.
Silver—
　cleaning—
　　directions. F.B. 1180, pp. 17-18. 1921.
　　electrolytic method, study. H. L. Lang and C. F. Walton, jr. D.B. 449, pp. 12. 1916.

Silver—Continued.
　cleaning—continued.
　　methods, investigations. An. Rpts., 1923, p. 613. 1924; S.R.S. Rpt., 1923, p. 61. 1923.
　nitrate—
　　stains, removal from textiles. F.B. 861, pp. 20, 31. 1917.
　　use in—
　　　hair dye, misbranded walnut oil. Chem. N.J. 1677, pp. 2. 1912.
　　　sterilization of seed grain. J.A.R., vol. 23, pp. 85-86. 1923.
　plate, injury by beetles. D.B. 1107, pp. 2, 43. 1922.
　scurf, potato—
　　caused by *Spondylocladium atrovirens*. J.A.R., vol. 6, No. 10, pp. 339-350. 1916.
　　description, distribution and control. B.P.I. Cir. 127, pp. 15-24. 1913.
　tip, occurrence in Colorado, description. N.A. Fauna 33, pp. 197-201. 1911.
　top—
　　bluegrass disease, cause. Ent. Bul. 108, p. 13. 1912.
　　grass disease caused by Pediculoides. Rpt. 108, pp. 106, 107, 108. 1915.
　　onion disease, caused by thrips. Y.B., 1912, p. 320. 1913; Y.B. Sep. 594, p. 320. 1913.
　tree, importation and description. No. 41420. B.P.I. Inv. 45, p. 26. 1918.
　twig disease, occurrence on plants in Texas, and description. B.P.I. Bul. 226, p. 32. 1912.
Silver bell—
　mountain, importation and description. No. 41489, B.P.I. Inv. 45, p. 38. 1918.
　tree—
　　injury by sapsuckers. Biol. Bul. 39, p. 49. 1911.
　　tests for mechanical properties, results. D.B. 556, pp. 32, 41. 1917; D.B. 676, p. 27. 1919.
Silver Lake Dam, Calif., hydraulic fill, details of construction. O.E.S. Bul. 249, Pt. I, pp. 34, 36, 52, 54, 81-84. 1912.
Silver Dragees, adulteration. Chem. N.J. 543, pp. 4. 1910.
Silverberry—
　distribution. N.A. Fauna 22, p. 16. 1902.
　occurrence in Wyoming, distribution and growth. N.A. Fauna 42, p. 74. 1917.
　root nodules, nitrogen-gathering, description and usefulness. Y.B., 1910, pp. 216, 218. 1911; Y.B. Sep. 530, pp. 216, 218. 1911.
Silverfish—
　(*Lepisma saccharina*). C. L. Marlatt. Ent. Cir. 49, pp. 4. 1902.
　control directions. F.B. 1180, p. 29. 1921.
　description. C. L. Marlatt. Ent. Cir. 49, pp. 4. 1902.
　description and control. F.B. 902, pp. 1-4. 1917.
　food, discussion. Ent. Bul. 60, pp. 174-176. 1906.
　habits, injurious, and control. F.B. 681, pp. 1-4. 1915.
　injurious household insect. C. L. Marlatt. F.B. 681, pp. 4. 1915.
　injury to books—
　　and papers, description and control methods. News L., vol. 3, No. 1, pp. 3-4. 1915.
　　use of poisoned paste for control. News L., vol. 5, No. 28, p. 7. 1918.
　names. News L., vol. 3, No. 1, pp. 3-4. 1915.
　or "Slicker"; an injurious household insect. E. A. Back. F.B. 902, pp. 4. 1917.
Silverware, cleaning method and outfit. News L., vol. 4, No. 15, pp. 2-3. 1916.
Silvicultural—
　practice, use of fire, and effects of fire damages. D.B. 1294, pp. 68-70, 73-74. 1924.
　systems of forest management, details. F.B. 358, pp. 8-20. 1909.
　work, experiments for gipsy-moth control. D.B. 204, pp. 20-24. 1915.
Silviculture—
　aspen and conifers, management. D.B. 1291, pp. 35-41. 1925.
　Forest Service, scope and results of work. For. Cir. 36, pp. 19-23. 1905.
　importance in New England. M.C. 39, p. 24. 1925.
　See also Forestry.
Silybum eburneum, importation and description. No. 47228. B.P.I. Inv. 58, p. 44. 1922.

Simaba cedron. See Cedron.
Silz case, imported game sale, decision of Supreme Court. Biol. Cir. 67, pp. 1-12. 1908.
SIMANTON, F. L.—
"Effects of nicotine sulphate as an ovicide and larvicide of the codling moth and three other insects." With others. D.B. 938, pp. 19. 1921.
"*Hyperaspis binotata,* a predatory enemy of the terrapin scale." J.A.R., vol. 6, No. 5, pp. 197-203. 1916.
"Life history of the codling moth in Maine." With E. H. Siegler. D.B. 252, pp. 50. 1915.
"The terrapin scale: An important insect enemy of peach orchards." D.B. 351, pp. 96. 1916.
Simarouba amara, identity with *Quassia amara.* J.A.R., vol. 10, p. 498. 1917.
Simarouba glauca, importation and description. No. 50676, B.P.I. Inv. 64, p. 10. 1923.
SIMMONDS, EDWARD: "The grafted papaya as an annual fruit tree." With David Fairchild. B.P.I. Cir. 119, pp. 3-13. 1913.
SIMMONS, PEREZ—
"Insecticidal effect of cold storage on bean weevils." With A. O. Larson. J.A.R., vol. 27, pp. 99-105. 1923.
"Notes on the biology of the 4-spotted bean weevil, *Bruchus quadrimaculatus* Fab." With A. O. Larson. J.A.R., vol. 26, pp. 609-616. 1923.
"The ham beetle, *Necrobia rufipes* De Geer." With George W. Ellington. J.A.R., vol. 30, pp. 845-863. 1925.
Simognathus spp., description. Rpt. 108, pp. 55, 56. 1915.
SIMONS, L. R.—
"Farm bureau organization plan." S.R.S. Doc. 54, pp. 11. 1917.
"Handbook on farm bureau organization for county agricultural agents." S.R.S. Doc. 65, pp. 54. 1917.
"Method of mapping, charting, and recording county agent work." S.R.S. Doc. 51, pp. 18. 1917.
"Organization of a county for extension work—the farm bureau plan." D.C. 30, pp. 26. 1919; S.R.S. Doc. 89, pp. 26. 1919.
SIMONS, P. T.: "Report on drainage and prevention of overflow in the valley of the Red River of the North." With Forest V. King. D.B. 1017, pp. 89. 1922.
Simorhyncus pusillus. See Auklet, least.
Simplex—
misbranding. N.J. 190, I. and F. Bd. S.R.A. 11, pp. 72-76. 1915.
spraying material, misbranding. N.J. 190, I. and F. Bd. S.R.A. 11, pp. 72-76. 1915.
SIMPSON, C. B.—
"Codling-moth investigations in the Northwest during 1901." Ent. Bul. 35, pp. 29. 1902.
"The codling moth." Ent. Bul. 41, pp. 105. 1903.
"The control of the codling moth." F.B. 171, pp. 24. 1903.
"The yellow-winged locust." Ent. Cir. 53, pp. 3. 1903.
SIMPSON, D. M.—
"Behavior of cotton planted at different dates in weevil-control experiments in Texas and South Carolina." With W. W. Ballard. D.B. 1320, pp. 44. 1925.
"Growth of fruiting parts of cotton." With others. J.A.R., vol. 25, pp. 195-208. 1923.
SIMPSON, F. M.: "Meat situation in the United States. Part V. Methods and cost of marketing livestock and meats." With others. Rpt., 113, pp. 98. 1916.
SIMPSON, THOMAS, explorations in Athabaska-Mackenzie region. N.A. Fauna 27, p. 64. 1908.
Simpson Medical Institute, drug adulteration prosecution. An. Rpts., 1917, pp. 399-400. 1917; Sol. A.R. 1917, pp. 19-20. 1917.
SIMS, A. F.: "Suburban meteorological observatories." W.B. Bul. 31, pp. 215-216. 1902.
Simulidae, catalogue and index. Ent. T.B. 26, pp. 68-69, 71. 1914.
Simulium—
genus of buffalo gnats, five North American, notes on. Arthur W. Jobbins-Pomeroy. D.B. 329, pp. 48. 1916.

Simulium—Continued.
insect enemies and parasites. D.B. 329, pp. 27-28. 1916.
pecuarum. See Gnat, buffalo.
relation to pellagra. An. Rpts., 1911, p. 524. 1912; Ent. A.R., 1911, p. 34. 1911.
responsibility for disease carrying, studies and experiments. D.B. 329, pp. 28-34. 1916.
spp.—
life cycle and generations. D.B. 329, p. 26. 1916.
transmission of pellagra, studies. An. Rpts., 1912, p. 647. 1913; Ent. A.R., 1912, p. 35. 1912.
See also Black flies, American; Buffalo gnat.
Sinapis—
alba, classification. J.A.R., vol. 20, pp. 117, 123, 125-126. 1920.
alba. See also Mustard, white.
brassica, classification. J.A.R., vol. 20, p. 119. 1920.
Sincamas. See Yam bean.
SINCLAIR, J. E.: "Calcium, magnesium, and phosphorous in food and nutrition." With others. O.E.S. Bul. 227, pp. 70. 1910.
Sindora supa, oil tree, importation and description. No. 33703, B.P.I. Inv. 39, pp. 22-23. 1917.
Singeing prickly pears, cost. J.A.R., vol. 4, p. 431. 1915.
Single-crop farming systems, principal crops, requirements and possibilities. Y.B., 1908, pp. 355-357. 1909; Y.B. Sep. 487, pp. 355-357. 1909.
Single-tax settlement, Fairhope, Ala., description, Baldwin County. Soil Sur. Adv. Sh., 1909, p. 9. 1911; Soils F.O., 1909, p. 709. 1912.
Sink(s)—
cleaning trap. F.B. 1460, pp. 8-9. 1925.
farm kitchen, description, location, and plumbing. F.B. 607, p. 15-18. 1914.
kitchen—
height, studies. D.C. 189, p. 7. 1921.
heights of women and of working surfaces. F.B. 927, p. 10. 1918.
material, selection. Y.B., 1914, p. 347. 1915; Y.B. Sep. 646, p. 347. 1915.
Sinking-fund—
bonds, highway, issuance and retirement, studies. D.B. 136, rev., pp. 14-16. 1917.
method of amortization. Sec. Cir. 60, pp. 7-9. 1916.
Sinus disease of horse, symptoms and treatment B.A.I. [Misc.], "Diseases of the horse," rev., pp. 108-110. 1903; rev., pp. 108-110. 1907; rev., pp. 108-110. 1911; rev., pp. 98-101. 1923.
Sioux City, Iowa—
market statistics for livestock, 1910-1920. D.B. 982, pp. 17, 52, 83. 1921.
milk supply, statistics, officials, and prices. B.A.I. Bul. 46, pp. 34, 75. 1903.
trade center for farm products, statistics. Rpt. 98, pp. 287-290, 306, 312, 347, 353, 379. 1913.
SIPE, S. B.—
"School gardening and nature study in English rural schools and in London." O.E.S. Bul. 204, pp. 37. 1909.
"Some types of children's garden work." O.E.S. Bul. 252, pp. 56. 1912.
Siphocoryne nymphaeae, history, and injury to plums. F.B. 804, p. 21. 1917.
Siphon(s)—
capillary, use in study of soil-moisture movements. D.B. 835, pp. 58-62. 1920.
designing, computation formulas. D.B. 831, pp. 22-24, 26, 28. 1920.
spillways for reservoirs and canals, description and examples. D.B. 831, pp. 15-40. 1920.
Siphoning, grape juice—
after storage. D.B. 656, pp. 13-17. 1918.
to transfer to bottles, etc., directions. F.B. 1075, p. 23. 1919.
Sires—
better—
better stock. B.A.I. [Misc.], "Better sires * * *," pp. 16. 1919.
for improvement of livestock. An. Rpts., 1919, pp. 78, 82. 1920; B.A.I. Chief Rpt., 1919, pp. 6, 10. 1919.
county sales, for stock improvement. Off. Rec., vol. 1, No. 41, p. 2. 1922.

2160 UNITED STATES DEPARTMENT OF AGRICULTURE

Sires—Continued.
dairy and beef, requirements. F.B. 143, pp. 42. 44. 1902.
livestock, in census. News L., vol. 7, No. 15. p. 9. 1919.
purebred—
results obtained. D.C. 235, pp. 9–14. 1922.
use to improve quality of livestock. B.A.I. [Misc.], "Better sires—better * * *," pp. 16. 1919.
scrub, elimination. News L., vol. 7, No. 1, p. 1. 1919.
See also Bulls.
Sirex flavicornis, anatomical details of wing. Ent. T.B. 18, pp. 60–62. 1910.
Sirocco(s)—
description, effects on date culture. B.P.I. Bul. 53, pp. 70–71. 1904.
dust, description, composition, materials, color, and effects. Soils Bul. 68, pp. 45, 88, 92–96, 97, 121, 167. 1911.
Siruaballi. See Cironballi.
Sirup—
adulteration. Chem. Bul. 100, pp. 37–39. 1906.
adulteration and misbranding. See Indexes to Notices of Judgment in bound volumes of Chemistry Service and Regulatory Announcements.
and molasses, cane, production in United States, 1899–1909. D.B. 66, pp. 11. 1914.
and sugar, maple—
production. A. Hugh Bryan and Wm. F. Hubbard. F.B. 516, pp. 46. 1912.
production. A. Hugh Bryan and others. F.B. 1366, pp. 35. 1923.
statistics. F.B. 1366, p. 34. 1923.
apple—
cider and windfall apples, preparation and canning directions. F.B. 839, pp. 21, 30. 1917.
making and use on farm. Y.B., 1914, pp. 230–233. 1915; Y.B. Sep. 639, pp. 230–233. 1915.
making without sugar, uses, and recipe. News L., vol. 5, No. 51, p. 2. 1918.
manufacture, details and cost. Y.B., 1914, pp. 227–238. 1915; Y.B. Sep. 639, pp. 227–238. 1915.
recipe for making and canning. S.R.S. Doc. 15, p. 3. 1915.
use in cooking. Y.B., 1914, pp. 232–233. 1915; Y.B. Sep. 639, pp. 232–233. 1915.
use of windfall and cull apples, methods. News L., vol. 3, No. 3, p. 8. 1915.
beet-sugar—
character, composition, and uses. F.B. 1241, pp. 15–16. 1921.
directions for making, quality, and uses. F.B. 823, pp. 9–13. 1917.
making, improved method. C. O. Townsend and Sidney F. Sherwood. F.B. 1241, pp. 16. 1921.
cane—
analyses, 1904. Chem. Bul. 93, pp. 66–74. 1905.
and maple, misbranding. Chem. N.J. 271, pp. 5. 1910.
and maple mixtures, labeling. Chem. F.I.D. 75, p. 1. 1907.
and maple mixtures, Winton lead number. Chem. Bul. 122, pp. 198–199. 1909.
boiling and skimming. M. A. McCalip and C. F. Walton, jr. D.B. 1370, pp. 21–28. 1925.
canning, cooperative. J. K. Dale. D.C. 149, pp. 19. 1910.
clarification—
by lime alone. C. F. Walton, jr. D.B. 1370, pp. 32–35. 1925.
by sulphur dioxide and lime. C. E. Coates and W. G. Taggart. D.B. 1370, pp. 28–32. 1925.
mechanical. C. F. Walton, jr. D.B. 1370, pp. 35–38. 1925.
color and flavor, discussion. D.B. 1370, p. 69. 1925.
cost of making. D.B. 1370, pp. 18–20, 56–57. 1925.
density control. D.B. 1370, pp. 31–32. 1925.
enlargement of industry in South. Off. Rec. vol. 3, No. 3, p. 6. 1924.
equipment required for making and total cost. D.B. 486, pp. 34–35. 1917.
evaporation process. D.B. 1370, pp. 24–28, 30–31, 33–35. 1925.

Sirup—Continued.
cane—continued.
examination methods. Chem Bul. 93, pp. 63–64. 1905.
farm made, need of uniformity. D.C. 149, pp. 7–8. 1920.
food value. D.B. 1370, pp. 71–72. 1925; Y.B., 1905, p. 244. 1906; Y.B. Sep. 380, p. 244. 1906.
grading at cooperative cannery, directions. D.C. 149, pp. 12–15. 1920.
growing and mills for. News L., vol. 6, No. 39, p. 5. 1919.
improved process for making. Sec. A.R., 1924, p. 69. 1924.
influence of cultural conditions on quality and yield. P. A. Yoder. D.B. 1370, pp. 3–9. 1925.
Louisiana type, production method. D.C. 149, p. 3. 1920.
making in Alabama, Baldwin, Chambers, and Coffee Counties. Soils F.O., 1909, pp. 715, 730, 781, 789, 797, 807, 815, 832, 834, 837. 1912; Soils F.O., 1909, pp. 715, 730, 781, 789, 797, 807, 815, 832, 834, 837. 1912.
making on farm, equipment, supplies, and labor F.B. 1034, pp. 27–32. 1919.
manufacture—
comparison of methods. D.B. 1370, pp. 20–39. 1925.
improvements. An. Rpts., 1922, pp. 257–259. 1922; Chem. Chief Rpt., 1922; pp. 7–9. 1922.
in Georgia, 1904. Chem. Bul. 93, pp. 43–62. 1905.
marketing—
by farmers, difficulties. D.C. 149, pp. 5–7. 1920.
methods and prices. F.B. 1034, pp. 31–32. 1919.
misbranding. Chem. N.J. 4063, 4064. 1916.
prevention of changes in. Off. Rec. vol. 1, No. 39, p. 8. 1922.
producers' classes outside of sugar-making region. D.C. 149, pp. 4–5. 1920.
production—
and value, 1909. D.B. 486, pp. 2, 3. 1917.
by States, 1899–1909. D.B. 66, pp. 2, 11. 1914.
by States, 1921. Y.B., 1921, p. 660 1922; Y.B. Sep. 869, p. 80. 1922.
by States, table. D.B. 1370, p. 2. 1925.
conditions governing, manufacturing cost, value, and profits. D.B. 486, pp. 33–43. 1917.
in Alabama, Washington County. Soil. Sur. Adv. Sh., 1915, pp. 13, 15. 1917; Soils F.O., 1915, pp. 899, 901. 1919.
in Georgia, Mitchell County. Soil Sur. Adv. Sh., 1920, pp. 6, 17. 1922; Soils F.O., 1920, pp. 6, 17. 1925.
in Mississippi, George County. Soil Sur. Adv. Sh., 1922, p. 37. 1925.
studies. Y.B. 1923, p. 50. 1924.
sorghum, corn, and beet, value as sugar substitute. Sec. Cir. 86, pp. 31–32. 1918.
statistics of production. D.C. 149, p. 4. 1920.
treatment with decolorizing carbons. D.B. 1370, pp. 38–39. 1925.
uniform quality, production by cooperative canning, J. K. Dale. D.C. 149, pp. 19. 1920
yield per acre. D.B. 486, pp. 27–29. 1917.
canning—
associations, organization, and operation. D.C. 149, pp. 9–17. 1920.
density. News L., vol. 3, No. 51, p. 5. 1916.
description, formulas, and uses. F.B. 839, pp. 13–14. 1917.
details and cost, in cooperative cannery. D.C. 149, pp. 16, 17–19. 1920.
directions for making and testing. F.B. 1211, pp. 36–38. 1921.
operation. W. L. Owen. F.B. 1370, pp. 58–60. 1925.
recipes. News L., vol. 4, No. 43, p. 7. 1917.
cans and canning equipment. C.F. Walton, jr. D.B. 1370, pp. 60–61. 1925.
cherry-juice, directions for making. D.B. 350, pp. 22–23. 1916.
cherry, misbranding. Chem. N.J. 372, p. 1. 1910.
cider, manufacture from cull apples. An. Rpts., 1914, p. 171. 1917; Chem. Chief Rpt., 1914, p. 1914.

INDEX TO PUBLICATIONS, 1901-1925   2161

Sirup—Continued.
  color, cause. Y.B., 1905, p. 242. 1906; Y.B. Sep. 380, p. 242. 1906.
  consumption by farm families. F.B. 1082, pp. 12, 19. 1920.
  corn, use as sugar substitute. News L., vol. 5, No. 51, p. 3. 1918.
  corn. See also Glucose.
  crystallization, prevention—
    by invertase process. H.S. Paine and C. F. Walton, jr. D.B. 1370, pp. 61-68. 1925.
    methods. F.B. 1389, pp. 20-21. 1924.
  density, testing directions and tables. D.C. 149, pp. 13-15. 1920; S.R.S. Doc. 33, p. 3. 1917.
  exports, 1908-1912. Y.B., 1912, p. 734. 1913; Y.B. Sep. 615, p. 734. 1913.
  exports, 1922-1924. Y.B., 1924, p. 1046. 1925.
  fermentation, prevention. Off. Rec., vol. 1, No. 27, p. 4. 1922.
  finishing point, determination. F.B. 1389, pp. 18-19. 1924.
  flavoring, muscadine grapes, directions. F.B. 859, p. 21. 1917.
  food standard. Sec. Cir. 136, p. 10. 1919.
  fruit—
    adulteration and misbranding. Chem. N.J. 328, pp. 2. 1910; Chem. N.J. 13382. 1925.
    canning and preserving, density, formulas. F.B. 853, p. 15. 1917.
    keeping qualities. Chem. Bul. 132, pp. 66-71. 1910.
  glucose detection. Chem. Bul. 122, pp. 180-183. 1909.
  grading plant. Off. Rec., vol. 1, No. 51, p. 6. 1922.
  grape—
    and apple, preparation methods. News L., vol. 5, No. 2, pp. 6-7. 1917.
    boiling directions. F.B. 758, pp. 7-8. 1916; F.B. 1454, pp. 4-6. 1925.
    from Muscadine grapes, directions for making. F.B. 859, pp. 5-6. 1917.
  grenadine, alleged adulteration and misbranding. Chem. N. J. 2477, pp. 3. 1913.
  kinds, in common use. Y.B., 1905, pp. 241-242. 1906; Y.B. Sep. 380, pp. 241-242. 1906.
  laws and standards. Chem. Bul. 69, rev., Pts. I-IX, pp. 71, 132, 139, 170, 212, 213, 304, 308, 320, 457, 538, 545, 566, 595, 598, 634, 668, 688, 769. 1905-1906.
  laws, State, fiscal year 1907. Chem. Bul. 112, Pt. I, p. 58. 1908; Pt. II., pp. 100, 131, 153-155. 1908.
  liver, Thacher's, misbranding. Chem. S.R.A., Supp. 18, pp. 505-508. 1916.
  Louisiana cane, test by invertase methods. Chem. Cir. 50, p. 6. 1910.
  makers, comments. F.B. 477, pp. 31-33. 1912.
  making—
    apparatus, description, notes. F.B. 477, pp. 14-29. 1912.
    from sweet potatoes. News L., vol. 6, No. 28, p. 6. 1919.
    methods, new and old, comparison, costs and results. D.B. 921, pp. 7-12. 1920.
    on large scale, equipment and costs. L.J. Lassalle and J. J. Munson. D.B. 1370, pp. 39-57. 1925.
    on small scale, equipment and costs. M.A. McCalip and C. F. Walton, jr. D.B. 1370, pp. 13-21. 1925.
  malt, adulteration and misbranding. Chem. N.J. 13507. 1925.
  malt-sugar, description, uses and value. News L., vol. 7, No. 15, pp. 1, 16. 1919.
  manufacture—
    by breweries. News L., vol. 6, No. 40, p. 15. 1919.
    clarification of sugar-cane juice for J. K. Dale and C. S. Hudson. D.B. 921, pp. 15. 1920.
    from raisin seeds, properties, uses and value. B.P.I. Bul. 276, pp. 12-14, 35-36. 1913.
    improved process. Sec. A.R., 1925, pp. 72-73. 1925.
  maple—
    adulteration and misbranding. See Indexes to Notices of Judgment in bound volumes of Chemistry Service and Regulatory Announcements.

Sirup—Continued.
  maple—continued.
    adulteration and standards. For. Bul. 59, pp. 48-53, 54. 1905.
    analysis methods. Chem. Bul. 134, pp. 14-18. 1910.
    and cane sugar mixtures, determination, by Winton lead number, modification suggestion. S. H. Ross. Chem. Cir. 53, pp. 9. 1910.
    and sugar—
      William F. Hubbard. F.B. 252, pp. 36. 1906.
      production. F.B. 124, pp. 21-24. 1901.
      production. A. Hugh Bryan and Wm. F. Hubbard. F.B. 516, pp. 46. 1912.
      production. A. Hugh Bryan and others. F.B. 1366, pp. 35. 1924.
    blend—
      adulteration and misbranding, "Aunt Jemima's sugar cream." Chem. N.J. 384, pp. 2. 1910.
      misbranding. Chem. N.J. 376, p. 1. 1910.
    Canadian, comparison with United States sirup. Chem. Bul. 134, pp. 98-100. 1910.
    color and flavor, conditions influencing. Chem. Bul. 134, pp. 10-13, 93-102. 1910.
    comparison of sap with sugar. D.B. 466, pp. 4-6, 38-39. 1917.
    composition, comparison with sugar sirup. D.B. 466, pp. 38-39. 1917.
    definition. D.B. 466, pp. 1, 2. 1917.
    flavor, use of hickory bark. For. Bul. 59, pp. 49-50. 1905.
    industry, statistics. Chem. Bul. 134, pp. 102-103. 1910.
    manufacturing processes. Chem. Bul. 134, pp. 8-13, 50-59. 1910; F.B. 516, pp. 32-38, 44-46. 1912.
    marketing experience. Sec. A.R., 1924, pp. 43-44. 1924.
    production—
      1839-1921, and prices, 1915-1921. Y.B., 1921, pp. 665-666, 667. 1922; Y.B. Sep. 869, pp. 85-86, 87. 1922.
      1889, 1899, 1909, by States. D.B. 66, pp. 3, 17-19, 25. 1914.
      in Vermont, Windsor County. Soil Sur. Adv. Sh., 1916, pp. 10, 16. 1919; Soils F.O., 1916, pp. 180, 186. 1921.
      since 1850, by States, tables. For. Bul. 59, pp. 10-16. 1905.
    pure, determination, proposed modification of methods. Chem. Cir. 53, pp. 1-9. 1910.
    standard. F.I.D. 161, p. 1. 1916.
    statistics—
      industry in United States. Chem. Bul. 134, pp. 102-103. 1910; F.B. 1366, p. 34. 1924.
      production and prices, 1909, 1917, 1918. Y.B., 1918, p. 576. 1919; Y.B. Sep. 792, p. 72. 1919.
      production and prices, 1922. Y..B, 1922, pp. 787-788. 1923; Y.B. Sep. 884, pp. 787-788. 1923.
    use as food. O.E.S. Bul. 245, p. 82. 1912.
    value, 1912, with maple sugar and sorghum sirup. An. Rpts., 1912, pp. 18, 197. 1913; Sec. A.R., 1912, pp. 18, 197. 1912; Y.B., 1912, pp. 18, 197. 1913.
    various States, comparison. Chem. Bul. 134, pp. 100-102. 1910.
  medicated, use in treatment of bee diseases. Ent. Bul. 98, pp. 21, 22, 23, 39, 40, 51. 1912.
  mixing in cooperative cannery, and reheating. D.C. 149, p. 16. 1920.
  moisture determination. Chem. Bul. 116, pp. 22-23. 1908.
  Muscadine grape. Charles Dearing. F.B. 758, pp. 11. 1916.
  orangeade, adulteration and misbranding. Chem. N.J. 2421, pp. 2. 1913.
  palm, made from palm tree sap, in Chile. B.P.I. Bul. 242, pp. 10, 66. 1912.
  peach canning, preparation and scale. F.B. 426, pp. 21-22. 1916.
  plant(s), sugarcane—
    considerations governing size. C. F. Walton, jr. D.B. 1370, pp. 9-13. 1925.
    cost of erection, in Louisiana, Iberia Parish. Soil Sur. Adv. Sh., 1911, p. 15. 1912; Soils F.O., 1911, p. 1139. 1914.

Sirup—Continued.
poisoned—
ant bait, formula and precaution. F.B. 740, p. 11. 1916.
Argentine ant control, formula and use. D.B. 377, pp. 11–22. 1916; D.B. 965, pp. 20–41. 1921.
Kansas formula. Y.B., 1908, p. 428. 1909; Y.B. Sep. 491, p. 428. 1909.
use for control of Argentine ants. F.B. 1101; pp. 8–11. 1920.
polarizations, corrections. Chem. Bul. 122, pp. 221–228. 1909.
production in—
Alabama, Monroe County. Soil Sur. Adv. Sh., 1916, pp. 13, 22, 28–48. 1919; Soils F.O., 1916, pp. 859, 868, 874–894. 1921.
Mississippi, Wilkinson County. Soil Sur. Adv. Sh., 1913, p. 12. 1915; Soils F.O., 1913, p. 960. 1916.
purity standards. Sec. Cir. 136, p. 10. 1919.
refiner's, use in meat-curing experiments. D.B. 928, pp. 6–12, 14–18, 24–27. 1920.
requirements for farm family, cane acreage. F.B. 1015, pp. 4, 11, 15. 1919.
sorghum—
clarification, four processes. F.B. 135, pp. 14–21. 1901.
filtering and canning. F.B. 477, pp. 28–30. 1912.
making—
by farm girls. News L., vol. 6, No. 24, p. 6. 1919.
on shares, estimating quantity. F.B. 477, pp. 36–38. 1912.
manufacture—
A. A. Denton. F.B. 135, pp. 40. 1901.
A. Hugh Bryan. F.B. 477, pp. 40. 1912.
packing in clean barrels, notice. Chem. S.R.A. 14, p. 10. 1915.
plant location and arrangement suggestions. F.B. 477, pp. 33–35. 1912.
production—
1860–1900. F.B. 477, p. 40. 1912.
by States, 1889, 1899, 1909. D.B. 66, p. 20. 1914.
by States, 1921. Y.B., 1921, p. 667. 1922; Y.B. Sep. 869, p. 87. 1922.
in North Carolina, Cleveland County. Soil Sur. Adv. Sh., 1916, pp. 11, 12, 18, 25, 27, 31, 1919; Soils F.O., 1916, pp. 315, 316, 322, 329, 331, 335. 1921.
statistics, 1860–1900. F.B. 477, p. 40. 1912.
statistics, graphic showing of average production, United States. Stat. Bul. 78, p. 32. 1910.
sugaring control. Off. Rec., vol. 4, No. 30, p. 3. 1925.
yields, Yuma experiment farm, experiments. W.I.A. Cir., 25, p. 30. 1919.
sorgo—
canning. F.B. 1389, p. 20. 1924.
manufacture. A. Hugh Bryan and Sidney F. Sherwood. F.B. 1389, pp. 29. 1924.
production, 1859–1919. Y.B., 1923, p. 208. 1924; Y.B. Sep. 893, pp. 73–74. 1924.
statistics, 1924. F.B. 1389, p. 28. 1924.
stains, removal from textiles. F.B. 861, p. 32. 1917.
standards. For. Bul. 59, pp. 53–54. 1905.
standards, change proposed. News L., vol. 6, No. 33, p. 9. 1919.
stocks in United States, August 31, 1917, Sec. Cir. 99, pp. 20–22. 1918.
sugar—
density determination. F.B. 1159, p. 21. 1920.
density, table. F.B. 1438, p. 15. 1924.
keeping qualities. Chem. Bul. 132, pp. 66–71. 1910.
saving, formulas. W. W. Skinner and J. W. Sale. Chem. [Misc.], "Formulas for sugar-saving * ° *," pp. 2. 1918.
substitute, uses. News L., vol. 7, No. 15, pp. 1, 16. 1919.
table for making. S.R.S. Doc. 18, p. 4. 1915.
sugar-beet. C. O. Townsend and H. C. Gore. F.B. 823, pp. 13. 1917.
sugar-cane—
and sorghum, prevention of crystallization or fermentation, studies and work. News L., vol. 5, No. 24, p. 5. 1918.

Sirup—Continued.
sugar-cane—continued.
apparatus for manufacturing. Y.B., 1905, p. 243. 1906; Y.B. Sep. 380, p. 243. 1906.
culture. Chem. Bul. 75, pp. 1–40. 1903.
manufacture. H. S. Paine and C. F. Walton, jr. D.B. 1370, pp. 76. 1925.
production in—
Alabama, Baldwin County. Soil Sur. Adv. Sh., 1909, p. 15. 1911; Soils F.O., 1909, p. 715. 1912.
Georgia, Tatnall County. Soil Sur. Adv. Sh., 1914, pp. 12, 18, 21, 24, 33. 1915; Soils F.O., 1914, pp. 824, 830, 833, 844. 1919.
United States. P. A. Yoder. D.B. 486, pp. 46. 1917.
sulphuring methods, purposes. Chem. Cir. 37, p. 3. 1907; Chem. Bul. 84, Pt. III, p. 763. 1907.
supply of family for a week, and place in menu. F.B. 1228, pp. 14–16, 19. 1921.
sweet-corn stalks. O.E.S. An. Rpt., 1922, p. 77. 1924.
sweet-potato—
making and uses. News L., vol. 7, No. 16, p. 8. 1919.
manufacture. D.B. 1041, pp. 6, 33. 1922.
production. H. C. Gore and others. D.B. 1158, pp. 34. 1923.
table—
H. W. Wiley. Y.B., 1905, pp. 241–248. 1906; Y.B. Sep. 380, pp. 8. 1906.
food value, studies. F.B. 535, pp. 21–22. 1913.
manufacture—
and experiments in culture of sugar cane. H. W. Wiley and others. Chem. Bul. 93, pp. 78. 1905.
difficulties. Y.B., 1905, p. 246. 1906; Y.B. Sep. 380, p. 246. 1906.
from sugarcane. H. W. Wiley. Chem. Bul. 70, pp. 32. 1902.
sugar-cane culture in Southeast for. H. W. Wiley. Chem. Bul. 75, pp. 40. 1903.
packing for prevention of fermentation. Chem. Bul. 93, pp. 13–14. 1905.
production—
1909. Y.B., 1917, p. 459. 1918; Y.B. Sep. 756, p. 15. 1918.
at Waycross, Ga., experimental work, 1905, together with summary of the 4-year experiment on fertilization of sugar cane. H. W. Wiley. Chem. Bul. 103, pp. 38. 1906.
in Mississippi, Lowndes County. Soil Sur. Adv. Sh., 1911, pp. 14–15, 32. 1912; Soils F.O., 1911, pp. 1092–1093, 1110. 1914.
utilization of—
cherry pits. News L., vol. 3, No. 34, p. 8. 1916.
cull and waste apples. News L., vol. 4, No. 18, p. 4. 1916.
value of industry to agriculture. Y.B., 1905, p. 245. 1906; Y.B. Sep. 380, p. 245. 1906.
watermelon, recipe. News L., vol. 3, No. 4, pp. 1–2. 1915.
tamarind, labeling, opinion 92. Chem. S.R.A. 9, p. 688. 1914.
use in canneries, weight studies and experimental tests. D.B. 1916, pp. 24–32. 1915.
vinegar making, directions. S.R.S. Doc. 99, p. 7. 1919.
weight per gallon at different densities, table. D.C. 149, p. 15. 1920.
yields from sugar cane on farms. F.B. 1034, p. 23. 1919.
Sisal—
binder-twine fiber, and henequen. H. T. Edwards. Y.B., 1918, pp. 357–363. 1919; Y.B. Sep. 790, pp. 12. 1919.
chemical composition, study, discovery of lactic acid. Hawaii A.R., 1912, pp. 58–59. 1913.
cultivation in Hawaii. Frank E. Conter. Hawaii Bul. 4, pp. 31. 1903.
culture in United States. Y.B., 1903, pp. 395–396. 1904; Y.B. Sep. 321, pp. 395–396. 1904.
description, growing, use for binder twine. Y.B., 1911, pp. 196–197. 1912; Y.B. Sep. 560, pp. 196–197. 1912.

INDEX TO PUBLICATIONS, 1901–1925 2163

Sisal—Continued.
 fiber—
  amount shipped from Mexico to United States, January–February, 1915, comparison with 1913, 1914. News L., vol. 2, No. 34, p. 1. 1915.
  cleaning methods and machines. D.B. 930, pp. 11–15. 1920.
  consumption and price, growing in Tropics. An. Rpts., 1916, p. 148. 1917; B.P.I. Chief Rpt., 1916, p. 12. 1916.
  imports, 1913–1915, and 1852–1915. Y.B., 1915, pp. 542, 559, 573. 1916; Y.B. Sep. 685, pp. 542, 559, 573. 1916.
  percentage of world's binder twine. Y.B., 1918, p. 359. 1919; Y.B. Sep. 790, p. 5. 1919.
  probable shortage for 1915, action by Agriculture Secretary and others, blockage abandonment. News L., vol. 2, No. 34, p. 1. 1915.
  sources. D.B. 930, p. 2. 1920.
  statistics, imports, 1914–1916, and 1852–1915. Y.B., 1916, pp. 709, 726, 740. 1917; Y.B. Sep. 722, pp. 3, 20, 34. 1917.
 growing—
  and cleaning for use as fiber. An. Rpts., 1918, p. 161. 1918; B.P.I. Chief Rpt., 1918, p. 27. 1918.
  and uses in Porto Rico. P.R. An. Rpt., 1919, p. 12. 1920.
  in manganiferous soils. Hawaii Bul. 26, p. 25. 1912.
  in Philippine Islands. D.B. 930, pp. 5–9, 15–18. 1920.
  in United States territory. Y.B., 1918, pp. 363–366. 1919; Y.B. Sep. 790, pp. 9–12. 1919.
 imports—
  1862–1911. Y.B., 1911, pp. 685–686. 1912; Y.B. Sep. 588, pp. 685–686. 1912.
  1895, 1914, value and source. D.B. 296, pp. 44–45. 1915.
  1901–1924. Y.B., 1924, pp. 1066, 1076. 1925.
  1902–1904. Stat. Bul. 35, pp. 15, 45. 1905.
  1907–1909, quantity and value, by countries from which consigned. Stat. Bul. 82, p. 38. 1910.
  1908–1910, quantity and value, by countries from which consigned. Stat. Bul. 90, p. 41. 1911.
  1911–1913, and 1852–1913. Y.B., 1913, pp. 495, 511. 1914; Y.B. Sep. 360, pp. 495, 511. 1914.
  1917–1919, 1852–1919, and 1910–1919. Y.B., 1919, pp. 684, 703, 719. 1920; Y.B. Sep. 829, pp. 684, 703, 719. 1920.
  1921, statistics. Y.B., 1921, pp. 739, 766. 1922; Y.B. Sep. 867, pp. 3, 30. 1922.
 industry—
  development, 1902, market. Rpt. 73, pp. 12–15. 1902.
  in Philippines. Off. Rec., vol. 1, No. 25, p. 2. 1922.
  in Philippines, Hawaii, Porto Rico, and Florida. Y.B., 1918, pp. 363–365. 1919; Y.B. Sep. 790, pp. 9–11. 1919.
  introduction and distribution in Porto Rico. An. Rpts., 1908, p. 312. 1909; B.P.I. Chief Rpt., 1908, p. 40. 1908.
 leaves, waste, value as fertilizer, study, Hawaii. O.E.S. An. Rpt., 1912, pp. 19, 62, 102. 1913.
 production, distribution, description, and importation, 1913–1915. News L., vol. 3, No. 30, pp. 1, 2. 1916.
 value per acre. Y.B., 1918, p. 362. 1919; Y.B. Sep. 790, p. 8. 1919.
 See also Hemp; Henequen.
Siskin, pine—
 food habits. D.B. 107, p. 28. 1914.
 food habits, winter and summer. D.B. 1249, pp. 16–18. 1924.
 occurrence in—
  Athabaska-Mackenzie region. N.A. Fauna 27, p. 420. 1908.
  Pribilof Islands. N.A. Fauna 46, p. 91. 1923.
 range and habits. N.A. Fauna 21, pp. 47, 78. 1901; N.A. Fauna 22, p. 119. 1902.
 value in aphid destruction. Y.B., 1912, pp. 399, 401, 403. 1913; Y.B. Sep. 701, pp. 399, 401, 403. 1913.
Siskiyou National Forest, Oregon—
 description and recreational uses. D.C. 4, pp. 37–40. 1919; For. [Misc.], "An ideal vacation * * *," pp. 26–29. 1923.

Siskiyou National Forest, Oregon—Continued.
 cave region. For. [Misc.], "The Oregon * * *." (Folder.) 1924.
 lands added, bill. Off. Rec., vol. 1, No. 13, p. 2. 1922.
 map and directions to tourists and campers. For. Map Fold. 1915.
Sismoyo, importation and description. No. 34210, B.P.I. Inv. 32, p. 23. 1914.
Sissoo, importation and description. Nos. 33554, 33641, B.P.I. Inv. 31, pp. 30, 39. 1914; No. 55411, B.P.I. Inv. 71, p. 40. 1923.
Sissoo, insect pests. Sec. [Misc.], "A manual * * * insects * * *," p. 195. 1917.
Sisymbrium nasturtium-aquaticum. See Watercress.
Sisyrinchium sp., importation and description. No. 44840, B.P.I. Inv. 51, p. 77. 1922.
Sitanion—
 hystrix, susceptibility to aeciospores of Puccinia triticina. J.A.R., vol. 22, pp. 163–172. 1921.
 spp., distribution, description, and feed value. D.B. 201, pp. 41–42. 1915; D.B. 772, pp. 12, 95–97. 1920.
 velutinum. See Foxtail, white.
Sitgreaves National Forest, Oregon—
 map and directions to hunters and campers. For. Map. Fold. 1914.
 map. For. Map. 1914.
Sitka Experiment Station, Alaska—
 fruit and vegetable growing. O.E.S. An. Rpt., 1911, pp. 17, 19, 72. 1913.
 nursery stock, vegetables, report. Alaska A.R., 1907, pp. 21–25, 31–41. 1908.
 report—
  1901. O.E.S. An. Rpt., 1901, pp. 55–56. 1902.
  1902. O.E.S. An. Rpt., 1902, pp. 234–245. 1903.
  1903. O.E.S. An. Rpt., 1903, pp. 323–353. 1904.
  1904. O.E.S. An. Rpt., 1904, pp. 288–300. 1905.
  1905. O.E.S. An. Rpts., 1905, pp. 46–48. 1906.
  1906. Alaska A.R., 1906, pp. 9–15, 23–35. 1907.
  1907. R. W. De Armond. O.E.S. An. Rpt., 1907, pp. 31–41. 1908.
  1908. R. W. De Armond. Alaska A.R., 1908, pp. 21–32. 1909.
  1909. R. W. De Armond. Alaska A.R., 1909, pp. 32–43. 1910.
  1910. Alaska A.R., 1910, pp. 10–29. 1911.
  1911. Alaska A.R., 1911, pp. 10–23. 1912.
  1912. Alaska A.R., 1912, pp. 10–28. 1913.
  1913. Alaska A.R., 1913, pp. 7–13. 1914.
  1914. Alaska A.R., 1914, pp. 10–27. 1915.
  1915. Alaska A.R., 1915, pp. 8–13. 1916.
  1916. Alaska, A.R., 1916, pp. 5–10. 1918.
  1917. Alaska, A.R., 1917, pp. 6–21. 1919.
  1918. C. C. Georgeson and C. H. Benson. Alaska A.R., 1918, pp. 22–33. 1920.
  1919. C. H. Benson. Alaska A.R., 1919, pp. 19–29. 1920.
  1920. C. C. Georgeson. Alaska A.R., 1920, pp. 12–20. 1922.
  1921. C. C. Georgeson and H. Lindberg. Alaska A.R., 1921, pp. 7–15. 1923.
Sitodrepa ponicea. See Drug-store beetle.
Sitona hispidula—
 destruction by starling. D.B. 868, pp. 17, 18. 1921.
 clover enemy, native of Europe. Ent. Bul. 85, Pt. III, pp. 30–31. 1910.
 destruction by birds. Biol. Bul. 15, p. 46. 1901.
Sitophilus—
 granarius—
  description, characters, and synonomy. J.A.R., vol. 20, pp. 605–606, 613–614. 1921.
  See Granary weevil.
 linearis—
  description, life history, and biology. Richard T. Cotton. J.A.R., vol. 20, pp. 439–449. 1920.
  See also Tamarind pod borer.
 oryza—
  food habits, life history, and control. J.A.R., vol. 20, pp. 410–422. 1920.
  See also Rice weevil.
 spp., description and synonymy. J.A.R., vol. 20, pp. 605–606, 610–614. 1921.
Sitotroga cerealella—
 injury to corn. B.P.I. Bul. 199, p. 14. 1910.
 See also Angoumois grain moth.
Sitta spp. See Nuthatch.

2164   UNITED STATES DEPARTMENT OF AGRICULTURE

Siuslaw National Forest, Oreg.—
  description and recreational uses. D.C. 4, pp. 40–45. 1919; For. [Misc.], "An ideal vacation * * *," pp. 29–31. 1923.
  map. For. Maps. 1924.
  map and directions to tourists and campers. For. Map. Fold 1915.
Sivaslian, G. K.: "Soil survey of Sandusky County, Ohio." With others. Soil Sur. Adv. Sh., 1917, pp. 64. 1920; Soils F.O., 1917, pp. 1079–1138. 1923.
Sixeonotus luteiceps, description and injury to cactus. Ent. Bul. 113, p. 36. 1912.
Size, paper, manufacture with use of turpentine. D.B. 229, p. 9. 1915.
Sizing—
  animal, preparation and value. Chem. Cir. 107, pp. 1–3. 1913.
  bulbs, methods and machinery, and advantages D.B. 797, pp. 20–22. 1919.
  faulty, detection in high-grade papers. C. Frank Sammet. Chem. Cir. 107, pp. 3. 1913.
  machine, peach. Manley Stockton and J. F. Barghausen. D.B. 864, pp. 6. 1920.
  machines, use in apple packing, description. F.B. 1204, pp. 20–25. 1921.
  materials, bad effects on quality of paper. Y.B., 1908, p. 264. 1909; Y.B. Sep. 479, p. 264. 1909.
  narcissus bulbs, value. D.B. 1270, pp. 11–12. 1924.
  paper, testing. Rpt. 89, pp. 20–22. 1909.
  peaches, machines used in South and in North. F.B. 1266, pp. 20–22, 30–31. 1922.
  potatoes in the field. F.B. 1064, pp. 35–36. 1919.
Skatole—
  detection in canned meats. Chem. Bul. 13, Pt. X, pp. 1393–1394. 1902.
  origin, effect on wheat plants. Soils Bul. 47, pp. 28, 38. 1907.
  soil constituent, wheat-growing tests. Soils Bul. 87, p. 65. 1912.
Skeel Reservoir Dam, type and details. O.E.S. Bul. 249, Pt. I, pp. 19, 27. 1912.
Skeletonizer—
  apple leaf, description, habits, injuries, and control. F.B. 1270, p. 50. 1923.
  grape-leaf, history, habits, injuries, enemies, and control. Ent. Bul. 68, pp. 77–90. 1909; F.B. 1220, p. 28. 1921.
Skemp, L. N.: "Soil survey of Bradford County, Pa." With others. Soil Sur. Adv. Sh., 1911, pp. 41. 1913; Soils F.O., 1911, pp. 231–267. 1914.
Skewers—
  hickory wood, value. For. Cir. 187, p. 5. 1911.
  manufacture, waste of hickory. Y.B., 1910, p. 262. 1911; Y.B. Sep. 534, p. 262. 1911.
Skidding—
  logs, precautions. F.B. 358, p. 26. 1909.
  logs to the sawmill, directions. D.B. 718, pp. 45–48. 1918.
  machine, use in overhead yarding. D.B. 711, pp. 124–127, 137–139, 140–142. 1918.
Skidways, construction and use. D.B. 718, pp. 46–48. 1918.
Skimmia laureola, importations and descriptions. No. 47795, B.P.I. Inv. 59, p. 60. 1922; No. 55704, B.P.I. Inv. 72, p. 21. 1924.
Skimmings—
  maple sirup, use. Chem. Bul. 134, p. 57. 1910.
  sugar-cane, utilization on small farms. F.B. 1034, pp. 34–35. 1919.
Skin—
  disease(s)—
    caused by mites, investigation, and symptoms of lesions. Ent. Cir. 118, pp. 24. 1910.
    of cattle. M. R. Trumbower. B.A.I. [Misc.], "Diseases of cattle," rev., pp. 320–339. 1904; rev., pp. 320–334. 1908; rev., pp. 332–346. 1912; rev., pp. 320–334. 1923.
    of hogs, description and control. F.B. 1244, pp. 19–21. 1923.
    of horse. James Law. B.A.I. [Misc.], "Diseases of the horse," rev., pp. 431–458. 1903; rev., pp. 431–458. 1907; rev., pp. 431–458. 1911; rev., pp. 458–483. 1916; rev., pp. 458–483. 1923.
    of sheep, causes, symptoms, and treatment. F.B. 1155, pp. 36–38. 1921.
  food, "Epp-o-tone," misbranding. Chem. N.J. 433, p. 1. 1910.

Skin—Continued.
  food, "Sartoin," misbranding. Chem. N.J. 16, pp. 9–11. 1908.
  of cattle, structure, parts, and functions B.A.I. [Misc.], "Diseases of cattle," rev., pp. 320–322. 1904; rev., pp. 332–334. 1912; rev., pp. 320–322. 1923.
  of horse, structure, parts, kinds of diseases affecting. B.A.I. [Misc.], "Diseases of the horse," rev., pp. 432–434. 1903; rev., pp. 432–434. 1907; rev., pp. 432–434. 1911; rev., pp. 459–461. 1923.
  of lamb, lightness as factor in grading animal. F.B. 360, p. 17. 1909.
  powders, acetanilid, poisonous effects. Chem. Bul. 126, pp. 14, 16, 17, 40–41, 43, 44, 45. 1909.
  wounds of—
    cattle, treatment. B.A.I. [Misc.], "Diseases of cattle," rev., pp. 67–69, 333–334. 1904; rev., pp. 69–70, 345–346. 1912; rev., pp. 333–334. 1923.
    horse, varieties and treatment. B.A.I. [Misc.], "Diseases of the horse," rev., pp. 456–458. 1903; rev., pp. 456–458. 1907; rev., pp. 456–458. 1911.
Skinner, J. J.
  "A beneficial organic consitutent of soils: Creatinine." With others. Soils Bul. 83, pp. 44. 1911.
  "Alunite and kelp as potash fertilizers." With A. M. Jackson. Soils Cir. 76, pp. 5. 1913.
  "Certain organic constituents of soils in relation to soil fertility." With others. Soils Bul. 47, pp. 52. 1907.
  "City street sweepings as a fertilizer." With J. H. Beattie. Soils Cir. 66, pp. 8. 1912.
  "Crop injury by borax in fertilizers." With others. D.C. 84, pp. 35. 1920.
  "Field tests with a toxic soil constituent: Vanillin." D.B. 164, pp. 9. 1915.
  "Further studies on the properties of unproductive soils." With others. Soils Bul. 36, pp. 71. 1907.
  "Greenhouse experiments with atmospheric nitrogen fertilizers and related compounds." With others. J.A.R., vol. 28, pp. 971–976. 1924.
  "Harmful effects of aldehydes in soils." With Oswald Schreiner. D.B. 108, pp. 26. 1914.
  "Influence of fertilizers containing borax on the growth and fruiting of cotton." With F. E. Allison. J.A.R., vol. 23, pp. 433–444. 1923.
  "Lawn soils." With Oswald Schreiner. Soils Bul. 75, pp. 55. 1911.
  "Lawn soils and lawns." With others. F.B. 494, pp. 48. 1912.
  "Nitrogenous soil constituents and their bearing on soil fertility." With Oswald Schreiner. Soils Bul. 87, pp. 84. 1912.
  "Organic compounds and fertilizer action." With Oswald Schreiner. Soils Bul. 77, pp. 31. 1911.
  "Some effects of a harmful organic soil constituent." With Oswald Schreiner. Soils Bul. 70, pp. 98. 1910.
  "The action of manganese in soils." With M. X. Sullivan. D.B. 42, pp. 32. 1914.
  "The action of manganese under acid and neutral soil conditions." With others. D.B. 441, pp. 12. 1916.
  "The effect of borax on the growth and yield of crops." With others. D.B. 1126, pp. 31. 1923.
  "Toxicity studies with dicyanodiamide on plants." With others. J.A.R., vol. 30, pp. 419–429. 1925.
Skinner, L. T.: "Soil survey of—
  Nemaha County, Nebr." With others. Soil Sur. Adv. Sh., 1914, pp. 38. 1916; Soils F.O., 1914, pp. 2289–2322. 1919.
  Otoe County, Nebr." With Wm. G. Smith. Soil Sur. Adv. Sh., 1912, pp. 31. 1913; Soils F.O., 1912, pp. 1893–1919. 1915.
  Scottsbluff County, Nebr." With M. W. Beck. Soil Sur. Adv. Sh., 1913, pp. 43. 1916; Soils F.O., 1913, pp. 2059–2097. 1916.
  Seward County, Nebr." With others. Soil Sur. Adv. Sh., 1914, pp. 40. 1916; Soils F.O., 1914, pp. 2253–2287. 1919.
Skinner, R. P., "Semolina and macaroni." B.P.I. Bul. 20, pp. 31. 1902.

SKINNER, W. W.—
"Alcohol from cactus." Chem. Bul. 130, pp. 105–107. 1910.
"American mineral waters: The New England States." Chem. Bul. 139, pp. 7–21. 1911.
chairman, committee on definitions and standards of foods. Off. Rec., vol. 1, No. 3, p. 5. 1922.
"Composition and food value of bottled soft drinks." With J. W. Sale. Y.B., 1918, pp. 115–122. 1919; Y.B. Sep. 774, pp. 10. 1919.
"Determination of lithium." With W. D. Collins. Chem. Bul. 153, pp. 38. 1912.
"Food and drug control, interstate." With W. L. Morrison. Chem. [Misc.], "Chart showing interstate * * *," Chart, 1924.
"Formulas for sugar-saving sirups." With J. W. Sale. Chem. [Misc.], "Formulas for sugar-saving * * *," pp. 2. 1918.
report as referee on "waters." Chem. Bul. 137, pp. 42–45. 1911; Chem. Bul. 152, pp. 72–82. 1912; Chem. Bul. 162, pp. 43–47. 1913.
report on inorganic plant constituents, 1907. Chem. Bul. 116, pp. 92–95. 1908.

Skinning—
animals, and care of hides and skins, directions. F.B. 1055, pp. 11–29, 51. 1919.
beef carcass, directions. F.B. 1415, pp. 3–5, 13. 1924.
moles, directions. F.B. 1247, p. 21. 1922.
rabbits, directions. F.B. 1090, pp. 21–22. 1920.
sheep, directions. F.B. 1172, pp. 8–12. 1920.

Skins—
Angora goat, uses and value. B.A.I. Bul. 27, pp. 60–61. 1901; F.B. 137, pp. 25–26. 1901.
animal, color relation to climate. O.E.S. Bul. 196, p. 43. 1907.
beaver, prices for various grades and colors. D.B. 1078, pp. 17, 24–25. 1922.
beaver, season for taking and skinning methods. D.B. 1978, p. 27. 1922.
calf, from Texas fever area, disposal, notice. B.A.I.S.R.A. 122, p. 63. 1917.
certification and disinfection, regulations. Joint Order No. 1, pp. 1–3. 1917.
consumption, per capita and percentage of production. Y.B., 1917, pp. 442–445. 1918; Y.B. Sep. 741, pp. 20–23. 1918.
country, grades and classes. F.B. 1055, pp. 42–45. 1919.
curing directions. Y.B., 1919, pp. 477–481. 1920; Y.B. Sep. 823, pp. 477–481. 1920.
disinfection, regulation. B.A.I.O. 211, Amdt. 2, pp. 1–2. 1915.
dressed, imports, changes since 1914. D.C. 135, p. 4. 1920.
fox, preparation. F.B. 328, pp. 20–21. 1908; F.B. 795, pp. 29–31. 1917.

fur animals—
care in removal and curing. Y.B., 1916, pp. 503–505. 1917; Y.B. Sep. 693, pp. 15–17. 1917.
preparation, notes, and directions. Y.B., 1919, pp. 460–481. 1920; Y.B. Sep. 823, pp. 460–481. 1920.
tanning directions. F.B. 1334, pp. 22–27. 1923.
goat, value, and handling. B.A.I. Bul. 68, pp. 45–46. 1905.
handling, curing, and marketing, directions for farmers. F.B. 1055, pp. 1–64. 1919.
horse, imports and exports, statistics. Y.B., 1921, pp. 738, 744. 1922; Y.B. Sep. 867, pp. 2, 8. 1922.
imported, disinfection order with other articles. B.A.I.O. 256, pp. 1–3. 1917.

imports—
1907–1909, amount and value, by countries from which consigned. Stat. Bul. 82, pp. 28–31. 1910.
1908–1910, amount and value by countries from which consigned. Stat. Bul. 90, pp. 29–34. 1911.
1915. Y.B., 1915, pp. 434–438. 1918; Y.B. Sep. 741, pp. 12–16. 1918.

imports and exports—
1907–1911, and 1908–1912, and imports, 1851–1912. Y.B., 1912, pp. 673–677, 714, 727, 746. 1913; Y.B. Sep. 615, pp. 673–677, 714, 727, 746. 1913.
1909–1917. Y.B., 1918, pp. 591–592. 1919; Y.B. Sep. 793, pp. 7–8. 1919.

Skins—Continued.
imports and exports—continued.
1913–1915. Y.B., 1915, pp. 511–513, 541, 548, 560, 572. 1916; Y.B. Sep. 684, pp. 511–513. 1916; Y.B. Sep. 685, pp. 541, 548, 560, 572. 1916.
1914. Y.B., 1914, pp. 615–617, 652, 659, 671, 684. 1915; Y.B. Sep. pp. 615–617. 1915; Y.B. Sep. 657, pp. 652, 659, 671, 684. 1915.
1916. Y.B., 1916, pp. 663–665, 708, 715, 727, 739 1917; Y.B. Sep. 721, pp. 5–7. 1917; Y.B. Sep. 722, pp. 2, 9, 21, 33. 1917.
1917. Y.B., 1917, pp. 714–716, 760, 768, 782, 795–796. 1918; Y.B. Sep. 761, pp. 8–10. 1918; Y.B. Sep. 762, pp. 4, 12, 26, 39–40. 1918.
1918. Y.B., 1918, pp. 628, 636, 649, 661–662. 1919; Y.B. Sep. 794, pp. 4, 12, 25, 37–38. 1919.
1919. Y.B., 1919, pp. 648–649, 683, 691, 704, 717, 718. 1920; Y.B. Sep. 828, pp. 648–649. 1920; Y.B. Sep. 829, pp. 683, 691, 704–717–718. 1920.
1922. Y.B., 1922, pp. 804–807, 950, 958, 967, 977. 1923; Y.B. Sep. 888, pp. 804–807. 1923; Y.B. Sep. 889, pp. 950, 956, 967, 977. 1923.
1924. Y.B., 1924, pp. 976–979, 1041, 1058, 1059, 1069, 1071, 1077, 1089, 1092. 1925.

international trade—
1901–1905. Y.B., 1906, pp. 640–645. 1907; Y.B. Sep. 436, pp. 640–645. 1907.
1901–1910. Stat. Bul. 103, pp. 20–29. 1913.
1902–1906. Y.B., 1907, pp. 704–709, 737, 747. 1908; Y.B. Sep. 465, pp. 704–709, 737, 747. 1908.
1905–1909, exports and imports, 1906–1910. Y.B., 1910, pp. 621–627, 655, 666. 1911. Y.B. Sep. 553, pp. 621–627. 1911. Y.B. Sep. 554, pp. 655, 666. 1911.
lamb. See Lambskins.
losses from imperfections. F.B. 1055, pp. 6–9, 40–45. 1919.
marking or tagging in Alaska. Off. Rec., vol. 2, No. 30, p. 1. 1923.
mole. See Moleskins.
muskrat, caring for, and preparation for manufacture. F.B. 396, pp. 29–31. 1910; F.B 869, pp. 14–17. 1917.
packer and country, comparison of condition. F.B. 1055, pp. 5, 45–46. 1919.
predatory animals killed by hunters, value to Government. D.C. 135, p. 5. 1920.

prices—
course of. Y.B., 1917, pp. 445–446. 1918; Y.B. Sep. 741, pp. 23–24. 1918.
schedule, 1918, and range, 1898–1918. F.B. 1055, pp. 53–62. 1919.

production—
foreign trade, supply and consumption. George K. Holmes. Y.B., 1917, pp. 425–446. 1918; Y.B. Sep. 741, pp. 24. 1918.
in United States. Y.B., 1917, pp. 432–434. 1918; Y.B. Sep. 741, pp. 10–12. 1918.

rabbit—
number annually produced in Europe and uses. F.B. 496, p. 15. 1912.
preparation and tanning. F.B. 1090, pp. 27–31. 1920.
utilization and value. Y.B., 1918, p. 151. 1919; Y.B. Sep. 784, p. 9. 1919.
raw, imports, changes since 1914. D.C. 135, p. 4. 1920.
reindeer, uses and value. D.C. 1089, p. 12. 1922.
silver fox, value, prices, and method of preparation. D.B. 301, pp. 4, 5, 34. 1915.
sources and supply, imports and use, 1914. F.B. 1055, pp. 3–5. 1919.
tanned, identifications. C. Frank Sammet. Chem. Cir. 110, pp. 2. 1913.
tanning at home, directions. D.C. 230, pp. 4–22. 1922; F.B. 1334, pp. 3–22. 1923.
wolf, preservation and value. Biol. Cir. 55, p. 5. 1907.
See also Hides.

Skipper—
cheese, description and occurrence. Ent. T.B. 22, p. 35. 1912.
control in meats. Off. Rec., vol. 4, No. 41, p. 5. 1925.

SKOUBY, C. I.: "Determination of the surface area of cattle and swine." With Albert G. Hogan. J.A.R., vol. 25, pp. 419–430. 1923.

Skua, habits, occurrence, migration, and range. D.B. 292, pp. 2, 5, 9. 1915.
Skull of—
  bear, descriptions, definitions of technical terms used. N.A. Fauna 41, pp. 11-12. 1918.
  cattle breeds, characteristics. B.A.I. An. Rpt., 1910, pp. 158-159. 1912.
  cattle, treatment for fracture. B.A.I. [Misc.], "Diseases of cattle," rev., p. 275. 1904; rev., p. 284. 1912; rev., p. 278. 1923.
  human, correlation, comparison with eggs. B.A.I. Bul. 110, Pt. III, pp. 200-203. 1914.
Skullcap, habitat, range, description, uses, collection, and prices. B.P.I. Bul. 219, p. 22. 1911.
Skunk(s)—
  Arizona, occurrence in Colorado, description. N.A. Fauna 33, p. 179. 1911.
  beneficial habits. Y.B., 1908, pp. 191-192. 1909; Y.B. Sep. 474, pp. 191-192. 1909.
  breeding for fur. S.R.S. Rpt., 1915, Pt. I, p. 107. 1917.
  breeds, description and distribution. F.B. 587, pp. 2-5. 1914.
  Canada, range and habits. N.A. Fauna 22, p. 65. 1902.
  description, beneficial and injurious habits. F.B. 335, p. 28. 1908.
  destruction of—
    grasshoppers. Ent. Cir. 84, p. 4. 1907.
    rodents. Biol. Bul. 31, p. 39. 1907.
  eastern, description and habits. N.A. Fauna 45, p. 39. 1921.
  enemy of—
    Calosoma beetles. D.B. 417, pp. 10-11, 12. 1917.
    white grubs. F.B. 940, p. 13. 1918.
    wild ducks in Utah. D.B. 936, p. 18. 1921.
  farming experiments. D.C. 135, pp. 9, 11. 1920.
  Florida, description and habits. N.A. Fauna 45, p. 39. 1921.
  food habits. N.A. Fauna 26, pp. 8-9. 1906.
  fur, production, value, sales in London, 1858-1913. F.B. 587, pp. 14-15, 22. 1914.
  fur, value increase since 1915. D.C. 135, p. 5. 1920.
  genus Chincha (Mephitis), revision. Arthur H. Howell. N.A. Fauna 20, pp. 62. 1901.
  genus Spilogale, revision. Arthur H. Howell. N.A. Fauna 23, pp. 55. 1901.
  grub-eating habits. F.B. 543, p. 14. 1913.
  injury to Calosoma sycophanta. D.B. 251, p. 18. 1915.
  large, description and habits. F.B. 335, p. 28. 1908.
  little-spotted, beneficial habits. F.B. 335, pp. 28-29. 1908.
  long-tailed, occurrence in Colorado, description. N.A. Fauna 33, pp. 178-179. 1911.
  meat, fake cholera remedy. Y.B., 1919, p. 203. 1920; Y.B. Sep. 798, p. 203. 1920.
  North American, economic value. D. E. Lantz. F.B. 587, pp. 22. 1914.
  northern plains, occurrence in—
    Athabaska-Mackenzie region. N.A. Fauna 27, p. 227. 1908.
    Colorado, description. N.A. Fauna 33, p. 178. 1911.
  occurrence in—
    Alabama, description and habits. N.A. Fauna 45, pp. 37-39. 1921.
    Colorado, description. N.A. Fauna 33, pp. 178-181. 1911.
    Montana, host of fever ticks. Biol. Cir. 82, p. 22. 1911.
    Wyoming. N.A. Fauna 42, pp. 19, 20, 22, 26, 33, 34. 1917.
  protection laws—
    1914. F.B. 587, pp. 1-2, 13-14. 1914.
    1917, summary. F.B. 911, p. 29. 1917.
    1918, summary. F.B. 1022, p. 29. 1918.
    1919. F.B. 1079, pp. 4-30. 1919.
  raising for fur, value and costs, dens, feed. Y.B., 1916, pp. 490-491, 496, 498, 500. 1917; Y.B. Sep. 693, pp. 2-3, 8, 10, 12. 1917.
  spotted—
    Alleghenian, description and habits. N.A. Fauna 45, pp. 37-38. 1921.
    Great Basin, occurrence in Colorado, description. N.A. Fauna 33, p. 181. 1911.

Skunk(s)—Continued.
  spotted—continued.
    prairie, occurrence in Colorado, description. N.A. Fauna 33, pp. 179-180. 1911.
    Rocky Mountain, occurrence in Colorado, description. N.A. Fauna 33, p. 180. 1911.
    Texas, occurrence, description. N.A. Fauna 25, pp. 198-205. 1905.
  trapping directions and casing skins. Y.B., 1919, pp. 459-460. 1920; Y.B. Sep. 823, pp. 459-460. 1920.
  trapping, methods. F.B. 587, pp. 15-16. 1914.
  usefulness as—
    field-mouse destroyer. F.B. 352, p. 21. 1909.
    fur bearer and enemy of insects and rodents. An. Rpts., 1914, p. 204. 1915; Biol. Chief Rpt., 1914, p. 6. 1914.
  value—
    against green June beetles. D.B. 891, p. 36. 1922.
    and protection methods. D.C. 135, p. 11. 1920.
    as rat hunters. Biol. Bul. 33, pp. 35-36. 1909.
    in control of grasshoppers. F.B. 637, p. 4. 1915.
    to agriculture. News L., vol. 1, No. 21, p. 4. 1913.
Skunk bush, occurrence in—
  Colorado, description. N.A. Fauna 33, p. 237. 1911.
  Wyoming, distribution and growth. N.A. Fauna 42, p. 72. 1917.
Skunk cabbage, habitat, range, description, collection, prices, and uses of roots. B.P.I. Bul. 107, p. 15. 1907.
Skunkweed, description, habits, and forage value on range. D.B. 545, pp. 45-46, 58, 60. 1917.
Sky colors as weather indicators, proverbs regarding. Y.B., 1912, pp. 376-377. 1913; Y.B. Sep. 599, pp. 376-377. 1913.
Skylark, protection by law. Biol. Bul. 12, rev., pp. 41, 42. 1902.
Skylights, warehouse roofs, construction details. D.B. 801, pp. 39-40, 48-49. 1919.
Skyline Trail, Oreg. For. [Misc.], "An ideal vacation * * *," pp. 42-44. 1923.
Slab(s)—
  concrete, tests. J.A.R., vol. 6, No. 6, pp. 205-234. 1916.
  flat, use in warehouse construction. D.B. 801, pp. 33, 36, 37. 1919.
  loss percentage at mill. M.C. 39, p. 94. 1925.
  reinforced-concrete, tests for strength. J.A.R., vol. 11, pp. 505-520. 1917.
  resaws for saving of lumber. M.C. 39, p. 61. 1925.
  tops, culverts and bridges, designs and data. Rds. Bul. 45, pp. 17-19. 1913.
  use for dimension stock. M.C. 39, p. 50. 1925.
Slag(s)—
  acid and basic, utilization in manufacture of fertilizers. William H. Waggaman. Soils Bul. 95, pp. 18. 1913.
  basic—
    analysis for available phosphoric acid, preliminary studies. Chem. Bul. 116, pp. 114-115. 1908.
    determination in commercial fertilizers. D.B. 97, pp. 1-10, 12. 1914.
    determination of available phosphoric acid, discussion. Chem. Bul. 81, pp. 168-172. 1904.
    determination of phosphoric acid. W. L. Whitehouse. Chem. Bul. 137, pp. 12-14. 1911.
    efficiency in Porto Rican soils. J.A.R., vol. 25, pp. 174-183, 187. 1923.
    fertilizer, value and composition. Soils Bul. 41, pp. 11-12. 1907.
    lime content and value as fertilizer. F.B. 921, p. 21. 1918.
    phosphates determination. Chem. Bul. 132, pp. 7-16. 1910.
    phosphoric-acid content, investigations. An. Rpts., 1904, pp. 226-227. 1904.
    phosphoric acid, valuation. Chem. Bul. 122, pp. 151-152. 1909.
    report of work by referees. Chem. Bul. 152, pp. 10-18. 1912.
    use in pasture restoration, quantity and methods. F.B. 499, pp. 5-6. 1912.

INDEX TO PUBLICATIONS, 1901–1925. 2167

Slag(s)—Continued.
  blast furnace, possibilities in road construction. Off. Rec., vol. 1, No. 17, p. 2. 1922.
  enrichment by mixing with limestones, experiments. Soils Bul. 95, pp. 9–18. 1912.
  fertilizer—
    cost of manufacture. Soils Bul. 95, pp. 16–17. 1913.
    pot tests. Soils Bul. 95, p. 18. 1912.
    pot tests with different soils, wheat growing. D.B. 143, pp. 9–12. 1914.
    phosphate, manufacture and fertilizer value. D.B. 312, pp. 14–15. 1915.
  potash content—
    recovery. D.B. 1226, pp. 3, 14, 15, 19. 1924.
    solubility in water with carbon dioxide. D.B. 143, pp. 7–9. 1914.
  preparations, road binding, experiments, cost. Rds. Cir. 94, pp. 48–49, 51. 1911.
  road—
    building testing and sampling. D.B. 949, pp. 9–11, 62, 69. 1921.
    maintenance, report. D.B. 407, pp. 68–69. 1916.
    specifications and testing. D.B. 704, pp. 18, 27, 28. 1918.
    sampling and testing. D.B. 1216, pp. 3, 12. 1924.
    sampling for use in road building. D.B. 1216, p. 3. 1924.
    specification forms, tests, and sampling methods. D.B. 555, pp. 13–15, 30–33, 45. 1917.
    tarred, road-binding experiments, cost and results. Rds. Cir. 90, pp. 12–15. 1909.
  Thomas, analysis methods, reports and recommendation. Chem. Bul. 116, pp. 109–115, 130. 1908; F.B. 144. pp. 6–8. 1901.
  use in—
    road-binding experiments. D.B. 105, pp. 42–43. 1914.
    road building. Rds. Cir. 98, pp. 36, 37, 43, 44. 44. 1912.
    road experiments, 1914, reports. D.B. 257, pp. 40–41. 1915. Rds. Cir. 92, pp. 4–10, 19, 21. 1910.
  value as fertilizer source. Y.B., 1917, p. 182, 183, 258. 1918; Y.B. Sep. 728, p. 8. 1918; Y.B. Sep. 730, pp. 8, 9. 1918.
  value in road building, and results of tests. D.B. 370, pp. 9, 13–100. 1916.
  Washoe smelter, injury to crops and soil. Chem. Bul. 113, pp. 30–34. 1908; rev. pp. 32–36. 1910.
Slash—
  burning, effect on forest reproduction, experiments. J.A.R., vol. 11, pp. 22–23. 1917.
  burning for fire prevention. D.C. 358, pp. 16–17. 1925.
  disposal—
    for prevention of forest fires. For. Bul. 82, pp. 19–27. 1910.
    in Sitka spruce forests. D.B. 1060, pp. 30–31. 1922.
    in western white pine forests in Idaho. J.A. Larsen and W.C. Lowdermilk. D.C. 292, pp. 20. 1924.
    methods, need of experimental study. Sec. Cir. 183, pp. 9, 12. 1921.
    use of controlled fire. D.B. 1294, pp. 62–65. 1924.
  Douglas fir, disposal. D.B. 1200, pp. 47–49. 1924.
  infected, destruction for control of tree rots. D.B. 799, p. 23. 1919.
  oak, rotting, and brush disposal in Arkansas forests. D.B. 496, pp. 3–7. 1917.
  rotting, investigations in Arkansas. W.H. Long. D.B. 496, pp. 15. 1917.
  shortleaf pine, rotting, and brush disposal, in Arkansas. D.B. 496, pp. 7–9. 1917.
  unburned, young growth, species and density. D.B. 1200, pp. 34–36. 1924.
  utilization for pulpwood. M.C. 39, p. 44. 1925.
Slashing logged-off land, directions. B.P.I. Bul. 239, pp. 10–12. 1912.
Slate—
  origin, classification, and mineral constituents. Rds. Bul. 37, pp. 14–23, 27. 1911.
  quarries, in Washington County, N.Y., importance. Soil Sur. Adv. Sh., 1909, p. 12. 1911; Soils F.O., 1909, p. 112. 1912.
  unfit for road building. Rds. Bul. 44, p. 30. 1912.

Slaughter—
  data, from steers fattened in Alabama and Mississippi. D.B. 777, pp. 5, 14, 18. 1919.
  local, meat to retailers. D.B. 1317, p. 7. 1925.
  record in beef production experiments, Alabama, 1908. B.A.I. Bul. 131, pp. 45–46. 1911.
Slaughterhouse(s)—
  in Argentina, methods, comparison with U.S. B.A.I. An. Rpt., 1908, pp. 329–331. 1910.
  insanitary, disease spreading. B.A.I. An. Rpt., 1908, pp. 86–88. 1910; B.A.I. Cir. 154, pp. 4–6. 1910.
  local, evils, description of typical establishments. B.A.I. An. Rpt., 1908, pp. 86–92. 1910; B.A.I. Cir. 154, pp. 4–10. 1910.
  municipal—
    advantages. B.A.I. An. Rpt., 1908, pp. 92–96. 1910; B.A.I. Cir. 154, pp. 10–14. 1910.
    inspection and description. B.A.I. An. Rpt., 1910, pp. 241–254. 1912; B.A.I. Cir. 185, pp. 241–254. 1912.
  offal—
    hog feeding, infection with tuberculosis. B.A.I. An. Rpt., 1907, pp. 225–228. 1909; B.A.I. Cir. 144, pp. 225–228, 1909; B.A.I. Cir. 154, p. 5. 1910; B.A.I. Cir. 201, pp. 18–20. 1912.
    value as by-products under sanitary conditions. B.A.I. An. Rpt., 1908, pp. 94–95. 1910; B.A.I. Cir. 154, pp. 12–13. 1910.
  tankage, stocks, 1917. Sec. Cir. 104, pp. 4, 6, 10–12. 1918.
  uninspected, dangers to health. B.A.I. An. Rpt. 1910, pp. 242–243, 247. 1912; B.A.I. Cir. 185, pp. 242–243, 247. 1912; Y.B., 1916, pp. 94–95. 1917; Y.B. Sep. 714, pp. 18–19. 1917.
  wastes, source of nitrogen. Y.B., 1917, pp. 256, 141–142. 1918; Y.B. Sep. 729, p. 6. 1918; Y.B. Sep. 728, pp. 5–6. 1918.
  yield of tankage and blood. D.B. 37, pp. 10–11. 1913.
  See also Abattoirs.
Slaughtering—
  calves, records of live weight and shrinkage. B.A.I. Bul. 147, pp. 19, 20, 26, 27, 34–35. 1912.
  cattle for farmers, cooperative work, New Zealand. Y.B., 1914, p. 423. 1915; Y.B. Sep. 650, p. 423. 1915.
  directory, by—
    numbers, of establishments. B.A.I. [Misc.], "Directory, by numbers * * *," pp. 14. December 20, 1906.
    stations, of establishments. B.A.I. [Misc.], "Directory by stations * * *," pp. 18. February 5, 1907.
  hogs—
    cooperative work in Denmark. D.B. 1266, pp. 34–37. 1924.
    equipment. F.B. 913, pp. 4, 5. 1917.
    inspection, directory by numbers, of establishments. B.A.I. [Misc.], "Meat inspection directory * * *," pp. 32. May 6, 1907; B.A.I. [Misc.], "Meat inspection directory * * *," pp. 32. August 5, 1907.
  livestock—
    at abattoirs, method. B.A.I. An. Rpt., 1906, pp. 81–82, 85. 1908; B.A.I. Cir. 125, pp. 21–22, 25. 1908.
    charges by public abattoirs. F.B. 809, pp. 12–13. 1917.
    in foot-and-mouth outbreak, necessity, and details. D.C. 325, pp. 15, 18–21. 1924.
  meat animals—
    fees, charges at slaughterhouses. B.A.I. An. Rpt., 1910, pp. 247, 249. 1912; B.A.I. Cir. 185, pp. 247, 249. 1912.
    under municipal control, advantages. B.A.I. An. Rpt., 1910, pp. 241–254. 1912; B.A.I. Cir. 185, pp. 241–254. 1912.
  regulations for prevention of disease. B.A.I.O. 263, p. 6. 1919.
  reindeer, in Alaska and handling meat. D.B. 1089, pp. 12–17. 1922.
  sheep, and dressing directions. D.B. 20, pp. 51–52. 1913; F.B. 1172, pp. 6–12. 1920.
  steer(s)—
    fattened in North Carolina, 1915–1916, data. D.B. 628, pp. 37, 42–43, 48–49. 1918.
    winter-fattened, weights, shrinkage. D.B. 628, pp. 42–43, 48–49. 1918.

Slaughtering—Continued.
　wholesale, and meat packing, values and costs. Rpt. 113, pp. 42-51, 68-71. 1916.
Slavery, Negro, relation to cotton-growing, development. Atl. Am. Agr. Adv. Sh.4, Pt. V, Sec. A, pp. 19-20. 1919.
SLEDD, ANDREW: "Rural versus urban conditions in the determination of educational policy." O.E.S. Bul. 212, pp. 53-59. 1909.
Sledding, beet, labor and cost. D.B. 726, p. 35. 1918.
Sledding, brush removal from orchards. F.B. 917, pp. 32-33. 1918.
Sleeping—
　car, accomodations, allowance to employees. Adv. Com. F. and B.M. [Misc.], "Fiscal regulations * * *," amdt. 3, pp. 3, 4. 1916.
　sickness of Africa, cause and description. B.A.I. An. Rpt., 1910, pp. 466, 476. 1912; B.A.I. Cir. 194, pp. 466, 476. 1912.
Slicers, fruits and vegetables, description and prices. D.B. 1141, pp. 23-24. 1923; F.B. 984, pp. 12, 15-16. 1918.
Slicing, machines for vegetables, description. F.B. 841, pp. 8, 9. 1917.
"Slicker." See Silverfish.
"Slickers," cantaloupes, use of term. F.B. 707, p. 12. 1916.
Slime-flux diseases, forest trees, cause, appearance, injury, and control. B.P.I. Bul. 149, pp. 24, 36. 1909; Y.B., 1907, p. 489. 1908; Y.B. Sep. 463, p. 489. 1908.
Sling psychrometer—
　description, use, and price. Y.B., 1908, pp. 439-441. 1909; Y.B. Sep. 492, pp. 439-441. 1909.
　use in determination of atmospheric moisture. F.B. 1096, pp. 46-48. 1920.
SLINGERLAND, M. V.—
　"Insect control, more urgent problems." O.E.S. Bul. 196, pp. 104-109. 1907.
　"Section on entomology" O.E.S. Bul. 115, pp. 21-22. 1902.
SLIPHER, J. A.: "Soil survey of Decatur County, Ind." With others. Soil Sur. Adv. Sh., 1919, pp. 32. 1922; Soils F.O., 1919, pp. 1287-1305. 1925.
Slips—
　pineapple, use in plant propagation, description. F.B. 1237, pp. 10-16. 1921.
　See also Cuttings.
Slit, planting, forest trees, directions and cost. D.B. 153, pp. 7-8, 10. 1915.
SLOAN, D. K.: "Soil survey of Washington County, Pa." With others. Soil Sur. Adv. Sh., 1910, pp. 34. 1911; Soils F.O., 1910, pp. 267-296. 1912.
Sloanea jamaicensis, description and growth habits, Jamaica. For. Cir. 211, p. 12. 1913.
SLOCUM, R. R.—
　"A system of poultry accounting." B.A.I. Cir. 176, pp. 6. 1911.
　"Back-yard poultry keeping." F.B. 889, pp. 23. 1918.
　"Back-yard poultry keeping." F.B. 1331, pp. 23. 1923.
　"Capons and caponizing." B.A.I. Cir. 107, pp. 10. 1907; F.B. 452, pp. 16. 1911; F.B. 849, pp. 15. 1917.
　"Common sense in poultry keeping." Y.B., 1918, pp. 307-317. 1920; Y.B. Sep. 800, pp. 11. 1920.
　"Culling for eggs and market." F.B. 1112, pp. 8. 1920.
　"Marketing eggs." F.B. 1378, pp. 29. 1924.
　"Marketing eggs through the creamery." B.A.I. An. Rpt., 1909, pp. 239-246. 1911; F.B. 445, pp. 12. 1911.
　"Marketing poultry." F.B. 1377, pp. 30. 1924.
　"Standard varieties of chickens—
　　I. The American class." F.B. 806, pp. 19. 1917.
　　I. The American class." Revised by Alfred R. Lee. F.B. 1347, pp. 18. 1923.
　　II. The Mediterranean and continental classes." F.B. 898, pp. 26. 1917.
　　III. The Asiatic, English, and French classes." F.B. 1052, pp. 32. 1919.
　　IV. The ornamental breeds and varieties." F.B. 1221, pp. 28. 1921.
　　V. The Bantam breeds and varieties." F.B. 1251, pp. 24. 1921.

SLOCUM, R. R.—Continued.
　"The poultry club work in the South." Y.B., 1915, pp. 195-200. 1916; Y.B. Sep. 669, pp. 195-200. 1916.
　"The poultry industry." With others. Y.B., 1924, pp. 377-456. 1925.
　"The poultry work of the Bureau of Animal Industry." B.A.I. An. Rpt., 1907, pp. 353-360. 1909.
　"The selection and care of poultry breeding stock." F.B. 1116, pp. 10. 1920.
　"The value of the poultry show." B.A.I. An. Rpt., 1908, pp. 361-363. 1910.
Sloe—
　Alleghany, injury by pith-ray flecks. For. Cir. 215, p. 10. 1913.
　American species, description, distribution, and uses. D.B. 179, pp. 50-55. 1915.
　importation and description. No. 38426, B.P.I. Inv. 39, p. 129. 1917; No. 43310, B.P.I. Inv. 48, p. 43. 1921.
　See also Haw, black.
Slop—
　feeding value for livestock. F.B. 410, pp. 34-40. 1910.
　for pigs, feeding tests. F.B. 133, pp. 26-27. 1901.
　potato, analysis. F.B. 410, p. 34. 1910.
　water content, effect. B.A.I. Bul. 47, p. 88. 1904.
　See also Garbage.
Slope(s)—
　dam, protection. O.E.S. Bul. 249, pt. 1, pp. 51-55. 1912.
　mountain, effect on crops. J. Cecil Alter. Y.B., 1912, pp. 309-318. 1913; Y.B. Sep. 593, pp. 309-318. 1913.
　mountain, longitudinal, comparison with valley levels. Y.B., 1912, p. 311. 1913; Y.B. Sep. 593, p. 311. 1913.
　road building, for cuts and embankments. Y.B., 1917, pp. 280-281. 1918; Y.B. Sep. 727, pp. 18-19. 1918.
Slough grass, description. D.B. 772, pp. 181-182. 1920.
Sloughs, horny, of horse skin, description and treatment. B.A.I. [Misc.], "Diseases of the horse," rev., pp. 448, 470-471. 1903; rev., pp. 448, 470-471. 1907; rev., pp. 448, 470-471. 1911; rev., pp. 475, 496. 1923.
Slovakia, agricultural conditions and statistics. D.B. 1234, pp. 84-89. 1924.
Slovenia, agricultural conditions. D.B. 1234, pp. 107-108. 1924.
Sludge, sewage, composition, and availability for fertilizer. Y.B., 1914, pp. 296-298. 1915; Y.B. Sep. 643, pp. 296-298. 1915.
Slugs—
　control in—
　　greenhouses. F.B. 1306, p. 24. 1923.
　　Porto Rico. P.R. An. Rpt., 1917, p. 34. 1918.
　garden, injuries in hotbed, description and control. F.B. 856, pp. 21-22. 1917.
　injury to mushrooms, and control. F.B. 789, pp. 11-12. 1917.
　peach and plum, notes on. R. A. Cushman. Ent. Bul. 97, Pt. V, pp. 91-102. 1911.
　pear, description and control. F.B. 908, p. 85. 1918; F.B. 1056, pp. 21-22. 1919.
　pear, spraying experiments. D.B. 278 pp. 13-15. 1915.
　rose—
　　F. H. Chittenden. Ent. Cir. 105, pp. 12. 1908.
　　American, life history and control. Ent. Cir. 105, pp. 1-6. 1908.
　　bristly, description, life history, and control. Ent. Cir. 105, pp. 6-10. 1908.
　　caterpillar. F. H. Chittenden. Ent. Bul. 124, pp. 9. 1913.
　　coiled, description, life history, control. Ent. Cir. 105, pp. 10-12. 1908.
　spotted garden, destruction methods and poisons. News L., vol. 6, No. 20, p. 8. 1918.
　tobacco, remedies. Hawaii Bul. 15, p. 16. 1908.
"Slug shot," analysis. Chem. Bul. 68, p. 28. 1902; Chem. Bul. 76, p. 42. 1903.
Sluice gate. See Tide gate.
Sluices, tidal-marsh reclamations, descriptions. O.E.S. Bul. 240, pp. 22-24, 32, 38, 49-50, 53-54, 61-63, 75-76, 81, 92. 1911.
Sluiceways, gravity, construction. O.E.S. Bul. 243, pp. 20-21. 1911.

Sluicing method in construction of hydraulic-fill dams. O.E.S. Bul. 249, Pt. I, pp. 74-91. 1912.
Slumgum, wax extraction, directions. F.B. 334, pp. 29-30. 1908.
SMALL, JAMES, plow-bottom invention, description. J.A.R., vol. 12, pp. 175-177. 1918.
SMALLEY, H. R.: "Management of muck-land farms in northern Indiana and southern Michigan." F.B. 761, pp. 26. 1916.
Smallpox—
communicability as compared with cowpox. B.A.I. Bul. 33, pp. 15-16. 1901.
spread, symptoms, and treatment. For. [Misc.], "A manual * * * insects * * *," pp. 94-95. 1917.
transmission by house flies, note. F.B. 412, p. 11. 1910.
vaccine—
contamination with foot-and-mouth disease. B.A.I. Cir. 147, pp. 11-15, 25. 1909.
origin of foot-and-mouth disease out-break, 1908. B.A.I. An. Rpt., 1908, pp. 387-389. 1910.
Smartweed—
borer, *Pyrausta ainsliei*, biology. George G. Ainslie and W. B. Cartwright. J.A.R., vol. 20, pp. 837-844. 1921.
description, distribution, spread, and products injured. F.B. 660, p. 29. 1915.
destruction by birds. Biol. Bul. 15, p. 27. 1901.
food of mallard ducks. D.B. 720, pp. 5, 12, 15, 19, 20. 1918.
food of shoal-water ducks. D.B. 862, pp. 7, 14, 19, 25-29, 33, 42, 52. 1920.
growing, experiments with daylight of different lengths. J.A.R., vol. 23, p. 876. 1923.
marsh, description, distribution, spread, and habits. F.B. 660, p. 29. 1915.
use as fertilizer on wheat in Tennessee. F.B. 1250, p. 45. 1922.
Smearcase. See Cottage cheese.
SMEDLEY, EMMA: "Dietary studies in public institutions in Philadelph a." With R. D. Milner. O.E.S. Bul. 223, pp. 7-14. 1910.
Smelt—
cold storage holdings, 1918, by months. D.B 792, pp. 61-62. 1919.
occurrence in Athabaska-Mackenzie region N.A. Fauna 27, p. 513. 1908.
Smelter—
fumes—
effects on livestock industry in Northwest B.A.I. An. Rpt., 1908, pp. 237-268. 1910.
injury to—
trees. B.P.I. Bul. 149, pp. 10-12. 1909; D.B. 154, pp. 22-23. 1915; Y.B., 1907, pp. 487-488. 1908; Y.B. Sep. 463, pp. 487-488. 1908.
vegetation. J. K. Haywood. Chem. Bul. 89, pp. 23. 1905.
investigations, Europe, historical notes. B.A.I. An. Rpt., 1908, pp. 237-238, 243. 1910.
laws for control, Germany. B.A.I. An. Rpt. 1908, p. 238. 1910.
poisoning, microscopic anatomy of specimens. B.A.I. An. Rpt., 1908, pp. 257-262. 1910.
wastes, injury to vegetation and animal life. J. K. Haywood. Chem. Bul. 113, pp. 40 1908.
Smicraulax tuberculatus, infestation with boll-weevil parasites. Ent. Bul. 100, pp. 43, 45, 50, 51, 53, 76. 1912.
Smicronyx tychoides, infestation with boll-weevil parasites. Ent. Bul. 100, pp. 45,75. 1912.
SMIES, E. H.: "Soil survey of—
Canadian County, Okla." Soil Sur. Adv. Sh., 1917, pp. 60. 1919; Soils F.O., 1917, pp. 1399-1454. 1923.
Cass County, Nebr." With others. Soil Sur. Adv. Sh., 1913, pp. 46. 1914; Soils F.O., 1913. pp. 1925-1966. 1916.
Clay County, Iowa." With T. H. Benton. Soil Sur. Adv. Sh., 1916, pp. 45. 1918; Soils F.O., 1916, pp. 1833-1873. 1921.
Dickey County, N. Dak." With others. Soil Sur. Adv. Sh., 1914, pp. 56. 1916; Soils F.O., 1914, pp. 2411-2462. 1919.
Douglas County, Nebr." With others. Soil Sur. Adv. Sh., 1913, pp. 48. 1915; Soils F.O., 1913, pp. 1967-2010. 1916.

SMIES, E. H.: "Soil survey of—Continued.
Jewell County, Kans." With others. Soil Sur. Adv. Sh., 1912, pp. 44. 1914; Soils F.O., 1912. pp. 1853-1892. 1915.
Leavenworth County, Kans." With G. Y. Blair. Soil Sur. Adv. Sh., 1919, pp. 64. 1923; Soils F.O., 1919, pp. 207-271. 1925.
Madison County, Miss." With others. Soil Sur. Adv. Sh., 1917, pp. 37. 1920; Soils F.O., 1917, pp. 903-935. 1923.
Nemaha County, Nebr." With others. Soil Sur. Adv. Sh., 1914, pp. 28. 1916; Soils F.O., 1914, pp. 2289-2322. 1919.
Polk County, Iowa." With others. Soil Sur. Adv. Sh., 1918, pp. 67. 1921; Soils F.O., 1918, pp. 1165-1227. 1924.
Rapides Parish, La." With others. Soil Sur. Adv. Sh., 1916, pp. 43. 1918; Soils F.O., 1916, pp. 1121-1159. 1921.
Sabine Parish, La." With others. Soil Sur. Adv. Sh., 1919, pp. 62. 1922; Soils F.O., 1919, pp. 1041-1098. 1925.
Saunders County, Nebr." With others. Soil Sur. Adv. Sh., 1913, pp. 52. 1915; Soils F.O., 1913, pp. 2011-2058. 1916.
Scott County, Iowa." With others. Soil Sur. Adv. Sh., 1915, pp. 43. 1917; Soils F.O., 1915, pp. 1707-1745. 1919.
Seward County, Nebr." With others. Soil Sur. Adv. Sh., 1914, pp. 40. 1916; Soils F.O., 1914, pp. 2253-2287. 1919.
Sioux County, Iowa." With W. C. Dean. Soil Sur. Adv. Sh., 1915, pp. 37. 1917; Soils F.O., 1915, pp. 1747-1779. 1919.
Smith County, Tex." With others. Soil Sur. Adv. Sh., 1915, pp. 51. 1917; Soils F.O., pp. 1079-1125. 1919.
Smilax—
diseases, Texas, occurrence and description. B.P.I. Bul. 226, p. 102. 1912.
glauca. See Greenbrier.
importations and descriptions. No. 47796, B.P.I. Inv. 59, p. 61. 1922; No. 50402, B.P.I. Inv. 63, p. 67. 1923.
officinalis. See Sarsaparilla.
sandwicensis, importation and description. No. 34160, B.P.I. Inv. 32, p. 17. 1914.
sp., parasitic attack by *Gloeosporium rufomaculans*, studies. B.P.I. Bul. 252, p. 53. 1913.
vaginata, importation and description. No. 38827, B.P.I. Inv. 40, p. 33. 1917.
SMITH, A. G.—
"A farm management study in Anderson County, S. C." D.B. 651, pp. 32. 1918.
"Economics and methods of production." Atl. Am. Agr. Adv. Sh., 4 Pt. 5, sec. A, pp. 11-17. 1919.
"Soybeans in systems of farming in the Cotton Belt." F.B. 931, pp. 23. 1918.
"Tile drainage on the farm." F.B. 524, pp. 27. 1913.
"Vetch growing in the south Atlantic States." F.B. 529, pp. 21. 1913.
SMITH, A. M.—
"Effect of manure-sulphur composts upon the availability of the potassium of greensand." With A. G. McCall. J.A.R., vol. 19, pp. 239-256. 1920.
"Soil survey of Allegany County, Md." With O. C. Bruce. Soil Sur. Adv. Sh., 1921, pp. 1060-1090. 1925.
SMITH, A. W.: "Experiments on the metabolism of matter and energy in the human body, 1898-1900." With others. O.E.S. Bul. 109, pp. 147. 1902.
SMITH, ALFRED: "Soil survey of the—
Brawley area, California." With others. Soil Sur. Adv. Sh., 1920, pp. 76. 1923; Soils F.O., 1920, 641-716. 1925.
Eureka area, California." With others. Soil Sur. Adv. Sh., 1921, pp. 31. 1925; Soils F.O., 1921, pp. 851-881. 1926.
Santa Maria area, California." With E. B. Watson. Soil Sur. Adv. Sh., 1916, pp. 48. 1919; Soils F.O., 1916, pp. 2531-2574. 1921.
Shasta Valley area, California." With others. Soil Sur. Adv. Sh., 1919, pp. 53. 1923; Soils F.O., 1919, pp. 99-152. 1925.

SMITH, B. B.—
"Relation between weather conditions and yield of cotton in Louisiana." J.A.R., vol. 30, pp. 1083–1086. 1925.
"Weather and agriculture." With others. Y.B., 1924, pp. 457–558. 1925.

SMITH, B. H.—
"Constants of the ether extract of the cashew nut." With Edmund Clark. Chem. Bul. 137, pp. 137–138. 1911.
"Occurrence and estimation of tin in food products." With George M. Bartlet. Chem. Bul. 137, pp. 134–137. 1911.
"Formaldehyde: Its composition and uses." Y.B., 1905, pp. 477–482. 1906; Y.B. Sep. 397, pp. 477–482. 1906.
"Mineral waters of the United States." With J. K. Haywood. Pts. I–III. Chem Bul. 91, pp. 100. 1905.
"The arsenic content of shellac and the contamination of foods from this source." Chem. Cir. 91, pp. 4. 1912.

SMITH, C. B.—
"A system of tenant farming and its results." With J. W. Froley. F.B. 437, pp. 20. 1911.
"Agricultural education in France." Y.B., 1900, pp. 115–130. 1901.
"Boys' and girls' clubs enrich country life." With George E. Farrell. Y.B., 1920, pp. 485–494. 1921; Y.B. Sep. 859, pp. 485–494. 1921.
"Clover farming on the sandy jack-pine lands of the North." F.B. 323, pp. 24. 1908.
"Replanning a farm for profit." With J. W. Froley. F.B. 370, pp. 36. 1909.
report as chief of—
 cooperative extension work. Ext. Dir. Rpt., 1925, pp. 120. 1925.
 extension office. An. Rpts., 1923, pp. 594–609. 1924.
"Rotations in the Corn Belt." Y.B., 1911, pp. 325–336. 1912; Y.B. Sep. 572, pp. 325–336. 1912.
"The relation of agricultural extension agencies to farm practices." With K. H. Atwood. B.P.I. Cir. 117, pp. 13–25. 1913.

SMITH, C. D., report of Michigan Experiment Station, work and expenditures—
1906. O.E.S. An. Rpt., 1906, pp. 117–119. 1907.
1907. O.E.S. An. Rpt., 1907, pp. 118–121. 1908.

SMITH, C. G.: "Regional development of pulpwood resources of the Tongass National Forest, Alaska." D.B. 950, pp. 40. 1921.

SMITH, C. M.—
"A method for preparing a commercial grade of calcium arsenate." With J. K. Haywood. D.B. 750, pp. 10, 1918; rev. 1923.
"Chemical changes in calcium arsenate during storage." With others. D.B. 1115, pp. 28. 1922.
"Excretions from leaves as a factor in arsenical injury to plants." J.A.R., vol. 26, pp. 191–194. 1923.

SMITH, C. R.—
"Studies on contact insecticides." With Charles H. Richardson. D.B. 1160, pp. 16. 1923.
"The determination of arsenic." Chem. Cir. 102, pp. 12. 1912.

SMITH, C. S.—
"Preservation of piling against marine wood borers." For. Cir. 128, pp. 15. 1908.
"The seasoning and preservative treatment of arborvitae poles." For. Cir. 136, pp. 29. 1908.
"Utilization of California eucalypts." With H. S. Betts. For. Cir. 179, pp. 30. 1910.

SMITH, C. W.: "Soil survey of Cass County, Nebr." With others. Soil Sur. Adv. Sh., 1913, pp. 46. 1914; Soils F.O., 1913, pp. 1925–1966. 1916.

SMITH, E. B.: "Tests of three large sized reinforced concrete slabs under concentrated loading." With A. T. Goldbeck. J.A.R., vol. 6, No. 6, pp. 205–234. 1916.

SMITH, E. E.: "A study of some of the chemical changes which occur in oysters during their preparation for the market." D.B. 740, pp. 24. 1919.

SMITH, E. F.—
"A dangerous tobacco disease appears in the United States." With R. E. B. McKenney. D.C. 174, pp. 6. 1921.
"A new disease of wheat." J.A.R., vol. 10, pp. 51–54. 1917.

SMITH, E. F.—Continued.
"Angular leaf spot of cucumbers." With Mary Katherine Bryan. J.A.R., vol. 5, No. 11, pp. 465–476. 1915.
"Bacterial wilt of castor bean (Ricinis communis L.)." With G. H. Godfrey. J.A.R., vol. 21, pp. 255–262. 1921.
"Crown-gall and sarcoma." B.P.I. Cir. 85, pp. 4. 1911.
"Crown-gall of plants. Its cause and remedy." With others. B.P.I. Bul. 213, pp. 215. 1911.
"Crowngall studies, showing changes in plant structures due to a changed stimulus." J.A.R., vol. 6, pp. 179–182. 1916.
"Effect of crowngall inoculations on Bryophyllum." J.A.R., vol. 21, pp. 593–598. 1921.
"How to prevent typhoid fever." With others. F.B. 478, pp. 8. 1911.
"Mechanism of tumor growth in crowngall." J.A.R., vol. 8, pp. 165–186. 1917.
"Recent studies of the olive-tubercle organism." B.P.I. Bul. 131, Pt. IV, pp. 25–43. 1908.
"Suggestions to growers for treatment of tobacco blue-mold disease in the Georgia-Florida district." With R. E. B. McKenney. D.C. 176, pp. 4. 1921.
"The dry-rot of potatoes due to Fusarium oxysporum." With Deane B. Swingle. B.P.I. Bul. 55, pp. 64. 1904.
"The effect of black rot on turnips: A series of photomicrographs, accompanied by an explanatory text." B.P.I. Bul. 29, pp. 20. 1903.
"The Granville tobacco wilt." B.P.I. Bul. 141, Pt. II, pp. 17–24. 1909.
"The present status of the tobacco blue-mold diseases in the Georgia-Florida district." With R. E. B. McKenney. D.C. 181, pp. 4. 1921.
"The structure and development of crown gall: A plant cancer." With others. B.P.I. Bul. 255, pp. 60. 1912.

SMITH, F. G., report on benzaldehyde determination in liqueurs. Chem. Bul. 152, pp. 192–195. 1912.

SMITH, F. H.—
"A study of the rate of passage of food residues through the steer and its influence on digestion coefficients." With P. V. Ewing. J.A.R., vol. 10, pp. 55–63. 1917.
"Digestibility of corn silage, velvet-bean meal, and alfalfa hay, when fed singly or in combinations." With P. V. Ewing. J.A.R., vol. 13, pp. 611–618. 1918.
"Production of lumber, lath, and shingles in 1916." With Albert H. Pierson. D.B. 673, pp. 43. 1918.
"Production of lumber, lath, and shingles in 1917." With Albert H. Pierson. D.B. 768, pp. 44. 1919.
"Production of lumber, lath, and shingles in 1918." With A. H. Pierson. D.B. 845, pp. 47. 1920.
"Pulpwood consumption and wood pulp production—
1916." With R. K. Helphenstine, jr. For. [Misc.], "Pulpwood consumption * * *," pp. 30. 1916.
1917." D.B. 758, pp. 19. 1919.
1918." For. [Misc.], "Pulpwood consumption * * *," pp. 20. 1919.
"Tight and slack cooperage stock production in 1918." With Albert H. Pierson. For. [Misc.], "Tight and slack * * *," pp. 15. 1919.

SMITH, G. A.—
"Experiments in the cold curing of cheese." With others. B.A.I. Bul. 49, pp. 71–88. 1903.
"The cold curing of cheese." With others. B.A.I. Bul. 49, pp. 88. 1903.

SMITH, G. D.: "Studies in the biology of the Mexican cotton boll weevil on short-staple upland, long-staple upland, and sea-island cottons." D.B. 926, pp. 44, 1921.

SMITH, H. A.—
"Forests and forestry in the United States." For. [Misc.], "Forests and * * *," pp. 16. (Brazil exhibition.) 1923.
"Forest products laboratory." For. [Misc.], "Forest products * * *," pp. 31. (Spanish and Portuguese editions.) 1922.

SMITH, H. A.—Continued.
"How the public forests are handled." Y.B., 1920, pp. 309-330. 1921; Y.B. Sep. 847, pp. 309-330. 1921.
"The farm wood-lot problem." Y.B., 1914, pp. 439-456. 1915; Y.B. Sep. 651, pp. 439-456. 1915.
"The United States Forest Service," (In English, Spanish, and Portuguese.) For. [Misc.], "The United States * * *," pp. 25. 1922.
"Timber: Mine or crop?" With others. Y.B., 1922, pp. 83-180. 1923; Y.B. Sep. 886, pp. 83-180. 1923.
SMITH, H.C.: "Soil survey of—
Barbour County, Ala." With others. Soil Sur. Adv. Sh., 1914, pp. 50. 1917; Soils F.O., 1914, pp. 1071-1116. 1919.
Bastrop County, Tex." With others. Soil Sur. Adv. Sh., 1907, pp. 46. 1908; Soils F.O., 1907, pp. 663-704. 1909.
Bullock County, Ala." With W. E. Wilkinson. Soil Sur. Adv. Sh., 1913, pp. 50. 1915; Soils F.O., 1913, pp. 747-792. 1916.
Chambers County, Ala." With P. H. Avary. Soil Sur. Adv. Sh., 1909, pp. 30. 1911; Soils F.O., 1909, pp. 775-800. 1912.
Charles County, Md." With R. C. Rose. Soil Sur. Adv. Sh., 1918, pp. 47. 1922; Soils F.O., 1918, pp. 73-119. 1924.
Choctaw County, Ala." With others. Soil Sur. Adv. Sh., 1921, pp. 975-1009. 1925.
Crenshaw County, Ala." With others. Soil Sur. Adv. Sh., 1921, pp. 375-407. 1924.
Greenville County, S. C." With others. Soil Sur. Adv. Sh., 1921, pp. 189-212. 1924.
Jefferson County, Ala." With E. S. Pace. Soil Sur. Adv. Sh., 1908, pp. 37. 1910; Soils F.O., 1908, pp. 737-769. 1911.
Lauderdale County, Miss." With others. Soil Sur. Adv. Sh., 1910, pp. 56. 1912; Soils F.O., 1910, pp. 733-784. 1912.
Lowndes County, Miss." With A. L. Goodman. Soil Sur. Adv. Sh., 1911, pp. 50. 1912; Soils F.O., 1911, pp. 1083-1128. 1914.
Monroe County, Ala." With others. Soil Sur. Adv. Sh., 1916, pp. 53. 1919; Soils F.O., 1916, pp. 851-899. 1921.
Morgan County, Ala." With others. Soil Sur. Adv. Sh., 1918, pp. 46. 1921; Soils F.O., 1918, pp. 573-614. 1924
Norfolk, Bristol, and Barnstable Counties, Mass." With others. Soil Sur. Adv. Sh., 1920, pp. 1033-1120. 1924; Soils F.O., 1920, pp. 1033-1120. 1925.
Noxubee County, Miss." With others. Soil Sur. Adv. Sh., 1910, pp. 46. 1911; Soils F.O., 1910, pp. 785-826. 1912.
Prairie County, Ark." With others. Soil Sur. Adv. Sh., 1906, pp. 26. 1907; Soils F.O., 1906, pp. 629-660 1908.
Riley County, Kans." With Wm. T. Carter, jr. Soil Sur. Adv. Sh., 1906, pp. 35. 1908; Soils F.O., 1906, pp. 911-941. 1908.
Shelby County, Ala." With others. Soil Sur. Adv. Sh., 1917, pp. 60. 1920; Soils F.O., 1917, pp. 735-790. 1923.
Tallapoosa County, Ala." With Philip H. Avary. Soil Sur. Adv. Sh., 1909, pp. 36. 1910; Soils F.O., 1909, pp. 645-676. 1912.
the Belvidere area, New Jersey." With others. Soil Sur. Adv. Sh., 1917, pp. 72. 1920; Soils F.O., 1917, pp. 125-192. 1923.
the Cooper area, Texas," With Thomas D. Rice. Soil Sur. Adv. Sh., 1907, pp. 24. 1908; Soils F.O., 1907, pp. 733-752. 1909.
the Millville area, New Jersey." With others Soil Sur. Adv. Sh., 1917, pp. 46 1921; Soils F.O., 1917, pp. 193-234. 1923.
Troup County, Ga." With A. T. Sweet. Soil Sur. Adv. Sh., 1912, pp. 18. 1913; Soils F.O., 1912, pp. 633-653. 1915.
Washington County, Ala." With others. Soil Sur. Adv. Sh., 1915, pp. 51. 1917; Soils F.O., 1915, pp. 891-937. 1919.
SMITH, H. D.: "Geography of production." With Hugh H. Bennett. Atl. Am. Agr. Adv. Sh., 45, Pt. V, Sec. A., pp. 6-10. 1919.
SMITH, H. E.: "The grasshopper outbreak in New Mexico during the summer of 1913." D. B. 293, pp. 12. 1915.

SMITH, H. R.: "A secondary course in animal production." O.E.S. Cir. 100, pp. 56. 1911.
SMITH, H. S.: "The chalcidoid genus *Perilampus*, and its relations to the problem of parasite introduction." Ent. T.B. 19, Pt. IV, pp. 33-69. 1912.
SMITH, J. B.—
"A year's experience with crude petroleum." O.E.S. Bul. 115, pp. 118-119. 1902.
"Insects injurious to cranberry culture." F.B. 178, pp. 20. 1903.
"Unusual insect happenings in New Jersey in 1906." Ent. Bul. 67, pp. 34-37 1907.
SMITH, J. G.—
"Colloidal silica and the efficiency of phosphates." With P. L. Gile. J.A.R., vol. 31, pp. 247-260. 1925.
"Commercial plant introduction." Y.B., 1900, pp. 131-145. 1901; Y.B. Sep. 203, pp. 131-145. 1901.
"Cultivation of tobacco in Hawaii." With C. R Blacow. Hawaii Bul. 15, pp. 29. 1908.
report of Hawaii Experiment Station—
1901. O.E.S. An. Rpt., 1901, pp. 361-379. 1901.
1902. O.E.S. An. Rpt., 1902, pp. 309-330. 1902.
1903. O.E.S. An. Rpt., 1903, pp. 391-418. 1903.
1904. O.E.S. An. Rpt., 1904, pp. 361-382 1904.
1905. O.E.S. An. Rpt., 1905, pp. 63-65. 1906.
1906. With others. Hawaii A.R., 1906, pp. 88. 1907.
1907. With others. Hawaii A.R., 1907, pp. 90. 1908.
"Report on agricultural investigations in Hawaii, 1905." O.E.S. Bul. 170, pp. 66. 1906.
summary of investigations, Hawaii Experiment Station—
1906. Hawaii A.R., 1906, pp. 9-17. 1907.
1907. Hawaii A.R., pp. 9-24. 1908.
"The black wattle in Hawaii." Hawaii Bul. 11, pp. 16. 1906.
"The Ceara rubber tree in Hawaii." With O. O. Bradford. Hawaii Bul. 16, pp. 30. 1908.
"The use of pumps for irrigation in Hawaii." O.E.S. Bul. 133, pp. 249-258. 1903.
SMITH, J. W.—
address on phenological observations at Wauseon, Ohio. W.B. [Misc.], "Proceedings, third convention * * *," pp. 211-230. 1904.
"Phenological data." W.B. Bul. 31, pp. 196-198. 1902.
"Popular lectures on meteorology * * * general character * * *," W.B. Bul. 31, pp. 92-98. 1902.
"Relation of precipitation to yield of corn." Y.B., 1903, pp. 215-224. 1904; Y.B. Sep. 302, pp. 215-224. 1904.
"Speaking of the weather." Y.B., 1920, pp. 181-202. 1921; Y.B. Sep. 838, pp. 181-202. 1921.
"The relation between the precipitation * * * and the stream-flow at Cincinnati." W.B. Bul. 40, pp. 40. 1912.
SMITH, L. B.—
"Feeding habits of the Japanese beetle which influence its control." D.B. 1154, pp. 12. 1923.
"Relationship between the wetting power and efficiency of nicotine-sulphate and fish-oil sprays." J.A.R., vol. 7, pp. 389-399. 1916.
"True nature of spinach blight, and relation of insects to its transmission." With J. A. McClintock. J.A.R., vol. 14, pp. 1-60. 1918.
SMITH, L. H.: "A statistical study of some indirect effects of certain selections in breeding Indian corn." With H. L. Rietz. J.A.R., vol. 11, pp. 105-146. 1917.
SMITH, L. M.: "The sulphur bleaching of commercial oats and barley." B.P.I. Cir. 74, pp. 13. 1911.
SMITH, LONGFIELD—
report of the Virgin Islands Agricultural Experiment Station—
1919. Vir. Is. A.R., 1919, pp 16. 1920.
1920. With C. E. Wilson. Vir. Is. A.R., 1920, pp. 35. 1921.
report of the agronomist of Virgin Islands Agricultural Experiment Station, 1921. Vir. Is. A.R., 1921, pp. 1-12. 1922.

SMITH, LONGFIELD—Continued.
"Sea island cotton in St. Croix." Vir. Is. Bul. 1, pp. 14. 1921.
"Sugar cane in St. Croix." Vir. Is. Bul. 2, pp. 23. 1921.

SMITH, MIDDLETON—
"A graphic summary of American agriculture." With others. Y.B., 1915, pp. 329–403. 1916; Y.B. Sep. 681, pp. 329–403. 1916.
"Agricultural graphics." Stat. Bul. 78, pp. 67. 1910.

SMITH, N. R.—
"Life cycles of the bacteria." With F. Lohnis. J.A.R., vol. 6, No. 18, 675–702. 1916.
"Plate counts of soil microorganisms." With S. Worden. J.A.R., vol. 31, pp. 501–517. 1925.
"Studies upon the life cycles of the bacteria. Part II. Life history of Azotobacter." With F. Lohnis. J.A.R., vol. 23, pp. 401–432. 1923.

SMITH, P. H.: "Analyses of condensed milk." With E. B. Holland. Chem. Bul. 116, pp. 54–57. 1908.

SMITH, R. E.—
decision on wool case. Off. Rec., vol. 2, No. 5, p. 1. 1923.
statement on wheat grades. News L., vol. 6, No. 36, pp. 3–4. 1919.

SMITH, R. W.—
"Grains for western North and South Dakota." With others. F.B. 878, pp. 22. 1917.
"Growing rye in the western half of the United States." With Ralph W. Smith. F.B. 1358, pp. 19. 1923.
"Improvement of Kubanka durum wheat by pure-line selection." With others. D.B. 1192. pp. 13. 1923.
"Varietal experiments with spring wheat on the northern Great Plains." With others. D.B. 878, pp. 48. 1920.

SMITH, S. D.: "Advice to forest planters in the plains region." F.B. 888, pp. 23. 1917.

SMITH, THEOBALD—
"Actinomycosis, or lumpy jaw." With D. E. Salmon. B.A.I. Cir. 96, pp. 10. 1906.
"Anthrax in cattle, horses, and men." With D. E. Salmon. B.A.I. Cir. 71, pp. 10. 1905.
discovery of cause of Texas fever. B.A.I. Cir. 194, pp. 465–466. 1912; B.A.I. An. Rpt., 1910, pp. 465–466. 1912.
discussion of Pasteurization. B.A.I. Cir. 153, pp. 56, 57. 1910.
experiments concerning tuberculosis. B.A.I. Bul. 52, Pt. II, pp. 65, 91–92, 99. 1905; B.A.I. Bul. 53, pp. 35, 51, 61, 63. 1904.
"Foot-and-mouth disease." With D. E. Salmon. B.A.I. Cir. 141, pp. 8. 1908.
"Histological examination of the tissues of dogs and monkeys." Rpt. 97, pp. 449–461. 1913.
"Infectious diseases of cattle." With D. E. Salmon. B.A.I. [Misc.], "Diseases of cattle," rev., pp. 357–472. 1904; rev., pp. 357–494. 1908; rev., pp. 371–517. 1912.
"Statement on infectiveness of tuberculous milk." With E. C. Schroeder. B.A.I. Bul. 44, pp. 17, 93. 1903.
"Texas fever, or southern cattle fever." With D. E. Salmon. B.A.I. Cir. 69, pp. 13. 1905.
"Tuberculosis of cattle." With D. E. Salmon. B.A.I. Cir. 70, pp. 28. 1905.

SMITH, W. B., report as associate referee on meat and fish. Chem. Bul. 162, pp. 95–109. 1913.

SMITH, W. D.—
"Handling rough rice to produce high grades." F.B. 1420, pp. 22. 1924.
"United States grades for milled rice." With others. D.C. 291, pp. 17. 1923.
"United States grades for rough rice." With others. D.C. 290, pp. 10. 1923.

SMITH, W. G.: "Soil survey of—
Anoka County, Minn." With others. Soil Sur. Adv. Sh., 1916, pp. 30. 1918; Soils F.O., 1916, pp. 1807–1832. 1921.
Calhoun County, Mich." With R. F. Rogers. Soil Sur. Adv. Sh., 1916, pp. 54. 1919; Soils F.O., 1916, pp. 1629–1678. 1921.
Clay County, Ga." With N. M. Kirk. Soil Sur. Adv. Sh., 1914, pp. 46. 1916; Soils F.O., 1914, pp. 919–960. 1919.

SMITH, W. G.—Continued.
Colbert County, Ala." With others. Soil Sur. Adv. Sh., 1908, pp. 34. 1909; Soils F.O., 1908, pp. 555–584. 1911.
Davidson County, Tenn." With Hugh H. Bennett. Soil Sur. Adv. Sh., 1903, pp. 13. 1904; Soils F.O., 1903, pp. 605–617. 1904.
Eastland County, Tex." With others. Soil Sur. Adv. Sh., 1916, pp. 37. 1918; Soils F.O., 1916, pp. 1281–1313. 1921.
Goodhue County, Minn." With others. Soil Sur. Adv. Sh., 1913, pp. 34. 1915; Soils F.O., 1913, pp. 1659–1688. 1916.
Hale County, Ala." With others. Soil Sur. Adv. Sh., 1909, pp. 40. 1910; Soils F. O., 1909, pp. 677–703. 1912.
Otoe County, Nebr." With L. T. Skinner. Soil Sur. Adv. Sh., 1912, pp. 31. 1913; Soils F. O., 1912, pp. 1893–1919. 1915.
Pennington County, Minn." With others. Soil Sur. Adv. Sh., 1914, pp. 28. 1916; Soils F.O., 1914, pp. 1727–1750. 1919.
Ramsey County, Minn." With N. M. Kirk. Soil Sur. Adv. Sh., 1914, pp. 37. 1916; Soils F.O., 1914, pp. 1751–1783. 1919.
Stevens County, Minn." With others. Soil Sur. Adv. Sh., 1919, pp. 32. 1922; Soils F. O., 1919, pp. 1377–1404. 1925.
Taylor County, Tex." With others. Soil Sur. Adv. Sh., 1915, pp. 40. 1918; Soils F.O., pp. 1127–1162. 1919.
the Craven area, North Carolina." With George N. Coffey. Soil Sur. Adv. Sh., 1903, pp. 26. 1904; Soils F.O., 1903, pp. 253–278. 1904.
the Fort Valley area, Georgia." With William T. Carter, jr. Soil Sur. Adv. Sh., 1903, pp. 14. 1904; Soils F.O., 1903, pp. 317–330. 1904.
the Lebanon area, Pennsylvania." With Frank Bennett, jr. Soil Sur. Adv. Sh., 1901, pp. 23. 1902; Soils F.O., 1901, pp. 149–171. 1902.
the McNeil area, Mississippi." With William T. Carter, jr. Soil Sur. adv. Sh., 1903, pp. 14. 1904; Soils F.O., 1903, pp. 405–418. 1904.
the Smedes area, Mississippi." With William T. Carter, jr. Soil Sur. Adv. Sh., 1902, pp. 24. 1903; Soils F.O., 1902, pp. 325–348. 1903.
the Viroqua area, Wisconsin." Soil Sur. Adv. Sh., 1903, pp. 16. 1904; Soils F.O. 1903, pp. 799–814. 1904.

SMITH, WILLIAM: "The importance of the development of the dairy industry in India." B.A.I. Dairy [Misc.], "World's dairy congress, 1923," pp. 1118–1122. 1924.

Smith-Hughes Act—
aid to agricultural education. Y.B. 1921, p. 30. 1922; Y.B. Sep. 875, p. 30. 1922.
for vocational education, text. D.C. 251, pp. 15–20. 1923; rev., pp. 14–19. 1925.

Smith-Lever Act—
1914, text. D.C. 140, pp. 17–18. 1920; S.R.S. Doc. 40, rev., pp. 35–36. 1919; S.R.S. Rpt., 1915, Pt. II, pp. 355–357. 1917.
administration. An. Rpts., 1916, pp. 298, 313, 319. 1917; S.R.S. Rpt., 1916, pp, 2, 17, 23. 1916.
benefits to farmers. Sec. Cir. 131, p. 6. 1919; Sec. Cir. 133, p. 3. 1919.
effect on club work of boys and girls. D.C. 66, pp. 4–5. 1920.
effect on Negro extension work. D.C. 355, pp. 2–5. 1925.
extension work, for first year. News L., vol. 3, No. 7, pp. 1, 6–8. 1915.
extension work, supplementary laws, text. D.C. 251, pp. 32–34, 50. 1923.
for cooperative extension work, text. D.C. 251, pp. 37–39. 1925; S.R.S. [Misc.], "Statistics of cooperative extension work, 1919–20," pp. 15–16. 1920; S.R.S. Doc. 40, pp. 34–35. 1918.
funds, allotment to States, and department rulings. D.C. 251, pp. 38–42. 1923.
funds available to States. S.R.S. [Misc.], "Federal legislation, regulations, and rulings * * *," rev. to July 15, 1917, pp. 46–47. 1917; Sec. Cir. 47, pp. 8–10. 1915.
funds, expenditures in 1921. Y.B. 1921, p. 70. 1922; Y.B. Sep. 875, p. 70. 1922.
help for farm women. Rpt. 103, pp. 89–90. 1915; Rpt. 104, pp. 89–90. 1915; Rpt. 105, pp. 77–78. 1915; Rpt. 106, pp. 80–81. 1915.

Smith-Lever Act—Continued.
  passage and results. An. Rpts., 1923, pp. 567–572. 1924; D.C. 248, pp. 7, 15–16. 1922; S.R.S. Rpt., 1923, pp. 15–20. 1923.
  results in extension work. S. R. S. Rpt., 1919, pp. 7–10. 1921.
  States' assent to, dates and recipients of funds. S.R.S. Rpt., 1915, Pt. II, pp. 22–23, 147–148. 1917.
  text, franking provisions and funds. S.R.S. [Misc.], "Federal legislation, regulations, and rulings * * *," pp. 26–32. 1916.
Smither, F. W.: "Platinum laboratory utensils." With Percy H. Walker. Chem. Bul. 137, pp. 180–181. 1911.
Smithport Planting Co., Louisiana, notes on reclamation work. O.E.S. An. Rpts., 1909, pp. 421, 426–429, 436. 1910.
Smoke—
  blast furnace, potash recovery. Y.B., 1916, p. 304. 1917; Y.B. Sep. 717, p. 4. 1917.
  coke, injury to—
    crops, in southwestern Pennsylvania. Soil Sur. Adv. Sh., 1909, pp. 54–55. 1911; Soils F.O., 1909, pp. 254–255. 1912.
    vegetation. Y.B., 1909, pp. 323, 330, 1910; Y.B. Sep. 516, pp. 323, 330. 1910.
  injurious effects in food. Chem. Bul. 116, p. 17. 1908.
  injury to—
    shade trees, resistant varieties. Y.B., 1907, p. 487. 1908; Y.B. Sep. 463, p. 487. 1908.
    vegetation and animal life. F.B. 225, pp. 6–7. 1905.
  leakage from flues, testing. F.B. 1230, pp. 14–15. 1921.
  liquid extract, misbranding. Chem. N.J. 1842, p. 1. 1913; Chem. N.J. 2828, pp. 2. 1914; Chem. N.J. 2949, p.1. 1914.
  liquid, use forbidden on inspected meats. F.B. 1186, p. 25. 1921.
  phenomena, forest fires. For. Bul. 117, pp. 15–22. 1912.
  pipes, connection with chimneys, insulation, and care. F.B. 1230, pp. 12–14. 1921.
  preservative effect on food. Chem. Bul. 116, p. 17. 1908.
  tree, injury by sapsuckers. Biol. Bul. 39, pp. 45, 83. 1911.
  tree, names, origin, description, and uses. For. Cir. 184, pp. 7–8. 1911.
  use in orchards. Off. Rec., vol. 2, No. 14, p. 3. 1923.
  wood, use in meats allowed. B.A.I.O. 150, amdt., 2, p. 1. 1913.
Smokehouse(s)—
  construction and use. F.B. 1186, p. 23. 1921.
  danger of farm fires, cautions. F.B. 904, p. 10. 1918.
  farm, cheap and effective, illustration. Hawaii Bul. 48, p. 41. 1923.
  for smoking cured meat, description, fuel, and use method. F.B. 913, pp. 23–27. 1917.
  home-made, description. News L., vol, 3, No. 20, p. 3. 1915.
Smoker, bee, description and use. F.B. 397, pp. 10, 18. 1910; F.B. 447, pp. 11, 20. 1911.
Smokers, cause of forest fires, precautions. M.C. 7, pp. 13, 17. 1923.
Smoking meat, method and smokehouse. F.B. 913, pp. 23–27. 1917; F.B. 1186, pp. 22–26. 1921.
Smoky Mountain National Park, provision for. F.B. 1466, p. 2. 1925.
Smoot, Sen., bills for game refuge in Utah. Off. Rec. vol. 1, No. 3, p. 1. 1922.
Smoother, levee, use in irrigation construction. F.B. 865, p. 6. 1917.
Smother crop—
  control of quackgrass and other weeds. F.B. 1307, pp. 21–22. 1923.
  use of—
    Natal grass, value. F.B. 726, p. 12. 1916.
    velvet beans. F.B. 962, p. 19. 1918; F.B. 1276, pp. 16–17. 1922.
Smothering—
  Canada thistle, for eradication. F.B. 1002, pp. 9, 13. 1918.
  cranberries, spoilage in storage and shipping. D.B. 714, pp. 4–5. 1918; F.B. 1081, pp. 18–19. 1920.

Smothering—Continued.
  hawkweed, control method. D.C. 130, p. 7. 1920.
Smudge(s)—
  damp, use in orchard protection. Y.B., 1909, pp. 359, 396. 1910; Y.B. Sep. 519, p. 359, 1910; Y.B. Sep. 522, p. 396. 1910.
  for frost protection in lemon groves. Y.B., 1907, pp. 353–354. 1908; Y.B. Sep. 453, pp. 353–354. 1908.
  for mosquito prevention. Ent. Bul. 88, pp. 30–40. 1910.
  onion. See Onion smudge.
  pots for frost-protection experiments. F.B. 104, rev., pp. 19–26. 1910.
  use—
    against insect pests of livestock. Y.B., 1912, pp. 385, 387. 1913; Y.B. Sep. 600, pp. 385, 387. 1913.
    against mosquitoes. F.B. 444, pp. 7–8. 1911.
    in flour mills for insect control. D.B. 872, p. 39. 1920.
    in orchard protection. F.B. 401, pp. 8, 11, 21. 1910.
    in protection of orchards from frost. Y.B., 1909, pp. 358–359, 395–396. 1910; Y.B. Sep. 519, pp. 358–359. 1910; Y.B. Sep. 522, pp. 395–396. 1910.
Smudging—
  citrus orchards for frost control, California, Anaheim area. Soils F.O., 1916, pp. 2277, 2282. 1921; Soil Sur. Adv. Sh., 1916, pp. 11, 16. 1919.
  orchards, in Colorado, Uncompahgre Valley area. Soils F.O., 1910, pp. 1447, 1459–1460. 1912; Soil Sur. Adv. Sh., 1910, pp. 9, 21–22. 1912.
  orchards, protection of lemon groves against frost. Y.B., 1907, p. 353. 1908; Y.B. Sep. 453, p. 353. 1908.
  relation to pollination. F.B. 1096, pp. 16–18. 1920.
Smugglers, fruit, on Mexican border. Off. Rec., vol. 1, No. 26, pp. 1, 3. 1922.
Smulyan, M. T.: "Barrier factors in gypsy moth tree-banding material." D.B. 1142, pp. 16. 1923.
Smut—
  bamboo—
    discussion. D.B. 1329, p. 37. 1925.
    quarantine. F.H.B.S.R.A. 55, p. 82. 1918.
  characteristics, and control methods. F.B. 507, pp. 10–32. 1912.
  climate relations, temperature and moisture. J.A.R., vol. 24, pp. 578–589. 1923.
  covered—
    immunity of Markton oats. T. R. Stanton and others. D.C. 324, pp. 8. 1924.
    of barley, characteristics and treatment. B.P.I. Bul. 152, pp. 8, 12, 17, 37, 44. 1909.
  damage to—
    small grains. Y.B., 1922, pp. 477, 496, 509, 530. 1923; Y.B. Sep. 891, pp. 477, 496, 509, 530. 1923.
    wheat. Y.B., 1921, p. 110. 1922; Y.B. Sep. 873, p. 110. 1922.
  destruction—
    on seed corn, oats, and wheat. Chem. Bul. 90, p. 106. 1905.
    specifications in large-scale farm contract. D.C. 351, p. 28. 1925.
  detection methods. F.B. 507, pp. 6–7. 1912.
  flag—
    description and control. F.H.B.S.R.A. 64, pp. 84–85, 86–87. 1919.
    grain quarantine. F.H.B. Quar. 39, pp. 3. 1919.
    of wheat—
      W. H. Tisdale and others. D.C. 273, pp. 7. 1923.
      cause, losses, symptoms, and control. F.B. 1063, pp. 3–5, 8. 1919.
      control. W. H. Tisdale and Marion A. Griffiths. F.B. 1213, pp. 6. 1921.
      control by resistant varieties. F.B. 1414, pp. 9–10. 1924.
      control methods. D.C. 273, pp. 2–4. 1923; F.B. 1213, pp. 4–5. 1921.
      discovery, prevalence, symptoms, and control measures. D.C. 273, pp. 1–4. 1923.
      distribution and control. B.P.I. Chief Rpt., 1921, p. 38. 1921.

Smut—Continued.
    flag—continued.
        of wheat—continued.
            increase. Off. Rec. vol. 1, No. 30, p. 3. 1922.
            parasitism of causal organism. R. J. Noble. J.A.R., vol. 27, pp. 451-490. 1924.
            physiological studies. Marion A. Griffiths. J.A.R., vol. 27, pp. 425-450. 1924.
            quarantine No. 39, text and regulations F.H.B.S.R.A. 64, pp. 77-79. 1919.
            symptoms. J.A.R., vol. 27, pp. 427-429, 452-453. 1924.
            See also *Urocystis tritici.*
    forage plants, injurious effects on cattle. B.A.I. [Misc.], "Diseases of cattle," rev., pp. 15, 167. 1912.
    fumigation, experimental work, notes. B.P.I. Bul. 171, p. 16. 1910.
    head—
        inoculation of sorghums. D.B. 1284, pp. 39-41. 1925.
        occurrence on sorghum and maize. D.B. 1284, pp. 7-10. 1925.
        of broomcorn, description and control. F.B. 768, p. 14. 1916.
        of sorghum—
            and maize. Alden A. Potter. J.A.R., vol. 2, pp. 339-372. 1914.
            control. B.P.I. Cir. 8, rev., p. 8. 1910; F.B. 1158, p. 30. 1920.
            environmental studies. J.A.R., vol. 2, pp. 358-359. 1914.
            life history, infection experiments. J.A.R. vol. 2, pp. 343-367. 1914.
    injury to plants, Yuma experiment farm, 1916. W.I.A. Cir. 20, p. 13. 1918.
    kernel, of sorghum, description and control. Guam Bul. 3, p. 26. 1922; Sec. [Misc.] Spec., "Sorghum for forage * * *," p. 2. 1914.
    kernel. *See also* Kernel smut.
    kinds, description and control methods, experiments in Texas. B.P.I. Bul. 283, pp. 63-69. 1913.
    loose—
        growth, temperature range. J.A.R. vol. 24, pp. 571, 574, 575. 1923.
        hot-water treatment. B.P.I. Bul. 240, p. 20. 1912.
        of barley—
            and wheat. E. M. Freeman and Edward C. Johnson. B.P.I. Bul. 152, p. 48. 1909.
            and wheat, control treatment. F.B. 419, p. 16. 1910.
            description, inoculation, experiments, and treatment. B.P.I. Bul. 152, pp. 7-9, 12-19, 24-27, 32-33. 1909.
        of oats—
            and stinking smut of wheat, prevention. Walter T. Swingle. F.B. 250, pp. 36. 1906.
            description, damages, and treatment. F.B. 250, pp. 13-15. 1906.
            infection, relation to soil factors. L. K. Bartholomew and E. S. Jones. J.A.R. vol. 24, pp. 569-575. 1923.
            spore germination, influence of temperature, moisture, and oxygen. Edith Seymour Jones. J.A.R., vol. 24, pp. 577-597. 1923.
            treatment. F.B. 250, pp. 13-14, 16. 1906.
        of wheat, description and control. B.P.I. Bul. 152, pp. 9-10, 12-19, 27-28, 32-33. 1909; F.B. 939, pp. 10, 21-24. 1918.
        occurrence on plants in Texas, and description. B.P.I. Bul. 226, pp. 25, 46, 51, 53, 54, 105. 1912.
        of broomcorn, treatment. F.B. 768, pp. 6, 14. 1916; F.B. 958, pp. 9, 17-18. 1918.
        of maize, study of life history and ecologic relations. Alden A. Potter and Leo E. Melchers. J.A.R., vol. 30, pp. 161-173. 1925.
        of rice, note. F.B. 1092, p. 23. 1920.
        of wheat, oats, barley, and corn. Edward C. Johnson. F.B. 507, pp. 32. 1912.
        on seed oats, treatment. F.B. 225, pp. 12-14. 1905.
        resistance by—
            Ridit wheat. Off. Rec. vol. 2, No. 43, p. 1. 1923.
            wheat and barley varieties. B.P.I. Bul. 152, pp. 9-10. 1909.
        spores, description, distribution, development, and action. B.P.I. Bul. 152, pp. 8, 11-12. 1909.

Smut—Continued.
    stinking—
        control with copper sulphate, in Missouri, Marion County. Soil Sur. Adv. Sh., 1910, p. 11. 1911; Soils F.O., 1910, p. 1301. 1912.
        of wheat—
            and loose of oats, prevention. Walter T. Swingle. F.B. 250, pp. 16. 1906.
            bluestone and lime treatment. F.B. 250, pp. 8, 16. 1906.
            control by formalin solution. Sec. [Misc.] Spec., "Winter wheat in * * *," p. 4. 1914.
            control treatment of seed. F.B. 250, pp. 4-12, 16. 1906; F.B. 419, p. 16. 1910.
            occurrence in Texas. B.P.I. Bul. 226, p. 47. 1912.
            spread and control. B.P.I. Chief Rpt., 1921, p. 37. 1921.
            See also *Tilletia tritici.*
        treatment of wheat seed. B.P.I. Cir. 61, pp. 23-31. 1910.
        See also Bunt.
    sugar-cane—
        description and control. B.P.I. Cir. 126, p. 8. 1913.
        development in honey dew secretions of leafhopper. Ent. Bul. 93, pp. 17, 18. 1911; Ent. Cir. 165, pp. 4, 5. 1912.
        treatment of seeds, directions. B.P.I. Cir. 62, p. 5. 1910; F.B. 704, pp. 29-30. 1916.
        varieties attacking sorghums. D.B. 1284, pp. 2-12. 1925.
    See also Bunt; Cereal smut; Grain smut; *and under specific hosts.*
Smyrna, fig moth, report. E. G. Smyth. Ent. Bul. 104, pp. 41-65. 1911.
SMYTH, E. G.: "Report on the fig moth in Smyrna." Ent. Bul. 104, pp. 41-65. 1911.
SMYTH, P. H.—
    address on flood-crest stages, practical rules for forecasting at Cairo, Ill. W.B. [Misc.], "Proceedings, third convention * * *," pp. 102-109. 1904.
    "Importance of river-stage forecast * * * in periods of low water." W.B. Bul. 31, pp. 146-151. 1902.
SMYTHE, W. E.: "The irrigation problems of Honey Lake Basin, Calif.". O.E.S. Bul. 100, pp. 71-119. 1901.
Snags, burning to prevent forest fires. D.C. 358, p. 17. 1925.
Snail(s)—
    classification, description, habits, rearing, and marketing. Y.B., 1914, pp. 492-499. 1915; Y.B. Sep. 653, pp. 492-499. 1915.
    control in greenhouses. F.B. 1306, p. 24. 1923.
    cooking recipes. Y.B., 1914, pp. 499-501. 1915; Y.B. Sep. 653, pp. 499-501. 1915.
    destruction by—
        birds, Southeastern States. F.B. 755, pp. 8, 10, 16, 19, 24. 1916.
        thrushes. Y.B., 1913, pp. 133, 140. 1914; Y.B. Sep. 620, pp. 133, 140. 1914.
    edible. E. W. Rust. Y.B., 1914, pp. 491-503. 1915; Y.B. Sep. 653, pp. 491-503. 1915.
    food—
        of shoal-water ducks. D.B. 862, pp. 8, 15, 21, 26, 35, 65. 1920.
        use, historical notes. Y.B., 1914, pp. 491-492. 1915; Y.B. Sep. 653, pp. 491-492. 1915.
    hosts of liver fluke of sheep. B.A.I. Cir. 193, pp. 428, 430. 1912; B.A.I. An. Rpt., 1910, p. 428, 430. 1912; F.B. 1330, pp. 33-36. 1923.
    infestation with nema parasite. J.A.R., vol. 23, p. 923. 1923.
    Manatee, destruction of sooty molds caused by white fly. Ent. Bul. 102, pp. 9-10. 1912.
    parasites, studies. B.A.I. Bul. 119, pp. 16-20. 1909.
    relation to root disease of sugar-cane in Louisiana. R. D. Rands. J.A.R., vol. 28, pp. 969-970. 1924.
Snaileries, construction, directions. Y.B., 1914, pp. 495-497. 1915; Y.B. Sep. 653, pp. 495-497. 1915.
Snake(s)—
    attack by chiggers, instance. D.B. 986, p. 7. 1921.

INDEX TO PUBLICATIONS, 1901–1925

Snake(s)—Continued.
bite(s)—
antidote, plant from Costa Rica. B. P. I. Bul. 248 p. 19. 1912.
cattle, symptoms and treatment. B.A.I. [Misc.], "Diseases of cattle," rev., pp. 16, 67–68, 333. 1904; rev., pp. 16–17, 69–70, 345. 1912; rev., pp. 14–15, 71, 333. 1923.
cow udder, treatment. F.B. 1422, p. 12. 1924.
horse, treatment. B.A.I. [Misc.], "Diseases of the horse," rev., pp. 455, 470. 1903; rev., pp. 455, 470. 1907; rev., pp. 455, 470. 1911; rev., pp. 483, 495. 1916.
remedies, plant introductions. Nos. 43482, 443544, B.P.I. Inv. 49, pp. 33, 40. 1921.
treatment, directions. D.C. 4, p. 70. 1919; D.C. 138, p. 73. 1920; For. [Misc.], "First-aid manual * * *," pp. 67–68. 1917.
enemies of—
birds, control methods. F.B. 607, p. 15. 1914.
field mice. F.B. 609, p. 15. 1914; F.B. 670, p. 9. 1915.
garter, occurrence in Athabaska-Mackenzie region. N.A. Fauna 27, p. 500. 1908.
hibernation and aestivation habits. Off. Rec. vol. 4, No. 37, p. 5. 1925.
importation into Hawaii. James Wilson. Biol. Cir. 48, p. 1. 1905.
infestation by mites. Rpt. 108, pp. 14, 62, 68, 78, 87. 1915.
lists in different life zones, Texas. N.A. Fauna 25, pp. 21, 28. 1905.
mouse-eating habits. Biol. Bul. 31, p. 52. 1907.
myths, explanations. Off. Rec. vol. 4, No. 28, p. 3. 1925.
usefulness in control of rodents. F.B. 932, p. 22. 1918.
value in control of—
gophers. Y.B., 1909, pp. 217–218. 1910; Y.B. Sep. 506, pp. 217–218. 1910.
rodents. Y.B., 1916, p. 398. 1917; Y.B. Sep. 708, p. 18. 1917.
venom, preparation for medical use, Sao Paulo, Brazil. Y.B., 1913, p. 361. 1914; Y.B. Sep. 629, p. 361. 1914.
Snake-head. See Balmony.
Snake River—
and Columbia Basin, dry farming for better wheat yields. Byron Hunter. F.B. 1047, pp. 24. 1919.
Idaho, irrigation from. H. G. Raschbacher. O.E.S. Cir. 65, pp. 16. 1906.
Oregon, drainage. O.E.S. Bul. 209, p. 18. 1909.
Wyoming, water-storage possibilities. O.E.S. Bul. 205, p. 16. 909.
plains, Idaho, area, elevation, climate, and soils. F.B. 769, pp. 4–6. 1916.
Snake River Basin in southern Idaho, climate and soils. F.B. 1103, pp. 4–7. 1920.
Snake River Valley, Wyo.—
description and maps. Biol. Bul. 40, pp. 7, 9–11. 1911.
irrigation projects, description. O.E.S. Bul. 214, pp. 55–56. 1909.
Snakeberry. See Bittersweet; Squaw vine.
Snakeroot—
Canada, habitat, range, description, collection, prices, and uses of roots. B.P.I. Bul. 107, p. 25. 1907.
poisoning—
control measures. J.A.R., vol. 11, pp. 711–712. 1917.
effects and remedies. B.A.I. Doc. A–26, pp. 3, 5–6. 1918.
of cattle, symptoms and treatment. B.A.I. [Misc.], "Diseases of cattle," rev., p. 68. 1923.
Seneca, culture and handling as drug plant, and yield. B.P.I. Bul. 107, p. 45. 1917; F.B. 663, pp. 33–34. 1915; rev., pp. 44–45. 1920.
source of borneol. B.P.I. Bul. 235, pp. 11–12. 1912.
white—
causes of trembles disease of livestock. J.A.R., vol. 11, pp. 699–714. 1917.
danger as cause of trembles or milk sickness. J.A.R., vol. 9, pp. 397–404. 1917.
description and comparison with other species. B.A.I. Doc. A–26, pp. 1–3. 1918.
eradication method. B.A.I. Doc. A–26, p. 6. 1918.

Snakeroot—Continued.
white—continued.
importance as a poisonous plant. J.A.R., vol. 11, pp. 699–716. 1917.
or richweed (*Eupatorium urticaefolium*) as a stock-poisoning plant. C. Dwight Marsh and A. B. Clawson. B.A.I. Doc. A–26, pp. 7. 1918.
relationship to milk sickness or "trembles." Albert C. Crawford. B.P.I. Bul. 121, pp. 5–20. 1908.
Snakeweed, shelter for range caterpillar. Ent. Bul. 85, pp. 61, 81, 86. 1911.
Snapdragon—
description, cultivation, and characteristics. F.B. 1171, pp. 47–48, 82. 1921.
growing in window garden. B.P.I. Doc. 433, p. 7. 1909.
injury by verbena bud-moth. D.B. 226, pp. 1, 2, 5, 6. 1915.
SNAPP, O. I.—
"Controlling the curculio, brown-rot, and scab in the peach belt of Georgia." With others. D.C. 216, pp. 30. 1922.
"Dusting and spraying peach trees after harvest for control of the plum curculio." With C. H. Alden. D.B. 1205, pp. 19. 1924.
"Further studies with paradichlorobenzene for peach borer control." With Charles H. Alden. D.B. 1169, pp. 19. 1923.
"Soil survey of New Castle County, Del." With others. Soil Sur. Adv. Sh., 1915, pp. 34. 1917; Soils F.O., 1915, pp. 269–298. 1919.
Snapping beetles—
description and habits. F.B. 733, pp. 2, 4–5. 1916; F.B. 835, p. 22. 1917.
wireworm larvae injurious to onions. Y.B., 1912, p. 333. 1913; Y.B. Sep. 594, p. 333. 1913.
Snaps, cotton, description. Y.B., 1921, p. 381. 1922; Y.B. Sep. 877, p. 381. 1922.
Snapwood. See Spicebush.
Snaring animals, directions. N.A. Fauna 27, pp. 200, 209. 1908.
Sneezeweed—
cause of spewing sickness of sheep, description, distribution, symptoms, and control. B.A.I. Doc. A–9, pp. 4. 1916.
description and poisonous effects on stock. D.B. 1245, pp. 28–29. 1924.
digging and cutting effect on growth. D.B. 947, pp. 39–41. 1921.
fatal to sheep, not to horses nor cattle. F.B. 720, pp. 4, 6. 1916.
feeding experiments with sheep and cattle, results. D.B. 947, pp. 6–17, 19–22, 23–38. 1921.
poisoning—
remedies. D.B. 947, pp. 7–10, 38–39. 1921.
symptoms and control treatment. D.B. 575, pp. 19–20. 1918; D.B. 947, pp. 26–30. 1921.
quantity required to poison sheep. B.A.I. Doc. A–9, p. 4. 1916.
western—
Helenium hoopesii as a poisonous plant. C. Dwight Marsh and others. D.B. 947, pp. 46. 1921.
description, distribution, and chemical composition. D.B. 947, pp. 3–6, 17–23. 1921.
treatment on range, possibility of extermination. D.B. 947, pp. 39–43. 1921.
SNELL, J. F.: "Experiments on the metabolism of matter and energy in the human body, 1898–1900." With others. O.E.S. Bul. 109, pp. 147. 1902.
SNELL, W. H.: "Studies of certain fungi of economic importance in the decay of building timbers." D.B. 1053, pp. 47. 1922.
SNIDER, G. G.: "Vitamin A in beef, pork, and lamb." With Ralph Hoagland. J.A.R., vol. 31, pp. 201–221. 1925.
Sniffles. See Rhinitis, necrotic.
Snipe(s)—
closed seasons, regulations. Biol. S.R.A. 9, p. 4. 1916.
European, breeding range and migration habits. Biol. Bul. 35, p. 23. 1910.
great, breeding range and migration habits. Biol. Bul. 35, p. 26. 1910.
occurrence in Alaska. N.A. Fauna 30, p. 34. 1909.
range and habits. N.A. Fauna 22, pp. 94, 95. 1902.

Snipe(s)—Continued.
  range, occurrence, and names. M.C. 13, pp. 50–51. 1923.
  varieties, breeding range and migration habits. Biol. Bul. 35, pp. 23–26. 1910.
  Wilson's—
    breeding range and migration habits. Biol. Bul. 35, pp. 23–26. 1910.
    distribution, habits, protection, and decrease. Y.B., 1914, pp. 276–280, 292. 1915; Y.B. Sep. 642, pp. 276–280, 292. 1915.
    occurrence in—
      Arkansas, and decreasing number. Biol. Bul. 38, p. 29. 1911.
      Yukon Territory. N.A. Fauna 30, p. 85. 1909.
    range and habits. N.A. Fauna 21, pp. 41, 73. 1901; N.A. Fauna 24, p. 62. 1904.
SNODGRASS, M. D.—
  "Cooperative grain testing among Matanuska Valley farmers." Alaska A.R., 1916, pp. 66–69. 1918.
  "Cooperative work." Alaska A.R., 1917, pp. 84–86. 1919.
  "Problems confronting early settlers in the Matanuska Valley." Alaska Cir. 1, pp. 26–30. 1916.
  report of work at Fairbanks Station—
    1917. Alaska A.R., 1917, pp. 57–72. 1919.
    1918. Alaska A.R., 1918, pp. 54–71. 1920.
    1919. Alaska A.R., 1919, pp. 44–55. 1920.
    1920. Alaska A.R., 1920, pp. 36–48. 1922.
  report of work at the Kodiak livestock and breeding station—
    1907. Alaska A.R., 1907, pp. 59–61. 1908.
    1908. Alask A.R., 1908, pp. 58–64. 1909.
    1909. Alaska A.R., 1909, pp. 57–65. 1910.
    1910. Alaska A.R., 1910, pp. 59–65. 1911.
    1911. Alaska A.R., 1911, pp. 53–65. 1912.
    1912. Alaska A.R., 1912, pp. 67–77. 1913.
    1913. Alaska A.R., 1913, pp. 48–60. 1914.
    1914. Alaska A.R., 1914, pp. 66–78. 1915.
    1915. Alaska A.R., 1915, pp. 69–82. 1916.
    1916. Alaska A.R., 1916, pp. 53–66. 1918.
SNODGRASS, R. E.—
  "Anatomy and metamorphosis of the apple maggot, *Rhagoletis pomonella* Walsh." J.A.R., vol. 28, pp. 1–36. 1924.
  "The anatomy of the honey bee." Ent. T.B. 18, p. 162. 1910.
Snotkoker, use in culling out diseased bulbs. D.B. 797, p. 35. 1919.
Snout beetle(s)—
  destruction by birds. Biol. Bul. 30, pp. 45, 47, 58, 64, 68, 69, 92. 1907.
  imbricated—
    control suggestions. Ent. Bul. 67, p. 81. 1907.
    similarity to plum curculio. Ent. Bul. 103, p. 29. 1912.
  injury to—
    calabash pipe gourd, control. B.P.I. Cir. 41, p. 6. 1903.
    tobacco plants. Y.B., 1910, pp. 293, 295. 1911; Y.B. Sep. 537, pp. 293, 295. 1911.
  susceptibility to white-fungus disease. Ent. Bul. 107, p. 20. 1911.
  See also Curlew bug.
SNOW, S. J.: "The alfalfa weevil and methods of controlling it." With others. F.B. 741, pp. 16. 1916.
Snow—
  creeper, importation and description. No. 41875, B.P.I. Inv. 46, p. 26. 1919; No. 47761, B.P.I. Inv. 59, pp. 8, 56. 1922.
  depth, measurements in forests. D.B. 1059, pp. 60–63. 1922.
  drifting, prevention by windbreaks. For. Bul. 86, p. 43. 1911.
  effect on blueberry plants. D.B. 974, p. 3. 1921.
  feeding to poultry, effects. F.B. 309, p. 28. 1907.
  formation, mountain lands. Y.B., 1910, p. 409. 1911; Y.B. Sep. 547, p. 409. 1911.
  injury to—
    forest trees, relation of mistletoe growths. D.B. 317, pp. 6–10. 1916.
    lodgepole pine. D.B. 154, p. 24. 1915.
    sugar pine. D.B. 426, pp. 4–5. 1916.
  line level in various localities. Y.B., 1911, p. 391. 1912; Y.B. Sep. 578, p. 391. 1912.

Snow—Continued.
  melting, relation to erosion of range lands. D.B. 675, pp. 9–11. 1918.
  mold caused by *Fusarium* spp. J.A.R., vol. 20, pp. 19–20. 1920.
  mold, control on coniferous nursery stock. C. F. Korstian. J.A.R., vol. 24, pp. 741–748. 1923.
  relation to wheat production. Y.B., 1921, pp. 107–108. 1922; Y.B. Sep. 873, pp. 107–108. 1922.
  removal from—
    highways. Off. Rec., vol. 3, No. 12, p. 4. 1924.
    ice fields and methods. F.B. 1078, pp. 6–7. 1920.
  survey(s)—
    definition. Off. Rec., vol. 3, No. 10, p. 5. 1924.
    problem, instruments, apparatus, and methods. Y.B., 1911, pp. 392–394. 1912; Y.B. Sep. 578, pp. 392–394. 1912.
    value as related to irrigation projects. Alfred H. Thiessen. Y.B., 1911, pp. 391–396. 1912; Y.B. Sep. 578, pp. 391–396. 1912.
  traps, advantage on farm. F.B. 228, pp. 18–20. 1905.
  See also Precipitation; Snowfall.
Snow-on-the-mountain, description, cultivation, and characteristics. F.B. 1171, pp. 50, 83. 1921.
Snowball—
  berries, use as food in China. B.P.I. Bul. 204, p. 50. 1911.
  growing in Alaska. Alaska A.R., 1910, p. 26. 1911.
  little. *See* Buttonbush.
Snowballs, wind-blown, explanation. Off. Rec., wind-blown, explanation. Off. Rec., vol. 3, p. 4. 1924.
Snowberry—
  fruiting season and use as bird food. F.B. 912, pp. 12, 13. 1918.
  occurrence in—
    Colorado, description. N.A. Fauna 33, p. 245 1911.
    Wyoming, distribution and growth. N.A. Fauna 42, p. 78. 1917.
Snowbird—
  food, animal, and vegetable. F.B. 506, pp. 26–28. 1912.
  protection by law. Biol. Bul. 12, rev., pp. 38, 39, 40, 41. 1902.
  use in aphid destruction. Y.B. 1912, pp. 401, 403. 1913; Y.B. Sep. 601, pp. 401, 403. 1913.
  western, food habits, relation to agriculture, California. Biol. Bul. 34, pp. 82–83. 1910.
Snowdrop tree. *See* Fringe tree.
Snowdrops, planting depth. D.B. 797, p. 9. 1919.
Snowfall—
  heaviest region. Off. Rec., vol. 3, No. 8, p. 5. 1924.
  measurement apparatus. Y.B., 1910, p. 407. 1911, Y.B. Sep. 547, p. 407. 1911.
  mountain, observations, and evaporation investigations in United States. Frank H. Bigelow. Y.B., 1910, pp. 407–412. 1911; Y.B. Sep. 547, pp. 407–412. 1911.
  records, 1895–1914. Atl. Am. Agr. Adv. Sh., 5 Pt. II, Sec. A, pp. 42–43. 1922.
  relation to agriculture and to irrigation. Y.B., 1910, pp. 407–410. 1911. Y.B. Sep. 547, pp. 407–410. 1911.
  See also Snow; Precipitation.
Snowflake—
  food habits. Biol. Bul. 15, pp. 51–54. 1901.
  occurrence in—
    Athabaska-Mackenzie region. N.A. Fauna 27, pp. 420–423. 1908.
    Yukon Territory. N.A. Fauna 30, p. 63. 1909.
  Pribilof, food habits. Biol. Bul. 15, p. 52. 1901.
  sale as reedbirds. Biol. Bul. 12, rev., p. 26. 1902.
Snubs, use in unloading flumes, description. D.B. 87, p. 23. 1914.
Snuff—
  internal revenue rates. Y.B., 1919, p. 171. 1920; Y.B. Sep. 805, p. 171. 1920.
  manufacture, types of tobacco required for. B.P.I. Bul. 244, pp. 33–34. 1912.
  tobacco types used, consumption. Y.B., 1922, pp. 406, 453–454. 1923; Y.B. Sep. 885, pp. 406, 453–454. 1923.
Snuffles, sheep, cause and treatment. F.B. 1155, p. 25. 1921.

SNYDER, HARRY—
"Cereal breakfast foods." With Charles D. Woods. F.B. 249, pp. 36. 1906.
report on separation of vegetable proteids, 1907. Chem. Bul. 116, p. 52. 1908.
"Studies on bread and bread making at the University of Minnesota, in 1899 and 1900." O.E.S. Bul. 101, pp. 65. 1901.
"Studies on the digestibility and nutritive value of bread and macaroni at the University of Minnesota, 1903-1905." O.E.S. Bul. 156, pp. 80. 1905.
"Studies on the digestibility and nutritive value of bread at the University of Minnesota in 1900-1902." O.E.S. Bul. 126, pp. 52. 1903.
"Training of the agricultural chemist." Chem. Bul. 122, pp. 110-114. 1909.
"Wheat flour and bread." With Charles D. Woods. Y.B., 1903, pp. 347-362. 1904. Y.B. Sep. 324, pp. 347-362. 1904.
SNYDER, J. L.: "Entrance requirements for land-grant colleges." O.E.S. Bul. 228, pp. 65-68. 1910.
SNYDER, J. M.: "Soil survey of—
Baltimore County, Md." With others. Soil Sur. Adv. Sh., 1917, pp. 42. 1919. Soils F.O. 1917, pp. 271-308. 1923.
Burke County, Ga." With others. Soil Sur. Adv. Sh., 1917, pp. 31. 1919; Soils F.O., 1917, pp. 539-565. 1923.
Carroll County, Ga." With others. Soil Sur. Adv. Sh., 1921, pp. 129-154. 1924.
Chesterfield County, S. C." With others. Soil Sur. Adv. Sh., 1914, pp. 45. 1915; Soils F.O., 1914, pp. 655-695. 1919.
Dawes County, Nebr." With others. Soil Sur. Adv. Sh., 1915, pp. 41. 1917; Soils F.O., 1915, pp. 1963-1999. 1919.
Dorchester County, S. C." With others. Soil Sur. Adv. Sh., 1915, pp. 45. 1917; Soils F.O., 1915, pp. 545-585. 1919.
Escambia County, Ala." With others. Soil Sur. Adv. Sh., 1913, pp. 51. 1915; Soils F.O., 1913, pp. 827-873. 1916.
Greenville County, S. C." With others. Soil Sur. Adv. Sh., 1921, pp. 189-212. 1924.
Kent County, Del." With others. Soil Sur. Adv. Sh., 1918, pp. 32. 1920; Soils F.O., 1918, pp. 45-72. 1924.
Polk County, Nebr." With Thomas E. Kokjer. Soil Sur. Adv. Sh., 1915, pp. 30. 1917; Soils F.O., 1915, pp. 2001-2026. 1919.
Richmond County, Ga." With T. M. Bushnell. Soil Sur. Adv. Sh., 1916, pp. 38. 1917; Soils F.O. 1916, pp. 715-748. 1921.
Russell County, Ala." With others. Soil Sur. Adv. Sh., 1913, pp. 50. 1915; Soils F.O., 1913, pp. 875-920. 1916.
Somerset County, Md." With J. Hall Barton. Soil Sur. Adv. Sh., 1920, pp. 1287-1316. 1924; Soils F.O., 1920, pp. 1287-1316. 1925.
Sussex County, Del." With others. Soil Sur. Adv. Sh., 1920, pp. 1531-1565. 1924; Soils F.O., 1920, pp. 1531-1565. 1925.
the Belvidere area, New Jersey." With others. Soil Sur. Adv. Sh., 1917, pp. 72. 1920; Soils F.O., 1917, pp. 125-192. 1923.
the Millville area, New Jersey." With others. Soil Sur. Adv. Sh., 1917, pp. 46. 1921; Soils F.O., 1917, pp. 193-234. 1923.
Trumbull County, Ohio." With others. Soil Sur. Adv. Sh., 1914, pp. 53. 1916; Soils F.O., 1914, pp. 1455-1503. 1919.
Wicomico County, Md." With R. L. Gillett. Soil Sur. Adv. Sh., 1921, pp. 28. 1925.
SNYDER, R. S.—
"Decomposition of green and stable manures in soil." With R. S. Potter. J.A.R., vol. 11, pp. 677-698. 1917.
"Soluble nonprotein nitrogen of soil." With R. S. Potter. J.A.R., vol. 6, No. 2, pp. 61-64. 1916.
"Sunflower digestion experiment with cattle and sheep." With others. J.A.R., vol. 20, pp. 881-888. 1921.
"Sunflower investigations." With Ray E. Neidig. J.A.R., vol. 24, pp. 769-780. 1923.
"Sweet clover investigations." With Ray E. Neidig. J.A.R., vol. 24, pp. 795-799. 1923.

SNYDER, T. E.—
"Biological notes on the termites of the Canal Zone and adjoining parts of the Republic of Panama." With H. F. Dietz. J.A.R., vol. 26, pp. 279-302. 1923.
"Biology of the termites of the eastern United States, with preventive and remedial measures." Ent. Bul. 94, Pt. II, pp. 13-85. 1915.
"Damage by termites in the Canal Zone and Panama and how to prevent it." With James Zetek. D.B. 1232, pp. 26. 1924.
"Damage to chestnut telephone and telegraph poles by wood-boring insects." Ent. Bul. 94, Pt. I, pp. 1-12. 1910.
"Damage to telephone and telegraph poles by wood-boring insects." Ent. Cir. 134, pp. 6. 1911.
"Determination of temperatures fatal to the powder-post beetle, *Lyctus planicollis* Leconte, by steaming infested ash and oak lumber in a kiln." With R. A. St. George. J.A.R., vol. 28, pp. 1033-1038. 1924.
"Egg and manners of oviposition of *Lyctus planicollis*." J.A.R., vol. 6, No. 7, pp. 273-276. 1916.
"Injury to casaurina trees in southern Florida by mangrove borers." J.A.R., vol. 16, pp. 155-164. 1919.
"Insect damage to mine props and methods of preventing the injury." Ent. Cir. 156, pp. 4. 1912.
"Insects injurious to forests and forest products. I. Damage to chestnut telephone and telegraph poles by wood-boring insects. II. Biology of the termites of the eastern United States, with preventive and remedial measures." Ent. Bul. 94, Pt. I, pp. 12. 1910; Pt. II, pp. 85. 1915.
"New termites and hitherto unknown castes from the Canal Zone, Panama." J.A.R., vol. 29, pp. 179-193. 1924.
"Powder-post damage by Lyctus beetles to seasoned hardwood." With A. D. Hopkins. F.B. 778, pp. 20. 1917.
"Termites, or 'white ants,' in the United States: Their damage and methods of prevention." D.B. 333, pp. 32. 1916.
"Tests of methods of protecting woods against termites or white ants." D.B. 1231, pp. 16. 1924.
"The lead-cable borer or 'short-circuit beetle' in California." With others. D.B. 1107, pp. 56. 1922.
"White ants as pests in the United States and methods of preventing their damage." F.B. 759, pp. 20. 1916.
"White ants as pests in the United States, and methods of preventing their damage." F.B. 1037, pp. 16. 1919.
SNYDER, W. P.—
report of Porto Rico Experiment Station, assistant in plant breeding—
1917. P.R. An. Rpt., 1917, p. 35. 1918.
1918. P.R. An. Rpt., 1918, pp. 18-20. 1920.
1919. P.R. An. Rpt., 1919, pp. 25-31. 1920.
and horticulture—
1921. With J. A. Saldana. P.R. An. Rpt., 1921, pp. 16-22. 1922.
1922. With J. A. Saldana. P.R. An. Rpt., 1922, pp. 10-13. 1923.
1923. With J. A. Saldana. P.R. An. Rpt., 1923, pp. 8-11. 1924.
"Summer tilling." With W. W. Burr. B.P.I. Bul. 187, pp. 71-72. 1910.
Soap—
action upon lead arsenates. R. M. Pinckney. J.A.R., vol. 24, pp. 87-95. 1923.
addition to arsenical sprays. J.A.R., vol. 24, pp. 521, 524-525, 535. 1923.
addition to spray mixtures in vineyard spraying. D.B. 550, pp. 15-32, 37-38, 40. 1917.
analysis, methods. Chem. Bul. 68, pp. 32-36. 1902.
and sulphur spray, mixture, for clematis disease. J.A.R., vol. 4, pp. 338-339. 1915.
avocado, use for washing the hair. D.B. 743, p. 5. 1919.
bean, importation and description. Nos. 38800-38802, B.P.I. Inv. 40, pp. 7, 30. 1917.
Bordeaux mixture, formula. F.B. 1081, p. 7. 1920.

Soap—Continued.
   carbolic-acid solution, use against cherry leaf beetle. D.B. 352, p. 21. 1916.
   castor oil, nature and value. D.B. 867, p. 39. 1920.
   chigger control. D.B. 986, p. 17. 1921.
   cresol. See Cresolis compositus.
   effects on clothes moths and carpet beetles, tests. D.B. 707, pp. 24, 33. 1918.
   emulsions in combined sprays, use as insecticides. D.B. 278, pp. 19, 25–27. 1915.
   fish oil—
      and Bordeaux mixture, formula. F.B. 856, pp. 7–8. 1917.
      and nicotine sulphate sprays, relationship between efficiency and wetting power. Loren B. Smith. J.A.R., vol. 7, pp. 389–399. 1916.
      formula and cost. Ent. Bul. 80, Pt. VIII, pp. 149, 158. 1910.
      misbranding. N.J. 140, I. and F. Bd. S.R.A. 8, p. 6. 1915.
      mixture, directions for making and use. Ent. Bul. 80, pp. 65, 149, 158. 1912.
      or laundry, use as spray or spreader for sprays. F.B. 1169, pp. 13, 14. 1921.
      use in aphid spraying, formula. F.B. 804, p. 38. 1917.
      use with Bordeaux mixture, for control of tomato leaf spot, formula. News L., vol. 5, No. 1, pp. 2–3. 1917.
   floating, cause. Off. Rec. vol. 3, No. 34, p. 5. 1924.
   green, use against dog mange. D.C. 338, p. 5. 1925.
   homemade, formula. F.B. 1223, p. 20. 1922.
   house-cleaning uses. F.B. 1180, pp. 7–8. 1921.
   industry, consumption of fats and oils, 1912–1918. D.B. 769, p. 6. 1919.
   kinds used with lead arsenate sprays. J.A.R. vol. 24, p. 89. 1923.
   laundry, description of different kinds. F.B. 1099, pp. 26–27. 1920.
   liniment, adulteration and misbranding. See Indexes, Notices of Judgment, in bound volumes and in separates published as supplements to Chemistry Service and Regulatory Announcements.
   liquid, preparation for making sprays. F.B. 1223, p. 21. 1922.
   making with corn oil. D.B. 904, p. 13. 1920.
   manufacture with use of rosin. D.B. 229, p. 9. 1915.
   misbranding—
      "Cuticura." Chem. N.J. 1691, pp. 3. 1912.
      "Neal's olivine." Chem. N.J. 3522. 1915.
   mixtures with cresol solutions, results, comparisons. D.B. 855, pp. 2–5. 1920.
   moisture determination, calcium carbide method. Chem. Cir. 97, pp. 4–7. 1912.
   potash fish-oil, use in oil emulsion. D.C. 263, pp. 13, 17. 1923.
   powder, emulsion, formula. F.B. 862, p. 8. 1917.
   preparations, value in insect control, formulas. F.B. 856, pp. 11–12. 1917.
   resin-fishoil, use—
      as adhesive for Bordeaux mixture. B.P.I. Bul. 265, pp. 17, 19, 21, 22, 23, 27, 28, 29. 1912.
      with fungicides for black rot of grape. B.P.I. Bul. 155, pp. 12, 14, 15, 18, 19, 20, 21, 22, 23, 25, 26, 32, 33. 1909.
   rosin, mixture in cresol solutions, results. D.B. 855, pp. 2–3. 1920.
   solution(s)—
      as insecticides, penetration tests. J.A.R., vol. 13, pp. 532–534. 1918.
      for emulsifying oils, preparation. F.B. 329, p. 27. 1908.
      formula for insect control. Guam Bul. 2, p. 20. 1922.
      insecticides, preparation and use. F.B. 1306, pp. 25, 35. 1923.
      spraying for red spider. Ent. Cir. 104, pp. 6, 10. 1909.
      use—
         against insects, Porto Rico. P.R. Cir. 17, pp. 13–14. 1918.
         as dip for lice control, cautions. F.B. 801, p. 25. 1917.
         in red spider control, formula. D.B. 416, p. 66. 1917.

Soap—Continued.
   solution—continued.
      use—continued.
         in spraying cranberry toadbug, formula. F.B. 860, p. 35. 1917.
         with quassia extract as insecticide, effectiveness. J.A.R., vol. 10, pp. 512, 514–515, 522, 525, 528. 1917.
   sprays—
      formulas and use. F.B. 908, pp. 36–38, 73–75. 1918.
      use against—
         insect pests. D.C. 35, p. 29. 1919.
         red spiders. D.C. 40, p. 9. 1919.
   stains, removal from textiles. F.B. 861, p. 31. 1917.
   substitutes. F.B. 1099, p. 28. 1920.
   synol, misbranding. I. and F. Bd. S.R.A. 9, p. 23. 1915.
   testing methods. Chem. Bul. 109, pp. 44–48. 1908; rev., pp. 64–67. 1910.
   tree—
      Hawaiian, importation and description. No. 45157. B.P.I. Inv. 52, p. 40. 1922.
      South China, source of saponin, importation B.P.I. Bul. 106, p. 6. 1907.
   use as—
      insecticide, application. F.B. 127, pp. 14–15. 1901.
      sprays for control of—
         melon aphid. F.B. 914, p. 12. 1918.
         rose aphid, formula. News L., vol. 3, No. 42, p. 4. 1916.
      spreaders and adhesives in spraying. D.B. 837, pp. 19–21. 1920.
   use in—
      cattle dips. B.A.I. An. Rpt., 1909, p. 292. 1911; B.A.I. Cir. 174, p. 292. 1911.
      codling moth sprays. D.B. 959, pp. 12, 13, 15, 25, 26, 30, 34. 1921.
      fly repellents, formulas and experiments. D.B. 131, pp. 8–11. 1914.
   use with—
      Bordeaux mixture. F.B. 221, pp. 10–11. 1905.
      kerosene, for onion-thrip spraying. F.B. 1007, pp. 11–12. 1919.
   variation as emulsifiers. D.B. 1332, p. 6. 1925.
   washes for—
      orchards. Y.B., 1908, p. 276. 1909; Y.B. Sep. 480, p. 276. 1909.
      for San José scale. Ent. Cir. 124, p. 17. 1910; F.B. 650, pp. 26–27. 1915.
   whale-oil—
      analysis. Chem. Bul. 73, p. 164. 1903; Chem. Bul. 76, p. 46. 1903.
      comparison with cactus as adhesive. D.B. 160, pp. 12–13. 1915.
      composition. Chem. Bul. 76, p. 46. 1903.
      use as—
         insecticide. Ent. Bul. 97, pp. 87, 114, 121. 1913; Y.B., 1905, p. 338. 1906; Y.B. Sep. 386, p. 338. 1906.
         insecticide in control of cabbage webworm. Ent. Bul. 109, Pt. III, pp. 38–40, 42. 1912.
         spreader in quassin sprays. D.B. 165, pp. 6–7. 1915.
      use in—
         control of beet webworm, methods. Ent. Bul. 109, Pt. II, p. 22. 1911; Ent. Bul. 127, Pt. I, p. 10. 1913.
         control of beet wireworms, experiments. Ent. Bul. 123, pp. 52, 55. 1914.
         spraying hop aphids. Ent. Bul. 111, pp. 23, 24–27. 1913.
Soap weed—
   chopped, use as emergency cattle feed, southwestern ranges. C. L. Forsling. D.B. 745, pp. 20. 1919.
   collection, chopping, and feeding to cattle. D.B. 745, pp. 3–10, 15–17. 1919.
   description and growth habits. D.B. 745, pp. 2–3, 13–35. 1919.
   feed for—
      cows on range. D.B. 1031, pp. 69–70. 1922.
      range stock, description and value. D.B. 728, pp. 3, 6, 9, 11–22, 26. 1918; F.B. 1428, pp. 13–14, 20. 1925.
   forage value. D.B. 745, pp. 2–3. 1919.
   plants, use in fly larvae destruction in manure, experiments. D.B. 245, pp. 13–14, 20. 1915.

Soap weed—Continued.
  use as—
    emergency stock feed in drought time. News L., vol. 6, No. 3, pp. 3–4. 1918.
    silage for range cattle. D.B. 588, pp. 26–27, 31. 1917.
Soapbark, use—
  as spreader in insecticide sprays. D.B. 165, pp. 6–7. 1915.
  in home laundering, as soap substitute. F.B. 1099, pp. 22, 28. 1920.
Soapberry—
  adaptability to Great Plains. F.B. 1312, p. 15. 1923.
  importation and description. No. 42038, B.P.I. Inv. 46, p. 47. 1919; No. 43009, B.P.I. Inv. 47, p. 87, 1920; No. 50670, 50724, B.P.I. Inv. 64, pp. 10, 19. 1923.
Soapwort, habitat, range, description, collection, prices, and uses of roots. B.P.I. Bul. 107, p. 31. 1907.
Sobernheim, method of serum vaccination for anthrax. F.B. 784, pp. 13–14. 1917.
Sebralia spp., importation and description. Nos. 45357, 45547, B.P.I. Inv. 53, pp. 7, 31, 50. 1922.
Social—
  activities, organization, assistance by department. Y.B., 1915, p. 272. 1916; Y.B. Sep. 675, p. 272. 1916.
  advancement, farm family, per cent of total cost. D.B. 1214, pp. 9, 10, 15–18, 23, 24–25. 1924.
  conditions, cause of farms abandonment. Rpt. 70, pp. 17–29. 1901.
  interests, rural, organization, committee work, and readings. Y.B., 1914, pp. 90, 92, 123–138. 1915; Y.B. Sep. 632, pp. 4, 6, 37–52, 56–58. 1915.
  life, country, improvement by work of women's organizations. D.B. 719, pp. 10–15. 1918.
  needs of farm women, discussion. Y.B., 1914, p. 315. 1915; Y.B. Sep. 644, p. 315. 1915.
  science, relation of agricultural college. O.E.S. Bul. 153, pp. 59, 60. 1905.
  uses of community buildings. F.B. 1274, pp. 7–8, 14–15, 16, 17–18, 19–21, 24–25, 26, 29–32. 1922.
Sod(s)—
  alfalfa, breaking, difficulties. F.B. 1283, p. 31. 1922.
  Bermuda grass, value. F.B. 945, p. 6. 1918.
  bluegrass, securing and care. D.B. 397, pp. 8, 12–16. 1916.
  crop(s)—
    flax, experiments. Charles H. Clark. D.B. 883, pp. 29. 1920.
    planting methods. News L., vol. 4, No. 40, p. 1. 1917.
    Wyoming rotations. D.B. 1306, p. 14. 1925.
  culture for orchards. F.B. 1360, pp. 32–33. 1924.
  cutter, description. F.B. 494, p. 41. 1912.
  land—
    fertility. Lyman Carrier. Off. Rec., vol. 1, No. 29, p. 8. 1922.
    improvement in New York, Washington County. Soil Sur. Adv. Sh., 1909, p. 28. 1911; Soils F.O., 1909, p. 128. 1912.
    irrigated, treatment. B.P.I. Doc. 453, pp. 1–2. 1909.
    preparation for corn, to control insect outbreaks. F.B. 835, pp. 3, 13, 17, 22, 23. 1917.
    reseeding for hay, Jefferson County, N. Y. Soil Sur. Adv. Sh., 1911, pp. 27, 31. 1914; Soils F.O., 1911, pp. 117, 121. 1913.
    treatment in irrigation projects. B.P.I. Cir. 83, pp. 3–4. 1911.
    unfavorable to corn growing. F.B. 875, pp. 8, 9, 10. 1917.
  mulch, prevention of soil erosion. Y.B., 1913, p. 219. 1914; Y.B. Sep. 624, p. 219. 1914.
  orchard, danger from fire. F.B. 419, p. 9. 1910.
  Paspalum grass, planting directions. Guam Bul. 1, pp. 34, 35–36. 1921.
  plowing, day's work. D.B. 3, p. 14. 1913.
  plowing with traction engine, practices. B.P.I. Bul. 170, p. 22. 1910.
  prairie, preparation for cultivation. D.B. 1304, p. 24. 1925.
  preparation for potato growing. F.B. 1064, pp. 7–9. 1919.
  use on terraces to prevent erosion. Soils Bul. 75, p. 52. 1911.

Sod(s)—Continued.
  value in orchard against winter killing. F.B. 227, p. 15. 1905.
  webworm—
    description, habits, and control. F.B. 1258, pp. 12–16. 1922.
    striped. George G. Ainslie. J.A.R., vol. 24, pp. 399–414. 1923.
Soda—
  absorption by roots, experiments. J.A.R., vol. 9, pp. 83–85. 1917.
  adulteration and misbranding. See *Indexes, Notices of Judgment, in bound volumes and in separates published as supplements to Chemistry Service and Regulatory Announcements.*
  arsenate—
    composition. F.B. 908. p. 13. 1918.
    use against ants, directions. F.B. 1180, p. 27. 1921.
    use in—
      control of nut grass. Hawaii A.R., 1915, pp. 43–44. 1916.
      destruction of poison ivy. News L., vol. 2, No. 1, p. 2. 1914.
      eradication of Canada thistle. F.B. 1002, pp. 9, 14. 1918.
    See also Sodium arsenate.
  arsenite, use in—
    control of weeds. D.B. 247, p. 18. 1915.
    poison baits for Argentine Ants. F.B. 928, p. 19. 1918.
    weed control, methods. News L., vol. 2, No. 7, pp. 3–4. 1914.
    weed destruction, Hawaii experiments. O.E.S. An. Rpt., 1910, p. 25. 1911; O.E.S. An. Rpt., 1911, pp. 23, 99. 1912; O.E.S. Doc. 1504, p. 99. 1913.
    See also Sodium arsenite.
  benzoate—
    adulterant of "tomato brace-up tonic." Chem. N.J. 999, p. 1. 1911.
    effect as preservative of apple juice. Chem. Bul. 118, pp. 19–22. 1908.
    misbranding. Chem. N.J. 1004, p. 1. 1911.
    use—
      as preservative for meats, regulation, March 15, 1909. B.A.I.O. 150, amdt. 2, p. 1. 1909.
      in foods. F.I.D. 89, p. 2. 1908; F.I.D. 101, p. 1. 1908; F.I.D. 104, pp. 3. 1909.
      in jelly, misbranding. Chem. N.J. 1702, p. 1. 1912.
    See also Sodium benzoate.
  bicarbonate—
    effect on fat and milk production of cows. J.A.R., vol. 19, pp. 123, 125, 126, 130. 1920.
    remedy for tick bites. Sec. Cir. 61, p. 20. 1916.
    use in cooking legumes. O.E.S. Bul. 245, p. 57. 1912.
    See also Sodium bicarbonate.
  caustic—
    addition to nitrate of soda for winter sprays, formula. J.A.R., vol. 1, p. 441. 1914.
    manufacture from sodium carbonate and lime. Soils Bul. 49, p. 43. 1907.
    use as denaturant for alcohol. F.B. 429, p. 9. 1911.
    use in—
      cattle dips, description. F.B. 603, pp. 3–4. 1914.; F.B. 1057, pp. 21–22. 1919.
      control of bedbugs. Sec. Cir. 61, p. 19. 1916.
      dehorning calves. B.A.I. An. Rpt., 1907, pp. 305–306. 1909; F.B. 350, pp. 13–14. 1909.
      emulsions. P.R. Bul. 10, p. 30. 1911.
      wash for orchard spraying. Y.B., 1908, p. 280. 1909; Y.B. Sep. 480, p. 280. 1909.
    cement dust, ratio to potash. D.B. 572, pp. 17–18. 1917.
  cyanids—
    value as fumigant, comparison to cyanide of potash. Ent. Cir. 112, pp. 21–22. 1910.
    See also Sodium cyanide.
  lye—
    analysis, methods. Chem. Bul. 73, pp. 163–164. 1903; Chem. Bul. 116, p. 126. 1908; Chem. Bul. 122, pp. 108–109. 1909; Chem. Bul. 132, pp. 46–47. 1910.
    labeling, opinion. I. and F. Bd. S.R.A. 1, p. 2. 1914; I. and F. Bd. S.R.A. 5, pp. 64–66. 1914; I. and F. Bd. S.R.A. 8, p. 3. 1915.

Soda—Continued.
  manufacture by Solvay process, by-product used as road binder. Y.B., 1907, p. 264. 1908; Y.B. Sep. 448, p. 264. 1908.
  nitrate—
    and acid phosphate, retail prices as of May 1, 1919, report. D.C. 39, pp. 15. 1919.
    effect on—
      corn yield. F.B. 310, pp. 17, 20. 1907; Soils Bul. 64, pp. 24, 25, 27. 1910.
      potato yield. Soils Bul. 65, pp. 15, 16, 17. 1910.
      soils, alone and with other salts. Soils Bul. 48, p. 31. 1908.
      sugar beets. Rpt. 80, pp. 174–175. 1905.
      time of ripening of grain in Alaska. Alaska A.R., 1910, p. 49. 1911.
    fertilizer for—
      market garden crops. F.B. 162, pp. 6–9. 1903.
      rice experiments. Hawaii Bul. 24, pp. 9–20. 1911.
    fertilizing power alone and with other salts. Soils Bul. 48, pp. 31, 57. 1908.
    for field crops. F.B. 210, pp. 6–9. 1904.
    furnishing to farmers by Agriculture Department. News L., vol. 5, No. 10, p. 1. 1917.
    grass fertilizer, effect on yield. F.B. 381, p. 12. 1909.
    imports from Chili, 1909–1918. D.B. 798, p. 19. 1919.
    prices—
      1913–1923. Y.B., 1923, p. 1189. 1924; Y.B. Sep. 906, p. 1189. 1924.
      June 1, 1919, and May 1, 1919, by States and counties. D.C. 57, pp. 5–7. 1919.
      retail prices (and acid phosphate), May 1, 1919, report. D.C. 39, pp. 1–15. 1919.
    sale to farmers by U. S. Government, methods. Sec. Cir. 78, pp. 11. 1918.
    stocks, 1917. Sec. Cir. 104, pp. 3, 4, 5, 6, 10–12. 1918.
    top dressing for—
      cotton and corn, in North Carolina, Johnston County. Soil Sur. Adv. Sh., 1911, pp. 14, 31, 34. 1913; Soils F.O., 1911, pp. 440, 457, 460. 1914.
      grass. Y.B., 1908, p. 418. 1909; Y.B. Sep. 490, p. 418. 1909.
    unsuited to rice crop, Hawaii experiments. O.E.S. An. Rpt., 1912, pp. 19, 102. 1913.
    use as fertilizer—
      for corn, distribution methods. F.B. 1149, pp. 6, 7, 8, 9. 1920.
      in forest nurseries. D.B. 479, p. 81. 1917.
      in onion growing. F.B. 354, p. 13. 1909.
      on brome grass. B.P.I. Bul. 111, Pt. V, p. 7. 1907.
      on crimson clover. F.B. 1142, pp. 11, 13. 1920.
      on garden crops, precautions. F.B. 1044, p. 11. 1919.
      on hay crops. F.B. 1170, p. 11. 1920.
      on meadows, value. News L., vol. 2, No. 7, p. 4. 1914.
      on millet. F.B. 793, p. 25. 1917.
      on oats, experiment. O.E.S. Bul. 220, p. 30. 1909.
      on old orchards. S.R.S. Syl. 31, p. 12. 1918.
      on timothy meadows. F.B. 990, pp. 13–15. 1918.
      on winter oats. F.B. 436, pp. 15, 16, 31. 1911.
    use in—
      corn growing, in Southeastern States. F.B. 729, pp. 6–7. 1916.
      tomato growing, directions. F.B. 1338, pp. 14–15. 1923.
    use on—
      crops in Southern States. F.B. 986, p. 18. 1918.
      peach orchards for control of disease. D.B. 543, pp. 5–7. 1917.
      soil for control of peach and plum spot. An. Rpts., 1916, p. 142. 1917; B.P.I. Chief Rpt., 1916, p. 6. 1916.
      wheat soils, tests. Soils Bul. 66, pp. 8, 9, 16, 17, 18. 1910.
    value as fertilizer for lawns. F.B. 494, p. 45. 1912.

Soda—Continued.
  nitrate—continued.
    value for crimson clover. F.B. 550, pp. 6–7. 1913.
    See also Saltpeter; Sodium nitrate.
  pulp—
    definition. Rpt. 89, p. 27. 1909.
    description and history. D.B. 80, pp. 2–8, 15. 1914.
    for paper making, description, species used, and sources. D.B. 1241, pp. 15–16, 25. 1924.
    production from aspen, effects of certain cooking conditions. Henry E. Surface. D.B. 80, pp. 63. 1914.
  solution for dipping figs. F.B. 1031, pp. 41, 42. 1919.
  sulphur solution—
    for citrus spraying, formula. D.B. 645, p. 16. 1918.
    formula and directions. F.B. 933, p. 22. 1918.
  use—
    against roup disease of chickens, experiments. Guam A.R., 1915, p. 37. 1916.
    as antidote to snake root, experiments. J.A.R., vol. 9, p. 403. 1917.
    in clarifying maple sap. Chem. Bul. 134, p. 56. 1910.
    in electrolytic method of silver cleaning. D.B. 449, pp. 5–9, 11. 1916.
    in house cleaning. F.B. 1180, pp. 8, 13. 1921.
    in softening water for washing. F.B. 1099, p. 25. 1920.
  See also Sodium.
Soda-fountain—
  sirups, investigations of keeping qualities. Chem Bul. 132, pp. 66–71. 1910.
  trade, strawberry varieties adapted for. F.B. 1043, p. 20. 1919.
Soda water—
  definition and standards for ginger ale, flavor and concentrate. F.I.D. 185, p. 1. 1922.
  flavor, definitions and standards. F.I.D. 177, p. 1. 1918.
  flavors, adulteration and misbranding. See Indexes, Notices of Judgment, in bound volumes and in separates published as supplements to Chemistry and Regulatory Announcements.
  food standards. Sec. Cir. 136, pp. 20–21. 1919.
  purity standards. Sec. Cir. 136, pp. 20–21. 1919.
Sodarine, misbranding. Chem. N.J. 1610, pp. 2. 1912.
Sodatol—
  composition and handling. Off. Rec., vol. 2, No. 37, pp. 2, 8. 1923.
  distribution by U. S. Government. Off. Rec., vol. 2, No. 47, p. 5. 1923.
  explosive for land clearing, composition. An. Rpts., 1923, p. 493. 1924; Rds. Chief Rpt., 1923, p. 31. 1923.
  value for roads work. Rds. Chief Rpt., 1924, p. 25. 1924.
Sodding, directions and implement. F.B. 494, pp. 40–41. 1912.
Sodium—
  acetate, effect on milk-flow experiments with goats. J.A.R., vol. 5, No. 13, pp. 562–563, 568. 1915.
  and—
    acetanilid tables, misbranding. Chem. N.J. 2313, p. 1. 1913.
    calcium, dilute solutions, pseudo-antagonism. H. S. Reed and A. R. C. Haas. J.A.R., vol. 24, pp. 753–758. 1923.
    phytin phosphates, feeding experiment, metabolism of organic and inorganic phosphorus. F. C. Cook. Chem. Bul. 123, p. 63. 1909.
  arsenate—
    analysis, method and results. Chem. Bul. 131, pp. 13–14, 15–17. 1910.
    cattle dip, experiment. B.A.I. Bul. 144, pp. 37–38. 1912.
    composition. D.B. 1147, pp. 10, 11. 1923.
    control of apple-tree borers, tests. D.B. 847, p. 37. 1920.
    influence on nitrogen-fixing organisms of soil. J.A.R., vol. 6, No. 11, pp. 390–395, 406–407, 412. 1916.
    price, composition, and use in making lead arsenate. Chem. Bul. 131, pp. 13, 15–17, 19. 1910.

Sodium—Continued.
  arsenate—continued.
    solution, use in barberry control, dangers and antidote. D.C. 268, pp. 2-4. 1923.
    use—
      against onion maggot flies. D.C. 35, p. 19. 1919.
      as herbicide. F.B. 735, p. 8. 1916; F.B. 831, p. 11. 1917.
      in ant-poison sirup, and cost. D.B. 377, pp. 17-20, 22. 1916.
      in killing papaya fruit fly. D.B. 1081, pp. 9-10. 1922.
      in weed destruction, formula. F.B. 1294, p. 41. 1922.
    See also Soda arsenate.
  arsenite—
    addition to contact spray for sucking insects. F.B. 1169, p. 13. 1921.
    disappearance in cattle dips. D.B. 259, pp. 1-2. 1915.
    effect on plant growth—
      and on soils. J.A.R., vol. 5, No. 11, pp. 459-460. 1915.
      in black alkali soil. J.A.R., vol. 24, pp. 332-334, 337. 1923.
    use against—
      barberry. Sec. A.R., 1924, p. 66. 1924.
      barberry, effects. E. R. Schulz and Noel F. Thompson. D.B. 1316, pp. 19. 1925.
      sheep parasites. F.B. 1330, pp. 22, 41. 1923.
    use in—
      control of flies. Sec. Cir. 61, p. 7. 1916.
      poisoned sirup for control of Argentine ants. D.B. 647, pp. 60-71. 1918; D.B. 965, pp. 22-27. 1921; F.B. 1101, pp. 8, 11. 1920.
      spraying dodder in alfalfa fields. F.B. 360, p. 17. 1909.
    See also Soda arsenite.
  benzoate—
    adulterant of crushed strawberries. Chem. N.J. 1543, p. 1. 1912.
    as preservative of cactus solution. D.B. 160, p. 15. 1915.
    determination in food products, methods. Chem. Bul. 132, pp. 138-149. 1910.
    effect on—
      apple juice as a preservative. Chem. Bul. 118, pp. 19-22, 23. 1908.
      blood, feces, and urine, experiments. Rpt. 88, pp. 31-85. 1909.
      digestion and health. Chem. Bul. 84, Pt. IV, pp. 1043-1294. 1908.
      health, general conclusion. Rpt. 88, pp. 7, 88-89, 563, 618-620. 1909.
      influence on nutrition and health of man. Russell H. Chittenden and others. Rpt. 88, pp. 784. 1909.
    injury by use as food preservative, conclusions. Chem. Cir. 39, pp. 14, 15. 1908.
    preservative in tomato ketchup, experiments. Chem. Bul. 119, pp. 22-23. 1909.
    quantitative estimation, report by associate referee. Chem. Bul. 137, pp. 108-115. 1911.
    use as—
      fish preservative. Chem. Bul. 133, pp. 39-40. 1911.
      food preservative, report. Rpt. 88, pp. 783-784. 1909.
    use in—
      food, restrictions. F.I.D. 101, p. 1. 1908.
      meat, regulation. B.A.I.O. 150, Amdt. 2, p. 1. 1913.
      use with Bordeaux mixture. B.P.I. Bul. 155, p. 12. 1909.
    See also Benzoic acid; Soda benzoate.
  bicarbonate—
    action upon organic matter in soil. J.A.R., vol. 10, pp. 575-577. 1917.
    determination in headache mixtures, directions and results. Chem. Bul. 122, pp. 100-102. 1909; Chem. Bul. 132, pp. 198-202. 1910.
    effect on—
      growth of rice. J.A.R., vol. 20, pp. 44-47. 1920.
      wheat seedlings. J.A.R., vol. 6, No. 22, pp. 863-866. 1916.
    experiments with wheat varieties, results. B.P.I. Bul. 79, pp. 28-29. 1905.

Sodium—Continued.
  bicarbonate—continued.
    formation, effect of soluble lime salts. J.A.R., vol. 10, pp. 561-562. 1917.
    use in control of zygadenus poisoning of sheep, experiments. D.B. 125, pp. 40-41, 42-43, 44. 1915.
    value as disinfectant. J.A.R., vol. 20, pp. 86-110. 1920.
    See also Soda bicarbonate; Sodium carbonate.
  bisulphite—
    action on certain coal-tar colors. Chem. Bul. 116, pp. 21-22. 1908.
    See also Sodium sulphite.
  bromide solutions, solubility of carbon dioxide. Soils Bul. 49, p. 14. 1907.
  cacodylate, remedy for loco-weed disease. B.A.I. Bul. 112, pp. 83, 84, 110. 1909.
  carbonate—
    action in soils, discussion. J.A.R., vol. 4, p. 215. 1915.
    action upon organic matter in soil. J.A.R., vol. 10, pp. 566-572, 575-577. 1917.
    addition to soil, changes in soil solution and composition. J.A.R., vol. 11, pp. 542, 545, 546. 1917.
    and alcohol digestions, comparison. Chem. Cir. 71, pp. 1-14. 1911.
    and bicarbonate, timber preservation experiments. D.B. 1037, pp. 35-36. 1922.
    digestion, comparison with alcohol, sugar determination. A. Hugh Bryan and others. Chem. Cir. 71, pp. 14. 1911.
    effect on—
      antitoxin. J.A.R., vol. 13, pp. 485-486. 1918.
      hydrocyanic acid in Sudan grass. J.A.R., vol. 22, pp. 135-136. 1921.
      plants, experiments. P.R. Bul. 11, pp. 31-32. 1911.
      wheat seedlings. J.A.R., vol. 6, No. 22, pp. 859-863, 866. 1916.
      wheat seedlings, experiments. J.A.R., vol. 7, pp. 410-412, 415-416. 1916.
    experiments with wheat varieties, results. B.P.I. Bul. 79, p. 27. 1905.
    formation in calcareous soils. J.A.R., vol. 10, No. 11, pp. 541-590. 1917.
    presence in soil—
      effect on plant growth. D.C. 267, pp. 21-23. 1923; J.A.R., vol. 24, pp. 297-298. 1923.
      factors affecting toxicity. J.A.R., vol. 15, pp. 287-319. 1918.
    solutions, solubility of calcium carbonate. Soils Bul. 49, p. 44. 1907.
    testing for arsenical dips. B.A.I.S.R.A. 122, p. 67. 1917.
    toxicity for barley, singly and in combinations. J.A.R., vol. 4, pp. 203-204, 206-208. 1915.
    use in—
      cattle dips. F.B. 603, pp. 2-4. 1914; F.B. 1057, pp. 22-23. 1919.
      treatment of cocoas. D.B. 666, pp. 3, 4, 6, 8. 1918.
    See also Sodium bicarbonate.
  chlorate solutions, solubility of carbon dioxide. Soils Bul. 49, p. 17. 1907.
  chloride—
    addition to soil, changes in soil solution and composition. J.A.R., vol. 11, pp. 535, 537-540, 544-545. 1917.
    and sodium sulphate, action on alkali soils. J.A.R., vol. 10, pp. 582-586. 1917.
    and sulphate, solutions, solubility of calcium carbonate. Soils Bul. 49, pp. 48-51. 1907.
    content of Australian saltbush and California soils. D.B. 617, pp. 7-8. 1919.
    effect on—
      chemicals in hydrocyanic-acid gas. Ent. Bul. 90, pp. 49-50, 99-102. 1912.
      growing chicks. J.A.R., vol. 22, pp. 145-149. 1921.
      hydrocyanic-acid gas yield in fumigations, determination methods. Ent. Bul. 90, Pt. III, pp. 99-102. 1911.
      leaching soils. J.A.R., vol. 21, pp. 268-271. 1921.
      milk flow, experiments with goats. J.A.R., vol. 5, No. 13, pp. 565-566, 568. 1915.

Sodium—Continued.
   chloride—continued.
      effect on—continued.
         wheat seedlings. J.A.R., vol. 6, No. 22, pp. 866-867. 1916. J.A.R., vol. 7, pp. 408-409, 413-414. 1916.
      experiments with wheat varieties, results. B.P.I. Bul. 79, pp. 32-33. 1905.
      influence of leaf structure and transpiration of wheat, oats, and barley. L. L. Harter. B.P.I. Bul. 134, pp. 19. 1908.
      occurrence in Nebraska, Cass County, soils. Soil Sur. Adv. Sh., 1913, p. 43. 1914; Soils F.O., 1913, p. 1963. 1916.
      soils, effect on plants. D.C. 267, p. 23. 1923.
      soils, factors affecting toxicity. J.A.R., vol. 15, pp. 287-319. 1918.
      toxicity for barley, singly and in combinations. J.A.R., vol. 4, pp. 203-207. 1915.
      use in—
         control of fly larvae in horse manure, tests. D.B. 118, pp. 11-12. 1914.
         potato-wart control. J.A.R., vol. 31, p. 317. 1925.
      wheat seedlings, tolerance and effect of lime. J. A. LeClerc and J. F. Breazeale. J.A.R., vol. 18, pp. 347-356. 1920.
      See also Salt.
   cinnamate, effect on plants. Soils Bul. 47, p. 43. 1907.
   compounds, value as disinfectants. J.A.R., vol. 20, pp. 86-110. 1920.
   cyanide—
      dosages, citrus fumigation. Ent. Bul. 90, pp. 41, 88-90. 1912.
      field tests on scale insects. Ent. Bul. 90, pp. 86-87. 1912.
      samples, study and experiments. Ent. Bul. 90, Pt. III, pp. 93-96. 1911.
      soil fumigation, amounts required. J.A.R., vol. 11, p. 432. 1917.
      solution, use against woolly apple aphid. D.B. 730, pp. 35-37, 49. 1918.
      substitution for cyanide of potassium, experiments. An. Rpts., 1910, p. 536. 1911; Ent. A.R., 1910, p. 32. 1910.
      use against fig moth. Ent. Bul. 104, p. 32. 1911.
      use as spray for control of leaf-cutting ant, formula, and warning. Ent. Cir. 148, pp. 3-4. 1912; F.B. 890, pp. 13-14. 1917.
      value for fumigation, studies. Ent. Bul. 90, pp. 41, 83-90. 1912.
   determination in—
      saline solutions, method. Soils Bul. 94, pp. 49-50. 1913.
      water, modified method. Chem. Bul. 152, p. 80-81. 1912.
   fluoride—
      control of Argentine ants. D.B. 965, pp. 13-15. 1921.
      effect on roaches, tests. D.B. 707, pp. 9-10, 15. 1918.
      effectiveness against chicken lice. D.B. 888, pp. 7, 8. 1920.
      powder, use and value in lice control in hens' nests. News L., vol. 5, No. 33, p. 4. 1918.
      timber preservation experiments. D.B. 1037, pp. 36-37. 1921.
      use and value in roach extermination. F.B. 658, p. 12. 1915.
      use in control of—
         animal lice, method and cost. F.B. 801, pp. 20-24. 1917.
         chicken lice. An. Rpts., 1916, p. 223. 1917; Ent. A.R., 1916, p. 11. 1916; F.B. 287, rev., p. 37. 1921; F.B. 1040, p. 25, 1919; F.B. 1110, pp. 4-5. 1920; F.B. 1337, pp. 34, 35. 1923.
         dog parasites. D.C. 338, p. 14. 1925.
         fleas. D.B. 248, p. 28. 1915.
         fly larvæ in horse manure, tests. D.B. 118, p. 15. 1914.
         hen lice. F.B. 889, p. 19. 1917; F.B. 1376, p. 3. 1924.
         lice. F.B. 1330, p. 7. 1923.
         lice on turkeys. F.B. 1409, p. 21. 1924.
         pests, Porto Rico, directions. P.R. Cir. 17, p. 7. 1918.

Sodium—Continued.
   fluoride—continued.
      use in control of—continued.
         roaches. F.B. 1180, p. 28. 1921; Sec. Cir. 61, p. 7. 1916.
         sheep lice. F.B. 1150, p. 7. 1920.
         silverfish. F.B. 681, p. 4. 1915.
         termites. D.B. 333, p. 30. 1916.
         use in treating woods against termites. D.B. 1231, pp. 13, 15. 1924.
   hydrosulphite, use in decoloring tuna juice. B.P.I. Bul. 116, p. 38. 1907.
   hydroxide—
      action on fiber. J.A.R., vol. 27, pp. 247-248. 1924.
      effect on—
         grain hulls and other fibrous materials. J. G. Archibald. J.A.R., vol. 27, pp. 245-265. 1924.
         growth of oxidation. Soils Bul. 56, p. 38. 1909.
         hydrocyanic acid in Sudan grass. J.A.R., vol. 22, pp. 135-136. 1921.
         reproduction of nitrogen-assimilating bacteria. J.A.R., vol. 14, pp. 323-332. 1918.
      losses from soils by weathering. J.A.R., vol. 26 p. 115. 1923.
   nitrate—
      absorption by Hawaiian soils, studies. Hawaii Bul. 35, pp. 14-16, 21-22, 27. 1914.
      addition to toxic solutions of vanillin, effects. Soils Bul. 47, pp. 45, 50. 1907.
      as meat preservative, use prohibited. B.A.I. S. A. 36, p. 23. 1910.
      determination in commercial fertilizers. D.B. 97, pp. 1-10. 1914.
      effect on—
         adsorption of potassium by soils. J.A.R., vol. 1, pp. 186-187, 188. 1913.
         chemicals in hydrocyanic acid gas. Ent. Bul. 90, p. 103. 1912.
         growth and oxidation, experiments. Soils Bul. 56, pp. 31-33, 44. 1909.
         plant growth. J.A.R., vol. 22, pp. 102-110. 1921.
         soil acidity, studies. J.A.R., vol. 12, pp. 25, 26. 1918.
         soil bacteria, experiments. J.A.R., vol. 12, pp. 188, 191, 194, 197, 201-227. 1918.
         wheat at different stages of growth. J.A.R., vol. 23, pp. 56-62. 1923.
         wheat stem rust, experiments. J.A.R., vol. 27, pp. 346-369. 1924.
      fertilizer for sugar-cane, comparisons. P.R. An. Rpt., 1914, p. 24. 1915.
      recovery from natural deposits, composition, and use. Y.B., 1917, p. 140. 1918; Y.B. Sep. 729, p. 4. 1918.
      solutions, effect on potassium absorption. J.A.R., vol. 26, p. 309. 1923.
      source, production, and consumption. D.B. 37, pp. 2-3. 1913.
      tobacco fertilizer experiments. B.P.I. Cir. 15, p. 4, 1916.
      use as nitrogen source in fertilizers. D.B. 355, p. 44. 1916.
      use in spraying dormant fruit trees. D.B. 120, p. 21. 1914.
      winter spraying, formulas. J.A.R., vol. 1, pp. 437-444. 1914.
      See also Soda nitrate.
   nitrite—
      action in the soil. R. H. Robinson. J.A.R., vol. 26, pp. 1-7. 1923.
      medicinal effect. Chem. N.J. 722, pp. 29, 42, 73, 90, 99. 1911.
   phosphate(s)—
      addition to dairy feed, experiments and results. D.B. 945, pp. 7-27. 1921.
      effect on growth and oxidation, experiments. Soils Bul. 56, pp. 39-40. 1909.
      and phytin, feeding experiment. F. C. Cook. Chem. Bul. 123, pp. 63. 1909.
   potassium cyanide, substitute for pure cyanide of potassium. Ent. Cir. 163, p. 3. 1912.
   ratio to potassium in waters and soils, Great Basin. D.B. 61, pp. 24, 25, 27, 87. 1914.
   removal from the soil. J.A.R., vol. 27, pp. 687-690. 1924.

INDEX TO PUBLICATIONS, 1901-1925   2183

Sodium—Continued.
- salicylate—
  - effect upon the nitrogenous elements of the urine. Chem. Bul. 84, Pt. II, pp. 706-753. 1906.
- tablets, adulteration and misbranding. Chem. N.J. 1843, p. 4. 1913; Chem. N.J. 3019, p. 1. 1914; Chem. N.J. 4048, p. 1. 1916.
- use as fly poison. F.B. 851, p. 11. 1917.
- salts—
  - action upon organic matter in soil. J.A.R., vol. 10, pp. 566-572, 575-577. 1917.
  - effect on—
    - absorption of plant food by wheat seedlings. J. F. Breazeale. J.A.R., vol. 7, pp. 407-416. 1916.
    - ammonia fixation in soils. J.A.R., vol. 9, p. 152. 1917.
    - growth and oxidation, experiments. Soils Bul. 56, pp. 38, 39-40, 41. 1909.
    - nitric nitrogen of the soil. J.A.R., vol. 16, pp. 110-112. 1919.
    - nitrification in semiarid soils. J.A.R., vol. 7, pp. 426-428. 1916.
    - plant growth. B.P.I. Bul. 113, pp. 9-10. 1907; J.A.R., vol. 5, pp. 1-53. 1915; J.A.R., vol. 6, pp. 857-869. 1916.
    - plant growth in presence of other salts. J.A.R., vol. 24, pp. 320-335. 1923.
    - solubility of calcium carbonate in soils. J.A.R., vol. 10, pp. 577-578. 1917.
  - mixtures, tests on plant life. Rpt. 71, pp. 33-37, 61-70. 1902.
  - relative toxicity in soils. J.A.R., vol. 13, pp. 214-215. 1918.
  - tests as wood preservatives. D.B. 145, pp. 9-20. 1915.
  - toxicity control by calcium, magnesium, and barium. J.A.R., vol. 18, pp. 351-356. 1920.
  - use in treating lumber for sap stain. D.B. 1128, p. 27. 1923.
- silicate, use in preserving eggs. B.A.I. A-H, G-25, pp. 3-4. 1918; S.R.S. Doc. 75, pp. 1-2. 1918.
- sulphate—
  - administration in dietary experiment, details, results. Chem. Bul. 84, pp. 766-1020, 1021-1038. 1908.
  - effect on—
    - growth and oxidation, experiments. Soils Bul. 56, p. 41. 1909.
    - plant growth. J.A.R., vol. 22; pp. 102-110. 1921.
    - wheat seedlings. J.A.R., vol. 6, No. 22, pp. 867-868. 1916; J.A.R., vol. 7, pp. 409-414. 1916.
  - experiments with wheat varieties, results. B.P.I. Bul. 79, pp. 30-32. 1905.
  - in Paris green. I. and F. Bd., S.R.A. 8, pp. 2-3. 1915.
  - soils, effect on plants. D.C. 267, p. 24. 1923.
  - soils, factors affecting toxicity. J.A.R., vol. 15, pp. 287-319. 1918.
  - solutions, solubility of calcium carbonate. Soils Bul. 49, p. 47. 1907.
  - spray for avocado red spider, experiment. D.B. 1035, p. 12. 1922.
  - toxicity for barley, singly and in combinations. J.A.R., vol. 4, pp. 203-206, 207-211. 1915.
  - use in leather weighting. Chem. Bul. 165, p. 9. 1913.
- sulphide, concentrate homemade, formula. F.B. 908, p. 27. 1918.
- sulphite—
  - administration in dietary experiment, results. Chem. Cir. 37, pp. 7-18. 1907.
  - use for chicken roup and colds. F.B. 1040, p. 27. 1919.
  - See also Sodium bisulphite.
- toluene-sulphon-chloramide. See "Chloramin T."
- variation in a wheat ration, effect. George A. Olson and J. L. St. John. J.A.R., vol. 31, pp. 365-375. 1925.
- See also Soda.

Soemnoform, adulteration and misbranding. Chem. N.J. 571, pp. 2. 1910.

Soft drink(s)—
- addicts, risk in life insurance. F.B. 393, p. 8. 1910.
- adulteration and misbranding "Cocoa cream" and "Pepsette." Chem. N.J. 742, pp. 3. 1911.
- adulteration and misbranding, containing cocain and caffein. Chem. N.J. 326, pp. 5. 1910.
- bottled, composition and food value. J. W. Sale and W. W. Skinner. Y.B. 1918, pp. 115-122. 1919; Y.B. Sep. 774, pp. 10. 1919.
- bottling, objectionable practices. Y.B., 1918, p. 121. 1919; Y.B., Sep. 774, p. 9. 1919.
- label regulations. Off. Rec., vol. 2, No. 25, p. 3. 1923.
- medicated—
  - analysis methods. H. C. Fuller. Chem. Bul. 137, pp. 190-194. 1911.
  - danger, list. F.B. 393, pp. 6-8. 1910.
  - report of associate referee. Chem. Bul. 162, pp. 204-208. 1913.
- sweetening formulas. Chem. [Misc.], "Formulas for sugar-saving * * *," pp. 2. 1918.
- See also Beverages; Drinks.

Soft rot, of—
- aroids, cause, studies, and inoculation experiments. J.A.R., vol. 6, No. 15, pp. 561-565. 1916.
- cabbage, description, cause, and control. B.P.I. Cir. 39, p. 6. 1909; F.B. 488, pp. 24-25. 1912. F.B. 856, p. 39. 1917; F.B. 925, pp. 13-14, 21-22. 1918. rev., pp. 21-23. 1921.
- calla lily. C. O. Townsend. B.P.I. Bul. 60, pp. 47. 1904.
- celery, description, and control studies. D.B. 601, pp. 23-24. 1917.
- fig, cause and prevention. F.B. 1031, p. 26. 1919.
- Florida pineapple, description and control methods. F.B. 1237, p. 27. 1921.
- ginseng, history, symptoms, cause, and control. B.P.I. Bul. 250, pp. 32-34. 1912.
- oak, cause, description, and effects. B.P.I. Bul. 149, pp. 41-42. 1909.
- onion, description, cause, and control. F.B, 1060, pp. 20-21. 1919.
- potato, description, cause, and control. B.P.I. Bul. 245, p. 18. 1912; J.A.R., vol. 8, p. 89. 1917.
- spinach, causes and losses, prevention. F.B. 1189, p. 9. 1921.
- sweet potato—
  - caused by *Rhizopus nigricans*. J.A.R., vol. 22, p. 511. 1922; J.A.R., vol. 24, pp. 455-456. 1923.
  - description and control. F.B. 714, pp. 20, 24-25. 1916; F.B. 1059, p. 19. 1919; J.A.R., vol. 15, pp. 340-344. 1918; S.R.S. Syl. 26, p. 15. 1917.

Soft scald of apple, cause, description, and control. F.B. 1160, pp. 20-21. 1920.

Softwood(s)—
- decay caused by fungi, description. D.B. 1128, pp. 34-37. 1923.
- discolorations, causes. D.B. 1128, p. 23. 1923.
- distribution in the middle West. Ovid M. Butler. Rpt. 116, pp. 100. 1918.
- lumber—
  - distribution, 1914-1915, by States. Rpt. 115, pp. 94-96. 1917.
  - drying schedule. D.B. 1136, pp. 34-38. 1923.
  - production, 1913, details by States, table. D.B. 232, pp. 30-31. 1915.
- mortality, from budworm attacks, relation to previous growth. J.A.R., vol. 30, pp. 541-555. 1925.
- sap-stains, causes. D.B. 1128, pp. 28-29. 1923.
- supplies, depletion, discussion. Sec. Cir. 140, pp. 8-9. 1919.
- tyloses, occurrence in. J.A.R., vol. 1, pp. 458-459. 1914.

Soil(s)—
- abandoned lands of New York, conditions. B.P.I. Cir. 64, pp. 5, 6, 8-9. 1910.
- absorption—
  - by. Harrison E. Patten and William H. Waggaman. Soils Bul. 52, pp. 95. 1908.
  - by colloidal and noncolloidal constituents. M. S. Anderson and others. D.B. 1122, pp. 20. 1922.
- capacity. Chem. Bul. 92, pp. 16-22. 1905; Soils Bul. 51, pp. 35-38. 1908.
- determination methods. D.B. 1122, pp. 4-5. 1922.

Soil(s)—Continued.
  absorption—continued.
    of—
      dyes, selective. Soils Bul. 52, pp. 33-34. 1908.
      moisture, determination studies. D.B. 1059, pp. 109-120. 1922.
      phosphates and potassium. Oswald Schreiner and George H. Failyer. Soils Bul. 32, pp. 39. 1906.
      vapors and gases. Harrison E. Patten and Francis E. Gallagher. Soils Bul. 51, pp. 50. 1908.
  acid—
    adaptability to blueberry culture. B.P.I. Cir. 122, pp. 3, 4. 1913.
    analyses. J.A.R., vol. 11, pp. 660-668. 1917.
    application of lime as fertilizer. Chem. Bul. 90, pp. 183-187. 1905.
    crop growth, effect of carbon bisulphide. J.A.R. vol. 5, No. 1, pp. 11-14. 1916.
    destructive to Azotobacter growth. J.A.R., vol. 24, p. 767. 1923.
    effect of lime, fertilizers, crops, and moisture, on nitrates. J.A.R., vol. 16, pp. 27-42. 1919.
    experiments with lime and fertilizers on nitrification. O.E.S. Bul. 164, pp. 156-170. 1906.
    fatal to nitrogen-bearing bacteria. F.B. 315, p. 13. 1908.
    grasses suitable for. F.B. 1170, p. 11. 1920.
    green manuring, experiments and results. J.A.R., vol 13, pp. 171-197. 1918.
    lecture syllabus. H. J. Wheeler. O.E.S.F.I.L. 3, pp. 28. 1904.
    lime requirement. Hawaii Bul. 49, pp. 4-5. 1923.
    lime requirement in growing sweet clover. F.B. 797, pp. 14-17. 1917.
    liming, effect on different crops. F.B. 133, pp. 6-7. 1901.
    loss of nitrites. J.A.R., vol. 26, pp. 3-4. 1923.
    low calcium content. J.A.R., vol. 8, p. 76. 1917.
    moisture reactions, relations to plant growth. J.A.R., vol. 15, pp. 326-327. 1918.
    occurrence, in Porto Rico, and treatment. P.R. An. Rpt., 1912, pp. 15, 20. 1913.
    of Porto Rico, studies. Oscar Loew. P.R. Bul. 13, pp. 23. 1913.
    relations of calcium and magnesium carbonates to chemical composition, bacterial contents, and crop-producing power. S. D. Conner and H. A. Noyes. J.A.R., vol. 18, pp. 119-125. 1919.
    requirement of blueberry, experiments. B.P.I. Bul. 193, pp. 26-28. 1910.
    sweet-clover adaptability. F.B. 485, p. 12. 1912.
    tolerance of alsike clover. F.B. 1151, pp. 2, 3, 5, 13. 1920.
    utilization for blueberry culture. D.B. 334, pp. 1, 2, 16. 1915; D. B. 974, pp. 1-2, 3, 24. 1921.
  acidity—
    and adsorption, measurement by hydrogen electrode. L. T. Sharp and D. R. Hoagland. J.A.R., vol. 7, pp. 123-145. 1916.
    and alkalinity, measurement, methods, and experiments. D.B. 1059, pp. 121-123. 1922; J.A.R., vol. 26, pp. 82-114. 1923.
    and hydrolytic ratio. C. H. Spurway. J.A.R., vol. 11, pp. 659-672. 1917.
    and liming, study course. D.B. 355, pp. 62-68. 1916.
    beneficial effects. D.B. 6, pp. 12-13. 1913.
    correction, use of lime and limestone. D.C. 48, p. 3. 1919; F.B. 366, pp. 6, 10. 1909; F.B. 921, pp. 8, 10. 1918.
    definition and relation to lime requirements. J.A.R., vol. 12, pp. 139-140. 1918.
    determination methods. J.A.R., vol. 15, pp. 322, 324, 328. 1918.
    effect—
      of green-manure crop. F.B. 1250, p. 21. 1922.
      of moisture conditions. S. D. Conner. J.A.R., vol. 15, pp. 321-329. 1918.

Soil(s)—Continued.
  acidity—continued.
    effect—continued.
      on Azotobacter flora and nitrogen fixation. J.A.R., vol. 14, pp. 317-336. 1918; J.A.R., vol. 24, pp. 907-938. 1923.
      estimation, bacteriological methods. Chem. Bul. 152, pp. 50-52. 1912.
      factors affecting. J.A.R., vol. 15, pp. 327-328. 1918.
    indication(s)—
      by certain weeds. F.B. 356, p. 13. 1909; F.B. 431, p. 11. 1911.
      by hydrogen electrode, studies. J.A.R., vol. 12, pp. 19-31. 1918.
      testing and correction. F.B. 921, pp. 23-26. 1918.
      testing and lime requirements. F.B. 921, pp. 23-26. 1918.
    influence of green manures. J. W. White. J.A.R., vol. 13, pp. 171-197. 1918.
    injury to crops. D.B. 6, pp. 5-6. 1913.
    measurement by hydrogen electrode. J.A.R., vol. 7, pp. 123-145. 1916.
    measurement, methods and experiments. J.A.R., vol. 26, pp. 82-114. 1923.
    origin and causes. J.A.R., vol. 26, pp. 114-119. 1923.
    plant indicators. F.B. 1365, p. 14. 1924; S.R.S. Rpt., 1915, Pt. I, pp. 39, 236. 1917.
    quantitative method for determining. Chem. Bul. 73, pp. 114-119, 136-139. 1903.
    relation of—
      carbon dioxide. J.A.R., vol. 12, pp. 139-148. 1918.
      phosphates. F.B. 296, p. 6. 1907.
    relation to—
      absorption of iron and aluminum by plants. J.A.R., vol. 23, pp. 803, 804, 819, 821. 1923.
      calcium content. J.A.R., vol. 20, pp. 855-868. 1921.
      damping-off of seedlings. D.B. 934, pp. 32-33, 80-81. 1921.
      growth of Azotobacter sp. J.A.R., vol. 14, pp. 268-271. 1918.
      reseeding experiments. D.B. 4, pp. 23-25, 26. 1913.
      tobacco root rot, experiments and studies. J.A.R., vol. 17, pp. 53-60. 1919.
    sources. D.B. 6, p. 2. 1913.
    testing and correction. D.B. 355, p. 64. 1916; S.R.S. Syl. 20, pp. 5-7. 1916.
    testing, school studies. D.B. 521, pp. 20-21. 1917.
    titration method and equipment. D.B. 1059, pp. 199, 200-201. 1922.
  adaptability of different textures for lawns. F.B. 494, pp. 6-9. 1912.
  adaptation to—
    alfalfa. F.B. 210, pp. 13-15. 1904; F.B. 1283, pp. 8, 9. 1922.
    apple growing. F.B. 1360, pp. 6-7. 1924.
    avocado. Hawaii Bul. 25, p. 11. 1911.
    Bermuda grass. F.B. 945, pp. 5-6. 1918.
    bulb growing. D.B. 797, pp. 3-5. 1919.
    crimson clover. F.B. 1142, pp. 9-10. 1920.
    crops. D.B. 355, pp. 80-84. 1916; Soils Bul. 55, pp. 35-46. 1909.
    crops in various States, counties, and areas. See Soil surveys.
    everbearing strawberries. F.B. 901, p. 8. 1917.
    flue-cured tobacco. D.B. 16, pp. 3-5. 1913.
    oats. F.B. 436, p. 14. 1911; F.B. 892, pp. 4-5. 1917.
    onion-seed growing. F.B. 434, pp. 7-8. 1911.
    peanuts, O.E.S.F.I.L. 13, pp. 6-8. 1912. S.R.S. Doc. 45, pp. 2-3. 1917.
    pop-corn growing. F.B. 554, p. 8. 1913.
    rotundifolia grapes. B.P.I. Bul. 273, pp. 23-24. 1913.
    rye. F.B. 756, p. 5. 1916; F.B. 894, p. 6. 1917.
    sugar beets. D.B. 748, p. 7. 1919; D.B. 995, pp. 7-9, 36. 1921; F.B. 568, pp. 1-2, 5-8, 20. 1914.
    wild rice. D.C. 229, pp. 7-8. 1922.
  addition of salts, chemical changes, studies. J.A.R., vol. 11, pp. 544-546. 1911.
  adobe, in Sacramento Valley, California, suitable crops for. O.E.S. Bul. 207, p. 72. 1909.

Soil(s)—Continued.
  adobe, use in rice growing, possibilities in California. F.B. 1141, pp. 3-4, 6, 13. 1920.
  adsorption and acidity, as measured by hydrogen electrode. J.A.R., vol. 7, pp. 123-145. 1916.
  aeration—
    contributions to knowledge. Edgar Buckingham. Soils Bul. 25, pp. 52. 1904.
    importance, and results on ammonification. Hawaii Bul. 37, pp. 12-16, 32, 50. 1915.
    importance in date culture. B.P.I. Bul. 53, pp. 47, 50, 78, 80, 121. 1904.
    need in control of rice straighthead. F.B. 1212, pp. 11-16. 1921.
    studies and experiments. Soils Bul. 73, pp. 25-49. 1910.
  alfalfa growing, requirements and preparation of land. D.C. 115, pp. 1-3. 1920.
  alkali(es)—
    accumulation, preventive methods. Soils Bul. 34, pp. 10-14. 1906.
    analyses in Texas. O.E.S. Cir. 103, pp. 16, 18, 19. 1911.
    analyses methods, report of referee, 1902. Chem. Bul. 73, pp. 111-113. 1903.
    and vegetation, mutual relations. Thomas H. Kearney and Frank K. Cameron. Rpt. 71, pp. 78. 1902.
    at Billings, Mont., reclamation. Clarence W. Dorsey. Soils Bul. 44, pp. 21. 1907.
    bibliography relating to. Forest V. King and others. D.B. 1314, pp. 40. 1925.
    crops adaptable. B.P.I. Bul. 53, pp. 23, 115, 121. 1904.
    effect on germination and growth of crops. J.A.R., vol. 5, No. 1, pp. 1-53. 1915.
    factors affecting toxicity. J.A.R., vol. 15, pp. 387-319. 1918.
    improvement experiments, Huntley project, 1910-1916. W.I.A. Cir. 15, pp. 24-25. 1917.
    of—
      Newlands reclamation project, composition and treatment. D.C. 267, pp. 21-26. 1923.
      Oregon, Klamath project area, analyses. Soil Sur. Adv. Sh., 1908, pp. 41-42. 1910; Soils F.O., 1908, pp. 1409-1410. 1911.
      United States, review and summary. Clarence W. Dorsey. Soils Bul. 35, pp. 196. 1906.
      Utah, Salt Lake Valley, reclamation. Clarence W. Dorsey. Soils Bul. 43, pp. 28. 1907.
    origin and agricultural importance. J.A.R., vol. 10, pp. 331-353. 1917.
    reclamation—
      Clarence W. Dorsey. Soils Bul. 34, pp. 30. 1906.
      experiments, Newlands experiment farm, Nevada. D.C. 136, pp. 16-21. 1920.
      Fresno, Calif. W. W. Mackie. Soils Bul. 42, pp. 47. 1907.
    methods, and attempts, various localities. O.E.S. Cir. 103, pp. 28-33. 1911.
    review by Secretary, 1904. Rpt. 79, pp. 61-62. 1904.
    salts, comparative tolerance of plants. T. H. Kearney and L. L. Harter. B.P.I. Bul. 113, pp. 22. 1907.
    salts, solution studies. Frank K. Cameron and others. Soils Bul. 18, pp. 89. 1901.
    sweet-clover adaptability. F.B. 485, p. 12. 1912.
    titration methods. D.B. 1059, pp. 199-200. 1922.
    toxicity, factors affecting. J.A.R., vol. 15, pp. 287-319. 1918.
  alluvial and colluvial, Pennsylvania, York Co., origin. Soil Sur. Adv. Sh., 1912, pp. 23-24. 1914; Soils F.O., 1912, pp. 173-174. 1915.
  American, inorganic composition. W. O. Robinson. D.B. 122, pp. 27. 1914.
  ammonia content, relation to total nitrogen, nitrates, and soil reaction. Horace J. Harper. J.A.R., vol. 31, pp. 549-553. 1925.
  ammonia fixation. J.A.R., vol. 9, pp. 141-155. 1917.
  ammonifiers, taxonomic study. J.A.R., vol. 16, pp. 333-350. 1919.
  ammonifying power, determination methods. Chem. Bul. 132, pp. 34-38. 1910.

Soil(s)—Continued.
  analysis—
    and description. See Soil surveys for various States, counties, and areas.
    chemical methods. Soils Bul. 22, pp. 16-20, 66-71. 1903.
    comparison of groups. Soils Bul. 54, pp. 29-33. 1908.
    crotonic-acid isolation, method and result. J.A.R., vol. 6, No. 25, pp. 1043-1045. 1916.
    field equipment. Soils Bul. 22, pp. 19-20, 65-66. 1903.
    mechanical, centrifugal method. Lyman J. Briggs and others. Soils Bul. 24, pp. 38. 1904.
    mechanical method, modification. C. C. Fletcher and H. Bryan. Soils Bul. 84, pp. 16. 1912.
    methods. Chem. Bul. 67, pp. 28-41. 1902; Chem. Bul. 81, pp. 134-146. 1904; Chem. Bul. 107, rev., pp. 234-235. 1912; Chem. Bul. 113, p. 35. 1908; rev., pp. 58-60. 1910; Chem. Bul. 132, pp. 24-42, 51. 1910; Chem. Bul. 152, pp. 52, 83-84. 1912; Chem. Cir. 43, pp. 3-4. 1909; Chem. Cir. 52, p. 3. 1910; Chem. Cir. 90, p. 23. 1912; D.B. 122, pp. 5-9. 1914; Soils Bul. 54, pp. 15-35. 1908; Soils Bul. 84, pp. 9-14. 1912.
    of Hawaii, tables. Hawaii Bul. 40, pp. 20-35. 1915.
    of Maryland, New Jersey, and North Carolina, statement of results. Soils Bul. 22, pp. 20-47. 1903.
    of various sections, United States. D.B. 551, pp. 5-9. 1917.
    report of referee. Chem. Bul. 73, pp. 101-113. 1903; Chem. Bul. 116, pp. 89-92, 130. 1908; Chem. Cir. 38, p. 2. 1908.
    sample-taking methods. Chem. Bul. 67, pp. 152-153. 1902.
    separations of alkalies. Chem. Bul. 67, p. 43. 1902.
    sugar-beet culture. Chem. Bul. 74, pp. 28-35. 1903; Chem. Bul. 78, pp. 37-39. 1903.
    unification of terms for use in reporting, recommendations and discussion. O.E.S. Bul. 184, pp. 129-130. 1907.
    value in management of unproductive soils. D.B. 355, p. 14. 1916.
    work of Soils Bureau, scope. Soils Bul. 84, p. 6. 1912.
  and—
    climate—
      effect on forest types in central Rocky Mountains. Carlos G. Bates. D.B. 1233, pp. 152. 1924.
      influence on composition of sugar beet. Harvey W. Wiley. Chem. Bul. 74, pp. 42. 1903.
    crop data, preliminary, for cooperative study of available plant food. C. C. Moore. Chem. Cir. 11, pp. 9. 1903.
    irrigation waters, electrical method of soluble salts determination. Y.B., 1900, pp. 406-409. 1901.
    plants, relation of some of rarer elements. W. O. Robinson and others. D.B. 600, pp. 27. 1917.
    application of lime and magnesia, effect on plant growth, experiments. P.R. Bul. 12, pp. 1-24. 1913.
  areas of different types. See Soil surveys for different States, counties, and areas.
  arid—
    characteristics, studies. Soils Bul. 85, pp. 38-41. 1912.
    nitrifying powers, comparison with humid soils. J.A.R., vol. 7, pp. 47-82. 1916.
    nitrogen content of humus. J.A.R., vol. 5, No. 20, pp. 909-916. 1916.
    regions, mineral composition. Soils Bul. 54, pp. 27-29. 1908.
    southwest region. Macy H. Lapham. Soil Bul. 96, pp. 555-572. 1913.
  arsenic retention from sprays. D.B. 1316, pp. 3-4, 12-13. 1925.
  artificial plant food. O.E.S. Bul. 115, p. 73. 1914.
  atmosphere, composition, effect on plants. Soils Bul. 55, p. 16. 1909.

Soil(s)—Continued.
   availability of iron. J.A.R., vol. 20, pp. 33-62. 1920.
   available plant food, methods of determining. A. M. Peters. O.E.S. Bul. 164, pp. 151-156. 1906.
   avocado requirements. Hawaii Bul. 51, pp. 9-10. 1924.
   bacteria—
      action upon nitrogenous substances. W. P. Kelley. Hawaii Bul. 39, pp. 25. 1915.
      antagonism to organism of citrus canker. J.A.R., vol. 19, pp. 205, 220-221, 223. 1920.
      as aid in reclamation. Rpt. 70, pp. 45-46. 1901.
      classes, description, and functions. B.P.I. Cir. 113, pp. 4-10. 1913.
      counting methods and numbers in different soils. B.P.I. Bul. 211, pp. 24-25. 1911.
      effect of—
         arsenic. J.A.R., vol. 5, No. 11, pp. 459-460. 1915.
         calcium sulphate, discussion. J.A.R., vol. 19, pp. 51-54. 1920.
         carbon bisulphide. J.A.R., vol. 6, No. 1, pp. 2-5. 1916.
         carbonates of calcium and magnesium, limestone. J.A.R., vol. 12, pp. 463-504. 1918.
         cyanamide and related compounds. J.A.R., vol. 28, pp. 1159-1166. 1924.
         manure and fertilizers. S.R.S. Rpt., 1917, Pt. I, pp. 28, 84, 93, 125, 224. 1918.
         sulphur and sulphates, experiments. J.A.R., vol. 5, No. 16, pp. 772-775. 1916.
      effect on—
         condition of soils. B.P.I. Bul. 100, pp. 76-79. 1907; Soils Bul. 55, p. 18. 1909.
         germination of cottonseed. J.A.R., vol. 5, No. 25, pp. 1171-1172. 1916.
         nitrates in solution. J.A.R., vol. 12, pp. 200-203, 211-213. 1918.
         solubility of phosphates. D.B. 699, pp. 14, 115, 119. 1918.
      favored by crop rotation. Y.B., 1908, p. 410. 1909; Y.B. Sep. 490, p. 410. 1909.
      function in nitrogen fixation. Y.B., 1906, pp. 130-132. 1907; Y.B. Sep. 411, pp. 130-132. 1907.
      functions and value. Y.B., 1909, pp. 219-226. 1910; Y.B. Sep. 507, pp. 219-226. 1910.
      importance in agriculture. B.P.I. Bul. 266, pp. 7, 9, 29, 45. 1913.
      in the ammonification of manure. J.A.R., vol. 16, No 12. pp. 315-350. 1919.
      increase after growth of cowpeas. J.A.R., vol. 5, No. 10, pp. 446-447. 1915.
      influence of barnyard manure and water. J.A.R., vol. 6, No. 23, pp. 889-926. 1916.
      influence of crop season and moisture conditions. J.A.R., vol. 9, pp. 293-341. 1917.
      nitrifying, seasonal variations in activity. B.P.I. Bul. 173, pp. 23-25, 28. 1910.
      nitrogen transformations, relation to citrus plants. J.A.R., vol. 2, pp. 101-113. 1914.
      numbers—
         effect of cyanamide and related compounds. J.A.R., vol. 28, pp. 1159-1166. 1924.
         under different systems of cropping. J.A.R., vol. 6, No. 24, pp. 959-961. 1916.
      relations to ammonification and nitrification. Hawaii Bul. 37, pp. 7-9, 16, 20, 21, 25-35, 48, 49. 1915.
      sulphur oxidation in alkaline soils. J.A.R., vol. 24, pp. 299-304. 1923.
      transformation of mineral constituents. O.E.S. Bul. 194, pp. 31-40. 1907.
   bacterial activities—
      factors influencing. F.B. 329, p. 7. 1908.
      influence of barnyard manure and water. J.A.R., vol. 6, No. 23, pp. 889-926. 1916.
   bacteriological studies under different cropping systems. J.A.R., vol. 6, No. 24, pp. 953-975. 1916.
   bacteriology—
      as factor in crop production. Karl F. Kellerman. B.P.I. Cir. 113, pp. 3-10. 1913.
      cytological studies of *Azotobacter chroococcum*. J.A.R., vol. 4, pp. 225-239. 1915.
      investigations. E. B. Voorhees and Jacob G. Lipman. O.E.S. Bul. 194, pp. 108. 1907.

Soil(s)—Continued.
   bacteriology—continued.
      studies on kelp as fertilizer. J.A.R., vol. 4, pp. 23-37. 1915.
      Truckee-Carson irrigation project, studies. Carl F. Kellerman and E. R. Allen. B.P.I. Bul. 211, pp. 36. 1911.
   bare, evaporation experiments. O.E.S. Bul. 177, pp. 46-51. 1907.
   barium in. G. H. Failyer. Soils Bul. 72, pp. 23. 1910.
   barley growing, requirements. F.B. 443, pp. 11-13. 1911; F.B. 1464, p. 3. 1925.
   basket-willow, growing, requirements. F.B. 341, pp. 9-11. 43, 44. 1909.
   bearing power in road work. D.B. 724, pp. 41-43. 1919.
   beet-growing, requirements. D.B. 721, pp. 6-7, 35. 1918; Rpt. 92, pp. 15-16. 1910.
   beet-sugar experiments, analysis, and description. Chem. Bul. 78, pp. 34-40. 1903.
   Bellingham and Guernsey, use in bulb growing, analyses and comparison. D.B. 28, pp. 3-4. 1913.
   benefit from Sudan grass. F.B. 1126, rev., p. 14. 1925.
   benzene derivatives in. J.A.R., vol. 1, pp. 357-363. 1914.
   binders—
      for canal banks, testing. B.P.I. Cir. 115, pp. 25-30. 1913.
      for terraces and sandy soils. Soils Bul. 75, p. 52. 1911.
      planting on eroded lands. D.B. 675, pp. 33. 1918.
      value of—
         Bermuda grass. F.B. 814, pp. 14, 19. 1917; F.B. 945, p. 6. 1918; Hawaii Bul. 36, p. 20. 1915.
         black mangrove in Hawaii. Ent. Bul. 75, Pt. V, p. 48. 1909.
         quackgrass. F.B. 1307, p. 31. 1923.
         winter crops in the South. F.B. 326, p. 15. 1908.
   biological—
      activities, relation to salts and soil texture. J.A.R., vol. 13, pp. 213-223. 1918.
      changes caused by manure and water. J.A.R., vol. 6, No. 23, pp. 889-923. 1916.
   black alkali. *See* Alkali, black.
   black particles, influence on organic determination. Soils Bul. 90, pp. 19-21. 1912.
   blackberry, preparation. F.B. 1399, p. 3. 1924.
   blowing—
      L. E. Hazen. B.P.I. Bul. 130, pp. 51-53. 1908.
      control. E. E. Free and J. M. Westgate. F.B. 421, pp. 22. 1910.
      management in dry farming. F.B. 1047, pp. 4, 14-20. 1919.
      injury to winter wheat in western South Dakota. B.P.I. Cir. 79, pp. 4-5. 1911.
      prevention. B.P.I. Bul. 130, pp. 10, 53. 1908; B.P.I. Cir. 80, pp. 19, 21. 1911; D.B. 1304, pp. 24-26. 1925; F.B. 421, pp. 7-12. 1910; F.B. 789, pp. 5, 13. 1917; Soils Bul. 68, pp. 23-33, 68-77, 164-172. 1911.
      protective measures at Akron, Colo. D.B. 1304, pp. 24-26. 1925.
   blueberry requirements. D.B. 334, pp. 1-2. 1915.
   buckwheat requirements. Y.B., 1922, pp. 549-559. 1923; Y.B. Sep. 891, pp. 549-559. 1923.
   building—
      for lawns, parks and terraces. F.B. 494, pp. 17-25. 1912; Soils Bul. 75, pp. 36-48. 1911.
      value of legumes. Guam Bul. 4, p. 3. 1922.
      work of boys' clubs. S.R.S. Doc 29, p. 2. 1915.
   bulb growing, mechanical analyses. D.B. 28, p. 4. 1913.
   cabbage requirements. F.B. 433, pp. 7, 14-15, 17-18. 1911.
   "cabbage-sick," cause and control. F.B. 925, rev., pp. 17-18. 1921.
   calcareous—
      black-alkali formation. J.A.R., vol. 10, pp. 541-590. 1917.
      effect on plant growth and ash composition. P. L. Gile and C. N. Ageton. P.R. Bul. 16, pp. 46. 1914.
      isolation of organic matter. Soils Bul. 88, p. 35. 1912.

Soil(s)—Continued.
  calcareous—continued.
    relation to pineapple chlorosis. P. L. Gile.
      P.R. Bul. 11, pp. 45. 1911; pp. 53 (Spanish
      edition). 1913.
    relation to rice chlorosis. J.A.R., vol. 24, pp.
      626-631. 1923.
  calcium-carbonate determination. Chem. Bul.
    122, pp. 120-121. 1909.
  calcium compounds, studies. J.A.R., vol. 8,
    pp. 57-77. 1917.
  cane, in St. Croix, types, analyses. Vir. Is. Bul.
    2, pp. 8-10. 1921.
  canker-infested, inoculation of grapefruit leaves,
    experiments. J.A.R., vol. 19, pp. 207-220.
    1920.
  capillary movement of water, experiments. Soils
    Bul. 82, pp. 23-31. 1911.
  carbon-dioxide determination. Chem. Bul. 152,
    pp. 56-59. 1912.
  carbonaceous residues, origin, study. Soils
    Bul. 90, pp. 23-27. 1912.
  carbonates—
    action of water and aqueous solutions upon.
      Frank K. Cameron and James M. Bell.
      Soils Bul. 49, pp. 4. 1907.
    composition. J.A.R., vol. 3, pp. 79-80. 1914.
    carbonize1 material, occurrence and nature.
      Oswald Schreiner and B. E. Brown. Soils
      Bul. 90, pp. 28. 1912.
  carnation, varieties, improvements. Y.B., 1902,
    p. 561. 1903.
  Carrington—
    clay loam, description. Soils Cir. 58, pp. 1-11.
      1912.
    loam, description. Soils Cir. 34, pp. 1-15. 1911.
    silt loam, description. Soils Cir. 57, pp. 1-10.
      1912.
  catalase. D. W. May and P. L. Gile. P.R. Cir.
    9, pp. 13. 1909.
  catalysis, studies. M. X. Sullivan and F. R.
    Reid. Soils Bul. 86, pp. 31. 1912.
  catalytic power, testing, method, apparatus, and
    results. Soils Bul. 86, pp. 11-31. 1912.
  Cecil clay, description. Soils Cir. 28, pp. 1-28.
    1911.
  Cecil sandy loam, description. Soils Cir. 27, pp.
    1-19. 1911.
  celery requirements. F.B. 1269, pp. 3-4. 1922.
  cementation, natural processes, description.
    Soils Bul. 93, pp. 26-27. 1913.
  change, effect on varieties of corn. Y.B., 1902, p.
    551. 1903.
  change from acidity to alkalinity, cause. D.B.
    6, p. 4. 1913.
  character—
    and agricultural value, by provinces and series.
      Soils Bul. 55, pp. 84-205. 1909.
    factors determining. Soils Bul. 55, pp. 20-30.
      1909; Soils Bul. 85, pp. 13-23. 1912.
    relation to crop and varietal adaptation. D.B.
      140, pp. 37-47. 1915.
  chemical—
    changes promoted by oxidation, investigations.
      Soils Bul. 56, pp. 8-11. 1909.
    composition, by States. Soils Bul. 57, pp. 65-
      94. 1909.
    composition, variation. W. O. Robinson and
      others. D.B. 551, pp. 16. 1917.
    factors, relation to damping-off of seedlings.
      D.B. 934, pp. 79-81. 1921.
    nature of organic matter. Oswald Schreiner
      and Edmund C. Shorey. Soils Bul. 74, pp.
      48. 1910.
    properties and relations to plant growth. D.B.
      355, pp. 10-17. 1916.
  chemistry, relation to crop production. Milton
    Whitney and F. K. Cameron. Soils Bul. 22,
    pp. 71. 1903.
  Chester loam, description. Soils Cir. 55, pp. 1-10.
    1912.
  citrus fruit—
    growing, selection, and preparation. F.B. 238,
      pp. 8-10. 1906; F.B. 374, pp. 9-10. 1909;
      F.B. 538, pp. 8-10. 1913; F.B. 1122, pp. 10-11.
      1920.
    niter spots, formation. J.A.R., vol. 9, pp. 234-
      239. 1917.
    nitrate distribution, effect of rainfall. J.A.R.,
      vol. 9, pp. 244-250. 1917.

Soil(s)—Continued.
  Citrus fruit—continued.
    orchards, relation to mottle-leaf disease.
      J.A.R., vol. 6, No. 19, pp. 721-740. 1916.
  Clarksville silt loam, description. Soils Cir. 30,
    pp. 1-15. 1911.
  classification—
    and crop adaptations, work of Soils Bureau.
      Y.B., 1920, pp. 417-419. 1920; Y.B. Sep. 854,
      pp. 417-419. 1920.
    and distribution, with details as to character
      and use. Soils Bul. 55, pp. 81-239. 1909.
    and study, use of auxotaxic curve. A. E.
      Vinson and C. N. Catlin. J.A.R., vol. 26,
      pp. 11-13. 1923.
    by color, description and analyses. J.A.R.,
      vol. 8, pp. 58-69. 1917.
    changes in names. Soils Bul. 78, pp. 253-280.
      1911.
    need and bases. Soils Bul. 85, pp. 23-38. 1912.
  clay adobe, barley yield as affected by salts.
    J.A.R., vol. 4, pp. 201-218. 1915.
  clover sickness, causes. F.B. 1339, pp. 30-32.
    1923.
  Clyde loam, description. Soils Cir. 37, pp. 1-16.
    1911.
  Clyde series. J. A. Bonsteel. D.B. 141, pp. 60.
    1914.
  coffee in Porto Rico. P.R. Cir. 15, pp. 8-9. 1912.
  cohesion and penetration, investigations. Soils
    Bul. 50, pp. 10-26. 1908.
  colloidal material, estimation—
    P. L. Gile and others. D.B. 1193, pp. 42. 1924.
    heat of wetting as basis. J.A.R., vol. 28, pp.
      930-934. 1924.
  colloids and noncolloids, description and compar-
    isons. D.B. 1122, p. 3. 1922.
  colloids—
    binding power, factors influencing. Howard
      E. Middleton. J.A.R., vol. 28, pp. 499-513.
      1924.
    chemical composition. W. O. Robinson, and
      R. S. Holmes. D.B. 1311, pp. 42. 1924.
    determination methods. An. Rpts., 1923, pp.
      43, 376-377. 1924; Sec. A.R., 1923, p. 43. 1923;
      Soils Chief Rpt., 1923, pp. 4-5. 1923.
    heat of wetting. M. S. Anderson. J.A.R.,
      vol. 28, pp. 927-935. 1924.
    microscopic estimation. William H. Fry.
      J.A.R., vol. 24, pp. 879-883. 1923.
  colluvial, origin and formation. Soil Sur. Adv.
    Sh., 1912, pp. 23-24. 1914; Soils F. O., 1912, p.
    336. 1915.
  color—
    W. O. Robinson and W. J. McCaughey. Soils
      Bul. 79, pp. 29. 1911.
    agricultural significance, investigations. Soils
      Bul. 79, pp. 7-12. 1911.
    indications. An. Rpts., 1908, p. 97. 1909; Sec.
      A.R., 1908, p. 95. 1908.
    relation to organic matter, fertility, and crop
      adaptation. Soils Bul. 55, pp. 17, 24-26,
      40-41. 1909.
  colorimetric methods of investigation. Soils Bul.
    31, pp. 18-51. 1906.
  compacting tests, experiments. J.A.R., vol. 5,
    No. 10, pp. 442-445. 1915; O.E.S. Bul. 249,
    Pt. I, pp. 14-15. 1912.
  composition—
    chemical and physical. O.E.S. Bul. 195, pp.
      19-20. 1908; Soils Bul. 22, p. 10. 1903; Soils
      Bul. 85, pp. 9-12, 14. 1912.
    for lettuce seed-bed. F.B. 1418, p. 11. 1924.
    in United States and European countries, com-
      parison. Soils Bul. 57, pp. 60-127. 1909.
    in western Kansas and Nebraska, relation to
      forest growth. For. Bul. 66, pp. 8-10. 1905.
    relation to soil productivity, and crop yields,
      study. Milton Whitney. Soils Bul. 57, pp.
      127. 1909.
  compounds—
    determination methods, petrographic and ana-
      lytical. J.A.R., vol. 8, pp. 57-59. 1917.
    injurious to plant life, study. An. Rpts., 1910,
      p. 506. 1911; Soils Chief Rpt., 1910, p. 18.
      1910.
    organic, isolation methods. Soils Bul. 88, pp.
      30-35, 41. 1913.

Soil(s)—Continued.
condition(s)—
affecting alfalfa-root growth. D.B. 1087, pp. 2-3, 24. 1922.
and reclamation, Montana, Billings area. Soil Sur. Adv. Sh., 1902, pp. 677-684. 1903; Soils F. O., 1902, pp. 677-684. 1903.
effect—
of shading. J. B. Stewart. Soils Bul. 39, pp. 19. 1907.
on legume inoculation. F.B. 315, pp. 9-10, 13. 1908.
on plant growth. Y.B., 1901, pp. 157-159. 1902; Y.B. Sep. 225, pp. 157-159. 1902.
on root rot of cotton and alfalfa. J.A.R., vol. 26, pp. 409-411. 1923.
favorable to root knot. B.P.I. Bul. 217, pp. 41, 73. 1911.
in Alaska. Alaska Bul. 2, pp. 14-16. 1905.
in San Antonio region, Texas. B.P.I. Bul. 237, pp. 10-11. 1912.
in some extensive parks and city lawns, description. Soils Bul. 75, pp. 36-43. 1911.
in South American countries. Off. Rec., vol. 3, No. 19, pp. 1, 7. 1924.
relation to—
citrus-fruit injury by fumigation. D.B. 907, pp. 30-32. 1920.
coconut bud rot. B.P.I. Bul. 228, pp. 9, 33, 34, 146-147, 151. 1912.
corn rots. F.B. 1176, pp. 20-23. 1920.
gas injury of citrus trees. F.B. 1321, pp. 45-46. 1923.
mulched basins. D.B. 499, pp. 17-18. 1917.
persistence of *Fusarium martii*. J.A.R., vol. 26, pp. 469-471. 1923.
potato scab. C.T. and F.C.D. Inv. Cir. 3, pp. 6-7. 1918.
road building in Middle West. Rds. Cir. 91, pp. 7-13. 1910.
wheat rosette disease. J.A.R., vol. 23, pp. 779-782. 1923.
suited to clover growing. F.B. 1365, pp. 5-6. 1924.
suited to flax growing. F.B. 274, pp. 12, 17. 1907.
water requirements, plant-growth experiments. D.B. 700, pp. 7-14, 15-16. 1918.
conservation—
W. J. Spillman. F.B. 406, pp. 15. 1910.
address of President Taft before National Conservation Congress, 1911. Sec. Cir. 38, pp. 8. 1911.
of moisture, management. George H. Failyer. F.B. 266, pp. 32. 1906.
constituents—
absorption at successive stage of plant growth. J.A.R., vol. 18, pp. 51-72. 1919.
and functions, relation to plant production. Y.B., 1910, pp. 169-170. 1911; Y.B. Sep. 526, pp. 169-170. 1911.
beneficial, importance. Soils Bul. 83, p. 7. 1911.
effect of variations in moisture content. J.A.R., vol. 18, pp. 139-143. 1919.
experiments. Soils Bul. 87, pp. 12-17. 1912.
harmful, isolation, identification, and possible origin. Soils Bul. 75, pp. 29-33. 1911.
harmful organic effects. Oswald Schreiner and J. J. Skinner. Soils Bul. 70, pp. 98. 1910.
mineral, transformation by bacteria. O.E.S. Bul. 194, pp. 31-40. 1907.
nitrogenous, relation to soil fertility. Oswald Schreiner and J. J. Skinner. Soils Bul. 87, pp. 84. 1912.
organic. Edmund C. Shorey. Soils Bul. 88, pp. 41. 1913.
organic and inorganic, studies. Soils Bul. 85, pp. 8-13. 1912.
organic, assimilation, studies. Soils Bul. 87, pp. 10-12. 1912.
solubility in water. J.A.R., vol. 27, pp. 648-651. 1924.
withdrawn by ramie crop. B.P.I. Cir. 103, p. 5. 1912.
content of microscopic organisms, discussion. Y.B., 1914, pp. 457-460. 1915; Y.B. Sep. 652, pp. 457-460. 1915.

Soil(s)—Continued.
cooperative work of county agents, 1915. S.R.S. Doc. 32, pp. 16-17, 18-19. 1917.
corn—
growing requirements. B.P.I. Doc. 730, pp. 3-4. 1912; S.R.S. Syl. 21, pp. 2-3. 1916.
needs in moisture, drainage, plowing, and humus. F.B. 1149, pp. 3-5. 1920.
cotton-growing sections, description. D.B. 896, pp. 5-6. 1920; F.B. 509, pp. 5-7. 1912.
course for self-instructed classes in movable schools of agriculture. A. R. Whitson and H. B. Hendrick. D.B. 355, pp. 92. 1916.
cowpea, requirements. F.B. 1148, p. 5. 1920.
Coxville series, Atlantic coast trucking region. Y.B., 1912, pp. 424-426. 1913; Y.B. Sep. 603, pp. 424-426. 1913.
cranberry, requirements and treatment. F.B. 1400, pp. 12-13, 17-18, 27-29. 1924.
creatinine as beneficial organic constituent. Oswald Schreiner and others. Soils Bul. 83, pp. 44. 1911.
crop-producing power, water extractions as criteria. J.A.R., vol. 12, pp. 297-309. 1918.
cropped and uncropped, solutes, concentration, and rate. J.A.R., vol. 12, pp. 302-306. 1918.
cropped, moisture studies. J.A.R., vol. 10, pp. 117-125. 1917.
Crowley silt loam, description. Soils Cir. 54, pp. 1-8. 1912.
crust, injury to sugar-beet stand, precaution. D.B. 721, pp. 15-16. 1918.
crystalline and metamorphic rocks, mineral composition. Soils Bul. 54, pp. 19-21. 1908.
cucumber—
requirements. F.B. 254, pp. 7, 14, 18, 25. 1906.
forcing, selection and treatment. F.B. 1320, pp. 6-13. 1923.
cultivation—
effect on water requirement of sugar beet, experiments. B.P.I. Bul. 285, pp. 28-30. 1913.
for retention of moisture. F.B. 266, pp. 16-18. 1906.
in vegetable gardens for prevention of crusts. S.R.S Syl. 27, pp. 10-11. 1917.
culture, in Oklahoma rotations. L. R. Moorhouse. B.P.I. Bul. 130, pp. 69-80. 1908.
currants, requirements and preparations. F.B. 1024., pp. 4-5. 1919.
cyanuric-acid isolation, studies. J.A.R., vol. 10, pp. 85-92. 1917.
cypress requirements. D.B. 272, pp. 34-35, 64. 1915.
dasheen, description. F.B. 1396, p. 10. 1924.
date—
gardens, requirements. F.B. 1016, pp. 15-16. 1919.
region, Tunis, chemical composition. B.P.I. Bul. 92, pp. 33-41. 1906.
decomposition, effect on concrete drain tile. G. R. B. Elliott. J.A.R., vol. 24, pp. 471-500. 1923.
decomposition of nitrogenous substances. W. P. Kelley. Hawaii Bul. 39, pp. 25. 1915.
deficiency(ies)—
and nitrification, discussion. Chem. Bul. 90, pp. 179-183. 1905.
in phosphoric acid, relation to osteomalacia. B.A.I. Dairy [Misc.], "World's dairy congress, 1923," pp. 1496-1499. 1924.
pot experiment. Chem. Bul. 62, p. 73. 1901.
relation to pecan rosette. S. M. McMurran. D.B. 756, pp. 11. 1919.
defloculation, method. Soils Bul. 90, p. 11. 1912.
Dekalb silt loam, description. Soils Cir. 38, pp. 1-13. 1911.
demonstration work among negroes. D.C. 355, p. 9. 1925.
description and analyses. See Soil surveys for *various States, counties, and areas.*
desert—
fungi distribution. J.A.R., vol. 13, pp. 73-98. 1918.
occurrence of *Fusarium radicicola*. J.A.R., vol. 6, No. 9, p. 299. 1916.
occurrence of *Fusarium tr'chothecioides*. J.A.R., vol. 6, No. 21, pp. 824-825. 1916.
southwestern, composition and salts. J.A.R., vol. 28, pp. 723, 724-725. 1924.

Soil(s)—Continued.
  deterioration, causes and possible remedy. Soils Bul. 55, pp. 61–66. 1909.
  dewberry requirements. F.B. 1403, p. 3. 1924.
  disinfectants—
    treatment for damping-off control, cost. D.B. 453, pp. 19–21, 31. 1917.
    use on "sick" soil in Porto Rico. P.R. Bul. 13, pp. 16–19. 1913.
    varieties, uses, and comparison. P.R. An. Rpt., 1910, pp. 17–19. 1911.
  disinfection—
    by freezing and drying. B.P.I. Bul. 217, pp. 48, 74. 1911.
    damping-off control, tests. D.B. 453, pp. 6–18, 31. 1917.
    for control of wheat rosette, experiments. J.A.R., vol. 23, pp. 732–783. 1923.
    for ginseng growing. F.B. 736, pp. 7, 8, 9, 11, 12, 14, 20–21. 1916.
    for seed beds. D.C. 35, pp. 19–30. 1919.
    for tomato seed beds. D.C. 40, p. 10. 1919.
    hot water, control of root-knot nematode and parasitic soil fungi. L. P. Byars and W. W. Gilbert. D.B. 818, pp. 14. 1920.
    in agriculture. Oscar Loew. P.R. Cir. 11, pp. 12. 1909.
    in pheasant runs and pens. F.B. 390, pp. 35–36. 1910.
    steam and chemical, with special reference to potato wart. N. Rex Hunt and others. J.A.R., vol. 31, pp. 301–363. 1925.
    use of chemicals. J.A.R., vol. 31, pp. 308–321, 329–358. 1925.
    use of chloride of lime. O.E.S. An. Rpt., 1910, p. 26. 1911.
  Douglas-fir requirements. D.B. 1200, pp. 9–10. 1924; For. Cir. 150, pp. 19–21. 1909; For. Cir. 175, p. 6. 1911.
  drained, decrease in acidity. J.A.R., vol. 15, pp. 321–326, 328. 1918.
  drained in Louisiana, utilization. D.B. 652, pp. 15–16, 66. 1918.
  drifting—
    control in North Dakota, Dickey County. Soil Sur. Adv. Sh., 1914, pp. 25, 51–52. 1916; Soils F.O., 1914, pp. 2431, 2457–2458. 1919.
    effects on compostion and surfaces. Soils Bul. 68, pp. 99–109. 1911.
    prevention in alfalfa-seed growing. B.P.I. Cir. 24, p. 13. 1909; F.B. 495, pp. 22–23. 1912.
    prevention in Washington, Franklin County. Soil Sur. Adv. Sh., 1914, pp. 34–35, 58. 1917; Soils F.O., 1914, pp. 2560–2561, 2584. 1919.
  drying, effect upon solubility of constituents. Soils Bul. 22, p. 42. 1903.
  drying for control of root knot. B.P.I. Bul. 217, pp. 60–61. 1911.
  dynamiting experiments, Belle Fourche project, 1913. B.P.I. [Misc.], "Work of the Belle Fourche * * * 1913," p. 17. 1914.
  east of Great Plains region, use. Soils Bul. 78, pp. 292. 1911.
  effect of—
    climate on, studies. J.A.R., vol. 25, pp. 13–30. 1923.
    fertilizers and legumes on, study. B.P.I. Chief Rpt., 1925, pp. 26–27. 1925.
    lightning. For. Bul. 111, pp. 10–12. 1912.
    various crops on water extract. J.A.R., vol. 20, pp. 663–667. 1921.
  effect on—
    forest types in central Rocky Mountains. Carlos G. Bates. D.B. 1233, pp. 152. 1924.
    tobacco quality. Y.B., 1922, pp. 398, 416–418. 1923; Y.B. Sep. 885, pp. 398, 416–418. 1923.
    vitality of tomato leaf spot fungus. D.B. 1288, pp. 4–5. 1924.
  electric fixation of atmospheric nitrogen and use of calcium cyanamid and calcium nitrate on, reference list. Stephen Conrad Stuntz. Soils Bul. 63, pp. 89. 1910.
  endurance, study. Soils Bul. 55, pp. 37–38, 61–80. 1909.
  energy changes caused by evaporation. Soils Bul. 51, pp. 46–48. 1908.
  enrichment, for corn resistance to rootworms on lowlands. F.B. 950, p. 10. 1918.
  enzymes, studies. Soils Bul. 56, pp. 13–14, 25, 42, 45–50. 1909.

Soil(s)—Continued.
  eolian—
    description, formation, and location. Soils Bul. 68, pp. 122-124, 139-140. 1911.
    in western South Dakota, classification and description. Soil Sur. Adv. Sh., 1909, pp. 34-37. 1911; Soils F.O., 1909, pp. 1446-1449. 1912.
  eroded and noneroded, comparison of properties. D.B. 675, pp. 19–22. 1918.
  erosion—
    W. J. McGee. Soils Bul. 71, pp. 60. 1911.
    in Missouri, Johnson County, control methods. Soil Sur. Adv. Sh., 1914, pp. 13–14. 1916; Soils F.O., 1914, p. 1951. 1919.
    in South. R. O. E. Davis. D.B. 180, pp. 33. 1915.
    See also Erosion.
  European, fertility, permanency. Soils Bul. 55, pp. 74–76. 1909.
  European, similarity to American. Off. Rec., vol. 1, No. 30, p. 1. 1922.
  evaporation, studies, and rate. Soils Bul. 51, pp. 15, 43–46. 1908.
  examination for—
    Azotobacter, methods and results. J.A.R., vol. 24, pp. 908–932. 1923.
    organic constituents, especially dihydroxystearic acid. Oswald Schreiner and Elbert C. Lathrop. Soils Bul. 80, pp. 33. 1911.
  exhaustion and abandonment. Milton Whitney. Rpt. 70, pp. 48. 1901.
  experiment vineyards in California, description and analysis. B.P.I. Bul. 172, pp. 28–45. 1910.
  extract(s)—
    experiments with various salts upon growth and oxidation. Soils Bul. 56, pp. 30–42. 1909.
    modification, effect of season and crop growth. Guy R. Stewart. J.A.R., vol. 12, pp. 311–368. 1918.
    oxidation, comparison of good and poor soils, experiments. Soils Bul. 56, pp. 25–30. 1909.
    poor lawn soils, experiments. Soils Bul. 75, pp. 29–31. 1911.
    preparation. Soils Bul. 56, p. 15. 1909.
    preparation in studies of Hawaiian soils. Hawaii Bul. 30, pp. 11–12. 1913.
    solution, use in soil protozoa studies. J.A.R., vol. 4, pp. 514, 521–530, 544–549. 1915.
    treatment with various solids, experiments. Soils Bul. 36, pp. 22–45. 1907.
    use in experiments. Soils Bul. 40, pp. 5–15. 1907.
  factors—
    effect on water requirement of crop plants, experiments. B.P.I. Bul. 285, pp. 11–58. 1913.
    harmful and beneficial, balance. Soils Bul. 89, pp. 35–36, 37. 1912.
    in plant breeding. Soils Bul. 55, pp. 41–42. 1909.
    relation to loose smut of oats. L. K. Bartholomew and E. S. Jones. J.A.R., vol. 24, pp. 569–575. 1923.
  Fargo clay loam, description. Soils Cir. 36, pp. 1–16. 1911.
  fermentation, factor in soil improvement. Soils Bul. 55, pp. 65–66. 1909.
  fertility—
    Milton Whitney. F.B. 257, pp. 40. 1906.
    and crop rotations, study course. D.B. 355, pp. 84–89. 1916.
    and fertilizers, relation of internal browning of apples. D.B. 1104, pp. 14–16. 1922.
    as affected by manures. Frank D. Gardner. Soils Bul. 48, pp. 59. 1908.
    bearing of nitrogenous soil constituents. Oswald Schreiner and J. J. Skinner. Soils Bul. 87, pp. 84. 1912.
    criteria for. J.A.R., vol. 12, pp. 306–307. 1918.
    discussion. Rpt. 70, pp. 4–5. 1901.
    effects of windbreaks. For. Bul. 86, pp. 38–39. 1911.
    experiments, Umatilla experiment farm. B.P.I. [Misc.], "The work of the Umatilla * * * 1913," pp. 10–11. 1914.
    factors influencing. Oswald Schreiner and Howard S. Reed. Soils Bul. 40, pp. 40. 1907.

Soil(s)—Continued.
  fertility—continued.
    for Easter lily-growing. D.B. 962, pp. 25-26. 1921.
    improvement by farmers in central Atlantic States. F.B. 924, pp. 1-24. 1918.
    in Germany and United States, comparison. D.B. 47, pp. 4-5. 1913.
    in Hawaii, studies, objects, and methods. Hawaii Bul. 35, pp. 1-32. 1914.
    in Missouri, maintenance, grain yield, and profits. D.B. 633, pp. 12-14. 1918.
    in relation to water requirement in irrigation. D.B. 1340, p. 33. 1925.
    increase due to grazing hogs, experiments with different plants. F.B. 411, pp. 39-40. 1910.
    increase from sheep pasturing. D.B. 20, p. 2. 1913.
    increasing for sugar beets. Rpt. 80, pp. 156-160. 1905.
    influence on tree tolerance. For. Bul. 92, pp. 18-19. 1911.
    investigations. Milton Whitney and F. K. Cameron. Soils Bul. 23, pp. 48. 1904.
    investigations, 1915-1920, work of county agents. D.C. 179, pp. 21-24. 1921.
    maintenance—
      by livestock. Y.B., 1916, pp. 467-468. 1917; Y.B. Sep. 694, pp. 1-2. 1917.
      by steer feeding. F.B. 479, p. 13. 1912.
      in Corn Belt, farming systems, suggestions. F.B. 588, p. 12. 1914.
      in dry farming. B.P.I. Bul. 103, pp. 31-35. 1907.
      on Pennsylvania farms, fertilizers and lime. D.B. 853, pp. 28-30. 1920.
      relation of dairying. Y.B., 1922, p. 282. 1923; Y.B. Sep. 879, p. 2. 1923
    measurement studies. D.B. 1059, pp. 129-135. 1922.
    oxidation concurrent with reduction by roots, studies and experiments. Soils Bul. 73, pp. 17-25. 1910.
    permanency, and effect of fertilizers and crop rotation. Soils Bul. 55, pp. 47-61, 66-80. 1908.
    reduction by roots, studies and experiments. Soils Bul. 73, pp. 9-17. 1910.
    relation of—
      cattle industry. Y.B., 1921, p. 228. 1922; Y.B. Sep. 874, p. 228. 1922.
      color. Soils Bul. 55, pp. 17, 24-26. 1909.
      harmful organic substances. Soils Bul. 53, pp. 1-53. 1909.
      methods of harvesting corn. F.B. 313, p. 27. 1907.
      oxidation. Oswald Schreiner and Howard S. Reed. Soils Bul. 56, pp. 52. 1909.
      relation to permanent agriculture. C. G. Hopkins. O.E.S. Bul. 164, pp. 134-142. 1906.
    sugar-beet requirements, conditions governing. D.B. 995, pp. 26-30. 1921.
    testing, experiments, Umatilla experiment farm. D.C. 110, pp. 20-22. 1920.
    value of stock feeding. News L., vol. 3, No. 49, pp. 1-2. 1916.
  fertilizer(s)—
    and manures, effect. Soils Bul. 55, pp. 19-20, 47-58. 1909.
    for corn. Milton Whitney. Soils Bul. 64, pp. 31. 1910.
    for cotton. Milton Whitney. Soils Bul. 62, pp. 24. 1909.
    for miscellaneous crops. Soils Bul. 67, pp. 28-58. 1910.
    requirements for different crops. F.B. 398, pp. 11-24. 1910.
  field operations—
    second report, 1900. Milton Whitney and others. Soils F.O., 1900, pp. 473. 1901.
    third report, 1901. Milton Whitney and others. Soils F.O., 1901, pp. 647. 1902.
    fourth report, 1902. Milton Whitney and others. Soils F.O., 1902, pp. 842. 1903.
    fifth report, 1903. Milton Whitney and others. Soils F.O., 1903, pp. 1310. 1904.
    sixth report, 1904. Milton Whitney and others. Soils F.O., 1904, pp. 1159. 1905.

Soil(s)—Continued.
  field operations—continued.
    seventh report, 1905. Milton Whitney and others. Soils F.O., 1905, pp. 1089. 1907.
    eighth report, 1906. Milton Whitney and others. Soils F.O., 1906, pp. 1033. 1908.
    ninth report, 1907. Milton Whitney and others. Soils F.O., 1907, pp. 1062. 1909.
    tenth report, 1908. Milton Whitney and others. Soils F.O., 1908, pp. 1428. 1910.
    eleventh report, 1909. Milton Whitney and others. Soils F.O., 1909, pp. 1756. 1912.
    twelfth report, 1910. Milton Whitney and others. Soils F.O., 1910, pp. 1772. 1912.
    thirteenth report, 1911. Milton Whitney and others. Soils F.O., 1911, pp. 2356. 1914.
    fourteenth report, 1912. Milton Whitney and others. Soils F.O., 1912, pp. 2166. 1915.
    fifteenth report, 1913. Milton Whitney and others. Soils F.O., 1913, pp. 2438. 1916.
    sixteenth report, 1914. Milton Whitney and others. Soils F.O., 1914, pp. 2850. 1919.
    seventeenth report, 1915. Milton Whitney and others. Soils F.O., 1915, pp. 2733. 1919.
    eighteenth report, 1916. Milton Whitney and others. Soils F.O., 1916, pp. 2574. 1921.
    nineteenth report, 1917. Milton Whitney and others. Soils F.O., 1917, pp. 2644. 1923.
    twentieth report, 1918. Milton Whitney and others. Soils F.O., 1918, pp. 1752. 1924.
    twenty-first report, 1919. Milton Whitney and others. Soils F.O., 1919, pp. 1881. 1925.
    twenty-second report, 1920. Milton Whitney and others. Soils F.O., 1920, pp. 1665. 1925.
  field, protozoan activity, study. J.A.R., vol. 5, No. 11, pp. 480-482. 1915.
  fig growing, requirements in South. F.B. 342, p. 22. 1909; F.B. 1031, pp. 6-8. 1919.
  flax requirements. Y.B., 1922, p. 542. 1923; Y.B. Sep. 891, p. 542. 1923.
  for packing bulbs, sterilization requirements. F.H.B.S.R.A. 61, p. 32. 1919.
  for tulip-bulb production, fertility importance, drainage, tulip adaptability. D.B. 1082, pp. 33-38. 1922.
  foreign, studies and collection of samples. An. Rpts., 1923, p. 376. 1924; Soils Chief Rpt., 1923, p. 4. 1923.
  forest—
    humus determinations. D.B. 1059, pp. 126-128. 1922.
    mechanical analysis, method suggested. D.B. 1059, pp. 123-126. 1922.
    nursery, requirements. D.B. 479, pp. 3-4. 1917.
    wilting coefficients. D.B. 1059, pp. 80-100, 136-139. 1922; J.A.R., vol. 24, pp. 145-152. 1923.
  formation—
    agencies in. Soils Bul. 55, pp. 17-20. 1909; Soils Bul. 85, pp. 14-19. 1912.
    composition, discussion. F.B. 257, pp. 9-13. 1906.
    factors and processes, south Texas. Soil Sur. Adv. Sh., 1909, pp. 18-20. 1911; Soils F.O., 1909, pp. 1042-1044. 1912.
    from—
      dust deposition. Soils Bul. 68, pp. 49-53. 1911.
      rock, and waste by erosion. Y.B., 1913, p. 213. 1914; Y.B. Sep. 624, p. 213. 1914.
    normal processes, discussion. Soils Bul. 68, pp. 13-15. 1911.
    school studies. D.B. 521, pp. 7-8. 1917.
  forming minerals, microscopic determination. W. J. McCaughey and William H. Fry. Soils Bul. 91, pp. 100. 1913.
  freeing from alkali, methods. Soils Bul. 34, pp. 17-20. 1906.
  from—
    different States, examination for organic constituents, results. Soils Bul. 80, pp. 16-19. 1911.
    Porto Rico and Hawaii, entry hearing. F.H.B.S.R.A. 74, pp. 41-42. 1923.
  frost-loosened, blowing, control methods. F.B. 421, p. 20. 1910.
  frozen, management in Alaska. Off. Rec., vol. 2, No. 23, p. 6. 1923.

Soil(s)—Continued.
  fumigation with hydrocyanic-acid gas. E. Ralph de Ong. J.A.R., vol. 11, pp. 421-436. 1917.
  fungi, relation to potato diseases in southern Idaho. O. A. Pratt. J.A.R., vol. 13, pp. 73-100. 1918.
  furrow-irrigated, nitrates variation after fertilization. J.A.R., vol. 9, pp. 204-234. 1917.
  garden—
    acidity and plowing-time tests. News L., vol. 4, No. 37, p. 6. 1917.
    and field, occurrence of aldehydes, studies, tables. D.B. 108, pp. 12-22. 1914.
    fertilizer requirements. F.B. 1044, pp. 8-11. 1919.
    for home, preparation. S.R.S. Doc. 49, pp. 3-4. 1918.
  glacial—
    and loessial province. J. E. Lapham and Curtis E. Marbut. Soils Bul. 96, pp. 109-164. 1913.
    and loessial province, types, area, distribution, description, and uses. Soils Bul. 78, pp. 95-130. 1911.
    formation, studies. D.B. 355, pp. 7-8. 1916.
  lake and river terrace province—
    J. E. Lapham and Curtis F. Marbut. Soils Bul. 96, pp. 165-219. 1913.
    area and description. Soils Bul. 78, pp. 131-168. 1911.
    origin, mineral composition. Soils Bul. 54, pp. 21-24. 1908.
  gooseberry requirements. F.B. 1024, pp. 4-5. 1919.
  grades—
    according to size of particles. Soils Bul. 54, p. 7. 1908.
    and types, as related to lawns, adaptability. Soils Bul. 75, pp. 12-21. 1911.
  grains—
    detection, use of microscope and lantern, experiments. Soils Bul. 82, pp. 33-35. 1911.
    in North Central and Southern States, extent and uses. Y.B., 1911, pp. 223-230, 235-236. 1912; Y.B. Sep. 563, pp. 223-230, 235-236. 1912.
  grass, types in different States. F.B. 494, pp. 19-21. 1912; Soils Bul. 75, pp. 46-48. 1911.
  gravelly and stony, coastal plains, value and uses. Soils Bul. 78, pp. 63-69. 1911.
  grazing lands, moisture and erosion. D.B. 1001, pp. 10-11. 1922.
  green-manured, organic matter at various periods. J.A.R., vol. 13, pp. 187-193. 1918.
  greenhouse—
    and field, protozoa studies. J.A.R., vol. 4, pp. 516-542. 1915.
    for tomatoes. F.B. 1431, pp. 8-9. 1924.
    insects and pests, description and control. F.B. 1362, pp. 72-77. 1924.
    preparation for cucumbers. F.B. 1320, pp. 11-12. 1923.
    protozoan activity, study. J.A.R., vol. 5, No. 11, pp. 479-480. 1915.
    renewal, for control of root knot. B.P.I. Bul. 217, pp. 45-46, 74. 1911.
    sterilization. F.B. 186, pp. 8-11. 1904; F.B. 996, p. 15. 1918; F.B. 1320, pp. 7-10. 1923.
  gumbo, irrigation experiments, Belle Fourche reclamation project. D.B. 447, pp. 6-11. 1916.
  Hagerstown—
    clay, description. Soils Cir. 64, pp. 1-12. 1912.
    loam, description. Soils Cir. 29, pp. 1-18. 1911.
  harmful effects of aldehydes. Oswald Schreiner and J. J. Skinner. D.B. 108, pp. 26. 1914.
  Hawaiian—
    absorption of fertilizer salts. W. T. McGeorge. Hawaii Bul. 35, pp. 32. 1914.
    ammonification and nitrification. W. P. Kelley. Hawaii Bul. 37, pp. 52. 1915.
    apparent specific gravity, effect of salts and moisture content, studies. Hawaii Bul. 38, pp. 25-27. 1915.
    changes during disintegration. Hawaii Bul. 42, pp. 5-6. 1917.
    chemical characteristics and biological conditions. Hawaii Bul. 40, pp. 10-32. 1915.

Soil(s)—Continued.
  Hawaiian—continued.
    clay, flocculation, studies and experiments. Hawaii Bul. 38, pp. 19-22. 1915.
    cohesion, effect of salts, studies. Hawaii Bul. 38, pp. 22-25. 1915.
    composition of particles. W. T. McGeorge. Hawaii Bul. 42, pp. 12. 1917.
    effect of heat. W. P. Kelley and W. T. McGeorge. Hawaii Bul. 30, pp. 38. 1913.
    fertilizers, effect on physical properties. W. T. McGeorge. Hawaii Bul. 38, pp 31. 1915.
    hygroscopic moisture, effect of salts and fertilizers, studies. Hawaii Bul. 38, pp. 29-30. 1915.
    liming. Hawaii A.R., 1916, pp. 22-23. 1917.
    organic nitrogen in. E. C. Shorey. Hawaii A.R., 1906, pp. 37-59. 1907.
    organic nitrogen in. W. P. Kelley and Alice R. Thompson. Hawaii Bul. 33, pp. 22. 1914.
    origin, composition, and analyses. Hawaii Bul. 42, pp. 3-5. 1917.
    phosphate fertilizers and their availability. W. T. McGeorge. Hawaii Bul. 41, pp. 45. 1916.
    physical properties, effect of fertilizers. W. T. McGeorge. Hawaii Bul. 38, pp. 31. 1915.
    preparation for phosphate experiments, methods. Hawaii Bul. 41, pp. 8-9. 1916.
    selection of types, analyses, and chemical composition. Hawaii Bul. 42, pp. 6-7, 12. 1917.
    studies and analyses. Hawaii A.R., 1915, pp. 13-14, 29, 33-36. 1916.
    types, composition. Hawaii Bul. 43, p. 4. 1917.
    types used in tests with heat, analyses. Hawaii Bul. 30, pp. 12-13. 1913.
    types, water capacity, specific gravity, and analyses. Hawaii Bul. 38, pp. 7-9. 1915.
    use in phosphate experiments, composition. Hawaii Bul. 41, p. 8. 1916.
    vapor pressure, effect of soluble salts, studies. Hawaii Bul. 38, pp. 28-29. 1915.
  hay, fertilizers, tests. Soils Bul. 67, pp. 18-27. 1910.
  heat transference. Harrison E. Patten. Soils Bul. 59, pp. 54. 1909.
  heating, effects, chemical and physical, studies. Soils Bul. 89, pp. 7-17. 1912.
  heaving—
    avoidance for lily growing. D.B. 1331, p. 8. 1925.
    injury to alfalfa root-growth. D.B. 1087, p. 6. 1922.
  heavy, improvement by liming. F.B. 921, p. 9. 1918.
  heavy, not suited to green-manure crops. B.P.I. Bul. 190, p. 10. 1910.
  hemp, description. B.P.I. Cir. 57, pp. 4, 5. 1910; Y.B., 1913, pp. 307-308. 1914; Y.B. Sep. 628, pp. 307-308. 1914.
  henequen and sisal requirements. Y.B., 1918, p. 362. 1919; Y.B. Sep. 790, p. 8. 1919.
  heterogeneity—
    correction, discussion on. Frederick D. Richey. J.A.R., vol. 27, pp. 79-90. 1923.
    influence on yields of field and orchard crops. J.A.R., vol. 19, pp. 282-300. 1920.
    physical and chemical factors causing. J.A.R., vol. 19, pp. 300-311. 1920.
    variety tests, correction method. J.A.R., vol. 5, No. 22, pp. 1039-1050. 1916.
  hickory-tree requirements. For. Bul. 80, pp. 25-26. 1910.
  hillside, loss by erosion. Off. Rec., vol. 4, No. 42, p. 5. 1925.
  home gardens, preparation. F.B. 936, pp. 25-26, 31-32. 1918.
  Houston black clay, description. Soils Cir. 50, pp. 1-14. 1912.
  Houston clay, description. Soils Cir. 49, pp. 1-11. 1911.
  humid—
    and arid regions, analyses. D.B. 61, pp. 24-25, 78-79. 1914.
    nitrifying powers, comparison with arid soils. C. B. Lipman and P. S. Burgess. J.A.R., vol. 7, pp. 47-82. 1916.
    various States, nitrification powers, comparison. J.A.R., vol. 7, pp. 50-55. 1916.

Soil(s)—Continued.
　humus, decomposition rate, study of methods. Chem. Bul. 122, pp. 191–196. 1909.
　humus, fermentation by cellulose destruction. B.P.I. Bul. 266, pp. 7, 9, 29 41, 45–46. 1913.
　hydraulic screening, method. Soils Bul. 90, pp. 11–12. 1912.
　hydrocyanic-acid gas, fumigation, effects, and absorption. J.A.R., vol. 11, pp. 428–434. 1917.
　hygroscopic coefficient determination. D.B. 1059, pp. 97–100, 109. 1922; J.A.R., vol. 7, pp. 345–359. 1916.
　hypoxanthine occurrence, description. Soils Bul. 74, pp. 43–43. 1910.
　identifying and mapping. Soils [Misc.], "Instructions to field * * *," pp. 67–89. 1914.
　impermeable, relation to quality of irrigation water. An. Rpts., 1922, pp. 186–187. 1923; B.P.I. Chief Rpt., 1922, pp. 26–27. 1922.
　important—
　　American. Jay A. Bonsteel. Y.B. 1911, pp. 223–236. 1912; Y.B. Sep. 563, pp. 223–236. 1912.
　　of the United States. Soils [Misc.], "Important soils * * *," pp. 28. 1916.
　　types, chemical composition. D.B. 122, pp. 12–13. 1914.
　improvement—
　　Arlington Farm, work in 1908. Rpt. 87, p. 37 1908.
　　by sheep pasturing. F.B. 1181, pp. 5, 12. 1921.
　　dairying advantages. Sec. [Misc.] Spec. "Advantages of dairying * * *," p. 2. 1914.
　　experiments in Oregon, Umatilla experiment farm. W.I.A. Cir. 26, pp. 9–12. 1919.
　　extension work in Southern States, 1922. D.C. 316, pp. 4, 35, 36. 1924.
　　factors in. Soils Bul. 55, pp. 65–66. 1909.
　　factors in Central Atlantic States. F.B. 924, pp. 5–8. 1918.
　　for cotton farming, methods. D.B. 659, pp. 32–34. 1918.
　　fundamental principles. Y.B., 1912, pp. 464, 466. 1913; Y.B. Sep. 606, pp. 464, 466. 1913.
　in—
　　Alabama, Baldwin County, suggestions. Soil Sur. Adv. Sh., 1909, pp. 18–21. 1911; Soils F.O., 1909, pp. 718–721. 1912.
　　coastal plain section, examples. F.B. 924, pp. 18–24. 1918.
　　coastal plain section, important crops. F.B. 924, pp. 8–12. 1918.
　　corn cultivation. F.B. 414, pp. 6–15. 1910.
　　North Carolina. Off. Rec., vol. 3, No. 27, p. 6. 1924.
　　manure management. D.B. 258, p. 20. 1915.
　　practices. F.B. 242, pp. 7, 14. 1906; F.B. 245, pp. 11–15. 1906.
　　problems, studies and suggestions. F.B. 924, pp. 17–18. 1918.
　　suggestions for south-central Pennsylvania. Soil Sur. Adv. Sh., 1910, pp. 72–76. 1912; Soils F.O., 1910, pp. 260–264. 1912.
　use of—
　　alsike clover, value and fertilizing constituents. F.B. 1151, pp. 20–21. 1920.
　　bur clover, methods. F.B. 532, pp. 16–17. 1913.
　　clover-seed production and livestock pasturing. B.P.I. Cir. 28, pp. 12–14. 1909.
　　cowpeas. F.B. 318, pp. 22–24. 1908.
　　crimson clover. F.B. 579, pp. 5–6, 7–9. 1914.
　　fertilizers and cover crops, Oregon, experiments. W.I.A. Cir. 17, pp. 8–13, 22. 1917.
　　lime. F.B. 704, pp. 5–6. 1916.
　　manures and fertilizers, study course. D.B. 355, pp. 54–62. 1916.
　　phosphates. F.B. 704, pp. 6–7. 1916.
　　red clover. F.B. 1339, pp. 17–18. 1923.
　　sweet clover. F.B. 485, pp. 14, 30–31. 1912; F.B. 836, p. 23. 1917.
　　rye and wheat, comparison. Y.B., 1918, p. 173. 1919; Y.B. Sep. 769, p. 7. 1919.
　　soybeans. F.B. 973, pp. 31–32. 1918.
　　velvet beans. F.B. 962, pp. 21–26. 1918.
　work, 1923. D.C. 343, pp. 10–12. 1925.

Soil(s)—Continued.
　indicators—
　　native vegetation in Pajaro Valley, Calif. Soil Sur. Adv. Sh., 1908, p. 13. 1910; Soils F.O., 1908, p. 1339. 1911.
　vegetation of—
　　alluvial lands, Mississippi Valley. O.E.S. An. Rpt., 1908, p. 411. 1909.
　　Great Plains area. B.P.I. Bul. 201, pp. 1–100. 1911.
　　Tooele Valley, Utah. J.A.R., vol. 1, pp. 365–417. 1914.
　infected—
　　carrier of bacterial wilt of cucurbits, studies. J.A.R., vol. 6, No. 11, pp. 423–424. 1916.
　　cause of seedling blight of corn and wheat. J.A.R., vol. 20, pp. 840, 868. 1923.
　infection—
　　relation to mosaic disease of tobacco. J.A.R., vol. 10, pp. 623–624. 1917.
　　with—
　　　anthrax, sources. B.A.I. Bul. 137, pp. 10–11. 1911.
　　　Helminthosporium gramineum. J.A.R., vol. 1, p. 481. 1914.
　　　potato brown rot. D.C., 281, pp. 3, 6. 1923.
　　　root rot, studies. J.A.R., vol. 27, pp. 960–961. 1924.
　　　tobacco mosaic disease, experiments. D.B. 40, pp. 24–26. 1914.
　　　tobacco root rot, effect on yield. J.A.R., vol. 17, pp. 48–49. 1919.
　　　wilt organism, prevention. B.P.I. Bul. 141, pp. 21–24. 1909.
　infestation with—
　　corn rots, effect on vigor and yield of corn plants. J.A.R., vol. 23, pp. 587, 590, 591, 599, 600, 608–615, 620–625. 1923.
　　fungus of fusarium blight. J.A.R., vol. 16, pp. 284–286, 298–300. 1919.
　　phylloxera. D.B. 903, pp. 121–122. 1921.
　　root-knot nematodes, prevention. F.B. 1345, pp. 18, 23–24. 1923.
　　sugar-beet nematodes, methods and spread. F.B. 1248, pp. 11–13. 1922.
　　wheat bunt, studies. D.B. 1239, pp. 2–8. 1924.
　　wheat nematodes. J.A.R., vol. 27, pp. 941–944. 1924.
　influence on—
　　corn production and yield. Y.B., 1921, p. 181. 1922; Y.B. Sep. 872, p. 181. 1922.
　　quality of sweet corn. B.P.I. Bul. 184, p. 16. 1910.
　injury by—
　　forest fires. For. Bul. 82, pp. 15–16. 1910.
　　smelter wastes, methods of analysis. Chem. Bul. 113, pp. 35–37. 1908.
　　substances thrown off in plant growth. F.B. 245, p. 7. 1906.
　　tailings and slag from Washoe reduction plant. Chem. Bul. 113, pp. 30–34. 1908.
　inoculation—
　　by transfer, danger of disseminating weeds and insect pests. F.B. 214, pp. 9–10. 1905; F.B. 315, p. 14. 1908.
　　distribution. Y.B., 1906, p. 134. 1907; Y.B. Sep. 411, p. 134. 1907.
　　experiments and results. O.E.S. Bul. 194, pp. 98–107. 1907.
　　for legumes, use of artificial cultures by practical farmers, reports. George T. Moore. B.P.I. Bul. 71, pp. 72. 1905.
　　in growing—
　　　alfalfa, methods. B.P.I. Cir. 80, pp. 20–21. 1911; F.B. 1125, rev., pp. 30–31. 1920; S.R.S. Syl. 20, p. 8. 1916.
　　　beans, method. F.B. 907, pp. 7–8, 15–16. 1917.
　　　button-clover. F.B. 730, p. 6. 1916.
　　　field peas. F.B. 690, p. 9. 1915.
　　　horse beans. F.B. 969, p. 8. 1918.
　　　purple vetch. F.B. 967, p. 7. 1918.
　　　vetch, directions. F.B. 515, pp. 11–12, 19, 27. 1912; F.B. 529, pp. 10–13. 1913.
　　methods and results. D.B. 625, p. 8. 1918; F.B. 214, pp. 1–48. 1905; F.B. 704, pp. 24–26. 1916; F.B. 1250, pp. 8–10. 1922.
　　with—
　　　clover bacteria. F.B. 1142, p. 13. 1920.

Soil(s)—Continued.
　inoculation—continued.
　　with—continued.
　　　Corticium vagum, experiments. J.A.R., vol. 23, pp. 762–764. 1923.
　　　legume bacteria. S.R.S. Syl. 24, pp. 2–3. 1917; S.R.S. Syl. 25, pp. 3–4. 1917.
　　　lespedeza bacteria. F.B. 1143, p. 9. 1920.
　　　nitrogen-fixing bacteria. A. F. Woods. B.P.I. Bul. 72, Pt. IV, pp. 23–30. 1905.
　　　soybean organisms. F.B. 372, pp. 12–14. 1909.
　　　wilt disease, experiments. D.B. 828, pp. 11–12, 42. 1920.
　investigation(s)—
　　C. E. Thorn. O.E.S. Bul. 164, pp. 156–165. 1906.
　　colorimetric, turbidity, and titration methods. Oswald Schreiner and George H. Failyer. Soils Bul. 31, pp. 60. 1906.
　　methods. Oswald Schreiner and George H. Failyer. Soils Bul. 31, pp. 60. 1906.
　　on physical properties. Lyman J. Briggs. Soils F.O., 1900, pp. 413–421. 1901; Soils F.O. Sep., 1900, pp. 413–421. 1901.
　iron content and color in various localities. Soils Bul. 79, pp. 18–22. 1911.
　irrigated—
　　district, Texas, description and value, comparison. D.B. 665, pp. 18–19. 1918.
　　evaporation. Samuel Fortier and S. H. Beckett. O.E.S. Bul. 248, pp. 77. 1912.
　　nitrates, distribution. J.A.R., vol. 9, pp. 239–243. 1917.
　　water capacities, studies. J.A.R., vol. 13, pp. 5–27. 1918.
　　water movement. Carl S. Scofield. J.A.R., vol. 27, pp. 617–693. 1914.
　isolation of organic constituents, scheme. Soils Bul. 80, pp. 10–16. 1911.
　Kansas, relation of calcium content to soil reaction as determined by electrometric titration. C. O. Swanson and others. J.A.R., vol. 20, pp. 855–868. 1921.
　Knox silt loam, description. Soils Cir. 33, pp. 1–17. 1911.
　lake plains, jack-pine growth on. D.B. 212, p. 1. 1915.
　lawn—
　　Oswald Schreiner and J. J. Skinner. Soils Bul. 75, pp. 55. 1911.
　　and lawns. Oswald Schreiner and others. F.B. 494, pp. 48. 1912.
　　character and preparation. F.B. 248, pp. 6–8. 1906.
　legume inoculation and litmus reaction. Karl F. Kellerman and T. R. Robinson. B.P.I. Cir. 71, pp. 11. 1910.
　lifting by wind, description of movements. Soils Bul. 68, pp. 33–34, 83–88. 1911.
　lime requirements, estimation by electrometric method. J.A.R., vol. 7, pp. 130–132. 1916.
　limestone and shale, mineral composition. Soils Bul. 54, pp. 25–27. 1908.
　limestone valleys and upland province, types, area and distribution, description, and uses. Soils Bul. 78, pp. 169–182. 1911; Soils Bul. 96, pp. 85–108. 1913.
　liming—
　　effect on plant growth. B.P.I. Bul. 1, pp. 1–53. 1901.
　　effects, physical and chemical. F.B. 921, pp. 8–11. 1918.
　　filter-press cake from beet-sugar factories, value. D.C. 257, pp. 1–3. 1923.
　　methods. B.P.I. Doc. 631, p. 14. 1911.
　　principles. Edmund C. Shorey. F.B. 921, pp. 30. 1918.
　litmus reaction and legume inoculation. Karl F. Kellerman and T. R. Robinson. B.P.I. Cir. 71, pp. 11. 1910.
　loam, blowing, control methods. F.B. 421, pp. 17–18. 1910.
　loess—
　　fertility. Soils Bul. 68, pp. 128–129. 1911.
　　moisture content of surface foot, relation to hygroscopic coefficient. Frederick J. Alway. J.A.R., vol. 14, pp. 453–480. 1918.
　　water capacity and hygroscopic coefficients. J.A.R., vol. 7, pp. 349–350, 353. 1916.

Soil(s)—Continued.
　loosening, use of dynamite, Porto Rico. P.R. An. Rpt., 1913, pp. 20–21. 1914.
　loss of nitrogen. F.B. 273, p. 5. 1906.
　losses by erosion, causes and control, discussion. Sec. Cir. 38, pp. 4–6. 1911.
　Madonna-lily growing, selection. D.B. 1331, p. 8. 1925.
　maintenance of organic matter, methods and needs. F.B. 1047, pp. 22–24. 1919.
　management—
　　and cultivation in Idaho. D.B. 636, pp. 17–19. 1918.
　　for prevention of black stem rust. Y.B., 1918, p. 85. 1919; Y.B. Sep. 760, p. 13. 1919.
　　importance on wild uplands, Washington. D.B. 1236, p. 25. 1924.
　　in beet growing. Rpt. 90, pp. 14–25. 1909.
　　in lawn-making. Soils Bul. 75, pp. 48–52. 1911.
　　in Yakima Valley orchards, irrigation, methods, and cost per acre. D.B. 614, pp. 24–29. 1918.
　　investigations, results. F. H. King. Y.B., 1903, pp. 159–174. 1904; Y.B. Sep. 311, pp. 159–174. 1904.
　　irrigation and dry farming. F.B. 266, pp. 19–23. 1906.
　　orchards, tillage, cover crops, and fertilizer. S.R.S. Syl. 23, pp. 5–7. 1916.
　　to conserve moisture. George H. Failyer. F.B. 266, pp. 32. 1906.
　　See also Soil surveys *for various States, counties, and areas.*
　manganese—
　　action. J. J. Skinner and M. X. Sullivan. D.B. 42, pp. 32. 1914.
　　experiments as plant nutrient. J.A.R., vol. 24, pp. 784–792. 1923.
　　function and distribution. W. P. Kelley. Hawaii Bul. 26, pp. 56. 1912.
　manganiferous—
　　nature, and effect on plants. Hawaii Bul. 52, pp. 7–24. 1924.
　　nitrification. Hawaii Bul. 37, pp. 45–46. 1915.
　　observations, and experiments with various plants. Hawaii Bul. 26, pp. 22–25. 1912.
　　on Oahu Island, Hawaii, location, origin, and composition studies. Hawaii Bul. 26, pp. 42–56. 1912.
　　treatment with iron and sulphuric acid. Hawaii Bul. 52, pp. 27–35. 1924.
　manurial requirements—
　　of Cecil silt loam of Lancaster County, S. C. F. D. Gardner and F. E. Bonsteel. Soils Cir. 16, pp. 7. 1905.
　　of Portsmouth sandy loam of Darlington area, South Carolina. F. D. Gardner and F. E. Bonsteel. Soils Cir. 17, pp. 10. 1905.
　　wire-basket determination method. Frank D. Gardner. Soils Cir. 18, pp. 6. 1905.
　maps, use in road engineering. Off. Rec., vol. 4, No. 30, p. 6. 1925.
　Marion silt loam, description. Soils Cir. 59, pp. 1–10. 1912.
　marsh—
　　and swamp, description. Soils Cir. 69, pp. 1–14. 1912.
　　land, treatment. O.E.S. An. Rpt., 1906, pp. 391–392. 1907.
　　management. F.B. 465, pp. 7–9. 1911.
　　shrinkage. O.E.S. Bul. 240, pp. 18, 95. 1911.
　Marshall silt loam, description. Soils Cir. 32, pp. 1–18. 1911.
　mass, effect on water requirement of crop plants, experiments. B.P.I. Bul. 285, pp. 30–31, 70. 1913.
　material(s)—
　　absorption and utilization by plants, studies. D.B. 355, pp. 11–12, 14–15. 1916.
　　composition and classification, tables. Soils Bul. 78, pp. 12–14. 1911.
　　movement by the wind. E. E. Free. Soils Bul. 68, pp. 173. 1911.
　　nature, functions, importance, and variability. Soils Bul. 75, pp. 9–12. 1911.
　　source, and quantity annually transported by streams of United States. D.B. 180, pp. 4–5, 22, 23. 1915.
　　water-transported, carrying capacity of streams. D.B. 180, pp. 2–4, 22, 23. 1915.

Soil(s)—Continued.
  material(s)—continued.
    wind-moved, quantity, comparison with water-moved soil material. D.B. 180, p. 5. 1915.
  Meadow, description. Soils Cir. 68, pp. 1-21. 1912.
  mechanical make-up. F.B. 187, pp. 6-8. 1904.
  Memphis silt loam, description. Soils Cir. 35, pp. 1-19. 1911.
  methods of analysis. Chem. Bul. 73, p. 113. 1903.
  Miami—
    clay loam, description. Soils Cir. 31, pp. 1-17. 1911.
    series. J. A. Bonsteel. D.B. 142, pp. 59. 1914.
  microorganisms—
    long vity under desiccation, studies. Ward Giltner and H. Virginia Langworthy. J.A.R., vol. 5. No. 20, pp. 927-942. 1916.
    plate counts. N. R. Smith and S. Worden. J.A.R., vol. 31, pp. 501-517. 1925.
    relation to damping-off of seedlings. D.B. 934, pp. 82-86. 1921.
  mineral(s)—
    composition, examination and arrangement, tables. Soils Bul. 91, pp. 9-15, 28-43, 45-59. 1913.
    particles, separation methods. Soils Bul. 91, pp. 6-9. 1913.
    present, table. Soils Bul. 85, p. 95. 1912.
    solubility, absorptive power, size of particles, study. Soils Bul. 55, pp. 8-14. 1909.
    mineralogical analyses, tables. Soils Bul. 85, pp. 86-99. 1912; Soils Bul. 91, pp. 45-59. 1913.
  mixing, alkali and acids, effect on Azotobacter content. J.A.R., vol. 24, pp. 290-292. 1913.
  mixtures for—
    blueberries. B.P.I. Cir. 122, pp. 5-6. 1913; D.B. 974, pp. 9, 18, 20. 1921.
    wilting experiments. B.P.I. Cir. 109, pp. 19-20. 1913.
  moist, freezing point study in forests. D.B. 1059, pp. 68, 70, 76, 109. 1922.
  moistness, relation to water movement. J.A.R., vol. 10, pp. 391-428. 1917.
  moisture—
    absorption and retention, influence of soil mulch. M.A. McCall. J.A.R., vol 30, pp. 819-831. 1925.
    and vapor movement in, effect of temperature. J.A.R., vol. 5, No. 4, pp. 141-172. 1915.
    as protection against wind erosion. Soils Bul. 68, pp. 28-31, 52-53, 170. 1911.
    at San Antonio, Tex., determination, studies. B.D. 151, pp. 5-9, 10. 1914.
    availability, measurement. Y.B., 1910, pp. 170-172. 1911; Y.B. Sep. 526, pp. 170-172. 1911.
    capillary—
      distribution in soil columns of small cross section. W. W. McLaughlin. D.B. 1221, pp. 23. 1924.
      movement. Walter W. McLaughlin. D.B. 835, pp. 70. 1920.
    composition and movement. Soils Bul. 55, pp. 14-16, 72-73. 1909.
    conditions—
      at field station near Mandan, N. Dak. D.B. 1301, p. 65. 1925.
      in furrow irrigation. O.E.S. Bul. 203, p. 10. 1908.
      Nebraska, Scottsbluff experiment farm. D.B. 133, pp 15-16, 17. 1914.
      in spring-wheat plats in Colorado, 1908-1914. D.B. 253, pp. 6-13. 1915.
    conservation—
      management. George H. Failyer. F.B. 266, pp. 32. 1906.
      methods. B.P.I. Bul. 215, pp. 26-30. 1911.
    content—
      and physical condition. Frank K. Cameron and Francis E. Gallagher. Soils Bul. 50, pp. 70. 1908.
      comparison at wilting point and death point. B.P.I. Bul. 230, pp. 16-19. 1912.
      dependence upon humidity. Soils Bul. 51, pp. 22-24. 1908.
      effect on water requirement of crop plants, experiments. B.P.I. Bul. 285, pp. 11-24, 88. 1913.

Soil(s)—Continued.
  moisture—continued.
    content—continued.
      variation, experimental studies. B.P.I. Bul. 230, pp. 7-10. 1912.
    control methods, on irrigation projects. B.P.I. Cir. 83, pp. 9-10. 1911.
    cultivation for retention. F.B. 266, pp. 16-18. 1906.
    data, method of collection, dry-farming experiments. D.B 157, pp. 4, 7, 13, 23, 32. 1915.
    determination—
      methods. J.A.R., vol. 31, pp. 332-333. 1925.
      on grazed pastures. D.B. 1170, p. 35. 1923.
      under basins, cover crops, and soil mulches. D.B. 499, pp. 8-12. 1917.
    distribution and critical content. Soils Bul. 50, pp. 54-57. 1908.
    distribution, relation to freezing. J.A.R., vol. 24, pp. 429-431. 1923.
    effect of—
      addition of soluble salts. P. E. Karraker. J.A.R., vol. 4, pp. 187-192. 1915.
      tree cutting. D.B. 1105, pp. 59-66. 1923.
    effect on—
      bacteria. J.A.R., vol. 9, pp. 294-295. 1917.
      efficiency of explosives. D.C. 94, pp. 20-24. 1920.
      germicidal action of antiseptics. J.A.R., vol. 15, pp. 606-614. 1918.
      increase of sugar-beet root louse. J. R. Parker. J.A.R., vol. 4, pp. 241-250. 1915.
      nitrates, nitrification, and bacteria, of acid soils. J.A.R., vol. 16, pp. 32-33, 35-37. 1919.
      soil acidity. S. D. Conner. J.A.R., vol. 15, pp. 321-329. 1918.
      urediniospores of *Puccinia graminis*. J.A.R., vol. 16, p. 71. 1919.
    equivalents. Lyman J. Briggs and John W. McLane. Soils Bul. 45, pp. 25. 1907.
    evaporation experiments with soil mulches. Y.B., 1908, pp. 466-472. 1909; Y.B. Sep. 1908, pp. 466-472. 1909.
    evaporation, factors affecting. F.S. Harris and J. S. Robinson. J.A.R., vol. 7, pp. 439-461. 1916.
    exhaustion by weeds. D.B. 253, p. 4. 1915.
    experiments at field station near Mandan, N. Dak., D.B. 1301, p. 33. 1925
    hygroscopic-coefficient determination. J.A.R., vol. 11, pp. 147-166. 1917.
    importance in grass growing, and necessity of drainage. Soils Bul. 75, pp. 26-28, 50. 1911.
    importance in lawns. F.B. 494, pp. 11-12. 1912.
    in forests, relation to brush cover. D.B. 1105, pp. 94-97, 101-102. 1923.
    inactive, measurement by dilatometer. George J. Bouyoucos. J.A.R., vol. 8, pp. 195-217. 1917.
    indicator of types of vegetation in Tooele Valley, Utah. J.A.R., vol. 1, pp. 365-417. 1914.
    influence on—
      alfalfa seed production. F.B. 495, p. 9. 1912.
      composition and yield of wheat. B.P.I. Bul. 78, pp. 29-30. 1905.
      development of blights caused by *Gibberella saubinetii*. J.A.R., vol. 23, pp. 837-870. 1923.
      tree tolerance, experiments. For. Bul. 92, pp. 15-18. 1911.
    irrigated lands, control, hints. B.P.I. Doc. 453, pp. 5-6. 1909.
    lateral movement, measurement. D.B. 499, pp. 13-14. 1917.
    measurement and data at forest stations, central Rocky Mountains. D.B. 1233, pp. 120-131, 138-140. 1924.
    movement—
      and composition. Soils Bul. 55, pp. 14-16, 72-73. 1909.
      and distribution. F. S. Harris and H. W. Turpin. J.A.R., vol. 10, pp. 113-115. 1917.
      and measurement. D.B. 835, pp. 47-54. 1920; Y.B., 1910, p. 171. 1911; Y.B. Sep. 526, p. 171. 1911.
      from small capillaries into large, upon freezing. J.A.R., vol 24, pp. 427-432. 1923.

Soil(s)—Continued.
  moisture—continued.
    movement—continued.
      studies. Edgar Buckingham. Soils Bul. 38, pp. 61. 1907.
      under mulches. J.A.R., vol. 23, pp. 729, 737-739. 1923.
      upon freezing. George John Bouyoucos. J.A.R., vol. 24, pp. 427-432. 1923.
    percentage, determination in irrigation work. F.B. 864, pp. 35-36. 1917.
    preservation by mulches. F. S. Harris and H. H. Yao. J.A.R., vol. 23, pp. 727-742. 1923.
    protection by windbreaks. For. Cir. 161, pp. 11-12. 1909.
    relation to—
      alkali soils. F.B. 446, rev., pp. 7-8. 1920.
      bunt infection. D.B. 1239, p. 11. 1924.
      forest growth and reproduction, study. D.B. 1059, pp. 66-120, 136-137. 1922.
      Fusarium disease of cabbage seedlings. William B. Tisdale. J.A.R., vol. 24, pp. 55-86. 1923.
      oats infection by loose smut. J.A.R , vol. 24, pp. 572-575. 1923.
      organic matter and productivity. J.A.R., vol. 16, pp. 273-277. 1919.
      protozoan activity. J.A.R., vol. 5, No. 11, pp. 479-485. 1915.
      root rot of tobacco. J.A.R., vol. 17, pp. 49-53. 1919.
      salt balance for plant growth. J.A.R., vol. 18, pp. 357-378. 1920.
      wheat infection by *Helminthosporium sativum*. H. H. McKinney. J.A.R., vol. 26, pp. 195-218. 1923.
    requirements for raspberries. F.B. 887, pp. 14-15. 1917.
    requirements for corn and the sorghums. J.A.R., vol. 6, No. 9, pp. 324-325, 330-331. 1916.
    retention by soil, methods of promotion. F.B. 414, pp. 11-12. 1910.
    sapping by windbreaks, effects and remedies. For. Bul. 86, pp. 33-38. 1911.
    school lesson on conservation. D.B. 258, pp. 21-22. 1915.
    storing by summer fallowing, dry-land regions. B.P.I. Bul. 130, pp. 25-30. 1908.
    tests in Florida. D.B. 462, pp. 13-17. 1917.
    tests of heterogeneity of fields. J.A.R., vol. 19, pp. 300-311. 1920.
    use and value in beet leaf-spot control. F.B. 618, pp. 16-17, 18. 1914.
    value for corn growing, methods of securing. News L., vol. 4, No. 24, pp. 1, 2. 1917.
    value in beet leaf-spot control. F.B. 618, pp. 16-17. 1914.
    vapor pressure, experiments, and methods. Soils Bul. 82, pp. 31-32. 1911.
    variation, effect on water-extractable matter of soils. J. C. Martin and A. W. Christie. J.A.R., vol. 18, pp. 139-143. 1919.
  mountain, fertilizers for corn. F.B. 1149, p. 8. 1920.
  mountain, peach growing in West Virginia. D.B. 29, pp. 4-5. 1913.
  muck—
    and peat, description. Soils Cir. 65, pp. 1-15. 1912.
    treatment. F.B. 366, pp. 5-6. 1909.
    value for dasheen growing. B.P.I. Doc. 1110, p. 5. 1914.
  mulches—
    different depths, effect on evaporation. O.E.S. Bul. 248, pp. 11-30. 1912.
    effect in checking evaporation. F.B. 882, pp. 33-35. 1917.
    for checking evaporation. Samuel Fortier. Y.B., 1908, pp. 465-472. 1909; Y.B. Sep. 495, pp. 465-472. 1909.
    influence in checking evaporation. O.E.S. Bul. 177, pp. 15-19. 1907.
  mushroom requirements. F.B. 233, p. 14. 1905.
  nature and origin. Soils Bul. 85, pp. 7-23. 1912.
  need of organic matter. F.B. 1365, p. 13. 1924.
  need of sulphur for plant growth. J.A.R., vol. 30, pp. 937-938. 1925.

Soil(s)—Continued.
  nema infested, steam sterilization. B.P.I. Bul. 217, pp. 44-45, 63-64, 74. 1911.
  nema population, estimation. N. A. Cobb. B.P.I. Agr. Tech. Cir. 1, p. 48. 1918.
  nitrates, determination, methods and results. B.P.I. Bul. 173, pp. 9-27. 1910.
  nitrification—
    investigations. Chem Bul. 67, p. 36. 1902.
    influence of fertilizers. O.E.S. Bul. 194, pp. 63-64. 1907.
    studies. O.E.S. An. Rpt., 1911, pp. 168, 169. 1912.
    studies. G. S. Fraps, 1902. Chem. Bul. 73, pp. 121-135. 1903.
  nitrifying power—
    at different depths, studies. B.P.I. Bul. 211, pp. 12-19. 1911.
    determination methods. Chem. Bul. 132, pp. 34-38. 1910.
  nitrogen—
    accumulation, effect of salts. J.A.R., vol. 16, pp. 107-135. 1919.
    accumulation, some factors. J.A.R., vol. 11, pp. 43-64. 1917.
    bacterial transformations, relation to nutrition of citrus plants. Karl F. Kellerman and R. C. Wright. J.A.R., vol. 2, pp. 101-113. 1914.
    content directly available. Y.B., 1906, p. 125. Y.B. Sep. 411, p. 125. 1907.
    effects of heat, studies. Hawaii Bul. 30, pp. 28-37. 1913.
    soluble nonprotein. R. S. Potter. J.A.R., vol. 6, No. 2, pp. 61-64. 1916.
    sources, loss. F.B. 278, pp. 10-11. 1907.
    transformation and distribution, relation to nutrition of citrus plants. I. G. McBeth. J.A.R., vol. 9, pp. 183-352. 1917.
  nitrogenous substances, biochemical decomposition. W. P. Kelley. Hawaii Bul. 39, pp. 25. 1915.
  noncolloidal absorption, estimation. D.B. 1122, pp. 5-7, 16-17. 1922.
  nonhumus bodies, separation, review of study. Soils Bul. 53, pp. 24-26. 1909.
  Norfolk—
    fine sand, description. Soils Cir. 23, pp. 1-16. 1911.
    fine sandy loam, description. Soils Cir. 22, pp. 1-22. 1911.
    sand, description. Soils Cir. 44, pp. 1-19. 1911.
    sandy loam, description. Soils Cir. 45, pp. 1-14. 1911.
    series, Atlantic coast trucking region. Y.B., 1912, pp. 421-424. 1913; Y.B. Sep. 603, pp. 421-424. 1913.
  nursery, treatment for control of Japanese beetle. An. Rpts., 1923, p. 383. 1924; Ent. A.R., 1923, p. 3. 1923.
  nutrients, concentration and reaction, relation to plant growth. J.A.R., vol. 18, pp. 73-117. 1919.
  oats, suitable types. F.B. 424, pp. 6-7. 1910; F.B. 1119, pp. 9-11. 1920; Soils Bul. 67, pp. 7-18. 1910.
  objects and methods of investigating certain physical properties. Lyman J. Briggs. Y.B., 1900, pp. 397-410. 1901; Y.B. Sep. 216, pp. 397-410. 1901.
  occurrence of—
    copper, manganese, zinc, nickel, and cobalt, and their possible function as vital factors. J.S. McHargue. J.A.R., vol. 30, pp. 193-194. 1925.
    Fusarium wilt. D.B. 64, p. 8. 1914.
  of—
    Alabama and Mississippi prairie regions and their use for alfalfa. Hugh H. Bennett and M. A. Crosby. Rpt. 96, pp. 48. 1911
    Alaska—
      analysis. O.E.S. An. Rpt., 1904, pp. 286-288. 1905.
      and character of agricultural areas. Alaska Cir. 1, rev., pp. 4-6. 1923.
      fertility maintenance, use of legumes and fertilizers. Alaska A.R., 1913, pp. 13, 17, 21-22, 35-37, 42, 49, 50, 51, 52, 53, 56, 57, 60. 1914.
      maintenance of fertility, methods. Alaska A.R. 1910, pp. 38-39. 1911.

Soil(s)—Continued.
of—continued.
Alaska—Continued.
origin and description. D.B. 50, pp. 9–10, 29. 1914.
Algeria, regions and quality. B.P.I. Bul. 80, pp. 38–49. 1905.
Appalachian Mountain and plateau province. Hugh H. Bennett. Soils Bul. 96, pp. 49–83. 1913.
Appalachian Mountain and plateau province, types, area and distribution, description, and uses. Soils Bul. 78, pp. 183–205. 1911.
Argentina, possibilities. Off. Rec. vol. 3, No. 19, p. 7. 1924.
Arizona and New Mexico National Forest, characteristics. D.B. 1105, pp. 29–35. 1923.
Arizona, irrigable, studies. O. E. S. Bul. 235, pp. 27–28. 1911.
Atlantic and Gulf—
coast province. Hugh H. Bennett. Soils Bul. 96, pp. 221–301. 1913.
coastal plains, types, area and distribution, description, and uses. Soils Bul. 78, pp. 15–72. 1911.
Bay of Fundy, analyses. O.E.S. Bul. 240, p. 89. 1911.
Bluegrass region, description. D.B. 482, pp. 7–8. 1917.
Brazil, possibilities. Off. Rec., vol. 3, No. 19, pp. 1, 7. 1924.
California—
adaptability to rice growing. F.B. 688, pp. 4–5. 1915.
analyses for nitrogen in humus. J.A.R., vol. 5, No. 20, pp. 910, 912–915. 1916.
analyses for soluble-salt content. J.A.R., vol. 2, pp. 101–104. 1914.
and other States, comparison. J.A.R., vol. 7, pp. 72–75. 1916.
Idaho, and Utah, moisture distribution studies. D.B. 1221, pp. 4, 7–21. 1924.
investigations in relation to citrous fruits. J.A.R., vol. 2, pp. 101–113. 1914.
nitrate production, studies. J.A.R., vol. 7, pp. 55–72. 1916.
Sacramento Valley, description. O.E.S. Bul. 207, pp. 11–12. 1909.
San Diego, sodium-chloride content. D.B. 617, p. 7. 1919.
Sutter Basin, Marysville area, revision. Soils Cir. 79, pp. 1–10. 1913.
Pomona, study. O.E.S. Bul. 236, pp. 9–10. 1911.
use in citrus growing. J.A.R., vol. 2, pp. 104–113. 1914.
Canal Zone, reconnoissance survey. Hugh H. Bennett. Rpt. 95, pp. 1–38. 1912.
coastal plains—
fertilizers for corn. F.B. 1149; pp. 7–8. 1920.
mineral composition. Soils Bul. 54, pp. 16–19. 1908.
Colorado—
Cache la Poudre Valley, descriptions. D.B. 1026, pp. 5–6. 1922.
description and analyses. O.E.S. Bul. 218, pp. 12–14. 1910.
sugar-beet districts, description. D.B. 917, pp. 3–4. 1921.
Cotton Belt, important regions. Atl. Am. Agr. Adv. Sh., Pt. V, Sec. A, p. 8. 1919.
eastern United States, and their use—
I. The Norfolk fine sandy loam. Jay A. Bonsteel. Soils Cir. 22, pp. 16. 1911.
II. The Norfolk fine sand. Jay A. Bonsteel. Soils Cir. 23, pp. 16. 1911.
III. The Portsmouth sandy loam. Jay A. Bonsteel. Soils Cir. 24, pp. 12. 1911.
IV. The sassafras silt loam. Jay A. Bonsteel. Soils Cir. 25, pp. 14. 1911.
V. The Cecil sandy loam. Jay A. Bonsteel. Soils Cir. 27, pp. 19. 1911.
VI. The Cecil clay. Jay A. Bonsteel. Soils Cir. 28, pp. 16. 1911.
VII. The Hagerstown loam. Jay A. Bonsteel. Soils Cir. 29, pp. 18. 1911.
VIII. The Clarksville silt loam. Jay A. Bonsteel. Soils Cir. 30, pp. 15. 1911.
IX. The Miami clay loam. Jay A. Bonsteel. Soils Cir. 31, pp. 17. 1911.

Soil(s)—Continued.
of—continued.
eastern United States, and their use—Contd.
X. The Marshall silt loam. Jay A. Bonsteel. Soils Cir. 32, pp. 18. 1911.
XI. The Knox silt loam. Jay A. Bonsteel. Soils Cir. 33, pp. 17. 1911.
XII. The Carrington loam. Jay A. Bonsteel. Soils Cir. 34, pp. 15. 1911.
XIII. The Memphis silt loam. Jay A. Bonsteel. Soils Cir. 35, pp. 19. 1911.
XIV. The Fargo clay loam. Jay A. Bonsteel. Soils Cir. 36, pp. 16. 1911.
XV. The Clyde loam. Jay A. Bonsteel. Soils Cir. 37, pp. 16. 1911.
XVI. The Dekalb silt loam. Jay A. Bonsteel. Soils Cir. 38, pp. 17. 1911.
XVII. The Porters loam and Porters black loam. Jay. A. Bonsteel. Soils Cir. 39, p. 19. 1911.
XVIII. The Wabash silt loam. Jay A. Bonsteel. Soils Cir. 40, pp. 15. 1911.
XIX. The Wabash clay. Jay A. Bonsteel. Soils Cir. 41, pp. 16. 1911.
XX. The Trinity clay. Jay A. Bonsteel. Soils Cir. 42, pp. 14. 1911.
XXI. The Norfolk sand. Jay A. Bonsteel. Soils Cir. 44, pp. 19. 1911.
XXII. The Norfolk sandy loam Jay A. Bonsteel. Soils Cir. 45, pp. 14. 1911.
XXIII. The Orangeburg fine sandy loam. Jay A. Bonsteel. Soils Cir. 46, pp. 20. 1911.
XXIV. The Orangeburg sandy loam. Jay A. Bonsteel. Soils Cir. 47, pp. 15. 1911.
XXV. The Orangeburg fine sand. Jay A. Bonsteel. Soils Cir. 48, pp. 15. 1911.
XXVI. The Houston clay. Jay A. Bonsteel. Soils Cir. 49, pp. 11. 1911.
XXVII. The Houston Black clay. Jay A. Bonsteel. Soils Cir. 50, pp. 14. 1912.
XXVIII. The Susquehanna fine sandy loam. Jay A. Bonsteel. Soils Cir. 51, pp. 11. 1912.
XXIX. The Crowley silt loam. Jay A. Bonsteel. Soils Cir. 54, pp. 8. 1912.
XXX. The Chester loam. Jay A. Bonsteel. Soils Cir. 55, pp. 10. 1912.
XXXI. The Penn loam. Jay A. Bonsteel. Soils Cir. 56, pp. 8. 1912.
XXXII. The Carrington silt loam. Jay A. Bonsteel. Soils Cir. 57, pp. 10. 1912.
XXXIII. The Carrington clay loam. Jay A. Bonsteel. Soils Cir. 58, pp. 11. 1912.
XXXIV. The Marion silt loam. Jay A. Bonsteel. Soils Cir. 59, pp. 10. 1912.
XXXV. The Volusia loam. Jay A. Bonsteel. Soils Cir. 60, pp. 13. 1912.
XXXVI. The Volusia silt loam. Jay A. Bonsteel. Soils Cir. 63, pp. 16. 1912.
XXXVII. The Hagerstown clay. Jay A. Bonsteel. Soils Cir. 64, pp. 12. 1912.
XXXVIII. Muck and peat. Jay A. Bonsteel. Soils Cir. 65, pp. 15. 1912.
XXXIX. Meadow. Jay A. Bonsteel. Soils Cir. 68, pp. 21. 1912.
XL. Marsh and swamp. Jay A. Bonsteel. Soils Cir. 69, pp. 14. 1912.
eastern Virginia, and truck-crop production. J. A. Bonsteel. D.B 1005, pp. 70. 1922.
European countries, chemical composition. Soils Bul. 57, pp. 60–64, 94–127. 1909.
Florida, adaptability to—
eucalyptus growing. For. Bul. 87, p. 12. 1911.
pineapple growing. F.B. 140, pp. 11–14. 1901; F.B. 1237, pp. 7–8. 1921.
Georgia—
Brunswick vicinity, preliminary report. Hugh H. Bennett. Soils Cir. 21, pp. 21. 1910.
character in sugar-cane experiments. Chem. Bul. 93, pp. 40–43. 1905.
Savannah vicinity, preliminary report. Jay A. Bonsteel. Soils Cir. 19, pp. 19. 1909.
Great Basin—
arid regions, retention and movement of soluble salts. D.B. 61, pp. 25–27. 1914
character. D.B. 1340, pp. 5–6. 1925.
humid and arid regions. D.B. 61, pp. 24–27. 1914.
region. Macy H. Lapham. Soils Bul. 96, pp. 531–554. 1913.

Soil(s)—Continued.
  of—continued.
    Great Basin—Continued.
      region, nature of salines. D.B. 61, pp. 27, 78–79, 86. 1914.
    Great Plains, northern—
      description. D.B. 1113, pp. 14–15. 1923; D.B. 1244, pp. 10–12. 1924.
      region. Macy H. Lapham. Soils Bul. 96, pp. 381–464. 1913.
      variety and relation to tree growth. F.B. 1312, p. 3. 1923.
    Guam, chemical analyses. Guam Bul. 1, p. 6. 1921.
    Guam, selection for vegetable gardens. Guam Bul. 2, pp. 3–4. 1922.
    Hawaiian Islands. W. P. Kelley and others. Hawaii Bul. 40, pp. 35. 1915.
    Idaho, for apple growing. D.B. 636, p. 7. 1918.
    Idaho, Minidoka project, types and treatment. B.P.I. Doc. 452, pp. 1–4. 1909.
    Louisiana wet-lands near Atchafalaya River, description. D.B. 652, pp. 5–13. 1918.
    Maryland and Virginia, in cereal experiments. D.B. 336, pp. 3–4. 1916.
    Massachusetts and Connecticut, with especial reference to apples and peaches. Henry J. Wilder. D.B. 140, pp. 73. 1915.
    Minnesota, gypsum experiments. J.A.R., vol. 14, pp. 62–65. 1918.
    Mississippi, Bolivar County, description, value and need of drainage. O.E.S. Cir. 81, pp. 8–9. 1909.
    Missouri, Ozark region, highland, valley, and beach lands. D.B. 941, pp. 4–8. 1921.
    Nebraska—
      moisture equivalent, hygroscopic coefficient and organic matter. J.A.R., vol. 6, No. 21, pp. 838–844. 1916.
      North Platte project. B.P.I. Doc. 454, p. 1. 1909.
      water capacity and hygroscopic coefficients. J.A.R., vol. 7, pp. 348–359. 1916.
      western, area, description, and analyses. Soil Sur. Adv. Sh., 1911, pp. 37–121. 1913; Soils F.O., 1911, pp. 1905–1989. 1914.
    Nevada, Truckee-Carson project, description and analyses. B.P.I. Bul. 157, pp. 12–13, 18–23. 1909.
    New England, southern, origin. D.B. 140, pp. 9–29. 1915.
    New Jersey, Sussex County, description and analyses. Soil Sur. Adv. Sh., 1911, pp. 18–59. 1913; Soils F.O., 1911, pp. 342–383. 1914.
    New York, Jefferson County, description and analyses. Soil Sur. Adv. Sh., 1911, pp. 21–81. 1912; Soils F.O., 1911, pp. 111–171. 1914.
    North Carolina, petrography, relation to fertilizer requirements. J. K. Plummer. J.A.R., vol. 5, No. 13, pp. 569–582. 1915.
    North Dakota—
      description and classification. O.E.S. Bul. 219, pp. 15–17. 1909.
      Mandan field station. D.B. 1301, pp. 5–6. 1925.
    northwestern intermountain region. Macy H. Lapham. Soils Bul. 96, pp. 497–530. 1913.
    Oregon—
      analyses, and use in sulphur experiments. J.A.R., vol. 17, pp. 89–91. 1919.
      relations of clay and silt loam to farming types and income. D.B. 705, pp. 8, 19–21. 1918.
    Ozark region, types, description. B.P.I. Bul. 275, pp. 14–16. 1913.
    Pacific Coast region, description, area, and uses. Soils Bul. 96, pp. 573–732. 1913.
    Pennsylvania, Chester County, character and treatment. D.B. 341, p. 8. 1916.
    Piedmont Plateau province—
      Hugh H. Bennett. Soils Bul. 96, pp. 17–48. 1913.
      types, area, distribution, and uses. Soils Bul. 78, pp. 73–93 1911.
    Piney Woods region, description and management. D.B. 827, pp. 15–16. 1921.
    Porto Rico—
      adaptability for coffee growing. P.R Bul. 21, pp. 1–13. 1917.
      adaptability for sugar-cane growing. P.R. Bul. 9, p. 12. 1910.

Soil(s)—Continued.
  of—continued.
    Porto Rico—Continued.
      analyses. P.R. An. Rpt., 1910, pp. 20–22. 1911.
      analyses and relation to sugar-cane chlorosis. P.R. An. Rpt., 1917, pp. 9–20. 1918.
      chemical investigations, 1913. P.R. An. Rpt., 1913, pp. 11–15. 1914.
      disinfection. P.R. An. Rpt., 1909, pp. 30–31. 1910.
      fertilizer requirements, experiments. P R. Bul. 9, pp. 20–30. 1910.
      lime-magnesia ratio as influenced by concentration. P.R. Bul. 12, pp. 1–24. 1913.
      manuring with lime and magnesia, principles. P.R., Cir. 10, pp. 1–15. 1909.
      notes. O. Loew. P.R. An. Rpt., 1908, pp. 40–44. 1909.
      occurrence of Azotobacter and Protozoa, studies and tests P.R. An. Rpt., 1910, pp. 15–17. 1911.
      phosphatic fertilizers efficiency, studies. J.A.R., vol. 35, pp. 171–194. 1923.
      relative acidity, table. P.R. Bul. 13, pp. 5–8. 1913.
    river flood plains province—
      Hugh H. Bennett. Soils Bul. 96, pp. 303–380 1913.
      types, area and distribution, description, and uses Soils Bul. 78, pp. 207–252. 1911.
    Rocky Mountain and plateau region. Macy H. Lapham. Soils Bul. 96, pp. 465–495. 1913.
    Russia, studies and comparisons. Stat. Bul. 84, pp. 20–25. 1911.
    Salton Basin, types and areas. B.P.I. Bul. 53, pp. 106–114. 1904.
    San Antonio experiment farm, description. B.P.I. Cir. 106, p. 7. 1913; D.B. 151, p. 2. 1914.
    San Luis Valley, Colo. Macy H. Lapham. Soils Cir. 52, pp. 26. 1912.
    Shenandoah River terrace, a revision of certain soils, Albemarle area, Virginia. Hugh H. Bennett. Soils Cir. 53, pp. 16. 1912.
    southern New Jersey, and their uses. J. A. Bonsteel. D.B. 677, pp. 78. 1918.
    southern Piedmont, types, area, distribution, description, and uses. Soils Bul. 78, pp. 73–84. 1911.
    Sutter Basin, a revision of the survey of certain soils in the Marysville area, Calif. Soils Cir. 79, pp. 10. 1913.
    Texas—
      alkaline conditions in lower Rio Grande Valley. O.E.S. Cir. 103, pp. 14–19, 22–23. 1911.
      lower Rio Grande Valley, description. O.E.S. Cir. 103, pp. 9–12. 1911.
      Panhandle, description. B.P.I. Bul. 283, pp. 13–14. 1913.
      preparation for various grains. B.P.I. Bul. 283, pp. 29–30, 45–47, 56, 58, 64, 66–67. 1913.
      San Antonio region, analyses. B.P.I. Cir., 34, pp. 7–8. 1909.
      south, qualities, effect of tillage. B.P.I. Cir. 14, p. 6. 1908.
    Truckee-Carson irrigation project, bacteriological studies. Carl F. Kellerman and E. R. Allen. B.P.I. Bul. 211, pp. 36. 1911.
    United States—
      Curtis F. Marbut and others. Soils Bul. 96, pp. 791. 1913.
      based upon work of Bureau of Soils to January 1, 1908. Milton Whitney. Soils Bul. 55, pp. 243. 1909.
      boron occurrence. J.A.R., vol. 13, pp. 452–455, 460, 466–468. 1918.
      eastern and western, parts, differences. Soils Bul. 55, pp. 27–28. 1909.
      study. George Nelson Coffey. Soils Bul. 85, pp. 114. 1912.
    Utah, analyses. J.A.R., vol. 9, pp. 300–302. 1917.
    Utah, sodium-carbonate content, control experiments. J.A.R., vol. 24, pp. 322–326. 1923.
    Virginia descriptive catalogue, areas surveyed. D.B. 46, pp. 21. 1913.

Soil(s)—Continued.
of—continued.
Virginia, Norfolk trucking district, description and uses. D.B. 1005, pp. 2-42. 1922.
Wisconsin and Minnesota, studies in regard to failure of tiles. J.A.R., vol. 24, pp. 474-497. 1923.
Wisconsin, bacteria, effect of carbonates of magnesium and calcium. H. L. Fulmer. J.A.R., vol. 12, pp. 463-504. 1918.
Orangeburg fine sand, description. Soils Cir. 48, pp. 1-15. 1911.
Orangeburg fine sandy loams, description. Soils Cir. 46, pp. 1-20. 1911.
Orangeburg sandy loams, description. Soils Cir. 47, pp. 1-15. 1911.
orchard—
adaptation, Livingston County, N. Y. Soil Sur. Adv. Sh., 1908, pp. 87-89; Soils F.O., 1908, pp. 153-155. 1911.
evaporation losses. F.B. 882, pp. 31-35. 1917.
losses from evaporation and percolation. F.B. 404, pp. 27-30. 1910.
New England, apple and peach varieties adapted. D.B. 140, pp. 51-70. 1915.
organic—
compounds and fertilizer action. Oswald Schreiner and J. J. Skinner. Soils Bul. 77, pp. 31. 1911.
compounds, occurrence, chemical relationship. Soils Bul. 87, pp. 80-82. 1912.
constituents—
Oswald Schreiner. Soils Cir. 74, pp. 18. 1913.
isolation. Soils Bul. 80, pp. 9-10. 1911.
origin, properties and effects. Soils Bul. 47, pp. 10-13. 1907.
relation to soil fertility. Oswald Schreiner and others. Soils Bul. 47, pp. 52. 1907.
matter—
chemical nature. Oswald Schreiner and Edmund C. Shorey. Soils Bul. 74, pp. 48. 1910.
effect on root rot of tobacco, studies. J.A.R., vol. 17, pp. 73-76. 1919.
separation of substances, methods. Soils Bul. 74, pp. 43-47. 1910.
sources. Soils Bul. 53, pp. 9-11. 1909.
particles, separation by mechanical means, method and material separated. Soils Bul. 90, p. 13-18. 1912.
studies. Soils Bul. 85, pp. 84-85. 1912.
substances, harmful, isolation of. Oswald Schreiner and Edmund C. Shorey. Soils Bul. 53, pp. 53. 1909.
organisms—
in the ammonification of manure. J.A.R., vol. 16, pp. 313-350. 1919.
need of investigation. J.A.R., vol. 2, p. 226. 1914.
nitrifying, destruction by carbon disulphide and toluol. J.A.R., vol. 15, pp. 601-614. 1918.
relation of carbon bisulphide. J.A.R., vol. 6, No. 1, pp. 1-20. 1916.
stimulating influence of arsenic. J.A.R., vol. 6, No. 11, pp. 389-416. 1916.
origin—
and classification. Soils Bul. 55, pp. 20-30. 1909.
description, and uses. *See* Soil surveys *for various States, counties, and areas.*
formation and composition, study course. D.B. 355, pp. 2-10. 1916.
ultimate. Soils Bul. 22, pp. 11-12. 1903.
osmotic-pressure studies. D.B. 1059, pp. 109-120, 136-143. 1922.
oxidation—
effect of cropping and fertilizing. Soils Bul. 73, pp. 44-49. 1910.
relation of organic matter. Soils Bul. 73, pp. 49-52. 1910.
studies. Oswald Schreiner and others. Soils Bul. 73, pp. 57. 1910.
testing method. Soils Bul. 73, p. 30. 1910.
oxidizing power—
of manganese, experiments at Arlington Farm, 1912, 1915. D.B. 441, pp. 5-6, 9-11, 12. 1916.
relation to catalytic power. Soils Bul. 86, pp. 13-14. 1912.

Soil(s)—Continued.
oxygen, supply of power, indication, method. Lee M. Hutchins and Burton E. Livingston. J.A.R., vol. 25, pp. 133-140. 1923.
packing by tractors, injury in wet weather. D.B. 174, pp. 27, 42. 1915.
packing for oats, results. F.B. 388, p. 14. 1910.
Palouse silt loam, effect of sulphur and gypsum on the fertility elements. Lewis W. Erdman. J.A.R., vol. 30, pp. 451-462. 1925.
particles—
Hawaiian, composition and properties. Hawaii Bul. 42, pp. 8-11. 1917.
mineral composition. G. H. Failyer and others. Soils Bul. 54, pp. 36. 1908.
motion in plowing. J.A.R., vol. 12, pp. 162-173. 1918.
size, effect on evaporation of soil moisture. J.A.R., vol. 7, pp. 453-454. 1916.
size, relation to poisonous effect of alkali. J.A.R., vol. 15, pp. 290-302. 1918.
pea growing, requirements. F.B. 1255, pp. 2, 8. 1922.
peach orchard, preparation and character. Y.B., 1902, p. 607. 1903.
peanut—
growing requirements. F.B. 356, pp. 8-9. 1909.
selection and preparation. F.B. 1127, p. 5. 1920.
pecan requirements. F.B. 124, pp. 16-17. 1901; F.B. 756, pp. 3, 7-8, 11. 1919.
penetration by fungicides. J.A.R., vol. 31, pp. 329-357. 1925.
penetration, experiments and apparatus. Soils Bul. 82, pp. 9-15. 1911.
Penn loam, description. Soils Cir. 56, pp. 1-9. 1912.
permeability, relation to basic elements. J.A.R., vol. 27, pp. 663-668. 1924.
phosphates, action of water and aqueous solutions. Frank K. Cameron and James M. Bell. Soils Bul. 41, pp. 58. 1907.
phosphoric-acid content. Chem. Bul. 116, pp. 95-96. 1908.
phosphorus and potassium sources, study course. D.B. 355, pp. 47-54. 1916.
physical—
condition—
apparatus and methods for testing. Soils Bul. 50, pp. 59-70. 1908.
effects of absorption. Soils Bul. 52, pp. 64-75. 1908.
relation to crop production. Soils Bul. 22, pp. 13, 50-56, 58, 62. 1903.
investigations, program for 1915. Sec. [Misc.], "Program of work * * *, 1915," p. 209. 1914.
properties—
effect of soluble salts on. R. O. E. Davis. Soils Bul. 82, pp. 38. 1911.
investigation, objects and methods. Lyman J. Briggs. Y.B., 1900, pp. 397-410. 1901; Y.B. Sep. 216, pp. 14. 1901.
texture, structure, and tilth, study course. D.B. 355, pp. 17-24. 1916.
state, effect of season and crop growth. D. R. Hoagland and J. C. Martin. J.A.R., vol. 20, pp. 397-404. 1920.
Piedmont, fertilizers for corn. F.B. 1149, p. 8. 1920.
pineapple—
chemical survey and analyses. P.R. Bul. 11, pp. 8-20. 1911.
in Florida and West Indies, description and preparation. P.R. Bul. 8, pp. 10-13. 1909.
plant-food—
deficiency, method for determining. B.P.I. Doc. 441, pp. 1-2. 1909.
extraction by various crops. B.P.I. Doc. 629, p. 4. 1911.
strength of acid for determination. Chem. Bul. 99, pp. 115-116. 1906.
poisoning, cause of yield decrease in continuance of one crop. J.A.R., vol. 30, pp. 1095-1097. 1925.
pollution, causes, dangers, and control methods. F.B. 463, pp. 1-32. 1911.

Soil(s)—Continued.
poor—
presence of dihydroxystearic acid. Soils Bul. 80, pp. 19, 31-32. 1911.
toxic substances, occurrence. Soils Bul. 36, pp. 19-35. 1907.
porosity tests. O.E.S. Bul. 186, pp. 46-52. 1907.
Porters loam and Porters black loam, description. Soils Cir. 39, pp. 1-19. 1911.
Portsmouth—
sandy loam, description. Soils Cir. 24, pp. 1-12. 1911.
series, Atlantic coast region. Y.B., 1912, pp. 426-428. 1913; Y.B. Sep. 603, pp. 426-428. 1913.
potash residues, determination, methods. J.A.R., vol. 15, pp. 62-74. 1918.
potash solubility, effect of gypsum. Paul R. McMiller. J.A.R., vol. 14, pp. 61-66. 1918.
potassium and phosphorous determination. Chem. Bul. 122, pp. 114-120. 1909.
potassium, determination, methods. Chem. Bul. 105, p. 147. 1907.
potato—
fertilizers. Milton Whitney. Soils Bul. 65, pp. 19. 1910.
growing, selection. B.P.I. Doc. 884, pp. 1-2. 1913; F.B. 1064, p. 6. 1919; Hawaii Bul. 45, pp. 9-10. 1920.
requirements. F.B. 1190, pp. 4-5. 1921.
treatment for control of—
powdery scab. J.A.R., vol. 7, pp. 236-240. 1916.
tuber diseases. F.B. 1367, p. 8. 1924.
prairie, dark-colored, studies. Soils Bul. 85, pp. 41-57. 1912.
preparation—
after plowing, cotton-growing practices. D.B. 511, pp. 9-10, 61-62. 1917.
for—
barley growing. F.B. 443, pp. 21-26. 1911; F.B. 1464, pp. 7, 11-13. 1925.
celery growing. F.B. 1269, pp. 5-6. 1922.
cotton and corn, in Georgia, Franklin County. Soil Sur. Adv. Sh., 1909, pp. 10-11. 1910; Soils F.O., 1909, p. 539. 1912.
cotton and corn, in South Carolina, Anderson County, suggestions. Soil Sur. Adv. Sh., 1909, p. 12. 1910; Soils F.O., 1909, p. 456. 1912.
cotton and corn, in South Carolina, Saluda County, suggestions. Soil Sur. Adv. Sh., 1909, p. 12. 1901; Soils F.O., 1909, p. 510. 1912.
currants and gooseberries. F.B. 1398, p. 2. 1924.
dewberries. F.B. 1403, p. 3. 1924.
farm gardens. F.B. 937, pp. 8-9. 1918.
fruit trees. News L., vol. 6, No. 31, p. 15. 1919.
grape vines. F.B. 155, pp. 3-5. 1902.
grass seeding on canal banks, quantity per acre. B.P.I. Cir. 115, p. 30. 1913.
growing annual flowering plants. F.B 1171, pp. 7-10. 1921.
head-lettuce growing. F.B. 1418, pp. 5-6. 1924.
lawn making. D.C. 49, pp. 1-2. 1919.
narcissus-bulb growing. D.B. 1270, pp. 1-32. 1924.
okra growing. F.B. 232, rev., pp. 3-4. 1918.
Para grass. Guam Bul. 1, pp. 11-12. 1921.
peanuts. F.B. 431, pp. 8-9. 1911.
planting shade trees. D.B. 816, p. 44. 1920.
potato growing. F.B. 953, pp. 4-5. 1918; F.B. 1190, p. 5. 1921; F.B. 1205, pp. 6-7, 27. 1921.
rye growing. F.B. 1358, pp. 13-14. 1923.
southern home gardens. F.B. 647, pp. 6, 26. 1915.
strawberry growing in Eastern States. F.B. 1028, pp 11-13. 1919.
strawberry growing in South. F B 1026, pp. 6-10. 1919.
sweet-potato growing. S.R.S. Syl. 26, p. 5. 1917; Sec. [Misc.], Spec. "Sweet-potato growing * * *," p. 4. 1915.
vegetable garden. F.B. 818, pp. 4, 14-16. 1917; F. B. 934, pp. 15-16. 1918.

Soil(s)—Continued.
preparation—continued.
for—continued.
wheat growing. F.B. 596, p. 7. 1914; S.R.S. Syl. 11, rev., pp. 8-9. 1918.
winter wheat in western South Dakota. B.P.I. Cir. 79, pp. 5-6. 1911.
in dry-land farming, experiments. Y.B., 1907, pp. 457-459. 1908; Y.B. Sep. 461, pp. 457-459. 1908.
labor requirements in Louisiana. D.B. 961, pp. 5-10. 1921.
relation to use of fertilizers. F.B. 398, p. 8. 1910.
to secure early cotton crop. F.B 217, pp. 4-5. 1905.
prickly-pear growing, requirements. F.B. 483, pp. 11-12. 1912.
primary, definitions. D.B. 724, pp. 1-3. 1919.
problems, for practical farmers. E. C. Chilcott. Y.B., 1903, pp. 441-452. 1904; Y.B. Sep. 306, pp. 441-452. 1904.
productiveness—
increase in beet-growing rotations. B.P.I. Bul. 260, pp. 30, 33-35, 37-42. 1912.
influence of nitrification. O.E.S. Bul. 115, p. 87. 1902.
importance in corn earworm control. F.B. 1310, p. 16. 1923.
productivity—
effect of long cultivation. Soils Bul. 57, pp. 13-60. 1909.
improvement by potato growing in Germany. D.B. 47, pp. 3-4. 1913.
relation of crop yields and soil composition, study. Milton Whitney. Soils Bul. 57, pp. 127. 1909.
properties—
color, absorptive power, humus, and fertility studies. Y.B., 1908, pp. 97-98. 1909.
effect of growth of cowpeas. C. A. Le Clair. J.A.R., vol. 5, No. 10, pp. 439-448. 1915.
relation to wilt disease of tobacco. D.B. 562, pp. 7-10. 1917.
protozoa, activity. George P. Koch. J.A.R., vol. 5, No. 11, pp. 477-488. 1915.
protozoa, separation. Nicholas Kopeloff and others. J.A.R., vol. 5, No. 3, pp. 137-140. 1915.
provinces—
agencies affecting peculiar characteristics. Soils Bul. 55, pp. 26-30. 1909.
area surveyed and description of soil series. Soils Bul. 55, pp. 83-205. 1909.
east of Great Plains, origin of material and classification. D.B. 46, p. 1. 1913.
quality, relation to methods of irrigation. F.B. 399, p. 14. 1910.
ramie, requirements. B.P.I. Cir. 103, p. 5. 1912.
range types, chemical analyses, comparison. D.B. 791, pp. 49-52. 1919.
reaction—
as indicated by the hydrogen electrode, studies. J. K. Plummer. J.A.R., vol. 12, pp. 19-31. 1918.
as measured by hydrogen electrode, relation of carbon dioxide. D. R. Hoagland and L. T. Sharp. J.A.R., vol. 12, pp. 139-148. 1918.
effect on Azotobacter flora and nitrogen fixation ability. P. L. Gainey. J.A.R., vol. 24, pp. 907-938. 1923.
effect on Fusarium wilt of tobacco. J.A.R., vol. 20, pp. 527-529. 1921.
growth of Azotobacter, studies. P. L. Gainey. J.A.R., vol. 14, pp. 265-271. 1918.
in relation to calcium adsorption. C.O. Swanson. J.A.R., vol. 23, pp. 83-123. 1923.
influence on nitrogen-assimilating bacteria. J.A.R., vol. 14, pp. 317-336. 1928.
on Azotobacter, effect of changing. P. L. Gainey. J.A.R., vol. 24, pp. 289-296. 1923.
relation to root rot of tobacco, studies. J.A.R., vol. 17, pp. 52-60. 1919.
reclamation in Egypt, method. Soil Sur. Adv. Sh., 1903, pp. 1242-1243. 1904; Soils F.O., 1903, pp. 1242-1243. 1904.

Soil(s)—Continued.
reconnoissance—
in Alaska, with an estimate of agricultural possibilities. Hugh H. Bennett and Thomas D. Rice. Soil Sur. Adv. Sh., 1914, pp. 202. 1915; Soils F.O., 1914, pp. 43–236. 1919.
of Missouri and Arkansas, Ozark region. Curtis F. Marbut. Soil Sur. Adv. Sh., 1911, pp. 153. 1914; Soils F.O., 1911, pp. 1727–1873. 1914.
red and yellow, mineralogical examination. Soils Bul. 97, pp. 24–28. 1911.
red clay—
normal and sick, differences. P.R. Bul. 14, pp. 20–22. 1914.
of Porto Rico. P. L. Gile and C. N. Ageton. P.R. Bul. 14, pp. 24. 1914.
sugar-cane growing, fertilizers, experiments. P.R. An. Rpt., 1914, pp. 16–24. 1916.
red clover, requirements. F.B. 1339, pp. 4, 6–7. 1923.
regions of—
Cotton Belt, map. Y.B., 1921, p. 339. 1922; Y.B. Sep. 877, p. 339. 1922.
United States, descriptions. Y.B., 1921, p. 420. 1922; Y.B. Sep. 878, p. 14. 1922.
relation—
of some of rarer elements. W. O. Robinson and others. D.B. 600, pp. 27. 1917.
to—
biology of the boll weevil. D.B. 926, p. 32. 1921.
crop uses, southern New Jersey. D.B. 677, pp. 57–65. 1918.
pine reproduction. D.B. 1105, pp. 29–38, 137. 1923.
plant growth, study course. D.B. 355, pp. 10–17. 1916.
root-rot of tobacco. J.A.R., vol. 17, pp. 41–86. 1919.
removal by rivers, amount of loss to agriculture. Y.B., 1913, pp. 207, 212–214. 1914; Y.B. Sep. 624, pp. 207, 212–214. 1914.
renovation—
buckwheat, value. F.B. 1062, pp. 19–20. 1919.
crops useful. F.B. 422, p. 16. 1910.
demonstration work. F.B. 319, p. 17. 1908.
methods. W. J. Spillman. F.B. 245, pp. 16. 1906.
useful types of farming. F.B. 245, pp. 15–16. 1906.
value of velvet beans. S.R.S. Doc. 44, p. 4. 1917.
residual, formation and area in United States. D.B. 180, pp. 1–2. 1915; D.B. 355, pp. 4–6. 1916.
resources, conservation. F.B. 340, p. 6. 1908; F.B. 342, pp. 5–10. 1909.
response to fertilizers, relative. Soils Bul. 48, pp. 48–50, 57. 1908.
Rhodes-grass requirements. F.B. 1048, p. 6. 1919.
rice—
ammonification and nitrification, studies. Hawaii Bul. 31, pp. 18–20. 1914.
description and location. F.B. 417, pp. 8–10. 1910.
nature and management. F.B. 1240, p. 4. 1924.
of Hawaii, their fertilization and management. W. P. Kelley. Hawaii Bul. 31, pp. 23. 1914.
of Porto Rico, studies. J.A.R., vol. 3, pp. 205–210. 1914.
requirements. Y.B., 1922, p. 519. 1923; Y.B. Sep. 891, p. 519. 1923.
types in southwestern Louisiana. D.B. 1356, pp. 3–4. 1925.
rich and poor, water requirements of crops. F.B. 435, pp. 5–6. 1911.
Rothamsted, results of investigations. Bernard Dyer. O.E.S. Bul. 106, pp. 180. 1902.
run-down, improvement methods. F.B. 704, pp. 3–7. 1916.
rye, requirements. Y.B., 1922, pp. 555, 566. 1923; Y.B. Sep. 891, pp. 555, 566. 1923.
saline, leaching in field. J.A.R., vol. 27, pp. 665–668. 1924.

Soil(s)—Continued.
salt(s)—
content, determination by freezing-point method. George J. Bouyoucos and M. M. McCool. J.A.R., vol. 15, pp. 331–336. 1918.
movement, studies. J.A.R., vol. 11, pp. 531–547. 1917.
soluble, determination by electrical bridge. R. O. E. Davis and H. Byran. Soils Bul. 61, pp. 36. 1910.
samples—
collection for school studies. D.B. 521, pp. 11–12. 1917.
examination. Soils Cir. 26, pp. 7. 1911.
method for taking for analysis. Chem. Bul. 67, p. 152. 1902.
mineralogical examination, preparation. Soils Bul. 91, pp. 6–9. 1913.
selection for analysis. Soils Bul. 54, p. 15. 1908.
sampling—
outfit, description. O.E.S. Bul. 203, p. 11. 1908.
Rothamsted method and others. Chem. Bul. 67, pp. 35–36, 152–156. 1902.
use in determination of available precipitation in Colorado, 1911. B.P.I. Bul. 284, pp. 41–42, 48. 1913.
sand-clay loam, comparative tolerance of alkali salts. J.A.R., vol. 15, pp. 287–294, 314–315, 319. 1918.
sandy—
action of salts on dried blood. J.A.R., vol. 13, pp. 216–222. 1918.
adaptability to lawns, analyses, and grasses suitable. Soils Bul. 76, pp. 16–19. 1911.
alfalfa growing in. F.B. 1283, p. 23. 1922.
blowing, control methods. F.B. 421, pp. 12–15. 1910.
disinfectants, injury to seeds and roots. Carl Hartley. D.B. 169, pp. 36. 1915.
farming under irrigation. D.C. 342, pp. 7–24. 1925.
favorable for development of cotton wilt. F.B. 333, pp. 11–12. 1908.
green manure and cover crops, recommendations. B.P.I. Cir. 60, pp. 18–20. 1910.
improvement—
by growing forage crops. F.B. 329, pp. 6–10. 1908; F.B. 504, pp. 5–6. 1912.
for seed beds for damping-off control, methods. D.B. 453, p. 3. 1917.
in Wisconsin, Adams County. Soil Sur. Adv. Sh., 1920, pp. 1147–1149. 1924; Soils F.O., 1920, pp. 1147–1149. 1925.
injury by soil blowing. Soils Bul. 68, pp. 28–33, 68–77, 164–172. 1911.
management, study course. D.B. 355, pp. 68–71. 1916.
manuring to control wireworms. F.B. 733, p. 7. 1916.
of Columbia River Valley, suggestions to settlers. Byron Hunter and S. O. Jayne. B.P.I. Cir. 60, pp. 23. 1910.
of Sahara desert, Souf region, date growing. B.P.I. Bul. 86, p. 18. 1905.
physical properties, bacterial activity, and needs. F.B. 329. pp. 6–9. 1908.
seeds and roots in, injury. Carl Hartley. D.B. 169, pp. 35. 1915.
treatment. F.B. 124, pp. 10–12. 1901.
sassafras—
series. J. A. Bonsteel. D.B. 159, pp. 52. 1915.
silt loam, description. Soils Cir. 25, pp. 1–14. 1911.
saving by use of dams. F.B. 1234, pp. 15–38. 1922.
sea-island cotton requirements. F.B. 787, p. 3. 1916.
selective adsorption. E. G. Parker. J.A.R., vol. 1, pp. 179–188. 1913.
semiarid—
alfalfa-growing conditions. F.B. 1283, pp. 22–23. 1922.
nitrification. W. P. Kelley. J.A.R., vol. 7, pp. 417–437. 1916.
nitrifying power, effect of temperature and dried blood. J.A.R., vol. 9, pp. 200–204. 1917.
of Great Plains, description. B.P.I. Bul. 215, pp. 18–19. 1911.

Soil(s)—Continued.
  semiarid—continued.
    relation to distribution of *Rhizoctonia* spp. J.A.R., vol. 4, pp. 154–159. 1915.
  sewage-sick, protozoa occurrence. J.A.R., vol. 5, No. 11, p. 477. 1915.
  shading—
    device used in experiments, description. J.A.R., vol. 5, No. 10, p. 441. 1915.
    effect on conditions. J. B. Stewart. Soils Bul. 39, pp. 19. 1907.
  shale land, salt content. D.B. 502, pp. 10–11. 1917.
  shallow, objections in apple orchards. D.B. 140, p. 47. 1915.
  "sick," of Porto Rico. Oscar Loew. P.R. Cir. 12, pp. 24. 1910.
  silt-loam, water-holding capacity, influence of organic matter. Frederick J. Alway and Joseph R. Neller. J.A.R., vol. 16, pp. 263–278. 1919.
  sodium-nitrite action. R. H. Robinson. J.A.R., vol. 26, pp. 1–7. 1923.
  solubility, effect of calcium sulphate on. M. M. McCool and C. E. Millar. J.A.R., vol. 19, pp. 47–54. 1920.
  solution(s)—
    analysis, procedure. J.A.R., vol. 12, pp. 325–330. 1918.
    ash absorption by spinach. Rodney H. True and others. J.A.R., vol. 16, pp. 15–25. 1919.
    composition and important constituents. J.A.R., vol. 27, pp. 639–644. 1924.
    dilution, effect. J.A.R., vol. 27, pp. 651–660. 1924.
    filtering apparatus, construction and operation. Soils Bul. 31, pp. 12–15. 1906.
    filtration of clay, and capillary studies. Lyman J. Briggs and Macy H. Lapham. Soils Bul. 19, pp. 40. 1902.
    mineral constituents. Frank K. Cameron and James M. Bell. Soils Bul. 30, pp. 70. 1905.
    mineral content, factors affecting. Soils Bul. 55, pp. 8–13. 1909.
    nature, functions and classifications of alkali lands. Frank K. Cameron. Soils Bul. 17, pp. 37. 1901.
    osmotic pressures determination, freezing-point method. J.A.R., vol. 18, pp. 73, 77, 110–112. 1919.
    preparation, analyses. Soils Bul. 22, pp. 16–47. 1903.
    relation to—
      plant growth. An. Rpts., 1922, pp. 187–188. 1923; B.P.I. Chief Rpt., 1922, pp. 27–28. 1922.
      salts in soil. J.A.R., vol. 27, pp. 635–636. 1924.
      soil extract. D.R. Hoagland and others. J.A.R., vol. 20, pp. 381–395. 1920.
    studies in alkali soils. Frank K. Cameron and others. Soils Bul. 18, pp. 89. 1901.
    toxic, effects of various treatments to reduce toxicity. Soils Bul. 47, pp. 39–52. 1907.
    use in testing soil nutrients. D.B. 1059, pp. 129–135. 1922.
    variations, freezing point as an index. J.A.R., vol. 12, pp. 369–395. 1918.
  sorghum growing, treatment with nitrates, experiments. J.A.R., vol. 27, pp. 718–722. 1924.
  sour, cause of malnutrition correction by fertilizers and lime. F.B. 925, rev., p. 25. 1921.
  source of mosaic disease of potatoes, testing. J.A.R., vol. 19, pp. 335–336. 1920.
  southern, testing for reaction, in soil suspensions. J.A.R., vol. 12, pp. 20–23. 1918.
  soybean requirements. F.B. 973, pp. 4–5. 1918.
  specific gravity—
    measurement and experiments. Soils Bul. 82, pp. 15–22. 1911.
    relation to moisture. Soils Bul. 50, pp. 27–45. 1908.
  spinach-blight transmission, studies. J.A.R., vol. 14, pp. 53–54. 1918.
  steam-heated, chemistry of. Oswald Schreiner and Elbert C. Lathrop. Soils Bul. 89, pp. 37. 1912.
  sterilization—
    effects on ammonification and nitrification. Hawaii Bul. 37, pp. 20–35, 50–51. 1915.

Soil(s)—Continued.
  sterilization—continued.
    effects on germination and growth of plants. Soils Bul. 89, pp. 1–37. 1912.
    for control of—
      mosaic disease in tobacco seed bed. J.A.R., vol. 10, pp. 622–623. 1917.
      plant diseases. F.B. 296, pp. 11–13. 1907; P.R. Cir. 17, pp. 25–26. 1918.
      potato wart. C.T. and F.C.D. Cir. 6, p 10. 1919.
      root-knot nematodes. F.B. 1345, pp. 14–17. 1923.
      sweetpotato pox. J.A.R., vol. 13, p. 448. 1918.
    for—
      ginseng, methods. B.P.I. Bul. 250, pp. 40–42. 1912.
      greenhouses, method. F.B. 186, pp. 8–11. 1904; F.B. 1362, pp. 76–77. 1924.
      plant boxes, method. F.B. 856, p. 23. 1917.
      tomato seed-beds. F.B. 1233, pp. 12, 14–15. 1921.
    in killing barberry. D.C. 332, pp. 3–4. 1925.
    methods and formulas. F.B. 488, pp. 10–11. 1912.
    with steam for control of root knot and root rot. B.P.I. Bul. 217, pp. 44–45. 63–64, 74. 1911.
  strawberry requirements. F.B. 149, p. 16. 1902.
  sugar beet—
    growing in Colorado areas. D.B. 726, pp. 10–11. 1918.
    requirements. Chem. Bul. 95, pp. 28–34. 1905; Chem. Bul. 96, pp. 30–36. 1905; Rpt. 92, p. 17. 1910; Y.B., 1923, pp. 185–186. 1924; Y.B. Sep. 893, pp. 47–48. 1924.
    selection and preparation. F.B. 392, pp. 9–11. 1910; F.B. 567, pp. 1–3. 1914; Rpt. 80, pp. 149–151, 167–168. 1905.
  sugar-cane—
    influence on yield and quality of sirup. D.B. 1370, pp. 3–4. 1925.
    nitrogen supply experiments, Porto Rico, 1919. P.R. An. Rpt., 1919, pp. 14–15. 1920.
    requirements. D.B. 486, pp. 10–14. 1917; F.B. 1034, pp. 8–10. 1919; Y.B., 1923, pp. 161–163. 1924; Y.B. Sep. 893, pp. 14–16. 1924.
  suitable to—
    Angora-goat raising. B.A.I. Bul. 27, p. 64. 1906.
    milk goat raising. B.A.I. Bul. 68, p. 77. 1905.
  sulphur content, relation to alfalfa production. J.A.R., vol. 30, pp. 937–947. 1925.
  surface, and subsoil, different composition. D.B. 122, pp. 15–16. 1914.
  survey of Alabama—
    Autauga County. L. A. Hurst and C. S. Waldrop. Soil Sur. Adv. Sh., 1908, pp. 43. 1910; Soils F.O., 1908, pp. 515–553. 1911.
    Baldwin County. W. E. Tharp and others. Soil Sur. Adv. Sh., 1909, pp. 74. 1911; Soils F.O., 1909, pp. 705–714. 1912.
    Barbour County. Howard C. Smith and others. Soil Sur. Adv. Sh., 1914, pp. 50. 1916; Soils F.O. 1914, pp. 1071–1116. 1919.
    Bibb County. W. E. Tharp and W. L. Lett. Soil Sur. Adv. Sh., 1908, pp. 51. 1910; Soils F.O., 1908, pp. 661–707. 1911.
    Blount County. William G. Smith and F. N. Meeker. Soil Sur. Adv. Sh., 1905, pp. 22. 1906; Soils F.O., 1905, pp. 407–424. 1907.
    Bullock County. Howard C. Smith and W. E. Wilkinson. Soil Sur. Adv. Sh., 1913, pp. 50. 1915; Soils F.O., 1913, pp. 747–792. 1916.
    Butler County. E. A. Kocher and H. L. Westover. Soil Sur. Adv. Sh., 1907, pp. 33. 1909 Soils F.O. 1907, pp. 437–465. 1909.
    Calhoun County. Lewis A. Hurst and Phillip H. Avary. Soil Sur. Adv. Sh., 1908, pp. 49. 1910; Soils F.O., 1908, pp. 615–659. 1911.
    Chambers County. Howard C. Smith and P. H. Avary. Soil Sur. Adv. Sh., 1909, pp. 30. 1911; Soils F.O., 1909, pp. 775–800. 1912.
    Cherokee County. *See* Fort Payne area.
    Chilton County. L. Cantrell and W. E. Wilkinson. Soil Sur. Adv. Sh., 1911, pp. 36. 1913; Soils F.O., 1911, pp. 689–720. 1914.

Soil(s)—Continued.
  survey of Alabama—Continued.
    Choctaw County. Howard C. Smith and others. Soil Sur. Adv. Sh., 1921, pp. 975-1009. 1925.
    Clarke County. C. S. Waldrop and others. Soil Sur. Adv. Sh., 1912, pp. 31. 1913; Soils F.O., 1912, pp. 725-751. 1915.
    Clay County. Arthur E. Taylor and others. Soils F.O., 1915, pp. 827-863. 1919; Soil Sur. Adv. Sh., 1915, pp. 41. 1916.
    Cleburne County. H. G. Lewis and others. Soil Sur. Adv. Sh., 1913, pp. 38. 1915; Soils F.O., 1913, pp. 793-826. 1916.
    Coffee County. Lewis A. Hurst and A. D. Cameron. Soil Sur. Adv. Sh., 1909, pp. 51. 1911; Soils F.O., 1909, pp. 801-847. 1912.
    Colbert County. William G. Smith and others. Soil Sur. Adv. Sh., 1908, pp. 34. 1909; Soils F.O., 1908, pp. 555-584. 1911.
    Conecuh County. L. Cantrell and F. W. Kolb. Soil Sur. Adv. Sh., 1912, pp. 48. 1914; Soils F.O., 1912, pp. 753-796. 1915.
    Covington County. R. T. Avon Burke and others. Soil Sur. Adv. Sh., 1912, pp. 37. 1914; Soils F.O., 1912, pp. 797-829. 1915.
    Crenshaw County. J. F. Stroud and others. Soil Sur. Adv. Sh., 1921, pp. 375-407. 1924.
    Cullman County. W. E. Tharp and W. L. Lett. Soil Sur. Adv. Sh., 1908, pp. 34. 1910; Soils F.O., 1908, pp. 585-614. 1911.
    Dale County. Lewis A. Hurst and others. Soil Sur. Adv. Sh., 1910, pp. 39. 1911; Soils F.O., 1910, pp. 605-639. 1912.
    Dallas County. E. P. Carr, and others. Soil Sur. Adv. Sh., 1905, pp. 24. 1905; Soils F.O., 1905, pp. 453-472. 1907.
    Dekalb County. See Fort Payne area.
    Elmore County. R. A. Winston and A. C. McGehee. Soil Sur. Adv. Sh., 1911, pp. 47. 1913; Soils F.O., 1911, pp. 721-763. 1914.
    Escambia County. R. T. Avon Burk and others. Soil Sur. Adv. Sh., 1913, pp. 51. 1915 Soils F.O., 1913, pp. 827-873. 1916.
    Etowah County. W. S. Lyman and C. S. Waldrop. Soil Sur. Adv. Sh., 1908, pp. 31. 1910; Soils F.O., 1908, pp. 709-735. 1911.
    Fayette County. A. M. O'Neal, jr., and others. Soil Sur. Adv. Sh., 1917, pp. 40. 1920; Soils. F.O., 1917, pp. 699-734. 1923.
    Fort Payne area. Grove B. Jones, and M. E. Carr. Soil Sur. Adv. Sh., 1903, pp. 21. 1904; Soils F.O., 1903, pp. 355-371. 1904.
    Geneva County. A. H. Meyer and others. Soil Sur. Adv. Sh., 1920, pp. 287-314. 1924; Soils F.O., 1920, pp. 287-314. 1925.
    Hale County. R. W. Row and others. Soil Sur. Adv. Sh., 1909, pp. 31. 1910; Soils F.O., 1909, pp. 677-703. 1912.
    Henry County. Grove B. Jones and others. Soil Sur. Adv. Sh., 1908, pp. 35. 1909; Soils F.O., 1908, pp. 483-513. 1911.
    Houston County. R. T. Avon Burke and A. T. Sweet. Soil Sur. Adv. Sh., 1920; pp. 315-344. 1923; Soils F.O., 1920, pp. 315-344. 1925.
    Huntsville area. Frank Bennett; jr., and A. M. Griffen. Soil Sur. Adv. Sh., 1903, pp. 24. 1904; Soils F.O., 1903, pp. 373-392. 1904.
    Jackson County. C. S. Waldrop and N. Eric Bell. Soil Sur. Adv. Sh., 1911, pp. 32. 1912; Soils F.O., 1911, pp. 765-792. 1914.
    Jefferson County. Howard C. Smith and E. S. Pace. Soil Sur. Adv. Sh., 1908, pp. 37. 1910; Soils F.O., 1908, pp. 737-769. 1911.
    Lamar County. E. R. Allen and W. L. Lett. Soil Sur. Adv. Sh., 1908, pp. 32. 1909; Soils F.O., 1908, pp. 455-482. 1911.
    Lauderdale County. F. E. Bonsteel and others Soil Sur. Adv. Sh., 1905, pp. 21. 1905; Soils F.O., 1905, pp. 389-405. 1907.
    Lawrence County. H. G. Lewis and J. F. Stroud. Soil Sur. Adv. Sh., 1914, pp. 50. 1916; Soils F.O., 1914, pp. 1155-1200. 1919.
    Lee County. W. Edward Hearn and W. J. Geib. Soil Sur. Adv. Sh., 1906, pp. 26. 1907; Soils F.O., 1906, pp. 363-384. 1908.

Soil(s)—Continued.
  survey of Alabama—Continued.
    Limestone County. R. T. Avon Burke and A. M. O'Neal, jr. Soil Sur. Adv. Sh., 1914, pp. 41. 1916; Soils F.O., 1914, pp. 1117-1153. 1919.
    Lowndes County. L. B. Schoenmann and R. T. Avon Burke. Soil Sur. Adv. Sh., 1916, pp. 68. 1918; Soils F.O., 1916, pp. 787-850. 1921.
    Macon County. Henry J. Wilder and Hugh H. Bennett. Soil Sur. Adv. Sh., 1904, pp. 29. 1905; Soils F.O., 1904, pp. 291-315. 1905.
    Madison County. R. T. Avon Burke and A. M. O'Neal, jr. Soil Sur. Adv. Sh., 1911, pp. 42. 1913; Soils F.O., 1911, pp. 793-830. 1914.
    Marengo County. S. W. Phillips and others. Soil Sur. Adv. Sh., 1920, pp. 555-597. 1923; Soils F.O.. 1920, pp. 555-597. 1925.
    Marion County. Orla L. Ayers and others. Soil Sur. Adv. Sh., 1907, pp. 24. 1908; Soils F.O., 1907, pp. 381-400. 1909.
    Marshall County. C. S. Waldrop and N. Eric Bell. Soil Sur. Adv. Sh., 1911, pp. 32. 1913; Soils F.O., 1911, pp. 831-858. 1914.
    Mobile area. R. T. Avon Burke and others. Soil Sur. Adv. Sh., 1903, pp. 15. 1904; Soils F.O., 1903, pp. 393-403. 1904.
    Mobile County. Gustavus B. Maynadier and others. Soil Sur. Adv. Sh., 1911, pp. 42. 1912; Soils F.O., 1911, pp. 859-896. 1914.
    Monroe County. Howard C. Smith and others. Soil Sur. Adv. Sh., 1916, pp. 53. 1918; Soils F.O., 1916, pp. 851-899. 1921.
    Montgomery County. W. E. McLendon and Charles J. Mann. Soil Sur. Adv. Sh., 1905, pp. 32. 1906; Soils F.O., 1905, pp. 425-452. 1907.
    Morgan County. Austin L. Patrick and others. Soil Sur. Adv. Sh., 1918, pp. 46. 1921; Soils F.O., 1918, pp. 573-614. 1924.
    Perry County. R. T. Avon Burke and others. Soils F.O., 1902, pp. 309-323. 1903; Soils F.O. Sep. 1902, pp. 21. 1903.
    Pickens County. A. M. O'Neal, jr., and others. Soil Sur. Adv. Sh., 1916, pp. 41. 1917; Soils F.O., 1916, pp. 901-937. 1921.
    Pike County. W. E. Tharp and others. Soil Sur. Adv. Sh., 1910, pp. 67. 1911; Soils F.O., 1910, pp. 641-703. 1912.
    Randolph County. R. T. Avon Burke and others. Soil Sur. Adv. Sh., 1911, pp. 40. 1912; Soils F.O., 1911, pp. 897-932. 1914.
    Russell County. N. Eric Bell and others. Soil Sur. Adv. Sh., 1913, pp. 50. 1915; Soils F.O., 1913, pp. 875-920. 1916.
    St. Clair County. R. T. A. Burke and N. E. Bell. Soil Sur. Adv. Sh., 1917, pp. 46; 1920; Soils F.O., 1917, pp. 791-832. 1923.
    Shelby County. J. F. Stroud and others. Soil Sur. Adv. Sh., 1917, pp. 60. 1920; Soils F.O., 1917, pp. 735-790. 1923.
    Sumter County. William G. Smith and F. N. Meeker. Soil Sur. Adv. Sh., 1904, pp. 30. 1905; Soils F.O., 1904, pp. 317-342. 1905.
    Talladega County. Charles N. Mooney and Charles J. Mann. Soil Sur. Adv. Sh., 1907, pp. 40. 1908; Soils F.O., 1907, pp. 401-436. 1909.
    Tallapoosa County. Howard C. Smith and Philip H. Avary. Soil Sur. Adv. Sh., 1909, pp. 36. 1910; Soils, F.O., 1909, pp. 645-676. 1912.
    Tuscaloosa County. R. A. Winston and others. Soil Sur. Adv. Sh., 1911, pp. 74. 1912; Soils F.O., 1911, pp. 933-1002. 1914.
    Walker County. J. O. Veatch and others. Soil Sur. Adv. Sh., 1915, pp. 30. 1916; Soils F.O., 1915, pp. 865-890. 1919.
    Washington County. Lewis A. Hurst and others. Soil Sur. Adv. Sh., 1915, pp. 51. 1917; Soils F.O., 1915, pp. 891-937. 1919.
    Wilcox County. R. A. Winston and N. Eric Bell. Soil Sur. Adv. Sh., 1916, pp. 71. 1918; Soils F.O. 1916, pp. 939-1005. 1921.
  survey of Alaska—
    Kenai Peninsula region, reconnoissance. H. H. Bennett. Soil Sur. Adv. Sh., 1916, pp. 38. 1917; Soils F.O., 1916, pp. 39-174. 1921.

INDEX TO PUBLICATIONS, 1901–1925 2203

Soil(s)—Continued.
survey of Alaska—Continued.
reconnoissance. H. H. Bennett and T. D. Rice. Soil Sur. Adv. Sh., 1914, pp. 202. 1915; Soils F.O., 1914, pp. 43–236. 1919.
survey of Arizona—
Ashley County. E. S. Vanetta and others. Soil Sur. Adv. Sh., 1913, pp. 39. 1914; Soils F.O., 1913, pp. 1185–1219. 1916.
Benson area. E. J. Carpenter and W. S. Bransford. Soil Sur. Adv. Sh., 1921, pp. 247–280. 1924.
Cochise County. See Benson and San Simon area.
Coconino County. See Winslow area.
Graham County. See Solomonsville area.
Maricopa County. See Middle Gila Valley and Salt River Valley areas.
Middle Gila Valley area. E. C. Eckmann, and others. Soil Sur. Adv. Sh., 1917, pp. 37. 1920; Soils F.O., 1917, pp. 2087–2119. 1923.
Navajo County. See Winslow area.
Pinal County. See Middle Gila Valley area.
Salt River Valley. Thomas H. Means. Soil Sur. Adv. Sh., 1900, pp. 46. 1902; Soils F.O., 1900, pp. 287–332. 1901.
San Simon area. E. J. Carpenter and W. S. Brandsford. Soil Sur. Adv. Sh., 1921, pp. 583–622. 1924.
Solomonsville area. Macy H. Lapham and W. P. Neill. Soil Sur. Adv. Sh., 1903, pp. 30. 1904; Soils F.O., 1903, pp. 1045–1070. 1904.
Winslow area. A. T. Strahorn and others. Soil Sur. Adv. Sh., 1921, pp. 155–188. 1924.
Yuma area. J. Garnett Holmes. Soils F.O., 1902, pp. 777–791. 1903; Soils F.O. Sep. 1902, pp. 16. 1903.
Yuma area, including part of California. J. Garnett Holmes and others. Soil Sur. Adv. Sh., 1904, pp. 27. 1905; Soils F.O., 1904, pp. 1025–1047. 1905.
Yuma County. See Yuma area.
survey of Arkansas—
Arkansas County. See Stuttgart area.
Benton County. See Fayetteville area.
Columbia County. C. Lounsbury and E. B. Deeter. Soil Sur. Adv. Sh., 1914, pp. 38. 1916; Soils F.O., 1914, pp. 1363–1396. 1919.
Conway County. James L. Burgess and Charles W. Ely. Soil Sur. Adv. Sh., 1907, pp. 23. 1908.; Soils F.O., 1907, pp. 753–771. 1909.
Craighead County. E. B. Deeter and L. Vincent Davis. Soil Sur. Adv. Sh., 1916, pp. 32. 1917; Soils F.O., 1916, pp. 1161–1188. 1921.
Drew County. B. W. Tillman nad others. Soil Sur. Adv. Sh., 1917, pp. 48. 1919; Soils F.O., 1917, pp. 1279–1322. 1923.
Faulkner County. E. B. Deeter and others. Soil Sur. Adv. Sh., 1917, pp. 35. 1919; Soils F.O., 1917, pp. 1323–1353. 1923.
Fayetteville area. Henry J. Wilder and Charles G. Shaw. Soil Sur. Adv. Sh., 1906, pp. 45. 1907; Soils F.O., 1906, pp. 587–627. 1908.
Hempstead County. Arthur E. Taylor and W. B. Cobb. Soil Sur. Adv. Sh., 1916, pp. 53. 1917; Soil F.O., 1916, pp. 1189–1237. 1921.
Howard County. M. W. Beck and others. Soil Sur. Adv. Sh., 1917, pp. 48. 1919; Soils F.O., 1917, pp. 1355–1398. 1923.
Jefferson County. B. W. Tillman and others. Soil Sur. Adv. Sh., 1915, pp. 39. 1916; Soils F.O., 1915, pp. 1163–1197. 1919.
Lonoke County. E. W. Knobel and others. Soil Sur Adv. Sh., 1921, pp. 1279–1327. 1925.
Miller County. J. O. Martin and E. P Carr. Soil Sur. Adv. Sh., 1903, pp. 18. 1904; Soils F.O., 1903, pp. 563–576. 1904.
Mississippi County. E. C. Hall and others. Soil Sur. Adv. Sh., 1914, pp. 42. 1916; Soils F.O., 1914, pp. 1325–1362. 1919.
Perry County. E. B. Deeter and others. Soil Sur. Adv. Sh., 1920, pp. 493–536. 1923; Soils F.O., 1920, pp. 493–536. 1925.
Pope County. Clarence Lounsbury and E. B. Deeter. Soil Sur. Adv. Sh., 1913, pp. 51. 1915; Soils F.O., 1913, pp. 1221–1267. 1916.

Soil(s)—Continued.
Survey of Arkansas—Continued.
Prairie County. William T. Carter, jr., and others. Soil Sur. Adv. Sh., 1906, pp. 36 1907; Soils F.O., 1906, pp. 629–660. 1908.
Stuttgart area. J. E. Lapham. Soils F.O. 1902, pp. 611–622. 1903; Soils F.O. Sep. 1902, pp. 12. 1903.
Washington County. See Fayetteville area.
Yell County. E. B. Deeter and Clarence Lounsbury. Soil Sur Adv. Sh., 1915, pp. 41. 1917; Soils F.O., 1915, pp. 1119–1235. 1919.
survey of California—
Alameda County. See Livermore and San Jose areas.
Anaheim area. E. C. Eckmann and others. Soil Sur. Adv. Sh., 1916, pp. 79. 1919; Soils F.O., 1916, pp. 2271–2345. 1921.
around Imperial. Thomas H. Means and J. Garnett Holmes. Soils F.O., 1901, pp. 587–606. 1902; Soils F.O., Sep. 1901, pp. 587–606. 1902.
around Santa Ana. J. Garnett Holmes. Soils F.O., Sep., 1900, pp. 23. 1901; Soils F.O., 1900, pp. 385–412. 1901.
Bakersfield area. Macy H. Lapham and Charles H. Jensen. Soil Sur. Adv. Sh., 1904, pp. 32. 1905; Soils F.O., 1904, pp. 1089–1114. 1905.
Big Valley. E. B. Watson and S. W. Cosby; Soil Sur. Adv. Sh., 1920, pp. 1005–1032. 1924; Soils F.O., 1920, pp, 1005–1032. 1925.
Brawley area. A. E. Kocher and others. Soil Sur. Adv. Sh., 1920, pp. 641–716. 1923; Soils F.O., 1920, pp. 641–716. 1925.
Butte County. See Colusa and Red Bluff area.
Butte Valley, Siskiyou County. W. W. Mackie. Soil Sur. Adv. Sh., 1907, pp. 18. 1909; Soils F.O., 1907, pp. 1001–1014. 1909.
central southern area, reconnaissance. J. E. Dunn and others. Soil Sur. Adv. Sh., 1917, pp. 136. 1921; Soils F.O., 1917, pp. 2405–2534. 1923.
Colusa area. Macy H. Lapham and others. Soil Sur. Adv. Sh., 1907, pp. 50. 1909; Soils F.O., 1907, pp. 927–972. 1909.
Colusa County. See Woodland, Marysville and Colusa areas.
Contra Costa County. See Livermore area.
El Centro area. A. T. Strahorn and others. Soil Sur. Adv. Sh., 1918, pp. 59. 1922; Soils F.O., 1918, pp. 1633–1687. 1924.
Eldorado County. See Sacramento area.
Eureka area. E. B. Watson and others. Soil Sur. Adv. Sh., 1921, pp. 851–881. 1925.
Fresno area (parts of Fresno and Tulare Counties). Thomas H. Means and J. Garnett Holmes. Soils F.O., 1900, pp. 333–384. 1901; Soils F.O. Sep., 1900, pp. 333–384. 1901.
Fresno area. A. T. Strahorn and others. Soil Sur. Adv. Sh., 1912, pp. 82. 1914; Soils F.O., 1912, pp. 2089–2166. 1915.
Fresno County. See Fresno and Hanford areas.
Glenn County. See Colusa area.
Grass Valley area. E. B. Watson and J. B. Hammon. Soil Sur. Adv. Sh., 1918, pp. 40. 1921; Soils F.O., 1918, pp. 1689–1724. 1924.
Hanford area. Macy H. Lapham and W. H. Heileman. Soils F.O., 1901, pp. 447–480. 1902; Soils F.O. Sep., 1901, pp. 447–480. 1902.
Healdsburg area. E. B. Watson and others. Soil Sur. Adv. Sh., 1915, pp. 59. 1917; Soils F.O., 1915, pp. 2199–2253. 1919.
Honey Lake area. J. E. Guernsey and others. Soil Sur. Adv. Sh., 1915, pp. 64. 1917; Soils F.O., 1915, pp. 2255–2314. 1919.
Humboldt County. See Eureka area.
Imperial area. J. Garnett Holmes and others. Soil Sur. Adv. Sh., 1903, pp. 34. 1904; Soils F.O., 1903, pp. 1219–1248. 1904.
Imperial County. See Brawley, El Centro, and Imperial and Palo Verde areas.
Indio area. J. Garnett Holmes and others. Soil Sur. Adv. Sh., 1903, pp. 18. 1904; Soils F.O., 1903, pp. 1249–1262. 1904.
Kern County. See Bakersfield area; Lancaster area.
Kings County. See Hanford area.
Lassen County. See Honey Lake area and Big Valley area.

36167°—32——139

Soil(s)—Continued.
survey of California—Continued.
  Livermore area. H. L. Westover and Cornelius Van Duyne. Soil Sur. Adv. Sh., 1910, pp. 64. 1911; Soils F.O., 1910, pp. 1657-1716. 1912.
  Los Angeles area. Louis Mesmer. Soil Sur. Adv. Sh., 1903, pp. 48. 1904; Soils F.O., 1903, pp. 1263-1306. 1904.
  Los Angeles area. J. W. Nelson and others. Soil Sur. Adv. Sh., 1916, pp. 78. 1919; Soils F.O., 1916, pp. 2347-2420. 1921.
  Los Angeles County. *See* Anaheim, Los Angeles, Pasadena, San Bernardino, San Fernando Valley, San Gabriel, Lancaster, and Ventura areas.
  Lower Salinas Valley. Macy H. Lapham and W. H. Heileman. Soils F.O., 1901, pp. 481-519. 1902; Soils F.O. Sep., 1901, pp. 28. 1903.
  Lower San Joaquin Valley, reconnaissance. J. W. Nelson and others. Soil Sur. Adv. Sh., 1915, pp. 157. 1918; Soils F.O., 1915, pp. 2583-2733. 1919.
  Marysville area. A. T. Strahorn and others. Soils F.O., 1910, pp. 1717-1753. 1912; Soil Sur. Adv. Sh., 1910, pp. 43. 1911.
  Madera County. *See* Madera area.
  Marysville area. A. T. Strahorn and others. Soil Sur. Adv. Sh., 1909, pp. 56. 1911; Soils F.O., 1909, pp. 1689-1740. 1912.
  Marysville area, revision, Sutter Basin. Soils Cir. 79, pp. 10. 1913.
  Mendocino County. *See* Ukiah and Willits areas.
  Merced area. E. B. Watson and others. Soils F.O., 1914, pp. 2785-2850. 1919; Soil Sur. Adv. Sh., 1914, pp. 70. 1916.
  Merced County. *See* Merced area.
  Modesto-Turlock area. A. T. Sweet and others. Soil Sur. Adv. Sh., 1908, pp. 70. 1909; Soils F.O., 1908, pp. 1229-1294. 1911
  Modoc County. *See* Big Valley area.
  Modoc County. *See* Klamath reclamation project area, Oregon.
  Monterey County. *See* Lower Salinas Valley area.
  Monterey County. *See* Pajaro Valley area.
  Nevada County. *See* Grass Valley area.
  Orange County. *See* Anaheim, Los Angeles, and Santa Ana areas.
  Pajaro Valley. W. W. Mackie. Soil Sur. Adv. Sh., 1908, pp. 46. 1910; Soils F.O., 1908, pp. 1331-1372. 1911.
  Pasadena area. E. C. Eckmann and C. J. Zinn. Soil Sur. Adv. Sh., 1915, pp. 56. 1917; Soils F.O., 1915, pp. 2315-2366. 1919.
  Placer County. *See* Sacramento area.
  Placer County. *See* Marysville area.
  Portersville area. A. T. Strahorn and others. Soil Sur. Adv. Sh., 1908, pp. 40. 1909; Soils F.O., 1908, pp. 1295-1320. 1911.
  Red Bluff area. L. C. Holmes and E. C. Eckmann. Soil Sur. Adv. Sh., 1910, pp. 60. 1912; Soils F.O., 1910, pp. 1601-1656. 1912.
  Redding area. Macy H. Lapham and L. C. Holmes. Soil Sur. Adv. Sh., 1907, pp. 31. 1908; Soils F.O., 1907, pp. 973-999. 1909.
  Riverside area. J. W. Nelson and others. Soil Sur. Adv. Sh., 1915, pp. 88 1917; Soils F.O. 1915, pp. 2367-2450. 1919.
  Riverside County. *See* Indio, Riverside, and San Bernardino and Palo Verde areas.
  Sacramento area. Macy H. Lapham and W. W. Mackie. Soil Sur. Adv. Sh., 1904, pp. 43. 1905; Soils F.O., 1904, pp. 1049-1087. 1905.
  Sacramento County. *See* Marysville area; Sacramento area.
  Sacramento Valley, reconnoissance. L. C. Holmes and J. W. Nelson. Soil Sur. Adv. Sh., 1913, pp. 148. 1915; Soils F.O., 1913, pp. 2297-2438. 1916.
  San Bernardino area. J. Garnett Holmes and others. Soil Sur. Adv. Sh., 1904, pp. 41. 1905; Soils F.O., 1904, pp. 1115-1151. 1905.
  San Bernardino County. *See* Anaheim, Pasadena, Riverside, San Bernardino, San Gabriel, and Victorville areas.

Soil(s)—Continued.
survey of California—Continued.
  San Diego area, reconnaissance. L. C. Holmes and R. L. Pendleton. Soils F.O., 1915, pp. 2509-2581. 1919; Soil Sur. Adv. Sh., 1915, pp. 77. 1918.
  San Fernando Valley area. L. C. Holmes and others. Soil Sur. Adv. Sh., 1915, pp. 61. 1917; Soils F.O., 1915, pp. 2451-2507. 1919.
  San Francisco Bay region, reconnaissance. L. C. Holmes and J. W. Nelson. Soil Sur. Adv. Sh., 1914, pp. 112. 1917; Soils F.O., 1914, pp. 2679-2784. 1919.
  San Gabriel area. J. Garnett Holmes. Soils F.O., Sep., 1901, pp. 28. 1902; Soils F.O., 1901, pp. 559-586. 1902.
  San Joaquin County. *See* Modesto-Turlock and Stockton areas.
  San Jose area. Macy H. Lapham. Soil Sur. Adv. Sh., 1903, pp. 39. 1904; Soils F.O., 1903, pp. 1183-1217. 1904.
  San Luis Obispo County. *See* Santa Maria area.
  Santa Barbara County. *See* Santa Maria area.
  Santa Clara County. *See* San Jose area.
  Santa Cruz County. *See* Pajaro Valley area.
  Santa Maria area. E. B. Watson and Alfred Smith. Soil Sur. Adv. Sh., 1916, pp. 48. 1919; Soils F.O., 1916, pp. 2531-2574. 1921.
  Shasta County. *See* Redding area.
  Shasta Valley area. E. B. Watson and others. Soil Sur. Adv. Sh., 1919, pp. 99-152. 1923; Soils F.O., 1919, pp. 99-152. 1925.
  Siskiyou County. *See* Klamath Reclamation Project area, Oregon, and Butte Valley area, California.
  Siskiyou County. *See* Shasta Valley area.
  Sonoma County. *See* Haeldsburg area.
  Stanislaus County. *See* Modesto-Turlock area.
  Stockton area. Macy H. Lapham and W. W. Mackie. Soil Sur. Adv. Sh., 1905, pp. 39. 1906; Soils F.O., 1905, pp. 997-1031. 1907.
  Sutter County. *See* Sacramento area.
  Sutter County. *See* Marysville area.
  Tehama County. *See* Colusa and Red Bluff area.
  Tulare County. *See* Fresno area.
  Tulare County. *See* Portersville area.
  Ukiah area. E. B. Watson and R. L. Pendleton. Soil Sur. Adv. Sh., 1914, pp. 53. 1916; Soils F.O., 1914, pp. 2629-2677. 1919.
  Upper San Joaquin Valley, reconnoissance. J. W. Nelson and others. Soil Sur. Adv. Sh., 1917, pp. 116. 1921; Soils F.O., 1917, pp. 2535-2644. 1923.
  Ventura area. J. Garnett Holmes and Louis Mesmer. Soils F.O., 1901, pp. 521-557. 1902; Soils F.O., Sep., 1901, pp. 37. 1903.
  Ventura area. J. W. Nelson and others. Soil Sur. Adv. Sh., 1917, pp. 87. 1920; Soils F.O., 1917, pp. 2321-2403. 1923.
  Ventura County. *See* Ventura area.
  Victorville area. A. E. Kocher and Stanley W. Cosby. Soil Sur. Adv. Sh., 1921, pp. 623-672. 1924.
  Willits area. Walter C. Dean. Soil Sur. Adv. Sh., 1918, pp. 32. 1920; Soils F.O., 1918, pp. 1725-1752. 1924.
  Woodland area. C. W. Mann and others. Soil Sur. Adv. Sh., 1909, pp. 57. 1911; Soils F.O., 1909, pp. 1635-1687. 1912.
  Yolo County. *See* Woodland area.
  Yuba County. *See* Marysville area.
survey of Colorado—
  Bent County. *See* Lower Arkansas Valley area.
  Conejos County. *See* San Luis Valley.
  Costilla County. *See* San Luis Valley.
  Delta County. *See* Uncompahgre Valley.
  Grand Junction area. J. Garnett Holmes and Thomas D. Rice. Soil Sur. Adv. Sh., 1905, pp. 30. 1906; Soils F.O. 1905, pp. 949-974. 1907.
  Greeley area. J. Garnett Holmes and N. P. Neill. Soils F.O., 1904, pp. 951-993. 1905; Soils F.O., Sep., 1904, pp. 47. 1905.
  Larimer County. *See* Greeley area.
  Lower Arkansas Valley. Macy H. Lapham and others. Soils F.O., 1902, pp. 729-776. 1903; Soils F.O. Sep., 1902, pp. 48. 1903.

Soil(s)—Continued.
survey of Colorado—Continued.
Mesa County. See Grand Junction area.
Montrose County. See Uncompahgre Valley.
Ouray County. See Uncompahgre Valley.
Otera County. See Lower Arkansas Valley.
Prowers County. See Lower Arkansas Valley.
Rio Grande County. See San Luis Valley.
Saguache County. See San Luis Valley.
San Luis Valley. J. Garnett Holmes. Soil Sur. Adv. Sh., 1903, pp. 25. 1904; Soils F.O., 1903, pp. 1099-1119. 1904.
Uncompahgre Valley area. J. W. Nilson and Lawrence A. Kolbe. Soil Sur. Adv. Sh., 1910, pp. 51. 1912; Soils F.O., 1910, pp. 1443-1489. 1912.
Weld County. See Greeley area.
survey of Connecticut—
Hartford County. See Connecticut Valley.
New London County. W. E. McLendon. Soil Sur. Adv. Sh., 1912, pp. 29. 1913; Soils F.O., 1912, pp. 31-55. 1915.
Tolland County. See Connecticut Valley.
Windham County. W. E. McLendon. Soil Sur. Adv. Sh., 1911, pp. 29. 1912; Soils F.O., 1911, pp. 69-93. 1914.
survey of Connecticut Valley. Elmer O. Fippin. Soil Sur. Adv. Sh., 1903, pp. 27. 1904; Soils F.O., 1903, pp. 39-61. 1904.
survey of Delaware—
Dover area. F. E. Bonsteel and O. L. Ayrs. Soil Sur. Adv. Sh., 1903, pp. 26. 1904; Soils F.O., 1903, pp. 143-164. 1904.
Kent County. J. E. Dunn and others. Soil Sur. Adv. Sh. 1918, pp. 32. 1920; Soils F.O., 1918, pp. 45-72. 1924.
New Castle County. T. M. Morrison and others. Soil Sur. Adv. Sh., 1915, pp. 34. 1917; Soils F.O., 1915, pp. 269-298. 1919.
Sussex County. J. M. Snyder and others. Soil Sur. Adv. Sh., 1920, pp. 1531-1565. 1924; Soils F.O., 1920, pp. 1531-1565. 1925.
survey of Florida—
Alachua County. See Gainsville area.
Bradford County. W. C. Byers and others. Soil Sur. Adv. Sh., 1913, pp. 36. 1914; Soils F.O., 1913, pp. 643-674. 1916.
Brevard County. See Indian River area.
Citrus County. See Ocala area.
Dade County. See Fort Lauderdale area.
Duval County. Arthur E. Taylor and T. J. Dunnewald. Soil Sur. Adv. Sh., 1921, pp. 48. 1923.
Escambia County. A. M. Griffin and others. Soil Sur. Adv. Sh., 1906, pp. 32. 1907; Soils F.O., 1906, pp. 335-362. 1908.
Flagler County. Arthur E. Taylor. Soil Sur. Adv. Sh., 1918, pp. 41. 1922; Soils F.O., 1918, pp. 553-571. 1924.
Fort Lauderdale area. Mark Baldwin and H. W. Hawker. Soil Sur. Adv. Sh., 1915, pp. 52. 1915; Soils F.O 1915, pp. 751-798. 1919.
Franklin County. Charles N. Mooney and A. L. Patrick. Soil Sur. Adv. Sh., 1915, pp. 31. 1916; Soils F.O., 1915, pp. 799-825. 1919.
Gadsden County. Elmer O. Fippin and Aldert S. Root. Soil Sur. Adv. Sh., 1903, pp. 27. 1904; Soils F.O., 1903, pp. 331-353. 1904.
Gainesville area. Thomas D. Rice and W. J. Geib. Soil Sur. Adv. Sh., 1904, pp. 25. 1905. Soils F.O., 1904, pp. 269-289. 1905.
Gainesville area, Payne Prairie. Charles N. Mooney. Soils Cir. 72, pp. 5. 1912.
Hernando County. G. B. Jones and T. M. Morrison. Soil Sur. Adv. Sh., 1914, pp. 30. 1915; Soils F.O., 1914, pp. 1045-1070. 1919.
Hillsborough County. C. N. Mooney and others. Soil Sur. Adv. Sh., 1916, pp. 42. 1918; Soils F.O., 1916, pp. 749-786. 1921.
Indian River area. Charles N. Mooney and Mark Baldwin. Soil Sur. Adv. Sh., 1913, pp. 47. 1915; Soils F.O., 1913, pp. 675-717. 1916.
Jackson County. See Marianna area.
Jacksonville area. Grove B. Jones and James E. Ferguson. Soil Sur. Adv. Sh., 1910, pp. 26. 1911; Soils F.O., 1910, pp. 583-604. 1912.

Soil(s)—Continued.
survey of Florida—Continued.
Jefferson County. Grove B. Jones and others. Soil Sur. Adv. Sh., 1907, pp. 39. 1908; Soils F.O., 1907, pp. 345-379. 1909.
Leon County. Henry J. Wilder and others. Soil Sur. Adv. Sh., 1905, pp. 30. 1906; Soils F.O., 1905, pp. 363-388. 1907.
Levy County. See Ocala and Gainesville areas.
Marianna area. Grove B. Jones and others. Soil Sur. Adv. Sh., 1909, pp. 30. 1910; Soils F.O., 1909, pp. 619-644. 1912.
Marion County. See Ocala and Gainesville areas.
Ocala area. Charles N. Mooney and others. Soil Sur. Adv. Sh., 1912, pp. 60. 1913; Soils F.O., 1912, pp. 669-724. 1915.
Orange County. J. E. Dunn and others. Soil Sur. Adv. Sh., 1919, pp. 25. 1922; Soils F.O., 1919, pp. 947-971. 1925.
Palm Beach County. See Fort Lauderdale area and Indian River area.
Pinellas County. Grove B. Jones and T. M. Morrison. Soil Sur. Adv. Sh., 1913, pp. 31. 1914; Soils F.O., 1913, pp. 719-745. 1916.
Putnam County. Charles N. Mooney and others. Soil Sur. Adv. Sh., 1914, pp. 52. 1916; Soils F.O., 1914, pp. 997-1044. 1919.
St. Johns County. A. E. Taylor and others. Soil Sur. Adv. Sh., 1917, pp. 37. 1920; Soils F.O., 1917, pp. 665-697. 1923.
St. Lucie County. See Indian River area.
Sumter County. See Ocala area.
survey of Georgia—
Bainbridge area. Elmer O. Fippin and J. A. Drake. Soil Sur. Adv. Sh., 1904, pp. 25. 1905; Soils F.O., 1904, pp. 247-267. 1905.
Ben Hill County. Allen L. Higgins and David D. Long. Soil Sur. Adv. Sh., 1912, pp. 27. 1913; Soils F.O., 1912, pp. 495-517. 1915.
Brooks County. A. T. Sweet and B. W. Tillman. Soil Sur. Adv. Sh., 1916, pp. 42. 1918; Soils F.O., 1916, pp. 589-626. 1921.
Bulloch County. Charles N. Mooney and others. Soil Sur. Adv. Sh., 1910, pp. 52. 1911; Soils F.O., 1910, pp. 453-500. 1912.
Burke County. E. T. Maxon and others. Soil Sur. Adv. Sh., 1917, pp. 31. 1919; Soils F.O., 1917, pp. 539-565. 1923.
Butts and Henry Counties. David D. Long and others. Soil Sur. Adv. Sh., 1919, pp. 28. 1922; Soils F.O., 1919, pp. 831-854. 1925.
Carroll County. H. G. Lewis and others. Soil Sur. Adv. Sh., 1921, pp. 129-154. 1924.
Chatham County. W. J. Latimer and Floyd S. Bucher. Soil Sur. Adv. Sh., 1911, pp. 34. 1912; Soils F.O., 1911, pp. 563-592. 1914.
Chattooga County. A. W. Mangum and David D. Long. Soil Sur. Adv. Sh., 1912, pp. 57. 1913; Soils F.O., 1912, pp. 519-571. 1915.
Clay County. Wm. G. Smith and N. M. Kirk. Soil Sur. Adv. Sh., 1914, pp. 46. 1916; Soils F.O., 1914, pp. 919-960. 1919.
Cobb County. R. T. Avon Burke, and Herbert W. Marean. Soils F.O., 1901; pp. 317-327. 1902; Soils F.O. Sep. 1901, pp. 11. 1903.
Colquitt County. A. T. Sweet and J. B. R. Dickey. Soil Sur. Adv. Sh., 1914, pp. 39. 1915; Soils F.O., 1914, pp. 961-995. 1919.
Columbia County. Charles N. Mooney and Arthur E. Taylor. Soil Sur. Adv. Sh., 1911, pp. 47. 1912; Soils F.O., 1911, pp. 645-687. 1914.
Covington area. Herbert W. Marean. Soils F.O., 1901, pp. 329-340. 1902; Soils F.O. Sep. 1901, pp. 12. 1903.
Coweta and Fayette Counties. David D. Long and others. Soil Sur. Adv. Sh., 1919, pp. 34. 1922; Soils F.O., 1919, pp. 855-888. 1925.
Crisp County. E. T. Maxon and David D. Long. Soil Sur. Adv. Sh., 1916, pp. 24. 1917; Soils F.O., 1916, pp. 627-646. 1921.
Decatur County. See Bainbridge area.
Dekalb County. D. D. Long and Mark Baldwin. Soils F.O., 1914, pp. 795-815. 1919; Soil Sur. Adv. Sh., 1914, pp. 25. 1915.

Soil(s)—Continued.
 survey of Georgia—Continued.
  Dodge County. Charles W. Ely and A. M. Griffen. Soil Sur. Adv. Sh., 1904, pp. 20. 1905; Soils F.O., 1904, pp. 231–246. 1905.
  Dougherty County. M. Earl Carr and others. Soil Sur. Adv. Sh., 1912, pp. 63. 1913; Soils F.O., 1912, pp. 573–631. 1915.
  Early County. David D. Long and E. C. Hall. Soil Sur. Adv. Sh., 1918, pp. 43. 1921; Soils F.O., 1918, pp. 419–457. 1924.
  Fayette County. See Coweta and Fayette Counties.
  Floyd County. David D. Long. Soil Sur. Adv. Sh., 1917, pp. 72. 1921; Soils F.O., 1917, pp. 567–632. 1923.
  Fort Valley area. William G. Smith, and William T. Carter, jr. Soil Sur. Adv. Sh. 1903, pp. 18. 1904; Soils F.O., 1903, pp. 317–330. 1904.
  Franklin County. W. E. McLendon. Soil Sur. Adv. Sh., 1909, pp. 22. 1910; Soils F.O., 1909, pp. 533–550. 1912.
  Glynn County. David D. Long and James Ferguson. Soil Sur. Adv. Sh., 1911, pp. 55. 1912; Soils F.O., 1911, pp. 593–643. 1914.
  Gordon County. J. O. Veatch. Soil Sur. Adv. Sh., 1913, pp. 70. 1914; Soils F.O., 1913, pp. 335–400. 1916.
  Grady County. Hugh H. Bennett and others. Soil Sur. Adv. Sh., 1908, pp. 57. 1909; Soils F.O., 1908, pp. 341–393. 1911.
  Greene County. See Oconee, Morgan, Greene, and Putnam Counties
  Habersham County. David D. Long and E. C Hall. Soil Sur. Adv. Sh., 1913, pp. 48. 1914; Soils F.O., 1913, pp. 401–444. 1916.
  Hancock County. Gustavus B. Maynadier and W. J. Geib. Soil Sur. Adv. Sh., 1909, pp. 27. 1910; Soils F.O., 1909, pp. 551–573. 1912.
  Henry County. See Butts-Henry Counties.
  Houston County. See Fort Valley area.
  Jackson County. D. D. Long and Mark Baldwin. Soil Sur. Adv. Sh., 1914, pp. 27. 1915; Soils F.O., 1914, pp. 729–751. 1919.
  Jasper County. David D. Long and M. Earl Carr. Soil Sur. Adv. Sh., 1916, pp. 43. 1918; Soils F.O., 1916, pp. 647–685. 1921.
  Jeff Davis County. Percy O. Wood and others. Soil Sur. Adv. Sh., 1913, pp. 34. 1914; Soils F.O., 1913, pp. 445–474. 1916.
  Jones County. David D. Long and others. Soil Sur. Adv. Sh., 1913, pp. 44. 1914; Soils F.O. 1913, pp. 475–514. 1916.
  Laurens County. A. T. Sweet, and others. Soil Sur. Adv. Sh., 1915, pp. 41. 1916; Soils F.O., 1915, pp. 621–657. 1919.
  Lowndes County. David D. Long and N. M. Kirk. Soil Sur. Adv. Sh., 1917, pp. 36. 1920; Soils F.O., 1917, pp. 633–664. 1923.
  Macon County. See Fort Valley area.
  Madison County. David D. Long. Soil Sur. Adv. Sh., 1918, pp. 32. 1921; Soils F.O., 1918, pp. 459–486. 1924.
  Meriwether County. Mark Baldwin and J. A. Kerr. Soil Sur. Adv. Sh., 1916, pp. 31. 1917; Soils F.O., 1916, pp. 687–713. 1921.
  Miller County. Risden T. Allen and E. J. Grimes. Soil Sur. Adv. Sh., 1913, pp. 34. 1914; Soils F.O., 1913, pp. 515–544. 1916.
  Mitchell County. David D. Long and others. Soil Sur. Adv. Sh., 1920, pp. 37. 1922; Soils F.O., 1920, pp. 1–37. 1925.
  Monroe County. David D. Long and others. Soil Sur. Adv. Sh., 1920, pp. 36. 1922; Soils F.O., 1920, pp. 71–102. 1925.
  Morgan County. See Oconee, Morgan, Greene and Putnam Counties and Covington area.
  Newton County. See Covington area.
  Oconee, Morgan, Greene, and Putnam Counties. David D. Long and others. Soil Sur. Adv. Sh., 1919, pp. 61. 1922; Soils F.O., 1919, pp. 889–945. 1924.
  Pierce County. E. T. Maxon and N. M. Kirk. Soil Sur. Adv. Sh., 1918, pp. 29. 1920; Soils F.O., 1918, pp. 487–511. 1924.

Soil(s)—Continued.
 survey of Georgia—Continued.
  Pike County. Charles N. Mooney and Gustavus B. Maynadier. Soil Sur. Adv. Sh., 1909, pp. 31. 1910; Soils F.O., 1909, pp. 575–601. 1912.
  Polk County. D. D. Long and Mark Baldwin. Soil Sur. Adv. Sh., 1914, pp. 46. 1916; Soils F.O., 1914, pp. 753–794. 1919.
  Pulaski County. A. H. Meyer. Soil Sur. Adv. Sh., 1918, pp. 25. Soils F.O., 1918, pp. 513–533. 1924.
  Putnam County. See Oconee, Morgan, Greene, and Putnam Counties.
  Rabun County. David D. Long. Soil Sur. Adv. Sh., 1920, pp. 1193–1211. 1924; Soils F.O., 1920, pp. 1193–1211. 1925.
  Richmond County. T. M. Bushnell and J. M. Snyder. Soil Sur. Adv. Sh., 1916, pp. 38. 1917; Soils F.O., 1916, pp. 715–748. 1921.
  Rockdale County. A. H. Meyer. Soil Sur. Adv. Sh., 1920, pp. 537–553. 1923; Soils F.O., 1920, pp. 537–553. 1925.
  Rockdale County. See Covington area.
  Screven County. David D. Long and others Soil Sur. Adv. Sh., 1920, pp. 1623–1657. 1924; Soils F.O., 1920, pp. 1623–1657. 1925.
  Spalding County. J. E. Lapham and others. Soil Sur. Adv. Sh., 1905, pp. 15. 1905; Soils F.O., 1905, pp. 351–361. 1907.
  Stewart County. David D. Long and others. Soil Sur. Adv. Sh., 1913, pp. 66. 1915; Soils F.O., 1913, pp. 545–606. 1916.
  Sumter County. J. C. Britton and F. S. Welsh. Soil Sur. Adv. Sh., 1910, pp. 47. 1911; Soils F.O., 1910, pp. 501–543. 1912.
  Talbot County. R. A. Winston and H. W. Hawker. Soil Sur. Adv. Sh., 1913, pp. 40. 1914; Soils F.O., 1913, pp. 607–642. 1916.
  Tattnall County. Arthur E. Taylor and others. Soils F.O., 1914, pp. 817–860. 1919; Soil Sur. Adv. Sh., 1914, pp. 48. 1915.
  Tatnall County, reconnoissance. Hugh H. Bennett. Soil Sur. Adv. Sh., 1912, pp. 18. 1913; Soils F.O., 1912, pp. 655–668. 1915.
  Terrell County. D. D. Long and Mark Baldwin. Soil Sur. Adv. Sh., 1914, pp. 62. 1915; Soils F.O., 1914, pp. 861–918. 1919.
  Thomas County. Hugh Bennett and Charles J. Mann. Soil Sur. Adv. Sh., 1908, pp. 64. 1909; Soils F.O., 1908, pp. 395–454. 1911.
  Tift County. J. C. Britton and Percy O. Wood. Soil Sur. Adv. Sh., 1909, pp. 20. 1910; Soils F.O., 1909, pp. 603–618. 1912.
  Troup County. A. T. Sweet and Howard C. Smith. Soil Sur. Adv. Sh., 1912, pp. 25. 1913; Soils F.O., 1912, pp. 633–653. 1915.
  Turner County. E. C. Hall and David D. Long. Soil Sur. Adv. Sh., 1915, pp. 28. 1916; Soils F.O., 1915, pp. 659–682. 1919.
  Walker County. W. E. McLendon. Soil Sur. Adv. Sh., 1910, pp. 42. 1911; Soils F.O., 1910; pp. 545–582. 1912.
  Walton County. See Covington area.
  Ware County. See Waycross area.
  Washington County. R. A. Winston and others. Soils F.O., 1915, pp. 683–717. 1919; Soil Sur. Adv. Sh., 1915, pp. 39. 1916.
  Waycross area. M. Earl Carr and W. E. Tharp. Soil Sur. Adv. Sh., 1906, pp 35. 1907; Soils F.O., 1906, pp. 303–333. 1908.
  Wilkes County. David D. Long. Soil Sur. Adv. Sh., 1915, pp. 35. 1916; Soils F.O., 1915, pp. 719–749. 1919.
 survey of Idaho—
  Ada County. See Boise area.
  Bannock County. See Portneuf area.
  Bingham County. See Blackfoot area.
  Blackfoot area. W. E. McLendon. Soil Sur. Adv. Sh., 1903, pp. 22. 1904; Soils F.O., 1903, pp. 1027–1044. 1904.
  Boise area. Charles A. Jensen and B. A. Olshansen. Soils F.O., 1901, pp. 421–446. 1902; Soils F.O., Sep., 1901, pp. 26. 1902.
  Canyon County. See Boise area.
  Cassia County. See Minidoka area.
  Fremont County. See Blackfoot area.
  Kootenai County. H. G. Lewis and W. A. Denecke, jr. Soil Sur. Adv. Sh., 1919, pp. 45. 1923; Soils F.O., 1919, pp. 1–45. 1925.

Soil(s)—Continued.
survey of Idaho—Continued.
Latah County. J. H. Agee and others. Soil Sur. Adv. Sh., 1915, pp. 24. 1917; Soils F.O., 1915, pp. 2179-2198. 1919.
Lewis County. See Nez Perce and Lewis Counties.
Lewiston area. Louis Mesmer. Soils F.O., 1902, pp. 689-709. 1903; Soils F.O. Sep., 1902, pp. 21. 1903.
Lincoln County. See Minidoka area
Minidoka area. A. T. Strahorn and C. W. Mann. Soil Sur. Adv. Sh., 1907, pp. 22. 1908; Soils F.O., 1907, pp. 909-926. 1909.
Nez Perce and Lewis Counties. J. H. Agee and P. P. Peterson. Soil Sur. Adv. Sh., 1917, pp. 37. 1920; Soils F.O., 1917, p. 2121-2153. 1923.
Nez Perce County. See Nez Perce and Lewis Counties and Lewiston area.
Portneuf area. H. G. Lewis and P. P. Peterson. Soil Sur. Adv. Sh., 1918, pp. 52. 1921; Soils F.O., 1918, pp. 1497-1544. 1924.
Twin Falls area. Mark Baldwin and F. O. Youngs. Soil Sur. Adv. Sh., 1921, pp. 1367-1394. 1925.
survey of Illinois—
Calhoun County. See O'Fallon area.
Clay County. George N. Coffey and others. Soils F.O., 1902 pp. 533-548. 1903; Soils F.O. Sep., 1902, pp. 16. 1903.
Clinton County. Jay A. Bonsteel and others. Soils F.O., 1902, pp. 491-505. 1903; Soils F.O. Sep 1902, pp. 16. 1903.
Jersey County. See O'Fallon area.
Jo Daviess County. See Dubuque area, Iowa.
Johnson County. George N. Coffey and others. Soil Sur. Adv. Sh., 1903, pp. 20. 1904; Soils F.O., 1903, pp. 721-736. 1904.
Knox County. George N. Coffey and others. Soil Sur. Adv. Sh., 1903, pp. 20. 1904; Soils F.O., 1903, pp. 737-752. 1904.
McLean County. George N. Coffey and others. Soil Sur. Adv. Sh., 1903, pp. 25. 1904; Soils F.O., 1903, pp. 777-797. 1904.
St. Clair County. George N. Coffey and others. Soils F.O., 1902, pp. 507-532. 1903; Soils F.O. Sep. 1902, pp. 26. 1903.
Sangamon County. George N. Coffey and others. Soil Sur Adv. Sh., 1903, pp. 21. 1904; Soils F.O., 1903, pp. 703-719. 1904.
Tazewell County. Jay A. Bonsteel and others. Soils F.O., 1902, pp 465-489. 1903; Soils F.O., Sep. 1902, pp. 25. 1903.
Will County. Charles J. Mann and Mark Baldwin. Soil Sur. Adv. Sh., 1912, pp. 37. 1914; Soils F.O., 1912, pp. 1521-1553. 1915.
Winnebago County. George N. Coffey and others. Soil Sur Adv. Sh., 1903, pp. 27. 1904; Soils F.O., 1903, pp. 753-775. 1904.
survey of Indian Territory, Tishomingo area. Thomas D. Rice and Orla L. Ayrs. Soil Sur. Adv. Sh., 1906, pp. 28. 1907; Soils F.O., 1906, pp. 539-562. 1908.
survey of Indiana—
Adams County. Grove B. Jones and others. Soil Sur. Adv. Sh., 1921, pp. 20. 1923.
Allen County. Grove B. Jones and Cornelius Van Duyne. Soil Sur. Adv. Sh., 1908, pp. 30. 1910; Soils F.O., 1908, pp. 1067-1092 1911.
Benton County. Grove B. Jones and J. Bayard Brill. Soil Sur. Adv. Sh., 1916, pp. 20. 1917; Soils F.O., 1916, pp. 1679-1694. 1921.
Boone County. W. E. Tharp and E. J. Quinn. Soil Sur. Adv. Sh., 1912, pp. 39. 1914; Soils F.O., 1912, pp. 1409-1443. 1915.
Boonville area. A. W. Mangum and N. P. Neill. Soil Sur. Adv. Sh., 1904, pp. 27. 1905; Soils F.O., 1904, pp. 727-749. 1905.
Clinton County. W E. Tharp and others. Soil Sur. Adv. Sh., 1914, pp. 28. 1915; Soils F.O., 1914, pp. 1631-1654. 1919.
Decatur County. Mark Baldwin and others. Soil Sur. Adv. Sh., 1919, pp. 32. 1922; Soils F.O., 1919, pp. 1237-1318. 1925.
Delaware County. Lewis A. Hurst and E. J. Grimes. Soil Sur. Adv. Sh., 1913, pp. 31. 1915; Soils F.O., 1913, pp. 1379-1405. 1916.

Soil(s)—Continued.
survey of Indiana—Continued.
Elkhart County. G. B. Jones and R. S. Hesler. Soil Sur. Adv. Sh., 1914, pp. 28. 1916; Soils F.O., 1914, pp. 1571-1594. 1919.
Grant County. Lewis A. Hurst and others. Soil Sur. Adv. Sh., 1915, pp. 36. 1917; Soils F.O., 1915, pp. 1353-1384. 1919.
Greene County. W. E. Tharp and Charles J. Mann. Soil Sur. Adv. Sh., 1906, pp 39. 1907; Soils F.O., 1906, pp. 755-789. 1908.
Hamilton County. Lewis A. Hurst and others. Soil Sur. Adv. Sh., 1912, pp. 32. 1914; Soils F.O., 1912, pp. 1445-1472. 1915.
Hendricks County. W. E. Tharp and E. J. Quinn. Soil Sur. Adv. Sh., pp. 38. 1915; Soils F.O., 1913. pp. 1407-1440. 1916.
Lake County. T. M. Bushnell and Wendell Barrett. Soil Sur. Adv. Sh.. 1917 pp. 48. 1921; Soils F.O., 1917, pp. 1139-1182. 1923.
Madison County. R. T. Avon Burke and LaMott Ruhlen. Soil Sur. Adv. Sh., 1903, pp. 19. 1904; Soils F.O., 1903, pp. 687-701. 1904.
Marion County. W. J. Geib and Frank C. Schroeder. Soil Sur. Adv. Sh., 1907, pp. 24. 1908; Soils F.O., 1907, pp. 793-812. 1909.
Marshall County. Frank Bennett and Charles W. Ely. Soil Sur. Adv. Sh., 1904, pp. 22. 1905; Soils F.O., 1904, pp. 689-706. 1905.
Montgomery County. Grove B. Jones and others. Soil Sur. Adv. Sh., 1912, pp. 26. 1914; Soils F.O., 1912, pp. 1473-1494. 1915.
Newton County. N. P. Neill and W. E Tharp. Soil Sur. Adv. Sh., 1905, pp. 37. 1906; Soils F.O., 1905, pp. 747-779. 1907.
Porter County. T. M. Bushnell and Wendell Barrett. Soil Sur. Adv. Sh., 1916, pp. 47. 1918; Soils F.O., 1916, pp. 1695-1737. 1921.
Posey County. Herbert W. Marean. Soils F.O., 1902, pp. 441-463. 1903; Soils F.O., Sep. 1902, pp. 20. 1903.
Scott County. A. W. Mangum and N. P. Neill. Soil Sur. Adv. Sh., 1904, pp. 24. 1905; Soils F.O., 1904, pp. 707-726. 1905.
Spencer County. See Boonville area.
Starke County. E. J. Grimes and others. Soil Sur. Adv. Sh., 1915, pp. 42. 1917; Soils F.O., 1915, pp. 1385-1422. 1919.
Tippecanoe County. N. P. Neill and W. E. Tharp. Soil Sur. Adv. Sh., 1905, pp. 37. 1906; Soils F.O., 1905, pp. 781-813. 1907.
Tipton County. Lewis A. Hurst and E. J. Grimes. Soil Sur. Adv. Sh., 1912, pp. 30. 1914; Soils F.O., 1912, pp. 1495-1520. 1915.
Warren County. E. J. Grimes and E. H. Stevens. Soil Sur. Adv. Sh., 1914, pp. 39. 1916; Soils F.O., 1914, pp 1595-1629. 1919.
Warrick County. See Boonville area.
Wells County. W. E. Tharp and W. E. Wiley. Soil Sur. Adv. Sh., 1915, pp. 29. 1917; Soils F.O., 1915, pp. 1423-1447. 1919.
White County. T. M. Bushnell and W. E. Wiley. Soil Sur. Adv. Sh., 1915, pp. 43. 1917; Soils F.O., 1915, pp. 1449-1487. 1919.
survey of Iowa—
Adair County. Clarence Lounsbury and others. Soil Sur. Adv. Sh., 1919, pp. 25. 1921; Soils F.O., 1919, pp. 1405-1425. 1925.
Benton County. Clarence Lounsbury, and others. Soil Sur. Adv. Sh., 1921, pp. 1221-1250. 1925.
Blackhawk County. W. E. Tharp and others. Soil Sur. Adv. Sh., 1917, pp. 44. 1919; Soils F.O., 1917, pp. 1557-1594. 1923.
Boone County. A. M. O'Neal, jr., and A. M. Deyoe. Soil Sur. Adv. Sh., 1920 pp. 135-166. 1923; Soils F.O., 1920, pp. 135-166. 1925.
Bremer County. Mark Baldwin and others. Soil Sur. Adv. Sh., 1913, pp. 37. 1914; Soils F.O., 1913, pp. 1689-1721. 1916.
Buena Vista County. L. Vincent Davis and others. Soil Sur. Adv. Sh., 1917, pp. 37. 1919; Soils F.O., 1917, pp. 1595-1627. 1923.
Cedar County. A. M. O'Neal, jr., and others. Soil Sur. Adv. Sh., 1919, pp. 35. 1921; Soils F.O., 1919, pp. 1427-1457. 1925.

Soil(s)—Continued.
survey of Iowa—Continued.
Cerro Gordo County. Herbert W. Marean and Grove B. Jones. Soil Sur. Adv. Sh., 1903, pp. 25. 1904; Soils F.O., 1903, pp. 853-873. 1904.
Clay County. E. H. Smies and T. H. Benton. Soil Sur. Adv. Sh., 1916, pp. 45. 1918; Soils F.O., 1916, pp. 1833-1873. 1921.
Clinton County. H.W. Hawker and F. B. Howe. Soil Sur. Adv. Sh., 1915, pp. 64. 1917; Soils F.O., 1915, pp. 1647-1706. 1919.
Dallas County. Clarence Lounsbury and P. E. Nordaker. Soil Adv. Sh., 1920, pp. 1153-1192. 1924; Soils F.O., 1920, pp. 1153-1192. 1925.
Delaware County. Clarence Lounsbury and Bryan Boatman. Soil Sur. Adv. Sh., 1922, pp. 32. 1925.
Des Moines County. T. H. Benton and E. P. Lowe. Soil Sur. Adv. Sh., 1921, pp. 1091-1126. 1925.
Dickinson County. J. Ambrose Elwell, and J. L. Boatman. Soil Sur. Adv. Sh., 1920, 599-639. 1923; Soils F.O., 1920, pp. 599-639. 1925.
Dubuque area. Elmer O. Fippin. Soils F.O., 1902, pp. 571-592. 1903; Soils F.O., Sep. 1902, pp. 22. 1903.
Dubuque County. J. O. Veatch and C. L. Orrben. Soil Sur. Adv. Sh., 1920, pp. 345-369. 1923; Soils F.O., 1920, pp. 345-369. 1925.
Dubuque County. See Dubuque area.
Emmet County. D. S. Gray and F. W. Reich. Soil Sur. Adv. Sh., 1920, pp. 409-443. 1923; Soils F.O., 1920, pp. 409-443. 1925.
Fayette County. A. H. Meyer, H. J. Harper, and H. W. Warner. Soil Sur. Adv. Sh., 1919, pp. 40. 1922; Soils F.O., 1919, pp. 1459-1494. 1925.
Greene County. A. W. Goke and C. L. Orrben. Soil Sur. Adv. Sh., 1921, pp. 281-303. 1924.
Grundy County. E. Malcolm Jones and W. E. Carson. Soil Sur. Adv. Sh., 1921, pp. 23. 1925.
Hamilton County. Knute Espe and L. E. Lindley. Soil Sur. Adv. Sh., 1917, pp. 30. 1920; Soils F.O., 1917, pp. 1629-1654. 1923.
Hardin County. T. H. Benton and W. W. Strike. Soil Sur. Adv. Sh., 1920, pp. 717-757. 1923; Soils F.O., 1920, pp. 717-757. 1925.
Henry County. A. H. Meyer and others. Soil Sur. Adv. Sh., 1917, pp. 32. 1919; Soils F.O., 1917, pp. 1655-1683. 1923.
Jackson County. See Dubuque area.
Jasper County. D. S. Gray and others. Soil Sur. Adv. Sh., 1921, pp. 1127-1168. 1925.
Jefferson County. C. L. Orrben and C. B. Boatwright. Soil Sur. Adv. Sh., 1922, pp. 307-343. 1925.
Johnson County. W. E. Tharp and G. H. Artis. Soil Sur. Adv. Sh., 1919, pp. 52. 1922; Soils F.O., 1919, pp. 1495-1542. 1925.
Jones County. See Dubuque area.
Lee County. L. V. Davis and Martin E. Sar. Soil Sur. Adv. Sh., 1914, pp. 36. 1916; Soils F.O., 1914, pp. 1911-1942. 1919.
Linn County. Frank B. Howe and others. Soil Sur. Adv. Sh., 1917, pp. 44. 1920; Soils F.O., 1917, pp. 1685-1724. 1923.
Louisa County. L. V. Davis and J. A. Elwell. Soil Sur. Adv. Sh., 1918, pp. 50. 1921; Soils F.O., 1918, pp. 1019-1064. 1924.
Madison County. T. H. Benton and Hugh B. Woodroffe. Soil Sur. Adv. Sh., 1918, pp. 40. 1921; Soils F.O., 1918, pp. 1065-1100. 1924.
Mahaska County. E. C. Hall and J. Ambrose Elwell. Soil Sur. Adv. Sh., 1919, pp. 40. 1922; Soils F.O., 1919, pp. 1543-1578. 1925.
Marshall County. A. H. Meyer and E. I. Angell. Soil Sur. Adv. Sh., 1918, pp. 35. 1921; Soils F.O., 1918, pp. 1101-1131. 1924.
Mills County. Grove B. Jones and N. J. Russell. Soil Sur. Adv. Sh., 1920, pp. 103-134. 1923; Soils F.O., 1920, pp. 103-134. 1925.
Mitchell County. W. E. Tharp and Knute Espe. Soil Sur. Adv. Sn., 1916, pp. 34. 1918 Soils F.O., 1916, pp. 1875-1904. 1921.

Soil(s)—Continued.
survey of Iowa—Continued.
Montgomery County. A. M. O'Neal, jr., and Thomas D. Rice. Soil Sur. Adv. Sh., 1917, pp. 30. 1919; Soils F.O., 1917, pp. 1725-1750. 1923.
Muscatine County. H. W. Hawker and H. W. Johnson. Soil Sur. Adv. Sh., 1914, pp. 64. 1916; Soils F.O., 1914, pp. 1825-1884. 1919.
O'Brien County. J. Ambrose Elwell and H. R. Meldrum. Soil Sur. Adv. Sh., 1921, pp. 213-246. 1924.
Page County. A. M. O'Neal and R. E. Devereux. Soil Sur. Adv. Sh., 1921, pp. 349-373. 1924.
Palo Alto County. A. M. O'Neal, jr., and others. Soil Sur. Adv. Sh., 1921, pp. 36. 1921; Soils F.O., 1918, pp. 1133-1164. 1924.
Polk County. E. H. Smies and others. Soil Sur. Adv. Sh., 1918, pp. 67. 1921; Soils F.O., 1918, pp. 1165-1227. 1924.
Pottawattamie County. A. L. Goodman and others. Soil Sur. Adv. Sh., 1914, pp. 30. 1916; Soils F.O., 1914, pp. 1885-1910. 1919.
Ringgold County. E. C. Hall and others. Soil Sur. Adv. Sh., 1916, pp. 29. 1918; Soils F.O., 1916, pp. 1905-1929. 1921.
Scott County. E. H. Stevens and others. Soil Sur. Adv. Sh., 1915, pp. 43. 1917; Soils F.O., 1915, pp. 1707-1745. 1919.
Sioux County. E. H. Smies and W. C. Dean. Soil Sur. Adv. Sh., 1915, pp. 37. 1917; Soils F.O., 1915, pp. 1747-1779. 1919.
Story County. Herbert W. Marean and Grove B. Jones. Soil Sur. Adv. Sh., 1903, pp. 23. 1904; Soils F.O., 1903, pp. 833-851. 1904.
Tama County. Charles W. Ely and others. Soil Sur. Adv. Sh., 1904, pp. 26. 1905; Soils F.O., 1904, pp. 769-790. 1905.
Van Buren County. Clarence Lounsbury and H. W. Reed. Soil Sur. Adv. Sh., 1915, pp. 32. 1917; Soils F.O., 1915, pp. 1781-1808. 1919.
Wapello County. E. C. Hall and others. Soil Sur. Adv. Sh., 1917, pp. 43. 1919; Soils F.O., 1917, pp. 1751-1789. 1923.
Wayne County. Clarence Lounsbury and others. Soil Sur. Adv. Sh., 1918, pp. 24. 1920; Soils F.O., 1918, pp. 1229-1248. 1924.
Webster County. J. O. Veatch and F. B. Howe. Soil Sur. Adv. Sh., 1914, pp. 44. 1916; Soils F.O., 1914, pp. 1785-1824. 1919.
Winnebago County. W. E. Tharp and G. H. Artis. Soil Sur. Adv. Sh., 1918, pp. 31. 1921; Soils F.O., 1918, pp. 1249-1275. 1924.
Woodbury County. J. O. Veatch and others. Soil Sur. Adv. Sh., 1920, pp. 759-784. 1923; Soils F.O., 1920, pp. 759-784. 1925.
Worth County. D. S. Gray and A. L. Gray. Soil Sur. Adv. Sh., 1922, pp. 271-306. 1925.
Wright County. T. J. Benton and C. O. Jaeckel. Soil Sur. Adv. Sh., 1919, pp. 42. 1922; Soils F.O., 1919, pp. 1579-1616. 1925.
survey of Kansas—
Allen County. J. A. Drake and W. E. Tharp. Soil Sur. Adv. Sh., 1904, pp. 24. 1905; Soils F.O., 1904, pp. 875-894. 1905.
Atchison County. See Platte County, Mo.
Brown County. James L. Burgess and others. Soil Sur. Adv. Sh., 1905, pp. 20. 1906; Soils F.O., 1905, pp. 911-926. 1907.
Butler County. See Wichita area.
Cherokee County. Percy O. Wood and R. I. Throckmorton. Soil Sur. Adv. Sh., 1912, pp. 42. 1914; Soils F.O., 1912, pp. 1785-1822. 1915.
Cowley County. E. C. Hall and others. Soil Sur. Adv. Sh., 1915, pp. 46. 1917; Soils F.O., 1915, pp. 1921-1962. 1919.
Crawford County. See Parsons area.
Finney County. See Garden City area.
Garden City area. James L. Burgess and George N. Coffey. Soil Sur. Adv. Sh., 1904. pp. 33. 1905; Soils F.O., 1904, pp. 895-923. 1905.
Gray County. See Garden City area.
Greenwood County. W. C. Byers and others. Soil Sur. Adv. Sh., 1912, pp. 34. 1914; Soils F.O., 1912, pp. 1823-1852. 1915.
Jewell County. A. E. Kocher and others. Soil Sur. Adv. Sh., 1912, pp. 44. 1914. Soils F.O., 1912, pp. 1853-1892. 1915.

Soil(s)—Continued.
 survey of Kansas—Continued.
  Labette County. *See* Parsons area.
  Leavenworth County. E. H. Smies and G.Y. Blair. Soil Sur. Adv. Sh., 1919, pp. 207–271. 1923. Soils F.O., 1919, pp. 207–271. 1925.
  Montgomery County. F. V. Emerson and C. S. Waldrop. Soil Sur. Adv. Sh., 1913, pp. 36. 1915.; Soils F.O., 1913, pp. 1893–1924. 1916.
  Parsons area. J. A. Drake. Soil Sur. Adv. Sh., 1903, pp. 23. 1904; Soils F.O., 1903, pp. 891–909. 1904.
  Reno County. William T. Carter, jr., and others. Soil Sur. Adv. Sh., 1911, pp. 72. 1913; Soils F. O., 1911, pp. 1991–2058. 1914.
  Riley County. William T. Carter, jr., and Howard C. Smith. Soil Sur. Adv. Sh., 1906, pp. 35. 1908. Soils F.O., 1906, pp. 911–941. 1908.
  Russell area. A. W. Mangum and J. A. Drake. Soil Sur. Adv. Sh., 1903, pp. 20. 1904; Soils F.O., 1903, pp. 911–926. 1904.
  Russell County. *See* Russell area.
  Sedgwick County. *See* Wichita area.
  Shawnee County. W. C. Byers and R. I. Throckmorton. Soil Sur. Adv. Sh., 1911, pp. 41. 1913; Soils F.O., 1911, pp. 2059–2095. 1914.
  western, reconnoissance. George N. Coffey, Thomas D. Rice, and party. Soil Sur. Adv. Sh., 1910, pp. 104. 1912; Soils F.O., 1910, pp. 1345–1442. , 1912.
  Wichita area. J. E. Lapham and B. A. Olshausen. Soil Sur. Adv. Sh., 1902, pp. 20. 1903; Soils F.O., 1902, pp. 623–642. 1903.
 survey of Kentucky—
  Christian County. Risden T. Allen. T. M. Bushnell. Soil Sur. Adv. Sh., 1912, pp. 34. 1914; Soils F.O., 1912, pp. 1149–1178. 1915.
  Garrard County. J.A. Kerr and S. D. Averitt. Soil Sur. Sh., 1921, pp. 509–550. 1924.
  Jessamine County. Risden T. Allen. Soil Sur. Adv. Sh., 1915, pp. 20. 1916; Soils F.O., 1915, pp. 1267–1282. 1919.
  Logan County. L. R. Schoenmann and others. Soil Sur. Adv. Sh., 1919, pp. 56. 1922; Soils F.O., 1919, pp. 1201–1252. 1925.
  McCracken County. Thomas D. Rice. Soil Sur. Adv. Sh., 1905, pp. 20. 1906; Soils F.O., 1905, pp. 679–694. 1907.
  Madison County. A. M. Griffen, and Orla L. Ayrs. Soil Sur. Adv. Sh., 1905, pp. 24. 1906; Soils F.O., 1905. pp. 659–678. 1907.
  Mason County. R. T. Avon Burke. Soil Sur. Adv. Sh., 1903, pp. 19. 1904; Soils F. O., 1903, pp. 631–645. 1904.
  Muhlenberg County. J. A. Kerr and others. Soil Sur. Adv. Sh., 1920, pp. 939–964. 1924; Soils F.O., 1920, pp. 939–964. 1925.
  Rockcastle County. R T. Avon Burke and others. Soil Sur. Adv. Sh., 1910, pp. 36. 1911; Soils F.O., 1910, pp. 1017–1048. 1912.
  Scott County. R. T. Avon Burke. Soil Sur. Adv. Sh., 1903, pp. 16. 1904; Soils F.O., 1903, pp. 619–630. 1904.
  Shelby County. Cornelius Van Duyne and others. Soil Sur. Adv. Sh., 1916, pp. 67. 1919; Soils F.O., 1916, pp. 1415–1464. 1921.
  Union County. Herbert W. Marean. Soils F.O., 1902, pp. 425–440. 1903; Soils F.O., Sep. 1902, pp. 23. 1903.
  Warren County. Thomas D. Rice and W. S. Lyman. Soil Sur. Adv. Sh., 1904, pp. 19. 1905; Soils F.O., 1904, pp. 527–541. 1905.
 survey of Louisiana—
  Acadia parish. Thomas D. Rice, and Lewis Griswold. Soil Sur. Adv. Sh., 1903, pp. 29. 1904; Soils F.O., 1903, pp. 461–485. 1904.
  Bienville Parish. Thomas A. Caine and others. Soil Sur. Adv. Sh., 1908, pp. 36. 1909; Soils F.O., 1908, pp. 843–874. 1911.
  Caddo Parish. James L. Burgess and others; Soil Sur. Adv. Sh., 1906, pp. 36. 1907; Soils F.O., 1906, pp. 427–458. 1908.
  Calcasieu Parish. *See* Lake Charles area.
  Concordia Parish. Charles J. Mann and others. Soil Sur. Adv. Sh., 1910, pp. 35. 1911. Soils F. O., 1910, pp. 827–857. 1912.

Soil(s)—Continued.
 survey of Louisiana—Continued.
  Desoto Parish. Grove G. Jones and LaMott Ruhlen. Soil Sur. Adv. Sh., 1904, pp. 25. 1905; Soils F.O., 1904, pp. 375–395. 1905.
  East Baton Rouge Parish. Charles W. Ely and others. Soil Sur. Adv. Sh., 1905, pp. 23. 1905; Soils F.O., 1905, pp. 517–535. 1907.
  East Carroll and West Carroll Parishes. E. L. Worthen and H. L. Belden. Soil Sur. Adv. Sh., 1908, pp. 29. 1909; Soils F.O., 1908, pp. 575–898. 1911.
  East Feliciana Parish. Charles J. Mann and Percy O. Wood. Soil Sur. Adv. Sh., 1912, pp. 41. 1913; Soils F.O., 1912, pp. 969–1005. 1915.
  Iberia Parish. Charles J. Mann and Lawrence A. Kolbe. Soil Sur. Adv. Sh., 1911, pp. 50. 1912; Soils F.O., 1911, pp. 1129–1174. 1914.
  Lafayette Parish. A. H. Meyer and N. M. Kirk. Soil Sur. Adv. Sh., 1915, pp. 32. 1916; Soils F.O., 1915, pp. 1051–1078. 1919.
  Jefferson Parish. *See* New Orleans area.
  Lake Charles area. W. H. Heileman and Louis Mesmer. Soils F.O., 1901, pp. 621–647. 1902; Soils F.O. Sep., 1901, pp. 27. 1902.
  La Salle Parish. C. Lounsbury and R. F. Rogers. Soil Sur. Adv. Sh., 1918, pp. 42. 1920; Soils F.O., 1918, pp. 677–714. 1924.
  Lincoln Parish. Charles J. Mann and Lawrence A. Kolbe. Soil Sur. Adv. Sh., 1909, pp. 33. 1910; Soils F.O., 1909, pp. 921–949. 1912.
  Natchitoches Parish. J. A. Kerr and others. Soil Sur. Adv. Sh., 1921, pp. 1395–1441. 1925.
  New Orleans area. Thomas D. Rice and Lewis Griswold. Soil Sur. Adv. Sh., 1903, pp. 25. 1904; Soils F.O., 1903, pp. 439–459. 1904.
  Orleans Parish. *See* New Orleans area.
  Ouachita Parish. Thomas D. Rice. Soil Sur. Adv. Sh., 1903, pp. 24. 1904; Soils F.O., 1903, pp. 419–438. 1904.
  Plaquemines Parish. *See* New Orleans area.
  Rapides Parish. E. S. Smies and others. Soil Sur. Adv. Sh., 1916, pp. 43. 1918; Soils F.O , 1916, pp. 1121–1159. 1921.
  Sabine Parish. E. H. Smies and others. Soil Sur. Adv. Sh., 1919, pp. 62. 1922; Soils F.O., 1919, pp. 1041–1098. 1925.
  St. Charles Parish. *See* New Orleans area.
  St. John the Baptist Parish. *See* New Orleans area.
  St. Martin Parish. A. H. Meyer and others. Soil Sur. Adv. Sh., 1917, pp. 32. 1919; Soils F.O., 1917, pp. 937–964. 1923.
  Tangipahoa Parish. A. M. Griffen and Thomas A. Caine. Soil Sur. Adv. Sh., 1905, pp. 27. 1906; Soils F.O., 1905, pp. 493–515. 1907.
  Washington Parish. A. C. Anderson and others. Soil Sur. Adv. Sh., 1922 ,pp. 345–390. 1925.
  Webster Parish. A. H. Meyer and others. Soils F.O., 1914, pp. 1239–1274. 1919; Soil Sur. Adv. Sh., 1914, pp. 40. 1916.
  West Carroll Parish. *See* East and West Carroll Parishes.
  Winn Parish. Thomas A. Caine and others. Soil Sur. Adv. Sh., 1907, pp. 37. 1909; Soils F.O., 1907, pp. 557–589. 1909.
 survey of Maine—
  Aroostook area. Lewis A. Hurst and others. Soil Sur. Adv. Sh., 1917, pp. 44. 1921; Soils F.O., 1917, pp. 7–46. 1923.
  Aroostook County. *See* Aroostook and Caribou areas.
  Caribou area. H. L. Westover and R. W. Rowe. Soil Sur. Adv. Sh., 1908, pp. 40. 1910; Soils F.O., 1908, pp. 35–70. 1911.
  Cumberland County. Cornelius Van Duyne and M. W. Beck. Soils F.O., 1915, pp. 37–124. 1919; Soil Sur. Adv. Sh., 1915, pp. 92. 1917.
  Orono area. Ora Lee, jr. Soil Sur. Adv. Sh., 1909, pp. 38. 1910; Soils F.O., 1909, pp. 41–74. 1912.
  Penobscot County. *See* Orono area.
 survey of Maryland—
  Allegany County. O. C. Bruce and A. M. Smith. Soil Sur. Adv. Sh., 1921, pp: 1063–1090. 1925.

Soil(s)—Continued.
  survey of Maryland—Continued.
    Anne Arundel County. J. C. Britton and C. R. Zappone, jr. Soil Sur. Adv. Sh., 1909, pp. 42. 1910; Soils F.O., 1909, pp. 271–308. 1912.
    Baltimore County. William T. Carter, jr., and others. Soil Sur. Adv. Sh., 1917, pp. 42. 1919; Soils F.O., 1917, pp. 271–308. 1923.
    Calvert County. Jay A. Bonsteel and R. T. Avon Burke. Soils F.O., 1900, pp. 147–171. 1901; Soils F.O., Sep., 1900 pp. 24. 1901.
    Caroline County. See Easton area.
    Carroll County. R. T. Avon Burke. Soil Sur. Adv. Sh., 1919, pp. 37. 1922; Soils F.O., 1919, pp. 607–639. 1925.
    Cecil County. Clarence W. Dorsey and Jay A. Bonsteel. Soils F.O., 1900, pp. 103–124. 1901; Soils F.O. Sep., 1900, pp. 25. 1901.
    Charles County. Howard C. Smith and R. C. Rose. Soil Sur. Adv. Sh., 1918, pp. 47. 1922; Soils F.O., 1918, pp. 73–119. 1924.
    Easton area. Hugh H. Bennett and others. Soil Sur. Adv. Sh., 1907, pp. 47. 1909; Soils F.O., 1907, pp. 121–163. 1909.
    Frederick County. W. J. Latimer and others. Soil Sur. Adv. Sh., 1919, pp. 82. 1922; Soils F.O., 1919, pp. 641–722. 1925.
    Harford County. W G. Smith and J. O. Martin. Soils F.O., 1901, pp. 211–237. 1902; Soils F.O. Sep., 1901, pp. 27. 1902.
    Howard County. Wm. T. Carter, jr., and J. P. D. Hull. Soil Sur. Adv. Sh., 1916, pp. 34. 1917; Soils F.O., 1916, pp. 279–308. 1921.
    Kent County. Jay A. Bonsteel. Soils F.O., 1900, pp. 173–186. 1901; Soils F.O. Sep., 1900, pp. 13. 1902.
    Montgomery County. W. T. Carter and J. P. D. Hull. Soil Sur. Adv. Sh., 1914, pp. 39. 1916; Soils F.O., 1914, pp. 393–427. 1919.
    Prince Georges County. J. A. Bonsteel and others. Soils F.O., 1901, pp. 173–210. 1902; Soils F.O. Sep, 1901, pp. 38. 1902.
    Queen Annes County. See Easton area.
    St. Marys County. Jay A. Bonsteel. Soils F.O., 1900, pp. 125–145. 1901; Soils F.O. Sep., 1900, pp. 20. 1901.
    Somerset County. J. M. Snyder and J. Hall Barton. Soil Sur. Adv. Sh., 1920, pp. 1287–1316. 1924; Soils F.O., 1920, pp. 1287–1316. 1925.
    Talbot County. See Easton area.
    Washington County. R. T. Avon Burke and others. Soil Sur. Adv. Sh., 1917, pp. 46. 1919; Soils F.O., 1917, pp. 309–350. 1921.
    Wicomico County. J. M. Snyder and R. L. Gillett. Soil Sur. Adv. Sh., 1921, pp. 1011–1038. 1925.
    Worcester County. F. E. Bonsteel and William T. Carter, jr. Soil Sur. Adv. Sh., 1903, pp. 29. 1904; Soils F.O., 1903, pp. 165–189. 1904.
  survey of Massachusetts—
    Connecticut Valley. Elmer O. Fippen. Soil Sur. Adv. Sh., 1903, pp. 27. 1904; Soils F.O., 1903, pp. 39–61. 1904.
    Franklin County. See Connecticut Valley.
    Hampden County. See Connecticut Valley.
    Hampshire County. See Connecticut Valley.
    Norfolk, Bristol, and Barnstable Counties. W. J. Latimer and others. Soil Sur. Adv. Sh., 1920, pp. 1033–1120. 1924; Soils F.O. 1920, pp. 1033–1120. 1925.
    Plymouth County. W. E. McLendon and Grove B. Jones. Soil Sur. Adv. Sh., 1911, pp. 41. 1912; Soils F.O., 1911, pp. 31–67. 1914.
  survey of Michigan—
    Alger County. See Munsing area.
    Allegan County. Elmer O. Fippin and Thomas D. Rice. Soils F.O., 1901, pp. 93–124. 1902; Soils F.O. Sep, 1901, pp. 32. 1902.
    Alma area. W. Edward Hearn and A. M. Griffen. Soil Sur. Adv. Sh., 1904, pp. 30. 1905; Soils.F.O., 1904, pp. 639–664. 1905.
    Bay County. See Saginaw area.
    Calhoun County. R. F. Rogers and W. G. Smith. Soil Sur. Adv. Sh., 1916, pp. 54. 1919; Soils F.O., 1916, pp. 1629–1678. 1921.

Soil(s)—Continued.
  survey of Michigan—Continued.
    Cass County. W. J. Geib. Soil Sur. Adv. Sh., 1906, pp. 30. 1907; Soils F.O., 1906, pp. 729–754. 1908.
    Genesee County. B. D. Gilbert. Soil Sur. Adv. Sh., 1912, pp. 39. 1914; Soils F.O., 1912, pp. 1373–1407. 1915.
    Gratiot County. See Alma area.
    Huron County. See Saginaw area.
    Monroe County. See Toledo area, Ohio.
    Munising area. Thomas D. Rice and W. J. Geib. Soil Sur. Adv. Sh., 1904, pp. 25. 1905; Soils F.O., 1904, pp. 581–601. 1905.
    Oakland County. See Oxford and Pontiac areas.
    Ontonagon County, reconnaissance. J. O. Veatch and others. Soil Sur. Adv. Sh., 1921, pp. 73–100. 1923.
    Owosso area. A. W. Mangum and Charles J. Mann. Soil Sur. Adv. Sh., 1904, pp. 27. 1905; Soils F.O., 1904, pp. 665–687. 1905.
    Oxford area. Grove B. Jones and M. Earl Carr. Soil Sur. Adv. Sh., 1905, pp. 19. 1906; Soils F.O., 1905, pp. 731–745. 1907.
    Pontiac area. Henry J. Wilder and W. J. Geib. Soil Sur. Adv. Sh., 1903, pp. 31. 1904; Soils F.O., 1903, pp. 659–685. 1904.
    Saginaw area. W. E. McLendon and M. Earl Carr. Soil Sur. Adv. Sh., 1904, pp. 40. 1905; Soils F.O., 1904, pp. 603–638. 1905.
    Saginaw County. See Saginaw area.
    St. Joseph County. L. C. Wheeting and S. G. Bergquist. Soil Sur. Adv. Sh., 1921, pp. 49–72. 1923.
    Shiawassee County. See Owosso area.
    Tuscola County. See Saginaw area.
    Wexford County. W. J. Geib. Soil Sur. Adv. Sh., 1908, pp. 20. 1909; Soils F.O., 1908, pp. 1051–1066. 1911.
  survey of Minnesota—
    Anoka County. William G. Smith and others. Soil Sur. Adv. Sh., 1916, pp. 30. 1918; Soils F.O., 1916, pp. 1807–1832. 1921.
    Blue Earth County. Hugh H. Bennett and Lewis A. Hurst. Soil Sur. Adv. Sh., 1906, pp. 55. 1907; Soils F.O., 1906, pp. 813–863. 1908.
    Carlton County. See Carlton area.
    Crookston area. A. W. Mangum and F. C. Schroeder. Soil Sur. Adv. Sh., 1906, pp. 31. 1907; Soils F.O., 1906, pp. 865–891. 1908.
    Goodhue County. William G. Smith and others. Soil Sur. Adv. Sh., 1913, pp. 34. 1915; Soils F.O., 1913, pp. 1659–1688. 1916.
    Lyon County. See Marshall area.
    Marshall area. Henry J. Wilder. Soil Sur. Adv. Sh., 1903, pp. 21. 1904; Soils F.O., 1903, pp. 815–831. 1904.
    Pennington County. W. G. Smith and others. Soil Sur. Adv. Sh., 1914, pp. 28. 1916; Soils F.O., 1914, pp. 1727–1750. 1919.
    Polk County. See Crookston area.
    Ramsey County. W. G. Smith and N. M. Kirk. Soil Sur. Adv. Sh., 1914, pp. 37. 1916; Soils F.O., 1914, pp. 1751–1783. 1919.
    Rice County. R. T. Avon Burke and Lawrence A. Kolbe. Soil Sur. Adv. Sh., 1909, pp. 39. 1911; Soils F.O., 1909, pp. 1269–1303. 1912.
    St. Louis County. See Carlton area, Minnesota, and Superior area, Wisconsin.
    Stevens County. P. R. McMiller and others. Soil Sur. Adv. Sh., 1919, pp. 32. 1922; Soils F.O., 1919, pp. 1377–1404. 1925.
  survey of Minnesota-Wisconsin, Carlton area. W. J. Geib and Grove B. Jones. Soil Sur. Adv. Sh., 1905, pp. 25. 1906; Soils F.O., 1905, pp. 815–835. 1907.
  survey of Mississippi—
    Adams County. W. J. Geib and A. L. Goodman. Soil Sur. Adv. Sh., 1910, pp. 32. 1911; Soils F.O., 1910, pp. 705–732. 1912.
    Alcorn County. E. Malcolm Jones and E. P. Lowe. Soil Sur. Adv. Sh., 1921, pp. 673–705. 1924.
    Amite County. A. L. Goodman and others. Soil Sur. Adv. Sh., 1917, pp. 38. 1919; Soils F.O., 1917, pp. 833–866. 1023.

INDEX TO PUBLICATIONS, 1901–1925 2211

Soil(s)—Continued.
  survey of Mississippi—Continued.
    Biloxi area. W. Edward Hearn and M. E. Carr. Soil Sur. Adv. Sh., 1904, pp. 26. 1904; Soils F.O., 1904, pp. 353-374. 1905.
    Chickasaw County. E. M. Jones and C. S. Waldrop. Soil Sur. Adv. Sh., 1915, pp. 38. 1917; Soils F.O., 1915, pp. 939-972. 1919.
    Choctaw County. A. C. Anderson and others. Soil Sur. Adv. Sh., 1920, pp. 249-286. 1923; Soils F.O., 1920, pp. 249-286. 1925.
    Clarke County. A. L. Goodman and E. M. Jones. Soil Sur. Adv. Sh., 1914, pp. 41. 1915; Soils F.O., 1914, pp. 1201-1237. 1919.
    Clay County. E. L. Worthen and others. Soil Sur. Adv. Sh., 1909, pp. 41. 1911; Soils F.O., 1909, pp. 849-885. 1912.
    Coahoma County. F. Z. Hutton and others. Soil Sur. Adv. Sh., 1915, pp. 29. 1916; Soils F.O., 1915, pp. 973-997. 1919.
    Copiah County. See Jackson and Crystal Springs areas.
    Covington County. E. Malcolm Jones and others. Soil Sur. Adv. Sh., 1917, pp. 40. 1919; Soils F.O., 1917, pp. 867-902. 1923.
    Crystal Springs area. James L. Burgess and W. E. Tharp. Soil Sur. Adv. Sh., 1905, pp. 23. 1905; Soils F.O., 1905, pp. 473-491. 1907.
    Forrest County. W. E. Tharp and W. M. Spann. Soil Sur. Adv. Sh., 1911, pp. 52. 1912; Soils F.O., 1911, pp. 1003-1050. 1914.
    George County. W. E. Tharp and E. P. Lowe. Soil Sur. Adv. Sh., 1922, pp. 33-75. 1925.
    Grenada County. W. E. Tharp and J. B. Hogan. Soil Sur. Adv. Sh., 1915, pp. 32. 1917. Soi's F.O., 1915, pp. 999-1026. 1919.
    Hancock County. See McNeill area.
    Harrison County. See Biloxi area.
    Hinds County. A. E. Kocher and A. L. Goodman. Soil Sur. Adv. Sh., 1916, pp. 42; 1918; Soils F.O., 1916, pp. 1007-1044. 1921.
    Holmes County. W. J. Geib. Soil Sur. Adv. Sh., 1908, pp. 32. 1909; Soils F.O., 1908, pp. 771-798. 1911.
    Issaquena County. See Smedes and Yazoo areas.
    Jackson area. J. O. Martin and O. L. Ayrs. Soil Sur. Adv. Sh., 1904, pp. 14. 1904; Soils F.O., 1904, pp. 343-352. 1905.
    Jackson County. See Scranton area.
    Jasper County. E. L. Worthen and H. Jennings. Soil Sur. Adv. Sh., 1907, pp. 36. 1908; Soils F.O., 1907, pp. 525-556. 1909.
    Jefferson Davis County. T. M. Bushnell and L. Vincent Davis. Soil Sur. Adv. Sh., 1915, pp. 27. 1916; Soils F.O., 1915, pp. 1027-1049. 1919.
    Jones County. A. L. Goodman and E. M. Jones. Soil Sur. Adv. Sh., 1913, pp. 35. 1915; Soils F.O., 1913, pp. 921-951. 1916.
    Lafayette County. A. L. Goodman and E. M. Jones. Soil Sur. Adv. Sh., 1912, pp. 28. 1914, Soils F.O., 1912, pp. 831-854. 1915.
    Lamar County. E. Malcolm Jones and others. Soil Sur. Adv. Sh., 1919, pp. 42. 1922; Soils F.O., 1919, pp. 973-1010. 1925.
    Lauderdale County. Hugh H. Bennett and others. Soil Sur. Adv. Sh., 1910, pp. 56. 1912; Soils F.O., 1910, pp. 733-784. 1912.
    Lee County. W. E. Tharp and E. M. Jones. Soil Sur. Adv. Sh., 1916, pp. 40. 1918; Soils F.O., 1916, pp. 1045-1080. 1921.
    Lincoln County. A. L. Goodman and E. M. Jones. Soil Sur. Adv. Sh., 1912 pp. 29. 1913; Soils F.O., 1912, pp. 855-879. 1915.
    Lowndes County. Howard C. Smith and A. L. Goodman. Soil Sur. Adv. Sh., 1911, pp. 50. 1912; Soils F.O., 1911, pp. 1083-1128. 1914.
    McNeil area. William G. Smith, and William T. Carter, jr. Soil Sur. Adv. Sh., 1903, pp. 18. 1904; Soils F.O., 1903, pp. 405-418. 1904.
    Madison County. W. E. Tharp and others. Soil Sur. Adv. Sh. 1917, pp. 37. 1920; Soils F.O., 1917, pp. 903-935. 1923.
    Monroe County. R. A. Winston and others. Soil Sur. Adv. Sh., 1908, pp. 48. 1910: Soils F.O., 1908, pp. 799-842. 1911.

Soil(s)—Continued.
  survey of Mississippi—Continued.
    Montgomery County. Thomas A. Caine and Frank C. Schroeder. Soil Sur. Adv. Sh., 1906, pp. 24. 1907; Soils F.O., 1906, pp. 385-404. 1908.
    Newton County. A. L. Goodman and E. M. Jones. Soil Sur. Adv. Sh., 1916, pp. 43. 1918; Soils F.O., 1916, pp. 1081-1119. 1921.
    Noxubee County. Howard C. Smith and others. Soil Sur. Adv. Sh., 1910, pp. 46. 1911; Soils F.O., 1910, pp. 785-826. 1912.
    Oktibbeha County. W. E. McLendon and Lewis A. Hurst. Soil Sur. Adv. Sh., 1907, pp. 40. 1908; Soils F.O., 1907, pp. 467-502. 1909.
    Pearl River County. E. M. Jones and G. W. Musgrave. Soil Sur. Adv. Sh., 1918, pp. 38, 1920; Soils F.O., 1918, pp. 615-648. 1924.
    Pike County. A. T. Sweet and others. Soil Sur. Adv. Sh., 1918, pp. 32. 1921; Soils F.O., 1918, pp. 649-676. 1924.
    Pontotoc County. Frank Bennett and R. A. Winston. Soil Sur. Adv. Sh., 1906, pp. 26. 1907; Soils F.O., 1906, pp. 405-426. 1908.
    Prentiss County. W. J. Geib and C. W. Mann. Soil Sur. Adv. Sh., 1907, pp. 25. 1908; Soils F.O., 1907, pp. 503-523. 1909.
    Ranking County. See Jackson area.
    Scranton Area. Ora Lee, jr., and others. Soil Sur. Adv. Sh., 1909, pp. 38. 1910; Soils F.O., 1909, pp. 887-920. 1912.
    Sharkey County. See Smedes and Yazoo areas.
    Simpson County. F. Z. Hutton and others. Soil Sur. Adv. Sh., 1919, pp. 34. 1921; Soils F.O., 1919, pp. 1011-1040. 1925.
    Smedes area. William G. Smith, and William T. Carter, jr. Soils F.O., 1902, pp. 325-348. 1903.
    Smith County. W. E. Tharp and William de Young. Soil Sur. Adv. Sh., 1920, pp. 445-492. 1923; Soils F.O., 1920, pp. 445-492. 1925
    Warren County. W. E. Tharp and W. M. Spann. Soil Sur. Adv. Sh. 1912, pp.50. 1914; Soils F.O., 1912, pp. 881-926. 1915.
    Wayne County. A. L. Goodman and others. Soil Sur. Adv. Sh., 1911, pp. 35. 1913; Soils F.O., 1911, pp. 1051-1081. 1914.
    Wilkinson County. W. E. Tharp and W. M. Spann. Soil Sur. Adv. Sh., 1913, pp. 52. 1915; Soils F.O., 1913, pp. 953-1000. 1916.
    Winston County. G. A. Crabb and G. B. Hightower. Soil Sur. Adv. Sh., 1912, pp. 47. 1913; Soils F.O., 1912, pp. 927-967. 1915.
    Yazoo area. J. A. Bonsteel and others. Soils F.O., 1901, pp. 359-388. 1902; Soils F.O. Sep. 1901, pp. 28. 1902.
    Yazoo County. See Smedes and Yazoo area.
  survey of Missouri—
    and Arkansas, Ozark region, reconnaissance. Curtis F. Marbut. Soil Sur. Adv. Sh., 1911, pp. 153. 1914; Soils F.O., 1911, pp. 1727-1873. 1914.
    Andrew County. A. T. Sweet and H. V. Jordan. Soil Sur. Adv. Sh., 1921 pp. 817-850. 1925.
    Atchison County. Charles J. Mann and H. Krusekopf. Soil Sur. Adv. Sh., 1909, pp. 36. 1910; Soils F.O., 1909, pp. 1305-1336. 1912.
    Barry County. A. T. Sweet and others. Soil Sur. Adv. Sh., 1916, pp. 44. 1918; Soils F.O., 1916; pp. 1931-1970. 1921.
    Barton County. H. H. Krusekopf and Floyd S. Bucher. Soil Sur. Adv. Sh., 1912, pp. 28. 1914; Soils F.O., 1912, pp. 1609-1632. 1915.
    Bates County. Charles J. Mann and others. Soil Sur. Adv. Sh., 1908, pp. 32. 1910; Soils F.O., 1908, pp. 1093-1120. 1911.
    Buchanan County. B. W. Tillman and C. E. Deardorff. Soil Sur. Adv. Sh., 1915, pp. 46. 1917; Soil F.O., 1915, pp. 1809-1850. 1919.
    Caldwell County. W. De Young and H. V. Jordan. Soil Sur. Adv. Sh., 1921, pp. 323-348. 1924.
    Callaway County. H. H. Krusekopf and others. Soil Sur. Adv. Sh., 1916, pp. 38. 1919; Soils F.O., 1916, pp. 1971-2004. 1921.

Soil(s)—Continued.
  survey of Missouri—Continued.
    Cape Girardeau County. H. Krusekopf and H. G. Lewis. Soil Sur. Adv. Sh., 1910, pp. 48. 1912; Soils F.O., 1910, pp. 1217-1260. 1912.
    Carroll County. E. S. Vannatta and L. V. Davis. Soil Sur. Adv. Sh., 1912, pp. 34. 1914; Soils F.O., 1912, pp. 1633-1662. 1915.
    Cass County. H. H. Krusekopf and Floyd S. Bucher. Soil Sur. Adv. Sh., 1912, pp. 28. 1914; Soils F.O., 1912, pp. 1663-1686. 1915.
    Cedar County. E. B. Watson and H. F. Williams. Soil Sur. Adv. Sh., 1909, pp. 34. 1911; Soils F.O., 1909, pp. 1337-1366. 1912.
    Chariton County. W. I. Watkins and others. Soil Sur. Adv. Sh., 1918, pp. 34. 1921; Soils F.O., 1918, pp. 1277-1306. 1924.
    Cole County. A. T. Sweet and Robert Wildermuth. Soil Sur. Adv. Sh., 1920, pp. 1501-1530. 1924: Soils F.O., 1920, pp. 1501-1530. 1925.
    Cooper County. A. T. Sweet, and others. Soil Sur. Adv. Sh., 1909, pp. 37. 1911; Soils F.O., 1909, pp. 1367-1397. 1912.
    Crawford County. W. Edward Hearn and Charles J. Mann. Soil Sur. Adv. Sh., 1905, pp. 18. 1906; Soils F.O., 1905, pp. 865-878. 1907.
    Dekalb County. H. H. Krusekopf and others. Soils F.O., 1914, pp. 2005-2025. 1919; Soil Sur. Adv. Sh., 1914, pp. 25. 1916.
    Dunklin County. A. T. Sweet and others. Soils F.O., 1914, pp. 2095-2135. 1919; Soil Sur. Adv. Sh., 1914, pp. 47. 1916.
    Franklin County. E. S. Vanatta and H. G. Lewis. Soil Sur. Adv. Sh., 1911, pp. 35. 1913; Soils F.O., 1911, pp. 1603-1633. 1914.
    Greene County. H. H. Krusekopf and F. Z. Hutton. Soil Sur. Adv. Sh., 1913, pp. 38, 1915; Soils F.O., 1913, pp. 1723-1756. 1916.
    Grundy County. A. T. Sweet and W. I. Watkins. Soil Sur. Adv. Sh., 1914, pp. 34. 1916; Soils F.O., 1914, pp. 1975-2004. 1919.
    Harrison County. E. S. Vannatta and E. W. Knobel. Soil Sur. Adv. Sh., 1914, pp. 36. 1916; Soils F.O., 1914, pp. 1943-1974. 1919.
    Howell County. Elmer O. Fippin and James L. Burgess. Soils F.O. Sep., 1902, pp. 17. 1903; Soils F.O., 1902, pp. 593-609. 1903.
    Jackson County. A. T. Sweet and others. Soil Sur. Adv. Sh., 1910, pp. 37. 1912; Soils F.O., 1910, pp. 1261-1293. 1912.
    Johnson County B. W. Tilman and C. E. Deardorff. Soil. Sur. Adv. Sh., 1914, pp. 33. 1916; Soils F.O., 1914, pp. 2027-2055. 1919.
    Knox County. H. H. Krusekopf and H. I. Cohn. Soil Sur. Adv. Sh., 1917, pp. 32. 1921; Soils F.O., 1917, pp. 1455-1482. 1923.
    Laclede County. David D. Long and others. Soil Sur. Adv. Sh., 1911, pp. 45. 1912. Soils F.O., 1911, pp. 1635-1675. 1914.
    Lafayette County. William De Young and H. V. Jordan. Soil Sur. Adv. Sh., 1920, pp. 813-837. 1923; Soils F.O. 1920, pp. 813-837. 1925.
    Lincoln County. A. T. Sweet and others. Soil Sur. Adv. Sh., 1917, pp. 44. 1920; Soils F.O., 1917, pp. 1483-1522. 1923.
    Macon County. H. Krusekopf and Floyd S. Bucher. Soil Sur. Adv. Sh., 1911, pp. 28. 1913; Soils F.O., 1911, pp. 1677-1700. 1914.
    Marion County. J. C. Britton and E S. Vanatta. Soil Sur. Adv. Sh., 1910, pp 26. 1911; Soils F.O., 1910, pp. 1295-1316. 1912.
    Miller County. H. G. Lewis and F. V. Emerson. Soil Sur. Adv. Sh., 1912, pp. 28. 1914; Soils F.O., 1912, pp. 1687-1710. 1915.
    Mississippi County. William De Young and Robert Wildermuth. Soil Sur. Adv. Sh., 1921, pp. 551-582. 1924.
    Newton County. A. T. Sweet and others. Soil Sur. Adv. Sh., 1915, pp. 41. 1917; Soils F.O., 1915, pp. 1851-1887. 1919.
    Nodaway County. E. S. Vanatta and others. Soil Sur. Adv. Sh., 1913, pp. 31. 1915; Soils F.O., 1913, pp. 1757-1783. 1916.
    Pemiscot County. A. T. Sweet and others. Soil Sur. Adv. Sh., 1910, pp. 32. 1912; Soils F.O., 1910, pp. 1317-1344. 1912.

Soil(s)—Continued.
  survey of Missouri—Continued.
    Perry County. B. W. Tillman and C. E. Deardorff. Soil Sur. Adv. Sh., 1913, pp. 34. 1915; Soils F.O., 1913, pp. 1785-1814. 1916.
    Pettis County. H. H. Krusekopf and R. F. Rogers. Soil Sur. Adv. Sh., 1914, pp. 41. 1916; Soils F.O., 1914, pp. 2057-2093. 1919.
    Pike County. A. T. Sweet and E. C. Hall. Soil Sur. Adv. Sh., 1912, pp. 44. 1914; Soils F.O., 1912, pp. 1711-1750. 1915.
    Platte County. A. T. Sweet and others. Soil Sur. Adv. Sh., 1911, pp. 29. 1912; Soils F.O., 1911, pp. 1701-1725. 1914.
    Putnam County. Charles J. Mann and W. E. Tharp. Soil Sur. Adv. Sh., 1906, pp 22. 1908; Soils F. O., 1906, pp. 893-910. 1908.
    Ralls County. A. T. Sweet and W. I. Watkins. Soil Sur. Adv. Sh., 1913, pp. 41. 1914; Soils F.O., 1913, pp. 1815-1851. 1916.
    Reynolds County. H. H. Krusekopf and others. Soil Sur. Adv. Sh., 1918, pp. 30. 1921; Soils F.O., 1918, pp. 1307-1332. 1924.
    Ripley County. F. Z. Hutton and H H. Krusekopf. Soil Sur. Adv. Sh., 1915, pp. 36. 1917; Soils F.O., 1915. pp. 1889-1920. 1919.
    St. Charles County. See O'Fallon area.
    St. Francois County. H. H. Krusekopf and others. Soil Sur. Adv. Sh., 1918, pp. 32. 1921; Soils F.O., 1918, pp. 1333-1360. 1924.
    St. Louis County. H. H. Krusekopf and D. B. Pratapas. Soil Sur. Adv. Sh., 1919, pp. 517-562. 1923; Soils F.O., 1919, pp. 517-562. 1925.
    St. Louis County. See O'Fallon area.
    Saline County. M. Earl Carr and H. L. Belden. Soil Sur. Adv. Sh., 1904, pp. 28. 1905; Soils F.O., 1904, pp. 791-814. 1905.
    Scotland County. W. Edward Hearn and Charles J. Mann. Soil Sur. Adv. Sh., 1905, pp. 18. 1906; Soils F.O., 1905, pp. 879-892. 1907.
    Shelby County. R. T. Avon Burke and La Mott Ruhlen. Soil Sur. Adv. Sh., 1903, pp. 19. 1904; Soils F.O., 1903, pp. 875-889. 1904.
    Stoddard County. A. T. Sweet and others. Soil Sur. Adv. Sh., 1912, pp. 38. 1914; Soils F.O., 1912, pp. 1751-1784. 1915.
    Texas County. W. I. Watkins and others. Soil Sur. Adv. Sh., 1917, pp. 37. 1919; Soils F.O., 1917, pp. 1523-1555. 1923.
    Warren County. See O'Fallon area.
    Webster County. J. A. Drake and A. T. Strahorn. Soil Sur. Adv. Sh., 1904, pp. 18. 1905; Soils F.O., 1904, pp. 845-858. 1905.
  survey of Missouri-Illinois, O'Fallon area. Elmer O. Fippin and J. A. Drake. Soil Sur. Adv Sh., 1904, pp. 31. 1905; Soils F.O., 1904, pp 815-843. 1905.
  survey of Montana—
    Billings area. Charles A. Jensen and N. P. Neill. Soils F.O., 1902, pp. 665-687. 1903; Soils F.O. Sep., 1902, pp. 21. 1903.
    Bitter Root Valley Area. E. C. Eckmann and G. L. Harrington. Soil Sur. Adv. Sh., 1914, pp. 72. 1917; Soils F.O., 1914, pp. 2463-2530. 1919.
    Gallatin County. See Gallatin Valley area.
    Gallatin Valley area. Macy H. Lapham and Charles W. Ely. Soil Sur. Adv. Sh., 1905, pp. 26. 1906. Soils F.O., 1905, pp. 975-996. 1907.
    Missoula County. See Bitter Root Valley area.
    Ravalli County. See Bitter Root Valley area.
    Stillwater County. See Billings area.
    Yellowstone County. See Billings area.
  survey of Nebraska—
    Antelope County. F. A. Hayes and others. Soil Sur. Adv. Sh., 1921, pp. 757-816. 1924; Soils F.O., 1921, pp. 757-816. 1926.
    Banner County. F. A. Hayes and H. L. Bedell. Soil Sur. Adv. Sh., 1919, pp. 62. 1921; Soils F.O., 1919, pp. 1617-1674. 1925.
    Boone County. F. A. Hayes and others. Soil Sur. Adv. Sh., 1921, pp. 1169-1220. 1925.
    Box Butte County. F. A. Hayes and J. H. Agee. Soil Sur. Adv. Sh., 1916, pp. 34. 1918; Soils F.O., 1916, pp. 2041-2070. 1921.
    Buffalo County. See Kearney and Green Island areas.

INDEX TO PUBLICATIONS, 1901–1925   2213

Soil(s)—Continued.
survey of Nebraska—Continued.
Cass County. A. H. Meyer and others. Soil Sur. Adv. Sh., 1913, pp. 46. 1914. Soils F.O., 1913, pp. 1925-1966. 1916.
Chase County. R. F. Rogers and others. Soil Sur. Adv. Sh., 1917, pp. 66. 1919; Soils F.O., 1917, pp. 1791-1852. 1923.
Cheyenne County. H. C. Mortlock and others. Soil Sur. Adv. Sh., 1918, pp. 39. 1920; Soils F.O., 1918, pp. 1405-1439. 1924.
Dakota County. F. A. Hayes and H. L. Bedell. Soil Sur. Adv. Sh., 1919, pp. 42. 1921; Soils F.O., 1919, pp. 1675-1712. 1925.
Dawes County. R. R. Burn and others. Soil Sur. Adv. Sh., 1915, pp. 41. 1917; Soils F.O., 1915, pp. 1963-1999. 1919.
Dawson County. F. A. Hayes and others. Soil Sur. Adv. Sh., 1922, pp. 391-438. 1925.
Dawson County. See Kearney area.
Deuel County. Louis A. Wolfanger and others. Soil Sur. Adv. Sh., 1921, pp. 707-755. 1924.
Dodge County. B. W. Tillman and H. C. Mortlock. Soil Sur. Adv. Sh., 1916, pp. 53. 1918; Soils F.O., 1916, pp. 2071-2119. 1921.
Douglas County. A. H. Meyer and others. Soil Sur. Adv. Sh., 1913, pp. 48. 1915; Soils F.O., 1913, pp. 1967-2010. 1916.
Fillmore County. A. H. Meyer and others. Soil Sur. Adv. Sh., 1916, pp. 24. 1918; Soils F.O., 1916, pp. 2121-2140. 1921.
Gage County. A. H. Meyer and others. Soil Sur. Adv. Sh., 1914, pp. 42. 1916; Soils F.O., 1914, pp. 2323-2360. 1919.
Gosper County. See Kearney area.
Grand Island area. W. Edward Hearn and James L. Burgess. Soil Sur. Adv. Sh., 1903, pp. 23. 1904; Soils F.O., 1903, pp. 927-945. 1904.
Hall County. J. O. Veatch and V. H. Seabury. Soil Sur. Adv. Sh., 1916, pp. 41. 1918; Soils F.O., 1916, pp. 2141-2177. 1921.
Hamilton County. See Grand Island area.
Howard County. F. A. Hayes and others. Soil Sur. Adv. Sh., 1920, pp. 965-1004. 1924; Soils F.O., 1920, pp. 965-1004. 1925.
Jefferson County. L. S. Paine and others. Soil Sur. Adv. Sh., 1921, pp. 1443-1485. 1925.
Johnson County. H. L. Bedell and H. E. Engstrom. Soil Sur. Adv. Sh., 1920, pp. 1255-1285. 1924; Soils F.O., 1920, pp. 1255-1285. 1925.
Kearney area. J. O. Martin and A. T. Sweet. Soil Sur. Adv. Sh., 1904, pp. 20. 1904; Soils F.O., 1904, pp. 859-874. 1905.
Kearney County. See Kearney area.
Kimball County. A. H. Meyer and others. Soil Sur. Adv. Sh., 1916, pp. 28. 1917; Soils F.O., 1916, pp. 2179-2202. 1921.
Lancaster County. James L. Burgess and H. L. Worthen. Soil Sur. Adv. Sh., 1906, pp. 24. 1908; Soils F.O., 1906, pp. 943-962. 1908.
Lincoln County. See North Platte area.
Madison County. F. A. Hayes and others. Soil Sur. Adv. Sh., 1920, pp. 201-248. 1923; Soils F.O., 1920, pp. 201-248. 1925.
Merrick County. See Grand Island area.
Morrill County. F. A. Hayes and others. Soil Sur. Adv. Sh., 1917, pp. 69. 1920; Soils F.O., 1917, pp. 1853-1917. 1923.
Nance County. F. A. Hayes and others. Soil Sur. Adv. Sh., 1922, pp. 46. 1925.
Nemaha County. A. H. Meyer and others. Soil Sur. Adv. Sh., 1914, pp. 38. 1916; Soils F.O., 1914, pp. 2289-2322. 1919.
North Platte area. E. L. Worthen and O. L. Eckmann. Soil Sur. Adv. Sh., 1907, pp. 28. 1908; Soils F.O., 1907, pp. 813-836. 1909.
Otoe County. William G. Smith and L. T. Skinner. Soil Sur. Adv. Sh., 1912, pp. 31. 1913; Soils F.O., 1912, pp. 1893-1919. 1915.
Pawnee County. H. L. Bedell and others. Soil Sur. Adv. Sh., 1920, pp. 1317-1350. 1924; Soils F.O., 1920, pp. 1317-1350. 1925.
Perkins County. Louis A. Wolfanger and others. Soil Sur. Adv. Sh., 1921, pp. 883-928. 1924.
Phelps County. B. W. Tillman and others. Soil Sur. Adv. Sh., 1917, pp. 42. 1919; Soils F.O., 1917, pp. 1919-1956. 1923.

Soil(s)—Continued.
survey of Nebraska—Continued.
Pierce County. See Stanton area.
Polk County. J. M. Snyder and Thomas E. Kokjer. Soil Sur. Adv. Sh., 1915, pp. 30. 1917; Soils F.O., 1915, pp. 2001-2026. 1919.
Redwillow County. L. A. Wolfanger and A. W. Goke. Soil Sur. Adv. Sh., 1919, pp. 48. 1921; Soils F.O., 1919, pp. 1713-1756. 1925.
Richardson County. A. H. Meyer and others. Soil Sur. Adv. Sh., 1915, pp. 36. 1917; Soils F.O., 1915, pp. 2027-2058. 1919.
Sarpy County. A. E. Kocher and Lewis A. Hurst. Soil Sur. Adv. Sh., 1905, pp. 21. 1906; Soils F.O., 1905, pp. 893-909. 1907.
Saunders County. A. H. Meyer and others. Soil Sur. Adv. Sh., 1913, pp. 52. 1915; Soils F.O., 1913, pp. 2011-2058. 1916.
Scotts Bluff County. L. T. Skinner and M. W. Beck. Soil Sur. Adv. Sh., 1913, pp. 43. 1915; Soils F.O., 1913, pp. 2059-2097. 1916.
Seward County. A. H. Meyer and others. Soil Sur. Adv. Sh., 1914, pp. 40. 1916; Soils F.O., 1914, pp. 2253-2288. 1919.
Sheridan County. F. A. Hayes and others. Soil Sur. Adv. Sh., 1918, pp. 60. 1921; Soils F.O., 1918, pp. 1441-1496. 1924.
Sioux County. W. A. Rockie and others. Soil Sur. Adv. Sh., 1919, pp. 43. 1922; Soils F.O., 1919, pp. 1757-1799. 1925.
Stanton area. W. Edward Hearn. Soil Sur. Adv. Sh., 1903, pp. 20. 1904; Soils F.O., 1903, pp. 947-962. 1904.
Stanton County. See Stanton area.
Thurston County. A. H. Meyer and others. Soil Sur. Adv. Sh., 1914, pp. 44. 1916; Soils F.O., 1914, pp. 2213-2252. 1919.
Washington County. L. Vincent Davis and H. C. Mortlock. Soil Sur. Adv. Sh., 1915, pp. 38. 1917; Soils F.O., 1915, pp. 2059-2092. 1919.
Wayne County. B. W. Tillman and others. Soil Sur. Adv. Sh., 1917, pp. 50. 1919; Soils F.O., 1917, pp. 1957-2002. 1923.
western, reconnaissance. T. D. Rice and others. Soil Sur. Adv. Sh., 1911, pp. 121. 1913; Soils F.O., 1911, pp. 1875-1989. 1914.
survey of Nevada—
Churchill County. See Fallon area.
Fallon area. A. T. Strahorn and Cornelius Van Duyne. Soil Sur. Adv. Sh., 1909, pp. 44. 1911; Soils F.O., 1909, pp. 1477-1516. 1912.
Lyon County. See Fallon area.
survey of New Hampshire—
Hillsboro County. See Nashua area.
Merrimack County. Charles N. Mooney and H. L. Westover. Soil Sur. Adv. Sh., 1906, pp. 39. 1908; Soils F.O., 1906, pp. 33-67. 1908.
Nashua area. Charles N. Mooney and W. C. Byers. Soil Sur. Adv. Sh., 1909, pp. 34. 1910; Soils F.O., 1909, pp. 75-104. 1912.
survey of New Jersey—
Atlantic County. See Camden, Millville, and Chatsworth areas.
Belvidere area. A. L. Patrick and others. Soil Sur. Adv. Sh., 1917, pp. 72. 1920; Soils F.O., 1917, pp. 125-192. 1923.
Bernardsville area. Austin L. Patrick and others. Soil Sur. Adv. Sh., 1919, pp. 409-468. 1923; Soils F.O., 1919, pp. 409-468. 1925.
Burlington County. See Camden, Trenton, and Chatsworth areas.
Camden area. A. L. Patrick and others. Soil Sur. Adv. Sh., 1915, pp. 45. 1917; Soils F.O., 1915, pp. 155-195. 1919.
Camden County. See Camden and Chatsworth areas.
Cape May County. See Millville area.
Chatsworth area. L. L. Lee and others. Soil Sur. Adv. Sh., 1919, pp. 469-515. 1923; Soils F.O., 1919, pp. 468-515. 1925.
Cumberland County. See Camden, Millville, and Salem areas.
Freehold area. H. Jennings and others. Soil Sur. Adv. Sh., 1913, pp. 51. 1916; Soils F.O., 1913, pp. 95-141. 1916.
Gloucester County. See Camden, Millville, and Salem areas.

Soil(s)—Continued.
  survey of New Jersey—Continued.
    Hunterdon County. See Belvidere, Trenton, and Bernardsville areas.
    Mercer County. See Belvidere and Trenton areas.
    Middlesex County. See Freehold, Trenton, and Bernardsville areas.
    Millville area. C. C. Engle and others. Soil Sur. Adv. Sh., 1917, pp. 46. 1921; Soils F.O., 1917, pp. 193-234. 1923.
    Monmouth County. See Freehold, Chatsworth, and Trenton areas.
    Morris County. See Belvidere, Sussex, and Bernardsville areas.
    Ocean County. See Trenton and Chatsworth areas.
    Passaic County. See Sussex area.
    Salem area. J. A. Bonsteel and F. W. Taylor. Soils F.O., 1901, pp. 125-148. 1902; Soils F.O. Sep., 1901, pp. 24. 1902.
    Salem County. See Camden, Millville, and Salem areas.
    Somerset County. See Belvidere, Trenton, and Bernardsville areas.
    Sussex area. H. Jennings and others. Soil Sur. Adv. Sh., 1911, pp. 62. 1913; Soils F.O., 1911, pp. 329-386. 1914.
    Sussex County. See Belvidere, Sussex, and Bernardsville areas.
    Trenton area. R. T. Avon Burke and Henry J. Wilder. Soils F.O., 1902, pp. 163-186. 1903; Soils F.O. Sep., 1902, pp. 24. 1903.
    Union County. See Bernardsville area.
    Warren County. See Belvidere and Sussex areas.
  survey of New Mexico—
    Bernalillo County. See Middle Rio Grande area.
    Dona Ana County. See Mesilla Valley area.
    middle Rio Grande Valley area. J. W. Nelson and others. Soil Sur. Adv. Sh., 1912, pp. 52. 1914; Soils F.O., 1912, pp. 1965-2010. 1915.
    Sandoval County. See Middle Rio Grande area.
    Socorro County. See Middle Rio Grande area.
    Valencia County. See Middle Rio Grande area.
  survey of New Mexico-Texas, Mesilla Valley area. J. W. Nelson and L. C. Holmes. Soil Sur. Adv. Sh., 1912, pp. 39. 1914; Soils F.O., 1912, pp. 2011-2045. 1915.
  survey of New York—
    Auburn area. J. E. Lapham and Hugh H. Bennett. Soil Sur. Adv. Sh., 1904, pp. 28. 1905; Soils F.O., 1904, pp. 95-118. 1905.
    Bigflats area. Louis Mesmer and W. E. Hearn. Soils F.O. Sep., 1902, pp. 17. 1903; Soils F.O., 1902, pp. 125-142. 1903.
    Binghamton area. Elmer O. Fippin and William T. Carter, jr. Soil Sur. Adv. Sh., 1905, pp. 30. 1906; Soils F.O., 1905, pp. 71-96. 1907.
    Broome County. See Binghamton area.
    Cayuga County. See Auburn and Syracuse areas.
    Chautauqua County. T. M. Morrison and others. Soil Sur. Adv. Sh., 1914, pp. 60. 1916; Soils F.O., 1914, pp. 271-326. 1919.
    Chemung County. See Bigflats area.
    Chenango County. E. T. Maxon and William Seltzer. Soil Sur. Adv. Sh., 1918, pp. 37. 1920; Soils F.O., 1918, pp. 11-43. 1924.
    Clinton County. W. R. Cone and E. T. Maxon. Soil Sur. Adv. Sh., 1914, pp. 37. 1916; Soils F.O., 1914, pp. 237-269. 1919.
    Cortland County. E. T. Maxon and G. L. Fuller. Soil Sur. Adv. Sh., 1916, pp. 28. 1917; Soils F.O., 1916, pp. 195-218. 1921.
    Dutchess County. Charles N. Mooney and H. L. Belden. Soil Sur. Adv. Sh., 1907, pp. 53. 1909; Soils F.O., 1907, pp. 31-79. 1909.
    Essex County. See Vergennes area, Vermont.
    Jefferson County. M. Earl Carr and others. Soil Sur. Adv. Sh., 1911, pp. 83. 1913; Soils F.O., 1911, pp. 95-173. 1914.
    Kings County. See Long Island area.

Soil(s)—Continued.
  survey of New York—Continued.
    Livingston County. H. L. Westover and others. Soil Sur. Adv. Sh., 1908, pp. 91. 1910; Soils F.O., 1908, pp. 71-157. 1911.
    Long Island area. Jay A. Bonsteel and others. Soil Sur. Adv. Sh., 1903, pp. 42. 1904; Soils F.O. 1903, pp. 91-128. 1904.
    Lyons area. W. Edward Hearn. Soils F.O., 1902, pp. 143-162. 1903; Soils F.O. Sep., 1902, pp. 20. 1903.
    Madison County. M. Earl Carr and others. Soil Sur. Adv. Sh., 1906, pp. 51. 1907; Soils F.O., 1906, pp. 119-165. 1908.
    Monroe County. G. A. Crabb and others. Soil Sur. Adv. Sh., 1910, pp. 53. 1912; Soils F.O., 1910, pp. 43-91. 1912.
    Montgomery County. Ora Lee, jr., and Clarence Lounsbury. Soil Sur. Adv. Sh., 1908, pp. 42. 1909; Soils F.O., 1908, pp. 159-196. 1911.
    Nassau County. See Long Island area.
    Niagara County. Elmer O. Fippin and others. Soil Sur. Adv. Sh., 1906, pp. 53. 1908; Soils F.O., 1906, pp. 69-117. 1908.
    Oneida County. E. T. Maxon and others. Soil Sur. Adv. Sh., 1913, pp. 59. 1915; Soils F.O., 1913, pp. 39-93. 1916.
    Onondaga County. See Syracuse area.
    Ontario County. M. Earl Carr and others. Soil Sur. Adv. Sh., 1910, pp. 55. 1912; Soils F.O., 1910, pp. 93-143. 1912.
    Orange County. G. A. Crabb and T. M. Morrison. Soil Sur. Adv. Sh., 1912, pp. 56. 1914; Soils F.O., 1912, pp. 57-108. 1915.
    Oswego County. Charles N. Mooney and others. Soil Sur. Adv. Sh., 1917, pp. 43. 1919; Soils F.O., 1917, pp. 47-85. 1923.
    Putnam County. See White Plains area.
    Queens County. See Long Island area.
    Rockland County. See White Plains area.
    Saratoga County. E. T. Maxon and others. Soil Sur. Adv. Sh., 1917, pp. 42. 1919; Soils F.O., 1917, pp. 87-124. 1923.
    Schoharie County. E. T. Maxon and G. L. Fuller. Soil Sur. Adv. Sh., 1915, pp. 34. 1917; Soils F.O., 1915, pp. 125-154. 1919.
    Seneca County. See Lyons area.
    Steuben County. See Bigflats area.
    Suffolk County. See Long Island area.
    Syracuse area. F. E. Bonstee. and others. Soil Sur. Adv. Sh., 1903, pp. 31. 1904; Soils F.O., 1903, pp. 63-89. 1904.
    Tompkins County. J. A. Bonsteel and others. Soil Sur. Adv. Sh., 1905, pp. 36. 1906; Soils F.O., 1905, pp. 39-70. 1907.
    Tompkins County. Frank B. Howe and others. Soil Sur. Adv. Sh., 1920, pp. 1567-1622. 1924; Soils F.O., 1920, pp. 1567-1622. 1925.
    Washington County. M. Earl Carr and others. Soil Sur. Adv. Sh., 1909, pp. 59. 1911; Soils F.O., 1909, pp. 105-159. 1912.
    Wayne County. Cornelius Van Duyne and others. Soil Sur. Adv. Sh., 1919, pp. 273-348. 1923; Soils F.O., 1919, pp. 273-348. 1925.
    Wayne County. See also Lyons area.
    Westchester County. See White Plains area.
    Westfield area. R. T. Avon Burke and Herbert W. Marean. Soils F.O., 1901, pp. 75-92. 1902; Soils F.O. Sep., 1901, pp. 18. 1903.
    White Plains area. C. Van Duyne and J. H. Bromley. Soil Sur. Adv. Sh., 1919, pp. 44. 1922; Soils F.O., 1919, pp. 563-606. 1925.
    Yates County. E. T. Maxon. Soil Sur. Adv. Sh., 1916, pp. 36. 1918; Soils F.O., 1916, pp. 219-250. 1921.
  survey of North Carolina—
    Alamance County. George N. Coffey and W. Edward Hearn. Soils F.O., 1901, pp. 297-310. 1902; Soils F.O., Sep. 1901, pp. 14. 1902.
    Alexander County. See Hickory area.
    Alleghany County. R. T. Avon Burke and H. D. Lambert. Soil Sur. Adv. Sh., 1915, pp. 26. 1917; Soils F.O., 1915, pp. 339-360. 1919.
    Anson County. E. S. Vanatta and F. N. McDowell. Soil Sur. Adv. Sh., 1915, pp. 65. 1917; Soils F.O., 1915, pp. 361-421. 1919.

Soil(s)—Continued.
survey of North Carolina—Continued.
Ashe County. R. B. Hardison and S. O. Perkins. Soil Sur. Adv. Sh., 1912, pp. 32. 1914; Soils F.O., 1912, pp. 341-368. 1915.
Asheville area. J.E. Lapham, and F. N. Meeker. Soil Sur. Adv. Sh., 1903, pp. 23. 1904; Soils F.O., 1903, pp. 279-297. 1904.
Beaufort County. W. B. Cobb and others. Soil Sur. Adv. Sh., 1917 pp. 40. 1919; Soils F.O., 1917, pp. 409-492. 1923.
Bertie County. R. C. Jurney and S. O. Perkins. Soil Sur. Adv. Sh., 1918, pp. 34. 1920; Soils F.O., 1918, pp. 163-192. 1924.
Bladen County. R. B. Hardison and others. Soil Sur. Adv. Sh., 1914, pp. 35. 1915; Soils F.O., 1914, pp. 623-653. 1919.
Buncombe County. S. O. Perkins and others. Soil Sur. Adv. Sh., 1920, pp. 785-812. 1923; Soils F.O., 1920, pp. 785-812. 1925.
Buncombe County. See Asheville and Mount Mitchell areas.
Burke County. See Hickory area.
Cabarrus County. Risden T. Allen and others. Soil Sur. Adv. Sh., 1910, pp. 47. 1911; Soils F.O., 1910, pp. 297-339. 1912.
Caldwell County. W. B. Cobb and others. Soil Sur. Adv. Sh., 1917, pp. 29. 1919; Soils F.O., 1917, pp. 443-467. 1923.
Cary area. George N. Coffey and W. Edward Hearn. Soils F.O., 1901, pp. 311-315. 1902; Soils F.O. Sep., 1901, pp. 5. 1903.
Caswell County. W. Edward Hearn and Frank P. Drake. Soil Sur. Adv. Sh., 1908, pp. 28. 1910; Soils F.O., 1908, pp. 317-340. 1911.
Catawba County. See Hickory and Statesville areas.
Cherokee County. R. C. Jurney and others. Soil Sur. Adv. Sh., 1921, pp. 305-322. 1924.
Chowan County. W. Edward Hearn and G. M. MacNider. Soil Sur. Adv. Sh., 1906, pp. 26. 1907; Soils F.O., 1906, pp. 223-244. 1908.
Cleveland County. E. S. Vanatta and F. N. McDowell. Soil Sur. Adv. Sh., 1916, pp. 37. 1918; Soils F.O., 1916, pp. 309-341. 1921.
Columbus County. R. B. Hardison and others. Soil Sur. Adv. Sh., 1915, pp. 42. 1917; Soils F.O., 1915, pp. 423-460. 1919.
Craven area. William G. Smith and George N. Coffey. Soil Sur. Adv. Sh., 1903, pp. 30. 1904; Soils F.O., 1903, pp. 253-278. 1904.
Craven County. See Craven and Raleigh to Newbern areas.
Cumberland County. S. O. Perkins and others. Soil Sur. Adv. Sh., 1922, pp. 111-151. 1925.
Davidson County. R. B. Hardison and L. L. Brinkley. Soil Sur. Adv. Sh., 1915, pp. 39. 1917; Soils F.O., 1915, pp. 461-495. 1919.
Davie County. See Statesville area.
Duplin County. Aldert S. Root and Lewis A. Hurst. Soil Sur. Adv. Sh., 1905, pp. 23. 1905; Soils F.O., 1905, pp. 289-307. 1907.
Durham County. S. O. Perkins and others. Soil Sur. Adv. Sh., 1920, pp. 1351-1379. 1924; Soils F.O., 1920, pp. 1351-1379. 1925.
Edgecombe County. W. Edward Hearn and G. M. MacNider. Soil Sur. Adv. Sh., 1907, pp. 25. 1908; Soils F.O., 1907, pp. 249-269. 1909.
Forsyth County. Risden T. Allen and R. C. Jurney. Soil Sur. Adv. Sh., 1913, pp. 28. 1914; Soils F.O., 1913, pp. 177-200. 1916.
Gaston County. W. Edward Hearn and others. Soil Sur. Adv. Sh., 1909, pp. 33. 1911; Soils F.O., 1909, pp. 345-373. 1912.
Granville County. R. B. Hardison and David D. Long. Soil Sur. Adv. Sh., 1910, pp. 44. 1912; Soils F.O., 1910, pp. 341-380. 1912.
Greene County. See Craven and Raleigh to Newbern areas.
Guilford County. R. C. Jurney and others. Soil Sur. Adv. Sh., 1920, pp. 167-199. 1923; Soils F.O., 1920, pp. 167-199. 1925.
Halifax County. R. B. Hardison and L. L. Brinkley. Soil Sur. Adv. Sh., 1916, pp. 47. 1918; Soils F.O., 1916, pp. 343-385. 1921.

Soil(s)—Continued.
survey of North Carolina—Continued.
Harnett County. R. C. Jurney and S. O. Perkins. Soil Sur. Adv. Sh., 1916, pp. 37, 1917; Soils F.O., 1916, pp. 387-419. 1921.
Haywood County. R. C. Jurney and others. Soil Sur. Adv. Sh., 1922, pp. 203-224. 1925.
Henderson County. W. Edward Hearn and G. M. MacNider. Soil Sur. Adv. Sh., 1907, pp. 25. 1908; Soils F.O., 1907, pp. 227-247. 1909.
Hertford County. E. S. Vanatta and F. N. McDowell. Soil Sur. Adv. Sh., 1916, pp. 35. 1917; Soils F.O., 1916, pp. 421-451. 1921.
Hickory area. Thomas A. Caine. Soils F.O., 1902, pp. 239-258. 1903; Soils F.O. Sep., 1902, pp. 20. 1903.
Hoke County. E. S. Vanatta and others. Soil Sur. Adv. Sh., 1918, pp. 32. 1921; Soils F.O., 1918, pp. 193-220. 1924.
Hyde County. See Lake Mattamuskeet area.
Iredell County. See Hickory and Statesville area.
Johnston County. W. Edward Hearn and others. Soil Sur. Adv. Sh., 1911, pp. 52. 1913; Soils F.O., 1911, pp. 431-478. 1914.
Jones County. See Craven and Raleigh to Newbern areas.
Lake Mattamuskeet area. W. Edward Hearn. Soil Sur. Adv. Sh., 1909, pp. 17. 1910; Soils F.O., 1909, pp. 375-387. 1912.
Lenoir County. See Craven and Raleigh to Newbern areas.
Lincoln County. R. T. Avon Burke and L. L. Brinkley. Soil Sur. Adv. Sh., 1914, pp. 33. 1916; Soils F.O., 1914, pp. 559-587. 1919.
McDowell County. See Mount Mitchell area.
Madison County. See Asheville and Mount Mitchell areas.
Mecklenburg County. W. Edward Hearn and L. L. Brinkley. Soil Sur. Adv. Sh., 1910, pp. 42. 1912; Soils F.O., 1910, pp. 381-418. 1912.
Mitchell County. See Mount Mitchell area.
Moore County. R. C. Jurney and others. Soil Sur. Adv. Sh., 1919, pp. 44. 1922; Soils F.O., 1919, pp. 723-762. 1925.
Mount Mitchell area. Thomas A. Caine and A. W. Mangum. Soils F.O., 1902, pp. 259-271. 1903; Soils F.O. Sep., 1902, pp. 13. 1903.
New Hanover County. J. A. Drake and H. L. Belden. Soil Sur. Adv. Sh., 1906, pp. 39. 1907; Soils F.O., 1906, pp. 245-279. 1908.
Onslow County. R. C. Jurney and others. Soil Sur. Adv. Sh., 1921, pp. 101-127. 1923.
Orange County. E. S. Vanatta and others Soil Sur. Adv. Sh., 1918, pp. 48. 1921; Soils F.O., 1918, pp. 221-264. 1924.
Pender County. W. Edward Hearn and others. Soil Sur. Adv. Sh., 1912, pp. 45. 1914; Soils F.O., 1912, pp. 369-409. 1915.
Perquimans and Pasquotank Counties. J. E. Lapham and W. S. Lyman. Soil Sur. Adv. Sh., 1905, pp. 22. 1905; Soils F.O., 1905, pp. 271-288. 1907.
Pitt County. W. Edward Hearn and others. Soil Sur. Adv. Sh., 1909, pp. 35. 1910; Soils F.O., 1909, pp. 389-419. 1912.
Raleigh to Newburn. William G. Smith. Soils F.O., 1900, pp. 187-205. 1901; Soils F.O. Sep., 1900, pp. 18. 1901.
Randolph County. R. B. Hardison and S. O. Perkins. Soil Sur. Adv. Sh., 1913, pp. 34. 1915; Soils F.O., 1913, pp. 201-230. 1916.
Richmond County. R. B. Hardison and others. Soil Sur. Adv. Sh., 1911, pp. 48. 1912; Soils F.O., 1911, pp. 387-430. 1914.
Robeson County. W. Edward Hearn and others. Soil Sur. Adv. Sh., 1908, pp. 28. 1909; Soils F.O., 1908, pp. 293-316. 1911.
Rowan County. R. B. Hardison and R. C. Jurney. Soil Sur. Adv. Sh., 1914, pp. 47. 1915; Soils F.O., 1914, pp. 473-515. 1919.
Scotland County. R. B. Hardison and others. Soil Sur. Adv. Sh., 1909, pp. 32. 1911; Soils F.O., 1909, pp. 421-448. 1912.
Stanly County. R. C. Jurney and S. O. Perkins. Soil Sur. Adv. Sh., 1916, pp. 34 1918; Soils F.O., 1916, pp. 453-482. 1921.

Soil(s)—Continued.
  survey of North Carolina—Continued.
    Statesville area. Clarence W. Dorsey and others. Soils F.O., 1901, pp. 273-295. 1902; Soils F.O. Sep., 1901, pp. 23. 1903.
    Transylvania County. W. Edward Hearn and G. M. MacNider. Soil Sur. Adv. Sh., 1906, pp. 25. 1907; Soils F.O., 1906, pp. 281-301. 1908.
    Tyrrell County. W. B. Cobb and W. A. Davis. Soil Sur. Adv. Sh., 1920, pp. 839-858. 1924; Soils F.O., 1920, pp. 839-858. 1925.
    Union County. B. B. Derrick and S. O. Perkins. Soil Sur. Adv. Sh., 1914, pp. 38. 1916; Soils F.O., 1914, pp. 589-622. 1919.
    Vance County. S. O. Perkins and W. A. Davis. Soil Sur. Adv. Sh., 1918, pp. 31. 1921; Soils F.O., 1918, pp. 265-291. 1924.
    Wake County. L. L. Brinkley and others. Soil Sur. Adv. Sh., 1914, pp. 45. 1916; Soils F.O., 1914, pp. 517-557. 1919.
    Wayne County. B. B. Derrick and others. Soil Sur. Adv. Sh., 1915, pp. 51. 1916; Soils F.O., 1915, pp. 497-543. 1919.
    Wilkes County. R. C. Jurney and S. O. Perkins. Soil Sur. Adv. Sh., 1918, pp. 39. 1921; Soils F.O., 1918, pp. 293-327. 1924.
    Yancey County. See Mount Mitchell area.
  survey of North Dakota—
    Adams County. See Morton area.
    Barnes County. L. C. Holmes and others. Soil Sur. Adv. Sh., 1912, pp. 47. 1914; Soils F.O., 1912, pp. 1921-1963. 1915.
    Bottineau County. W. B. Cobb and others. Soil Sur. Adv. Sh., 1915, pp. 54. 1917; Soils F.O., 1915, pp. 2129-2178. 1919.
    Cando area. Elmer O. Fippin and James L. Burgess. Soil Sur. Adv. Sh., 1904, pp. 29. 1905. Soils F.O., 1904, pp. 925-949. 1905.
    Carrington area. A. E. Kocher and Lewis A. Hurst. Soil Sur. Adv. Sh., 1905, pp. 26. 1906; Soils F.O., 1905, pp. 927-948. 1907.
    Cass County. See Fargo area.
    Dickey County. T. M. Bushnell and others. Soil Sur. Adv. Sh., 1914, pp. 56. 1916; Soils F.O., 1914, pp. 2411-2462. 1919.
    Fargo area. Thomas A. Caine. Soil Sur. Adv. Sh., 1903, pp. 29. 1904; Soils F.O., 1903, pp. 979-1003. 1904.
    Foster County. See Carrington area.
    Grand Forks area. Charles A. Jensen and N. P. Neill. Soils F.O., 1902, pp. 643-663. 1903; Soils F.O. Sep., 1902, pp. 18. 1903.
    Grand Forks County. See Grand Forks area.
    Griggs County. See Carrington area.
    Hettinger County. See Morton area.
    Jamestown area. Thomas A. Caine and A. E. Kocher. Soil Sur. Adv. Sh., 1903, pp. 26. 1904; Soils F.O., 1903, pp. 1005-1026. 1904.
    Lamoure County. A. C. Anderson and others. Soil Sur. Adv. Sh., 1914, pp. 53. 1917; Soils F.O., 1914, pp. 2361-2409. 1919.
    McHenry County. E. W. Knobel and others. Soil Sur. Adv. Sh., 1921, pp. 929-973. 1925.
    McKenzie area. A. E. Kocher and R. P. Stevens. Soil Sur. Adv. Sh., 1907, pp. 25. 1908; Soils F.O., 1907, pp. 859-879. 1909.
    McKenzie County. See McKenzie area.
    Morton area. Thomas D. Rice and others. Soil Sur. Adv. Sh., 1917, pp. 26. 1908; Soils F.O., 1907, pp. 837-858. 1909.
    Morton County. See Morton area.
    Ransom County. Charles W. Ely and others. Soil Sur. Adv. Sh., 1906, pp. 39. 1907; Soils F.O., 1906, pp. 963-997. 1908.
    Richland County. Frank Bennett and others. Soil Sur. Adv. Sh., 1908, pp. 38. 1909; Soils F.O., 1908, pp. 1121-1154. 1911.
    Sargent County. F. Z. Hutton and others. Soil Sur. Adv. Sh., 1917, pp. 41. 1920; Soils F.O., 1917, pp. 2003-2039. 1923.
    Stutsman County. See Jamestown area.
    Towner County. See Cando area.
    Traill County. F. Z. Hutton and Earl Nichols. Soil Sur. Adv. Sh., 1918, pp. 47. 1920; Soils F.O., 1918, pp. 1361-1403. 1924.
    western. Macy H. Lapham and others. Soil Sur. Adv. Sh., 1908, pp. 80. 1910; Soils F.O., 1908, pp. 1155-1228. 1911.

Soil(s)—Continued.
  survey of North Dakota—Continued.
    Williams County. See Williston area.
    Williston area. Thomas D. Rice and others. Soil Sur. Adv. Sh., 1906, pp. 28. 1908; Soils F.O., 1906, pp. 999-1022. 1908.
  survey of Ohio—
    Ashtabula area. J. O. Martin and E. P. Carr. Soil Sur. Adv. Sh., 1903, pp. 16. 1904; Soils F.O., 1903, pp. 647-658. 1904.
    Ashtabula County. See Ashtabula area.
    Auglaize County. W. J. Geib. Soil Sur. Adv. Sh., 1909, pp. 22. 1910; Soils F.O., 1909, pp. 1131-1148. 1912.
    Cleveland area. J. E. Lapham and Charles N. Mooney. Soil Sur. Adv. Sh., 1905, pp. 24. 1906; Soils F.O., 1905, pp. 695-714. 1907.
    Columbus area. William G. Smith. Soils F.O., 1902, pp. 403-423. 1903; Soils F.O. Sep., 1902, pp. 21. 1903.
    Coshocton County. Thomas D. Rice and W. J. Geib. Soil Sur. Adv. Sh., 1904, pp. 20. 1905; Soils F.O., 1904, pp. 565-580. 1905.
    Cuyahoga County. See Cleveland area.
    Delaware County. See Westerville area.
    Fairfield County. See Columbus area.
    Franklin County. See Westerville and Columbus areas.
    Geauga County. Charles N. Mooney and others. Soil Sur. Adv. Sh., 1915, pp. 37. 1916; Soils F.O., 1915, pp. 1283-1315. 1919.
    Hamilton County. A. L. Goodman and others. Soil Sur. Adv. Sh., 1915, pp. 39. 1917; Soi s F.O., 1915, pp. 1317-1351. 1919.
    Licking County. See Westerville and Columbus areas.
    Lorain County. See Cleveland area.
    Lucas County. See Toledo area.
    Madison County. See Westerville and Columbus areas.
    Mahoning County. M. W. Beck and others. Soil Sur. Adv. Sh., 1917, pp. 41. 1919; Soils F.O., 1917, pp. 1041-1077. 1923.
    Marion County. T. M. Morrison and others. Soil Sur. Adv. Sh., 1916, pp. 37. 1918; Soils F.O., 1916, pp. 1549-1581. 1921.
    Medina County. See Wooster and Cleveland areas.
    Meigs County. F. N. Meeker and G. W. Tailby, jr. Soil Sur. Adv. Sh., 1906, pp. 32. 1908; Soils F.O., 1906, pp. 701-728. 1908.
    Miami County. E. R. Allen and Oliver Gossard. Soil Sur. Adv. Sh., 1916, pp. 50. 1918; Soils F.O., 1916, pp. 1583-1628. 1921.
    Montgomery County. Clarence W. Dorsey and George N. Coffey. Soils F.O., 1900, pp. 85-102. 1901; Soils F.O. Sep., 1900, pp. 17. 1901.
    Ottawa County. See Toledo area.
    Paulding County. H. G. Lewis and C. W. Shiffler. Soil Sur. Adv. Sh., 1914, pp. 29. 1915; Soils F.O., 1914, pp. 1545-1569. 1919.
    Pickaway County. See Columbus area.
    Portage County. Charles L. Mooney and others. Soil Sur. Adv. Sh., 1914, pp. 44. 1916; Soils F.O., 1914, pp. 1505-1544. 1919.
    reconnaissance. George N. Coffey and Thomas D. Rice. Soil Sur. Adv. Sh., 1912, pp. 134. 1915; Soils F.O., 1912, pp. 1245-1372. 1915.
    Sandusky County. E. R. Allen and others. Soil Sur. Adv. Sh., 1917, pp. 64. 1920; Soils F.O., 1917, pp. 1079-1138. 1923.
    Stark County. Charles N. Mooney and others. Soil Sur. Adv. Sh., 1913, pp. 39. 1915; Soils F.O., 1913, pp. 1343-1377. 1916.
    Summit County. See Wooster and Cleveland areas.
    Toledo area. William G. Smith. Soils F.O., 1902, pp. 383-402. 1903; Soils F.O. Sep., 1902, pp. 20. 1903.
    Trumbull County. George N. Coffey and others. Soil Sur. Adv. Sh., 1914, pp. 53. 1916; Soils F.O., 1914, pp. 1455-1503. 1919.
    Union County. See Westerville area.
    Wayne County. See Wooster area.
    Westerville area. J. E. Lapham and Charles N. Mooney. Soil Sur. Adv. Sh., 1905, pp. 19. 1906; Soils F.O., 1905, pp. 715-729. 1907.
    Wood County. See Toledo area.

Soil(s)—Continued.
 survey of Ohio—Continued.
  Wooster area. Thomas A. Caine and W. S. Lyman. Soil Sur. Adv. Sh., 1904, pp. 26. 1905; Soils F.O., 1904, pp. 543-564. 1905.
 survey of Oklahoma—
  Bryan County. Wm. T. Carter, jr., and A. L. Patrick. Soil Sur. Adv. Sh., 1914, pp. 52. 1915; Soils F.O., 1914, pp. 2165-2212. 1919.
  Bryan County. See also Tishomingo area.
  Canadian County. E. H. Smies and Hugh H. Bennett. Soil Sur. Adv. Sh., 1917, pp. 60. 1919; Soils F.O., 1917, pp. 1399-1454. 1923.
  Johnston County. See Tishomingo area.
  Kay County. N. M. Kirk and R. C. Jurney. Soil Sur. Adv. Sh., 1915, pp. 40. 1917; Soils F.O., 1915, pp. 2093-2128. 1919.
  Marshall County. See Tishomingo area.
  Muskogee County. Grove B. Jones and others. Soil Sur. Adv. Sh., 1913, pp. 43. 1915; Soils F.O., 1913, pp. 1853-1891. 1916.
  Oklahoma County. W. E. McLendon and Grove B. Jones. Soil Sur. Adv. Sh., 1906, pp. 27. 1907; Soils F.O., 1906, pp. 563-585. 1908.
  Payne County. W. B. Cobb and H. W. Hawker. Soil Sur. Adv. Sh., 1916, pp. 39. 1918; Soils F.O., 1916, pp. 2005-2039. 1921.
  Roger Mills County. J. A. Kerr and others. Soil Sur. Adv. Sh., 1914, pp. 32. 1916; Soils F.O., 1914, pp. 2137-2164. 1919.
  Tishomingo area, Indian Territory. Thomas D. Rice and Orla L. Ayrs. Soil Sur. Adv. Sh., 1906, pp. 28. 1907; Soils F.O., 1906 pp. 539-562. 1908.
 survey of Oregon—
  Baker City area. Charles A. Jensen and W. W. Mackie. Soil Sur. Adv. Sh., 1903, pp. 24. 1904; Soils F.O., 1903, pp. 1151-1170. 1904.
  Baker County. See Baker City area.
  Benton County. E. J. Carpenter and E. F. Torgerson. Soil Sur. Adv. Sh., 1920, pp. 1431-1474. 1924; Soils F.O., 1920, pp. 1431-1474. 1925.
  Coos County. See Marshfield area.
  Curry County. See Marshfield area.
  Jackson County. See Medford area
  Josephine County. A. E. Kocher and E. F. Torgerson. Soil Sur. Adv. Sh., 1919, pp. 349-408 1923; Soils F.O., 1919, pp. 349-408. 1925.
  Klamath County. See Klamath reclamation project area.
  Klamath reclamation project area. A. T. Sweet and I. G. McBeth. Soil Sur. Adv. Sh., 1908, pp. 45. 1910; Soils F.O., 1908, pp. 1373-1413. 1911.
  Marion County. See Salem area.
  Marshfield area. C. W. Mann and James E. Ferguson. Soil Sur. Adv. Sh., 1909, pp. 38. 1911; Soils F.O., 1909, pp. 1601-1634. 1912.
  Medford area. A. T. Strahorn and others. Soil Sur. Adv. Sh., 1911, pp. 74. 1913; Soils F.O., 1911, pp. 2287-2356. 1914.
  Multnomah County. C. V. Ruzek and E. J. Carpenter. Soil Sur. Adv. Sh., 1919, pp. 47-98. 1922; Soils F.O., 1919, pp. 47-98. 1925.
  Polk County. See Salem area.
  Salem area. Charles A. Jensen. Soil Sur. Adv. Sh., 1903, pp. 16. 1904; Soils F.O., 1903, pp. 1171-1182. 1904.
  Union County. See Baker City area.
  Washington County. E. B. Watson and others. Soil Sur. Adv. Sh., 1919, pp. 51. 1923; Soils F.O., 1919, pp. 1835-1881. 1925.
  Yamhill County. A. E. Kocher and others. Soil Sur. Adv. Sh., 1917, pp. 66. 1920; Soils F.O., 1917, pp. 2259-2320. 1923.
 survey of Oregon-Washington, Hood River-White Salmon River area. A. T. Strahorn and E. B. Watson. Soil Sur. Adv. Sh., 1912, pp. 45. 1914; Soils F.O., 1912, pp. 2047-2087. 1915.
 survey of Pennsylvania—
  Adams County. Henry J. Wilder and H. L. Belden. Soil Sur. Adv. Sh., 1904, pp. 36. 1905; Soils F.O., 1904, pp. 119-150. 1905.
  around Lancaster. Clarence W. Dorsey. Soils F.O., 1900, pp. 61-84. 1901; Soils F.O. Sep. 1900, pp. 61-84. 1902.

Soil(s)—Continued.
 survey of Pennsylvania—Continued.
  Bedford County. Charles J. Mann and N. E. Grass. Soil Sur. Adv. Sh., 1911, pp. 60. 1913; Soils F.O., 1911, pp. 175-230. 1914.
  Berks County. W. J. Geib and others. Soil Sur. Adv. Sh., 1909, pp. 47. 1911; Soils F.O., 1909, pp. 161-203. 1912.
  Blair County. J. O. Veatch and others. Soil Sur. Adv. Sh., 1915, pp. 48. 1917; Soils F.O., 1915, pp. 197-240. 1919.
  Bradford County. Percy O. Wood and others. Soil Sur. Adv. Sh., 1911, pp. 41. 1913; Soils F.O., 1911, pp. 231-267. 1914.
  Bucks County. See Trenton area, New Jersey.
  Cambria County. B. B. Derrick and others. Soil Sur. Adv. Sh., 1915, pp. 32. 1917; Soils F.O., 1915, pp. 241-268. 1919.
  Center County. Charles N. Mooney and others. Soil Sur. Adv. Sh., 1908, pp. 52. 1910; Soils F.O., 1908, pp. 245-292. 1911.
  Chester County. Henry J. Wilder and others. Soil Sur. Adv. Sh., 1905, pp. 44. 1906; Soils F.O., 1905, pp. 135-174. 1907.
  Clearfield County. R. A. Winston and others. Soil Sur. Adv. Sh., 1916, pp. 32. 1919; Soils F.O., 1916, pp. 251-278. 1921.
  Clinton County. See Lockhaven area.
  Dauphin County. See Lebanon area.
  Erie County. Gustavus B. Maynadier. Soil Sur. Adv. Sh., 1910, pp. 52. 1911; Soils F.O., 1910, pp. 145-192. 1912.
  Greene County. S. O. Perkins and others. Soil Sur. Adv. Sh., 1921, pp. 1251-1278. 1925; Soils F.O., 1921, pp. 1251-1275. 1926.
  Johnstown area. Charles J. Mann and Howard C. Smith. Soil Sur. Adv. Sh., 1907, pp. 44. 1909; Soils F.O., 1907, pp. 81-120. 1909.
  Lancaster County. B. D. Gilbert and others. Soil Sur. Adv. Sh., 1914, pp. 70. 1916; Soils F.O., 1914, pp. 327-392. 1919.
  Lebanon area. W. G. Smith, and Frank Bennett, jr. Soil F.O. Sep., 1901, pp. 23, 1903; Soils F.O., 1901, pp. 149-171. 1902.
  Lebanon County. See Lebanon area.
  Lehigh County. William T. Carter, jr., and J. A. Kerr. Soil Sur. Adv. Sh., 1912, pp. 53. 1914; Soils F.O., 1912, pp. 109-153. 1915.
  Lockhaven area. J. O. Martin. Soil Sur. Adv. Sh., 1903, pp. 18. 1904; Soils F.O., 1903, pp. 129-142. 1904.
  Mercer County. E. B. Deeter and others. Soil Sur. Adv. Sh., 1917, pp. 40. 1919; Soils F.O., 1917, pp. 235-270. 1923.
  Montgomery County. Henry J. Wilder and others. Soil Sur. Adv. Sh., 1905, pp. 41. 1906; Soils F.O., 1905, pp. 97-133. 1907.
  northeastern, reconnoissance. Charles F. Shaw and others. Soil Sur. Adv. Sh., 1911, pp. 63. 1913; Soils F.O., 1911, pp. 269-327. 1914.
  northwestern, reconnoissance. Henry J. Wilder and others. Soil Sur. Adv. Sh., 1908, pp. 51. 1910; Soils F.O., 1908, pp. 197-243. 1911.
  south-central, reconnoissance. Charles F. Shaw and others. Soil Sur. Adv. Sh., 1910, pp. 77. 1912; Soils F.O., 1910, pp. 193-265. 1912.
  southeastern, reconnoissance. Charles F. Shaw and others. Soil Sur. Adv. Sh., 1912, pp. 100. 1914; Soils F.O., 1912, pp. 247-340. 1915.
  southwestern, reconnoissance. Henry J. Wilder and Charles F. Shaw. Soil Sur. Adv. Sh., 1909, pp. 69. 1911; Soils F.O., 1909, pp. 205-269. 1912.
  Washington County. F. S. Welsh and others. Soil Sur. Adv. Sh., 1910, pp. 34. 1911; Soils F.O., 1910, pp. 267-296. 1912.
  York County. J. O. Veatch and others. Soil Sur. Adv. Sh., 1912, pp. 95. 1914; Soils F.O., 1912, pp. 155-245. 1915.
 survey of Porto Rico, from Arecibo to Ponce. Clarence W. Dorsey and others. P.R. Bul. 3, pp. 53. 1903; Soils F.O. Sep., 102, pp. 793-839. 1903; Soils F.O., 1902, pp. 793-839. 1903.
 survey of Rhode Island. F. E. Bonsteel and E. P. Carr. Soil Sur. Adv. Sh., 1904, pp. 30. 1905; Soils F.O., 1904, pp. 47-72. 1905.

Soil(s)—Continued.
  survey of South Carolina—
    Abbeville area. F. W. Taylor and Thomas D. Rice. Soil Sur. Adv. Sh., 1902, pp. 17. 1903; Soils F.O., 1902, pp. 273-289. 1903.
    Abbeville County. See Abbeville area.
    Anderson County. W. E. McLendon. Soil Sur. Adv. Sh., 1909, pp. 27. 1910; Soils F.O., 1909, pp. 449-471. 1912.
    Bamberg County. W. E. McLendon. Soil Sur. Adv. Sh., 1913, pp. 40. 1914; Soils F.O., 1913, pp. 231-266. 1916.
    Barnwell County. William T. Carter, jr., and others. Soil Sur. Adv. Sh., 1912, pp. 49. 1914; Soils F.O., 1912, pp. 411-455. 1915.
    Berkeley County. W. J. Latimer and others. Soil Sur. Adv. Sh., 1916, pp. 42. 1918; Soils F.O., 1916, pp. 483-520. 1921.
    Calhoun County. See Orangeburg area.
    Campobello area. A. W. Mangum and Albert S. Root. Soil Sur. Adv. Sh., 1903, pp. 21. 1904; Soils F.O., 1903, pp. 299-315. 1904.
    Charleston area. F. E. Bonsteel and E. P. Carr. Soil Sur. Adv. Sh., 1904, pp. 28. 1905; Soils F. O., 1904, pp. 207-230. 1905.
    Charleston County. See Charleston area.
    Cherokee County. J. A. Drake and H. L. Belden. Soil Sur. Adv. Sh., 1905, pp. 21. 1906; Soils F.O., 1905, pp. 333-349. 1907.
    Chester County. W. E. McLenden and G. A. Crabb. Soil Sur. Adv. Sh., 1912, pp. 41. 1913; Soils F.O., 1912, pp. 457-493. 1915.
    Chesterfield County. W. J. Latimer and others. Soil Sur. Adv. Sh., 1914, pp. 45. 1915; Soils F. O.,1914, pp. 655-695. 1919.
    Clarendon County. W. E. McLendon. Soil Sur. Adv. Sh., 1910, pp. 37. 1911; Soils F.O., 1910, pp. 419-451. 1912.
    Colleton County. See Charleston area.
    Conway area. W. J. Latimer and Cornelius Van Duyne. Soil Sur. Adv. Sh., 1909, pp. 34. 1910; Soils F.O., 1909, pp. 473-502. 1912.
    Darlington area. Thomas D. Rice and F. W. Taylor. Soils F.O., 1902, pp. 291-307. 1903; Soils F.O. Sep., 1902, pp. 17. 1903.
    Darlington County. See Darlington area.
    Dorchester County. W. J. Latimer and others. Soil Sur. Adv. Sh., 1915, pp. 45. 1917; Soils F.O., 1915, pp. 545-585. 1919.
    Fairfield County. M. Earl Carr and others. Soil Sur. Adv. Sh., 1911, pp. 37. 1913; Soils F.O., 1911, pp. 479-511. 1914.
    Florence County. J. W. Agee and others. Soil Sur. Adv. Sh., 1914, pp. 36. 1916; Soils F.O., 1914, pp. 697-728. 1919.
    Georgetown County. W. E. McLendon and others. Soil Sur. Adv. Sh., 1911, pp. 54. 1912; Soils F.O., 1911, pp. 513-562. 1914.
    Greenville County. W. I. Watkins and others. Soil Sur. Adv. Sh., 1921, pp. 189-212. 1924.
    Greenville County. See Campobello area.
    Greenwood County. See Abbeville area.
    Hampton County. M. W. Beck and A L. Goodman. Soil Sur. Adv. Sh., 1915, pp. 37. 1917; Soils F.O., 1915, pp. 587-619. 1919.
    Horry County. B. W. Tillman and others. Soil Sur. Adv. Sh., 1918, pp. 52. 1920; Soils F.O., 1918, pp. 329-376. 1924.
    Kershaw County. W. J. Latimer and others. Soil Sur. Adv. Sh., 1919, pp. 71. 1922; Soils F.O., 1919, pp. 763-829. 1925.
    Lancaster County. Albert S. Root and L. A. Hurst. Soil Sur. Adv. Sh., 1904, pp. 20. 1905; Soils F.O., 1904, pp. 169-184. 1905.
    Laurens County. See Abbeville area.
    Lee County. Frank Bennett and others. Soil Sur. Adv. Sh., 1907, pp. 27. 1908; Soils F.O., 1907, pp. 323-343. 1909.
    Lexington County. W. J. Latimer and others. Soil Sur. Adv. Sh., 1922, pp. 153-202. 1925.
    Marlboro County. Cornelius Van Duyne and others. Soil Sur. Adv. Sh., 1917, pp. 73. 1919; Soils F.O., 1917, pp. 469-537. 1923.
    Newberry County. W. J. Latimer and others. Soil Sur. Adv. Sh., 1918, pp. 46. 1921; Soils F.O., 1918, pp. 377-418. 1924.
    Oconee County. W. E. McLendon and W. J. Latimer. Soil Sur. Adv. Sh., 1907, pp. 32. 1908; Soils F.O., 1907, pp. 271-298. 1909.

Soil(s)—Continued.
  survey of South Carolina—Continued.
    Orangeburg area. Frank Bennett and A. M. Griffin. Soil Sur. Adv. Sh., 1904, pp. 25. 1905; Soils F.O., 1904, pp. 185-205. 1905.
    Orangeburg County. J. H. Agee and others. Soil Sur. Adv. Sh., 1913, pp. 39. 1915; Soils F.O., 1913, pp. 267-301. 1916.
    Richland County. C. Van Duyne and others. Soil Sur. Adv. Sh., 1916, pp. 72. 1918; Soils F.O., 1916, pp. 521-588. 1921.
    Saluda County. W. E. McLendon. Soil Sur. Adv. Sh., 1909, pp. 33. 1910; Soils F.O., 1909, pp. 503-531. 1912.
    Spartanburg County. W. J. Latimer and others. Soil Sur. Adv. Sh., 1921, pp. 409-449. 1924.
    Spartanburg County. See also Campobello area.
    Sumter County. Frank Bennett and others. Soil Sur. Adv. Sh., 1907, pp. 27. 1908; Soils F.O., 1907, pp. 299-321. 1909.
    Union County. Clarence Lounsbury and others. Soil Sur. Adv. Sh., 1913, pp. 36. 1914; Soils F.O., 1913, pp. 303-334. 1916.
    York County. J. A. Drake and H. L. Belden. Soil Sur. Adv. Sh., 1905, pp. 28. 1906; Soils F.O., 1905, pp. 309-332. 1907.
  survey of South Dakota—
    Beadle County. W. I. Watkins and others. Soil Sur. Adv. Sh., 1920, pp. 1475-1499. 1924; Soils F.O., 1920, pp. 1475-1499. 1925.
    Belle Fourche area. A. T. Strahorn and C. W. Mann. Soil Sur. Adv. Sh., 1907, pp. 31. 1908; Soils F.O., 1907, pp. 881-907. 1909.
    Brookings area. Frank Bennett, jr. Soil Sur. Adv. Sh., 1903, pp. 19. 1904; Soils F.O., 1903, pp. 963-977. 1904.
    Brookings County. See Brookings area.
    Butte County. See Belle Fourche area.
    McCook County. W. I. Watkins and others. Soil Sur. Adv. Sh., 1921, pp. 451-471. 1924.
    Meade County. See Belle Fourche area.
    Union County. J. A. Kerr and others. Soil Sur. Adv. Sh., 1921, pp. 473-508. 1924.
    western, reconnoissance. George N. Coffey and others. Soil Sur. Adv. Sh., 1909, pp. 80. 1911; Soils F.O., 1909, pp. 1401-1476. 1912.
  survey of Tennessee—
    Bledsoe County. See Pikeville area.
    Cocke County. See Greeneville area.
    Coffee County. W. E. McLendon and C. R. Zappone, jr. Soil Sur. Adv. Sh., 1908, pp. 33. 1910; Soils F.O., 1908, pp. 989-1017. 1911.
    Cumberland County. See Pikeville area.
    Davidson County. William G. Smith, and Hugh H. Bennett. Soil Sur. Adv. Sh., 1903, pp. 17. 1904; Soils F.O., 1903, pp. 605-617. 1904.
    Giles County. Orla L. Ayrs and M. W. Gray. Soil Sur. Adv. Sh., 1907, pp. 23. 1909; Soils F.O., 1907, pp. 773-791. 1909.
    Grainger County. W. E. McLendon and W. S. Lyman. Soil Sur. Adv. Sh., 1906, pp. 30. 1907; Soils F.O., 1906, pp. 661-686. 1908.
    Greene County. See Greeneville area.
    Hawkins County. See Greeneville area.
    Henderson County. M. Earl Carr and Frank Bennett. Soil Sur. Adv. Sh., 1905, pp. 19. 1906; Soils F.O., 1905, pp. 643-657. 1907.
    Henry County. Robert Wildermuth and others. Soil Sur. Adv. Sh., 1922, pp. 77-109. 1925.
    Jackson County. R. F. Rogers and J. H. Derden. Soil Sur. Adv. Sh., 1913, pp. 29. 1915; Soils F.O., 1913, pp. 1269-1293. 1916.
    Lawrence County. Charles N. Mooney and O. L. Ayrs. Soil Sur. Adv. Sh., 1904, pp. 22. 1905; Soils F.O., 1904, pp. 475-492. 1905.
    Madison County. W. S. Lyman and others. Soil Sur. Adv. Sh., 1906, pp. 18. 1907; Soils F.O., 1906, pp. 687-700. 1908.
    Meigs County. A. T. Sweet and J. H. Agee. Soil Sur. Adv. Sh., 1919, pp. 38. 1921; Soils F.O., 1919, pp. 1253-1286. 1925.
    Montgomery County. J. E. Lapham and M. F. Miller. Soils F.O., 1901, pp. 341-357. 1902; Soils F.O. Sep., 1901, pp. 12. 1903.

Soil(s)—Continued.
 survey of Tennessee—Continued.
  Overton County. Orla L. Ayrs and D. H. Hill. Soil Sur. Adv. Sh., 1908, pp. 24. 1909; Soils F.O., 1908, pp. 969–988. 1911.
  Pikeville area. Henry J. Wilder and W. J. Geib. Soil Sur. Adv. Sh., 1903, pp. 31. 1904; Soils F.O., 1903, pp. 577–603. 1904.
  Putnam County. C. S. Waldrop. Soil Sur. Adv. Sh., 1912, pp. 32. 1914; Soils F.O., 1912, pp. 1099–1126. 1915.
  Rhea County. See Pikeville area.
  Robertson County. J. H. Agee and others. Soil Sur. Adv. Sh., 1912, pp. 26. 1914; Soils F.O., 1912, pp. 1127–1148. 1915.
  Shelby County. Hugh H. Bennett and others. Soil Sur. Adv. Sh., 1916, pp. 37. 1919; Soils F.O., 1916, pp. 1379–1413. 1921.
  Sullivan County. See Greeneville area.
  Sumner County. Charles N. Mooney and others. Soil Sur. Adv. Sh., 1909, pp. 29. 1910; Soils F.O., 1909, pp. 1149–1173. 1912.
  Van Buren County. See Pikeville area.
 survey of Tennessee-North Carolina, Greeneville area. Charles N. Mooney and O. L. Ayrs. Soil Sur. Adv. Sh., 1904, pp. 37. 1905; Soils F.O., 1904, pp. 493–525. 1905.
 survey of Texas—
  Anderson County. William T. Carter, jr., and A. E. Kocher. Soil Sur. Adv. Sh., 1904, pp. 28. 1905; Soils F.O., 1904, pp. 397–420. 1905.
  Angelina County. See Lufkin area.
  Archer County. Arthur E. Taylor and others. Soil Sur. Adv. Sh., 1912, pp. 52. 1914; Soils F.O., 1912, pp. 1007–1054. 1915.
  Austin area. A. W. Mangum and H. L. Belden. Soil Sur. Adv. Sh., 1904, pp. 30. 1905; Soils F.O., 1904, pp. 421–446. 1905.
  Basque County. See Waco area.
  Bastrop County. R. A. Winston and others. Soil Sur. Adv. Sh., 1907, pp. 46. 1908; Soils F.O., 1907, pp. 663–704. 1909.
  Bastrop County. See also Austin area.
  Bell County. W. T. Carter, jr., and others. Soil Sur. Adv. Sh., 1916, pp. 46. 1918; Soils F.O., 1916, pp. 1239–1280. 1921.
  Bexar County. See San Antonio area.
  Bowie County. L. R. Schoenmann and others. Soil Sur. Adv. Sh., 1918, pp. 62. 1921; Soils F.O., 1918, pp. 715–772. 1923.
  Brazoria area. Frank Bennett, jr., and Grove B. Jones. Soils F.O. Sep., 1902, pp. 16. 1903; Soils F.O., 1902, pp. 349–364. 1903.
  Brazoria County. See Brazoria area.
  Brazos County. J. O. Veatch and C. S. Waldrop. Soil Sur. Adv. Sh., 1914, pp. 53. 1916; Soils F.O., 1914, pp. 1275–1323. 1919.
  Brownsville area. A. W. Mangum and Ora Lee, jr. Soil Sur. Adv. Sh., 1907, pp. 32. 1908; Soils F.O., 1907, pp. 705–732. 1909.
  Caldwell County. See Austin area.
  Cameron County. See Brownsville area.
  Camp County. W. J. Geib and others. Soil Sur. Adv. Sh., 1908, pp. 20. 1910; Soils F.O., 1908, pp. 953–968. 1911.
  central Gulf coast area, reconnaissance. William T. Carter, jr., and others. Soil Sur. Adv. Sh., 1910, pp. 75. 1911; Soils F.O., 1910, pp. 859–929. 1912.
  Cherokee County. See Jacksonville area.
  Cooper area. Thomas D. Rice and H. C. Smith. Soil Sur. Adv. Sh., 1907, pp. 24. 1908; Soils F.O., 1907, pp. 733–752. 1909.
  Corpus Christi area. A. W. Mangum and H. L. Westover. Soil Sur. Adv. Sh., 1908, pp. 29. 1909; Soils F.O., 1908, pp. 899–923. 1911.
  Dallas County. William T. Carter, jr., and others. Soil Sur. Adv. Sh., 1920, pp. 1213–1254. 1924; Soils F.O., 1920, pp. 1213–1254. 1925.
  Delta County. See Cooper area.
  Denton County. William T. Carter, jr., and M. W. Beck. Soil Sur. Adv. Sh., 1918, pp. 58. 1922; Soils F.O., 1918, pp. 773–830. 1924.
  Eastland County. Wm. G. Smith and others. Soil Sur. Adv. Sh., 1916, pp. 37. 1917; Soils F.O., 1916, pp. 1281–1313. 1921.
  El Paso County. See Mesilla Valley area, N. Mex.

Soil(s)—Continued.
 survey of Texas—Continued.
  Ellis County. Frank Bennett and others. Soil Sur. Adv. Sh., 1910, pp. 34. 1911; Soils F.O., 1910, pp. 931–960. 1912.
  Erath County. T. M. Bushnell and others. Soil Sur. Adv. Sh., 1920, pp. 371–408. 1923; Soils F.O., 1920, pp. 371–408. 1925.
  Franklin County. A. E. Kocher and W. S. Lyman. Soil Sur. Adv. Sh., 1908, pp. 32. 1909; Soils F.O., 1908, pp. 925–952. 1911.
  Freestone County. H. W. Hawker and others. Soil Sur. Adv. Sh., 1918, pp. 58. 1921; Soils F.O., 1918, pp. 831–884. 1924.
  Grayson County. Frank Bennett and others. Soil Sur. Adv. Sh., 1909, pp. 37. 1910; Soils F.O., 1909, pp. 951–983. 1912.
  Guadalupe County. See San Marcos area.
  Harrison County. Cornelius Van Duyne and W. E. Byers. Soil Sur. Adv. Sh., 1912, pp. 47. 1913; Soils F.O., 1912, pp. 1055–1097 1915.
  Hays County. See Austin area; San Marcos area.
  Henderson area. Charles W. Ely and A. E. Kocher. Soil Sur. Adv. Sh., 1906, pp. 216. 1907; Soils F.O., 1906, pp. 459–480. 1908.
  Houston County. William T. Carter, jr., and A. E. Kocher. Soil Sur. Adv. Sh., 1905, pp. 33. 1906; Soils F.O., 1905, pp. 537–565. 1907.
  Jacksonville area. W. Edward Hearn and James L. Burgess. Soil Sur. Adv. Sh., 1903, pp. 15. 1904; Soils F.O., 1903, pp. 521–531. 1904.
  Jefferson County. William T. Carter, jr., and others. Soil Sur. Adv. Sh., 1913, pp. 47. 1915; Soils F.O., 1913, pp. 1001–1043. 1916.
  Lamar County. See Cooper and Paris areas.
  Laredo area. A. W. Mangum and Ora Lee, jr. Soil Sur. Adv. Sh., 1906, pp. 28. 1908; Soils F.O., 1906, pp. 481–504. 1908.
  Lavaca County. Charles N. Mooney and others. Soil Sur. Adv. Sh., 1905, pp. 24. 1905; Soils F. O., 1905, pp. 623–642. 1907.
  Lee County. James L. Burgess and W. S. Lyman. Soil Sur. Adv. Sh., 1905, pp. 25. 1906; Soils F.O., 1905, pp. 601–621. 1907.
  Lubbock County. J. O. Veatch and H. G. Lewis. Soil Sur. Adv. Sh., 1917, pp. 32. 1920; Soils F.O., 1917, pp. 965–992. 1923.
  Lufkin area. W. Edward Hearn and others. Soil Sur Adv Sh., 1903, pp. 14. 1904; Soils F.O., 1903, pp. 501–510. 1904.
  McLennan County. See Waco area.
  Montgomery County. See Willis area.
  Morris County. E. B. Watson and Risden T. Allen. Soil Sur. Adv. Sh., 1909, pp. 24. 1910; Soils F.O., 1909, pp. 985–1004. 1912.
  Nacogdoches area. W. Edward Hearn and James L. Burgess. Soil Sur. Adv. Sh., 1903, pp. 17. 1904; Soils F.O., 1903, pp. 487–499. 1904.
  Nacogdoches County. See Nacogdoches area.
  northwest, reconnaissance. Wm. T. Carter, jr., and others. Soil Sur. Adv. Sh., 1919, pp. 75. 1922; Soils F.O., 1919, pp. 1099–1173. 1925.
  Nueces County. See Corpus Christi area.
  Panhandle Region, reconnoissance. William T. Carter, jr., and others. Soil Sur. Adv. Sh., 1910, pp. 55. 1911; Soils F.O., 1910, pp. 961-. 1015. 1912.
  Paris area. Thomas A. Caine and A. E. Kocher. Soil Sur. Adv. Sh., 1903, pp. 34. 1904; Soils F.O., 1903, pp. 533–562. 1904.
  Red River County. William T. Carter, jr., and others. Soil Sur. Adv. Sh., 1919, pp. 153–206. 1923; Soils F.O., 1919, pp. 153–206. 1925.
  Robertson County. Hugh H. Bennett and Charles F. Shaw. Soil Sur. Adv. Sh., 1907, pp. 54. 1909; Soils F.O., 1907, pp. 591–640. 1909.
  Rusk County. See Henderson area.
  San Antonio area. Thomas A. Caine and W. S. Lyman. Soil Sur. Adv. Sh., 1904, pp. 31. 1904; Soils F.O., 1904, pp. 447–473. 1905.
  San Marcos area. A. W. Mangum and W. S. Lyman. Soil Sur. Adv. Sh., 1906, pp. 37. 1907; Soils F. O., 1906, pp. 505–537. 1908.

Soil(s)—Continued.
  survey of Texas—Continued.
    San Saba County. Soil Sur. Adv. Sh., 1916, pp. 67. 1917; Soils F.O., 1916, pp. 1315-1377. 1921.
    Smith County. L. R. Schoenmann and others. Soil Sur. Adv. Sh., 1915, pp. 51. 1917; Soils F.O., 1915, pp. 1079-1125. 1919.
    south-central, reconnoissance. A. E. Kocher and others. Soil Sur. Adv. Sh., 1913, pp. 117. 1915; Soils F.O., 1913, pp. 1073-1183. 1916.
    south, reconnoissance. George N. Coffey and others. Soil Sur. Adv. Sh., 1909, pp. 105. 1910; Soils F.O., 1909, pp. 1029-1129. 1912.
    southwest, reconnoissance. A. E. Kocher and others. Soil Sur. Adv. Sh., 1911, pp. 117. 1912; Soils F.O., 1911, pp. 1175-1285. 1914.
    Tarrant County. H. W. Hawker and others. Soil Sur. Adv. Sh., 1920, pp. 859-905. 1924; Soils F.O., 1920, pp. 859-905. 1925.
    Taylor County. Wm. C. Smith and others. Soil Sur. Adv. Sh., 1915, pp. 40. 1918; Soils F.O., 1915, pp. 1127-1162. 1919.
    Titus County. Thomas D. Rice and E. B. Watson. Soil Sur. Adv. Sh., 1909, pp. 27. 1910; Soils F.O., 1909, pp. 1005-1027. 1912.
    Travis County. See Austin area.
    Tyler County. See Woodville area.
    Vernon area. J. E. Lapham and others. Soils F.O., 1902, pp. 365-381. 1903; Soils F.O., Sep., 1902, pp. 17. 1903.
    Waco area. A. W. Mangum and M. Earl Carr. Soil Sur. Adv. Sh., 1905, pp. 37. 1906; Soils F.O., 1905, pp. 567-599. 1907.
    Washington County. A. H. Meyer and others. Soil Sur. Adv. Sh., 1913, pp. 31. 1915; Soils F.O., 1913, pp. 1045-1071. 1916.
    Webb County. See Laredo area.
    Wilbarger County. See Vernon area.
    Williamson County. See Austin area.
    Willis area. J. O. Martin. Soils F.O., 1901, pp. 607-619. 1902; Soils F.O., Sep., 1901, pp. 13. 1903.
    Wilson County. W. S. Lyman and Frank C. Schroeder. Soil Sur. Adv. Sh., 1907, pp. 26. 1908; Soils F.O., 1907, pp. 641-662. 1909.
    Woodville area. J. E. Lapham and others. Soil Sur. Adv. Sh., 1903, pp. 14. 1904; Soils F.O., 1903, pp. 511-520. 1904.
  survey of Utah—
    Ashley Valley. A. T. Strahorn and others. Soil Sur. Adv. Sh., 1920, pp. 907-937. 1924; Soils F.O., 1920, pp. 907-937. 1925.
    Bear River area. Charles A. Jensen and A. T. Strahorn. Soil Sur. Adv. Sh., 1904, pp. 33. 1905; Soils F.O., 1904, pp. 995-1023. 1905.
    Box Elder County. See Bear River and Weber areas.
    Cache Valley area. J. W. Nelson and E. C. Eckmann. Soil Sur. Adv. Sh., 1913, pp. 70. 1915; Soils F.O., 1913, pp. 2099-2164. 1916.
    Cache County. See Cache Valley area.
    Davis County. See Weber area.
    Delta area. A. T. Strahorn and others. Soil Sur. Adv. Sh., 1919, pp. 38. 1922; Soils F.O. 1919, pp. 1801-1834. 1925.
    Millard County. See Delta area.
    Provo area. Alfred M. Sanchez. Soil Sur. Adv. Sh., 1903, pp. 34. 1904; Soils F.O., 1903, pp. 1121-1150. 1904.
    Sanpete County. See Sevier Valley.
    Sevier Valley. Frank D. Gardner and Charles A. Jensen. Soils F.O., 1900, pp. 243-285. 1901; Soils F.O. Sep., 1900, pp. 42. 1901.
    Uinta River Valley area. B. H. Hendrickson and others. Soil Sur. Adv. Sh., 1921, pp. 1487-1528. 1925.
    Utah County. See Provo area.
    Weber County. Frank D. Gardner and Charles A. Jensen. Soils F.O., 1900, pp. 207-242. 1901; Soils F.O. Sep., 1900, pp. 35. 1901.
  survey of Vermont—
    Addison County. See Vergennes area.
    Windsor County. J. A. Kerr and Grove B. Jones. Soil Sur. Adv. Sh., 1916, pp. 24. 1918; Soils F.O., 1916, pp. 175-194. 1921.

Soil(s)—Continued.
  survey of Vermont-New York, Vergennes area. Henry J. Wilder and H. L. Belden. Soil Sur. Adv. Sh., 1904, pp. 26. 1905; Soils F.O., 1904, pp. 73-94. 1905.
  survey of Virginia—
    Accomac and Northampton Counties. E. H. Stevens and W. Edward Hearn. Soil Sur. Adv. Sh., 1917, pp. 62. 1920; Soils F.O., 1917, pp. 351-408. 1923.
    Albemarle area. Charles N. Mooney and F. E. Bonsteel. Soils F.O., 1902, pp. 187-238. 1903; Soils F.O. Sep., 1902, pp. 52. 1903.
    Albemarle County. See Albemarle area.
    Alexandria County. See Fairfax and Alexandria Counties.
    Amelia County. See Prince Edward area.
    Appomattox County. Thomas A. Caine and Hugh H. Bennett. Soil Sur. Adv. Sh., 1904, pp. 22. 1905; Soils F.O., 1904, pp. 151-168. 1905.
    Arlington County. See Alexandria and Fairfax Counties.
    Augusta County. See Albemarle area.
    Bedford area. Charles N. Mooney and others. Soils F.O., 1901, pp. 239-257. 1902; Soil F.O. Sep., 1901, pp. 19. 1903.
    Bedford County. See Bedford area.
    Botetourt County. See Bedford area.
    Buckingham County. See Albemarle area.
    Campbell County. R. A. Winston. Soil Sur. Adv. Sh., 1909, pp. 39. 1911; Soils F.O., 1909, pp. 309-343. 1912.
    Charlotte County. See Prince Edward area.
    Chesterfield County. Frank Bennett and others. Soil Sur. Adv. Sh., 1906, pp. 32. 1908; Soils F.O., 1906, pp. 195-222. 1908.
    Elizabeth City County. See Yorktown area.
    Fairfax and Alexandria Counties. Wm. T. Carter, jr., and C. K. Yingling, jr. Soil Sur. Adv. Sh., 1915, pp. 43. 1917; Soils F.O., 1915, pp. 299-337. 1919.
    Fairfax County. See Fairfax and Alexandria Counties.
    Franklin County. See Bedford area.
    Frederick County. J. B. R. Dickey and W. B. Cobb. Soil Sur. Adv. Sh., 1914, pp. 48. 1916; Soils F.O., 1914, pp. 429-472. 1919.
    Gloucester County. See Yorktown area.
    Greene County. See Albemarle area.
    Hanover County, with map. Hugh H. Bennett and W. E. McLendon. Soil Sur. Adv. Sh., 1905, pp. 37. 1906; Soils F.O., 1905, pp. 213-245. 1907.
    Henrico County. W. J. Latimer and M. W. Beck. Soil Sur. Adv. Sh., 1913, pp. 38. 1914; Soils F.O., 1913, pp. 143-176. 1916.
    James City County. See Yorktown area.
    Leesburg area. William T. Carter, jr., and W. S. Lymann. Soil Sur. Adv. Sh., 1903, pp. 45. 1904; Soils F.O., 1903, pp. 191-231. 1904.
    Loudoun County. See Leesburg area.
    Louisa County. Hugh H. Bennett and W. E. McLendon. Soil Sur. Adv. Sh., 1905, pp. 26. 1906; Soils F.O., 1905, pp. 191-212. 1907.
    Lunenburg County. See Prince Edward area.
    Montgomery County. R. A. Winston and Ora Lee, jr. Soil Sur. Adv. Sh., 1907, pp. 37. 1908; Soils F.O., 1907, pp. 193-225. 1909.
    Nansemond County. See Norfolk area.
    Nelson County. See Albemarle area.
    Norfolk area. J. E. Lapham. Soil Sur. Adv. Sh., 1903, pp. 24. 1904; Soils F.O., 1903, pp. 233-252. 1904.
    Norfolk County. See Norfolk area.
    Northampton County. See Accomac and Northampton Counties.
    Nottoway County. See Prince Edward area.
    Page County. See Albemarle area.
    Pittsylvania County. N. M. Kirk and others. Soil Sur. Adv. Sh., 1918, pp. 46. 1922; Soils F.O., 1918, pp. 121-162. 1924.
    Prince Edward area. Charles N. Mooney and Thomas A. Caine. Soils F.O., 1901, pp. 259-271. 1902; Soils F.O. Sep., 1901, pp. 13. 1903.

INDEX TO PUBLICATIONS, 1901–1925

Soil(s)—Continued.
 survey of Virginia—Continued.
  Prince Edward County. *See* Prince Edward area.
  Princess Anne County. *See* Norfolk area.
  Roanoke County. *See* Bedford area.
  Rockingham County. *See* Albemarle area.
  Warwick County. *See* Yorktown area.
  York County. *See* Yorktown area.
  Yorktown area. R. T. Avon Burke and Aldert S. Root. Soil Sur. Adv. Sh., 1905, pp. 28. 1906; Soils F. O., 1905, pp. 247–270. 1907.
 survey of Washington—
  Bellingham area. A. W. Mangum and Lewis A. Hurst. Soil Sur. Adv. Sh., 1907, pp. 39. 1909; Soils F. O., 1907, pp. 1015–1049. 1909.
  Benton County. A. E. Kocher and A. T. Strahorn. Soil Sur. Adv. Sh., 1916, pp. 72. 1919; Soils F. O., 1916, pp. 2203–2270. 1921.
  Chelan County. *See* Wenatchee area.
  Everett area. E. P. Carr and A. W. Mangum. Soil Sur. Adv. Sh., 1905, pp. 31. 1906. Soils F. O., 1905, pp. 1053–1079. 1907.
  Franklin County. C. Van Duyne and others. Soil Sur. Adv. Sh., 1914, pp. 101. 1917; Soils F. O., 1914, pp. 2531–2627. 1919.
  Grant County. *See* Quincy area.
  Island County. E. P. Carr and A. W. Mangum. Soil Sur. Adv. Sh., 1905, pp. 23. 1906; Soils F. O., 1905, pp. 1033–1051. 1907.
  Klickitat County. *See* Hood River area.
  Puget Sound Basin, eastern part, reconnaissance. A. W. Mangum and others. Soil Sur. Adv. Sh., 1909, pp. 90. 1911; Soils F. O., 1909, pp. 1517–1600. 1912.
  Puget Sound Basin, western part, reconnaissance. A. W. Mangum and others. Soil Sur. Adv. Sh., 1910, pp. 116. 1912; Soils F. O., 1910, pp. 1491–1600. 1912.
  Quincy area. A. W. Mangum and others. Soil Sur. Adv. Sh., 1911, pp. 64. 1913; Soils F. O., 1911, pp. 2227–2286. 1914.
  Skamania County. *See* Hood River area.
  Snohomish County. *See* Everett area.
  southwestern, reconnaissance. A. W. Mangum and others. Soil Sur. Adv. Sh., 1911, pp. 136. 1913; Soils F. O., 1911, pp. 2097–2226. 1914.
  Spokane County. Cornelius Van Duyne and others. Soil Sur. Adv. Sh., 1917, pp. 108. 1921; Soils F. O., 1917, pp. 2155–2258. 1923.
  Stevens County. Cornelius Van Duyne and Fred W. Ashton. Soil Sur. Adv. Sh., 1913, pp. 137. 1915; Soils F. O., 1913, pp. 2165–2295. 1916.
  Walla Walla area. J. Garnett Holmes. Soils F. O., 1902, pp. 711–728. 1903; Soils F. O., Sep. 1902, pp. 18. 1903.
  Walla Walla County. *See* Walla Walla area.
  Wenatchee area. A. E. Kocher. Soil Sur. Adv. Sh., 1918, pp. 91. 1922; Soils F. O. 1918, pp. 1545–1631. 1924.
  Whatcom County. *See* Bellingham area.
  Yakima area. Charles A. Jensen and B. A. Olshausen. Soils F. O., 1901, pp. 389–419. 1902; Soils F. O. Sep., 1901, pp. 31. 1903.
  Yakima County. *See* Yakima area.
 survey of West Virginia—
  Barbour and Upshur Counties. W. J. Latimer and Hugh H. Bennett. Soil Sur. Adv. Sh., 1917, pp. 51. 1919; Soils F. O., 1917, pp. 993–1039. 1923.
  Berkeley, Jefferson, and Morgan Counties. W. J. Latimer. Soil Sur. Adv. Sh., 1916, pp. 74. 1918; Soils F. O., 1916, pp. 1479–1548. 1921.
  Berkeley County. *See* Jefferson, Berkeley, and Morgan Counties.
  Boone County. W. J. Latimer. Soil Sur. Adv. Sh., 1913, pp. 26. 1915; Soils F. O., 1913, pp. 1295–1316. 1916.
  Braxton and Clay Counties. W. J. Latimer and Charles N. Mooney. Soil Sur. Adv. Sh., 1918, pp. 39. 1920; Soils F. O., 1918, pp. 885–919. 1924.
  Brooke County. *See* Wheeling area.
  Cabell County. *See* Huntington area.
  Calhoun County. *See* Spencer area.

Soil(s)—Continued.
 survey of West Virginia—Continued.
  Clarksburg area. Charles N. Mooney and W. J. Latimer. Soil Sur. Adv. Sh., 1910, pp. 32. 1912; Soils F. O., 1910, pp. 1049–1076. 1912.
  Clay County. *See* Braxton and Clay Counties.
  Doddridge County. *See* Clarksburg area.
  Fayette County. J. A. Kerr. Soil Sur. Adv. Sh., 1919, pp. 30. 1921; Soils F. O., 1919, pp. 1175–1200. 1925.
  Gilmer County. *See* Lewis and Gilmer Counties.
  Hancock County. *See* Wheeling area.
  Harrison County. *See* Clarksburg area.
  Huntington area. W. J. Latimer. Soil Sur. Adv. Sh., 1911, pp. 44. 1912; Soils F. O., 1911, pp. 1287–1326. 1914.
  Jackson County. *See* Point Pleasant area.
  Jefferson, Berkeley, and Morgan Counties. W. J. Latimer. Soil Sur. Adv. Sh., 1916, pp. 74. 1918; Soils F.O., 1916, pp. 1479–1548, 1921.
  Jefferson County. *See* Jefferson, Berkeley, and Morgan Counties.
  Kanawha County. W. J. Latimer and M. W. Beck. Soil Sur. Adv. Sh., 1912, pp. 30. 1914; Soils F. O., 1912, pp. 1179–1204. 1915.
  Lewis and Gilmer Counties. W. J. Latimer. Soil Sur. Adv. Sh., 1915, pp. 34. 1917; Soils F. O., 1915, pp. 1237–1266. 1919.
  Lincoln County. *See* Huntington area.
  Logan and Mingo Counties. W. J. Latimer. Soil Sur. Adv. Sh., 1913, pp. 30. 1915; Soils F.O., 1913, pp. 1317–1342. 1916.
  McDowell and Wyoming Counties. W. J. Latimer. Soil Sur. Adv. Sh., 1914, pp. 32. 1916; Soils F.O., 1914, pp. 1427–1454. 1919.
  Marion County. *See* Morgantown area.
  Marshall County. *See* Middlebourne and Wheeling areas.
  Mason County. *See* Point Pleasant area.
  Middlebourne area. Thomas A. Caine and others. Soil Sur. Adv. Sh., 1907, pp. 32. 1909; Soils F.O., 1907, pp. 165–192. 1909.
  Mingo County. *See* Logan and Mingo Counties.
  Monongalia County. *See* Morgantown area.
  Morgan County. *See* Jefferson, Berkeley, and Morgan Counties.
  Morgantown area. Charles N. Mooney and W. J. Latimer. Soil Sur. Adv. Sh., 1911, pp. 42. 1912; Soils F.O., 1911, pp. 1327–1364. 1914.
  Nicholas County. S. W. Phillips. Soil Sur. Adv. Sh., 1920, pp. 31. 1922; Soils F.O., 1920, pp. 39–69. 1925.
  Ohio County. *See* Wheeling area.
  Parkersburg area. F. N. Meeker and W. Latimer. Soil Sur. Adv. Sh., 1908, pp. 36. 1909; Soils F.O., 1908, pp. 1019–1050. 1911.
  Pleasants County. *See* Parkersburg area.
  Point Pleasant area. W. J. Latimer and Charles N. Mooney. Soil Sur. Adv. Sh., 1910, pp. 50. 1911; Soils F.O., 1910, pp. 1077–1122. 1912.
  Preston County. W. J. Latimer. Soil Sur. Adv. Sh., 1912, pp. 43. 1914; Soils F.O., 1912. pp. 1205–1243. 1915.
  Putnam County. *See* Point Pleasant area.
  Raleigh County. W. J. Latimer. Soil Sur. Adv. Sh., 1914, pp. 34. 1916; Soils F.O., 1914, pp. 1397–1426. 1919.
  Ritchie County. *See* Parkersburg area.
  Roane County. *See* Spencer area.
  Spencer area. W. J. Latimer and F. N. Meeker. Soil Sur. Adv. Sh., 1909, pp. 32. 1910; Soils F.O., 1909, pp. 1175–1202. 1912.
  Taylor County. *See* Morgantown area.
  Tucker County. S. W. Phillips. Soil Sur. Adv. Sh., 1921, pp. 1329–1365. 1925.
  Tyler County. *See* Middlebourne area.
  Upshur County. A. M. Griffen and Orla L. Ayrs. Soil Sur. Adv. Sh., 1905, pp. 20. 1906; Soils F.O., 1905, pp. 175–190. 1907.
  Wayne County. *See* Huntington area.
  Webster County. Charles N. Mooney. Soil Sur. Adv. Sh., 1918, pp. 24. 1920; Soils F.O., 1918, pp. 921–940. 1924.
  Wetzel County. *See* Middlebourne area.

Soil(s)—Continued.
　survey of West Virginia—Continued.
　　Wheeling area. Thomas A. Caine and G. W. Tailby, jr. Soil Sur. Adv. Sh., 1906, pp. 32. 1907; Soils F.O., 1906, pp. 167-194. 1908.
　　Wirt County. See Spencer area.
　　Wood County. See Parkersburg area.
　　Wyoming County. See McDowell and Wyoming Counties.
　survey of Wisconsin—
　　Adams County. W. J. Geib and others. Soil Sur. Adv. Sh., 1920, p. 1121-1152 1924; Soils F.O., 1920, pp. 1121-1152. 1925.
　　Ashland County. See Bayfield area.
　　Bayfield area. Gustavus B. Maynadier and others. Soil Sur. Adv. Sh., 1910, pp. 28. 1912; Soils F.O., 1910, pp. 1123-1146. 1912.
　　Bayfield County. See Bayfield area.
　　Buffalo County. W. J. Geib and others. Soil Sur. Adv. Sh., 1913, pp. 50. 1915; Soils F.O., 1913, pp 1441-1486. 1916.
　　Columbia County. W. J. Geib and others. Soil Sur. Adv. Sh., 1911, pp. 61. 1913; Soils F.O., 1911, pp. 1365-1421. 1914.
　　Dane County. W. J. Geib and others. Soil Sur. Adv. Sh., 1913, pp. 78. 1915; Soils F.O., 1913, pp. 1487-1560. 1916.
　　Door County. W. J. Geib and others. Soil Sur. Adv. Sh., 1916, pp. 44. 1918; Soils F.O., 1916, pp. 1751-1776. 1921.
　　Douglas County. See Superior area, Wisconsin and Carlton area, Minnesota.
　　Fond du Lac County. W. J. Geib and others. Soil Sur. Adv. Sh., 1911, pp. 43. 1913; Soils F.O., 1911, pp. 1423-1461. 1914.
　　Iowa County. Clarence Lounsbury and T. J. Dunnewald. Soil Sur. Adv. Sh., 1910, pp. 29. 1912; Soils F.O., 1910, pp. 1147-1171. 1912.
　　Jackson County. W. J. Geib and others. Soil Sur. Adv. Sh., 1918, pp. 44. 1922; Soils F.O., 1918, pp. 941-980. 1924.
　　Janesville area. Jay A. Bonsteel. Soils F.O. 1902, pp. 549-570. 1903; Soils F.O. Sep., 1902, pp. 20. 1903.
　　Jefferson County. W. J. Geib and others. Soil Sur. Adv. Sh., 1912, pp. 58. 1914; Soil F.O., 1912, pp. 1555-1608. 1915.
　　Juneau County. W. J. Geib and others. Soil Sur. Adv. Sh., 1911, pp. 54 1913; Soils F.O., 1911, pp. 1463-1512. 1914.
　　Kenosha and Racine Counties. W. J. Geib and others Soil Sur. Adv. Sh., 1919, pp. 58. 1922; Soils F.O., 1919, pp. 1319-1376 1925.
　　Kewaunee County. W. J. Geib and others. Soil Sur. Adv. Sh., 1911, pp. 51. 1913; Soils F.O., 1911, pp. 1513-1559 1914.
　　LaCrosse County. W. J. Geib and others. Soil Sur. Adv. Sh., 1911, pp. 45. 1913; Soils F.O., 1911, pp. 1561-1601. 1914.
　　Marinette County, reconnoissance. S. Weidman and Percy O. Wood. Soil Sur. Adv. Sh., 1909, pp. 39. 1911; Soils F.O., 1909, pp. 1233-1267. 1912.
　　Milwaukee County. W. J. Geib and T. J. Dunnewald. Soil Sur. Adv. Sh., 1916, pp. 32. 1918; Soils F.O., 1916, pp. 1779-1806. 1921.
　　Monroe County. See Viroqua area.
　　north-central, north part, reconnoissance. W. J. Geib and others. Soil Sur. Adv. Sh., 1914, pp. 76. 1916; Soils F.O., 1914, pp. 1655-1726. 1919.
　　north-central, south part, reconnoissance. W. J. Geib and others. Soil Sur. Adv. Sh., 1915, pp. 65. 1917; Soils F.O., 1915, pp. 1585-1645. 1919.
　　northeastern part, reconnoissance. W. J. Geib and others. Soil Sur. Adv. Sh., 1913, pp. 101. 1915; Soils F.O., 1913, pp. 1561-1657. 1916.
　　Outagamie County. W. J. Geib and others. Soil Sur. Adv. Sh., 1918, pp. 42. 1921; Soils F.O., 1918, pp. 981-1018. 1924.
　　Portage County. F. N. Meeker and R. T. Avon Burke. Soil Sur. Adv. Sh., 1905, pp. 32. 1906; Soils F.O., 1905, pp. 837-864. 1907.
　　Portage County. W. J. Geib and others. Soil Sur. Adv. Sh., 1915, pp. 52. 1917; Soils F.O., 1915, pp. 1489-1536. 1919.

Soil(s)—Continued.
　survey of Wisconsin—Continued.
　　Racine County. Grove B. Jones and Orla L. Ayrs. Soil Sur. Adv. Sh., 1906, pp. 25. 1907; Soils F.O., 1906, pp. 791-811. 1908.
　　Racine County. See also Kenosha and Racine Counties.
　　Rock County. W. J. Geib and others. Soil Sur. Adv. Sh., 1917, pp. 51. 1920; Soils F.O., 1917, pp. 1183-1229. 1923.
　　Superior area. Thomas A. Caine and W. S. Lyman. Soil Sur. Adv. Sh., 1904, pp. 22. 1905; Soils F.O., 1904, pp. 751-768. 1905.
　　Vernon County. See Viroqua area.
　　Viroqua area. William G. Smith. Soil Sur. Adv. Sh., 1903, pp. 20. 1904; Soils F.O., 1903, pp. 799-814. 1904.
　　Walworth County. W. J. Geib and others. Soil Sur. Adv. Sh., 1920, pp. 1381-1430. 1924; Soils F.O., 1920, pp. 1381-1430. 1925.
　　Waukesha County. W. J. Geib and others. Soil Sur. Adv. Sh., 1910, pp. 48. 1912; Soils F.O., 1910, pp. 1173-1216. 1912.
　　Waupaca County. W. J. Geib and others. Soil Sur. Adv. Sh., 1917, pp. 51. 1920; Soils F.O., 1917, pp. 1231-1277. 1923.
　　Waushara County. J. W. Nelson and others. Soil Sur. Adv. Sh., 1909, pp. 33. 1911; Soils F.O., 1909, pp. 1203-1231. 1912.
　　Wood County. W. J. Geib and others. Soil Sur. Adv. Sh., 1915, pp. 51. 1917; Soils F.O. 1915, pp. 1537-1583. 1921.
　survey of Wyoming—
　　Albany County. See Laramie area.
　　Goshen County. See Fort Laramie area.
　　Laramie area. N. P. Neill and others. Soil Sur. Adv. Sh., 1903, pp. 31. 1904; Soils F.O., 1903, pp. 1071-1097. 1904.
　survey of Wyoming-Nebraska, Fort Laramie area. J. O. Veatch and R. W. McClure. Soil Sur. Adv. Sh., 1917, pp. 50. 1921; Soils F.O., 1917, pp. 2041-2086. 1923.
　survey(s)—
　　Carrington loam, area encountered. Soils Cir. 34, p. 15. 1911.
　　field book. Soils [Misc.], "Soil survey field * * *," pp. 1-319. 1906.
　　field parties, assignment. Soils [Misc.], "Assignment of field * * *," pp. 1-6. 1905; rev., 1906.
　　in alkali lands. Soils Bul. 35, pp. 60-139. 1906.
　　in irrigated districts. Soils Bul. 35, pp. 60-139. 1906.
　　instructions to—
　　　field parties. Soils [Misc.], "Instructions to field * * *," pp. 1-124, rev., 1914.
　　　field parties, and descriptions of soil types. Soils [Misc.], "Instructions to field * * *," pp. 1-198. 1904.
　　insular, necessity and legislation. Rpt. 73, p. 50. 1902.
　　purpose. Milton Whitney. Y.B., 1901, pp. 117-132. 1902; Y.B. Sep. 232, pp. 117-132. 1902.
　　uses—
　　　Charles H. Seaton. Y.B., 1920, pp. 413-419. 1921; Y.B. Sep. 854, pp. 413-419. 1921.
　　　and value. J. A. Bonsteel. Y.B., 1906, pp. 181-188. 1907; Y.B. Sep. 415, pp. 181-188. 1907.
　　　by teachers. C. H. Lane. S.R.S. [Misc.], "How teachers may use * * *," pp. 2. 1917.
　surveying, assignment(s)—
　　of field parties. Milton Whitney. Soils [Misc.], "Assignment of field * * *," pp. 6. 1905; rev., pp. 5. 1905; rev., pp. 7. 1906; rev., pp. 7. 1906.
　　of field parties, authorizations. Milton Whitney. Soils [Misc.], "Authorizations," pp. 10. 1906; pp. 11. 1907.
　　sheet. Milton Whitney. Soils [Misc.], "Soil survey assignment * * *," pp. 3. 1908; pp. 4. 1910.
　suspensions in southern soils, testing for acidity. J.A.R., vol. 12, pp. 20-23. 1918.
　suspensions, reaction, effect of carbon dioxid. J.A.R., vol. 12, p. 142. 1918.
Susquehanna fine sandy loam—
　description. Soils Cir. 51, pp. 1-11. 1911.

Soil(s)—Continued.
Susquehanna fine sandy loam—Continued.
crotonic acid content. J.A.R., vol. 6, No. 25, pp. 1043-1045. 1916.
swamp—
black, studies. Soils Bul. 85, pp. 83-84. 1912.
shrinkage after drainage and liability to burn. D.B. 652, pp. 13-15. 1918.
sponge spicules in. R. O. E. Davis. Soils Cir. 67, pp. 4. 1912.
sweet clover, suitability. F.B. 797, p. 13. 1917.
sweetpotato—
growing. F.B. 129, pp. 10-11. 1901; F.B. 999, pp. 4-5. 1919; Hawaii Bul. 50, pp. 3-4. 1923; S.R.S. Syl. 26, p. 2. 1917.
sterilization for control of pox. J.A.R., vol. 13, pp. 447-448. 1918.
swelling, auxotaxic curve, means of classifying and studying. J.A.R., vol. 26, pp. 11-13. 1923.
Takoma, toxic substances, character. Soils Bul. 28, pp. 28-37. 1905.
temperature(s)—
and drainage, study course. D.B. 355, pp. 31-40. 1916.
and moisture—
in development of foot rot. D.B. 1347, pp. 25-27. 1925
in relation to wheat infect'on by *Helminthosporium sativum.* J.A.R., vol. 26, pp. 195-218. 1923.
degree for cooling without freezing. George Bouyoucos. J.A.R., vol. 20, pp. 267-269. 1920.
effect of drainage and relation to plants Y.B., 1914, pp. 246-247. 1915; Y.B. Sep. 640, pp. 246-247. 1915.
effect on—
development of nodules on roots of certain legumes. Fred Reuel Jones. J.A.R., vol. 22, pp. 17-31. 1921.
onion smut infection, with other factors. J. C. Walker and L. R. Jones. J.A.R., vol. 22, pp. 235-262. 1921.
root rot of tobacco, studies. J.A.R., vol. 17, pp. 60-73. 1919.
water requirement of crop plants, experiments. B.P.I. Bul. 285, pp. 57-58, 89. 1913.
in—
Alaska experiment stations. O.E.S. Bul. 169, pp. 91-93. 1905.
central Rocky Mountains, relation to forest types. D.B. 1233, pp. 84-111, 136-138. 1924.
Northern and Southern States. Soils Bul. 97, p. 24. 1911.
pastures, effect of burning. J.A.R., vol. 23, pp. 638-639. 1923.
influence on—
development of blights caused by *Gibberella saubinetii.* James G. Dickson J.A.R., vol. 22, pp. 837-870. 1923.
Fusarium disease in cabbage seedlings. William B. Tisdale. J.A.R., vol. 24, pp. 55-86. 1923.
measurement, apparatus, description and cost. D.B. 1059, pp. 34-38. 1922.
relation to—
clubroot. John Monteith, jr. J.A.R., vol. 28, pp. 549-562. 1924.
cultural methods. J.A.R., vol. 5, No. 4, pp. 173-179. 1915.
forest growth and reproduction. D.B. 1059, pp. 26-38. 1922.
oats, infection by loose smut. J.A.R., vol. 24, pp. 572-575. 1923.
pathogenicity to *Corticium vagum* on the potato. J.A.R., vol. 23, pp 761-770. 1923.
root rot of peas. J.A.R., vol. 26, pp. 465-468. 1923.
test for irrigation requirements. F.B. 399, p. 17. 1910.
tests on rotation plots, for bacterial activities and crop production. J.A.R., vol. 5, No. 18, pp. 857-869. 1916.
texture—
effect in salts, determinations by electrical bridge. Soils Bul. 61, p. 13. 1910.
improvement for growing vegetables. F.B. 818, pp. 15-16. 1917; F.B. 934, p. 16. 1918.

Soil(s)—Continued.
texture—continued.
influence on—
tilth of lawn soils and movement of soil fluid. Soils Bul. 75, pp. 20-21, 26-27. 1911.
yield of crops. Soils Bul. 22, pp. 50-55. 1903.
relation to crop yield. Soils Bul. 22, pp. 50-55. 1903.
tidal marsh, analyses, Oyster Bay, N. Y. O.E.S. Bul. 240, p. 18. 1911.
tillage, in—
Columbia Basin. F.B. 294, pp. 13-22. 1907.
western Kansas, methods. Soil Sur. Adv. Sh., 1910, pp. 97-99. 1912; Soils F.O., 1910, pp. 1435-1437. 1912.
timbered, light-colored, studies. Soils Bul. 85, pp. 57-83. 1912.
titration method of investigation. Soils Bul. 31, pp. 55-60. 1906.
tobacco—
description. Soils Bul. 29, pp. 10-14. 1905.
fertility, maintenance by crop rotation. F.B 343, pp. 12-14. 1909.
growing in—
Pennsylvania. F.B. 416, pp. 7-9. 1910.
Virginia. Y.B., 1905, pp. 220, 221, 224. 1906; Y.B. Sep. 378, pp. 220, 221, 224. 1906.
influence on production and character of product. B.P.I. Bul. 244, pp. 38, 46, 57, 65, 73-76, 83. 1912.
transplanting and preparation. D.B. 16, pp 21-25. 1913.
"tobacco-sick," utilization for White Burley strains. D.B. 765, pp. 10-11. 1919.
tomato—
quality, location, and preparation. S.R.S. Doc. 98, pp. 3-4, 7. 1919.
requirements. F.B. 1338, p. 2. 1923.
traffic-bearing powers. D.B. 463, pp. 16-19. 1917.
translocation—
agencies. Soils Bul. 68, pp. 15-18. 1911.
by water, description and methods. D.B. 180, pp. 2-5, 22, 23. 1915.
transmission of wheat mosaic, studies. D.B. 1361, pp. 8-10. 1925.
transported, description and studies D.B. 180, pp. 2-6. 1915.
treatment—
effect on destructiveness of root rots. J.A.R., vol. 23, pp. 806-807. 1923.
for control of—
coffee-root diseases. P.R. Bul. 17, pp. 18-21, 29. 1915.
Sclerotinia libertiana. J.A.R., vol. 23, pp. 652-653. 1923.
sweet-potato pox. J.A.R., vol. 13, pp. 447-448. 1918.
wheat "take-all" disease, experiments. J.A.R., vol. 25, pp. 354-356. 1923.
wireworms, experiments. D.B. 156, pp. 32-33. 1915.
in reseeding depleted lands. D.B. 4, p. 34. 1913.
methods of powdery-scab control for potatoes. D.B. 82, pp. 12-13. 1914.
recommendations. D.B. 453, pp. 28-30. 1917.
use for rust prevention, methods. B.P.I. Bul. 216, pp. 68-70. 1911.
with chemicals for control of cotton root rot. D.C. 73, pp. 32-33. 1920.
with insecticides. F.B. 1306, pp. 22, 23, 24, 25. 1923.
with sulphur, experiments and results. J.A.R., vol. 11, pp. 91-103. 1917.
Trinity clay, description. Soils Cir. 42, pp. 1-14. 1911.
truck crops—
Atlantic coast region, description and location. Y.B., 1912, pp. 421-428. 1913; Y.B. Sep. 603, pp. 421-428. 1913.
fertilizers, tests. Soils Bul. 67, pp. 58-73. 1910.
requirements. F.B. 460, pp. 14-15. 1911.
turbidity methods of investigations. Soils Bul. 31, pp. 52-55. 1906.
type(s)—
adaptability for sugar beets, studies, 1910, 1911, 1912, tables. D.B. 238, pp. 3-14. 1915.
character and origin. Y.B., 1911, pp. 223-224. 1912; Y.B. Sep. 563., pp. 223-224. 1912.

Soil(s)—Continued.
 type(s)—continued.
  classification and changes. Soils [Misc.], "Descriptions of soil types * * *," pp. 28. 1911.
  comparisons, school studies. D.B. 521, pp. 12-13. 1917.
  descriptions. Soils [Misc.], "Soil survey field book," pp. 44-277. 1906.
  descriptions and instructions to field parties. Soils [Misc.], "Instructions to field * * *," pp. 198. 1904.
  eastern part of United States, reports from 23 stations. D.B. 823, p. 7. 1920.
  effect on water requirement of crop plants, experiment. B.P.I. Bul. 285, pp. 25-28, 89. 1913.
  established by the Division of Soils in 1899 and 1900, with brief description, list. Milton Whitney. Soils [Misc.], " List of soil * * *," pp. 11. 1901.
  examination for organic material, list. Soils Bul. 90, pp. 22-23. 1912.
  for greenhouse tomatoes. F.B. 1431, pp. 8-9. 1924.
  Gulf coast, variations and indications of color texture. Soils Cir. 43, pp. 4-5. 1911.
  in Oregon, Willamette Valley. B.P.I. Cir. 28, p. 4. 1909.
  location, distribution, and adaptation of crops. Y.B., 1906, pp. 183-185. 1907; Y.B. Sep. 415, pp. 183-185. 1907.
  origin, descriptions, and characters in Kanawha County, W. Va. Soil Sur. Adv. Sh., 1912, pp. 11-28. 1914. Soils F.O., 1912, pp. 1085-1902. 1915.
  relation to—
   moisture movement, laboratory studies. J.A.R., vol. 10, pp. 143-150, 153. 1917.
   use of fertilizers. F.B. 398, pp. 8-10. 1910.
  series and provinces, and choice of grass soils in various States. Soils Bul. 75, pp. 24-26, 46-48. 1911.
  sugar-beet area of California. D.B. 760, pp. 7-8. 1919.
  suited to various truck crops. D.B. 1005, pp. 64-68. 1922.
  swamp lands and drainage problems. Y.B., 1918, pp. 138-139. 1919; Y.B. Sep. 781, pp. 4-5. 1919.
  variation in chemical composition. W. O. Robinson. D.B. 551, pp. 16. 1917.
  western basin and coast areas, reports from 7 stations. D.B. 823, p. 53. 1920.
  typical silty clay loam, water extract, effect of various crops. G. R. Stewart and J. C. Martin. J.A.R., vol. 20, pp. 663-667. 1921.
  uncultivated soluble salts. J.A.R., vol. 10, pp. 341-342. 1917.
  unirrigated, influence on composition of sugar beet. Chem. Bul. 95, pp. 28-30. 1905.
 unproductive—
  properties—
   further studies on. Burton Edward Livingston and others. Soils Bul. 36, pp. 71. 1907.
   studies on. Burton Edward Livingston and others. Soils Bul. 28, pp. 39. 1905.
  toxic properties, causes, studies. Soils Bul. 40, pp. 5-10. 1907.
  utilization, study by Soils Bureau. Soils Bul. 55, pp. 31-46. 1909.
 vanillin content, field tests for toxicity. J. J. Skinner. D.B. 164, pp. 9. 1915.
 variation, effect on—
  Egyptian cotton. B.P.I. Cir. 112, pp. 17-24. 1913.
  Pima cotton uniformity. D.C. 247, pp. 5-6. 1922.
 vegetable—
  gardens, manures and fertilizers. F.B. 647, pp. 6-8, 27. 1915; S.R.S. Syl. 27, pp. 9-11. 1917.
  selection and preparation. S.R.S. Doc. 92, pp. 3-4. 1919.
 velvet-bean requirements. F.B. 962, p. 11. 1918; S.R.S. Doc. 44, p. 2. 1917.
 volcanic, fertility. Soils Bul. 68, pp. 158-160. 1911.

Soil(s)—Continued.
 volume—
  changes, relation to moisture content. Soils Bul. 50, pp. 27-45. 1908.
  weight determination, new method. J.A.R., vol. 13, pp. 28-33. 1918.
 Volusia—
  crops suitable and treatment. Soils Bul. 60, pp. 15-21. 1909.
  loam, description. Soils Cir. 60, pp. 1-13. 1912.
  problems and management, preliminary report. M. Earl Carr. Soils Bul. 60, pp. 22. 1909.
  silt loam, description. Soils Cir. 63, pp. 1-16. 1912.
 Wabash—
  clay, description. Soils Cir. 41, pp. 1-16. 1911.
  silt loam, description. Soils Cir. 40, pp. 1-15. 1911.
 walnut growing, requirements. B.P.I. Bul. 254, p. 24. 1913.
 washing, prevention. F.B. 342, pp. 6-8. 1909; F.B. 414, pp. 8-9. 1910.
 waste—
  by forest destruction. For. Cir. 171, pp. 3-4. 1909.
  by washing, necessity of prevention. F.B. 327, p. 9. 1908.
  in United States. For. Cir. 157, p. 9. 1908.
 water—
  capacities and determination of volume weight. J.A.R., vol. 13, pp. 1-36. 1918.
  capillary rise, influence of dissolved salts. Soils Bul. 19, p. 5. 1902.
  classification, source of supply. Soils Bul. 92, pp. 8-9. 1913.
  conditions, relation to irrigation. J.A.R., vol. 27, pp. 624-626. 1924.
  content, optimum. Soils Bul. 55, pp. 15-16. 1909.
  extractable substances, withdrawal by crops. J.A.R., vol. 12, pp. 297-306. 1918.
  holding capacity—
   determination. D.B. 521, pp. 8-10. 1917; J.A.R., vol. 27, pp. 618-621. 1924.
   relation to hygroscopic coefficient. J.A.R., vol. 9, pp. 27-71. 1917.
   measurement method. J.A.R., vol. 12, pp. 370-371. 1918; O.E.S. Bul. 203, pp. 11-12, 38-39. 1908.
  movement—
   relation to hygroscopicity and initial moistness. Frederick J. Alnay and Guy R. McDole. J.A.R., vol. 10, pp. 391-428. 1917.
   tests. F.B. 266, p. 7. 1906.
  percolation, lysimeter tests. D.C. 342, pp. 20-22. 1925.
  retaining capacity, relation to hygroscopic coefficient. J.A.R., vol. 9, pp. 27-71. 1917.
  storage, and its utilization by spring wheat. O. R. Mathews and E. C. Chilcott. D.B. 1139, pp. 28. 1923.
 wet—
  denitrification and ammonification. Hawaii Bul. 24, pp. 7, 10-12, 14, 16, 17, 19. 1911.
  drainage, importance. F.B. 522, pp. 5-7. 1913.
 wheat—
  choice and preparation. O.E.S.F.I.L. 11, pp. 10-11. 1910.
  fertilizers. Milton Whitney. Soils Bul. 66, pp. 48. 1910.
  selection. F.B. 885, p. 4. 1917; Sec. Cir. 90, p. 22. 1918.
 wind-formed, description. D.B. 355, p. 8. 1916.
 window garden, preparation. B.P.I. Doc. 433, pp. 2-3. 1909.
 worn out—
  description and treatment with cowpeas. F.B. 326, p. 6. 1908.
  reclamation by specialized crops. Rpt. 70, pp. 33-38. 1901.
  renovation. W. J. Spillman. F.B. 245, pp. 16. 1906.
  sugar-beet growing, unfavorable factor. D.B. 721, p. 7. 1918.
 xanthine, occurrence, description, etc. Soils Bul. 74, pp. 40-42. 1910.
 yellows-sick, effect on cabbage growing. J.A.R., vol. 30, pp. 1030-1033. 1925.
 See also Lands.

INDEX TO PUBLICATIONS, 1901–1925   2225

Soiling, crop(s)—
  alfalfa, use and value. F.B. 339, pp. 26–27. 1908; F.B. 1229, pp. 2, 23. 1921.
  clover fields, for midge control, cutting times. F.B. 942, p. 12. 1918.
  for dairy cows—
    planting, cutting, and feeding. F.B. 151, pp. 29–30. 1902; F.B. 190, pp. 8–14. 1904; F.B. 355, pp. 15–17. 1909; F.B. 743, pp. 5, 8, 9. 1916.
    use of prickly comfrey. B.P.I. Cir. 47, p. 6. 1910.
  kudzu, value for stock. D.C. 89, p. 6. 1920.
  mixtures for cotton States. F.B. 1125, rev., pp. 13, 14, 24, 25, 27, 28, 29. 1920.
  oats, value. F.B. 1119, pp. 20, 21. 1920.
  Para grass, value in Guam. Guam Bul. 1, pp. 8–9. 1921; Guam Cir. 1, p. 5. 1921.
  red clover, use and value. F.B. 455, p. 24. 1911.
  rye, value. Y.B., 1918, pp. 178–179. 1919; Y.B. Sep. 769, pp. 12–13. 1919.
  saltbush, value. D.B. 617, p. 10. 1919.
  sorghum, use and value. F.B. 246, pp. 30–31. 1906; F.B. 1158, pp. 21–22. 1920.
  soy beans, value. F.B. 973, p. 28. 1918; Sec. [Misc.], Special, "Soybeans in * * *," p. 4. 1915; S.R.S. Doc. 43, p. 4. 1917; F.B. 973, p. 28. 1918.
  succession for dairy cows. F.B. 151, pp. 29–30. 1902; F.B. 190, pp. 8–14. 1904; F.B. 743, pp. 5, 8, 9. 1916.
  succotash, value. F.B. 276, p. 20. 1907.
  Sudan grass, value. D.B. 981, pp. 49–50. 1921; F.B. 605, pp. 14–15. 1914; F.B. 1126, p. 17. 1920.
  sunflowers, value. D.B. 1045, p. 29. 1922.
  sweet clover, value. F.B. 820, pp. 22–23, 28–31. 1917.
  value as—
    horse feed. F.B. 1030, p. 20. 1919.
    sheep feed. D.B. 20, p. 43. 1913; F.B. 840, p. 33. 1917.
  supplement to short pastures for cows. News L., vol. 4, No. 2, p. 2. 1916.
  varieties and use methods. F.B. 509, p. 44. 1912.
Soils, Bureau of—
  publications, list, February—
    1909. Soils [Misc.], "List of publications * * *," pp. 32. 1909.
    1911. Pub. Cir. 14, pp. 6. 1911.
  report of Chief—
    1902. Milton Whitney. An. Rpts., 1902, pp. 155–188. 1902; Soils Chief Rpt., 1902, pp. 34. 1902.
    1903. Milton Whitney. An. Rpts., 1903, pp. 199–226. 1903; Soils Chief Rpt., 1903, pp. 28. 1903.
    1904. Milton Whitney. An. Rpts., 1904, pp. 241–269. 1904; Soils Chief Rpt., 1904, pp. 29. 1904.
    1905. Milton Whitney. An. Rpts., 1905, pp. 239–272. 1906; Soils Chief Rpt., 1905, pp. 24. 1905.
    1906. Milton Whitney. An. Rpts., 1906, pp. 333–361. 1907; Soils Chief Rpt., 1906, pp. 31. 1906.
    1907. Milton Whitney. An. Rpts., 1907, pp. 411–441. 1908; Soils Chief Rpt., 1907, pp. 35. 1907.
    1908. Milton Whitney. An. Rpts., 1908, pp. 499–525. 1909; Soils Chief Rpt., 1908, pp. 29. 1908.
    1909. Milton Whitney. An. Rpts., 1909, pp. 473–490. 1910; Soils Chief Rpt., 1909, pp. 20. 1909.
    1910. Milton Whitney. An. Rpts., 1910, pp. 493–507. 1911; Soils Chief Rpt., 1910, pp. 19. 1910.
    1911. Milton Whitney. An. Rpts., 1911, pp. 475–494. 1912; Soils Chief Rpt., 1911, pp. 22. 1911.
    1912. Milton Whitney. An. Rpts., 1912, pp. 605–616. 1913; Soils Chief Rpt., 1912, pp. 14. 1912.
    1913. Milton Whitney. An. Rpts., 1913, pp. 201–208. 1914; Soils Chief Rpt., 1913, pp. 8. 1913.

Soils, Bureau of—Continued.
  report of Chief—Continued.
    1914. Milton Whitney. An. Rpts., 1914, pp. 175–182. 1914; Soils Chief Rpts., 1914, pp. 8. 1914.
    1915. Milton Whitney. An. Rpts., 1915, pp. 201–210. 1916; Soils Chief Rpt., 1915, pp. 10. 1915.
    1916. Milton Whitney. An. Rpts., 1916, pp. 205–211. 1917; Soils Chief Rpt., 1916, pp. 7. 1916.
    1917. Milton Whitney. An. Rpts., 1917, pp. 219–226. 1918; Soils Chief Rpt., 1917, pp. 8. 1917.
    1918. Milton Whitney. An. Rpts., 1918, pp. 225–232. 1919; Soils Chief Rpt., 1918, pp. 8. 1918.
    1919. Milton Whitney. An. Rpts., 1919, pp. 235–245. 1920; Soils Chief Rpt., 1919, pp. 11. 1919.
    1920. Milton Whitney. An. Rpts., 1920, pp. 285–305. 1921; Soils Chief Rpt., 1920, pp. 21. 1920.
    1921. Milton Whitney. Soils Chief Rpt., 1921, pp. 15. 1921.
    1922. Milton Whitney. An. Rpts., 1922, pp. 289–298. 1923; Soils Chief Rpt., 1922, pp. 10. 1922.
    1923. Milton Whitney. An. Rpts., 1923, pp. 373–379. 1924; Soils Chief Rpt., 1923, pp. 7. 1923.
    1924. Milton Whitney. An. Rpts., 1924, pp. 13. 1924; Soils Chief Rpt., 1924, pp. 13. 1924.
  report on statements of Dr. Cyril G. Hopkins. Sec. Cir. 22, pp. 12. 1907.
  work. Milton Whitney. Soils Cir. 13, pp. 13. 1904; Soils Cir. 13, rev., pp. 13. 1905.
  work in reclamation of alkali soils. Soils Bul. 34, pp. 21–24. 1906.
  workers. See also Agriculture, workers, list.
Soils, Division of, report of chief. Milton Whitney. An. Rpts., 1901, pp. 113–140. 1901; Soils Chief Rpt., 1901, pp. 28. 1901.
Soja—
  max. See Soy bean.
  varieties, botanical classification. B.P.I. Bul. 197, pp. 11–12. 1910.
Solanaceae—
  anatomical studies, history. J.A.R., vol. 14, p. 22. 1918.
  susceptibility to mosaic disease. D.B. 40, pp. 10–15. 1914.
  susceptibility to Thielavia basicola. J.A.R., vol. 7, pp. 293–294. 1916.
Soland tree in Porto Rico, description and uses. D.B. 354, p. 83. 1916.
Solandra longiflora, importation and description. No. 45953, B.P.I. Inv. 54, p. 49. 1922.
Solanine—
  occurrence in potatoes. F.B. 295, pp. 19–20. 1907.
  soil constituent, wheat and potato-growing tests. Soils Bul. 87, p. 67. 1912.
Solanum—
  aculeatissimum, importations and description. Nos. 36271, 36704, B.P.I. Inv. 37, pp. 11, 53. 1916.
  berries, dangerous qualities, studies. An. Rpts., 1910, p. 61. 1911; Rpt. 93, p. 45. 1911; Sec. A.R., 1910, p. 61. 1910; Y.B., 1910, p. 61. 1911.
  bonariense, importation and description. No. 41312, B.P.I. Inv. 44, p. 62. 1918.
  bullatum, importation and description. No. 42815, B.P.I. Inv. 47, pp. 6, 69. 1920.
  carolinense—
    occurrence of collar-rot infection. J.A.R., vol. 21, p. 183. 1921.
    See Nettle, horse.
  dulcamara. See Bittersweet.
  macranthum, importation and description. No. 43665, B.P.I. Inv. 49, p. 59. 1921.
  mammosum, host of Septoria lycopersici. J.A.R., vol. 21, p. 504. 1921.
  melongena. See Eggplant.
  muricatum. See Pepino.
  nigrum—
    substitution of belladonna leaves for. Chem. S.R.A. 20, pp. 57–58. 1917.
    See also Nightshade.

Solanum—Continued.
  piericanum, importation and description. No. 54695, B.P.I. Inv. 70, pp. 1, 9. 1923.
  quitoense, importation and description. No. 42034, B.P.I. Inv. 46, pp. 7, 46. 1919.
  rostratum, growth in prairie-dog towns. Biol. Bul. 20, p. 13. 1905.
  scalare, importation and description. No. 47310, B.P.I. Inv. 58, p. 48. 1922.
  spp.—
    hosts of—
      eggplant tortoise beetle. D.B. 422, pp. 1-2. 1916.
      Phytophthora infestans. B.P.I. Bul. 245, p. 26. 1912.
    importations and descriptions. Nos. 32005, 32064-32067, 32144-32150, 32232, 32358, B.P.I. Bul. 261, pp. 16, 24, 32, 45, 59. 1912; Nos. 41106, 41109, 41113, 41117, B.P.I. Inv. 44, pp. 6, 38, 39, 40. 1918; Nos. 45363, 45364, B.P.I. Inv. 53, p. 33. 1922; Nos. 45751, 45812-45814, B.P.I. Inv. 54, pp. 15, 25. 1922; Nos. 46028, 46076, 46103, 46111-46118, B.P.I. Inv. 55, pp. 5, 15, 20, 24, 26. 1922; Nos. 46329, 46374, 46536, B.P.I. Inv. 56, pp. 2, 9, 12, 25. 1922; Nos. 46631, 46655-46657, 46730, 46947, 46948, B.P.I. Inv. 57, pp. 14, 17, 26, 50. 1922; Nos. 47448-47489, 47602, 47797-47800, B.P.I. Inv. 59, pp. 7, 20-21, 37, 61. 1922; Nos. 49972, 50035-50036, 50054, 50278, 50307, 50357, 50607, 50620, B.P.I. Inv. 63, pp. 4, 25, 30, 31, 50, 53, 61, 85, 86. 1923; Nos. 50910-50919, 50971, 51265, 51280, 51348-51349, 51353, 51355, B.P.I. Inv. 64, pp. 33, 37, 82, 83, 88, 89. 1923; Nos. 51394, 51416-51417, 51541, 51697, 51802, 52220-52222, 52303, B.P.I. Inv. 65, pp. 1, 12, 15, 24, 37, 52, 79, 88. 1923; Nos. 53977, 53993, 54059-54060, 54312-54315, B.P.I. Inv. 68, pp. 2, 14, 16, 25, 50. 1923.
    infestation with tobacco budworm. F.B. 819, p. 6. 1917.
    susceptibility to potato wart, tests. D.B. 1156, pp. 11-13. 1923.
  torvum, importation and description. No. 43780, B.P.I. Inv. 49, p. 76. 1921.
  tuberosum—
    absorption of copper from soil. J.A.R., vol. 22, pp. 281-287. 1921.
    host of—
      Bacterium exitiosum. J.A.R., vol. 21, No. 2, pp. 123-156. 1921.
      Chrysophlyctis endobiotica. J.A.R., vol. 21, pp. 589-592. 1921.
    importation and description. No. 34313, B.P.I. Inv. 32, p. 34. 1914.
    occurrence of leafroll, net-necrosis, and spindling sprout. J.A.R., vol. 21, pp. 47-80. 1921.
    See also Potato.
    varieties, new and interesting introductions. B.P.I. Bul. 205, pp. 8, 17, 18, 27. 1911.
  verbascifolium, importation and description. No. 39660, B.P.I. Inv. 41, p. 56. 1917.
  warscewiczii, host of *Spongospora subterranea*. J.A.R., vol. 7, pp. 222, 223. 1916.
Solar radiation—
  relation to—
    forest trees, study methods. D.B. 1059, pp. 39-59. 1922.
    honey flow of bees. D.B. 1339, pp. 36-38. 1925.
    variation in isolation and in polarization. W.B. [Misc.], "Proceedings, third convention * * *," pp. 69-77. 1904.
Solarium, construction for light measurement in forest study. D.B. 1059, pp. 47-48. 1922.
Solder, action of fats upon, experiments. B.A.I. An. Rpt., 1909, pp. 274-275. 1911.
Soldering—
  directions in canning and in making repairs. S.R.S. Doc. 11, pp. 2-4. 1916.
  equipment for sealing tin cans. S.R.S. Doc. 97, pp. 3-7. 1919.
Soldier beetle, injury to cotton and aid in destruction of other insects. F.B. 890, pp. 21-22. 1917.
Soldier-bug—
  bordered, enemy of asparagus beetle. F.B. 837, p. 8. 1917.
  destruction of army worm. Ent. Bul. 66, p. 64. 1910.
  enemy of asparagus beetles. Ent. Cir. 102, p. 6. 1908.

Soldier-bug—Continued.
  green, habits and injury to cotton and orange trees. Ent. Bul. 57, pp. 47-49. 1906; Ent. Bul. 86, pp. 78-82. 1910.
  spined—
    enemy of—
      fall army worm. F.B. 752, p. 11. 1916.
      oak worm. F.B. 1076, p. 9. 1920.
      spotted beet webworm. Ent. Bul. 127, Pt. I, pp. 9-10. 1913.
      sweet-potato leaf folder. D.B. 609, p. 9. 1917.
    life history, feeding habits, and value as beneficial insect. Ent. Bul. 60, pp. 155-161. 1906.
Soldiers—
  disabled, eligibility and efficiency ratings. B.A. I.S.R.A. 148, p. 92. 1919.
  memorial buildings, State laws. F.B. 1192, pp. 29, 31-34, 38. 1921.
Soldier's wound-wort. *See* Yarrow.
Sole(s)—
  fiber, wearing qualities. D.B. 1168, pp. 5, 22. 1923.
  leather(s)—
    composition. F. P. Veitch and J. S. Rogers. Chem. Bul. 165, pp. 20. 1913.
    effect of certain factors on wear. D.B. 1168, pp. 7-12. 1923.
    tanning directions. D.C. 230, pp. 6-19. 1922; F.B. 1334, pp. 12, 15, 20. 1923.
  shoe, material used and imperfections developed. D.B. 1168, p. 5. 1923.
Solenopotes capillatus, sucking louse of cattle. F. C. Bishopp. J.A.R., vol. 21, pp. 797-801. 1921.
Solenopsis—
  geminata—
    description and habits. Ent. Bul. 74, p. 24. 1907.
    injury to okra plants in Porto Rico. D.B. 192, pp. 9-10. 1915.
    See also Ant, brown.
  molesta. *See* Ants, red.
  spp., boll-weevil enemies. Ent. Bul. 100, pp. 12, 41, 69, 70. 1912; Ent. Bul. 114, pp. 139-140. 1912.
  validiusculus, enemy of codling moth. Ent. Bul. 80, Pt. I, p. 30. 1910.
Solicitor, report—
  1907. Geo. P. McCabe. An. Rpts., 1907, pp. 759-776. 1908; Sol. A.R., 1907, pp. 22. 1907.
  1908. Geo. P. McCabe. An. Rpts., 1908, pp. 791-818. 1909; Sol. A.R., 1908, pp. 30. 1908.
  1909. Geo. P. McCabe. An. Rpts., 1909, pp. 739-789. 1910; Sol. A.R., 1909, pp. 55. 1909.
  1910. Geo. P. McCabe. An. Rpts., 1910, pp. 793-895. 1911; Sol. A.R., 1910, pp. 107. 1910.
  1911. Geo. P. McCabe. An. Rpts., 1911, pp. 759-948. 1912; Sol. A.R., 1911, pp. 192. 1911.
  1912. Geo. P. McCabe. An. Rpts., 1912, pp. 889-1076. 1913; Sol. A.R., 1912, pp. 192. 1912.
  1913. Francis G. Caffey. An. Rpts., 1913, pp. 299-326. 1914; Sol. A.R., 1913, pp. 28. 1913.
  1914. Francis G. Caffey. An. Rpts., 1914, pp. 281-300. 1914; Sol. A.R., 1914, pp. 20. 1914.
  1915. Francis G. Caffey. An. Rpts., 1915, pp. 327-346. 1916; Sol. A.R., 1915, pp. 20. 1915.
  1916. Francis G. Caffey. An. Rpts., 1916, pp. 345-366. 1917; Sol. A.R., 1916, pp. 22. 1916.
  1917. Wm. M. Williams. An. Rpts., 1917, pp. 381-409. 1918; Sol. A.R., 1917, pp. 29. 1917.
  1918. Wm. M. Williams. An. Rpts., 1918, pp. 393-424. 1919; Sol. A.R., 1918, pp. 32. 1918.
  1919. Wm. M. Wiliams. An. Rpts., 1919, pp. 469-497. 1920; Sol. A.R., 1919, pp. 29. 1919.
  1920. R. W. Williams. An. Rpts., 1920, pp. 577-605. 1921; Sol. A.R., 1920, pp. 29. 1920.
  1922. R. W. Williams. An. Rpts., 1922, pp. 583-593. 1923; Sol. A.R., 1922, pp. 11. 1922.
  1923. R. W. Williams. An. Rpts., 1923, pp. 693-716. 1924; Sol. A.R., 1923, pp. 24. 1923.
  1924, with summary. R. W. Williams. Sol. A.R., 1924, pp. 16. 1924.
Solids—
  determination in fruits and fruit products, methods. Chem. Bul. 66, rev., pp. 11-13. 1905.
  food, metabolic processes, effects of salicylates in food. Chem. Bul. 84, Pt. II, pp. 681-701. 1908.
Solidago canadensis. *See* Goldenrod.

Solitaire, Townsend's—
  habits. Y.B., 1913, p. 136. 1914; Y.B. Sep. 620, p. 136. 1914.
  in Alaska and Yukon Territory. N.A. Fauna 30, pp. 43, 91. 1909.
Sollya heterophylla, importation and description. No. 54696, B.P.I. Inv. 70, p. 9. 1923.
Solomon's seal, false, indicator value on range. D.B. 791, pp. 37, 39. 1919.
Solu-Pinol, misbranding. N.J. 888. I. and F. Bd. S.R.A. 46, p. 1100. 1923.
Solubility, factor in effectiveness of worm destroyers. J.A.R., vol. 30, p. 949. 1925.
Solution(s)—
  absorption, use in sulphur determinations, results. J.A.R., vol. 25, pp. 333-334. 1923.
  bituminous road material, ultra-microscopic examination. J.A.R., vol. 17, pp. 167-176. 1919.
  nutrient—
    acidity changes caused by growing seedlings. J.A.R., vol. 27, pp. 207-217. 1924.
    composition and variation of reaction. J.A.R., vol. 19, pp. 74-78. 1920.
    in orange culture experiments, composition. J.A.R., vol. 24, pp. 804-806. 1923.
    surface tension, relations to their spreading qualities in spreaders for spray materials. R. H. Robinson. J.A.R., vol. 31, pp. 71-81. 1925.
  used as dust preventives. Y.B., 1907, pp. 263-266. 1908; Y.B. Sep. 448, pp. 263-266. 1908.
Solvent, sure, misbranding. See Indexes, Notices of Judgment, in bound volumes and in separates published as supplement to Chemistry Service and Regulatory Announcements.
Solvents, use in removal of grease stains from textiles. F.B. 861, pp. 17-19. 1917.
Somerville, Mass., milk supply, statistics, officials, and prices. B.A.I. Bul. 46, pp. 30, 92. 1903.
SOMMER, H. H.—
  "Fishy flavor in butter." B.A.I. Dairy [Misc.], "World's dairy congress, 1923," pp. 974-984. 1924.
  "The heat coagulation of milk." B.A.I. Dairy [Misc.], "World's dairy congress, 1923," pp. 1241-1248. 1924.
Sonchus arvensis. See Thistle, sow.
Soncoya, importations and descriptions. No. 43426, B.P.I. Inv. 49, pp. 7, 18. 1921; No. 54528, B.P.I. Inv. 69, p. 22. 1923.
Soorootoo, description and characteristics. B.P.I. Bul. 179, pp. 12-13. 1910.
Soot—
  spots, removal from textiles. F.B. 861, p. 31. 1917.
  value in compost. Y.B., 1917, p. 284. 1918; Y.B. Sep. 733, p. 4. 1918.
  See Flue dust.
Soothing sirup(s)—
  containing narcotics, danger, list. F.B. 393, pp. 4-6. 1910.
  Winslow's, misbranding. Chem. N.J. 4110. 1916.
Sophora—
  davidii, importation and description. No. 40707, B.P.I. Inv. 43, p. 69. 1918.
  tetraptera, importation and description. No. 44413, B.P.I. Inv. 50, p. 69. 1922.
  tetraptera. See also Pelu.
SOPPELAND, LULU: "An aromatic bacillus, Flavobacterium suaveolens, isolated from dairy wastes." J.A.R., vol. 28, pp. 275-276. 1924.
Sopris National Forest, Colo.—
  map and directions to hunters and campers. For Map Fold. 1913.
  summer vacation in. D.C. 6, pp. 15. 1919.
Sora, habits, range, and migration. D.B. 128, pp. 2, 26-30. 1914; N.A. Fauna, 21, p. 40. 1901.
Sorbaria—
  arborea, importations and descriptions. No. 40597, B.P.I. Inv. 43, p. 52. 1918; No. 43727, B.P.I. Inv. 49, p. 69. 1921.
  spp., importation and description. Nos. 55096-55097, B.P.I. Inv. 71, p. 22. 1923.
Sorbus—
  americana. See Mountain ash.
  commixta, importation and description. No. 43728, B.P.I. Inv. 49, p. 69. 1921.
  domestica, importation and description. Nos. 41703, 41804, B.P.I. Inv. 46, pp. 7, 11, 23. 1919.

Sorbus—Continued.
  spp.—
    importations and descriptions. Nos. 37582-37583, 37588-37589, 37593, 37595, B.P.I. Inv. 38, pp. 76-77, 78, 80, 81. 1917; Nos. 39133-39135, B.P.I. Inv. 40, pp. 6, 80-81. 1917; Nos. 43996, 44341-44343, B.P.I. Inv. 50, pp. 14, 60. 1922; Nos. 46104-46106, B. P.I. Inv. 55, pp. 24-25. 1922.
    injury by sapsuckers. Biol. Bul. 39, pp. 40-41, 51. 1911.
    occurrence of leaf blister mite. F.B. 722, p. 4. 1916.
  tianschanica, importation and description. No. 34132, B.P.I. Inv. 32, p. 14. 1914.
  torminalis, importation and description. Nos. 54796-54797, B.P.I. Inv. 70, p. 21. 1923.
  trilobata, importation and description. No. 52600, B.P.I. Inv. 66, pp. 4, 48. 1923.
Sore—
  eyes in sheep, treatment. F.B. 1155, p. 25. 1921.
  mouth—
    in goats, control treatment. F.B. 1203, p. 25. 1921.
    in pigs, occurrence of Bacillus necrophorus, B.A.I. Bul. 67, pp. 1-48. 1905.
    in young pigs. Y.B., 1922, p. 219. 1923; Y.B. Sep. 882, p. 219. 1923.
    See also Stomatitis.
  oriental, protozoan disease spread by dogs. D.B. 260, p. 22. 1915.
  shank, tobacco, description and control. F.B. 571, rev., p. 22. 1920.
  shin—
    Egyptian cotton, description. D.B. 332, p. 26. 1916; F.B. 1187, pp. 25-26. 1921.
    occurrence and description, on plants in Texas. B.P.I. Bul. 226, p. 57. 1912.
    See also Rhizoctonia solani.
  throat—
    causes and treatment. For. [Misc.], "First-aid * * *," p. 87. 1917.
    in cattle, symptoms and treatment. B.A.I. [Misc.], "Diseases of cattle," rev., pp. 92-93. 1912.
    streptococci in, destruction by heat. J.A.R., vol. 2, p. 321. 1914.
Sorehead—
  in chickens—
    danger in Hawaii. Hawaii A.R., 1924, p. 13. 1925; Hawaii Bul. 1, pp. 2-3. 1917.
    See also Chicken pox.
  poultry, symptoms and control. F.B. 1114, p. 6. 1920.
Soreness, foot, in cattle, treatment. B.A.I. [Misc.], "Diseases of cattle," rev., pp. 335-336. 1923.
SORENSEN, SOREN—
  "Control of the quality of manufactured products." B.A.I. Dairy [Misc.], "World's dairy congress, 1923," pp. 745-749. 1924.
  "Danish cooperative dairy organizations and their work." B.A.I. Dairy [Misc.], "World's dairy congress, 1923," p. 889-892. 1924.
Sores, summer, sheep, difference from scab. F.B. 713, p. 12. 1916.
Sorex—
  eximius, range and habits. N.A. Fauna 21, p. 71. 1901.
  spp. See Shrew.
Sorghastrum spp., description, distribution, and uses. D.B. 772, pp. 21, 269-270, 271. 1920.
Sorghum(s)—
  acreage—
    and value, 1915-1924. Y.B., 1924, p. 662. 1925.
    census 1909, by States, map. Y.B., 1915, p. 371. 1916; Y.B. Sep. 681, p. 371. 1916.
  adaptability to—
    dry farming. F.B. 329, p. 12. 1908; Y.B., 1911, pp. 357, 358, 360. 1912; Y.B. Sep. 574, pp. 357, 358, 360. 1912.
    western Kansas. Soil Sur. Adv. Sh., 1910, pp. 94-95. 1910; Soils F.O., 1910, pp. 1432-1433. 1912.
  African varieties, distribution, description, and uses. B.P.I. Bul. 175, pp. 13-20. 1910.
  alcohol yield and cost per gallon. F.B. 429, pp. 13-14. 1911.

Sorghum(s)—Continued.
  alkali resistance. B.P.I. Bul. 53, pp. 115, 121.
    1904; F.B. 446, pp. 20-21. 1911; rev., pp. 12,
    13, 19-20. 1920; Soils Bul. 34, pp. 14-15. 1906.
  Amber—
    description and value as forage crop. F.B.
      458, pp. 7, 8, 9, 10, 13, 14. 1911.
    origin and description. F.B. 477, p. 7. 1912.
    varieties growing in Guam, description and
      uses. Guam Bul. 3, pp. 14-15, 17. 1922.
  analyses—
    as source of alcohol. F.B. 429, pp. 13-14. 1911.
    discussion of results. Chem. Bul. 120, pp.
      40-42, 44, 63. 1909.
    methods. F.B. 477, pp. 39-40. 1912; J.A.R.,
      vol. 27, p. 719. 1924.
  and corn—
    comparative transpiration of. Edwin C. Miller
      and W. B. Coffman. J.A.R., vol. 13, pp.
      579-604. 1918.
    syrup, misbranding. Chem. N.J. 1762, pp. 4.
      1912; Chem. N.J. 1763, pp. 2. 1912.
  and cowpeas, mixture for hay, seed quantity.
    B.P.I. Doc. 485, p. 3. 1909; F.B. 318, pp. 11,
    27. 1908; F.B. 458, pp. 17-18. 1911.
  aphid, food plants, descriptions and bibliography.
    Ent. T.B. 12, Pt. VIII, pp. 156-168. 1909.
  Asiatic varieties, distribution, description, and
    uses. B.P.I. Bul. 175, pp. 20-25. 1910.
  blast—
    cause and investigations. B.P.I. Bul. 237, pp.
      11-15. 1912.
    caused by midge. F.B. 458, p. 11. 1911.
  blight—
    description and comparisons. J.A.R., vol. 26,
      pp. 157-158. 1923.
    injury to Sudan grass. D.B. 981, p. 63. 1921;
      F.B. 605, pp. 18, 19. 1914.
    See also Red-spot.
  botanical history and nomenclature. B.P.I. Bul.
    175, pp. 35-48, 49-50. 1910.
  by-products, utilization. F.B. 477, p. 38. 1912.
  cane—
    acreage, census 1909, by States, map. Y.B.,
      1915, p. 371. 1916; Y.B. Sep. 681, p. 371.
      1916.
    area and production, 1909, by States. D.B.
      66, p. 21. 1914.
    effect of frost, and protection after cutting.
      F.B. 477, p. 13. 1912.
    for sirup, acreage in 1919, map. Y.B., 1921, p.
      457. 1922; Y.B. Sep. 878, p. 51. 1922.
    juice and sirup, yield per ton. F.B. 477, pp.
      13, 36-37. 1912.
  Chinese. See Kaoliang.
  Chinese Golden, use of name for shallu sorghum.
    B.P.I. Cir. 50, p. 4. 1910.
  chocolate corn, description, use, and value.
    B.P.I. Cir. 50, pp. 10-12. 1910.
  classification—
    and description. D.B. 1284, p. 12. 1925;
      F.B. 322, p. 5. 1908; F.B. 458, pp. 5-8. 1911.
    under seed-importation act. B.P.I.S.R.A. 1,
      p. 1. 1914; Sec. Cir. 42, p. 3. 1913.
  climatic and soil relations and fertilizers. F.B.
    1158, pp. 3-6. 1920.
  clubs, demonstration work. D.C. 152, p. 14.
    1921.
  compo, misbranding. Chem. N.J. 3317. 1914.
  composition, comparison with sugar-cane and
    cornstalks. B.P.I. Cir. 111, pp. 8-9. 1913.
  compound, adulteration and misbranding.
    Chem. N.J. 699, pp. 2. 1910.
  conditions for growth. F.B. 246, pp. 18-19. 1906.
  cultivation—
    for hay crop. F.B. 458, p. 17. 1911.
    implements. F.B. 1158, p. 16. 1920.
  diseases, description and control. B.P.I. Bul.
    226, pp. 53-54, 110, 111. 1912; F.B. 1158, pp.
    28-30. 1920.
  distribution and history. Carleton R. Ball.
    B.P.I. Bul. 175, p. 63. 1910.
  effect on land and in rotations. F.B. 1158, pp.
    5-6. 1920.
  emergency crop, overflowed lands. B.P.I. Doc.
    756, p. 5. 1912.
  feeding value. F.B. 288, pp. 25-26. 1907; F.B.
    724, pp. 7-8. 1916.
  fertilizers, tests. Soils Bul. 67, pp. 50-51. 1910.

Sorghum(s)—Continued.
  fertilizing, effect on hydrocyanic-acid content.
    J.A.R., vol. 4, pp. 180-183. 1915.
  fields, burning in winter for boll-weevil control.
    Ent. Cir. 107, p. 3. 1909.
  fodder—
    and silage, chemical composition and digesti-
      bility. F.B. 1158, p. 27. 1920.
    use as horse feed. F.B. 1030, p. 19. 1919.
  food use, increase. F.B. 817, p. 5. 1917.
  for forage—
    acreage in 1919, map. Y.B., 1921, p. 445. 1922;
      Y.B. Sep. 878, p. 39. 1922.
    crop for cotton States. F.B. 1125, rev., pp.
      24-25. 1920.
    growing in Arizona, and sirup yield. W.I.A.
      Cir. 25, pp. 29-30. 1919.
    importance and extent. F.B. 1158, p. 3. 1920.
    in the Cotton Belt. H. N. Vinall. Sec.
      [Misc.] Spec., "Sorghum for forage * * *,"
      pp. 4. 1914.
    tests and yield, Nephi substation, 1909. B.P.I.
      Cir. 61, p. 33. 1910.
    varietal tests, Yuma experiment farm, Ariz.
      D.C. 20, pp. 26-27. 1918; D.C. 75, p. 41.
      1920; D.C. 221, p. 24. 1922.
  germination studies. D.B. 1284, pp. 43-44. 1925.
  gooseneck, origin and description. B.P.I. Cir.
    50, pp. 12-14. 1910; F.B. 246, pp. 17-18. 1906;
    F.B. 458, pp. 7, 9. 1911; F.B. 477, p. 9. 1912.
  grain—
    acreage—
      and production, 1915-1918. Texas and Okla-
        homa. S.R.S. Doc. 96, p. 16. 1919.
      and value, and increasing use. F.5. 972, pp.
        12-14. 1918.
      and value in Kansas, Oklahoma, and Texas.
        F.B. 686, pp. 11-15. 1915.
      in South, 1879-1919. Y.B., 1921, p. 337. 1922;
        Y.B. Sep. 877, p. 337. 1922.
      yield, and value, 1904-1909. B.P.I. Bul. 203,
        pp. 16-20. 1911.
      yield, prices, and marketing, 1923. Y.B.,
        1923, pp. 729-730. 1924; Y.B. Sep. 899, pp.
        729-730. 1924.
    adaptation to dry lands. B.P.I. Cir. 12, p. 6.
      1908.
    belt, boundaries, soil, climate, and develop-
      ment. B.P.I. Bul. 203, pp. 8-10. 1911.
    better crops. Carleton R. Ball. F.B. 448, pp
      36. 1911.
    classification, and description, by groups.
      D.B. 698, pp. 17-19. 1918; D.B. 1175, pp. 12-
      13. 1923.
    comparison with corn and other grains. Y.B.,
      1922, pp. 525-533. 1923; Y.B., Sep. 891, pp.
      525-533. 1923.
    composition and—
      digestible nutrients. F.B. 724, pp. 3-5. 1916.
      feeding tests. Y.B., 1913, p. 228. 1914.
    cost of production and harvesting. Y.B.,
      1922, pp. 557-558. 1923; Y.B. Sep. 891, pp.
      557-558. 1923.
    crosses, seed-color inheritance. John B. Sieg-
      linger. J.A.R., vol. 27, pp. 53-64. 1923.
    cultivation. B.P.I. Bul. 237, pp. 25-29. 1912;
      F.B. 1137, p. 21. 1920.
    cultural experiments in Texas Panhandle. Ben-
      ton E. Rothgeb. D.B. 976, pp. 43. 1922.
    date-of-seeding, experiments. D.B. 1175, pp.
      36-52, 65. 1923.
    diastatic power, comparison with barley.
      D.B. 1129, pp. 6-7. 1922.
    digestibility and palatability as food. F.B.
      686, pp. 5-6, 8. 1915.
    digestibility studies. C. F. Langworthy and
      A. D. Holmes. D.B. 470, pp. 31. 1916.
    drought resistance. B.P.I. Bul. 203, pp. 21-22.
      1911.
    estimates, 1915-1922. M.C. 6, p. 16. 1923.
    experiments—
      at Akron Field Station, Colo., varieties and
        yields. D.B. 402, pp. 32-33, 34. 1916.
      at Cheyenne farm, Wyoming, varieties.
        D.B. 430, pp. 36-37, 39. 1916.
      at Woodward Field Station, Oklahoma.
        John B. Sieglinger. D.B. 1175, pp. 66.
        1923.
      in Panhandle of Texas. Carleton R. Ball and
        Benton E. Rothgeb. D.B. 698, pp. 91. 1918

Sorghum(s)—Continued.
  grain—continued.
    feeding to livestock. Geo. A. Scott. F.B. 724, pp. 15. 1916.
    feeding value. B.P.I. Bul. 237, p. 29. 1912.
    food use and value. Y.B., 1913, pp. 233, 237. 1914.
    foreign market possibilities. F.B. 686, p. 10. 1915; F.B. 972, pp. 16–17. 1918.
    germination, variations in time. D.B. 1129, pp. 5–6. 1922.
    grades in United States—
      H. J. Besley and others. D.C. 245, pp. 8. 1922.
      handbook (tabulated and abridged). B.A.E. [Misc.], "Handbook of United States grades, * * *," pp. 8. 1924.
    groups, varieties, and crop importance. Y.B., 1922, pp. 525, 527. 1923; Y.B., Sep. 891, pp. 525, 527. 1923.
    growing—
      Benton E. Rothgeb. F.B. 1137, pp. 26. 1920.
      labor and materials, requirements in various States. D.B. 1000, pp. 28–29. 1921.
      methods to evade midge. B.P.I. Bul. 237, pp. 18–24. 1912.
    growing in—
      Arizona, Yuma reclamation project. D.C. 75, pp. 17, 33–37. 1920; W.I.A. Cir. 25, pp. 9, 10, 23–26. 1919.
      California, lower San Joaquin Valley. Soil Sur. Adv. Sh., 1915, pp. 18–19. 1918; Soils F.O., 1915, pp. 2594–2595. 1919.
      California, middle San Joaquin Valley. Soil Sur. Adv. Sh., 1916, pp. 24–25, 75–94. 1919; Soils F.O., 1916, pp. 2438, 2487–2508. 1921.
      California, upper San Joaquin Valley. Soil Sur. Adv. Sh., 1917, pp. 22–23. 1921; Soils F.O., 1917, pp. 2550–2551. 1923.
      California, varietal experiments. D.B. 1172, pp. 32, 33. 1923.
      California, Yuma project, yields and irrigation. W.I.A. Cir. 12, pp. 10–11, 15. 1916.
      Colorado, experiments. D.B. 1287, pp. 51–52. 1925.
      Hawaii for hog feed. Hawaii Bul. 48, pp. 31, 34. 1923.
      Kansas and Oklahoma, acreage and value. Y.B., 1913, pp. 231–236. 1914; Y.B. Sep. 625, pp. 231–236. 1914.
      Oklahoma, Roger Mills County. Soil Sur. Adv. Sh., 1914, pp. 11, 17–25. 1916; Soils F.O., 1914, pp. 2143, 2149–2157. 1919.
      South Dakota, Belle Fourche farm. D.B. 1039, pp. 40–41, 71. 1922.
      Texas and Oklahoma. Sec. Cir. 56, pp. 4, 6. 1916.
      Texas, Erath County. Soil Sur. Adv. Sh., 1920, pp. 375, 376, 388–397. 1923; Soils F.O., 1920, pp. 375, 376, 388–397. 1925.
      Texas Panhandle. F.B. 738, p. 15. 1916.
      Texas, San Antonio district. C. R. Letteer. F.B. 965, pp. 12. 1918.
    harvesting—
      and storage. F.B. 686, pp. 6–8. 1915.
      curing, threshing, and storing. F.B. 1137, pp. 21–26. 1920.
    hogging off on irrigated land, results. D.B. 752, pp. 33, 37. 1919.
    importance and improvement. Carleton R. Ball. B.P.I. Bul. 203, pp. 45. 1911.
    improvement methods. B.P.I. Bul. 203, pp. 20–40. 1911; F.B. 448, pp. 8–10, 15–34. 1911; F.B. 1137, pp. 12–17. 1920.
    introduction and value. Carleton R. Ball. Y.B., 1913, pp. 221–238. 1914; Y.B. Sep. 625, pp. 221–238. 1914.
    kaoliangs, new group. Carleton R. Ball. B.P.I. Bul. 253, pp. 64. 1913.
    position in American agriculture. Y.B., 1922, p. 567. 1923; Y.B. Sep. 891, p. 567. 1923.
    production—
      and handling. F.B. 448, pp. 29–32. 1911.
      and value, 1915–1917. F.B. 972, pp. 12–14. 1918.
      in 1920. An. Rpts., 1920, p. 3. 1921; Sec. A.R., 1920, p. 3. 1920.

Sorghum(s)—Continued.
  grain—continued.
    production.
      in San Antonio region of Texas. Carleton R. Ball and Stephen H. Hastings. B.P.I. Bul. 237, pp. 30. 1912.
      in various States, acreage, yield, and value. F.B. 448, pp. 12–15. 1911.
      recommendation by Agricultural Economics Bureau. D.C. 245, pp. 2–7. 1922.
      rotation with rice in California. D.B. 1155, p. 56. 1923.
    seed—
      bed preparation. F.B. 1137, pp. 17–18. 1920.
      production. D.C. 75, pp. 36–37. 1920.
      selection by boys and girls, recommendation. F.B. 448, p. 34. 1911.
      selection, storing, and cleaning. F.B. 1137, pp. 13–17. 1920.
      smut injury. F.B. 605, p. 18. 1914.
    spacing experiments in Oklahoma. D.B. 1175, pp. 52–64. 1923.
    standards, official handbook. B.A.E. [Misc.], "Handbook of official * * *," pp. 16–23. 1925.
    statistics, 1923, acreage and production, 1910–1923. An. Rpts., 1923, pp. 90, 91. 1924; Sec. A.R., 1923, pp. 90, 91. 1923.
    stock-feeding value, comparison with corn. B.P.I. Bul. 203, pp. 14–15. 1911.
    substitute for corn in western Texas and Oklahoma. S.R.S. Doc. 96, p. 7. 1919.
    testing at Moro, Oreg., 1911–1915. D.B. 498, p. 36. 1917.
    use(s)—
      Carleton R. Ball and Benton E. Rothgeb. F.B. 686, pp. 16. 1915; F.B. 972, pp. 18. 1918.
      and value as chicken feed. F.B. 724, pp. 5, 6. 1916.
      as food. F.B. 389, p. 16. 1910.
      as food and stock feed. B.P.I. Bul. 203, pp. 15–16. 1911; F.B. 965, p. 12. 1918.
    varietal tests in—
      Arizona, Yuma experiment farm, 1919–1920. D.C. 75, pp. 33–37. 1920; D.C. 221, pp. 23–24. 1922; W.I.A. Cir. 7, pp. 14–15. 1915; W.I.A. Cir. 20, pp. 22–23. 1918.
      Oklahoma. D.B. 1175, pp. 16–36. 1923.
      Oregon, Umatilla experiment farm. W.I.A. Cir. 17, pp. 32–35, 36. 1917.
      Texas. B.P.I. Bul. 283, pp. 32–35, 65–67, 73, 79. 1913; B.P.I. Cir. 120, pp. 18–19. 1913.
    varieties—
      description, habits, and requirements. B.P.I. Bul. 203, pp. 10–16. 1911; F.B. 1137, pp. 4–12. 1920.
      suitable for San Antonio region of Texas. B.P.I. Bul. 237, p. 26. 1912.
      value for seed and forage. F.B. 1158, pp. 6, 7, 14–15, 26–27. 1920.
    world production and countries. Y.B., 1922, pp. 525–529. 1923; Y. B. Sep. 891, pp. 525–529. 1923.
    yields—
      comparative. D.B. 1175, pp. 35–36. 1923.
      in Texas under different cultural practices. D.B. 976, pp. 14–39. 1922.
  See also Milo.
  grass, description and botanical relationships. D.B. 981, pp. 3–16. 1921.
  grazing crop for hogs. F.B. 985, pp. 7, 9, 10, 16–17, 27. 1918.
  groups—
    and varieties, classification and local adaptations. F.B. 1158, pp. 6–9. 1920.
    key. B.P.I. Bul. 175, p. 8. 1910.
  growing—
    and sirup manufacture. F.B. 477, pp. 1–40. 1912.
    and sirup yield, in Iowa, Blackhawk County. Soil Sur. Adv. Sh., 1917, p. 31. 1919; Soils F.O., 1917, p. 1581. 1923.
    and utilization for forage. H. N. Vinall and R. E. Getty. F.B. 1158, pp. 32. 1920.
    and yield, in western South Dakota. F.B. 1163, pp. 6–9, 11–12, 14. 1920.
    as forage crops for hogs. F.B. 951, p. 9. 1918.
    experiments in testing cyanide content. J.A.R., vol. 6, No. 7, pp. 261–271. 1916.

Sorghum(s)—Continued.
  growing—continued.
    experiments with daylight of different lengths.
      J.A.R., vol. 23, pp. 874, 875. 1923.
    factors limiting. F.B. 458, pp. 11–14. 1911.
    in—
      Alabama, Limestone County, yield of sirup.
        Soil Sur. Adv. Sh., 1914, pp. 12–13, 22, 24, 25, 27. 1916; Soils F.O., 1914, pp. 1124, 1134–1139. 1919.
      Alabama, Randolph County. Soil Sur. Adv. Sh., 1911, pp. 13, 19. 1912; Soils F.O., 1911, pp. 905, 911. 1914.
      Arkansas, Howard County. Soil Sur. Adv. Sh., 1917, pp. 19, 25. 1919; Soils F.O., 1917, pp. 1369, 1375. 1923.
      California, San Joaquin Valley. Soil Sur. Adv. Sh., 1915, pp. 18–19, 115, 140. 1918; Soils F.O., 1915, pp. 2594–2595, 2691, 2716. 1919.
      Georgia, Gordon County, uses and yields. Soil Sur. Adv. Sh., 1913, pp. 15, 32, 53. 1914; Soils F.O., 1913, pp. 345, 362, 383. 1916.
      Georgia, Habersham County. Soil Sur. Adv. Sh., 1913, pp. 16, 27. 1915; Soils F.O., 1913, pp. 412, 423. 1916.
      Guam, 1920. Guam A.R., 1920, pp. 20–23. 1921.
      Hawaii, 1919. Hawaii A.R., 1919, p. 71. 1920.
      Illinois, Will County, 1865–1875, and abandonment. Soil Sur. Adv. Sh., 1912, p. 9. 1914; Soils F.O., 1912, p. 1525. 1915.
      Kansas, Shawnee County. Soil Sur. Adv. Sh., 1911, pp. 17, 31, 39. 1913; Soils F.O., 1911, pp. 2071, 2085, 2093. 1914.
      Missouri, Harrison County. Soil Sur. Adv. Sh., 1914, pp. 10, 18–24. 1916; Soils F.O., 1914, pp. 1948, 1956–1962. 1919.
      Missouri, Newton County. Soil Sur. Adv. Sh., 1915, p. 12. 1917; Soils F.O., 1915, p. 1858. 1919.
      Missouri, Ripley County. Soil Sur. Adv. Sh., 1915, p. 11. 1917; Soils F.O., 1915, p. 1895. 1919.
      Nebraska, and yields under dry farming. D.C. 173, pp. 32–34. 1921.
      Nebraska, Chase County. Soil Sur. Adv. Sh., 1917, pp. 14–15, 21, 27–60. 1919; Soils F.O., 1917, pp. 1800–1801, 1807, 1813–1846. 1923.
      Nebraska, Perkins County. Soil Sur. Adv. Sh., 1921, p. 891. 1925.
      Nebraska, Phelps County. Soil Sur. Adv. Sh., 1917, p. 12. 1919; Soils F.O., 1917, p. 1926. 1923.
      Nebraska, Redwillow County. Soil Sur. Adv. Sh., 1919, pp. 12, 13, 15, 26–45. 1921; Soils F.O., 1919, pp. 1720, 1721, 1723, 1734–1753. 1925.
      Nevada, Newlands farm. D.C. 352, p. 11. 1925.
      North Carolina, Cleveland County, for sirup. Soil Sur. Adv. Sh., 1916, pp. 11, 12, 18, 25, 27, 31. 1919; Soils F.O., 1916, pp. 315, 316, 322, 329, 331, 335. 1921.
      northern Great Plains, variety tests. D.B. 1244, pp. 20–22, 24. 1924.
      Oklahoma, Canadian County. Soil Sur. Adv. Sh., 1917, pp. 11, 21–55. 1919; Soils F.O., 1917, pp. 1405, 1415–1449. 1923.
      Oklahoma, Roger Mills County, acreage and yield. Soil Sur. Adv. Sh., 1914, pp. 11, 13, 17, 21, 24, 25. 1916; Soils F.O., 1914, pp. 17, 21, 24, 25. 1916; Soils F.O., 1914, pp. 2143, 2145, 2149, 2153, 2156, 2157. 1919.
      Texas, Bell County, for forage. Soil Sur. Adv. Sh., 1916, pp. 11, 13, 21–43. 1918; Soils F.O., 1916, pp. 1245, 1247, 1255–1277. 1921.
      Texas, Bowie County. Soil Sur. Adv. Sh., 1918, pp. 11, 21–45. 1921; Soils F.O., 1918, pp. 721, 731–755. 1924.
      Texas, Brazos County. Soil Sur. Adv. Sh., 1914, pp. 13, 24, 26, 42. 1916; Soils F.O., 1914, pp. 1283, 1294, 1296, 1312. 1919.
      Texas, Dallas County. Soil Sur. Adv. Sh., 1920, pp. 1218, 1228–1252. 1924; Soils F.O., 1920, pp. 1218, 1228–1252. 1925.

Sorghum(s)—Continued.
  growing—continued.
    in—continued.
      Texas, Denton County. Soil Sur. Adv. Sh., 1918, pp. 7, 10–12, 27–51. 1922; Soils F.O., 1918, pp. 779, 782–784, 799–823. 1924.
      Texas, Eastland County, 1909. Soil Sur. Adv. Sh., 1916, p. 10. 1918; Soils F.O., 1916, p. 1286. 1921.
      Texas, experiments, 1919. D.C. 209, pp. 26–27. 1922.
      Texas for grain and forage. Soil Sur. Adv. Sh., 1920, pp. 866, 877–894. 1924; Soils F.O., 1920, pp. 866, 877–894. 1925.
      Texas, Freestone County. Soil Sur. Adv. Sh., 1918, pp. 18, 45–53. 1921; Soils F.O., 1918, pp. 844, 871–879. 1924.
      Texas, northwest. Soil Sur. Adv. Sh., 1919, pp. 12–18, 32, 37–74. 1922. Soils F.O., 1919, pp. 1110–1116, 1130, 1135–1172. 1925.
      Texas Panhandle, yields and value. Soil Sur. Adv. Sh., 1910, pp. 26, 32, 39, 52. 1911; Soils F.O., 1910, pp. 982, 988, 995, 1008. 1912.
      Texas, Red River County. Soil Sur. Adv. Sh., 1919, pp. 161, 169, 182–188, 196, 197, 202. 1923; Soils F.O., 1919, pp. 161, 169, 182–188, 196, 197, 202. 1925.
      Texas, San Antonio experiment farm, 1918. D.C. 73, pp. 22–24. 1920; W.I.A. Cir. 21, pp. 16–17. 1918.
      Texas, south-central, methods and yields. Soil Sur. Adv. Sh., 1913, pp. 40, 55–58, 67, 77–86, 93–103. 1915; Soils F.O., 1913, pp. 1106, 1121–1124, 1133, 1143–1152, 1159–1169. 1916.
      Texas, southwest, yield. Soil Sur. Adv. Sh., 1911, pp. 30, 57, 58, 66, 106. 1912; Soils F.O., 1911, pp. 1198, 1225, 1226, 1234, 1274. 1914.
      West Virginia, McDowell and Wyoming Counties. Soil Sur. Adv. Sh., 1914, pp. 10, 23–30. 1916; Soils F.O., 1914, pp. 1432, 1444–1452. 1919.
      Wyoming, experiments. D.B. 1306, pp. 25–26. 1925.
    methods. F.B. 246, pp. 20–29. 1906.
    on the Great Plains, experiments. H. N. Vinall and others. D.B. 1260, pp. 88. 1924.
    on Truckee-Carson project, methods. B.P.I. Cir. 78, pp. 12–13. 1911.
    regional map and varieties recommended. F.B. 1158, pp. 4, 8–9. 1920.
    with cowpeas for hay or silage. F.B. 1148, pp. 18–19. 1920.
    with soy beans for hay or silage. F.B. 973, p. 19. 1918.
  growth, effect of temperature and other meteorological factors. H. N. Vinall and H. R. Reed. J.A.R., vol. 13, pp. 133–148. 1918.
  halepense. See Johnson grass.
  harvesting—
    curing, and marketing. F.B. 458, pp. 19–21. 1911.
    curing, and soiling. F.B. 246, pp. 25–29. 1906.
    for sirup manufacture. F.B. 477, pp. 12–14. 1912.
    time and methods. F.B. 1158, pp. 16–20. 1920.
  hay—
    and silage, comparison with prickly pears. J.A.R., vol. 4, pp. 411–414, 417, 428, 430, 435–450. 1915.
    grain, and seeds, quarantine, notice and regulations. F.H.B. Quar. 41, p. 2. 1920.
  head smut, occurrence. J.A.R., vol. 2, pp. 339–372. 1914.
  historical notes. B.P.I. Bul. 175, pp. 10–11. 1910; D.B. 1284, pp. 1–2. 1925.
  history and distribution. Carleton R. Ball. B.P.I. Bul. 175, p. 63. 1910.
  hog pasture—
    value. B.A.I. Bul. 47, pp. 161–162. 1904; F.B. 411, pp. 32–34. 1910.
    value and number of hogs per acre. B.P.I. Bul. 111, Pt. IV, pp. 14, 18, 20. 1909.
    with corn, value. D.B. 68, p. 24. 1914.
  honey—
    description. F.B. 458, pp. 8, 9. 1911.
    description and yield. Guam Bul. 3, pp. 16, 17. 1922.
    origin and description. F.B. 477, p. 9. 1912.

Sorghum(s)—Continued.
hydrocyanic-acid-content—
effect of nitrate solutions. R. M. Pinckney. J.A.R., vol. 27, pp. 717-723. 1924.
relation to climatic factors. J.A.R., vol. 6, No. 7, pp. 261-272. 1916.
studies. J.A.R., vol. 4, pp. 179-185. 1915; J.A.R., vol. 16, pp. 175-181. 1919; J.A.R., vol., 22, pp. 125-138. 1921.
importations and descriptions. Nos. 34293, 34294, B.P.I. Inv. 32, p. 31. 1914; Nos. 36074-36077, B.P.I. Inv. 36, p. 49. 1915; Nos. 37723, 37733-37734, 37956-37961, 37963-37964, 38085-38087, 38173, 38183, 38194-38205, 38354-38355, 38463, 38533, 38569-38570, B.P.I. Inv. 39, pp. 6, 27, 29, 73, 86, 99, 101, 103, 121, 133, 144, 148. 1917; Nos. 39130-39313, 39377-39380, 39447-39451, 39560-39561, 39594, 39596, B.P.I. Inv. 41, pp. 9, 22, 30, 47, 48. 1917; Nos. 43590, 43607-43628, B.P.I. Inv. 49, pp. 49, 51-52. 1921; Nos. 45317, 45348, B.P.I. Inv. 53, pp. 25, 29. 1922; Nos. 48157, 48191, B.P.I. Inv. 60, pp. 49, 54. 1922; 48464, 48770-48772, 48849-48859, B.P.I. Inv. 61, pp. 11, 45, 56. 1922; Nos. 49140, 49237, 49304, 49463-49464, 49497-49504, 49697-49698, B.P.I. Inv. 62, pp. 7, 15, 22, 40, 46, 72. 1923; Nos. 49801-49803, 49967, 50079, 50235-50236, 50378, 50531 B.P.I. Inv. 63, pp. 3, 7, 25, 28, 33, 48, 64, 77. 1923; Nos. 50779, 50784, 50786-50788, 50790, 50797, 50799, 50804-50806, 50809, 50829, 51228, B.P.I. Inv. 64, pp. 25, 26, 27, 28, 78. 1923; Nos. 51439, 51577-51581, 51609-51611, 51618-51622, 51952-52050, B.P.I. Inv. 65, pp. 17, 22, 28, 31, 32, 69-73. 1923; Nos. 52338, 52425-52426, 52606, B.P.I. Inv. 66, pp. 12, 24, 50. 1923; Nos. 53055-53056, 53558-53562, B.P.I. Inv. 67, pp. 24, 61. 1923; Nos. 54435-54436, 54471, 54475-54487, 54537-54539, B.P.I. Inv. 69, pp. 3, 8, 14, 15, 23. 1923; Nos. 55106-55165, 55428, B.P.I. Inv. 71, pp. 23-24, 42. 1923.
in Guam. Glen Briggs. Guam Bul. 3, pp. 28. 1922.
infestation by Angoumois grain moth. F.B. 1156, pp. 7-9. 1920.
injury(ies) by—
green June beetle. D.B. 891, p. 16. 1922.
lesser corn stalk borer. D.B. 539, pp. 6, 7, 17, 18. 1917.
midge and other enemies. Ent. Bul. 85, pp. 39, 54. 1911.
webworm in 1921. D.B. 1103, pp. 24, 25. 1922.
inoculation with head smut, experiments. J.A.R. vol. 2, pp. 360-367. 1914.
introduction—
and increased acreage since 1857. F.B. 1158, p. 3. 1920.
cost and results. B.P.I. Cir. 100, p. 21. 1912.
Johnson grass, hybrids, description and value. D.B. 981, pp. 13-16. 1921.
juices—
analyses, Chem. Bul. 130, p. 26. 1911.
composition. Chem. Bul. 130, p. 26. 1910; J.A.R., vol. 18, pp. 13-27. 1919.
extraction, clarification and evaporation. F.B. 477, pp. 14-28. 1912.
yield of sirup, calculation. F.B. 477, pp. 36-37. 1912.
kernel smut, control. D.B. 981, p. 63. 1921.
labor requirements—
and field practice in Georgia. D.C. 83, pp. 91, 20. 1920.
in Arkansas. D.B. 1181, pp. 8, 39, 40, 61. 1924.
per acre, Georgia farms. F.M. Cir. 3, pp. 26, 28. 1919.
leaves—
and blades, use as feed on fertilizer. F.B. 477, p. 38. 1912.
carbohydrate content. J.A.R., vol. 27, pp. 790-806. 1924.
carbohydrates, daily variation. Edwin C. Miller. J.A.R., vol. 27, pp. 785-808. 1924.
legume mixtures, value. B.P.I. Cir. 106, pp. 12-15. 1913; F.B. 1158, p. 20. 1920.
midge—
W. Harper Dean. Ent. Bul. 85, Pt. IV, pp. 38-58. 1910; Ent. Bul. 85, Pt. IV., rev., pp. 39-58. 1911.
control measures, experiments. B.P.I. Bul. 237, pp. 12-25. 1912.
damage to crop in Texas, San Antonio experiment arm. D.C. 73, pp. 23-24. 1920.

Sorghum(s)—Continued.
midge—continued.
damage to milo. F.B. 1147, p. 18. 1920.
description and habits. Ent. Bul. 85, pp. 55-57. 1911; F.B. 965, pp. 5-6. 1918; F.B. 1158, pp. 31-32. 1920.
destruction of sorghum seed, in humid regions. F.B. 458, pp. 11-12. 1911.
enemies, parasitic and predaceous. Ent. Bul. 85, pp. 55-57. 1911.
history, description, and control. Ent. Bul. 85, pp. 39-58. 1911.
injury to—
grain sorghums. D.B. 188, pp. 2, 3. 1915; Y.B., 1922, p. 530. 1923; Y.B. Sep. 891, p. 530. 1923.
milo. F.B. 322, pp. 21, 23. 1908.
Sudan grass. F.B. 605, p. 18. 1914; F.B. 1126, p. 27. 1920.
moisture—
determination methods. Chem. Bul. 132, pp. 150-151. 1910.
loss in curing. D.B. 353, pp. 27, 28, 37. 1916.
nonsaccharine—
C. W. Warburton. F.B. 288, pp. 28. 1907.
description and characteristics. F.B. 246, p. 8. 1906.
Orange, origin and description. F.B. 458, pp. 7, 9. 1911; F.B. 477, pp. 7-8. 1912; Guam Bul. 3, pp. 15, 17. 1922.
pasturing, practices and caution. F.B. 1125, rev., p. 25. 1920.
plant—
composition. J.A.R., vol. 18, pp. 1-31. 1919.
feeding value. J.A.R., vol. 18, pp. 3-12, 29. 1919.
introduction, cost, and present crop value. Y.B., 1916, pp. 66. 1917; Y.B. Sep. 698, p. 4. 1917.
planter, description. F.B. 458, pp. 7, 9. 1911.
planting—
methods in Texas, rate and yield, comparisons B.P.I. Cir. 106, pp. 9-15, 27. 1913.
preparation of seed. F.B. 584, p. 7. 1914.
production—
and importance. Y.B., 1923, pp. 353-355. 1924; Y.B. Sep. 895, pp. 353-355. 1924.
in Missouri, Barton County. Soil Sur. Adv. Sh., 1912, p. 10. 1914; Soils F.O., 1912, p. 1614. 1915.
prussic-acid content, discussion and recommendations. F.B. 1158, pp. 27-28. 1920.
root systems and leaf area, comparison with corn. J.A.R., vol 6, no. 9, pp. 311-332. 1916.
row planting, methods and seeding rate. F.B. 1158, pp. 10-12, 13-15. 1920.
saccharine—
area and importance. F.B. 246, pp. 9-11. 1906.
culture, preparation of soil. F.B. 246, pp. 20-21, 25. 1906.
drought resistance. F.B. 246, p. 20. 1906.
for forage. Carleton R. Ball. F.B. 246, p. 39. 1906.
growing in manganiferous soils. Hawaii Bul. 26, p. 24. 1912.
harvesting and curing. F.B. 246, pp. 25-29. 1906.
use as forage. Carleton R. Ball. F.B. 246, pp. 37. 1906.
yield under various conditions. F.B. 246, pp. 29-30. 1906.
See also Sorgo.
samples, weight and moisture, comparison. D.B. 353, pp. 12-13, 15-17, 19-20, 21-22. 1916.
sapling—
description. F.B. 458, pp. 8, 9. 1911.
use of name for "Link's Hybrid" sorghum. B.P.I. Cir. 50, p. 14. 1910.
Schrock—
description and yield, tests in Guam. Guam Bul. 3, pp. 6, 14. 1922.
varietal experiments in Oklahoma. D.B. 1175, pp. 33-35, 36, 37. 1923.
seed—
bagging for protection, Ent. Bul. 85, Pt. IV, p. 58. 1910.
bed, preparation. B.P.I. Bul. 237, p. 27. 1912; F.B. 477, pp. 10-11. 1912.
cleaning and saving. F.B. 246, pp. 28, 34. 1906.

Sorghum—Continued.
  seed—continued.
    comparison with Kafir corn as source of alcohol. F.B. 429, p. 17. 1911.
    demand, rate per acre, and source of supply. Y.B., 1917, pp. 514-516. 1918; Y.B. Sep. 757, pp. 20-22. 1918.
    destruction by midge or "blast." F.B. 458, p. 11. 1911.
    fumigation experiments. D.B. 186, p. 5. 1915.
    importations and descriptions. Nos. 36960-36963, 36979-36983, 36998-37000, 37082-37083, 37114-37116, 37377-37379, 37503, 37549-37553. B.P.I. Inv. 38, pp. 6, 14, 18, 22, 35, 38, 54, 67, 72. 1917.
    mosaic transmission, experiments. J.A.R., vol. 24, p. 261. 1923.
    planting rate and methods. F.B. 1158, pp. 10-16. 1920.
    production—
      for control of head smut. J.A.R., vol. 2, pp. 359-360. 1914.
      harvesting, and feed value. F.B 1158, pp. 18-20, 26-27. 1920.
    quantity per acre—
      for forage uses. F.B. 458, pp. 16-17. 1911.
      for sirup making. F.B. 477, p. 11. 1912.
    rate and time of seeding. Guam Bul. 3, p. 19. 1922.
    scarcity, and need of improvement. F.B. 458, pp. 11, 12, 21-22. 1911.
    selection—
      directions for improvement. F.B. 458, pp. 21-22. 1911.
      for replanting. F.B. 477, p. 10. 1912.
      in field, directions. Guam Bul. 3, pp. 23-24. 1922.
    smut—
      control. Sec. [Misc.], Spec., "Sorghum for forage * * * ," p. 2. 1914.
      treatment. B.P.I. Cir. 8, pp. 6-8. 1908.
    storage in Guam. Guam Bul. 3, p. 25. 1922.
    treatment for—
      kernel smut. F.B. 1137, p. 17. 1920.
      smut control. F.B. 1158, pp. 29, 30. 1920.
    use as feed. F.B. 477, p. 38. 1912.
    seeding, date, method, and rate. F.B. 1158, pp. 10-16. 1920.
  shallu—
    history, description, characteristics, and value. B.P.I. Cir. 50, pp. 3-10. 1910; F.B. 827, pp. 1-8. 1917.
    varieties, importations and description. Nos. 42699-42706, B.P.I. Inv. 47, p. 54. 1920.
  silage—
    cattle feeding, comparison with other feeds. D.B. 762, pp. 17-32. 1919.
    use—
      and value. F.B. 556, p. 4. 1913.
      in Southwest. F.B. 1073, p. 14. 1919.
    value and cost. F.B. 334, pp. 9-11. 1908.
    value in South. D.B. 827, p. 42. 1921.
    yield in South Dakota, Belle Fourche experiment farm. D.C. 60, p. 25. 1919.
  sirup—
    acreage, production, and value. Y.B., 1919, p. 637. 1920; Y.B. Sep. 827, p. 637. 1920.
    manufacture. A. A. Denton. F.B. 135, pp. 40. 1902.
    production in United States, 1889, 1899, 1909. D.B. 66, pp. 20-21. 1914.
    statistics, acreage production and prices, 1917-1922. Y.B., 1922, pp. 788-789. 1923; Y.B. Sep. 884, pp. 788-789. 1923.
    See also Sirup.
  smuts—
    Edward M. Freeman and Harry J. C. Umberger. B.P.I. Cir. 8, pp. 9. 1908.
    and varietal resistance in sorghums. George M. Reed and Leo E. Melchers. D.B. 1284, pp. 56. 1925.
    injury to Sudan grass, note. F.B. 605, p. 18. 1914.
    kinds, description, and control methods. B.P.I. Bul. 283, pp. 68-69. 1913; F.B. 939. pp. 14-20. 1918; F.B. 1158, pp. 29-30. 1920.
    seed treatment. F.B. 1137, p. 17. 1920.
  stalks, paper-making experiments. D.B. 309, p. 1. 1915.

Sorghum—Continued.
  sterility, cause and prevention. B.P.I. Cir. 1, p. 9. 1908.
  "Straightneck," use of name for seeded ribbon cane. B.P.I. Cir. 50, p. 14. 1910.
  stunted, poisonous effects. F.B. 724, p. 7. 1916.
  subsoiling, effect on yields, experiments. J.A.R. vol. 14, pp. 500-503. 1918.
  substitute crops to avoid chinch bug. F.B. 1223, p. 30. 1922.
  sugar—
    and sirup, production, 1917. Sec. Cir. 103, p. 10. 1918.
    experiments at Ness City, Kans Chem. Bul. 76, p. 81. 1903.
  sumac—
    description and value as forage crop. F.B. 458, pp. 6, 8, 9, 11, 12, 14. 1911; F.B. 477, p. 8. 1912.
    growing area. F.B. 458, pp. 8, 11. 1911.
    susceptiblity to mosaic disease. D.B. 829, pp. 15, 16. 1919; J.A.R., vol. 24, pp. 259-260. 1923.
  sweet—
    acreage and production, estimates, 1910-1922. M.C. 6, p. 14. 1923.
    best two for forage purposes. F.B. 458, pp. 23. 1911.
    forage yield. F.B. 1158, p. 9. 1920.
    growing for best yields of forage, directions. F.B. 458, pp. 14-17. 1911.
    importations and descriptions. Nos. 33281, 33424, 33425, 33518, 33669, 33670, B.P.I. Inv. 31, pp. 4, 9, 12, 28, 42, 84. 1914.
    planting directions, time, method, and rate of seed. F.B. 458, pp. 15-17. 1911.
    use as—
      forage crop in cotton region. F.B. 509, p 19. 1912.
      stock feed. F.B. 724, pp. 2-3. 1916.
    varieties, growing period, yield, and comparative value as forage. F.B. 458, p. 6. 1911.
    See also Sorgo.
  tannin determinations. J.A.R., vol. 26, p. 258. 1923.
  thin stands, cause of poor yields. D.B. 188, pp. 2-3. 1915.
  three much misrepresented. Carleton R. Ball. B.P.I. Cir. 50, pp. 14. 1910.
  tillers and branches, causes and control. D.B. 188, pp. 2-3. 1915.
  to-ura, importation and discussion. No. 42278, B.P.I. Inv. 46, p. 71. 1919.
  tolerance of salt solutions, experiments. B.P.I. Bul. 113, pp. 10, 13, 14, 17-19. 1907.
  transpiration—
    and environmental data, August 23-29, 1912. J.A.R., vol. 5, No. 14, pp. 592-597, 624. 1916.
    comparison with corn. J.A.R., vol. 13, pp. 579-604. 1918.
    studies, Akron, Colorado. J.A.R., vol. 7, pp. 158-165, 169-182, 188-202, 206. 1916.
  tribe, key to genera, and description. D.B. 772, pp. 20-21, 252-280. 1920.
  two-seeded, mention as black millet. B.P.I. Bul. 175, p. 11. 1910.
  types and varieties, school studies. D.B. 521, pp. 25-26. 1917.
  use and value. F.B. 246, pp. 30-35. 1906.
  use as—
    companion crop with corn in South. B.P.I. Doc. 730, p. 9. 1912.
    food in the Orient. D.B. 470, pp. 1-2. 1916.
    hog forage, Lauderdale County, Miss. Soil Sur. Adv. Sh., 1910, p. 16. 1912; Soils F.O., 1910, p. 744. 1912.
    summer pasture for hogs. F.B. 331, p. 14. 1908.
  use for silage. F.B. 578, pp. 4-5. 1914.
  use in—
    dry farming in Nebraska, yields. D.C. 289, pp. 28, 29. 1924.
    manufacture of alcohol. Chem. Bul. 130, pp. 25-27. 1910.
    manufacture of industrial alcohol, cost. Chem. Bul. 130, pp. 25-26. 1910.
  value for—
    cattle feed, comparison with other feeds. B.A.I. Bul. 103, pp. 11-28. 1908.
    emergency forage crop. Sec. Cir. 36, p. 2. 1911.

Sorghum—Continued.
value for—continued.
fodder crop in semiarid regions. B.P.I. Bul. 215, pp. 33, 36. 1911.
forage and silage. F.B. 724, pp. 6–7. 1916.
hay or silage, semiarid regions. Y.B., 1912, p. 467. 1913; Y.B. Sep. 606, p. 467. 1913.
varietal tests in—
North Dakota, Dickinson substation, 1909 and 1913, yields. D.B. 33, p. 38. 1914.
Nevada, Newlands experiment farm, 1921. D.C. 267, pp. 6–7. 1923.
Texas, San Antonio experiment farm. D.C. 73, p. 24. 1920.
varieties—
adapted to Cotton Belt. Sec. [Misc.] Spec. "Sorghum for forage * * *," pp. 1–2. 1914.
adaptability for hog pastures. F.B. 599, p. 24. 1914.
description. D.B. 772, pp. 266–267. 1920; F.B. 477, pp. 6–10. 1912.
for central and southern Great Plains. H. N. Vinall and R. W. Edwards. D.B. 383, pp. 16. 1916.
growing as ornamentals, characteristics. F.B. 1171, pp. 26–28, 83. 1921.
growing in Oregon, experiments. W.I.A. Cir. 1, p. 11. 1915.
importations and descriptions. Nos. 30437–30457, B.P.I. Bul. 233, pp. 87–88. 1912; Nos. 32061, 32062, B.P.I. Bul. 261, p. 23. 1912; Nos. 36610–36616, 36639, 36670–36672, 36680–36686, 36795, 36932, 36935–36936, B.P.I. Inv. 37, pp. 7, 38, 44, 47, 49, 66, 85. 1916; Nos. 38866, 39264–39282, B.P.I. Inv. 40, pp. 5, 39, 95. 1917; Nos. 40076–40093, B.P.I. Inv. 42, p. 67. 1918; Nos. 40897, 40914, 41244, 41245, B.P.I. Inv. 44, pp. 9, 12, 54. 1918.
introduction, development, acreage, and value. B.P.I. Bul. 175, pp. 13, 29, 32–34. 1910.
yields, San Antonio experiment farm, Texas. B.P.I. Cir, 34, p. 12. 1909.
yields, Yuma experiment farm, Ariz., 1913–1915. W.I.A. Cir. 12, p. 11. 1916.
water—
and dry matter, variations, comparison with corn. J.A.R., vol. 10, pp. 11–46. 1917.
requirement—
comparison with corn. J.A.R., vol. 6, No. 13, pp. 473–484. 1916.
in Colorado and Texas, 1910–1911, experiments. B.P.I. Bul. 284, pp. 14–17, 26–28, 37, 38, 47, 48. 1913.
of different varieties. J.A.R., vol. 3, pp. 20–25, 51, 55, 56, 58. 1914.
webworm, outbreaks in 1921. D.B. 1103, pp. 24–28. 1922.
yield—
at Akron Field Station, 1909–1923. D.B. 1304, pp. 9, 19–20. 1925.
increase after cowpeas. F.B. 318, p. 24. 1908.
under rotation and tillage experiments. D.C. 209, pp. 9–15. 1922.
See also Feterita; Hegari; Kafir; Milo.
Sorgo—
acreage and production in North Carolina, Haywood County. Soil Su. Adv. Sh., 1922, p. 207. 1925.
Amber, varieties, testing in Great Plains. D.B. 1260, pp. 15–51. 1924.
breeding for drought-resistance, experiments. B.P.I. Bul. 196, pp. 10, 20–23, 33. 1910.
Chinese, origin of Amber sorgo, introduction into United States. B.P.I. Bul. 175, pp. 24, 29, 32. 1910.
comparison with Sudan grass. D.B. 981, pp. 23–24. 1921.
Dakota Amber, description, characteristics, yield, and seed production. D.B. 291, pp. 8–12, 19. 1916.
drought resistance—
and forage value. Y.B., 1913, p. 227. 1914.
breeding experiments. D.B. 291, pp. 8–12, 18. 1916.
dry-land growing, experiments and yield. D.C. 339, p. 28. 1925.
effect on grain crops following. D.B. 1306, pp. 14–15, 30. 1925.

Sorgo—Continued.
growing—
for sirup. Y.B., 1923, pp. 206–207. 1924; Y.B. Sep. 893, pp. 73–74. 1924.
in Canada. B.P.I. Bul. 175, p. 35. 1910.
in Italy for brushes. F.B. 768, p. 1. 1916.
hay, comparison with millet and Sudan grass. F.B. 1126, p. 9. 1920.
importance in Great Plains agriculture. D.B. 291, pp. 1–2. 1916.
new variety, description. B.P.I. Bul. 208, pp. 35, 57–58, 59, 61, 78. 1911.
Red Amber, head-smut infection. J.A.R., vol. 2, pp. 342, 344, 350–355. 1914.
root development, early maturity, drought endurance, and water requirements. D.B. 291, pp. 2–3, 8–12, 15–18. 1916.
rotation and tillage, tests at field station near Mandan, N. Dak. D.B. 1301, p. 57. 1925.
seed—
heads, feeding value. F.B. 1389, p. 26. 1924.
production method, yield, 1911–1914, experiments. D.B. 291, pp. 8–12. 1916.
silage yields, comparison with sunflowers. D.B. 1045, p. 18. 1922.
sirup—
acreage, by States. Y.B., 1924, p. 812. 1925.
manufacture. A. Hugh Bryan and Sidney F. Sherwood. F.B. 1389, p. 29. 1924.
smut inoculations, experiments. D.B. 1284, pp. 16–20. 1925.
transpiration, comparison with corn, studies. J.A.R., vol. 13, pp. 579–604. 1918.
varietal tests in Great Plains, and results. D.B. 1260, pp. 13–57. 1924.
varieties—
description and uses. D.B. 772, pp. 266–267. 1920.
from Natal, introduction and adaptation in United States. B.P.I. Bul. 175, pp. 13, 29, 33. 1910.
growth under varying weather conditions. J.A.R., vol. 13, pp. 139–146. 1918.
in India. B.P.I. Bul. 175, p. 23. 1910.
introduction into Europe. B.P.I. Bul. 175, pp. 28, 29, 30. 1910.
list. D.B. 1260, p. 10. 1924.
seed yield, experiments, 1911–1914, with comparisons. D.B. 291, pp. 9–12. 1916.
value for forage, cultural directions, and yields. F.B. 1158, pp. 6–19. 1920.
yield and forage value, comparison with millet and other forage crops, 1908–1914. D.B. 291, pp. 12–15, 19. 1916.
Soricidae. See Shrews.
Sorindeia madagascariensis, importation and description. No. 29047, B.P.I. Bul. 233, p. 18. 1912.
Sorodiscus callitrichis, cause of tissue galls, description. J.A.R., vol. 14, p. 569. 1918.
Sorosporella uvella—
fungous parasite—
of cutworms. F.B. 1223, p. 14. 1922.
on noctuid larvae, studies. A. T. Speare. J.A.R., vol. 18, pp. 399–440. 1920.
occurrence in cutworms in America. J.A.R., vol. 8, pp. 189–194. 1917.
Sorosporium—
reilianum—
synonymy. J.A.R., vol. 2, p. 340. 1914.
See also Smut, head, of sorghum.
syntherismae, occurrence on plants in Texas, description. B.P.I. Bul. 226, p. 53. 1912.
Sorrel—
description, distribution, spread, and products injured. F.B. 660, p. 29. 1915.
growing, experiments with daylight of different lengths. J.A.R., vol. 23, pp. 876, 899. 1923.
indicator of soil acidity. F.B. 431, p. 11. 1911.
mountain, importation and description. No. 39029, B.P.I. Inv. 40, p. 61. 1917.
pest on Shenandoah farm, suggestions. F.B. 432, pp. 25–27. 1911.
seed—
adulterant of redtop seed, description. D.B. 692, p. 22. 1918.
description. F.B. 1411, p. 11. 1924.
sheep, description of seed, appearance in red clover seed. B.P.I. Bul. 84, p. 36. 1905; F.B. 260, p. 16. 1906; F.B. 428, pp. 7, 23, 24. 1911.

Sorrel—Continued.
  soil indicator, in California, Pajaro Valley. Soil Sur. Adv. Sh., 1908, p. 13. 1910; Soils F.O., 1908, p. 1339. 1911.
  use as potherb. O.E.S. Bul. 245, p. 27. 1912.
  wood, smut occurrence, and description, Texas. B.P.I. Bul. 226, p. 105. 1912.
Sorters, mechanical, for potatoes, description and use. F.B. 753, pp. 2, 5, 7, 12–15, 17. 1916.
Sorting—
  apples for packing, description. Mkts. Doc. 4, pp. 5–24. 1917.
  cranberries, methods, relation to rot after packing. D.B. 714, pp. 15–17. 1918; F.B. 1402, pp. 18–19. 1924.
  sweet potatoes in storage, effect on keeping qualities. D.B. 1063, pp. 9–10. 1922.
  tomatoes, systems, feeding rates, and turning devices. D.B. 569, pp. 10–20. 1917.
  wool, objects and methods. D.B. 206, pp. 21–23, 29, 30. 1915.
Soto caballo, importation and description. No. 41303, B.P.I. Inv. 44, p. 61. 1918.
Sotol—
  feed value in emergency feeding. D.B. 745, pp. 17, 19. 1919.
  feeding to range stock, description and value. D.B. 728, pp. 1–2, 9, 13–17, 20–22. 1918.
  sugar test by invertase. Chem. Cir. 50, p. 6. 1910.
  value as source of alcohol. F.B. 429, p. 11. 1911.
SOULE, A. M.—
  "Conformation of beef and dairy cattle." F.B. 143, pp. 44. 1902.
  report of Virginia Experiment Station, work and expenditures, 1906. O.E.S. An. Rpt., 1906, pp. 162–164. 1907.
  "Syllabus of illustrated lecture on silage and silo construction for the South." O.E.S.F.I.L. 5, pp. 31. 1905; rev., pp. 32. 1912.
  "The sphere of agricultural extension." O.E.S. Bul. 231, pp. 39–51. 1910.
SOULE, FRANK: "Irrigation from the San Joaquin River." O.E.S. Bul. 100, pp. 215–258. 1901.
Souma, transmission by stable fly. F.B. 540, p. 9. 1913.
Soup(s)—
  and meats, canning, home, instructions. George E. Farrell. S.R.S. Doc. 9, pp. 4. 1915.
  blanching, scalding, and sterilizing, time table. F.B. 839, pp. 30, 31. 1917.
  canned—
    adulteration. Chem. N.J. 13621. 1925.
    spinach, preparation for table use. S.R.S. Doc. 31, p. 3. 1916.
  canning—
    directions. F.B. 839, pp. 22–26, 31. 1917.
    inspection instructions. D.B. 1084, pp. 36–37. 1922.
    varieties and methods. Chem. Bul. 151, pp. 76–77. 1912.
  chicken, canning recipe. S.R.S. Doc. 80, pp. 22–23. 1918.
  composition, and serving methods. O.E.S. Bul. 245, p. 75. 1912.
  containing peanut butter, recipes. D.C. 128, p. 15. 1920.
  cooking, fireless cooker, directions. O.E.S. Syl. 15, p. 6. 1914.
  cottage cheese, recipes. Sec. Cir. 109, rev., pp. 4–5. 1918.
  cream of mushroom, recipe. F.B. 796, p. 21. 1917.
  dasheen, recipe. B.P.I. Doc. 1110, p. 10. 1914.
  dried beans, peas, or cowpeas, description and recipes. F.B. 721, pp. 21–22. 1916.
  lessons, outlines for first-year classes, and correlative studies. D.B. 540, pp. 34, 51. 1917.
  meat and vegetable, food value, and directions for making. D.B. 27, pp. 6–7. 1913.
  milk, description and recipes. F.B. 712, pp. 19–20. 1916; F.B. 1207, p. 30. 1921; F.B. 1359, pp. 15–16. 1923.
  mixture(s)—
    canning, directions. B.P.I. Doc. 631, rev., pp. 4, 6. 1915.
    dried vegetables, directions for making. F.B. 984, p. 60. 1918.
    drying directions. D.B. 1335, p. 39. 1925; D.C. 3, p. 15. 1919; F.B. 841, p. 22. 1917.

Soup(s)—Continued.
  mixture(s)—continued.
    processing, directions, and time table. F.B. 1211, pp. 48, 50. 1921.
  mutton—
    preparation. F.B. 526, pp. 15–16. 1913.
    recipe. F.B. 1172, p. 20. 1920.
  nourishing, recipes. Food Thrift Ser. 3, pp. 4–5. 1917.
  okra, recipes. F.B. 232, rev. p. 8. 1918.
  peas and beans, directions and recipes. U.S. Food Leaf. 14, pp. 2–3. 1918.
  recipes. F.B. 256, pp. 39–43. 1906; F.B. 717, pp. 13–14. 1916; F.B. 1195, pp. 12–13. 1921.
  recipes for use with fireless cooker. F.B. 771, pp. 12–13, 13–14. 1916; rev., 1918.
  Spanish, recipe. D.C. 160, p. 10. 1921.
  stains, removal from textiles. F.B. 861, pp. 31, 35. 1917.
  stock—
    canning recipes. S.R.S. Doc. 9, pp. 1, 3. 1915; S.R.S. Doc. 80, p. 16. 1918; rev., pp. 16, 22. 1919.
    cooking in fireless cooker. U.S. Food Leaf. 13, p. 4. 1918.
    preparation and canning directions. F.B. 839, pp. 22–23, 31. 1917.
  use of—
    cheese in manufacture. F.B. 487, pp. 32–33. 1912.
    dasheen. B.P.I. Doc. 1110, p. 10. 1914.
    milk, for children, recipe. F.B. 717, p. 8. 1916.
    nuts as ingredient. F.B. 332, p. 17. 1908.
  vegetable—
    concentrated, canning, directions. F.B. 853, pp. 21, 27. 1917.
    recipes for saving meats and cereals. F.B. 871, pp. 7–9. 1917.
    suggestions. D.B. 123, pp. 18, 19, 23, 33, 39, 43, 57–58. 1916.
Sour grass—
  Barbados, value in Virgin Islands. Vir. Is. A.R., 1919, p. 14. 1920.
  description. D.B. 772, pp. 215, 216. 1920.
Sour scab. See Scab, citrus.
Souring of—
  beef caused by Bacillus megatherium. Hubert Bunyea. J.A.R., vol. 21, pp. 689–698. 1921.
  ham, bacteriological study. C. N. McBryde. B.A.I. Bul. 132, pp. 55. 1911.
Sourness, bread, causes, discussion. F.B. 389, p. 35. 1910.
Soursop—
  Bennett, importation and description. No. 51050, B.P.I. Inv. 64, pp. 3, 47. 1923.
  cultivation in Hawaii. Hawaii A.R., 1907, p. 55. 1908.
  importations and descriptions. No. 35285, B.P.I. Inv. 35, p. 33. 1915; No. 43447, B.P.I. Inv. 49, p. 24. 1921; No. 45908, B.P.I. Inv. 54, p. 39. 1922; No. 47108, B.P.I. Inv. 58, p. 25. 1922; Nos. 47871, 47874, B.P.I. Inv. 60, pp. 8, 9. 1922; No. 49258, B.P.I. Inv. 62, p. 17. 1923; No. 54527, B.P.I. Inv. 69, p. 21. 1923.
  infestation with Mediterranean fruit fly in Hawaii. D.B. 536, pp. 24, 25. 1918.
  See also Annona.
Sourwood—
  description and value as honey source in North Carolina. D.B. 489, pp. 10–11. 1916.
  injury to trees by sapsuckers. Biol. Bul. 33, pp. 48, 87. 1911.
  tests for mechanical properties, results. D.B. 556, pp. 33, 41. 1917; D.B. 676, p. 27. 1919.
South—
  advantages for beef production. F.B. 580, pp. 1–4. 1914.
  agricultural conditions, disastrous transition period, 1860–1890. Y.B., 1908, p. 313. 1909; Y.B. Sep. 483, p. 313. 1909.
  beef—
    cattle industry, growth. F. W. Farley. Y.B., 1917, pp. 327–340. 1918; Y.B. Sep. 749, pp. 16. 1918.
    production. W. F. Ward. Y.B., 1913, pp. 259–282. 1914; Y.B. Sep. 627, pp. 259–282. 1914.
    production. W. F. Ward and Dan T. Gray. F.B. 580, pp. 20. 1914.

INDEX TO PUBLICATIONS, 1901–1925

South—Continued.
 coastal plain area, field and crop labor. L. A. Reynoldson. D.B., 1292, pp. 1–28. 1925.
 cooperative demonstration work, mission. Seaman A. Knapp. Sec. Cir. 33, pp. 8. 1910.
 cut-over pine lands for beef-cattle production. F. W. Farley and S. W. Greene. D.B. 827, pp. 51. 1921.
 dairy industry. B. H. Rawl and others. F.B. 349, pp. 37. 1909; B.A.I. An. Rpt., 1907, pp. 307–337. 1909.
 dairying. S. M. Tracy. F.B. 151, pp. 48. 1902.
 dairying, advantages. Sec. [Misc.] Spec., "Advantages of dairying * * *," pp. 4. 1914.
 dairying opportunities. Y.B., 1906, pp. 417–422. 1907; Y.B. Sep. 432, pp. 417–422. 1907.
 economic errors of past, results on rural conditions. Y.B., 1908, pp. 311–313. 1909; Y.B. Sep. 483, pp. 311–313. 1909.
 farm(s)—
  butter making. Sec. [Misc.], "Making farm butter * * *," pp. 4. 1914.
  conditions, causes, and small farm as remedy. Y.B., 1908, pp. 311–320. 1909; Y.B. Sep. 483, pp. 311–320. 1909.
  testing for efficiency in management, method. F.M. Cir. 3, pp. 40. 1919.
 farming factors that make for success. C. L. Goodrich. F.B. 1121, pp. 31. 1920.
 feeding farm cow in. Sec. [Misc.] Spec., "Feeding the farm * * *," pp. 4. 1914.
 feeding hogs in. Dan T. Gray. F.B. 411, pp. 47. 1910.
 forage—
  resources. F.B. 147, pp. 7–9. 1902.
  crops, winter. Carleton R. Ball. F.B. 147, pp. 35. 1902.
 grasses for. Y.B., 1912, pp. 495–504. 1913: Y.B. Sep. 609, pp. 495–504. 1913.
 hay farm, successful. Harmon Benton. F.B. 312, pp. 16. 1907.
 hay growing for market. C. V. Piper and others. F.B. 677, pp. 22. 1915.
 hog—
  feeding. Dan T. Grey. F.B. 411, pp. 47. 1910.
  feeds, home-grown supplementary. F.B. 405, pp. 14–16. 1910.
  raising. S. A. Knapp. Sec. Cir. 30, pp. 8. 1909.
 home garden in. H. C. Thompson. F.B. 647, pp. 28. 1915.
 home gardening in. H. C. Thompson. F.B. 934, pp. 44. 1918.
 horse and mule raising. Sec. [Misc.], Spec., "Horse and mule * * *," pp. 4. 1914.
 land-ownership concentration, results. Y.B., 1923, pp. 530–533. 1924; Y.B. Sep. 897, pp. 530–533. 1924.
 leguminous forage crops for, illustrated lecture. Charles V. Piper and H. B. Hendrick. S.R.S. Syl. 24, pp. 16. 1917.
 lespedeza, growing and forage, value. F.B. 1143, pp. 3–6, 9–11. 1920.
 livestock—
  keeping, suggestions. Y.B., 1913, pp. 281–282. 1914; Y.B. Sep. 627, pp. 281–282. 1914.
  marketing, improvement suggestions. S. W. Doty. F.B. 809, pp. 16. 1917.
 marketing butter and cream. Sec. [Misc.], Spec., "Marketing butter and * * *," pp. 3. 1914.
 mission of cooperative demonstration work. Seaman A. Knapp. Sec. Cir. 33, pp. 8. 1910.
 mountain farmers, cheese-making industry. C. F. Doane and A. J. Read. Y.B., 1917, pp. 147–152. 1918; Y.B. Sep. 737, pp. 8. 1918.
 mountain farms, increase in productiveness. J. H. Arnold. F.B. 905, pp. 28. 1918.
 need of barnyard manure for crops. Y.B., 1913, p. 282. 1914; Y.B. Sep. 627, p. 282. 1914.
 oat growing, fall-sowing and uses. F.B. 1119, pp. 3–4, 20–21. 1920.
 pecan culture, progress. F.B. 700, pp. 3–4. 1916.
 pig raising, how farmers may get a start. Sec. [Misc.], Spec., "How southern farmers * * *," pp. 4. 1914.
 pine lands for beef-cattle production. F. W. Farley and S. W. Greene. D.B. 827, pp. 51. 1921.

South—Continued.
 potato—
  growing as truck crop, details. F.B. 1205, pp. 5–26. 1921.
  production. William Stuart. F.B. 1205, pp. 39. 1921.
 poultry—
  club work. Rob R. Slocum. Y.B., 1915, pp. 195–200. 1916; Y.B. Sep. 669, pp. 195–200. 1916.
  houses for. F.B. 1413, p. 9. 1924.
  raising, suggestions. Sec. [Misc.], Spec., "Suggestions on poultry * * *," pp. 4. 1914.
 road building, use of convict labor. Y.B., 1901, p. 319. 1902.
 rotation systems and insect injury, relations. Y.B., 1911, pp. 201–210. 1912; Y.B. Sep. 561, pp. 201–210. 1912.
 safe farming in 1918, significance. Bradford Knapp. S.R.S. Doc. 82, pp. 7. 1918.
 sheep production on farms. Sec. [Misc.], Spec., "Producing sheep * * *," pp. 3. 1914.
 steer fattening—
  concentrates for, comparison. W. F. Ward and others. D.B. 761, pp. 16. 1919.
  on summer pasture. W. F. Ward and others. D.B. 777, pp. 24. 1919.
 strawberry growing. H. C. Thompson. F.B. 664, pp. 20. 1915.
 timber losses from southern pine beetle. F.B. 1188, pp. 4, 6–7, 9. 1921.
 tomato growing. H. C. Thompson. F.B. 642, pp. 13. 1915.
 wage rates per year, 1860, 1867, 1868. Stat. Bul. 99, pp. 14–15, 22. 1912.
 winter forage crops for. Carleton R. Ball. F.B. 147, pp. 36. 1902.
 winter oats for. C. W. Warburton. F.B. 436, pp. 32. 1911.
South Africa—
 duty, export, on Angora goats. B.A.I. Bul. 27, p. 23. 1906.
 livestock, number of cattle and sheep. Y.B., 1917, pp. 429, 431. 1918; Y.B. Sep. 741, pp. 7, 9. 1918.
 number and value of Angora goats. B.A.I. Bul. 27, p. 70. 1906.
 plant introduction notes. David G. Fairchild. B.P.I. Bul. 25, Pt. V, pp. 13–22. 1903.
 sheep, numbers. Sec. [Misc.] Spec., "Geography * * * world's agriculture," pp. 137, 140. 1917.
South African Union—
 potato production, 1909–1913, 1921–1923. Stat. Bul. 10, p. 20. 1925.
 report of agricultural cooperation, 1907. M.C. 11, p. 8. 1923.
South America—
 agricultural education, progress, 1908. O.E.S. An. Rpt., 1908, pp. 250–251. 1909.
 apple imports from New York, by countries, 1910–1914. D.B. 302, pp. 18–21, 22. 1915.
 apple markets, studies. D.B. 302, pp. 18–21, 22. 1915.
 blackleg occurrence. F.B. 1355, p. 2. 1923.
 citrus white flies, occurrence and descriptions. J.A.R., vol. 6, No. 12, pp. 466, 469. 1916.
 coffee production in. Sec. [Misc.] Spec., "Geography * * * agriculture," p. 94. 1917.
 coffee production, methods, quantity, value, and exports. Stat. Bul. 79, pp. 10, 11–39. 1912.
 cotton production. Atl. Am. Agr. Adv. Sh., Pt. V, sec. A, p. 7. 1919; Y.B., 1921, p. 327. 1922; Y.B. Sep. 877, p. 327. 1922.
 forest products, shipments to United States, 1905–1907. Stat. Bul. 70, pp. 7, 10. 1909.
 forests, extent and per cent of land area. For. Bul. 83, p. 7. 1910.
 fruit production, imports, and exports, 1909–1913. D.B. 483, pp. 12–15. 1917.
 livestock—
  industry. L. B. Burk and E. Z. Russell. D.C. 228, pp. 36. 1922.
  market for United States. David Harrell and H. P. Morgan. Y.B., 1919, pp. 369–380. 1920; Y.B. Sep. 818, pp. 369–380. 1920.
  supply, and efforts to increase. Y.B., 1913, pp. 362–364. 1914; Y.B. Sep. 629, pp. 362–364. 1914.

South America—Continued.
    market for Maine sardines, possibilities. D.B. 908, pp. 119–120. 1921.
    meat industry. A. D. Melvin. Y.B., 1913, pp. 347–364. 1914; Y.B. Sep. 629, pp. 347–364. 1914.
    Mediterranean fruit fly, distribution and ravages. D.B. 536, p. 7. 1918.
    potato shipments, weevil infestation. J.A.R., vol. 1, pp. 347–352. 1914.
    potatoes, production, 1909–1913, 1921–1923. S.B. 10, p. 20. 1925.
    quebracho, distribution and supply. For. Cir. 202, pp. 5–6. 1912.
    rat plagues, periodical. Biol. Bul. 33, p. 17. 1909.
    rice rats, descriptions. N.A. Fauna, 43, pp. 71–96. 1918.
    sardine imports into various countries, value. D.B. 908, p. 120. 1921.
    sheep industry, discussion and maps. Sec. [Misc.] Spec., "Geography * * * agriculture," pp. 136, 137, 140. 1917.
    sheep numbers and wool production and exports. Y.B., 1917, pp. 402, 403, 405, 413. 1918; Y.B. Sep. 751, pp. 4, 5, 7, 15. 1918.
    shorebirds ranging from North America. Biol. Bul. 35, p. 9. 1910.
    sorghum, introduction and distribution. B.P.I. Bul. 175, pp. 31–32. 1910.
    See also North America.
South American—
    countries, trade with United States. D.B. 296, pp. 5–47. 1915.
    trade, need of fast transportation. B.A.I. An. Rpt., 1907, p. 347. 1909.
South Atlantic—
    and Gulf—
        coast regions, strawberry culture. George M. Darrow. F.B. 1026, pp. 40. 1919.
        States, fig growing in. H. P. Gould. F.B. 1031, pp. 45. 1919.
    section, uses of Norfolk fine sandy loam, crops, etc. Soils Cir. 22, pp. 10–12. 1911.
South Atlantic States—
    and Virginia, Piedmont and Blue Ridge region, orchard fruits. H. P. Gould. B.P.I. Bul. 135, pp. 102. 1908.
    corn yields and prices, 1866–1915. D.B. 515, pp. 3, 6–8. 1917.
    cotton-growing development, 1783–1915. Atl. Am. Agr. Adv. Sh., Pt. V, Sec. A, pp. 18–19. 1919.
    farm practice in use of commercial fertilizers. J. C. Beavers. F.B. 398, pp. 24. 1910.
    important soils and their uses. Y.B., 1911, pp. 231–235. 1912; Y.B. Sep. 563, pp. 231–235. 1912.
    physical conditions and soils. F.B. 786, pp. 4–5. 1917.
    school farming, conditions. D.B. 213, pp. 3, 6, 8, 11. 1915.
    vetch growing. A. G. Smith. F.B. 529, pp. 21. 1913.
    wheat yields and prices, 1866–1915. D.B. 514, pp. 3, 6–8. 1917.
South Bend, Ind., milk supply, statistics, and prices. B.A.I. Bul. 46, pp. 34, 72. 1903.
South Carolina—
    agricultural—
        colleges—
            and experiment stations, organization. O.E.S. Bul. 176, pp. 68–69. 1907; O.E.S. Bul. 197, pp. 73–74. 1908; O.E.S. Bul. 224, pp. 62–63. 1910.
            See also Agriculture, workers' list.
        extension work, statistics. D.C. 253, pp. 6, 8, 12–13, 17, 18. 1923.
        organizations, directory. Farm M. [Misc.], "Directory * * * agricultural * * *," p. 50. 1920.
    and North Carolina, eastern, tobacco, flue-cured types, burning quality, improvement. E. H. Mathewson. B.P.I. Doc. 629, pp. 4. 1910.
    and Texas, cotton planted at different dates in weevil-control experiments, behavior. W. W. Ballard and D. M. Simpson. D.B. 1320, pp. 29. 1925.
    Anderson County—
        area, description, soils, topography, drainage, shipping facilities, and markets. D.B. 651, pp. 4–6. 1918.

South Carolina—Continued.
    agricultural—continued.
        cotton growing, notes and tables. D.B. 896, pp. 1–42, 56. 1920.
        farm-management study. A. G. Smith. D.B. 651, pp. 32. 1918.
        farms, efficiency tests. D.C. 83, pp. 7, 9. 1920.
    apple growing, areas, varieties, and production. D.B. 485, pp. 26–27, 44–47. 1917.
    barley crops, 1867–1906, acreage production and value. Stat. Bul. 59, pp. 7–11, 13–15, 16–19, 29. 1907.
    Barnwell County, cotton growing, notes and tables. D.B. 896, pp. 1–42, 57. 1920.
    bean-growing experiments. D.B. 119, pp. 13, 18–19, 20, 21, 23. 1914.
    bee and honey statistics—
        1914–1915. D.B. 325, pp. 9, 10, 11, 12. 1915.
        1918. D.B. 685, pp. 6, 9, 12, 14, 16, 17, 19, 21, 24, 26, 29, 31. 1918.
    Berkeley County, working plan for forest lands. Charles S. Chapman. For. Bul. 56, pp. 62. 1905.
    black and boggy swamp drainage district, in Hampton and Jasper Counties, report. F. G. Eason. D.B. 114, pp. 21. 1914.
    boll-weevil—
        control on cotton planted at different dates. D.B. 1320, pp. 29–41. 1925.
        dispersion line, 1922. D.C. 266, pp. 3, 4. 1923.
        quarantine regulations. Ent. Bul. 114, pp. 167–168. 1912.
    cabbage production, acreage, yield, and shipments. D.B. 1242, pp. 4, 7, 12–18, 36, 47, 49–52. 1924.
    cantaloupe shipments, 1914. D.B. 315, pp. 17, 19. 1915.
    cattle—
        fever quarantine areas—
            November 1, 1911. B.A.I.O. 183, rule 1, rev. 8, p. 6. 1911.
            September 15, 1915. B.A.I.O. 235, amdt. 2, p. 3. 1915.
            December 1, 1917. B.A.I.O. 255, p. 5. 1917.
        quarantine changes. B.A.I.O. 285, amdt. 1, p. 1. 1924.
        sales, cooperative, advantages. F.B 809, p. 9. 1917.
        tick—
            conditions, 1911. B.A.I. Cir. 187, pp. 256, 257. 1912. B.A.I. An. Rpt., 1910, pp. 256, 257. 1912.
            eradication, effect. B.A.I. [Misc.], "Progress * * * cattle-tick eradication," p. 10. 1914; D.C. 184, pp. 44–48. 1921.
    chinch-bug occurrence, seasonal history, study. D.B. 1016, pp. 2–10. 1922.
    cities, dairy products, consumption and prices, 1905–1906. F.B. 349, pp. 14–16. 1909; B.A.I. An. Rpt., 1907, pp. 315–317. 1909; B.A.I. Bul. 70, pp. 6–7. 1905.
    Clemson College, study of Physoderma disease of corn. J.A.R., vol. 16, pp. 151–152. 1919.
    climatological records. B.P.I. Bul. 135, p. 25. 1908.
    closed season for shorebirds and woodcock. Y. B., 1914, p. 293. 1915; Y.B. Sep. 642, p. 293. 1915.
    convict road work, laws. D.B. 414, p. 212. 1916.
    cooperative associations, statistics, and laws. D.B. 547, pp. 13, 22, 34, 40, 75. 1917.
    corn—
        crops, 1866–1906, acreage, production, and value. Stat. Bul. 56, pp. 7–27, 30. 1907.
        growing, directions. F.B. 729, pp. 20. 1916; F.B. 1149, pp. 3–19. 1920.
        yields and prices, 1866–1915. D.B. 515, p. 7. 1917.
    cotton—
        crop, movement, 1899–1904. Stat. Bul. 34, pp. 27–29, 51–53. 1905.
        farm, management. F.B. 364, pp. 1–23. 1909.
        growing—
            costs in representative districts. D.B. 896, pp. 1–5, 7, 10–15, 19–42, 56–57. 1920.
            methods. Atl. Am. Agr. Adv. Sh., Pt. V, Sec. A, pp. 13–14. 1919.
            one-variety communities. D.B. 1111, pp. 35, 39–41. 1922.

INDEX TO PUBLICATIONS, 1901–1925   2237

South Carolina—Continued.
  cotton—continued.
    growth of fruiting parts under humid conditions. J.A.R., vol. 25, pp. 195, 196, 197, 198, 205–206. 1923.
    prices, variations and comparisons. D.B. 457, pp. 3, 4, 6, 7, 8, 9, 11, 12. 1916.
    production—
      1916 and 1917. D.B. 733, pp. 3, 5, 6, 7–8. 1918.
      and yield. D.B. 896, pp. 3–4. 1920.
    records, comparisons. D.B. 529, pp. 3–4. 1917.
    warehouses, number and capacity. D.B. 216, pp. 9, 14, 16, 17, 18. 1915.
  cottonseed, oil content, studies. J.A.R., vol. 3, pp. 239, 243, 246. 1914.
  cowpea seed, growing and shipments. F.B. 1308, pp. 4, 5, 14, 15. 1923.
  credits, farm-mortgage loans, costs and sources. D. B. 384, pp. 2, 3, 5, 7, 10. 1916.
  crops—
    acreage and production, 1909–1919. D.C. 85, pp. 14–19. 1920.
    planting and harvesting dates, important crops. Stat. Bul. 85, pp. 20, 32, 41, 47, 76, 96, 104. 1912.
    yields, relation to cost. Farm M. Cir. 3, pp. 10–12. 1919.
  crow roosts, location, and numbers of birds. Y.B., 1915, p. 95. 1916; Y.B. Sep. 659, p. 95. 1916.
  Darlington—
    area, manurial requirements of Portsmouth sandy loam. F. D. Gardner and F. E. Bonsteel. Soils Cir. 17, pp. 10. 1905.
    County, home demonstration work, results. Y.B., 1916, pp. 264–266. 1917; Y. B. Sep. 710, pp. 14–16. 1917.
  dasheen growing experiment. B.P.I. Bul. 164, p. 28. 1910; B.P.I. Doc. 1110, p. 3. 1914.
  demurrage provisions and regulations. D.B. 191, pp. 3, 12, 13, 14, 15, 16, 17, 27. 1915.
  drainage district, black and boggy swamp, in Hampton and Jasper Counties, report. F. G. Eason. D.B. 114, pp. 21. 1914.
  drainage law. O.E.S. Cir. 76, p. 18. 1907.
  drug laws. Chem. Bul. 98, pp. 173–175. 1906; Chem. Bul. 98, rev., Pt. I, pp. 279–282. 1909.
  drug plants, growing, 1917. Y.B., 1917, p. 171. 1918; Y.B. Sep. 734, p. 5. 1918.
  early settlement, historical notes. See Soil surveys for various counties and areas.
  Experiment Station, work and expenditures—
    1906. J. N. Harper. O.E.S. An. Rpt., 1906, pp. 153–154. 1907.
    1907. J. N. Harper. O.E.S. An. Rpt., 1907, pp. 166–168. 1908.
    1908. J. N. Harper. O.E.S. An. Rpt., 1908, pp. 167–168. 1909.
    1909. J. N. Harper. O.E.S. An. Rpt., 1909, pp. 180–182. 1910.
    1910. J. N. Harper. O.E.S. An. Rpt., 1910, pp. 233–236. 1911.
    1911. J. N. Harper. O.E.S. An. Rpt., 1911, pp. 194–198. 1912.
    1912. J. N. Harper. O.E.S. An. Rpt., 1912, pp. 199–201. 1913.
    1913. J. N. Harper. O.E.S. An. Rpt., 1913, pp. 78–79. 1914.
    1914. J. N. Harper. O.E.S. An. Rpt., 1914, pp. 209–213. 1915.
    1915. J. N. Harper. S.R.S. Rpt., 1915, Pt. I, pp. 239–242. 1916.
    1916. J. N. Harper. S.R.S. Rpt., 1916, Pt. I, pp. 244–248. 1918.
    1917. H. W. Barre. S.R.S. Rpt., 1917, Pt. I, pp. 240–243. 1918.
  extension work—
    funds allotment, and county-agent work. S.R.S. Doc. 40, pp. 4, 7, 11, 18, 23, 25, 28. 1918.
  in agriculture and home economics—
    1915. W. W. Long. S.R.S. Rpt., 1915, Pt. II, pp. 106–114. 1916.
    1916. W. W. Long. S.R.S. Rpt., 1916, Pt. II, pp. 113–123. 1917.
    1917. W. W. Long. S.R.S. Rpt., 1917, Pt. II, pp. 118–125. 1919.
    statistics. D.C. 306, pp. 3, 7, 11, 16, 20, 21. 1924.

South Carolina—Continued.
  fairs, number, kind, location, and dates. Stat. Bul. 102, pp. 13, 14, 60. 1913.
  farm—
    animals, statistics, 1867–1907. Stat. Bul. 64, p. 109. 1908.
    conditions, letters from women, citations. Rpt. 103, pp. 26, 59, 64, 70. 1915; Rpt. 104, pp. 19, 38, 59. 1915; Rpt. 105, pp. 15, 40, 58. 1915; Rpt. 106, pp. 31, 49. 1915.
    leases, provisions. D.B. 650, p. 7. 1918.
    products, value, relation to tenantry. Y.B., 1916, p. 335. 1917; Y.B. Sep. 715, p. 15. 1917.
    value, income, and tenancy classification. D.B. 1224, p. 118. 1924.
    values, changes, 1900–1905. Stat. Bul. 43, pp. 11–17, 29–46. 1906.
  farmers' institutes—
    history. O.E.S. Bul. 174, p. 81. 1906.
    organization. O.E.S. Bul. 241, pp. 36–37. 1911.
    work—
      1904. O.E.S. An. Rpt., 1904, pp. 664–665. 1905.
      1906. O.E.S. An. Rpt., 1906, p. 346. 197.
      1907. O.E.S. An. Rpt., 1907, p. 344. 1908.
      1908. O.E.S. An. Rpt., 1908, p. 325. 1909.
      1909. O.E.S. An. Rpt., 1909, p. 353. 1910.
      1910. O.E.S. An. Rpt., 1910, p. 413. 1911.
      1911. O.E.S. An. Rpt., 1911, p. 378. 1912.
      1912. O.E.S. An. Rpt., 1912, p. 372. 1913.
  fertilizer prices, 1919, by counties. D.C. 57, pp. 4, 6, 9. 1919.
  field work of Plant Industry, December, 1924. M.C. 30, pp. 45–46. 1925.
  food laws—
    1904. Chem. Bul. 83, Pt. II, p. 23. 1904.
    1905. Chem. Bul. 69, rev., Pt. VII, pp. 575–584. 1906.
    1906. Chem. Bul. 104, p. 52. 1906.
    1907. Chem. Bul. 112, Pt. II, pp. 69–72. 1908.
    1908. Enforcement. Chem. Cir. 16, rev., p. 21. 1908.
  forest—
    fires, statistics. For. Bul. 117, p. 35. 1912.
    lands—
      in Berkeley County, working plan for. Charles S. Chapman. For. Bul. 56, pp. 62. 1905.
      in Hampton and Beaufort Counties, working plan for. Thomas H. Sherrard. For. Bul. 43, pp. 54. 1903.
    soil, stand, and trees, varieties. For. Bul. 56, pp. 7–14. 1905.
  funds for cooperative extension work, sources. S.R.S. Doc. 40, pp. 4, 6, 11, 18. 1917.
  fur animals, laws—
    1915. F.B. 706, p. 16. 1916.
    1916. F.B. 783, pp. 18, 27. 1916.
    1917. F.B. 911, pp. 21, 31. 1917.
    1918. F.B. 1022, p. 21. 1918.
    1919. F.B. 1079, pp. 6, 22. 1919.
    1920. F.B. 1165, p. 21. 1920.
    1921. F.B. 1238, p. 20. 1921.
    1922. F.B. 1323, p. 18. 1922.
    1923–24. F.B. 1387, p. 21. 1923.
    1924–25. F.B. 1445, pp. 15–16. 1924.
    1925–26. F.B. 1469, p. 19. 1925.
  game laws—
    1902. F.B. 160, pp. 20, 33, 42, 46, 52, 54. 1902.
    1903. F.B. 180, pp. 15, 25, 37, 44, 46, 55. 1903.
    1904. F.B. 207, pp. 24, 35, 44, 51, 62. 1904.
    1905. F.B. 230, pp. 11, 22, 32, 39, 46. 1905.
    1906. F.B. 265, pp. 9, 21, 31, 38, 46. 1906.
    1907. F.B. 308, pp. 8, 19, 30, 37, 45. 1907.
    1908. F.B. 336, pp. 10, 22, 33, 41, 52. 1908.
    1909. F.B. 376, pp. 6, 9, 17, 18, 26, 35, 40, 43, 50. 1909.
    1910. F.B. 418, pp. 4, 5, 6, 9, 11, 20, 28, 31, 33, 37, 44. 1910.
    1911. F.B. 470, pp. 13, 24, 33, 39, 42, 50. 1911.
    1912. F.B. 510, pp. 4, 6, 9, 10, 20, 25–26, 29, 32, 35, 38, 46. 1912.
    1913. D.B. 22, pp. 20, 31, 41, 46, 49, 56. 1913; D.B. 22, rev., pp. 19, 20, 21, 31, 46, 49, 56. 1913.

South Carolina—Continued.
  game laws—continued.
    1914. F.B. 628, pp. 6, 10, 11, 12, 23, 28–29, 33, 36, 38, 42, 51. 1914.
    1915. F.B. 692, pp. 6, 15, 33, 43, 48, 53, 60. 1915.
    1916. F.B. 774, pp. 10, 30, 41, 47, 49, 52, 60. 1915.
    1917. F.B. 910, pp. 33, 48, 54–55. 1917.
    1918. F.B. 1010, pp. 30, 46, 49. 1918.
    1919. F.B. 1077, pp. 34, 50, 58. 1919.
    1920. F.B. 1138, pp. 36–37. 1920.
    1921. F.B. 1235, pp. 38, 57, 80. 1921.
    1922. F.B. 1288, pp. 35, 55. 1922.
    1923–24. F.B. 1375, pp. 34, 50. 1923.
    1924–25. F.B. 1444, pp. 24–25, 38. 1924.
    1925–26. F.B. 1466, pp. 31, 45. 1925.
  girls' canning clubs, records and work. S.R.S. Doc. 28, pp. 1–4. 1915.
  grain-supervision districts and counties. Mkts. S.R.A. 14, pp. 6, 8. 1916.
  grass demonstrations. B.P.I. Cir. 110, p. 3. 1913.
  Hampton and Beaufort Counties, working plan for forest lands. Thomas H. Sherrard. For. Bul. 43, pp. 54. 1903.
  hay crops, 1866–1906, acreage, production, and value. Stat. Bul. 63, pp. 5–25, 28. 1908.
  herds, list of tested and accredited. D.C. 54, pp. 5, 8, 10, 17, 25, 42, 67, 77. 1919; D.C. 142, pp. 5, 11, 16, 25–49. 1920; D.C. 143, pp. 5, 15, 47, 87. 1920; D.C. 144, pp. 6, 14, 18, 45. 1920.
  horse-breeding condition. B.A.I. An. Rpt., 1906, pp. 247–254. 1908; B.A.I. Cir. 124, pp. 1–9. 1908.
  Hampton and Jasper Counties, black and boggy swamps drainage district, report. F. G. Eason. D.B. 114, pp. 21. 1914.
  hunting laws, Biol. Bul. 19, pp. 13, 14–15, 21, 30, 56–58. 1904.
  interest rates on loans to farmers. Y.B., 1921, pp. 368, 778. 1922; Y.B. Sep. 877, p. 368. 1922; Y.B. Sep. 871, p. 9. 1922.
  irrigation need and possibilities. Y.B., 1911, pp. 316, 319. 1912; Y.B. Sep. 570, pp. 316, 319. 1912.
  irrigation of rice. O.E.S. Bul. 113, p. 59. 1902.
  James Island, method of drainage. O.E.S. Doc. 1136, p. 403. 1908.
  Jasper and Hampton Counties, black and boggy swamp drainage district, report. F.G. Eason. D.B. 114, pp. 21. 1914.
  Lancaster County, manurial requirements of Cecil silt loam. F. D. Gardner and F. E. Bonsteel. Soils Cir. 16, pp. 7. 1905.
  lard supply, wholesale and retail, Aug. 31, 1917, tables. Sec. Cir. 97, pp. 13–31. 1918.
  laws—
    dogs, digest. F.B. 935, p. 20. 1918; F.B. 1268, p. 21. 1922.
    on nursery stock interstate shipment, digest. F.H.B.S.R.A. 57, pp. 114, 115. 1919.
    on nursery stock shipments, interstate. Ent. Cir. 75, rev., p. 7. 1906.
    relating to contagious animal diseases. B.A.I. Bul. 43, pp. 56–57. 1901; B.A.I. Bul. 54, p. 39. 1904.
  leaf miner, studies and laboratory work. D.B. 438, pp. 3, 4, 8, 9, 10, 11, 12, 14. 1916.
  legislation—
    protecting birds. Biol. Bul. 12, rev., pp. 23, 40, 41, 44, 46, 50, 115–116, 137. 1902.
    relative to tuberculosis. B.A.I. Bul. 28, p. 141. 1901.
  lettuce disease, description and cause. J.A.R., vol. 13, pp. 368–370, 373–379, 387. 1918.
  livestock admission, sanitary requirements. B.A.I. Doc. A–28, p. 36. 1917; B.A.I. Doc. A–36, pp. 54–55. 1920; B.A.I. [Misc.], "Sanitary requirements * * *," pp. 33–34. 1915; M.C. 14, p. 70. 1924.
  livestock sanitary control, laws. D.C. 184, pp. 44–48. 1921.
  long-staple cotton growing. D.B. 60, pp. 8–9. 1914.
  lumber cut, 1920, 1870–1920, value and kinds. D.B. 1119, pp. 28, 30–35, 43–59. 1923.
  lumber production, 1918, by mills, by woods, and lath and shingles. D.B. 845, pp. 6–11, 13, 16, 19, 26, 27, 30, 32, 42–47. 1920.

South Carolina—Continued.
  marketing activities and organization. Mkts. Doc. 3, p. 6. 1916.
  marl and phosphate deposits investigations. D.B. 18, pp. 2–3. 1913.
  Marlboro County, soil improvement for cotton. D.B. 659, pp. 32–33. 1918.
  Meadow soil, areas, location and uses. Soils Cir. 68, pp. 14, 21. 1912.
  meteorological data. Chem. Bul. 127, pp. 15, 30, 41, 50. 1909.
  milk inspection. B.A.I. An. Rpt. 1907, p. 325. 1909; F.B. 349, p. 24. 1909.
  milk supply and laws. B.A.I. Bul. 46, pp. 32, 154. 1903.
  Negro extension work and workers, 1908–1921. D.C. 190, pp. 6–9, 23. 1921.
  Norfolk sand, areas, location, and uses. Soils Cir. 44, pp. 13, 19. 1911.
  oat acreage, production, and value, 1866–1906. Stat. Bul. 58, pp. 5–25, 28. 1907.
  Orangeburg—
    fine sandy loam, areas, location, and uses. Soils Cir. 46, p. 20. 1911.
    sandy loam, location and areas. Soils Cir. 47, pp. 3, 15. 1911.
  paprika peppers, cultural experiments and results. D.B. 43, pp. 12–23. 1913.
  pasture land on farms. D.B. 626, pp. 15, 73. 1918.
  peach—
    growing, production, districts, and varieties. D.B. 806, pp. 4, 5, 7, 8, 9, 22. 1919.
    industry, season, and shipments, 1914. D.B. 298, pp. 4, 5, 14. 1916.
    varieties, names and ripening dates. F.B. 918, p. 11. 1918.
  pear growing, distribution and varieties. D.B. 822, p. 10. 1920.
  pecan rosette, occurrence and control experiments. J.A.R. vol. 3, pp. 150, 152. 1914.
  Pee Dee Experiment Station, sweetpotato storage. F.B. 1267, p. 1–12. 1922.
  phosphate—
    deposits. D.B. 312, pp. 2, 5–6. 1915.
    fields, report. Wm. H. Waggaman. D.B. 18, pp. 12. 1913.
    mining, present condition and outlook. D.B. 18, pp. 10–11. 1913.
  rock deposits and forms. Y.B. 1917, pp. 178, 179, 180. 1918; Y.B. Sep. 730, pp. 4, 5, 6. 1918.
  plantations, crops, acreage, location, labor, and tenancy. D.B. 1269, pp. 2–7, 69–72, 75. 1924.
  Porters loam, area and location. Soils Cir. 39, pp. 3, 19. 1911.
  potato—
    crops—
      1866–1906, acreage, production, and value. Stat. Bul. 62, pp. 7–27, 30. 1908.
      early, location, season, varieties, and shipments. F.B. 1316, pp. 3, 4, 5. 1923.
      marketing, digging, and grading, details. F.B. 753, pp. 5, 24, 31. 1916.
    quarantine area for—
      cotton-boll weevil. Ent. Bul. 114, pp. 167–168. 1912.
    Texas fever—
      Apr. 1, 1909; B.A.I. O.158, rule 1, rev. 4, p. 7. 1909.
      Dec. 6, 1909. B.A.I.O. 166, p. 7. 1909.
      1910. B.A.I.O. 168, rule 1, rev. 6, p. 7. 1910.
      1912. B.A.I.O. 187, rule 1, rev. 9, pp. 7, 12. 1912.
    ravages by plant-bug. D.B. 689, p. 13. 1918.
  raw rock-phosphate, field experiments, and results. D.B. 699, pp. 107–108. 1918.
  red spider, on cotton, injury and crop losses. F.B. 831, pp. 5–6. 1917.
  rice industry, early history, and production, 1839–1919. Y.B. 1922, pp. 514–517, 522. 1923. Y.B. Sep. 891, pp. 514–517, 522. 1923.
  rivers, reservoirs, destruction by rapid filling. Y.B. 1913, p. 212. 1914; Y.B. Sep. 624, p. 212. 1914.
  road(s)—
    bond-built, amount of bonds, rate. D.B. 136, pp. 46, 76, 82, 85. 1915.

INDEX TO PUBLICATIONS, 1901–1925 2239

South Carolina—Continued.
road(s)—continued.
building—
early colonial laws. Y.B. 1910, p. 267. 1911; Y.B.Sep. 535, p. 267. 1911.
rock tests, 1916 and 1917. D.B. 670, pp. 18, 27. 1918.
rock tests, results. D.B. 370, pp. 73–74. 1916; D.B. 1132, pp. 32, 50, 52. 1923.
expenditures, bonds, and mileage, 1914. D.B. 387, pp. 3–8, 37–40. 1917.
materials, tests. Rds. Bul. 44, pp. 74–75. 1912.
mileage and expenditures—
1909. Rds. Bul. 41, pp. 33–34, 41, 42, 103–104. 1912.
January 1, 1915. Sec. Cir. 52, pp. 3, 5, 6. 1915.
1916. Sec. Cir. 74, pp. 6, 7, 8. 1917.
work by department, 1913–14. D.B. 284, p. 16. 1915.
rotundifolia grapes, growing. B.P.I. Bul. 273, p. 18. 1913.
rye crops, 1866–1906, acreage, production, and value. Stat. Bul. 60, pp. 5–25, 28. 1908.
school reconstruction. O.E.S. Bul. 232, pp. 17, 31. 1910.
shipments of fruits and vegetables and index to station shipments. D.B. 667, pp. 6–13, 44. 1918.
soil survey of—
Abbeville area. F. W. Taylor and Thomas D. Rice. Soils F.O., 1902, pp. 273–289. 1903; Soil F.O. Sep., 1902, pp. 17. 1903.
Abbeville County. See Abbeville area.
Anderson County. F. W. Taylor and Thomas D. Rice. Soils F.O., 1902, pp. 273–289. 1903; Soil F.O. Sep., 1902, pp. 17. 1903.
Bamberg County. W. E. McLendon. Soil Sur. Adv. Sh., 1913, pp. 40. 1914; Soils F.O., 1913, pp. 231–266. 1916.
Barnwell County. William T. Carter, jr., and others. Soil Sur. Adv. Sh., 1912, pp. 49. 1914; Soils F.O., 1912, pp. 411–455. 1915.
Berkeley County. W. J. Latimer and others. Soil Sur. Adv. Sh., 1916, pp. 42. 1918; Soils F.O., 1916, pp. 483–520. 1921.
Calhoun County. See Orangeburg area.
Campobello area. A. W. Mangum and Aldert S. Root. Soil Sur. Adv. Sh., 1903, pp. 21. 1904; Soils F.O., 1903, pp. 299–315. 1904.
Charleston area. F. E. Bonsteel and E. P. Carr. Soil Sur. Adv. Sh., 1904, pp. 28. 1905; Soils, F.O., 1904, pp. 207–230. 1905.
Charleston County. See Charleston area.
Cherokee County. J. A. Drake and H. L. Belden. Soil Sur. Adv. Sh., 1905, pp. 21. 1906; Soils F. O., 1905, pp. 333–349. 1907.
Chester County. W. E. McLendon and G. A. Crabb. Soil Sur. Adv. Sh., 1912, pp. 41. 1913; Soils, F.O., 1912, pp. 457–493. 1915.
Chesterfield County. W. J. Latimer and others. Soil Sur. Adv. Sh., 1914, pp. 45. 1915; Soils F.O., 1914, pp. 655–695. 1919.
Clarendon County. W. E. McLendon. Soil Sur. Adv. Sh., 1910, pp. 37. 1911; Soils F.O., 1910, pp. 419–451. 1912.
Colleton County. See Charleston area.
Conway area. W. J. Latimer and Cornelius Van Duyne. Soil Sur. Adv. Sh., 1909, pp. 34. 1910; Soils F.O., 1909, pp. 473–502. 1912.
Darlington area. Thomas D. Rice and F. W. Taylor. Soils F.O. Sep., 1902, pp. 17. 1903; Soils F.O., 1902, pp. 291–307. 1903.
Darlington County. See Darlington area.
Dorchester County. W. J. Latimer and others. Soil Sur. Adv. Sh., 1915, pp. 45. 1917; Soils F.O., 1915, pp. 545–585. 1919.
Fairfield County. M. Earl Carr and others. Soil Sur. Adv. Sh., 1911, pp. 37. 1913; Soils F.O., 1911, pp. 479–511. 1914.
Florence County. J. W. Agee and others. Soil Sur. Adv. Sh., 1914, pp. 36. 1916; Soils F.O., 1914, pp. 697–728. 1919.
Georgetown County. W. E. McLendon and others. Soil Sur. Adv. Sh., 1911, pp. 54. 1912; Soils F.O., 1911, pp. 513–562. 1914.
Greenville County. W. I. Watkins and others. Soil Sur. Adv. Sh., 1921, pp. 189–212. 1924.
Greenville County. See also Campobello area.
Greenwood County. See Abbeville area.

South Carolina—Continued.
soil survey of—continued.
Hampton County. M. W. Beck and A. L. Goodman. Soil Sur. Adv. Sh., 1915, pp. 37. 1917; Soils F.O., 1915, pp. 587–619. 1919.
Horry County. B. W. Tillman and others. Soil Sur. Adv. Sh., 1918, pp. 52. 1920; Soils F.O., 1918, pp. 329–376. 1924.
Kershaw County. W. J. Latimer and others. Soil Sur. Adv. Sh., 1919, pp. 71. 1922; Soils, F.O., 1919, pp. 763–829. 1925.
Lancaster County. Aldert S. Root and L. A. Hurst. Soil Sur. Adv. Sh., 1904, pp. 20. 1905; Soils F. O., 1904, pp. 169–184. 1905.
Laurens County. See Abbeville area.
Lee County. Frank Bennett and others. Soil Sur. Adv. Sh., 1907, pp. 27. 1908; Soils F.O., 1907, pp. 323–343. 1909.
Lexington County. W. J. Latimer and others. Soil Sur. Adv. Sh., 1922, pp. 50. 1925.
Marlboro County. Cornelius Van Duyne and others. Soil Sur. Adv. Sh., 1917, pp. 73. 1919; Soils F.O., 1917, pp. 469–537. 1923.
Newberry County. W. J. Latimer and others. Soil Sur. Adv. Sh., 1918, pp. 46. 1921; Soils F.O., 1918, pp. 377–418. 1924.
Oconee County. W. E. McLendon and W. J. Latimer. Soil Sur. Adv. Sh., 1907, pp. 32. 1908; Soils F.O., 1907, pp. 271–298. 1909.
Orangeburg area. Frank Bennett and A. M. Griffen. Soil Sur. Adv. Sh., 1904, pp. 25. 1905; Soils F.O., 1904, pp. 185–205. 1905.
Orangeburg County. J. H. Agee and others. Soil Sur. Adv. Sh., 1913, pp. 39. 1915; Soils F.O., 1913, pp. 267–301. 1916.
Richland County. Cornelius Van Duyne and others. Soil Sur. Adv. Sh., 1916, pp. 72. 1918; Soils F.O., 1916, pp. 521–588. 1921.
Saluda County. W. E. McLendon. Soil Sur. Adv. Sh., 1909, pp. 33. 1910; Soils F.O., 1909, pp. 503–531. 1912.
Spartanburg County. W. J. Latimer and others. Soil Sur. Adv. Sh., 1921, pp. 409–449. 1924.
Spartanburg County. See also Campobello area.
Sumter County. Frank Bennett and others. Soil Sur. Adv. Sh., 1907, pp. 27. 1908; Soils F.O., 1907, pp. 299–321. 1909.
Union County. Clarence Lounsbury and others. Soil Sur. Adv. Sh., 1913, pp. 36. 1914; Soils, F. O., 1913, pp. 303–334. 1916.
York County. J. A. Drake and H. L. Belden. Soil Sur. Adv. Sh., 1905, pp. 28. 1906; Soils F.O., 1905, pp. 309–332. 1907.
Spartanburg forest-insect field station. F.B. 1188, p. 9. 1921.
standard containers. F.B. 1434, p. 18. 1924.
State market centers, cooperative work. Sec. Cir. 56, p. 12. 1916.
strawberry—
growing, practices. F.B. 1026, pp. 3, 35. 1919.
shipments, 1914. D.B. 237, p. 9. 1915; F.B. 1028, p. 6. 1919.
Sudan-grass growing, experiments. B.P.I. Cir. 125, p. 20. 1913.
Summerville, tick eradication experiments. F.B. 639, pp. 1–4. 1915; D.B. 147, p. 15. 1915.
sweetpotato industry. D.B. 1206, pp. 5–7, 9–13. 1924.
tea—
gardens, description, characteristics, and yield. B.P.I. Bul. 234, pp. 35–40. 1912.
growing, introduction, 1800, 1848, 1858, 1880, 1890. B.P.I. Bul. 234, p. 7. 1912.
termites, occurrence and damages. D.B. 333, pp. 20–21. 1916.
timber trees, descriptive notes and list. For. Bul. 43, rev., pp. 26–46. 1907.
tips and fees, prohibition. B.A.I.S.R.A. 102, p. 119. 1915.
tobacco—
conditions, 1911. Stat. Cir. 27, p. 7. 1912.
crop, 1912. Stat. Cir. 43, pp. 2, 3, 8. 1913.
curing, importance of new process. B.P.I. Cir. 48, p. 4. 1910.
growing and industry, details, and statistics. B.P.I. Bul. 244, pp. 32, 56, 64–70. 1912.
growing rank, 1914–1918. Y.B. 1919, p. 154. 1920; Y.B. Sep. 805, p. 154. 1920.

South Carolina—Continued.
  tobacco—continued.
    marketing, inspection, and sales. B.P.I. Bul. 268, pp. 13–27. 1913.
    production and yield. B.P.I. Cir. 48, pp. 8–9. 1910.
    report for July 1, 1912. Stat. Cir. 38, pp. 3, 4, 7. 1912.
  tractors on farms, reports. F.B. 1278, pp. 1–26. 1922.
  truck growing, origin and methods. Y.B., 1907, pp. 426–428. 1908; Y.B. Sep. 459, pp. 426–428. 1908.
  trucking—
    industry, acreage and crops. Y.B., 1916, pp. 440–441, 455–465. 1917. Y.B. Sep. 702, pp. 6–7, 21–31. 1917.
    soils and districts now used. Y.B., 1912, pp. 422, 424–425, 429. 1913; Y.B. Sep. 603, pp. 422, 424–425, 429. 1913.
  use of corn meal in diet. D.B. 215, p. 3. 1915.
  vetch growing. F.B. 529, pp. 5–8, 19–20. 1913.
  wage rates, farm labor, 1845, and 1866–1909. Stat. Bul. 99, pp. 21, 29–43, 68–70. 1912.
  walnut—
    growing and yield. B.P.I. Bul. 254, pp. 19, 102. 1913.
    range and estimated stand. D.B. 933, pp. 7, 9. 1921.
    stand and quality. D.B. 909, pp. 9, 10, 17. 1921.
  Ware Shoals amusement hall, cost, equipment, and uses. D.B. 825, pp. 25–28. 1920.
  water supply, records by counties. Soils Bul. 92, pp. 131–132. 1913.
  wheat acreage—
    and prices, 1866–1915. D.B. 514, p. 7. 1917.
    and varieties. D.B. 1074, p. 215. 1922; F.B. 616, p. 6. 1914; F.B. 885, pp. 1–14. 1917; F.B. 1168, p. 9. 1921.
    production, and value. Stat. Bul. 57, pp. 5–25, 28. 1907; Stat. Bul. 57, rev., pp. 5–25, 28, 37. 1908.
  working plan for forest lands in Berkeley County. Charles S. Chapman. For. Bul. 56, pp. 62. 1905.
  working plan for forest lands in Hampton and Beaufort Counties. Thomas H. Sherrard. For. Bul. 43, pp. 54. 1903.
  See also Atlantic coastal plains.
South Central States—
  corn yields and prices, 1866–1915. D.B. 515, pp. 3, 11–13. 1917.
  rotundifolia grapes, growing. B.P.I. Bul. 273, p. 18. 1913.
  wheat yields and prices, 1866–1915. D.B. 514, pp. 3, 11–13. 1917.
South Dakota—
  agricultural—
    college and experiment station—
      list of workers, 1923. M.C. 4, Pt. II, pp. 66–67. 1923.
      list of workers, 1924. M.C. 17, pp. 61–62. 1924.
      organization, 1905. O.E.S. Bul. 161, pp. 61–62. 1905.
      organization, 1906. O.E.S. Bul. 176, pp. 70–71. 1907.
      organization, 1907. O.E.S. Bul. 197, pp. 75–76. 1908.
      organization, 1910. O.E.S. Bul. 224, pp. 63–64. 1910.
    education extension, 1906. O.E.S. Bul. 196, p. 34. 1907.
    extension work, statistics. D.C. 253, pp. 6, 9, 12–13, 17, 18. 1923.
    organizations, directory. F.M. [Misc.], "Directory * * * agricultural," pp. 50–51. 1920.
  and North Dakota, western—
    dry land grains for Cecil Salmon. B.P.I. Cir. 59, pp. 24. 1910.
    grains for. F. Ray Babcock and others. F.B. 878, pp. 22. 1917.
  antelope in, number and distribution. D.B. 1346, pp. 47–52. 1925.
  apple growing, areas, varieties, and production. D.B. 485, pp. 22–23, 44–47. 1917.

South Dakota—Continued.
  Ardmore Field Station, crops, cultural methods. F.B. 1163, pp. 6–14. 1920; J.A.R., vol. 19, p. 67. 1920.
  barberry occurrence, and eradication work. D.C. 188, pp. 4, 15–18, 21, 34. 1921.
  barley—
    breeding studies and experiments. D.B. 137, p. 2. 1914.
    crops, 1889–1906, acreage, production, and value. Stat. Bul. 59, pp. 17–26, 32. 1907.
  Barnard Community Center, organization and by-laws. F.B. 1192, pp. 25–26. 1921.
  bee—
    and honey statistics—
      1914–1915. D.B. 325, pp. 9, 10, 11, 12. 1915.
      1918. D.B. 685, pp. 7, 9, 13, 14, 16, 18, 19, 22, 24, 26, 29, 31. 1918.
    disease, occurrence. Ent. Cir. 138, p. 20. 1911.
  beef-cattle growing, details, tables, and discussion. Rpt. 111, pp. 13, 15–25, 30, 33–48, 52–55, 61–64. 1916.
  beet-sugar—
    industry, projects and tests. Rpt. 86, p. 80, 1908.
    progress, 1900. Rpt. 69, p. 67. 1901.
  Belle Fourche. See Belle Fourche.
  bird protection, legislation. Biol. Bul. 12, rev., pp. 30, 41, 44, 116, 137. 1902.
  Black Hills, forest types, studies. D.B. 1233, p. 9. 1924.
  Black Hills National Forest, tree seeds, sowing results. For. Bul. 98, p. 48. 1911.
  bounty laws, 1907. Y.B. 1907, p. 564. 1908; Y.B. Sep. 473, p. 564. 1908.
  buckwheat crops, 1889–1895, acreage, production, and value. Stat. Bul. 61, pp. 11–14, 22. 1908.
  Carrington silt loam, acreage, location, and crops adapted. Soils Cir. 57, pp. 7, 8, 10. 1912.
  cattle scabies, quarantine release. B.A.I.O. 167, Amdt. 4, pp. 1, 2. 1912.
  cereals, growing experiments. D.B. 39, pp. 1–37. 1914.
  climate, and soil conditions. D.B. 39, pp. 2–6. 1914.
  closed season for shorebirds and woodcock. Y.B. 1914, pp. 292, 293. 1915; Y.B. Sep. 642, pp. 292, 293. 1915.
  convict road-work, laws. D.B. 414, pp. 212–213. 1916.
  cooperative associations, statistics and laws. D.B. 547, pp. 13, 22, 27, 28, 75. 1917.
  corn—
    crops, 1891–1906, acreage, production, and value. Stat. Bul. 56, pp. 20–27, 33. 1907.
    planting date. F.B. 414, p. 20. 1910.
    production, movements, consumption, and prices. D.B. 696, pp. 15, 16, 20, 28, 29, 33, 36, 41, 51. 1918.
    yields and prices, 1882–1915. D.B. 515, p. 10. 1917.
  credits, farm-mortgage loans, costs and sources. D.B. 384, pp. 2, 3, 4, 7, 8, 10, 12. 1916.
  crops—
    planting and harvesting dates, important crops. Stat. Bul. 85, pp. 24, 35, 43, 58, 70, 79, 92. 1912.
    under irrigation, yield per acre. O.E.S. Bul. 210, pp. 25–26. 1909.
  Custer County refuge, description and work. D.B. 1049, p. 47. 1922.
  damage to wheat by rust, 1904. B.P.I. Bul. 216, pp. 7–8. 1911.
  demurrage provisions, regulations. D.B. 191, pp. 3, 13, 16, 27. 1915.
  description, climate, and water resources. O.E.S. Bul. 210, pp. 7–11. 1909.
  drainage—
    of Red River of the North, plans and surveys. D.B. 1017, pp. 1–89. 1922.
    plans and laws. O.E.S. Bul. 158, pp. 644, 658–667. 1905.
  drug laws. Chem. Bul. 98, pp. 176–179. 1906; rev., Pt. I, pp. 283–288. 1909.
  durum wheat, growing practices. F.B. 1304, pp. 1, 2, 3, 5–15. 1923.
  early settlement, historical notes. See Soil Surveys for various counties and areas.

South Dakota—Continued.
 emmer and spelt growing, experiments. D.B. 1197, pp. 25–26, 35–38. 1924.
 Experiment Station, work and expenditures—
  1906. J. W. Wilson. O.E.S. An. Rpt., 1906, pp. 155–156. 1907.
  1907. J. W. Wilson. O.E.S. An. Rpt., 1907, pp. 168–169. 1908.
  1908. J. W. Wilson. O.E.S. An. Rpt., 1908, pp. 169–171. 1909.
  1909. J. W. Wilson. O.E.S. An. Rpt. 1909, pp. 182–184. 1910.
  1910. J. W. Wilson. O.E.S. An. Rpt., 1910, pp. 237–240. 1911.
  1911. J. W. Wilson. O.E.S. An. Rpt., 1911, pp. 198–201. 1912.
  1912. J. W. Wilson. O.E.S. An. Rpt., 1912, pp. 202–205. 1913.
  1913. J. W. Wilson. O.E.S. An. Rpt., 1913, p. 79. 1915.
  1914. J. W. Wilson. O.E.S. An. Rpt., 1914, pp. 213–216. 1915.
  1915. J. W. Wilson. S.R.S. Rpt., 1915, Pt. I, pp. 242–246. 1916.
  1916. J. W. Wilson. S.R.S. Rpt., 1916, Pt. I, pp. 248–252. 1918.
  1917. J. W. Wilson. S.R.S. Rpt., 1917, Pt. I, pp. 243–247. 1918.
  1918. S.R.S. Rpt., 1918, Pt. I, pp. 28, 34, 56, 61, 68, 71–80. 1920.
 experiments with wheat, oats, and barley. Manley Champlin. D.B. 39, pp. 37. 1914.
 extension work—
  funds allotment, and county-agent work. S.R.S. Doc. 40, pp. 4, 7, 11, 18, 23, 25, 28. 1918.
  in agriculture and home economics—
   1915. E. C. Perisho. S.R.S. Rpt., 1915, Pt. II, pp. 301–304. 1916.
   1916. G. W. Randlett. S.R.S. Rpt., 1916, Pt. II, pp. 335–341. 1917.
   1917. G. W. Randlett. S.R.S. Rpt., 1917, Pt. II, pp. 343–347. 1919.
  statistics. D.C. 306, pp. 3, 7, 11, 16, 20, 21. 1924.
 fairs, number, kind, location, and dates. Stat. Bul. 102, pp. 13, 14, 60–61. 1913.
 Fargo clay loam, area and location. Soils Cir. 36, pp. 3, 16. 1911.
 farm(s)—
  animals, statistics, 1892–1907. Stat. Bul. 64, p. 121. 1908.
  conditions, letters from women. Rpt. 103, p. 50. 1915; Rpt. 104, pp. 20, 29, 48, 51. 1915; Rpt. 105, pp. 17, 62, 64. 1915; Rpt. 106, pp. 35, 52. 1915.
  leases, provisions. D.B. 650, pp. 4, 19. 1918.
  value, income, and tenancy classification. D.B. 1224, p. 119. 1924.
  values, changes, 1900–1905. Stat. Bul. 43, pp. 11–17, 29–46. 1906.
 farmers' institutes—
  for young people. O.E.S. Cir. 99, p. 23. 1910.
  history. O.E.S. Bul. 174, p. 81. 1906.
  laws. O.E.S. Bul. 135, rev., pp. 29–30. 1903.
  organization. O.E.S. Bul. 241, pp. 37–38. 1911.
  report—
   1906. O.E.S. An. Rpt., 1906, p. 347. 1907.
   1907. O.E.S. Bul. 199, p. 25. 1908.
   1908. O.E.S. An. Rpt., 1908, p. 325. 1909.
   1909. O.E.S. An. Rpt., 1909, p. 353. 1910.
   1910. O.E.S. An. Rpt., 1910, p. 413. 1911.
   1911. O.E.S. An. Rpt., 1911, pp. 50, 378. 1912.
   1912. O.E.S. An. Rpt., 1912, p. 372. 1913.
 field stations—
  subsoiling and deep tilling, experiments. J.A.R., vol. 14, pp. 491–493, 511–515. 1918.
  wheat growing, methods, yield, and cost. D.B. 595, pp. 13–16, 33. 1917.
 flax—
  acreage, 1899, 1909, 1913. D.B. 322, p. 4. 1916.
  production, acreage, and methods. D.C. 341 pp. 11–13. 1925.
 food laws—
  1903. Chem. Bul. 83, Pt. I, pp. 126–127. 1904.
  1904. Chem. Cir. 16, pp. 17, 22, 29. 1904.
  1905. Chem. Bul. 69, rev., Pt. VII, pp. 585–598. 1904.

South Dakota—Continued.
 food laws—continued.
  1907. Chem. Bul. 112, Pt. II, pp. 73–82. 1908.
  1908, enforcement. Chem. Cir. 16, rev., pp. 21–22. 1908.
 forest—
  area, 1918. Y.B., 1918, p. 718. 1919; Y.B. Sep. 795, p. 54. 1919.
  fires, statistics. For. Bul. 117, p. 35. 1912.
  planting needs, acreage and conditions. Y.B., 1909, p. 342. 1910; Y.B. Sep. 517, p. 342. 1910.
  reserves. See Forests, national.
  trees, species adaptable, and planting details. F.B. 888, pp. 5–10, 19. 1917.
 forestry laws, 1921, summary. D.C. 239, p. 24. 1922.
 funds for cooperative extension work, sources. S.R.S. Doc. 40, pp. 4, 6, 11, 18. 1917.
 fur animals, laws—
  1915. F.B. 706, pp. 16–17. 1916.
  1916. F.B. 783, pp. 13, 27. 1916.
  1917. F.B. 911, pp. 5, 21. 1917.
  1918. F.B. 1022, pp. 21. 1918.
  1919. F.B. 1079, pp. 6, 22. 1919.
  1920. F.B. 1165, p. 21. 1920.
  1921. F.B. 1238, pp. 20–21. 1921.
  1922. F.B. 1293, p. 18. 1922.
  1923–24. F.B. 1387, pp. 21–22. 1923.
  1924–25. F.B. 1445, p. 16. 1924.
  1925–26. F.B. 1469, p. 19. 1925.
 game—
  and bird reservations, details and summary. Biol. Cir. 87, pp. 4, 9, 10, 12, 16. 1912.
  laws—
   1902. F.B. 160, pp. 20, 33, 42, 46, 52, 54, 56. 1902.
   1903. F.B. 180, pp. 15, 25, 34, 44, 46, 55. 1903.
   1904. G. F.B. 207, pp. 24, 35, 44, 51, 62. 1904.
   1905. F.B. 230, pp. 12, 22, 32, 39, 46. 1905.
   1906. F.B. 265, pp. 21, 31, 38, 46. 1906.
   1907. F.B. 308, pp. 8, 19, 30, 37, 46. 1907.
   1908. F.B. 336, pp. 22, 33, 41, 45, 53. 1908.
   1909. F.B. 376, pp. 6, 10, 14, 18, 27, 33, 35, 40, 43, 45, 50. 1909.
   1910. F.B. 418, pp. 11, 20, 26, 29, 33, 37, 39, 44. 1910.
   1911. F.B. 470, pp. 13, 24, 33, 39, 42, 50. 1911.
   1912. F.B. 510, pp. 20, 25–26, 26, 29, 35, 38, 46. 1912.
   1913. D.B. 22, pp. 16, 20, 21, 32, 41, 46, 49, 57. 1913.
   1914. F.B. 628, pp. 10, 11, 12, 23, 28–29, 33, 36, 38, 42, 51. 1914.
   1915. F.B. 692, pp. 7, 15, 33, 43, 48, 50, 53, 60. 1915.
   1916. F.B. 774, pp. 30, 41, 47, 49, 52, 60. 1916.
   1917. F.B. 910, pp. 34, 48, 55. 1917.
   1918. F.B. 1010, pp. 31, 46. 1918.
   1919. F.B. 1077, pp. 34, 50, 59, 72, 73. 1919.
   1920. F.B. 1138, p. 37. 1920.
   1921. F.B. 1235, pp. 38–39, 57. 1921.
   1922. F.B. 1288, pp. 35–36, 55. 1922.
   1923–24. F.B. 1375, pp. 5, 35, 51. 1923.
   1924–25. F.B. 1444, pp. 25, 38. 1924.
   1925–26. F.B. 1466, pp. 31–32, 45. 1925.
  protection. See Game protection officials.
 grain supervision districts, counties. Mkts. S.R.A. 14, pp. 17, 19–20, 33. 1916.
 hail insurance, law enactment and operation. D.B. 912, pp. 8, 9. 1920; D.B. 1043, p. 16. 1922.
 harvest labor, distribution and wages. D.B. 1230, pp. 25–44. 1924.
 hay crops, 1889–1906, acreage, production, and value. Stat. Bul. 63, pp. 17–25, 30. 1908.
 herds, lists of tested and accredited. D.C. 54, pp. 5, 25, 42, 75, 77, 89. 1919; D.C. 142, pp. 5, 16, 25, 46–49. 1920; D.C. 143, p. 47. 1920, D.C. 144, pp. 6, 8, 14–18, 45, 49. 1920.
 Highmore—
  and Belle Fourche, crop rotation experiments. B.P.I. Bul. 187, pp. 1–78. 1910.
  soil, climate, and grain yields. B.P.I. Cir. 59, pp. 5–6, 9, 10, 15, 16, 18, 19. 1910.
  substation, wheat-growing experiments, results. D.B. 878, pp. 21–22. 1920.
 hog cholera control experiments, results. D.B 584, pp. 8, 10. 1917.

South Dakota—Continued.
  hunting laws. Biol. Bul. 19, pp. 13, 18, 21, 28, 30, 61, 63. 1904.
  irrigation—
    districts, and their statutory relations, notes. D.B. 1177, pp. 4, 5, 16, 26, 27, 28, 51. 1923.
    history, water rights, fees, duties of officers, etc. O.E.S. Bul. 168, pp. 86–90. 1906.
    in. Samuel H. Lea. O.E.S. Bul. 210, pp. 60. 1909.
    in Black Hills. O. B. Crane. O.E.S. Bul. 133, pp. 166–177. 1903.
    recent legislation. O.E.S. An. Rpt., 1909, pp. 401, 402, 403, 404, 409. 1910.
  kaoliang varieties, testing, 1909 and 1910. B.P.I. Bul. 253, pp. 37, 60–62. 1913.
  lake region, bird-breeding conditions. Y.B., 1917, pp. 5–6. 1918; Y.B. Sep. 723, pp. 5–6. 1918.
  land(s)—
    forest, waste, grazing, and irrigated. O.E.S. Bul. 210, pp. 20–25. 1909.
    grants for parks, provision. F.B. 1466, p. 2. 1925.
  lard supply, wholesale and retail, August 31, 1917, tables. Sec. Cir. 97, pp. 13–31. 1918.
  law(s)—
    community buildings. F.B. 1192, p. 38. 1921.
    dog control, digest. F.B. 935, p. 20. 1918; F.B. 1268, p. 22. 1922.
    nursery stock, interstate shipment, digest. Ent. Cir. 75, rev., p. 7. 1909; F.H.B.S.R.A. 57, pp. 114, 115. 1919.
    relating to contagious animal diseases. B.A.I. Bul. 43, pp. 57–58. 1901.
    legislation relative to tuberculosis. B.A.I. Bul. 28, pp. 141–142. 1901.
    livestock admission, sanitary requirements. B.A.I. [Misc.], "State sanitary requirements * * * 1911" p. 19. 1911; B.A.I. Doc. A-28, pp. 36–37. 1917; B.A.I. Doc. A-36, pp. 55–56. 1920; M.C. 14, pp. 70–71. 1924.
    loan of State funds to farmers. D.B. 1047, p. 23. 1922.
  lumber—
    cut, 1920, 1870–1920, value, and kinds. D.B. 1119, pp. 28, 30–35, 44, 57, 59. 1923.
    production, 1918, by mills, by woods, and lath and shingles. D.B. 845, pp. 6–11, 14, 16, 23, 42–47. 1920.
  statistics. Rpt. 116, pp. 6–11, 31, 37–38, 51. 1918.
  Mayville State Normal School, agricultural, teaching methods. O.E.S. Cir. 90, pp. 1–31. 1909.
  milk—
    campaign, budget. D.C. 250, p. 16. 1923.
    supply and laws. B.A.I. Bul. 46, p. 155. 1903.
  national forests, location, date, and area, January 31, 1913. For. [Misc.], "The use book, 1913," pp. 87, 88. 1913.
  Newell—
    climatic conditions, 1908–1919. D.B. 1039, pp. 5–11. 1922.
    corn varieties, testing. D.B. 307, pp. 10–12, 19. 1915.
    oats varietal tests, yields and ripening dates. D.C. 324, pp. 6–7, 8. 1924.
  nurseries, alfalfa proliferation studies. B.P.I. Cir. 115, pp. 7, 8, 12. 1913.
  oat—
    acreage and production, 1917. Sec. [Misc.], Spec. "Geography * * * world's agriculture," p. 37. 1917.
    production and value—
      1866–1906. Stat. Bul. 58, p. 31. 1907.
      1891–1906. Stat. Bul. 58, pp. 18–25, 31. 1907.
    production and yields, 1900–1909. F.B. 420, pp. 8, 9. 1910.
    growing, varietal experiments. D.B. 823, pp. 25, 29, 43–45, 49, 61, 67. 1920.
    tests, comparison with other varieties. F.B. 395, pp. 20–21. 1910.
  pasture land on farms. D.B. 626, pp. 15, 74–75. 1918.
  pear growing, distribution, and varieties. D.B. 822, p. 9. 1920.
  plum curculio, occurrence and distribution. Ent. Bul. 103, pp. 22, 24. 1912.
  pocket gophers, occurrence and description. N.A. Fauna 39, pp. 9, 23–28, 98–103. 1915.

South Dakota—Continued.
  potato crops, 1889–1906, acreage, production, and value. Stat. Bul. 62, pp. 18–27, 33. 1908.
  proso variety, growing and yields. F.B. 1162, pp. 4, 5, 6, 10, 11. 1920.
  quarantine for—
    cattle scabies, January 15, 1910. B.A.I.O. 167, rule, 2, rev. 3, p. 1. 1909.
    sheep scabies, areas released. B.A.I.O. 146, amdt. 3, p. 1. 1909.
  rainfall—
    1908–1914. D.B. 291, pp. 3–4. 1916.
    map and table. B.P.I. Bul. 188, pp. 41, 61–62. 1910.
  reforestation, choice of sites, methods and species. D.B. 475, pp. 37, 39, 57–58, 63. 1917.
  reservoirs, small, with Wyoming and Montana. F. C. Hermann. O.E.S. Bul. 179, pp. 1–100. 1907.
  rivers, description, stream measurement, and utilization. O.E.S. Bul. 210, pp. 11–19. 1909.
  road(s)—
    bond-built, amount of bonds and rate. D.B. 136, pp. 46, 61, 76, 85. 1915.
    building rock tests—
      1916 and 1917. D.B. 670, p. 18. 1918.
      results, table. D.B. 370, p. 74. 1916; D.B. 1132, pp. 32, 52. 1923.
    conditions, mileage, and costs. D.B. 389, pp. 3, 4, 5, 6, 7, 45–47, XXV, LIX. 1917.
    mileage and expenditures—
      1904. Rds. Cir. 57, pp. 3. 1906.
      1909. Rds. Bul. 41, pp. 34, 41, 42, 104–105. 1912.
      1915. Sec. Cir. 52, pp. 3, 5, 6. 1915.
      1916. Sec. Cir. 74, pp. 6, 7, 8. 1917.
    rural-credit law. Off. Rec., vol. 2, No. 46, p. 1. 1923.
  rye crops, 1889–1906, acreage, production, and value. Stat. Bul. 60, pp. 16–25, 31. 1908.
  scabies in cattle, quarantine area. B.A.I.O. 167, amdt. 2, pp. 2. 1911.
  schools, agricultural, work. O.E.S. Cir. 106, rev., pp. 18, 24. 1912.
  shelter-belt demonstrations. D.B. 1113, pp. 3–6, 16–24. 1923.
  shipments of fruits and vegetables, and index to station shipments. D.B. 667, pp. 6–13, 44. 1918.
  soil survey of—
    Beadle County. W. I. Watkins and others. Soil Sur. Adv. Sh., 1920, pp. 24. 1924; Soils F.O., 1920, pp. 1475–1499. 1925.
    Belle Fourche area. A. T. Strahorn and C. W. Mann. Soil Sur. Adv. Sh., 1907, pp. 31. 1908; Soils F.O., 1907, pp. 881–907. 1909.
    Brookings area. Frank Bennett, jr. Soil Sur. Adv. Sh., 1903, pp. 19. 1904; Soils F.O., 1903, pp. 963–977. 1904.
    Brookings County. See Brookings area.
    Butte County. See Belle Fourche area.
    McCook County. W. I. Watkins and others. Soil Sur. Adv. Sh., 1921, pp. 451–471. 1924.
    Meade County. See Belle Fourche area.
    Union County. J. A. Kerr and others. Soil Sur. Adv. Sh., 1921, pp. 473–508. 1924.
  sorghum growing, experiments. J.A.R., vol. 6, No. 7, pp. 262, 263–271. 1916.
  southeastern, farms owning motor trucks, reports. D.B. 931, pp. 3, 4. 1921.
  spring wheat production, 1909–1914. Y.B., 1914, p. 397. 1915; Y.B. Sep. 649, p. 397. 1915.
  stallions, number, classes, and legislation controlling. Y.B., 1916, pp. 290, 291, 293, 296. 1917; Y.B. Sep. 692, pp. 2, 3, 5, 8. 1917.
  standard containers. F.B. 1434, p. 18. 1924.
  strawberry shipments, 1915. F.B. 1028, p. 6. 1919.
  subsoil water, field records. Soils Bul. 93, pp. 5–7, 40. 1913.
  Sudan grass, growing experiments. B.P.I. Cir. 125, pp. 4, 13–14. 1913.
  Swedish Select oat, experiments and results. B.P.I. Bul. 182, pp. 16–18, 22–23, 24–25. 1910.
  Trebi barley growing, experiments and yields. D.C. 208, pp. 6–8. 1922.
  trees and fruits adapted, experimental planting. B.P.I. Cir. 119, pp. 27. 1913.
  village park and public baths, description. F.B. 1388, pp. 9–10. 1924.

INDEX TO PUBLICATIONS, 1901–1925   2243

South Dakota—Continued.
  wage rates, farm labor, 1866–1909. Stat. Bul. 99, pp. 29–43, 68–70. 1912.
waters—
  appropriated and unappropriated for irrigation. O.E.S. Bul. 210, pp. 16–19. 1909.
  rights, officials. D.B. 913, p. 3. 1920.
  supply, records by counties. Soils Bul. 92, pp. 133–135. 1913.
western—
  Bad Lands, description, location, and utilization. Soil Sur. Adv. Sh., 1909, pp. 46–49. 1911; Soils F.O., 1909, pp. 1442–1445. 1912.
  dry farming. O. R. Mathews. F.B. 1163, pp. 16. 1920.
  dry-land grains, also western North Dakota. Cecil Salmon. B.P.I. Cir. 59, pp. 24. 1910.
  grains for, also western North Dakota. F. Ray Babcock and others. F.B. 878, pp. 22. 1917.
  reconnaissance soil survey. George N. Coffey and others. Soil Sur. Adv. Sh., 1909, pp. 80. 1911; Soils F.O., 1909, pp. 1401–1476. 1912.
  stock raising, statistics for 1905, 1909. Soil Sur. Adv. Sh., 1909, pp. 66–67. 1911; Soils F.O., 1909, pp. 1462–1463. 1912.
  winter wheat. Cecil Salmon. B.P.I. Cir. 79, pp. 10. 1911.
wheat—
  acreage—
    and production. D.B. 1198, p. 3. 1924.
    * and production, 1918–1920. D.B. 1020, p. 5. 1922.
    and varieties. D.B. 1074, p. 215. 1922.
    and yield. 1917. Sec. [Misc.], Spec. "Geography * * * world's agriculture," p. 19. 1917.
    production, and value. Stat. Bul. 57, pp. 18–25, 31. 1907; Stat. Bul. 57, rev., pp. 18–25, 31, 38. 1908.
  losses, causes and extent, 1909–1919. D.B. 1020, p. 13. 1922.
  grades received. Mkts. S.R.A. 36, pp. 9, 11, 12. 1918.
  growing—
    cost data. D.B. 943, pp. 1–59. 1921.
    for environment experiments. Chem. Bul. 128, pp. 1–18. 1910.
    under irrigation, Marquis and other varieties. D.B. 400, pp. 35–36. 1916.
  production—
    1902–1904. Stat. Bul. 38, p. 18. 1905.
    and per cent of durum wheat, 1909–1916. D.B. 618, pp. 6–9. 1918.
    periods. Y.B., 1921, pp. 94, 96. 1922; Y.B., Sep. 873, pp. 94, 96. 1922.
  winter growing. F.B. 895, p. 7. 1917.
  yields—
    and prices, 1882–1915. D.B. 514, p. 10. 1917.
    variation with rainfall. B.P.I. Bul. 188, pp. 26, 27, 28. 1910.
wild oats, eradication in hard spring wheat area. F.B. 833, pp. 1–16. 1917.
Wind Cave National—
  Game Preserve, conditions, 1918. An. Rpts., 1918, pp. 268–269. 1919; Biol. Chief Rpt., 1918, pp. 12–13. 1918.
  Park, purchase and cost. D.B. 1049, pp. 45, 46. 1922.
yellow pine, area, annual cut, and stumpage. D.B. 1003, pp. 12, 13. 1921.
See also Great Plains area.
South Omaha, Nebr., milk supply, statistics, officials, and prices. B.A.I. Bul. 46, pp. 36, 110. 1903.
South Platte River, Colo., description and measurements. O.E.S. Bul. 218, pp. 15–17. 1910.
South St. Paul, prices of livestock, range monthly, 1917–1924. S.B. 5, pp. 63–66. 1925.
SOUTHARD, LYDIA: "Dietary studies in Boston and Springfield, Mass., Philadelphia, Pa., and Chicago, Ill." With others. O.E.S. Bul. 129, pp. 103. 1903.
Southeast, corn growing. C. H. Kyle. F.B. 1149, pp. 19. 1920.
Southeastern States—
  bean-beetle introduction and spread. F.B. 1407, pp. 1–5. 1924.
  corn culture. C. H. Kyle. F.B. 729, pp. 20. 1916.

Southeastern States—Continued.
  hog farming systems. E. S. Haskell. F.B. 985, pp. 40. 1918.
  rye growing. Clyde Leighty. F.B. 894, pp. 16. 1917.
Southeastern United States, common birds in relation to agriculture. F. E. L. Beal and others. F.B. 755, pp. 40. 1916.
Southern—
  agricultural schools, home economics, first-year course. Louise Stanley. D.B. 540, pp. 58. 1917.
  cattle fever. See Splenetic fever, cattle; Texas fever; Tick fever.
  cities, milk supply—
    of 29. C. F. Doane. B.A.I. Bul. 70, pp. 40. 1905.
    production, care, distribution, and inspection. B.A.I. An. Rpt., 1907, pp. 318–329. 1909; F.B., 349, pp. 17–28. 1909.
  Commercial Congress, discussion of agricultural education. O.E.S. An. Rpt., 1912, pp. 302–304. 1913.
  farmers, pig raising, getting a start. Sec. [Misc.], Spec. "How southern farmers * * *," pp. 4. 1914.
  farms, mountain, making more profitable. J. H. Arnold. F.B. 905, pp. 28. 1918.
  fever, cattle. See Splenetic fever, cattle; Tick fever.
  field pea. See Cowpea.
  Great Plains area. See Great Plains, southern.
  hay crop, perennial, Natal grass. S. M. Tracy. F.B. 726, pp. 16. 1916.
  mountain farms, making more productive. J. H. Arnold. F.B. 905, pp. 28. 1918.
  rural schools, exercises with plants and animals. E. A. Miller. D.B. 305, pp. 63. 1915.
Southern Hemisphere, growth of dairy industry. B.A.I. Dairy [Misc.], "World's dairy congress 1923," pp. 23–25. 1924.
Southern Railway Company, violation of cattle quarantine act, court decision, South Carolina District. Sol. Cir. 50, pp. 1–7. 1911.
Southern States—
  agricultural—
    development, bearing of foreign explorations. S.A. Knapp. B.P.I. Bul. 35, pp. 44. 1903.
    progress since 1904. Sec. Cir. 56, pp. 3–5, 13. 1916.
  agriculture, correlation with public school subjects. C. H. Lane and E. A. Miller. D.B. 132, pp. 41. 1915.
  alfalfa growing, special instruction. F.B. 339, pp. 43–44. 1908.
  Argentine ant, distribution and dispersion. D.B. 377, pp. 2–5. 1916.
  bird counts, results, 1915. D.B. 396, pp. 10–11. 1916.
  boys' agricultural club work, organization. O. B. Martin and I. W. Hill. Revised by I. W. Hill and C. L. Chambers. S.R.S. Doc. 27, pp. 10. 1915; S.R.S. Doc. 27, rev., pp. 22. 1918.
  building sand-clay roads in. W. L. Spoon. Y.B., 1903, pp. 259–296. 1904; Y.B. Sep. 332, pp. 259–296. 1914.
  cattle-tick eradication, laws. D.C. 184, pp. 1–71. 1921.
  cholera-control work, important results. Y.B., 1918, p. 192. 1919; Y.B. Sep. 777, p. 4. 1919.
  corn crops, 1916, 1917. Sec. Cir. 84, p. 8. 1918.
  cotton acreage and production. Sec. [Misc.], Spec. "Geography * * * world's agriculture," pp. 50, 53. 1917.
  cotton-crop importance. Y.B., 1921, pp. 323–324. 1922; Y.B. Sep. 877, pp. 323–324. 1922.
  crop acreage and value, 1916 and 1917. S.R.S. Doc. 82, p. 7. 1918.
  dasheen, as a root crop. Robert A. Young. B.P.I. Cir. 127, pp. 25–36. 1913.
  demonstrations in marketing and purchasing. Bradford Knapp. Y.B., 1919, pp. 205–222. 1920; Y.B. Sep. 808, pp. 205–222. 1920.
  drainage—
    pumping plants, tests. W. B. Gregory. D.B. 1067, pp. 54. 1922.
    work, notable instances. Y.B., 1918, p. 140. 1919; Y.B. Sep. 781, p. 6. 1919.

Southern States—Continued.
  extension work—
    in agriculture and home economics—
      1915. S.R.S. Rpt., 1915, pt. II, pp. 13–145. 1917.
      1918. S.R.S. Rpt., 1918, Pt. II, pp. 23–71. 1919.
    status and results, 1903–1921. W. B. Mercier. D.C. 248, pp. 38. 1922.
  farm—
    abandonment, causes. Rpt. 70, pp. 29–30. 1901.
    management efficiency, testing. Farm M. Cir. 3, pp. 1–40. 1919.
  farming, special opportunities. Y.B., 1904, pp. 186–190. 1905; Y.B. Sep. 340, pp. 186–190. 1905.
  fig-industry development and outlook. D.B. 732, pp. 26–27, 40. 1918.
  foodstuffs production, shortage. Y.B., 1914, pp. 18, 19. 1915.
  forage plants, introduction and experiments. Y.B., 1908, pp. 248–260. 1909; Y.B. Sep. 478, pp. 248–260. 1909.
  forest planting conditions. Y.B., 1909, p. 340. 1910; Y.B. Sep. 517, p. 340. 1910.
  hairy-vetch seed growing. D.B. 876, pp. 26–29. 1920.
  hill-land erosion, preventive method. S.R.S. Doc. 41, p. 1. 1917.
  hog pastures for. Lyman Carrier and F. G. Ashbrook. F.B. 951, pp. 20. 1918.
  irrigation need and possibilities. Y.B., 1911, pp. 315–316, 319–320. 1912; Y.B. Sep. 570, pp. 315–316, 319–320. 1912.
  lumber cut, percentage of total, 1850–1914. Rpt. 114, p. 6. 1917.
  malarial conditions. Ent. Bul. 78, pp. 9–10, 12–14. 1909.
  mole cricket occurrence. P.R. Bul. 23, pp. 5, 6. 1918.
  oat production, acreage, and value, 1900–1909. F.B. 436, pp. 3–5, 30. 1911.
  pine—
    destruction by southern pine beetle. Ent. Bul. 83, Pt. I, pp. 63–67. 1909.
    dying, cause, extent, and remedy. A. D. Hopkins. F.B. 476, pp. 15. 1911.
    forests, depletion. M.C. 15, p. 5. 1924.
  plantation system, area, extent, organization, and labor. D.B. 1269, pp. 2–38, 69–77. 1924.
  potato brown-rot-prevalence. D.C. 281, p. 3. 1923.
  pulp-wood requirements, and resources. D.B. 1241, pp. 55–57. 1924.
  revenues applied to roads and bridges, 1914, comparison with 1904. D.B. 387, pp. 3–4. 1917.
  road—
    building, progress. Rds.Bul. 23, p. 82. 1902.
    building with convict labor. J. A. Holmes. Y.B., 1901, pp. 319–332. 1902; Y.B. Sep. 240, pp. 319–332. 1902.
    conventions and object-lesson roads constructed under supervision of Office of Public Roads, with cooperation of the Southern Railway. Rds. Bul. 23, pp. 89. 1902.
    mileage and revenues. D.B. 387, pp. 123. 1917.
  safe farming in—
    1919. Bradford Knapp. S.R.S. Doc. 96, pp. 16. 1919.
    1920. Bradford Knapp. D.C. 85, pp. 19. 1920.
  Sclerotium rot, prevalence. J.A.R., vol. 18, pp. 127–131, 136. 1919.
  special road problems. D. H. Winslow. Rds. Cir. 95, pp. 15. 1911.
  spring grain aphid, life-history studies. J.A.R., vol. 14, pp. 97–110. 1918.
  spring lambs, production methods, costs, and profits. F.B. 457, pp. 16–20. 1911.
  strawberry growing, extension. F.B. 1043, pp. 4, 5–6, 23. 1919.
  sweetpotato weevil, distribution and spread. F.B. 1020, pp. 3–4, 8–10. 1919.
  tests of drainage pumping plants. W. B. Gregory. D.B. 1067, pp. 54. 1922.
  tick-eradication effects. B.A.I. [Misc.], "A tick-free South," pp. 15. 1917.

Southern States—Continued.
  truck crops, conditions and acreage. Y.B., 1916, pp. 438–444, 445–446, 448. 1917; Y.B. Sep. 702, pp. 4–10, 11–12, 14. 1917.
  velvet beans, distribution, growing, and uses. F.B. 962, pp. 1–39. 1918.
  woodlands, making profitable. Wilbur R. Mattoon. F.B. 1071, pp. 38. 1920.
Southwest—
  cattle production on ranges, increase. D.B. 588, pp. 1–32. 1917.
  citrus fruit growing. A.D. Shamel and others. F.B. 1447, pp. 42. 1925.
  date growing, present status. B.P.I. Cir. 129, pp. 3–7. 1913.
  Egyptian cotton-growing—
    methods. B.P.I. Cir. 123, pp. 21–28. 1913.
    suggesions. Carl S. Scofield. B.P.I. Doc. 717, pp. 10. 1912.
  forestry information for social and civic organization. M.C. 15, pp. 1–16. 1924.
  gardens, special vegetables, directions for growing. D.C. 48, p. 11. 1919.
  mistletoe pest in. William L. Bray. B.P.I. Bul. 166, pp. 39. 1910.
  national forests, number, acreage, and uses. M.C. 15, p. 8. 1924.
  pine, western yellow—
    natural reproduction. G. A. Pearson. D.B. 1105, pp. 144. 1923.
    reproduction. G. A. Pearson. For. Cir. 174, pp. 16. 1910.
    typical forms, distribution, and size. For. Bul. 101, pp. 5–25. 1911.
  potato-marketing methods. F.B. 753, p. 30. 1916.
  range(s)—
    cattle production increase. James T. Jardine and L. C. Hurtt. D.B. 588, pp. 32. 1917.
    sections, cattle feeds, and suggested rations. F.B. 1073, pp. 14, 16. 1919.
  soil, character and agricultural value, by series. Soils Bul. 55, pp. 188–191. 1909.
  timber requirements and consumption per capita. M.C. 15, p. 13. 1924.
  traction plowing. B.P.I. Bul. 170, pp. 10–11. 1910.
Southwestern ranges, cattle production on, increase. James T. Jardine and L. C. Hurtt. D.B. 588, pp. 32. 1917.
Southwestern States—
  cotton acreage. Sec. [Misc.], Spec. "Geography * * * world's agriculture," pp. 50, 53. 1917.
  date palm and its utilization. Walter T. Swingle. B.P.I. Bul. 53, pp. 155. 1904.
  occurrence of Prunus sp., pubescent-fruited. Silas C. Mason. J.A.R., vol. 1, pp. 147–178. 1913.
  sheep statistics, comparison with Australia. D.B. 313, p. 4. 1915.
  windbreaks, composition and direction. F.B. 788, p. 13. 1917.
Southwestern United States—
  Egyptian cotton in. Thomas H. Kearney and William A. Peterson. B.P.I. Bul. 128, pp. 71. 1908.
  olive growing. C.F. Kinman. F.B. 1249, pp. 43. 1922.
Sow(s)—
  alfalfa pasture and grain rations, Belle Fourche Experiment Farm. D.C. 60, pp. 30–32. 1919.
  and pigs, feed and pasture requirements. Y.B., 1907, pp. 396–398. 1908; Y.B. Sep. 456, pp. 396–398. 1908.
  bred, retention on farms, importance. News L., vol. 5, No. 42, p. 4. 1918.
  breed, selection, and management. B.A.I. Bul. 47, pp. 31–60. 1904.
  breeding—
    and management, feeding and care. F.B. 205, pp. 24–30. 1904; Hawaii Bul. 48, pp. 17–19, 29. 1923.
    desirable points. Sec. Cir. 83, pp. 6–7. 1917.
    gestation table. F.B. 874, p. 15. 1917.
    number, April 1, 1915, with comparisons. F.B. 672, p. 17. 1915.
    selection, and management. F.B. 205, pp. 19–22. 1904.

INDEX TO PUBLICATIONS, 1901–1925   2245

Sow(s)—Continued.
brood—
care and feeding. F.B. 411, pp. 8–11. 1910.
conformation and characteristics, selection. F.B. 874, pp. 9–11. 1917.
feeding, alfalfa and clover hay. B.P.I. Bul. 111, Pt. IV, pp. 9, 12, 13. 1907.
feeding directions. M.C. 12, p. 26. 1924.
inoculation for hog cholera, methods and time. News L., vol. 4, No. 48, p. 8. 1917.
management—
and litters per year. News L., vol. 4, No. 46, p. 5. 1917.
at farrowing time and after. O.E.S.F.I.L. 16, pp. 5–6. 1914.
feed, and care. Sec. [Misc.], Spec., "How southern farmers * * *," pp. 1–2. 1914.
school lesson. D.B. 258, pp. 22–23. 1915.
selection and care. Sec. Cir. 30, pp. 5–8. 1909.
spread of tuberculosis infection. B.A.I. Cir. 201, pp. 21–22, 23. 1912.
tuberculous, spread of tuberculosis infection. B.A.I. An. Rpt., 1907, pp. 37, 228–229. 1909; B.A.I. Cir. 144, pp. 37, 228–229. 1909.
care, management, and feed, before and after farrowing. D.B. 646, pp. 17–18. 1918.
cottonseed poisoning, experiments. J.A.R., vol. 5, No. 11, p. 492. 1915.
dry, management. B.A.I. Bul. 47, p. 62. 1904.
drying up, and feeding after weaning of pigs. F.B. 874, pp. 19–20. 1917.
expenses of keeping, time of farrowing, and marketing. F.B. 985, pp. 36–37. 1918.
fall pasturage, practices. News L., vol. 5, No. 5, p. 2. 1917.
farrowing and suckling time, management. B.A.I. Bul. 47, pp. 45–55. 1904; F.B. 1437, pp. 7–15. 1925.
fecundity—
effect of feeding. B.A.I. Bul. 47, p. 14. 1904.
investigation of breeds. Rpt., 83, p. 24. 1906.
of Poland-China and Duroc Jersey. George M. Rommel. B.A.I. Cir. 95, pp. 12. 1906.
comparison of Poland-China and Duroc-Jersey breeds. B.A.I. An. Rpt., 1906, p. 50. 1908.
feeding—
and management. F.B. 874, pp. 14–20. 1917.
at farrowing time. F.B. 411, pp. 9–11. 1910.
on cowpea hay, experiments. F.B. 1153, p. 19. 1920.
on ground alfalfa hay and shorts slop. News L., vol. 6, No. 10, p. 14. 1918.
gestation period. F.B. 1167, p. 9. 1920; F.B. 1437, p. 8. 1925.
inoculation in pregnancy against cholera, effects on fertility. F.B. 384, pp. 27–29. 1917.
management—
at farrowing time, methods. F.B. 566, pp. 10–11. 1913.
before and after farrowing. F.B. 205, pp. 24–30. 1904.
mature and young, breeding for fall pigs, time and care. News L., vol. 4, No. 41, pp. 2–3. 1917.
milk, composition. J.A.R., vol. 16, pp. 83, 84. 1919.
pasturing on alfalfa, with pigs, results. D.B. 752, pp. 22–23. 1919.
pig-eating, control methods. Hawaii Bul. 48, p. 19. 1923.
Poland-China and Duroc-Jersey, fecundity. George M. Rommel. B.A.I. Cir. 95, p. 12. 1906.
selection for—
breeding stock. F.B. 1437, pp. 3–5. 1925.
fair exhibit. F.B. 1455, pp. 6–7. 1925.
spayed and unspayed, fattening value. B.A.I. Bul. 47, p. 242. 1904.
spaying, directions. F.B. 1357, p. 8. 1923.
Sow bugs—
bird enemies, Southeastern States. F.B. 755, pp. 8, 10, 12, 24, 26. 1916.
description—
and control. F.B. 1306, p. 24. 1923.
injury to mushrooms, and control. F.B. 789, pp. 9–11. 1917.
destruction of cattle tick. Ent. Bul. 72, p. 36. 1907.
dooryard, description and remedies, for mushroom growing. Ent. Cir. 155, pp. 7–9. 1912.

Sow bugs—Continued.
economic importance, notes. W. Dwight Pierce. Ent. Bul. 64, Pt. II, pp. 15–22. 1907.
habits, food, and remedies, notes. Ent. Bul. 64, Pt. II, pp. 15–22. 1907.
injuries to mushrooms, and remedies. Ent. Cir. 155, pp. 7–9. 1912.
kinds, life history, economic importance and remedies. Ent. Bul. 64, Pt. II, pp. 15–22. 1907.
spread of fungus spores. D.B. 1053, p. 18. 1922.
water-cress. F. H. Chittenden. Ent. Bul. 66, Pt. II, pp. 11–15. 1907; Ent. Bul. 66, pp. 11–15. 1910.
Sow thistle—
aphid, occurrence on currants, description, and control. F.B. 1128, pp. 30, 48. 1920.
See Pualele.
Sowing—
alfalfa seed, method, time, rate, and mixture. F.B. 1283, pp. 14–19, 20, 21, 22, 23, 24. 1922.
buckwheat, time, method, and rate. F.B. 1062, pp. 13–15. 1919.
cereal and forage crops. Stat. [Misc.], "Dates of sowing * * *," pp. 1–7. 1912.
dates. Stat. [Misc.], "Dates of sowing * * *," pp. 7. 1911.
durum wheat, rate, comparison with other wheats. B.P.I. Bul. 130, p. 59. 1908.
oats, time, rate, and method. F.B. 892, pp. 12–15. 1917.
proso, methods, rate, and date. F.B. 1162, pp. 6, 12. 1920.
seed in forest nurseries, methods. D.B. 479, pp. 20–23. 1917.
wheat—
dates for various localities, to prevent Hessian fly. F.B. 1083, pp. 12, 15–16. 1920.
rate per acre and yield. B.P.I. Bul. 130, pp. 12, 59. 1908.
rye or oats, day's work. D.B. 1292, p. 26. 1925.
See also Seeding.
Soy and related fermentations. Margaret B. Church. D.B. 1152, pp. 27. 1923.
Soy beans—
C. V. Piper and H. T. Nielsen. F.B. 372, pp. 26. 1909.
acre value in food. F.B. 877, pp. 4, 7. 1917.
acreage—
1918, studies. Sec. Cir. 75, p. 12. 1917.
and yield, by States. Y.B., 1924, p. 742. 1925.
production, known varieties, and yield per acre. D.B. 769, pp. 25–26. 1919.
yield, prices and marketing, 1923. Y.B., 1923, pp. 791–792. 1924; Y.B. Sep. 901, pp. 791–792. 1924.
adaptability to—
acid soils, range. D.B. 6, p. 10. 1913.
cotton and corn regions. News L., vol. 4, No. 18, p. 4. 1916.
advantages over cowpea. D.B. 6, p. 10. 1913.
agency in removal of potash from soils, experiments. J.A.R., vol. 14, pp. 305–307. 1918.
and cowpeas, mixture for hay, directions for seeding. F.B. 318, pp. 13, 27. 1908.
area and soils adapted. F.B. 931, pp. 5–6. 1918.
as green manure, experiments. F.B. 278, p. 19. 1907.
as hog feed supplementary to corn, cultural notes. F.B. 405, pp. 14, 15. 1910.
bacterial—
blight, description. J.A.R., vol. 18, pp. 179–194. 1919.
pustule, description. J.A.R., vol. 29, pp. 57–68, 229–251. 1924.
Biloxi, exposure to long-day and short-day light, results. J.A.R., vol. 27, pp. 135–139, 148. 1924.
botanical history and classification. B.P.I. Bul. 197, pp. 9–12, 24–25. 1910.
cake—
analyses, use as hog feed, and comparison with fern tree. Hawaii A. R., 1912, pp. 15, 63. 1913.
and meal, imports, 1910–1915. D.B. 439, p. 9. 1916.
as rice fertilizer, experiments. Hawaii Bul. 24, pp. 11–14, 19. 1911.
description and value as stock feed. S.R.S. Doc. 43, p. 6. 1917.

Soy beans—Cont nued.
   cake—continued.
      feed value. F.B. 1125, rev., p. 38. 1920.
      meal, ammonification, effects of lime and magnesium carbonates on. Hawaii Bul. 37, pp. 40-42, 43, 51. 1915.
      uses, and imports, 1910-1917. Y.B., 1917, pp. 106, 111. 1918; Y.B. Sep. 740; pp. 8, 13. 1918.
   canning, experiments in testing temperature changes. D.B. 956, pp. 25-28, 48-50. 1921.
   characteristics, varietal. B.P.I. Bul. 197, pp. 12-15. 1910.
   cheese, preparation and food value. Y.B. 1917, p. 109. 1918; Y.B. Sep. 740, p. 11. 1918.
   Chinese varieties, importations and descriptions. Nos. 31802-31804, B.P.I. Bul. 248, p. 49. 1912.
   comparison with—
      corn. S.R.S. Rpt., 1915, Pt. I, pp. 35, 177. 1917.
      cowpeas. F.B. 372, pp. 24-25. 1909.
      meat scraps as protein source for chicken feed. J.A.R., vol. 18, pp. 391-398. 1920.
   composition—
      absence of starch. D.B. 6, p. 10. 1913.
      effect of—
         calcium and magnesium in soil. J.A.R., vol. 6, No. 16, pp. 605-612, 614. 1916.
         root nodules. F.B. 244, pp. 9-10. 1906.
   cooking recipes. News L., vol. 5, No. 34, pp. 6-7. 1918.
   cowpea bacteria, comparison with *Bacillus radicicola* and *B. radiobacter*. J.A.R., vol. 20, pp. 545-554. 1921.
   cultivation, harvesting, and value, comparison with cowpeas. F.B. 309, pp. 15-18. 1907.
   culture and uses. W. J. Morse. F.B. 973, pp. 32. 1918.
   curing and handling for seed. F.B. 886, pp. 5-7. 1917.
   description—
      and value as legumes, studies. S.R.S. Syl. 34, pp. 17-18. 1918.
      uses and growing. D.C. 120, pp. 1-4. 1920.
   destruction by Siamese grain beetle. Ent. Bul. 96, Pt. I, p. 17. 1911.
   diseases, study. J.A.R., vol. 18, pp. 179-180. 1919.
   dried, food use and preparation. Y.B., 1917, pp. 107-108. 1918; Y.B. Sep. 740, pp. 9-10. 1918.
   effect of—
      bacterial numbers on nodulation in Virginia. Alfred T. Perkins. J.A.R., vol. 30, pp. 95-96. 1925.
      soil temperature on nodule development. J.A.R., vol. 22, p. 23. 1921.
   emergency crop, overflowed lands. B.P.I. Doc. 756, pp. 4, 7. 1912.
   enemies of. F.B. 973, p. 32. 1918.
   exports from Manchuria and Japan. D.B. 439, pp. 4, 5. 1916.
   feeding value—
      comparison with other—
         concentrates. F.B. 973, pp. 20-22. 1918; F.B. 1125, rev., p. 38. 1920.
         feeds. F.B. 372, pp. 23-25. 1909.
      for hogs. B.A.I. Bul. 47, pp. 103-105. 1904; F.B. 411, pp. 15-16. 1910; F.B. 716, pp. 4, 7, 27. 1916.
      for sheep, cows, and hogs. S.R.S. Syl. 35, pp. 2-5. 1919.
   fermentation. Margaret B. Church. D.B. 1152, pp. 27. 1923.
   fertilizers. F.B. 973, pp. 5-6. 1918; Soils Bul. 67, pp. 45-46. 1910.
   fertilizing constituents, comparison with other legumes. F.B. 1153, p. 22. 1920.
   flour—
      and bread, analyses and characteristics. D.B. 701, pp. 4-9. 1918.
      cake, and meal, comparison with other flours. D.B. 439, pp. 12, 14, 15. 1916.
      use to save wheat, meat, and fat. Sec. Cir. 113, pp. 1-4. 1918.
      with corn, feeding experiments. J.A.R., vol. 24, pp. 975-977. 1923.
   food—
      Japanese preparation. O.E.S. Bul. 159, pp. 23-26. 1905.
      use and value. S.R.S. Syl. 35, pp. 6-7. 1919; Food Thrift Ser., 2, p. 7. 1917.

Soy beans—Continued.
   forage—
      crop experiments in Texas. B.P.I. Cir. 106, p. 26. 1913.
      crop for lambs. News L., vol. 6, No. 49, p. 4. 1919.
      use, mixture with other crops. S.R.S. Doc. 43, p. 3. 1917.
   Fusarium blight or wilt disease. Richard O. Cromwell. J.A.R., vol. 8, pp. 421-440. 1917.
   germination in culture solutions of varying reactions. J.A.R., vol. 19, pp. 88-92, 93. 1920.
   grades. Off. Rec. vol. 3, No. 43, p. 3. 1924.
   green and sprouted, use as vegetables. Y.B., 1917, p. 108. 1918; Y.B. Sep. 740, p. 10. 1918.
   grinding for pigs, value, comparison with grain feeds. News L., vol. 6, No. 13, p. 5. 1918.
   growing—
      and fruiting relation to daylight length. J.A.R. vol. 23, pp. 880, 881-883, 884, 885, 896, 900, 905-906. 1923.
      and handling of seeds. Y.B., 1901, p. 241. 1902.
      and harvesting. S.R.S. Syl. 24, p. 9. 1917.
      and uses in Hawaii. Hawaii A.R., 1913, pp. 46-48. 1914.
      as forage crop for hogs. F.B. 951, pp. 5, 9, 13. 1918.
      as seed crops, and harvesting methods. F.B. 886, pp. 1-8. 1917.
      cost and yield, and prices. D.B. 439, pp. 4, 7-8. 1916.
      effects of calcium and magnesium in soil. J.A.R., vol. 6, No. 16, pp. 605-615. 1916.
      environment experiments. J.A.R., vol. 18, pp. 560-562, 567-576, 579, 583, 586-592, 600. 1920.
      experiments, frost resistance and mutations. B.P.I. Bul. 197, pp. 15-20, 24, 26-27. 1910.
      for hay. F.B. 973, pp. 18, 19, 25-27. 1918.
      for seed. F.B. 973, pp. 19-24. 1918.
      in combination with other crops. F.B. 931, pp. 7-11. 1918.
      in Guam, variety tests and yields. Guam Bul. 4, pp. 17-18, 29. 1922.
      in Hawaii—
         for hog pasture. Hawaii Bul. 48, pp. 31, 33. 1923.
         varieties, description and yield. Hawaii Bul. 23, pp. 23-27. 1911.
      in Indiana, Wells County, methods and yields. Soil Sur. Adv. Sh., 1915, p. 9. 1917; Soils F.O., 1915, p. 1427. 1919.
      in Iowa, Des Moines County. Soil Sur. Adv. Sh., p. 1100. 1925.
      in Louisiana, East Feliciana Parish. Soil Sur. Adv. Sh., 1912, pp. 13-14. 1913; Soils F.O., 1912, pp. 977-978. 1915.
      in Michigan, Lenawee County, studies. D.B. 694, p. 31. 1918.
      in Mississippi, Lincoln County. Soil Sur. Adv. Sh., 1912, p. 11. 1913; Soils F.O., 1912, p. 861. 1915.
      in North, seeding rate, and harvesting. S.R.S. Syl. 25, p. 11. 1917.
      in North Carolina—
         Buncombe County. Soil Sur. Adv. Sh., 1920, pp. 797, 798, 799, 804-808. 1923; Soils F.O., 1920, pp. 797, 798, 799, 804-808. 1925.
         Caldwell County. Soil Sur. Adv. Sh., 1917, pp. 10, 17, 18, 19, 27. 1919; Soils F.O., 1917, pp. 448, 455, 456, 457, 465. 1923.
         Hoke County. Soil Sur. Adv. Sh., 1918, pp. 10, 16, 19-26. 1921; Soils F.O., 1918, pp. 198-204, 207-214. 1924.
         Tyrrell County. Soil Sur. Adv. Sh., 1920, pp. 842, 844, 849-857. 1924; Soils F.O., 1920, pp. 842, 844, 849-857. 1925.
      in northern Great Plains, experiments and yields. D.B. 1244, pp. 38-40, 48. 1924.
      in Porto Rico, experiments. P.R. An. Rpt., 1918, pp. 21, 23-24. 1920.
      in soils with and without manganese. J.A.R., vol. 24, pp. 784, 787, 788, 790-792. 1923.
      in South Carolina, Horry County. Soil Sur. Adv. Sh., 1918, pp. 12-13, 26-31, 44. 1920; Soils F.O., 1918, pp. 336-337, 350-355, 368. 1924.

Soy beans—Continued.
growing—continued.
  inoculation, place in rotation. D.B. 341, pp. 85–86. 1916.
  inoculation, planting and harvesting. F.B. 931, pp. 12–20. 1918.
  labor requirements, cost, and prices. F.B. 931, pp. 21–22. 1918.
  on sandy lands for seed and feed for livestock. F.B. 716, pp. 2, 6–11, 15–16. 1916.
  requirements. S.R.S. Syl. 35, pp. 7–9. 1919.
  varieties, and uses. Y.B., 1917, pp. 103–110. 1918; Y.B. Sep. 740, pp. 5–12. 1918.
  with cowpeas for hay or pastures. F.B. 1148, pp. 20–21. 1920.
growth—
  and compostition on calcareous and noncalcareous soils, experiments and methods. P.R. Bul. 16, pp. 14, 18–19. 1914.
  effect of barium and strontium compounds. J.A.R., vol. 16, pp. 193–194. 1919.
  effect of mineral phosphates, analyses. J.A.R., vol. 6, No. 13, pp. 494, 496. 1916.
  habits and value for cotton States. F.B. 1125, rev., pp. 37–38. 1920.
Haberlandt, acre yield in date-of-planting tests. F.B. 973, p. 9. 1918.
harvesting—
  cutting for hay or seed, and storing. S.R.S. Syl. 35, pp. 12–13. 1919.
  methods and implements. F.B. 931, pp. 15–20. 1918.
  threshing and storing. D.C. 120, pp. 2–3. 1920; F.B. 514, pp. 18–22. 1912.
  threshing and storing seed. Sec. [Misc.] Spec., "Soy beans in * * *," pp. 5–6. 1915.
  time and methods. F.B. 704, pp. 21–22. 1916; News L., vol. 5, No. 6, p. 5. 1917.
  with hogs and sheep, methods and profits. F.B. 1008, pp. 11–12. 1919.
Hatho, use as vegetable. News L., vol. 6, No. 34, p. 13. 1919.
hay, feed value—
  and cost, comparison with other feeds. D.B. 1024, pp. 7–16. 1922.
  for hogs. B.P.I. Bul. 111, Pt. IV, p. 16. 1907; F.B. 331, pp. 15–16. 1908; F.B. 411, pp. 9–10. 1910.
history, varieties, and field studies. C. V. Piper and W. J. Morse. B.P.I. Bul. 197, pp. 78. 1910.
hogging off with corn. F.B. 704, p. 22. 1916.
illustrated lecture. W. J. Morse and H. B. Hendrick. S.R.S. Syl. 35, pp. 16. 1919.
importance and climatic adaptation. F.B. 973, pp. 3–4. 1918.
importations and descriptions. Nos. 30593–30601, B.P.I. Bul. 242, pp. 9, 22–23. 1912; Nos. 32491–32598, 32890–32892, 32906–32909. B.P.I. Bul. 282, pp. 27–32, 57, 58. 1913; Nos. 34645, 34654, 34702, B.P.I. Inv. 33, pp. 7, 42, 43, 49. 1915; Nos. 35600, 35622–35628, B.P.I. Inv. 35, pp. 58, 61. 1915; Nos. 36079, 36116, B.P.I. Inv. 36, pp. 49, 55. 1915; Nos. 36576, 36643–36653, 36785, 36809, 36829–36837, 36846–36848, 36901–36906, 36914–36919, B.P.I. Inv. 37, pp. 7, 44, 45, 64, 71, 73–74, 81–82. 1916; Nos. 37036, 37037, 37040–37055, 37062, 37074, 37077, 37228–37356, 37396, 37563, 37570, B.P.I. Inv. 38, pp. 30, 32, 34, 48–53, 57–58, 74, 75. 1917; Nos. 37684, 38213–38220, 38221–38228, 38450–38462, B.P.I. Inv. 39, pp. 19, 104, 132–133. 1917; Nos. 39967–39972, 39974–39977, 39982, 40106–40127, 40370–40376, B.P.I. Inv. 42, pp. 44, 45, 69, 111. 1918; Nos. 40656–40660, B.P.I. Inv. 43, p. 62. 1918; Nos. 43529–43533, 43639–43641, B.P.I. Inv. 49, pp. 39, 54. 1921; Nos. 44209–44214, B.P.I. Inv. 50, pp. 42–43. 1922; Nos. 44507–44513, 44597–44599, B.P.I. Inv. 51, pp. 18, 30. 1922; Nos. 45269–45295, B.P.I. Inv. 53, pp. 20–22. 1922; Nos. 47926, 47927, B.P.I. Inv. 60, p. 15. 1922; Nos. 48548, 48549, 48587, 48588, B.P.I. Inv. 61, pp. 21, 26. 1922; Nos. 49828–49834, 50440–50441, 50522–50524, B.P.I. Inv. 63, pp. 9, 69, 76. 1913; Nos. 52345–52349, B.P.I. Inv. 66, p. 13. 1923; Nos. 53930–53939, 54374–54379, B.P.I. Inv. 68, pp. 11, 15, 56. 1923; Nos. 54561–54620, B.P.I. Inv. 69, pp. 26–27. 1923; Nos. 54794–54795, 54806–54888, 54968, B.P.I. Inv. 70, pp. 21, 22–23, 34. 1923; Nos. 55069–55070, 55437, B.P.I. Inv. 71, pp. 19, 43. 1923.

Soy beans—Continued.
imports—
  1910–1915. D.B. 439, p. 9. 1916.
  1910–1917. Y.B., 1917, pp. 110–111. 1918; Y.B. Sep. 740, pp. 12–13. 1918.
  quantity and value, 1910–1915. D.B. 439, p. 9. 1916.
in Cotton Belt—
  W. J. Morse. S.R.S. Doc. 43, pp. 7. 1917; Sec. [Misc.] Spec., "Soy beans * * *," pp. 6. 1915.
  systems of farming. A. G. Smith. F.B. 931, pp. 23. 1918.
increased use for oil and meal. Y.B., 1916, pp. 37–38. 1917.
industry in United States, possibilities. Y.B., 1917, pp. 110–111. 1918; Y.B. Sep. 740, pp. 12–13. 1918.
injury by leaf hoppers. Ent. Bul. 108, pp. 16, 44, 100, 101. 1912.
inoculation—
  field tests and results. F.B. 315, p. 18. 1908; F.B. 372, pp. 12–14. 1909.
  necessity for successful growth. F.B. 973, pp. 6–8. 1918.
insect pests, list. See. [Misc.] "A manual * * * insects * * *," p. 196. 1917.
isoelectric points, study. J.A.R., vol. 31, pp. 389–390, 395–398. 1925.
labeling regulations, F.I.D. 202. Chem. S.R.A. 19, p. 52. 1917.
labor requirements. D.B. 1181, pp. 7, 19, 61. 1924.
leaf temperature, studies. J.A.R., vol. 26, pp. 25, 27, 30–39. 1923.
localities adapted to, and importance of crop. F.B. 1289, pp. 18, 29, 30. 1923.
Mammoth Yellow, damage by rabbits. F.B. 702, p. 3. 1916.
meal—
  decomposition in soils, effect of bacterial action. Hawaii Bul. 39, pp. 7–12, 19. 1915.
  feeding value. S.R.S. Syl. 35, pp. 2–4. 1919.
  production, analysis and use. Rpt. 112, pp. 19–20. 1916.
  use as fertilizer, composition and value. D.B. 439, pp. 14–15. 1916.
  use in bread as substitute for wheat flour. F.B. 955, pp. 12, 14, 15, 16, 17, 19. 1918.
  value, composition, and uses. Y.B., 1917, pp. 105–106. 1918; Y.B. Sep. 740, pp. 7–8. 1918.
mixtures with sweet clover. F.B. 797, p. 33. 1917.
mosaic—
  Max W. Gardner and James B. Kendrick. J.A.R., vol. 22, pp. 111–114. 1921.
  seed transmission and effect on yield. James B. Kendrick and Max W. Gardner. J.A.R., vol. 27, pp. 91–98. 1923.
names, distribution, and numbers. B.P.I. Bul. 98, pp. 27–28. 1907.
new varieties, description. B.P.I. Bul. 208, pp. 14, 17, 18, 19, 32, 60. 1911.
nitrogen content. D.B. 6, p. 10. 1913.
oil—
  content, factors affecting. J.A.R., vol. 3, pp. 229, 231–240, 244. 1914.
  description and uses, imports and demands. Y.B., 1917, pp. 104–105, 111. 1918; Y.B. Sep. 740, pp. 6–7, 13. 1918.
  extraction and value. F.B. 1125, rev., p. 38. 1920.
  extraction method and uses. D.B. 439, pp. 9–11, 15–16. 1916.
  imports—
    1912–1914, value and sources. D.B. 296, p. 35. 1915.
    1912, 1917. D.B. 769, p. 25. 1919.
    1912–1918, and uses. Y.B., 1922, p. 272. 1923; Y.B. Sep. 882, p. 272. 1923.
    1921, statistics. Y.B., 1921, pp. 741, 747, 767. 1922; Y.B. Sep. 867, pp. 5, 11, 31. 1922.
    1922–1924. Y.B., 1924, p. 1063. 1925.
  industry, introduction into United States. D.B. 439, p. 8. 1916.
  manufacture and uses, exports and imports. D.B. 439, pp. 5, 6, 7, 8, 9–11, 15–16. 1916.
  pressing methods, uses, and value. D.B. 769, pp. 26–27. 1919.

Soy beans—Continued.
  oil—continued.
    statistics, imports. Y.B., 1916, pp. 713, 741. 1917; Y.B. Sep. 722, pp. 7, 35. 1917.
    uses—
      and value. S.R.S. Doc. 43, p. 6. 1917.
      food value and digestion experiments. D.B. 687, pp. 6-9. 1918.
    value, and uses in various industries. F.B. 973, pp. 5, 23. 1918.
    yield and value, description and uses. S.R.S. Syl. 35, pp. 5-6. 1919.
  origin and introduction, variations. B.P.I. Bul. 98, pp. 7-9. 1907; S.R.S. Syl. 35, pp. 1-2. 1919.
  pasture—
    for hogs, increase in fertility, experiments. F.B. 411, pp. 39-40. 1910.
    utilization, methods and results. F.B. 973, pp. 18, 28-29. 1918.
  planting, directions for club members in Southwest. D.C. 48, p. 11. 1919.
  planting, time, rate, and methods. F.B. 973, pp. 8-11. 1918.
  plants, transpiration, effect of Bordeaux mixture. J.A.R., vol. 7, pp. 536, 542-543, 546. 1916.
  press-cake flour, protein, digestibility, experiments. D.B. 717, pp. 16-19. 1918.
  prices, 1914-1923. Y.B. 1922, p. 756. 1923; Y.B. Sep. 884, p. 756. 1923.
  production and yield, comparison with adsuki bean. D.B. 119, pp. 3, 6. 1914.
  protein content, value as forage. F.B. 320, p. 15. 1908.
  Radicicola, adaptation to a specific host variety. Alfred T. Perkins. J.A.R., vol. 30, pp. 243-244. 1925.
  root nodules, nitrogen-gathering, description. Y.B., 1910, p. 215. 1911; Y.B. Sep. 530, p. 215. 1911.
  rotation(s)—
    and mixtures. F.B. 973, pp. 17-19. 1918.
    in the Cotton Belt. Sec. [Misc.], Spec., "Soy beans in * * *," p. 3. 1915.
    with rice. D.B. 1356, p. 16, 17, 18-19, 26-29, 31, 32. 1925.
  sauce—
    Japanese condiment, preparation and use. O.E.S. Bul. 159, pp. 30-33. 1905.
    manufacture, details. D.B. 1152, pp. 1-27. 1923.
    preparation and use. Y.B., 1917, pp. 107, 109-110. 1918; Y.B. Sep. 740, pp. 9, 11-12. 1918.
  seed—
    bed, preparation. F.B. 973, p. 5. 1918.
    composition, and effect of green manures. J.A.R., vol. 5, No. 25, pp. 1162, 1164, 1165, 1166. 1916.
    cost, yields, and value as food. F.B. 973, pp. 19-24. 1918; Sec. [Misc.], Spec., "Soybeans in * * *," p. 5. 1915.
    demand and supply sources. Y.B., 1917, pp. 523-524. 1918; Y.B. Sep. 757, pp. 29-30. 1918.
    feeding value, cutting and threshing. S.R.S. Doc. 43, pp. 4-5. 1917.
    growing as a rotation crop. F.B. 931, pp. 7-8. 1918.
    harvesting—
      W. J. Morse. F.B. 886, pp. 8. 1917.
      and germination. F.B. 1125, rev., p. 38. 1920.
      and storing. S.R.S. Syl. 35, p. 13. 1919.
      threshing and storing. F.B. 514, pp. 20-22. 1912.
    iron and manganese content. J.A.R., vol. 23, p. 397. 1923.
    mosaic transmission. J.A.R., vol. 27, pp. 91-98. 1923.
    planting time and rate, depth. F.B. 973, pp. 8-11. 1918.
    production on sandy lands, harvesting and uses. F.B. 716, pp. 7-11. 1916.
    quantity per acre. B.P.I. Doc. 632, p. 5. 1910; F.B. 309, p. 17. 1907; F.B. 931, pp. 11-12. 1918; S.R.S. Syl. 35, p. 9. 1919; Sec. [Misc.], Spec. "Soybeans * * *," p. 3. 1915.
    selection, care, varieties. F.B. 372, pp. 7-11, 22. 1909.
    storage. F.B. 886, p. 8. 1917.

Soy beans—Continued.
  seed—continued.
    superiority of American varieties. News L., vol. 5, No. 31, pp. 4-5. 1918.
    viability. F.B. 973, pp. 23-24. 1918.
    yields, and food uses. D.C. 120, pp. 1-2, 4. 1920.
  seeding—
    for hay and for silage. F.B. 1125, rev., p. 38. 1920.
    rates and method. D.C. 120, p. 2. 1920; F.B. 1202, p. 52. 1921.
    time, methods, and rate. F.B. 704, p. 21. 1916.
  seedlings, growth in culture solutions of varying reaction. J.A.R., vol. 19, pp. 73, 81-85, 87, 92. 1920.
  soil—
    and climatic adaptations. S.R.S. Doc. 43, pp. 1-2. 1917.
    improvement crop for Southern States. F.B. 986, pp. 13-14. 1918.
  source of oil, uses and value. Y.B. 1917, pp. 104-105. 1918; Y.B. Sep. 740, pp. 6-7. 1918.
  statistics—
    acreage, production, and prices. Y.B. 1921, pp. 640-641, 771. 1922; Y.B. Sep. 869, pp. 60-61. 1922; Y.B. Sep. 871, p. 2. 1922.
    production and value. Y.B., 1919, p. 616. 1920; Y.B. Sep. 827, p. 616. 1920.
  substitute for wheat in bread. S.R.S. Doc. 64, pp. 3, 4, 9. 1917.
  supply for press cake. D.B. 717, pp. 3-4. 1918.
  testing for moisture, directions. B.P.I. Cir. 72, rev., p. 12. 1914.
  treatment with sulphur, effects. J.A.R., vol. 11, pp. 93, 95-99, 102. 1917.
  use and value—
    as forage crop. F.B. 1250, p. 41. 1922.
    in soil improvement, coastal plain section. F.B. 924, p. 10. 1918.
  use as—
    companion crop with corn in South. B.P.I. Doc. 730, pp. 10-11. 1912.
    food, and cooking methods. D.B. 123, p. 43. 1916; O.E.S. Bul. 245, p. 58. 1912; Y.B., 1917, pp. 105, 106-110. 1918; Y.B. Sep. 740, pp. 7, 8-12. 1918.
    forage crop in cotton region, description. F.B. 509, p. 29. 1912.
    garden vegetable, value, and cultivation methods. Y.B. 1900, p. 140. 1901.
    hay, and value as hog feed. B.P.I. Doc. 632, p. 5. 1910.
    human food, forms, and food value. D.B. 439, pp. 2, 5, 9, 11-13. 1916.
    legume in grain growing. F.B. 704, pp. 21-22. 1916.
    meat substitute in eastern countries. Y.B., 1910, p. 364. 1911; Y.B. Sep. 543, p. 364. 1911.
    silage. F.B. 578, p. 5. 1914.
    silage with corn. F.B. 514, pp. 22-23. 1912.
    stock feed, forms and value. D.B. 439, pp. 5, 6, 8, 13-14. 1916; F.B. 973, pp. 5, 19-32. 1918.
    temporary pasture for sheep. F.B. 1181, pp. 7, 8, 11, 13, 16. 1921.
  use in Corn Belt rotations. Y.B., 1911, pp. 331-332, 335. 1912; Y.B. Sep. 572, pp. 331, 332, 335. 1912.
  use on Missouri farms as legume, method. D.B. 633, pp. 23-24. 1918.
  use other than feed, and value. S.R.S. Syl. 35, pp. 5-7. 1919.
  use with lespedeza, as dairy-farm crop. F.B. 441, pp. 13-14. 1911.
  utilization for oil, cake, and other products. C. V. Piper and W. J. Morse. D.B. 439, pp. 20. 1916.
  value as—
    dairy feed. Y.B., 1922, p. 334. 1923; Y.B. Sep. 879, p. 44. 1923.
    fertility maker for South. F.B. 1121, p. 11. 1920.
    forage, silage, and soiling crop. Y.B., 1917, pp. 103-104. 1918; Y.B. Sep. 740, pp. 5-6. 1918.
  value, comparison with cowpeas and velvet beans. F.B. 1148, pp. 25-26. 1920.

INDEX TO PUBLICATIONS, 1901–1925   2249

Soy beans—Continued.
  value for—
    emergency forage crop. Sec.Cir. 36, p. 2. 1911.
    hay and soil improvement,, comparison with red clover. F.B. 1365, pp. 2, 4, 23. 1924.
    soil improvement, effects on subsequent crops. F.B. 973, pp. 31–32. 1918; F.B. 981, p. 16. 1918.
    winter feeds. D.B. 827, p. 35. 1921.
  varietal tests in—
    Arizona, Yuma experiment farm, 1916. W.I.A. Cir. 20, pp. 25, 28. 1918.
    Oregon, Umatilla experiment farm, results. W.I.A. Cir. 17, p. 24. 1917.
  variety(ies)—
    Carleton R. Ball. B.P.I.Bul. 98, pp. 28. 1907.
    and seed quantity per acre. F.B. 931, pp. 11–12. 1918.
    catalogue. B.P.I.Bul. 197, pp. 39–75. 1910.
    culture and uses. F.B. 373, pp. 1–26. 1909.
    descriptions. D.C. 120, pp. 3–4. 1920; F.B. 973, pp. 11–17. 1918; S.R.S.Syl. 35, pp. 9–10. 1919.
    distribution and value. Y.B., 1908, p. 257. 1909; Y.B. Sep. 478, p. 257. 1909.
    early, medium, and late. Y.B., 1917, p. 103. 1918; Y.B. Sep. 740, p. 5. 1918.
    for South, adaptations for hay and seed. Sec. [Misc.] Spec., "Soy beans in * * *," p. 4. 1915.
    in United States, Europe and Asia, history. B.P.I.Bul. 197, pp. 27–35. 1910.
    introduction. B.P.I. Bul. 176, p. 14. 1910.
    list. S.R.S. Doc. 43, pp. 6–7. 1917.
    resistant to root knot. F.B. 1345, pp. 24–25. 1923.
    various names and uses. S.R.S. Doc. 43, p. 1. 1917.
  Virginia, effect of bacterial numbers on nodulation. Alfred T. Perkins. J.A.R., vol. 30, pp. 95–96. 1925.
  with special reference to its utilization for oil, cake, and other products. C. V. Piper and W. J. Morse. D.B. 439, pp. 20. 1916.
  yield(s)—
    of oil per ton. F.B. 931, p. 4. 1918.
    of seed and hay, and cost of production. F.B. 973, pp. 19–24, 27. 1918.
    per acre. F.B. 931, p. 20. 1918.
Spacelotheca reiliana, occurrence on plants in Texas. B.P.I. Bul. 226, pp. 53, 54. 1912.
Spacer, "fool-proof," use in reenforcement of concrete posts. F.B. 403, p. 19. 1910.
Spacing—
  blueberries in planting. D.B. 974, pp. 17–18. 1921.
  conifers, directions. D.L.A. Cir. 5, p. 6. 1919.
  corn—
    effect on—
      productivity in single-ear and prolific types. E. B. Brown and H. S. Garrison. D.B. 1157, pp. 11. 1923.
      yield and weight, experiments. D.B. 1157, pp. 4–8. 1923.
    experiments for yield of grain and stover. F.B. 405, pp. 5–8. 1910.
  cotton—
    importance in boll-weevil control. D.B. 1153, pp. 11–14, 15–16. 1923.
    in Arizona. F.B. 1432, pp. 7–8. 1924.
    effect on productivity of corn, single-ear and prolific types. E.B. Brown and H. S. Garrison. D.B 1157, pp. 11. 1923.
  grain sorghums, experiments. D.B. 1175, pp. 52–64, 65. 1923.
  hardwood trees, and number required per acre. F.B. 1123, p. 12. 1921.
  trees, forest plantation. D.B. 153, p. 12. 1915.
SPAFFORD, R. R.:
  "Farm practices in growing wheat." With J. H. Arnold. Y.B., 1919. pp. 123–150. 1920; Y.B. Sep. 804, pp. 123–150. 1920.
  "Soil survey of—
    Cass County, Nebr." With others. Soil Sur. Adv. Sh., 1913, pp. 46. 1914. Soils F.O. 1913, pp. 1925–1966. 1916.

SPAFFORD, R. R.—Continued.
  "Soil survey of—Continued.
    Douglas County, Nebr." With others. Soil Sur. Adv. Sh., 1913, pp. 48. 1915; Soils F.O., 1913, pp. 1967–2010. 1916.
    Saunders County, Nebr." With others. Soil Sur. Adv. Sh., 1913, pp. 52. 1915; Soils F.O., 1913, pp. 2011–2058. 1916.
Spaghetti—
  chicken, canning recipe. S. R. S. Doc. 80, pp. 23–24. 1918.
  definitions and standards, F.I.D. 171. Chem. S.R.A. 21, pp. 67, 68. 1917.
  misbranding. See *Indexes, Notices of Judgment, in bound volumes and in separates published as supplements to Chemistry Service and Regulatory Announcements.*
Spain—
  agricultural—
    education, progress, 1912. O.E.S. An. Rpt., 1912, pp. 293–294. 1913.
    statistics, 1911–1920. D.B. 987, pp. 53–55. 1921.
  barley acreage, production, and yield, maps. Sec. [Misc.] Spec., "Geography * * * world's agriculture," pp. 41, 43. 1917.
  cattle and goats, members, 1865–1920. B.A.I. Doc. A–37, p. 61. 1922.
  cheese trade. D.C. 71, p. 19. 1919.
  citrus—
    fruit(s)—
      condition, 1914–1915, estimate. F.B. 629, pp. 12–13. 1914.
      industry, location, methods, and production. D.B. 134, pp. 28–31. 1914.
      trees, insect pests. Ent. Bul. 120, pp. 15, 49, 50, 51. 1913.
    climate unfavorable to fruit-fly development. J.A.R., vol. 3, pp. 326, 327. 1915.
    climatic conditions, relation to citrus-fruit insects. D.B. 134, pp. 34–35. 1914.
  corn imports, 1906–1910, by countries of origin. Stat. Cir. 26, p. 9. 1912.
  crops, acreage, and production, 1900–1911. Stat. Cir. 28, p. 15. 1912.
  forest resources. For. Bul. 83, pp. 49–50. 1910.
  fruits, production, exports, and imports, 1909–1913. D.B. 483, pp. 32–35. 1917.
  grain production, acreage. Stat. Bul. 68, pp. 88–89. 1908; Stat. Bul. 69, pp. 50–51. 1908.
  grape acreage and production. Sec. [Misc.] Spec. "Geography * * * world's agriculture," pp. 86, 87. 1917.
  laws on fruit and plant introduction. Ent. Bul. 84, p. 37. 1909.
  livestock statistics, numbers of cattle, sheep, and hogs. Rpt. 109, pp. 32, 38, 48, 52, 60, 63, 205, 214. 1916.
  meat imports, statistics. Rpt. 109, pp. 102–114, 242–243, 255, 260, 262. 1916.
  mules and asses, numbers. Sec. [Misc.] Spec., "Geography * * * world's agriculture," pp. 114, 116. 1917.
  nursery-stock inspection. F.H.B.S.R.A. 20, pp. 75–76. 1915; F.H.B.S.R.A. 32, p. 121. 1916.
  olives and olive oil production, 1911. Stat. Cir. 26, pp. 9–10. 1912.
  potato—
    acreage, production, and yield. Sec. [Misc.] Spec., "Geography * * * world's agriculture," p. 68. 1917.
    production, 1909–1913, 1921–1923. S.B. 10, p. 19. 1925.
  sheep—
    industry. Y.B., 1923, p. 234. 1924; Y.B., Sep. 894, p. 234. 1924.
    numbers, map. Sec. [Misc.] Spec., "Geography * * * world's agriculture," p. 139, 1917.
  sugar industry, 1903–1914. D.B. 473, pp. 52–56. 1917.
  sugar-industry, 1904–1911. Stat. Cir. 40, pp. 7–9. 1912.
  trade with United States. D.B. 296, pp. 5, 30–49. 1915.
  wheat—
    acreage—
      and olive production, 1911–1912. Stat. Cir. 37, p. 10. 1912.

Spain—Continued.
wheat—continued.
acreage—continued.
production, and trade, 1909-1917, and war conditions. Y.B., 1917, pp. 463, 471, 475. 1918; Y.B. Sep. 752, pp. 5, 13, 17. 1918.
production, and yield maps. Sec. [Misc.], Spec., "Geography * * * world's agriculture," pp. 21, 22. 1917.
imports, 1885-1906. Stat. Bul. 66, pp. 52-53. 1908.
Spalangia—
muscidarium, enemy of stable fly, occurrence. F.B. 540, p. 23. 1913; F.B. 1097, p. 15. 1920.
spp., parasitic enemies of horn fly. Ent. Cir. 115, p. 7. 1910.
Spanish—
bayonet—
occurrence in Colorado, description. N.A. Fauna 33, pp. 223-224. 1911.
See also Yucca spp.
fever. See Texas fever.
fly—
poisonous to cattle, treatment. B.A.I. [Misc.] "Diseases of cattle," rev., p. 70. 1912; rev., p. 72. 1923.
See also Blister beetles; Cantharides.
worm. See Hornworm, northern tobacco.
Spanish Fork River, irrigation system. A. F. Doremus. O.E.S. Bul. 124, pp. 157-170. 1903.
SPANN, W. M.: "Soil survey of—
Forrest County, Miss." With W. E. Tharp. Soil Sur. Adv. Sh., 1911, pp. 52. 1912; Soils F.O., 1911, pp. 1003-1050. 1914.
Lauderdale County, Miss." With others. Soil Sur. Adv. Sh., 1910, pp. 56. 1912; Soils F.O., 1910, pp. 733-784. 1912.
Noxubee County, Miss." With others. Soil Sur. Adv. Sh., 1910, pp. 46. 1911; Soils F.O., 1910, pp. 785-826. 1912.
Warren County, Miss." With W. E. Tharp. Soil Sur. Adv. Sh., 1912, pp. 50. 1914; Soils F.O., 1912, pp. 881-926. 1915.
Wilkinson County, Miss." With W. E. Tharp. Soil Sur. Adv. Sh., 1913, pp. 52. 1915; Soils F.O., 1913, pp. 952-1000. 1916.
Spanworm, cranberry—
and striped garden caterpillar. F. H. Chittenden. Ent. Bul. 66, Pt. III, pp. 21-32. 1907.
description and control. F.B. 860, pp. 17-18. 1917.
description, distribution, food plants, life history, enemies, and remedies. Ent. Bul. 66, pp. 21-27. 1910.
Sparassis crispa, description. D.B. 175, p. 46. 1915.
Spareribs, canning directions. F.B. 1186, p. 38. 1921; S.R.S. Doc. 80, p. 18. 1918.
Sparganium sp. See Bur reed.
Sparganum mansoni, larval cestode of man which may possibly occur in returning American troops. Ch. Wardell Stiles and Louise Tayler. B.A.I. Bul. 35, pp. 47-56. 1902.
SPARHAWK, W. N.—
"Effect of grazing upon western yellow pine reproduction in central Idaho." D.B. 738, pp. 31. 1918.
"The use of liability ratings in planning forest fire protection." J.A.R., vol. 30, pp. 693-762. 1925.
"Timber: Mine or crop?" With others. Y.B., 1922, pp. 83-180. 1923; Y.B. Sep. 886, pp. 83-180. 1923.
Spark arresters—
necessity on rail-roads for prevention of forest fires. Y.B., 1910, pp. 415, 418. 1911; Y.B. Sep. 548, pp. 415, 418. 1911.
use in prevention of fires. For. Bul. 82, pp. 18, 41. 1910.
Sparrow—
Brewer's, food habits. D.B. 107, pp. 34-35. 1914.
chipping—
aphid destruction. Y.B., 1912, pp. 400, 403. 1913; Y.B. Sep. 601, pp. 400, 403. 1913.
description, range and habits. F.B. 513, p. 16. 1913.
distribution. Biol. Bul. 15, p. 76. 1901.

Sparrow—Continued.
chipping—continued.
enemy of codling moth. Y.B., 1911, p. 241. 1912; Y.B. Sep. 564, p. 241. 1912.
food habits. Biol. Bul. 15, pp. 15, 17, 18, 21, 23-24, 26, 28, 30, 32-33, 62,76-78. 1901; Biol. Bul. 38, p. 64. 1911; F.B. 506, pp. 25-26. 1912.
nesting habits. Biol. Bul. 15, pp. 29, 30, 34. 1901.
usefulness against potato beetles. Ent. Bul. 82, Pt. VII, p. 87. 1911.
description, and food habits. F.B. 513, pp. 15-17. 1913; F.B. 630, pp. 9-11. 1915.
destruction of cotton boll weevil in winter. Biol. Cir. 64, p. 3. 1908.
distributors of seeds of noxious plants. Biol. Bul. 15, p. 22. 1901.
driving from roosts. F.B. 493, p. 9. 1912.
enemies of leaf hopper. Ent. Bul. 108, p. 26. 1912.
English—
abundance in eastern United States. D.B. 1165, pp. 22, 23. 1923.
as a pest. Ned Dearborn. F.B. 493, pp. 24. 1912; F.B. 493, rev., pp. 23. 1917.
bounties paid by different States. F.B. 1238, pp. 18, 24. 1921.
description, range, and habits. F.B. 513, p. 17. 1913.
destruction—
methods of trapping and poisoning. F.B. 493, pp. 9-23. 1912; rev., pp. 8-21. 1917.
of sorghum seed. Ent. Bul. 85, p. 39. 1911.
distribution. Biol. Bul. 15, p. 92. 1901.
enemy of—
Argentine ant. Ent. Bul. 122, p. 73. 1913.
codling moth. Y.B., 1911, p. 241. 1912; Y.B. Sep. 564, p. 241. 1912.
house birds. F.B. 609, p. 15. 1914.
extermination in England, organized work. Biol. Bul. 33, pp. 52, 53. 1901.
food habits. Biol. Bul. 15, pp. 15, 17, 21, 22, 24, 26, 27, 34, 39, 92-96. 1901; F.B. 383, pp. 5-6. 1910; F.B. 493, rev., pp. 21-22. 1917.
food habits, in relation to alfalfa. D.B. 107, pp. 46-57. 1914.
injurious habits. F.B. 493, rev., p. 4. 1917; Y.B., 1907, p. 173. 1908; Y.B. Sep. 443, p. 173. 1908.
nesting habits. Biol. Bul. 15, p. 31. 1901.
protection, and exception from. Biol. Bul. 12, rev., pp. 38-42, 43-44. 1902.
trapping. Y.B., 1919, p. 457. 1920; Y.B. Sep. 823, p. 457. 1920.
use for food. F.B. 383, p. 10. 1910; F.B. 493, pp. 23-24. 1912.
family, food habits. Biol. Bul. 34, pp. 71-96. 1910; Y.B., 1907, pp. 172-174. 1908; Y.B. Sep. 443, pp. 172-174. 1908.
feeding on boll weevils. Biol. Cir. 64, pp. 3-4. 1908.
field—
aphid destruction. Y.B., 1912, pp. 400, 403. 1913; Y.B. Sep. 601, pp. 400, 403. 1913.
distribution. Biol. Bul. 15, p. 78. 1901.
food habits. Biol. Bul. 15, pp. 15, 18, 21, 23-24, 25, 26, 28, 30, 33, 36, 37, 41, 42, 62, 78-80. 1901; D.B. 107, pp. 28-36. 1914.
nesting habits. Biol. Bul. 15, pp. 29, 30-31, 34. 1901.
food habits—
and occurrence in Arkansas. Biol. Bul. 38, pp. 62-66. 1911.
by species. Biol. Bul. 15, pp. 51-96. 1901.
in captivity. Biol. Bul. 15, pp. 45-50. 1901.
relation to agriculture. Biol. Bul. 15, pp. 19-25. 1901.
studies in District of Columbia. Biol. Bul. 15, pp. 40-45. 1901.
fox—
distribution. Biol. Bul. 15, pp. 87-88. 1901.
food habits. Biol. Bul. 15, pp. 27, 37, 41, 42, 43, 87-89. 1901.
occurrence in Alaska and Yukon Territory. N.A. Fauna 30, pp. 41-42, 91. 1909.
Gambel's—
distribution. Biol. Bul. 15, p. 69. 1901.
food habits. Biol. Bul. 15, pp. 27, 70-71. 1901.

Sparrow—Continued.
  golden-crowned—
    food habits. Biol. Bul. 15, p. 27. 1901.
    food habits, relation to agriculture, California. Biol. Bul. 34, pp. 78–79. 1910.
    in Alaska. N.A. Fauna 30, p. 41. 1909.
    sale as reedbirds. Biol. Bul. 12, rev., p. 26. 1902.
  grasshopper—
    food habits. Biol. Bul. 15, pp. 21, 23–24, 34, 61–63. 1901.
    nesting habits. Biol. Bul. 15, pp. 31, 34. 1901.
    Santo Domingan, occurrence in Porto Rico, habits, and food. D.B. 326, pp. 127–129. 1916.
  harmfulness by seed distribution. Biol. Bul. 15, p. 49. 1901.
  Harris's—
    distribution. Biol. Bul. 15, p. 68. 1901.
    food habits. Biol. Bul. 15, pp. 27, 68–69. 1901.
  hawk. See Hawk, sparrow.
  Henslow's—
    distribution. Biol. Bul. 15, p. 63. 1901.
    food habits. Biol. Bul. 15, pp. 24, 63–64. 1901.
  importance, economic. Biol. Bul. 15, p. 7. 1901.
  intermediate—
    food habits, relation to agriculture, California. Biol. Bul. 34, pp. 75–77. 1910.
    occurrence in Alaska and Yukon Territory. N.A. Fauna 30, pp. 41, 63. 1909.
  Ipswich—
    distribution. Biol. Bul. 15, p. 59. 1901.
    food habits. Biol. Bul. 15, p. 59. 1901.
  lark—
    distribution. Biol. Bul. 15, p. 66. 1901.
    food habits. Biol. Bul. 15, pp. 24, 27, 45, 62, 66–68. 1901.
    useful food habits, and occurrence in Arkansas. Biol. Bul. 38, p. 63. 1911.
  Lincoln's—
    distribution. Biol. Bul. 15, p. 86. 1901.
    food habits. D.B. 107, p. 36. 1914.
    occurrence in Alaska. N.A. Fauna 30, p. 41. 1909.
  longspur, food habits. Biol. Bul. 15, pp. 27, 28. 1901.
  migration habits. Biol. Bul. 15, p. 28. 1901; D.B. 185, pp. 5, 9. 1915.
  mineral substance found in stomachs. Biol. Bul. 15, p. 19. 1901.
  nesting habits. Biol. Bul. 15, pp. 29–34. 1901.
  Nuttall's—
    distribution. Biol. Bul. 15, p. 69. 1901.
    food habits. Biol. Bul. 15, pp. 25, 27, 28, 71–72. 1901.
    food habits, relation to agriculture, California. Biol. Bul. 34, pp. 75–77. 1910.
  occurrence in—
    Alaska, varieties. N.A. Fuana 24, pp. 74–77 1904; N.A. Fauna 30, pp. 41–42. 1909.
    England, destruction of cicada. Ent. Bul. 71, pp. 13, 104, 128, 138. 1907.
    Pribilof Islands. N.A. Fauna 46, pp. 95–96. 1923.
  protection by law. Biol. Bul. 12, rev., pp. 38, 40, 41, 42. 1902.
  range and habits. N.A. Fauna 21, pp. 47–48, 78–79. 1901; N.A. Fauna 22, pp. 119–123. 1902; Biol. N.A. Fauna 24, pp. 22, 73–77. 1904.
  relation to agriculture. Sylvester D. Judd. Biol. Bul. 15, pp. 98. 1901.
  Savannah—
    aphid destruction. Y.B., 1912, pp. 400, 403. 1913; Y.B. Sep. 601, pp. 400, 403. 1913.
    distribution. Biol. Bul. 15, p. 60. 1901.
    food habits. Biol. Bul. 15, pp. 37, 59–61. 1901.
    sale as reedbirds. Biol. Bul. 12, rev., p. 26. 1902.
    useful food habits, and occurrence in Arkansas. Biol. Bul. 38, p 62. 1911.
  seaside—
    distribution. Biol. Bul. 15, p. 65. 1901.
    food habits. Biol. Bul. 15, pp. 65–66. 1901.
  sharp-tailed—
    distribution. Biol. Bul. 15, p. 64. 1901.
    food habits. Biol. Bul. 15, pp. 64–65. 1901.
  snowflake—
    distribution. Biol. Bul. 15, p. 51. 1901.
    food habits. Biol. Bul. 15, pp. 25, 27, 45, 51–54. 1901.

Sparrow—Continued.
  song—
    description, and food habits. F.B. 630, pp. 9–10. 1915.
    description, range and habits. F.B. 513, p. 15. 1913.
    desert, food habits. D.B. 107, pp. 35–36. 1914.
    distribution. Biol. Bul. 15, p. 82. 1901.
    food habits. Biol. Bul. 15, pp. 15, 21, 24, 26, 28, 31, 32, 36–39, 41, 42, 43, 44, 62, 82–86. 1901.
    injury by cowbird. Biol. Bul. 15, p. 17. 1901.
    nesting habits. Biol. Bul. 15, pp. 29, 31. 1901.
    protection by law. Biol. Bul. 12, rev., pp. 38, 40. 1902.
    sale as reedbirds. Biol. Bul. 12, rev., p. 26. 1902.
    western, food habits, relation to agriculture in California. Biol. Bul. 34, pp. 84–86. 1910.
  swamp, distribution and food habits. Biol. Bul. 15, p. 87. 1901.
  Townsend's, food habits. Biol. Bul. 15, p. 27. 1901.
  trap—
    "Government," description, construction, and use. D.C. 170, pp. 4–9. 1921.
    specifications and directions. M.C. 18, pp. 3–7. 1924.
  tree—
    distribution. Biol. Bul. 15, p. 75. 1901.
    food habits. Biol. Bul. 15, pp. 18, 22, 25, 27, 28, 36–39, 42, 75–76. 1901.
    seed destruction. Biol. Bul. 30, p. 19. 1907.
    weed-seed destruction. F.B. 630, p. 10. 1915.
    unimportant as spreaders of pigeon lice. D.C. 213, p. 4. 1922.
    use in aphid destruction. Y.B., 1912, pp. 399–403, 404. 1913; Y.B. Sep. 601, pp. 399–403, 404. 1913.
    varieties in Athabaska-Mackenzie region. N.A. Fauna 27, pp. 427–448. 1908.
  vesper—
    aphid destruction. Y.B., 1912, pp. 399, 403. 1913; Y.B. Sep. 601, pp. 399, 403. 1913.
    distribution. Biol. Bul. 15, p. 56. 1901.
    food habits. Biol. Bul. 15, pp. 30, 36, 37, 56–58, 62. 1901.
    nesting habits. Biol. Bul. 15, p. 29. 1901.
    western, food habits. D.B. 107, pp. 28–30. 1914.
  western chipping—
    food habits. D.B. 107, p. 33. 1914.
    food habits, relation to agriculture in California. Biol. Bul. 34, pp. 80–82. 1910.
  western grasshopper, enemy of cutworm. J.A.R., vol. 22, p. 313. 1921.
  western lark, food habits. D.B. 107, pp. 31–33, 1914.
  western Savannah—
    enemy of boll weevil. Biol. Bul. 22, p. 11. 1905.
    food habits. D.B. 107, pp. 30–31. 1914.
    occurrence in Alaska. N.A. Fauna 30, p. 41. 1909.
  western tree, occurrence in Alaska and Yukon Territory. N.A. Fauna 30, pp. 41, 63, 90. 1909.
  white crowned—
    description, range, and habits. F.B. 513, p. 16. 1913.
    distribution. Biol. Bul. 15, p. 69. 1901.
    eating rose aphid. D.B. 90, p. 10. 1914.
    food habits. Biol. Bul. 15, pp. 21, 27, 28, 69–72. 1901; D.B. 107, p. 33. 1914; F.B. 506, pp. 28–29. 1912.
    food habits, relation to agriculture, California. Biol. Bul. 34, pp. 75–77. 1910.
    sale as reedbirds. Biol. Bul. 12, rev., p. 26. 1902.
  white throated—
    distribution. Biol. Bul. 15, p. 72. 1901.
    enemy of boll weevil. Biol. Bul. 22, p. 11. 1905.
    food habits. Biol. Bul. 15, pp. 15, 18, 26, 27, 28, 36, 37, 41, 42, 43, 72–75. 1901.
    nesting habits. Biol. Bul. 15, pp. 30, 34. 1901.
  yellow-winged. See Sparrow, grasshopper.
Spartanburg, S. C., milk supply, details and statistics. B.A.I. Bul. 70, pp. 6–7, 27–28. 1905.
Spartina—
  gracilis, distribution, description, and feed value. D.B. 201, pp. 42–43. 1915.
  North American species. Elmer D. Merrill. B.P.I. Bul. 9, pp. 16. 1902.

Spartina—Continued.
   spp., description, distribution, and uses. D.B. 772, pp. 17, 182–185. 1920.
Spartium junceum. See Broom, Spanish.
Spartocera batatas, injury to sweetpotatoes in Porto Rico. D.B. 192, pp. 4, 11. 1915.
Spasm—
   herb, occurrence in chaparral, qualities. For. Bul. 85, p. 29. 1911.
   hog, causes, symptoms, and treatment. F.B. 1244, pp. 21–22. 1923.
   horse, classes, causes and treatment. B.A.I. [Misc.], "Diseases of the horse," rev., pp. 140, 204–206. 1903; rev., pp. 141, 205–206. 1907; rev., pp. 141, 205–206. 1911; rev., pp. 132–133, 225–226. 1923.
   remedy, misbranded. Chem. N.J. 903, p. 2. 1911.
SPASOFF, I. M.: "Farmers' telephone companies, organization, financing, and management." With H. S. Beardsley. F.B. 1245, pp. 30. 1923.
Spathimeitenis spinigera, parasite of *Neodiprion lecontei.* J.A.R., vol. 20, pp. 757–758. 1921.
Spathius simillimus, parasitic on 2-lined chestnut borer. Ent. Cir. 24, rev., p. 5. 1909.
Spathodea—
   campanulata—
      importations and descriptions. No. 39415, B.P.I. Inv. 41, pp. 6, 25. 1917; No. 47216, B.P.I. Inv. 58, p. 41. 1922; No. 53983, B.P.I. Inv. 68, p. 15. 1923.
      See also Fountain tree.
   nilotica, importation and description. No. 47502, B.P.I. Inv. 59, pp. 6, 23. 1922.
Spatholobus parviflorus, importation and description. No. 50725, B.P.I. Inv. 64, p. 20. 1923.
Spatula clypeata. See Shoveller.
SPAULDING, PERLEY—
   "Bitter rot of apples." With Hermann von Schrenk. B.P.I. Bul. 44, pp. 54. 1903.
   "Diseases of deciduous forest trees." With Hermann von Schrenk. B.P.I. Bul. 149, pp. 85. 1909.
   "European currant rust on white pine in America." B.P.I. Cir. 38, pp. 4. 1909.
   "Investigations of the white-pine blister rust." D.B. 957, pp. 100. 1922.
   "New facts concerning the white-pine blister rust." D.B. 116, pp. 8. 1914.
   "The present status of the white-pine blights." B.P.I. Cir. 35, pp. 12. 1909.
   "Treatment of damping-off in coniferous seedlings." B.P.I. Cir. 4, pp. 8. 1908.
   "The blister rust of white pine." B.P.I. Bul. 206, pp. 88. 1911.
   "The present status of the white-pine blister rust." B.P.I. Bul. 129, pp. 9–20. 1913.
   "The timber rot caused by *Lenzites sepiaria*." B.P.I. Bul. 214, pp. 46. 1911.
   "The white-pine blister rust." F.B. 742, pp. 15. 1916.
   "Two dangerous imported plant diseases." With Ethel C. Field. F.B. 489, pp. 29. 1912.
Spavin—
   cattle, symptoms and treatment. B.A.I. [Misc.], "Diseases of cattle," rev., pp. 281–282. 1904; rev., pp. 290–291. 1912; rev., pp. 284–286. 1923.
   horse, detection. F.B. 779, p. 22. 1917.
Spaying—
   heifer, advisability. B.A.I. An. Rpt., 1905, p. 208. 1907.
   sows, directions. F.B. 1357, p. 8. 1923.
Spear grasses, description. D.B. 772, pp. 159–161, 162. 1920.
SPEARE, A. T.—
   "Further studies of *Sorosporella uvella,* a fungous parasite of Noctuid larvae." J.A.R., vol. 18, pp. 399–440. 1920.
   "Natural control of the citrus mealybug in Florida." D.B. 1117, pp. 19. 1922.
   "*Sorosporella uvella* and its occurrence in cutworms in America." J.A.R., vol. 8, pp. 189–194. 1917.
Spearmint—
   and peppermint, cultivation. Walter Van Fleet. F.B. 694, pp. 13. 1915.
   cultivation (and peppermint). Walter Van Fleet. F.B. 694, pp. 13. 1915.
   culture and handling as drug plant, yield, and price. F.B. 663, p. 34. 1915.

Spearmint—Continued.
   growing and uses, harvesting, marketing, and prices. F.B. 663, rev., pp. 45–46. 1920.
   habitat, range, description, uses, collection, and prices. B.P.I. Bul. 219, p. 29. 1911.
   oil—
      chemical investigation. E. K. Nelson. Chem. Cir. 92, pp. 4. 1912.
      manufacture, practices. F.B. 694, pp. 9–11. 1915.
      prices and demand. F.B. 694, pp. 8–9. 1915.
      production, uses, and importance. F.B. 694, p. 1. 1915.
Specialists, numbers engaged in extension work, 1919. S.R.S. [Misc.], "Cooperative extension work in agriculture and home economics * * *, 1919," pp. 22, 33–34. 1921.
Species—
   discussion as physiological organizations. B.P.I. Bul. 256, p. 14. 1913.
   origin, doctrine of De Vries. B.P.I. Bul. 146, p. 26. 1909.
   type, rules, and recommendations concerning. B.A.I. Bul. 79, pp. 24–80. 1905.
Specific, Genno, misbranding. See *Indexes to Notices of Judgment,* in bound volumes and in separates, published as supplements to Chemistry Service and Regulatory Announcements.
Specific gravity—
   comparison with Baumé scale. D.B. 949, p. 94. 1921.
   determination(s)—
      for road materials. D.B. 314, pp. 4–7. 1915.
      for road materials, and apparatus. D.B. 949, pp. 7–11, 36–38. 1921; D.B. 1216, pp. 10–13, 31, 45–47, 76–78. 1924.
      miscellaneous. Chem. Bul. 109, rev., pp. 7–10. 1910.
   wood—
      definition and determination. D.B. 556, pp. 9–11. 1917.
      relation to shrinkage and strength. J.A. Newlin and T. R. C. Wilson. D.B. 676, pp. 35. 1919.
      testing. D.B. 556, pp. 9–11. 1917.
Specific viscosity, determination in road materials. D.B. 314, pp. 7–9. 1915; D.B. 1216, pp. 59–60. 1924.
Specifications—
   for road work, typical. D.B. 463, pp. 63–68. 1917.
   road building—
      materials, nonbituminous. Prevost Hubbard and Frank H. Jackson, jr. D.B. 704, pp. 40. 1918.
      materials, standard forms. D.B. 555, pp. 5–29. 1917.
      scope and filing, regulation 6. Sec. Cir. 161, pp. 3–4. 1922.
   standards for sardine pack. D.B. 908, pp. 96–98. 1921.
Specimens—
   botanical, packing and shipping, directions. D.C. 76, p. 8. 1920.
   collection and preservation, for study of agriculture. F.B. 606, pp. 1–18. 1914.
   mycological, exchange of duplicates. D.C. 135, pp. 3–4. 1922.
   pathological, preparing and shipping instructions. George H. Hart. B.A.I. Cir. 123, pp. 10. 1908.
Spectrophotometer, description and use in carotin determination. J.A.R., vol. 26, pp. 384–387, 393–394. 1923.
Spectrophotometric observations of solutions of oleic acid products. J.A.R., vol. 26, pp. 352–355. 1923.
Spectrum—
   analysis, studies. Chem. Bul. 153, pp. 22–25. 1912.
   photographs and measurements, use in forest study. D.B. 1059, pp. 56–58. 1922.
Speed, regulation in threshing machines, indicators. F.B. 991, pp. 4–5. 1918.
Speedometers, use on motor vehicles, regulations. B.A.I.S.R.A. 200, p. 107. 1924.
Speedwell—
   common, habitat, range, description, uses, collection, and prices. B.P.I. Bul. 219, p. 32. 1911.
   corn, seeds, illustrations, description. B.P.I. Bul. 84, p. 36. 1905.

Speedwell—Continued.
  importations and description. Nos. 45895–45898, B.P.I. Inv. 54, pp. 36–37. 1922.
SPEIR, JOHN, studies of butterfat, relation to lactation. B.A.I. Bul. 155, pp. 11–12. 1913.
Spekboom, importations and descriptions. No. 48510, B.P.I. Inv. 61, pp. 2, 17–18. 1922; No. 50969, B.P.I. Inv. 64, p. 37. 1923.
Spelaeorhynchus praecursor, description and occurrence. Rpt. 108, p. 70. 1915.
Spelt—
  acreage, by countries, Europe, 1885, 1895, 1905. Stat. Bul. 68, pp. 17–18. 1908.
  adaptation to dry lands. B.P.I. Cir. 12, p. 5. 1908.
  alcohol manufacture, value. F.B. 268, pp. 29–30. 1906.
  analytical key and description of seedlings. D.B. 461, p. 27. 1917.
  and emmer. John H. Martin and Clyde E. Leighty. F.B. 1429, pp. 13. 1924.
  description, difference from emmer. F.B. 466, pp. 5–6, 23. 1911.
  einkorn, and emmer, experiments with. John H. Martin and Clyde E. Leighty. D.B. 1197, pp. 60. 1924.
  experiment at Cheyenne farm, 1913. D.B. 430, p. 26. 1916.
  food use for man and livestock. F.B. 1429, p. 12. 1924.
  form, behavior in crosses between *Triticum spelta* and *Triticum sativum*. Clyde E. Leighty and Sarkis Boshnakian. J.A.R., vol. 22, pp. 335–364. 1921.
  growing—
    and uses, with emmer and einkorn. John H. Martin and Clyde E. Leighty. D.B. 1197, pp. 60. 1924.
    experiments at Williston station, 1914, variety and yield. D.B. 270, pp. 33, 34, 35. 1915.
  in—
    California, experiment. D.B. 1172, pp. 31, 33. 1923; D.B. 1287, p. 50. 1925.
    Hawaii, injury by plant lice, yield. Hawaii A.R., 1917, p. 45. 1918.
    Texas Panhandle, varieties, yields, and seeding rate. F.B. 738, p. 12. 1916.
    yield, and use for stock feed in Richland County, N. Dak. Soil Sur. Adv. Sh., 1908, p. 9. 1909; Soils F.O., 1908, p. 1125. 1911.
  hardy crop, experiments. An. Rpts., 1908, p. 329. 1909; B.P.I. Chief Rpt., 1908, p. 57. 1908.
  history, distribution, varieties and culture. F.B. 1429, pp. 8–12. 1924.
  importations and description. Nos. 52546–52552. B.P.I. Inv. 66, pp. 2, 39. 1923; No. 53114, B.P.I. Inv. 67, p. 28. 1923.
  production—
    and uses in North Dakota, Richland County. Soil Sur. Adv. Sh., 1908, p. 9. 1909; Soils F. O., 1908, p. 1125. 1911.
    in European countries, tables, 1883–1906. Stat. Bul. 68, pp. 51–96. 1908.
  similarity to primitive wheat. B.P.I. Bul. 274, pp. 13, 27. 1913.
  varieties—
    description, distribution, and synonymy. D.B. 1074, pp. 195–197. 1922.
    for Maryland and Virginia. F.B. 786, pp. 1–24. 1917.
  wheat hybrid, suppression of awns by fungus. J.A.R., vol. 21, pp. 699–700. 1921.
  winter—
    experiments, yield, in Texas. B.P.I. Bul. 283, pp. 43, 76, 78. 1913.
    growing experiments, Belle Fourche farm. D.B. 1039, pp. 36, 41, 71. 1922.
    varietal tests, Maryland and Virginia. D.B. 336, pp. 26–30. 1916.
    yields on Arlington farm. D.B. 1309, pp. 16–17. 1925.
  See also Emmer.
Spelter coating—
  culvert metal, test, methods. D.B. 1216, pp. 81–83. 1924.
  on wire, test. D.B. 1216, pp. 92–93. 1924.
Speltz—
  drought resistance, value in Texas, Archer County. Soil Sur. Adv. Sh., 1912, p. 13. 1914; Soils F.O., 1912, p. 1015. 1915.

Speltz—Continued.
  incorrect name for emmer. F.B. 466, p. 5. 1911.
  name for emmer and spelt. F.B. 1429, p. 1. 1924.
  See also Emmer; Spelt.
SPENCER, D. A.—
  "A method of determining grease and dirt in wool." With others. D.B. 1100, pp. 20. 1922.
  "The sheep industry." With others. Y.B., 1923, pp. 229–310. 1924; Y.B. Sep. 894, pp. 229–310. 1924.
SPENCER, G. L.—
  "Experiments in the culture of sugarcane and its manufacture into table sirup." With others. Chem. Bul. 93, pp. 78. 1905.
  "Report of special agents on sugar cane culture." Chem. Bul. 75, pp. 25–40. 1903.
  "Report on sugar." Chem. Bul. 73, pp. 55–59. 1903.
Speotyto cunicularia hypogaea. See Owl, burrowing.
Sperchon spp., description and habitat. Rpt. pp. 49, 51. 1915.
Spergula arvensis. See Spurry, corn.
Spermatogenesis and fecundation of Zamia. Herbert J. Webber. B.P.I. Bul. 2, pp. 92. 1901.
Spermatozoa, vitality. J.A.R., vol. 30, p. 901. 1925.
Spermestes cucullata. See Finch, weaver, hooded.
Spermophagus—
  pectoralis. See Bean weevil.
  piurae, new species from Peru, description. Rpt. 102, pp. 8–9. 1915.
  robiniae, weevil having boll weevil parasites. Ent. Bul. 100, pp. 45, 50. 1912.
Spermophile—
  Hudson Bay, range and habits. N.A. Fauna 22, pp. 46–47. 1902.
  in Athabaska-Mackenzie region, description and habits. N.A. Fauna 27, pp. 161–164, 165–167. 1908.
  See also Squirrels, ground.
Spermophilus, destruction by coyotes. Biol. Bul. 20, p. 13. 1905.
SPETHMANN, M. T.: "Statistics of land-grant colleges and agricultural experiment stations—
  1904." O.E.S. An. Rpt., 1904, pp. 203–235. 1905.
  1907." O.E.S. An. Rpt., 1907, pp. 199–236. 1908.
  1908." O.E.S. An. Rpt., 1908, pp. 191–230. 1909.
  1909." O.E.S. An. Rpt., 1909, pp. 211–250. 1910.
  1910." O.E.S. An. Rpt., 1910, pp. 271–314. 1911.
"Spewing sickness" of sheep, cause. C. Dwight Marsh. B.A.I. Doc. A–9, pp. 4. 1916.
Sphacelotheca spp. See Smut, sorghum.
Sphaeralcea—
  lindheimeri, boll-weevil feeding experiments. J.A.R., vol. 2, pp. 235–245. 1914.
  umbellata, importation, and description. No. 43667, B.P.I. Inv. 49, p. 59. 1921.
Sphaerella—
  rubina, cause of spur blight of red raspberry. S.R.S. Rpt., 1915, Pt. I, pp. 54, 79. 1917.
  tabifica, relation to *Phoma betae*. J.A.R., vol. 4, p. 140. 1915.
Sphaeronema fimbriatum—
  cause of black rot of sweet potato. F.B. 1059, pp. 8–11, 20. 1919.
  cause of sweet-potato black rot. F.B. 714, pp. 8, 11, 22, 24–25. 1916; J.A.R., vol. 15, pp. 344–346, 361. 1918; J.A.R., vol. 21, pp. 211–226. 1921; S.R.S., Syl. 26, p. 14. 1917.
  growth in concentrated solutions. J.A.R., vol. 7, pp. 256–259. 1916; J.A.R., vol. 21, pp. 189–210. 1921.
Sphaerophoria—
  cyclindrica, enemy of the spring grain aphid. Ent. Bul. 110, p. 131. 1912.
  sulphuripes, enemy of bean thrips. Ent. Bul. 118, p. 41. 1912.
Sphaeropsidales, growth and reproduction. J.A.R., vol. 5, No. 16, pp. 713, 766. 1916.
Sphaeropsis—
  malorum—
    cause of fruit rot, temperature studies. J.A.R., vol. 7, pp. 17–40. 1916; J.A.R., vol. 8, pp. 142–163. 1917.
    description, cause, and control. F.B. 1160, pp. 13–14. 1920.

Sphaeropsis—Continued.
  malorum—continued.
    growth in concentrated solutions. J.A.R., vol. 7, pp. 256–259. 1916.
    inoculation experiments with apple leaves. J.A.R., vol. 2, pp. 58, 63–64. 1914.
    pycnidia, studies. J.A.R., vol. 23, p. 744. 1923.
    vitality tests under low temperature. J.A.R., vol. 5, No. 14, pp. 652, 654, 655. 1916.
    See also Black-rot; Twig-blight.
  tumefaciens—
    cause of knot of citrus trees. Florence Hedges and L. S. Tenny. B.P.I. Bul. 247, pp. 74. 1912.
    inoculation experiments. B.P.I. Bul. 247, pp. 39–69. 1912.
    isolation, description, and cultural characteristics. B.P.I. Bul. 247, pp. 13–34. 1912.
Sphaerostilbe coccophila—
  fungous disease of San Jose scale. F.B. 650, p. 13. 1915.
  See also Fungus, redheaded scale.
Sphaerotheca spp.—
  occurrence in plants, Texas, and description. B.P.I. Bul. 226, p. 88. 1912.
  See also Mildew.
Sphagnum—
  use in packing soft cuttings. B.P.I. Cir. 111, pp. 29–31. 1913; D.B. 802, pp. 1–31. 1919.
  See also Peat moss.
Sphenophorus—
  callosus. See Curlew bug.
  maidis, description. F. H. Chittenden. Ent. Bul. 95, Pt. II, pp. 11, 20–21. 1911.
  obscurus. See Cane borer.
  parvulus, destruction by birds. Biol. Bul. 15, p. 95. 1901.
  sordidus. See Banana root borer.
  spp.—
    destruction by starlings. D.B. 868, pp. 17, 42, 63. 1920.
    injury to corn plants. Ent. Bul. 95, Pt. II, pp. 11, 12, 13, 14, 15, 16, 17, 18, 19, 21–22. 1911.
    See also Billbugs.
Sphenostylis stenocarpa, importation and description. No. 51365, B.P.I. Inv. 65, pp. 4, 8. 1923.
Sphex sp., enemy of army worm. F.B. 731, pp. 3, 9. 1916.
Sphinx—
  achemon, grape enemy, description and control. F.B. 1220, pp. 34, 35. 1921.
  catalpa. See Catalpa sphinx.
  convolvuli, occurrence on sweet potatoes. Hawaii Bul. 34, p. 13. 1914.
  white-lined—
    description, habits, injuries to cotton, and control. Ent. Bul. 57, pp. 14–16. 1906.
    grape enemy description and control. F.B. 1220, pp. 34, 35. 1921.
Sphyrapicus spp.—
  injury to trees. Biol. Bul. 39, pp. 16, 21–55, 92–95. 1911.
  See also Sapsuckers.
Spicaria—
  colorans, cause of Cacao disease. P.R. An. Rpt., 1914, p. 30. 1915.
  sp., growth in tomatoes. Y.B., 1911, p. 302. 1912.
  spp., relation to potato skin spot. J.A.R., vol. 23, pp. 286–287. 1923.
Spices—
  adulterants—
    detection by microscopic examination. Chem. Bul. 100, pp. 33–37, 58–59. 1906; Chem. Bul. 107, p. 164–166. 1907.
    exhibit at Buffalo Exposition. Chem. Bul. 63, p. 11. 1901.
    adulteration and misbranding, research work. D.C. 137, p. 18. 1922.
    analysis methods. Chem. Bul. 107, pp. 162–166. 1907; Chem. Bul. 122, pp. 35–38. 1909; Chem. Bul. 132, pp. 112–119. 1910; Chem. Bul. 152, pp. 89–95. 1912.
    antiseptic value, experiments. Chem. Bul. 119, pp. 24–26. 1909.
    damage by insects. Chem. Bul. 116, p. 11. 1908.
    drying methods. O.E.S. Bul. 245, p. 77. 1912.
    ether extract, determination. Chem. Bul. 137, pp. 85–86. 1911.

Spices—Continued.
  flavoring, use in meat dishes, suggestions. F.B. 391, pp. 37–39. 1910.
  food standards. Sec. Cir. 136, pp. 11–15. 1919.
  imports—
    1907–1909, quantity and value, by countries from which consigned. Stat. Bul. 82, pp. 55–56. 1910.
    1908–1910, quantity and value, by countries from which consigned. Stat. Bul. 90, pp. 59–60. 1911.
    1908–1912. Y.B., 1912, p. 723. 1913; Y.B., Sep. 615, p. 723. 1913.
  and exports—
    1906–1910. Y.B., 1910, pp. 663, 672. 1911; Y.B. Sep. 553, pp. 663, 672. 1911.
    1907–1911. Y.B., 1911, pp. 666, 675. 1912; Y.B. Sep. 588, pp. 666, 675. 1912.
    1911–1913. Y.B., 1913, pp. 499, 506. 1914; Y.B. Sep. 361, pp. 499, 506. 1914.
    1913–1915. Y.B., 1916, pp. 713, 720, 722. 1917. Y.B. Sep. 722, pp. 7, 14, 16. 1917.
    1914–1916. Y.B., 1917, pp. 766, 773. 1918; Y.B. Sep. 762, pp. 10, 17. 1918.
    1916–1918. Y.B., 1919, pp. 689, 696. 1920; Y.B. Sep. 829, pp. 689, 696. 1920.
    1918–1920. Y.B., 1921, pp. 742, 748, 749. 1922. Y.B. Sep. 867, pp. 6, 12, 13. 1922.
    1919–1921. Y.B., 1922, pp. 954, 960, 961. 1923; Y.B. Sep. 880, pp. 954, 960, 961. 1923.
  by kinds, 1922–1924. Y.B., 1924, p. 1064. 1925.
  value, and nature of adulteration. Y.B., 1910, pp. 210–211. 1911; Y.B. Sep. 529, pp. 210–211. 1911.
  laws—
    and standards. Chem. Bul. 69, rev., Pts. I–IX, pp. 17–19, 171, 187–190, 213, 297, 307, 308, 320, 442, 456, 503, 544, 594, 598, 618, 634–635, 668, 692, 770–772. 1905–1906.
    State—
      1907. Chem. Bul. 112, Pt. I, pp. 48–119. 1908.
      1908. Chem. Bul. 121, p. 67. 1909.
  purity standards. Sec. Cir. 136, pp. 11–15. 1919.
  total ash determination. A. L. Mehring. J.A.R., vol. 29, pp. 569–574. 1924.
  trade with foreign countries, exports and imports. D.B. 296, pp. 39–40. 1915.
  use in—
    cooking. D.B. 123, p. 51. 1916; O.E.S. Bul. 245, pp. 68, 70. 1912.
    meats allowed. B.A.I.O. 150, amdt. 2, p. 1. 1913.
  See also Condiments.
Spiceberry. See Wintergreen.
Spicebush—
  agency in spread of bitter-rot fungus. D.B. 684, p. 19. 1918.
  destruction by birds. Biol. Bul. 15, p. 74. 1901.
  injury by sapsuckers. Biol. Bul. 39, p. 38. 1911.
  names, range, description, bark, prices, uses, and fruit. B.P.I. Bul. 139, pp. 26–27. 1909.
Spicules—
  cactus, excessive development, causes. D.B. 31, p. 9. 1913.
  sponge, distribution, description, cause, and control methods. Soils Cir. 67, pp. 1–4. 1912.
  sponge in swamp soils. R. O. E. Davis. Soils Cir. 67, pp. 4. 1912.
  tuna, removal methods. B.P.I. Bul. 116, p. 16. 1907.
Spiderflower, description, cultivation, and characteristics. F.B. 1171, pp. 31, 83. 1921.
Spiders—
  bird enemies, Southeastern States. F.B. 755, pp. 7–32. 1916.
  control of walnut aphids. D.B. 100, p. 36. 1914.
  destruction by—
    birds. F.B. 630, pp. 2–8, 13–19, 27. 1915.
    crows. D.B. 621, pp. 25, 62, 82, 89. 1918.
    starlings. D.B. 868, pp. 25, 43, 44, 65. 1921.
    thrushes. Y.B., 1913, pp. 138, 140. 1914; Y.B. Sep. 620, pp. 138, 140. 1914.
  detection in stomach of bird. Biol. Bul. 15, p. 14. 1901.
  enemies of—
    beet leaf beetle. F.B. 1193, p. 8. 1921.
    cankerworms. D.B. 1238, p. 31. 1924.
    citrus thrips. D.B. 616, p. 27. 1918.
    corn earworm. F.B. 1310, p. 11. 1923.
    lacebugs. D.B. 239, p. 7. 1915.

Spiders—Continued.
enemies of—continued.
leaf hoppers, species attacking. Ent. Bul. 108, p. 34. 1912.
meadow plant bug. J.A.R., vol. 15, p. 197. 1918.
injuries to livestock in Honduras. B.A.I. An. Rpt., 1910, pp. 291-292. 1912.
jumping, enemies of Argentine ant. Ent. Bul. 122, p. 73. 1913.
occurrence in the Pribilof Islands, Alaska. N.A. Fauna 46, Pt. II, p. 239. 1923.
poisonous, camp pests, treatment of bites. Sec. Cir. 61, pp. 21-22. 1916.
studies for southern rural schools. D.B. 305, p. 26. 1915.
use in control of sugar-cane leaf hoppers. Ent. Bul. 93, p. 28. 1911.
useful against tobacco wireworm. D.B. 78, p. 13. 1914.
Spigelia—
marilandica. See Pinkroot.
use as anthelmintic, efficacy tests. J.A.R., vol. 12, p. 428. 1918.
Spike(s)—
barley, density variations, studies. D.B. 137, pp. 4, 16-22, 35. 1914.
disease—
description and occurrence, studies. D.B. 1038, pp. 7-8. 1922.
pineapple—
comparison with pecan rosette. J.A.R., vol. 3, pp. 170, 171, 174. 1914.
description and cause. F.B. 1237, pp. 27-28. 1921; P.R. Bul. 8, pp. 39-40. 1909.
top disease—
conifers, causes, and relation to mistletoe. D.B. 360, pp. 8-9, 10, 11, 12. 1916.
pine, cause of improvement in seed production. For. Cir. 196, pp. 6, 10. 1912.
Zimmerman pine, cause. D.B. 295, pp. 3, 6, 10. 1915.
wheat—
length, relation to sterility of spikelets. J.A.R. vol. 6, No. 6, pp. 247, 250. 1916.
use as varietal character. D.B. 1074, pp. 29-32. 1922.
Spikelet(s)—
oat, morphology discussion. J.A.R., vol. 30, pp. 18-22, 28-34, 47-55. 1925.
wheat, sterility, cause, study. J.A.R., vol. 6, No. 6, pp. 235-250. 1916.
wild wheat, adaptation to dissemination. B.P.I. Bul. 274, pp. 20-21, 51, 55, 56. 1913.
Spikenard, California, importation and description. No. 32169, B.P.I. Bul. 261, p. 36. 1912.
Spikes, railroad—
holding force in wooden ties. W. Kendrick Hatt. For. Cir. 46, pp. 7. 1906.
pulling tests with railroad ties, directions. For. Cir. 38, rev., pp. 26, 56. 1909.
wearing effect of different shapes on crossties. For. Bul. 118, pp. 37-40, 49-50. 1912.
Spiketail. See Pintail.
SPILLMAN, W. J.—
"A method of eradicating Johnson grass." With J. S. Cates. F.B. 279, pp. 16. 1907.
"A model farm." Y.B., 1903, pp. 363-370. 1904. Y.B. Sep. 323, pp. 363-370. 1904.
"A successful Alabama diversification farm." With others. F.B. 310, pp. 24. 1907.
"A successful hog and seed-corn farm." F.B. 272, pp. 16. 1906.
"A successful poultry and dairy farm." F.B. 355, pp. 40. 1909.
"An example of model farming." F.B. 242, pp. 16. 1906.
"Application of some of the principles of heredity to plant breeding." B.P.I. Bul. 165, pp. 74. 1909.
"Cropping systems for stock farms." Y.B., 1907, pp. 385-398. 1908; Y.B. Sep. 456, pp. 385-398. 1908.
"Distribution of types of farming in the United States." F.B. 1289, pp. 30. 1923.
"Diversified farming in the Cotton Belt: South Atlantic States." Y.B., 1905, pp. 193-200. 1906; Y.B. Sep. 377, pp. 193-200. 1906.
"Extermination of Johnson grass." B.P.I. Bul. 72, Pt. III, pp. 14-22. 1905.

SPILLMAN, W. J.—Continued.
"Factors of efficiency in farming." Y.B., 1913, pp. 93-108. 1914; Y.B. Sep. 617, pp. 93-108. 1914.
"Factors of successful farming near Monett, Mo." D.B. 633, pp. 28. 1918.
"Farm management practice of Chester County, Pa." With others. D.B. 341, pp. 99. 1916.
"Farm ownership and tenancy." With others. Y.B., 1923, pp. 507-600. 1924; Y.B. Sep. 897, pp. 507-600. 1924.
"Farm tenantry in the United States." With E.A. Goldenweiser. Y.B., 1916, pp. 321-346. 1917; Y.B. Sep. 715, pp. 26. 1917.
"Farming as an occupation for city-bred men." Y.B., 1909, pp. 239-248. 1910; Y.B. Sep. 509, pp. 239-248. 1910.
"Formulae for calculating interest on farm equipment." Sec. Cir. 53, pp. 4. 1915.
"General farming." Y.B., 1904, pp. 181-190. 1905; Y.B. Sep. 340, pp. 181-190. 1905.
"Hay." With others. Y.B. 1924, pp. 285-376. 1925. Y.B. Sep. 916, pp. 285-376. 1925.
"Human food from an acre of staple farm products." With Morton O. Cooper. F.B. 877, pp. 11. 1917.
"Improvements in farm practice." Y.B. 1907, pp. 559-560. 1908.
"Measuring hay in ricks or stacks." With H. B. McClure. Sec. Cir. 67, pp. 10. 1916.
"Measuring hay in ricks or stacks." With others. B.P.I. Cir. 131, pp. 19-24. 1913.
"Oats, barley, rye, rice, grain sorghums, seed flax, and buckwheat." With others. Y.B. 1922, pp. 469-568. 1923; Y.B. Sep. 891, pp. 469-568. 1923.
"Opportunities in agriculture." With others. Y.B., 1904, pp. 161-190. 1905; Y.B. Sep. 340, pp. 161-190. 1905.
"Planning a cropping system." B.P.I. Bul. 102, pt. III, pp. 25-31. 1907.
"Renovation of wornout soils." F.B. 245, pp. 16. 1906.
"Report of the Chief of the Office of Farm Management, 1916." An. Rpts., 1916, pp. 415-423. 1917; Farm M. Chief Rpt., 1916, pp. 9. 1916.
"Report of the chief of the Office of Farm Management, 1917." An. Rpts., 1917, pp. 473-480. 1918; Farm M. Chief Rpt., 1917, pp. 8. 1917.
"Seasonal distribution of labor on the farm." Y.B. 1911, pp. 269-284. 1912; Y.B. Sep. 567, pp. 269-284. 1912.
"Soil conservation." F.B. 406, pp. 15. 1910.
"Systems of farm management in the United States." Y.B., 1902, pp. 343-364. 1903; Y.B. Sep. 278, pp. 343-364. 1903.
"The farmer's income." B.P.I. Cir. 132, pp. 5-7. 1913.
"Types of farming in the United States." Y.B. 1908, pp. 351-366. 1909; Y.B. Sep. 487, pp. 351-366. 1909.
"Validity of the survey method of research." D.B. 529, pp. 15. 1917.
"What is farm management?" B.P.I. Bul. 259, pp. 84. 1912.
Spillways—
building in reservoirs, suggestions. F.B. 592, p. 13. 1914.
capacity determination, formulas. D.B. 831, pp. 5-7. 1920.
description, uses, and types. D.B. 831, pp. 1-4. 1920.
for reservoirs and canals. A. T. Mitchelson. D.B. 831, pp. 40. 1920.
overflow, description, and control methods. D.B. 831, pp. 4-15. 1920.
SPILMAN, H. A.: "Standard baskets for fruits and vegetables." With F. P. Downing. F.B. 1434, pp. 18. 1924.
Spilochalcis—
delira, hyperparasite, enemy of *Angitia plutella.* J.A.R. vol. 10, p. 8. 1917.
sp., enemy of boll weevil. Ent. Bul. 100, pp. 41, 45, 49, 61-62. 1912.
Spilocryptus sp., parasitic enemy of dock falseworm. D.B. 265, pp. 33-34. 1916.
Spilogale—
genus of skunks, revision. Arthur H. Howell. N.A. Fauna 26, pp. 55. 1906.
spp. See Skunk.

Spilosoma virginica. See Caterpillar, yellow-bear.
Spina sida, seed, description. F.B. 428, pp. 25, 26. 1911.
Spinach—
adaptability for fall and winter gardens, sowing directions. News L., vol. 4, No. 4, p. 3. 1916.
aphid—
control by spraying, experiments. J.A.R. vol. 7, pp. 389, 391, 398. 1916.
description and control. F.B. 1349, p. 13. 1923.
injurious to potatoes and other crops. An. Rpts., 1919, p. 256. 1920; Ent. A.R., 1919, p. 10. 1919.
relation to spinach blight, transmission. J.A.R. vol. 14, pp. 10-50. 1918.
See also *Myzus persicae.*
ash, determinations under different fertilizers. J.A.R., vol. 16, pp. 15-25. 1919.
blight—
nature and relation of insects to its transmission, J. A. McClintock and Loren B. Smith. J.A.R., vol. 14, pp. 1-60. 1918.
physiological studies. J.A.R. vol. 15, No. 7, pp. 369-408. 1918.
transmission studies. J.A.R. vol. 14, pp. 1-60. 1918.
canned—
misbranding. Chem. N.J. 2206, p. 1. 1913.
preparation for table use, recipe. S.R.S. Doc. 31, pp. 3-4. 1916.
canning—
directions. D.B. 196, p. 64. 1915; F.B. 853, pp. 21-22. 1917.
inspection instructions. D.B. 1084, p. 37. 1922.
pressure, vacuum, and heat, studies. D.B. 1022, pp. 48-49. 1922.
season. Chem. Bul. 151, p. 36. 1912.
carbohydrate production. J.A.R. vol. 15, pp. 381-384. 1918.
commercial crop, magnitude, distribution, and varieties. F.B. 1189, p. 3. 1921.
cooking, recipes. F.B. 256, pp. 17-18. 1906; News L., vol. 5, No. 38, p. 5. 1918.
cultural directions. F.B. 934, p. 42. 1918; F.B. 937, pp. 16, 19, 23, 50. 1918; F.B. 1044, pp. 33-34. 1919; S.R.S. Doc. 49, pp. 3, 6. 1917.
decay in transit, prevention, shipping tests. F.B. 1189, pp. 9-11. 1921.
dried, cooking, recipe. F.B. 841, p. 28. 1917.
drying directions. D.B. 1335, p. 38. 1925; D.C.3, p. 15. 1919; F.B. 841, p. 21. 1917; F.B. 984, p. 56. 1918.
fertilizers, experiments. J.A.R., vol. 16, pp. 15-19. 1919.
food value and cooking directions. D.B. 123, pp. 16, 18. 1916; D.B. 975, pp. 6, 15. 1921.
growing—
as truck, Atlantic coast, value of crop. Y.B., 1912, p. 431. 1913; Y.B. Sep. 603, p. 431. 1913.
directions—
and variety recommended for home gardens. F.B. 936, p. 51. 1918.
Yuma experiment farm. D.C. 75, p. 60. 1920.
for greens, cultural notes. F.B. 818, p. 41. 1917.
in Alaska. Alaska A.R., 1912, p. 23. 1913.
in Guam, directions. Guam Bul. 2, pp. 12, 52. 1922.
in New York, Wayne County. Soil Sur. Adv. Sh., 1919, pp. 284, 344. 1923; Soils F.O., 1919, pp. 284,344. 1924.
in Virginia trucking districts. D.B. 1005, pp. 4, 5, 14, 24-42, 68, 70. 1922.
location, and extent of commercial crop. F.B. 1189, p. 3. 1921.
methods, and variety. F.B. 647, p. 24. 1915.
handling for long-distance shipment. V. W. Ridley. F.B. 1189, pp. 15. 1921.
harvesting methods. F.B. 1189, pp. 3-6. 1921.
icing, method and effect on keeping quality. F.B. 1189, pp. 6, 11-15. 1921.
importation and description. Nos. 45262-45471, B.P.I. Inv. 53, pp. 19, 38. 1922.
injury by—
beet leaf beetle. F.B. 1193, p. 4. 1921.
flea beetle. Ent. Bul. 127, Pt. I, pp. 8-9. 1913.
little-known cutworms. Ent. Bul. 109, Pt. IV, p. 48. 1912.

Spinach—Continued.
inoculation with blight virus, experiments. J.A.R., vol. 14, pp. 11-37. 1918.
insect pests, list. Sec. [Misc.], "A manual * * * insects * * *," p. 196. 1917.
leaf-spot, occurrence and description, Texas. B.P.I. Bul. 226, p. 43. 1912.
loading on cars for shipment. F.B. 1189, pp. 6-7. 1921.
loaf, recipe. U. S. Food Leaf. 9, p. 3. 1917.
losses on account of blight. J.A.R., vol. 14, pp. 1-2, 4. 1918.
net-weight requirements for various cans. Chem. S.R.A. 28, p. 37. 1923.
nitrogen metabolism in normal and blighted. Samuel L. Jodidi and others. J.A.R., vol. 15, pp. 385-404. 1918.
oxidase reaction, in healthy and blighted. H. H. Bunzell. J.A.R., vol. 15, pp. 377-380. 1918.
packing season. D.B. 196, p. 18. 1915.
physiological studies of normal and blighted. Rodney H. True and others. J.A.R., vol. 15, pp. 369-409. 1918.
planting, directions for club members. D.C. 48, p. 10. 1919.
processing, directions and time table. F.B. 1211, pp. 46, 49. 1921.
seed—
growing and saving, directions. F.B. 1390, pp. 7-8. 1924.
growing, localities, acreage, yield, production, and consumption. Y.B., 1918, pp. 202, 206, 207. 1919; Y.B. Sep. 775, pp. 10, 14, 15. 1919.
saving. F.B. 884, p. 9. 1917.
supply, sources. Y.B., 1917, p. 533. 1918; Y.B. Sep. 757, p. 39. 1918.
shipments, by States and by stations, 1916. D.B. 667, pp. 23, 190. 1918.
soft rot, causes, losses, and prevention. F.B. 1189, p. 9. 1921.
spraying calendar. S.R.S. Doc. 52, p. 9. 1917.
use—
as salad and potherb. O.E.S. Bul. 245, p. 28. 1912.
with cheese in food. F.B. 487, pp. 28-29. 1912.
value as potherb. Y.B., 1911, pp. 442, 448. 1912; Y.B. Sep. 582, pp. 442, 448. 1912.
washing and effect on keeping quality. F.B. 1189, pp. 6, 10-11. 1921.
yield and prices. Y.B., 1924, p. 722. 1925.
Spinacia spp. See Spinach.
Spinal—
column, cattle, fracture, symptoms and treatment. B.A.I. [Misc.], "Diseases of the cattle," rev., pp. 275-276. 1904; rev., pp. 284-285. 1912; rev., p. 279. 1923.
cord—
changes due to dourine infection. J.A.R., vol. 26, pp. 502-504. 1923.
diseases—
cattle symptoms, and treatment. B.A.I. [Misc.], "Diseases of cattle," rev., pp. 107-108. 1904; rev., pp. 109-110. 1912; rev., pp. 109-110. 1923.
horse, description, and treatment. B.A.I. [Misc.], "Diseases of the horse," pp. 211-216. 1903; rev., pp. 211-216. 1907; rev., pp. 211-216. 1911; rev., pp. 232-236. 1923.
horse, examination for pathological effects of dourine. J.A.R., vol. 18, pp. 148-149. 1919.
fluid, tests in dourine infection. J.A.R., vol. 26, pp. 499-502. 1923.
Spindalis, Porto Rican, occurrence in Porto Rico, habits and food. D.B. 326, pp. 121-123. 1916.
Spindle tree, American. See Wahoo.
Spindle tuber—
potato—
appearance and effect on yield. F.B. 1436, p. 7. 1924.
description and transmission. J.A.R., vol. 25, pp. 55-60, 61. 1923.
symptoms and injury to potatoes. J.A.R., vol. 30, p. 494. 1925.
Spindling sprout, potato disease, description and control. F.B. 1367, p. 33. 1924.
Spinner—
brush, fruit pest, description. Sec. [Misc.], "A manual * * * insects * * *," pp. 112-113. 1917.

Spinner—Continued.
cherry, description. Sec. [Misc.], "A manual * * * insects * * *," p. 110. 1917.
larger, description. Sec. [Misc.], "A manual * * * insects * * *," p. 83. 1917.
pine, description. Sec. [Misc.], "A manual * * * insects * * *," p. 71. 1917.
Spinning—
cotton, qualities required. D.B. 733, p. 4. 1918.
tests of—
American-Egyptian cotton. D.B. 742, p. 13. 1919.
colored upland cottons. D.B. 990, pp. 2, 5–6. 1921.
cotton—
William R. Meadows and William G. Blair. D.B. 1135, pp. 19. 1923.
Arizona-Egyptian with sea-island and Sakellaridis Egyptian, different grades, comparative. Fred Taylor and William S. Dean. D.B. 359, pp. 21. 1916.
fumigated with hydrocyanic-acid gas. D.B. 366, pp. 1–7. 1916.
methods, waste percentages, and tensile strength, comparisons. D.B. 591, pp. 2–13, 24–27. 1917.
varieties. An. Rpts., 1917, pp. 455–456. 1918; Mkts. Chief Rpt., 1917, pp. 25–26. 1917.
varieties grown under weevil conditions, 1921. William R. Meadows and W. G. Blair. D.B. 1148, pp. 7. 1923.
yarns. Off. Rec., vol. 4, No. 36, p. 4. 1925.
long-staple cottons—
Fred Taylor and Wells A. Sherman. D.B. 121, pp. 20. 1914.
comparison. D.B. 359, pp. 1–21. 1916.
Meade and sea-island cottons—
Wm. R. Meadows and W. G. Blair. D.B. 946, pp. 5. 1921.
comparisons. D.B. 1030, pp. 20–22, 24. 1922.
official cotton standards for grade. D.B. 591, pp. 1–27. 1917.
Pima and Sakellaridis cotton, 1921. D.B. 1184, p. 8. 1923.
Spinose ear ticks. See Ticks.
Spinturnix spp., description and habits. Rpt. 108, pp. 72, 76. 1915.
Spinus—
pinus. See Siskin, pine.
spp. See Goldfinch.
Spiny citrus white fly. See Fly, black.
Spiracles, insect, impervious to nicotine solutions. J.A.R., vol. 7, pp. 103–106. 1916.
Spiraea—
betulafolia, distribution. N.A. Fauna 21, p. 56. 1901.
henryi, importation and description. No. 35198, B.P.I. Inv. 35, p. 20. 1915.
japonica acuminata, importation and description. No. 38167, B.P.I. Inv. 39, p. 98. 1917.
micrantha, importation and description. No. 55705, B.P.I. Inv. 72, p. 21. 1924.
spp., importations and descriptions. Nos. 37153, 37610, 37611, B.P.I. Inv. 38, pp. 44, 48. 1917; Nos. 43920, 43921, 43943, B.P.I. Inv. 49, pp. 95, 102. 1921; Nos. 47801, 47802, B.P.I. Inv. 59, p. 61. 1922; Nos. 49658–49659, 49685, B.P.I. Inv. 62, pp. 67, 70. 1923.
thunbergii, growing in Alaska. Alaska A.R., 1910, p. 26. 1911.
veitchi, importation and description. No. 42195, B.P.I. Inv. 46, p. 65. 1919.
Spirillosis, fowl, transmission by tick. Ent. Bul. 72, p. 42. 1907.
Spirillum, life cycles, studies. J.A.R., vol. 6, No. 18, pp. 688–694. 1916.
Spirit Lake, Washington, description. D.C. 138, p. 15. 1920.
Spirits—
distilled—
analysis methods. Chem. Bul. 122, pp. 206–212. 1909.
coloring matter, separation. Chem. Bul. 132, pp. 90–92. 1910.
use in medicinal compounds in relation to special tax. Chem. Bul. 98, rev., Pt. I, pp. 18–23. 1909.

Spirits—Continued.
imports from United Kingdom, Treasury Decision 36706, F.I.D. 204. Chem. S.R.A. 19, pp. 53–54. 1917.
laws, State, 1908. Chem. Bul. 121, pp. 31–35. 1909.
neutral, distillation from beet-sugar molasses for whisky compounds. F.I.D. 95, pp. 3–4. 1908.
of turpentine. See Turpentine.
"proof," standards. Chem. Bul. 130, p. 17. 1910.
Spirittine—
tests as wood preservative. D.B. 145, pp. 9–20. 1915.
use in—
tie preservation, table. For. Cir. 209, p. 10. 1912.
timber preservation experiments. B.P.I. Bul. 214, pp. 28, 29. 1911.
Spirochaeta—
aboriginalis, spread by dogs. D.B. 260, p. 23. 1915.
apis, occurrence in bee diseases. Ent. Bul. 98, pp. 72, 73, 78, 82, 84. 1912.
spp., transmission by ticks. Rpt. 108, pp. 64, 65. 1915.
Spirochaetes, description, life history, and diseases caused by. B.A.I. An. Rpt., 1910, pp. 470–472. 1912; B.A.I. Cir. 194, pp. 470–472. 1912.
Spirochaetosis, fowl disease, cause, and method of transmission. B.A.I. An. Rpt., 1910, p. 471. 1912; B.A.I. Cir. 194, p. 471. 1912; Ent. Cir. 170, p. 5. 1913.
Spirodela sp. See Duckweeds.
Spiroptera—
emmerezii. See Oxyspirura mansoni.
microstoma, similarity to Habronema muscae. B.A.I. Bul. 163, p. 5. 1913.
spp., diagnosis, synoynmy, and bibliography. B.A.I. Bul. 60, pp. 38–40. 1904.
strongylina, anatomical details. B.A.I. Bul. 158, pp. 10, 16–20, 32–33. 1912.
Spiza americana.. See Dickcissel.
Spizella spp. See Sparrows.
Spleen—
diseases, cattle symptoms and treatment. B.A.I. [Misc.], "Diseases of cattle," rev., pp. 46–47. 1912.
enlargement—
occurrence in sheep. B.A.I. An. Rpt., 1910, pp. 415–418. 1912.
spread of disease by protozoa from dogs to humans. D.B. 260, p. 23. 1915.
horse, in infectious anemia, iron content. J.A.R., vol. 26, pp. 239–242. 1923.
inflammation, symptoms. B.A.I. [Misc.], "Diseases of cattle," rev., p. 47. 1904; rev., p. 47. 1912; rev., p. 45. 1923.
sheep, enlarged, description, post-mortem, and microscopic examination. B.A.I. An. Rpt., 1910, pp. 416–418. 1912.
tuberculous hog, description. B.A.I. An. Rpt., 1907, p. 237. 1909; B.A.I. Cir. 144, p. 237. 1909.
Spleenwort bush. See Sweet fern.
Splenetic fever—
prevention of spread, effective July 1, 1919, regulations 2. B.A.I.O. 263, pp. 7–16. 1919.
prevention of spread, regulations. B.A.I.O. 143, amdt. 2, pp. 4. 1907.
quarantine establishments, various States. B.A.I.O. 194, rule 1, rev. 10, pp. 13. 1913.
quarantine in Mississippi and Texas. B.A.I.O. 279, amdt. 1, p. 1. 1923.
regulations to prevent spread, 1906. B.A.I. An. Rpt., 1906, pp. 339, 348, 349, 351, 361, 385, 388, 393. 1908.
See also Texas fever; Tick fever, cattle.
Splenitis—
cattle, symptoms. B.A.I. [Misc.], "Diseases of cattle," rev., p. 47. 1904; rev., p. 47. 1912; rev., p. 45. 1923.
See also Spleen inflammation.
Splenomegaly, primary, in sheep. B.A.I. An. Rpt., 1910, pp. 415–418. 1912.
Splenomegaly. See also Spleen, enlargement.
Splicing rope, school exercises. D.B. 592, p. 30. 1917; F.B. 638, pp. 4–5. 1915.
Splint(s)—
baskets, sizes recommended by the Bureau of Markets. F.B. 1196, pp. 16–18. 1921.

Splint(s)—Continued.
　description and use. For. [Misc.] "First-aid manual * * *," p. 22. 1917.
Splints, horse disease—
　causes, symptoms and treatment. B.A.I. [Misc.], "Diseases of the horse," rev., pp. 286–289. 1903; rev., pp. 286–289. 1907; rev., pp. 286–289. 1911; rev., pp. 310–313. 1923.
　detection in forelegs. F.B. 779, p. 15. 1917.
Spodoptera—
　mauritia, corn enemy in, Hawaii. Hawaii Bul. 27, p. 8. 1912.
　mauritia, injury to legumes in Hawaii, description. Hawaii A.R., 1911, pp. 17, 18. 1912.
　spp. See Army worm.
Spoilage—
　canned—
　　corn and peas. S.R.S. Doc. 33, p. 1. 1917.
　　foods, causes and detection methods. Chem. Bul. 151, pp. 28–30. 1912.
　　peas, causes. Chem. Bul. 125, pp. 29–31. 1909.
　cannery, causes, description and warning. D.B. 196, pp. 13–14. 1915.
　causes in fruits and vegetables. F.B. 1211, pp. 4–5. 1921.
　cranberries, after harvest. C. L. Shear and others. D.B. 714, pp. 20. 1918.
　fermented vegetables, cause and prevention. F.B. 1159, p. 19. 1920.
　food, causes. F.B. 853, pp. 4–6. 1917; F.B. 1374, pp. 1–4. 1923.
Spokane, Wash.—
　market station, lines of work. Y.B., 1919, p. 96. 1920; Y.B. Sep. 797, p. 96. 1920.
　milk supply, statistics, officials, and prices. B.A.I. Bul. 46, pp. 38, 160–161. 1903.
Spokane River—
　supply of water power. O.E.S. Bul. 214, p. 13. 1909.
　underground flow, description. Soils Bul. 93, p. 8. 1913.
Spokane Valley irrigation projects, description. O.E.S. Bul. 214, pp. 45–49. 1909.
Spokes, red-oak, experimental dipping. D.B. 1037, pp. 38–46. 1922.
Spoladia, synonym for Hymenia. Ent. Bul. 127, Pt. I, p. 1. 1913.
Spondias—
　cythereae. See We fruit.
　importation and description. No. 38943, B.P.I. Inv. 40, p. 50. 1917.
　lutea—
　　importations and descriptions. No. 39563, B.P.I. Inv. 41, pp. 7, 41. 1917; No. 40098, B.P.I. Inv. 42, p. 68. 1918.
　　See also Mombin, yellow.
　purpurea, importation and description. No. 49148, B.P.I. Inv. 62, p. 8. 1923.
　sp., importation and description. No. 34210, B.P.I. Inv. 32, p. 23. 1914.
　spp., description and uses in Porto Rico. D.B. 354, pp. 39, 49, 81. 1916.
　tuberosa. See Imbu.
Spondylocladium atrovirens, cause of silver scurf of potato. B.P.I. Cir. 127, pp. 16–19. 1913.
Sponge—
　box, for farm home, description and use. F.B. 927, pp. 7–9. 1918.
　spicules in swamp soils. R. O. E. Davis. Soils Cir. 67, pp. 4. 1912.
Sponging, fabrics, to remove stains, directions. F.B. 861, p. 5. 1917.
Spongospora—
　scab, potato disease, description. B.P.I. Cir. 93, pp. 4, 5. 1912.
　spp. See Scab, powdery, of potato.
　subterranea—
　　cause of potato disease, description. B.P.I. Cir. 93, pp. 4, 5. 1912.
　　galls, comparison with Plasmodiophora brassicae. J.A.R., vol. 14, pp. 543, 567–568. 1918.
　　life history, study, a contribution. L. O. Kunkel. J.A.R., vol. 4, pp. 265–278. 1915.
　　on Irish potato, studies. J.A.R., vol. 7, pp. 213–254. 1916.
　　relation to potato skin spot. J.A.R., vol. 23, pp. 287, 291. 1913.
Spongy dry-rot, apple, description, cause, and control. F.B. 1160, p. 17. 1920.

Spontaneous combustion—
　cause of fires. F.B. 904, p. 9. 1918.
　hay, causes. D.B. 873, pp. 17, 33. 1920; F.B. 508, p. 11. 1912; F.B. 943, p. 7. 1918; F.B. 1339, p. 13. 1923.
　hay, prevention by ventilation. F.B.485, p. 24. 1912; F.B. 1229, pp. 9, 11. 1921.
Spools, manufacture from—
　basswood and other woods. D.B. 1007, p. 49. 1922.
　paper birch, annual consumption. D.B. 12, pp. 26–27, 45. 1913; For. Cir. 163, pp. 5–7. 1909.
Spoon, W. L.—
　"Building sand-clay roads in Southern States." Y.B., 1903, pp. 259–266. 1904; Y.B. Sep. 332, pp. 259–266. 1904.
　"Sand-clay and burnt-clay roads." F.B. 311, pp. 22. 1907.
　"Sand-clay and earth roads in the middle West." Rds. Cir. 91, pp. 31. 1910.
　"The construction of sand-clay and burnt-clay roads." Rds. Bul. 27, pp. 19. 1906.
Spoon bread, recipe. F.B. 1136, p. 29. 1920.
Spoonbill—
　roseate, range and breeding. Biol. Bul. 45, pp. 12–14. 1913.
　See also Shoveler.
Sporangia—
　Physoderma disease, germination, and development. J.A.R., vol. 16, pp. 145–147. 1919.
　Pythium type, germination. J.A.R., vol. 29, pp. 399–419. 1924.
　Rhizopus nigricans and Phycomyces nitens, formation of spores. Deane B. Swingle. B.P.I. Bul. 37, pp. 40. 1903.
Spore(s)—
　Agaricus campestris, and other basidiomycetous fungi, germination, preliminary study. Margaret C. Ferguson. B.P.I. Bul. 16, pp. 43. 1902.
　and spawn, mushroom. F.B. 204, pp. 6–8. 1904.
　anthrax bacillus, vitality. B.A.I. An. Rpt., 1909, pp. 218, 219, 221. 1911; F.B. 439, pp. 6, 7, 9. 1911.
　bacteria, control by intermittent sterilization. F.B. 853, pp. 6, 19, 20, 25. 1917.
　balls, powdery scab infection of potatoes, methods. D.B. 82, pp. 11–12. 1914.
　black stem-rust, spread method and overwintering. Y.B., 1918, pp. 80–84. 1919; Y.B. Sep. 796, pp. 8–12. 1919.
　counts, tomato products, microscopic method and apparatus. D.B. 581, pp. 21, 22. 1917.
　development of mold, school exercise. F.B. 408, pp. 19–20. 1910.
　downy mildew, destruction by seed treatment. J.A.R., vol. 24, pp. 853–860. 1923.
　formation in sporangia of Rhizopus nigricans and of Phycomyces nitens. Deane B. Swingle. B.P.I. Bul. 37, pp. 40. 1903.
　forming bacteria of the apiary. Arthur H. McCray. J.A.R., vol. 8, pp. 399–420. 1917.
　forms, sequence in Puccinia podophylli. J.A.R., vol. 30, pp. 72–75. 1925.
　foulbrood, death point, studies and experiments. D.B. 809, pp. 22–29, 30, 39–41. 1920.
　germination in—
　　corn smut, influence of temperature. J.A.R., vol. 24, pp. 593–597. 1923.
　　loose smut of oats, factors controlling. J.A.R., vol. 24, pp. 577–597. 1923.
　　mushrooms. B.P.I. Bul. 85, pp. 9, 15. 1905.
　measurements, Endothia parasitica, studies. D.B. 380, pp. 30–35. 1917.
　mold, relation to enzymes. J.A.R., vol. 18, pp. 195–209. 1919.
　mushroom, description and use by growers. F.B. 204, pp. 6–8. 1904.
　Phytophthora infestans, production studies. B.P.I. Bul. 245, pp. 57–69, 86. 1912.
　prints, mushroom, method of making. B.P.I. Bul. 85, p. 17. 1905.
　resistance to high temperatures. F.B. 490, pp. 7, 8. 1912.
　Rhizopus, temperature relations to germination. J.A.R., vol. 24, pp. 3–7, 33–34. 1923.
　Ribes, wintering, Pacific Northwest, conditions. J.A.R., vol. 30, p. 605. 1925.
　secondary, wood-rotting fungi, occurrence and germination. D.B. 1053, pp. 26–36. 1922.

INDEX TO PUBLICATIONS, 1901-1925   2259

Spore(s)—Continued.
smut, loose, description, distribution, development, and action. B.P.I. Bul. 152, pp. 8-9, 11-12. 1909.
tomato—
products, relation to rot percentage. D.B. 581, pp. 14-16. 1917.
pulp, estimation. Chem. Cir. 68, pp. 4-5. 1911.
traps, experiments and tests in study of chestnut blight. J.A.R., vol. 3, pp. 496-523. 1915.
upper air. Elvin C. Stakman and others. J.A.R., vol. 24, pp. 599-606. 1923.
vaccine, production for use with anthrax serum. D.B. 340, pp. 10-11, 15-16. 1915.
Venturia inaequalis, relation of dissemination to apple-scab development. C. N. Frey and G. W. Keitt. J.A.R., vol. 30, pp. 529-540. 1925.
walls in fungi, studies. J.A.R., vol. 27, pp. 749-756. 1924.
wheat bunt, relation to temperature and moisture. D.B. 1239, pp. 8-11, 15-18. 1924.
Sporobolus—
airoides, occurrence and description. J.A.R., vol. 1, pp. 405, 406. 1914.
indicus, importation and description. No. 43242, B.P.I. Inv. 48, p. 33. 1921; No. 47803, B.P.I. Inv. 59, p. 61. 1922.
spp.—
distribution, description, and feed value. D.B. 201, pp. 43-48. 1915; D.B. 772, pp. 15, 149-152. 1920.
importations and description. Nos. 50920-50921, 51160, 51318-51323, B.P.I. Inv. 64, pp. 34, 67, 86. 1923.
occurrence in Guam. Guam A.R., 1913, p. 16. 1914.
vaginaeflorus. See Rush grass, red sheathed.
Sporodesmium—
maclurae, occurrence on plants in Texas, and description. B.P.I. Bul. 226, p. 75. 1912.
putrefaciens, relation to *Phoma betae*. J.A.R., vol. 4, p. 140. 1915.
Sporogenes test, as index of milk contamination. S. Henry Ayers and Paul W. Clemmer. D.B. 940, pp. 20. 1921.
Sporonema oxycoccii, cause of ripe-rot of cranberries. D.B. 714, pp. 6, 7, 19. 1918.
Sporophore(s)—
heart-rot fungus, relation to age and injuries of trees. D.B. 722, pp. 24-30. 1918.
Lenzites sepiaria, description and development. B.P.I. Bul. 214, pp. 14-17. 1911.
Polyporus amarus, description and location on trees. D.B. 871, pp. 8-13. 1920.
production in cultures of wood-rotting fungi. J.A.R., vol. 12, pp. 64-80. 1918.
tree rot, presence on western white pine, studies. D.B. 799, pp. 15-19. 1919.
Sporotrichum—
flavissimum, potato-inoculation experiments. J.A.R., vol 5, No. 5, pp. 202, 203. 1915.
globuliferum—
cause of chinch-bug disease, studies. Ent. Bul. 95, Pt. III, pp. 23, 40-41. 1911.
parasitic fungus on chinch bug. F.B. 657, pp. 1, 13-15. 1915.
use in grasshopper control. F.B. 637, p. 5. 1915.
minimum, destructive to striped garden caterpillar. Ent. Bul. 66, p. 31. 1910.
parasitic fungus on white fly. Ent. Bul. 102, pp. 35-37. 1912.
spores, occurrence in spring water. D.B. 369, pp. 5, 6, 11. 1916.
Sporozoa, nature, classification, and danger to health. B.A.I. An. Rpt., 1910, pp. 485-498. 1912; B.A.I. Cir. 194, pp. 485-498. 1912.
Sports. See Mutations.
"Sporty days invigorator," misbranding. Chem. N.J. 426, p. 1. 1910.
Spot—
bacterial, disease. See *under hosts*.
blotch, barley—
study of resistance to. Fred Griffee. J.A.R., vol. 30, pp. 915-935. 1925.
See also *Helminthosporium sativum*.

Spot—Continued.
disease—
apple, control by irrigation, experiments. Charles Brooks and D. F. Fisher. J.A.R., vol. 12, pp. 109-138. 1918.
cauliflower. Lucia McCulloch. B.P.I. Bul. 225, pp. 15. 1911.
inoculation of cauliflower and cabbage plants, experiments. B.P.I. Bul. 225, pp. 7-9. 1911.
markets, cotton, designation. Sec. Cir. 64, p. 17. 1916.
Spotted fever—
relation of mammals in Montana. Biol. Cir. 82, pp. 1-24. 1911; F.B. 484, pp. 1-46. 1912.
Rocky Mountain—
area of territory and importance of control. Ent. Bul. 105, pp. 11-15. 1911.
cause and control. An. Rpts., 1916, pp. 220-221. 1917; Ent. A.R., 1916, pp. 8-9. 1916.
spread by marmots. N.A. Fauna 37, p. 15. 1915.
transmission by ground squirrels. An. Rpts., 1910, pp. 538, 549. 1911; Biol. Chief Rpt., 1910, p. 3. 1910; Ent. A.R., 1910, p. 34. 1910.
transmission by ticks. Rpt. 108, pp. 62, 67. 1915; Y.B., 1910, pp. 219, 225-227. 1911; Y.B. Sep. 531, pp. 219, 225-227. 1911.
virus from sheep. D.B. 45, p. 10. 1913.
tick. See Tick, spotted-fever.
Spotted liver. See Tuberculosis, fowls.
Sprains—
cattle, causes and treatment. B.A.I. [Misc.], "Diseases of cattle," rev., pp. 265-268. 1904; rev., pp. 274-276. 1912; rev., pp. 268-271. 1923.
fetlock, causes, symptoms and treatment. B.A.I. [Misc.], "Diseases of the horse," rev., pp. 376-377. 1903; rev., pp. 376-377. 1907; rev. 376-377. 1911; rev., pp. 402-403. 1923.
Sprangle-top—
occurrence and control in rice fields. F.B. 1240, p. 24. 1924.
red, description. D.B. 772, pp. 172, 173. 1920.
Spray(s)—
adhesive, use in red-spider control, description. D.B. 416, pp. 65-66. 1917.
arsenical—
effects of adding other insecticides. J.A.R., vol. 24, pp. 521-526, 533. 1923.
effects on soils and on plant growth. J.A.R., vol. 5, No. 11, pp. 459-463. 1915.
for insects, use of cactus solution as adhesive. M. M. High. D.B. 160, pp. 20. 1915.
formulas for use on tent caterpillars. F.B. 662, p. 10. 1915.
injury to foliage. D. B. Swingle and others. J.A.R., vol. 24, pp. 501-538. 1923.
remedy for codling moth, formulas. Ent. Bul. 41, pp. 80-85. 1903.
testing on various insects. D.B. 1147, pp. 24-50. 1923.
use against bagworm, formulas. F.B. 701, pp. 8-11. 1916.
use in control of canna leaf roller. Ent. Cir. 145, pp. 9-10. 1912.
boll-weevil, misbranding, "Veldop." N.J. 191-193, I. and F. Bd. S.R.A. 11, pp. 76-80. 1915.
calcium arsenate, effect of dilution and temperature. D.B. 750, rev., pp. 6-8. 1923.
"calyx," description, use, methods, and time. F.B. 1270, pp. 87-89. 1923.
cedar, adulteration and misbranding. Insect. N.J. 203, I. and F. Bd. S.R.A. 14, pp. 158-160. 1916.
chemical investigations of lead arsenates and sulphur. Work and Exp., 1914, pp. 196, 198. 1915.
coating, for terrapin scale. D.B. 351, pp. 83-86, 89. 1916.
combination—
control of diseases and insects. S.R.S. Doc. 52, p. 5. 1917.
for control of codling moth and diseases of apple. F.B. 1326, pp. 24-26. 1924.
use as insecticides, investigations. D.B. 278, pp. 19-25, 34-35, 39. 1915.
value. D.B. 1217, p. 2. 1924.
composition and precaution. F.B. 1431, p. 20. 1924.

Spray(s)—Continued.
  contact—
    and poison combined, use on grape leaf hopper. Ent. Bul. 116, Pt. I, pp. 9–10. 1912.
    for sucking insects. F.B. 1169, pp. 11–14. 1921.
    for sucking insects, description, formulas, and directions. Y.B., 1908, pp. 276–280. 1909; Y.B. Sep. 480, pp. 276–280. 1909.
    use against earwigs, directions and results. D.B. 566, pp. 9–10, 11. 1917.
  copper—
    effect on the yield and composition of Irish potato tubers. F. C. Cook. D.B. 1146, pp. 27. 1923.
    testing of coatings in the field. J. R. Winston and H. R. Fulton. D.B. 785, pp. 9. 1919.
  dilution table for tree spraying. F.B. 908, pp. 74–75. 1918; F.B. 1169, p. 30. 1921.
  distribution on foliage, testing. D.B. 480, p. 10. 1917.
  dust, use on fruit and truck crops. F.B. 325, p. 24. 1908.
  efficiency, relation to wetting power, experiments. J.A.R., vol. 7, pp. 389–399. 1916.
  foliage injury, notice on labeling. I. and F. Bd. S.R.A. 15, pp. 199–201. 1917.
  formaldehyde disinfection, method. F.B. 926, p. 4. 1918.
  formulas—
    and directions for making. F.B. 723, pp. 11–14. 1916.
    combinations, dilution and seasonal directions, F.B. 1202, pp. 56–60. 1921.
    directions, use, and dilution, table. F.B. 908, pp. 8–16, 18–49, 73–75. 1918.
    for—
      apple powdery mildew. D.B. 120, pp. 17, 21. 1914.
      army worm. News L., vol. 6, No. 44, pp. 2, 15. 1919.
      chinch bugs. F.B. 1223, p. 21. 1922.
      control of scale. Ent. Cir. 121, pp. 13–15. 1910.
      grain insects. F.B. 835, pp. 8, 10, 11. 1917.
      mangrove borer. J.A.R., vol. 16, p. 163. 1919.
      pear orchards, experiments. D.B. 438, pp. 19, 21. 1916.
    nicotine sulphate and fish-oil soap, testing. J.A.R., vol. 7, pp. 391–398. 1916.
  injury—
    from oil emulsion, discussion. D.C. 263, pp. 12–13. 1923.
    ginseng, symptoms and control. F.B. 736, p. 15. 1916.
    stone fruits, cause and relation to orchard conditions. F.B. 1435, pp. 15–16. 1924.
    to orchards, and warnings. F.B. 1270, pp. 82–83. 1923.
  kinds, and use, for citrus-scab control. D.C. 215, pp. 4–8. 1922.
  lead arsenate—
    action of soap. J.A.R., vol. 24, pp. 87–95. 1923.
    formula for oak-tree spraying. F.B. 1076, pp. 2, 11. 1920.
    use—
      against pecan nut case-bearer. D.B. 1303, pp. 11–12. 1925.
      and value for cutworm control. Ent. [Misc.], "Cutworms", p. 4. 1918.
  lime-sulphur—
    advantages and disadvantages, value, and use. F.B. 1285, pp. 1–2. 1922.
    experiments. Ent. Cir. 52, pp. 1–8. 1903.
    flour paste as a "spreader." W. B. Parker. Ent. [Misc.], "Flour paste as a * * *," p. 1. 1912.
    for mildew control, formulas, and use method. D.B. 712, pp. 10–12, 21–24, 25–26, 26–27. 1918.
    formula and uses. P.R. Bul. 10, pp. 29–30. 1911.
    salt, and substitutes. Chem. Bul. 101, pp. 1–29. 1907.
  materials—
    and cost. Ent. Bul. 80, pp. 158–159. 1912.
    description and formulas. F.B. 1326, pp. 13–17. 1924.
    for codling-moth control. D.B. 959, pp. 5–16, 25–27, 29, 34. 1921.

Spray(s)—Continued.
  materials—continued.
    spreaders for, and the relation of surface tension of solutions to their spreading qualities. R. H. Robinson. J.A.R., vol. 31, pp. 71–81. 1925.
    standards, combinations, and plants treated. F.B. 908, pp. 73–74. 1918.
    used in vineyard spraying, efficiency and cost. D.B. 837, pp. 15–25. 1920.
  mixtures—
    for—
      aphid control. Ent. Cir. 81, p. 10. 1907.
      grape-berry moth control, formulas and use. D.B. 550, pp. 15, 17, 18–21, 23, 25–35, 40. 1917.
      tomato leaf spot, preparation. C.T. and F.C.D. Inv. Cir. 4, pp. 4. 1918.
    preparation, plants for mixing large quantities. Ent. Bul. 89, p. 85. 1910.
    with derris powder experiments. J.A.R., vol. 17, pp. 193–196. 1919.
  nicotine—
    and oils, comparison. J.A.R., vol. 7, p. 105. 1916.
    sulphate—
      and fish-oil soap, efficiency and wetting power. J.A.R., vol. 7, pp. 389–399. 1916.
      danger in use. J.A.R., vol. 10, pp. 47–50. 1917.
      formula and use against melon aphid. News L., vol. 5, No. 44, p. 10. 1918.
      use in Hawaii, description and rate. Hawaii A.R., 1920, p. 24. 1921.
    use on rose aphid. D.B. 90, pp. 12–14. 1914.
  nozzle(s)—
    for mixture of oil with water. Ent. Bul. 67, pp. 112–117. 1907.
    hand-directed, necessity in spraying heavy foilage. B.P.I. Bul. 155, pp. 28, 32, 39, 40. 1909.
    new type, description. F.B. 479, pp. 10–11. 1912.
  oil—
    effectiveness against chicken lice and dog fleas. D.B. 888, pp. 2–3, 12. 1920.
    use against terrapin scale, formulas. D.B. 351, pp. 67–83, 87–88. 1916.
  outfits, types. F.B. 243, pp. 24–30. 1906.
  painting, directions. F.B. 1452, pp. 31–32. 1925.
  Pickering—
    C. F. Cook. D.B. 866, pp. 47. 1920.
    comparison with Bordeaux mixture, results. D.B. 866, pp. 8–45. 1920.
  poison—
    effect on grape root-worm beetle. Ent. Bul. 89, pp. 63–68, 70–75. 1910.
    for caterpillars, formulas, and directions for mixing. D.B. 480, pp. 7–8. 1917.
    for chewing insects. F.B. 1169, pp. 11–14. 1921.
    use against earwigs. D.B. 566, pp. 9, 12. 1917.
    vineyard experiments, northeastern Pennsylvania. Ent. Bul. 116, Pt. II, pp. 52–62. 1912.
  poisonous metal, on sprayed fruits and vegetables. W. D. Lynch and others. D.B. 1027, pp. 66. 1922.
  potassium sulphide for control of red spider of cotton. An. Rpts., 1912, p. 630. 1913; Ent. A.R., 1912, p. 18. 1912.
  preparation and formulas. D.B. 1252, pp. 17–20. 1924; F.B. 492, pp. 37–48. 1912.
  pump(s)—
    description and cost. D.C. 40, p. 17. 1919; S.R.S. Doc. 52, pp. 1–2. 1917.
    description, for treatment of cattle scab. F.B. 1017, pp. 15, 16. 1919.
    for small operations. F.B. 908, pp. 62–64. 1918.
    for use on ticky cattle. F.B. 498, pp. 25, 35–36. 1912.
  quassin, formulas and cost. D.B. 165, pp. 2, 6, 7. 1915.
  repellent, use against forest and shade-tree insects. D.B. 1079, pp. 1–3. 1922.
  residue on fruit, cause and prevention. D.B. 959, pp. 33–34. 1921.
  rose, nicotine, adulteration and misbranding. Insect. N.J. 91, 92. I. and F. Bd. S.R.A. 3, pp. 38–40. 1914.
  self-boiled lime-sulphur preparation, use and cost. F.B. 440, pp. 33–38. 1911.

Spray(s)—Continued.
 soap-and-sulphur, use for clematis disease. J.A.R., vol. 4, pp. 338-339. 1915.
 sodium arsenite, for barberry, formula, and effects. E. R. Schulz and Noel F. Thompson. D.B. 1316, pp. 19. 1925.
 sulphur, injury to apples in Pacific Northwest, climatic conditions governing. D.B. 712, pp. 9-10, 20-21. 1918.
 systems for irrigation, types and description. D.B. 495, pp. 14-25. 1917.
 tests—
  against European fruit lecanium and European pear scale. Ent. Bul. 80, Pt. VIII, pp. 147-160. 1910.
  in control of fruit-tree leaf-roller. Ent. Bul. 116, Pt. V, pp. 103-107. 1913.
  tobacco and poison combined, for grape leaf hopper. Ent. Bul. 116, Pt. I, pp. 9-10. 1912.
  water, control of aphids on vegetables. Guam A.R., 1914, pp. 9, 11. 1915.
Sprayer(s)—
 alfalfa, description. F.B. 741, pp. 12-13. 1916.
 bean-beetle control, description. D.B. 1243, pp. 31-32. 1924.
 beet, description. Ent. Bul. 109, Pt. VI, pp. 66-69. 1912.
 carbonic-acid, description. Ent. Bul. 89, p. 89. 1910.
 chinch-bug control in wheat. F.B. 1223, pp. 16-20. 1922.
 compressed-air, description. Ent. Bul. 89, p. 88. 1910.
 day's work for different types. D.B. 3, pp. 27-28, 44. 1913.
 descriptions. F.B. 231, pp. 13-19. 1905.
 gasoline-engine—
  description. Ent. Bul. 89, p. 88. 1910.
  repair costs, number and cost of trees sprayed per day, tables. D.B. 338, pp. 16-17. 1916.
 geared—
  description. F.B. 231, pp. 14-19. 1905.
  use in Hawaii in spraying beet webworm. Ent. Bul. 109, Pt. I, p. 11. 1911.
 high-power, use in spraying shade trees. D.B. 816, p. 56. 1920.
 horsepower, description. Ent. Bul. 89, p. 88. 1910.
 knapsack, description. Ent. Cir. 123, p. 5. 1910.
 outfits, various sizes and kinds, description. Y.B., 1908, pp. 280-287. 1909; Y.B. Sep. 480, pp. 280-287. 1909.
 potato—
  cooperative purchase. News L., vol. 6, No. 47, p. 16. 1919.
  description. B.P.I. Doc. 884, p. 6. 1913; F.B. 407, pp. 19-20. 1910.
  use on vine crops. F.B. 231, p. 20. 1905.
 power—
  and accessories. F.B. 1169, pp. 22-29. 1921.
  description. Ent. Bul. 89, pp. 88-89. 1910.
  for spraying asparagus, report. O.E.S. Bul. 99, p. 177. 1901.
 row, description. F.B. 231, pp. 16-19. 1905.
 small and large, description. D.B. 90, p. 14. 1914; F.B. 908, pp. 61-67. 1918.
 solid-stream, description. D.B. 480, pp. 3-5. 1917.
 traction power, use in potato-beetle control and cost. Ent. Bul. 82, pp. 7-8. 1912.
 types for—
  cranberry bogs. F.B. 1081, pp. 19-22. 1920.
  greenhouse use. F.B. 1306, pp. 29-32. 1923.
  vineyard, comparison of "set-nozzle" and "trailer." D.B. 550, pp. 14-21, 24-26, 37, 40, 41. 1917; F.B. 1220, pp. 70-73. 1921.
 wheelbarrow, for small acreages, description. F.B. 1225, pp. 15, 16. 1921.
Spraying—
 accessories—
  description. F.B. 908, pp. 68-72. 1918.
  for vineyards. F.B. 1220, p. 74. 1921.
 alfalfa for weevil control. Geo. I. Reeves and others. F.B. 1185, pp. 20. 1920.
 apparatus—
  and accessories, description. Y.B., 1908, pp. 280-287. 1909; Y.B. Sep. 480, pp. 280-287. 1909.
  angle nozzles, description and use. D.B. 120, pp. 19-20. 1914.

Spraying—Continued.
 apparatus—continued.
  cost and suggestions. F.B. 127, pp. 30-32. 1901; F.B. 171, pp. 13-16. 1906; F.B. 247, pp. 16-19. 1906.
  description. D.B. 1032, pp. 28-34, 35-37. 1922; Ent. Bul. 89, pp. 88-89. 1910; Ent. Cir. 124, pp. 17-18. 1910.
  for—
   apple orchards and schedule of applications. Y.B., 1907, pp. 445-448. 1908; Y.B. Sep. 460, pp. 445-448. 1908.
   avocado groves. D.B. 1035, p. 13. 1922.
   citrus groves, description. Ent. Cir. 168, pp. 3-4. 1913.
   Guam vegetable gardens, recommendation. Guam Bul. 2, p. 24. 1922.
   potato growers. F.B. 1349, pp. 19-20. 1923.
  insecticides and important insect pests, information for fruit growers. A. L. Quaintance and E. H. Siegler. F.B. 908, pp. 99. 1918.
  types, recommendation. F.B. 837, p. 11. 1917.
 apples—
  combination for codling moth, powdery mildew and scab. F.B. 1326, pp. 24-25. 1924.
  experiments with various fungicides. B.P.I. Cir. 58, pp. 1-19. 1910.
  for control of—
   bitter rot. D.B. 684, pp. 21-22. 1918; F.B. 938, pp. 9-10. 1918.
   bud moth. D.B. 1273, pp. 16-18. 1924.
   codling moth, directions and calendar. D.B. 88, pp. 7-8. 1914.
   Jonathan fruit spot, experiments. B.P.I. Cir. 112, pp. 13-15. 1913.
   leaf hopper, formulas, methods, and time. D.B. 805, pp. 29-33. 1919.
   leaf sewer. D.B. 435, pp. 11-12. 1916.
   powdery mildew, time and materials. F.B. 1120, pp. 8-14. 1920.
  New York orchards, times, apparatus, method, and cost. D.B. 130, pp. 7-9. 1914.
  one-spray method for codling moth and plum curculio. Ent. Bul. 80, pp. 113-146. 1912.
 orchard(s)—
  cost and results. D.B. 518, pp. 34-39. 1917; F.B. 479, pp. 8-10. 1912.
  efficiency and effects on foliage. S.R.S. Rpt., 1916, Pt. I, pp. 108, 110, 114, 140. 1918.
  for codling moth, machinery and application. Ent. Bul. 41, pp. 73-80, 85-88. 1903.
  for control of spotted borer. D.B. 886, p. 9. 1920.
  for insect and fungous enemies. F.B. 492, pp. 5, 10, 14-16, 23, 25-26, 29, 31, 37-48. 1912.
  for plum curculio. Ent. Bul. 103, pp. 18-19, 189-201. 1912.
  in Arkansas, experiments, 1921-1922. D.C. 263, pp. 6-8. 1923.
  in New Mexico, for codling moth, experiments. D.B. 88, pp. 2-5. 1914.
  in Ozark region, work of department, scope, plan, etc. F.B. 283, pp. 6-7. 1907.
  in Washington, methods, materials, and costs. D.B. 446, pp. 20-23. 1917.
  necessity and cost. F.B. 491, pp. 18, 19. 1912.
  schedule. Y.B., 1907, pp. 446-448. 1908; Y.B. Sep. 460,·pp. 446-448. 1908.
  substitution of lime-sulphur for Bordeaux mixture. B.P.I. Cir. 54, pp. 1-15. 1910.
  Payette Valley, Idaho. D.B. 636, pp. 22-25. 1918.
  "rough-bark" disease, control experiments. B.P.I. Bul. 280, pp. 14, 15. 1913.
  time, schedules for various sections. F.B. 1270, pp. 90-95. 1923.
 appliances—
  description, cost, and use methods. F.B. 856, pp. 13-14. 1917.
  for potato growers, sizes and cost. F.B. 868, pp. 19-20. 1917.
 army worms—
  experiments. Ent. Bul. 66, pp. 65-68. 1910.
  in grass or cereal crops, directions. F.B. 835, rev., pp. 10, 11. 1920.
 asparagus, power sprayer, report. O.E.S. Bul. 99, p. 177. 1901.

2262   UNITED STATES DEPARTMENT OF AGRICULTURE

Spraying—Continued.
  avocado—
    comparison with dusting. F.B. 1261, p. 29. 1922.
    for diseases and insects. Hawaii A.R., 1911, p. 25. 1912.
    insect pests, formulas. F.B. 1261, pp. 8, 11–31. 1922; Hawaii Bul. 51, pp. 14–15. 1924.
    red spider, experiments. D.B. 1035, pp. 11–13. 1922.
  beans, for control of—
    ladybirds. F.B. 1074, pp. 6–7. 1919.
    Mexican bean beetle. F.B. 1407, pp. 8–9, 13. 1924.
    thrips, formulas and directions. Ent. Bul. 118, pp. 43–44. 1912.
  beets for—
    leaf beetle, control experiments with poison. D.B. 892, pp. 19–21. 1920.
    leaf-spot control, formula, cost, and use. F.B. 618, pp. 13–18. 1914.
    webworm control, directions, machinery, and cost. Ent. Bul. 109, Pt. VI, pp. 63–70. 1912.
  beetles on asparagus, with arsenicals. F.B. 837, pp. 10–11, 13. 1917.
  cabbages for control of—
    diamond-back moth. J.A.R., vol. 10, p. 9. 1917.
    flea beetle, formulas and directions for use. D.B. 902, pp. 14–18, 20. 1920.
    insect pests. Hawaii A.R., 1914, pp. 45, 47, 48, 49. 1915.
    worms. F.B. 766, pp. 10–11. 1916.
  cactus for insect control. Ent. Bul. 113, pp. 24, 25. 1912.
  calendar for—
    citrus-thrips control. D.B. 616, pp. 38–39. 1918.
    codling moth and apple scab. F.B. 247, p. 21. 1906.
    grape anthracnose. B.P.I. Cir. 105, p. 6. 1913.
    vegetable garden. S.R.S. Doc. 52, pp. 6–10. 1917.
  canker worm, apple orchard, directions. Ent. Bul. 68, Pt. II, pp. 20–22. 1907.
  casuarina trees, for control of mangrove borer. J.A.R., vol. 16, p. 163. 1919.
  castor beans for control of gray mold. J.A.R. vol. 23, pp. 707–711. 1923.
  catalpa trees, for sphinx, formulas and directions. F.B. 705, pp. 6–9. 1916.
  cattle, for—
    lice eradication. F.B. 909, pp. 9–10. 1918.
    scab, directions, outfit, and dips. F.B. 1017, pp. 15, 18–22. 1919.
    tick eradication, comparison with dipping. B.A.I. An. Rpt., 1910, pp. 271, 281. 1912; B.A.I. Bul. 144, pp. 47, 62. 1912; F.B. 378, pp. 19–21, 24–26. 1909; F.B. 498, pp. 25, 32, 35–36. 1912.
  cedar nursery blight, experiments. J.A.R., vol. 10, pp. 538–539. 1917.
  celery for control of diseases. F.B. 1269, pp. 17–19. 1922.
  cherry(ies) for—
    brown rot. D.B. 368, pp. 9–10. 1916; D.B. 1252, pp. 12–17. 1924; F.B. 1410, pp. 7–8, 12. 1924.
    leaf spot, materials, experimental work. D.B. 352, pp. 19–24. 1916.
    leaf spot, directions. F.B. 1053, pp. 5–8. 1919.
    sawfly control. Ent. Bul. 116, Pt. III, p. 79. 1913.
  chicken houses for tick infestation. Ent. Cir. 170, pp. 10, 12. 1913.
  chinch bug—
    control. Ent. Bul. 107, pp. 47, 52–53. 1911; F.B. 1223, p. 22. 1922.
    in wheat, corn, and trap crops. F.B. 1223, pp. 29–30. 1922.
    on corn, formula and directions. F.B. 835, rev., p. 8. 1920.
  citrus—
    black fly, formulas and directions. D.B. 885, p. 46. 1920.
    canker, ineffectiveness. J.A.R., vol. 6, No. 2, pp. 95–96. 1916.
    for control of—
      melanose, experiments. D.C. 259, pp. 3–5. 1923.

Spraying—Continued.
  citrus—continued.
    for control of—continued.
      scab, experiments and directions. D.B. 1118, pp. 27–34. 1923.
      cost and returns. F.B. 674, pp. 14–15. 1915.
      experiments with Bordeaux-oil emulsion. D.B. 1178, pp. 1–24. 1923.
      groves, methods. F.B. 1343, pp. 33, 34. 1923.
      materials and schedule. F.B. 1122, pp. 38–39. 1920.
      orchards, dates, and suggestions. D.B. 1040, pp. 13–16, 18. 1922; F.B. 674, pp. 8–13. 1915.
      thrips, mixtures and dilutions. F.B. 674, pp. 7–8. 1915.
    trees—
      for mealybugs, directions and season. F.B. 862, pp. 8–10. 1917.
      for woolly white fly. F.B. 1011, pp. 10–12. 1919.
      in Florida, to control insect and mite enemies. W. W. Yothers. D.B. 645, pp. 19. 1918.
      in Florida, for control of insects, and mites. W. W. Yothers. F.B. 933, pp. 39. 1918.
      use against scale insects and mites. F.B. 172, pp. 15–18. 1903.
  clematis, for stem rot and leaf spot, experiments. J.A.R., vol. 4, pp. 335–339. 1915.
  coconut trees, experiments. B.P.I. Bul. 228, pp. 61–63. 1912.
  codling moth—
    and apple scab. F.B. 247, pp. 11, 12, 16–21. 1906.
    and plum curculio, one-spray method. Ent. Bul. 115, Pt. II, pp. 87–112. 1912.
    demonstrations and results. F.B. 283, pp. 27–34. 1907.
    early and late, relative value. Ent. Bul. 67, pp. 57–68. 1907.
    experiments in Colorado, in 1915, 1916, 1917, and 1918. D.B. 959, pp. 3–16, 17, 21, 25–30. 1921.
    experiments in Maine. D.B. 252, p. 49. 1915.
    on walnut trees. Ent. Bul. 80, p. 70. 1912.
    schedules. D.B. 959, pp. 5, 8, 12, 26, 30–34. 1921.
  Colorado apple orchards, methods, formulas, and cost. D.B. 500, pp. 27–31. 1917.
  conchuela on grapes. Ent. Bul. 64, pp. 7, 14. 1911.
  cost, comparison with fumigation. Ent. Bul. 76, pp. 62–63. 1908.
  cotton, for control of boll weevil—
    time. D.B., 731, pp. 13–14. 1918.
    insects. F.B. 890, pp. 12–13, 20. 1917.
    red spider. F.B. 735, pp. 10–12. 1916; F.B. 831, pp. 12–15. 1917.
  cranberry(ies)—
    bogs, for control of—
      blackhead fireworm. D.B. 1032, pp. 34–41. 1922; F.B. 860, pp. 9, 12, 14, 41. 1917.
      fungous diseases. D.B. 714, pp. 8–9. 1918.
    directions. F.B. 1081, pp. 7, 9, 10, 11, 13, 14, 17, 19–22. 1920.
    for fungous diseases, formulas and dates. J.A.R., vol. 11, p. 40. 1917.
    formulas and use. D.B. 1032, pp. 22–28, 33, 34–35, 39–41. 1922.
  crops for protection against range caterpillar. D.B. 443, p. 12. 1916.
  cucumbers—
    directions. F.B. 254, pp. 10–11. 1906.
    for anthracnose. D.B. 727, pp. 59–60. 1918.
    for beetle control. Ent. Bul. 82, pp. 81–82. 1912; F.B. 1322, pp. 11–12, 13–14, 16. 1923.
    for leaf spot caused by Stemphylium fungus. J.A.R., vol. 13, pp. 305–306. 1918.
    formulas and directions. F.B. 1038, pp. 13–17. 1919.
  cucurbits—
    against melon fly. D.B. 643, pp. 26–27, 31. 1918; F.B. 231, pp. 11–12. 1905.
    for melon aphid, sprays and machinery. F.B. 914, pp. 10–14. 1918.
    profits. F.B. 231, p. 22. 1905.
  demonstration for codling moth. A. L. Quaintance and others. Ent. Bul. 68, Pt. VII, pp. 69–76. 1908.
  dormant, advantages, and sprays used. F.B. 908, pp. 6–7, 76, 84, 87, 89, 91, 98. 1918.

Spraying—Continued.
  effect(s) on—
    citrus trees. F.B. 933, pp. 33-35. 1918.
    quality of hops. Ent. Bul. 111, p. 30. 1913.
    eggplant lace bug, formulas and results. D.B. 239, p. 7. 1915.
    elm trees for control of scale. D.B. 1223, pp. 13-15. 1924.
    emulsions, making and use. J.A.R., vol. 31, pp. 59-65. 1925.
  equipment for—
    alfalfa, capacity and description of parts. F.B. 1185, pp. 9-20. 1920.
    citrus orchards. F.B. 933, pp. 8-16. 1918.
    codling moth control. D.B. 959, pp. 4-16, 20, 26, 29, 34-35. 1921; F.B. 1326, pp. 11-13. 1924.
    eradication of ferns in pastures, cost. F.B. 687, pp. 6-8, 9-10. 1915.
  Euonymus for scale control, kerosene emulsion. Ent. Cir. 114, pp. 3-5. 1909.
  experiments with Paris green. J. K. Haywood. Chem. Bul. 82, p. 32. 1904.
  fruit—
    aphids, formulas and directions. F.B. 1128, pp. 38-48. 1920.
    for insects and diseases. F.B. 161, pp. 15-24. 1902.
    in orchards, effect on transportation rots. Charles Brooks and D. F. Fisher. J.A.R., vol. 22, pp. 467-477. 1922.
    trees—
      methods, machinery, and time. P.R. Bul. 10, pp. 20-23, 34. 1911.
      while in bloom, laws prohibiting. F.B. 397, p. 42. 1910.
  ginseng, objects, time, methods, and diseases. B.P.I. Bul. 250, pp. 37-40. 1912.
  gipsy moth—
    comparison with tree banding. D.B. 899, p. 13. 1920.
    direction. F.B. 1335, pp. 16-20. 1923.
  grain fields as weed check. F.B. 424, pp. 23-24. 1910.
  grape(s)—
    black rot, experiments, 1906, 1907, and 1908. B.P.I. Bul. 155, pp. 13-37. 1909.
    directions. F.B. 284, pp. 46-48. 1907.
    experiments. B.P.I. Cir. 105, p. 5. 1913.
    experiments in Michigan, 1909. Lon A. Hawkins. B.P.I. Cir. 65, pp. 15. 1910.
    for control of—
      berry moth. D.B. 550, pp. 13-39, 40. 1917; D.B. 911, pp. 14, 33, 38. 1920.
      curculio. D.B. 730, pp. 15-16. 1918.
      leaf hopper, experiments. Ent. Bul. 97, Pt. I, pp. 1-12. 1911; Ent. Bul. 116, Pt. I, pp. 1-13. 1912; J.A.R., vol, 26, p. 424. 1923.
    with Bordeaux mixture, cost per acre. B.P.I. Cir. 65, p. 13. 1910.
  grapevines, for control of looper and other pests. D.B. 900, p. 13. 1920.
  greenhouse plants for control of mites. J.A.R., vol. 10, pp. 387-389. 1917.
  hickory tiger-moth, use of arsenicals. D.B. 598, p. 12. 1918.
  hogs for lice and mange, directions. F.B. 1085, p. 13. 1920; rev., 1923.
  hop aphid control, cost. Ent. Bul. 111, pp. 23, 24-27, 35-36. 1913.
  horse-radish, for control of—
    flea beetle. D.B. 535, pp. 13-14. 1917.
    webworms. D.B. 966, p. 9. 1921; Ent. Bul. 109, Pt. VII, p. 76. 1913.
  importance in pigeon houses and nests. F.B. 684, p. 13. 1915.
  injury to—
    ginseng, prevention. F.B. 736, pp. 15, 19-20. 1916.
    stone fruits. News L., vol. 6, No. 27, p. 21. 1919.
  litchi tree for control of erinose disease, formula. Hawaii Bul. 44, pp. 17-18. 1917.
  locust trees, for control of locust. Ent. Bul. 58, p. 37. 1910.
  logs, prevention of insect injury, experiments. F. C. Craighead. D.B. 1079, pp. 11. 1922.

Spraying—Continued.
  machines—
    and equipment, winter care. D.B. 480, pp. 13-14. 1917.
    description, use, methods, and cost. Ent. Bul. 11, pp. 31-35. 1913.
    use in control of melon aphid. F.B. 914, pp. 13-14. 1918.
  mango—
    for insects. F.B. 1257, pp. 6, 8, 12, 16, 18, 19, 21. 1922.
    trees for anthracnose control, experiments and methods. D.B. 52, pp. 4-10. 1914.
  mealybug, formulas and directions. F.B. 862, pp. 7-10. 1917.
  Mediterranean fruit fly, control in Hawaii, and spray formulas. D.B. 640, pp. 35-36. 1918.
  melon fly, experiments. D.B. 491, pp. 48-49. 1917.
  mixtures—
    preparation. Ent. Cir. 120, pp. 5-7. 1910; F.B. 153, pp. 16-22, 1902; F.B. 156, pp. 20-21. 1902.
    See also Insecticides.
  muskmelon, for control of anthracnose. D.C. 217, p. 4. 1922.
  nicotine solutions, experiments. J.A.R., vol. 7, pp. 92-94, 103-106. 1916.
  nozzle, and tip for greenhouse work. Ent. Cir. 104, pp. 8-9. 1909.
  nut grass for control. Hawaii A.R., 1915, pp. 43-44. 1916.
  nut-infesting curculios. D.B. 1066, p. 16. 1922.
  oak trees for control of California oak worm. F.B. 1076, pp. 2, 11. 1920.
  oat—
    aphid, small areas, and trees. D.B. 112, p. 16. 1914.
    fields, for weed control, time, method, and spray. F.B. 892, pp. 16-17. 1917.
  old apple orchards, cost of outfit. S.R.S. Syl. 31, p. 13. 1918.
  onions for—
    mildew control. F.B. 1060, pp. 11-12. 1919.
    thrips, control, formulas and directions. Y.B., 1912, pp. 323-326. 1913; Y.B. Sep. 594, pp. 323-326. 1913.
  orange—
    for—
      katydid control, experiments. D.B. 256, pp. 20-24. 1915.
      thrips, control, directions. Ent. Bul. 99, pp. 13-15. 1911.
    insecticides, procedure, schedules, cost, and results. F.B. 933, pp. 16-32, 35-38. 1918.
    orchards for citrus thrips, experiments. D.B. 616, pp. 29-40. 1918.
  orchard(s)—
    and other crops, day's work. D.B. 3, pp. 27-28. 1913.
    comparison of nicotine sulphate with other sprays. D.B. 933, pp. 15-18. 1921.
    cost, crew work in West Virginia. D.B. 29, pp. 9-11. 1913.
    effect on transportation rots of stone fruits. J.A.R., vol. 22, pp. 467-477. 1921.
    equipments, manipulation. F.B. 283, pp. 38-42. 1907.
    for control of aphids—
      time and method. F.B. 804, pp. 34-35. 1917.
      insects and diseases. F.B. 1284, pp. 22-25. 1922.
    fruits, winter and summer, with schedule. F.B. 908, pp. 76-99. 1918.
    importance. F.B. 1360, p. 47. 1924.
    importance and value. O.E.S. Bul. 231, p. 58. 1910.
    in Virginia, Frederick County. Soil Sur. Adv. Sh., 1914, pp. 17-18. 1916; Soils F.O., 1914, pp. 441-442. 1919.
    insects, information. A. L. Quaintance. Y.B., 1908, pp. 267-288. 1909; Y.B. Sep. 480, pp. 267-288. 1909.
    mixtures, machinery, and application. S.R.S. Syl. 23, pp. 9-11. 1916.
    trees, in Nevada, Newlands experiment farm. D.C. 267, p. 14. 1923.

Spraying—Continued.
  outfits—
    description. B.P.I. Bul. 155, pp. 15, 20, 39. 1909; B.P.I. Bul. 174, pp. 15, 26. 1910; F.B. 735, p. 11. 1916.
    for—
      apple orchards, costs. D.B. 518, pp. 35-36. 1917.
      large operations. F.B. 908, pp. 64-67. 1918.
      red-spider control, description and use methods. D.B. 416, pp. 58, 59, 66-67. 1917.
      small operations, description. F.B. 908, pp. 61-64. 1918.
  peach(es)—
    for brown-rot and scab control, preparation of mixture, tests, and results. B.P.I. Bul. 174, pp. 14-26. 1910.
    for control of brown-rot, scab, and curculio. W. M. Scott and A. L. Quaintance. F.B. 440, pp. 40. 1911.
    in New Jersey, Millville area. Soil Sur. Adv. Sh., 1917, p. 19. 1921; Soils F.O., 1917, p. 207. 1923.
    orchards for plum curculio. Ent. Bul. 103, pp. 18-19, 202-215. 1912.
    trees—
      after harvest, formula. D.B. 1205, p. 11. 1924.
      for control of curculio. D.B. 1205, p. 11. 1924.
      importance of proper time and thoroughness. D.C. 216, pp. 27-29. 1922.
      preparation methods and materials. D.C. 216, pp. 26-27. 1922.
  pears—
    for control of—
      codling moth. Ent. Bul. 97, pp. 32-51. 1913; F.B. 1326, pp. 23. 1924.
      leaf-worm. D.B. 438, pp. 18-22. 1916.
      scab, directions, formulas, and dates. F.B. 1056, pp. 7-13. 1919.
    formulas, apparatus, technic, and schedule. F.B. 1056, pp. 8-13, 18, 23-31, 33-34. 1919.
  pecans, for control of—
    disease. F.B. 1129, pp. 5-8, 11. 1920.
    insects. F.B. 1364, pp. 4-7, 23, 25, 28, 29, 32, 33, 48. 1924.
    pecan leaf case-bearer. D.B. 571, pp. 15-23, 25-26. 1917.
    scab, experiments. J.A.R., vol. 28, pp. 326-327. 1924.
  petroleum or coal-tar products, use in control of hen mites, and method. F.B. 899, p. 20. 1917.
  pine nurseries, for control of sawfly. F.B. 1259, p. 11. 1922.
  pineapples, with iron solutions for chlorosis. Hawaii Bul. 52, pp. 30-35. 1924.
  plant-bug, southern green, recommendations. D.B. 689, pp. 23-24. 1918.
  points for insuring success. F.B. 243, p. 30. 1906.
  poplar trees for control of satin moth, directions. D.C. 167, pp. 15-16. 1921.
  potato(es)—
    advantages. F.B. 527, pp. 7-9. 1913.
    beetles—
      control experiments. Ent. Bul. 109, Pt. V, pp. 53-56. 1912.
      methods, cost, and results. Ent. Bul. 82, Pt. I, pp. 4-8. 1909.
      use of lead arsenate and Bordeaux mixture. F.B. 868, pp. 6-8, 9, 10, 18. 1917.
    comparison with unsprayed, studies in Vermont. B.P.I. Bul. 245, pp. 26, 40-42, 85. 1912.
    crop, value and cost. F.B. 868, pp. 18-19. 1917.
    day's work. S.B. 10, p. 12. 1925.
    directions. F.B. 1064, pp. 30-32. 1919.
    directions for formulas and number of sprayings. F.B. 1190, pp. 21, 22-23. 1921.
    for diseases and insect pests. Hawaii Bul. 45, pp. 10-14. 1920.
    for increase of crop. F. H. Chittenden and W. A. Orton. F.B. 868, pp. 22. 1917.
    for insects and disease, apparatus, sprays, and time. B.P.I. Doc. 884, pp. 6-7. 1913; D.B. 784, pp. 19, 21. 1919.
    formula and use. B.P.I. Doc. 884, p. 7. 1913; F.B. 1064, pp. 31-32. 1919; Hawaii Bul. 45, pp. 10-14. 1920.
    in nor.e.n sections. F.B. 365, pp. 11-12, 17, 19-20. 1909.

Spraying—Continued.
  potato(es)—continued.
    in the South, methods and formulas. F.B. 1205, pp. 20-22, 28, 36. 1921.
    leaf hoppers, directions. F.B. 1225, pp. 15-16. 1921.
    practice in different localities. F.B. 407, pp. 17-20. 1910.
    profit. F.B. 320, pp. 22-23. 1908.
    to increase crop. F. H. Chittenden and W. A. Orton. F.B. 1349, pp. 22. 1923.
  prunes for brown rot, experiments. D.B. 368, pp. 4-9. 1916; D.B. 1252, pp. 4-11. 1924.
  rat mites, control experiments. D.C. 294, p. 4. 1923.
  red spider, formulas. Ent. Bul. 117, pp. 29-30, 34. 1913; Ent. Cir. 150, pp. 10, 11-12, 13. 1912. Ent. Cir. 172, pp. 16, 19-21. 1913.
  rose—
    aphid control. D.B. 90, pp. 12-15. 1914.
    chafer control, vineyard experiments. Ent. Bul. 97, pp. 53-64. 1913.
    for diseases and insects. F.B. 750, p. 35. 1916.
    leaf hopper on apple, formula and directions. D.B. 805, pp. 32-33. 1919.
  San Jose scale—
    seasons and apparatus. F.B. 650, pp. 14, 20-22, 27. 1915.
    use of oil emulsions. O.E.S. An. Rpt., 1907, pp. 84, 86. 1908.
  schedules for—
    apple orchards. B.P.I. Cir. 54, pp. 7, 10, 12. 1910; F.B. 1326, pp. 22-23. 1924.
    apple powdery mildew. F.B. 1120, pp. 13-14. 1920.
    brown rot on prunes and cherries. D.B. 1252, pp. 20-21. 1924.
    citrus orchards for diseases and insects. D.C. 259, pp. 5-7. 1923.
    control of grape-berry moth. D.B. 550, pp. 32-35. 1917.
    grapefruit and oranges. F.B. 1343, p. 34. 1923.
    peach brown-rot, scab, and curculio. F.B. 440, pp. 38-40. 1911.
    shade tree, for insects and diseases. D.B. 816, pp. 55-56. 1920.
  sharing expenses, on tenant farms. D.B. 650, p. 19. 1918.
  solid-stream, against the gipsy and browntail moths in New England. L. H. Worthley. D.B. 480, pp. 16. 1917.
  stone fruits in orchards, effect on transportation rots. Charles Brooks and D. F. Fisher. J.A.R., vol. 22, pp. 467-477. 1922.
  strawberries for control of fruit rots. E. M. Stoddard and others. D.C. 309, pp. 4. 1924.
  sugar beets—
    cost of materials. D.B. 726, p. 47. 1918.
    for caterpillar control. Ent. Bul. 127, Pt. II, p. 18. 1913.
  sugar cane for control of borer, experiments. D.B. 746, pp. 43-44. 1919.
  summer—
    for orchards, lime-sulphur mixtures. W. M. Scott. B.P.I. Cir. 27, pp. 17. 1909.
    usefulness and precautions, schedules. F.B. 908, pp. 7-8, 82-84, 90, 98. 1918.
  supplies, miscellaneous. F.B. 1169, pp. 28-29. 1921.
  sweet potato—
    for control of beetles, directions. F.B. 1020, pp. 20-21. 1919.
    leaf folder control. D.B. 609, pp. 10-11. 1917.
  terrapin scale, formulas, dates, and results. D.B. 351, pp. 67-89. 1916.
  tobacco—
    effect on yields and on quality of leaves. Guam A.R., 1918, pp. 41, 43-44. 1919.
    fields for blue-mold disease. D.C. 176, p. 3. 1921.
    for control of splitworm. Hawaii Bul. 34, p. 10. 1914.
    seed bed for insect control. F.B. 343, p. 12. 1909.
  tomatoes—
    for insects and diseases. F.B. 1338, pp. 23-25. 1923.
    formulas, directions. F.B. 642, p. 10. 1915.
    requirements. F.B. 1233, p. 18. 1921.

Spraying—Continued.
  tomatoes—continued.
    use of Bordeaux mixture. B.P.I. Doc. 883, pp. 6–7. 1913.
    various diseases, methods and sprays. S.R.S. Doc. 95, pp. 15–17. 1919.
  trailer, methods for vineyards and cost. D.B. 837, pp. 7–22, 24–25. 1920; Ent. Bul. 97, Pt. I, p. 10. 1911.
  trees—
    for control of—
      gipsy and brown-tail moth. F.B. 845, pp. 14–15, 18–19. 1917.
      insects. D.L.A. Cir. 4, p. 3. 1919; F.B. 1209, pp. 32–33. 1921.
    in blossom, injury to bees and to the fruit grower. F.B. 447, p. 46. 1911.
    outfits, small and large, and accessories. F.B. 1169, pp. 20–29. 1921.
  use against—
    sawfly leaf miner. J.A.R. vol. 5, No. 12, p. 528. 1915.
    tobacco insects. Ent. Cir. 123, pp. 3, 5, 14. 1910.
  use and value—
    for moth control. F.B. 564, pp. 12, 15–17. 1914.
    in control of cotton red spider, list and formulas. F.B. 890, pp. 12–13, 20; 1917; D.B. 416, pp. 60, 63–67, 68. 1917.
    in control of gipsy moth. D.B. 484, Pt. II, p. 49. 1917.
  use in control of—
    beet leaf-spot, methods, time, cost, and profits. F.B. 618, pp. 13–16, 18. 1914.
    clematis disease, formula. News L., vol. 3, No. 12, p. 3. 1915.
    corn smut. J.A.R., vol. 30, p. 170. 1925.
    cucumber diseases. News L., vol. 2, No. 13, pp. 1–2. 1914.
    cutworms, methods. Ent. Bul. 109, Pt. IV, p. 49. 1912.
    ginseng diseases. B.P.I. Bul. 250, pp. 16–17, 19, 20, 22, 23, 26, 37–40. 1912.
    hop aphids, time, and insecticides. Ent. Bul. 111, pp. 23–37. 1913.
    insect and plant disease in Canal Zone. Rpt. 95, pp. 16–17. 1912.
    onion thrips and equipment. F.B. 1007, pp. 10–11, 12–15. 1919.
  use in—
    small gardens. F.B. 1044, p. 20. 1919.
    weed control, varieties and formulas. D.B. 78, pp. 23–24, 25–28, 29. 1914.
  value—
    in corn ear-worm control, methods. F.B. 1310, pp. 16–17. 1923.
    of Pickering sprays, experiments. C. F. Cook. D.B. 866, pp. 47. 1920.
  verbena for bud-moth control, formulas for sprays. D.B. 226, p. 6. 1915.
  vetch for corn ear worm, directions and formulas. F.B. 1206, pp. 14–15, 18. 1921.
  vineyard(s)—
    cost. D.B. 550, pp. 38–39, 41. 1917.
    for control of leaf folder. D.B. 419, p. 12. 1916.
    for grape-berry moth in northern Ohio. D.B. 837, pp. 7–22. 1920.
    for grape leaf hopper, cost per acre. Ent. Bul. 97, Pt. I, p. 10. 1911.
    formulas and dates, experiments at North East, Pa. Ent. Bul. 116, pp. 52–62. 1912.
    time, number, and pressure of applications. Ent. Bul. 89, pp. 86–88, 89–90. 1910; Ent. Bul. 97, Pt. III, pp. 63–64. 1911.
  walnut, for aphids, spring, summer, and winter. D.B. 100, pp. 40–45. 1914.
  water, control of melon aphid. F.B. 914, p. 13. 1918.
  watermelons—
    directions and cost. F.B. 1277, pp. 13–18. 1922.
    for anthracnose. F. C. Meier. D.C. 90, pp. 11. 1920.
    for control of anthracnose. F.B. 821, pp. 8–11, 15. 1917.

Spraying—Continued.
  watermelons—continued.
    time and method, equipment and cost. D.C. 90, pp. 4–8. 1920.
    weeds with herbicides. F.B. 360, pp. 15–17. 1909; F.B. 735, p. 8. 1916; F.B. 424, pp. 23–24. 1910.
    white fly to produce fungus infection. Ent. Bul. 102, pp. 47–70. 1912.
  winter—
    and summer, directions and scheme. Y.B., 1908, pp. 269–273. 1909; Y.B. Sep. 480, pp. 269–273. 1909.
    to increase vigor of buds, experiments. J.A.R., vol. 1, pp. 437–444. 1914.
    with solutions of nitrate of soda. J.A.R., vol. 1, pp. 437–444. 1914.
    with formalin, directions. F.B. 345, p. 6. 1908.
    Yakima Valley orchards, methods, outfits, sprays, and cost. D.B. 614, pp. 42–48. 1918.
  yellow-bear caterpillar, control experiments. Ent. Bul. 82, pp. 63–66. 1912.
  See also Dusting; Fungicides; Insecticides.
Spreader(s)—
  lime or fertilizer, day's work. D.B. 3, pp. 24–26, 44. 1913.
  use in sprays. F.B. 1326, pp. 14–17. 1924.
Spreckels Sugar Factory, California, description and capacity. Rpt. 86, pp. 34, 35, 38. 1903.
SPRIESTERSBACH, D. O. "Notes on the composition of the sorghum plant." With others. J.A.R., vol. 18, pp. 1–31. 1919.
SPRING, S. N.—
  "Forest planting on coal lands in western Pennsylvania." For. Cir. 41, pp. 16. 1906.
  "The natural replacement of white pine on old fields in New England." For. Bul. 63, pp. 32. 1905.
Spring—
  advent. Charles F. von Herrmann. W. B. Bul. 31, pp. 69–75. 1902.
  planting, safe plan for 1920. D.C. 85, p. 13. 1920.
  plowing in dry farming, effect on soil moisture. J.A.R., vol. 10, pp. 128–131, 152. 1917.
  wheat belt, farm ownership, economic aspects. Charles L. Stewart. D.B. 1322, pp. 24. 1925.
Springfield, Ill., milk supply, statistics, officials, and prices. B.A.I., Bul. 46, pp. 34, 67. 1903.
Springfield, Mass., milk supply, statistics, officials, and prices. B.A.I. Bul. 46, pp. 30, 92. 1903.
Springfield, Ohio, milk supply, statistics, officials, and prices. B.A.I. Bul. 46, pp. 36, 140. 1903.
Sprinkler, systems for grain separators. D.B. 379, p. 13. 1916.
Sprinkling—
  automatic, for fire control in cotton warehouses. D.B. 801, pp. 66–70, 75. 1919.
  system for forest nursery, comparison with irrigation. D.B. 479, pp. 11–14, 34, 41, 61. 1917.
Springs—
  American, water, bacterial examination, table. D.B. 369, pp. 9–13. 1916.
  as water supply, Texas. O.E.S. Bul. 222, pp. 23, 25, 27, 28. 1910.
  development. F.B. 138, pp. 16–18. 1901.
  influence on ground water, description and management. F.B. 941, pp. 23–25. 1918.
  inspection for bacterial contamination, results. D.B. 369, pp. 3–4, 7–8. 1916.
  mineral, Crater National Forest, location and description. For. Bul. 100, p. 20. 1911.
  national forest grazing, damage, reg. G–23. For. [Misc.], "The use book, 1921," p. 66. 1922.
  pollution—
    causes, and control methods. D.B. 57, pp. 12–13. 1914.
    sources and prevention. Y.B., 1914, pp. 144–145. 1915; Y.B. Sep. 634, pp. 144–145. 1915.
  protection—
    for farm use, and use in rams. Y.B., 1914, pp. 145–147, 153–155. 1915; Y. B. Sep. 634, pp. 145–147, 153–155. 1915.
    from vegetable growth, value of fish. F.B. 592, pp. 7–8. 1914.
  storing flow for irrigation, directions, cost. Y.B., 1907, p. 411. 1908; Y.B. Sep. 458, p. 411. 1908.
  western grazing lands, improvement, suggestions. F.B. 592, pp. 4–8. 1914.

Springtails—
  description, habits, and control. F.B. 856, p. 22. 1917.
  injurious to mushrooms, description and control. Ent. Cir. 155, pp. 6-7. 1912; F.B. 789, pp. 8-9. 1917.
Sprout(s)—
  forest—
    effects of age of stump and time of cutting. For. Cir. 118, p. 18. 1907.
    handling older stands, directions. Y.B., 1910, pp. 164-166. 1911; Y.B. Sep. 525, pp. 164-166. 1911.
    improvement cuttings, directions. Y.B., 1910, pp. 166-168. 1911; Y.B. Sep. 525, pp. 166-168. 1911.
    management. For. Cir. 118, pp. 15-21. 1907.
    second-growth, management. Henry S. Graves. Y.B., 1910, pp. 157-168. 1911; Y.B. Sep. 525, pp. 157-168. 1911.
  hardwood trees, reproduction method, management. F.B. 1177, rev., pp. 18-19. 1920.
  hickory, growing. For. Bul. 80, pp. 27-28, 31, 60. 1910.
  potato—
    apical dominance, relation to foliage condition. J.A.R., vol. 25, pp. 263-265. 1923.
    composition of three varieties. F. C. Cook. J.A.R., vol. 20, pp. 623-635. 1921.
  reproduction—
    details, management. Y.B., 1910, pp. 158-161. 1911; Y.B. Sep. 525, pp. 158-161. 1911.
    for posts. For. Cir. 154, pp. 11-13, 22. 1908.
    in ash trees. D.B. 299, pp. 22-23. 1915.
    of paper birch. For. Cir. 163, p. 22. 1909.
    on coaled-off lands, Tennessee. For. Cir. 118, pp. 19-20. 1907.
    prevention by barking trees. Ent. Bul. 58, pp. 13, 39. 1910.
  soy-bean, use as vegetable. Y.B., 1917, p. 110. 1918; Y.B. Sep. 740, p. 12. 1918.
  timber, cutting season. Y.B., 1915, p. 129. 1916; Y.B. Sep. 662, p. 129. 1916.
Sprouting, value of basswood and chestnut. D.B. 285, pp. 36, 40, 41. 1915.
Spruce—
  absorption of creosote, tests. For. Cir. 200, p. 6. 1912.
  adaptability for shelter-belt planting. D.B. 1113, pp. 10, 14, 15. 1923.
  and balsam fir trees of Rocky Mountain region. George B. Sudworth. D.B. 327, pp. 43. 1916.
  aphid, gall, description of injuries. Y.B., 1905, p. 255. 1906.
  available stand east of Rocky Mountains. D.B. 343, pp. 4-5. 1916.
  beetle(s)—
    Allegheny and European, description, habits, control, and bibliography. Ent. Bul. 83, Pt. I, pp. 139-146. 1909.
    depredations in North America. Ent. Bul. 28, pp. 15-45. 1901; Ent. Bul. 58, pp. 58-59. 1910; Y.B., 1907, pp. 160-162. 1908; Y.B. Sep. 442, pp. 160-162. 1908.
    eastern, description, habits, evidence, and control methods. Ent. Bul 83, Pt. I, pp. 114-126. 1909; Ent. Cir. 125, p. 2. 1910.
    European, distribution habits, and control method. Ent. Bul. 83, Pt. I, pp. 141-146. 1909.
    forest destruction, and control. Ent. Bul. 58, pp. 58-59, 75, 91-92. 1910.
    injuries to spruce trees, habits, and control methods. D.B. 544, pp. 27-29. 1918.
    losses by, prevention methods. Y.B., 1902, pp. 266-282. 1903.
    on Engelmann spruce, occurrence, destruction of spruce forests and control. Ent. Bul. 83, Pt. I, pp. 126-132. 1909; Ent. Cir. 125, pp. 2, 3, 5. 1910; Ent. Cir. 143, pp. 6-7. 1912.
    on Sitka spruce, habits and injuries. D.B. 1060, p. 20. 1922.
  bending tests, table. For. Bul. 70, pp. 46-48, 103, 106, 109. 1906.
  bigcone, description, range, and occurrence. For. [Misc.], "Forest tree * * * Pacific * * *," pp. 104-106. 1908.
  bigcone, occurrence, habits, and reproduction. For. Silv. Leaf. 10, pp. 1-3. 1907.

Spruce—Continued.
  black—
    characteristics, occurrence, habits, and longevity D.B. 327, pp. 3-6. 1916.
    description, range, and occurrence on Pacific slope. For. [Misc.], "Forest trees for Pacific * * *," pp. 86-88. 1908.
  blue—
    characteristics, occurrence, habits, and longevity. D.B. 327, pp. 14-17. 1916.
  Colorado—
    Apache National Forest. For. Bul. 125, pp. 1-32. 1913.
    growth with western pine and Douglas fir. For. Bul. 125, pp. 10-17, 31. 1913.
    value as ornamental for Plains region. F.B. 888, p. 15. 1917.
    importation and description. No. 36729, B.P.I. Inv. 37, p. 58. 1916.
    occurrence and habits. For. Silv. Leaf. 29, pp. 1-2. 1908.
  bud-worm—
    enemy of Douglas fir. D.B. 1200, p. 54. 1924.
    injuries by, relation between mortality of trees attacked and previous growth. F. C. Craighead. J.A.R., vol. 30, pp. 541-555. 1925.
    injury to trees, character. J.A.R., vol. 30, pp. 541-553. 1925.
  characteristics and reproduction, notes. For. Bul. 98, pp. 54, 55. 1911.
  characters, species on Pacific slope. For. [Misc.], "Forest trees for Pacific * * *," pp. 77-91. 1908.
  Chinese, importation and description. N. 44149, B.P.I. Inv. 50, pp. 6, 35. 1922.
  compression tests, table. For. Bul. 70, pp. 27-34, 63-64. 1906.
  consumption for—
    pulpwood, notes, and statistics. D.B. 758, pp. 3, 5, 9, 10, 11, 14. 1919.
    sulphite-process pulp, 1900-1916. D.B. 620, pp. 2-4. 1918.
  cooked and uncooked, grinding experiments, methods, and equipment. D.B. 343, pp. 7-34. 1916.
  crossties, cost per year for maintenance. For. Bul. 118, p. 46. 1912.
  cut and imported, 1909, amount and value. D.B. 544, pp. 3-6. 1918.
  dead, utilization. Ent. Bul. 28, pp. 45-46. 1901.
  decrease of supply and increase of cost. Y.B., 1910, p. 340. 1911; Y.B. Sep. 541, p. 340. 1911.
  description. M.C. 31, pp. 6-7. 1925.
  description, key, and list of common kinds. D.C. 223, p. 3, 8. 1922.
  destruction by insects. Ent. Bul. 58, pp. 58-59, 91, 92. 1910; Ent. Cir. 125, pp. 2-5. 1910.
  distribution. D.B. 544, pp. 1-3, 10-11. 1918; N.A. Fauna 21, pp. 11, 21, 53, 54. 1901; N.A. Fauna, 22, p. 13. 1902; N.A. Fauna, 24, pp. 11, 13, 15, 18. 1904.
  Douglas—
    description, range, and occurrence on Pacific slope. For. [Misc.], "Forest trees for Pacific * * *," pp. 100-104. 1908.
    occurrence in Colorado, description. N.A. Fauna 33, pp. 218-219. 1922.
  Engelmann—
    characteristics, occurrence, habits, and longevity. D.B. 327, pp 10-14. 1916.
    dangers and diseases. For. Cir. 170, p. 12. 1910.
    description, range, and occurrence on Pacific slope. For. [Misc.], "Forest trees for Pacific * * *," pp. 78-81. 1908.
    disease, new, of leaf and twig, description. J.A.R., vol. 4, pp. 251-254. 1915.
    germination and survival in different surfaces. J.A.R., vol. 30, p. 1008. 1925.
    in the Rocky Mountains, growth, volume, and reproduction. E. R. Hodson and J. H. Foster. For. Cir. 170, pp. 23. 1910.
    occurrence in Colorado, description. N.A. Fauna 33, p. 217. 1911.
    physiological studies. J.A.R., vol. 24, pp. 106-160. 1923.
    range, associated species, and stand. For. Cir. 170, pp. 5-8. 1910.
    range, occurrence, and habits. For. Silv. Leaf. 3, pp. 1-4. 1907.

Spruce—Continued.
  Engelmann—Continued.
    reproduction—
      factors affecting. W. C. Lowdermilk. J.A.R., vol. 30, pp. 995-1009. 1925.
      requirements. Y.B., 1907, pp. 285-286. 1908; Y.B., Sep. 466, pp. 285-286. 1908.
      suggestions. J.A.R., vol. 30, p. 1009. 1925.
    seedlings, resistance to heat, experiments. D.B. 1263, pp. 5-13. 1924.
    silvical characteristics. For. Cir. 170, pp. 8-12. 1910.
    stand, effect of elevation on. J.A.R., vol. 30, pp. 996, 1001, 1004-1006. 1925.
    tests for telephone poles. D.B. 67, pp. 2, 3, 7, 11, 14, 17, 21-22, 24, 25. 1914.
    value and reproduction. For. Bul. 98, p. 53. 1911.
    value and uses. For. Cir. 170, pp. 5, 12. 1910.
  exportation from Canadian Provinces, prohibition. D.B. 343, p. 5. 1916.
  fir, study in central Rocky Mountains. D.B. 1233, pp. 12-13, 25. 1924.
  forest(s)—
    destructive insects, control. For. Cir. 131, p. 12. 1907.
    Maine, Androscoggin region, condition. Ent. Bul. 28, pp. 11-15. 1901.
    Maine, timberland maps, use and benefit. For. Cir. 131, pp. 13-15. 1907.
    roads location. For. Cir. 131, p. 10. 1907.
    types. D.B. 544, pp. 11-14. 1918.
  forestry, practical, in Maine. Austin Cary. For. Cir. 131, p. 15. 1907.
  Formosa, importation and description. No. 47199, B.P.I. Inv. 58, pp. 8, 39. 1922.
  gall louse, injury to spruce trees and control. D.B. 544, pp. 27, 28. 1918.
  generic characteristics. D.B. 327, pp. 2-17, 42. 1916.
  girdling, control of beetle, investigation of method. Ent. Bul. 28, pp. 31-41. 1901.
  grinder runs, tables. D.B. 343, pp. 68-77, 115-117. 1916.
  grinding for mechanical pulp. J. H. Thickens. For. Bul. 127, pp. 54. 1913.
  growing in Great Plains. F.B. 1312, p. 19. 1923.
  growth—
    and value, in Alaska, Kenai Peninsula. Soil Sur. Adv. Sh., 1916, pp. 37, 38, 39-40, 69, 82, 85. 1919; Soils F. O., 1916, pp. 69, 70, 71-72, 101, 114, 117. 1921.
    and yields of pulpwood, problem for experiment stations. Sec. Cir. 183, pp. 13-14. 1921.
    comparison with balsam fir. D.B. 55, pp. 38-39. 1914.
    measurements. D.B. 544, pp. 29-41. 1918.
  hens, increase in Alaska. D.C. 225, p. 5. 1922.
  Himalayan, importation and description. No. 55694, B.P.I. Inv. 72, pp. 3, 20. 1924.
  hybrid, Vilmorin's fir, importation and description. No. 35173, B.P.I. Inv. 35, p. 17. 1915.
  importance in airplane construction. D.B. 1128, pp. 3, 4, 13. 1923.
  importations and descriptions. No. 39996, B.P.I. Inv. 42, p. 49. 1918; Nos. 52658-52659, B.P.I. Inv. 66, pp. 55-56. 1923.
  in northern hardwood forests. D.B. 285, pp. 6-21. 1915.
  in the Northeast, insect enemies. A. D. Hopkins. Ent. Bul. 28, pp. 80. 1901.
  infestation with mistletoe. J.A.R., vol. 4, pp. 370-372. 1915.
  injury(ies)—
    by beetles of the genus Dendroctonus. Ent. Bul. 83, Pt. I, pp. 64, 119, 127, 142. 1909.
    by sapsuckers. Biol. Bul. 39, p. 26, 66. 1911.
    caused by fungi, lists. D.B. 544, pp. 26-27. 1918.
    from gipsy moth. D.B. 204, p. 15. 1915.
  insect(s)—
    depredations, Europe and North America. Y.B., 1907, pp. 150-152, 160-162. 1908; Y.B. Sep. 442, pp. 150-152, 160-162. 1908.
    enemies in the Northeast. A. D. Hopkins. Ent. Bul. 28, pp. 80. 1901.
    injurious. Ent. Bul. 37, pp. 21-22. 1902.
    pests, list. Sec. [Misc.], "A manual * * * insects * * *," pp. 79-82. 1917.

Spruce—Continued.
  Japanese, importation and description. No. 44397, B.P.I. Inv. 50, p. 66. 1922.
  lumber production—
    1905, United States. For. Bul. 74, p. 18. 1905.
    1906, and value, by States. For. Cir. 122, pp. 17-18. 1907.
    1913, species and range. D.B. 232, pp. 15, 30-31. 1915.
    1916, by States, mills reporting, and lumber value. D.B. 673, pp. 20-21. 1918.
    1917, and value, by States. D.B. 768, pp. 21, 38, 40. 1919.
    1918, and States producing. D.B. 845, pp. 24, 43. 1920.
    1920, by States. D.B. 1119, p. 47. 1923; Y.B., 1922, p. 922. 1923.
  management and cutting systems in spruce-fir stands. D.B. 55, pp. 60-67. 1914.
  matured crop, harvesting, factor in control of beetle. Ent. Bul. 28, pp. 46-47. 1901.
  mortality from spruce bud worm, relation to previous growth. J.A.R., vol. 30, pp. 541-555. 1925.
  Norway—
    experimental plantations. D.B. 1264, pp. 33, 35. 1925.
    growth—
      in Illinois. For. Cir. 81, rev., p. 22. 1910.
      spacing, planting methods and products. Y.B., 1911, pp. 260-262, 265, 267. 1912; Y.B. Sep. 566, pp. 260-262, 265, 267. 1912.
    planting directions. For. Cir. 195, p. 12. 1912.
    planting, uses, yield, and value. D.B. 153, pp. 9, 16, 17, 19, 30, 34, 35. 1915.
    range, cultivation and uses. For. Cir. 65, pp. 1-4. 1907.
    seed collection and drying. For. Bul. 76, p. 10. 1909.
    susceptibility to snow mold. J.A.R., vol. 24, pp. 741-744, 748. 1923.
  occurrence in—
    Alaska. D.B. 50, pp. 5, 8. 1914.
    Colorado, description. N.A. Fauna 33, pp. 217-219. 1911.
  original stand and present supply. For. Cir. 97, p. 10. 1907.
  paper making, reduction to pulp, quantity, annual use. Chem. Cir. 41, p. 5. 1908.
  preliminary treatment, methods, studies. D.B. 343, pp. 11-17. 1916.
  price increase, 1900-1909. D.B. 343, pp. 5-6. 1916.
  production—
    1899-1914, and estimates, 1915. D.B. 506, pp. 13-15, 20. 1917.
    and value, rank among various woods, 1909. D.B. 544, pp. 3-6. 1918.
    division, war work. D.B. 1060, p. 2. 1922.
    proportion of woods used for pulp. D.B. 343, pp. 3-4. 1916.
    pulps, sulphite and soda, analyses. D.B. 1298, pp. 24-25. 1925.
    quality tests, tables. D.B. 343, pp. 78-85, 141-143. 1916.
    quantity used in manufacture of wooden products. D.B. 605, p. 9. 1917.
  red—
    growth—
      and management. Louis S. Murphy. D.B. 544, pp. 100. 1918.
      in different regions, rate. F.B. 1177, rev., p. 27. 1920.
    relation to forest conditions in central Rocky Mountains. D.B. 1233, pp. 3-151. 1924.
    reproduction and growth habits. F.B. 358, pp. 14, 15, 16. 1909.
    root system and lack of windfirmness. D.B. 544, pp. 15-16. 1918.
  seed—
    collection and drying. For. Bul. 76, p. 11. 1909.
    drying and extracting methods. For. Cir. 208, pp. 10, 15, 20. 1912.
    germination and growth habits. J.A.R., vol. 24, pp. 157-159. 1923.
    production by Engelmann spruce. J.A.R., vol. 30, pp. 995-1009. 1925.
    production, quantity and frequency. D.B. 544, pp. 17-19. 1918.

Spruce—Continued.
  seed—continued.
    storage—
      experiments. J.A.R., vol. 22, pp. 479-510. 1922.
      methods, tests. For. Bul. 98, pp. 25-26. 1911.
    seedling diseases, causes. J.A.R., vol. 15, pp. 521-558. 1918.
    shearing tests, table. For. Bul. 70, pp. 54-57. 1906.
  Sitka—
    description, range, and occurrence, Pacific slope. For. [Misc.], "Forest trees * * *," pp. 81-84. 1908.
    enemies, fungi insects, wind, burls, and fire. D.B. 1060, pp. 18-23. 1922.
    fungi injurious to. D.B. 1060, pp. 18-20. 1922.
    geographical distribution and altitudinal range. D.B. 1060, pp. 2-4, 12, 13. 1922.
    growth, height, diameter, and volume. D.B. 1060, pp. 23-27. 1922.
    logging and milling. D.B. 1060, pp. 8-10. 1922.
    occurrence, habits, and management. For. Silv. Leaf. 6, pp. 1-4. 1907.
    occurrence in Washington, eastern Puget Sound basin. Soil Sur. Adv. Sh., 1909, p. 38. 1911.
    planting, cost and profit. For. Bul. 98, p. 12. 1911.
    reproduction. D.B. 1060, pp. 16-17, 31-32. 1922.
    seed, quantity and germination percentage. D.B. 1060, p. 16. 1922.
    stand in Tongass National Forest, quality and availability. D.B. 950, pp. 8, 9, 10, 11. 1921.
    uses, growth, and management. N. Leroy Cary. D.B. 1060, pp. 38. 1922.
    wood characteristics and uses. D.B. 1060, pp. 5-8. 1922.
  soil, moisture, and light requirements, for reproduction. D.B. 544, pp. 14-15, 16-22. 1918.
  spacing in forest planting, and seed quantity per acre. F.B. 1177, rev., p. 22. 1920.
  stands and yields, cutting methods, and thinning. D.B. 544, pp. 41-59. 1918.
  stumpage—
    estimate. For. Cir. 166, p. 9. 1909.
    value—
      1906. For. Cir. 122, p. 37. 1907.
      1907 and 1912, by States. D.B. 544, pp. 7-10. 1918.
  stumps, blasting and burning, cost, diameter, and number per acre. B.P.I. Bul. 239, pp. 21, 41, 42, 43, 44, 45, 60. 1912.
  substitutes in pulp manufacture, list and tests. D.B. 343, pp. 34-151. 1916.
  sulphite-pulp production, effect of varying certain cooking conditions. S. E. Lunak. D.B. 620, pp. 24. 1918.
  supplies, outlook and provision for. D.B. 1241, pp. 68-69. 1924.
  susceptibility to—
    injuries, and causes. D.B. 544, pp. 23-29. 1918.
    sun scorch of conifers. D.B. 44, p. 6. 1913.
  testing for pulp manufacture. D.B. 343, pp. 45, 48, 50, 52, 53, 55, 57, 58, 59, 60, 61, 62, 64, 66, 67. 1916.
  tests for mechanical properties, results. D.B. 556, pp. 35, 44. 1917; D.B. 676, p. 35. 1919.
  tideland, description, range and occurrence on Pacific slope. For. [Misc.] "Forest trees for Pacific * * *," pp. 81-84. 1908.
  timber—
    Alaska, conditions. For. Bul. 81, pp. 14, 17-19. 1910.
    fungi infecting. D.B. 1262, pp. 3, 4. 1924.
  tract—
    Androscoggin basin, Maine, description, annual cut. For. Cir. 131, p. 3. 1907.
    practical forestry, Maine. Austin Cary. For. Cir. 131, p. 15. 1907.
  treatment with creosote, tests and results. D.B. 101, pp. 15, 24-26, 36, 37, 39, 41. 1914.
  use(s)—
    and lumbering methods in New England. For. Cir. 168, pp. 7-11. 1909.
    for—
      pulpwood. For. Cir. 166, p. 21. 1909.
      wood pulp, annual consumption in United States. D.B. 343, pp. 3-4. 1916.

Spruce—Continued.
  value for windbreaks. For. Bul. 86, pp. 95, 97, 98, 99. 1911.
  varieties, grading rules. D.C. 64, pp. 37-38. 1920.
  veiled, importation and description. No. 28370, B.P.I. Bul. 223, pp. 8, 16. 1911.
  volume tables—
    for measurement, appendix. D.B. 544, pp. 68-100. 1918.
    growth rate. For. Bul. 36, pp. 126-127, 184-186, 188, 191, 193. 1910.
  weeping—
    description, range and occurrence, Pacific slope. For. [Misc.], "Forest trees for Pacific * * *," pp. 84-86. 1908.
    occurrence and habits. For. Silv. Leaf. 20, pp. 1-2. 1908.
  weevils, description. Ent. T.B. 20, Pt. I, pp. 33, 35, 47, 59, 60. 1911.
  weight per cord. D.B. 55, p. 19. 1914.
  white—
    characteristics, occurrence, habits, and longevity. D.B. 327, pp. 6-10. 1916.
    description, range, and occurrence, Pacific slope. For. [Misc.], "Forest trees for * * *," pp. 88-91. 1908.
    growth, spacing, uses, and products. Y.B. 1911, pp. 260, 267. 1912; Y.B. Sep. 566, pp. 260, 267. 1912.
    occurrence—
      habits and management. For. Silv. Leaf. 15, pp. 1-4. 1908.
      in Colorado, description. N.A. Fauna 33, p. 217. 1911.
    planting and uses. D.B. 153, pp. 9, 19, 35. 1915.
  wood—
    analyses. D.B. 1298, pp. 20-23. 1925.
    cooked and uncooked, grinding influence on pulp production and yield. D.B. 343, pp. 32-34. 1916.
    used for pulp, by States and processes. For. Cir. 120, pp. 4-7. 1907.
  See also Conifers.
Spur blight, raspberry disease, description. F.B. 887, p. 35. 1917.
Spurge—
  family injury to trees by sapsuckers. Biol. Bul. 39, p. 44. 1911.
  mountain, Japanese, use on terrace lawns as substitute for grass. F.B. 494, pp. 36, 48. 1912.
  nettle, seed, description and chemical analysis. J.A.R., vol. 26, pp. 259-260. 1923.
  seed, description and appearance in red clover. F.B. 260, p. 21. 1906; F.B. 428, pp. 25, 26. 1911.
Spurry—
  corn, description, introduction into Washington, Eastern Puget Sound Basin. Soil Sur. Adv. Sh., 1909, p. 39, 41. 1911; Soils F.O., 1909, p. 1551. 1912.
  sand, use as cattle feed, Alaska. Alaska A.R. 1909, pp. 27, 62. 1910.
  wild, seeds, description. F.B. 428, pp. 24, 25. 1911.
Spurs, climbing, injuries to trees. F.B. 1178, pp. 5-6, 28. 1920.
SPURWAY, C. H.: "Soil acidity and the hydrolytic ratio in soils." J.A.R., vol. 11, pp. 659-672. 1917.
Sputum, of consumptives, cause of hog tuberculosis. B.A.I. Cir. 201, pp. 22-23. 1912.
Squab(s)—
  breeders, reports and data. F.B. 684, pp. 14-16. 1915.
  death in nests, causes. F.B. 684, p. 14. 1915.
  hatching and rearing methods. F.B. 684, pp. 9-10. 1915.
  killing, dressing, grading, and marketing. F.B. 684, pp. 12-13. 1915.
  market—
    demands at different seasons. Rpt 98, p. 131. 1913.
    quotations. F.B. 1377, p. 9. 1924.
  production, average per breeding pair, prices and profits. F.B. 684, pp. 12-13, 14, 15, 16. 1915.
  quality of flesh, food value and uses. D.B. 467, pp. 5, 21, 27. 1916.
  raising—
    Alfred R. Lee. F.B. 684, pp. 16. 1915.
    William E. Rice. F.B. 177, pp. 32. 1903.
  See also Pigeons.

INDEX TO PUBLICATIONS, 1901-1925

Squalus acanthias. See Grayfish.
Squares, cotton—
  boll-weevil attack, studies. D.B. 926, pp. 10-11, 20. 1921.
  boll-weevil infested, disposition. F.B. 344, pp. 34-35. 1909.
  growth methods in different varieties. J.A.R. vol. 25, pp. 198-202. 1923.
  infested, gathering to destroy boll weevil. F.B. 319, p. 14. 1908.
  weevil-infested pick-up work, time per acre. D.B. 896, p. 36. 1920.
Squash—
  beetles, destruction by flycatchers. Biol. Bul. 44, pp. 9, 31, 52, 64. 1912.
  blossoms, use as food, note. O.E.S. Bul. 245, p. 49. 1912.
  bug, injuries to—
    cotton. Ent. Bul. 86, pp. 88-92. 1910.
    squashes and control measures. F.B. 856, p. 61. 1917.
  canned, misbranding. Chem. N.J. 13296. 1925.
  canning methods. D.B. 196, pp. 62-63. 1915; D.B. 1084, p. 37. 1922; F.B. 839, pp. 16, 29. 1917.
  canning, seasons. Chem. Bul. 151, p. 36. 1912.
  cultural directions and varieties. F.B. 934, pp. 42-43. 1918; F.B. 937, pp. 16, 19, 23, 50-51. 1918; F.B. 1044, p. 39. 1919.
  destruction by melon fly, Hawaii. D.B. 491, pp. 10-13. 1917.
  disease(s)—
    and insect pests, control. D.C. 5, pp. 13-18. 1919.
    caused by *Choanephora cucurbitarum.* J.A.R., vol. 8, pp. 319-328. 1917.
    occurrence and description in Texas. B.P.I. Bul. 226, pp. 43-44. 1912.
    symptoms and development. J.A.R., vol. 8, p. 321. 1917.
  dried, cooking recipes. F.B. 841, p. 28. 1917.
  drying directions. D.C. 3, p. 15. 1919; F.B. 841, p. 22. 1917; F.B. 984, pp. 52-53. 1918; F.B. 1335, pp. 37-38. 1925.
  dusting with nicotine sulphate, experiments. D.C. 224, pp. 3-6. 1922.
  food use and cooking directions. D.B. 123, p. 37. 1916.
  fungous parasite, *Gloeosporium lagenarium,* studies. B.P.I. Bul. 252, p. 29. 1913.
  growing—
    directions and varieties recommended for home gardens. F.B. 936, p. 51. 1918.
    for small gardens, cultural hints. F.B. 818, pp. 39-40. 1917.
    in Guam, directions. Guam Bul. 2, pp. 12, 53. 1922; Guam Cir. 2, p. 15. 1921.
    in Nevada, for home garden, varieties. B.P.I. Cir. 110, p. 24. 1913.
    methods and varieties. F.B. 647, pp. 24-25. 1915.
  hog feeding, value. D.B. 68, p. 15. 1914.
  home garden, cultural hints. F.B. 255, p. 44. 1906.
  Hubbard, storage experiments. F.B. 342, pp. 18-19. 1909.
  importations—
    and descriptions. Nos. 46051-46055, 46122, B.P.I. Inv. 55, pp. 17, 27. 1922; Nos. 47378, 47531, B.P.I. Inv. 59, pp. 14, 27. 1922; Nos. 55367, 55463, B.P.I. Inv. 71, pp. 36, 45. 1923; No. 56025, B.P.I. Inv. 73, p. 31. 1924.
    from Peru. Nos. 36325-36342, B.P.I. Inv. 37, p. 17. 1916.
  injury by cucumber beetles. F.B. 1322, pp. 4, 6. 1923.
  insects attacking. F.B. 856, pp. 61-63. 1917.
  Italian, importations and description. Nos. 37132, 37133, B.P.I. Inv. 38, p. 41. 1917.
  packing season. D.B. 196, p. 18. 1915.
  planting, directions for club members. D.C. 48, p. 10. 1919.
  plants, damage by root knot. F.B. 648, p. 7. 1915.
  processing, directions and time table. F.B. 1211, pp. 47, 49. 1921.

Squash—Continued.
  seed—
    growing, localities, acreage, yield, production, and consumption. Y.B., 1918, pp. 201, 206, 207. 1919; Y.B. Sep. 775, pp. 9, 14, 15. 1919.
    saving. F.B. 884, p. 6. 1917; F.B. 1390, p. 4. 1924.
  shipments by States and by stations, 1916. D.B. 667, pp. 10, 113. 1918.
  spraying calendar. S.R.S. Doc. 52, p. 9. 1917.
  storage for home use. F.B. 879, p. 21. 1917.
  summer, canning directions. F.B. 359, p. 13. 1910.
  varieties—
    adaptability to Truckee-Carson project. B.P.I. Cir. 78, p. 16. 1911.
    importations and descriptions. Nos. 36316-36323, 36325-36327, 36329, 36331-36342, 36778-36779. B.P.I. Inv. 37, pp. 16, 17, 63-64. 1916.
    resistant to bacterial wilt. J.A.R., vol. 6, No. 11, pp. 427, 428, 434. 1916.
    tests, Yuma experiment farm. D.C. 75, p. 59. 1920.
    use as food. O.E.S. Bul. 245, p. 51. 1912.
    wilt infection, percentage. J.A.R., vol. 6, No. 11, pp. 426-429. 1916.
  vine—
    borer—
      F. H. Chittenden. F.B. 668, pp. 6. 1915.
      control on watermelons. F.B. 1394, p. 11. 1924.
      description, habits, and control. F. H. Chittenden. Ent. Cir. 38, rev., pp. 6. 1903.
      habits and treatment. D.C. 35, pp. 17-18. 1919.
      injuries, and control measures. F.B. 856, pp. 61-62. 1917.
      injury by borers, and cultural methods for control. F.B. 668, pp. 2, 5-6. 1915.
    water requirements. J.A.R., vol. 3, pp. 40, 52, 59. 1914.
    winter, canning directions. F.B. 359, p. 15. 1910.
Squatarola squatarola—
  breeding range and migration habits. Biol. Bul. 35, pp. 78-79. 1910.
  See also Plover, black-bellied.
Squaw—
  bush. See Cramp-bark tree.
  mint. See Pennyroyal.
  plum. See Squaw vine.
  vine, habitat, range, description, uses, collection, and prices. B.P.I. Bul. 219, p. 34. 1911.
Squawberry. See Squaw vine.
Squid, cold-storage holdings, 1918, by months. D.B. 792, pp. 63-64. 1919.
Squill, use—
  against rodents. Y.B., 1908, p. 427. 1909; Y.B. Sep. 491, p. 427. 1909.
  as rat poison, formulas. Y.B., 1917, p. 251. 1918; Y.B. Sep. 725 p. 19. 1918.
  in poisoning rats and mice. F.B. 896, p. 7. 1917.
Squinting. See Strabismus.
Squirrels—
  Alaska, east central, habits and occurrence. N. A. Fauna 30, pp. 22-23. 1909.
  antelope—
    description and control. F.B. 335, pp. 8-9. 1908.
    occurrence in Colorado, and description. N.A. Fauna 33, pp. 84-86. 1911.
    See also Chipmunk, white-tailed.
  Athabaska-Mackenzie region. N.A. Fauna 27, pp. 161-174. 1908.
  barking. See Prairie dog.
  Beechey's ground—
    carrier of bubonic plague, control. F.B. 932, pp. 12-13. 1918; Y.B., 1916, pp. 390, 391. 1917; Y.B. Sep. 708, pp. 10, 11. 1917.
    description, range, and habits. Biol. Cir. 76, pp. 1, 2-7. 1910.
  caches—
    as source of forest-tree seeds. D.B. 475, pp. 5-6. 1917.
    of cones. D.B. 1264, p. 2. 1925.
    robbing in collection of tree seeds. For. Bul. 98, p. 17. 1911.
  California ground, carrier of bubonic plague, control. Y.B., 1916, pp. 390, 391. 1917; Y.B. Sep. 708, pp. 10, 11. 1917.

Squirrels—Continued.
  Columbia ground—
    habits and control. Y.B., 1916, pp. 390, 391. 1917; Y.B. Sep. 708, pp. 10, 11. 1917.
    habits and distribution. F.B. 484, pp. 10–14. 1912.
    poisoning, methods. F.B. 484, pp. 14–16. 1912.
  control in forest nurseries. D.B. 479, pp. 76, 77, 78. 1917.
  damage to pine cones, comparison with beetle damage. D.B. 243, pp. 6–8. 1915.
  destruction campaign by farm bureaus and grain saving. News L., vol. 6, No. 8, p. 8. 1918.
  digger ground, description. Biol. Cir. 76, p. 1. 1910.
  Douglas ground, range. Biol. Cir. 76, p. 2. 1910.
  enemies of—
    house birds, control methods. F.B. 607, pp. 15–16. 1914.
    pine seedlings. D.B. 1105, p. 135. 1923.
  fleas, agency in spread of bubonic plague. F.B. 897, p. 9. 1917.
  flying—
    American, revision. Arthur H. Howell. N.A. Fauna 44, pp. 64. 1918.
    cranial measurements, tables. N.A. Fauna 44, pp. 59–60. 1918.
    habits and characteristics. N.A. Fauna 44, pp. 5–11. 1918.
    occurrence in Alabama, description and habits. N.A. Fauna 45, p. 67. 1921.
    occurrence in Montana. Biol. Cir. 82, p. 11. 1911.
  fox—
    occurrence and habits in Texas. N.A. Fauna 25, pp. 75–78. 1905.
    western, occurrence in Colorado, description. N.A. Fauna 33, p. 64. 1911.
  Franklin ground, habits and control. Y.B., 1916, p. 391. 1917; Y.B. Sep. 708, p. 11. 1917.
  Fremont, occurrence in Colorado, description. N.A. Fauna 33, pp. 69–70. 1911.
  ground—
    as food. Biol. Cir. 76, p. 7. 1910.
    California. C. Hart Merriam. Biol. Cir. 76, pp. 15. 1910.
    Columbian, occurrence in Montana, habits, host of fever ticks. Biol. Cir. 82, pp. 13–14. 1911.
    control, cooperative campaigns. Y.B., 1917, pp. 227–230, 232. 1918; Y.B. Sep. 724, pp. 5–8, 10. 1918.
    control in national forests. D.B. 475, pp. 50, 51. 1917.
    damage to crops. F.B. 484, pp. 12–14. 1912.
    dangers, control measures. Y.B., 1908, pp. 115–116. 1909.
    description, control. F.B. 335, pp. 6–9. 1908.
    description, habits, and control. F.B. 932, pp. 11–15. 1918.
    extermination methods. Biol. Cir. 76, pp. 8–14. 1910.
    host of spotted fever tick. F.B. 484, pp. 10–11. 1912.
    infestation by fleas, and danger of disease spread. F.B. 683, p. 9. 1915.
    injuries and crops. Biol. Cir. 76, pp. 6–7. 1910.
    introduction on Pribilof Islands. N.A. Fauna 46, p. 113. 1923.
    Kennicott, occurrence in Colorado, description. N.A. Fauna 33, pp. 93–94. 1911.
    large-spotted, occurrence in Colorado, description. N.A. Fauna 33, p. 94. 1911.
    little-striped, occurrence in Colorado, description. N.A. Fauna 33, pp. 92–93. 1911.
    natural enemies. Biol. Cir. 76, p. 7. 1910.
    occurrence in—
      Athabaska-Mackenzie region, description, and habits. N.A. Fauna 27, p. 164. 1908.
      Colorado, description. N.A. Fauna 33, pp. 81–84. 1911.
      Texas, habits. N.A. Fauna 25, pp. 86–88. 1905.
    pale-striped, occurrence in Colorado, description. N.A. Fauna 33, pp. 91–92. 1911.
    Piute, description and control. F.B. 335, pp. 6–8. 1908.

Squirrels—Continued.
  ground—continued.
    plague-infected, extermination. Biol. Cir. 76, pp. 7–8. 1910.
    poisoning directions. Y.B., 1908, p. 429. 1909; Y.B. Sep. 491, p. 429. 1909.
    side-striped—
      as tick hosts. F.B. 484, p. 24. 1912.
      occurrence in Montana, host of fever ticks. Biol. Cir. 82, p. 15. 1911.
    tolerance of strychnine, and lethal dose. D.B. 1023, pp. 3, 14–15, 18. 1921.
    Wyoming, occurrence in Colorado, and description. N.A. Fauna 33, pp. 89–90. 1911.
    See also Citellus richardsoni.
  help in harvesting forest seeds, contents of caches. Y.B., 1912, p. 436. 1913; Y.B. Sep. 604, 436. 1913.
  hoards, source of forest seeds, description. Y.B., 1912, p. 436. 1913; Y.B. Sep. 604, p. 436. 1913.
  Hudsonian red, occurrence in Alaska. N.A. Fauna 30, p. 22. 1909.
  insectivorous habits. Ent. Bul. 30, p. 94. 1901.
  occurrence in—
    Alabama, description and habits. N.A. Fauna 45, pp. 63–67. 1921.
    Colorado. N.A. Fauna 33, pp. 81–94. 1911.
    Wyoming. N.A. Fauna 42, pp. 16, 20, 25, 33, 34, 42, 43, 48, 51. 1917.
  pine—
    as tick hosts. F.B. 484, p. 27. 1912.
    destruction, methods. F.B. 484, p. 27. 1912.
    injury to crops. F.B. 484, p. 26. 1912.
    occurrence in Montana, host of fever ticks. Biol. Cir. 82, pp. 11–12. 1911.
  plateau ground, range. Biol. Cir. 76, p. 2. 1910.
  poison formula. For. Bul. 98, p. 37. 1911.
  range and habits. N.A. Fauna 21, pp. 59, 63. 1901; N.A. Fauna 22, pp. 44–45. 1902.
  red—
    injurious habits. Y.B., 1908, p. 193. 1909; Y.B. Sep. 474, p. 193. 1909.
    in Yukon Territory. N.A. Fauna 30, pp. 54, 77. 1909.
    range and habits. N.A. Fauna 24, pp. 30–32. 1904.
    relation to walnut reproduction. D.B. 933, pp. 19–20. 1921.
  Richardson ground, habits and control. Y.B., 1916, pp. 390–391. 1917; Y.B. Sep. 708, pp. 10–11. 1917.
  rock—
    occurrence in Colorado, description. N.A. Fauna 33, pp. 87–88. 1911.
    susceptibility to spotted fever. Ent. Bul. 105, p. 34. 1911.
    See also Squirrel, ground.
  seed-eating habits, prevention of forest extension. For. Bul. 79, p. 35. 1910.
  side-striped, ground, injury to crops, and habits. F.B. 484, p. 25. 1912.
  spread of chestnut bark disease. F.B. 467, p. 9. 1911.
  trapping directions. Y.B., 1919, p. 454. 1920; Y.B. Sep. 823, p. 454. 1920.
  tuft-eared—
    northern, occurrence in Colorado, description. N.A. Fauna 33, pp. 64–67. 1911.
    occurrence in Colorado, description, etc. N.A. Fauna 33, pp. 67–69. 1911.
  white-tailed. See Squirrel, antelope.
  Yukon—
    flying, description. N.A. Fauna 30, p. 22. 1909.
    ground, description, habits, and occurrence in east central Alaska. N.A. Fauna 30, pp. 22–23. 1909.
Squirrel-corn, poisonous properties. O. F. Black and others. J.A.R., vol. 23, pp. 69–78. 1923.
Squirrel-tail grass—
  control in hay fields. D.C. 110, p. 11. 1920.
  danger in hay, and control method. B.P.I. Cir. 80, pp. 13–14, 23. 1911.
  description—
    and various names. D.B. 772, p. 101. 1920.
    distribution, spread, and injured products. F.B. 660, p. 29. 1915.
  injury to timothy fields, control methods. F.B. 502, p. 24. 1912.
St. See Saint.

INDEX TO PUBLICATIONS, 1901–1925   2271

Stabilization, long-staple cotton, various factors. D.B. 324, pp. 10–16. 1915.
Stable(s)—
  absorbent, value of peat. Soils Cir. 65, p. 12. 1912.
  breeding, county fairs, for improvement of livestock. O.E.S. Cir. 109, p. 20. 1911.
  construction and care for control of flies. F.B. 679, pp. 12–13. 1915; F.B. 851, pp. 14–15. 1917; F.B. 1408, p. 9. 1924.
  cow—
    cleaning and disinfecting. B.A.I. Bul. 104, p. 23. 1908.
    construction, ventilation, and care. S.R.S. Syl. 18, pp. 9–10. 1915.
    requirements for—
      cleanliness and health. B.A.I. An. Rpt., 1909, pp. 122, 124–126. 1911; B.A.I. Cir. 170, pp. 122, 124–126. 1911.
      production of good milk. F.B. 366, p. 25. 1909; B.A.I. Cir. 139, pp. 7–10. 1909; B.A.I. Cir. 158, pp. 1–3. 1910.
      space, light, drainage, ventilation, and cleanliness. B.A.I. Cir. 199, pp. 11, 13–15, 17. 1912.
    sanitary regulations. B.A.I. Bul. 46, pp. 45–165, 168, 171, 174, 176, 181, 183. 1903.
    whitewashing, rules for dairymen, Boston, Mass. B.A.I. Bul. 46, p. 181. 1903.
  dairy—
    farm, designs for building. B.A.I. An. Rpt., 1906, pp. 287–298. 1908; B.A.I. Cir. 131, pp. 5–16. 1908.
    requirements, certified milk production. B.A.I. Bul. 104, pp. 10–11, 34–35, 40–41. 1908; D.B. 1, pp. 13, 25–26. 1913.
  disinfection—
    after—
      blackleg disease. B.A.I. Cir. 31, rev., p. 13. 1901.
      hemorrhagic septicemia. D.B. 674, p. 9. 1918.
      infectious abortion. B.A.I. An. Rpt., 1911, p. 177. 1913; B.A.I. Cir. 216, p. 177. 1913.
      pleuropneumonia. B.A.I. [Misc.]. "Diseases of cattle," rev., p. 391. 1912.
      swamp fever. B.A.I. Cir. 138, p. 4. 1909.
      tuberculosis. F.B. 781, p. 16. 1917.
    for foot-and-mouth disease. F.B. 666, p. 14. 1915.
    necessity, nature, and disinfectants. F.B. 954, pp. 3–8. 1918.
    practical methods. George W. Pope. F.B. 480, pp. 16. 1912.
    to prevent spread of diseases. F.B. 273, pp. 14–16. 1906.
    use of bichloride of mercury. B.A.I. An. Rpt., 1910, p. 74. 1912.
  floors, concrete, construction. F.B. 235, p. 19. 1905.
  fly. See *Stomoxys calcitrans*; Fly, stable.
  horse, plan, and essentials for sanitation. F.B. 1419, pp. 2–3. 1924.
  infection with pleuro-pneumonia and, disinfection. B.A.I. [Misc.], "Diseases of cattle," rev., pp. 382, 391. 1912.
  manure—
    business of big cities. C. C. Fletcher. Y.B., 1916, pp. 375–379. 1917; Y.B. Sep. 716, pp. 5. 1917.
    use in soil improvement. F.B. 245, p. 11. 1906. See also Manure.
  ventilation—
    practices. F.B. 190, pp. 23–31. 1904; F.B. 296, pp. 25–27. 1907.
    some fundamentals of. Henry Prentiss Armsby and Max Kriss. J.A.R., vol. 21, pp. 343–368. 1921.
  vices, horses, detection. F.B. 779, pp. 3–5. 1917.
Stachys—
  food value. F.B. 295, p. 29. 1907.
  serica, importation and description. No. 39101, B.P.I. Inv. 40, p. 73. 1917.
  sieboldii, importations and descriptions. No. 50541, B.P.I. Inv. 63, p. 78. 1923; Nos. 52306, 52379, B.P.I. Inv. 66, pp. 7, 18. 1923.
Stack, J. P.: "Soil survey of—
  Greenwood County, Kans." With others. Soil Sur. Adv. Sh., 1912, pp. 34. 1914; Soils F.O., 1912, pp. 1823–1852. 1915.

Stack, J. P.: "Soil survey of—Continued.
  Jewell County, Kans." With others. Soil Sur. Adv. Sh., 1912, pp. 44. 1914; Soils F.O., 1912, pp. 1853–1892. 1915.
Stack-burn—
  rice, control by seed treatment. D.B. 1116, pp. 1–11, 1922.
  wheat, cause. B.P.I. Cir. 68, p. 6. 1910.
Stacker—
  care and repair. F.B. 1036, p. 11. 1919.
  hay—
    cost. F.B. 1009, p. 10. 1919.
    description and use. F.B. 943, pp. 16–17, 22–23, 27. 1918.
    labor saving, use in East and South. H. B. McClure. F.B. 1009, pp. 23. 1919.
    types and use. F.B. 1021, pp. 22–24. 1919.
  use in—
    haymaking. D.B. 578, pp. 22–37. 1918.
    in loading hay. F.B. 987, pp. 14, 16, 19. 1918.
Stacking—
  alfalfa—
    directions. F.B. 1229, pp. 2, 7–8. 1921.
    methods and results. J.A.R., vol. 18, pp. 299–304. 1919.
  beans, times and method. F.B. 907, pp. 11–12. 1917.
  grain, labor requirements on North Dakota farms. D.B. 757, p. 24. 1919.
  hay—
    cost, with saving by baling from the field. F.B. 1049, p. 31. 1919.
    losses, and experiments. F.B. 362, pp. 25–27. 1909.
    methods and costs. F.B. 1009, pp. 10–16. 1919.
    with push rakes, and stacker. D.B. 578, pp. 22–37. 1918.
  lumber, relations to decay. D.B. 510, pp. 22–27. 1917.
  oats—
    directions. F.B. 424, p. 28. 1910.
    time and method. F.B. 892, pp. 20–21. 1917.
  peanuts, directions. F.B. 1127, pp. 17–19. 1920; Sec. Cir. 81, pp. 2–4. 1917.
  sugar-beet seed crops. F.B. 1152, p. 19. 1920.
  sweet clover seed crop. F.B. 836, pp. 17–18. 1917.
  wheat—
    directions. F.B. 678, pp. 15–16. 1915.
    methods and costs per acre and per bushel. D.B. 627, pp. 13–15. 1918.
Stadmannia oppositifolia, importation and description. No. 45663, B.P.I. Inv. 53, p. 74. 1922; No. 49030, B.P.I. Inv. 61, p. 69. 1922.
Staff tree. See Bittersweet, false.
Stafford, M. O.: "The refrigeration of dressed poultry in transit." With others. D.B. 17, pp. 35. 1913.
Stafolife, adulteration and misbranding. Chem. N.J. 477, p. 1. 1910.
Stagbush. See Haw, black.
Stagger grass (*Chrosperma muscaetoxicum*)—
  as a poisonous plant. C. Dwight Marsh and others. D.B. 710, pp. 15. 1918.
  cattle poisoning, cause and control. F.B. 536, p. 4. 1913.
  injury to livestock, caution, and eradication importance. News L., vol 6, No. 16, p. 3. 1918.
  poison to stock, experimental feeding to cattle and sheep. D.B. 710, pp. 5–11. 1918.
  poisoning, symptoms, animals susceptible, and remedies. D.B. 710, pp. 12–13. 1918.
  use as fly poison, formula. D.B. 710, p. 4. 1918.
Staggers—
  cattle, causes, symptoms, and treatment. B.A.I. [Misc.], "Diseases of cattle," rev., pp. 101–104. 1904; rev., pp. 101–104, 515. 1908; rev., pp. 103–106, 539. 1912; rev., pp. 103–106, 529. 1923.
  horse, cause, symptoms, and treatment. B.A.I. [Misc.], "Diseases of the horse," p. 203. 1903; rev., p. 204, 1907; rev., p. 204. 1911; rev., p. 224. 1923.
  See also Blind staggers; Forage poisoning; Meningitis, cerebrospinal.
Staggerweeds, little, botanical classification and common names. J.A.R., vol. 23, p. 70. 1923.
Staghead—
  pecan, description and cause. F.B. 1129, p. 17. 1920.
  See also Spike top.

Stagmomantis limbata, enemy of boll weevil. Ent. Bul. 100, p. 40. 1912; Ent. Bul. 114, p. 137. 1912.
Stagonospora gigantea, occurrence on plants in Texas and description. B.P.I. Bul. 226, pp. 84, 112. 1912.

STAHL, C. F.—
"Obtaining beet leafhoppers nonvirulent as to curly-top." With Eubanks Carsner. J.A.R., vol. 14, pp. 393-394. 1918.
"Studies on curly-top disease of the sugar beet." With Eubanks Carsner. J.A.R., vol. 28, pp. 297-320. 1924.
"Studies of the life history and habits of the beet leafhopper." J.A.R., vol. 20, pp. 245-252. 1920.

STAIDL, J. A.: "Control of decay in pulp and pulp-wood." With others. D.B. 1298, pp. 80. 1925.

Staining—
cotton fibers, fungous cause. B.P.I. Cir. 110, pp. 27-28. 1913.
floors—
directions. F.B. 1219, pp. 8-9. 1921.
use of walnut hulls. S.R.S. [Misc.], "Cooperative extension work in agriculture and home economics * * *, 1919," p. 17. 1921.
methods for cultures of *Azotobacter chroococcum*. J.A.R., vol. 4, pp. 228-230. 1915.
molds, in studying penetration, methods and solutions. J.A.R., vol. 26, pp. 221-223. 1923.

Stains—
chemical, of wood, description, causes, and injuries. D.B. 1037, pp. 4-6. 1922.
floor, formulas. F.B. 1219, p. 8. 1921.
fungous, source in sap-stain fungi. D.B. 1037, pp. 6-10. 1922.
injury to felled pine. D.B. 1140, p. 4. 1923.
lichtgruen, use in staining mycelium of blister rust. J.A.R., vol. 11, pp. 282-283. 1917.
removal from—
carpets and rugs, directions. F.B. 1219, p. 30. 1921.
clothing and other textiles. Harold L. Lang and Anna H. Whittelsey. F.B. 861, pp. 35. 1917.
clothing, equipment. F.B. 1089, p. 31. 1920.
removers, formulas and use methods. Thrift Leaf. 6, pp. 2-3. 1919.

STAINTON, H. T.: Notes on *Recurvaria nanella*. J.A.R., vol. 2, p. 162. 1914.

Stakes, bamboo, for florists and nurserymen. D.B. 1329, p. 22. 1925.

Staking—
chrysanthemums, directions. F.B. 1311, pp. 5-6. 1923.
leather, in tanning, directions. F.B. 1334, pp. 19-20, 21, 25, 26, 27. 1923.
tomatoes, practices in different localities. F.B. 1338, pp. 19-21, 33. 1923.

STAKMAN, E. C.—
"A third form of *Puccinia graminis* on wheat." With M. N. Levine. J.A.R., vol. 13, pp. 651-654. 1918.
"Barberry eradication prevents black rust in western Europe." D.C. 269, pp. 15. 1923.
"Biologic forms of *Puccinia graminis* on cereals and grasses." With F. J. Piemeisel. J.A.R., vol. 10, pp. 429-496. 1917.
"Biologic forms of *Puccinia graminis* on varieties of *Avena* spp." With others. J.A.R., vol. 24, pp. 1013-1018. 1923.
"Can biologic forms of stemrust on wheat change rapidly enough to interfere with breeding for rust resistance?" With others. J.A.R., vol. 14, pp. 111-124. 1918.
"Destroy the common barberry." F.B. 1058, pp. 12. 1919.
"Effect of certain ecological factors on the morphology of the urediniospores of *Puccinia graminis*." With M. N. Levine. J.A.R., vol. 16, pp. 43-77. 1919.
"Infection experiments with timothy rust." With Louise Jensen. J.A.R., vol. 5, pp. 211-216. 1915.
"Infection of timothy by *Puccinia graminis*." With F. L. Piemeisel. J.A.R., vol. 6, pp. 813-916. 1916.
"New biological forms of *Puccinia graminis*." With others. J.A.R., vol. 16, pp. 103-105. 1919.

STAKMAN, E. C.—Continued.
"Plasticity of biological forms of *Puccinia graminis*." With others. J.A.R., vol. 15, pp. 221-250. 1918.
"*Puccinia graminis poae* Eikss and Henn., in the United States." With M. N. Levine. J.A.R., vol. 28, pp. 541-548. 1924.
"Relation between *Puccinia graminis* and plants highly resistant to its attacks." J.A.R., vol. 4, pp. 193-200. 1915.
"Spores in the upper air." With others. J.A.R., vol. 24, pp. 599-606. 1923.
"The black stem rust and the barberry." Y.B., 1918, pp. 75-100. 1919; Y.B. Sep. 796, pp. 28. 1919.
"The effect of fertilizers on the development of stem rust of wheat." J.A.R., vol. 27, pp. 341-380. 1924.

Stalk(s)—
borer—
bird enemies, Porto Rico. D.B. 326, pp. 10-11. 1916.
injury to—
cotton. F.B. 890, p. 23. 1917.
grain sorghums. Y.B., 1922, p. 530. 1923; Y.B. Sep. 891, p. 530. 1923.
rice. Y.B., 1922, p. 519. 1923; Y.B. Sep. 891, p. 519. 1923.
tomato, description, and control. S.R.S. Doc. 95, p. 7. 1919.
lined, description. F.B. 1294, p. 30. 1922.
See also under names of hosts.
cutter(s)—
corn and cotton, use in Alabama, Colbert County. Soil Sur. Adv. Sh., 1908, p. 10. 1909; Soils F.O., 1908, p. 560. 1911.
corn, uses. D.B. 320, p. 13. 1916.
cotton, description and cost. F.B. 500, pp. 8-9. 1912.
hand and horse-power, description. F.B. 313, pp. 11-12. 1907.
use on cotton farms, Texas. D.B. 659, pp. 51, 52. 1918.
cutting in cotton growing, time and crew required. D.B. 896, pp. 19-20. 1920.
rot, corn, root rot, and ear rot, control. James R. Holbert and George N. Hoffer. F.B. 1176, pp. 24. 1920.
use—
and value in paper making, experiments. B.P.I. Cir. 82, pp. 8-11, 14. 1911.
on land to increase crop yields. F.B. 981, p. 12. 1918.

Stalkworm—
celery, description. F.B. 1294, p. 30. 1922.
See also Wireworm.

STALKER, ARCHIBALD: "The present position of milk administration in Scotland." With G. Leighton. B.A.I. Dairy [Misc.], "World's dairy congress, 1923," pp. 1336-1340. 1924.

Stall(s)—
cow, description. Sec. [Misc.], Spec., "Notice regarding foot-and-mouth * * *," pp. 1-2. 1915.
dairy barn designs for construction. B.A.I. An. Rpt., 1906, pp. 299-300. 1908; B.A.I. Cir. 131, pp. 17-18. 1911.
market rental, methods. Y.B., 1914, pp. 179, 180. 1915; Y.B. Sep. 636, pp. 179, 180. 1915.

Stallion(s)—
Albion, pedigree. D.C. 153, p. 10. 1921.
breeds, importance in horse and mule raising. B.A.I. An. Rpt., 1906, pp. 255-259. 1908; B.A.I. Cir. 124, pp. 9-14. 1908.
castration, directions, conditions favorable and unfavorable. B.A.I. [Misc.], "Diseases of the horse," pp. 147-151. 1903; rev., pp. 147-151. 1907; rev., pp. 147-151. 1911; rev., pp. 168-172. 1923.
dourine, symptoms and postmortem lesions. F.B. 1146, pp. 5-9. 1920.
feed requirements, hay and corn. Y.B., 1907, pp. 389-390. 1908; Y.B. Sep. 456, pp. 389-390. 1908.
legislation—
and the horse-breeding industry. Charles C. Glenn. Y.B., 1916, pp. 289-299. 1917; Y.B. Sep. 692, pp. 11. 1917.
in United States. F.B. 425, pp. 12-18. 1910.
Morgan breed, private use. D.C. 199, p. 14. 1921.

Stallion(s)—Continued.
  numbers—
    and classes in 18 States, and legislation controlling. Y.B., 1916, pp. 291, 293, 295-297. 1917; Y.B. Sep. 692, pp. 3, 5, 7-9. 1917.
    needed for breeding army horses. An. Rpts., 1910, pp. 224-225. 1911; B.A.I. Chief. Rpt., 1910, pp. 30-31. 1910; B.A.I. Cir. 178, pp. 8-9. 1911.
  pedigreed at United States Wyoming Horse-Breeding Station. Y.B., 1916, p. 299. 1917; Y.B. Sep. 692, p. 11. 1917.
  purchase, cooperative home company. B.A.I. An. Rpt., 1906, pp. 255-256. 1908; B.A.I. Cir. 124, pp. 10-11. 1908.
  purchased by Government, localities. Y.B., 1917, pp. 342-348. 1918; Y.B. Sep. 754, pp. 4-10. 1918.
  purebred, number in various States. B.A.I. An. Rpt., 1910, p. 107. 1912; B.A.I. Cir. 186, p. 107. 1912.
  Registration Boards, National Association, directory. Y.B., 1916, p. 299. 1917; Y.B. Sep. 692, p. 11. 1917.
  selection—
    for breeding purposes, care requirements. F.B. 803, rev., p. 6. 1923.
    in horse breeding. F.B. 803, pp. 8-9. 1917.
  sterility, causes and treatment. B.A.I. [Misc.], "Diseases of the horse," pp. 152-154. 1903; rev., pp. 152-154. 1907; rev., pp. 152-154. 1911; rev., pp. 172-175. 1923.
  unsound, barring from public service, State control. F.B. 803, rev., pp. 5-6. 1923.
STAMBAUGH, V. G.: "Breaking and training colts." F.B. 667, pp. 16. 1915; F.B. 1368, pp. 21. 1923.
Stamens, arrangement in cotton plants. B.P.I. Bul. 222, pp. 20-21. 1911.
Stanchions—
  calf—
    construction, school exercise. D.B. 527, pp. 35-36. 1917.
    description and use. F.B. 1336, pp. 11, 13. 1923.
  cow and calf, description. B.A.I. An. Rpt., 1906, pp. 299-300. 1908; B.A.I. Cir. 131, pp. 17-18. 1908.
  dairy barn, designs for constructions. B.A.I. An. Rpt., 1906, pp. 299-300. 1908.
Standard(s)—
  agricultural products, authorization. Sol. [Misc.], "Laws applicable * * * Agriculture," Sup. 4, pp. 89-90. 1917.
  barrel act, passage and enforcement. F.B. 1434, pp. 4, 6, 18. 1924.
  canned vegetables and fruits, 4-H brand. F.B. 853, pp. 26-27. 1917.
  Committee, meeting and personnel. Off. Rec., vol. 2, No. 11, pp. 3, 6. 1923.
  container act, rules and regulations of the secretary. Sec. Cir. 76, pp. 8. 1917.
  containers, for fruits and vegetables. F. P. Downing. F.B. 1196, pp. 34. 1921.
  farm products, in marketing associations, importance. Y.B., 1914, pp. 194-195. 1915; Y.B. Sep. 637, pp. 194-195. 1915.
  feeding, and their uses. B.A.I. Dairy [Misc.], "World's dairy congress, 1923," pp. 1090-1097. 1924.
  fruit and vegetable, States, list. Off. Rec., vol. 1, No. 39, p. 2. 1922.
  grain and—
    cotton, preparation and distribution. Y.B., 1914, pp. 30-31. 1915.
    hay, establishment. Sec. A.R., 1925, pp. 44-45. 1925.
  highway materials, sampling and testing, tentative methods. D.B., 1216, pp. 96. 1924.
  market, supervision by Markets Office. Mkts. Doc. 1, p. 5. 1915.
  meat cuts, adoption. D.C. 300, pp. 1-3. 1924.
  milk and cream, adoption. News L., vol. 6, No. 44, p. 3. 1919.
  naval stores, grading and classification. M.C., 22, p. 4. 1924.
  purity of—
    food products. Sec. Cir. 19, pp. 19. 1906; Sec. Cir. 136, pp. 22. 1919.
    sugar and honey. For. Bul. 59, pp. 53-54. 1905.
  road materials, sampling and testing, methods. D.B. 1216, pp. 1-96. 1924.

Standardization—
  S. J. Van Kuren. B.A.I. Dairy [Misc.], "World's dairy congress, 1923," pp. 1223-1228. 1924.
  farm products—
    effect of cooperation. F.B. 1144, pp. 3-4. 1920.
    uses. Off. Rec., vol. 3, No. 52, p. 1. 1924; Y.B., 1919, p. 44. 1920.
  food—
    containers, progress. Off. Rec., vol. 1, No. 39, p. 3. 1922.
    products, principles. Chem. [Misc.], "Purity of food * * *," pp. 7. 1906; Chem. [Misc.]. "Standards of purity * * *," pp. 6. 1905.
  ice-cream mix. Willes Barnes Combs. B.A.I. Dairy [Misc.], "World's dairy congress, 1923," pp. 488-500. 1924.
  of supplies, result of cooperative buying. Y.B., 1915, pp. 75-76. 1916; Y.B. Sep. 658, pp. 75-76. 1916.
  progress in. Harold W. Samson. Y.B., 1920, pp 353-362. 1921; Y.B. Sep. 850, pp. 353-362. 1921.
  work of Economics Bureau. B.A.E. Chief Rpt., 1925, pp. 24-26. 1925.
Standards, Bureau of, enforcement of standard barrel act. F.B. 1196, p. 7. 1921.
Standpipe—
  construction, concrete used, and formula. Y.B., 1919, p. 442. 1920; Y.B. Sep. 824, p. 442. 1920.
  system, use for fire control in cotton warehouses. D.B. 801, pp. 65-66. 1919.
STANFORD, E. E.: "Chemistry and histology of the glands of the cotton plants with notes on the occurrence of similar glands in related plants." With Arno Viehoever. J.A.R., vol. 13, pp. 419-436. 1918.
Stanislaus National Forest, Calif.—
  location, description, and area. D.C. 185, p. 17. 1921.
  map. For. Map Fold. 1914; For. Maps. 1924.
STANLEY, F. W.—
  "Irrigation in Florida." D.B. 462, pp. 62. 1917.
  "Surface irrigation for eastern farms." F.B. 899, pp. 36. 1917.
  "The use of concrete pipe in irrigation." With Samuel Fortier. D.B. 906, pp. 54. 1921.
STANLEY, LOUISE—
  "A first year course in home economics for Southern agricultural schools." D.B. 540, pp. 58. 1917.
  "Phosphorus in flesh." With P. F. Trowbridge. Chem. Bul. 132, pp. 158-162. 1910.
  "Report of the chief of the Bureau of Home Economics." Home Ec. A.R., 1924, pp. 5. 1924.
STANNARD, J. D.—
  "How to build small irrigation ditches." With C. T. Johnston. F.B. 158, pp. 28. 1902.
  "Irrigation in the Weber Valley." O.E.S. Bul. 124, pp. 171-206. 1903.
  "Practical irrigation." With C. T. Johnston. Y.B., 1900, pp. 491-513. 1901; Y.B. Sep. 201, pp. 491-513. 1901.
  "The use of water from the Wood Rivers, Idaho." O.E.S. Bul. 133, pp. 71-98. 1903.
STANTON, T. R.—
  "Cereal experiments in Maryland and Virginia." D.B. 336, pp. 52. 1916.
  "Experiments with Kherson and 60-day oats." With C. W. Warburton. D.B. 823, pp. 72. 1920.
  "Fall-sown grains in Maryland and Virginia." F.B. 786, pp. 24. 1917.
  "Fall-sown oats." With C. W. Warburton. F.B. 1119 pp. 21. 1920.
  "Fulghum oats." D.C. 193, pp. 11. 1921.
  "Improved oat varieties for New York and adjacent States." With others. D.C. 353, pp. 15. 1925.
  "Improved oat varieties for the Corn Belt." With others. D.B. 1343, pp. 31. 1925.
  "Markton, and oat variety immune from covered smut." With others. D.C. 324, pp. 8. 1924.
  "Oats, barley, rye, rice, grain sorghums, seed flax, and buckwheat." With others. Y.B., 1922, pp. 469-568. 1923; Y.B. Sep. 891, pp. 469-568. 1923.
  "Relative susceptibility of selections from a Fulghum-Swedish select cross to the smuts of oats." With George M. Reed. J.A.R., vol. 30, pp. 375-391. 1925.

STANTON, T. R.—Continued.
"Variation in the Kherson oat at Akron, Colo."
With F. A. Coffman. J.A.R., vol. 30, pp. 1063–1082. 1925.
Staphylea pinnata, importation and description. No. 50306, B.P.I. Inv. 63, p. 53. 1923.
Staphylococcus—
albus, isolated from sour beef. J.A.R., vol. 21, pp. 690, 694. 1921.
citreus, failure to produce odor on beef. J.A.R., vol. 21, p. 694. 1921.
pyogenes aureus—
cause of bird and fowl lameness. F.B. 1337, p. 22. 1923.
destruction by chlorine. J.A.R., vol. 26, p. 379. 1923.
Staphyloma, cattle, causes and treatment. B.A.I. [Misc.], "Diseases of cattle," rev., pp. 347–348. 1904; rev., p. 360. 1912; rev., p. 348. 1923.
Stapleton, J. G.: "Standardization of dairy equipment." B.A.I. [Misc.], "World's dairy congress, 1923," pp. 1179–1183. 1924.
Star apple—
Cuban, composition, chemical. Chem. Bul. 87, p. 28. 1904.
cultivation in Hawaii. Hawaii A.R., 1907, p. 54. 1908.
importation and description. No. 30304, B.P.I. Bul. 233, p. 74. 1912; No. 40347, P.B.I. Inv. 42, p. 109. 1918; Nos. 42525–42527, B.P.I. Inv. 47, p. 25. 1920.
See also Caimito.
Star—
bran, composition, uses, and value. F.B. 412, p. 18. 1910.
buttermilk growing mash, misbranding. Chem. N.J. 12796. 1925.
Chick-A chick feeds, misbranding. Chem. N.J. 12796. 1925.
grass. See Aletris.
milk mash, misbranding. Chem. N.J. 12796. 1925.
Starch(es)—
adulterant of turmeric. Chem. N.J. 996, p. 1. 1911.
and carbohydrates, raw, digestibility. C. F. Langworthy and Alice Thompson Merrill. D.B. 1213, pp. 16. 1924.
and yeast compounds, carbon-dioxide value. Chem. Bul. 116, pp. 25–28. 1908.
apple, examinations, microscopic and macroscopic. Chem. Bul. 94, pp. 89–99. 1905.
availability for alcohol in grains and roots. F.B. 429, pp. 15–20. 1911.
cacao. Burton J. Howard. Chem. Bul. 99, pp. 74–76. 1906.
canna, production in Hawaii. Hawaii A.R., 1924, pp. 14–16. 1925.
cantaloupe seed, indication of maturity, and effect of storage. D.B. 1250, pp. 8–11, 22–25. 1924.
casein, analysis, experiments, effect of time and of digestion. J.A.R., vol. 12, pp. 2–6. 1918.
cassava—
profits and markets for manufacture in United States. F.B. 167, pp. 30–31. 1903.
researches. Chem. Bul. 106, pp. 1–30. 1907.
changes produced by cooking. O.E.S. Bul. 200, pp. 25–26. 1908.
characteristics and formula. Chem. Bul. 130, pp. 21–22. 1910; O.E.S. Bul. 200, p. 25. 1908.
composition. O.E.S. Bul. 159, p. 42. 1905; O.E.S. Bul. 202, pp. 8–17. 1908.
content—
determination in presence of interfering polysaccharids. George Pelham Walton and Mayne R. Coe. J.A.R., vol. 23, pp. 995–1006. 1923.
of cereals, source of energy. F.B. 817, p. 5. 1917.
of chufa tubers. J.A.R., vol. 26, pp. 72–73. 1923.
of fruit, detection by use of microscope. Chem. Bul. 66, rev., pp. 103–107. 1905.
of potatoes—
before and after Fusarium infection. J.A.R., vol. 6, No. 5, pp. 185, 189–190. 1916.
relation to cooking quality. F.B. 244, pp. 13–16. 1906.
of silage, fermentation, effect. A. W. Dox and L. Yoder. J.A.R., vol. 19, pp. 173–188. 1920.

Starch(es)—Continued.
content—continued.
of sweet potatoes—
analyses and discussion. J.A.R., vol. 5, No. 13, pp. 546–560. 1915.
variations. D.B. 1041, p. 5. 1922.
conversion, polarizations with or without bichromate. Chem. Bul. 122, p. 222. 1909.
cooking, effect on digestibility. Edna D. May. O.E.S. Bul. 202, pp. 42. 1908.
crude, determination in milk chocolate, methods. Chem. Bul. 162, pp. 132–134. 1913.
dasheen—
root, quality and digestibility. Y.B., 1916, pp. 199, 202, 203. 1917; Y.B. Sep. 689, pp. 1, 4–5. 1917.
value as sizing. F.B. 1396, p. 35. 1924.
determination in—
canned meats. Chem. Bul. 13, Pt. X, pp. 1398–1399. 1902.
cereals used in meat products. Chem. Bul. 162, pp. 96–97. 1913.
cocoa products. Chem. Bul. 122, pp. 213–215. 1909; Chem. Bul. 132, pp. 136–138. 1910.
foods, methods. Chem. Bul. 107, pp. 53–58. 1907.
fruit products. Chem. Bul. 66, rev., pp. 35–36, 103–107. 1905.
meat—
food products, method. T. M. Price. B.A.I. Cir. 203, pp. 6. 1912.
products. Chem. Bul. 162, pp. 95–99, 113. 1913.
paper sizing. Rpt. 89, pp. 20, 21. 1909.
sweet potatoes, method. J.A.R., vol. 3, pp. 334–335. 1915.
dextrinization and gelatinization. Chem. Bul. 130, p. 137. 1910.
diastase, method with subsequent acid hydrolysis. D.B. 1187, pp. 46–47. 1924.
differences under microscopic examination. Y.B. 1907, pp. 380–381. 1908; Y.B. Sep. 455, pp. 380–381. 1908.
digestibility of different sorts as affected by cooking. Edna D. May. O.E.S. Bul. 202, pp. 42. 1908.
digestion—
by young—
calf. J.A.R., vol. 12, pp. 575–578. 1918.
children, tests, results. J.A.R., vol. 12, pp. 575–576. 1918.
experiments. O.E.S. Bul. 159, p. 193. 1905.
disappearance in plants at low temperature. J.A.R., vol. 3, pp. 331–333, 337. 1915.
edible-canna, identification of viscosity and gelling strength. Hawaii Bul. 54, pp. 13–15. 1924.
effects of fumigation, studies. J.A.R., vol. 11, pp. 326, 327. 1917.
exports—
1864–1908. Stat. Bul. 75, p. 59. 1910.
1922–1924. Y.B., 1924, p. 1047. 1925.
and imports, 1914. D.B. 296, p. 46. 1915.
extract from kudzu roots. Y.B., 1908, p. 250. 1909; Y.B. Sep. 478, p. 250. 1909.
factory(ies)—
dextrine explosion, cause. D.B. 379, p. 11. 1916.
use of potatoes. Chem. Bul. 130, p. 98. 1910.
food value. O.E.S. Bul. 200, p. 26. 1908.
grains of yautia, taro, and alocasia, description. B.P.I. Bul. 164, pp. 14–15, 25. 1910.
heat evolved by swelling. Soils Bul. 52, p. 60. 1908.
hydrolysis—
by digestive enzymes, effect of saccharin on. Rpt. 94, pp. 103–108, 118–122. 1911.
by *Rhizopus tritici*. J.A.R., vol. 20, pp. 765–783. 1921.
in sweet potato, relation to oxygen pressures. J.A.R., vol. 14, pp. 273–284. 1918.
imports—
1907–1909, quantity and value, by countries from which consigned. Stat. Bul. 82, p. 56. 1910.
and exports—
1903–1907. Y.B., 1907, pp. 745, 754. 1908; Y.B. Sep. 465, pp. 745, 754. 1908.
1906–1910. Y.B., 1910, pp. 663, 672. 1911; Y.B. Sep. 553, pp. 663, 672. 1911.

INDEX TO PUBLICATIONS, 1901-1925   2275

Starch(es)—Continued.
imports—continued.
and exports—continued.
1908-1912. Y.B., 1912, pp. 724, 734. 1913;
Y.B. Sep. 615, pp. 724, 734. 1913.
1913-1915. Y.B., 1915, pp. 547, 553. 1916;
Y.B. Sep. 685, pp. 547, 553. 1916.
1922. Y.B., 1921, pp. 742, 748, 749. 1922;
Y.B. Sep. 867, pp. 6, 12, 13. 1922.
industry, in Maine, Caribou area. Soil Sur.
Adv. Sh., 1908, pp. 10-11, 18-19, 39. 1910;
Soils F.O., 1908, pp. 40-41, 48-49, 69. 1911.
inverted by diastasolin, use in calf feeding. F.B.
381, p. 22. 1909.
investigations, materials, apparatus, and methods.
O.E.S. Bul. 202, pp. 17-22. 1908.
loss in sweet potatoes during storage, experiments
and studies. J.A.R., vol. 3, pp. 333, 336-341.
1915.
making—
from tree ferns, cost and possibilities. Hawaii
Bul. 53, pp. 1-2, 13-15. 1924.
use and value of surplus potatoes. D.B. 47,
pp. 10, 12. 1913.
manufacture, industry in Caribou area, Maine.
Soil Sur. Adv. Sh., 1908, pp. 10-11, 18-19.
1910; Soils F.O., 1908, pp. 40-41, 48-49. 1911.
microscopical examination, directions. Chem.
Bul. 130, pp. 136-138. 1910.
net energy values (and alfalfa hay). J.A.R.,
vol. 15, pp. 269-286. 1918.
percentage—
determination. F.B. 410, pp. 18, 33. 1910.
in sweet potato roots, August to November.
J.A.R., vol. 12, pp. 10-15. 1918.
requirement for profitable manufacture of alcohol. F.B. 410, p. 6. 1910.
plants—
growing in Florida. An. Rpts., 1920, p. 186.
1921.
use as food. O.E.S. Bul. 245, pp. 42-43, 44.
1912.
yielding, in Guam. Guam A.R., 1917, pp. 41-43. 1918.
poisoned, for control of silverfish. F.B. 681,
p. 4. 1915.
potato—
effect of rotting with *Pythium debaryanum*.
J.A.R., vol. 18, pp. 277-280. 1919.
homemade, manufacture from potato culls,
recipe. B.P.I. Doc. 884, p. 9. 1913.
other names, uses and value. D.B. 468, p. 11.
1917.
use in custards and cakes, recipes. S.R.S.
Doc. 16, pp. 1-3. 1915.
production from corn, list and value. Sec. Cir.
91, p. 16. 1918.
sago, use as food. O.E.S. Bul. 245, p. 43. 1912.
soluble, preparation. Chem. Bul. 130, pp. 22,
117. 1910.
solutions in canning materials, relation to temperature changes. D.B. 956, pp. 16-17, 43, 52.
1921.
source(s)—
composition, food value and digestibility,
lecture. O.E.S. Bul. 200, pp. 24-28. 1908.
in foods. F.B. 871, pp. 3, 4, 5, 6. 1917.
in Hawaiian tree fern. J. C. Ripperton. Hawaii
Bul. 53, pp. 16. 1924.
statistics, imports and exports. Y.B., 1918, pp.
634, 641, 643. 1919; Y.B. Sep. 794, pp. 10, 17,
19. 1919.
structure, physical. O.E.S. Bul. 200, p. 24. 1908.
strychnine formula for coating grain bait for ground
squirrels. Biol. Cir. 76, p. 10. 1910.
sweet potato—
effect of *Rhizopus tritici*. J.A.R., vol. 21, pp.
627-635. 1921.
manufacture. D.B. 1041, pp. 6, 33. 1922; F.B.
334, pp. 12-14. 1908.
varieties adapted to manufacture. F.B. 517,
pp. 16, 17. 1912.
test for presence of. O.E.S. Bul. 200, p. 13. 1908.
use in—
home laundering. F.B. 1099, p. 29. 1920.
manufacture of glucose and dextrose. F.B. 535,
pp. 11-12. 1913.
processing persimmons, experiments. Chem.
Bul. 141, pp. 8, 16, 17. 1911.

Starch(es)—Continued.
values—
Kellner's. B.A.I. Dairy [Misc.], "World's
dairy congress, 1923," pp. 1081, 1083, 1091.
1924.
of grain sorghums, milo, feterita, and kafir.
D.B. 1129, pp. 1-4. 1922.
yield from arrowroot. Guam Bul. 2, p. 24. 1922.
Starchiness, corn, relation to diseases of root. D.B.
1062, pp. 4-5. 1922.
Starching, outfit for home laundering. F.B. 1099,
p. 9. 1920.
Starfish, cause of injuries to oysters. Y.B., 1910,
p. 375. 1911; Y.B. Sep. 544, p. 375. 1911.
STARK, M. W.: "Waste problems of Southern
hardwoods." M.C. 39, pp. 43-45. 1925.
STARKEY, R. L.: "Oxidation of sulphur by microorganisms in black alkali soils." With others.
J.A.R., vol. 24, pp. 297-305. 1923.
Starlings—
control measures. D.B. 868, pp. 54-57. 1921.
damage to crops and fruits, discussion. D.B.
868, pp. 1-2. 1921.
description, life history, and food habits. D.B.
868, pp. 8-46. 1921.
economic status in foreign countries. D.B. 868,
pp. 13-14. 1921.
European, spread in North America. May
Thacher Cooke. D.C. 336, pp. 8. 1925.
feeding young, habits. D.B. 868, pp. 39-40.
1921.
harmfulness, discussion. D.C. 336, pp. 6-7.
1925.
importation and prohibition, United States and
Canada. F.B. 1288, pp. 58, 78. 1922.
injurious habits and control measures. D.B.
868, pp. 46-57, 59. 1921.
introduction, distribution, and abundance.
D.B. 868, pp. 1-8. 1921.
protection by law. Biol. Bul. 12, rev., pp. 38,
39, 40, 41. 1902.
protection withdrawal recommended by Biological Survey. News L., vol. 2, No. 20, pp. 7-8.
1914.
range, extension. D.C. 336, pp. 3-6. 1925.
value in United States. E. R. Kalmbach and I.
N. Gabrielson. D.B. 868, pp. 66. 1921.
Stars, appearance, weather indications, proverbs
regarding. Y.B., 1912, pp. 378-379. 1913; Y.B.
Sep. 599, pp. 378-379. 1913.
Starters—
butter—
and cheese, dried cultures, patented process.
B.A.I. An. Rpt., 1911, p. 38. 1913.
and cheese, propagation methods, studies, and
experiments. F.B. 469, pp. 17-18. 1911.
description and uses. F.B. 541, pp. 11-12.
1913.
making, action of organisms present. B. W.
Hammer. B.A.I. Dairy [Misc.], "World's
dairy congress, 1923," pp. 985-993. 1924.
buttermilk, directions for making. B.A.I. An.
Rpt., 1909, pp. 143-147. 1911; B.A.I. Cir. 171,
pp. 143-147. 1911.
Camembert cheese, kind and quantity to use.
D.B. 1171, pp. 5-6. 1923.
cheese—
experiments with Cheddar cheese. J.A.R.,
vol. 2, pp. 186-190, 191. 1914.
making, use. D.B. 669, pp. 5, 27. 1918; F.B.
960, pp. 5, 23, 24. 1918.
preparation and use. F.B. 850, pp. 5-7. 1917.
production and amount necessary, experiments.
B.A.I. Bul. 115, pp. 18-21. 1907.
use and value. B.A.I. Bul. 165, pp. 40-45, 47-48.
1913.
use of *Bacillus bulgaricus* in making Swiss or
Emmental. C. F. Doane and E. E. Eldredge. D.B. 148, pp. 16. 1915.
cream-ripening—
making and use. F.B. 876, p. 9. 1917.
use in butter and cheese making. F.B. 317,
pp. 27-28. 1908.
milk-powder, use in creameries, description and
cost. F.B. 522, pp. 19-20. 1913.
use in making cottage cheese. B.A.I. Doc. A-19, pp. 1, 2. 1917.
vinegar making, formulas and use. F.B. 1424,
pp. 12-14. 1924.

Starvation—
    cattle losses, reduction on ranges. D.B. 1031, pp. 65–73. 1922.
    livestock on southwestern ranges, prevention. C. L. Forsling. F.B. 1428, pp. 22. 1925.
Stassfurt potash deposits—
    American importations, discussion. Y.B., 1912, pp. 523–524. 1913; Y.B. Sep. 611, pp. 523 524. 1913.
    notes. Rpt. 100, pp. 9, 11. 1915.
    origin, and comparison with New York deposit. Soils Bul. 94, pp. 12–13, 95. 1913.
State(s)—
    cooperation, forest fire protection, under Weeks law. J. Girvin Peters. For. Cir. 205, pp. 15. 1912.
    fish and game protective associations, services in protecting birds. Biol. Bul. 12, rev., p. 64. 1902.
    food and drugs laws, enforcement, cooperation with Chemistry Bureau. D.C. 137, p. 15. 1922.
    highways management. Y.B., 1917, p. 128. 1918; Y.B. Sep. 739, p. 4. 1918.
    laws—
        and court decisions relating to cattle-tick eradication. Harry Goding. D.C. 184, pp. 71. 1921.
        bird protection. Biol. Bul. 12, rev., pp. 76–126. 1902.
        cattle-tick eradication. Harry Goding. D.C. 184, pp. 71. 1921.
        for bird protection, conditions, 1870–1918. Y.B., 1918, pp. 303–305, 309–310. 1919; Y.B. Sep. 785, pp. 3–5, 9–10. 1919.
    marketing activities, survey, results. Mkts. Doc. 3, pp. 7. 1916.
States Relations Service—
    cooperative work, and available appropriations, 1921–1922. D.C. 203, pp. 4–16. 1921.
    laws applicable and appropriations, 1915. Sol. [Misc.], "Laws applicable * * * Agriculture," Sup. 3, pp. 47–51. 1915.
    new name for experiment stations office, change of work, and appropriations. News L., vol. 2, No. 36, p. 4. 1915.
    organization and work. S.R.S. [Misc.], "Federal legislation, regulations, and rulings * * *," pp. 33–35. 1916; rev., pp. 54–56. 1917.
    report of director—
        1916. A. C. True. An. Rpts., 1916, pp. 297–327. 1917; S.R.S. Rpt., 1916, pp. 31. 1916.
        1917. A. C. True. An. Rpts., 1917, pp. 323–357. 1918; S.R.S. Rpt., 1917, pp. 35. 1917.
        1918. A. C. True. S.R.S. Rpt., 1918, pp. 37. 1918; An. Rpts., 1918, pp. 335–371. 1919.
        1919. A. C. True. An. Rpts., 1919, pp. 353–389. 1920; S.R.S. Rpt., 1919, pp. 37. 1919.
        1920. A. C. True. An. Rpts., 1920, pp. 445–489. 1921; S.R.S. Rpt., 1920, pp. 45. 1920.
        1921. A. C. True. S.R.S. Rpt., 1921, pp. 59. 1921.
        1922. A. C. True. An. Rpts., 1922, pp. 413–459. 1923; S.R.S. Rpt., 1922, pp. 47. 1922.
        1923. A. C. True. An. Rpts., 1923, pp. 553–614. 1924; S.R.S. Rpt., 1923, pp. 62. 1923.
    report. See also Experiment stations.
    workers, Federal and State lists. [Misc.], "List of workers * * * 1921–1922," Pt. I, pp. 45–48. 1922.
Staten Island, mosquito work, details and results. Ent. Bul. 88, pp. 107–109. 1910.
Static bending, wood, kinds, determination. D.B. 556, pp. 12–15. 1917.
Statice arborea, importation and description. No. 29642, B.P.I. Bul. 233, p. 34. 1912.
Statistician, report for—
    1901. John Hyde. An. Rpts., 1901, pp. 341–344. 1901; Stat. Chief Rpt., 1901, pp. 4. 1901.
    1902. John Hyde. An. Rpts., 1902, pp. 401–402. 1902; Stat. Chief Rpt., 1902, pp. 2. 1902.
    1903. Edwin S. Holmes, jr. (acting). An. Rpts. 1903, pp. 439–445. 1903; Stat. Chief Rpt., 1903, pp. 7. 1903.
    1904. John Hyde. An. Rpts., 1904, pp. 405–412. 1904; Stat. Chief Rpt., 1904, pp. 8. 1904.
    1905 and later. See Statistics, Bureau of, report of Chief.

Statistics—
    agricultural—
        1901. Y.B., 1901, pp. 697. 1902; Y.B. Sep. 258, p. 697. 1902.
        1902. Y.B., 1902, p. 760. 1903; Y.B. Sep. 298, p. 760. 1903.
        1903. Y.B., 1903, p. 586. 1904; Y.B. Sep. 334, p. 586. 1904.
        1904. Y.B., 1904, p. 626. 1905; Y.B. Sep. 370, p. 626. 1905.
        1905. Y.B., 1905, p. 656. 1906; Y.B. Sep. 404, p. 656. 1906.
        1906. Y.B., 1906, pp. 542–693. 1907; Y.B. Sep. 436, pp. 542–693. 1907.
        1907. Y.B., 1907, pp. 608–762. 1908; Y.B. Sep. 465, pp. 608–762. 1908.
        1908. Y.B., 1908, pp. 597–784. 1909; Y.B. Sep. 498, pp. 597–784. 1909.
        1909. Y.B., 1909, pp. 433–647. 1910; Y.B. Sep. 524, pp. 433–647. 1910.
        1910. Y.B., 1910, pp. 499–687. 1911; Y.B. Sep. 553, pp. 499–687. 1911.
        1911. Y.B., 1911, pp. 519–698. 1912; Y.B. Sep. 587, pp. 519–614. 1912; Y.B. Sep. 588, pp. 615–699. 1912.
        1912. Y.B., 1912, pp. 557–750. 1913; Y.B. Sep. 614, pp. 557–654. 1913; Y.B. Sep. 615, pp. 655–750. 1913.
        1913. Y.B., 1913, pp. 369–514. 1914; Y.B. Sep. 630, pp. 369–455. 1914; Y.B. Sep. 631, pp. 455–514. 1914.
        1914. Y.B., 1914, pp. 511–687. 1915.
        1915. Y.B., 1915, pp. 410–578. 1916.
        1916. Y.B., 1916, pp. 561–743. 1917.
        1917. Y.B., 1917, pp. 605–799. 1918.
        1918. Y.B., 1918, pp. 449–725. 1919.
        1919. Y.B., 1919, pp. 509–755. 1920.
        1920. Y.B., 1920, pp. 534–840. 1921.
        1921. Y.B., 1921, pp. 507–845. 1922.
        1922. Y.B., 1922, pp. 69–74, 569–1078. 1923.
        1923. Y.B., 1923, pp. 601–1222. 1924.
        1924. Y.B., 1924, pp. 559–1230. 1925.
    exports, United States, distribution, 1898–1902. For. Mkts. Bul. 32, pp. 224. 1903.
    fair associations, number, membership, and receipts, 1910. O.E.S. Cir. 109, p. 7. 1911.
    foreign, handbook. Frank Andrews. D.C. 987, pp. 69. 1921.
    graphic representations. Stat. Bul. 78, pp. 1–67. 1910.
    handbook for field agents. Crop Est. [Misc.], "Field agents handbook * * *," pp. 116. 1914.
    imports—
        Germany, 1897–1901. For. Mkts. Bul. 30, pp. 1–323. 1903.
        of the United Kingdom, 1896–1900. For. Mkts. Bul. 26, pp. 1–227. 1902.
        sources, 1896–1900. For. Mkts. Bul. 24, pp. 1–120. 1901.
    outlook, June, 1914. F.B. 604, pp. 1–24. 1914.
    See also under specific crop.
    agronomy extension, for 1923. D.C., 343, pp. 13–14. 1925.
    cooperage stock production, tight and slack, in 1918. For. [Misc.], "Tight and slack * * *," pp. 1–15. 1919.
    cooperative—
        associations among farmers, type, number, and scope. D.B. 547, pp. 11–37. 1917.
        extension work, 1922–1923. Eugene Merritt. D.C. 253, pp. 19. 1923.
        extension work, 1923–24. Eugene Merritt. D.C. 306, pp. 22. 1924.
    data compiled and published by Crop Estimates Bureau, 1863–1920. D.C. 150, pp. 64. 1921.
    farm management, theory of correlation. D.B. 504, pp. 1–15. 1917.
    foreign—
        countries, cereals, 1907–1911, and flaxseed, 1908–1910, summary. Charles M. Daugherty. Stat. Cir. 29, pp. 18. 1912.
    crops—
        and livestock, handbook. Frank Andrews. D.B. 987, pp. 69. 1921.
        November–December, 1911. Stat. Cir. 26, pp. 1–16. 1912.
        August–September, 1912. Stat. Cir. 40, pp. 1–24. 1912.

INDEX TO PUBLICATIONS, 1901–1925   2277

Statistics—Continued.
  foreign—continued.
    crops—continued.
      December, 1912. Stat. Cir. 44, pp. 1–18. 1913.
      January, 1913. Stat. Cir. 45, pp. 1–18. 1913.
      February, 1913. Stat. Cir. 46, pp. 1–20. 1913.
      March–April, 1913. Stat. Cir. 47, pp. 1–27. 1913.
    trade in farm and forest products—
      1903. Stat. Cir. 15, pp. 1–20. 1903.
      1904. Stat. Cir. 16, pp. 1–19. 1905.
  forest, intermountain district. For. [Misc.] "Intermountain district * * *," pp. 64. 1925.
  horses, mules, and motor vehicles, year ended March 31, 1924. Stat. Bul. 5, pp. 1–95. 1925.
  hunting licenses. T. S. Palmer. Biol. Cir. 54, pp. 24. 1906.
  import(s)—
    farm and forest products—
      1901–1903. Stat. Bul. 31, pp. 1–66. 1905.
      1903–1905. Stat. Bul. 45, pp. 1–62. 1906.
    tariffs, foreign, on grain and grain products, 1903. Frank H. Hitchcock. Stat. Bul. 37, pp. 59. 1903.
  market. Carl J. West and Lewis B. Flohr. D.B. 982, pp. 279. 1921.
  methods of collecting data, preparation of crop reports and methods of issue. An. Rpts., 1905, pp. 405–411. 1905.
  milk and dairy, collection and distribution by International Institute. B.A.I. Dairy [Misc.], "World's dairy congress, 1923," pp. 45–55. 1924.
  of cooperative extension work, 1919–20. S.R.S. [Misc.], "Statistics of cooperative extension work, 1919–20," pp. 16. 1920.
  potatoes and sweet potatoes, year ended July 31, 1924, with comparable data for earlier years. S.B. 10, pp. 50. 1925.
  roads, public, mileage and cost, 1909. Rds. Bul. 41, pp. 1–120. 1912.
  seed, year ended May 31, 1923, with earlier years. S.B. 2, pp. 100. 1924.
  State highway, mileage and expenditures to January 1, 1915. Sec. Cir. 52, pp. 6. 1915.
  wages for farm labor, men and women. Stat. Bul. 99, pp. 1–72. 1912.
  world countries, production of, and trade in, agricultural products. Stat. Cir. 31, pp. 1–30. 1912.
  See also Economics; Specific crops.
Statistics, Bureau of—
  Publications list—
    1863–1920 (and Crop Estimates). D.C. 150, pp. 1–64. 1921.
    1911. Pub. Cir. 12, pp. 5. 1911.
  reorganization. An. Rpts., 1913, pp. 13–14, 59. 1914; Sec. A.R., 1913, pp. 11–12, 57. 1913. Y.B., 1913, pp. 16–17, 73. 1914.
  report of Chief—
    1901–1904. See Statistician, report.
    1905. W. M. Hays. An. Rpts., 1905, pp. 405–417. 1905; Stat. Chief Rpt., 1905, pp. 13, 1905.
    1906. Victor H. Olmstead. An. Rpts., 1906, pp. 541–551. 1907; Stat. Chief Rpt., 1906, pp. 15. 1906.
    1907. C. C. Clark (acting). An. Rpts., 1907, pp. 629–644. 1908; Stat. Chief Rpt., 1907, pp. 20. 1907.
    1908. C. C. Clark (acting). An. Rpts., 1908, pp. 703–712. 1909; Stat. Chief Rpt., 1908, pp. 12. 1908.
    1909. Victor H. Olmstead. An. Rpts., 1909, pp. 655–668. 1910; Stat. Chief Rpt., 1909, pp. 16. 1909.
    1910. Victor H. Olmstead. Stat. Chief Rpt., 1910, pp. 32. 1910; An. Rpts., 1910, pp. 695–722. 1911.
    1911. Victor H. Olmstead. An. Rpts., 1911, pp. 639–656. 1912; Stat. Chief Rpt., 1911, pp. 20. 1911.
    1912. Victor H. Olmstead. An. Rpts., 1912, pp. 781–798. 1913; Stat. Chief Rpt., 1912, pp. 20. 1912.
    1913. Nat C. Murray. An. Rpts., 1913, pp. 257–262. 1914; Stat. Chief Rpt., 1913, pp. 6. 1913.

Statistics, Bureau of—Continued.
  report of Chief—Continued.
    1914. Leon M. Estabrook. An. Rpts., 1914, pp. 233–244. 1914; Stat. Chief Rpt., 1914, pp. 12. 1914.
  See also Crop Estimates Bureau.
Statistics Division. See Crop Estimates, Bureau of; Statistics, Bureau of.
Statutes—
  department work, constitutionality. Sol. [Misc.], "A brief statutory history * * *," pp. 21–26. 1916.
  relating to the Department of Agriculture. Francis G. Caffey. Sol. [Misc.], "A brief statutory history * * *," pp. 26. 1916.
Stave(s)—
  baskets, sizes recommended by Bureau of Markets. F.B. 1196, p. 16. 1921.
  bucked and split, production, 1905, 1906, by classes and by States. For. Cir. 125, p. 8. 1907.
  exports—
    1906. For. Cir. 110, p. 13. 1907.
    1908. For. Cir. 162, p. 13. 1909.
    statistics, 1918–1920. Y.B., 1921, p. 745. 1922. Y.B. Sep. 867, p. 9. 1922.
  hewed, by classes and by States, 1905, 1906. For. Cir. 125, p. 8. 1907.
  pipe, use for water supplies, increase. Rpt. 117, pp. 65–66, 73. 1917.
  production—
    Louisiana, 1909, slack and tight cooperage. For. Bul. 114, p. 23. 1912.
    statistics for 1905–1921. Y.B., 1924, pp. 1022–1023. 1925.
  sawed—
    production by classes and by States, 1906. For. Cir. 125, p. 7. 1907.
    specifications. F.B. 582, pp. 19–20. 1914.
    silo-building, preparation, placing, and hooping. B.A.I. Cir. 136, pp. 7–12. 1911.
    tests, results. D.B. 86, pp. 3, 4. 1914.
  tight—
    barrel, production, 1905, 1906. For. Cir. 125, p. 4. 1907.
    exports, 1902–1906. For. Cir. 125, p. 5. 1907.
    production, 1905, 1906, by States, and by classes. For. Cir. 125, p. 6. 1907.
  wood pipes, specifications. D.B. 155, pp. 6–7. 1914.
Stavesacre—
  prices. F.B. 663, rev., p. 36. 1920.
  See also Larkspur.
Steak—
  hamburger, adulteration. See also Indexes to Notices of Judgment, in bound volumes and in separates published as supplements to Chemistry Service and Regulatory Announcements.
  recipes for cooking. F.B. 391, pp. 23, 33, 35. 1910.
  round, food value, comparison with peanut butter. D.C. 128, p. 3. 1920.
  source of protein and energy, cost, comparison with milk. Sec. Cir. 85, pp. 6, 17, 21. 1918.
Steam—
  bending, wheel rims and other stock. D.C. 231, pp. 20–21. 1922.
  cabinet for sterilizing soil description and use. F.B. 1233, p. 15. 1921.
  control of potato wart, tests. D.C. 111, p. 19. 1920.
  cookers, kind for making lime-sulphur. F.B. 1285, pp. 20–29, 34–36. 1922.
  effect on tobacco-beetle control. D.B. 737, pp. 44–47, 69. 1919.
  engine(s)—
    horse-power rating, comparison with other powers. Y.B., 1915, pp. 103–104. 1916; Y.B. Sep. 660, pp. 103–104. 1916.
    pumping plants. O.E.S. Bul. 158, Sep. 2, pp. 226–230. 1905.
    use in irrigation plants, tests. O.E.S. Bul. 158, pp. 226–230. 1905.
  exhaust—
    in milk plants, equipment for utilizing. D.B. 890, pp. 37–38. 1920.
    use for heating. D.B. 927, pp. 15–16. 1921.
    use for heating boiler feed water and for wash water in milk plants, creameries, and dairies. John T. Bowen. B.A.I. Cir. 209, pp. 13. 1913.

Steam—Continued.
   exhaust—continued.
      utilizing in dairy work. D.B. 747, pp. 31-42. 1919.
   heat, use in drying foods. F.B. 984, pp. 36-40. 1918.
   heaters, management, suggestions. Thrift Leaf. 12, p. 4. 1919.
   heating system for greenhouses. F.B. 1318, pp. 19-20, 29. 1923.
   leaks in piping systems, in creameries. D.B. 747, p. 27. 1919.
   live—
      root-knot control. B.P.I. Bul. 217, pp. 44-45, 63-64, 74. 1911.
      use for heating. D.B. 927, pp. 15-16. 1921.
   power spraying outfits, description, directions for care. Y.B., 1908, p. 283. 1909; Y.B. Sep. 480, p. 283. 1909.
   pressure—
      and fuel requirements for production. D.B. 718, pp. 58-59. 1918.
      canner, description and operation. F.B. 1211, pp. 17-18, 19-21. 1921.
      comparative gauge. F.B. 521, pp. 27. 1913.
      pumping power, tests. O.E.S. Bul. 243, pp. 25, 32. 1911.
   saturated, use in distillation of resinous wood. L. F. Hawley and R. C. Palmer. For. Bul. 109, pp. 31. 1912.
   seasoning, effect on ties. For. Bul. 118, pp. 17-19. 1912.
   sterilization of soil—
      for potato wart. C.T. and F.C.D. Cir. 6, p. 10. 1919.
      inverted-pan method. B.P.I. Bul. 217, p. 63. 1911.
      methods. F.B. 1320, pp. 7-10. 1923.
      sweet-potato hotbeds, direction. B.P.I. Cir. 114, pp. 16-17. 1913.
   sterilizer—
      for simple farm dairy utensils. S. Henry Ayers and George Taylor. F.B. 748, pp. 11. 1916; rev., pp. 16. 1919.
      for use in egg-breaking plant. D.B. 663, pp. 22-24. 1918.
   superheated, use in drying lumber. D.B. 509, pp. 8-9. 1917; D.B. 1136, pp. 42, 52-53. 1923.
   supply to dry-kiln pipes in water-spray type, consumption. D.B. 894, pp. 23-31. 1920.
   tobacco sterilization for control of tobacco beetle. F.B. 846, pp. 17-18. 1917.
   tractors, manufacture and sale, 1920. D.C. 212, p. 4. 1922.
   traps, thermostatic, in kilns. D.B. 1136, pp. 13-14. 1923.
   use for—
      destruction of—
         fig moth larvæ. Ent. Bul. 104, pp. 54-55. 1911.
         lice in clothing. Sec. Cir. 61, p. 19. 1916.
      power in irrigation pumping, Pomona Valley, Calif. O.E.S. Bul. 236, pp. 50-55. 1911.
   use in—
      canning. F.B. 853, pp. 10, 12-13. 1917.
      cleaning milk bottles and cans, methods. B.A.I. Cir. 184, pp. 38-40. 1912. Cir. 184, pp. 38-40. 1912.
      sterilization of—
         cabbage and cauliflower seed beds. F.B. 488, pp. 10-11. 1912.
         seed beds for tobacco and other crops. E.G. Beinhart. F.B. 996, pp. 15. 1918.
         soil. B.P.I. Bul. 250, pp. 41-42. 1912; F.B. 1345, pp. 15-17. 1923; J.A.R., vol. 13, p. 448. 1918; News L., vol. 6, No. 38, p. 8. 1919.
         tobacco-plant beds, methods. F.B. 451, pp. 5-6. 1911.
Steamboat(s)—
   inland waterways, speed average, summary. D.B. 74, p. 36. 1914.
   landings, number and influence on speed rate. D.B. 74, pp. 14, 35. 1914.
   routes—
      Chesapeake Bay and Tennessee River. Y.B. 1907, pp. 291-292, 297-298. 1908; Y.B. Sep. 449, pp. 291-292, 297-298. 1908.
      transit rates, summary. D.B. 74, pp. 14, 34-35. 1914.

Steamboat(s)—Continued.
   routes—continued.
      typical. D.B. 74, pp. 6-9. 1914.
      traffic, local, studies. D.B. 74, pp. 10, 34-35. 1914.
Steaming—
   kiln-dried stock, purposes. D.B. 1136, pp. 30-31. 1923.
   lumber, for fungi control, experiments. D.B. 1037, pp. 28-32, 51. 1922.
   pan, seed-bed sterilization, construction. F.B. 996, pp. 8-10. 1918.
   seed—
      bed, for disinfection, methods. F.B. 925, rev., p. 7. 1921.
      beds, cost. F.B. 996, pp. 12-13. 1918.
   soil, for control of root knot in greenhouses. F.B. 648, pp. 12-13. 1915.
   walnut lumber, methods. D.B. 909, p. 33. 1921.
   wood, effect on fungi, experiments. D.B. 1262, pp. 6-14. 1924.
Steamships, American, necessity in building up trade with South America. Y.B., 1913, p. 364. 1914; Y.B. Sep. 629, p. 364. 1914.
Steapsin, action of formaldehyde. B.A.I. Cir. 59, p. 116. 1904.
Stearic acid, determination in butter fat. E. B. Holland and others. J.A.R. vol. 6, No. 3, pp. 101-113. 1916.
Stearine—
   admission, amendment of Food Inspection Decision 74. F.I.D. 116, p. 1. 1910.
   compound, manufacture regulations. B.A.I.S.A. 34, p. 9. 1910.
   cottonseed oil, compounds and labels, regulation. B.A.I.S. A.76, p. 75. 1913.
   exports, 1922-1924. Y.B., 1924, p. 1042. 1925.
   importation regulation. Chem. [Misc.], "Inspection of imported meats * * *," p. 8. 1910.
   imports—
      1907-1909, amount and value, by country from which consigned. Stat. Bul. 82, p. 33. 1910.
      certificate requirement. F.I.D. 116, p. 1. 1910.
   oleo—
      digestibility, dietary experiments. D.B. 613, pp. 15-17. 1919.
      use as lard substitute, with vegetable oils. Sol. Cir. 56, pp. 1-4. 1911.
STEBBINS, M. E.: "Soil survey of—
   Bottineau County, N. Dak." With others. Soil Sur. Adv. Sh. 1915, pp. 54. 1917; Soils F.O., 1915, pp. 2129-2178. 1921.
   Dickey County, N. Dak." With others. Soil Sur. Adv. Sh., 1914, pp. 56. 1916; Soils F.O., 1914, pp. 2411-2462. 1919.
   Lamoure County, N. Dak." With others. Soil Sur. Adv. Sh., 1914, pp. 53. 1917; Soils F.O., 1914, pp. 2361-2409. 1919.
Stecklings—
   growing, harvesting, and siloing. F.B. 1152, pp. 3-12. 1920.
   siloing, practices. F.B. 1152, pp. 9-12. 1920.
   transplanting for seed production. F.B. 1152, pp. 12-15. 1920.
STEDDOM, R. P.—
   "Cattle tick eradication." B.A.I. An. Rpt., 1906, pp. 101-112. 1908.
   "Report of committee on Federal meat inspection." With others. B.A.I. An. Rpt., 1906, pp. 406-456. 1908.
STEDMAN, J. M.—
   "Farmers' institute work in the United States in 1914, and notes on agricultural extension work in foreign countries." D.B. 269, pp. 21. 1915.
   "Farmers' institutes for young people." With John Hamilton. O.E.S. Cir. 99, pp. 40. 1910.
   "The farmers' institutes in the United States in 1909." With John Hamilton. O.E.S. An. Rpt., 1909, pp. 327-359. 1910.
   "The farmers' institutes in the United States in 1916." S.R.S. Rpt., 1916, Pt. II, pp. 373-377. 1917.
   "The results of agricultural extension in Belgium." O.E.S. An. Rpt., 1910, pp. 425-447. 1911.

Steel—
 analysis methods. Rds. Bul. 35, p. 36. 1909.
 and iron—
  for fence wire, comparison. F.B. 239, pp. 16–18. 1905.
  manufacture. F.B. 239, pp. 9–14. 1905.
  preservation. Allerton S. Cushman. Rds. Bul. 35, pp. 40. 1909.
 bridges, types, plate girders and trusses, description. Rds. Bul. 43, pp. 19–20. 1912.
 cleaning directions. F.B. 1180, p. 19. 1921.
 corrosion, causes. Rds. Bul. 35, pp. 8–15. 1909.
 different kinds, bad combination for fencing. Y.B., 1909, p. 289. 1910; Y. B. Sep. 513, p. 289. 1910.
 industry wastes, fertilizer source. Y.B., 1917, pp. 258–260. 1918; Y.B. Sep. 728, pp. 8–10. 1918.
 manufacture, basic slags resulting, value for fertilizer. Soils Bul. 95, pp. 7, 8. 1912.
 mild, comparison with high carbon. Y.B., 1909, p. 289. 1910; Y.B. Sep. 513, p. 289. 1910.
 oxidizing, Bower-Barf process. Rds. Bul. 35, p. 35. 1909.
 phosphorizing, Coslet process. Rds. Bul. 35, p. 35. 1909.
 plates, corrosion tests. Rds. Bul. 35, p. 31. 1909.
 processing to form rust-prevention coating. Rds. Bul. 35, p. 35. 1909.
 reinforcement—
  requirements for grain storage bins. D.B. 789, pp. 6–14. 1919.
  use in concrete pavements. D.B. 249, pp. 16–17. 1915.
 replacement of lumber in construction. Rpt. 114, p. 55. 1917.
 rust-resistant manufacture, suggestions. Rds. Bul. 35, pp. 8, 9, 16, 35–37. 1909.
 structural, consumption in United States, 1895–1915. Rpt. 117, pp. 16–19. 1917.
 use in—
  constructing cars. Rpt. 117, pp. 43–46. 1917.
  highway bridge construction methods. Rds. Bul. 39, pp. 19–20. 1911.
STEENBOCK, H.—
 "Diuresis and milk flow." J.A.R., vol. 5, No. 13, pp. 561–568. 1915.
 "Physiological effect on growth and reproduction of rations balanced from restricted sources." With others. J.A.R., vol. 10, pp. 175–198. 1917.
Steer(s)—
 ages and conditions differing, analyses of meat. Chem. Bul. 122, pp. 63–64. 1909.
 beef—
  conformation, requirements. Y.B., 1921, pp. 306–307. 1922; Y.B. Sep. 874, pp. 306–307. 1922.
  prices, 1910–1914. Rpt. 113, pp. 64, 67–68. 1916.
 digestion, studies on rate of passage of food. J.A.R., vol. 10, pp. 5–63. 1917.
 fattening—
  body weights, gains and measurements, study. J.A.R., vol. 11, pp. 383–394. 1917.
  cost in Alabama and Mississippi. D.B. 777, pp. 6, 10, 14, 18. 1919.
  costs and profits, financial statement. D.B. 762, pp. 7–8, 13–15, 22–25, 29–30. 1919.
  cowpea pasture. F.B. 318, p. 14. 1908.
  experiment at Collins' beef-cattle station. D.B. 827, pp. 39–41. 1921.
  experiments. D.B. 628, pp. 20–25, 29–30. 1918.
  feed utilization. J.A.R., vol. 11, pp. 451–472. 1917.
  feeding methods, quantities used. D.B. 762, pp. 5–7, 10–13, 18–22, 27–29. 1919.
  gains in weight, relation to measurements. J.A.R., vol. 11, pp. 388–394. 1917.
  in Alabama. D.B. 110, pp. 1–41. 1914.
  in Corn Belt—
   Wm. H. Black. F.B. 1382, pp. 18. 1924.
   feeds, costs, and profits. F.B. 1218, pp. 11–34. 1921.
   roughage requirements. Y.B., 1921, p. 261. 1922; Y.B. Sep. 874, p. 261. 1922.
  in Cotton Belt, feed requirements. Y.B., 1921, pp. 257–258. 1922; Y.B. Sep. 874, pp. 257–258. 1922.
  in North Carolina. F. W. Farley and others. D.B. 954, pp. 18. 1921.

Steer(s)—Continued.
 fattening—continued.
  in South—
   concentrates for, comparison. W. F. Ward and others. D.B. 761, pp. 16. 1919.
   costs and profits, financial statement. D.B. 761, pp. 5–6, 13–14. 1919.
   roughages for comparison. W. F. Ward and others. D.B. 762, pp. 36. 1919.
  in summer, object and plan of experiments. D.B. 628, pp. 19–20. 1918.
  in Texas, San Antonio experiment farm, experiments. D.C. 73, pp. 35–38. 1920.
  on—
   grass in summer, and finishing methods. F.B. 1218, pp. 31–34. 1921.
   pastures in Alabama, methods. D.B. 110, pp. 13–14, 14–23. 1914.
   pigeon peas. Hawaii Bul. 46, pp. 4–5, 18–20. 1921.
   range, management. F.B. 1395, pp. 29–33. 1925.
   summer pasture in South. W. F. Ward and others. D.B. 777, pp. 24. 1919.
   velvet beans. S. W. Greene and Arthur T. Semple. D.B. 1333, pp. 27. 1925.
  profit to farmers. F.B. 1218, p. 30. 1921.
  quality and cost of feed per 100 pounds of grain. D.B. 761, pp. 5–7, 12–13. 1919.
  roughage, recommendations. F.B. 251, pp. 25–26. 1906.
 feed requirements for 100 pounds of gain. F.B. 1218, pp. 23–25. 1921.
 feeding—
  and grazing, quantity of feed consumed, and cost. F.B. 812, p. 8. 1917.
  cost and profits in Louisiana experiments. D.B. 1318, pp. 11–13. 1925.
  dry lot and pasture. M.C. 12, p. 18. 1924.
  dry-lot methods, roughages, and concentrates. F.B. 1218, pp. 13–25. 1921.
  experiments—
   1913–1916. D.B. 628, pp. 8–14. 1918.
   digestion studies. J.A.R., vol. 13, pp. 639–646. 1918.
   results from hay, hominy feed, and meal. J.A.R., vol. 10, pp. 602–606. 1917.
   Scottsbluff experiment farm. D.C. 289, pp. 35–36. 1924.
   with velvet beans and other feeds. F.B. 962, pp. 31–33, 38. 1918.
  for market. Y.B., 1913, pp. 274–275. 1914; Y.B. Sep. 627, pp. 274–275. 1914.
  for meat production. B.A.I. Bul. 108, pp. 1–89. 1908.
  in—
   open sheds. F.B. 517, pp. 10–11. 1912.
   sugar-cane belt. J. R. Quesenberry. D.B. 1318, pp. 14. 1925.
  on—
   alfalfa hay and starch, experiments. J.A.R., vol. 15, pp. 269–286. 1918.
   beet-tops, silage, and pulp, results. F.B. 1095, pp. 2, 4–7, 9–10, 11, 13. 1919.
   corn and oat stubble, and rape, experiments. F.B. 704, p. 36. 1916.
   cottonseed products, rations and results. F.B. 1179, pp. 10, 15–16, 17. 1920.
   operating expenses and profits. F.B. 1218, pp. 27–31. 1921.
   profits in soil fertility. F.B. 479, p. 13. 1912.
   value of silage, corn, and sorghum, comparison. F.B. 1158, p. 25. 1920.
   various feeds and combinations. J.A.R., vol. 13, pp. 611–618. 1918.
   winter and summer, costs and profits. D.B. 954, pp. 14–18. 1921.
 grazing—
  in winter, experiments in North Carolina. D.B. 628, pp. 14–19. 1918.
  on corn and cowpeas. C. F. Langworthy. F.B. 124, pp. 27. 1901.
 growth, relation to winter rations on pasture. E. W. Sheets. D.C. 166, pp. 11. 1921.
 handling, in feeding experiments. D.B. 954, pp. 6–7. 1921.
 kind used in North Carolina, feeding experiments, 1913–1914 to 1915–1916. D.B. 628, pp. 2–3. 1918.
 measurement during fattening, methods and results. J.A.R., vol. 11, pp. 385–394. 1917.

Steer(s)—Continued.
  numbers, census 1910, by States, map. Y.B., 1915, p. 393. 1916; Y.B. Sep. 681, p. 393. 1916.
  pasture gains after winter rations. E. W. Sheets and R. H. Tuckwiller. D.B. 1251, pp. 24. 1924.
  pasturing—
    in Texas, crop utilization experiments. W.I.A. Cir. 16, pp. 1, 21-22. 1917.
    on alfalfa, Arizona system. Sec. Cir. 54, pp. 2-4. 1915.
    piney-woods, value for lumbering in pine woods. Y.B., 1921, p. 255. 1922; Y.B Sep. 874, p. 255. 1922.
    poisoning by whorled milkweed. D.C. 101, pp. 1, 2. 1920.
  preparation for market, Alabama experiments. B.A.I. Bul. 131, pp. 25-47. 1911.
  prices—
    comparison with beef prices. Y.B., 1921, pp. 297-300. 1922; Y.B. Sep. 874, pp. 297-300. 1922.
    wholesale. Y.B., 1924, pp. 863-864. 1925.
  purebred and scrub, feed-utilization experiments, and comparisons. B.A.I. Bul. 128, pp. 1-24. 1911.
  rations—
    winter and summer, composition and amount. J.A.R., vol. 28, pp. 1217-1218. 1924.
    with and without silage. F.B. 1218, pp. 25-27. 1921.
  shipment, interstate. B.A.I. O. 292, p. 25. 1925.
  shrinkage during transit, expense item. F.B. 1218, pp. 29-30. 1921.
  slaughter data—
    for Alabama and Mississippi feeders. D.B. 777, pp. 5, 14, 18. 1919.
    in South. D.B. 761, pp. 7, 15. 1919.
  summer fattening on pasture, Alabama, experiments. B.A.I. Bul. 159, pp. 22-39, 48-56. 1912.
  three-year-old, value, 1900-1909, 1911, comparison. B.A.I. Cir. 196, pp. 2-3. 1912.
  two-year-old, nitrogen metabolism. J.A.R., vol. 18, pp. 241-254. 1919.
  use and value of cottonseed meal for feed, experiments, 1907-1910. F.B. 655, pp. 4-5. 1915.
  weight, average on western ranges. Rpt. 110, pp. 22-23, 53, 61, 76, 86, 91, 96. 1916.
  winter—
    fattening—
      experiments. D.B. 628, pp. 38-53. 1918.
      in Alabama. B.A.I. Bul. 159, pp. 9-21. 1912.
    feeding, influence on summer gains, studies and comparisons with summer feeding. D.B. 110, pp. 24-40. 1914.
    pasturage, kinds used for experiments. D.B. 628, pp. 16-17. 1918.
    rations, effect on growth on pasture. E. W. Sheets. D.C. 166, pp. 11. 1921.
    wintering—
      and fattening in North Carolina. D.B. 628, pp. 1-53. 1918.
      for summer fattening on pastures, breeds, feeding methods, feeds, and cost. D.B. 110, pp. 4-12, 14. 1914.
      preparatory to—
        fattening on summer pasture. B.A.I. Bul. 131, pp. 25-36. 1911.
        pasture grazing. D.B. 628, pp. 4-6. 1918.
    yearling, feed in winter, effect on pasture gains later. E. W. Sheets and R. H. Tuckwiller. D.B. 870, pp. 20. 1920.
  See also Stockers; Feeders.
Steganopus tricolor—
  breeding range and migratory habits. Biol. Bul. 35, pp. 18-19. 1910.
  See also Phalarope, Wilson's.
Stegomyia—
  brigade, work in Cuba. Ent. Bul. 88, pp. 92-93. 1910.
  calopus, occurrence in Porto Rico. P.R. An. Rpt., 1907, p. 38. 1908.
  spp. See Mosquitoes.
STEINER, G.—
  "Agamermis decaudata, a nema parasite of grasshoppers and other insects." With others. J.A.R., vol. 23, pp. 921-926. 1923.

STEINER, G.—Continued.
  "On some plant parasitic nemas and related forms." J.A.R., vol. 28, pp. 1059-1066. 1924.
STEINKOENIG, L. A.:
  "The relation of some of the rarer elements in soils and plants." With others. D.B. 600, pp. 27. 1917.
  "Variation in the chemical composition of soils." With others. D.B. 551, pp. 16. 1917.
Stelgidopteryx serripennis—
  nesting habits and occurrence in Arkansas. Biol. Bul. 38, p. 71. 1911.
  See also Swallows.
Stellula calliope. See Hummingbird, calliope.
Stem—
  blight—
    eggplant, fungus causing, description. J.A.R. vol. 2, pp. 331-338. 1914.
    pea, control. F.B. 856, p. 55. 1917.
    watermelon, description and control. F.B. 821, p. 17. 1917.
    See also under host.
  borer(s)—
    clover, injury to alfalfa, and control. F.B. 1283, p. 35. 1922.
    in grain, description. Sec. [Misc.], "A manual of insects * * *," p. 123. 1917.
    rearing methods for study by entomologists. D.B. 889, p. 18. 1920.
    rice, damage and control. F.B. 1092, p. 24. 1920.
    tobacco, enemy of southern field crops. Y.B., 1911, pp. 203-205. 1912; Y.B. Sep. 561, pp. 203-205. 1912.
    See also under host.
  end decay, citrus fruits, occurrence in handling. F.B. 696, pp. 2, 3. 1915.
  girdle, nursery seedlings, cause and description. D.B. 44, pp. 17-18. 1913; J.A.R., vol. 14, pp. 600-601. 1918.
  grape, source of cream of tartar, value. D.B. 952, pp. 5-6. 1921.
  lesions, cause, excessive heat. J.A.R., vol. 14, pp. 595-604. 1918.
  proliferation, alfalfa. B.P.I. Cir. 115, pp. 5-8. 1913.
  red rot of sugar cane, description and history. B.P.I. Cir. 126, pp. 3-5. 1913.
  rot—
    clematis, cause and control. J.A.R., vol. 4, pp. 331-342. 1915.
    crimson clover, causes and prevention. F.B. 1142, pp. 13, 20. 1920.
    geranium, from Pythium. J.A.R., vol. 29, pp. 399-419. 1924.
    injury to red clover, description. F.B. 455, p. 40. 1911.
    occurrence on plants in Texas, and description. B.P.I. Bul. 226, p. 84. 1912.
    peas, caused by Fusarium spp., and rootrot. Fred Reuel Jones. J.A.R., vol. 26, pp. 459-476. 1923.
    rice. See Sclerotium oryzae.
    sweet potato, description and control. B.P.I. Cir. 114, pp. 9-14. 1913; F.B. 714, p. 3. 1916; F.B. 1059, pp. 4-8. 1919; S.R.S. Syl. 26, pp. 12-14. 1917.
    tobacco, description and control methods. B.P.I. Bul. 241, pp. 10-12. 1912.
    See also Black rot.
  rust. See Rust, stem.
  streak, potato, relation to phloem necrosis. J.A.R., vol. 24, p. 242. 1923.
  tumor, apple, comparison with crowngall. Nellie A. Brown. J.A.R., vol. 27, pp. 695-698. 1924.
  wheat, structure, relation to rust resistance. J.A.R., vol. 27, pp. 390-394, 404-406. 1924.
"Stemming" tobacco, annual production, Kentucky counties. B.P.I. Bul. 244, p. 48. 1912.
Stemphylium—
  citri, cause of "end rot" of oranges. B.P.I. Bul. 171, pp. 13-14. 1910.
  cucurbitacearum, description, life history, and control. J.A.R., vol. 13, pp. 299-306. 1918.
  leaf spot of cucumbers. J.A.R., vol. 13, pp. 295-306. 1918.
  spp. on potatoes in Idaho soils. J.A.R., vol. 13, pp. 80, 96. 1918.

Slemphylium—Continued.
  tritici, occurrence on wheat in Texas. B.P.I. Bul. 226, p. 47. 1912.
Stencils—
  dies, and brands, approval. B.A.I.S.R.A. 206, pp. 67–68. 1924.
  meat marking, approval regulation. B.A.I. S.R.A. 203, pp. 27–29. 1924.
STENE, A. E., report of Rhode Island extension work in agriculture and home economics—
  1915. S.R.S. Rpt., 1915, Pt. II, pp. 299–301. 1916.
  1917. S.R.S. Rpt., 1917, Pt. II, pp. 339–342. 1919.
Stenocarpus sinuatus, importation and description. No. 37144, B.P.I. Inv. 38, p. 43. 1917; No. 40063, B.P.I. Inv. 42, p. 62. 1918.
Stenopelmatus fasciatus, food of coyote. Biol. Bul. 20, p. 12. 1905.
Stenopogon picticornis, enemy of—
  alfalfa caterpillar. D.B. 124, p. 26. 1914.
  New Mexico range caterpillar. Ent. Bul. 85, p. 92. 1911.
  range caterpillar. Ent. Bul. 85, Pt. V, p. 92. 1910.
Stenotaphrum—
  americanum. See Buffalo grass.
  spp., description, distribution, and uses. D.B. 772, pp. 19, 218–219, 220. 1920.
STENSTRÖM, O. E.: "Investigations on the pathology of streptococci mastitis and on the transmission of mastitis through milking machines." B.A.I. Dairy [Misc.], "World's dairy congress, 1923," pp. 1489–1494. 1924.
Stephania rotunda, importations and descriptions. No. 39084, B.P.I. Inv. 40, p. 73. 1917; No. 47804, B.P.I. Inv. 59, p. 62. 1918.
Stephanurus dentatus. See Kidney worm.
STEPHENS, D. E.—
  "Australian wheat varieties on the Pacific Coast." With others. D.B. 877, pp. 25. 1920.
  "Experiments in wheat production on the dry lands of the Western United States." With others. D.B. 1173, pp. 60. 1923.
  "Experiments with spring cereals at the Eastern Oregon dry-farming substation, Moro, Oregon." D.B. 498, pp. 38. 1917.
  "Markton, an oat variety immune from covered smut." With others. D.C. 324, pp. 8. 1924.
  "Relative resistance of wheat to bunt in Pacific Coast States." With others. D.B. 1299, pp. 29. 1925.
STEPHENS, J. M.—
  "Report of the northern Great Plains Field Station for the 10-year period, 1913–1922, inclusive." With others. D.B. 1301, pp. 80. 1925.
  "Work of the Northern Great Plains Field Station in 1923." With others. D.B. 1337, pp. 18. 1925.
STEPHENSON, C. H.—
  "Microscopical studies on tomato products." With Burton J. Howard. D.B. 581, pp. 24. 1917.
  "Progress in microchemical tests for alkaloids." With B. J. Howard. Chem. Bul. 137, pp. 189–190. 1911.
  "The sanitary control of tomato-canning factories." With Burton J. Howard. D.B. 569, pp. 29. 1917.
STEPHENSON, JAMES, Jr.: "Irrigation in Idaho." O.E.S. Bul. 216, pp. 59. 1909.
Stercorarius spp. See Jaeger.
Sterculia—
  diversifolia, importation and description. No. 47153, B.P.I. Inv. 58, p. 33. 1922.
  quadrifida, importation and description. No. 38873, B.P.I. Inv. 34, pp. 6, 23. 1915.
  spp., importations and descriptions. Nos. 50184, 50499, B.P.I. Inv. 63, pp. 43, 74. 1923; Nos. 53484, 53588, B.P.I. Inv. 67, pp. 3, 54, 66. 1923; No. 54535, B.P.I. Inv. 69, p. 23. 1923.
  urens. See Gum, Indian.
Sterculiaceae, family, characters. For. [Misc.], "Forest trees for Pacific * * *," p. 382. 1908.
Stereum—
  hirsutum, cause of white sap rot in hardwoods. D.B. 1128, p. 40. 1923.

Stereum—Continued.
  spp.—
    cause of decay—
      in Emory Oak. For. Cir. 201, p. 11. 1912.
      of structural timber, description and control. B.P.I. Bul. 149, pp. 60, 66. 1909.
    infestation of lumber in storage. D.B. 510, p. 34. 1917.
    slash rotting in Arkansas. D.B. 496, pp. 3, 6, 7, 11, 14. 1917.
  subpileatum—
    cause of honeycomb heart-rot of oaks. D.B. 1128, p. 39. 1923; J.A.R., vol. 5, pp. 421–428. 1915.
    description, distribution, and control. J.A.R. vol. 5, pp. 421–428. 1915.
    sporophore, description and development. J.A.R., vol. 5, pp. 426, 428. 1915.
Sterigmatocystis—
  nigra, production of citric and oxalic acid. J.A.R. vol. 21, p. 223. 1921.
  spp., resemblance to *Aspergillus* spp., forms, etc. J.A.R., vol. 7, pp. 8, 11, 13, 14. 1916.
Sterility—
  dairy cattle, causes, B.A.I. Dairy [Misc.], "World's dairy congress, 1923," pp. 1512–1519. 1924.
  horse, causes and treatment. B.A.I. [Misc.], "Diseases of the horse," pp. 151–154. 1903; rev., pp. 151–154. 1907; rev., pp. 151–154. 1911; rev., pp. 172–175. 1923.
  livestock, caused by smelter fume poisoning. B.A.I. An. Rpt., 1908, p. 246. 1910.
  potato, types and cause. D.B. 1195, pp. 2–26. 1924.
  rice, forms other than straighthead, causes. F.B. 1212, pp. 8–10. 1921.
  strawberry, causes. J.A.R., vol. 12, pp. 613–670. 1918.
  wheat—
    crosses, causes. J.A.R., vol. 19, pp. 527–532. 1920; J.A.R., vol. 22, pp. 58–61. 1921.
    floret, occurrence and description, Texas. B.P.I. Bul. 226, p. 47. 1912.
Sterilization—
  animal carcasses and parts, rendering into lard and tallow, regulations. B.A.I.O. 211, p. 36. 1914.
  anthrax in hides, necessity of safe method. B.A. I. An. Rpt., 1911, p. 94. 1913.
  apple juice, experiments, results. Chem. Bul. 118, pp. 5–15. 1908.
  cannery, methods. D.B. 196, pp. 1–4. 1915.
  dairy utensils, directions and cost. F.B. 748, pp. 5–9. 1916.
  figs in Smyrna, practicability and summary of methods. Ent. Bul. 104, pp. 63–65. 1911.
  food, reasons for, methods and aids. F.B. 853, pp. 4–7. 1917.
  fruit juice, methods. D.B. 241, pp. 4–7. 1915.
  grape juice, and bottling. D.B. 656, pp. 12–13. 1918.
  heat of, for milking machines. F.B. 1315, pp. 3–15. 1923.
  history and methods, early studies. Chem. Bul. 151, pp. 12–16. 1912.
  home equipment. F.B. 1454, pp. 7, 15. 1925.
  intermittent, in canning. F.B. 853, pp. 6, 19, 20, 25. 1917.
  meaning and importance in canning. F.B. 1211, p. 5. 1921.
  milk—
    bottles, standardization. B.A.I. Dairy [Misc.], "World's dairy congress, 1923," pp. 1317–1324. 1924.
    comparison with pasteurization. B.A.I. Cir. 153, pp. 23, 42. 1910; F.B. 1207, pp. 16–19, 32. 1921.
    definition, processes. Y.B., 1907, p. 195. 1908; Y.B. Sep. 444. 1908.
    processes. F.B. 348, pp. 23–24. 1909.
  plant, installation for soil treatment in Hawaii, 1917. Hawaii A.R., 1917, p. 25. 1918.
  requirements of soil for packing bulbs. F.H.B. S.R.A. 61, p. 32. 1919.
  seed—
    and effect upon seed inoculation. T. R. Robinson. B.P.I. Cir. 67, pp. 11. 1910.

Sterilization—Continued.
  seed—continued.
    beds—
      by fire, old methods, disadvantages. F.B. 996, pp. 4-5. 1918.
      cabbage and cauliflower, methods and formula. F.B. 488, pp. 10-11. 1912.
      methods. F.B. 925, rev., p. 7. 1921.
      steam-pan method and preparation for. F.B. 996, pp. 5-6, 10-12. 1918.
      steaming and drenching. D.B. 1256, pp. 5-7. 1924.
    residual effects. B.P.I. Cir. 67, pp. 5-9. 1910.
    shrinkage danger. F.B. 839, p. 31. 1917.
  soil(s)—
    by heat, effects on plant life. Soils Bul. 89, pp. 1-37. 1912.
    effects on ammonification and nitrification. Hawaii Bul. 37, pp. 20-35, 50-51. 1915.
    for—
      control of plant diseases. P.R. Cir. 17, pp. 25-26. 1918.
      ginseng, methods. B.P.I. Bul. 250, pp. 40-42. 1912.
      greenhouses. F.B. 1320, pp. 7-10. 1923.
      potato wart. C.T. and F.C.D. Cir. 6, p. 10. 1919.
      prevention of plant diseases. F.B. 296, pp. 11-13. 1907.
      rose growing, discussion. Y.B., 1902, p. 555. 1903.
      tobacco seed bed, for control of mosaic disease. J.A.R., vol. 10, pp. 622-623. 1917.
      tomato seed beds. F.B. 1233, pp. 12, 14-15. 1921.
    steam—
      effect on tobacco-beetle control. D.B. 737, pp. 46-47, 69. 1919.
      for greenhouse eelworms. F.B. 1431, p. 22. 1924.
    seed beds for tobacco and other crops. E. G. Beinhart. F.B. 996, pp. 15. 1918.
    tree wounds. F.B. 1178, pp. 8-11, 14, 15. 1920.
    ultra-violet rays, effect on tobacco-beetle control. D.B. 737, pp. 47-49. 1919.
    use and value in control of cereal insects. D.B 15, pp. 4-6, 8. 1913.
    use in canning vegetables, studies. O.E.S. Bul. 245, pp. 83-85. 1912.
    utensils, directions. Chem. Bul. 158, p. 17. 1912.
Sterilizer—
  for farm dairy utensils, simple. S. Henry Ayers and George B. Taylor. F.B. 748, pp. 11. 1916.
  milk, description and cost. B.A.I. An. Rpt., 1908, p. 373. 1910; B.A.I. Cir. 158, p. 9. 1910.
  steam—
    construction details. F.B. 748, rev., pp. 3-5. 1919.
    for dairy utensils, description and cost of construction. F.B. 353, pp. 27-29. 1909.
    for use in egg-breaking plant. D.B. 663, pp. 22-24. 1918.
    operation, told in pictures, and summary. F.B. 748, rev., pp. 7-16. 1919.
    simple for farm dairy utensils. S. Henry Ayers and George B. Taylor. F.B. 748, rev., pp. 16. 1919.
Sterilizing room, egg-breaking plant, equipment. D.B. 663, pp. 20-24. 1918.
Steriloid, misbranding. Chem. N. J. 12262, p. 1. 1924.
STERLING, E. A.—
  "Attitude of lumbermen toward forest trees." Y.B., 1904, pp. 133-140. 1905; Y.B. Sep. 337, pp. 133-140. 1905.
  "How to grow young trees for forest planting." Y.B., 1905, pp. 183-192. 1906; Y.B. Sep. 376, pp. 183-192. 1906.
Sterna spp. See Terns.
Sternochetus mangiferae. See Mango weevil.
Sternostomum spp., description and habits. Rpt. 108, pp. 73, 76, 77. 1915.
STERRETT, W. D.—
  "Forest management of loblolly pine in Delaware, Maryland, and Virginia." D.B. 11, pp. 59. 1914.
  "Jack pine." D.B. 820, pp. 47. 1920.
  "Scrub pine." For. Bul. 94, pp. 27. 1911.
  "The ashes: Their characteristics and management." D.B. 299, pp. 88. 1915.

STERRETT, W. D.—Continued.
  "Utilization of ash." D.B. 523, pp. 52. 1917.
Stethorus punctum, enemy of red spider. Ent. Bul. 117, p. 19. 1913; Ent. Cir. 172, p. 16. 1913.
STEUBENRAUCH, A. V.: "The precooling of fruit." With S. J. Dennis. Y.B., 1910, pp. 437-448. 1911; Y.B. Sep. 550, pp. 437-448. 1911.
Stevens, E. H.: "Soil survey of—
  Accomac and Northampton Counties, Va." Soil Sur. Adv. Sh., 1917, pp. 62. 1920; Soils F. O., 1917, pp. 351-408. 1923.
  Coweta and Fayette Counties, Ga." With others. Soil Sur. Adv. Sh., 1920, pp. 34. 1922; Soils F. O., 1919, pp. 855-888. 1925.
  Oneida County, N. Y." With others. Soil Sur. Adv. Sh., 1913, pp. 59. 1915; Soils F. O., 1913, pp. 39-93. 1916.
  Onslow County, N. C." With others. Soil Sur. Adv. Sh., 1921, pp. 101-127. 1923.
  Pickens County, Ala." With others. Soil Sur. Adv. Sh., 1916, pp. 41. 1917; Soils F. O., 1916, pp. 901-937. 1921.
  Pittsylvania County, Va." With others. Soil Sur. Adv. Sh., 1918, pp. 46. 1922; Soils F. O., 1918, pp. 121-162. 1924.
  Scott County, Iowa." With others. Soil Sur. Adv. Sh., 1915, pp. 43. 1917; Soils F. O., 1915, pp. 1707-1745. 1919.
  Screven County, Ga." With others. Soil Sur. Adv. Sh., 1920, pp. 1623-1657. 1924; Soils F. O., 1920, pp. 1623-1657. 1925.
  Tatnall County, Ga." With others. Soil Sur. Adv. Sh., 1914, pp. 48. 1915; Soils F. O., 1914, pp. 817-860. 1919.
  Warren County, Ind." With E. J. Grimes. Soil Sur. Adv. Sh., 1914, pp. 39. 1916; Soils F. O., 1914, pp. 1595-1629. 1919.
  Washington County, Ala." With others. Soil Sur. Adv. Sh., 1915, pp. 51. 1917; Soils F. O., 1915, pp. 891-937. 1919.
STEVENS, F. C.: "Sugar." With others. Y.B., 1923, pp. 151-228. 1924; Y.B. Sep. 893, pp. 98. 1924.
STEVENS, F. D., report of Canebrake Agricultural Experiment Station—
  1909. O.E.S. An. Rpt., 1909, pp. 72-73. 1910.
  1910. O.E.S. An. Rpt., 1910, pp. 92-93. 1911.
STEVENS, F. L.—
  "Methods for the determination of the nitrifying and ammonifying powers of soils." With W. A. Withers. Chem. Bul. 132, pp. 34-38. 1910.
  "The farmers' institute with relation to agricultural high schools." O.E.S. Bul. 213, pp. 53-57. 1909.
  "What are the objects desirable to attain through young people's institutes?" O.E.S. Bul. 238, pp. 16-18. 1911.
STEVENS, N. E.—
  "Botryosphaeria and Physalospora on currant and apple." With others. J.A.R., vol. 28, pp. 589-598. 1924.
  "Cultural characters of the chestnut-blight fungus and its near relatives." With C. L. Shear. B.P.I. Cir. 131, pp. 3-18. 1913.
  "Endothia parasitica and related species." With others. D.B. 380, pp. 82. 1917.
  "Further studies of the rots of strawberry fruits." With R. B. Wilcox. D.B. 686, pp. 14. 1918.
  "Occurrence of the currant cane blight fungus on other hosts." With Anna E. Jenkins. J.A.R., vol. 27, pp. 837-844. 1924.
  "Pathological histology of strawberries affected by species of Botrytis and Rhizopus. J.A.R., vol. 6, No. 10, pp. 361-366. 1916.
  "Physalospora malorum on currant." J.A.R., vol. 28, pp. 583-588. 1924.
  "Rhizopus rot of strawberries in transit." With R. B. Wilcox. D.B. 531, pp. 22. 1917.
  "Spoilage of cranberries after harvest." With others. D.B. 714, pp. 20. 1918.
  "Spraying strawberries for the control of fruit rots." With others. D.C. 309, pp. 4. 1924.
  "Strawberry diseases." F.B. 1458, pp. 10. 1925.
  "Temperature in relation to quality of sweetcorn." With C. H. Higgins. J.A.R., vol. 17, pp. 275-284. 1919.

STEVENS, N. E.—Continued.
"Temperatures of the cranberry regions of the United States in relation to the growth of certain fungi." J.A.R., vol. 11, pp. 521-529. 1917.
"The relation of water raking to the keeping quality of cranberries." With H. F. Bergman. D.B. 960, pp. 12. 1921.
STEVENS, R. P.: "Soil survey of the McKenzie area, North Dakota." With A. E. Kocher. Soil Sur. Adv. Sh., 1907, pp. 25. 1908; Soils F. O., 1907, pp. 859-879. 1909.
STEVENS, W. M.—
"Marketing and distribution of American-grown Bermuda onions." D.B. 1283, pp. 56. 1925.
"Operating methods and expense of cooperative citrus-fruit marketing agencies." With A. W. McKay. D.B. 1261, pp. 35. 1924.
"Organization and development of a cooperative citrus-fruit marketing agency." With A. W. McKay. D.B. 1237, pp. 68. 1924.
STEVENSON, CHAS.: "Pasteurization of milk for Cheddar cheese making in New Zealand." B.A. I. Dairy [Misc.], "World's dairy congress, 1923," pp. 306-308. 1924.
STEVENSON, E. C.—
"The external parasites of hogs, being articles on the hog louse (*Haematopinus suis*) and mange, or scabies, of hogs." B.A.I. Bul. 69. 1905.
"The synonymy of Taenia, *T. crassicollis, T. marginata, T. serrata, T. coenurus, T. serialis,* and Echinococcus." With Ch. Wardell Stiles. B.A.I. Bul. 80, pp. 14. 1905.
STEVENSON, F. J.: "Relative resistance of wheat to bunt in Pacific Coast States." With others. D.B. 1299, pp. 29. 1925.
STEVENSON, WILLIAM: "Milk recording in Scotland." B.A.I. Dairy [Misc.], "World's dairy congress, 1923," pp. 329-399. 1924.
Stevenson project, irrigation in North Dakota, proposed work. O.E.S. Bul. 219, p. 27. 1909.
Stevia rebaudiana, importations and descriptions. No. 34883, B.P.I. Inv. 34, pp. 6, 34. 1915; No. 47517, B.P.I. Inv. 59, p. 25. 1922; No. 53918, B.P.I. Inv. 68, pp. 4, 8-9. 1923; No. 54677, B.P.I. Inv. 70, pp. 1, 5. 1923.
Stew(s)—
brown, description and recipe. F.B. 712, p. 21. 1916.
Italian, canning recipe. S.R.S. Doc. 80, p. 17. 1918.
meat, recipes. F.B. 717, p. 12. 1916.
milk, for children, recipe. F.B. 717, p. 8. 1916.
mutton, recipes. F.B. 526, pp. 17-19. 1913.
recipes. F.B. 391, pp. 21, 22, 24, 32. 1910.
savory, for making a little meat go a long way. U. S. Food Leaf, 5, pp. 1-3. 1917.
STEWART, C. L.—
"Farm ownership and tenancy." With others. Y.B., 1923, pp. 507-600. 1924; Y.B. Sep. 897, pp. 507-600. 1924.
"Some economic aspects of farm ownership." D.B. 1322, pp. 24. 1925.
STEWART, F. C.—
"Potato diseases and their treatment: Syllabus of illustrated lecture." With H. J. Eustace. O.E.S.F.I.L. 2, pp. 17. 1904.
"Progress in control of fungus and bacterial plant diseases." O.E.S. Bul. 196, pp. 96-112. 1907.
STEWART, G. R.—
"Availability of the nitrogen in Pacific coast kelps." J.A.R., vol. 4, pp. 21-38. 1915.
"Effect of season and crop growth in modifying the soil extract." J.A.R., vol. 12, pp. 311-368. 1918.
"Effect of various crops upon the water extract of a typical silty clay loam soil." With J. C. Martin. J.A.R., vol. 20, pp. 663-667. 1921.
"Relation of the soil solution to the soil extract." With others. J.A.R., vol. 20, pp. 381-395. 1920.
STEWART, H. W.: "Soil survey of—
Adams County, Wis." With others. Soil Sur. Adv. Sh., 1920, pp. 1121-1152. 1924; Soils F.O., 1920, pp. 1121-1152. 1925.
Kenosha and Racine Counties, Wis." With others. Soil Sur. Adv. Sh., 1919, pp. 58. 1922; Soils F.O., 1919, pp. 1319-1376. 1925.

STEWART, J. B.—
"Effects of shading on soil conditions." Soils Bul. 39, pp. 19. 1907.
"The production of cigar-wrapper tobacco under shade in the Connecticut Valley." B.P.I. Bul. 138, pp. 31. 1908.
STEWART, J. H., report of West Virginia Experiment Station, work and expenditures—
1906. O.E.S. An. Rpt., 1906, pp. 165-167. 1907.
1907. O.E.S. An. Rpt., 1907, pp. 183-185. 1908.
1908. O.E.S. An. Rpt., 1908, pp. 184-186. 1909.
1909. O.E.S. An. Rpt., 1909, pp. 201-203. 1910.
1910. O.E.S. An. Rpt., 1910, pp. 258-261. 1911.
STEWART, J. T.: "Report on the drainage of the eastern parts of Cass, Traill, Grand Forks, Walsh, and Pembina Counties, N. Dak." O.E.S. Bul. 189, pp. 71. 1907.
STEWART, M. M.: "Apple market investigations, 1914-1915." With Clarence W. Moomaw. D.B. 302, pp. 23. 1915.
STEWART, P. H.: "Soil survey of Richardson County, Nebr." With others. Soil Sur. Adv. Sh., 1915, pp. 36. 1917; Soils F.O., 1915, pp. 2027-2058. 1919.
STEWART, ROBERT—
"Influence of crop, season, and water on the bacterial activities of the soil." With others. J.A.R., vol. 9, pp. 293-341. 1917.
"Origin of alkali." With William Peterson. J.A.R., vol. 10, pp. 331-353. 1917.
Stewart's disease of corn. Frederick V. Rand and Lillian C. Cash. J.A.R., vol. 21, pp. 263-264. 1921.
Stiboscopus brooksi, parasite of grape curculio. D.B. 730, pp. 14-15. 1918.
Sticklebacks—
occurrence in Athabaska-Mackenzie region. N. A. Fauna 27, p. 513. 1908.
use against mosquitoes. Ent. Bul. 88, pp. 63, 65-66, 67. 1910.
Stictidaceae, a new needle blight of Douglas fir. J.A.R., vol. 10, pp. 102-103. 1917.
Sticktocephala festina. See Hopper, alfalfa.
Stictomyia longicornis, description, and injury to cactus. Ent. Bul. 113, p. 39. 1912.
Stigmaeus spp., description and control. Rpt. 108, pp. 33, 37-38. 1915.
Stigmonose—
apple, description, cause, and control. F.B. 1160, pp. 9-10. 1920.
rosy-aphid, apple disease, description. J.A.R., vol. 12, pp. 110-111. 1918.
Stilbella—
control recommendations. P.R. Bul. 28, pp. 11-12. 1921.
flavida—
coffee leaf spot in Porto Rico. T. B. McClelland. P.R. Bul. 28, pp. 12. 1921.
description, cause and control. P.R. Bul. 17, pp. 11-15, 29. 1915.
Stilbopoides sesiavora, parasite of pear borer. D.B. 887, p. 7. 1920.
STILES, C. W.—
"A case of vinegar eel (*Anguillula aceti*) infection in the human bladder." With W. Ashby Frankland. B.A.I. Bul. 35, pp. 35-41. 1902.
"A larval cestode (*Sparganum mansoni*) of man which may possibly occur in returning American troops." With Louise Tayler. B.A.I. Bul. 35, pp. 47-56. 1902.
"An adult cestode (*Diplogonoporus grandis*) of man which may possibly occur in returning American troops." With Louise Tayler. B.A.I. Bul. 35, pp. 43-47. 1902.
"An Egyptian and Japanese strongyle (*Strongylus subtilis*) which may possibly occur in returning American troops." B.A.I. Bul. 35, pp. 41-42. 1902.
"*Eimeria stiedae* (Lindemann, 1865), correct name for the hepatic coccidia of rabbits." B.A.I. Bul. 35, pp. 18. 1902.
"*Eimeriella,* new genus of coccidia." B.A.I. Bul. 35, pp. 18-19. 1902.
"Emergency report on surra." With D. E. Salmon. B.A.I. Bul. 42, pp. 130. 1902.
"Frogs, toads, and carp (*Cyprinus carpio*) as eradicators of fluke diseases." B.A.I. An. Rpt., 1901, pp. 220-222. 1902.

STILES, C. W.—Continued.
"Index-catalogue of medical and veterinary zoology: Authors." With Albert Hassall. B.A.I. Bul. 39, pp. 2766. 1902-1912.
"Notes on parasites, 58-62." With Albert Hassall. B.A.I. Bul. 35, pp. 19-24. 1902.
"Scab in sheep." With D. E. Salmon. F.B. 159, pp. 47. 1903.
"Spurious parasitism due to partially digested bananas." With Albert Hassall. B.A.I. Bul. 35, pp. 56-57. 1902.
"Surra." B.A.I. [Misc.], "Diseases of the horse," rev., pp. 546-551. 1903; rev., pp. 548-553. 1907; rev., pp. 554-559. 1911; rev., pp. 572-577. 1916; rev., pp. 572-577. 1923.
"The animal parasites of cattle." B.A.I. [Misc.], "Diseases of cattle," rev., pp. 473-494. 1904.
"The determination of generic types and a list of roundworm genera, with their original and type species." With Albert Hassall. B.A.I. Bul. 79, pp. 150. 1905.
"The disinfection of kennels, pens, and yards by fire." B.A.I. Bul. 35, pp. 15-17. 1902.
"The sanitary privy." With L. L. Lumsden. F.B. 463, pp. 32. 1911.
"The synonymy of Taenia, *T. crassicollis*, *T. marginata*, *T. serrata*, *T. coenurus*, *T. serialis*, and Echinococcus." With Earle C. Stevenson. B.A.I. Bul. 80, pp. 14. 1905.
"Treatment for roundworms in sheep, goats, and cattle." B.A.I. Cir. 35, pp. 8. 1901.
"Trichinosis in Germany." B.A.I. Bul. 30, pp. 211. 1901.
"Two trematodes (*Monostomulum lentis* and *Agamodistomum ophthalmobium*) parasitic in the human eye." B.A.I. Bul. 35, pp. 24-35. 1902.

STILES, G. W., JR.—
"A bacteriological study of shell, frozen, and dessicated eggs made under laboratory conditions at Washington, D. C." With Carleton Bates. Chem. Bul. 158, pp. 36. 1912.
"A preliminary study of the effects of cold storage on eggs, quail, and chickens." With others. Chem. Bul. 115, pp. 117. 1908.
"American mineral waters: Bacteriological examination." Chem. Bul. 139, pp. 22-111. 1911.
"Effects of cold storage on eggs, quail, and chickens." With H. W. Wiley. Chem. Bul. 115, pp. 117. 1908.
"Sewage-polluted oysters as a cause of typhoid and other gastro-intestinal disturbances." Chem. Bul. 156, pp. 44. 1912.
"Shellfish contamination from sewage-polluted waters and from other sources." Chem. Bul. 136, pp. 53. 1911.
"The value of the shellfish industry and the protection of oysters from sewage contamination." Y.B., 1910, pp. 371-378. 1911; Y.B. Sep. 544, pp. 371-378. 1911.

Still(s)—
alcohol, description. F.B. 429, pp. 28-29. 1911.
resin, direct and steam-heated, comparison. D.B. 229, pp. 39-40. 1915.
use in distillation of alkali water. F.B. 522, p. 5. 1913.
water distillation, description and use methods. F.B. 941, pp. 65-66. 1918.

Stillingia—
habitat, range, description, collection, prices, and uses of roots. B.P.I. Bul. 107, p. 47. 1907.
sebifera—
importations and descriptions. No. 50645, B.P.I. Inv. 63, pp. 89-90. 1923; No. 51897, B.P.I. Inv. 65, p. 65. 1923.
See also Tallow tree.

Stilpnotia salicis. See Moth, satin.

Stilt, black-necked—
breeding range and migration habits. Biol. Bul. 35, pp. 20-21. 1910.
distribution and food habits. D.B. 1359, pp. 16-20. 1925.
occurrence in Porto Rico, and food habits. D.B. 326, p. 45. 1916.

STINE, O. C.—
"Cotton." With others. Atl. Am. Agr. Adv. Sh. Pt. V, sec. A, pp. 28. 1919.
"Hay." With others. Y.B., 1924, pp. 285-376. 1925.

STINE, O. C.—Continued.
"History and status of tobacco culture." With others. Y.B., 1922, pp. 395-468. 1923; Y.B. Sep. 885, pp. 395-468. 1923.
"Hog production and marketing." With others. Y.B., 1922, pp. 181-280. 1923; Y.B. Sep. 882, pp. 181-280. 1923.
"Oats, barley, rye, rice, grain sorghums, seed flax, and buckwheat." With others. Y.B. 1922, pp. 469-568. 1923; Y.B. Sep. 891, pp. 469-568. 1923.
"Our beef supply." With others. Y.B., 1921, pp. 227-322. 1922; Y.B. Sep. 874, pp. 227-322. 1922.
"The corn crop." With others. Y.B., 1921, pp. 161-226. 1922; Y.B. Sep. 872, pp. 161-226. 1922.
"The cotton situation." With others. Y.B., 1921, pp. 323-406. 1922; Y.B. Sep. 877, pp. 323-406. 1922.
"The dairy industry." With others. Y.B., 1922, pp. 281-394. 1923; Y.B. Sep. 879, pp. 98. 1923.
"The sheep industry." With others. Y.B., 1923, pp. 229-310. 1924; Y.B. Sep. 894, pp. 229-310. 1924.
"The world's supply of wheat." Y.B., 1917, pp. 461-480. 1918; Y.B. Sep. 752, pp. 22. 1918.
"The wheat situation." With others. Y.B., 1923, pp. 95-150. 1924.
"Wheat production and marketing." With others. Y.B., 1921, pp. 77-160. 1922; Y.B. Sep. 873, pp. 77-160. 1922.

Stings—
ant, remedy. Ent. Cir. 148, p. 6. 1912.
bee, treatment. F.B. 397, p. 19. 1910; F.B. 447, p. 20. 1911.
insect—
on cow udder, treatment. F.B. 1422, p. 11. 1924.
remedies. Ent. Bul. 88, pp. 41-42. 1910. Sec. Cir. 61, p. 23. 1916.
puss caterpillar, effects on man, and treatment. D.C. 288, pp. 9-12, 14. 1923.
wasp and bee, poisoning of animals, treatment. B.A.I. [Misc.], "Diseases of cattle," rev., p. 68. 1904; rev., p. 70. 1912; rev., pp. 71-72. 1923.

Stink grass—
analytical key and description of seedling. D.B. 461, pp. 9, 26. 1917.
description. D.B. 772, pp. 47, 48. 1920.
See also Molasses grass.

Stinkbug—
injury to—
rice. F.B. 1092, p. 24. 1920; Y.B., 1922, p. 519. 1923; Y.B. Sep. 891, p. 519. 1923.
squashes, and control measures. F.B. 856, p. 61. 1917.
southern—
cause of kernel-spot of pecan. D.B. 1102, pp. 5-14, 15. 1922.
green, description, life history, and control. F.B. 1364, pp. 14-19. 1924.
See also Grain bug.

Stinking smut, of wheat. See Smut, stinking, of wheat; *Tilletia tritici*.

Stint, long-toed—
breeding range and migration habits. Biol. Bul. 35, p. 42. 1910.
occurrence in Pribilof Islands. N.A. Fauna 46, p. 73. 1923.

Stipa—
importation and description. No. 36791, B.P.I. Inv. 37, p. 65. 1916.
lemmoni, description. Agros. Cir. 30, p. 3. 1901.
occidentalis. See Grass, porcupine.
spp., distribution, description, and feed value. D.B. 201, pp. 48-50. 1915; D.B. 772, pp. 158-162. 1920; D.B. 1170, pp. 28-33, 36-38. 1923.

Stiretrus anchorago—
destruction of army worm. Ent. Bul. 66, Pt. V, p. 64. 1909.
See also Soldier-bug, bordered.

Stizolobium—
capitatum, description and characteristics. B.P.I. Bul. 179, pp. 12-13. 1910.
cinereum, Porto Rico, value as cover crop. P.R. Bul. 19, p. 18. 1916.
deeringianum, new species, description. B.P.I. Bul. 141, Pt. III, pp. 31-32. 1909.

Stizolobium—Continued.
  genus, characteristics, and descriptions of species.
    B.P.I. Bul. 179, pp. 9-21. 1910.
  niveum, importation and description. No. 51612,
    B.P.I. Inv. 65, p. 31. 1923.
  spp.—
    importations and descriptions. Nos. 35677–
      35684, 35901, B.P.I. Inv. 36, pp. 10–11, 23.
      1915; No. 38863, B.P.I. Inv. 40, p. 38. 1917;
      Nos. 45885, 45889, 45940, B.P.I. Inv. 54, pp.
      34, 37, 45. 1922; Nos. 47569, 47805, B.P.I.
      Inv. 59, pp. 33, 62. 1922.
    value as cover crop, growth habits. P.R. Bul.
      19, pp. 15–19. 1916.
  utile, description and characteristics. B.P.I. Bul.
    179, pp. 14–15. 1910.
  telutinum—
    description and classification. B.P.I. Bul. 179,
      pp. 20–21. 1910.
    See also Velvet bean.
STOA, T. E.: "Seed flax as a farm crop in 1925."
  With others. D.C. 341, pp. 14. 1925.
Stock—
  American breeding, plan for improvement.
    George M. Rommel. B.A.I. Cir. 62, pp. 10.
    1904.
  and poultry food, use of fish meal. F. C. Weber.
    D.B. 378, pp. 23. 1916.
  association, constitution and by-laws. For.
    [Misc.], "Constitution and * * *," pp. 7.
    1923.
  breeders—
    associations, State. George M. Rommel.
      B.A.I. Bul. 64, pp. 53. 1904.
    of Argentina, demands. B.A.I. Bul. 48, pp.
      23–27. 1903.
  breeding—
    operations, control on New Mexico ranges,
      methods. D.B. 211, pp. 34–35, 38. 1915.
    score card in. George M. Rommel. B.A.I.
      Bul. 76, pp. 54. 1905.
  farm, building up from run-down cotton planta-
    tion in Tennessee, tick eradication. B.A.I.
    [Misc.], "Progress * * * tick eradication
    * * *," pp. 10–13. 1914.
  feed—
    adulteration and misbranding. Chem. N.J.
      104. 1909; Chem. N.J. 116. 1909.
    and rations, studies. News L., vol. 3, No. 14,
      pp. 1, 5. 1915.
    condimental, formulas. F.B. 430, pp. 7–8.
      1911; F.B. 1202, p. 51. 1921.
    emergency, certain desert plants as. E. O.
      Wooton. D.B. 728, pp. 31. 1918.
    fertilizer constituents, content. News L., vol.
      3, No. 30, pp. 1, 4. 1916.
    maturing necessity, and methods. D.B. 211,
      p. 29. 1915.
    production from sawdust. D.C. 231, p. 35.
      1922.
    source of weed-seed introduction on farm. F.B.
      660, p. 15. 1915.
    summer, winter, and reserve, utilization and
      importance. D.B. 211, pp. 29–30, 38. 1915.
    use and value of—
      fish scrap, experiments. D.B. 2, pp. 36–39.
        1913.
      milo. F.B. 1147, p. 17. 1920.
      peanuts. O.E.S.F.I.L. 13, pp. 18–19. 1912.
      soybeans. D.B. 439, pp. 5, 6, 8, 13–14. 1916.
    use of—
      algaroba beans, in Hawaii. O.E.S. An. Rpt.,
        1909, p. 24. 1910.
      cassava. F.B. 167, pp. 23–30. 1903.
      corn. Y.B., 1921, pp. 164–165, 224, 225. 1922;
        Y.B. Sep. 872, pp. 164–165, 224, 225. 1922.
      fish scrap. D.B. 2, pp. 36–39. 1913.
      grain sorghum. B.P.I. Bul. 203, pp. 12–13.
        1911.
      prickly pear. David Griffiths. F.B. 1072,
        pp. 24. 1920.
      root crops and concentrates. B.P.I. Bul.
        260, p. 34. 1912; F.B. 309, p. 8. 1907.
      sweet potatoes. F.B. 324, pp. 38–39. 1908.
      tomato waste, value, comparison with other
        feeds. D.B. 632, pp. 11–12, 13. 1917.
      vegetable-ivory meal, experiments. J.A.R.,
        vol. 7, pp. 306–318. 1916.
      watermelon, new South African variety.
        B.P.I. Bul. 176, p. 27. 1910.

Stock—Continued.
  feed—continued.
    value of—
      apple by-products. G. P. Walton and G. L.
        Bidwell. D.B. 1166, pp. 40. 1923.
      barley. F.B. 518, pp. 15–16. 1912.
      beet tops, pulp, and molasses. Y.B., 1908,
        pp. 444–448, 450. 1909; Y.B. Sep. 493, pp.
        444–448, 450. 1909.
      cabbage. F.B. 305, pp. 22–24. 1907.
      cactus. B.P.I. Bul. 102, pp. 7–18. 1907.
      emmer and spelt. D.B. 1197, p. 8. 1924.
      emmer, cost, and profit. F.B. 466, pp. 17–18,
        24. 1911.
      grain sorghums. F.B. 686, pp. 6, 9–10. 1915.
      mesquite and other native plants in Texas.
        N.A. Fauna 25, pp. 32, 33. 1905.
      oil cake and meal from various sources.
        D.B. 904, p. 12. 1920; D.B. 927, p. 20. 1921.
      pea-cannery refuse as silage, hay or soiling.
        B.P.I. Cir. 45, pp. 4–11. 1910.
      peanut hay and by-products. F.B. 356, pp.
        20, 31, 33. 1909.
      peanuts. Y.B., 1917, pp. 123–125. 1918;
        Y.B. Sep. 748, pp. 13–15. 1918.
      pigeon peas. Hawaii Bul. 46, pp. 15–20.
        1921.
      root crops and concentrates. B.P.I. Bul.
        260, p. 34. 1912; F.B. 309, pp. 7–15. 1907.
      spineless prickly pears. B.P.I. Bul. 140, p.
        19. 1909.
      sugar-beet pulp. [Misc.], "Progress of sugar-
        beet industry * * *," 1903," pp. 118–125.
        1904.
      sugar beets and their by-products. Rpt. 86,
        pp. 17–20. 1908; Rpt. 90, pp. 11–12, 25–41.
        1909.
      sweet potatoes. F.B. 324, p. 38. 1908;
        S.R.S. Syl. 26, pp. 18–19. 1917.
      velvet beans, composition, and results. F.B.
        962, pp. 30–36, 38–39. 1918.
      waste from seed-beet fields. Y.B., 1916, pp.
        409–410. 1917; Y.B. Sep. 695, pp. 11–12. 1917.
  food(s)—
    adulteration and misbranding. See *Indexes to
      Notices of Judgment*, in bound volumes and
      in separates published as supplements to
      Chemistry Service and Regulatory Announce-
      ments.
    almond by-products, oil-cake and hulls. Chem.
      Bul. 160, p. 9. 1912.
    American, experiments with hogs. B.A.I.
      Bul. 47, pp. 133–134. 1904.
    and condiments, formulas, use for horses. F.B.
      1030, p. 21. 1919.
    apple by-products as. G. P. Walton and G. L.
      Bidwell. D.B. 1166, pp. 40. 1923.
    cacti, value, summary of recent investigations.
      David Griffiths and R. F. Hare. B.P.I.
      Bul. 102, Pt. I, pp. 1–18. 1907.
    prickly pear and other cacti as. David Grif-
      fiths. B.P.I. Bul. 74, pp. 48. 1905.
    purity requirements. Sec. Cir. 156, p. 9. 1922.
    sampling directions. Chem. [Misc.], "Direc-
      tions for sampling * * *," p. 1. 1907.
    use of fish meal. F. C. Weber. D.B. 378, pp.
      23. 1916.
  judging, at agricultural colleges, score card in.
    George M. Rommel. B.A.I. Bul. 61, pp. 124.
    1904.
  killers, hunting down. W. B. Bell. Y.B., 1920,
    pp. 289–300. 1921; Y.B. Sep. 845, pp. 289–300.
    1921.
  poisoning—
    due to scarcity of food. C. Dwight Marsh.
      F.B. 536, pp. 4. 1913.
  plant(s)—
    of Montana: A preliminary report. V. K.
      Chesnut and E. V. Wilcox. Bot. Bul. 26,
      pp. 150. 1901.
    of the range. C. D. Marsh. D.B. 575, pp.
      24. 1918.
    white snakeroot or richweed (*Eupatorium
      urticaefolium*). C. Dwight Marsh and
      A. B. Clawson. B.A.I. Doc. A–26, pp. 7.
      1918.
    wooly-pod milkweed. C. D. Marsh and A.
      B. Clawson. D.C. 272, pp. 4. 1923.
  range, protected, in Arizona. David Griffiths.
    B.P.I. Bul. 177, pp. 28. 1910.

Stock—Continued.
  ranges, larkspur eradication on, notes. C. Dwight Marsh and A. B. Clawson. B.A.I. Doc. A-34, pp. 6. 1918.
  selection, Belgian hare, points required. F.B. 496, p. 6. 1912.
  watering places on western grazing lands. Will C. Barnes. F.B. 592, pp. 27. 1914.
  See also Livestock.
Stock (flower), description, cultivation, and characteristics. F.B. 1171, pp. 54–55, 83. 1921.
STOCKBERGER, W. W.—
  "Drug plants under cultivation." F.B. 663, pp. 39. 1915; rev., pp. 50. 1920.
  "Ginseng culture." F.B. 1184, pp. 15. 1921.
  "Growing and curing hops." F.B. 304, pp. 39. 1907.
  "Production of drug-plant crops in the United States." Y.B., 1917, pp. 169–176. 1918; Y.B. Sep. 734, pp. 10. 1918.
  "Relation of stand to yield in hops." With James Thompson. B.P.I. Cir. 112, pp. 25–32. 1913.
  "Some conditions influencing the yield of hops." With James Thompson. B.P.I. Cir. 56, pp. 12. 1910.
  "Some effects of refrigeration on sulphured and unsulphured hops." With Frank Rabak. B.P.I. Bul. 271, pp. 21. 1912.
  "Sources of arsenic in certain samples of dried hops." B.P.I. Bul. 121, Pt. IV, pp. 41–46. 1908.
  "The drug known as pinkroot." B.P.I. Bul. 100, Pt. V., pp. 41–44. 1907.
  "The necessity for new standards of hop valuation." B.P.I. Cir. 33, pp. 11. 1909.
  "The presence of arsenic in hops." With W. D. Collins. F.B. 568, pp. 7. 1917.
Stockers—
  grazing on bluegrass, source of supply. D.B. 397, pp. 17–18. 1916.
  purchase in various seasons, by States. Rpt. 113, pp. 17–18. 1916.
  rations for winter. F.B. 1073, pp. 17–18. 1919.
  See also Calves; Feeders; Steers.
Stockholder, voting privilege or right. D.B. 1106, pp. 13–14. 1922.
STOCKING, W. A.—
  "A study of the preparation of frozen and dried eggs in the producing section." With others. D.B. 224, pp. 99. 1916.
  "Collegiate instruction in dairying." B.A.I. Dairy [Misc.], "World's dairy congress, 1923," pp. 613–616. 1924.
  report of Cornell University Experiment Station, work and expenditures, 1914. O.E.S. An. Rpt., 1914, pp. 170–174. 1915.
  "The Camembert type of soft cheese in the United States." With others. B.A.I. Bul. 71, pp. 29. 1905.
  "The milking machine as a factor in dairying. II. Bacteriological studies of a milking machine." B.A.I. Bul. 92, pp. 33–55. 1907.
STOCKMAN, W. B.—
  "Periodic variation of rainfall in the arid regions." W.B. Bul. N, pp. 15. 1905.
  "Temperature and relative humidity data." W.B. Bul. O, pp. 29. 1905.
Stockmen—
  questions relative to livestock conditions, schedule. Rpt. 110, p. 27. 1916.
  suggestions for care of sheep on sneezeweed ranges. D.B. 947, pp. 44–45. 1921.
Stocks—
  budding and grafting, resistant to peach borer, California. Ent. Bul. 97, Pt. IV, p. 68. 1911.
  fruit—
    resistant, testing in Texas. D.B. 162, pp. 21–24. 1915.
    tests at field station near Mandan, N. Dak. D.B. 1301, pp. 28–29. 1925.
  grafting—
    citrous fruits, value of Ichang lemon. J.A.R., vol. 1, pp. 1, 13. 1913.
    used by Chinese. Y.B., 1915, pp. 218–219. 1916; Y.B. Sep. 671, pp. 218–219. 1916.
  grape, resistant to phylloxera, importance. D.B. 856, pp. 7, 12–15. 1920.
  hardy, for fruit grafting in northern Great Plains. D.C. 58, pp. 6–9. 1919.

Stocks—Continued.
  inarching, for mangosteen. B.P.I. Bul. 202, pp. 27–29. 1911.
  nursery, digging, grading, packing, and shipping. D.B. 479, pp. 64–68. 1917.
  Palestine plants, desirable for United States. B.P.I. Bul. 180, pp. 13–17. 1910.
  plum, use in growing prunes. F.B. 1372, pp. 27–28. 1924.
  propagation, quarantine regulations. F.H.B.-S.R.A. 74, pp. 18–26. 1923.
  resistant, for persimmons. Y.B., 1915, pp. 213–214. 1916; Y.B. Sep. 671, pp. 213–214. 1916.
  tree planting, sources for Great Plains. F.B. 1312, pp. 22–23. 1923.
STOCKTON, MANLEY—
  "A peach sizing machine." With J. F. Barghausen. D.B. 864, pp. 6. 1920.
  "Preparation of barreled apples for market." With others. F.B. 1080, pp. 40. 1919.
Stockyards—
  act—
    administration by Chester Morrill. Off. Rec., vol. 1, No. 10, p. 5. 1922.
    decision by Supreme Court. Off. Rec., vol. 1, No. 18, p. 4. 1922.
    witnesses, failure to appear and testify, penalty. Sec. Cir. 156, p. 34. 1922.
  and packers act. *See* Packers and stockyards act.
  and Packers Administration. *See* Packers and Stockyards Administration.
  animal receipts, increase and decrease, causes. News L., vol. 5, No. 10, p. 4. 1917.
  cattle, noninfectious, Texas, permit. B.A.I.S.R.A. 181, p. 63. 1922.
  charges for livestock yardage, feed, and sale. Rpt. 113, pp. 39–41. 1916.
  Chicago—
    character and source of supply. Y.B. 1919, p. 239. 1920; Y.B. Sep. 809, p. 239. 1920.
    foot-and-mouth outbreak, and control measures. D.C. 325, pp. 3–8. 1924.
  commission—
    charges, hearings. Off. Rec., vol. 2, No. 11, p. 1. 1923.
    rates, schedule. Off. Rec., vol. 2, No. 12, p. 2. 1923.
  control methods. Sec. Cir. 130, p. 12. 1919.
  corn prices. Off. Rec., vol. 1, No. 48, p. 3. 1922.
  description, methods of handling traffic, and charges. Y.B., 1908, pp. 236–238. 1909; Y.B. Sep. 477, pp. 236–238. 1909.
  designation. B.A.I.S.R.A. 186, p. 123. 1922.
  Federal supervision act of Congress. Sec. A.R., 1921, pp. 15, 31. 1921.
  hogs, inoculation for hog cholera. Y.B., 1919, p. 200. 1920; Y.B. Sep. 798, p. 200. 1920.
  improvement under 28-hour law. D.B. 589, pp. 13–17. 1918.
  licenses, regulations governing, amendments. Sec. Cir. 116, pp. 1–2. 1918.
  licensing and regulation, and results of work. Y.B., 1919, pp. 241–248. 1920; Y.B. Sep. 809, pp. 241–248. 1920.
  livestock reports, monthly. Y.B., 1918, pp. 393–397. 1919; Y.B. Sep. 788, pp. 17–21. 1919.
  management and facilities. Rpt. 98, pp. 108–109, 116. 1913.
  national, prices of horses and mules. S.B. 5, pp. 50–52. 1925.
  noninfectious cattle, location. B.A.I.S.R.A. 193, p. 51. 1923.
  owners' powers and duties, stockyards act. Sec. Cir. 156, pp. 3–11, 26–27. 1922.
  Palacios, Tex., authorization. B.A.I.S.R.A. 185, p. 107. 1922.
  public—
    livestock receipts, 1910–1920. D.B. 982, pp. 10–13, 46–47, 75–77, 100–101. 1921.
    shipments interstate, rules. B.A.I.O. 292, pp. 17, 20. 1925.
  regulations of licensees. Sec. Cir. 116, pp. 1–14. 1918; Sec. Cir. 156, pp. 3–11. 1922.
  tuberculous cattle, disinfection expenses. B.A.I.O. 282, p. 3. 1923.
  See also Packers and stockyards.
STODDARD, E. M.: "Spraying strawberries for the control of fruit rots." With others. D.C. 309, pp. 4. 1924.

Stoddarts' plate medium for distinguishing *Bacillus coli* and *B. typhosus*. B.P.I. Bul. 228, p. 91. 1912.
Stogies, manufacture in Pittsburgh. B.P.I. Bul. 244, p. 27. 1912.
Stomach—
and—
bowels, of cattle, diseases. A. J. Murray. B.A.I. Cir. 68, rev., pp. 14. 1908.
intestines, horse, diseases. B.A.I. [Misc.], "Diseases of the horse," rev., pp. 49–72. 1903; rev., pp. 49–72. 1907; rev., pp. 49–72. 1911; rev., pp. 65–87. 1923.
bird, examination—
and identification of food. Biol. Bul. 44, pp. 6–66. 1912.
for animal and vegetable matter eaten. D.B. 1249, pp. 3–32. 1924.
cattle—
inflammation, cause and control. B.A.I. [Misc.] Dairy "World's dairy congress, 1923," pp. 1464–1465. 1924.
traumatic inflammation. B.A.I. [Misc.], "Diseases of cattle," rev., p. 36. 1912.
diseases, cattle, causes, symptoms, and treatment. B.A.I. [Misc.], "Diseases of cattle," rev., pp. 26–36. 1904; rev., pp. 24–36. 1912; rev., pp. 22–34. 1923; B.A.I. Cir. 68, rev., pp. 1–14. 1908.
ducks, food found, vegetable and animal. D.B. 720, pp. 16–35. 1918.
enzymes, effect of saccharin on. Rpt. 94, pp. 108–113. 1911.
fourth, of cattle, hernia, cause and treatment. B.A.I. [Misc.], "Diseases of cattle," rev., pp. 40–41. 1912.
hog—
food value. D.B. 1138, pp. 41–42. 1923.
lesions associated with certain roundworms. B.A.I. Bul. 158, pp. 34–36. 1912.
inflammation—
poultry disease, control method. F.B. 530, p. 36. 1913.
See also Gastroenteritis.
parasites, cattle, description and treatment. B.A.I. [Misc.], "Diseases of cattle," rev., pp. 483–485. 1904; rev., pp. 505–510. 1908; rev., pp. 529–534. 1912; rev., pp. 519–523. 1923.
poisons for biting insects, directions for making and use. Y.B., 1908, pp. 271–276. 1909; Y.B. Sep. 480, pp. 271–276. 1909.
rupture, horse, causes. B.A.I. [Misc.], "Diseases of the horse," rev., pp. 51–52. 1903; rev., p. 52. 1907; rev., p. 52. 1911; rev., p. 68. 1923.
troubles, treatment. For. [Misc.], "First-aid manual * * *," pp. 77–83. 1917.
worms—
cattle, description, habits, and control. B.A.I. [Misc.], "Diseases of cattle," rev., pp. 519–523. 1923.
chickens, symptoms. Guam A.R., 1915, pp. 39–40. 1916.
control by various anthelmintics. J.A.R., vol. 12, pp. 404, 406, 410, 411, 412, 413. 1918.
description, distribution, and life history. B.A.I. An. Rpt., 1910, pp. 443–448. 1912; B.A.I. Cir. 193, pp. 443–448. 1912.
description, habits, control remedies. News L., vol. 2, No. 50, pp. 4, 6. 1915.
description, life history, symptoms, and control. F.B. 1150, pp. 38–42. 1920.
goats, symptoms and control treatment. F.B. 920, pp. 34–35. 1918.
Haemonchus contortus in sheep. B. H. Ransom. B.A.I. Cir. 102, pp. 7. 1907.
in sheep, prevention and treatment. D.C. 47, pp. 12. 1919.
injury to lambs, prevention. B.A.I. An. Rpt., 1907, p. 54. 1909; F.B. 840, pp. 20–21, 23. 1917; M.C. 12, p. 31. 1924.
sheep—
description, habits, and treatment. F.B. 1150, pp. 38–42. 1920; F.B. 1330, pp. 38–42. 1923.
losses from, prevention. B. H. Ransom. B.A.I. An. Rpt., 1908, pp. 269–278. 1910; B.A.I. Cir. 157, pp. 10. 1910.
prevention by rotation of pastures. F.B. 1181, pp. 4, 9–10,15, 17. 1921.
prevention on bluegrass pastures. D.B. 397, pp. 11–12. 1916.

Stomach—Continued.
worms—continued.
susceptibility of Angora goats, control methods. F.B. 1203, p. 24. 1921.
twisted, life history, description, and treatment. B.A.I. [Misc.], "Diseases of cattle," rev., pp. 530–534. 1912.
Stomata—
beet leaves, relation to infection by *Cercospora beticola*. J.A.R., vol. 5, No. 22, pp. 1011–1038. 1916.
Rubus, development and distribution, relation to orange rusts. B. O. Dodge. J.A.R., vol. 25, pp. 495–500. 1923.
Stomatitis—
cattle. *See* Aphtha.
hog, cause, symptoms, and treatment. F.B. 1244, pp. 22–23. 1923.
horse, cause and treatment. B.A.I. [Misc.]. "Diseases of the horse," rev., pp. 44–45. 1903; rev., p. 45. 1907; rev., p. 45. 1911; rev., p. 60. 1923.
mycotic—
diagnosis, distinction from foot-and-mouth disease. F.B. 666, pp. 11–12. 1915.
occurrence in Honduras. B.A.I. An. Rpt., 1910, p. 291. 1912.
of cattle. John R. Mohler. B.A.I. [Misc.], "Diseases of cattle," rev., pp. 495–500. 1904; rev., pp. 517–522. 1908; rev., pp. 542–547. 1912; rev., pp. 532–537. 1923; B.A.I. Cir. 51, pp. 51. 1904; D.C. 322, pp. 7. 1924.
necrotic—
cause, symptoms, prevention, and treatment. B.A.I. [Misc.], "Diseases of cattle," rev., pp. 451–456, 521. 1904; rev., pp. 448–453. 1912; rev., pp. 464–469. 1923; B.A.I. Cir. 91, pp. 97–99. 1906; D.C. 322, p. 6. 1924.
diagnosis, and distinction from foot-and-mouth disease. F.B. 666, p. 12. 1915.
with special reference to its occurrence in calves (calf diphtheria) and pigs (sore mouth). John R. Mohler and George Byron Morse. B.A.I. Bul. 67, pp. 48. 1905.
See also Diphtheria, calf.
sheep, cause, symptoms, and treatment. F.B. 1155, p. 27. 1921.
vesicular—
causes, symptoms, and lesions. D.B. 662, pp. 3–5. 1919.
of horses and cattle. John R. Mohler. D.B. 662, pp. 11. 1918.
outbreak, description, and similarity to foot-and-mouth disease. B.A.I.S.R.A. 116, pp. 105–107. 1917.
See also Aphtha.
Stomoxys calcitrans—
habits, possible transmission of disease. B.A.I. An. Rpt., 1909, pp. 95, 96, 1911; B.A.I. Cir. 169, pp. 95, 96. 1911.
resemblance to house fly. F.B. 459, p. 5. 1911.
See also Fly, stable.
STONE, G. E.: "Relation of cultural conditons to plant diseases." O.E.S. Bul. 196, pp. 110–112. 1907.
STONE, I. V.: "Soil survey of the Sussex area, New Jersey." With others. Soil Sur. Adv. Sh., 1911, pp. 62. 1913; Soils F.O., 1911, pp. 329–386. 1914.
STONE, W. E.: "Development of engineering education in land grant colleges." O.E.S. Bul. 196, pp. 55–60. 1907; O.E.S. Doc. 1062, pp. 55–60. 1907.
Stone—
block, sampling for road building. D.B. 1216, p. 5. 1924.
broken—
abrasion test for roads material. D.B. 1216, p. 6. 1924.
for roads, specifications, and testing. D.B. 704, pp. 4–15, 30. 1918.
limiting test values for road construction. D.B. 537, p. 23. 1917; D.B. 670, p. 29. 1918.
screening requirements. D.B. 704, pp. 2–3. 1918.
specification forms, tests, and sampling methods. D.B. 555, pp. 5–6, 30–33, 45–46. 1917.
use in roads, hardness and toughness, testing and limits. J.A.R., vol. 5, No. 19, pp. 906–907, 1916.

Stone—Continued.
  claims, national forests, regulations. For. [Misc.],
    "The use book, 1908," p. 31. 1908.
  crushed—
    foundation for roads, construction and cost.
      D.B. 724, pp. 56–62, 75. 1919.
    use in concrete roads as coarse aggregate,
      description. D.B. 1077, pp. 4–5. 1922.
  crusher—
    history, description, use, and value in road
      building. D.B. 220, pp. 22–24. 1915.
    types, and description. Rds. Bul. 36, pp. 18–
      19. 1911; Rds. Bul. 47, pp. 27–28. 1913.
  crushing outfits for road building, use, cost.
    F.B. 338, pp. 8–10, 17. 1908.
  disposal on cleared lands, methods. F.B. 974,
    p. 29. 1918.
  fences, use limits, cost, disadvantage. D.B. 321,
    pp. 9–10. 1916.
  flies, injurious to vegetation. J.A.R., vol. 13,
    pp. 37–42. 1918.
  for grinding pulp woods, surface, grit, pressure,
    and speed. D.B. 343, pp. 17–27. 1916.
  free use, national forests. For. [Misc.], "The use
    book, 1913," pp. 29–32. 1913.
  laws, national forests, provisions, decisions.
    Sol. [Misc.], "Laws applicable * * * agri-
    culture," pp. 44–46, 59. 1913.
  macadam roads, specific gravity and weight of
    various rocks. F.B. 338, pp. 6–8. 1908.
  moiling regulations, quarantine against gipsy
    moth and brown-tail moth. F.H.B.S.R.A.
    42, p. 85. 1917.
  process, corn meal manufacture, description,
    analyses, etc. D.B. 215, pp. 4, 9–10. 1915.
  quarantine on account of gipsy moth. F.H.B.
    S.R.A. 16, pp. 42–43. 1915; Sec. [Misc.], "Quar-
    antine on stone * * *," pp. 3. 1916.
  quarries, utilization of spare time on farms.
    News L., vol. 3, No. 11, p. 7. 1915.
  requirements for concrete. F.B. 1279, pp. 4–5.
    1922.
  road-building, sampling and testing. D.B. 949,
    pp. 3, 7–11, 12, 62, 69, 70. 1921; D.B. 1216, pp.
    2–3, 6, 7–8, 10, 12. 1924.
  sampling for use in road building. D.B. 1216,
    pp. 2–3. 1924.
  use in draining ditches, substitute for tiles.
    D.B. 724, pp. 29–30. 1919.
  utilization on mountain farms. F.B. 905, p. 21.
    1918.
  walls, infestation with gipsy-moth egg clusters.
    D.B. 899, p. 12. 1920.
  See also Rock.
Stone brood, of bee, description and cause. Ent.
  Bul. 98, p. 73. 1912.
Stone fruit fungi, temperature relations. Charles
  Brooks and J. S. Cooley. J.A.R., vol. 22, pp.
  451–465. 1921.
STONEBERG, H. F.: "Associations between num-
  ber of kernel rows, productiveness, and dele-
  terious characters in corn." With Curtis H.
  Kyle. J.A.R., vol. 31, pp. 83–99. 1925.
Stoner, use in cleaning peanuts, description. D.C.
  128, p. 9. 1920.
Stoneroot—
  and gin, misbranding. Chem. N.J. 4297. 1916.
  habitat, range, description, collection prices, and
    uses of roots. B.P.I. Bul. 107, p. 58. 1907.
Stones—
  kidney or bladder, from beet feeding. F.B. 465,
    p. 16. 1911.
  milk, in udder, treatment. F.B. 1422, pp. 14–15.
    1924.
  stomach and intestines, horse, causes and treat-
    ment. B.A.I. [Misc.], "Diseases of the horse,"
    rev., pp. 54–55. 1903; rev., pp. 54–55. 1907;
    rev., pp. 54–55. 1911; rev., pp. 70–71. 1923.
  urinary, causes, classification, symptoms, and
    treatment. B.A.I. [Misc.], "Diseases of the
    horse," rev., pp. 94–103. 1903; rev., pp. 94–
    103. 1907; rev., pp. 94–103. 1911; rev., pp.
    154–163. 1923.
Stoneseed, description. F.B. 428, pp. 21, 22. 1911.
Stooling, brome grass, rate, study. J.A.R., vol. 21,
  pp. 803–816. 1921.
"Stop-back" of peaches, caused by peach bud mite.
  Ent. Bul. 97, pp. 103–114. 1913.

Storage—
  accommodations, leases by department heads, re-
    strictions. Sol. [Misc.], "Laws applicable
    * * * agriculture," Sup. 2, p. 105. 1915.
  agricultural products, bibliography. M.C. 35, p.
    12. 1925.
  and marketing of sweetpotatoes. W. R. Beattie.
    F.B. 520, pp. 16. 1912.
  and storage houses, potato. William Stuart.
    F.B. 847, pp. 27. 1917.
  apple(s)—
    accommodations in packing houses. F.B.
      1080, p. 30. 1919.
    air-cooled and ice-cooled, comparison. J.A.R.,
      vol. 18, pp. 225–230. 1919.
    common and cold. Chem. Bul. 94, pp. 9–67.
      1905.
    conditions affecting apple scald. F.B. 1380,
      pp. 3–8. 1923.
    effects of temperature, aeration, and humidity.
      J.A.R., vol. 11, pp. 289–318. 1917.
    experiments with oil wrappers to control scald.
      J.A.R., vol. 26, pp. 513–536. 1923.
    from Northwest, need of better facilities. D.B.
      935, pp. 5–6. 1921.
    juice, for sedimentation. F.B. 1264, pp. 35–36,
      52. 1922.
    physiological studies. J. R. Magness and
      H. C. Diehl. J.A.R., vol. 27, pp. 1–38. 1923.
    relation of air conditions to apple scald. J.A.R.,
      vol. 18, pp. 211–216. 1919.
    relation to picking maturity. Y.B., 1916, pp.
      102–104. 1917. Y.B. Sep. 686, pp. 4–6. 1917.
    relation to scald, various methods. J.A.R.,
      vol. 16, pp. 209–214. 1919.
    results of delay. D.B. 587, pp. 18–21. 1917.
    temperature relations to disease. J.A.R., vol.
      24, pp. 165, 169–171. 1923.
  banks, for sweetpotatoes, description. F.B. 970,
    pp. 4, 24–25. 1918.
  Bartlett pears—
    investigations. J. R. Magness. J.A.R., vol. 19,
      pp. 473–500. 1920.
    investigations, Rogue River Valley. B.P.I.
      Cir. 114, pp. 19–24. 1913.
  beans, infestation by weevils, signs. Y.B., 1918,
    pp. 332–333. 1919; Y.B. Sep. 786, pp. 8–9. 1919.
  bins, grain pressures, notes on. W. J. Larkin, jr.
    D.B. 789, pp. 16. 1919.
  broomcorn, practices. D.B. 1019, pp. 26–28. 1922.
  butter—
    investigations. B.A.I. Bul. 84, pp. 11–22. 1906.
    investigations in dairy laboratories. B.A.I.
      An. Rpt., 1911, pp. 37–58. 1913.
    keeping qualities, studies. Lore A. Rogers.
      B.A.I. Bul. 57, pp. 24. 1904.
    manufacture for. L. A. Rogers and others.
      B.A.I. Bul. 148, pp. 27. 1912.
    ratings by scores, tables. B.A.I. Bul. 114, pp.
      10–11. 1909.
    relation to prices. Y.B., 1922, pp. 367–368.
      1923; Y.B. Sep. 879, pp. 74–75. 1923.
  cabbage—
    decay in, cause and prevention. L. L. Harter.
      B.P.I. Cir. 39, pp. 8. 1909.
    farm and commercial, and distribution. D.B.
      1242, pp. 23–25. 1924.
    houses, disinfection, ventilation and construc-
      tion. B.P.I. Cir. 39, pp. 4–5, 6–8. 1909.
    methods. F.B. 433, pp. 20–23. 1911; F.B. 1423,
      pp. 13–14. 1924.
  calcium arsenate, chemical changes. C. C. Mc-
    Donnell and others. D. B. 1115, pp. 28. 1922.
  canned foods, methods. F.B. 281, pp. 22–24.
    1907; F.B. 853, p. 14. 1917; F.B. 1211, pp. 12, 30,
    39–48. 1921.
  cantaloupes, effect on composition. D.B. 1250,
    pp. 19–25. 1924.
  celery—
    experiments. H. C. Thompson. D.B. 579,
      pp. 26. 1917.
    methods and management. F.B. 1269, pp. 25–
      27. 1922.
  cellar—
    for mangel-wurzels, construction. B.P.I. Doc.
      455, pp. 2–3. 1909.
    utilization of basement of dwelling, directions.
      F.B. 879, pp. 4–6. 1917.
  changes in sweet potatoes, experiments. J.A.R.,
    vol. 5, No. 12, pp. 509–517. 1915.

INDEX TO PUBLICATIONS, 1901–1925   2289

Storage—Continued.
Cheddar cheese, experiments. B.A.I. Bul. 123, pp. 6–10. 1910.
clothing, directions. F.B. 1089, pp. 29–31. 1920.
cold. *See* Cold storage.
common, practicability and utilization in Pacific Northwest. F.B. 852, pp. 3–5. 1917.
conditions, suitable for certain perishable food products, apples, potatoes, sweet potatoes, onions, cabbage, eggs, frozen eggs, poultry, butter, and fish. D.B. 729, pp. 10. 1918.
conifer seeds, methods, containers, and temperature, tests. For. Bul. 98, pp. 25–28. 1911.
corn—
comparison with sorghum. Y.B., 1922, pp. 529–530. 1923; Y.B. Sep. 891, pp. 529–530. 1923.
directions. F.B. 915, p. 7. 1918.
for shipment from Argentine. Rpt. 75, pp. 47–48. 1903.
in, deterioration. J. W. T. Duvel. B.P.I. Cir. 43, pp. 12. 1909.
space required, shelled, shucked, and un-shucked. F.B. 1029, pp. 23, 27. 1919.
sweet, carbohydrate metabolism at different temperatures. Charles O. Appleman and John M. Arthur. J.A.R., vol. 17, pp. 137–152. 1919.
sweet, effect on sugar content. Chem. Bul. 127, p. 12. 1909.
cotton—
benefits of adequate system. Y.B., 1918, pp. 399–432. 1919; Y.B. Sep. 763, pp. 1–36. 1919.
Egyptian, seed and ginned cotton, injuries. D.B. 311, pp. 3, 7. 1915.
facilities in Imperial Valley. D.B. 458, pp. 9–11. 1917.
facilities insufficient in South. D.B. 216, pp. 10–12. 1915.
lessons. M.C. 43, pp. 9–10. 1925.
warehouse(s)—
facilities available in South. Robert L. Nixon. D.B. 216, pp. 26. 1915.
regulations under United States warehouse act. Sec. Cir. 158, pp. 1–37. 1922.
cowpea(s)—
and disinfection. F.B. 1308, pp. 12–13. 1923.
by States. F.B. 1153, pp. 3–11. 1920.
seed. F.B. 1153, p. 8. 1920.
cranberry—
houses and practices. F.B. 1402, pp. 15–17. 1924.
in Wisconsin, recommendations. F.B. 227, p. 19. 1905.
dahlia roots, directions. F.B. 1370, pp. 15–16. 1923.
dairy products, relation to milk prices. D.B. 1144, p. 18. 1923.
dasheen(s)—
experiments, suggestions. B.P.I. Doc. 1110, p. 8. 1914.
shoots. D.C. 125, pp. 5–6. 1920.
ventilation and temperature requirements. F.B. 1396, pp. 17–18. 1924.
delayed—
effect on apple scald. J.A.R., vol. 11, pp. 311–312. 1917.
with temperature changes, relation to apple scald. J.A.R., vol. 16, pp. 213–214. 1919.
dried products. D.B. 1335, pp. 29–31. 1925.
effect on deterioration of sugars. J.A.R., vol. 20, pp. 637–653. 1921.
eggs, methods of freezing and drying. Chem. Bul. 158, pp. 36. 1912.
farm products—
investigations by Markets Division. Mkts. Doc. 1, pp. 7–8. 1915.
relation to marketing. M.C. 32, p. 75. 1924.
fish, relation to supply and prices. Y.B., 1913, pp. 202–204. 1914; Y.B. Sep. 623, pp. 202–204. 1914.
flaxseed, directions. F.B. 1328, p. 16. 1924.
Florida grapefruit, effect on. Lon A. Hawkins and J. R. Magness. J.A.R., vol. 29, pp. 357–373. 1920.
food(s)—
directions. F.B. 1374, pp. 4–6. 1923.
home methods. F.B. 375, pp. 27–37. 1909.
on the farm. F.B. 1082, pp. 16–17. 1920.
products, industry development, importance and value. D.B. 709, pp. 1–4. 1918.

Storage—Continued.
food(s)—continued.
use of weather reports. F.B. 125, pp. 23–25. 1901.
fruits and vegetables, publications, use in schools. S.R.S. [Misc.], "How teachers in elementary schools may use * * *," pp. 2. 1918.
grain—
for farmers, elevator and farm storage. D.B. 558, pp. 25–29, 39. 1917.
or hay, influence on prices. News L., vol. 4, No. 51, p. 6. 1917.
sorghum—
and ventilator for use. F.B. 1137, pp. 23–26. 1920.
practices. F.B. 686, pp. 7–8. 1915.
grape(s)—
California table, factors governing. A. V. Steuberauch and C. W. Mann. D.B. 35, pp. 31. 1913.
juice—
effect on chemical composition. D.B. 656, pp. 15–17. 1918.
methods. F.B. 1075, pp. 22–23. 1919
table, keeping quality, factors affecting. B.P.I. Doc. 392, pp. 2–3. 1908.
grapefruit, effect on. J.A.R., vol. 20, pp. 357–373. 1920.
hay, methods. F.B. 990, pp. 24–25. 1918.
holdings of food products—
during 1918. John O. Bell. D.B. 792, pp. 80. 1919.
reports. John O. Bell and I. C. Franklin. D.B. 709, pp. 44. 1918.
home—
for vegetables, description of pit or cellar, and location. News L., vol. 4, No. 51, pp. 1, 7–8. 1917.
fruits and vegetables, teaching by use of department publications. Alvin Dille. S.R.S. [Misc.], "How teachers may use * * *," pp. 2. 1918.
of vegetables. James H. Beattie. F.B. 879, pp. 22. 1917.
house(s)—
common for apples, in Pacific Northwest, management. S. J. Dennis. F.B. 852, pp. 23. 1917.
failure in management. F.B. 852, pp. 4–5. 1917.
for cabbages, description. F.B. 433, pp. 20–23. 1911.
for potatoes. William Stuart. F.B. 847, pp. 27. 1917.
for sweet potatoes—
construction. F.B. 324, pp. 30–32. 1908; F.B. 520, pp. 6–10. 1912; F.B. 548, pp. 4–9. 1913; F.B. 970, pp. 5–19. 1918.
heating methods. F.B. 970, pp. 23–24. 1918.
management. F.B. 1059, p. 24. 1919; F.B. 1267, pp. 9–11. 1922.
uses and abuses. F.B. 852, p. 23. 1917.
household facilities. F.B. 1180, pp. 24–25. 1921.
ice, methods, and houses. F.B. 1078, pp. 14–31. 1920.
irrigation water, effect on flow of streams. O.E.S. Bul. 205, p. 58. 1909.
lime-sulphur—
concentrate. F.B. 1285, pp. 9–10, 39. 1922.
dips, effect on composition. D.B. 451, pp. 2–3. 1916.
lumber after kiln drying. D.B. 1136, p. 45. 1923.
mangoes, and tests for varieties. P.R. Bul. 24, pp. 25–28. 1918.
meats, supply, reports, monthly. Y.B., 1918, pp. 391–393. 1919; Y.B. Sep. 788, pp. 15–17. 1919.
milk—
at low temperatures, cooling and shipping. James A. Gamble and John T. Bowen. D.B. 744, pp. 28. 1919.
effect on. D.B. 1344, pp. 11–13. 1925.
for market, methods. Rpt. 98, p. 123. 1913.
narcissus bulbs, methods. D.B. 1270, pp. 4, 10–11. 1924.
nursery stock for market. Rpt. 98, p. 126. 1913.
oats, practices. F.B. 424, p. 29. 1910.

Storage—Continued.
  onions—
    management. D.B. 1325, p. 24. 1925.
    relation of temperature to rot development. J.A.R., vol. 23, pp. 691-692, 693. 1924.
    requirements and methods. F.B. 354, pp. 24-27. 1909.
  paprika peppers, practices. D.B. 43, pp. 19-20. 1913.
  peaches, effect on composition. Chem. Bul. 97, pp. 22-32. 1905.
  peanuts, directions. B.P.I. Cir. 88, pp. 5-6. 1911.
  pits, sweet-potato, value and management. F.B. 1442, pp. 18-20. 1925.
  pop corn, methods. F.B. 553, p. 9. 1913; F.B. 554, rev., pp. 8-9. 1920.
  potatoes—
    and storage houses. William Stuart. F.B. 847, pp. 27. 1917.
    cellar and temperature. F.B. 386, p. 9. 1910.
    effect on quality. D.B. 468, pp. 12-14. 1917; F.B. 295, pp. 8-19. 1907.
    importance in control of powdery dry-rot. B.P.I. Cir. 110, p. 14. 1913.
    in irrigation districts, and marketing. F.B. 953, pp. 20-23. 1918.
    in Southern States, inferiority and needs. F.B. 1205, pp. 12, 37-38. 1921.
    influence on the quality of the seed. F.B. 533, p. 14. 1913.
    lesson for rural schools. D.B. 784, p. 9. 1919.
    methods—
      and requirements. F.B. 1064, pp. 36-38. 1919.
      in Maine. F.B. 365, pp. 13-14. 1909.
    needs on farms and in warehouse. Sec. Cir. 92, pp. 37-38. 1918.
    recommendations. F.B. 549, pp. 9-15. 1913; F.B. 1190, pp. 25-26. 1921.
    relations of temperature and humidity to dry-rot. J.A.R., vol. 6, No. 21, pp. 825-827, 1916.
    suggestions to prevent disease. Hawaii Bul. 45, p. 15. 1920.
  preserves, recommendations. F.B. 281, pp. 22-24. 1907.
  pulp, methods and length of time. D.B. 1298, pp. 25-29. 1925.
  refrigerator, effect on composition of peaches. Chem. Bul. 97, pp. 28-32. 1905.
  relation of internal browning of apples. D.B. 1104, pp. 8-12. 1922.
  rice, importance after threshing. F.B. 1240, p. 19. 1924.
  rooms, arrangement of boxes and barrels for ventilation. F.B. 852, pp. 18-19. 1917.
  root crops, methods. F.B. 465, p. 15. 1911.
  rot(s)—
    celery, causes and control. F.B. 1269, p. 17. 1922.
    fungi—
      glucose as a source of carbon. J.A.R., vol. 21, pp. 189-210. 1921.
      in sweet potato, study. L. L. Harter. J.A.R., vol. 30, pp. 961-969. 1925.
      respiration. J.A.R., vol. 21, pp. 211-226. 1921.
    of—
      economic aroids. J.A.R., vol. 6, No. 15, pp. 549-571. 1916.
      onions, relation to farm practice. F.B. 1060, pp. 15-23. 1919.
      potatoes, control by careful handling. F.B. 856, p. 60. 1917.
      sweet-potato, description, injuries, and control. F.B. 714, pp. 20-25. 1916; F.B. 856, pp. 66-67. 1917; F.B. 1059, pp. 3, 19-24. 1919; J.A.R., vol. 15, pp. 337-368. 1918.
  sardines, and changes. D.B. 908, pp. 10-11, 70-80, 123. 1921.
  seed corn—
    importance. Rpt. 98, p. 139. 1913.
    in Porto Rico. P.R. Cir 18, p. 22. 1920.
    in winter. F.B. 415, pp. 10-11. 1910.
  seed cotton—
    effects of moisture and temperature. B.P.I. Cir. 123, pp. 11-20. 1913.

Storage—Continued.
  seed cotton—continued.
    on farm before ginning, advantages. Y.B. 1912, pp. 449-450. 1913; Y.B. Sep. 605, pp. 449-450. 1913.
  seeds—
    directions. F.B. 1232, pp. 9-10. 1921.
    flower and vegetable. Rpt. 98, p. 144. 1913.
    of coniferous trees. C. R. Tillotson. J.A.R., vol. 22, pp. 479-510. 1921.
  shrinkage of farm products. F.B. 149, pp. 10-15. 1902.
  sorghum(s)—
    grain—
      comparison with corn. Y.B. 1922, pp. 529-530. 1923; Y.B. Sep. 891, pp. 529-530. 1923
      ventilation, recommendations. F.B. 972, pp. 9-12. 1918.
    seed heads. F.B. 1137, p. 15. 1920.
  southern creamery butter, conditions influencing. Sec. Cir. 66, pp 10-11. 1916.
  soy-bean seed. F.B. 886, pp. 1-8. 1917; S.R.S. Doc. 43, p. 5. 1917.
  squash, Hubbard, experiments. F.B. 342, pp. 18-19. 1906.
  successful—
    essentials. D.B. 729, pp. 3-10. 1918.
    of California table grapes, factors governing. A. V. Steubenrauch and C. W. Mann. D.B. 35, pp. 31. 1913.
  sweetpotato(es)—
    H. C. Thompson. F.B. 970, pp. 27. 1918; F.B. 1442, pp. 22. 1925.
    comparison of house storage with bank storage. D.B. 1063, pp. 6-7. 1922.
    control of rots. F.B. 1059, pp. 22-24. 1919.
    description of house and management. F.B. 714, pp. 25-26. 1916.
    essentials and requirements. F.B. 970, pp. 4-5. 1918.
    experiments—
      in study of scurf. J.A.R., vol. 5, No. 21, p. 997. 1916.
      showing changes in. J.A.R., vol. 5, No. 13, pp. 543-560. 1915.
    hints for control of weevils. F.B. 1020, pp. 1020, pp. 21-22, 24. 1919.
    importance of favorable conditions. F.B. 1267, p. 3. 1922.
    in Florida. News L., vol. 6, No. 43, p. 9. 1919.
    in Hawaii. Hawaii Bul. 50, p. 10. 1923.
    internal breakdown. J.A.R., vol. 27, pp. 164-166. 1924.
    kinds, description, construction and management. S.R.S. Syl. 26, pp. 7-12. 1917.
    methods and recommendations. F.B. 129, pp. 23-26. 1902; F.B. 324, pp. 29-33. 1908.
    physiological changes. J.A.R., vol. 3, pp. 331-342. 1915.
    recommendations. F.B. 273, pp. 9-11. 1906; F.B. 999, pp. 24-25. 1919.
    studies. H. C. Thompson and J. H. Beattie. D.B. 1063, pp. 18. 1922.
  tea, location, methods, etc. B.P.I. Bul. 234, p. 31. 1912.
  temperature(s)—
    effect on apples. D.B. 587, pp. 21-23. 1917.
    relation to internal browning of apples. J.A.R. vol. 24, pp. 169-171. 1923.
  timber, conditions in Eastern and Southern States, with reference to decay problems. C. J. Humphrey. D.B. 510, pp. 43. 1917.
  tomato pulp, methods. Chem. Cir. 68, pp. 13-14. 1911.
  tree seeds, directions. F.B. 1123, pp. 19-22. 1921.
  tuna, effect on tuna cardona rind and pulp. B.P.I. Bul. 116, p. 51. 1907.
  turpentine, effects, and chemicals formed. D.B. 898, pp. 5-6, 35-36. 1920.
  types for home storage of perishables. F.B. 879, pp. 4-14. 1917.
  use and meaning of term. F.B. 852, p. 3. 1917.
  vegetable(s) at home. James H. Beattie. F.B. 879, pp. 22. 1917.
  ventilation, methods of securing. F.B. 852, pp. 11-19. 1917.
  vinegar, directions. F.B. 1424, p. 19. 1924.
  warehouse—
    early history and study of principles. D.B. 277, pp. 3-7. 1915.

Storage—Continued.
  warehouse—continued.
    under the U. S. warehouse act, in 1925. B.A.E. [Misc.], "Once again the * * *," pp. 1-12. 1925.
  water—
    for farmstead. F.B. 1448, pp. 32-33. 1925.
    in Wyoming, possibilities. O.E.S. Bul. 205. pp. 16-17. 1909.
    on Cache la Poudre and Big Thompson rivers. C. E. Tait. O.E.S. Bul. 134, pp. 100. 1903.
  weevils in legumes, sources. F.B. 1275, p. 8. 1923.
  wheat—
    changes in weight. S.R.S. Syl. 11, rev., p. 16. 1918.
    effect on quality. F.B. 320, pp. 19-20. 1908.
    wild-rice seed. B.P.I. Bul. 90, pp. 9-10. 1906.
  woodpulp, loss. M.C. 39, p. 11. 1925.
  yams, requirements. D.B. 1167, pp. 8-9. 1923.
  See also Cold storage.
Storax—
  importation and description. Nos. 44591-44595, B.P.I. Inv. 51, pp. 8, 29-30. 1922.
  injury by sapsuckers. Biol. Bul. 39, p. 49. 1911.
Stored—
  grain and grain products, insects affecting, remedies. F.B. 127, pp. 36-37. 1901.
  materials—
    books and papers, injury from ants, and control. F.B. 1037, pp. 7-8, 14-15. 1919.
    injury by termites, and protection. D.B. 333, pp. 16-17, 31. 1916.
  products—
    insects affecting, contents and index. Ent. Bul. 96, pp. I-V, 95-106. 1916.
    insects injurious, 1907. Y.B., 1907, p, 551. 1908; Y.B. Sep. 472, p. 551. 1908.
    insects injurious, 1908. Y.B., 1908, p. 579. 1909; Y.B. Sep. 499, p. 579. 1909.
Storehouse, celery, directions for building and packing. F.B. 148, pp. 26-27. 1902.
STOREN, KR.: "Dairy instruction in Norway." B.A.I. Dairy [Misc.], "World's dairy congress, 1923," pp. 628-630. 1924.
Storeroom, home, requirements. F.B. 375, pp. 27-28. 1909; F.B. 1374, p. 4. 1923.
Stores—
  cooperative—
    among farmers, chances for success. Y.B., 1915, pp. 80-81. 1916; Y.B. Sep. 658, pp. 80-81. 1916.
    origin, number, and distribution. D.B. 547, pp. 8-9, 12, 35. 1917.
    typical in United States, survey. J. A. Bexell and others. D.B. 394, pp. 32. 1916.
  country, egg dealing, methods. B.A.I. Bul. 141, pp. 32-34. 1911.
  self-service problems. D.B. 1044, pp. 14-35. 1922.
Storing—
  milk, cooling and shipping it at low temperatures. James A. Gamble and John T. Bowen. D.B. 744, pp. 28. 1919.
  and handling of apples in the Pacific Northwest. H. J. Ramsey and others. D.B. 587, pp. 32. 1917.
  and marketing sweetpotatoes. H. C. Thompson. F.B. 548, pp. 15. 1913.
  apples, and handling in Pacific Northwest. H. J. Ramsey and others. D.B. 587, pp. 32. 1917.
  baled hay, directions. F.B. 149, p. 34. 1919.
  broomcorn, protection from rain and sun. F.B. 768, p. 13. 1916.
  bulbs, directions. D.B. 797, pp. 14-18. 1919.
  carpets and rugs, directions. F.B. 1219, p. 31. 1921.
  celery, methods. F.B. 282, pp. 28-31. 1907.
  corn—
    and harvesting. C. P. Hartley. F.B. 313, pp. 29. 1907.
    in Guam, special containers. Guam Cir. 3, pp. 6-7. 1922.
    stover, recommendations. F.B. 313, p. 22. 1907.
  dried fruits and vegetables. D.C. 3, p. 19. 1919; F.B. 841, p. 25. 1917; F.B. 916, p. 10. 1917.
  eggs, faulty methods, and suggestions for improvement. Y.B., 1911, pp. 470, 475, 477. 1912; Y.B. Sep. 584, pp. 470, 475, 477. 1912.

Storing—Continued.
  milo, directions. F.B. 1147, p. 16. 1920.
  onions, temperature and ventilation. F.B. 1060, pp. 17, 23. 1919.
  peanuts on the farm, directions. Sec. Cir. 81, pp. 5-6. 1917.
  seeds, directions. F.B. 1390, p. 14. 1924.
  smoked meat, directions. F.B. 1186, pp. 25-26. 1921.
  soybeans, hay, and seed, directions. S.R.S. Syl. 35, pp. 12, 13. 1919.
  walnuts, discussion. B.P.I. Bul. 254, pp. 99-100. 1913.
  water, in semiarid region. F.B. 266, p. 20. 1906.
Stork—
  eye parasite of. B.A.I. Bul. 60, p. 45. 1904.
  mice-eating, habits. Biol. Bul. 31, p. 52. 1907.
  protection by law. Biol. Bul. 12, rev., p. 39. 1902.
Stork's-bill seeds, description. F.B. 428, pp. 25, 26. 1911.
Storm(s)—
  countercurrent theory, a popular account. Frank H. Bigelow. W.B. [Misc.], "Proceedings, third convention * * *," pp. 79-88. 1904.
  dust, description, causes and effects. Soils Bul. 68, pp. 77-99. 1911.
  effect on—
    bee-colony temperature. D.B. 96, pp. 24-26. 1914.
    run-off of drained lands, southern Louisiana. J.A.R., vol. 11, pp. 267-272, 278. 1917.
  Galveston, 1900, forecast by Weather Bureau. An. Rpts., 1901, pp. 12-14. 1901.
  Great Lakes, charts. E. B. Garriott. W.B. Bul. K, pp. 9. 1903.
  injury(ies)—
    kelp beds. D.B. 1191, p. 27. 1923.
    tobacco. D.B. 1256, pp. 41, 42. 1924.
    yellow pine in Oregon. D.B. 418, p. 15. 1917.
  movement, direction and velocity, a possible method for determining. Edward H. Bowie. W.B. [Misc.], "Proceedings, third convention * * *," pp. 89-97. 1904.
  porch, farm kitchen, description and value. F.B. 607, p. 9. 1914.
  relation to water table, study, 1910. O.E.S. An. Rpt., 1910, p. 53. 1911.
  sash, use in reducing window drafts. F.B. 1194, p. 14. 1921.
  tropical, of eastern North Pacific Ocean. Willis Edwin Hurd. W.B. [Misc.], "Tropical storms of eastern * * *." Folder. 1923.
  typical, maps showing movement. W.B. [Misc.], "Climatic charts of United States," pp. 3-6. 1904.
  warning(s)—
    by Weather Bureau, 1919-1920. An. Rpts., 1920, p. 69. 1921.
    display stations, 1908, list. An. Rpts., 1909, pp. 182-183. 1910; W.B. Chief Rpt., 1909, pp. 32-33. 1909.
    equipment, stations. Rpt. 73, pp. 4-5. 1902.
    instruction to displaymen. W.B. [Misc.], "Instructions to storm-warning * * *," pp. 10. 1912.
    stations, care, and management, instruction for. W.B. [Misc.], "Instructions for care * * *," pp. 1-26. 1916.
    value to raisin growers. Off. Rec., vol. 1, No. 34, p. 8. 1922.
  zone of operation in atmosphere. Y.B., 1915, pp. 320-321. 1916; Y.B. Sep. 680, pp. 320-321. 1916.
STORMS, A. B.: "The distinctive work of the landgrant colleges." O.E.S. Bul. 228, pp. 51-57. 1910.
STORVICK, OLE A.: "Cooperative creameries in the Mississippi Valley." B.A.I. Dairy [Misc.], "World's dairy congress, 1923," pp. 933-938. 1924.
STOUT, A. B.: "Sterilities of wild and cultivated potatoes with reference to breeding from seed." With C. F. Clark. D.B. 1195, pp. 32. 1924.
STOUT, O. V. P.—
  "Irrigation under the Great Eastern Canal, Platte County, Nebr.—
    1900." O.E.S. Bul. 104, pp. 195-206. 1902.
    1901." O.E.S. Bul. 119, pp. 299-304. 1902.
  "Pumping plants in Colorado, Nebraska, and Kansas." O.E.S. Bul. 158, pp. 595-608. 1905.

2292 UNITED STATES DEPARTMENT OF AGRICULTURE

Stove(s)—
camp, folding, description and use in drying plant collections. B.P.I. Cir. 126, pp. 33-34. 1913.
cleaning directions. F.B. 1180, pp. 23-24. 1921.
cooking, management. Thrift Leaf. 11, pp. 1-4. 1919.
evaporator for farm home, description and use method. F.B. 927, pp. 30-31. 1918.
farm kitchens, varieties, location, and fire protection. F.B. 607, pp. 14-15. 1914.
for frost protection in lemon groves. Y.B., 1907, p. 354. 1908; Y.B. Sep. 453, p. 354. 1908.
gas, management. Thrift Leaf. 11, p. 4. 1919.
home heating, regulation and operation. F.B. 1194, pp. 6-13. 1921.
kerosene gas, use in canning. F.B. 853, p. 11. 1917.
kitchen, use of dampers to save fuel, directions. U.S. Food Leaf. 12, pp. 1-3. 1918.
overheated, danger of farm fires, control. F.B. 904, pp. 7-8. 1918.
polish, stains, removal from textiles. F.B. 861, p. 31. 1917.
use as drier for crude drugs, description. F.B. 1231, pp. 10-11. 1921.
Stovepipes, connection with chimneys, insulation and care. F.B. 1230, pp. 12-14. 1921.
STOVER, A. P.—
"Investigations of irrigation practice in Oregon." O.E.S. Cir. 67, pp. 30. 1906.
"Irrigation experiments and investigations in western Oregon." O.E.S. Bul. 226, pp. 68. 1910.
"Irrigation in Bear River Valley, Utah, 1901." O.E.S. Bul. 119, pp. 243-298. 1902.
"Irrigation in Montana." With others. O.E.S. Bul. 172, pp. 108. 1906.
"Irrigation in the Utah Lake drainage system." O.E.S. Bul. 124, pp. 93-155. 1903.
"Irrigation in Utah Lake drainage system." O.E.S. Bul. 124, pp. 93-155. 1903.
"Irrigation under the Carey Act. O.E.S. An. Rpt., 1910, pp. 461-488. 1911.
"Progress report on irrigation experiments in Willamette Valley, Oreg." O.E.S. Cir. 78, pp. 25. 1908.
Stover—
corn, cattle feed. Y.B., 1913, p. 273. 1914; Y.B. 627, p. 273, 1914.
production and portion fed. Y.B., 1923, pp. 338-339. 1924; Y.B. Sep. 895, pp. 338-339. 1924.
See also Fodder.
Strabismus, cattle, treatment. B.A.I. [Misc.], "Diseases of cattle," rev., p. 349. 1904; rev., p. 361. 1912; rev., p. 349. 1923.
STRAHORN, A. T.—
"Reconnaissance soil survey of the central-southern area, California." With others. Soil Sur. Adv. Sh., 1917, pp. 136. 1921; Soils F.O., 1917, pp. 2405-2534. 1923.
"Soil survey of—
Benton County, Wash." With A.E. Kocher. Soil Sur. Adv. Sh., 1916, pp. 72. 1919; Soils F.O., 1916, pp. 2203-2270. 1921.
Bottineau County, N. Dak." With others. Soil Sur. Adv., Sh., 1915, pp. 54. 1917; Soils F.O., 1915, pp. 2129-2178. 1919.
the Anaheim area, California." With others. Soil Sur. Adv. Sh., 1916, pp. 79. 1919; Soils F.O., 1916, pp. 2271-2345. 1921.
the Ashley Valley, Utah." With others. Soil Sur. Adv. Sh., 1920, pp. 907-937. 1924. Soils F.O., 1920, pp. 907-937. 1925.
the Belle Fourche area, South Dakota." With C. W. Mann. Soil Sur. Adv. Sh., 1907, pp. 31. 1908; Soils F.O., 1907, pp. 881-907. 1909.
the Colusa area, California." With others. Soil Sur. Adv. Sh., 1907, pp. 50. 1909; Soils F.O., 1907, pp. 927-972. 1909.
the Delta area, Utah." With others. Soil Sur. Adv. Sh., 1919, pp. 38. 1922; Soils F.O., 1919; pp. 1801-1834. 1925.
the El Centro area, California." With others. Soil Sur. Adv. Sh., 1918, pp. 59. 1922; Soils F.O. 1918; pp. 1633-1687. 1924.
the Fallon area, Nevada." With Cornelius Van Duyne. Soil Sur. Adv. Sh., 1909, pp. 44. 1911; Soils F.O., 1909, pp. 1477-1516. 1912.

STRAHORN, A. T.—Continued.
"Soil survey of—Continued.
the Fresno area, California." With others. Soil Sur. Adv. Sh., 1912, pp. 82. 1914; Soils F.O., 1912, pp. 2089-2166. 1915.
the Hood River-White Salmon River area, Oregon and Washington." With E. B. Watson. Soil Sur. Adv. Sh., 1912, pp. 45. 1914; Soils F.O., 1912, pp. 2047-2087. 1915.
the Los Angeles area, California." With others. Soil Sur. Adv. Sh., 1916, pp. 78. 1919. Soils F.O., 1916, pp. 2347-2420. 1921.
the Madera area." With others. Soil Sur. Adv. Sh., 1910, pp. 43. 1911; Soils F.O., 1910, pp. 1717-1753. 1912.
the Marysville area, California." With others. Soil Sur. Adv. Sh., 1909, pp. 56. 1911; Soils F.O., 1909, pp. 1689-1740. 1912.
the Medford area, Oregon." With others. Soil Sur. Adv. Sh., 1911, pp. 74. 1913; Soils F.O., 1911, pp. 2287-2356. 1914.
the Minidoka area, Idaho." With C. W. Mann. Soil Sur. Adv. Sh., 1907, pp. 22. 1908; Soils F.O., 1907, pp. 909-926. 1909.
the Portersville area, California." With others. Soil Sur. Adv. Sh., 1908, pp. 40. 1909; Soils F.O., 1908, pp. 1295-1330. 1911.
the Riverside area, California." With others. Soil Sur. Adv. Sh., 1915, pp. 88. 1917. Soils F.O., 1915, pp. 2367-2450. 1919.
the Winslow area, Arizona." With others. Soil Sur. Adv. Sh., 1921, pp. 155-188. 1924.
Straighthead of rice—
and its control. W. H. Tisdale and J. Mitchell Jenkins. F.B. 1212, pp. 16. 1921.
description. Y.B., 1917, p. 482. 1918; Y.B. Sep. 755, p. 3. 1918.
description, symptoms in heads and roots. F.B. 1212, pp. 4-8. 1921.
varieties immune to. D. B. 1127, p. 15. 1923.
"Straightneck Seeded Ribbon Cane," use of name for sorghum. B.P.I. Cir. 50. p. 14. 1910.
Strainer(s), milk—
description. B.A.I. Bul. 104, pp. 29-32. 1908; F.B. 1019, pp. 2, 8-13. 1919.
requirements, certified dairies. B.A.I. Bul. 104, pp. 12, 32-33. 1908; D.B. 1, pp. 16, 27. 1913.
sterilization. F.B. 748, pp. 7-8. 1916.
use in butter making. F.B. 876, pp. 14, 21. 1917.
use in farm dairies, description. F.B. 541, p. 21. 1913.
Straining milk. Ernest Kelly and James A. Gamble. F.B. 1019, pp. 16. 1919.
STRAIT, E. D.—
"Clearing land." F.B. 974, pp. 30. 1918.
"Cost and methods of clearing land in the Lake States." With Harry Thompson. D.B. 91, pp. 25. 1914.
"Farm management in Catawba County, N. C. With J. M. Johnson. D.B. 1070, pp. 23. 1922.
"Farming the logged-off uplands in western Washington." With E. R. Johnson. D.B. 1236, pp. 36. 1924.
Straits Settlements—
nursery stock inspection, officials. F.H. B.S.R. A. 7, p. 65. 1914; F.H.B. S.R.A. 20, p. 76. 1915; F.H.B.S.R.A. 32, pp. 121-122. 1916.
sugar industry, 1899-1914. D.B. 473, pp. 66-67. 1917.
Stramoline, misbranding. Chem. N.J. 3124. 1914.
Stramonium—
culture and handling as drug plant, yield and price. F.B. 663, p. 35. 1915.
danger in use. F.B. 393, p. 8. 1910.
growing and uses, harvesting, marketing, and prices. F.B. 663, rev., p. 46. 1920.
leaves—
adulteration and misbranding. Chem. N.J. 1674, pp. 4. 1912; Chem. N.J. 2090, pp. 2. 1913.
detection in adulterated drugs. Chem. Bul. 122, p. 138. 1909.
susceptibility to both kinds of mosaic disease. J.A.R., vol. 7, pp. 483-484. 1916.
use in fly larvae destruction in manure, experiments. D.B. 245, pp. 14, 21. 1915.
See also Jimson weed.

STRAND, A. L.: "Pale western cutworm (*Porosagrotis orthogonia* Morr)." With others. J.A.R., vol. 22; pp. 289-322. 1921.
Strangle weed. *See* Dodder.
Strangles, horse, causes, symptoms, and treatment. B.A.I., [Misc.], "Diseases of the horse," rev., pp. 512-515. 1903; rev., pp. 513-516. 1907; rev., pp. 513-516. 1911; rev., pp. 527-531. 1923.
Stranvaesia davidiana undulata, importation and description. No. 40196. B.P.I. Inv. 42, p. 91. 1918.
Strategus quadrifoveatus, enemy of coconut, control work. P.R. An. Rpt., 1917, p. 34. 1918.
STRAUGHN, M. N.—
"Extraction of grains and cattle foods for the determination of sugars: A comparison of the alcohol and the sodium carbonate digestions." With others. Chem. Cir. 71, pp. 14. 1911.
"Maple sugar: Composition, methods of analysis, effect of environment." With others. D.B. 466, pp. 46. 1917.
"The influence of environment on the composition of sweet corn." With C. G. Church. Chem. Bul. 127, pp. 69. 1909.
STRAUSS, J. F.: "The grape leaf holder." D.B. 419, pp. 16. 1916.
Straw—
alfalfa—
feed for livestock, use and value. F.B. 1229, pp. 2, 24-27. 1921.
utilization and composition, comparison with alfalfa hay. F.B. 495, pp. 18-19. 1912.
alsike clover, feed value. F.B. 1151, p. 25. 1920.
and hay—
prices. Y.B., 1924, pp. 786-787. 1925.
transmission of foot-and-mouth disease, shipment regulations. B.A.I.O. 229, amdt. 6, pp. 2. 1914.
baling, use as means of stable-fly control. News L., vol. 2, No. 2, p. 1. 1914.
bean, uses and feed value. F.B. 907, p. 15. 1917.
bedding, water holding capacity and manure saving. J.A.R., vol. 14, pp. 187-190. 1918.
bleaching, Panama palm. P.R. An. Rpt., 1918, p. 18. 1920; P.R. An. Rpt., 1919, p. 12. 1920.
burning, losses to soil in Minnesota, Rice county. Soil Sur. Adv. Sh., 1909, pp. 15-18. 1911; Soils F.O., 1909, pp. 1279-1282. 1912.
clover, utilization. F.B. 323, p. 21. 1908; F.B. 1339, p. 22. 1923.
composition—
and energy value, per 100 lbs. D.B. 459, pp. 8, 11. 1916; F.B. 346, pp. 7-8, 14-15. 1909.
comparisons of several kinds. F.B. 1153, p. 12. 1920.
value as fertilizer, management. B.P.I. Doc. 631, pp. 3-5. 1911.
conversion into manure, Rice County, Minnesota. Soil Sur. Adv. Sh., 1909, pp. 17-18. 1911; Soils F.O., 1909, pp. 1281-1282. 1912.
cooked, feed value. J.A.R., vol. 27, pp. 248-251 1924.
cowpea, feeding value. F.B. 318, p. 15. 1908; F.B. 1153, pp. 11-12. 1920.
effect on nitrates of soils. J.A.R., vol. 2, pp. 109-113. 1914.
feed for cattle, and energy value. J.A.R., vol. 3, pp. 451, 478, 482, 485. 1915.
flax—
American, utilization in paper and fiber-board industry. Jason R. Merrill. D.B. 322, pp. 24. 1916.
burning in field. D.B. 322, pp. 1, 2, 16, 23. 1916.
price at tow mills. D.B. 322, pp. 16, 23. 1916.
production per annum, and potential value. D.B. 322, pp. 1, 2, 23. 1916.
use—
and value in paper making, experiments. B.P.I. Cir. 82, pp. 15-16. 1911; PP.I. Cir., 1, pp. 12-13. 1916.
as fuel, objections. D.B. 757, pp. 23, 33. 1919.
fly. *See* Fly, stable.
fresh, infestation with *Pediculoides* spp. Rpt. 108, pp. 106, 107. 1915.
gas, production—
experimental. Harry E. Roethe. D.B. 1203, pp. 11. 1923.

Straw—Continued.
gas, production—continued.
practicability. Off. Rec., vol. 3, No. 4, p. 5. 1924.
hairy-vetch, utilization. D.B. 876, p. 24. 1920.
hauling and distribution, central Kansas. D.B. 1296, pp. 53-54. 1925.
importations from—
Europe and West Indies, regulations, 1909. B.A.I. An. Rpt., 1909, pp. 347, 379, 380. 1911.
Europe, regulations, December 1, 1909. B.A. I.O. 129, amdt. 3, p. 1. 1909.
Jamaica—
regulations, March 23, 1909. B.A.I.O. 159, p. 1. 1909.
revocation of B. A. I. O. 159, June 1, 1909. B.A.I.O. 162, p. 1. 1909.
imported, disinfection order, with other articles. B.A.I.O. 256, p. 4. 1917.
imports, 1907-1909, (with grass), quantity and value, by countries from which consigned. Stat. Bul. 82, p. 57. 1910.
infestation with mites, causes, results and preventive measures. Ent. Cir. 118, pp. 1-24. 1910.
infested—
burning for flag-smut control. F.B. 1213, pp. 2, 5. 1921.
with *Isosoma tritici*, notes on destruction of jointworm. Ent. Bul. 67, p. 100. 1907.
moist, breeding place for stable flies, destruction. Y.B., 1912, p. 392. 1913; Y.B. Sep. 600, p. 392. 1913.
mulch, value for wind-blown soils. Soils Bul. 68, p. 170. 1911.
oat—
composition and nutrient value. F.B. 436, p. 28. 1911.
feed value. F.B. 1119, p. 21. 1920.
use as feed and in forming manure. F.B. 420, pp. 21, 24. 1910.
value as feed and bedding. F.B. 436, pp. 28, 29. 1911.
yield(s)—
after alfalfa. D.B. 881, p. 9. 1920.
per acre. D.C. 340, pp. 17-18. 1925.
paper making, value and use. Chem. Cir. 41, pp. 5, 10-11, 19. 1908.
prices at main markets, monthly. S.B. 11, pp. 81-85. 1925.
production—
and portion fed. Y.B., 1923, pp. 338-339. 1924; Y.B. Sep. 895, pp. 338-339. 1924.
and use in United States, value and waste. F.B. 873, pp. 4-5. 1917.
relation to method of irrigation. F.B. 399, pp. 16-17. 1910.
value and uses. Rpt. 112, pp. 9-13. 1916.
rice—
sorghum, and hemp, paper-making, experiments. D.B. 309, p. 1. 1915.
use and value in paper making, experiments. P.P.I. Cir. 82, pp. 12-13. 1911; P.P.I. Cir. 1, pp. 9-10. 1916.
uses in Orient. F.B. 1195, p. 4. 1921.
value as feeding stuff. F.B. 412, p. 17. 1910.
rye, uses, packing, and marketing. Y.B., 1918, pp. 181-182. 1919; Y.B. Sep. 769, pp. 15-16. 1919.
saving, baling, and selling. News L., vol. 5, No. 35, p. 8. 1918.
saving for winter feed in South. News L., vol. 6, No. 5, p. 7. 1918.
shipment regulations, in foot-and-mouth disease. B.A.I.O. 229, Amdt. 6, pp. 2. 1914.
soybean, feed value. F.B. 886, pp. 7-8. 1917; F.B. 973, p. 24. 1918; News L., vol. 7, No. 10, p. 6. 1919; News L., vol. 7, No. 17, p. 4. 1919.
spring burning for fly control. F.B. 1097, pp. 18-21. 1920.
stacking, care for fly control and fodder conservation. News L., vol. 5, No. 52, p. 5. 1918.
stacks, breeding places for flies. F.B. 540, p. 21. 1913.
statistics, receipts, and shipments, Boston and San Francisco. Rpt. 98, pp. 379-380. 1913.
sweetclover, analyses and uses. F.B. 836, p. 23. 1917.

Straw—Continued.
use—
   and value in saving hay. News L., vol. 5, No. 15, p. 7. 1917.
   as fertilizer, experiments. F.B. 432, p. 16. 1911.
   as roughage for horses. F.B. 1030, p. 19. 1919.
   for steer feeding and bedding, use in the Corn Belt. F.B. 1218, pp. 18–20. 1921.
   use in—
      checking soil erosion. D.B. 180, p. 14. 1915.
      feed for cattle. Rpt. 112, pp. 9–13. 1916.
      livestock, rations. F.B. 873, pp. 7–12. 1917.
      paper making. D.B. 1241, pp. 6, 8, 12, 31. 1924.
      rations for breeding cows. Rpt. 112, p. 13. 1916.
   use on land to increase crop yields. F.B. 981, p. 12. 1918.
   utilization—
      as energy source for Azotobacter, results. J.A.R., vol. 24, pp. 271–273. 1923.
      in manufacturing. Rpt. 112, pp. 12–13. 1916.
   value in grain saving in feeding breeding cows. D.B. 615, pp. 2–3. 1917.
   wastage in cattle feeding, methods. D.B. 615, pp. 2–3. 1917.
   wasting on farms, annual loss, control methods. News L., vol. 3, No. 49, pp. 1–2. 1916.
   wheat—
      ash and silica content, effect of fertilizers. J.A.R., vol. 23, p. 67. 1923.
      disposition and value. F.B. 596, p. 12. 1914.
      feed value and cost. D.B. 1024, pp. 7–16. 1922.
      uses, and value in fertilizer ingredients. F.B. 885, p. 14. 1917.
      variety, for hats, Hawaii experiments. O.E.S. An. Rpt., 1908, p. 22. 1909.
   yield per acre. D.C. 340, pp. 12, 14. 1925.
Strawberry(ies)—
   L. C. Corbett. F.B. 198, pp. 24. 1904.
   Abington, origin, distribution, and characteristics. F.B. 1043, pp. 15, 17, 18, 23, 27. 1919.
   acreage—
      and value, by States. Y.B., 1924, p. 685. 1925.
      census 1909, by States, map. Y.B., 1915, p. 387. 1916; Y.B. Sep. 681, p 387. 1916.
      in 1909, by States, and value per acre. F.B. 1028, p. 4. 1919.
      in 1919, by States. Y.B., 1921, p. 469. 1922; Y.B. Sep. 878, p. 63. 1922.
   adaptability to—
      acid soils. D.B. 6, p. 7. 1913.
      climate and soil. F.B. 1043, pp. 8–10. 1919.
   ade syrup, misbranding. Chem. N.J. 2789. 1914.
   adulteration. See Indexes to Notices of Judgment, in bound volumes and in separates published as supplements to Chemistry Service and Regulatory Announcements.
   and orange pectin jelly, recipe. News L., vol. 5, No. 1, p. 7. 1917.
   and vegetables, shading, effect. F.B. 210, pp. 15–19. 1904.
   areas of successful production, maps, F.B. 1026, pp. 4, 5. 1919; F.B. 1027, p. 4. 1919; F.B. 1028, pp. 5, 7. 1919.
   Arizona origin, distribution and characteristics. F.B. 1043, pp. 13, 15, 18, 28. 1919.
   Aroma—
      origin, distribution, acreage, and characteristics. F.B. 1043, pp. 13–23, 26, 28. 1919.
      popularity in Tennessee and Kentucky. F.B. 854, pp. 21, 22. 1917.
   Bederwood, origin, distribution, ripening, and characteristics. F.B. 1043, pp. 15–17, 23, 28. 1919.
   Belt, origin, distribution, acreage, ripening, and characteristics. F.B. 1043, pp. 5, 9, 14–17, 19, 22, 23, 28. 1919.
   blossom(s)—
      morphology. J.A.R., vol. 12, pp. 613–628, 66f. 1918.
      removal from everbearing plants, advantages F.B. 901, pp. 11–12. 1917.
   branding and marking of crates, food and drugs act requirement. F.B. 979, pp. 21–22, 26–27. 1918.
   Brandywine, origin, distribution, acreage, and characteristics. F.B. 1043, pp. 13–16, 19, 22, 23, 28. 1919.

Strawberry(ies)—Continued.
   Bubach, origin, distribution, ripening, and characteristics. F.B. 1043, pp. 5, 14–16, 23, 28. 1919.
   by-products, value. F.B. 664, p. 20. 1915.
   Campbell, origin, distribution, ripening, and characteristics. F.B. 1043, pp. 15, 18, 23, 25, 29. 1919.
   canning—
      and preserves, recipes. S.R.S. Doc. 12, pp. 1–2, 4. 1917.
      and preserving, methods. News L., vol. 2, No. 42, p. 1. 1915.
      directions. F.B. 839, pp. 19–20, 30. 1917.
      inspection instructions. D.B. 1084. pp. 21–22. 1922.
      methods, effect of various sirups. D.B. 196, pp. 51–53. 1915.
      seasons and methods. Chem. Bul. 151, pp. 36, 42–43. 1912.
   car-lot shipments, monthly by States, 1918–1923. S.B. 7, pp. 34–37. 1925.
   care of new plants, thinning, spacing, and tillage. F.B. 1028, pp. 25–28. 1919.
   Chesapeake, origin and description. F.B. 1043, pp. 5, 10, 13–23, 26, 29. 1919; Y.B., 1912, p. 269. 1913; Y.B. Sep. 589, p. 269. 1913.
   Chilean, importations and descriptions. Nos. 44808–44813, B.P.I. Inv. 51, p. 72. 1922; Nos. 54630–54632, B.P.I. Inv. 69, pp. 4, 29–30. 1923; No. 56023, B.P.I. Inv. 73, p. 30. 1924.
   Chipman, origin, distribution, ripening, and characteristics. F.B. 1043, pp. 5, 17, 22, 23, 29. 1919.
   Clark, origin, distribution, ripening, and characteristics. F.B. 1043, pp. 5, 9, 11, 14–20, 23, 26, 29. 1919.
   cold storage. B.P.I. Bul. 108, pp. 1–28. 1907.
   Columbia, origin, distribution, ripening, and characteristics. F.B. 1043, pp. 16, 18, 22, 23. 1919.
   combinations with other fruits for jams. F.B. 1026, pp. 38–39. 1919; F.B. 1027, p. 28. 1919; F.B. 1028, p. 48. 1919.
   commercial grades recommended, definitions, size, and quality. F.B. 979, pp. 10–12, 26. 1918.
   companion crops, and intercropping in orchards. F.B. 1026, pp. 24–25. 1919; F.B. 1027, p. 21. 1919; F.B. 1028, pp. 28–30. 1919.
   composition, analytical data. Chem. Bul. 66, rev., pp. 42, 44, 45, 46. 1905.
   cooling, effect on resistance to wounding, tests. D.B. 830, pp. 1, 2, 4, 5. 1920.
   crop, value and shipment, 1917. Mkts. Doc. 8, pp. 1–2. 1918.
   crown girdler, destruction by starlings. D.B. 868, p. 17. 1921.
   crushed, misbranding. Chem. N.J. 543, p. 1. 1912.
   cultivated, infection with stem nematode. D.B. 1229, pp. 3, 6, 7, 8. 1924.
   cultivation, methods, and tools used. F.B. 901, p. 13. 1917; O.E.S. Bul. 178, pp. 93–96. 1907.
   cultural—
      directions for permanent gardens. F.B. 1242, pp. 15–18. 1921.
      method. L. C. Corbett. F.B. 198, pp. 24. 1904.
      practices, variations in different regions. F.B. 1028, pp. 5–6. 1919.
   culture in—
      eastern United States. George M. Darrow. F.B. 1028, pp. 51. 1919.
      North Carolina, Duplin County. Soil Sur. Adv. Sh., 1905, pp. 19, 22. 1905; Soils F.O., 1905, pp. 303, 305. 1907.
      Tennessee, Kentucky, and West Virginia. George M. Darrow. F.B. 854, pp. 24. 1917.
      South Atlantic and Gulf coast regions. George M. Darrow. F.B. 1026, pp. 40. 1919.
      western United States. George M. Darrow. F.B. 1027, pp. 29. 1919.
   diseases—
      Neil E. Stevens. F.B. 1458, pp. 10. 1925.
      and insects control, precautions. F.B. 1026, pp. 35–36. 1919; F.B. 1027, p. 25. 1919.
      treatment. F.B. 243, p. 23. 1906.
   Dollar, origin, distribution, ripening, and characteristics. F.B. 1043, pp. 13, 23, 29. 1919.

Strawberry(ies)—Continued.
  drainage needs. News L., vol. 6, No. 39, p. 14. 1919.
  drying directions. D.C. 3, p. 20. 1919.
  Dunlap, origin, distribution, ripening, and characteristics. F.B. 1043, pp. 5, 6, 9, 13–23, 26, 30. 1919.
  Early Hathaway, origin, distribution, and ripening. F.B. 1043, pp. 14, 15, 18, 23, 30. 1919.
  Echo, distribution, ripening, and characteristics. F.B. 1043, pp. 14, 15, 18, 23, 30. 1919.
  effects of manganese in soil, studies. Hawaii Bul. 26, p. 29. 1912.
  everbearing—
    George M. Darrow. F.B. 901, pp. 20. 1917.
    description, characteristics, and value. News L., vol. 5, No. 22, p. 5. 1917; News L., vol. 5, No. 39, p. 1. 1918.
    duration of plantation. F.B. 901, pp. 13–14. 1917.
    introduction and value. F.B. 1043, p. 24. 1919.
  Excelsior, origin, distribution, ripening, and characteristics. F.B. 1043, pp. 13, 16, 18, 23, 30. 1919.
  extract—
    adulteration and misbranding (coal-tar coloring). Chem. N.J. 122. 1909.
    adulteration and misbranding. See *Indexes to Notices of Judgment, in bound volumes and in separates published as supplements to Chemistry Service and regulator announcements.*
  fertilizers, requirements. F.B. 149, pp. 17–20. 1902; F.B. 1026, p. 28. 1919; F.B. 1027, p. 20. 1919; F.B. 1028, pp. 12, 30–31. 1919.
  field selection, soil, exposure and slope, and preparation. F.B. 854, pp. 5–7. 1917.
  flowers, perfect and imperfect. F.B. 664, pp. 8–9. 1915; F.B. 1028, pp. 44–45. 1919; F.B. 1043, p. 8. 1919.
  food value, analysis and comparison with other fruits. F.B. 685, p. 21. 1915.
  for market, preparation. C. T. More and H. E. Truax. F.B. 979, pp. 27. 1918.
  forcing for winter fruit. F.B. 198, pp. 21–22. 1904.
  freezing points. D.B. 1133, pp. 4, 5, 7. 1923.
  frost—
    protection. F.B. 1028, p. 42. 1919.
    resistance of varieties. F.B. 133, pp. 19–21. 1901.
  fruit rots—
    B. O. Dodge and Neil E. Stevens. J.A.R., vol. 28, pp. 643–648. 1924.
    control by spraying. E. M. Stoddard and others. D.C. 309, pp. 4. 1924.
    descriptions and control. F.B. 1458, pp. 8–10. 1925.
    further studies on. Neil E. Stevens and R. B. Wilcox. D.B. 686, pp. 13. 1918.
  Gandy—
    growing in Tennessee, Kentucky, and West Virginia. F.B. 854, pp. 21, 22. 1917.
    origin, distribution, ripening, and characteristics. F.B. 1043, pp. 5, 9, 13–23, 26, 30. 1919.
  Glen Mary, origin, distribution, ripening, and characteristics. F.B. 1043, pp. 5, 8, 9, 10, 13–17, 19, 22, 23, 30. 1919.
  Gold Dollar, origin, distribution, ripening, and characteristics. F.B. 1043, pp. 16–18, 23, 31. 1919.
  grading and inspection. Off. Rec., vol. 2, No. 21, p. 4. 1923.
  growers' association, Warren County, Ky., report. Rpt. 98, pp. 221–224. 1913.
  growing—
    acreage and States, 1910. Y.B., 1916, pp. 439, 440, 442, 446, 448, 465. 1917; Y.B. Sep. 702, pp. 5, 6, 8, 11, 14, 31. 1917.
    adaptation of soils, Georgetown County, S. C. Soil Sur. Adv. Sh., 1911, pp. 17, 27, 29, 32, 35, 36, 41, 52. 1912; Soils F.O., 1911, pp. 525, 535, 537, 540, 543, 544, 549, 560. 1914.
    and hybridizing experiments in Alaska. D.B. 50, pp. 11, 30. 1914.
    and yield in Washington, western Puget Sound Basin. Soil Sur. Adv. Sh., 1910, pp. 38, 53, 57. 1912; Soils F.O., 1910, pp. 1522, 1536, 1540. 1912.

Strawberry(ies)—Continued.
  growing—continued.
    as truck, Atlantic coast district. F.B. 1028, p. 8. 1919; Y.B., 1912, pp. 422, 425, 427, 428, 429, 430, 431. 1913; Y.B. Sep. 603, pp. 422, 425, 427, 428, 429, 430, 431. 1913.
    at Umatilla experiment farm, methods, and varieties. B.P.I.[Misc.], "The work * * * Umatilla * * * project, 1913," pp. 6–7. 1914.
    establishing plantation, directions. F.B. 1026, pp. 10–20. 1919; F.B. 1028, pp. 13–25. 1919.
    extension in various sections. F.B. 1043, pp. 4–7. 1919.
    for home use. F.B. 1001, pp. 4, 5, 8, 10, 11, 32–39. 1919.
    in Alabama—
      Baldwin County. Soil Sur. Adv. Sh., 1909, pp. 15, 28, 30. 1911; Soils F.O., 1909, pp. 715, 728, 730. 1912.
      Conecuh County. Soil Sur. Adv. Sh., 1912, pp. 14, 15, 18. 1914; Soils F.O., 1912, pp. 762, 763, 766. 1915.
      Escambia County. Soil Sur. Adv. Sh., 1913, pp. 17, 27, 33, 35. 1915; Soils F.O., 1913, pp. 839, 849, 855, 857. 1916.
      Limestone County. Soil Sur. Adv. Sh., 1914, pp. 12, 24, 28. 1916; Soils F.O., 1914, pp. 1125, 1136, 1140. 1919.
      Madison County. Soil Sur. Adv. Sh., 1911, pp. 28, 33. 1913; Soils F.O., 1911, pp. 816, 821. .1914.
    in Alaska. Soil Sur. Adv. Sh., 1914, pp. 87, 165. 1915; Soils F.O., 1914, pp. 121, 199. 1919.
    in Arizona, Yuma experiment farm, varieties and yields. W.I.A. Cir. 25, p. 41. 1919.
    in Arkansas—
      Fayetteville area. Soil Sur. Adv. Sh., 1906, pp. 36–37. 1908; Soils F.O., 1906, pp. 618–619. 1908.
      Lonoke County. Soil Sur. Adv. Sh., 1921, p. 1287. 1925.
      Ozark region. Soil Sur. Adv. Sh., 1911, pp. 23, 104. 1914; Soils F.O., 1911, pp. 1743–1744, 1824. 1914.
      Yell County. Soil Sur. Adv. Sh., 1915, pp. 11, 40. 1917; Soils F.O., 1915, pp. 1204, 1234. 1919.
    in California, Los Angeles area. Soil Sur. Adv. Sh., 1916, pp. 14, 48. 1919; Soils F.O., 1916, pp. 2356, 2390–2411. 1921.
    in Delaware—
      Kent County. Soil Sur. Adv. Sh., 1918, pp. 10, 16, 24, 27. 1920; Soils F.O., 1918, pp. 50, 56, 64, 67. 1924.
      Sussex County. Soil Sur. Adv. Sh., 1920, pp. 1535, 1539, 1545–1560. 1924; Soils F.O., 1920, pp. 1535, 1539, 1545–1560. 1925.
    in Florida—
      Bradford County. Soil Sur. Adv. Sh., 1913, pp. 9–10, 13-14, 22 31, 36. 1914; Soils F.O., 1913, pp. 647 648, 651–652, 660, 669, 674. 1916.
      Hillsborough County. Soil Sur. Adv. Sh., 1916, pp. 11, 13, 14, 15. 1918; Soils F.O., 1916, pp. 755, 757, 758, 759. 1921.
    in Georgia, Chattooga County. Soil Sur. Adv. Sh., 1912, pp. 18–19. 1913; Soils F.O., 1912, pp. 532–533. 1915.
    in Great Plains area. F.B 727, pp. 37–38. 1916.
    in Iowa—
      Lee County. Soil Sur. Adv. Sh., 1914, pp. 18, 29. 1916; Soils F.O., 1914, pp. 1924, 1935. 1919.
      Muscatine County. Soil Sur. Adv. Sh., 1914, pp. 19, 48. 1916; Soils F.O., 1914, pp. 1839, 1868. 1919.
    in Louisiana, Washington Parish. Soil Sur. Adv. Sh., 1922, p. 352. 1925.
    in Maine, Cumberland County, acreage and yields. Soil Sur. Adv. Sh., 1915, p. 21. 1917; Soils F.O., 1915, p. 53. 1919.
    in Maryland—
      Anne Arundel County. Soil Sur. Adv. Sh., 1909, pp. 17–18, 35. 1910. Soils F.O., 1909, pp 283–284, 301. 1912.
      Somerset County. Soil Sur. Adv. Sh., 1920, pp. 1291–1292, 1301-1311. 1924; Soils F.O., 1920, pp. 1291–1292, 1301–1311. 1925.
      Wicomico County. Soil Sur. Adv. Sh., 1921, pp. 1016, 1019. 1925.

Strawberry(ies)—Continued.
 growing—continued.
  in Mississippi—
   Covington County. Soil Sur. Adv. Sh., 1917, pp. 12, 22, 30, 32. 1919; Soils F.O., 1917, pp. 874, 884, 892, 894. 1923.
   Lincoln County. Soil Sur. Adv. Sh., 1912, pp. 12, 16. 1913; Soils F.O., 1912, pp. 862, 866. 1915.
   Warren County. Soil Sur. Adv. Sh., 1912, p. 18. 1914. Soils F.O., 1912, p. 894. 1915.
  in Missouri—
   Barry County. Soil Sur. Adv. Sh., 1916, pp. 11, 15-17, 25, 28, 30. 1918; Soils F.O., 1916, pp. 1940-1943, 1950, 1952, 1954. 1921.
   Newton County. Soil Sur. Adv. Sh., 1915, pp. 12-26. 1917; Soils F.O., 1915, pp. 1859, 1862-1863, 1864, 1865, 1872, 1885. 1919.
  in New Jersey, Millville area. Soil Sur. Adv. Sh., 1917, pp. 14, 15, 20-21, 28-43. 1921; Soils F.O., 1917 pp. 202, 203, 208-209, 216-231. 1923.
  in North Carolina—
   Bladen County. Soil Sur. Adv. Sh., 1914, pp. 9, 10. 1915; Soils F.O., 1914, pp. 627, 628, 636, 643, 644. 1919.
   Columbus County. Soil Sur. Adv. Sh., 1915, pp. 9-10, 12, 20, 21, 24, 29. 1917; Soils F.O., 1915, pp. 424-428, 438, 447, 460. 1919.
   Pender County. Soil Sur. Adv. Sh., 1912, pp. 11, 29, 31. 1914. Soils F.O., 1912, pp. 375, 393, 395. 1915.
   Wayne County. Soil Sur. Adv. Sh., 1915, pp. 10, 12. 1916; Soils F.O., 1915, pp. 503, 504, 505, 512, 531. 1919.
  in Oregon—
   and Washington, Hood River-White Salmon River area. Soil Sur. Adv. Sh., 1912, pp. 13-19. 1914; Soils F.O., 1912, pp. 2056-2061. 1915.
   Marshfield area. Soil Sur. Adv. Sh., 1909, pp. 22, 37. 1911; Soils F.O., 1909, pp. 1618, 1627. 1912.
  in Porto Rico, experiments. P.R. An. Rpt., 1911, p. 26. 1912.
  in South. H. C. Thompson. F.B. 664, pp. 20. 1915.
  in South Carolina—
   Conway area. Soil Sur. Adv. Sh., 1909, pp. 11-12. 1910; Soils F.O., 1909, pp. 478-480. 1912.
   Georgetown County. Soil Sur. Adv. Sh., 1911, pp. 17, 27, 29, 32, 35, 36, 41, 52. 1912; Soils F.O., 1911, pp. 525, 535, 537, 540, 543, 544, 549, 560. 1914.
   Horry County. Soil Sur. Adv. Sh., 1918, pp. 11, 15, 16, 24-41. 1920; Soils F.O., 1918, pp. 335, 339, 340, 348-365. 1924.
  in Southern States, locations and cultural directions. F.B. 1026, pp. 4-32. 1919.
  in Tennessee—
   Kentucky, and West Virginia. D.B. 1189, pp. 69-70. 1923.
   Meigs County. Soil Sur. Adv. Sh., 1919, pp. 12, 17, 24-25. 1921; Soils F.O., 1919, pp. 1260, 1265, 1272-1273. 1925.
  in Texas, Smith County. Soil Sur. Adv. Sh., 1915, pp. 13, 15, 28, 31, 34. 1917; Soils F.O., 1915, pp. 1087, 1089, 1092, 1108. 1919.
  in Utah, Cache Valley area, varieties and yield. Soil Sur. Adv. Sh., 1913, pp. 18-19. 1915; Soils F.O., 1913, pp. 2112-2113. 1916.
  in Virginia—
   Accomac and Northampton Counties. Soil Sur. Adv. Sh., 1917, pp. 21, 28, 42, 46. 1920; Soils F.O., 1917, pp. 370, 377, 392, 402. 1923.
   Norfolk area. Soil Sur. Adv. Sh., 1903, pp. 234, 237, 239, 242, 247. 1904; Soils F.O., 1903, pp. 234, 237, 239, 242, 247. 1904.
   trucking districts. D.B. 1005, pp. 4, 13-17, 23-35, 38-45, 53-70. 1922.
  in Washington—
   Benton County. Soil Sur. Adv. Sh., 1916, pp. 13, 17, 18, 47. 1919; Soils F.O., 1916, pp. 2211, 2215-2216, 2245-2269. 1921.
   eastern Puget Sound Basin. Soil Sur. Adv. Sh., 1909, pp. 26, 47, 57. 1911; Soils F.O., 1909, pp. 1538, 1559, 1569. 1912.

Strawberry(ies)—Continued.
 growing—continued.
  in Washington—continued.
   southwestern part. Soil Sur. Adv. Sh., 1911, pp. 31, 55, 91, 102, 126, 135. 1913; Soils F.O., 1911, pp. 2121, 2145, 2181, 2192, 2216, 2225. 1914.
   Spokane County. Soil Sur. Adv. Sh., 1917, pp. 25, 26, 56-57. 1921; Soils F.O. 1917, pp. 2175, 2176, 2206-2207. 1923.
   western Puget Sound Basin. Soil Sur. Adv. Sh., 1910, pp. 38, 53, 57. 1912; Soils F.O., 1910, pp. 1522, 1537, 1541. 1912.
  in Wisconsin—
   Door County. Soil Sur. Adv. Sh., 1916, pp. 11, 14, 39. 1918; Soils F.O., 1916, pp. 1745, 1748, 1773. 1921.
   northeastern, acreage and yields. Soil Sur. Adv. Sh., 1913, pp. 23, 25, 46. 1915; Soils F.O., 1913, pp. 1579, 1581, 1602. 1916.
  in young orchards, Pajaro Valley, Calif. Soil Sur. Adv. Sh., 1908, pp. 16, 18, 28. 1910; Soils F.O., 1908, pp. 1342, 1344, 1354. 1911.
 labor requirements, Kentucky. D.B., 385, p. 25. 1916.
 methods—
  and cost. F.B. 664, pp. 5-7, 19-20. 1915.
  and details. F.B. 854, pp. 3, 5-19. 1917.
  in Eastern States. News L., vol. 6, No. 41, pp. 11-12. 1919.
  in West. News L., vol. 6, No. 41, p. 12. 1919.
  on terraces, in Georgia, Rockdale County. Soil Sur. Adv. Sh., 1920, p. 545. 1923; Soils F.O., 1920, p. 545. 1925.
 soil selection and preparation in—
  Eastern States. F.B. 1028, pp. 11-13. 1919.
  South. F.B. 1026, pp. 6-10. 1919.
  under irrigation, Belle Fourche, S. Dak. W.I.A. Cir. 24, pp. 30-31. 1918.
 hardy, production for Alaska. C. C. Georgeson. Alaska Bul. 4, pp. 13. 1923.
 harvesting—
  and marketing methods, cost and containers. F.B. 854, pp. 19-21. 1917.
  and shipping in Western States. F.B. 1027, pp. 22-23. 1919.
  in South Atlantic and Gulf States. F.B. 1026, pp. 32-34. 1919.
  picking, packing, and shipping. F.B. 664, pp. 14-17. 1915.
 Haverland, origin, distribution, ripening, and characteristics. F.B. 1043, pp. 14-18, 23, 31. 1919.
 Hollis, description, and use in hybrizing experiments, Alaska. Alaska A.R., 1909, pp. 12-13. 1910.
 hybrid, Alaska, origin, characteristics, and types. Alaska Bul. 4, pp. 6-11. 1923.
 importation and description. No. 35953. B.P.I. Inv. 36, pp. 7, 29; 1915; Nos. 37690, 37691, 38520-38522, B.P.I. Inv. 39, pp. 19-20, 41. 1917; Nos. 41005-41007, 41102, B.P.I. Inv. 44, pp. 6, 30, 38. 1918; Nos. 41977-41987, 42072, B.P.I. Inv. 46, pp. 41, 54. 1919; Nos. 42721, 42738, 42810, B.P.I. Inv. 47, pp. 56, 58, 68. 1920; Nos. 45217, 45218, B.P.I. Inv. 52, p. 49. 1922; No. 48286. B.P.I. Inv. 60, p. 67. 1922; No. 51352, B.P.I. Inv. 64, p. 88. 1923; Nos. 51563-51564, 51616, B.P.I. Inv. 65, pp. 2, 26, 32. 1923; Nos. 52576, 52679-52680, 52731, 52756-52762, B.P.I. Inv. 66, pp. 42-43, 59, 68, 71-72. 1923; Nos. 53853-53855, B.P.I. Inv. 67, p. 92. 1923; Nos. 54929-54958, B.P.I. Inv. 70, pp. 31-32. 1923; Nos. 54976, 54996, 55516, B.P.I. Inv. 71, pp. 2, 8, 12, 54. 1923; Nos. 55589, 55726, B.P.I. Inv. 72, pp. 8, 25. 1924.
 improved hardy, production for Alaska. C. C. Georgeson. Alaska Bul. 4, pp. 13. 1923.
 in Missouri, acreage and yield, 1914. D.B. 633, pp. 3, 4, 5, 6. 1918.
 in transit, Rhizopus rot of. Niel E. Stevens and R. B. Wilcox. D.B. 531, pp. 22. 1917.
 industry—
  importance. F.B. 1458, pp. 1-2. 1925.
  in Louisiana, history. D.B. 477, pp. 9-11. 1917.
 infection with Rhizopus rot, sources. D.B. 531, pp. 13-19. 1917.
 infested by Aleyrodidae. Ent. Bul. 12, Pt. V, p. 93. 1907.

INDEX TO PUBLICATIONS, 1901-1925

Strawberry(ies)—Continued.
  injury by—
    Botrytis spp. and *Rhizopus* spp., pathological histology. Neil E. Stevens. J.A.R., vol. 6, No. 10, pp. 361-366. 1916.
    red-banded leaf-roller. D.B. 914, pp. 1, 6, 9, 10, 12. 1920.
    white grubs. F.B. 543, pp. 6, 11. 1913.
  inoculation with Rhizopus rot, experiments, D.B. 531, pp. 7-9, 13. 1917.
  insect pests, list. Sec. [Misc.], "A manual * * * insects * * *," pp. 196-197. 1917.
  irrigation in—
    Eastern States, overhead and surface. F.B. 1028, pp. 32-33. 1919.
    humid region. Y.B., 1911, pp. 313, 315, 320. 1912; Y.B. Sep. 570, pp. 313, 315, 320. 1912.
    Pajaro Valley, California, cost, and yield. Soil Sur. Adv. Sh., 1908, p. 19. 1910; Soils F.O., 1908, p. 1345. 1911.
    South Atlantic and Gulf States. F.B. 1026, pp. 29-30. 1919.
    Western States. F.B. 1027, pp. 11-12, 20-21. 1919.
    Yakima Valley, Wash. O.E.S. Bul. 188, p. 65. 1907.
  jam, adulteration and misbranding. Chem. N.J. 698, pp. 2. 1910; Chem. N.J. 1235, pp. 3. 1912.
  jelly—
    adulteration—Royal brand. Chem. N.J. 1742, pp. 2. 1912.
    with added pectin, directions. D.C. 254, pp. 10-11. 1923.
  Jessie, origin, distribution, ripening, and characteristics. F.B. 1043, pp. 23, 31. 1919.
  Joe, origin, distribution, ripening, and characteristics. F.B. 1043, pp. 5, 13-26, 31. 1919.
  Jucunda, origin, distribution, ripening, and characteristics. F.B. 1043, pp. 5, 9, 13, 16, 19, 22, 23 26, 31. 1919.
  juice—
    adulteration and misbranding. Chem. N.J. 1596, pp. 2. 1912; Chem. N.J. 2832, p. 1. 1914; Chem. N.J. 3037, pp. 2. 1914.
    extraction and sterilization experiments. D.B. 241, pp. 9-10. 1915.
  Klondike—
    growing in Tennessee, Kentucky, and West Virginia. F.B. 854, pp. 21, 22. 1917.
    origin, distribution, ripening and characteristics. F.B. 1043, pp. 5, 6, 9, 13-23, 26, 32. 1919.
    yield and prices, Conway area, South Carolina. Soil Sur. Adv. Sh., 1909, pp. 10, 11, 26. 1910; Soils F.O., 1909, pp. 478, 479, 494. 1912.
  labor requirements. D.B. 1181, pp. 8-9, 44, 47, 61. 1924.
  Late Stevens, origin, distribution, ripening and characteristics. F.B. 1043, pp. 5, 13-16, 32. 1919.
  leaf spot, occurrence in Texas, and description. B.P.I. Bul. 226, p. 34. 1912.
  leak—
    description and control. F.B. 1458, p. 10. 1925.
    fungi causing. J.A.R., vol. 6, No. 10, p. 361. 1916.
  leather rot. Dean H. Rose. J.A.R., vol. 28, pp. 357-376. 1924.
  leaves, use for tea. D.C. 3, p. 18. 1919.
  Lupton, origin, description, and characteristics. F.B. 1043, pp. 22, 32. 1919.
  Magoon, origin, distribution, ripening, and characteristics. F.B. 1043, pp. 16, 17, 22, 23, 32. 1919.
  mailing restrictions, marking, and handling. D.B. 688, pp. 8-9. 1918.
  market(s)—
    handling carload lots. Y.B., 1911, pp. 170, 171. 1912; Y.B. Sep. 558, pp. 170, 171. 1912.
    statistics, 1919 and 1920. D.B. 982, pp. 224, 239-240, 243-250, 262, 264. 1921.
  marketing—
    and distribution in 1915. O. W. Schleussner and J. C. Gilbert. D.B. 477, pp. 32. 1917.
    by parcel post, suggestions. F.B. 703, pp. 13-14. 1916.
    methods. Rpt. 98, pp. 166, 167, 198-200, 221-224, 227-228, 229, 240, 252. 1913.

Strawberry(ies)—Continued.
  Marshall, origin, distribution, ripening, and characteristics. F.B. 1043, 5, 9, 10, 13-23, 26, 32. 1919.
  Mascot, origin, distribution, ripening, and characteristics. F.B 1043, pp. 18, 22, 23, 25, 33. 1919.
  Mexican—
    description and study. B.P.I. Bul. 116, p. 66. 1907.
    importation and description. No. 46613, B.P.I. Inv. 57, p. 12. 1922.
  mildew, description and control. F.B. 1458, pp. 5-6. 1925.
  Minute Man, origin, distribution, ripening, and characteristics. F.B. 1043, pp. 15, 18, 23, 33. 1919.
  Missionary, origin, distribution, ripening, and characteristics. F.B. 1043, pp. 6, 9, 13-23, 33. 1919.
  mulching—
    and picking, practices. D.B. 531, p. 12. 1917.
    materials and method. F.B. 854, pp. 15-17. 1917.
    practices in Eastern States. F.B. 1028, pp. 33-36. 1919.
    practices in Southern States. F.B. 1026, pp. 26-27. 1919.
  Myer, origin, distribution, ripening, and characteristics. F.B. 1043, pp. 13, 18, 23, 33. 1919.
  New York, origin, distribution, ripening, and characteristics. F.B. 1043, pp. 13, 18, 23, 33. 1919.
  Nick Ohmer, origin, distribution, ripening, and characteristics. F.B. 1043, pp. 13, 19-23, 33. 1919.
  oil, adulteration. Chem. N.J. 2470, pp. 1-2. 1913; Chem. N.J. 13542. 1925.
  Oregon, origin, distribution, ripening, and characteristics. F.B. 1043, pp. 5, 13, 16, 19, 22, 23, 34. 1919.
  packing—
    dry-quart box, disadvantages. Rpt. 98, p. 229. 1913.
    season. D.B. 196, p. 18. 1915.
    washing and drying, effects on soundness. D.B. 531, pp. 14-19. 1917.
  parcel post shipping, 1915-1917, distance, methods, and conditions governing. D.B. 688, pp. 2-10. 1918.
  Parsons, origin, distribution, ripening, and characteristics. F.B. 1043, pp. 5, 11, 13-16, 20, 23, 34. 1919.
  pectin, use in jelly making. F.B. 853, p. 40. 1917.
  pickers, methods. D.B. 477, pp. 2-3. 1917.
  picking—
    and handling in Eastern States. F.B. 1028, pp. 36-38. 1919.
    and packing, methods for parcel-post shipping. D.B. 688, p. 5. 1918.
    and shipping in Southern States. F.B. 1026, pp. 32-34. 1919.
  date and acreage, 1909. Y.B., 1917, p. 588. 1918; Y.B. Sep. 758, p. 54. 1918.
  date, graph. D.C. 183, p. 52. 1922.
  day's work. D.B. 3, p. 40. 1913.
  grading, and handling, importance of care. F.B. 979, pp. 3-10, 25. 1918.
  plantation, choosing for drainage. F.B. 1028, pp. 9-11. 1919.
  planting—
    and training methods. F.B. 1027, pp. 13-17. 1919; F.B. 1028, pp. 13-28. 1919.
    new beds and thinning old ones, methods. News L., vol. 5, No. 52, p. 4. 1918.
    systems. F.B. 198, pp. 15-16. 1904.
    time, number per acre, and setting method. F.B. 854, pp. 10-12. 1917.
  plants—
    nursery-stock classification. F.H.B.S.R.A., 31, p. 96. 1916.
    setting, tools and methods. F.B. 1026, pp. 17-20. 1919; F.B. 1027, pp. 17-18. 1919; F.B. 1028, pp. 22-25. 1919.
    sources, number to acre, and setting directions. F.B. 1026, pp. 10-20. 1919; F.B. 1027, pp. 12, 16-20. 1919; F.B. 1028, pp. 15, 20-25. 1919.
  Pocomoke, origin, distribution, ripening, and characteristics. F.B. 1043, pp. 5, 15, 16, 22, 34. 1919.
  pollination. F.B. 198, pp. 11, 21. 1904.

Strawberry(ies)—Continued.
preparation for market. C. T. More and H. E. Truax. F.B. 979, pp. 27. 1918.
preserved, adulteration. Chem. N.J. 2163, pp. 2. 1913.
preserves—
  adulteration and misbranding. Chem. N.J. 1302, pp. 2. 1912.
  canning directions. F.B. 853, pp. 35-36. 1917; F.B. 839, pp. 22, 30. 1917.
  jam and juice, directions and recipes. F.B. 1026, pp. 37-39. 1919; F.B. 1027, pp. 26-28. 1919; F.B. 1028, pp. 47-49. 1919.
prices and marketing, 1923. Y.B. 1923, pp. 750-751. 1924; Y.B. Sep. 900, pp. 750-751. 1924.
production—
  and marketing, 1914, studies. News L., vol. 2, No. 40, p. 8. 1915.
  and value, leading States, 1909. Y.B., 1914, p. 649. 1915; Y.B. Sep. 656, p. 649. 1915.
  limiting factors. F.B. 1027, pp. 4-8. 1919.
Progressive, origin, distribution, and characteristics. F.B. 1043, pp. 7, 13-17, 21, 23, 24, 34. 1919.
propagation—
  methods. F.B. 198, pp. 7-9. 1904; F.B. 1027, p. 12. 1919; F.B. 1028, pp. 42-44. 1919.
  planting, and mulching. F.B. 664, pp. 2, 7-13. 1915.
protection from cold. B.P.I. Cir. 60, p. 16. 1910; Y.B., 1909, p. 393. 1910; Y.B. Sep. 522, p. 393. 1910.
renewing plantation. F.B. 1026, pp. 30-32. 1919; F.B. 1027, p. 22. 1919; F.B. 1028, pp. 39-41. 1919.
resistance to frost. F.B. 133, pp. 19-21. 1901.
respiration studies. Chem. Bul. 142, pp. 13, 24, 25. 1911.
returns per acre, Washington, irrigated land. O.E.S. Bul. 214, p. 22. 1909.
Rhizopus rot, occurrence in transit. Neil E. Stevens and R. B. Wilcox. D.B. 531, pp. 22. 1917.
ripening season, extension, methods and varieties. F.B. 1043, pp. 7, 23-24. 1919.
root louse—
  in Tennessee. S. Marcovitch. J.A.R., vol. 30, pp. 441-449. 1925.
  life history. J.A.R., vol. 27, pp. 513, 516, 517, 519, 521. 1924. J.A.R., vol. 30, pp. 441-448. 1925.
  methods of destruction. Ent. Bul. 37, p. 100. 1902.
rootworm, enemy of greenhouse rose. C. A. Weigel and others. F.B. 1344, pp. 14. 1923.
rot(s)—
  caused by—
    Schizoparme straminea, studies of. J.A.R., vol. 23, pp. 750-757. 1923.
    species of Botrytis and Rhizopus. J.A.R., vol. 6, No. 10, pp. 361-366. 1916.
  descriptions and control. F.B. 1458, pp. 8-10. 1925.
  fungus, pycnidium cavities, origin. J.A.R., vol. 23, pp. 748-750. 1923.
runners, removal from everbearing strawberries, advantages. F.B. 901, pp. 11-12. 1917.
"running out" of varieties, discussion. F.B. 1043, pp. 25-27. 1919.
Sample, origin, distribution, ripening, and characteristics. F.B. 1043, pp. 5, 13-17, 19, 21, 23, 34. 1919.
school lesson in setting. D.B. 258, pp. 31-32. 1915.
seasons, shipping, for various States. D.B. 237, p. 5. 1915.
seed, handling and planting, and care of seedlings. Alaska Bul. 4, pp. 11-12. 1923.
seedlings, planting and care. Alaska Bul. 4, p. 12. 1923.
shading effects. F.B. 210, pp. 16-17. 1904.
shipment(s)—
  1914, by States. D.B. 237, pp. 6-10. 1915.
  1915, extent, length, and volume. D.B. 477, pp. 11-12. 1917; F.B. 1028, pp. 6-7. 1919.
  1916, by States and by stations. D.B. 667, pp. 9, 102-106. 1918.
  1917-1921, and prices. Y.B., 1921, p. 653. 1922; Y.B. Sep. 869, p. 73. 1922.

Strawberry(ies)—Continued.
shipment(s)—continued.
  1922, by States. J.A.R., vol. 28, p. 367. 1924.
  by boat, equivalent in carloads. D.B. 237, pp. 2, 3. 1915.
  from Kentucky and Tennessee, 1914, 1920, and 1921. D.B. 1189, pp. 5, 6, 7. 1923; F.B. 854, p. 4. 1917.
  in carloads, by States, 1920-1923. S.B. 8, pp. 60-65. 1925.
  in cold storage, failures. Y.B., 1900, pp. 444, 575, 576. 1901.
shipping—
  practices. D.B. 531, pp. 11-13. 1917.
  qualities, conditions affecting. D.B. 531, pp. 2-4. 1917.
  season. News L., vol. 2, No. 40, p. 8. 1915.
shortcake recipe. F.B. 1136, p. 32. 1920.
Shropshire, origin, distribution, ripening, and characteristics. F.B. 1043, pp. 15, 23, 35. 1919.
similarity to deciduous fruit and classification. Y.B., 1909, p. 365. 1910; Y.B. Sep. 520, p. 365. 1910.
soils—
  and fertilizers. F.B. 664, pp. 2-5. 1915.
  of Atlantic and Gulf Coastal Plains. Soils Bul. 78, pp. 33, 34, 36, 39, 43, 47, 50, 51, 61. 1911.
spraying for control of—
  fruit rots. E. M. Stoddard and others. D.C. 309, pp. 4. 1924.
  red spider. J.A.R., vol. 7, pp. 389, 390, 398. 1916.
spring planting for Eastern States. F.B. 1028, p. 14. 1919.
standardization of containers, congressional and State laws. F.B. 979, pp. 20-21, 26-27. 1918.
States shipping, and distribution to various cities, 1915. D.B. 477, pp. 18-32. 1917.
statistics—
  1924. Y.B., 1924, pp. 685-686. 1925.
  for West Virginia, Kentucky, and Tennessee 1910 and 1920. D.B. 1189, p. 3. 1923.
  prices 1921-22, and shipments, 1917-1922. Y.B., 1922, pp. 772, 775, 777. 1923; Y.B. Sep. 884,, pp. 772, 775, 777. 1924
sterility, causes, W. D. Valleau. J.A.R., vol. 12, pp. 613-670. 1918.
studies for southern rural schools. D.B. 305, p. 59. 1915.
success, origin, distribution, ripening, and characteristics. F.B. 1043, pp. 15, 18, 22, 35. 1919.
Superb, origin, distribution, ripening, and characteristics. F.B. 1043, pp. 7, 14, 16, 18, 21, 24, 35. 1919.
Superior, origin, distribution, ripening, and characteristics. F.B. 1043, pp. 13, 14, 18, 20, 23, 35. 1919.
supply and distribution in 1914. Wells A. Sherman and others. D.B. 237, pp. 10. 1915.
temperature at picking time, effect on keeping. D.B. 686, pp. 7-8, 12. 1918.
test of varieties at Mandan, N. Dak. D.B. 1337, p. 9. 1925.
Thompson, origin, distribution, ripening, and characteristics. F.B. 1043, pp. 5, 16, 18, 23, 35. 1919.
training, hill system and matted-row system. F.B. 1026, pp. 15-16. 1919; F. B. 1027, p. 14. 1919; F.B. 1028, pp. 16-20. 1919.
training system, and care during first summer. F.B. 854, pp. 12-15. 1917.
transportation from Ozark region, factors in. V. W. Ridley. Mkts. Doc. 8, pp. 10. 1918.
varietal tests at field station near Mandan, N. Dak. D.B. 1301, p. 24. 1925.
varieties—
  adaptable for parcel-post shipping, studies. D.B. 688, p. 4. 1918.
  comments on. F.B. 1001, pp. 30. 1919.
  descriptions. D.B. 1189, pp. 70-74. 1923.
  disease resistance. F.B. 1043, p. 21. 1919.
  for eastern United States. F.B. 1028, pp. 20-21, 31, 45-46. 1919.
  for northern Great Plains, growing requirements. D.C. 58, p. 4. 1919.
  from New Zealand. Nos. 43149, 43150, B.P.I. Inv. 48, p. 22. 1921.
  grown in Tennessee, Kentucky and West Virginia. F.B. 854, pp. 21-22, 23. 1917.

Strawberry(ies)—Continued.
varieties—continued.
importance as to acreage and seasons of ripening. F.B. 1043, pp. 19, 23–24. 1919.
in United States. George M. Darrow. F.B. 1043, pp. 36. 1919.
new, origin and testing. B.P.I. Bul. 207, p. 90. 1911; F.B. 1043, pp. 24–25. 1919.
recommendations for various fruit districts. B.P.I. Bul. 151, pp. 50–51. 1909.
suitable to Southern States. F.B. 664, pp. 17–19. 1915.
testing, Umatilla experiment farm, 1912. B.P.I. Cir. 129, pp. 26, 27. 1913.
used in South Atlantic and Gulf States. F.B. 1026, p. 35. 1919.
used in Western States. F.B. 1027, pp. 23–25. 1919.
Warfield, origin, distribution, ripening, and characteristics. F.B. 1043, pp. 4, 14–17, 23, 36. 1919.
washing before packing, effect on keeping. D.B. 686, pp. 4–6, 12. 1918.
weevil—
South-Central States, 1905. A. W. Morrill. Ent. Bul. 63, pp. 59–62. 1909.
injury, and varieties least susceptible. F.B. 1043, p. 22. 1919.
wild—
fruiting season and use as bird food. F.B. 844, pp. 11, 13, 15. 1917; F.B. 912, pp. 11, 13, 14. 1918.
stem nematode infection. D.B. 1229, pp. 1–8. 1924.
Williams, origin, characteristics, and distribution. F.B. 1043, pp. 5, 15, 16, 18, 23, 36. 1919.
Wilson, origin, distribution, ripening, and characteristics. F.B. 1043, pp. 4, 7, 11, 15–23, 26, 36. 1919.
Woolverton, origin, distribution, ripening, and characteristics. F.B. 1043, pp. 13, 23, 36. 1919.
yellow, importation and description. No. 36757. B.P.I. Inv. 37, p. 61. 1916.
yield—
on tidal-marsh reclamations. O.E.S. Bul. 240, pp. 43, 44, 52. 1911.
per acre. D.B. 1338, pp. 4–5. 1925.
Strawberry tree, importations and descriptions. No. 41256, B.P.I. Inv. 44, pp. 7, 55. 1918; No. 41502, B.P.I. Inv. 45, p. 40. 1918.
Strawflower, description, cultivation, and characteristics. F.B. 1171, pp. 36–37, 83. 1921.
Strawworm—
barley, description, enemies, and prevention. Ent. Bul. 42, pp. 29–34. 1903.
grass, life history and control. D.B. 808, pp. 15–18, 26. 1920.
rye, description and life history. D.B. 808, pp. 14–15. 1920.
wheat—
F. M. Webster and George I. Reeves. Ent. Cir. 106, pp. 15. 1909.
and its control. W. J. Phillips and F. W. Poos. F.B. 1323, pp. 10. 1923.
description, distribution, enemies, and remedies. Ent. Bul. 42, pp. 14–23. 1903.
habits, enemies, and remedies. F.B. 132, pp. 26–29. 1901.
life history, injury to wheat, and control. D.B. 808, pp. 5–8, 23–25. 1920.
symptoms, comparison with rosette. D.B. 1137, p. 6. 1923.
Stream(s)—
carrying capacity of soil material, studies. D.B. 180, pp. 2–4, 22, 23. 1915.
erosion, prevention methods. Y.B., 1913, p. 220. 1914; Y.B. Sep. 624, p. 220. 1914.
flow—
and surface conditions. Wm. L. Hall and Hu Maxwell. For. Cir. 176, pp. 16. 1910.
measurement. News L., vol. 6, No. 45, p. 6. 1919.
measurement methods, cross section, and weir. Y.B., 1918, pp. 227–235. 1919; Y.B. Sep. 770, pp. 9–17. 1919.
relation of forests. N.C. 47, pp. 4–5. 1925.
relation to forests, studies by forest experiment stations. Sec. Cir. 183, pp. 9–11. 1921.
relation to precipitation at Cincinnati. W.B. Bul. 40, pp. 1–40. 1912.

Stream(s)—Continued.
flow—continued.
velocity, Chezy's formula. O.E.S. Bul. 234, p. 19. 1911.
forest, description. Y.B., 1913, p. 209. 1914; Y.B. Sep. 624, p. 209. 1914.
gauging stations establishment in Alaska. D.B. 950, p. 17. 1921.
measurement in Idaho. O.E S. Bul. 216, pp. 21–22. 1909.
navigable, protection by Weeks law, enforcement. For. Cir. 205, pp. 6–8. 1912.
protection, land acquisition under Weeks law. An. Rpts., 1912, pp. 914–915. 1913; Sol. A.R., 1912, pp. 30–31. 1912.
small, electric light and power for farm homes. Y.B., 1918, pp. 225–238. 1919; Y.B. Sep. 770, pp. 1–20. 1919.
source of irrigation water supply. F.B. 899, pp. 7–8. 1917.
torrential, of southern California, water storage problems. O.E.S. Bul 100, pp. 353–395. 1901.
velocity, measurement, directions. Y.B., 1918, pp. 227–229. 1919; Y.B. Sep. 770, pp. 9–11. 1919.
water rights, titles, and water distribution methods. D.B. 913, pp. 4–8, 13. 1920.
western Oregon, and water supply. O.E.S. Bul. 226, pp. 10, 14, 16, 64. 1910.
Streblus asper. See Kalios.
STREET, J. P.—
"Ginger extract." With C. B. Morrison. Chem. Bul. 137, pp. 76–79. 1911.
"Official and provisional methods of analysis, Association of Official Agricultural Chemists." With others. Chem. Bul. 107, pp. 230. 1907.
"Vegetables." Chem. Bul. 137, pp. 122–134. 1911.
Street(s)—
sweeper, use in control of alfalfa weevil, experiments. Ent. Bul. 112, p. 27. 1912.
sweepings—
composition, yield of cities, and fertilizer value. Y.B., 1914, pp. 298–300. 1915; Y.B. Sep. 643, pp. 298–300. 1915.
value as fertilizer. Y.B., 1916, pp. 377–378. 1917. Y.B. Sep. 716, pp. 3–4. 1917.
tree(s)—
F. L. Mulford. D.B. 816, pp. 58. 1920.
adaptable, Kansas. For. Cir. 161, pp. 24, 31. 37, 40, 44. 1909.
planting, advantages. D.C. 8, p. 14. 1919.
planting and care. F. L. Mulford. F.B. 1209, pp. 35. 1921.
suitable for. F.L. Mulford. F.B. 1208, pp. 40. 1922.
See also Trees.
village, beautification. F.B. 1441, pp. 31–33. 1925.
Strepsiptera parasitic on leaf hoppers. Ent. Bul. 108, p. 33. 1912.
Streptobacterium spp., in milk, description. B.A.I. Diary [Misc.], "World's dairy congress, 1923" p. 1125. 1924.
Streptochaeta spicata, importation and description. No. 45488, B.P.I. Inv. 53, p. 40. 1922.
Streptococci—
cow, thermal death point. J.A.R., vol. 2, pp. 322–326. 1914.
determination in eggs, method. Chem. Bul. 158, p. 20. 1912.
flavor production, study. J.A.R., vol. 13, pp. 235–237, 251. 1918.
function in Cheddar cheese ripening. J.A.R., vol. 13, pp. 246–249. 1918.
in milk—
origin, studies. L. A. Rogers and Arnold O. Dahlberg. J.A.R., vol. 1, pp. 491–511. 1914.
pathogenic and nonpathogenic. J.A.R., vol. 2, p. 321. 1914.
significance. B.A.I. Cir. 153, pp. 51–52. 1910.
thermal death point, experiments. J.A.R., vol. 2, pp. 322–329. 1914.
presence in—
mouth, udder, and feces of cows, cultures, studies. J.A.R., vol. 1, pp. 492–511. 1914.
pasteurized milk. D.B. 342, pp. 11–12. 1916.
survival of pasteurization. S. Henry Ayers and William T. Johnson, jr. J.A.R., vol. 2, pp. 321–330. 1914.

Streptococcus—
apis—
occurrence in bees, description. Ent. Bul. 98, pp. 79, 82, 83, 84, 85, 91. 1912.
presence in European foulbrood, and description. D. B. 810, pp. 9, 12-13, 30, 32. 1920.
relation to brood diseases, notes and experiments. Ent. Cir. 157, pp. 1-15. 1912.
cause of septicemia, morphology, and cultural characteristics. B.A.I. Bul. 36, pp. 10-13. 1902.
cultures, effects on cheese curd, substances formed. J.A.R., vol. 2, pp. 197-201. 1914.
definition. J.A.R., vol. 2, p. 321. 1914.
disparis, cause of disease of Japanese gipsy moth. J.A.R., vol. 13, pp. 515-522. 1918.
epidemicus, infection of udders of dairy cows. B.A.I. Dairy [Misc.], "World's dairy congress, 1923," pp. 1472-1743. 1924.
groups, classification, and constancy of reaction. J.A.R., vol. 2, pp. 171-174, 196. 1914.
in starter for pasteurized-milk cheese. J.A.R., vol. 2, pp. 189-190. 1914.
kefir, description, characteristics, and growth. J.A.R., vol. 13, pp. 243-245. 1918.
lacticus—
description, characteristics, and growth. J.A.R., vol. 13, pp. 238-241. 1918.
importance in ripening Roquefort cheese. J.A.R., vol 13, pp. 227-230, 232. 1918.
lactis—
destruction of pentosans in corn stover. J.A.R., vol. 23, p. 660. 1923.
importance in ripening of cheese and butter. B.A.I. Dairy [Misc.], "World's dairy congress, 1923," pp. 304, 305, 320, 321-327, 986-990. 1924.
mastitis, failure to produce odor on beef. J.A.R., vol. 21, p. 695. 1921.
pyogenes—
occurrence in cattle. B.A.I. [Misc.], "Diseases of cattle," rev., pp. 235, 236, 247. 1904; rev., pp. 241-242. 1912; rev., pp. 237, 239. 1923.
typical reactions, results of tests. J.A.R., vol. 1, pp. 507-508. 1914.
spp.—
comparison. J.A.R., vol. 13, pp. 245. 1918.
in milk, bovine and other types. importance. B.A.I. Dairy [Misc.], "World's daily congress, 1923," pp. 1125-1136. 1924.
X, description and characteristics. J.A.R., vol. 13, pp. 241-243. 1918.
"Stress," meaning of term as applied to wood. D.B. 556, p. 23. 1917.
Stretches. *See* Colic.
STRICKLAND, G. G.: "Soil survey of Jefferson County, Ark." With others. Soil Sur. Adv. Sh., 1915, pp. 39. 1916; Soils F.O., 1915, pp. 1163-1197. 1919.
STRIETER, E. H.: "Soil survey of Perkins County, Nebr." With others. Soil Sur. Adv. Sh., 1921, pp. 46. 1924.
Striga masuria, importation and description. No. 48746, B.P.I. Inv. 61, p. 42. 1922.
Strigidae, hosts of eye parasites. B.A.I. Bul. 60, p. 48. 1904.
STRIKE, W. W.: "Soil survey of Hardin County, Iowa." With T. H. Benton. Soil Sur. Adv. Sh., 1920, pp. 717-757. 1923; Soils F.O., 1920, pp. 717-757. 1925.
Stringhalt—
description and treatment. B.A.I. [Misc.], "Diseases of the horse," rev., p. 206-207, 364-365. 1903 rev., pp. 207, 364-365. 1907; rev., pp. 207, 364-365. 1911; rev., pp. 227, 390. 1923.
detection. F.B. 779, p. 23. 1917.
Stringy-bark trees, importation and description. Nos. 38719-38721, 38730, B.P.I. Inv. 40, pp. 18, 21. 1917.
Stripe—
bacterial, disease of proso millet. Charlotte Elliott. J.A.R., vol. 26, pp. 151-160. 1923
disease, barley—
cause and description. J.A.R., vol. 11, p. 625. 1917; J.A.R., vol. 24, pp. 642, 650-656. 1923.
damage to crop. Y.B., 1922, p. 497. 1923; Y.B. Sep. 891, p. 497. 1923.
Strobilanthes pectinatus, importations. Nos. 42629, 42808, B.P.I. Inv. 47, pp. 40, 68. 1920.
Strobilomyces strobilaceus, description. D.B. 175, p. 40. 1915.

STRONG, H. M.: "Arable land in the United States." With O. E. Baker. Y.B., 1918, pp. 433-441. 1919; Y.B. Sep. 771, pp. 11. 1919.
STRONG, J. F. A.—
"Report of the Governor of Alaska on the Alaksa game law—
1913." Biol. [Misc.], "Report * * * Governor * * *," pp. 14. 1913.
1914." Biol. [Misc.], "Report * * * Governor * * *," pp. 16. 1914.
1915." Biol. [Misc.], "Report * * * Governor * * *," pp. 18. 1916.
1916." Biol. Doc. 105, pp. 16. 1917.
STRONG, R. M.: "Use of alcohol for power." Chem. Bul. 130, pp. 141-146. 1910.
Strongyles—
Egyptian and Japanese (*Strongylus subtilis*), which may possibly occur in returning American troops. Ch. Wardell Stiles. B.A.I. Bul. 35, pp. 41-42. 1902.
hog parasite, diagnosis. B.A.I. Cir. 201, p. 35. 1912.
thread-necked—
description, occurrence in sheep, preventive measures. F.B. 1150, pp. 47-48. 1920.
in sheep, description, habits, and control. F.B. 1330, pp. 47-48. 1923.
See also Roundworms.
Strongylogaster abnormis. *See* False-worm, dock.
Strongyloides—
longus, sheep, infection methods. B.A.I. An. Rpt., 1907, p. 55. 1909.
stercoralis, spread by dogs. D.B. 260, p. 24. 1915.
Strongylus—
contortus. *See* Stomach worm.
infection prevented by burning. B.A.I. Bul. 35, pp. 15-17. 1902.
micrurus, cause of verminous bronchitis of cattle. B.A.I. [Misc.], "Diseases of cattle," rev., pp. 97-98. 1904; rev., pp. 99. 1912; rev., pp. 100. 1923.
paradoxus. *See* Lungworms.
quadriradiatus, new parasite found in the pigeon. Earle C. Stevenson. B.A.I. Cir. 47, pp. 6. 1904.
subtilis, an Egyptian and Japanese strongyle which may possibly occur in returning American troops. Ch. Wardell Stiles. B.A.I. Bul. 35, pp. 41-42. 1902.
Strontium—
chloride solutions, solubility of carbon dioxide. Soils Bul. 49, p. 17. 1907.
compounds, effect on growth of plants, with barium. J. S. McHargue. J.A.R., vol. 16, pp. 183-194. 1919.
determination—
and poisonous nature. D.B. 600, p. 3. 1917.
in water, modified method. Chem. Bul. 152, p. 79. 1912.
occurrence in soils. D.B. 122, pp. 12-13, 14. 1914.
Strophanthus—
adulteration, detection. Chem. Bul. 122, p. 138. 1909.
caudatus, importation and description. No. 44901, B.P.I. Inv. 51, p. 88. 1922.
seed, substitution of *Strophanthus sarmentosus*. Chem. S.R.A. 23, p. 99. 1918.
spp., importation and description. Nos. 47217, 47218, B.P.I. Inv. 58, pp. 7, 41-42. 1922.
STROUD, J. F.—
"Reconnoisance soil survey of northwest Texas." With others. Soil Sur. Adv. Sh., 1919, pp. 75. 1922; Soils F.O., 1919, pp. 1099-1173. 1925.
"Soil survey of—
Barbour County, Ala." With others. Soil Sur. Adv. Sh., 1914, pp. 50. 1917; Soils F.O., 1914, pp. 1071-1116. 1919.
Choctaw County, Ala." With others. Soil Sur. Adv. Sh., 1921, pp. 975-1009. 1925.
Crenshaw County, Ala." With others. Soil Sur. Adv. Sh., 1921, pp. 375-407. 1924.
Dallas County, Tex." With others. Soil Sur. Adv. Sh., 1920, pp. 1213-1254. 1924; Soils F.O., 1920, pp. 1213-1254. 1925.
Freestone County, Tex." With others. Soil Sur. Adv. Sh., 1918, pp. 58. 1921; Soils F.O., 1918, pp. 831-884. 1924.

STROUD, J. F.—Continued.
"Soil survey of—Continued.
Lawrence County, Ala." With H. G. Lewis.
Soil Sur. Adv. Sh., 1914, pp. 50. 1916; Soils
F.O., 1914, pp. 1155–1200. 1919.
Monroe County, Ala." With others. Soil Sur.
Adv. Sh., 1916, pp. 53. 1919; Soils F.O., 1916,
pp. 851–899. 1921.
Red River County, Tex." With others. Soil
Sur. Adv. Sh., 1919, pp. 153–206. Soils F.O.,
1919, pp. 153–206. 1925.
Shelby County, Ala." With others. Soil Sur.
Adv. Sh., 1917, pp. 60. 1920; Soils F.O., 1917,
pp. 735–790. 1923.
Walker County, Ala." With others. Soil Sur.
Adv. Sh., 1915, pp. 30. 1916; Soils F.O., 1915,
pp. 865–890. 1919.
Washington County, Ala." With others. Soil
Sur. Adv. Sh., 1915, pp. 51. 1917; Soils F.O.,
1915, pp. 891–937. 1919.
STROWBRIDGE, J. W.—
"Farm and terminal market prices: Wheat,
corn, and oats, 1921." D.B. 1083, pp. 58. 1922.
"Statistics of grain crops, 1922." With others.
Y.B., 1922, pp. 569–665. 1923; Y.B. Sep. 881,
pp. 569–665. 1923.
Strychnia—
nitrate. See Strychnine.
sulphate—
use—
against rodents, superiority to other poisons.
Y.B., 1908, p. 307. 1909; Y.B. Sep. 482, p.
307. 1909.
in field-mouse destruction, directions. F.B.
352, pp. 14–17. 1909.
in poisoning pocket gophers, directions. Biol.
Cir. 32, rev., pp. 1–3, 1902; Biol. Cir. 52,
rev., p. 2. 1908.
See also Strychnine.
use in poisoning rodents. F.B. 335, pp. 7, 12, 20,
25. 1908; For. Bul. 98, pp. 37–38. 1911.
Strychnine—
alkaloidal reactions, discussion and notes. Chem.
Bul. 150, pp. 36–40, 43. 1912.
antidotes for. Y.B., 1908, p. 425. 1909; Y.B. Sep.
491, p. 425. 1909.
baits for poisoning animals. D.B. 1023, pp. 15–16.
1921.
cost, comparison with arsenic. Y.B., 1908, p. 425.
1909; Y.B. Sep. 491, p. 425. 1909.
effect on rats, relation to age and development.
D.B. 1023, p. 12. 1921.
forms, comparative value and cost. Y.B., 1908,
pp. 424–425. 1909; Y.B. Sep. 491, pp. 424–425.
1909.
identification tests. Chem. Bul. 150, pp. 36–40.
1912.
iron, and quinine, elixir, misbranding. Chem.
N.J. 2428, p. 1. 1913.
lethal doses for various animals. D.B. 1023, pp.
2–7. 1921.
nitrate—
adulteration and misbranding. Chem. N.J.
12947. 1925.
tablets, adulteration and misbranding. Chem.
N.J. 1843, p. 5. 1913; Chem N.J. 13399, p.1.
1925; Chem N.J. 13607, p. 1. 1925.
poisoning—
cattle, symptoms and treatment. B.A.I.
[Misc.] "Diseases of cattle," rev., p. 64. 1904;
rev., p. 65. 1912; rev., pp. 62–63. 1923.
treatment. D.B. 1023, pp. 6–7. 1921.
resemblance to caffein. Chem. Bul. 148, pp.
9, 11, 12, 16, 92. 1912.
sulphate—
adulteration and misbranding. Chem. N.J.
12947, 12950. 1925.
use as poison for Argentine ants. D.B. 647,
pp. 60–71. 1918.
toxicity to the rat. Erich W. Schwartze. D.B.
1023, pp. 19. 1921.
use against—
ground squirrels, treatment of bait, and results.
Biol. Cir. 76, pp. 8–14. 1910.
noxious mammals, directions. Y.B., 1908, pp.
424–432. 1909; Y.B. Sep. 491, pp. 424–432.
1909.
pocket gophers. F.B. 484, pp. 39–40. 1912.
prairie dogs. F.B. 227, pp. 22, 23. 1905.

Strychnine—Continued.
use against—continued.
rats in Guam. Guam Bul. 2, p. 23. 1922.
rodents, methods. F.B. 484, pp. 7–8. 1912.
use in—
control of Zygadenus poisoning of sheep. B.A.I.
Bul. 112, pp. 75–78. 1909; D.B. 125, p. 38.
1915; F.B. 380, pp. 13–14, 16. 1909; F.B.
1054, pp. 16, 17. 1919.
destruction of mammals, formula. Biol. Cir.
82, pp. 6–9. 1911.
poisoning—
bird pests, English sparrows. F.B. 493, pp.
20–23. 1912; rev., pp. 18–21. 1917.
corn enemies, warning. F.B. 773, p. 21. 1916.
meadow mice. F.B. 484, pp. 34–36. 1912.
rats, formulas. F.B. 896, p. 16. 1917; M.C.
16, p. 11. 1925; Y.B., 1917, pp. 243, 250.
1918; Y.B. Sep. 725, pp. 243, 250. 1918.
Stryphnodendron barbatimam, importation and description. No. 45752, B.P.I. Inv. 54, p. 15. 1922.
Strychnos—
gerrardi, importation, and description. No. 34161,
B.P.I. Inv. 32, p. 17. 1914.
mellodora, importation and description. No.
54921, B.P.I. Inv. 70, p. 29. 1923.
nux vomica, origin of strychnine, and occurrence.
Y.B., 1908. p, 424. 1909; Y.B. Sep. 491, p. 424.
1909.
spp., importations and descriptions. Nos.
30025–30026, 30366, B.P.I. Bul. 233, pp. 9, 50, 81.
1912; Nos. 42596, 42903, 42904, B.P.I. Inv. 47, pp.
34, 80. 1920; Nos. 48480, 48481, 48786, 48824–
48825, B.P.I. Inv. 61, pp. 4, 13, 47, 52. 1922; No.
54503, B.P.I. Inv.69, pp. 3, 18. 1923.
spinosa. See Orange, Kafir.
STUART, DUNCAN—
"Illustrated lecture on cow testing and dairy
records." S.R.S. Syl. 30, pp. 10. 1917.
"The dairy industry in the South." With
others. F.B. 349, pp. 37. 1909.
STUART, WILLIAM—
"Good seed potatoes and how to produce them."
F.B. 533, pp. 16. 1913.
"Group classification and varietal description of
some American potatoes." D.B. 176, pp. 56.
1915.
"Growing high-grade potato seed stock." With
H. A. Edson. C.T. and F.C.D. Cir. 5, pp. 8.
1918.
"How to grow an acre of potatoes." F.B. 1190,
pp. 28. 1921.
"Illustrated lecture on growing and handling
Irish potatoes." S.R.S. Syl. 32, pp. 14. 1918.
"Potato breeding and selection." D.B. 195, pp.
35. 1915.
"Potato culture under irrigation." With others.
F.B. 953, pp. 24. 1918.
"Potato growing as club work in the North and
West." B.P.I. Doc. 884, pp. 10. 1913.
"Potato production in the South."F.B. 1205, pp.
39. 1921.
"Potato storage and storage houses." F.B. 847,
pp. 27. 1917.
"Production of late or main-crop potatoes."
F.B. 1064, pp. 39. 1919.
"Seed potatoes and how to produce them."
F.B. 1332, pp. 18. 1923.
"Selection, preparation, and planting of the potato plant." With H. B. Hendrick. S.R.S.
Doc. 86, pp. 4. 1918.
"Size of potato sets: Comparisons of whole and
cut seed." With Others. D.B. 1248, pp. 44.
1924.
"The danger of using foreign potatoes for seed."
With W. A. Orton. B.P.I. Cir. 93, pp. 5.
1912.
"The 'tuber-unit' method of seed-potato improvement." B.P.I. Cir. 113, pp. 25–31. 1913.
Stuartia monodelphia, importation and description.
No. 40327, B.P.I. Inv. 42, pp,. 106–107. 1918.
Stuart's catarrh tablets, misbranding. Chem. N.J.
718, pp. 2. 1911.
Stubble—
burning—
for control of Hessian fly. F.B. 640, p. 18.
1915.
in fall to prevent infestation with grain and
straw insects. Ent. Cir. 118, p. 24. 1910.

Stubble—Continued.
  corn—
    destruction for control of larger stalk borer. F.B. 1025, p. 11. 1919.
    disking compared to plowing. B.P.I. Bul. 187, pp. 45–49. 1910.
    infestation with European corn borer. F.B. 1046, pp. 19–21. 1919.
  fields, hog pasture, value. D.B. 68, pp. 20, 25. 1914.
  plowing—
    as remedy for grass-stem sawfly. Ent. Cir. 117, pp. 1–6. 1910.
    days' work. D.B. 3, p. 11. 1913.
    for sawfly control. D.B. 834, p. 13. 1920.
    spring and fall, comparison. News L., vol. 3, No. 4, pp. 1, 3. 1915.
    under, for control of jointworms. D.B. 808, p. 25. 1920.
    with traction engine. B.P.I. Bul. 170, p. 22. 1910.
  seeding to crimson clover. F.B. 1142, p. 8. 1920.
  small grain, plowing at different times in eastern Colorado, effect. O. J. Grace. D.B. 253, pp. 15. 1915.
  sowing with clover. F.B.405, p. 11. 1910.
  turning under, combination coulter and jointer F.B. 1047, p. 6. 1919.
  wheat—
    burning, results on dry land. D.B. 1173, pp. 15–16. 1923.
    plowing down to prevent Hessian fly. F.B. 1083, pp. 14, 16. 1920.
STUBBS, J. E., report of Nevada Experiment Station, work and expenditures—
  1906. O.E.S. An. Rpt., 1906, pp. 129–130. 1907.
  1907. O.E.S. An. Rpt., 1907, pp. 132–134. 1908.
  1908. O.E.S. An. Rpt., 1908, pp. 130–132. 1909.
  1909. O.E.S. An. Rpt., 1909, pp. 144–146. 1910.
  1910. O.E.S. An. Rpt., 1910, pp. 186–189. 1911.
  1911. O.E.S. An. Rpt., 1911, pp. 150–152. 1912.
STUBENRAUCH, A. V.—
  "Bartlett pear precooling and storage investigations in the Rogue River Valley." With H. J. Ramsey. B.P.I. Cir. 114, pp. 19–24. 1913.
  "Factors affecting the keeping quality of table grapes in transit and in storage." B.P.I. Doc. 392, pp. 3. 1908.
  "Factors governing the successful shipment of oranges from Florida." With others. D.B. 63, pp. 50. 1914.
  "Factors governing the successful storage of California table grapes." With C. W. Mann. D.B. 35, pp. 31. 1913.
  "The decay of oranges while in transit from California." With others. B.P.I. Bul. 123, pp. 79. 1908.
  "The handling of deciduous fruits on the Pacific coast." Y.B., 1909, pp. 365–374. 1910; Y.B. Sep. 520, pp. 365–374. 1910.
  "The relation of handling to decay in California naval oranges, season of 1910–1911." B.P.I. Doc. 676, pp. 7. 1911.
Stucco, use of oil-mixed cement concrete. D.B. 230, p. 14. 1915; Rds. Bul. 46, p. 18. 1912.
STUCKI, H.: "Soil survey of the Delta area, Utah." With others. Soil Sur. Adv. Sh., 1919, pp. 38. 1922; Soils F.O., 1919, pp. 1801–1834. 1925.
Studbooks, list, associations and secretaries. B.A.I. An. Rpt., 1906, p. 260. 1908; B.A.I. Cir. 124, p. 15. 1908.
STUDHALTER, R. A.—
  "Air and wind dissemination of ascospores of the chestnut-blight fungus." With others. J.A.R. vol. 3, pp. 493–526. 1915.
  "Birds as carriers of the chestnut blight fungus." With F.D.Heald. J.A.R., vol. 2, pp. 405–422. 1914.
Stulls, various lengths, contents in cubic feet and board feet. D.B. 234, p. 9. 1915.
Stump(s)—
  black walnut, trimming. F.B. 1459, pp. 16, 18. 1925.
  black walnut, use for veneer. F.B. 1459, p. 4. 1925.
  blasting—
    grade of powder suitable. F.B. 600, p. 5. 1914.
    location of charge. F.B. 600, pp. 1–2. 1914.

Stump(s)—Continued.
  blasting—continued.
    methods, cost, and directions. B.P.I. Bul. 239, pp. 13–28. 1912. F.B. 381, p. 8. 1909.
    methods and safety precautions. D.C. 191, pp. 1–15. 1921.
    use of explosives. George R. Boyd. D.C. 191, pp. 15. 1921.
    with pyrotol, method. Rds. [Misc.], "Prime pyrotol this way * * *," pp. 4. 1924.
  blowing machine for burning, method and cost. B.P.I. Bul. 239, pp. 47–49. 1912.
  boring outfit, power, description, use method, and cost. F.B. 600, pp. 2–5. 1914.
  burning—
    early methods. B.P.I. Bul. 239, p. 46. 1912.
    machine, description, directions for using, and cost of operating. B.P.I. Cir. 25, pp. 12–13. 1909.
    new methods, blowing machine and char-pitting. B.P.I. Bul. 239, pp. 47–60. 1912.
    use of chemicals. B.P.I. Cir. 25, p. 12. 1909.
  charcoaling or pitting, directions and cost. B.P.I. Cir. 25, pp. 11–12. 1909.
  char-pitting, directions. B.P.I. Bul. 239, pp. 49–60. 1912; F.B. 974, pp. 13–14. 1918.
  chestnut, tannin content. Off. Rec., vol. 4, No. 52, p. 3. 1925.
  destruction—
    for control of sugar-cane root borer. J.A.R., vol. 4, p. 263. 1915.
    methods in detail, and cost. B.P.I. Cir. 25, pp. 5–16. 1909.
  disposal—
    after pulling. F.B. 974, pp. 25–26. 1918.
    methods, cost. D.B. 91, pp. 23–25. 1914.
  land, pasturing and cultivating. F.B. 974, pp. 6–8. 1918.
  low cut, saving of timber. M.C. 39, p. 59. 1925.
  Norway pine, value for manufacture of turpentine, Wexford County, Michigan. Soil Sur. Adv. Sh., 1908, p. 16. 1909; Soils F.O., 1908, p. 1062. 1911.
  peach, description, analysis, and composition. Chem. Bul. 97, pp. 8, 17, 20, 21, 24. 1905.
  pine, removal, method and cost. Soils Cir. 43, pp. 8–9. 1911.
  powder, description, cost, and directions for use. B.P.I. Cir. 25, pp. 13–14. 1909.
  puller(s)—
    description, and use in clearing logged-off land. B.P.I. Cir. 25, p. 6. 1909.
    size, cost, and methods of use. B.P.I. Bul. 239, pp. 29–33. 1912; D.B. 91, pp. 8–10. 1914; F.B. 974, pp. 17–23. 1918.
  redwood, removal in California, Eureka area. Soil Sur. Adv. Sh., 1921, pp. 858–859. 1925.
  removal—
    by blasting. D.C. 94, pp. 13–15, 17, 24. 1920.
    by burning, explosives, and machinery. F.B. 974, pp. 9–25. 1918.
  cost—
    by various methods. B.P.I. Bul. 239, pp. 20, 31, 40, 49, 57. 1912; F.B. 381, pp. 5–9. 1909.
    in Georgia, Colquitt County. Soil Sur. Adv. Sh., 1914, p. 10. 1915; Soils F.O., 1914, p. 966. 1919.
    with machine and with dynamite, school exercises. F.B. 638, pp. 18–19. 1915.
  taprooted, boring outfit for blasting. Harry Thompson. F.B. 600, pp. 5. 1914.
  western yellow pine, distillation possibilities, classification. D.B. 1003, pp. 67–68. 1921.
Stumpage—
  basswood, average value by States, 1907–1912. D.B. 1007, p. 18. 1922.
  cypress, extent and value. D.B. 272, pp. 18–19. 1915.
  estimate, various species, conifers and hardwoods. For. Cir. 166, pp. 8–12. 1909.
  national forests, appraising instructions. For. [Misc.], "Instructions for appraising stumpage * * *," pp. 70. 1914; For. [Misc.], rev., pp. 73. 1922.
  owners, returns from fir and pine. Rpt. 114, pp. 18–20, 59. 1917.
  prices estimating and adjusting, national forests. Y.B. 1911, pp. 368–370. 1912; Y.B. Sep. 575, pp. 368–370. 1912.

Stumpage—Continued.
  shortleaf pine, values, 1907 and 1912. D.B. 308, pp. 21–23. 1915.
  sugar pine, price per acre or thousand feet of lumber. D.B. 426, pp. 23–24. 1916.
  values—
    United States, 1899, 1904, 1907. For. Bul. 77, pp. 37–48. 1908.
    woodlot timber, determination. F.B. 715, pp. 27–30. 1916.
    western, capitalization. Rpt. 114, pp. 12–14, 83. 1917.
    white pine, value and cost. D.B. 13, pp. 29, 30, 70. 1914.
Stumping—
  blueberries, directions. B.P.I. Cir. 122, pp. 4–5. 1913; D.B. 974, p. 8. 1921.
  cost, use of explosives. D.B. 91, pp. 7–8. 1914.
  directions for propagation of blueberries. D.B. 334, pp. 4–5. 1915.
Stumpwood, western yellow pine, distillation. M. G. Donk and others. D.B. 1003, p. 69. 1921.
STUNTZ, S. C.—
  "A bibliography of eolian geology." With E. E. Free. Soils Bul. 68, pp. 174–263. 1911.
  "Reference list on the electric fixation of atmospheric nitrogen and the use of calcium cyanamid and calcium nitrate on soils." Soils Bul. 63, p. 89. 1910.
Sturnella spp. *See* Meadowlark.
STURTEVANT, A. P.—
  "A study of behavior of bees in colonies affected by European foulbrood." D.B. 804, pp. 28. 1920.
  "The development of American foulbrood in relation to the metabolism of its causative organism." J.A.R., vol. 28, pp. 129–168. 1924.
  "The rate of growth of the honeybee larva." With James A. Nelson. D.B. 1222, Pt. I, pp. 1–24. 1924.
Sty, horse eyelid, treatment. B.A.I. [Misc.], "Diseases of the horse," p. 259. 1903; rev., p. 259. 1907; rev., p. 259; 1911; rev., p. 282. 1923.
Style book, Government Printing Office, adoption as standard. An. Rpts., 1911, p. 623. 1912; Pub. A.R., 1911, p. 13. 1911.
Stylogaster biannulata, parasite of the differential locust. Ent. Bul. 57, p. 22. 1906.
Stylogyne ramiflora, importation and description. No. 43421, B.P.I. Inv. 49, p. 15. 1921.
Stylopidea picta, description, and injury to cactus. Ent. Bul. 113, pp. 22–23. 1912.
Styphelia grayana, importation and description. Nos. 53478–53479. B.P.I. Inv. 67, p. 54. 1923.
Styracaceae, injury by sapsuckers. Biol. Bul. 39, p. 49. 1911.
Styrax—
  hookeri, importation and description. No. 46107, B.P.I. Inv. 55, p. 25. 1922.
  serrulatum, importation and description. No. 47806, B.P.I. Inv. 59, p. 62. 1922.
  wilsonii, importation and description. No. 44403, B.P.I. Inv. 50, p. 67. 1922.
Subdrainage, roads, construction, cost, and specifications. D.B. 724, pp. 28–39, 81–82. 1919.
Subirrigation—
  for—
    alfalfa fields. F.B. 373, pp. 35–38. 1909; F.B. 865, pp. 29–33. 1917.
    celery growing. F.B. 1269, pp. 14–15. 1922.
    lettuce growing in greenhouse. F.B. 1418, p. 15. 1924.
  in Georgia, use methods. Soils Cir. 21, pp. 7–8, 13, 14, 16, 18. 1910.
  in Utah and Idaho. F.B. 392, pp. 24–25. 1910.
  requisites in humid regions. F.B. 899, pp. 3–4. 1917.
  systems, Florida, descriptions and cost. D.B. 462, pp. 19–28, 46. 1917.
  use in humid regions. Y.B., 1911, pp. 316, 318. 1912; Y.B. Sep. 570, pp. 316, 318. 1912.
  See also Drainage; Irrigation; Reclamation.
Submaxillary gland, horse, extirpation for diagnosis of glanders. B.A.I. An. Rpt., 1910, p. 350. 1912; B.A.I. Cir. 191, p. 350. 1912.
Subsoil(s)—
  beet growing, importance as factor. D.B. 721, pp. 7–8. 1918.
  black particles, occurrence. Soils Bul. 90, pp. 22–23. 1912.

Subsoil(s)—Continued.
  catalytic power, comparison with that of soils. Soils Bul. 86, pp. 14–16. 1912.
  dynamiting to secure drainage in Bradford County, Pa. Soil Sur. Adv. Sh., 1911, p. 16. 1913; Soils F. O., 1911, p. 242. 1914.
  improvement methods. F.B. 414, p. 10. 1910.
  influence on top soil, and importance in lawn making. Soils Bul. 75, pp. 21–24, 44, 51. 1911.
  plow for use in corn-land preparation. F.B. 1149, p. 4. 1920.
  relation to lawns, testing, improving. F.B. 494, pp. 9–11. 1912.
  selection for sugar-beet growing. F.B. 567, p. 2. 1914.
  water—
    and wells. W. J. McGee. Soils Bul. 92, pp. 185. 1913.
    central United States. W. J. McGee. Y.B., 1911, pp. 479–490. 1912; Y.B. Sep. 585, pp. 479–490. 1912.
    field records. W. J. McGee. Soils Bul. 93, pp. 40. 1913.
    holding capacity. J.A.R., vol. 27, pp. 621–623. 1924.
Subsoiling—
  corn lands, practices, 21 regions in United States. D.B. 320, pp. 12–13. 1916.
  cost in dry farming. D.B. 157, pp. 15, 44. 1915.
  cotton growing practices, studies. D.B. 511, pp. 4–5. 1917.
  desirability in crop growing, discussion and general results. J.A.R., vol. 14, pp. 481–484, 517–519. 1918.
  effect on—
    crops, study. D.C. 209, p. 13. 1922.
    crops, Texas, 1918, experiments. D.C. 73, pp. 12–13. 1920.
    dry-land crops. Y.B., 1911, p. 252. 1912; Y.B. Sep. 565, p. 252. 1912.
    soil. F.B. 245, pp. 8–9. 1906.
  experiments in—
    Texas, San Antonio. B.P.I. Cir. 114, pp. 9–14. 1913; W.I.A. Cir. 10, p. 6. 1916.
    the Great Plains. J.A.R., vol. 14, pp. 484–504. 1918.
    Wyoming. D.B. 1306, p. 12. 1925.
  in preparation of lawn soils. F.B. 494, p. 25. 1912.
  methods and implements. O.E.S. Bul. 226, pp. 28–29, 61. 1910.
  pineapples, methods and value, experiments in Hawaii, 1917. Hawaii A.R., 1917, pp. 31–32. 1918.
  treatment of cotton root-rot. B.P.I. Bul. 102, p. 41. 1907.
  wheat, experiments. B.P.I. Cir. 61, pp. 19, 30. 1910.
Substations, experiment, ruling on use of funds for. D.C. 251, pp. 25–26. 1925.
Substitutes, use to save wheat, references. Lib. Leaf. 4, pp. 1–4. 1918.
Subtropical plants and citrus, rooting, solar propagating frame. Walter T. Swingle and others. D.C. 310, p. 14. 1924.
Subulitermes zeteki, occurrence in Panama. D.B. 1232, p. 21. 1924.
Succinic acid—
  detection in meat extracts. Chem. Bul. 114, p. 41. 1908.
  occurrence in soils, description. Soils Bul. 88, pp. 11–12. 1912.
Succotash—
  canning—
    directions. F.B. 359, p. 15. 1910.
    industry in Minnesota, Rice County. Soil Sur. Adv. Sh., 1909, pp. 12, 13. 1911; Soils F.O., 1909, pp. 1276, 1277. 1912.
    inspection instructions. D.B. 1084, pp. 37–38. 1922.
    seasons and methods. Chem. Bul. 151, pp. 36, 56. 1912.
  description, canning methods. D.B. 196, p. 64. 1915.
  labeling. F.I.D. 71, p. 2. 1907.
  misbranding. Chem. N.J. 1869. pp. 2. 1913; Chem. N.J. 2212, p. 1. 1913
  origin and food value. F.B. 125 , p. 23 1923.
  packing season. D.B. 196, p. 19. 1915.

Suckering—
   broom corn, effects of various seeding methods. D.B. 836, pp. 27, 36, 37, 39, 41, 42, 43. 1920.
   excessive in corn, symptom of black-bundle disease. J.A.R., vol. 27, pp. 177, 184-186, 195-200. 1924.
   tobacco, directions. F.B. 416, p. 14. 1910; rev., p. 12. 1921.
Suckers—
   corn, a hereditary tendency. Y.B., 1909, p. 319. 1910; Y.B. Sep. 515, p. 319. 1910.
   corn, abnormalities. B.P.I. Cir. 107, pp. 10-11. 1913.
   milo, objections, control by seed selection. F.B 322, pp. 7, 9-10, 22. 1908.
   pineapple—
      collection, preparation, and planting, method, and time. F.B. 1237, pp. 12-16. 1921.
      description and growth. P.R. Bul. 8, pp. 8-9, 10, 15, 26, 28. 1909.
      use in plant propagation, description. F.B. 1237, pp. 10-16. 1921.
Sucrol, determination in foods, methods. Chem. Bul. 107, p. 189. 1907.
Sucrose—
   and invert sugar, table for calculating. Chem. Bul. 107, rev., pp. 243-251. 1912.
   concentrated solution, effect on growth of fungi. J.A.R., vol. 7, pp. 256-259. 1916.
   content of—
      chufa tubers. J.A.R., vol. 26, pp. 71-72. 1923.
      grapefruit. J.A.R., vol. 20, pp. 359-372. 1920.
      grapes. Chem. Bul. 140, pp. 7-15. 1911.
      honey, derivation. Chem. Bul. 110, pp. 46-47. 1908.
   determination—
      Clerget's method and modifications. Chem. Bul. 73, pp. 69-76. 1903.
      in cocoa. Chem. Bul. 137, pp. 98-100. 1911.
      in foods, methods. Chem. Bul. 107, pp. 39-42, 58. 1907.
      in maple sirup. Chem. Bul. 134, p. 63. 1910.
      in milk chocolate, Dubois method. Chem. Bul. 132, pp. 135-136. 1910.
      optical and chemical methods. Chem. Bul. 105, pp. 121-124. 1907.
      methods in sugar-house control, comparison. Chem. Bul. 132, pp. 186-187. 1910.
   optical determination, influence of alkali salts. Chem. Bul. 137, pp. 167-168. 1911.
   polarization, effect of hydrosulphite and rongalite. Chem. Bul. 116, pp. 76-77. 1908.
   solution, mold spores, effect. J.A.R., vol. 18, pp. 537-542. 1920.
   substitutes in curing meats. Ralph Hoagland. D.B. 928, pp. 28. 1920.
Sudan, dates growing (and Egypt). S. C. Mason. D.B. 271, pp. 40. 1915.
Sudan grass—
   (*Andropogon sorghum* var.) D.C. 50, pp. 4. 1919. H. N. Vinall. F.B. 1126, pp. 30. 1920; rev., p. 22. 1925.
   a new drought-resistant hay plant. C. V. Piper. B.P.I. Cir. 125, pp. 20. 1913.
   a new hay sorghum for South. Sec. [Misc.], Spec., "Sorghum for forage * * *," p. 4. 1914.
   analytical key and description of seedlings. D.B. 461, pp. 8, 21. 1917.
   and Johnson grass, seeds, distinguishing characters. F. H. Hillman. D.B. 406, pp. 5. 1916.
   and related plants. H. N. Vinall and R. E. Getty. D.B. 981, pp. 68. 1921.
   as a forage crop. H. N. Vinall. F.B. 605, pp. 20. 1914.
   botanical classification. B.P.I. Cir. 125, pp. 3-4. 1913.
   breeding experiments. F.B. 605, pp. 18-19. 1914.
   climatic requirements. D.B. 981, pp. 18-21. 1921; F.B. 605, pp. 5-6. 1914.
   comparison with Johnson grass. F.B. 1126, pp. 3-6. 1920.
   cyanogenesis in. Paul Menaul and C. T. Dowell. J.A.R., vol. 18, pp. 447-450. 1920.
   description and—
      use. D.B. 772, p. 267. 1920; F.B. 1126, rev., pp. 1-4. 1925; Rpt. 112, p. 23. 1916.
      value for cotton States. F.B. 1125, rev., p. 10. 1920; F.B. 1254, pp. 36-38. 1922.

Sudan grass—Continued.
   diseases and insect enemies. D.B. 981, pp. 63-64. 1921; F.B. 605, p. 18. 1914; F.B. 1126, rev., pp. 20-21. 1925.
   distribution, importance, and forage value. D.B. 981, pp. 16-17, 21-25. 1921.
   drought resistance. F.B. 605, p. 7. 1914.
   experiments at San Antonio experiment farm. W.I.A. Cir. 5, pp. 12-13. 1915.
   growing in—
      Arizona, yield tests. W.I.A. Cir. 7, pp. 15-16. 1915.
      California, Yuma experiment farm, and water requirements. W.I.A. Cir. 12, pp. 12, 15. 1916.
      Colorado, Akron Field Station. D.B. 1304, p. 20. 1925.
      Guam, description and uses. Guam Bul. 3, pp. 11-12. 1922.
      Nevada, Newlands experiment farm, 1918. D.C. 80, p. 11. 1920.
      northern Great Plains, experiments and yields. D.B. 1244, pp. 33-34, 47. 1924.
      Oregon, Umatilla experiment farm. W.I.A. Cir. 1, pp. 10-11. 1915; W.I.A. Cir. 17, pp. 35-37. 1917.
      South for market hay. F.B. 677, p. 11. 1915.
      Texas, Bell County. Soil Sur. Adv. Sh., 1916, pp. 21-43. 1918; Soils F.O., 1916, pp. 1255-1277. 1921.
      Texas, northwest part. Soil Sur. Adv. Sh., 1919, pp. 20-21, 32-33, 61, 74. 1922; Soils F.O., 1919, pp. 1118-1119, 1130-1131, 1159, 1172. 1925.
   growing on sandy lands in Indiana and Michigan. F.B. 716, p. 14. 1916.
   growing with cowpeas for hay. F.B. 1148, p. 20. 1920.
   growing with soybeans for hay. F.B. 973, p. 19. 1918.
   harvesting—
      and utilization as hay, soiling, and silage. F.B. 1126; pp. 14-18. 1920.
      methods. F.B. 1126, rev., pp. 12-13. 1925.
   hay. See Hay.
   hydrocyanic acid in. C. O. Swanson. J.A.R., vol. 22, pp. 125-138. 1921.
   importations and descriptions. No. 34114, B.P.I. Inv. 32, p. 11. 1914; No. 45773, B.P.I. Inv. 54, p. 18. 1922; Nos. 50780-50781, B.P.I. Inv. 64, p. 25. 1923.
   in Hawaii, composition and value. Hawaii Bul. 36, pp. 11, 28. 1915.
   injury by flea beetle. D.B. 436, pp. 5, 21. 1917.
   introduction—
      classification, culture, and value. Y.B., 1912, pp. 499-504. 1913; Y.B Sep. 609, pp. 499-504. 1913.
      description, and use as hay, plant. F.B. 605; pp. 1-4, 5-6, 7, 9-14, 20. 1914.
      historical notes. D.B. 981, pp. 1-3. 1921.
   kernel smut, description and control. F.B. 1126; pp. 24, 26. 1920.
   labor requirements in Kansas. D.B. 1296, pp. 40-41. 1925.
   leaf temperature, studies. J.A.R., vol. 26, pp. 20, 33, 35, 37. 1923.
   mixture with—
      legume, ensiling. P. A. Wright and R. H. Shaw. J.A.R., vol. 28, pp. 255-259. 1924.
      legumes, yields and forage value. F.B. 1126, pp. 10-11. 1920.
   origin, description, soil, and climate requirements. F.B. 1126, pp. 3-9. 1920.
   pasture and hay for cattle, experiments, San Antonio, Texas. D.C. 73, pp. 36-38. 1920.
   pasture, value for stock, danger for cattle. F.B. 1126, pp. 18-19. 1920.
   red-spot—
      damage and control. F.B. 1126, rev., p. 20. 1925.
      description and control by rotation. F.B. 1126, p. 24. 1920.
   seed(s)—
      catalase and oxidase content, studies. J.A.R., vol. 15, pp. 147-167. 1918.
      characters. D.B. 981, pp. 55-57. 1921.

INDEX TO PUBLICATIONS, 1901–1925   2305

Sudan grass—Continued.
  seed(s)—continued.
    characters and comparison with Johnson grass. D.B. 406, pp. 1–3. 1916; J.A.R., vol. 23, pp. 202–220. 1923; Y.B., 1912, pp. 503–504. 1913; Y.B. Sep. 609, pp. 503–504. 1913.
    comparison with other grain crops. D.B. 981, pp. 51–52. 1921.
    desiccation and germination tests. J.A.R., vol. 14, pp. 527–531. 1918.
    production, cultural methods, and grades. B.P.I. Cir. 125, p. 5. 1913; D.B. 981, pp. 52–63. 1921; D.C. 50, pp. 1–3. 1919; F.B. 605, pp. 15–17. 1914; F.B. 1126, pp. 21–24. 1920.
    seeding date, method, and rate, directions. B.P.I. Cir. 125, p. 5. 1913; F.B. 1126, pp. 12–14. 1920.
    similarity to Johnson grass, warning. F.B. 605, pp. 2–4, 16–17, 19–20. 1914.
    soil requirements. D.B. 981, pp. 17–18. 1921.
    suitability for irrigated section, yields in various States. F.B. 605, pp. 10–11, 14, 20. 1914.
    susceptibility to red-spot of sorghum. F.B. 1158, p. 28. 1920.
    transpiration studies, Akron, Colo. J.A.R., vol. 7, pp. 158, 160–183, 191–202, 206. 1916.
    utilization, hay, pasture, soiling, and grain. D.B. 981, pp. 41–52, 65. 1921.
    value as pasture for hogs and steers, Texas. W.I.A. Cir. 16, pp. 1, 19, 20, 21. 1917.
    water requirement studies, and results. J.A.R., vol. 6, No. 13, pp. 480, 482, 484. 1916.
  yield(s)—
    comparison with alfalfa in irrigated States. F.B. 605, p. 14. 1914.
    dryland under irrigation. F.B. 1126, rev., pp. 6–8. 1925.
    under rotation experiments, and use as pasture. D.C. 209, pp. 9–10, 36–38. 1922.
SUDWORTH, G. B.—
  "Circassian walnut." With Clayton D. Mell. For. Cir. 212, pp. 12. 1913.
  " 'Colombian mahogany.' Its characteristics and its use as a substitute for true mahogany." With others. For. Cir. 185, pp. 16. 1911.
  "Distinguishing characteristics of North American gumwoods, based on the anatomy of the secondary wood." With Clayton D. Mell. For. Bul. 103, pp. 20. 1911.
  'Fustic wood: Its substitutes and adulterants." With Clayton D. Mell. For. Cir. 184, pp. 14. 1911.
  "Forest atlas—Geographical distribution of North American trees. Part 1—Pines." For. [Misc.], "Forest atlas * * *." Maps 36. 1913.
  "Forest trees for the Pacific slope." For. [Misc.], "Forest trees for Pacific * * *," pp. 441. 1908.
  "Miscellaneous conifers of the Rocky Mountain region." D.B. 680, pp. 45. 1918.
  "The cypress and juniper trees of the Rocky Mountain region." D.B. 207, pp. 36. 1915.
  "The identification of important North American oak woods." With Clayton D. Mell. For. Bul. 102, pp. 56. 1911.
  "The pine trees of the Rocky Mountain region." D.B. 460, pp. 47. 1917.
  "The spruce and balsam fir trees of the Rocky Mountain region." D.B. 327, pp. 43. 1916.
Suet, value as food or for soap, utilization methods. Food Thrift Ser. 4, p. 8. 1917.
Suez Canal, malaria control, measures, results, and cost. Ent. Bul. 78, pp. 16–17. 1909; Ent. Bul. 88, p. 100. 1910.
Suffocation, cause and treatment. For. [Misc.], "First-aid manual * * *," p. 60. 1917.
Sugar(s)—
  E. W. Brandes and others. Y.B., 1923, pp. 151–228. 1924; Y.B. Sep. 893, pp. 98. 1924.
  addition in jelly making. F.B. 1454, p. 13. 1925.
  addition to—
    whipped cream, effect on quality. D.B. 1075, pp. 19–20. 1922.
    wine. Opinion 67. Chem. S.R.A. 7, p. 528. 1914.
  adulteration—
    and misbranding. Chem. N.J. 723, pp. 4. 1911; Chem. N.J. 13664. 1925.
    practices. Chem. Bul. 100, pp. 37–39. 1906.

Sugar(s)—Continued.
  adulteration—continued.
    use of glucose and saccharin, exhibit at Buffalo Exposition. Chem. Bul. 63, p. 9. 1901.
  agricultural industry in the Tropics. Y.B., 1901, p. 365. 1902.
  amount for sirups of various degrees. D.B. 196, p. 26. 1915.
  amount to be eaten, effect of exercise. F.B. 535, p. 27. 1913.
  analysis methods. Chem. Bul. 67, pp. 157–158. 1902; Chem. Bul. 73, pp. 55–59. 1903; Chem. Bul. 81, pp. 172–173. 1904; Chem. Bul. 90, pp. 10–16. 1905; Chem. Bul. 116, pp. 66–73, 76, 115. 1908; Chem. Bul. 122, pp. 168–177, 180. 1909; Chem. Bul. 132, pp. 175–186, 188. 1910; Chem. Bul. 152, pp. 202–207, 211–212. 1912; Chem. Cir. 38, pp. 3–4. 1908; Chem. Cir. 43, pp. 6–8. 1909; Chem. Cir. 52, pp. 16–17. 1910; Chem. Cir. 90, pp. 8–9. 1912.
  and acid development in ripening grapes. William B. Alwood and others. D.B. 335, pp. 28. 1916.
  area, production and exports, British India, 1891–92. Stat. Cir. 36, p. 11. 1912.
  availability for alcohol in various fruits and sirups. F.B. 429, pp. 11–15. 1911.
  beet—
    by-products, uses and value. B.P.I. Bul. 260, pp. 24–27, 34, 35. 1912.
    comparison with cane sugar. O.E.S. Bul. 245, p. 83. 1912.
    grades manufactured. Rpt. 98, p. 153. 1913.
  industry—
    American, 1910 and 1911. W. Blair Clark and others. B.P.I. Bul. 260, pp. 73. 1912.
    companies and factories in United States, list. Rpt. 92, pp. 46–49. 1910.
    development in Colorado. D.B. 726, pp. 5–6. 1918.
    encouragement by State bounties. [Misc.,] "Progress of the beet-sugar * * *," pp. 183–184. 1903.
    future progress. Rpt. 90, pp. 8–25. 1909.
    geographical distribution. D.B. 66, p. 2. 1914.
    industry in United States—
      C. O. Townsend. D.B. 721, pp. 56. 1918.
      1910 and 1911. W. Blair Clark and others. B.P.I. Bul. 260, pp. 73. 1912.
      1920. C. O. Townsend. D.B. 995, pp. 38. 1921.
      general review. W. Blair Clark. B.P.I. Bul. 260, pp. 15–30. 1912.
      origin, development, and statistics. F.B. 392, p. 7. 1910; Sec. Cir. 86, pp. 16–22. 1918.
    industry, progress in United States—
      1900. Charles F. Saylor. Rpt. 69, pp. 122. 1901.
      1901. Charles F. Saylor and others. Rpt. 72, pp. 89. 1902.
      1902. Charles F. Saylor and others. Rpt. 74, pp. 139. 1903.
      1903. Charles F. Saylor. [Misc.,] "Progress of the beet-sugar * * * 1903," pp. 184. 1903.
      1904. Charles F. Saylor and others. Rpt. 80, pp. 183. 1905.
      1905. Charles F. Saylor. Rpt. 82, pp. 130. 1906.
      1906. Charles F. Saylor. Rpt. 84, pp. 131. 1907.
      1907. Charles F. Saylor. Rpt. 86, pp. 83. 1908.
      1908. Charles F. Saylor. Rpt. 90, pp. 74. 1909.
      1909. Charles F. Saylor and others. Rpt. 92, pp. 70. 1910.
    mills in United States—
      1917, number and history. D.B. 721, pp. 1–6. 1918.
      1920, location, owners, and capacity. D.B. 995, pp. 1–5. 1921.
    molasses—
      extraction, distillation. [Misc.], "Progress * * * beet sugar * * * 1903," pp. 116–117, 127. 1903.
      neutral spirits, use in preparation of whisky compounds, F.I.D. 95. Chem. F.I.D. 93–95, pp. 3–4. 1908.

Sugar(s)—Continued.
  beet—continued.
    production in United States—
      1911–1913. F.B. 598, pp. 9–11. 1914.
      and other countries. D.B. 473, pp. 6–9, 25–26, 35–53, 56–61. 1917.
    receipts, comparison with other crops. D.B. 748, p. 44. 1919.
    use in canning and jelly making. F. B. 329, pp. 55–52. 1908.
    value, comparison with cane sugar, various uses. Rpt. 90. pp. 72–74. 1909.
  bounties, abolition by European countries, results. D. B. 473, pp. 2, 34, 35. 1917.
  brewers' use in beer making, analysis of worts and beers. D. B. 498, pp. 7, 8, 12–16. 1917.
  butter, misbranding. See *Indexes to Notices of Judgment, in bound volumes and in separates published as supplements to Chemistry Service and Regulatory Announcements.*
  by-products, use in—
    hog feed. B. A. I. Bul. 47, pp. 132–133. 1904.
    road building, experiments. An. Rpts., 1908, p. 149. 1909; Sec. A. R. 1908, p. 147. 1908.
  cane—
    adulterant of honey. Biol. Bul. 110, pp. 57–58. 1908.
    analysis directions. Chem. Cir. 50, pp. 4–5. 1910.
    by-products utilization. F. B. 1034, pp. 32–35. 1919.
    characteristics. F. B. 535, p. 8. 1913.
    content of sweet potatoes, analyses and discussion. J. A. R., vol. 5, No. 13, pp. 546–560. 1915.
    determination—
      by use of invertase. C. S. Hudson. Chem. Cir. 50, pp. 8. 1910.
      fruits and fruit products, method. Chem. Bul. 66, rev., pp. 18–19. 1905.
    for canning and jelly making. F. B. 329, pp. 20–23. 1908.
    grades manufactured. Rpt. 98, p. 155. 1913.
    in sweet potato, effect of *Rhizopus tritici*. J. A. R., vol. 21, pp. 627–635. 1921.
    industry in—
      Louisiana, factories, grades, and output. Y. B., 1917 pp. 453–456. 1918; Y. B. Sep. 756, pp. 9–12. 1918.
      United States, localization. D.B. 66, pp. 2–3. 1914; Sec. Cir. 86, pp. 11–16. 1918.
    presence in grape juices. J.A.R. vol. 30, pp. 1150–1152. 1925.
    prevention of destruction of invertase. Chem. Cir. 58, pp. 4–6. 1910.
    test by invertase method. Chem. Cir. 50, p. 6. 1910.
    use in manufacture of alcohol. Chem. Bul. 130, pp. 27–28. 1910.
    value, comparison with beet sugar, various uses. Rpt. 90, pp. 72–74. 1909.
    world output, 1901–1912. D.B. 66, pp. 4, 24. 1914.
  chemical composition and characteristics. F.B. 535, pp. 7–11. 1913. O.E.S. Bul. 159, p. 42. 1905.
  consumption—
    and production in United States, 1909. F.B. 392, p. 8. 1910.
    in United States—
      1881–1901. Y.B., 1901, p. 500. 1902.
      and Europe, tables. Rpt. 86, pp. 67–70. 1908.
      and other countries. Sec. Cir. 86, pp. 28–30. 1918.
      and sources of supply. Rpt. 92, pp. 59–61. 1910.
    increase, 1881–1912. D.B. 66, p. 1. 1914.
    leading countries. Sec. [Misc.] Spec., "Geography * * * world's agriculture," p. 73. 1917.
    per capita, increase. Y.B., 1917, pp. 448–449. 1918; Y.B. Sep. 756, pp. 4–5. 1918.
    principal countries. D.B. 473, pp. 5, 15, 19, 29, 30, 34, 37, 39, 48, 51, 60, 68, 70. 1917.
    total and per capita, United States, 1881–1912. D.B. 66, pp. 1, 5, 6. 1914.
  content of—
    cane, effect of moth borer. D.B. 746, pp. 3–4. 1919.

Sugar(s)—Continued.
  content of—continued.
    corn and sorghum leaves. J.A.R., vol. 27, pp. 790–801, 805–806. 1924.
    gall-affected beets, comparison with unaffected beets. D.B. 203, pp. 5–7, 8. 1915.
    grapefruit. J.A.R., vol. 20, pp. 359–372. 1920; J.A.R., vol. 22, pp. 263–279. 1921.
    grapes. J.A.R., vol. 30, pp. 1150–1155. 1925.
    ice cream, effect on palatability. D.B. 1161, pp. 5, 8. 1923.
    lemon, percentages in different varieties. B.P.I. Cir. 26, p. 9. 1909.
    mesquite pods, investigations. D.B. 1194, pp. 5–15. 1923.
    milk—
      in breeding experiments. B.A.I. Bul. 156, pp. 18–19. 1913.
      in lactation experiments. B.A.I. Bul. 155, pp. 52–53. 1913.
      variations for individual cows. B.A.I. Bul. 157, pp. 10, 15–18, 21–27. 1913.
    sweet corn. J.A.R. vol. 20, pp. 795–805. 1921.
    sweet corn, influence of ripeness, taste test, and chemical analysis comparison. Chem. Bul. 127, p. 22. 1909.
    sweet potatoes, changes during storage. J.A.R., vol. 5, No. 12, pp. 509–517. 1915.
  corn—
    grades, description and composition. D.B. 928, p. 3. 1920.
    loss in storage at different temperatures. J.A.R., vol. 17, pp. 137–152. 1919.
  cost in the diet. F.B. 535, p. 31. 1913; Y.B., 1917, p. 447. 1918; Y.B. Sep. 756, p. 3. 1918.
  crops—
    acreage in 1919, map. Y.B., 1921, p. 457. 1922; Y.B. Sep. 878, p. 51. 1922.
    imports, and values. Y.B., 1902, pp. 824–826. 1903.
  definitions and standards. Chem. [Misc.], "Food definitions and standards," pp. 4–5. 1903.
  denatured, calf-feeding experiments. F.B. 381, p. 23. 1909.
  deterioration in storage. Nicholas Kopeloff and others. J.A.R., vol. 20, pp. 637–653. 1921.
  determination—
    in—
      cereals. Chem. Bul. 152, p. 103. 1912.
      cocoa products, studies. Chem. Bul. 162, p. 135. 1913.
      grains and cattle feeds, comparison of alcohol and sodium-carbonate digestions. A. Hugh Bryan and others. Chem. Cir. 71, pp. 14. 1911.
      sugar beets, methods. Chem. Bul. 146, pp. 14–22. 1911.
      sweet potatoes, method. J.A.R., vol. 3, p. 335. 1915.
    picric acid method, modifications. J. J. Willaman and F. R. Davison. J.A.R. vol. 28, pp. 479–488. 1924.
  development in sweet potato, studies. J.A.R., vol. 14, pp. 273–284. 1918.
  digestion, studies. F.B. 535, p. 17. 1913.
  distribution, by industries using. Sec. Cir. 96, pp. 7–8, 10–55. 1918.
  effect of mold spores in, experiments. J.A.R., vol. 18, pp. 195–208. 1919.
  estimation, by weight of precipitated cuprous oxide. Chem. Bul. 62, p. 111. 1901.
  exports—
    1851–1908. Stat. Bul. 75, p. 60. 1910.
    1901–1924. Y.B., 1924, pp. 1046, 1075. 1925.
    and imports, 1909–1913. Sec. [Misc.], Spec. "Geography * * * world's agriculture," p. 71. 1917.
    from St. Croix, 1777–1807, 1835–1897. Vir. Is., Bul. 2, pp. 4–6. 1921.
    world countries, 1901–1911. D.B. 66, p. 24. 1914.
  factories—
    France, destruction by Germans. Y.B., 1918, p. 292. 1919; Y.B. Sep. 773, p. 6. 1919.
    waste-material utilization. Y.B., 1908, p. 451. 1909; Y.B. Sep. 493, p. 451. 1909.
  farms, value per acre by States and Territories, 1900–1905. Stat. Bul. 43, pp. 11, 14, 15–16, 17, 18, 28–29, 38. 1906.

Sugar(s)—Continued.
  feed, use for sheep. D.B. 20, p. 46. 1913.
  fermentable, source, wood comparisons, studies.
    D.B. 983, pp. 59-61. 1922.
  food—
    standards. Sec. Cir. 136, p. 10. 1919.
    value(s)—
      Mary Hinman Abel. F.B. 535, pp. 32. 1913.
      and calorie portions in various weights.
        F.B. 1228, pp. 6, 15, 22. 1921.
      and chart showing per cent of constituents
        supplied. F.B. 1383, pp. 7-8, 28. 1924.
      comparisons, chart. D.B. 975, pp. 9-10, 30.
        1921.
      equivalents to meat. Rpt. 109, p. 134. 1916.
      forms, and conservation, references. Lib.
        Leaf. 7, pp. 2-3. 1918.
    forms in food, table for calculating. Chem. Bul.
      107, rev., pp. 243-251. 1912.
  fruit, availability as source of alcohol. F.B. 429.
    pp. 11-12. 1911.
  glucose jelly, misbranding. Chem. N.J. 580, p. 1.
    1910.
  grape—
    adulterant of honey. Chem. Bul. 110, pp. 61-
      62. 1908.
    as sugar source, production and value. Y.B.,
      1917, pp. 459-460. 1918; Y.B. Sep. 756, pp.
      15-16. 1918.
    content. Chem. Bul. 140, pp. 16-24. 1911.
    exports—
      1907-1911. Y.B., 1911, p. 672. 1912; Y.B. Sep.
        588, p. 672. 1912.
      1921. F.B., 1921, pp. 751, 760. 1922; Y.B.
        Sep. 867, pp. 15, 24. 1922.
    groves, planting, care, and management. F.B.
      516, pp. 9-18. 1912.
  Hawaiian, production in 1913-1914. F.B. 665,
    pp. 5-6. 1915.
  imports—
    1851-1914, amount and sources of supply, dis-
      cussion. D.B. 296, pp. 29-30. 1915.
    1901-1912. D.B. 66, pp. 3, 17-19, 25. 1914.
    1901-1924. Y.B., 1924, pp. 1064, 1076. 1925.
    1907-1909, quantity and value, by countries
      from which consigned. Stat. Bul. 82, pp.
      57-58. 1910.
    1908-1910, quantity and value, by countries
      from which consigned. Stat. Bul. 90, pp. 61-
      62. 1911.
    by countries of origin. D.B. 66, p. 3. 1914;
      F.B. 672, pp. 5-6. 1915.
    consumption in U.S., 1905-1907. Rpt. 86, p. 69.
      1908.
    origins and amounts. D.B. 66, pp. 3, 17-19.
      1914.
  increase in sweet potatoes during storage, experi-
    ments and studies. J.A.R., vol. 3, pp. 333,
    336-341. 1915.
  industry in—
    Hawaii, acreage, yield, and management.
      Ent. Bul. 93, pp. 9-10. 1911.
    Nebraska, Scottsbluff County, and by-prod-
      ucts. Soil Sur. Adv. Sh., 1913, p. 13. 1916;
      Soils F.O., 1913, p. 2067. 1916.
    southeast, reports of special agents. Chem.
      Bul. 75, pp. 25-40. 1903.
    Spain, 1904-1911. Stat. Cir. 40, pp. 7-9. 1912.
    United States, production, fluctuations, and
      supply. D.B. 473, pp. 6-16. 1917.
    Virgin Islands, history and experiments. Vir.
      Is. A. R., 1924, pp. 16-19. 1925.
  injurious effects in food. Chem. Bul. 116, p. 17.
    1908.
  injury to teeth. F. B. 535, pp. 26-27. 1913.
  international trade, 1901-1911. D. B. 66, pp.
    24-25. 1914.
  invert—
    adulterant of honey. Chem. Bul. 110, pp. 63-
      68. 1908.
    calculating, Munson and Walker's table
      D. B. 1187, pp. 51-52. 1924.
    calorimetric tests. Chem. Bul. 110, pp. 65-68.
      1908.
    determination, maple sirup. Chem. Bul. 134,
      pp. 63-65. 1910.
    honey adulteration, determination method.
      Ent. Bul. 75, Pt. I, p. 17. 1907.
    percentages in maple products. D. B. 466,
      pp. 28-31. 1917.

Sugar(s)—Continued.
  invert—continued.
    prevention of crystallization in sirup. F. B.
      1389, p. 21. 1924.
  lactones, chemical constitution and rotatory
    power, relation. C. S. Hudson. Chem. Cir.
    49, pp. 8. 1910.
  laws—
    and standards. Chem. Bul. 69, rev., pp. 15,
      185, 219, 566, 635. 1905-06.
    European countries, affecting American ex-
      ports. Chem. Bul. 61, pp. 7-39. 1901.
  loss(es)—
    caused by leaf-hopper injuries, Hawaii, 1903
      and 1904. Ent. Bul. 93, p. 19. 1911.
    from beets during storage. J.A.R., vol. 26,
      pp. 126-149. 1923.
    in clarification of sugar-cane juice, control.
      D.B. 921, pp. 10, 11, 12. 1920.
    in sweet corn after picking. J.A.R., vol. 17,
      pp. 276-278. 1919.
  malt, characteristics. F.B. 535, p. 11. 1913.
  maltose, process for making. Chem. Chief
    Rpt., 1924, pp. 7-8. 1924.
  manufacture—
    by-products. Y.B., 1923, pp. 210-213. 1924;
      Y.B. Sep. 893, pp. 78-81. 1924.
    from—
      cane, studies of methods and bacteriology.
        S.R.S. Rpt., 1916, Pt. I, pp. 133-134. 1918.
      juice clarified by infusorial earth. D.B. 921,
        p. 14. 1920.
      maple sap, yield. D.B. 12, p. 47. 1913.
      sap of Nipa palm. B.P.I. Inv. 36, pp. 44-45.
        1915.
    in Canal Zone. Rpt. 95, pp. 20, 40. 1912.
  maple—
    adulteration and misbranding. See Notices of
      judgment in bound volumes of Chemistry
      Service and Regulatory Announcements.
    adulteration and standards. For. Bul. 59, pp.
      47-48, 53. 1905.
    analysis and valuation. Chem. Bul. 162, pp.
      59-60. 1913.
    analyses, results for different localities, tables
      and discussion. D.B. 466, pp. 13-37. 1917.
    and sirup—
      C. F. Langworthy. F.B. 124, pp. 21-24.
        1901.
      William F. Hubbard. F.B. 252, pp. 36.
        1906.
    flavoring, use of hickory bark. For. Bul. 59,
      pp. 49-50. 1905.
    marketing, bibliography. M.C. 35, pp. 44-
      45. 1925.
    production. A. Hugh Bryan and others.
      F.B. 1366, pp. 35. 1923.
    production. A. Hugh Bryan and William
      F. Hubbard. F.B. 516, pp. 46. 1912.
    production and value. Y.B., 1919, pp. 635-
      636. 1920; Y.B. Sep. 827, pp. 635-636. 1920.
    production in United States, 1889, 1899, 1909.
      D.B. 66, p. 21. 1914.
    statistics, 1922. Y.B., 1922, pp. 787-788.
      1923; Y.B. Sep. 884, pp. 787-788. 1923.
    statistics, 1924. Y.B., 1924, pp. 810-811, 813-
      814. 1925.
    composition, methods of analysis, and environ-
      ment effects. A. Hugh Bryan and others.
      D.B. 466, pp. 46. 1917.
    equipment, articles, and prices. F.B. 816, p. 12.
      1917.
    flavor, use of hickory bark. For. Bul. 59, pp.
      49-50. 1905.
    industry. William F. Fox and William F.
      Hubbard. For. Bul. 59, pp. 56. 1905.
    manufacture, methods. F.B. 516, pp. 38-40,
      44, 45-46. 1912; For. Bul. 59, pp. 5-8, 36-45.
      1905.
    moisture content. D.B. 466, pp. 39-41. 1917.
    preparation methods. D.B. 466, p. 2. 1917.
    production—
      1839-1921, and prices. Y.B., 1921, pp. 665-
        666, 667. 1922; Y.B. Sep. 869, pp. 85-86,
        87. 1922.
      1889, 1899, 1909, by States. D.B. 66, p. 21.
        1914.
      1923, and prices. Y.B., 1923, pp. 857-858.
        1924; Y.B. Sep. 901, pp. 857-858. 1924.

Sugar(s)—Continued.
  maple—continued.
    production—continued.
      decline in Ohio, Portage County. Soil Sur. Adv. Sh., 1914, p. 11. 1916; Soils F.O., 1914, p. 1511. 1919.
      in New York, Chenango County. Soil Sur. Adv. Sh., 1918, p. 10. 1920; Soils F.O., 1918, p. 16. 1924.
      in United States and Canada. D.B. 473, pp. 13–14, 26. 1917.
      since 1850, by States, tables. For. Bul. 59, pp. 10–19. 1905.
      season, opening and closing dates, table. F.B. 516, p. 20. 1912.
      standards. Chem. Bul. 69, rev., pp. 171, 307, 320, 431, 597, 634, 667. 1905–6.
      statistics, graphic showing of average production, United States. Stat. Bul. 78, p. 31. 1910.
    use as food. O.E.S. Bul. 245, p. 82. 1912.
    meal, use as cow feed, and effect on milk. B.A.I. [Misc.], Diseases of cattle, rev., p. 253. 1904; rev., pp. 261–262. 1912; rev., p. 256. 1923.
    measurements, relations of different scales, table. Chem. Bul. 107, pp. 221–224. 1907.
  milk—
    characteristics. F.B. 535, pp. 9–10. 1913.
    description and uses. F.B. 363, pp. 11, 22, 23, 25. 1909.
    percentage in cow's milk, description and uses. F.B. 1207, p. 5. 1921.
    production and importation, 1906–1920. B.A.I. Doc. A-37, p. 38. 1922.
    value in diet. F.B. 1359, p. 3. 1923.
    See also Lactose.
  mills, sugar stocks reported, 1916, 1917. Sec. Cir. 96, pp. 7, 10–12, 19, 20, 25–28, 38, 39. 1918.
  moisture content, determination methods. Chem. Bul. 132, pp. 177–179. 1910; Chem. Bul. 162, pp. 182, 183, 184. 1913.
  Muscovado, maple-products adulteration. Chem. Bul. 122, pp. 196–198. 1909.
  necessity in food and war allowance, France and England. Sec. Cir. 86, p. 30. 1918.
  output, increases and decreases, various countries. D.B. 473, pp. 2–6. 1917.
  percentage in sweet-potato roots, August to November. J.A.R., vol. 12, pp. 10–15. 1918.
  polarizations, corrections. Chem. Bul. 122, pp. 221–228. 1909.
  potato, effect of rotting with *Pythium debaryanum*. J.A.R., vol. 18, pp. 277–280. 1919.
  practical use in ordinary diet, amount and concentration. F.B. 535, pp. 23–29. 1913.
  preservative—
    effect on food. Chem. Bul. 116, p. 17. 1908.
    in tomato ketchup, experiments. Chem. Bul. 119, p. 23. 1909.
  price(s)—
    1860–1900, comparison of maple and other sugars. For. Bul. 59, pp. 16–17. 1905.
    and consumption. Y.B., 1923, pp. 219–221. 1924; Y.B., Sep. 893, pp. 87–89. 1924.
    at New York, Mar. 25, 1915, with comparisons. F.B. 672, p. 6. 1915.
    establishment by Government. Sec. Cir. 86, pp. 27–28. 1918.
    in New York and New Orleans, 1909–1912. D.B. 66, pp. 15–16. 1914.
    relation to condensed-milk trade. Y.B., 1922, p. 394. 1923; Y.B. Sep. 879, p. 98. 1923.
  production—
    1866–1924. Y.B., 1924, p. 802. 1925.
    and—
      consumption in United States. B.P.I. Bul. 260, pp. 28–30, 31, 70–71. 1912.
      exports of world. Y.B., 1921, pp. 663–664, 781. 1922; Y.B. Sep. 869, pp. 83–84. 1922; Y.B. Sep. 871, p. 12. 1922.
      sugar yield. Y.B., 1923, p. 156. 1924; Y.B. Sep. 893, p. 7. 1924.
    from—
      maize, preliminary report. B.P.I. Cir. 111, pp. 3–9. 1913.
      sorghums, experiments since 1775. B.P.I. Bul. 175, pp. 28, 30, 33. 1910.

Sugar(s)—Continued.
  production—continued.
    imports and exports, annual and average, by countries. Stat. Cir. 31, pp. 23–24, 29, 30. 1912.
    in continental United States, 1914, with comparisons. F.B. 672, p. 5. 1915.
    in Hawaii, 1912–1913, factories operated, cane used and yield. F.B. 598, p. 12. 1914.
    in Louisiana—
      1911–1917. Sec. Cir. 86, p. 12. 1918.
      seasonal receipts at New Orleans, 1901–1913. D.B. 66, p. 14. 1914.
    in United States—
      1911–1913, sources of supply. F.B. 598, pp. 11–12. 1914.
      and foreign countries. Perry Elliott. D.B. 473, pp. 70. 1917.
      and possessions. Sec. [Misc.], Spec. "Geography * * * world's agriculture," pp. 71, 72, 74. 1917.
    increase, 1918, use of substitutes. Sec. Cir. 103, p. 10. 1918.
    per ton of cane and beets, note. News L., vol. 6, No. 12, p. 7. 1918.
    prices, 1923. Y.B. 1923, pp. 842–858. 1924; Y.B., Sep. 901, pp. 842–858. 1924.
    sources, May, 1914. F.B. 598, pp. 9–12. 1914.
    world—
      1901–1912. D.B. 66, pp. 22–24. 1914.
      1902–1906, table. Rpt. 84, p. 109. 1907.
      1903–1908. Rpt. 86, p. 67. 1908.
      1904–1909. Rpt. 90, pp. 57–58. 1909.
      1905–1909, table. Rpt. 92, pp. 58–59. 1910.
      1910–1914. Y.B., 1916, pp. 533, 546. 1917; Y.B. Sep. 713, p. 3, 16. 1917.
  proportion to—
    acid and pectin in jelly making. Hawaii Bul. 47, pp. 9–14, 16, 19, 21. 1923.
    fruit juice in jelly making. Hawaii Bul. 47, pp. 3–4, 9–11. 1923.
  purity—
    notes. F.B. 535, pp. 15–16. 1913.
    standards. Sec. Cir. 136, p. 10. 1919.
  quantity used in curing meats in United States. D.B. 928, p. 1. 1920.
  raw—
    composition and quality. F.B. 535, pp. 14–15. 1913.
    polarization, temperature corrections. W. D. Horne. Chem. Bul. 152, pp. 207–210. 1912.
    production increase in Philippine Islands. News L., vol. 6, No. 14, p. 4. 1918.
  reducing—
    analysis, volumetric thiosulphate method. D.B. 1187, p. 45. 1924.
    content of sweet potatoes, analyses and discussion. J.A.R., vol. 5, No. 13, pp. 546–560. 1915.
  determination in—
    canned meats. Chem. Bul. 13, Pt. X, p. 1403. 1902.
    foods, methods. Chem. Bul. 107, pp. 42–53, 58. 1907.
    fruits and fruit products, method. Chem. Bul. 66, rev., pp. 19–20. 1905.
    maple products. Chem. Cir. 40, p. 4. 1908.
    wine. Chem. Bul. 122, pp. 15–16. 1909.
  methods, unification (a correction). Percy H. Walker. Chem. Cir. 82, pp. 6. 1911.
  oxidation, cause of heat of respiration. J.A.R., vol. 12, p. 687. 1918.
  refined, statistics for United States, 1905–1906. Rpt. 86, p. 70. 1908.
  refineries in United States. D.B. 473, p. 11. 1917.
  relation to keeping quality of condensed milk. B.A.I. Dairy [Misc.], "World's dairy congress, 1923," pp. 1239–1240. 1924.
  requirements—
    1918, cause for increased beet acreage. News L., vol. 5, No. 16, p. 7. 1917.
    1919–1920, and probable available stock. Sec. Cir. 125, p. 14. 1919.
    of farm family, cane acreage. F.B. 1015, pp. 4, 11, 15. 1919.
  rotation, effect of uranyl acetate. Chem. Cir. 76, p. 6. 1911.

INDEX TO PUBLICATIONS, 1901–1925   2309

Sugar(s)—Continued.
  saving—
    by growing sorghum, Western States. D.C. 37, p. 12. 1919.
    by soft-drink makers by use of substitutes. News L., vol. 5, No. 44, p. 5. 1918.
    methods, and substitutes. U. S. Food Leaf. 15, pp. 1–4. 1918.
  shortage—
    causes and necessity for conservation. News L., vol. 5, No. 41, p. 5. 1918.
    danger, 1917. News L., vol. 4, No. 37, pp. 2–3. 1917.
    effect on cranberry sales. D.B. 1109, pp. 15, 16, 19. 1923.
    in Europe, causes. Sec. Cir. 86, pp. 4–9. 1918.
  situation—
    1918. Sec. Cir. 86, pp. 1–34. 1918.
    international. Frank H. Rutter. Stat Bul. 30, pp. 98. 1904.
  solution(s)—
    effect on temperature changes in canning. D.B. 956, pp. 14–16, 53. 1921.
    solubility of lime. Soils Bul. 49, pp. 32–35. 1907.
    tartaric acid determination, results by different methods. Chem. Cir. 106, p. 8. 1912.
    use in processing persimmons. Chem. Bul. 141, p. 26. 1911.
  source(s)—
    in diet, supplementing by use of fruits. F.B. 871, pp. 4, 5, 6. 1917.
    of alcohol. F.B. 429, pp. 9, 21–22. 1911.
    of supply. Sec. Cir. 96, pp. 4, 24. 1918.
  spoiling by molds, studies. J.A.R., vol. 18, pp. 537–542. 1920.
  standards. For. Bul. 59, p. 53, 1905.
  statistics—
    1905. Y.B., 1905, pp. 724–727. 1906; Y.B. Sep. 404, pp. 724–727. 1906.
    1906. Y.B., 1906, pp. 617–622. 1907; Y.B. Sep. 436, pp. 617–622. 1907.
    1907. Y.B., 1907, pp. 685–689, 745, 754. 1908; Y.B. Sep. 465, pp. 685–689, 745, 754. 1908.
    1908. Y.B., 1908, pp. 698–703, 761, 771, 775. 1909; Y.B. Sep. 498, pp. 698–703, 761, 771, 775. 1909.
    1910. Y.B., 1910. pp. 601–605, 663, 673. 1911; Y.B. Sep. 554, pp. 601–605, 663, 673. 1911.
    1911. Y.B., 1911, pp. 666, 675–676, 681–682, 685–686. 1912; Y.B. Sep. 588, pp. 666, 675–676, 681–682, 685–686. 1912.
    1912. Y.B., 1912, pp. 648–654, 724, 734–735, 740. 1913; Y.B. Sep. 614, pp. 648–654. 1913; Y.B. Sep. 615, pp. 724, 734–735, 740. 1913.
    1913. Y.B., 1913, pp. 445–449, 500, 506. 1914; Y.B. Sep. 360, pp. 445–449. 1914; Y.B. Sep. 361, pp. 500, 506. 1914.
    1914. Y.B., 1914, pp. 599–604, 658, 665, 686. 1915; Y.B. Sep. 655, pp. 599–604. 1915; Y.B. Sep. 657, pp. 658, 665, 686, 1915.
    1915. Y.B. 1915, pp. 496–501, 547, 553, 559, 564, 575. 1916; Y.B. Sep. 683, pp. 496–501. 1916; Y.B. Sep. 685, pp. 547, 553, 559, 564, 575. 1916.
    1916. Y.B., 1916, pp. 643–651, 714, 720, 726, 742. 1917; Y.B. Sep. 720, pp. 33–41. 1917; Y.B. Sep. 722, pp. 8, 14, 20, 36. 1917.
    1917. Y.B., 1917, pp. 691–700, 766, 774, 781. 1918; Y.B. Sep. 760, pp. 39–48. 1918; Y.B. Sep. 762, pp. 10, 18, 25. 1918.
    1918. Y.B., 1918, pp. 564–576, 634, 641, 643, 646, 648, 653, 664. 1919; Y.B. Sep. 792, pp. 60–72. 1919; Y.B. Sep. 794, pp. 10, 17, 19, 22, 24, 29, 40. 1919.
    1919. Y.B., 1919, pp. 625–636, 689, 696, 702, 703, 720. 1920; Y.B. Sep. 827, pp. 625–636. 1920; Y.B. Sep. 829, pp. 689, 696, 702, 703, 720. 1920.
    1920. Y.B. 1920, pp. 69–83. 1921; Y.B. Sep. 862, pp. 69–83. 1921.
    1921. Y.B., 1921, pp. 74, 657–667, 771. 1922; Y.B. Sep. 869, pp. 77–85. 1922; Y.B. Sep. 871, p. 2. 1922; Y.B. Sep. 875, p. 74. 1922.
    1922. Y.B., 1922, pp. 778–788. 1923; Y.B. Sep. 884, pp. 778–788. 1923.
    1924. Y.B., 1924, pp. 799–803, 806–810, 811, 813–814, 1046, 1064, 1070, 1075, 1076, 1925.

Sugar(s)—Continued.
  statistics—continued.
    of United States and insular possessions, 1881–1912. Frank Andrews. D.B. 66, pp. 25. 1914.
    of United States and foreign countries. D.B., 473, pp. 1–70. 1917.
  storage in plants at low temperatures. J.A.R., vol. 3, pp. 332, 333, 337. 1915.
  substitutes—
    and list. Sec. Cir. 103, p. 10. 1918.
    in soft drinks. Chem. [Misc.], "Formulas for sugar-saving * * *," pp. 2. 1918; Chem. Chief Rpt., 1921, p. 13. 1921.
    label requirements. News L., vol. 7, No. 17, pp. 1–2. 1919.
    production. Sec. Cir. 86, pp. 30–32. 1918.
    use of honey, methods. F.B. 653, pp. 11–12. 1915.
  supply—
    Frank Andrews. F.B. 672, pp. 5–6. 1915.
    and consumption, United States. D.B. 473, pp. 5, 14–16. 1917.
    comparative figures for 1916, 1917. Sec. Cir. 96, pp. 19–23. 1918.
    increase by honey production, importance. F.B. 1012, p. 24. 1918.
    maintenance and extension, summary. Sec. Cir. 86, pp. 32–34. 1918.
    of family for a week, and place in menu. F.B. 1228, pp. 14–16, 19. 1921.
    of United States—
      Frank Andrews. Y.B., 1917, pp. 447–460. 1918; Y.B. Sep. 756, pp. 18. 1918.
      extent and distribution. August 31, 1917. Sec. Cir. 96, pp. 55. 1918.
    wasted. E. F. Phillips. Y.B., 1917, pp. 395–400. 1918; Y.B. Sep. 747, pp. 8. 1918.
  test—
    for jelly stock, use of saccharimeter. F.B. 859, pp. 14–15. 1917.
    with jelly making. F.B. 1454, p. 12. 1925.
  tomato, investigations and determinations. D.B. 859, pp. 9, 10, 11, 16. 1920.
  trade, international—
    1901–1910. Stat. Bul. 103, pp. 42–43. 1913.
    1902–1906. Y.B., 1907, pp. 690, 738, 749. 1908; Y.B. Sep. 465, pp. 690, 738, 749. 1908.
    1909–1921. Y.B., 1922, p. 783. 1923; Y.B. Sep. 884, p. 783. 1923.
  true, classification, importance in alcohol manufacture. Chem. Bul. 130, pp. 18–21. 1910.
  tuna, polarization and reduction. B.P.I. Bul. 116, pp. 36–39. 1907.
  use—
    and value for children's food. F.B. 717, pp. 18–19. 1916.
    as food. O.E.S. Bul. 245, p. 69. 1912.
    in—
      bordeaux mixture. B.P.I. Bul. 265, p. 26. 1912.
      children's diets, methods and amounts. F.B. 535, pp. 30–31. 1913.
      meats, allowed. B.A.I.O. 150, amdt. 2, p. 1. 1913.
      preserving fruits and vegetables. D.B. 123, pp. 63–65. 1916; O.E.S. Bul. 245, pp. 81–83, 85. 1912.
      soft drinks, food value. Y.B., 1918, pp. 118–119, 122. 1919; Y.B. Sep. 774, pp. 6–7, 10. 1919.
  value in diet, and week's supply for average family. F.B. 1313, pp. 4, 11–12. 1923.
  varieties, description and studies. O.E.S. Bul. 245, pp. 82–83, 85. 1912.
  yield of—
    sugarcane per ton, prices, Louisiana, Iberia Parish. Soil Sur. Adv. Sh., 1911, pp. 14–15. 1912; Soils F.O., 1911, pp. 1138–1139. 1914.
    sugarcane and sugar beets. News L., vol. 6, No. 14, p. 5. 1918.
    sugar beets. Rpt. 92, pp. 55–57. 1910.
    various woods. D.B. 983, pp. 69–83. 1922.
Sugar apple—
  Brazilian, description and use. D.B. 445, p. 33. 1917.
  description and use. Y.B., 1905, p. 450. 1906; Y.B. Sep. 394, p. 450. 1906.

Sugar apple—Continued.
　importations and description. Nos. 34321-34322,
　　B.P.I. Inv. 32, p. 35. 1914; No. 41464, B.P.I.
　　Inv. 45, p. 33. 1918; No. 43448, B.P.I. Inv. 49,
　　p. 25. 1921; Nos. 46149, 46237, B.P.I. Inv. 55,
　　pp. 31, 37. 1922; Nos. 47434, 47585, B.P.I. Inv.
　　59, pp. 18, 36. 1922; No. 47875, B.P.I. Inv. 60,
　　p. 9. 1922; Nos. 50069, 50597, B.P.I. Inv. 63,
　　pp. 33, 83. 1923.
Sugar beets—
　acre value, comparison with other crops. News
　　L., vol. 4, No. 37, p. 3. 1917.
　acreage—
　　and factories in operation in Russia, 1910.
　　　Stat. Cir. 41, p. 21. 1912.
　　and production—
　　　1901-1910. Y.B., 1910, p. 605. 1911; Y.B.
　　　　Sep. 553, p. 605. 1911.
　　　1908. Rpt. 90, pp. 54-57. 1909.
　　　1912-1914, in world countries. Y.B., 1915,
　　　　pp. 497, 501. 1916; Y.B. Sep. 683, pp. 497,
　　　　501. 1916.
　　　1912-1917, by States. Sec. Cir. 86, p. 17. 1918.
　　　1916-1918, analyses. Y.B., 1918, pp. 565-566,
　　　　572-573, 575. 1919; Y.B. Sep. 792, pp. 61-
　　　　62, 68-69, 71. 1919.
　　　1917. Y.B., 1917, pp. 691, 692, 696, 697.
　　　　1918; Y.B. Sep. 760, pp. 39, 40, 44, 45. 1918.
　　　in United States, tables. Rpt. 92, pp. 49-54.
　　　　1910.
　　yield—
　　　1914, estimate. F.B. 620, p. 5. 1914.
　　　1918. News L., vol. 6, No. 38, p. 12. 1919.
　　　1923. Y.B. 1923, pp. 848-849. 1924; Y.B.
　　　　Sep. 901, pp. 848-849. 1924.
　　　in California, 1899, 1909-1917. D.B. 760,
　　　　pp. 3, 6. 1919.
　　　in relation to cost. D.B. 693, pp. 41-42, 43.
　　　　1918.
　census, 1909, by States, map. Y.B., 1915, p.
　　371. 1916; Y.B. Sep. 681, p. 371. 1916.
　maintenance for 1918, importance as war
　　measure. News L., vol. 5, No. 16, p. 7. 1917.
　relation to—
　　irrigated area. D.B. 726, pp. 10-11. 1918.
　　tillable area and costs. D.B. 748, pp. 42-44.
　　　1919.
　requirements for seed production. Y.B.,
　　1909, p. 174. 1910; Y.B. Sep. 503, p. 174.
　　1910.
　under irrigation, Colorado, in Cache la Poudre
　　Valley, 1916 and 1917. D.B. 1026, p. 43. 1922.
　adaptability to San Luis Valley, Colo. Soils
　　Cir. 52, pp. 22, 26. 1912.
　alcohol manufacture, value. F.B. 268, p. 30.
　　1906; F.B. 429, pp. 14-15. 1911.
　alkali resistance. F.B. 267, pp. 14-17. 1906;
　　F.B. 446, p. 26. 1911; F.B. 446, rev., pp. 12-25.
　　1920; Soils Bul. 35, pp. 41, 46, 114, 132, 135.
　　1906.
　American grown for seed, discussion. F.B. 251,
　　pp. 5-7. 1906.
　analyses—
　　1905-1910, with methods of sugar determination.
　　　A. Hugh Bryan. Chem. Bul. 146, pp. 48.
　　　1911.
　　apparatus and methods. Chem. Bul. 63,
　　　pp. 23-25. 1901.
　　as source of alcohol. F.B. 429, pp. 14-15. 1911.
　　environmental experiments, 1903. Chem. Bul.
　　　95, pp. 11, 12, 14, 16, 17, 19, 21, 23, 24. 1905.
　　samples from California, Montana, and South
　　　Dakota. Rpt. 86, pp. 37, 77, 81. 1908.
　　samples from Texas and Virginia, 1908. Rpt.,
　　　90, pp. 68-69, 70-71. 1909.
　　analytical data by States, 1884-1900, 1905-1910.
　　　Chem. Bul. 146, pp. 36-39. 1911.
　area—
　　1914, comparison with 1913, forecast. F.B. 611,
　　　pp. 10-11. 1914.
　　and yield, world countries. D.B. 473, p. 4.
　　　1917.
　　extension efforts. Rpt. 86, pp. 87-88. 1908.
　　in United States. F.B. 567, p. 1. 1914.
　average sugar extraction. Rpt. 82, p. 107. 1906.
　blight—
　　relation of leafhoppers. Ent. Bul. 66, Pt. IV,
　　　pp. 33-53. 1909; Ent. Bul. 66, pp. 33-53.
　　　1910.

Sugar beets—Continued.
　blight—continued.
　　report of factory managers, 1900. Rpt. 69,
　　　pp. 87-102. 1901.
　blocking and thinning methods, costs. B.P.I.
　　Bul. 260, pp. 59, 62-63. 1912; D.B. 721, pp. 16,
　　43. 1918; D.B. 726, pp. 14, 30-32, 57. 1918;
　　D.B. 748, pp. 3, 23-25. 1919; D.B. 995, p. 17.
　　1921.
　bunching—
　　and thinning. Rpt. 90, pp. 13, 21. 1909.
　　methods and costs. D.B. 726, pp. 30-31. 1918.
　by-products—
　　composition and utilization. Chem. Bul. 63,
　　　pp. 21-22. 1901; F.B. 567, pp. 23-25. 1914.
　　feeding value. James W. Jones. F.B. 1095,
　　　pp. 24. 1919.
　　use in stock feeding. D.B. 995, pp. 41-42. 1921;
　　　Rpt. 86, pp. 16-20, 41, 42, 44, 46, 51, 52, 54, 56,
　　　58. 1908.
　　uses. [Misc.] "Progress * * * beet-sug-
　　　ar * * * 1903," pp. 117-118, 127-128.
　　　1903; Rpt. 86, pp. 16-20. 1908; Y.B., 1908,
　　　pp. 443-452. 1909; Y.B. Sep. 493, pp. 443-452.
　　　1909.
　　utilization as feed and fertilizer. D.B. 721,
　　　pp. 40-41, 48-49. 1918.
　　waste. Rpt. 80, pp. 21-22. 1905.
　climatic requirements. Chem. Bul. 64, pp. 1-32.
　　1901; Y.B., 1923, pp. 184-185. 1924; Y.B. Sep.,
　　893, pp. 45-46. 1924.
　clubs, demonstrations, yields, and results. D.C.
　　152, p. 14. 1921.
　collaborative work, organization. Chem. Bul. 74,
　　pp. 7-9. 1903.
　comparison with—
　　alfalfa hay in feeding hogs. B.A.I. Bul. 47,
　　　pp. 175-177. 1904.
　　other crops. [Misc.], "Progress of the beet
　　　sugar * * *," pp. 54-64. 1904.
　composition—
　　influence of environment. Harvey W. Wiley.
　　　Chem. Bul. 64, pp. 32. 1901; Chem. Bul. 78,
　　　pp. 50. 1903; Chem. Bul. 95, pp. 39. 1905;
　　　Chem. Bul. 96, pp. 66. 1905.
　　influence of soil and climate, 1901. Harvey
　　　W. Wiley. Chem. Bul. 74, pp. 42. 1903.
　　of soil and yield per acre. Chem. Bul. 96,
　　　pp. 53-54. 1905.
　contracts for growing and handling. D.B. 995,
　　pp. 51-54. 1921.
　cost of—
　　growing per acre under irrigation. F.B. 392,
　　　pp. 44-45. 1910.
　　production, details. D.B. 726, pp. 45-52. 1918;
　　　Y.B. 1923, pp. 193-201. 1924; Y.B. Sep. 893,
　　　pp. 57-68. 1924.
　crop—
　　failures, causes and remedies. F.B. 392, p. 40.
　　　1910.
　　output, 1918-19. News L., vol. 6, No. 38, p. 12.
　　　1919.
　　returns, 1903. [Misc.], "Progress * * *
　　　beet sugar * * * 1903," pp. 108-112.
　　　1903.
　　rotation and fertilization. Rpt. 86, p. 32. 1908.
　crown borer, description. Ent. Bul. 54, pp. 34-43.
　　1905.
　crown gall—
　　and other infectious diseases. B.P.I. Bul. 213,
　　　pp. 191-195. 1911.
　　field studies. C. O. Townsend. D.B. 203,
　　　pp. 8. 1915.
　　inoculation from daisy and other plants.
　　　B.P.I. Bul. 213, pp. 34, 45, 53, 55, 57, 60, 73, 77,
　　　81, 89, 91, 93. 1911.
　cultivation—
　　comparison of methods. [Misc.], "progress
　　　* * * beet-sugar * * * 1903," pp. 77-
　　　81. 1903.
　　data, Colorado, acreage, labor, and costs.
　　　D.B. 726, pp. 32-34. 1918.
　　methods. D.B. 721, pp. 16, 35. 1918; D.B.
　　　735, pp. 20-22. 1918; F.B. 210, pp. 14-15.
　　　1904; Rpt. 82, pp. 20-43. 1906; Rpt. 92, pp.
　　　15-20. 1910.
　　practices and cost, Utah and Idaho. D.B. 693,
　　　pp. 26-28. 1918.
　　reports from State experiment stations. Rpt.
　　　82, pp. 120-126. 1906.

Sugar beets—Continued.
cultural—
methods under irrigation in Nebraska, Scottsbluff experiment farm. W.I.A. Cir. 6, pp. 16–17. 1915; W.I.A. Cir. 11, pp. 21–22. 1916.
notes, environment experiments. Chem. Bul. 95, pp. 8–9, 13–14, 15, 17, 20, 25. 1905.
practices, Michigan and Ohio. D.B. 748, pp. 10–33. 1919.
culture—
Truman G. Palmer. Rpt. 74, pp. 141–152. 1903.
and handling, methods needing improvement. B.P.I. Bul. 260, pp. 62–67. 1912.
curly-leaf disease, relation of leaf hoppers. Ent. Bul. 66, Pt. IV, pp. 33–52. 1909.
damage by false chinch bug, and protection. F.B. 762, pp. 2, 3–4. 1916.
damping-off disease. J.A.R., vol. 4, pp. 135–168. 1915.
description of flower. Rpt. 80, pp. 162–163. 1905.
development of—
industry, Michigan and Ohio. D.B. 748, p. 5. 1919.
single-germ seed. Rpt. 80, pp. 161–166. 1905.
disease(s)—
C. O. Townsend. Rpt. 72, pp. 90–101. 1902.
effect on yield of sugar. Rpt. 86, pp. 85–86. 1908.
menace to production, and control studies. D.B. 995, pp. 17–18, 45–48. 1921.
prevention of spread. F.B. 567, p. 24. 1914.
similarity to root knot. B.P.I. Bul. 217, p. 61. 1911.
dominant crop, rotations. Y.B., 1908, pp. 357–358. 1909; Y.B. Sep. 487, pp. 357–358. 1909.
drainage methods. D.B. 721, pp. 21–23. 1918.
dry-rot canker. B. L. Richards. J.A.R., vol. 22, pp. 47–52. 1921.
drying in open piles, shrinkage, experiments at Ogden, Utah. D.B. 199, pp. 8–10. 1915.
early planting as control method for wireworms, experiments. Ent. Bul. 123, pp. 61, 64. 1914.
effect of stand at harvest time on production yield. D.B. 995, pp. 13–18. 1921.
enterprises, experiments in different States, results. Rpt. 92, pp. 64–70. 1910.
environment, effects. Chem. Bul. 64, pp. 1–32. 1901; Chem. Bul. 78, pp. 1–50. 1903; Rpt. 82, pp. 13–17. 1906.
estimates, 1910–1922. M.C. 6, p. 14. 1923.
European production, 1914. F.B. 672, p. 6. 1915.
experiments—
1900–1904, summary. Chem. Bul. 96, pp. 44–48. 1905.
conducted at various State stations. Chem. Bul. 74, pp. 1–42. 1903.
in humid regions, 1904. Chem. Bul. 96, pp. 6–29. 1905.
in Montana, Huntley experiment farm. W.I.A. Cir. 8, pp. 16–19. 1916.
in Nevada, Truckee-Carson project. B.P.I. Bul. 157, pp. 24–25, 30, 32, 33. 1909.
in Texas, yield and sugar content. B.P.I. Bul. 283, pp. 69–70. 1913.
factory(ies)—
by-products disposal. Rpt. 90, pp. 25–41. 1909.
in Michigan and Ohio, location and number. D.B. 748, pp. 2, 5. 1919.
location and progress, United States and Canada. B.P.I. Bul. 260, pp. 18–23, 50, 71–73. 1912.
methods and machinery. Rpt. 90, pp. 23–25. 1909.
number and capacities by States, 1908. F.B. 392, pp. 8, 41–43. 1910.
records of acreage, yield, and profit. D.B. 693, p. 10. 1918.
results, 1903, statistics. [Misc.], "Progress * * * beet-sugar * * * 1903," pp. 128–160. 1903.
seed requirements to supply crop. Y.B., 1909, pp. 173–174. 1910; Y.B. Sep. 503, pp. 173–174. 1910.
farm, soil, implements, livestock, and labor. D.B. 721, pp. 35–40. 1918; D.B. 995, pp. 35–41. 1921.

Sugar beets—Continued.
farming methods, 1904. Rpt. 80, pp. 16–20. 1905.
feed for—
cows. F.B. 149, pp. 28–29. 1909.
hogs, value. B.A.I. Bul. 47, pp. 168–169. 1904.
livestock, value. Rpt. 82, pp. 17–20. 1906.
feeding value of products. F.B. 162, pp. 10–15. 1903.
fertilization of soils. Rpt. 82, pp. 36–42. 1906; Rpt. 86, pp. 32, 85. 1908; Rpt. 90, pp. 15–17, 20. 1909.
fertilizer—
tests. D.C. 330, p. 12. 1925; F.B. 567, pp. 21–22. 1914; Soils Bul. 67, pp. 36–39. 1910.
value of manure. F.B. 392, p. 39. 1910.
filter-press cake, value in lime for soils. D.C. 257, pp. 1–3. 1923.
germination and growth, effect of alkali salts. J.A.R., vol. 5, No. 1, pp. 3–51. 1915.
graphic representations, 1900–1904. Chem. Bul. 96, pp. 65–66. 1905.
grasshopper control (and truck crops). F. B. Milliken. F.B. 691, pp. 16. 1915.
growing—
acreage in States adapted. B.P.I. Bul. 260, p. 29. 1912.
and fertilizers, experiments. B.P.I. Cir. 122, pp. 17–18. 1913.
and yield, Pajaro Valley, Calif. Soil Sur. Adv. Sh., 1908, pp. 10–11, 28. 1910; Soils F.O., 1908, pp. 1336–1337, 1354. 1911.
charges on land. D.B. 748, pp. 36–37, 38. 1919.
climatological conditions. B.P.I. Bul. 260, pp. 16–18. 1912.
commercial fertilizers, experiments, tables. [Misc.], "Progress * * * beet-sugar * * * 1903," pp. 87–90. 1903.
contest, rules, blanks, and score cards. O.E.S. Bul. 255, pp. 15–18. 1913.
cost and profits. B.P.I. Bul. 260, p. 27. 1912; D.B. 726, pp. 3–4. 1918; Rpt. 86, pp. 13–16. 1908.
details by States. Rpt. 90, pp. 41–51. 1909.
equipment. F.B. 1241, p. 3. 1921.
experiment and results at Dillon, Mont., 1908. Rpt., 90, p. 64. 1909.
experiments with stable manure, tables. [Misc.], "Progress * * * beet-sugar * * * 1903," pp. 88–94. 1903.
field practices and cost, Utah and Idaho. D.B. 693, pp. 15–39. 1918.
for sirup, cultural directions. F.B. 823, pp. 3–9. 1917; F.B. 1241, pp. 3–9. 1921.
in Billings region, Montana, farm practices. S. B. Nuckols and E. L. Currier. D.B. 735, pp. 40. 1918.
in California—
Anaheim County. Soil Sur. Adv. Sh., 1916, pp. 13, 15, 16, 17, 18. 1919; Soils F.O., 1916, pp. 2279–2284, 2314–2334. 1921.
central southern area, details. Soil Sur. Adv. Sh., 1917, pp. 31–32, 71–120. 1921; Soils F.O., 1917, pp. 2429–2430, 2469–2518. 1923.
investigations, method. D.B. 760, pp. 3–4. 1919.
Los Angeles area. Soil Sur. Adv. Sh., 1916, pp. 16, 50–62. 1919; Soils F.O., 1916, pp. 2358, 2392–2404. 1921.
Pasadena area, details. Soil Sur. Adv. Sh., 1915, pp. 16, 53. 1917; Soils F.O., 1915, pp. 2326, 2329, 2363. 1919.
Riverside area, methods and cost. Soil Sur. Adv. Sh., 1915, pp. 17–18. 1917; Soils F.O., 1915, pp. 2379–2380. 1919.
San Fernando Valley area. Soil Sur. Adv. Sh., 1915, pp. 17, 41, 51. 1917; Soils F.O., 1915, pp. 2463, 2487, 2497. 1919.
San Joaquin Valley. Soil Sur. Adv. Sh., 1916, p. 26. 1919; Soils F.O., 1916, p. 2440. 1921.
Santa Maria area. Soil Sur. Adv. Sh., 1916, pp. 13, 40–45. 1919; Soils F.O., 1916, pp. 2536–2541, 2564–2571. 1921.
upper San Joaquin Valley. Soil Sur. Adv. Sh., 1917, pp. 25, 96, 98, 104. 1921; Soils F.O., 1917, pp. 2553, 2642. 1923.
Ventura area, details. Soil Sur. Adv. Sh., 1917, pp. 15, 58–76. 1920; Soils F.O., 1917, pp. 2331, 2376–2392. 1923.

Sugar beets—Continued.
  growing—continued.
    in California—Continued.
      Woodland area. Soil Sur. Adv. Sh., 1909, pp. 14, 27, 31. 1911; Soils F.O., 1909, pp. 1644, 1657, 1661. 1912.
    in Clyde loam. Soils Cir. 37, pp. 11–13. 1911.
    in Clyde soils. D.B. 141, pp. 21, 30, 31, 36, 41, 46, 49–54. 1914.
    in Colorado—
      farm practice, 1914–1915. L. A. Moorhouse and others. D.B. 726, pp. 60. 1918.
      labor distribution and cost. D.B. 917, pp. 7, 9, 10, 11, 12, 45. 1921.
      Uncompahgre Valley area. Soil Sur. Adv. Sh., 1910, pp. 12, 13–14, 34, 36, 40, 42, 45, 46, 47. 1912; Soils F.O., 1910, pp. 1450, 1451–1452, 1472, 1474, 1478, 1480. 1912.
    in Germany, yield, rotation methods, and fertilizers. Rpt. 90, p. 9. 1909.
    in Idaho—
      Portneuf area. Soil Sur. Adv. Sh., 1918, pp. 15, 30–38, 45. 1921; Soils F.O., 1918, pp. 1507, 1522–1530, 1537. 1924.
      Twin Falls area. Soil Sur. Adv. Sh., 1921, pp. 1371, 1380. 1925.
    in Indiana, Wells County. Soil Sur. Adv. Sh., 1915, pp. 9–10. 1917; Soils F.O., 1915, pp. 1427–1428. 1919.
    in Iowa, Bremer County. Soil Sur. Adv. Sh., 1913, pp. 9–10, 17. 1914; Soils F.O., 1913, pp. 1693–1694, 1701. 1916.
    in Kansas. O.E.S. Bul. 211, pp. 13, 15. 1909.
    in Miami soils, yields. D.B. 142, pp. 30, 40, 55. 1914.
    in Michigan—
      and Ohio, farm practice. R. S. Washburn and others. D.B. 748, pp. 45. 1919.
      Genesee County, methods and yields. Soil Sur. Adv. Sh., 1912, pp. 10, 18, 21, 23, 24. 1914; Soils F.O., 1912, pp. 1378, 1386, 1389, 1391, 1392. 1915.
    in Minnesota, Rice County. Soils F.O., 1909, pp. 1278, 1288. 1912; Soil Sur. Adv. Sh., 1909, pp. 14, 24. 1911.
    in Montana—
      1913–1921. D.C. 275, pp. 3, 4, 5. 1923.
      on alkali land, experiments, and yields. D.B. 135, pp. 2, 3, 9, 10, 14, 18. 1914.
    in Nebraska—
      cultural tests. B.P.I. Doc. 1081, pp. 16–17. 1914.
      Dawson County. Soil Sur. Adv. Sh., 1922, pp. 398, 402, 422, 424, 427. 1925.
      experiments, thinning, and fertilizers. D.C. 173, pp. 17–31. 1921.
      Grand Island area. Soil Sur. Adv. Sh., 1903, pp. 941, 942, 944. 1904; Soils F.O., 1903, pp. 941, 942, 944. 1904.
      Kimball County. Soil Sur. Adv. Sh., 1916, pp. 11, 24, 25, 28. 1917; Soils F.O., 1916, pp. 2183, 2185, 2198, 2199, 2202. 1921.
      Scottsbluff County. Soil Sur. Adv. Sh., 1913, pp. 13, 42. 1916; Soils F.O., 1913, pp. 2067, 2096. 1916.
      Scottsbluff experiment farm. D.C. 289, pp. 8–18. 1924; W.I.A. Cir. 27, pp. 8–21. 1919.
      Sioux County. Soil Sur. Adv. Sh., 1919, pp. 10, 11, 34–37. 1922; Soils F.O., 1919, pp. 1766, 1767, 1790–1793. 1925.
      Stanton area. Soil Sur. Adv. Sh., 1903, pp. 959–960, 961. 1904; Soils F.O., 1903, pp. 959–960, 961. 1904.
      western part, yields. Soil Sur. Adv. Sh., 1911, pp. 32, 98, 109, 114. 1913; Soils F.O., 1911, pp. 1900, 1966, 1977, 1982. 1914.
      Wyoming, Fort Laramie area. Soil Sur. Adv. Sh., 1917, pp. 11, 12, 30, 38–46. 1921; Soils F.O., 1917, pp. 2047, 2048, 2074–2082. 1923.
    in Nevada, Fallon area, adaptability. Soil Sur. Adv. Sh., 1909, pp. 15–16, 27, 30. 1911; Soils F.O., 1909, pp. 1487–1488, 1499, 1502. 1912.
    in New York, Lyons area. Soils F.O., 1902, pp. 159, 161. 1903; Soils F.O. Sep., 1902, pp. 159, 161. 1903.

Sugar beets—Continued.
  growing—continued.
    in Ohio—
      localities and soils adapted to. Soil Sur. Adv. Sh., 1912, pp. 85, 86, 91, 92. 1915; Soils F.O., 1912, pp. 1329, 1330, 1392. 1915.
      Paulding County. Soil Sur. Adv. Sh., 1914, pp. 11–12, 17. 1915; Soils F.O., 1914, pp. 1551–1552, 1557. 1919.
    in three California districts, farm practice. T. H. Summers and others. D.B. 760, pp. 48. 1919.
    in Utah—
      and Idaho, farm practice. L. A. Moorhouse and others. D.B. 693, pp. 44. 1918.
      Cache Valley area. Soil Sur. Adv. Sh., 1913, pp. 14–15, 34. 1915; Soils F.O., 1913, pp. 2108–2109, 2128. 1916.
      Delta area. Soil Sur. Adv. Sh., 1919, pp. 9, 15, 29. 1922; Soils F.O., 1919, pp. 1805, 1811, 1816, 1825. 1925.
      Lake Valley, cost, yield, income, and profits. D.B. 117, pp. 4, 6, 9, 11–12, 13–14, 20. 1914.
    in Wisconsin—
      Columbia County. Soil Sur. Adv. Sh., 1911, pp. 13, 22, 31, 51. 1913; Soils F.O., 1911, pp. 1373, 1382, 1391, 1411. 1914.
      Fond du Lac County. Soil Sur. Adv. Sh., 1911, pp. 11, 33, 39. 1913; Soils F.O., 1911, pp. 1429, 1451, 1457. 1914.
      Kenosha and Racine Counties. Soil Sur. Adv. Sh., 1919, pp. 9, 27, 34, 51. 1922; Soils F.O., 1919, pp. 1327, 1345, 1352, 1369. 1925.
      Milwaukee County. Soil Sur. Adv. Sh., 1916, pp. 11–12, 20, 22. 1918; Soils F.O., 1916, pp. 1785–1794, 1796. 1921.
      Outagamie County. Soil Sur. Adv. Sh., 1918, pp. 11, 24–34. 1921; Soils F.O., 1918, pp. 987, 1000–1010. 1924.
      Rock County. Soil Sur. Adv. Sh., 1917, pp. 9, 11, 12, 22, 31, 44, 47. 1920; Soils F.O., 1917, pp. 1187, 1189, 1190, 1200, 1209, 1222, 1225. 1923.
      Walworth County. Soil Sur. Adv. Sh., 1920, pp. 1403, 1418, 1421. 1924; Soils F.O., 1920, pp. 1403, 1418, 1421. 1925.
    in Wyoming—
      Big Horn and Sheridan Counties. O.E.S. Bul. 205, pp. 9–10, 23–24. 1909.
      Nebraska, Fort Laramie area. Soil Sur. Adv. Sh., 1917, pp. 11, 12, 30, 38–46. 1921; Soils F.O., 1917, pp. 2047, 2048, 2066, 2074, 2078. 1923.
    practices. N.A. Fauna 42, p. 30. 1917.
    irrigation experiments, Nebraska. D.B. 133, pp. 12–13, 14. 1914; B.P.I. Cir. 116, pp. 14, 15, 19–20. 1913.
    labor and materials, requirements in various States. D.B. 1000, pp. 19–22. 1921.
    labor costs and requirements. D.B. 726, pp. 4, 13–14, 30–32, 45, 49–50. 1918.
    labor problems. D.B. 721, pp. 39, 41–43. 1918.
    labor requirements per acre. D.B. 748, p. 45. 1919.
    methods. Rpt. 80, pp. 149–160. 1905.
    methods and benefits. Charles F. Saylor. Sec. Cir. 11, pp. 27. 1904.
    on alkali soils. F.B. 267, pp. 14–17. 1906.
    on Huntley experiment farm, thinning and planting, experiments, yield and sugar content, 1916. W.I.A. Cir. 15, pp. 16–20. 1917.
    on Truckee-Carson project, methods and yield. B.P.I. Cir. 78, pp. 13–14. 1911.
    practices. Rpt. 86, pp. 26–32. 1908; Y.B., 1923, pp. 186–191. 1924. Y.B. Sep. 893, pp. 48–53 1924.
    requirements. D.B. 721, pp. 6–12. 1918.
    special advantages in United States. Rpt. 90, p. 7. 1909.
    statistics of day's work for several operations. Y.B., 1922, pp. 1066–1067. 1923; Y. B. Sep. 890, pp. 1066–1067. 1923.
    under contract, rates. D.B. 721, pp. 50–53. 1918.
    under humid conditions. C. O. Townsend. F.B. 568, pp. 20. 1914.
    under irrigation. C. O. Townsend. F.B. 567, pp. 26. 1914.

INDEX TO PUBLICATIONS, 1901–1925 2313

Sugar beets—Continued.
  growing—continued.
    under irrigation, good and bad features. Y.B., 1916, pp. 180–181. 1917; Y.B. Sep. 690, pp. 4–5. 1917.
    water requirements. D.B. 721, pp. 18–21. 1918.
    harvester, description and use. D.B. 995, p. 39. 1921.
  harvesting—
    and siloing. F.B. 392, pp. 33–38. 1910.
    and storing. F.B. 1241, pp. 7–8. 1921.
    methods, implements, and cost. D.B. 721, pp. 38–39. 1918.
    practices. [Misc.], "Progress of the beet-sugar * * *, 1903,' pp. 81–83. 1904.
  hauling—
    and unloading, data, and costs. D.B. 726, pp. 42–45. 1918.
    conditions, relation to success of industry. D.B. 721, pp. 49–50. 1918.
  hoeing, details and cost. D.B. 726, pp. 30, 32. 1918.
  hog-feeding experiments. F.B. 331, p. 18. 1908.
  humid regions, experiments. Chem. Bul. 78, pp. 8–25. 1903; Chem. Bul. 95, pp. 6–22. 1905.
  implements for planting, cultivation and harvesting. Rpt. 90, pp. 20, 21, 22–23. 1909.
  importance as emergency crop, Provo area. D.B. 582, pp. 23–24, 25–28, 30. 1918.
  importation from Holland. No. 48022, B.P.I. Inv. 60, p. 29. 1922.
  improvement in quality and purity. Rpt. 90, pp. 10–11. 1909.
  in—
    California, time, method, and cost of cultivation. D.B. 760, pp. 22–23. 1919.
    European agricultural economy. W. A. Orton. B.P.I. Bul. 260, pp. 31–42. 1912.
    New Mexico, introduction and yield. O.E.S. Bul. 215, p. 17. 1909.
  increasing sugar yield, experimental methods. Rpt. 86, pp. 84–86. 1908.
  industry—
    development, 1904, review by Secretary. Rpt. 79, pp. 22–24. 1904.
    history and development in California. D.B. 760, pp. 4–6. 1919.
    need of adequate seed supply. Y.B., 1916, p. 39. 1917.
  influence of—
    environment on composition—
      Harvey W. Wiley. Chem. Bul. 64, pp. 32. 1901.
      1902. Harvey W. Wiley. Chem. Bul. 78, pp. 50. 1903.
      1903. Harvey W. Wiley. Chem. Bul. 95, pp. 39. 1905.
      1904. Harvey W. Wiley. Chem. Bul. 96, pp. 66. 1905.
    soil—
      and climate on composition. Harvey W. Wiley. Chem. Bul. 74, pp. 42. 1903.
      on production. D.B. 995, pp. 7–13. 1921.
  injury by—
    alkali. J.A.R., vol. 4, pp. 164–165. 1915.
    bean thrips. Ent. Bul. 118, p. 17. 1912.
    leaf beetle. F.B. 1193, pp. 3, 5. 1921.
    leaf-beetle, character and extent. D.B. 892, pp. 1, 5–7, 8–9, 22. 1920.
    spinach flea-beetle. Ent. Bul. 127, Pt. I, pp. 8–9. 1913.
    spotted beet webworm. Ent. Bul. 127, Pt. I, pp. 4, 5. 1913.
    yellow-bear caterpillars. Ent. Bul. 82, pp. 59–62. 1912.
  inoculation with—
    Bacterium aptatum. J.A.R., vol. 1, pp. 190–193. 1913.
    hairy root. B.P.I. Bul. 213, pp. 103–105. 1911.
    hard gall. B.P.I. Bul. 213, pp. 99–100. 1911.
  insect enemies—
    F. H. Chittenden. Rpt. 74, pp. 157–221. 1903.
    principal. F. H. Chittenden. Ent. Bul. 43, pp. 71. 1903.
  insects, injurious—
    and their control. D.B. 721, pp. 14, 17, 47–48. 1918.

Sugar beets—Continued.
  insects, injurious—continued.
    control studies, program for 1915. Sec. [Misc.], "Program of work * * * 1915," p. 241. 1914.
  investigations—
    1905. Rpt. 82, pp. 127–130. 1906.
    1908. Rpt. 87, pp. 29–30. 1908.
  irrigated—
    area, Billings region, 1915, and previous crop. D.B. 735, pp. 4–6. 1918.
    lands, preparation. O.E.S. Bul. 207, pp. 71–72. 1909.
    rotations, yields, and culture. W.I.A. Cir. 2, pp. 6, 17–18, 22, 23. 1915.
    rotations, yield on Huntley project, 1920. D.C. 204, pp. 9–11. 1921.
    sections, experiments. Chem. Bul. 78, pp. 25–34. 1903; Chem. Bul. 95, pp. 22–28. 1905; Rpt. 82, pp. 42–43. 1906.
    yields after alfalfa. D.B. 881, pp. 9–12. 1920.
    yields, effect of farm manure, experiments. J.A.R., vol. 15, pp. 499–502. 1919.
  irrigation—
    F. W. Roeding. F.B. 392, pp. 52. 1910.
    directions. F.B. 567, pp. 9–12. 1914; F.B. 823, p. 6. 1917.
    experiments—
      in California. O.E.S. Cir. 108, pp. 25–26. 1911.
      in Colorado, 1905 and 1906, with results. F.B. 392, pp. 45–51. 1910.
      yield and value. D.B. 10, pp. 19–21. 1913.
    for control of root louse. J.A.R., vol. 4, pp. 249–250. 1915.
    in 1916, 1917. D.B. 1026, pp. 65–67, 84. 1922.
    in Colorado. O.E.S. Bul. 158, pp. 609–614, 619–623. 1905.
    methods—
      and quantity of water required. Y.B., 1909, pp. 304–305. 1910; Y.B. Sep. 514, pp. 304–305. 1910.
      preparation of land and cost. F.B. 392, pp. 11–24. 1910.
      yield and cost in Pomona Valley, Calif. O.E.S. Bul. 236, rev., p. 85. 1912.
  labor saving in fields. L. A. Moorhouse and T. H. Summers. F.B. 1042, pp. 19. 1919.
  laborers, foreign born. [Misc.], "Progress * * * beet-sugar * * * 1903," pp. 103–105. 1903.
  land preparation and tillage. B.P.I. Bul. 260, pp. 58–59. 1912.
  leaf-disease, bacterium causing, description. J.A.R., vol. 1, pp. 189–210. 1913.
  leaf hoppers, relation to curly-leaf disease. Ent. Bul. 66, pp. 33–52. 1910.
  leaf, Phoma betae infection, symptoms. J.A.R., vol. 4, pp. 169–178. 1915.
  leaf spot—
    cause and control. B.P.I. Cir. 121, pp. 13–17. 1913.
    cause, and relation to stomatal movement. J.A.R., vol. 5, No. 22, pp. 1011–1038. 1916.
    disease. C. O. Townsend. F.B. 618, pp. 18. 1914.
    relation of climatic conditions. J.A.R., vol. 6, No. 1, pp. 21–60. 1916.
  lifting, topping, and hauling, data. D.B. 726, pp. 37–39. 1918; D.B. 735, pp. 26–29. 1918.
  locality where grown, and relative importance. F.B. 1289, p. 19. 1923.
  losses—
    caused by "curly-leaf." Ent. Bul. 66, pp. 33–34, 41–48. 1910.
    from drying after digging. D.B. 238, pp. 19–20. 1915.
    in cultural methods. B.P.I. Bul. 260, pp. 61–67. 1912.
    in culture, preventable. Harry B. Shaw. D. B. 238, pp. 21. 1915.
    in tonnage by drying. Harry B. Shaw. D.B. 199, pp. 12. 1915.
  manufacture, apparatus and methods. Chem. Bul. 63, pp. 14–25. 1901.
  marketing—
    in Colorado. D.B. 917, pp. 40–41. 1921.
    methods, growing by contract, prices. Rpt 98, pp. 151–153. 1913.
  methods and benefits of growing. Sec. Cir. 11. 1904.

Sugar beets—Continued.
  of California, superiority of grade and purity. Rpt. 86, p. 37. 1908.
  pitting, cost. D.B. 726, pp. 40–41. 1918.
  planting and—
    germination. Rpt. 80, p. 151. 1905.
    harvesting dates and acreage for 1909. Y.B., 1917, pp. 580–581. 1918; Y.B. Sep. 758, pp. 46–47. 1918.
    thinning tests under irrigation. B.P.I. Cir. 121, p. 25. 1913.
  plat-yield experiments. B.P.I. Cir. 109, pp. 27–31. 1913.
  plowing and seeding. F.B. 392, pp. 28–31. 1910.
  practices on farms, variations, Colorado districts. D.B. 726, pp. 56–59. 1918.
  prices and shrinkage loss. D.B. 199, pp. 10–12. 1915.
  principal insect enemies. F. H. Chittenden. Ent. Bul. 43, pp. 71. 1901.
  production—
    1839–1912, world countries, 1907–1912. United States. Y.B., 1912, pp. 649, 650–652. 1913; Y.B. Sep. 614, pp. 649, 650–652. 1913.
    1861–1922. Y.B., 1921, pp. 657–659. 1922; Y.B. Sep. 869, pp. 77–79. 1922.
    1866–1924. Y.B., 1924, pp. 3, 801. 1925.
    1881–1912, United States and its insular possessions. D.B. 66, pp. 1–9, 23. 1914.
    1899–1912, and farm value, by States. D.B. 66, p. 9. 1914.
    1901–1908, per acre in United States and returns. Rpt. 90, pp. 9–10. 1909.
    1901–1911. Y.B., 1911, p. 606. 1912; Y.B. Sep. 587, p. 606, 1912.
    1902–1907, comparison with cane sugar. Rpt. 86, p. 66. 1908.
    1907 value, factories, and capital invested. An. Rpts., 1907, pp. 11–12, 17, 56. 1908; Sec. A.R., 1907, pp. 9–10, 15, 54. 1909; Rpt. 85, pp. 4–5, 9, 40. 1909; Y.B., 1907, pp. 10–11, 17, 56. 1908.
    1908, by States. Rpt. 90, pp. 55–56. 1909.
    1911–1913, yield and price. F.B. 598, pp. 9–11. 1914.
    1911–1914. F.B. 672, pp. 3–4. 1915.
    1912. Y.B., 1912, pp. 651–652. 1913; Y.B. Sep. 614, pp. 651–652. 1913.
    1913. Y.B., 1913, p. 447. 1914; Y.B. Sep. 630, p. 447. 1914.
    1914–1924, by States and countries. Y.B., 1924, pp. 798–799, 806. 1925.
    1916–1917. D.B. 721, p. 34. 1918.
    and consumption, Europe and United States, 1910–1913. B.P.I. Bul. 260, pp. 31, 69–71. 1912.
    and sugar yield. Y.B., 1923, p. 156. 1924; Y.B., Sep. 893, p. 7. 1924.
    Billings region, acreage and yields, 1906–1915. D.B. 735, p. 4. 1918.
    by countries of world. Y.B., 1921, p. 665. 1922; Y.B. Sep. 869, p. 85. 1922.
    cost—
      effect of acreage and yield. D.B. 760, pp. 44–45. 1919.
      in California districts, factors governing. D.B. 760, pp. 36–42. 1919.
      in Colorado. News L., vol. 6, No. 26, p. 24. 1919.
      labor, material, and seed. D.B. 748, pp. 33–39. 1919.
      reducing method. C. O. Townsend. Y.B., 1906, pp. 265–278. 1907; Y.B. Sep. 422, pp. 265–278. 1907.
    for seed, selection. F.B. 1152, pp. 3–15. 1920.
    in 1920. An. Rpts., 1920, p. 3. 1921; Sec. A.R., 1920, p. 3. 1920.
    in California, returns above cost. D.B. 760, pp. 43–44. 1919.
    in Europe, 1902, 1908. Rpt. 86, p. 70. 1908.
    in Germany, 1836–1906. Rpt. 90, pp. 58–59. 1909.
    in United States—
      1901–1909, tables. Rpt. 92, pp. 50–51, 54. 1910.
      1916–1920. D.B. 995, pp. 6–7. 1921.
    in western Nebraska, yield and prices. Soil Sur. Adv. Sh., 1911, pp. 32–33. 1913; Soils F.O., 1911, pp. 1900–1901. 1914.

Sugar beets—Continued.
  production—continued.
    in Wisconsin, Columbia County, methods, yield, and value. Soil Sur. Adv. Sh., 1911, p. 13. 1913; Soils F.O., 1911, p. 1373. 1914.
    increase urged for 1918. News L., vol. 5, No. 30, p. 3. 1918.
    of sugar per acre. Rpt. 82, p. 108. 1906.
    principal countries, 1913, 1917. Sec. Cir. 86, p. 5. 1919.
    seven-year average, and estimates by States. F.B. 563, p. 13. 1913.
    yield, and estimate, 1913. F.B. 615, pp. 15–16. 1914.
    yield and value, 1914, estimate, with comparisons. F.B. 629, p. 11. 1914; F.B. 641, pp. 4–5. 1914.
  products. F.B. 162, pp. 10–15. 1903.
  profits, comparison with alfalfa. Y.B., 1911, p. 270. 1912; Y.B. Sep. 567, p. 270. 1912.
  protection from grasshoppers. F.B. 691, rev., pp. 18–20. 1920.
  pulling—
    and drying, experiments. D.B. 199, pp. 2–8. 1915.
    date, graph. D.C. 183, p. 45. 1922.
  pulp—
    imports, quantity and value. Stat. Bul. 82, p. 58. 1910.
    utilization methods, and value per ton. B.P.I. Bul. 260, pp. 24–25, 27, 34. 1912.
    value—
      as feed, use in the United States. Rpt. 90, pp. 6, 12, 25–41. 1909.
      as stock feed. [Misc.], "Progress of the beet-sugar * * * 1903," pp. 118–125. 1904.
      for cattle feed. D.B. 995, pp. 41–42, 49–50. 1921.
  receipts, comparison with receipts from other crops. D.B. 693, p. 42. 1918; D.B. 760, pp. 46–48. 1919.
  refineries waste, potash source. D.C. 61, p. 6. 1919.
  relation to—
    general farming. C. O. Townsend. Y.B., 1903, pp. 399–410. 1904; Y.B. Sep. 320, pp. 399–410. 1904.
    intensive farming, discussion. B.P.I. Bul. 260, pp. 34, 38–42. 1912.
    replacement by sugar-cane in Arizona experiments. D.B. 654, p. 9. 1918.
    returns and yields, relation to costs. D.B. 748, pp. 39–42. 1919.
  root-louse—
    colonies, rate of increase, relation to moisture. J.A.R., vol. 4, pp. 241–250. 1915.
    control work, Huntley experiment farm. D.C. 86, pp. 16–17. 1920; W.I.A. Cir. 22, pp. 19–20. 1918.
    injuries and control. D.C. 147, pp. 11–12. 1921.
  root selection, siloing, and planting for seed. Y.B., 1916, pp. 406–408. 1917; Y.B. Sep. 695, pp. 8–10. 1917.
  root system. F.B. 233, pp. 10–11. 1905.
  rotation(s)—
    in Colorado. B.P.I. Bul. 260, pp. 54–56, 60. 1912.
    in Montana, Huntley farm. D.C. 330, pp. 9, 10. 1925.
    system. D.B. 748, pp. 3, 8–10. 1919; F.B. 567, pp. 20–21. 1914.
  sampling methods. Chem. Bul. 146, pp. 8–14. 1911.
  sections where grown, and progress of industry. B.P.I. Bul. 260, pp. 18–23. 1912.
  seed—
    advice for 1921. News L., vol. 6, No. 39, p. 8. 1919.
    American-grown, discussion. F.B. 251, pp. 5–7. 1906.
    bed—
      growing methods. F.B. 567, pp. 6–8. 1914.
      plowing and fitting. F.B. 568, pp. 4–6, 8. 1914.
      plowing, disking, rolling, and costs. D.B. 726, pp. 17–25, 29–30. 1918.
      preparation, planting date, cultivation. D.B. 995, pp. 15–18. 1921. Rpt. 86, p. 28. 1908.

Sugar beets—Continued.
  seed—continued.
    breeding. E. W. Tracy. Y.B. 1904, pp. 341–352. 1905; Y.B. Sep. 351, pp. 341–352. 1905.
    cleaning. F.B. 1152, pp. 20–21. 1920.
    commercial development. Rpt. 80, pp. 177–183. 1905.
    cultivation and harvesting. F.B. 1152, pp. 15–18. 1920.
    demands and supply sources. Y.B., 1917, pp. 527–528. 1918; Y.B. Sep. 757, pp. 33–34. 1918.
    germination. [Misc.], "Progress * * * beet-sugar * * *, 1903," pp. 75–76, 94, 97–100. 1904.
    germination as affected by alkali salts. J.A.R., vol. 5, No. 1, pp. 3, 5, 6. 1915.
    growing—
      commercially, 1915–1916, acreage. News L., vol. 4, No. 19, p. 2. 1916.
      for home use. F.B. 1241, pp. 8–9. 1921.
      in Rocky Mountain States. W. W. Tracy, jr. F.B. 1152, pp. 21. 1920.
      localities, acreage, yield, production, and consumption. Y.B., 1918, pp. 205, 206, 207. 1919; Y.B. Sep. 775, pp. 13, 14, 15. 1919.
    harvesting. Y.B., 1916, p. 409. 1917; Y.B. Sep. 695, p. 11. 1917.
    importance and production. J. E. W. Tracy. Rpt. 74, pp. 153–156. 1903.
    importations, 1910–1914, value and source. D.B. 296, p. 39. 1915.
    imported and home-grown. D.B. 721, p. 54. 1918; D.B. 995, pp. 55–56. 1921.
    improved method of distribution for 1900. Rpt. 69, pp. 7–8. 1901.
    industry, present status in United States. C. O. Townsend. Y.B., 1916, pp. 399–410. 1917; Y.B. Sep. 695, pp. 12. 1917.
    infection with Phoma betae. J.A.R., vol. 5, No. 1, p. 55. 1915.
    inspection, 1900. Rpt. 69, pp. 22–24. 1901.
    methods of producing. [Misc.], "Progress * * * beet-sugar * * *, 1903," pp. 95–96. 1903.
    planting depth, dates and rate. D.B. 917, pp. 20, 21. 1921; Rpt. 86, p. 29. 1908.
    planting for sirup making. F.B. 1241, p. 5. 1921.
    production—
      and supply. Y.B., 1923, pp. 187–188. 1924; Y.B. Sep. 893, pp. 19–51. 1924.
      and testing. A. J. Pieters. Rpt. 72, pp. 101–106. 1902.
      California areas, and cost. D.B. 760, p. 38. 1919.
      conditions influencing. Y.B., 1909, pp. 173–184. 1910; Y.B. Sep. 503, pp. 173–184. 1910.
      directions. F.B. 823, pp. 8–9. 1917.
      need for United States. D.B. 995, p. 56. 1921.
      of special strains. B.P.I. Chief Rpt., 1909, p. 56. 1909; An. Rpts., 1909, p. 308. 1910.
    rate per acre, and cost. D.B. 735, p. 31. 1918.
    requirements for tonnage consumed by mills. Y.B., 1916, pp. 399–400. 1917; Y.B. Sep. 695, pp. 1–2. 1917.
    selection, importance. Rpt. 80, pp. 22–25. 1905; D.B. 995, pp. 13–15. 1921.
    shipment from Germany, agreement, work of solicitor. Sol. A.R., 1916, pp. 4–5. 1916; An. Rpts., 1916, pp. 348–349. 1917.
    single-germ, development. Rpt. 80, pp. 161–166. 1905.
    test of varieties. J. E. W. Tracy and Joseph F. Reed. B.P.I. Cir. 37, pp. 21. 1909.
    threshing and cleaning. F.B. 1152, pp. 19–21. 1920.
    yields in Rocky Mountain States. F.B. 1152, p. 17. 1920.
  seedlings—
    diseases and their relation to root rot and crown rot. J.A.R., vol. 4, pp. 135–168. 1915.
    relation to Phoma betae. J.A.R., vol. 5, No. 1, pp. 55–58. 1915.
  siloing, test for weight and sugar content. W.I.A. Cir. 8, pp. 18–19. 1916.
  sirup making, directions. F.B. 823, pp. 3–9. 1917; F.B. 1241, pp. 9–15. 1921.

Sugar beets—Continued.
  size for growing seed, production. F.B. 1152, pp. 3–6. 1920.
  soil(s)—
    adaptable. D.B. 355, p. 82. 1916; D.B. 726, pp. 10–11. 1918.
    and climate requirements. F.B. 392, pp. 9–11. 1910; F.B. 567, pp. 1–5. 1914.
    description and analyses. Chem. Bul. 95, pp. 28–34. 1905.
    descriptive notes. Chem. Bul. 96, pp. 30–36. 1905.
    in Michigan and Ohio. D.B. 748, p. 7. 1919.
  source of beet sugar, history and description. F.B. 535, pp. 13–14. 1913.
  spacing, thinning, cultivating, hoeing, and harvesting. F.B. 567, pp. 15–20. 1914.
  special strains, work of Plant Industry Bureau. Rpt. 86, p. 86. 1908.
  spraying for—
    control of yellow-bear caterpillars, experiments. Ent. Bul. 82, pp. 63–66. 1912; Ent. Bul. 127, p. 18. 1913.
    cucumber beetle, experiments. D.B. 160, pp. 2–12, 19–20. 1915.
    webworm, directions, machinery, and cost. Ent. Bul. 109, Pt. VI, pp. 63–70. 1912.
  stand—
    condition at harvest time, effect on beet yield. D.B. 995, pp. 13–18. 1921.
    factors affecting. D.B. 721, pp. 13–18. 1918.
    variations, studies. D.B. 238, pp. 3–21. 1915.
  statistics—
    1901–1907. Rpt. 86, pp. 61–62. 1908.
    1903. [Misc.], "Progress beet-sugar industry * * *, 1903," pp. 128–160. 1904.
    1916. Y.B., 1916, pp. 647–649, 650–651. 1917; Y.B. Sep. 720, pp. 647–649, 650–651. 1917.
    1918. Y.B., 1918, pp. 564–566, 571, 572–573. 1919; Y.B. Sep. 792, pp. 60–62, 67, 68–69. 1919.
    1919. Y.B., 1919, pp. 626–627, 632–633, 635. 1920; Y.B. Sep. 827, pp. 626–627, 632–633, 635. 1920.
    1922. Y.B., 1922, pp. 779–780, 786. 1923; Y.B. Sep. 884, pp. 779–780, 786. 1923.
    1924. Y.B., 1924, pp. 798, 799, 804–805. 1925.
    graphic showing of average production in world. Stat. Bul. 78, p. 64. 1910.
  storing for sirup making. F.B. 823, pp. 7–8. 1917.
  successful growing, characteristic requirements. D.B. 995, pp. 44–45. 1921.
  susceptibility to root-knot. B.P.I. Cir. 91, p. 12. 1912; B.P.I. Bul. 217, pp. 12, 39–61, 82. 1911.
  testing at factory. F.B. 392, p. 37. 1910.
  tests on dry lands, Nephi substation, 1908, 1909. B.P.I. Cir. 61, p. 34. 1910.
  thinning—
    date, graph. D.C. 183, p. 44. 1922.
    directions and description of tools. D.B. 238, pp. 17–19. 1915; F.B. 392, pp. 31–33. 1910.
  thrips, habits, description, life history, and control. Wm. H. White. D.B. 421, pp. 12. 1916.
  tolerance of salts solutions, experiments. B.P.I. Bul. 113, pp. 11, 13, 15. 1907.
  top silage. Ray E. Neidig. J.A.R., vol. 20, pp. 537–542. 1921.
  topography of land, importance in production. D.B. 721, pp. 8–9. 1918.
  topping, directions and cost. D.B. 726, pp. 39–40. 1918.
  tops, value as fertilizer. F.B. 392, p. 39. 1910.
  types, development in seed beets, importance. Y.B., 1916, pp. 404–407. 1917; Y.B. Sep. 695, pp. 6–9. 1917.
  use—
    as stock feed. Rpt. 86, p. 19. 1908.
    for making alcohol, cost and yield. Chem. Bul. 130, p. 25. 1910.
  in—
    manufacture of alcohol, and cost per gallon of alcohol. Chem. Bul. 130, pp. 25, 29, 97. 1910.
    rotation with timothy. F.B. 502, p. 22. 1912.
  utilization of tops and pulp for stock feeding. News L., vol. 6, No. 6, p. 11. 1918.
  varieties—
    comparative tests and tables. Rpt. 92, pp. 71–78. 1910.

Sugar beets—Continued.
  varieties—continued.
    improvement, relation to adaptation. B.P.I. Bul. 260, pp. 43-48. 1912.
    testing for sugar analyses. B.P.I. Bul. 157, pp. 24-25. 1909.
  water—
    content, tonnage loss by evaporation. D.B. 199, pp. 1-12. 1915.
    requirement. J.A.R., vol. 3, pp. 16, 50, 55, 59. 1914.
    requirement in Colorado, 1911, experiments. B.P.I. Bul. 284, pp. 32, 37, 47. 1913.
  webworm, life history, habits and control. Ent. Bul. 109, Pt. VI, pp. 57-70. 1912.
  wilting coefficient, determinations. B.P.I. Bul. 230, pp. 37, 45. 1912.
  wireworm, preliminary report. John E. Graf. Ent. Bul. 123, pp. 68. 1914.
  yield—
    and—
      cash receipts, 1910, 1911, 1912, comparison. D.B. 238, pp. 12-14. 1915.
      sugar content, decrease by root-louse. D.C. 147, p. 12. 1921.
    as affected by irrigation. F.B. 210, pp. 14, 15. 1904.
    in—
      rotation experiments, Huntley experiment farm. D.C. 275, pp. 10, 11. 1923; W.I.A Cir. 22, pp. 10, 11. 1918.
      Western States. Y.B., 1917, pp. 456-457. 1918; Y.B. Sep. 756, pp. 12-13. 1918.
    of sugar per—
      acre. D.B. 66, pp. 3-4. 1914.
      pound and per acre. Rpt. 92, pp. 55-57. 1910.
    per acre—
      by countries. Y.B., 1923, p. 467. 1924; Y.B. Sep. 896, p. 467. 1924.
      factors for improvement. Rpt. 84, p. 14. 1907.
      under irrigation, and cost. F.B. 392, pp. 44-45. 1910.
      variations and causes. D.B. 238, pp. 2-3, 21. 1915.
  See also Beets.
Sugar bush, importation and description. No. 36062, B.P.I. Inv. 36, pp. 46-47. 1915.
Sugar-cane—
  acreage—
    and production, 1911-1918. Y.B., 1918, pp. 567-574. 1919; Y.B. Sep. 792, pp. 63, 70. 1919.
    and sugar production. Y.B., 1917, pp. 691, 693, 696, 699. 1918; Y.B. Sep. 760, pp. 39, 41, 44, 47. 1918.
    by States. Y.B., 1921, p. 660. 1922; Y.B. Sep. 869, p. 80. 1922.
    census, 1909, by States, map. Y.B., 1915, p. 371. 1916; Y.B. Sep. 681, p. 371. 1916.
    in Hawaii. Y.B., 1921, p. 661. 1922; Y.B. Sep. 869, p. 81. 1922.
    in Louisiana, increase. Off. Rec., vol. 2, No. 26, p. 3. 1923.
    increase in Texas. Off. Rec., vol. 1, No. 40, p. 2. 1922.
  production and value—
    1909. D.B. 66, pp. 10-13. 1914; D.B. 486, pp. 2-3. 1917.
    1913 estimate. F.B. 570, pp. 12, 13-14, 16. 1913.
  analyses—
    as source of alcohol. F.B. 429, p. 15. 1911.
    of juices. Chem. Bul. 130, p. 28. 1910.
  anatomy of the vegetative organs. Ernst Artschwager. J.A.R., vol. 30, pp. 197-241. 1925.
  aphid—
    distribution. Ent. Cir. 171, p. 6. 1913.
    occurrence in Louisiana and Texas. Ent. Cir. 165, p. 7. 1912.
    source of Hawaiian honey. Hawaii Bul. 17, p. 10. 1908.
    yellow, occurrence and control, Porto Rico. P.R. An. Rpt., 1914, p. 45. 1916.
  area—
    and production in United States, 1909. D.B. 66, pp. 10-11. 1914.
    and yield, world. D.B. 473, p. 4. 1917.
    production, culture, varieties, and enemies. Sec. Cir. 86, pp. 12-16. 1918.

Sugar-cane—Continued.
  banking, relation to red rot. News L., vol. 2, No. 43, p. 7. 1915.
  Batavian, importation and description. No. 43958, B.P.I. Inv. 49, p. 104. 1921.
  beetle—
    control by use of fungus disease. P.R. An. Rpt., 1912, pp. 36-37. 1913.
    description. Sec. [Misc.], "A manual of insects * * *," p. 199. 1917.
    enemy of St. Croix sugar-cane, control. Vir. Is. Bul. 2, p. 22. 1921.
    injury similar to that of moth borer. D.B. 746, p. 5. 1919.
    life history, injuries, and remedies. Ent. Bul. 54, pp. 7-18. 1905.
    notes on. Ent. Cir. 171, p. 5. 1913.
  belt, steer feeding. J. R. Guesenberry. D.B. 1318, pp. 14. 1925.
  borer(s)—
    baiting, Fiji method, price paid for insects. Ent. Bul. 93, pp. 39-40. 1911.
    control—
      1918. Sec. Cir. 86, p. 15. 1918.
      1921. Ent. A.R., 1921, p. 19. 1921.
      1922. An. Rpts., 1922, p. 319. 1922; Ent. A.R., 1922, p. 21. 1922.
      1923. An. Rpts., 1923, pp. 406-407. 1923; Ent. A.R., 1923, pp. 26-27. 1923.
      by parasite, Hawaii. Y.B., 1916, p. 280. 1917; Y.B. Sep. 704, p. 8. 1917.
    damage to sugar-cane in Louisiana. T. C. Barber. Ent. Cir. 139, pp. 12. 1911.
    descriptions—
      and list. Sec. [Misc.], "A manual * * * insects * * *," pp. 200, 201, 202, 203, 204. 1917.
      and control. Ent. Cir. 165, pp. 2-3, 6. 1912.
      and injurious habits. Ent. Cir. 165, p. 6. 1912.
    life history and control. T. E. Holloway and U. C. Loftin. D.B. 746, pp. 74. 1919.
    enemy of southern field crops. Y.B., 1911, pp. 203, 204. 1912; Y.B. Sep. 561, pp. 203, 204. 1912.
    Hawaiian, description, occurrence, life history, and control. Ent. Bul. 93, pp. 35-40. 1911.
    in Louisiana, life history. O.E.S. Bul. 115, p. 128. 1902.
    in Sandwich Islands, damage. Ent. Bul. 38, pp. 102-104. 1902.
    infestation of sugar-cane, amount, character, and effect on weight. Ent. Cir. 139, pp. 4-12. 1911.
    injury to—
      coconut and cane, Guam. Gaum A.R., 1911, pp. 27, 29. 1912.
      coconut palm. Hawaii A.R., 1907, p. 45. 1908.
      crops, control work. Sec. Cir. 86, p. 15. 1918.
    larger, description and control. Ent. Cir. 165, p. 2. 1912.
    larval characters and distribution. J.A.R., vol. 6, No. 16, pp. 621-626. 1916.
    parasites, description. Ent. Bul. 30, p. 82. 1901.
    parasites, preservation for control of borer. Sec. Cir. 86, p. 15. 1918.
    species injurious in America. Ent. Bul. 93, p. 36. 1911.
  botanical description. D.B. 772, pp. 255, 257. 1920.
  breeding experiments. Vir. Is. A.R., 1920, p. 7. 1921.
  British India, statistics, 1891-1912. Stat. Cir. 36, p. 11. 1912.
  bud moth, description. Sec. [Misc.], "A manual * * * insects * * *," p. 204. 1917.
  by-products, utilization methods. D.B. 486, pp. 43-45. 1917.
  chlorosis, control studies, Porto Rico, 1917. P.R. An. Rpt., 1917, pp. 10-20. 1918.
  climatic requirements. Y.B., 1923, pp. 159-161. 1924; Y.B. Sep. 893, pp. 10-12. 1924.
  composition—
    comparison with sorghum and cornstalks. B.P.I. Cir. 111, pp. 8-9. 1913.

INDEX TO PUBLICATIONS, 1901–1925 2317

Sugar-cane—Continued.
composition—continued.
effect of soil and fertilizers. Chem. Bul. 75, pp. 20–21. 1903.
of juice and sirup. D.B. 1370, pp. 70–71. 1925.
conditions governing, production cost. D.B. 486, pp. 33–43. 1917.
confusion of name with sorghum varieties. D.B. 486, pp. 4–5. 1917.
cost of production—
and hauling. Y.B., 1923, pp. 174–177. 1924; Y.B. Sep. 893, pp. 32–35. 1924.
in Louisiana, 1909, 1910, 1911. D.B. 66, p. 15. 1914.
crop, effects of fertilizing with raw rock phosphate. D.B. 699, p. 53. 1918.
Cuba, injury from insects, control methods, studies. P.R. An. Rpt., 1910, pp. 33–34. 1911.
cultivation—
and harvesting. F.B. 1034, pp. 18–21. 1919.
Georgia, Waycross area. Soil Sur. Adv. Sh., 1906, p. 11. 1907; Soils F.O., 1906, p. 309. 1908.
in Porto Rico. D. W. May. P.R. Bul. 9, pp. 40. 1910.
time and methods. D.B. 486, pp. 21–23. 1917.
culture—
in Georgia, Alabama, and Mississippi, composition of juices. Chem. Bul. 75, pp. 26–40. 1903.
in Southeast for manufacture of sirup. H. W. Wiley. Chem. Bul. 75, pp. 40. 1903.
reports of agents. G. L. Spencer. Chem. Bul. 75, Pt. II, pp. 25–40. 1903.
cuttings, in St. Croix, soaking in Bordeaux mixture for disease control. Vir. Is. Bul. 2, p. 23. 1921.
cuttings, infestation with larger cornstalk borer. F.B. 634, p. 1. 1914.
damage by rats. Biol. Bul. 33, p. 22. 1909.
damage in Louisiana by sugar-cane borer. T. C. Barber. Ent. Cir. 139, pp. 12. 1911.
"dead heart"—
cause and results. D.B. 746, pp. 5–6. 1919.
cutting out for borer control. D.B. 746, pp. 42–43, 63. 1919.
débris, destruction for control of moth borer. D.B. 746, pp. 42, 54–60, 62. 1919.
description and propagation method. D.B. 746, pp. 1–2. 1919.
destruction by rodents. An. Rpts., 1919, p. 281. 1920; Biol. Chief Rpt., 1919, p. 7. 1919.
disease(s)—
and insect pests. F.B. 1034, pp. 26–27. 1919; Y.B., 1923, pp. 177–181. 1924; Y.B. Sep. 893, pp. 36–41. 1924.
control. F.B. 1034, pp. 26–27. 1919.
description, spread, and control. B.P.I. Cir. 126, pp. 3–13. 1913.
following injury by moth borers. D.B. 746, p. 6. 1919.
in St. Croix, description and control. Vir. Is. Bul. 2, p. 23. 1921.
injuries and description. D.B. 486, pp. 32–33. 1917.
insects injurious, various countries. P.R. Bul. 9, pp. 38–39. 1911.
names in Porto Rico and other countries. D.B. 829, p. 1. 1919.
studies and control methods in various countries. P.R. Bul. 9, pp. 38–39. 1911.
districts, livestock production, demonstrations. An. Rpts., 1916, pp. 134–136. 1917; B.A.I. Chief Rpt., 1916, pp. 68–70. 1916.
equipment and capital required for growing. D.B. 486, pp. 33–34. 1917.
estimates, 1911–1922. M.C. 6, p. 15. 1923.
evaporation of juice to sirup. D.B. 1370, pp. 24–28, 30–31, 33–35. 1925.
experiments in—
culture and manufacture into table sirup. H. W. Wiley and others. Chem. Bul. 93, pp. 78. 1905.
Hawaii. Hawaii A.R. 1924, pp. 11, 14. 1925.
Porto Rico. P.R. An. Rpt. 1907, pp. 8–10. 1908.
Porto Rico with seedlings. P.R. An. Rpt., 1921, pp. 16–18. 1922.
extraction of juice for sirup. D.B. 1370, pp. 16–18. 1925.

Sugar-cane—Continued.
fertilizer(s)—
experiments. Chem. Bul. 75, pp. 5–24. 1903.
proportions and directions. S.R.S. Doc. 30, p. 13. 1916.
requirements and application. F.B. 1034, pp. 10–12, 29. 1919.
requirements in St. Croix. Vir. Is. Bul. 2, pp. 14–15. 1921.
tests. Soils Bul. 67, pp. 39–43. 1910.
use in Georgia, Grady and Thomas Counties. Soil Sur. Adv. Sh., 1908, pp. 21, 26, 43, 48, 49. 1909; Soils F.O., 1908, pp. 357, 416, 433, 438, 439. 1911.
fields, burning over for control of moth borer, experiments. D.B. 746, pp. 54–60. 1919.
for seed, dormant and sprouted, hot-water treatment. P. A. Yoder. D.C. 337, pp. 3. 1925.
for sirup making, growing, area and soil. Y.B. 1905, pp. 243–244. 1906; Y.B. Sep. 380, pp. 243–244. 1906.
forage, acreage in 1919, map. Y.B. 1921, p. 445. 1922; Y.B. Sep. 878, p. 39. 1922.
foreign—
and domestic, notices 15–16. F.H.B.S.R.A. 5, pp. 29–30. 1914.
importation restrictions, June 30, 1921. F.H.B. S.R.A. 70, p. 90. 1921.
insects, description and control. Ent. Cir. 165, pp. 2–5. 1912.
grinding to eliminate mosaic disease. D.B. 829, p. 22. 1919.
growing—
and milling, experiments. Vir. Is. A.R., 1924, pp. 16–19. 1925.
and sugar content. Chem. Bul. 93, pp. 10, 11, 33, 46. 1905.
and yield in south Texas. Soils Sur. Adv. Sh., 1909, pp. 71, 74, 94. 1910.
factors influencing. Y.B., 1923, pp. 158–164. 1924; Y.B. Sep. 893, pp. 8–18. 1924.
for sirup—
P. A. Yoder. F.B. 1034, pp. 35. 1919.
production, in United States. P. A. Yoder. D.B. 486, pp. 46. 1917.
soil needs. News L., vol. 6, No. 39, p. 5. 1919.
in Alabama—
Baldwin County, and sirup making. Soil Sur. Adv. Sh., 1909, pp. 15–30. 1911; Soils F.O., 1909, pp. 715–730. 1912.
Barbour County, acreage and yields. Soil Sur. Adv. Sh., 1914, pp. 12, 47. 1917; Soils F.O., 1914, pp. 1078, 1089, 1112, 1113. 1919.
Chambers County, and sirup making. Soil Sur. Adv. Sh., 1909, pp. 11, 19, 27. 1911; Soils F.O., 1909, pp. 781, 789, 797. 1912.
Choctaw County. Soil Sur. Adv. Sh., 1921, p. 981. 1925.
Clarke County, and yield of sirup. Soil Sur. Adv. Sh., 1912, pp. 10, 28. 1913; Soils F.O., 1912, pp. 730, 748. 1915.
Coffee County. Soil Sur. Adv. Sh., 1909, pp. 11, 19, 36, 38, 41. 1911; Soils F.O., 1909, pp. 807, 815, 832, 834, 837. 1912.
Covington County, yields. Soil Sur. Adv. Sh., 1912, pp. 12, 20, 22, 25. 1914; Soils F.O., 1912, pp. 804, 812, 814, 817. 1915.
Crenshaw County. Soil Sur. Adv. Sh., 1921, pp. 380–405. 1924.
Escambia County, soils and sirup yields. Soil Sur. Adv. Sh., 1913, pp. 13, 25, 26, 37, 39, 43, 46. 1915; Soils F.O., 1913, pp. 835, 847, 848, 849, 851, 865, 868. 1916.
Fayette County. Soil Sur. Adv. Sh., 1917, pp. 9, 18, 20, 26, 33. 1920; Soils F.O., 1917, pp. 703, 712, 714, 720, 727. 1923.
Houston County. Soil Sur. Adv. Sh., 1920, pp. 319, 328–341. 1923; Soils F.O., 1920, pp. 319, 328–341. 1925.
Lowndes County. Soil Sur. Adv. Sh., 1916, pp. 12, 41, 48, 49, 51, 62. 1918; Soils F.O., 1916, pp. 794, 823, 830, 831, 833, 844. 1921.
Marengo County. Soil Sur. Adv. Sh., 1920, pp. 561, 581–593. 1923; Soils F.O., 1920, pp. 561, 581–593. 1925.

Sugar-cane—Continued.
growing—continued.
  in Alabama—continued.
    Monroe County. Soil Sur. Adv. Sh., 1916, pp. 13, 22, 28–48. 1919; Soils F.O., 1916, pp. 859, 868, 874–894. 1921.
    Pickens County, yield of sirup. Soil Sur. Adv. Sh., 1916, pp. 10, 18, 20, 23, 36, 37. 1917; Soils F.O., 1916, pp. 906, 916, 919, 932, 933. 1921.
    Wilcox County, yield of sirup. Soil Sur. Adv. Sh., 1916, pp. 62, 63, 66. 1918; Soils F.O., 1916, pp. 945, 987, 996, 997. 1921.
  in Florida—
    Duval County. Soil Sur. Adv. Sh., 1921, pp. 25, 26, 27, 33–43. 1923.
    Flagler County. Soil Sur. Adv. Sh., 1918, pp. 10, 11, 39. 1922; Soils F.O., 1918, pp. 540, 541, 569. 1924.
    Gadsden County. Soil Sur. Adv. Sh., 1903, pp. 349, 353. 1903; Soils F.O., 1903, pp. 349, 353. 1904.
    Hernando County, yield and price. Soil Sur. Adv. Sh., 1914, p. 9, 22. 1915; Soils F.O., 1914, p. 1049, 1062. 1919.
    Pinellas County, methods, varieties and yields. Soil Sur. Adv. Sh., 1913, pp. 12-13. 1914; Soils F.O., 1913, pp. 726–727. 1916.
    St. Johns County. Soil Sur. Adv. Sh., 1917, pp. 9, 10, 11, 18–29. 1920; Soils F.O., 1917, pp. 669, 670, 671, 678–689. 1923.
  in Georgia—
    Brooks County, costs and yield. D.B. 648, pp. 46, 47, 55. 1918.
    Colquitt County, acreage and yields. Soil Sur. Adv. Sh., 1914, pp. 12, 16. 1915; Soils F.O., 1914, pp. 968, 972. 1919.
    Grady County, methods. Soil Sur. Adv. Sh., 1908, pp. 19–22. 1909; Soils F.O., 1908, pp. 355–358. 1911.
    Laurens County, acreage. Soil Sur. Adv. Sh., 1915, pp. 13–14. 1916; Soils F.O., 1915, pp. 629–630. 1919.
    Miller County. Soil Sur. Adv. Sh., 1913, pp. 12–13, 18, 20, 23. 1914; Soils F.O., 1913, pp. 522–523, 528, 530, 533. 1916.
    Mitchell County. Soil Sur. Adv. Sh., 1920, pp. 6, 7, 15, 17, 36. 1922; Soils F.O., 1920, pp. 6, 7, 15, 17, 36. 1925.
    Sumter County, acreage and yields. D.B. 1034, pp. 12, 15, 18. 1922.
    Tattnall County, and sirup yields. Soil Sur. Adv. Sh., 1914, pp. 12, 17–38. 1915; Soils F.O., 1914, pp. 824, 829–850. 1919.
    Thomas County, methods. Soil Sur. Adv. Sh., 1908, pp. 25–27. 1909; Soils F.O., 1908, pp. 415–417. 1911.
  in Guam—
    1920. Guam A.R., 1920, p. 44. 1921.
    1923. Guam A.R., 1921, p. 22. 1923.
    fertilizer experiments. Hawaii A.R., 1922, pp. 14–15. 1924.
    variety tests, fertilizer, cover crops. O.E.S. An. Rpt., 1912, pp. 62, 105. 1913.
  in Louisiana—
    Iberia Parish, harvesting details. Soil Sur. Adv. Sh., 1911, pp. 11–15, 34, 37, 39, 41. 1912; Soils F.O., 1911, pp. 1135–1139, 1158, 1161, 1163, 1165. 1914.
    Lafayette Parish, acreage and yields. Soil Sur. Adv. Sh., 1915, pp. 10, 11, 12, 21, 27, 30. 1916; Soils F.O., 1915, pp. 1056, 1057–1058, 1061, 1077. 1919.
    Lincoln Parish. Soil Sur. Adv. Sh., 1909, pp. 13, 19. 1910; Soils F.O., 1909, pp. 929, 935. 1912.
    on hill farms, labor requirements. D.B. 961, pp. 4, 22–23. 1921.
    Rapides Parish. Soil Sur. Adv. Sh., 1916, pp. 9, 10, 15, 23, 26, 32, 36. 1918; Soils F.O. 1916, pp. 1125, 1126, 1131, 1139–1153. 1921.
    Sabine Parish. Soil Sur. Adv. Sh., 1919, pp. 11 16, 26, 30, 31, 45, 46, 54. 1922; Soils F.O., 1919, pp. 11, 16, 26, 30, 31, 45, 46, 54. 1925.
    St. Martin's Parish. Soil Sur. Adv. Sh., 1917, pp. 9–11, 15, 20–27. 1919; Soils F.O., 1917, pp. 941–943, 947–948, 952–959. 1923.
    Washington Parish. Soil Sur. Adv. Sh., 1922, p. 351. 1925.

Sugar-cane—Continued.
growing—continued.
  in Louisiana—continued.
    Webster Parish, soils and yields. Soil Sur. Adv. Sh., 1914, pp. 12–13, 36, 37. 1916; Soils F.O., 1914, pp. 1246, 1270, 1271. 1919.
  in manganiferous soils, observations and experiments. Hawaii Bul. 26, pp. 24, 27, 32. 1912.
  in Mississippi—
    Amite County. Soil Sur. Adv. Sh., 1917, pp. 9, 20, 29, 31. 1919; Soils F.O., 1917, pp. 837, 848, 857, 859. 1923.
    Choctaw County. Soil Sur. Adv. Sh., 1920, pp. 258, 278–284. 1923; Soils F.O., 1920, pp. 258, 278–284. 1925.
    Clarke County, yield of sirup. Soil Sur. Adv. Sh., 1914, pp. 10, 19, 22, 25. 1915; Soils F.O., 1914, pp. 1206, 1215–1228. 1919.
    George County. Soil Sur. Adv. Sh., 1922, p. 37. 1925.
    Hinds County. Soil Sur. Adv. Sh., 1916, pp. 31, 35, 39. 1918; Soils F.O., 1916, pp. 1012, 1033, 1037, 1041. 1921.
    Jefferson Davis County, acreage and yields. Soil Sur. Adv. Sh., 1915, p. 10. 1916; Soils F.O., 1915, p. 1032. 1919.
    Jones County, yields of sirup. Soil Sur. Adv. Sh., 1913, pp. 11, 31. 1915; Soils F.O., 1913, pp. 927, 947. 1916.
    Lamar County. Soil Sur. Adv. Sh., 1919, pp. 10–15, 23, 28, 33. 1922; Soils F.O., 1919, pp. 978, 980, 983, 991, 996. 1925.
    Lauderdale County, possibilities and yield. Soil Sur. Adv. Sh., 1910, pp. 15, 39, 47, 52. 1912; Soils F.O., 1910, pp. 743, 767, 772, 775, 777. 1912.
    Lincoln County, yield of sirup. Soil Sur. Adv. Sh., 1912, pp. 9, 21, 22. 1913; Soils F.O., 1912, pp. 859, 871, 872. 1915.
    Newton County. Soil Sur. Adv. Sh., 1916, pp. 9, 26, 34, 35, 41. 1918; Soils F.O., 1916, pp. 1084–1085, 1102, 1110–1117. 1921.
    Pearl River County. Soil Sur. Adv. Sh., 1918, pp. 12, 22, 18–30. 1920; Soils F.O., 1918, pp. 612, 622, 628–640. 1924.
    Smith County. Soil Sur. Adv. Sh., 1920, pp. 460, 464, 482–488. 1923; Soils F.O., 1920, pp. 460, 464, 482–488. 1925.
    Wilkinson County, sirup yields. Soil Sur. Adv. Sh., 1913, p. 12. 1915; Soils F.O., 1913, p. 960. 1916.
  in Porto Rico—
    and rotation crops. P.R. An. Rpt., 1916, pp. 5–6. 1918.
    breeding, variety tests, and yields. P.R. An. Rpt., 1919, pp. 6–7, 21–22, 28–30. 1920.
    disease control, and rotations. P.R. An. Rpt., 1918, pp. 6, 19. 1920.
    establishment of growers experiment station. P.R. An. Rpt., 1912, p. 10. 1913.
    rotation crops, varieties. P.R. An. Rpt., 1920, pp. 5–7, 14. 1921.
  in St. Croix—
    climatic conditions, 1852–1920. Vir. Is. Bul. 2, pp. 6–7. 1921.
    cultivation, harvesting, and cost. Vir. Is. Bul. 2, pp. 15–16, 17–18. 1921.
  in South Carolina—
    Dorchester County, soils. Soil Sur. Adv. Sh., 1915, pp. 10, 19. 1917; Soils F.O., 1915, pp. 550, 559. 1919.
    Horry County. Soil Sur. Adv. Sh., 1918, pp. 12, 28, 32, 42. 1920; Soils F.O., 1918, pp. 336, 352, 356, 366. 1924.
  in Texas—
    Harrison County. Soil Sur. Adv. Sh., 1912, pp. 11, 38, 39, 42. 1913; Soils F.O., 1912, pp. 1061, 1088, 1089, 1092. 1915.
    Smith County, yields of sirup. Soil Sur. Adv. Sh., 1915, pp. 14, 46, 47. 1917; Soils F.O., 1915, pp. 1088, 1120, 1121. 1919.
    southern part. Soil Sur. Adv. Sh., 1909, pp. 71, 74, 94. 1910; Soils F.O., 1909, pp. 1095, 1098, 1118. 1912.
  in Virgin Islands—
    1919, variety tests. Vir. Is. A.R., 1919, pp. 7–11. 1920.
    1922. An. Rpts., 1922, p. 436. 1923; S.R.S. Rpt., 1922, p. 24. 1922.

Sugar-cane—Continued.
  growing—continued.
    labor and implements. D.B. 1292, pp. 5–7. 1924.
    on Norfolk sandy loam, Georgia, Florida, and Alabama. Soils Cir. 45, p. 9. 1911.
    planting, cultivation, practices. D.B. 1292, pp. 23–25. 1925.
    practices. Y.B., 1923, pp. 164–174. 1924; Y.B. Sep. 893, pp. 18–31. 1924.
    requirements. Y.B., 1908, p. 357. 1909; Y.B. Sep. 487, p. 357. 1909.
  growth and composition on calcareous and noncalcareous soils, experiments, methods. P.R. Bul. 16, pp. 14, 25–26, 33–45. 1914.
  harvesting methods in Porto Rico, losses. P.R. Bul. 9, pp. 35–38. 1910.
  history, description of sugar production. F.B. 535, pp. 12–13. 1913.
  immature, loss of sugar tonnage. Y.B., 1917, p. 455. 1918; Y.B. Sep. 756, p. 11. 1918.
  importations and descriptions. Nos. 29639, 29727, B.P.I. Bul. 233, pp. 33, 36. 1912; Nos. 38257, 38332, B.P.I. Inv. 39, pp. 6, 109, 117. 1917; No. 39546, B.P.I. Inv. 41, pp. 38–39. 1917; Nos. 44007–44017, 44023–44035, 44099, 44109, 44152–44162, 44326–44332, B.P.I. Inv. 50, pp. 16, 17, 28, 30, 36, 58. 1922; Nos. 44600–44606, 44611–44622, 44749–44750, B.P.I. Inv. 51, pp. 31, 32, 50. 1922; Nos. 45513–45522, 45611, B.P.I. Inv. 53, pp. 45–46, 68. 1922; Nos. 47166–47184, B.P.I. Inv. 58, pp. 35–36. 1922; Nos. 47995, 48076, B.P.I. Inv. 60, pp. 25, 39. 1922; Nos. 49261–49264, 49266, 49336–49339, 49350, 49360–49363, B.P.I. Inv. 62, pp. 17, 27, 28, 29. 1923; Nos. 49887, 50374–50375, 50389–50390, B.P.I. Inv. 63, pp. 17, 63, 65. 1923; Nos. 51589–51593, B.P.I. Inv. 65, p. 29. 1923; Nos. 52350–52351, 52427–52435, 52469–52489, 52535–52545, 52664–52665, B.P.I. Inv. 66, pp. 13, 24, 31, 38, 56. 1923; Nos. 53528–53531, B.P.I. Inv. 67, p. 57. 1923; Nos. 53949–53950, 53997–54016, 54018–54027, B.P.I. Inv. 68, pp. 12, 17–18, 19. 1923; Nos. 54545–54546, B.P.I. Inv. 69, p. 24. 1923; No. 54902, B.P.I. Inv. 70, pp. 3, 26. 1923; No. 55501, B.P.I. Inv. 71, pp. 2, 51. 1923; Nos. 55829–55830, 56064–56066, B.P.I. Inv. 73, pp. 3, 7, 44. 1923.
  importations from Hawaii, restrictions. F.H.B. S.R.A. 38, pp. 27–28, 33. 1917.
  in St. Croix. Longfield Smith. Vir. Is. Bul. 2, pp. 23. 1921.
  Indian, importation and description. No. 32257, B.P.I. Bul. 261, pp. 8, 48. 1912.
  industry, distribution. D.B. 486, pp. 2–3. 1917.
  infection of stalks with mosaic disease, spread of disease. D.B. 829, pp. 18, 20, 22, 23. 1919.
  infestation—
    and injury by *Tarsonemus bancrofti*. Ent. Bul. 97, p. 112. 1913.
    of sugar-cane borer, effect on sugar content, analyses. Ent. Cir. 139, pp. 7–12. 1911.
    infested by Aleyrodes, with parasites, and treatment. Ent. T.B. 12, Pt. V, p. 90. 1907.
  injury(ies) by—
    lime carbonate in soil. P.R. An. Rpt., 1913, p. 15. 1914.
    moth borers, character and extent. D.B. 746, pp. 2–7, 22. 1919.
    stalk-beetle of corn. D.B. 1267, pp. 2, 12, 15. 1924.
    Tarsonemus bancrofti. Ent. Bul. 97, Pt. VI, p. 112. 1912.
  insect(s)—
    damage, annual loss. An. Rpts., 1911, p. 521. 1912; Ent. A.R., 1910, p. 17. 1910.
    dissemination. T. E. Holloway. Ent. Cir. 165, pp. 8. 1912.
    distribution by shipments, precautions. An. Rpts., 1914, p. 189. 1914; Ent. A.R., 1914, p. 7. 1914.
    enemies, and rotations to control. Y.B., 1911, pp. 202–209. 1912; Y.B. Sep. 561, pp. 202–209. 1912.
    Hawaii. D. L. Van Dine. Ent. Bul. 93, pp. 54. 1911.
    in United States in 1912, field observations. T. E. Holloway. Ent. Cir. 171, pp. 8. 1913.
    pests—
      description and control. Vir. Is. Bul. 2, pp. 22–23. 1921.

Sugar-cane—Continued.
  insect(s)—continued.
    description and list. Sec. [Misc.], "A manual * * * insects * * *," pp. 197–208. 1917.
    in Guam. Guam A.R., 1911, p. 29. 1912.
  Japanese—
    description. F.B. 1034, p. 6. 1919.
    forage crop for cotton States. B.P.I. Cir. 106, pp. 18–19, 27. 1913; F.B. 1125, rev., pp. 26–27. 1920.
    growing and yield in Texas, experiments. B.P.I. Cir. 120, p. 17. 1913.
    growing in Oregon, Umatilla experiment farm. W.I.A. Cir. 17, p. 37. 1917.
    sirup yield. F.B. 1125, rev., p. 27. 1920.
    use as forage crop—
      in cotton region, description. F.B. 509, pp. 19–20. 1912.
      in Texas. B.P.I. Cir. 106, pp. 18–19, 27. 1913.
    value for Gulf States. An. Rpts., 1913, p. 122. 1914; B.P.I. Chief Rpt., 1913, p. 18. 1913.
  juice—
    clarification for sirup manufacture. J. K. Dale and C. S. Hudson. D.B. 921, pp. 15. 1920.
    clarification, technical studies. O.E.S. An. Rpt. 1922, p. 77. 1924.
    coloring, fermentation, studies. S.R.S. Rpt., 1917, Pt. I, pp. 30, 128, 129, 130. 1918.
  Kavangire, resistance to mottling disease, testing for yield. P.R. An. Rpt., 1919, pp. 6–7, 29–30. 1920.
  labor requirements and field practice in Georgia. D.C. 83, pp. 19, 20. 1920; Farm M. Cir. 3, pp. 26, 28, 30. 1919.
  leaf hopper—
    D. L. Van Dine. Hawaii Bul. 5, pp. 29. 1904.
    control by parasite, *Parangrus optabilis*. Y.B., 1916, pp. 278–280. 1917; Y.B. Sep. 704, pp. 6–8. 1917.
    in Hawaii, description, life history, and control. Ent. Bul. 93, pp. 12–34. 1911.
    parasite(s)—
      description and work. Y.B., 1916, pp. 279–280. 1917; Y.B. Sep. 704, pp. 7–8. 1917.
      introduction into Hawaii, discussion. Ent. Bul. 93, pp. 29–34. 1911.
  leaf roller, parasites, introduction. Ent. Bul. 93, pp. 42–43. 1911.
  losses—
    and deterioration in harvesting and grinding. P.R. Bul. 9, pp. 35–37. 1910.
    in Hawaii from diseases. B.P.I. Cir. 126, pp. 5–6, 10. 1913.
  Louisiana, production—
    1909–1911, costs. D.B. 66, p. 15. 1914.
    1911–1921. Y.B., 1921, p. 657. 1922; Y.B. Sep. 869, p. 77. 1922.
    1914, yield and estimate, with comparisons. F.B. 641, pp. 5–6. 1914.
  manufacture of table sirups from. H. W. Wiley. Chem. Bul. 70, pp. 32. 1902.
  marketing methods and sugar production. Rpt. 98, pp. 154–156. 1913.
  marketing, plantation system. D.B. 1269, pp. 66–67. 1924.
  mealybug, Hawaii, food plants, life history, habits, and control. Ent. Bul. 93, pp. 43–45. 1911.
  mills, small, waste of juice. Chem. Bul. 93, pp. 11–12. 1905.
  miner, hispid, description. Sec. [Misc.], "A manual of * * * insects * * *," p. 199. 1917.
  mosaic—
    control. D.B. 829, pp. 1–26. 1919.
    tolerance and resistance to. C. W. Edgerton and W. G. Taggart. J.A.R., vol. 29, pp. 501–506. 1924.
    transmission by insects. E. W. Brandes. J.A.R., vol. 23, pp. 279–284. 1923.
    transmission methods. J.A.R., vol. 19, pp. 131–138. 1920.
  moth borer—
    T. E. Holloway and U. C. Loftin. D.B. 746, pp. 74. 1919.
    control. Ent. A.R., 1921, p. 19. 1921.

Sugar-cane—Continued.
  moth borer—continued.
    description—
      and control. Ent. Cir. 165, p. 6. 1912.
      habits, and control. Vir. Is. Btil. 4, pp. 15, 18. 1923.
    loss. Off. Rec., vol. 3, No. 10, p. 3. 1924.
    mottling disease, control. An. Rpts., 1919, p. 174. 1920; B.P.I. Chief Rpt., 1919, p. 38. 1919.
    nature of plant and propagation method. D.B. 486, pp. 3-5. 1917.
    new variety from Java. B.P.I. Bul. 176, p. 10. 1910.
    nutritive value. F.B. 535, p. 23. 1913.
    Philippine variety, importation and description. No. 39876, B.P.I. Inv. 42, p. 30. 1918.
    plantations, location, areas, renting and cropping systems. D.B. 1269, pp. 3, 4, 17, 39-40, 53-54, 69. 1924.
    planting, methods—
      and quantity per acre. F.B. 1034, pp. 15-18. 1919.
      for protection from mole cricket. P.R. Bul. 23, pp. 21, 25. 1918.
    Porto Rican, quality improvement, cultural methods, experiments. P.R. An. Rpt., 1921, p. 2. 1922.
    production—
      1856-1922. Y.B., 1921, p. 657. 1922; Y.B. Sep. 869, p. 77. 1922.
      1902-1907, comparison with beet sugar. Rpt. 86, p. 66. 1908.
      and value—
        1907. An. Rpts., 1907, p. 17. 1908; Rpt. 85, p. 9. 1907; Sec. A.R., 1907, p. 15. 1907; Y.B., 1907, p. 17. 1908.
        1909. D.B. 486, pp. 2, 3. 1917.
        1909. leading States. Y.B., 1914, p. 649. 1915; Y.B. Sep. 656, p. 649. 1915.
        1912, losses from Mississippi flood. An. Rpts., 1912, p. 18. 1913; Sec. A.R., 1912, p. 18. 1912; Y.B., 1912, p. 18. 1913.
      by countries. Y.B., 1924, pp. 806-807. 1925.
      costs. D.B. 1370, pp. 11-13. 1925.
      in Louisiana. D.B. 1318, p. 2. 1925; F.B. 672, pp. 4-5. 1915.
      in St. Croix, acreage and rainfall, 1898-1920. Vir. Is. Bul. 2, pp. 3-4. 1921.
      methods. Chem. Chief Rpt., 1922, p. 9. 1922; An. Rpts., 1922, p. 259. 1923.
      principal countries, 1913, 1917. Sec. Cir. 86, p. 5. 1918.
      United States and insular possessions, 1881-1912. D.B. 66, pp. 1-7, 10-12, 19-20, 22. 1914.
      United States and other countries. D.B. 473, pp. 9-13, 16-25, 27-32, 54-55, 61-70. 1917.
      world countries, 1907-1912, United States, 1839-1921. Y.B., 1912, pp. 648-649, 650-651. 1913; Y.B. Sep. 614, pp. 648-649, 650-651. 1913.
    propagation methods. D.B. 486, pp. 5, 16-21. 1917; F.B. 1034, pp. 3-5. 1919.
    protection against cold. Y.B., 1909, p. 393. 1910; Y.B. Sep. 522, p. 393. 1910.
    quantitative determination, use of invertase. C.S. Hudson. Chem. Cir. 50, pp. 8. 1910.
    quarantine—
      in Hawaii. F.H.B. Quar. 51, p. 2. 1921.
      Nos. 15 and 16, summary. F.H.B.S.R.A. 71, pp. 174, 175. 1922.
      order, causes. An. Rpts., 1914, pp. 307, 308. 1914; F.H.B. An. Rpt., 1914, pp. 3,4. 1914.
      restrictions. F.H.B. Quar. 37, rev., p. 13. 1923.
    rind disease, causes and control, discussion. Ent. Bul. 93, pp. 19, 26-28. 1911.
    root—
      anatomy. J.A.R. vol. 30, pp. 215-217. 1925.
      borer, bird enemies in Porto Rico. D.B. 326, p. 10. 1916.
      borer, West Indies, description and control. J.A.R., vol. 4, pp. 255-264. 1915.
      boring weevils of the West Indies. W. Dwight Pierce. J.A.R., vol. 4, pp. 255-264. 1915.
      disease caused by nematode *Tylenchus similis*. N. A. Cobb. J.A.R., vol. 4, pp. 561-568. 1915.

Sugar-cane—Continued.
  root—continued.
    disease, relation to snails. R. D. Rands. J.A.R. vol. 28, pp. 969-970. 1924.
    knot, description. B.P.I. Cir. 91, pp. 10-11, 12. 1912.
    rotation with pigeon peas, benefit. Hawaii Bul. 46, p. 21. 1921.
    school lesson. D.B. 258, p. 10. 1915.
    seed selection for control of mealybugs. Ent. Bul. 93, p. 44. 1911.
    seed treatment for moth-borer control. D.B. 746, pp. 47-53. 1919.
    seedling varieties, description. F.B. 1034, pp. 6-7. 1919.
    shipments, growing under quarantine for inspection. B.P.I. Cir. 126, p. 3. 1913.
    shipments, insects liable to dissemination. T. E. Holloway. Ent. Cir. 165, pp. 8. 1912.
    sirup, content, determination, proposed modification of method. Chem. Cir. 53, pp. 1-9. 1910.
    soil treatment for damping-off control, tests. D.B. 453, pp. 12, 17, 20. 1917.
    sources. F.B. 535, pp. 12-14. 1913.
    stalk borer, United States, similarity of injuries to Hawaiian borer. Ent. Bul. 93, p. 35. 1911.
    statistics—
      1918. Y.B., 1918, pp. 564, 567, 571, 574. 1919; Y.B. Sep. 792, pp. 60, 63, 67, 70. 1919.
      acreage and sugar production—
        1919. Y.B., 1919, pp. 628, 629, 634. 1920; Y.B. Sep. 827, pp. 628, 629, 634. 1920.
        1922. Y.B., 1922, pp. 781, 782. 1923; Y.B. Sep. 884, pp. 781, 782. 1923.
      graphic showing of average production, world countries. Stat. Bul. 78, p. 65. 1910.
    storing for planting, methods. D.B. 486, pp. 29-31. 1917; F.B. 1034, pp. 23-25. 1919.
    susceptibility to mosaic disease. J.A.R., vol. 19, pp. 517, 518-520. 1920.
    tolerance and resistance to mosaic. C. W. Edgerton and W. G. Taggart. J.A.R., vol. 29, pp. 501-506. 1924.
    tops and bagasse, value as feed stuff. Rpt. 112, pp. 26-27. 1916.
    transportation costs. D.B. 1370, pp. 9-10. 1925.
    treatment with hot water for insect pests. P. A. Yoder and J. W. Ingram. D.C. 303, pp. 4. 1923.
    use in feeding cattle and horses. Rpt. 112, pp. 22-23, 26-27. 1916.
    varieties—
      descriptions and characteristics. D.B. 486, pp. 5-10. 1917; D.B. 1370, pp. 5-7. 1925; F.B. 1034, pp. 5-7. 1919.
      growing at St. Croix Experiment Station, 1921. Vir. Is. A. R., 1921, pp. 3-5, 11. 1922.
      immune to mosaic disease. D.B. 829, pp. 14, 24-26. 1919.
      importations and description. Nos. 38893-38907, 39165, 39262, B.P.I. Inv. 40, pp. 5, 44, 85, 95. 1917.
      in Porto Rico, tests. P.R. Bul. 9, pp. 9-12. 1910.
      in United States. Y.B., 1923, pp. 163-164. 1924; Y.B. Sep. 893, pp. 16-18. 1924.
      resistance to mosaic disease. D.B. 1370, pp. 6-9. 1925.
      selection for resistance to leaf-hopper injury. Ent. Bul. 93, pp. 23-26. 1911.
      susceptibility and immunity to mosaic disease. D.B. 829, pp. 12-14. 1919.
      yield tests. Vir. Is. A.R., 1920, pp. 10-14. 1921.
    weevil borers, description and injuries. Ent. Cir. 165, p. 3. 1912; Ent. Cir. 171, pp. 4-5, 8. 1913.
    weevil, root-boring, of the West Indies. W. Dwight Pierce. J.A.R., vol. 4, pp. 255-264. 1915.
    yellow aphid, occurrence and control in Porto Rico. P.R. An. Rpt., 1914, p. 45. 1916.
    Yellow Caledonia, resistance to insect injury. Ent. Bul. 93, pp. 23-26, 39. 1911.
    yield(s)—
      different localities. F.B. 1034, pp. 22-23. 1919.
      increase after cowpeas. F.B. 318, p. 23. 1908.

INDEX TO PUBLICATIONS, 1901–1925

Sugar-cane—Continued.
  yield(s)—continued.
    increase due to velvet beans. F.B. 962, p. 25. 1918.
    Louisiana and Hawaii, 1911–1912. D.B. 66, p. 14. 1914.
    of sugar per acre. D.B. 66, pp. 2–3, 14. 1914; D.B. 486, pp. 27–28. 1917.
    young, injury by moth borers. D.B. 746, pp. 5–6, 22. 1919.
Sugar maple. See Maple, sugar.
Sugar Loaf Reservoir Dam, Colo., details of foundation. O.E.S. Bul. 249, Pt. I, p. 19. 1912.
Sugar Planters' Experiment Station, Hawaii, organization. O.E.S. Bul. 247, p. 21. 1912.
Sugarberry—
  tests for mechanical properties, results. D.B. 556, pp. 33, 42. 1917.
  See also Hackberry.
Sugarhouse—
  control, sucrose methods, comparison. Chem. Bul. 132, pp. 186–187. 1910.
  maple-sugar manufacture. For. Bul. 59, pp. 39–41. 1905.
Sugaring. See Crystallization.
"Sugarota" misbranding. Chem. N.J. 810, pp. 2. 1911.
Suint—
  potash source. Y.B., 1916, pp. 304–305. 1917; Y.B. Sep. 717, pp. 4–5. 1917.
  See also Wool washings.
Sula spp. See Booby.
Sulco-V. B., adulteration and misbranding. I. and F. Bd. S.R.A. 40, N.J. 746, 747, pp. 954–957. 1922; I. and F.Bd. S.R.A. 42, N.J. 787, pp. 995–997. 1923; I. and F. Bd. S.R.A. 43, N.J. 808, p. 1015. 1923; I. and F. Bd. S.R.A. 45, N.J. 860, p. 1074. 1923.
Sulidae, Laysan Island birds, number and description. Biol. Bul. 42, pp. 19–20. 1912.
Sulla—
  importations and descriptions. No. 33073, B.P.I. Bul. 282, pp. 70–71. 1913; Nos. 51888–51889, B.P.I. Inv. 65, pp. 6, 64. 1923.
  value as green manure, and forage crop. B.P.I. Bul. 261, pp. 8, 38. 1912.
SULLIVAN, M. X.—
  "A beneficial organic constituent of soils: Creatinine." With others. Soils Bul. 83, pp. 44. 1911.
  "Manganese as a fertilizer." With W. O. Robinson. Soils Cir. 75, pp. 3. 1912.
  "Studies in soil catalysis." With F. R. Reid. Soils Bul. 86, pp. 31. 1912.
  "Studies in soil oxidations." With others. Soils Bul. 73, pp. 57. 1910.
  "The action of manganese in soils." With J. J. Skinner. D.B. 42, pp. 32. 1913.
SULLIVAN, R. H.: "The so-called change of climate in the semiarid west." Y.B., 1908, pp. 289–300. 1909; Y.B. Sep. 481, pp. 289–300. 1909.
SULLIVAN, V. L.: "Irrigation in New Mexico." O.E.S. Bul. 215, pp. 42. 1909.
Sullys Hill—
  Game Preserve, North Dakota, conditions. An. Rpts. 1916, p. 246. 1917; Biol. Chief Rpt., 1916, p. 10. 1916.
  National Park, N. Dak., inclosure and improvement, appropriation. Sol. [Misc.], "Laws applicable * * * agriculture," sup. 2, p. 75. 1915.
Sulphate(s)—
  concentration in soils, effect of moisture variation. J.A.R., vol 18, pp. 141, 143. 1919.
  dimethyl, danger in use. B.A.I. Cir. 167, p. 7. 1911.
  effect on—
    growth and oxidation, experiments. Soils Bul. 56, pp. 37, 41. 1909.
    nitric nitrogen in the soil. J.A.R., vol. 16, pp. 122–123. 1919.
    plant growth in black alkali soil. J.A.R., vol. 24, pp. 320–326, 328. 1923.
    soils. S.R.S. Rpt., 1915, Pt. I, pp. 144, 145. 1917.
  formation in seeds on germination. J.A.R., vol. 11, pp. 100, 103. 1917.
  in alkali soils, relation to nitrification. B.P.I. Bul. 211, pp. 21–22. 1911.

Sulphate(s)—Continued.
  in Hawaiian soils, effect of heat. Hawaii Bul. 30, pp. 22–23. 1913.
  in irrigation waters, effects. Y.B., 1902, p. 288. 1903.
  ratio to nitrogen in urine. Chem. Bul. 84, Pt. V, pp. 1339–1344. 1908.
  relation to—
    plant growth and composition. H. G. Miller. J.A.R., vol. 17, pp. 87–102. 1919.
    plant growth and composition, further studies. Harry G. Miller. J.A.R., vol. 22, pp. 101–110. 1921.
    sand drown disease of tobacco. J.A.R., vol. 23, pp. 27–40. 1923.
  See also Ammonium sulphate; Copper sulphate; Iron sulphate.
Sulphatine, composition. Chem. Bul. 76, p. 45. 1903.
Sulphides, insecticidal, determination of lime and sulphur. Chem. Bul. 90, pp. 104–106. 1905.
Sulphite(s)—
  and sulphurous acid—
    effect upon digestion and health, general results of investigations. Chem. Cir. 37, pp. 18. 1907.
    influence on digestion and health. H. W. Wiley and others. Chem. Bul. 84, Pt. III, pp. 761–1041. 1908.
  detection in canned meats. Chem. Bul. 13, pt. 10, p. 1410. 1902.
  liquors, use in road preservation, labor cost. Rds. Cir. 92, pp. 1–4, 8. 1910; Rds. Cir. 94, p. 49. 1911.
  paper pulp, definition. Rpt. 89, p. 27. 1909.
  process, paper-pulp manufacture, discovery, and growth of industry, 1867–1916. D.B. 620, p. 2. 1918.
  pulp, production from spruce, effect of varying cooking conditions. S. E. Lunak. D.B. 620, pp. 24. 1918.
  sugar products, chemical determination, discussion. Chem. Bul. 105, pp. 125–127. 1907.
  use in—
    food preservatives. Y.B., 1900, p. 556. 1901.
    meats, prohibition. B.A.I.S.A. 62, p. 46. 1912.
Sulpho-naphthol, adulteration and misbranding. N.J. 107. I. and F. Bd. S.R.A. 5, pp. 70–73. 1914.
Sulphocarbolate of lime, Whitney's, analysis. Chem. Bul. 68, pp. 51–52. 1902.
Sulphonation test for creosote, modification. E. Bateman. For. Cir. 191, pp. 7. 1911.
Sulphur—
  analysis. Chem. Bul. 68, p. 49. 1902; Chem. Bul. 76, p. 50. 1903; Chem. Bul. 116, pp. 14–16. 1908.
  and lard, for sores on hogs. B.P.I. Bul. 111, Pt. IV, p. 14. 1907.
  and lime, dip for cattle mange, formula and use. B.A.I. Bul. 40, pp. 11–13. 1902.
  atomic, fungicide, adulteration and misbranding. I. and F. Bd. N.J. 69, pp. 2. 1914.
  atomic, with arsenate of lead, adulteration and misbranding. I. and F. Bd. N.J. 67, pp. 2. 1914.
  bedbug fumigation. Ent. Cir. 47, rev., p. 7. 1902.
  bleaching of commercial oats and barley. Le Roy M. Smith. B.P.I. Cir. 74, pp. 13. 1911.
  combination with nicotine spray. D.C. 154, pp. 13, 14, 15. 1921.
  composition. Chem. Bul. 76, p. 50. 1903.
  compounds—
    in dry lime-sulphur, determinations. Carleton Parker Jones. J.A.R., vol. 25, pp. 323–336. 1923.
    in urine, changes in relative quantities. Chem. Bul. 84, Pt. V, pp. 1352–1356, 1495–1496. 1908.
    organic, occurrence in soils, studies. Soils Bul. 88, pp. 24–27. 1913.
    relation to plant nutrition. E. B. Hart and W. E. Tottingham. J.A.R., vol. 5, No. 6, pp. 233–250. 1915.
  control of damping-off in conifer seed beds. D.B. 934, p. 24. 1921.
  deficiency as cause of tobacco chlorosis. J.A.R., vol. 23, p. 36. 1923.

Sulphur—Continued.
  detection in—
    barley and oats, simple method. W. P. Carroll. B.P.I. Cir. 40, pp. 8. 1909.
    grain, improved apparatus. B.P.I. Cir. 111, pp. 23-24. 1913; Mkts. S.R.A. 55, pp. 3. 1919.
    grain, testing directions. B.P.I. Cir. 40, pp. 5-6. 1909.
  determination in—
    insecticides. Chem. Bul. 90, pp. 104-106. 1905.
    lime-sulphur dips. Chem. Bul. 132, p. 48. 1910.
    organic matter. Herman Schreiber. Chem. Cir. 56, pp. 9. 1910.
    plant ash, methods. D.B. 600, p. 25. 1917.
    plant tissue. Chem. Bul. 90, pp. 151-155. 1905.
    rice, method and results. Hawaii A. R. 1912, pp. 13, 65-73. 1913.
  dietary experiments, results. Chem. Bul. 84, pp. 766-1020. 1908; Chem. Cir. 37, pp. 7-18. 1907.
  dioxide—
    action on vegetation, investigations. Chem. Bul. 113, pp. 8-19. 1908; rev., pp. 8-14. 1910.
    control of carpet beetle. F.B. 626, p. 4. 1914.
    effect on vegetation, experimental work. Chem. Bul. 89, pp. 10-12. 1905.
    fumigation, experiments, and results. Chem. Bul. 89, pp. 10-12. 1905.
    fumigation of mosquitoes, directions. Ent. Bul. 88, pp. 35-37. 1910.
    fumigation of rats. Biol. Bul. 33, p. 49. 1909.
    in smelter fumes, injury to vegetation. D.B. 154, pp. 22-23. 1915.
    insecticidal, uses. Ent. Bul. 60, pp. 139-153. 1906.
    use in—
      bleaching oats, preliminary study. George H. Baston. D.B. 725, pp. 11. 1918.
      foods. F.I.D. 89, p. 2. 1908.
      making cane sirup. D.B. 1370, p. 29. 1925.
  dips, analysis, discussion, 1907. Chem. Bul. 116, pp. 127-128. 1908; Chem. Bul. 122, p. 110. 1909.
  dips, sheep scab, experiments. F.B. 527, p. 19. 1913.
  dry, use—
    as insecticide. P.R. Cir. 17, p. 16. 1918.
    in mite control on potatoes. Hawaii Bul. 45, pp. 13, 32. 1916.
  dust and spray, use for red-spider control. D.B. 1035, pp. 11-13. 1922; F.B. 1257, p. 8. 1922.
  effect on—
    alfalfa production. Oscar C. Bruce. J.A.R., vol. 30, pp. 937-947. 1925.
    apple foliage. D.B. 120, pp. 11-14, 18. 1914.
    black alkali soil. J.A.R., vol. 24, pp. 335, 336. 1923.
    different crops and soils. O. M. Shedd. J.A.R., vol. 11, pp. 91-103. 1917.
    fertility elements of Palouse silt loam. Lewis W. Erdman. J.A.R., vol. 30, pp. 451-462. 1925.
    growing chicks. J.A.R., vol. 22, pp. 145-149. 1921.
  elemental, effect on plant life. J.A.R., vol. 5, No. 16, pp. 771-780. 1916.
  excretion in benzoate experiment. Chem. Cir. 39, pp. 10, 12. 1908.
  fertilizer(s)—
    effect on certain crops, experiments. J.A.R., vol. 17, pp. 89-99. 1919.
    stocks, 1917. Sec. Cir. 104, pp. 4, 6, 10-12. 1918.
  fumes, control of sauba ants, Brazil. D.B. 445. p. 12. 1917.
  fumes, use in control of clothes moths. F.B. 1353, pp. 20-21. 1923.
  fumigation—
    effects on various household insects. D.B. 707, pp. 6, 7, 15, 16, 27, 29, 34. 1918.
    for control of household pests. F.B. 1180, p. 27. 1921.
    for flea eradication. F.B. 683, p. 12. 1915.

Sulphur—Continued.
  fumigation—continued.
    for household pests, precautions. F.B. 1104, p. 4. 1920.
    use in flea control. D.B. 248, p. 27. 1915.
  fungicides, formulas. F.B. 243, pp. 14-18. 1906.
  grades used in making lime-sulphur. F.B. 1285, p. 4. 1922.
  impure, responsibility for arsenic in hops, experiments. D.B. 568, pp. 1-7. 1917.
  in kelp. J.A.R., vol. 4, p. 51. 1915.
  in urine, effect of sodium benzoate. Rpt. 88, pp. 66-73. 1909.
  insecticides, formulas and use. Chem. Bul. 68, p. 49. 1902; F.B. 908, pp. 18-28, 73-75. 1918.
  labeling, under insecticide act, opinion. I. and F. Bd. S.R.A. 6, pp. 81-83. 1914.
  lime. See Lime-sulphur.
  loss in preparing ash of plants, report. Chem. Bul. 62, p. 98. 1901.
  metabolism of the food, effect of formaldehyde. Chem. Bul. 84, Pt. V, pp. 1496-1497. 1908.
  nitrogen and phosphorus, in metabolism experiments. H. C. Sherman. O.E.S. Bul. 121, pp. 47. 1902.
  occurrence in soils. D.B. 122, pp. 12-13, 16, 27. 1914; Soils Bul. 88, p. 25. 1912.
  ointment, use in chigger control. F.B. 801, p. 11. 1917.
  ore, imports, 1909-1913. D.B. 798, p. 25. 1919.
  oxidation—
    by microorganisms in black alkali soils. Selman A. Waksman and others. J.A.R., vol. 24, pp. 297-305. 1923.
    in soils, effect on solubility of rock phosphate and on nitrification. J.A.R., vol. 8, pp. 329-345. 1919.
  poisoning, relation to waterfowl mortality, studies. D.B. 217, p. 6. 1915.
  powdered—
    compounds for use in washes. F.B. 650, p. 23. 1915; F.B. 908, p. 27. 1918.
    use—
      against powdery mildew. Guam Bul. 2, p. 22. 1922.
      in nicotine dust. F.B. 1282, pp. 4, 5. 1922.
  preparations, use in red-spider control, description and use method. D.B. 416, pp. 63-64. 1917; F.B. 856, p. 21. 1917.
  presence in green vegetables. Y.B., 1911, p. 450. 1912; Y.B. Sep. 582, p. 450. 1912.
  preservatives, injurious to digestion and health, conclusions. Chem. Bul. 84, Pt. III, pp. 1039-1040. 1908; Chem. Cir. 37, pp. 16-18. 1907.
  pulp mill, sources. D.B. 950, p. 15. 1921.
  ratio to nitrogen in urine. Chem. Bul. 84, Pt. V, pp. 1339-1344. 1908.
  relation to alfalfa production. Oscar C. Bruce. J.A.R., vol. 30, pp. 937-947. 1925.
  requirements of crops and occurrence in soils. S.R.S. Rpt., 1916, Pt. I, pp. 36, 217. 1918.
  soda-sulphur formula. D.B. 616, p. 29. 1918.
  soil treatment, coffee root disease, cost and results. P.R. Bul. 17, pp. 18-20. 1915.
  solution, soluble, for orchard sprays. Y.B., 1908, p. 279. 1909; Y. B. Sep. 480, p. 279. 1909.
  spray—
    preparation, for use in orchard spraying. Y.B., 1908, p. 280. 1908; Y.B. Sep. 480, p. 280. 1908.
    use for control of clover mite. Ent. Cir. 158, p. 4. 1912.
  treatment of manganese soils, results. Hawaii Bul. 52, p. 30. 1924.
  trioxide—
    free, corrosive effect on vegetation. Chem. Bul. 89, p. 9. 1905.
    in foilage of—
      plants, fumigated and nonfumigated. Chem. Bul. 89, pp. 13-22. 1905.
      trees around Washoe smelter. Chem. Bul. 113, pp. 23-27. 1908; rev., pp. 25-29, 45-55. 1910.
  injuries to trees. Y.B., 1907, pp 487-488. 1908; Y.B. Sep. 463, pp. 487-488. 1908.
  percentage in maple products. Chem. Cir. 40, pp. 8-9. 1908.
  recovery from alunite. Soils Cir. 70, p. 3. 1912.

Sulphur—Continued.
 use against—
  black currant gall mite. Ent. Bul. 67, p. 121. 1907.
  dog parasites. D.C. 338, pp. 5, 11. 1925.
  fleas. Sec. Cir. 61, p. 20. 1916.
  insect pests. D.C. 35, pp. 5, 29. 1919; P.R. Cir. 17, pp. 22–23, 26. 1918.
  roaches. F.B. 658, p. 13. 1915.
 use and value in—
  chigger control. News L., vol. 2, No. 43, p. 3. 1915.
  mildew control. F.B. 856, p. 12. 1917.
  vermin destruction in convict camps. D.B. 414, pp. 113–114. 1916.
 use as—
  insecticide. F.B. 1362, pp. 9–10. 1924.
  powder or spray against insects. F.B. 908, pp. 27–28. 1918.
  remedy for potato scab. B.P.I. Cir. 23, p. 9. 1909.
  repellent against mole crickets. P.R. Bul. 23, pp. 21, 25. 1918.
 use in—
  bedbug control, use method. F.B. 754, p. 11. 1916.
  bleaching fruit for evaporation. D.B. 1141, pp. 22, 34, 38–39, 47, 49. 1923; F.B. 903, pp. 25–26, 33–34, 46, 48, 49, 51, 54. 1917.
  control of—
   bedbugs. Sec. Cir. 61, p. 19. 1916.
   beet wireworms, experiments. Ent. Bul. 123, pp. 52, 58. 1914.
   chiggers. D.B. 986, pp. 14–15. 1921.
   cutting or parasol ant. Ent. Cir. 148, p. 4. 1912.
   harvest mites. F.B. 671, pp. 6, 7. 1915.
   potato scab. Off. Rec., vol. 1, No. 38, p. 4. 1922.
  destruction of fly larvae. D.B. 408, p. 17. 1916.
  drying fruit, regulation by law. Y. B., 1912, p. 509. 1913; Y. B. Sep. 610, p. 509. 1913.
  flea control, cautions. News L., vol. 3, No. 3, p. 7. 1915.
  fumigation of mills and warehouses. Ent. Cir. 112, p. 21. 1910.
  lice control, cost, dangers. F.B. 801, pp. 24–25. 1917.
  mildew control, dangers. F.B. 532, p. 13. 1913.
  preparation of foods, methods and reasons. Chem. Bul. 84, Pt. III, pp. 761–765. 1908; Chem. Cir. 37, pp. 1–5. 1907.
  preparing fruit for dehydration. D.B. 1335, p. 10. 1925.
  red-spider control, experiments. Ent. Bul. 117, pp. 20–22, 34. 1913.
  soils, results. S.R.S. Rpt., 1915, Pt. I, pp. 40, 127, 140, 267, 280. 1917.
  sprays. Chem. Bul. 101, pp. 1–29. 1907.
  treatment of chiggers. Sec. Cir. 61, p. 22. 1916.
 use on—
  greenhouse plants. Ent. Cir. 104, pp. 6, 9, 10. 1909.
  potato seed. F.B. 412, p. 10. 1910.
  wash, self-boiled, experiments. Y.B., 1908, p. 52. 1909.
Sulphuric acid—
 analysis, in fumigation work. Ent. Bul. 90, pp. 91–92. 1912.
 and potassium bichromate tests on alkaloids. Chem. Bul. 150, pp. 36–40. 1912.
 chemical analysis. Ent. Bul. 90, Pt. III, pp. 91–92. 1911.
 color reactions. Chem. Cir. 63, pp. 4, 49–61. 1911.
 control of damping-off in conifer seed beds. D.B. 934, pp. 25–27. 1921.
 cost, precautions in handling, and dosage. Ent. Cir. 111, pp. 8–10. 1909.
 determination in water, modified method. Chem. Bul. 152, p. 80. 1912.
 distribution between textiles and solutions. Soils Bul. 52, p. 41. 1908.
 effect on—
  alkali soil. D.C. 267, p. 26. 1923.
  coagulation of rubber latex. Hawaii Bul. 16, pp. 17–18. 1908.

Sulphuric acid—Continued.
 effect on—continued.
  citrus fruit growth and yield. P.R. Bul. 18, pp. 10–32. 1915.
  impermeable seeds of sweet clover. D.B. 844, pp. 28, 35. 1920.
  plant growth on black alkali soil. J.A.R., vol. 24, pp. 320–328. 1923.
  reproduction of nitrogen-assimilating bacteria. J.A.R., vol. 14, pp. 323–332. 1918.
  wheat at different stages of growth. J.A.R., vol. 23, pp. 57–62. 1923.
 for use in hydrocyanic-acid gas, grade. Ent. Bul. 90, pp. 41–43, 91–92, 97. 1912.
 fumigation specifications. F.B. 1321, p. 11. 1923.
 ingredient of hydrocyanic-acid gas. Ent. Cir. 112, p. 8. 1910.
 injury to—
  pine seedlings and other plants. D.B. 169, pp. 4–26, 30–35. 1915.
  vegetation. Chem. Bul. 89, p. 9. 1905.
 lead-chamber plant, efficiency measurement. D.B. 283, pp. 5–9. 1915.
 materials used in manufacture. D.B. 798, pp. 4–5. 1919.
 meat-food products, regulation. B.A.I.S.A. 40, p. 52. 1910.
 presence in soils, effect on Azotobacter content. J.A.R., vol. 24, pp. 294–296. 1923.
 production—
  1904–1922. Y.B., 1923, p. 1189. 1924; Y.B Sep. 906, p. 1189. 1924.
  1911, 1912, 1913, table. D.B. 283, p. 2. 1915.
  and proposed new method of manufacture. William H. Waggaman. D.B. 283, pp. 39. 1915.
 proportions for use in hydrocyanic-acid gas. Ent. Cir. 112, pp. 8–11. 1910.
 seed treatment for promotion of germination. F.B. 517, pp. 5–6. 1912.
 soil treatment for damping-off control tests. D.B. 453, pp. 6–18, 19, 22, 24, 25, 28, 31. 1917.
 solution(s)—
  solubility and extraction of colors and the color reaction. H. M. Loomis. Chem. Cir. 35, pp. 51. 1907.
  solubility of carbon dioxide. Soils Bul. 49, p. 10. 1907.
  use for damping-off of coniferous seedlings. B.P.I. Cir. 4, p. 7. 1908.
  used in grape sprays. B.P.I. Cir. 105, p. 5. 1913.
 stocks, 1917. Sec.Cir. 104, pp. 4, 5, 10–12. 1918.
 sulphur determination by four methods. Chem. Cir. 56, pp. 7–8. 1910.
 testing, handling, and care. Ent. Bul. 76, p. 25. 1908.
 treatment of bones for fertilizer use. Y.B., 1917, pp. 255, 256. 1918; Y.B. Sep. 728, pp. 5, 6. 1918.
 use as antidote to barium, experiments. B.P.I. Bul. 246, pp. 9, 13–15. 1912.
 use in—
  acid phosphate, description. D.B. 144, pp. 2, 4–5, 26. 1914.
  alkaline soil, studies. J.A.R., vol. 24, pp. 297, 301. 1923.
  control of damping-off disease. D.B. 479, pp. 69–70. 1917.
  control of nematodes in wheat. D.B. 734, p. 14. 1918.
  corn seed treatment for downy mildew. J.A.R. vol. 24, pp. 854–858. 1923.
  fly larvae destruction in manure, experiments. D.B. 245, p. 6. 1915.
  fumigation, quality, proportions, mixing, and handling. Ent. Bul. 79, pp. 30–39, 53–55. 1909.
  fumigation, standard and care of. F.B. 923, p. 12. 1918.
  manufacture of acid phosphate. Y.B., 1917, p. 179. 1918. Y.B. Sep. 730, p. 7. 1918.
  phosphate, quantity, strength, and temperature. D.B. 144, pp. 14–17. 1914.
  skim-milk casein manufacture, description. D.B. 661, pp. 22–23. 1918.
  tin determination. Chem. Cir. 67, pp. 2, 3, 4, 5, 6, 8. 1911.

Sulphuric acid—Continued.
  use in—continued.
    treatment of—
      beet seed for fungus infection. J.A.R., vol. 4, pp. 138, 140. 1915.
      cotton seed, directions. F.B. 1187, p. 20. 1921.
      hard seed, F.B. 485, pp. 16–17. 1912.
      phosphate fertilizers. D.B. 699, p. 4. 1918.
      phosphate rock or bones. D.B. 312, pp. 9–12, 21–25. 1915.
      wax extraction and bleaching. F.B. 334, pp. 29, 30. 1908.
Sulphuring—
    fruits for drying, equipment. F.B. 984, pp. 14, 42. 1918.
    oats, methods, and results. D.B. 725, pp. 1–11. 1918.
    process in sirup making. D.B. 1370, p. 29. 1925.
    See also Bleaching.
Sulphurous acid—
    administration in dietary experiments, results. Chem. Bul. 84, Pt. III, pp. 766–1020, 1021–1038. 1908; Chem. Cir. 37, pp. 7–18. 1907.
    and sulphites, effect upon digestion and health, general results of investigations. Chem. Cir. 37, p. 18. 1907.
    and sulphites, influence on digestion and health. H. W. Wiley and others. Chem. Bul. 84, Pt. III, pp. 761–1041. 1907.
    concentrated, use as disinfectant in fish packing. Chem. Bul. 133, p. 39. 1911.
    detection in dried fruit. Chem. Bul. 116, pp. 14–16. 1908.
    determination in preservatives. Chem. Bul. 137. p. 114. 1911.
    effects on digestion and health, practical tests, details. H. W. Wiley and others. Chem. Bul. 84, Pt. III, pp. 761–1041. 1907.
    in food, determinations. An. Rpts., 1909, p. 453. 1910; Chem. Chief Rpt., 1909, p. 43. 1909.
    in molasses, determination. Chem. Bul. 116, pp. 77–80. 1908.
    limit in desiccated fruits. Sec. [Misc.], "Notice to exporters * * *," p. 1. 1904.
Sulzer law regarding apple barrels, text. F.B. 620, pp. 21–22. 1914.
Sumac—
    adulteration, nature and detection. Chem. Bul. 117, pp. 7–8, 26–31. 1908.
    American—
      distribution, uses, production, and importations. D.B. 706, pp. 1–3, 12. 1918.
      gathering and curing methods, time yields per acre, and amount gathered per day. D.B. 706, pp. 4–6, 11. 1918.
      investigation, and utilization as tannin source. An. Rpts., 1907, p. 395. 1908.
      species, description, and distribution. D. B. 706, pp. 3–4, 12. 1918.
      valuable tanning material and dyestuff. F. P. Veitch and others. D.B. 706, p. 12. 1918.
    analysis, discussion of results. Chem. Bul. 117, pp. 11, 21. 1908.
    and iron liquor, black dye for leather. D.C. 230, p. 17. 1922.
    black. See Sumac, dwarf.
    buyers, definite contracts with, aid to gatherers. D.B. 706, pp. 11, 12. 1918.
    characters, varieties on Pacific slope. For. [Misc.], "Forest trees for Pacific * * *," pp. 384–386. 1908.
    Chinese, importations and descriptions. No. 38158, B.P.I. Inv. 39, p. 96. 1917; No. 46096, B.P.I. Inv. 55, pp. 5, 23. 1922.
    climbing. See Poison ivy.
    distribution and growth in Wyoming. N.A. Fauna 42, p. 72. 1917.
    dwarf, characteristics, description, and distribution. D.B. 706, pp. 3, 12. 1918.
    examination, 1905, chemical and microscopical. Chem. Bul. 117, pp. 12–19, 22–25. 1908.
    extraction methods. Chem. Bul. 117, pp. 8–10. 1908.
    family, injury to trees by sapsuckers. Biol. Bul. 39, p. 45, 52, 83. 1911.
    fruiting season and use as bird food. F.B. 844, pp. 11, 12, 13. 1917; F.B. 912, pp. 11, 13. 1918.
    gall-forming aphids, note. D.B. 826, p. 74. 1920.

Sumac—Continued.
    Harmless, description and comparison with poison species. F.B. 1166, pp. 10–11. 1920.
    honey source, value. Ent. Bul. 75, pp. 91, 93, 94, 95. 1911.
    importation and description. No. 47778, B.P.I. Inv. 59, p. 58. 1922.
    importation into United States, 1894–1917. D.B. 706, p. 3. 1918.
    imports, 1907–199, quantity and value, by countries from which consigned. Stat. Bul. 82, p. 68. 1910.
    imports, quantity and value. Chem. Bul. 117, p. 5. 1908.
    leaf spot, occurrence and description, Texas. B.P.I. Bul. 226, p. 78. 1912.
    mahogany, description, range and occurrence on Pacific slope. For. [Misc.], "Forest trees for Pacific * * *," pp. 385–386. 1908.
    moisture and weight loss in curing and handling. D.B. 706, pp. 6–7. 1918.
    mountain. See Mountain ash; Sumac, dwarf.
    occurrence in—
      chaparral, and valuable qualities. For. Bul. 85, pp. 11, 34, 36, 42. 1911.
      Colorado, description. N.A. Fauna 33, p. 237, 1911.
    poison—
      and poison ivy, and their eradication. C. V. Grant and A. A. Hansen. F.V. 1166, pp. 16. 1920.
      characteristics, description, and distribution. D.B. 706, p. 4. 1918.
      description, names, and similar plants. F.B. 1166, pp. 8–11. 1920.
      eradication methods. F.B. 1166, pp. 15–16. 1920.
      food of crows. Y.B., 1915, pp. 97, 98, 99. 1916; Y.B. Sep. 659, pp. 97, 98, 99. 1916.
      poisoning, symptoms, prevention, and remedies. F.B. 1166, pp. 11–13. 1920.
    poor quality, cooperation for improvement. D.B. 706, pp. 10–11, 12. 1918.
    price per ton, 1910, 1918. D.B. 706, p. 3. 1918.
    production in United States, 1899–1914. D.B. 706, p. 2. 1918.
    scarlet. See Sumac, white.
    seeds, distribution by crows. D.B. 621, pp. 53, 69, 70. 1918.
    Sicilian—
      adulterants, microscopical examination, notes. B. J. Howard. Chem. Bul. 117, pp. 26–32. 1908.
      analysis of samples, 1905, table. Chem. Bul. 117, pp. 12–25. 1908.
      commercial. F. P. Veitch. Chem. Bul. 117, pp. 5–25. 1908.
      commercial, analysis, and adulterants. F. P. Veitch and B. J. Howard. Chem. Bul. 117, pp. 32. 1908.
      comparison with American sumac. D.B. 706, pp. 2, 3, 9, 12. 1918.
      culture and preparation for market. Chem. Bul. 117, pp. 6–7. 1908.
      description, appearance under microscope. Chem. Bul 117, p. 28. 1908.
      examination, microscopical. Chem. Bul. 117, pp. 8, 26–28. 1908.
      imports, 1870–1907, quantity and value. Chem. Bul. 117, p. 5. 1908.
    smooth—
      description, appearance under microscope. Chem. Bul. 117, p. 30. 1908.
      names, habitat, description, collection, uses, and prices. D.B. 26, pp. 9–10. 1913.
      See also Sumac, white.
    staghorn, characteristics, description, and distribution. D.B. 706, pp. 4, 12. 1918.
    tests for mechanical properties, results. D.B. 556, pp. 33, 41. 1917; D.B. 676, p. 27. 1919.
    transportation preparation, prices paid gatherers and dealers. D.B. 706, pp. 7, 12. 1918.
    upland. See Sumac, white.
    use on home grounds. F.B. 246, pp. 15–16. 1906.
    value in tanning bookbinding leather. F.B. 1183, rev., p. 18. 1920.
    white, characteristics, description, and distribution. D.B. 706, pp. 3–4, 12. 1918.
Sumatra, coffee production and exports. Stat. Bul. 79, pp. 10, 90. 1912.

INDEX TO PUBLICATIONS, 1901–1925 2325

Summer—
home(s)—
free sites, Lake Chelan County, description and permits. D.C. 91, pp. 11–13. 1920.
in mountains, leasing from Forest Service. D.C. 5, pp. 15–16. 1919.
in national forests, availability increased by roads. Y.B., 1916, p. 524. 1917; Y.B. Sep. 696, p. 4. 1917.
leasing from Forest Service. D.C. 6, pp. 13–14. 1919; D.C. 29, p. 11. 1919; D.C. 138, pp. 5, 12, 15, 22, 31, 53. 1920.
sites in—
Cascade National Forest. D.C. 104, pp. 9–17. 1920.
Oregon national forests, notes. D.C. 4, pp. 4–51. 1919.
Pike National Forest. D.C. 41, pp. 12–14. 1919.
resorts in New Hampshire, relation to mountain forests. For. Cir. 168, pp. 30–31. 1909.
savory, use as food flavoring. O.E.S. Bul. 245, p. 68. 1912.
schools. See Schools.
sores, horses, cause, description, and treatment. B.A.I. [Misc.], "Diseases of the horse," rev., pp. 442–443. 1903; rev., pp. 442–443. 1907; rev., pp. 442–443. 1911; rev., pp. 469–470. 1923.
spraying, orchards, lime-sulphur mixtures. W. M. Scott. B.P.I. Cir. 27, pp. 17. 1909.
spraying, usefulness and precautions, schedules. F.B. 908, pp. 7–8, 82–84, 90, 98. 1918.
teal. See Teal, blue-winged.
SUMMERS, J. N.: "Effect of low temperature on the hatching of gipsy-moth eggs." D.B. 1080, pp. 14. 1922.
SUMMERS, T. H.—
"Farm practice in growing field crops in three sugar-beet districts of Colorado." With Samuel B. Nuckols. D.B. 917, pp. 52. 1921.
"Farm practice in growing sugar beets for three districts in Colorado, 1914–1915." With others. D.B. 726, pp. 60. 1918.
"Farm practice in growing sugar beets for three districts in Utah and Idaho, 1914–1915." With others. D.B. 693, pp. 44. 1918.
"Farm practice in growing sugar beets in Michigan and Ohio." With others. D.B. 748, pp. 45. 1919.
"Farm practice in growing sugar beets in three California districts." With others. D.B. 760, pp. 48. 1919.
"Saving man labor in sugar-beet fields." With L. A. Moorhouse. F.B. 1042, pp. 19. 1919.
Sun—
cholera mixture, adulteration and misbranding. Chem. N.J. 1063, pp. 2. 1911.
color and halos, weather indications, proverbs regarding. Y.B., 1912, pp. 375, 377–378. 1913; Y.B. Sep. 599, pp. 375, 377–378. 1913.
curing, tobacco, methods. F.B. 523, pp. 16–17. 1913.
drying, directions and precautions. F.B. 841, pp. 6–7, 11–12. 1917; F.B. 903, pp. 43–45. 1917.
heat of, effect on temperature of pigs, blood and body. J.A.R., vol. 9, pp. 167–182. 1917.
plant, description, cultivation, and characteristics. F.B. 1171, pp. 71–72, 82. 1921.
preserves, strawberry, directions. S.R.S. Doc. 12, p. 4. 1917.
propagating frame for rooting citrus and other subtropical plants. Walter T. Swingle and others. D.C. 310, pp. 14. 1924.
rising and setting times, tables for. C. F. Marvin. W.B. [Misc.], "Sunshine tables," pp. 25. 1905.
scald—
beans. H. G. MacMillan. J.A.R., vol. 13, pp. 647–650. 1918.
fruit—
prevention. B.P.I. Cir. 118, p. 27. 1913; B.P.I. Cir. 129, p. 27. 1913.
trees, control. F.B. 727, pp. 28–29. 1916.
injury to lodgepole pine. D.B. 154, p. 24. 1915.
peach trees, cause and prevention. F.B. 917, p. 44. 1918.
pineapple, cause and control. Hawaii A.R., 1915, p. 61. 1916; P.R. Bul. 8, p. 41. 1909.

Sun—Continued.
scald—continued.
potato, description and control. F.B. 1349, p. 16. 1923; F.B. 1367, pp. 32–33. 1924; Hawaii Bul. 45, p. 34. 1920.
vegetables, under market, storage, and transit conditions. B.P.I. [Misc.], "Handbook of the * * *," pp. 22–23, 26, 58–59. 1919.
scorch disease of conifers, causes, symptoms, and control. D.B. 44, pp. 2–11, 20. 1913.
Sun River project, Montana, hints to settlers. J. S. Cotton and W. A. Remington. B.P.I. Doc. 462, pp. 7. 1909.
Sunburn—
disease of walnuts, injury to crop. B.P.I. Bul. 254, p. 92. 1913.
potato, description and control. F.B. 1367, pp. 32–33. 1924.
Sunday laws, usefulness in protection of birds. Biol. Bul. 12, rev., pp. 62–64. 1902.
Sundew, description, occurrence in Washington peat bogs, eastern Puget Sound Basin. Soil. Sur. Adv. Sh., 1909, p. 30. 1911; Soils F.O., 1909, p. 1542. 1912.
Sune. See Taro.
Sunfish, use in ponds for destruction of larvae. Ent. Bul. 88, p. 67. 1910.
Sunflower(s)—
ashes, value as potash. Y.B., 1912, p. 526. 1913; Y.B. Sep. 611, p. 526. 1913.
balsam root, description and nutritive value as forage crop. F.B. 425, pp. 10, 12. 1910.
composition—
at various stages of growth. D.B. 1045, p. 14. 1922.
comparison with corn at different stages of growth. R. H. Shaw and P. A. Wright. J.A.R., vol. 20, pp. 787–793. 1921.
study. J.A.R., vol. 24, pp. 776–777. 1923.
cultivation, composition, and uses. Harvey W. Wiley. Chem. Bul. 60, pp. 31. 1901.
cutting, time and methods. D.B. 1045, pp. 13–15. 1922.
description—
and varieties. F.B. 1381, p. 60. 1924.
characteristics, cultivation, and use. F.B. 1171, pp. 25–26, 83. 1921.
destruction by birds. Biol. Bul. 15, p. 95. 1901.
diseases, Texas, occurrence and description. B.P.I. Bul. 226, p. 103. 1912.
distance apart in row, relation to yield and food value. J.A.R., vol. 24, pp. 770, 777, 779–780. 1923.
Galmey, importation and description. No. 51037, B.P.I. Inv. 64, pp. 45–46. 1923.
growing—
and value as substitute crop. F.B. 1289, pp. 3, 30. 1923.
for silage—
experiments. S.R.S. Rpt., 1917, Pt. I, pp. 22, 25, 168, 169, 284. 1918; D.B. 1045, pp. 9–15, 1922.
Huntley experiment farm, yields. D.C. 275, p. 12. 1923.
in Montana, results. D.C. 86, pp. 12–14. 1920; D.C. 147, pp. 10–11. 1921.
in northern Great Plains. D.B. 1244, pp. 23–24, 50. 1924.
in—
California, San Joaquin Valley. Soil Sur. Adv. Sh., 1915, pp. 19. 140. 1918; Soils F.O., 1915, pp. 2595, 2716. 1919.
Guam, 1916. Guam A.R., 1916, p. 26. 1917.
United States, tests and experiments. D.B. 1045, pp. 2–9. 1922.
growth and composition on calcareous and noncalcareous soils, experiments, methods, etc. P.R. Bul. 16, pp. 14, 19–22, 33–45. 1914.
importation from Mexico and description. Inv. No. 29984, B.P.I. Bul. 233, p. 46. 1912.
importations and descriptions. No. 44103, B.P.I. Inv. 50, p. 29. 1922; No. 53240, B.P.I. Inv. 67, p. 43. 1923.
insect enemies. D.B. 1045, p. 31. 1922.
insect-resistant, importation and description. No. 32155, B.P.I. Bul. 261, p. 34. 1912.
investigations. Ray E. Neidig and Robert S. Snyder. J.A.R., vol. 24, pp. 769–780. 1923.
Mammoth Russian, silage yield, Belle Fourche experiment farm. D.C. 60, p. 25. 1919.

Sunflower(s)—Continued.
  native vegetation of Belle Fourche region. D.B. 1039, p. 4. 1922.
  oil—
    as adulterant of olive oil, analytical data, and tables. Chem. Bul. 77, pp. 15, 16, 17, 20, 21, 23, 25, 27, 28, 40-41, 44, 45. 1905.
    uses, food value, and digestion experiments. D.B. 687, pp. 9-11. 1918.
  planting at two-week intervals, experiments and results. J.A.R., vol. 27, pp. 145-147. 1924.
  resistance to frost. D.B. 1045, p. 5. 1922.
  Russian—
    growing with corn for silage, Nebraska. W.I.A. Cir. 27, pp. 25-26. 1919.
    variety test for silage, Huntley project, 1917-1920. D.C. 204, p. 12. 1921.
  rust-resistant, breeding work in Russia. D.B. 1045, p. 30. 1922.
  seed—
    areas in United States, location and crop. D.B. 1045, p. 3. 1922.
    composition, and effect of green manures. J.A.R., vol. 5, No. 25, p. 1162. 1916.
    destruction by birds. Biol. Bul. 30, p. 21. 1907.
    oil, uses, food value, and digestion experiments. D.B. 687, pp. 9-11. 1918; D.B. 769, pp. 30-31. 1919.
    use as food in—
      China. B.P.I. Bul. 204, p. 56. 1911.
      Russia. F.B. 332, p. 11. 1908.
  seeding, date, method, and rate. D.B. 1045, pp. 10-11. 1922.
  silage—
    chemical study and analyses. J.A.R., vol. 18, pp. 325-327. 1919; J.A.R., vol. 24, pp. 771-775. 1923.
    crop. H. N. Vinall. D.B. 1045, pp. 32. 1922.
    crop, tests. D.C. 86, pp. 12-14. 1920; D.C. 110, pp. 13-14, 15. 1920; D.C. 173, pp. 26-28. 1921; W.I.A. Cir. 24, p. 28. 1918.
    digestion experiments with cattle and sheep. Ray E. Neidig and others. J.A.R., vol. 20, pp. 881-888. 1921.
    feed value, palatability, color, odor, and acidity. D.B. 1045, pp. 19-29. 1922.
    value. Off. Rec., vol. 1, No. 13, p. 6. 1922.
  smother crop for quackgrass. F.B., 1307, p. 22. 1923.
  value—
    as forage crop. F.B. 425, pp. 10, 12. 1910.
    as soiling crop. D.B. 1045, p. 29. 1922.
    in semiarid regions. D.B. 1045, pp. 5-7. 1922.
  varieties, description of seed and yields. D.B. 1045, pp. 7-9. 1922.
  wild, seed, description. F.B. 428, pp. 21, 22. 1911.
  See also *Helianthus annuus.*
Sunken lands, Arkansas, description. Biol Bul. 38, pp. 5-6. 1911.
Sunlight—
  destructive of anthrax bacillus. B.A.I. An. Rpt., 1909, p. 227. 1911; F.B. 439, p. 15. 1911.
  direct, effect on growth of date palm. Silas C. Mason. J.A.R., vol. 31, pp. 455-468. 1925.
  effect on—
    enzymes. J.A.R., vol. 21, pp. 621-622. 1921.
    fungi cultures, studies. J.A.R., vol. 12, pp. 36, 39, 65-78, 80. 1918.
    germination of certain fungous spores. D.B. 1053, pp. 9-11. 1922.
    tubercle bacilli. B.A.I. Cir. 127, pp. 17-20. 1908.
  injury to coffee. P.R. Bul. 17, pp. 22, 23. 1915.
  nature and relations to plant growth in forests. D.B. 1059, pp. 41-49. 1922.
  necessity in abattoir construction. B.A.I. An. Rpt., 1909, pp. 249-250. 1911; B.A.I. Cir. 173, pp. 249-250. 1911.
  resistance of sacbrood virus. D.B. 431, pp. 38-40, 51, 52, 53. 1917.
  source of bottom heat for propagating frame. D.C. 310, pp. 3-6, 11. 1924.
  tropical, actinic power, study in Hawaii. Hawaii A.R., 1912, pp. 13, 59-62. 1913.
  use and value in moth control. News L., vol. 2, No. 37, p. 5. 1915.
  value as disinfectant. D.B. 480, p. 8. 1912.
Sunrise colors, cause. Y.B., 1915, p. 322. 1916; Y.B. Sep. 680, p. 322. 1916.

Sunset colors, cause. Y.B., 1915, p. 322. 1916; Y.B. Sep. 680, p. 322. 1916.
Sunshine—
  central Rocky Mountains, relation to forest types. D.B. 1233, pp. 111-115. 1924.
  data for forest stations, central Rocky Mountains. D.B. 1233, pp. 111-115. 1924.
  effect on—
    plum curculio. Ent. Bul. 103, pp. 59, 176. 1912.
    sugar-beets. Chem. Bul. 95, pp. 13, 14, 16, 26, 35-37. 1905.
  influence in sugar-beet growing. Chem. Bul. 96, p. 54. 1905.
  normal, three charts. W.B. [Misc.], "Climatic charts of U.S.," pp. 13-16. 1904.
  recorder—
    homemade, directions for making. Y.B. 1907, p. 273. 1908; Y.B. Sep. 471, p. 273. 1908.
    thermometric, description and use in forest study. D.B. 1059, pp. 50-51, 59. 1922.
  relation to—
    fruit setting. J.A.R., vol. 17, p. 110. 1919.
    fumigation injury to citrus fruits. D.B. 907, pp. 34-37. 1920.
    honey flow. D.B. 1339, pp. 36-38. 1925.
    solar radiation received by months. Y.B., 1924, pp. 495-497. 1925.
  tables—
    C. F. Marvin. W. B. [Misc.], "Sunshine Tables," Pt. I, pp. 25. 1905; Pt. II, pp. 25. 1905; Pt. III, pp. 25. 1905.
    use in determining location of windows in hog houses, methods. F.B. 438, pp. 25-29. 1911.
    value as germicide, experiments. News L., vol. 3, No. 16, pp. 2-3. 1915.
Sunstroke—
  cattle, symptoms and treatment. B.A.I. [Misc]. "Diseases of cattle," rev. pp. 105-107. 1904: rev. pp. 108-109. 1912; rev. pp. 108-109. 1923.
  cause and treatment. For [Misc.] "First-aid manual * * *," pp. 59-60. 1917.
  hog, cause, symptoms and treatment. F.B. 1244, p. 13. 1923.
  horse, description and treatment, prevention. B.A.I. [Misc.], "Diseases of the horse," rev., pp. 199-200. 1903; rev., pp. 199-200. 1907; rev., pp. 199-200. 1911; rev., pp. 219-220. 1923.
  treatment. D.C. 4, p. 70. 1919; D.C. 138, p. 73. 1920.
Superda candida—
  similarity to *Superda creata.* D.B. 886, p. 1. 1920.
  See also Apple-tree borer, roundheaded.
Superintendence, logging operations, expenses. D.B. 711, pp. 249-251. 1918.
Superior, Wis., milk supply, statistics, officials, prices, and ordinances. B.A.I. Bul. 46, pp. 38, 163. 1903.
Superior National Forest, Minn.—
  map. For. Maps. 1924.
  vacation trips. For. [Misc.], "A vacation land * * * Superior National Forest," pp. 12. 1919.
Superphosphate(s)—
  determination in commercial fertilizers. D.B. 97, pp. 1-11. 1914.
  double, efficiency in Porto Rican soils. J.A.R., vol. 25, pp. 172-183, 187. 1923.
  fertilizer, value, composition. Soils Bul. 41, pp. 10-11. 1907.
  for potatoes, experiments, Delta Experiment Farm, 1912. B.P.I. Cir. 127, p. 9. 1913.
  reversion. D.B. 144, pp. 11-12, 27. 1914.
  See also Phosphate, acid.
Supers—
  description, preparation, and manipulation. F.B. 1039, pp. 9-11, 12, 33-36. 1919.
  use in comb-honey production, description. F.B. 503, pp. 12-15, 16, 17. 1912.
Supervisors—
  forest, duties and qualification. For. Misc. 0-9, pp. 2-3. 1919; Y.B. 1920, pp. 310-315. 1921; Y.B. Sep. 847, pp. 310-315. 1921.
  grain, Federal, duties in grading grain. Y.B., 1918, pp. 338, 339, 340, 342. 1919; Y.B. Sep. 766, pp. 6, 7, 8, 10. 1919.
  livestock markets, appointment and duties. Y.B., 1919, pp. 243-248. 1920; Y.B. Sep. 809, pp. 243-248. 1920.

Supper—
  customary features, suggestions. Y.B., 1913, pp. 156–157. 1914; Y.B. Sep. 621, pp. 156–157. 1914.
  family of five, menu. News L., vol. 4, No. 36, p. 2. 1917.
  suitability for children. F.B. 717, pp. 3, 4, 5. 1916.
SUPPLEE, G. C.: "The keeping quality of dry milk." B.A.I. Dairy [Misc.], "World's dairy congress, 1923," pp. 1248–1253. 1924.
Supplies—
  department, purchase regulations. Adv. Com. F. and B.M. [Misc.] "Fiscal regulations * * *," amdt. 5, memo, 186, 190, pp. 1–3, 4–5. 1917.
  family, expenditures and consumption. D.B. 1214, pp. 8–19. 1924.
  farm—
    acreage to supply five adults. F.B. 1015, pp 14–16. 1919.
    cost accounting method. Sec. Cir. 132, pp. 11–12. 1919.
    organized purchase, committee work and suggested readings. Y.B., 1914, pp. 107–112, 138. 1915; Y.B. Sep. 632, pp. 21–26, 54. 1915.
    farmers' cooperation in purchase, principles. Y.B., 1913, pp. 256–257. 1914; Y.B. Sep. 626, pp. 256–257. 1914.
    inspectors, regulations. B.A.I.S.R.A. 85, pp. 77–78. 1914.
    miscellaneous, technical testing methods. Percy H. Walker; Chem. Bul. 109, pp. 48. 1908; rev., pp. 67. 1910.
    sale to members of cooperative buyers' associations. Y.B. 1915, p. 81. 1916; Y.B. Sep. 658, p. 81. 1916.
Suppositories—
  opaline, misbranding. Chem. S.R.A., supp. 19, p. 631. 1916.
  orange blossom, misbranding. Chem. S.R.A., supp. 18, p. 520. 1916.
Suprarenal glands, use in physiological testing of drug plants. Albert C. Crawford. B.P.I. Bul. 112, pp. 32. 1907.
SURE, BARNETT—
  "Biological analysis of the seed of the Georgia velvet bean, *Stizolobium deeringianum*." With J. W. Read. J.A.R., vol. 22, pp. 5–15. 1921.
  "Nutritive value of the Georgia velvet bean (*Stizolobium deeringianum*)." With J. W. Read. J.A.R., vol. 24, pp. 433–440. 1923.
Sure Death to Insects, analysis. Chem. Bul. 68, p. 56. 1902.
Sure Solvent misbranding—Dr. Sullivan's. Chem. N.J. 3130. 1914.
Surf bird—
  breeding range and migration habits. Biol. Bul. 35, p. 95. 1910; N.A. Fauna 24, p. 64. 1904.
  range, occurrence, and names. M.C. 13, p. 71. 1923.
SURFACE, F. M.—
  "A biometrical study of egg production in the domestic fowl. Pts I–III." With Raymond Pearl. B.A.I. Bul. 110, pp. 241. 1909–1914.
  "A method of correcting for soil heterogeneity in variety tests." With Raymond Pearl. J.A.R., vol. 5, No. 22, pp. 1039–1050. 1916.
  "Studies on oat breeding-V: The F_1 and F_2 generations of a cross between a naked and a hulled oat." With Jacob Zinn. J.A.R., vol. 10, pp. 293–312. 1917.
SURFACE, H. A.: "Demonstrations by farmers institutes." O.E.S. Bul. 251, pp. 41–45. 1912.
SURFACE, H. E.—
  "Bibliography of the pulp and paper industries." For. Bul. 123, pp. 48. 1913.
  "Effects of varying certain cooking conditions in producing soda pulp from aspen." D.B. 80, pp. 63. 1914.
  "Suitability of longleaf pine for paper pulp." With Robert E. Cooper. D.B. 72, pp. 26. 1914.
Surface—
  tension of solutions, relation to spreading qualities in spreaders for spray materials. R. H. Robinson. J.A.R., vol. 31, pp. 71–81. 1925.
  types, selection in road building, discussion. Y.B., 1917, pp. 270–277. 1918; Y.B. Sep. 727, pp. 8–15. 1918.
  water supplies, description, and danger of family use. F.B. 941, pp. 17–20. 1918.

Surfeit, cattle—
  description, causes, and treatment. B.A.I. [Misc.], "Diseases of cattle," rev., pp. 324–325. 1904; rev., pp. 336–337. 1912; rev., pp. 324–325. 1923.
  See also Urticaria, cattle.
Surgeon, tree, work and equipment. F.B. 1169, p. 8. 1921.
Surgery, application to cattle, methods of restraining animals. B.A.I. [Misc.], "Diseases of cattle," rev., pp. 289–291. 1923.
Surgical—
  dressings, use of Sphagnum. D.B. 802, p. 31. 1919.
  operations. William Dickson and William Herbert Lowe. B.A.I. [Misc.], "Diseases of cattle," pp. 285–303. 1904; rev., pp. 295–314. 1912; rev., pp. 289–302. 1923.
Surplus—
  garden, distribution and utilization. Mts. Doc. 6, pp. 10. 1917.
  milk, problem of dealers. B.A.I. [Misc.], "World's dairy congress, 1923," pp. 859–860. 1924.
  property, utilization. Y.B. 1922, p. 55. 1923; Y.B. Sep. 883, p. 55. 1923.
Surra—
  Ch. Wardell Stiles. B.A.I. [Misc.], "Diseases of the horse," rev., pp. 546–551. 1903; pp. 548–553. 1907; pp. 554–559. 1911; pp. 572–577. 1916; pp. 572–577. 1923.
  and allied trypanosomatic diseases. B.A.I. An. Rpt. 1901, p. 161. 1902.
  and allied trypanosomatic diseases, bibliography. Albert Hassall. B.A.I. Bul. 42, pp. 131–152. 1902.
  cattle, intermittent and curable. B.A.I. An. Rpt., 1909, pp. 88, 90. 1911; B.A.I. Cir. 169, pp. 88, 90. 1911.
  cause, and transmission by biting flies. B.A.I. An. Rpt., 1910, pp. 477–478. 1912; B.A.I. Cir. 194, pp. 477–478. 1912.
  emergency report. D. E. Salmon and Ch. Wardell Stiles. B.A.I. Bul. 42, pp. 130. 1902.
  eradication by destruction of diseased animals. Y.B., 1918, p. 243. 1919; Y.B. Sep. 783, p. 7. 1919.
  horse, symptoms, and eradication. Y.B., 1919, p. 77. 1920; Y.B. Sep. 802, p. 77. 1920.
  organism, use in preparation of antigen for diagnosis of dourine. J.A.R., vol. 1, pp. 102–105. 1913.
  origin, cause, symptoms, and control. John R. Mohler and Wm. Thompson. B.A.I. An. Rpt., 1909, pp. 81–98. 1911; B.A.I. Cir. 169, pp. 81–98. 1911.
  protozoa spread by dogs. D.B. 260, p. 22. 1915.
  rabbit inoculation, method and results. B.A.I. An. Rpt., 1909, pp. 85, 91–94. 1911.
  study and eradication, methods. John R. Mohler and William Thompson. B.A.I. An. Rpt., 1909, pp. 81–98. 1911; B.A.I. Cir. 169, pp. 17. 1911.
  transmission by stable fly. F.B. 540, p. 9. 1913; Y.B., 1912, p. 391. 1913; Y.B. Sep. 600, p. 391. 1913.
Surucucu. See Pereskia.
Survey—
  botanical, in southeastern Asia. Joseph F. Rock. D.B. 1057, pp. 29. 1922.
  compass in use by Forest Service. Off. Rec., vol. 4, No. 33, p. 5. 1925.
  cotton production cost, charts. Y.B., 1921, pp. 358–365. 1922; Y.B. Sep. 877, pp. 358–365. 1922.
  farm management—
    by enterprise cost, and questionnaires. F.B. 994, pp. 39–46. 1921.
    checking and tabulating data, suggestions. Farm M. Cir. 1, pp. 40. 1916.
  forest, directions for making. For. [Misc.], "Instructions for making * * *," pp. 51. 1910.
  forest disease. James R. Weir and Ernest E. Hubert. D.B. 658, pp. 23. 1918.
  market, work of Markets Office. Mkts. Doc. 1, pp. 3–4. 1915.
  marketing, State activities throughout the United States, results. Mkts. Doc. 3, pp. 7. 1916.
  poultry, directions and forms. D.B. 464, pp. 5–6, 25. 1916.

Survey—Continued.
  preliminary, of irrigation projects, need of thoroughness. Sec. Cir. 124, pp. 8-9, 14. 1919.
  Red River of the North, valley of. D.B. 1017, pp. 11-18. 1922.
  road—
    building, scope and disposition. Sec. Cir. 161, pp. 3-4. 1922.
    plans, specifications and estimates. Sec. Cir. 65, pp. 7-8, 18. 1916.
    regulations. Sec. Cir. 65, pp. 7-8, 18. 1917.
    rural, need and kind. News L., vol. 7, No. 17, pp. 3, 5. 1919.
    woodland, for rural schools. D.B. 863, pp. 2-3. 1920.
Surveying—
  agricultural, course for southern schools, references. D.B. 592, p. 28. 1917.
  school exercises. F.B. 638, pp. 19-21. 1915.
Susong calabao, importation and description. No. 42470, B.P.I. Inv. 47, p. 19. 1920.
Susquehanna—
  fine sandy loam. Soils of the eastern United States and their use—XXVIII. Jay A. Bonsteel. Soils Cir. 51, pp. 11. 1912.
  flats, public hunting grounds, regulations. D.B. 1049, pp. 29-30. 1922.
  sandy loam, testing with vanillin. D.B. 164, pp. 3-4. 1915.
Susquehanna River, silt carried per year. Y.B., 1913, p. 212. 1914; Y.B. Sep. 624, p. 212. 1914.
SUTER, H. M.: "Forest fires in the Adirondacks in 1903." For. Cir. 26, pp. 15. 1904.
Sutter Basin, soils, California, Marysville area, revision. Soils Cir. 79, pp. 10. 1913.
Suttoo, preparation as food, Hindoo recipes. B.P.I. Bul. 176, p. 26. 1910.
SUZUKI, S. K.: "Factors controlling the moisture content of cheese curds." With others. B.A.I. Bul. 122, pp. 61. 1910.
Svida stolonifera riparia. See Dogwood, red-osier.
Swainsona galegifolia—
  importation and description. No. 51066, B.P.I. Inv. 64, p. 50. 1923.
  See also Indigo plant.
Swallow—
  Alaska—
    species and occurrence. N.A. Fauna 30, p. 42. 1909.
    varieties. N.A. Fauna 24, pp. 77-78. 1904.
  bank—
    food habits. D.B. 107, p. 40. 1914.
    occurrence in Alaska and Yukon Territory. N.A. Fauna 30, pp. 42, 91. 1909.
    occurrence, nesting habits, and food. D.B. 619, pp. 3, 21-25, 28. 1918.
  barn—
    Alaska. N.A. Fauna 30, p. 42. 1909.
    description, nesting and food habits. F.B. 630. pp. 8-9. 1915.
    description, range and habits. F.B. 513, p. 13. 1913.
    enemy of codling moth. Y.B. 1911, p. 241. 1912; Y.B. Sep. 564, p. 241. 1912.
    occurrence, nesting habits, and food. D.B. 619, pp. 3, 11-15, 28. 1918.
    useful food habits and occurrence in Arkansas. Biol. Bul. 38, p. 71. 1911.
    western, food habits. Biol. Bul. 30, pp. 30-32. 1907.
  cliff—
    food habits. Biol. Bul. 30, pp. 28-30. 1907; D.B., 107, pp. 39-40. 1914.
    Jamaican, occurrence in Porto Rico, food habits. D.B. 326, pp. 85-87. 1916.
    occurence in Alaska. N.A. Fauna 30, p. 42. 1909.
    occurrence, nesting habits, and food. D.B. 619, pp. 3, 6-11, 28. 1918.
    description and food habits. F.B. 630, p. 8. 1915.
    food habits. Biol. Bul. 30, pp. 26-33. 1907; D.B. 107, pp. 39-41. 1914; Y.B. 1907, p. 169. 1908; Y.B., Sep. 443, p. 169. 1908.
    food habits. F. E. L. Beal. D.B. 619, pp. 28. 1918.
    harmlessness and value as insect destroyers. D.B. 619, pp. 1-3. 1918.
    migration habits and routes. D.B. 185, pp. 9, 13, 15, 16, 19, 26, 27. 1915.

Swallow—Continued.
  occurrence—
    in Athabaska-Mackenzie region. N.A. Fauna 27, pp. 451-457. 1908.
    in Pribilof Islands. N.A. Fauna 46, p. 97. 1923.
  usefulness in boll-weevil destruction. Biol. Bul. 29, pp. 8, 12-14. 1907.
  protection by law. Biol. Bul 12, rev., pp. 38, 39, 40, 41, 42. 1902.
  range and habits. N.A. Fauna 21, pp. 48-49. 1901; N.A. Fauna 22, pp. 123, 124. 1902; N.A. Fauna 24, pp. 77-78. 1904.
  rough-winged—
    food habits. D.B. 107, pp. 40-41. 1914.
    occurrence, nesting habits, and food. D.B., 619, pp. 3, 25-28. 1918.
  tree, Yukon Territory, note. N.A. Fauna 30, p. 63. 1909.
  value—
    as insect destroyers. H. W. Henshaw. Biol. Cir. 56, pp. 4. 1907.
    in boll-weevil destruction. News L., vol. 1, No. 46, pp. 3-4. 1914.
  violet-green—
    occurrence, food habits. Biol. Bul. 30, p. 32. 1907.
    occurrence, nesting habits, and food. D.B. 619, pp. 3, 19-21, 28. 1918.
  wort. See Celandine.
Swamp(s)—
  and overflowed lands in the U. S., ownership and reclamation. J. O. Wright. O.E.S. Cir. 76, pp. 23. 1907.
  balsam fir, ground-cover characteristics. D.B. 55, pp. 4-5. 1914.
  clearing and reclamation, methods and cost. Soils Cir. 65, pp. 5-8. 1912.
  cranberry, requirements. F.B. 1400, pp. 14-20. 1924.
  description, area, comparison with marsh, and use. Soils Cir. 69, p. 14. 1912.
  drainage—
    district, Back swamp and Jacob swamp, North Carolina, Robeson County, report. Samuel H. McCrory and Carl W. Mengel. O.E.S. Bul. 246, pp. 47. 1912.
    for mosquitoes, and value of reclaimed land. Ent. Bul. 88, pp. 42-62. 1910.
    in South Carolina, details and cost. D.B. 114, pp. 9-20. 1914.
    in southern Louisiana. D.B. 652, pp. 1-67. 1918.
  fever—
    in horses—
      cause, symptoms, and treatment. B.A.I. An. Rpt., 1908, pp. 225-229. 1910; B.A.I. Cir. 138, pp. 4. 1910.
      study. O.E.S. [Misc.], "Work and expenditures * * *, 1914," p. 184. 1915.
    localities where prevalent. B.A.I. Cir. 138, p. 2. 1909.
    names applied. B.A.I. Cir. 138, pp. 1, 2. 1909.
    or infectious anemia, of horses. John R. Mohler. B.A.I. Cir. 138, pp. 4. 1909.
    result of Gastrophilus larvae. D.B. 597, p. 13. 1918.
  forest land, South Carolina, stand of various trees per acre. For. Bul. 56, p. 13. 1905.
  homestead law, application in Lake Region. D.B. 1295, pp. 81-83. 1925.
  jack pines in, growth habits, infection percentage. D.B. 212, p. 4. 1915.
  land(s)—
    acts, purpose and area involved. D.B. 1257, p. 3. 1924.
    area in United States. Y.B., 1918, pp. 137-138. 1919; Y.B. Sep. 781, pp. 3-4. 1919.
    claimed by States to June 30, 1906, amount, location, and value. O.E.S. Cir. 76, pp. 6-9. 1907.
    cypress, areas, and value per acre. D.B. 272, pp. 50, 51, 53, 58-62. 1915.
    drainage in—
      New York, Orange County. Soil Sur. Adv. Sh., 1912, pp. 8, 25. 1914; Soils F.O., 1912, pp. 60, 77. 1915.

Swamp(s)—Continued.
 land(s)—continued.
  drainage in—continued.
   South Carolina, Georgetown County, needs and cost. Soil Sur. Adv. Sh., 1911, pp. 15–16, 35, 39, 43, 47, 54. 1912; Soils F.O., 1911, pp. 523–524, 543, 547, 551, 555, 562. 1914.
   southern Louisiana. D.B. 71, pp. 1–82. 1914.
  of Louisiana, utilization. D.B. 652, pp. 15–16. 1918.
  reclamation—
   for cultivation. F.B. 320, pp. 9–12. 1908; Y.B., 1918, p. 436. 1919; Y.B. Sep. 771, p. 6. 1919.
   in Lake Region. D.B. 1295, pp. 76–77. 1925.
   in southern Louisiana, investigations. D.B. 71, pp. 53–59. 1914.
  shrinkage after drainage and liability to burn. D.B. 652, pp. 13–15. 1918.
  utilization in China. Y.B., 1915, pp. 222–223. 1916; Y.B. Sep. 671, pp. 222–223. 1916.
 laurel. See Magnolia.
 peat materials. D.B. 802, pp. 20, 34–38. 1919.
 potato. See Wapato.
 privet, value as duck food, description, distribution, and propagation. D.B. 205, pp. 12–13. 1915.
 range lands, development for water supply, suggestions. F.B. 592, p. 8. 1914.
 reclamation—
  in New York, Long Island area. Soil Sur. Adv. Sh., 1903, p. 119. 1904; Soils F.O., 1903, p. 119. 1904.
  methods, assessments, and cooperation. News L., vol. 5, No. 2, p. 5. 1917.
  moor methods, adaptation in Guam. O.E.S. An. Rpt. 1907, p. 411. 1908.
  root, misbranding. See also Indexes to Notices of judgment, in bound volumes and in separates, published as supplements to Chemistry Service and Regulatory Announcements.
 soils—
  inoculation with old legume soil, results. O.E.S. Bul. 194, p. 101. 1907.
  sponge spicules. R. O. E. Davis. Soils Cir. 67, pp. 4. 1912.
 southern roads, control methods, studies. Rds. Cir. 95, pp. 10–12. 1911.
 sumac. See Poison sumac.
 value for timber and crops. Off. Rec., vol. 3, No. 38, p. 6. 1924.
 See also Lands, overflowed.
Swampwood. See Buttonwood; Moosewood.
Swan(s)—
 North American, distribution and migration. Biol. Bul. 26, pp. 84–87. 1906.
 occurrence in—
  Alaska. N.A. Fauna 24, pp. 59–61. 1904.
  Arkansas. Biol. Bul. 38, p. 23. 1911.
  Athabaska-Mackenzie region, and decrease since 1853. N.A. Fauna 27, pp. 309–311. 1908.
 protection under Federal regulations. Biol. Bul. 12, rev., p. 39. 1902; Y.B., 1918, p. 312. 1919; Y.B. Sep. 785, p. 12. 1919.
 species, range and habits. Biol. Bul. 26, p. 84. 1906; M.C. 13, pp. 38–39. 1923; N.A. Fauna 22, p. 91. 1902.
 trumpeter, protection. Off. Rec., vol. 3, No. 48, p. 2. 1924.
 use as food. D.B. 467, p. 7. 1916.
 whistling—
  occurrence in—
   Pribilof Islands, measurements. N.A. Fauna 46, p. 62. 1923.
   Yukon Territory. N.A. Fauna 30, p. 85. 1909.
  range and habits. N.A. Fauna 21, p. 73. 1901; N.A. Fauna, 24, pp. 60–61. 1904.
Swan Island, weather station, service for West Indies. An. Rpts., 1923, p. 109. 1923; W.B. Chief Rpt., 1923, p. 7. 1923.
Swanson, C. O.—
 "Chemical studies in making alfalfa silage." With E. L. Tague. J.A.R., vol. 10, pp. 275–292. 1917.
 "Chemistry of sweet-clover silage in comparison with alfalfa silage." With E. L. Tague. J.A.R., vol. 15, No. 2, pp. 113–132. 1918.

Swanson, C. O.—Continued.
 "Determination of acidity and titrable nitrogen in wheat with the hydrogen electrode. With E. L. Tague. J.A.R., vol. 16, pp. 1–13. 1919.
 "Effect of ration on development of pigs." J.A.R., vol. 21, pp. 279–341. 1921.
 "Hydrocyanic acid in Sudan grass." J.A.R., vol. 22, pp. 125–138. 1921.
 "Losses of organic matter in making brown and black alfalfa." With others. J.A.R., vol. 18, pp. 299–304. 1919.
 "Relation of the calcium content of some Kansas soils to the soil reaction as determined by the electrometric titration." With others. J.A.R. vol. 20, pp. 855–868. 1921.
 "Soil reaction in relation to calcium adsorption." J.A.R., vol. 26, pp. 83–123. 1923.
Swarm(s)—
 bee, hiving directions. F.B. 1198, pp. 23–25. 1921.
 box use in rearing queen bees, description. P.R. Cir. 16, pp. 8–9. 1918.
 control—
  in bees. George S. Demuth. F.B. 1198, pp. 47. 1921.
  in honey production, extracted and comb. F.B. 1215, pp. 21–23. 1922.
  in tulip-tree region. F.B. 1222, pp. 18–20. 1922.
 methods of separating queen bees and brood. F.B. 1039, pp. 32–33. 1919.
Swarming—
 artificial, control by beekeeper. F.B. 397, p. 28. 1910; F.B. 1198, pp. 31–34, 43. 1921.
 by months, and resulting increase. D.B. 685, pp. 9–11. 1918.
 control easier in production of extracted honey. Ent. Bul. 75, Pt. I, p. 2. 1907.
 honeybees, causes, and remarks. D.B. 1349, pp. 33–35. 1925.
 late, prevention. F.B. 1198, p. 43. 1921.
 management. F.B. 397, pp. 26–29. 1910; F.B. 447, pp. 29–32. 1911; F.B. 503, pp. 26–44. 1912; F.B. 1039, pp. 20–36. 1919; P.R. Cir. 13, pp. 13–16. 1911.
 of insects, causes. Ent. Bul. 10, p. 7–8. 1905.
 "shook," advantages. Ent. Bul. 75, p. 32. 1911; F.B. 447, p. 31. 1911.
Swarthout, A. V.—
 "A classification of ledger accounts for creameries." With others. D.B. 865, pp. 40. 1920.
 "A system of accounting for cotton ginneries." With J. A. Bexell. D.B. 985, pp. 42. 1921.
 "A system of bookkeeping for grain elevators." With others. D.B. 811, pp. 48. 1919.
 "Accounting records for sampling apples by weight." With J. H. Conn. D.B. 1006, pp. 13. 1921.
 "Hog production and marketing." With others. Y.B., 1922, pp. 181–280. 1923; Y.B. Sep. 882, pp. 181–280. 1923.
 "Producers' cooperative milk-distributing plant." With others. D.B. 1095, pp. 44. 1922.
Swartzia langsdorffii, importation and description. No. 35898, B.P.I. Inv. 36, p. 22. 1915.
Swaving, A. J.—
 "Butter control." "Cheese control." B.A.I. Dairy [Misc.], "World's dairy congress, 1923," pp. 749–760. 1924.
 "Task of the government dairy experts with regard to matters of dairying." B.A.I. Dairy [Misc.], "World's dairy congress, 1923," p. 400. 1921.
Sweat rooms, lemon curing, construction. B.P.I. Bul. 232, pp. 15–19. 1912.
Sweating plant. See Boneset.
Sweden—
 agricultural statistics, 1911–1919. D.B. 987, pp. 55–57. 1921.
 butter—
  control. B.A.I. Dairy [Misc.], "World's dairy congress 1923," pp. 751–752. 1924.
  industry and trade. D.C. 70, pp. 7, 18. 1919.
 cow-testing associations, milk production per food unit. B.A.I. Dairy [Misc.], "World's dairy congress, 1923," pp. 1085. 1924.
 cows and cattle statistics, 1850–1918. D.C. 7, pp. 3, 15. 1919.

Sweden—Continued.
dairy—
  herds, records and improvement under testing. B.A.I. An. Rpt., 1909, pp. 102–103. 1911; B.A.I. Cir. 179, pp. 102–103. 1911.
  instruction. Lars Fredrik Rosengren. B.A.I. Dairy [Misc.], "World's dairy congress, 1923," pp. 633–635. 1924.
  statistics, 1861–1920. B.A.I. Doc. A–37, pp. 62–63. 1922.
forest—
  destruction by insects, notable instances. Y.B. 1907, pp. 150, 151, 154, 158. 1908; Y.B. Sep. 442, pp. 150, 151, 154, 158. 1908.
  resources. For. Bul. 83, pp. 22–26. 1910.
forestry law. Sec. Cir. 140, p. 3. 1919.
fruit imports and exports, 1909–1913. D.B. 483, pp. 19–20. 1917.
grain—
  production, acreage. Stat. Bul. 68, pp. 89–91. 1908.
  trade. Stat. Bul. 69, pp. 51–54. 1908.
imports of packing-house products and meat animals. 1895–1904. Stat. Bul. 41, pp. 11–16. 1906.
laws—
  governing sale of arsenical papers and fabrics. Chem. Bul. 86, pp. 50–52. 1904.
  on fruit and plant introduction. Ent. Bul. 84, p. 37. 1909.
livestock statistics. Rpt. 109, pp. 32, 38, 49, 52, 60, 63, 205, 214. 1916.
meat—
  consumption. Rpt. 109, pp. 128, 133, 271–273. 1916.
  imports, statistics. Rpt. 109, pp. 102–114, 243–244, 255, 260, 262. 1916.
milk cows, numbers. Sec. [Misc.], Spec. "Geography * * * world's agriculture," p. 125. 1917.
potatoes, production, 1909–1913, 1921–1923. S.B. 10, p. 19. 1925.
prevalence of barberry bushes, and black rust of grains. D.C. 269, pp. 6–7. 1923.
sugar industry, 1903–1914. D.B. 473, pp. 57–58. 1917.
Svalof Plant Breeding Association, work on barleys. D.B. 137, pp. 3, 4, 17, 26–28. 1914.
wheat—
  imports, 1885–1905. Stat. Bul. 66, pp. 55–57. 1908.
  yield per acre. Sec. [Misc.], Spec., "Geography * * * world's agriculture," p. 23. 1917.
white-pine injury by blister rust, and control measures. D.B. 1186, pp. 11, 18, 23. 1924.
SWEENEY, M. P.: "A modification of the method for crude fiber determination." Chem. Bul. 137, pp. 157–160. 1911.
Sweep-rake(s)—
alfalfa haymaking. F.B. 339, p. 24. 1908.
efficiency and use, economy, studies. F.B. 838, pp. 9–12. 1917.
hay harvesting, means by which eastern hay growers may save labor. Arnold P. Yerkes and H. B. McClure. F.B. 838, pp. 12. 1917.
street—
  analyses. Soils Cir. 66, pp. 3–4. 1912.
  city, as fertilizer. J. J. Skinner and J. H. Beattie. Soils Cir. 66, pp. 8. 1912.
  composition, yield of cities, and fertilizer value. Y.B., 1914, pp. 298–300. 1915; Y.B. Sep. 643, pp. 298–300. 1915.
  effect on growth of wheat, corn, and radish, comparison with manure. Soils Cir. 66, pp. 4–8. 1912.
  oil content, studies. Soils Cir. 66, pp. 6–7. 1912.
  types, description, and use, methods. F.B. 838, pp. 6–9. 1917.
  value to hay-growers, description, and use methods. F.B. 838, pp. 3–6. 1917.
SWEET, A. T.: "Soil survey of—
Andrew County, Mo." With H. V. Jordan. Soil Sur. Adv. Sh., 1921, pp. 817–850. 1925.
Barry County, Mo." With E. W. Knobel. Soil Sur. Adv. Sh., 1916. pp. 42. 1918; Soils F.O., 1916, pp. 1931–1970. 1921.

SWEET, A. T.—Continued.
Brooks County, Ga." With B. W. Tillman. Soil Sur. Adv. Sh., 1916, pp. 42. 1918; Soils F.O., 1916, pp. 589–626. 1921.
Carroll County, Ga." With others. Soil Sur. Adv. Sh., 1921, pp. 129–154. 1924.
Cole County, Mo." With Robert Wildermuth. Soil Sur. Adv. Sh., 1920, pp. 1501–1530. 1924; Soils F.O., 1920, pp. 1501–1530. 1925.
Colquitt County, Ga." With J. B. R. Dickey Soil Sur. Adv. Sh., 1914, pp. 39. 1915; Soils F.O., 1914, pp. 961–995. 1919.
Cooper County, Mo." With others. Soil Sur. Adv. Sh., 1909, pp. 31. 1911; Soils F.O., 1909, pp 1367–1397. 1912.
Covington County, Miss." With others. Soil Sur. Adv. Sh., 1917, pp. 36. 1919; Soils F.O., 1917, pp. 867–902. 1923.
Dunklin County, Mo." With others. Soil Sur. Adv. Sh., 1914, pp. 47. 1916; Soils F.O., 1914, pp. 2095–2135. 1919.
Grayson County, Tex." With others. Soil Sur. Adv. Sh., 1909, pp. 35. 1910. Soils F.O., 1909, pp. 951–983. 1912.
Grundy County, Mo." With W. I. Watkins. Soil Sur. Adv. Sh., 1914, pp. 34. 1916; Soils F.O., 1914, 1975–2004. 1919.
Henry County, Tenn." With others. Soil Sur. Adv. Sh., 1922, pp. 77–109. 1925
Houston County, Ala." With R. T. Avon Burke. Soil Sur. Adv. Sh., 1920, pp. 315–344. 1923; Soils F.O., 1920, pp. 315–344. 1925.
Jackson County, Mo." With others. Soil Sur. Adv. Sh., 1910, pp. 37. 1912; Soils F.O., 1910, pp. 1261–1293. 1912.
Klamath reclamation project, Oregon." With I. G. McBeth. Soil Sur. Adv. Sh. 1908, pp. 45. 1910; Soils F.O., 1908, pp. 1373–1413. 1911.
Laurens County, Ga." With others. Soil Sur. Adv. Sh., 1915, pp. 41. 1916; Soils F.O, 1915, pp. 621–657. 1919.
Lincoln County, Mo." With others. Soil Sur. Adv. Sh., 1919, pp. 44. 1920; Soils F.O., 1917, pp. 1483–1522. 1923.
Meigs County, Tenn." With J. H. Agee. Soil Sur. Adv. Sh., 1919, pp. 38. 1921; Soils F.O., 1919, pp. 1253–1286. 1925.
Newton County, Mo." With others. Soil Sur. Adv. Sh., 1915, pp. 41. 1917; Soils F.O., 1915, pp. 1851–1887. 1919.
Pemiscot County, Mo." With others. Soil Sur. Adv. Sh., 1910, pp. 32. 1912; Soils F.O., 1910, pp. 1317–1344. 1912.
Pike County, Mo." With E. C. Hall. Soil Sur. Adv. Sh., 1912, pp. 44. 1914. Soils F.O., 1912, pp. 1711–1750. 1915.
Pike County, Mo." With others. Soil Sur. Adv. Sh., 1918, pp. 32. 1921; Soils F.O., 1918, pp. 649–676. 1924.
Platte County, Mo." With others. Soil Sur. Adv. Sh., 1911, pp. 29. 1912; Soils F.O., 1911, pp. 1701–1725. 1914.
Rails County, Mo." With W. I. Watkins. Soil Sur. Adv. Sh., 1913, pp. 41. 1914; Soils F.O., 1913, pp. 1815–1851. 1916.
Stoddard County, Mo." With others. Soil Sur. Adv. Sh., 1912, pp. 38. 1914; Soils F.O., 1912, pp. 1751–1784. 1915.
the Colusa area, California." With others. Soil Sur. Adv. Sh., 1907, pp. 50. 1909; Soils F.O., 1907, pp. 927–972. 1909.
the Modesto-Turlock area, California, with a brief report on a reconnaissance survey of the region east of the area." With others. Soil Sur. Adv. Sh., 1908, pp. 70. 1909; Soils F.O., 1908, pp. 1229–1294. 1911.
Troup County, Ga." With Howard C. Smith. Soil Sur. Adv. Sh., 1912, pp. 25. 1913; Soils F.O., 1912, pp. 633–653. 1915.
Sweet alyssum—
description and cultivation. F.B. 1171, pp. 72–74, 79. 1921.
dodder, occurrence in Texas. B.P.I. Bul. 226, p. 89. 1912.
Sweet basil—
drying directions. D.C. 3, p. 16. 1919.
use as—
deterrent of mosquitoes. Ent. Bul. 88, p. 26. 1910.
food flavoring. O.E.S. Bul. 245, p. 68. 1912.

Sweet basil—Continued.
   value in perfumery production. B.P.I. Bul. 195, p. 42. 1910.
Sweet bush. *See* Sweet Fern.
Sweet cicely, description and use. D.B. 503, p. 15. 1917.
Sweet clover—
   J. M. Westgate and H. N. Vinall. F.B. 485, pp. 39. 1912.
   adaptability—
      comparison with other forage crops. F.B. 485, pp. 13, 14. 1912.
      for Corn-Belt farms. News L., vol. 6, No. 26, 1911, p. 228. 1912.
   adaptation to alkaline soils. O.E.S. An. Rpt., 1911, p. 228. 1912.
   advantages in bluegrass pastures. F.B. 1005, pp. 16-19, 26-28. 1919.
   Arctic, value in North. D.C. 169, p. 20. 1921.
   biennial forms, characteristics and values. D.C. 169, pp. 7-8, 17-20. 1921.
   comparison with alfalfa as pig pastures, tests. W.I.A. Cir. 23, pp. 22-23. 1918.
   composition—
      and palatability, comparison with other foods. F.B. 820, pp. 23-28. 1917.
      comparison with other forage feeds. F.B. 485, pp. 27-28, 30. 1912.
   crop rotation. F.B. 1005, pp. 5-10, 11-25. 1919.
   cross-pollination and self-pollination. D.B. 844, p. 10. 1920.
   cultural directions and soil requirements. F.B. 485, pp. 12-24. 1912.
   cutting time and method. F.B. 704, p. 21. 1916; News L., vol. 4, No. 42, p. 4. 1917.
   danger of bloat in cattle. D.R.P. Cir. 2, p. 6. 1916.
   description. F.B. 455, p. 37. 1911; S.R.S. Syl. 34, pp. 16-17. 1918.
   destruction for control of clover stem borer. D.B. 889, p. 22. 1920.
   drought resistance. F.B. 704, p. 20. 1916.
   eradication. F.B. 797, pp. 33-34. 1917.
   feeding value for hay and pasture. B.P.I. Cir. 80, p. 14. 1911.
   floral organs, structure and development. D.B. 844, pp. 4-8. 1920.
   flowers, manipulation in seed production. D.B. 844, pp. 10-13. 1920.
   growing—
      as catch crop to be plowed under. F.B. 1005, pp. 5-7, 13-14, 25-26. 1919.
      at Akron Field Station. D.B. 1304, p. 21. 1925.
      for—
         hay, cutting, and treatment of fields. B.P.I. Cir. 80, pp. 14-16. 1911.
         soil improvement. F.B. 1005, pp. 25-26. 1919.
      in—
         Nebraska, Jefferson County. Soil Sur. Adv. Sh. 1921, p. 1449. 1925.
         Nevada. B.P.I. Cir. 122, pp. 18-19. 1913.
         North Dakota, McHenry County. Soil Sur. Adv. Sh., 1921, p. 942. 1925.
         northern Great Plains, experiments and yields. D.B. 1244, pp. 35-36, 48. 1924.
         Texas, Denton County. Soil Sur. Adv. Sh., 1918, pp. 10-11. 1922; Soils F.O., 1918, pp. 782-783. 1924.
         Wyoming, experiments. D.B. 1306, pp. 24-25. 1925.
      method. H.S. Coe. F.B. 797, pp. 35. 1917.
      requirements for success. F.B. 1005, pp. 3-5. 1919.
   harvesting and threshing the seed crop. H.S. Coe. F.B. 836, pp. 23. 1917.
   history and distribution. F.B. 797, pp. 10-12. 1917.
   hogging down. F.B. 704, p. 14. 1916.
   Illinois, type, value. D.C. 169, pp. 19-20. 1921.
   importation and description. Nos. 43595-43597, B.P.I. Inv 49, pp. 49-50. 1921.
   inoculation methods. F.B. 485, pp. 18-19. 1912; F.B. 797, pp. 27-29. 1917.
   investigations. Ray E. Neidig and Robert S. Snyder, J.A.R., vol. 24, pp. 795-799. 1923.
   need of lime. F.B. 704, p. 20. 1916.
   nutritive value of hay. F.B. 374, p. 15. 1909.
   on Corn-Belt farms. J. A. Drake and J. C. Rundles. F.B. 1005, pp. 28. 1919.

Sweet clover—Continued.
   pasture experiments, Nebraska, Scottsbluff experiment farm. W.I.A. Cir. 27, pp. 18-19. 1919.
   pasturing by hogs, results on irrigated lands. D.B. 752, pp. 24-25, 36. 1919.
   plowing under, difficulties, value of tractor. F.B. 1005, pp. 5-7, 14, 25-26. 1919.
   pollination studies of seed protection. D.B. 844, pp. 1-25. 1920.
   production, yields in different sections. F.B. 475, pp. 22, 30, 33-38. 1912.
   seed—
      Part I. Pollination studies of seed production. Part II. Structure and chemical nature of the seed coat and its relation to impermeable seeds of sweetclover. H. S. Coe and J. N. Martin. D.B. 844, pp. 39. 1920.
      adulterant, use and description. F.B. 382, pp. 9, 19. 1909.
      bed preparation. F.B. 485, p. 15. 1912; F.B. 797, pp. 21-22. 1917.
      coat structure and microchemistry. D.B. 844, pp. 31-34. 1920.
      description—
         choice, and treatment. F.B. 797, pp. 5, 7, 9, 19-21. 1917.
         quantity per acre, and production. D.C. 169, pp. 8-9. 1921; F.B. 428, pp. 5, 6. 1911; F.B. 485, pp. 8, 10, 16-17, 32. 1912.
      effect of moisture on production. D.B. 844, pp. 22-25. 1920.
      germination tests. B.P.I. Cir. 80, p. 15. 1911.
      harvesting and threshing. H. S. Coe. F.B. 836, pp. 23. 1917.
      hulling and scarifying. F.B. 797, pp. 19-21. 1917.
      production—
         experiments, Huntley experiment farm, 1915-1916, yield. W.I.A. Cir. 15, p. 25. 1917.
         field conditions, and insect work. D.B. 844, pp. 13-22. 1920.
         yield, and harvesting. F.B. 1005, pp. 9-10, 15, 16, 17, 21, 22, 25. 1919.
      quantity for use alone and in mixtures. F.B. 1005, pp. 16, 19, 23, 24. 1919.
      quantity per acre. B.P.I. Cir. 80, p. 15. 1911.
      quantity per acre or foot. F.B. 797, pp. 23, 25. 1917.
      scarifying to aid germination. F.B. 1005, pp. 4-5, 16. 1919.
      screenings not injurious to sheep. C. Dwight Marsh and Glenwood C. Roe. D.C. 87, pp. 7. 1920.
      stacking. F.B. 836, pp. 17-18. 1917.
      time of harvesting, prevention of loss. F.B. 836, pp. 3-4. 1917.
      unsatisfactory yields. D.B. 844, pp. 1-2. 1920.
      yields per acre. F.B. 836, pp. 21-22. 1917.
   seeding rate and methods. F.B. 797, pp. 22-27. 1917.
   silage—
      chemistry of, in comparison with alfalfa silage. C. O. Swanson and E. L. Tague. J.A.R., vol. 15, pp. 113-132. 1918.
      composition and acidity. J.A.R., vol. 24, No. 9, pp. 797-799. 1923.
      effect on milk, experiments. D.B. 1097, pp. 17-19. 1922.
   soil improvement. F.B. 485, pp. 14, 30-31. 1912.
   species, description. F.B. 797, pp. 4-10. 1917.
   stand, treatment first and second seasons. F.B. 797, pp. 30-32. 1917.
   straw, analyses and uses. F.B. 836, p. 23. 1917.
   use—
      and value for pasture, hay, silage, or fertilizer. F.B. 820, pp. 3-31. 1917.
      as fertilizer crop, and growing methods. F.B. 1250, pp. 36-37. 1922.
      as green manure, experiments. F.B. 278, p. 24. 1907.
      as legume in grain growing. F.B. 704, pp. 20-21. 1916.
      as pasture in South. B.A.I. Bul. 131, pp. 37-38. 1911.
      in inoculation of alfalfa field in sandy soil. B.P.I. Cir. 80, pp. 20-21. 1911.
      for hay, pasturage and feed. F.B. 485, pp. 21-30. 1912.

Sweet clover—Continued.
use—continued.
in soil improvement. F.B. 981, p. 15. 1918.
on Truckee-Carson farm. W.I.A. Cir. 19, pp. 13-14. 1918.
utilization. H. S. Coe. F.B. 820, pp. 32. 1917.
value—
as pasture in Alabama. B.A.I. Bul. 159, p. 50. 1912.
for green manure. D.C. 169, pp. 14-17, 20. 1921.
varieties, description of seeds and pods, and growing habits. F.B. 485, pp. 8-10. 1912.
water requirement in Colorado, 1911, experiments. B.P.I. Bul. 284, pp. 30, 31, 37, 47. 1913.
white—
annual, and strains of biennial form. A. P. Pieters and L. W. Kephart. D.C. 169, pp. 21. 1921.
annual, origin, description, variations, and uses. D.C. 169, pp. 3-5, 10-17. 1921.
biennial, description. F.B. 485, p. 8. 1912.
description. F.B. 797, pp. 5-9. 1917.
difference in internode lengths, and effect of light duration upon seedlings. A. J. Pieters. J.A.R., vol. 31, pp. 585-596. 1925.
wild annual, origin and description. D.C. 169, p. 6. 1921.
yellow—
biennial and annual. F.B. 797, p. 9. 1917.
large biennial. F.B. 485, p. 9. 1912.
small-annual. F.B. 485, pp. 9-10. 1912.
See also Melilot; Melilotus.
Sweet corn. See Corn, green; Corn, sweet.
Sweet curds, use in diet, recipes. F.B. 413, p. 19. 1910.
Sweet fern—
habitat, range, description, uses, collection, and prices. B.P.I. Bul. 219, p. 9. 1911.
root nodules, nitrogen-gathering, description and usefulness. Y.B., 1910; pp. 216, 218. 1911; Y.B. Sep. 530, pp. 216, 218. 1911.
Sweet flag—
distribution. N.A. Fauna 22, p. 14. 1902.
habitat, range, description, collection, prices, and uses of roots. B.P.I. Bul. 107, p. 16. 1907.
See also Calamus.
Sweet gale—
distribution. N.A. Fauna 22, p. 16. 1902.
See also Sweet fern.
Sweet oil. See Oil, sweet.
Sweet orange. See Citrus sinensis.
Sweet peas—
garden, growing methods. F.B. 532, pp. 5-9. 1913.
insect enemies. F.B. 532, pp. 9, 12-13. 1913.
winter-flowering, growing methods. F.B. 532, pp. 9-13. 1913.
Sweet-pod. See Carob tree.
Sweet potato(es)—
D. M. Nesbit. F.B. 129, pp. 39. 1902.
W. R. Beattie. F.B. 324, pp. 39. 1908.
acre value in food. F.B. 877, pp. 4, 6. 1917.
acreage—
1909. Sec. [Misc.], Spec. "Geography * * * world's agriculture." p. 97. 1917.
1918, and acreage and production since 1909. S.R.S. Doc. 96, pp. 11, 15. 1919.
and production—
1914-1918. An. Rpts., 1918, p. 7. 1918; Sec. A.R., 1918, p. 7. 1918.
1925. Sec. A.R., 1925, pp. 3, 102. 1925.
in Southern States, 1909-1919. D.C. 85, p. 18. 1920.
increase in South, 1909-1917. S.R.S. Rpt., 1917, Pt. II, p. 26. 1919.
and yield in West Virginia, Boone County. Soil Sur. Adv. Sh., 1913, pp. 9, 14. 1915; Soils F.O., 1913, pp. 1299, 1304. 1916.
and yams, census 1909, and estimate 1915, by States, map. Y.B., 1915, p. 373. 1916; Y.B. Sep. 681, p. 373. 1916.
production and value—
1913, estimate. F.B. 570, pp. 8, 10, 33. 1913; F.B. 645, p. 33. 1914.
and States producing. D.B. 1063, p. 1. 1922.
yield—
and profits, Modesto-Turlock area, California. Soil Sur. Adv. Sh., 1908, p. 53. 1909; Soils F. O., 1908, p. 1277. 1911.

Sweet potato(es)—Continued.
acreage—continued.
yield—continued.
prices and marketing, 1923. Y.B., 1923, pp. 773-778. 1924; Y.B. Sep. 100, pp. 773-778. 1924.
adaptability to—
acid lands. D.B. 6, p. 8. 1913.
Cecil sandy loam. Soils Cir. 27, p. 15. 1911.
African, importation and description, No. 36056. B.P.I. Inv. 36, p. 44. 1915.
alcohol manufacture, value. F.B. 268, pp. 30-32. 1906.
American varieties—
group classification and varietal descriptions. H.C. Thompson and J.H. Beattie. D.B. 1021, pp. 30. 1922.
in Europe. F.B. 129, pp. 30-32. 1901.
analyses during storage. J.A.R. vol. 5, No. 13, pp. 546-557. 1915.
and yams, quarantine—
for injurious insects, proposed. F.H.B.S.R.A. 45, pp. 120-121. 1917.
from all foreign countries. F.H.B.S.R.A. 48, pp. 2-3. 1918.
notices 29 and 30. F.H.B.S.R.A. 47, pp. 144-145. 1917.
beds, making, heating, watering, and protection. F.B. 324, pp. 10-12, 1908; F.B. 999, pp. 10-13. 1919.
behavior in ground. Heinrich Hasselbring. J.A.R., vol. 12, pp. 9-17. 1918.
Belmont, canning value and description. D.B. 1041, pp. 8, 11, 24, 30. 1922.
Bermuda red, description. F.B. 324, p. 37. 1908.
bibliography. D.B. 1021, pp. 26-30. 1922.
Big-Stem Jersey—
canning value and description. D.B. 1041, pp. 8, 9, 11, 12, 13, 14, 17, 18, 21, 22, 23, 24, 30. 1922.
description. F.B. 1267, p. 11. 1922.
Black Rock, growing in Virgin Islands. Vir. Is. A.R., 1919, p. 16. 1920.
black rot, description and control. B.P.I. Cir. 114, pp. 9-14. 1913; F.B. 324, pp. 24-25. 1908; F.B. 714, pp. 22, 24-25. 1916; F.B. 856, pp. 5-5, 65. 1917; F.B. 1059, pp. 8-11, 20. 1919; J.A.R., vol. 15, pp. 344-346. 1918; S.R.S. Syl. 26, p. 14. 1917.
blight, yellow. See Stem rot.
blister beetle, injury to flowers and control. Ent. Bul. 82, Pt. VII, p. 92. 1911.
borers, descriptions. Sec. [Misc.], "A manual * * * insect * * *," pp. 209-210. 1917.
breeding study in Virgin Islands. Vir. Is. Bul. 5, pp. 14. 1925.
bushel weights, by States. Y.B., 1918, p. 725. 1919; Y.B. Sep. 795, pp. 61-62. 1919.
canned—
adulteration. Chem. N.J. 3467. 1915.
pack of 1920. D.B. 1041, p. 1. 1922.
canning—
directions. F.B. 839, pp. 18, 29. 1917; F.B. 853, pp. 21, 27. 1917.
experiments in testing temperature changes. D.B. 956, pp. 36-39, 50. 1921.
methods. D.B. 196, pp. 64-66. 1915; D.B. 1084, p. 35. 1922; News L., vol. 2, No. 52, p. 8. 1915.
pressure, vacuum and heat, studies. D.B. 1022, pp. 38-47. 1922.
seasons and methods. Chem. Bul. 151, p. 36. 1912.
carbohydrate—
metabolism, effect of oxygen pressures. J.A.R., vol. 14, pp. 273-284. 1918.
transformations. J.A.R., vol. 5, No. 13, pp. 543-560. 1915.
carlot-shipments, by States, 1917-1922. Y.B., 1922, pp. 683, 775, 776. 1923; Y.B. Sep. 884, pp. 683, 775, 776. 1923.
chemical—
changes during growth. J.A.R., vol. 12, pp. 9-17. 1918.
composition. D.B. 1041, pp. 3-6. 1922.
classification key for seedlings. Vir. Is. Bul. 5, p. 9. 1925.
climate suitable. F.B. 129, pp. 9-10. 1901.

Sweet potato(es)—Continued.
composition—
and food value when added to other foods.
F.B. 324, pp. 38, 39. 1908.
as source of alcohol. F.B. 429, p. 20. 1911.
comparison with yautias. B.P.I. Bul. 164, p. 14. 1910.
in farm storage and cold storage. J.A.R., vol. 3, pp. 335–339. 1915.
percentages, August to November. J.A.R., vol. 12, pp. 10–15. 1918.
protein and carbohydrates, note. B.P.I. Doc. 1110, p. 3. 1914.
consistency in canning, tests of varieties. D.B. 1041, pp. 16–23. 1922.
cooking, instructions. D.B. 123, pp. 26–27. 1916; F.B. 129, pp. 27–29. 1901; O.E.S. Bul. 245, p. 41. 1912.
crop, value increase, 1899–1909. F.B. 548, pp. 3, 14. 1913.
cultural directions. F.B. 934, pp. 40–41. 1918; F.B. 937, pp. 16, 19, 23, 47–48. 1918; F.B. 999, p. 20. 1919; F.B. 1044, p. 37. 1919; S.R.S. Syl. 26, p. 6. 1917.
culture—
and yields in the Virgin Islands. Vir. Is. A.R., 1924, pp. 6–8. 1925.
experiments, suggestions. F.B. 129, pp. 37–39. 1901.
cuttings, production experiments in Hawaii, 1917. Hawaii A.R., 1917, p. 49. 1918.
decay—
produced by *Rhizopus spp.* and *Botrytis cinerea.* J.A.R., vol. 25, pp. 155–164. 1923.
Rhizopus spp. causing. J. I. Lauritzen and L. L. Harter. J.A.R., vol. 24, pp. 441–456. 1923.
decaying, acid production by *Rhizopus tritici.* H. A. Edson. J.A.R., vol. 25, pp. 9–12. 1923.
desication. Chem. Bul. 130, p. 101. 1910.
destruction by—
semitropical army worm, notes. Ent. Bul. 66, pp. 59–60. 1910.
termites. J.A.R., vol. 26, p. 290. 1923.
differences in varieties. D.B. 1041, p. 2. 1922.
digestibility and place in diet. D.B. 468, pp. 21, 28. 1917; F.B. 295, pp. 27–28. 1907.
digestion experiment. O.E.S. Bul. 159, pp. 173–174. 1905.
digger, description. F.B. 520, p. 11. 1912; F.B. 970, p. 21. 1918.
digging—
and handling. F.B. 714, p. 25. 1916; News L., vol. 6, No. 37, p. 10. 1919.
days' work, with sweetpotato plow. D.B. 3, pp. 37–38. 1913.
handling, and storing to prevent rots. F.B. 1059, pp. 22–24. 1919.
sorting and curing. F.B. 970, pp. 21–23. 1918.
discoloration, causes and prevention. D.B. 1041, pp. 13–16, 31. 1922.
diseases—
L. L. Harter. F.B. 714, pp. 26. 1916.
and insects. F.B. 999, p. 21. 1919.
and insect pests, control. D.C. 35, pp. 24–25. 1919; F.B. 999, p. 21. 1919.
cause, description, and control. F.B. 1059, pp. 1–24. 1919.
description and control methods. S.R.S. Syl. 26, pp. 12–16. 1917.
fungus species causing, identification. J.A.R., vol. 2, pp. 251–286. 1914.
in field, classification and description. F.B. 1059, pp. 3–18. 1919.
occurring under market, storage, and transit conditions. B.P.I. [Misc.], "Handbook of the * * * ," pp. 63–65. 1919.
prevention and control. F.B. 324, pp. 24–26. 1908.
storage and fertilizers. B.P.I. Chief Rpt., 1924, p. 12. 1924.
Texas, occurrence and description. B.P.I. Bul. 226, p. 44. 1912.
disinfection—
and spraying for weevil control. F.B. 1020, pp. 20–21, 23–24. 1919.
before bedding. B.P.I. Bul. 281, p. 36. 1913.
method and value in stemrot control. F.B. 714, p. 4. 1916.

Sweet potato(es)—Continued.
disinfection—continued.
of seed and hotbeds. B.P.I. Cir. 114, pp. 16–18. 1913; News L., vol. 3, No. 34, p. 4. 1916.
distribution—
and relative importance in South. F.B. 714, p. 1. 1916.
description, composition, and nutritive value. D.B. 468, pp. 17–20, 28. 1917.
Dooley, description. D.B. 1041, pp. 8, 11, 17, 25, 30. 1922; F.B. 999, p. 30. 1919; F.B. 1267, p. 12. 1922.
dried—
and canned. D.B. 468, pp. 20–21. 1917.
cooking recipes. F.B. 841, p. 27. 1917.
dry rot—
caused by *Diaporthe batatatis.* L. L. Harter and Ethel C. Field. B.P.I. Bul. 281, pp. 38. 1913.
description and—
cause. F.B. 1059, p. 21. 1919; J.A.R., vol. 2, pp. 251, 265, 276. 1914.
prevalence in hotbed, field, and storage. B.P.I. Bul. 281, pp. 8–10. 1913.
dissemination and control. B.P.I. Bul. 281, pp. 35–36. 1913.
drying directions. D.B. 1335, p. 38. 1925; D.C. 3, p. 15. 1919; F.B. 841, pp. 21–22. 1917; F.B. 984, p. 52. 1918.
early Red Carolina, canning value, and description. D.B. 1041, pp. 8, 11, 14, 17, 25, 30. 1922.
effect of—
cooking, and cooking methods. D.B. 468, p. 20. 1917.
Rhizopus tritici on respiration and carbohydrate changes. J. L. Weimer and L. L. Harter. J.A.R., vol. 21, pp. 627–635. 1921.
emergency crop, overflowed lands. B.P.I. Doc. 756, p. 6. 1912.
estimates, 1910–1922. M.C. 6, p. 10. 1923.
feed use and value. Y.B., 1923, p. 364. 1924; Y.B. Sep. 895, p. 364. 1924.
fertilizers. F.B. 129, pp. 10–15. 1901; F.B. 324, pp. 6–9, 16–17. 1908; F.B. 999, pp. 6–8. 1919; Sec. [Misc.], Spec., "Sweet-potato growing * * * ," p. 4. 1915; Soils Bul. 67, pp. 59–62. 1910.
flour—
and bread, analyses and characteristics. D.B. 701, pp. 4–9. 1918.
manufacture and use methods. News L., vol. 5, No. 38, p. 6. 1918.
production experiments. An. Rpts., 1919, p. 225. 1920; Chem. Chief Rpt., 1919, p. 15. 1919.
flowers and seed in Virgin Islands, description. Vir. Is. Bul. 5, p. 2. 1925.
food value—
and uses. D.B. 1041, pp. 1–3. 1922; F.B. 419, pp. 22–24. 1910.
comparison with cereals. D.B. 975, pp. 5, 12. 1921; F.B. 817, p. 21. 1917.
foot rot. L. L. Harter. J.A.R., vol. 1, pp. 251–274. 1913.
forecast by States, September, 1913. F.B. 558, p. 19. 1913.
freezing points. D.B. 1133, pp. 6, 7, 8. 1923.
Fusarium species affecting, identification. J.A.R., vol. 2, pp. 251–286. 1914.
Georgia variety, description. F.B. 999, p. 29. 1919.
Gold Skin—
canning value, and description. D.B. 1041, pp. 8, 11, 13, 14, 17, 26, 30. 1922.
description. F.B. 1267, p. 11. 1922.
grades, establishment in Arkansas. News L., vol. 3, No. 25, p. 8. 1916.
grading—
and marketing. F.B. 999, pp. 25–26. 1919.
importance in securing select stock. F.B. 520, pp. 11, 14. 1912.
grazing for hogs, value. F.B. 985, pp. 7, 9, 10, 24, 27. 1918; F.B. 1125, rev., p. 49. 1920.
groups, key, and descriptions. D.B. 1021, pp. 6–11. 1922.
growing—
Fred E. Miller. F.B. 999, pp. 31. 1919.

Sweet potato(es)—Continued.
growing—continued.
and fertilizers, Thomas County, Ga. Soil Sur. Adv. Sh., 1908, pp. 23–24, 38, 41, 43, 49. 1910; Soils F.O., 1908, pp. 413–414, 428, 431, 433, 439. 1911.
and shipping in Hawaii. Hawaii A.R., 1910, pp. 36–37. 1911.
and value for cotton States. F.B. 1125, rev., pp. 49–50. 1920.
and yield—
in Georgia, Chatham County. Soil Sur. Adv. Sh., 1911, pp. 14, 16, 19, 21. 1912; Soils F.O., 1911, pp. 572, 574, 577, 579. 1914.
on Norfolk sand, types in demand. Soils Cir. 44, pp. 13, 17. 1911.
on Norfolk sandy loam. Soils Cir. 45, p. 10. 1911.
on Orangeburg fine sandy loam. Soils Cir. 46, pp. 16, 19. 1911.
areas, climate and soils adapted. F.B. 324, pp. 4–6. 1908.
as forage crop for hogs. F.B. 951, p. 17. 1918.
hand and machine labor, comparison, time, and cost. Stat. Bul. 94, p. 67. 1912.
in Alabama—
Choctaw County. Soil Sur. Adv. Sh., 1921, p. 981. 1925.
Clay County. Soil Sur. Adv. Sh., 1915, p. 9. 1916; Soils F.O., 1915, p. 831. 1919.
Coffee County. Soil Sur. Adv. Sh., 1909, pp. 11, 34, 36, 39. 1911; Soils F.O., 1909, pp. 807, 830, 832, 837. 1912.
Covington County. Soil Sur. Adv. Sh., 1912, pp. 12, 18, 20, 23, 25. 1914; Soils F.O., 1912, pp. 804, 810, 812, 815, 817. 1915.
Crenshaw County. Soil Sur. Adv. Sh., 1921, pp. 380–395. 1924.
Fayette County. Soil Sur. Adv. Sh., 1917, pp. 9, 20, 24, 26. 1920; Soils F.O., 1917, pp. 703, 714, 718, 720. 1923.
Houston County. Soil Sur. Adv. Sh., 1920, pp. 319, 327–341. 1923; Soils F.O., 1920, pp. 319, 327–341. 1925.
Lowndes County. Soil Sur. Adv. Sh., 1916, pp. 12, 30–59. 1918; Soils F.O., 1916, pp. 792, 794, 812–842. 1921.
Marengo County. Soil Sur. Adv. Sh., 1920, pp. 561, 572–588. 1923; Soils F.O., 1920, pp. 561, 572–588. 1925.
Pickens County. Soil Sur. Adv. Sh., 1916, pp. 23, 27. 1917. Soils F.O., 1916, pp. 919, 930. 1921.
Shelby County. Soil Sur. Adv. Sh., 1917, pp. 11, 14, 24–30, 38, 48–53. 1920; Soils F.O., 1917, pp. 741, 744, 754–760, 768, 778–783. 1923.
in Arkansas—
Drew County. Soil Sur. Adv. Sh., 1917, pp. 13, 23, 25, 28. 1919; Soils F.O., 1917, pp. 1287, 1297, 1299, 1302. 1923.
Howard County. Soil Sur. Adv. Sh., 1917, pp. 9, 10, 22–26, 32, 36, 38, 40. 1919; Soils F.O., 1917, pp. 1359, 1360, 1373–1376, 1382, 1386, 1388, 1390. 1923.
Lonoke County. Soil Sur. Adv. Sh., 1921, p. 1287. 1925.
Pope County. Soil Sur. Adv. Sh., 1913, pp. 13, 28. 1915; Soils F.O., 1913, pp. 1229, 1244. 1916.
in California—
lower San Joaquin Valley. Soil Sur. Adv. Sh., 1915, pp. 21–22, 140, 143, 152. 1918; Soils F.O., 1915, pp. 2597–2598, 2716, 2719. 1919.
Merced area, irrigation, yields, and cost. Soil Sur. Adv. Sh., 1914, pp. 13–14. 1916; Soils F.O., 1914, pp. 2793–2794, 2823, 2835. 1919.
Yuma experiment farm. W.I.A. Cir. 12, pp. 22–23. 1916.
in Cotton Belt. H. C. Thompson. Sec. [Misc.], Spec. "Sweetpotato growing * *," pp. 8. 1915.
in Delaware—
Kent County. Soil Sur. Adv. Sh., 1918, pp. 9, 11, 16, 18, 24. 1920; Soils F.O., 1918, pp. 49, 51, 56, 58, 64. 1924.

Sweet potato(es)—Continued.
growing—continued.
in Delaware—continued.
Sussex County. Soil Sur. Adv. Sh., 1920, pp. 1535, 1539, 1545–1552. 1924; Soils F.O., 1920, pp. 1535, 1539, 1545–1552. 1925.
in Florida—
Duval County. Soil Sur. Adv. Sh., 1921, pp. 25, 27, 33–43. 1923.
Flagler County. Soil Sur. Adv. Sh., 1918, pp. 10, 18, 39. 1922; Soils F.O., 1918, pp. 540, 550, 569. 1924.
Orange County. Soil Sur. Adv. Sh., 1919, p. 13. 1922; Soils F.O., 1919, p. 959. 1925.
St. Johns County. Soil Sur. Adv. Sh., 1917, pp. 9, 10, 20, 29. 1920; Soils F.O., 1917, pp. 669, 670, 671, 680. 1923.
in Georgia—
Brooks County. D.B. 648, pp. 22, 24, 29, 30, 46–48. 1918; Soil Sur. Adv. Sh., 1916, p. 12. 1918; Soils F.O., 1916, pp. 593–596, 608–616. 1921.
Chatham County. Soil Sur. Adv. Sh., 1911, pp. 14, 16, 19, 21. 1912; Soils F.O., 1911, pp. 572, 574, 577, 579. 1914.
Colquitt County, acreage, and yields. Soil Sur. Adv. Sh., 1914, pp. 12, 15. 1915; Soils F.O., 1914, pp. 968, 971. 1919.
Glynn County. Soil Sur. Adv. Sh., 1911, pp. 10, 17, 18, 22–45. 1912; Soils F.O., 1911, pp. 598–605, 606, 610–633. 1914.
Habersham County. Soil Sur. Adv. Sh., 1913, pp. 16, 27. 1915; Soils F.O., 1913, pp. 412, 423. 1916.
Laurens County. Soil Sur. Adv. Sh., 1915, p. 13. 1916; Soils F.O., 1915, p. 629. 1919.
Miller County. Soil Sur. Adv. Sh., 1913, pp. 18, 20, 23. 1914; Soils F.O., 1913, pp. 528, 530, 533. 1916.
Mitchell County. Soil Sur. Adv. Sh., 1920, pp. 5, 8, 14, 15, 17, 18, 19, 36. 1922; Soils F.O., 1920, pp. 5, 8, 14, 15, 17, 18, 19, 36. 1925.
Pierce County. Soil Sur. Adv. Sh., 1918, pp. 10, 18. 1920; Soils F.O., 1918, pp. 492, 500. 1924.
Sumter County. D.B. 1034, pp. 12, 15, 18, 20. 1922.
Tattnall County. Soil Sur. Adv. Sh., 1914, pp. 10, 21–34. 1915; Soils F.O., 1914, pp. 822, 833–846. 1919.
Terrell County. Soil Sur. Adv. Sh., 1914, pp. 15, 32, 40, 52. 1915; Soils F.O., 1914, pp. 871, 888, 896, 908. 1919.
Turner County, yields. Soil Sur. Adv. Sh., 1915, pp. 10, 16. 1916; Soils F.O., 1915, pp. 626, 631. 1919.
in Guam, directions. Guam Bul. 2, pp. 12, 53–55. 1922; Guam Cir. 2, p. 15. 1921.
in Hawaii—
H. L. Chung. Hawaii Bul. 50, pp. 20. 1923.
for hog feed. Hawaii Bul. 48, pp. 31, 33. 1923.
in Iowa—
Lee County. Soil Sur. Adv. Sh., 1914, pp. 11, 18. 1916; Soils F.O., 1914, pp. 1917, 1924, 1936, 1938. 1919.
Louisa County. Soil Sur. Adv. Sh., 1918, pp. 14, 15, 43. 1921; Soils F.O., 1918, pp. 1028, 1029, 1057. 1924.
Muscatine County. Soil Sur. Adv. Sh., 1914, pp. 17, 37, 39–42. 1916; Soils F.O., 1914, pp. 1837, 1857, 1859–1862. 1919.
in Kansas—
Cowley County. Soil Sur. Adv. Sh., 1915, pp. 31, 32, 39. 1917; Soils F.O., 1915, pp. 1947, 1948, 1955. 1919.
Shawnee County, yields. Soil Sur. Adv. Sh., 1911, pp. 15, 38. 1913; Soils F.O., 1911, pp. 2069, 2092. 1914.
in Kentucky, labor, seasonal requirements. D.B. 678, p. 9. 1918.
in Louisiana—
on hill farms, labor requirements. D.B. 961, pp. 4, 20–22. 1921.
Rapides Parish. Soil Sur. Adv. Sh., 1916, pp. 11, 17, 23. 1918; Soils F.O., 1916, pp. 1127, 1133, 1139. 1921.

Sweet potato(es)—Continued.
  growing—continued.
    in Louisiana—Continued.
      Sabine Parish. Soil Sur. Adv. Sh., 1919, pp. 11, 16, 25, 28, 43. 1922; Soils F.O., 1919, pp. 1047, 1052, 1061, 1064, 1079. 1925.
      Washington Parish. Soil Sur. Adv. Sh., 1922, pp. 351, 353. 1925.
      Webster Parish. Soil Sur. Adv. Sh., 1914, pp. 12, 18-31. 1916; Soils F.O., 1914, pp. 1246, 1252-1265. 1919.
    in Maryland—
      Anne Arundel County. Soil Sur. Adv. Sh., 1909, p. 17. 1910; Soils F.O., 1909, p. 283. 1912.
      Charles County. Soil Sur. Adv. Sh., 1918, pp. 10, 26. 1922; Soils F.O., 1918, pp. 82, 98. 1924.
      Somerset County. Soil Sur. Adv. Sh., 1920, pp. 1291-1292, 1301-1309. 1924; Soils F.O., 1920, pp. 1291-1292, 1301-1309. 1925.
      Wicomico County. Soil Sur. Adv. Sh., 1921, pp. 1016, 1019, 1020. 1925; Soils F.O., 1921, pp. 1016, 1019, 1020. 1926.
    n Mississippi—
      George County. Soil Sur. Adv. Sh., 1922, p. 37. 1925.
      Jefferson Davis County. Soil Sur. Adv. Sh., 1915, pp. 9, 18. 1916; Soils F.O., 1915, pp. 1031, 1049. 1919.
      Lauderdale County yields. Soil Sur. Adv. Sh., 1910, p. 17. 1912; Soils F.O., 1910, p. 745. 1912.
      Newton County. Soil Sur. Adv. Sh., 1916, pp. 8, 9, 17, 35. 1918; Soils F.O., 1916, pp. 1084, 1085, 1093, 1110. 1921.
      Pearl River County. Soil Sur. Adv. Sh., 1918, pp. 11, 12, 18-28. 1920; Soils F.O., 1918, pp. 621, 622, 628-638. 1924.
      Pike County. Soil Sur. Adv. Sh., 1918, pp. 11, 17, 26. 1921; Soils F.O., 1918, pp. 655, 671, 675. 1924.
      Simpson County. Soil Sur. Adv. Sh., 1919, pp. 12, 15, 21, 24. 1921; Soils F.O., 1919, pp. 1018, 1021, 1027, 1030. 1925.
      Smith County. Soil Sur. Adv. Sh., 1920, pp. 449, 453, 460, 463, 470, 485. 1923; Soils F.O., 1920, pp. 449, 453, 460, 463, 470, 485. 1925.
    in Missouri—
      Dunklin County. Soil Sur. Adv. Sh., 1914, p. 19. 1916; Soils F.O., 1914, p. 2107. 1919.
      Newton County, acreage, and yields. Soil Sur. Adv. Sh., 1915, pp. 12, 15, 25, 33. 1917; Soils F.O., 1915, pp. 1858, 1861, 1872, 1879. 1919.
    in New Jersey, Millville area. Soil Sur. Adv Sh., 1917, pp. 13, 14, 16-17, 28-35. 1921; Soils F.O., 1917, pp. 201, 202, 204-205, 216-233. 1923.
    in North Carolina—
      Beaufort County. Soil Sur. Adv. Sh., 1917; pp. 11, 12, 13, 20-28. 1919; Soils F.O., 1917, pp. 413, 414, 415, 422-430. 1923.
      Bladen County, acreage and yields. Soil Sur. Adv. Sh., 1914, pp. 9, 10. 1915; Soils F.O., 1914, pp. 627, 628. 1919.
      Columbus County. Soil Sur. Adv. Sh., 1915, pp. 10, 24. 1917; Soils F.O., 1915, pp. 428, 442. 1919.
      Durham County. Soil Sur. Adv. Sh., 1920, pp. 1353-1354, 1360-1373. 1924; Soils F.O., 1920, pp. 1353-1354, 1360-1373. 1925.
      Forsyth County. Soil Sur. Adv. Sh., 1913, pp. 11, 16, 19, 23. 1914; Soils F.O., 1913, pp. 183, 188, 191, 195. 1916.
      Harnett County. Soil Sur. Adv. Sh., 1916, pp. 9, 17, 18. 1917; Soils F.O., 1916, pp. 392, 398-407. 1921.
      Hertford County. Soil Sur. Adv. Sh., 1916, pp. 11, 26, 30, 31. 1917; Soils F.O., 1916, pp. 427, 442, 446, 447. 1921.
      Hickory area. Soils F.O., 1902, pp. 245, 246. 1903; Soils F.O., Sep. 1902, pp. 256, 257. 1903.
      Moore County. Soil Sur. Adv. Sh., 1919, pp. 9, 25, 30-38. 1922; Soils F.O., 1919, pp. 727, 743, 748-756. 1925.
      Onslow County. Soil Sur. Adv. Sh., 1921, pp. 104, 110-114, 122. 1923.

Sweet potato(es)—Continued.
  growing—continued.
    in North Carolina—Continued.
      Tyrrell County. Soil Sur. Adv. Sh., 1920, pp. 842, 843, 847-849. 1924; Soils F.O., 1920, pp. 842, 843, 847-849. 1925.
      Union County, acreage and yields. Soil Sur. Adv. Sh., 1914, pp. 9, 10, 19, 22, 25-39. 1916; Soils F.O., 1914, pp. 593, 594, 602, 606-616. 1919.
      Wake County. Soil Sur. Adv. Sh., 1914, pp. 9, 19-41. 1916; Soils F.O., 1914, pp. 521, 531-552. 1919.
      Wayne County. Soil Sur. Adv. Sh., 1915, p. 10. 1916; Soils F.O., 1915, pp. 502, 512, 515. 1919.
    in Oklahoma, Canadian County. Soil Sur. Adv. Sh., 1917, pp. 36, 37, 42. 1919; Soils F.O., 1917, pp. 1430, 1431, 1436. 1923.
    in South Carolina—
      Berkeley County. Soil Sur. Adv. Sh., 1916, pp. 12, 21, 24-30. 1918; Soils F.O., 1916, pp. 490, 498, 502-508. 1921.
      Dorchester County. Soil Sur. Adv. Sh., 1915, pp. 10, 19, 21, 29. 1917; Soils F.O., 1915, pp. 550, 559, 561, 568. 1919.
      Greenville County. Soil Sur. Adv. Sh., 1921, pp. 193, 201. 1924.
      Horry County. Soil Sur. Adv. Sh., 1918, pp. 9, 11, 24. 1920; Soils F.O., 1918, pp. 333, 335, 348. 1924.
      Kershaw County. Soil Sur. Adv. Sh., 1919, pp. 12, 14, 30, 38-54. 1922; Soils F.O., 1919, pp. 770, 772, 788, 796-812. 1925.
      Spartanburg County. Soil Sur. Adv. Sh., 1921, p. 415. 1924.
    in Tennessee, Henry County. Soil Sur. Adv. Sh., 1922, p. 84. 1925.
    in Texas—
      Dallas County. Soil Sur. Adv. Sh., 1920, pp. 1220, 1241, 1247. 1924; Soils F.O., 1920, pp. 1220, 1241, 1247. 1925.
      Denton County. Soil Sur. Adv. Sh., 1918, pp. 7, 8. 1922; Soils F.O., 1918, pp. 779, 780. 1924.
      Jefferson County, yields. Soil Sur. Adv. Sh., 1913, pp. 14-15, 26, 27. 1915; Soils F.O., 1913, pp. 1010-1011, 1022, 1023. 1916.
      northwestern part. Soil Sur. Adv. Sh., 1919, pp. 21, 43, 68. 1922; Soils F.O., 1919, pp. 1119, 1141, 1166. 1925.
      Red River County. Soil Sur. Adv. Sh., 1919, pp. 161, 169, 171, 174. 1923; Soils F.O., 1919, pp. 161, 169, 171, 174. 1923.
      Smith County. Soil Sur. Adv. Sh., 1915, pp. 12, 31, 33, 34. 1917; Soils F.O., 1915, pp. 1086, 1105, 1107, 1108. 1919.
      Tarrant County. Soil Sur. Adv. Sh., 1920, pp. 867, 886-897. 1924; Soils F.O., 1920, pp. 867, 886-897. 1925.
    in Virginia—
      Accomac and Northampton Counties, details. Soil Sur. Adv. Sh., 1917, pp. 24, 26-28, 37-46. 1920; Soils F.O., 1917, pp. 370, 372-374, 383-392. 1923.
      trucking districts. D.B. 1005, pp. 4, 5, 14, 23, 24, 32, 36, 38, 43, 44, 54-70. 1922.
    in West Virginia—
      McDowell and Wyoming Counties. Soil Sur. Adv. Sh., 1914, pp. 11, 19-29. 1916; Soils F.O., 1914, pp. 1433, 1441-1451. 1919.
      Raleigh County. Soil Sur. Adv. Sh., 1914, pp. 17, 26, 29. 1916; Soils F.O., 1914, pp. 1409-1421. 1921.
    labor and implements. D.B. 1292, pp. 4, 7. 1925.
    methods and varieties. F.B. 647, pp. 22-23. 1915.
  on—
    New Jersey soils. D.B. 677, pp. 30-74. 1918.
    Norfolk fine sand, yields. Soils Cir. 23, pp. 11-12. 1911.
    Norfolk fine sandy loam, yield. Soils Cir. 22, pp. 9, 11, 13. 1911.
    Sassafras soils, yields. D.B. 159, pp. 21, 31, 47. 1915.
    truck soils in Atlantic coast region. Y.B. 1912, pp. 422, 423, 429, 431. 1913; Y.B. Sep. 603, pp. 422, 423, 429, 431. 1913.

Sweet potato(es)
  growing—continued.
    statistics of day's work in several operations. Y.B., 1922, pp. 1071, 1072. 1923; Y.B. Sep. 890, pp. 1071, 1072. 1923.
  harvesting—
    and curing. F.B. 1267, pp. 9-11. 1922.
    directions. F.B. 999, pp. 21-23. 1919.
    handling, and storage temperature. News L., vol. 4, No. 12, p. 6. 1916.
    marketing, and storing. F.B. 324, pp. 26-35. 1908.
  Hayman, description. F.B. 324, p. 36. 1908.
  hog pasture, value. B.P.I. Bul. 111, Pt. IV, p. 18. 1907.
  hotbeds, preparation, for stem-rot control. F.B. 714, pp. 4-5. 1916.
  importation(s)—
    and descriptions. Nos. 31985-31998, 32084-32086, B.P.I. Bul. 261, pp. 15, 26. 1912; Nos. 35280-35281, B.P.I. Inv. 35, p. 31. 1915; Nos. 39729-39735, 39741-39742, 39799-39802, 39831-39833, 39941-39945, 40237-40258, 40388, B.P.I. Inv. 42, pp. 7, 18, 19, 20, 24, 42, 99, 112. 1918; Nos. 47432, 47433, 47532, 47845, B.P.I. Inv. 59, pp. 18, 28, 67. 1922.
    prohibition from all foreign countries. F.H.B. S.R.A. 48, pp. 2-3. 1918.
  in Hawaii—
    marketing. Hawaii Bul. 14, pp. 39-40. 1907.
    shipping to San Francisco. Y.B. 1915, pp. 143-144. 1916; Y.B. Sep. 663, pp. 143-144. 1916.
  infection by different species of Rhizopus, influence of temperature. J. I. Lauritzen and L. L. Harter. J.A.R., vol. 30, pp. 793-810. 1925.
  injury by—
    Argus tortoise beetle. J.A.R., vol. 27, pp. 43, 46, 48, 49. 1923.
    frost. F.B. 324, pp. 26-27. 1908.
    maggots. Ent. Bul. 82, pp. 90-91. 1912.
    pox or soilrot, description. J.A.R., vol. 13, pp. 439-440, 448. 1918.
    red-banded leaf-roller. D.B. 914, pp. 1, 2, 10, 12. 1920.
  inoculation with—
    dry-rot fungus. B.P.I. Bul. 281, pp. 16-35. 1913.
    Plenodomus destruens, experiments. J.A.R., vol. 1, pp. 256-262. 1913.
    Rhizopus nigricans strains. J.A.R., vol. 26, pp. 364-365. 1923.
  insect(s)—
    and diseases attacking. F.B. 856, pp. 63-67. 1917.
    attacking, in Hawaii. David T. Fullaway. Hawaii Bul. 22, pp. 31. 1911.
    injurious, work of New Jersey Experiment Station. O.E.S. An. Rpt., 1910, p. 195. 1911.
    pests, description and list. Sec. [Misc.] "A manual * * * insects * * *," pp. 209-210. 1917.
  introduction and distribution in Hawaii. Hawaii A. R. 1911, p. 40. 1912.
  Ipomoea batatas, Fusarium species occurring on, identification of. H. W. Wollenweber. J.A.R. vol. 2, pp. 251-286. 1914.
  irrigation with pumped water, cost and yield per acre. O.E.S. Bul. 158, p. 315. 1905.
  Jersey—
    Big Stem, yellow, and red, description. F.B. 324, pp. 35-36. 1908.
    group and varieties, descriptions. D.B. 1021, pp. 6, 9, 17-18. 1922.
    Little Stem, susceptibility to Rhizopus spp. J.A.R., vol. 22, pp. 512, 514, 515. 1922.
    varieties good for marketing and canning. F.B. 520, pp. 10, 11. 1912; F.B. 999, pp. 27-28. 1919.
    varieties, losses during storage. D.B. 1063, pp. 11, 12, 13, 17, 18. 1922.
  keeping qualities under different handling and storage. D.B. 1063, pp. 5-10, 12-15. 1922.
  labor requirements—
    and field practice in Georgia. D.C. 83, pp. 19, 20. 1920.
    in South. D.B. 1181, pp. 8, 35-36, 61. 1924.
    per acre, Georgia farms. Farm M. Cir. 3, pp. 26, 28, 30. 1919.

Sweet potato(es)—Continued.
  leaf—
    blight, description. F.B. 1059, p. 17. 1919.
    folder. Thomas H. Jones. D.B. 609, pp. 12. 1917.
    spot, description. F.B. 1059, pp. 17-18. 1919.
  losses by weevil infestation, and nature of injury. F.B. 1020, pp. 4, 11-14. 1919.
  low-sugar content after harvesting, increase in storage. J.A.R. vol. 3, pp. 339, 341. 1915.
  Madeira, cultivation in Hawaii. Hawaii Bul. 1, p. 7. 1917.
  maggots affecting in the South. Ent. Bul. 82, pp. 90-91. 1911.
  mailing restrictions in Hawaii and Porto Rico. F.H.B.S.R.A. 48, p. 3. 1918.
  market statistics, 1919 and 1920. D.B. 982, pp. 236-237. 1921.
  marketing—
    grading and packaging. F.B. 970, pp. 26-27. 1918.
    methods. Rpt. 98, p. 164. 1913.
  mature fleshy root, structure and composition. J.A.R., vol. 27, pp. 162-164. 1924.
  meal—
    feed value. Off. Rec., vol. 3, No. 36, p. 8. 1924.
    feeding to cows, results. D.B. 1272, p. 7. 1924.
  Miles, canning value and description. D.B. 1041, pp. 8, 26, 30. 1922.
  misbranding. Chem. N. J. 13661. 1925.
  Mullihan, canning value and description. D.B. 1041, pp. 8, 11, 27, 30. 1922.
  Nancy Hall—
    canning value and description. D.B. 1041, pp. 8, 9, 10, 11, 12, 13, 17, 18, 19, 21, 22, 23, 24, 27, 30. 1922.
    description. F.B. 999, p. 29. 1919; F.B. 1267, p. 12. 1922.
    susceptibility to Rhizopus spp. J.A.R., vol. 22, pp. 512, 514, 515. 1922.
    value to southern growers. F.B. 520, p. 10. 1912.
  over size, utilization. Off. Rec., vol. 2, No. 34, p. 3. 1923.
  packing season. D.B. 196, p. 19. 1915.
  partial substitute for wheat in bread. S.R.S. Doc. 64, pp. 4, 8. 1917.
  perennial in tropical countries, note. F.B. 324, p. 9. 1908.
  pie, recipe. F.B. 1136, p. 35. 1920.
  pits and cellars. F.B. 324, p. 29. 1908.
  planting—
    day's work. D.B. 3, p. 20. 1913.
    directions for club members. D.C. 48, p. 10. 1919.
    distances apart. F.B. 999, p. 17. 1919.
    intentions, and outlook for 1924. M.C. 23, pp. 3, 4, 15. 1924.
  plants—
    inoculation with eggplant fungus, experiments. J.A.R., vol. 2, pp. 333-338. 1914.
    setting, directions. F.B. 999, pp. 16-20. 1919.
  Porto Rico variety, canning value and description. D.B. 1041, pp. 8, 10, 11, 12, 13, 17, 18, 19, 21, 22, 23, 27, 30. 1922; F.B. 999, p. 30. 1919; F.B. 1267, p. 12. 1922.
  potatoes and other starchy roots as food. C. F. Langworthy. D.B. 368, pp. 29. 1917.
  pox—
    control by sulphur in 1923. Work and Exp., 1923, p. 41. 1925.
    description, cause, and control. J.A.R., vol. 13, pp. 437-450. 1918.
    or soil rot, description, cause, and control. J.A.R., vol. 13, pp. 437-450. 1918.
  preparation for the table, pie, and cobbler, recipes. F.B. 419, pp. 22-24. 1910.
  preservation by drying. F.B. 169, pp. 25-26. 1903.
  prices, farm and market. Y.B., 1924, pp. 725-728. 1925.
  processing directions and time table. F.B. 1211, pp. 46, 50. 1921.
  production—
    1915-1918. News L., vol. 6, No. 27, p. 11. 1919.
    1920. An. Rpts., 1920, p. 3. 1921; Sec. A.R., 1920, p. 3. 1920.
    and loss by decay. News L., vol. 4, No. 35, p. 2. 1917.

INDEX TO PUBLICATIONS, 1901–1925　　　2337

Sweet potato(es)—Continued.
　production—continued.
　　and prices, 1921. Y.B., 1921, pp. 591–594. 1922; Y.B. Sep. 869, pp. 11–14. 1922.
　　cost and profits. F.B. 324, p. 38. 1908; S.R.S. Syl. 26, p. 18. 1917.
　　in New Jersey, Camden area, 1909. Soil Sur. Adv. Sh., 1915, pp. 10, 11, 12. 1917. Soils F.O., 1915, pp. 160, 161, 162. 1919.
　　yield and prices, estimates and comparisons, by States. F.B. 563, p. 10. 1913; F.B. 641, p. 27. 1914.
　propagation methods. F.B. 324, pp. 9–16. 1908; F.B. 999, pp. 8–13. 1919; Vir. Is. Bul. 5, pp. 5–6. 1925.
　pulling plants, setting, and cultivation. F.B. 999, pp. 14–20. 1919.
　Pumpkin Yam, description. F.B. 999, p. 29. 1919.
　Pythium rootlet rot. L. L. Harter. J.A.R., vol. 29, pp. 53–55. 1924.
　quarantine restrictions. F.H.B. Quar. 37, rev., p. 13. 1923.
　rank among southern crops. News L., vol. 6, No. 38, pp. 12–13. 1919.
　recipes, use in bread as substitute for wheat flour. F.B. 955, pp. 14, 16, 17, 18. 1918.
　reduction of strength of mercuric-chloride solution used for disinfecting. J. L. Weimer. J.A.R., vol. 21, pp. 575–587. 1921.
　regions adapted to. F.B. 999, pp 3–5. 1919.
　respiration—
　　experiments. J.A.R., vol. 5, No. 12, pp. 509–517. 1915.
　　of storage-rot fungi when grown on a nutrient solution. L. L. Harter and J. L. Weimer. J.A.R., vol. 21, pp. 211–226. 1921.
　root—
　　anatomy and internal breakdown. Ernst Artschwager. J.A.R., vol. 27, pp. 157–166. 1924.
　　borer, quarantine, proposal. F.H.B.S.R.A. 45, p. 121. 1917.
　　rot(s)—
　　　description, cause, and control. F.B. 1059, pp. 15–16. 1919.
　　　study and control. S.R.S. Rpt., 1915, Pt. I, pp. 87–88. 1917.
　rot(s)—
　　by Diplodia tubericola. J.A.R., vol. 30, p. 965. 1925.
　　by fungi, remarks. J.A.R., vol. 30, p. 961. 1925.
　　cause, description and spread. F.B. 714, pp. 2–18. 1916; J.A.R., vol. 15, No. 5, pp. 340–365. 1918; J.A.R., vol. 24, pp. 441–456. 1923.
　　caused by Rhizopus nigricans. J.A.R., vol. 26, pp. 363, 365. 1923.
　　control. B.P.I. Cir. 114, pp. 9–14. 1913; F.B. 714, pp. 24–25. 1916.
　　description and prevention. D.C. 35, p. 24. 1919.
　　in storage, description, cause, and control. F.B. 1059, pp. 3, 19–24. 1919.
　　organism producing, studies. J.A.R., vol. 24, pp. 861–877. 1923.
　　study of fungi. L. L. Harter. J.A.R., vol. 30, pp. 961–969. 1925.
　school lesson. D.B. 258, p. 9. 1915; D.B. 521, pp. 26–27. 1917.
　scurf—
　　L. L. Harter. J.A.R., vol. 5, No. 17, pp. 787–792. 1916.
　　description, cause, and control. F.B. 1059, pp. 13–15. 1919.
　　or soil stain of. J. J. Taubhausen. J.A.R., vol. 5, No. 21, pp. 995–1002. 1916.
　seed—
　　bedding, directions. F.B. 324, pp. 13–14. 1908; F.B. 999, pp. 12–13. 1919.
　　beds, source of weevil infestation. F.B. 1020, pp. 5, 19. 1919.
　　disinfection, method and value in stem-rot control. F.B. 714, p. 4. 1916.
　　germination and longevity. Vir. Is. Bul. 5, pp. 4–5. 1925.
　　grading and uses. F.B. 520, p. 11. 1912.
　　importance of selection, and methods. News L., vol. 5, No. 11, p. 3. 1917.
　　production, extent. Vir. Is. Bul. 5, pp. 1–2. 1925.

Sweet potato(es)—Continued.
　seed—continued.
　　selection. B.P.I. Cir. 114, p. 16. 1913; F.B. 324, p. 10. 1908; F.B. 999, pp. 23–24. 1919.
　　selection methods, and importance. S.R.S. Syl. 26, p. 7. 1917.
　seedling(s)—
　　production at the Virgin Islands Experiment Station. John B. Thompson and others. Vir. Is. Bul. 5, pp. 14. 1925.
　　productivity relations. Vir. Is. Bul. 5, pp. 7–8. 1925.
　　with more than two cotyledons. Vir. Is. Bul. 5, p. 6. 1925.
　setting, distance, and number to acre. Sec. [Misc.], Spec, "Sweet-potato growing * * *," 1915.
　sets, drawing, packing, and planting. F.B. 324, pp. 15–16, 17–22. 1908.
　shipments—
　　by States, and by stations, 1916. D.B. 667, pp. 11, 155–158. 1918.
　　in carloads, by States, 1920–1923. S.B. 9, pp. 83–90. 1925.
　sirup production from. H. C. Gore and others. D.B. 1158, pp. 34. 1923.
　slip seeding, method and cautions. F.B. 714, pp. 5–6. 1916.
　soft rot, description, cause, and control. F.B. 1059, p. 19. 1919.
　soil stain, or scurf of. J. J. Taubenhausen. J.A.R., vol. 5, No. 21, pp. 995–1002. 1916.
　southern-grown, marketing. George O. Gatlin. D.B. 1206, pp. 48. 1924.
　Southern Queen—
　　description. F.B. 999, p. 28. 1919.
　　susceptibility to Rhizopus spp. J.A.R., vol. 22, pp. 512, 514, 515. 1922.
　special truck crop of eastern Maryland and New Jersey. Y.B., 1907, p. 427. 1908; Y.B. Sep. 459, p. 427. 1908.
　spraying for control of leaf folder. D.B. 609, pp. 10–11. 1917.
　starch—
　　and sugar changes during growth. J.A.R., vol. 12, pp. 9–17. 1918.
　　manufacture investigations. F.B. 334, pp. 12–14. 1908.
　　microscopical examinations. Chem. Bul. 130, p. 137. 1910.
　statistics—
　　1902–1924. S.B. 10, pp. 42–48. 1925.
　　1913, acreage, production, yield, and value. Y.B., 1913, pp. 414–416. 1914; Y.B. Sep. 360, pp. 414–416. 1914.
　　1914, acreage, production, yield, and value. Y.B., 1914, pp. 565–567, 649. 1915; Y.B. Sep. 655, pp. 565–567. 1915; Y.B. Sep. 656, p. 649. 1915.
　　1914–1921, acreage and production. Sec. A.R., 1921, pp. 62, 63. 1921.
　　1915, acreage, production, yield, and prices. Y.B., 1915, pp. 460–462. 1916; Y.B. Sep. 683, pp. 460–462. 1916.
　　1916, acreage, production, yields, and prices. Y.B., 1916, pp. 617–619. 1917; Y.B. Sep. 720, pp. 7–9. 1917.
　　1917, acreage, production, yield, and prices. Y.B., 1917, pp. 662–664. 1918; Y.B. Sep. 760, pp. 10–12. 1918.
　　1918, acreage, production, value, and prices. Y.B., 1918, pp. 517–519. 1919; Y.B. Sep. 792, pp. 13–15. 1919.
　　1919, acreage, production, and value. Y.B., 1919, pp. 577–579. 1920; Y.B. Sep. 827, pp. 577–579. 1920.
　　1920, acreage, production, and value. Y.B., 1920, pp. 16–18. 1921; Y.B. Sep. 862, pp. 16–18. 1921.
　　1921, acreage, production, and value. Y.B., 1921, pp. 71, 72, 591–596, 770. 1922; Y.B. Sep. 869, pp. 11–16. 1922; Y.B. Sep. 871, p. 1. 1922; Y.B. Sep. 871, pp. 71, 72. 1922.
　　1922, acreage, production, and prices. Y.B., 1922, pp. 69, 73, 680–683. 1923; Y.B. Sep. 884, pp. 680–683. 1923.
　　1924. S.B. 10, pp. 41–48. 1925; Y.B., 1924, pp. 723–728. 1925.

Sweet potato(es)—Continued.
  statistics—continued.
    acreage, production—
      and value, by States. F.B. 970, pp. 3–4. 1918.
      imports, and exports, 1910–1919. Crop Est. [Misc.], "Crop estimates, 1910–1919, p. 15. 1920.
      graphic showing of average production, United States. Stat. Bul. 78, p. 25. 1910.
  stem rot—
    description, cause, and control. F.B. 1059, pp. 4–8. 1919.
    Fusarium species causing, note. J. A. R. vol. 24, p. 343. 1923.
  stocks, report. Off. Rec., vol. 2, No. 6, p. 4. 1923.
  storage—
    H. C. Thompson. F.B. 970, pp. 27. 1918; F.B. 1442, pp. 22. 1925.
    and marketing. W. R. Beattie. F.B. 520, pp. 16. 1912.
    changes. J.A.R. vol. 3, pp. 331–342. 1915.
    conditions in various sections. D.B. 1063, p. 2. 1922.
    experiments in study of scurf. J.A.R., vol. 5, No. 21, p. 997. 1916.
    for home use. F.B. 879, pp. 20–21. 1917.
    handling, curing, temperature, and storage period. D.B. 729, p. 5. 1918.
    hints. News L., vol. 5, No. 5, p. 2. 1917.
    house, description and material required. F.B. 558, pp. 4–9. 1913; F.B. 714, pp. 25–26. 1916.
    in flue-heated tobacco barns. Off. Rec., vol. 1, No. 21, p. 5. 1922.
    in South. News L., vol. 6, No. 43, p. 9. 1919.
    methods and requirements. F.B. 1267, p. 3. 1922.
    modern methods. News L., vol. 6, No. 45, p. 13. 1919.
    necessity. News L., vol. 6, No. 27, p. 21. 1919.
    practices. F.B. 273, pp. 9–11. 1906; F.B. 999, pp. 24–25. 1919.
  rot(s)—
    classification and description. F.B. 1059, pp. 3, 19–24. 1919; J.A.R., vol. 15, pp. 337–368. 1918.
    glucose as a source of carbon. J. L. Weimer and L. L. Harter. J.A.R., vol. 21, pp. 189–210. 1921.
    Mucor racemosus and *Diplodia tubericola.* L. L. Harter. J.A.R., vol. 30, pp. 961–969. 1925.
    studies. H. C. Thompson and James H. Beattie. D.B. 1063, pp. 18. 1922.
    utilization of flue-heated tobacco barns. Fred E. Miller. F.B. 1267, pp. 12. 1922.
    storing and marketing. H. C. Thompson. F.B. 548, pp. 15. 1913.
  sugar content, investigations. An. Rpts., 1920, p. 267. 1921.
  susceptibility of different varieties to decay by *Rhizopus nigricans* and *Rhizopus tritici.* L. L. Harter and J. L. Weimer. J.A.R., vol. 22, pp. 511–515. 1921.
  traffic on Chesapeake Bay. Y.B., 1907, p. 294. 1908; Y.B. Sep. 449, p. 294. 1908.
  Triumph—
    description. F.B. 999, p. 28. 1919; F.B. 1267, p. 11. 1922.
    value for northern markets. F.B. 520, p. 10. 1912.
  United States grades for. Hartley E. Truax. D.C. 99, pp. 4. 1920.
  uses—
    as feed for hogs. B.A.I. Bul. 47, pp. 170–171. 1904; F.B. 411, p. 37. 1910.
    as forage crop in cotton region. F.B. 509, p. 35. 1912.
    for sirup. News L., vol. 7, No. 16, p. 8. 1919.
    for starch, alcohol, and stock feed. F.B. 324, pp. 38–39. 1908; F.B. 517, pp. 16–18. 1912.
    in manufacture of denatured alcohol. Chem. Bul. 130, pp. 30–31, 99–103. 1910.
  value—
    and importance, principal States producing. F.B. 1020, pp. 3–4, 9. 1919.
    in pig feeding. B.A.I. An. Rpt., 1903, pp. 295–298, 303. 1904; B.A.I. Cir. 63, pp. 295–298, 303. 1904.

Sweet potato(es)—Continued.
  value—continued.
    increase, 1910–1919. News L., vol. 6, No. 36, p. 2. 1919.
    of crop in different States. F.B. 970, p. 3. 1918.
  varietal tests—
    and yields, Yuma experiment farm. D.C. 75, pp. 60–61. 1920.
    for different purposes. F.B. 517, pp. 16–18. 1912.
  varieties—
    adaptable to starch making. F.B. 334, p. 13. 1913.
    American, group classification and varietal descriptions. H. C. Thompson and James H. Beattie. D.B. 1021, pp. 30. 1922.
    and keeping qualities. D.B. 1063, pp. 1–12, 17. 1922.
    and strains, description. D.B. 1041, pp. 23–30. 1922.
    Big Stem and Southern Queen, storage tests. J.A.R., vol. 3, pp. 333–339. 1915.
    canning qualities, studies. C. A. Magoon and C. W. Culpepper. D.B. 1041, pp. 34. 1922.
    composition and nutritive value. F.B. 295, pp. 25–27. 1907.
    description. F.B. 324, pp. 35–37. 1908; F.B. 999, pp. 27–30. 1919; F.B. 1267, pp. 11–12. 1922.
    for market. F.B. 520, pp. 10–11. 1912; F.B. 548, pp. 10–11. 1913; F.B. 970, pp. 20–21. 1918.
    natural crossing. Vir. Is. Bul. 5, pp. 3–4. 1925.
    recommended, and value. S.R.S. Syl. 26, pp. 16–17. 1917.
    susceptibility to—
      decay by *Rhizopus* spp. L. L. Harter and J. L. Weimer. J.A.R., vol. 22, pp. 511–515. 1922.
      scurf. J.A.R., vol. 5, No. 17, p. 787. 1916.
    with special reference to their canning quality, study. C. A. Magoon and C. W. Culpepper. D.B. 1041, pp. 34. 1922.
  vine(s)—
    as feed for cows, value. F.B. 1125, rev., p. 49. 1920.
    cuttings, use in hot climates and for seed crops. F.B. 324, pp. 9, 10. 1908.
    utilization as stock food. F.B. 334, p. 13. 1908.
  Vineless Pumpkin Yam, canning value, and description. D.B. 1041, pp. 11, 13, 17, 28, 30. 1922.
  volunteer seedlings, appearance. Vir. Is. Bul. 5, pp. 13–14. 1925.
  weevil(s)—
    affecting, descriptions. J.A.R., vol. 12, pp. 604–610. 1918.
    and its control. F. H. Chittenden. F.B. 1020, pp. 24. 1919.
    control in Gulf States. An. Rpts., 1920, pp. 318–319. 1921.
    description. J.A.R., vol. 12, pp. 603–607. 1918; Sec. [Misc.], "A manual * * * insects * * *." p. 209. 1917.
    description, life history, injuries, and control. F.B. 856, pp. 63–64. 1917.
    eradication, difficulties and possibilities. D.C. 201, pp. 11–13. 1921.
    food plants and spread methods. F.B. 1020, pp. 11–13. 1919.
    free plants, contracts with growers. D.C. 201, pp. 6–7. 1921.
    infested, disinfection and destruction. F.B. 1020, pp. 17–24. 1919.
    injury to true yams. D.B. 1167, p. 9. 1923.
    outbreaks in 1921. D.B. 1103, pp. 34–37. 1922.
    prevention. Guam Bul. 2, pp. 54–55. 1922.
    quarantine—
      No. 30. F.H.B.S.R.A. 71, p. 174. 1922.
      regulations needed to control pest. F.B. 1020, pp. 5–6, 7, 10, 17–18. 1919.
    sources of infestation, and distribution. F.B. 1020, pp. 5–6, 7, 10, 17–18. 1919.
  white rust, description. F.B. 1059, p. 18. 1919.
  wound-cork formation in. J. L. Weimer and L. L. Harter. J.A.R., vol. 21, pp. 637–647. 1921.
  Yellow Jersey—
    canning value, and description. D.B. 1041, pp. 8, 11, 29, 30. 1922.
    description. F.B. 1267, p. 11. 1922.

Sweet potato(es)—Continued.
　Yellow Strasburg, canning value, and description. D.B. 1041, pp. 8, 11, 13, 29, 30. 1922.
　yield—
　　and prices by States. Y.B., 1921, p. 593. 1922; Y.B. Sep. 869, p. 13. 1922.
　　in—
　　　pine-wood region, value for feed. F.B. 1125, rev., pp. 49-50. 1920.
　　　South Carolina, Berkeley County. Soil Sur. Adv. Sh., 1916, pp. 21, 24. 1918; Soils F.O., 1916, pp. 499. 502. 1921.
　　　southern Texas. Soil Sur. Adv. Sh., 1909, pp 35, 71. 1910; Soils F.O., 1909, pp. 1059, 1095. 1912.
　　on Crowley silt loam. Soils Cir. 54, p. 6. 1912.
Sweet scabious, description and cultivation. F.B. 1171, pp. 35, 82. 1921.
Sweet sultan, description, characteristics, and uses. F.B. 1171, pp. 31, 81. 1921.
Sweet vernal grass—
　analytical key and description of seedlings. D.B. 161, pp. 7, 16. 1917.
　description, habits, and uses. D.B. 772, pp. 201-202. 1920; F.B. 1433, pp. 38-41. 1925.
　use on lawns. F.B. 494, pp. 29, 30. 1912.
Sweet William, description, cultivation, and characteristics. F.B. 1171, pp. 63, 83. 1921.
Sweet Water River, Calif., water storage in torrential streams, problems. O.E.S. Bul. 100, p. 358. 1901.
Sweetbread(s)—
　canning recipe. S.R.S. Doc. 80, p. 17. 1918; rev. 1919.
　food value. D.B. 1138, pp. 40-41. 1923.
Sweetbrier—
　description, and uses. F.B. 750, p. 4. 1916.
　importations and descriptions. No. 43410, B.P.I. Inv. 49, p. 13. 1921; No. 49118, B.P.I. Inv. 61, p. 80. 1922.
Sweetening—
　artificial, use in fruit products. Chem. Bul. 66, rev., p. 38. 1905.
　See also Sugars.
Sweets—
　food values and caloric portions in various weights. F.B. 1228, pp. 6, 15, 22. 1921.
　Parisian, substitute for sugar confection. U.S. Food Leaf. 15, p. 3. 1918.
　simple, use and value for children's food. F.B. 717, pp. 18-19. 1916.
　supply of family for week, and place in menu. F.B. 1228, pp. 14-16, 19. 1921.
　use in diet of children. F.B. 717, rev., p. 19. 1920; News L., vol. 3, No. 33, p. 4. 1916.
　value in diet, and week's supply for average family. F.B. 1313, pp. 4, 11-12. 1923.
Sweetsop—
　importation and description. Nos. 32044-32046, B.P.I. Bul. 261, p. 22. 1912; Nos. 34321, 34322, B.P.I. Inv. 32, p. 35. 1914.
　See also *Anona squamosa*.
Swelling, canned peas, prevention. F.B. 225, p. 32. 1905.
"Swells," canned sardines, causes, studies, and disposal. D.B. 908, pp. 20-26, 99, 121. 1921.
SWENDSEN, G. L.—
　"Appropriation of water from Logan River." O.E.S. Bul. 124, pp. 301-316. 1903.
　"Irrigation under canals from Logan River." O.E.S Bul. 104, pp. 179-194. 1902.
Swertia spp., importations and description. Nos. 47807-47809, B.P.I. Inv. 59, p. 62. 1922.
Swietenia—
　mahogani, injury by sapsuckers. Biol. Bul. 39, pp. 44, 82. 1911.
　spp. *See* Mahogany.
Swift—
　black, Jamaican, occurrence in Porto Rico, description and food. D.B. 326, pp. 74-75. 1916.
　chimney, migration habits. Biol. Bul. 38, p. 52. 1911; D.B. 185, pp. 5, 47. 1915.
　Japanese, occurrence in Pribilof Islands and food. N.A. Fauna 46, p. 86. 1923.
　occurrence in—
　　Athabaska-Mackenzie region. N.A. Fauna 27, p. 390. 1908.
　　Colorado, description. N.A. Fauna 33, pp. 175-176. 1911.

Swift—Continued.
　protection by law. Biol. Bul. 12, rev., pp. 38, 40. 1902.
　See also Swallow.
Swill—
　distillery, use as cow's feed, prohibitions. B.A.I. An. Rpt., 1907, pp. 318, 325. 1909; F.B. 349, pp. 17, 24. 1909.
　feeding—
　　dangers from presence of powdered soaps. F.B. 379, p. 15. 1909.
　　to cattle, effect on kidneys and health. B.A.I. [Misc.], "Diseases of cattle," rev., pp. 116, 119, 263. 1912.
　　to dairy cows, prohibitions. B.A.I. Bul. 46, pp. 45-165. 1903.
　from hotels, use as hog feed, cause of tuberculosis. B.A.I. An. Rpt., 1907, p. 230. 1909; B.A.I. Cir. 144, p. 230. 1909.
Swine—
　anthrax infection from diseased carcasses. F.B. 784, p. 6. 1917.
　breeds of—
　　E. Z. Russell. F.B. 1263, pp. 22. 1922.
　　F. G. Ashbrook. F.B. 765, pp. 16. 1917.
　cost of care per year. Stat. Bul. 73, pp. 63, 69. 1909.
　exclusion from landing at United States ports from Asia and Africa. B.A.I.O. 174, p. 1. 1910.
　exports by countries, 1890-1906. Stat. Bul. 55, pp. 17-19. 1907.
　feed—
　　"Sugarota," misbranding. Chem. N.J. 1840, pp. 2. 1913.
　　use of Canadian field peas. F.B. 224, p. 15. 1905.
　imported, inspection and quarantine regulations. B.A.I.O. 180, pp. 26. 1911; B.A.I.O. 209, pp. 23. 1914.
　in world and United States, number. Stat. Bul. 55, pp. 42-45. 1907.
　industry and pig clubs. J. D. McVean. Y.B., 1917, pp. 371-384. 1918; YB. Sep. 753, pp. 16. 1918.
　inheritance—
　　in. Edward N. Wentworth and Jay L. Lush. J.A.R., vol. 23, pp. 559-582. 1923.
　　of syndactylism. J.A.R., vol. 20, pp. 595-604. 1921.
　inspection and quarantine, regulations. B.A.I.O. 259, pp. 22. 1918.
　interstate transportation, regulations. B.A.I.O. 210, amdt. 3, pp. 1-2. 1915.
　judging suggestions for pig-club members. J. D. McVean and F. G. Ashbrook. Sec. Cir. 83, pp. 14. 1917.
　lip-and-leg ulceration, interstate transportation regulation. B.A.I. [Misc.] "Notice regarding * * * lip-and-leg ulceration," p. 1. 1911.
　livers, importation, German regulations. B.A.I. Bul. 50, p. 46. 1905.
　number in United States, 1850-1922. D.C. 241, pp. 2-4. 1922.
　plague—
　　affected carcasses, disposition. B.A.I.O. 150, amdt. 5, pp. 2. 1913.
　　control measures similar to those for hog cholera. F.B. 379, p. 16. 1909.
　　diagnosis, difference from tuberculosis. B.A.I. An. Rpt., 1907, p. 241. 1909; B.A.I. Cir. 144, p. 241. 1909.
　　legislation. B.A.I. Bul. 28, p. 108. 1901.
　　nature and symptoms. Off. Rec. vol. 3, No. 44, p. 5. 1924.
　　prevention regulations. B.A.I.O. 273, rev., pp. 23-25. 1923.
　　quarantine regulations. B.A.I.O. 143, pp. 21-22. 1907.
　　same as hemorrhagic septicemia of hogs. D.B. 674, pp. 1, 3, 6, 7-8. 1918.
　　similarity to hog cholera. F.B. 384, p. 12. 1917.
　　spread prevention, regulations. B.A.I.O. 210, pp. 25-26. 1914; B.A.I.O. 263, pp. 25-27. 1919; B.A.I.O. 273, pp. 27-29. 1921; B.A.I.O. 292, pp. 22-24. 1925.
　　See also Hog cholera.
　production in South American countries. Stat. Bul. 39, pp. 65, 86, 94. 1905.

Swine—Continued.
  quarantine for foot-and-mouth disease in Pennsylvania and New York, November 19, 1908. B.A.I.O. 156, pp. 2. 1908.
  raising in Hawaii. F. G. Krauss. Hawaii Bul. 48, pp. 43. 1923.
  registered purebred, on farms, January 1, 1920. D.C. 241, pp. 5–7. 1922.
  statistics, graphic showing of average numbers in world. Stat. Bul. 78, p. 47. 1910.
  transportation, decision under 28-hour law. Sol. Cir. 6, pp. 1–7. 1908.
  tuberculosis of, spread, and prevention. B.A.I.O. 245, pp. 23–25. 1916.
  tuberculous, transportation interstate, prohibition. B.A.I. [Misc.]. "Notice regarding interstate movement of cattle * * *," p. 1. 1907.
  tuna rinds as feed. B.P.I. Bul. 116, p. 13. 1907.
  See also Hogs; Pigs.
Swinging logs, systems. D.B. 711, pp. 142–146. 1918.
SWINGLE, D. B.—
  "Arsenical injury through the bark of fruit trees." With H. E. Morris. J.A.R., vol. 8, pp. 283–318. 1917.
  "Formation of the spores in the sporangia of *Rhizopus nigricans* and *Phycomyces nitens*." B.P.I. Bul. 37, pp. 40. 1903.
  "Injury to foliage by arsenical spray mixtures." With others. J.A.R., vol. 24, pp. 501–538. 1923.
  "The dry-rot of potatoes due to *Fusarium oxysporum*." With Erwin F. Smith. B.P.I. Bul. 55, pp. 64. 1904.
SWINGLE, W. T.—
  "Citropsis, a new tropical African genus allied to citrus." With Maude Kellerman. J.A.R., vol. 1, pp. 419–436. 1914.
  "*Citrus ichanegensis*, a promising hardy new species from southwestern China and Assam." With others. J.A.R., vol. 1, pp. 1–14. 1913.
  "Community production of Egyptian cotton in the United States." With others. D.B. 332, pp. 30. 1916.
  "Conditions under which citranges are distributed by the United States Department of Agriculture." B.P.I. Doc. 434, pp. 2. 1909.
  "Conditions under which citranges are distributed in cold regions by the United States Department of Agriculture." B.P.I. Doc. 435, pp. 2. 1909.
  "Cooperative distribution of new Smyrna figs and caprifigs." B.P.I. Doc. 537, pp. 7. 1910.
  "Cooperative distribution of new varieties of Smyrna figs and caprifigs." B.P.I. Doc. 438, pp. 6. 1909.
  "Cotton as a crop for the Yuma reclamation project." With others. B.P.I. Doc. 1009. 1913.
  "Distribution of citranges by the United States Department of Agriculture." B.P.I. Doc. 436, pp. 2. 1909.
  "Distribution of seedling citranges by the United States Department of Agriculture." B.P.I. Doc. 437, pp. 2. 1909.
  "Distribution of the large-flowered *Citrus trifoliata* by the United States Department of Agriculture." B.P.I. Doc. 437, pp. 2. 1909.
  "Eremocitrus, a new genus of hardy, drouth-resistant citrus fruits from Australia. J.A.R., vol. 2, pp. 85–100. 1914.
  "Evolution of cellular structures." With O. F. Cook. B.P.I. Bul. 81, pp. 26. 1905.
  "New citrus creations of the Department of Agriculture." With Herbert J. Webber. Y.B., 1904, pp. 221–240. 1905; Y.B. Sep. 343, pp. 221–240. 1905.
  "Production of American Egyptian cotton." With others. D.B. 742, pp. 30. 1919.
  "Quarantine procedure to safeguard the introduction of citrus plants: A system of aseptic plant propagation." With others. D.C. 299, pp. 15. 1924.
  "Starting a seedling date orchard." B.P.I. Doc. 271, pp. 4. 1908.
  "Tangelos: What they are. The value in Florida of the Sampson and Thornton tangelos." With T. Ralph Robinson. B.P.I.C.P. and Cir. 4, pp. 3. 1918.

SWINGLE, W. T.—Continued.
  "The date palm and its culture." Y.B., 1900, pp. 453–490. 1901; Y.B. Sep. 218, pp. 453–490. 1901.
  "The date palm and its utilization in the southwestern States." B.P.I. Bul. 53, pp. 155. 1904.
  "The fundamentals of crop improvement." B.P.I. Cir. 116, pp. 3–10. 1913.
  "The limitation of the Satsuma orange to trifoliate-orange stock." B.P.I. Cir. 46, pp. 10. 1909.
  "The pistache nut." B.P.I. Doc. 259, p. 1. 1916. B.P.I.C.P. and B.I. Cir. 1, pp. 2. 1916.
  "The present status of date culture in the Southwestern States." B.P.I. Cir. 129, pp. 3–7. 1913.
  "The prevention of stinking smut of wheat and loose smut of oats." F.B. 250, pp. 16. 1906.
  "The solar propagating frame for rooting citrus and other subtropical plants." With others. D.C. 310, pp. 14. 1924.
  "Two important new types of citrus hybrids for the home garden—citrangequats and limequats." With T. R. Robinson. J.A.R., vol. 23, pp. 229–238. 1923.
Swings, bamboo, for porch use. D.B. 1329, p. 25. 1925.
Swiss Farmers' Union, informational work. B.A.I. Dairy [Misc.], "World's dairy congress, 1923," p. 272. 1924.
Switchboards, rural telephones, kinds, description, locations, and call methods. F.B. 1245, pp. 19–23. 1923.
Switzerland—
  agricultural statistics, 1911–1919. D.B. 987, pp. 57–58. 1921.
  alcohol denaturing system. Chem. Bul. 130, p. 79. 1910.
  animals, importation or transit, regulations. B.A.I. S.R.A. 83, pp. 40–41. 1914.
  bee diseases, survey. D.C. 287, pp. 16–19. 1923.
  blister-rust occurrence. D.B. 957, p. 4. 1921.
  cattle types and origin. B.A.I. An. Rpt., 1910, p. 221. 1912.
  cheese trade. D.C. 71, p. 17. 1919.
  cows and cattle statistics, 1850–1918. D.C. 7, p. 16. 1919.
  dairy statistics, 1866–1920. B.A.I. Doc. A–37, pp. 63–65. 1922.
  expenditures for forest investigations. Sec. Cir. 183, pp. 32, 33. 1921.
  farmers and dairymen education. Albin Peter. B.A.I. Dairy [Misc.], "World's dairy congress, 1923," pp. 588–593. 1924.
  food laws affecting American exports. Chem. Bul. 67, pp. 34–39. 1901.
  forest resources. For. Bul. 83, pp. 52–54. 1910.
  forestry—
    law. Sec. Cir. 140, p. 3. 1919.
    practice and returns. F.B. 358, p. 43. 1909.
  Gibswil siphon spillway. D.B. 831, pp. 26–27. 1920.
  grain—
    production and acreage. Stat. Bul. 68, pp. 91–96. 1908.
    trade. Stat. Bul. 69, pp. 54–55. 1908.
  lake dwellers, architecture and agriculture, historical notes. B.A.I. An. Rpt., 1910, p. 217. 1912.
  laws—
    governing sale of arsenical paper fabrics. Chem. Bul. 86, pp. 52–53. 1904.
    on fruit and plant introduction. Ent. Bul. 84, p. 37. 1909.
  livestock—
    conditions 1866–1911. Stat. Cir. 28, p. 10. 1912.
    conditions, 1919, and food demands. Y.B., 1919, pp. 413–414. 1920; Y.B. Sep. 821, pp. 413–414. 1920.
    statistics. Rpt. 109, pp. 32, 38, 49, 52, 60, 63, 205, 214. 1916.
  meat imports, statistics. Rpt. 109, pp. 102–114, 244–245, 256, 260, 262. 1916.
  milk-goat industry, value. B.A.I. Bul. 68, pp. 10, 53–55, 57, 63, 73–76. 1905.
  nursery stock inspection, officials. F.H.B.S.R.A. 7, p. 65. 1914; F.H.B.S.R.A. 20, p. 76. 1915; F.H.B.S.R.A. 32, p. 122. 1916.

Switzerland—Continued.
  potatoes, production, 1909–1913, 1921–1923. S.B. 10, p. 19. 1925.
  sugar industry, 1893–1914. D.B. 473, pp. 60–61. 1917.
  wheat imports, 1885–1906. Stat. Bul. 66, pp. 50–51. 1908.
  Zurich Forest Station, studies and results. Sec. Cir. 183, p. 9. 1921.
Sword grass, description and use. Guam. Bul. 1, p. 7. 1921.
Syagrus—
  coronata, importation and uses. No. 46708, B.P.I. Inv. 57, p. 23. 1922.
  drudei, importation and description. No. 50500, B.P.I. Inv. 63, p. 74. 1923.
Sycamore—
  annual consumption in Arkansas, amount, value, etc. For. Bul. 106, pp. 7, 10, 14, 15, 16, 21, 31, 40. 1912.
  blight, leaf, cause, injuries, and preventive measures. B.P.I. Bul. 149, p. 20. 1909.
  borer, flat-headed heartwood, description and injuries, Y.B., 1909, pp. 414–415. 1910; Y.B. Sep. 523, pp. 414–415. 1910.
  California, description, range, occurrence, Pacific slope. For. [Misc.], "Forest trees for Pacific * * *," pp. 335–336. 1908.
  characters. F.B. 468, p. 40. 1911.
  characters and occurrence on Pacific slope. For. [Misc.], "Forest trees for Pacific * * *," pp. 334–335. 1908.
  comparison with other woods. D.B. 884, pp. 3–5. 1920.
  description—
    and key. D.C. 223, pp. 4, 8. 1922.
    habits and regions suited to. F.B. 1208, pp. 37–39. 1922.
    use as street tree, and regions adapted to. D.B. 816, pp. 17, 18, 19, 42. 1920.
  diseases, Texas, occurrence and description. B.P.I. Bul. 226, pp. 78–79, 111. 1912.
  fence posts, creosoting. For. Cir. 117, pp. 7, 10. 1907.
  freedom from gipsy-moth injury. D.B. 204, p. 15. 1915.
  importance as commercial wood. D.B. 884, p. 1. 1920.
  insect(s)—
    injurious, description, habits, and control. F.B. 1169, pp. 74–75, 100. 1921.
    pests, list. Sec. [Misc.], "A manual * * * insects," p. 171. 1917.
  lace-bug, description, habits, and control. F.B. 1169, pp. 74–75. 1921.
  leaf blight, cause, injuries, and preventive measures. B.P.I. Bul. 149, p. 20. 1909.
  lumber—
    and timber values, markets, and grades. D.B. 884, pp. 18–23. 1920.
    cut, 1907–1918, by States. D.B. 884, pp. 7–8. 1920.
    grades. D.B. 884, pp. 22–23. 1920.
    production—
      1899–1914, and estimates, 1915. D.B. 506, pp. 13–15, 32. 1917.
      1913, species and range. D.B. 232, pp. 26, 30, 31. 1915.
      1916, by States, mills reporting, and lumber value. D.B. 673, p. 34. 1918.
      1917, by States. D.B. 768, pp. 34–35, 38, 44. 1919.
      1918, by States. D.B. 845, pp. 38, 47. 1920.
      1920, by States, D.B. 1119, p. 54. 1923; Y.B., 1922, p. 928. 1923.
  preservative treatment, results. D.B. 606, pp. 19, 28, 32. 1918; F.B. 744, pp. 17, 25, 28. 1916.
  quantity used in manufacture of wooden products D.B. 605, p. 12. 1918.
  quarter-sawed, value for furniture. D.B. 884, p. 14. 1920.
  range and supply, lumber output and consumption. D.B. 884, pp. 5–8. 1920.
  tests for mechanical properties, results. D.B. 556, pp. 33, 42. 1917; D.B. 676, p. 27. 1919.
  trees, injury by sapsuckers. Biol. Bul. 39, pp. 39, 51, 80. 1911.
  uses, list by woodworking factories. D.B. 884, p. 24. 1920.

Sycamore—Continued.
  utilization. W. D. Brush. D.B. 884, pp. 24. 1920.
  value as ornamental for Plains region. F.B. 888, p. 14. 1917.
  wood, appearance, properties, and structure. D.B. 884, pp. 1–5. 1920.
  See also Buttonwood.
Syenite, origin, classification, and mineral constituents. Rds. Bul. 37, pp. 13, 14–23, 25. 1911.
Syllabub, use of unfermented grape juice, recipe. F.B. 644, p. 16. 1915.
Sylviidae—
  hosts of animal parasites. B.A.I. Bul. 60, p. 49. 1904.
  Laysan Island, number and description. Biol. Bul. 42, pp. 22–23. 1912.
Syvilagus spp.—
  characters and distribution. N.A. Fauna 29, pp. 159–275. 1909.
  See also Cottontail; Rabbit.
Symbiotic mange, character and control. B.A.I. Bul. 40, pp. 8, 9–10. 1902.
SYMONS, T. B., report on Maryland State College of Agriculture—
  1915. S.R.S. Rpt., 1915, Pt. II, pp. 79–85. 1917.
  1916. S.R.S. Rpt., 1916, Pt. II, pp. 82–88. 1917.
Sympha agromyzae, parasite of birch cambium miner. J.A.R., vol. 1, p. 474. 1914.
Symphemia semipalmata inornata. See Willet, western.
Symphoricarpos—
  occidentalis. See Wolfberry.
  occurrence of powdery mildew, occurrence and description, Texas. B.P.I. Bul. 226, p. 79. 1912.
  oreophilus. See Snowberry.
Symphytum—
  asperrimum, resistance to basidiospores of Puccinia rubigo-vera. J.A.R., vol. 22, pp. 152–172. 1921.
  officinale, host of Puccinia bromina. J.A.R., vol. 22, pp. 154–172. 1921.
  susceptibility to Puccinia triticina. J.A.R., vol. 22, pp. 152–172. 1921.
Sympiesis spp.—
  enemies of apple leaf miner. J.A.R., vol. 6, No. 8, p. 295. 1916.
  parasite of corn-leaf miner. J.A.R., vol. 2, p. 27. 1914.
Symplocos—
  stellaris, importation and description. No. 41262, B.P.I. Inv. 44, p. 56. 1918.
  theaefolia, importations and descriptions. No. 39138, B.P.I. Inv. 40, pp. 81–82. 1917; No. 46108, B.P.I. Inv. 55, p. 25. 1922.
Syncarpia—
  glomulifera, description and uses. No. 38731, B.P.I. Inv. 40, p. 21. 1917.
  hillii. See Turpentine tree.
Syncephalastrum sp., pasteurization experiments. J.A.R., vol. 6, No. 4, pp. 155, 159, 161. 1916.
Synchytrium—
  endobioticum—
    cause of potato wart, hosts, species and varieties. D.B. 1156, pp. 1–16. 1923.
    See also Potato wart.
  vaccinii, cause of red gall of cranberry. F.B. 1081, pp. 11–12. 1920.
Syndactylism, black, and dilution in swine, inheritance. J. A. Detlefsen and W. J. Carmichael. J.A.R., vol. 20, pp. 595–604. 1921.
Syngamus—
  Sieb.—
    and Cyasthostoma E. Blanch, nematode genera, review. Edward A. Chapin. J.A.R., vol. 30, pp. 557–570. 1925.
    nematode genus, species and characters, review. J.A.R., vol. 30, pp. 557–565. 1925.
  spp., diagnosis, synonymy and bibliography. B.A.I. Bul. 60, pp. 43–45. 1904.
  trachealis—
    cause of gapes in poultry. F.B. 390, p. 37. 1910. F.B. 530, pp. 30–32. 1913.
    See also Gape worm.
Synovia, description, functions in anatomy of horse. B.A.I. [Misc.], "Diseases of the horse," rev., pp. 277, 278. 1903; rev., pp. 277, 278, 279. 1907; rev., pp. 277, 278, 279. 1911; rev., pp. 301, 302, 303. 1923.

Synsepalum dulcificum, importation and description. No. 42824, B.P.I. Inv. 47, p. 71. 1920; No. 47219, B.P.I. Inv. 58, pp. 7, 42. 1922.

Syntherisma—
sanguinalis—
distribution, description, and feed value. D.R. 201, pp. 50-51. 1915.
See also Crab grass.
spp.—
description, distribution, and uses. D.B. 772 pp. 20, 215, 217-218. 1920.
importations and descriptions. Nos. 32117, 32118, 32120, B.P.I. Bul. 261, p. 30. 1912.
Synthetic ammonia process, adoption. Sec. A.R., 1925, pp. 70-71. 1925.
Synthetocaulus rufescens—
description, occurrence in sheep, and treatment. F.B. 1150, pp. 51-53. 1920.
See also Lungworm, hair, of sheep.
Synthliboramphus antiquus. See Murrelet, ancient.
Syntomaspis drumparu, life history. J.A.R., vol. 7, pp. 487-502. 1916.
Syntomosphyrum, parasite of parsnip leaf miner. Ent. Bul. 82, Pt. II, p. 12. 1909.
Syphons, part of septic tank-system, description. F.B. 1227, pp. 37-40. 1922.
Syracuse, N. Y., milk supply, statistics, officials, and prices. B.A.I. Bul. 46, pp. 28, 129-130. 1903.
Syria, citrus-fruit industry. D.B. 134, p. 34. 1914.
Syringa giraldii, importation and description. No. 4296, B.P.I. Inv. 47, p. 52. 1920.
Syrphid larvae, enemies of walnut aphids. D.B. 100, pp. 37-38. 1914.
Syrphidae, use against Argentine ants. D.B. 647, p. 51. 1918.
Syrphus—
americanus—
enemy of the spring grain aphid. Ent. Bul. 110, p. 130. 1912.
use in control of oat aphid. D.B. 112, pp. 13, 15. 1914.
fly—
beneficial habits. D.C. 35, p. 31. 1919.
larvae, aid in aphid control. F.B. 804, p. 34. 1917.
ribesii, enemy of melon aphid. F.B. 914, p. 9. 1918.
spp., parasites on rose aphid. D.B. 90, pp. 10-11. 1914.
Syrup—
adulteration and misbranding as to presence of glucose. Chem. N.J. 127. 1910.
adulteration and misbranding as to presence of maple sugar. Chem. N.J. 98. 1909.
See also Sirup.
Systena—
blanda, destruction by birds. Biol. Bul. 15, pp. 24, 33, 62. 1901.
elongata, destruction by birds. Biol. Bul. 15, pp. 24, 62. 1901.
red-headed, similarity to grape root worm, description. Ent. Bul. 89, p. 17. 1910.
Syzygium—
cumini—
importation and description. No. 34669, B.P.I. Inv. 33, p. 46. 1915.
See also Jambolan.
smithii, importation and description. No. 34312, B.P.I. Inv. 32, p. 34. 1914.
Syzygonia, synonymy. Ent. T.B. 20, Pt. II, p. 101. 1911.

"T.B." See Tuberculosis.
T-beam culverts, dimensions of beams. Rds. Bul. 45, pp. 21-25. 1913.
Tabanidae—
habits and life history of the family. James S. Hine. Ent. T.B. 12, Pt. II, pp. 1-38. 1906.
transmission of surra. B.A.I. An. Rpt., 1909, pp. 94-97. 1911; B.A.I. Cir. 169, pp. 94-97. 1911.
Tabanids, pests of livestock, injuriousness and abundance. D.B. 1218, pp. 1-4. 1924.
Tabanuco. See Candlewood.
Tabanus—
atratus, transmission of surra. B.A.I. An. Rpt., 1909, pp. 89, 91, 95-96. 1911; B.A.I. Cir. 169, pp. 89, 91, 95-96. 1911.
atratus. See also Gadfly.

*Tabanus—*Continued.
spp., description, life history, and habits. D.B. 1218, pp. 9-31. 1924.
Tabeaud Dam, Calif., construction details and cost. O.E.S. Bul. 249, Pt. I, pp. 26, 29-30. 1912.
Tabebuia—
donnell-smithii. See Mahogany, white.
nut, description, use as food. F.B. 332, p. 10. 1908.
pentaphylla, importations and descriptions. No. 38649, B.P.I. Inv. 39, p. 158. 1917; Nos. 44998, 45088, 45166, B.P.I. Inv. 52, pp. 16, 33, 41. 1922; No. 55737, B.P.I. Inv. 72, p. 28. 1924.
spectabilis, growing in Porto Rico, experiments. P.R. An. Rpt., 1917, pp. 23-24. 1918.
TABER, W. C.: "A method for the determination of tin in canned goods." With Herman Schreiber. Chem. Cir. 67, pp. 9. 1911.
Tabernaemontana donnell-smithii, importation. N. 53612, B.P.I. Inv. 67, p. 69. 1923.
Table(s)—
apple grading, types, description. F.B. 1080, pp. 11-14. 1919.
construction for abattoirs and packing houses. B.A.I. An. Rpt., 1909, p. 261. 1911; B.A.I. Cir. 173, p. 261. 1911.
kitchen—
adjustable. Y.B., 1914, p. 360. 1915; Y.B. Sep. 646, p. 360. 1915.
height adjustment. D.C., 189, p. 7. 1921.
height for comfortable work. F.B. 927, p.10. 1918; News L., vol. 7, No. 5, p. 7. 1919.
linens and utensils, selection. Y.B., 1914, pp. 354, 357-359. 1915; Y.B. Sep. 646, pp. 354, 357-359. 1915.
protection from ants. F.B. 1101, pp. 7-8. 1920.
runners, directions for making, sewing-club work. D.C. 2, pp. 18-19. 1919.
shearing, Angora goats, description. F.B. 573, p. 12. 1914.
waste, feeding to poultry, methods, and value. News L., vol. 5, No. 16, p. 3. 1917.
waters, labeling, F.I.D. 94. F.I.D. 93-95, pp. 2-3. 1908.
Tablets—
adulteration, and misbranding. See *Indexes, Notices of judgment*, in bound volumes and in separates published as supplements to Chemistry Service nad Regulatory Announcements.
lactic acid cultures, use, testing, various forms. B.A.I. An. Rpt., 1909, pp. 133, 141-142, 143. 1911; B.A.I. Cir. 171, pp. 133, 141-142, 143. 1911.
medicinal, study. Off. Rec. vol. 1, No. 35, p. 7. 1922.
Tabog—
importation and description. No. 40550, B.P.I. Inv. 43, pp. 8, 43-44. 1918.
susceptibility to citrus canker. J.A.R., vol. 19, p. 342. 1920.
Tabucki grass—
importations and descriptions. Nos. 50008-50009, 50012-50014, 50016, 50078, 50233-50234, B.P.I. Inv. 63, pp. 28, 29, 33, 47. 1923; Nos. 50789, 50791-50794, 50796, 50798, 50800, 50803, 50807-50808, B.P.I. Inv. 64, pp. 25, 26, 27. 1923; Nos. 52119-52166, B.P.I. Inv. 65, pp. 76-77. 1923.
origin, description, and tests. D.B. 981, pp. 10-11. 1921.
Tacaco, importations and descriptions. No. 36592, B.P.I. Inv. 37, pp. 8, 34. 1916; Nos. 41008, 41141, B.P.I. Inv. 44, pp. 31, 43. 1918; No. 47329, B.P.I. Inv. 58, pp. 9, 51. 1922; No. 51122, B.P.I. Inv. 64, pp. 2, 59. 1923.
Tacca pinnatifida—
African edible corm, introduction. B.P.I. Bul. 176, p. 16. 1910.
See also Arrowroot, Fiji.
Tachardiinae, recently described, catalogue. Ent. T.B. 16, Pt. VI, p. 87. 1912.
Tacharia lacca. See Lac insects.
Tachina—
fly, parasite of army worm. Y.B., 1907, pp. 246-248. 1908; Y.B. Sep. 447. 1908.
japonica, parasite of gipsy and brown-tail moths, description and studies. Ent. Bul. 91, pp. 227-228. 1911.

INDEX TO PUBLICATIONS, 1901–1925 2343

Tachina—Continued.
  mella, parasite of gipsy and brown-tail moths, description and studies. Ent. Bul. 91, pp. 225–227. 1911.
  mella, parasite of New Mexico range caterpillar. D.B. 443, p. 8. 1916; Ent. Bul. 85, pp. 89–91. 1911.
  spp., notes on. Ent. T.B. 12, Pt. VI, pp. 106–107. 1908.
Tachinid(s)—
  deposition of living maggots, notes on. Ent. T.B. 12, Pt. VI, pp. 101–102. 1908.
  flies—
    destruction of—
      alfalfa caterpillars. Ent. Cir. 133, pp. 7–9. 1911.
      army worm. Ent. Bul. 67, p. 98. 1907; Y.B., 1907, pp. 246–248. 1908; Y.B. Sep. 447, pp. 246–248. 1908.
      brown-tail and gipsy moth. An. Rpts., 1911, pp. 499–500. 1912; Ent. A.R., 1911, pp. 9–10. 1911.
    enemies of—
      Calosoma beetles. D.B. 417, pp. 11–12. 1917.
      catalpa sphinx. F.B. 705, p. 6. 1916.
      cutworms. Hawaii Bul. 27, p. 9. 1912.
  rearing, colonization, and description, studies. Ent. Bul. 91, pp. 202–236. 1911.
  imported, alternate hosts. Ent. T.B. 12, Pt. VI, pp. 112–113. 1908.
  leaf-ovipositing, extra maggot stage, notes on. Ent. T.B. 12, Pt. VI, p. 101. 1908.
  parasites—
    brown-tail moth caterpillar enemies, description, studies. Ent. Bul. 91, pp. 296–304. 1911.
    of gipsy moth, description, studies. Ent. Bul. 91, pp. 202–236. 1911.
  rearing cages—
    description, comparison. Ent. Bul. 91, pp. 204–207. 1911.
    improvements. Ent. T.B. 12, Pt. VI, pp. 113–115. 1908.
Tachinidae—
  bleaching, dissection, results. Ent. T.B. 12, Pt. VI, pp. 115–117. 1908.
  colonization method, improvement. Ent. T.B. 12, Pt. VI, p. 111. 1908.
  enemies of boll weevil. Ent. Bul. 100, pp. 42, 48, 54–68. 1912.
  rearing(s)—
    and dissections, record of results. Charles H. T. Townsend. Ent. T.B. 12, Pt. VI, pp. 95–118. 1908.
    in confinement, methods. Ent. T.B. 12, Pt. VI, pp. 110–111. 1908.
  reproduction habits. Ent. T.B. 12, Pt. VI, pp. 117–118. 1908.
  reproductive capacity. Ent. T.B. 12, Pt. VI, pp. 109–110. 1908.
  uterine eggs, importance of studying. Ent. T.B. 12, Pt. VI, pp. 107–109. 1908.
Tachuelo, occurrence, description, and uses. D.B. 354, pp. 33, 74. 1916.
Tachycineta—
  spp. See Swallows.
  thalassina lepida, occurrence in Pribilof Islands, and food. N.A. Fauna 46, p. 97. 1923.
Tachypterellus quadrigibbus, weevil having boll weevil parasites. Ent. Bul. 100, pp. 45, 50, 51, 64, 76. 1912.
Tachypterus quadrigibbus, control and life history. F.B. 1270, pp. 17–19. 1922.
Tacmahae trees, injury by sapsuckers. Biol. Bul. 39, pp. 28, 67. 1911.
Tacoma, Wash.—
  milk supply, statistics, officials, and prices. B.A.I. Bul. 46, pp. 38, 160. 1903.
  trade center for farm products. Rpt. 98, pp. 359, 389. 1913.
Tacsonia—
  quitensis, importation and description. No. 53181, B.P.I. Inv. 67, p. 35. 1923.
  spp., importation and description. Nos. 51392, 51399, 51567–51568. B.P.I. Inv. 65, pp. 1, 2, 11, 12, 27. 1923.
Taenia—
  expansa, lambs, infection methods, study. S.R.S. Rpt., 1915, Pt. I, p. 283. 1917.

Taenia—Continued.
  hydatigena, development in dogs. F.B. 1150, p. 25. 1920.
  krabbei, description. J.A.R., vol. 1, pp. 30, 36–38. 1913.
  marginata, development in dogs. F.B. 1150, p. 25. 1920.
  ovis, development in dogs, and treatment. F.B. 1150, p. 27. 1920.
  ovis, life history and technical description. J.A.R., vol. 1, pp. 27–31, 58. 1913.
  saginata—
    development from cysts in beef. B.A.I. An. Rpt., 1911, pp. 101, 102, 116. 1913; B.A.I. Cir. 214, pp. 101, 102, 116. 1913.
    hemotoxins. J.A.R., vol. 22, pp. 380–432. 1921.
  solium—
    development from cysts in pork, danger. B.A.I. An. Rpt., 1911, pp. 101, 102, 116. 1913; B.A.I. Cir. 214, pp. 101, 102, 116. 1913.
    hemotoxins. J.A.R., vol. 22, pp. 380–432. 1921.
  spp.—
    life history, development, and spread. D.B. 260, pp. 9, 12–14. 1915.
    occurring in dogs, descriptions. J.A.R., vol. 1, pp. 28–38, 58. 1913.
    See also Tapeworm.
  synonymy, *T. crassicollis*, *T. marginata*, *T. serrata*, *T. coenurus*, *T. serialis*, and Echinococcus. Ch. Wardell Stiles and Earle C. Stevenson. B.A.I. Bul. 80, pp. 14. 1905.
Taeniasis, somatic and extraintestinal, treatment, experiments. B.A.I. Bul. 153, pp. 6–10. 1912.
Taeniopteryx—
  pacifica. See Salmon fly.
  spp. injury to plants. J.A.R., vol. 13, p. 41. 1918.
Taeniothrips pyri. See Pear thrips.
TAFT, L. R., report of committee on movable schools of agriculture. O.E.S. Bul. 225, pp. 17–18. 1910; O.E.S. Bul. 251, pp. 12–15. 1912.
TAFT, PRESIDENT—
  address on "Conservation of the soil." Sec. Cir. 38, pp. 8. 1911.
  establishment of Efficiency Commission. Off. Rec. vol. 1, No. 32, p. 3. 1912.
  executive orders in regard to appointments and promotions. An. Rpts., 1909, pp. 814–815. 1910; Appt. Clerk Rpt., 1909, pp. 26–27. 1909.
Taft formula for arsenate of lime. Y.B., 1908, p. 275. 1909; Y.B. Sep. 480, p. 275. 1909.
Tag-alder, names, range, description, bark, prices, and uses. B.P.I. Bul. 139, p. 18. 1909.
Tag(s)—
  cotton warehouses, description, use, and record. D.B. 520, pp. 2–3, 12, 14, 24. 1917.
  hay bale, description and use. D.B. 978, pp. 3–6. 1921.
  meat-inspection—
    Y.B., 1916, pp. 80, 81, 74. 1917; Y.B. Sep. 714, pp. 4, 5, 8. 1917.
    regulations, uses. B.A.I.O. 150, pp. 23–26. 1908.
    metal, removal from meats. B.A.I.S.R.A. 110, p. 51. 1915.
  paper, Manila board, specifications. Rpt., 89, p. 51. 1909.
  sheep, injury to wool fleeces, disposition method. D.B. 206, pp. 8, 30. 1915.
Tagasaste—
  description and value. B.P.I. Bul. 223, p. 57. 1911.
  See also Escobon.
Tagetes, description, cultivation, and characteristics. F.B. 1171, p. 74. 1921.
TAGGART, W. G.—
  "Clarification by sulphur dioxide and lime." With C. E. Coates. D.B. 1370, pp. 28–32. 1925.
  "Tolerance and resistance to the sugar cane mosaic." With C. W. Edgerton. J.A.R., vol. 29, pp. 501–506. 1924.
TAGUE, E. L.—
  "Changes taking place in the tempering of wheat." J.A.R. vol. 20, pp. 271–275. 1920.
  "Chemical studies in making alfalfa silage." With C. O. Swanson. J.A.R., vol. 10, pp. 275–292. 1917.
  "Chemistry of sweet-clover silage in comparison with alfalfa silage." With C. O. Swanson. J.A.R., vol. 15, pp. 113–132. 1918.

TAGUE, E. L.—Continued.
"Determination of acidity and titrable nitrogen in wheat with the hydrogen electrode." With C. O. Swanson. J.A.R., vol. 16, pp. 1-13. 1919.
"Relation of the calcium content of some Kansas soils to the soil reaction as determined by the electrometric titration." With others. J.A.R. vol. 20, pp. 855-868. 1921.
Tahiti, coconut disease occurrence. B.P.I. Bul. 228, p. 20. 1912.
Tahoe National Forest—
Calif. and Nev., map. For. Maps, 1923. 1924.
Calif., location, description, and area. D.C. 185, pp. 15-16. 1921.
information for mountain travelers, map. For. Rec. Map. 1916.
map and directions to campers and travelers. For. Map Fold. 1915.
timber uses by small operators. Y.B., 1912, p. 408. 1913; Y.B. Sep. 602, p. 408. 1913.
Tail, wolf in, supposed disease of cattle, discussion. B.A.I. [Misc.], "Diseases of cattle," rev., p. 29. 1912.
TAILBY, G. W., Jr.: "Soil survey of—
Lee County, S. C." With others. Soil Sur. Adv. Sh., 1907, pp. 27. 1908; Soils F.O., 1907, pp. 323-343. 1909.
Meigs County, Ohio." with F. N. Meeker. Soil Sur. Adv. Sh., 1906, pp. 32. 1908; Soils F.O., 1906, pp. 701-728. 1908.
Sumter County, S. C." With others. Soil Sur. Adv. Sh., 1907, pp. 27. 1908; Soils F.O., 1907, pp. 299-321. 1909.
the Middlebourne area, West Virginia." With others. Soil Sur. Adv., Sh. 1907, pp. 32. 1909; Soils F.O., 1907, pp. 165-192. 1909.
the Wheeling area, West Virginia." With T. A. Caine. Soil Sur. Adv. Sh., 1906, pp. 32. 1907; Soils F.O., 1906, pp. 167-194. 1908.
Tailings, Washoe smelter, injury to crops and soil. Chem. Bul. 113, pp. 30-34. 1908; rev., pp. 32-36. 1910.
Taints, milk, causes. D.B. 1097, pp. 1-2. 1922.
TAIT, C. E.—
"Mechanical tests of pumping plants in California." With J. N. LeConte. O.E.S. Bul. 181, pp. 72. 1907.
"Pumping plants in Texas." O.E.S. Bul. 158, pp. 341-346. 1905.
"Rice irrigation on the prairie land of Arkansas." O.E.S. Bul. 158, pp. 545-565. 1905.
"Storage of water in the Cache la Poudre and Big Thompson Rivers." O.E.S. Bul. 134, pp. 100. 1903.
"The use of underground water for irrigation at Pomona, Calif." O.E.S. Bul. 236, pp. 99. 1911; rev. 1912.
Taiwania cryptomerioides, importation and description. No.4 6980, B.P.I. Inv. 58, pp. 6, 14. 1922.
Taka diastase, manufacture, from Aspergillus oryzae. B.A.I. Bul. 120, pp. 11, 27. 1910.
Take-all—
cereal disease, description and control. F.H.B. S.R.A. 64, pp. 84-85, 86-87. 1919.
control by quarantine. News L., vol. 6, No. 32, pp. 1-2. 1919.
grain quarantine. F.H.B. Quar. 39, pp. 3. 1919.
investigation. F.H.B.S.R.A. 63, pp. 66-67. 1919.
of wheat and its control. Harry B. Humphrey and others. F.B. 1226, pp. 12. 1921.
quarantine No. 39—
text and regulations. F.H.B.S.R.A. 64, pp 77-79. 1919.
with regulations, summary. F.H.B.S.R.A. 71, p. 176. 1922.
quarantine order. F.H.B.S.R.A. 74, p. 55. 1923.
wheat—
control. D.B. 1347, pp. 14-17. 1925.
distinction from rosette disease, cause. J.A.R., vol. 23, pp. 771, 772, 777. 1923.
eradication. News L., vol. 7, No. 13, p. 8. 1919.
in Illinois, studies. News L., vol. 6, No. 43, p. 6. 1919.

Take-all—Continued.
wheat—continued.
investigations. B.P.I. Chief Rpt., 1921, p. 35. 1921.
losses, symptoms, and control. F.B. 1063, pp. 3-6, 8. 1919.
outbreak and control. An. Rpts., 1919, pp. 170, 519-521. 1920; B.P.I. Chief Rpt., 1919, p. 34. 1919; F.H.B. An. Rpt., 1917, pp. 15-17. 1919.
out-breaks. News L., vol. 6, No. 47, p. 14. 1919.
relation to weakened plants, and control. J.A.R., vol. 25, pp. 351-358. 1923.
study. D.B. 1347, pp. 3-17. 1925.
Takosis—
bacteriology and diagnosis. B.A.I. Bul. 45, pp. 13-25. 1903.
blood examination. B.A.I. Bul. 45, pp. 30-31. 1903.
contagious disease of goats. John R. Mohler and Henry J. Washburn. B.A.I. Bul. 45, pp. 44. 1903.
diagnosis, differential. B.A.I. Bul. 45, pp. 39-41 1903.
economic importance. B.A.I. Bul. 45, pp. 36-39. 1903.
goat, description. F.B. 1203, p. 25. 1921
lesions, microscopic. B.A.I. Bul. 45, pp. 28-30. 1903.
pathological anatomy. B.A.I. Bul. 45, pp. 11-13. 1903.
symptoms of disease. B.A.I. Bul. 45, pp. 9-10. 1903; F.B. 137, p. 45. 1901; F.B. 920, p. 35. 1918.
treatment. B.A.I. Bul. 45, pp. 41-44. 1903.
Talauma hodgsoni, importations and descriptions. No. 37216, B.P.I. Inv. 38, pp. 8, 46. 1917; No. 39139, B.P.I. Inv. 40, p. 82. 1917.
Talc—
adulterant in confectionery, decision. An. Rpts., 1915, p. 339. 1916; Sol. Cir. 82, pp. 5. 1915; Sol. A.R., 1915, p. 13. 1915.
adulteration of—
candy, N.J. 3873. Chem. S.R.A. Sup. 8, p. 453. 1915.
rice. Chem. N.J. 1388, pp. 2. 1912.
coating added to milled rice, percentage. D.B. 330, p. 12. 1916.
use as candy coating. An. Rpts., 1911, p. 428. 1912; Chem. Chief Rpt., 1911, p. 14. 1911.
use in adulteration of rice. Chem. N.J. 1030, p. 1. 1911; Chem. N.J. 1361, p. 1. 1912.
Talinum—
patens, importation and description. No. 51193, B.P.I. Inv. 64, pp. 4, 71. 1923.
verticillatum, introduction into Porto Rico, description, etc. P.R. An. Rpt., 1921, p. 11. 1922.
Talipot palm, importation and description. No. 52802, B.P.I. Inv. 66, p. 78. 1923.
TALLMAN, W. D.: "Tensile strength and elasticity of wool." With Robert F. Miller. J.A.R., vol. 4, No. 5, pp. 379-390. 1915.
Tallow—
bayberry. See Bayberry.
beef, commercial value as by-product. B.A.I. An. Rpt., 1908, pp. 94-95. 1910; B.A.I. Cir. 154, pp. 12-13. 1910.
beef, quality with age, variation. B.A.I. Rpt., 1905, p. 194. 1907.
detection in lard, work and results. Chem. Bul. 152, pp. 96-100. 1912.
exports, 1902-1904. Stat. Bul. 36, p. 47. 1905.
exports. See also Farm products, exports.
imports and exports, statistics. Y.B., 1921, pp. 738, 744, 750. 1922; Y.B. Sep. 867, pp. 2, 8, 14. 1922.
inedible, shipment regulations, May 1, 1908. B.A.I.O. 150, amdt. 1, pp. 2. 1908.
preparation methods, and uses. D.B. 769, pp. 35-36. 1919.
production—
and exportations, 1917. D.B. 769, pp. 34-35. 1919.
increase, methods. D.B. 769, pp. 37-38. 1919.
tree, China, importation and description. No. 50645, B.P.I. Inv. 63, pp. 89-90. 1923.
tree, description and growth. Sec. [Misc.], "Sapium serbiferum," p. 1. 1908.

Tallow—Continued.
  tree, importation and description. No. 47363, B.P.I. Inv. 59, p. 11. 1922.
  use in—
    determining wilting co-efficient. B.P.I. Bul. 230, pp. 13, 14, 49. 1916.
    fattening poultry. D.B. 21, pp. 6, 7, 8, 28, 29, 30. 1914.
    protection of telephone cables. D.B. 1107, pp. 8, 22, 23, 28, 29, 41. 1922.
Talloviness in milk powder, causes. B.A.I. Dairy [Misc.], "World's dairy congress," 1923, pp. 1250-1265. 1924.
TALMAN, C. F.: "Brief list of meteorological textbooks and reference books." W.B. [Misc.], "Brief list of * * *," pp. 16. 1909; pp. 18. 1910; pp. 22. 1913.
Talpidae family—
  description and keys to genera and species. N.A. Fauna 38, pp. 21-98. 1915.
  See also Moles.
Taluama mutabilis, importation and description. No. 29358, B. P. I. Bul. 233, pp. 8, 14. 1912.
Talus koekoek, taro, description. B.P.I. Bul. 164, p. 26. 1910.
Tama, Chinese giant hemp, seed introduction for improving varieties. An. Rpts., 1910, p. 303. 1911; B.P.I. Chief Rpt., 1910, p. 33. 1910.
Tama District, farm earnings and incomes, 1913, 1915, 1918, 1919. D.B. 874, pp. 20-37. 1920.
Tamales, recipe. F.B. 565, p. 14. 1914.
Tamarack—
  description, range—
    and occurrence on Pacific slope. For. [Misc.], "Forest trees for Pacific * * *," pp. 73-77. 1908.
    use, propagation methods, and care. For. Cir. 89, pp. 4, 1907. rev., 1910.
  (Larix laricina), distribution. N.A. Fauna 22, p. 13. 1902.
  grading rules. D.C. 64, p. 38. 1920.
  grinder runs, tables. D.B. 343, pp. 99-102. 1916.
  growth—
    in different regions, rate. F.B 1177, rev., p. 27. 1920.
    in Illinois. For. Cir. 81, rev., p. 22. 1910.
    rate. For. Bul. 36, pp. 188, 193. 1910.
  indication of muck soil in Maine, Aroostook area. Soil Sur. Adv. Sh., 1917, p. 42. 1921; Soils F.O., 1917, p. 44. 1923.
  lumber cut and value, 1906, several States. For. Cir. 122, p. 27. 1907.
  names, range, description, bark, prices, and uses. B.P.I. Bul. 139, pp. 10-11. 1909.
  occurrence, habits, and management. For. Silv. Leaf. 32, pp. 3. 1908.
  pine. See Pinus murrayana.
  quality tests, table. D.B. 343, pp. 132-133, 147. 1916.
  sawfly, control, parasite introduction. O.E.S. An. Rpt., 1911, p. 132. 1912.
  strength tests, results. For. Bul. 115, p. 10. 1913; For. Bul. 122, p. 11. 1913.
  structural strength and elasticity. For. Cir. 115, pp. 15, 25, 35, 37, 39. 1907.
  tests for—
    mechanical properties, results. D.B. 556, pp. 35, 44. 1917.
    shrinkage and strength. D.B. 676, p. 35. 1919.
    strength and elasticity, results. For. Bul. 108, pp. 20-24, 30, 38, 48, 56, 57, 64, 65, 70-73, 101, 120. 1912.
    timbers, strength values, tables. For. Cir. 189, pp. 4, 5, 6, 7. 1912.
  treatment with creosote, tests and results. D.B. 101, pp. 15, 28, 36, 37, 39. 1914.
  use for electric light poles. Y.B., 1900, p. 150. 1901.
  use in wood paving, comparative value. For. Cir. 194, pp. 4, 7, 11. 1912.
  See also Larch; Larix laricina.
Tamaricaceae, injury by sapsuckers. Biol. Bul. 39, p. 47. 1911.
Tamarind(s)—
  composition. Hawaii A.R., 1914, pp. 65, 67. 1915.
  Cuban, composition, chemical. Chem. Bul. 87, pp. 14-16. 1904.

Tamarind(s)—Continued.
  description, and—
    use. Chem. Bul. 87, pp. 14-16. 1904.
    uses, Porto Rico. D.B. 354, p. 73. 1916.
  importations and descriptions. No. 45105, B.P.I. Inv. 52, p. 35. 1922; No. 47983, B.P.I. Inv. 60, p. 24. 1922; No. 50186, B.P.I. Inv. 63, p. 43. 1923.
  insects, list. Sec. [Misc.], "A manual * * * insects * * * ," p. 210. 1917.
  pod-borer, Sitophilus linearis (Herbst.). Richard T. Cotton. J.A.R., vol. 20, pp. 439-446. 1920.
  syrup, adulteration and misbranding. See Indexes to Notices of Judgment in bound volumes of Chemistry Service and Regulatory Announcements.
  tree, growing in Hawaii. Hawaii A.R., 1921, pp. 20-21. 1922.
  use as food relish, notes. O.E.S. Bul. 245, p. 67 1912.
Tamarindillo, wild legume, value as cover crop, Porto Rico. P.R. Bul. 19, p. 24. 1916.
Tamarindo sciroppo, misbranding. N.J. 4618, Chem. S.R.A., Sup. 23, pp. 165-167. 1917.
Tamarisk(s)—
  adaptability to Truckee-Carson project, description and uses. B.P.I. Cir. 78, p. 8. 1911.
  adulterant of sumac, description. Chem. Bul. 117, p. 30. 1908.
  family, injury to trees by sapsuckers. Biol. Bul. 39, p. 47. 1911.
  hardy, importations and description. Nos. 30527, 30930-30933, B.P.I. Bul. 242, pp. 8, 18, 54-55. 1912.
  importations and descriptions. Nos. 30049-30050, B.P.I. Bul. 233, p. 53. 1912; No. 34780, B.P.I. Inv. 34, pp. 6, 13. 1915; No. 35261, B.P.I. Inv. 35, p. 29. 1915; Nos. 39559, 39627-39629, B.P.I. Inv. 41, pp. 6, 40, 50-51. 1917; Nos. 39691-39693, 39856, B.P.I. Inv. 42, pp. 8, 12, 27. 1918; Nos. 41413, 41624, B.P.I. Inv. 45, pp. 25, 55. 1918; Nos. 42441-42443, B.P.I. Inv. 47, p. 14. 1920; No. 44554, B.P.I. Inv. 51, pp. 9, 23. 1922; No. 49137, B.P.I. Inv. 62, p. 7. 1923.
  insect pests, list. Sec. [Misc.], "A manual * * * insects * * * ," p. 211. 1917.
  trees, value for windbreaks, propagation by cuttings. B.P.I. Bul. 157, pp. 10, 15, 28, 34. 1909.
  use as windbreak. For. Cir. 161, p. 11. 1909.
  value and uses in Great Plains. F.B. 1312, p. 21, 1923.
  See also Tamarix spp.
Tamarix—
  africana, adulterant of sumac. Chem. Bul. 117, pp. 7, 30. 1908.
  aphylla. See Athel.
  articulata, useful for tannin and as soil binder. B.P.I. Bul. 180, p. 35. 1910.
  dioica, importation and description. No. 47810, B.P.I. Inv. 59, pp. 7, 62. 1922.
  gallica, injury by sapsuckers. Biol. Bul. 39, p. 47. 1911.
  spp. See Tamarisk.
Tamias—
  leucurus. See Squirrel, antelope.
  spp. See Chipmunk; Squirrel, ground.
Tamier. See Yautia.
Tampico fiber—
  imports, 1907-1909, quantity and value, by countries from which consigned. Stat. Bul. 82, p. 38. 1910.
  See also Istle.
Tan liquors, acid determinations. Chem. Bul. 90, pp. 205-210. 1905.
Tanacetum vulgare—
  source of camphor. B.P.I. Bul. 235, p. 11. 1912.
  See also Tansy.
Tanager(s)—
  breeding range, Arkansas, food habits. Biol. Bul. 38, pp. 69-70. 1911.
  eye parasite. B.A.I. Bul. 60, p. 50. 1904.
  migration habits and routes. D.B. 185, pp. 5, 9, 13, 23, 25, 31, 32. 1915.
  occurrence in Athabaska-Mackenzie region. N.A. Fauna 27, pp. 449-450. 1908.
  Porto Rican, occurrence in Porto Rico, habits and food. D.B. 326, pp. 120-121. 1916.

Tanager(s)—Continued.
   protection by law. Biol. Bul. 12, rev., pp. 38, 40. 1902.
   western, damages to cherry crop. Biol. Bul. 30, pp. 23–26. 1907.
   See also Euphonia.
Tanagra sclateri. See Euphonia, Porto Rican.
Tanagridae, hosts of eye parasite. B.A.I. Bul. 60, p. 50. 1904.
TANAKA, TYOZABURO—
   "A new feature of bud variation in citrus." D.C. 206, pp. 8. 1922.
   "Varieties of the Satsuma orange group in Japan." B.P.I.C.P. and B.I. Cir. 5, pp. 10. 1918.
Tanana Valley, Alaska—
   agricultural lands, investigation. Alaska A.R., 1910, pp. 66–69. 1911.
   description and vegetation, reconnoissance. Soil Sur. Adv. Sh., 1914, pp. 117–121. 1915; Soils F.O., 1914, pp. 151–155. 1916.
Tanbark—
   acacia species, useful. D.B. 9, pp. 2, 16–25. 1913.
   analyses. For. Bul. 75, pp. 12, 13, 14, 15. 1911.
   and tanning extract in 1906. For. Cir. 119, pp. 9. 1907.
   chestnut, spread of bark disease. F.B. 467, pp. 9, 14. 1911.
   consumption—
      1905. H. M. Hale. For. Cir. 42, pp. 4. 1906.
      1905, in United States. For. Bul. 74, pp. 59–60. 1907.
      1906. For. Bul. 77, pp. 77–80. 1908.
      1906, by States, quantity and value per cord. For. Cir. 119, pp. 4–5. 1907.
   damage, prevention. Ent. Bul. 58, p. 83. 1910.
   harvested in California, 1855–1907. For. Bul. 75, p. 5. 1911.
   hemlock, consumption and value. D.B. 152, pp. 12–13, 36–37. 1915.
   insect injury, cause and prevention. Ent. Cir. 128, pp. 3, 7. 1910.
   marketing from woodlot. Y.B., 1915, pp. 126, 129. 1916; Y.B. Sep. 662, pp. 126, 129. 1916.
   production from tanbark oak, stand, yield, and peeling. For. Bul. 75, pp. 8–14. 1911.
   production, in Hawaii. O.E.S. Bul. 170, pp. 11–12. 1906.
   sources and consumption, 1907. For. Cir. 166, p. 22. 1909.
   wattle, yield, and prices, Africa and Hawaii. D.B. 9, pp. 19–22. 1913.
Tangan-tangan—
   shrub injurious to horses and hogs in Guam. S.R.S An. Rpt., 1921, p. 23. 1921.
   used as livestock feed, experiments. Guam A.R., 1921, p. 5. 1923.
   wild legume in Guam, description and culture. Guam Bul. 4, pp. 25–26, 29. 1922.
Tangelo(s)—
   hybrid, new fruit, from tangerine orange and pomela. News L., vol. 5, No. 47, p. 12. 1918.
   new citrus fruit, value. An. Rpts., 1912, p. 403. 1913; B.P.I. Chief Rpt., 1912, p. 23. 1912.
   Sampson, characters. B.P.I. Chief Rpt., 1921, p. 20. 1921.
   Sampson, hybrid of pomelo and tangerine, description, No. 29159. B.P.I. Bul. 227, p. 40. 1911.
   susceptibility to—
      citrus canker. J.A.R., vol. 14, p. 351. 1918.
      citrus scab. D.B. 1118, p. 3. 1923.
   what they are, value in Florida of the Sampson and Thornton tangelos. Walter T. Swingle and T. Ralph Robinson. B.P.I. C. P. and B. Inv. Cir. 4, pp. 3. 1918.
   See also Tangerine.
Tangerines—
   adulteration. See Indexes, Notice of Judgment, in bound volumes, and in separates published as supplements to Chemistry Service and Regulatory Announcements.
   Brazilian, importation and description. No. 45089. B.P.I. Inv. 52, p. 33. 1922.
   growing in—
      Gulf States. F.B. 1122, pp. 12, 18. 1920.
      India, notes. Ent. Bul. 120, pp. 44, 47. 1913.
   immunity to wither tip from Gloeosporium. J.A.R., vol. 30, pp. 630–635. 1925.

Tangerines—Continued.
   importations and descriptions. Nos. 37753, 37771, B.P.I. Inv. 39, pp. 34, 38. 1917; Nos. 38941, 38942, B.P.I. Inv. 40, p. 49. 1917; No. 45933, B.P.I. Inv. 54, p. 44. 1922.
   packing methods. F.B. 696, pp. 19–21. 1915.
   shipments by States, and by stations, 1916. D.B. 667, pp. 8, 98. 1918.
   shipments in carloads, by States, 1920–1923. S.B. 8, p. 36. 1925.
   susceptibility to citrus canker. J.A.R., vol. 19, No. 8, pp. 351, 352, 353. 1920.
   trees, inoculations with citrus-knot fungus. B.P.I. Bul. 247, pp. 50–51, 66. 1912.
   yield per acre. D.B. 1338, p. 4. 1925.
Tanglefoot—
   home made, for tree bands, formula. P.R. Cir. 17, p. 18. 1918.
   substitution for burlap in banding trees. An. Rpts., 1910, p. 513. 1911; Ent. A.R., 1910, p. 9. 1910.
   tree, cost and use on hopperdozer. F.B. 737, pp. 6–7. 1916.
   use—
      against hop flea-beetles, methods. Ent. Bul. 82, pp. 50–52. 1912.
      in control of red spiders. Ent. Bul. 117, pp. 18, 28–29, 34. 1913.
      to control guama ant, Porto Rico. P.R. An. Rpt., 1913, p. 23. 1914.
Tangleroot, pineapple, cause and remedy. P.R. Bul. 8, pp. 15, 41. 1909.
Tanguile. See Mahogany, Philippine.
Taniers—
   or yautias of Porto Rico. O. W. Barrett. (Also Spanish edition.) P. R. Bul. 6, pp. 27. 1905.
   See also Dasheen.
Tank(s)—
   capacity and outage, calculation, formulas. D.B. 898, pp. 17–27. 1920.
   capacity reckoning. F.B. 1448, p. 8. 1925.
   cars—
      milk transportation, history of development. B.A.I. Dairy [Misc.], "World's dairy congress," 1923, pp. 812–814. 1924.
      shipping turpentine, loading and unloading. D.B. 898, pp. 14–17. 1920.
      use in milk transportation. Y.B., 1922, p. 354. 1923; Y.B. Sep. 879, p. 63. 1923.
   concrete, comparison of materials. D.B. 744, pp. 6–15. 1919.
   containers, loading on cars, in milk transportation. B.A.I. Dairy [Misc.], "World's dairy congress," 1923, pp. 821–822, 823–824. 1924.
   cooking—
      and settling, for making lime sulphur dips. F.B. 798, pp. 21–22. 1917.
      and settling, for preparation of cattle dips, use. F.B. 1017, pp. 19–20. 1919.
      for use in sheep dipping, description. F.B. 713, pp. 33–34. 1916.
      use in making lime-sulphur, description. F.B. 1285, pp. 37–38. 1922.
   cooling, efficiency of various materials. D.B. 744, pp. 5–15. 1919.
   cork-insulated, comparison with other materials. D.B. 744, pp. 6–15. 1919.
   evaporation, description. J.A.R., vol. 10, pp. 218–225. 1917.
   fence-post treatment, description and cost. For. Cir. 117, p. 9. 1907.
   galvanized-iron, comparison with other materials. D.B. 744, pp. 6–15. 1919.
   glass, for milk shipment, experiments. Y.B., 1922, p. 354. 1923; Y.B. Sep. 879, p. 62. 1923.
   grain, reinforcement, measurement directions. D.B. 789, pp. 10–14. 1919.
   gravity, use in water supply for warehouse protection. D.B. 801, pp. 70, 72. 1919.
   holding, use in milk pasteurization, description. B.A.I. Cir. 184, pp. 17–28. 1912.
   irrigation experiments with barley and wheat. O.E.S. Cir. 108, pp. 17–18. 1911.
   manufacture from pine. For. Bul. 99, p. 14. 1911.
   method, wood preservation, pressure processes. For. Bul. 78, pp. 14–21. 1909.

Tank(s)—Continued.
milk—
cleaning details. B.A.I. Dairy [Misc.], "World's dairy congress, 1923," p. 828. 1924.
construction, details. D.B. 744, pp. 15–17. 1919.
cooling, construction, size, and ice requirements. F.B. 976, pp. 8–12. 1918.
for storage. D.B. 890, p. 6. 1920.
portable, for fire fighting in forests. For. Bul. 113, p. 17. 1912.
sardine, sanitary precautions. D.B. 908, pp. 99–100. 1921.
septic—
construction, suggestions, details, and costs. Y.B., 1916, pp. 362–370. 1917; Y.B. Sep. 712, pp. 16–24. 1917.
for sewage disposal from abattoirs. B.A.I. Cir. 185, pp. 252, 253. 1912; B.A.I. An. Rpt., 1910, pp. 252, 253. 1912.
for sewage disposal, rural homes, plan. F.B. 527, pp. 20–22. 1913.
installation cost. F.B. 1227, pp. 51–52. 1922.
use in sewage—
disposal, history, description, limitations and treatment. F.B. 1227, pp. 28–53. 1922.
purification and disposal, description and use methods. D.B. 57, pp. 33–45. 1914.
settling for sorghum juice. F.B. 477, pp. 16–19. 1912.
spraying outfits. Y.B., 1908, pp. 282, 286. 1909; Y.B. Sep. 480, pp. 282, 286. 1909.
stock-watering on forest reserves. For. [Misc.], "The use book, 1910," pp. 59–62. 1910.
storage, for lime-sulphur. F.B. 1285, pp. 9, 39. 1922.
treatment, chestnut poles. For. Cir. 147, pp. 10–14. 1908.
treatments, pole and brush. For. Cir. 104, pp. 24. 1907.
trucks, milk transportation. C. E. Gray. B.A.I. Dairy [Misc.] "World's dairy congress, 1923," pp. 825–830. 1924.
turpentine, painting, directions and precautions. D.B. 988, pp. 15–17. 1920.
use in preparing inedible products, regulations. B.A.I.O. 211, pp. 34–35. 1914.
water—
for domestic use, description. Y.B., 1914, pp. 149–151. 1915; Y.B. Sep. 634, pp. 149–151. 1915.
storage—
for farm homes. Y.B., 1909, pp. 350–351. 1910; Sep. 518, pp. 350–351. 1910.
kinds, description and capacity. F.B. 941, pp. 57–62. 1918.
use in farm butter making, description. F.B. 541, pp. 22–23. 1913.
wooden, comparison with other materials. D.B. 744, pp. 6–15. 1919.
Tankage—
adulteration and misbranding. See *Indexes, Notices of Judgment, in bound volumes and in separates published as supplements to Chemistry Service and Regulatory Announcements.*
animal food products, use and value as hog feed. B.A.I. Cir. 201, pp. 19–20. 1912.
dead-animal, composition, yield, and value. Y.B., 1914, p. 301. 1915; Y.B. Sep. 643, p. 301. 1915.
feed—
for hog(s)—
F.B. 276, pp. 21–24. 1907.
experiments. F.B. 411, pp. 19–20. 1910.
following cattle. F.B. 316, pp. 28–30. 1908.
influence upon carcass. B.A.I. Bul. 47, pp. 202–203. 1904.
results. B.A.I. An. Rpt., 1907, pp. 37, 226–228. 1909; B.A.I. Cir. 144, pp. 37, 226–228. 1909.
study in 1923. Work and Exp., 1923, p. 60. 1925.
value. Y.B., 1909, p. 232. 1910; Y.B. Sep. 508, p. 232. 1910.
value in Hawaii. Hawaii Bul. 48, pp. 18, 36. 1923.
for pig(s)—
comparison with alfalfa hay. D.C. 339, pp. 43–44. 1925.

Tankage—Continued.
feed—continued.
for hog(s)—continued.
experiments, 1903. B.A.I. An. Rpt., 1903, pp. 280–281. 1904; B.A.I. Cir. 63, pp. 280–281. 1904.
experiments, 1911. O.E.S. An. Rpt., 1911, pp. 107–108. 1912.
on sweet clover-pasture, tests, Truckee-Carson project, 1917. W.I.A. Cir. 23, pp. 21–22. 1918.
value. F.B. 169, pp. 29–30. 1909.
protein and energy values. D.B. 459, p. 13. 1916.
value and safety in use. F.B. 781, pp. 8–9. 1917.
fertilizer for sugar-cane, comparison with others. P.R. An. Rpt., 1914, p. 24. 1916.
garbage, preparation, composition, use as fertilizer, and value per ton. Y.B., 1914, pp. 303–307, 309–310. 1915; Y.B. Sep. 643, pp. 303–307, 309–310. 1915.
misbranding. See *Indexes, Notices of Judgment, in bound volumes and in separates published as supplements to Chemistry Service and Regulatory Announcements.*
not a cause of tuberculosis. Y.B., 1909, p. 232. 1910; Y.B. Sep. 508, p. 232. 1910.
packing house, use as hog feed. B.A.I. Bul. 47, pp. 129–132. 1904.
preparation and value as by-product of meat. B.A.I. An. Rpt., 1908, p. 94. 1910; B.A.I. Cir. 154, p. 12. 1910.
production and use as fertilizer. D.B. 37, pp. 9–11. 1913.
protein, adulteration. See *Indexes, Notices of Judgment, in bound volumes and in separates published as supplements to Chemistry Service and Regulatory Announcements.*
slaughterhouse and garbage—
optical constants, determination in commercial fertilizers. D.B. 97, pp. 1–10, 13. 1914.
stocks, 1917. Sec. Cir. 104, pp. 4, 6, 10–12. 1918.
substitute for, in feeds. M. C. 12, p. 35. 1924.
use as horse feed. F.B. 1030, p. 6. 1919.
value—
as fertilizer. News L., vol. 1, No. 23, p. 3. 1914.
as fertilizer source. Y.B., 1917, pp. 142, 256. 1918; Y.B. Sep. 728, p. 6. 1918; Y.B. Sep. 729, p. 6. 1918.
for hog feed, ingredients, studies. Work and Exp., 1919, pp. 75–76. 1921.
with corn and alfalfa, finishing hogs in dry lot. D.C. 204, pp. 25–26. 1921.
Tanking—
carcasses of condemned meat animals, regulations. B.A.I.O. 211, rev., p. 27. 1922.
condemned meats, details. B.A.I. An. Rpt., 1906, p. 90. 1908; B.A.I. Cir. 125, p. 30. 1908.
Tannage, effect on wearing qualities of leather. D.B. 1168, pp. 7–9, 13–18, 23. 1923.
Tannage, formulas for fur skins. F.B. 1334, pp. 25–27. 1923.
TANNATT, E. T.: "Irrigation investigations." O.E.S. Bul. 228, pp. 117–120. 1910.
Tanneries—
danger of spread of infection. F.B. 784, p. 8. 1917.
list, Chemistry Bureau, securing. D.C. 230, p. 2. 1922.
spread of anthrax infection. B.A.I. An. Rpt., 1909, p. 219. 1911; F.B. 439, p. 7. 1911.
Tanners—
charges for tanning hides, and address list for farmers. F.B. 1334, pp. 1–2. 1923.
eggs, sources, and bacterial content. D.B. 224, pp. 13–14, 18, 19, 21, 25, 29, 60. 1916.
list, with analyses of leathers. Chem. Bul. 165, pp. 15–20. 1913.
tanning hides, cost and requirements. D.C. 230, pp. 2–3. 1922.
Tannery refuse, bacteriological examination for anthrax. An. Rpts., 1916, p. 113. 1917; B.A.I. Chief Rpt., 1916, p. 47. 1916.
Tannia. See Dasheen.

Tannic acid—
   effect on cattle, experiment studies. D.B. 767, pp. 4, 5, 33–34. 1919.
   in banana peel, cause of immunity to fruit fly. J.A.R., vol. 5, No. 17, pp. 799, 803. 1916.
   use in control of Zygadenus poisoning of sheep, experiments, etc. D.B. 125, pp. 39–40, 41–42, 44. 1915.
Tannin—
   abundance in hemlock trees, eastern Puget Sound Basin, Wash. Soil Sur. Adv. Sh., 1909, p. 35. 1911; Soils F.O., 1909, p. 1547. 1912.
   acorns and persimmons, studies, Alabama Experiment Station. O.E.S. An. Rpt., 1912, p. 68. 1913.
   amount and quality in bark of tanbark oak. For. Bul. 75, pp. 13–15, 21, 22. 1911.
   analysis—
      methods. Chem. Bul. 81, pp. 221–227. 1904.
      methods, report and recommendations. Chem. Bul. 132, pp. 189–192. 1910.
      report and recommendation. Chem. Bul. 116, pp. 87–89, 117. 1908.
   content—
      and distribution in tanbark oak. For. Bul. 75, pp. 33–34. 1911.
      of—
         American sumac varieties. D.B. 706, pp. 8–9, 12. 1918.
         Emory oak, comparison with other oaks. For. Cir. 201, p. 14. 1912
         persimmons, cause of astringency. Chem. Bul. 141, pp. 7–8. 1911.
         quebracho. For. Cir. 202, pp. 8–9. 1912.
         wattle bark. D.B. 9, pp. 16, 17, 21, 24–25. 1913.
   determination—
      in—
         cloves and allspice. Chem. Bul. 107, p. 164. 1907.
         fruits and fruit products, method and reagents. Chem. Bul. 66, rev., p. 22. 1905.
         maple-sap sirup. Chem. Bul. 134, pp. 18, 66. 1910.
         tea. Chem. Bul. 107, p. 150. 1907.
      method, report of referees committee. Chem. Bul. 152, p. 212. 1912; Chem. Cir. 90, p. 9. 1912.
      methods. Chem. Bul. 67, pp. 128–127. 1902.
      recommendation of referee. Chem. Cir. 38, p. 4. 1908.
   effect on alcohol production from wood waste. D.B. 983, p. 53. 1922.
   estimation, methods. Chem. Bul. 90. pp. 215–218. 1905.
   extract—
      from chestnut wood, uses, specifications, and prices. F.B. 582, pp. 21–22. 1914.
      from grape seed hulls, yield and value. D.B. 952, pp. 17, 18. 1921.
      process, yield per cord of bark. For. Bul. 75, pp. 20–21. 1911.
   in fruit(s)—
      relation to disease resistance. J.A.R., vol. 5, No. 9, pp. 368, 389–390. 1915.
      studies, Delaware Experiment Station. O.E.S., An. Rpt., 1912, p. 92. 1913.
   in plant tissue, quantitative estimation, method. Paul Menaul. J.A.R., vol. 26, pp. 257–258. 1923.
   manufacture from raisin seeds, uses, quantity, and value. B.P.I. Bul. 276, pp. 30–33, 35, 36. 1913.
   methods of determination. Chem. Bul. 73, pp. 77–84. 1903.
   plants—
      importation from January 1 to March 31, 1921, discussion. B.P.I. Inv. 66, p. 4. 1923.
      investigations, 1911. B.P.I. Chief Rpt., 1911, p. 29. 1911; An. Rpts., 1911, p. 277. 1912.
      new, introduction. B.P.I. Bul. 176, pp. 9, 14. 1910.
   presence in grapes, studies. J.A.R., vol. 30, pp. 1155–1157. 1925.
   production from western hemlock, note. D.B. 680, p. 14. 1918.
   recommendations of referees, 1907. Chem. Bul. 116, p. 117. 1908.

Tannin acid—Continued.
   report by referee—
      1901. Chem. Bul. 67, p. 128–147. 1902.
      1902. Chem. Bul. 73, pp. 77–84. 1903.
      1903. Chem. Bul. 81, pp. 221–227. 1904.
      1904. Chem. Bul. 90, pp. 193–313. 1905.
      1906. H. C. Reed. Chem. Bul. 105, pp. 161–164. 1907.
      1907. Chem. Bul. 116, pp. 87–89. 1908.
      1910. Chem. Bul. 137, pp. 171–179. 1911.
      1911. Chem. Bul. 152, pp. 221–233. 1912.
   salt method with meat products. Chem. Bul. 90, pp. 126–217. 1905.
   source(s)—
      No. 46903, note. B.P.I. Inv. 57, p. 48. 1922.
      investigations. Chem. Chief Rpt., 1921, pp. 35–36. 1921.
      plant importation. No. 48817, B.P.I. Inv. 61, p. 51. 1922.
      quebracho, and acacia, notes. B.P.I. Inv. 49, pp. 28, 41, 55. 1921.
      tamarisk gall. No. 44554, B.P.I. Inv. 51, pp. 9, 23. 1922.
   use against fungus parasites, experimental study. O.E.S. An. Rpt., 1911, p. 89. 1912.
   willow, use and value. D.B. 316, pp. 35–36. 1915.
Tanning—
   bark and extracts, exports, 1851–1908. Stat. Bul. 51, p. 17. 1909.
   chestnut wood, demand and use. Y.B., 1918, p. 320. 1919; Y.B. Sep. 779, p. 6. 1919.
   crops, experimental growing. An. Rpts., 1910, p. 60. 1911; Rpt., 93, p. 44. 1911; Sec. A.R., 1910, p. 60. 1910; Y.B., 1910, p. 59. 1911.
   directions. Off. Rec. vol. 1, No. 30, p. 5. 1922.
   extract—
      consumption, 1906. For. Bul. 77, pp. 77, 80–83. 1908; For. Cir. 119, pp. 9. 1907.
      exports, 1908. For. Cir. 162, p. 7. 1909.
      sources and consumption, 1907. For. Cir. 166, p. 22. 1909.
   farm, directions, publications. An. Rpts., 1922, p. 263. 1922; Chem. Chief Rpt., 1922, p. 13. 1922.
   home. R. W. Frey and others. D.C. 230, pp. 22. 1922.
   home, for skins, method. News L., vol. 7, No. 15, p. 4. 1919.
   industry and the tanbark oak. Willis Linn Jepson. For. Bul. 75, pp. 5–23. 1911.
   investigations—
      1919. An. Rpts., 1919, p. 232. 1920; Chem. Chief Rpt., 1919, p. 22. 1919.
      1920. An. Rpts., 1920, pp. 279–280. 1921.
      1921. Chem. Chief Rpt., 1921, pp. 34–38. 1921.
      1924. Chem. Chief Rpt., 1924, pp. 8–9. 1924.
      1925. Chem. Chief Rpt., 1925, pp. 11–12. 1925.
      program for 1915. Sec. [Misc.], "Program of work * * *, 1915," pp. 184–185. 1914.
   leather(s)—
      and fur skins at home. R. W. Frey and others. F.B. 1334, pp. 29. 1923.
      methods, investigations. An. Rpts., 1912, pp. 199–200. 1913; Sec. A.R., 1912, pp. 199–200. 1912; Y.B., 1912, pp. 199–200. 1913.
      studies by Chemistry Bureau. D.C. 137, pp. 19–20. 1922.
   liquor—
      for home curing of furs. Y.B., 1919, p. 479. 1920; Y.B. Sep. 823, p. 479. 1920.
      formula and use. F.B. 1090, p. 28. 1920.
      formula, for use in dressing furs. Y.B., 1916, p. 505. 1917; Y.B. Sep. 693, p. 17. 1917.
   material(s)—
      Off. Rec. vol. 3, No. 26, p. 2. 1924.
      analysis, methods. Chem. Bul. 107, pp. 35–37. 1907.
      analysis, official method. Chem. Cir. 8, pp. 2. 1901.
      and dyestuff, valuable, American sumac. F. P. Veitch and J. S. Rogers. D.B. 706, pp. 12. 1918.
      chestnut oak bark, use, and yield per tree. For. Cir. 135, pp. 9–11. 1908.
      consumption, 1906—
         and 1907. Y.B., 1908, p. 555. 1909.
         quantity, value, and source. For. Cir. 119, p. 3. 1907.

Tanning—Continued.
material(s)—continued.
exports and imports—
1907-1911. Y.B., 1911, pp. 661, 670. 1912; Y.B. Sep. 588, pp. 661, 670. 1912.
1908-1912. Y.B., 1912, pp. 717, 729. 1913; Y.B. Sep. 615, pp. 717, 729. 1913.
extraction. Chem. Bul. 90, pp. 212-214. 1905.
forest supply, investigations and work. An. Rpts., 1918, p. 198. 1918; For. A. R., 1918, p. 34. 1918.
imports—
1855-1908. Stat. Bul. 51, pp. 28-29. 1909.
1907-1909, quantity and value, by countries from which consigned. Stat. Bul. 82, pp. 68-69. 1910.
1922-1924. Y.B., 1924, p. 1067. 1925.
imports and exports—
1903-1907. Y.B., 1907, pp. 740, 749. 1908; Y.B. Sep. 465, pp. 740, 749. 1908.
1906-1910. Y.B., 1910, p. 657. 1911; Y.B. Sep. 554, p. 657. 1911.
1911-1913. Y.B., 1913, pp. 496, 502. 1914; Y.B. Sep. 361, pp. 496, 502. 1914.
1912-1914. Y.B., 1914, pp. 654, 661. 1915; Y.B. Sep. 657, pp. 654, 661. 1915.
1913-1915. Y.B., 1915, pp. 543, 549. 1916; Y.B. Sep. 685, pp. 543, 549. 1916.
1918-1920. Y.B., 1921, pp. 739, 745, 749. 1922; Y.B. Sep. 867, pp. 3, 9, 13. 1922.
1919-1921. Y.B., 1922, pp. 951, 957, 961. 1923; Y.B. Sep. 880, pp. 951, 957, 961. 1923.
investigations—
1905, work. An. Rpts., 1905, pp. 495, 511. 1906; Chem. Chief Rpt., 1905, pp. 495, 511. 1905.
1908, Chemistry Bureau. An. Rpts., 1908, pp. 85, 451, 480. 1909; Chem. Chief Rpt., 1908, pp. 7, 36. 1908; Sec. A.R., 1908, p. 83. 1908; Y.B., 1908, p. 85. 1909.
Sicilian sumac, study. Chem. Bul. 117, pp. 1-32. 1908.
statistics, imports. Y.B., 1916, p. 709. 1917; Y.B. Sep. 722, p. 3. 1917.
supplemental to tanbark oak, value, California. For. Bul. 75, pp. 21-22. 1911.
used, and misbranding of leathers. Chem. Bul. 165, pp. 13-14. 1913.
mixture for muskrat skins, formula and use. F.B. 869, p. 15. 1917.
moleskins, directions. F.B. 832, p. 12. 1917; F.B. 1247, p. 22. 1922.
processes, determination. Hawaii Bul. 11, pp. 13-14. 1906.
products, exports, 1922-1924. Y.B., 1924, p. 1047. 1925.
reindeer hides, Alaska, need of improved methods. D.B. 1089, p. 18. 1922.
solution formulas. D.C. 230, pp. 9, 14-16, 21. 1922.
sources, studies. An. Rpts., 1916, p. 199. 1917; Chem. Chief Rpt., 1916, p. 9. 1916.
studies, Chemistry Bureau. An. Rpts., 1918, pp. 215-216. 1918; Chem. Chief Rpt., 1918, pp. 15-16. 1918.
use—
and value of huisache tree pods. D.B. 184, p. 1. 1915.
of lingue, Chile, description of tree. No. 34387, B.P.I. Inv. 33, p. 14. 1915.
See also Leather.
Tansy—
culture and handling as drug plant, yield, and price. F.B. 663, p. 35. 1915.
growing and uses, harvesting, marketing, and prices. F.B. 663, rev., pp. 46-47. 1920.
growth for volatile oil. B.P.I. Bul. 195, p. 35. 1910.
habitat, range, description, uses, collection, and prices. B.P.I. Bul. 219, p. 40. 1911.
oil, use as repellent against corn-root aphid. F.B. 835, p. 21. 1917.
source of borneol. B.P.I. Bul. 235, pp. 11, 12. 1912.
Tanyah. See Dasheen.
Tapeti, subgenus of hares, characters and distribution. N.A. Fauna 29, pp. 44-46. 1909.

Tapeworm(s)—
beef—
destruction by low temperatures. An. Rpts., 1914, p. 97. 1915; B.A.I. Chief Rpt., 1914, p. 41. 1914.
infection. B.A.I. [Misc.], "Diseases of cattle," rev., pp. 127, 535, 538-539. 1912.
infection. B.A.I. [Misc.], "Diseases of cattle," rev., pp. 127, 535, 538-539. 1912.
cattle—
description—
and treatment. B.A.I. [Misc.], "Diseases of cattle," rev., pp. 523-524, 529. 1923.
transmission, and treatment. B.A.I. [Misc.], "Diseases of cattle," rev., pp. 534-535. 1912.
life history, description, location, and diagnosis. B.A.I. An. Rpt., 1911, pp. 103-117. 1913; B.A.I. Cir. 214, pp. 103-117. 1913.
vitality, and means of destruction. B.A.I. An. Rpt., 1911, pp. 114-115. 1913; B.A.I. Cir. 214, pp. 114-115. 1913.
chicken(s)—
and turkeys, American. B.A.I. Cir. 85, pp. 18. 1905.
control experiments, Guam. Guam A.R., 1915, pp. 38-39. 1916.
description and treatment. F.B. 1337, pp. 32-34. 1923.
description, habits, and control. F.B. 1337, pp. 32-34. 1923.
remedy study in 1923. Work and Exp., 1923, p. 69. 1925.
study, with nematodes, etc., Kansas. Work and Exp., 1919, p. 113. 1915.
control by various anthelmintics, notes. J.A.R., vol. 12, pp. 400-432, 441-443. 1918.
control experiments. An. Rpts., 1923, p. 251. 1923; B.A.I. Chief Rpt., 1923, p. 53. 1923.
conveyance to man in hog meat, note. B.A.I. An. Rpt., 1910, p. 78. 1912.
cysts—
beef carcasses inspection, instructions. B.A.I. S.A. 56, p. 87. 1911.
beef, inspection regulations. B.A.I.S.A. 63, pp. 56-57. 1912.
cattle, causes, dangers to beef eaters, control methods. News L., vol. 2, No. 42, p. 4. 1915.
cattle, methods of infection. B.A.I. [Misc.], "Diseases of cattle," rev., pp. 538-539. 1912.
in mutton, cause, *Cysticercus ovis*. B. H. Ransom. J.A.R., vol. 1, pp. 15-58. 1913.
infestation of carcasses, regulation. B.A.I.O. 150, amdt. 3, pp. 2. 1912; B.A.I.O. 150, amdt. 6, pp. 2. 1914.
meat animals, inspection regulations. B.A.I. An. Rpt., 1907, p. 372. 1909.
danger, spread, and preventive measures. News L., vol. 1, No. 7, p. 4. 1913.
danger to eaters of raw or imperfectly cooked beef, control methods. News L., vol. 2, No. 42, p. 4. 1915.
description, life history, and control in sheep. F.B. 1330, pp. 20-33. 1923.
dog(s)—
cause of gid in sheep. B.A.I. An. Rpt., 1911, p. 76. 1913.
cause of measles in sheep and reindeer. An. Rpts., 1912, p. 383. 1913; B.A.I. Chief Rpt., 1912, p. 87. 1912.
danger to sheep, inspection regulations. B.A.I. An. Rpt., 1911, p. 88. 1913; B.A.I. Cir. 213, p. 88. 1913.
descriptions—
J.A.R., vol. 1, pp. 28-38, 58. 1913.
and treatment. D.C. 338, pp. 23-26. 1925.
distinction from cattle tapeworm. B.A.I. An. Rpt., 1911, p. 113. 1913; B.A.I. Cir. 214, p. 113. 1913.
larval stage, cause of measles in sheep. J.A.R., vol. 1, pp. 16, 27-31. 1913.
prevention. D.B. 1089, pp. 58-59. 1922.
symptoms and treatment. D.C. 338, pp. 23, 26. 1925.
transmission. S.R.S. Rpt., 1917, Pt. I, pp. 54, 122, 283. 1918.
tanyah. J.A.R., vol. 1, pp. 51-52. 1913.
double-pored Asiatic, diagnoses. B.A.I. Bul. 35, pp. 43-47. 1902.

Tapeworm(s)—Continued.
  double-pored, description, danger, and spread. D.B. 260, pp. 15-17. 1915.
  eggs, transmission by house flies, note. F.B. 412, p. 11. 1910.
  fowl, sources of infection. S.R.S. Rpt., 1916, Pt. I, p. 123. 1918.
  fringed—
    description, life history, and control. F.B. 1150, pp. 22-23. 1920; F.B. 1330, pp. 22-23. 1923.
    distribution, life history, and results. B.A.I. An. Rpt., 1910, pp. 438-443. 1912; B.A.I. Cir. 193, pp. 438-443. 1912.
    of sheep, study and control work, 1912. An. Rpts., 1912, p. 380. 1913; B.A.I. Chief Rpt., 1912, p. 84. 1912.
  gid, life history, and spread by dogs, and control. D.B. 260, pp. 9-11. 1915.
  gid parasite, control, use of vermifuge. B.A.I. Cir. 159, p. 7. 1910.
  hog parasite, diagnosis. B.A.I. Cir. 201, p. 35. 1912.
  horse, treatment. B.A.I. [Misc.], "Diseases of the horse," rev., pp. 60-61. 1903; rev., pp. 60-61. 1907; rev., pp. 60-61. 1911; rev., pp. 90-91. 1923.
  human, hemotoxins. J.A.R., vol. 22, pp. 381-432. 1921.
  in man—
    cause of measles in cattle, sanitary precautions. An. Rpts., 1912, p. 382. 1913; B.A.I. Chief Rpt., 1912, p. 86. 1912.
    origin in beef and pork, prevention. B.A.I. An. Rpt., 1911, pp. 101-117. 1913; B.A.I. Cir. 214, pp. 101-117. 1913.
    treatment and results. B.A.I. Bul. 153, pp. 7-9. 1912.
  infection, human. B.A.I. [Misc.], "Diseases of cattle," rev., p. 539. 1912.
  infestation of beef, meat-inspection regulations. B.A.I.S.R.A. 82, p. 20. 1914.
  lamb, control experiments. An. Rpts., 1916, pp. 127-128. 1917; B.A.I. Chief Rpt., 1916, pp. 61-62. 1916.
  life history, transmission, prevention. Y.B., 1905, pp. 140, 156-162. 1906.
  longnecked, hog, injury, diagnosis. B.A.I. An. Rpt., 1907, p. 241. 1909, B.A.I. Cir. 144, p. 241. 1909.
  medicines, administration to dogs, formula and method. B.A.I. Cir. 165, pp. 25-28. 1910.
  nodules in chickens, distinction from tuberculosis. F.B. 1200, p. 8. 1921.
  occurrence in chickens and turkeys, American. B. H. Ransom. B.A.I. An. Rpt., 1904, pp. 268-285. 1905.
  pork, danger and control. B.A.I. An. Rpt., 1911, pp. 101, 116-117. 1913; B.A.I. Cir. 214, pp. 101, 116-117. 1913.
  poultry, control studies. Work and Exp., 1919, p. 83. 1921.
  prevalence in Honduras. B.A.I. An. Rpt., 1910, p. 292. 1912.
  reindeer—
    origin and control. D.B. 1089, pp. 57-59. 1922.
    transmission to dogs. J.A.R., vol. 1, pp. 36-38. 1913.
  remedy in poultry, study in 1923. Work and Exp., 1923, p. 69. 1925.
  sheep—
    description, life history, symptoms, and control. F.B. 1150, pp. 20-23. 1920.
    investigations, 1911. An. Rpts., 1911, p. 250. 1912; B.A.I. An. Rpt., 1911, p. 75. 1913; B.A.I. Chief Rpt., 1911, p. 60. 1912.
    study and control work, 1912. An. Rpts., 1912, p. 380. 1913; B.A.I. Chief Rpt., 1912, p. 84. 1912.
    treatment—
      experiments with various remedies. B.A.I. Bul. 153, pp. 7, 16-19. 1912.
      with bluestone. B.A.I. Bul. 35, p. 9. 1902.
    spread—
      by dogs. An. Rpts., 1914, pp. 97, 98. 1915; B.A.I. Chief Rpt., 1914, pp. 41, 42. 1914; F.B. 1330, pp. 20, 24-26, 27, 31, 32, 33. 1923.
      by dogs, diseases affecting man and animals. D.B. 260, pp. 5-17, 23. 1915.

Tapeworm(s)—Continued.
  spread—continued.
    cause, and control methods. F.B. 463, p. 12. 1911.
    studies and control. An. Rpts., 1919, pp. 131, 132. 1920; B.A.I. Chief Rpt., 1919, pp. 59, 60. 1919.
  transmission—
    by dog parasites. D.C. 338, p. 13. 1925.
    from insanitary slaughterhouses. B.A.I. An. Rpt., 1908, p. 87. 1910; B.A.I. Cir. 154, p. 5. 1910.
    to man through meat of hogs. An. Rpts., 1910, p. 256. 1911; B.A.I. Chief Rpt., 1910, p. 62. 1910.
  treatment with insect powder extract. D.B. 824, p. 15. 1920.
  See also Gid parasite.
Taphrina caerulescens, cause of leaf blister. B.P.I. Bul. 149, p. 21. 1909.
Tapinoma sessile, ant enemy of Pemphigus acerifolii. Ent. T.B. 24, p. 11. 1912.
Tapioca—
  imports—
    1907-1909 (with sago, etc.), value, by countries from which consigned. Stat. Bul. 82, p. 54. 1910.
    1913-1915, and sago. Y.B., 1915, p. 546. 1916; Y.B. Sep. 685, p. 546. 1916.
  misbranding. F.I.D. 128, pp. 2. 1910.
  starch, use as food, note. O.E.S. Bul. 245, p. 43. 1912.
TAPKE, V. F.—
  "Effects of the modified hot-water treatment on germination, growth, and yield of wheat." J.A.R., vol. 28, pp. 79-98. 1924.
  "Infection of barley with Ustilago nuda through seed inoculation." With W. H. Tisdale. J.A.R., vol. 29, pp. 263-284. 1924.
Tapona—
  group of cactus, behavior under cultural conditions. D.B. 31, pp. 7, 10, 18. 1913.
  tuna, injurious effects on digestion. B.P.I. Bul. 116, pp. 12, 49. 1907.
TAPP, J. W.—
  "A study of farm organization in central Kansas." With others. D.B. 1296, pp. 75. 1925.
  "More profit for the wheat farmers of central Kansas." With W. E. Grimes. F.B. 1440, pp. 1-14. 1924.
  "Practical farm economics." With others. M.C. 32, pp. 100. 1924.
  "Study of farm organization in southwestern Minnesota." With George A. Pond. D.B. 1271. pp. 100. 1924.
Tapping, rubber trees, experiments. E. V. Wilcox. Hawaii Bul. 19, pp. 27. 1909.
Tar—
  and-creosote mixtures as wood preservatives, analyses and tests. D.B. 607, pp. 3-4, 11-12, 26-43. 1918.
  and oils, hardwood, production, 1906. For. Cir. 121, pp. 4-5. 1907.
  application to roads, methods. Rds. Bul. 34, pp. 15-19. 1908.
  camphor—
    analysis. Chem. Bul. 68, p. 53. 1902.
    composition and use. Chem. Bul. 68, p. 53. 1902.
  chinch bug control. Ent. Cir. 113, pp. 20-23. 1909.
  classification, description, and value in road building. Rds. Cir. 93, pp. 9, 15, 16. 1911.
  coal—
    absorption and penetration in longleaf pine, tests. D.B. 607, p. 43. 1918.
    analyses. Rds. Cir. 92, p. 14. 1910.
    analyses, crude and water-free basis. Rds. Cir. 97, pp. 6-7, 9, 10. 1912.
  coating—
    concrete silos. News L., vol. 1, No. 7, p. 4. 1913.
    corn for protection against burrowing animals. F.B. 405, p. 8. 1910.
  disinfectant, label, Insect No. 26. I. and F. Bd. S.R.A. 2, p. 28. 1914.
  dressing for tree wounds. For. Cir. 161, p. 23. 19109.
  experiments in road binding, results. Rds. Cir. 90, pp. 20-21. 1909.

INDEX TO PUBLICATIONS, 1901-1925 2351

Tar—Continued.
  coal—continued.
    kinds used in creosote experiments. D.B. 1036, p. 25. 1922.
    production, apparatus used, and description. D.B. 1036, pp. 11-16. 1922.
    production in United States, 1904-1917. D.B. 1036, p. 18. 1922.
    source, products, by-products, and manufacturing methods. D.B. 1036, pp. 7-16. 1922.
    use as dust preventive. Y.B., 1907, pp. 261-263. 1908; Y.B. Sep. 448, pp. 261-263. 1908.
    use in control of chinch bugs, method and results. F.B. 657, pp. 21-23. 1915.
    use in tree pruning. News L., vol. 3, No. 27, pp. 1, 4. 1916.
  cod liver oil and menthol, misbranding. N. J. 4171, Chem. S.R.A. Suppl. 14, pp. 269-270. 1916.
  coke-oven—
    analysis. Rds. Cir. 92, p. 9. 1910.
    of United States. Prévost Hubbard. Rds. Cir. 97, pp. 11. 1912.
    road-binding experiments, results. Rds. Cir. 90, p. 23. 1909.
    specific gravity and carbon content. D.B. 1036, pp. 23-25. 1922.
  distillation—
    effect of air. D.B. 1036, pp. 35-37. 1922.
    method and apparatus. D.B. 949, pp. 48-52. 1921.
  dust preventives—
    kinds and properties. Rds. Bul. 34, pp. 15-19. 1908.
    methods of application. Rds. Bul. 34, pp. 19-20. 1908.
  emulsifying method in making arsenical dips. F.B. 498, p. 28. 1912.
  emulsion, preparation for use in cattle dips. B.A.I. Cir. 207, p. 7. 1912.
  exports and imports, 1851-1908. Stat. Bul. 51, pp. 17, 27. 1909.
  gas, use on apple trees, precaution. F.B. 675, p. 18. 1915.
  hardwood, source of flotation oils. D.C. 231, p. 34. 1922.
  imports, 1907-1909, with pitch, quantity, and value. Stat. Bul. 82, p. 68. 1910.
  imports, 1908. For. Cir. 162, p. 26. 1909.
  industry, early development in Southern States. For. Bul. 99, pp. 15, 19. 1911.
  line, trap for chinch bugs, description and use. F.B. 835, rev., pp. 7-8. 1920.
  lines, use in—
    chinch-bug destruction and control. News L., vol. 2, No. 40, p. 7. 1915.
    trapping chinch bugs, methods. Ent. [Misc.], "Chinch bugs," p. 2. 1918.
  losses by use of "beehive" ovens. Rds. Cir. 97, pp. 3-4, 11. 1912.
  manufacture from Douglas fir, value. For. Bul. 88, p. 74. 1911.
  oil, fly repellent, formulas and experiments. D.B. 131, pp. 9, 10, 16-18, 23, 24. 1914.
  pan, use in control of leafhoppers, cost. Ent. Bul. 108, p. 37. 1912.
  pan. See Hopperdozer.
  paper—
    black, for wrapping beehives in early spring. F.B. 397, p. 25. 1910.
    use for control of cabbage maggot, Alaska. Alaska A. R, 1917, p. 8. 1919.
    use to control root maggots of cabbage. D.C. 35, pp. 12-13. 1919.
  pine—
    emulsifying, directions. F.B. 909, p. 15. 1918.
    fly repellent, formulas and experiments. D.B. 131, pp. 14-15, 23, 24. 1914.
    insecticide, remarks. Chem. Bul. 76, p. 50. 1903.
    production, 1906. For. Cir. 121, pp. 6-7. 1907.
    use in cattle dips, description. F.B. 603, pp. 3, 5. 1914.
  preparations—
    for roads, analyses and experiments. Rds. Cir. 99, pp. 22, 27, 32, 36, 37, 40, 43, 44, 46, 48. 1913.
    road binding, experiments, cost, etc. Rds. Cir. 94, pp. 11, 18-20, 50, 51. 1911.

Tar—Continued.
  preparations—continued.
    road surfacing experiments. An. Rpts., 1908, pp. 756, 757. 1909; Rds. Chief Rpt., 1908, pp. 16, 17. 1908.
    use in prevention of sheep grub. F.B. 1330, p. 19. 1923.
  production in—
    1908, uses. For. Cir. 206, p. 35. 1912.
    Florida. For. Cir. 121, p. 7. 1907.
    United States, 1908, 1909, and 1910. Rds. Cir. 97, p. 4. 1912.
  products, use limitation on road work. News L., vol. 5, No. 43, p. 7. 1918.
  refined—
    for hot application, specifications. D.B. 691, p. 40. 1918.
    for road construction, specifications. D.B. 691. pp. 41-46. 1918.
    properties, table. Rds. Cir. 90, p. 4. 1909.
  road, consistency, effect of napthalene, tests. Rds. Cir. 96, pp. 1-12. 1911.
  road surfacing, analyses, and use. D.B. 407, pp. 8, 27-29, 48-49, 51, 55, 60-62, 65-67. 1916.
  source of creosote. For. Cir. 206, pp. 11-23, 35. 1912.
  specification forms, tests, and sampling methods. D.B. 555, pp. 24-25, 42, 49-50. 1917.
  specifications for cold application. D.B. 691, pp. 37-39. 1918.
  spot fungus, description. For. [Misc.], "Forest tree diseases * * *," p. 33. 1914.
  spreading, methods and machines. Y.B., 1907, pp. 261-262. 1908; Y.B. Sep. 448, pp. 2. 1908.
  stains, removal from textiles. F.B. 861, p. 32. 1917.
  stock, preparation for use in cattle dips. F.B. 1057, p. 26. 1919.
  syrup, white wine, Warner's, misbranding. Chem. S.R.A. Sup. 19, pp. 666-667. 1916.
  syrup with cod liver oil, misbranding. Chem. S.R.A. Sup. 2, p. 105. 1915.
  tests as wood preservatives. D.B. 145, pp. 9-20. 1915.
  use(s)—
    as creosote diluent, properties and value. D.B. 1036, pp. 79-83. 1922.
    as road—
      binder. Rds. Cir. 92, pp. 9, 10, 13-15, 19, 27, 29, 31, 32. 1910.
      binder and dust preventive. F.B. 338, pp. 19, 27. 1908.
      material. Rds. Bul. 38, pp. 7-8. 1911.
    for reservoir lining. O.E.S. Bul. 249, Pt. I, p. 62. 1912.
    in—
      caustic washes for borers. F.B. 908, pp. 47, 49. 1918.
      coating seed as protection against crows. D.B. 621, pp. 75-77. 1918.
      control of cabbage maggots in Alaska, use method. Alaska A.R., 1915, pp. 41-42. 1916.
      creosote, definitions and descriptions. D.B. 1036, pp. 3-6, 7. 1922.
      prevention of insect damage to chestnut poles. Ent. Bul. 94, Pt. I, pp. 9-11. 1910.
      road binding experiments. D.B. 105, pp. 17-20, 21, 22, 29, 31, 33, 36-39. 1914.
      road building, analyses, cost. Rds. Cir. 98, pp. 6, 7-8, 13, 22-23, 24, 31-32, 34, 35, 36, 39, 42, 44. 1912.
      road construction. Rds. Bul. 34, pp. 19-22. 1908.
      road experiments, 1914, reports. D.B. 257, pp. 1-42, notes. 1915.
      road improvement, experiments, results. Rds. Cir. 47, pp. 1-4. 1906.
    on cards for protection of roots of plants from maggots. Ent. Cir. 63, p. 5. 1905.
    on corn seed, directions. F.B. 1149, p. 13. 1920.
    on tree wounds in disease treatment. Y.B., 1912, p. 370. 1913; Y.B. Sep. 598, p. 370. 1913.
    to protect wounds after dehorning cattle. F.B. 949, pp. 6-7, 8. 1918.
    with slag in road building. Rds. Cir. 92, pp. 9, 10, 19. 1910.

Tar—Continued.
  value as—
    road binder. Rds. Bul. 42, p. 23. 1912.
    wood preservative. F.B. 744, p. 10. 1916.
  varieties, use in creosote production, sources. For. Cir. 206, pp. 8–10. 1912.
  washes on trees for protection against rabbits, injurious. Y.B., 1907, p. 340. 1908; Y.B. Sep. 452, p. 340. 1908.
  water-gas—
    analyses. Rds. Cir. 92, pp. 18, 19. 1910.
    kinds used in creosote experiments. D.B. 1036, pp. 26–27. 1922.
    production and methods. D.B. 1036, pp. 16–17. 1922.
    production in United States, 1905–1917. D.B. 1036, p. 18. 1922.
    products, use with zinc chloride, specifications. D.B. 1036, pp. 104–105. 1922.
    properties, and experiments in road binding. Rds. Cir. 90, pp. 4, 7–8, 10, 20–21. 1909.
    use as dust preventives on roads. Y.B., 1907, p. 266. 1908; Y.B. Sep. 448, p. 266. 1908.
  water, use in control of beet wireworms, experiments. Ent. Bul. 123, pp. 52, 55–56. 1914.
  weed, description, and occurrence in Washington, eastern Puget Sound Basin. Soil Sur. Adv. Sh., 1909, p. 39. 1911; Soils F.O., 1909, p. 1551. 1912.
  wood, composition and uses. Chem. Cir. 36, pp. 24–27. 1907.
  yield per cord from certain hardwoods. D.B. 508, pp. 7–8. 1917.
  yields from various hardwoods, results of distillation. D.B. 129, pp. 8–9, 15–16. 1914.
  See also Coal-tar; Naval stores.
Tara—
  importations and descriptions. Nos. 41323, 41333, B.P.I. Inv. 45, pp. 5, 12, 16. 1918; No. 43643, B.P.I. Inv. 49, p. 55. 1921; No. 52587, B.P.I. Inv. 66, pp. 2, 46. 1923.
  See also Fig, wild.
Taraktogenos kurzii—
  source of true chaulmoogra oil, habitat. D.B. 1057, pp. 3–3, 15–22, 24–26. 1922.
  See also Chaulmoogra tree.
Tarantula, spider, description and treatment of bite. Sec. Cir. 61, pp. 21–22. 1916.
Tarata—
  importation and description. No. 34306, B.P.I. Inv. 32, pp. 32–33. 1914.
  tree, importation and description. No. 38052, B.P.I. Inv. 39, pp. 83–84. 1917.
Taraxacum—
  officinalis, resistance to basidiospores of Puccinia rubigo-vera. J.A.R., vol. 22, pp. 152–172. 1921.
  spp. See Dandelion.
Tare—
  cotton, practices, and need of standardization. Y.B., 1912, pp. 458–460. 1913; Y.B. Sep. 605, pp. 458–460. 1913.
  sugar-beet wastage, estimation methods. D.B. 995, p. 54. 1921.
Targhee National Forest, Idaho and Wyoming, map. For. Maps. 1925.
Tarhui, importation and description. No. 41330, B.P.I. Inv. 45, p. 15. 1918.
Tarichium uvella, same as Sorosporella uvella. J.A.R., vol. 8, pp. 190, 192. 1917.
Tariff(s)—
  act(s)—
    of 1897, provisions relating to importation of birds, eggs, and plumage. Biol. Bul. 12, rev., pp. 73–74. 1902.
    prohibiting importation of plumage. F.B. 1235, pp. 59, 79. 1921; F.B. 1375, pp. 53–54, 69. 1923.
    provisions regulating importation of plumage, game. Biol. S.R.A. 62, pp. 14–15. 1924.
  agricultural schedule, consideration. Off. Rec., vol. 1, No. 28, p. 1. 1922.
  birds and bird products, act of 1897. Biol. Bul. 12, rev., pp. 73–74. 1902.
  duties on—
    cigars and cigar-leaf. B.P.I. Bul. 244, pp. 20–21. 1912.
    hogs, pork, and pork products, summary. Y.B., 1922, pp. 279–280. 1923; Y.B. Sep. 882, pp. 279–280. 1923.

Tariff(s)—Continued.
  effect on—
    hemp. Y.B., 1913, p. 339. 1914; Y.B. Sep. 628, p. 339. 1914.
    wheat prices. Y.B., 1923, pp. 115–118. 1924.
  emergency, protection to farmers. An. Rpts., 1923, p. 12. 1923; Sec. A.R., 1923, p. 12. 1923.
  foreign import on—
    fruits and nuts, 1903. Frank H. Hitchcock. For. Mkts. Bul. 36, pp. 69. 1903.
    grain and grain products, 1903. Frank H. Hitchcock. For. Mkts. Bul. 37, pp. 59. 1903.
    meat and meat products, 1903. Frank H. Hitchcock. For. Mkts. Bul. 35, pp. 64. 1903.
  fourteen importing nations. Stat. Bul. 39, pp. 37–64. 1905.
  grain imports, European countries. Stat. Bul. 68, pp. 44–49. 1908.
  olive oil, suggestion. D.B. 908, p. 119. 1921.
  plumage and game, duties. F.B. 1288, p. 58. 1922.
  provisions, forest products. For. Cir. 153, pp. 17–18. 1908.
  rates—
    coffee, various countries. Stat. Bul. 79, pp. 120–125. 1912.
    old and new, imported meat and meat products. F.B. 575, p. 29. 1914.
    on tobacco, with dates of acts imposing. Y.B., 1922, pp. 456–459. 1923; Y.B. Sep. 885, pp. 456–459. 1923.
  work of Foreign Markets Division. An. Rpts., 1903, pp. 447–448. 1903.
  relations to importation of breeding horses. B.A.I. Chief Rpt., 1905, pp. 147, 148, 149, 158, 159. 1907.
  schedules, honey and wax. Ent. Bul. 75, p. 64. 1911, Pt. VI, p. 64. 1909.
  sugar, acts. Y.B. 1923, pp. 221–226. 1924; Y.B. Sep. 893, pp. 89–95. 1924.
  tables, foreign, explanations. Stat. Bul. 39, p. 39. 1905.
  wool, history and legislation. Y.B. 1923, pp. 303–305. 1924; Y.B. Sep. 894, pp. 303–305. 1924.
Taro(s)—
  and yautias: Promising new food plants for the South. Robert A. Young. D.B. 1247, pp. 24. 1924.
  clubs in Guam—
    enrollment and work, 1920. Guam A.R., 1920, pp. 71, 73. 1921.
    results of work. Guam A.R., 1921, pp. 37, 39. 1923.
  culture, experiments, in Hawaii. O.E.S. An. Rpt., 1912, p. 103. 1913.
  description, culture, uses, and composition. B.P.I. Bul. 164, pp. 7–17. 1910.
  digestion experiment. O.E.S. Bul. 159, pp. 177, 178. 1905.
  effect of soil aeration in Hawaii. Hawaii A.R., 1915, pp. 15, 39–40. 1916.
  Egyptian—
    description, note. J.A.R., vol. 6, No. 15, pp. 549–550. 1916.
    importation and description. No. 39892, B.P.I. Inv. 42, p. 33. 1918.
  falling off in production in Hawaii, note. Y.B., 1901, p. 518. 1902.
  feed for pigs, Guam. Guam A.R., 1918, pp. 19, 21. 1919.
  (Elephants' ears), food use. F.B. 295, p. 31. 1907.
  food—
    use, preparation and value. B.P.I. Bul. 164, pp. 15–17, 25. 1910.
    value, and economic importance, various countries. Y.B. 1916, pp. 200–202. 1917; Y.B. Sep 689, pp. 2–4. 1917.
  Garendakandala, description. B.P.I. Bul. 164, p. 27. 1910.
  growing—
    and fertilizer experiments, Hawaii, 1912. Hawaii A.R., 1912, pp. 8, 13, 56–58, 83. 1913.
    experiments in Hawaii, 1910. Hawaii A.R., 1910, pp. 18, 64. 1911.
    in Guam—
      directions. Guam A.R., 1921, p. 17. 1923; Guam Bul. 2, pp. 12, 55. 1922.

Taro(s)—Continued.
  growing—continued.
    in Guam—continued.
      methods. S.R.S. An. Rpt., 1921, p. 23. 1921.
      varieties, yields, and uses. Guam A.R., 1920, p. 30. 1921.
    in Hawaii—
      Hawaii A.R., 1921, p. 28. 1922.
      and fertilizer test, 1916. Hawaii A.R., 1916, p. 27. 1917.
      dry land varieties. Hawaii A.R., 1919, pp. 39, 46–47, 67, 69. 1920.
      experiments. An. Rpts., 1912, p. 834. 1913; O.E.S. Chief Rpt., 1912, p. 20. 1912.
      planting experiments. Hawaii A.R., 1914, pp. 11, 57. 1915.
      soil aeration tests, yield, 1917. Hawaii A.R., 1917, p. 48. 1918.
    in Porto Rico. P.R. An. Rpt., 1922, p. 5. 1923.
  Hawaiian, quarantine regulations. F.H.B. Quar. 13, rev., pp. 1–3. 1917.
  importations and descriptions. No. 30273, B.P.I. Bul. 233, p. 72. 1912; Nos. 36010, 36057, 36121, B.P.I. Inv. 36, pp. 37, 44, 56. 1915; Nos. 37226, 37393, B.P.I. Inv. 38, pp. 48, 57. 1917; Nos. 37962–37965, B.P.I. Inv. 39, p. 20. 1917; No. 40996, B.P.I. Inv. 44, p. 28. 1918; No. 42021, B.P.I. Inv. 46, p. 43. 1919; Nos. 42450, 42802, B.P.I. Inv. 47, pp. 15, 66. 1920; No. 44066, B.P.I. Inv. 50, p. 23. 1922; No. 45065, B.P.I. Inv. 52, p. 29. 1922; No. 45481, B.P.I. Inv. 53, p. 39. 1922; Nos. 45479, 45776–45783, B.P.I. Inv. 54, pp. 14, 18–19. 1922; No. 47147. B.P.I. Inv. 58, p. 31. 1922; No. 49020, B.P.I. Inv. 61, p. 67. 1922; Nos. 49824, 49826, B.P.I. Inv. 63, pp. 8, 9. 1923; No. 50710, B.P.I. Inv. 64, p. 17. 1923; Nos. 51387, 51419, B.P.I. Inv. 65, pp. 10, 15. 1923; No. 53980, B.P.I. Inv. 68, p. 14. 1923.
  Kalukandala, description. B.P.I. Bul. 164, p. 27. 1910.
  kiempol poetick, description. B.P.I. Bul. 164, p. 27. 1910.
  leaf spot in Guam. Guam A.R., 1917, p. 56. 1918.
  Lehua superiority, description. B.P.I. Bul. 164, p. 26. 1910.
  Penang. F.S. and P. I. [Misc.[, "The Penang taro," pp. 3. 1920.
  root—
    crop for South. B.P.I. Bul. 164, pp. 1–17, 25 27. 1910.
    rot. T. F. Sedgwick. Hawaii Bul. 2, pp. 21. 1902.
    use in manufacture of poi, Hawaiian food. O.E.S. An. Rpt., 1906, p. 61. 1907.
  rot—
    control experiments. Hawaii A.R., 1918, p. 10. 1919.
    investigations and control. Hawaii A.R., 1919, pp. 50–51. 1920.
    same as dasheen. F.B. 1396, pp. 1–2. 1924.
    soils, in Hawaii, effect of heat. Hawaii Bul. 30, pp. 24–25. 1913.
  varieties—
    description. B.P.I. Bul. 164, pp. 25–27. 1910.
    storage rots, studies, and inoculations. J.A.R., vol. 6, No. 15, pp. 549-571. 1916.
    yautias, and dasheens, promising root crops for South. O. W. Barrett. B.P.I. Bul. 164, Pt. I, pp. 7–29. 1910.
    yield tests in Porto Rico. P.R. An. Rpt., 1921, p. 11. 1922.
  See also Dasheen.
"Tarola," misbranding. Insect. N.J. 27, p. 1. 1913.
Tarragon—
  drying and use. D.C. 3, p. 17. 1919.
  use as food flavoring. O.E.S. Bul. 245, p. 68. 1912.
Tarred—
  catchers, use against hop flea beetles. Ent. Bul. 66, pp. 83, 88–89. 1910.
  paper, use in control of cabbage maggot, use method. F.B. 856, pp. 37, 38. 1917.
Tarsonemidae—
  classification. Ent. Bul. 97, Pt. VI, pp. 111–112. 1912.
  classification, description and habits. Rpt. 108, pp. 18, 104–109. 1915.

Tarsonemus—
  ananas, cause of disease of pineapple plant. Ent. Bul. 97, p. 112. 1913.
  bambusarium, injury to bamboo. D.B. 1329, pp. 42–44. 1925.
  genus, various forms, food plants. J.A.R., vol. 10, pp. 376–377. 1917.
  spp.—
    description and habits and control. Rpt. 108, pp. 104, 108–109. 1915.
    infesting various plants. Ent. Bul. 97, pp. 111–112. 1913.
    See also Mites.
  woodi, supposed cause of Isle of Wight bee disease. D.C. 218, p. 5. 1922.
Tarsostenus univittatus, egg and first-stage larva. J.A.R., vol. 29, pp. 49–51. 1924.
Tarsotomus spp. description and habits. Rpt. 108, p. 31. 1915.
Tarsus. *See* Hock.
Tartar—
  cream of—
    acidity determination. Chem. Bul. 107, p. 175. 1907.
    manufacture from grape stem waste, value. D.B. 952, pp. 5–6. 1921.
  emetic, use—
    as poison for Argentine ants. D.B. 647, pp. 60–71. 1918.
    as anthelmintic, experiment, note. B.A.I. Bul. 153, p. 13. 1912.
    in treatment of worms in hogs. J.A.R., vol. 12, pp. 401–402. 1918
Tartaric acid—
  availability to rice plants in calcareous and non-calcareous soils. J.A.R., vol. 20, pp. 50–54. 1920.
  citric acid determination. Chem. Cir. 88, p. 7. 1912.
  content of grape hulls and juice. J.A.R., vol. 1, p. 514. 1914.
  determination—
    P. B. Dunbar. Chem. Cir. 106, pp. 9. 1912.
    fruits and fruit products, method. Chem. Bul. 66, rev., p. 16. 1905.
    in same solution with malic acid. P. B. Dunbar. Chem. Cir. 105, pp. 8. 1912.
    in wines and grape-juices, proposed method. Chem. Bul. 162, pp. 71–74. 1913.
    effect of oxidizing agents. Chem. Cir. 78, pp. 13–15. 1911.
  effect on yield of volatile oil from Chinese colza seed. J.A.R., vol. 20, pp. 130–131. 1920.
  use in—
    adulteration of apple jelly. Chem. N.J. 2526, p. 1. 1913.
    ant-poison sirup, and cost. D.B. 377, pp. 17–20, 22. 1916.
    jelly, Chemistry Bureau opinion. Chem. S.R.A. 3, pp. 110–111. 1914.
Tartrazine, use in foods permitted, requirements. News L., vol. 3, No. 25, p. 3. 1916.
Tarweed—
  indicator value on ranges. D.B. 791, pp. 45, 46, 48. 1919.
  See also Yerba santa.
Tasajo—
  Argentina, decline of manufacture. B.A.I. Bul. 48, p. 33. 1903.
  See also Beef, jerked.
Tasconia tripartita, importation and description. No. 52613. B.P.I. Inv. 66, p. 51. 1923.
Tasmania, agricultural instruction for adults. O.E.S. Bul. 155, p. 15. 1905.
Tassel(s), corn—
  removal in seed breeding. Y.B., 1902, p. 548. 1903.
  varieties, characters, comparison. J.A.R., vol. 6, pp. 444–445. 1916.
Tasselflower, description, cultivation, and characteristics. F.B. 1171, pp. 67–68, 79. 1921.
Tasta, importation and description. No. 41324, B.P.I. Inv. 45, pp. 5, 13. 1918.
Tatooing, hogs for identification. Off. Rec. vol. 3, No. 24, p. 1. 1924.
Tattler(s)—
  occurrence in Pribilof Islands, and food habits. N.A. Fauna 46, pp. 75–77. 1923.
  range occurrence, and names. M.C. 13, p. 63. 1923.

Tattler(s)—Continued.
  wandering—
    breeding range and migration habits. Biol. Bul. 35, pp. 63-64. 1910; N.A. Fauna 22, p. 99. 1902.
    in Yukon Territory, note. N.A. Fauna 30, p. 86. 1909.
    occurrence on Laysan Island, number. Biol. Bul. 42, p. 21. 1912.
Tattersall (horse), description and pedigree. B.A.I. An. Rpt., 1907, pp. 90, 142. 1909; B.A.I. Cir. 137, pp. 90, 142. 1908.
TAUBENHAUS, J. J.—
  "Pox, or pit (soilrot) of the sweet potato." J.A.R., vol. 13, pp. 437-450. 1918.
  "Recent studies on *Sclerotium rolfsii* Sacc." J.A.R. vol. 18, pp. 127-138. 1919.
  "Soilstain, or scurf, of the sweet potato." J.A.R., vol. 5, No. 21, pp. 995-1002. 1916.
Taunton, Mass., milk supply, statistics, officials, and prices. B.A.I. Bul. 46, pp. 36, 96. 1903.
Taurotragus. *See* Eland.
Tawania cryptomerioides, importation and description. No. 52570, B.P.I. inv. 66, pp. 1, 41. 1923.
Tawari, importation and description. No. 35889, B.P.I. Inv. 36, p. 20. 1915.
Tax(es)—
  alcohol in Germany, history and results. D.B. 183, pp. 3-6, 7. 1915.
  burden of farmer. Y.B. 1923, pp. 7-8. 1924.
  conference of Governors. Off. Rec. vol. 3, No. 16, p. 2. 1924.
  cost in wheat growing. D.B. 1198, pp. 12, 14, 19. 1924.
  drainage, levy and collection. F.B. 815, pp. 18-19, 26-28, 35. 1917.
  farm lands, increase. Off. Rec. vol. 2, No. 15, p. 7. 1923.
  farm, relation to interest rates on farm loans. Y.B., 1924, pp. 213-214. 1925.
  farmers', the problem. Sec. A.R., 1925, pp. 24-26. 1925.
  Federal income, liability of cooperative associations, and exemptions, law provisions. D.B. 1106, pp. 52-54. 1922.
  forest, need of better laws. For. Cir. 171, pp. 12, 23. 1909.
  from rural estate. Y.B. 1922, p. 1002. 1923; Y.B. Sep. 887, p. 1002. 1923.
  gasoline, popularity and revenue. Off. Rec. vol. 3, No. 43, p. 2. 1924.
  internal revenue, on tobacco, with dates of acts imposing. Y.B., 1922, pp. 459-464. 1923; Y.B. Sep. 885, pp. 459-464. 1923.
  laws, changes affecting department workers. Off. Rec. vol. 1, No. 7, p. 4. 1922.
  motor, revenue from. Off. Rec. vol. 2, No. 45, p. 1. 1923.
  motor-truck transportation expense, estimation. D.B. 770, p. 14. 1919.
  proportion of road funds. Off. Rec. vol. 3, No. 32, p. 2. 1924.
  proportion to value of crops. An. Rpts., 1923, pp. 7-8. 1923; Sec. A.R., 1923, pp. 7-8. 1923.
  pulpwood industry. D.B. 950, p. 20. 1921.
  rates, discussion by Secretary. Sec. A.R., 1925, pp. 24-26. 1925.
  rectifier's, compounds which require. Chem. Bul. 98, rev., Pt. I, pp. 18-23. 1909.
  sugar-beet production, California, cost. D.B. 760, p. 40. 1919.
  timberlands and timber yield, discussion. Y.B., 1914, pp. 439-441. 1915; Y.B. Sep. 651, pp. 439-441. 1915.
  timberlands, various sections. Rpt. 114, pp. 16-17, 48, 58. 1917.
  wheat land, cost. D.B. 943, pp. 13, 14, 42-43. 1921.
  with "other costs," cost in milk production. D.B. 1101, pp. 9-10, 15. 1922.
Taxaceae—
  family, characters and habits. For. [Misc.], "Forest trees for the Pacific slope," p. 190. 1908.
  injury by sapsuckers. Biol. Bul. 39, pp. 23, 62. 1911.
  See also Yew trees.

Taxation—
  farm, advance, 1924. B.A.E. Chief Rpt., 1924, p. 42. 1924.
  forest(s)—
    Alfred Gaskill. For. [Misc.], "How shall forests be taxed?" pp. 12. 1906.
    investigations. For. A.R. 1925, p. 9. 1925.
  lands—
    1923. An. Rpts., 1923, p. 69. 1923; D.C. 112, pp. 13, 16. 1920; Sec. A.R., 1923, p. 69. 1923.
    cooperation needed in drafting laws. Sec. Cir. 148, pp. 9-10. 1919.
    in Porto Rico. D.B. 354, pp. 14-16. 1916.
    methods, need of improvement. For. A.R., 1921, pp. 39-40. 1921.
    Vermont laws. For. Law Leaf. No. 24, pp. 7-8. 1920.
    study. Off. Rec. vol. 4, No. 45, p. 1-2. 1925.
  German farmers, effects. Off. Rec. vol. 3, No. 17, p. 5. 1924.
  relation to reforestation, suggestion. M.C. 39, p. 62. 1925.
  timberlands, notes and discussion. Y.B. 1922, pp. 103-105, 152, 153, 157, 165-166, 1923; Y.B. Sep. 886, pp. 103-105, 152, 153, 157, 165-166. 1923.
  tobacco as object. B.P.I. Bul. 244, pp. 15, 16, 20-21. 1912.
Taxidea spp. *See* Badger.
Taxodium distichum—
  injury by sapsuckers. Biol. Bul. 39, pp. 26, 64-65. 1911.
  See also Cypress.
Taxonus nigrisoma. *See* False-worm, dock.
Taxus—
  floridana, injury by sapsuckers. Biol. Bul. 39, p. 23. 1911.
  spp., hypertrophied lenticels. J.A.R., vol. 20 pp. 255-266. 1920.
  spp. *See also* Yew.
Taya. *See* Dasheen.
TAYLOR, LOUISE—
  "A larval cestode (*Sparganum mansoni*) of man which may possibly occur in returning American troops." With Ch. Wardell Stiles. B.A.I. Bul. 35, pp. 47-56. 1902.
  "An adult cestode (*Diplogonoporus grandis*) of man which may possibly occur in returning American troops." With Ch. Wardell Stiles B.A.I. Bul. 35, pp. 43-47. 1902.
TAYLOR, A. E.—
  "Action of coppered vegetables on the health and nutrition of man." Rpt. 97, pp. 9-208. 1913.
  "Influence of depreciation of exchange on agricultural production. Y.B., 1919, pp. 189-196. 1920; Y.B. Sep. 807. pp, 189-196. 1920.
  "Pre-war crop estimates in Germany." Y.B., 1919, pp. 61-68. 1920; Y.B. Sep. 801, pp. 61-68. 1920.
  report on saccharin. With others. Rpt. 94, pp. 7-8. 1911.
TAYLOR, A. E.—
  "Reconnaissance soil survey of—
    north part of north-central Wisconsin." With others. Soil Sur. Adv. Sh., 1914, pp. 76. 1916; Soils F.O., 1914, pp. 1655-1725. 1919.
    northeastern Wisconsin." With others. Soil Sur. Adv. Sh., 1913, pp. 101. 1915; Soils F.O., 1913, pp. 1561-1657. 1916.
    south part of north-central Wisconsin." With others. Soil Sur. Adv. Sh., 1915, pp. 65. 1917; Soils F.O., 1915, pp. 1585-1645. 1919.
  "Soil survey of—
    Archer County, Tex." With others. Soil Sur. Adv. Sh., 1912, pp. 52. 1914; Soils F.O., 1912, pp. 1007-1052. 1915.
    Bradford County, Fla." With others. Soil Sur. Adv. Sh., 1913, pp. 36. 1914; Soils F.O., 1913, pp. 643-674. 1916.
    Clay County, Ala." With others. Soil Sur. Adv. Sh., 1915, pp. 41. 1916; Soils F.O., 1915, pp. 827-863. 1919.
    Columbia County, Ga." With Charles N. Mooney. Soil Sur. Adv. Sh., 1911, pp. 47. 1912; Soils F.O., 1911, pp. 645-687. 1914.
    Columbia County. Wis." With others. Soil Sur. Adv. Sh., 1911, pp. 61. 1913; Soils F.O., 1911, pp. 1365-1421. 1914.

TAYLOR, A. E.—Continued.
"Soil survey of—Continued.
Dane County, Wis." With others. Soil Sur. Adv. Sh., 1913, pp. 78. 1915; Soils F.O., 1913, pp. 1487-1560. 1916.
Duval County, Fla." With T. J. Dunnewald. Soil Sur. Adv. Sh., 1921, pp. 48. 1923.
Flagler County, Fla." Soil Sur. Adv. Sh., 1918, pp. 41. 1922; Soils F.O., 1918, pp. 535-571. 1924.
Fond du Lac County. Wis." With others. Soil Sur. Adv. Sh., 1911, pp. 43. 1913; Soils F.O., 1911, pp. 1423-1461. 1914.
Hempstead County, Ark." With W. B. Cobb. Soil Sur. Adv. Sh., 1916, pp. 53. 1918; Soils F.O., 1916, pp. 1189-1237. 1921.
Kenosha and Racine Counties, Wis." With others. Soil Sur. Adv. Sh., 1919, pp. 58. 1922; Soils F.O., 1919, pp. 1319-1376. 1925.
Rock County, Wis." With others. Soil Sur. Adv. Sh., 1917, pp. 51. 1920; Soils F.O., 1917, pp. 1183-1229. 1923.
St. Johns County, Fla." With others. Soil Sur. Adv. Sh., 1917, pp. 37. 1920; Soils F.O., 1917, pp. 665-697. 1923.
Tatnall County, Ga." With others. Soil Sur. Adv. Sh., 1914, pp. 48. 1915; Soils F.O., 1914, pp. 817-860. 1919.

TAYLOR, CHARLOTTE, discovery of parasite on wheat thrips. Ent. T.B. 23, Pt. II, p. 25. 1912.

TAYLOR, E. P.: "Economic work against the Howard scale in Colorado." Ent. Bul. 67, pp. 87-93. 1907.

TAYLOR, FRED:
"Classification of American upland cotton." With D. E. Earle. F.B. 802, pp. 28. 1917.
"Comparative spinning tests of the different grades of Arizona-Egyptian with sea-island and Sakellaridis Egyptian cottons." With William S. Dean. D.B. 359, pp. 21. 1916.
"Cotton ginning information for farmers." With others. F.B. 764, pp. 24. 1916; rev., pp. 28. 1917.
"Manufacturing and laboratory tests to produce an improved cotton airplane fabric." With D. E. Earle. D.B. 882, pp. 48. 1920.
"Manufacturing tests of the official cotton standards for grade." With William S. Dean. D.B. 591, pp. 27. 1917.
"Marketing and distribution." Atl. Am. Agr. Adv. Sh. 4, Pt. V, sec. A., pp. 24-28. 1919.
"Relation between primary market prices and qualities of cotton." D.B. 457, pp. 15. 1916.
"Spinning tests of upland long-staple cottons." With Wells A. Sherman. D.B. 121, pp. 20. 1914.
"Studies of primary cotton market conditions in Oklahoma." With others. D.B. 36, pp. 36. 1913.

TAYLOR, G. B.—
"A simple steam sterilizer for farm dairy utensils." With S. Henry Ayers. F.B. 748, pp. 11. 1916; rev., pp. 16. 1919.
"Milk and cream contests." With Ernest Kelly. D.C. 53, pp. 24. 1919.

TAYLOR, G. F.—
"An improved type of pressure tester for the determination of fruit maturity." With J. R. Magness. D.C. 350, pp. 8. 1925.
"Freezing injury to potatoes when undercooled." With R. C. Wright. D.B. 916, pp. 15. 1921.
"The freezing temperatures of some fruits, vegetables, and cut flowers." With R. C. Wright. D.B. 1133, pp. 8. 1923.

TAYLOR, H. C.—
"International trade in dairy products, significant trends of supply, demand, and price." B.A.I. Dairy [Misc.], "World's dairy congress., 1923", pp. 55-63. 1924.
"Practical farm economics." With others. M.C. 32, pp. 100. 1924.
report as Chief of—
Agricultural Economics Bureau—
1923. An. Rpts., 1923, pp. 131-197. 1923; B.A.E. Chief Rpt., 1923, pp. 56. 1923.
1924. B.A.E. Chief Rpt., 1924, pp. 53. 1924.
1925. B.A.E. Chief Rpt., 1925, pp. 56. 1925.

TAYLOR, H. C.—Continued.
report as Chief of—Continued.
Farm Management and Farm Economics Office—
1920. An. Rpts., 1920, pp. 569-575. 1921; Farm M. Chief Rpt., 1920, pp. 7. 1920.
1922. An. Rpts., 1922, pp. 545-566. 1922; Farm M. Chief Rpt., 1922, pp. 22. 1922.
Farm Management Office, 1919. An. Rpts., 1919, pp. 463-468. 1920; Farm M. Chief Rpt., 1919, pp. 6. 1919.
Markets and Crop Estimates, 1922. An. Rpts., 1922, pp. 505-544. 1922; Mkts. Chief Rpt., 1922, pp. 40. 1922.

TAYLOR, J. W.—
"Electrochemical treatment of seed wheat". With C. E. Leighty. D.C. 305, pp. 7. 1924.
"Experiments with small grains on the Arlington Experiment Farm." D.B. 1309, pp. 28. 1925.
"Hairy neck wheat segregates from wheat-rye hybrids." With C. E. Leighty. J.A.R., vol. 28, pp. 567-576. 1924.

TAYLOR, N. R.: "The rivers and floods of the Sacramento and San Joaquin watersheds. W.B. Bul. 43, pp. 92. 1913.

TAYLOR, S. C. H.: "Soil survey of Sheridan County, Nebr." With others. Soil Sur. Adv. Sh., 1918, pp. 60 1921; Soils F.O., 1918, pp. 1441-1496. 1924.

TAYLOR, W. A.—
"Adulteration and misbranding of the seed of hairy vetch." Sec. Cir. 45, pp. 6. 1913.
"Apple outlook." F.B. 558, pp. 2-3. 1913.
"England and Wales—increase acreage of human food crops and decrease of feed crops and grass." Sec. [Misc.], "Report of Agricultural * * *," pp. 35-47. 1919.
"Little-known fruit varieties considered worthy of wider dissemination." Y.B., 1901, pp. 381-392. 1902; Y.B. Sep. 229, pp. 381-392. 1902.
notes on bulb growing. D.B. 28, p. 1. 1913.
"Promising new fruits"—
1902. Y.B., 1902, pp. 469-480. 1903; Y.B. Sep. 283, pp. 469-480. 1903.
1903. Y.B., 1903, pp. 267-278. Y.B. Sep. 330, pp. 267-278. 1904.
1904. Y.B., 1904, pp. 399-416. 1905; Y.B. Sep. 356, pp. 399-416. 1905.
1905. Y.B., 1905, pp. 495-510. 1906; Y.B. Sep. 399, pp. 495-510. 1906.
1906. Y.B., 1906, pp. 355-370. 1907; Y.B. Sep. 429, pp. 355-370. 1907.
1907. Y.B., 1907, pp. 305-320. 1908; Y.B. Sep. 450, pp. 305-320. 1908.
1908. Y.B., 1908, pp. 473-490. 1909; Y.B. Sep. 496, pp. 473-490. 1909.
1909. Y.B., 1909, pp. 375-386. 1910; Y.B. Sep. 521, pp. 375-386. 1910.
1910. Y.B., 1910, pp. 425-436. 1911; Y.B. Sep. 549, pp. 425-436. 1911.
1911. With H. P. Gould. Y.B., 1911, pp. 423-438. 1912; Y.B. Sep. 581, pp. 423-438. 1912.
1912. With H. P. Gould. Y.B., 1912, pp. 261-278. 1913; Y.B. Sep. 589, pp. 261-278. 1913.
1913. With H. P. Gould. Y.B., 1913, pp. 109-124. 1914; Y.B. Sep. 618, pp. 109-124. 1914.
report as Chief of Plant Industry Bureau—
1913. An. Rpts., 1913, pp. 105-133. 1914; B.P.I. Chief Rpt., 1913, pp. 29. 1913.
1914. An. Rpts., 1914, pp. 101-128. 1914; B.P.I. Chief Rpt., 1914, pp. 28. 1914.
1915. An. Rpt.s, 1915, pp. 143-158. 1916; B.P.I. Chief Rpt., 1915, pp. 16. 1915.
1916. An. Rpts., 1916, pp. 137-154. 1916; B.P.I. Chief Rpt., 1916, pp. 18. 1917.
1917. An. Rpts., 1917, pp. 131-163. 1918; B.P.I. Chief Rpt., 1917, pp. 32. 1917.
1919. An. Rpts., 1919, pp. 137-176. 1920; B.P.I. Chief Rpt., 1919, pp. 40. 1919.
1920. An. Rpts., 1920, pp. 159-220. 1921; B.P.I. Chief Rpt., 1920, pp. 62. 1920.
1921. B.P.I. Chief Rpt., 1921, pp. 52. 1921.
1922. An. Rpts., 1922, pp. 161-194. 1923; B.P.I. Chief Rpt., 1922, pp. 34. 1922.
1923. An. Rpts., 1923, pp. 255-288. 1924; B.P.I. Chief Rpt., 1923, pp. 34. 1923.
1924. B.P.I. Chief Rpt., 1924, pp. 46. 1924.
1925. B.P.I. Chief Rpt., 1925, pp. 36. 1925.
"The agricultural possibilities of the Canal Zone. Pt. II. The outlook for agriculture." Rpt. 95, pp. 39-49. 1912.

TAYLOR, W. A.—Continued.
"The influence of refrigeration on the fruit industry." Y.B., 1900, pp. 561–580. 1901.
TAYLOR, W. J., treatment of cattle to prevent contagious abortion. F.B. 549, pp. 20–21. 1913.
TAYLOR, W. P.—
"Damage to range grasses by the Zuni prairie dog." With J. V. G. Loftfield. D.B. 1227, pp. 16. 1924.
"Life history of the kangaroo rat." With Charles T. Vorhies. D.B. 1091, pp. 40. 1922.
"Suggestions for field studies of mammalian life-histories." D.C. 59, pp. 8. 1919.
Tayote. See Chayote.
Tea(s)—
acts, purpose and dates. Off. Rec., vol. 2, No. 48, p. 5. 1923.
adulterants, detection. Chem. Bul. 107, p. 149. 1907.
adulteration and misbranding. See Indexes, Notices of Judgment, in bound volumes, and in separates published as supplements to Chemistry Service and Regulatory Announcements.
American, culture, results. Rpt. 83, p. 40. 1906.
analysis method. Chem. Bul. 107, pp. 149–151. 1907; Chem. Bul. 152, pp. 163–167. 1912; Chem. Cir. 43, p. 13. 1909.
Appeals Board—
personnel. Off. Rec., vol. 2, No. 13, p. 1. 1923.
United States, composition, authority, and finality of decisions. D.C. 137, p. 17. 1922.
black, curing. F.B. 301, pp. 13–14. 1907.
borer, shot-hole, description. Sec. [Misc.], "A manual of insects * * *," p. 211. 1917.
bush, wild, in Wyoming, distribution and growth. N.A. Fauna 42, p. 73. 1917.
Ceylon, adulteration and misbranding. See also Indexes, Notices of Judgment, in bound volumes and in separates published as supplements to Chemistry Service and Regulatory announcements.
Chinese, seed yielding edible oil, importation and description. No. 32174, B.P.I. Bul. 261, p. 36. 1912.
cliff-grown, introduction from China, cultural notes. B.P.I. Bul. 205, pp. 9, 41. 1911.
color and facing, investigations. An. Rpts., 1912, pp. 584, 588. 1913; Chem. Chief Rpt., 1912, pp. 34, 38. 1912.
coloring and facing, determination method, adoption. An. Rpts., 1912, p. 54. 1913; Sec., A.R., 1912, p. 54. 1912; Y.B., 1912, p. 54. 1913.
consumption in world, 1909–1910, note. Chem. N.J. 1455, p. 44. 1912.
cooking direction. D.B. 123, p. 53. 1916.
countries producing. Off. Rec., vol. 3, No. 35, p. 5. 1924.
cultivation and manufacture in United States. George F. Mitchell. B.P.I. Bul. 234, pp. 40. 1912.
culture—
in South Carolina—
progress of work, labor-saving machinery. An. Rpts., 1909, p. 282. 1910; B.P.I. Chief Rpt., 1909, p. 30. 1909.
pruning machinery introduction, 1909. Sec. A.R., 1909, pp. 74–75. 1909; Y.B. 1909, pp. 74–75. 1910.
in United States and annual yield. An. Rpts., 1912, p. 139. 1913; Sec. A.R., 1912, p. 139. 1912; Y.B., 1912, p. 139. 1913.
investigations—
1905. An. Rpts., 1905, p. 153. 1905; B.P.I. Chief Rpt., 1905, p. 153. 1905; Sec. A.R., 1905, p. LV. 1905.
1906. An. Rpts., 1906, p. 209. 1907.
1907. An. Rpts., 1907, pp. 307–308. 1908; B.P.I. Chief Rpt., 1907, pp. 59–60. 1907.
1908. An. Rpts., 1908, pp. 58, 305–306, 307. 1909; B.P.I. Chief Rpt., 1908, pp. 33–34, 35. 1908; Y.B., 1908, p. 58. 1909.
1910, improved machinery for pruning. An. Rpts., 1910, pp. 60, 297. 1911; B.P.I. Chief Rpt., 1910, p. 27. 1910; Rpt. 93, p. 44. 1911; Sec. A.R., 1910, p. 60. 1910; Y.B., 1910, p. 59. 1911.
pruning and picking machine. An. Rpts., 1911, p. 277. 1912; B.P.I. Chief Rpt., 1911, p. 29. 1911.
See also Tea, growing.

Tea(s)—Continued.
curing processes. Off. Rec., vol. 2, No. 51, p. 5. 1923.
dried plants used. D.C. 3, pp. 17–18. 1919.
examiner, supervising, duties and assistants. D.C. 137, p. 17. 1922.
experts, board, personnel. Off. Rec., vol. 2, No. 6, p. 4. 1923.
exports and imports, annual and average, by countries. Stat. Cir. 31, pp. 25, 29, 30. 1912.
extract determination. Chem. Bul. 122, pp. 78–80. 1909.
food standard. Sec. Cir. 136, p. 18. 1919.
food value and use. Y.B., 1902, p. 404. 1903.
fungous parasite, Glomerella sp., Laestadia sp., and Colletotrichum sp., studies. B.P.I. Bul. 252, pp. 54–55. 1913.
gardens, Pinehurst, S. C., description, characteristics, and yield. B.P.I. Bul. 234, pp. 35–40. 1912.
green, curing. F.B. 301, pp. 14–15. 1907.
growing—
and manufacture, program of work, 1915. Sec. [Misc.], "Program of work * * *, 1915," p. 100. 1914.
in South Carolina, Dorchester County, acreage and varieties. Soil Sur. Adv. Sh., 1915, pp. 11, 19. 1917; Soils F.O., 1915, p. 551. 1919.
in United States—
1902. Rpt. 73, pp. 20–21. 1902.
history. B.P.I. Bul. 234, pp. 7–8. 1912.
remarks of Secretary. Y.B., 1900, pp. 13, 44. 1901.
investigations, 1904. An. Rpts., 1904, pp. 153–154. 1904.
location and acreage. Sec. [Misc.] Spec. "Geography * * * world's agriculture," pp. 93, 96. 1917.
home-grown. George F. Mitchell. F.B. 301, pp. 16. 1907.
importation(s)—
1924. Off. Rec., vol. 3, No. 2, p. 5. 1924.
1925. Off. Rec., vol. 4, No. 38, p. 3. 1925.
act and regulations. M.C. 9, pp. 1–12. 1923.
and inspection. M.C. 9, pp. 12. 1923.
Federal inspection laws. Chem. Bul. 69, Pt. I, rev., pp. 7–9. 1905.
inspection acts. and regulations. Chem. [Misc.], "Food and drug manual," pp. 85–89. 1920.
restrictions. Chem. Bul. 121, p. 8. 1909.
imported, Federal inspection law. Chem. Bul., 69, Pt. I, pp. 7–9. 1904.
imported, 1851–1914, value and sources of supply, discussion. D.B. 296, pp. 31–32. 1915.
imports—
1851–1908. Y.B., 1908, pp. 761, 775. 1909; Y.B. Sep. 498, pp. 761, 775. 1909.
1851–1910. Y.B., 1910, pp. 606, 663, 681–682. 1911; Y.B. Sep. 553, pp. 606, 663, 681–682. 1911.
1851–1911. Y.B., 1911, pp. 667, 685–686. 1912; Y.B. Sep. ∂88, pp. 667, 685–686. 1912.
1851–1912. Y.B., 1912, pp. 724, 744. 1913; Y.B. Sep. 615, pp. 724, 744. 1913.
1852–1911. Y.B., 1913, pp. 500, 511. 1914; Y.B. Sep. 361, pp. 500, 511. 1914.
1852–1914. Y.B., 1914, pp. 658, 670, 686. 1915; Y.B. Sep. 657, pp. 658, 670, 686. 1915.
1852–1915. Y.B., 1915, pp. 547, 559, 575. 1916; Y.B. Sep. 685, pp. 547, 559, 575. 1916.
1852–1917. Y.B., 1917, pp. 766, 781. 1918; Y.B. Sep. 762, pp. 10, 25. 1918.
1852–1918. Y.B., 1918, pp. 634, 643, 648, 651, 664. 1919; Y.B. Sep. 794, pp. 10, 19, 24, 27, 40. 1919.
1852–1919. Y.B., 1919, pp. 689, 703–704, 721. 1920; Y.B. Sep. 829, pp. 689, 703–704, 721. 1920.
1852–1920. Y.B., 1921, pp. 742, 749, 753, 754. 767. 1922; Y.B. Sep. 867, pp. 6, 13, 18, 31. 1922.
1852–1921. Y.B., 1922, pp. 954, 961, 966, 980. 1923; Y.B. Sep. 880, pp. 954, 961, 966, 980. 1923.
1852–1923. Y.B., 1923, pp. 1102, 1111, 1115, 1116, 1133. 1924; Y.B. Sep. 905, pp. 1102, 1111, 1115, 1116, 1133. 1924.
1901–1906. Y.B., 1906, p. 679. 1907; Y.B. Sep. 436, p. 679. 1907.
1901–1924. Y.B., 1924, pp. 1064, 1076. 1925; Y.B. Sep. 911, pp. 1064, 1076. 1925.

Tea(s)—Continued.
imports—continued.
1902–1904. Stat. Bul. 35, pp. 13, 14, 66. 1905.
1903–1907. Y.B., 1907, p. 745. 1908; Y.B. Sep. 465, p. 745. 1908.
1905–1909. Y.B., 1909, p. 607. 1910. Y.B. Sep. 524, p. 607. 1910.
1907–1909. Stat. Bul. 82, p. 59. 1910.
1908–1910. Stat. Bul. 90, p. 62, 1911.
1913–1916. Y.B., 1916, pp. 714, 722, 742. 1917; Y.B. Sep. 722, pp. 8, 16, 36. 1917.
1917–1919. Y.B., 1920, pp. 769, 778. 1921; Y.B. Sep. 862, pp. 769, 778. 1921.
examination of samples in the United Kingdom, 1908. Chem. Bul. 143, pp. 17–18. 1911.
into United States, 1853–1908, 5-year periods. B.P.I. Bul. 234, pp. 10–11. 1912.
statistics. Y.B., 1921, pp. 742, 749, 753, 754, 767. 1922; Y.B. Sep. 867, pp. 6, 13, 17, 18, 31. 1922.
industry in South. Off. Rec., vol. 2, No. 37, p. 3. 1923.
insect pests, description and list. Sec. [Misc.], "A manual * * * insects * * *," pp. 211–212. 1917.
inspection—
act, administration. An. Rpts., 1922, p. 288. 1922; Chem. Chief Rpt., 1922, p. 38. 1922.
act, enforcement. Off. Rec., vol. 2, No. 39, p. 6. 1923.
and rejection, right of importer to appeal. D.C. 137, p. 17. 1922.
by Chemistry Bureau under tea act, law provisions and methods. D.C. 137, pp. 16–18. 1922.
service, transfer to Agriculture Department. D.C. 137, pp. 16–18. 1922.
work—
1924. Chem. Chief Rpt., 1924, p. 17. 1924.
1925. Chem. Chief Rpt., 1925, p. 16. 1925.
of Chemistry Bureau. D.C. 137, pp. 16–18. 1920.
inspectors, location. Chem. [Misc.], "Food and drug manual," p. 89. 1920.
investigations, pruning and picking, 1912. An. Rpts., 1912, p. 411. 1913; B.P.I. Chief Rpt., 1912, p. 31. 1912.
Java, labeling. Chem. S. R.A. 21, p. 71. 1918.
keeping qualities, test. Off. Rec., vol. 4, No. 48, p. 2. 1925.
Labrador—
description, occurrence in peat bogs in Washington, eastern Puget Sound Basin. Soil Sur. Adv. Sh., 1909, p. 32. 1911; Soils F.O., 1909, p. 1542. 1912.
distribution. N.A. Fauna 22, p. 17. 1902; N.A. Fauna 24, p. 20. 1904; N.A. Fauna 21, pp. 53, 55. 1901.
mountain. See Wintergreen.
nutritive value. Y.B., 1902, p. 404. 1903; Y.B. Sep. 280, p. 404. 1903.
oil trees, importation and description. No. 35248, B.P.I. Inv. 35, p. 27. 1915.
packages, net weight statement. Chem. S.R.A. 13, p. 4. 1915.
Paraguay—
use of maté leaves, note. Y.B., 1911, p. 443. 1912; Y.B. Sep. 582, 1911, p. 443. 1912.
See also Yerba maté; Maté.
plant(s)—
distribution by Commissioner of Patents, 1858. B.P.I. Bul. 234, p. 7. 1912.
origin, description, and adaptability. B.P.I. Bul. 234, pp. 9–10. 1912.
plantations, establishment. B.P.I. Bul. 234, pp. 11–22. 1912.
planting, cultivation, and pruning. F.B. 301, pp. 9–12. 1907.
plucking and curing. F.B. 301, pp. 12–15. 1907.
preparation for drinking. F.B. 301, p. 15. 1907.
prices, wholesale, on New York market—
1890–1923. Y.B., 1923, p. 877. 1924; Y.B. Sep. 1901, p. 877. 1924.
1890–1924. Y.B., 1924, p. 834. 1925; Y.B. Sep. 980, p. 834. 1925.
1899–1911. Y.B., 1913, p. 450. 1914; Y.B. Sep. 360, p. 450. 1914.
1900–1914. Y.B., 1914, p. 605. 1915; Y.B. Sep. 655 p. 605. 1915.

Tea(s)—Continued.
prices, etc.—continued.
1900–1915. Y.B., 1915, p. 502. 1916; Y.B., Sep. 683, p. 502. 1916.
1908–1912. Y.B., 1912, p. 656. 1913; Y.B. Sep. 615, p. 656. 1913.
1912–1916. Y.B., 1916, p. 652. 1917; Y.B. Sep. 720, p. 42. 1917.
1912–1917. Y.B., 1917, p. 701. 1918; Y.B. Sep. 760, p. 49. 1918.
1913–1918. Y.B., 1918, p. 578. 1919; Y.B. Sep. 792, p. 74. 1919.
1913–1919. Y.B., 1919, p. 638. 1920; Y.B. Sep. 827. p. 638. 1920.
1913–1920. Y.B., 1920, p. 692. 1921; Y.B. Sep. 862, p. 692. 1921.
production—
in United States. Off. Rec., vol. 2, No. 46, p. 5. 1923.
in United States, remarks. Y.B., 1901, p. 33. 1902.
influences governing, cost, and profits. B.P.I. Bul. 234, pp. 31–35. 1912.
pruning machinery, introduction. An. Rpts., 1909, p. 75. 1910; Rpt. 91, p. 53. 1909: Sec. A.R., 1909, p. 75. 1909; Y.B., 1909, p. 75. 1910.
purity standards. Sec. Cir. 136, p. 18. 1919.
quality, relation to age of leaves. Off. Rec., vol. 2, No. 48, p. 5. 1923.
recommendation of committee. Chem. Bul. 162, p. 164. 1913.
rejected, time allowed imports for disposition of. D.C. 137, p. 17. 1922.
rejections in 1924. Off. Rec., vol. 4, No. 4, p. 3. 1925.
report—
by associate referee. Chem. Bul. 137, pp. 105–108. 1911.
issuance. Off. Rec., vol. 2, No. 9, p. 4. 1923.
(with coffee) 1906. C.D. Howard Chem. Bul. 105, pp. 41–45. 1907.
Rusk, misbranding. See Indexes. Notices of Judgment, in bound volumes and in reports published as supplements Chem. Service and Regulatory Announcements.
scale, description, distribution, food plants, and enemies. Ent. T.B. 16, Pt. V, pp. 76–79. 1912.
scale infestation from imported Japanese camellias. An. Rpts., 1909, p. 523. 1910; Ent. A.R., 1909, p. 37. 1909.
seed—
oil. See Oil, tea-seed.
planting methods and cultivation. B.P.I. Bul. 234, pp. 14–17. 1912.
selection, care, production, and cost. B.P.I. Bul. 234, pp. 12–14. 1912.
soils investigation. An. Rpts., 1910, p. 502. 1911; Soils Chief Rpt., 1910, p. 14. 1910.
stains, removal from textiles. F.B. 861, p. 32. 1917.
standards—
1923. M.C. 9, pp. 5, 6. 1923.
and laws. Chem. Bul. 69, rev., Pts. I–IX, pp. 7, 108, 174, 191, 213, 216, 443, 546, 567, 636, 774. 1905–6.
approval, 1924. Off. Rec., vol. 3, No. 21, p. 3. 1924.
approval, 1925. Off. Rec., vol. 4, No. 10, p. 4. 1925.
board, work. Off. Rec., vol. 3, No. 8, p. 3. 1924.
trade, international, 1901–1910. Stat. Bul. 103, pp. 44–45. 1913.
substitute, manufacture. Off. Rec., vol. 1, No. 50, p. 2. 1922.
substitute of cassina. Off. Rec., vol. 1, No. 51, p. 2. 1922.
trade, international—
1901–1906. Y.B., 1906, p. 623. 1907; Y.B. Sep. 436, p. 623. 1907.
1902–1906. Y.B., 1907, p. 689. 1908; Y.B. Sep. 465, p. 689. 1908.
1903–1907. Y.B., 1908, p. 703. 1909; Y.B., Sep. 498, p. 703. 1909.
1904–1908. Y.B., 1909, p. 547. 1910; Y.B. Sep. 524, p. 547. 1910.
1905–1909. Y.B., 1910, p. 606. 1911; Y.B. Sep. 553, p. 606. 1911.
1906–1910. Y.B., 1911, pp. 609–610. 1912; Y.B. Sep. 587, pp. 609–610. 1912.

Tea(s)—Continued.
  trade, international—continued.
    1907–1911. Y.B., 1912, p. 655. 1913; Y.B. Sep. 615, p. 655. 1913.
    1909–1913 and 1921–1923. Y.B., 1924, p. 833. 1925; Y. B. Sep. 908, p. 833. 1925.
    1909–1913, 1917, and 1918. Y.B., 1919, p. 637. 1920; Y.B. Sep. 827, p. 637. 1920.
    1909–1916. Y.B., 1917, pp. 700–701. 1918; Y.B. Sep. 760, pp. 48–49. 1918.
    1909–1917. Y.B., 1918, pp. 577–578. 1919; Y.B. Sep. 792, pp. 73–74. 1919.
    1909–1919. Y.B., 1920, p. 691. 1921; Y.B. Sep. 862, p. 691. 1921.
    1909–1920. Y.B., 1921, pp. 668. 1922; Y.B. Sep. 869, p. 88. 1922.
    1909–1921. Y.B., 1922, p. 789. 1923; Y.B. Sep. 884, p. 789. 1923.
    1909–1922. Y.B., 1923, p. 876. 1924; Y.B. Sep. 901, p. 876. 1924.
    1910–1912. Y.B., 1913, p. 449. 1914; Y.B. Sep. 360, p. 449. 1914.
    1911–1913. Y.B., 1914, p. 604. 1915; Y.B. Sep. 655, p. 604. 1915.
    1912–1914. Y.B. 1915, p. 502. 1916; Y.B. Sep. 683, p. 502. 1916.
    1913–1915. Y.B., 1916, p. 651. 1917; Y.B. Sep. 720, p. 41. 1917.
  use as beverage, notes. O.E.S. Bul. 245, pp. 69, 70. 1912.
  use in washing colored fabrics, note. F.B. 1099, p. 22. 1920.
  waste and siftings, entry to United States allowable, and conditions. D.C. 137, pp. 17–18. 1922.
Teaberry, See Wintergreen.
Teacher(s)—
  agricultural—
    card directory, Experiment Stations Office. O.E.S. An. Rpt., 1912, p. 284. 1913.
    card index. An. Rpts., 1910, p. 741. 1911; O.E.S. Dir. Rpt., 1910, p. 11. 1910.
    college, training with land-grant funds. D.C. 251, p. 8. 1925.
    extension work—
      and home project work. D.B. 213, pp. 6, 7, 11. 1915.
      preparation. O.E.S. Bul. 231. pp, 26–27, 79–86. 1910.
      training and cooperation with. An. Rpts., 1922, pp. 417–419. 1922; S.R.S. Rpt., 1922, pp. 5–7. 1922.
      training, methods for acquiring. D.B. 7, pp. 2–13. 1913.
    aid by department publications. Y.B., 1921, p. 30. 1922; Y.B. Sep. 875, p. 30. 1922.
    card-writing directory, Experiment Stations Office. An. Rpts., 1912, p. 825. 1913; O.E.S. Chief Rpt., 1912, p. 11. 1912.
    cooperation with parents in home projects. D.B. 346, pp. 3, 5, 20. 1916.
    courses—
      agricultural colleges—
        O.E.S. Cir. 83, pp. 15, 16, 17–19. 1909; O.E.S. Cir. 106, pp. 15, 16, 17–19. 1911; rev., pp. 17–18, 19, 23. 1912.
        1910. O.E.S. An. Rpt., 1910, pp. 355–358. 1911.
        1913. O.E.S. Cir. 118, pp. 5–27. 1913.
      horticulture and nature study. O.E.S. Bul. 204, pp. 34–37. 1909.
    directions for organization of agricultural clubs, rural schools. D.B. 132, pp. 2–5. 1915.
    employed, agricultural training courses. Edwin R. Jackson. D.B. 7, pp. 17. 1913.
    in rural elementary schools, use of a soil survey. C. H. Lane. S.R.S. [Misc.], "How teachers in rural elementary schools may use * * *," pp. 2. 1917.
    in rural schools, study, suggestions for. D.B. 132, pp. 5–27. 1915.
    in secondary schools: Suggestions for—
      food requirements of the human body. S.R.S. Doc. 50, pp. 6. 1917.
      increasing production on the farm. H. P. Barrows. S.R.S. Doc. 73, pp. 12. 1917.
      raising ducks, geese, and turkeys. H.P. Barrows. S.R.S. Doc. 57, pp. 10. 1917.
    methods of management of home practice of agriculture. D.B. 385, pp. 2–12. 1916.

Teacher(s)—Continued.
  of agriculture—
    assistance of States Relations Service. An. Rpts., 1919, pp. 357–358. 1920; S.R.S. Rpt., 1919, pp. 5–6. 1919.
    practical experience, methods of obtaining. News L., vol. 3, No. 19, p. 4. 1915.
    training by agricultural colleges for secondary schools, work. O.E.S. Cir. 118, pp. 29. 1913.
    training courses. Dick J. Crosby. Y.B., 1907, pp. 207–220. 1908; Y.B. Sep. 445, pp. 207–220. 1908.
    preparation for home-project work. D.B. 346, p. 20. 1916.
    publications of Department of Agriculture—
      classified for use. Pub. Cir. 19, pp. 36. 1912.
      classified for use. Dick J. Crosby and F. W. Howe. O.E.S. Cir. 94, pp. 35. 1910.
    rural life, directory. Off. Rec., vol. 2, No. 26, p. 4. 1923.
    rural sociology, directory. Off. Rec., vol. 1, No. 13, p. 5. 1922.
    school, aid to community driers. News. L., vol. 6, No. 30, p. 11. 1919.
    study of Forest Service exhibit. Off. Rec., vol. 3, No. 28, p. 3. 1924.
    suggestions—
      for lessons on potatoes, surveys and home projects. D.B. 784, pp. 1–4. 1919.
      in teaching animal production. O.E.S. Cir. 100, pp. 5–7. 1911.
      on course in vegetable foods for correspondence schools. O.E.S. Bul. 245, p. 13. 1912.
    training—
      courses. O.E.S. An. Rpt., 1911, pp. 323–324. 1912.
      for agricultural colleges and schools, need. O.E.S. An. Rpt., 1912, pp. 319–322. 1913.
      in agricultural colleges. O.E.S. An. Rpt., 1908, pp. 262–265. 1909.
    use of—
      Farmers' Bulletin—
        602: Clean milk. Alvin Dille. D.C. 67, pp. 6. 1920.
        876: Making butter on the farm. E. H. Shinn. D.C. 69, pp. 4. 1919.
        1044: The city home garden. Alvin Dille. D.C. 33, pp. 8. 1919.
        1087: Beautifying the farmstead. C. H. Schopmeyer. D.C. 155, pp. 6. 1921.
        1121: Factors that make for success in farming in the South. F. A. Merrill. D.C. 159, pp. 7. 1920.
        1125: Forage for the Cotton Belt. F. A. Merrill. D.C. 158, pp. 8. 1921.
        1148: Cowpeas: Culture and varieties. F. A. Merrill. D.C. 157, pp. 8. 1921.
        1175: Better seed corn. F. A. Merrill. D.C. 156, pp. 6. 1921.
      publications on control of diseases and insect enemies of the home garden. Alvin Dille. D.C. 68, pp. 4. 1919.
    work in teaching agriculture. News. L., vol. 7, No. 18, p. 4. 1919.
Teaching—
  agriculture—
    in public schools. O.E.S. Bul. 120, p. 84. 1902.
    instruction for adults in continental countries. John Hamilton. O.E.S. Bul. 163, pp. 32. 1905.
    secondary courses. O.E.S. Cir. 49, pp. 1–10. 1902.
  use of department films. Off. Rec. vol. 4, No. 31, p. 4. 1925.
  work of station workers, question. O.E.S. Bul. 153, pp. 130–136. 1905.
Teague, C. C., report of California Walnut Growers Association, Los Angeles, Calif. Rpt. 98, pp. 173–175. 1913.
Teak—
  growing and planting in Guam, experiments. Guam A.R., 1922, p. 17. 1924.
  insect pests, list. Sec. [Misc.], "A manual * * * insects * * *," p. 212. 1917.
  quantity used in manufacture of wooden products. D.B. 605, p. 15. 1918.
  Rhodesian, importation and description. No. 49228, B.P.I. Inv. 62, pp. 2, 14. 1923.
  tree, importation and description. No. 42374, B.P.I. Inv. 46, p. 85. 1919.

INDEX TO PUBLICATIONS, 1901-1925 2359

Teak—Continued.
  wood, resistance to termites, discussion. D.B. 1231, p. 14. 1924; Ent. Bul. 94, pp. 79, 80, 81, 82. 1915.
Teal—
  blue-winged—
    description and food habits. D.B. 862, pp. 22-28, 49-67. 1920.
    occurrence and food habits. Biol. Bul. 38, p. 19. 1911.
    occurrence in Porto Rico. D.B. 326, p. 30. 1916.
    breeding grounds in Great Plains, description. Y.B., 1917, pp. 198-200. 1918; Y.B. Sep. 723, pp. 4-6. 1918.
  cinnamon—
    breeding range. D.B. 862, p. 28. 1920.
    description and food habits. D.B. 862, pp. 28-30, 49 67. 1920.
    migration records from birds banded in Utah. D.B. 1145, pp. 7-8. 1923.
    duck, breeding, range, and migration. Biol. Bul. 26, pp. 32, 34. 1906.
    falcated, occurrence in Pribilof Islands. N.A. Fauna 46, p. 45. 1923.
  green-winged—
    adaptability to duck farming. D.B. 862, p.17. 1920.
    description and food habits. D.B. 862, pp. 17-22, 49-67. 1920.
    in Alaska and Yukon Territory, notes. N.A. Fauna 30, pp. 34, 85. 1909.
    migration records from birds banded in Utah. D.B. 1145, pp. 6-7. 1923.
    occurrence and food habits. Biol. Bul. 38, p. 18. 1911.
    range and habits. N.A. Fauna 24, p. 57. 1904.
    in Athabaska-Mackenzie region. N.A. Fauna 27, pp. 280-282. 1908.
  Laysan, occurrence on Laysan Island, number and description. Biol. Bul. 42, pp. 20-21. 1912.
  occurrence in—
    Nebraska. D.B. 794, pp. 23-24. 1920.
    Pribilof Islands, and food habits. N.A. Fauna 46, pp. 45-46. 1923.
  See also Game.
Teamwork. See Cooperation.
Tear-stain of citrus fruits. John R. Winston. D.B. 924, pp. 12. 1921.
Tearal. See Boneset.
TEAS, WM. H., report on tannin. Chem. Bul. 73, pp. 77-84. 1903.
Teasel. See Boneset.
Teasels, imports—
  1907-1909, value. Stat. Bul. 82, p. 59. 1910.
  and exports, 1903-1907. Y.B., 1907, pp. 745, 746. 1908; Y.B. Sep. 465, pp. 745, 746. 1908.
Teats—
  chapped, dairy cow, cause and treatment. F.B. 1422, p. 9. 1924.
  cow, diseased conditions, causes and treatment. B.A.I. [Misc.], "Diseases of cattle," rev., pp. 240-242, 430. 1904; rev., pp. 247-250, 336, 445. 1912; rev., pp. 243-244, 245. 1923.
  mare, diseased conditions. B.A.I. [Misc.], "Diseases of the horse," rev., pp. 188-189. 1903; rev., pp. 188-189. 1907; rev., pp. 188-189. 1911; rev., pp. 208-209. 1923.
  sore, of goats, control by washing and carbolated vaseline. F.B. 920, p. 36. 1918.
Teche pecan tree, defective nuts, note. F.B. 700, p. 26. 1916.
Technical education. See Education.
Technologist, agricultural, Porto Rico Experiment Station, report, 1920. P.R. An. Rpt., 1920, pp. 37-39. 1921.
Technology—
  agricultural—
    chemical, projects. An. Rpts., 1922, pp. 257-272. 1923; Chem. Chief Rpt., 1922, pp. 7-22. 1922.
    Farmers' Bulletin list for reading courses. D.B. 7, p. 17. 1913.
    publications, list for teachers. Pub. Cir. 19, pp. 16-17. 1912.
  crop, summary of work. An. Rpts., 1908, pp. 58, 308-309. 1909; B.P.I. Chief. Rpt., 1908, pp. 36-37. 1908.

Technology—Continued.
  enological, investigations. Chem. Cir. 14, p. 15 1908.
Tecoma—
  jasminoides, importation and description, No. 35895. B.P.I. Inv. 36, p. 22. 1915.
  mollis H. B. K., Mexican plant, analysis. L. F. Kebler and A. Seidell. Chem. Cir. 24, pp. 6. 1905.
  radicans, injury by sapsuckers. Biol. Bul. 39, p. 22. 1911.
  spp., importations and description. Nos. 43741, 43781, B.P.I. Inv. 49, pp. 71, 76. 1921.
  spp., See also Roble trees.
  yellow, importation and description. No. 51586, B.P.I. Inv. 65, p. 29. 1923.
Tectona grandis. See Teak.
Teddala date, description and possibilities. B.P.I. Bul. 53, pp. 33, 37, 50, 132. 1904.
Tedder, hay—
  cost per acre and per day, relation to service, table. D.B. 338, pp. 18-19. 1916.
  description, use, and cost. F.B. 677, pp. 3, 12, 13. 1915.
Tedding, hay—
  practices. F.B. 943, p. 9. 1918.
  time and cost. D.B. 641, pp. 6-7. 1918.
TEELE, R. P.—
  "General discussion of irrigation in Utah." O.E.S. Bul. 125, pp. 19-37. 1903.
  "Irrigation and drainage investigations." O.E.S. Doc. 723, pp. 23. 1904.
  "Irrigation from the Jordan River." O.E.S. Bul. 124, pp. 39-91. 1903.
  "Land reclamation policies in the United States." D.B. 1257, pp. 40. 1924.
  "Losses of irrigation water and their prevention." O.E.S. An. Rpt., 1907, pp. 369-386. 1908.
  "Preparing land for irrigation." Y.B., 1903, pp. 239-250. 1904; Y.B, Sep. 318, pp. 239-250. 1904.
  "Recent irrigation legislation." O.E.S. An. Rpt. 1909, pp. 399-414. 1910.
  "Review of ten years of irrigation investigations." O.E.S. An. Rpt., 1908, pp. 355-405. 1909.
  "Review of the irrigation work of the year" (1904). O.E.S. Bul. 158, pp. 19-75. 1905.
  "Summary of results" (1901). O.E.S. Bul. 119, pp. 17-36. 1902.
  "The State engineer and his relation to irrigation." O.E.S. Bul. 168, pp. 99. 1906.
  "The western farmer's water right." D.B. 913, pp. 14. 1920.
  "Water rights on interstate streams: The Platte River and tributaries." O.E.S. Bul. 157, pp. 9-95. 1905.
TEESDALE, C. H.—
  "Relative resistance of various conifers to injection with creosote." D.B. 101, pp. 43. 1914.
  "Relative resistance of various hardwoods to injection with creosote." With J. D. MacLean. D.B. 606, pp. 36. 1918.
  "Tests of the absorption and penetration of coal tar and creosote in longleaf pine." With J. D. MacLean. D.B. 607, pp. 43. 1918.
  "Tests of wood preservatives." With Howard F. Weiss. D.B. 145, pp. 20. 1914.
  "The absorption of creosote by the cell walls of wood." For. Cir. 200, pp. 7. 1912.
  "Volatilization of various fractions of creosote after their injection into wood." For. Cir. 188, pp. 5. 1911.
TEESDALE, L. V.: "Manual of design and installation of Forest Service waterspray dry kiln." D.B. 894, pp. 47. 1920.
Teeth—
  brushing, credit marks for children. News L., vol. 6, No. 44, p. 16. 1919.
  cattle—
    determination of age by. George W. Pope. F.B. 1066, pp. 4. 1919.
    guide to age. News L., vol. 7, No. 10, p. 5. 1919.
    indication of age. George W. Pope. F.B. 1066, pp. 4. 1919.
    irregularities or decay, treatment. B.A.I. [Misc.], "Diseases of cattle," rev., pp. 17-18. 1904; rev., pp. 18-19. 1912; rev., pp. 16-17. 1923.
    value in determining age. News L., vol. 7, No. 5, p. 2. 1919.

Teeth—Continued.
    defective, in sheep, treatment. F.B. 1155, p. 26. 1921.
    goat, as age indicators. B.A.I. Bul. 27, p. 30? 1901; B.A.I. Bul. 68, p. 45. 1905.
    gopher, characteristics of different genera. Y.B., 1909, pp. 209–210. 1910; Y.B. Sep. 506, pp. 209–210. 1910.
    horse, care of. F.B. 1419, p. 17. 1924.
    horses, diseases and remedies. B.A.I. [Misc.], "Diseases of the horse," rev., pp. 42–44. 1903; rev., pp. 42–44. 1907; rev., pp. 42–44. 1911; rev., pp. 58–59. 1923.
    injury by sugar. F.B. 535, pp. 26–27. 1913.
    need of milk in diet. D.C. 129, p. 2. 1920.
    poor, caused by lack of lime and vitamines in food. D.C. 121, p. 3. 1921.
    sheep, position, and indications of age. D.B. 593, pp. 4, 23–24. 1917.
    sheep, indication of age. F.B. 840, p. 10. 1917; F.B. 1199, pp. 18–22. 1921.
Teethina, Dr. Moffett's, misbranding. Chem. N.J., 1019, pp. 2. 1911.
Teething syrup—
    Dr. Fahrney's, misbranding. Chem. N.J. 144, pp. 2. 1910.
    Dr. Winchell's, misbranding. Chem. N.J. 610, p. 2. 1910.
Teff—
    African grass, importation and description, No. 40535. B.P.I. Inv. 43, pp. 8, 41. 1918.
    brown, description. P.R. An. Rpt., 1912, p. 44. 1913.
    grass, growing, in Hawaii, description and value. Hawaii A.R., 1914, pp. 18, 38, 39. 1915
    importations and descriptions. No. 41903, B.P.I. Inv. 46, p. 31. 1919; No. 48815, B.P.I. Inv. 61, pp. 3, 51. 1922; No. 51499, B.P.I. Inv. 65, p. 21. 1923; Nos. 53476–53477, B.P.I. Inv. 67, p. 53. 1923.
    perennial, African grass, importation and description. No. 40298, B.P.I. Inv. 42, p. 101. 1918.
Tekixcamote. See Yautia.
Tekol, misbranding. See Indexes, Notices of Judgment, in bound volumes, and in separates published as supplements to Chemistry Service and Regulatory Announcements.
Telangioctasis, cattle liver disease, post-mortem appearances. An. Rpts., 1909, p. 222. 1911; B.A.I. An. Rpt., 1909, p. 38. 1911; B.A.I. Chief Rpt., 1909, p. 32. 1909.
Telanthera versicolor. See Alternanthera.
Telegony—
    investigations. D.B. 905, p. 14. 1920.
    principles and experiments. B.A.I. An. Rpt., 1910, pp. 128–137. 1912.
    study in animal breeding. An. Rpts., 1908, p. 261. 1909; B.A.I. An. Rpt., 1907, p. 65, 1909; B.A.I. Chief Rpt., 1908, p. 47. 1908.
Telegrams—
    distinction between Government and commercial, regulation. B.A.I.S.R.A. 190, p. 21. 1923.
    fiscal regulations and rates. Accts. [Misc.], "Fiscal regulations," pp. 22–24, 103–107. 1915.
    form for transportation request. Off. Rec., vol. 3, No. 23, p. 4. 1924.
    laws applicable, taxes, and exemption. Sol. [Misc.], "Laws applicable * * * Agriculture," 2d Sup., p. 111. 1915.
    preparation, directions to employees. B.A.I.-S.R.A. 202, p. 20. 1924.
    public, exemption from taxation. B.A.I.S.R.A. 126, p. 113. 1917.
Telegraph—
    and—
        telephone—
            companies, pole consumption, 1915. D.B. 519, p. 2. 1917.
            poles, damage by wood-boring insects. T. E. Snyder. Ent. Cir. 134, p. 6. 1911.
            poles, seasoning. Henry Grinnell. For. Cir. 103, pp. 16. 1907.
            the weather service. J. H. Robinson. W.B. Bul. 31, pp. 145–146. 1902.
    companies, pole consumption (and telephone companies), 1915. D.B. 519, p. 2. 1917.
    Division, Weather Bureau—
        1907, An. Rpts., 1907, p. 176. 1908.
        1922. An. Rpts., 1922, pp. 85–88. 1922; W.B. Chief Rpt., 1922, pp. 19–22. 1922.

Telegraph—Continued.
    Division, Weather Bureau—Continued.
        1923. An. Rpts., 1923, pp. 117–121. 1923; W.B. Chief Rpt., 1923, pp. 15–19. 1923.
    fiscal regulations. Accts. [Misc.], "Fiscal r gulations * * * 1922," pp. 54–56. 1922.
    lines, national forests, permits. For. [Misc.], "The use book," rev. 5, pp. 133, 139. 1915.
    lines, Weather Bureau, work of year. An. Rpts., 1923, pp. 118–119, 121. 1923; W.B. Chief Rpt., 1923, pp. 16–17, 19. 1923.
    plant, importation and description. No. 43262, B.P.I. Inv. 48, p. 35. 1921.
    poles—
        and wire, destruction by sand blast and drift. Soils Bul. 68, pp. 27, 53. 1911.
        chestnut, damage by wood-boring insects. Thomas E. Snyder. Ent. Bul. 94, Pt. I, p. 12 1910.
        chestnut, experimental use and results. For. Cir. 198, pp. 1–13. 1912.
        damage by wood-boring insects. Ent. Cir. 134, pp. 1–6. 1911.
        protection against insects. An. Rpts., 1911, p. 509. 1912; Ent. A.R. 1911, p. 19. 1911.
        regulations. Sec. [Misc.], "Fiscal regulations * * *," pp. 28–31, 125–129. 1917.
    service, Weather Bureau, work—
        1902. An. Rpts., 1902, pp. 21–22. 1902.
        1907. An. Rpts., 1907, pp. 169, 176. 1908.
        1909, on Pacific coast. An. Rpts., 1909, p. 178. 1910; W.B. Chief Rpt., 1909, p. 28. 1909.
        1910. An. Rpts., 1910, pp. 189–190. 1911; W.B. Chief Rpt., 1910, pp. 31–32. 1910.
        1911. An. Rpts., 1911, pp. 184–185. 1912; W.B. Chief Rpt., 1911, pp. 34–35. 1911.
        1912. An. Rpts., 1912, pp. 293–294. 1913; W.B. Chief Rpt., 1912, pp. 35–36. 1912.
        1913. An. Rpts., 1913, p. 64. 1914; W.B. Chief Rpt., 1913, p. 2. 1913.
        1915. An. Rpts., 1915, pp. 63–64. 1916; W.B. Chief Rpt., 1915, pp. 7–8. 1915.
        1916, seacoast and cable lines. An. Rpts., 1916, pp. 54–55. 1917; W.B. Chief Rpt., 1916, pp. 6–7. 1916.
        1917, by stations. An. Rpts., 1917, pp. 54–57. 1917; W.B. Chief Rpt., 1917, pp. 8–11. 1917.
        1918. An. Rpts., 1918, pp. 64–65. 1918; W.B. Chief Rpt., 1918, pp. 8–9. 1918.
        1919, lines and sections. An. Rpts., 1919, pp. 59, 61–64. 1920; W.B. Chief Rpt., 1919, pp. 11, 13–16. 1919.
        1920. An. Rpts., 1920, pp. 74–78. 1921.
    use in collecting crop data. Off. Rec., vol. 1, No. 25, p. 1. 1922.
    uses, memorandum of Horticultural Board. F.H.B.S.R.A. 72, p. 97. 1922.
    Weather Bureau, instructions to operators. S. P. Minnick. W.B. [Misc.], "Instructions to operators * * *," pp. 35. 1918.
Telegraphy, wireless—
    experiments, 1902. Rpt. 73, p. 4. 1902.
    research by Weather Bureau. An. Rpts., 1901, p. 6. 1901.
    use—
        by Weather Bureau, 1906. An. Rpts., 1906, p. 104. 1907; W.B. Chief Rpt., 1906, p. 6. 1906.
        by Weather Bureau, 1905. An. Rpts., 1908, pp. 205–206. 1909; W.B. Chief Rpt., 1908, pp. 19–20. 1908.
    in forest fires. News L., vol. 6, No. 37, p. 2. 1919.
Telenomini tribe, genus Telenomus, description. Ent. T.B. 19, Pt. I, p. 12. 1910.
Telenomus—
    ashmeadi, parasite of—
        conchuela and other plant bugs. Ent. Bul. 86, pp. 62–64, 87. 1910.
        grain bug, description. D.B. 779, pp. 28–31. 1919.
        Mexican conchuela. Ent. Bul. 64, pp. 9–11. 1911.
    californicus, parasite of satin moth. D.C. 167, p. 15. 1921.
    moniticornis, parasite of hornworm. P.R. An. Rpt., 1907, pp. 35, 36. 1908.
    sp., description. Ent. T.B. 19, Pt. 1, p. 12. 1910.

INDEX TO PUBLICATIONS, 1901–1925 2361

Telephone—
and telegraph—
companies, pole consumption, 1915. D.B. 519, p. 2. 1917.
poles, damage by wood-boring insects. T. E. Snyder. Ent. Cir. 134, pp. 6. 1911.
poles, seasoning. Henry Grinnell. For. Cir. 103, pp. 16. 1907.
cables, injury by lead-cable borer. D.B. 1107, pp. 4–9. 1922.
companies—
farmers', organization, financing, and management. I. M. Spasoff and H. S. Beardsley. F.B. 1245, pp. 30. 1923.
pole consumption (and telegraph companies), 1915. D.B. 519, p. 2. 1917.
weather forecasts and warnings, distribution. An. Rpts., 1908, pp. 202–204. 1909; W.B. Chief Rpt. 1908, pp. 16–18. 1908.
contract, in national forests. M. C. Rorty. For. [Misc.], "Forest fire protection * * *," pp. 55–59, 80–85. 1914.
equipment, station and field. For. [Misc.], "National forest manual * * * 1913," pp. 22–23. 1913.
farmers' mutual companies, organization, remarks. Y.B., 1913, p. 244. 1914; Y.B. Sep. 625, p. 244. 1914.
fiscal regulations. Accts. [Misc.], "Fiscal regulations," p. 57. 1922.
Government ownership, suggestions by farm women. Rpt. 103, pp. 77–78. 1915; Rpt. 106, p. 59. 1915.
importance to country people. Y.B., 1914, p. 122. 1915; Y.B. Sep. 632, p. 36. 1915.
lines—
at Rampart, Station, Alaska. Alaska A.R., 1919, pp. 12, 32. 1920.
building on national forests, directions and specifications. For. [Misc.], "Directions and specifications * * *," pp. 12. 1908.
construction in national forests, work, 1911. An. Rpts., 1911, pp. 400, 401. 1912; For. A.R., 1911, pp. 60, 61. 1911.
forest, work in fire prevention. M.C. 7, p. 19. 1923.
mileage needed for forest protection. An. Rpts., 1911, p. 94. 1912; Sec. A.R., 1911, p. 92. 1911; Y.B., 1911, p. 92. 1912.
national forests—
building and maintenance, instructions. For. [Misc.], "Instructions * * * telephone lines * * *," pp. 23. 1909; rev. 1912.
building, directions, and specifications. For. [Misc.], "Directions and * * *," pp. 10. 1907.
construction and maintenance. For. [Misc.], "Telephone construction * * *," pp. 83. 1915.
destruction, penalty. Sol. [Misc.], "National forest manual * * *," pp. 107, 110. 1916.
miles. An. Rpts., 1916, p. 177. 1917; For. A.R., 1916, p. 23. 1916.
regulations, permits, etc. For. [Misc.], "The use book, 1908," pp. 43, 98. 1908.
timber free use and right of way. For. [Misc.], "The use book," rev., p. 59, 133, 139. 1915.
Weather Bureau, work, 1923. An. Rpts., 1923, pp. 118, 120–121. 1923; W.B. Chief Rpt., 1923, pp. 16, 18–19. 1923.
messages, tax, exemption. Sol. [Misc.], "Laws applicable * * * Agriculture," 2d Sup., p. 111. 1915.
number and per cent of operators, in each tenure class. D.B. 1068, p. 55. 1922.
number in use on farms, and conditions governing. F.B. 1245, pp. 3–4. 1923.
poles—
bamboo. D.B. 1329, p. 24. 1925.
chestnut, experimental use, and results. For. Cir. 198, pp. 1–13. 1912.
damage by wood-boring insects. Ent. Cir. 134, pp. 1–6. 1911.
preservative treatment, methods and cost. Y.B., 1905, pp. 459, 461. 1906; Y.B. Sep. 459, 461. 1906.
protection against insects. An. Rpts., 1911, p. 509. 1912; Ent. A.R., 1911, p. 19. 1911.

Telephone—Continued.
poles—continued.
tests of Rocky Mountain woods for. Norman de W. Betts and A. L. Heim. D.B. 67, pp. 28. 1914.
private residences, prohibition, General Order 161, B.A.I.S.A. 65, p. 78. 1912.
regulations. Sec. [Misc.], "Fiscal regulations * * *," p. 31. 1917.
rural—
in West Virginia, Parkersburg area, management. Soil Sur. Adv. Sh., 1908, p. 10. 1909; Soils F.O., 1908, p. 1024. 1911.
long-distance calls, methods. F.B. 1245, p. 23. 1923.
management, Parkersburg area, West Virginia. Soil Sur. Adv. Sh., 1908, p. 10. 1909; Soils F.O., 1908, p. 1024. 1911.
service—
coordination movement. Off. Rec., vol. 3, No. 23, p. 4. 1924.
memorandum of Secretary. Off. Rec., vol. 1, No. 1, p. 9. 1922.
receipts from pay stations. Off. Rec., vol. 4, No. 27, p. 7. 1925.
Weather Bureau, 1919, lines and sections. An. Rpts., 1919, pp. 59, 62–64. 1920; W.B. Chief Rpt., 1919, pp. 11, 14–16. 1919.
system, national forests, construction and maintenance, handbook. For. [Misc.], "Handbook on * * *," pp. 126. 1925.
trading in retail markets, objections to. Y.B., 1914, p. 183. 1915; Y.B. Sep. 637, p. 183. 1915.
use—
and value in flume operation. D.B. 87, p. 25. 1914.
by employees, ruling. Chief Clk. [Misc.], "Telephone service," p. 1. 1906.
in farm homes, reports. D.C. 148, p. 12. 1920.
on farms, statistics and graph. Y.B., 1921, pp. 506, 788. 1922; Y.B. Sep. 878, p. 100. 1922; Y.B. Sep. 871, p. 19. 1922.
restrictions by department employees. S.R.A. B.A.I. 188, p. 147. 1922.
value as aid in forest protection. M.C. 19, pp. 12–13. 1924.
Weather Bureau, instructions to operators. S. P. Minnick. W.B. [Misc.], "Instructions to operators * * *," pp. 35. 1918.
wireless, use in national forests. News L., vol. 6, No. 43, p. 12. 1919.
Telephusa mariona, n. sp. J.A.R., vol. 20, pp. 812–813. 1921.
Telespiza cantans. See Finch, Laysan.
Telethermoscope(s)—
description. An. Rpts., 1909, p. 173. 1910; W.B. Chief Rpt., 1909, p. 23. 1909.
installation and use, instructions for. W.B. [Misc.], "Instructions for installation * * *," pp. 11. 1918.
introduction in weather stations. An. Rpts., 1908, p. 198. 1909; W.B. Chief Rpt., 1908, p. 12. 1908; Y.B. 1908, p. 25. 1909.
Telfairia pedata—
importations and descriptions. No. 45923, B.P.I. Inv. 54, pp. 3, 42. 1922; No. 51542, B.P.I. Inv. 65, pp. 2, 24. 1923; No. 52450, B.P.I. Inv. 66, pp. 3, 27. 1923.
See also Koume vine; Tabebuia.
Telford—
foundations, directions, construction, and cost. D.B. 724, pp. 62–65. 1919.
foundations for macadam roads. F.B. 338, pp. 14–15. 1908.
roads, description, construction methods, dates, and materials. D.B. 220, p. 6. 1915.
Telia, internal, production by *Cronartium* sp. J.A.R., vol. 8, pp. 329–332. 1917.
Teling, description and characteristics. B.P.I. Bul. 179, pp. 12–13. 1910.
TELLIER, CHARLES, invention of system of cold storage for meat. Y.B., 1913, p. 351. 1914; Y.B. Sep. 629, p. 351. 1914.
Telmatodytes spp. See Wrens.
Telopea speciosissima—
importations and descriptions. No. 40064, B.P.I. Inv. 42, pp. 62–63. 1918; No. 51067, B.P.I. Inv. 64, p. 50. 1923.
See also Waratah.

Telosporidia, description, classification, and occurrence. B.A.I., An. Rpt., 1910, pp. 485-492. 1910; B.A.I. Cir. 194, pp. 485-492. 1912.
Tempe Canal, description and rights. D.B. 654, pp. 6, 7. 1918.
Temperance drinks, adulteration and misbranding ("Temperine," "Doctor Fizz," "Cream Ale"). Chem. N.J. 834, p. 2. 1911; Chem. N.J. 1500, p. 1. 1912.
Temperature(s)—
agricultural provinces in East, basis of classification. Y.B., 1915, p. 331. 1916; Y.B. Sep. 681, p. 331. 1916.
air and soil, comparison at forest stations. D.B. 1233, pp. 97-102. 1924.
air, comparison by forest types. D.B. 1233, pp. 47-50. 1924.
alternating, use in germination of seeds. George T. Harrington. J.A.R., vol. 23, pp. 295-332. 1923.
apparatus for heating blood serum. J.A.R., vol. 21, pp. 541-544. 1921.
apple shipments, in heavy loads, conditions governing. Mkts. Doc. 13, pp. 1, 5-7. 1918.
apple storage, relation to scald. F.B. 1380, pp. 3-4. 1923.
Arizona, table. O.E.S. Bul. 235, pp. 16-17. 1911.
bee colony. Burton N. Gates. D.B. 96, pp. 29. 1914.
body, relation to the action of drugs. Chem. Cir. 81, pp. 8-9. 1911.
butter printing, influence on weight errors. Sec. Cir. 95, pp. 5-6. 1918.
calorimeter, measurement and control. J.A.R., vol. 5, No. 8, pp. 313-342. 1915.
canning fruits, and vegetables, changes in container, study of factors affecting. C. A. Magoon and C. W. Culpepper. D.B. 956, p. 55. 1921.
canning, relations. D.B. 1022, pp. 1-52. 1922.
cars of cantaloupes, variation in transit, loading and other conditions governing. Mkts. Doc. 10, pp. 1, 7-10, 11-12. 1918.
cattle, directions for taking. B.A.I. [Misc.], "Diseases of cattle," rev., p. 89. 1912.
changes caused in milk and cream. D.B. 98, pp. 3-12. 1914.
changes in containers during canning, factors affecting. D.B. 956, pp. 1-55. 1921.
cold storage—
effect on pupae of Mediterranean fruit fly. J.A.R., vol. 6, No. 7, pp. 251-260. 1916.
for apples. News L., vol. 5, No. 15, p. 2. 1917.
for Bartlett pears. D.B. 1072, pp. 13-15. 1922.
comparison of centigrade and Fahrenheit degrees. D.B. 949, p. 94. 1921.
conditions—
cranberry bogs, special investigations. Y.B., 1911, pp. 213-219. 1912; Y.B. Sep. 562, pp. 213-219. 1912.
favoring root-knot. B.P.I. Bul. 217, pp. 42-43, 73. 1911.
in date-growing climates. B.P.I. Bul. 53, pp. 61-70. 1904.
control—
in—
barns. F.B. 1393, pp. 2, 4-5. 1924.
laboratories, methods. John T. Bowen. D.B. 951, pp. 16. 1921.
pasteurization process, methods. B.A.I. Cir. 184, pp. 40-43. 1912.
point for various insects, studies. Work and Exp., 1919, p. 68. 1921.
use of humidity regulator, methods. B.A.I. Cir. 211, pp. 1-6. 1913.
conversion, centigrade and Fahrenheit. Y.B., 1902, p. 755. 1903.
correction in salts determination by electrical bridge. Soils Bul. 61, pp. 21-24. 1910.
cranberry regions, relation to growth of fungi. J.A.R., vol. 11, pp. 521-529. 1917.
daily normal, and the precipitation of the United States. Frank Hagar Bigelow. W.B. Bul. R, pp. 186. 1908.
data—
and relative humidity. William B. Stockman. W.B. Bul. O, pp. 29. 1905.
forest stations, central Rocky Mountains. D.B. 1233, pp. 27-52. 1924.

Temperature(s)—Continued.
data—continued.
Texas stations. O.E.S. Bul. 222, p. 10. 1910.
departures from normal. Y.B., 1900, pp. 715-719. 1901.
departures, monthly and annual. 1873-1909, inclusive. W.B. Bul. U, pp. 5. 1911.
determination, directions in care of the sick. For. [Misc.] "First-aid * * *," p. 73. 1917.
effect(s)—
in plant metabolism. W. E. Tottingham. J.A.R., vol 25, pp. 13-30. 1923.
in seed production of beets. J.A.R., vol. 30, pp. 815, 818. 1925.
of—
elevation, Nevada, Summit ranch, records. W.I.A. Cir. 3, p. 3. 1915.
forest cover. F.B. 358, pp. 32-34. 1909.
windbreaks. F.B. 1405, pp. 7-8. 1924.
on—
absorption of vapors. Soils Bul. 51, pp. 31-35. 1908.
action of fats upon metals, experiments. B.A.I. An. Rpt., 1909, pp. 278-279, 281. 1911.
Baccillus megatherium. J.A.R., vol. 21, p. 695. 1921.
bacteria development in milk. B.A.I. Cir. 153, p. 49. 1910.
carbohydrate metabolism of green sweet corn. J.A.R., vol. 17, pp. 141-151. 1919.
carrying qualities of export corn. D.B. 764, pp. 11, 13, 27-33, 36-43, 47, 50, 54, 62, 71, 79, 91. 1919.
citrus canker. J.A.R., vol. 20, pp. 447-506. 1920.
Cladosporium citri. J.A.R., vol. 21, pp. 243-253. 1921.
Corticium vagum. J.A.R., vol. 21, pp. 459-482. 1921.
development of apple aphid. Frank H. Lathrop. J.A.R. vol. 23, pp. 969-987. 1923.
development of soil protozoa. J.A.R., vol. 4, pp. 542-557. 1915.
diffusion of spring grain aphid. Ent. Bul. 110, pp. 88-94. 1912.
diseases of apples in storage. J.A.R., vol. 11, pp. 287-318. 1917.
distribution of solutions. Soils Bul. 52, pp. 49-50, 56, 57. 1908.
enzym action. Chem. Cir. 75, pp. 4-7. 1911.
evaporation. J.A.R., vol. 7, pp. 451-453. 1916; J.A.R., vol. 10, pp. 230-231, 238-239. 1917; O.E.S. Bul. 248, pp. 69-74. 1912.
foods. F.B. 1374, p. 3. 1923.
fruit respiration. Chem. Bul. 142, pp. 5-28. 1911.
fumigation. Ent. Bul. 90, Pt. I, pp. 69-71. 1911.
fungi growth and reproduction, experiments. J.A.R., vol. 5, No. 16, pp. 725-727. 1916.
Fusaria rots of potato. J.A.R., vol. 22, pp. 65-80. 1921.
Fusarium cultures. J.A.R., vol. 24, pp. 350, 353. 1923.
germination and development of potato rot. D.C. 214, pp. 6-7. 1922.
germination and growth of potato scab organism. J.A.R., vol. 4, pp. 129-134. 1915.
germination of certain fungous spores. D.B. 1053, pp. 6-9. 1922.
growth of oats and of loose smut. J.A.R., vol. 24, pp. 570-572. 1923.
growth of sorghums. J.A.R., vol. 13, pp. 133-148. 1918.
hookworm hemolysin. J.A.R., vol. 22, pp. 413-414. 1921.
hydrolysis of starch by *Rhizopus tritici*. J.A.R., vol. 20, pp. 767-768, 777-778. 1921.
internal browning of apples. J.A.R., vol. 24, pp. 169-171. 1923.
mill products yield. D.B. 1013, pp. 10-11. 1921.
movement of water vapor and capillary moisture in soils. J.A.R., vol. 5, No. 4, pp. 141-172. 1915.
packed fruit, Porto Rico. P.R. An. Rpt., 1920, pp. 34-36. 1921.
plant injury by fumigation. D.B. 907, pp. 4-27, 37-40. 1920.

INDEX TO PUBLICATIONS, 1901–1925   2363

Temperature(s)—Continued.
  effect(s)—continued.
    on—continued.
      quality of cheese. B.A.I. Bul. 49, pp. 7–88. 1903.
      reddening of codfish. Chem. Bul. 133, pp. 32–33. 1911.
      resistance to wounding of certain fruits. Lon A. Hawkins and Charles E. Sando. D.B. 830, pp. 6. 1920.
      respiration of stored wheat. J.A.R., vol. 12, pp. 703–706, 710. 1918.
      seed production of beets. J.A.R., vol. 30, pp. 815, 818. 1925.
      soil solutions. J.A.R., vol. 12, pp. 383–384. 1918.
      specific gravity of milk. B.A.I. Bul. 134, pp. 19–21. 1911.
      spore germination of corn smut. J.A.R., vol. 24, pp. 593–597. 1923.
      spore germination of oats smut. J.A.R., vol. 24, pp. 578–580, 580–585. 1923.
      stored seed. J.A.R., vol. 22, pp. 493–508. 1922.
      sweet-potato sugar content. J.A.R., vol. 3, pp. 335–339, 340. 1915.
      tobacco curing. D.B. 79, pp. 36–37. 1914.
  electrical measurement. An. Rpts., vol. p. 173. 1910; W.B. Chief Rpt., 1909, p. 23. 1909.
  endurance by Grimm alfalfa, comparisons. B.P.I. Bul. 209, pp. 13–17. 1911.
  excessive heat and cold, records. Y.B., 1908, p. 300. 1909; Y.B. Sep. 481, p. 300. 1909.
  extremes, perishable goods. Y.B., 1900, p. 741. 1901.
  factor in—
    infection and decay of sweet potatoes by Rhizopus. J.A.R., vol. 30, pp. 793–810. 1925.
    spread of root rot of peas. J.A.R., vol. 30, pp. 314–318. 1925.
  fatal to powder-post beetle, in ash and oak lumber. J.A.R., vol. 28, pp. 1033–1038. 1924.
  favorable to diseases of stone fruits. F.B. 1435, pp. 2, 4, 5, 6, 8, 10, 11, 13. 1924.
  forecasts, and their relation to iron ore shipments during late fall and early winter months. H. W. Richardson. W.B. [Misc.], "Proceedings, third convention * * *," pp. 97–99. 1904.
  forecasts, discussion. A. J. Henry. W.B. Bul. 31, pp. 134–136. 1902.
  freezing, for fruit buds. J.A.R., vol. 20, pp. 655–662. 1921.
  gradients, central Rocky Mountains. D.B. 1233, pp. 133–135. 1924.
  high and low, resistance of rice and granary weevils. J.A.R., vol. 28, pp. 1043–1044. 1924.
  highest ever observed, United States. W.B. [Misc.], "Highest temperature ever * * *." Chart. 1909; 1915.
  holding, importance in pasteurization. B.A.I. Dairy [Misc.], "World's dairy congress," 1923, pp. 541, 547. 1924.
  hourly variations at ground and elevations, in tomato field. D.B. 1099, pp. 6–8. 1922.
  importance in butter making. F.B. 876, pp. 7–8, 10–12, 22. 1917.
  in—
    Alabama and Mississippi, 1902–1909. Rpt. 96, pp. 34–35. 1911.
    Alaska, experiment stations, 1914, 1915. Alaska A.R., 1915, pp. 8, 71–72, 93–100. 1916.
    California—
      Pomona Valley, 1899–1909. O.E.S. Bul. 236, pp. 10–11. 1911; rev., pp. 10–11. 1912.
      variations in various sections. O.E.S. Bul. 237, pp. 9–11. 1911.
    coastal plain region, 1902–1907. B.P.I. Bul. 194, pp. 11–16. 1911.
    Great Basin, records. D.B. 61, pp. 4, 73. 1914.
    Guam, 1912. Guam A.R., 1912, pp. 28–29. 1913.
    Guam, 1913, tables. Guam A.R., 1913, pp. 23–24. 1914.
    Nevada, Newlands farm. D.C. 352, p. 6. 1925.
    Nevada, Truckee-Carson project—
      1904–1910. B.P.I. Cir. 78, pp. 5, 6. 1911.
      survey. W.I.A. 19, pp. 4, 5. 1918.
    North Dakota, Dickinson substation, 1907–1913. D.B. 33, pp. 8–9, 42. 1914.

Temperature(s)—Continued.
  in—continued.
    Ohio, Akron Field Station, record, 1912–1923. D.B. 1304, pp. 5–6. 1925.
    South Dakota, Belle Fourche experiment farm, by months, 1908–1919. D.B. 1039, pp. 10–11. 1922.
    Texas—
      Panhandle region, average annual. Soil Sur. Adv. Sh., 1910, pp. 17–18. 1911; Soils F.O., 1910, pp. 973–974. 1912.
      San Antonio experiment farm, 1907–1915. W.I.A. 10, pp. 2, 3. 1916.
      San Antonio, studies. D.B. 151, p. 2. 1914.
    United States, annual average. Soils Bul. 55, pp. 32–34. 1909.
    United States, report, 1873–1905. Frank H. Bigelow. W.B. Bul. S., pp. 302. 1909.
    Utah, Nephi substation, 1908–1912. D.B. 30, pp. 10, 48. 1913.
    Washington, Bellingham. D.B. 28, p. 3. 1913.
    Washington, Olympic National Forest. For. Bul. 89, pp. 8–9. 1911.
    Wyoming, Cheyenne experiment farm, 1900–1915. D.B. 430, pp. 7–8, 38. 1916.
  incubating, optimum requirements. D.B. 951, pp. 1, 6. 1921.
  influence on—
    bedbug life and activity. F.B. 754, pp. 8–9, 12. 1916.
    development of dock false-worm. D.B. 265, p. 32. 1916.
    growth of Helminthosporium sativum. D.B. 1347, pp. 25–27. 1925.
    keeping quality of apples in storage. F.B. 852, p. 8. 1917.
    shrinkage of cheese. B.A.I. Bul. 49, pp. 20–27, 53–54. 1903.
    sugar-beet growing. Chem. Bul. 96, pp. 49–52. 1905.
    whey separation, cheese making. B.A.I. Bul. 122, pp. 14–23. 1910.
  initial, relation to pressure, vacuum, and temperature changes in containers during canning operations. C.A. Magoon and C. W. Culpepper. D.B. 1022, pp. 52. 1922.
  injurious, protection of food products from. H. E. Williams. F.B. 125, pp. 28. 1901.
  injurious to fruits. F.B. 1096, pp. 36–42. 1920.
  insects, with special reference to honey bee. Gregor B. Pirsch. J.A.R., vol. 24, pp. 275–288. 1923.
  insulated hives, tests and tables. D.C. 222, p. 10. 1922.
  irregularities in neighboring localities. I. M. Cline. W.B. [Misc.], "Proceedings, third convention * * *," pp. 250–253. 1904.
  kiln, control. D.B. 1136, pp. 10–13. 1923.
  knowledge of, importance to farmers. Y.B., 1914, pp. 157, 163, 165, 166. 1915; Y.B. Sep. 635, pp. 157, 163, 165, 166. 1915.
  leaves of crop plants, observations. Edwin C. Miller and A. R. Saunders. J.A.R., vol. 26, pp. 15–43. 1923.
  limiting factor in peach growing. F.B. 917, p. 8. 1918.
  limits for meat in retail market. M.C. 54, p. 22. 1925.
  low—
    control, automatic. John T. Bowen. J.A.R., vol. 26, pp. 183–190. 1923.
    effect on—
      Bruchus obtectus Say, an insect affecting seed. Walter Carter. J.A.R., vol. 31, pp. 165–182. 1925.
      eggs of Ascaris lumbricoides. J.A.R., vol. 27, pp. 167–175. 1924.
      hatching of gipsy-moth eggs. John N. Summers. D.B. 1080, pp. 14. 1922.
      relation to—
        gipsy-moth egg parasites. D.B. 1080, pp. 12–13. 1922.
        Rhizopus on strawberries. D.B. 686, pp. 3–4, 12. 1918.
    lowest ever observed at Weather Bureau and selected cooperative stations. W.B. [Misc.], "Lowest temperature ever * * *." Chart. 1909; 1915.
    lowest records. Off. Rec., vol. 4, No. 36, p. 5. 1925.

36167°—32——149

Temperature(s)—Continued.
  measurement in shelter, instruments for. W.B. [Misc.], "Instructions for installation * * *," pp. 11. 1918.
  milk—
    and cream, in farm butter making. F.B. 541, pp. 9–10. 1913.
    regulation and recording. D.B. 890, pp. 23–24. 1920.
    relation to growth of bacteria. F.B. 348, pp. 10–11, 22–24. 1909; F.B. 490, pp. 8–9, 21–23. 1912.
  minimum—
    for dairy barn. Work and Exp., 1923, p. 90. 1925.
    for growth of date palm, and absence of resting period of date palm. Silas C. Mason. J.A.R., vol. 31, pp. 401–414. 1925.
    in olive-growing, dry regions. B.P.I. Bul. 192, pp. 34–36. 1911.
  normal—
    air at surface of earth. W.B. [Misc.], "Normal annual temperature * * *." Chart. 1909.
    annual, for United States. W.B. [Misc.], "Normal annual temperature * * *." Chart. 1915.
    at Baltimore, marked rise in curve for May. Oliver L. Fassig. W.B. Bul. 31, pp. 68–69. 1902.
    determination. F. L. West and others. J.A.R., vol. 18, pp. 499–510. 1920.
    for humans and farm animals. Y.B., 1914, p. 166. 1915; Y.B. Sep. 635, p. 166. 1915.
    for persons and animals, list. News Lr., vol. 3, No. 12, p. 8. 1915.
    July, for United States. W.B. [Misc.], "Normal July temperature * * *." Chart. 1915.
    of air at surface of earth. W.B. [Misc.], "Climatic charts of U. S.," pp. 21–24. 1904.
    of Porto Rico, West Indies. Oliver L. Fassig. W.B. [Misc.], "The normal temperature of * * *," pp. 6. 1911.
  optimum, for mushroom culture. B.P.I. Bul. 85, pp. 31–33, 39, 50, 51. 1905.
  pasteurization for butter making. L. A. Rogers and others. B.A.I. An. Rpt., 1910, pp. 307–326. 1912; B.A.I. Cir. 189, pp. 307–326. 1912.
  pasteurizing control. D.B. 973, pp. 5–6. 1923.
  pigs' blood and body, effects of muscular exercise and heat of the sun. J.A.R., vol. 9, pp. 167–182. 1917.
  plants, discussion. J.A.R., vol. 31, pp. 447–450. 1925.
  rate in which wood fungi thrive. D.B. 1037, p. 16. 1922.
  record for various States, counties, and areas. See Soil Surveys.
  recorders, use in laboratories. D.B. 951, pp. 11–16. 1921.
  recording in forests, methods. D.B. 1233, pp. 5–6. 1924.
  refrigerated cars, shipping experiments. D.B. 1353, pp. 6–13, 14–17, 18–20. 1925.
  refrigerator cars, variations and requirements. D.B. 17, pp. 24–30, 35. 1913.
  regulation for drying lumber. For. Bul. 104, pp. 8–9. 1912.
  relation(s)—
    of—
      certain potato-rot and wilt-producing fungi. H. A. Edson and M. Shapovalov. J.A.R., vol. 18, pp. 511–524. 1920.
      Rhizopus spp. in rot of sweet potatoes. J.A.R., vol. 24, pp. 443, 445–454. 1923.
      stone-fruit fungi. Charles Brooks and J. S. Cooley. J.A.R., vol. 22, pp. 451–465. 1922.
    to—
      apple scald. J.A.R., vol. 16, pp. 199–200, 216. 1919.
      bacteria growth in milk. D.B. 642, pp. 45–48. 1918.
      bees' weight. D.B. 1339, pp. 27–34. 1925.
      boll weevil, biology. D.B. 926, pp. 30–32. 1921.
      boll weevil control. Ent. Bul. 74, pp. 15–19. 1907.
      boll weevil hibernation. Ent. Bul. 77, pp. 20–25, 29. 1909.

Temperature(s)—Continued.
  relation(s)—continued.
    to—continued.
      codling moth emergence. D.B. 932, pp. 83–84. 1921.
      damping off of seedlings. D.B. 934, pp. 75–79. 1921.
      egg deterioration, tables. B.A.I. Bul. 160, pp. 42–45. 1913.
      fruit setting. J.A.R., vol. 17, pp. 108–110, 123, 124. 1919.
      fumigation. Ent. Bul. 90, pp. 69–71. 1912.
      injury by arsenical sprays. J.A.R., vol. 24, p. 531. 1923.
      insect development, with humidity, studies. J.A.R., vol. 5, No. 25, pp. 1183–1191. 1916.
      kelp growth. D.B. 1191, pp. 21–24. 1923.
      onion bulb rot, occurrence and distribution. J.A.R., vol. 28, pp. 689–691. 1924.
      pine sawfly, *Diprion simile*. D.B. 1182, pp. 14–15. 1923.
      protozoan activity in soils. J.A.R., vol. 5, No. 11, pp. 479–485. 1915.
      quality of sweet corn. Neil E. Stevens and C. H. Higgins. J.A.R., vol. 17, pp. 275–284. 1919.
      Rhizopus spp. J. L. Weimer and L. L. Harter. J.A.R., vol. 24, pp. 1–40. 1923.
      soil-moisture movement. D.B. 835, pp. 56–58. 1920.
      storage rots of roots. J.A.R., vol. 6, No. 15, pp. 567–570. 1916.
      sugar-beet growing, notes and tables. Chem. Bul. 95, pp. 7, 9–12, 14, 15, 16, 18, 19, 20, 23, 24, 26, 27, 38. 1905.
      wheat bunt development. D.B. 1210, pp. 9–11, 13. 1924; D.B. 1239, pp. 8–10, 15–18. 1924.
      white fly development. Ent. Bul. 120, pp. 29–31. 1913.
  requirements—
    for alfalfa seed production. F.B. 495, p. 8. 1912.
    of—
      Douglas fir. D.B. 1200, p. 5. 1924.
      Dutch bulbs. D.B. 797, p. 4. 1919.
      Saidy date. D.B. 1125, pp. 27–32. 1923.
  resistance of sugar-beet nematodes. F.B. 772, pp. 11–12, 19. 1916.
  six charts. W. B. [Misc.], "Climatic charts of United States," pp. 25–31. 1904.
  soil—
    degree for cooling without freezing. J.A.R., vol. 20, pp. 267–269. 1920.
    effect—
      of drainage and relation to plants. Y.B., 1914, pp. 246–247. 1915; Y.B. Sep. 640, pp. 246–247. 1915.
      on nodule development. J.A.R., vol. 22, pp. 17–31. 1921.
      on onion smut. J.A.R., vol. 22, pp. 235–262. 1921.
      on root rot of tobacco, studies. J.A.R., vol. 17, pp. 60–73. 1919.
    influence on—
      development of seedling blights of corn and wheat. J.A.R., vol. 23, pp. 837–870. 1923.
      Fusarium disease in cabbage seedlings. William B. Tisdale. J.A.R., vol. 24, pp. 55–86. 1923.
    observation at forest stations, central Rocky Mountains. D.B. 1233, pp. 84–111, 136–138. 1924.
    relation to—
      cultural methods. J.A.R., vol. 5, No. 4, pp. 173–179. 1915.
      pathogenicity of *Corticium vagum*. B. L. Richards. J.A.R., vol. 25, pp. 431–450. 1923.
      pathogenicity of *Corticium vagum* on the potato. J.A.R., vol. 23, pp. 761–770. 1923.
      wheat infection by *Helminthosporium sativum*. J.A.R., vol. 26, pp. 195–218. 1923.
  stables, causes and regulation. J.A.R., vol. 21, pp. 343–368. 1921.
  statistics—
    1913–1924. Y.B., 1924, pp. 1206–1217. 1925.
    reports, by States, January–December, 1922. Y.B., 1922, pp. 1033–1044. 1923; Y.B. Sep. 887, pp. 1033–1044. 1923.

Temperature(s)—Continued.
studies—
in Oregon, relation to apple aphids. J.A.R., vol. 23, pp. 977-984. 1923.
in relation to forest growth and reproduction. D.B. 1059, pp. 13-38. 1922.
value of thermometers to farmers. News L., vol. 3, No. 12, pp. 7-8. 1915.
suitability for control of apple browning. D.B. 1104, p. 23. 1922.
sweetpotatoes in storage. F.B. 324, pp. 33-34. 1908.
terms, discussion. H. J. Cox. W.B. Bul. 31, pp. 127-134. 1902.
testing in refrigerator cars. F.B. 1145, p. 23. 1921.
Texas Panhandle, 1905-1911. B.P.I. Bul. 283, pp. 21-22. 1913.
tomato storage, relation to ripening. D.C. 315, pp. 2-5. 1924.
variations—
annual and daily, causes. J.A.R., vol. 18, pp. 500-510. 1920.
in England, comparison with other countries. B.A.I. Dairy [Misc.], "World's dairy congress," 1923, pp. 801, 805. 1924.
in men and domestic animals, comparison. B.A.I. Bul. 88, pp. 17-20. 1906.
various States, average departure from normal, 1903, 1904, 1905. B.P.I. Bul. 216, pp. 63-66. 1911.
verification, discussion. P. F. Lyons. W.B. Bul. 31, pp. 167-168. 1902.
weather, by stations, 1912-1923. Y.B., 1923, pp. 1199-1210. 1924; Y.B. Sep. 906, pp. 1199-1210. 1924.
zones, nature of vegetation. Y.B., 1924, pp. 471-477. 1925.
See also Weather conditions for any given year.
Temperine, misbranding. Chem. N.J. 1599, p 1. 1912; Chem. N.J. 256, pp. 2. 1913.
Tempering, wheat—
changes taking place in. E. L. Tague. J.A.R., vol. 20, pp. 271-275. 1920.
methods and results on moisture content. D.B. 788, pp. 2-3, 6-10. 1919.
TEMPLE, W. C., report of Florida citrus exchange, Tampa, Fla. Rpt. 98, pp. 208-211. 1913.
Temple of Health, misbranding. Chem. S.R.A., supp. 18, pp. 568, 570-572. 1916.
Temtors. See Sirup.
Temu, description, value as fruit and medicine. B.P.I. Inv. 31, No. 33705, pp. 45-46. 1914.
TEN BROECK, CARL, study of action of saccharin on microorganisms. Rpt. 94, pp. 122-125. 1911.
Tenancy—
and farm ownership—
L. C. Gray and others. Y.B., 1923, pp. 507-600. 1924; Y.B. Sep. 897, pp. 507-600. 1924.
in Black Prairie of Texas. J. T. Sanders. D.B. 1068, pp. 60. 1922.
comparison with ownership, discussion. An. Rpts., 1918, pp. 47-48. 1919; Sec. A.R., 1918, pp. 47-48. 1918.
farm—
change to ownership, hastening the process. Sec. Cir. 131, pp. 9-10. 1919.
increase, investigation. News L., vol. 6, No. 45, p. 7. 1919.
leasing methods, need of improvement. Y.B., 1919, pp. 30-32. 1920.
maps. Y.B., 1921, pp. 498, 499. 1922; Y.B. Sep. 878, pp. 92, 93. 1922.
relation to agricultural progress. An. Rpts., 1919, pp. 22-24. 1920; Sec. A.R. 1919, pp. 24-26. 1919.
studies. An. Rpts., 1916, pp. 415, 418. 1917; Farm M. Chief Rpt., 1916, pp. 1, 4. 1916.
study, Farm Management Office. Farm M. Chief Rpt., 1919, pp. 4-5. 1919. An. Rpts., 1919, pp. 466-467. 1920.
relation to farm value. Y.B., 1923, pp. 539-541. 1924. Y.B. Sep. 897, pp. 539-541. 1924.
types, relation to efficiency of operations. Y.B., 1923, pp. 569-582. 1924; Y.B. Sep. 897, pp. 569-582. 1924.
Tenant(s)—
age groups. Y.B., 1923, pp. 548, 550, 551. 1924; Y.B. Sep. 897, pp. 458, 550, 551. 1924.

Tenant(s)—Continued.
changing farms, customary practices. F.B. 1272, pp. 16-22. 1922.
contracts, tobacco growing, Pennsylvania. F.B. 416, p. 9. 1910.
farm—
classes. Y.B., 1923, pp. 568-569. 1924; Y.B. Sep. 897, pp. 568-569. 1924.
contracts with landlords. Y.B., 1923, pp. 583-589. 1924; Y.B. Sep. 897, pp. 583-589. 1924.
duties and privileges under leases. F.B. 1164; pp. 12-28, 34-35. 1920.
education and living standards. Y.B., 1923, pp 576-582. 1924; Y.B. Sep. 897, pp. 576-582. 1924.
factors affecting rent. D.B. 1224, pp. 53-63, 70-127. 1924.
income, ratio to farm capital. Y.B., 1923, pp. 576-577. 1924; Y.B. Sep. 897, pp. 576-577. 1924.
incomes, Indiana, Illinois, and Iowa. D.B. 41, pp. 10-12, 14. 1914.
living conditions. An. Rpts., 1923, p. 190. 1924; B.A.E. Chief Rpt., 1923, p. 60. 1923.
owning, aid by Farm Loan Board. Sec. Cir. 130, pp. 12-13. 1919.
per cent, various sections. Off. Rec. vol. 3, No. 12, p. 1. 1924.
percentage by age groups. Y.B., 1916, pp. 325-329. 1917; Y.B. Sep. 715, pp. 5-9. 1917.
periodicals received. Y.B., 1923, pp. 579-580. 1924; Y.B., Sep. 897, pp. 579-580. 1924.
progress to ownership, factors. Y.B., 1923, pp. 547-563. 1924; Y.B. Sep. 897, pp. 547-563. 1924.
shifting average, causes. Y.B., 1923, pp. 589-597. 1924; Y.B. Sep. 897, pp. 589-597. 1924.
farmers from cities and towns. Y.B., 1914, p. 269. 1915; Y.B. Sep. 641, p. 269. 1915.
farmers, New Jersey, labor income, variations. D.B. 411, pp. 18-20. 1916.
farming. See Farming, tenant.
holding on plantations, inducements. D.B. 1269. pp. 49-52. 1924.
housing on farm. Sec. Cir. 115, p. 8. 1918.
on New Jersey truck farms, labor incomes. D.B. 411, pp. 18-20. 1916.
operation of large estate in wheat belt, management. Walter H. Baumgartel. D.C. 351, pp. 25. 1925.
percentage of all and changes, by States. Y.B., 1923, pp. 513-514. 1924; Y.B. Sep. 897, pp. 513-514. 1924.
preferences in regard to leases. D.B. 850, pp. 11-13. 1920.
race, relation to rent paid for farm. D.B. 1224, pp. 55-59. 1924.
rental paid, proportion to value of land. Y.B., 1915, p. 115. 1916; Y.B. Sep. 661, p. 115. 1916.
renting from relatives, percentage. Y.B., 1923, p. 529. 1924; Y.B. Sep. 897, p. 529. 1924.
share, black land, various employments and years employed. D.B. 1068, pp. 31, 32, 33, 34. 1922.
shifting, relation to agricultural education. D.B. 213, p. 10. 1915.
system(s)—
cotton lands, studies and profits. News L., vol. 3, No. 15, p. 6. 1915.
in Mississippi—
Montgomery County. Soil Sur. Adv. Sh. 1906, p. 11. 1907; Soils F.O., 1906, p. 391. 1908.
Pontotoc company. Soil Sur. Adv. Sh., 1906, p. 9. 1907; Soils F.O., 1906, p. 409. 1908.
in Oklahoma, Oklahoma Company. Soil Sur. Adv. Sh., 1906, p. 10. 1907; Soils F.O., 1906, p. 568. 1908.
in Texas, San Marcos area. Soil Sur. Adv. Sh., 1906, p. 12. 1907; Soils F.O., 1906, p. 512. 1908.
Tenantry—
farm, advantages for beginners with small capital. Y.B., 1916, pp. 337-343. 1917; Y.B. Sep. 715, pp. 17-23. 1917.
farm, in the United States. W. J. Spillman and E. A. Goldenweiser. Y.B., 1916, pp. 321-346. 1917, Y.B. Sep. 715, pp. 26. 1917.
percentage, factors reducing or increasing. Y.B., 1916, pp. 333-337. 1917; Y.B. Sep. 715, pp. 13-17. 1917.

Tenderloin, pork, canning directions. F.B. 1186, p. 38. 1921.
Tendons, lacerated, symptoms and treatment. B.A.I. [Misc.], "Diseases of the horse," rev., pp. 350-352. 1903; rev., pp. 350-352. 1907; rev., pp. 350-352. 1911; rev., pp. 375-377. 1923.
Tenebrio spp.—
control by para-dichlorobenzene, experiments. D.B. 167, pp. 4, 5. 1915.
See also Meal worms.
Tenebroides—
corticalis, enemy of codling moth. D.B. 932, p. 82. 1921.
mauritanicus—
flour-mill pest, control. D.B. 872, pp. 27-39. 1920.
injury to stored peanuts, note. Ent. Cir. 142, p. 2. 1911.
injury to tobacco. D.B. 737, p. 30. 1919.
See also Cadelle.
spp., insect enemies of codling moth, description. Ent. Bul. 115, Pt. I, pp. 73-74, 75. 1912.
Tenebrionidae, insects affecting cereals. Ent. Bul. 96, Pt. I, pp. 4-5. 1911.
Teneriffiedae, description. Rpt. 108, p. 23. 1915.
TENHET, J. N.—
"Life-history studies of the tobacco flea-beetle in the southern cigar-wrapper district." With others. J.A.R., vol. 29, pp. 575-584. 1924.
"The tobacco flea-beetle in the southern cigar-wrapper district." With F. S. Chamberlin. F.B. 1352, pp. 10. 1923.
Tennessee—
accredited herds, list No. 3. D.C. 142, pp. 5, 11, 16, 25, 37, 46, 47, 48, 49. 1920.
agricultural—
college and experiment station, organization—
1907. O.E.S. Bul. 176, pp. 71-72. 1907.
1908. O.E.S. Bul. 197, pp. 76-77. 1908.
1910. O.E.S. Bul. 224, pp. 64-65. 1910.
1912. O.E.S. Bul. 247, pp. 65-66. 1912.
See also Agriculture, workers, * * * list.
extension work, statistics. D.C. 253, pp. 6, 9, 12-13, 17, 18. 1923.
organizations—
and institutions. See Colleges; Experiment stations; Farmers' institutes.
directory. Farm M. [Misc.], "Directory * * * agricultural organizations," p. 51. 1920.
secondary schools, equipment, and income. O.E.S. An. Rpt., 1909, pp. 317-318. 1910.
alsike clover growing. F.B. 1151, pp. 15, 23. 1920.
and Kentucky, farm practices that increase crop yields. J. H. Arnold. F.B. 981, pp. 38. 1918.
apple growing, areas, production, and varieties. D.B. 485, pp. 5, 28, 44-47. 1917.
association, fruit and truck growers. Rpt. 98, pp. 251-252. 1913.
barley crops, 1866-1906, acreage, production and value. Stat. Bul. 59, pp. 7-26, 33. 1907.
barley rotation. F.B. 518, pp. 10-11. 1912.
bean—
beetle outbreak in 1921. D.B. 1103, p. 33. 1922.
beetles, introduction and ravages. D.B. 1243, pp. 2-3, 4, 23. 1924.
growing experiments. D.B. 119, pp. 1-19. 1914.
bee(s)—
and honey statistics—
1914-15. D.B. 325, pp. 3, 4, 9, 10, 11, 12. 1915.
1918. D.B. 685, pp. 7, 10, 13, 15, 16, 18, 19, 22, 24, 26, 29, 31. 1918.
diseases, occurrence. Ent. Cir. 138, p. 20. 1911.
keeping, number of farms, and colonies. Ent. Bul. 75, Pt. VI, p. 63. 1909.
beef cattle demonstration work. An. Rpts., 1916, pp. 78, 79. 1917; B.A.I. Chief Rpt., 1916, pp. 12, 13. 1916.
bird protection. See Bird protection, officials.
birds, reports from observers, 1917. D.B. 1165, p. 10. 1923.

Tennessee—Continued.
boll weevil dispersion line, 1922. D.C. 266, pp. 2, 3. 1923.
bounty laws, 1907. Y.B., 1907, p. 564. 1908; Y.B. Sep. 473, p. 564. 1908.
buckwheat crops, 1866-1906, acreage, production, and value. Stat. Bul. 61, pp. 5-17, 23. 1908.
Burley tobacco district. Stat. Cir. 18, p. 9. 1909.
cantaloupe shipments, 1914. D.B. 315, pp. 17, 19. 1915.
cattle—
feeding experiments—
1913. Y.B., 1913, p. 275. 1914; Y.B. Sep. 627, p. 275. 1914.
1915. An. Rpts., 1915, p. 85. 1916; B.A.I. Chief Rpt., 1915, p. 9. 1915.
fever, quarantine—
establishment. B.A.I.O. 199, rule 1, rev. 11, pp. 8, 13. 1913.
November 1, 1911. B.A.I.O. 183, rule 1, rev., p. 6. 1911.
grade improvement experiments. News L., vol. 3, No. 29, p. 2. 1916.
tick—
conditions, 1911. B.A.I. An. Rpt., 1910, pp. 256, 257. 1912; B.A.I. Cir. 187, pp. 256, 257. 1912.
eradication, effect. B.A.I. [Misc.], "Cattle, tick eradication," pp. 4-5, 10-11. 1914.
eradication laws. D.C. 184, pp. 48-54. 1921.
eradication work, 1906. B.A.I. An. Rpt., 1906, p. 108. 1908.
cement factories, potash content and loss. D.B. 572, p. 6. 1917.
cities—
dairy products, consumption and prices, 1905-6. B.A.I. An. Rpt., 1907, pp. 315-317. 1909; F.B. 349, pp. 14-16. 1909.
garden work, organization and methods. News L., vol. 6, No. 17, p. 13. 1918.
milk supply statistics. B.A.I. Bul. 70, pp. 6-7, 39-40. 1905.
clearing land, work with picric acid. An. Rpts., 1923, p. 492. 1923; Rds. Chief Rpt., 1923, p. 30. 1923.
closed season for shorebirds and woodcock. Y.B., 1914, p. 293. 1915; Y.B. Sep. 642, p. 293. 1915.
club work. News L., vol. 7, No. 12, p. 8. 1919.
convict road work, laws. D.B. 414, p. 213. 1916.
cooperative associations, statistics, and laws. D.B. 547, pp. 13, 22, 75. 1917.
cooperative selling of livestock. News L., vol. 6, No. 39, p. 6. 1919.
corn—
crops, 1866-1906, acreage, production, and value. Stat. Bul. 56, pp. 7-27, 34. 1907.
growing, practices and farm conditions in Maury County. D.B. 320, pp. 34-35. 1916.
production, movements, consumption, and prices. D.B. 696, pp. 15, 16, 20, 28, 29, 33, 36, 41, 51. 1918.
yields and prices, 1866-1915. D.B. 515, p. 11. 1917.
cotton—
breeding work—
1908. An. Rpts., 1908, p. 337. 1909; B.P.I. Chief Rpt., 1908, p. 65. 1908.
1909, new variety. An. Rpts., 1909, p. 305. 1910; B.P.I. Chief Rpt., 1909, p. 53. 1909.
crop movement, 1899-1904. Stat. Bul. 34, pp. 29-30, 54. 1905.
growing, one-variety communities. D.B. 1111, p. 35. 1922.
production and yield. D.B. 896, pp. 3-4. 1920.
county(ies)—
agent work, example. News L., vol. 5, No. 49, p. 5. 1918.
named as modified accredited areas for tuberculosis. B.A.I.O. 283, p. 1. 1923.
organization, and expenditures for extension work, 1918. S.R.S. Rpt., 1918, pp. 32, 129-158. 1919.
credits, farm-mortgage loans, costs and sources. D.B. 384, pp. 2, 3, 5, 7, 10. 1916.
crop planting and harvesting dates, important crops. Stat. Bul. 85, pp. 26, 37, 60, 97, 106. 1912.

Tennessee—Continued.
crops, acreage and production, 1909–1919. D.C. 85, pp. 14–19. 1920.
crow roosts, location and numbers of birds. Y.B., 1915, p. 95. 1916; Y.B. Sep. 659, p. 95. 1916.
dark-tobacco—
 district. Stat. Cir. 18, pp. 10–12. 1909.
 districts, prevalence of hornworms, note. F.B. 595, p. 1. 1914.
Dekalb silt loam, area and location. Soils Cir. 38, pp. 3, 17. 1911.
demurrage provisions, regulations. D.B. 191, pp. 3, 23, 24, 27. 1915.
dewberry growing, methods. F.B. 728, pp. 6, 15. 1916.
dog laws, digest. F.B. 935, p. 20. 1918; F.B. 1268, p. 22. 1922.
drainage experiments on water flow. D.B. 832, pp. 2, 6, 7, 8, 9, 24–36, 59. 1920.
drainage investigations, 1910. O.E.S. An. Rpt., 1910, p. 50. 1911.
drug laws. Chem. Bul. 98, pp. 180–183. 1906; rev., Pt. I, pp. 289–294. 1909.
Ducktown area, destruction of vegetation by copper mining. Y.B., 1913, p. 211. 1914; Y.B. Sep. 624, p. 211. 1914.
early settlement, historical notes. *See* Soil surveys *for various counties and areas.*
east, a rural school teaching agriculture, plans and cost. Y.B., 1905, pp. 258–262. 1906.
eastern, adaptability for cattle raising. D.B. 954, pp. 2–3. 1921.
experiment station(s)—
 cowpea hay as dairy feed. F.B. 1153, p. 16. 1920.
 studies on soil carbonates. J.A.R., vol. 3, pp. 79–81. 1914.
 work and expenditures—
  1906. H.A. Morgan. O.E.S. An. Rpt., 1906, pp. 156–157. 1907.
  1907. H.A. Morgan. O.E.S. An. Rpt., 1907, pp. 169–171. 1908.
  1908. H. A. Morgan. O.E.S. An. Rpt., 1908, pp. 171–172. 1909.
  1909. H. A. Morgan. O.E.S. An. Rpt., 1909, pp. 185–187. 1910.
  1910. H. A. Morgan. O.E.S. An. Rpt., 1910, pp. 240–242. 1911.
  1911. H. A. Morgan. O.E.S. An. Rpt., 1911, pp. 201–203. 1912.
  1912. H. A. Morgan. O.E.S. An. Rpt., 1912, pp. 205–208. 1913.
  1913. H. A. Morgan. O.E.S. An. Rpt., 1913, p. 80. 1915.
  1914. H. A. Morgan. O.E.S. An. Rpt., 1914, pp. 216–219. 1915.
  1915. H. A. Morgan. S.R.S. An. Rpt., 1915, Pt. I, pp. 246–250. 1916.
  1916. H. A. Morgan. S.R.S. Rpt., 1916, Pt. I, pp. 222–257. 1918.
  1917. H. A. Morgan. S.R.S. Rpt., 1917, Pt. I, pp. 248–251. 1918.
  1918. An. Rpts. 1918, pp. 31, 32, 33, 39, 41, 45, 52, 56, 61, 68, 71–80. 1920.
 work and sources of income. O.E.S. An. Rpt., 1907, pp. 169–171. 1908.
extension work—
 funds allotment, and county-agent work. S.R.S. Doc. 40, pp. 4, 7, 11, 18, 23, 25, 28. 1918.
 in agriculture and home economics—
  1915. C. A. Keffer. S.R.S. Rpt., 1915, Pt. II, pp. 114–120. 1916.
  1916. C. A. Keffer. S.R.S. Rpt., 1916, Pt. II, pp. 123–130. 1917.
  1917. C. A. Keffer. S.R.S. Rpt. 1917, Pt. II, pp. 125–134. 1919.
 statistics. D.C. 306, pp. 4, 7, 11, 16, 20, 21. 1924.
fairs, number, kind, location, and dates. Stat. Bul. 102, pp. 13, 14, 61–62. 1913.
farm(s)—
 animals, statistics, 1867–1907. Stat. Bul. 64, p. 125. 1908.
 leases, provisions, notes. D.B. 650, pp. 4, 9. 1918.
 value, income and tenancy classification. D.B. 1224, p. 120. 1924.

Tennessee—Continued.
farm(s)—continued.
 values, changes, 1900–1905. Stat. Bul. 43, pp. 11–17, 29–46. 1906.
farmers' county councils. News L., vol. 7, No. 10, p. 14. 1919.
farmers' institute—
 appropriation and control. O.E.S. Bul. 135, rev., p. 30. 1903.
 control. O.E.S. Bul. 241, p. 38. 1911.
 history. O.E.S. Bul. 174, p. 82. 1906.
 work, report—
  1904. O.E.S. An. Rpt., 1904, p. 665. 1905.
  1906. O.E.S. An. Rpt., 1906, p. 348. 1907.
  1907. O.E.S. An. Rpt., 1907, p. 346. 1908; O.E.S. Bul. 199, p. 26. 1908.
  1908. O.E.S. An. Rpt., 1908, p. 326. 1909.
  1909. O.E.S. An. Rpt. 1909, p. 353. 1910.
  1910. O.E.S. An. Rpt., 1910, p. 414. 1911.
  1911. O.E.S. An. Rpt., 1911, p. 379. 1912.
  1912. O.E.S. An. Rpt., 1912, p. 373. 1913.
 See also Farmers' institute work.
field work of Plant Industry Bureau, December, 1924. M.C. 30, pp. 47–48. 1925.
food—
 law(s)—
  1903. Chem. Bul. 83, Pt. I, pp. 128–129. 1904.
  1905. Chem. Bul. 69, rev., Pt. VII, pp. 599–605. 1906.
  1907. Chem. Bul. 112, Pt. II, pp. 83–87. 1908.
 legislation and officials—
  1904. Chem. Cir. 16, pp. 18, 22, 29. 1904.
  1908. Chem. Cir. 16, rev., pp. 22, 35. 1908.
forest(s)—
 acreage increase. Off. Rec., vol. 1, No. 24, p. 3. 1922.
 fires, statistics. For. Bul. 117, p. 35. 1912.
 lands, units. D.C. 313, pp. 9, 10, 11. 1924.
 legislation, 1907. Y.B., 1907, p. 576. 1908; Y.B. Sep. 470, p. 16. 1908.
 legislation, 1921, summary. D.C. 239, p. 25. 1922.
freedom from cattle tick. News L., vol. 3, No. 7, p. 6. 1915.
fruits, statistics and shipments, 1914, 1920, 1921. D.B. 1189, pp. 3–7. 1923.
funds for cooperative extension work, sources. S.R.S. Doc. 40, pp. 4, 6, 11, 18. 1917.
fur animals, laws—
 1915. F.B. 706, p. 17. 1916.
 1916. F.B. 783, pp. 18, 27. 1916.
 1917. F.B. 911, pp. 21–22, 31. 1917.
 1918. F.B. 1022, pp. 21, 31. 1918.
 1919. F.B. 1079, p. 23. 1919.
 1920. F.B. 1165, pp. 21–22. 1920.
 1921. F.B. 1238, p. 21. 1921.
 1922. F.B. 1293, p. 19. 1922.
 1923–24. F.B. 1387, p. 22. 1923.
 1924–25. F.B. 1445, p. 16. 1924.
 1925–26. F.B. 1469, p. 20. 1925.
game laws—
 1902. F.B. 160, pp. 21–22, 33–34, 42, 52, 54. 1902.
 1903. F.B. 180, pp. 15, 25, 34, 39, 44, 46, 55. 1903.
 1904. F.B. 207, pp. 24, 36, 51, 62. 1904.
 1905. F.B. 230, pp. 12, 22, 32, 39, 46. 1905.
 1906. F.B. 265, pp. 6, 21, 31, 33, 46. 1906.
 1907. F.B. 308, pp. 4, 8, 20, 30, 37, 46. 1907.
 1908. F.B. 336, pp. 22, 29, 34, 38, 41, 45, 47, 53. 1908.
 1909. F.B. 376, pp. 6, 7, 14, 27, 35, 40, 43. 1909.
 1910. F.B. 418, pp. 20, 29, 31, 33, 37, 44. 1910.
 1911. F.B. 470, pp. 6, 13, 24, 34, 39, 42, 50. 1911.
 1912. F.B. 510, pp. 20, 25–26, 29, 32, 35, 38, 46. 1912.
 1913. D.B. 22, pp. 16, 20, 21, 32, 41, 46, 49, 57. 1913; rev., pp. 15, 20, 21, 32, 41, 46, 49, 57. 1913.
 1914. F.B. 628, pp. 10, 11, 12, 13, 23, 28–29, 33, 35, 42, 51. 1914.
 1915. F.B. 692, pp. 2, 3, 5, 6, 7, 8, 15–16, 33, 43, 48, 53, 60. 1915.
 1916. F.B. 774, pp. 31, 41, 47, 52, 60. 1916.
 1917. F.B. 910, pp. 7, 34–35, 55, 63. 1917.
 1918. F.B. 1010, pp. 31–32, 61–62. 1918.
 1919. F.B. 1077, pp. 35, 59, 72, 73. 1919.
 1920. F.B. 1138, pp. 37–38, 71, 72. 1920.
 1921. F.B. 1235, pp. 39–40, 68, 69. 1921.
 1922. F.B. 1288, pp. 36–37, 67, 79. 1922.

Tennessee—Continued.
  game laws—continued.
    1923-24. F.B. 1375, pp. 1, 3, 6, 35. 1923.
    1924-25. F.B. 1444, pp. 25-26. 1924.
    1925-26. F.B. 1466, pp. 8, 9, 32, 45. 1925.
  game protection. *See* Game protection.
  Giles County, survey and tillage records for cotton. D.B. 511, pp. 36-38. 1917.
  girls' canning clubs, records and work. S.R.S. Doc. 28, Ext. S., pp. 1-4. 1915.
  grain supervision districts, counties. Mkts. S.R.A. 14, pp. 8, 23, 24, 26. 1916.
  grape shipments, 1916-1919. D.B. 861, pp. 3, 46. 1920.
  grazing industry in bluegrass region. D.B. 397, pp. 1-18. 1916.
  Hagerstown clay, acreage and location. Soils Cir. 64, pp. 3, 12. 1912.
  Hamilton County, home demonstration work, results. Y.B., 1916, pp. 255-261. 1917; Y.B. Sep. 710, pp. 5-11. 1917.
  hay crops, 1866-1906, acreage, production, and value. Stat. Bul. 63, pp. 5-25, 31. 1908.
  herds—
    lists of tested and accredited. D.C. 54, pp. 5, 17, 25, 42, 68, 75, 90. 1919.
    once-tested, list No. 3—
      Supplement 1. D.C. 143, pp. 48, 88-90. 1920.
      Supplement 2. D.C. 144, pp. 6, 14, 46, 49. 1920.
  hog cholera control experiments, results. D.B. 584, pp. 8, 10. 1917.
  insect injury caused by faulty rotations. Y.B. 1911, p. 204. 1912; Y.B. Sep. 561, p. 204. 1912.
  interest rates on loans to farmers. Y.B., 1921, pp. 368, 778. 1922; Y.B. Sep. 877, p. 368. 1922; Y.B. Sep. 871, p. 9. 1922.
  Knoxville laboratory, study of lotus borers. D.B. 1076, pp. 2-13. 1922.
  Knoxville, road-binding experiments, 1910. D.B. 105, pp. 41-42. 1914.
  lamb and wool marketing clubs. F.B. 809, pp. 7-8. 1917.
  lands purchase under Weeks law. D.C. 313, pp. 8, 9, 10, 11. 1924; For. [Misc.], "Purchase of lands * * *," pp. 8-10. 1913.
  lard supply, wholesale and retail, August 31, 1917, tables. Sec. Cir. 97, pp. 13-31. 1918.
  law(s)—
    against Sunday shooting. Biol. Bul. 12, rev., p. 64. 1902.
    community buildings. F.B. 1192, p. 33. 1921.
    hunting. Biol. Bul. 19, pp. 11-12, 14, 15, 21, 28, 30, 36, 55-56, 58, 61, 63, 65. 1904.
    nursery stock shipments, interstate. Ent. Cir. 75, rev., p. 7. 1909; F.H.B.S.R.A. 57, pp. 114, 115. 1919.
    relating to—
      contagious animal diseases. B.A.I. Bul. 43, pp. 58-61. 1901.
      tuberculosis. B.A.I. Bul. 28, pp. 142-145. 1901.
    tobacco inspection. B.P.I. Bul. 268, pp. 31, 32, 61. 1913.
  livestock—
    admission, sanitary requirements—
      1911. B.A.I. [Misc.], "State sanitary requirements * * * 1911," p. 20. 1911.
      1915. B.A.I. [Misc.], "State sanitary requirements * * *, 1915," p. 35. 1915.
      1917. B.A.I. Doc. A-28, pp. 37-38. 1917.
      1920. B.A.I. Doc. A-36, pp. 56-58. 1920.
      1921. D.C. 184, pp. 48-54. 1921.
      1924. M.C. 14, pp. 71-74. 1924.
    associations. Y.B., 1920, p. 531. 1921; Y.B. Sep. 866, p. 531. 1921.
  lumber cut, 1870-1920, value, and kinds. D.B. 1119, pp. 28, 30-35, 43-59. 1923.
  lumber production, 1918, by mills, by woods, and lath and shingles. D.B. 845, pp. 6-11, 13, 16, 19, 21-23, 26-28, 30, 31-38, 40, 42-47. 1920.
  lumbering, conservative, at Sewanee. John Foley. For. Bul. 39, pp. 36. 1903.
  Madison County, practical road building. Sam C. Lancaster. Y.B., 1904, pp. 323-340. 1905; Y.B. Sep. 350, pp. 323-340. 1905.
  maple sugar and sirup, production for many years. F.B. 516, pp. 44-46. 1912.

Tennessee—Continued.
  marketing—
    activities and organization. Mkts. Doc. 3, p. 6. 1916.
    work. An. Rpts., 1917, p. 450. 1918; Mkts. Chief Rpt., 1917, p. 20. 1917.
  milk inspection. B.A.I. An. Rpt., 1907, p. 325. 1909; F.B. 349, p. 24. 1909.
  milk supply and laws. B.A.I. Bul. 46, pp. 28, 32, 38, 155-156, 173. 1903.
  mountain settlements, history and description. O.E.S. Bul. 221, pp. 21-25. 1909.
  Nashville—
    laboratory, demonstration of poultry handling. An. Rpts., 1911, pp. 80-81. 1912; Sec. A. R. 1911, pp. 78-79. 1911; Y.B., 1911, pp. 78-79. 1912.
    public slaughterhouse, description and capacity. B.A.I. An. Rpt., 1910, pp. 248-249. 1912; B.A.I. Cir. 185, pp. 248-249. 1912.
  negro extension work and workers, 1908-1921. D.C. 190, pp. 6-9, 24. 1921.
  oat(s)—
    crops, 1866-1906, acreage, production, and value. Stat. Bul. 58, pp. 5-25, 32. 1907.
    growing, varietal experiments. D.B. 823, pp. 31, 35, 67. 1920.
    testing, methods and yields. D.B. 99, pp. 23, 25. 1914.
    tests, Kherson and other varieties. F.B. 395, pp. 15-16. 1910.
  pasture lands on farms. D.B. 626, pp. 15, 75-77. 1918.
  peach(es)—
    carload shipments from various stations, 1914. D.B. 298, p. 14. 1915.
    growing, production, districts, and varieties. D.B. 806, pp. 4, 5, 7, 8, 9, 24-25. 1919.
    industry, season and shipments, 1914. D.B. 298, pp. 4, 5, 14. 1916.
    shipping season and area of production. D.B. 298, pp. 4, 5, 6, 14. 1915.
    varieties, names and ripening dates. F.B. 918, p. 11. 1918.
  pear growing, distribution and varieties. D.B. 822, p. 11. 1920.
  phosphate(s)—
    deposits. D.B. 312, pp. 2, 4-5. 1915.
    natural, report. Soils Bul. 81, pp. 5-24. 1912.
    rock deposits, form. Y.B., 1917, pp. 178, 179, 180. 1918; Y.B. Sep. 730, pp. 4, 5, 6. 1918.
    rock production and marketing, 1918. D.B. 798, pp. 5-6. 1919.
  pig-club work, growth. News L., vol. 7, No. 3, p. 6. 1919.
  pigs, profits to club boy. News L., vol. 6, No. 31, p. 14. 1919.
  potato crops, 1866-1906, acreage, production, and value. Stat. Bul. 62, pp. 7-27, 34. 1908.
  poultry associations, progress. Y.B., 1918, pp. 111, 112. 1919; Y.B. Sep. 778, pp. 5, 6. 1919.
  Power Co., siphons on Ocoee Rivers. D.B. 831, pp. 16, 25, 27-28. 1920.
  pruning and spraying orchards. News L., vol. 6, No. 29, p. 7. 1919.
  quarantine—
    against cotton-boll weevil, rules. Ent. Bul. 114, p. 168. 1912.
    area for Texas fever—
      1904. B.A.I. An. Rpt., 1904, p. 565. 1905.
      1908. B.A.I.O. 151, rule 1, rev., pp. 5-6. 1908.
      Apr. 1, 1909. B.A.I.O. 158, rule 1, rev., pp. 5-6. 1909.
      Dec. 6, 1909. B.A.I.O. 166, pp. 5-6. 1909.
      1910. B.A.I.O. 168, rule 1, rev., pp. 6, 7. 1910.
      1912. B.A.I.O. 187, rule 1, rev., pp. 7, 12. 1912.
      1913. B.A.I.O. 194, rule 1, rev. pp. 7-8, 10. 1913.
      1914, release. B.A.I.O. 207, rule 1, rev., p. 12. 1914.
      in Polk County. B.A.I.O. 178, amdt. 1, p. 1. 1911.
  raw rock phosphate, field experiments and results. D.B. 699, p. 108. 1918.
  road(s)—
    binding experiments at Jackson. Rds. Cir. 90, p. 23. 1909.

INDEX TO PUBLICATIONS, 1901–1925   2369

Tennessee—Continued.
road(s)—continued.
bond-built, amount of bonds and rate. D.B. 136, pp. 46, 76, 85. 1915.
building rock, tests—
  1915. D.B. 370, pp. 74–75. 1916.
  1916 and 1917. D.B. 670, pp. 18–19, 27. 1918.
  results. D.B. 1132, pp. 33, 50, 52. 1923.
experiments, 1910, supplemental report. Rds. Cir. 98, p. 42. 1912.
improvement instances. F.B. 505, pp. 6, 8, 9. 1912.
inspection, 1912. An. Rpts., 1912, p. 868. 1913; Rds. Chief Rpt., 1912, p. 24. 1912.
materials, tests. Rds. Bul. 44, p. 75. 1912.
mileage and expenditures—
  1909. Rds. Bul. 41, pp. 34–35, 41, 42, 105–107. 1912.
  1914. D.B. 387, pp. 3–8, 40–43, XXIII–XXV, XLI, LXII–LXIII. 1917.
  1915. Sec. Cir. 52, pp. 3, 5, 6. 1915.
  1916. Sec. Cir. 74, pp. 6, 7, 8. 1917.
model county systems. A. Rpts., 1912. p. 872. 1913; Rds. Chief Rpt., 1912, p. 28. 1912.
object-lesson—
  1907, work. An. Rpts., 1907, pp. 722–723. 1908.
  1908, description and cost. An. Rpts., 1908, p. 750. 1909; Rds. Chief Rpt., 1908, p. 10. 1908.
  1909, construction. An. Rpts., 1909, pp. 718–719. 1910; Rds. Chief Rpt., 1909, pp. 10–11. 1909.
  1910. An. Rpts., 1910, p. 772. 1911; Rds. Chief Rpt., 1910, p. 10. 1910.
  1911, construction, details and cost. An. Rpts., 1911, pp. 718, 723, 748. 1912; Rds. Chief Rpt., 1911, pp. 8, 13, 38. 1911.
  1912, work, details, and cost. An. Rpts., 1912, pp. 852, 861–862, 863–864. 1913; Rds. Chief Rpt., 1912, pp. 8, 17–18, 19–20. 1912.
preservation, and dust prevention, report—
  1914. D.B. 257, pp. 39–40. 1915.
  1916. D.B. 586, pp. 69–70. 1918.
projects approved, 1918, 1919. An. Rpts., 1919, pp. 402, 404, 406, 408. 1920; Rds. Chief Rpt., 1919, pp. 12, 14, 16, 18. 1919.
surfacing experiments, supplementary report. D.B. 407, pp. 67–68. 1916.
work by department, 1913–1914. D.B. 284, pp. 22, 23. 1915.
rock, iron and alumina determination. Chem. Bul. 122, p. 142. 1909.
rural sanitation. News L., vol. 7, No. 10, p. 10. 1919.
rye crops, 1866–1906, acreage, production, and value. Stat. Bul. 60, pp. 5–25, 32. 1908.
San José scale, occurrence. Ent. Bul. 62, p. 30. 1906.
sheep raising, progress. News L., vol. 6, No. 37, p. 14. 1919.
shipments of fruits and vegetables, and index to station shipments. D.B. 667, pp. 6–13, 45. 1918.
single croppers, dairy work. Off. Rec. vol. 3, No. 33, p. 6. 1924.
smelters, investigations. Chem. Bul. 113, pp. 13–19. 1908; rev., pp. 15–21. 1910.
soil survey of—
  Bledsoe County. See Pikeville area.
  Cocke County. See Greeneville area.
  Coffee County. W. E. McLendon and C. R. Zappone, jr. Soil Sur. Adv. Sh., 1908, pp. 33. 1910; Soils F.O., 1908, pp. 989–1017. 1911.
  Cumberland County. See Pikeville area.
  Davidson County. William G. Smith and Hugh H. Bennett. Soil Sur. Adv. Sh., 1903, pp. 13. 1904; Soils F.O., 1903, pp. 605–617. 1904.
  Giles County. Orla L. Ayrs and M. W. Gray. Soil Sur. Adv. Sh., 1907, pp. 23. 1909; Soils F.O., 1907, pp. 773–791. 1909.
  Grainger County. W. E. McLendon and W. S. Lyman. Soil Sur. Adv. Sh., 1906, pp. 30. 1907; Soils F.O., 1906, pp. 661–686. 1908.
  Greene County. See Greeneville area.
  Greeneville area. Charles N. Mooney and O. L. Ayrs. Soil Sur. Adv. Sh., 1904, pp. 37. 1905; Soils F.O., 1904, pp. 493–525. 1905.
  Hawkins County. See Greeneville area.

Tennessee—Continued.
soil survey of—continued.
  Henderson County. M. Earl Carr and Frank Bennett. Soil Sur. Adv. Sh., 1905, pp. 19. 1906; Soils F.O., 1905, pp. 643–657. 1907.
  Henry County. Robert Wildermuth and others. Soil Sur. Adv. Sh., 1922, pp. 77–109. 1925.
  Jackson County. R. F. Rogers and J. H. Derden. Soil Sur. Adv. Sh., 1913, pp. 29. 1915; Soils F.O., 1913, pp. 1269–1293. 1916.
  Lawrence County. Charles N. Mooney and O. L. Ayrs. Soil Sur. Adv. Sh., 1904, pp. 22. 1905; Soils F.O., 1904, pp. 475–492. 1905.
  Madison County. W. S. Lyman and others. Soil Sur. Adv. Sh., 1906, pp. 18. 1907; Soils F.O., 1906, pp. 687–700. 1908.
  Meigs County. A. T. Sweet and J. H. Agee. Soil Sur. Adv. Sh., 1919, pp. 38. 1921; Soils F.O. 1919, pp. 1253–1286. 1925.
  Montgomery County. J. E. Lapham and M. F. Miller. Soils F.O. Sep., 1901, pp. 12. 1903; Soils F.O., 1901, pp. 341–355. 1902.
  Overton County. Orla L. Ayrs and D. H. Hill. Soil Sur. Adv. Sh., 1908, pp. 24. 1909; Soils F.O., 1908, pp. 969–988. 1911.
  Pikeville area. Henry J. Wilder and W. J. Geib. Soil Sur. Adv. Sh., 1903, pp. 31. 1904; Soils F.O., 1903, pp. 577–603. 1904.
  Putnam County. C. S. Waldrop. Soil Sur. Adv. Sh., 1912, pp. 32. 1914; Soils F.O., 1912, pp. 1099–1126. 1915.
  Rhea County. See Pikeville area.
  Robertson County. J. H. Agee and others. Soil Sur. Adv. Sh., 1912, pp. 26. 1914; Soils F.O., 1912, pp. 1127–1148. 1915.
  Shelby County. Hugh H. Bennett and others. Soil Sur. Adv. Sh., 1916, pp. 39. 1919; Soils F.O., 1916, pp. 1379–1413. 1921.
  Sullivan County. See Greeneville area.
  Sumner County. Charles N. Mooney and others. Soil Sur. Adv. Sh., 1909, pp. 29. 1910; Soils F.O., 1909, pp. 1149–1173. 1912.
  Van Buren County. See Pikeville area.
soils—
  Clarksville silt loam, location and areas. Soils Cir. 30, p. 15. 1911.
  Meadow, areas, location, and uses. Soils Cir. 68, pp. 14, 21. 1912.
  Memphis silt loam, area and location. Soils Cir. 35, pp. 3, 19. 1911.
  Norfolk sandy loam, area, location, and use. Soils Cir. 45, p. 14. 1911.
standard containers. F.B. 1434, p. 18. 1924.
strawberry—
  origin, distribution, ripening, and characteristics. F.B. 1043, pp. 11, 13, 14, 23, 35. 1919.
  root louse. S. Marcovitch. J.A.R., vol. 30, pp. 441–449. 1925.
  shipments, 1914. D.B. 237, pp. 9–10. 1915.
  shipments, 1914, 1915. F.B. 854, p. 4. 1917; F.B. 1028, p. 6. 1919.
substation at Jackson, work. O.E.S. An. Rpt., 1911, pp. 59, 201. 1912.
substation for demonstration work, 1909. O.E.S. An. Rpt., 1909, pp. 58, 185. 1910.
Sudan grass growing, experiments. B.P.I. Cir. 125, p. 16. 1913.
sweet potato industry, notes. D.B. 1206, pp. 5, 7, 9–13. 1924.
termites, occurrence and damages. D.B. 333, p. 21. 1916.
tight cooperage stock, production in 1906. For. Cir. 125, pp. 5–6. 1907.
tobacco—
  acreage and production, notes. Atl. Am. Agr. Adv. Sh., Pt. V, pp. 61, 62, 63. 1918.
  conditions, 1911. Stat. Cir. 27, pp. 5–6. 1912.
  crop, 1912. Stat. Cir. 43, pp. 2, 3, 6–7. 1913.
  cultivation in, and Kentucky. W. H. Scherffius and others. F.B. 343, pp. 28. 1910.
  culture, early development. B.P.I. Cir. 48, p. 4. 1910.
  growing and industry, details and statistics. B.P.I. Bul. 244, pp. 17, 19, 36, 37, 41–49, 64–70, 87, 91, 98. 1912.
  growing, historical notes and present conditions. Y.B., 1922, pp. 401–407, 411, 418. 1923; Y.B. Sep. 885, pp. 401–407, 411, 418. 1923.

Tennessee—Continued.
tobacco—continued.
hornworms, control experiments. F.B. 1356, pp. 1–5. 1923.
investigations. An. Rpts., 1908, p. 348. 1909; B.P.I. Chief Rpt., 1908, p. 76. 1908.
marketing, inspection and sales. B.P.I. Bul. 268, pp. 36, 37, 39, 41–46, 53–56. 1913.
production, 1888. B.P.I. Bul. 268, p. 46. 1913.
production and yield. B.P.I. Cir. 48, pp. 7, 8. 1910.
report for July 1, 1912. Stat. Cir. 38, pp. 3, 4, 6. 1912.
tomatoes, growing as a truck crop, and shipments. F.B. 1338, pp. 1, 2, 29. 1923.
tractors on farms, reports. F.B. 1278, pp. 1–26. 1922.
tree planting work. D.C. 265, p. 3. 1923.
truck crops, notes. Y.B. 1916, pp. 446–448, 455–465. 1917; Y.B. Sep. 702, pp. 12–14, 21–31. 1917.
University of, teachers' courses. O.E.S. Cir. 118, pp. 23–24. 1913.
wage rates, farm labor, 1845, and 1866–1909. Stat. Bul. 99. pp. 21; 29–43, 68–70. 1912.
walnuts—
growing and yield. B.P.I. Bul. 254, pp. 19, 102. 1913.
range and estimated stand. D.B. 933, pp. 7, 11. 1921.
stand and quality. D.B. 909, pp. 9, 10, 11, 12, 13, 18, 19, 21, 23. 1921.
water supply, wells and springs, records by counties. Soils Bul. 92, pp. 136–139. 1913.
well records, depth of water tables, etc. (with other States). Y.B. 1911, pp. 483–489. 1912; Y.B. Sep. 585, pp. 483–489. 1912.
West Virginia, and Kentucky—
fruits in. George M. Darrow. D.B. 1189, pp. 82. 1923.
strawberry culture in. George M. Darrow. F.B. 854, pp. 24. 1917.
wheat—
acreage and varieties. D.B. 1074, p. 215. 1922.
crops, acreage, production, and value. Stat. Bul. 57, pp. 5–25, 32. 1907; rev., pp. 5–25, 32, 38. 1908.
downy mildew, occurrence. D.C. 186, pp. 3, 5. 1921.
growing, yields, and cultural suggestions. F.B. 885, pp. 1–14. 1917.
varieties—
adapted. F.B. 616, p. 6. 1914.
grown. F.B. 1168, p. 9. 1920.
Woodstock Rembrant Community Building, cost, equipment, and uses. D.B. 825, pp. 30–33. 1920.
Tennessee River—
and Chesapeake Bay traffic. Frank Andrews. Y.B., 1907, pp. 289–304. 1908; Y.B. Sep. 449, pp. 289–304. 1908.
silt carried per year. Y.B., 1913, p. 212. 1914; Y.B. Sep. 624, p. 212. 1914.
traffic conditions and expenses. Y.B., 1907, pp. 297–303. 1908; Y.B. Sep. 449, pp. 297–303. 1908.
wharf boats and natural landings. Y.B., 1907, p. 302. 1908; Y.B. Sep. 449, p. 302. 1908.
Tennessee Valley—
Alabama, location and description. N.A. Fauna 45, p. 7. 1921.
region, eastern part, description and pomological features. D.B. 1189, pp. 9, 75–77. 1923.
TENNY, L. S.—
"A knot of citrus trees caused by *Sphaeropsis tumefaciens*." With Florence Hedges. B.P.I. Bul. 247, pp. 74. 1912.
"Factors governing the successful shipment of oranges from Florida." With others. D.B. 63, pp. 50. 1914.
organization of marketing associations. Off. Rec., vol. 1, No. 29, p. 6. 1922.
"The decay of Florida oranges while in transit and on the market." With others. B.P.I. Cir. 19, pp. 8. 1908.
"The decay of oranges while in transit from California." With others. B.P.I. Bul. 123, pp. 79. 1908.
Tent(s)—
box, for fumigating trees, description. F.B. 1321, pp. 38–39. 1923.

Tent(s)—Continued.
cloth, treating for gas and mildew proofing. Ent. Bul. 90, pp. 16–19. 1912.
for protection of citrus trees from cold, description. Y.B., 1909, p. 395. 1910; Y.B. Sep. 522, p. 395. 1910.
fumigation—
citrus trees. Ent. Bul. 90, pp. 10–20. 1912.
construction and handling directions. Ent. Bul. 76, pp. 14–21, 27–29, 37. 1908.
description. Ent. Bul. 79, p. 17. 1909.
description, use, and care. F.B. 923, pp. 4–6, 19–21. 1918.
experiments to ascertain dosage requirements. Ent. Bul. 76, pp. 40–50. 1908.
measurements, material. Ent. Cir. 111, pp. 2–7. 1909.
lemon coloration experiments. J.A.R., vol. 27, p. 763. 1924.
orchard fumigation, construction, preparation and care of. F.B. 1321, pp. 2–5, 36–37. 1923.
shade tobacco, details of erection. B.P.I. Bul. 138, pp. 9–10, 18. 1908.
use in citrus-fruit fumigation, kinds, and description. Ent. Bul. 90, Pt. I, pp. 10–20. 1911.
use in lemon curing. Y.B., 1907, pp. 358–359. 1908; Y.B. Sep. 453, pp. 358–359. 1908.
Tent caterpillar—
apple-tree—
A. L. Quaintance. Ent. Cir. 98, pp. 8. 1908; F.B. 662, pp. 10. 1915.
description and control. F.B. 492, pp. 21–22. 1912; F.B. 662, pp. 1–10. 1915.
description, habits, injuries, and control. F.B. 1270, pp. 37–39. 1923.
arsenical sprays, tests. D.B. 1147, pp. 25, 27–32, 35–41. 1923.
control by derris spray and dust. J.A.R., vol. 17, pp. 195–196. 1919.
control, experiments with arsenates. J.A.R., vol. 10, pp. 199–207. 1917.
destruction by Calosoma beetles. D.B. 417, pp. 6, 9. 1917.
distribution and food plants. F.B. 662, pp. 1–3. 1915.
egg clusters, exposure to X-ray experiments. J.A.R., vol. 6, No. 11, p. 387. 1916.
egg masses, description, importance of destruction. F.B. 662, pp. 4, 8–9. 1915.
forest, description, habits, and control. F.B. 1169, pp. 35–36. 1921.
injury to trees, control methods. News L., vol. 3, No. 43, p. 4. 1916.
insecticides, testing. J.A.R., vol. 28, pp. 395–402. 1924.
nest burning for control, and methods. News L., vol. 3, No. 43, p. 4. 1916.
on black walnut, control. D.B. 933, p. 21. 1921.
parasites. F.B. 662, p. 7. 1915.
ravages in maple sugar groves. For. Bul. 59, pp. 21–23. 1904.
spraying with—
arsenicals and insecticides. D.B. 278, pp. 12–13. 1915.
nicotine sulphate. D.B. 938, p. 11. 1921.
Tenthredinoidea, catalogue and index. Ent. T.B. 20, Pt. II, pp., 69–109. 1911.
Tenuipalpus spp., description, habits, and control. Rpt. 108, pp. 33, 34. 1915.
Tenure—
costs in wheat production. D.B. 1198, pp. 17–21, 25–27. 1924.
definition of term. F.B. 661, p. 3. 1915.
discussion. D.B. 1338, pp. 27–28. 1925.
farm(s)—
classes, relative importance and distribution. Y.B., 1923, pp. 509–522. 1924; Y.B. Sep. 897, pp. 509–522. 1924.
conditions in Ellis County, Tex. D.B. 659, pp. 14–23. 1918.
for cotton. D.B. 896, pp. 7–9. 1920.
in—
Georgia, Brooks County, and landlord's profits. D.B. 648, pp. 13–14. 1918.
Georgia, Sumter County, relative importance. D.B. 1034, pp. 8–11. 1922.
Indiana, Clinton County, 1910 and 1913–1919, study. D.B. 1258, pp. 50–66. 1924.

INDEX TO PUBLICATIONS, 1901-1925 2371

Tenure—Continued.
  farm(s)—continued.
    in—continued.
      Missouri farm survey, relation to profits, incomes, etc. D.B. 633, pp. 24-26. 1918.
      length, in United States, types and conditions. Y.B., 1916, pp. 344-345. 1917; Y.B. Sep. 715, pp. 24-25. 1917.
      on small farms near Washington, D. C. D.B. 848, pp. 18-19. 1920.
      relation to farming conditions, Georgia. D.B. 492, pp. 10-35, 58-60. 1917.
      systems, relation to income of landlord and tenant. D.B. 41, pp. 34-35. 1914.
    ladder, stages to ownership. Y.B., 1923, pp. 547-556. 1924; Y.B. Sep. 897, pp. 547-556. 1924.
Teonoma, subgenus of wood rats. N.A. Fauna 31, pp. 94-107. 1910.
Teosinte—
  botanical description, and use. D.B. 772, pp. 283, 284. 1920.
  breeding with popcorn, experiments and results. J.A.R., vol. 19, pp. 2-37. 1920.
  description—
    and habits. F.B. 1433, pp. 33-35. 1925.
    and value for cotton States. F.B. 1125, rev., p. 25. 1920.
    habitat and characteristics. J.A.R., vol. 19, pp. 1-2. 1920.
  fertilizers, tests. Soils Bul. 67, p. 58. 1910.
  hybrids with—
    maize, heredity studies. J.A.R., vol. 27, pp. 537-596. 1924.
    popcorn, description and characters. J.A.R., vol. 17, pp. 127-133. 1919.
  importations and descriptions. No. 34257, B.P.I. Inv. 32, pp. 27-28. 1914; No. 37625, B.P.I. Inv. 38, pp. 88-89. 1917; No. 41905, B.P.I. Inv. 46, p. 32. 1919; No. 44093, B.P.I. Inv. 50, p. 27. 1922.
  injury by Physoderma disease, symptoms, etc. J.A.R., vol. 16, pp. 142, 143. 1919.
  maize hybrid—
    description. G. N. Collins and J. H. Kempton. J.A.R., vol. 19, pp. 1-38. 1920.
    inheritance of characters. J. H. Kempton. J.A.R., vol. 27, pp. 537-596. 1924.
  primitive type of Indian corn, notes. Y.B., 1909, pp. 309-320. 1910; Y.B. Sep. 515, pp. 309-320. 1910.
  seeding, yield, and feed value. F.B. 1125, rev., p. 25. 1920.
  silage use, note. F.B. 556, p. 5. 1913.
  testing, in Oregon, Umatilla experiment farm. W.I.A. Cir. 17, p. 37. 1917.
  use as forage crop in cotton region. F.B. 509, pp. 20-21. 1912.
  use in hybridizing maize. B.P.I. Cir. 107, pp. 3-4. 1913.
  water requirements. J.A.R., vol. 3, pp. 17-20, 53, 58. 1914.
  yield and feeding value. Rpt. 112, p. 24. 1916.
Teparies, varieties in Arizona, studies. O.E.S. An. Rpt., 1912, p. 75. 1913.
Tepary bean. See Beans, tepary.
Tephrosia candida—
  growth and blossoming, relation to length of day. J.A.R., vol. 28, pp. 445-460. 1924.
  photoperiodism. T. B. McClelland. J.A.R., vol. 28, pp. 445-460. 1924.
Tequila—
  fiber plant, investigations in Mexico. An. Rpts., 1907, p. 327. 1908.
  introduction as fiber plant. B.P.I. Chief Rpt., 1907, p. 79. 1907.
Teramnus labialis, importation and description. No. 50356. B.P.I. Inv. 63, p. 61. 1923.
Terebinth, importation and description. No. 44561, B.P.I. Inv. 51, p. 24. 1922.
Teredo—
  injury to piles treated with creosote, notes. For. Cir. 199, pp. 3, 8. 1912.
  resistance of greenheart timber. For. Cir. 211, p. 6. 1913.
Termes flavipes—
  injury to cactus. Ent. Bul. 113, p. 40. 1912.
  See also Ants, white.

Terminal(s)—
  auction facilities. D.B. 1362, pp. 12-15. 1925.
  conditions, New York. Off. Rec., vol. 2, No. 23, p. 1. 1923.
  motor transportation routes, necessity and cost. D.B. 770, pp. 26-28. 1919.
  railroad, conditions, relation to freighting of eggs. D.B. 664, pp. 10-12, 28-29. 1918.
  See also Markets, terminal.
Terminalia—
  arjuna, importation and description. No. 43668, B.P.I. Inv. 49, p. 59. 1921.
  catappa. See Almond, Malabar.
  edulis. See Calumpit.
  sericea, importation and description. Nos. 50187-50188, B.P.I. Inv. 63, p. 43. 1923.
  spp., importations and descriptions. Nos. 29500-29501, B.P.I. Bul. 233, pp. 27-28. 1912; Nos. 47855, 47856, B.P.I. Inv. 59, pp. 7, 68. 1922; Nos. 53470, 53589, B.P.I. Inv. 67, pp. 3, 52, 56. 1923.
Terminology—
  committee, membership. Off. Rec., vol. 1, No. 41, p. 4. 1922; Off. Rec. vol. 2, No. 1, p. 4. 1923.
  department, decision. Off. Rec., vol. 1, No. 51, p. 4. 1922.
  department memorandum. Off. Rec., vol. 2, No. 44, p. 4. 1923.
  memorandum of Secretary. Off. Rec., vol. 1, No. 41, p. 4. 1922.
  suggestions invited. Off. Rec., vol. 2, No. 17, p. 4. 1923.
Termitarium for work on termites, description. Ent. Bul. 94, Pt. II, pp. 20-22. 1915.
Termite(s)—
  castes, from new species in Canal Zone. J.A.R., vol. 29, pp. 179-193. 1924.
  classification—
    and historical notes. Ent. Bul. 94, Pt. II, pp. 14-19. 1915.
  description—
    and habits. J.A.R., vol. 26, pp. 281, 285-300. 1923.
    life history and habits. D.B. 333, pp. 1-12. 1916.
  colonies, establishment. Ent. Bul. 94, Pt. II, pp. 49-53. 1915.
  communal organization and different castes, life history. Ent. Bul. 94, Pt. II, pp. 22-46. 1915.
  control—
    methods. D.B. 1232, pp. 22-24. 1924; F.B. 759, pp. 1-20. 1916.
    on chrysanthemum. F.B. 1306, pp. 22-23. 1923.
  damage—
    in the Canal Zone and Panama, prevention. Thomas E. Snyder and James Zetek. D.B. 1232, pp. 26. 1924.
    to—
      buildings. Off. Rec., vol. 4, No. 30, p. 3. 1925.
      buildings, timber, and stored material, and control. F.B. 1037, pp. 2, 3, 6-16. 1919.
      woodwork, control. An. Rpts., 1919, p. 259. 1920; Ent. A.R., 1919, p. 13. 1919.
  description, distribution, injuries, and control. News L., vol. 3, No. 31, p. 5. 1916.
  geographical distribution. D.B. 333, pp. 12-13. 1916.
  habits as wood destroyers. Ent. Bul. 94, Pt. II, pp. 13, 22-25. 1915.
  infestation, indications. D.B. 333, pp. 15, 28. 1916.
  injury(ies)—
    description, and control methods. News L., vol. 4, No. 11, p. 6. 1916.
    to—
      buildings and contents, causes and prevention. Ent. A.R., 1921, pp. 27-28. 1921.
      mine props, prevention. Ent. Cir. 156, pp. 2-4. 1912.
      pecan trees, control. F.B. 834, pp. 33-35. 1917; F.B. 1364, pp. 34-36. 1924.
      sugar cane, control methods. Ent. Cir. 171, p. 7. 1913.
      sugar cane, description and habits. D.B. 486, pp. 31-32. 1917.
  introduction, danger, and descriptions. Sec. [Misc.], "A manual * * * insects * * *," pp. 7, 15, 59, 99, 164. 1917.

Termite(s)—Continued.
  mating concourses, annual. Ent. T.B. 10, pp. 8-10. 1905.
  nests, descriptions. J.A.R., vol. 26, pp. 284, 289, 292, 294-295, 296, 298. 1923.
  new and hitherto unknown castes from the Canal Zone, Panama. Thos. E. Snyder. J.A.R., vol. 29, pp. 179-193. 1924.
  of—
    Canal Zone and adjoining parts of the Republic of Panama, biological notes on, Harry Frederic Dietz and Thomas Elliott. J.A.R., vol. 26, pp. 279-302. 1923.
    eastern United States, biology of, with preventive and remedial measures. Thomas E. Snyder. Ent. Bul. 94, Pt. II, pp. 13-85. 1915.
  or "white ants," in United States, damage and methods of prevention. Thomas E. Snyder. D.B. 333, pp. 32. 1916.
  social organization. Ent. T.B. 10, pp. 24-27. 1905.
  spread of coconut red-ring disease in Panama. D.B. 1232, pp. 12, 13-16, 19-20. 1924.
  subterranean, control. J.A.R., vol. 26, pp. 300-301. 1923.
  swarming habits. J.A.R., vol. 26, pp. 287, 289, 290, 291. 1923.
  See also Ants, white.
Termitidae, new species from Canal Zone. J.A.R., vol. 29, pp. 179-193. 1924.
Termitophilous insects, presence in colonies of termites. Ent. Bul. 94, Pt. II, pp. 71-72. 1915.
Tern(s)—
  Arctic—
    extent of migration flights, note. News L., vol. 4, No. 22, p. 6. 1917.
    migration habits. D.B. 185, pp. 9-11. 1915; News L., vol. 4, No. 16, p. 3. 1916; Y.B., 1914, p. 276. 1915; Y.B. Sep. 642, p. 276. 1915.
    occurrence in Pribilof Islands, and food habits. N.A. Fauna 46, pp. 37-38. 1923.
    (Sterna paradisaea) range and habits. N.A. Fauna 21, p. 72. 1901; N.A. Fauna 24; p. 54. 1904.
  beneficial habits, insect destruction. Y.B., 1908, p. 194. 1909; Y.B. Sep. 474, p. 194. 1909.
  black—
    description, range, and habits. F.B. 513, p. 31. 1913.
    habits, value as insect destroyer, note. F.B. 497, p. 21. 1912.
    occurrence and breeding territory. Biol. Bul. 38, p. 15. 1911.
  breeding grounds, Great Plains, description. Y.B., 1917, pp. 198-200. 1918; Y.B. Sep. 723, pp. 4-6. 1918.
  diminution of numbers, note. Y.B., 1902, p. 207. 1903.
  distribution, food habits, and value as insect destroyers. F.B. 497, pp. 21, 22-26. 1912.
  forester, and others, occurrence in Nebraska. D.B. 794, pp. 32-33. 1920.
  in Athabaska-Mackenzie region. N. A. Fauna 27, pp. 271-274. 1908.
  occurrence—
    in Arkansas. Biol. Bul. 38, p. 15. 1911.
    in Porto Rico, and food habits. D.B. 326, pp. 46-48. 1916.
    on Laysan Islands, number and description. Biol. Bul. 42, pp. 13-15. 1912.
  on Laysan Islands, nesting habits. Y.B., 1911, p. 161. 1912; Y.B. Sep. 557, p. 161. 1912.
  protection by law. Biol. Bul. 12. rev., p. 41. 1902.
  range and habits. N.A. Fauna 22, p. 81. 1902.
Ternstroemia meridionalis, importation, and description. No. 44702, B.P.I. Inv. 51, p. 51. 1922.
Terpene(s)—
  bodies, origin, effect on wheat seedlings. Soils Bul. 47, p. 36. 1907.
  content of western pine, oleoresins. For. Bul. 119, pp. 7, 12, 16, 23, 26, 28, 29, 35. 1913.
  hydrocarbon, identity with mycrene, hop oils. J.A.R., vol. 2, pp. 149-150. 1914.
  in flour, discovery by John A. Wesener, notes. Chem. N.J. 722, pp. 64, 72. 1911.
  lemon, detection in lemon oil, new method, development. An. Rpts., 1909, p. 424. 1910; Chem. Chief Rpt., 1909, p. 14. 1909.

Terpene(s)—Continued.
  testing for volatility and toxicity. J.A.R., vol. 10, pp. 366-371. 1917.
Terra—
  alba, use in candy, sugar and molasses, prohibitions. Chem. Bul. 69, rev., Pts. I-IX, pp. 44, 49, 55, 89, 95, 103, 109, 132, 136, 148, 162, 178, 195, 203, 212, 223, 280, 305, 314, 332, 340, 358, 365, 371-372, 415, 438, 443, 446, 448, 471, 496, 515, 551, 571, 578, 589, 612, 623, 642, 698. 1905-6.
  japonica, imports, 1907-1909, quantity and value, by countries from which consigned. Stat. Bul. 82, p. 65. 1910.
Terrace(s)—
  bench type, description. D.B. 512, pp. 7-10, 39. 1917.
  broad-row, description and directions for making. S.R.S. Doc. 41, pp. 3-5. 1917.
  building, preparation of land. S.R.S. Doc. 41, pp. 2-3. 1917.
  cause of waste of land. F.B. 745, p. 12. 1916.
  cleaning for cotton growing. D.B. 896, p. 19. 1920.
  construction methods. D.B. 512, pp. 35-37, 40. 1917.
  control of erosion in—
    North Carolina, Cleveland County. Soil Sur. Adv. Sh., 1916, pp. 13, 21, 23. 1919; Soils F.O., 1916, pp. 317, 325, 327. 1921.
    South Carolina, Newberry County. Soil Sur. Adv. Sh., 1918, pp. 23, 24, 25, 29, 36. 1921; Soils F.O., 1918, pp. 395, 396, 397, 401, 408. 1924.
  cultivation, practices. F.B. 997, pp. 12, 14, 17, 37-38, 40. 1918.
  graded-ridge, description. D.B. 512, pp. 21-30, 39. 1917.
  hill lands, directions for making. S.R.S. Doc. 41, pp. 2-6. 1917.
  kinds and description. News L., vol. 4, No. 40, pp. 5-6. 1917.
  lake and river, soil, character, and agricultural value, by series. Soils Bul. 55, pp. 153-164. 1909.
  lawns, treatment. F.B. 494, pp. 23, 34-36. 1912.
  laying off and building, details and directions. F.B. 997, pp. 28-36. 1918.
  level-ridge, description. D.B. 512, pp. 10-21, 39. 1917.
  maintenance and cultivation. D.B. 512, pp. 37-38, 40. 1917.
  Mangum. description, and directions for making. S.R.S. Doc. 41, pp. 5-6. 1917.
  Mangum, directions for construction and care. B.P.I. Cir 94, p. 11. 1912.
  planting in eroded ranges. D.B. 675, p. 33. 1918.
  soils, Shenandoah River: Revision of certain soils in Albemarle area of Virginia. Hugh H. Bennett. Soils Cir. 53, pp. 16. 1912.
  system, laying-off methods. D.B. 512, pp. 32-35, 40. 1917.
  tillage suited, Alabama lands, Baldwin County. Soil Sur. Adv. Sh., 1909, p. 21. 1911; Soils F.O. 1909, p. 721. 1912.
  types, bench and ridge, principles of construction. F.B. 997, pp. 13-22. 1918.
  types, comparison. D.B. 512, pp. 30-32, 39-40. 1917.
  use(s)—
    and need on hilly farms. Soils F.O., 1916, pp. 317, 325, 327. 1921.
    and value in erosion—
      control, kinds, and description. D.B. 180, pp. 11-13, 23. 1915.
      prevention. B.P.I. Doc. 706, pp. 3-6. 1911.
    for prevention of erosion—
      F.B. 414, pp. 9, 17. 1910; F.B. 997, pp. 7-22. 1918; Soils Bul. 75, p. 52. 1911.
      in Georgia, Rockdale County. Soil Sur Adv. Sh., 1920, pp. 545, 547, 549, 550. 1923; Soils F.O., 1920, pp. 545, 547, 549, 550. 1925.
      in Mississippi, Lamar County. Soil Sur. Adv. Sh., 1919, pp. 14, 22, 27. 1922; Soils F.O., 1919, pp. 982, 990, 995. 1925.
    in checking soil erosion in Georgia, Hancock County. Soil Sur. Adv., Sh. 1909, pp. 10-12. 1910; Soils F.O., 1909, pp. 556-558. 1912.
Terrace Dam, in Colorado, construction, details and cost. O.E.S. Bul. 249, Pt. I, p. 95. 1912.

Terracing—
 advantages in prevention of soil erosion, Hancock County, Georgia. Soil Sur. Adv. Sh., 1909, pp. 10–12. 1910; Soils F.O., 1909, pp. 556–558. 1912.
 agents' work in Louisiana. News L., vol. 6, No. 29, p. 7. 1919.
 benefits, Georgia, Covington area. Soils F.O. Sep., 1901, p. 340. 1903; Soils F.O., 1901, p. 340. 1902.
 course for southern schools, references. D.B. 592, p. 29. 1917.
 definition and classification. D.B. 512, pp. 5–30, 39–40. 1917.
 eroded lands on ranges. D.B. 675, pp. 31–34. 1918.
 farm—
  instructions. Off. Rec., vol. 4, No. 24, p. 4. 1925.
  land, remarks. F.B. 245, p. 10. 1906.
  lands. C. E. Ramser. F.B. 997, pp. 40. 1918; F.B. 1386, pp. 22. 1924.
  model. Off. Rec., vol. 4, No. 22, p. 6. 1925.
 field lands, systems. F.B. 342, pp. 7–8. 1909.
 for erosion—
  control. News L., vol. 6, No. 47, p. 13. 1919; Soils Cir. 39, pp. 8–9. 1911.
  prevention—
   advantages and objections, in Alabama, Lamar County. Soil Sur. Adv. Sh., 1908, p. 10. 1909; Soils F.O., 1908, pp. 460–461. 1911.
   extension work. D.C. 270, pp. 2–5. 1924.
   Georgia, Hancock County. Soil Sur. Adv. Sh., 1909, p. 10–12. 1910; Soils F.O., 1909, 556–558. 1912.
   on farm lands. C. E. Ramser. D.B. 512, pp. 40. 1917.
  school exercises. F.B. 638, pp. 23–24. 1915.
 value—
  and use in erosion control. News L., vol, 2, No. 34, p. 4. 1915.
  in erosion control, methods. News L., vol, 6, No. 21, p. 11. 1918; Soils Bul. 71, pp. 46–53. 1911.
  in erosion prevention, methods. News L., vol. 4, No. 40, pp. 5–6. 1917; Y.B., 1913, pp. 218–220. 1914; Y.B. Sep. 624, pp. 218–220. 1914.
  on hills. News L., vol. 7, No. 9, p. 8. 1919.
 winter work, importance in South. News L., vol. 5, No, 14, pp. 1–2. 1917.
Terrapin scale—
 J. G. Sanders. Ent. Cir. 88, pp. 4. 1907.
 description and control on shade trees. F.B. 1169, pp. 81–82. 1921.
 insect enemy of peach orchards. F. L. Simanton. D.B. 351, pp. 96. 1916.
 peach. See Lecanium.
 spraying, formulas, dates, and results. D.B. 351, pp. 67–89. 1916.
 See also Scale.
Terre Haute, Ind., milk supply, statistics, officials, prices, and ordinances. B.A.I. Bul. 46, pp. 34, 72. 1903.
TERRILL, B. M.: "Dietary studies in Boston and Springfield, Mass., Philadelphia, Pa., and Chicago, Ill." With others. O.E.S. Bul. 129, pp. 103. 1903.
Terry Lake Reservoir, Colo., slope protection by reinforced concrete, details and cost. O.E.S. Bul. 249, Pt. I, p. 55. 1912.
Terry rotation system for tobacco. Y.B., 1908, p. 357. 1909; Y.B. Sep. 487, p. 357. 1909.
Tersesthes torrens, a blood-sucking fly similar to Cerotopogon. Ent. Bul. 64, p. 28. 1911; Ent. Bul. 6, Pt. III, p. 28. 1907.
Tesch trap, for English sparrows. F.B. 493, p. 11. 1912.
Tessellata spp. See Prociphilus tesselata.
Tessin Canton, law, coal tar dyes. Chem. Bul. 147, pp. 35, 75–148. 1912.
Test(s)—
 absorption and penetration of tar and creosote in long-leaf pine. D.B. 607, p. 43. 1918.
 bricks for paving roads, methods and apparatus. D.B. 373, pp. 5–8, 34–40. 1916.
 butter, renovated, report by G. E. Patrick, 1901. Chem. Bul. 67, pp. 115–127. 1902.
 butter samples. B.A.I. Cir. 56, p. 194. 1904.
 cloth for airplanes at mills and laboratories. D.B. 882, pp. 7–47. 1920.

Test(s)—Continued.
 complement-fixation, multiple pipette holder for serum distribution. Francois H. Reynolds. J.A.R., vol. 15, No. 11, pp. 615–618. 1918.
 concrete slabs, large-sized reinforced-concrete. J.A.R., vol. 6, No. 6, pp. 205–234. 1916.
 corn, canning quality. J..R., vol. 28, pp. 431–433. 1924.
 cotton, waste, strength, and bleaching. Mkts. Chief Rpt., 1916, pp. 23–24. 1916; An. Rpts., 1916, pp. 407–408. 1917.
 cream and milk, laws regulating. B.A.I. Dairy [Misc.], "World's dairy congress, 1923," p. 773. 1924.
 engines, internal combustion, on alcohol fuel. Charles Edward Lucke and S. M. Woodward. O.E.S. Bul. 191, pp. 89. 1907.
 fats and oils, report of analysts. Chem. Bul. 105, pp. 29–37. 1907.
 field, for lime-sulphur dipping baths. Robert M. Chapin. D.B. 163, pp. 7. 1915.
 field, with a toxic soil constituent: Vanillin. J. J. Skinner. D.B. 164, pp. 9. 1915.
 for creosote, kinds, description, methods, and results. D.B. 1036, pp. 87–102. 1922.
 germination, vegetable seeds. B.P.I. Bul. 131, pp. 5–8. 1908.
 glanders, diagnosis. B.A.I. Doc. A–13, pp. 10–11. 1917.
 glass for sorghum juice. F.B. 477, pp. 21–22. 1912.
 gravel, for road use. D.B. 463, pp. 50–51. 1917.
 hogs, to show influence of breed on feeding powers. B.A.I. Bul. 47, pp. 178–193. 1904.
 household, for the detection of oleomargarine and renovated butter. G. E. Patrick. F.B. 131, pp. 40. 1901.
 manufacturing, of upland tinged and stained cotton standards. W. R. Meadows and W. G. Blair. D.B. 990, pp. 12. 1921.
 mechanical, of—
  pumping plants in California. J. N. Le Conte and C. E. Tait. O.E.S. Bul. 181, pp. 72. 1907.
  pumps and pumping plants for irrigation and drainage in Louisiana in 1905 and 1906. W. B. Gregory. O.E.S. Bul. 183, pp. 72. 1907.
 new plant introductions, at field stations. Y.B., 1916, p. 138. 1917; Y.B. Sep. 687, p. 4. 1917.
 Norway pine, bending strength. D.B. 139, pp. 9–10. 1914.
 oils and fats, description and directions for making, discussion. Chem. Bul. 105, pp. 29–37. 1907.
 organoleptic, chickens and quail, cold-stored. Chem. Bul. 115, pp. 37–39, 44–50. 1908.
 penetration, asphalts and cements, effect of variables. Prévost Hubbard and F. P. Pritchard. J.A.R., vol. 5, No. 17, pp. 805–818. 1916.
 physical, road-building rocks, 1916–1921, results. D.B. 1132, pp. 52. 1923.
 physical, road-building rock, results. Prévost Hubbard and Frank H. Jackson. D.B. 370, pp. 100. 1916.
 preliminary manufacturing, of official cotton standards of United States for color of upland tinged and stained cotton. W. R. Meadows and W. G. Blair. D.B. 990, pp. 12. 1921.
 railway track for cross-ties, plans. For. Cir. 146, pp. 18–22. 1908.
 rattler, for paving brick. D.B. 949, pp. 28–35. 1921.
 redwood, for strength, methods and results. For. Cir. 193, pp. 6–23. 1912.
 respiration calorimeter. J.A.R., vol. 6, No. 18, pp. 718–720. 1916.
 road—
  building rock, object, methods, value and equipment. D.B. 347, pp. 3–22, 26. 1916.
  material—
   exhibit at Buffalo Exposition. Chem. Bul. 63, pp. 25–29. 1901.
   for bituminous products. D.B. 691, pp. 48–60. 1918.
  report forms. D.B. 555, pp. 38–44. 1917.
  standardization. Off. Rec., vol. 1, No. 30, p. 4. 1922.
 rock, for roads—
  1916 and 1917. D.B. 670, pp. 1–30. 1918.
  1916–1921. D.B. 1132, pp. 1–52. 1923.

Test(s)—Continued.
  rock, for roads—continued.
    details and value. Rds. Bul. 37, pp. 23-25, 26. 1911.
  Rocky Mountain woods for telephone poles. Norman de W. Betts and A. L. Heim. D.B. 67, pp. 28, 1914.
  rod row, field technic, experiments. H. K. Hayes and A. C. Arny. J.A.R., vol. 11, pp. 399-419. 1917.
  seed—
    at home, directions. F.B. 326, pp. 17-18. 1908.
    details of procedure. F.B. 428, pp. 29-32. 1911.
    for purity and germination, average per cent. F.B. 1232, p. 29. 1921.
  soil-moisture, of field heterogeneity. J.A.R., vol. 19, pp. 300-311. 1920.
  sporogenes, as an index of milk contamination. S. Henry Ayers and Paul W. Clemmer. D.B. 940, pp. 20. 1921.
  strength, of structural timbers treated by commercial wood-preserving processes. H. S. Betts and J. A. Newlin. D.B. 286, pp. 15. 1915.
  structural timbers. McGarvey Cline and A. L. Heim. For. Bul. 108, pp. 123. 1912.
  sugar-cane, resistance to mosaic disease, Hawaii. D.B. 829, p. 3. 1919.
  timber(s)—
    cooperative work, Forest Service, 1909. An. Rpts., 1909, pp. 405-406. 1910; For. A. R., 1909, pp. 37-38. 1909.
    instructions to engineers. W. Kendrick Hatt. For. Cir. 38, rev., pp. 56. 1909.
    structural. McGarvey Cline and A. L. Heim. For. Bul. 108, pp. 123. 1912.
  tuberculin—
    methods officially used. D.C. 249, pp. 5-20. 1922.
    use in eradication of tuberculosis. Y.B., 1922, p. 341. 1923; Y.B. Sep. 879, p. 51. 1923.
  tuberculosis—
    ophthalmic and intradermal, investigations. An. Rpts., 1911, p. 237. 1912; B.A.I. Chief Rpt., 1911, p. 47. 1911.
    tuberculin and microscopic, post-mortem proofs. B.A.I. An. Rpt., 1908, pp. 122-128 1910.
  variety, correction for soil heterogeneity. Frank M. Surface and Raymond Pearl. J.A.R., vol. 5, No. 22, pp. 1039-1050. 1916.
  vinegar making. F.B. 1424, pp. 23-27. 1924.
  Waterhouse, modified, for renovated butter, A.O.A.C. report, 1903. Chem. Bul. 81, pp. 81-83. 1904.
  weight of grain, method determining accuracy of apparatus. E. G. Boerner and E. H. Ropes. D.B. 1065, pp. 13. 1922.
  wood—
    for strength and shrinkage. For. Cir. 179, pp. 8-20. 1910.
    of tanbark oak. For. Bul. 75, pp. 25-28. 1911.
    preservatives. Howard F. Weiss and C. H. Teesdale. D.B. 145, pp. 20. 1915.
  wooden barrels. J. A. Newlin. D.B. 86, pp. 12. 1914.
Tester(s)—
  corn seed, description and use. Guam Cir. 3, pp. 10-12. 1922.
  egg, homemade. B.A.I. Cir. 208, p. 8. 1913.
  grain weight, description and use. D.B. 472, pp. 9-15. 1916.
  license laws. Howard Wilbur Gregory. B.A.I. B.A.I. Dairy [Misc.], "World's dairy congress, 1923," pp. 768-773. 1924.
  moisture, for grain and other substances, and use. J. W. T. Duvel. B.P.I. Cir. 72, pp. 15. 1910; rev., p. 16. 1914.
  nettle, for seed corn, description. Y. B., 1918, pp. 126-127. 1919; Y.B. Sep. 776, pp. 6-7. 1919.
  pressure, improved type for determination of fruit maturity. J. R. Magness and George F. Taylor. D.C. 350, pp. 8. 1925.
  seed, construction and use, school exercise. D.B. 527, pp. 16-17. 1917.
  seed, rag-doll, use in determining ears of corn fit for seed. George J. Burt and others. F.B. 948, pp. 7. 1918.

Testicles—
  bull, congestion and inflammation. B.A.I. [Misc.], "Diseases of cattle," rev., p. 149. 1904; rev., pp. 153-154. 1912; rev., pp. 152-153. 1923.
  horse, congestion and inflammation, symptoms, and treatment. B.A.I. [Misc.], "Diseases of the horse," rev., pp. 142-143. 1903; rev., pp. 142-143. 1907; rev., pp. 142-143. 1911; rev., pp. 164-165. 1923.
Testing—
  acidity in cider, method. Y.B., 1914, p. 235. 1915; Y.B., Sep. 639, p. 235. 1915.
  and sampling highway materials, tentative standard methods of. D.B. 1216, pp. 96. 1924.
  anti-hog-cholera serum, regulations. B.A.I. S.R.A. 122, pp. 74-76. 1917.
  apparatus, grain weight tests, accuracy. Off. Rec., vol. 1, No. 23, p. 5. 1922.
  arsenical dips, device. B.A.I. Cir. 207, p. 9. 1912.
  beets for sugar content, directions. J.A.R., vol. 26, pp. 125-126. 1923.
  bituminous materials, new penetration needle. Charles S. Reeve and Fred P. Pritchard. J.A.R., vol. 5, No. 24, pp. 1121-1126. 1916.
  calorimeter for accuracy. J.A.R. vol. 5, No. 8, pp. 344-346. 1915.
  cattle—
    for—
      abortion disease, agglutination method. J.A.R., vol. 9, pp. 11-16. 1917.
      export. B.A.I.O. 264, amdt. 2, p. 1. 1921.
      tuberculosis. News L., vol. 6, No. 49, pp. 1-2, 8. 1919.
      tuberculosis, methods. Y.B., 1919, p. 284. 1920; Y.B. Sep. 810, p. 284. 1920.
    methods, and rules for accredited herds. Y.B., 1918, pp. 216-217. 1919; Y.B. Sep. 782, pp. 4-5. 1919.
  chemical, of milk and cream. Roscoe H. Shaw. B.A.I. Doc. A-7, pp. 38. 1916.
  commercial varieties of vegetables. W. W. Tracy, jr. Y.B., 1900, pp. 543-550. 1901.
  concrete slabs. J.A.R., vol. 11, pp. 505-520. 1917.
  corn, per cent of growers, germination, and replanting. Y.B., 1918, p. 674. 1919; Y.B. Sep. 795, p. 10. 1919.
  corn seed. F. B. 584, pp. 4-5. 1914.
  cotton—
    fiber. An. Rpts., 1918, p. 470. 1919; Mkts. Chief Rpt., 1918, p. 20. 1918.
    varieties, methods. B.P.I. Doc. 813, pp. 3, 6. 1913.
    work of Markets Office. Mkts. Doc. 1, p. 12. 1915.
  cow(s)—
    and dairy records, illustrated lecture. Duncan Stewart. S.R.S. Syl. 30, pp. 10. 1917.
    associations. B.A.I. Cir. 135, p. 31. 1908.
    benefit to creameries. News L., vol. 6, No. 45, p. 15. 1919.
    methods and cost. News L., vol. 2, No. 41, p. 1. 1915.
    work of cow-testing associations. An. Rpts., 1910, p. 233. 1911; B.A.I. Chief Rpt., 1910, p. 39. 1910.
    See also Cow testing.
  cowpea varieties, methods. B.P.I. Bul. 229, pp. 37-38. 1912.
  cream, fat, by Babcock method. Ed. H. Webster. B.A.I. Bul. 58, pp. 29. 1904.
  crops, cooperative station at Sacaton, Ariz., history. D.C. 277, pp. 1-3. 1923.
  dairy cows, requirements, certified milk production. B.A.I. Bul. 104, pp. 11, 16, 34, 40. 1908; D.B. 1, pp. 2, 14, 27, 28-29. 1913.
  dairy herds, cooperative. F.B. 504, pp. 10-13. 1912.
  dips and disinfectants. An. Rpts., 1919, p. 127. 1920; B.A.I. Chief Rpt., 1919, p. 55. 1919.
  drainage requirements of irrigated farms. F.B. 805, pp. 8-9. 1917.
  eggs, directions. B.A.I. Cir. 208, p. 8. 1913; F.B. 287, rev., pp. 22, 32. 1921.
  eggs, for hatching. F.B. 236, pp. 27-29. 1905.
  farm scale, directions. D.B. 558, pp. 32-33. 1917.
  farms, in the South for efficiency in management— C. L. Goodrich. D.C. 83, pp. 27. 1920.
    method. Farm M. Cir. 3, pp. 40. 1919.

Testing—Continued.
fat, of cream, Babcock method. Ed. H. Webster. B.A.I. Bul. 58, pp. 29. 1904.
fibers, in clothing materials. F.B. 1089, pp. 11–12. 1920.
flour and meal, for water, special flask, description and uses. D.B. 56, pp. 1–7. 1914.
foundations of bridges and culverts. Rds. Bul. 43, pp. 8–11. 1912.
fowls for tuberculosis. F.B. 1200, p. 9. 1921.
fruit yields, experiments. J.A.R., vol. 12, pp. 245–283. 1918.
gardens, aid to farmers. News L., vol. 1, No. 22, p. 2. 1914.
highway materials, and sampling, tentative standards. D.B. 1216, pp. 96. 1924.
hog-cholera virus, requirements. B.A.I.S.R.A. 122, pp. 71–72. 1917.
lime-sulphur dipping baths, field outfit and use. D.B. 163, pp. 1–7. 1915.
milk—
 and cream, publications, list. B.A.I. Cir. 139, pp. 31–32. 1909; B.A.I. Cir. 199, pp. 30–32. 1912.
 and cream, school lesson. D.B. 763, pp. 11–12. 1919.
 by legal standard, desirability. F.B. 363, p. 19. 1909.
 comparison of acidity test with alcohol test. D.B. 944, pp. 4–9. 1921.
 for contamination, sporogenes index. S. Henry Ayers and Paul W. Clemmer. D.B. 940, pp. 20. 1921.
 publication giving directions, note. D.B. 973, p. 4. 1923.
 significance of various bacteria. B.A.I. Cir. 153, pp. 46–52. 1910.
miscellaneous supplies, some technical methods. Percy H. Walker. Chem. Bul. 109, pp. 48. 1908; rev., pp. 67. 1910.
mortars used in road building, for hardness and toughness. J.A.R., vol. 10, pp. 267–274. 1917.
oranges for solids and acid, directions. D.B. 1159, pp. 19–22. 1923.
paper, for fiber, sizing and filling, flexibility. Y.B., 1908, pp. 264–266. 1909; Y.B. Sep. 479, pp. 264–266. 1909.
paper, methods. Rpt. 89, pp. 18–28. 1909.
paving brick. D.B. 246, pp. 6–8, 31–38. 1915.
poultry for white diarrhea germ. S.R.S. Rpt., 1915, Pt. I, p. 146. 1917.
queen bees. P.R. Cir. 16, p. 11. 1918.
road material(s)—
 1912. An. Rpts., 1912, pp. 875–877. 1913; Rds. Chief Rpt., 1912, pp. 31–33. 1912.
 1912, work of Public Roads Office. An. Rpts., 1912, pp. 112, 208–209. 1913; Sec. A.R., 1912, pp. 112, 208–209. 1912; Y.B., 1912, pp. 112, 208–209. 1913.
 1919. An. Rpts., 1919, pp. 420–423. 1920; Rds. Chief Rpt., 1919, pp. 30–33. 1919.
 1921. Rds. Chief Rpt., 1921, pp. 31–34. 1921.
 nonbituminous and bituminous. D.B. 949, pp. 3–68. 1921.
 standard methods. D.B. 555, pp. 30–37. 1917; D.B. 704, pp. 27–38. 1918.
seed(s)—
 adulteration, directions. F.B. 382, pp. 21–23. 1909.
 after storage, operation. J.A.R., vol. 22, pp. 483–484. 1922.
 before distribution. B.P.I. Cir. 100, pp. 8–11. 1912.
 corn, directions. B.P.I. Doc. 747, pp. 7–8. 1912.
 corn, rag-doll tester, description and use. F.B. 948, pp. 1–7. 1918.
 devices for school exercises. D.B. 132, pp. 11, 29. 1915.
 directions. S.R.S. Syl. 20, p. 11. 1916.
 directions and form of report. F.B. 1232, pp. 8–9, 27. 1921.
 for vitality, economy in farming. Y.B., 1908, pp. 205–207. 1909; Y.B. Sep. 475, pp. 205–207. 1909.
 help to farmer. E. Brown. Y.B., 1915, pp. 311–316. 1916; Y.B. Sep. 679, pp. 311–316. 1916.
 instruction for club members. D.C. 48, pp. 5–6. 1919.

Testing—Continued.
seed(s)—continued.
 public service. F.B. 382, p. 23. 1909.
 results, importance to farmers in buying seed. Y.B., 1919, p. 344. 1920; Y.B. Sep. 815, p. 344. 1920.
 work of Plant Industry Bureau, 1909. An. Rpts., 1909, pp. 291–292. 1910; B.P.I. Chief Rpt., 1909, pp. 39–40. 1909.
 work, Plant Industry Bureau, 1914. An. Rpts., 1914, p. 111. 1914; B.P.I. Chief Rpt., 1914, p. 11. 1914.
serums, Government test station, suggestion. An. Rpts., 1915, pp. 22–24. 1916; Sec. A.R., 1915, pp. 24–26. 1915.
sizing, in high-grade papers. Chem. Cir. 107, pp. 1–3. 1913.
strawberry varieties. F.B. 1043, p. 3. 1919.
sugar in beet roots. Y.B., 1909, p. 178. 1910; Y.B. Sep. 503, p. 178. 1910.
tobacco seed, directions. F.B. 381, pp. 13–14. 1909.
turpentine, need of uniform methods. D.B. 898, pp. 41–49. 1920.
vanillin in soils for toxicity, field and pot tests. D.B. 164, pp. 1–9. 1915.
vitrified brick, directions. D.B. 23, pp. 5–8, 29–34. 1913.
western hemlock, bending and compression, methods and results. For. Bul. 115, pp. 7–16, 44–45. 1913.
western larch, bending and compression, methods and results. For. Bul. 122, pp. 8–18, 38–40, 44–45. 1913.
wool fibers, methods. J.A.R., vol. 14, pp. 286–291. 1918.
Tetanus—
antitoxin—
 curative action and size of dose. B.A.I. An. Rpt., 1911, pp. 191–192. 1913.
 destruction by—
  chemicals, experiments. J.A.R., vol. 13, p. 471. 1918.
  proteolytic enzyms. An. Rpts., 1917, pp. 108–109. 1918; B.A.I. Chief Rpt., 1917, pp. 42–43. 1917.
 human, requirements of law. B.A.I. Bul. 121, pp. 14, 21. 1909.
 standardization, methods, European and American. B.A.I. Bul. 121, pp. 13–15. 1909.
 veterinary, manufacture, need of control and standardizing. John R. Mohler and Adolph Eichhorn. B.A.I. Bul. 121, pp. 22. 1909.
causes, symptoms, prevention, and treatment. B.A.I. [Misc.], "Diseases of the horse," rev., pp. 219–221. 1903; rev., pp. 219–222. 1907; rev., pp. 219–222. 1911; rev., pp. 241–244. 1923.
diagnosis, comparison with other diseases. B.A.I. [Misc.], "Diseases of cattle," rev., p. 405. 1923.
foreign investigations. O.E.S. An. Rpt., 1904, pp. 557–561. 1905.
horses, prevention, study and experiments. An. Rpts., 1912, pp. 362–364. 1913; B.A.I. Chief Rpt., 1912, pp. 66–68. 1912.
immunization tests. B.A.I. An. Rpt., 1911, pp. 185–194. 1913.
inefficacy of echinacea against. J.A.R., vol. 20, pp. 67–70. 1920.
infection method and action of toxins. B.A.I. An. Rpt., 1911, pp. 185–187. 1913.
nature, cause, and symptoms. B.A.I. Bul. 121, pp. 8–9. 1909.
serum, heating, experiments and results. J.A.R., vol. 8, pp. 449–451, 454–455. 1917.
sheep, cause and symptoms. F.B. 1155, pp. 7–8. 1921.
sheep, treatment. F.B. 1155, p. 8. 1921.
symptoms, comparison with rabies. B.A.I. An. Rpt., 1919, pp. 208–209. 1911; F.B. 449, p. 15. 1911.
toxin, mode of action, toxicity and stability. B.A.I. Bul. 121, pp. 11–13. 1909.
treatment with magnesium sulphate. B.A.I. An. Rpt., 1911, pp. 192–194. 1913.
See also Lockjaw.
Tether-devil. See Bittersweet.
Teton National Forest, Wyo., map. For. Maps. 1925.

Tetracarbonimid, nitrogenous soil constituent. Edmund C. Shorey and E. H. Walters. J.A.R., vol. 3, pp. 175-178. 1914.
Tetrachlorid, carbon—
effect on boiling point of chloroform. J.A.R., vol. 21, pp. 542-544. 1921.
efficacy against hookworms. J.A.R., vol. 21, No. 2, pp. 157-175. 1921.
use against hookworms. Off. Rec., vol. 2, No. 50, p. 6. 1923.
use in tobacco fumigation, dosage, cost, use methods. D.B. 737, pp. 64-65. 1919.
Tetradymia glabrata. See Rabbit brush.
Tetraleurodes spp.—
description. Ent. T.B. 27, Pt. II, pp. 107-108. 1914.
occurrence and importance as pest. J.A.R., vol. 6, No. 12, pp. 470-471. 1916.
Tetramorium caespitum. See Ant, pavement.
Tetramyza parasitica galls, description. J.A.R., vol. 14, p. 569. 1918.
Tetranobia spp., description. Rpt. 108, pp. 33, 38. 1915.
Tetranychidae—
classification, description, and habits. Rpt. 108, pp. 19, 32-38. 1915.
spp. See also Spider, red.
Tetranychina spp., description. Rpt. 108, pp. 33, 38. 1915.
Tetranychoides spp., description. Rpt. 108, pp. 33, 38. 1915.
Tetranychopsis spp., description. Rpt. 108, pp. 33, 34. 1915.
Tetranychus—
mite, control by sulphur. Hawaii Bul. 25, p. 23. 1911.
spp.—
description, habits, and control. Rpt. 108, pp. 33, 35-37. 1915.
feeding habits, discussion. D.B. 134, p. 23. 1914.
See also Mite, red; Red spider.
telarius—
description, habits, and control. F.B. 1169, pp. 93-94. 1921; F.B. 1270, pp. 59-60. 1922.
identity with *Tetranychus bimaculatus*. Ent. Bul. 117, p. 35. 1913.
Tetraonidae, hosts of eye parasite. B.A.I. Bul. 60, p. 47. 1904.
Tetrastichus—
asparagi—
parasite of—
asparagus beetle. F.B. 837, p. 8. 1917.
asparagus-beetle egg, life history. J.A.R., vol. 4, pp. 303-314. 1915.
See also Parasite, asparagus-beetle.
bruchophagi, a recently described parasite of *Bruchophagus funebris*. Theodore D. Urbahns. J.A.R., vol. 8, pp. 277-282. 1917.
gentilii, parasite of the olive thrips, discovery. Ent. T.B. 23, Pt. II, pp. 25-26. 1912.
giffardianus—
biology. J.A.R., vol. 15, pp. 448-463. 1918.
parasite of—
Ceratitis capitata, record, Hawaii, 1917. J.A.R., vol. 14, pp. 606-610. 1918.
fruit fly, description. D.B. 536, pp. 83-85. 1918.
fruit fly, introduction and records. J.A.R., vol. 25, pp. 1, 4-7. 1923.
fruit fly, work in Hawaii, 1916. J.A.R., vol. 12, pp. 106-108. 1918.
record in Hawaii during 1918. J.A.R., vol. 18, pp. 441, 443-445. 1920.
suppression of *Opius humilis*. J.A.R., vol. 12, pp. 292-293. 1918.
giffardii, parasite of fruit fly, difficulty of introduction. J.A.R., vol. 3, p. 363. 1915.
hunteri, boll weevil enemy, note. Ent. Bul. 100, pp. 9, 12, 42, 45, 52, 54-68. 1912; Ent. Bul. 114, p. 142. 1912.
spp., parasites of—
chalcid fly, habits. D.B. 812, pp. 17, 18. 1920.
sorghum midge. Ent. Bul. 85, pp. 55-57. 1911.
xanthomelaenae, parasite enemy of elm leaf-beetle, introduction into the United States. Ent. Bul. 91, pp. 39-41, 62-63. 1911.

Tetrastigma—
bracteolatum, importation and description. No. 39644, B.P.I. Inv. 41, p. 57. 1917; No. 47811, B.P.I. Inv. 59, p. 62. 1922.
harmandi, importation from Philippines, description. No. 34630, B.P.I., Inv. 33, pp. 7, 40. 1915.
Tetrazygia bicolor, importation and description. No. 43953, B.P.I. Inv. 49, p. 103. 1921; No. 45177, B.P.I. Inv. 52, p. 42. 1922.
Tetterine, misbranding. N.J. 3736, Chem. S.R.A. Sup. 5, pp. 284-285. 1915.
Tetterwort. See Celandine.
Tettigonia—
bifida, description. Ent. Bul. 108, p. 63. 1912.
mali, same as *Empoasca mali*. D.B. 805, p. 2. 1919.
mollipes. See Leafhopper, grain, sharpheaded.
rosae, identity with *Empoa rosae*. D.B. 805, p. 21. 1919.
sp. See Leafhopper, cane.
Texas—
Agricultural—
and Mechanical College, teachers' courses. O.E.S. Cir. 118, p. 24. 1913.
college and experiment Station, organization—
1905. O.E.S. Bul. 161, pp. 63-65. 1905.
1907. O.E.S. Bul. 176, pp. 72-74. 1907.
1908. O.E.S. Bul. 197, pp. 77-79. 1908.
1910. O.E.S. Bul. 224, pp. 66-67. 1910.
1912. O.E.S. Bul. 247, pp. 66-68. 1912.
See also Agriculture, workers, list.
division, soil productions. Y.B., 1905, pp. 213-217. 1906; Y.B. Sep. 377, pp. 213-217. 1906.
education extension, 1906. O.E.S. Bul. 196, p. 34. 1907.
extension work, statistics. D.C. 253, pp. 6, 9, 12-13, 17, 18. 1923.
organizations, directory. Farm M. [Misc.], "Directory * * * agriculture * * *," pp. 52-53. 1920.
schools, progress. O.E.S. An. Rpt., 1911, pp. 332-334. 1912.
secondary schools. O.E.S. An. Rpt., 1909, p. 318. 1910.
alkali land reclamation, attempts and results. O.E.S. Cir. 103, pp. 29-32. 1911.
almond. See Almond, wild, Texas.
Amarillo experiment farm—
report. An. Rpts., 1908, p. 329. 1909; B.P.I. Chief Rpt., 1908, p. 57. 1908.
See also Texas, field stations.
Amarillo field station—
and Dalhart, crop rotation experiments, notes. B.P.I. Bul. 187, pp. 1-78. 1910.
description, location, climate, and soil. D.B. 976, pp. 2-11. 1922.
grain sorghums—
cultural experiments. D.B. 976, pp. 1-43. 1922.
experiments. An. Rpts., 1912, p. 427. 1913; B.P.I. Chief Rpt., 1912, p. 47. 1912.
oats, corn, and barley growing, cost and yields. D.B. 218, pp. 36-37, 39, 40. 1915; D.B. 219, pp. 25-26. 1915; D.B. 222, pp. 27-28, 29-31. 1915.
sorghums, growing and yield. D.B. 698, pp. 1-91. 1918.
work on sorghum head smut. J.A.R., vol. 2, pp. 339-372. 1914.
antelope in, number and distribution. D.B. 1346, pp. 52-55. 1925.
ants, two destructive. W. D. Hunter. Ent. Cir. 148, pp. 7. 1912.
apple growing, areas and varieties. D.B. 485, pp. 30-31, 44-47. 1917.
appropriations for experiment station work and substations. O.E.S. An. Rpt., 1911, pp. 57, 59, 204. 1912.
area, population, climate, natural resources, wealth, and crops. O.E.S. Bul. 222, pp. 7-13, 29, 34-35. 1910.
areas infested with pink bollworm, quarantine regulations. F.H.B.S.R.A. 75, pp. 60-61, 62-64. 1923.
army worm outbreak. News L., vol. 6, No. 44, pp. 1, 15. 1919.
association of truck growers. Rpt. 98, p. 252. 1913.

Texas—Continued.
Atascosa County. *See* Texas, southwest.
badger, occurrence, habits, and food. N.A. Fauna 25, pp. 184-186. 1905.
Bandera County. *See also* Texas, south-central.
barley crops, 1866-1906, acreage, production, and value. Stat. bul. 59, pp. 7-26, 33. 1907.
bean-growing experiments. D.B. 119, pp. 13, 21, 29. 1914.
bean ladybird, occurrence. D.B. 843, pp. 5, 11, 12. 1920.
bears, occurrence, habits, and food. N.A. Fauna 25, pp. 186-192. 1905.
Beaumont, rice farm experiments. An. Rpts., 1913, p. 119. 1914; B.P.I. Chief Rpt., 1913, p. 15. 1913.
beavers, description, occurrence, habits, and value. N.A. Fauna 25, pp. 122-127. 1905.
bee(s)—
  an honey statistics—
    1914-1915. D.B. 325, pp. 2, 3, 5, 6, 9, 10, 11, 12. 1915.
    1918. D.B. 685, pp. 7, 10, 13, 15, 16, 18, 19, 22, 24, 26, 29, 31. 1918.
  disease, occurrence. Ent. Cir. 138, p. 21. 1911.
  keeping industry, number of farms, colonies, and products. Ent. Bul. 75, Pt. VI, p. 63. 1909.
beet-sugar industry, prospects, 1909. Rpt. 90, pp. 67-69. 1909.
Bermuda onion growing, acreage and conditions. B.P.I.C.P. and B.I. Cir. 3, pp. 1-2. 1917.
Bexar County—
  survey and tillage records for cotton. D.B. 511, pp. 59-61. 1917.
  See also Texas, southwest.
biological survey. Vernon Bailey. N.A. Fauna 25, pp. 222. 1905.
bird(s)—
  eating boll weevils, investigations, 1906, 1907. Biol. Bul. 29, pp. 23-26, 26-29. 1907.
  life observations, summer of 1905. Biol. Bul. 25, pp. 16-21. 1906.
  lists, different life zones. N.A. Fauna 25, pp. 21, 27, 34, 37. 1905.
  protection. *See* Bird protection.
  reports from observers 1916 and 1914-1920. D.B. 1165, pp. 12, 19-21. 1923.
black lands, cropping systems, suggestions. B. Youngblood. B.P.I. Cir. 84, pp. 21. 1911.
Black Prairie, farm ownership and tenancy. J. T. Sanders. D.B. 1068, pp. 1-4. 1922.
bluegrass, crossing with Kentucky bluegrass. Y.B., 1907, pp. 145-146. 1908; Y.B Sep. 441, pp. 145-146. 1908.
boll weevil—
  control—
    experimental work. F.B. 344, p. 9-10. 1909.
    on cotton planted at different dates, and in South Carolina. W. W. Ballard and D. M. Simpson. D.B. 1320, pp. 29. 1925.
    study, and statistics, 1906-1909. Ent. Bul. 100, pp. 20-38. 1912.
    work, State and Federal. F.B. 512, pp. 9, 10, 19, 20. 1912.
  cotton in. O. F. Cook. D.B. 1153, pp. 20. 1923.
  dispersion line, 1922. D.C. 266, pp. 2, 3. 1923.
  feeding experiments with different plants. J.A.R., vol. 2, pp. 235-240, 242-244. 1914.
  hibernation experiments. Ent. Bul. 77, pp. 33-38, 49-67. 1909.
  hibernation studies. Ent. Bul. 63, pp. 1-38. 1909.
  infested territory, 1912. Ent. Cir. 167, pp. 1, 3. 1913.
  invasion, and damages. Y.B., 1917, p. 329. 1918; Y.B. Sep. 749, p. 5. 1918.
  territory affected. F.B. 216, pp. 10-12. 1905.
bollworm—
  control appropriations, studies and control. F.H.B.S.R.A. 48, pp. 1-2. 1918.
  investigations. F.B. 290, pp. 20, 23-29. 1907.
  pink, quarantine and control. F.H.B.S.R.A. 71, pp. 97-99, 116, 117-118. 1922.
  quarantine proclamations by governors, and letters by Agriculture Secretary. F.H.B.S R.A. 49, pp. 11-16. 1918.
  status. F.H.B.S.R.A. 56, pp. 87-88. 1918.

Texas—Continued.
border quarantine—
  service. An. Rpts., 1919, pp. 511-512, 531. 1920; F.H.B. An. Rpt., 1919, pp. 7-8, 27. 1919.
  service, disinfection of cars. An. Rpts., 1918, pp. 27-28. 1919; Sec. A.R., 1918, pp. 27-28. 1918.
  work of Horticultural Board. F.H.B. An. Rpt., 1920, pp. 8-11. 1920.
bounty laws, 1907. Y.B., 1907, p. 564. 1908; Y.B. Sep. 473, p. 564. 1908.
boys'—
  and girls' agricultural clubs, work. F.B. 385, p. 10. 1910.
  dairy club. News L., vol. 6, No. 44, p. 10. 1919.
  pig club work. Y.B., 1915, pp. 179, 187. 1916; Y.B. Sep. 667, pp. 179, 187. 1916.
Brahman cattle, breeds, location, and type of range used. F.B. 1361, pp. 4-15. 1923.
Brazos County, work for. Off. Rec., vol. 2, No. 30, p. 6. 1923.
broomcorn—
  acreage and production. F.B. 958, pp. 4, 5, 19. 1918.
  marketing. D.B. 1019, pp. 15, 16, 30-31. 1922.
Brownsville—
  cactus growing. D.B. 31, pp. 1-24. 1913; F.B. 1072, p. 18. 1920.
  garden work—
    1908. An. Rpts., 1908, pp. 403-405. 1909; B.P.I. Chief Rpt., 1908, pp. 131-133. 1908.
    1909. An. Rpts., 1909, p. 85. 1910; B.P.I. Doc. 457, pp. 2-3. 1909; Rpt. 91, p. 60. 1909; Sec. A.R., 1909, p. 85. 1909; Y.B., 1909, p. 85. 1910.
    1910. An. Rpts., 1910, p. 356. 1911; B.P.I. Chief Rpt., 1910, p. 86. 1910.
Burnet County. *See* Texas, south central.
business men, aid in harvesting potatoes. News L., vol. 5, No. 46, p. 8. 1918.
butter analyses. B.A.I. Bul. 149, p. 16. 1912.
cabbage flea-beetle, occurrence and injuries to crops. D.B. 902, pp. 4, 5, 6, 7. 1920.
cabbage production, acreage, yield, and shipments. D.B. 1242, pp. 4, 7, 12-30, 36, 47, 49-52. 1924.
Cameron County. *See* Texas, south.
campaign against scrub sires. News L., vol. 7, No. 17, p. 7. 1919.
Camp Travis, meat furnished, meat inspection free from blame. B.A.I.S.R.A. 135, p. 55. 1918.
camphor-growing experiments. An. Rpts., 1908, p. 303. 1909; B.P.I. Chief Rpt., 1908, p. 31. 1908.
canals, concrete-lined, construction, cost. D.B. 126, pp. 79-80, 84. 1915.
cane sirup manufacture, increase. Off. Rec., vol. 1, No. 40, p. 2. 1922.
cantaloupe—
  new type. Off. Rec., vol. 3, No. 23, p. 3. 1924.
  shipments, 1914. D.B. 315, pp. 17, 19. 1915.
castor bean, gray mold outbreak. J.A.R., vol. 23, pp. 681, 682. 1923.
cattle—
  dipping, records for July and August. Off. Rec. vol. 1, No. 38, p. 3. 1922.
  industry, historical notes. Y.B., 1921, p. 233. 1922; Y.B. Sep. 874, p. 233. 1922.
  origin and ancestry. B.A.I. An. Rpt., 1910, p. 227. 1912.
  purchase for feed utilization. News L., vol. 7, No. 18, p. 5. 1919.
  purebred, number by breeds. F.B. 1395, p. 39. 1925.
  quarantine changes. B.A.I.O. 285, amdt. 1, p. 1. 1924.
  scabies, quarantine area—
    establishment. B.A.I.O. 197, rule 2, rev., pp. 1, 2. 1913.
    release. B.A.I.O. 167, amdt. 4, p. 2. 1912; B.A.I.O. 167, amdt. 5, p 1. 1913; B.A.I.O. 197, amdt. 1, rule 2, rev. 4, p. 1. 1913; B.A.I.O. 213, amdt. 2, p. 1. 1915; B.A.I.O. 258, p. 1. 1918.

Texas—Continued.
cattle—continued.
tick—
conditions, 1911. An. Rpts., 1910, p. 257. 1912; B.A.I. Cir. 187, p. 257. 1912.
eradication. News L., vol. 6, No. 48, p. 3. 1919; Off. Rec., vol. 2, No. 16, p. 2. 1923.
eradication, effect. B.A.I. [Misc.], "Cattle-tick eradication," pp. 11–12. 1914.
eradication laws. D.C. 184, pp. 54–68. 1921.
eradication work, 1906. B.A.I. An. Rpt., 1906, p. 109. 1908.
life history and habits, investigation. Rpt. 83, pp. 67–68. 1906.
cement factories, potash content and loss. D.B. 572, p. 6. 1917.
central, range improvement, experiments. H. L. Bentley. B.P.I. Bul. 13, pp. 72. 1902.
chicken tick distribution, and control measures. Ent. Cir. 170, pp. 2, 3, 12, 14. 1913.
cities, dairy products, consumption and prices, 1905–6. B.A.I. An. Rpt., 1907, pp. 315–317. 1909; F.B. 349, pp. 14–16. 1909.
citrus—
fruit growing, conditions. F.B. 1122, pp. 6, 13. 1920.
fruits, varieties, adaptability. F.B. 538, p. 15. 1913.
industry, development. F.B. 1343, pp. 3–4, 10. 1923.
climate in Great Plains area. D.B. 242, pp. 3–5. 1915.
climate, soils and native vegetation, notes. D.B. 1260, pp. 4–9. 1924.
climatic conditions at San Antonio experiment farm, 1907–1912. B.P.I. Cir. 120, pp. 8–10. 1913.
closed season for shorebirds and woodcock. Y.B., 1914, p. 293. 1915; Y.B. Sep. 642, p. 293. 1915.
coast, fauna. N.A. Fauna 25, p. 20. 1905.
coastal area irrigation projects, details. O.E.S. Bul. 222, pp. 49–59. 1910.
Comal County. See Texas, south-central.
compensation claims for noncotton zones. F.H.B.S.R.A. 74, p. 4. 1923.
convict road work, laws. D.B. 414, pp. 213–214. 1916.
cooperative—
associations, statistics and details. D.B. 547, pp. 13, 23, 32, 34, 39. 1917.
marketing and purchasing work, 1918. S.R.S. Rpt., 1918, pp. 42–43. 1919.
corn—
acreage and yield. [Misc.]. Atl. Am. Agr. Adv. Sh. 4, Pt. V, p. 32. 1918.
breeding, tests. B.P.I. Bul. 218, pp. 30–42, 65, 66. 1912.
club and garden club labor records, specimen. D.B. 385, p. 27. 1916.
crops, 1866–1906, acreage, production, and value. Stat. Bul. 56, pp. 7–27, 34. 1907.
growing, practices, and farm conditions in Rockwell and Grayson Counties. D.B. 320, pp. 43–45. 1916.
production, movements, consumption, and prices. D.B. 696, pp. 15, 16, 20, 28, 29, 33, 36, 38, 41. 1918.
seed testing for new-place effects, experiments. J.A.R., vol. 12, pp. 232–239. 1918.
varieties for distribution in. Ernest B. Brown. B.P.I. [Misc.], "Corn varieties * * *" pp. 12. 1914.
variety tests, 1909. An. Rpts., 1909, p. 300. 1910; B.P.I. Chief Rpt., 1909, p. 48. 1909.
yields and prices, 1866–1915. D.B. 515, p. 12. 1917.
cotton—
boll weevil—
control by various factors, tables and notes. Ent. Bul. 75, pp. 13, 27–63, 75. 1907.
status, 1909, history, and control. Ent. Cir. 122, pp. 1–12. 1910.
breeding work, 1909, new varieties. An. Rpts., 1909, pp. 305–306. 1910; B.P.I. Chief Rpt., 1909, pp. 53–54. 1909.
compensation claims. F.H.B.S.R.A. 74, p. 4. 1923.

Texas—Continued.
cotton—continued.
crop, movement, 1899–1904. Stat. Bul. 34, pp. 30–32, 55–57. 1904.
distribution and description. F.B. 591, p. 16. 1914.
fields, cleaning of pink bollworm, report. F.H.B.S.R.A. 78, pp. 3–8. 1924.
free zone establishment to control pink bollworm. Y.B., 1917, pp. 58–59, 71. 1918.
growers, cooperation for pink bollworm extermination. News L., vol. 5, No. 46, p. 14. 1918.
growing—
costs in representative district. D.B. 896, pp. 1–7, 10–15, 19–44, 58–59. 1920.
development, practices, planting and picking dates. Y.B. 1921, pp. 331–334, 342, 347. 1922; Y.B. Sep. 877, pp. 331–334, 342, 347. 1922.
one-variety communities. D.B. 1111, pp. 24, 34, 35, 43, 44, 45–46. 1922.
success with Mexican varieties. F.B. 501, rev., pp. 17–18. 1920.
growth of fruiting parts under drought conditions J.A.R., vol. 25, No. 4, pp. 195, 196, 197, 198, 201–204. 1923.
injury by pink bollworm, and prevention methods. An. Rpts., 1917, pp. 40–43. 1917; Sec. A.R., 1917, pp. 42–45. 1917.
insects, miscellaneous—
E. Dwight Sanderson. F.B. 223, pp. 24. 1905.
report. E. Dwight Sanderson. Ent. Bul. 57, pp. 63. 1906.
planting in quarantined areas. F.H.B.S.R.A. 57, p. 100. 1919.
prices, variations and comparisons. D.B. 457, pp. 3, 4, 7, 9, 11, 12. 1916.
production—
1916 and 1917. D.B. 733, pp. 5, 7–8. 1918.
and yield. D.B. 896, pp. 3–4. 1920.
dry weather as important factor. B.P.I. Bul. 220, pp. 1–30. 1911.
under boll weevil condition, reports from farmers. B.P.I. Doc. 619, p. 7. 1911.
root-rot, control. C. L. Shear and George F. Miles. B.P.I.Bul. 102, Pt. V, pp. 8. 1907.
shipments. Stat. Bul. 38, pp. 11–14. 1905.
warehouses, number and capacity. D.B. 216, pp. 10, 14, 16, 17. 1915.
Cotton Belt farm, labor distribution, seasonal Y.B., 1917, p. 546. 1918; Y.B. Sep. 758, p. 12. 1918.
county(ies)—
funds for tick work. News L., vol. 6, No. 44, p. 13. 1919.
organization, and expenditures for extension work, 1918. S.R.S. Rpt., 1918, pp. 33, 129–158. 1919.
released from quarantine of cattle scabies. B.A.I.O. 197, amdt. 3, pp. 2. 1914.
Craven County, Texas fever, quarantine. B.A.I.O. 262, amdt. 2, p. 1. 1919.
credits, farm-mortgage loans, costs and sources. D.B. 384, pp. 2, 3, 6, 8, 10. 1916.
Crockett County. See Texas, south central.
cropping systems suggested for black lands. B. Youngblood. B.P.I.Cir. 84, pp. 21. 1911.
crops—
acreage and production, 1909–1919. D.C. 85, pp. 14–19. 1920.
planting and harvesting dates, important crops. Stat. Bul. 85, pp. 27, 37, 45, 49, 61, 66, 81, 98. 1912.
yields under rotation and tillage experiments. B.P.I. Cir. 120, pp. 10–13. 1913.
Crowley silt loam, use for rice growing. Soils Cir. 54, pp. 3, 5, 6, 7. 1912.
Cuban seed tobacco, experiments in growing. George T. McNess and Walter M. Hinson. Soils Bul. 27, pp. 44. 1905.
Dalhart Experiment Station—
Off. Rec., vol. 3, No. 22, p. 2. 1924.
See also Texas, field stations.
Dallas, experiments with soil containing boron. J.A.R., vol. 5, No. 19, pp. 884, 886. 1916.
Dallas County, road bond, vote. News L., vol. 6, No. 51, p. 8. 1919.
date—
garden, work. An. Rpts., 1908, p. 297. 1909; B.P.I. Chief Rpt., 1908, p. 25. 1908.

INDEX TO PUBLICATIONS, 1901–1925

Texas—Continued.
  date—continued.
    growing possibilities. B.P.I. Bul. 53, p. 134. 1904.
    growing, progress. An. Rpts., 1912, p. 402. 1913; B.P.I. Chief Rpt., 1912, p. 22. 1912.
    production. Off. Rec., vol. 2, No. 26, p. 6. 1923.
  Del Rio, cotton-breeding experiments. B.P.I. Bul. 147, pp. 18, 20–23. 1909.
  demonstration work, cooperative, organization, results. F.B. 319, pp. 5–6, 17–21. 1908.
  demurrage provisions, regulations. D.B. 191, pp. 3, 12, 13, 14, 15, 16, 17, 27. 1915.
  Denison, dairy demonstration farm—
    1912. An. Rpts., 1912, p. 328. 1913; B.A.I. Chief Rpt., 1912, p. 32. 1912.
    1915. An. Rpts., 1915, p. 77. 1916; B.A.I. Chief Rpt., 1915, p. 1. 1915.
    1916. An. Rpts., 1916, p. 91. 1917 B.A.I. Chief Rpt., 1916, p. 25. 1916.
    1918. An. Rpts., 1918, p. 89. 1919; B.A.I. Chief Rpt., 1918, p. 19. 1918.
    1919. An. Rpts., 1919, p. 93. 1920; B.A.I. Chief Rpt., 1919, p. 21. 1919.
  Denton College of Industrial Arts, for women. O.E.S. Cir. 106, p. 24. 1911.
  dewberry growing, varieties. F.B. 728, pp. 2, 11, 12, 15, 16. 1916.
  drainage—
    problem, importance. O.E.S. Bul. 222, p. 90. 1910.
    Congress, organization. Off. Rec., vol. 1, No. 7, p. 8. 1922.
    surveys, 1911, location and kind of land. An. Rpts., 1911, pp. 708, 709, 710. 1912; O.E.S. Chief Rpt., 1911, pp. 26, 27, 28. 1911.
    surveys, 1912, and construction. An. Rpts., 1912, pp. 842, 843. 1913; O.E.S. Chief Rpt., 1912, pp. 28, 29. 1912.
    work, details of machinery and cost. D.B. 300, p. 23. 1916.
  drought, relief by county agents. S.R.S. Rpt., 1917, Pt. II, p. 27. 1919.
  drug laws. Chem. Bul. 98, rev., Pt. I, pp. 295–302. 1909.
  dry-land olive culture, areas adapted. B.P.I. Bul. 192, pp. 34, 35, 42. 1911.
  duck poisoning investigations. D.B. 793, p. 2. 1919.
  Duval County. See Texas, south.
  early potatoes, shipping distribution. F.B. 1316, pp. 27–28. 1923.
  early settlement, historical notes. See Soil surveys for various counties and areas.
  eastern—
    decrease in cotton production since 1899, causes. Ent. Cir. 122, pp. 6, 7, 8. 1910.
    loblolly pine in, with special reference to production of crossties. Raphael Zon. For. Bul. 64, p. 53. 1905.
    production of cigar-leaf tobacco, opportunities. Soils Cir. 14, pp.1–4. 1904.
  Edwards County. See Texas, south-central.
  Edwards Plateau, timber of, relation to climate, water supply, and soil. William L. Bray. For. Bul. 49, pp. 30. 1904.
  egg demonstration car, work and itinerary, 1914. Y.B., 1914, pp. 364, 365, 378, 379. 1915; Y.B. Sep. 647, pp. 364, 365, 378, 379. 1915.
  Ellis County—
    cotton farms, management study. Rex E. Willard. D.B. 659, pp. 54. 1918.
    cotton growing, notes and tables. D.B. 896, pp. 1–44, 58. 1920.
    survey and tillage records for cotton. D.B. 511, pp. 43–44. 1917.
  emmer and spelt growing, experiments. D.B. 1197, pp. 20, 31–32. 1924.
  emmer growing and yields. F.B. 466, pp. 10, 11. 1911.
  evaporation, comparison with rainfall, March 1 to September 30, 1909. B.P.I. Bul. 283, p. 20. 1913.
  Experiment Station, work and expenditures—
    1906. J. W. Carson. O.E.S. An. Rpt., 1906, pp. 158–159. 1907.
    1907. H. H. Harrington. O.E.S. An. Rpt., 1907, pp. 171–174. 1908.

Texas—Continued.
  Experiment Station—Continued.
    1908. H. H. Harrington. O.E.S. An. Rpt., 1908, pp. 172–175. 1909.
    1909. H. H. Harrington. O.E.S. An. Rpt., 1909, pp. 187–189. 1910.
    1910. H. H. Harrington. O.E.S. An. Rpt., 1910, pp. 242–245. 1911.
    1911. B. Youngblood. O.E.S. An. Rpt., 1911, pp. 203–206. 1912.
    1912. B. Youngblood. O.E.S. An. Rpt., 1912, pp. 208–210. 1913.
    1913. B. Youngblood. O.E.S. An. Rpt., 1913, p. 81. 1915.
    1914. B. Youngblood. O.E.S. An. Rpt., 1914, pp. 220–223. 1915.
    1915. B. Youngblood. S.R.S.Rpt. 1915, Pt. I, pp. 250–254. 1916.
    1916. B. Youngblood. S.R.S. Rpt., 1916, Pt. I, pp. 257–260. 1918.
    1917. B. Youngblood. S.R.S. Rpt., 1917, Pt. I, pp. 251–255. 1918.
    1918. S.R.S. Rpt., 1918, pp. 35, 41, 50, 61, 65, 71–80. 1920.
  experimental farms, location, description, and scope of experiments. B.P.I. Bul. 283, pp. 36–41. 1913.
  experiments—
    cotton diversity in two localities. B.P.I. Bul. 159, pp. 16–19. 1909.
    in growing Cuban seed tobacco in. George T. McNess and Walter M. Hinson. Soils Bul. 27, pp. 44. 1905.
    with kelep, colonies. Ent. T.B. 10, pp. 11, 22, 42, 50–51. 1905.
  extension work—
    funds allotment, and county-agent work. S.R.S. Doc. 40, pp. 4, 7, 11, 18, 23, 25, 28. 1918.
    in agriculture and home economics—
      1915. Clarence Ousley. S.R.S. An. Rpt., 1915, Pt. II, pp. 120–128. 1916.
      1916. Clarence Ousley. S.R.S. Rpt., 1916, Pt. II, pp. 130–137. 1917.
      1917. T. O. Walton. S.R.S. Rpt., 1917, Pt. II, pp. 135–145. 1919.
    statistics. D.C. 306, pp. 4, 7, 11, 16, 20, 21. 1924.
  fairs, number, kind, location, and dates. Stat. Bul. 102, pp. 13, 14, 62–63. 1913.
  fallow land at San Antonio, crop production, experiments. D.B. 151, pp. 1–10. 1914.
  farm—
    demonstration work, results. B.P.I. Cir. 21, pp. 17–18. 1908.
    family, food, fuel, and housing, value, details. D.B. 410, pp. 7–35. 1916.
    labor organization in Palo Pinto County, methods and results. News L., vol. 5, No. 37, p. 7. 1918.
    labor requirements and cost. F.B. 1121, pp. 22–23. 1920.
    lands in Ellis County, value, 1890–1900. Soil Sur. Adv. Sh., 1910, pp. 9–10. 1911; Soils F.O., 1910, pp. 935–936. 1912.
    leases, provisions, notes. D.B. 650, pp. 5, 6, 7. 1918.
    products, acreage and value. Crop Est. [Misc.], "Crop estimates, 1910–1919," pp. 97–100. 1914.
    testing for efficiency. Farm M. Cir. 3, pp. 4–5. 1919.
    value, income, and tenancy classification. D.B. 1224, pp. 120–124. 1924.
    values, changes, 1900–1905. George K. Holmes. Stat. Bul. 43, pp. 11–17, 29–46. 1906.
  farmers' cooperative demonstration work, letters reporting. F.B. 319, pp. 18–21. 1908.
  farmers' living, cost. F.B. 635, pp. 1–21. 1914.
  farmers' institutes—
    control and appropriations. O.E.S. Bul. 135, rev., pp. 30–31. 1905.
    history. O.E.S. Bul. 174, p. 83. 1906.
    legislation. O.E.S. Bul. 241, p. 38. 1911.
    report—
      1904. O.E.S. An. Rpt., 1904, pp. 666–667. 1905.
      1906. O.E.S. An. Rpt., 1906, p. 345. 1907.
      1907. O.E.S. An. Rpt., 1907, p. 346. 1908.
      1908. O.E.S. An. Rpt., 1908, p. 327. 1909.
      1909. O.E.S. An. Rpt., 1909, p. 353. 1910.

Texas—Continued.
  farmers' institutes—continued.
    report—continued.
      1910. O.E.S. An. Rpt., 1910, p. 414. 1911.
      1911. O.E.S. An. Rpt., 1911, p. 379. 1912.
      1912. O.E.S. An. Rpt., 1912, p. 373. 1913.
  farming—
    diversification. C. W. Warburton. Y.B., 1905, pp. 212-218. 1906; Y.B. Sep. 377, pp. 27. 1906.
    status in lower Rio Grande irrigated district. Rex E. Willard. D.B. 665, pp. 24. 1918.
    status under irrigation in lower Rio Grande district. Rex E. Willard. D.B. 665, pp. 24. 1918.
  fauna and flora, in relation to life zones. N.A. Fauna 25, pp. 11-14. 1905.
  ferrets and weasels, occurrence, description. N.A. Fauna 25, pp. 197-198. 1905.
  fertilizer prices, 1919, by counties. D.C. 57, pp. 4, 7, 11. 1919.
  feterita and milo growing and yields, comparison. B.P.I. Cir. 122, pp. 29-31. 1913.
  field—
    crops association, corn variety test, 1919. D.C. 209, pp. 23-24. 1922.
    stations—
      barley growing, methods, cost, and yields. D.B. 222, pp. 26-28, 29-31. 1915.
      corn growing, methods, cost, and yields. D.B. 219, pp. 25-26, 27-31. 1915.
      corn, milo, and kafir growing, cost and yield. D.B. 242, pp. 8, 10-11, 13-15, 17-18, 19. 1915.
      oat growing, cost and yield. D.B. 218, pp. 36-37, 39, 40. 1915.
      subsoiling experiments. J.A.R., vol. 14, p. 499. 1918.
      wheat growing, methods, yields, and cost. D.B. 595, pp. 25-28, 33. 1917.
    work of Plant Industry Bureau, December, 1924. M.C. 30, pp. 48-50. 1925.
  fig growing, and utilization. F.B. 1031, pp. 3, 4, 5, 7, 8, 13, 15, 17, 21-25, 39-41. 1919.
  food—
    and drug officials. Chem. S.R.A. 13, p. 8. 1915.
    imports from other States. Y.B., 1914, p. 18. 1915.
    laws—
      1904. Chem. Cir. 16, pp. 18, 23, 29. 1904.
      1905. Chem. Bul. 69, rev., Pt. VII, pp. 606-609. 1906.
      1906. Chem. Bul. 69, Pt. VII, pp. 606-609. 1906.
      1907. Chem. Bul. 112, Pt. II, pp. 88-103. 1908.
      1908, and officials. Chem. Cir. 16, rev., pp. 22, 35. 1908.
  foot-and-mouth disease—
    control. Off. Rec., vol. 3, No. 43, p. 3. 1924.
    outbreak. Off. Rec., vol. 3, No. 42, p. 1. 1924; Off. Rec., vol. 4, No. 4, p. 2. 1925; Off. Rec., vol. 4, No. 33, p. 2. 1925.
    spread. B.A.I.S.R.A. 209, p. 102. 1924.
  forest—
    fires, statistics. For. Bul. 117, p. 35. 1912.
    resources. William L. Bray. For. Bul. 47, pp. 71. 1904.
  forestry laws. For. Law Leaf. 6, pp. 3. 1915; For. Misc. S-7, pp. 3. 1915.
  Fort Worth—
    exposition, cattle quarantine release. B.A.I.O. 261, amdt. 2, p. 1. 1919.
    livestock show, cattle regulations. B.A.I.O. 168, amdt. 3, pp. 2. 1911.
    market for spot cotton. Sec. Cir. 46, amdt. 7, p. 1. 1915.
    National Feeders' and Breeders' Show, animal quarantine. B.A.I.O. 183, amdt. 1, p. 1. 1912.
    tests of soft or oily pork, results. D.B. 1086, pp. 3-40. 1922.
  fowl ticks, distribution. F.B. 1070, pp. 3, 4. 1919.
  Frio County. See Texas, southwest.
  fruit—
    growing and variety testing, San Antonio experiment farm. D.C. 73, pp. 29-32. 1920.

Texas—Continued.
  fruit—continued.
    growing, experimental work, San Antonio experiment farm, 1912. B.P.I. Cir. 120, pp. 14-16. 1913; B.P.I. Cir. 120 B, pp. 14-16. 1913.
    smuggling, detection. Off. Rec. vol. 1, No. 26, pp. 1, 3. 1922.
  funds for cooperative extension work, sources. S.R.S. Doc. 40, pp. 4, 6, 11, 18. 1917.
  fur animals, laws—
    1915. F.B. 706, p. 17. 1916.
    1916. F.B. 783, pp. 18, 27. 1916.
    1917. F.B. 911, pp. 22, 30. 1917.
    1918. F.B. 1022, pp. 22, 30. 1918.
    1919. F.B. 1079, p. 23. 1919.
    1920. F.B. 1165, p. 23. 1920.
    1921. F.B. 1238, p. 21. 1921.
    1922. F.B. 1293, p. 19. 1922.
    1923-24. F.B. 1387, p. 22. 1923.
    1924-25. F.B. 1445, p. 16. 1924.
    1925-26. F.B. 1469, p. 20. 1925.
  game laws—
    1902. F.B. 160, pp. 22, 34, 42, 52, 54. 1902.
    1903. F.B. 180, pp. 15, 25, 34, 44, 46, 55. 1903.
    1904. F.B. 207, pp. 24, 36, 40, 44, 62. 1904.
    1905. F.B. 230, pp. 12, 23, 33, 39, 46. 1905.
    1906. F.B. 265, pp. 8, 21, 31, 38, 46. 1906.
    1907. F.B. 308, pp. 4, 8, 20, 30, 37-39, 46. 1907.
    1908. F.B. 336, pp. 22, 34, 41, 45, 53. 1908.
    1909. F.B. 376, pp. 6, 14, 17, 27, 35, 40, 43, 50. 1909.
    1910. F.B. 418, pp. 20, 29, 33, 37, 44. 1910.
    1911. F.B. 470, pp. 13, 25, 34, 39, 42, 50. 1911.
    1912. F.B. 510, pp. 10, 20, 25-26, 30, 32, 35, 38, 46. 1912.
    1913. D.B. 22, pp. 20, 32, 41, 46, 49, 57. 1913; rev., pp. 20, 21, 32, 41, 46, 49, 57. 1913.
    1914. F.B. 628, pp. 10, 11, 12, 13, 23, 28-29, 33, 36, 38, 42, 43, 52. 1914.
    1915. F.B. 692, pp. 4, 16, 33, 43, 48, 53, 60. 1915.
    1916. F.B. 774, pp. 31, 41, 47, 52, 60. 1916.
    1917. F.B. 910, pp. 35, 53. 1917.
    1918. F.B. 1010, p. 32. 1918.
    1919. F.B. 1077, pp. 36, 59. 1919.
    1920. F.B. 1138, pp. 38-39. 1920.
    1921. F.B. 1235, pp. 40. 1921.
    1922. F.B. 1288, p. 37. 1922.
    1923-24. F.B. 1375, p. 36. 1923.
    1924-25. F.B. 1444, pp. 26, 38. 1924.
    1925-26. F.B. 1466, pp. 32-33, 45. 1925.
  game protection. See Game protection.
  Gillespie County. See Texas, south-central.
  goat-grazing section of United States. F.B. 1203, p. 4. 1921.
  goats, numbers, map. Atl. Am. Agr., Adv. Sh., Pt. V, p. 143. 1918.
  grain sorghum, acreage and value. F.B. 686, pp. 11, 15. 1915.
  grain supervision districts, counties. Mkts. S.R.A. 14, pp. 27, 28-29, 30, 31, 33. 1916.
  grazing lands, lease laws. For. Bul. 62, pp. 41-50. 1905.
  green bug outbreaks in 1921. D.B. 1103, pp. 15, 16. 1922.
  harvest labor distribution, 1921, and wages. D.B. 1230, pp. 31, 37. 1924.
  hay crops, 1866-1906, acreage, production, and value. Stat. Bul. 63, pp. 5-25, 32. 1908.
  haymaking methods and cost. D.B. 578, p. 43. 1918.
  Hays County. See Texas, south-central.
  herds once-tested, list No. 3, supplement 1. D.C. 143, pp. 48, 90-91. 1920.
  herds once-tested, list No. 3, supplement 2. D.C. 144, p. 15. 1920.
  Hidalgo County. See Texas, south.
  high schools, agricultural teaching, 1910. O.E.S. An. Rpt., 1910, p. 372. 1911.
  hog(s)—
    raising, profits from one sow pig. News L., vol. 6, No. 30, p. 12. 1919.
    shipping, improved. News L., vol. 7, No. 10, p. 16. 1919.
    tuberculosis, rarity. B.A.I. An. Rpt., 1907, p. 217. 1909; B.A.I. Cir. 144, p. 217. 1909.
  Hondo-Uvalde section. See Texas, southwest.

INDEX TO PUBLICATIONS, 1901–1925   2381

Texas—Continued.
Houston black clay, areas, location, and uses. Soils Cir. 50, pp. 3, 4, 5, 7, 12, 14. 1911.
Houston clay, areas, location, description, and uses. Soils Cir. 49, pp. 3, 5, 9, 10, 11. 1911.
Houston County, survey and tillage records for cotton. D.B. 511, pp. 55–56. 1917.
hunting foxes and bears. N.A. Fauna 25, pp. 180–181, 190–192. 1905.
insect investigations work, 1909. An. Rpts., 1909, p. 515. 1910; Ent. A.R., 1909, p. 29. 1909.
insects, 1905, notes. Ent. Bul. 60, pp. 67–69. 1906.
interest rates on loans to farmers. Y.B., 1921, pp. 368, 778. 1922; Y.B. Sep. 877, p. 368. 1922; Y.B. Sep. 871, p. 9. 1922.
irrigated lands, drainage investigations, 1910. O.E.S. An. Rpt., 1910, p. 51. 1911.
irrigation—
J. C. Nagle. O.E.S. Bul. 222, pp. 92. 1910.
districts, and their statutory relations, notes. D.B. 1177, pp. 4, 5, 12, 13, 16, 18, 26, 27, 52. 1923.
enterprises, details. O.E.S. Bul. 222, pp. 36–76. 1910.
experiments, 1910. O.E.S. An. Rpt., 1910, p. 42. 1911.
future development. O.E.S. Bul. 222, pp. 88–92. 1910.
history of development. O.E.S. Bul. 222, pp. 32–35. 1910.
investigations, 1912. O.E.S. An. Rpt., 1912, p. 27. 1913.
of rice. O.E.S. Bul. 113, p. 11. 1902.
pumping plants. C. E. Tait. O.E.S. Bul. 158, pp. 341–346. 1905.
recent legislation. O.E.S. An. Rpt., 1909, pp. 413, 414. 1910.
work. An. Rpts., 1923, p. 485. 1923; Rds. Chief Rpt., 1923, p. 23. 1923.
Jefferson County—
description, topography, watercourses, soils, and drainage needs. D.B. 193, pp. 1–7. 1915.
drainage. H. A. Kipp and others. D.B. 193, pp. 40. 1915.
kaoliang varieties, testing. B.P.I. Bul. 253, pp. 33–45, 57–59. 1913.
Karakul sheep importations and breeding. Y.B., 1915, pp. 249, 250, 256–261. 1916; Y.B. Sep. 673, pp. 249, 250, 256–261. 1916.
Kendall County. See Texas, south-central.
Kerr County. See Texas, south-central.
Kimble County. See Texas, south-central.
Kinney. See Texas, southwest.
laboratories for insects study. Off. Rec., vol. 3, No. 36, p. 6. 1924.
land(s)—
acreage, classification and conditions, and products under irrigation. O.E.S. Bul. 222, pp. 29–32. 1910.
irrigated, value per acre, notes. O.E.S. Bul. 222, pp. 36–76. 1910.
laws, landlord's lien, and homestead exemption, provisions. D.B. 1068, pp. 12–15. 1922.
lard supply, wholesale and retail, August 31, 1917, tables: Sec. Cir. 97, pp. 14–32. 1918.
Lavacca County, survey and tillage records for cotton. D.B. 511, pp. 53–55. 1917.
Lasalle County. See Texas, southwest.
law(s)—
appointing State forester, text. D.B. 364, pp. 11–12. 1916.
contagious diseases of domestic animals, control. B.A.I. Bul. 54, p. 39. 1904.
dog control, digest. F.B. 935, p. 21. 1918; F.B. 1268, p. 22. 1922.
foul brood of bees. Ent. Bul. 61, p. 197. 1906.
governing composition and sale of insecticides. Chem. Bul. 76, pp. 61–62. 1903.
nursery stock shipments, interstate. Ent. Cir. 75, rev., p. 7. 1908; F.H.B.S.R.A. 57, pp. 114, 115. 1919.
pink bollworm control, details and enforcement. Y.B., 1919, pp. 360–363, 365–367, 368. 1920; Y.B. Sep. 817, pp. 360–363, 365–367, 368. 1920.
protecting birds. Biol. Bul. 12, rev. pp. 15, 32, 35, 36, 37, 41, 50, 54, 119, 120, 137. 1902.
protecting forests. D.B. 364, pp. 2, 7. 1916.
relative to tuberculosis. B.A.I. Bul. 28, pp. 146–150. 1901.

Texas—Continued.
law(s)—continued.
water control and use. O.E.S. Bul. 222, pp. 77–83. 1910.
life zones—
and crop belts. Y.B., 1901, p. 108. 1902.
fauna and flora, description. N.A. Fauna 25, pp. 16–38. 1905.
Live Oak County. See Texas southwest.
livestock—
admission, sanitary requirements—
1915. B.A.I. [Misc.], "State sanitary requirements * * *," pp. 35–36. 1915.
1917. B.A.I. Doc. A–28, pp. 38–39. 1917.
1920. B.A.I. Doc. A–36, pp. 58–59. 1920.
1924. M.C. 14, pp. 74–77. 1924.
associations. Y.B., 1920, p. 531. 1921; Y.B. Sep. 866, p. 531. 1921.
movements, routes, and cost, 1870, 1908. Y.B., 1908, pp. 231, 234, 240–242. 1909; Y.B. Sep. 477, pp. 231, 234, 240–242. 1909.
sanitary control, laws. D.C. 184, pp. 54–68. 1921.
Llano county. See Texas, south central.
loco. See Loco.
losses from boll weevil, 1902–1915. F.B. 848, p. 6. 1917.
lower Rio Grande—
irrigated district, status of farming in. Rex E. Willard. D.B. 665, pp. 24. 1918.
tropical element. N.A. Fauna 25, pp. 14–16. 1905.
lower Rio Grande Valley—
alkali soils. O.E.S. Cir. 103, pp. 14–19, 22–23. 1911.
drainage situation, plans and cost. O.E.S. Cir. 103, pp. 1–36. 1911.
lumber cut, 1920, 1870–1920, value, and kinds. D.B. 1119, pp. 28, 30–35, 43–61. 1923.
lumber production, 1918, by mills, by woods, lath, and shingles. D.B. 845, pp. 6–11, 13, 16, 19, 26, 40, 42–47. 1920.
Malta fever, occurrence. B.A.I. An. Rpt., 1911, pp. 122–123. 1913; B.A.I. Cir. 215, pp. 122–123. 1913.
mammals. N.A. Fauna 25, pp. 51–216. 1905.
market news extension. Off. Rec. vol. 1, No. 37, p. 2. 1922.
marketing—
activities and organization. Mkts. Doc. 3, p. 6. 1916.
and purchasing demonstrations, results. Y.B., 1919, pp. 217–222. 1920; Y.B. Sep. 808, pp. 217–222. 1920.
organizations, progress. Sec. Cir. 56, p. 12. 1916.
Mason County. See Texas, south central.
Maverick County. See Texas, southwest.
McLennan County—
farm production of family supplies. F.B. 1015, p. 4. 1919.
food consumption by farm families. D.C. 83, p. 4. 1920.
McMullen County. See Texas, southwest.
Meadow soil, areas, and location. Soils Cir. 68, p. 21. 1910.
Medina County. See Texas, southwest.
Menard County. See Texas, south central.
mesquite experimental work, composition and milling. D.B. 1194, pp. 5–15. 1923.
Mexican border, bollworms. News L., vol. 7, No. 10, p. 14. 1919.
Mexican boll weevil, investigations to 1911. Ent. Bul. 114, pp. 1–188. 1912.
milk inspection. B.A.I. An. Rpt., 1907, pp. 324, 325. 1909; F.B. 349, pp. 23–24. 1909.
milk supply and laws. B.A.I. Bul. 46, pp. 32, 38, 156–158, 178. 1903.
millet. See Colorado grass.
milo, growing and yields. F.B. 1147, pp. 4, 5, 6, 9, 16. 1920.
miscellaneous cotton insects in. E. Dwight Sanderson. Ent. Bul. 57, pp. 63. 1906; F.B. 223, pp. 24. 1905.
mistletoe pest, injuries to trees. B.P.I. Bul. 166, pp. 8–9, 20, 29, 31. 1910.
mohair production, 1909, quality and weight. F.B. 573, pp. 1, 2, 7, 9. 1914.
negro extension work and workers, 1908–1921. D.C. 190, pp. 6–9, 24. 1921.

Texas—Continued.
　Neuces County. *See* Texas, south.
　new forage plants, introduction and experiments.
　　Y.B., 1908, pp. 252, 253, 258-259. 1909; Y.B.
　　Sep. 478, pp. 252, 253, 258-259. 1909.
　Norfolk sand, areas, location, and uses. Soils
　　Cir. 44, pp. 3, 12, 19. 1911.
　Norfolk sandy loam, areas, location, and use.
　　Soils Cir. 45, pp. 3, 14. 1911.
　northern, forest trees, species adaptable and
　　planting details. F.B. 888, pp. 5-15, 19. 1917.
　northwest, reconnaissance soil survey. William
　　T. Carter, jr., and others. Soil Sur. Adv. Sh.,
　　1919, pp. 75. 1922; Soils F.O., 1919, pp. 1099-
　　1173. 1925.
　northwestern—
　　description, soil, and climatic conditions. D.B.
　　　836, pp. 2-10. 1920.
　　forest planting suggestion. For. Cir. 99, pp.
　　　1-14. 1907.
　oats—
　　acreage, production and—
　　　value, 1866-1906. Stat. Bul. 58, pp. 5-25, 32.
　　　　1907.
　　　yield, 1900-1909. F.B. 420, pp. 8, 9. 1910.
　　growing, varietal experiments. D.B. 823, pp.
　　　51-52, 67. 1920.
　　tests, Kherson and Sixty-day with other varie-
　　　ties. F.B. 395, p. 23. 1910.
　occurrence of—
　　pepper weevil, 1905. Ent. Bul. 63, pp. 55-58.
　　　1907.
　　rat mites as pest to man, investigations. D.C.
　　　294, pp. 1-2, 4. 1923.
　Oklahoma, and Louisiana, corn varieties for dis-
　　tribution in. Ernest B. Brown. B.P.I.
　　[Misc.], "Corn varieties * * *," pp. 12.
　　1914.
　onion growing and yield. F.B. 384, pp. 6, 8.
　　1910.
　onions, production and distribution. D.B. 1325,
　　pp. 6, 28. 1925.
　Orangeburg—
　　fine sand, location and areas. Soils Cir. 48,
　　　pp. 3, 15. 1911.
　　fine sandy loam, areas, location, and uses.
　　　Soils Cir. 46, pp. 3, 4, 9, 10, 11, 17, 18, 20.
　　　1911.
　　sandy loam, location, areas, and uses. Soils
　　　Cir. 47, pp. 3, 4, 8, 11, 12, 15. 1911.
　oranges, growing and marketing. B.P.I. Doc.
　　457, pp. 3-7. 1909.
　Panhandle—
　　agricultural changes. Off. Rec., vol. 4, No. 29,
　　　p. 3. 1925.
　　beef cattle, extension work. An. Rpts., 1916,
　　　p. 78. 1917; B.A.I. Chief Rpt., 1916, p. 12.
　　　1916.
　　cereal crops. John F. Ross. F.B. 738, pp. 16.
　　　1916.
　　cereal experiments in. John F. Ross and A. H.
　　　Leidigh. B.P.I. Bul. 283, pp. 79. 1913.
　　description, location, settlement, soils, and
　　　crops. Soil Sur. Adv. Sh., pp. 59. 1911;
　　　Soils F.O., 1910, pp. 961-1015. 1912.
　　farm management, reliable crops. An. Rpts.,
　　　1909, p. 324. 1910; B.P.I. Chief Rpt., 1909,
　　　p. 72. 1909.
　　grain-sorghum experiments. Carleton R. Ball
　　　and Benton E. Rothgeb. D.B. 698, pp. 91.
　　　1918.
　　grain sorghums, cultural experiments. Benton
　　　E. Rothgeb. D.B. 976, pp. 43. 1922.
　　grains, investigations. An. Rpts., 1908, p.
　　　329. 1909; B.P.I. Chief Rpt., 1908, p. 57.
　　　1908.
　　large grape, description and resistance to
　　　phylloxera and climatic conditions. B.P.I.
　　　Bul. 172, pp. 21-22. 1910.
　　location, description, climate, and soil. D.B.
　　　698, pp. 2-16. 1918.
　　rainfall, average. Y.B., 1918, p. 434. 1919;
　　　Y.B. Sep. 771, p. 4. 1919.
　　topography, soil, climate, and farming. F.B.
　　　738, pp. 2-7. 1916.
　　wells for stock, location, cost, and management.
　　　F.B. 592, p. 17. 1914.
　Paris, municipal slaughterhouse, capacity and
　　management. B.A.I. An. Rpt., 1910, pp. 247-
　　248. 1912; B.A.I. Cir. 185, pp. 247-248. 1912.

Texas—Continued.
　pasture land on farms. D.B. 626, pp. 15, 78-83.
　　1918.
　peach(es)—
　　carload shipments from various stations, 1914.
　　　D.B. 298, p. 14. 1915.
　　growing, production, districts, and varieties.
　　　D.B. 806, pp. 4, 5, 7, 8, 9, 27-28. 1919.
　　industry, season, and shipments, 1914, D.B.
　　　298, pp. 4, 5, 14. 1916.
　　shipping season and area of production. D.B.
　　　298, pp. 4, 5, 6, 14. 1915.
　　treatment with paradichlorobenzene, results.
　　　D.B. 1169, pp. 2-12. 1923.
　　varieties, names and ripening dates. F.B. 918,
　　　pp. 11-12. 1918.
　pear growing, distribution, and varieties. D.B.
　　822, p. 12. 1920.
　Pearsall section. *See* Texas, southwest.
　pecan—
　　budding. Off. Rec., vol. 2, No. 36, p. 6. 1923.
　　crops, 1919 and 1920. B.P.I. Chief Rpt., 1921,
　　　p. 16. 1921.
　　rosette, occurrence. J.A.R., vol. 3, p. 149. 1914.
　Peruvian alfalfa, growing, and location. D.C.
　　93, p. 7. 1920.
　pig club work. News L., vol. 3, No. 29, p. 8.
　　1916; News L., vol. 6, No. 22, p. 6. 1919.
　pig raising, profit. News L., vol. 6, No. 27, p. 18.
　　1919.
　pink bollworm—
　　conditions, and fumigation houses. F.H.B.
　　　S.R.A. 53, pp. 63-64, 65. 1918.
　　control work—
　　　1917. An. Rpts., 1917, pp. 420-422. 1918;
　　　　F.H.B. An. Rpt., 1917, pp. 6-8. 1917.
　　　1919. F.H.B.S.R.A. 61, pp. 29-30. 1919.
　　　1923. An. Rpts., 1923, pp. 616-617. 1923;
　　　　F.H.B. An. Rpt., 1923, pp. 2-3. 1923;
　　　　F.H.B.S.R.A. 74, pp. 8-14. 1923.
　　discovery. D.B. 723, pp. 22-25. 1918.
　　discovery, 1917-1919, and control work. Y.B.,
　　　1919, pp. 359-368. 1920; Y.B. Sep. 817, pp.
　　　359-368. 1920.
　　eradication. News L., vol. 6, No. 27, pp. 19-20.
　　　1919.
　　introduction and spread. Y.B., 1921, pp. 352-
　　　353. 1922; Y.B. Sep. 877, pp. 352-353. 1922.
　　occurrence. F.H.B. An. Rpt., 1924, p. 2. 1924.
　　outbreaks, in 1921. D.B. 1103, pp. 43-44. 1922.
　　outbreaks, survey and quarantine work.
　　　F.H.B. An. Rpt., 1918, pp. 2-7. 1918; An.
　　　Rpts., 1918, pp. 432-437. 1918.
　　quarantine—
　　　F.H.B. Quar. 52, amdt. 1, pp. 1-2. 1921.
　　　districts, 1923. F.H.B. Quar. 52, pp. 4-7.
　　　　1923.
　　　work, 1918. An. Rpts., 1918, pp. 26-27. 1919;
　　　　Sec. A.R., 1918, pp. 26-27. 1918.
　　regulations, 1923, and claims payments, 1918-
　　　1920. F.H.B. S.R.A. 76, pp. 99-103. 1923.
　　scouting record and noncotton zones. F.H.B.
　　　S.R.A. 74, pp. 7-14. 1923.
　　situation—
　　　1917. F.H.B.S.R.A. 46, pp. 135-136. 1918.
　　　1918. F.H.B.S.R.A. 51, pp. 39-42. 1918.
　　status. F.H.B. An. Rpt., 1921, p. 2. 1921.
　　work, 1919. F.H.B.S.R.A. 60, pp. 17, 19. 1919.
　　work, inspection, and quarantine. An. Rpts.,
　　　1919, pp. 505-510, 511-512, 531. 1920; F.H.B.
　　　An. Rpt., 1919, pp. 1-6, 7-8, 27. 1919.
　pink corn worm, injury to corn. D.B. 363, pp. 2,
　　10, 12, 13, 15, 19. 1916.
　plains, tree-planting plan. For. Bul. 65, pp.
　　36-39. 1905.
　plant introduction work. An. Rpts., 1912, pp.
　　423-424. 1913; B.P.I. Chief Rpt., 1912, pp.
　　43-44. 1912.
　plantations, crops, acreage, location, labor, and
　　tenancy. D.B. 1269, pp. 2-7, 69-72, 75. 1924.
　plants, lists in different life zones. N.A. Fauna
　　25, pp. 22, 29, 34, 37, 38. 1905.
　plum curculio, occurrence and distribution. Ent.
　　Bul. 103, pp. 21-22, 23. 1912.
　pocket gophers, occurrence and description.
　　N.A. Fauna 39, pp. 9, 23-28, 85-89. 1915.
　Poneridae, habits. Ent. T.B. 10, pp. 41-43. 1905.
　ports, cotton quarantine enforcement by State.
　　F.H.B. Quar. No. 46, p. 7. 1920.

INDEX TO PUBLICATIONS, 1901–1925 2383

Texas—Continued.
  potato crops, 1866–1906, acreage, production, and value. Stat. Bul. 62, pp. 7–27, 34. 1908.
  potatoes, early crop location, season, varieties, and shipments. F.B. 1316, pp. 3, 4, 5. 1923.
  prairie dog, distribution, habits, food, and value as food. N.A. Fauna 25, pp. 89–92. 1905.
  prairies—
    changes of vegetation and extension of cotton culture. An. Rpts., 1909, p. 307. 1910; B.P.I. Chief Rpt., 1909, p. 55. 1909.
    forest planting needs, acreage and conditions. Y.B., 1909, p. 342. 1910; Y.B. Sep. 517, p. 342. 1910.
    south, change of vegetation. O. F. Cook. B.P.I. Cir. 14, pp. 7. 1908.
  precipitation, Panhandle region. W.B. Abs. D. 1, pp. 2. 1908.
  proso, variety, growing and yields. F.B. 1162, pp. 4, 6, 10. 1920.
  Prunus species, wild. J.A.R., vol. 1, pp. 147–164, 172–177. 1913.
  public roads, mileage and expenditures, 1904. Rds. Cir. 85, pp. 6. 1907.
  pumping plants. O.E.S. Bul. 158, pp. 341–346. 1905.
  quarantine—
    against cotton-boll weevil. Ent. Bul. 114, p. 168. 1912.
    for cattle—
      fever. *See* Texas, cattle fever.
      scabies. B.A.I.O. 167, rev., p. 2. 1909; B.A.I.O. 167, amdt. 3, pp. 2. 1912; B.A.I.O. 197, amdt. 2, pp. 2. 1914; B.A.I.O. 213, rev., pp. 1–2. 1914; B.A.I.O. 213, amdt. 3, p. 1. 1916.
    for pink bollworm—
      1919. F.H.B.S.R.A. 62, pp. 49–56. 1919.
      1920. F.H.B. Quar. 46, amdt. 1, p. 1. 1920.
      1921. F.H.B. Quar. 52, pp. 1, 2–3, 5, 7. 1921.
    for sheep scabies, area—
      1913. B.A.I.O. 195, rule 3, rev. 2, p. 2. 1913.
      1914. B.A.I.O. 208, p. 1. 1914; B.A.I.O. 212, rule 3, rev., p. 2. 1914.
      1917, release. News L., vol. 5, No. 9, p. 4. 1917.
      1918. B.A.I.O. 257, pp. 2. 1918.
      1921, release of State. B.A.I.O. 272, rule 3, rev. 6, pp. 1, 2. 1921.
    regulations—
      disinfection. An. Rpts., 1918, pp. 27–28. 1919; Sec. A. R., 1918, pp. 27–28. 1918; Y.B., 1918, pp. 40–41. 1919.
      for sheep, August 18, 1909. B.A.I.O. 146, amdt. 5, p. 1. 1909.
  rabies prevalence, cases treated at Texas Pasteur Institute. B.A.I. An. Rpt., 1909, pp. 211, 212. 1911; F. B. 449, p. 18. 1911.
  rainfall, map and table. B.P.I. Bul. 188, pp. 42–43, 62–63. 1910.
  ranches, value. F.B. 1385, p. 4. 1923.
  range—
    conditions during drought, and revegetation in 1919. Y.B., 1919, pp. 397, 401–402. 1920; Y.B. Sep. 820, pp. 397, 401–402. 1920.
    stock, emergency feeding on desert plants. D.B. 728, pp. 1–27. 1918.
  rat control campaign, results. Biol. Chief Rpt., 1921, pp. 10–11. 1921.
  ravages by plant-bugs. D.B. 689, pp. 12, 13. 1918.
  Real County. *See* Texas, south-central.
  reconnoissance surveys progress, 1910. An. Rpts., 1910, pp. 500–501. 1911; Soils Chief Rpt., 1910, pp. 12–13. 1910.
  Red River, location of south bank. Off. Rec., vol. 1, No. 1, p. 2. 1922.
  rice—
    growing. D.B. 330, pp. 1, 29. 1916.
    growing, development, and production, 1859–1919. Y.B., 1922, pp. 516, 517, 567. 1923; Y. B. Sep. 891, pp. 516, 517, 567. 1923.
    investigations. An. Rpts., 1912, p. 426. 1913; B.P.I. Chief Rpt., 1912, p. 46. 1912.
    irrigation—
      and in Louisiana. Frank Bond. O.E.S. Bul. 133, pp. 178–195. 1903.
      and in Louisiana, 1903 and 1904. W. B. Gregory. O.E.S. Bul. 158, pp. 509–544. 1905.

Texas—Continued.
  rice—continued.
    irrigation—continued.
      cost and profits. O.E.S. An. Rpt., 1908, pp. 399–404. 1909.
      methods. Y.B., 1909, pp. 301–302. 1910; Y. B. Sep. 514, pp. 301–302. 1910.
      methods and length of season. F.B. 673, pp. 3, 12. 1915.
      of uplands, and Louisiana. O.E.S. Bul. 113, p. 11. 1902.
      projects, details. O.E.S. Bul. 222, pp. 36–49. 1910.
      small pumping plants, suggestions. O.E.S. Cir. 101, pp. 1–40. 1910.
    prairies, location, climate, and soils. F.B. 1092, pp. 3–5. 1920.
    rats, descriptions. N.A. Fauna 43, pp. 27–31, 39. 1918.
    straighthead occurrence. F.B. 1212, p. 4. 1921.
  Rio Grande and Edinburgh, designated as quarantine station for animals. B.A.I. An. Rpt., 1909, p. 354. 1911.
  Rio Grande Valley, rainfall average. Y.B., 1918, p. 434. 1919; Y.B. Sep. 771, p. 4. 1919.
  rivers, description. O.E.S. Bul. 222, pp. 14–28. 1910.
  road(s)—
    bond-built, amount of bonds, and rate. D.B. 136, pp. 47–48, 77–78, 82–83, 85. 1915.
    building rock tests, 1915, results, tables. D.B. 370, pp. 76–77. 1916.
    building rock tests, 1916 and 1917. D.B. 670, p. 19. 1918.
    building-rock tests, 1923, results. D.B. 1132, pp. 33–34, 52. 1923.
    materials, tests. Rds. Bul. 44, p. 76. 1912.
    mileage and expenditures—
      1909. Rds. Bul. 41, pp. 35, 41, 42, 107–112. 1912.
      1914. Bul. 387, pp. 3–8, 43–45, XXVI–XXXI, XLII–XLIII, LXIV–LXVII. 1917.
      January 1, 1915. Sec. Cir. 52, pp. 3, 5, 6. 1915.
      1916. Sec. Cir. 74, pp. 6, 7, 8. 1917.
    model county systems. An. Rpts., 1912, pp. 872–873. 1913; Rds. Chief Rpt., 1912, pp. 28–29. 1912.
    object-lesson—
      1908, description and cost. An. Rpts., 1908, p. 753. 1909; Rds. Chief Rpt., 1908, p. 13. 1908.
      1909, construction. An. Rpts., 1909, pp. 720, 723, 726–727, 731. 1910; Rds. Chief Rpt., 1909, pp. 12, 15, 18–19, 23. 1909.
      1910. An. Rpts., 1910, pp. 770, 772, 774, 779, 783. 1911; Rds. Chief Rpt., 1910, pp. 8, 10, 12, 17, 21. 1910.
      1911, and model, construction details and cost. An. Rpts., 1911, pp. 725, 733, 748–751. 1912; Rds. Chief Rpt., 1911, pp. 15, 23, 38–41. 1911.
      1912, work, details and cost. An. Rpts., 1912, pp. 853, 858–859, 862. 1913; Rds. Chief Rpt., 1912, pp. 9, 14–15, 18. 1912.
    preservation, and dust prevention, 1916, reports. D.B. 586, pp. 27–30. 1918.
    projects approved, 1918, 1919. An. Rpts., 1919, pp. 402, 404, 406, 408. 1920; Rds. Chief Rpt., 1919, pp. 12, 14, 16, 18. 1919.
    work by department, 1913–1914. D.B. 284, pp. 8–11, 17, 23. 1915.
  root rot—
    fungus, *Ozonium omnivorum* Shear, life history. C. L. Shear. J.A.R., vol. 30, pp. 475–477. 1925.
    of cotton—
      and alfalfa. *See also* Root rot, sweet-potato.
      control. C. L. Shear and George F. Miles. B.P.I. Bul. 102, Pt. V, pp. 39–42. 1907.
      description, cause, and control. F.B. 1187, pp. 25–26. 1921.
      field experiments in 1907. C.L. Shear and George F. Miles. B.P.I. Cir. 9, pp. 7. 1908.
      injury to ornamentals. W.I.A.Cir. 16, p. 17. 1917.
    See also Cotton root rot.

Texas—Continued.
  rubber production, remarks. B.P.I. Chief Rpt. 1924, p. 34. 1924.
  rural support of war work, statement of Assistant Secretary Ousley. News L., vol. 6, No. 4, p. 7. 1918.
  Rusk County, cotton growing, notes and tables. D.B. 896, pp. 2-44, 59. 1920.
  rye crops, 1866-1906, acreage and production. Stat. Bul. 60, pp. 5-25, 32. 1908.
  Sabine Pass quarantine. Off. Rec., vol. 1, No. 24, p. 2. 1922.
  San Antonio—
    and Waco, corn growing from mutilated seed, experiments. D.B. 1011, pp. 4, 5, 6, 7. 1922.
    cactus growing. D.B. 31, pp. 1-24. 1913.
    yellow fever plague and mosquito work. Ent. Bul. 88, pp. 86-87. 1910.
  San José scale, occurrence. Ent. Bul. 62, p. 31. 1906.
  San Patricio County. See Texas, south.
  sand-burn, symptoms and study, similarity to trifoliosis. An. Rpts., 1909, p. 231. 1910; B.A.I. Chief Rpt., 1909, p. 41. 1911.
  Schleicher County. See Texas, south-central.
  schools, agricultural—
    education, State aid. Y.B., 1912, p. 475. 1913; Y.B. Sep. 607, p. 475. 1913.
    work. O.E.S. Cir. 106, rev., pp. 18, 24, 27, 29, 31. 1912.
  sections suited to growing thornless prickly pear. F.B. 483, p. 7. 1912.
  seed tobacco, Cuban, experiments in growing. George T. McNess and Walter M. Hinson. Soils Bul. 27, pp. 44. 1905.
  "Seeded ribbon cane," use of name for gooseneck sorghum, description and use. B.P.I. Cir. 50, pp. 10-12. 1910.
  settlement work by railroads. Stat. Bul. 100, pp. 20, 26. 1912.
  Shallu sorghum, name and cultivation experiments. B.P.I. Cir. 50, pp. 4, 6-7. 1910.
  sheep industry, management and importance. Y.B., 1923, pp. 259-260. 1924; Y.B., Sep. 894, pp. 259-260. 1924.
  sheep poisoning by coffee bean, *Daubentonia longifolia*. D.C. 82, p. 1. 1920.
  shipments of—
    Bermuda onions. D.B. 1283, pp. 3-4. 1925.
    fruits and vegetables, and index to station shipments. D.B. 667, pp. 6-13, 45-46. 1918.
  soil survey of—
    Anderson County. William T. Carter, jr., and A. E. Kocher. Soil Sur. Adv. Sh., 1904, pp. 28. 1905; Soils F.O., 1904, pp. 397-420. 1905.
    Angelina County. See Lufkin area.
    Archer County. Arthur E. Taylor and others. Soil Sur. Adv. Sh., 1912, pp. 52. 1914; Soils F.O., 1912, pp. 1007-1052. 1915.
    Austin area. A. W. Mangum and H. L. Belden. Soil Sur Adv. Sh., 1904, p. 30. 1905; Soils F.O., 1904, pp. 421-446. 1905.
    Basque County. See Waco area.
    Bastrop County. R. A. Winston and others. Soil Sur. Adv. Sh., 1907, pp. 46. 1908; Soils F.O., 1907, pp. 663-704. 1909.
    Bastrop County. See also Austin area.
    Bell County. W. T. Carter, jr., and others. Soil Sur. Adv. Sh., 1916, pp. 46. 1918. Soils F.O., 1916, pp. 1239-1280. 1921.
    Bexar County. See San Antonio area.
    Bowie County. L. R. Schoenmann and others. Soil Sur. Adv. Sh., 1918, pp. 62. 1921; Soils F. O., 1918, pp. 715-772. 1923.
    Brazoria area. Frank Bennett, jr., and Grove B. Jones. Soils F. O., 1902, pp. 349-364. 1903; Soils F. O. Sep. 1902, pp. 16. 1903.
    Brazoria County. See Brazoria area.
    Brazos County. J. O. Veatch and C. S. Waldrop. Soil Sur. Adv. Sh., 1914, pp. 53. 1916; Soils F. O., 1914, pp. 1275-1323. 1919.
    Brownsville area. A. W. Mangum and Ora Lee, jr. Soil Sur. Adv. Sh., 1907, pp. 32. 1908; Soils F. O., 1907, pp.705-732. 1909.
    Caldwell County. See Austin area.
    Cameron County. See Brownsville area.
    Camp County. W. J. Geib and others. Soil Sur. Adv. Sh., 1908, pp. 20. 1910; Soils F. O., 1908, pp. 953-968. 1911.

Texas—Continued.
  soil survey of—continued.
    Central Gulf Coast area, reconnaissance. William T. Carter, jr., and others. Soil Sur. Adv. Sh., 1910, pp. 75. 1911; Soils F. O., 1910, pp. 859-929. 1912.
    Cherokee County. See Jacksonville area.
    Cooper area. Thomas D. Rice and H. C. Smith. Soil Sur. Adv. Sh., 1907, pp. 24. 1908; Soils F. O., 1907, pp. 733-752. 1909.
    Corpus Christi area. A. W. Mangum and H. L. Westover. Soil Sur. Adv. Sh., 1908, pp. 29. 1909; Soils F. O., 1908, pp. 899-923. 1911.
    Dallas County. William T. Carter, jr., and others. Soil Sur. Adv. Sh., 1920, pp. 1213-1254. 1924; Soils F. O., 1920, pp. 1213-1254. 1925.
    Delta County. See Cooper area.
    Denton County. William T. Carter, jr., and M. W. Beck. Soil Sur. Adv. Sh., 1918, pp. 58. 1922; Soils F. O., 1918, pp. 773-830. 1924.
    Eastland County. William G. Smith and others. Soil Sur. Adv. Sh., 1916, pp. 37. 1918; Soils F. O., 1916, pp. 1281-1313. 1921.
    El Paso County. See Mesilla Valley area, New Mexico.
    Ellis County. Frank Bennett and others. Soil Sur. Adv. Sh., 1910, pp. 34. 1911; Soils F. O., 1910, pp. 931-960. 1912.
    Erath County. T. M. Bushnell and others. Soil Sur. Adv. Sh., 1920, pp. 371-408. 1923; Soils F. O., 1920, pp. 371-408. 1925.
    Franklin County. A. E. Kocher and W. S. Lyman. Soil Sur. Adv. Sh., 1908, pp. 32, 1909; Soils F. O., 1908, pp. 925-952. 1911.
    Freestone County. H. W. Hawker and others. Soil Sur. Adv. Sh., 1918, pp. 58. 1921; Soils F. O., 1918, pp. 831-884. 1924.
    Grayson County. Frank Bennett and others. Soil Sur. Adv. Sh., 1909, pp. 35. 1910; Soils F. O., 1909, pp. 951-983. 1912.
    Guadalupe County. See San Marcos area.
    Harrison County. Cornelius Van Duyne and W. C. Byers. Soil Sur. Adv. Sh., 1912, pp. 47. 1913; Soils F. O., 1912, pp. 1055-1097. 1915.
    Hays County. See Austin area; San Marcos area.
    Henderson area. Charles W. Ely and A. E. Kocher. Soil Sur. Adv. Sh., 1906, pp. 26. 1907; Soils F. O., 1906, pp. 459-480. 1908.
    Houston County. William T. Carter, jr., and A. E. Kocher. Soil Sur. Adv. Sh., 1905, pp. 33. 1906; Soils F. O., 1905, pp. 537-565. 1907.
    Jacksonville area. W. Edward Hearn and James L. Burgess. Soil Sur. Adv. Sh., 1903, pp. 15. 1904; Soils F. O., 1903, pp. 521-531. 1904.
    Jefferson County. William T. Carter, jr., and others. Soil Sur. Adv. Sh., 1913, pp. 47. 1915; Soils F. O., 1913, pp. 1001-1043. 1916.
    Lamar County. See Cooper and Paris areas.
    Laredo area. A. W. Mangum and Ora Lee, jr. Soil Sur. Adv. Sh., 1906, pp. 28. 1908; Soils F. O., 1906, pp. 481-504. 1908.
    Lavaca County. Charles N. Mooney and others. Soil Sur. Adv. Sh., 1905, pp. 24. 1905; Soils F. O., 1905, pp. 623-642. 1907.
    Lee County. James L. Burgess and W. L. Lyman. Soil Sur. Adv. Sh., 1905, pp. 25. 1906; Soils F. O., 1905, pp. 601-621. 1907.
    Lubbock County. J. O. Veatch and H. G. Lewis. Soil Sur. Adv. Sh., 1917, pp. 32. 1920; Soils F. O., 1917, pp. 965-992. 1923.
    Lufkin area. W. Edward Hearn and others. Soil Sur. Adv. Sh., 1903, pp. 14. 1904; Soils F. O., 1903, pp. 501-510. 1904.
    McLennan County. See Waco area.
    Montgomery County. See Willis area.
    Morris County. E. B. Watson and Risden T. Allen. Soil Sur. Adv. Sh., 1909, pp. 24. 1910; Soils F. O., 1909, pp. 985-1004. 1912.
    Nacogdoches area. W. Edward Hearn and James L. Burgess. Soil Sur. Adv. Sh., 1903, pp. 17. 1904; Soils F. O., 1903, pp. 487-499. 1904.
    Nacogdoches County. See Nacogdoches area.
    Nueces County. See Corpus Christi area.

Texas—Continued.
  soil survey of—continued.
    Panhandle region, reconnaissance. William T.
      Carter, jr., and others. Soil Sur. Adv. Sh.,
      1910, pp. 55. 1911; Soils F. O., 1910, pp. 961-
      1015. 1912.
    Paris area. Thomas A. Caine and A. E. Kocher.
      Soil Sur. Adv. Sh., 1903, pp. 24. 1904; Soils
      F. O., 1903, pp. 533-562. 1904.
    Red River County. William T. Carter, jr.,
      and others. Soil Sur. Adv. Sh., 1919, pp.
      153-206. 1923; Soils F. O., 1919, pp. 153-206.
      1925.
    Robertson County. Hugh H. Bennett and
      Charles F. Shaw. Soil Sur. Adv. Sh., 1907,
      pp. 54. 1909; Soils F. O., 1907, pp. 591-640.
      1909.
    Rusk County. See Henderson area.
    San Antonio area. Thomas A. Caine and W. S.
      Lyman. Soil Sur. Adv. Sh., 1904, pp. 31.
      1904; Soils F. O., 1904, pp. 447-473. 1905.
    San Marcos area. A. W. Mangum and W. S.
      Lyman. Soil Sur. Adv. Sh., 1906, pp. 37. 1906;
      Soils F. O., 1906, pp. 505-537. 1908.
    San Saba County. J. O. Veatch and others.
      Soil Sur. Adv. Sh., 1916, pp. 67. 1917; Soils
      F. O., 1916, pp. 1315-1377. 1921.
    Smith County. L. R. Schoenmann and others.
      Soil Sur. Adv. Sh., 1915, pp. 51. 1917; Soils
      F. O., 1915, pp. 1079-1125. 1919.
    Tarrant County. H. W. Hawker and others.
      Soil Sur. Adv. Sh., 1920, pp. 859-905. 1924;
      Soils F. O., 1920, pp. 859-905. 1925.
    Taylor County. Wm. G. Smith and others.
      Soil Sur. Adv. Sh., 1915, pp. 40. 1818; Soils
      F. O. 1915, pp. 1127-1162. 1919.
    Titus County. Thomas D. Rice and E. B.
      Watson. Soil Sur. Adv. Sh., 1909, pp. 27.
      1910; Soils F. O., 1909, pp. 1005-1027. 1912.
    Travis County. See Austin area.
    Tyler County. See Woodville area.
    Vernon area. J. E. Lapham and others. Soils
      F.O. Sep., 1902, pp. 17. 1903; Soils F.O., 1902,
      pp. 365-381. 1903.
    Waco area. A. W. Mangum and M. Earl Carr.
      Soil Sur. Adv. Sh., 1905, pp. 37. 1906; Soils
      F.O., 1905, pp. 567-599. 1907.
    Washington County. A. H. Meyer and others.
      Soil Sur. Adv. Sh., 1913, pp. 31. 1915; Soils
      F.O., 1913, pp. 1045-1071. 1916.
    Webb County. See Laredo area.
    Wilbarger County. See Vernon area.
    Williamson County. See Austin area.
    Willis area. J. O. Martin. Soils F.O. Sep.,
      1901, pp. 13. 1903; Soils F.O., 1901, pp. 607-
      619. 1902.
    Wilson County. W. S. Lyman and Frank C.
      Schroeder. Soil Sur. Adv. Sh., 1907, pp. 26.
      1908; Soils F.O., 1907, pp. 641-662. 1909.
    Woodville area. J. E. Lapham and others.
      Soil Sur. Adv. Sh., 1903, pp. 14. 1904; Soils
      F.O., 1903, pp. 511-520. 1904.
  soil(s)—
    analyses for boron and nitrogen. J.A.R., vol.
      13, pp. 452, 468. 1918.
    similarity to Transylvania. Off. Rec., vol. 1,
      No. 30, p. 1. 1922.
    survey for growing Cuban tobacco. Y.B., 1901,
      p. 125. 1902.
    survey work, 1921-1922. Off. Rec., vol. 1, No.
      4, p. 5. 1922.
  sorghum(s)—
    growing for grain and forage. F.B. 1158, pp.
      3, 5. 1920.
    growing, records of new varieties. D.B. 383,
      pp. 8-15. 1916.
    midge investigations, 1908 and 1909. Ent. Bul.
      85, Pt. IV, pp. 42-44, 53. 1910.
    production and importance, notes. Y.B., 1922,
      pp. 525, 526, 528, 529. 1923; Y.B. Sep. 891, pp.
      525, 526, 528, 529. 1923.
    varietal tests and results, and cultural experi-
      ments. D.B. 1260, pp. 23-38, 41-44, 59-64,
      67, 69, 73-76, 78-83, 84. 1924.
  south—
    agricultural development. B.P.I. Cir. 14, pp.
      4-7. 1908.
    central, reconnaissance soil survey. A. E.
      Kocher. Soil Sur. Adv. Sh., 1913, pp. 117.
      1915; Soils F.O., 1913, pp. 1073-1183. 1916.

Texas—Continued.
  south—continued.
    climate and vegetation. B.P.I. Cir. 14, pp. 5-6.
      1908.
    diversified crops. Y.B., 1905, p. 216. 1906.
    plant introduction garden, 1911. An. Rpts.,
      1911, p. 336. 1912; B.P.I. Chief Rpt., 1911,
      p. 88. 1911.
    prairies, vegetation change. O. F. Cook.
      B.P.I. Cir. 14, pp. 7. 1908.
    reconnaissance soil survey. George N. Coffey.
      Soil Sur. Adv. Sh., 1909, pp. 105. 1910; Soils
      F.O., 1909, pp. 1029-1129. 1912.
    testing garden, Brownsville, work, 1909. An.
      Rpts., 1909, p. 370. 1910; B.P.I. Chief Rpt.,
      1909, p. 118. 1909.
    vegetation on prairies, change. O. F. Cook.
      B.P.I. Cir. 14, pp. 7. 1908.
  southeastern, rice cultivation, methods. F.B.
    417, pp. 27-29. 1910.
  southern—
    agricultural conditions. B.P.I. Doc. 457, pp.
      8. 1909.
    citrus fruit culture. F.B. 374, pp. 7-11. 1909.
    Diabrotica spp., notes. Ent. Bul. 82, pp. 76-
      84. 1912.
    irrigation. Aug. J. Bowie, jr. O.E.S. Bul. 158,
      pp. 347-507. 1905.
    orange culture, experiments. F.B. 374, pp.
      7-11. 1909.
    orange industry, plans of department. B.P.I.
      Doc. 457, pp. 3-8. 1909.
    San Antonio Field Station, horticultural exper-
      iments. Stephen H. Hastings and R. E.
      Blair. D.B. 162, pp. 26. 1915.
    sweet-potato leaf folder, damage and control.
      D.B. 609, pp. 9-11. 1917.
    temperature records. B.P.I. Doc. 457, p. 8.
      1909.
    truck-crop insects, control work—
      1910. An. Rpts., 1910, p. 533. 1911; Ent.
        A.R., 1910, p. 29. 1910.
      1911. An. Rpts., 1911, p. 518. 1912; Ent.
        A.R., 1911, p. 28. 1911.
    yields of native prickly pear in. David
      Griffiths. D.B. 208, pp. 11. 1915.
  southwest—
    agricultural development. Soil Sur. Adv. Sh.,
      1911, pp. 23, 110. 1912; Soils F.O. 1911, pp.
      1190-1191, 1285. 1914.
    reconnaissance soil survey. A. E. Kocher.
      Soil Sur. Adv. Sh., 1911, pp. 117. 1912; Soils
      F.O., 1911, pp. 1175-1285. 1914.
  southwestern—
    agricultural conditions, development. D.C.
      73, pp. 3-9. 1920.
    border-method irrigation, practices. F.B. 1243,
      pp. 32-33. 1922.
    spinach growing and carlot shipments. F.B.
      1189, p. 3. 1921.
    stable fly, outbreak in 1912, history. F.B. 540,
      pp. 7-12. 1913.
    standard containers. F.B. 1434, p. 18. 1924.
  Starr County. See Texas, south.
  State Poultry Association meeting. Off. Rec.,
    vol. 2, No. 38, p. 1. 1923.
  statistics, population, crops, and animals. O.E.S.
    Bul. 222, pp. 7, 13. 1910.
  stock breeds, referendum. News L., vol. 7, No.
    13, pp. 7-8. 1919.
  stock, feeding prickly pear to. David Griffiths.
    B.A.I. Bul. 91, pp. 23. 1906.
  stockyards for handling noninfected cattle, per-
    mit. B.A.I.S.R.A. 181, p. 63. 1922.
  stoppage of cotton growing for bollworm control.
    News L., vol. 5, No. 1, p. 6. 1917.
  storm-wrecked area, use of homing pigeons.
    F.B. 1373, p. 1. 1924.
  strawberry—
    growing, practices. F.B. 1026, pp. 3, 6, 8, 12, 13,
      16, 28, 29, 30, 33, 35. 1919.
    shipments, 1914. D.B. 237, p. 10. 1915.
    shipments, 1914, 1915. F.B. 1028, p. 6. 1919.
    weevil, 1905. Ent. Bul. 63, pp. 59-60. 1909.
  substations—
    feeding and breeding, experiments. O.E.S. An.
      Rpt., 1912, pp. 57, 208. 1913.
    for demonstration work, 1909. O.E.S. An.
      Rpt., 1909, pp. 58, 187-188. 1910.

Texas—Continued.
  substations—continued.
    for experimental work, location and endowment. O.E.S. An. Rpt., 1910, pp. 65, 242. 1911.
  Sudan grass growing—
    1911, 1912, experimental tests. B.P.I. Cir. 125, pp. 4, 7-8, 11-13, 17-20. 1913.
    1913. Y.B., 1912, p. 502. 1913; Y.B. Sep. 609, p. 502. 1913.
    notes. D.B. 981, pp. 7, 21, 24, 25, 28, 30, 33, 52. 1921.
  Susquehanna fine sandy loam, areas, location, and crops. Soils Cir. 51, pp. 3, 4, 5, 8, 9, 10, 11. 1912.
  Sutton County. See Texas, south-central.
  sweet potato—
    crop, value, and losses by weevil infestation. F.B. 1020, pp. 3, 4, 9. 1919.
    industry, notes. D.B. 1206, pp. 5, 6, 7, 9-13. 1924.
    weevil outbreaks in 1921. D.B. 1103, p. 35. 1922.
  tea culture experiments, discontinuance. An. Rpts., 1908, pp. 306, 308. 1909; B.P.I. Chief Rpt., 1908, pp. 34, 36. 1908.
  termites, occurrence and damages. D.B. 33, pp. 12, 19, 20, 23, 26. 1916.
  Terrell, community demonstration farm, work. Seaman A. Knapp. B.P.I. Bul. 51, Pt. II, pp. 9-14. 1905.
  Texas City, trade center for farm products, statistics. Rpt. 98, pp. 288, 329. 1913.
  Texas fever, quarantine area, 1915. B.A.I.O. 235, rule 1, rev. 13, pp. 2-4, 9. 1915; B.A.I.O. 241, pp. 2-4. 1915.
  tick—
    eradication record. Off. Rec., vol. 1, No. 28, p. 2. 1922.
    eradication work. News L., vol. 4, No. 10, p. 3. 1916.
    infestation control. News L., vol. 5, No. 7, p. 6. 1917.
    quarantine, reestablishment. Off. Rec., vol. 2, No. 8, p. 4. 1923.
  tobacco—
    investigations—
      1908. An. Rpts., 1908, p. 347. 1909; B.P.I. Chief Rpt., 1908, p. 74. 1908.
      plans for continuation. W. W. Garner. B.P.I. Doc. 533, pp. 3. 1909.
    mildew occurrence. D.C. 174, p. 4. 1921.
    production of cigar type. B.P.I. Cir. 48, pp. 5, 7. 1910.
    work, 1909, Nocogdoches County experiment farm. An. Rpts., 1909, p. 313. 1910; B.P.I. Chief Rpt., 1909, p. 61. 1909.
  tomato(es)—
    growing as a truck crop, shipments, and methods, notes. F.B. 1338, pp. 1-9, 14-21. 1923.
    production, and value of shipments. D.B. 1099, p. 2. 1922.
    shipments, 1914. D.B. 290, p. 11. 1915.
    shipping sections. F.B. 1291, p. 4. 1922.
  Travis County. See Texas, south-central.
  treated timbers laid, 1902, condition of, report on. Hermann von Schrenk. For. Bul. 51, pp. 45. 1904.
  Trinity clay areas, location and crops adaptable. Soils Cir. 42, pp. 3, 4, 6, 7, 8, 10, 11, 12, 14. 1911.
  truck insects, investigations. An. Rpts., 1912, pp. 642-643. 1913; Ent. A.R., 1912, pp. 30-31. 1912.
  trucking industry, acreage and crops. Y.B., 1916, pp. 444, 449, 450, 455-465. 1917; Y.B. Sep. 702, pp. 10, 15, 16, 21-31. 1917.
  turkey(s)—
    marketing, 1923. Off. Rec., vol. 3, No. 28, p. 6. 1924.
    production. Off. Rec., vol. 2, No. 48, p. 3. 1923.
    raising, and marketing. Y.B., 1916, pp. 413, 417, 418. 1917; Y.B. Sep. 700, pp. 3, 7, 8. 1917.
  Tyler County, pine stand, average reproduction. For. Bul. 114, pp. 29, 30. 1912.
  use and value of Johnson grass roots, results. News L., vol. 5, No. 29, p. 7. 1918.
  Uvalde County. See Texas, southwest.
  Valverde County. See also Texas, south-central.
  Waco, fair, cattle shipments, permit. B.A.I.O. 261, pp. 2. 1918.

Texas—Continued.
  wage rates, farm labor, 1866-1909. Stat. Bul. 99, pp. 29-43, 68-70. 1912.
  walnut—
    growing and yield. B.P.I. Bul. 254, pp. 19, 23, 61, 102. 1913.
    range and estimated stand. D.B. 933, pp. 7, 13. 1921.
    stand and quality. D.B. 909, pp. 9, 14, 20, 21. 1921.
  water—
    resources, description of rivers. O.E.S. Bul. 222, pp. 13-29. 1910.
    rights, laws and officials. D.B. 913, pp. 2, 3. 1920.
    supply, wells, and springs, records, by counties. Soils Bul. 92, pp. 139-146. 1913.
  weather conditions and sorghum growth. J.A.R. vol. 13, pp. 136-142. 1918.
  Webb County. See Texas, south.
  western—
    demonstration work, farmers' cooperative, field instructions. Bradford Knapp. B.P.I. [Misc.], "Field instructions for * * *," pp. 15. 1913.
    farmers' cooperative demonstration work, field instructions. B.P.I. [Misc.], "Field instructions, * * * Texas and Oklahoma," pp. 15. 1913.
    increase in cotton production since 1899. Ent. Cir. 122, pp. 6, 7, 8. 1910.
    irrigation investigations. Harvey Culbertson. O.E.S. Bul. 158, pp. 319-340. 1905.
    Mexican conchuela in, 1905. A. W. Morrill. Ent. Bul. 64, Pt. I, pp. 1-14. 1907.
    milo growing. F.B. 322, pp. 11, 22, 23. 1908.
  wheat—
    acreage—
      and production, 1918-1920. D.B. 1020, p. 5. 1922.
      and varieties. D.B. 1074, p. 215. 1922.
      production and value. Stat. Bul. 57, pp. 5-25, 32. 1907; rev., pp. 5-25, 32, 38. 1908.
    growing. F.B. 1305, pp. 3, 4, 5. 1922.
    growing, environment experiments. Chem. Bul. 128, pp. 1-18. 1910.
    production periods. Y.B., 1921, pp. 89, 90, 94, 96. 1922; Y.B. Sep. 873, pp. 89, 90, 94, 96. 1922.
    varieties adapted. F.B. 616, pp. 5-6. 1914.
    varieties grown. F.B. 1168, pp. 7-8. 1920.
    winter growing. F.B. 895, p. 10. 1917.
    yields and prices, 1866-1915. D.B. 514, p. 12. 1917.
    yield, variation with rainfall. B.P.I. Bul. 188, pp. 26, 29. 1910.
  Wichita Falls, irrigation extension farm. An. Rpts., 1907, p. 709. 1908.
  Williamson County, marketing and purchasing demonstrations. Y.B., 1919, pp. 219-222. 1920; Y.B. Sep. 808, pp. 219-222. 1920.
  Wilson County. See Texas, southwest.
  yautia cultivation, note. B.P.I. Bul. 164, p. 18. 1910.
  Zapata County. See Texas, south.
  Zavalla County. See Texas, southwest.
  See also Great Plains area; Gulf Coastal Plain.
Texas fever—
  and cattle ticks. E. C. Schroeder. B.A.I. Rpt., 1907, pp. 49-70. 1909.
  and its prevention. F.B. 258, p. 46. 1906.
  and persistence in blood of southern cattle. B.A.I. Rpt., 1905, pp. 49-78. 1907.
  anthrax, difference. F.B. 258, pp. 29-30. 1906.
  blackleg, difference. F.B. 258, p. 29. 1906.
  blood inoculation, results. O.E.S. An. Rpt., 1907, p. 173. 1908.
  blood tests of southern cattle. B.A.I. An. Rpt., 1905, pp. 72-75. 1907.
  cattle—
    and persistence of organism in blood. B.A.I. Rpt., 1905, pp. 49-78. 1907.
    interstate movement, regulations. B.A.I.O. 245, pp. 7-14. 1916.
    shipment for slaughter. S.R.A.B.A.I. 187, p. 131. 1922.
  tick, control method. B.A.I. Cir. 148, pp. 1-4. 1909.

Texas fever—Continued.
cause—
discovery. B.A.I. An. Rpt., 1910, pp. 465–466. 1912; B.A.I. Cir. 194, pp. 465–466. 1912.
history, symptoms, and treatment. B.A.I. [Misc.], "Diseases of cattle," rev., pp. 458–471. 1904; rev., pp. 461–491. 1908; rev., pp. 480–513. 1912; rev., pp. 475–501. 1923.
transmission by ticks. S.R.S. Syl. 22, pp. 4–5. 1916.
transmission of organism and control. B.A.I. An. Rpt., 1910, pp. 492, 493. 1912; B.A.I. Cir. 194, pp. 492, 493. 1912.
caused by—
cattle ticks, experiments. D.B. 147, pp. 6–11. 1915.
stable fly. F.B. 540, p. 10. 1913.
control work—
1907. An. Rpts., 1907, p. 203. 1908; B.A.I. An. Rpt., 1907, p. 23. 1909.
1908. Y.B., 1908, pp. 32, 167. 1909.
1911. An. Rpts., 1911, pp. 49–50. 1912; B.A.I. An. Rpt., 1911, pp. 9, 44. 1913; Sec. A.R., 1911, pp. 47–48. 1911; Y.B., 1911, pp. 47–48. 1912.
description, history, cause, symptoms, and control methods. F.B. 569, pp. 1–4, 6, 15–18, 19, 22–24. 1914.
development—
period after exposure, symptoms. F.B. 569, pp. 15–19. 1914.
symptoms, and treatment. F.B. 258, pp. 24–30. 1906.
discussion. B.A.I. An. Rpt., 1904, pp. 25–26. 1905.
dissemination by ticks. An. Rpts., 1905, p. 35. 1905; B.A.I. An. Rpt., 1905, pp. 60–66. 1907; B.A.I. Chief Rpt., 1905, p. 16. 1905.
distinction from anthrax. B.A.I. [Misc.], "Diseases of cattle," rev., p. 461. 1912.
distribution, map. B.A.I. An. Rpt., 1910, p. 427. 1912; B.A.I. Cir. 193, p. 427. 1912.
eradication—
B.A.I. An. Rpt., 1905, pp. 67–70. 1907.
cattle losses, value, etc., before and after inauguration of work. B.A.I. Cir. 196, pp. 2–3. 1912.
cost per head, and increased value of stock per head. Y.B., 1915, p. 162. 1916; Y.B. Sep. 666, p. 162. 1916.
increase of cattle weight. B.A.I. Cir. 196, p. 3. 1912.
remarks by Mississippi farmer. B.A.I. Cir. 196, p. 4. 1912.
responsibility for improvement of cattle grade. B.A.I. Cir. 196, pp. 3–4. 1912.
work, 16 years' review. An. Rpts., 1912, pp. 163–164. 1913; Sec. A.R., 1912, pp. 163–164. 1912; Y.B., 1912, pp. 163–164. 1913.
Federal regulations. F.B. 258, pp. 40–42. 1906.
feeding stations in quarantined area. B.A.I. An. Rpt., 1905, p. 333. 1907.
foreign investigations. O.E.S. An. Rpt., 1904, pp. 566–569. 1905.
germ, discovered by Animal Industry Bureau. Off. Rec., vol. 2, No. 23, p. 6. 1923.
history and cause. F.B. 258, pp. 7–8. 1906.
identity with murrain, control work. Y.B., 1913, pp. 263, 268. 1914; Y.B. Sep. 627, pp. 263, 268. 1914.
immunization of cattle. F.B. 258, pp. 38–40. 1906.
in Craven County, Tex., quarantine. B.A.I.O. 262, amdt. 2, p. 1. 1919.
investigations, 1906. An. Rpts., 1906, pp. 137–140. 1907; B.A.I. An. Rpts., 1906, pp. 25–28. 1908; B.A.I. Chief Rpt., 1906, pp. 19–22. 1906.
legislation. B.A.I. Bul. 28, pp. 54, 75, 104, 106, 107, 108, 138, 144, 146, 148, 152, 161, 167, 172. 1901.
losses from, control methods and eradication, progress. Y.B., 1915, pp. 160–162. 1916; Y.B. Sep. 666, pp. 160–162. 1916.
nature, spread, and treatment. B.A.I. [Misc.], "Diseases of cattle," rev., pp. 475–498. 1923.
or southern cattle fever. D. E. Salmon and Theobald Smith. B.A.I. Cir. 69, p. 13. 1905.
or tick fever and its prevention. John R. Mohler. F.B. 258, pp. 45. 1906.

Texas fever—Continued.
organism, persistence in blood of southern cattle. E. C. Schroeder and W. E. Cotton. B.A.I. An. Rpt., 1905, pp. 71–78. 1907.
parasite, description, distribution, and history. B.A.I. An. Rpt., 1910, pp. 425–428. 1912; B.A.I. Cir. 193, pp. 425–428. 1912.
prevention—
of spread in cattle. B.A.I.O. 168, rule 1, rev. 6, pp. 11. 1910.
quarantine area. B.A.I.O. 285, pp. 5. 1923.
regulations, 1907, compilation. B.A.I. An. Rpt., 1907, appendix. 1909.
protection of cattle, remarks. Y.B., 1902, pp. 603. 1903.
quarantine—
area—
1908. B.A.I.O. 151, rule 1, rev., pp. 1–8. 1908.
December 6, 1909, in various States. B.A.I.O. 166, pp. 10. 1909.
March 15, 1911. B.A.I.O. 178, pp. 11. 1911.
1911. B.A.I. [Misc.], "Quarantine for * * *," map. 1911.
1915. B.A.I.O. 241, pp. 10. 1915.
November 21, 1916. B.A.I.O. 251, pp. 1–8. 1916.
1916, various States. B.A.I.O. 241, amdt. 1, pp. 5. 1916; B.A.I.O. 241, amdt. 2, pp. 2. 1916.
December, 1918. F.B. 1057, p. 5. 1919.
December, 1919. and regulations. B.A.I.O. 269, pp. 8. 1919.
December 1, 1920. B.A.I.O. 271, rule 1, rev. 19, pp. 8. 1920.
changes, 1923. B.A.I.S.R.A. 198, p. 87. 1923.
changes in Southern States, May, 1917. B.A.I.S.R.A. 121, pp. 53–54. 1917.
dipping places for cattle. B.A.I.S.R.A. 95, p. 35. 1915.
establishment—
1913, areas in several States. B.A.I.O. 199, rule 1, rev. 11, pp. 13. 1913.
1915. B.A.I.O. 235, rule 1, rev. 13, pp. 10. 1915.
1923, in Mississippi and Texas. B.A.I.O. 279, amdt. 1, p. 1. 1923.
extension to Porto Rico. News L., vol. 4, No. 44, p. 7. 1917.
general provisions, and open season. B.A.I.O. 187, rule 1, rev. 9, pp. 9, 11–12. 1912.
in Oklahoma and Kansas, April 15, 1912. B.A.I.O. 187, amdt. 1, pp. 2. 1912.
in Porto Rico. B.A.I.O. 251, A–2, p. 1. 1917.
modification. B.A.I.O. 235, amdt. 1, pp. 2. 1915.
places for immediate slaughter, list. B.A.I.S.R.A. 98, pp. 76–77. 1915.
places for slaughter of diseased cattle. S.R.A.B.A.I. 187, p. 131. 1922.
points at which southern cattle may be shipped and slaughtered. B.A.I.S.R.A. 185, p. 106. 1922.
regulations—
1904. B.A.I. An. Rpt., 1904, pp. 560–571. 1905.
1906. B.A.I. An. Rpt., 1906, pp. 339, 348, 349, 351, 361, 385, 388, 393. 1906.
1907. B.A.I.O. 143, pp. 5–16, 23–28. 1907.
April 1, 1909. B.A.I.O. 158, rule 1, rev. 4, pp. 11. 1909.
1909. B.A.I. An. Rpt., 1909, pp. 354–358, 368–379, 384–390. 1911.
1911. B.A.I. An. Rpt., 1911, pp. 312, 314–322, 336–342. 1913.
1912, and districts. B.A.I. [Misc.], "Diseases of cattle," rev., pp. 511–512. 1912.
releases—
1913. An. Rpts., 1913, p. 88. 1914; B.A.I. Chief Rpt., 1913, p. 18. 1913; B.A.I.O. 199, amdt. 2, pp. 2. 1913.
1914. An. Rpts., 1914, p. 77. 1915; B.A.I. Chief Rpt., 1914, p. 21. 1914; B.A.I.O. 207, amdt. 1, pp. 4. 1914; News L., vol. 1, No. 27, p. 3. 1914.
1915. B.A.I.O. 235, amdt. 2, pp. 3. 1915; News L., vol. 2, No. 32, p. 1. 1915.
of Alabama counties. B.A.I.O. 262, A–7, p. 1. 1919; News L., vol. 7, No. 6, p. 4. 1919.

Texas fever—Continued.
quarantine—continued.
releases—continued.
of Currituck County, N. C. B.A.I.O. 285, amdt. 2, p. 1. 1924.
of portions of North Carolina and Oklahoma. B.A.I.O. 187, amdt. 4, pp. 3. 1912; amdt. 5, pp. 2. 1912.
replacement on Vernon Parish, La. News L., vol. 7, No. 5, p. 5. 1919.
revised list of cities receiving cattle shipments. B.A.I.S.R.A. 134, pp. 45–46. 1918.
slaughter points—
changes. B.A.I.S.R.A. 119, pp. 36–37. 1917.
list. B.A.I.S.R.A. 85, pp. 73–74. 1914.
quarantined area, open season—
1908. B.A.I.O. 151, rule 1, rev. 3, pp. 8–9. 1908.
1914. B.A.I.O. 207, rule 1, rev. 12, pp. 10–11. 1914.
regulations—
B.A.I. An. Rpt., 1908, pp. 21–22. 1910; B.A.I. Chief Rpt., 1908, pp. 16–17. 1908.
control. An. Rpts., 1908, pp. 32, 230–231. 1909; B.A.I. Chief Rpt., 1908, pp. 16–17. 1908.
for prevention of spread—
1906. B.A.I. An. Rpt., 1906, pp. 339, 348, 349, 351, 361, 385, 388, 393. 1908.
April 15, 1907. B.A.I.O. 144, pp. 13. 1907.
April 1, 1908. B.A.I.O. 151, rule 1, rev. 3, pp. 10. 1908.
sanitary regulations, Federal. B.A.I. Bul. 78, pp. 42–44. 1905.
spread prevention—
and quarantine areas—
1918. B.A.I.O. 262, pp. 14. 1918.
December 10, 1922. B.A.I.O. 279, pp. 7. 1922.
quarantine revision. B.A.I.O. 251, amdt. 1, pp. 2. 1917.
regulations. B.A.I.O. 210, pp. 5–15. 1914; B.A.I.O. 245, pp. 7–15. 1916.
regulations. B.A.I.O., 273, pp. 8–17. 1921; rev., pp. 7–15. 1923.
studies and experiments. B.A.I. An. Rpt. 1905, pp. 35–36, 37–38. 1907.
symptoms. B.A.I. Bul. 78, pp. 22–25. 1905.
symptoms and appearance of carcass. B.A.I. Bul. 78, pp. 22–26. 1905.
synonyms. F.B. 569, p. 1. 1914.
theory of causation, objections and explanation. B.A.I. Bul. 78, pp. 15–19. 1905.
tick. See Tick, cattle.
transmission, problems. B.A.I. Cir. 98, pp. 5–8. 1906.
treatment—
B.A.I. Bul. 78, p. 29. 1905; F.B. 258, p. 30. 1906.
and prevention. B.A.I. Bul. 78, pp. 29–48. 1905.
with "Quinin urea and bimuriate," experiments. An. Rpts., 1912, p. 387. 1913; B.A.I. Chief Rpt., 1912, p. 91. 1912.
(otherwise known as tick fever, splenetic fever, or southern fever), with methods for its prevention. John R. Mohler. B.A.I. Bul. 78, pp. 48. 1905.
study with Brahman cattle blood in 1923. O.E.S. [Misc.]," Work and Exp., 1923, p. 67. 1925.
See also Splenetic fever; Tick fever, cattle.
Text-book, of agriculture, development in North America. L. H. Bailey. O.E.S. An. Rpt., 1903, pp. 689–712. 1904.
Textbooks—
animal production, list, recommendations. O.E.S. Cir. 100, pp. 55–56. 1911.
See also Books; Literature.
Textile(s)—
adulteration and misbranding, State laws, note. Y.B. 1911, p. 399. 1912; Y.B. Sep. 579, p. 399. 1912.
and clothing, stains removal from. Harold L. Lang and Anna H. Whittelsey. F.B. 861, pp. 35. 1917.
Exposition exhibit. Off. Rec., vol. 2, No. 46, p. 2. 1923.
facts about, testing for wool, silk, linen, and cotton fibers. F.B. 1089, pp. 9–12. 1920.
high-grade, demand for long-staple cotton. Y.B. 1911, pp. 400–401. 1912; Y.B. Sep. 579, pp. 400–401. 1912.

Textile(s)—Continued.
production by Atlanta penitentiary. Off. Rec. vol. 4, No. 19, p. 4. 1925.
selection for household use. Y.B., 1914, pp. 352–355. 1915; Y.B. Sep. 646, pp. 352–355. 1915.
situation in Europe, 1925. Off. Rec., vol. 4, No. 42, p. 1. 1925.
wastes, paper-making, value and use. Chem. Cir. 41, pp. 12–17, 19, 20. 1908.
See also Cordage; Cotton; Esparto; Flax; Fibers; Malbon; Wool.
Thalarctos maritimus. See Bear, polar.
Thalia spp., value as duck food, description, distribution, and propagation. D.B. 205, pp. 7–9. 1915.
Thalictrum—
fendleri, host of Puccinia cockerelliana. J.A.R., vol. 22, p. 165. 1921.
foliolosum, importation and description. No. 39085, B.P.I. Inv. 40, p. 73. 1917.
spp., importations and description. Nos. 49813, 49869, 50338–50339, B.P.I. Inv. 63, pp. 8, 15, 58. 1923.
spp., susceptibility to Puccinia triticina. J.A.R., vol. 22, pp. 155–172. 1921.
Thamnidium elegans, from potatoes in Idaho soils. J.A.R., vol. 13, pp. 80, 96. 1918.
Thamnotettix geminatus. See Leafhopper, geminate.
Thaneroclerus girodi—
description and injury to tobacco. D.B. 737, p. 28. 1919.
See also Beetle, clerid.
THARP, W. E.: "Soil survey of—
Baldwin County, Ala." With others. Soil Sur. Adv. Sh., 1909, pp. 74. 1911; Soils F. O., 1909, pp. 705–774. 1912.
Bibb County, Ala." With W. L. Lett. Soil Sur. Adv. Sh., 1908, pp. 51. 1910; Soils F. O., 1908, pp. 661–707. 1912.
Blackhawk County, Iowa." With Horace J. Harper. Soil Sur. Adv. Sh., 1917, pp. 44. 1919; Soils F. O., 1917, pp. 1557–1594. 1923.
Boone County, Ind." With E. J. Quinn. Soil Sur. Adv. Sh., 1912, pp. 39. 1914; Soils F. O., 1912, pp. 1409–1443. 1915.
Clinton County, Ind." With others. Soil Sur. Adv. Sh., 1914, pp. 28. 1915; Soils F.O., 1914, pp. 1631–1654. 1919.
Coahoma County, Miss." With others. Soil Sur. Adv. Sh., 1915, pp. 29. 1916; Soils F.O., 1915, pp. 973–997. 1919.
Cullman County, Ala." With W. L. Lett. Soil Sur. Adv. Sh., 1908, pp. 34. 1910; Soils F.O., 1908, pp. 585–614. 1911.
Forrest County, Miss." With W. M. Spann. Soil Sur. Adv. Sh., 1911, pp. 52. 1912; Soils F.O., 1911, pp. 1005–1050. 1914.
George County, Miss." With E. P. Lowe. Soil Sur. Adv. Sh., 1922, pp. 33–75. 1925.
Grant County, Ind." With others. Soil Sur. Adv. Sh., 1915, pp. 36. 1917; Soils F.O., 1915, 1353–1384. 1919.
Greene County, Ind." With C. J. Mann. Soil Sur. Adv. Sh., 1906, pp. 39. 1907; Soils F.O., 1906, pp. 755–789. 1908.
Grenada County, Miss." With J. B. Hogan. Soil Sur. Adv. Sh., 1915, pp. 32. 1917; Soils F.O., 1915, pp. 999–1026. 1919.
Hendricks County, Ind." With E. J. Quinn. Soil Sur. Adv. Sh., 1913, pp. 38. 1915; Soils F.O., 1913, pp. 1407–1440. 1916.
Jefferson County, Fla." With others. Soil Sur. Adv. Sh., 1907, pp. 39. 1908; Soils F.O., 1907, pp. 345–379. 1909.
Johnson County, Iowa." With G. H. Artis. Soil Sur. Adv. Sh., 1919, pp. 52. 1922; Soils F.O., 1919, pp. 1495–1542. 1925.
Lee County, Miss." With E. M. Jones. Soil Sur. Adv. Sh., 1916, pp. 40. 1918; Soils F.O., 1916, pp. 1045–1080. 1921.
Madison County, Miss." With others. Soil Sur. Adv. Sh., 1917, pp. 37. 1920; Soils F.O., 1917, pp. 903–935. 1923.
Mitchell County, Iowa." With Knute Espe. Soil Sur. Adv. Sh., 1916, pp. 34. 1918; Soils F.O., 1916, pp. 1875–1904. 1921.
Palo Alto County, Iowa." With others. Soil Sur. Adv. Sh., 1918, pp. 36. 1921; Soils F.O., 1918, pp. 1133–1164. 1924.

THARP, W. E.: "Soil survey of—Continued.
Pike County, Ala." With others. Soil Sur. Adv. Sh., 1910, pp. 67. 1911; Soils F.O., 1910, pp. 641-703. 1912.
Putnam County, Mo." With C. J. Mann. Soil Sur. Adv. Sh., 1906, pp. 22. 1908; Soils F.O., 1906, pp. 893-910. 1908.
Ringgold County, Iowa." With E. C. Hall and F. B. Howe. Soil Sur. Adv. Sh., 1916, pp. 29. 1918; Soils F. O., 1916, pp. 1905-1929. 1921.
Sabine Parish, La." With others. Soil Sur. Adv. Sh., 1919, pp. 62. 1922; Soils F. O., 1919, pp. 1041-1098. 1925.
Simpson County, Miss." With others. Soil Sur. Adv. Sh., 1919, pp. 34. 1921; Soils F.O., 1919, pp. 1011-1040. 1925.
Smith County, Miss." With William De Young. Soil Sur. Adv. Sh., 1920, pp. 445-492. 1923; Soils F.O., 1920, pp. 445-492. 1925.
the Waycross area, Georgia." With M. E. Carr. Soil Sur. Adv. Sh., 1906, pp. 35. 1907; Soils F.O., 1906, pp. 303-333. 1908.
Warren County, Miss." With W. M. Spann. Soil Sur. Adv. Sh., 1912, pp. 50. 1914; Soils F.O., 1912, pp. 881-926. 1915.
Wells County, Ind." With W. E. Wiley. Soil Sur. Adv. Sh., 1915, pp. 29. 1917; Soils F.O., 1915, pp. 1423-1447. 1919.
Wilkinson County, Miss." With W. M. Spann. Soil Sur. Adv. Sh., 1913, pp. 52. 1915; Soils F.O., 1913, pp. 952-1000. 1916.
Winnebago County, Iowa." With G. H. Artis. Soil Sur. Adv. Sh., 1918, pp. 31. 1921; Soils F.O., 1918, pp. 1249-1275. 1924.
THARP, W. E.: "The selection of land for general farming in the Gulf coast region east of the Mississippi River." Soils Cir. 43, pp. 11. 1911.
THATCHER, L. E.: "A fungus disease suppressing expression of awns in a wheat-spelt hybrid." J.A.R., vol. 21, pp. 699-700. 1921.
THATCHER, R. W.—
"Enzyms of apples and their relation to the ripening process." J.A.R., vol. 5, No. 3, pp. 103-116. 1915.
"Enzyms of milk and butter." With A. C. Dahlberg. J.A.R., vol. 11, pp. 437-450. 1917.
report of Washington Experiment Station—
1907. O.E.S. An Rpt., 1907, pp. 180-183. 1908.
1908. O.E.S. An Rpt., 1908, pp. 181-183. 1909.
1909. O.E.S. An Rpt., 1909, pp. 198-200. 1910.
1910. O.E.S. An Rpt., 1910, pp. 251-254. 1911.
1911. O.E.S. An Rpt., 1911, pp. 216-220. 1912.
1912. O.E.S. An Rpt., 1912, pp. 220-223. 1913.
Thaumatococcus daniella, importation and description. Inv. No. 30215, B.P.I. Bul. 233, p. 67. 1912.
Thawing—
cause of gullies. F.B. 1234, p. 8. 1922.
cold-storage chickens, methods. Y.B., 1907, p. 200. 1908; Y.B. Sep. 468, p. 200. 1908.
effects on orchard fruits. Y.B., 1912, p. 313. 1913; Y.B. Sep. 593, p. 313. 1913.
Thea—
japonica. See Camellia.
sasanqua—
importation and description. No. 50646, B.P.I. Inv. 63, p. 90. 1923.
See also Tea.
THEILER, ARNOLD—
discussion of deficiency in mineral nutrients for cows. B.A.I. Dairy [Misc.] "World's dairy congress, 1923," pp. 1042-1043. 1924.
"Protozean diseases of cattle." B.A.I. Dairy [Misc.], "World's dairy congress, 1923," pp. 1453-1460. 1924.
Thein, identity with caffein. Chem. Bul. 148, p. 9. 1912.
Theine—
determination method. Chem. Bul. 152, p. 164. 1912.
See also Caffeine.
Thelaxini, genera, description and key. D.B. 826, pp. 5, 20-21. 1920.
THELEN, ROLF—
"Kiln-drying handbook." D.B. 1136, pp. 64. 1923.
"The substitution of other materials for wood." Rpt. 117, pp. 78. 1917.
"Wood-waste prevention." M.C. 39, pp. 83-100. 1925.

Thelephora galactina, root fungus of oak trees, injuries, dangers. B.P.I. Bul. 149, p. 24. 1909.
Themeda—
australis. See Kangaroo grass.
spp., importations and descriptions. Nos. 48487, 48787, B.P.I. Inv. 61, pp. 3, 13, 47. 1922; Nos. 50334, 50372, B.P.I. Inv. 63, pp. 57, 63. 1923.
triandra, importation and description. No. 47812, B.P.I. Inv. 59, p. 63. 1922.
THEOBALD, F. V.: "Three British fruit-tree pests liable to be introduced with imported nursery stock." Ent. Bul. 44, pp. 62-70. 1904.
Theobroma—
bicolor. See Patashte tree.
cacao—
source of cocoa and cocoa products. D.B. 505, p. 15. 1917.
See also Cacao; Chocolate nut.
spp., importations and description. Nos. 50501-50515, B.P.I. Inv. 63, pp. 74-75. 1923.
Theobromine in chocolate, effect as stimulant, note. Chem. N.J. 1455, p. 41. 1912.
Theocine poisoning, notes. Chem. N.J. 1455, p. 37. 1912.
Thereva egressa, control of wireworms. D.B. 156, p. 28. 1915.
Theridium tepidariorum. See Spiders, jumping.
Therina somniaria. See Oak looper.
Therm(s)—
consumption, relation to therms stored. J.A.R., vol. 21, pp. 324-334. 1921.
definition of term, and use in computing energy value of feeding stuffs. F.B. 346, pp. 12-13, 16-30. 1909.
heat measurement, definition. D.B. 459, p. 8. 1916.
Thermal—
belt in California, Pasadena area. Soil Sur. Adv. Sh., 1915, p. 9. 1917; Soils F.O., 1915, p. 2319. 1919.
belt in mountain regions, South Atlantic States. B.P.I. Bul. 135, pp. 26-27. 1908.
zone, adaptation to fruit growing on Porters loam. Soils Cir. 39, pp. 9-10, 13, 17. 1911.
Thermobacterium spp., in milk, description. "World's dairy congress, 1923", pp. 1124-1125. B.A.I. Dairy [Misc.] "World's dairy congress, 1923," pp. 1124-1125. 1924.
Thermobia domestica. See Fire-brat; Silverfish.
Thermocouple(s)—
rotating, use and origin. Off. Rec., vol. 1, No. 6, p. 5. 1922.
use in testing temperature changes in canning. D.B. 956, p.10. 1921.
Thermoelectric method, determination of freezing point of potatoes. R. C. Wright, and R. B. Harvey. D.B. 895, pp. 7. 1921.
Thermograph(s)—
records—
refrigerator cars. Chem. Cir. 64, pp. 24-27. 1910.
use in determination of probable temperatures. F. L. West and others. J.A.R. vol. 18, pp. 499-510. 1920.
solar, description and use in forest studies. D.B. 1059, p. 51. 1922.
use by voluntary observers, discussion. A. B. Wollaber. W.B. Bul. 31, pp. 219-220. 1902.
use in egg-keeping experiments. B.A.I. Bul. 160, p. 16. 1913.
Thermology of distillation. Chem. Bul. 130, pp. 54-57. 1910.
Thermometer(s)—
calibrating, directions. D.B. 314, pp. 21-22. 1915.
Centigrade scale. Y.B., 1914, p. 161. 1915; Y.B. Sep. 635, p. 161. 1915.
choosing, hints. Y.B., 1914, p. 166. 1915; Y.B. Sep. 635, p. 166. 1915.
clinical, use on farm. Y.B., 1914, pp. 165-166. 1915; Y.B. Sep. 635, pp. 165-166. 1915.
dairy, floating, description. F.B. 541, pp. 21, 27. 1913.
description, use, and price. Y.B., 1908, pp. 434, 441. 1909; Y.B. Sep. 492, pp. 434, 441. 1909.
electrical—
description, use in observing winter bees. D.B. 93, p. 2-3. 1914.

Thermometer(s)—Continued.
  electrical—continued.
    resistant, use in—
      measurement of solar radiation. An. Rpts., 1910, pp. 175-176. 1911; W. B. Chief Rpt., 1910, pp. 17-18. 1910.
      refrigeration measurements. D.B. 1290, p. 4. 1924.
  exposure method. Y.B., 1914, pp. 161-163. 1915; Y.B. Sep. 635, pp. 161-163. 1915.
  fragility, discussion. G. R. Oberholser. W.B. Bul. 31, pp. 217-219. 1902.
  ham, description, use, and possibility of infection with souring bacillus. B.A.I. Bul. 132, pp. 8-9, 35-41. 1911.
  history, and uses in agriculture. Y.B. 1914, pp. 157-166. 1915; Y.B. Sep. 635, pp. 157-166. 1915.
  kiln, use in regulating temperature. D.B. 1136, pp. 10-12, 57-58. 1923.
  recording for milk plant. D.B. 890, pp. 23-24. 1920.
  scales, comparison of Fahrenheit and Centigrade. B.A.I. Cir. 7, pp. 37-38. 1916.
  soil, description. J.A.R., vol. 5, No. 4, p. 173. 1915.
  use(s)—
    and exposure in frost-prevention work. F.B. 1096, pp. 42-46. 1920.
    and value in farm homes, dairies, and orchards. News L., vol. 3, No. 12, pp. 7-8. 1915.
    for meat temperature testing. B.A.I.S.R.A. 112, pp. 69-70. 1916.
    in—
      bee temperature studies. D.B. 96, pp. 2, 5, 6. 1914.
      butter making. F.B. 876, pp. 8, 21. 22. 1917.
      determination of finishing point of sirup. F.B. 1389, p. 18. 1924.
      distillation of turpentine, importance. Chem. Bul. 135, pp. 11, 14-15. 1911.
      farm home. Y.B., 1914, pp. 163-166. 1915; Y.B. Sep. 635, pp. 163-166. 1915.
      making grape juice at home. F.B. 1075, pp. 19, 21-22, 25-27, 31. 1919.
      measuring air and soil temperatures, cost. D.B. 1059, pp. 25-26, 38. 1922.
      testing temperature changes in canning. D.B. 956, pp. 6-7, 8, 53. 1921.
    wet-bulb, use in determining moisture. F.B. 1194, p. 23. 1921.
Thermopsis sp., mountain pasture plant. No. 43937, B.P.I. Inv. 49, p. 101. 1921.
Thermopyle, description, and use in forest study. D.B. 1059, p. 49. 1922.
Thermosphores, use—
  and dangers. F.B. 490, p. 21. 1912.
  in preserving milk. F.B. 348, p. 22. 1909.
Thermostasy, partial, of the growth center of date palm. Silas C. Mason. J.A.R., vol. 31, pp. 415-453. 1925.
Thermostat—
  description and use in measurement of fruit juices. B.P.I. Bul. 238, pp. 13, 20. 1912.
  for control of low temperatures. J.A.R., vol. 26, p. 183. 1923.
  kiln, use in control of temperature. D.B. 1136, pp. 12-13, 58. 1923.
  mercury, use in temperature control, description. D.B. 951, pp. 8-11. 1921.
  use in orchards for frost alarms. Y.B., 1909, p. 363. 1910; Y.B. Sep. 519, p. 363. 1910.
Thersilochus conotracheli, parasite of plum curculio, life history. Ent. Bul. 103, pp. 147-148. 1912; J.A.R., vol. 6, No. 22, pp. 847-856. 1916.
Thespesia—
  lampas, importations and descriptions. No. 52386, B.P.I. Inv. 66, pp. 5, 19. 1923; No. 54550, B.P.I. Inv. 69, p. 24. 1923.
  populuea. See Soland.
THICKENS, J. H.—
  "Experiments with jack pine and hemlock for mechanical pulp." For. Prod. [Misc.] "Experiments * * * mechanical pulp," pp. 29' 1912.
  "Ground-wood pulp." With G. C. McNaughton. D.B. 343, pp. 151. 1916.
  "The grinding of spruce for mechanical pulp." For. Bul. 127, pp. 54. 1913.

Thickets, maple saplings, thinning and cutting back to form groves. F.B. 1366, pp. 8-10. 1924.
Thielavia—
  basicola—
    bibliography. B.P.I. Bul. 158, pp. 44-48. 1909.
    cause of—
      ginseng rust. B.P.I. Bul. 250, p. 30. 1912.
      root rot in ginseng. F.B. 736, p. 9. 1916.
      root rot in seed beds. F.B. 996, p. 4. 1918.
      root rot of tobacco. W. W. Gilbert. B.P.I. Bul. 158, pp. 55. 1909.
      tobacco root rot. D.B. 765, p. 5. 1919; F.B. 571, rev., p. 21. 1920.
      tobacco root-rot, and control, studies. An. Rpts., 1907, pp. 265, 271, 321. 1908.
    control by use of acid fertilizers. D.B. 6, p. 12. 1913.
    history, hosts, and characteristics. B.P.I Bul. 158, pp. 18-33. 1909.
    host plants. James Johnson. J.A.R., vol. 7, pp. 289-300. 1916.
  root rot—
    ginseng, description and control. F.B. 736, p. 9. 1916.
  See also Root rot, tobacco.
Thielaviopsis—
  cause of pineapple—
    diseases. O.E.S. An. Rpt., 1910, p. 126. 1911.
    soft-rot. F.B. 1237, p. 27. 1921.
  paradoxa—
    cause of—
      pineapple rot, description and control. B.P.I. Bul. 171, pp. 15-35. 1910.
      soft rot of pineapple. Hawaii A.R., 1915, p. 61. 1916.
    synonomy and cultural work. B.P.I. Bul. 171, pp. 15-16, 21-33. 1910.
THIESSEN, A. H.—
  "Study of the thermometer and its uses in agriculture." Y.B., 1914, pp. 157-166. 1915; Y.B. Sep. 635, pp. 157-166. 1915.
  "The value of snow surveys as related to irrigation projects." Y.B. 1911, pp. 391-396. 1912; Y.B. Sep. 578, pp. 391-396. 1912
Thinning—
  apples, cost per acre. D.B. 518, pp. 31-33. 1917.
  ash plantings to increase diameter growth. D.B. 299, pp. 48-50. 1915.
  beets, directions. Rpt. 86, p. 30. 1908.
  corn—
    directions. Guam Cir. 3, p. 4. 1922.
    directions and implements. S.R.S. Syl. 21, p. 9. 1916.
    importance and method. F.B. 537, p. 16. 1913.
  cotton—
    for single-stalk culture, methods, notes. D.B. 526, pp. 5, 6, 8, 10-26. 1918.
    improved method for control of useless branches. B.P.I. Cir. 115, pp. 15-22. 1913.
    to suppress vegetative branches. D.B. 1153, pp. 14-15. 1923.
  cottonwood stands, methods and value. D.B. 24, pp. 39-42. 1913.
  Egyptian cotton—
    experiments. D.B. 742, pp. 22-24. 1919.
    method. D.B. 332, pp. 24-25. 1916.
  forest stands, use in improving quality of product. For. Cir. 172, pp. 14-15, 16. 1909.
  forest trees, methods, and results. Y.B. 1911, p. 266. 1912; Y.B. Sep. 566, p. 266. 1912.
  fruit—
    S.R.S. Syl. 23, p. 8. 1916.
    advantages. News L., vol. 6, No. 44, p. 12. 1919.
    apple orchards, Washington. D.B. 446, pp. 17-19. 1917.
    directions. F.B. 908, p. 60. 1918.
    northwest prune growing. F.B. 1372, pp. 54-55. 1924.
  jack pine plantations, directions. D.B. 820, pp. 32-33. 1920.
  longleaf pine stands. D.B. 1061, pp. 34-36. 1922.
  orchard, in Yakima Valley, Wash., methods and cost. D.B. 614, pp. 39-40. 1918.
  peach—
    directions. F.B. 632, pp. 14-16. 1915; F.B. 917, pp. 37-39. 1918.
    necessity. Off. Rec., vol. 3, No. 34, p. 2. 1924.

INDEX TO PUBLICATIONS, 1901-1925 2391

Thinning—Continued.
  sugar beets, practices and cost, Utah and Idaho. D.B. 693, pp. 30-31. 1918.
  trees, forest plantation. D.B. 156, pp. 14-16. 1915.
  trees in farm woods for improvement. F.B. 1177, rev., pp. 7-9. 1920.
  wood lot, necessity and method. F.B. 711, pp. 10-12. 1916.
  woodlands, directions. F.B. 1071, pp. 25-28. 1920; F.B. 1117, pp. 10-12, 13. 1920.
Thioacetic acid method of determination of molybdic trioxide. Chem. Bul. 150, pp. 44-46. 1912.
Thiobacillus spp., oxidation of sulphur in alkaline soils. J.A.R., vol. 24, pp. 299-304. 1923.
Thiodina puerperis, spider enemy of citrus thrips. D.B. 616, p. 27. 1918.
Thiosulphuric acid, method of reducing arsenic acid to arsenious acid. Robert M. Chapin. J.A.R., vol. 1, pp. 515-517. 1914.
Thistle—
  aphid, long-beaked, occurrence on plum trees, description and control. F.B. 1128, pp. 17, 47-48. 1920.
  bird's nest, similarity to Canada thistle. F.B. 545, p. 6. 1913.
  bitter. *See* Thistle, blessed.
  blessed, habitat, range, description, uses, collection, and prices. B.P.I. Bul. 219, p. 44. 1911.
  bull—
    differences from Canada thistle. F.B. 1002, pp. 5-6. 1918.
    growth habits and spread in Washington, eastern Puget Sound Basin. Soil Sur. Adv. Sh., 1909, pp. 39-40, 41. 1911; Soils F.O., 1909, pp. 1549-1550, 1551. 1912.
    See also Thistle, common.
  Canada—
    control. H. R. Cox. F.B. 545, pp. 14. 1913.
    control in pea fields. F.B. 1255, p. 14. 1922.
    description—
      and control method, Washington, eastern Puget Sound Basin. Soil Sur. Adv. Sh., 1909, p. 39-41. 1911; Soils F.O., 1909, pp. 1549-1551. 1912.
      distribution, spread, and products injured. F.B. 660, p. 29. 1915.
      habits, characteristics, and control. News L., vol. 3, No. 37, pp. 1-2. 1916.
      seed occurrence in hay seeds. F.B. 545, pp. 7-8. 1913.
    distribution of seed, means. F.B. 545, pp. 7-8. 1913.
    eradication—
      by spraying and salting. F.B. 545, p. 13. 1913.
      in grain crops, experiments. F.B. 1002, pp. 11-13. 1918.
      methods. News L., vol. 1, No. 6, p. 4. 1913.
      methods. Albert A. Hansen. F.B. 1002, pp. 15. 1918.
    introduction and spread, and identification. F.B. 1002, pp. 3-6. 1918.
    killing methods. F.B. 545, pp. 8-13. 1913.
    law of several States. F.B. 545, p. 14. 1913.
    prevalence in Wisconsin, Kewaunee County. Soil Sur. Adv. Sh., 1911, p. 15. 1913; Soils F.O., 1911, p. 1523. 1914.
    range, description, and growth habits. F.B. 545, pp. 5-6. 1913.
    seed, description. F.B. 428, pp. 21, 22. 1911.
    seeds, description, and spread. F.B. 1002, pp. 6-8. 1918.
    spread by underground parts. F.B. 1002, pp. 8, 14. 1918.
    characters. News L., vol. 2, No. 40, p. 3. 1915.
    common, description, distribution, spread, and injured products. F.B. 660, p. 29. 1915.
    common. *See also* Thistle, bull.
    curled, similarity to Canada thistle. F.B. 545, p. 6. 1913.
    differences from Canada thistles. F.B. 545, p. 6. 1913.
    injury to grain fields in California. D.B. 1172, p. 5. 1923.
    insecticide spraying for grain-bug control. D.B. 779, p. 32. 1919.
    milk seed, destruction by birds. Biol. Bul. 30, p. 21. 1907.

Thistle—Continued.
  milk, similarity to Canada thistle. F.B. 545, p. 6. 1913.
  name for cacti. B.P.I. Bul. 262, p. 7. 1912.
  Napa, seed destruction by birds. Biol. Bul. 30, p. 19. 1907.
  Russian—
    alfalfa enemy, control method, note. F.B. 495, pp. 32-33. 1912.
    characters. News L., vol. 2, No. 40, p. 3. 1915.
    description, distribution, spread, and injuries. F.B. 660, p. 29. 1915.
    eradication in wheat fields. F.B. 1047, pp. 15, 16. 1919.
    moisture requirements, comparison with wheat. D.B. 253, p. 4. 1915.
    seed, description. F.B. 428, p. 19. 1911.
    spread on old ranges. B.P.I. Bul. 117, pp. 17, 21. 1907.
    water requirement in Colorado, 1911, experiments. B.P.I. Bul. 284, pp. 33-34. 1913.
  Scotch, growth habits and spread, Washington, eastern Puget Sound Basin. Soil Sur. Adv. Sh., 1909, pp. 39-40, 41. 1911; Soils F.O., 1909, pp. 1549-1550, 1551. 1912.
  seed eating by goldfinches. Biol. Bul. 34, pp. 71, 74. 1910.
  seeds, description. F.B. 428, pp. 19, 21, 22. 1911.
  sow—
    characters. News L., vol. 2, No. 40, p. 3. 1915.
    description, distribution, spread, and products injured. F.B. 660, p. 29. 1915.
    growing in manganiferous soils, note. Hawaii Bul. 26, p. 25. 1912.
  star, alfalfa enemy, note. F.B. 495, p. 33. 1912.
  yellow, host plant for artichoke pests. D.B. 703, pp. 2, 4. 1918.
Thistle bird, food habits, relation to agriculture, California. Biol. Bul. 34, pp. 71-73. 1910.
Thladiantha dubia, importation and description. No. 38488, B.P.I. Inv. 39, p. 137. 1917.
Thlaspi arvense. *See* Cress, penny.
THOM, CHARLES—
  "*Aspergillus niger* group." With James N. Currie. J.A.R., vol. 7, pp. 1-15. 1916.
  "Camembert cheese problems in the United States." B.A.I. Bul. 115, pp. 54. 1909.
  "Cultural studies of species of Penicillium." B.A.I. Bul. 118, pp. 109. 1910.
  "Effect of pasteurization on mold spores." With S. Henry Ayers. J.A.R., vol. 6, pp. 153-166. 1916.
  "Flora of corn meal." With Edwin LeFevre. J.A.R., vol. 22, pp. 179-188. 1921.
  "Fungi in cheese ripening: Camembert and Roquefort." B.A.I. Bul. 82, pp. 39. 1906.
  "Moldiness in butter." With R. H. Shaw. J.A.R., vol. 3, pp. 301-310. 1915.
  "Psilocybe as a fermenting agent in organic débris." With Elbert C. Lathrop. J.A.R., vol. 30, pp. 625-628. 1925.
  "Some experiments with a boric-acid canning powder." With others. D.C. 237, pp. 12. 1922.
  "The Camembert type of soft cheese in the United States." With others. B.A.I. Bul. 71, pp. 29. 1905.
  "The care and testing of Camembert cheese." B.A.I. An. Rpt., 1907, pp. 339-343. 1909; B.A.I. Cir. 145, pp. 339-343. 1909.
THOMAS, C. C.—
  "Seed disinfection by formaldehyde vapor." J.A.R., vol. 17, pp. 33-39. 1919.
  "The Chinese jujube." With C. G. Church. D.B. 1215, pp. 31. 1924.
THOMAS, DAVID, experiments in jarring for curculio control. Ent. Bul. 103, pp. 169-170. 1912.
THOMAS, H. E.—
  "Black root rot of the apple." With F. D. Fromme. J.A.R., vol. 10, pp. 163-174. 1917.
  "Report of the plant pathologist." 1917. P.R. An. Rpt., 1917, pp. 28-30. 1918.
  "Some means of controlling insects, fungi, and other pests in Porto Rico." With R. H. Van Zwaluwenburg. P.R. Cir. 17, pp. 30. 1918.
THOMAS, L. M.—
  "A comparison of several classes of American wheats and a consideration of some factors influencing quality." D.B. 557, pp. 28. 1917.

THOMAS, L. M.—Continued.
"A method for the determination of the specific gravity of wheat and other cereals." With C. H. Bailey. B.P.I. Cir. 99. pp. 7. 1912.
"Characteristics and quality of Montana-grown wheat." D.B. 522, pp. 34. 1917.
"The origin, characteristics, and quality of humpback wheat." D.B. 478, pp. 4. 1916.

THOMAS, MELVIN: "Soil survey of—
Bottineau County, N. Dak." With others. Soil Sur. Adv. Sh., 1915, pp. 54. 1917; Soils F.O., 1915, pp. 2129–2178. 1919.
Dickey County, N. Dak." With others. Soil Sur. Adv. Sh., 1914, pp. 56. 1916; Soils F. O., 1914, pp. 2411–2462. 1919.
Lamoure County, N. Dak." With others. Soil Sur. Adv. Sh., 1914, pp. 53. 1917; Soils F.O., 1914, pp. 2361–2409. 1919.
Sargent County, N. Dak." With others. Soil Sur. Adv. Sh., 1917, pp. 41. 1920; Soils F.O., 1917, pp. 2003–2039. 1923.

THOMAS, M. D.: "Toxicity and antagonism of various alkali salts in the soil." With others. J.A.R., vol. 24, pp. 317–338. 1923.

THOMAS, M. G.: "Effect of drugs on milk and fat production." With F. A. Hays. J.A.R., vol. 19, pp. 123–130. 1920.

Thomas slag—
composition and fertilizer value. Chem. Bul. 122, pp. 148–151. 1909.
description and uses. F.B. 144, pp. 6–8. 1901.
fertilizer, composition. Soils Bul. 41, pp. 11–12. 1907.
use as fertilizer in forest nurseries. D.B. 479, p. 82. 1917.

Thomomys—
genus of pocket gophers, revision. Vernon Bailey. N.A. Fauna 39, pp. 136. 1915.
spp., characteristics. Y.B., 1909, pp. 209–210. 1910; Y.B. Sep. 506, pp. 209–210. 1910.
spp. *See also* Gopher.

THOMPSON, A. R.—
"A study of the composition of the rice plant." With W. P. Kelley. Hawaii Bul. 21, pp. 51. 1910.
"Chemical studies of the efficiency of legumes as green manures in Hawaii." Hawaii Bul. 43, pp. 26. 1917.
"Hawaiian honeys." With D. L. Van Dine. Hawaii Bul. 17, pp. 21. 1908.
"Organic phosphoric acid in rice." J.A.R., vol. 3, pp. 425–430. 1915.
"Report of assistant chemist, Hawaii Experiment Station, 1907." Hawaii A.R., 1907, pp. 61–66. 1908.
"Report of chemist, Hawaii Experiment Station, 1908." Hawaii A.R., 1908, pp. 15–64. 1908.
"The determination of sulphur and chlorin in the rice plant." Hawaii A.R., 1912, pp. 64–73. 1913.
"The organic nitrogen of Hawaiian soils." With W. P. Kelley. Hawaii Bul. 33, pp. 22. 1914.
"The soils of the Hawaiian Islands." With others. Hawaii Bul. 40, pp. 35. 1915.

THOMPSON, B. G.: "The range crane flies in California." With C. M. Packard. D.C. 172, pp. 8. 1921.

THOMPSON, C. H.: "Ornamental cacti: Their culture and decorative value." B.P.I. Bul. 262, pp. 24. 1912.

THOMPSON, C. W.—
"Costs and sources of farm-mortgage loans in the United States." D.B. 384, pp. 16. 1916.
"Factors affecting interest rates and other charges on short-time farm loans." D.B. 409, pp. 12. 1916.
"How farmers may improve their personal credit." F.B. 654, pp. 14. 1915.
"How the Department of Agriculture promotes organization in rural life." Y.B., 1915, pp. 272a–272p. 1916; Y.B. Sep. 675, pp. 272a–272p. 1916.
"How the Federal farm loan act benefits the farmer." F.B. 792, pp. 12. 1917.
"Rural community buildings in the United States." With W. C. Nason. D.B. 825, pp. 36. 1920.

THOMPSON, CARL—
"Reconnoissance soil survey of north part of north-central Wisconsin." With others. Soil Sur. Adv. Sh., 1914, pp. 76. 1916; Soils F.O., 1914, pp. 1655–1725. 1919.

THOMPSON, CARL—Continued.
"Reconnoissance soil survey of northeastern Wisconsin." With others. Soil Sur. Adv. Sh., 1913, pp. 101. 1915; Soils F.O., 1913, pp. 1561–1657. 1916.
"Reconnaissance soil survey of south part of north-central Wisconsin." With others. Soil Sur. Adv. Sh., 1915, pp. 65. 1917; Soils F.O., 1915, pp. 1585–1645. 1919.
"Soil survey of Door County, Wis." With others. Soil Sur. Adv. Sh., 1916, pp. 44. 1918; Soils F.O., 1916, pp. 1739–1778. 1921.

THOMPSON, E. H.—
"Feeding cottonseed products to livestock." With E. W. Sheets. F.B. 1179, pp. 18. 1920.
"Judging beef cattle." F.B. 1068, pp. 23. 1919.
"The economical winter feeding of beef cows in the Corn Belt." With J. S. Cotton. D.B. 615, pp. 16. 1917.

THOMPSON, E. S.—
"Livestock, 1922. Farm animals and their products." With others. Y.B., 1922, pp. 795–913. 1923; Y.B. Sep. 888, pp. 795–913. 1923.
"Statistics of crops other than grain crops, 1922." With others. Y.B., 1923, pp. 666–794. 1923; Y.B. Sep. 884, pp. 666–794. 1923.
"Statistics of grain crops, 1922." With others. Y.B. 1922, pp. 569–665. 1923; Y.B. Sep. 881, pp. 569–665. 1923.

THOMPSON, EDWIN, on cattle breeding in Yucatan. B.A.I. Bul. 41, pp. 25–26. 1902.

THOMPSON, G. F.—
"Distribution and magnitude of the poultry and egg industry." B.A.I. Cir. 73, pp. 22. 1905; Y.B., 1902, pp. 295–308. 1903; Y.B. Sep. 273, pp. 295–308. 1903.
"Information concerning common goats." B. A.I. Cir. 42, pp. 14. 1903.
"Information concerning the Angora goat." B.A.I. An. Rpt., 1900, pp. 281–355. 1901; B.A.I. Bul. 27, pp. 85. 1901; B.A.I. Bul. 27, rev., pp. 77. 1906.
"Information concerning the milch goats." B.A.I. An. Rpt., 1904, pp. 323–399. 1905; B.A.I. Bul. 68, pp. 87. 1905.
"Mohair and mohair manufactures." Y.B., 1901, pp. 271–284. 1902; Y.B. Sep. 226, pp. 271–284. 1902.
report on exhibit of Angora goats at Louisiana Purchase Exposition. B.A.I. Bul. 27, pp. 74–75. 1906.
"The Angora goat." F.B. 137, pp. 48. 1901.
trip to Malta and subsequent death. B.A.I. An. Rpt., 1908, pp. 282, 283. 1910.

THOMPSON, H. C.—
"Asparagus." F.B. 829, pp. 20. 1917.
"Celery storage experiments." D.B. 579, pp. 26. 1917.
"Group classification and varietal descriptions of American varieties of sweet potatoes." With James H. Beattie. D.B. 1021, pp. 30. 1922.
"Harvesting, picking, thrashing, and storing peanuts." Sec. Cir. 81, pp. 6. 1917.
"Home gardening in the South." F.B. 934, pp. 44. 1918.
"Illustrated lecture on the farm vegetable garden." With H. M. Conolly. S.R.S. Syl. 27, pp. 15. 1917.
"Peanut growing in the Cotton Belt." S.R.S. Doc. 45, pp. 8. 1917; Sec. [Misc.], Spec., pp. 8. 1915.
"Peanut oil." With H. S. Bailey. F.B. 751, pp. 16. 1916.
"Present status of the peanut industry." Y.B., 1917, pp. 113–126. 1918; Y.B. Sep. 748, pp. 16. 1918.
"Storage of sweet potatoes." F.B. 1442, pp. 22. 1925.
"Storing and marketing sweet potatoes." F.B. 548, pp. 15. 1913.
"Strawberry growing in the South." F.B. 664, pp. 20. 1915.
"Sweet-potato growing in the Cotton Belt." Sec. [Misc.] Spec., pp. 8. 1915.
"Sweet-potato storage." F.B. 970, pp. 27. 1918.
"Sweet-potato storage studies." With James H. Beattie. D.B. 1063, pp. 18. 1922.

THOMPSON, H. C.—Continued.
"The home garden in the South." F.B. 647, pp. 28. 1914.
"The manufacture and use of peanut butter." D.C. 128, pp. 16. 1920.
"Tomato growing in the South." F.B. 642, pp. 13. 1915.
THOMPSON, H. E.: "Brittle straw and other abnormalities in rye." With others. J.A.R., vol. 28, pp. 169-172. 1924.
THOMPSON, HARRY—
"An outfit for boring tap-rooted stumps for blasting." F.B. 600, pp. 5. 1914.
"Cost and methods of clearing land in the Lake States." With Earl D. Strait. D.B. 91, pp. 25. 1914.
"Cost and methods of clearing land in western Washington." B.P.I. Bul. 239, pp. 60. 1912.
"The cost of clearing logged-off land for farming in the Pacific Northwest." B.P.I. Cir. 25, pp. 16. 1909.
"The utilization of logged-off land for pasture in western Oregon and western Washington." With Byron Hunter. F.B. 462, pp. 20. 1911.
THOMPSON, J. A., statement on tuberculosis in New South Wales. B.A.I. Bul. 32, pp. 18-19. 1901.
THOMPSON, J. B.—
"Annual report of the Guam Experiment Station—
1909." O.E.S. An. Rpt., 1909, pp. 94-95. 1910.
1910." O.E.S. An. Rpt., 1910, pp. 123, 503-512. 1911.
1911." O.E.S. An. Rpt., 1911, pp. 95-97. 1912.
1911." With David T. Fullaway. Guam A.R. 1911, pp. 35. 1912.
1912." Guam A.R., 1912, pp. 29. 1913.
1913." O.E.S. An. Rpt., 1913, pp. 41-42. 1915; Guam A.R., 1913, pp. 24. 1914.
1914." O.E.S. An. Rpt., 1914, pp. 91-93. 1915.
1914." With L. B. Barker. Guam A.R., 1914, pp. 27. 1915.
"Production of sweet-potato seedlings at the Virgin Islands Experiment Station." Vir. Is. Bul. 5, pp. 14. 1925.
"Report of the Glenwood substation, Hawaii—
1916." Hawaii A.R., 1916, pp. 39-43. 1917.
1917." Hawaii A.R., 1917, pp. 42-48. 1918.
"Report of the Virgin Islands Agricultural Experiment Station—
1922." With C. E. Wilson. Vir. Is., A.R., 1922, pp. 1-14. 1923.
1923." With others. Vir. Is., A.R., 1923, pp. 1-7. 1924.
1924." With others. Vir. Is., A.R., 1924, pp. 19. 1925.
THOMPSON, JAMES—
"Relation of stand to yield in hops." With W. W. Stockberger. B.P.I. Cir. 112, pp. 25-32. 1913.
"Some conditions influencing the yield of hops." With W. W. Stockberger. B.P.I. Cir. 56, pp. 12. 1910.
THOMPSON, LILA—
"Livestock, 1922. Farm animals and their products." With others. Y.B., 1922, pp. 795-913. 1923; Y.B. Sep. 888, pp. 795-913. 1923.
"Statistics of crops other than grain crops, 1922." With others. Y.B., 1923, pp. 666-794. 1923; Y.B. Sep. 884, pp. 666-794. 1923.
"Statistics of grain crops, 1922." With others. Y.B., 1922, pp. 569-665. 1923; Y.B. Sep. 881, pp. 569-665. 1923.
THOMPSON, N. F.—
"Chemical eradication of the common barberry." D.C. 332, pp. 4. 1925.
"Effects of sodium arsenite when used to kill barberry." With E. R. Schulz. D.B. 1316, pp. 19. 1925.
"Kill the common barberry with chemicals." D.C. 268, pp. 4. 1923.
"The common barberry and how to kill it." With F. E. Kempton. D.C. 356, pp. 4. 1925.

THOMPSON, S. C.—
"Increasing creamery profits by handling special products and utilizing by-products." B.A.I. Cir. 188, pp. 10. 1912; B.A.I. An. Rpt., 1910, pp. 297-306. 1912.
"The manufacture of butter for storage." With others. B.A.I. Bul. 148, pp. 27. 1912.
"The normal composition of American creamery butter." With others. B.A.I. Bul. 149, pp. 31. 1912.
THOMPSON, W. O.: "Report of Agricultural Commission to Europe." With others. Sec. [Misc.], "Report of * * *," pp. 89. 1919.
THOMPSON, WILLIAM—
"A study of surra found in an importation of cattle, followed by prompt eradication." With John R. Mohler. B.A.I. Cir. 169, pp. 17. 1911.
"The live stock industry of Honduras." With James E. Downing. B.A.I. An. Rpt., 1910, pp. 285-295. 1912.
Thompson garden, irrigation system, details. O.E.S. Bul. 222, pp. 58-59. 1910.
THOMSON, E. H.—
"A farm-management survey of three representative areas in Indiana, Illinois, and Iowa." With H. M. Dixon. D.B. 41, pp. 42. 1914.
"A method of analyzing the farm business." With H. M. Dixon. F.B. 661, pp. 26. 1915.
"Agricultural survey of four townships in southern New Hampshire." B.P.I. Cir. 75, pp. 19. 1911.
"Farm bookkeeping." F.B. 511, pp. 37. 1912.
"Farm bookkeeping." With James S. Ball. F.B. 511, rev., pp. 42. 1920.
"Profits in farming on irrigated areas in Utah Lake Valley." With H. M. Dixon. D.B. 117, pp. 21. 1914.
"Report of the Acting Chief of the Office of Farm Management, 1918." An. Rpts., 1918, pp. 491-499. 1919; Farm M. Chief Rpt., 1918, pp. 9. 1918.
"Selecting a farm." F.B. 1088, pp. 27. 1920.
"The use of a diary for farm accounts." F.B. 782, pp. 19. 1917.
THOMSON, S. M.—
"Cost of producing apples in Yakima Valley, Wash." With G. H. Miller. D.B. 614, pp. 75. 1918.
"Cost of production of apples in the Payette Valley, Idaho." With G. H. Miller. D.B. 636, pp. 36. 1918.
"The cost of producing apples in Hood River Valley." With G. H. Miller. D.B. 518, pp. 52. 1917.
"The cost of producing apples in Wenatchee Valley, Wash." With G. H. Miller. D.B. 446, pp. 35. 1917.
"The cost of producing apples in western Colorado." With G. H. Miller. D.B. 500, pp. 44. 1917.
Thorn(s)—
aphid, woolly, description and injuries to pears. F.B. 804, p. 19. 1917.
apple. See Jimson weed.
headed worm, giant, infestation of hogs by feeding on grub worms. F.B. 543, p. 17. 1913.
Jerusalem, importation and description. No. 36168, B.P.I. Inv. 36, p. 62. 1915.
leaf aphid, occurrence, and description. F.B. 1128, pp. 14-15. 1920.
THORNBER, W. S.—
Report of Division of Extension, State College of Washington—
1916. S.R.S. Rpt., 1916, Pt. II, pp. 352-358. 1917.
1917. S.R.S. Rpt., 1917, Pt. II, pp. 358-363. 1919.
THORNE, C. E.—
"Methods of conducting investigations relating to maintenance or increase of soil fertility." O.E.S. Bul. 142, pp. 127-133. 1904.
report of Ohio Agricultural Experiment Station—
1906. O.E.S. An. Rpt., 1906, pp. 142-144. 1907.
1907. O.E.S. An. Rpt., 1907, pp. 152-155. 1908.
1908. O.E.S. An. Rpt., 1908, pp. 152-154. 1909.
1909. O.E.S. An. Rpt., 1909, pp. 166-168. 1910.
1910. O.E.S. An. Rpt., 1910, pp. 214-219. 1911.
1911. O.E.S. An. Rpt., 1911, pp. 176-180. 1912.

THORNE, C. E.—Continued.
report of Ohio Agricultural Experiment Station—continued.
1912. O.E.S. An. Rpt., 1912, pp. 180–183. 1913.
1913. O.E.S. An. Rpt., 1913, pp. 70–71. 1915.
1914. O.E.S. An. Rpt., 1914, pp. 187–190. 1915.
1915. S.R.S. Rpt., 1915, Pt. I, pp. 212–218. 1916.
1916. S.R.S. Rpt., 1916, Pt. I, pp. 216–223. 1918.
1917. S.R.S. Rpt., 1917, Pt. I, pp. 212–218. 1918.
"Syllabus of illustrated lecture on essentials of successful field experimentation." O.E.S. F.I.L. 6, pp. 24. 1905.

THORNE, GERALD—
"Length of the dormancy period of the sugar-beet nematode in Utah." D.C. 262, pp. 5. 1923.
"The sugar-beet nematode in the Western States." With L. A. Giddings. F.B. 1248, pp. 16. 1922.

THORNE, P. M., hunting methods of the coyote. Biol. Bul. 20, p. 15. 1905.

Thornomys, destruction by coyotes. Biol. Bul. 20, p. 13. 1905.

Thorns, fruiting, season and use as bird food, notes. F.B. 912, pp. 11, 13, 14. 1918.

THORNTON, DOCTOR, responsibility for first agricultural fair in United States. Stat. Bul. 102, pp. 7–8. 1913.

THORNTON, E. W.: "Soil survey of—
Cabarrus County, N. C." With others. Soil Sur. Adv. Sh., 1910, pp. 47. 1911; Soils F.O., 1910, pp. 297–339. 1912.
Richmond County, N. C." With others. Soil Sur. Adv. Sh., 1911, pp. 48. 1912; Soils F.O., 1911, pp. 387–430. 1914.

Thorough-stem. *See* Boneset.

Thoroughbred—
blood, value in farm horses as well as army remounts. Y.B., 1917, p. 356. 1918; Y.B. Sep. 754, p. 18. 1918.
domestic animals, probable ancestry. B.A.I. An. Rpt., 1910, pp. 163, 170, 174. 1912.
horses, imported, 1914, list. B.A.I. [Misc.], "Animals imported for breeding purposes * * * horses," p. 21. 1915.

Thoroughpin—
cause and detection. F.B. 779, pp. 21–22. 1917.
description and treatment. B.A.I. [Misc.], "Diseases of the horse," rev., pp. 331–332. 1903; rev., pp. 331–332. 1907; rev., pp. 331–332. 1911; rev., pp. 356–357. 1923.

Thouinia striata. *See* Quiebra hacha.

Thousand-leaf. *See* Yarrow.

Thrasher—
grain, hand. Lyman J. Briggs. B.P.I. Cir. 119, pp. 23–24. 1913.
See also Thresher.

Thrasher (bird)—
brown—
breeding area, Arkansas, and useful food habits. Biol. Bul. 38, pp. 85–86. 1911.
description—
and food habits. F.B. 755, pp. 11–13. 1916.
range and habits. F.B. 513, p. 11. 1913; F.B. 630, p. 7. 1915.
enemy of boll weevil. Biol. Bul. 22, p. 11. 1905.
California, food habits. Biol. Bul. 30, pp. 55–56. 1907.
pearly-eyed, occurrence in Porto Rico, habits and food. D.B. 326, pp. 89–90. 1916.
protection by law. Biol. Bul. 12, rev., pp. 40, 41. 1902.
sage, food habits. D.B. 107, p. 42. 1914.

Thrashing—
machines—
efficient operation of. H. R. Tolley. F.B. 991, pp. 15. 1918.
fans, dust-collecting installation for explosion prevention and grain cleaning. H. E. Roethe, jr., and E. N. Bates. D.C. 98, pp. 11. 1920.
See also Threshing.

Threadworm(s)—
abdominal cavity, cattle infestation. B.A.I. [Misc.], "Diseases of cattle," rev., p. 540. 1912.
injury to coffee tree roots. P.R. Bul. 17, p. 28. 1915.
occurrence in cattle. B.A.I. [Misc.], "Diseases of cattle," rev., pp. 473, 482–483, 491, 492, 493. 1904; rev., p. 540. 1912; rev., pp. 529–530. 1923.

Three-leaved ivy. *See* Poison ivy.

Threshermen, education in duties. News L., vol. 6, No. 44, p. 12. 1919.

Threshers—
bean, description. F.B. 289, pp. 17–18, 19. 1907; F.B. 1153, pp. 7–8. 1920.
broomcorn, description. F.B. 768, pp. 9–10. 1916; F.B. 958, pp. 13–14. 1918.
combined with harvester, use in harvesting wheat Y.B., 1919, pp. 143, 146, 147. 1920; Y.B. Sep. 804, pp. 143, 146, 147. 1920.
cooperative cooking agreement in Iowa townships and counties. News L., vol. 6, No. 6, p. 8. 1918.
cowpeas, description. F.B. 326, pp. 12–13. 1908; F.B. 716, p. 11. 1916.
explosions, studies, Roads Office. An. Rpts., 1916, p. 344. 1917; Rds. Chief Rpt., 1916, p. 16. 1916.
fires, control precautions. News L., vol. 2, No. 45, p. 6. 1915.
instructions in use of. News L., vol. 6, No. 47, p. 4. 1919.
manufacture and sale. Y.B., 1922, p. 1025. 1923; Y.B. Sep. 887, p. 1025. 1923.
protection from dust explosions and fires, methods. News L., vol. 3, No. 43, pp. 1–2. 1916.
See also Thrasher.

Threshing—
alfalfa seed, recommendations. B.P.I. Cir. 24, p. 20. 1909.
barley—
F.B. 427, p. 10. 1910.
directions. F.B. 968, p. 24. 1918.
shock *v.* stack, comparison of methods. F.B. 443, pp. 32–33. 1911.
beans—
method, outfit, and cost. F.B. 907, p. 12. 1917.
methods and cost. F.B. 561, p. 9. 1913.
note. F.B. 425, p. 8. 1910.
practices in Colorado. D.B. 917, p. 35. 1921.
process. F.B. 289, pp. 16–17. 1907.
beet seed, directions. Y.B. 1909, p. 182. 1910; Y.B. Sep. 503, p. 182. 1910.
brome grass seed. B.P.I. Bul. 111, Pt. V, p. 11. 1907.
broomcorn—
machinery and methods. D.B. 1019, pp. 4–7. 1922.
machines, description and use. F.B. 768, pp. 9–10. 1916.
methods. F.B. 958, pp. 13–14. 1918.
button clover seed. F.B. 730, p. 8. 1916.
care of machines, and delay avoidance. News L., vol. 5, No. 48, pp. 2, 8. 1918.
cost—
as factor in wheat production and profits. Y.B. 1921, pp. 116, 120. 1922; Y.B. Sep. 873, pp. 116, 120. 1922.
farm study in Minnesota. D.B. 1271, p. 86, 94. 1924.
from shock or stack, crew and method. D.B. 757, pp. 12–14. 1919.
cowpeas—
and soy beans. F.B. 716, pp. 7, 10–11. 1916.
and storing. F.B. 1153, pp. 7–9. 1920.
directions. Sec. [Misc.] Spec., "Cowpeas in the * * *," pp. 2–3. 1915.
for seed, and recleaning. F.B. 1308, pp. 6–11. 1923.
machine modifications, price. F.B. 318, pp. 21–22. 1908.
custom, old methods, faults. Y.B., 1918, pp. 247–248. 1919; Y.B. Sep. 772, pp. 3–4. 1919.
custom work and cooperation. News L., vol. 6, No. 44, p. 5. 1919.
delays, avoidance by careful watching of tool box. News L., vol. 5, No. 48, p. 5. 1918.
dust-collecting fans. Off. Rec., vol. 1, No. 43, p. 2. 1922.
emmer and spelt. F.B. 1429, pp. 8, 11–12. 1924.
feeder, care and repair. F.B. 1036, pp. 5–7. 1919.
flax, methods. F.B. 669, pp. 13–14. 1915.
flax, recommendations. F.B., 785, pp. 18–19. 1917.
grain—
explosions caused by smuts. Work and Exp., 1914, p. 239. 1915.

Threshing—Continued.
 grain—continued.
  in Idaho, practices and suggestions. F.B. 1103, pp. 27-28. 1920.
  sorghums, directions. F.B. 965, p. 12. 1918.
  sorghum, process. F.B. 1137, p. 23. 1920.
 hairy vetch, methods. D.B. 876, pp. 18-19. 1920.
 horse beans, recommendations. F.B. 969, p. 10. 1918.
 Hungarian vetch, recommendations. D.B. 1174, p. 9. 1923.
 labor demand concentration. D.B. 1020, pp. 13-14. 1922.
 machine(s)—
  care and repairs. News L., vol. 6, No. 38, p. 9. 1919.
  efficient operation. H. R. Tolley. F.B. 991, pp. 15. 1918.
  explosions—
   and fires, control devices. An. Rpts., 1918, p. 211. 1919; Chem. Chief Rpt., 1918, p. 11. 1918.
   causes. D.B. 681, pp. 3-4. 1918.
   studies. S.R.S. Rpt., 1915, Pt. I, pp. 33, 270. 1917.
   See also Dust explosions.
  for velvet beans, cooperative ownership and prices. F.B. 1276, pp. 21-22. 1922.
  grain-dust explosions and fires. Chem. Chief Rpt., 1921, pp. 46-47. 1921.
  grain-dust explosions, cause and control. D.B. 379, pp. 1-22. 1916.
  hot boxes, cause and prevention. F.B. 991, pp. 8-9. 1918.
  housing, directions. F.B. 1036, pp. 16-17. 1919.
  overhauling and adjusting parts. F.B. 1036, pp. 1-20. 1919.
  second-hand, suggestions. F.B. 991, pp. 9-10. 1918.
  setting and leveling. F.B. 991, p. 10. 1918.
  source of weed seed introduction on farms, control. F.B. 660, p. 16. 1915.
  methods, prices. News L., vol. 6, No. 27, pp. 3-4. 1919.
 milo—
  directions. F.B. 1147, p. 15. 1920.
  for stock feed or seed. F.B. 322, pp. 18-19, 23. 1908.
 necessity, and value of careful work, note. News L., vol. 5, No. 11, p. 3. 1917.
 oats—
  day's work. D.B. 1292, p. 27. 1925.
  suggestions. F.B. 424, p. 29. 1910.
  time and method. F.B. 892, pp. 21-22. 1917.
 outfits—
  distribution. News L., vol. 7, No. 4, p. 2. 1919.
  ownership, work and cost. D.B. 757, pp. 22-23. 1919.
  purchase by rings, plan and capital involved. Y.B., 1918, pp. 255-256. 1919; Y.B. Sep. 772, pp. 11-12. 1919.
  ring ownership and management. Y.B., 1918, pp. 248-260. 1919; Y.B. Sep. 772, pp. 4-16. 1919.
 peanuts, process. Y.B., 1917, pp. 115-116. 1918; Y.B. Sep. 748, pp. 5-6. 1918.
 peas, green. See Shelling.
 pigeon peas. Hawaii Bul. 46, pp. 14-15. 1921.
 proso, recommendations. F.B. 1162, p. 13. 1920.
 requirements in wheat growing, and costs. D.B. 943, pp. 12, 14, 40-41. 1921.
 rice—
  care in handling. F.B. 417, p. 20. 1910.
  cost, in Texas. O.E.S. Bul. 222, p. 39. 1910.
  directions. F.B. 1092, p. 10. 1920; F.B. 1141, pp. 16-17. 1920; F.B. 1420, pp. 15-16. 1924.
  in Arkansas, Lonoke County. Soil Sur. Adv. Sh., 1921, p. 1285. 1925.
  in Louisiana and Texas, methods, note. F.B. 417, p. 29. 1910.
  requirements. F.B. 688, pp. 11-12. 1915.
  suggestions. F.B. 1240, pp. 18-19. 1924.
 ring—
  benefit to farmers. News L., vol. 6, No. 44, p. 5. 1919.
  in Corn Belt. J. C. Rundles. Y.B., 1918, pp. 247-268. 1919; Y.B. Sep. 772, pp. 24. 1919.
  regulations, typical. Y.B., 1918, pp. 260-262. 1919; Y.B. Sep. 772, pp. 16-18. 1919.

Threshing—Continued.
 ring—continued.
  size, relation to acreage, separator. Y.B., 1918, pp. 250-253. 1919; Y.B. Sep. 772, pp. 6-9. 1919.
 rye, methods. F.B. 756, p. 14. 1916.
 seeds, directions. F.B. 1232, pp. 5-6. 1921.
 seeds of several important crops. Y.B., 1901, pp. 236, 239, 241, 242, 243, 244, 245, 246, 247, 248, 249, 250, 251. 1902.
 sorghum seed heads. F.B. 1137, p. 16. 1920.
 sorghums in Guam. Guam Bul. 3, p. 21. 1922.
 soybeans—
  directions. F.B. 514, pp. 20-21. 1912.
  for seed. Sec. [Misc.], Spec., "Soybeans in * * *" p. 5. 1915.
  method. D.C. 120, p. 13. 1920.
  recommendations. F.B. 886, pp. 6-7. 1917.
 specifications in large-scale farm contract. D.C. 351, p. 30. 1925.
 sugar-beet seed. F.B. 1152, pp. 19-20. 1920.
 sweet-clover seed crop. F.B. 836, pp. 18-21. 1917.
 teaching—
  in schools. News L., vol. 6, No. 44, pp. 6, 12. 1919.
  machine operation. News L., vol. 6, No. 44, p. 12. 1919.
  use of machinery. News L., vol. 6, No. 5, p. 4. 1919.
 velvet beans. F.B. 962, pp. 27-28. 1918; F.B. 1276, pp. 21-22. 1922.
 wheat—
  and uses of straw. F.B. 885, p. 14. 1917.
  cost and methods in Richland County, N. Dak. Soil Sur. Adv. Sh., 1908, p. 10. 1909; Soils F.O., 1908, p. 1126. 1911.
  cost estimate, note. D.B. 214, p. 10. 1915.
  day's work, horses and men. D.B. 412, p. 7. 1916.
  delay cause of moth infestation. F.B. 1156, p. 16. 1920.
  directions. F.B. 678, p. 16. 1915.
  from shock or stack by custom threshers. D.B. 627, p. 16. 1918.
  labor and power requirements and rates. D.B. 1198, pp. 9-10, 16, 18-21. 1924.
  labor demand in various States. D.B. 1230, pp. 24-30. 1924.
  practices. Y.B., 1919, pp. 146-148. 1920; Y.B. Sep. 804, pp. 146-148. 1920.
  rates in Kansas. D.B. 1296, p. 23. 1925.
  time and methods. F.B. 596, p. 12. 1914.
  use of combined harvester, acreage and costs. D.B. 627, pp. 18-21. 1918.
  winter barley. F.B. 518, p. 15. 1912.
 See also Thrashing.
Thricophyton tonsurans, cause of ringworm of cattle. B.A.I. [Misc.], "Diseases of cattle," rev., pp. 344-345. 1912.
Thrift—
 children's, in use of money. Thrift Leaf. 19, p. 2. 1919.
 clothing, food, and furniture. Thrift Leaf. 19, p. 3. 1919.
 earning, spending, saving, and investing. Thrift Leaf. 20, pp. 2-3. 1919.
 farm. Thrift Leaf. 17, pp. 4. 1919.
 farmers' aid. News L., vol. 6, No. 38, pp. 1, 14. 1919.
 food. Thrift Leaf. 13, pp. 1-4. 1919.
 household, general principles. Thrift Leaf. 1, pp. 1-4. 1919.
 in—
  choice, use, and care of kitchen utensils. Thrift Leaf. 10, pp. 4. 1919.
  farm home, encouragement by women's clubs. D.B. 719, p. 6. 1918.
  lighting. Thrift Leaf. 9, pp. 4. 1919.
  selection and care of clothing, general principles. F.B. 1089, pp. 3-4. 1920.
  use of fuel for cooking. Thrift Leaf. 11, pp. 4. 1919.
 kitchens—
  continuance after war. News L., vol. 6, No. 32, p. 12. 1919.
  for foreign women. News L., vol. 6, No. 44, p. 15. 1919.
 leaflets—
  Agriculture and Treasury Departments. News L., vol. 6, No. 41, pp. 1-2. 1919.

Thrift—Continued.
leaflets—continued.
preparation. An. Rpts., 1919, p. 389. 1920; S.R.S. An. Rpt., 1919, p. 37. 1919.
standards for boys and girls. Thrift Leaf. 20, pp. 4. 1919.
teaching to children. Thrift Leaf. 19, pp. 4. 1919.
time. Thrift Leaf. 19, p. 4. 1919.
work of—
club members. News L., vol. 6, No. 46, p. 12. 1919.
Federal departments. News L., vol. 6, No. 44, p. 11. 1919.
Thrinax microcarpa, importation and description. No. 39392, B.P.I. Inv. 41, p. 23. 1917.
Thrincopyge spp., larval structure, distribution, habits, and host trees. D.B. 437, pp. 4, 6, 7. 1917.
Thriphleps insidiosus—
enemy of pear thrips. D.B. 173, p. 52. 1915.
See also Flower bug, insidious.
Thripoctenus russelli—
discovery and life history. Ent. T.B. 23, Pt. II, pp. 25-52. 1912.
parasite of—
bean thrips. Ent. Bul. 118, pp. 41-42. 1912.
onion thrips. Y.B., 1912, p. 322. 1913; Y.B. Sep. 594, p. 322. 1913.
thrips. D.B. 173, p. 52. 1915.
Thrips—
black, enemy of avocado red spider. D.B. 1035, p. 10. 1922.
control in—
greenhouses. F.B. 1306, pp. 15-16. 1923.
Porto Rico. P.R. Cir. 17, p. 14. 1918.
destruction by rains. Ent. Bul. 118, pp. 40-41. 1912.
enemy of mango. Hawaii A.R., 1907, p. 45. 1908.
greenhouse—
H. M. Russell. Ent. Bul. 64, Pt. VI, pp. 43-60. 1909.
H. M. Russell. Ent. Cir. 151, pp. 9. 1912.
similarity to bean thrips, and differences. Ent. Bul. 118, pp. 9, 10, 11, 13, 20, 21, 23, 26. 1912.
studies since 1833. Ent. Bul. 64, Pt. VI, pp. 43, 45. 1909.
haemoerhoidalis. See Thrips, greenhouse.
injury to—
cabbage in Hawaii. Ent. Bul. 109. Pt. III, pp. 32-33. 1912.
citrus fruits, Mediterranean countries, control. D.B. 134, pp. 23, 26. 1914.
tomatoes. Work and Exp., 1914, pp. 47-48, 192. 1915.
leaf-infesting, injury and control methods. F.B. 1261, pp. 21-29, 30. 1922.
new, in California and Georgia, description. Ent. T.B. 23, Pt. I, pp. 1-24. 1912.
orange. See Citrus thrips; Orange thrips.
parasitized, appearance and behavior. Ent. T. B. 23, Pt. II, pp. 30-31. 1912.
pest to plant breeders, and control. D.B. 104, pp. 10-12. 1914.
pollinators of beet flowers. Harry B. Shaw. D.B. 104, pp. 12. 1914.
red-banded—
control on mango trees. Vir. Is. A.R. 1920, p. 26. 1921.
description. Sec. [Misc.], "A manual * * * insects * * *," p. 109. 1917.
distribution, description, life history, and control. Ent. Bul. 99, Pt. II, pp. 17-29. 1912.
mango enemy, description, life history, and control. F.B. 1257, pp. 9-12. 1922.
sexmaculata, enemy of common red spider. Ent. Cir. 104, p. 6. 1909.
six-spotted, enemy of avocado red spider. D.B. 1035, p. 9. 1922.
spp., key and description of new species. Ent. T.B. 23, Pt. I, pp. 3-5. 1912.
species other than tobacco, distinguishing features. Ent. Bul. 65, pp. 12-13. 1907.
spraying, experiments, formulas, and results. D.B. 421, p. 10. 1916.
synopsis, catalogue, and bibliography, with descriptions of new species. Dudley Moulton. Ent. T.B. 21, pp. 56. 1911.
tabaci. See Onion thrips.

Thrips—Continued.
tritici, relation to pollination of tomatoes, study. Work and Exp., 1914, pp. 47-48, 192. 1915.
varieties, occurrence on beet flowers. D.B. 104, pp. 2-4. 1914.
Throat—
cure, misbranding and adulteration, alleged. Chem. N.J. 1912, pp. 4. 1913.
sore, of—
cattle, symptoms and treatment. B.A.I. [Misc.], "Diseases of cattle," rev., p. 21. 1904; rev., pp. 19-20. 1912; rev., pp. 17-18. 1923.
horse, symptoms and treatment. B.A.I. [Misc.], "Diseases of the horse," rev., pp. 112-116. 1903; rev., pp. 112-116. 1907; rev., pp. 112-116. 1911; rev., pp. 103-107. 1923.
Throatwort. See Foxglove; Motherwort.
THROCKMORTON, R. I.: "Soil survey of—
Cherokee County, Kans." With Percy O. Wood. Soil Sur. Adv. Sh., 1912, pp. 42. 1914; Soils F.O., 1912, pp. 1785-1822. 1915.
"Jewell County, Kans." With others. Soil Sur. Adv. Sh., 1912, pp. 44. 1914; Soils F.O., 1912, pp. 1853-1892. 1915.
"Shawnee County, Kans." With W. C. Byers. Soil Sur. Adv. Sh., 1911, pp. 41. 1913; Soils F.O., 1911, pp. 2059-2095. 1914.
Thrombosis—
cause, symptoms, and treatment. B.A.I. [Misc.], "Diseases of the horse," rev., pp. 365-367. 1903; rev., pp. 365-367. 1907; rev., pp. 365-367. 1911; rev., pp. 391-392. 1923.
of arteries, cattle—
cause, description, etc. B.A.I. [Misc.], "Diseases of cattle," rev., pp. 83-84. 1912.
symptoms. B.A.I. [Misc.], "Diseases of cattle," rev., pp. 85-86. 1923.
Throwing horses, directions. F.B. 667, pp. 13-14. 1915.
Thrush—
calf, cause and treatment. B.A.I. [Misc.], "Diseases of cattle," rev., p. 263. 1923.
calf, symptoms and treatment. B.A.I. [Misc.], "Diseases of cattle," rev., p. 268. 1912.
horse foot, causes, symptoms, and treatment. B.A.I. [Misc.], "Diseases of the horse," rev., pp. 391-392. 1903; rev., pp. 391-392. 1907; rev., pp. 391-392. 1911; rev., pp. 417-418. 1923.
lambs. See Stomatitis.
Thrush(es)—
American, value to farmer. Y.B., 1913, pp. 135-142. 1914; Y.B. Sep. 620, pp. 135-142. 1914.
Bicknell's, habitat, food habits, and economic importance. D.B. 280, pp. 11-13. 1915.
black, protection by law. Biol. Bul. 12, rev., p. 41. 1902.
brown, protection by law. Biol. Bul. 12, rev., p. 41. 1902.
brown. See also Thrasher, brown.
economic value, production. News L., vol. 3, No. 10, p. 5. 1915.
eye parasites of, list. B.A.I. Bul. 60, pp. 48, 49. 1904.
food habits—
Y.B., 1907, pp. 168-169. 1908; Y.B. Sep. 443, pp. 168-169. 1908
and occurrence in Arkansas. Biol. Bul. 38, pp. 90-91. 1911.
report. An. Rpts., 1916, p. 240. 1917; Biol. Chief Rpt., 1916, p. 4. 1916.
gray-cheeked—
Alaska, note. N.A. Fauna 30, p. 43. 1909.
habitat, food habits, and economic importance. D.B. 280, pp. 11-13. 1915.
occurrence in Pribilof Islands, and food habits. N.A. Fauna 46, p. 100. 1923.
gray-singing, protection by law. Biol. Bul. 12, rev., p. 41. 1902.
hermit—
food habits. Biol. Bul. 30, p. 92. 1907.
habitat, food habits and economic importance. D.B. 280, pp. 18-23. 1915.
habits, migration and food. Y.B., 1913, pp. 137, 140. 1914; Y.B. Sep. 620, pp. 137, 140. 1914.
protection by law. Biol. Bul. 12, rev., p. 40. 1902.
song and food habits, and occurrence in Arkansas. Biol. Bul. 38, p. 91. 1911.

Thush(es)—Continued.
in Alaska—
species and occurrence, notes. N.A. Fauna 30, pp. 43-44. 1909.
varieties. N.A. Fauna 24, p. 81. 1904.
insect food. Y.B., 1913, pp. 138-140. 1914; Y.B. Sep. 620, pp. 138-140. 1914.
migration habits and routes. D.B. 185, pp. 9, 13, 27, 38, 47. 1915.
northern varied, in Alaska and Yukon Territory, notes. N.A. Fauna 30, pp. 44, 91. 1909.
of United States, food habits of. F. E. L. Beal. D.B. 280, pp. 23. 1915.
olive-backed—
habitat, food habits and economic importance. D.B. 280, pp. 13-17. 1915.
in Alaska and Yukon Territory, notes. N.A. Fauna 30, pp. 43-44, 65. 1909.
Porto Rican, occurrence in Porto Rico, habits and food. D.B. 326, pp. 92-93. 1916.
protection by law. Biol. Bul. 12, rev., pp. 38, 39, 40, 41, 42. 1902.
red-winged, habits, note. D.B. 280, p. 1. 1915.
russet-backed—
description, range, and habits. F.B. 513, p. 8. 1913.
food habits. Biol. Bul. 30, pp. 86-92. 1907.
habitat, food habits, and economic importance. D.B. 280, pp. 13-17. 1915.
nestlings, food, quality and requirements. D.B. 280, pp. 17-18. 1915.
Shama, importations, 1910. An. Rpts., 1910, p. 556. 1911; Biol. Chief Rpt., 1910, p. 10. 1910.
species—
description and food habits. News L., vol. 3, No. 10, p. 5. 1915.
description and nature. D.B. 280, pp. 1-23. 1915.
range and habits. N.A. Fauna 21, pp. 18, 50, 80-81. 1901; N.A. Fauna 22, pp. 127, 129-130. 1902.
value in insect destruction, note. News L., vol. 4, No. 26, p. 4. 1917.
varied, in Yukon Territory, note. N.A. Fauna 30, p. 65. 1909.
varied. See also Robin, Oregon.
variegated, protection by law. Biol. Bul. 12, rev., p. 40. 1902.
varieties in Athabaska-Mackenzie region. N.A. Fauna 27, pp. 476, 491-495. 1908.
water—
Grinnell, in Alaska and Yukon Territory, notes. N.A. Fauna 30, pp. 42, 64. 1909.
Grinnell, migration. Biol. Bul. 18, pp. 12, 105-106. 1904.
in Louisiana, migration. Biol. Bul. 18, pp. 9-11, 13, 15, 106-107. 1904.
migration. Biol. Bul. 18, pp. 9-11, 14-15, 103-105. 1904.
occurrence in—
Arkansas. Biol. Bul. 38, p. 81. 1911.
Porto Rico, habits and food. D.B. 326, pp. 99-100. 1916.
range. Biol. Bul. 18, pp. 102-103, 105. 1904.
range and habits. N.A. Fauna 24, pp. 79, 81. 1904.
varieties, breeding ranges, migratory habits, and routes. Biol. Bul. 18, pp. 102-107. 1904.
wheatear, note. D.B. 280, p. 1. 1915.
willow, habitat, food habits, and economic importance. D.B. 280, pp. 9-11. 1915.
wood—
habitat, food habits, and economic importance. D.B. 280, pp. 5-8. 1915.
protection by law. Biol. Bul. 12, rev., p. 40. 1902.
useful food habits, and occurrence in Arkansas. Biol. Bul. 38, p. 90. 1911.
Thryallis brasiliensis, importations and descriptions. No. 43669, B.P.I. Inv. 49, p. 60. 1921; No. 54697, B.P.I. Inv. 70, p. 9. 1923.
Thryomanes bewicki, occurrence in Arkansas. Biol. Bul. 38, p. 86. 1911.
Thryothorus spp. See Wren.
Thuja—
occidentalis, chlorosis. J.A.R., vol. 21, No. 3, p. 154. 1921.
plicata, injury by sapsuckers. Biol. Bul. 39, p. 26. 1911.

Thuja—Continued.
spp., nursery-blight susceptibility. J.A.R., vol. 10, pp. 534, 538, 539. 1917.
spp. See also Arborvitae; Cedar.
Thumps—
horse, description and treatment. B.A.I., [Misc.], "Diseases of the horse," rev., pp. 140-141. 1903; rev., pp. 141, 205. 1907; rev., pp. 141, 205. 1911; rev., pp. 132-133, 225-226. 1923.
pigs—
care against. News L., vol. 5, No. 32, p. 3. 1918.
cause, symptoms, and treatment. F.B. 1244, pp. 21-22. 1923.
relation to parasites. Y. B., 1920, pp. 175-180. 1921; Y.B. Sep. 837, pp. 175-180. 1921.
treatment. F.B. 1437, p. 15. 1925.
See also Palpitation, heart.
Thunbergia—
erecta, new variety, distribution. P.R. An. Rpt., 1919, p. 21. 1920.
gibsoni, importations and descriptions. No. 39626, B.P.I. Inv. 41, p. 50. 1917; No. 44289, B.P.I. Inv. 50, p. 53. 1922.
"Thunder-pump." See Bittern.
Thunderstorms—
effect on hatching eggs. Off. Rec., vol. 3, No. 34, p. 5. 1924.
forecasting—
difficulties. News L., vol. 3, No. 1, p. 5. 1915.
use of lightning recorders. James Kenealy. W.B. Bul. 31, pp. 76-78. 1902.
forest, reports. Off. Rec., vol. 2, No. 3, p. 2. 1923.
lightning phenomena. F.B. 367, pp. 11-14. 1909.
records, 1895-1914. Atl. Am. Agr. Adv. Sh., Pt. II, sec. A, p. 44. 1922.
relation to milk souring. Off. Rec., vol. 3, No. 30, p. 5. 1924.
Thunderwood. See Poison sumac.
Thurberia—
boll weevil. See Boll weevil, cotton, Arizona.
occurrence, habitat, and growth habits. D.B. 344, pp. 2-8. 1916.
thespesioides—
(Arizona wild cotton), food plant of boll weevil. D.B. 231, pp. 1, 2, 3-4. 1915.
development and examinations. D.B. 231, pp. 33-34. 1915.
occurrence and description. J.A.R., vol. 1, pp. 92-93, 95-96. 1913.
See also Cotton, wild.
Thyanta—
custator, distribution, life history, habits, and natural enemies. Ent. Bul. 86, pp. 84-87. 1910.
spp., pentatomid bugs injurious to cotton, life history. Ent. Bul. 86, pp. 84-87. 1910.
Thyas spp., description. Rpt. 108, pp. 48, 49, 50. 1915.
Thymaris slingerlandana, parasite of grape-berry moth, description. Ent. Bul. 116, Pt. II, pp. 47, 48. 1912.
Thyme—
culture and handling as drug plant, yield and price. F.B. 663, p. 35. 1915.
growing and uses, harvesting, marketing, and prices. F.B. 663, rev., p. 47. 1920.
leaves, standard. Chem. S.R.A. 14, p. 12. 1915.
oil, adulteration, and misbranding. See *Indexes to Notices of Judgment in bound volumes of Chemistry Service and Regulatory Announcements*.
use as food flavoring, note. O.E.S. Bul. 245, p. 68. 1912.
value in perfumery production. B.P.I. Bul. 195, pp. 42, 43. 1910.
See also Spices.
Thymo, cresol, analysis. Chem. Bul. 68, pp. 57-58. 1902.
Thymol—
effect on efficacy of carbon tetrachlorid as an anthelmintic. J.A.R., vol. 21, No. 2, pp. 166-167. 1921.
efficacy as an anthelmintic. J.A.R., vol. 21, No. 2, pp. 170-171. 1921.
extraction from horsemint. D.B. 372, pp. 8-10. 1916.
germicidal property, note. Б.A.I. Cir. 31, rev., p. 12. 1911.

Thymol—Continued.
  production from horsemint. An. Rpts., 1911, p. 276. 1912; B.P.I. Bul. 195, p. 39. 1910; B.P.I. Chief Rpt., 1911, p. 28. 1911; D.B. 372, pp. 12. 1916.
  sources, and importation, and cost of production. D.B. 372, pp. 10-12. 1916.
  use—
    against blackleg infection. B.A.I. Cir. 31, rev., p. 13. 1901.
    against hookworms. B.A.I. Bul. 35, pp. 8-11. 1902.
    as anthelmintic. B.A.I. Bul. 153, pp. 6, 12. 1912.
    as anthelmintic, results, comparison with chloroform. J.A.R., vol. 12, pp. 403, 423-425. 1918.
    in control of worms in chickens, experiments. Guam A.R., 1915, p. 39. 1916.
    in preservation of hog cholera virus. An. Rpts., 1912, p. 375. 1913; B.A.I. Chief Rpt., 1912, p. 79. 1912.
    yield of common plants on waste lands, note. Sec. A.R., 1910, p. 60. 1910; An. Rpts., 1910, p. 60. 1911; Y.B., 1910, p. 60. 1911.
Thymus, calf. See Sweetbread.
Thymus vulgaris. See Thyme.
Thyopsis cancellata, description. Rpt. 108, p. 52. 1915.
Thyridinae, similarity of one species to *Pectinophora gossypiella*. J.A.R., vol. 20, pp. 828-829. 1921.
Thyridopteryx ephemeraeformis, description, habits, and control. F.B. 1169, pp. 31-33. 1921.
Thyroid—
  feeding to fowls, effect on plumage. L. L. Cole and D. H. Reid. J.A.R., vol. 29, pp. 285-287. 1924.
  use as obesity cure, danger and warning. News L., vol. 2, No. 7, pp. 2-3. 1914.
Thyrsocera cincta. See Cockroach.
Thysanoptera—
  control by natural enemies. D.B. 173, pp. 51-52. 1915.
  injury to Porto Rican crops. D.R. 192, pp. 2-4. 1915.
  internal parasite. Ent. T.B. 23, Pt. II, pp. 25-52. 1912.
  new, in California and Georgia. Ent. T.B. 23, Pt. I, pp. 24. 1912.
  North American, synopsis, catalogue, and bibliography, with descriptions of new species. Ent. T.B. 21, pp. 56. 1911.
  of California, contribution. Dudley Moulton. Ent. T.B. 12, Pt. III, pp. 39-68. 1907.
  See also Thrips.
Thysanosoma actinioides—
  description, occurrence in sheep, and treatment. F.B. 1150, pp. 22-23. 1920.
  hematoxins, experimental results. J.A.R., vol. 22, pp. 421-423, 424, 427-428. 1921.
  See Tapeworm, fringed.
Thysanosomiasis, sheep, treatment and experiments. B.A.I. Bul. 153, pp. 7, 16-19. 1912.
THYSELL, J. C.—
  "Report of the Northern Great Plains Field Station for the 10-year period 1913-1922, inclusive." With others. D.B. 1301, pp 80. 1925.
  "Work of the Northern Great Plains Field Station in 1923." With others. D.B. 1337, pp. 18. 1925.
Ti leaves in Hawaii, use as wrapping paper. Hawaii A.R., 1906, pp. 66, 70. 1907.
Ti-ti bush, characteristics, Florida, Jefferson County. Soil Sur. Adv. Sh., 1907, p. 28. 1909; Soils F.O., 1907, p. 368. 1909.
Tiaca, importations and descriptions. No. 42865, B.P.I. Inv. 47, p. 76. 1920; No. 52588, B.P.I. Inv. 66, p. 46. 1923.
Tiarts spp. See Grassquits.
Tibia, fractures, in horse, symptoms and treatment. B.A.I. [Misc.], "Diseases of the horse," rev., pp. 324-325. 1903; rev., pp. 324-325. 1907; rev., pp. 324-325. 1911; rev. pp. 349-350. 1923.
Tibicina septendecim, control and life history. F.B. 1270, pp. 68-70. 1922.
Tibicina septendecim. See also Cicada, periodical.
Tibouchina—
  spp., importations and descriptions. No. 51799, B.P.I. Inv. 65, pp. 1, 51. 1923; No. 54446, B.P.I. Inv. 69, p. 10. 1923.

Tibouchina—Continued.
  stenocarpa, importation and description. No. 39333, B.P.I. Inv. 41, pp. 11-12. 1917.
Tichogramma pretiosa, parasite of codling moth. Ent. Bul. 115, Pt. III, pp. 160-161. 1913.
Tick(s)—
  adobe, occurrence, and habits. Ent. Bul. 72, p. 42. 1907.
  anatomical details. Ent. Bul. 106, pp. 16-17. 1912.
  animal, dipping for control, in Porto Rico, experiments. P.R. An. Rpt., 1921, p. 25. 1922.
  associated with *Dermacentor venustus*. Ent. Bul. 105, p. 31. 1911.
  attacking man, danger of dissemination of spotted fever. Ent. Bul. 105, p. 31. 1911.
  Australian cattle, description, life history, and control. Ent. Bul. 106, pp. 117-123. 1912.
  biological study, history. Ent. Bul. 106, pp. 20-21. 1912.
  bird, description, life history, and control. Ent. Bul. 106, pp. 97-102. 1912.
  black-legged—
    description, life history, and control. Ent. Bul. 106, pp. 76-81. 1912.
    occurrence, hosts. Ent. Bul. 72, p. 57. 1907.
  camp pests, control methods. Sec. Cir. 61, p. 20. 1916.
  carriers of horse diseases, need of quarantine precautions. Y.B., 1918, p. 245. 1919; Y.B. Sep. 783, p. 9. 1919.
  castor-bean—
    American, occurrence, description, and hosts. Ent. Bul. 72, p. 55. 1907.
    description. B.A.I. Bul. 78, p. 14. 1905; F.B. 569, p. 7. 1914.
    European, occurrence, hosts, and life history. Ent. Bul. 72, pp. 56-57. 1907.
    varieties. Ent. Bul. 72, pp. 5-4. 1907.
  cattle—
    adult, descriptions of male and female. Ent. Bul. 72, pp. 30-31. 1907.
    and its relation to agriculture. August Mayer. F.B. 261, pp. 24. 1906.
    and other livestock in Guam and control work. Guam A.R., 1915, pp. 25-29. 1916.
    and Texas fever, notes. E. C. Schroeder. B.A.I. An. Rpt., 1907, pp. 49-70. 1909.
    annual—
      injury in South, eradication work. News L., vol. 3, No. 6, pp. 1-4. 1915.
      losses, before eradication began. B.A.I. [Misc.], "Cattle-tick eradication," p. 3. 1914.
    losses caused by. Ent. Bul. 506, p. 18. 1912.
    as carrier of Texas fever, exceptions. F.B. 569, pp. 10-12. 1914.
    Australian—
      form. Y.B., 1914, p. 436. 1915; Y.B. Sep. 650, p. 436. 1915.
      life history study, and control. P.R. An. Rpt., 1917, pp. 31-33. 1918.
    biology, study at—
      Alabama station, 1914. Work and Exp., 1914, p. 58. 1915.
      Tennessee Experiment Station. S.R.S. Rpt., 1915, Pt. I, pp. 57, 248. 1917.
    carrier of Texas fever, life history, habits, and eradication. B.A.I. [Misc.], "Diseases of cattle," rev., pp. 480-490. 1923.
    cause of—
      difficulty in livestock breeding. D.C. 235, pp. 12, 20. 1922.
      losses to cattle industry. B.A.I. An. Rpt., 1910, pp. 465-466, 492, 493. 1912; B.A.I. Cir. 194, pp. 465-466, 492, 493. 1912.
    conditions in various States, progress of eradication. B.A.I. An. Rpt., 1910, pp. 256-258. 1912; B.A.I. Cir. 187, pp. 256-258. 1912.
    conference at Fort Worth, Tex. Off. Rec., vol. 2, No. 1, p. 6. 1923.
    control—
      B.A.I. Bul. 78, pp. 30-38, 44-48. 1905; B.A.I. Cir. 97, pp. 1-4. 1906.
      by arsenical dips, experiments. An. Rpts., 1913, p. 102. 1914; B.A.I. Chief Rpt., 1913, p. 32. 1913.
      by compulsory dipping, work in Texas. News L., vol. 5, No. 7, p. 6. 1917.

Tick(s)—Continued.
cattle—continued.
control—continued.
by dipping. News L., vol. 6, No. 29, pp. 4-5. No. 48, p. 3. 1919.
demonstration experiments. An. Rpts. 1909, p. 114. 1910; Sec. A.R. 1909, p. 114. 1909; Y.B., 1909, p. 114. 1910.
experiments. An. Rpts., 1917, p. 120. 1918; B.A.I. Chief Rpt., 1917, p. 54. 1917.
fight, history and progress, 1906-1917. News L., vol. 5, No. 17, pp. 3-5. 1917.
for beef increase and improvement. News L., vol. 3, No. 47, p. 4. 1917.
in Arkansas. News L., vol. 6, No. 48, p. 3. 1919.
in Oklahoma. News L., vol. 6, No. 48, p. 5. 1919.
in Porto Rico. An. Rpts., 1923, p. 589. 1923; S.R.S. Rpt., 1923, p. 37. 1923.
in Porto Rico, need of dipping vats. P.R. An. Rpt., 1921, p. 7. 1922.
method, practical demonstration. W. D. Hunter and J. D. Mitchell. B.A.I. Cir. 148, pp. 4. 1909.
methods, notes. News L., vol. 4, No. 50, p. 8. 1917.
progress. News L., vol. 6, No. 31, p. 16, No. 41, p. 9. 1919.
progress in Oklahoma and Mississippi. News L., vol. 6, No. 5, p. 10. 1918.
studies and remedies. News L., vol. 2, No. 49, p. 6. 1915.
work, 1906-1918. News L., vol. 6, No. 18, pp. 12-13. 1918.
work, 1908. An. Rpts., 1908, p. 110. 1909; Sec. A.R., 1908, p. 108. 1908.
work, 1918, and workers. News L., vol. 5, No. 52, p. 10. 1918.
work, 1919. News L., vol. 6, No. 29, p. 16; No. 40, p. 16; No. 48, pp. 3, 5. 1919.
work in Virgin Islands. Vir. Is. A.R., 1920, pp. 18, 32, 35. 1921.
work, study. An. Rpts., 1908, pp. 551-552. 1909; Ent. A.R., 1908, pp. 29-30. 1908.
conveyance of parasite, *Piroplasma bigeminum*, to cattle. B.A.I. An. Rpt., 1910, pp. 420, 425-428. 1912; B.A.I. Cir. 193, pp. 420, 425-428. 1912.
cost to farmers, and eradication studies and methods. News L., vol. 4, No. 29, pp. 3-4. 1917.
damage and control. F.B. 1073, p. 21. 1919.
description—
and eradication. B.A.I. [Misc.], "Diseases of cattle," rev., pp. 473, 481-482. 1904; rev., pp. 486-513, 494, 529. 1912; rev., pp. 480-498, 518. 1923.
and habits. Rpt. 108, pp. 58, 59, 60, 61, 62, 66-67. 1915.
and illustrations. F.B. 258, pp. 9-13. 1906.
life history, and control. Ent. Bul. 106, pp. 111-123. 1912.
destruction, vat construction, and cattle dipping, methods. B.A.I. Cir. 183, p. 15. 1911; B.A.I. Cir. 207, pp. 20. 1912.
dipping suggestions. News L., vol. 6, No. 35, p. 12. 1919.
dipping tanks and use methods in Porto Rico. P.R. An. Rpt., 1921, p. 25. 1922.
dissemination. F.B. 498, p. 19. 1912.
dissemination of Texas fever. An. Rpts., 1905, p. 35. 1905; B.A.I. Chief Rpt., 1905, p. 35. 1905; Sec. A.R., 1905, p. xxvi. 1905.
distinction from harmless ticks. B.A.I. Bul. 78, pp. 12-15. 1905.
effect—
of arsenic, experiments and studies. B.A.I. Bul. 167, pp. 15-27. 1913.
of arsenical dips. B.A.I. An. Rpt., 1910, pp. 273-278. 1912; B.A.I. Bul. 144, pp. 49-60. 1912.
of dips, suffocation or poisoning, experiments. B.A.I. Bul. 167, pp. 9-27. 1913.
on body weight of cows. D.B. 147, pp. 11, 13, 14. 1915.
on milk production and body weight, experiments, results. F.B. 639, pp. 1-2. 1914.

Tick(s)—Continued.
cattle—continued.
effect—continued.
on milk production of dairy cows. T.E. Woodward and others. D.B. 147, pp. 22. 1915.
on other hosts, investigations. An. Rpts., 1908, p. 258. 1909; B.A.I. An. Rpt., 1908, pp. 52. 1910; B.A.I. Chief Rpt., 1908, p. 44. 1910.
egg laying and hatching, experiments. B.A.I. Bul. 130, pp. 18-23. 1911.
egg viability in water, experiments. Ent. Bul. 72, pp. 22, 39. 1907.
elimination—
effect on cattle supply in South. F.B. 560, p. 26. 1913.
necessity for livestock industry in South. F.B. 809, p. 16. 1917.
enemies. Ent. Bul. 72, p. 36. 1907.
eradication—
B.A.I. Doc. A-2, pp. 2-3. 1914; B.A.I. [Misc.], "A tick-free South," p. 3. 1917; B.A.I. [Misc.[, "How to get * * *," pp. 20. 1922; B.A.I. Chief Rpt., 1924, p. 26. 1924; News L., vol. 6, No. 29, pp. 3-4. 1919; News L., vol. 6, No. 31. pp. 15-16. 1919; Off. Rec., vol. 1, No. 48, p. 6. 1922.
1907, number of cattle inspected and disinfected. Y.B., 1907, p. 29. 1908.
and control of Texas fever. Y.B. 1922, pp. 342-343. 1923; Y.B. Sep. 879, pp. 51-53. 1923.
as aid in increasing meat output. News L., vol. 4, No. 23, p. 2. 1917.
beginning, and State cooperation. B.A.I. An. Rpt., 1910, pp. 255-256. 1912; B.A.I. Cir. 187, pp. 255-256. 1912.
benefits to livestock growers. News L., vol. 3, No. 29, pp. 1-2. 1916.
conference. Off. Rec., vol. 2, No. 4, p. 5. 1923.
cost and saving to dairyman. F.B. 639, p. 3. 1914.
cost, probable. B.A.I. An. Rpt., 1910, p. 265. 1912; B.A.I. Cir. 187, p. 265. 1912.
dipping experiments, investigations. An. Rpts., 1908, pp. 32, 221, 231, 254. 1908; B.A.I. An. Rpt., 1908, pp. 48-49. 1910; B.A.I. Chief Rpt., 1908, pp. 7, 17, 40. 1910.
directions. B.A.I. Cir. 97, rev., pp. 1-4. 1906.
discussion at Alabama conference. Off. Rec., vol. 1, No. 1, pp. 3-4. 1922.
effect on cattle industry of South. B.A.I. Doc. A-4, rev., pp. 26. 1917.
films. Off. Rec., vol. 3, No. 20, p. 3. 1924.
first season's work. Rice P. Steddom. B.A.I. An. Rpt., 1906, pp. 101-112. 1908.
for cattle improvement. News L., vol. 6, No. 41, p. 11. 1919.
gains in Texas. News L., vol. 6, No. 48, p. 3. 1919.
illustrated lecture. S.R.S. Syl. 22, pp. 14. 1916.
in Alabama, law. News L., vol. 6, No. 40, p. 8. 1919.
in California. William M. MacKellar and George H. Hart. B.A.I. An. Rpt., 1909. pp. 283-300. 1911; B.A.I. Cir. 174, pp. 18. 1911.
in Florida. News L., vol. 6, No. 52, p. 8. 1919.
in Kentucky, Missouri, and Tennessee. News L., vol. 3, No. 7, p. 6. 1915.
in Mississippi and Texas, methods. News L., vol. 2, No. 10, p. 4. 1914.
in Mississippi, congratulations by Agriculture Secretary. News L., vol. 5, No. 19, p. 5. 1917.
in Texas, record for May. Off. Rec., vol. 1, No. 28, p. 2. 1922.
in various States, 1918. B.A.I.S.R.A. 140, p. 108. 1919; B.A.I.S.R.A. 142, p. 12. 1919.
legislation by Louisiana Legislature. News L., vol. 4, No. 2, p. 3. 1916.
methods. Louis A. Klein. B.A.I. Cir. 110, pp. 16. 1907.

Tick(s)—Continued.
  cattle—continued.
    eradication—continued.
      methods and cost. News L., vol. 3, No. 18, pp. 1, 4. 1915.
      methods and work of department. News L., vol. 2, No. 43, p. 6. 1915.
      methods, directions. B.A.I. Cir. 97, rev., pp. 4. 1906.
      methods, discussion. F.B. 309, pp. 29-30. 1907.
      necessary for profitable dairying. J. H. McClain. F.B. 639, pp. 4. 1914.
      number of cattle treated, and cost. News L., vol. 3, No. 7, p. 6. 1915.
      obstacles. B.A.I. An Rpt., 1910, p. 262. 1912; B.A.I. Cir. 187, p. 262. 1912.
      plans, proceedings of conference, Federal and State, 1906. B.A.I. Bul. 97, pp. 98. 1907.
      progress and prospects. Cooper Curtice. B.A.I. An. Rpt., 1910, pp. 255-265. 1912; B.A.I. Cir. 187, pp. 11. 1912.
      progress, 1914, and results. B.A.I. [Misc.], "Progress and results * * *," pp. 12. 1914; News L., vol. 1, No. 45, pp. 1-2. 1914.
      progress, 1918. An. Rpts., 1918, p. 16. 1918; News L., vol. 5, No. 44, p. 2. 1918; Sec. A.R., 1918, p. 16. 1918.
      progress, 1921. Y.B., 1921, p. 44. 1922; Y.B. Sep. 875, p. 44. 1922.
      progress, 1922. An. Rpts., 1922, pp. 100, 136-137. 1922; B.A.I. Chief Rpt., 1922, pp. 2, 38-39. 1922.
      progress, 1923. Off. Rec. vol. 2, No. 16, pp. 1-2. 1923.
      progress, 1924. Off. Rec. vol. 3, No. 2, p. 3. 1924.
      progress, 1925. Sec. A.R., 1925, pp. 68, 95-96. 1925.
      record-making campaign, South Carolina and Mississippi. News L., vol. 5, No. 49, p. 8. 1918.
      results. B.A.I. Cir. 196, pp. 4. 1912.
      State laws and court decisions. Harry Goding. D.C. 184, pp. 71. 1921.
      time and method. B.A.I. [Misc.], "The story of the cattle fever tick," pp. 14, 20-23. 1917.
      under quarantine laws, 1906-1911. B.A.I. [Misc.], "Diseases of cattle," rev., pp. 512-513. 1912.
      use of arsenical dips, studies. News L., vol. 1, No. 15, pp. 2-3. 1913.
      value and meaning. News L., vol. 5, No. 19, p. 5. 1917.
      value in South, testimonials. B.A.I. [Misc.], "Effects of tick eradication * * *," pp. 7-26. 1914.
      value to cattle industry. D.B. 827, pp. 12, 19, 47. 1921.
      work, 1906. Y.B., 1906, pp. 29-32, 495. 1907.
      work, 1907. An. Rpts., 1907, p. 29. 1908; An. Rpts., 1907, pp. 196-197, 204-205. 1908; B.A.I. An. Rpt., 1907, pp. 24-25. 1909; Rpt. 85, p. 19. 1907; Sec. A.R., 1907, p. 27. 1907; Y.B., 1907, p. 29. 1908.
      work, 1908. An. Rpts., 1908, pp. 32, 221, 231, 254. 1909; B.A.I. An. Rpt., 1908, pp. 11, 48-49. 1910; B.A.I. Chief Rpt., 1908, pp. 7, 17, 40. 1908.
      work, 1909, areas released, and inspections. An. Rpts., 1909, pp. 201-202, 212, 239. 1910; B.A.I. An. Rpt., 1909, pp. 14-16, 27, 58. 1911; B.A.I. Chief Rpt., 1909, pp. 11-12, 22, 49. 1909.
      work, 1910, areas released. An. Rpts., 1910, pp. 47-48, 204-205, 246-247, 273. 1911; B.A.I. Chief Rpt., 1910, pp. 10-11, 52-53, 79. 1910; Rpt. 93, pp. 35-36. 1911; Sec. A.R., 1910, pp. 47-48. 1910; Y.B., 1910, pp. 47-48. 1911.
      work, 1911. An. Rpts., 1911, pp. 196, 225, 251-252. 1912; B.A.I. An. Rpt., 1911, pp. 9, 45, 77. 1913; B.A.I. Chief Rpt., 1911, pp. 6, 35, 61-62. 1911.
      work, 1912. An. Rpts., 1912, pp. 311, 347. 1913; B.A.I. Chief Rpt., 1912, pp. 15, 51. 1912.

Tick(s)—Continued.
  cattle—continued.
    eradication—continued.
      work, 1913. An. Rpts., 1913, pp. 50-51, 58. 1914; Sec. A.R., 1913, pp. 48-49, 56. 1913; Y.B., 1913, pp. 62, 72. 1914.
      work, 1913, areas released. An. Rpts., 1913, pp. 87-88. 1914; B.A.I. Chief Rpt., 1913, pp. 17-18. 1913.
      work, 1915, areas released. An. Rpts., 1915, pp. 78, 111. 1916; B.A.I. Chief Rpt., 1915, pp. 2, 35. 1915.
      work, 1915, progress. An. Rpts., 1915, pp. 10-11. 1916; Sec. A.R., 1915, pp. 12-13. 1915.
      work, 1916, area released. An. Rpts., 1916, pp. 106-107. 1917; B.A.I. Chief Rpt., 1916, pp. 40-41. 1916.
      work, 1917, localities and areas. An. Rpts., 1917, pp. 101-102, 120. 1917; B.A.I. Chief Rpt., 1917, pp. 35-36, 54. 1917.
      work, 1918. An. Rpts., 1918, pp. 73, 108-110. 1918; B.A.I. Chief Rpt., 1918, pp. 3, 38-40. 1918; Sec. A.R., 1918, p. 16. 1918; Y.B., 1918, p. 26. 1919.
      work, 1919. News L., vol. 7, No. 10, p. 11. 1919.
      work, 1919. An. Rpts., 1919, pp. 74, 76, 113-115, 370. 1920; B.A.I. Chief Rpt., 1919, pp. 2, 4, 41-43. 1919; News L., vol. 7, No. 10, p. 11. 1919; S.R.S. An. Rpt., 1919, p. 18. 1919; Y.B., 1919, pp. 74, 78. 1920; Y.B. Sep. 802, pp. 74, 78. 1920.
      work, 1920. B.A.I. Chief Rpt., 1920, pp. 42-44. 1920.
      work, 1921. An. Rpts., 1921, pp. 39-40. 1921; Sec. A.R., 1921, pp. 39-40. 1921.
      work, 1925. B.A.I. Chief Rpt., 1925, pp. 27-28. 1925.
      work in Oklahoma, dipping cost. News L., vol. 6, No. 8, p. 6. 1918.
      work in Porto Rico, 1918. P.R. An. Rpt., 1918, pp. 9, 17, 21, 23. 1920.
      work in Porto Rico, 1919. P.R. An. Rpt., 1919, pp. 11, 34, 37. 1920.
      work in Porto Rico, 1920. P.R. An. Rpt., 1920, p. 23. 1921.
      work in Porto Rico, 1921. S.R.S. An. Rpt., 1921, pp. 3, 22. 1921.
      work in South. An. Rpts., 1914, p. 77. 1915; B.A.I. Chief Rpt., 1914, p. 21. 1914; News L., vol. 3, No. 6, pp. 1, 4. 1915.
      work in South Carolina and Mississippi. News L., vol. 5, No. 49, p. 8. 1918.
      work, value to farmers. Y.B., 1916, p. 65. 1917; Y.B. Sep. 698, p. 3. 1917.
      experimental work of Entomology Bureau, 1909. An. Rpts., 1909, pp. 520-521. 1910; Ent. A. R., 1909, pp. 34-35. 1909.
      experiments. B.A.I. Bul. 130, pp. 27-31, 40-41. 1911.
      extermination methods. F.B. 498, pp. 1-42. 1912.
      female, effects of arsenical dips on vitality and reproduction. B.A.I. An Rpt., 1910, pp. 274-278. 1912; B.A.I. Bul. 144, pp. 51-58. 1912.
    fever—
      and eradication methods. W. P. Ellenberger and Robert M. Chapin. F.B. 1057, pp. 32. 1919.
      eradication. An. Rpts., 1906, pp. 137-140. 1907; B.A.I. Chief Rpt., 1906, pp. 19-22. 1906; B.A.I. An. Rpt., 1906, pp. 25-28. 1908; Rpt. 83, pp. 19-22. 1906; Sec. A. R., 1906, pp. 26-28. 1906.
      eradication-essay contest. News L., vol. 5, No. 51, p. 3. 1918.
      life history and injuries to cattle. B.A.I. [Misc], "The story of the cattle fever tick," rev., pp. 5-18. 1917; rev. 1922.
      story of. B.A.I. [Misc.], "Story of * * * tick * * *," pp. 31. 1917.
      story for southern children. B.A.I. [Misc.], "The story * * * cattle fever tick," rev., pp. 31. (Also Spanish edition.) 1922.
      See also Tick, cattle.
    harmless, discussion. B.A.I. Bul. 78, p. 17. 1905.

INDEX TO PUBLICATIONS, 1901–1925 — 2401

Tick(s)—Continued.
  cattle—continued.
    history, investigations. Ent. A. R., 1905, pp. 293–294. 1905.
    host relations, experiments. B.A.I. Bul. 130, pp. 31–37. 1911.
    how to get rid of. B.A.I. Cir. 97, pp. 4. 1906.
    immunity of Brahman cattle. F.B. 612, p. 22. 1915.
    importance of control fight in South, methods and results. News L., vol. 5, No. 37, p. 10. 1918.
    in—
      Bitterroot Valley, Mont., control methods. Biol. Cir. 82, pp. 4–5. 1911.
      Canal Zone, infestation and control methods. Rpt. 95, pp. 18, 45. 1912.
      Porto Rico, varieties and control. P.R. An. Rpt., 1916, pp. 25–26. 1918.
      southern United States. B.A.I. An. Rpt., 1900, p. 380. 1901.
    infection of Texas fever, cause. B.A.I. An. Rpt., 1905, pp. 64–66. 1907.
    injury(ies)—
      and control studies in Virgin Islands, 1921. Vir. I., A. R. D., 1921, p. 21. 1922.
      and eradication methods. News L., vol. 4, No. 45, p. 7. 1917.
      and losses. B.A.I. [Misc.], "Cattle ticks worse than a wound," pp. 4. 1916; F.B. 569, pp. 12–15. 1914.
      annual losses before eradication work. News L., vol. 1, No. 45, p. 2. 1914.
      in the South, and effects of eradication. B.A.I. [Misc.], "A tick-free South," pp. 15. 1917.
      to cattle and losses occasioned. B.A.I. [Misc.], "Diseases of cattle," rev., pp. 482–486. 1923.
      to cattle in Porto Rico, importance of eradication. P.R. An. Rpt., 1914, p. 10. 1915.
    injurious effects—
      B.A.I. Bul., 78, pp. 18–27. 1905.
      and losses occasioned. B.A.I. [Misc.], "Diseases of cattle," rev., pp. 488–493. 1912.
      other than Texas fever. F.B. 258, pp. 19–21. 1906.
    internal parasites, discovery. An. Rpts., 1908, p. 552. 1909; Ent. A. R., 1908, p. 30. 1908.
    investigations—
      1910. An. Rpts., 1910, p. 538. 1911; Ent. A.R., 1910, p. 33. 1910.
      1912, and control work. An. Rpts., 1912, p. 167. 1913; Sec. A.R., 1912, p. 167. 1912; Y.B., 1912, p. 167. 1913.
      in Porto Rico. An. Rpts., 1922, p. 431. 1923.
    larvae, description, effect of water, longevity, and dissemination. Ent. Bul. 72, pp. 23–26. 1907.
    law enforcement. Sol. [Misc.], "Laws applicable * * * Agriculture," sup. 2, p. 24. 1915.
    legislation. B.A.I. Bul. 28, pp. 105, 106, 107, 108, 145, 152, 161. 1901.
    life history—
      F.B. 378, pp. 7–10. 1909; F.B. 498, pp. 10–13. 1912.
      and attack on cattle. B.A.I. Bul. 78, pp. 10–12. 1905.
      and development. F.B. 1057, pp. 6–11. 1919.
      and effect on cattle. D.B. 147, pp. 1–2, 6–14. 1915.
      and its relation to Texas fever. F.B. 258, pp. 10–11, 17–19. 1906.
      description, relation to Texas fever. B.A.I. [Misc.], "Diseases of cattle," rev., pp. 484, 486–488, 495. 1912.
      host relations and relation to rations. Ent. Bul. 72, pp. 13–36. 1907.
      responsibility in Texas fever production. F.B. 569, pp. 4–6. 1914.
      studies, and methods. B.A.I. Bul. 130, pp. 7–12, 19–37. 1911.
      study, Entomology Bureau, 1908. Y.B., 1908, p. 110. 1909.
    losses—
      Y.B., 1914, pp. 19–20. 1915.
      occasioned, and remedy. B.A.I. [Misc.], "The tick primer," pp. 4. 1915.

Tick(s)—Continued.
  cattle—continued.
    losses—continued.
      to southern cattle industry. Ent. Bul. 72, p. 11. 1907.
    March dipping for control. News L., vol. 6, No. 33, p. 14. 1919.
    menace and control studies at St. Croix Experiment Station, 1921. Vir. Is. A.R., 1921, pp. 10–11. 1922.
    occurrence in—
      Guam and control work. Guam A.R., 1918, pp. 12, 14, 15. 1919.
      Porto Rico, and control by dipping. P.R. Bul. 29, pp. 8–9. 1922.
      range area. F.B. 1395, pp. 42–43. 1925.
    parasitic, externally, importance. B.A.I. An. Rpt., 1905, pp. 55–60. 1907.
    persistence in blood of southern cattle. B.A.I. An. Rpt., 1905, pp. 49–78. 1907.
    pests, species and treatment. B.A.I. [Misc.], "Diseases of cattle," p. 518. 1923.
    presence in Louisiana, Washington Parish. Soil Sur. Adv. Sh. 1922, p. 352. 1925.
    prevalence—
      Honduras. An Rpts., 1910, pp. 256–257. 1911; B.A.I. An. Rpt., 1910, pp. 77, 78, 290–291, 293, 294. 1912; B.A.I. Chief Rpt., 1910, pp. 62–63. 1910.
      on east coast of South America. Y.B., 1919, p. 370. 1920; Y.B. Sep. 818, p. 370. 1920.
    quarantine—
      and dipping. News L., vol. 7, No. 10, p. 8. 1919.
      and eradication progress. F.B. 1379, p. 2. 1923.
      area, correction. News L., vol. 2, No. 35, p. 2. 1915.
      area, map showing progress of work. F.B. 498, p. 7. 1912.
      area reduction, 1918. News L., vol. 6, No. 18, pp. 12–13. 1918.
      area, release. News L., vol. 1, No. 27, p. 3. 1914.
      area release, 1906–1916. News L., vol. 4, No. 9, p. 8. 1916.
      area release, 1906–1917, and proposed release, 1918. News L., vol. 5, No. 16, p. 2. 1917.
      area release, 1915. News L., vol. 3, No. 7, p.6; No. 18, pp. 1, 4. 1915.
      area release, 1916. News L., vol. 3, No. 33, p. 5. 1916.
      area release, 1917. News L., vol. 5, No. 7, p. 6; No. 16, pp. 1–2. 1917.
      area release, 1918. News L., vol. 6, No. 18, pp. 12–13. 1918.
      in North Carolina. News L., vol. 6, No. 51, p. 4. 1919.
    reestablishment. Off. Rec., vol. 2, No. 8, p. 4. 1923.
    release for South Carolina, letter from Secretary Houston. News L., vol. 6, No. 21, p. 7. 1918.
    release for various States. News L., vol. 4, No. 6, p. 1. 1916.
    release of counties in various States. News L., vol. 1, No. 3, p. 4. 1913.
    removals. B.A.I.S.R.A. 213, p. 6. 1925; B.A.I.S.R.A. 214, p. 16. 1925.
    removal in North Carolina. B.A.I.O. 285, amdt. 2, p. 1. 1924.
    removal in Texas B.A.I.O. 290, amdt. 1, p. 1. 1925.
    replacement. News L., vol. 6, No. 32, p. 8. 1919.
    replacement in Arkansas County. News L. vol. 7, No. 3, p. 3. 1919.
    See also Tick, cattle, eradication work.
    reduction of milk production. News L., vol. 3, No. 29, p. 2. 1916.
    relation to agriculture. August Mayer. F.B. 261, pp. 24. 1906.
    removal methods. B.A.I. Bul. 78, pp. 30–32. 1905.
    restriction to natural host. Ent. Bul. 72, p. 34. 1907.
    secondary effects on infested animals. B.A.I., [Misc.], "Diseases of cattle," rev., p. 489. 1912.

Tick(s)—Continued.
  cattle—continued.
    starvation, time required. F.B. 498, pp. 14–16. 1912.
    statement of Arkansas Governor on eradication. News L., vol. 6, No. 31, pp. 15–16. 1919.
    Texas—
      and Australian, occurrence in Guam. Guam A. R., 1912, pp. 11, 17. 1913.
      fever disseminator. B.A.I. An. Rpt., 1905, pp. 60–66. 1907.
      fever eradication. B.A.I. An. Rpt., 1905, pp. 68–69. 1907; F.B. 258, pp. 31–38. 1906.
      quarantine. Off. Rec., vol. 4, No. 16, p. 3. 1925.
    use of—
      arsenical dip. B.A.I. Bul. 79, pp. 89–91. 1905.
      "Kiltick—A" as dip. B.A.I.S.R.A. 120, p. 43. 1917.
      vats for destroying. H. W. Graybill and W. P. Ellenberger. B.A.I. Cir. 183, pp. 15. 1911.
      work against, and results in South. News L., vol. 5, No. 37, p. 10. 1918.
      See also Margaropus spp.
  cause of screw-worm injuries to cattle. F.B. 857, p. 11. 1917.
  cayenne, description, life histroy—
    and control. Ent. Bul. 106, pp. 151–158. 1912.
    hosts, and occurrence. Ent. Bul. 72, pp. 60–62. 1907.
  chicken—
    description. B.A.I. Bul. 78, p. 15. 1905; F.B. 569, p. 10. 1914.
    description, habits, and control. Ent. Cir. 92, p. 4. 1907.
    distribution, life habits, and control. F. C. Bishopp. F.B. 1070, pp. 16. 1919.
    enemies. Ent. Cir. 170, p. 9. 1913.
    habits and treatment. F.B. 1337, pp. 38–39. 1923.
    history, distribution, life history, habits, and control. Ent. Cir. 170, pp. 14. 1913.
  classification—
    and habits. Ent. Bul. 72, pp. 40–64. 1907.
    importance, life history, habits and control. Ent. Bul. 106, pp. 14–44. 1912.
    technical description, habits, and control. Rpt. 108, pp. 8, 9, 15, 17, 19, 56–70. 1915.
  collection, preserving, and mounting, directions. Ent. Bul. 106, pp. 17–18. 1912.
  control—
    artificial methods. Ent. Bul. 106, p. 44. 1912.
    by cattle dipping. News L., vol. 6, No. 30, p. 16. 1919.
    by pasture rotation. F.B. 1057, pp. 17–21. 1919.
    investigations. An. Rpts., 1913, p. 214. 1914; Ent. A.R., 1913, p. 6. 1913.
    natural, by climate and parasites. Ent. Bul. 106, pp. 41–44. 1912.
  dead, occurrence on cattle. B.A.I. Bul. 130, p. 31. 1911.
  description—
    classification, and hosts. Ent. Bul. 72, pp. 40–65. 1907.
    with plates, distinguishing marks of fever ticks. B.A.I. Bul. 78, pp. 13–15. 1905.
  detection in flock of sheep. F.B. 798, pp. 10–11. 1917.
  development on host. Ent. Bul. 72, pp. 27–30. 1907.
  dip, label. Insect. S.R.A. 2, p. 27. 1914.
  dipping experiments. An. Rpts., 1915, p. 135. 1916; B.A.I. Chief Rpt., 1915, p. 59. 1915.
  disease—
    conveyors, 1907. Y.B., 1907, p. 552. 1908; Y.B. Sep. 472, p. 552. 1908.
    spreading, relation to spotted fever, notes. An. Rpts., 1910, pp. 121, 124, 538, 549–550. 1911; Rpt. 93, pp. 78, 79. 1911; Sec. A.R., 1910, pp. 121, 124. 1910; Y.B., 1910, pp. 120, 123. 1911.
    transmission. Ent. Bul. 106, pp. 18–19, 44, 111. 1912.

Tick(s)—Continued.
  dog—
    American—
      and European, description. B.A.I. Bul. 78, pp. 14–15. 1905.
      description. F.B. 569, p. 7. 1914.
    brown, description—
      and habits. Ent. Bul. 72, pp. 47–49. 1907.
      life history and control. Ent. Bul. 106, pp. 102–111. 1912.
      description, life history, and control. Ent. Bul. 106, pp. 190–197. 1912.
      description, danger, and control. D.C. 338, pp. 11–13. 1925.
    enemy of dog. Hawaii A.R., 1907, p. 48. 1908.
    See also Tick, wood.
  ear—
    description. B.A.I. Bul. 78, p. 15. 1905; F.B. 569, p. 10. 1914.
    of cattle, treatment. B.A.I. [Misc.], "Diseases of cattle," rev., pp. 473, 482. 1904; rev., p. 529. 1912; rev., p. 518. 1923.
    See also Tick, spinose ear.
  economic importance as disease conveyors. Ent. Bul. 106, pp. 18–19, 111. 1912.
  effects of heat, cold, sunlight, and submergence in water. Ent. Bul. 72, pp. 31–33. 1907.
  eggs, influence of moisture on incubation periods. B.A.I. Bul. 130, pp. 23–24. 1911.
  elk, occurrence, injury to elk. Ent. Bul. 72, p. 51. 1907.
  eradication—
    appropriations—
      1906, 1907, and 1908. B.A.I. [Misc.], "Diseases of cattle," rev., pp. 512–513. 1912.
      and work in various States. News L., vol. 3, No. 33, p. 5. 1916.
    benefits in Texas, letters from cattle owners. News L., vol. 5, No. 25, pp. 5–6. 1918.
    by county funds. News L., vol. 6, No. 44, p. 13. 1919.
    cooperation of cattle owners necessary. B.A.I. An. Rpt., 1906, p. 112. 1908.
    cost and profit in Alabama. News L., vol. 5, No. 16, p. 2. 1917.
    demonstrations in Guam. Guam A.R., 1920, p. 67. 1921.
    dipping experiments. An. Rpts., 1909, p. 239. 1910; B.A.I. Chief Rpt., 1909, p. 49. 1909.
    discussion at Alabama conference. Off. Rec., vol. 1, No. 1, pp. 3–4. 1922.
    division—
      creation in Animal Industry Bureau, and chief. News L., vol. 4, No. 40, p. 3. 1917.
      report of work. An. Rpts., 1922, p. 136–138. 1922; B.A.I. Chief Rpt., 1922, pp. 38–40. 1922.
    effect on cattle industry of South. W. F. Ward. B.A.I. Doc. A-4, pp. 26. 1914.
    effects in Southern States, illustrations. B.A.I. [Misc.], "A tick-free South," pp. 1–15. 1917.
    experiments with arsenical dips. An. Rpts., 1912, p. 381. 1913; B.A.I. Chief Rpt., 1912, p. 85. 1912.
    film, release. Off. Rec., vol. 2, No. 14, p. 7. 1923.
    Florida law. B.A.I.S.R.A. 148, p. 89. 1919.
    in—
      Cotton Belt States, progress and effects. Y.B., 1917, pp. 328, 339–340. 1918; Y.B. Sep. 749, pp. 4, 15–16. 1918.
      July. News L., vol. 6, No. 47, p. 14. 1919.
      Mississippi and Texas, methods. News L., vol. 2, No. 10, p. 4. 1914.
      South, methods and progress. B.A.I. [Misc.] "The story * * * cattle fever tick," rev., pp. 25–29. 1922.
      Texas, opposition. News L., vol. 6, No. 34, pp. 1–2. 1919.
      Texas, record for May, 1922. Off. Rec., vol. 1, No. 28, p. 2. 1922.
      various States, status, June, 1919. B.A.I. S.R.A. 147, p. 79. 1919.
    methods—
      B.A.I. An. Rpt., 1905, pp. 68–69. 1907.
      development. Ent. Bul. 72, pp. 37–39. 1907.
      used in California. B.A.I. An. Rpt., 1909, pp. 288–300. 1911; B.A.I. Cir. 174, pp. 288–300. 1911.

INDEX TO PUBLICATIONS, 1901–1925   2403

Tick(s)—Continued.
eradication—continued.
motion-picture films. News L., vol. 6, No. 51, p. 7. 1919.
necessity. News L., vol. 6, No. 46, p. 3. 1919.
number of cattle dipped and vats used, 1917. News L., vol. 5, No. 10, p. 4. 1917.
progress—
1906–1916, by States. News L., vol. 4, No. 9, p. 8; No. 20, p. 5. 1916.
July 1, 1906–December 1, 1918. B.A.I.S.R.A. 139, p. 97. 1919.
1906–1923, by States. An. Rpts., 1923, pp. 230–232. 1923; B.A.I. Chief Rpt., 1923, pp. 32–34. 1923.
1909. An. Rpts., 1909, pp. 55–56. 1910; Rpt. 91, p. 41. 1909; Sec. A.R., 1909, pp. 55–56. 1909; Y.B., 1909, pp. 55–56. 1910.
1919. News L., vol. 7, No. 1, p. 8; No. 6, p. 6. 1919.
1924. Off. Rec., vol. 3, No. 2, p. 3. 1924.
and prospects. Cooper Curtice. B.A.I. An. Rpt., 1910, pp. 255–265. 1912; B.A.I. Cir. 187, pp. 11. 1912.
in South. F.B. 580, pp. 14, 20. 1914.
reasons for. F.B. 498, pp. 6–10. 1912.
status, 1919. B.A.I.S.R.A. 145, p. 56. 1919.
successful work by inspectors, factors. B.A.I. S.R.A. 134, pp. 40–41. 1918.
use of arsenical dips. B.A.I. An. Rpt., 1910, pp. 267–284. 1912; B.A.I. Bul. 144, pp. 65. 1912; News L., vol. 1, No. 15, pp. 2–3. 1913.
value to States infested. News L., vol. 5, No. 16, p. 2. 1917.
various States, status, February, 1919. B.A.I. S.R.A. 144, p. 40. 1919.
work—
1911. An. Rpts., 1911, pp. 49–50. 1912; Sec. A.R., 1911, pp. 47–48. 1911; Y.B., 1911, pp. 47–48. 1912.
1918. S.R.S. Rpt., 1918, pp. 40, 67. 1919.
and proposed work. B.A.I. Chief Rpt., 1907, pp. 10, 18. 1909.
discussion. Y.B., 1913, pp. 268–269. 1914; Y.B. Sep. 627, pp. 268–269. 1914.
Bureau of Animal Industry. An. Rpts., 1907, pp. 196–197. 1908; B.A.I. An. Rpt., 1907, p. 15. 1909.
in Louisiana, June, 1916. News L., vol. 4, No. 2, p. 3. 1916.
in Porto Rico, 1919. P.R. An. Rpt., 1919, pp. 11, 34, 37. 1920.
in Texas, July, 1919. News L., vol. 7, No. 5, p. 3. 1919.
new record. News L., vol. 6, No. 44, p. 15. 1919.
progress. An. Rpts., 1914, pp. 11–12. 1915; Sec. A.R., 1914, pp. 13–14. 1914.
resistance. Off. Rec., vol. 2, No. 9, p. 3. 1923.
feeding, or (feeding) cattle. Sec. [Misc.], "Are you feeding * * *." Folder. 1915.
fever—
North American—
information concerning, with notes on other species. W. D. Hunter and W. A. Hooker. Ent. Bul. 72, pp. 87. 1907.
occurrence on sheep, note. W. D. Hunter. Ent. Cir. 91, pp. 3. 1907.
Rocky Mountain spotted, eradication by sheep, experiments. H. P. Wood. D.B. 45, pp. 11. 1913.
See also Tick, cattle.
fowl—
F. C. Bishopp. Ent. Cir. 170, pp. 14. 1913.
and how premises may be freed from it. F. C. Bishopp. F.B. 1070, pp. 16. 1919.
control. News L., vol. 7, No. 11, p. 3. 1919.
control studies. An. Rpts., 1923, p. 409. 1923; Ent. A. R., 1923, p. 29. 1923.
description—
and control. F.B. 1110, pp. 8, 9. 1920.
control, and eradication methods. F.B. 957, pp. 44–46. 1918.
habits, and control. D.C. 16, pp. 4, 7. 1919; Rpt. 108, pp. 56, 62, 63–64. 1915.
life history, habits, and control. Ent. Bul. 106, pp. 26–31, 45–61. 1912.
life history, habits, and longevity. Ent. Bul. 72, pp. 43–45. 1907.

Tick(s)—Continued.
fowl—continued.
disease transmission studies, 1915. An. Rpts., 1915, p. 121. 1916; B.A.I. Chief Rpt., 1915, p. 45. 1915.
habits. News L., vol. 7, No. 11, p. 3. 1919.
occurrence, description, life history, and control. Y.B., 1910, pp. 220–222. 1911; Y.B. Sep. 531, pp. 220–222. 1911.
See also Argas spp.; Tick, chicken.
free—
South. B.A.I. [Misc.], "A tick-free South," pp. 15. 1917.
South, advance. News L., vol. 6, No. 33, p. 13. 1919.
States, predictions, 1919–1923. News L., vol. 6, No. 34, p. 2. 1919.
gopher-tortoise, description, life history, and control. Ent. Bul. 106, pp. 123–130. 1912.
Gulf coast—
description, life history, and control. Ent. Bul. 106, pp. 135–142. 1912.
occurrence, description, and hosts. Ent. Bul. 72, pp. 62–64. 1907.
occurrence, description, life history, and control. Y.B. 1910, pp. 224–225. 1911; Y.B. Sep. 531, pp. 224–225. 1911.
habits, host relations, adaptations, and mating. Ent. Bul. 106, pp. 25–35. 1912.
harmless, distinguishing from Texas-fever tick, method. F.B. 569, pp. 6–10, 11. 1914.
horse—
infestation. Ent. Bul. 72, pp. 45, 51, 52, 56, 59, 61. 1907.
tropical, description—
and occurrence. Ent. Bul. 72, p. 52. 1907.
life history, and control. Ent. Bul. 106, pp. 197–204. 1912.
host relationships. Ent. Bul. 106, pp. 25–26. 1912.
iguana, description, life history, and control. Ent. Bul. 106, pp. 130–135. 1912.
important, of United States. W. D. Hunter and F. C. Bishopp. Y.B., 1910, pp. 219–230. 1911; Y.B. Sep. 531, pp. 219–230. 1911.
infestation of—
cattle—
injury and loss to dairymen. News L., vol. 3, No. 6, pp. 1, 4. 1915.
protection, action of arsenical dips. H. W. Graybill. B.A.I. Bul. 167, pp. 27. 1913.
quarantine against Mexico. B.A.I.O. 179, pp. 2. 1911.
to produce immunity from Texas fever. B.A.I. [Misc.], "Diseases of cattle," rev., p. 510. 1912; F.B. 569, p. 22. 1914.
horses, mules, and asses, regulation interstate. B.A.I.O. 273, amdt. 3, p. 1. 1924.
injurious to man. Ent. Bul. 72, pp. 45–46, 51, 59, 61, 62. 1907.
injury(ies)—
by, and loss to dairymen. News L., vol. 4, No. 49, pp. 4–5. 1917.
to chickens. Ent. Cir. 170, pp. 4–5, 10. 1913.
to hides. F.B. 1055, pp. 6, 9. 1919; News L., vol. 1, No. 1, p. 3. 1913.
to southern cattle. D.B. 827, pp. 10, 47. 1921.
investigations, 1912. Ent. A.R., 1912, pp. 34–35. 1912; An. Rpts., 1912, pp. 646–647. 1913.
land turtle, occurrence. Ent. Bul. 72, p. 64. 1907.
last, how to get. Wm. Malcolm MacKellar. B.A.I. [Misc.], "How to get * * *," pp. 20. 1922.
life history, general notes. Y.B., 1910, pp. 219–220. 1911; Y.B. Sep. 531, pp. 219–220. 1911.
lone star—
description. F.B. 569, p. 10. 1914.
description, life history, and control. Ent. Bul. 106, pp. 142–151. 1912.
occurrence, description—
habits, and control. Y.B., 1910, pp. 223–224. 1911; Y.B. Sep. 531, pp. 223–224. 1911.
life history and hosts. Ent. Bul. 72, pp. 59–60. 1907.
See also Amblyomma americanum.
losses occasioned in meat, milk, and hides. S.R.S. Syl. 22, pp. 1, 3, 5–6. 1916.
net, description. B.A.I. Bul. 78, p. 14. 1905; F.B. 569, p. 7. 1914.

Tick(s)—Continued.
  net, occurrence, hosts. Ent. Bul. 72, p. 51. 1907.
  North American—
    bibliography. Ent. Bul. 106, pp. 205–214. 1912.
    description, life history, and control. Ent. Bul. 106, pp. 111–117. 1912.
    fever. See Tick, cattle.
    geographical distribution. Ent. Bul. 106, pp. 21–23. 1912.
    life history and bionomics of some. W. A. Hooker and others. Ent. Bul. 106, pp. 239. 1912.
  of United States, or Ixodoidea, revision. Nathan Banks. Ent. T.B. 15, pp. 61. 1908.
  Pacific coast, description—
    life history, and control. Ent. Bul. 106, pp. 181–190. 1912.
    occurrence and habits. Y.B., 1910, pp. 227–228. 1911; Y.B. Sep. 531, pp. 227–228. 1911.
  parasite, discovery and study. An. Rpts., 1909, p. 521. 1910; Ent. A.R., 1909, p. 35. 1909.
  parasites. Ent. Bul. 106, pp. 43–44. 1912.
  poultry. See Tick, fowl.
  presence on dogs, danger and treatment. D.C. 338, pp. 11–13. 1925.
  primer, elementary instruction on tick control. B.A.I. [Misc.], "The tick primer," pp. 7. 1915.
  proof chicken houses, cost. Ent. Cir. 170, pp. 13–14. 1913.
  rabbit—
    description, life history, and control. Ent. Bul. 106, pp. 27, 89–96. 1912.
    occurrence, description and habits. Y.B., 1910, pp. 228–229. 1911; Y.B. Sep. 531, pp. 228–229. 1911.
    occurrence, habits, and hosts. Ent. Bul. 72, p. 53. 1907.
  resistance, characteristic of Brahman cattle. F.B. 1361, pp. 17–18. 1923.
  rotund, description, life history, and control. Ent. Bul. 106, pp. 82–89. 1912.
  sculptured, occurrence. Ent. Bul. 72, p. 58. 1907.
  seed, on cattle, life history. Rpt. 108, pp. 60, 67. 1915.
  sheep—
    control methods and cost. News L., vol. 4, No. 48, p. 4. 1917.
    description—
      life history, and control. F.B. 1150, pp. 8–10. 1920; F.B. 1330, pp. 8–10. 1923.
      note. F.B. 713, p. 10. 1916.
    eradication by dipping. Marion Imes. F.B. 798, pp. 31. 1917.
    infestation. Ent. Bul. 72, pp. 45, 51, 56, 58, 59. 1907.
    life history, notes. Work and Exp., 1914, pp. 46, 251. 1915.
    spread and infestation of premises. F.B. 798, pp. 9–10. 1917.
    studies and results. S.R.S. Rpt., 1915, Pt. I, pp. 57, 289. 1917.
    treatment, experiments. An. Rpts., 1916, p. 128. 1917; B.A.I. Chief Rpt., 1916, p. 62. 1916.
  species found in United States, notes. Ent. Bul. 72, pp. 40–64. 1907.
  specimens—
    preservation. B.A.I.S.R.A. 104, p. 135. 1916.
    shipment to zoological division, regulation. B.A.I.S.R.A. 204, p. 48. 1924.
  spinose ear—
    and methods of treating infested animals. Marion Imes. F.B. 980, pp. 8. 1918.
    control. An. Rpts., 1919, p. 131. 1920; B.A.I. Chief Rpt., 1919, p. 59. 1919.
    description—
      and habits. Ent. Bul. 72, p. 45. 1907.
      and notes. Rpt. 108, pp. 59, 65. 1915.
    distribution, injury to various animals. F.B. 980, p. 1. 1918.
    habits, life history, and control. Ent. Bul. 106, pp. 27–29, 34, 61–69. 1912.
    detection method, and control treatment. F.B. 980, pp. 4–8. 1918.
    injuries and control. News L., vol. 6, No. 22, p. 5. 1919.

Tick(s)—Continued.
  spinose ear—continued.
    injury to sheep and control. F.B. 1150, pp. 13–15. 1920.
    nature and habits. F.B. 980, pp. 1–2. 1918.
    occurrence, description, and life history. Y.B., 1910, pp. 222–223. 1911. Y.B. Sep. 531, pp. 222–223. 1911.
    of cattle, treatment, experiments. An. Rpts., 1916, p. 128. 1917; B.A.I. Chief Rpt., 1916, p. 62. 1916.
    remedy. Sec. Cir. 61, p. 20. 1916.
    sheep infestation, habits and control. F.B. 1330, pp. 13–15. 1923.
    treatment and control. An. Rpts., 1917, pp. 119–120. 1917; B.A.I. Chief Rpt., 1917, pp. 53–54. 1917.
  spotted fever—
    bibliography. Ent. Bul. 105, pp. 45–47. 1911.
    control—
      1916. An. Rpts., 1916, pp. 220–221. 1917; Ent. A.R. 1916, pp. 8–9. 1916.
      by grazing sheep, experiments. An. Rpts., 1913, p. 150. 1914; For. A.R., 1913, p. 36. 1913.
      by parasites, study. An. Rpts., 1914, p. 191. 1915; Ent. A.R., 1914, p. 9. 1914.
      work, 1915. An. Rpts., 1915, p. 219. 1916; Ent. A.R., 1915, p. 9. 1915.
      cooperative work, Montana. An. Rpts., 1913, p. 214. 1914; Ent.A.R., 1913, p. 6. 1913.
    danger and history. F.B. 484, pp. 5–7. 1912.
    dissemination, study. An. Rpts., 1910, pp. 121, 124, 538, 549–550. 1911; Biol. Chief Rpt., 1910, pp. 3–4. 1910; Ent. A.R., 1910, p. 34. 1910; Rpt. 93, pp. 78, 79. 1911; Sec. A.R., 1910, pp. 121, 124. 1910; Y.B., 1910, pp. 120, 123. 1911.
    distribution, abundance, and life history. Ent. Bul. 105, pp. 15–26. 1911.
    eradication—
      1917. An. Rpts., 1917, p. 235. 1917; Ent. A.R., 1917, p. 9. 1917.
      experiments with sheep. D.B. 45, pp. 1–9. 1913.
      methods. Ent. Bul. 105, pp. 32–45. 1911.
    hosts. F.B. 484, pp. 10–11, 20–21, 24, 27, 28, 31, 41. 1912.
    injurious effects. Rpt. 108, pp. 62, 67. 1915.
    life history. F.B. 484, p. 6. 1912.
    Rocky Mountain—
      and its control. Ent. Bul. 105, pp. 47. 1911.
      description, habits, life history, and control. Ent. Bul. 106, pp. 20, 24, 29, 32, 33, 35, 165–181. 1912.
      occurrence, habits, and transmission of disease, studies. Y.B., 1910, pp. 219, 225–227. 1911; Y.B. Sep. 531, pp. 219, 225–227. 1911.
      transmission of disease. An. Rpts., 1911, pp. 117–118. 1912; Sec. A.R., 1911, pp. 115–116. 1911; Y.B., 1911, pp. 115–116. 1912.
    spread by—
      dogs, possibility. D.B. 260, p. 21. 1915.
      golden-mantled marmot. N.A. Fauna 37, p 15. 1915.
  spread of diseases of cattle. B.A.I. Dairy [Misc.], "World's dairy congress, 1923," pp. 1456–1459. 1924.
  study(ies)—
    by Entomology Bureau, 1909. An. Rpts., 1909, pp. 520–521. 1910; Ent. A.R., 1909, pp. 34–35. 1909.
    in sheep disease in 1923. Work and Exp., 1923, p. 67. 1925.
    methods and apparatus used. Ent. Bul. 106, pp. 35–41. 1912.
  Texas-fever—
    biology, studies—
      H. W. Graybill. B.A.I. Bul. 130, pp. 42. 1911.
      supplementary report. H. W. Graybill and W. M. Lewellen. B.A.I. Bul. 152, pp. 13. 1912.
    extermination, methods. H. W. Graybill. F.B. 378, pp. 30. 1909; F.B. 498, pp. 42. 1912.
    some unusual host relations. B. H. Ransom. B.A.I. Cir. 98, pp. 8. 1906.
    See also Tick, cattle.
    transmission of—
      diseases other than cattle fever. Ent. Bul. 72, pp. 45, 52, 53, 57, 61. 1907.

Tick(s)—Continued.
  transmission of—continued.
   protozoan parasites of animals and fowls. B.A.I. An. Rpt., 1910, pp. 465–466, 471, 492–493. 1912; B.A.I. Cir. 194, pp. 465–466, 471, 492–493. 1912.
   spotted fever, investigations—
    1910. An. Rpts., 1910, pp. 121, 124, 538, 549–550. 1911; Biol. Chief Rpt., 1910, pp. 3–4. 1910; Ent. A.R., 1910, p. 34. 1910; Rpt. 93, pp. 78, 79. 1911; Sec. A.R. 1910, pp. 121, 124. 1910; Y.B., 1910, pp. 120, 123. 1911.
    1911. An. Rpts., 1911, pp. 522–523. 1912; Ent. A.R., 1911, pp. 32–33. 1911.
   trefoil, rust occurrence, Texas. B.P.I. Bul. 226, p. 103. 1912.
   turicata, occurrence and description. Ent. Bul. 72, p. 46. 1907.
   varieties found on cattle, descriptions, illustrations. F.B. 258, pp. 12–17. 1906.
   wood—
    American, occurrence, description, hosts, and life history. Ent. Bul. 72, p. 50. 1907.
    description. F.B. 569, p. 7. 1914.
    injury to elk. Biol. Bul. 40, p. 20. 1911.
    occurrence and description. Y.B., 1910, p. 228. 1911; Y.B. Sep. 531, p. 228. 1911.
    parasites of man and animals. B.A.I. [Misc.], "Diseases of the horse," rev., pp. 452–453. 1903; rev., p. 453. 1907; rev., p. 453. 1911; rev., p. 481. 1923.
    presence on dogs, symptoms and treatment. D.C. 338, pp. 11–13. 1925.
Tick fever—
 cattle—
  appearance after death. B.A.I. Bul. 78, pp. 25–26. 1905.
  description, symptoms, and course, details. Guam A.R., 1915, pp. 25–30. 1916.
  in Guam, investigations and control. Guam A.R., 1915, pp. 25–30. 1916.
  immunity of cattle in Uruguay. D.C. 228, pp. 16, 17–18. 1922.
 man, transmission by tick. Ent. Bul. 72, p. 45. 1907.
 transmission to cattle, methods. News L., vol. 5, No. 17, pp. 4–5. 1917.
 See also Fever, Texas.
Tickicides, failure in eradicating ticks, causes. B.A.I. An. Rpt., 1910, pp. 260, 262. 1912; B.A.I. Cir. 187, pp. 260, 262. 1912.
Tickle grass, burning for control of beet leaf beetle. F.B. 1193, p. 8. 1921.
Tickweed. See Pennyroyal.
Ticotea, sweet-potato group and varieties, descriptions. D.B. 1021, pp. 6–7, 11. 1922.
Tidal—
 irrigation in date-palm culture. B.P.I. Bul. 53, p. 48. 1904.
 marshes, reclamation. George M. Warren. O.E.S. Bul. 240, pp. 99. 1911.
Tide(s)—
 action, relation to marsh formations. O.E.S. Bul. 240, pp. 11–16, 86–88. 1911.
 gate, concrete, three-chamber, bill of material. O.E.S. Rpt., 1906, pp. 396–397. 1907.
 gates, construction materials. O.E.S. Rpt., 1906, pp. 386–389, 396. 1907.
 lands, reclamation. J. O. Wright. O.E.S. An. Rpt., 1906, pp. 373–397. 1907.
 overflow range, Gulf coast, southern Louisiana. D.B. 71, pp. 19–22. 1914.
Tideland, reclamation—
 O.E.S. An. Rpt., 1907, p. 43. 1908.
 J. O. Wright. O.E.S. An. Rpt., 1906, pp. 373–397. 1907.
Tidestroma lanuginosa, description. D.B. 1345, pp. 29–30. 1925.
Tie-plate, use in conservation of wood. M.C. 39, p. 66. 1925.
Tie-plates for crossties, uses and types, discussion. For. Bul. 118, pp. 36–37. 1912.
TIEMANN, H. D.—
 "Effect of moisture upon the strength and stiffness of wood." For. Bul. 70, p. 144. 1906.
 "Principles of drying lumber at atmospheric pressure and humidity diagram." For. Bul. 104, pp. 19. 1912.

TIEMANN, H. D.—Continued.
 "The theory of drying and its application to the new humidity-regulated and recirculating dry kiln." D.B. 509, pp. 28. 1917.
 "The strength of wood as influenced by moisture." For. Cir. 108, pp. 42. 1907.
Tiemann log rule—
 timber measurement, comparison with others. F.B. 715, pp. 13–14. 1916.
 use. F.B. 1210, pp. 19, 20. 1921.
Ties—
 baling, cooperative buying. News L., vol. 7, No. 6, p. 4. 1919.
 chestnut, value, costs and specifications, different companies. F.B. 582, pp. 7–9, 16–18. 1914.
 cutting season, effect on absorption of preservative. For. Bul. 118, pp. 24, 47. 1912.
 decay in service. M.C. 39, p. 87. 1925.
 destruction by mechanical wear, remarks. M.C. 39, p. 66. 1925.
 grouping to secure uniform treatment. For. Bul. 118, pp. 20–22. 1912.
 hewed and sawed, comparison in durability. For. Bul. 118, pp. 40–42, 47. 1912.
 incense cedar, use, value, and price. D.B. 604, pp. 4–5. 1918.
 kyanization as means of saving, remarks. M.C. 39, p. 63. 1925.
 marketing from woodlots. Y.B., 1915, pp. 122, 124. 1916; Y.B. Sep. 662, pp. 122, 124. 1916.
 piling for seasoning and for treatment. For. Bul. 118, pp. 16–17, 25, 48. 1912.
 preparation for preservative treatment; peeling, and seasoning. For. Bul. 118, pp. 7–19. 1912.
 preservation—
  experiments, and tests. An. Rpts., 1912, pp. 543, 544. 1913; For. A.R., 1912, pp. 85, 86. 1912.
  tests, methods and results. For. Cir. 209, pp. 1–25. 1912.
 preservative treatment—
  For. Bul. 78, p. 25. 1909; M.C. 39, pp. 65, 89. 1925.
  processes and methods, tables. For. Cir. 209, pp. 6–25. 1912.
 protection from mechanical wear, tie-plates, spikes, etc. For. Bul. 118, pp. 35–40. 1912.
 railroad—
  consumption, 1906. For. Cir. 124, pp. 1–6. 1907.
  cut by small operators, national forests. Y.B., 1912, pp. 408, 410. 1913; Y.B. Sep. 602, pp. 408, 410. 1913.
  destruction by dry rot. B.P.I. Bul. 214, pp. 8, 28–29, 30. 1911.
  experiments. For. Cir. 146, pp. 1–22. 1908.
  exports—
   1913. Y.B., 1913, p. 503. 1914; Y.B. Sep. 361, p. 503. 1914.
   1921. Y.B., 1921, pp. 745, 763. 1922; Y.B. Sep. 867, pp. 9, 27. 1922.
   1922–1924. Y.B., 1924, p. 1048. 1925.
  hardwood trees most valuable for. F.B. 1123, p. 4. 1921.
  hewed, production, 1906. For. Cir. 129, p. 10. 1907.
  jack-pine utilization. D.B. 820, p. 23. 1920.
  loblolly pine in eastern Texas. For. Bul. 64, pp. 53. 1905.
  lodgepole pine, production cost, and selling price, Wyoming and Colorado. D.B. 234, pp. 14–17. 1915.
  manufacture from slash pine and yield per acre. F.B. 1256, pp. 14, 16–17, 39. 1922.
  preservation—
   studies. For. [Misc.], "Forest Products Laboratory * * *," pp. 22–23. 1922.
   use of treated tie, 1906. For. Cir. 124, p. 6. 1907.
   with chemicals, experiments and results. B.P.I. Bul. 214, pp. 28–29. 1911.
  production in Connecticut, specifications and cost. For. Bul. 96, pp. 17–18, 21–22. 1912.
  quebracho wood, value, price, etc. For. Cir. 202, p. 8. 1912.
  specifications. Off. Rec., vol. 1, No. 52, p. 2. 1922.
  spike-pulling tests, directions. For. Cir. 38, rev., pp. 26, 56. 1909.

Ties—Continued.
　railroad—continued.
　　stumpage value, determination methods, and lumber type. For. Bul. 96, pp. 26–27, 40, 66–67. 1912.
　　treating with zinc chloride. Off. Rec., vol. 1, No. 17, p. 3. 1922.
　　treatment, cost. For. Bul. 101, p. 42. 1911.
　　use of—
　　　beech in manufacture, preservative treatment. D.B. 12, pp. 9–10. 1913.
　　　Douglas fir, preservative treatment. For. Bul. 88, pp. 62–63. 1911.
　　　eucalypts. For. Bul. 87, p. 14. 1911.
　　　lodgepole pine, treatment. D.B. 234, pp. 4–5. 1915.
　　　red gum, length of life. B.P.I. Bul. 114, p. 51. 1907.
　　service tests, progress report. Howard F. Weiss and Carlile P. Winslow. For. Cir. 209, pp. 25. 1912.
　　specifications, various railroads. F.B. 582, pp. 16–17. 1914.
　　timber, loblolly pine. For. Bul. 64, pp. 32–34. 1905.
　　timbers, future supply, problem, suggestions. For. Cir. 35, p. 17. 1905.
　　untreated, condition, tables. For. Cir. 209, pp. 11, 15, 16, 17. 1912.
　　walnut, production and prices. D.B. 909, pp. 58–59. 1921.
　　wooden, holding force of railroad spikes, tests. W. Kendrick Hatt. For. Cir. 46, pp. 7. 1906.
　　woods for, identification, guidebook. For. [Misc.], "Guidebook for * * *," pp. 79. 1917.
　See also Crossties.
Tiffany, H. O.: "Soil survey of Livingston County, N. Y." With others. Soil Sur. Adv. Sh., 1908, pp. 91. 1910; Soils F.O., 1908, pp. 71–157. 1911.
Tiger beetle, enemy of gipsy moth, note. Y.B., 1911, p. 454. 1912; Y.B. Sep. 583, p. 454. 1912.
Tiger flower, importation and description. No. 46981. B.P.I. Inv. 58, pp. 6, 14. 1922.
Tigridia—
　pavonia. See Tiger flower.
　sp., importations and description. Nos. 30068, 30069, 30076, 30077, B.P.I. Bul. 233, pp. 56, 57. 1912.
Tihi-tihi, importations and descriptions. No. 39580, B.P.I. Inv. 41, pp. 44–45. 1917; No. 40676, B.P.I. Inv. 43, p. 65. 1918; No. 41717, B.P.I. Inv. 46, p. 14. 1919.
Tilden's febrisol, misbranding. Chem. N.J. 780, p. 1. 1911.
Tile(s)—
　cement—
　　and clay, requirements. D.B. 190, p. 7. 1915.
　　deterioration causes, study. Work and Exp., 1914, p. 137. 1915.
　　effect of alkali and extreme temperatures, study. An. Rpts., 1914, p. 268. 1914; O.E.S. Chief Rpt., 1914, p. 14. 1914.
　　formula, manufacturing methods, and cost. F.B. 524, pp. 9–10. 1913.
　clay—
　　description and cost. D.B. 724, p. 33. 1919.
　　manufacturing methods. F.B. 524, pp. 8–9. 1913.
　　water flow in, studies. D.B. 854, pp. 18–25, 33–34. 1920.
　　with wire and concrete, tests. An. Rpts. 1918, p. 390. 1919; Rds. Chief Rpt., 1918, p. 18. 1918.
　cleaning devices. D.B. 190, p. 28. 1915; F.B. 805, pp. 29–30. 1917.
　concrete—
　　durability study. Off. Rec., vol. 1, No. 10, p. 3. 1922.
　　failure in peat soils, investigations. J.A.R., vol. 24, pp. 471–500. 1923.
　　manufacture and use. D.B. 724, pp. 34–37. 1919.
　　reinforced, use in irrigation work. F.B. 899, pp. 24–27. 1917.
　　study. Off. Rec., vol. 1, No. 20, p. 5. 1922.
　　testing in marsh waters of different composition, studies. J.A.R., vol. 24, pp. 475–488, 491. 1923.

Tile(s)—Continued.
　crushing by swelling soils. J.A.R., vol. 26, p. 13. 1923.
　drain—
　　composition, capacity, and effects on soils, studies. An. Rpts., 1923, p. 477–478. 1924; Rds. Chief Rpt., 1923, pp. 15–16. 1923.
　　factory, in Utah, description. O.E.S. An. Rpt., 1910, p. 492. 1911.
　　flow of water in. D. L. Yarnell and Sherman M. Woodward. D.B. 854, pp. 50. 1920.
　　for cellars, directions. Y.B., 1919, pp. 434–436. 1920; Y.B. Sep. 824, pp. 434–436. 1920.
　　prices, and cost of laying per rod and per acre. Y.B., 1914, pp. 249–250. 1915; Y.B., Sep. 640, pp. 249–250. 1915.
　　sampling and testing methods. D.B. 1216, pp. 78–84. 1924.
　　use in road drainage, description and cost. D.B. 724, pp. 31–37, 81–82. 1919.
　　value in soil improvement. F.B. 704, p. 4. 1916.
　　water flow, studies. D.B. 854, pp. 5–8. 1920.
　See also Drains, tile.
　drainage—
　　cost. B.P.I. Bul. 212, pp. 40–41. 1911.
　　in clay soils, study. Off. Rec. vol. 1, No. 16, p. 7. 1922.
　　in West Virginia. Off. Rec., vol. 1, No. 10, p. 3. 1922.
　　of terraces, combined systems. F.B. 997, pp. 17, 18–19, 35. 1918.
　　sampling and testing, methods. D.B. 1216, pp. 78–81. 1924.
　　suggestions for use in lawn soils. Soils Bul. 75, pp. 50–51. 1911.
　　use by communities. John R. Haswell. Y.B. 1919, pp. 79–93. 1920; Y.B. Sep. 822, pp. 79–93. 1920.
　　value in pump drainage. D.B. 304, pp. 18–19, 22. 1915.
　See also Drainage, tile.
　draining, Miami clay loam, necessity and cost. Soils Cir. 31, p. 7. 1911.
　entrance of water, methods. F.B. 524, p. 21. 1913.
　hollow, use in silos. F.B. 855, p. 6. 1917.
　laying—
　　devices, description. F.B. 698, p. 18. 1915.
　　in drainage of irrigated lands. F.B. 805, p. 20. 1917.
　　preparation, methods, tools, and necessary fall. F.B. 524, pp. 14–20. 1913.
　　work in connection with trenching machines. Y.B. 1919, pp. 90–92. 1920; Y.B. Sep. 822, pp. 90–92. 1920.
　manufacture—
　　improvement—
　　　cooperative work. An. Rpts., 1923, p. 477. 1924; Rds. Chief Rpt., 1923, p. 15. 1923.
　　　necessity. J.A.R., vol. 24, pp. 472, 499. 1923.
　　in southern Texas, note. O.E.S. Cir. 103, p. 12. 1911.
　metal, production and use. Rpt. 117, pp. 35, 37. 1917.
　protection against alkali. Off. Rec., vol. 1, No. 4, p. 8. 1922.
　rabbit trap, Walmsley, construction. F.B. 702, pp. 7–8. 1916.
　sizes for drainages of irrigated lands. F.B. 805, pp. 16–18. 1917.
　testing, references. D.B. 949, p. 95. 1921.
　timber, for farm drainage. F.B. 355, p. 9. 1909.
　trenching machinery. D.L. Yarnell. F.B. 1131, pp. 27. 1920.
　use—
　　for—
　　　farm drainage, sizes, and laying methods. News L., vol. 3, No. 13, pp. 1–3. 1915.
　　　subirrigation in Florida, and cost. D.B. 462, pp. 19–28. 1917.
　　in—
　　　drainage of ginseng beds, methods and depths. B.P.I. Bul. 250, pp. 43–44. 1912.
　　　farm drainage, varieties, description. F.B. 524, pp. 8–11. 1913.
　　　walls, details. D.B. 801, pp. 19, 23, 35, 48, 51, 52. 1919.
　water-flow measurement, formulae, and comparisons. D.B. 854, pp. 9–12, 34, 49. 1920.

Tilia—
americana—
   injury by pith-ray flecks. For. Cir. 215, p. 10. 1913.
   occurrence in Nebraska. For. Bul. 66, p. 39. 1905.
euchlora, importation and description. No. 40197, B.P.I. Inv. 42, pp. 8, 91. 1918.
spp.—
   injury by sapsuckers. Biol. Bul. 39, pp. 47, 84–85. 1911.
   See also Basswood; Linden.
Tiliaceae, injury by sapsuckers. Biol. Bul. 39, pp. 47, 84–85. 1911.
Tiling—
   advantages on prairie land in Missouri. Work and Exp., 1914, p. 150. 1915.
   value in gully control. F.B. 1234, p. 14. 1922.
   Volusia loam, in eastern United States, necessity, value and cost. Soils Cir. 60, pp. 4, 5, 6. 1912.
Tillage—
   and—
      crops, influence on seasonal nitrification. C. A. Jensen. B.P.I. Bul. 173, pp. 31. 1910.
      rotation experiments at Nephi, Utah. P. V. Cardon. D.B. 157, pp. 45. 1915.
   apple orchards, comparison with sod mulch, experiments. F.B. 419, pp. 5–10. 1910.
   barley, methods, comparisons of yields. F.B. 968, pp. 15–17. 1918.
   clean, necessity in dry farming. Y.B., 1911, pp. 359, 360. 1912; Y.B. Sep. 574, pp. 359, 360. 1912.
   corn. S.R.S. Rpt., 1915, Pt. I, pp. 109, 129. 1917.
   corn, practices, twenty-one regions, United States. D.B. 320, pp. 4–5, 8–10, 12, 13. 1916.
   cost for various crops, Great Plains area. D.B. 268, pp. 5–21. 1915.
   cotton-growing practices, studies. D.B. 511, pp. 6, 61. 1917.
   cotton, relation to cost, Texas, Ellis County. D.B. 659, pp. 51–52. 1918.
   deep, value in erosion control. Soils Bul. 71, p. 34. 1911.
   deep, value in erosion prevention. D.B. 512, pp. 3–4. 1917.
   dry-farming methods, details. B.P.I. Bul. 215, pp. 25–31. 1911.
   dry-land, discussion. Y.B., 1911, p. 252. 1912; Y.B. Sep. 565, p. 252. 1912.
   effect on wet soil. Off. Rec., vol. 3, No. 9, p. 5. 1924.
   experiments—
      at field station near Mandan, N. Dak. D.B. 1301, pp. 47–57. 1925.
      at San Antonio experiment farm. W.I.A. 10, pp. 4–9. 1916.
      at San Antonio, Tex., 1918, results. D.C. 73, pp. 12–15. 1920.
      corn and cotton, San Antonio experiment farm. B.P.I. Cir., 34, p. 15. 1909.
      in western North Dakota. Leroy Moomaw. D.B. 1293, pp. 23. 1925.
   forest plantation, desirability. D.B. 153, pp. 13–14. 1915.
   home fruit garden, directions. F.B. 1001, pp. 13–14. 1919.
   implements—
      for orchards. F.B. 1360, p. 33. 1924.
      manufacture and sale, 1920, by kinds. D.C. 212, pp. 5–6. 1922.
      manufacture and sale, 1922. Y.B., 1922, pp. 1021–1022, 1028. 1923; Y.B. Sep. 887, pp. 1021–1022, 1028. 1923.
   importance for 1919 wheat fields, methods. News L., vol. 6, No. 6, p. 13. 1918.
   intersession, methods in dry farming. B.P.I. Bul. 103, pp. 22–31. 1907.
   machinery investigations and tests. O.E.S. An. Rpt., 1922, pp. 97–100. 1924.
   methods—
      barley growing, comparisons and results. D.B. 222, pp. 9–31. 1915.
      corn growing, comparisons and results. D.B. 219, pp. 10–31. 1915.
      grain growing in southern Great Plains, comparisons. D.B. 242, pp. 9–19. 1915.
      oats growing, comparisons and results. D.B. 218, pp. 4–42. 1915.

Tillage—Continued.
   methods—continued.
      purpose and principles. F.B. 704, pp. 7–9. 1916.
      used in North Dakota, Dickey County. Soil Sur. Adv. Sh., 1914, pp. 13–17. 1916; Soils F.O., 1914, pp. 2419–2423. 1919.
      wheat and corn, suggestions. F.B. 432, p. 16. 1911.
   orchard(s)—
      objects and general directions in peach growing. F.B. 917, pp. 16–20. 1918.
      systems, description. F.B. 1360, pp. 29–32. 1924.
   peach orchards, directions. F.B. 631, pp. 17–20. 1915.
   practices—
      affecting crop yields, practical suggestions. F.B. 981, pp. 33–34. 1918.
      and effects, studies. D.C. 209, pp. 11–15. 1922.
      and purposes, Great Plains area. D.B. 268, pp. 21–26. 1915.
   preparation of irrigated land for spring grains, Belle Fourche farm, 1916. D.B. 1039, pp. 69–70. 1922.
   raspberry, thoroughness and regularity, importance and methods. F.B. 887, pp. 15–16. 1917.
   relation to—
      costs and profits. D.B. 648, pp. 27–28. 1918.
      crop yields. D.B. 757, pp. 29–30. 1919.
      soil fertility. F.B. 245, p. 8. 1906.
   soils, methods in Mississippi, George County. Soil Sur. Adv. Sh., 1922, p. 40. 1925.
   summer—
      advantages—
         in dry farming. B.P.I. Bul. 215, pp. 26–31, 36. 1911.
         over continuous cropping. F.B. 388, p. 8. 1910.
      and cropping, experiments, Great Plains area. B.P.I. Bul. 187, pp. 14–20, 67. 1910.
      at San Antonio, Texas, effect on crop yield. B.P.I. Bul. 188, pp. 31–32. 1910.
      value in dry farming. F.B. 388, pp. 7–10 1910.
      thorough, need in irrigation farming. Y.B., 1909, pp. 202–203. 1910; Y.B. Sep. 505, pp. 202–203. 1910.
      use for weed prevention and control. F.B. 660, pp. 7–9, 18–20. 1915.
      various crops, experiments in Hawaii. Hawaii A.R., 1920, pp. 51–54. 1921.
      with cover crops, effect on soil temperatures, experiments. J.A.R., vol. 5, No. 4, pp. 174–175, 177–179. 1915.
   Wyoming, experiments at Sheridan station. B.D. 1306, pp. 4–15. 1925.
   See also *under crops tilled*.
Tillamook County Creamery Association, Oregon, cheese handling. B.A.I. Dairy [Misc.], "World's dairy congress, 1923," pp. 905–911, 942. 1924.
Tillandsia spp. See Moss.
TILLER, R. J.: "*Endothia parasitica* and related species." With others. D.B. 380, pp. 82. 1917.
Tillering—
   barley, variations, studies. D.B. 137, pp. 5–6. 1914.
   excessive, symptoms of wheat rosette disease. J.A.R., vol. 23, pp. 7,5–777, 787. 1923.
Tilletia—
   caries, wheat, cause of cattle diseases. B.A.I. [Misc.], "Diseases of cattle," rev., p. 14. 1904; rev., p. 15. 1912; rev., p. 13. 1923.
   foetans, suppression of awns in wheat-spelt hybrids. J.A.R., vol. 21, pp. 699–700. 1921.
   genus, establishment. D.B. 1210, p. 6. 1924.
   spp., response to pathological conditions. D.B. 1239, pp. 12–15. 1924.
   spores, relation to temperature. D.B. 1210, p. 13. 1924.
   tritici—
      cause of wheat bunt, viability of spores. D.B. 1239, pp. 8, 12, 17, 27. 1924.
      effect of soil temperature and moisture. J.A.R. vol. 22, pp. 240, 242. 1921.
      occurrence in wheat in Texas. B.P.I. Bul. 226, p. 4. 1912.
   See also Bunt, wheat.

TILLEY, F. W.—
"A bacteriological study of methods for the disinfection of hides infected with anthrax spores." J.A.R., vol. 4, pp. 65-92. 1915.
"Investigations of the germicidal value of some of the chlorin disinfectants." J.A.R., vol. 20, pp. 85-110. 1920.
Tilling, deep, experiments in the Great Plains, with dynamite. J.A.R., vol. 14, pp. 505-517. 1918.
TILLMAN, B. W.: "Soil survey of—
Brooks County, Ga." With A. T. Sweet. Soil Sur. Adv. Sh., 1916, pp. 42. 1918; Soils F.O., 1916, pp. 589-626. 1921.
Buchanan County, Mo." With C. E. Deardorff. Soil Sur. Adv. Sh., 1915, pp. 46. 1917; Soils F.O., 1915, pp. 1809-1850. 1919.
Cooper County, Mo." With others. Soil Sur. Adv. Sh., 1909, pp. 31. 1911; Soils F.O., 1909, pp. 1367-1397. 1912.
Cowley County, Kans." With others. Soil Sur. Adv. Sh., 1915, pp. 46. 1917; Soils F.O., 1915, pp. 1921-1962. 1921.
Dodge County, Nebr." With H. C. Mortlock. Soil Sur. Adv. Sh., 1916, pp. 53. 1918; Soils F.O. 1916, pp. 2071-2119. 1921.
Drew County, Ark." With others. Soil Sur. Adv. Sh., 1917, pp. 48. 1919; Soils F.O., 1917, pp. 1279-1322. 1923.
Dunklin County, Mo." With others. Soil Sur. Adv. Sh., 1914, pp. 47. 1916; Soils F.O., 1914, pp. 2095-2135. 1919.
Horry County, S. C." With others. Soil Sur. Adv. Sh., 1918, pp. 52. 1920; Soils F.O., 1918, pp. 329-376. 1924.
Jefferson County, Ark." With others. Soil Sur. Adv. Sh., 1915, pp. 39. 1916; Soils F.O., 1915, pp. 1163-1197. 1921.
Johnson County, Mo." With C. E. Deardorff. Soil Sur. Adv. Sh., 1914, pp. 33. 1916; Soils F.O., 1914, pp. 2027-2055. 1919.
Kimball County, Nebr." With others. Soil Sur. Adv. Sh., 1916, pp. 28. 1917; Soils F.O., 1916, pp. 2179-2202. 1921.
Perry County, Mo." With C. E. Deardorff. Soil Sur. Adv. Sh., 1913, pp. 34. 1915; Soils F.O., 1913, pp. 1785-1814. 1916.
Phelps County, Nebr." With others. Soil Sur. Adv. Sh., 1917, pp. 38. 1919; Soils F.O., 1917, pp. 1919-1956. 1923.
Wayne County, Nebr." With others. Soil Sur. Adv. Sh., 1917, pp. 46. 1919; Soils F.O., 1917, pp. 1957-2002. 1923.
Webster Parish, La." With others. Soil Sur. Adv. Sh., 1914, pp. 40. 1916; Soils F.O., 1914, pp. 1239-1274. 1919.
TILLOTSON, C. R.—
"Forest planting in the eastern United States." D.B. 153, pp. 38. 1915.
"Forest statistics." With others. Y.B., 1922, pp. 931-948. 1923; Y.B. Sep. 889, pp. 931-948. 1923.
"Growing and planting coniferous trees on the farm." F.B. 1453, pp. 38. 1925.
"Growing and planting hardwood seedlings on the farm." F.B. 1123, pp. 29. 1921.
"Nursery practice on the national forests." D.B. 479, pp. 86. 1917.
"Reforestation on the national forests." D.B. 475, pp. 63. 1917.
"Storage of coniferous tree seed." J.A.R., vol. 22, pp. 479-510. 1922.
"The care and improvement of the wood lot." F.B. 711, pp. 24. 1916.
"The care and improvement of the farm woods." F.B. 1177, rev., pp. 27. 1920.
"Tree planting by farmers." Y.B., 1911, pp. 257-268. 1912; Y.B. Sep. 566, pp. 257-268. 1912.
"Use but do not abuse farm woodlands." For. [Misc.], "Use but * * * woodlands," pp. 4. 1918.
Tilmia caryotaefolia, importation and description. No. 51141, B.P.I. Inv. 64, p. 64. 1923; No. 51739, B.P.I. Inv. 65, p. 42. 1923.
Tilth, ideal. F.B. 266, pp. 7-8. 1906.
Tiltup, protection by law. Biol. Bul. 12, rev., pp. 38, 40. 1902.
Timbales, fish, recipe. U. S. Food Leaf. 17, p. 4. 1918.

Timber(s)—
acreage and stand in Arizona forests, and cut of 1923. D.C. 318, pp. 1, 2, 6, 7, 10, 12, 14, 15, 17, 18. 1924.
air-dry, mechanical properties. D.B. 556, pp. 7, 37-45. 1917.
Alaska—
destruction by forest fires, Kenai Peninsula. Soil Sur. Adv. Sh., 1916, pp. 40-43, 93. 1918; Soils F.O., 1916, pp. 72-75, 125. 1921.
growth and variety. D.B. 50, pp. 5, 8. 1914.
national forests, testing for utilization. An. Rpts., 1914, p. 161. 1915; For. A.R., 1914, p. 33. 1914.
stand, annual cut and sales. For. A.R., 1921, pp. 3-4. 1921.
stumpage prices and readjustments. D.B. 950, pp. 24-26. 1921.
Algerian. B.P.I. Bul. 80, p. 93. 1905.
and stone lands in national forests, laws and decisions. Sol. [Misc.], "Laws * * * forests." pp. 68-71. 1916.
annual cut—
board feet and kinds. For. Cir. 129, pp. 5-7. 1907.
comparison with growth. Y.B., 1923, pp. 451-455. 1924; Y.B. Sep. 896, pp. 451-455. 1924.
saving by preservative treatment of all timber. For. Bul. 78, p. 27. 1909.
area and industry in Washington. O.E.S. Bul. 214, pp. 14-15. 1909.
Arkansas resources in national forests. For. Bul. 106, pp. 27-36. 1912.
ash, stumpage value. D.B. 523, pp. 29, 30, 31, 45-47. 1917.
aspen, volume tables. D.B. 1291, pp. 42-45. 1925.
bamboo, usefulness. D.B. 1329, pp. 23-24. 1925.
basswood, tree growth and future prospects. D.B. 1007, p. 8. 1922.
beams, grading rules, tentative and standard. For. Bul. 108, pp. 59-68. 1912.
beetles—
control by sprays, experiments and formulas. D.B. 1079, pp. 4-11. 1922.
description. Sec. [Misc.], "A manual * * * insects * * *," p. 213. 1917.
injury to girdled cypress in the South Atlantic and Gulf States. Ent. Cir. 82, pp. 5. 1907.
See also Ambrosia beetles.
black-walnut—
costs of felling and hauling. F.B. 1459, pp. 19-20. 1925.
demand of War Department and aid of Agriculture Department in obtaining. News L., vol. 5, No. 48, pp. 1, 8. 1918.
demands of Government for war work. News L., vol. 5, No. 44, p. 10. 1918.
growing. F.B. 1392, pp. 10-21. 1924.
location by Boy Scouts for war work. News L., vol. 6, No. 7, p. 6. 1918.
selling. Warren D. Brush. F.B. 1459, pp. 21. 1925.
standing, estimating. F.B. 1459, pp. 4-5. 1925.
bonds, interest, burden on lumber industry. Rpt. 114, pp. 14, 48, 58. 1917.
building—
bridge and mines, destruction by termites. D.B. 333, pp. 13-16. 1916.
decay, fungi of economic importance, studies, with special reference to factors which favor their development and dissemination. Walter H. Snell. D.B. 1053, pp. 47. 1922.
injury by the California woodpecker. F.B. 506, pp. 7, 8. 1912.
burls, formation, studies of larch in western forests. D.B. 317, pp. 9, 12-22. 1916.
by-products, value in clearing operations. Y.B., 1918, p. 144. 1919; Y.B. Sep. 781, p. 10. 1919.
California forests, amount of annual cut, and value. M.C. 7, pp. 4-5. 1923.
care of after preservative treatment. F.B. 744, pp. 24-25. 1916.
census, necessity in interest of forest conservation. For. Cir. 166, p. 3. 1909.
chestnut—
blight, value. Off. Rec., vol. 4, No. 41, p. 5. 1925.

INDEX TO PUBLICATIONS, 1901–1925   2409

Timber(s)—Continued.
 chestnut—continued.
  killed by bark disease, uses. J. C. Nellis. F.B. 582, pp. 24. 1914.
  unbarked, spread of bark disease. F.B. 467, pp. 9, 14. 1911.
 claims, national forests, regulations. For. [Misc.], "Use book," 1908, p. 31. 1908.
 clearing to make way for crops, remarks. M.C. 39, pp. 56–57. 1925.
 commercial, in southern Appalachian region, studies. For. A. R., 1905, pp. 212–213. 1905.
 conservation—
  and increase. News L., vol. 6, No. 44, pp. 1, 14. 1919.
  and production. Off. Rec., vol. 2, No. 22, p. 4. 1923.
  discussion. Off. Rec., vol. 3, No. 16, p. 1. 1924.
 construction—
  importance of greenheart, and uses. For. Cir. 211, pp. 5–7. 1913.
  inflammability tests and control. An. Rpts., 1913, p. 188. 1914; For. A.R., 1913, p. 54. 1913.
  insect injury, cause and prevention. Ent. Cir. 128, pp. 2, 3, 8. 1910.
 consumption per capita, United States and other countries. For. Cir. 159, p. 11. 1909.
 contracts in Alaska, discussion. Off. Rec., vol. 2, No. 36, p. 1. 1923.
 cooperative marketing. F.B. 1459, p. 10. 1925.
 costly, and idle land. W. B. Greeley. F.B. 1417, pp. 21. 1924.
 Crater National Forest, species, amount, management, and marketing. For. Bul. 100, pp. 9–16. 1911.
 crop, value. News L., vol. 3, No. 48, p. 4. 1916; Y.B., 1907, pp. 565–566. 1908; Y.B. Sep. 470, pp. 565–566. 1908.
 cross grains, definition. For. Bul. 108, pp. 42, 52. 1912.
 culture, present status. F.B. 1417, pp. 10–11, 15. 1924.
 curves, study. Frederick S. Baker. J.A.R., vol. 30, pp. 609–624. 1925.
 cut—
  factors affecting. D.B. 440, pp. 10–13. 1917.
  handling and loss prevention. News L., vol. 4, No. 10, p. 8. 1916.
  record, 1923. Off. Rec., vol. 4, No. 1, p. 3. 1925.
  use as lumber. Off. Rec., vol. 3, No. 25, p. 5 1924.
  value, 1908, and losses by dry rot. B.P.I. Bul. 214, pp. 7, 8. 1911.
 cutting—
  Arizona—
   forests, bill. Off. Rec., vol. 1, No. 11, p. 2. 1922.
   permit, act. Off. Rec., vol. 1, No. 10, p. 8. 1922.
  coast land, injurious effects. Soils Bul. 68, p. 77. 1911.
  effect of Sierra forests. Off. Rec., vol. 2, No. 50, p. 7. 1923.
  effect on fungi control. D.B. 1037, pp. 21–22. 1922.
  methods, mandatory measures desirable. Sec. Cir. 129, p. 9. 1919.
  Nevada, amendment to bill. Off. Rec., vol. 1, No. 17, p. 2. 1922.
  on national forests—
   1907. Y.B., 1907, pp. 277–288. 1908; Y.B. Sep. 466, pp. 277–288. 1908.
   1922. Off. Rec., vol. 1, No. 19, p. 3. 1922.
   precautions and safeguards. For. [Misc.], "What the national forests mean * * *," p. 47. 1919.
   restrictions, sales, and free use. Y.B., 1914, pp. 71–74, 77, 78–79. 1915; Y.B. Sep. 633, pp. 71–74, 77, 78–79. 1915.
  pine type area, Nebraska, destruction of forests. For. Bul. 66, pp. 13–14. 1905.
  regulations, national forests. For. Bul. 101, p. 47. 1911.
  season. Y.B., 1915, pp. 128–129. 1916; Y.B. Sep. 662, pp. 128–129. 1916.
  Snoqualmie National Forest, management. Off. Rec., vol. 1, No. 29, p. 4. 1922.

Timber(s)—Continued.
 damage by white ants, and—
  control. F.B. 1037, pp. 2, 3, 6–7, 10–14. 1919.
  preventive methods. F.B. 759, pp. 5–8, 12–17. 1916.
 dams, construction and details. O.E.S. Bul. 249, pt. II, pp. 9–36. 1912.
 dead—
  national forests, sales, 1911. An. Rpts., 1911, p. 363. 1912; For. A.R., 1911, p. 23. 1911.
  standing, economy in use. For. Cir. 131, p. 5. 1907.
  use in construction work. An. Rpts., 1912, p. 547. 1913; For. A.R., 1912, p. 89. 1912.
  use in national forests. E. R. Hodson. For. Cir. 113, pp. 4. 1907.
  utilization as posts. Y.B., 1910, p. 260. 1911; Y.B. Sep. 534, p. 260. 1911.
 decay—
  and methods of preventing it. Hermann von Schrenk. B.P.I. Bul. 14, pp. 96. 1902.
  cause and control. D.B. 801, p. 55. 1919.
  control studies. D.C. 231, p. 41. 1922.
  loss and prevention. M.C. 39, p. 96. 1925.
  problems, relation to storage conditions in Eastern and Southern States. C. J. Humphrey. D.B. 510, pp. 43. 1917.
  relation to certain fungi. D.B. 1053, pp. 47. 1922.
  relation to storage conditions, Eastern and Southern States. C. J. Humphrey. D.B. 510, pp. 43. 1917.
  studies. An. Rpts., 1917, pp. 160–161. 1917; B.P.I. Chief Rpt., 1917, pp. 30–31. 1917.
 defects—
  definitions used in timber-test work. For. Cir. 38, rev., p. 16. 1909.
  which influence strength, definitions. For. Bul. 108, pp. 42–54. 1912.
 demand from Army. News L., vol. 6, No. 37, p. 5. 1919.
 depletion—
  and the answer. D.C. 112, pp. 16. 1920.
  and waste and possible saving. Y.B., 1922, pp. 85, 86, 87, 89, 130–135. 1923; Y.B. Sep. 836, pp. 85, 86, 87, 89, 130–135. 1923.
  lumber prices, lumber exports, and concentration of timber ownership. Earle H. Clapp. For. [Misc.], "Timber depletion * * *," pp. 71. 1920.
  national forests. For. [Misc.], "New light on * * *," pp. 2. 1920.
 derived products, studies. For. [Misc.], "Forest products * * *" pp. 33–37. 1922.
 destruction—
  by forest fires. M.C. 7, pp. 7–8. 1923.
  by pine beetle. Off. Rec., vol. 3, No. 7, p. 1. 1924.
  era, description. For. [Misc.], "The study of forestry * * *," p. 5. 1922.
  in United States, causes and amount. For. Bul. 78, p. 24. 1909.
 diseases, work of Mississippi Valley Laboratory. B.P.I. Chief Rpt., 1905, pp. 91–93. 1905.
 Douglas fir—
  cut, Rocky Mountain region, 1907. For. Cir. 150, pp. 3–4. 1909.
  fire-killed—
   deterioration, causes. For. Bul. 112, pp. 6–8, 17. 1912.
   injury by forest insects in Washington and Oregon. Ent. Cir. 159, pp. 4. 1912.
   strength, tests, methods, and results. For. Bul. 112, pp. 9–17, 18. 1912.
   utilization. For. Bul. 112, pp. 8–9. 1912.
  uses, preservative treatment. For. Bul. 88, pp. 61–62, 65. 1911.
 dry tests for mechanical properties, data. D.B. 556, pp. 7, 10, 11–12, 20, 37–45. 1917.
 economics, conservation. Off. Rec., vol. 3, No. 14, p. 5. 1924.
 Edwards Plateau, Texas, relation to climate, water supply, and soil. William L. Bray. For. Bul. 49, pp. 30. 1904.
 elm, strength, bending qualities, uses. News L., vol. 6, No. 9, p. 11. 1918.

Timber(s)—Continued.
estimates—
cruising or reconnaissance work, national forests. An. Rpts., 1913, pp. 147-148, 184, 185. 1914; For. A.R., 1913, pp. 14-15, 50, 51. 1913.
extension. An. Rpts., 1915, pp. 165-166. 1916; For. A.R., 1915, pp. 7-8. 1915; An. Rpts., 1917, p. 172. 1917; For. A.R., 1917, p. 10. 1917.
estimating—
and selling from woodlands. F.B. 1117, pp. 13-19. 1920.
methods. F.B. 1459, pp. 6-7. 1925.
methods and difficulties. J.A.R., vol. 30, pp. 609-624. 1925.
on farm. D.C. 345, pp. 9-10. 1925.
standing trees, tables. For. Bul. 36, pp. 58-90. 1910.
strip method. F.B. 715, pp. 24-25. 1916.
exports—
1851-1908. Stat. Bul. 51, pp. 18-19. 1909.
1908. For. Cir. 162, pp. 9-10. 1909.
1913-1915 and 1852-1915. Y.B., 1915, pp. 550, 561, 570. 1916; Y.B. Sep. 685, pp. 550, 561, 570. 1916.
1921. Y.B., 1921, pp. 746, 756, 763. 1922; Y.B. Sep. 867, pp. 10, 20, 27. 1922.
from British Guiana, 1889 to 1909. For. Cir. 211, p. 8. 1913.
See also Forest products, exports.
failures, definition(s)—
and analytical study. For. Bul. 108, pp. 54-59. 1912.
used in timber-test work. For. Cir. 38, rev., pp. 17-19. 1909.
farm—
cutting and uses, study for rural schools. D.B. 863, pp. 15-17. 1920.
marketing—
bibliography. M.C. 35, p. 44. 1925.
lesson for rural schools. D.B. 863, pp. 18-19. 1920.
measuring and marketing. Wilbur R. Mattoon and William B. Barrows. F.B. 1210, pp. 62. 1921.
preservative treatment—
George M. Hunt. F.B. 744, pp. 32. 1916.
C. P. Willis. F.B. 387, pp. 19. 1910.
selling methods and prices. News L., vol. 3, No. 51, pp. 7, 8. 1916.
woodlands—
marketing methods and helps. F.B. 1071, pp. 4-10. 1920.
value. F.B. 1117, pp. 6, 7, 8, 29. 1920.
fire—
injured, salvaging. Off. Rec., vol. 3, No. 36, p. 8. 1924.
killed, pole tests. D.B. 67, pp. 3, 7, 11, 13-17, 20-26. 1914.
losses, remarks. M.C. 39, pp. 87-88. 1925.
floating, for prevention of dry rot. B.P.I. Bul. 214, p. 28. 1911.
for local supply, preference given in sales, national forests. Y.B., 1911, p. 364. 1912; Y.B. Sep. 575, p. 364. 1912.
foreign trade, needs, and competing countries. Sec. Cir. 140, pp. 5-8. 1919.
forest(s)—
construction, and diseases, remarks. Y.B., 1901, p. 24. 1902.
disposal plan. Off. Rec., vol. 2, No. 18, p. 8. 1923.
reserves, sales, and free use. For. A.R., 1905, pp. 206, 208. 1905.
free use—
national forests—
1907-1922. Y.B., 1923, p. 1062. 1924; Y.B. Sep. 904, p. 1062. 1924.
1909. An. Rpts., 1909, pp. 384, 385, 387. 1910; For. A.R., 1909, pp. 16, 17, 19. 1909.
1911. An. Rpts., 1911, p. 364. 1912; For. A.R., 1911, p. 24. 1911.
administrative and private. For. [Misc.], "The use book," 1913, pp. 28, 29-32. 1913.
laws and decisions. Sol. [Misc.], "Laws * * * forests." pp. 97-99, 101. 1916.
quantity and value, by States. An. Rpts., 1912, p. 499. 1913; For. A.R., 1912, p. 41. 1912.

Timber(s)—Continued.
free use—continued.
national forests—continued.
regulations. For. [Misc.], "The use book," rev., pp. 57-62. 1915.
permits—
1913. An. Rpts., 1913, p. 158. 1914; For. A.R., 1913, p. 24. 1913.
1915, by States. An. Rpts., 1915, p. 165. 1916; For. A.R., 1915, p. 7. 1915.
future supplies—
in Arkansas. For. Bul. 106, pp. 23-33. 1912.
providing in national forests. Y.B., 1907, p. 288. 1908; Y.B. Sep. 466, p. 288. 1908.
reduction, relation of insects and general principles of their control. A. D. Hopkins. For. Cir. 129, pp. 10. 1910.
relation of insects and their control. A. D. Hopkins. For. Cir. 129, pp. 10. 1910.
Government sale policy, history of development and results. Y.B., 1907, pp. 277-283. 1908; Y.B. Sep. 466, pp. 277-283. 1908.
green—
mechanical properties. D.B. 556, pp. 7, 27-35. 1917.
mill storage or handling in transit. D.B. 1037, pp. 49-50. 1922.
preservative treatment. For. Bul. 78, p. 19. 1909.
stock, handling in shipping to control fungi. D.B. 1037, pp. 23-24, 50-51. 1922.
tests for mechanical properties, data. D.B. 556, pp. 7, 10, 11, 21, 27-35, 45. 1917.
growing—
and planting conifers on the farm. C. R. Tillotson. F.B. 1453, pp. 38. 1925.
as—
crop, possibilities. Y.B., 1922, pp. 138-158. 1923; Y.B. Sep. 886, pp. 138-158. 1923.
farm crop, profits. Y.B., 1907, pp. 565-566. 1908; Y.B. Sep. 470, pp. 3-4. 1908.
for—
future wood fuel, work of Forest Service. D.B. 753, pp. 33-34. 1919.
home use on farm woodlands. Y.B., 1918, p. 325. 1919; Y.B. Sep. 779, p. 11. 1919.
injury from cattle grazing. News L., vol. 3, No. 47, p. 2. 1916.
investigations—
1923. An. Rpts., 1923, pp. 333-336. 1924; For. A.R., 1923, pp. 45-48. 1923.
1924. For. A.R., 1924, p. 34. 1924.
on—
forest lands. Y.B., 1921, pp. 54, 57. 1922; Y.B. Sep. 875, pp. 54, 57. 1922.
swamp land. Off. Rec. vol. 3, No. 38, p. 6. 1924.
waste lands, profits. F.B. 1071, pp. 29-33. 1920.
progress, and acreage of forest lands. F.B. 1417, pp. 10-14. 1924.
public and private needs and obligations. Y.B., 1922, pp. 172-180. 1923; Y.B. Sep. 886, pp. 172-180. 1923.
purposes. Y.B., 1900, pp. 148-151. 1901.
taxation handicap. F.B. 1417, p. 17. 1924.
United States, progress. Y.B., 1922, pp. 158-172. 1923; Y.B. Sep. 886, pp. 158-172. 1923.
Virginia, Accomac and Northampton Counties, value and uses. Soil Sur. Adv. Sh., 1917, pp. 23, 37, 51. 1920; Soils F.O., 1917, pp. 369, 383, 397. 1923.
growth—
in forests, amount and rates, by regions. Y.B., 1922, pp. 942-943. 1923; Y.B. Sep. 889, pp. 942-943. 1923.
in Georgia, Tatnall County. Soil Sur. Adv. Sh., 1914, pp. 16, 18, 22-44. 1915; Soils F.O., 1914, pp. 828, 830, 834-856. 1919.
per year, value in farm woods. F.B. 1177, rev., p. 13. 1920.
rates by countries. Y.B., 1923, pp. 474-475. 1924; Y.B. Sep. 896, pp. 474-475. 1924.
hand working, small operators, capital needed. Y.B., 1912, p. 411. 1913; Y.B. Sep. 602, p. 411. 1913.
handling at sawmills. D.B. 510, pp. 7, 10-27. 1917.
harvesting to insure permanent output. Off. Rec. vol. 2, No. 46, p. 5. 1923.

INDEX TO PUBLICATIONS, 1901-1925 2411

Timber(s)—Continued.
 heavy, source of loss of lumber in building. M.C. 39, p. 58. 1925.
 hemlock—
  board-foot volume at different diameters and heights. D.B. 152, pp. 31–43. 1915.
  defects affecting strength. For. Bul. 115, pp. 19–23. 1913.
  tests, methods and results. For. Bul. 115, pp. 7–16, 44–45. 1913.
  importance of prompt hauling for fungi control. D.B. 1037, p. 22. 1922.
 imports—
  1865–1908. Stat. Bul. 51, p. 30. 1909.
  1921. Y.B., 1921, p. 740. 1922; Y.B. Sep. 867, p. 4. 1922.
  and exports—
   1904–1908, 1851–1908. Y.B., 1908, pp. 757, 766, 782–784. 1909; Y.B. Sep. 498, pp. 757, 766, 782–784. 1909.
   1906. For. Cir. 110, pp. 1–28. 1907.
   1906–1910, and 1851–1910. Y.B. 1910, pp. 658, 669, 685–686. 1911; Y.B. Sep. 553, pp. 658, 669. 1911; Y.B. Sep. 554, pp. 685–686. 1911.
   1907. For. Cir. 153, pp. 5, 6, 8–9, 17, 19, 20, 22–26. 1908.
   1907–1911, and 1851–1911. Y.B., 1911, pp. 662, 671, 689–691. 1912; Y.B. Sep. 588, pp. 662, 671, 689–691. 1912.
   1908, comparison. For. Cir. 162, p. 28. 1909.
   1908–1912, and 1851–1912. Y.B., 1912, pp. 718, 730, 748–749. 1913; Y.B. Sep. 615, pp. 718, 730, 748–749. 1913.
   1911–1913 and 1852–1913. Y.B., 1913, pp. 496, 503, 513. 1914; Y.B. Sep. 361, pp. 496, 503, 513. 1914.
   1914. Y.B., 1914, pp. 654, 662, 682. 1915; Y.B. Sep. 657, pp. 654, 662, 682. 1915.
  into Porto Rico. D.B. 354, p. 40. 1916.
 in structures, preservation. Ent. Bul. 58, p. 83. 1910.
 industry—
  prices high. F.B. 1417, pp. 1–3, 7–9, 14–17. 1924.
  scientific study needed. F.B. 1417, pp. 5–9, 16, 17, 19–20. 1924.
 inferior, improvement by preservation. For. Bul. 78, pp. 30–31. 1909.
 infestation by Black Hills pine-destroying beetle, characteristic features. Y.B., 1902, p. 279. 1903.
 injury—
  and destruction by beavers, and control methods. D.B. 1078, pp. 11–16, 27–28. 1922.
  and destruction by fires, protection methods. For. Bul. 112, p. 5. 1912.
  by—
   insects. Ent. Bul. 58, Pt. V, pp. 64–65. 1909.
   storms, Louisiana. For. Bul. 114, p. 13. 1912.
   woodpeckers. An. Rpts., 1910, p. 552. 1911; Biol. Chief Rpt., 1910, p. 6. 1910.
 insect-infested, utilization for control of insect pests. Ent. Bul. 58, pt. V, pp. 87, 95. 1909.
 insect-killed, durability. Ent. Bul. 58, pt. V, p. 69. 1909.
 inspection and grading rules. For. Cir. 32, pp. 18–22. 1904.
 investments, returns on. Rpt. 114, pp. 9–21. 1917.
 Iowa, native and planted. Hugh P. Baker. For. Cir. 154, pp. 24. 1908.
 jack pine, supply in United States. D.B. 820, p. 22. 1920.
 joints and points of contact, protection. F.B. 744, p. 32. 1916.
 killing, by poison solution for girdling, formula. D.B. 827, p. 33. 1921.
 kiln drying, work of laboratory. D.C. 231, pp. 17–18. 1922.
 kinds in United States. For. Cir. 97, pp. 9–12. 1907.
 Lake States, kinds. D.B. 1295, pp. 6–10. 1925.
 lands—
  clearing after drainage, time and cost. Y.B., 1918, p. 141. 1919; Y.B. Sep. 781, p. 7. 1919.
  in Idaho, description. O.E.S. Bul. 216, pp. 24–25. 1909.
  ownership and management, public. Sec. A.R., 1924, pp. 63–64. 1924.

Timber(s)—Continued.
 lands—continued.
  reforestation. Off. Rec. vol. 2, No. 3, p. 1. 1923.
  taxes, laws of certain States. Y.B., 1914, pp. 440–441. 1915; Y.B. Sep. 651, pp. 440–441. 1915.
 larch—
  defects affecting strength. For. Bul. 122, pp. 18–22. 1913.
  effect of mistletoe burls on merchantability. D.B. 317, pp. 22–23. 1916.
  tests, methods. For. Bul. 122, pp. 8–18, 38–40, 44–45. 1913.
 laws, national forests, provisions, decisions, etc. Sol. [Misc.], "Laws applicable to * * * forests," pp. 44–46, 59. 1913.
 loblolly pine—
  stumpage, value. D.B. 11, pp. 16–19. 1914.
  value and uses. For. Cir. 183, pp. 2–3. 1910.
 lodgepole pine—
  fire-killed, slowness of decay. D.B. 234, pp. 7–8. 1915.
  production cost and selling price, Wyoming and Colorado. D.B. 234, pp. 14–17. 1915.
 log measure, units. For. Bul. 36, pp. 12–13. 1910.
 long-leaf pine, production—
  in sawed crossties or board feet. D.B. 1061, pp. 16–22. 1922.
  possibility for southern cut-over lands. D.B. 1061, pp. 49–50. 1922.
 loss(es)—
  by decay. M.C. 39, p. 11. 1925.
  by fires, national forests—
   1909, 1910. An. Rpts., 1911, pp. 365–366. 1912; For. A.R., 1911, pp. 25–26. 1911.
   1910. An. Rpts., 1910, pp. 375–379. 1911; For. A.R., 1910, pp. 15–19. 1910; Y.B., 1910, p. 414. 1911; Y.B. Sep. 548, p. 414. 1911.
   1911. An. Rpts., 1912, p. 499. 1913; For. A.R., 1912, p. 41. 1912.
  by waste of forests. Sec. A.R., 1921, pp. 45–46. 1921.
  in sawdust. M.C. 39, p. 89. 1925.
 management in national forests, sales, and reforestation. An. Rpts., 1922, pp. 216–220. 1922; For. A.R., 1922, pp. 22–26. 1922.
 marketing—
  and measuring. Wilbur R. Mattoon and William B. Barrows. F.B. 1210, pp. 62. 1921.
  by farmer, cooperation, suggestions. Y.B., 1914, pp. 444, 448, 456. 1915; Y.B. Sep. 651, pp. 444, 448, 456. 1915.
  cooperative. F.B. 1210, pp. 57–59. 1921.
  in large quantities. F.B. 1459, p. 10. 1925.
 marking—
  and felling. For. Cir. 131, p. 10. 1907.
  for sale, practice in the White Mountains. D.B. 285, pp. 42–44. 1915.
  yellow pine region. D.B. 418, pp. 46–47. 1917.
 mature—
  cutting, in western yellow-pine forests. D.B. 418, pp. 37–39. 1917.
  injury by insects and fungi. D.B. 1294, pp. 18–24. 1924.
 measurement—
  and log scales. F.B. 1117, pp. 13–18. 1920.
  on woodlots, methods. Y.B., 1915, pp. 122–124. 1916; Y.B. Sep. 662, pp. 122–124. 1916.
  units used, log rules, comparison. F.B. 715, pp. 12–14. 1916.
  various log rules, name and description. For. Bul. 36, pp. 14–34. 1910.
 measuring—
  and estimating, lesson for rural schools. D.B. 863, pp. 17–18, 39. 1920.
  for sales. F.B. 1459, pp. 11–12. 1925.
 mechanical properties, bibliography. D.B. 556, pp. 46–47. 1917.
 mechanics—
  and physics, laboratory studies. D.C. 231, pp. 10–21. 1922.
  study and work of Forest Products Laboratory. For. [Misc.], "Forest Products Laboratory * * *," pp. 10–16. 1922.
 merchantable, waste in logging. Y.B., 1905, pp. 486–489. 1906; Y.B. Sep. 398, pp. 486–489. 1906.

36167°—32——152

Timber(s)—Continued.
mine—
consumption in Colorado, 1911, durability. D.B. 77, pp. 11-34. 1914.
durability increase, methods. For. Bul. 107, pp. 6-10. 1912.
forms and prices. F.B. 715, pp. 10-11. 1916.
insect injuries, prevention. Ent. Cir. 156, pp. 1-6. 1912.
kinds and grades. F.B. 1210, pp. 15-16. 1921.
or crop. W. B. Greeley and others. Y.B., 1922, pp. 83-180. 1923; Y.B. Sep. 886, pp. 83-180. 1923.
preservation. John M. Nelson, jr. For. Cir. 111, pp. 22. 1907.
preservative treatment, methods and cost, studies. Bul. 77, pp. 15-18. 1914.
prolonging life of. John M. Nelson, jr. For. Cir. 111, pp. 22. 1907.
requirements. Rpt. 117, pp. 25, 29. 1917.
Rocky Mountain. Norman de W. Betts. D.B. 77, pp. 34. 1914.
round, consumption, 1905. For. Cir. 129, p. 11. 1907.
use in United States, 1905. For. Bul. 74, pp. 50-58. 1907.
waste in cutting, suggestions to secure economy. For. Cir. 118, p. 8. 1907.
mining, practices, extent and drain on forests, remedy. Y.B., 1922, pp. 84, 89, 178-180. 1923; Y.B. Sep. 886, pp. 84, 89, 178-180. 1923.
Mississippi, Smith County, and lumber industry. Soil Sur. Adv. Sh., 1920, pp. 447, 465-490. 1923; Soils F.O., 1920, pp. 447, 465-490. 1925.
moisture determination, directions for. For. Cir. 38, rev., pp. 27-28. 1909.
monopoly, control in national forest sales. An. Rpts., 1913, p. 152. 1914; For. A.R., 1913, p. 18. 1913.
national forests—
1909, yield and receipts for sales. Sec. A.R., 1909, pp. 92-95. 1909; Y.B., 1909, pp. 92-95. 1910.
administrative use, regulations. For. [Misc.], "The national forest manual * * *," pp. 10, 62-64. 1911.
cut and sales—
1904-1921. Y.B., 1922, p. 944. 1923; Y.B. Sep. 889, p. 944. 1923.
1909. Sec. A.R., 1909, pp. 97-98. 1909; Y.B., 1909, pp. 97-98. 1910.
1911. An. Rpts., 1911, pp. 95-97, 356-365. 1912; For. A.R., 1911, pp. 15, 16-25. 1912; Sec. A.R., 1911, pp. 93-95. 1911; Y.B., 1911, pp. 93-95, 365. 1912.
1922-23. An. Rpts., 1923, pp. 313-317. 1923; For. A.R., 1923, pp. 25-29. 1923.
cut, sales, and free use—
1910. An. Rpts., 1910, pp. 380-386. 1911; For. A.R., 1910, pp. 20-26. 1910; Sec. A.R., 1910, pp. 95-96. 1911; Y.B., 1910, pp. 94-95. 1911.
1911. An. Rpts., 1911, pp. 355, 356-365. 1912; For. A.R., 1911, pp. 15, 16-25. 1911.
1912. An. Rpts., 1912, pp. 491-499, 550-551. 1913; For. A.R., 1912, pp. 33-41, 92-93. 1912; Y.B., 1912, pp. 412-414. 1913; Y.B. Sep. 602, pp. 412-414. 1913.
1913. An. Rpts., 1913, pp. 148, 158, 184. 1914; For. A.R., 1913, pp. 14-24, 50. 1913.
1914. An. Rpts., 1914, pp. 135-141. 1914; For. A.R., 1914, pp. 7-13. 1914.
for the small operator. Y.B., 1912, pp. 405-416. 1913; Y.B. Sep., 602, pp. 405-416. 1913.
free-use farms. For. [Misc.], "The national forest manual * * *," p. 80. 1911.
insect infestation, menace. For. A.R., 1921, p. 16. 1921.
instructions for scaling and measurement. For. Misc. S-19, pp. 91. 1915.
law, cutting permits, free use, exportation. Sol. [Misc.], "Laws applicable * * * agriculture," Sup. 2, p. 32. 1915; Sup. 3, pp. 25-28, 37. 1915.
management—
cut and sale, 1919. An. Rpts., 1919, pp. 186-189. 1920; For. A.R., 1919, pp. 10-13. 1919.

Timber(s)—Continued.
national forests—continued.
management—continued.
use and supply, 1921. For. A.R., 1921, pp. 18-22. 1921.
permits, free use. An. Rpts., 1914, pp. 140-141. 1915; For. A.R., 1914, pp. 12-13. 1914.
prices, method of fixing. Y.B., 1912, pp. 413-414. 1913; Y.B. Sep. 602, pp. 413-414. 1913.
quality, price, and users, 1913-1918. Y.B., 1918, p. 716. 1919; Y.B., Sep. 795, p. 52. 1919.
quantity, prices, and uses. Y.B., 1915, p. 579. 1916; Y.B. Sep. 684, p. 579. 1916.
receipts—
1907. For. A.R., 1907, pp. 26-28. 1907.
1909. An. Rpts., 1909, pp. 379, 385. 1910; For. A.R., 1909, pp. 11, 17. 1909.
1911. An. Rpts., 1911, pp. 353, 359, 362. 1912; For. A.R., 1911, pp. 13, 19, 22. 1911.
1916. An. Rpts., 1916, pp. 155, 156-157, 161-163. 1917; For. A.R., 1916, pp. 1, 2-3, 7-9, 10. 1916.
1919. An. Rpts., 1919, pp. 181, 188-189. 1920; For. A.R., 1919, pp. 5, 12-13. 1919.
1922. An. Rpts., 1922, pp. 204, 218-219. 1923; For. A.R., 1922, pp. 10, 24-25. 1922.
sales—
D.C. 4, p. 71. 1919; For. [Misc.], "Use book," pp. 35-39. 1906.
1904-1921, and free use, 1906-1921. Y.B., 1922, p. 944, 947. 1923; Y.B. Sep. 889, pp. 944, 947. 1923.
1905-1908, receipts and regulations. An. Rpts., 1908, pp. 420-423. 1909; For. A.R., 1908, pp. 16-19. 1908.
1905-1922. Y.B., 1923, p. 1062. 1924; Y.B., Sep., 904, p. 1032. 1924.
1906, 1907. Y.B., 1907, p. 284. 1908; Y.B. Sep. 466, p. 284. 1908.
1907. An. Rpts., 1907, pp. 366-368. 1908.
1910. An. Rpts., 1910, pp. 95-96, 380-386. 1911; For. A.R., 1910, pp. 20-26. 1910; Rpt. 93, pp. 63-64. 1911; Sec. A.R., 1910, pp. 95-96. 1910; Y.B., 1910, pp. 94-95. 1911.
1911. For. Cir. 207, p. 9. 1912; Y.B., 1911, pp. 364-368. 1912; Y.B. Sep. 575, pp. 364-368. 1912.
1917, amount and value. An. Rpts., 1917, pp. 163, 169-172. 1918; For. A.R., 1917, pp. 1, 7-10. 1917.
1918, amount and value. An. Rpts., 1918, pp. 166, 179-182. 1919; For. A.R., 1918, pp. 2, 15-18. 1918.
1919. Y.B., 1919, pp. 749, 750. 1920; Y.B. Sep. 830, pp. 749, 750. 1920.
1921. For. A.R., 1921, pp. 18-21. 1921.
and contracts. Sol. [Misc.], "Laws * * * forests," pp. 10-11, 96-97, 99-101. 1916.
and cut, 1915, by States. An. Rpts., 1915, pp. 163-165. 1916; For. A.R., 1915, pp. 5-7. 1915.
and free use. For. Cir. 167, pp. 7-9. 1909; Sol. [Misc.], "Laws * * * forests," pp. 10-11, 96-101. 1916.
Arizona and New Mexico. For. Bul. 101, pp. 46-47. 1911.
benefit to counties. News L., vol. 1, No. 3, p. 2. 1913.
business aspect. T. D. Woodbury. Y.B. 1911, pp. 363-370. 1912; Y.B. Sep. 575, pp. 363-370. 1912.
decisions concerning. An. Rpts., 1912, pp. 911-913. 1913; Sol. A.R., 1912, pp. 27-29. 1912.
discussion by Secretary. An. Rpts., 1914, pp. 39-40. 1915; Sec. A.R., 1914, pp. 41-42. 1914 ; Y.B., 1914, p. 55. 1915.
forms. For. [Misc.], "The national forest manual * * *," pp. 72-80. 1911.
laws applicable, decisions. Sol. [Misc.], "Laws applicable to * * * forest," pp. 59-62. 1913.
limitations, prices, and classifications. For. [Misc.], "The national forest manual * * *," pp. 13-25. 1911.
methods, policy, amounts, and receipts. An. Rpts., 1913, pp. 148-157. 1914; For. A.R., 1913, pp. 14-23. 1913.

Timber(s)—Continued.
national forests—continued.
sales—continued.
new law, requirements. Y.B., 1912, pp. 414-415. 1913; Y.B., Sep. 602, pp. 414-415. 1913.
number and quantity. D.C. 211, pp. 15-18 1922.
policy and extent. For. Misc. F-1, pp. 6-8. 1916.
procedure. D.B. 950, pp. 22-38. 1921.
quantity and value. For. A.R., 1924, pp. 16-18. 1924.
regulation. Y.B., 1908, p. 74. 1909.
regulations, enforcement. For. [Misc.], "The national forest manual * * *," pp. 7-10, 13-61. 1911.
settlements and free use. For. [Misc.], "Use book," 1913, pp. 19-32. 1913.
statistics. An. Rpts., 1920, pp. 230-233. 1921.
scaling—
Off. Rec., vol. 3, No. 24, p. 5. 1924.
and measuring manual, issuance by department. D.C., vol. 1, No. 1, p. 21. 1915.
stand—
distribution, and cut, 1909. An. Rpts., 1909, pp. 383-387. 1910; For. A.R., 1909, pp. 15-19. 1909.
distribution, and fire losses. An. Rpts., 1910, pp. 375-379. 1911; For. A.R., 1910, pp. 15-19. 1910; Sec. A.R., 1910, pp. 86-87. 1910; Y.B., 1910, p. 86. 1911.
growth, and consumption. An. Rpts., 1908, pp. 418-420. 1909; For. A.R., 1908, pp. 14-16. 1908.
losses, sales, and free use. An. Rpts., 1912, pp. 488-499. 1913; For. A.R., 1912, pp. 30-41. 1912.
statistics. Y.B., 1921, p. 792. 1922; Y.B. Sep. 871, p. 23. 1922.
surveys, instructions for making. For. Misc. S-23, pp. 53. 1917.
uses and sales—
1907. For. [Misc.], "Red book," pp. 11, 18, 28. 1907.
1908. For. [Misc.], "Use book," 1908, pp. 47-62. 1908.
1914. Y.B., 1914, pp. 55-56, 57, 71-74, 77, 78-79. 1915; Y.B. Sep. 633, pp. 55-56, 57, 71-74, 77, 78-79. 1915.
1916. Y.B., 1916, p. 700. 1917; Y.B. Sep. 721, p. 42. 1917.
1917. Y.B., 1917, p. 752. 1918; Y.B. Sep. 761, p. 46. 1918.
utilization, studies—
1914. An. Rpts., 1914, pp. 160-161. 1915; For. A.R., 1914, pp. 32-33. 1914.
1915. An. Rpts., 1915, p. 186. 1916; For. A.R., 1915, p. 28. 1915.
value. Off. Rec., vol. 2, No. 50, p. 5. 1923.
needs of United States, and lands for production. Y.B., 1918, p. 439. 1919; Y.B. Sep. 771, p. 9. 1919.
New England, stumpage, value, and uses. For. Cir. 168, pp. 4, 6-13. 1909.
New Mexico National Forests, stand and yield. D.C. 240, pp. 5, 11, 12, 14, 16, 17, 18, 19, 21. 1922.
Norway pine, description, strength, grades, prices, and measurement. D.B. 139, pp. 7-11, 13-14, 34-42. 1914.
Ohio Valley region, stumpage, values by species. For. Cir. 138, p. 9. 1908.
Olympic National Forest, quantity, kinds, age, and types. For. Bul. 89, pp. 11-17. 1911.
Oregon—
open for development. Off. Rec., vol. 1, No. 35, p. 3. 1922.
total stand, 1900. O.E.S. Bul. 209, p. 22. 1909.
original—
growth versus second growth, value. For. Cir. 35, p. 28. 1905.
stand, percentage remaining. M.C. 39, pp. 83-85. 1925.
ownership—
concentration. D.C. 112, p. 8. 1920.
concentration, timber depletion, lumber prices and lumber exports. Earle H. Clapp. For. [Misc.], "Timber depletion * * *," pp. 71. 1920.
East and West. Rpt. 114, pp. 9-10, 82. 1917.

Timber(s)—Continued.
ownership—continued.
stability, necessity. Rpt. 114, pp. 82-88. 1917.
perpetual supply plan. Off. Rec., vol. 2, No. 35, p. 1. 1923.
physical properties, relation to mechanical properties. For. Bul. 108, pp. 35-42. 1912.
Philippines, cutting and sales under Spanish rule. Y.B., 1901, p. 524. 1902.
physical properties, tests. F. E. Olmsted. Y.B., 1902, pp. 533-538. 1903; Y.B. Sep. 288, pp. 533-538. 1903.
physics, studies by Forest Products Laboratory. For. [Misc.], "Forest Products Laboratory * * *," pp. 17-21. 1922.
pine—
by-products. For. Cir. 164, pp. 29-30. 1909.
deterioration after felling, causes and progress. D.B. 1140, pp. 4-6. 1923.
fungi infecting. D.B. 1262, pp. 3, 4. 1924.
injury by mistletoe. D.B. 1112, pp. 25, 35. 1922.
national forests, demand and sale. An. Rpts., 1911, p. 363. 1912; For. A.R., 1911, p. 23. 1911.
sales, 1922. Off. Rec., vol. 2, No. 28, p. 1. 1923.
Southern States, destruction by beetles. F.B. 1188, pp. 4, 6-7, 9. 1921.
strength—
tests of treated and untreated wood. D.B. 286, pp. 1-15. 1915.
values, tables. For. Cir. 189, pp. 4, 5, 6, 7. 1912.
uses and increasing production. D.B. 1061, pp. 13-22. 1922.
western yellow, structure, quality, weight, and strength. For. Bul. 101, pp. 33-41. 1911.
preparation for preservative treatment. F.B. 744, pp. 10-12. 1916.
preservation—
For. Bul. 84, pp. 1-55. 1911; News L., vol. 6, No. 52, p. 9. 1919.
arborvitae poles, methods and cost. For. Cir. 136, pp. 1-29. 1908.
brush and tank pole treatments. For. Cir. 104, pp. 1-24. 1907.
brush method. For. Cir. 139, p. 9. 1908.
chestnut pole treatment. For. Cir. 147, pp. 1-14. 1908.
cost and saving. For. Cir. 171, p. 22. 1909.
creosote treatment, absorption per cubic foot. For. Cir. 146, pp. 12-13. 1908.
economic value. For. Cir. 139, pp. 12-15. 1908.
experiments with railway crossties. For. Cir. 146, pp. 22. 1908.
hemlock and tamarack crossties. For. Cir. 132, pp. 1-31. 1908.
methods. B.P.I. Bul. 214, pp. 26-29. 1911.
methods and cost. Y.B., 1905, pp. 459-461. 1906; Y.B. Sep. 395, pp. 459-461. 1906.
of piling against marine wood borers. For. Cir. 128, pp. 1-15. 1908.
open-tank method. For. Cir. 101, pp. 1-15. 1907; For. Cir. 139, pp. 8-9. 1908.
prevention of decay losses in paper making. D. C. Everest. M.C. 39, pp. 67-68. 1925.
program of work, 1915. Sec. [Misc.], "Program of work * * *, 1915," pp. 88-89. 1914.
publications, list. For. B 607, p. 43. 1918.
recent progress. Herman von Schrenk. Y.B., 1903, pp. 427-440. 1904; Y.B. Sep. 315, pp. 427-440. 1904.
seasoning of telephone and telegraph poles. For. Cir. 103, pp. 1-16. 1907.
studies and experiments. An. Rpts., 1908, pp. 435-437. 1909; For. A.R., 1908, pp. 31-33. 1908.
treatment—
of loblolly-pine cross arms. W. F. Sherfessee. For. Cir. 151, pp. 29. 1908.
of wood for pavements. For. Cir. 141, pp. 7-23. 1908.
process, results. F.B. 1117, pp. 24-27. 1920; For. Cir. 139, p. 9. 1908; For. Cir. 139, pp. 8-21. 1908.
value in prevention of forest waste. Y.B., 1910, pp. 259-260, 263. 1911; Y.B. Sep. 534, pp. 259-260, 263. 1911.

Timber(s)—Continued.
　preservation—continued.
　　work of Forest Service, 1909. An. Rpts., 1909, pp. 404–405. 1910; For. A.R., 1909, pp. 36–37. 1909.
　　zinc chlorid treatment, absorption. For. Cir. 146, p. 16. 1908.
　preservative(s)—
　　analysis. For. Bul. 107, pp. 24–25. 1912.
　　cost and saving in wood. For. Cir. 171, p. 22. 1909.
　　for fungi control, experiments. D.B. 1037, pp. 32–48. 1922.
　　kinds, absorption by various timbers. For. Bul. 84, pp. 13–17, 19–30, 46–48. 1911.
　　methods of using. For. Bul. 84, pp. 13–17. 1911.
　　treatment—
　　　effect on strength. For. Cir. 139, pp. 9–11. 1908.
　　　for farm, use and cost. News L., vol. 4, No. 8, p. 6. 1916.
　price(s)—
　　advance, causes. For. Cir. 168, p. 5. 1909.
　　as affected by locality. F.B. 1459, p. 12. 1925.
　　in different countries. For. Bul. 83, pp. 12, 15, 17–18, 21, 22, 25–26, 27, 29, 31, 33–34, 44–45, 48, 64, 72–73. 1910.
　　increase. F.B. 1417, pp. 14–15. 1924.
　　sales from Plumas National Forest. Off. Rec., vol. 1, No. 46, p. 3. 1922.
　production—
　　and—
　　　consumption in Colorado, 1911. D.B. 77, p. 13. 1914.
　　　value in Ozark National Forest. M.C. 53, p. 1. 1925.
　　data. F.B. 1417, pp. 10, 11, 13–20. 1924.
　　farm enterprise. Off. Rec., vol. 2, No. 40, p. 5. 1923.
　　possibilities in several States. An. Rpts., 1923, pp. 334, 335. 1924; For. A.R., 1923, pp. 46, 47. 1923.
　　shortage, plans for meeting. For. Cir. 159, pp. 12–15. 1909.
　protection—
　　Off. Rec., vol. 1, No. 4, p. 2; No. 40, p. 1. 1922.
　　act, passage. Off. Rec., vol. 1, No. 39, p. 2. 1922.
　　bill. Off. Rec., vol. 1, No. 19, p. 3. 1922.
　　from—
　　　injury by grazing stock. D.B. 790, pp. 6, 66–70. 1919.
　　　injury by insects, sprays, formulas and use. D.B. 1079, pp. 1–11. 1922.
　　　insects. Off. Rec., vol. 2, No. 3, p. 2. 1923; Off. Rec., vol. 3, No. 5, p. 5. 1924.
　　　insects, bill. Off. Rec., vol. 1, No. 51, p. 3. 1922.
　　　white ant. News L., vol. 2, No. 30, p. 4. 1915.
　　　wood-boring insects, methods. Ent. A.R., 1921, pp. 27–28. 1921.
　　requirements by banks. Off. Rec., vol. 4, No. 33, p. 3. 1925.
　public, use and disposal. Rpt. 114, pp. 95–99. 1917.
　pulp—
　　sale—
　　　by department. Off. Rec., vol. 2, No. 35, pp. 1, 5; No. 36, p. 3. 1923.
　　　prospectus, West Admiralty Island Unit, Tongass National Forest, Alaska. For. [Misc.], "Sale prospectus * * *," pp. 20. 1921.
　　wood, in Alaska, amount and availability. D.B. 950, p. 3. 1921.
　quality, determination in wood lots and improvement method. F.B. 711, pp. 1–2. 1916.
　quantity treated with preservatives in United States in 1910. For. Cir. 186, pp. 2–4. 1911.
　railroad preservation treatment, plants, 1907. Y.B., 1907, p. 567. 1908; Y.B. Sep. 470, p. 6. 1908.
　relation to land prices. News L., vol. 6, No. 51, p. 3. 1919.
　removal from—
　　cut-over lands. D.B. 827, p. 33. 1921.
　　forests, annual, and causes. Y.B., 1923, pp. 483–487. 1924; Y.B. Sep. 896, pp. 483–487. 1924.

Timber(s)—Continued.
　reservations by owner of lands sold to Government. Sol. [Misc.], "Laws * * * forests," p. 19. 1916.
　reserves for local use near national forests, examples. Y.B., 1912, pp. 406–409. 1913; Y.B. Sep. 602, pp. 406–409. 1913.
　resources—
　　drain and replacement. D.B. 1241, pp. 33–35. 1924.
　　investigations. Sec. A.R., 1921, p. 47. 1921.
　　of intermountain national forests. M.C. 47, pp. 8–12. 1925.
　　of Nebraska. Y.B., 1901, pp. 207–216. 1902; Y.B. Sep. 236, pp. 207–216. 1902.
　　safeguarding policy of foreign nations. Sec. Cir. 140, p. 3. 1917.
　Rocky Mountain mine. Norman de W. Betts. D.B. 77, pp. 34. 1914.
　rot caused by Lenzites sepiaria. Perley Spaulding. B.P.I. Bul. 214, pp. 46. 1911.
　rots, fungi causing. J.A.R., vol. 12, p. 64. 1918.
　round, insect injury, cause and prevention. Ent. Cir. 128, pp. 1, 4, 8. 1910.
　rustic buildings, injury by borers. Y.B., 1910, pp. 350, 351, 358. 1911; Y.B. Sep. 542, pp. 350, 351, 358. 1911.
　sale(s)—
　　1905 and 1912. An. Rpts., 1912, p. 242. 1913; Sec. A.R., 1912, p. 242. 1912; Y.B., 1912, p. 242. 1913.
　　agreement, blank forms. D.B. 950, pp. 29–38. 1921.
　　application, examination, and scaling. Y.B., 1911, 363–364. 1912; Y.B. Sep. 575, pp. 363–364. 1912.
　　Arkansas National Forests, methods, contract, and stumpage price. For. Bul. 106, pp. 33–36. 1912.
　　by farmers, 1909. Y.B., 1914, p. 448. 1915; Y.B. Sep. 651, p. 448. 1915.
　　by Forest Service. Off. Rec., vol. 2, No. 29, p. 3; No. 34, p. 2. 1923.
　　Cascade Forest. Off. Rec., vol. 2, No. 24, p. 3. 1923.
　　contract, sample. F.B. 715, pp. 42–44. 1916.
　　Coeur d'Alene. Off. Rec., vol. 2, No. 24, p. 3. 1923.
　　forest, supervision. Off., Rec. vol. 3, No. 33, p. 3. 1924.
　　Government, cost of handling. For. Bul. 101, pp. 54–55. 1911.
　　increase in 1923. Off. Rec., vol. 2, No. 28, p. 1. 1923.
　　national forests. See Timber, national forests, sales.
　　policy—
　　　and business of year, by States. An. Rpts., 1912, pp. 493–497. 1913; For. A.R., 1912, pp. 35–39. 1912.
　　　Forest Service, 1911. An. Rpts., 1911, pp. 356–361. 1912; For. A.R., 1911, pp. 16–21. 1911.
　　　Forest Service, 1912. An. Rpts., 1912, pp. 58–62. 1913; Sec. A.R., 1912, pp. 58–62. 1912; Y.B., 1912, pp. 58–62. 1913.
　　procedure and classification, regulations. For. [Misc.], "Use book," rev., pp. 32–57. 1915.
　　prospectus, Bear Valley Unit, Malheur National Forest, Oreg. For. [Misc.], "Sale prospectus * * *," pp. 22. 1922.
　　quantity and receipts, 1924. For. A.R., 1925, pp. 25–28. 1925.
　　regulations, national forests. For. [Misc.], "Use book," pp. 19–28. 1913.
　　relation to forest regulations. D.B. 275, pp. 55–56. 1916.
　　small, stumpage appraisal. For. [Misc.], "Instructions for appraising * * *," pp. 45–46. 1922.
　　stumpage appraisals in different localities, examples. For. [Misc.], "Instructions for appraising * * *," pp. 47–72. 1922.
　　value. Off. Rec., vol. 3, No. 26, p. 5. 1924.
　saving of waste. Off. Rec., vol. 3, No. 49, p. 1. 1924.
　saving problems under study in pulp industry. M.C. 39, p. 68. 1925.

Timber(s)—Continued.
  saw—
    by species, board feet in national forests. Y.B., 1922, p. 946. 1923; Y.B. Sep. 889, p. 946. 1923.
    production and consumption, by countries. Y.B., 1924, p. 1020. 1925.
    totals, by kinds and regions, 1923. Y.B., 1923, p. 1053. 1924; Y.B. Sep. 904, p. 1053. 1924.
    world production and consumption. Y.B., 1923, p. 1077. 1924; Y.B. Sep. 904, p. 1077. 1924.
  scaling—
    directions. F.B. 1210, pp. 21-23. 1921.
    method. F.B. 715, pp. 14-16. 1916.
    regulations and log rule. For. [Misc.], "Use book," rev., pp. 48-51. 1915.
  seasoning—
    Hermann von Schrenk and Reynolds Hill. For. Bul. 41, pp. 48. 1903.
    for prevention of dry rot. B.P.I. Bul. 214, pp. 27-28. 1911.
    in air. D.B. 552, pp. 12-17. 1917.
    telephone and telegraph poles. For. Cir. 103, pp. 1-16. 1907.
  selling—
    by board foot. F.B. 1459, pp. 11-13. 1925.
    by lump sum. F.B. 1459, p. 11. 1925.
    by wood lot owners, time and method. F.B. 715, pp. 36-44. 1916.
    methods. F.B. 1210, pp. 48-56. 1921.
    methods by farmers. F.B. 1100, pp. 5-6. 1920.
  settlements—
    national forests. For. [Misc.], "Use book, p. 29. 1913.
    national forests, regulations. For. [Misc.], "The national forest manual * * *," pp. 10-11, 65-66. 1911.
    regulations. For. [Misc.], "Use book," rev., pp. 62-64. 1915.
  shipments, description, and directions. For. Cir. 33, rev., p. 13. 1909.
  shipping by rail, cost. F.B. 715, pp. 32-36. 1916; F.B. 1210, pp. 43-47. 1921.
  shortage(s)—
    avoidance by fresh supply sources. D.B. 638, pp. 8-10. 1918.
    danger. Off. Rec., vol. 2, No. 34, p. 3. 1923.
    relation to idle land. W. B. Greeley. F.B. 1417, pp. 22. 1924.
  shortleaf pine, value and uses. For. Cir. 182, pp. 2-3. 1910.
  slash-pine—
    production, quality, and uses. F.B. 1256, pp. 13-19. 1922.
    yield per acre. F.B. 1256, pp. 17-19. 1922.
  sources in United States, and waning supplies. Sec. Cir. 129, pp. 3-5. 1919.
  South American concessions, mahogany planting as condition. D.B. 474, pp. 4-5. 1917.
  species, growth locality, weight, shrinkage, and mechanical properties. D.B. 497, p. 16. 1917.
  specifications and grading. For. Bul. 115, pp. 32-40. 1913; For. Bul. 122, pp. 32-40. 1913.
  speculation—
    cause of forest devastation. D.B. 638, pp. 2-3. 1918.
    effect on lumber industry. Rpt. 114, p. 61. 1917.
  stand(s)—
    and cut, national forests. An. Rpts., 1912, pp. 58, 66, 242. 1913; Sec. A.R., 1912, pp. 58, 66, 242. 1912; Y.B., 1912, pp. 58, 66, 242. 1913.
    and cutting on intermountain forests, statistics. For. [Misc.], "Intermountain district forest * * *," pp. 13-23. 1925.
    depletion by forest fires. For. Bul. 82, p. 16. 1910.
    in—
      California, volume and species. D.B. 440, pp. 2-4. 1917.
      Louisiana, estimates, pines, cypress, and hardwoods. For. Bul. 114, pp. 19-21. 1912.
      United States. Rpt. 114, pp. 7, 82. 1917.
      United States, estimate. For. [Misc.], "The study of forestry * * *," p. 1. 1923.
    of Pacific coast and Alaska. Sec. Cir. 183, p. 30. 1921.

Timber(s)—Continued.
  standing—
    effect of forest fires on. W. H. Long. For. Cir. 216, pp. 6. 1913.
    estimating. F.B. 1210, pp. 23-37. 1921.
    estimating, with and without volume tables. F.B. 715, pp. 16-26. 1916.
    in national forests, estimates, by forests, 1922. Y.B., 1922, pp. 944-946. 1923; Y.B. Sep. 889, pp. 944-946. 1923.
    in national parks, insect damage to. A. D. Hopkins. Ent. Cir. 143, pp. 10. 1912.
    injury to forestry interests from speculation, examples. D.B. 638, pp. 10-12. 1918.
    measurement, Doyle log rule. D.B. 933, pp. 28-31. 1921.
    owned by farmers, quantity. News L., vol. 3, No. 9, p. 4. 1915.
    sale value and marketing costs. F.B. 1210, pp. 37-41. 1921.
    sale value, determination. F.B. 715, pp. 26-30. 1916.
    stumpage value, determination methods. For. Bul. 96, pp. 24-29. 1912.
  storage—
    conditions, Eastern and Southern States, reference to decay problems. C. J. Humphrey. D.B. 510, pp. 43. 1917.
    in woods for fungi control. D.B. 1037, pp. 22-23. 1922.
    necessity. F.B. 1459, p. 17. 1925.
  storm-felled, injuries by insects. An. Rpts., 1909, p. 506. 1910; Ent. A.R., 1909, p. 18. 1909.
  strength, effect of treatment. W. Kendrick Hatt. For. Cir. 39, pp. 31. 1906.
  structural—
    decay, causes, rate, infection methods, and control. B.P.I. Bul. 149, pp. 60-66. 1909.
    grading rules. Off. Rec., vol. 2, No. 50, p. 7. 1923.
    grading rules and working stresses. J. A. Newlin and R. P. A. Johnson. D.C. 295, pp. 23. 1923.
    strength—
      progress report. W. Kendrick Hatt. For. Cir. 32, pp. 28. 1904.
      second progress report. W. Kendrick Hatt. For. Cir. 115, pp. 39. 1907.
      values for. McGarvey Cline. For. Cir. 189, pp. 8. 1912.
    tests. McGarvey Cline and A. L. Heim. For. Bul. 108, pp. 123. 1912.
    tests of different woods. Y.B., 1907, p. 566. 1908; Y.B. Sep. 470, p. 4. 1908.
    treated by commercial wood-preserving processes, strength tests. H. S. Betts and J. A. Newlin. D.B. 286, pp. 15. 1915.
  stumpage values, 1899, 1904, 1907, by species. For. Cir. 122, pp. 34-42. 1907.
  supply(ies)—
    address of H. S. Graves. News L., vol. 7, No. 15, p. 3. 1919.
    and land-clearing fires. For. [Misc.], "Land clearing * * *," pp. 16. 1922.
    by foreign countries. Off. Rec., vol. 2, No. 24, p. 5. 1923.
    conservation, object of national forests. For. [Misc.], "Our timber supply," p. 3. 1914.
    consumption and future requirements, problem. Y.B., 1922, pp. 108-138, 157-158. 1923; Y.B. Sep. 886, pp. 108-138, 157-158. 1923.
    decrease. News L., vol. 6, No. 44, p. 1. 1919; Sec. Cir. 129, pp. 4-5. 1919; Sec. Cir. 134, pp. 5-6. 1919.
    decrease, 1922. An. Rpts., 1922, pp. 195-197. 1923; For. A.R., 1922, pp. 1-3. 1922.
    exhaustion, outlook. Off. Rec., vol. 2, No. 27, p. 5. 1923.
    growing under forest management. D.B. 1241, pp. 60-61. 1924.
    Porto Rico, imports, and demand. D.B. 354, pp. 39-44. 1916.
    probabilities. For. Cir. 129, pp. 14-15. 1907.
    reduction, situation. Y.B., 1923, pp. 451-455. 1924; Y.B. Sep. 896, pp. 451-455. 1924.
    United States. R. S. Kellogg. For. Cir. 97, pp. 16. 1907; For. Cir. 166, pp. 24. 1909.
  supplying for farm needs from farm woodlands. F.B. 1071, pp. 11-13. 1920.

Timber(s)—Continued.
  surplus, farm sales and profits. News L., vol. 6, No. 21, p. 7. 1918.
  surveys—
    in national forests. For. Misc. S-23, pp. 53. 1917; rev., pp. 45. 1925.
    mapping mistletoe infection areas. D.B. 1112, pp. 31-32. 1922.
  telephone pole, supply. Y.B., 1905, pp. 456-458. 1906; Y.B. Sep. 395, pp. 456-458. 1906.
  test(s)—
    For. [Misc.], "Timber tests," pp. 15. 1903.
    bending, compression, and shear. For. Cir. 189, pp. 1-8. 1912.
    bending, directions. For. Cir. 38, rev., pp. 20-22. 1909.
    computations, formulae. For. Bul. 108, p. 69. 1912.
    definitions of terms, working plans. For. Cir. 38, rev., pp. 31-51. 1909.
    discussion. An. Rpts., 1905, pp. 231-232. 1906; For. A.R., 1905, pp. 231-232. 1905.
    effect of preservative treatment. An. Rpts., 1910, p. 414. 1911; For. A.R., 1910, p. 54. 1910.
    engineers, instructions, W. Kendrick Hatt. For. Cir. 38, pp. 55. 1906.
    Forest Service, studies. An. Rpts., 1914, p. 163. 1914; For. A.R., 1914, p. 85. 1914.
    instructions to engineers. W. Kendrick Hatt. For. Cir. 38, pp. 55. 1906; rev., pp. 56. 1909.
    investigations, 1911. An. Rpts., 1911, pp. 407-408. 1912; For. A.R., 1911, pp. 67-68. 1911.
    log sheets, sample. For. Cir. 38, pp. 33-45. 1906.
    methods. For. Bul. 108, pp. 13-15. 1912; For. Cir. 38, rev., pp. 19-27. 1909.
    of physical properties. F. E. Olmsted. Y.B., 1902, pp. 533-538. 1903; Y.B. Sep. 288, pp. 533-538. 1903.
    work of Forest Products Laboratory. D.C. 231, pp. 10-16. 1922.
    work of Forest Service—
      1905. For. A.R., 1905, pp. 231-234. 1905.
      1906. For. A.R. 1906, pp. 38-39. 1906.
      1907. An. Rpts., 1907, pp. 375-376. 1908.
      1909. An. Rpts., 1909, pp. 405-406. 1910; For. A.R., 1909, pp. 37-38. 1909.
  testing—
    by machinery. Off. Rec., vol. 1, No. 20, p. 8. 1922.
    for mechanical properties, various trees. D.B. 556, p. 47. 1917.
    in the United States, outline. Y.B., 1902, pp. 534-536. 1903.
    machines, calibration, directions. For. Cir. 38, rev., p. 5. 1909.
    material tested, source and methods. D.B. 77, pp. 1-11, 19-34. 1914.
  thinning experiments, national forests. An. Rpts., 1913, p. 184. 1914; For. A.R., 1913, p. 50. 1913.
  Tongass National Forest, kind, quality, and stand. D.B. 950, pp. 8-13. 1921.
  total quantity in National forests, value, etc. For. [Misc.], "The country's forests * * *, p. 4. 1914.
  tracts, use and protection. For. Cir. 165, p. 2. 1909.
  trade with foreign countries, exports and imports. D.B. 296, pp. 46-47. 1915.
  treated—
    and untreated, durability comparisons, experiments. For. Bul. 107, pp. 16-18. 1912.
    experiments on strength of. W. Kendrick Hatt. For. Cir. 39, pp. 21. 1906.
    laid in Texas, February, 1902, report on condition. Hermann von Schrenk. For. Bul. 51, pp. 45. 1904.
    relation to crosstie forms and rail fastenings. Hermann von Schrenk. For. Bul. 50, pp. 70. 1904.
    strength—
      experiments and tests. For. Cir. 39, pp. 1-31. 1906.
      experiments. W. Kendrick Hatt. For. Cir. 39, pp. 31. 1906.
      tests, methods and results. D.B. 286, pp. 1-15. 1915.

Timber(s)—Continued.
  treated—continued.
    stumpage value. An. Rpts., 1911, p. 114. 1912; Sec. A.R., 1911, p. 112. 1911; Y.B., 1911, p. 112. 1912.
  treating plants, cooperative work of Forest Service. An. Rpts., 1910, p. 414. 1911; For. A.R. 1910, p. 54. 1910.
  treatment—
    brush and tank pole. For. Cir. 104, pp. 1-24. 1907.
    chestnut pole preservation, progress. For. Cir. 147, pp. 1-14. 1908.
    cost and results, various localities and woods. F.B. 744, pp. 25-28. 1916.
    open-tank method for. Carl G. Crawford. For. Cir. 101, pp. 15. 1907.
    process, results. For. Cir. 39, pp. 8-21. 1906.
    with chemicals for prevention of dry rot. B.P.I. Bul. 214, pp. 28-29. 1911.
    See also Timber preservation.
  trees adapted to Great Plains region. F.B. 888, pp. 5-8, 10, 19. 1917.
  trespass(es)—
    cases, prosecution by Solicitor—
      1911. An. Rpts., 1911, pp. 879-881. 1912; Sol. A.R., 1911, pp. 123-125. 1911.
      1912. An. Rpts., 1912, pp. 906, 1066-1069. 1913; Sol. A.R., 1912, pp. 22, 182-185. 1912.
      1913. An. Rpts., 1913, p. 312. 1914; Sol. A.R., 1913, p. 14. 1913.
    cases, settlement, 1907, 1908, 1909, and 1910. An. Rpts., 1910, p. 385. 1911; For. A.R. 1910, p. 25. 1910.
    on national forests—
      laws and decisions. Sol. [Misc.], "Laws applicable to * * * forest," pp. 103-105, 111-114. 1916.
      laws applicable. Sol. [Misc.], "Laws applicable to * * * forest," pp. 63-65. 1913.
      regulations. For. [Misc.], "The national forest manual * * *," pp. 5, 9-14. 1911.
    receipts—
      1913. An. Rpts., 1913, p. 157. 1914; For. A.R., 1913, p. 23. 1913.
      1914. An. Rpts., 1914, p. 140. 1914; For. A.R. 1914, p. 12. 1914.
    regulations. For. [Misc.], "Use book," rev., pp. 65-68. 1915.
    under control of Federal Government, estimate. For. Cir. 166, p. 13. 1909.
  United States, forests, value and annual losses by fires and insects. Ent. Cir. 129, pp. 1, 4-5. 1910.
  use(s)—
    and waste annually. For. Cir. 171, pp. 8-11. 1909.
    in Colorado mines, varieties, names, cost, and life. D.B. 77, pp. 13-18. 1914.
    in mines of United States, 1905. R. S. Kellogg. For. Cir. 49, pp. 8. 1906.
    in mining, amount. For. Cir. 35, p. 18. 1905.
    in national forests. For. Map. Fold., pp. 5, 11. 1923.
    of neglected species. M.C. 39, pp. 21-24. 1925.
  using on farms, treating for preservation. F.B. 1117, pp. 23-27, 35. 1920.
  utilization—
    Sec. A.R., 1925, pp. 90-91. 1925.
    and preservation. For. A.R., 1907, pp. 33-40. 1907.
    in New England. M.C. 39, pp. 24-27. 1925.
    on farm. F.B. 1071, pp. 14-18. 1920.
    studies. Y.B., 1922, p. 36. 1923; Y.B. Sep. 883, p. 36. 1923.
    survey of losses. M.C. 39, pp. 91-99. 1925.
  value(s)—
    and determination. News L., vol. 6, No. 40, pp. 6-7. 1919.
    destroyed by forest fires. M.C. 19, pp. 8-9. 1924.
    determination. Edward A. Braniff. Y.B., 1914, pp. 453-460. 1915; Y.B. Sep. 359, pp. 453-460. 1915.
    of Acacia species. D.B. 9, pp. 25-30. 1913.
    true basis. For. Cir. 171, p. 17. 1909.
  varieties indicating fertile land, alluvial valleys. O.E.S. An. Rpt., 1908, p. 411. 1909.

INDEX TO PUBLICATIONS, 1901-1925   2417

Timber(s)—Continued.
  various trees, yield in South Carolina forests, table. For. Bul. 56, pp. 15-29. 1905.
  volume tables. E. N. Munns and R. M. Brown. For. [Misc.], "Volume tables * * *," Pt. I, pp. 159; Pt. II, pp. 146; Pt. III, pp. 104. 1925.
  waste—
    and destruction, annual. Y.B., 1923, p. 486-487. 1924; Y.B. Sep. 896, pp. 486-487. 1924.
    avoidance by conservative logging. For. Cir. 171, pp. 18-21. 1909.
    by cutting on public lands, 1862-1897. Y.B., 1907, pp. 277-280. 1908; Y.B. Sep. 466, pp. 277-280. 1908.
    in far Northwest, suggestions for use. For. Cir. 35, p. 27. 1905.
    prevention. For. A.R., 1925, pp. 47-48. 1925; For. Cir. 157, pp. 6-7. 1908; Off. Rec., vol. 3, No. 47, pp. 1, 5. 1924.
    problem. Wm. B. Greeley. M.C. 39, pp. 10-19. 1925.
    utilization. An. Rpts., 1910, p. 96. 1911; Rpt. 93, p. 64. 1911; Sec. A.R., 1910, p. 96. 1910; Y.B., 1910, p. 95. 1911.
  western Washington, character of stands. D.B. 1236, p. 5. 1924.
  western yellow pine, structure, quality, weight, and strength. For. Bul. 101, pp. 33-41. 1911.
  windbreak, market values, stumpage, fuel, and posts. For. Bul. 86, p. 77. 1911.
  wood lot—
    amount and quality. D.B. 481, pp. 23-25. 1917.
    marketing methods and profits. News L., vol. 4, No. 8, p. 8. 1916.
  woodland, indicator of land value and possibilities. J.A.R., vol. 28, pp. 116, 120, 123-126. 1924.
  woods for, identification guidebook. For. [Misc.], "Guidebook for * * *," pp. 79. 1917.
  worms—
    damages to oaks and chestnuts. Ent. Bul. 58, Pt. V, pp. 60-61, 64. 1909.
    depredations in forests. Ent. Bul. 58, pp. 60, 64-65. 1910.
    injury(ies) to—
      forest products, and control. Ent. Cir. 128, pp. 1-2, 4-5, 8-9. 1910.
      living trees. Ent. Bul. 58, pp. 60-61. 1910; Ent. Cir. 126, pp. 1-4. 1910.
      trees, dead or dying. Ent. Cir. 127, p. 2. 1910.
    yield—
      and value in windbreak planting. For. Bul. 86, pp. 75-89. 1911.
      of Coeur d'Alene Forest. Off. Rec., vol. 2, No. 26, p. 3. 1923.
  Yosemite National Park, law for cutting and removal. Sol. [Misc.], "Laws applicable * * * Agriculture," sup. 2, p. 37. 1915.
  See also Forest products; Trees; Wood.
Timberasphalt, tests as wood preservative. D.B. 145, pp. 9-20. 1915.
TIMBERLAKE, P. H.: "Experimental parasitism: A study of the biology of Limnerium validum (Cresson)." Ent. T.B. 19, Pt. V, pp. 71-92. 1912.
Timberland(s)—
  additions to national forest, 1925. For. A.R., 1925, pp. 17-21. 1925.
  care and management, assistance of Forest Service. For. Cir. 165, pp. 2-3. 1909.
  carrying charges, taxes and fire protection. Rpt. 114, pp. 15-18, 58. 1917.
  cleared, utilization for beaver farming. D.B. 1078, p. 29. 1922.
  eastern, increased purchases by Government, prices. News L., vol. 1, No. 2, pp. 1-2. 1913.
  fire-protection associations, organization, cost. For. Bul. 114, pp. 26-27. 1912.
  handling policy, need for change and improvement. D.B. 638, pp. 21-33. 1918.
  in Ohio Valley region, suggestions for management. For. Cir. 138, pp. 1-15. 1908.
  ownership, and need of reforestation. Y.B., 1920, pp. 155-158. 1921; Y.B. Sep. 835, pp. 155-158. 1921.
  private—
    classification and administration. For. Cir. 207, pp. 14-17. 1912.
    management. D.B. 426, pp. 35-36. 1916.

Timberland(s)—Continued.
  private—continued.
    ownership detrimental to agricultural development. An. Rpts., 1912, p. 483. 1913; For. A.R., 1912, p. 25. 1912.
  public, disposal. Rpt. 114, pp. 10-11. 1917.
  purchase extension. Y.B., 1922, p. 37. 1923; Y.B. Sep. 883, p. 37. 1923.
  See also Woodland.
Timber line, location and vegetation, central Rocky Mountains. D.B. 1233, pp. 18-19, 25. 1924.
Timberwork, logging railroads, costs. D.B. 711, pp. 190-194. 1918.
Timbo, importation and description. No. 43455, B.P.I. Inv. 49, pp. 8, 26. 1921.
Time-table(s) for—
  canning vegetables and fruits. F.B. 853, pp. 27-28. 1917.
  cooking fresh vegetables in water. U.S. Food Leaf. 16, p. 3. 1918.
  home canning of fruits and vegetables. M.C. 24, pp. 4. 1924.
Time waste, avoidance, problem of housekeeper. Y.B., 1913, pp. 159-161. 1914; Y.B. Sep. 621, pp. 159-161. 1914.
Timeromicrus maculatus, parasite of clover-seed chalcis fly, life history. J.A.R., vol. 16, pp. 172-173. 1919.
Timothy—
  Morgan W. Evans. F.B. 990, pp. 28. 1918.
  acreage—
    and importance. Y.B., 1923, p. 349. 1924; Y.B. Sep. 895, p. 349. 1924.
  census, 1909, by States, maps. Y.B., 1915, pp. 362, 363. 1916; Y.B. Sep. 681, pp. 362, 363. 1916.
  in 1909, map. F.B. 990, p. 4. 1918.
  in 1919, maps. Y.B., 1921, pp. 448, 449. 1922; Y.B. Sep. 878, pp. 42, 43. 1922.
  analytical key and description of seedlings. D.B. 461, pp. 7, 20. 1917.
  and—
    alsike clover hay, value. Rpt. 98, p. 97. 1913.
    clover—
      hay, production cost per acre. Stat. Bul. 73, pp. 41-42. 1909.
      seed, production decrease, 1918, with comparisons. News L., vol. 6, No. 3, p. 7. 1918.
      seeding methods. F.B. 472, pp. 22-23, 24, 25. 1911.
      sowing, season. Y.B., 1907, p. 389. 1908; Y.B. Sep. 456, p. 389. 1908.
  billbug, habits, life history, and control. Y.B., 1908, pp. 383-384. 1909; Y.B. Sep. 488, pp. 383-384. 1909.
  breeding for rust resistance. An. Rpts., 1910, p. 84. 1911; Sec. A.R., 1910, p. 84. 1910; Y.B., 1910, p. 83. 1911.
  breeding, new types. O.E.S. An. Rpts., 1911, pp. 64, 165. 1912.
  characters desirable in selected plants. F.B. 514, p. 9. 1912.
  comparison with alfalfa and clover, analyses, and feeding value. F.B. 502, pp. 13-14. 1912.
  crop, rotations for control of chinch bugs. F.B. 657, pp. 18, 26. 1915.
  cultivation in Alaska. Alaska A.R., 1907, p. 27. 1908.
  culture, in Oregon and Washington, western slope. B.P.I. Bul. 94, pp. 25-26. 1906.
  cutting—
    and curing, yield and quality. F.B. 943, pp. 4, 5. 1918.
    stage for best hay. F.B. 362, p. 21. 1909.
    time, effect on hay yield and quality. F.B. 514, p. 13. 1912.
  distribution, description, and value for hay. F.B. 1254, pp. 6-8, 14. 1922.
  fertilizers—
    on preceding crops, effect. F.B. 990, pp. 11-12. 1918.
    use and effects. F.B. 990, pp. 11-16. 1918.
  fields, injury by white grubs. F.B. 543, pp. 6, 11, 17. 1913.
  forage value in Pacific Northwest. F.B. 271, pp. 25-26. 1906.

Timothy—Continued.
  growing—
    effect on land. F.B. 362, pp. 14–15. 1909.
    for hay, in New York, Jefferson County. Soil Sur. Adv. Sh., 1911, pp. 27, 31. 1913; Soils F.O., 1911, pp. 117, 121. 1914.
    in —
      Alaska. Alaska A.R., 1912, pp. 33, 51–52. 1913.
      Indiana, Clinton County. D.B. 1258, pp. 11–18. 1924.
      Iowa, Mitchell County. Soil Sur. Adv. Sh., 1916, pp. 8, 9, 22, 30. 1918; Soils F.O., 1916, pp. 1878, 1879, 1892, 1900. 1921.
      New York, Tompkins County. Soil Sur. Adv. Sh., 1921, p. 1574. 1924.
    methods. News L., vol. 4, No. 3, p. 3. 1916.
    on livestock farm. Y.B., 1902, p. 356. 1903.
    with clover—
      acreage, 1909, and customs. F.B. 990, pp. 5, 6–7. 1918.
      in Maryland, Charles County. Soil Sur. Adv. Sh., 1918, pp. 9–10, 35. 1922; Soils F.O., 1918, pp. 81–82, 108. 1924.
  growth—
    effect of mineral phosphates, analyses and notes. J.A.R., vol. 6, No. 13, pp. 493, 495, 506, 507. 1916.
    habits, use in cotton States. F.B. 1125, rev., p. 21. 1920.
    stage, relation to moisture content. D.B. 353, pp. 22–23, 25, 26, 27, 37. 1916.
  harvesting, time and methods. F.B. 502, pp. 25–28, 32. 1912.
  hay. See Hay.
  heading to harvest seed and hay. Y.B., 1917, p. 511. 1918; Y.B. Sep. 757, p. 17. 1918.
  importations and description. Nos. 51269–51279, B.P.I. Inv. 64, p. 83. 1923; Nos. 51379, 51423, 51624, 51669–51676, 51895, B.P.I. Inv. 65, pp. 10, 16, 30, 36, 65. 1923; Nos. 55603, 55616, 55623, 55734, 55806. B.P.I. Inv. 72, pp. 10, 11, 12, 27, 37. 1924.
  improved strains, testing. An. Rpts., 1909, p. 365. 1910; B.P.I. Chief Rpt., 1909, p. 113. 1909.
  improvement studies. An. Rpts., 1919, p. 152. 1920; B.P.I. Chief Rpt., 1919, p. 16. 1919.
  injuries by straw worm. D.B. 808, pp. 15–16. 1920.
  injury by leafhoppers. Ent. Bul. 108, pp. 15–16, 42–44, 50, 73–75, 88, 99. 1912.
  introduction, western pasture lands, methods and requirements. B.P.I. Bul. 117, pp. 11–15. 1907.
  requirements. B.P.I. Bul. 117, pp. 11–15. 1907.
  irrigation, methods, time, and quantity. F.B. 502, pp. 17–20, 32. 1912.
  joint-worm, hibernating habits. Y.B., 1908, p. 375. 1909; Y.B. Sep. 488, p. 375. 1909.
  labor requirements. D.B. 1181, pp. 9, 24–25, 61. 1924.
  leaf miner, spike-horned, occurrence. D.B. 432, pp. 2, 3, 5. 1916.
  meadows, topdressing with various fertilizers, effects. F.B. 990, pp. 12–13. 1918.
  mixture with—
    alsike and red clover, seeding rates. F.B. 1151, pp. 11–13. 1920.
    brome grass, hay, and pasture. B.P.I. Bul. 111, Pt. V, p. 8. 1907.
    clover, cutting date, graph. D.C. 183, p. 33. 1922.
  moisture, loss in curing. D.B. 353, pp. 27, 28–29, 37. 1916.
  mountain, description, habits, and forage value. D.B. 545, pp. 10–11, 58, 59. 1917.
  new strains, production. An. Rpts., 1918, p. 140. 1919; B.P.I. Chief Rpt., 1918, p. 6. 1918.
  new varieties, New York, Cornell station. An. Rpts., 1912, p. 98. 1913; Sec. A.R., 1912, p. 98. 1912; Y.B., 1912, p. 98. 1913.
  pasturing meadows. F.B. 990, pp. 16–17. 1918.
  per cent of hay production. News L., vol. 6, No. 30, p. 13. 1919.
  production—
    in Ohio, Stark County. Soil Sur. Adv. Sh., 1913, pp. 10–11. 1915; Soils F.O., 1913, pp. 1348–1349. 1916.

Timothy—Continued.
  production—continued.
    in various States, 1909, acreage and yield. F.B. 502, pp. 7–8. 1912.
    labor and material requirements per acre. Y.B., 1921, p. 816. 1922; Y.B. Sep. 876, p. 13. 1922.
    on irrigated land in Northwestern States. M. W. Evans. F.B. 502, pp. 32. 1912.
  root-knot resistant crop. News L., vol. 2, No. 40, p. 6. 1915.
  rooting systems. R. A. Oakley and Morgan W. Evans. J.A.R., vol. 21, No. 3, pp. 173–178. 1921.
  rotation(s)—
    on hog farms in Indiana. F.B. 1463, pp. 4–10. 1925.
    with grains. F.B. 704, p. 15. 1916.
    with other crops, advantages, methods. F.B. 502, pp. 22–23. 1912.
  rust—
    caused by *Puccinia graminis*. J.A.R., vol. 6, No. 21, pp. 813–816. 1916.
    in the United States. Edward C. Johnson. B.P.I. Bul. 224, pp. 20. 1911.
    infection experiments. J.A.R., vol. 5, No. 5, pp. 211–216. 1915.
  samples, weight, and moisture, comparison. D.B. 353, pp. 11–12, 15–17, 19, 20. 1916.
  seed—
    and clover, prices, 1912–1916. Y.B., 1916, p. 624. 1917; Y.B. Sep. 720, p. 14. 1917.
    as adulterant of alsike clover. F.B. 428, pp. 6, 35. 1911.
    bushel weights, by States. Y.B., 1918, p. 725. 1919; Y.B. Sep. 795, p. 61. 1919.
    cost of production, table. Stat. Bul. 48, p. 53. 1906.
    crops of several States, statistics. Y.B., 1901, p. 234. 1902.
    demand and supply. Y.B., 1917, pp. 510–511. 1918; Y.B. Sep. 757, pp. 16–17. 1918.
    description. F.B. 382, p. 14. 1909.
    exports, discussion. D.B. 296, p. 39. 1915.
    exports, statistics. Y.B., 1921, p. 748. 1922; Y.B. Sep. 867, p. 12. 1922.
    harvesting time and method. News L., vol. 4, No. 3, p. 3. 1916.
    market statistics, prices and receipts, 1910–1921. D.B. 982, pp. 213, 214–215. 1921.
    marketing methods. Rpt. 98, p. 149. 1913.
    prices—
      Y.B., 1901, p. 770. 1902.
      1896–1908. Y.B., 1908, pp. 664–665. 1909; Y.B. Sep. 498, pp. 664–665. 1909.
      1899–1912. Y.B., 1912, pp. 617–618. 1913; Y.B. Sep. 615, pp. 617–618. 1913.
      1900–1915. Y.B., 1916, p. 467. 1916; Y.B. Sep. 683, p. 467. 1916.
      1910–1918, 1913–1918. Y.B., 1918, pp. 527–529. 1919; Y.B. Sep. 792, pp. 23–25. 1919.
      1912–1916. Y.B., 1916, p. 624. 1917; Y.B. Sep. 720, p. 14. 1917.
      1912–1917, exports and imports. Y.B., 1917, pp. 669, 766, 773. 1918; Y.B. Sep. 760, p. 17. 1918; Y.B. Sep. 762, pp. 10, 17. 1918.
      and receipts, 1910–1921. Y.B., 1921, pp. 606, 607, 608. 1922; Y.B. Sep. 869, pp. 26, 27, 28. 1922.
    exports and imports. Y.B., 1913, pp. 420, 499, 506. 1914; Y.B. Sep. 360, p. 420. 1914; Y.B. Sep. 361, pp. 499, 506. 1914.
    wholesale, principal cities, 1903–1907. Y.B., 1907, pp. 695–696. 1908; Y.B. Sep. 465, pp. 695–696. 1908.
  production—
    and yield. F.B. 990, pp. 26–27. 1918.
    cost per acre. Stat. Bul. 73, pp. 48–49. 1909.
    decrease, 1918, with comparisons. News L., vol. 6, No. 3, p. 7. 1918.
    quantity per acre. F.B. 337, pp. 8, 10, 12, 13. 1908; F.B. 990, p. 11. 1918.
  selection, planting, and cultivation in breeding work. F.B. 514, pp. 7–9. 1912.
  sources of supply, Pennsylvania farms, note. D.B. 853, p. 26. 1920.
  statistics—
    1905. Y.B., 1905, pp. 730–731. 1906; Y.B. Sep. 404, pp. 730–731. 1906.

INDEX TO PUBLICATIONS, 1901-1925 2419

Timothy—Continued.
 seed—continued.
  statistics—continued.
   1906. Y.B., 1906, p. 631. 1907; Y.B. Sep. 436, p. 631. 1907.
   1918, acreage and yield. Y.B., 1918, pp. 527-529, 633, 641. 1919; Y.B. Sep. 792, pp. 23-25. 1919; Y.B. Sep. 794, pp. 9, 17. 1919.
   1919, acreage, production, and value. Y.B., 1919, pp. 586-588. 1920; Y.B. Sep. 827, pp. 586-588. 1920.
   1920. Y.B., 1920, pp. 634-635. 1921; Y.B. Sep. 862, pp. 26-27. 1921.
   1922, acreage, production, and price. Y.B., 1922, pp. 698-704. 1923; Y.B. Sep. 884, pp. 698-704. 1923.
   receipts and shipments at trade centers. Rpt. 98, p. 380. 1913.
   testing directions. F.B. 428, pp. 39-40. 1911.
   wholesale prices, 1896-1909. Y.B., 1909, pp. 505-506. 1910; Y.B. Sep. 524, pp. 505-506. 1910.
  seeding—
   rate in Iowa, Buena Vista County. Soil Sur. Adv. Sh., 1917, p. 15. 1919; Soils F.O., 1917, p. 1605. 1923.
   time, method, and rate. F.B. 502, pp. 15-17, 32. 1912; F.B. 704, p. 12. 1916; F.B. 990, pp. 7-11. 1918.
   with clover, value of mixture. F.B. 1339, pp. 15, 17. 1923.
   without nurse crop. F.B. 990, p. 9. 1918.
  stage of development for harvesting, effect on yield and food value. F.B. 990, pp. 18-21. 1918.
  stem—
   borer, distribution, description, life history, and control. Ent. Bul. 95, Pt. I, pp. 1-9. 1911.
   borer, parasites. Ent. Bul. 95, Pt. I, p. 9. 1911.
   rust, study of biologic form. J.A.R., vol. 24, pp. 539-568. 1923.
   suggestion for improvement by selection and by hybridization. Y.B., 1901, p. 222. 1902.
   susceptibility to stem rust, studies, notes. J.A.R. vol. 10, pp. 441-492. 1917.
   technical description and uses. D.B. 772, pp. 140-141. 1920.
   tribe, key to genera, and descriptions. D.B. 772, pp. 13-15, 121-165. 1920.
  use—
   and value in reseeding experiments. D.B. 4, pp. 7, 13, 14-15, 17, 18, 20, 21, 22, 23, 26, 27-29, 32. 1913.
   as forage crop in cotton region, method and value. F.B. 599, pp. 16-17. 1912.
   as pasture plant for logged-off land, seed rate. F.B. 462, pp. 10-11. 1911.
   in hay meadows, in Nebraska. B.P.I. Cir. 80, p. 13. 1911.
   with clover and wheat in acidity experiments. Chem. Bul. 145, pp. 16-17. 1912.
  value as hay grass. F.B. 1170, pp. 3, 4-5, 8, 9. 1920.
  varieties—
   improved, directions for breeding. F.B. 514, pp. 5-13. 1912.
   resistance to rust. B.P.I. Bul. 224, pp. 14-16, 17. 1911.
   seed development. News L., vol. 6, No. 23, p. 7. 1919.
   weather and soil requirements. F.B. 502, p. 8. 1912.
  yields and water at Logan, Utah. D.B. 1340, p. 42. 1925.
Tims, E. C.: "A fusarium bulb rot of onion and the relation of environment to its development." With J. C. Walker. J.A.R., vol. 28, pp. 683-694. 1924.
Tin—
 action of fats upon, experiments. B.A.I. An. Rpt., 1909, pp. 274, 275, 276, 277, 278, 282. 1911.
 canning—
  preparation and consecutive steps, and standard sizes. S.R.S. Doc. 22, pp. 1-4. 1915.
  preparations. S.R.S. Doc. 22, pp. 1-2. 1916.
  various steps. S.R.S. Doc. 22, pp. 2-4. 1916.

Tin—Continued.
 cans—
  breeding places for mosquitoes. P.R. Cir. 14, pp. 9, 13-17, 18, 19. 1912.
  for home canning. F.B. 1211, p. 22. 1921; S.R.S. Doc. 33, p. 4. 1917.
  sealing, capping, and tipping, directions. S.R.S. Doc. 97, pp. 2-7. 1919.
  shortage, relief work of county agents. S.R.S. Rpt., 1917, Pt. II, pp. 24-25. 1919.
  sizes, capacity and weights by cases. S.R.S. Doc. 97, p. 7. 1919.
  soldering, methods and outfit. News L., vol. 2, No. 43, pp. 4-5. 1915.
 cleaning directions. F.B. 1180, p. 20. 1921.
 coatings—
  ferroxyl test. Rds. Bul. 35, p. 22. 1909.
  on iron, pin holes, testing and prevention. Rds. Bul. 35, p. 22. 1909.
  on other metals, old process. B.A.I. An. Rpt., 1909, p. 265. 1911.
 containers, investigations. An. Rpts., 1919, p. 230. 1920; Chem. Chief Rpt., 1919, p. 20. 1919.
 content, canned goods, investigations. An. Rpts., 1912, p. 556. 1913; Chem. Chief Rpt., 1912, p. 6. 1912.
 determination—
  in—
   canned foods. Herman Schreiber and W. C. Taber. Chem. Cir. 67, pp. 9. 1911.
   canned goods, results and comments. Chem. Bul. 152, pp. 214-217. 1912.
   foods. Chem. Bul. 152, pp. 117-118. 1912.
   foods, work and methods. Chem. Bul. 162, pp. 139-144. 1913.
   fruit products. Chem. Bul. 66, rev., pp. 30-31, 39-40. 1905.
   sardines. D.B. 908, pp. 82-85. 1921.
  methods, comparisons. Chem. Cir. 67, pp. 2-8. 1911.
  estimation in fat, method. B.A.I. An. Rpt., 1909, p. 273. 1911.
 foil, use—
  and value in cheese preservation. D.B. 970, pp. 24-25, 28. 1921.
  in wrapping cottage cheese. D.C. 1, p. 5. 1919.
 iron preservation, methods and tests. Rds. Bul. 35, p. 22. 1909.
 kitchen utensils, advantages and disadvantages. Thrift Leaf. 10, p. 3. 1919.
 occurrence and estimation in food products. Chem. Bul. 137, pp. 134-137. 1911.
 plate manufacture, invention, and establishment in United States. B.A.I. An. Rpt., 1909, p. 267. 1911.
 plate, saving by housewives, advice of Agriculture Department. News L., vol. 5, No. 11, p. 4. 1917.
 receptacles for food, studies, 1910. An. Rpts., 1910, pp. 438, 456, 464, 473. 1911; Chem. Chief Rpt., 1910, pp. 14, 32, 40, 49. 1910.
 receptacles for food, studies, 1911. Chem. Chief Rpt., 1911, pp. 13, 15, 27. 1911; An. Rpts., 1911, pp. 427, 429, 441. 1912.
 salts in—
  canned foods of low acid content, with special reference to canned shrimp. W. D. Bigelow and R. F. Bacon. Chem. Cir. 79, pp. 6. 1911.
  canned goods, prohibition. An. Rpts., 1912, p. 245. 1913; Sec. A.R., 1912, p. 245. 1912; Y.B., 1912, p. 245. 1913.
  food. F.I.D. 126, p. 1. 1910.
 separation of arsenic. Chem. Cir. 102, pp. 11-12. 1912.
Tinamidae, hosts of eye parasite. B.A.I. Bul. 60, p. 45. 1904.
Tincher, Representative, bill for public shooting grounds. Off. Rec. vol. 1, No. 20, p. 2. 1922.
Tincher-Capper bill, passage by House. Off. Rec. vol. 1, No. 27, p. 2. 1922.
Tindalo, importation and description. No. 36550, B.P.I. Inv. 37, p. 30. 1916.
Tinea—
 favosa, cattle, cause, symptoms, and treatment. B.A.I. [Misc.], "Diseases of cattle," rev., pp. 332-333. 1904; rev., pp. 344-345. 1912; rev., pp. 332-333. 1923.

2420　　UNITED STATES DEPARTMENT OF AGRICULTURE

Tinea—Continued.
　tonsurans, cattle, cause, symptoms, and treatment. B.A.I. [Misc.], "Diseases of cattle," rev., pp. 332-333. 1904; rev., pp. 344-345. 1912; rev., pp. 332-333. 1923.
　See also Ringworm.
Tinea—
　granella, insect injurious to corn. B.P.I. Bul. 199, p. 14. 1910.
　mellonella, host of Calliephialtes messor, note. J.A.R., vol. 1, p. 213. 1913.
　spp. See Moth.
Tineina insects affecting cereals. Ent. Bul. 96, Pt. I, p. 6. 1911.
Tineo, importation and description. No. 44417, B.P.I. Inv. 50, p. 70. 1922.
Tineola biselliella—
　enemy of the clover mite. Ent. Cir. 158, p. 5. 1912.
　See also Moths.
Tingis, pear, description. Sec. [Misc.], "A manual * * * insects * * *," pp. 167-168. 1917.
Tiniaria convolvulus. See Buckwheat, wild.
Tinning tree cavities, directions. Y.B., 1913, pp. 179-180. 1914; Y.B. Sep. 622, pp. 179-180. 1914.
Tintometer, Lovibond, use in color determinations of butter fat. B.A.I. Bul. 111, p. 11. 1909.
Tip-borer, pine, injuries to trees, Nebraska. For. Bul. 66, pp. 20-21. 1905.
Tip dying, fir, white and Douglas. For. [Misc.], "Forest tree diseases * * *," pp. 37-38. 1914.
Tip burn—
　lettuce, in greenhouse growing. F.B. 1418, p. 20. 1924.
　lettuce, symptoms and control. F.B. 856, p. 50. 1917.
　pecan, cause. F.B. 1129, pp. 17-18. 1920.
　potato—
　　description. F.B. 856, p. 58. 1917.
　　description and treatment. D.C. 35, p. 22. 1919; F.B. 1349, p. 17. 1923.
　　relation to osmotic pressure of juices. J.A.R., vol. 26, pp. 250, 251, 253, 255. 1923.
　　responsibility of potato leaf-hopper, control studies. Work and Exp., 1919, p. 19. 1921.
　　spread of potato leaf hopper. Work and Exp., 1921, p. 73. 1923.
Tipa, importation and description. No. 36094, B.P.I. Inv. 36, p. 52. 1915.
Tiphia inornata—
　detection in stomach of bird. Biol. Bul. 15, p. 14. 1901.
　parasite of May beetle. Biol. Bul. 15, p. 17. 1901.
　See also Wasp, black digger.
Tipping, tin can. F.B. 853, p. 25. 1917.
Tips—
　prohibition, in South Carolina. B.A.I.S.R.A. 102, p. 119. 1915.
　reimbursement allowance to employees. Sec. [Misc.], "Fiscal regulations * * *," amdt. 3, pp. 2-3. 1916.
　repeal of Georgia law. Off. Rec., vol. 3, No. 42, p. 4. 1924.
　States prohibiting. B.A.I.S.R.A. 115, p. 103. 1916; B.A.I.S.R.A. 122, pp. 77-78. 1917; Sec. [Misc.], "Fiscal regulations * * *," amdt. 3, p. 10. 1916.
Tipu, importations and descriptions. No. 42549, B.P.I. Inv. 47, p. 27. 1920; No. 43755, B.P.I. Inv. 49, p. 73. 1921; No. 45622, B.P.I. Inv. 53, p. 71. 1922; No. 54643, B.P.I. Inv. 69, pp. 4, 31. 1923.
Tipuana tipu—
　importation and description. No. 42331. B.P.I. Inv. 46, p. 78. 1919.
　See also Tipu.
Tipula spp.—
　importance as farm pests, notes. Ent. Bul. 85, Pt. VII, pp. 120-121. 1910.
　See also Crane-flies.
Tipulid larvae—
　fungi attacking. Ent. Bul. 85, Pt. VII, p. 130. 1910.
　immunity to freezing, notes. Ent. Bul. 85, Pt. VII, p. 120. 1910.
Tipworms, injury to cranberries, history and control. F.B. 860, pp. 14-17. 1917.
Tique, importation and description. No. 52586, B.P.I. Inv. 66, pp. 2, 46. 1923.

Tire cloth, cheaper grades of cotton than sea-island. D.B. 146, pp. 7-8. 1914.
Tire(s)—
　automobile—
　　disposition directions. B.A.I.S.R.A. 132, p. 31. 1918.
　　price reduction. Off. Rec., vol. 1, No. 7, p. 4. 1922.
　cement for, castor oil ingredient. D.B. 867, p. 39. 1920.
　motor truck(s)—
　　cost. D.B. 1254, p. 22. 1924; F.B. 1314, pp. 13-14. 1923.
　　kinds preferred by eastern farmers. F.B. 1201, p. 19. 1921.
　　mileage costs, and kinds recommended. D.B. 910, pp. 27-29. 1920; D.B. 931, pp. 24-26, 29. 1921.
　　transportation expense, estimation. D.B. 770, pp. 13-14. 1919.
　wagon, width recommended for loads of varying magnitudes on earth and gravel roads. E. B. McCormick. Sec. Cir. 72, pp. 6. 1917.
　wide, economy and advantages of use on farm wagons. Y.B., 1908, p. 200. 1909; Y.B. 475, p. 200. 1909.
Tischeria malifoliella, control and life history. F.B. 1270, pp. 54-55. 1922.
Tisdale, W. B.—
　"Bacterial spot of Lima beans." With Maude M. Williamson. J.A.R., vol. 25, pp. 141-154. 1923.
　"Effect of soil temperature upon the development of nodules on the roots of certain legumes." With Fred Reuel Jones. J.A.R., vol. 22, pp. 17-31. 1921.
　"Influence of soil temperature and soil moisture upon the Fusarium disease of cabbage seedlings." J.A.R., vol. 24, pp. 55-86. 1923.
Tisdale, W. H.—
　"Flag smut of wheat." With others. D.C. 273, pp. 7. 1923.
　"Flag smut of wheat and its control." With Marion A. Griffiths. F.B. 1213, pp. 6. 1921.
　"Flaxwilt: A study of the nature and inheritance of wilt resistance." J.A.R., vol. 11, pp. 573-606. 1917.
　"Infection of barley by Ustilago nuda through seed inoculation." With V. F. Tapke. J.A.R., vol. 29, pp. 263-284. 1924.
　investigations of smuts. Off. Rec., vol. 1, No. 20, p. 6. 1922.
　"Physoderma disease of corn." J.A.R., vol. 16, pp. 137-154. 1919.
　"Relative resistance of wheat to bunt in Pacific Coast States." With others. D.B. 1299, pp. 29. 1925.
　"Seedling blight and stack-burn of rice and the hot-water seed treatment." D.B. 1116, pp. 11. 1922.
　"Straighthead of rice and its control." With J. Mitchell Jenkins. F.B. 1212, pp. 16. 1921.
　"The brown spot of corn with suggestions for its control." F.B. 1124, pp. 9. 1920.
　"Two Sclerotium diseases of rice." J.A.R., vol. 21, pp. 649-658. 1921.
Tisit-Pearls, misbranding. See Indexes, Notices of Judgements, in bound volumes, and in separates published as supplements to Chemistry Service and Regulatory Annoucements.
　published as supplements
Tissue(s)—
　animal, description, functions, and nutrition. B.A.I. [Misc.], "Diseases of the horse," rev., pp. 482-484. 1903; rev., pp. 482-484. 1907; rev., pp. 482-484. 1911; rev., pp. 27-29. 1923.
　animal, selection for specimens and directions for wrapping. B.A.I. An. Rpt., 1906, pp. 198-200. 1908; B.A.I. Cir. 123, pp. 2-4. 1908.
　cabbage, invasion by Plasmodiophora brassicae. J.A.R., vol. 14, pp. 543-572. 1918.
　culture, mushroom. B.P.I. Bul. 85, pp. 18-23, 54, 55. 1905.
　diseased, mailing, postal laws and regulations. B.A.I. An. Rpt., 1906, p. 206. 1908; B.A.I. Cir. 123, p. 10. 1908.
　edible, of ox, sheep, and hog, vitamin B in. Ralph Hoagland. D.B. 1138, pp. 48. 1923.

INDEX TO PUBLICATIONS, 1901-1925   2421

Tissue(s)—Continued.
fluids of cotton. J. Arthur Harris and others J.A.R., vol. 27, pp. 267-328. 1924.
fluids. See also Sap.
Tit. See Bush-tit; Titmouse.
Titanium—
content, Hawaiian soils. Hawaii Bul. 40, pp. 12-13. 1915; Hawaii Bul. 42, pp. 8, 9. 1917.
determination in ash of barley and oats. D.B. 600, pp. 4, 16. 1917.
occurrence in soils. D.B. 122, pp. 15, 27. 1914.
Titer test—
cooperative work, 1904, Association of Official Agricultural Chemists. Chem. Cir. 22, pp. 16. 1905.
fats and oils. Chem. Bul. 90, pp. 70-75. 1905.
Tithonia—
diversifolia, importations and description. Nos. 54458, 54461, B.P.I. Inv. 69, pp. 12, 13. 1923.
rotundifolia—
growing, experiments with daylight of different lengths. J.A.R., vol. 23, p. 876. 1923.
importation and description. No. 43782, B.P.I. Inv. 49, p. 76. 1921.
response to length of day. J.A.R., vol. 27, pp. 139-140. 1924.
Titlark(s)—
cotton boll-weevil destruction in winter. Biol. Cir. 64, p. 4. 1908.
enemy of boll weevil. Biol. Bul. 22, pp. 8-9. 1905.
use in aphid destruction. Y.B., 1912, pp. 401-403. 1913; Y.B. Sep. 601, pp. 401, 403. 1913.
See also Pipit.
Title(s)—
abbreviations in Experiment Station Record, list. D.B. 1330, pp. 1-146. 1925.
land, in United States, limitation laws. Y.B., 1902, pp. 750-751. 1903.
TITLOW, C. R., report on Division of Agricultural Extension, College of Agriculture, West Virginia University—
1915. S.R.S. An. Rpt., 1915, Pt. II, pp. 137-144. 1916.
1916. S.R.S. An. Rpt., 1916, Pt. II, pp. 145-150. 1917.
1917. S.R.S. An. Rpt., 1917, Pt. II, pp. 155-162. 1919.
Titmouse—
black crested, enemy to boll weevil. Biol. Bul. 22, p. 9. 1905.
blue, enemy of codling moth. Y.B., 1911, p. 244. 1912; Y.B. Sep. 564, p. 244. 1912.
description, range, and food habits. F.B. 630, pp. 4-6. 1915.
destruction of cotton boll weevil in winter. Biol. Cir. 64, p. 4. 1908.
enemy of codling moth. Y.B., 1911, pp. 242, 243. 1912.
food habits. Biol. Bul. 30, pp. 68-80. 1907; Y.B., 1907, p. 169. 1908; Y.B. Sep. 443, p. 169. 1908.
great, enemy of codling moth. Y.B., 1911, p. 244. 1912; Y.B. Sep. 564, p. 244. 1912.
plain, food habits. Biol. Bul. 30, pp. 68-70. 1907.
protection by law. Biol. Bul. 12, rev., pp. 38, 40, 41. 1902.
scale destroyer. Biol. Bul. 30, pp. 69, 71, 72, 75. 1907.
tufted, food habits—
description. F.B. 755, pp. 26-28. 1916.
occurrence in Arkansas. Biol. Bul. 38, pp. 88-89. 1911.
Titoki, plant importations, 1909, and description. B.P.I. Bul. 162, pp. 47-48. 1909.
Titration, electrometric, indication of relation of calcium content of soil to reaction. J.A.R., vol. 20, pp. 855-868. 1921.
TITUS, E. S. G.—
"Catalogue of the exhibit of economic entomology at the Louisiana Purchase Exposition, St. Louis, Mo., 1904." With F. C. Pratt. Ent. Bul. 47, pp. 155. 1904.
"Some preliminary notes on the cloverseed chalcis fly." Ent. Bul. 44, pp. 77-80. 1904.
"The cotton red spider." Ent. Cir. 65, pp. 5. 1905.
Tlahualilo Company, aid in pink bollworm investigations. D.B. 918, pp. 1, 26. 1921.

Tmetocera ocellana, control and life history. F.B. 1270, pp. 28-30. 1922.
Tmetocera ocellana. See also Bud-moth, eye-spotted.
To-fu, Chinese soy-bean preparation. D.B. 1152, p. 23. 1923.
Toad—
American, usefulness of. A. H. Kirkland. F.B. 196, pp. 16. 1904.
destruction—
by crows. D.B. 621, pp. 28-29, 63-64, 89. 1918.
of false wireworms. Ent. Bul. 95, Pt. V, p. 85. 1912.
enemy(ies) of—
alfalfa caterpillar. D.B. 124, pp. 29, 39. 1914.
beet leaf-beetle. D.B. 892, p. 18. 1920.
billbugs. F.B. 1003, p. 20. 1919.
Calosoma beetles. D.B. 417, p. 10. 1917.
grasshoppers. F.B. 691, rev., p. 10. 1920.
tent caterpillar. F.B. 662, p. 8. 1915.
eradicator of fluke disease. B.A.I., An. Rpt., 1901, pp. 220-222. 1902.
food habits, investigations—
1921. Biol. Chief Rpt., 1921, pp. 14, 15. 1921.
1922. An. Rpts., 1922, p. 349. 1923; Biol. Chief Rpt., 1922, p. 19. 1922.
1923. An. Rpts., 1923, p. 439. 1924; Biol. Chief Rpt., 1923, p. 21. 1923.
grant, introduction into Porto Rico for control of insect pests. P.R. An. Rpt., 1923, p. 15. 1924.
horned—
control of wireworm beetles. D.B. 156, p. 27. 1915.
enemy of wireworms. F.B. 725, pp. 9, 10. 1916.
in Texas, distribution and description. N.A. Fauna 25, p. 43. 1905.
usefulness in grasshopper control. D.B. 293, p. 7. 1915.
occurrence in Athabaska-Mackenzie region. N.A. Fauna 27, p. 501. 1908.
(Bubo halophilus columbiensis) range and habits. N.A. Fauna 21, p. 18. 1901.
Rocky Mountain, enemy of alfalfa weevil. D.B. 107, pp. 58-60. 1914.
studies for southern rural schools. D.B. 305, pp. 7-8. 1915.
use against insect pests. F.B. 908, p. 61. 1918.
value of control of grain bug. D.B. 779, p. 32. 1919.
TOADEN, G. P.: "Notes on Egyptian agriculture." B.P.I. Bul. 62, pp. 61. 1904.
Toadflax seeds, description. F.B. 428, pp. 27, 28. 1911.
Toadstools, tree. See Fungi.
Toast—
dietetic value, reasons. F.B. 389, p. 45. 1910.
digestibility, comparison with bread. F.B. 193, pp. 26-29. 1904.
digestion experiments. F.B. 193, pp. 26-29. 1904.
milk, recipes. F.B. 717, p. 7. 1916.
milk, use method and food value. F.B. 1207, pp. 30-31. 1921.
misbranding. See Indexes, Notices of Judgment, in bound volumes and in separates published as supplements to Chemistry Service and Regulatory Announcements.
utilization of stale bread. News L., vol. 4, No. 39, p. 7. 1917.
Tobacco—
acreage—
and—
condition, by types and districts, July 1, 1914, comparison with 1913. F.B. 611, pp. 3, 7-10, 30. 1914.
production, 1910-1922. An. Rpts., 1922, pp. 53, 56. 1923; Sec. A.R., 1922, pp. 53, 56. 1922.
production, 1910-1923. An. Rpts., 1923, pp. 91-92. 1924; Sec. A.R., 1923, pp. 91-92. 1923.
yield per farm. D.B. 320, p. 11. 1916.
yields, 1914-1918, and exports, 1918. Sec. Cir. 125, pp. 5, 6, 8. 1919.
exports, and imports, 1893-1898. Y.B., 1900, p. 820. 1901.
increase in Tennessee. Off. Rec., vol. 3, No. 4, p. 3. 1924.

2422 UNITED STATES DEPARTMENT OF AGRICULTURE

Tobacco—Continued.
acreage—continued.
production, and value—
1849-1911. Y.B., 1911, pp. 585-587. 1912; Y.B. Sep. 587, p. 583. 1912.
1849-1912. Y.B., 1912, pp. 627-629. 1913; Y.B. Sep. 614, pp. 627-629. 1913.
1849-1913. Y.B., 1913, pp. 428-431. 1914; Y.B. Sep. 630, pp. 428-431. 1914.
1849-1914. Y.B., 1914, pp. 579-583. 1915; Y.B. Sep. 655, pp. 579-583. 1915; Y.B. Sep. 686, p. 649. 1915.
1849-1916. Y.B., 1916, pp. 630-634. 1917; Y.B. Sep. 720, pp. 20-24. 1917.
1849-1917. Y.B., 1917, pp. 676-679. 1918; Y.B. Sep. 760, pp. 24-27. 1918.
1849-1918. Y.B., 1918, pp. 537-541. 1919; Y.B. Sep. 792, pp. 33-37. 1919.
1849-1919. Y.B., 1919, pp. 596-599. 1920; Y.B. Sep. 827, pp. 596-599. 1920.
1849-1921. Y.B., 1921, pp. 71, 73, 619-622, 772. 1922; Y.B. Sep. 869, pp. 39-41. 1922; Y.B. Sep. 871, p. 1, 12, 14. 1922; Y.B. Sep. 875, pp. 71, 73. 1922.
1849-1922. Y.B., 1922, pp. 69, 73, 723-728. 1923; Y.B. Sep. 884, pp. 723-728. 1923.
1849-1923. Y.B., 1923, pp. 865-871. 1924; Y.B. Sep. 901, pp. 865-871. 1924; Y.B. Sep. 906, p. 1137. 1924.
1899. Y.B., 1901, pp. 758-759. 1902.
1900-1906. Y.B., 1906, p. 607. 1907; Y.B. Sep. 436, p. 607. 1907.
1900-1907. Y.B., 1907, pp. 674-675. 1908; Y.B. Sep. 465, pp. 674-675. 1908.
1900-1908. Y.B., 1908, p. 680. 1909; Y.B. Sep. 498, p. 680. 1909.
1900-1909. Y.B., 1909, pp. 515-516, 518. 1910; Y.B. Sep. 524, pp. 522-523, 534. 1910.
1900-1910. Y.B., 1910, pp. 586-588. 1911; Y.B. Sep. 553, pp. 586-588. 1911; Y.B. Sep. 555, pp. 579-581. 1911.
1900-1915. Y.B., 1915, pp. 473-477. 1916; Y.B. Sep. 683, pp. 473-477. 1916.
1900-1919. Y.B., 1920, pp. 645-648, 803. 1921; Y.B. Sep. 862, pp. 645-648. 1921.
1902. Y.B., 1902, p. 819. 1903.
1903. Y.B., 1903, p. 648. 1904.
1904. Y.B., 1904, p. 688. 1905.
1907-1924. Y.B., 1924, pp. 87, 821-827, 1100. 1925; Y.B. Sep. 908, pp. 821-827. 1925; Y.B. Sep. 912, p. 1100. 1925.
1909, by type and district. B.P.I. Bul. 244, pp. 98-100. 1912.
1909-1911, by type and district. Stat. Cir. 27, pp. 1-8. 1912.
1913, estimate. F.B. 570, pp. 8, 9-10, 11, 16, 30. 1913.
1913, 1914, by States, estimates. F.B. 645, p. 35. 1914.
adaptability to—
Cecil clay. Soils Cir. 28, pp. 10-11. 1911.
Cecil sandy loam. Soils Cir. 27, pp. 11-12, 13, 16. 1911.
Penn loam, eastern United States. Soils Cir. 56, pp. 6, 7. 1912.
adaptation to intensive methods. Y.B., 1908, p. 405. 1909; Y.B. Sep. 490, p. 405. 1909.
air-curing, process, stages, favorable conditions, and difficulties. B.P.I. Bul. 143, pp. 12-22. 1909.
Algerian, growing. B.P.I. Bul. 80, p. 85. 1905.
analysis(es)—
composition of leaf web, vein, and grain. J.A.R., vol. 7, pp. 275-276, 286. 1916.
Kissling method. Chem. Bul. 107, p. 32. 1907.
method. D.B. 79, pp. 10-11. 1914.
nicotine determination, new methods. B.P.I. Bul. 102, pp. 61-69. 1907.
and—
sulphur insecticide, analysis. Chem. Bul. 68, p. 52. 1902.
sulphur dip, cattle, directions for preparing. B.A.I. [Misc.], "Diseases of cattle," rev., p. 528. 1912.
tobacco seed, studies and value. Y.B., 1901, pp. 55, 56. 1902.
angular-leafspot disease, description and cause. J.A.R., vol. 16, pp. 219-228. 1919.

Tobacco—Continued.
aphids, carriers of mosaic disease. D.B. 40, pp. 27-28, 33. 1914.
arbitration, regulations. Sec. Cir. 154, pp. 27-28. 1920.
area restriction urged by Agriculture Department, note. News L., vol. 2, No. 11, p. 4. 1914.
aroma improvement, experiments. An. Rpts., 1909, p. 313. 1910; B.P.I. Chief Rpt., 1909, p. 61. 1909.
associations, membership. Off. Rec., vol. 3, No. 31, p. 4. 1924.
baling. Soils Bul. 29, p. 24. 1905.
Baltimore type, district demands, production and distribution. B.P.I. Bul. 244, pp. 49-55. 1912.
barn(s)—
construction. B.P.I. Bul. 143, pp. 27-30, 41-44, 47. 1909.
curing. Soils Bul. 29, pp. 20-22. 1905.
flue-heated, utilization for sweet-potato storage. Fred E. Miller. F.B. 1267, pp. 12. 1922.
management. Soils Bul. 37, pp. 19, 29. 1906.
management in curing shade-grown cigar-wrapper leaf. B.P.I. Bul. 143, pp. 38-39. 1909.
plans and description. Hawaii Bul. 15, pp. 8-14. 1908.
ventilation, methods practiced. F.B. 343, pp. 23-25. 1909.
bed(s)—
burner, description and use. F.B. 343, p. 8. 1909.
rot, control by formalin. O.E.S.F.I.L. 9, p. 11. 1907.
sterilization methods. F.B. 996, pp. 4-15. 1918.
beetle—
control—
by fumigation. F.B. 846, pp. 18-21. 1917.
by X-rays, experiments. D.B. 737, pp. 65-68. 1919.
in Porto Rico. An. Rpts., 1923, p. 589. 1924; S.R.S. Rpt., 1923, p. 37. 1923.
studies. Off. Rec., vol. 2, No. 10, p. 3. 1923.
damage, prevention. G. A. Runner. F.B. 846, pp. 23. 1917.
description—
Sec. [Misc.], "A manual * * * insects * * *," p. 214. 1917.
and control. Vir. Is. An. Rpt., 1922, pp. 17-18. 1923.
and habits. F.B. 1260, p. 37. 1922.
destruction by Roentgen rays. F.B. 846, pp. 21-22. 1917.
destructiveness. News L., vol. 6, No. 40, p. 11. 1919.
distribution and spread methods. D.B. 737, pp. 9-10. 1919.
food substances. D.B. 737, p. 5. 1919.
important pest in tobacco products. G. A. Runner and Adam G. Böving. D.B. 737, pp. 71. 1919.
in Porto Rico, study. P.R. An. Rpt., 1909, pp. 26-27. 1910.
injury(ies)—
description, and control methods. News L., vol. 5, No. 25, p. 5. 1918.
to cigars and cigarettes, description and control methods. News L., vol. 5, No. 25, p. 5. 1918.
to cigars, cigarettes, and tobacco. D.B. 737, pp. 2-4. 1919.
to food and other substances, list. D.B. 737, pp. 5-9. 1919.
to tobacco products, character and extent. F.B. 846, pp. 3-5. 1917.
to various products, examples. D.B. 737, pp. 7-9. 1919.
insect enemies. F.B. 846, pp. 13-14. 1917.
larger, food habits, description, and injury to tobacco. D.B. 737, pp. 7, 28. 1919.
life history, habits, and seasonal history. D.B. 737, pp. 10-27. 1919.
natural and remedial control. D.B. 737, pp. 30-53, 69. 1919.
other names, and habits. D.B. 737, pp. 1-2. 1919.
parasites. F.B. 846, p. 13. 1917.

INDEX TO PUBLICATIONS, 1901–1925   2423

Tobacco—Continued.
  beetle—continued.
    stages, description. D.B. 737, pp. 12–14. 1919.
    See also Cigarette beetle.
  best soils, descriptions and analyses. Soils Bul. 29, pp. 10–14. 1905.
  black leaf, extract, use—
    as spray for grape leafhopper, experiments. Ent. Bul. 97, pp. 8–12. 1913.
    on pear thrips. Ent. Bul. 80, pp. 64–65. 1912.
  black rot, cause and control. S.R.S. Rpt., 1922, p. 41. 1924; Work and Exp., 1914, p. 248. 1915.
  black rust, cause and characters. J.A.R., vol. 23, pp. 489–490. 1923.
  blue mold—
    control in Georgia-Florida district. Erwin F. Smith and R. E. B. McKenney. D.C. 176, pp. 4. 1921.
    name of tobacco mildew in Australia. D.C. 174, p. 4. 1921.
    present status in Georgia-Florida district. Erwin F. Smith and R. E. B. McKenney. D.C. 181, pp. 4. 1921.
  bollworm control by sifting lead arsenate and meal, method and use rate. F.B. 872, p. 14. 1917.
  boxes, woods used in making. D.B. 884, pp. 11, 24. 1920.
  Brazilian, growing and value. B.P.I. Bul. 244, p. 98. 1912.
  breeding—
    A. D. Shamel and W. W. Cobey. B.P.I. Bul. 96, pp. 71. 1907.
    experiments in Connecticut. O.E.S. An. Rpt., 1911, p. 85. 1912.
    improvement—
      by selection. Archibald D. Shamel. Y.B. Sep. 358, pp. 18. 1905.
      new varieties. Y.B., 1907, p. 50. 1908.
    investigations—
      1906. An. Rpts., 1906, pp. 194–196. 1907.
      1910. An. Rpts., 1910, p. 317. 1911; B.P.I. Chief Rpt., 1910, p. 47. 1910.
      in Connecticut, 1914. Work and Exp., 1914, p. 76. 1915.
  Brewer hybrid, cultural directions. B.P.I. Doc. 427, p. 13. 1908.
  bright cigarette, growing on Norfolk sandy loam, North Carolina. Soils Cir. 45, p. 9. 1911.
  bright—
    flue-cured, localities where grown, and uses. Y.B., 1922, pp. 408, 409, 411, 412, 421, 422, 427. 1923; Y.B. Sep. 885, pp. 408, 409, 411, 412, 421, 422, 427. 1923.
    yellow, district in Virginia, North and South Carolina. Stat. Cir. 18, pp. 14–15. 1909.
    yellow, growing in North Carolina, Granville County. Soil Sur. Adv. Sh., 1910, pp. 13–17. 1912; Soils F.O., 1910, pp. 349–353. 1912.
  British. See Coltsfoot.
  broadleaf—
    description and growing directions. F.B. 571, rev., pp. 12, 13. 1920.
    growing, in New England, culture. B.P.I. Bul. 244, pp. 22–23. 1912.
    in Connecticut and Pennsylvania, cultural directions. B.P.I. Doc. 427, pp. 13. 1908.
  bud worm(s)—
    control—
      experiments. An. Rpts., 1914, p. 189. 1915; Ent. A.R., 1914, p. 7. 1914.
      methods. Ent. Bul. 67, p. 106. 1907.
      treatment, and saving per acre. News L., vol. 5, No. 24, p. 8. 1918.
      work, 1915. An. Rpts., 1915, p. 217. 1916; Ent. A.R., 1915, p. 7. 1915.
    description—
      distribution, life history, and control. A. C. Morgan and L. L. McDonough. F.B. 819, pp. 12. 1917.
      remedies, and cost of treating injury. Y.B., 1/10, pp. 281, 288–289. 1911; Y.B. Sep. 537, pp. 281, 288–289. 1911.
    habits and control. Y.B., 1922, p. 423. 1923; Y.B. Sep. 885, p. 423. 1923.
    identity with corn earworm. F.B. 1206, p. 3. 1921.
  bug. See Tobacco beetle.

Tobacco—Continued.
  bulk fermentation, methods, description. Soils Bul. 29, pp. 28–33. 1905.
  "bullets," danger in use, note. F.B. 393, p. 15. 1910.
  Burley—
    conditions, 1911. Stat. Cir. 27, p. 5. 1912.
    cost of production. Off. Rec., vol. 1, No. 28, p. 2. 1922.
    curing, assorting, and packing, methods. F.B. 523, pp. 15–16. 1913.
    district, yield. Stat. Cir. 18, pp. 9–10. 1909.
    grades, relative value. F.B. 343, p. 26. 1909.
    growing and curing. O.E.S. Bul. 99, p. 106. 1901.
    growing, localities and uses. Y.B., 1922, pp. 409, 411, 412, 418, 421, 427. 1923; Y.B. Sep. 885, pp. 409, 411, 412, 418, 421, 427. 1923.
    harvesting, curing, assorting, and packing. B.P.I. Bul. 143, pp. 39–40. 1909.
    importance in loose-leaf markets, increase since 1879. B. P. I. Bul. 268, pp. 28, 29–30, 39–41, 42, 45, 53. 1913.
    investigations, program for 1915. Sec. [Misc.], "Program of work * * *, 1915," pp. 117–119. 1914.
    origin, development, districts, uses, and demand. B.P.I. Bul. 244, pp. 70–85. 1912.
    origination, history. Y.B., 1907, p. 232. 1908; Y.B. Sep. 466, p. 232. 1908.
    production and yield. B.P.I. Cir. 48, p. 8. 1910.
    root-rot resistant. News L., vol. 6, No. 38, p. 15. 1919.
  burning quality—
    improvement, studies in North and South Carolina. E. H. Mathewson. B.P.I. Doc. 629, pp. 4. 1910.
    relation to composition of grain. J.A.R., vol. 7, pp. 276–284. 1916.
    relation to composition of leaf. Wightman W. Garner. B.P.I. Bul. 105, pp. 25. 1907.
    suggestions for improvement in flue-cured types of eastern North Carolina and South Carolina. E. H. Mathewson. B.P.I. Doc. 629, pp. 4. 1910.
  by-products, utilization. Y.B., 1922, p. 454. 1923; Y.B. Sep. 885, p. 454. 1923.
  calico disease, nature and control. S.R.S. Rpt., 1916, Pt. I, p. 82. 1918.
  chemical composition in Kentucky, Shelby County. Soil Sur. Adv. Sh., 1916, p. 55. 1919; Soils F.O., 1916, p. 1465. 1921.
  chewing—
    smoking, snuff, and export types. Stat. Cir. 27, pp. 5–7. 1912.
    snuff, and export types, report for July 1, 1912. Stat. Cir. 38, pp. 5–7. 1912.
  Chinese, importations and description. Nos. 40741, 40742, B.P.I. Inv. 43, p. 74. 1918.
  chlorosis—
    due to magnesium deficiency. W. W. Garner and others. J.A.R., vol. 23, pp. 27–40. 1923.
    types from various causes, comparisons. J.A.R. vol. 23, pp. 35–36. 1923.
  cigar—
    burning quality, methods of testing. Wightman W. Garner. B.P.I. Bul. 100, Pt. IV, pp. 31–40. 1907.
    districts—
      investigations. An. Rpts., 1911, p. 296. 1912; B.P.I. Chief Rpt., 1911, p. 48. 1911.
      yield. Stat. Cir. 18, pp. 5–9. 1909.
    growing, seed bed preparation and fertilizers. F.B. 571, rev., pp. 4–14. 1920.
    harvesting, curing, stripping, and assorting. B.P.I. Bul. 143, pp. 27–36. 1909.
    industry, development and distribution. B.P.I. Bul. 244, pp. 21–28. 1912.
    investigations. An. Rpts., 1910, pp. 316–317. 1911; B.P.I. Chief Rpt., 1910, pp. 46–47. 1910.
    leaf—
      curing, use of artificial heat. W. W. Garner. B.P.I. Bul. 241, pp. 25. 1912.
      injury by tobacco flea-beetle in South. F.B. 1352, pp. 1–10. 1923.
      leading States in production. F.B. 416, p. 5. 1910.

Tobacco—Continued.
cigar—continued.
leaf—continued.
opportunities for production in east Texas and Alabama. Milton Whitney. Soils Cir. 14, pp. 4. 1904.
production in Pennsylvania. William Frear and E. K. Hibshman. F.B. 416, pp. 24. 1910; rev., pp. 20. 1921.
wrapper, and binder types, growing details. F.B. 571, rev., pp. 4-14. 1920.
production area, curing methods. F.B. 523, pp. 10-15. 1913.
States producing. B.P.I. Bul. 143, p. 27. 1909.
types—
areas of production. B.P.I. Cir. 48, pp. 5-7. 1910.
conditions, 1911. Stat. Cir. 27, pp. 3-4. 1912.
cultural directions. B.P.I. Doc. 427, pp. 4-14. 1908.
importance in industry, and distribution. B.P.I. Cir. 48, pp. 4, 5. 1910.
marketing. Rpt. 98, pp. 160-161. 1913.
report by States for July 1, 1912. Stat. Cir. 38, pp. 4-5. 1912.
used in making, and sources of supply. Y.B., 1922, pp. 408-409, 417, 421, 449-450. 1923; Y.B. Sep. 885, pp. 408-409, 417, 421, 449-450. 1923.
varieties and types, growing, details. F.B. 571, pp. 2-10. 1914.
work in various States. An. Rpts., 1909, pp. 311-313. 1910; B.P.I. Chief Rpt., 1909, pp. 59-61. 1909.
wrapper—
leaf, methods of experimenting. E. H. Jenkins. O.E.S. Bul. 99, pp. 102-106. 1901.
leaf, shade-grown, harvesting and curing. B.P.I. Bul. 143, pp. 36-39. 1909.
molds affecting, experiments. D.B. 109, pp. 1-6. 1914.
production under shade, Connecticut Valley. J. B. Stewart. B.P.I. Bul. 138, pp. 31. 1908.
cigarette—
acreage and demand. Off. Rec., vol. 3, No. 18, p. 3. 1924.
growing in Florida. Off. Rec., vol. 2, No. 50, p. 5. 1923.
classes and types, definition. F.B. 571, pp. 1-2. 1914; rev., p. 4. 1920.
classification in warehouses. Sec. Cir. 154, pp. 24-25. 1920.
color, effects of fertilizer. Y.B., 1908, pp. 407, 408. 1909; Y.B. Sep. 490, pp. 407, 408. 1909.
competition with sugar beets. D.B. 995, pp. 33-34. 1921.
composition, changes in curing, discussion and tables. D.B. 79, pp. 17-29. 1914.
Connecticut—
industry, studies. Off. Rec., vol. 4, No. 29, p. 3. 1925.
shade-grown, catalogue. Soils [Misc.], "Catalogue of Connecticut * * *," pp. 26. 1902.
Connecticut-Havana—
growing directions. F.B. 571, rev., pp. 6-12. 1920.
seed, growing. F.B. 571, pp. 2-8. 1914.
consumption—
analysis of facts, and percentage of crop. Y.B., 1919, pp. 165-168. 1920; Y.B. Sep. 805, pp. 165-168. 1920.
in manufacturing and export. B.P.I. Bul. 268, pp. 12, 65-67. 1913.
in United States. Off. Rec., vol. 2, No. 46, p. 5. 1923.
per capita increase, discussion. Y.B., 1922, pp. 450-454, 465. 1923; Y.B. Sep. 885, pp. 450-454, 465. 1923.
content of nitrogen, phosphorus, and potassium, in Kentucky, Muhlenberg County. Soil Sur. Adv. Sh., 1920, p. 959. 1924; Soils F.O., 1920, p. 959. 1925.
Cooley hybrid, cultural directions. B.P.I. Doc. 427, pp. 10-12. 1908.
cooperative—
associations, membership. Off. Rec., vol. 3, No. 24, p. 3. 1924.
planting experiments ,Alabama. Soils Bul. 37, pp. 1-32. 1906.

Tobacco—Continued.
cost of production—
items and relation to yield. Y.B., 1922, pp. 425-431. 1923; Y.B. Sep. 885, pp. 425-431. 1923.
labor and materials, requirements per acre. Y.B., 1921, pp. 812, 826. 1922; Y.B. Sep. 876, pp. 9, 23. 1922.
crop—
1911, by types and districts. J. P. Killebrew. Stat. Cir. 27, pp. 8. 1912.
1912, by types and districts. J. P. Killebrew. Stat. Cir. 43, pp. 8. 1913.
commercial importance in Eastern States. B.P.I. Cir. 48, p. 3. 1910.
effect of fertilizing with raw rock phosphate. D.B. 699, p 4. 1918.
losses, extent and causes, 1909-1921. Y.B., 1922, p. 728. 1923; Y.B. Sep. 884, p. 728. 1923.
statistics—
1900 and 1901. Y.B., 1904, p. 688. 1905.
1900-1904 and 1900-1905. Y.B., 1905, pp. 714-715, 716-717. 1906; Y.B. Sep. 404, pp. 714-715, 716-717. 1906.
1900-1905. Y.B., 1905, pp. 714-715, 716-717. 1906.
1901-1905. Y.B., 1906, pp. 605-607. 1907; Y.B. Sep. 436, pp. 605-607. 1907.
1902-1906. Y.B., 1907, pp. 673-674. 1908; Y.B. Sep. 465, pp. 673-674. 1908.
1903-1907 and 1612-1908. Y.B., 1908, pp. 678-679, 681-689. 1909; Y.B. Sep. 498, pp. 678-679, 681-689. 1909.
1904-1908 and 1612-1909. Y.B., 1909, pp. 513-514. 1910; Y.B. Sep. 524, pp. 520-521, 525-533. 1910.
1905-1909 and 1612-1910. Y.B., 1910, pp. 585-586. 1911; Y.B. Sep. 553, pp. 585-586, 702-710. 1911; Y.B. Sep. 555, pp. 577-578. 1911.
1906-1910. Y.B., 1911, pp. 583-584. 1912; Y.B. Sep. 587, p. 583. 1912.
1907-1911. Y.B., 1912, pp. 625-626. 1913; Y.B. Sep. 614, pp. 625-626. 1913.
1910-1912. Y.B., 1913, p. 427. 1914; Y.B. Sep. 630, p. 427. 1914.
United States, 1612-1911. Stat. Cir. 33, pp. 12. 1912.
crosspollination, prevention by bagging seed. B.P.I. Doc. 427, pp. 3-5. 1908.
crown-gall inoculation from daisy. B.P.I. Bul. 213, p. 30 1911.
Cuban—
and other, soil survey in Texas, California, and other States. Y.B., 1901, p. 125. 1902.
cigar filler—
adaptability to Orangeburg fine sandy loam. Soils Cir. 46, pp. 10, 15, 19. 1911.
growing on Orangeburg fine sand. Soils Cir. 48, pp. 12-13, 14. 1911.
growing on Orangeburg sandy loam. Soils Cir. 47, pp. 8, 11, 12. 1911.
experiments, 1904, review by Secretary. Rpt. 79, p. 63. 1904.
growing—
directions. F.B. 571, rev., pp. 12, 14. 1920.
in Alabama, Conecuh County, yields, etc. Soil Sur. Adv. Sh., 1912, pp. 24, 30. 1914; Soils F. O., 1912, pp. 772, 778. 1915.
planting, fertilizing, harvesting, etc. F.B. 571, pp. 9-10. 1914.
raising in Pennsylvania, problem. Y. B., 1901, p. 124. 1902.
seed—
cost of production in Ohio. Soils Bul. 29, pp. 25-27. 1905.
growing, details of work, 1904. Soils Bul. 27, pp. 17-20. 1905.
growing in Alabama, experiments. George T. McNess and Lewis W. Ayer. Soils Bul. 37, pp. 32. 1906.
growing in Ohio. Soils Bul. 29, pp. 17-20. 1905.
growing in Texas, experiments. George T. McNess and Walter M. Hinson. Soils Bul. 27, pp. 44. 1905.
varieties, cultural directions. B.P.I. Doc. 427, pp. 5-8, 10-14. 1908.

INDEX TO PUBLICATIONS, 1901-1925   2425

Tobacco—Continued.
cultivation—
brief directions, 1909. B.P.I. Doc. 427, pp. 24. 1908.
curing and handling. Soils Bul. 46, pp. 21–40. 1907.
in Hawaii. J. G. Smith and C. R. Blacow. Hawaii Bul. 15, pp. 29. 1908.
in Kentucky and Tennessee. W. H. Scherffius and others. F.B. 343, pp. 28. 1909.
plowing, deep and shallow, recommendations. Y.B., 1905, p. 227. 1906; Y.B. Sep. 378, p. 227. 1906.
cultural—
methods, Pennsylvania, suggestions. F.B. 416, pp. 9–15. 1910; rev., pp. 19–20. 1921.
notes. B.P.I. Bul. 244, pp. 22, 39, 52, 65, 94–95. 1912.
culture—
W. W. Garner. F.B. 571, pp. 15. 1914; rev., pp. 24. 1920.
early development and distribution. B.P.I. Cir. 48, p. 4. 1910.
extension and improvement, work of Soils Bureau. An. Rpts., 1907, pp. 77–78. 1908; Rpt. 85, p. 57. 1907; Sec. A.R., 1907, pp. 75–76. 1907; Y.B., 1907, pp. 76–77. 1908.
history and status. W. W. Garner and others. Y.B., 1922, pp. 395–468. 1923; Y.B. Sep. 885, pp. 395–468. 1923.
in Porto Rico. O.E.S. An. Rpt. 1904, pp. 410–424. 1905.
intensive methods—
and rotation of crops. E. H. Mathewson. Y.B., 1908, pp. 403–420. 1909; Y.B. Sep. 490, pp. 403–420. 1909.
directions. Y.B., 1908, pp. 415–416. 1909; Y.B. Sep. 490, pp. 415–416. 1909.
large tracts, danger of financial loss. B.P.I. Cir. 48, p. 3. 1910.
cured and manufactured, insects injurious, control. Y.B., 1910, pp. 282, 291–292, 296. 1911; Y.B. Sep. 537, pp. 282, 291–292, 296. 1911.
curing—
W. W. Garner. F.B. 523, pp. 24. 1913.
artificial heat, discovery of new process. B.P.I. Cir. 48, p. 4. 1910.
different varieties. B.P.I. Doc. 427, pp. 9, 12, 14, 17, 18, 21, 22, 24. 1908.
early methods. Soils Bul. 46, pp. 7–9. 1907.
effect on color. Y.B., 1905, pp. 228–229. 1906; Y.B., Sep. 378, pp. 228–229. 1906.
effects of temperature and moisture. D.B. 79, pp. 36–39. 1914.
improved methods. An. Rpts., 1908, pp. 344–345. 1909; B.P.I. Chief Rpt., 1908, pp. 72–73. 1908.
methods of—
applying heat. B.P.I. Bul. 143, pp. 20–21, 22, 25, 42–44. 1909.
arranging leaves, comparison. B.P.I. Bul. 143, pp. 10–12. 1909.
principles and practical methods. W. W. Garner. B.P.I. Bul. 143, pp. 54. 1909.
processes, air, flue, and fire, details. B.P.I. Bul. 143, pp. 12–25. 1909.
relation to grain development and burning quality. J.A.R., vol. 7, pp. 284–286. 1916.
sheds and methods in Pennsylvania. F.B. 416, pp. 17–21. 1910.
stripping, grading, and marketing methods. F.B. 343, pp. 23–28. 1909.
cutting—
and housing date, graph. D.C. 183, p. 49. 1922.
curing and grading in North Carolina, Granville County. Soil Sur. Adv. Sh., 1910, pp. 15–16. 1912; Soils F.O., 1910, pp. 351–352. 1912.
methods. F.B. 571, pp. 7–8, 9, 10, 12, 13. 1914.
cutworms. See Cutworms, tobacco.
dampening cellar. F.B. 416, rev., pp. 17–18. 1921.
dark—
culture experiments, fertilizers, and rotations. F.B. 381, pp. 11–12. 1909.
districts of Kentucky, Tennessee, and Virginia. Stat. Cir. 18, pp. 10–13, 14. 1909.

Tobacco—Continued.
dark—continued.
export—
adaptability to Clarksville silt loam. Soils Cir. 30, pp. 11, 14. 1911.
growing, and yield, Coffee County, Tennessee. Soil Sur. Adv. Sh., 1908, pp. 12–13. 1910; Soils F.O., 1908, pp. 996–997. 1911.
harvesting and curing. B.P.I. Doc. 427, pp. 14–19. 1908.
fire-cured—
and air-cured, localities where grown. Y.B., 1922, pp. 406, 411, 418, 427. 1923; Y.B. Sep. 885, pp. 406, 411, 418, 427. 1923.
of Virginia, possibilities for its improvement. George T. McNess and E. H. Mathewson. Y. B.,1905, pp. 219–230. 1906; Y.B. Sep. 378, pp. 13. 1906.
shipping, type, Virginia, improvement. Soils Bul. 46, pp. 1–40. 1907.
dealers, letters on fermentation methods. Soils Bul. 29, pp. 37–38. 1905.
decoction, corn soaking for protection against burrowing animals. F.B. 405, p. 8. 1910.
decoctions, use in spraying hop aphids. Ent. Bul. 111, pp. 23, 24–27. 1913.
dip for scabies in sheep, nicotine content, per cent. B.A.I.O. 143, amdt. 5, p. 1. 1911.
dips for sheep scab, with and without sulphur. F.B. 527, p. 19. 1913.
diseases—
and insect enemies, and their control. F.B. 571, rev., pp. 21–24. 1920.
and insect enemies in flue-cured district, control methods, studies. D.B. 16, pp. 25–27. 1913.
and their control. James Johnson. D.B. 1256, pp. 56. 1924.
bibliography. D.B. 1256, pp. 50–56. 1924.
causes, study. An. Rpts., 1915, p. 147. 1916; B.P.I. Chief Rpt., 1915, p. 5. 1915.
control—
P.R. An. Rpt., 1907, pp. 15, 18. 1908.
by cultural methods. Sec. A.R., 1909, p. 76. 1909; Y.B., 1909, p. 76. 1910.
studies. An. Rpts., 1918, p. 156. 1919; B.P.I. Rpt., 1918, p. 22. 1918; S.R.S. Rpt., 1917, Pt. I, pp. 42, 43, 79, 142, 265, 281. 1918.
suggestions. Y.B., 1922, pp. 414, 423–425. 1923; Y.B. Sep. 885, pp. 414, 423–425. 1923.
work. Off. Rec. vol. 2, No. 50, p. 2. 1923.
dangerous, appearance in the United States. Erwin F. Smith and R. E. B. McKenney. D.C. 174, pp. 6. 1921.
description and control methods. F.B. 416, pp. 19, 22–23. 1910.
in foreign countries, causes. D.B. 1256, pp. 48–49. 1924.
in Guam, report. Guam A.R., 1917, p. 56. 1918.
similar to halo-blight of oats. J.A.R., vol. 19, pp. 169–170. 1920.
spread by insects. D.B. 40, pp. 27–28, 33. 1914.
studies by experiment stations, results. Work and Exp., 1921, p. 63. 1923.
study in 1923. Work and Exp., 1923, pp. 46–47. 1925.
districts—
and types. J. P. Killebrew. Stat. Bul. 18, pp. 16. 1909.
grouping, outline of work, 1909. An. Rpts., 1909, pp. 309–313. 1910; B.P.I. Chief Rpt., 1909, pp. 57–61. 1909.
in each State, types and acreage. Y.B., 1918, p. 687. 1919; Y.B. Sep. 795, p. 23. 1919.
dominant crop, rotations. Y.B., 1908, p. 357. 1909; Y.B. Sep. 487, p. 357. 1909.
dust—
as insecticide, misbranding. I. and F. Bd. S.R.A. 17, pp. 303, 306. 1917.
ingredients. I. and F. Bd. S.R.A. 2, p. 27. 1914.
use against—
cucumber beetle. F.B. 1038, p. 17. 1919.
hop flea-beetles. Ent. Bul. 82, p. 54. 1912.
striped cucumber beetle. Ent. Cir. 31, rev., p. 7. 1906.
sucking insects. F.R. 1362, p. 8. 1924.

Tobacco—Continued.
dust—continued.
use as insecticide, investigations. An. Rpts., 1917, p. 413. 1917; F.B. 908, p. 42. 1918; I. and F. Bd. A.R., 1917, p. 3. 1917.
use in—
control of western cabbage flea-beetle. D.B. 902, pp. 18, 20. 1920.
mite control. D.B. 1228, pp. 4, 9. 1924.
wireworm control, experiments. D.B. 78, p. 26. 1914.
use on—
pineapple plants. P.R. Bul. 8, pp. 17, 38. 1909.
rose beds to control strawberry rootworm. F.B. 1344, p. 12. 1923.
effect of—
common salt on soil. Y.B., 1901, p. 165. 1902.
soil and climate on character. B.P.I. Cir. 48, pp. 4, 5. 1910.
effectiveness against chicken lice and dog fleas. D.B. 888, pp. 6, 8, 12, 14. 1920.
estimates, 1910–1922. M.C. 6, p. 12. 1923.
European Turkey, area and production. Stat. Cir. 19, p. 11. 1911.
Exchange, Louisville, organization and methods. B.P.I. Bul. 268, pp. 58–60. 1913.
experiment(s)—
Hamakua, Hawaii. O.E.S. An. Rpt., 1904, pp. 366–369. 1905.
by Bureau of Soils, 1904, review by Secretary. Rpt. 79, pp. 62–65. 1904.
in Hawaii, 1905. O.E.S. Bul. 170, pp. 13–22. 1906.
in Porto Rico. P.R. An. Rpt., 1907, pp. 11–12. 1908.
stations at Windsor, Conn. Off. Rec., vol. 1, No. 9, p. 3. 1922.
experts, offers of liberal pay. Y.B., 1901, p. 114. 1902.
export(s)—
1619–1914, and foreign trade, discussion. D.B. 296, pp. 32–33, 49. 1915.
1849–1920. Y.B., 1920, pp. 650, 776, 778, 790, 795. 1921; Y.B. Sep. 862, pp. 650, 776, 778, 790, 795. 1921; Y.B. Sep. 864, pp. 18, 20, 22, 32, 37. 1921.
1851–1908. Stat. Bul. 75, pp. 6, 7, 14, 61. 1910.
1852–1914. Y.B., 1914, pp. 585, 665, 668, 681. 1915; Y.B. Sep. 655, p. 585. 1915; Y.B. Sep. 657, pp. 665, 668, 681. 1915.
1852–1915, 1912–1914, and 1913–1915. Y.B., 1915, pp. 478, 553, 557, 564, 569. 1916; Y.B. Sep. 683, p. 478. 1916; Y.B. Sep. 685, pp. 553, 557, 564, 569. 1916.
1852–1916 and 1914–1916. Y.B., 1916, pp. 634, 720, 724, 736. 1917; Y.B. Sep. 720, p. 24. 1917; Y.B. Sep. 722, pp. 14, 16, 18, 36. 1917.
1852–1917. Y.B., 1917, pp. 680, 774, 776, 779, 788, 793. 1918; Y.B. Sep. 760, p. 28. 1918; Y.B. Sep. 762, pp. 18, 20, 23, 32, 37. 1918.
1852–1918. Y.B., 1918, pp. 544, 635, 641, 643, 645, 653, 658. 1919; Y.B. Sep. 792, p. 40. 1919; Y.B. Sep. 794, pp. 17, 19, 21, 29, 34. 1919.
1852–1919. Y.B., 1919, pp. 601, 697, 699, 701, 709, 714. 1920; Y.B. Sep. 827, p. 601. 1920; Y.B. Sep. 829, pp. 697, 699, 701, 709, 714. 1920.
1852–1920. Y.B., 1921, pp. 624, 748, 752, 757, 762, 774. 1921; Y.B. Sep. 869, p. 44. 1921; Y.B. Sep. 871, p. 12. 1921.
1852–1921. Y.B., 1922, pp. 729, 960, 961, 964, 969, 975. 1923; Y.B. Sep. 880, pp. 960, 961, 964, 969, 975. 1923; Y.B. Sep. 884, p. 729. 1923.
1849–1923. Y.B., 1923, pp. 865, 872, 1110, 1111, 1114, 1118, 1125. 1924; Y.B. Sep. 901, pp. 865, 872. 1924; Y.B. Sep. 905, pp. 1110, 1111, 1114, 1118, 1125. 1924.
1896–1900. Y.B., 1900, pp. 852, 857. 1901.
1897–1901. Y.B., 1901, pp. 805, 810. 1902.
1898–1902. Y.B., 1902, pp. 869, 875. 1903.
1899–1903. Y.B., 1903, p. 699. 1904.
1900–1904. Y.B., 1904, p. 740. 1905.
1900–1905. Y.B., 1905, pp. 715, 781. 1906.
1901–1906. Y.B., 1906, pp. 608, 689. 1907; Y.B. Sep. 436, pp. 608, 689. 1907.
1901–1924. Y.B., 1924, pp. 821, 828, 1046, 1051, 1054, 1071, 1072, 1073, 1075, 1086. 1925; Y.B. Sep. 908, pp. 821, 828. 1925; Y.B. Sep. 911, pp. 1046, 1051, 1054, 1071, 1072, 1073, 1075, 1086. 1925.

Tobacco—Continued.
export(s)—continued.
1902–1904. Stat. Bul. 36, pp. 86–87. 1905.
1902–1907. Y.B., 1907, pp. 675, 755. 1908; Y.B. Sep. 465, pp. 675, 755. 1908.
1903–1908. Y.B., 1908, pp. 690, 771. 1909; Y.B. Sep. 498, pp. 690, 771. 1909.
1904–1909. Y.B., 1909, pp. 517, 617. 1910; Y.B. Sep. 524, pp. 524, 633. 1910.
1905–1910. Y.B., 1910, pp. 588, 673. 1911; Y.B. Sep. 553, pp. 588, 673. 1911; Y.B. Sep. 555, p. 581. 1911.
1906–1911. Y.B., 1911, pp. 588, 676. 1912; Y.B. Sep. 587, pp. 588, 676. 1912; Y.B. Sep. 588, p. 676. 1912.
1907–1912. Y.B., 1912, pp. 630, 735. 1913; Y.B. Sep. 614, pp. 630, 735. 1913.
1910–1912. Y.B., 1913, pp. 431, 506. 1914; Y.B. Sep. 630, p. 431. 1914; Y.B. Sep. 631, p. 500. 1914.
1910–1923. An. Rpts., 1923, p. 93. 1924; Sec. A.R., 1923, p. 93. 1923.
and manufacturing varieties, description. F.B. 571, pp. 10–15. 1914.
demands for different types. B.P.I. Bul. 244, pp. 34–37, 61–62, 77. 1912.
from Porto Rico, 1910. P.R. An. Rpt., 1910, pp. 9–10. 1911.
growing and yield on Hagerstown clay. Soils Cir. 64, p. 10. 1912.
harvesting, curing, and handling. B.P.I. Bul. 143, pp. 48–50. 1909.
types—
F.B. 343, pp. 27–28. 1909.
cultural directions, harvesting, and curing. B.P.I. Doc. 427, pp. 14–23. 1908.
growing and harvesting. F.B. 571, pp. 10–15. 1914.
varieties, growing details, seed beds, and fertilizers. F.B. 571, rev., pp. 14–20. 1920.
extract(s)—
addition to arsenical sprays, effects. J.A.R., vol. 24, pp. 522, 524–525. 1923.
adulteration and misbranding. Insect. S.R.A. 8, pp. 11–12. 1915.
analyses. Chem. Bul. 68, pp. 46–47. 1902; Chem. Bul. 76, p. 48. 1903; Chem. Bul. 81, pp. 203–204. 1904; Chem. Bul. 73, pp. 165–166. 1903.
and nicotin solutions, nicotin in, determination. Robert M. Chapin. B.A.I. Bul. 133, pp. 22. 1911.
composition. Chem. Bul. 76, p. 48. 1903.
insecticide, analysis. Chem. Bul. 68, pp. 46–47. 1902.
nicotine determination, improved method. O. M. Shedd. J.A.R., vol. 24, pp. 961–970. 1923.
preparation and use in insect control. Guam Bul. 2, p. 20. 1922.
spraying orange thrips, experiments. Ent. Bul. 99, pp. 10–12. 1911.
use—
against insects in Porto Rico. P.R. Cir. 17, p. 14. 1918.
in control of walnut aphids, formulas. D.B. 100, pp. 40–45. 1914.
in spraying grape leafhopper, methods and cost. Ent. Bul. 116, Pt. I, pp. 2–9. 1912.
in vineyard sprays. Ent. Bul. 116, Pt. II, p. 64. 1912.
in wireworm control, experiments. D.B. 78, p. 26. 1914.
with lime-sulphur, spraying orange thrips, experiments. Ent. Bul. 99, pp. 12–13. 1911.
factories, beetle infestation, sources. D.B. 737, pp. 54, 68. 1919.
farming, early and present conditions. Y.B., 1908, pp. 403–404. 1909; Y.B. Sep. 490, pp. 403–404. 1909.
farms, value per acre by States and Territories, 1900–1905. Stat. Bul 43, pp. 12, 15–16, 17, 20, 32, 33, 42. 1906.
feeding, sheep and lambs for worms, unsuccessful. B.A.I. An. Rpt., 1908, pp. 277–278. 1910; B.A.I. Cir. 157, pp. 9–10. 1910.
fermentation. P.R. An. Rpt., 1909, p. 16. 1908; Soils Bul. 29, pp. 22–23. 1905.

Tobacco—Continued.
fertilizer(s)—
F.B 571, pp. 4–5, 9–13. 1914; F.B. 571, Rev., pp. 7–8, 16. 1920; Off. Rec. vol. 2, No. 21, p. 6. 1923; Soils Bul. 46, pp. 14–16. 1907; Y.B., 1905, pp. 222–227. 1906; Y.B. Sep. 378, pp. 222–227. 1906.
composition and quantity per acre for different varieties. B.P.I. Doc. 427, pp. 6, 8, 10, 11, 13, 15, 16, 20, 23. 1908.
desirable constituents. B.P.I. Bul. 105, p. 24. 1907.
effect of lime, studies. Work and Exp., 1913–14, p. 235. 1915.
experiments. B.P.I. Chief Rpt., 1925, pp. 25–26. 1925.
experiments, Red Lion, Pa., results on burning quality. J.A.R., vol. 7, pp. 278–284. 1916.
formulas. F.B. 381, pp. 10, 11. 1909.
formulas, effects of different ingredients. Y.B., 1908, pp. 406–409. 1909; Y.B., Sep. 490, pp. 406–409. 1909.
home-mixed and factory-mixed, formulas. Y.B., 1905, pp. 225–226. 1906; Y.B. Sep. 378, pp. 225–226. 1906.
investigations and results. News L., vol. 2, No. 31, p. 3. 1915.
rate and kind, relation to soil conditions. Y.B., 1922, pp. 420–421. 1923; Y.B. Sep. 885, pp. 420–421. 1923.
relation to root rot, studies. J.A.R., vol. 17, pp. 53–60. 1919.
requirements, and composition of various brands. Soils Bul. 58, pp. 9, 19, 22, 30. 1910.
studies. S.R.S. Rpt. 1915, Pt. I, p. 230. 1917.
tests. An. Rpts., 1919, p. 167. 1920; B.P.I. Chief Rpt., 1919, p. 31. 1919; Soils Bul. 67, pp. 31–34. 1910.
fields—
Connecticut, fertilizing value of hairy vetch for. T. R. Robinson. B.P.I. Cir. 15, pp. 5. 1908.
cover crop. F.B. 237, pp. 13–14. 1905.
fertilizer, value of hairy vetch in Connecticut. T. R. Robinson. B.P.I. Cir. 15, pp. 5. 1908.
treatment for blue mold disease. D.C. 176, p. 3. 1921.
trials with feldspar as fertilizer. B.P.I. Bul. 104, pp. 24–25. 1907.
filler, soils investigations. Rpt. 73, pp. 56–57. 1902.
fire-cured, Virginia, improvement. George T. McNess and others. Soils Bul. 46, pp. 40. 1907.
fire-curing, process. B.P.I. Bul. 143, p. 25. 1909.
flavor and aroma, studies. An. Rpts., 1908, pp. 344–345. 1909; B.P.I. Chief Rpt., 1908, pp. 72–73. 1908.
flavoring, prohibition, Great Britain, note. B.P.I. Bul. 244, p. 77. 1912.
flea beetle—
control. Ent. Bul. 67, p. 107. 1907.
description, injuries, and control measures. Ent. Cir. 123, pp. 3–6, 17. 1910.
(*Epitrix parvula*) description and remedies. Hawaii Bul. 10, pp. 5–7. 1905.
in—
dark fire-cured tobacco districts of Kentucky and Tennessee. A. C. Morgan and J. U. Gilmore. F.B. 1425, pp. 12. 1924.
Hawaii, description and remedies. Hawaii Bul. 34, pp. 16–17. 1914.
Kentucky and Tennessee. A. C. Morgan and J. U. Gilmore. F.B. 1425, pp. 12. 1924.
southern cigar-wrapper district. F. S. Chamberlin and J. N. Tenhet. F.B. 1352, pp. 10. 1923.
injuries, prevention, and remedies. Y.B., 1910, pp. 281, 282–283. 1911; Y.B. Sep. 537, pp. 281, 282–283. 1911.
life history studies in southern cigar-wrapper district: F. S. Chamberlin and others. J.A.R., vol. 29, pp. 575–584. 1924.
flue-cured—
annual production and distribution. D.B. 16, pp. 1–3. 1913.
cultural directions. F.B. 571, rev., pp. 18–19. 1920.
culture. E. H. Mathewson. D.B. 16, pp. 36. 1913.

Tobacco—Continued.
flue-cured—continued.
description, distribution, soil requirements, harvesting, and curing. B.P.I. Doc. 427, pp. 20–22. 1908.
origin, acreage, demand, uses, grades, prices, and districts. B.P.I. Bul. 244, pp. 55–70. 1912.
sales, 1898–1909, Virginia, North Carolina, and South Carolina. B.P.I. Bul. 268, pp. 26–27. 1913.
seed bed, preparation and care. D.B. 16, pp. 18–20. 1913.
types, burning quality, improvement, suggestions. E. H. Mathewson. B.P.I. Doc. 629, pp. 4. 1910.
varieties—
and cultural directions. F.B. 571, rev., pp. 18–19. 1920.
description. D.B. 16, pp. 16–17. 1913.
growing, fertilizing, and harvesting. F.B. 571, pp. 13–14. 1914.
flue curing—
methods and results. F.B. 523, pp. 17–22. 1913.
process, management, and changes produced in leaf. B.P.I. Bul. 143, pp. 22–25. 1909.
foreign demand. Off. Rec., vol. 3, No. 16, p. 3. 1924.
frenching, causes and control. F.B. 571, rev. p. 23. 1920.
frost warnings, special stations. An. Rpts., 1913, p. 65. 1914; W.B. Chief Rpt., 1913, p. 3. 1913.
fumigation—
cost, comparison with hydrocyanic-acid gas. F.B. 880, p. 11. 1917.
for cigarette beetle, Porto Rico. An. Rpts. 1923, p. 589. 1924; S.R.S. Rpt., 1924, p. 37. 1923.
Fusarium wilt. James Johnson. J.A.R., vol. 20, pp. 515–536. 1921.
grade(s)—
and grading. B.P.I. Bul. 244, pp. 48, 63, 78–80 86, 90, 93. 1912.
establishment. Off. Rec., vol. 2, No. 39, p. 8. 1923.
grading in North Carolina, Granville County. Soils F.O., 1910, p. 352. 1912; Soil Sur. Adv. Sh., 1910, p. 16. 1912.
granulation method. B.P.I. Bul. 244, p. 61. 1912.
Green River, characteristics, grades, prices, and production. B.P.I. Bul. 244, pp. 85–87. 1912.
growers—
cooperative associations. Off. Rec., vol. 2, No. 27, p. 2. 1923.
in Kentucky, price schedule. B.P.I. Bul. 244, p. 79. 1912.
Protective Association, Interstate, Virginia and North Carolina, price scale. B.P.I. Bul. 244, p. 63. 1912.
growing—
and—
handling, investigations by Bureau of Soils. Soils Cir. 13, rev., pp. 11–12. 1905.
handling of seed. Y.B., 1901, p. 250. 1902.
manufacturing, Porto Rico. P.R. An. Rpt., 1912, p. 10. 1913.
marketing, financing methods. Y.B. 1922, pp. 431–433, 444–448. 1923; Y.B. Sep. 885, pp. 431–433, 444–448. 1923.
bibliography. O.E.S.F.I.L. 9, p. 15. 1907.
colonial history, increase, and changes in location. Y.B., 1919, pp. 151–158. 1920; Y.B. Sep. 805, pp. 151–158. 1920.
competition with sugar beets. D.B. 721, p. 32. 1918.
cropping system, relation to root rot. D.B. 765, pp. 1–2. 1919.
demonstration work, effect on yield. Y.B. 1915, p. 231. 1916; Y.B. Sep. 672, p. 231. 1916.
development before the Civil War. B.P.I. Bul. 268, pp. 33–38. 1913.
environment experiments. J.A.R., vol. 18, pp. 562–563, 576, 577, 579, 582, 599. 1920.
experimental work, in North Carolina. O.E.S. An. Rpt., 1912, pp. 57, 175, 176. 1913.
experiments in Guam. Guam A.R., 1918, pp. 40–44. 1919.

36167°—32——153

Tobacco—Continued.
  growing—continued.
    hand and machine labor, comparison, time, and cost. Stat. Bul. 94, pp. 67-68. 1912.
    historical notes on development, by decades. Y.B., 1922, pp. 399-405. 1923; Y.B. Sep. 885, pp. 399-405. 1923.
    illustrated lecture on, syllabus. J.N. Harper. O.E.S.F.I.L. 9, pp. 15. 1907.
    importance of vigorous seedlings, and care of seed beds. F.B. 996, pp. 3-7. 1918.
    in Alabama—
      Baldwin County. Soil Sur. Adv. Sh., 1909, pp. 15, 28, 30. 1911; Soils F.O., 1909, pp. 715, 728, 730. 1912.
      Crenshaw County. Soil Sur. Adv. Sh. 1921, pp. 387, 391, 401. 1924.
      Escambia County. Soil Sur. Adv. Sh., 1913, pp. 13, 23, 24. 1915; Soils F.O., 1913, pp. 835, 845, 846. 1916.
      Mobile County. Soil Sur. Adv. Sh., 1911. p. 21. 1912; Soils F.O., 1911, p. 875. 1914.
    in California, Middle San Joaquin Valley. Soil Sur. Adv. Sh., 1916, p. 27. 1919; Soils F.O., 1916, p. 2441. 1921.
    in Florida, Gadsden County. Soil Sur. Adv. Sh., 1903, pp. 334, 345, 348, 350, 351. 1904; Soils F.O., 1903, pp. 334, 345, 348, 350, 351. 1904.
    in Georgia, Grady County. Soil Sur. Adv. Sh., 1908, pp. 11, 22-26. 1909; Soils F.O., 1908, pp. 347, 358-362. 1911.
    in Germany, 1902-1911. Stat. Cir. 46, p. 16. 1913.
    in Guam—
      1916. Guam A.R., 1916, pp. 15-16. 1917.
      1919. Guam A.R., 1919, pp. 7, 34-35. 1921.
      1920. Guam A.R., 1920, p. 43. 1921.
      1921. Guam A.R., 1921, p. 21. 1923.
    in Hawaii, experiments, 1906. Hawaii A.R., 1906, p. 13. 1907.
    in Kentucky—
      Christian County. Soil Sur. Adv. Sh., 1912, pp. 8, 10-32. 1914; Soils F.O., 1912, pp. 1152, 1154-1176. 1915.
      Garrard County. Soil Sur. Adv. Sh., 1921, pp. 513, 517-518, 527-542. 1924.
      Jessamine County, acreage and yields. Soil Sur. Adv. Sh., 1915, pp. 8, 13, 14. 1916; Soils F.O., 1915, pp. 1270, 1275, 1282. 1919.
      Logan County. Soil Sur. Adv. Sh., 1919, pp. 10-12, 20-35, 55. 1922; Soils F.O., 1919, pp. 1206-1208, 1216-1231, 1251. 1925.
      Madison County. Soil Sur. Adv. Sh., 1905, p. 21. 1906; Soils F.O., 1905, p. 675. 1907.
      McCracken County. Soil Sur. Adv. Sh., 1905, pp. 17-18. 1906; Soils F.O., 1905, pp. 691-692. 1907.
      Muhlenberg County. Soil Sur. Adv. Sh., 1920, pp. 943-944, 949-954, 964. 1924; Soils F.O., 1920, pp. 943-944, 949-954, 964. 1925.
      Scott County. Soil Sur. Adv. Sh., 1903, pp. 7, 10, 12, 15. 1904; Soils F.O., 1903, pp. 624, 626, 628, 629. 1904.
      Shelby County. Soil Sur. Adv. Sh., 1916, pp. 12-15, 20-21, 36-52. 1919; Soils F.O., 1916, pp. 1422, 1424, 1425, 1430-1432, 1446-1457. 1921.
    in Maryland—
      Anne Arundel County. Soil Sur. Adv. Sh., 1909, pp. 9-10, 26, 28, 30. 1910; Soils F.O., 1909, pp. 275-276, 292, 294, 296. 1912.
      Charles County. Soil Sur. Adv. Sh., 1918, pp. 7-9, 14, 20, 26-32, 35, 39, 41, 46. 1922; Soils F.O., 1918, pp. 79-81, 86, 92, 98-104, 107, 111, 113, 118. 1924.
      Frederick County. Soil Sur. Adv. Sh., 1919, pp. 8, 10, 28, 65. 1922; Soils F.O., 1919, pp. 648, 650, 668, 705. 1925.
      Howard County. Soil Sur. Adv. Sh., 1916, pp. 8, 10, 21. 1917; Soils F.O., 1916, pp. 282, 284, 295. 1921.
      Montgomery County. Soil Sur. Adv. Sh., 1914, pp. 10, 21, 26. 1916; Soils F.O., 1914, pp. 397, 408, 409, 414. 1919.
    in Mississippi, Wilkinson County. Soil Sur. Adv. Sh., 1913, p. 15. 1915; Soils F.O., 1913, p. 963. 1916.

Tobacco—Continued.
  growing—continued.
    in Missouri—
      Bates County. Soil Sur. Adv. Sh., 1908, p. 13. 1910; Soils F.O., 1908, p. 1101. 1911.
      Buchanan County. Soil Sur. Adv. Sh., 1915, pp. 13, 26. 1917; Soils F.O., 1915, pp. 1817, 1830. 1919.
      Callaway County. Soil Sur. Adv. Sh., 1916, p. 12. 1919; Soils F.O., 1916, pp. 1978-1979. 1921.
      Chariton County. Soil Sur. Adv. Sh., 1918, pp. 9, 17. 1921; Soils F.O., 1918, pp. 1281, 1289. 1924.
      Cooper County. Soil Sur. Adv. Sh., 1909, p. 13. 1911; Soils F.O., 1909, p. 1275. 1912.
      Macon County, decline since 1874. Soil Sur. Adv. Sh., 1911, pp. 11, 14. 1913; Soils F.O., 1911, pp. 1683, 1686. 1914.
      Pike County, yields. Soil Sur. Adv. Sh., 1912, pp. 14, 16, 30. 1914; Soils F.O., 1912, pp. 1720, 1722, 1736. 1915.
      Platte County. Soil Sur. Adv. Sh., 1911, pp. 9, 12, 20. 1912; Soils F.O., 1912, pp. 1705, 1708, 1716. 1914.
    in new territory, prospects. Y.B., 1922, pp. 467-468. 1923; Y.B. Sep. 885, pp. 467-468. 1922.
    in North Carolina—
      Anson County. Soil Sur. Adv. Sh., 1915, p. 32. 1917; Soils F.O., 1915, p. 388. 1919.
      Asheville area. Soil Sur. Adv. Sh., 1903, pp. 286. 1904; Soils F.O., 1903, pp. 286. 1904.
      Beaufort County. Soil Sur. Adv. Sh., 1917, pp. 12, 13, 20-25. 1919; Soils F.O., 1917, pp. 414, 415, 422-427. 1923.
      Bertie County. Soil Sur. Adv. Sh., 1918, pp. 9, 16-23. 1920; Soils F.O., 1918, pp. 167, 174-181. 1924.
      Bladen County. Soil Sur. Adv. Sh., 1914, p. 9. 1915; Soils F.O., 1914, p. 627. 1919.
      Caldwell County. Soil Sur. Adv. Sh., 1917, pp. 9, 11, 17, 19. 1919; Soils F.O., 1917, pp. 447, 449, 455, 457. 1923.
      Caswell County. Soil Sur. Adv. Sh., 1908, pp. 12-13. 1910; Soils F.O., 1908, pp. 324-325. 1911.
      Columbus County. Soil Sur. Adv. Sh., 1915, pp. 9, 12, 19, 20, 21, 24. 1917; Soils F.O., 1915, pp. 427, 430-431, 438, 442. 1919.
      Cumberland County. Soil Sur. Adv. Sh., 1922, p. 114. 1925.
      Davidson County. Soil Sur. Adv. Sh., 1915, pp. 9, 18, 22-26, 37. 1917; Soils F.O., 1915, pp. 464-466, 474, 480. 1919.
      Durham County. Soil Sur. Adv. Sh., 1920, pp. 1353-1356, 1360-1377. 1924; Soils F.O., 1920, pp. 1353-1356, 1360-1377. 1925.
      Edgecomb County. Soil Sur. Adv. Sh., 1907, p. 9. 1908; Soils F.O., 1907, p. 253. 1909.
      Forsyth County. Soil Sur. Adv. Sh., 1913, pp. 9-24. 1914; Soils F.O., 1913, pp. 181-196. 1916.
      Granville County. Soil Sur. Adv. Sh., 1910, pp. 13-17. 1912; Soils F.O., 1910, pp. 349-353. 1912.
      Guilford County. Soil Sur. Adv. Sh., 1920, pp. 171, 172, 181-194. 1923; Soils F.O., 1920, pp. 171, 172, 181-194. 1925.
      Halifax County. Soil Sur. Adv. Sh., 1916, pp. 9-12, 18-32. 1918; Soils F.O., 1916, pp. 346, 347, 356-370. 1921.
      Harnett County. Soil Sur. Adv. Sh., 1916, pp. 9-11, 20, 21, 23. 1917; Soils F.O., 1916, pp. 392, 398-405. 1921.
      Hertford County. Soil Sur. Adv. Sh., 1916, pp. 12-13, 19, 25-32. 1917; Soils F.O., 1916, pp. 426-430, 435, 441-448. 1921.
      Hoke County. Soil Sur. Adv. Sh., 1918, pp. 9, 11, 12, 16, 17, 21. 1921; Soils F.O., 1918, pp. 197, 199, 200, 204, 205, 209. 1924.
      Johnston County. Soil Sur. Adv. Sh., 1911, pp. 9, 10, 20-26, 34, 37, 41. 1913; Soils F.O., 1911, pp. 435, 436, 446-452, 460, 463, 467. 1914.
      Moore County. Soil Sur. Adv. Sh., 1919, pp. 9, 10, 11, 30-40. 1922; Soils F.O., 1919, pp. 727, 728, 729, 748-758. 1925.

Tobacco—Continued.
growing—continued.
in North Carolina—Continued.
Onslow County. Soil Sur. Adv. Sh., 1921, pp. 104, 110–114, 123. 1923.
Pitt County. Soil Sur. Adv. Sh., 1909, pp. 10, 14–17, 34. 1910; Soils F.O., 1909, pp. 394, 398–401, 418. 1912.
Robeson County. Soil Sur. Adv. Sh., 1908, pp. 10, 11. 1909; Soils F.O., 1908, pp. 305–306. 1911.
Rowan County. Soil Sur. Adv. Sh., 1914, p. 9. 1915; Soils F.O., 1914, p. 477. 1919.
Union County. Soil Sur. Adv. Sh., 1914, pp. 9, 10, 30, 38. 1916; Soils F.O., 1914, pp. 593, 594, 614, 622. 1919.
Wake County. Soil Sur. Adv. Sh., 1914, pp. 9–10, 19–41. 1916; Soils F.O., 1914, pp. 521–522, 531–552. 1919.
Wayne County, acreage, production, and uses. Soil Sur. Adv. Sh., 1915, pp. 9–10. 1916; Soils F.O., 1915, pp. 501–502, 521. 1919.
Wilkes County. Soil Sur. Adv. Sh., 1918, pp. 9, 10, 18–35. 1921; Soils F.O., 1918, pp. 297, 298, 306–323. 1923.
in Ohio—
Hamilton County. Soil Sur. Adv. Sh., 1915, pp. 11, 13, 26. 1917; Soils F.O., 1915, pp. 1323, 1325, 1338. 1919.
Miami County. Soil Sur. Adv. Sh., 1916, pp. 9, 11, 20, 25–46. 1918; Soils F.O., 1916, pp. 1587, 1601–1621. 1921.
on Miami clay loam, adaptability. Soils Cir. 31, pp. 9, 13. 1911.
in Pennsylvania—
Bradford County. Soil Sur. Adv. Sh., 1911, pp. 12, 36, 37. 1913; Soils F.O., 1911, pp. 238, 262, 263. 1914.
Chester County, rise and decline of industry. D.B. 341, p. 12. 1916.
Lancaster County. Soil Sur. Adv. Sh., 1914, pp. 10, 11, 21–61. 1916; Soils F.O., 1914, pp. 332–337, 343–385. 1919.
Lebanon area. Soils F.O. Sep., 1901, p. 170. 1903; Soils F.O., 1901, p. 170. 1902.
northeastern. Soil Sur. Adv. Sh., 1911, pp. 13, 55. 1913; Soils F.O., 1911, pp. 277, 319. 1914.
southeastern. Soil Sur. Adv. Sh., 1912, pp. 19, 20–21, 52, 55, 58, 73. 1914; Soils F.O., 1912, pp. 259, 260–261, 292, 295, 298, 313. 1915.
varieties, soils and cultural methods. F.B. 416, rev., pp. 3–13. 1921.
York County, yields, etc. Soil Sur. Adv. Sh., 1912, pp. 13, 15–16, 45, 59, 75, 82, 83. 1914; Soils F.O., 1912, pp. 163, 165–166, 195, 209, 225, 232, 233. 1915.
in Porto Rico increase, and factory conditions. P.R. An. Rpt., 1916, pp. 7–8, 9. 1918.
in rotations with sugar beets, Wisconsin. Rpt. 86, p. 59. 1908.
in South Carolina—
Chesterfield County. Soil Sur. Adv. Sh., 1914, pp. 8, 11, 21, 25–26. 1915; Soils F.O., 1914, pp. 659, 661, 665–677. 1919.
Conway area. Soils F.O., 1909, pp. 478, 479, 485, 486, 487, 488, 489, 494. 1912; Soil Sur. Adv. Sh., 1909, pp. 10, 11, 17, 18, 19, 20, 21, 26. 1910.
Florence County. Soil Sur. Adv. Sh., 1914, pp. 8, 9, 23, 26, 27, 31. 1916; Soils F.O., 1914, pp. 700–702, 705–723. 1919.
Horry County. Soil Sur. Adv. Sh., 1918, pp. 9–15, 20–44. 1920; Soils F.O., 1918, pp. 333–339, 344–368. 1924.
in Tennessee—
Davidson County. Soil Sur. Adv. Sh., 1903, p. 612. 1904; Soils F.O., 1903, p. 612. 1904.
Henry County. Soil Sur. Adv. Sh., 1922, pp. 82–83. 1925.
Jackson County. Soil Sur. Adv. Sh., 1913, pp. 8, 9, 15. 1915; Soils F.O., 1913, pp. 1272, 1273. 1916.
Meigs County. Soil Sur. Adv. Sh., 1919, pp. 11, 19. 1921; Soils F.O., 1919, pp. 1259, 1267. 1925.
Montgomery County. Soils F.O., 1901, pp. 342, 348, 355, 356. 1902; Soils F.O. Sep. 1901, pp. 342, 348, 355, 356. 1903.

Tobacco—Continued.
growing—continued.
in Tennessee—Continued.
Robertson County, 1899, 1909, 1910. Soil Sur. Adv. Sh., 1912, pp. 9–10, 13, 16, 25. 1914; Soils F.O., 1912, pp. 1131–1132, 1135, 1138, 1147. 1915.
Sumner County. Soils F.O., 1909, pp. 1154, 1156, 1166, 1168, 1169. 1912; Soil Sur. Adv. Sh., 1909, pp. 10, 12, 22, 24, 25. 1910.
in Virginia—
Bedford area. Soils F.O., 1901, pp. 244, 252, 257. 1902; Soils F.O., Sep. 1901, pp. 244, 252, 257. 1903.
Campbell County. Soil Sur. Adv. Sh., 1909, pp. 10–11, 18, 22, 24, 27, 30, 32. 1911; Soils F.O., 1909, pp. 314–315, 322, 326, 328, 331, 334, 336. 1912.
Henrico County. Soil Sur. Adv. Sh., 1913, pp. 8, 29. 1914; Soils F.O., 1913, pp. 146, 167. 1916.
Norfolk area. Soil Sur. Adv. Sh., 1903, p. 234. 1904; Soils F.O., 1903, p. 234. 1904.
Pittsylvania County. Soil Sur. Adv. Sh., 1918, pp. 8–13, 19–46. 1922; Soils F.O., 1918, pp. 124–129, 135–162. 1924.
Prince Edward area. Soils F.O., 1901, pp. 262, 268, 270. 1902; Soils F.O. Sep. 1901, pp. 262, 268, 270. 1903.
in West Virginia—
Boone County. Soil Sur. Adv. Sh., 1913, pp. 16, 23. 1915; Soils F.O., 1913, pp. 1306, 1313. 1916.
Huntington area. Soil Sur. Adv. Sh., 1911, pp. 11–12, 14, 15, 22–42. 1912; Soils F.O., 1911, pp. 1293–1294, 1296, 1297, 1304–1324. 1914.
Kanawha County. Soil Sur. Adv. Sh., 1912, pp. 9, 17, 19, 25. 1914; Soils F.O., 1912, pp. 1183, 1191, 1193, 1199. 1915.
Logan and Mingo Counties. Soil Sur. Adv. Sh., 1913, pp. 10, 19. 1915; Soils F.O., 1913, pp. 1322, 1331. 1916.
Point Pleasant area. Soil Sur. Adv. Sh., 1910, pp. 12, 14, 26, 30, 31, 44. 1911; Soils F.O., 1910, pp. 1084, 1086, 1098, 1102, 1103, 1116. 1912.
Spencer area. Soils F.O., 1909, pp. 1180, 1181, 1912; Soil Sur. Adv. Sh., 1909, pp. 10, 11. 1910.
in Wisconsin—
Columbia County. Soil Sur. Adv. Sh., 1911, pp. 11–12, 22–46. 1913; Soils F.O., 1911, pp. 1371–1372, 1382–1406. 1914.
Dane County. Soil Sur. Adv. Sh., 1913, pp. 12, 14, 17, 26, 32, 36, 39, 49, 60. 1915; Soils F.O., 1913, pp. 1494, 1496, 1499, 1508, 1511, 1514, 1518, 1521, 1531, 1542. 1916.
Jackson County. Soil Sur. Adv. Sh., 1918, pp. 9–12, 18, 22, 23. 1922; Soils F.O., 1918, pp. 946–949, 954, 958, 978. 1924.
Jefferson County. Soil Sur. Adv. Sh., 1912, pp. 13–14, 24, 47, 49. 1914; Soils F.O., 1912, pp. 1563–1564, 1574, 1597, 1599. 1915.
Juneau County. Soil Sur. Adv. Sh., 1911, pp. 11, 13, 22. 1913; Soils F.O., 1911, pp. 1469, 1471, 1480. 1914.
Rock County. Soil Sur. Adv. Sh., 1917, pp. 9–14, 19–31, 42, 44. 1920; Soils F.O., 1917, pp. 1187–1191, 1197–1209, 1220, 1222. 1923.
Viroqua area. Soil Sur. Adv. Sh., 1903, pp. 6, 9, 11, 12, 18. 1904; Soils F.O., 1903, pp. 803, 806, 811, 812, 813. 1904.
Walworth County. Soil Sur. Adv. Sh., 1920, p. 1418. 1920; Soils F.O., 1920, p. 1418. 1925.
in world, acreage and production by countries. Atl. Am. Agr. Adv. Sh., 4, Pt. V, pp. 61–65. 1918.
investigations. An. Rpts., 1920, pp. 182–183. 1921.
labor and materials, requirements in various States. D.B. 1000, pp. 22–24. 1921.
methods and studies. News L., vol. 1, No. 33, pp. 1–2. 1914.
on—
Miami soils, notes. D.B. 142, pp. 45, 55, 57. 1914.
Norfolk fine sandy loam. Soils Cir. 22, pp. 10, 11, 13. 1911.

Tobacco—Continued.
  growing—continued.
    on—continued.
      Sassafras soils, yields. D.B. 159, pp. 25, 30, 33, 43. 1915.
      seed bed preparation and fertilizers. F.B. 571, rev., pp. 6–8, 15–16. 1920.
      seed planting, cultivation, and harvesting. F.B. 571, pp. 1–15. 1914.
      soil studies. Y.B., 1923, p. 49. 1924.
      studies by experiment stations, results. Work and Exp., 1921, pp. 40, 47. 1923.
      study of soils. An. Rpts., 1901, pp. 128–132. 1901; An. Rpts., 1904, pp. 261–264. 1904.
      syllabus of illustrated lecture. J. N. Harper. O. E.S.F.I.L. 9, pp. 15. 1907.
      use of arsenate of lead, method, conditions, and results. F.B. 595, pp. 3–5. 1914.
      use of rye as cover crop. F.B. 398, p. 8. 1910.
      weather service special warnings. An. Rpts., 1916, p. 59. 1917; W. B. Chief Rpt., 1916, p. 11. 1916.
      yield per acre and labor requirements. Y.B., 1908, p. 356. 1909; Y.B. Sep. 487, p. 356. 1909.
  habit, cures—
    inefficacy, danger, notes. F.B. 393, p. 15. 1910.
    misbranding, Dr. Elder's celebrated tobacco specific. Chem. N.J. 930, p. 2. 1911.
  Halladay, cultural directions. B.P.I. Doc. 427, pp. 12–13. 1908.
  hand-worming, cost. Ent. Cir. 173, p. 2. 1913; F.B. 595, pp. 1, 2. 1914.
  harvesting—
    curing, and handling. D.B. 16, pp. 28, 36. 1913; F.B. 416, rev., pp. 13–16. 1921.
    methods for different types and localities. Stat. Cir. 18, pp. 7, 8, 9, 10, 12, 13, 14, 15, 16. 1901.
  hauling from farm to shipping points, costs. Stat. Bul. 49, pp. 31, 41. 1907.
  Havana—
    cultural directions. B.P.I. Doc. 427, pp. 10–12. 1908.
    testing and description. An. Rpts. 1909, p. 311. 1910; B.P.I. Chief Rpt., 1909, p. 59, 1909.
    See also Tobacco, Cuban.
  hearings at Richmond. Off. Rec. vol. 4, No. 19, p. 4. 1925.
  heavy export, growing on Knox silt loam, central prairie States. Soils Cir. 33, pp. 9, 13. 1911.
  hoer, description and use. F.B. 416, rev., p. 11. 1921.
  hogsheads, average weight. B.P.I. Bul. 268, p. 10. 1913.
  hornworm(s)—
    arsenate of lead as insecticide—
      against. A. C. Morgan and D. C. Parman. Ent. Cir. 173, pp. 10. 1913.
      in dark-tobacco district, recommendations. A. C. Morgan. F.B. 867, pp. 11. 1917; F.B. 1356, pp. 8. 1923.
    in dark-tobacco districts. A. C. Morgan and D. C. Parman. F.B. 595, pp. 8. 1914.
    (Phlegethontius quinque maculata) description remedies. Hawaii Bul. 10, pp. 10–12. 1905.
  hybrids, immunity to mosaic disease of tobacco. J.A.R., vol. 7, pp. 481–483, 484. 1916.
  implements for setting, cultivating, and handling. F.B. 343, pp. 16–19, 22–23. 1909.
  importations and descriptions. Nos. 39163, 39303, B.P.I. Inv. 40, pp. 85, 97. 1917; Nos. 42333–42354, B.P.I. Inv. 46, pp. 79–81. 1919; Nos. 46784, 46905–46943, B.P.I. Inv. 57, pp. 33, 48–49. 1922; No. 48846, B.P.I. Inv. 61, p. 55. 1922; Nos. 50840–50841, 51232, B.P.I. Inv. 64, pp. 30, 78. 1923; No. 55750, B.P.I. Inv. 72, p. 29. 1924.
  import(s)—
    1846–1911. Stat. Cir. 33, pp. 9–12. 1912.
    1847–1914, changes, discussion. D.B. 296, p. 33. 1915.
    1849–1923. Y.B., 1923, pp. 872, 1102, 1111, 1115, 1119, 1134. 1924; Y.B. Sep. 901, p. 872. 1924; Y.B. Sep. 905, pp. 1102, 1111, 1115, 1119, 1134. 1924.

Tobacco—Continued.
  import(s)—continued.
    1852–1916. Y.B., 1916, pp. 634, 714, 722, 742. 1917; Y.B. Sep. 720, p. 24. 1917; Y.B. Sep. 722, pp. 8, 36. 1917.
    1852–1917. Y.B., 1917, pp. 680, 767, 798. 1918; Y.B. Sep .760, p. 28. 1918; Y.B. Sep. 7^2, pp. 11, 34, 42. 1918.
    1852–1918. Y.B., 1918, pp. 544, 634, 664. 1919; Y.B. Sep. 792, p. 40. 1919; Y.B. Sep. 794, pp. 10, 29, 40. 1919.
    1852–1919. Y.B., 1919, pp. 601, 689, 709, 721. 1920; Y.B. Sep. 827, p. 601. 1920; Y.B. Sep. 829, pp. 689, 709, 721. 1920.
    1852–1919. Y.B., 1920, pp. 650, 769, 790, 802, 803. 1921; Y.B. Sep. 862, pp. 650, 769, 790, 802, 803. 1921; Y.B. Sep. 864, pp. 11, 32, 44. 1921.
    1852–1920. Y.B., 1921, pp. 624, 742, 757, 768. 1922; Y.B. Sep. 869, p. 44. 1922.
    1852–1921. Y.B., 1922, pp. 729, 954, 961, 969, 981. 1923; Y.B., 1922, pp. 954, 961, 969, 981. 1923; Y.B. Sep. 884, p. 729. 1923.
    1896–1900. Y.B., 1900, pp. 845, 856. 1901.
    1897–1901. Y.B., 1901, pp. 798, 808. 1902.
    1898–1902. Y.B., 1902, pp. 861, 873. 1903.
    1899–1903. Y.B., 1903, p. 689. 1904.
    1900–1904. Y.B., 1904, p. 730. 1905.
    1900–1905. Y.B., 1905, pp. 715, 771. 1906; Y.B. Sep. 404, pp. 715, 771. 1906.
    1901–1906. Y.B., 1906, pp. 608, 679. 1907; Y.B. Sep. 436, pp. 608, 679. 1907.
    1901–1924. Y.B., 1924, pp. 828, 1064–1065, 1069, 1070, 1071, 1072, 1073, 1097. 1925; Y.B. Sep. 901, p. 828. 1925; Y.B. Sep. 911, pp. 1064–1065, 1069, 1070, 1071, 1072, 1073, 1097. 1925.
    1902–1907. Y.B., 1907, pp. 676, 746. 1908; Y.B. Sep. 465, pp. 676, 746. 1908.
    1903–1908. Y.B., 1908, pp. 690, 761. 1909; Y.B. Sep. 498, pp. 690, 761. 1909.
    1904–1909. Y.B., 1909, pp. 517, 607. 1910; Y.B. Sep. 524, pp. 524, 623. 1910.
    1905–1910. Y.B., 1910, pp. 589, 663. 1911; Y. B. Sep. 553, pp. 589, 663. 1911; Y.B. Sep. 555, p. 582. 1911.
    1906–1911. Y.B., 1911, pp. 588, 667. 1912; Y.B. Sep. 587, pp. 588 1912; Y.B. Sep. 588, p. 667. 1912.
    1907–1909, quantity and value, by countries from which consigned. Stat. Bul. 82, pp. 59–60. 1910.
    1907–1912. Y.B., 1912, pp. 630, 724. 1913; Y.B. Sep. 615, pp. 630, 724. 1913.
    1908. B.P.I. Bul. 244, pp. 10–11. 1912.
    1908–1910, quantity and value, by countries from which consigned. Stat. Bul. 90, p. 62. 1911.
    1910–1912. Y.B., 1913, pp. 432, 506. 1914; Y.B. Sep. 631, p. 506. 1914.
    1852–1914. Y.B., 1914, pp. 585, 658, 687. 1915; Y.B. Sep. 655, p. 585. 1915; Y.B. Sep. 657, pp. 658, 687. 1915.
    1912–1915. Y.B., 1915, pp. 478, 547, 569, 575. 1916.
  duties and internal revenue rates—
    1919. Y.B., 1919, pp. 169–171, 172, 173. 1920; Y.B. Sep. 805, pp. 169–171, 172, 173. 1920.
    1922. Y.B., 1922, pp. 456–464. 1923; Y.B. Sep. 885, pp. 456–464. 1923.
  history, and relation to world's trade. Y.B., 1919, pp. 160–162. 1920; Y.B. Sep. 805, pp. 160–162. 1920.
  of Netherlands. Stat. Bul. 72, p. 10. 1909.
  improvement—
    by breeding—
      Rpt. 83, p. 39. 1906; Sec. A.R., 1906, pp. 46–47. 1906.
      and handling. An. Rpts., 1907, pp. 51–52, 270–272. 1908; Rpt. 85, pp. 37–38. 1907; Sec. A.R., 1907, pp. 49–50. 1907; Y.B., 1907, pp. 50–51. 1908.
      and selection. Archibald D. Shamel. Y.B., 1904, pp. 435–452. 1905; Y.B. Sep. 358, pp. 18. 1905.
    in 1923. D.C. 343, pp. 7–8. 1925.
    new varieties, curing and testing, experiments. B.P.I. Rpt., 1907, pp. 22–24. 1907.
    obtained by seed selection. B.P.I. Bul. 138, p. 25. 1908.
    work. F.B. 381, pp. 9–14. 1909.

INDEX TO PUBLICATIONS, 1901–1925 2431

Tobacco—Continued.
in—
Alabama, yield and cost of production. Soils Bul. 37, pp. 23, 30. 1906.
bluegrass region, 1840–1910. D.B. 482, p. 6. 1917.
crop rotation. Y.B., 1905, p. 223. 1906; Y.B. 378, p. 223. 1906.
greenhouses, insects attacking. Y.B., 1910, pp. 294, 295. 1911; Y.B. 537, pp. 294, 295. 1911.
Guam, fertilizer, shading, and insect control. Guam A.R., 1917, pp. 21–22. 1918.
Hawaii—
Y.B., 1901, pp. 511–514. 1902.
insect enemies. D. L. Van Dine. Hawaii Bul. 10, pp. 16. 1905.
investigations, 1907. An. Rpts., 1907, p. 679. 1908.
Porto Rico—
experiments, fermentation diseases and insects. P.R. An. Rpt., 1907, pp. 11, 16–18, 34. 1908.
growing and manufacture, increase. P.R. An. Rpt., 1920, p. 10. 1921.
production and exports, 1911. P.R. An. Rpt., 1911, pp. 9, 12. 1912.
increase in height, relation to daylight length. J.A.R., vol. 23, p. 887. 1923.
Indian. See Lobelia.
industry—
early history and development since 1860. B.P.I. Bul. 244, pp. 12–32. 1912.
extent, location, and importance. Y.B., 1922, pp. 395–396. 1923; Y.B. Sep. 885, pp. 395–396. 1923.
in Kentucky and Tennessee, beginning and growth. F.B. 343, pp. 5–6. 1909.
in North Carolina, Craven area. Soil Sur. Adv. Sh., 1903, pp. 273–274, 275. 1904; Soils F.O., 1903, pp. 273–274, 275. 1904.
present status. Wightman W. Garner. B.P.I. Cir. 48, pp. 13. 1910.
supply and demand, present status. B.P.I. Cir. 48, pp. 9–12. 1910.
infection by root-rot organism, *Thielavia basicola*. J.A.R., vol. 7, pp 290, 293, 297–298. 1916.
influence of—
district where grown on market demand. News L., vol. 1, No. 33, pp. 1–2. 1914.
potash on yield and quality. B.P.I. Doc. 629, pp. 1–3. 1910.
injury by—
borax symptoms. D.B. 1126, p. 27. 1923.
budworms. F.B. 819, pp. 4, 5. 1917.
inoculation studies, methods. B.P.I. Bul. 255, pp. 50–51. 1912.
inoculations with potato mosaic, experiments. J.A.R., vol. 25, pp. 86–89. 1923.
insect(s)—
Aleyrodes. Ent. T.B. 12, Pt. V, p. 89. 1907.
combating methods. F.B. 343, pp. 12, 19–20. 1909.
control—
1908. Y.B., 1908, p. 109. 1909.
1911. An. Rpts., 1911, p. 504. 1912; Ent. A.R., 1911, p. 14. 1911.
1913. An. Rpts., 1913, p. 213. 1914; Ent. A.R., 1913, p. 5. 1913.
1914. An. Rpts., 1914, pp. 188–189. 1915; Ent. A.R., 1914, pp. 6–7. 1914.
1915. An. Rpts., 1915, p. 217. 1916; Ent. A.R., 1915, p. 7. 1915.
1916. An. Rpts., 1916, pp. 219–220. 1917; Ent. A.R., 1916, pp. 7–8. 1916.
1919. An. Rpts., 1919, p. 268. 1920; Ent. A.R., 1919, p. 22. 1919.
1921. Ent. A.R., 1921, pp. 18–19. 1921.
1922. An. Rpts., 1922, pp. 318–319. 1923; Ent. A.R., 1922, pp. 20–21. 1922.
1923. An. Rpts., 1923, p. 406. 1924; Ent. A.R., 1923, p. 26. 1923.
in seed bed, use of arsenate of lead. F.B. 343, p. 12. 1909.
methods. A. C. Morgan. Ent. Cir. 123, pp. 17. 1910.
practices. Ent. Bul. 67, p. 111. 1907.
enemies—
and rotations to control, notes. Y.B., 1911, pp. 202–209. 1912; Y.B. Sep. 561, pp. 202–209. 1912.

Tobacco—Continued.
insect(s)—continued.
enemies—continued.
control. F.B. 416, p. 22. 1910.
in Florida, 1906. Ent. Bul. 67, pp. 106–112. 1907.
in Hawaii. D. L. Van Dine. Hawaii Bul. 10, pp. 16. 1905.
in United States. A. C. Morgan. Y.B., 1910, pp. 281–296. 1911; Y.B. Sep. 537, pp. 281–296. 1911.
flea beetle and hornworm, remedies. B.P.I. Doc. 427, p. 6. 1908.
habits and control. Y.B., 1922, pp. 422–423. 1923; Y.B. Sep. 885, pp. 422–423. 1923.
in Hawaii. D. T. Fullaway. Hawaii Bul. 34, pp. 20. 1914.
in Virgin Islands, description and control. Vir. Is. A.R., 1922, pp. 16–18. 1923.
injurious—
1907. Y.B., 1907, p. 542. 1908; Y.B. Sep. 472, p. 542. 1908.
1908. Y.B., 1908, p. 568. 1909; Y.B. Sep. 499, p. 568. 1909.
1912. An. Rpts., 1912, p. 627. 1913; Ent. A.R., 1912, p. 15. 1912.
control. F.B. 571, p. 15. 1914.
in Hawaii, remedies. Hawaii Bul. 15, p. 16. 1908.
investigations—
1907. An. Rpts., 1907, pp. 470–471. 1908.
1908. An. Rpts., 1908, pp. 109, 558–559. 1909; Ent. A.R., 1908, pp. 36–37. 1908; Sec. A.R., 1908, p. 107. 1908.
1917. An. Rpts., 1917, pp. 233–234. 1918; Ent. A.R., 1917, pp. 7–8. 1917.
1920. An. Rpts., 1920, pp. 331–333. 1921.
1925. Ent. A.R., 1925, p. 26. 1925.
laboratory, value to growers. Off. Rec., vol. 3, No. 4, p. 3. 1924.
of secondary importance. Y.B., 1910, pp. 292–296. 1911; Y.B. Sep. 537, pp. 292–296. 1911.
pests, list. Sec. [Misc.], "A manual * * * insects * * *," pp. 213–216. 1917.
studies by experiment stations, results. Work and Exp., 1921, p. 74. 1923.
work of Entomology Bureau—
1909. An. Rpts., 1909, p. 503. 1910; Ent. A.R., 1909, p. 17. 1909.
1910. An. Rpts., 1910, p. 520. 1911; Ent. A.R., 1910, p. 16. 1910.
insecticidal value, tests. D.B. 1201, pp. 8, 11–13, 16–17, 21, 53. 1924.
insecticides—
formulas, preparation and use. F.B. 908, pp. 40–42, 73–75. 1918.
in hornworm control, cost. Ent. Cir. 173, pp. 2, 10. 1913.
preparation and use. F.B. 1306, pp. 27–28, 33, 35. 1923; F.B. 1362, p. 6. 1924.
inspection, State laws. B.P.I. Bul. 268, pp. 7–10, 13, 31–33, 34, 57–58, 61. 1913.
inspectors—
graders, and weighers, regulations. Sec. Cir. 154, pp. 19–24. 1920.
licenses, 1922. B.A.E.S.R.A. 71, p. 62. 1922.
investigations—
1905, Bureau of Soils. Soils Chief Rpt., 1905, pp. 269–272. 1905; An. Rpts., 1905, pp. 45, 82–84. 1905; Sec. A.R., 1905, p. 45, 82–84. 1905.
1906, Bureau of Soils. An. Rpts., 1906, pp. 66–68, 358–361. 1907; Sec. A.R., 1906, pp. 66–68. 1907; Soils Chief Rpt., 1906, pp. 28–31. 1906; Y.B., 1906, pp. 78–81. 1907.
1909, Plant Industry Bureau. An. Rpts., 1909, pp. 309–313. 1910; B.P.I. Chief Rpt., 1909, pp. 57–61. 1909.
1909. An. Rpts., 1909, pp. 75–76. 1910; Rpt. 91, p. 54. 1909; Sec. A.R., 1909, pp. 75–76. 1909; Y.B., 1909, pp. 75–76. 1910.
1910. An. Rpts., 1910, pp. 68–69, 315–318. 1911; B.P.I. Chief Rpt., 1910, pp. 45–48. 1910; Rpt. 93, pp. 50–51. 1911; Sec. A.R., 1910, pp. 68–69. 1910; Y.B., 1910, pp. 68–69. 1911.
1911. An. Rpts., 1911, pp. 64–65, 295–297. 1912; B.P.I. Chief Rpt., 1911, pp. 47–49. 1912; Sec. A.R., 1911, pp. 62–63. 1911; Y.B., 1911, pp. 62–63. 1912.

Tobacco—Continued.
 investigations—continued.
  1912. An. Rpts., 1912, pp. 393, 434–436. 1913; B.P.I. Chief Rpt., 1912, pp. 13, 54–56. 1912.
  1913. An. Rpts., 1913, p. 112. 1914; B.P.I. Chief Rpt., 1913, p. 8. 1913.
  1921. B.P.I. Chief Rpt., 1921, p. 24. 1921.
 and experiments—
  1905. An. Rpts., 1905, pp. 83–84. 1905; B.P.I. Chief Rpt., 1905, pp. 83–84. 1904.
  1908. Rpt. 87, pp. 27–28. 1908; Y.B., 1308, pp. 49–51. 1909.
 and improvement since 1897. An. Rpts., 1912, pp. 128–129. 1913; Sec. A.R., 1912, pp. 128–129. 1912; Y.B., 1912, pp. 128–129. 1913.
 and soils, studies. An. Rpts., 1923, p. 264. 1924; B.P.I. Chief Rpt., 1923, p. 10. 1923.
 fertilizers and varieties. An. Rpts., 1914, p. 107. 1914; B.P.I. Chief Rpt., 1914, p. 7. 1914.
 for improvement. Soils Chief Rpt., 1905, pp. 269–272. 1905.
 in—
  Hawaii. Hawaii A.R., 1907, pp. 13–14. 1908.
  Ohio. George T. McNess and George B. Massey. Soils Bul. 29, pp. 38. 1905.
  Porto Rico during 1903–04. (Also Spanish edition). P.R. Bul. 5, pp. 44. 1905.
  several States. An. Rpts., 1908, pp. 49–51, 341–349. 1909; B.P.I. Chief Rpt., 1908, pp. 69–77. 1908; Sec. A.R., 1908, pp. 47–49. 1908.
  Texas, continuation, plans for. W. W. Garner. B.P.I. Doc. 533, pp. 3. 1909.
 of Agricultural Department. O.E.S. Bul. 99, p. 108. 1901.
 work of department. Rpt. 83, pp. 60–62. 1906.
 laboratory—
  completion. Off. Rec., vol. 1, No. 44, p. 2. 1922.
  studies. An. Rpts., 1907, p. 271. 1908.
 land(s)—
  cropping system and resting. Y.B., 1922, pp. 413–415. 1923; Y.B. Sep. 885, pp. 413–415. 1923.
  in Connecticut Valley, soil types. D.B. 140, pp. 40–41. 1915.
  preparing and fertilizing. F.B. 571, pp. 4–5. 1914.
 soil types. D.B. 140, pp. 40–41. 1915.
 leaf—
  curing, research studies. W. W. Garner and others. D.B. 79, pp. 40. 1914.
  distribution in United States, 1918. Y.B., 1919, p. 164. 1920; Y.B. Sep. 805, p. 164. 1920.
  exports and imports. Off. Rec., vol. 2, No. 42, p. 5. 1923.
  stocks on hand. News L., vol. 6, No. 27, p. 20. 1919.
  types, description. Soils Bul. 29, pp. 14–16. 1905; Y.B., 1905, p. 221. 1906; Y.B. Sep. 378, p. 221. 1906.
  world's exhibit, Paris Exposition of 1900. Marcus L. Floyd. Y.B., 1900, p. 10. 1901; Y.B. Sep. 211, p. 157. 1901.
 leaf(ves)—
  composition, relation to burning qualities. Wightman W. Garner. B.P.I. Bul. 105, pp. 27. 1907.
  disease, "wildfire," description, distribution, and cause. J.A.R., vol. 12, pp. 449–458. 1918.
  exposure to heat, alcohol, or chloroform, effect on curing. D.B. 79, pp. 34–46. 1914.
  fermentation investigations. B.P.I. Chief Rpt., 1921, p. 24. 1921.
  grain, analyses, importance to value of product. J.A.R., vol. 7, pp. 269–288. 1916.
  spot, bacterial, cause and description. James Johnson. J.A.R., vol. 23, pp. 481, 493. 1923.
  spot diseases, causes and control. F.B. 571, rev., pp. 23–24. 1920.
 lemon leaf, characteristics, production, Caswell County, N. C. Soil Sur. Adv. Sh., 1908, pp. 12–13. 1910; Soils F. O., 1908, pp. 324–325. 1911.
 Little Dutch, cultural directions. B.P.I. Doc. 427, pp. 13–14. 1908.
 localities where grown and relative importance. F.B. 1289, pp. 5, 16, 25. 1923.

Tobacco—Continued.
 loose-leaf—
  auction sales, system of marketing. B.P.I. Bul. 268, pp. 13–27, 48–53. 1913.
  sales, 1869–1909, Danville, Va., quantity and price. B.P.I. Bul. 268, pp. 20–21. 1913.
  sales, 1908 and 1909, Virginia, North Carolina, and South Carolina. B.P.I. Bul. 268, pp. 22–26. 1913.
 loss(es)—
  caused by angular leaf spot. J.A.R., vol. 16, pp. 219–221. 1919.
  causes and extent, 1909–1920. Y.B., 1921, p. 622. 1922; Y.B. Sep. 869, p. 42. 1922.
  from flea beetles, 1907, Kentucky and Tennessee. Ent. Cir. 123, p. 3. 1910.
  from specified causes, in various localities, 1909–1918. D.B. 1043, pp. 6, 8, 11. 1922.
 manufacture, in Porto Rico, exports and value. P.R. An. Rpt., 1913, p. 7. 1914.
 manufacturers, occupation taxes, rates. Y.B. 1919, p. 172. 1920; Y.B. Sep. 805, p. 172. 1920.
 manufacturing—
  and export, of United States, with brief reference to cigar types. E. H. Mathewson. B.P.I. Bul. 244, pp. 100. 1912.
  and export types, marketing and grades. Rpt. 98, pp. 156–160. 1913.
  centers. B.P.I. Bul. 268, pp. 12, 29, 30–31, 65–66. 1913.
  industry, magnitude, capital, labor, etc. Y.B., 1919, pp. 173–175. 1920; Y.B. Sep. 805, pp. 173–175. 1920.
  production and yield. B.P.I. Cir. 48, pp. 7–9. 1910.
  types, cultural directions. B.P.I. Doc. 427, pp. 14–23. 1908.
  types, growing and harvesting. F.B. 571, pp. 10–15. 1914.
  varieties growing, seed bed, and fertilizers. F.B. 571, rev., pp. 14–20. 1920.
 marker, setter, and other implements, use. F.B. 343, pp. 16–18, 22–23. 1909.
 market(s)—
  and trade centers. B.P.I. Bul. 268, pp. 1–67. 1913.
  European, demands. F.B. 343, pp. 27–28. 1909.
  sales of 1902 and 1903, Ohio experimental products. Soils Bul. 29, pp. 26–27. 1905.
 marketing—
  bibliography. M.C. 35, p. 45. 1925.
  cooperative associations, location, number, and work. D.B. 547, pp. 12, 35–36, 50, 51. 1917.
  in United States. E. H. Mathewson. B.P.I. Bul. 268, pp. 67. 1913.
  methods. Rpt. 98, pp. 156–161. 1913.
  methods and details. Y.B., 1922, pp. 433–448. 1923; Y.B. Sep. 885, pp. 433–448. 1923.
  picture. Off. Rec., vol. 4, No. 26, p. 8. 1925.
  plantation system. D.B. 1269, p. 66. 1924.
 Maryland Mammoth, environment, effects on growth, etc. J.A.R., vol. 18, pp. 556–558. 1920.
 Maryland type, soils, planting and topping. F.B. 571, pp. 14–15. 1914.
 merchants, address of Secretary. Off. Rec., vol. 4, No. 21, pp. 1, 8. 1925.
 Mexican varieties, importations and descriptions. Nos. 29489, 29525–29527, 29632, 29830, 30120, 30122–30132, B.P.I. Bul. 233, pp. 26, 30, 33, 37, 60–61. 1912; Nos. 31398–31400, 31563–31567, B.P.I. Bul. 248, pp. 15, 24–25. 1912.
 mildew—
  appearance in United States. D.C. 174, pp. 1–6. 1921.
  description and control. D.C. 174, pp. 1–6. 1921.
 mosaic—
  comparison with cucurbit mosaic. D.B. 879, pp. 19, 27–28. 1920.
  description and spread. F.B. 571, rev., pp. 22–23. 1920.
  disease. H. A. Allard. D.B. 40, pp. 33. 1914.
  distinct from that of *Nicotiana viscosum*. J.A.R., vol. 7, pp. 481–486. 1916.
  infectivity, effect of dilution of virus. J.A.R., vol. 3, pp. 295–299. 1915.
  observations on. Albert F. Woods. B.P.I. Bul. 18, pp. 24. 1902.
  studies. J.A.R., vol. 10, pp. 615–632. 1917.

INDEX TO PUBLICATIONS, 1901-1925   2433

Tobacco—Continued.
  mosaic—continued.
    virus—
      effects of various salts, acids, etc. J.A.R., vol. 13, pp. 619-637. 1918.
      distribution in parts of plants. J.A.R., vol. 5, No. 6, pp. 251-256. 1915.
      infectious properties, relation to peroxidase. J.A.R., vol. 6, No. 17, pp. 667-670, 672. 1916.
      properties, studies. J.A.R., vol. 6, No. 17, pp. 649-674. 1916.
    moths, life history hibernation, emergence, and control. Ent. Cir. 123, pp. 7-10, 16. 1910.
    nematode-resistant. An. Rpts., 1908, p. 346. 1909; B.P.I. Chief Rpt., 1908, p. 74. 1908.
    new variety(ies)—
      A. D. Shamel. Y.B., 1906, pp. 387-404. 1907; Y.B. Sep. 431, pp. 387-404. 1907.
      breeding and development. Y.B., 1907, pp. 225-229. 1908; Y.B. Sep. 446, pp. 225-229. 1908.
      description. B.P.I. Bul. 208, p. 70. 1911.
    nicotine in—
      determination—
        improved method. O. M. Shedd. J.A.R., vol. 24, pp. 961-970. 1923.
        new method. Wightman W. Garner. B.P.I. Bul. 102, Pt. VII, pp. 61-69. 1907.
      variation in quality and strength. B.P.I. Bul. 141, pp. 5-7. 1909.
    of United States, export and manufacturing, with brief reference to cigar types. E. H. Mathewson. B.P.I. Bul. 244, pp. 100. 1912.
    One-Sucker, districts, production, and distribution. B.P.I. Bul. 244, pp. 87-91. 1912.
    "ordering" methods, in North Carolina, Granville County. Soil Sur. Adv. Sh., 1910, p. 16. 1912; Soils F.O., 1910, p. 352. 1912.
    overproduction. News L., vol. 6, No. 30, pp. 2-3. 1919.
    Palestine, importation and description. No. 29997, B.P.I. Bul. 233, p. 47. 1912.
    Pennsylvania varieties, description. F.B. 416, pp. 5-7. 1910.
    periodicals list. M.C .11, p. 52. 1923.
    Perique—
      harvesting, curing, and packing. B.P.I. Bul. 143, p. 50. 1909; B.P.I. Bul. 244, pp. 94-98. 1912.
      in Louisiana, planting, harvesting, curing, packing, and yield. Stat. Cir. 18, p. 16. 1909.
    Peruvian, importations and description. Nos. 39948-39951, B.P.I. Inv. 42, p. 42. 1918.
    plant—
      beds, sterilizing. F.B. 451, pp. 5-7. 1911.
      effect of wilt on roots, stalk, and leaves. D.B. 562, pp. 3-4, 18. 1917.
      fumigation effects, studies. J.A.R., vol. 11, p. 326. 1917.
      inoculation with mosaic disease, experiments. J.A.R., vol. 10, pp. 615-621, 630. 1917.
      parts affected by virus of mosaic disease. J.A.R., vol. 5, No. 6, pp. 251-256. 1915.
      per acre on Kentucky bluegrass land, note. B.P.I. Bul. 244, p. 78. 1912.
      principal insects affecting. L. O. Howard. F.B. 120, pp. 32. 1900.
      seed, selection and management. F.B. 343, pp. 20-21. 1909.
    planter and hoer, description. F.B. 416, p. 13. 1910.
    Planters' Protective Association, price schedule, 1908. B.P.I. Bul. 244, p. 48. 1912.
    planting dates—
      and harvest dates—
        and acreage, 1909. Y.B., 1917, pp. 584-585. 1918; Y.B. Sep. 758, pp. 50-51. 1918.
        by States, 1910. Y.B., 1910, pp. 491, 493. 1911.
      by States—
        1921. Y.B., 1921, pp. 775-776. 1922; Y.B. Sep. 871, pp. 6-7. 1922.
        1922. Y.B., 1922, pp. 989-990. 1923; Y.B. Sep. 887, pp. 989-990. 1923.
    planting intentions, and outlook for 1924. M.C. 23, pp. 3, 4, 12-13. 1924.

Tobacco—Continued.
    plug, types used in making, and sources. B.P.I. Bul. 244, pp. 33, 40-93. 1912; Y.B., 1922, pp. 406, 408, 409, 416, 418. 1923; Y.B. Sep. 885, pp. 406, 408, 409, 416, 418. 1923.
    pod borer—
      Hawaii, description, life history, and control. Hawaii Bul. 34, pp. 11-13. 1914.
      See also Budworm.
    poisoning with Paris green, discussion. Ent. Cir. 123, pp. 14-16. 1910.
    pole—
      burn, cause and control. F.B. 416, pp. 19, 22. 1910.
      sweat, cause, nature of damage, and remedy. B.P.I. Bul. 143, pp. 17-18. 1909; B.P.I. Bul. 241, pp. 9-12, 24. 1912; F.B. 523, pp. 9, 12-13. 1913.
      sweat, prevention. Rpt. 83, p. 62. 1906.
    pooling, effect on larger markets. B.P.I. Bul. 268, pp. 45, 47-48, 55. 1913.
    pot culture in manganiferous soils, notes. Hawaii Bul. 26, pp. 27, 33. 1912.
    pot experiments, cover crops and fertilizer. B.P.I. Cir. 15, p. 5. 1908.
    powder, effect on various household insects, tests. D.B. 707, pp. 4, 11, 24, 33. 1918.
    powdered, fly repellant. D.B. 131, pp. 8, 23. 1914.
    powders, investigations. An. Rpts., 1912, p. 1099. 1913; I. and F.Bd. A. R., 1912, p. 9. 1912.
    prices—
      1900-1914. Y.B., 1914, pp. 582-584. 1915; Y.B. Sep. 655, pp. 582-584. 1915.
      1900-1915. Y.B., 1915, pp. 476, 478. 1916; Y.B. Sep. 683, pp. 476, 478. 1916.
      1907-1916. Y.B., 1916, pp. 632, 633-634. 1917; Y.B. Sep. 720, pp. 22, 23-24. 1917.
      1907-1922. Y.B., 1922, pp. 727, 728. 1923; Y.B., Sep. 884, pp. 727, 728. 1923; Y.B. Sep. 887, p. 995. 1923.
      1907-1923. Y.B., 1923, pp. 871, 873. 1924; Y.B. Sep. 901, pp. 871, 873. 1924.
      1907-1924. Y.B., 1924, pp. 829-830. 1925; Y.B. Sep. 901, pp. 829-830. 1925.
      1908-1917. Y.B., 1917, pp. 678, 679-680. 1918; Y.B. Sep. 760, pp. 26, 27-28. 1918.
      1909-1918. Y.B., 1918, pp. 540, 542-543. 1919; Y.B. Sep. 792, pp. 36, 38-39. 1919.
      1910-1919. Y.B., 1919, pp. 598, 600. 1920; Y.B. Sep. 827, pp. 598, 600. 1920.
      1911-1920. Y.B., 1920, pp. 647, 649. 1921; Y.B. Sep. 862, pp. 647, 649. 1921.
      1912-1921. Y.B., 1921, pp. 622, 623, 783. 1922; Y.B. Sep. 869, pp. 42, 43. 1922; Y.B. 871, p. 3, 14. 1922.
    priming different varieties. B.P.I. Doc. 427, pp. 7, 8, 16, 21. 1908.
    product(s)—
      injury by cigarette beetles, character and extent. F.B. 846, pp. 3-5. 1917.
      "nico-fume liquid," adulteration and misbranding. Insect. N.J. 28, pp. 2. 1913.
    pest of, tobacco beetle. G. A. Runner and Adam G. Böving. D.B. 737, pp. 71. 1919.
    production—
      1893-1898. Y.B., 1900, p. 820. 1901.
      1918, estimate, comparison with 1916, 1917. News L., vol. 6, No. 1, p. 13. 1918.
      1918, increase. Sec. Cir. 133, p. 6. 1919.
      1920. An. Rpts., 1920, p. 3. 1921; Sec. A.R., 1920, p. 3. 1920.
    and value—
      1830-1909. Atl. Am. Agr. Adv. Sh., 4, Pt. V, p. 61. 1918.
      1912, estimates. An. Rpts., 1912, p. 15. 1913; Sec. A.R., 1912, p. 15. 1912; Y.B., 1912, p. 15. 1913.
      See also Tobacco, acreage production, and value.
    and yield, 1913. An. Rpts., 1913, p. 55. 1914; Sec. A.R., 1913, p. 53. 1913; Y.B., 1913, p. 67. 1914.
    annual average estimated from Treasury Department statistics. B.P.I. Bul. 268, pp. 63-67. 1913.
    cost and receipts, experiments of Soils Bureau, in Appomattox County, Va. Soils Bul. 46, pp. 17-24. 1907.

2434   UNITED STATES DEPARTMENT OF AGRICULTURE

Tobacco—Continued.
  production—continued.
    costs, studies. News L., vol. 6, No. 45, p. 4. 1919.
    decrease. Off. Rec., vol. 4, No. 2, p. 3. 1925.
    distribution of various types, notes and tables. B.P.I. Bul. 244, pp. 22, 32, 37, 40, 44, 46–48, 50, 54, 62, 64, 81, 82, 84, 86, 90, 91, 93. 1912.
    estimates by States. F.B. 563, pp. 5–6, 12. 1913.
    factors influencing. Y.B., 1922, pp. 411–425, 465. 1923; Y.B. Sep. 885, pp. 411–425, 465. 1923.
    imports and exports, annual and average, by countries. Stat. Cir. 31, pp. 16–18, 29, 30. 1912.
    increase. Off. Rec., vol. 3, No. 4, p. 3. 1924.
    localization. F.B. 571, rev., pp. 3–4. 1920.
    per acre, variations since 1866. An. Rpts., 1910, p. 711. 1911; Stat. Chief Rpt., 1910, p. 21. 1910.
    per capita. Y.B., 1919, p. 154. 1920; Y.B. Sep. 805, p. 154. 1920.
    school studies. D.B. 521, p. 26. 1917.
    world countries—
      1909–1913. Atl. Am. Agr. Adv. Sh., 4, Pt. V, p. 61. 1918.
      1910–1914, graph. Y.B., 1916, p. 544. 1917; Y.B. Sep. 713, p. 14. 1917.
    yield and—
      price, 1914, with comparisons, by States. F.B. 641, p. 29. 1914.
      quality, November 1, 1915, estimate. News L., vol. 3, No. 16, p. 2. 1915.
  properties, and composition, changes while curing. B.P.I. Bul. 241, p. 8. 1912.
  protection from—
    cotton bollworm, injuries, note. Ent. Bul. 50, p. 134. 1905.
    frost. Y.B., 1909, p. 393. 1910; Y.B. Sep. 522, p. 393. 1910.
    mole crickets. P.R. Bul. 23, pp. 23, 24. 1918.
  pungency of smoke, cause, and methods of removing. B.P.I. Bul. 141, pp. 6–16. 1909.
  quality(ies)—
    effect of—
      different soils, Caswell County, N. C. Soil Sur. Adv. Sh., 1908, p. 13. 1910; Soils F.O., 1908, p. 325. 1911.
      heat during curing process. B.P.I. Bul. 241, pp. 12–15. 1912.
      relation of nicotine. B.P.I. Bul. 141, pp. 5–16. 1909.
      relation to soil and climate. Y.B., 1922, pp. 398, 416–420. 1923; Y.B. Sep. 885, pp. 398, 416–420. 1923.
  receipts—
    at Baltimore, 1895–1909. B.P.I. Bul. 268, p. 11. 1913.
    at western markets, 1889 and 1904. B.P.I. Bul. 268, pp. 45–47. 1913.
    on Kentucky farms, compared to dairy receipts. D.B. 548, p. 3. 1917.
    principal markets, 1900–1909. B.P.I. Bul. 268, p. 62. 1913.
  Regie, brokerage trade notes. B.P.I. Bul. 268, p. 28. 1913.
  regions, soil survey, discussion. Y.B., 1901, p. 124. 1902.
  relation of weather to planting, cultivation, and cutting, notes. Y.B., 1900, pp. 702–712. 1901.
  report, July 1—
    1911. J. P. Killebrew. Stat. Cir. 22, pp. 8. 1911.
    1912. J. P. Killebrew. Stat. Cir. 38, p. 7. 1912.
  requirements—
    1919, and world balance, surplus and deficit. Sec. Cir. 125, p. 10. 1919.
    1919–1920, and available stocks. Sec. Cir. 125, pp. 13–14. 1919.
  resistance to—
    mosaic disease in certain plants. J.A.R., vol. 10, pp. 618–620. 1917.
    root rot, development of strains. D.B. 765, pp. 7–10. 1919.
  ripeness, tests. F.B. 416, p. 15. 1910.

Tobacco—Continued.
  ripening—
    changes in color and texture of leaf. B.P.I. Bul. 143, pp. 9–10. 1909.
    in Ohio. Soils Bul. 29, pp. 19–20. 1905.
    remarks. Soils Bul. 29, pp. 19–20. 1905.
    value and influence on tobacco quality. F.B. 523, pp. 1–24. 1913.
  root(s)—
    diseases. D.B. 1256, pp. 18–25. 1924.
    infection, effects of moisture, temperature, and fertilizers. J.A.R., vol. 17, pp. 41–86. 1919.
    inoculation with virus of mosaic disease. D.B. 40, p. 24. 1914.
    knot, description and control. F.B. 571, rev., p. 22. 1920.
  rot—
    cause. News L., vol. 6, No. 38, p. 15. 1919.
    cause and preventive treatment. F.B. 996, pp. 4–11. 1918.
    caused by *Thielavia basicola*. W. W. Gilbert. B.P.I. Bul. 158, pp. 55. 1909.
    control, 1907. An. Rpts., 1907, pp. 265, 271. 1908; B.P.I. Chief Rpt., 1907, pp. 17, 22, 73. 1907.
    control, 1908. An. Rpts., 1908, p. 50. 1909; Sec. A.R., 1908, p. 48. 1908.
    control by seed-bed sterilization. News L., vol. 3, No. 32, pp. 1–2. 1916.
    control by steam ster.lization, method. B.P.I. Bul. 217, p. 63. 1911.
    control by use of acid fertilizers. D.B. 6, p. 12. 1913.
    description, cause, and control. F.B. 571, rev., p. 21. 1920.
    description, cause, and spread. D.B. 765, pp. 2–5. 1919.
    field treatment. Lyman J. Briggs. B.P.I. Cir. 7, pp. 8. 1908.
    relation to soil environment. J.A.R., vol. 17, pp. 41–86. 1919.
    resistant strains of White Burley. James Johnson and R. H. Milton. D.B. 765, pp. 11. 1919.
    soil conditions, study. An. Rpts., 1908, p. 318. 1909; B.P.I. Chief Rpt., 1908, p. 46. 1908.
    study in 1923. Work and Exp., 1923, p. 47. 1925.
  rotation(s)—
    disease. B.P.I. Chief Rpt., 1924, p. 36. 1924.
    effect of other crops on yields. W. W. Garner and others. J.A.R., vol. 30, pp. 1095–1132. 1925.
    for control of wilt disease. D.B. 562, pp. 10–17, 19. 1917.
    scheme. Y.B., 1908, pp. 415–420. 1909; Y.B. Sep. 490, pp. 415–420. 1909.
  samples received for standardization work. Off. Rec., vol. 2, No. 34, p. 3. 1923.
  sampling methods at different markets. B.P.I. Bul. 268, pp. 9–10, 29, 32, 41, 47, 50, 60. 1913.
  sand-drown disease, cause. B.P.I. Chief Rpt., 1921. p. 24. 1921; Off. Rec., vol 2, No 3, p 4. 1923.
  seed—
    bed(s)—
      description. B.P.I. Bul. 244, p. 26. 1912.
      directions. F.B. 416, pp. 10–11. 1910.
      fall steaming, advantages and disadvantages. F.B. 996, pp. 6–7. 1918.
      insects attacking, and remedies. Y.B., 1910, pp. 292–293. 1911; Y B. Sep. 537, pp 292–293. 1911.
      location, methods of preparation, and care. F.B. 343, pp. 7–12. 1909.
      management. Soils Bul. 46, pp. 24–26. 1907.
      methods of growing plants. Rpt. 63, pp. 8–9. 1916.
      mildew outbreak and treatment. D.C. 174, pp. 3–6. 1921.
      preparation. F.B. 416, rev., pp. 8–9. 1921; Soils Bul. 37, pp. 14, 27. 1906.
      preparation and care. B.P.I. Doc. 427, pp. 6, 10–11, 15, 19. 1908; F.B. 571, pp. 3–4, 11. 1914; F.B. 571, rev., pp. 6–7, 15–16. 1920; Hawaii Bul. 15, pp. 14–17. 1908.
      preparation and insect pests. P. R. An. Rpt., 1907, p. 34. 1908.

Tobacco—Continued.
seed—continued.
bed(s)—continued.
preparation and use. Soils Bul. 29, p. 18. 1905.
root-rot, symptoms and treatment for prevention. B.P.I. Bul 158 pp. 10-11, 26-30, 34-43. 1909.
sterilization. An. Rpts., 1908, p. 342. 1909; B.P.I. Chief Rpt., 1908, p. 70. 1908.
sterilization by steam. E. G. Reinhart. F.B. 996, pp. 15. 1918.
sterilization for disease control. News L., vol. 3, No. 32, pp. 1-2. 1916.
treatment for blue-mold disease. D.C. 176, pp. 2-3. 1921.
treatment for prevention of root-rot. B.P.I. Bul. 158, pp. 10-11, 26-30, 34-43. 1909.
directions for saving. B.P.I. Bul. 91, pp. 34-38. 1906.
distribution. An. Rpts., 1908, p. 348. 1909; B.P.I. Chief Rpt., 1908, p. 76. 1908.
grading and—
separation. F.B. 225, pp. 10, 11. 1905.
sowing. F.B. 343, p. 10. 1909.
importation and description. No. 39664, B.P.I. Inv. 38, p. 15. 1917.
improvement and testing. F.B. 381, pp. 12-14. 1909.
insects injurious. Y.B., 1910, p. 296. 1911; Y.B. Sep. 537, p. 296. 1911.
leaf, production, cost, and yield per acre, Pennsylvania. F.B. 416, pp. 21-22. 1910.
plants, selection and—
care. D.B. 16, pp. 17-18. 1913.
management. F.B. 343, pp. 20-21. 1909.
press cake with corn, feeding experiments. J.A.R., vol. 24, pp. 972-973, 976. 1923.
protection from splitworm and pod-borer. Hawaii Bul. 34, pp. 9, 13. 1914.
pure, influence on wireworm control. F.B. 78, pp. 14-15. 1914.
quantity per—
100 sq. feet, and per acre. B.P.I. Doc. 427, pp. 5, 10, 11, 15. 1908.
200 sq. feet. B.P.I. Bul. 138, p. 11. 1908.
selecting plants and saving seed. F.B. 571, rev., p. 24. 1920.
selection—
and care. F.B. 571, rev., p. 24. 1920; F.B. 237, pp. 12-13. 1905; O.E.S.F.I.L. 9, p. 6. 1907.
and testing. F.B. 381, pp. 12-14. 1909.
commercial value. B.P.I. Bul. 138, pp. 19-25. 1908.
importance. F.B. 416, pp. 14, 23-24. 1910.
of new varieties. Y.B., 1906, p. 400. 1907; Y.B. Sep. 431, p. 400. 1907.
of plants and care of seed pods. F.B. 416, rev., pp. 12, 19. 1921.
self-fertilized, superiority. Y.B., 1905, p. 387. 1906; Y.B. Sep. 398, p. 387. 1906.
separator, use. F.B. 343, p. 10. 1909.
sowing directions. F.B. 571, pp. 3-4, 11. 1914.
testing, planting. O.E.S.F.I.L. 9, p. 6. 1907.
varieties distributed, 1905-06, with cultural directions. A. D. Shamel and W. W. Cobey. B.P.I. Bul. 91, p. 40. 1906.
seedlings, transplanting—
directions. B.P.I. Doc. 427, pp. 6-23. 1908.
effect on root rot. J.A.R., vol. 17, pp. 81-83. 1919.
selling—
"loose floor" method. Stat. Cir. 18, p. 9. 1909.
methods for different types and localities. Stat. Cir. 18, pp. 9, 10, 13, 15. 1909.
on farm, methods. Y.B. 1922, pp. 437-439. 1923; Y.B. Sep. 885, pp. 437-439. 1923.
shade—
cloth—
experiments. Off. Rec., vol. 2, No. 19, p. 2. 1923.
test. Off. Rec., vol. 2, No. 27, p. 4. 1923; vol. 2; No. 45, p. 5. 1923.
waterproofing. Chem. Chief Rpts., 1924, p. 9. 1924.
cultural directions. B.P.I. Bul. 138, pp. 9-14. 1908.
effect of size of mesh in cloth. B.P.I. Bul. 138, p. 25. 1908.

Tobacco—Continued.
shade—continued.
growing—
advantages. O.E.S.F.I.L. 9, p. 10. 1907.
cost and profits. B.P.I. Bul. 138, pp. 20-24. 1908.
harvesting, curing, packing, and grading. B.P.I. Bul. 138, pp. 13-18. 1908.
production, development since 1896. B.P.I. Bul. 138, pp. 7-9. 1908.
shade-grown—
directions. Off. Rec., vol. 2, No. 21, p. 6. 1923.
growing in Southern States, Norfolk, fine sandy loam. Soils Cir. 22, pp. 11, 13. 1911.
injuries by budworms, and cost of treatment. Y.B., 1910, pp. 281, 289. 1911; Y.B. Sep. 537, pp. 281, 289. 1911.
ravages of tobacco thrips, remedies. Ent. Bul. 65, pp. 24. 1902.
Sumatra, opinions of cigar manufacturers. Y.B., 1902, pp. 71-73. 1903.
susceptibility to insect pests. Ent. Bul. 65, pp. 1-6. 1907.
shading—
directions and cost per acre in Georgia—
Grady County. Soil Sur. Adv. Sh., 1908, p. 23. 1909; Soils F.O., 1908, p. 359. 1911.
Thomas County. Soil Sur. Adv. Sh., 1908, p. 28. 1909; Soils F.O., 1908, p. 418. 1911.
effect on climatic conditions, Grady County, Ga. Soil Sur. Adv. Sh., 1908, p. 9. 1909; Soils F.O., 1908, p. 345. 1911.
shipments to and from Philippine Islands and Porto Rico. Y.B., 1919, pp. 162-163. 1920; Y.B. Sep. 805, pp. 162-163. 1920.
shrinkage, causes. B.P.I. Bul. 268, p. 64. 1913.
sick soils—
investigations. An. Rpts., 1917, p. 138. 1917; B.P.I. Chief Rpt., 1917, p. 8. 1917.
tests and treatment. An. Rpts., 1923, pp. 50-51, 264. 1923; B.P.I. Chief Rpt., 1923, p. 10. 1923; Sec. A.R., 1923, pp. 50-51. 1923.
smoke, analysis. B.P.I. Bul. 141, pp. 13-16. 1909.
smoking, internal revenue rates, and production. Y.B., 1919, pp. 171-172, 174. 1920; Y.B. Sep. 805, pp. 171-172, 174. 1920.
soils—
adapted and fertilizer requirements. D.B. 355, pp. 81-82. 1916.
fertility, maintenance by crop rotation. F.B. 343, pp. 12-14. 1909.
in—
Florida, Georgia, and Alabama, selection. An. Rpts., 1908, pp. 91, 518. 1909; Soils Chief Rpt., 1908, p. 22. 1908.
Georgia, Jackson County. Soil Sur. Adv. Sh., 1914, pp. 16, 18, 22. 1915; Soils F.O., 1914, pp. 740, 742, 746. 1919.
New England. D.B. 140, pp. 40-41. 1915.
Virginia. Y.B., 1905, pp. 220, 221, 224. 1906; Y.B. Sep. 378, pp. 220, 221, 224. 1906.
investigations. An. Rpts., 1902, pp. 178-187. 1902.
of Atlantic and Gulf coastal plains, notes. Soils Bul. 78, pp. 18-35, 42-46, 59, 69. 1911.
selecting, breaking, fertilizing, and preparing. F.B. 343, pp. 12-18. 1909.
surveys by Soils Bureau, and results. Y.B., 1907, pp. 76-77. 1908.
typical, in Kentucky and Tennessee. F.B. 343, pp. 13-14. 1909.
solutions for spraying orchard insects. Y.B., 1908, p. 279. 1909; Y.B. Sep. 480, p. 279. 1909.
sore-shank, description and control. F.B. 571, rev., p. 22. 1920.
Spanish varieties—
cultural directions. B.P.I. Doc. 427, pp. 13-14. 1908.
planting, fertilizing, and harvesting. F.B. 571, pp. 8, 9. 1914.
special reports. An. Rpts., 1909, p. 663. 1910; Stat. Chief Rpt., 1909, p. 11. 1909.
splitworm—
A. C. Morgan and S. E. Crum. D.B. 59, pp. 7. 1914.
common names and food plants. D.B., 59, pp. 2-3. 1914.
in Hawaii, description, life history, and control. Hawaii Bul. 34, pp. 8-11. 1914.

Tobacco—Continued.
splitworm—continued.
  injuries to tobacco, description, habits and control. Y.B., 1910, pp. 281, 289-290. 1911. Y.B. Sep. 537, pp. 281, 289-290. 1911.
  (*Phthorimaea operculella*) description and remedies. Hawaii Bul. 10, pp. 7-8. 1905.
sprays for—
  chrysanthemum aphid control. F.B. 1311, p. 16. 1923.
  control of clover mite. Ent. Cir. 158, p. 4. 1912.
stains, removal from textiles. F.B. 861, p. 33. 1917.
stalk(s)—
  destruction for control of flea beetles. F.B. 1352, p. 7. 1923.
weevil—
  distribution and control. Ent. Bul. 38, pp. 66-70. 1902.
  observations. J. C. Bridwell. Ent. Bul. 44, pp. 44-46. 1904.
standardization. Off. Rec. vol. 1, No. 15, p. 3. 1922.
standards—
  preparation. An. Rpts., 1923, p. 173. 1923; B.A.E. Chief Rpt., 1923, p. 43. 1923.
  work of department. Off. Rec. vol., 2, No. 34, p. 3. 1923.
State cooperative work, 1909. An. Rpts., 1909, p. 310. 1910; B.P.I. Chief Rpt., 1909, p. 58. 1909.
statistics—
  1612-1911. Stat. Cir. 33, pp. 1-12. 1912.
  1908, by types, work of Statistics Division. Y.B., 1908, p. 128. 1909.
  1909, by types and districts. B.P.I. Bul. 244, pp. 98-100. 1912.
  1911, by types and districts. Stat. Cir. 27, pp. 1-8. 1912.
  graphic showing of average production—
    United States. Stat. Bul. 78, p. 28. 1910.
    world. Stat. Bul. 78, p. 63. 1910.
  Louisville Tobacco Exchange, 1900-1909. B.P.I. Bul. 628, p. 63. 1913.
  on marketing. B.P.I. Bul. 268, pp. 11, 45, 46, 62-67. 1913.
  production and acreage by States, types and districts. Stat. Cir. 43, pp. 1-8. 1913.
  receipts and shipments at trade centers. Rpt. 98, pp. 381-382. 1913.
  recommendations of interdenominational committee. An. Rpts., 1915, pp. 37-38. 1916; Sec. A. R., 1915, pp. 39-40. 1915.
  Treasury Department. B.P.I. Bul. 268, pp. 63-67. 1913.
  work, Statistics Bureau. An. Rpts., 1908, pp. 128, 711. 1909; Sec. A.R., 1908, p. 126. 1908; Stat. Chief Rpt., 1908, p. 11. 1908.
status under food and drugs act, opinion. Chem. S.R.A. 2, p. 24. 1914.
steam sterilization for control of tobacco beetle. F.B. 846, pp. 17-18. 1917.
stem borer, description. Sec. [Misc.], "A manual * * * insects * * *," p. 215. 1917.
stems—
  imports, 1907-1909, quantity and value, by countries from which consigned. Stat. Bul. 82, p. 59. 1910.
  use against aphids on truck crops. F.B. 460, p. 27, 1911.
  use in fumigation. News L., vol. 6. No. 49, p. 4. 1919.
stored—
  exposure to X ray, for control of beetles, experiments. J.A.R., vol. 6, No. 11, pp. 383-388. 1916.
  insects affecting. Hawaii Bul. 34, pp. 18-20. 1914.
storing in warehouses, receipts, form and value of. Y.B., 1922, pp. 444-448. 1923; Y.B. Sep. 885, pp. 444-448. 1923.
stringing in barns, methods. B.P.I. Bul. 143, pp. 37-38. 1909.
stripping—
  and assorting methods. F.B. 523, pp. 14-15, 24. 1913.
  and sorting. F.B. 416, rev., p. 18. 1921.
tying fermentation. Soils Bul. 37, pp. 20-22, 29. 1906.

Tobacco—Continued.
  study in 1923. Work and Exp., 1923, p. 29. 1925.
subcommittee, recommendations, Agricultural Conference. Off. Rec. vol. 1, No. 5, p. 3. 1922.
suckering, different varieties. B.P.I. Doc. 427, pp. 7, 8, 12, 17, 20, 21. 1908.
Sumatra—
  cultural directions. B.P.I. Doc. 427, pp. 8-10. 1908.
  growing—
    in Hawaii, notes. Hawaii Bul. 15, pp. 15, 18, 24, 26, 27. 1908.
    under shade, in Florida, Jefferson County. Soil Sur. Adv. Sh., 1907, pp. 14-15. 1908; Soils F.O., 1907, pp. 354-355. 1909.
    under shade in Connecticut Valley. Milton Whitney. Soils Bul. 20, pp. 31. 1902.
  high grade. B.P.I. Bul. 244, p. 10. 1912.
  introduction into Connecticut Valley. Y.B., 1901, p. 118. 1902.
  leaf, shelter-grown, cost. F.B., 381, pp. 9-14. 1909.
  shade-grown, investigations, area, and cost, 1902. Rpt. 73, pp. 52-58. 1902.
  wrapper, growing in Georgia, Thomas County. Soil Sur. Adv. Sh., 1908, pp. 27-30. 1909; Soils F.O., 1908, pp. 417-420. 1911.
sun-curing process. B.P.I. Bul. 143, pp. 21-22, 41. 1909.
susceptibility to wilt. D.B. 562, pp. 5-6, 18. 1917.
taxation, income to the Government. Y.B., 1919, pp. 172-173. 1920; Y.B. Sep. 805, pp. 172-173. 1920.
Texas, Alabama, South Carolina, and Ohio grown, catalogue. Soils [Misc.], "Catalogue of Texas * * *," pp. 10. 1904.
three centuries of. George K. Holmes. Y.B., 1919, pp. 151-175. 1920; Y.B. Sep. 805, pp. 151-175. 1920.
thrips—
  a new and destructive enemy of shade-grown tobacco. W. A. Hooker. Ent. Bul. 65, pp. 24. 1907.
  and remedies to prevent "white veins" in wrapper tobacco. W. A. Hooker. Ent. Cir. 68, pp. 6. 1906.
  control. An. Rpts., 1919, p. 268. 1920; Ent. A.R., 1919, p. 22. 1919.
  enemy of shade-grown tobacco. W. A. Hooker. Ent. Bul. 65, pp. 24. 1907.
  history, distribution, description, habits, and control. Ent. Bul. 65, pp. 5-22. 1907.
  life history. Ent. Cir. 68, pp. 1-5. 1906.
  nature and extent of injury to leaf. Ent. Bul. 65, pp. 6-7. 1907.
  remedies, cultural and insecticidal. Ent. Bul. 65, pp. 14-22. 1907.
topping—
  and priming. B.P.I. Bul. 138, p. 13. 1908.
  and suckering, methods and time. D.B. 16, p. 27. 1913.
  suckering and harvesting. Soils Bul. 37, pp. 17, 28. 1906.
trade—
  international—
    1901-1910. Stat. Bul. 103, pp. 46-47. 1913.
    1909-1921. Y.B., 1922, p. 729. 1923; Y.B. Sep. 884, p. 729. 1923.
  with foreign countries, exports and imports. D.B. 296, pp. 2-33, 49. 1915.
  with Philippine Islands and Porto Rico. Y.B., 1919, pp. 162-163. 1920; Y.B. Sep. 805, pp. 162-163. 1920.
transplanting—
  and cultivating. F.B. 571, pp. 5-6, 11. 1914.
  cultivation, and topping. F.B. 416, rev., pp. 10-12. 1921.
  date, graph. D.C. 183, p. 48. 1922.
  in Ohio. Soils Bul. 29, p. 18. 1905.
  soil preparation, methods. D.B. 16, pp. 20-25. 1913.
treating for beetle control, methods and apparatus. D.B. 737, pp. 51-53. 1919.
treatment for beetle control. F.B. 846, pp. 14-22. 1917.
types—
  and districts. J. P. Killebrew. Stat. Cir. 18, pp. 16. 1909.

INDEX TO PUBLICATIONS, 1901–1925   2437

Tobacco—Continued.
 types—continued.
  differentiation, and geographical distribution. Y.B., 1922, pp. 405–411, 466. 1923; Y.B. Sep. 885, pp. 405–411, 466. 1923.
  improvement investigations. An. Rpts., 1904, pp. 84–85. 1904.
  of United States, export and manufacturing. E. H. Mathewson. B.P.I. Bul. 244, pp. 100. 1912.
  yields and areas. B.P.I. Cir. 48, pp. 4–9. 1910.
  "Uncle Sam Sumatra," origin, history. Y.B., 1907, p. 229. 1908; Y.B. Sep. 466, p. 229. 1908.
  unmanufactured, trade international. Y.B., 1922, pp. 454–455. 1923; Y.B. Sep. 885, pp. 454–455. 1923.
 use—
  and value in root maggot control in Alaska. Alaska A.R., 1915, p. 13. 1916.
  as anthelmintic, test on chickens. J.A.R., vol. 12, pp. 428–429. 1918.
  in fumigation of mushroom houses. F.B. 789, pp. 5, 6. 1917.
  in sheep dipping, regulation. B.A.I.O. 143, amdt. 5, p. 1. 1911.
  value of crop, comparison with wheat. Y.B., 1921, p. 80. 1922; Y.B. Sep. 873, p. 80. 1922.
  value per acre, rank of certain States. O.E.S. Bul. 222, p. 31. 1910.
 varieties—
  descriptions, and cultural directions. B.P.I. Bul. 91, pp. 11–15, 15–34. 1906.
  grown in Pennsylvania. F.B. 416, pp. 5–7. 1910.
  improvement, work of year. B.P.I. Chie. Rpt., 1905, pp. 83–84. 1905.
  new. An. Rpts., 1908, pp. 341–342. 1909; B.P.I. Chief Rpt., 1908, pp. 69–70. 1908.
  new and valuable. An. Rpts., 1907, p. 271. 1908.
 Virginia—
  fire-cured, improvement. George T. McNess and others. Soils Bul. 46, pp. 40. 1907.
  sun-cured, curing method. B.P.I. Doc. 427, p. 22. 1908.
 warehouse(s)—
  license. B.A.E.S.R.A. 71, p. 61. 1922; Off. Rec., vol. 1, No. 8, p 2. 1922; vol 1; No. 30, p. 4. 1922.
  number and—
   capacity. An. Rpts., 1923, pp. 29, 172. 1923; B.A.I. Chief Rpt., 1923, p. 42. 1923; Sec. A.R., 1923, p. 29. 1923.
   location. Off. Rec., vol. 1, No. 16, p. 1. 1922.
  regulations under United States warehouse act. Sec. Cir. 154, pp. 1–35. 1920.
  sales methods. Y.B., 1909, p. 166. 1910; Y.B. Sep. 502, p. 166. 1910.
 wastes, source of potash. Y.B., 1917, pp. 262, 263. 1918; Y.B. Sep. 728, pp. 12, 13. 1918.
 water, use for spraying red spider. Ent. Cir. 104, p. 8. 1909.
 webworm destruction. Off. Rec., vol. 2, No. 14, p. 3. 1923.
 western—
  markets, development and present status. B.P.I. Bul. 268, pp. 31–61. 1913.
  production, 1888. B.P.I. Bul. 268, p. 46. 1913.
 White Burley—
  cultural directions. B.P.I. Doc. 427, pp. 19–20. 1908.
  description, location, and cultural directions. F.B. 571, rev., pp. 17–18. 1920.
  planting, topping, and harvesting. F.B. 571, pp. 12–13. 1914.
  strains resistant to root rot. James Johnson and H. R. Milton. D.B. 765, pp. 11. 1919.
  variety, origin. Y.B.,1907, pp. 232–233. 1 908; Y.B. Sep. 446, pp. 232–233. 1908.
 "white vein," caused by thrips, extent of injury to value of leaf. Ent. Bul. 65, pp. 6–7. 1907.
 wild, leaf-spot, occurrence and description. B.P.I. Bul. 226, p. 105. 1912.
 wildfire—
  cause and description. J.A.R., vol. 23, pp. 482, 483. 1923.
  description, distribution, and cause. J.A.R., vol. 12, pp. 449–458. 1918.

Tobacco—Continued.
 wilt—
  control in flue-cured district. W. W. Garner and others. D.B. 562, pp. 20. 1917.
  description, location, and control. F.B. 571, rev., pp. 21–22. 1920.
  disease, control. R. E. B. McKenney. B.P.I. Bul. 51, Pt. I, pp. 5–8. 1905.
  Granville, history, origin, description, and control. B.P.I. Bul. 141, pp. 17–24. 1909.
  identical with brown rot of potato. An. Rpts., 1912, p. 136. 1913; Sec. A.R., 1912, p. 136. 1912; Y.B., 1912, p. 136. 1913.
  in flue-cured district, control. W. W. Garner and others. D.B. 562, pp. 20. 1917.
  in North Carolina, Granville County, prevention. Soil Sur. Adv. Sh., 1910, p. 17. 1912; Soils F.O., 1910, p. 353. 1912.
  symptoms, control by crop rotation. News L., vol. 5, No. 10, p. 2. 1917.
  wilting coefficient, determinations. B.P.I. Bul. 230, p. 55. 1912.
 wireworm—
  control by cultural means. An. Rpts., 1911, p. 115. 1912; Sec. A.R., 1911, p. 113. 1911; Y.B., 1911, p. 113. 1912.
  so-called, in Virginia. G. A. Runner. D.B. 78, pp. 30. 1914.
 work of department, 1906. Rpt. 83, pp. 39–40, 60–62. 1906.
 world—
  acreage and production, by countries, 1909–1922. Y.B., 1922, pp. 723–724. 1923; Y.B. Sep. 884, pp. 723–724. 1923.
  production—
   1900–1921. Y.B., 1922, p. 724. 1923; Y.B. Sep. 884, p. 724. 1923.
   1909–1913 and proportion for each country. Y.B., 1922, pp. 396–398. 1923; Y.B. Sep. 885, pp. 396–398. 1923.
   1921, and exports. Y.B., 1921, pp. 619–620, 781. 1922; Y.B. Sep. 869, pp. 39–40. 1922; Y.B. Sep. 871, p. 12. 1922.
   1925. Off. Rec., vol. 4, No. 34, p. 4. 1925.
 work, progress, 1906. Y.B., 1906, p. 52. 1907.
 worms—
  destruction by bobwhite. Biol. Bul. 21, p. 45. 1905.
  destruction by skunks. F.B. 587, p. 10. 1914.
  See also Hornworms, tomato.
 wrapper—
  varieties, "white veins," remedies. Ent. Cir. 68, pp. 1–6. 1906.
  "white veins," and tobacco thrips, remedies. W. A. Hooker. Ent. Cir. 68, pp. 6. 1906.
 wrapper-leaf—
  curing methods. F.B. 523, pp. 14–15. 1913.
  growing in Florida, Marianna area. Soil Sur. Adv. Sh., 1909, pp. 18, 19. 1910; Soils F.O., 1909, pp. 632, 633. 1912.
 yellow—
  harvesting, curing, and handling. B.P.I. Bul. 143, pp. 44–47. 1909.
  States producing. B.P.I. Bul. 143, p. 41. 1909.
  varieties, growing, fertilizing, and harvesting. F.B. 571, pp. 13–14. 1914.
 Yellow Pryor, description, grades, prices, and acreage. B.P.I. Bul. 244, pp. 85–87. 1912.
 yield(s)—
  in North Carolina, Granville County. Soil Sur. Adv. Sh., 1910, pp. 26–39. 1912; Soils F.O., 1910, pp. 362–375. 1912.
  on important soils, Southern States. Y.B., 1911, pp. 231, 233. 1912; Y.B. Sep. 563, pp. 231, 233. 1912.
  per acre by countries. Y.B., 1923, p. 467. 1924; Y.B. Sep. 896, p. 467. 1924.
  relation to quality. Y.B., 1922, p. 422. 1923; Y.B. Sep. 885, p. 422. 1923.
 young plants, insects attacking. Y.B., 1910, p. 293. 1911; Y.B. Sep. 537, p. 293. 1911.
 Zimmer Spanish, cultivation. B.P.I. Doc. 427, pp. 10–14. 1908.
Tobacco-wood. See Witch-hazel.
Tobago, nursery stock inspection, officials and seal. F.H.B.S.R.A. 20, pp. 76–77. 1915.
To-bak-ine liquid poison, misbranding. Insect. N.J. 8, pp. 2. 1912.

Tobasco peppers, growing, Louisiana, Iberia Parish. Soil Sur. Adv. Sh., 1911, pp. 20-21, 41. 1912; Soils F.O., 1911, pp. 1144-1145, 1165. 1914.
TOBIN, J. J.: "Highway cost keeping." With others. D.B. 660, pp. 52. 1918.
Tobosa grass—
as silage for range cattle, experiments. D.B. 588, p. 26. 1917.
value on New Mexico pastures. D.B. 1031, pp. 9, 10, 24-25, 33. 1922.
Toddalia asiatica, importation and description. No. 47813, B.P.I. Inv. 59, pp. 8, 63. 1922.
TOCHER, J. F.: "Milk yields and associated factors as shown by the Scottish Milk Records Association." B.A.I. Dairy [-Misc.], "World's dairy congress, 1923," pp. 1405-1416. 1924.
Todus mexicanus. See Tody, Porto Rican.
Tody, Porto Rican, occurrence in Porto Rico, habits, and food. D.B. 326, pp. 64-66. 1916.
Toe, horse, turning up, treatment, and prevention. B.A.I. [Misc.], "Diseases of the horse," rev., pp. 426-430. 1903; rev., pp. 426-430. 1907; rev., pp. 426-430. 1911; rev., pp. 453-457. 1923.
Toggle, system of managing kids. D.B. 749, pp. 20-23. 1919.
Toilet rooms, requirements in abattoirs, details. B.A.I. An. Rpt., 1909, pp. 254-255. 1911; B.A.I. Cir. 173, pp. 254-255. 1911.
Toledo, Ohio—
milk supply, statistics, officials, prices, and ordinances. B.A.I. Bul. 46, pp. 28, 138. 1903.
trade center for farm products, statistics. Rpt. 98, pp. 288-290, 338, 360, 374, 389. 1913.
Toll—
for grinding grain, law, South Carolina. Chem. Bul. 69, Pt. VII, rev., p. 583. 1906.
gates, establishment for road maintenance in Virginia. D.B. 393, pp. 17-19. 1916.
road, Pike National Forest. Y.B., 1916, pp. 526-527. 1917; Y.B. Sep. 696, pp. 6-7. 1917.
roads. See also Roads.
telegraph or telephone, restrictions. B.A.I. S.R.A. 142, p. 14. 1919.
TOLLEY, H. R.—
"A method of testing farm-management and cost-of-production data for validity of conclusions." With S. W. Mendum. D.C. 307, pp. 13. 1924.
"Better use of man labor on the farm." With A. P. Yerkes. F.B. 989, pp. 15. 1918.
"Changes effected by tractors on Corn-Belt farms." With L. A. Reynoldson. F.B. 1296, pp. 12. 1922.
"Choosing a tractor (for a Corn-Belt farm)." With L. A. Reynoldson. F.B. 1300, pp. 13. 1922.
"Corn-Belt farmers' experience with motor trucks." With L. M. Church. D.B. 931, pp. 34. 1921.
"Cost of using tractors on Corn-Belt farms." With L. A. Reynoldson. F.B. 1297, pp. 15. 1923.
"Experience of eastern farmers with motor trucks." With L. M. Church. D.B. 910, pp. 37. 1920.
"Fire prevention and fire fighting on the farm." With A. P. Yerkes. F.B. 904, pp. 16. 1918.
"Input as related to output in farm-organization and cost-of-production studies." With others. D.B. 1277, pp. 44. 1924.
"Laying out fields for tractor plowing." F.B. 1045, pp. 40. 1919.
"Machinery for cutting firewood." F.B. 1023, pp. 16. 1919.
"Motor trucks on Corn-Belt farms." With L. M. Church. F.B. 1314, pp. 18. 1923.
"Motor trucks on eastern farms." With L. M. Church. F.B. 1201, pp. 23. 1921.
"Practical farm economics." With others. M.C. 32, pp. 100. 1924.
"Shall I buy a tractor (for a Corn Belt farm)?" With L. A. Reynoldson. F.B. 1299, pp. 10. 1922.
"The cost and utilization of power on farms where tractors are owned." With L. A. Reynoldson. D.B. 997, pp. 61. 1921.
"The efficient operation of threshing machines." F.B. 991, pp. 15. 1918.

TOLLEY, H. R.—Continued.
"The manufacture and sale of farm equipment in 1920." With L. M. Church. D.C. 212, pp. 11. 1922.
"The standard day's work in central Illinois." With L. M. Church. D.B. 814, pp. 32. 1920.
"The theory of correlation as applied to farm-survey data on fattening baby beef." D.B. 504, pp. 15. 1917.
"The use of machinery in cutting corn." F.B. 992, pp. 16. 1918.
"The wheat situation." With others. Y.B., 1923, pp. 95-150. 1924.
"Tractors and horses in the winter wheat belt, Oklahoma, Kansas, Nebraska." With W. R. Humphries. D.B. 1202, pp. 60. 1924.
"Tractors on southern farms." With L. M. Church. F.B. 1278, pp. 26. 1922.
"What tractors and horses do on Corn Belt farms." With L. A. Reynoldson. F.B. 1295, pp. 14. 1923.
TOLMAN, L. M.—
"A study of American beers and ales." With J. Garfield Riley. D.B. 498, pp. 23. 1917.
"Chemical composition of some tropical fruits and their products." With others. Chem Bul. 87. Pts. I-III, pp. 38. 1904.
"Chemical examination of fruit and fruit products." With L. S. Munson. Chem. Bul. 66, rev., pp. 9-102. 1905.
"Clerget's methods and modifications." Chem-Bul. 73, pp. 69-76. 1903.
"Concord grape juice: Manufacture and chemical composition." With B. G. Hartmann. D.B.656, pp. 27. 1918.
"Cooperative work on fats and oils, A.O.A.C., 1906." Chem. Cir. 27, pp. 6. 1906.
"Detection of cottonseed oil in lard." Y.B., 1904, pp. 359-362. 1905; Y.B. Sep. 353, pp. 359-362. 1905.
"Effect of distillation in different types of stills." Chem. Bul. 130, pp. 127-133. 1910.
"Fruits and fruit products: Chemical and microscopical examination." With others. Chem. Bul. 66, rev., pp. 114. 1902.
"Manufacture of denatured alcohol." With others. Chem. Bul. 130, pp. 166. 1910.
"Official and provisional methods of analysis, A.O.A.C." With others. Chem. Bul. 107, pp. 230. 1907.
"Olive oil and its substitutes." With L. S. Munson. Chem. Bul. 77, pp. 64. 1903.
"Potato culls as a source of industrial alcohol." With A. O. Wente. F.B. 410, pp. 40. 1910.
report—
as associate referee on distilled spirits. Chem. Bul. 132, pp. 90-92. 1910.
of committee on unification of methods of analysis of fats and oils. Chem. Bul. 132, pp. 166-167. 1910.
of cooperative work on Dalican titer test. Chem. Bul. 81, pp. 65-72. 1904.
on analysis of fats and oils. Chem. Bul. 81, pp. 46-65. 1904.
on sugar. Chem. Bul. 81, pp. 172-173. 1904.
"The composition of different varieties of red peppers." With L. C. Mitchell. Chem. Bul. 163, pp. 32. 1913.
Tolmarchus taylori. See Petchary, Porto Rican.
Toluene—
origin and use in making trinitrotoluene. D.C. 94, p. 3. 1920.
use in determination of specific gravity of wheat. B.P.I. Cir. 99, pp. 1-7. 1912.
Toluol—
effect on nitrogen-fixing and nitrifying organisms. J.A.R., vol. 15, pp. 601-614. 1918.
use as preservative of milk, effect on acidity. B.A.I. Bul. 150, pp. 25-31. 1912.
use in studies of lactic acid. J.A.R., vol. 2, pp. 210-211. 1914.
See also Toluene.
Tolyposporella brunki, occurrence on plants in Texas, and description. B.P.I. Bul. 226, p. 53. 1912.
Tomatillo solanum, importation and description. No. 33706, B.P.I. Inv. 31, p. 64. 1914.
Tomato(es)—
L. C. Corbett. F.B. 220, pp. 32. 1905.

Tomato(es)—Continued.
  absorption of boron and distribution. J.A.R.,
    vol. 5, No. 19, pp. 881, 882, 886, 887, 888, 889.
    1916.
  acids, investigations and determinations.
    D.B. 859, pp. 8-9, 10, 11, 16. 1920.
  acreage—
    1909. Atl. Am. Agr. Adv. Sh. 4, Pt. V, p. 99.
      1918.
    and yield for canning and manufacturing. F.B.
      1233, p. 4. 1921.
    contracts, 1918, with comparisons. News L.,
      vol. 6, No. 8, p. 8. 1918.
    on farms, census 1909, by States, map. Y.B.,
      1915, p. 379. 1916; Y.B. Sep. 681, p. 379. 1916.
    production, and value—
      1919. Y.B., 1919, pp. 623-625. 1920; Y.B. Sep.
        827, pp. 623-625. 1920.
      1920. Y.B., 1920, pp. 63, 66-68. 1921; Y.B.
        Sep. 862, pp. 63, 66-68. 1921.
      1921. Y.B., 1921, pp. 651-652, 657. 1922; Y.B.
        Sep. 869, pp. 71-72, 77. 1922.
      1922. Y.B., 1922, pp. 768-769, 775-777. 1923;
        Y.B. Sep. 884, pp. 768-769, 775, 777. 1923.
      1923. Y.B., 1923, pp. 779-782. 1924; Y.B.
        Sep. 900, pp. 779-782. 1924.
      1924. Y.B., 1924, pp. 729-732, 1065. 1925.
    yield, and variety tests, Nevada, Truckee-Carson farm. W.I.A. Cir. 3, pp. 4, 9-10. 1915.
  adaptability to Canal Zone. Rpt. 95, pp. 16, 17, 25, 30, 32. 1912.
  adulterated, case appealed and pending, 1910.
    An. Rpts., 1910, p. 803. 1911; Sol. A.R., 1910,
    p. 15. 1910.
  adulteration. See Indexes, Notices o Judgment,
    in bound volumes and in separates published
    as supplements to Chemistry Service and Regulatory Announcements.
  analyses of many varieties. D.B. 859, pp. 10-11.
    1920.
  aphids, control. D.C. 40, pp. 7-8. 1919.
  Arlington, origin and description. D.B. 1015, p.
    16. 1922.
  bacterial spot. J.A.R., vol. 21, No. 2, pp. 123-156.
    1921.
  baking with mushrooms, recipe. F.B. 796, p. 21.
    1917.
  blight(s)—
    cause and control, studies. S.R.S. Rpt., 1916,
      Pt. I, pp. 50, 142, 279. 1918.
    control. Work and Exp., 1915, Pt. I, p. 269.
      1916.
    description—
      and control. D.C. 40, pp. 12, 13. 1919.
      injury and preventive measures. News L.,
        vol. 5, No. 34, p. 8. 1918.
    early and late, control. F.B. 1338, p. 25. 1923.
    occurrence in Rocky Mountains and Pacific
      States, preventive measures. News L., vol.
      5, No. 34, p. 8. 1918.
    southern, cause, description, and control.
      S.R.S. Doc. 95, pp. 13, 18. 1919.
    studies—
      Work and Exp., 1914, pp. 235, 238. 1915.
      of spread and control. Work and Exp., 1916,
        Pt. I, p. 142. 1918.
    winter, necrosis, hyperplasia, and adhesions.
      Max W. Gardner. J.A.R., vol. 30, pp. 871-888. 1925.
  blister beetles, description, and control methods.
    S.R.S. Doc. 95, p. 5. 1919.
  blossom-end rot—
    description and control. D.C. 35, p. 25. 1919;
      D.C. 40, p. 15. 1919.
    treatment and prevention. F.B. 1371, rev., p.
      37. 1927.
  bollworm, control, method and poison. F.B. 872,
    pp. 13-14. 1917.
  "brace-up" tonic, adulteration and misbranding.
    Chem. N.J. 999, p. 1. 1911.
  breeding—
    at Mandan, North Dakota. D.B. 1337, p. 12.
      1925.
    for resistance to melon fly in Hawaii. Hawaii
      A.R., 1919, p. 40. 1920.
    Hawaii, for resistance to melon fly. Hawaii
      A.R., 1918, pp. 19-20. 1919.
  bushel weights, by States. Y.B., 1918, p. 725.
    1919; Y.B. Sep. 795, pp. 61, 62. 1919.

Tomato(es)—Continued.
  canned—
    acidity control. News L., vol. 3, No. 44, p. 3.
      1916.
    misbranding. See Indexes to Notices of Judgment in bound volumes of Chemistry Service and
      Regulatory Announcements.
    output, 1918-1920. D.B. 1099, p. 2. 1922.
    pack annually, 1910-1920. F.B. 1233, p. 3. 1921.
    production, by States, 1891-1922. Y.B., 1922,
      pp. 769-771. 1923; Y.B. Sep. 884, pp. 769-771.
      1923.
    sale for tax paying. News L., vol. 6, No. 40, p.
      10. 1919.
    water addition, 295. Chem. S.R.A. 23, p. 103.
      1918.
  cannery, grades, need. Off. Rec., vol. 2, No. 51,
    p. 3. 1923; Off. Rec., vol. 3, No. 7, p. 3. 1924.
  canning—
    at home, and in club work. J. F. Breazeale
      and O. H. Benson. F.B. 521, pp. 36. 1913.
    cleanliness, necessity and importance. D.B.
      569, pp. 24-27. 1917.
    date, and acreage, 1909. Y.B., 1917, p. 589. 1918;
      Y.B. Sep. 758, p. 55. 1918.
    directions. B.P.I. Doc. 63, rev., pp. 2, 3, 6.
      1915; F.B. 359, p. 14. 1910; F.B. 839, pp. 15,
      29. 1917; F.B. 853, pp. 22, 27. 1917; S.R.S.
      Doc. 17, p. 3. 1915.
    experiments in testing temperature changes.
      D.B. 956, pp. 39-41. 1921.
    factories, sanitary control. Burton J. Howard
      and Charles H. Stephenson. D.B. 569, pp.
      29. 1917.
    in Maryland, Frederick County. Soil Sur.
      Adv. Sh., 1919, pp. 10, 71. 1922; Soils F.O.,
      1919, pp. 650, 711. 1925.
  industry—
    distribution. F.B. 1233, pp. 2, 4-6. 1921.
    growth 1887-1907. F.B. 334, p. 14. 1908.
  inspection directions. D.B. 1084, pp. 13-16.
    1922.
  methods—
    News L., vol. 3, No. 51, p. 8. 1916; News L.,
      vol. 5, No. 2, p. 7. 1917.
    and demonstrations, North and West.
      News L., vol. 4, No. 50, p. 7. 1917.
    and early history of industry. D.B. 196, pp.
      66-70. 1915.
  pressure, vacuum and heat, studies. D.B.
    1022, pp. 29-31. 1922.
  season, graph. D.C. 183, p. 53. 1922.
  seasons and methods. Chem. Bul. 151, pp. 36,
    57-61. 1912.
  with corn and beans, directions. S.R.S. Doc.
    12, p. 5. 1917.
  car-lot—
    shipments monthly by States, 1918-1923. S.B.
      7, pp. 37-40. 1925.
    unloads, comparison with shipments, 12 markets, 1918-1923. S.B. 7, p. 110. 1925.
  catsup, adulteration, and misbranding. See Indexes to Notices of Judgment in bound volumes of
    Chemistry Service and Regulatory Announcements.
  characters resistant to frost. D.B. 1099, p. 5.
    1922.
  chemical investigations, 1814-1913. D.B. 859,
    pp. 7-13. 1920.
  chilling. H. C. Diehl. D.C. 315, pp. 6. 1924.
  Cladosporium leaf mold: Fruit infection and seed
    transmission. Max W. Gardner. J.A.R.,
    vol. 31, pp. 519-540. 1925.
  collar-rot. J.A.R., vol. 21, pp. 179-184. 1921.
  color—
    as guide for picking time. News L., vol. 4,
      No. 36, p. 7. 1917.
    relation to quality of canned products and
      catsups. Y.B., 1916, pp. 104-105. 1917;
      Y.B. Sep. 686, pp. 6-7. 1917.
    stages during ripening. D.B. 859, pp. 14, 18,
      19, 24, 26. 1920.
  Columbia, origin and description. D.B. 1015,
    p. 16. 1922.
  comparison of fruit grown at Arlington, Va., and
    at Peters, Fla. D.B. 859, p. 14. 1920.
  composition—
    and preparation for the table. D.B. 123, pp.
      5, 39, 40, 60, 67. 1916.

Tomato(es)—Continued.
  composition—continued.
    changes during ripening, analytical data. D.B. 859, pp. 17-21. 1920.
  compounds, adulteration, and misbranding. See *Indexes to Notices of Judgment in bound volumes of Chemistry Service and Regulatory Announcements.*
  cost of—
    growing per acre. F.B. 435, p. 12. 1911.
    production per acre. Y.B., 1921, p. 829. 1922; Y.B. Sep. 876, p. 26. 1922.
  crates—
    quantity declaration. Chem. S.R.A. 13, p. 3. 1915.
    types used in different localities. F.B. 1196, pp. 33-34. 1921.
  crossing experiments in Hawaii for melon-fly resistance, 1917. Hawaii A.R. 1917, p. 21. 1918.
  crown gall—
    histological studies. J.A.R., vol. 26, pp. 425-430. 1923.
    infection, studies and experiments. J.A.R., vol. 25, pp. 119-132. 1923.
    inoculations from daisy, hop, and apple. B.P.I. Bul. 213, pp. 30, 87, 97, 103. 1911.
  cultivation—
    and shipping methods. D.B. 290, p. 2. 1915.
    and spraying. F.B. 1233, pp. 17-18. 1921.
    staking, tying, gathering, and marketing. S.R.S. Doc. 92, pp. 13-15. 1919.
    time and methods. S.R.S. Doc. 98, p. 9. 1919.
  cultural—
    directions—
      and varieties, for the North. F.B. 937, pp. 16, 19, 23, 51-52. 1918.
      and varieties for the South. F.B. 934, pp. 43-44. 1918.
      for city gardens, and standard varieties. F.B. 1044, pp. 26-28. 1919.
      for home gardens. S.R.S. Doc. 49, p. 7. 1917.
      suggestions for vegetable gardens. F.B. 818, pp. 35-36. 1917.
  culture and canning, suggestions for booklet by school canning club. F.B. 521, pp. 31-32. 1913.
  damage by root knot. F.B. 648, pp. 8, 12. 1915.
  decay—
    causes and control. News L., vol. 5, No. 16, p. 4. 1917.
    nature. Chem. Cir. 68, pp. 1-3. 1911.
  decomposed, use in food products, opinion. S.R.A. Chem. 1, p. 1. 1914.
  demonstrations at Guam experiment farm. Guam A.R., 1923, p. 11. 1925.
  destruction of infested fruit for bollworm control. F.B. 872, p. 14. 1917.
  development of varieties, improvement. Y.B. 1900, p. 547. 1901.
  disease(s)—
    1901. Y.B. 1901, p. 670. 1902.
    and insect(s)—
      control methods. F.B. 435, pp. 11-12. 1911.
      enemies. F. H. Chittenden. S.R.S. Doc. 95, pp. 18. 1919.
      enemies, treatment and prevention. F.B. 1371, pp. 36-39. 1924.
      pests, control. D.C. 35, pp. 25-26. 1919.
    cause and control. News L., vol. 1, No. 17, p. 4. 1913.
    control—
      1919. An. Rpts., 1919, p. 174. 1920; B.P.I. Chief Rpt., 1919, p. 38. 1919.
      and description. F. B. 642, pp. 9-10. 1915; F.B. 1338, pp. 24-27. 1923; S.R.S. Doc. 95, pp. 9-15. 1919.
      in greenhouse. F.B. 1431, pp. 21-23. 1924.
      in Porto Rico. P.R. An. Rpt., 1917, p. 29. 1918.
      methods. F.B. 435, p. 12. 1911; D.C. 40, pp. 9-15, 18. 1919.
      methods, and sprays. S.R.S. Doc. 98, p. 11. 1919.
      studies. S.R.S. Rpt., 1916, Pt. I, pp. 132, 142, 143. 1918.
      studies. S.R.S. Rpt., 1917, Pt. I., pp. 44, 45, 88, 138, 186, 276. 1918.
      work. An. Rpts., 1918, pp. 156-157. 1918; B.P.I. Chief Rpt., 1918, pp. 22-23. 1918.

Tomato(es)—Continued.
  disease(s)—continued.
    Guam, report. Guam A.R., 1917, p. 57. 1918.
    investigations. B.P.I. Chief Rpt., 1921, p. 32. 1921.
    occurring under market, storage, and transit conditions. B.P.I. [Misc.], "Hand book of the * * *," pp. 65-71. 1919.
    Porto Rico, kinds and control experiments. P.R. An. Rpt., 1921, pp. 19-21. 1922.
    resistant varieties, experiments in Porto Rico. P.R. An. Rpt., 1921, pp. 19-21. 1922.
    studies by experiment stations, results. Work and Exp., 1921, pp. 66-67. 1923.
    study in 1923. Work and Exp., 1923, pp. 41-42. 1925.
  symptoms and—
    control, table. D.C. 40, p. 18. 1919.
    detection methods. News L., vol. 5, No. 16, p. 4. 1917.
    Texas, occurrence and description. B.P.I. Bul. 226, pp. 44, 111. 1912.
  drying directions. D.B. 1335, p. 38. 1925; D.C. 3, pp. 15-16. 1919; F.B. 984, p. 53. 1918.
  early—
    blight, description and control. S.R.S. Doc. 95, pp. 12, 18. 1919.
    growing on Norfolk fine sand, yield. Soils Cir. 23, pp. 12, 15. 1911.
  name—
    and history. S.R.S. Doc. 92, pp. 3-4. 1919.
    and uses. News L., vol. 6, No. 36, p. 9. 1919.
    history, and uses. S.R.S. Doc. 98, p. 3. 1919.
    plants for club gardening, raising. D.C. 27, pp. 5-7. 1919.
  experiments in—
    Alaska. Alaska A.R., 1911, pp. 47, 49. 1912.
    Hawaii. Hawaii A.R., 1924, pp. 9-10. 1925.
    Nevada, Newlands farm. D.C. 352, pp. 11-12. 1925.
  fertilizers—
    for, in Maryland, Easton area. Soil Sur. Adv. Sh., 1907, p. 15. 1909; Soils F.O., 1907, p. 131. 1909.
    formulas and use. Y.B., 1902, pp. 566-569. 1903; Y.B. Sep. 290, pp. 566-569. 1903.
    manure, and mixtures directions. F.B. 642, p. 6. 1915.
    tests. Soils Bul. 67, pp. 62-64. 1910.
    use. F.B. 1233, pp. 9-10. 1921.
  fertilizing in greenhouse. F.B. 1431, pp. 9-10. 1924.
  Florida, shipments to northern markets, quality. D.B. 859, pp. 1-3. 1920.
  for canning and manufacturing. James H. Beattie. F.B. 1233, pp. 19. 1921.
  forced, pollination. F.B. 317, pp. 15-17. 1908.
  forcing—
    directions. F.B. 220, pp. 19-26. 1905.
    types for. F.B. 1431, pp. 10-11. 1924.
    yield per plant and per acre. F.B. 334, p. 14. 1908.
  forecast by States, September, 1913. F.B. 558, p. 19. 1913.
  freezing points. D.B. 1099, pp. 2-3. 1922; D.B. 1133, pp. 6, 7, 8. 1923.
  French varieties, importations and description. Nos. 40556-40558, B.P.I. Inv. 43, p. 45. 1918.
  fresh—
    preparation for market. F. Earl Parsons. F.B. 1291, pp. 32. 1922.
    shipments by rail and distribution, 1914. Wells A. Sherman and others. D.B. 290, pp. 12. 1915.
  frost injury—
    first indications. J.A.R., vol. 15, p. 85. 1918.
    to. R. B. Harvey and R. C. Wright. D. B. 1099, pp. 10. 1922.
  fruit rot, caused by *Phoma destructiva*. Clara O. Jamieson. J.A.R., vol. 4, pp. 1-20. 1915.
  fruit worm—
    control—
      with arsenicals. D.B. 703, pp. 15-19. 1918.
      work. Ent. A.R., 1921, p. 12. 1921.
    See also Bollworm.
  fumigation, effects, studies and experiments. J.A.R., vol. 11, pp. 319-335. 1917.
  gathering and—
    marketing. D.C. 27, pp. 14-15. 1919.

Tomato(es)—Continued.
  gathering and—continued.
    preparing for market. F.B. 1338, pp. 27-32. 1923.
  girls' clubs, records, fresh fruit and cans. S.R.S. Doc. 28, p. 1. 1915.
  green—
    gathering for market, flavor and quality. F.B. 1338, pp. 27-28. 1923.
    pickle, directions for making. S.R.S. Doc. 22, p. 15. 1916.
  greenhouse—
    James H. Beattie. F.B. 1431, pp. 25. 1924.
    cropping plans. F.B. 1431, pp. 7-8. 1924.
    harvesting and yields. F.B. 1431, pp. 23-24. 1924.
    ideal farm, size demanded. Y.B., 1907, p. 142. 1908; Y.B. Sep. 441, p. 142. 1908.
    infection with *Phoma destructiva*. J.A.R., vol. 4, pp. 2-7. 1915.
    pollination experiments. F.B. 317, pp. 15-17. 1908.
    production and value. F.B. 1431, pp. 1-2. 1924.
    soils, requirements and preparation. F.B. 1431, pp. 8-10, 13-14. 1924.
  growers—
    county organizations, federation. News L., vol. 6, No. 47, p. 12. 1919.
    help by market station. Y.B., 1919, p. 113. 1920; Y.B. Sep. 797, p. 113. 1920.
  growing—
    L. C. Corbett. F.B. 220, pp. 32. 1905.
    acreage and States, notes. Y.B., 1916, pp. 443, 445, 449, 452. 1917; Y.B. Sep. 702, pp. 9, 11, 15, 18. 1917.
    and—
      canning by girls' canning clubs, work and profits. News L., vol. 3, No. 26, pp. 1-2. 1916.
      canning in Morgan County, W. Va., 1916. Soil Sur. Adv. Sh., 1916, p. 15. 1918; Soils F.O., 1916, p. 1489. 1921.
      yield. S.R.S. Rpt., 1917, Pt. I, pp. 40, 123, 219, 227. 1918.
      yield in Florida, Ocala area. Soil Sur. Adv. Sh., 1912, pp. 11, 17, 48. 1913; Soils F.O., 1912, pp. 675, 681, 712. 1915.
      yield on Chester loam, Maryland. Soils Cir. 55, p. 6. 1912.
      yield on Orangeburg fine sandy loam. Soils Cir. 46, p. 16. 1911.
    as truck—
      and cannery crop. Y.B., 1907, p. 433. 1908. Y.B. Sep. 459, p. 433. 1908.
      crop. W. R. Beattie. F.B. 1338, pp. 34. 1923.
      crop, in Texas, Corpus Christi area. Soil Sur. Adv. Sh., 1908, pp. 13, 25. 1909; Soils F.O., 1908, pp. 907, 919. 1911.
    club work in the North and West. L. C. Corbett. B.P.I. Doc. 883, pp. 10. 1913.
    contest, rules, blanks, and scorecards. O.E.S. Bul. 255, pp. 23-25. 1913.
    directions—
      and varieties recommended for home gardens. F.B. 936, pp. 51-52. 1918.
      for club members. D.C. 27, pp. 4-13. 1919.
      experiments in Alaska, 1915. Work and Exp., 1915, pp. 37, 86. 1916.
      first prize in United States to Miss Clyde Sullivan, Ousley, Ga., 1913. News L., vol. 1, No. 40, p. 3. 1914.
      for—
        canneries. F.B. 435, pp. 8-12. 1911.
        canneries, area and production, 1918-1920. D.B. 1099, p. 2. 1922.
        canneries in New York, Chautauqua County. Soil Sur. Adv. Sh., 1914, pp. 15, 33, 35, 37, 40, 48. 1916; Soils F.O., 1914, pp. 299, 301, 302, 306, 314. 1919.
        canning, in Indiana, Clinton County. Soil Sur. Adv. Sh., 1914, pp. 10, 22. 1915; Soils F.O., 1914, pp. 1636, 1648. 1919.
      club work. S.R.S. Doc. 98, pp. 1-14. 1919.
    in Alabama, Conecuh County, yields. Soil Sur. Adv. Sh., 1912, pp. 14, 29. 1914; Soils F.O., 1912, pp. 762, 777. 1915.

Tomato(es)—Continued.
  growing—continued.
    in Alaska—
      1920. Alaska A.R., 1920, pp. 34, 46, 58. 1922.
      experiments and results. Alaska A.R. 1916, p. 36. 1918.
      Fairbanks, Alaska, station. A.R., 1910, p. 58. 1911.
      greenhouse experiments. Alaska A.R., 1919, pp. 29, 41, 42. 1920.
      notes. Alaska A.R., 1921, p. 12. 1923.
    in Arizona, Yuma experiment farm, varieties and yields. W.I.A. Cir. 25, pp. 43-44. 1919.
    in California—
      Healdsburg area. Soil Sur. Adv. Sh., 1915, pp. 16, 58. 1917; Soils F.O., 1915, pp. 2210, 2252. 1919.
      Los Angeles area. Soils F.O., 1916, pp. 2355, 2376-2404. 1921; Soil Sur. Adv. Sh., 1916, pp. 13, 34-62. 1919.
      Yuma experiment farm, varieties. W.I.A. Cir. 12, p. 23. 1916.
    in Delaware—
      Kent County. Soil Sur. Adv. Sh., 1918, pp. 9, 10, 16-29. 1920; Soils F.O., 1918, pp. 49, 50, 56-69. 1924.
      New Castle County, yields. Soil Sur. Adv. Sh., 1915, pp. 12, 19-21, 24, 28, 30. 1917; Soils F.O., 1915, pp. 275, 282-284, 288, 292, 294. 1919.
    in Florida—
      Fort Lauderdale area, yields. Soil Sur. Adv. Sh., 1915, pp. 12, 24, 29, 33, 46. 1915; Soils F.O., 1915, pp. 758-760, 778, 791. 1919.
      handling, packing, and shipping. D.B. 859, pp. 3-7. 1920.
      Ocala area, yields. Soil Sur. Adv. Sh., 1912, pp. 11, 17, 48. 1913; Soils F.O., 1912, pp. 675, 681, 712. 1915.
      Orange County. Soil Sur. Adv. Sh., 1919, pp. 5, 6, 7. 1922; Soils F.O., 1919, pp. 951, 952, 953. 1925.
    in greenhouses. F.B. 1320, p. 5. 1923.
    in Guam—
      1918. Guam A.R., 1918, p. 51. 1919.
      1919. Guam A.R., 1919, pp. 7, 40-41. 1921.
      Christobal variety tests. Guam A.R., 1921, p. 25. 1923.
      cultural directions. Guam Cir. 2, p. 15. 1921.
      directions. Guam Bul. 2, pp. 12, 56-57. 1922.
      experiments. Guam A.R., 1917, p. 35. 1918.
      tests. Guam A.R., 1920, pp. 52-53. 1921.
      varieties and propagation experiments. Guam A.R., 1914, pp. 12-13. 1915.
    in Idaho, Twin Falls area. Soil Sur. Adv. Sh., 1921, p. 1386. 1925.
    in Indiana—
      Boone County. Soil Sur. Adv. Sh., 1912, pp. 13, 27. 1914; Soils F.O., 1912, pp. 1417, 1431. 1915.
      Montgomery County. Soil Sur. Adv. Sh., 1912, pp. 10, 11. 1914; Soils F.O., 1912, pp. 1478, 1479. 1915.
    in Iowa, Muscatine County. Soil Sur. Adv. Sh., 1914, pp. 16, 18, 34-48. 1916; Soils F.O., 1914, pp. 1836, 1838, 1854-1868. 1919.
    in Maryland—
      Anne Arundel County. Soil Sur. Adv. Sh., 1909, pp. 15-16, 26, 28, 35. 1910; Soils F.O., 1909, pp. 281-282, 292, 294, 301. 1912.
      Easton area. Soil Sur. Adv. Sh., 1907, pp. 11, 13, 15, 17, 18. 1909; Soils F.O., 1907, pp. 124, 126, 127, 129, 130. 1909.
      Somerset County. Soil Sur. Adv. Sh., 1920, pp. 1292, 1301-1310. 1924; Soils F.O., 1920, pp. 1292, 1301-1310. 1925.
    in Mississippi—
      Hinds County. Soil Sur. Adv. Sh., 1916, pp. 11, 24, 25, 35, 39. 1918; Soils F.O., 1916, pp. 1013, 1026, 1027, 1041. 1921.
      Wilkinson County. Soil Sur. Adv. Sh., 1913, p. 15. 1915; Soils F.O., 1913, p. 963. 1916.
    in Missouri—
      Newton County. Soil Sur. Adv. Sh., 1915, Soils F.O., 1916. 1917; Soils F.O., 1915, pp. 1857, 1872. 1919.
      St. Louis County. Soil Sur. Adv. Sh., 1919, pp. 527, 530, 543-555. 1923; Soils F.O., 1919, pp. 527, 530, 543-555. 1925.

Tomato(es)—Continued.
　growing—continued.
　　in Nevada—
　　　fertilizer experiments. D.C. 136, pp. 13-14. 1920.
　　　for home garden, varieties and wrapping. B.P.I. Cir. 110, pp. 24-25. 1913.
　　in New Jersey—
　　　Chatsworth area. Soil Sur. Adv. Sh., 1919, pp. 478, 492-501, 505. 1923; Soils F.O., 1919, pp. 478, 492-501, 505. 1925.
　　　Freehold area. Soil Sur. Adv. Sh., 1913, pp. 13-14, 24. 1916; Soils F.O., 1913, pp. 103-104, 114. 1916.
　　　Millville area. Soil Sur. Adv. Sh., 1917, pp. 14, 15, 17, 28-40. 1921; Soils F.O., 1917, pp. 202, 203, 205, 216-228. 1923.
　　in Porto Rico—
　　　1919. P.R. An. Rpt., 1919, pp. 20, 25. 1920.
　　　1920. P.R. An. Rpt., 1920, pp. 20-21. 1921.
　　　from imported seed, experiments. P.R. Bul. 20, pp. 18-23. 1916.
　　in South—
　　　H. C. Thompson. F.B. 642, pp. 13. 1915.
　　　teaching by use of F.B. 642. E.A. Miller. S.R.S. [Misc.], "How teachers may use * * *," pp. 2. 1917.
　　in Texas, Smith County. Soil Sur. Adv. Sh., 1915, pp. 12, 15, 18, 35. 1917; Soils F.O., 1915, p. 1092. 1919.
　　in Utah, cost, yield per acre, value and profit. D.B. 117, pp. 14-15. 1914.
　　in Virginia trucking districts. D.B. 1005, pp. 4, 23, 24, 25, 42. 1922.
　　in winter. F.B. 334, pp. 16-17. 1908.
　　methods and varieties. F.B. 647, pp. 25, 27. 1915.
　　on New Jersey soils, notes. D.B. 677, pp. 30, 38, 52-73. 1918.
　　on Sassafras soils, yields. D.B. 159, pp. 21, 22, 27, 31, 33, 36, 42, 47, 48. 1915.
　　plat location, plant setting, cultivation, pruning, and spraying. B.P.I. Doc. 883, pp. 5-7. 1913.
　　points. F.B. 225, pp. 17, 18. 1905.
　　profits, cultural notes, field and hothouse. F.B. 334, pp. 14-17. 1908.
　　study in 1923. Work and Exp., 1923, p. 22. 1925.
　　under glass, experiments. F.B. 186, pp. 12-15. 1904.
　handling—
　　in factories, promptness essential. D.B 569, pp. 23-24. 1917.
　　in preparation for market, importance. F.B. 1338, pp. 27-32. 1923.
　　need of improvement. Y.B., 1911, pp. 307-308. 1912.
　hardening to resist frost. J.A.R., vol. 15, p. 92. 1918.
　harvesting and marketing. F.B. 220, pp. 13, 17. 1905.
　history—
　　as food plant, composition, notes. Y.B., 1911, pp. 440, 441, 445. 1912; Y.B. Sep. 582, pp. 440, 441, 445. 1912.
　　varieties, and botanical relations. D.B. 392, pp. 2-5. 1916.
　host of—
　　Bacterium solanacearum. J.A.R., vol. 21, p. 262. 1921.
　　Spongospora subterranea. J.A.R., vol. 7, pp. 222, 223. 1916.
　hothouse production, comparison of kinds. F.B. 186, pp. 12-15. 1904.
　husk, importation and description. No. 41449, B.P.I. Inv. 45, p. 31. 1918.
　husk. See also Cherry, ground; Physalis.
　hybrid, developing in Hawaii. S.R.S. An. Rpt., 1921, pp. 23, 33. 1922.
　importations and description. Nos. 44115, 44117, 44245, 44366, 44437, B.P.I. Inv. 50, pp. 30, 31, 47, 72. 1922; Nos. 45232, 45666, B.P.I. Inv. 53, pp. 14, 75. 1922; No. 47526, B.P.I. Inv. 59, p. 27. 1922; Nos. 52334, 52577, B.P.I. Inv. 66, pp. 3, 11, 46. 1923; Nos. 53940, 53951-53954, 53984, B.P.I. Inv. 68, pp. 11, 12, 15. 1923; No. 54505, B.P.I. Inv. 69, p. 18. 1923; Nos. 55483, 55503, B.P.I. Inv. 71, pp. 48, 51. 1923; Nos. 55575-55578, 55590-55591, B.P.I. Inv. 72, pp. 5, 8. 1924.

Tomato(es)—Continued.
　imports, 1922-1924. Y.B., 1924, p. 1065. 1925.
　industry—
　　development in Maryland. Off. Rec., vol. 2, No. 39, p. 6. 1923.
　　magnitude and economic importance. D.B. 1099, pp. 1-2. 1922.
　infection with coconut bud rot. J.A.R., vol. 25, p. 270. 1923.
　infestation with Mediterranean fruit fly. D.B. 536, pp. 24, 38. 1918.
　injury by—
　　arsenical spraying. J.A.R., vol. 24, pp. 512, 514, 518. 1923.
　　frost. R. B. Harvey and R. C. Wright. D.B. 1099, pp. 10. 1922.
　　melon fly. D.B. 643, p. 20. 1918.
　　melon fly, Hawaii. D.B. 491, pp. 13-14. 1917.
　　southern green plant-bug. D.B. 689, pp. 2, 13, 14. 1918.
　　splitworm. Hawaii Bul. 34, p. 8. 1914.
　inoculation(s) with—
　　fungous diseases, experiments, notes. J.A.R., vol. 2, pp. 333-338. 1914.
　　hairy-root. B.P.I. Bul. 213, p. 102. 1911.
　　hard call of apple. B.P.I. Bul. 213, p. 97. 1911.
　　Phoma destructiva, experiments. J.A.R., vol. 4, pp. 2-12. 1915.
　　potato mosaic, experiments. J.A.R., vol. 25, pp. 88-89. 1923.
　　wilt of nasturtium. J.A.R., vol. 4, pp. 451, 457. 1915.
　insect(s)—
　　and diseases attacking. F.B. 856, pp. 67-70. 1917.
　enemies—
　　and diseases. D.C. 40, pp. 18. 1919.
　　and diseases. F. H. Chittenden. S.R.S. Doc. 95, pp. 18. 1919.
　　control in greenhouse. F.B. 1431, pp. 19-21. 1924.
　injurious, control. An. Rpts., 1923, p. 402. 1923; Ent. A.R., 1923, p. 22. 1923.
　investigations. Ent. A.R., 1925, pp. 22-23. 1925.
　pests, control. Vir. Is. A.R., 1920, p. 34. 1921.
　pests, list. Sec. [Misc.], "A manual * * * insects * * *," p. 218. 1917.
　judging—
　　contests, methods and scope. F.B. 521, p. 33. 1913.
　　plant, plate, and canned, score cards. D.B. 392, pp. 6-8, 17. 1916.
　ketchup—
　　condition and handling, suggestions. Chem. Cir. 68, pp. 7-14. 1911.
　　keeping, studies and results, Chemistry Bureau. Sec. A.R., 1909, p. 100. 1909; Y.B., 1909, p. 100. 1910.
　　recipe. S.R.S. Doc. 22, rev., p. 14. 1919.
　　under the microscope. B. J. Howard. Chem. Cir. 68, pp. 14. 1911.
　labor requirements. D.B. 1181, pp. 9, 31, 61. 1924.
　land requirements. News L., vol. 6, No. 36, p. 16. 1919.
　leaf blight, control by spraying. News L., vol. 6, No. 50, pp. 12-13. 1919.
　leaf-spot—
　　control. F. J. Pritchard and W. B. Clark. C.T. and F.C.D. Inv. Cir. 4, pp. 4. 1918.
　　control. Fred J. Pritchard and W. S. Porte. D.B. 1288, pp. 19. 1924.
　　See also Septoria lycopersici.
　lessons on, for rural schools. E. A. Miller. D.B. 392, pp. 18. 1916.
　Livingston Globe, ripening studies. D.B. 859, pp. 13-30. 1920.
　markets—
　　acreage in 1919, map. Y.B., 1921, p. 462. 1922; Y.B. Sep. 878, p. 56. 1922.
　　and harvest. F.B. 220, pp. 13-17. 1905.
　　handling carload lots. Y.B., 1911, pp. 170, 171. 1912; Y. B. Sep. 558, pp. 170, 171. 1912.
　　statistics, 1919 and 1920. D.B. 982, pp. 224-225, 241-242, 243-250, 263, 264. 1921.
　marketing—
　　bibliography. M.C. 35, p. 44. 1925.
　　by parcel post, selection and packing. F.B. 703, p. 18. 1916.

Tomato(es)—Continued.
marketing—continued.
for truck and for canning. Rpt. 98, p. 164. 1913.
marmalade, recipe. News L., vol. 5, No. 13, p. 5. 1917.
Marvel, origin and description. D.B. 1015, pp. 15-16. 1922.
mosaic—
disease. J.A.R., vol. 30, pp. 873, 874, 876, 878, 880, 882, 884, 886. 1925.
necrosis, hyperplasia, and adhesions. Max W. Gardner. J.A.R., vol. 30, pp. 871-888. 1925.
new varieties for forcing. Y.B., 1907, p. 142. 1908; Y.B. Sep. 441, p. 142. 1908.
Norton, origin and description. D.B. 1015, pp. 16-17. 1922.
packing—
practices in Florida. D.B. 859, pp. 4-7. 1920.
season. D.B. 196, p. 19. 1915.
paste, making, recipe. F.B. 853, p. 33. 1917; News L., vol. 5, No. 7, p. 11. 1917.
pests, diseases and insects, control suggestions. D.B. 392, pp. 14-16. 1916.
Phoma rot—
George K. K. Link and F. C. Meier. D.C. 219, pp. 5. 1922.
origin and development on foliage and fruit. D.C. 219, pp. 2-4. 1922.
pickle, green, recipe. News L., vol. 3, No. 3, p. 7. 1915; S.R.S. Doc. 22, rev., p. 16. 1919.
plant(s)—
and fruit, score cards for school use. D.B. 132, p. 37. 1915.
distribution in Hawaii. Hawaii A.R., 1920, p. 22. 1921.
early starting, methods and seed selection. S.R.S. Doc. 92, pp. 5-7. 1919.
effect of cold. D.B. 1099, pp. 5-6. 1922.
growing methods, and setting in the field. F.B. 1233, pp. 11-17. 1921.
hardening off and transplanting. D.B. 392, p. 12. 1916.
raising, transplanting, and setting in field. F.B. 642, pp. 4-5, 6-7. 1915.
soil disinfection, experiments. D.B. 818, pp. 5-13. 1920.
transpiration, effect of Bordeaux mixture. J.A.R., vol. 7, pp. 536, 544-546. 1916.
planting—
day's work. D.B. 3, p. 20. 1913.
directions for club members. D.C. 48, p. 10. 1919.
distances, cultivation, staking, and tying. D.C. 27, pp. 11-13. 1919.
in the field, setting and spacing. F.B. 1233, pp. 16-17. 1921.
plot for canning club, selection and preparation of soil. D.C. 27, pp. 4-5. 1919.
pollination in greenhouse. F.B. 1431, pp. 18-19. 1924.
preserved, adulteration. Chem. N.J. 1090, p. 1. 1911.
preserves compound, misbranding. N.J. 1584, pp. 2. 1912.
processing, directions and time table. F.B. 1211, pp. 32, 47, 50. 1921.
production—
1914, shipping season and methods. News L., vol. 3, No. 5, pp. 7-8. 1915.
sources and seasons, notes. D.B. 290, pp. 1-2. 1915.
products—
adulteration, precautions. News L., vol. 7, No. 1, pp. 7-8. 1919.
examination and department ruling. Chem. S.R.A., 18, p. 44. 1916.
improvement under inspection. An. Rpts., 1912, p. 53. 1913; Sec. A.R., 1912, p. 53. 1912; Y.B., 1912, p. 53. 1913.
Italian compared with American. D.B. 581, pp. 18-20, 24. 1917.
laboratory examination. D.B. 569, pp. 27-28. 1917.
marketing methods. F.B. 521, pp. 34-35. 1913.
microanalysis, method and apparatus. D.B. 581, pp. 21-22. 1917.

Tomato(es)—Continued.
products—continued.
microscopical studies. Burton J. Howard and Charles H. Stephenson. D.B. 581, pp. 24. 1917.
spoilage, detection methods, and changes taking place during spoilage of tomatoes. Raymond F. Bacon and P. B. Dunbar. Chem. Cir. 78, pp. 15. 1911.
visual inspection and microscopical inspection. D.B. 581, pp. 2-8. 1917.
protection from bollworm, injuries, remarks. Ent. Bul. 50, pp. 133-134. 1905.
"puffy," comparison with normal fruit. D.B. 859, pp. 37-38. 1920.
pulp—
adulteration. See Indexes, Notices of Judgment, in bound volumes and in separates published as supplements to Chemistry Service and Regulatory Announcements.
canning—
methods. D.B. 196, pp. 69-70. 1915.
methods and recipes. News L., vol. 3, No. 31, p. 7. 1916.
recipes. S.R.S. Doc. 9, p. 3. 1915.
for soup, canning directions. F.B. 839, pp. 25, 31. 1917.
making from trimmings or small tomatoes. D.B. 569, pp. 21-23. 1917.
manufacturing methods and purity. News L., vol. 3, No. 1, p. 4. 1915.
microanalysis, methods. Chem. Cir. 68, pp. 3-7. 1911.
notice to manufacturers Information 22. Chem. S.R.A. 8, pp. 632-633. 1914.
use and value in the home, studies. News L., vol. 3, No. 1, p. 4. 1915.
pulping—
commercial utilization of waste. J. H. Shrader and Frank Rabak. D.B. 927, pp. 29. 1921.
stations, locality and annual consumption. D.B. 927, pp. 2-4, 25. 1921.
"puree," meaning of term, opinion 55. Chem. S.R.A. 6, p. 419. 1914.
references to publications on mosaic disease. J.A.R., vol. 30, pp. 887-888. 1925.
refuse, use—
and value as fertilizer. D.B. 632, pp. 1-3. 1917.
for commercial products—fixed oil and meal—yield, percentage, and value. D.B. 632, pp. 1-3. 1917.
relish, recipe. F.B. 521, pp. 15-16. 1913.
"ringing" experiments, results. F.B. 316, pp. 10, 11. 1908.
ripening—
comparison of green-picked and vine-ripened. D.B. 859, pp. 21-24. 1920.
process. Charles E. Sando. D.B. 859, pp. 38. 1920.
ventilation and wrapping, effects. D.B. 859, pp. 24-30. 1920.
root-knot, description. B.P.I. Cir. 91, pp. 11, 12. 1912.
rot(s)—
blossom-end, study and control. O.E.S. An. Rpt., 1912, p. 98. 1913.
caused by—
Mucor stolonifer and Fusisporium sp. J.A.R., vol. 6, No. 10, p. 366. 1916.
Phoma destructiva. J.A.R., vol. 4, pp. 1-20. 1915.
injuries to Florida tomato crop, description and control studies. News L., vol. 2, No. 43, p. 8. 1915.
relation to—
molds, spores and bacteria found. D.B. 581, pp. 8-16. 1917.
wheat blight. Work and Exp., 1919, p. 57. 1921.
rotation with other plants, lessons and reference. D.B. 392, p. 9. 1916.
rust control. Off. Rec., vol. 3, No. 52, p. 2. 1924.
sauce(s)—
adulteration and misbranding. See Indexes, Notices of Judgment, in bound volumes and in separates published as supplements to Chemistry Service and Regulatory Announcements.

Tomato(es)—Continued.
  sauce(s)—continued.
    and baked beans, misbranding (underweight). Chem. N.J. 84. 1909.
    and pastes, microscopic counts of bacteria. D.B. 581, pp. 16-20. 1917.
    canning directions. F.B. 853, p. 22. 1917.
    for mutton, recipe. F.B. 1172, p. 29. 1920.
    use in sardine packing. D.B. 908, p. 68. 1921.
  scab. See *Bacterium exitiosum.*
  seed(s)—
    and skins, waste, utilization. Frank Rabak. D.B. 632, pp. 15. 1917.
    bed—
      care for disease control. S.R.S. Doc. 95, p. 10. 1919.
      preparation and disinfection of soil. D.C. 40, p. 10. 1919.
      preparation and use. F.B. 1233, pp. 12-13. 1921.
    drying—
      for planting purposes. D.B. 927, p. 10. 1921.
      methods and equipment, cost. D.B. 927, pp. 8-15, 24-27. 1921.
    germination temperatures. J.A.R., vol. 23, pp. 323, 326-329. 1923.
    growing, localities, acreage, yield, production, and consumption. Y.B., 1918, pp. 200, 206, 207. 1919; Y.B. Sep. 775, pp. 8, 14, 15. 1919.
    infection with leaf mold, and transmission. J.A.R., vol. 31, pp. 534-540. 1925.
    oil, digestion experiments. D.B. 781, pp. 14-15. 1919.
    oil extraction, methods, and description. D.B. 927, pp. 15-18, 27-28. 1921.
    planting methods. B.P.I. Doc. 883, pp. 3-4, 5. 1913.
    quantity per acre. F.B. 1233, p. 10. 1921.
    saving, directions. D.B. 392, p. 5. 1916; F.B. 884, pp. 6-7. 1917; F.B. 1390, p. 5. 1924.
    securing and planting, instructions for club members. D.C. 27, pp. 5-7. 1919.
    selection. F.B. 1233, p. 11. 1921; News L., vol. 5, No. 8, pp. 5-8. 1917.
    selection, importance and methods. News L., vol. 5, No. 8, pp. 1, 2. 1917.
    separation from—
      tomato waste, methods in Italy and United States. D.B. 632, p. 5. 1917.
      waste material. D.B. 927, pp. 5-8, 22. 1921.
    sources, and precautions. F.B. 1338, pp. 4-5, 32. 1923.
  sowing—
    and care. F.B. 642, pp. 4-5. 1915.
    directions. F.B. 1233, pp. 12, 13, 14-15. 1921.
  supply. Y.B., 1917, p. 534. 1918; Y.B. Sep. 757, p. 40. 1918.
  waste shipping to drying centers, cost. D.B. 927, pp. 23-24. 1921.
  seedless, production. F.B. 296, pp. 13-14. 1907.
  seedlings, growing—
    and transplanting in greenhouse. F.B. 1431, pp. 12-14. 1924.
    methods, seed bed, hotbed, and greenhouse. F.B. 1233, pp. 11-16. 1921.
  shipments—
    1914. D.B. 290, pp. 3-12. 1915.
    1916, by States and by stations. D.B. 667, pp. 10, 121-125. 1918.
    car lots, by States. Y.B., 1924, p. 731. 1925.
    from principal producing States. D.B. 1099, p. 2. 1922.
    in carloads, by States, 1920-1923. S.B. 9, pp. 90-97. 1925.
  shipping—
    data, methods of procuring. D.B. 290, pp. 2-4. 1915.
    seasons, by States. D.B. 290, pp. 6, 7-12. 1915.
  soil—
    preparation and fertilizers. D.B. 392, p. 11. 1916.
    requirements and preparation. F.B. 1233, pp. 8-9. 1921.
    selection and preparation. S.R.S. Doc. 92, pp. 3-4. 1919.

Tomato(es)—Continued.
  soup, recipes. F.B. 712, p. 20. 1916; News L., vol. 3, No. 31, p. 7. 1916; S.R.S. Doc. 9, p. 3. 1915.
  spoilage, changes taking place, with methods for detecting spoilage in tomato products. Raymond F. Bacon and P. B. Dunbar. Chem. Cir. 78, pp. 15. 1911.
  spraying—
    and dusting for control of leaf-spot. D.B. 1288, pp. 12-15. 1924.
    calendar. S.R.S. Doc. 52, pp. 9-10. 1917.
    danger of poisoning, data. D.B. 1027, p. 24. 1922.
    directions. F.B. 642, p. 10. 1915.
    for leaf spot, directions. C.T. and F.C.D. Inv. Cir. 4, pp. 1-4. 1918.
    sprays and equipment. D.C. 40, pp. 15-17. 1919.
  staking experiments in Virgin Islands. Vir. Is. A.R., 1924, p. 9. 1925.
  stalk borer, description and control. D.C. 40, p. 7. 1919.
  storage experiments. An. Rpts., 1919, p. 146. 1920; B.P.I. Chief Rpt., 1919, p. 10. 1919.
  susceptibility to—
    decay. Y.B., 1911, pp. 301, 302, 303, 305. 1912; Y.B. Sep. 569, pp. 301, 302, 303, 305. 1912.
  tobacco—
    mosaic disease. D.B. 40, p. 10. 1914.
    wilt. D.B. 562, pp. 12, 13, 14, 16, 19. 1917.
  treatment for frost control. News L., vol. 5, No. 8, p. 5. 1917.
  tree—
    growing in Hawaii. Hawaii A.R., 1922, p. 7. 1924.
    importations and descriptions. No. 36934, B.P.I. Inv. 37, p. 85. 1916; No. 38636, B.P.I. Inv. 39, p. 155. 1917; No. 41341, B.P.I. Inv. 45, pp. 18-19. 1918; Nos. 42598, 42599, B.P.I. Inv. 47, p. 35. 1920; No. 44064, B.P.I. Inv. 50, p. 22. 1922; Nos. 44846, 44912, 44913, B.P.I. Inv. 51, pp. 78, 90. 1922; No. 45362, B.P.I. Inv. 53, p. 33. 1922; No. 49965, B.P.I. Inv. 63, p. 25. 1923; No. 52740, B.P.I. Inv. 66, p. 69. 1923.
  trimming and training in greenhouse. F.B. 1431, pp. 16-18. 1924.
  Truckee-Carson project, variety tests, ripening time, yield, etc., 1913. B.P.I. [Misc.], "The work * * * Truckee-Carson * * * 1913," pp. 8-9. 1914.
  type for canning purpose, requirements. F.B. 435, p. 11. 1911.
  use(s)—
    as food, studies. O.E.S. Bul. 245, pp. 53, 54, 67. 1912.
    for canning, 1914, and number of cans. D.B. 290, pp. 4-5. 1915.
    in table sauces and pickles, notes. O.E.S. Bul. 245, pp. 88, 89. 1912.
    of decayed for ketchup, practices. Chem. Cir. 68, pp. 2-3. 1911.
    recipes. F.B. 521, pp. 12-18. 1913.
    with cheese in food. F.B. 487, pp. 26, 34. 1912.
  value for food, and relationship. News L., vol. 6, No. 37, p. 11. 1919.
  varietal tests, Truckee-Carson project, 1917. W.I.A. Cir. 23, pp. 16-17. 1918.
  variety(ies)—
    adaptability for canning. F.B. 521, p. 19. 1913.
    and seed. F.B. 1233, pp. 10-11. 1921.
    early production, setting, time, and methods. S.R.S. Doc. 98, pp. 4-6, 7-8. 1919.
    for greenhouse culture. F.B. 1431, pp. 10-12. 1924.
    growing on Truckee-Carson project, methods and yield. B.P.I. Cir. 78, p. 16. 1911.
    resistant to frost. D.B. 1099, p. 5. 1922.
    suitability for club work, description. B.P.I. Doc. 883, pp. 3, 9-10. 1913.
    susceptibility to potato wart. D.B. 1156, pp. 13-15. 1923; D.C. 111, pp. 17-18. 1923.
  testing—
    for wilt resistance, results. D.B. 1015, pp. 3-15. 1922.
    in Porto Rico. P.R. An. Rpt., 1918, p. 19. 1920.

Tomato(es)—Continued.
variety(ies)—continued.
tests—
and yields. B.P.I. Chief Rpt., 1924, pp. 12-13. 1924.
and yields, Yuma experiment farm. D.C. 75, pp. 61-63. 1920.
Nevada, Newlands experiment farm. D.C. 267, pp. 12-13. 1923.
Nevada, Truckee-Carson experiment farm. W.I.A. Cir. 13, pp. 10-11. 1916; W.I.A. Cir. 19, pp. 12-13. 1918.
ventilation, effect on ripening. D.B. 859, pp. 24-30. 1920.
vinegar making, directions. S.R.S. Doc. 99, p. 7. 1919.
vines—
disposal. S.R.S. Doc. 98, p. 13. 1919.
insecticidal value, tests. D.B. 1201, pp. 8, 14, 42, 53. 1924.
stain, removal from textiles. F.B. 861, p. 33. 1917.
washing—
and sorting. D.B. 569, pp. 8-20. 1917.
with antiseptics to control watery rot. J.A.R., vol. 24, pp. 903-904. 1923.
waste—
accumulation and disposal. D.B. 632, pp. 3-5, 12-13. 1917.
nature and source. D.B. 927, p. 2. 1921.
watery-rot, cause, description, and control. J.A.R., vol. 24, pp. 895-906. 1923.
weevil—
Australian—
introduction in the South. F. H. Chittenden. D.C. 282, pp. 8. 1923.
occurrence. Off. Rec., vol. 4, No. 25, p. 5. 1925.
description. Sec. [Misc.], "A manua * * * insects * * *," p. 217. 1917.
wild, importations and descriptions. No. 39362, B.P.I. Inv. 41, pp. 5, 18. 1917; No. 41318, B.P.I. Inv. 45, pp. 5, 10. 1918.
wilt. See Wilt, tomato.
wilt-resistant—
development. Fred J. Pritchard. D.B. 1015, pp. 18. 1922.
strains. F.B. 1233, p. 11. 1921.
value in disease control. S.R.S. Doc. 95, p. 17. 1919.
varieties, origin and description. D.B. 1015, pp. 15-17. 1922.
worm, identity with corn earworm. F.B. 1206, p. 3. 1921.
wounds, relation of age and temperature to resistance. D.B. 859, pp. 28-30. 1920.
Tomicus—
genus, synonymy. Ent. T.B. 17, Pt. II, pp. 220-221. 1915.
liminaris, peach-tree bark beetle. Ent. Bul. 68, Pt. IX, p. 92. 1909.
liminaris. See also Peach-tree, bark beetle.
piniperda, occurrence in conifers, description. Sec. [Misc.], "A manual * * * insects * * *," p. 66. 1917.
typographus, description, habits, and notable depredations. Y.B., 1907, pp. 155-157. 1908; Y.B. Sep. 442, pp. 155-157. 1908.
Tomosis, cotton seedlings, cause. An. Rpts., 1918, pp. 159-160. 1919; B.P.I. Chief Rpt., 1918, pp. 25-26. 1918.
Toms, R. E.: "Portland cement concrete roads." With James T. Voshell. D.B. 1077, pp. 67. 1922.
Tomtit. See Titmouse, tufted.
To-Ni-Ta, misbranding. Chem. S.R.A., Sup. 17, pp. 488-491. 1916.
Tongass National Forest, Alaska—
lead in timber cut, 1918-1922. Off. Rec., vol. 2, No. 17, p. 2. 1923.
map. D.B. 950 p. 40. 1921.
pulp timber, sale prospectus. For. [Misc.], "Sale prospectus * * *," pp. 20. 1921.
pulpwood resources, regional development. Clinton G. Smith. D.B. 950, pp. 40. 1921.
Tongs, fox handling, description and use. D.B. 1151, p. 50. 1923.
Tongue(s)—
beef, examination of lymph glands. B.A.I. An. Rpt., 1910, pp. 377, 379. 1912; B.A.I. Cir. 192, pp. 377, 379. 1912.

Tongue(s)—Continued.
beef, inspection for actinomycosis. B.A.I.S.A. No. 9, p. 1. 1908.
canned—
composition and characteristics. Chem. Bul. 13, Pt. X, pp. 1439, 1441-1442. 1902.
directions. Chem. Bul, 13, Pt. X, p. 1391. 1902.
method of preparation. Chem. Bul. 13, Pt. X. p. 1391. 1902.
canning recipe. S.R.S. Doc. 80, p. 17. 1918; rev., p. 17. 1919.
cattle, diseased conditions, causes. B.A.I. An. Rpt., 1908, p. 40. 1910.
hog, examination of lymph glands. B.A.I. An. Rpt., 1910, p. 377. 1912; B.A.I. Cir. 192, p. 377. 1912.
pork, canning directions. F.B. 1186, p. 39. 1921.
sheep, cooking recipe. F.B. 1324, p. 12. 1923.
"wooden," of cattle. See Actinomycosis.
worms—
dogs—
effect and treatment. D.C. 338, pp. 26-28. 1925.
life history and spread to humans. D.B. 260, pp. 18-19, 24. 1915.
life history and transmission. Y.B., 1905, pp. 140, 147. 1906; Y.B. Sep. 374, pp. 140, 147. 1906.
Tonic—
adulteration, and misbranding. See Indexes to Notices of judgment in bound volumes of Chemistry Service and Regulatory Announcements.
food, effect on fat and milk production of cows. J.A.R., vol. 19, pp 125, 126, 127. 1920.
hog, formula. F.B. 874, pp. 13-14, 37. 1917; F.B. 1202, p. 53. 1921.
livestock, formulas and use. M.C. 12, p. 7. 1924.
Tonka—
and vanilla ex ract, adulteration and misbranding. Chem. S.R.A. 3, p. 135. 1914; Chem. N.J. 3045. 1914.
bean(s)—
importation and descriptions. No. 35904, B.P.I. Inv. 36, p. 23. 1915.
infes ation by fig moth. Ent. Bul. 104, pp. 15, 19. 1911.
extract, use as substitute for vanilla extract. Y.B., 1908, p. 337. 1909; Y.B. Sep. 485, p. 337. 1909.
flavor, adulteration and misbranding. Chem. N.J. 1797, pp. 2. 1912.
vanilla, and compound, alleged adulteration and misbranding. Chem. N.J. 1306, pp. 3. 1912.
Tonkin, W. H.: "Fumigation against grain weevils with various volatile organic compounds." With others. D.B. 1313, pp. 40. 1925.
Tonlu tree, importation and description. No. 42272, B.P.I. Inv. 46, p. 70. 1919.
Tonnage—
carried on railways in the United States, 1906-1910. Y.B., 1911, p. 649. 1912; Y.B. Sep. 588, p. 649. 1912.
farm products and other, on railways, 1912-1914. Y.B., 1915, p. 539. 1916; Y.B. Sep. 684, p. 539. 1916.
freight, railroads. Y.B., 1919, p. 745. 1920; Y.B. Sep. 830, p. 745. 1920.
public roads, estimates. Y.B., 1917, p. 127. 1918; Y.B. Sep. 739, p. 3. 1918.
railway—
1907-1911, farm, forest, and mines. Y.B., 1912, p. 703. 1913; Y.B. Sep. 615, p. 703. 1913.
1910-1912. Y.B., 1913, p. 492. 1914; Y.B. Sep. 361, p. 492. 1914.
1911-1913. Y.B., 1914, p. 650. 1915; Y.B. Sep. 656, p. 650. 1915.
1913-1915. Y.B., 1916, p. 696. 1917; Y.B. Sep. 721, p. 38. 1917.
1914-1916. Y.B., 1917, p. 748, 1918; Y.B. Sep. 761, p. 42. 1918.
freight—
1916-1921. Y.B., 1921, p. 790. 1922; Y.B. Sep. 871, p. 21. 1922.
1916-1922. Y.B., 1922, p. 1012. 1923; Y.B. Sep. 887, p. 1012. 1923.
farm products, and other. Y.B., 1918, p. 711. 1919; Y.B. Sep. 795, p. 47. 1919.
percentage of commodities. D.B. 191, p. 2. 1915.

2446 UNITED STATES DEPARTMENT OF AGRICULTURE

Tonsilitis, cure, misbranding. Chem. N.J. 4144. 1916.
Tonto National Forest, map and directions to hunters and campers. For. Map Fold. 1915.
Tooele Valley, Utah. *See* Utah, Tooele Valley.
Toog, importation and description. No. 34263, B.P.I. Inv. 32, p. 29. 1914.
Tool(s)—
  apron for, directions. D.C. 2, p. 5. 1919.
  blacksmith, descriptive list, cost or farm. F.B. 347, pp. 12–21, 26. 1909.
  box, threshing machine, equipment, suggestions. F.B. 991, p. 9. 1918.
  bridge grafting, requirements. F.B. 1369, p. 6. 1923.
  care of. News L., vol. 6, No. 44, p. 2. 1919.
  carpenter, descriptive list, cost for farm. F.B. 347, pp. 6–12. 1909.
  corn-planting, primitive. Y.B., 1918, pp. 127, 128. 1919; Y.B. Sep. 776, pp. 7, 8. 1919.
  date propagation. F.B. 1016, pp. 6–7. 1919.
  disinfection, wilt diseases. B.P.I. Bul. 141, p. 23. 1909.
  farm—
    care. F.B. 347, pp. 27–28. 1909.
    carriers of plant diseases. F.B. 1351, p. 3. 1923.
    listing for inventory. F.B. 1182, pp. 16–17, 21. 1921.
    repair. F.B. 347, pp. 1–32. 1909.
    repairs, descriptive list and cost. F.B. 347, pp. 5–26. 1909.
    value, January 1, 1920, total and per farm, map. Y.B., 1921, p. 494. 1922; Y.B. Sep. 878, p. 88. 1922.
    winter repairing and care, importance. News L., vol. 5, No. 28, p. 4. 1918.
  felling and bucking, description and cost. D.B. 711, pp. 31–33, 41–46. 1918.
  garden—
    description and use. F.B. 818, pp. 12–14. 1917; F.B. 934, pp. 14–15. 1918.
    inexpensive, list. News L., vol. 5, No. 42, p. 8. 1918.
  general purpose, useful on farms, list and prices. F.B. 816, pp. 4–7. 1917.
  grafting, description. B.P.I. Bul. 254, pp. 64–65. 1913.
  grubbing, for use in eradication of larkspur. F.B. 826, pp. 17–18. 1917.
  hand, for vegetable garden, description. F.B. 937, pp. 24–25. 1918.
  handles—
    bamboo for. D.B. 1329, p. 18. 1925.
    trees adaptable for. Y.B., 1911, pp. 259, 267. 1912; Y.B. Sep. 566, pp. 259, 267. 1912.
  hickory demand and uses. Y.B., 1918, p. 321. 1919; Y.B. Sep. 779, p. 7. 1919.
  home garden and plans, boys' and girls' club work. C. P. Close. S.R.S. Doc. 84, pp. 7. 1918; rev., pp. 7. 1919.
  ice-harvesting requirements. F.B. 1078, pp. 13–14. 1920.
  infected, spread of cabbage diseases. F.B. 925, p. 5. 1918.
  inventory, tenant farm of 167 acres. F.B. 472, pp. 34–35. 1911.
  logging—
    cost. D.B. 440, pp. 14, 18, 20, 41, 50. 1917.
    in small operations. D.B. 718, pp. 54, 55. 1918.
    manufacture from pine. For. Bul. 99, pp. 20, 25. 1911.
  need in finishing floors, description and care. F.B. 1219, pp. 7–8. 1921.
  on rented farm, dairy farms, ownership and repairs. F.B. 1272, p. 2, 10–12. 1922.
  onion growing, description. F.B. 434, pp. 14, 15, 16. 1911.
  outfits for farmers. F.B. 347, pp. 5–26. 1909.
  peanut planting, cultivating, and lifting. F.B. 431, pp. 16, 17, 18–19. 1911.
  peanut planting, cultivating, harvesting, and picking. F.B. 356, pp. 17, 18, 19–20, 24–25. 1909.
  planting, for use in reforestation. D.B. 475, pp. 42–45. 1917.
  pruning, requirements. F.B. 388, p. 20. 1910.
  purchase and care. News L., vol. 7, No. 7, p. 8. 1919.
  required on small farms. B.P.I. Doc. 555, p. 2. 1910.

Tool(s)—Continued.
  requirements for—
    blister-rust control. D.C. 177, p. 16. 1921.
    city gardens. F.B. 1044, p. 11. 1919.
    home gardening, list. F.B. 936, p. 26. 1918.
    tulip-bulb production, and use methods. D.B. 1082, pp. 28–30. 1922.
  small, farm equipment, list. F.B. 454, pp. 28–31. 1911.
  soldering, description and use. S.R.S. Doc. 11, pp. 2–4. 1916.
  special, useful on farms, lists and prices. F.B. 816, pp. 8–12. 1917.
  strawberry setting. F.B. 1026, pp. 17–20. 1919; F.B. 1027, pp. 17–18. 1919; F.B. 1028, pp. 22–25. 1919.
  sugarcane harvesting. F.B. 1034, p. 21. 1919.
  sweetpotato planting and growing, description F.B. 999, pp. 16–23. 1919.
  tanning, description and use. F.B. 1334, pp. 4–5. 1923.
  trail-construction, lists. For. Misc. 0–6, pp. 18, 62–63. 1915.
  transplant, forest nurseries, description and use. D.B. 479, pp. 53–54. 1917.
  tree surgery. F.B. 1178, pp. 6, 10, 11–12, 22. 1920.
  woodworking, description, uses, and care, cost of set. D.B. 527, pp. 2–7. 1917.
Toole, E. S.: "The germination of cotton seed." With Pearl L. Drummond. J.A.R., vol. 28, pp. 285–292. 1924.
Toon tree, importations and descriptions. No. 39662, B.P.I. Inv. 41, p. 57. 1917; No. 43286, B.P.I. Inv. 48, p. 39. 1921; No. 43670, B.P.I. Inv. 49, p. 60. 1921.
Toom tree.
  See also Cedrela.
Toona—
  ciliata. *See* Toon tree.
  sinensis—
    importation and description. No. 50647, B.P.I. Inv. 63, p. 90. 1923; No. 51823, B.P.I. Inv. 65, p. 54. 1923.
  See also Boxwood, Chinese.
Toothache—
  causes and treatment. For. [Misc.], "First-aid * * *," p. 85. 1917.
  remedy, misbranding. Chem. N.J. 4134. 1916.
Toothache grass, description. D.B. 772, pp. 185, 186. 1920.
Toothache tree. *See* Ash, prickly.
Toothpicks, manufacture from paper birch, annual consumption. For. Cir. 163, pp. 8–9. 1909.
Top(s)—
  beet, feed use, methods and value. F.B. 1095, pp. 4–14. 1919.
  budding, peach trees, crew work. D.B. 29, p. 11. 1913.
  dressing—
    clover land seeded to wheat. F.B. 1365, p. 23. 1924.
    crops with soda nitrate, North Carolina, Johnston County. Soil Sur. Adv. Sh., 1911, pp. 13, 31, 34. 1913; Soils F.O., 1911, pp. 440, 457, 460. 1914.
    grass lands on dairy farms. F.B. 337, pp. 8, 10, 12, 14, 15, 16, 17, 18, 20, 23. 1908.
    lawns with lime and manure, directions. Soils Bul. 75, pp. 17, 40, 53, 54. 1911.
    old meadow lands, New York, Jefferson County. Soil Sur. Adv. Sh., 1911, pp. 27, 31. 1913; Soils F.O., 1911, pp. 117, 121. 1914.
  grafting—
    mango trees. Hawaii A.R., 1919, p. 27. 1920.
    olive trees. F.B. 1249, pp. 18–19. 1922.
  sugar-cane, silage use and value. F.B. 1034, pp. 32–33. 1919.
  working—
    apple trees—
      directions. S.R.S. Syl. 31, pp. 8–9. 1918.
      in orchard renovation. F.B. 1284, pp. 25–32. 1922.
    citrus trees—
      directions. F.B. 542, p. 18. 1913.
      for improvement of fruit. F.B. 794, pp. 12–13. 1917.
      results. Y.B., 1919, pp. 257–258. 1920; Y.B. Sep. 813, pp. 257–258. 1920.
    directions. D.B. 813, pp. 81–84. 1920.
    mango trees, directions. P.R. Bul. 24, pp. 12–13. 1918.

INDEX TO PUBLICATIONS, 1901–1925   2447

Top(s)—Continued.
working—continued.
orange trees. D.B. 623, pp. 144–145. 1918. D.B. 624, pp. 118–119. 1918.
peach trees. F.B. 632, pp. 10–13. 1915; F.B. 917, pp. 33–37. 1918.
walnut trees. B.P.I. Bul. 254, pp. 19,61, 66. 1913.
Top-minnows. *See* Minnows.
Topeka, Kans., milk supply, statistics, officials, prices, and ordinances. B.A.I. Bul. 46, pp. 34, 78. 1903.
TOPHAM, M. H.: "Capillary studies and filtration of clay from soil solutions." With Lyman J. Briggs. Soils Bul. 19, pp. 40. 1902.
Topographical conditions, relation to milk distribution problems. B.A.I. Dairy [Misc.], "World's dairy congress, 1923," pp. 800–805. 1924.
Topography. *See* Soil surveys. (Each survey furnishes something of the topography of the locality surveyed.)
Topping—
corn—
advantages and disadvantages. S.R.S. Syl. 21, p. 16. 1916.
recommendations. F.B. 313, p. 8. 1907.
cotton—
for boll-weevil control, results. F.B. 344, p. 35. 1909.
importance in boll-weevil control. F.B. 319, p. 14. 1908.
plants in boll-weevil control, discussion. F.B. 512, pp. 35–36. 1912.
onion, cause of increase in neck rot. J.A.R. vol. 30, pp. 367–368. 1925.
sugar beet, directions and cost. D.B. 726, pp. 39–40. 1918.
tobacco, directions. F.B. 343, pp. 18–19. 1909; F.B. 416, p. 14. 1910.
Topsoil—
road surfacing, sampling and testing. D.B. 1216, pp. 16–19. 1924.
roads, details and cost. D.B. 284, pp. 18–21. 1915.
Torch—
hand, use in control of harlequin cabbage bugs. F.B. 1061, pp. 12–13. 1920.
use for burning—
caterpillar nests in trees, directions. F.B. 662, pp. 9–10. 1915.
prickly pears before use as feed. F.B. 1072, p. 19. 1920.
TORGERSON, E. F.: "Soil survey of—
Benton County, Oregon." With E. J. Carpenter. Soil Sur. Adv. Sh., 1920, pp. 1431–1474. 1924; Soils F.O., 1920, pp. 1431–1474. 1925.
Josephine County, Oreg." With A. E. Kocher. Soil Sur. Adv. Sh., 1919, pp. 349–408. 1923; Soils F.O., 1919, pp. 349–408. 1925.
Tori, importation and description. No. 44788, B.P.I. Inv. 51, p. 69. 1922.
TORMEY, J. A., report of Division of Extension, State College of Washington. 1915. S.R.S. Rpt., 1915, Pt. II, pp. 314–318. 1916.
Tornado(es)—
description, injury avoidance, and warnings, by Weather Bureau. News L., vol. 5, No. 25, p. 8. 1918.
in Alabama, tract and damage. For. Bul. 68, pp. 64–65. 1905.
nature, comparison with hurricane. Off. Rec., vol. 2, No. 27, p. 5. 1923.
Tornlinium ferox, occurrence in Guam. Guam A.R., 1913, p. 16. 1914.
Torrents, control in national forests, methods, value. Y.B., 1914, pp. 75–77. 1915; Y.B. Sep. 633, pp. 75–77. 1915.
Torresia spp., description, distribution, and uses. D.B. 772, pp. 17, 199, 201. 1920.
Torrey, Bradford, remarks on food habits of fox sparrow. Biol. Bul. 15, p. 88. 1901.
Torrubia longifolia, injury by sapsuckers. Biol. Bul. 39, pp. 36, 76. 1911.
Torsion test, timber, machine and method. For. Cir. 38, rev., p. 25. 1909.
Tortillas, cakes made from Fadan nuts, Guam. Guam A.R., 1911, p. 22. 1912.

Tortoise beetle(s)—
Argus. F. H. Chittenden. J.A.R., vol. 27, pp. 43–52. 1923.
eggplant. Thomas H. Jones. D.B. 422, pp. 8. 1916.
injuries to sweet potatoes, and control. F.B. 856, p. 64. 1917.
sweet potato, description and treatment. D.C. 35, pp. 24–25. 1919.
Tortricid—
fir bark, description. Sec. [Misc.], "A manual * * * insects * * *," p. 67. 1917.
spruce bark, description. Sec. [Misc.], "A manual * * * insects * * *," p. 79. 1917.
Tortrix—
bark, plum and cherry pest, description. Sec. [Misc.], "A manual * * * insects * * *," p. 176. 1917.
beech, description. Sec. [Misc.], "A manual * * * insects * * *," p. 38. 1917.
green oak, description. Sec. [Misc.], "A manual * * * insects * * *," p. 152. 1917.
nut—
description. Sec. [Misc.], "A manual * * * insects * * *," p. 134. 1917.
fruit, description. Sec. [Misc.], "A manual * * * insects * * *," p. 53. 1917.
plum and cherry, description. Sec. [Misc.], "A manual * * * insects * * *," p. 176. 1917.
Tortugas Bird Reservation, work, 1911. An. Rpts., 1911, p. 543. 1912; Biol. Chief Rpt., 1911, p. 13. 1911.
Torula—
effect on sugarcane juice. S.R.S. Rpt., 1917, Pt. I, pp. 30, 130. 1918.
sp., from potatoes in Idaho soils. J.A.R., vol. 13, pp. 80, 96. 1918.
Torulaceae, psuedo yeasts, distinction from true yeasts. D.B. 819, pp. 2–3, 13, 14. 1920.
Torymidae, enemies of boll weevil, list. Ent. Bul. 100, pp. 9, 12, 31, 41, 49, 54–68. 1912.
TOSTERUD, M. O.: "Soil survey of—
Outagamie County, Wis." With others. Soil Sur. Adv. Sh., 1918, pp. 42. 1921; Soils F.O., 1918, pp. 981–1018. 1924.
Waupaca County, Wis." With others. Soil Sur., Adv. Sh., 1917, pp. 51. 1920; Soils F.O., 1917, pp. 1231–1277. 1923.
Totanus spp. *See* Red-shank; Sandpiper; Yellowlegs.
Totem, Illinois Indians, inscription with moth, note. Y.B., 1913, pp. 76–77. 1914; Y.B. Sep. 616, pp. 76–77. 1914.
TOTTINGHAM, W. E.—
"Relation of sulphur compounds to plant nutrition." With E. B. Hart. J.A.R., vol. 5, No. 6, pp. 233–250. 1915.
"Temperature effects in plant metabolism." J.A.R., vol. 25, pp. 13–30. 1923.
"Tough-on flies," misbranding. Insect. N.J. 85. 1914.
Toulu, importation and description. No. 42720, B.P.I. Inv. 47, p. 56. 1920.
TOUMEY, J. W.—
"The relation of forests to stream flow." Y.B., 1903, pp. 279–288. 1904; Y.B. Sep. 329, pp. 279–288. 1904.
work on—
almond gall. B.P.I. Bul. 213, p. 19. 1911.
date palm culture. B.P.I. Bul. 53, pp. 41, 127. 1904.
Toumeyella liriodendri, description, habits, and control. F.B. 1169, p. 80. 1921.
Tounatea—
crocea, importation and description. No. 43387, B.P.I. Inv. 48, p. 49. 1921.
madagascariensis, importations and descriptions. No. 48488, B.P.I. Inv. 61, p. 14. 1922; No. 50189, B.P.I. Inv. 63, p. 43. 1923.
Toura, grass sorghum, resemblance to tabucki grass. D.B. 981, p. 10. 1921.
Tourists—
accommodations for, in, and near Pike National Forest. D.C. 41, pp. 15–16. 1919.
benefit of roads in the national forests. Y.B., 1919, pp. 185, 188. 1920; Y.B. Sep. 806, pp. 185, 188. 1920.
number visiting national forests. Off. Rec., vol. 1, No. 7, p. 3. 1922.

Tourists—Continued.
   rules, Wichita National Forest. M.C. 36, pp. 9-10. 1925.
   spread of—
      dangerous fruit flies, by careless importation. Y.B., 1917, pp. 195, 196. 1918; Y.B. Sep. 731, pp. 13, 14. 1918.
      fruit flies by transporting various fruits. D.B. 536, p. 19. 1918.
   travel, increase by good roads, benefit to country. F.B. 505, pp. 16-18. 1912.
Tous-les-mois. See Canna, edible.
Tow—
   flax—
      manufacture, supply, and mill and laboratory tests. D.B. 322, pp. 16-21. 1916.
      use in paper making, investigations. Y.B., 1910, p. 337. 1911; Y.B. Sep. 541, p. 337. 1911.
      utilization for paper making. An. Rpts., 1916, pp. 150-151. 1917; B.P.I. Chief Rpt., 1916, pp. 14-15. 1916.
   mills—
      cooperative, suggestion for farmers. D.B. 322, p. 23. 1916
      utilization of flax straw, and prices paid. D.B. 322, pp. 16-18. 1916.
TOWAR, J. D., report of Wyoming Experiment Station—
   1907. O.E.S. An. Rpt., 1907, pp. 189-191. 1908.
   1908. O.E.S. An. Rpt., 1908, pp. 189-190. 1909.
   1909. O.E.S. An. Rpt., 1909, pp. 208-209. 1910.
Towels—
   directions for making. D.C. 2, pp. 7-8. 1919; S.R.S. Doc. 83, pp. 5-6. 1918.
   roller, use, discontinuance in Federal buildings, Executive order, September 30, 1913. B.A.I.S. A. 78, p. 94. 1913.
   selection for house. Y.B., 1914, p. 354. 1915; Y.B. Sep. 646, p. 354. 1915
TOWER, D. G.—
   "Biology of *Apanteles militaris*." J.A.R., vol. 5, No. 12, pp. 495-542. 1915.
   "Clover-leaf weevil." With F. A. Fenton. D.B. 922, pp. 18. 1920.
   "Comparative study of the amount of food eaten by parasitized and nonparasitized larvæ of *Cirphus unipuncta*." J.A.R., vol. 6, No. 12, pp. 455-458. 1916.
TOWER, W. V.—
   "A study of mosquitoes in San Juan, P. R." P.R. Cir. 14, pp. 23. 1912.
   "Bee keeping in Porto Rico." P.R. Cir. 13, pp. 32. 1911.
   "Insects injurious to citrus fruits, and methods for combating them." (Also Spanish edition.) P.R. Bul. 10, pp. 35. 1911.
   "Mosquito survey of Mayaguez." P.R. Cir. 20, pp. 10. 1921.
   report of the entomologist, Porto Rico Experimental Station—
      1908. P.R. An. Rpt., 1908, pp. 23-28. 1909.
      1909. P.R. An. Rpt., 1909, pp. 24-28. 1910.
      1910. P.R. An. Rpt., 1910, pp. 31-34. 1911.
      1911. P.R. An. Rpt., 1911, pp. 32-36. 1912.
      1918. P.R. An.. Rpt, 1918, pp. 15-17. 1920
      1919. P.R. An. Rpt., 1919, pp. 21-25. 1920.
      1920. P.R. An. Rpt., 1920, pp. 23-27. 1921.
      1921. P.R. An. Rpt., 1921, pp. 23-26. 1922.
      1922. P.R. An. Rpt., 1922, pp. 13-14. 1923.
      1923. P.R. An. Rpt., 1923, pp. 11-15. 1924.
   report of the entomologist and plant pathologist, Porto Rico Experiment Station—
      1906. P.R. An. Rpt., 1906, pp. 25-28. 1907.
      1907. P.R. An. Rpt., 1907, pp. 31-38. 1908.
   work in Porto Rico for beekeeping industry. P.R. Bul. 15, pp. 5, 7, 21. 1914.
Towers—
   lookout, in forests, description, cost, and uses. For. Bul. 113, pp. 10-14. 1912.
   spraying machine, description. Y.B., 1908, p. 286. 1909; Y.B. Sep. 480, p. 286. 1909.
   windmill—
      choice. F.B. 866, p. 22. 1917.
      selection, erection. F.B. 394, pp. 23-24. 1910.
      use as forest lookouts, cost. For. Bul. 113, pp. 13-14. 1912.

Towhee—
   California—
      enemy of the codling moth. Y.B., 1911, p. 241. 1912; Y.B. Sep. 564, p. 241. 1912.
      food habits, relation to agriculture. Biol. Bul. 34, pp. 89-93. 1910.
   description and food habits. F.B. 630, p. 9. 1915
   food habits. D.B. 107, pp. 36-37. 1914.
   food habits, and occurrence in Arkansas. Biol. Bul. 38, pp. 66-67. 1911.
   green-tailed, food habits. D.B. 107, p. 37. 1914.
   protection by law. Biol. Bul. 12, rev. pp. 38, 40, 41. 1902.
   spotted, food habits, relation to agriculture, California Biol. Bul. 34, pp. 86-89. 1910.
Towing, log, in Pacific Northwest, costs. D.B. 711, pp. 245-248. 1918.
TOWLE, R. S.: "Work of the Sheridan Field Station for the seven years from 1917 to 1923, inclusive." D.B. 1306, pp. 30. 1925.
Town(s)—
   drainage assessments against. D.B. 1207, pp. 30-32. 1924.
   gateway, improvement to make attractive. F.B. 1325, pp. 27-29. 1923.
   large, milk supply. B.A.I. Dairy [Misc.], "World's dairy congress," 1923, pp. 1301-1306. 1924.
   rat control methods. Y.B., 1917, p. 244. 1918; Y. B. Sep. 725, p. 12. 1918.
   sites, national forest, laws. Sol. [Misc.], "Laws * * * forest," p. 58. 1913; rev., p. 92. 1916.
TOWNE, ITHIEL, latticework bridge introduction. Rds. Bul. 43, p. 5. 1912.
TOWNSEND, C. H. T.—
   "A record of results from rearings and dissections of Tachinidae." Ent. T.B. 12, Pt. VI, pp. 95-118. 1908.
   identification of *Zygobothria nidicola*. D.B. 1088, p. 1. 1922.
TOWNSEND, C. O.—
   "A soft rot of the calla lily." B.P.I. Bul. 60, pp. 47. 1904.
   "An improved method of making sugar-beet sirup." With Sidney F. Sherwood. F.B. 1241, pp. 16. 1921.
   "By-products of the sugar beet and their uses." Y.B., 1908, pp. 443-452. 1909; Y.B. Sep. 493, pp. 443-452. 1909.
   "Conditions influencing the production of sugar beet seed in the United States." Y.B., 1909, pp. 173-184. 1910; Y.B. Sep. 503, pp. 173-184. 1910.
   "Crowngall of plants: Its cause and remedy." With others. B.P.I. Bul. 213, pp. 215. 1911.
   "Curly-top, a disease of the sugar beet." B.P.I. Bul. 122, pp. 37. 1908.
   "Farm practice in growing sugar beets in Michigan and Ohio." With others. D.B. 748, pp. 45. 1919.
   "Farm practice in growing sugar beets in three California districts." With others. D.B. 760, pp. 48. 1919.
   "Field studies of the crown-gall of sugar beets." D.B. 203, pp. 8. 1915.
   "Leaf-spot, a disease of the sugar beet." F.B. 618, pp. 18. 1914.
   "Methods of reducing the cost of producing beet sugar." Y.B., 1906, pp. 265-278. 1907; Y.B. Sep. 422, pp. 265-278. 1907.
   "Relation of sugar beets to general farming." Y.B., 1903, pp. 399-410. 1904; Y.B. Sep. 320, pp. 399-410. 1904.
   "Some diseases of the sugar beet." Rpt. 72, pp. 90-101. 1902.
   "Sugar." With others. Y.B., 1923, pp. 151-228. 1924; Y.B. Sep. 893, pp. 98. 1924.
   "Sugar-beet growing under humid conditions." F.B. 568, pp. 20. 1914.
   "Sugar-beet growing under irrigation." F.B. 567, pp. 26. 1914.
   "Sugar-beet sirup." With H. C. Gore. F.B. 823, pp. 13. 1917.
   "The beet-sugar industry in the United States." D.B. 721, pp. 56. 1918.
   "The beet-sugar industry in the United States in 1920." D.B. 995, pp. 16. 1921.
   "The development of single-germ beet seed." With E. D. Rittue. B.P.I. Bul. 73, pp. 26. 1905.

INDEX TO PUBLICATIONS, 1901-1925

TOWNSEND, C. O.—Continued.
"The present status of the sugar-beet seed industry in the United States." Y.B., 1916, pp. 399-410. 1917; Y.B. Sep. 695, pp. 12. 1917.
TOWNSEND, J. S.: "Ginning Pima cotton in Arizona." D.B. 1319, pp. 12. 1925.
TOWNSEND, K. H.: "Report of scouting for the pink bollworm crops of 1921-22." F.H.B., S.R.A. 72, pp. 56-62, 66-68. 1922.
Townsend's solitaire, habitat, food habits, and economic importance. D.B. 280, pp. 3-5. 1915.
Toxascaris—
limbata, roundworm, spread from dogs to humans. D.B. 260, pp. 17-18. 1915.
spp. *See* Roundworm.
Toxaway soils, Virginia, description, uses, and location. D.B. 46, pp. 17, 19, 21. 1913.
Toxic—
bodies—
in soils, causes. An. Rpts., 1907, pp. 433-434. 1908.
isolation, investigations. An. Rpts., 1908, pp. 100, 522. 1909; Sec. A.R., 1908, p. 98. 1908; Soils Chief Rpt., 1908, p. 26. 1908.
occurrence in soil, cause, nature, properties, and disposition. Soils Bul. 55, pp. 17-18, 58-60, 64-66. 1909.
compounds—
nitrification in soils. S.R.S. Rpt., 1917, Pt. I, pp. 29, 170. 1918.
soil solutions, effects on oxidation. Soils Bul. 56, pp. 43-45. 1909.
gases, use as possible means of control of peach-tree borer. E.B. Blakeslee. D.B. 796, pp. 23. 1919.
salts—
and acids, dilute solutions as stimulants to seed germination and plant growth. B.P.I. Bul. 79, pp. 42-44. 1905.
effect upon other toxic substances. B.P.I. Bul. 79, pp. 39-42. 1905.
soil solutions, effects—
of various treatments to reduce toxicity. Soils Bul. 47, pp. 39-52. 1907.
on wheat plants. Soils Bul. 47, pp. 38-39. 1907.
substances, Takoma soil, remarks. Soils Bul. 28, pp. 25-37. 1905.
Toxicity—
alkali, soil factors affecting. F. S. Harris and D. W. Pittman. J.A.R., vol. 15, pp. 287-319. 1918.
cause determination, studies. D.B. 227, pp. 8-11, 36. 1915.
onion juice, study. J.A.R., vol. 30, pp. 175-187. 1925.
tests in wood preservatives, methods and scope. D.B. 227, pp. 14-31, 36. 1915.
variation in chemical substances, literature review. D.B. 227, pp. 3-5. 1915.
volatile organic compounds, to insect eggs. William Moore and Samuel A. Graham. J.A.R., vol. 12, pp. 579-587. 1918.
See also Poison.
Toxicodendrol, poisonous principle of poison ivy and poison sumac. F.B. 1166, p. 11. 1920.
Toxin(s)—
act and regulations for human use. Chem. [Misc.] "Food and drug manual," pp. 89-90. 1920.
act. *See also* Virus act.
animal—
diseases, preparation and sale, regulations. B.A.I.O. 265, A-1, pp. 4. 1920.
treatment, regulations governing. B.A.I.O. 196, pp. 8. 1913.
blackleg—
concentration, directions. J.A.R., vol. 14, pp. 263-264. 1918.
preparation and tests. J.A.R., vol. 14, pp. 256-261. 1918.
control. *See* Virus-serum toxin act.
importation regulations. Chem. [Misc.] "Food and drug manual," pp. 93-94. 1920.
labels, regulation. B.A.I.O. 265, amdt. 2, pp. 2. 1921.
manufacture, control by Animal Industry Bureau. An. Rpts., 1914, p. 89. 1914; B.A.I. Chief Rpt., 1914, p. 33. 1914.

Toxin(s)—Continued.
preparation, sale, and barter, regulations. B.A.I.O. 265, pp. 34. 1919.
production by necrosis bacillus. B.A.I. An. Rpt., 1904, pp. 85-86. 1905.
production from *Micrococcus caprinus*, experiments. B.A.I. Bul. 45, pp. 25-28. 1903.
shipment, control by department. An. Rpts., 1913, p. 101. 1914; B.A.I. Chief Rpt., 1913, p. 31. 1913.
soil, correction by crop rotation. Y.B., 1908, p. 410. 1909; Y.B. Sep. 490, p. 410. 1909.
soil, discussion. J.A.R., vol. 30, pp. 1095-1097. 1925.
study with special reference to septicemia. B.A.I. Bul. 36, pp. 19-23. 1902.
Toxoneura sp., enemy of tobacco budworm. F.B. 819, p. 6. 1917.
Toxoptera—
genus, key. Ent. T.B. 25, Pt. I, pp. 1-16. 1912.
graminum—
embryology, further studies. J.A.R., vol. 4, pp. 403-404. 1915.
"Green Bug," so-called. Ent. Cir. 93, pp. 1-18. 1907.
in the South, contribution. Philip Luginbill and A. H. Beyer. J.A.R., vol. 14, pp. 97-110. 1918.
See also Grain-aphid, spring; Green bug.
muhlenbergiae, description and life history. Ent. T.B. 25, Pt. I, pp. 1-16. 1912.
new species, key to genus, and notes on rearing. Ent. T.B. 25, Pt. I, pp. 1-16. 1912.
spp. description. D.B. 826, p. 51. 1920.
Toxostoma spp. *See* Thrashers.
Toxotrypana curvicauda. *See* Fruit fly, papaya.
Toxylon pomiferum—
host of *Cyllene pictus*. J.A.R., vol. 22, pp. 198-203. 1921.
See also Osage orange.
Toyah Valley Irrigation Company, irrigation details. O.E.S. Bul. 222, pp. 74-75. 1910.
Toys—
containing arsenic, prohibition. Chem. Bul. 69, rev., Pt. III, p. 252. 1905.
manufacture—
as an opportunity for saving lumber. M.C. 39, p. 62. 1925.
from basswood and other woods. D.B. 1007, pp. 41-42. 1922.
use of white pine. For. Bul. 99, p. 52. 1911.
TRABUT, L., importations of plants from Africa. B.P.I. Inv. 54, pp. 3-4, 48. 1922.
Trachelus tabidus—
injuries, parasites, and control suggestions. D.B. 834, pp. 11-13. 1920.
synonymy and description. D.B. 834, pp. 7-9. 1920.
See also Sawfly, black grain-stem.
Tracheotomy, cattle, directions and instruments. B.A.I. [Misc.], "Diseases of cattle," rev., pp. 302, 314. 1912; rev., p. 294. 1923.
Trachoma, transmission by house flies, note. F.B. 412, p. 11. 1910.
Trachycarpus—
martiana, importations and descriptions. No. 38739, B.P.I. Inv. 40, p. 23. 1917; No. 47814, B.P.I. Inv. 59, p. 63. 1922.
martianus, importations and descriptions. No. 50373, B.P.I. Inv. 63, p. 63. 1923; No. 53471, B.P.I. Inv. 67, p. 53. 1923; No. 55706, B.P.I. Inv. 72, p. 21. 1924.
spp., importations and descriptions. Nos. 44670, 44864, B.P.I. Inv. 51, pp. 41, 82. 1922.
Trachykele spp., larval structure, distribution, habits, and host trees. D.B. 437, pp. 6, 7. 1917.
Trachylobium verrucosum, importation and description. No. 42375, B.P.I. Inv. 46, p. 85. 1919.
Trachypogon spp., description, distribution, and uses. D.B. 772, pp. 21, 275, 276. 1920.
Trachythonus cafer. *See* Barbets.
Trachyuropoda spp., description. Rpt. 108, pp. 88, 90. 1915.
Traction—
engine—
plowing, day's work. D.B. 3, pp. 13, 43. 1913.
use in—
clearing stump land. F.B. 974, p. 25. 1918.
threshing. Y.B., 1921, p. 92. 1922; Y.B. Sep. 873, p. 92. 1922.

Traction—Continued.
  plowing, equipment, comparison with horse plowing. B.P.I. Bul. 170, pp. 7-16. 1910.
  plows—
    use in—
      beet culture. Rpt. 86, p. 25. 1908.
      growing sugar beets. Rpt. 86, pp. 25, 36. 1908.
      See also Tractor.
  sprayer(s)—
    description. F.B. 908, p. 65. 1918.
    for field use on truck crops, description. F.B. 914, pp. 14-16. 1918.
    use in beet spraying, description. Ent. Bul. 109, Pt. VI, pp. 66-69. 1912.
  tests—
    1914, roads. An. Rpts., 1914, p. 278. 1914; Rds. Chief Rpt., 1914, p. 12. 1914.
    1917, Roads Office. An. Rpts., 1917, p. 380. 1918; Rds. Chief Rpt., 1917, p. 22. 1917.
    1919, Roads Bureau. An. Rpts., 1919, pp. 419-420. 1920; Rds. Chief Rpt., 1919, pp. 29-30. 1919.

Tractor(s)—
  advantages and disadvantages, sizes, and cost. F.B. 963, pp. 6-10, 22. 1918.
  and horses—
    in winter wheat belt, Oklahoma, Kansas, Nebraska. H. R. Tolley and W. R. Humphreys. D.B. 1202, pp. 60. 1924.
    on Corn Belt farms, what they do. L. A. Reynoldson and H. R. Tolley. F.B. 1295, pp. 14. 1923.
  choosing. L. A. Reynoldson and H. R. Tolley. F.B. 1300, pp. 13. 1922.
  comparison—
    of different sizes. D.B. 174, pp. 28-30. 1915.
    with horse. Off. Rec., vol. 1, No. 2, p. 3. 1922.
  cost(s)—
    as factor in wheat profits. Y.B., 1921, p. 117. 1922; Y.B. Sep. 873, p. 117. 1922.
    data. Y.B. 1921, pp. 805-807. 1922; Y.B. Sep. 876, p. 2-4. 1922.
    life, depreciation, repairs, interest, fuel, and upkeep. D.B. 997, pp. 45-53. 1921.
    of outfit, and years and days of service. F.B. 1004, pp. 9-12. 1918.
    of using on Corn-Belt farms. L. A. Reynoldson and H. R. Tolley. F.B. 1297, pp. 15. 1923.
    daily work, plowing and other work. F.B. 963, pp. 14-16. 1918.
    day's work, plowing or other work. F.B. 1004, pp. 13-15. 1918.
  demonstration. News L., vol. 6, No. 52, p. 12. 1919.
  dependability, experiments and reports from owners. News L., vol. 5, No. 51, p. 14. 1918.
  development process, note. News L., vol. 2, No. 38, pp. 5, 7. 1915.
  displacement of horses on farms, and numbers. F.B. 1004, pp. 24-25. 1918.
  economy in farm use, quality and reliability of work. F.B. 1004, pp. 20-23, 24. 1918.
  effect of use on crop yields. F.B. 1035, pp. 31-32. 1919.
  efficiency, relation to size of farm. D.B. 174, pp. 30-33. 1915.
  equipment—
    improvement and development. F.B. 1004, p. 27. 1918.
    requirements. F.B. 963, pp. 10, 29. 1918; F.B. 1035, p. 32. 1919.
  exhibit of data on. Off. Rec., vol. 1, No. 5, p. 6. 1922.
  experience in Illinois, under Corn-Belt conditions, study. Arnold P. Yerkes and L. M. Church. F.B. 963, pp. 30. 1918.
  farm—
    advantages and—
      disadvantages. F.B. 1004, pp. 5-7, 23-24. 1918; News L., vol. 6, No. 34, p. 7. 1919.
      effect on farm labor. News L., vol. 5, No. 51, pp. 5-6. 1918.
    aid for farmers in buying by Federal Reserve Banks, conditions. News L., vol. 5, No. 38, p. 5. 1918.
    average life and annual use. News L., vol. 5, No. 48, p. 3. 1918.
    community use in Pennsylvania, and rental rates. News L., vol. 5, No. 50, p. 7. 1918.

Tractor(s)—Continued.
  farm—continued.
    cost and utilization for power, in Ohio, Indiana, and Illinois. H. R. Tolley and L. A. Reynoldson. D.B. 997, pp. 61. 1921.
    development methods and progress. News L., vol. 6, No. 42, pp. 11-13. 1919.
    economic study in the Corn Belt. Arnold P. Yerkes, and L. M. Church. F.B. 719, pp. 24. 1916.
    experience. Arnold P. Yerkes and H. H. Mowry. D.B. 174, pp. 44. 1915.
    in Corn Belt, economic study. Arnold P. Yerkes and L. M. Church. F.B. 719, pp. 24. 1916.
    in the Dakotas. Arnold P. Yerkes and L. M. Church. F.B. 1035, pp. 32. 1919.
    manufacture and sale. Y.B., 1922, pp. 1020, 1021, 1028. 1923; Y.B. Sep. 887, pp. 1020, 1021, 1028. 1923.
    power cost, comparison with horse labor. Y.B. 1921, pp. 805-807. 1922; Y.B. Sep. 876, pp. 2-4. 1922.
    production in United States, 1916, 1917, 1918, and distribution. News L., vol. 6, No. 17, p. 13. 1918.
    statistics. Y.B., 1919, pp. 745-746. 1920; Y.B. Sep. 830, pp. 745-746. 1920.
    testing and rating, project, outline. Sec. Cir 149, p. 7. 1920.
    work, amount and kinds on farms of different sizes. D.B. 997, pp. 13-26. 1921.
  for Corn-Belt farms, ownership. L. A. Reynoldson and H. R. Tolley. F.B. 1299, pp. 10. 1922.
  fuel used, and consumption per hour. D.B. 174, pp. 13-14, 21-22. 1915.
  gas—
    and gasoline, comparison. News L., vol. 2, No. 38, p. 7. 1915.
    and the horse. D.B. 174, pp. 4-5, 37-39, 42. 1915.
    earliest use for farm work, capacity, demand, and value. F.B. 1035, pp. 3-4. 1919.
    in eastern farming. Arnold P. Yerkes and L. M. Church. F.B. 1004, pp. 32. 1918.
    manufacture, 1920. Y.B., 1921, p. 795. 1922; Y.B. Sep. 871, p. 26. 1922.
    manufacture and sale, 1916-1920. D.C. 212, pp. 2-4. 1922.
    power ratings and comparisons, methods. News L., vol. 3, No. 25, pp. 2-3. 1916.
    use on Corn-Belt farms, advantages, sizes, and life. Y.B. 719, pp. 24. 1916.
  gasoline and kerosene, comparison. D.B. 174, pp. 18-19, 43. 1915.
  influence on use of horses. L. A. Reynoldson. F.B. 1093, pp. 26. 1920.
  investigations. O.E.S. An. Rpt., 1922, pp. 95-97. 1924.
  labor saved by use of. D.B. 997, pp. 60-61. 1921.
  life, average use annually, and repairs. F.B. 963, pp. 11-13, 20. 1918.
  number(s)—
    of farms reporting, Y.B., 1921, pp. 505, 789. 1922; Y.B. Sep. 871, p. 20. 1922; Y.B. Sep. 878, p. 99. 1922.
    on farms—
      and relation to size of farms. Y.B., 1921, pp. 789, 806. 1922; Y.B. Sep. 871, p. 30. 1922; Y.B. Sep. 876, p. 3. 1922.
      by States. S.B. 5, pp. 84-85. 1925.
  on Corn-Belt farms, changes effected. L. A. Reynoldson and H. R. Tolley. F.B. 1296, pp. 12. 1922.
  on farms, cost and utilization of power; 286 farms in Ohio, Indiana, Illinois, 1920. H. R. Tolley and L. A. Reynoldson. D.B. 997, pp. 61. 1921.
  on southern farms. H. R. Tolley and L. M. Church. F.B. 1278, pp. 26. 1922.
  operating—
    cost. F.B. 1035, pp. 19-24. 1919; News L., vol. 3, No. 49, pp. 3-4. 1916.
    costs, fuel, repairs, and labor. F.B. 963, pp. 17-22. 1918; F.B. 1004, pp. 15-20. 1918.
  operations, drawbar and belt, on Corn Belt farms. F.B. 1093, pp. 10-13. 1920.

INDEX TO PUBLICATIONS, 1901–1925   2451

ractor(s)—Continued.
outfits—
large, superseding by smaller outfits or horse plows, causes. F.B. 1035, pp. 3–4. 1919.
sizes suitable for farms of various sizes, studies. F.B. 1035, pp. 7–11. 1919.
owners, reports on service rendered. D.B. 174, pp. 8–17. 1915.
ownership—
and use, benefits. F.B. 1299, pp. 8–9. 1922.
on Corn Belt farms. D.B. 931, pp. 32–34. 1921.
on farms having trucks. D.B. 1254, p. 27. 1924.
plow. See Plows.
plowing—
area, depth and average work per hour. D.B. 174, pp. 23–27, 42. 1915.
laying out fields. H. R. Tolley. F.B. 1045, pp. 40. 1919.
statistics of day's work. Y.B., 1922, p. 1047. 1923; Y.B. Sep. 890, p. 1047. 1923.
turning problems. News L., vol. 6, No. 50, pp. 1–2. 1919.
power, utilization, aid to farmers by Extension Office, North and West. News L., vol. 4, No. 49, p. 8. 1917.
profitable and unprofitable, comparison. F.B. 1278, pp. 24–26. 1922.
purchase by farmers, results on size of farms and workstock. D.B. 997, pp. 56–60. 1921.
report, denial of suppression, by Assistant Secretary Vrooman. News L., vol. 6, No. 5, p. 2. 1918.
selection and operation, importance of experience. F.B. 963, pp. 24–25. 1918.
size, relation to size of farm where used. F.B. 1004, pp. 8–10. 1918; News L., vol. 3, No. 42, p. 3. 1916.
sizes to different acreages, cost, life, and repairs. F.B. 719, pp. 5–16. 1916.
steam and gas, development. D.B. 174, pp. 3–4. 1915.
use(s)—
at night, discussion. D.B. 174, pp. 29, 31, 33, 42. 1915.
economy. F.B. 963, pp. 6–10, 22. 1918.
effect on crop yields. F.B. 963, pp. 28–29. 1918.
for custom work, practicability and profitableness, studies. F.B. 1004, pp. 25–26. 1918.
in—
cultivation of swamp lands, southern Louisiana. D.B. 652, p. 66. 1918.
Dakotas, advantages and disadvantages, and conditions governing. F.B. 1035, pp. 4–7, 24. 1919.
plowing for rice. F.B. 1092, pp. 11, 12. 1920.
plowing under heavy catch crops. F.B. 1005, pp. 6–7, 14, 25–26. 1919.
rice production. Y.B., 1922, p. 556. 1923; Y.B. Sep. 891, p. 556. 1923.
Western States, experience of farmers. D.B. 174, pp. 1–44. 1915.
wheat production, requirements and cost. D.B. 943, pp. 13, 14, 43–44. 1921.
on—
Corn Belt farms. F.B. 1093, pp. 16–17. 1920.
Corn Belt farms. L. A. Reynoldson. and H. R. Tolley. F.B. 1295, p. 14. 1923.
farms, economic results, data from various sources. D.B. 174, pp. 6–41. 1915.
farms in North Dakota. D.B. 757, p. 23. 1919.
farms, investigations. Rds. Chief Rpt., 1921, p. 43. 1921.
farms, relation to horse labor. Y.B., 1919, pp. 487, 488, 495. 1920; Y.B. Sep. 825, pp. 487, 488, 495. 1920.
farms, studies. Farm M. Chief Rpt., 1918, p. 5. 1918; An. Rpts., 1918, p. 495. 1918.
hog farm. F.B. 1463, p. 17. 1925.
wheat farms, and cost. D.B. 1198, pp. 6, 8–9, 10, 12, 14, 19. 1924.
study in 1923. Work and Exp., 1923, pp. 71–72. 1925.
value in Louisiana farming. News L., vol. 6, No. 50, p. 9. 1919.
war surplus, tonnage received by Roads Bureau. Off. Rec. vol. 1, No. 21, p. 4. 1922.

Tractor(s)—Continued.
wheat belt, and horses. D.B. 1202, pp. 1–60. 1924.
See also Machinery; Traction engine.
TRACY, J. E. W.—
"Comparative tests of sugar-beet varieties." Rpt. 92, pp. 71–78. 1910.
"Comparative tests of sugar-beet varieties." With Joseph F. Reed. B..P.I. Cir. 37, pp. 21. 1909.
"Report on vegetable and flower gardens in southeastern Alaska." Alaska A.R., 1912, pp. 77–81. 1913.
"Sugar-beet seed breeding." Y.B. 1904, pp. 341–352. 1905; Y.B. Sep. 351, pp. 341–352. 1905.
"Sugar-beet seed: Its culture and production." Rpt. 74, pp. 153–156. 1903.
TRACY, S. M.—
"Bermuda grass." F.B. 814, pp. 19. 1917.
"Cassava." F.B. 167, pp. 32. 1903.
"Dairying in the South." F.B. 151, pp. 48. 1902.
"Forage crops for the cotton region." F.B. 509, pp. 47. 1912.
"Forage for the Corn Belt." F.B. 1125, rev., pp. 63. 1920.
"Natal grass, a southern perennial hay crop." F.B. 726, pp. 16. 1916.
"Para grass." D.C. 45, pp. 2. 1919.
"Rhodes grass." F.B. 1048, pp. 16. 1919.
"Some important grasses and forage plants for the Gulf Coast region." F.B. 300, pp. 15. 1907.
"The Florida velvet bean and related plants." With C. V. Piper. B.P.I. Bul. 179, pp. 26. 1910.
"Velvet beans." With H. S. Coe. F.B. 962, pp. 39. 1918.
TRACY, W. W., Jr.—
"A list of American varieties of peppers." B.P.I. Bul. 6, pp. 19. 1902.
"American varieties of garden beans." B.P.I. Bul. 109, pp. 160. 1907.
"American varieties of lettuce." B.P.I. Bul. 69, pp. 103. 1904.
"List of American varieties of vegetables for the years 1901 and 1902." B.P.I. Bul. 21, pp. 402. 1903.
"Sugar-beet seed growing in the Rocky Mountain States." F.B. 1152, pp. 21. 1920.
"Testing commercial varieties of vegetables." Y.B. 1900, pp. 543–550. 1901.
TRACY, W. W., Sr.—
"Directions for making a window garden." B.P.I. Doc. 433, pp. 7. 1909.
"Directions for making window gardens." B.P.I. [Misc.], "Directions for making * * *," rev., pp. 8. 1905; rev., pp. 7. 1909.
"Saving vegetable seeds for the home and market garden." F.B. 884, pp. 16. 1917.
"The production of vegetable seeds: Sweet corn and garden peas and beans." B.P.I. Bul. 184, pp. 39. 1910.
"Vegetable seed growing as a business." Y.B., 1909, pp. 273–284. 1910; Y.B. Sep. 512, pp. 273–284. 1910.
"Vegetable seeds for the home and market garden." With D. N. Shoemaker. F.B. 1390, pp. 14. 1924.
Trade—
associations—
legitimate fields of action. Rpt. 114, pp. 74–76. 1917.
status in the dairy industry from standpoint of economics. B.A.I. Dairy [Misc.], "World's dairy congress," 1923, pp. 256–265. 1924.
balance—
1851–1908, exports and imports of farm and other products. Stat. Bul. 77, pp. 9–11. 1910.
agricultural products. An. Rpts., 1910, pp. 17–19. 1911; Sec. A.R., 1910, pp. 17–19. 1910; Y.B., 1910, pp. 17–19. 1911.
farmer's, 1898–1902. An. Rpts., 1903, pp. 452–453. 1903.
imports and exports, 1890–1906. Stat. Bul. 53, pp. 9–10. 1907.
boards—
list for United States. Y.B., 1901, p. 696. 1902.
location, secretaries. Y.B., 1901, p. 696. 1902; Y.B. 1902, p. 752. 1903.

Trade—Continued.
　boards—continued.
　　supervision by Secretary. Y.B., 1921, pp. 34–35. 1922; Y.B. Sep. 875, pp. 34–35. 1922.
　Commission, Federal—
　　powers and duties, extracts from act. Sec. Cir. 156, pp. 30–35. 1921.
　　report on grain operations. Off. Rec., vol. 1, No. 21, p. 1. 1922.
　commissioner, agricultural, duties. News L., vol. 6, No. 44, p. 2. 1919; Off. Rec., vol. 3, No. 16, p. 5. 1924.
　control, restraint by joint control of production. Rpt. 114, pp. 81–82. 1917.
　expansion, future prospects. Y.B., 1906, p. 263. 1907; Y.B. Sep. 421, p. 263. 1907.
　Exposition, New Orleans. Off. Rec., vol. 4, No. 10, p. 1. 1925.
　farm and forest products, with noncontiguous possessions, 1903–1905. Stat. Bul. 47, pp. 45. 1906.
　foreign—
　　exports and imports, 1907. Y.B., 1907, pp. 20–22. 1908.
　　in—
　　　agricultural products, 1909. An. Rpts., 1909, pp. 14–15. 1910; Rpt. 91, pp. 9–10. 1909; Sec. A.R., 1909, pp. 14–15. 1909; Y.B., 1909, pp. 14–15. 1910.
　　　agricultural products, 1908, and 1851–1908. Y.B., 1908, pp. 15–19. 1909.
　　　animals and animal products. B.A.I. An. Rpt., 1909, pp. 316–318. 1911.
　　　farm and forest products. Perry Elliott. D.B. 296, pp. 51. 1915.
　　　foodstuffs, 1912–1918. Y.B., 1918, p. 672. 1919; Y.B. Sep. 795, p. 8. 1919.
　　　forest products, land requirements. Y.B., 1923, pp. 460–461. 1924; Y.B. Sep. 896, pp. 460–461. 1924.
　　　meat animals and meats. Y.B., 1918, p. 707. 1919; Y.B. Sep. 795, p. 43. 1919.
　　　relation to land requirements. Y.B., 1923, pp. 455–461. 1924; Y.B. Sep. 896, pp. 455–461. 1924.
　international—
　　in—
　　　agricultural products. Y.B., 1908, pp. 605, 617, 677, 690, 695, 697, 702, 717, 736, 744, 772. 1909; Y.B. Sep. 498, pp. 605, 617, 677, 690, 695, 697, 702, 717, 736, 744, 772. 1909.
　　　dairy cattle, address by John R. Mohler. B.A.I. Dairy [Misc.], "World's dairy congress," 1923, pp. 26–33. 1924.
　　　dairy products. Off. Rec., vol. 2, No. 42, p. 1. 1923.
　　　dairy products, discussion and addresses. B.A.I. Dairy [Misc.], "World's dairy congress," 1923, pp. 19–63. 1924.
　　　farm and forest products, 1901–1910. Stat. Bul. 103, pp. 57. 1913.
　　　sugar, 1901–1911. D.B. 66, pp. 24–25. 1914.
　preparation of tables by Statistics Bureau. Y.B., 1907, p. 112. 1908.
　statistics—
　　1907. Y.B., 1907, pp. 615, 625, 672, 675, 682, 685, 688–694, 704–709, 717, 719, 727. 1908; Y.B. Sep. 465, pp. 615, 625, 672, 675, 682, 685, 688–694, 704–709, 717, 719, 727. 1908.
　　1924. Y.B., 1924, pp. 580, 598, 610, 626, 638, 645, 656, 717, 755, 796, 809, 828, 831, 833, 836, 866, 876, 885, 891, 922, 955, 973, 978, 996, 1001, 1030, 1034, 1039. 1925.
　labels, meat inspection law and regulations. B.A.I. An. Rpt., 1906, pp. 378–381. 1908.
　language, standardization. Off. Rec., vol. 4, No. 24, p. 5. 1925.
　marks—
　　butter, private and State standards and requirements. D.B. 456, pp. 31–35, 37. 1917.
　　Federal laws. Chem. Bul. 98, rev., Pt. I, p. 27. 1909.
　　merchandise, acts of the United Kingdom, 1887–1894. Chem. Bul. 143, pp. 40–42. 1911.
　movements, farm products, tables of receipts and shipments. Rpt. 98, pp. 285–391. 1913.
　News, Live Stock and Meat, weekly bulletin. Y.B., 1918, pp. 397–398. 1919; Y.B. Sep. 788, pp. 21–22. 1919.

Trade—Continued.
　organizations, wholesale, for butter, eggs, and cheese, scope and advantages. D.B. 456, pp. 16–17. 1917.
　practices, stockyards, supervision. An. Rpts., 1923, pp. 664–672. 1924; Pack. and S. Ad. Rpt., 1923, pp. 8–16. 1923.
　rules, handling and sales of feeds, definitions. F.B. 1124, pp. 9–11. 1922.
　terms—
　　glossary of farm products marketing. D.B. 266, pp. 26–27. 1915.
　　indorsement by department. News L., vol. 7, No. 15, p. 8. 1919.
　wastes—
　　laboratory, duties. Chem. Cir. 14, p. 10. 1908.
　　nitrogenous, utilization in fertilizers, chemical principles, studies. D.B. 158, pp. 22–24. 1914.
　zones, foreign, establishment. Off. Rec., vol. 3, No. 10, p. 2. 1924.
Tradescantia, crown-gall inoculation from peach. B.P.I. Bul. 213, p. 74. 1911.
Trading—
　act, future, constitutionality decision. Off. Rec. vol. 1, No. 8, p. 4. 1922.
　rules on farm products, bills. Off. Rec., vol. 1, No. 10, p. 1. 1922.
Traffic—
　accident-control suggestion. Off. Rec. vol. 3, No. 36, p. 1. 1924.
　Board, Federal, work under budget. Off. Rec. vol. 1, No. 33, p. 3. 1922.
　census—
　　desirability. F.B. 505, pp. 9, 10. 1912.
　　experiments. Rds. Chief Rpt., 1914, p. 8. 1914; An. Rpts., 1914, p. 276. 1915.
　counter, autographic. An. Rpts., 1923, p. 473. 1923; Rds. Chief Rpt., 1923, p. 11. 1923.
　effect of road improvement, various counties. D.B. 393, pp. 8, 21–27, 33–36, 42–44, 50–51, 59–62, 66–68, 77, 85–86. 1916.
　emergency, work of Markets Bureau. An. Rpts., 1918, p. 480. 1918; Mkts. Chief Rpt., 1918, p. 30. 1918.
　game birds, restrictions. Y.B., 1918, pp. 310, 311, 313. 1919; Y.B. Sep. 785, pp. 10, 11, 13. 1919.
　injury to roads, causes. J.A.R., vol. 10, pp. 263–265. 1917.
　management office, work. Off. Rec., vol. 3, No. 48, p. 6. 1924.
　manager—
　　appointment. Off. Rec., vol. 1, No. 36, p. 3. 1922; Y.B., 1922, p. 54. 1923; Y.B. Sep. 883, p. 54. 1923.
　　office establishment. Off. Rec. vol. 2, No. 17, p. 4. 1923.
　relation to surface type of roads. Y.B., 1917, pp. 274–276. 1918; Y.B. Sep. 727, pp. 12–14. 1918.
　road, before and after improvement. D.B. 407, pp. 23, 53, 59. 1916.
　studies on selected roads. An. Rpts., 1916, pp. 332, 336. 1917; Rds. Chief Rpt., 1916, pp. 4, 8. 1916.
　tests of experimental roads. Y.B. 1921, p. 50. 1922; Y.B. Sep. 875, p. 50. 1922.
　use of roads, census figures. Off. Rec., vol. 1, No. 25, p. 8. 1922.
Tragacanth—
　adulteration and misbranding. Chem. N.J. 998, p. 1. 1911; Chem. N.J. 1881, p. 11. 1913.
　gum—
　　adulteration and misbranding. Chem. N. J. 572, p. 1. 1910; Chem. N. J. 2436, p. 9. 1913.
　　estimation method, perfection. An. Rpts., 1912, p. 568. 1913; Chem. Chief Rpt., 1912, p. 18. 1912.
　　use in finishing cigars, cause of molds. D.B. 109, pp. 3–4. 1914.
　See also Gum, tragacanth.
　substitute, study. An. Rpts., 1918, p. 221. 1918; Chem. Chief. Rpt., 1918, p. 21. 1918.
　use in cigar making, relation to molds. D.B. 109, pp. 3, 5–6. 1914.
Trails—
　and highways, forest, of Mount Hood region. D.C. 105, pp. 32. 1920.
　animal, factor in fire control in forests. D.C. 134, pp. 6, 7–8. 1922.

INDEX TO PUBLICATIONS, 1901-1925　　　2453

Trails—Continued.
 construction, national forests. For. Misc. O-6, pp. 69. 1915; News L., vol. 6, No. 32, p. 16. 1919.
 forest—
  construction—
   and maintenance, 1923. An. Rpts., 1923, p. 330. 1923; For. A.R. 1923, p. 42. 1923.
   provisions. Off. Rec., vol. 2, No. 9, pp. 1, 8. 1923.
  location and grading, instruments and methods. For. Misc. O-6, pp. 9-21. 1915.
  mileage and cost. Off. Rec. vol. 1, No. 52, p. 3. 1922.
  Oregon national forests, development. D.C. 4, pp. 15, 28, 31, 33, 36, 40, 72. 1919.
  rules and regulations for administering. M.C. 60, pp. 25-30. 1925.
  work of Forest Service, 1913. An. Rpts., 1913, pp. 176-178, 181. 1914; For. A.R., 1913, pp. 42-44, 47. 1913.
 livestock, west of Mississippi River. Rpt. 98, p. 106. 1913.
 national forests—
  annual appropriations. News L., vol. 3, No. 50, pp. 1, 4. 1916.
  construction—
   1916. An. Rpts. 1916, p. 177. 1917; For. A.R. 1916, p. 23. 1916.
   1917, and funds available. An. Rpts., 1917, pp. 184-187. 1918; For. A.R., 1917, pp. 22-25. 1917.
   1918, and funds available. An. Rpts., 1918, pp. 189-192. 1919; For. A.R., 1918, pp. 25-28. 1918.
   1919, mileage, and cost. An. Rpts., 1919, pp. 197-202. 1920; For. A.R., 1919, pp. 21-26. 1919.
   1922, and cost. An. Rpts., 1922, pp. 232-237. 1923; For. A.R., 1922, pp. 38-43. 1922.
  grazing, damage. For. [Misc.], "The use book, 1921," p. 66. 1922.
  mileage, 1920-1922, and expenditures, by States. For. A.R., 1921, pp. 31-34. 1921.
  work, 1911, and previously. An. Rpts. 1911, pp. 400, 401. 1912; For. A.R. 1911, pp. 60, 61. 1911.
 necessity in control of forest fires. Y.B., 1910, p. 423. 1911; Y.B. Sep. 548, p. 423. 1911.
 west of Mississippi River. Rpt. 98, p. 106. 1913.
 White Mountain. D.C. 100, p. 5. 1921; News L., vol. 7, No. 8, p. 4. 1919.
 See also Roads.
Trailer, spraying—
 comparison with set-nozzles in vineyard work. D.B. 550, pp. 14-21, 24, 26, 37, 40, 41. 1917.
 for vineyards, method and cost. D.B. 837, pp. 7-22, 24-25. 1920.
Trailing—
 arbutus. See Gravel plant.
 livestock—
  cost. Rpt. 98, pp. 106, 116, 117. 1913.
  routes and cost. Y.B., 1908, pp. 227-230. 1909; Y.B. Sep. 477, pp. 227-230. 1909.
Trains—
 agricultural instruction—
  1911. O.E.S. An. Rpt., 1911, pp. 352-354. 1912; O.E.S. Bul. 251, pp. 39-41. 1912.
  report of work, 1910. O.E.S. An. Rpt., 1910, pp. 58, 388, 394. 1911.
 "good roads," work 1916. An. Rpts., 1916, p. 337. 1917; Rds. Chief Rpt., 1916, p. 9. 1916.
 instruction, railroad cooperation with State and Federal authorities. Stat. Bul. 100, pp. 27-28. 1912.
 livestock, service. Rpt. 98, p. 108. 1913.
 market—
  possibilities. G. C. White and T. F. Powell. Y.B., 1916, pp. 477-487. 1917; Y.B. Sep. 701, pp. 11. 1917.
  produce, tracing, and control in transit. Y.B., 1911, pp. 167-168, 172-175. 1912; Y.B. Sep. 558, pp. 167-168, 172-175. 1912.
 oil, use against gadflies. Y.B., 1912, p. 387. 1913; Y.B. Sep. 600, p. 387. 1913.
 road-improvement—
  and exhibits, 1911. An. Rpts., 1911, pp. 751-752. 1912; Rds. Chief Rpt., 1911, pp. 41-42. 1911.
  and exhibits, 1912. An. Rpts., 1912, pp. 882-883. 1913; Rds. Chief Rpt., 1912, pp. 38-39. 1912.

Trains—Continued.
 road-improvement—continued.
  cooperative work of Roads Office. An. Rpts., 1913, pp. 286, 296. 1914; Rds. Chief Rpt., 1913, pp. 2, 12. 1913.
  special, increase of use with development of country. Y.B., 1916, pp. 477-479. 1917; Y.B. Sep. 701, pp. 1-3. 1917.
Training—
 grapevine systems, relation to spraying. D.B. 550, pp. 35-37. 1917.
 raspberry, systems. F.B. 887, pp. 17-29. 1917.
Tram horses, description. B.A.I. Bul. 37, p. 21. 1902.
Trametes—
 pini—
  cause of red rot of pine. D.B. 490, pp. 1, 3. 1917.
  fungous enemy of spruce trees. D.B. 544, pp. 26-27. 1918.
  injury to pine forests. D.B. 275, pp. 13, 14, 18, 19, 49. 1916.
  See also Fungus, ring-scale.
 serialis, cause of decay in timber, studies. D.B. 1053, pp. 3-40. 1922.
 spp., attack on conifers after mistletoe injury. D.B. 360, pp. 25, 26. 1916.
 spp., cultural data and discussion. J.A.R., vol. 12, pp. 35, 47, 63-65, 71, 75, 80. 1918.
Tramina, genera, description and key. D.B. 826, pp. 19-20. 1920.
TRAMMELL, Senator—
 amendment on citrus canker. Off. Rec., vol. 1, No. 27, p. 2. 1922.
 bills on farmers' loans. Off. Rec., vol. 1, No. 1, p. 14. 1922.
Tramways, lumber yards, wood-rotting fungi, spread. D.B. 510, pp. 13-15. 1917.
Trans-Mississippi Congress, Omaha, February 20, 1919, address by Secretary Houston. Sec. Cir. 130, pp. 19. 1919.
Transfers—
 employees—
  circular letter. Sec. [Misc.], "Transfers," p. 1. 1908.
  regulations, order of Secretary. Sol. A. R., 1911, pp. 50-51. 1911; An. Rpts., 1911, pp. 806-807. 1912.
Transition—
 life zone, Texas, fauna and flora. N.A. Fauna 25, pp. 36-38. 1906.
 zone—
  basins, and tributaries, description. D.B. 54, pp. 31-38. 1914.
  New Mexico, physical features, climate, fauna and flora. N.A. Fauna 35, pp. 41-46. 1913.
  Oregon, characteristic vegetation. J.A.R., vol. 3, pp. 95-96. 1914.
Translation, work of library. An. Rpts., 1917, p. 317. 1917; Lib. A.R., 1917, p. 9. 1917.
Transpiration—
 comparative, of corn and the sorghums. Edwin C. Miller and W. B. Coffman. J.A.R., vol. 13, pp. 579-604. 1918.
 comparison with evaporation in Medicago. J.A.R., vol. 9, pp. 277-292. 1917.
 effect on hypertrophy of conifers. J.A.R., vol. 20, pp. 259-262. 1920.
 hourly rate on clear days, determination by cyclic environmental factors. Lyman J. Briggs and H. L. Shantz. J.A.R., vol. 5, No. 14, pp. 583-650. 1916.
 of plants, correlation and causation. J.A.R., vol. 20, pp. 575-585. 1921.
 of water by plants, activity and ability to control. Y.B., 1911, pp. 352-353, 355-360. 1912; Y.B. Sep. 574, pp. 352-353, 355-360. 1912.
 scale, ball-dropping device. J.A.R., vol. 5, No. 3, pp. 123-124. 1915.
 studies in forests, methods. D.B. 1059, pp. 164-167. 1922.
 tests of conifers. J.A.R., vol. 24, pp. 106-130. 1923.
Transplant beds, forest nurseries, preparation and care. D.B. 479, pp. 47-48, 60-64. 1917.
Transplanter, tobacco, description. B.P.I. Bul. 138, p. 12. 1908.
Transplanting—
 agency in spreading disease. F.B. 925, rev., pp. 4-5. 1921.

Transplanting—Continued.
annual flowering plants, directions. F.B. 1171, p. 14. 1921.
benefit to roots of vegetables. F.B. 818, pp. 9, 10, 22. 1917.
boards, description and use. D.B. 479, pp. 54–56. 1917.
cabbage plants, responsibility for distribution of cabbage diseases. F.B. 488, pp. 7–8. 1912.
citrus seedlings, time and method. F.B. 539, pp. 7–8. 1913.
coffee, effect of different methods. T. B. McClelland. P.R. Bul. 22, pp. 11. 1917.
coniferous seedlings. F.B. 1453, pp. 25–30. 1925.
conifers, directions. F.B. 1256, p. 31. 1922; For. Bul. 76, pp. 20–22. 1909.
date offshoots from nursery to garden. F.B. 1016, pp. 11–12. 1919.
forest—
  seedlings—
    directions. F.B. 423, pp. 16–19. 1910.
    practices, methods, and cost. D.B. 479, pp. 45–64. 1917.
  trees—
    directions. For. Cir. 61, pp. 4. 1907.
    from nurseries. For. Bul. 121, pp. 32–35, 40–43. 1913.
garden plants, time and methods. F.B. 647, pp. 9–10, 27. 1915.
machine, use in sweetpotato growing. F.B. 324, p. 22. 1908.
muskmelons, directions. F.B. 149, pp. 15–16. 1902.
olive trees, and interplanting, directions. F.B. 1249, pp. 20–25. 1922.
onions, directions. F.B. 354, pp. 15–17. 1909.
oysters. Y.B., 1910, pp. 374. 1911. Y.B. Sep. 544, pp. 374. 1911.
pecans, experiments for control of rosette. J.A.R., vol. 3, pp. 152–155, 167. 1914.
perennials, fall and spring, map showing. F.B. 1381, p. 17. 1924.
period, effect on behavior of pine seedlings. J.A.R., vol. 22, pp. 33–46. 1921.
pondweeds, directions. Biol. Cir. 81, pp. 15–17. 1911.
seedlings for root improvement. F.B. 937, pp. 16–17. 1918.
shade trees, directions. F.B. 1209, pp. 18–25. 1921.
tobacco—
  directions. F.B. 571, pp. 5–6, 11. 1914; F.B. 571, rev., pp. 8–10, 16, 20. 1920; Soils Bul. 29, p. 18. 1905.
  method and implement. F.B. 416, pp. 12–13. 1910.
  method in Pennsylvania. F.B. 416, rev., pp. 10–11. 1921.
  soil preparation, methods. D.B. 16, pp. 20–25. 1913.
tomatoes, directions. F.B. 1233, pp. 13, 14, 15. 1921; F.B. 1338, pp. 11–12. 1923.
vegetable(s)—
  seedlings in Guam, directions. Guam Bul. 2, p. 14. 1922.
  stimulation to root growth, hints. F.B. 934, p. 12. 1918.
wild celery, time, method, and suitable places. Biol. Cir. 81, pp. 10–11. 1911.
wild rice, time, method, and suitable places. Biol. Cir. 81, pp. 5–7. 1911.
Transportation—
address of Secretary. Off. Rec., vol. 4, No. 23, pp. 1, 8. 1925.
agricultural products, bibliography. M.C. 35, pp. 11–12. 1925.
Alaska—
  facilities. Alaska Cir. 1, pp. 12–14, 21–22. 1916.
  means and cost. Alaska Cir. 1, rev., pp. 9–10. 1923.
and freights, Alaskan. B.P.I. Bul. 82, p. 26. 1905.
and loading, western cantaloupes. A. W. McKay. Mkts. Doc. 10, pp. 16. 1918.
animals—
  meat, cost and methods. Frank Andrews. Y.B., 1908, pp. 227–244. 1909; Y.B. Sep. 477, pp. 227–244. 1909.
  to foreign countries, regulations, 1906. B.A.I. An. Rpt., 1906, pp. 349, 393–402. 1908.

Transportation—Continued.
apples—
  from Pacific Northwest, methods. D.B. 935, pp. 5–7. 1921.
  northwestern, heavy loading of freight cars. H. J. Ramsey. Mkts. Doc. 13, pp. 23. 1918.
beef cattle, shrinkage in weight. W. F. Ward and James E. Downing. D.B. 25, pp. 78. 1913.
broomcorn, loading methods and destination. D.B. 1019, pp. 28–30. 1922.
butter—
  kinds, and methods. D.B. 456, pp. 13–15. 1917.
  methods and facilities. Sec. Cir. 66, p. 10. 1916.
cabbage, problems and freight charges. D.B. 1242, pp. 21, 23, 57. 1924.
cantaloupes—
  and handling. A. W. McKay and others. F.B. 1145, pp. 23. 1921.
  inspection of shipments, practices. F.B. 707, pp. 15–16. 1916.
cattle—
  and horses. B.A.I. An. Rpt., 1900, p. 87. 1901.
  in Argentine, description of cars. Y.B., 1913, p. 357. 1914; Y.B. Sep. 629, p. 357. 1914.
  See also "Twenty-eight hour law."
cause of farm abandonment. Rpt. 70, pp. 15–17. 1901.
children to rural schools, discussion. Rpt. 105, pp. 10–22. 1915.
citrus fruits—
  expense. D.B. 1261, pp. 32–33. 1924.
  from Porto Rico. R. G. Hill and Lon A. Hawkins. D.B. 1290, pp. 1–20. 1924.
committee, recommendations, agricultural conference. Off. Rec., vol. 1, No. 5, p. 3. 1922.
companies—
  factors in agricultural extension. John Hamilton. O.E.S. Cir. 112, pp. 14. 1911.
  See also Railroad companies.
convicts and supplies, experimental camp, cost. D.B. 583, p. 38. 1918.
corn, from Argentina, ocean and railway freight rates. Rpt. 75, pp. 36–39. 1903.
corn, shelled, shrinkage while in transit, experiments. D.B. 48, p. 21. 1913.
cost for Bermuda onions. D.B. 1283, pp. 25–29, 46. 1925.
cotton—
  customs, and sizes of bales. Atl. Am. Agr., Adv. Sh., Pt. V, sec. A, pp. 27–28. 1919.
  practices. Y.B., 1922, p. 390. 1922; Y.B. Sep. 877, p. 390. 1922.
dairy products, problems, discussion. B.A.I. Dairy [Misc.], "World's dairy congress, 1923," pp. 229–234. 1924.
department employees, exemption from taxation. B.A.I.S.R.A. 126, pp. 112–113. 1918.
development, effect on citrus industry. D.B. 1237, p. 3. 1924.
economical, statement by C. E. Johnston. Off. Rec., vol. 1, No. 39, p. 4. 1922.
effects of—
  employees, regulations. Off. Rec., vol. 3, No. 16, p. 4. 1924.
  officers and employees, regulation. B.A.I. S.R.A. 208, p. 96. 1924.
eggs—
  careless methods and suggestions for improvement. Y.B., 1911, pp. 470, 476, 477–478. 1912; Y.B. Sep. 584, pp. 470, 476, 477–478. 1912.
  China to New York City. News L., vol. 6, No. 36, p. 13. 1919.
  loading on cars. D.B. 664, pp. 5–9, 20–23. 1918.
  problems and needs. F.B. 1378, pp. 3, 24–26. 1924.
expenses, bureau employees. B.A.I.S.R.A. 144, pp. 42–43. 1919.
export animals, regulations. B.A.I.O. 139, p. 18. 1906; B.A.I.O. 264, pp. 7–23. 1919.
exports and imports in our foreign trade. D.B. 296, p. 50. 1915.
facilities—
  Atlantic coast region. Y.B., 1912, pp. 419–420, 432. 1913; Y.B. Sep. 603, pp. 419–420, 432. 1913.

Transportation—Continued.
  facilities—continued.
    Colorado. O.E.S. Bul. 218, pp. 7-8. 1910.
    effect on citrus fruit industry, studies. F.B. 538, p. 9. 1913.
    for perishable products, problems. News L., vol. 1, No. 24, p. 2. 1914.
    Great Lakes, historic sketch. Stat. Bul. 81, pp. 7-9. 1910.
    importance to farmers. Y.B., 1921, pp. 9-10. 1922; Y.B. Sep. 875, pp. 9-10. 1922.
    Ozark region, relation to fruit growing. B.P.I. Bul. 275, pp. 20-21. 1913.
    San Joaquin Valley, Calif., O.E.S. Bul. 239, p. 19. 1911.
    various States, counties, and areas. See Soil surveys.
    Washington, railroad and water. O.E.S. Bul. 214, pp. 9-12. 1909.
  farm—
    1901. Y.B., 1901, p. 690. 1902.
    produce. An. Rpts., 1917, p. 437. 1917; Mkts. Chief Rpt. 1917, p. 7. 1917.
    products—
      1909, costs. Y.B., 1909, pp. 161-163. 1910; Y.B. Sep. 502, pp. 161-163. 1910.
      1911, statistics. Y.B., 1911, pp. 649-655. 1912; Y.B. Sep. 588, pp. 649-655. 1912.
      1912, statistics. Y.B., 1912, pp. 703-711. 1913; Y.B. Sep. 615, pp. 703-711. 1913.
      1915, studies. An. Rpts., 1915, pp. 376-378. 1916; Mkts. Chief Rpt., 1915, pp. 14-16. 1915.
      importance in marketing. M.C. 32, pp. 74-75. 1924.
      studies, Markets Office. Mkts. Doc. 1, pp. 7-8. 1915.
    fiscal regulations. Off. Rec., vol. 3, No. 29, p. 4. 1924.
    fish, in sardine industry, methods and details. D.B. 908, pp. 8, 26-34, 121. 1921.
    flume, cost of different classes of material. D.B. 87, p. 29. 1914.
    food and war problems, importance in South. News L., vol. 5, No. 36, p. 2. 1918.
    foodstuff—
      and storage, work, Markets Bureau. An. Rpts., 1919, pp. 431, 432-433, 438-439. 1920; Mkts. Chief Rpt., 1919, pp. 5-6, 7, 12-13. 1919.
      investigations. An. Rpts., 1918, pp. 459, 460. 1918; Mkts. Chief Rpt., 1918, pp. 9, 10. 1918.
    foxes, directions. D.B. 1350, pp. 24, 25. 1925.
    foxes, live, directions. F.B. 795, p. 23. 1917.
    free for public-school pupils. Y.B., 1901, p. 143. 1902.
    freight rates, 1923. Y.B., 1923, pp. 1165-1177. 1924; Y.B. Sep. 906, pp. 1165-1177. 1924.
    fruits—
      and vegetables—
        investigations. An. Rpts., 1923, p. 488. 1923; Off. Rec., vol. 3, No. 53, p. 4. 1924; Rds. Chief Rpt., 1923, p. 26. 1923.
        transfer of work. Off. Rec., vol. 1, No. 27, p. 3. 1922.
      deciduous, problems, Pacific coast. Y.B., 1909, pp. 366-367. 1910; Y.B. Sep. 520, pp. 366-367. 1910.
      experiments. An. Rpts., 1906, pp. 42. 1907; Rpt. 83, p. 35. 1906; Sec. A.R., 1906, pp. 42. 1906.
      handling. G. Harold Powell. Y.B., 1905, pp. 349-362. 1906; Y.B. Sep. 387, pp. 349-362. 1906.
      investigations—
        1906. An. Rpts., 1906, pp. 241-243. 1907.
        1908. An. Rpts., 1908, pp. 60, 363, 369. 1909; B.P.I. Chief Rpt., 1908, pp. 91-93, 97. 1908.
        1910. An. Rpts., 1910, pp. 344-345, 346. 1911; B.P.I. Chief Rpt., 1910, pp. 74-75, 76. 1910.
        1913. An. Rpts., 1913, p. 130. 1914; B.P.I. Chief Rpt., 1913, p. 26. 1913.
      studies. An. Rpts., 1914, p. 124. 1915; B.P.I. Chief Rpt., 1914, p. 24. 1914.
  game—
    Federal and State laws—
      1908. F.B. 336, pp. 27-36. 1908.
      1909. F.B. 376, pp. 32-37. 1909.
    Federal laws. Biol. Doc. 107, pp. 1-2. 1917.
    laws. F.B. 470, pp. 29-35. 1911.
    shipments, laws. F.B. 418, pp. 25-30. 1910.

Transportation—Continued.
  garden truck, and growth of industry. Edward G. Ward, jr., and Edwin S. Holmes, jr. Stat. Bul. 21, pp. 86. 1901.
  Government—
    employees, instructions. B.A.I.S.R.A., 188, pp. 147-148. 1922.
    supplies. Off. Rec., vol. 1, No. 33, p. 3. 1922.
  grain—
    and livestock, facilities, Pacific coast region. Stat. Bul. 89, pp. 71-83. 1911.
    in Russia, mileage and rates. Stat. Bul. 65, pp. 31-64. 1908.
    methods, routes, and rates. Rpt. 98, pp. 63-69. 1913.
  harvest—
    hands, and objections to freight trains. D.B. 1211, pp. 11-14. 1924.
    labor in Wheat Belt. D.B. 1020, pp. 28-29. 1922.
  highway. T. Warren Allen and others. Y.B., 1924, pp. 97-184. 1925.
  importance in marketing. Off. Rec., vol. 2, No. 16, pp. 2-3. 1923.
  improved, effect on irrigated farming. O.E.S. Bul. 209, p. 61. 1909.
  improvement of conditions, cooperative studies. News L., vol. 5, No. 52, p. 6. 1918.
  information—
    by traffic manager. Off. Rec., vol. 1, No. 36, p. 3. 1922.
    commercial papers. Stat. Bul. 38, pp. 41-50. 1905.
  interstate, livestock—
    regulations, 1907, compilation. B.A.I. An. Rpt., 1907, Appendix. 1909.
    28-hour law, regulating: Its purpose, requirements, and enforcement. Harry Goding and A. Joseph Raub. D.B. 589, pp. 20. 1918.
  investigations by Markets Division. Mkts. Doc. 1, pp. 7-8. 1915.
  lack for interstate food and feed hauling, remedy. News L., vol. 5, No. 31, p. 4. 1918.
  livestock—
    28-hour law—
      B.A.I. An. Rpt., 1906, p. 460. 1908; Off. Rec., vol. 2, No. 36, p. 5. 1923; Sol. Cir. 25, pp. 1-3. 1909; Sol. Cir. 26, pp. 1-2. 1909.
      decisions. Sol. Cir. 8, pp. 3. 1908; Sol. Cir. 27, pp. 23. 1909; Sol. Cir. 46, pp. 5. 1911; Sol. Cir. 48, pp. 4. 1911.
      violations. Off. Rec., vol. 3, No. 30, p. 4. 1924; Sol. Cir. 1, pp. 5. 1907; Sol. Cir. 2, pp. 6. 1908.
    laws—
      enforcement, 1907, by department. B.A.I. An. Rpt., 1907, p. 16. 1909; Sol. A.R., 1907, pp. 8-12. 1907.
      enforcement, 1910, by department. An. Rpts., 1910, pp. 847-864. 1911; Sol. A.R., 1910, pp. 59-76. 1910.
      enforcement, 1924. B.A.I. An. Rpt., 1924, pp. 23-24. 1924.
      regulating. D.B. 589, pp. 1-20. 1918.
      violations, 1913. An. Rpts., 1913, pp. 300, 318-320. 1914; Sol. A.R., 1913, pp. 2, 20-22. 1913.
      violations, 1914. An. Rpts., 1914, pp. 79-80. 1914; B.A.I. Chief Rpt., 1914, pp. 23-24. 1914.
      violations, 1918. An. Rpts., 1918, p. 112. 1919; B.A.I. Chief Rpt., 1918, p. 42. 1918.
  log, primary, methods, equipment, and cost. D.B. 711, pp. 56-154. 1918.
  lumber—
    costs. Y.B., 1922, pp. 114-123. 1923; Y.B. Sep. 886, pp. 114-123. 1923.
    to common carriers. D.B. 440, pp. 86-92. 1917.
  meat(s)—
    and meat-products—
      decision. F.I.D. 73, p. 1. 1907.
      regulation. B.A.I.O. 211, rev., pp. 50-58. 1922.
    exports from Australia and New Zealand. Y.B., 1914, pp. 430-431. 1915; Y.B. Sep. 650, pp. 430-431. 1915.

Transportation—Continued.
meat(s)—continued.
inspection regulations, blank forms. B.A.I.O. 150, pp. 33–43. 1908; B.A.I.O. 211, pp. 59–68. 1914.
interstate and foreign commerce, regulations, 1906. B.A.I. An Rpt., 1906, pp. 382–385, 386–387, 390. 1908; B.A.I.O. 137, amdt. 4, pp. 2. 1906.
milk—
at low temperatures. D.B. 744, pp. 24–28. 1919.
freight rates to largest 15 cities in United States. Edward G. Ward, jr. Stat. Bul. 25, pp. 60. 1903.
in bulk. John P. Dugan. B.A.I. Dairy [Misc.], "World's dairy congress, 1923," pp. 812–817. 1924.
in England. John Stanley Latham. B.A.I. Dairy [Misc.], "World's dairy congress, 1923," pp. 806–811. 1924.
to city, methods and cost, Michigan. D.B. 639, pp. 11–13. 1918.
motor, for rural districts. J. H. Collins. D.B. 770, pp. 32. 1919.
ocean—
business methods. Stat. Bul. 67, pp. 18–29. 1907.
of corn, conditions, and factors affecting. B.P.I., Cir. 55, pp. 19–26. 1910.
remarks. Stat. Bul. 38, pp. 59–60. 1905.
South America, steamship lines. Y.B., 1913, p. 362. 1914; Y.B. Sep. 629, p. 362. 1914.
of foodstuffs, studies. News L., vol. 3, No. 22, p. 1. 1916.
of sick or injured, directions. For. [Misc.], "First-aid * * *," pp. 12–16. 1917.
offerings of livestock, owners' care, rule. B.A.I.O. 292, p. 3. 1915.
onions, movement and distribution. D.B. 1325, pp. 25–31. 1925.
oranges, decay in transit from California. B.P.I. Bul. 123, pp. 1–79. 1908.
peaches, method and cost, West Virginia. D.B. 29, pp. 14, 15. 1913.
perishable produce, speed rates, etc. Y.B. 1911, pp. 167–170, 172–175. 1912; Y.B. Sep. 558, pp. 167–170, 172–175. 1912.
personal—
effects, Forest Service employees. Sol. [Misc.], "Laws * * * forests," pp. 119–120, 127. 1916.
property by express, regulation. B.A.I.S.R.A. 175, p. 38. 1922.
Porto Rico, conditions. D.B. 354, pp. 18–20. 1916.
potatoes, temperature requirements. F.B. 1317, pp. 17–18, 25, 27. 1923.
poultry, cold-storage. Chem. Cir. 64, pp. 21–27. 1910.
prickly pears, management. F.B. 483, pp. 18–19. 1912.
problems—
assistance by department. Y.B., 1915, p. 272. 1916; Y.B. Sep. 675, p. 272. 1916.
irrigation farmers. Y.B., 1909, pp. 206–207. 1910; Y.B. Sep. 505, pp. 206–207. 1910.
study—
Off. Rec. vol. 3, No. 48, p. 1. 1924.
by Markets Office. An. Rpts., 1914, pp. 324–325. 1914; Mkts. Chief Rpt., 1914, pp. 8–9. 1914.
cooperative. An. Rpts., 1923, p. 467. 1924; Rds. Chief Rpt., 1923, p. 5. 1923.
rail—
advantages over river transportation. D.B. 74, p. 4. 1914.
and ocean, cost reduction. Y.B. 1914, pp. 211–212. 1915; Y.B. Sep. 638, pp. 211–212. 1915.
and river, comparisons. D.B. 74, pp. 4–5, 13, 32–33. 1914.
of lumber, volume and freight rates. Rpt. 115, pp. 41–64. 1917.
railroad routes, mileage and conditions. Stat. Bul. 89, pp. 71–74. 1911.
rates—
1900. Y.B., 1900, pp. 836–839. 1901.
1901. Y.B., 1901, p. 788. 1902.

Transportation—Continued.
rates—continued.
1902, tables. Y.B., 1902, pp. 849–852. 1903.
1905, statistics. Y.B., 1905, pp. 756–760. 1906; Y.B. Sep. 404, pp. 756–760. 1906.
1906. Y.B., 1906, pp. 665–669. 1907; Y.B. Sep. 436, pp. 665–669. 1907.
1907, agricultural products. Y.B., 1907, pp. 731–735. 1908; Y.B. Sep. 465, pp. 731–735. 1908.
1908, farm products. Y.B., 1908, pp. 746–751. 1909; Y.B. Sep. 498, pp. 746–751. 1909.
for harvest hands, suggestion. D.B. 1020, p. 29. 1922.
on wheat, corn, and oats. D.B. 1083, p. 3. 1922.
regulations for—
employees. B.A.I.S.R.A. 181, p. 65. 1922.
livestock, 1904. B.A.I. An. Rpt., 1904, pp. 574, 583, 594, 602. 1905.
relation to—
irrigation in Sacramento Valley, Calif. O.E.S. Bul. 207, pp. 21–24. 1909.
market movement of hogs. Y.B., 1922, pp. 253–255. 1923; Y.B. Sep. 882, pp. 253–255. 1923.
requests—
for employees. Off. Rec., vol. 3, No. 23, p. 4. 1924.
in official travel, memorandum. F.H.B.S.R.A. 74, p. 50. 1923.
responsibility, memorandum of Secretary. Off. Rec., vol. 1, No. 43, p. 4. 1922.
road materials, problem in road building. Rds. Chief Rpt., 1921, pp. 1–2, 3–4. 1921.
rots of stone fruits, relation to orchard spraying. Charles Brooks and D. F. Fisher. J.A.R., vol. 22, pp. 467–477. 1922.
rural, committee work and suggested readings. Y.B., 1914, pp. 121–123, 138. 1915; Y.B. Sep. 632, pp. 35–37, 55. 1915.
school pupils—
relation to attendance. O.E.S. Bul. 232, pp. 50–53. 1910.
State aid, cost. O.E.S. Bul. 232, pp. 9–10, 23, 27, 44, 49, 50–53. 1910.
service—
fiscal regulations. Adv. Com. F. and B.M. [Misc.], "Fiscal regulations * * *," pp. 57–60. 1922.
improvement by exchange methods. D.B. 1237, p. 43. 1924.
South America. Off. Rec., vol. 4, No. 47, pp. 1–2. 1925.
statistics, 1910. Y.B., 1910, pp. 646–652. 1911; Y.B. Sep. 553, pp. 646–652. 1911; Y.B. Sep. 554, pp. 646–652. 1911.
strawberries, methods. D.B. 477, pp. 8–9. 1917.
street-car, cab, and bus, regulations governing. B.A.I.S.R.A. 141, p. 8. 1919.
sugarcane, costs. D.B. 1370, pp. 9–10. 1925.
system and rates under cooperative marketing system. Y.B., 1912, pp. 356, 358, 362. 1913; Y.B. Sep. 597, pp. 356, 358, 362. 1913.
systems, reorganization. Off. Rec., vol. 3, No. 6, p. 2. 1924.
tobacco, development. B.P.I. Bul. 268, pp. 30, 33, 34, 35–36, 52. 1913.
transocean, fiscal regulations. Off. Rec., vol. 2, No. 3, p. 4. 1923.
water—
effects of St. Francis (Ark.) drainage project, studies. O.E.S. Bul. 230, Pt. I, pp. 85–88. 1911.
facilities, Alaska. Off. Rec., vol. 2, No. 43, p. 2. 1923.
inland, relation to drainage work. O.E.S. Cir. 86, pp. 20–21. 1909.
traffic on Chesapeake Bay and Tennessee River. Y.B., 1907, pp. 289–304. 1908; Y.B. Sep. 449, pp. 289–304. 1908.
watermelon, problems. F.B. 1277, pp. 27–29. 1922.
West Virginia, Tucker County, rail and county roads. Soil Sur. Adv. Sh., 1921, p. 1332. 1925.
western cantaloupes (and loading). A. W. McKay. Mkts. Doc. 10, pp. 16. 1918.
wheat—
cost, United States and Russia, comparisons Stat. Bul. 65, pp. 63–64. 1908.

INDEX TO PUBLICATIONS, 1901–1925   2457

Transportation—Continued.
  wheat—continued.
    freight rates. Y.B., 1921, pp. 135–137. 1922; Y.B. Sep. 873, pp. 135–137. 1922.
    market routes, development. Y.B., 1921, pp. 88, 90, 92. 1922; Y.B. Sep. 873, pp. 88, 90, 92. 1922.
    See also Freight rates; Shipping; Railroads; Roads; Soil surveys *for facilities of counties and localities.*
Transpirometers, description. J.A.R., vol. 5, No. 3, pp. 117–132. 1915.
Transvaal—
  education, agricultural. O.E.S. Doc. 1132, p. 254. 1908.
  licenses, hunting. Biol. Bul. 19, p. 54. 1904.
  progress in agricultural education. O.E.S. An. Rpt., 1907, p. 254. 1908.
Transylvania soils, similarity to Texas soils. Off. Rec., vol. 1, No. 30, p. 1. 1922.
Tranzschelia spp., occurrence on plants in Texas, and description. B.P.I. Bul. 226, pp. 28, 32, 105. 1912.
Trap lights—
  for control of codling moth. F.B. 1326, p. 8. 1924.
  value in control of rice water-weevil. Ent. Cir. 152, pp. 18, 20. 1912.
Traps—
  animal, description and use, notes. Y.B., 1919, pp. 458–476. 1920; Y.B. Sep. 823, pp. 458–476. 1920.
  ants, use. D.B. 377, pp. 22–23. 1916.
  apple-tree borers. F.B. 1065, p. 11. 1919.
  Argentine ant—
    control in orange groves. Ent. Bul. 122, pp. 95–96. 1913.
    direction for making and fumigation. F.B. 928, pp. 13–17. 1918.
    description and fumigation. D.B. 647, pp. 66–71. 1918.
  army worms. F.B. 835, rev., pp. 10–11. 1920.
  baits, cutworms. Ent. Cir. 123, p. 2. 1910; Y.B., 1910, p. 284. 1911; Y.B. Sep. 537, p. 284. 1911.
  banana root-borer, directions. J.A.R., vol. 19, pp. 45–46. 1920.
  beaver, kinds, description, and use. D.B. 1078, pp. 19–22. 1922.
  beetle, nature and management. D.B. 892, p. 22. 1920.
  bird—
    construction. F.B. 493, rev., pp. 11–18. 1917.
    description. M.C. 18, pp. 3–13. 1924.
    description, construction, and operation. D.C. 170, pp. 4–13. 1921.
  bollworm, baited with molasses. Vir. Is. Bul. 1, p. 13. 1921.
  borers on pecans. F.B. 1364, p. 40. 1924.
  cage, directions for use. Biol. Bul. 33, pp. 41–42. 1909.
  choker-loop, description. F.B. 1247, p. 19. 1922.
  codling moth—
    construction and use. D.B. 959, pp. 35–38. 1921.
    description, and use. News L., vol. 4, No. 38, p. 5. 1917.
  crops—
    for control of—
      asparagus miner. Ent. Bul. 66, p. 4. 1910.
      cabbage flea beetles. D.B. 902, p. 19. 1920.
      cabbage worms. F.B. 766, p. 13. 1916.
      chinch bugs. F.B. 1223, p. 28. 1922.
      cotton bollworm. Ent. Bul. 50, pp. 130–131, 134. 1905; F.B. 212, pp. 25–28. 1905.
      corn borer. F.B. 1294, pp. 36–37. 1922.
      cucumber beetles. F.B. 1322, pp. 14–15. 1923.
      flea beetle. Ent. Bul. 66, Pt. VI, p. 87. 1909. Ent. Bul. 66, p. 87. 1910.
      harlequin cabbage bugs. Ent. Cir. 103, p. 7. 1908; F.B. 1061, pp. 10–11, 13. 1920.
      insects in home gardens. D.C. 35, p. 31. 1919.
      red spider. Ent. Cir. 150, p. 10. 1912; Ent. Cir. 172, pp. 17, 22. 1913.
      root-knot, experiments. B.P.I. Bul. 217, pp. 61–63, 75. 1911.
      southern green plant bug. D.B. 689, pp. 24–25. 1918.

Traps—Continued.
  crops—continued.
    for control of—continued.
      squash-vine borer. F.B. 668, p. 5. 1915.
      violet rove-beetle. D.B. 264, p. 3. 1915.
    use. F.B. 1371, p. 45. 1924.
  English sparrows, directions for making. F.B. 493, pp. 10–20. 1912; rev., pp. 8–18. 1917.
  feeding, foxes, construction of houses. D.B. 1350, pp. 12–15. 1925.
  field mice—
    description. Biol. Bul. 31, p. 54. 1907.
    directions for using. F.B. 670, p. 7. 1915.
  fish, use in salmon fishing. D.B. 150, pp. 4–6. 1915.
  flea, description and use. D.B. 248, pp. 28–30. 1915.
  fly—
    description and use. F.B. 1097, pp. 16–18. 1920.
    description and value. F.B. 540, pp. 25–26. 1913.
    for stock protection. F.B. 1097, pp. 16–18. 1920.
    See also Flytrap.
  foods, citrus white fly, study by Entomology Bureau. An. Rpts., 1909, p. 518. 1910; Ent. A.R., 1909, p. 32. 1909.
  gipsy moth, description and use. D.B. 1093, pp. 5–9. 1922.
  gophers, directions for use. Biol. Cir. 52, rev., p. 3. 1906.
  grass, for chinch bug, and control treatment. F.B. 657, pp. 16–17. 1915.
  grasshopper, description and use. F.B. 691, rev., pp. 14–17. 1920.
  ground squirrel, description of different kinds. F.B. 484, pp. 16–19. 1912.
  guillotine, directions for use. Biol. Bul. 33, p. 41. 1909.
  horn fly, experiments. Ent. Cir. 115, p. 12. 1910.
  insects migrating in grain fields. F.B. 835, pp. 6–7, 10, 11. 1917.
  larger animals, description and use, notes. Y.B., 1919, pp. 458–476. 1920; Y.B. Sep. 823, pp. 458–476. 1920.
  leaf-beetles. F.B. 1193, p. 8. 1921.
  light(s)—
    female Lepidoptera captured. J.A.R., vol. 14, pp. 135–149. 1918.
    for insect destruction experiments. F.B. 908, p. 54. 1918.
    Lepidoptera caught. W. B. Turner. J.A.R., vol. 18, pp. 475–481. 1920.
    logs for attracting borers in pecan orchards. F.B. 843, p. 40. 1917.
  maggot, for control of—
    flies, use at Army posts and military camps. Sec. Cir. 61, pp. 4–5. 1916
    fly larvae in manure. F.B. 851, pp. 19–21. 1917; F.B. 1408, p. 13. 1924.
    house flies, description and use. News L. vol. 2, No. 38, p. 6. 1915.
  mechanical, for control of western cabbage flea-beetle. D.B. 902, p. 19. 1920.
  Mediterranean fruit flies. D.B. 536, pp. 104, 107, 111–112. 1918.
  melon fly. D.B. 491, pp. 53–54. 1917.
  mole, description and use. F.B. 832, pp. 8–10. 1917; F.B. 1247, pp. 17–19. 1922; News L., vol. 3, No. 37, p. 3. 1916; News L., vol. 4, No. 48, p. 8. 1919.
  mosquitoes. Ent. Bul. 88, p. 40. 1910.
  muskrat, description. F.B. 396, pp. 27–28. 1910; F.B. 869, pp. 13–14. 1917.
  nest(s)—
    construction, school exercises. F.B. 638, p.12. 1915.
    description and use. F.B. 357, pp. 36–39. 1909; F.B. 1040, p. 18. 1919.
    simple, for poultry—
      Alfred R. Lee. F.B. 682, pp. 3. 1915.
      boys' and girls' club work. S.R.S. Doc. 66, pp. 3. 1918.
  plans, control of truck-crop insects. Vir. Is. A.R. 1922, p. 18. 1923.
  pink bollworm, control experiments. D.B. 918, pp. 52–53. 1921.

Traps—Continued.
  pit, construction, use for rats and other small animals. F.B. 896, p. 15. 1917.
  plants, for cucumber beetle. F.B. 1038, p. 12. 1919.
  rabbit—
    descriptions and construction. F.B. 702, pp. 6–8. 1916; News L., vol. 3, No. 26, p. 2. 1916.
    details of construction. Y.B., 1907, pp. 337–339. 1908; Y.B. Sep. 452, pp. 337–339. 1908.
    for use in tree plantations. F.B. 1312, p. 28. 1923.
  rat(s)—
    and mice, description and types. F.B. 896, pp. 11–15. 1917.
    Burmese, description. Biol. Bul. 33, p. 44. 1909.
    description—
      Y.B., 1917, pp. 241, 242. 1918; Y.B. Sep. 725, pp. 9, 10. 1918.
    and construction. F.B. 369, pp. 10–14. 1909; F.B. 1302, pp. 5–7. 1923.
    kinds, description and directions for use. Biol. Bul. 33, pp. 41–44. 1909.
  roach. B.A.I.S.R.A. 95, p. 32. 1915; F.B. 658, pp. 14–15. 1915.
  rodents, use. F.B. 335, pp. 13, 17–26. 1908; Y.B., 1916, pp. 384, 387, 388, 396, 397. 1917; Y.B. Sep. 708, pp. 4, 7, 8, 16, 17. 1917; Y.B., 1919, pp. 453–457. 1920; Y.B. Sep. 823, pp. 453–457. 1920.
  rows, corn, for weevil control. F.B. 1029, pp. 16–18. 1919.
  scissor-jaw, description. F.B. 1247, pp. 18–19. 1922.
  sewer, description, sanitary requirements. B.A.I. An. Rpt., 1909, pp. 255–257. 1911; B.A.I. Cir. 173, pp. 255–257. 1911.
  spore, use in upper-air studies. J.A.R., vol. 24, pp. 599–605. 1923.
  squash bug. D.C. 35, p. 17. 1919.
  steam, in drying kilns, description. D.B. 1136, pp. 13–14. 1923.
  steel, use in control of destructive animals. News L., vol. 4, No. 40, p. 11. 1917.
  trees, for—
    control of bark beetles. Ent. Bul. 58, pp. 28, 30. 1910.
    destruction of bark beetles. Ent. Bul. 83, Pt. I, pp. 33, 48, 51, 125, 152. 1909.
  water set and land set, directions. Y.B., 1919, p. 466. 1920; Y.B. Sep. 823, p. 466. 1920.
  well house, directions for making. Y.B., 1907, p. 337. 1908; Y.B. Sep. 452, p. 337. 1908.
  wolves and coyotes. Biol. Cir. 55, p. 2. 1907.
  wood, decoy for fruit-tree bark beetle, effectiveness. Ent. Cir. 29, rev., pp. 7–8. 1907.
  wood, for prevention of borers. Ent. Cir. 32, rev., p. 11. 1907.
Trapa—
  bicornis. See Chestnut, water.
  bispinosa. See Chestnut, water.
Trappers—
  cause of loss in furs. F.B. 1469, pp. 1–2. 1925.
  fur trade profits. D.C. 135, pp. 5, 7. 1920.
  incomes from fur harvest. F.B. 1293, inside page of cover. 1922.
  report of skins taken, importance. F.B. 1469, pp. 2–3. 1925.
  reports, usefulness. F.B. 1445, p. 2. 1924.
Trapping—
  ant, directions. F.B. 1101, p. 11. 1920.
  Argentine ants, method and results. D.B. 647, pp. 65–71. 1918; D.B. 965, pp. 18–20, 30, 40, 41. 1921.
  beavers—
    for domestication, methods, time, and traps, D.B. 1078, pp. 18–22. 1922.
    kinds of traps, use. D.B. 1078, pp. 14–16. 1922.
  bee swarm. F.B. 961, pp. 12–13. 1918.
  birds—
    directions. F.B. 493, pp. 10–20. 1912; rev., pp. 8–18. 1917.
    for banding, traps and methods. M.C. 18, pp. 3–13. 1924; M.C. 170, pp. 4–13. 1921.
  blowflies, for protection of livestock. F.B. 857, p. 11. 1917.
  chipmunks, note. F.B. 484, p. 24. 1912.

Trapping—Continued.
  codling moth, experiments in Colorado in 1917. D.B. 959, pp. 16, 17–20, 22–25. 1921.
  crow, method and disadvantages. D.B. 621, p. 78. 1918.
  crows, methods and usefulness. F.B. 1102, p. 19. 1920.
  earwig, directions and results. D.B. 566, pp. 10–11, 12. 1917.
  fleas, methods. F.B. 683, p. 13. 1915; F.B. 897, pp. 13, 14. 1917.
  fur animals—
    licenses, legislation in 1923. F.B. 1387, pp. 2–3. 1923.
    open seasons, suggestions. D.C. 135, pp. 7, 12. 1920.
  fur-bearing animals—
    in Alaska, decrease. D.C. 225, p. 5. 1922.
    laws, 1915, with protection bounties, etc. F.B. 706, pp. 24. 1916.
    laws, 1917. F.B. 911, pp. 3, 6–29, 31. 1917.
    need for restrictions and law enforcement. News L., vol. 5, No. 17, p. 8. 1917.
    prohibition in Alaska. Biol. S.R.A. 56, p. 3. 1923.
  gophers, directions. Biol. Cir. 52, 2d rev., p. 3. 1908; Y.B., 1909, pp. 215–216. 1910; Y.B. Sep. 506, pp. 215–216. 1910.
  ground squirrels, methods. Biol. Cir. 76, p. 8. 1910; F.B. 484, pp. 16–19. 1912.
  insect, orchard. S.R.S. Syl. 23, p. 11. 1916.
  June beetle grubs, various methods, and results. D.B. 891, pp. 42–45, 47, 49. 1922.
  mice and rats, directions. F.B. 932, pp. 20–21. 1918.
  mice, directions. F.B. 1397, p. 9. 1924.
  mole crickets, details. P.R. Bul. 23, pp. 22, 25. 1918.
  moles, directions. F.B. 832, pp. 5–10. 1917; F.B. 1247, pp. 14–19. 1922.
  muskrats, directions. F.B. 396, pp. 26–28. 1910; F.B. 869, pp. 13–14. 1917.
  on farm. Ned Dearborn. Y.B., 1919, pp. 451–484. 1920; Y.B. Sep. 823, pp. 451–484. 1920.
  open seasons, need of restriction. F.B. 1469, p. 2. 1925.
  permits, number issued on national reservations, 1912. An. Rpts., 1912, p. 84. 1913; Sec. A.R., 1912, p. 84. 1912; Y.B., 1912, p. 84. 1913.
  pocket gophers. F.B. 484, p. 40. 1912.
  rats, directions and methods. Biol. Bul. 33, pp. 41–44. 1909; F.B. 297, pp. 5–6. 1907; Y.B., 1917, pp. 241–242. 1918; Y.B. Sep. 725, pp. 9–10. 1918.
  rats, method for meat establishments. B.A.I. S.R.A. 114, p. 92. 1916.
  roaches, methods and traps. F.B. 658, pp. 14–15. 1915.
  stable flies, effectiveness, management. F.B. 540, pp. 25–26. 1913.
  tobacco beetles, methods and traps. D.B. 737, pp. 49–51, 69. 1919; F.B. 846, p. 18. 1917.
  woodchucks, methods. F.B. 484, p. 29. 1912.
Trasbot's arsenical dip for sheep scab. B.A.I. Bul. 144, p. 34. 1912.
Trash, removal from fields, farm practices in Colorado. F.B. 917, pp. 12–13. 1921.
TRAUM, JACOB: "Infectious abortion of cattle." With John R. Mohler. B.A.I. An. Rpt., 1911, pp. 147–183. 1913; B.A.I. Cir. 216, pp. 147–183. 1913.
Traumatic gastritis, cattle, causes and prevention. B.A.I. Dairy [Misc.], "World's dairy congress, 1923," pp. 1463–1464. 1924.
Trauzl method of testing explosives. D.C. 94, p. 19. 1920.
Travassosius americanus, n. sp., nematode from beaver, description. J.A.R., vol. 30, p. 679. 1925.
Travel—
  automobile, expenses, regulations. Off. Rec., vol. 3, No. 29, p. 4. 1924.
  books, publication by Government, sale prices. News L., vol. 2, No. 27, p. 4. 1915.
  expenses—
    employees—
      order of Secretary, 145. An. Rpts., 1911, p. 813. 1912; Sol. A.R, 1911, p. 57. 1911.

INDEX TO PUBLICATIONS, 1901-1925   2459

Travel—Continued.
  expenses—continued.
    employees—continued.
      regulations, amendments. B.A.I.S.R.A. 122, pp. 77-78. 1917; B.A.I.S.R.A. 148, pp. 89-91. 1919; B.A.I.S.R.A. 180, pp. 54-56; 1922; B.A.I.S.R.A. 191, p. 34. 1923; B.A.I.S.R.A. 273, rev., p. 100. 1923. Off. Rec. vol. 1, No. 48, p. 4. 1922; Off. Rec., vol. 2, No. 11, p. 4. 1923; Off. Rec.. vol. 3, No. 2, p. 4. 1924; Off. Rec. vol., 3, No. 18, p. 4. 1924; Adv. Com. F. and B. M. [Misc.], "Fiscal regulations * * *," pp. 36-51. 1917; Adv. Com. F. and B. M. [Misc.], "Fiscal regulations * * *," amdt. 1-4, pp. 6-8, 11, 1917; Adv. Com. F. and B. M. [Misc.], "Fiscal regulations * * *," amdt. 3, pp. 3. 1919.
    extra fares, memorandum, of Secretary. Off. Rec. vol. 1, No. 43, p. 4. 1922.
    fiscal regulations, 1915. Accts. [Misc.]. "Fiscal regulations," pp. 29-44. 1915.
    fiscal regulations, 1922. Accts. [Misc.], "Fiscal regulations," pp. 17-40. 1922.
    use of extension funds. D.C. 251, pp. 41-42. 1925.
    witnesses, regulations. Off. Rec. vol. 3, No. 28, p. 4. 1924.
  foreign, use of American ships, memorandum of Mr. Jump. Off. Rec. vol. 1, No. 1, p. 10. 1922.
  hotel rates for Government workers. Off. Rec. vol. 1, No. 23, p. 4. 1922.
  in China, experiences of plant explorer. Y.B., 1915, p. 210. 1916; Y.B. Sep. 671, p. 210. 1916.
  information source. Off. Rec. vol. 3, No. 48, p. 6. 1924.
  lines, in Colorado forest recreation grounds. D.C. 41, pp. 16-17. 1919.
  lines through White Mountains. D.C. 100, pp. 15-16. 1921.
  official, reduction in hotel rates for employees. Off. Rec. vol. 1, No. 29, p. 4. 1922.
  regulations—
    amendments, memoranda of Secretary. Off. Rec., vol. 1, No. 1, pp. 8, 9. 1922.
    B.A.I. employees. B.A.I.S.R.A. 185, p. 107. 1922.
    uniform system for departments. Off. Rec., vol. 1, No. 23, p. 4. 1922.
    United States Department of Agriculture, effective July 1, 1921. Adv. Com. F. and B. M. [Misc.], "Travel regulations * * *," pp. 28. 1921.
  steamer fees. Off. Rec., vol. 3, No. 26, p. 4. 1924.
Travelers—
  plant importation, warning. F.H.B.S.R.A. 27, pp. 56-57. 1916.
  tree, importation and description. B.P.I. Bul. 233, p. 20. 1912.
  tree, Madagascar, importation and description. No. 42372, B.P.I. Inv. 46, p. 85. 1919.
TRAVERSO, G. B., work on angular leaf spot of cucumbers in Italy. J.A.R., vol. 5, No. 11, p. 465. 1915.
Travertine, origin, classification, and mineral constituents. Rds. Bul. 37, pp. 13, 14-23. 1911.
Travois, for transporting the sick, directions. For. [Misc.], "The first-aid manual * * *," p. 16. 1917.
Tray(s)—
  drier, description and details. F.B. 916, pp. 5-6. 1917.
  drying—
    description and directions for making. F.B. 841, pp. 12, 15. 1917.
    for drying crude drugs, description. F.B. 1231, pp. 13-16. 1921.
    fruit, kinds and use in drying. D.B. 1335, p. 8. 1925.
    serving, for farm home, description. F.B. 927, pp. 11-12. 1918.
TREACY, R. H., dipping plant drawings and list of materials. B.A.I. Bul. 40, pp. 13-23. 1902.
Treason, proclamation by President. News L., vol. 4, No. 40, p. 5. 1917.
Treasury Department—
  aid by Chemistry Bureau in study of currency paper. D.C. 137, p. 21. 1922.

Treasury Department—Continued.
  control of hide importations. B.A.I. An. Rpt., 1911, pp. 84, 92-93. 1913; B.A.I. Cir. 213, pp. 84, 92-93. 1913.
  cooperation in food and drug inspection. Y.B., 1910, pp. 202-203, 204-205. 1911; Y.B. Sep. 529, pp. 202-203, 204-205. 1911.
  coordinator. Off. Rec. vol. 3, No. 15, p. 4. 1924.
  food officials, internal revenue. Chem. Cir. 16, rev., p. 4. 1910.
  joint order—
    in reference to hides. Joint Order No. 2, pp. 11. 1917.
    with Agriculture Department. B.A.I.O. 209, amdt. 9, pp. 4. 1917.
  loan drives, cooperation of extension workers. S.R.S.Rpt., 1918, p. 58. 1919.
  relation to Federal land bank. F.B. 792, p. 11. 1917.
  ruling affecting experiment stations. D.C. 251, pp. 26-28. 1923; D.C. 251, rev., pp. 28-29. 1925; O.E.S. Cir. 111, pp. 16-18. 1911; O.E.S. Cir. 111, rev., pp. 17-19. 1912; S.R.S. [Misc.], "Laws * * * Agricultural colleges * * *," pp. 20-27. 1916.
  Secretary—
    cooperation with Agriculture Secretary in importation regulations for tick-infested cattle. Joint Order No. 3, pp. 4. 1918.
    regulations of bee importation. Off. Rec., vol. 2, No. 12, p. 3. 1923.
    relation to food and drugs regulations. An. Rpts., 1909, pp. 36, 37, 41. 1910; Rpt. 91, pp. 28, 29. 1909; Sec. A.R., 1909, pp. 36, 37, 41. 1909; Y.B., 1909, pp. 36, 37, 41. 1910.
  thrift work. News L., vol. 6, No. 44, p. 11. 1919.
Treaty—
  migratory-bird—
    act and regulations. Biol. S.R.A. 23, pp. 12. 1918; F.B. 1010, pp. 56-58. 1919; F.B. 1235, pp. 61-79. 1921.
    adoption and terms. Y.B., 1918, pp. 307-308. 1919; Y.B. Sep. 785, pp. 7-8. 1919.
    between United States and Great Britain. F.B. 1077, pp. 65-68. 1919.
    proclamation by President. Biol. S.R.A. 55, pp. 1-4. 1923.
    with Great Britain, migratory-bird protection. An. Rpts., 1917, p. 266. 1917; Biol. Chief Rpt., 1917, p. 16. 1917.
Trebi barley. Harry V. Harlan and others. D.C. 208, pp. 8. 1922.
Trebu, tree use for hedges and fuel. B.P.I. Inv. 31, No. 33815-33816, p. 58. 1914.
TRECUL, A., study of cellulose fermentation B.P.I. Bul. 266, p. 11. 1913.
Tree(s)—
  acreage required to grow 15,000 to 4 years of age. For. Bul. 76, p. 33. 1909.
  adaptability for—
    dry farming. F.B. 329, p. 12. 1908.
    planting in semiarid Great Plains. B.P.I. Bul. 215, p. 38. 1911.
    use as windbreaks, recommendations. F.B. 1405, pp. 11-13. 1924.
  adapted for forest planting in different regions, United States. Y.B., 1909, pp. 336, 337, 338, 339, 340, 341, 342, 343. 1910; Y.B. Sep. 517, pp. 336, 337, 338, 339, 340, 341, 342, 343. 1910.
  age, vigor, and origin, influence on tree tolerance. For. Bul. 92, pp. 19-20. 1911.
  aged, in national forests. Off. Rec., vol. 3, No. 35, p. 3. 1924.
  almond, types and fruiting habits. D.B. 1283, pp. 4-6. 1924.
  analysis of plant ash. D.B. 600, p. 12. 1917.
  and shrubs, experiments, Truckee-Carson project, 1913. B.P.I. [Misc.], "The work * * * Truckee-Carson * * * 1913," pp. 9-10. 1914.
  and wood products, woodpeckers in relation to. W. L. McAtee. Biol. Bul. 39, pp. 99. 1911.
  apple—
    acreage in 1919, maps. Y.B., 1921, p. 464. 1922; Y.B. Sep. 878, p. 58. 1922.
    orchard, distance for profitable growing. F.B. 491, p. 14. 1912.
    preparation of soil for planting. Y.B., 1901, p. 595. 1902.

36167°—32——155

Tree(s)—Continued.
  apple—continued.
    selection and handling. F.B. 1360, pp. 9–13. 1924.
    Athabaska-Mackenzie region. N.A. Fauna 27, pp. 515–534. 1908.
    attack by pine-bark beetle, list. Y.B., 1902, p. 272. 1903.
    banding—
      for—
        control of Argentine ant. D.B. 647, pp. 62–65. 1918; F.B. 928, pp. 19–20. 1918.
        control of citrophilus mealybug. D.B. 1040, pp. 11–13, 16. 1922.
        control of gipsy moth. F.B. 845, pp. 15–17. 1917; F.B. 1335, p. 15. 1923.
        insect control, directions, and materials. F.B. 1169, pp. 17–20. 1921.
        protection of apples against dock false-worm. News L., vol. 4, No. 23, p. 4. 1917.
      in Colorado orchards, for codling-moth control. D.B. 500, p. 27. 1917.
      in orchards, for control of dock false-worm, and cost. D.B. 265, pp. 35–37. 1916.
      material(s)—
        description and use. F.B. 908, pp. 50–52, 55–57. 1918; F.B. 1270, p. 84. 1923.
        effective ingredients, experimental work and comparison. D.B. 1142, pp. 3–15. 1923.
        for gipsy-moth control. D.B. 1142, pp. 1–2. 1923.
        for gipsy-moth control. C. W. Collins and Clifford E. Hood. D.B. 899, pp. 18. 1920.
        gipsy moth, how to make, use, and apply it. C. W. Collins and Clifford E. Hood. D.B. 893, pp. 18. 1920.
        to prevent injury from cankerworms. O.E.S. Bul. 99, p. 160. 1901.
      bands, sticky, injury to trees, and control. F.B. 1270, pp. 84–85. 1923.
    barking, to destroy beetle broods. Ent. Bul. 83, Pt. I, pp. 30, 48, 51, 67, 87, 98–99, 112, 125, 142, 151. 1909.
    bee, removal of colonies, method. Guam A.R. 1915, pp. 42–43. 1916.
    beetles—
      control—
        in tree plantations. F.B. 1312, p. 29. 1923.
        work of Entomology Bureau, 1921. Ent. A.R., 1921, pp. 25–27. 1921.
        work of Entomology Bureau, 1922. An. Rpts., 1922, pp. 321–323. 1923; Ent. A.R. 1922, pp. 23–25. 1922.
      epidemic, investigations. An. Rpts., 1919, p. 258. 1920; Ent. A.R., 1919, p. 12. 1919.
      infested, destruction for control of bark-beetles. Ent. Bul. 58, pp. 11, 27, 30, 37, 76–81. 1910.
    borers, control methods. News L., vol. 6, No. 26, p. 15. 1919.
    broadleaf—
      damping-off, occurrence and causes. D.B. 934, pp. 3–4. 1921.
      growing for forest planting. Y.B., 1905, pp. 190–192. 1906; Y.B. Sep. 376, pp. 190, 192. 1906.
      growth habits, occurrence, Kansas and Nebraska. For. Bul. 66, pp. 34–40. 1905.
      insect injurious to wood. Ent. Cir. 127, pp. 2–3. 1910.
      introduction into chaparral forests. For. Bul. 85, p. 44. 1911.
      key to common kinds and list. D.C. 223, pp. 4–7, 8–11. 1922.
      planting directions. For. Cir. 161, pp. 14–16. 1909.
      sample acres, Nebraska and Kansas, tables. For. Bul. 66, pp. 25–27. 1905.
      wood fibers, sources. Rpt. 89, p. 27. 1909.
    calendar, preparation by Forest Service. An. Rpts., 1912, p. 539. 1913; For. A.R., 1912, p. 81. 1912.
    camphor, machine for trimming. G. A. Russell. D.C. 78, pp. 8. 1920.
    care before planting, directions for heeling in. D.L.A. Cir. 2, pp. 1–2. 1916.
    care, to prevent mistletoe infection. B.P.I. Bul. 166, pp. 29–30. 1910.
    cavities, filling directions. F.B. 908, p. 58. 1918; F.B. 1169, p. 15. 1921.

Tree(s)—Continued.
  cavities, treatment, tools, and materials. Y.B., 1913, pp. 169, 171–182. 1914; Y.B. Sep. 622, pp. 169, 171–182. 1914.
  cavity work, details. F.B. 1178, pp. 11–25. 1920.
  check list, preparation. Off. Rec. vol. 2, No. 52, p. 7. 1923.
  chestnut, diseased, cutting and uses. F.B. 582, pp. 4–23. 1914.
  Christmas. See Christmas trees.
  citrus—
    frost protection. F.B. 1447, pp. 37–39. 1925.
    hydrocyanic-acid gas fumigation in California. R. S. Woglum and C. C. McDonnell. Ent. Bul. 90, pp. 81. 1912.
    injury by white flies. Ent. Bul. 92, pp. 1–109. 1911.
    mite enemy. Y.B., 1900, p. 247. 1901.
    pruning, top-working and care. F.B. 1447, pp. 29–40. 1925.
    records, keeping. Y.B., 1919, pp. 261–265. 1920; Y.B. Sep. 813, pp. 261–265. 1920.
    setting, number to acre, time, and methods. F.B. 542, pp. 6–7. 1913.
    transplanting, directions. F.B. 1447, pp. 35–37. 1925.
    undesirable strains, top-working, directions. D.B. 813, pp. 81–84. 1920.
  city, planning for. F.B. 1209, p. 10. 1921.
  commercial studies—
    1901. Y.B., 1901, p. 65. 1902.
    1904. For. A.R., 1904, pp. 180–183. 1904.
    1905. An. Rpts., 1905, pp. 212–215. 1905; For. A.R., 1905, pp. 212–215. 1905.
  cone-bearing, injury by sapsuckers. Biol. Bul. 39, pp. 23–27. 1911.
  conifer and hardwoods, stumpage estimates. For. Cir. 166, pp. 8–12. 1909.
  coniferous—
    and broadleaf, growing for forest planting. Y.B., 1905, pp. 186–192. 1906; Y.B. Sep. 376, pp. 186–192. 1906.
    description, and key to common kinds. D.C. 223, pp. 3–4. 1922.
    growing and planting on the farm. C. R. Tillotson. F.B. 1453, pp. 38. 1925.
    quarantine for gipsy moth, regulations. F.H.B. Quar. 4, pp. 1, 2. 1912.
    seed storage. C. R. Tillotson. J.A.R., vol. 22, pp. 479–510. 1922.
  containing tannin, structural elements. For. Bul. 75, p. 33. 1911.
  content of lumber, by diameter measurement. F.B. 715, pp. 18, 22, 23. 1916.
  cricket, snowy, description, habits, injuries, and control. F.B. 1270, p. 70. 1923.
  crops, advantages in tropical climates. B.P.I. Cir. 130, p. 12. 1913; B.P.I. Cir. 132, pp. 16–17. 1913.
  cutting—
    and thinning in farm plantations. F.B. 1123, pp. 13–14. 1921.
    branches, dead or diseased, and treatment of scars. Y.B., 1913, pp. 169–171. 1914; Y.B. Sep. 622, pp. 169–171. 1914.
    directions for farm timber. D.B. 863, pp. 15–17. 1920.
    for improvement of stand, directions. F.B. 1177, rev., pp. 6–10. 1920.
    for sprouts, proper age, season, and methods. Y.B., 1910, pp. 159–160. 1911; Y.B. Sep. 525, pp. 159–160. 1911.
    to improve woods, directions for thinning. F.B. 1117, pp. 10–12, 13, 35. 1920.
  cypress and juniper, of Rocky Mountain region. George B. Sudworth. D.B. 207, pp. 36. 1915.
  damage by—
    beavers, kinds, and destruction methods. D.B. 1078, pp. 9–11. 1922.
    woodpeckers, and sapsuckers. Biol. Bul. 39, pp. 7–9, 18–55, 56–91. 1911.
  decay detection in standing timber. B.P.I. Chief Rpt., 1924, p. 33. 1924.
  deciduous—
    adaptation to various States, lists. D.C. 8, pp. 19–22. 1919.
    grouping with evergreens. F.B. 329, pp. 18–19. 1908.
    insects injurious, and their control. Jacob Kotinsky. F.B. 1169, pp. 100. 1921.

INDEX TO PUBLICATIONS, 1901-1925   2461

Tree(s)—Continued.
  deciduous—continued.
    native to northern Great Plains, and introduced species, notes. D.B. 1113, pp. 7-10. 1923.
    planting, directions. For. Bul. 65, pp. 1-14. 1905.
    quarantine for brown-tail moth. F.H.B. Quar. 4, pp. 3, 4. 1912.
    shade, insects injurious and their control. Jacob Kotinsky. F.B. 1169, pp. 100. 1921.
    use in home adornment, details. Y.B., 1902, pp. 510-513. 1903.
    Yuma reclamation project. D.C. 75, pp. 69-70. 1920.
  density and branching extent of various species. For. Bul. 86, pp. 21-23, 26, 28, 31-32. 1911.
  destruction by—
    field mice, preventive measure. F.B. 352, p. 20. 1909.
    pocket gophers. David E. Lantz. Y.B., 1909, pp. 209-218. 1910; Y.B. Sep. 506, pp. 209-218. 1910.
    rodents, and control measures. F.B. 335, pp. 11, 25-26. 1908.
    rodents, protective measure. F.B. 335, pp. 9. 1908.
    sapsuckers. F.B. 506, pp. 13-14. 1912.
  directions for cutting branches. F.B. 1178, pp. 6-11. 1920.
  diseases—
    control—
      in forests, 1922. Y.B., 1922, pp. 164-165. 1923; Y.B. Sep. 886, pp. 164-165. 1923.
      in forests, 1923. An. Rpts., 1923, pp. 309-310. 1923; For. A.R., 1923, pp. 21-22. 1923.
      in replanting forests. D.B. 475, p. 49. 1917.
      in shelter belts. D.L.A. Cir. 4, pp. 4-5. 1919.
      studies by Plant Industry Bureau. News L., vol. 1, No. 9, p. 2. 1913
    study. Y.B., 1900, p. 35. 1901.
    Texas, occurrence and description. B.P.I. Bul. 226, pp. 57-82. 1912.
  distribution—
    Nevada, Truckee-Carson Project—
      1914. W.I.A. Cir. 3, p. 5. 1915.
      1915. W.I.A. Cir. 13, p. 6. 1916.
    under Kinkaid Act, 1911. For. Misc. S-18, pp. 13, rev. 1916; M.C. 16, pp. 14. 1925.
  dormant, spraying—
    directions. Y.B., 1908, pp. 269-271. 1909; Y.B. Sep. 480, pp. 269-271. 1909.
    for control of scale insects and plant lice. News L.,vol.3, No. 10, p. 1. 1915.
  ducks, varieties, range, and migration habits. Biol. Bul. 26, p. 83. 1906.
  dying and dead, insect injuries to wood. A. D. Hopkins. Ent. Cir. 127, pp. 3. 1910.
  ecological studies, review. J.A.R., vol. 24, pp. 102-105. 1923.
  effects of lightning. For. Bul. 111, pp. 7-12. 1912.
  evergreen—
    adaptation to various States, lists. D.C. 8, pp. 19-22. 1919.
    native to northern Great Plains, notes. D.B. 1113, pp. 10-11. 1923.
    treatment in transplanting, directions. For. Bul. 65, pp. 12, 15-16. 1905.
  examination for—
    defects needing surgical treatment. F.B 1178, pp. 3-4, 5, 28, 29. 1920.
    disease before attempting repair. Y.B., 1913, pp. 183-185. 1914; Y.B. Sep. 622, pp. 183-185. 1914.
  faller, for use in logging, description. D.B. 711, pp. 43-45. 1918.
  farm planting, kinds and methods recommended. F.B. 228, pp. 15-18. 1905.
  fast-growing, retention for increasing forest products. For. Cir. 172, pp. 8-10. 1909.
  felling, precautions for preservation of forests. F.B. 358, pp. 24-26. 1909.
  fence post. For. Cir. 69, pp. 4. 1907.
  Florida, descriptions. Off. Rec., vol 4, No. 46, p. 3. 1925.
  fluid, adulteration and misbranding. N.J. 829; Insect. S.R.A. 44, pp. 1035-1041. 1923.

Tree(s)—Continued.
  foliage—
    analyses—
      methods. Chem. Bul. 113, p. 34. 1910; rev., pp 57-58. 1910.
      showing injury by smelter fumes. Chem. Bul. 89, pp. 13, 14, 15, 17, 22. 1905.
      injury by smelter wastes. Chem. Bul. 113, rev., pp. 17-21, 25-31, 45-55. 1910.
  for—
    forest planting, growing directions. Y.B., 1905, pp. 183-192. 1906; Y.B. Sep. 376, pp. 183-192. 1906.
    planting, Oklahoma region, list. For. Bul. 65, pp. 40-41. 1905.
    town and city streets. F. L. Mulford. F.B. 1208, pp. 40. 1922.
  foreign, tests. Off. Rec., vol. 3, No. 39, p. 4. 1924.
  forest—
    and products, insects injurious, investigations. An. Rpts., 1917, pp. 239-241. 1918; Ent. A.R., 1917, pp. 13-15. 1917.
    and shade, diseases, investigations. An. Rpts., 1908, pp. 292-294. 1909; B.P.I. Chief Rpt., 1908, pp. 20-22. 1908.
    banding for gipsy-moth control. D.B. 899, pp. 12-13. 1920.
    bark beetles of the genus Dendroctonus. Ent. Bul. 83, Pt. I, pp. 1-169. 1909.
    characteristics and reproduction, various species. For. Bul. 98, pp. 51-57. 1911.
    climatic relation, study. Off. Rec., vol. 3, No. 42, p. 5. 1924.
    cultivation—
      and pruning. For. Cir. 161, pp. 19-23. 1909.
      thinning, pruning, and protection. F.B. 888, pp. 19-23. 1917.
    deciduous, diseases. Herman von Schrenk and Perley Spaulding. B.P.I. Bul. 149, pp. 85. 1909.
    diseases—
      1908. Y.B., 1908, pp. 537-538. 1909.
      California and Nevada. E. P. Meinecke. For. [Misc.], "Forest tree diseases * * *," pp. 63. 1914.
      investigations. An. Rpts., 1922, pp. 189-192. 1923; B.P.I. Chief Rpt., 1922, pp. 29-32. 1922.
      recently imported. An. Rpts., 1914, p. 104. 1914; B.P.I. Chief Rpt., 1914, p. 4. 1914.
    effects of gipsy-moth defoliation. D.B. 484, Pt. I, pp. 2-4. 1917.
    flat-headed borers affecting, classification and descriptions. D.B. 437, pp. 1-8. 1917.
    for the Pacific slope. George B. Sudworth. For. [Misc.], "Forest trees for Pacific * * *," pp. 441. 1908.
    fungous diseases of. Herman von Schrenk. Y.B., 1900, pp. 199-210. 1901; Y.B. Sep. 208, pp. 199-210. 1901.
    galls caused by mites, description. Rpt. 108, pp. 135-139. 1915.
    growth of various species in different regions, table. F.B. 1177, rev., pp. 24-27. 1920.
    honey sources in Hawaii. Ent. Bul. 75, Pt. V., p. 48. 1909.
    hosts of bagworm. F.B. 701, p. 3. 1916.
    important, of eastern United States. D.C. 223, pp. 11. 1922.
    importations—
      and descriptions. Nos. 34837-34850, B.P.I. Inv. 34, pp. 7, 19-20. 1915.
      from January 1 to March 31, 1921, discussion. B.P.I. Inv. 66, pp. 1-2. 1923.
    in Mt. Hood region, Oregon, key. D.C. 105, p. 28. 1920.
    indications of soils. Soils Cir. 43, pp. 7-8. 1911.
    infestation by flat-headed borers, lists. D.B. 437, pp. 6-8. 1917.
    injury(ies)—
      and destruction by fires. For. Bul. 82, pp. 12-15. 1910.
      by field mice. Biol. Bul. 31, p. 26. 1907.
      by flat-headed borers. Y.B., 1909, pp. 399-415. 1910; Y.B. Sep. 523, pp. 399-415. 1910.
      by insects, notes. Biol. Bul. 37, pp. 7, 12-13. 1911.
      by white grubs. F.B. 543, pp. 10, 11, 19. 1913.
      by wind and snow, relation of mistletoe growths. D.B. 317, pp. 6-10. 1916.

Tree(s)—Continued.
forest—continued.
injury(ies)—continued.
caused by smoke, gases, cold, and animals. B.P.I. Bul. 149, pp. 10-14. 1909.
insects—
investigations, 1916. An. Rpts., 1916, pp. 226-229. 1917; Ent. A.R., 1916, pp. 14-17. 1916.
investigations, 1921. Ent. A.R., 1921, pp. 25-29. 1921.
investigations, 1923. An. Rpts., 1923, pp. 410-412. 1924; Ent. A.R., 1923, pp. 30-32. 1923.
which kill, depredations and control methods. A. D. Hopkins. Ent. Cir. 125, pp. 9. 1910.
key to common kinds. D.C. 223, pp. 3-7. 1922.
lands, in South Carolina, description, list. For. Bul. 56, pp. 33-46. 1905.
methods of heeling in and planting, cultivation and care. For. Cir. 99, pp. 4-6. 1907.
Mount Hood region, Oregon National Forest. D.C. 105, pp. 29-32. 1920.
Nebraska, general description. For. Cir. 45, pp. 8-12. 1906.
nut, and shade. Y.B., 1907, pp. 587-589. 1908; Y.B. Sep. 467, pp. 587-589. 1908.
observations, instructions for recording. For. [Misc.], "Instructions for recording * * *," pp. 3. 1909.
of minor importance for lumber, names, and States reporting. D.B. 232, pp. 27-29, 31-32. 1915.
one hundred important, list and remarks. D.B. 863, pp. 43-46. 1920.
Pacific coast, tannin, sources, analyses of barks. For. Bul. 75, p. 22. 1911.
physiological observations, suggestions. D.B. 1059, pp. 171-172. 1922.
planting—
1913. An. Rpts., 1913, p. 163. 1914; For. A.R., 1913, p. 29. 1913.
details, setting, spacing, cost, and purposes. For. Cir. 161, pp. 13-19. 1909.
directions and examples. F.B. 1117, pp. 27-31. 1920.
eastern United States. D.B. 153, pp. 1-38. 1915.
growing. Y.B., 1905, pp. 183-192. 1906.
on model prairie farm at St. Louis exposition. For. Cir. 29, pp. 8. 1904.
on northern prairies, recommended species. For. Cir. 145, pp. 10-21. 1908.
Porto Rico, suggestions. D.B. 354, pp. 47-51. 1916.
reserves. For. Plant. Leaf. 23, pp. 4. 1906.
spacing, cultivation, thinning, and pruning. D.B. 153, pp. 7-18. 1915.
tests. An. Rpts., 1913, p. 183. 1914; For. A.R., 1913, p. 49. 1913.
problems. F.B. 173, pp. 14-23. 1903.
propagation—
and planting. D.B. 863, pp. 30-31. 1920.
by cuttings and seed. For. Cir. 161, p. 16. 1909.
for planting stock. F.B. 888, pp. 15-16. 1917.
protection by birds. Biol. Bul. 30, pp. 58, 67. 1901.
resistant to gipsy moth, list. Ent. Cir. 164, pp. 11-15. 1913.
second growth, management in southern Appalachians. For. Cir. 118, pp. 1-22. 1907.
seedlings—
destruction by Rhizina inflata. J.A.R., vol. 4, pp. 93-95. 1915.
resistance to excessive heat. D.B. 1263, pp. 1-16. 1924.
sales, 1906-1908. Y.B., 1909, p. 341. 1910; Y.B. Sep. 517, p. 341. 1910.
seeds—
chalcidids injurious to. S. A. Rohwer. Ent. T.B. 20, Pt. VI, pp. 157-163. 1913.
crops, measurement methods. D.B. 210, pp. 2-5. 1915.
extracting and cleaning. For. Cir. 208, pp. 23. 1912.
sowing in landscape gardens. Rpt. 48, pp. 38-40. 1915.

Tree(s)—Continued.
forest—continued.
spacing, and number to acre. F.B. 888, pp. 17-19. 1917.
species—
for different regions, spacing, planting, products, etc. Y.B., 1911, pp. 259-268. 1912; Y.B. Sep. 566, pp. 259-268. 1912.
recommended for Plains region, northern and southern. F.B. 888, pp. 5-13. 1917.
stand required of various diameters. F.B. 1177, rev., p. 5. 1920.
susceptibility to—
gipsy-moth attack as management basis. D.B. 484, Pt. II, pp. 17-19. 1917.
gipsy moth, list. Ent. Cir. 164, pp. 11-15. 1913.
injury by smelter fumes and "red belt." D.B. 154, pp. 23, 25. 1915.
time requirements to produce crop. F.B. 1202, p. 54. 1921.
transplanting directions. For. Cir. 61, pp. 4. 1907.
types—
and classes, study and collection of specimens. D.B. 863, pp. 4-9. 1920.
relation to climate. Off. Rec., vol. 3, No. 42, p. 5. 1924.
standard classification. For. [Misc.], "Instructions for * * *," pp. 40-53. 1917; rev., pp. 30-45. 1925.
United States, flat-headed borers affecting. H. E. Burke. D.B. 437, pp. 8. 1917.
young growth after forest fires, classes. D.B. 1200, pp. 18-33. 1924.
young, packing and shipping directions. For. Cir. 55, pp. 2. 1907.
forms, study of taper curves for volume tables in timber estimating. Frederick S. Baker. J.A.R., vol. 30, pp. 609-624. 1925.
Fremont station, experiments. Off. Rec., vol. 3, No. 28, p. 6. 1924.
frost-injured, pruning directions. F.B. 1333, pp. 12-15, 31. 1923.
fruit—
and—
nut, irrigation methods, value and cost, Pomona Valley, Calif. O.E.S. Bul. 236, pp. 78-81. 1911.
ornamental, importation from China, varieties and description. News L., vol. 3, No. 32, p. 2. 1916.
shade, injury by scales, control. News L., vol. 3, No. 40, p. 3. 1916.
shrubs, cross-inoculation with crown gall. George G. Hedgcock. B.P.I. Bul. 131, pp. 21-23. 1908.
bridge grafting. W. F. Fletcher. F.B. 710, pp. 8. 1916.
deciduous, insect investigations. An. Rpts., 1908, pp. 541-544. 1909; Ent. A.R., 1908, pp. 19-22. 1908.
early planting, objections. News L., vol. 5, No. 15, p. 4. 1917.
experiments in Alaska. Alaska A.R., 1913, pp. 11-13. 1914.
frozen, 1904. M. B. Waite. B.P.I. Bul. 51, pp. 15-19. 1905.
growing, Alaska, notes. Alaska A.R., 1908, pp. 10-11, 22-26, 56, 66, 67, 68, 70, 71. 1909.
increasing hardiness. F.B. 267, pp. 26-27. 1906.
injury by San Jose scale, description. Ent. Cir. 124, pp. 1-2. 1910.
ornamental, and shade, alkali resistance. F.B. 446, pp. 29-30, 32. 1911.
production records, management. F.B. 1447, pp. 31-32. 1925.
transmission of root fungi from oaks. B.P.I. Bul. 149, p. 24. 1909.
varietal experiments, Huntley farm, 1915-1916. W.I.A. Cir. 15, p. 23. 1917.
fumigated, appearance, presence of old scale. Ent. Bul. 90, Pt. I, pp. 73-74. 1911.
furnishing—
at cost prices. Off. Rec. vol. 2, No. 31, p. 5. 1923.
medicinal barks, common names and description, also shrubs. B.P.I. Bul. 139, pp. 9-49. 1909.

Tree(s)—Continued.
  girdled, preparation for bridging. F.B. 1369, pp.
    6, 12, 13. 1923.
  girdling—
    causes and remedies. F.B. 710, pp. 1-7. 1916.
    effect. Off. Rec. vol. 3, No. 13, p. 5. 1924.
  Great Plains, information sources, list. F.B.
    1312, p. 32. 1923.
  group selection in forest cutting, disadvantages.
    D.B. 1176, pp. 9-10, 19. 1923.
  growing—
    at field station near Mandan, N. Dak. D. B.
      1301, pp. 7-15. 1925.
    from cuttings, directions. F.B. 423, p. 23.
      1910.
    under irrigation, experiments. D.C. 339, pp.
      24-25. 1925.
  growth—
    conditions—
      and requirements. D.B. 816, pp. 10-14.
        1920.
      for, and objectionable features in street planting. F.B. 1209, pp. 12-16. 1921.
    diameter—
      and height. For. Bul. 36, pp. 90-95. 1910.
      of various species. F.B. 1177, rev., p. 6.
        1920.
    in regions in United States having similar conditions. D.B. 816, pp. 16-20. 1920.
    injury by turpentining, box system. D.B. 229,
      p. 26. 1915.
    rate for different species. For. Bul. 108, p. 37.
      1912.
    rates, in various sections. F.B. 711, pp. 3-4, 5-6. 1916.
    relation of light to. Raphael Zon and Henry S.
      Graves. For. Bul. 92, pp. 59. 1911.
    retardation by mistletoe infection. D.B. 360,
      pp. 2-7. 1916.
    stimulation by fertilizers, aid in insect control.
      F.B. 1169, p. 16. 1921.
    study lesson, for rural schools. D.B. 863, pp.
      25-26. 1920.
  guards—
    description and use. F.B. 1209, pp. 26-27.
      1921.
    for bird protection. F.B. 621, rev., p. 4. 1921;
      F.B. 760, p. 2. 1916.
    types for protection of street trees. D.B. 816,
      pp. 51-52. 1920.
    use in protection of birds. F.B. 912, p. 4. 1918.
  guying, in repair work, directions. Y.B., 1913,
    pp. 181-182. 1914; Y.B. Sep. 622, pp. 181-182.
    1914.
  handling before planting. F.B. 1209, pp. 20-24.
    1921.
  hardwood—
    forest, insect injuries. A. D. Hopkins. Y.B.,
      1903, pp. 313-328. 1904; Y.B. Sep. 327, pp.
      313-328. 1904.
    heart rots, three undescribed. J.A.R., vol. 1,
      pp. 109-128. 1913.
    relation to budworm attacks on forests. J.A.R.
      vol. 30, pp. 548-550, 553-555. 1925.
  heeling in, before planting, directions. F.B. 1209,
    pp. 18-19. 1921.
  height—
    estimation, experiment. F.B. 468, p. 28. 1911.
    measurement, homemade device. F.B. 715,
      pp. 18-20. 1916.
  historic, seedlings, distribution. Rpt. 73, p. 20.
    1902.
  honey sources, dates of blooming periods. D.B.
    685, pp. 41-44, 48-51. 1918.
  hopper, buffalo—
    control by pruning. News L., vol. 3, No. 10,
      p. 4. 1915.
    description, habits, injuries, and control. F.B.
      1270, p. 68. 1923.
  hosts of—
    bark beetles, given varieties, and evidence of
      attack. Ent. Bul. 83, Pt. I, pp. 15-18. 1909.
    Dendroctonus beetles, table. Ent. T.B. 17,
      Pt. I, pp. 79, 80, 84, 87, 90, 95, 97, 101, 104, 109,
      113, 116, 120, 125, 129, 133, 135, 137, 140, 142, 145,
      150, 156. 1915.
  house lot, protection from mealybugs and ants.
    F.B. 862, p. 15. 1917.

Tree(s)—Continued.
  identification—
    by means of leaves. D.C. 223, pp. 3-7. 1922.
    key to common kinds. F.B. 468, pp. 39-43.
      1911.
  immunity from damage by sheep on western
    ranges, note. Y.B., 1901, p. 345. 1902.
  incense cedar, description, size, height, longevity,
    form, and foliage. D.B. 604, pp. 12-27. 1918.
  index to common and scientific names. M.C. 31,
    p. 16. 1925.
  individual, relation to internal browning of apple.
    D.B. 1104, pp. 16-17. 1922.
  infection age, study methods. D.B. 722, pp. 16-18. 1918.
  infestation by—
    cankerworms, list. D.B. 1238, pp. 5-6. 1924.
    nematodes. Y.B., 1914, pp. 468, 470, 483-485.
      1915; Y.B. Sep. 652, pp. 468, 470, 483-485.
      1915.
  infested—
    disposal for control of beetles. Ent. Cir. 144,
      pp. 3-4. 1912.
    with southern beetles, location. F.B. 276, p. 12.
      1911.
  injections, description, injury by tree doctors, and
    prevention suggestions. F.B. 1270, pp. 81-82.
    1922.
  injured—
    bridge grafting. F.B. 1397, p. 14. 1924.
    by disease, pruning directions. F.B. 1333, pp.
      15-16. 1923.
  injury(ies)—
    by—
      cambium curculio. J.A.R., vol. 28, No. 4,
        pp. 377-386. 1924.
      climbing devices. Y.B. 1913, p. 186. 1914;
        Y.B. Sep. 622, p. 186. 1914.
      flat-headed borers, character of borings.
        D.B. 437, pp. 1-2. 1917.
      fumigation with para-dichlorobenzene. D.B.
        796, pp. 15-21. 1919.
      fungi, relation of fires. D.C. 358, p. 7. 1925.
      insects and diseases. Off. Rec. vol. 2, No.
        32, p. 3. 1923; No. 33, p. 3. 1923.
      insects, prevention. Ent. Bul. 58, pp. 78, 94.
        1910.
      June bugs or May beetles and their grubs.
        F.B. 940, pp. 3, 7, 8-9. 1918.
      kerosene. D.B. 847, p. 37. 1920.
      lead-cable borer. D.B. 1107, pp. 9-11. 1922.
      mice. Off. Rec. vol. 3, No. 34, p. 6. 1924.
      mice, comparison with rabbit injuries.
        Y.B., 1907, pp. 332-333. 1908; Y.B. Sep.
        452, pp. 332-333. 1908.
      rabbits. Y.B., 1907, pp. 332-334. 1908; Y.B.
        Sep. 452, pp. 332-334. 1908.
      red-banded leaf-rollers. D.B. 914, pp. 9, 10.
        1920.
      termites, and protection methods. D.B. 333,
        pp. 18, 22-24, 31. 1916.
      termites, control studies. News L., vol. 3,
        No. 31, p. 5. 1916.
      white ants, and preventive methods. F.B.
        759, pp. 9-10, 18. 1916.
    from—
      coal dust. Off. Rec. vol. 3, No. 14, p. 5. 1924.
      fires and burning of scarred trees. D.B. 1294,
        pp. 6-15. 1924.
    importance in relation to decay. D.B. 1163,
      pp. 5-10, 17. 1923.
    in repair work, precautions. F.B. 1178, pp. 5-6.
      1920.
    prevention. F.B. 1369, pp. 18-19. 1923.
    relation to rot infection. D.B. 722, pp. 20-21,
      24-27. 1918; D.B. 799, pp. 13-15. 1919.
    requiring bridge grafting. F.B. 1369, pp. 1-4.
      1923.
    treatment to prevent borer attacks. F.B.
      1065, pp. 4, 11. 1919.
  inoculation for insect control, warning against.
    F.B. 908, p. 54. 1918.
  insect(s)—
    affecting, investigations. An. Rpts., 1922, pp.
      321-324. 1923; Ent. A. R., 1922, pp. 23-26.
      1922.
    damage and control, investigations. Ent. A.R.
      1924, pp. 24-27. 1924.
    damage, summary and estimates. Ent. Cir.
      129, pp. 3-5. 1910.

Tree(s)—Continued.
  Iowa, native and planted. For. Cir. 154, pp. 1–24. 1908.
  key to common kinds. D.B. 863, pp. 38–42. 1920.
  killing—
    by girdling and poisoning, experiments. J.A.R., vol. 31, pp. 270–274. 1925.
    insects, damages. Off. Rec. vol. 2, No. 45, p. 5. 1923.
  kinds—
    attacked by Lenzites sepiaria, list. B.P.I. Bul. 214 pp. 11–12. 1911.
    suitable for—
      city streets and for various regions. D.B. 816, pp. 14–20. 1920.
      streets in different regions. F.B. 1208, pp. 3–11. 1922.
    used for shelter-belt planting on northern Great Plains. D.L.A. Cir. 1, p. 4. 1916.
  large, moving, successful work of nursery men. Y.B., 1913, p. 188. 1914; Y.B. Sep. 622, p. 188. 1914.
  lawn, fertilizer formula. Y.B., 1907, p. 484. 1908; Y.B. Sep. 463, p. 484. 1908.
  lawns, remedy for evil effects. Soils Bul. 75, pp. 35, 50. 1911.
  leguminous—
    growing for shade, in Porto Rico, advantages to land. P.R. An. Rpt., 1912, pp. 8–9. 1913.
    value for shade in coffee plantations. P.R. Cir. 15, pp. 23–24. 1912.
  lemon, undesirable—
    improvement by top working. D.B. 815, pp. 64–67, 70. 1920.
    replacing by bud-selected trees, desirability. D.B. 815, pp. 67–68, 70. 1920.
  Lisbon-lemon, strains, description and habits. D.B. 815, pp. 4–11. 1920.
  list, injury by flat-headed apple-tree borer. F.B. 1065, p. 5. 1919.
  living, insects injurious to wood of. A. D. Hopkins. Ent. Cir. 126, p. 4. 1910.
  longleaf pine, stands, age, number, size, and yields per acre. D.B. 1061, pp. 19–22. 1922.
  longevity of varieties on Pacific slope, notes. For. [Misc.], "Forest trees for Pacific * * *," pp. 21–436. 1908.
  losses in reproduction areas, causes. D.B. 1176, pp. 15–16. 1923.
  lumber, from Asia, importations and description. Nos. 35287–35303, 35305, B.P.I. Inv. 35, pp. 34–35. 1915.
  Madagascar, importations and description. Nos. 42355–42376, B.P.I. Inv. 46, pp. 8, 82–86. 1919.
  main parts, and their functions. Y.B., 1913, pp. 164–166. 1914; Y.B. Sep. 622, pp. 164–166. 1914.
  marking for—
    cutting, in western yellow pine forests. For. Bul. 101, pp. 49–50. 1911.
    timber sales. D.B. 275, pp. 57–59. 1916.
  measurement—
    for fumigation. Ent. Bul. 79, pp. 26–30. 1909; F.B. 923, pp. 18–19. 1918.
    volume tables, use methods. For. Bul. 96, pp. 61–70. 1912.
  memorials, of soldiers. News L., vol. 6, No. 45, p. 8. 1919.
  mistletoe hosts, list. B.P.I. Bul. 166, pp. 22–23. 1910.
  mixtures—
    for farm planting. F.B. 1123, pp. 5–6. 1921.
    forest planting. D.B. 153, pp. 18–19. 1915.
  moisture content, determination and variation. D.B. 556, p. 9. 1917.
  mold penetration, studies. J.A.R., vol. 26, pp. 219, 223–227. 1923.
  mortality from spruce bud worm, relation to previous growth. F. C. Craighead. J.A.R., vol. 30, pp. 541–555. 1925.
  mulching, advantages and disadvantages. For. Cir. 161, pp. 20, 21. 1909.
  native—
    Alaska, various sections, reconnaissance. Soil Sur. Adv. Sh., 1914, pp. 20–23, 47, 52, 56, 66, 69, 71. 1915; Soils F.O., 1914, pp. 54–57, 81, 86, 90, 100, 103–104, 105. 1919.

Tree(s)—Continued.
  native—continued.
    Arkansas, Ozark region. Soil Sur. Adv. Sh. 1911, pp. 51–95, 109, 123, 126, 151. 1914; Soils F.O., 1911, pp. 1776–1829, 1833, 1842–1844. 1914.
    Missouri, Ozark region. Soil Sur. Adv. Sh., 1911, pp. 40, 45. 1914; Soils F.O., 1911, pp. 1762, 1765. 1914.
    woods, testing for mechanical properties. D.B. 556, p. 47. 1917.
  need of light, measurements, methods, and apparatus. D.B. 1059, pp. 46–59. 1922.
  North American, characteristic growth in natural forest regions. For. [Misc.], "Natural forest * * * ," map. 1910.
  number—
    per acre, forest plantation. For. Bul. 65, pp. 19, 24, 25, 27, 30, 34, 35, 39. 1905.
    required per acre, using different spacing. For. Bul. 76, p. 34. 1909.
  nursery—
    care of before planting. B.P.I. Cir. 118, p. 19. 1913.
    market sales, methods. Rpt. 98, pp. 123–124. 1913.
    protection against canker disease. J.A.R., vol. 13, pp. 339, 342, 343. 1918.
    shipment and care. For. Misc. S–18, pp. 4–5. 1916.
  observation plan, circular letter to teachers. For [Misc.], "A plan for tree * * * ," p. 1. 1909.
  of-heaven—
    shot-hole diseases, occurrence in Texas and description. B.P.I. Bul. 226, p. 79. 1912.
    See also Ailanthus.
  old and decadent, renewal by pruning, directions. F.B., 1333, pp. 1–12, 31. 1923.
  open-headed, pruning methods. F.B. 632, pp. 7–8. 1915.
  orchard—
    banding for gipsy-moth control. D.B. 899, pp. 15–16. 1920. care of, planting, pruning, and cultivating in Nevada. B.P.I. Cir. 118, pp. 19–23. 1913.
    crown-gall inoculation from daisy and other plants. B.P.I. Bul. 213, pp. 44, 76, 77, 79. 1911.
    injuries from—
      barkbeetles and pinhole borers, control studies. F.B. 763, pp. 1–16. 1916.
      pear borer. D.B. 887, pp. 1, 3, 5, 6. 1920.
    marking method. F.B. 794, p. 5. 1917.
    measurement for fumigation. Ent. Bul. 76, pp. 30–35, 39–40. 1908.
    numbering method. F.B. 1333, p. 26. 1923.
    planting plans. F.B. 404, pp. 10–12. 1910.
    protection during grazing. F.B. 1051, p. 21. 1919.
    pruning directions. F.B. 908, p. 59. 1918.
    spraying and pruning. News L., Vol. 6, No. 43, p. 9. 1919.
    top working. G. Harold Powell. Y.B., 1902, pp. 245–258. 1903; Y.B. Sep. 266, pp. 245–258. 1903.
  ornamental—
    diseases. Haven Metcalf. Y.B., 1907, pp. 483–494. 1908; Y.B. Sep. 463, pp. 483–494. 1908.
    for Nevada, recommendations. D.C. 267, pp. 15–16. 1923.
    from Argentina, importations and description. Nos. 42533–42550, B.P.I. Inv. 47, pp. 26–27. 1920.
    introduction from China, description. News L., Vol. 2, No. 51, p. 5. 1915.
    pruning, time and methods. News L., Vol. 3, No. 31, p. 7. 1916.
    tests at field station near Mandan, N. Dak. D.B. 1301, pp. 34, 39–40. 1925.
    varietal tests, Huntley farm, 1911 and 1913. W.I.A. Cir. 15, pp. 23–24. 1917.
    See also Shade trees.
  owners, responsibility in care of trees after repair. Y.B., 1913, pp. 187–188. 1914; Y.B. Sep. 622, pp. 187–188. 1914.
  paint, misbranding. N.J. 877. Insect. S.R.A. 46, pp. 1090–1091. 1923.
  physiological functioning, note. D.B. 1233, pp. 2–3. 1924.

Tree(s)—Continued.
pith-ray flecks, occurrence in, and list. For. Cir. 215, pp. 9-10. 1913.
plantations—
 cultivation and care. For. Cir. 161, pp. 19-22. 1909.
 of, protection. M.C. 16, pp. 9-11. 1925.
planters and owners of forest land, practical assistance to. For. Cir. 165, pp. 7. 1909.
planting—
 Arbor Day, spread of custom. D.C.265, pp. 2-4, 6. 1923.
 at field station near Mandan, N. Dak. D.B. 1301, pp. 8-10. 1925.
 Belle Fourche project, 1913, experiments. [Misc.], "The work of the Belle Fourche * * * 1913," pp. 15-16. 1914.
 by farmers. C. R. Tillotson. Y.B., 1911, pp. 257-268. 1912; Y.B. Sep. 566, pp. 257-268. 1912.
 cooperative—
  1906. For. A.R., 1906, pp. 29-31. 1906.
  discussion. An. Rpts., 1905, pp. 218-219, 223. 1905; For. A.R., 1905, pp. 218-219, 223. 1905.
 cost in ash plantations and seedlings per acre. D.B. 299, pp. 46-47. 1915.
 directions. D.B. 816, pp. 45-50. 1920; D.C. 8, p. 23. 1919; D.C. 265, pp. 12-14. 1923; F.B. 888, pp. 15-19. 1917.
 dry-land regions, directions. D.L.A. Cir. 2, p. 2. 1916.
 economic problems. An. Rpts. 1905, p. LIX. 1905; Sec. A.R., 1905, p. LIX. 1905.
 encouragement by women's organizations. D.B. 719, pp. 8, 13. 1918.
 exhibit on a model prairie farm at the Louisiana Purchase Exposition. For. Cir. 29, pp. 8. 1904.
 experiments, Belle Fourche experiment farm—
  1916. W.I.A. Cir. 14, pp. 26-28. 1917.
  1918. D.C. 60, pp. 32-34. 1919.
  1919-1922. D.C. 339, pp. 22-26. 1925.
 farm gullies. News L., vol. 6, No. 31, p. 3. 1919.
 farm woods, location, species, and spacing. F.B. 1177, rev., pp. 20-22. 1920.
 for shelter belts. Off. Rec., vol. 4, No. 34, p. 6. 1925.
 forest reserves. An. Rpts., 1905, pp. 220-222. 1905; For. A.R., 1905, pp. 220-222. 1905.
 Great Plains region. Fred R. Johnson and F. E. Cobb. F.B. 1312, pp. 33. 1923.
 home grounds, precautions. F.B. 1087, pp. 45, 46, 47. 1920.
 home woodlands, desirable kinds. F.B. 1117, pp. 27-31. 1920.
 historic notes. M.C. 16, pp. 1-3. 1225.
 in individual holes, method and cost. D.B. 153, pp. 8, 10. 1915.
 information sources. F.B. 1123, pp. 28-29. 1921.
 irrigated land in South Dakota, Belle Fourche experimental farm. W.I.A. Cir. 9, pp. 25-26. 1916.
 lesson of arbor day. Off. Rec., vol. 1, No. 17, p. 3. 1922.
 memorial. News L., vol. 6, No. 35, p. 2. 1919.
 methods—
  F.B. 1123, pp. 8-11. 1921; M.C. 16, pp. 8-11. 1925.
  merits and cost, discussion. D.B. 153, pp. 7-10. 1915.
 mixtures recommended for—
  Great Plains. F.B. 1312, p. 19. 1923.
  Oklahoma and vicinity. For. Bul. 65, pp. 24, 25, 27, 30, 31, 34, 38, 39. 1905.
 national forests—
  1922. Off. Rec. vol. 2, No. 19, p. 3. 1923.
  value of water sheds in water supply. Y.B., 1914, pp. 74-75. 1915; Y.B. Sep. 633, pp. 74-75. 1915.
 Nebraska, species and methods. M.C. 16, pp. 1-14. 1925.
 need of public help. F.B. 1417, p. 19. 1924.
 Nevada, on irrigated land, suggestions. B.P.I. Bul. 157, pp. 10, 15, 28. 1909.
 orientation, importance in shading crops. For. Bul. 86, pp. 23-27, 32. 1911.
 plans, western Kansas and adjacent regions. For. Cir. 161, pp. 26-29. 1909.

Tree(s)—Continued.
planting—continued.
 precautions, summary. F.B. 888, p. 23. 1917.
 preparation of holes and soil. F.B. 1209, pp. 17-18. 1921.
 rural school grounds. Wm. L. Hall. F.B. 134, pp. 32. 1901.
 sand hills of Nebraska and Kansas. For. Bul. 121, pp. 1-49. 1913.
 season, species, and general directions, Nebraska. For. Misc., S-18, rev. pp. 1-13, 1916.
 site selection. M.C. 16, p. 4. 1925.
 South Dakota—
  testing, dry-land and irrigated. W.I.A. Cir. 24, pp. 28-30. 1918.
  varieties adapted. B.P.I. Cir. 119, pp. 19-21. 1913.
 spacing, cultivation, and care. For. Cir. 109, pp. 12-15. 1907.
 species suitable for mixture with ash. D.B. 299, p. 46. 1915.
 successful methods for different trees, different regions. Y.B., 1911, pp. 262-263. 1912; Y.B. Sep. 566, pp. 262-263. 1912.
 time in Nebraska. M.C. 16, pp. 4-5. 1925.
 to control gullying. F.B. 1234, pp. 14-15. 1922.
 value in control of soil erosion. Soils Bul. 71, pp. 41-42. 1917.
 western Kansas and adjacent regions. For. Cir. 161, pp. 1-51. 1909.
 work of—
  Bureau of Forestry. Y.B., 1901, p. 66. 1902.
  railroads, location, areas, and species planted. Stat. Bul. 100, pp. 35-36, 44-45. 1912.
 See also Reforestation.
poisoning by gas, symptoms and treatment. Y.B., 1907, pp. 485-486. 1908; Y.B. Sep. 463, pp. 485-486. 1908.
Porto Rico, names and description. D.B. 354, pp. 56-99. 1916.
powder, adulteration and misbranding. N.J. 919. Insect S.R.A. 47, pp. 17-19. 1924.
principal, of Colorado. N.A. Fauna 33, pp. 212-246. 1911.
protection—
 from—
  animals, insects, and fires. F.B. 1312, pp. 28-30. 1923.
  ants, banding mixtures. F.B. 1101, pp. 6-7. 1920.
  borers, directions. Ent. Cir. 24, rev., pp. 6-7. 1909.
  borers, mice, and rabbits. F.B. 908, pp. 49-50. 1918.
  field mice. F.B. 352, p. 20. 1909.
  injury. Y.B., 1907, pp 485-492. 1908; Y.B. Sep. 463, pp. 485-492. 1908.
  insects, rodents, wind, animals, fire, and diseases. D.B. 153, pp. 19-21. 1915.
  mice by repellent washes and guards. F.B. 1397, p. 7. 1924.
  rabbits, 1907. Y.B., 1907, pp. 340-342. 1908; Y.B. Sep. 452, pp. 340-342. 1908.
  rabbits, 1916. Y.B., 1916, p. 395. 1917; Y.B. Sep. 708, p. 15. 1917.
  rabbits, methods. F.B. 702, pp. 10-12. 1916.
  sun scald. F.B. 727, pp. 28-29. 1916.
 of young growth in woods. F.B. 1177, rev., p. 17. 1920.
pruned, care and protection. F.B. 1333, pp. 25-26, 31. 1923.
pruning—
 directions. F.B. 1178, pp. 6-11. 1920.
 for mistletoe infection, directions. B.P.I. Bul. 166, pp. 25-27. 1910.
 relation to insect injury. F.B. 1169, pp. 15-16. 1921.
 spacing and cultivation at field station near Mandan, N. Dak. D.B. 1301, p. 10. 1925.
pulling on stump land. F.B. 974, p. 8. 1918.
rabbit injuries, preventive measures. F.B. 484, pp. 42-43. 1912.
rapid-growing, adaptable to different localities. Y.B., 1909, pp. 337, 338, 339, 340, 343. 1910; Y.B. Sep. 517, pp. 337, 338, 339, 340, 343. 1910.
record work, object and method. Y.B., 1919, pp. 261-265. 1920; Y.B. Sep. 813, pp. 261-265. 1920.

Tree(s)—Continued.
  relation to—
    grass growing. F.B. 494, pp. 16, 33, 47. 1912.
    woodpeckers and wood products. W. L. McAtee. Biol. Bul. 39, pp. 99. 1911.
  removal from slopes, care in cutting to prevent erosion. Y.B., 1918, p. 323. 1919; Y.B. Sep. 779, p. 9. 1919.
  repair work, principles. F.B. 1178, p. 5. 1920.
  repairing—
    when desirable. F.B. 1178, p. 27. 1920.
    See also Tree surgery.
  reproduction—
    aid by thinning. M.C. 39, p. 26. 1925.
    effect of forest fires in Idaho. J. A. Larsen. J.A.R., vol. 30, pp. 1177–1197. 1925.
    methods for farm woods. F.B. 1177, rev., pp. 17–23. 1920.
    natural, securing by improvement cuttings. F.B. 1177, rev., p. 18. 1920.
  reservation in cutting, growth rate, factors. D.B. 1176, pp. 3–15. 1923.
  resistant varieties, selection. Ent. Bul. 58, Pt. V, p. 79. 1909.
  roadside, planting in Michigan. News L., vol. 6, No. 49, p. 7. 1919.
  Rocky Mountain region, varieties, age, size, and description. News L., vol. 5, No. 51, p. 13. 1918.
  Rocky Mountains, physiological requirements. Carlos G. Bates. J.A.R., vol. 24, pp. 97–164. 1923.
  root(s)—
    aid in spread of phylloxera. D.B. 903, p. 117. 1921.
    effects on other plants. Soils Bul. 40, pp. 15–20. 1907.
    extent and growth in various species. For. Bul. 86, pp. 34–36. 1911.
  rose, description. F.B. 750, p. 26. 1916.
  scars, persistence. F.B. 1178, p. 28. 1920.
  school grounds, cultural directions, various localities. F.B. 218, pp. 38–40. 1905.
  scraping, Colorado orchards, methods and value for insect control. D.B. 500, p. 31. 1917.
  second-growth types, varieties, description. For. Bul. 96, pp. 12–14. 1912.
  securing from Nebraska National Forest, application. For. Misc. S-18, pp. 10–12. 1916.
  seed—
    bearing and seedless, species, list, western Kansas. For. Cir. 161, p. 23. 1909.
    collection—
      extraction and cleaning. D.B. 475, pp. 3–18. 1917.
      extraction and storage. F.B. 1123, pp. 17–22. 1921.
      preparation and care. Y.B., 1905, pp. 184–186. 1906; Y.B. Sep. 376, pp. 184–186. 1906.
    cottonwood, selection and treatment. D.B. 24, pp. 31–33, 35–36. 1913.
    Douglas fir. D.B. 1200, p. 47. 1924.
    for reproduction, directions for spacing. For. Cir. 118, pp. 12, 14. 1907.
    from Brazil, importation and description. Nos. 34356–34359, B.P.I. Inv. 33, p. 11. 1915.
    growth, studies. Off. Rec., vol. 2, No. 49, p. 3. 1924; Ent. A.R., 1923, p. 32. 1923.
    law for purchase by Secretary in open market. Sol. [Misc.], "Laws applicable * * * Agriculture," sup., p. 61. 1915.
    leaving for reproduction. For. Cir. 171, p. 19. 1909.
    method of clearing hardwood forests. D.B. 285, pp. 36–37. 1915.
    quantity per acre, various species. F.B. 1177, rev., pp. 22–23. 1920.
  seedling(s)—
    causes of losses, table. J.A.R. vol. 30, p. 640. 1925.
    heat resistance. Carlos G. Bates and Jacob Roeser, jr. D.B. 1263, pp. 16. 1924.
    planting and cultivation with corn. For. Cir. 154, p. 20. 1908.
  selection—
    and planting, need of experimental study. Sec. Cir. 183, pp. 11–12. 1921.
    for planting on wood lot. F.B. 1453, pp. 2–4. 1925.

Tree(s)—Continued.
  selection—continued.
    for various localities. D.C. 265, pp. 11–12. 1923.
    setting, for lawn or sidewalk. Y.B., 1907, p. 484. 1908; Y.B. Sep. 463, p. 484. 1908.
  shade—
    bagworm, injurious insect. L. O. Howard and F. H. Chittenden. F.B. 701, pp. 12. 1916.
    care and preservation. F.B. 360, pp. 9–15. 1909.
    deciduous, insects injurious and their control. Jacob Kotinsky. F.B. 1169, pp. 100. 1921.
    defoliation by gipsy and brown-tail moths. Y.B., 1916, pp. 217–218, 219, 226. 1917; Y.B. Sep. 706, pp. 1–2, 3, 10. 1917.
    destruction by field mice. Y.B., 1908, p. 302. 1909; Y.B. Sep. 482, p. 302. 1909.
    diseases—
      1906. Y.B., 1906, p. 507. 1907; Y.B. Sep. 437, p. 507. 1907.
      1907. Y.B., 1907, pp. 483–494, 587–589. 1908; Y.B. Sep. 463, pp. 483–494, 587–589. 1908.
      1908. Y.B., 1908, pp. 537–538. 1909.
    for streets, kinds, culture, and care. D.B. 816, pp. 1–58. 1920.
    for various regions, descriptions. D.B. 816, pp. 20–43. 1920.
    growing in Alaska. Alaska A.R. 1919, p. 26. 1920.
  importance—
    in cities. D.B. 816, pp. 1–6. 1920.
    to towns and cities, and public control. F.B. 1209, pp. 3–9. 1921.
    important importations, description. B.P.I. Inv. 42, pp. 6, 8. 1918.
  injury by—
    bagworm. Ent. Cir. 97, pp. 1–4. 1908.
    green-striped maple worm. Ent. Cir. 110, pp. 1, 3–5. 1909.
    illuminating gas. F.B. 316, pp. 12–14. 1908.
    insects, causes and prevention, discussion. F.B. 1169, pp. 3–10. 1921.
    larvae of leopard moth, and protection. F.B. 708, pp. 1, 3, 5–6, 8–10. 1916.
    leopard moth. Ent. Cir. 109, pp. 1, 3. 1909.
    termites, and protection methods. D.B. 333, pp. 18, 31. 1916.
  injuries—
    F. B. 210, pp. 20–22. 1904.
    causes and prevention. F.B. 360, pp. 9–15. 1909.
    causes, prevention, and treatment. Y.B., 1907, pp. 488–494. 1908; Y.B. Sep. 463, pp. 488–494. 1908.
    to electric wires. F.B. 210, pp. 20–22. 1904.
  injurious insects, review for—
    1901. Y.B., 1901, p. 677. 1902.
    1902. Y.B., 1902, p. 728. 1903.
    1903. Y.B., 1903, p. 563. 1904.
    1904. Y.B., 1904, p. 600. 1905.
    1905. Y.B., 1905, p. 635. 1906.
  insect(s)—
    affecting, 1916, investigations. An. Rpts., 1916, p. 227. 1917; Ent. A.R., 1916, p. 15. 1916.
    affecting, 1923, studies. An. Rpts., 1923, p. 412. 1924; Ent. A.R., 1923, p. 32. 1923.
    attacking, list, under names of trees. F.B. 1169, pp. 95–100. 1921.
    control. Ent. A.R. 1921, p. 28. 1921.
    enemies, combating. F.B. 296, pp. 19–21. 1907.
    enemies, study. An. Rpts., 1908, p. 564. 1909; Ent. A.R., 1908, p. 42. 1908.
    enemy, dangerous, imported: The leopard moth. L. O. Howard and F. H. Chittenden. F.B. 708, pp. 12. 1916.
    injurious, 1907. Y.B., 1907, pp. 549–551. 1908; Y.B. Sep. 472, pp. 549–551. 1908.
    injurious, 1908. Y.B., 1908, pp. 577–578. 1909; Y.B. Sep. 499, pp. 577–578. 1909.
    observations. Ent. Bul. 31, p. 63. 1902.
    inspection, necessity in control of borers. F.B. 708, pp. 9–10. 1916.
    location in pastures. News L., vol. 4, No. 8, p. 2. 1916.
    planting and planning for street. D.B. 816, pp. 6–9. 1920.

INDEX TO PUBLICATIONS, 1901–1925   2467

Tree(s)—Continued.
  shade—continued.
    protection from—
      insects, principles. F.B. 1169, pp. 10–14. 1921.
      red stain fungus. J.A.R., vol. 26, pp. 455–456. 1923.
    pruning—
      and treatment, methods. News L., vol. 3, No. 27, pp. 1, 4. 1916.
      for insect damage. Ent. Bul. 58, p. 7. 1910.
      selection, planting, pruning, and care while young. D.B. 816, pp. 43–53. 1920.
    spacing. F.B. 1209, pp. 11–12. 1921.
    spraying—
      against scale insects. F.B. 723, p. 11. 1916.
      for caterpillars, gipsy and brown-tail. D.B. 480, pp. 11–12. 1917.
      for control of puss caterpillar. D.C. 288, p. 14. 1923.
      with arsenate of lead. Ent. Bul. 67, p. 19. 1907.
    transplanting, directions. F.B. 1209, pp. 18–25. 1921.
    treatment—
      and care after pruning, methods. News L., vol. 3, No. 27, pp. 1, 4. 1916.
      for borer control. F.B. 1154, p. 11. 1920.
      for oyster-shell scale. Ent. Cir. 121, pp. 12–13. 1910.
    value to homes. F.B. 1178, p. 4. 1920.
    Yuma reclamation project. D.C. 75, pp. 69–70. 1920.
    See also Trees, street.
  shelter belt, cultivation, mulching, and pruning. D.L.A. Cir. 4, pp. 1–3. 1919.
  shipment from nursery, and care. M.C. 16, pp. 7–8. 1925.
  silk-cotton, from Ecuador, importation and description. Nos. 43465, 43561, B.P.I. Inv. 49, pp. 28, 44. 1921.
  similarity in growth, basis of lumber grades. D.C. 296, pp. 13–14. 1923.
  size commercially salable and useful. M.C. 39, pp. 24, 29. 1925.
  size in relation to utilization. M.C. 39, p. 30. 1925.
  South Carolina, important for timber, descriptive notes and list. For. Bul. 43, rev., pp. 26–46. 1907.
  spacing—
    for streets. D.B. 816, pp. 9–10. 1920.
    in plantation by species, and number required. F.B. 1123, pp. 11–12. 1921.
  species—
    adaptable to—
      Canal Zone. Rpt. 95, pp. 20–21. 1912.
      shelter belts for northern Great Plains, notes. D.B. 1113, pp. 6–14. 1923.
    for—
      different uses. For. Cir. 161, p. 24. 1909.
      firewood and for lumber, suggestions. Sec. Cir. 79, pp. 7–8. 1917.
      forest planting, North Platte and South Platte Valleys. For. Cir. 100, pp. 15–20. 1907.
      wood lots in various sections. F.B. 711, pp. 3–4. 1916.
    influence on forest management, distribution and description. D.B. 484, Pt. II, pp. 22–28. 1917.
    injured by gipsy and brown-tail moths. F.B. 1335, pp. 8–9, 13–14. 1923.
    noncontrolling in white-pine region, list. D.B. 484, Pt. II, p. 51. 1917.
    recommended for Great Plains, lists and descriptions. F.B. 1312, pp. 5–19. 1923.
    relation of gipsy-moth devastation. D B. 204, pp. 14–15. 1915.
    suited to various localities for windbreaks. F.B. 788, pp. 11–13. 1917.
    utilization studies. Off. Rec., vol. 2, No. 19, p. 3. 1923.
    with tap root, to be raised from seed. For. Bul. 65, p. 23. 1905.
  splitting, prevention. Y.B., 1907, p. 493. 1908; Y.B. Sep. 463, p. 493. 1908.
  sprayed—
    defoliation by subsequent fumigation. F.B. 1321, pp. 46–48. 1923.

Trees(s)—Continued.
  sprayed—continued.
    injury by fumigation. Ent. Bul. 90, Pt. II, pp. 72–73. 1911.
    spraying—
      for control of gipsy and brown-tail moth. F.B. 845, pp. 14–15, 18–19. 1917.
      for greenhouse thrips. Ent. Cir. 151, p. 9. 1912.
      outfits, small and large, and accessories. F.B. 1169, pp. 20–23. 1921.
  spruce and balsam fir, Rocky Mountain region. George B. Sudworth. D.B. 327, pp. 43. 1916.
  stag-headed, cause. Off. Rec., vol. 3, No. 41, p. 5. 1924.
  standing, measurement of diameter and height. F.B. 1210, pp. 27–30. 1921.
  stands, mixed, value in certain conditions. For. Cir. 172, p. 10. 1909.
  starvation, symptoms, and treatment. Y.B., 1907, pp. 484–485. 1908; Y.B. Sep. 463, pp. 484–485. 1908.
  street—
    F. L. Mulford. D.B. 816, pp. 58. 1920.
    care and preservation. F.B. 360, pp. 9–15. 1909.
    injuries, causes, and prevention. F.B. 360, pp. 9–15. 1909.
    kinds for different regions and purposes. F.B. 1208, pp. 3–13. 1922.
    planting and care. F. L. Mulford. F.B. 1209, pp. 35. 1921.
    pruning directions. F.B. 1209, pp. 25–26, 27–30. 1921.
    spraying for insects and diseases. F.B. 1209, pp. 32–33. 1921.
    See also Trees, shade.
  study and use in estimating timber. J.A.R., vol. 30, pp. 609, 622. 1925.
  study by rural schools. F.B. 134, pp. 5–8, 21–31. 1901.
  stumps, high and low. F.B. 358, p. 23. 1909.
  suitable for—
    Nevada, Fallon area, fuel, fences, and windbreaks. Soil Sur. Adv. Sh., 1909, p. 14. 1911; Soils F.O. 1909, p. 1486. 1912.
    various sections, planting suggestions. News L., vol. 2, No. 37, p. 1. 1915.
  surgery—
    J. Franklin Collins. F.B. 1178, pp. 32. 1920.
    chestnut trees, treatment for bark disease. Y.B., 1912, pp. 370–371. 1913; Y.B. Sep. 598, pp. 370–371. 1913.
    commercial work of different firms, comparison. Y.B., 1913, pp. 183–189. 1914; Y.B. Sep. 622, pp. 183–189. 1914.
    directions—
      for filling borer cavities. D.B. 262, p. 7. 1915.
      in chestnut-bark disease. F.B. 467, pp. 18–19. 1911.
    for care of injured trees. F.B. 360, p. 14. 1909.
    for injured or decayed trees, methods and precautions. News L., vol. 1, No. 52, pp. 3–4. 1914.
    instruction for treatment of wounds. Y. B., 1907, pp. 493–494. 1908; Y.B. Sep. 463, pp. 493–494. 1908.
    practical. J. Franklin Collins. Y.B., 1913, pp. 163–190. 1914; Y.B. Sep. 622, pp. 163–190. 1914.
    treatment of wounds, for control of borers. J.A.R., vol. 11, pp. 381, 382. 1917.
  urban. F.B. 360, pp. 9–15. 1909.
  use in orchard renovation. F.B. 1284, pp. 19–21. 1922.
  work—
    and equipment. F.B. 1169, p. 8. 1921.
    commercial, and suggestions for contract. F.B. 1178, pp. 28–29. 1920.
    details and instructions. F.B. 1178, pp. 6–25. 1920.
    See also Grafting; Grafts.
  surplus, arsenic poisoning. News L., vol. 6, No. 29, p. 9. 1919.
  swallows, occurrence, nesting habits, and food. D.B. 619, pp. 3, 15–19, 28. 1918.
  tagging, methods. News L., vol. 6, No. 1, p. 9. 1918.
  tanglefoot, use in insect control. Hawaii A.R., 1910, pp. 39–40. 1911.
  tap-rooted, less injurious as windbreaks. For. Bul. 86, p. 38. 1911.

Tree(s)—Continued.
 thinning—
  and improvement cuttings, suitability for fuel.
   D.B. 753, p. 6. 1919.
  for improvement of woodlands, directions.
   D.B. 863, pp. 23–25. 1920.
 timber—
  from Brazil, importations and description.
   Nos. 41933, 41936–41940, 41943–41945, B.P.I.
   Inv. 46, pp. 36–37. 1919.
  South American, importations and description. Nos. 42321–42332, B.P.I. Inv. 46, pp. 8,
   77–79. 1919.
 tolerance—
  and intolerance of shade, experiments. For.
   Bul. 92, pp. 11–14. 1911.
  of shade, determination methods and experiments. For. Bul. 92, pp. 24–53. 1911.
 tops lapping, methods, cost. For. Bul. 82, p. 25.
  1910.
 tops, use for fuel. D.B. 753, p. 7. 1919.
 transplanting—
  directions. For. Bul. 65, pp. 12–16. 1905.
  experiment with mango. Guam A.R., 1914, pp.
   13–14. 1915.
  precautions. B.P.I. Bul. 166, pp. 29, 30. 1910.
  transporting for planting, precautions. D.B. 816,
   pp. 45–47. 1920.
 tribute by Assistant Secretary Ousley. News
  L., vol. 6, No. 35, p. 2. 1919.
 trunk, technical description of parts. F.B. 1178,
  pp. 4–5. 1920.
 trunks, injury by arsenical sprays. J.A.R., vol.
  8, pp. 307–308. 1917.
 unhealthy, injury by fumigation. Ent. Bul. 90,
  p. 66. 1912.
 use for posts for wire fences, disadvantages and
  dangers. News L., vol. 2, No. 20, p. 3. 1914.
 uses and value on farmstead, choice, and location.
  F.B. 1087, pp. 40–47, 55. 1920.
 valuable—
  dissemination by department. Y.B., 1901,
   p. 38. 1902.
  treatment in wood-lot thinnings. Ent. [Misc.];
   "Some timely suggestions * * *," pp. 6,
   7, 8. 1917.
 value as protection against lightning. F.B. 842,
  pp. 22–23. 1917.
 value to farm, necessity for protection. O.E.S.
  F.I.L. 14, p. 6. 1912.
 varieties—
  damage from termites, and control. F.B. 1037,
   pp. 3, 8, 15. 1919.
  for windbreaks in Belle Fourche irrigation project. B.P.I. Cir. 83, pp. 7–8. 1911.
  liability to lightning stroke, studies, etc. For.
   Bul. 111, pp. 12–36. 1912.
  number and size required for stocking wood lot.
   F.B. 711, p. 2. 1916.
  tested for gipsy-moth injuries. D.B. 250, pp.
   1–39. 1915.
 various kinds—
  growth tables. For. Bul. 36, pp. 187–192. 1910.
  volume tables. For. Bul. 36, pp. 113–186. 1910.
  volume tables, construction by Barrows method.
   J.A.R., vol. 30, pp. 609, 611–615. 1925.
  walnut, Army needs, planting, advisability, and
   methods. News L., vol. 6, No. 8, p. 6. 1918.
 Wasatch Mountains, freezing point depressions
  and osmotic pressures. J.A.R., vol. 28, pp.
  861–866, 876–877. 1924.
 wash, poisoned, use in rabbit control, formula.
  News L., vol. 3, No. 21, p. 2. 1915.
 Washington, eastern Puget Sound Basin, list,
  with water requirements. Soil Sur. Adv. Sh.,
  1909, p. 39. 1911; Soils F.O., 1909, p. 1552.
  1912.
 water requirements, note. D.B. 1233, pp. 2–3.
  1924.
 western yellow-pine, susceptibility to fungous
  and insect attacks. D.B. 580, pp. 22–23. 1917.
 white-pine—
  blister-rust infested, treatment methods and
   time. D.C. 177, pp. 11–17, 19–20. 1921.
  canker wounds, annual inspection needs.
   D.C. 177, pp. 16–17, 20. 1921.
  protection from new infections, blister-rust
   control. D.C. 177, pp. 17–19, 20. 1921.
 wild, food plants of roundheaded apple-tree borer.
  F.B. 675, pp. 3–4. 1915.

Tree(s)—Continued.
 windbreak, value per acre for posts, lumber.
  For. Bul. 86, pp. 78–89. 1911.
 wood-oil. See Wood-oil trees.
 wounds—
  blister-rust control, painting or sealing, methods.
   D.C. 177, pp. 16, 19, 20. 1921.
  care and antiseptic dressing. For. Cir. 161, p.
   23. 1909.
  danger from neglect. F.B. 1178, pp. 3–4. 1920.
  discolorations caused by. D.B. 1128, pp. 17–23.
   1923.
  disinfection before bridge grafting. F.B. 1369,
   pp. 3, 7. 1923.
  entry of fungous diseases. Y.B., 1907, pp. 488,
   491–492. 1908; Y.B. Sep. 463, pp. 488, 491–
   492. 1908.
  importance in relation to decay. D.B. 1163,
   pp. 5–10, 17. 1923.
  painting, tarring, or asphalting for infection
   prevention. News L., vol. 3, No. 27, pp. 1, 4.
   1916.
 protection—
  by paint. F.B. 995, pp. 6–8. 1918.
  directions. D.B. 816, pp. 53, 54. 1920.
  methods. B.P.I. Bul. 149, pp. 36–37. 1909.
  needs and recommendations. F.B. 888, p. 22.
   1917.
 sterilizing and waterproofing. F.B. 1178, pp.
  8–11. 1920.
 treatment—
  B.P.I. Bul. 166, pp. 28–29. 1910; F.B. 388,
   p. 20. 1910; F.B. 360, pp. 10, 14. 1909;
   F.B. 908, p. 58. 1918; F.B. 1169, p. 14.
   1921; Y.B., 1907, p. 493. 1908; Y.B. Sep.
   463. p. 493. 1908; Y.B., 1913, pp. 168–183.
   1914; Y.B. Sep. 622, pp. 168–183. 1914.
  for old orchards. F.B. 491, pp. 13–14. 1912.
  for prevention of insects and disease. D.B.
   255, p. 21. 1915.
  to prevent entrance of borers. D.B. 262, pp.
   6–7. 1915.
 wrapping to prevent borers, directions. F.B.
  1065, p. 12. 1919.
 Wyoming, and shrubs, notes on distribution and
  growth. N.A. Fauna 42, pp. 55–81. 1917.
 young—
  deciduous, packing and shipping directions.
   For. Cir. 55, p. 2. 1907.
  destruction by forest fires. M.C. 7, pp. 7, 9.
   1923.
  forest, packing and shipping. For. Cir. 55, pp.
   2. 1907.
  grazing injuries and per cent of damage. D.B.
   580, pp. 23–25. 1917.
  growing for forest planting. Y.B., 1905, pp.
   183–192. 1906; Y.B. Sep. 376, pp. 183–192.
   1906.
  heading or topping, methods and directions.
   F.B. 1333, pp. 2–7, 30. 1923.
  heeling in. F.B. 776, p. 8. 1916.
  nutrition studies. J.A.R., vol. 24, pp. 801–
   814. 1923.
  protection from—
   cicadas or '17-year locusts." Sec. Cir. 127,
    pp. 10–11. 1919.
   cold and mice. D.B. 816, pp. 46–47, 51–52.
    1920.
   insects, animals, and diseases. D.L.A. Cir.
    4, pp. 3–5. 1919.
   mice and rabbits. Y.B., 1901, p. 603. 1902.
  sacking for locust control. News L., vol. 6, No.
   36, pp. 13–14. 1919.
  zones in—
   Colorado mountains, elevation and climate.
    For. Misc. O–9, pp. 48–49. 1919.
   Washington, graph. D.C. 138, p. 57. 1920.
 See also specific names of trees.
Tree fern—
 growing in Hawaii for starch production. Hawaii
  A.R., 1922, p. 17. 1924.
 Hawaiian, as starch source. J. C. Ripperton.
  Hawaii Bul. 53, pp. 16. 1924.
 importation and description. No. 39578, B.P.I.
  Inv. 41, pp. 43–44. 1917.
 propagation. Hawaii A.R., 1921, pp. 39–40.
  1922.
 source of starch. S.R.S. An. Rpt., 1921, p. 20.
  1921.
 trunks, analyses, use as hog feed, comparison with
  soybeans. Hawaii A.R., 1912, pp. 15, 63. 1913.

Treeless region—
forest trees adaptable, growth and spacing. Y.B., 1911, pp. 259-260. 1912; Y.B. Sep. 566, pp. 259-260. 1912.
pasture plants. Y.B., 1900, pp. 588-595. 1901.
tree species recommended for planting. D.B. 153, p. 35. 1915.
Trefoil—
bean. *See* Buck bean.
bird's-foot—
importations and descriptions. Nos. 48634-48636, B.P.I. Inv. 61, pp. 30-31. 1922.
seeds, description. F.B. 428, pp. 25, 26. 1911.
creeping tick, legume of Guam, description. Guam Bul. 4, p. 27. 1922.
golden. *See* Liverleaf.
shrubby. *See* Wafer-ash.
yellow—
adulterant of alfalfa seed. S.R.S. Syl. 20, p. 10. 1916.
description and value for Cotton States. F.B. 1125, rev., pp. 34-35. 1920.
description of seed, use in adulteration of red-clover seed. F.B. 260, pp. 12-13. 1906.
occurrence, value, uses, and characteristics. B.P.I. Bul. 267, pp. 7-9, 18, 25, 27, 36, 37. 1913.
seed—
adulterant, use, and detection. F.B. 382, pp. 7, 8, 10, 18. 1909.
description. F.B. 428, pp. 5, 7, 25, 33. 1911; S.R.S. Syl. 20, p. 10. 1916.
value as forage and cover crop. B.P.I. Bul. 267, p. 9. 1913.
Trellis(es)—
bamboo, suggestion for. D.B. 1329, pp. 16-17. 1925.
blackberry, description. F.B. 643, p. 7. 1915.
grape, directions for building. F.B. 709, pp. 17-18. 1916; F.B. 1242, pp. 21-22. 1921.
hops, description and methods of training. F.B. 304, pp. 11-17. 1907.
roses adapted for, varieties, planting and pruning. F.B. 750, pp. 8-12. 1916.
Trema micranthum. *See* Guacimilla.
Trematode 58, new name for. B.A.I. Bul. 35, pp. 19-24. 1902.
Trematode 59, new name for. B.A.I. Bul. 35, p. 20. 1902.
Trematodes, two parasites (*Monostomulum lentis* and *Agamodistomum ophthalmobium*) in the human eye. Ch. Wardell Stiles. B.A.I. Bul. 35, pp. 24-35. 1902.
Trembles—
cattle, caused by white snakeroot, experiments. J.A.R., vol. 11, pp. 700-707, 712. 1917.
cause, *Eupatorium ageratoides*. R.S. Curtis and Frederick A. Wolf. J.A.R., vol. 9, pp. 397-404. 1917.
livestock, cause. Off. Rec., vol. 4, No. 2, p. 6. 1925.
or milk sickness, relationship to white snakeroot. Albert C. Crawford. B.P.I. Bul. 121, Pt. I, pp. 20. 1908.
symptoms, description. J.A.R., vol. 9, pp. 399-400. 1917.
Tremella spp., description. D.B. 175, p. 45. 1915.
Tremellaceae, classification, key to genera and description of species. D.B. 175, pp. 44-46. 1915.
Tremelloden gelatinosum, description. D.B. 175, p. 46. 1915.
Tremelucha macer, enemy of cabbage webworm. Ent. Bul. 109, Pt. III, pp. 31-32. 1912.
Trencher—
method of planting trees, description. D.B. 475, pp. 25-26. 1917.
nursery tool, description. D.B. 479, p. 53. 1917.
Trenches—
tile drain, construction machinery. D. L. Yarnell. F.B. 698, pp. 27. 1915.
use in control of traveling cutworms. News L., vol. 3, No. 12, pp. 1-2. 1915.
Trenching—
back-filling devices, use of. F.B. 698, p. 18. 1915.
by machinery, cost. F.B. 698, pp. 19-24. 1915.
celery for temporary storage. F.B. 1269, p. 27. 1922.
drain, in irrigated lands, methods and machines. F.B. 805, pp. 18-22. 1917.

Trenching—Continued.
drainage, methods and cost. D.B. 190, pp. 25-28, 33. 1915.
for concrete pipe, methods and costs. D.B. 906, pp. 13-15. 1921.
machine(s)—
community-owned, crew, and distribution of work. Y.B., 1919, pp. 82, 90-92. 1920; Y.B. Sep. 822, pp. 82, 90-92. 1920.
State-owned, use, and prices to farmers. Y.B., 1919, pp. 85-86. 1920; Y.B. Sep. 822, pp. 85-86. 1920.
types, description, capacity, cost, and selection. F.B. 1131, pp. 4-14, 26. 1920.
use for farm drainage construction. Y.B., 1919, pp. 80-92. 1920; Y.B. Sep. 822, pp. 80-92. 1920.
machinery—
for tile laying. D. L. Yarnell. F.B. 1131, pp. 27. 1920.
use in construction of trenches for tile drains. D. L. Yarnell. F.B. 698, pp. 27. 1915.
potato, for late crops. F.B. 1205, p. 34. 1921.
tile drainage, cost. Y.B., 1914, p. 249. 1915; Y.B. Sep. 640, p. 249. 1915.
trees for destruction of caterpillars. Ent. Cir. 110, p. 7. 1909.
use of machines in farm drainage construction. Y.B., 1919, pp. 80-92. 1920; Y.B. Sep. 822, pp. 80-92. 1920.
Trenton, N. J., milk supply, statistics, officials, and prices. B.A.I. Bul. 46, pp. 30, 115. 1903.
Tres Palacios Rice and Irrigation Co., canal, rice irrigation, details. O.E.S. Bul. 222, pp. 44-45. 1910.
TRESCOT, T. C.: "Determination of ammonia by the official magnesium oxid method." Chem. Bul. 132, p. 1-20. 1910.
Trespass—
bird reservation, cases reported to Department of Justice. An. Rpts., 1919, p. 492. 1920; Sol. A.R., 1919, p. 24. 1919.
case(s)—
national forests—
litigation, receipts. An. Rpts., 1908, pp. 416, 423, 427. 1909; For. A.R., 1908, pp. 12, 19, 23. 1908.
prosecution by solicitor. An. Rpts., 1917, pp. 383, 386, 392. 1918; Sol. A.R., 1917, pp. 3, 6, 12. 1917.
timber—
and grazing. An. Rpts., 1910, pp. 385, 397. 1911; For. A.R., 1910, pp. 25, 37. 1910.
fire, and grazing, handled by solicitor during 1911. An. Rpts., 1911, pp. 879-889. 1912; Sol. A.R., 1911, pp. 123-133. 1911.
fire, and grazing, handled by solicitor during 1912. An. Rpts., 1912, pp. 904-908, 1060-1076. 1913; Sol. A.R., 1912, pp. 20-24, 176-192. 1912.
water power, Utah Power-Light Co., decision. An. Rpts., 1917, pp. 164, 183. 1918; For. A.R., 1917, pp. 2, 21. 1917.
fire, timber, and grazing, regulations for national forests. For. [Misc.], "The use book," pp. 72-80. 1913; rev. 1915.
grazing—
by drifting stock in national forests. For. [Misc.], "Grazing trespass * * *," pp. 6. 1908.
litigation, 1909. An. Rpts., 1909, pp. 378, 391. 1910; For. A.R., 1909, pp. 10, 23. 1909.
preventive measures. An. Rpts., 1911, p. 390. 1912; For. A.R., 1911, p. 50. 1911.
regulation. For. [Misc.], "The use book," 1921, p. 2. 1922.
hunting and fishing in national forests, Reg. T-7. For. [Misc.], "The use book," 1921, pp. 71-72. 1922.
investigation methods and criminal procedure. For. [Misc.], "Trespass on national * * *," pp. 58-90. 1922.
national forests—
cases—
administration by solicitor. An. Rpts., 1914, p. 287. 1914; Sol. A.R., 1914, p. 7. 1914.
and actions, 1915. An. Rpts., 1915, p. 334. 1916; Sol. A.R., 1915, p. 8. 1915.
damage, and fines. An. Rpts., 1918, p. 400. 1919; Sol. A.R., 1918, p. 8. 1918.

Trespass—Continued.
  national forests—continued.
    damage and fines—
      1916. An. Rpts., 1916, p. 352. 1917; Sol. A.R., 1916, p. 8. 1916.
      1920. An. Rpts., 1920, pp. 586, 601. 1920.
      definition, Reg. T-7. For. [Misc.], "The use book," 1921, pp. 71-72. 1922.
      District I. P. J. O'Brien. For. [Misc.], "Trespass on * * *," pp. 125. 1922; rev., pp. 88. 1925.
    grazing—
      regulations. For. [Misc.], "The use book," 1913, rev., pp. 69 70. 1915.
      timber, and fire prosecutions. An. Rpts., 1919, p. 477. 1920; Sol. A.R., 1919, p. 9. 1919.
    laws—
      and decisions. Sol. [Misc.], "Forestry laws * * *," pp. 102-118. 1916.
      applicable. Sol. [Misc.], "The national forest manual," pp. 63-75. 1913.
    occupancy. For. [Misc.], "The use book," rev., p. 139. 1915.
    outline for report. For. [Misc.], "Outline for report * * *," p. 1. 1922.
    prosecutions—
      1912. An. Rpts., 1912, pp. 33, 254-255. 1913; Sec. A.R., 1912, pp. 33, 254-255. 1912; Y.B., 1912, pp. 33, 254-255. 1913.
      1913. An. Rpts., 1913, pp. 300, 311-313. 1914; Sol. A.R., 1913, pp. 2, 13-15. 1913.
      regulations. For. [Misc.], "The use book," pp. 90-95. 1906.
    timber—
      1911, receipts. An. Rpts., 1911, p. 364. 1912; For. A.R., 1911, p. 24. 1911.
      1913. An. Rpts., 1913, p. 157. 1914; For. A.R., 1913, p. 23. 1913.
  timber—
    litigation, 1909. An. Rpts., 1909, pp. 378, 387. 1910; For. A.R., 1909, pp. 10, 19. 1909.
    regulations. For. [Misc.], "The use book," rev., pp. 65-68. 1915.
Trestles—
  logging railroads, types and costs. D.B. 711, pp. 191-194. 1918.
  standard-gauge, cost. D.B. 440, p. 53. 1917.
  timbers—
    specifications and grading, rules. For. Bul. 115, pp. 32-40. 1913; For. Bul. 122, pp. 35-40. 1913.
    western hemlock, suitability. For. Bul. 115, p. 42. 1913.
Trevoa trinervia. See Trebu.
Trialeurodes—
  floridensis. See Avocado, white fly.
  spp., occurrence upon cirtus in Florida. J.A.R., vol. 6, No. 12, p. 470. 1916.
Triangular diagram, use in soil solution experiments. Soils Bul. 70, pp. 16-19. 1910.
Triaspis curculionis, parasite of—
  grape curculio. D.B. 730, p. 15. 1918.
  plum curculio, hosts and description. Ent. Bul. 103, pp. 142-147. 1912.
Tribolium—
  confusum, infestation of cereals. D.B. 15, p. 2. 1913.
  spp.—
    control—
      by paradichlorobenzene, experiments. D.B. 167, pp. 4, 5. 1915.
      in flour mills. D.B. 872, pp. 27-39. 1920.
    See also Flour beetle.
Tricalcium—
  arsenate, preparation, specific gravity, and solubility. J.A.R., vol. 13, pp. 282-287. 1918.
  phosphate, solubility, effect of nitrifying bacteria. J.A.R., vol. 12, pp. 671-683. 1918.
Tricalysia floribunda, importation and description. No. 34169, B.P.I. Inv. 32, p. 18. 1914.
Tricharis ovis, description and occurrence in sheep. F.B. 1150, pp. 48-49. 1920.
Trichiasis, cattle, treatment. B.A.I. [Misc.], "Diseases of cattle," rev., p. 349. 1904; rev., p. 362. 1912; rev., p. 350. 1923.
Trichilia—
  catigua. See Katigua.
  chirindensis, importation and description. No. 54922, B.P.I. Inv. 70, p. 29. 1923.

Trichilia—Continued.
  emetica, importation and description. No. 51284, B.P.I. Inv. 64, p. 84. 1923.
Trichinae—
  American, found in Germany. B.A.I. Bul. 30, pp. 181-186. 1901.
  control—
    by heat study and experiments. J.A.R., vol. 17, pp. 202-221. 1919.
    studies. An. Rpts., 1913, p. 101. 1914; B.A.I. Chief Rpt., 1913, p. 31. 1913; News L., vol. 3, No. 23, p. 2. 1916.
  death by heat and cold. An. Rpts., 1914, p. 97. 1915; B.A.I. Chief Rpts., 1914, p. 41. 1914.
  destruction by cold. An. Rpts., 1915, p. 134. 1916; B.A.I. Chief Rpt., 1915, p. 53. 1915.
  effects of—
    gastric digestion, temperature. J.A.R., vol. 15, pp. 470-480. 1918.
    pork-curing processes. B. H. Ransom, and others. D.B. 880, pp. 37. 1920.
    X-rays. Benjamin Schwartz. J.A.R., vol. 20, pp. 845-854. 1921.
  frozen, effects of artificial digestion. J.A.R., vol. 5, No. 18, pp. 847-849. 1916.
  in pork—
    control methods. An. Rpts., 1918, p. 124. 1918; B.A.I. Chief Rpt., 1918, p. 54. 1918.
    destruction, new method by Animal Industry Bureau: News L., vol. 3, No. 15, p. 4. 1915.
    precautions to insure destruction. B.A.I. S.R.A. 128, pp. 130-131. 1918.
    injury to foreign trade. Y.B., 1922, p. 191. 1923; Y.B. Sep. 882, p. 191. 1923.
    investigations, 1863-1898. D.B. 880, pp. 2-4. 1920.
    meat-inspection regulations. D.B. 880, pp. 1-2. 1920.
    microscopic inspection, discussion. Y.B., 1916, pp. 91-93. 1917; Y.B. Sep. 714, pp. 15-17. 1917.
    studies. News L., vol. 6, No. 52, p. 13. 1919.
  warning in regard to cooking meat—
    1911. An. Rpts., 1911, p. 202. 1912; B.A.I. An. Rpt., 1911, p. 17. 1913; B.A.I. Chief Rpt., 1911, p. 12. 1911.
    1912. An. Rpts., 1912, pp. 307-308. 1913; B.A.I. Chief Rpt., 1912, pp. 11-12. 1912.
  inspection fees, German. B.A.I. Bul. 50, p. 8. 1903.
  intestinal, observations and experiments. J.A.R., vol. 15, pp. 467-482. 1918.
  larvae, decapsuled from salted pork, appearance. D.B. 880, pp. 24-25. 1920.
  refrigeration, experiments and results. J.A.R., vol. 5, No. 18, pp. 819-854. 1916.
  vitality—
    destruction, tests of curing methods. An. Rpts., 1916, p. 130. 1917; B.A.I. Chief Rpt., 1916, p. 64. 1916.
    investigations. An. Rpts., 1917, p. 121. 1917; B.A.I. Chief Rpt., 1917, p. 55. 1917.
Trichinella spiralis—
  cause of trichinosis, destruction by heat. B.A.I. An. Rpt., 1911, p. 17. 1913.
  intestinal forms, studies. J.A.R., vol. 15, pp. 467-482. 1918.
  larvae, refrigeration, effects upon. J.A.R., vol. 5, No. 18, pp. 819-854. 1916.
  See also Trichinae.
Trichinosis—
  danger in—
    raw pork, prevention. B.A.I. An. Rpt., 1907, p. 13. 1908.
    use of raw pork for food. B. H. Ransom, B.A.I. Cir. 108, pp. 6. 1907.
  in Germany. Ch. Wardell Stiles. B.A.I. Bul. 30, pp. 211. 1901.
  infection of dogs and cats, care in disposal of dead animals. News L., vol. 1, No. 4, p. 4. 1913.
  investigation—
    1912. An. Rpts., 1912, p. 382. 1913; B.A.I. Chief Rpt., 1912, p. 86. 1912.
    1914, effects of temperature on trichinae. An. Rpts., 1914, p. 97. 1914; B.A.I. Chief Rpt., 1914, p. 41. 1914.
  parasites, destruction in pork, temperature requirements. News L., vol. 2, No. 49, p. 6. 1915.
  prevention, studies. An. Rpts., 1913, p. 101. 1914; B.A.I. Chief Rpt., 1913, p. 31. 1913.

INDEX TO PUBLICATIONS, 1901-1925   2471

Trichinosis—continued.
  statistics in—
    Europe, American origin. B.A.I. Bul. 30, pp. 156–192. 1901.
    Germany, 1881–1898. B.A.I. Bul. 30, pp. 35–155. 1901.
  studies of vitality of trichinae. An. Rpts., 1915, p. 134. 1916; B.A.I. Chief Rpt., 1915, p. 58. 1915.
  transmission—
    agents. Y.B., 1905, pp. 151–154. 1906.
    by rats. Biol. Bul. 33, p. 32. 1909; Y.B., 1922, pp. 218, 219. 1923; Y.B. Sep. 882, pp. 218, 219. 1923.
    from insanitary slaughterhouses; B.A.I. Cir. 154, p. 4. 1912; B.A.I. An. Rpt., 1908, p. 86. 1910.
Trichisohaeria sacchari. See Rind disease, sugar-cane.
Trichlorethylene, use as vermicide in military camps. Sec. Cir. 61, p. 18. 1916.
Trichloris—
  fasciculata, distribution, description, and feed value. D.B. 201, p. 51. 1915.
  spp., description, distribution, and uses. D.B. 772, pp. 17, 189–191, 192. 1920.
Trichobaris—
  spp., weevils having boll weevil parasites. Ent. Bul. 100, pp. 43, 45, 47, 48, 50, 51, 53, 65, 71, 79. 1912.
  trinotata. See Potato stalk weevil.
Trichochrous texanus, description and injury to cactus blooms. Ent. Bul. 113, p. 32. 1912.
Trichodectes—
  ovis—
    description and control on sheep. F.B. 1150, pp. 5, 6, 7–8. 1920.
    See also Sheep louse.
  scalaris—
    description and treatment. B. A. I. [Misc.] "Diseases of cattle," rev., p. 480. 1904; rev., pp. 524, 525. 1912; rev., pp. 511, 513. 1923.
    See also Louse, cattle, biting.
Trichoderma—
  koningi, cause of sweet-potato rot. J.A.R., vol. 15, pp. 360–361. 1918.
  presence in fermenting bagasse. J.A.R., vol. 30, p. 625. 1925.
  spp.—
    cause of fruit rot, temperature studies. J.A.R., vol. 8, pp. 142, 145. 1917.
    description, and inoculation tests. J.A.R., vol. 15, pp. 546–547. 1918.
    from potatoes in Idaho soils. J.A.R., vol. 13, pp. 80, 96. 1918.
Trichoecius spp., classification and description. Rpt. 108, p. 127. 1915.
Trichogramma—
  minutum—
    enemy of—
      alfalfa caterpillar. D.B. 124, pp. 19–20. 1914; F.B. 1094, p. 8. 1920.
      pink bollworm. D.B. 918, p. 47. 1921.
      sawfly leaf miner. J.A.R., vol. 5, No. 12, pp. 526–527. 1915.
    parasite—
      beneficial, studies. S.R.S. Rpt., 1915, Pt. I, p. 145. 1917.
      of codling moth. D.B. 932, p. 83. 1921.
      of dock false-worm. D.B. 265, p. 34. 1916.
      of European corn borer. F.B. 1294, p. 26. 1922.
      of lotus borer. D.B. 1076, p. 12. 1922.
      of peach and plum leaf sawfly. Ent. Bul. 37, p. 100. 1913; Ent. Bul. 97, Pt. V, p. 100 1911.
      Riley, parasite of codling moth. D.B. 1235, pp. 72, 76. 1924.
    moth parasite, description and studies. Ent. Bul. 91, pp. 256–261. 1911.
  pretiosa—
    enemy of larger cornstalk borer. F.B. 1025, p. 10. 1919.
    parasite—
      of codling moth. Y.B., 1907, p. 443. 1908; Y.B. Sep. 460, p. 443. 1908.
      of cornstalk borer. Ent. Cir. 116, p. 7. 1910.
      on cutworm and pod borer, Hawaii. Hawaii Bul. 34, p. 8. 1914.

Tricholaena—
  rosea—
    forage crop, in Porto Rico. P.R. An. Rpt., 1913, p. 33. 1914.
    See also Natal grass.
  spp., description, distribution, and uses. D.B. 772, pp. 19, 241, 242. 1920.
Tricholepis furcata, importation and description. No. 47815, B.P.I. Inv. 59, p. 63. 1922.
Tricholoma spp., description. Bul. 175, pp. 16–17. 1915.
Tricholyga grandis, parasite of gipsy moth, description and studies. Ent. Bul. 91, pp. 228–229. 1911.
Trichomonas spp., description and occurrence. B.A.I. An. Rpt., 1910, p. 483. 1912; B.A.I. Cir. 194, p. 483. 1912.
Trichopepla semivittata, destruction by birds. Biol. Bul. 15, p. 34. 1901.
Trichophyton tonsurans—
  causative agent of ringworm of sheep. An. Rpts., 1911, p. 234. 1912; B.A.I. Chief Rpt., 1911, p. 44. 1911.
  cause of ringworm. B.A.I. An. Rpt., 1911, p. 55. 1913; B.A.I. [Misc.], "Diseases of cattle," rev., pp. 332–333. 1904; rev., pp. 344–345. 1912; rev., pp. 332–333. 1923; F.B. 1155, p. 37. 1921.
Trichopoda pennipes, parasite of—
  leaf-footed plant bugs. Ent. Bul. 86, p. 92. 1910.
  southern green plant bug. D.B. 689, p. 22. 1918.
Trichoptera, order of insects in the Pribilof Islands, Alaska. N.A. Fauna 46, Pt. II, p. 146. 1923.
Trichosanthes—
  anguina—
    gauda, importations and descriptions. Nos. 51824–51827, B.P.I. Inv. 65, pp. 5, 55. 1923; No. 53908, B.P.I. Inv. 68, p. 7. 1923.
    See also Gourd, snake.
  himalensis, importation and description. No. 47816, B.P.I. Inv. 59, p. 63. 1922.
  kirilowii, importation and description. No. 36118, B.P.I. Inv. 36, p. 55. 1915.
  quinquangulata, importations and descriptions. No. 43266, B.P.I. Inv. 48, p. 36. 1921; No. 49858, B.P.I. Inv. 63, p. 13. 1923.
  spp., importations and descriptions. Nos. 31704–31707, B.P.I. Bul. 248, pp. 39–40. 1912; Nos. 46642, 46739, 46740, B.P.I. Inv. 57, pp. 7, 15, 27. 1922; Nos. 48585, 48586, 48748, B.P.I. Inv. 61, pp. 2, 26, 42. 1922.
Trichoscypha sp., importations and description. No. 45851, B.P.I. Inv. 54, p. 31. 1922; No. 47519, B.P.I. Inv. 59, pp. 6, 26. 1922.
Trichostrongylus spp. See Roundworms.
Trichuris—
  depressiuscula, hematoxins. J.A.R., vol. 22, pp. 420, 427. 1921.
  ovis. See Whipworm, sheep.
  spp. See Whipworms.
Tricondylus—
  ferrugineus, importation and description. No. 35945, B.P.I. Inv. 36, p. 29. 1915.
  fraseri, importation and description. No. 51068, B.P.I. Inv. 64, p. 50. 1923.
  myricoides, importation and description. No. 43580, B.P.I. Inv. 49, p. 46. 1921.
  obliqua. See Radal.
  spp., importations and description. Nos. 44414, 44415, B.P.I. Inv. 50, p. 69. 1922.
Tricosphaera sacchari, injury to sugarcane. P. R. An. Rpt., 1907, p. 37. 1908.
Tricotarsus spp., description and habits. Rpt. 108, pp. 114, 117–118. 1915.
Tricuspidaria, name preferable to Triaenophorus. B.A.I. Bul. 35, pp. 22–24. 1902.
Tridax procumbens, importation and description. No. 47817, B.P.I. Inv. 59, p. 63. 1922.
Tridens spp., distribution, description, and feed value. D.B. 201, p. 52. 1915.
Trifoliosis, caused by alsike clover—
  bastard and Swedish clover. An. Rpts., 1909, p. 231. 1910; B.A.I. Chief Rpt., 1909, p. 41. 1911.
  precautions. F.B. 1151, p. 23. 1920.
Trifolium—
  alexandrinum. See Berseem.
  bianco lodigensis, occurrence in Italy and Russia. B.P.I. Bul. 150, p. 21. 1909.

Trifolium—Continued.
 elegans, new clover for Pacific coast. An. Rpts., 1908, p. 302. 1909; B.P.I. Chief Rpt., 1908, p. 30. 1908.
  infestation by the lesser clover-leaf beetle and curculio. Ent. Bul. 85, pp. 1, 3, 5–6, 9, 12, 36. 1911.
 lupinaster—
  experiments in Alaska. Alaska A.R., 1913, p. 18. 1914.
  growing in Alaska, experiments. Alaska A.R., 1917, pp. 27, 39. 1919.
 spp.—
  African, importation and description. Nos. 51543, 51545, B.P.I. Inv. 65, pp. 2, 24, 25. 1923; Nos. 52335, 52356, 52601, B.P.I. Inv. 66, pp. 11, 14, 49. 1923.
  in Palestine, varieties valuable for United States. B.P.I. Bul. 180, p. 28. 1910.
  investigations, introductions, etc. An. Rpts., 1907, pp. 279–280. 1908.
  See Clovers.
 suaveolens, wild clover, importation from Turkestan, 1909. B.P.I. Bul. 168, pp. 7, 16. 1909.
Trigonella—
 foenum-graecum. See Fenugreek.
 spp., importations and descriptions. Nos. 33295–33301, B.P.I. Inv. 31, pp. 4, 11–12. 1914.
Trimeromicrus maculatus, parasite of chalcid fly, habits. D.B. 812, p. 18. 1920.
Trimethylamine—
 cause of fishy flavor in butter. B.A.I. Dairy [Misc.], "World's dairy congress, 1923," pp. 977–982. 1924; B.A.I. Cir. 146, pp. 7, 8. 1909.
 occurrence in soils, description. Soils Bul. 88, pp. 18–19. 1912.
Trimmings, clothing, selection and care of. F.B. 1089, pp. 18, 26. 1920.
Tringa—
 alpina. See Dunlin.
 canutus, breeding range and migration habits. Biol. Bul. 35, pp. 31–33. 1910.
 spp. See Sandpiper.
Trinidad—
 coconut bud-rot investigations. B.P.I. Bul. 228, pp. 11, 16–17, 30–33. 1912.
 nursery stock inspection, officials. F.H.B.S.R.A. 7, p. 65. 1914; F.H.B.S.R.A. 20, pp. 76–77. 1915; F.H.B.S.R.A. 32, p. 122. 1916.
 rubber plantations, leaf-disease conditions. D.B. 1286, pp. 6–7. 1924.
Trinidad, Colo., milk supply, statistics, officials, prices, and ordinances. B.A.I. Bul. 46, pp. 40, 53. 1903.
TNT—
 as a blasting explosive. Charles E. Munroe and Spencer P. Howell. D.C. 94, pp. 24. 1920.
 use in road construction. Rds. Chief Rpt., 1921, pp. 21, 25. 1921.
Trinitrotoluene. See TNT.
Trinity—
 clay, soils of the eastern United States and their use—XX. Jay A. Bonsteel. Soils Cir. 42, pp. 14. 1911.
 soils, of south Texas, distribution, description, and uses. Soil Sur. Adv. Sh., 1909, p. 62. 1910; Soils F.O., 1909, p. 1086. 1912.
Trinity National Forest, California—
 location, description and area. D.C. 185, p. 12. 1921.
 map and directions to hunters and campers. For. Map Fold. 1915.
 timber uses by small operators. Y.B., 1912, p. 408. 1913; Y.B. Sep. 602, p. 408. 1913.
Trinity River, Tex., description, drainage area, and discharge. O.E.S. Bul. 222, pp. 16–17. 1910.
Triodia spp., description, distribution, and uses. D.B. 772, pp. 10, 73–76, 77, 288. 1920.
Triodontophorus tenuicollis, cause of colon ulcers in horse. An. Rpts., 1918, p. 125. 1918; B.A.I. Chief Rpt., 1918, p. 55. 1918.
Trional tablets, adulteration and misbranding. Chem. N.J. 4324, pp. 454–455. 1916.
Trionfo, Ferro-China, misbranding. Chem. N.J. 4403, pp. 623–624. 1916.
Trionymus americana, enemy of mango. Hawaii A.R., 1907, p. 45. 1908.

Tripe—
 food value. D.B. 1138, pp. 41–42. 1923.
 preparation from beef carcass, and pickling F.B. 1415, pp. 14, 29. 1924.
Triphasia—
 glauca, former classification of *Eremocitrus glauca*. J.A.R., vol. 2, No. 2, pp. 85, 87, 88, 90, 92, 98. 1914.
 trifoliata—
  importation and description. No. 37816, B.P.I Inv. 39, p. 48. 1917.
  See also Bergamot, lime.
Triphleps—
 insidiosus—
  enemy of—
   apple leafhopper. D.B. 805, p. 20. 1919.
   red spider, description. Ent. Cir. 150, pp. 8–9. 1912.
   wheat thrips. J.A.R., vol. 4, p. 223. 1915.
  See also Flower-bug.
 orange thrips, enemy. Ent. T.B. 12, Pt. VII, p. 121. 1909.
 tristicolor, enemy of red spider. Ent. Bul. 117, p. 19. 1913; Ent. Cir. 172, pp. 15–16. 1913.
Triplasis spp., description, distribution and uses. D.B. 772, pp. 10, 76–78, 79. 1920.
Tripod—
 stacker, construction and use. F.B. 1009, p. 10. 1919.
 stump puller, description. F.B. 974, pp. 19–20. 1918.
Tripogon spp., description, distribution, and uses. D.B. 772, pp. 16, 172, 174. 1920.
Tripothonius spp., description. Rpt. 108, pp. 96, 99. 1915.
"Tripping" alfalfa flowers to assist seed setting, experiments. B.P.I. Cir. 24, pp. 8–10. 1909.
Tripsaceae, genera, key, and descriptions of grasses. D.B. 772, pp. 22, 280–288. 1920.
Tripsacum—
 dactyloides. See Gama grass.
 laxum. See Guatemala grass.
 spp., description. B.P.I. Bul. 278, pp. 15, 16–18. 1913.
 spp., description, distribution, and uses. D.B. 772, pp. 22, 280–281, 282. 1920.
Trisetum—
 deyeuxioides, importation and description. No. 51161, B.P.I. Inv. 64, p. 67. 1923.
 spp., description, distribution, and uses. D.B. 772, pp. 13, 107–110. 1920.
 spicatum. See Trisetum, spiked.
 spiked, description, habits, and forage value. D.B. 545, pp. 19–20, 58, 59. 1917.
Trismus. See Lockjaw.
Tristania—
 conferta, importation and description. No. 43783, B.P.I. Inv. 49, p. 76. 1921.
 suaveolens, importation and description. No. 38008, B.P.I. Inv. 39, p. 87. 1917.
Tristeza. See Texas fever.
Trithiobenzaldehyde, occurrence in soils, description. Soils Bul. 88, pp. 25–27. 1912.
Triticum—
 aegilopoides, hybrid of wild wheat and *Aegilops ovata*, notes. B.P.I. Bul. 274, pp. 16, 55. 1913.
 aegilops, susceptibility to aeciospores of *Puccinia triticina*. J.A.R., vol. 22, pp. 163–172. 1921.
 aestivum—
  historical antiquity. B.P.I. Bul. 180, p. 49. 1910.
  host of *Puccinia triticina*. J.A.R., vol. 22, pp. 151–172. 1921.
  importation and description. No. 34126, B.P.I. Inv. 32, p. 13. 1914.
  See also Wheat.
 classification. D.B. 1074, pp. 48–207. 1922.
 compactum, varieties, key. D.B. 1074, p. 173. 1922.
 dicoccum—
  dicoccides, discovery. J.A.R., vol. 19, p. 525. 1920.
  rust resistance in crosses with *T. vulgare*. J.A.R., vol. 19, pp. 523–542. 1920.
  varieties, key. D.B. 1074, p. 194. 1922.
  See also Emmer.
 durum—
  rust resistance in crosses with *T. vulgare*. J.A.R., vol. 19, pp. 523–542. 1920.

INDEX TO PUBLICATIONS, 1901–1925 2473

Triticum—Continued.
 durum—continued.
  varieties, key. D.B. 1074, pp. 184-185. 1922.
  See also Wheat, durum.
 hermonis. See Wheat, wild.
 hybrids, water requirements, studies. J.A.R., Vol. 4, pp. 399-400. 1915.
 monococcum—
  historical antiquity. B.P.I. Bul. 180, pp. 49-50. 1910.
  key. D.B. 1074, p. 199. 1922.
  See also Einkorn.
 polonicum—
  key. D.B.1074, p.198. 1922.
  See also Wheat, Polish.
 spp.—
  behavior of spelt form in crosses. J.A.R., vol. 22, pp. 335-364. 1921.
  crosses and results. J.A.R., vol. 19, pp. 524-526. 1920.
  description, distribution, and uses. D.B. 772, pp. 12, 89-90. 1920.
  hosts of *Gibberella saubinetii*. J.A.R., vol. 20, pp. 1-32. 1920.
  importations and descriptions. Nos. 52318-52323, 52498-52503, 52523-52529, 52546-52565, 52737, 52738, 52830, 52842-52844, B.P.I. Inv. 66, pp. 2, 9-10, 34, 37, 39-40, 69, 82, 83. 1923.
  inheritance of earliness. J.A.R., vol. 29, pp. 333-347. 1924.
  keys. D.B. 1074, pp. 50, 51-57, 173, 181, 194, 196, 199. 1922.
  relation of seed-coat injury and viability to susceptibility to molds and fungicides. J.A.R., vol. 21, No. 2, pp. 99-122. 1921.
  seed, injury from formaldehyde. J.A.R., vol. 20, pp. 209-244. 1920.
  vigor of F_1 of crosses. J.A.R., vol. 22, pp. 54-63. 1921.
  See also Wheats.
 spelta, cross with *T. vulgare*, suppression of awns by fungus. J.A.R., vol. 21, pp. 699-700. 1921.
 speltoides, importation and description. No. 45802, B.P.I. Inv. 54, p. 23. 1922.
 speltum varieties, key. D.B. 1074, p. 196. 1922.
 turgidum—
  varieties, key. D.B. 1074, p. 181. 1922.
  See also Wheat, Poulard.
 vulgare—
  cross with *T. spelta*, suppression of awns by fungus. J.A.R., vol. 21, pp. 699-700. 1921.
  genetics of rust resistance in crosses with varieties of *T. durum* and *T. dicoccum*. H. K. Hayes and others. J.A.R., vol. 19, pp. 523-542. 1920.
  varieties, key to. D.B. 1074, pp. 50-57. 1922.
  See also Wheat.
Tritoxa—
 flexa—
  larvae, description and occurrence in onions. Ent. T.B. 22, pp. 34-36. 1912.
  See also Fly, onion, black.
 incurva. See Fly, loco, yellow.
Triumfetta rhomboidea, importations and descriptions. No. 47818, B.P.I. Inv. 59, p. 63. 1922; No. 50040, B.P.I. Inv. 63, p. 30. 1923.
Trixidin, use in treatment of dourine, experiments. An. Rpts., 1914, p. 84. 1915; B.A.I. Chief Rpt., 1914, p. 28. 1914.
Trocar—
 description, and use in relief of stomach diseases of cattle. B.A.I. [Misc.], "Diseases of cattle," rev., pp. 27-28, 51, 293. 1904; rev., pp. 25-26, 52, 303. 1912; rev., pp. 24, 49. 1923.
 use in cases of cattle bloating. News L., vol. 6, No. 45, p. 3. 1919.
Trochilus alexandri. See Hummingbird.
Trockenkase. *See* Cheese, dry.
Troctes divinatoria. See Book lice.
Troglodytes spp. *See* Wrens.
Troglodytidae, hosts of eye parasite. B.A.I. Bul. 60, p. 49. 1904.
Trogoderma tarsale, injury to tobacco. D.B. 737, p. 30. 1919.
Trogosita caerulea, destruction by birds. Biol. Bul. 15, p. 47. 1901.
Trollius europeus, resistance to teliospores of *Puccinia tritricina*. J.A.R., vol. 22, pp. 155-172. 1921.

Trombicula—
 cinnabaris, adult form of common chigger. J.A.R., vol. 26, p. 402. 1923.
 coarctata. See Chigger, Japanese.
 sp. *See also* Chigger.
 tlalzahuatl, common North American chigger. J.A.R., vol. 26, pp. 401-402. 1923.
Trombidiidae, classification and description. Rpt. 108, pp. 10, 13, 15, 19, 41-44. 1915.
Trombidioidea, classification and description. Rpt. 108, pp. 15, 18, 19, 26-45. 1915.
Trombidium spp.—
 description, habits, and control. Rpt. 108, pp. 41-44. 1915.
 red mite infesting codling moth. Ent. Bul. 80, Pt. I, p. 29. 1909.
 See also Mites.
Trompillo diseases, in Texas, occurrence, and description. B.P.I. Bul. 226, pp. 103, 112. 1912.
Troops, forestry, organization, and work in Corps of Engineers. An. Rpts., 1918, p. 168. 1918; For. A.R., 1918, p. 4. 1918.
Tropacocain reaction, notes. Chem. Bul. 150, p. 43. 1912.
Tropaeolum—
 majus—
  host of *Bacterium solanacearum*. J.A.R., vol. 21, p. 260. 1921.
  See also Nasturtium.
 sp., importation and description. Nos. 35983, 36128, B.P.I. Inv. 35, pp. 33, 57. 1915.
 tuberosum. See Anyu.
Trophies, game, shipment from Alaska—
 1908. Biol. Cir. 66, p. 6. 1908.
 1912. Biol. Cir. 90, p. 10. 1913.
 1919. D.C. 88, p. 18. 1920.
 1920. D.C. 168, p. 18. 1921.
Tropical—
 agriculture—
  problems in new tropical territory. Y.B., 1901, p. 28. 1902.
  promising crops. Y.B., 1901, p. 353. 1902.
 bird(s)—
  red-billed and yellow-billed, description and food habits. D.B. 326, p. 18. 1916.
  red-tailed, occurrence on Laysan Island, number, and description. Biol. Bul. 42, p. 19. 1912.
 climates, fruits adapted. B.P.I. Bul. 151, pp. 56-63. 1909.
 crop(s)—
  Louisiana, relation to cotton. B.P.I. Cir. 130, pp. 11-14. 1913.
  plants, dimorphic branches. O. F. Cook. B.P.I. Bul. 198, pp. 64. 1911.
 dysentery, transmission by house flies, note. F.B. 412, p. 11. 1910.
 food crops, experimental work, Hawaii. S.R.S. An. Rpt., 1921, pp. 2, 19-20. 1921.
 fruits—
  and plants. *See also under specific names.*
  diseases—
   1907. Y.B., 1907, p. 581. 1908; Y.B. Sep. 467, p. 581. 1908.
   1912, study, Porto Rico. An. Rpts., 1912, p. 836. 1913; O.E.S. Chief Rpt., 1912, p. 22. 1912.
  growing, experiments. An. Rpts., 1911, pp. 700, 703. 1912; O.E.S. Chief Rpt., 1911, pp. 18, 21. 1911.
  garden, Chapman Field, Fla. Off. Rec., vol. 2, No. 4, pp. 1, 2. 1923.
 Islands, United States, Agriculture. Y.B., 1901, pp. 349-368. 1902.
 plants—
  agricultural economy, investigations, work. An. Rpts., 1905, pp. 154-155, 159. 1906.
  and subtropical, bionomic investigations. An. Rpts., 1906, p. 204. 1907.
  branches. B.P.I. Bul. 198, pp. 48-55. 1911.
  shipments to Porto Rico, Hawaii, and Panama. An. Rpts., 1906, p. 251. 1907.
 vegetable—
  the chayote. O. F. Cook. Bot. Bul. 28, pp. 31. 1901.
 See also under specific names.
Tropics—
 American, coconut disease, conditions. B.P.I. Bul. 228, pp. 11-18. 1912.

Tropics—Continued.
  eastern—
    and western, coconut disease investigations, necessity. B.P.I. Cir. 36, p. 4. 1909.
    coconut diseases, investigations. B.P.I. Bul. 228, pp. 18–21. 1912.
  milk supply. B.A.I. Dairy [Misc.], "World's dairy congress, 1923," pp. 456–463. 1924.
  salad fruit from, the avocado. G. N. Collins. B.P.I. Bul. 77, pp. 52. 1905.
TROST, J. F.: "Relation of the character of the endosperm to the susceptibility of dent corn to root rotting." D.B. 1062, pp. 7. 1922.
Trotzers, definition and uses. F.B. 1152, p. 17. 1920.
Troubadour, Morgan horse, pedigree. D.C. 199, p. 18. 1921.
Trough Valleys, western tributaries, description. D.B. 54, pp. 31–46. 1914.
Troughs—
  feeding, for hogs, construction, school exercise. D.B. 527, pp. 32–33. 1917.
  grain, sheep feeding. F.B. 810, pp. 21–22. 1917.
  metal, cost and use. F.B. 592, p. 22. 1914.
  use as reservoirs. F.B. 592, p. 19. 1914.
  water, for sheep. F.B. 810, p. 26. 1917.
  watering—
    range stock, building, and cost. F.B. 592, pp. 20–25. 1914.
    use of oil-mixed concrete, methods, and formula. D.B. 230, p. 12. 1915.
    wooden, forms, building and value. F.B. 592, pp. 20–21. 1914.
Troupial, occurrence in Porto Rico, and decrease of species. D.B. 326, pp. 14, 116–117. 1916.
TROUT, C. E.: "The rag-doll seed tester." With others. F.B. 948, pp. 7. 1918.
Trout—
  Athabaska-Mackenzie region. N.A. Fauna 27, pp. 510–511. 1908.
  cold storage holdings, 1918, by months. D.B. 792, pp. 44, 45–46. 1919.
  destruction by mergansers. Biol. Chief Rpt., 1921, pp. 15, 27. 1921.
Trouvelot, Leopold, gipsy moth introduction, accidental. Y.B., 1916, p. 217. 1917; Y.B. Sep. 706, p. 1. 1917.
TROWBRIDGE, P. F.—
  "Phosphorus in flesh." With Louise M. Stanley. Chem. Bul. 132, pp. 158–160. 1910.
  "Report on determination of water in foods." Chem. Bul. 132, pp. 150–153. 1910.
  "The separation of meat proteids." Chem. Bul. 132, pp. 153–158. 1910.
  "Water in foods." Chem. Bul. 137, pp. 138–141. 1911.
Trox sp., destruction by birds. Biol. Bul. 15, p. 47. 1901.
Troy, N. Y., milk supply, statistics, officials, and prices. B.A.I. Bul. 46, pp. 32, 131. 1903.
TRUAX, H. E.—
  "Preparation of strawberries for market." With C. F. More. F.B. 979, pp. 27. 1918.
  "United States grades for Bermuda onions." D.C. 97, pp. 4. 1920.
  "United States grades for northern-grown onions." D.C. 95, pp. 4. 1920.
  "United States grades for potatoes." D.C. 96, pp. 4. 1920.
  "United States grades for sweet potatoes." D.C. 99, pp. 4. 1920.
Truchot lithium determination method. Chem. Bul. 153, pp. 24–26. 1912.
Truck—
  crops—
    acreage—
      and production, 1923. Y.B., 1923, p. 783. 1924; Y.B. Sep. 900, p. 783. 1924.
      by States. Y.B., 1924, p. 734. 1925.
    adaptability of—
      Norfolk sandy loam. Soils Cir. 45, pp. 7, 10–11. 1911.
      Portsmouth sandy loam. Soils Cir. 24, pp. 9–10. 1911.
    adaptation of—
      Norfolk sand, yield, and methods. Soils Cir. 44, pp. 7, 9, 12–14, 17. 1911.
      Wabash silt loam. Soils Cir. 40, p. 8. 1911.
    Algerian, cultivation. B.P.I. Bul. 80, pp. 71–73. 1905.

Truck—Continued.
  crops—continued.
    alkali—
      resistance. F.B. 446, pp. 29, 32. 1911.
      tolerance. F.B. 446, rev., pp. 12, 27–28. 1920.
    breeding experiments and results. B.P.I. Chief Rpt., 1911, pp. 72–73. 1911; An. Rpts., 1911, pp. 320–321. 1912.
    commercial, Truckee-Carson project. B.P.I. Cir. 113, pp. 15–22. 1913.
    condition, weekly reports. News L., vol. 5, No. 44, p. 6. 1918.
    cost of production per acre. Y.B., 1921, p. 829. 1922; Y.B. Sep. 876, p. 26. 1922.
    crop-reporting work, Crop Estimates Bureau. News L., vol. 3, No. 22, p. 5. 1916.
    dependability in Rio Grande district, Texas, studies. D.B. 665, pp. 7–9, 13–15, 24. 1918.
    destruction—
      by cotton rats. Y.B., 1916, p. 386. 1917; Y.B. Sep. 708, p. 6. 1917.
      by harlequin cabbage bug. F.B. 1061, pp. 7, 8–9. 1920.
      in transit on steamboats, suggestion for prevention. Biol. Bul. 33, p. 25. 1909.
    diseases—
      1902. Y.B., 1902, pp. 717–718. 1903.
      1907. Y.B., 1907, pp. 581–585. 1908; Y.B. Sep. 467, pp. 581–585. 1908.
      1908, investigations. An. Rpts., 1908, pp. 288–290. 1909; B.P.I. Chief Rpt., 1908, pp. 16–18. 1908; Y.B., 1908, p. 52. 1909.
      1910, control work. An. Rpts., 1910, pp. 56–57, 287. 1911; B.P.I. Chief Rpt., 1910, p. 17. 1910; Rpt. 93, pp. 41–44. 1911; Sec. A.R., 1910, pp. 56–57. 1910; Y.B., 1910, p. 56. 1911.
      1911, investigations. An. Rpts., 1911, p. 57. 1912; Sec. A.R., 1911, p. 55. 1911; Y.B., 1911, p. 55. 1912.
      1912, control work. An. Rpts., 1912, p. 138. 1913; Sec. A.R., 1912, p. 138. 1912; Y.B., 1912, p. 138. 1913.
      1912, investigations. An. Rpts., 1912, pp. 391, 400. 1913; B.P.I. Chief Rpt., 1912, pp. 11, 20. 1912.
      1917, control work. An. Rpts., 1917, pp. 134, 137. 1917; B.P.I. Chief Rpt., 1917, pp. 4, 7. 1917.
      1918, control studies. An. Rpts., 1918, p. 157. 1918; B.P.I. Chief Rpt., 1918, p. 23. 1918.
      control work and workers, various States. News L., vol. 5, No. 43, p. 11. 1918.
      in frames, control. F.B. 460, pp. 25–27. 1911.
      investigations work of Plant Industry Bureau. News L., vol. 1, No. 11, p. 2. 1913.
      study. Y.B., 1917, p. 77. 1918.
      Texas, occurrence and description. B.P.I. Bul. 226, pp. 34–46. 1912.
    dusting with nicotine sulphate. Roy E. Campbell. D.C. 154, pp. 15. 1921.
    estimates—
      collection and publication. An. Rpts., 1915, p. 279. 1916; Crop. Est. Chief Rpt., 1915, p. 5. 1915.
      methods. Crop Est. Chief. Rpt., 1917, p. 4. 1917; An. Rpts., 1917, p. 298. 1917.
    experiments in handling, precooling, and shipping. News L., vol. 1, No. 50, pp. 2–3. 1914.
    experiments, Nevada, Truckee-Carson project. B.P.I. Bul. 157, pp. 16, 26–27, 33. 1909.
    fertilization with sewage, source of contagious diseases. Y.B., 1916, pp. 347–348. 1917; Y.B., Sep. 712, pp. 1–2. 1917.
    fertilizer(s)—
      experiments. An. Rpts., 1910, pp. 341–342. 1911; B.P.I. Chief Rpt., 1910, pp. 71–72. 1910.
      requirements and composition of various brands. Soils Bul. 58, pp. 23, 31, 34. 1910.
      tests. Soils Bul. 67, pp. 58–73. 1910.
    growing—
      Alaska. Alaska A.R., 1909, pp. 11, 28–32, 40–42, 49–51. 1910.
      and yield on Meadow soil. Soils Cir. 68, pp. 12, 13, 17. 1912.

INDEX TO PUBLICATIONS, 1901–1925 2475

Truck—Continued.
 crops—continued.
  growing—continued.
   and yield on Orangeburg fine sandy loam. Soils Cir. 46, pp. 16, 19. 1911.
   associations, handling of southern-grown potatoes. Y.B., 1907, p. 431. 1908; Y.B. Sep. 459, p. 431. 1908.
   benefit from use of manure. Y.B., 1916, pp. 378–379. 1917; Y.B. Sep. 716, pp. 4–5. 1917.
   Hawaii. Hawaii A.R., 1918, p. 33. 1919.
   irrigated lands, Columbia River Valley. B.P.I. Cir. 60, pp. 17–18. 1910.
   labor and materials, requirements in various States. D.B. 1000, p. 50. 1921.
   labor in New Jersey, 1922. D.B. 1285, pp. 1–38. 1925.
   near Savannah, Ga., opportunities. Soils Cir. 19, pp. 9, 11, 13–14, 16–18. 1909.
   on Clyde soils, yields. D.B. 141, pp. 22, 37, 41, 42–43, 56–57. 1914.
   on Memphis silt loam. Soils Cir. 35, p. 15. 1911.
   on Miami soils, yields. D.B. 142, pp. 19, 39, 49, 55. 1914.
   on mountain farms near markets. F.B. 905, p. 8. 1918.
   on Norfolk fine sand. Soils Cir. 23, pp. 10–14, 15. 1911.
   on Norfolk fine sandy loam. Soils Cir. 22, pp. 9, 11, 13. 1911.
   on Orangeburg fine sand. Soils Cir. 48, pp. 11, 14. 1911.
   on Orangeburg sandy loam, possibilities. Soils Cir. 47, pp. 11, 13. 1911.
   on peat and muck soils. Soil Cir. 65, pp. 7, 8, 14. 1912.
   on Sassafras soils, yields. D.B. 159, pp. 20–26, 27, 31, 33, 36, 45–47, 49. 1915.
   sections, development and markets. Y.B., 1916, pp. 435–436. 1917; Y.B. Sep. 702, pp. 1–2. 1917.
   Umatilla experiment farm, methods and yields. B.P.I. [Misc.], "The work of the Umatilla * * * 1913," pp. 8–10. 1914.
   under irrigation, in Texas, cost of cucumbers and onions. O.E.S. Bul. 222, p. 87. 1910.
   use of heat, methods. F.B. 460, p. 13. 1911.
   Virgin Islands, experiments, 1920. Vir. Is. A.R., 1920, p. 18. 1921.
   Virgin Islands, experiments, 1923. Vir. Is. A.R., 1923, pp. 7–10. 1924.
   with crimson clover. F.B. 550, p. 12. 1913.
   various counties, and areas. See Soil surveys.
  Gulf coast, injury. Off. Rec., vol. 3, No. 10, p. 8. 1924.
  handling—
   methods. Y.B., 1907, pp. 427–434. 1908; Y.B. Sep. 459, pp. 427–434. 1908.
   to control corn borer. F.B. 1294, p. 39. 1922.
  harvesting as seed. Y.B. 1909, p. 280. 1910; Y.B. Sep. 512, p. 280. 1910.
  hosts of onion thrips. F.B. 1007, p. 7. 1919.
  injury by—
   cucumber beetles. Ent. Bul. 82, pp. 69–71, 72, 74, 75, 77, 78. 1912.
   cutworms. Ent. Bul. 57, pp. 9, 10. 1906.
   red-banded leaf-roller. D.B. 914, pp. 1, 5, 6, 7, 9, 10, 12. 1920.
   rodents. F.B. 932, pp. 8, 9, 10. 1918.
   root-knot and losses caused. F.B. 1345, pp. 1–2, 4–5, 8–9. 1923.
   root-lice. Ent. Bul. 85, p. 111. 1911.
   western cabbage flea-beetle. D.B. 902, pp. 1–2, 4–8, 20. 1920.
   worms, control. News L., vol. 7, No. 7, pp. 1–2. 1919.
  insects—
   control. Vir. Is. A.R., 1922, p. 18. 1923.
   injurious. F. H. Chittenden and others. Ent. Bul. 66, pp. 108. 1910; Ent. Bul. 82, pp. 108. 1912.
   injurious, 1907. Y.B., 1907, pp. 543–546. 1908; Y.B. Sep. 472, pp. 543–546. 1908.
   injurious, 1908. An. Rpts., 1908, pp. 547–548. 1909; Ent. A.R., 1908, pp. 25–26. 1908; Y.B., 1908, pp. 570–574. 1909; Y.B. Sep. 499, pp. 570–574. 1909.

Truck—Continued.
 crops—continued.
  insects—continued.
   injurious, investigation. F. H. Chittenden. Ent. [Misc.], "Investigation of insect * * *," p. 1. 1915.
   injurious, investigations, 1910. An. Rpts. 1910, pp. 532–534. 1911; Ent. A.R., 1910, pp. 28–30. 1910.
   injurious, investigations, 1911. An. Rpts. 1911, pp. 517–520. 1912; Ent. A.R., 1911, pp. 27–30. 1911.
   injurious, investigations, 1912. An. Rpts. 1912, pp. 642–645. 1913; Ent. A.R., 1912, pp. 30–33. 1912.
   injurious, investigations, 1913. An. Rpts., 1913, pp. 217–219. 1914; Ent. A.R., 1913, pp. 9–11. 1913.
   injurious, investigations, 1914. An. Rpts., 1914, pp. 194–195. 1914; Ent. A.R., 1914, pp. 12–13. 1914.
   injurious, investigations, 1915. An. Rpts. 1915, pp. 225–227. 1916; Ent. A.R., 1915, pp. 15–17. 1915.
   injurious, investigations, 1916. An. Rpts. 1916, pp. 229–231. 1917; Ent. A.R., 1916, pp. 17–19. 1916.
   injurious, investigations, 1917. An. Rpts. 1917, pp. 241–244. 1918; Ent. A.R., 1917, pp. 15–18. 1917.
   injurious, investigations, 1918. An. Rpts. 1918, pp. 240–242, 248. 1919; Ent. A.R., 1918, pp. 8–10, 16. 1918.
   injurious, investigations, 1919. An. Rpts. 1919, pp. 255–257. 1920; Ent. A.R., 1919, pp. 9–11. 1919.
   injurious, investigations, 1920. An. Rpts. 1920, pp. 318–321. 1921.
   injurious, investigations, 1921. Ent. A.R., 1921, pp. 10–14. 1921.
   injurious, investigations, 1922. An. Rpts., 1922, pp. 314–317. 1922; Ent. A.R., 1922, pp. 16–19. 1922.
   investigations, 1923. An. Rpts., 1923, pp. 400–403. 1923; Ent. A.R., 1923, pp. 20–23. 1923.
   investigations, program for 1915. Sec. [Misc.], "Program of work * * *, 1915," pp. 240–241. 1914.
   miscellaneous, in Louisiana. Thomas H. Jones. D.B. 703, pp. 19. 1918.
   miscellaneous, notes. F. H. Chittenden. Ent. Bul. 66, pp. 93–97. 1910.
   nicotine sulphate in a dust carrier, use against. Roy E. Campbell. D.C. 154, pp. 15. 1921.
   pests, Virgin Islands, host plants and control studies. Vir. Is. A.R., 1921, pp. 12–19, 21–24. 1922.
   pests, Virgin Islands, methods of combating. Charles E. Wilson. Vir. Is. Bul. 4, pp. 35. 1923.
  investigations—
   1910. An. Rpts., 1910, p. 73. 1911; Rpt. 93, p. 53. 1911; Sec. A.R., 1910, p. 73. 1910; Y.B., 1910, p. 72. 1911.
   1919. An. Rpts., 1919, pp. 146–147. 1920; B.P.I. Chief Rpt., 1919, pp. 10–11. 1919.
   1921. B.P.I. Chief Rpt., 1921, pp. 6–9. 1921.
   program for 1915. Sec. [Misc.], "Program of work * * *, 1915," pp. 146–150. 1914.
  June and July, Virginia trucking districts. D.B. 1005, pp. 24–26, 55–58. 1922.
  labor income, relation to crop area, studies in eastern Pennsylvania. D.B. 341, pp. 41–42. 1916.
  Louisiana, miscellaneous insects. Thomas H. Jones. D.B. 703, pp. 19. 1918.
  market news, collection and distribution. News L., vol. 3, No. 35, p. 2. 1916.
  marketing—
   cooperation. F.B. 309, pp. 20–23. 1907.
   methods. Rpt. 98, pp. 161–164, 166, 167, 181, 206, 233, 238, 242, 243, 252. 1913.
   methods, study. An. Rpts., 1912, p. 459. 1913; B.P.I. Chief Rpt., 1912, p. 79. 1912.
   nutrition studies, Norfolk, Va. An. Rpts., 1909, p. 268. 1910; B.P.I. Chief Rpt., 1909. p. 16. 1909.

36167°—32——156

Truck—Continued.
  crops—continued.
    potato(es)—
      as. L. C. Corbett. F.B. 407, pp. 24. 1910.
      growing and marketing in South. F.B. 1205, pp. 5–26. 1921.
      production—
        and varietal experiments at St. Croix Experiment Station. Vir. Is. A.R., 1921, pp. 5–6, 11. 1922.
      soils of eastern Virginia and their uses. J. A. Bonsteel. D.B. 1005, pp. 70. 1922.
      protection from—
        cold. Y.B., 1909, p. 393. 1910; Y.B. Sep. 522, p. 393. 1910.
        grasshoppers. F.B. 691, pp. 1–16. 1915; rev., pp. 18–20. 1920.
      recommended for Umatilla project, Oregon. B.P.I. Doc. 495, pp. 8–9. 1909.
      reports—
        value. News L., vol. 6, No. 19, p. 16. 1918.
        work of Crop Estimates Bureau, 1918. An. Rpts., 1918, pp. 310–312. 1918; Crop Est. Chief Rpt., 1918, pp. 6–8. 1918.
      rotation with sugar beets. D.B. 726, p. 12. 1918.
      sharing methods under lease contracts, various States. D.B. 650, pp. 3, 7, 10–12. 1918.
      September and November, Virginia trucking district. D.B. 1005, pp. 26–28, 58–59. 1922.
      shipment from south Texas, 1907, 1908, 1909. Soil Sur. Adv. Sh., 1909, pp. 88–89. 1910; Soils F.O., 1909, pp. 1112–1113. 1912.
      soils for. B.P.I. Chief Rpt., 1924, pp. 36–37. 1924.
      southern, demand. News L., vol. 7, No. 9, p. 4. 1919.
      statistics, acreage and production—
        1918. Y.B., 1918, p. 563. 1919; Y.B., Sep. 792, p. 59. 1919.
        1919, and value. Y.B., 1919, pp. 621–625. 1920; Y.B. Sep. 827, pp. 621–625. 1920.
        1920, and value. Y.B., 1920, pp. 63–69. 1921; Y.B. Sep. 862, pp. 63–69. 1921.
      • 1921, and value. Y.B., 1921, pp. 647–654. 1922; Y.B. Sep. 869, pp. 67–74. 1922.
        1922, value and shipments. Y.B., 1922, pp. 761–777. 1923; Y.B. Sep. 884, pp. 761–777. 1923.
      studies—
        and publications, 1909. An. Rpts., 1909, p. 342. 1910; B.P.I. Chief Rpt., 1909, p. 90. 1909.
        by experiment stations, results. Work and Exp., 1921, pp. 55–56. 1923.
        various States. Off. Rec., vol. 2, No. 17, p. 6. 1923.
      suggestions for southern planters. Sec. Cir. 142, pp. 17–18. 1919.
      survey and experiments. An. Rpts., 1908, pp. 59, 358. 1909; B.P.I. Chief Rpt., 1908, p. 86. 1908.
      tomatoes, acreage, importance, and source of supply. F.B. 1338, pp. 1–2, 33. 1923.
      United States, development and localization. F. J. Blair. Y.B., 1916, pp. 435–465. 1917; Y.B., Sep. 702, pp. 31. 1917.
      value of heterozygosis. B.P.I. Bul. 243, pp. 47–48. 1912.
      varietal tests, Umatilla experiment farm, 1912, notes. B.P.I. Cir. 129, pp. 28–29. 1913.
      various insects, notes. Ent. Bul. 82, pp. 85–93. 1912.
      Virgin Islands, experiments. Vir. Is. A.R., 1924, pp. 9–12. 1925.
      yields—
        and profits, Jefferson County, Ky. D.B. 678, pp. 18–22. 1918.
        on Norfolk fine sandy loam. Y.B., 1911, p. 231. 1912; Y.B. Sep. 563, p. 231. 1912.
        on small farms near Washington, D. C. D.B. 848, pp. 11–12. 1920.
      See also Vegetables.
    exchanges, potato handling. F.B. 407, p. 24. 1910.
    experiment station, Norfolk, Va.—
      organization. O.E.S. Bul. 247, p. 71. 1912.

Truck—Continued.
  experiment station, Norfolk, Va.—continued.
    work—
      1908. O.E.S. An. Rpt., 1908, pp. 180–181. 1909.
      1909. O.E.S. An. Rpt., 1909, pp. 197–198. 1910.
      1910. O.E.S. An. Rpt., 1910, pp. 257–258. 1911.
  farm-labor in New Jersey, 1922. Josiah C. Folsom. D.B. 1285, pp. 38. 1925.
  farming—
    Atlantic Coast States. Y.B., 1907, pp. 425–434. 1908; Y.B. Sep. 459, pp. 425–434. 1908.
    Arizona, acreage, and receipts. D.B. 654, pp. 3, 40–42. 1918.
    near Washington, D. C., crops, acreage, and distribution. D.B. 848, pp. 3–19. 1920.
    New England, advantages. Y.B., 1913, p. 104. 1914; Y.B. Sep. 617, p. 104. 1914.
    opportunities in southwestern Pennsylvania. Y.B., 1909, pp. 324–327. 1910; Y.B. Sep. 516, pp. 324–327. 1910.
    requirements and possibilities. Y.B., 1908, p. 353. 1909; Y.B. Sep. 487, p. 353. 1909.
  farms—
    irrigation, in North Atlantic States, number, and area. O.E.S. Bul. 167, p. 15. 1906.
    Kentucky, Jefferson County, management, expenses, and profit. D.B. 678, pp. 17–19. 1918.
    New Jersey, southwestern, renting systems. Howard A. Turner. D.B. 411, pp. 20. 1916.
  garden(s)—
    home and commercial, studies and sruveys. News L., vol. 5, No. 3, p. 2. 1917.
    injury by earwigs. Off. Rec. vol. 2, Nos. 32, 33, p. 2. 1923.
    transportation, rates of charge, and industry growth. Edward G. Ward, jr., and Edwin S. Holmes, jr. Stat. Bul. 21, pp. 86. 1901.
  growers' associations, reports and by-laws. Rpt. 98, pp. 166–284. 1913.
  growing—
    frames as a factor. W. R. Beattie. F.B. 460, pp. 29. 1911.
    in frames, control of diseases and insects. F.B. 460, pp. 25–27. 1911.
    soils, Atlantic and Gulf coastal plains, notes. Soils Bul. 78, pp. 17–47, 56–57, 64–66, 68, 69, 72. 1911.
    strawberry as crop. F.B. 1028, p. 8. 1919.
  grown in frames, marketing. F.B. 460, pp. 27–29. 1911.
  marketing—
    conditions, and reduction of waste. Y.B., 1911, pp. 165–176. 1912; Y.B. Sep. 558, pp. 165–176. 1912.
    Hawaii improvements. Y.B., 1915, pp. 136, 138, 140, 143. 1916; Y.B. Sep. 663, pp. 136, 138, 140, 143. 1916.
    local, aid from food production act. News L., vol. 5, No. 3, p. 2. 1917.
  need of truck-growers' organization, discussion. O.E.S. Bul. 182, pp. 69–70. 1907.
  patches, source of supplies for farm families. F.B. 1082, p. 9. 1920.
  products, daily market reports. An. Rpts., 1917, p. 458. 1918; Mkts. Chief Rpt., 1917, p. 28. 1917.
  soils—
    Atlantic Coast region. Jay A. Bonsteel. Y.B., 1912, pp. 417–432. 1913; Y.B. Sep. 603, pp. 417–432. 1913.
    Eastern States, studies. An. Rpts., 1919 p. 239. 1920; Soils Chief Rpt., 1919, p. 5. 1919.
    Virginia, location and value of products. D.B. 46, pp. 3, 5, 9, 10–11, 13, 16, 17. 1913.
Truckee-Carson—
  experiment farm—
    Carl S. Scofield and Shober J. Rogers. B.P.I. Bul. 157, pp. 38. 1909.
    climatic and agricultural conditions, 1912. B.P.I. Cir. 122, pp. 15–17. 1913.
    work, 1912. F. B. Headley. B.P.I. Cir. 122, pp. 13–23. 1913.
  field station—
    crop production under irrigation. Sec. [Misc.] "The work of the Truckee-Carson * * * 1913," p. 138. 1914.

INDEX TO PUBLICATIONS, 1901–1925

Truckee-Carson—Continued.
  field station—continued.
    studies of plant growth and salts. J.A.R., vol. 6, No. 22, pp. 857–868. 1916.
  irrigation project—
    agricultural observations. F. B. Headley and Vincent Fulkerson. B.P.I. Cir. 78, pp. 20. 1911.
    soils, bacteriological studies. Karl F. Kellerman and E. R. Allen. B.P.I. Bul. 211, pp. 36. 1911.
    See also Nevada, Fallon area.
  project—
    climatic conditions. F. B. Headley. B.P.I. Cir. 114, pp. 25–30. 1913.
    Nevada, hints to settlers. Thomas H. Means and Shober J. Rogers. B.P.I. Doc. 451, pp. 8. 1909.
  reclamation project—
    climatic and agricultural conditions—
      1914. W.I.A. Cir. 3, pp. 1–3. 1915.
      1913. [Misc.], "The work of the Truckee-Carson * * *, 1913," pp. 2–4. 1914.
      1916. W.I.A. Cir. pp. 2–7. 1918.
      1917. W.I.A. Cir. 23, pp. 3–8. 1918.
    commercial truck crops. B.P.I. Cir. 113, pp. 15–22. 1913.
    conditions, crop acreage, yield and value, 1912. B.P.I. Cir. 122, pp. 16–17. 1913.
    Experiment Farm, work—
      1913. F. B. Headley. B.P.I. [Misc.], "The work of the Truckee-Carson * * *, 1913," pp. 14. 1914.
      1914. F. B. Headley. W.I.A. Cir. 3, pp. 12. 1915.
      1915. F. B. Headley. W.I.A. Cir. 13, pp. 14. 1916.
      1916. F. B. Headley. W.I.A. Cir. 19, pp. 18. 1918.
      1917. F. B. Headley. W.I.A. Cir. 23, pp. 24. 1918.
    fruit growing. B.P.I. Cir. 118, pp. 17–28. 1913.
    vegetables, growing for home garden. B.P.I. Cir. 110, pp. 21–25. 1913.
    water supply system. O.E.S. Bul. 229, pp. 76–82. 1910.
    weather conditions and temperature, 1915. W.I.A. Cir. 13, pp. 2–4, 1916.
    See also Newlands.
  region, agricultural possibilities. B.P.I. Bul. 157, pp. 16–18, 23–28. 1909.
Truckers, soil preference for various crops, eastern Virginia. D.B. 1005, pp. 32–38, 59–64. 1922.
Trucking—
  industry—
    growth and districts on Atlantic coast. Y.B., 1912, pp. 420, 428–432. 1913; Y.B. Sep. 603, pp. 420, 428–432. 1913.
    growth from 1890 to 1915, principal crops, etc. Y.B., 1916, pp. 436–438. 1917; Y.B. Sep. 702, pp. 2–4. 1917.
    in Iowa, Des Moines County. Soil Sur. Adv. Sh., 1921, p. 1100. 1925.
    introduction and success in Alabama, Butler County. Soil Sur. Adv. Sh., 1907, p. 9. 1909; Soils F.O., 1907, p. 448. 1909.
  interests, development. F. S. Earle. Y.B., 1900, pp. 437–452. 1901; Y.B. Sep. 217, pp. 38. 1901.
  See also Gardening.
Trucks—
  advantages and disadvantages—
    on farms. D.B. 1254, pp. 7–9. 1924.
    reports of farmers. D.B. 931, pp. 8–10. 1921; F.B. 1201, pp. 4–7. 1921.
  and frames, thrashing machine, care and repair. F.B. 1036, p. 12. 1919.
  annual use and distances traveled and costs of operation. D.B. 1254, pp. 16–23. 1924.
  construction for use in abattoirs, and cleaning methods. B.A.I. An. Rpt., 1909, pp. 261–262. 1911; B.A.I. Cir. 173, pp. 261–262. 1911.
  cost—
    depreciation, and cost of operating. D.B. 910, pp. 23, 32–34. 1920.
    of operation and cost per mile. F.B. 1201, pp. 15–18. 1921.
    of repairs, fuel, and tires. D.B. 931, pp. 22–26, 29. 1921.

Trucks—Continued.
  curing hay on, method for good quality of hay during unfavorable weather. H. B. McClure. F.B. 956, pp. 19. 1918.
  depreciation and repairs, cost. F.B. 1201, pp. 16–17. 1921.
  displacement of horses on farms in Eastern States. D.B. 910, pp. 35–36. 1920.
  farm—
    hauling, comparison with horses. D.B. 931, pp. 14–16. 1921.
    motor, operation in the New England Central Atlantic States. L. M. Church. D.B. 1254, pp. 28. 1924.
    utilization for transportation routes. D.B. 770, p. 25. 1919.
  hauling on roads, comparison with horse wagons. D.B. 931, pp. 10–13, 16. 1921.
  hauls, loads and cost for corn, wheat, and cotton. Y.B., 1919, p. 746. 1920; Y.B. Sep. 830, p. 746. 1920.
  hay-curing, equipment, limitations. F.B. 956, pp. 16–18. 1918.
  heavy, use in road building. Rds. Chief Rpt., 1921, pp. 3–4. 1921.
  "home-convenience," use in demonstration work. D.C. 285, p. 13. 1923.
  life and depreciation, costs. D.B. 1254, pp. 18–19. 1924.
  livestock transportation. Off. Rec., vol. 2, No. 5, p. 3. 1923.
  motor—
    Corn Belt farmers' experience with. H. R. Tolley and L. M. Church. D.B. 931, pp. 34. 1921.
    distribution to States, conditions. News L., vol. 6, No. 42, p. 1. 1919.
    effect on roads, testing. News L., vol. 7, No. 5, p. 14. 1919.
    exhibit of data on. Off. Rec., vol. 1, No. 5. p. 6. 1922.
    experience of eastern farmers with. H. R. Tolley and L. M. Church. D.B. 910, pp. 37. 1920.
    for farmers' cooperative association. F.B. 1032, pp. 10–11. 1919.
    hauling cost, comparison with horse-drawn wagons. News L., vol. 6, No. 13, p. 1. 1918.
    in milk trade. Off. Rec., vol. 3, No. 37, p. 5. 1924.
    life and depreciation. D.B. 931, pp. 21–22, 29. 1921.
    on Corn Belt farms. H. R. Tolley and L. M. Church. F.B. 1314, pp. 18. 1923.
    on eastern farms. H. R. Tolley and L. M. Church. F.B. 1201, pp. 23. 1921.
    registrations and—
      licenses. Sec. Cir. 59, pp. 5–6, 8–11. 1916.
      revenues, 1914, by States. Sec. Cir. 49, p. 1. 1915.
    studies. News L., vol. 7, No. 8, p. 7. 1919.
    transportation in New England. An. Rpts., 1923, pp. 469–470. 1924; Rds. Chief Rpt., 1923, pp. 7–8. 1923.
    unprofitableness. News L., vol. 6, No. 30, p. 14. 1919.
  use—
    by farmers, investigations. Rds. Chief Rpt., 1921, p. 43. 1921.
    in extension work. D.C. 190, p. 18. 1921.
    in marketing hogs. News L., vol. 6, No. 36, p. 15. 1919.
    on Corn Belt farms. H. R. Tolley and L. M. Church. D.B. 931, pp. 34. 1921.
  need for bulk handling of grain. F.B. 1290, pp. 14–15. 1922.
  number of registrations. Off. Rec., vol. 2, No. 38, p. 2. 1923.
  operating, costs, summary. D.B. 931, pp. 29–30. 1921.
  operation cost, depreciation, fuel and repairs. D.B. 1254, pp. 18–23. 1924.
  overloading, practices in Connecticut. Off. Rec., vol. 1, No. 10, p. 3. 1922.
  owners reporting in 1922, number and location. D.B. 1254, p. 3. 1924.
  registrations, by States. S.B. 5, pp. 87–88, 89. 1925.

Trucks—Continued.
reliability—
experience of eastern farmers. D.B. 910, pp. 29-32.
factors concerning. D.B. 1254, pp. 24-25. 1924.
return loads to farms. D.B. 910, p. 13. 1920; Off. Rec., vol. 3, No. 36, p. 6. 1924.
saving of time, comparison with horse and wagon. D.B. 910, pp. 11-13. 1920.
size(s)—
average on farms and distance to markets. D.B. 1254, pp. 5-6. 1924.
cost of hauling per mile, comparison. F.B. 1314, pp. 14-16. 1923.
most desirable on farms. D.B. 1254, pp. 9-10. 1924.
preferred by farmers, and relation to time saved. F.B. 1201, pp. 7-8, 9-11. 1921.
surplus war equipment, distribution to States. An. Rpts., 1919, p. 412. 1920; Rds. Chief Rpt., 1919, p. 22. 1919.
tickets, fruit-shipping associations, use and forms. D.B. 590, pp. 6, 38. 1918.
transportation, advantages. Off. Rec. vol. 3, No. 41, p. 4. 1924.
use—
by farmers—
annually. F.B. 1201, p. 15. 1921.
of Eastern States. H. R. Tolley and L. M. Church. D.B. 910, pp. 37. 1920.
relation to number of work stock. F.B. 1201, pp. 21-22. 1921.
in—
curing hay in unfavorable weather. H. B. McClure. F.B. 956, pp. 19. 1918.
movable schools. Off. Rec., vol. 2, No. 7, p. 5. 1923.
transporting milk from country to city, cost. D.B. 639, pp. 12-13. 1918.
TRUE, A. C.—
"A report of the work and expenditures of the agricultural experiment stations for 1900." O.E.S. Bul. 93, pp. 181. 1901.
address on the growth of agricultural extension work. O.E.S. Bul. 238, pp. 7-8. 1911.
"Agricultural experiment stations in foreign countries." With D. J. Crosby. O.E.S. Bul. 112, pp. 276. 1902; rev., 1904.
"Cooperative extension work in agriculture and home economics—
1915." S.R.S. Rpt., 1915, pp. 364. 1917.
1916." S.R.S. Rpt., 1916, pp. 406. 1917.
1917." S.R.S. Rpt., 1917, pp. 416. 1919.
1918." S.R.S. Rpt. 1918, pp. 63. 1921.
1919." S.R.S. Rpt., 1919, pp. 63. 1921.
1920." S.R.S. Rpt., 1920, pp. 53. 1922.
1921." S.R.S. Rpt. 1921, pp. 46. 1923.
1922." S.R.S. Rpt., 1922, pp. 35. 1924.
discussion of Nelson amendment for instruction of teachers, and short courses in agriculture. O.E.S. Bul. 196, pp. 88, 94. 1907.
"Education and research in agriculture and home economics. Report * * * to the Brazil Centennial Exposition." S.R.S. [Misc.], "Education and research * * *," pp. 45. 1923.
"Instruction in agronomy at some agricultural colleges." With D. J. Crosby. O.E.S. Bul. 127, pp. 85. 1903.
"Introduction of elementary agriculture into schools." Y.B., 1906, pp. 151-164. 1907; Y.B. Sep. 413, pp. 151-164. 1907.
"Progress in secondary education in agriculture." Y.B., 1902, pp. 481-500. 1903; Y.B. Sep. 285, pp. 481-500. 1903.
"Report of Director of—
Experiment Stations Office—
1901." An. Rpts., 1901, pp. 175-233. 1901; O.E.S. Chief Rpt., 1901, pp. 59. 1901.
1902." An. Rpts., 1902, pp. 241-304. 1902; O.E.S. Chief Rpt., 1902, pp. 64. 1902.
1903." An. Rpts., 1903, pp. 245-324. 1903; O.E.S. Chief Rpt., 1903, pp. 80. 1903.
1904." An. Rpts., 1904, pp. 445-523. 1904; O.E.S. Chief Rpt., 1904, pp. 79. 1904.
1905." An. Rpts., 1905, pp. 439-494. 1905; O.E.S. Chief Rpt., 1905, pp. 56. 1905.
1906." An. Rpts., 1906, pp. 557-615. 1907; O.E.S. Chief Rpt., 1906, pp. 59. 1906.

TRUE, A. C.—Continued.
"Report of Director of—Continued.
Experiment Stations Office—Continued.
1907." An. Rpt. 1907, pp. 649-715. 1908; O.E.S. Chief Rpt., 1907, pp. 71. 1907.
1908." An. Rpts., 1908, pp. 717-743. 1909; O.E.S. Chief Rpt., 1908, pp. 29. 1908.
1909." An. Rpts. 1909, pp. 683-709. 1910; O.E.S. Chief Rpt., 1909, pp. 31. 1909.
1910." An. Rpts., 1910, pp. 735-766. 1911; O.E.S. Chief Rpt., 1910, pp. 36. 1910.
1911." An. Rpts., 1911, pp. 685-713. 1912; O.E.S. Chief Rpt., 1911, pp. 31. 1911.
1912." An. Rpts., 1912, pp. 819-845. 1913; O.E.S. Chief Rpt., 1912, pp. 31. 1912.
1913." An. Rpts., 1913, pp. 271-284. 1914; O.E.S. Chief Rpt., 1913, pp. 14. 1913.
1914." An. Rpts., 1914, pp. 255-268. 1914; O.E.S. Chief Rpt., 1914, pp. 15. 1914.
1915." An. Rpts., 1915, pp. 295-312. 1916; O.E.S. Chief Rpt., 1915, pp. 18. 1915.
States Relations Service—
1916." An. Rpts., 1916, pp. 297-327. 1917; S.R.S. An. Rpt., 1916, pp. 31. 1916.
1917." An. Rpts., 1917, pp. 323-357. 1918; S.R.S. An. Rpt., 1917, pp. 35. 1917.
1918." An. Rpts., 1918, pp. 335-371. 1919; S.R.S. An. Rpt., 1918, pp. 37. 1918.
1919." An. Rpts., 1919, pp. 353-389. 1920; S.R.S. An. Rpt., 1919, pp. 37. 1919.
1920." An. Rpts., 1920, pp. 445-489. 1921; S.R.S. An. Rpt., 1920, pp. 45. 1920.
1921." S.R.S. An. Rpt., 1921, pp. 59. 1921.
1922." An. Rpts., 1922, pp. 413-459. 1923; S.R.S. An. Rpt., 1922, pp. 47. 1922.
1923." An. Rpts., 1923, pp. 553-614. 1924; S.R.S. An. Rpt., 1923, pp. 62. 1923.
"Research and education in agriculture, including dairying, in the United States." B.A.I. Dairy [Misc.], "World's dairy congress, 1923," pp. 86-100. 1924.
"Secondary education in agriculture." O.E.S. Bul. 228, pp. 17-19. 1910.
"Secondary education in agriculture in the United States." O.E.S. Cir. 91, pp. 11. 1909.
"Some features of recent progress in agricultural education." O.E.S. An. Rpt., 1902, pp. 417-459. 1903.
"Some problems of the rural common school." Y.B., 1901, pp. 133-154. 1902; Y.B. Sep. 233, pp. 133-154. 1902.
"The American system of agricultural education." With Dick J. Crosby. O.E.S. Cir. 83, pp. 27. 1909; O.E.S. Cir. 106, pp. 28. 1911; rev., 1912; O.E.S. Doc. 706, pp. 21. 1904.
"The graduate school of agriculture as a means of improving the pedagogical form of courses in agriculture." O.E.S. Bul. 123, pp. 61-67. 1903.
"The work and expenditures of the agricultural experiment stations for 1900." O.E.S. Bul. 93, pp. 181. 1901.
TRUE, G. H., report of Nevada Experiment Station, 1912. O.E.S. An. Rpt., 1912, pp. 156-159. 1913.
TRUE, R. H.—
"A preliminary study of the forced curing of lemons as practiced in California." With Arthur F. Sievers. B.P.I. Bul. 232, pp. 38. 1912.
"Absorption and excretion of salts by roots, as influenced by concentration and composition of culture solutions. I. Concentration relations of dilute solutions of calcium and magnesium nitrates to pea roots." With Harley Harris Bartlett. B.P.I. Bul. 231, pp. 36. 1912.
"American ginseng." B.P.I. Doc. 477, pp. 3. 1909.
"American-grown paprika pepper." With Thomas B. Young. D.B. 43, pp. 24. 1913.
"Ash absorption by spinach from concentrated soil solutions." With others. J.A.R., vol. 16, pp. 15-25. 1919.
"Ash content in normal and in blighted spinach." With others. J.A.R., vol. 15, pp. 371-375. 1918.
"Carbohydrate production in healthy and in blighted spinach." J.A.R., vol. 15, pp. 381-384. 1918.

TRUE, R. H.—Continued.
"Cultivation of drug plants in the United States." Y.B., 1903, pp. 337-346. 1904; Y.B. Sep. 325, pp. 337-346. 1904.
"Experiments on the value of greensand as a source of potassium in plant culture." With Fred W. Geise. J.A.R., vol. 15, No. 9, pp. 483-492. 1918.
"Nitrogen metabolism in normal and in blighted spinach." With others. J.A.R., vol. 15, pp. 385-404. 1918.
"Orris root culture." Pub. [Misc.], "Orris-root culture," p. 1. 1905.
"Progress in drug-plant cultivation." Y.B., 1905, pp. 533-540. 1906; Y.B. Sep. 401, pp. 533-540. 1906.
"Some factors affecting the keeping qualities of American lemons." With Arthur E. Sievers. B.P.I. Cir. 26, pp. 17. 1909.
"The cultivation of camphor in the United States." With S. C. Hood. Y.B., 1910, pp. 449-460. 1911; Y.B. Sep. 551, pp. 449-460. 1911.
"The molds of cigars and their prevention." D.B. 109, pp. 8. 1914.
Truei group of Peromyscus, key and description. N.A. Fauna 28, pp. 165-184. 1909.
TRUESDELL, L. E.: "Amortization methods for farm mortgage loans." Sec. Cir. 60, pp. 12. 1916.
Truffle, use as food, description. O.E.S. Bul. 245, p. 64. 1912.
TRULLINGER, R. W.—
"Clean water and how to get it on the farm." Y.B., 1914, pp. 139-156. 1915; Y.B. Sep. 634, pp. 18. 1915.
"Progress in agricultural engineering at the stations." O.E.S. An. Rpt., 1922, pp. 95-111. 1924.
"Station work on the ventilation of animal shelters." Work and Exp., 1923, pp. 89-96. 1925.
"Water supply, plumbing, and sewage disposal for country homes." D.B. 57, pp. 46. 1914.
Trumble, rice mill, operation. D.B. 330, pp. 11, 31. 1916.
TRUMBOWER, H. R.: "Highways and highway transportation." With others. Y.B. 1924, pp. 97-184. 1925.
TRUMBOWER, M. R.—
"Diseases of the ear." B.A.I. [Misc.], "Diseases of cattle," rev., pp. 354-356. 1904; rev., pp. 354-356. 1908; rev., pp. 367-370. 1912; rev., pp. 355-357. 1923.
"Diseases of the eye and its appendages." B.A.I. [Misc.], "Diseases of cattle," rev., pp. 340-353. 1904; rev., pp. 340-353. 1908; rev., pp. 352-366. 1912; rev., pp. 340-354. 1923.
"Diseases of the foot." B.A.I. [Misc.], "Diseases of cattle," rev., pp. 335-339. 1904; rev., pp. 335-339. 1908; rev., pp. 347-351. 1912; rev., pp. 335-339. 1923.
"Diseases of the heart, blood vessels, and lymphatics." B.A.I. [Misc.], "Diseases of the horse," rev., pp. 225-250. 1903; rev., pp. 225-250. 1907; rev., pp. 225-250. 1911; rev., pp. 247-273. 1916; rev., pp. 247-273. 1923.
"Diseases of the nervous system." B.A.I. [Misc.], "Diseases of the horse," rev., pp. 190-224. 1903; rev., pp. 190-224. 1907; rev., pp. 190-224. 1911; rev., pp. 210-246. 1916; rev., pp. 210-246. 1923.
"Diseases of the skin." B.A.I. [Misc.], "Diseases of cattle," rev., pp. 320-339. 1904; rev., pp. 320-334. 1908; rev., pp. 332-346. 1912; rev., pp. 320-334. 1923.
"Ophthalmia in cattle." B.A.I. Cir. 65, pp. 2. 1905; B.A.I. Doc. A-14, pp. 2. 1917.
Trumpet—
creeper, diseases, Texas, occurrence and description. B.P.I. Bul. 226, p. 79. 1912.
devil's. See Jimson weed.
tree, importation and description. No. 44182, B.P.I. Inv. 50, p. 39. 1922.
tree. See also Yaruma.
Trunks—
fumigation for moth control. F.B. 1353, pp. 21, 23, 24. 1923.
use of—
basswood in manufacture. D.B. 1007, pp. 39-40. 1922.

Trunks—Continued.
use of—continued.
lumber in Arkansas. For. Bul. 106, p. 20. 1912.
TRUNZ, A., studies of milk composition in relation to lactation. B.A.I. Bul. 155, p. 14. 1913.
TRUOG, EMIL: "Soil survey of Iowa County, Wisconsin." With others. Soil Sur. Adv. Sh., 1910, pp. 29. 1912; Soils F. O., 1910, pp. 1147-1171. 1912.
Truss(es)—
for use in veterinary obstetrics, description. B.A.I. [Misc.], "Diseases of cattle," rev., p. 251. 1912.
steel bridges, types in use. Rds. Bul. 43, p. 20. 1912.
Tryngites subruficollis—
breeding range and migration habits. Biol. Bul. 35, pp. 67-69. 1910.
See also Sandpiper, buff-breasted.
Trypanosoma—
americanum—
common blood parasite of American cattle. Howard Crawley. B.A.I. Bul. 145, pp. 39. 1912.
in blood of American cattle. Howard Crawley. B.A.I. Bul. 119, pp. 21-31. 1909.
brucei—
cause of—
nagana disease. B.A.I. An. Rpt., 1910, p. 477. 1912; B.A.I. Cir. 194, p. 477. 1912; B.A.I. [Misc.], "Diseases of cattle," rev., p. 500. 1923.
tsetse fly disease. B.A.I. [Misc.], "Diseases of cattle," rev., pp. 471-472. 1904; rev., pp. 515-516. 1912; rev., pp. 500-501. 1923.
protozoan transmitted by tsetse fly. B.A.I. [Misc.], "Diseases of cattle," rev., p. 515. 1912.
equinum, cause of mal de caderas. B.A.I., An. Rpt., 1910, p. 478. 1912; B.A.I. Cir. 194, p. 478. 1912.
equiperdum—
cause of dourine—
B.A.I. An. Rpt. 1910, p. 479. 1912; B.A.I. Cir. 194, p. 479. 1912; J.A.R., vol. 18, p. 148. 1919.
discovery in cases. An. Rpts., 1911, p. 233. 1912; B.A.I. Chief Rpt., 1911, p. 43. 1911.
discovery in United States. B.A.I. An. Rpt., 1911, p. 54. 1913.
rat inoculation, and recovery from blood for antigens. J.A.R., vol. 14, pp. 574-575. 1918.
See also Dourine.
evansi—
cause of surra—
B.A.I. An. Rpt., 1907, pp. 29, 34. 1909.
and method of transmission. B.A.I. Cir. 194, pp. 477-478. 1912.
description and transmission. B.A.I. An. Rpt., 1909, pp. 86-87, 88, 97. 1911; B.A.I. Cir. 169, pp. 86-87, 88, 97. 1911.
use in preparation of antigen for dourine. An. Rpts., 1912, p. 361. 1913; B.A.I. Chief Rpt., 1912, p. 65. 1912.
gambiense, cause of sleeping sickness of Africa. B.A.I. An. Rpt., 1910, pp. 476-477. 1912; B.A.I. Cir. 194, pp. 476-477. 1912.
laveran and T. mesnil, priority of Cryptobia leidy, 1846. Howard Crawley. B.A.I. Bul. 119, pp. 16-20. 1909.
spp—
description, transmission, and diseases caused. B.A.I. An. Rpt., 1910, pp. 473-480. 1912; B.A.I. Cir. 194, pp. 473-480. 1912.
spread by dogs. D.B. 260, p. 22. 1915.
Trypanosome(s)—
bovine blood, investigations. An. Rpts., 1909, p. 240. 1910; B.A.I. Chief Rpt., 1909, p. 50. 1909.
description, transmission, and diseases caused thereby. B.A.I. An. Rpt., 1910, pp. 473-480. 1912; B.A.I. Cir. 194, pp. 473-480. 1912.
nature and transmission. B.A.I. Dairy [Misc.], "World's dairy congress, 1923," pp. 1455-1456. 1924.
recovery from the blood of rats, improved method. J.A.R., vol. 14, pp. 573-576. 1918.

Trypanosome(s)—Continued.
 surra, description and transmission. B.A.I. An. Rpt., 1909, pp. 86–87, 88, 97. 1911; B.A.I. Cir. 169, pp. 86–87, 88, 97. 1911.
Trypanosomiasis—
 dromedary disease discovery in imported animals. An. Rpts., 1923, pp. 241–242. 1923; B.A.I. Chief Rpt., 1923, pp. 43–44. 1923.
 equine, investigations, 1910. B.A.I. An. Rpt., 1910, pp. 78, 80. 1912.
 in rats and bandicoots. B.A.I. An. Rpt., 1901, p. 155. 1902.
 spread by biting flies, danger. B.A.I. An. Rpt., 1910, pp. 467, 477–478. 1912; B.A.I. Cir. 194, pp. 467, 477–478. 1912.
Trypeta ludens. See Fruit fly, Mexican; Orange worm.
Trypetidae larvae, description and occurrence. Ent. T.B. 22, pp. 30–34, 36. 1912.
Trypopitys sericeus, occurrence. D.B. 737, p. 7. 1919.
Trypopremnon—
 latithorax, description, and injury to potatoes. J.A.R., vol. 1, pp. 349–350, 352. 1914.
 spp., description. J.A.R., vol. 12, pp. 601, 602–604. 1918.
Trypsin—
 determination in eggs, method. Chem. Cir. 104, p. 2. 1912.
 effect on antitoxin. J.A.R., vol. 13, pp. 485–486. 1918.
Tscherning method of inoculation with bovine tuberculosis. B.A.I. Bul. 53, p. 15. 1914.
Tsetse fly—
 cause of nagana, fatal animal scourge. Y.B., 1919, p. 76. 1920; Y.B. Sep. 802, p. 76. 1920.
 disease—
  of cattle, symptoms and treatment. B.A.I. [Misc.], "Diseases of cattle," rev., pp. 471–472. 1904; rev., pp. 515–516. 1912; rev., pp. 500–501. 1923.
  or nagana. B.A.I. An. Rpt., 1901, p. 140. 1902.
  spread, and description of larvae. Ent. T.B. 22, pp. 11, 25. 1912.
  transmission. B.A.I. An. Rpt., 1910, pp. 467, 477, 479. 1912; B.A.I. Cir. 194, pp. 467, 477, 479. 1912.
  See also Nagana.
Tsuga—
 brunoniana, importation and description. No. 47819, B.P.I. Inv. 59, p. 64. 1922.
 canadensis, hypertrophied lenticels. J.A.R. vol. 20, pp. 255–266. 1920.
 heterophylla, occurrence of *Polyporus dryadeus* on. J.A.R., vol. 1, p. 247. 1913.
 spp.—
  injury by sapsuckers. Biol. Bul. 39, p. 26, 64. 1911.
  susceptibility to dry rot. B.P.I. Bul. 214, p. 12. 1911.
  See also Hemlock.
Tu-Ber-Ku, misbranding. Chem. N.J. 12744. 1925; Chem. N.J. 13630. 1925; Chem. S.R.A. sup. 18, pp. 536–538. 1916.
Tu-chung, importations and description. No. 40028, B.P.I. Inv. 42, pp. 54–55. 1918; Nos. 46061, 56119, B.P.I. Inv. 55, pp. 18, 26. 1922.
Tubbs' remedies, misbranding. See *Indexes, Notices of Judgment, in bound volumes and in separates published as supplements to Chemistry Service and Regulatory Announcements.*
Tuber(s)—
 canna, dipping for control of rots. Hawaii Bul. 54, p. 3. 1924.
 chayote, quality and food value and use. D.C. 286, p. 8. 1923.
 chufa, uses, and chemical examination. J.A.R., vol. 26, pp. 69–75. 1923.
 crops—
  for hogs, experiments. F.B. 411, pp. 36–37. 1910.
  shipments by States, and by stations, 1916. Bul. 667, pp. 11, 125–158. 1918.
 dasheen, planting directions. F.B. 1396, pp. 11–13. 1924.
 diseased—
  disposition. D.C. 214, pp. 7–8. 1922.
  with late-blight rot, disposition. D.C. 220, p. 5. 1922.
  220, p. 5. 1922.

Tuber(s)—Continued.
 edible—
  canna, composition and feeding value. Hawaii Bul. 54, pp. 7–13. 1924.
  preparation for table, instructions. D.B. 123, pp. 24–29. 1916.
 food use, varieties. F.B. 295, pp. 32–41. 1907.
 formation, relation to length of day and night. J.A.R., vol. 23, pp. 889–898. 1923.
 Irish potato—
  composition. J.A.R., vol. 20, pp. 623–635. 1921.
  yield and composition, influence of copper sprays. F. C. Cook. D.B. 1146, pp. 27. 1923.
 moth, potato—
  control. F.B. 953, p. 15. 1918; F.B. 1190, p. 21. 1921; Sec. Cir. 92, p. 32. 1918.
  description, habits, damage, and control. Hawaii Bul. 45, pp. 17, 29. 1920.
 necessity for care in resting period. Y.B., 1901, p. 172. 1902.
 potato—
  anatomy and growth. J.A.R., vol. 14, pp. 233–234, 247–248. 1918.
  composition, effect of certain species of Fusarium on. Lon A. Hawkins. J.A.R., vol. 6, No. 5, pp. 183–196. 1916.
  description, structure, growth, and chemical constitution. J.A.R., vol. 27, pp. 809, 813–819, 823–825. 1924.
  development. Charles F. Clark. D.B. 958, pp. 27. 1921.
  form, effects of environment. J.A.R., vol. 23, pp. 951–956. 1923.
  formation and growth. D.B. 958, pp. 5–16. 1921.
  large and small, comparison of value as seed. F.B. 1332, pp. 14–15. 1923.
  presence of wilt-producing organisms. J.A.R., vol. 21, pp. 823–829. 1921.
  selection and handling, cutting and disinfecting. Hawaii Bul. 45, pp. 6–9. 1920.
  transmission of mosaic. J.A.R., vol. 17, pp. 250, 253–254, 261–262. 1919.
 rot—
  blackleg, of potato, under irrigation. M. Shapovalov and H. A. Edson. J.A.R., vol. 22, pp. 81–92. 1921.
  description and control methods. F.B. 544, pp. 11–13. 1913.
  late-blight, of potato. Off. Rec., vol. 1, No. 23, p. 5. 1922.
  potato—
   caused by species of Fusarium. C. W. Carpenter. J.A.R., vol. 5, No. 5, pp. 183–209. 1915.
   description, cause, and control. F.B. 868, pp. 13–16. 1917; J.A.R., vol. 6, No. 17, pp. 627–640. 1916.
   study under irrigation. J.A.R., vol. 22, pp. 81–92. 1921.
   See also Potato tuber rot.
 selection for control of potato diseases. Sec. Cir. 92, p. 29. 1918.
 skins, and sprouts, of three varieties of potatoes, composition. F. C. Cook. J.A.R., vol. 20, pp. 623–635. 1921.
 truck-crop potatoes, using for seed, practices in South. F.B. 1205, pp. 33–36. 1921.
 unit—
  method of seed-potato improvement. William Stuart. B.P.I. Cir. 113, pp. 25–31. 1913.
  potato-seed selection method, description. F.B. 1332, p. 7. 1923.
  seed-potato growing. F.B. 533, pp. 7–8, 11. 1913.
 use for food. O.E.S. Bul. 245, pp. 39–44. 1912.
 See also Root crops.
Tubercle(s)—
 avian, characteristics. F.B. 1200, pp. 8, 9. 1921.
 bacillus—
  animals and birds, cultures and experiments. B.A.I. An. Rpt., 1906, pp. 135–137, 146–156. 1908.
  avian, culture and experiments. B.A.I. An. Rpt., 1906, pp. 137, 142, 152–155. 1908

Tubercle(s)—Continued.
bacillus—continued.
bovine—
 and human, virulence for guinea pigs and rabbits. B.A.I. An. Rpt., 1904, pp. 159-169. 1905.
 cause of human tuberculosis, discussion. B.A.I. An. Rpt., 1908, pp. 133-138, 140-143. 1910.
 cultures and experiments. B.A.I. An. Rpt., 1906, pp. 135, 146-147. 1908.
 origin, certain variations in morphology. C. N. McBryde. B.A.I. Cir. 60, pp. 5. 1904.
 susceptibility of humans. B.A.I. An. Rpt., 1909, pp. 193-197. 1911.
cause of—
 cattle tuberculosis, development and effects. B.A.I. [Misc.], "Diseases of cattle," rev., pp. 360, 411-415. 1923.
 tuberculosis, method of transmission. Y.B., 1908, pp. 217, 226. 1909; Y.B. Sep. 476, pp. 217, 226. 1909.
change of type by passing through different animals. B.A.I. An. Rpt., 1906, pp. 115, 117-127. 1908.
contamination of milk and dairy products. B.A.I. An. Rpt., 1908, pp. 129-132. 1910.
culture—
 media, phosphates as addition. M. Dorset. B.A.I. Cir. 61, pp. 5. 1904.
 medium. B.A.I. Bul. 52, Pt. I, pp. 9-11. 1904.
danger from, in environment of tuberculous cattle. E. C. Schroeder and W. E. Cotton. B.A.I. Bul. 99, pp. 24. 1907.
description, growth, and transmission. F.B. 473, pp. 12-15. 1911; F.B. 1069, pp. 9-10. 1919; Y.B., 1908, p. 217. 1909; Y.B. Sep. 476, p. 217. 1909.
destruction by sunlight. B.A.I. Cir. 127, pp. 17-20, 21. 1908.
duration of life in cheese. F. C. Harrison. B.A.I. An. Rpt., 1902, pp. 217-218. 1903.
effect of chlorin disinfectants on. J.A.R., vol. 20, pp. 98-100. 1920.
elimination from bodies of cattle, natural method. B.A.I. An. Rpt., 1907, pp. 58, 187-189. 1909; B.A.I. Cir. 143, pp. 187-189. 1909.
entrance into hogs—
 1907. B.A.I. An. Rpt., 1907, p. 220. 1909; B.A.I. Cir. 144, p. 220. 1909.
 1909. Y.B., 1909, pp. 232-234. 1910; Y.B. Sep. 508, pp. 232-234. 1910.
 studies. B.A.I. Cir. 201, pp. 11-13. 1912.
 experiments. An. Rpts., 1905, pp. 30-31. 1905; B.A.I. An. Rpt., p. 30. 1907.
expulsion by infected cattle, method. B.A.I. An. Rpt., 1908, pp. 116-120. 1910.
human—
 and animal description and illustration. B.A.I. An. Rpt., 1906, pp. 117-134, 142. 1908.
 and bovine, comparative virulence for some large animals. E. A. de Schweinitz and others. B.A.I. An. Rpt., 1904, pp. 169-186. 1905; B.A.I. Bul. 52, Pt. II, pp. 31-100. 1905.
 and bovine types, comparative morphology and virulence. B.A.I. An. Rpt., 1908, pp. 133-138, 156. 1910.
 and bovine, virulence for guinea pigs and rabbits. M. Dorset. B.A.I. Bul. 52, Pt. I, pp. 3-29. 1904.
 and bovine types, comparative morphology and virulence. B.A.I. An. Rpt., 1908, pp. 133-136, 156. 1910.
 cultures and experiments. B.A.I. An. Rpt., 1906, pp. 134-135, 139-146. 1908.
 difference in virulence and form. B.A.I. An. Rpt., 1906, p. 116. 1908.
 injection into cows, experiments. B.A.I. An. Rpt., 1908, p. 158. 1910.
 type, found in culture from tuberculous cattle. An. Rpts., 1909, p. 228. 1910; B.A.I. Chief Rpt., 1909, p. 38. 1909.
in—
 butter, and cheese, viability. B.A.I. An. Rpt., 1909, pp. 179-191. 1911.

Tubercle(s)—Continued.
bacillus—continued.
in—continued.
 butter, vitality, and significance. E. C. Schroeder and W. E. Cotton. B.A.I. Cir. 127, pp. 23. 1908.
 butter, vitality and virulence. An. Rpts., 1908, pp. 240, 256. 1909; B.A.I. An. Rpt., 1908, pp. 32, 50, 145. 1910; B.A.I. Chief Rpt., 1908, pp. 26, 42. 1908.
 circulating blood, tests concerning. E. C. Schroeder and W. E. Cotton. B.A.I. Cir. 116, pp. 23. 1909.
 cow feces, infection. B.A.I. Cir. 118, pp. 6, 7, 8, 10, 11, 12, 15, 18. 1907.
 dairy products, occurrence. B.A.I. An. Rpt., 1907, pp. 37, 58, 150, 183, 189. 1909.
 market cheese, prevention. An. Rpts., 1918, pp. 130-131. 1919; B.A.I. Chief Rpt., 1918, pp. 60-61. 1918.
 market milk, cream, butter, and cheese. An. Rpts., 1907, pp. 150-152. 1908; B.A.I. An. Rpt., 1907, pp. 150-151, 183-187, 189-193. 1909; B.A.I. Cir. 143, pp. 183-187, 189-193. 1909.
 market milk, investigations. B.A.I. An. Rpt., 1909, pp. 163-177, 197-199. 1911.
 milk, artificial infection with, experiments. E. C. Schroeder and W. E. Cotton. B.A.I. Bul. 86, pp. 19. 1906.
 milk, cream, and butter, pasteurization as remedy. Y.B., 1908, pp. 223-224, 226. 1909; Y.B. Sep. 476, pp. 223-224, 226. 1909.
 milk distribution, intermittence. B.A.I. Cir. 153, pp. 41-42. 1910.
 milk, investigations. An. Rpts., 1908, pp. 256-257. 1909; B.A.I. An. Rpts., 1908, pp. 50-51. 1910; B.A.I. Chief Rpt., 1908, pp. 42-43. 1908.
 infection of butter and cheese, experiments. B.A.I. Cir. 153, pp. 34-36. 1910.
 longevity in soil. J.A.R., vol. 5, No. 20, pp. 928, 930, 931. 1916.
 modification, bibliography. B.A.I. An. Rpt., 1906, pp. 159-163. 1908.
 of cattle, experiments. B.A.I. Bul. 52, Pt. II, pp. 43-66. 1905.
 of fowls, spread, and animals susceptible to. F.B. 1200, pp. 4-5, 11. 1921.
persistence in—
 animals after injection, and studies in immunity from tuberculosis. E. C. Schroeder B.A.I. Bul. 52, Pt. III, pp. 101-114. 1905.
 tissues of animals after injection. E. C. Schroeder and W. E. Cotton. B.A.I. Bul. 52, Pt. III, pp. 115-125. 1905.
preponderance in butterfat of milk. B.A.I. An. Rpt., 1908, pp. 131, 151. 1910.
resistance to chemical preservatives. F.B. 363, p. 18. 1909.
susceptibility to modification. John R. Mohler and Henry J. Washburn. B.A.I. An. Rpt., 1906, pp. 113-163. 1908.
thermal death point. B.A.I. Bul. 73, p. 9. 1905.
transmission—
 by milk, butter, and cheese. B.A.I. Cir. 153, pp. 26, 31, 34, 43-45. 1910.
 vitality, and destruction. B.A.I. Cir. 153, pp. 39-41. 1910.
 types, relationship, and interchange of hosts. B.A.I. An. Rpt., 1908, pp. 173-174. 1910.
 various, chemical examination. E. A. de Schweinitz and M. Dorset. B.A.I. Cir. 52, pp. 7. 1904.
virulence—
 comparison of human and bovine bacilli, for some large animals. E. A. De Schweinitz and others. B.A.I. Bul. 52, Pt. II, pp. 31-100. 1905.
 of human and bovine, for guinea pigs and rabbits, review of literature. M. Dorset. B.A.I. Bul. 52, Pt. I, pp. 3-9. 1904.
vitality in manure pile. An. Rpts., 1910, p. 276. 1911; B.A.I. Chief Rpt., 1910, p. 82. 1910.
culture—
 attenuated, experiments. B.A.I. Bul. 52, Pt. III, pp. 101-104. 1905.

Tubercle(s)—Continued.
culture—continued.
   innocuous, persistence in tissues. B.A.I. Bul. 52, Pt. III, pp. 122–125. 1905.
   sterile, experiments. B.A.I. Bul. 52, Pt. III, pp. 121–122. 1905.
   formation and development in tuberculosis. B.A.I. [Misc.], "Diseases of cattle," rev., pp. 420–423. 1912.
   leguminous roots, studies, and general history. O.E.S. Bul. 194, pp. 87–92. 1907.
   nitrogen-fixing, on roots of red alder, Washington, eastern Puget Sound Basin. Soil Sur. Adv. Sh., 1909, p. 38. 1911.
   olive, organism, recent studies. Erwin F. Smith. B.P.I. Bul. 131, pp. 25–43. 1908.
   root, on alder trees, beneficial to soil, eastern Puget Sound Basin, Wash. Soils F.O., 1909, p. 1548. 1912; Soil Sur. Adv. Sh., Sep. 1909, p. 36. 1911.
Tuberculin—
   description and preparation method. F.B. 473, p. 19. 1911.
   distribution—
      1896, 1908. An. Rpts., 1908, pp. 36, 167, 252. 1909; B.A.I. An. Rpt., 1908, pp. 47, 99, 105. 1910; B.A.I. Chief Rpt., 1908, pp. 38–39. 1908; B.A.I. An. Rpt., 1908, pp. 38–39. 1910; Sec. A.R., 1908, pp. 34, 165. 1908; Y.B., 1908, pp. 36, 167. 1909.
      1905. B.A.I. An. Rpt., 1905, pp. 31. 1907.
      1906. Y.B., 1906, pp. 347–354. 1907; Y.B. Sep. 428, pp. 347–354. 1907.
      1907. An. Rpts., 1907, pp. 35, 228. 1908; B.A.I. An. Rpt., 1907, p. 52. 1909; Rpt. 85, p. 24. 1907; Sec. A.R. 1907, p. 33. 1907; Y.B., 1907, p. 34. 1908.
      1909. An. Rpts., 1909, p. 59. 1910; B.A.I. An. Rpt., 1909, p. 55. 1911; Rpt. 91, p. 43. 1909; Sec. A.R., 1909, p. 59. 1909; Y.B., 1909, p. 59. 1910.
      1910. An. Rpts., 1910, pp. 51, 271. 1911; B.A.I. An. Rpt., 1910, p. 95. 1912; B.A.I. Chief Rpt., 1910, p. 77. 1910; Rpt. 93, p. 38. 1911; Sec. A.R., 1910, p. 51. 1910; Y.B., 1910, p. 51. 1911.
      1911. An. Rpts., 1911, pp. 53, 247–248. 1912; B.A.I. Chief Rpt., 1911, pp. 57–58. 1911; Sec. A.R., 1911, p. 51. 1912; Y.B. 1911, p. 51. 1912.
      1912. An. Rpts., 1912, pp. 48, 171, 379. 1913; B.A.I. Chief Rpt., 1912, p. 83. 1912; Sec. A.R., 1912, pp. 48, 171. 1912; Y.B., 1912, pp. 48, 171. 1913.
      1913. An. Rpts., 1913, p. 101. 1914; B.A.I. Chief Rpt., 1913, p. 31. 1913.
      1914. An. Rpts., 1914, p. 91. 1915; B.A.I. Chief Rpt., 1914, p. 35. 1914.
      1915. An. Rpts., 1915, p. 126. 1916; B.A.I. Chief Rpt., 1915, p. 50. 1915.
      1916. B.A.I. Chief Rpt., 1916, p. 58. 1916; An. Rpts., 1916, p. 124. 1917.
      1917. An. Rpts., 1917, p. 117. 1918; B.A.I. Chief Rpt., 1917, p. 51. 1917.
      1919. An. Rpts., 1919, p. 129. 1920; B.A.I. Chief. Rpt., 1919, p. 57. 1919.
   doses, method of application. F.B. 351, pp. 4, 8 1909; B.A.I. An. Rpt., 1907, pp. 202, 206. 1909.
   effect on—
      cattle, discussion. B.A.I. [Misc.], "Diseases of cattle," rev., pp. 427–432. 1912.
      nontuberculous animals. Off. Rec. vol. 2, No. 46, p. 5. 1923.
   examination by department. B.A.I. An. Rpt., 1908, p. 162. 1910.
   harmless to healthy animals. Y.B., 1908, p. 222. 1909; Y.B. Sep. 476, p. 222. 1909.
   inspection, of cattle for interstate movement. An. Rpts., 1911, p. 51. 1912; Sec. A.R., 1911, p. 49. 1911; Y.B., 1911, p. 49. 1912.
   intradermal test. D.C. 249, pp. 12–16. 1922; F.B. 1069, pp 15, 16, 25, 29. 1919.
   manufacture, control. An. Rpts., 1915, p. 122. 1916; B.A.I. Chief Rpt., 1915, p. 46. 1915.
   nature and—
      preparation. Off. Rec., vol. 2, No. 41, p. 5. 1923.
      use. Y.B., 1906, pp. 348–349. 1907; Y.B. Sep. No. 428, pp. 348–349. 1907; B.A.I. [Misc.], "Diseases of cattle," rev., p. 425. 1912.

Tuberculin—Continued.
   ophthalmic test, advantages, disadvantages, and directions. D.C. 249, pp. 16–20. 1922.
   origin, nature and application methods. B.A.I. An. Rpt., 1907, pp. 201–207. 1909; F.B. 351, pp. 3–8. 1909
   preparation, decrease in cost. Y.B., 1922, p. 58. 1923; Y.B. Sep. 883, p. 58. 1923.
   production—
      and demand, 1923. An. Rpts., 1923, p. 247. 1924; B.A.I. Chief. Rpt., 1923, p. 49. 1923.
      in department. B.A.I. Chief Rpt., 1925, p. 36. 1925.
      temperature requirements. D.B. 951, p. 1. 1921
   "Special F". Off. Rec., vol. 4, No. 26, p. 2. 1925.
   studies. B.A.I. Chief Rpt., 1924, pp. 30, 34. 1924.
   subcutaneous test. D.C. 249, pp. 6–12. 1922; F.B. 1069, pp. 15, 16, 29. 1919.
   test(s)—
      agreement with herd owners, text. B.A.I. An. Rpt., 1908, p. 28. 1910.
      animals exported to Canada, regulations. B.A.I.O. 264, amdt. 1, p. 1. 1919.
      application—
         method, value, and reliability. John R. Mohler. B.A.I. An. Rpt., 1907, pp. 201–207. 1909.
         to hogs. Y.B., 1909, pp. 236–237. 1910; Y.B. Sep. 508, pp. 236–237. 1910.
      Canadian cattle—
         exemption. B.A.I.O. 191, p. 1. 1912.
         for Detroit fair. B.A.I.O. 170, p. 1. 1910.
         for exhibition, modification. B.A.I.O. 188, p. 1. 1912; B.A.I.O. 198, p. 1. 1913.
         for importation, 1908. B.A.I. An. Rpt., 1908, p. 161. 1910.
         for importation, 1910. An. Rpts., 1910, p. 250. 1911; B.A.I. An. Rpt., 1910, p. 70. 1912; B.A.I. Chief Rpt., 1910, p. 56. 1910.
         for importation, requirements. B.A.I.O. 171, p. 1. 1910.
         for Michigan State Fair. B.A.I.O. 215, p. 1. 1914.
         for Ogdensburg fair, special order. B.A.I.O. 182, p. 1. 1911; B.A.I.O. 214, p. 1. 1914.
         modification. B.A.I.O. 184, p. 1. 1911; B.A.I.O. 250, p. 1. 1916.
      cattle—
         1893–1908, results, by States. B.A.I. An. Rpt., 1908, p. 100. 1910.
         application, value and reliability. B.A.I. An. Rpt., 1907, pp. 201–207. 1909; F.B. 351, pp. 1–8. 1909.
         description. Alaska Bul. 7, p. 9. 1924; B.A.I. [Misc.], "Diseases of cattle," rev., pp. 417–427. 1923.
         for export. B.A.I.O. 264, amdt. 1, p. 1. 1923.
         for importation, 1915. An. Rpts., 1915, pp. 114–115. 1916; B.A.I. Chief Rpt., 1915, pp. 38–39. 1915.
         for importation, 1919. An. Rpts., 1919, p. 109. 1920; B.A.I. Chief Rpt., 1919, p. 37. 1919.
         for tuberculosis. John R. Mohler. F.B. 351, pp. 8. 1909.
         imported. D.E. Salmon. B.A.I. Bul. 32, pp. 22. 1901.
         imported, results. An. Rpts., 1918, pp. 105–106. 1919; B.A.I. Chief Rpt., 1918, pp. 35–36. 1918.
         percentage reacting. Y.B., 1915, p. 168. 1916; Y.B. Sep. 666, p. 168. 1916.
         regulations. B.A.I.O. 259, p. 7. 1918.
         reliability. B.A.I. An. Rpt., 1907, p. 211. 1909.
         report of international commission. B.A.I. Cir. 175, pp. 10, 12, 20–21. 1911.
         value, and results, discussion. B.A.I. [Misc.] "Diseases of cattle," rev., pp. 408–417. 1904; rev., pp. 425–434. 1912; rev., pp. 417–427. 1923.
      compulsory in District of Columbia. B.A.I. Cir. 153, p. 33. 1910.
      cows, need and importance. B.A.I. Cir. 118, pp. 5, 17, 19. 1907.
      cuti and ophthalmo, results. B.A.I. An. Rpt. 1907, p. 202. 1909; F.B. 351, p. 4. 1909.

Tuberculin—Continued.
  test(s)—continued.
    dairy herd, St. Elizabeths Hospital, D.C., relation to milk. B.A.I. Bul. 44, pp. 1-88. 1903.
    directions. B.A.I.S.R.A. 113, pp. 85-86. 1916.
    export animals. B.A.I.O. 264, amdt. 1, p. 1. 1919.
    for fowls. F.B. 1200, p. 9. 1921.
    for tuberculosis. D. E. Salmon. B.A.I. Cir. 79, pp. 14. 1905; Y.B., 1901, pp. 581-592. 1902; Y.B. Sep. 231, pp. 581-592. 1902.
    foreign cattle, regulations. B.A.I. Bul. 32, pp. 20-22. 1901.
    hogs—
      and some methods of their infection with tuberculosis. E. C. Schroeder and John R. Mohler. B.A.I. Bul. 88, pp. 51. 1906.
      dosage. B.A.I. An. pt., R 1907, pp. 232-234. 1909; B.A.I. Cir. 144, pp. 232-234. 1909; B.A.I. Cir. 210. pp. 24-26. 1912.
      importance, reliability, and safety. Y.B., 1908, pp. 221-222. 1909; Y.B. Sep. 476, pp. 221-222. 1909.
    infectiveness of milk from cows which have reacted. John R. Mohler. B.A.I. Bul. 44, pp. 93. 1903.
    reliability. News L., vol. 2, No. 49, pp. 3-4. 1915; Off. Rec., vol. 4, No. 31, pp. 1-2. 1925.
    regulations. B.A.I. Bul. 32, pp. 10-11. 1901.
    requirements and regulations, 1907, compilation. B.A.I. An. Rpt., 1907, appendix. 1909.
    tablets making, new device. Off. Rec., vol. 1, No. 50, p. 3. 1922.
    unpopularity among importers of cattle. B.A.I. Bul. 32, pp. 7, 10. 1901.
  testing—
    and distribution. B.A.I. An. Rpt., 1911, pp. 50, 72, 80. 1913.
    area plan. Off. Rec., vol. 2, No. 23, p. 5. 1923.
    cattle—
      cooperative work in States and cities, interstate. An. Rpts., 1910, pp. 251-253. 1911; B.A.I. Chief Rpt., 1910, pp. 57-59. 1910.
      cooperative work in States, results. An. Rpts., 1918, p. 110. 1919; B.A.I. Chief Rpt., 1918, p. 40. 1918.
      for accredited herds, rules. Y.B., 1918, pp. 216-217. 1919; Y.B. Sep. 782, pp. 4-5. 1919.
      for interstate movement, 1914. An. Rpts., 1914, p. 79. 1915; B.A.I. Chief Rpt., 1914, p. 23. 1914.
      for interstate movement, 1915. An. Rpts., 1915, p. 113. 1916; B.A.I. Chief Rpt., 1915, p. 34. 1915.
      for interstate movement 1916. An. Rpts., 1916, pp. 108, 110. 1917; B.A.I. Chief Rpt., 1916, pp. 42, 44. 1916.
      in District of Columbia, 1908. An. Rpts., 1908, pp. 235-237. 1909; B.A.I. Chief Rpt. 1908, pp. 21-23. 1908.
      in District of Columbia, Virginia, and Maryland. An. Rpts., 1912, pp. 352-354. 1913; B.A.I. Chief Rpt., 1912, pp. 56-58. 1912.
      in Great Britain, for importation, results, 1907. An. Rpts., 1907, p. 210. 1908; B.A.I. An. Rpt., 1907, p. 31. 1909.
      in Great Britain, for importation, results, 1908. B.A.I. An. Rpt., 1908, p. 26, 161. 1910.
      in Great Britain, for importation, 1911. B.A.I. An. Rpt., 1911, p. 49. 1913.
      in Great Britain, for importation, 1913. An. Rpts., 1913, p. 91. 1914; B.A.I. Chief Rpt., 1913, p. 21. 1913.
      in Great Britain, for importation, 1914. An. Rpts., 1914, p. 81. 1915; B.A.I. Chief Rpt., 1914, p. 25. 1914.
      in Texas, reports and records. B.A.I.S.R.A. 116, pp. 118-119. 1917.
      study. An. Rpts., 1923, pp. 236-237. 1923; B.A.I. Chief Rpt., 1923, pp. 38-39. 1923.
      work and results, 1909. An. Rpts., 1909, pp. 218-219, 238. 1910; B.A.I. An. Rpt., 1909, pp. 33-34, 55, 61. 1911; B.A.I. Chief Rpt., 1909, pp. 28-29. 48, 1909.
      work and results, 1907. B.A.I. An. Rpt., 1907, pp. 33-40, 60, 180, 210. 1909.
    See also Tuberculosis, cattle, testing.

Tuberculin—Continued.
  test(s)—continued.
    cows—
      requirements, certified milk production. B.A.I. Bul. 104, pp. 11, 16, 34, 40. 1908; D.B. 1, pp. 14, 28-29. 1913.
      supplying milk to Chicago. B.A.I. Bul. 138, p. 25. 1911.
      supplying milk to Washington, D. C. B.A.I. Bul. 138, pp. 37, 40. 1911.
    dairy cattle, in Maryland, Virginia, and District of Columbia—
      1911. An. Rpts., 1911, pp. 229-231. 1912; B.A.I. Chief Rpt., 1911, pp. 39-41. 1911.
      1914. An. Rpts., 1914, p. 83. 1915; B.A.I. Chief Rpt., 1914, p. 27. 1914.
      1915. An. Rpts., 1915, p. 116. 1916; B.A.I. Chief Rpt., 1915, p. 40. 1915.
      1916. An. Rpts., 1916, p. 112. 1917; B.A.I. Chief Rpt., 1916, p. 46. 1916.
      1917. An. Rpts., 1917, p. 103. 1918; B.A.I. Chief Rpt., 1917, p. 37. 1917.
    hogs and fowls. D.C. 249, p. 25. 1922.
    livestock. L. B. Ernest and Elmer Lash. D.C. 249, pp. 28. 1922.
    methods, description. D.C. 249, pp. 5-25. 1922; F.B. 473, pp. 19-20. 1911; F.B. 1069, pp. 15-18, 30. 1919.
    range cattle, experiments. S.R.S. Rpt., 1915, Pt. I, pp. 56, 171, 268. 1917.
    standardization. An. Rpts., 1919, p. 135. 1920; B.A.I. Chief Rpt., 1919, p. 63. 1919.
  use—
    and distribution by department. News L., vol. 2, No. 48, p. 6. 1915.
    in diagnosis for tuberculosis in cattle. A. D. Melvin. B.A.I. [Misc.], "Directions for using * * *," p. 1. 1907.
Tuberculoids, misbranding. Chem. S.R.A., Sup. 18, pp. 521-23. 1916.
Tuberculosis—
  F.B. 473, pp. 23. 1911.
  abdominal—
    reasons for prevalence in some countries more than in others. B.A.I. Bul. 53, pp. 28-29. 1904.
    statistics. B.A.I. Bul. 33, pp. 22-29. 1901; B.A.I. Bul. 53, pp. 19-26. 1904.
  animal—
    and human, transmission, discussion. B.A.I. [Misc.], "Diseases of cattle," rev., pp. 438-445. 1912.
    and the public health. B.A.I. Bul. 38, pp. 73-78. 1906.
    annual estimated loss, and cooperative work for control. News L., vol. 5, No. 46, p. 8. 1918.
    cause and character, and Federal control measure. B.A.I. An. Rpt., 1908, pp. 155-164. 1910.
    conference. News L., vol. 7, No. 9, p. 7. 1919.
    control—
      and eradication, extract from appropriation law, year ending June 30, 1923. B.A.I.O. 282, p. 4. 1923.
      experiments at Bethesda station. News L., vol. 2, No. 50, p. 6. 1915.
      Federal work. B.A.I. An. Rpt., 1908, pp. 161-164. 1910.
      work, 1908. An. Rpts., 1908, pp. 33-34, 222-223, 255-257. 1909; B.A.I. Chief Rpt., 1908, pp. 8-9, 41-43. 1908; Sec. A.R., 1908, pp. 31-32. 1908.
      work, 1911. An. Rpts., 1911, pp. 50-51. 1912; Sec. A.R., 1911, pp. 48-49. 1911; Y.B., 1911, pp. 48-49. 1912.
      work, 1912. An. Rpts., 1912, pp. 45-46, 90, 166, 168. 1913; Sec. A.R., 1912, pp. 45-46, 99, 166, 168. 1912.
      work, 1918. An. Rpts., 1918, pp. 17-18. 1919; Sec. A.R., 1918, pp. 17-18. 1918; Y.B., 1919, pp. 17-18. 1919.
    decrease, 1917-1919. News L., vol. 7, No. 18, p. 7. 1919.
    dissemination methods. B.A.I. Cir. 175, pp. 9, 22. 1911.
    economic losses. B.A.I. An. Rpt., 1908, pp. 101-104. 1910.

Tuberculosis—Continued.
  animal—continued.
    eradication work—
      1908. B.A.I. An. Rpt., 1908, pp. 12-14, 97, 155-164. 1910; B.A.I. Chief Rpt., 1908, pp. 8-9, 41-43. 1908.
      1916. An. Rpts., 1916, pp. 15-17. 1917; Sec. A.R., 1916, pp. 17-19. 1916.
      1921. Sec. A.R., 1921, pp. 39-40. 1921; Y.B., 1921, pp. 44-45. 1922; Y.B. Sep. 875, pp. 44-45. 1922.
      discussion by Secretary. Y.B., 1916, pp. 24-27. 1917.
      experiments with tuberculin. An. Rpts., 1906, pp. 140-143. 1907; B.A.I. Chief Rpt., 1906, pp. 22-25. 1906.
      food-producing, economic importance. B.A.I. An. Rpt., 1908, pp. 97-107. 1910.
      infection from human sources, studies and results. B.A.I. An. Rpt., 1908, p. 157. 1910.
      insidiousness. News L., vol. 6, No. 34, p. 13. 1919.
    investigations—
      1906. B.A.I. An. Rpt., 1906, pp. 29-32. 1908.
      1907. An. Rpts., 1907, pp. 31-32, 215-219, 233. 1908; Rpt. 85, pp. 21-22. 1907; Sec. A.R., 1907, pp. 29-30. 1907; Y.B., 1907, pp. 31-32. 1908.
      1910, Bethesda Experiment Station. An. Rpts., 1910, pp. 275-277. 1911; B.A.I. Chief Rpt., 1910, pp. 81-83. 1910.
      1911. An. Rpts., 1911, pp. 197-236, 253-255. 1912; B.A.I. An. Rpt., 1911, pp. 11, 50-53, 59, 79-81. 1913; B.A.I. Chief Rpt., 1911, pp. 7, 46, 63-65. 1911.
    losses from, and control methods. Y.B., 1915, pp. 160, 167-169. 1916; Y.B. Sep. 666, pp. 160, 167-169. 1916.
    prevalence—
      and animals and birds susceptible. B.A.I. An. Rpt., 1908, pp. 159-160. 1910.
      in Europe, comparison with United States. B.A.I. An. Rpt., 1908, p. 164. 1910.
      in foreign countries. B.A.I. Cir. 201, pp. 10-11. 1912.
      in United States, statistics. B.A.I. An. Rpt., 1908, pp. 97-101. 1910.
    prevention. News L., vol. 5, No. 52, p. 6. 1918.
    relations to human tuberculosis. B.A.I. An. Rpt., 1901, p. 257. 1902.
    sources most important. B.A.I. Cir. 175, pp. 21-22. 1911.
    studies and tests. An. Rpts., 1916, pp. 72-73, 117-118. 1917; B.A.I. Chief Rpt., 1916, pp. 6-7, 51-52. 1916.
    testing work. News L., vol. 6, No. 50, p. 15. 1919; Off. Rec., vol. 1, No. 8, p. 8. 1922.
    work, 1909. An. Rpts., 1909, pp. 202-204, 217-219, 228, 241. 1910; B.A.I. An. Rpt., 1909, pp. 16-17, 33-35, 45, 59-61. 1911; B.A.I. Chief Rpt., 1909, pp. 12-14, 27-29, 38, 51. 1909.
  avian—
    and bovine, studies, results. Work and Exp., 1921, p. 97. 1923.
    papers on. Off. Rec., vol. 4, No. 42, p. 2. 1925.
    studies, 1914. Work and Exp., 1914, p. 185. 1915.
    transmission to mammals. John R. Mohler and Henry J. Washburn. B.A.I. An. Rpt., 1908, pp. 165-176. 1910.
  bacillus(i)—
    description. B.A.I. [Misc.], "Diseases of cattle," rev., pp. 378, 420. 1912.
    different animals, effect of tuberculosis. B.A.I. An. Rpt., 1901, p. 579. 1902.
    experiments with carbolic acid and with liquor cresolis compositus as germicides. B.A.I. Bul. 100, pp. 20-22. 1907.
    report on. B.A.I. An. Rpt., 1900, p. 262. 1901.
    similarity to the bacillus of contagious abortion. B.A.I. Cir. 198, p. 2. 1912.
    use of eggs as medium for cultivation. B.A.I. An. Rpt., 1901, p. 574. 1902.
  beef breeds of cattle. B.A.I. Bul. 32, pp. 11-15. 1901.
  beet, study and description. B.P.I. Bul. 213, pp. 194-195. 1911.

Tuberculosis—Continued.
  bibliography. B.A.I. An. Rpt., 1907, pp. 196-199. 1909; B.A.I. Bul. 44, pp. 90-93. 1903; B.A.I. Cir. 143, pp. 196-199. 1909.
  bovine—
    and medical milk commissions, article. E. C. Schroeder. B.A.I. An. Rpt., 1909, pp. 193-200. 1911.
    bacillus, virulence for monkeys. B.A.I. An. Rpt., 1901, p. 579. 1902.
    causative agent, description, and spread. F.B. 480, pp. 6-7. 1912.
    cause, and transmission. B.A.I. Dairy [Misc.], "World's dairy congress, 1923," p. 514. 1924.
    characteristics and transmission. Y.B., 1908, pp. 217-221, 226. 1909; Y.B. Sep. 476, pp. 217-221, 226. 1909.
    communicability to man. B.A.I. Bul. 33, pp. 11-16. 1901.
    continuation of work, funds. Off. Rec., vol. 1, No. 21, p. 4. 1922.
    control—
      B.A.I. Dairy [Misc.], "World's dairy congress, 1923," pp. 1482-1488. 1924.
      methods. V.A. Moore. O.E.S. Bul. 212, pp. 88-94. 1909.
      progress. Off. Rec., vol. 3, No. 24, pp. 1, 5. 1924.
    report of International Commission of the American Veterinary Medical Association, September, 1910. B.A.I. Cir. 175, pp. 27. 1911.
    work. Y.B., 1923, pp. 43-44. 1924.
    cooperative eradication. Off. Rec., vol. 3, No. 1, p. 5. 1924.
    detection by radio. Off. Rec., vol. 3, No. 20, p. 2. 1924.
    diagnosis by complement fixation. J.A.R., vol. 8, pp. 1-2. 1917.
    effects on different organs of cattle. B.A.I. [Misc.], "Diseases of cattle," rev., pp. 404-407. 1904; rev., pp. 422-423. 1912; rev., pp. 415-416. 1923.
    eradication—
      and prevention, methods. F.B. 1069, pp. 3-5, 18-27. 1919.
      campaign, and investigations. B.A.I. Chief Rpt., 1923, pp. 34-37, 43, 56. 1923; An. Rpts., 1923, pp. 46, 232-235, 241, 254. 1924; Sec. A.R. 1923, p. 46. 1923.
      District of Columbia. An. Rpts., 1910, pp. 49-50, 207, 253. 1911; B. A. I. Chief Rpt., 1910, pp. 13, 59. 1910; Rpt. 93, p. 37. 1911; Sec. A.R., 1910, pp. 49-50. 1910; Y.B., 1910, p. 49. 1911.
      measures. B.A.I. [Misc.], "Diseases of cattle," rev., pp. 434-436. 1912.
      methods used with St. Elizabeths Hospital herd. B.A.I. Bul. 44, pp. 82-88. 1903.
      progress, 1922. An. Rpts., 1922, pp. 99-100, 138-143. 1923; B.A.I. Chief Rpt., 1922, pp. 1-2, 40-45. 1922; Y.B., 1922, pp. 29-30. 1923; Y.B. Sep. 883, pp. 29-30. 1923.
      work, 1917. An. Rpts., 1917, pp. 102-104. 1917; B.A.I. Chief Rpt., 1917, pp. 36-38. 1917.
      work, 1919. Y.B., 1919, pp. 73, 74, 78. 1920; Y.B. Sep. 802, pp. 73, 74, 78. 1920.
      work, 1923. Off. Rec., vol. 2, No. 17, p. 6. 1923.
      work of Ohio Experiment Station. An. Rpts., 1912, p. 99. 1913; Sec. A.R., 1912, p. 99. 1912; Y.B., 1912, p. 99. 1912.
    extent. B.A.I. Bul. 33, pp. 9-11. 1901; Y.B. 1922, pp. 340-341. 1923; Y.B. Sep. 879, pp. 49-51. 1923.
    history, cause, nature, and treatment. B.A.I. [Misc.], "Diseases of cattle," rev., pp. 398-425. 1904; rev., pp. 414-445. 1912; rev., pp. 407-438. 1923.
    in—
      Illinois, quarantine order. B.A.I.O. 217, p. 1. 1914.
      Maine, quarantine, indemnity. B.A.I. Bul. 28, pp. 38-39. 1901.
      Massachusetts, quarantine indemnity. B. A.I. Bul. 28, pp. 47-48. 1901.
      Missouri, quarantine laws. B.A.I. Bul. 28, pp. 71-72. 1901.

INDEX TO PUBLICATIONS, 1901–1925   2485

Tuberculosis—Continued.
bovine—continued.
in—continued.
Nevada, quarantine law. B.A.I. Bul. 28, p. 79. 1901.
United States, statistics of tests. B.A.I. [Misc.], "Diseases of cattle," rev., p. 401. 1904; rev., p. 417. 1912; rev., p. 410. 1923.
inoculation experiments. B.A.I. Bul. 33, pp. 13–14. 1901.
investigations—
1912. An. Rpts., 1912, pp. 352, 355, 385–387. 1913; B.A.I. Chief Rpt., 1912, pp. 56–59, 89–91. 1912.
1914, Bethesda Experiment Station. An. Rpts., 1914, pp. 99–100. 1915; B.A.I. Chief Rpt. 1914, pp. 43–44. 1914.
1922. An. Rpts., 1922, pp. 159–160. 1922; B.A.I. Chief Rpt., 1922, pp. 61–62. 1922.
legislation, States and Territories. D. E. Salmon. B.A.I. Bul. 28, pp. 173. 1901.
methods for eradication. B.A.I. Cir. 117, pp. 26–28. 1907.
occurrence in foreign countries, statistics. B.A.I. [Misc.], "Diseases of cattle," rev., pp. 398–400. 1904; rev., pp. 414–417. 1912; rev., pp. 407–410. 1923.
prevalence and eradication. An. Rpts., 1910, pp. 250–254. 1911; B.A.I. Chief. Rpt., 1910, pp. 56–60. 1910.
prevention measures. F.B. 1069, pp. 25–27. 1919.
quarantine, interstate movement of cattle. B.A.I.O. 210, amdt. 1, pp. 3. 1914.
relation to public health—
B.A.I. [Misc.], "Diseases of cattle," rev., pp. 426–445. 1912; rev., pp. 430–438. 1923.
D. E. Salmon. B.A.I. Bul. 33, pp. 36. 1901.
studies. Off. Rec., vol. 2, No. 50, p. 8. 1923; S.R.S. Rpt., 1915, Pt. I, pp. 56, 73. 1917.
suppression—
and testing, results, 1911. An. Rpts., 1911, pp. 229–231. 1912; B.A.I. Chief Rpt., 1911, pp. 39–41. 1911.
in District of Columbia, Maryland, and Virginia, 1913. An. Rpts., 1913, p. 93. 1914; B.A.I. Chief Rpt., 1913, p. 23. 1913.
in District of Columbia, Maryland, and Virginia, 1914. An. Rpts., 1914, p. 83. 1915; B.A.I. Chief Rpt., 1914, p. 27. 1914.
susceptibility of man. B.A.I. Bul. 33, pp. 11–36. 1901.
tests of range cattle. F.B. 1395, p. 43. 1925.
transmissibility to man, methods of study. B.A.I. Bul. 52, Pt. I, pp. 1–2. 1904.
transmission to man. B.A.I. Bul. 53, pp. 8–13, 44–46. 1904; B.A.I. Cir. 153, pp. 30–32, 38–45. 1910.
virulence, comparison with human tuberculosis., B.A.I. Bul. 52, Pt. II, pp. 31–100. 1905.
wide range of communicability. B.A.I. Bul. 33, p. 15. 1901.
work of Bethesda Experiment Station—
1916. An. Rpts., 1916, p. 133. 1917; B.A.I. Chief Rpt., 1916, p. 67. 1916.
1917. An. Rpts., 1917, pp. 126–127. 1917; B.A.I. Chief Rpt., 1917, pp. 60–61. 1917.
breeds of cattle most susceptible. B.A.I. Bul. 32, p. 14. 1901.
British royal commissions of 1894 and 1896, reports. B.A.I. Bul. 32, pp. 11–12. 1901.
calves, prevalance. Off. Rec., vol. 3, No. 34, p. 7. 1924.
cattle—
D. E. Salmon and Theobald Smith. B.A.I. Cir. 70, pp. 28. 1905.
Leonard Pearson. B.A.I. Cir. 151, pp. 25–26. 1909.
and swine, spread prevention, regulations. B.A.I.O. 210, p. 28. 1914; B.A.I.O. 245, pp. 23–25. 1916; B.A.I.O. 245, amdt. 4, pp. 3. 1918.
character of disease. B.A.I. An. Rpt., 1908, pp. 112–116. 1910; Y.B., 1908, pp. 219–221. 1909; Y.B. Sep. 476, pp. 219–221. 1909.
control—
and eradication. B.A.I. [Misc.], "Control and eradication * * *," pp. 24. 1918; B.A.I.O. 260, pp. 4–5. 1918.

Tuberculosis—Continued.
cattle—continued.
control—continued.
experiments at Bethesda station. News L., vol. 2, No. 50, p. 6. 1915.
help by department. News L., vol. 6, No. 22, p. 9. 1919.
in Illinois. News L., vol. 6, No. 47, p. 2. 1919.
in States. Off. Rec., vol. 2, No. 30, p. 3. 1923.
report of International Commission. B.A.I. Cir. 175, pp. 1–27. 1911.
work, 1918, in Alaska. Alaska A.R., 1918, pp. 19–20, 89–90. 1920.
danger—
from imported stock. B.A.I. Bul. 32, pp. 7–10. 1901.
in milk supply. B.A.I. An. Rpt., 1907, pp. 146–153. 1909.
of infection by different kinds of exposure. B.A.I. Cir. 83, pp. 1–22. 1905.
demonstration. Off. Rec., vol. 1, No. 33, p. 4. 1922.
description, determination, difficulties. News L., vol. 2, No. 49, pp. 3–4. 1915.
diagnosis, value of tuberculin. B.A.I. An. Rpt., 1907, pp. 201–204, 207. 1909; F.B. 351, pp. 3–6, 8. 1909.
eradication—
A. D. Melvin. B.A.I. An. Rpt., 1907, pp. 209–214. 1909.
1907. B.A.I. An. Rpt., 1907, pp. 209–214. 1909.
1922. Y.B., 1922, pp. 29–30. 1923; Y.B. Sep. 883, pp. 29–30. 1923.
1924. Y.B., 1924, pp. 895, 896. 1925.
cooperation with States, report by months. See B.A.I. Service and Regulatory Announcements.
cooperative work and indemnity, Federal and State. News L., vol. 6, No. 11, p. 1 1918.
county agent work. D.C. 244, p. 30. 1922.
District of Columbia. B.A.I. An. Rpt., 1910, pp. 73–75. 1912; Rpt. 93, p. 37. 1910; Sec. A.R., 1910, pp. 49–59. 1910; Y.B. 1910, pp. 49–50. 1911.
District of Columbia. R. W. Hickman. Y.B., 1910, pp. 231–242. 1911; Y.B. Sep. 532, pp. 231–242. 1911.
Kodiak Experiment Station. C. C. Georgeson and W. T. White. Alaska Bul. 5, pp. 11. 1924.
methods used with St. Elizabeths Hospital herd. B.A.I. Bul. 44, pp. 82–88. 1903.
progress, 1922. An. Rpts., 1922, p. 24. 1922; Sec. A.R., 1922, p. 24. 1922.
work, 1908. Y.B., 1908, pp. 33–34, 167. 1909.
work, 1919. News L., vol. 6, No. 51, p. 5. 1919.
work, 1922. Off. Rec., vol. 1, No. 13, p. 2. 1922.
work, 1923. Off. Rec., vol. 2, No. 41, p. 7. 1923.
foreign countries, occurrence and spread. B.A.I. [Misc.], "Diseases of cattle," rev., pp. 407–410, 416. 1923.
fraud prevention. News L., vol. 6, No. 40, p. 3. 1919.
history, important symptoms, control methods. F.B. 473, pp. 1–23. 1911.
immunity experiments. An. Rpts., 1908, p. 240. 1909; B.A.I. An. Rpt., 1908, p. 32. 1910; B.A.I. Chief Rpt., 1908, p. 26. 1908.
imported, beef breeds. B.A.I. Bul. 32, pp. 11–15. 1901.
in—
Alaska, testing and treatment. Alaska A.R., 1916, pp. 13–15. 1918.
District of Columbia. An. Rpts., 1910, pp. 49–50, 207, 253. 1911; B.A.I. Chief Rpt., 1910, pp. 13, 59. 1910; Rpt. 93, p. 37. 1911; Sec. A.R., 1910, pp. 49–50. 1910; Y.B., 1910, p. 49. 1911.
District of Columbia, suppression, regulations. B.A.I. [Misc.], "Order of the Commissioners, D. C. * * *," pp. 4. 1909.
Iowa County. News L., vol. 7, No. 18, p. 3. 1919.

Tuberculosis—Continued.
cattle—continued.
  interstate quarantine, suggestion. B.A.I. An. Rpt., 1907, p. 214. 1909.
  investigations. O.E.S. An. Rpt., 1922, p. 119. 1924.
  menace to public health. News L., vol. 7, No. 11, p. 6. 1919.
  occurrence—
    cause, tests, and treatment. B.A.I. [Misc.], "Diseases of cattle," rev., pp. 407–438. 1923.
    in Argentina. Y.B., 1913, p. 359. 1914; Y.B. Sep. 629, p. 359. 1914.
    origin, tracing through meat inspection. B.A.I. An. Rpt., 1907, p. 213. 1909.
    percentage in Southern States. B.A.I. Bul. 70, p. 16. 1905.
    quarantine release, Illinois counties. B.A.I.O. 247, p. 1. 1916.
    regulation definitions. B.A.I.O. 26, p. 1. 1918.
  relation—
    of lesions to mode of infection, experiments. B.A.I. Bul. 93, pp. 7–9. 1906.
    to public health. B.A.I. An. Rpt., 1908, pp. 109–153. 1910.
  shipments from Illinois. News L., vol. 6, No. 52, p. 4. 1919.
  spread—
    and infection of herd, methods. F.B. 473, pp. 15–18. 1911.
    prevention, regulation. B.A.I.O. 245, pp. 23–25. 1916; B.A.I.O. 253, pp. 27–30. 1919; B.A.I.O. 263, amdt. 3, pp. 4. 1920; B.A.I.O. 273, pp. 29–33. 1921; B.A.I.O. 273, rev., pp. 25–29. 1923; B.A.I.O. 292, pp. 24–48. 1925.
  statistics. B.A.I. [Misc.], "Diseases of cattle," rev., pp. 417–418. 1912.
  studies—
    1924. B.A.I. Chief Rpt., 1924, pp. 36, 40. 1924.
    and experiments, 1915. An. Rpts., 1915, pp. 138–139. 1916; B.A.I. Chief Rpt., 1915, pp. 62–63. 1915.
  suppression, methods of rebuilding herds. B.A.I. Cir. 175, pp. 11, 23–27. 1911.
  symptoms. B.A.I. [Misc.], "Diseases of cattle," rev., pp. 416–417. 1923; F.B. 1069, pp. 12–13. 1919.
  testers' certificates. News L., vol. 6, No. 48, p. 7. 1919.
  testing—
    in Alaska, aid by Kodiak station. Alaska A.R., 1919, pp. 8–9, 16, 61. 1920.
    in Maryland, Virginia, and District of Columbia. An. Rpts., 1911, pp. 229–231. 1912; B.A.I. Chief Rpt., 1911, pp. 39–41. 1911.
    in Virginia. News L., vol. 7, No. 1, p. 8. 1919.
    results. News L., vol. 6, No. 50, p. 3. 1919; News L., vol. 7, No. 7, p. 6. 1919; Off. Rec., vol. 1, No. 31, p. 1. 1922; Off. Rec. vol. 3, No. 36, p. 5. 1924.
    See also Tuberculin, testing, cattle.
  tests and control methods. News L., vol. 4, No. 29, p. 4. 1917.
  transmission to human beings, evidence, discussion. B.A.I. An. Rpt., 1907, pp. 147–148. 1909.
  tuberculin test—
    John R. Mohler. B.A.I. An. Rpt., 1907, pp. 201–207. 1909; F.B. 351, pp. 8. 1909.
    application, value and reliability. B.A.I. An. Rpt., 1907, pp. 201–207. 1909; F.B. 351, pp. 8. 1909.
  vaccination. E. C. Schroeder and others. B.A.I. An. Rpt., 1910, pp. 327–343. 1912; B.A.I. Cir. 190, pp. 327–343. 1912.
  value of tuberculin in determination. News L., vol. 2, No. 49, pp. 3–4. 1915.
  work of Animal Industry Bureau. An. Rpts., 1909, p. 56. 1910; Rpt. 91, p. 42. 1909; Sec. A.R., 1909, p. 56. 1909; Y.B., 1909, p. 56. 1910.
  See also Tuberculosis, bovine.

Tuberculosis—Continued.
cause(s)—
  and methods of propagation, discussion. B.A.I. An. Rpt., 9108, pp. 109–112. 1910.
  symptoms, and precautions. For. [Misc.], "The first-aid manual * * *," pp. 87–88. 1917.
  Committee report. Off. Rec., vol. 1, No. 33, p. 4. 1922.
communicability—
  B.A.I. Bul. 53, p. 12. 1904.
  discussion of Koch's address at the British Congress on Tuberculosis. B.A.I. Bul. 33, pp. 12–36. 1901.
  conclusions as result of study. Sec. A.R., 1905, p. XXIX. 1905; An. Rpts., 1905, p. XXIX. 1905.
condemnations by meat inspectors, 1915. News L., vol. 3, No. 15, p. 4. 1915.
conference in Lake States. Off. Rec., vol. 4, No. 42, pp. 1–2. 1925.
control—
  Bang method. H. A. Harding. O.E.S. Bul. 212, pp. 98–101. 1909.
  Federal authority, limitations. B.A.I. An. Rpt., 1908, pp. 106–107. 1910.
  measures, foreign, and losses. B.A.I. Bul. 32, pp. 8–9, 20. 1901.
  work in Maine. Off. Rec., vol. 3, No. 20, p. 4. 1924.
cow, unsuspected but dangerous. E. C. Schroeder. B.A.I. Cir. 118, pp. 19. 1907.
cure, misbranding, Chem. N.J. 4130. 1916.
danger—
  from milk and butter. B.A.I. Cir. 127, pp. 1–23. 1908.
  from milk sediment. F.B. 1019, pp. 3–4. 1919.
  of infection by different kinds of exposure. E. C. Schroeder and W. E. Cotton. B.A.I. Cir. 83, pp. 22. 1905.
  to range country. B.A.I. Bul. 32, pp. 16–20. 1901.
defense of regulations. B.A.I. Bul. 32, pp. 20–22. 1901.
development in different organs of body, statistics, Bavaria and Baden. B.A.I. [Misc.] "Diseases of cattle," rev., p. 423. 1912.
diagnosis—
  and transmission studies. S.R.S. Rpt., 1917, Pt., I, pp. 53, 69, 155, 162, 267. 1918.
  by complement fixation with special reference to bovine tuberculosis. A. Eichhorn and A. Blumberg. J.A.R., vol. 8, pp. 20. 1917.
  methods. F.B. 1069, p. 14. 1919.
dissemination, relation of house fly. Ent. Bul. 78, p. 28. 1909.
eradication—
  accredited-herd plan—
    Y.B., 1918, pp. 215–220. 1919; Y.B. Sep. 782, pp. 8. 1919.
    Herd list No. 2. D.C. 54, pp. 96. 1919.
    Supplement 1 to Herd List No. 2. D.C. 143, pp. 98. 1920.
    Herd list No. 3. D.C. 142, pp. 52. 1920.
    Supplement 1 to Herd List No. 3. D.C. 144, pp. 49. 1920.
  action of British Congress in regard to. B.A.I. Bul. 32, p. 8. 1901.
  and control. B.A.I. An. Rpt., 1908, pp. 104–107. 1910.
  benefits. News L., vol. 6, No. 52, p. 13. 1919.
  cleaning up infected areas, instances. Y.B., 1919, p. 283. 1920; Y.B. Sep. 810, p. 283. 1920.
  conference(s)—
    B.A.I. Chief. Rpt., 1924, p. 30. 1924.
    meeting, plans. Off. Rec., vol. 1, No. 23, p. 4. 1922.
    report, publication. Off. Rec., vol. 1, No. 14, p. 6. 1922.
    reports. Off. Rec., vol. 4, No. 26, pp. 1–2. 1925.
  cooperative work. F.B. 1069, pp. 3, 9, 20–23, 30–31. 1919; Off. Rec., vol. 1, No. 16, p. 3. 1922.
  division—
    creation in Animal Industry Bureau, and chief. News L., vol. 4, No. 40, p. 3. 1917.

Tuberculosis—Continued.
  eradication—continued.
    division—continued.
      instructions concerning work. B.A.I. [Misc.] "Instructions concerning work * * *," pp. 20. 1919.
      report of work, 1922. An. Rpts., 1922, pp. 138–143. 1922; B.A.I. Chief Rpt., 1922, pp. 40–45. 1922.
      report of work, 1923. An. Rpts., 1923, pp. 232–238. 1923; B.A.I. Chief Rpts., 1923, pp. 34–40. 1923.
      method. B.A.I. An. Rpt., 1906, pp. 215–218. 1908.
      plan. Off. Rec., vol. 2, No. 39, p. 5. 1923.
      progress—
        1918–1925. B.A.I. Chief Rpt., 1925, pp. 2, 3, 22–26, 36. 1925.
        1921. An. Rpts., 1921, pp. 1–2. 1921.
      results. Off. Rec., vol. 3, No. 27, p. 3. 1924.
      studies. Off. Rec., vol. 2, No. 6, p. 6. 1923.
      value to dairymen. Off. Rec., vol. 2, No. 51, p. 3. 1923.
      voting for in counties. News L., vol. 7, No. 1, p. 7. 1919.
      work—
        News L., vol. 6, No. 49, pp. 1–2, 8. 1919; Off. Rec., vol. 3, No. 47, p. 5. 1924.
        1918, and investigations. An. Rpts., 1918, pp. 74, 110–111, 114, 130. 1918; B.A.I. Chief Rpt., 1918, pp. 4, 40–41, 44, 60. 1918.
        1919, and investigations. An. Rpts., 1919, pp. 74, 75, 76–77, 115–117. 1920; B.A.I. Chief Rpt., 1919, pp. 2, 3, 4–5, 43–45, 63. 1919.
        1920. B.A.I. Chief Rpt., 1920, pp. 44–47. 1920.
        1921. An. Rpts., 1921, pp. 41–46, 52–53, 57. 1921.
        1924. B.A.I. Chief Rpt., 1924, pp. 2–3. 1924.
        by States. See *B.A.I.S.R.A.* for each month.
      See also Tuberculosis, eradication.
  experiments—
    M. Dorset and others. B.A.I. An. Rpt., 1904, pp. 159–186. 1905.
    plan of operation. B.A.I. Bul. 52, Pt. II, pp. 31–32. 1905.
    records of animals used. B.A.I. Bul. 52, Pt. III, pp. 115–119. 1905.
    sources of—
      bovine material. B.A.I. Bul. 52, Pt. II, pp. 38–39. 1905.
      human material. B.A.I. Bul. 52, Pt. II, pp. 32–38. 1905.
    with—
      blood serum. B.A.I. Bul. 52, Pt. III, pp. 104–106. 1905.
      guinea pigs and rabbits. B.A.I. Bul. 52, Pt. I, pp. 1–29. 1905.
      monkeys. B.A.I. Bul. 52, pp. 66–74. 1905.
      weak virulent cultures. B.A.I. Bul. 52, Pt. III, pp. 106–110. 1905.
  food-producing animals. D. E. Salmon. B.A.I. Bul. 38, pp. 96. 1906.
  foreign investigations. O.E.S. An. Rpt., 1904, pp. 545–553. 1905.
  fowl(s)—
    Bernard A. Gallagher. F.B. 1200, pp. 11. 1921.
    description, cause, symptoms, and treatment. F.B. 957, pp. 26–28. 1918.
    investigations, 1907. An. Rpts., 1907, pp. 218–219. 1908; B.A.I. An. Rpt., 1907, pp. 40–41. 1909.
    symptoms, post-mortem appearances and tests. F.B. 1200, pp. 5–9. 1921.
  free—
    accredited herds of pure-bred cattle, uniform methods and rules. B.A.I. Doc. A-33, pp. 2. 1917.
    dairy herds, certificate, value to dairyman. Y.B., 1918, p. 160. 1919; Y.B. Sep. 765, p. 10. 1919.
    territory. Off. Rec., vol. 4, No. 43, p. 3. 1925.
  freeing cattle from, herds freed. News L., vol. 5, No. 48, p. 7. 1918.
  herd testing by department veterinarians. News L., vol. 6, No. 36, p. 14. 1919.

Tuberculosis—Continued.
  hogs—
    John R. Mohler and Henry J. Washburn. B.A.I. Cir. 201, pp. 40. 1912; F.B. 781, pp. 20. 1917.
    and cattle, locating, and control, cooperative studies and methods. B.A.I. Cir. 201, pp. 8–10. 1912.
    and poultry, studies, 1909. An. Rpts., 1909, p. 59. 1910; Rpt. 91, p. 43. 1909; Sec. A.R., 1909, p. 59. 1909; Y.B. 1909, p. 59. 1910.
    cause(s)—
      and control. 1909. Y.B., 1909, pp. 227–238. 1910; Y.B. Sep. 508, pp. 227–238. 1910.
      and control, 1922. Y.B. 1922, pp. 217–218. 1923; Y.B. Sep. 882, pp. 217–218. 1923.
      and prevention. F.B. 1153, pp. 19–20. 1920.
      and suppression. John R. Mohler and Henry J. Washburn. B.A.I. An. Rpt., 1907, pp. 215–246. 1909; B.A.I. Cir. 144, pp. 32. 1909.
    symptoms and treatment. F.B. 1244, pp. 4–5. 1923.
    control—
      F.B. 1437, p. 29. 1925; Hawaii Bul. 48, p. 24. 1923.
      legislation proposed. B.A.I. Cir. 201, pp. 39–40. 1912.
      measures. Y.B., 1909, pp. 227–238. 1910; Y.B. Sep. 508, pp. 227–238. 1910.
      methods. News L., vol. 4, No. 29, pp. 1–2. 1917.
    detection in post-mortem inspection. B.A.I. An. Rpt., 1906, p. 85. 1908; B.A.I. Cir. 125, p. 25. 1908.
    differential diagnosis. B.A.I. Cir. 201, pp. 34–36. 1912.
    in foreign countries, prevalence. B.A.I. An. Rpt., 1907, pp. 218–220. 1909; B.A.I. Cir. 144, pp. 218–220. 1909.
    increase and control. B.A.I. An. Rpt., 1905, pp. 29–30. 1907.
    infection—
      causes and prevention. F.B. 781, pp. 5–10. 15–19. 1917.
      from diseased cattle. B.A.I. Cir. 83, pp. 46, 48, 49, 50, 51, 52, 53, 56. 1905.
      from feces of diseased cows. B.A.I. An. Rpt., 1908, pp. 118–119. 1910.
      methods. B.A.I. An. Rpt., 1907, pp. 37, 58, 221–231. 1909; B.A.I. Cir. 144, pp. 37, 58, 221–231. 1909; B.A.I. Cir. 201, pp. 13–23, 36–38, 39–40. 1912; F.B. 781, pp. 5–10. 1917.
    lesions, description, and comparison with those of cattle. B.A.I. An. Rpt., 1907, pp. 234–238. 1909; B.A.I. Cir. 144, pp. 234–238. 1909.
    methods of infection and tuberculin test. E. C. Schroeder and John R. Mohler. B.A.I. Bul. 88, pp. 51. 1906.
    origin and eradication. Y.B., 1919, p. 288. 1920; Y.B. Sep. 810, p. 288. 1920.
    prevention—
      B.A.I. [Misc.], "Keep costly 'T. B.' out * * *," pp. 7. 1917; F.B. 874, pp. 29–30. 1917; Sec. Cir. 84, pp. 23–24. 1918.
      rules enforced in Denmark. B.A.I. An. Rpt., 1906, p. 243. 1908.
    preventive measures. B.A.I. An. Rpt., 1907, pp. 243–246. 1909; B.A.I. Cir. 144, pp. 243–246. 1909; B.A.I. Cir. 201, pp. 36–40. 1912.
    relation—
      of lesions to mode of infection, experiments. B.A.I. Bul. 93, pp. 9–12. 1906.
      to meat inspection, studies. B.A.I. Cir. 201, pp. 32–34. 1912.
      to tuberculosis in cattle. B.A.I. Bul. 33, pp. 10–11. 1901.
    similarity of symptoms to hog cholera. F.B. 384, p. 12. 1917.
    susceptibility. B.A.I. Bul. 33, pp. 10–11. 1901.
    symptoms—
      B.A.I. An. Rpt., 1907, pp. 231–232. 1909; B.A.I. Cir. 144, pp. 231–232. 1909; B.A.I. Cir. 201, pp. 23–24. 1912.
      and lesions, description. F.B. 781, pp. 10–11, 12–15. 1917.
      and post-mortem appearance. F.B. 379, pp. 16–17. 1909.

Tuberculosis—Continued.
  human—
    abdominal, frequency. B.A.I. Bul. 33, pp. 22–36. 1901.
    communicability to animals, citations. B.A.I. Bul. 53, pp. 35–44. 1904.
    food infection. B.A.I. An. Rpt., 1907, p. 192. 1909; B.A.I. Cir. 143, p. 192. 1909.
    hog inspection. B.A.I. An. Rpt., 1907, pp. 229–230. 1909; B.A.I. Cir. 144, pp. 229–230. 1912.
    intestinal postmortem examinations, citations, diagnoses. B.A.I. Bul. 53, pp. 26–32. 1904.
    percentage affected. B.A.I. Cir. 118, pp. 15, 18. 1907.
    relation to—
      bovine tuberculosis, review of experiments. B.A.I. Bul. 52, Pt. II, pp. 74–97. 1905.
      milk supply. B.A.I. Cir. 153, pp. 30–31. 1910.
    spread and control, discussion. B.A.I. An. Rpt., 1908, pp. 110–112. 1910.
    statistics, different forms. B.A.I. Bul. 33, pp. 25–29. 1901.
    transmission—
      by cattle, observation, discussion. B.A.I. Bul. 53, pp. 8–13, 44–46. 1904.
      to animals, experiments. B.A.I. [Misc.], "Diseases of cattle," rev., pp. 423–427. 1908; rev., pp. 439–443. 1912; rev., pp. 431–438. 1923.
  immunity—
    experiments. B.A.I. Bul. 52, Pt. III, pp. 110–112. 1905.
    of goats. B.A.I. An. Rpt., 1904, pp. 341–343. 1905; F.B. 137, p. 45. 1911.
    of goats and exceptions. F.B. 920, p. 34. 1918.
    of milch goats, discussion. B.A.I. Bul. 68, pp. 16, 27–29, 40. 1905.
    production studies. An. Rpts., 1911, p. 264. 1911; B.A.I. Chief Rpt., 1910, p. 70. 1910.
    studies. E. C. Schroeder. B.A.I. Bul. 52, Pt. III, pp. 101–114. 1905.
  immunizing methods, study, experiment station, B.A.I. An. Rpts., 1909, p. 241. 1910; B.A.I. Chief Rpt., 1909, p. 51. 1909.
  in glands from reacting cattle. An. Rpts., 1913, p. 96. 1914; B.A.I. Chief Rpt., 1913, p. 26. 1913.
  in man caused by ingestion of milk from tuberculous cows. B.A.I. Bul. 33, pp. 20–22. 1901.
  increase in Australia. B.A.I. Bul. 32, pp. 17–19. 1901.
  inefficacy of—
    "consumption cures," notes. F.B. 393, pp. 13–14. 1910.
    echinacea against. J.A.R., vol. 20, pp. 77–79. 1920.
  infection—
    danger. E. C. Schroeder and W. E. Cotton. B.A.I. An. Rpt., 1904, pp. 44–65. 1905; B.A.I. Cir. 83, pp. 22. 1905.
    experiments—
      results. B.A.I. An. Rpt., 1904, p. 65. 1905.
      with animals. B.A.I. An. Rpt., 1908, pp. 118, 120, 131, 142, 146. 1910.
    hogs, methods. B.A.I. Bul. 88, pp. 1–51. 1906; Y.B. 1909, pp. 228–231. 1910; Y.B. Sep. 508, pp. 228–231. 1910.
    milk—
      and milk products as carriers. E. C. Schroeder. B.A.I. An. Rpt., 1907, pp. 183–199. 1909; B.A.I. Cir. 143, pp. 183–199. 1909.
      supply of cities. B.A.I. An. Rpt., 1907, p. 180. 1909.
    mode, relation to lesions. E. C. Schroeder and W. E. Cotton. B.A.I. Bul. 93, pp. 19. 1906.
    through—
      inhalation. B.A.I. An. Rpt., 1907, pp. 194–195. 1909; B.A.I. Cir. 143, pp. 194–195. 1909.
      intestinal digestion, studies. B.A.I. An. Rpt., 1908, pp. 132, 139–143. 1910.
      stomach and intestines. B.A.I. An. Rpt., 1907, pp. 193–194. 1909; B.A.I. Cir. 143, pp. 193–194. 1909.

Tuberculosis—Continued.
  inhalation theory, fallacy, discussion. B.A.I. An. Rpt., 1908, pp. 138–145. 1910.
  inspection—
    address list. Y.B., 1918, pp. 218–219. 1919; Y.B. Sep. 782, pp. 6–7. 1919.
    of cattle in Indiana. News L., vol. 7, No. 16, p. 7. 1919.
  intestinal—
    investigations, conclusions. B.A.I. Bul. 53, pp. 47–50. 1904.
    origin. B.A.I. An. Rpt., 1907, p. 146. 1909.
    post-mortem examinations showing existence. B.A.I. Bul. 33, pp. 29–32. 1901.
  investigations—
    Animal Industry Bureau, 1907. B.A.I. An. Rpt., 1907, pp. 36–38, 57–58. 1909
    Bethesda Experiment Station. An. Rpts., 1913, pp. 103–104. 1914; B.A.I. Chief Rpt., 1913, pp. 33–34. 1913.
    conclusions. B.A.I. Bul. 53, pp. 44, 49–50. 1904.
    cooperative work—
      1914. An. Rpts., 1914, p. 83. 1915; B.A.I. Chief Rpt., 1914, p. 27. 1914.
      1916. An. Rpts., 1916, pp. 111–112. 1917; B.A.I. Chief Rpt., 1916, pp. 45–46. 1916.
      1917, results. An. Rpts., 1917, pp. 102–103, 108. 1918; B.A.I. Chief Rpt., 1917, pp. 36–37, 42. 1917.
  Kansas, free counties. Off. Rec., vol. 3, No. 31, p. 5. 1924.
  lesions, relation to mode of infection. E. C. Schroeder and W. E. Cotton. B.A.I. Bul. 93, pp. 19. 1906.
  livestock—
    animal eradication work and tests. News L., 5, No. 44, p. 6. 1918.
    control progress. Sec. A.R., 1925, p. 67. 1925.
    detection, control, and eradication. John A. Kiernan and Alexander E. Wight. F.B. 1069, pp. 31. 1919.
    eradication in Iowa. Off. Rec. vol. 2, No. 42, p. 3. 1923.
    investigations. B.A.I. Chief Rpt., 1924, pp. 36, 40. 1924.
    losses from. J. A. Kiernan and L. B. Ernest. Y.B., 1919, pp. 277–288. 1920; Y.B. Sep. 810, pp. 277–288. 1920.
    State aid in control. News L., vol. 6, No. 33, p. 14. 1919.
    study in 1923. Work and Exp., 1923, p. 69. 1925.
  material for testing, description and tests. J.A.R., vol. 8, pp. 11–14. 1917.
  menace to export trade. B.A.I. Bul. 32, pp. 9–10. 1901.
  modified accredited areas, counties named. B.A.I.O. 283, p. 1. 1923.
  occurrence in—
    lymph glands of meat animals, notes. B.A.I. An. Rpt., 1910, pp. 380, 381, 384, 391, 399. 1912; B.A.I. Cir. 192, pp. 380, 381, 384, 391, 399. 1912.
    wild animals, especially monkeys. B.A.I. An. Rpt., 1911, p. 62. 1913.
  pheasant, post-mortem appearances, and control measures. F.B. 390, pp. 39–40. 1910.
  poultry—
    disease, cause, symptoms, and treatment. F.B. 530, pp. 19–21. 1913.
    transmission to hogs. B.A.I. An. Rpt., 1909, p. 45. 1911.
  prevalence among—
    cows supplying milk to District of Columbia. B.A.I. Cir. 153, pp. 33, 41. 1910.
    dairy cows, and transmission to human beings. B.A.I. Cir. 143, pp. 29–37, 39–41. 1910.
    hogs, distribution, and increase. B.A.I. Cir. 201, pp. 7–8, 9–11. 1912.
    meat animals. B.A.I. An. Rpt., 1910, p. 242. 1912; B.A.I. Cir. 185, p. 242. 1912.
  prevention—
    methods. News L., vol. 4, No. 41, pp. 8–9. 1917.
    rather than cure. B.A.I. Dairy [Misc.], "World's dairy congress, 1923," pp. 845–847. 1924.

INDEX TO PUBLICATIONS, 1901-1925   2489

Tuberculosis—Continued.
  pulmonary, value of goats' milk, studies and experiments. F.B. 920, p. 8. 1918.
  purebred stock most seriously affected. B.A.I. Bul. 32, p. 21. 1901.
  range cattle, foreign countries, statistics. B.A.I. Bul. 32, pp. 16-20. 1901.
  regulations, Great Britain. B.A.I. Cir. 153, pp. 22-23. 1910.
  "remedies" fraudulent claims, warnings. News L., vol. 2, No. 38, p. 6. 1915.
  repression methods, individual, State, and Federal. B.A.I. Bul. 38, pp. 79-96. 1906.
  sheep—
    diagnosis and treatment. F.B. 1155, pp. 14-15. 1921.
    rarity, resemblance to caseous lymphadenitis. F.B. 1155, pp. 14-15. 1921.
    similarity of human and bovine. B.A.I. Bul. 33, p. 7. 1901.
  slaughterhouse statistics of prevalence in European countries. B.A.I. Bul. 33, p. 9. 1901.
  spread—
    by—
      dairy by-products, address by H. L. Russell. O.E.S. Bul. 212, pp. 94-98. 1909.
      flies, studies. An. Rpts., 1912, p. 386. 1913; B.A.I. Chief Rpt., 1912, p. 90. 1912.
      fowls, danger. S.R.S. Rpt., 1916, Pt. I, pp. 52, 215. 1918.
      milk and milk products. B.A.I. An. Rpt., 1907, pp. 58, 183-199. 1909; B.A.I. Cir. 143, pp. 183-199. 1909.
    methods. F.B. 1069, pp. 2, 7, 9-12, 17, 19. 1919.
    prevention in cattle, regulations. B.A.I.O. 263, pp. 27-30. 1919.
  study by department, and results—
    1904. B.A.I. An. Rpt., 1904, pp. 21-23. 1905.
    1904-5. B.A.I. An. Rpt., 1905, pp. 9-14. 1907.
  symptoms in cattle. F.B. 1069, pp. 12-13. 1919.
  test(s)—
    cattle—
      benefits. News L., vol. 6, No. 47, p. 2. 1919.
      statistics. B.A.I. Bul. 33, p. 10. 1901.
    methods, investigations. An. Rpts., 1911, p. 237. 1912; B.A.I. Chief Rpt., 1911, p. 47. 1911.
    tuberculin and microscopic, sustained by postmortems. B.A.I. An. Rpt., 1908, pp. 122-128. 1910.
    value in eradication. News L., vol. 6, No. 49, pp. 1-2, 8. 1919.
    See also Tuberculin tests.
  testing—
    calves. News L., vol. 6, No. 45, p. 4. 1919.
    interstate regulations. News L., vol. 6, No. 45, p. 9. 1919.
    program. Sec. A.R., 1925, p. 67. 1925.
    See also Tuberculin testing.
  transmission—
    by house flies, note. F.B. 412, p. 11. 1910.
    experiments, discussion. B.A.I. [Misc.], "Diseases of cattle," rev., pp. 440-443. 1912.
    in milk, danger. F.B. 490, pp. 18-19. 1912; Y.B., 1907, p. 192. 1908; Y.B. Sep. 444, p. 192. 1908.
    steps, exhibit. Off. Rec., vol. 4, No. 39, p. 3. 1925.
  treatment with kumiss in Russia, note. D.B. 319, p. 19. 1916.
  tuberculin test for. D.E. Salmon. B.A.I. Cir. 79, pp. 14. 1905; B.A.I., 1901, pp. 581-592. 1902; Y.B. Sep. 231, pp. 581-592. 1902.
  types, cause of death, tables of percentage. B.A.I. Bul. 53, pp. 21-26. 1904.
  udder of cow, diagnosis. F.B. 1422, p. 8. 1924.
  work—
    cost decrease. Off. Rec., vol. 3, No. 5, p. 3. 1924.
    of extension agent. Off. Rec., vol. 2, No. 51, p. 5. 1923.
    See also Consumption; Tubercle bacillus.
Tuberculous—
  birds, shipping to B.A.I. laboratory for post-mortem. F.B. 390, p. 40. 1910.
  cattle, some facts about. E. C. Schroeder. Y.B., 1908, pp. 217-226. 1909; Y.B. Sep. 476, pp. 217-226. 1909.

Tuberculous—Continued.
  cow, dangerous but unsuspected. E. C. Schroeder. B.A.I. Cir. 118, pp. 19. 1907.
  cow, relation to public health. E. C. Schroeder. B.A.I. Cir. 153, pp. 38-45. 1910.
  diseases, types, cause of death, and tables of percentage. B.A.I. Bul. 53, pp. 21-26. 1904.
  infection, various methods, discussion. B.A.I. An. Rpt., 1908, pp. 155-156. 1910.
  lesions, relation to the mode of infection. E. C. Schroeder and W. E. Cotton. B.A.I. Bul. 93, pp. 19. 1906.
  material—
    destruction by sunshine, experiments. News L., vol. 3, No. 16, pp. 2-3. 1915.
    for experiments, sources. B.A.I. Bul. 52, Pt. II, pp. 32-39. 1905.
Tubering blueberries, directions. B.P.I. Cir. 122, pp. 6-8. 1913; D.B. 334, pp. 6-8. 1915; D.B. 974, pp. 10-12. 1921.
Tuberization, relation to photoperiodism. J.A.R., vol. 23, pp. 896-898. 1923.
Tuberose, production in North Carolina, Duplin County. Soil Sur. Adv. Sh., 1905, pp. 19, 22. 1905; Soils F.O., 1905, pp. 303-304, 306. 1907.
Tuberosities, on grapevines, cause and description. D.B. 903, pp. 22-24, 26, 53. 1921.
Tubes, shelter, termites, description. D.B. 1232, pp. 6, 7, 9, 16, 20, 22. 1924.
Tubs—
  butter, paraffining. L. A. Rogers. B.A.I. Cir. 130, pp. 6. 1908.
  washing, types best suited to home work. F.B. 1099, p. 5. 1920.
Tuck, C. H.: "Organizing and conducting demonstration work." O.E.S. Bul. 225, pp. 26-27. 1910.
Tucker, O. M.—
  report of (acting) plant pathologist, Porto Rico Experiment Station, 1922. P.R. An. Rpt., 1922, pp. 16-18. 1923.
  report of plant pathologist, Porto Rico Experiment Station, 1923. P.R. An. Rpt., 1923, pp. 15-16. 1924.
Tucker, E. S.—
  "Dispersion of the boll weevil in 1921." With others. D.C. 210, pp. 3. 1922.
  "New breeding records of coffee-bean weevil." Ent. Bul. 64, Pt. VII, pp. 61-64. 1909.
  "The rice water-weevil and methods for its control." Ent. Cir. 152, pp. 20. 1912.
  work and death. Off. Rec., vol. 1, No. 3, p. 8. 1922.
"Tucker's asthma specific," note. F.B. 393, p. 9. 1910.
Tuckwiller, R. H.—
  "Effect of winter rations on pasture gains of calves." With E. W. Sheets. D.B. 1042, pp. 15. 1922.
  "Effect of winter rations on pasture gains of 2-year-old steers." With E. W. Sheets. D.B. 1251, pp. 24. 1924.
  "Effect of winter rations on pasture gains of yearling steers." With E. W. Sheets. D.B. 870, pp. 20. 1920.
  "Feeding experiments with grade beef cows raising calves." With E. W. Sheets. D.B. 1024, pp. 17. 1922.
Tucolote—
  injury to sheep by sharp-pointed seeds. B.P.I. Bul. 117, p. 16. 1907.
  range seeding experiments. B.P.I. Bul. 177, p. 13. 1910.
Tuff, Per: "Osteomalacia and its occurrence in cattle in Norway." B.A.I. Dairy [Misc.], "World's dairy congress, 1923," pp. 1494-1501. 1924.
Tuffs, volcanic, deposits, composition and analyses, fertilizing values. Soils Bul. 68, pp. 151-158. 1911.
Tule—
  billbug, description, life history, and injurious habits. F.B. 1003, pp. 15-16. 1919.
  description and—
    food value for waterfowl. D.B. 936, pp. 11-12. 1921.
    use, in eastern Puget Sound Basin, Wash. Soils F.O., 1909, p. 1541. 1912; Soil Sur. Adv. Sh. 1909, p. 29. 1911.
  lands in California, San Joaquin County, pota raising problems. B.P.I. Cir. 23, pp. 3-14. 19

Tule—Continued.
  lands, Klamath Marsh, comparison with other lands. B.P.I. Cir. 86, p. 9. 1911.
Tullibee in Athabaska-Mackenzie region. N.A. Fauna 27, p. 507. 1908.
Tulip-poplar—
  description and key. D.C. 223, pp. 6, 9. 1922.
  names, range, description, bark, prices, and uses. B.P.I. Bul. 139, pp. 23-25. 1909.
  See also Poplar, yellow; Tulip tree; *Liriodendron tulipifera*.
Tulip-root, wheat disease, cause and comparison with nematode disease. D.B. 842, pp. 8-9. 1920.
Tulip tree—
  aphid, description, habits, and control. F.B. 1169, p. 85. 1921.
  characteristics. F.B. 1222, pp. 5-7. 1922.
  description—
    and regions suited to. F.B. 1208, p. 40. 1922.
    use as street tree, and regions adapted to. D.B. 816, pp. 17, 19, 42-43. 1920.
  diseases in Texas, occurrence and description. B.P.I. Bul. 226, p. 80. 1912.
  growing, experiments with daylight of different lengths. J.A.R., vol. 23, p. 904. 1923.
  injury by sapsuckers. Biol. Bul. 39, pp. 36, 37, 77-78. 1911.
  insects injurious. F.B. 1169, p. 100. 1921.
  preservative treatment, results. F.B. 744, p. 17. 1916.
  region, beekeeping. E. F. Phillips and George S. Demuth. F.B. 1222, pp. 25. 1922.
  soft scale, description and control. F.B. 1169, p. 80. 1921.
  See also *Liriodendron tulipifera*; Poplar, yellow.
Tulips—
  American and foreign grown, comparative tests. D.B. 28, pp. 18-20. 1913.
  and narcissus bulbs, distribution in 1919. R. A. Oakley. D.C. 65, pp. 4. 1919.
  aphid, presence in foreign bulbs. Off. Rec., vol. 1, No. 51, p. 4. 1922.
  beds, treatment after planting, mulching, and spring cultivation. D.B. 1082, pp. 10-11. 1922.
  bulb(s)—
    cleaning and drying. D.B. 797, p. 19. 1919.
    insects, control. F.B. 1362, pp. 22-25. 1924.
    planting and growing methods. News L., vol. 3, No. 5, p. 8. 1915.
    production. David Griffiths. D.B. 1082, pp. 48. 1922.
    varieties, description, and other names. B.P.I. Doc. 1122, pp. 2, 3-4, 5. 1914.
  cultivation at Bellingham. D.B. 28, pp. 17-20. 1913.
  cultural directions—
    and description of varieties. B.P.I. Doc. 984, pp. 1-4. 1913.
    varieties and sources. D.C. 65, pp. 1-4. 1919.
  fire disease, description and spread. D.B. 797, pp. 34-35. 1919.
  freedom from gypsy moth injury. D.B. 204, p. 15. 1915.
  growing—
    in United States (with other bulbs). D.B. 797, pp. 1-50. 1919.
    methods, experiments at Bellingham, Wash. D.B. 28, pp. 17-20. 1913.
  importation and description. No. 51113, B.P.I. Inv. 64, pp. 4, 58. 1923.
  injury by mosaic disease. D.B. 797, pp. 36, 45-46. 1919.
  origin, introduction into United States, and early value. D.B. 28, p. 17. 1913.
  pine. See Pipsissewa.
  planting depth, notes. D.B. 797, pp 9, 10. 1919.
  propagation methods. D.B. 28, p. 17. 1913.
  treatment after flowering. D.B. 797, pp. 10, 11. 1919.
Tumblebugs—
  destruction by crows. D.B. 621, pp. 16, 58. 1918.
  See also Dung beetle.
Tumbleweeds, grass, description. D.B. 772, pp. 81, 180, 189, 232. 1920.
Tumbling mustard seed, description F.B. 428, pp. 20, 21. 1911.

Tumbo, importations and description. Nos. 41316, 41331, B.P.I. Inv. 45, pp. 5, 9, 15. 1918.
Tumion—
  californicum—
    injury to trees by sapsuckers. Biol. Bul. 39, p. 23. 1911.
    See also Nutmeg, California.
  genus. See Cedar.
  nuciferum, importation occurrrence, and description. No. 43075, B.P.I. Inv. 48, pp. 16-17. 1921.
  taxifolium, injury to trees by sapsuckers. Biol. Bul. 39, p. 23. 1911.
Tumor(s)—
  affecting cattle. John R. Mohler. B.A.I. [Misc.], "Diseases of cattle," rev., pp. 304-319. 1904; rev., pp. 304-319. 1908; rev., pp. 315-331. 1912; rev., pp. 303-319. 1923.
  animal, similarity to crown-gall, discussion. B.P.I. Bul. 213, pp. 161-171. 1911.
  apricot. Amram Khazanoff. J.A.R., vol. 26, pp. 45-60. 1923.
  bird, treatment. F.B. 1337, p. 21. 1923.
  black pigment, horse, treatment. B.A.I. [Misc.], "Diseases of the horse," rev., p. 449. 1903; rev., p. 449. 1907; rev., p. 449. 1911; rev., p. 476. 1923.
  blackleg, description, before and after death. B.A.I. Cir. 31, rev., pp. 6, 8. 1911.
  bony. See Osteoma.
  brain, of cattle, effects. B.A.I. [Misc.], "Diseases of cattle," rev., p. 110. 1904; rev., p. 112. 1912; rev., p. 112. 1923.
  calf, removal. B.A.I. [Misc.], "Diseases of cattle," rev., p. 183. 1912.
  cattle, classification, description, and treatment. B.A.I., [Misc.], "Diseases of cattle," rev., pp. 23-24, 304-319. 1904; rev., pp. 21-22, 315-331. 1912; rev., pp. 19-20, 303-319. 1923.
  chickens, frequency of occurrence. J.A.R., vol. 5, No. 9, pp. 397-404. 1915.
  citrus fruits, study. An. Rpts., 1910, pp. 53, 281. 1911; B.P.I. Chief Rpt., 1910, p. 11. 1910; Rpt. 93, p. 40. 1911; Sec. A.R., 1910, pp. 53. 1910; Y.B., 1910, p. 53. 1911.
  classification, benign and malignant, and cysts. B.A.I. [Misc.], "Diseases of cattle," rev., pp. 305-308. 1923.
  cow udder, treatment. F.B. 1422, p. 10. 1924.
  crown-gall—
    distinction from nitrogen-fixing nodule. B.P.I. Cir. 76, pp. 4-5. 1911.
    structure, growth, and multiplication. B.P.I. Bul. 213, pp. 159-173. 1911.
  eyeball, of cattle, treatment. B.A.I. [Misc.], "Diseases of cattle," rev., pp. 349, 352. 1904; rev. pp. 361, 365-366. 1912; rev., pp. 349, 353. 1923.
  eyelids of cattle, treatment. B.A.I. [Misc.], "Diseases of cattle," rev., p. 363. 1912.
  fowls, nature and distinction from tuberculosis. F.B. 1200, p. 8. 1921.
  growth in crowngall, mechanism of. Erwin F. Smith. J.A.R., vol. 8, pp. 165-186. 1917.
  horse, cranium, kinds, description, and results. B.A.I., [Misc.], "Diseases of the horse, " rev., p. 204. 1903; rev., pp. 204-205. 1907; rev., pp. 204-205. 1911; rev., pp. 224-225. 1923.
  kidney of—
    cattle, symptoms. B.A.I., [Misc.], "Diseases of cattle," rev., p. 128. 1923.
    hog, description, histo-genesis, and microscopical examination. B.A.I. An. Rpt., 1907, pp. 248-257. 1909.
    man, varieties, authorities quoted. B.A.I. An. Rpt., 1907, p. 247. 1909.
  meat animal infection, inspection regulations. B.A.I. An. Rpt., 1907, p. 373. 1909.
  metastatic, horses, characteristics, comparison with glanders. B.A.I. An. Rpt., 1910, p. 348. 1912; B.A.I. Cir. 191, p. 348. 1912.
  orbit of cattle, description. B.A.I. [Misc.], "Diseases of cattle," rev., p. 365. 1912.
  plant. See also Crown-gall.
  research studies. An. Rpts., 1919, p. 121. 1920; B.A.I. Chief Rpt., 1919, p. 49. 1919.
  root. See Crown-gall.
  stem, or knots, on apple and quince trees. George G. Hedgcock. B.P.I. Cir. 3, pp. 16. 1908.

Tumor(s)—Continued.
　structure and growth, and theories of cause. B.A.I. [Misc.], "Diseases of cattle," rev., pp. 302–304. 1923.
Tump, use as vegetable or fruit cellar. News L., vol. 3, No. 11, p. 6. 1915.
Tuna—
　as food for man. David Griffiths and R. F. Hare. B.P.I. Bul. 116, pp. 73. 1907.
　cheese—
　　Mexican confection, description and process. B.A.I. Bul. 146, pp. 57–58. 1911.
　　use as food. F.B. 316, p. 16. 1908.
　composition, methods of analysis. B.P.I. Bul. 116, pp. 30–42. 1907.
　fruits, general description. B.P.I. Bul. 116, pp. 13–17. 1907.
　harvesting, methods. B.P.I. Bul. 116, pp. 17–19. 1907.
　honey, directions for making. F.B. 316, p. 16. 1908.
　nutrition studies, notes. O.E.S. An. Rpt., 1909, p. 367. 1910.
　paste, use for coloring preserves and confection. F.B. 316, p. 17. 1908.
　products, preparation and use. F.B. 316, pp. 16–17. 1908.
　rinds, feed for burros and swine. B.P.I. Bul. 116, p. 13. 1907.
　seed, description. B.P.I. Bul. 116, pp. 16–17. 1907.
　varieties, description. B.P.I. Bul. 116, pp. 42–66. 1907.
　See also Prickly pear.
Tuna fish—
　canned, adulteration and misbranding. See Indexes to Notices of Judgment in bound volumes of Chemistry Service and Regulatory Announcements.
　cannery waste, source of fish meal. Bul. 378, p. 19. 1916.
　canning and waste, Pacific coast. D.B. 150, pp. 68–69. 1915.
　labeling, and similar fish, item 218. Chem. S.R.A. 20, pp. 61–62. 1917.
Tundra—
　Alaskan ranges, vegetation, composition, and uses. D.B. 1089, pp. 23, 29, 31. 1922.
　ice and soil formations. Soils Bul. 68, p. 102. 1911.
Tung—
　oil—
　　description, uses, and importations. D.B. 769, pp. 31–32. 1919.
　tree—
　　importations and descriptions. No. 44095, B.P.I. Inv. 50, p. 27. 1922; No. 44661, B.P.I. Inv. 51, p. 39. 1922.
　　plants, importation and description. No. 43412, B.P.I. Inv. 49, p. 14. 1921.
　　study in 1923. O.E.S. [Misc.], "Work and Exp.," 1923, p. 38. 1925.
　　See also Wood-oil tree, Chinese.
　　various names. D.B. 769, p. 31. 1919.
　tree—
　　China, description and uses, seed importations, 1909. B.P.I. Bul. 162, pp. 56–57. 1909.
　　importation and description. No. 38671, B.P.I. Inv. 40, pp. 9–10. 1917.
　　nuts, description of tree. No. 36608, B.P.I. Inv. 37, pp. 37–38. 1916.
　　seed oil, production, study. An. Rpts., 1909, p. 361. 1910; B.P.I. Chief Rpt., 1909, p. 109. 1909.
　　seeds, importations and description. Nos. 39582, 39635, B.P.I. Inv. 41, pp. 45, 52. 1917.
Tuni. See Taro.
Tunis—
　date culture and date varieties. Thomas H. Kearney. B.P.I. Bul. 92, pp. 110. 1906.
　food laws affecting American exports. Chem. Bul. 61, p. 34. 1901.
　fruit exports, 1912. D.B. 483, p. 39. 1917.
　grass—
　　description, comparison with Sudan grass. F.B. 605, p. 4. 1914.
　　hybrid, seeds, catalase and oxidase, studies, notes. J.A.R., vol. 15, pp. 146–169. 1918.
　　importation and description. Nos. 52088–52118, B.P.I. Inv. 65, pp. 75–76. 1923.

Tunis(s)—Continued.
　grass—continued.
　　in Hawaii, growing, composition, and value. Hawaii Bul. 36, pp. 11, 29. 1915.
　　introduction and possibilities. Y.B., 1912, pp. 500, 501. 1913; Y.B. Sep. 609, pp. 500, 501. 1913.
　　origin, description, and yields. D.B. 981, pp. 7–8. 1921.
　potatoes, production, 1909–1913, 1921–1923. Stat. Bul. 10, p. 20. 1925.
　sheep—
　　description. F.B. 576, p. 10. 1914.
　　origin, history, distribution, and description. D.B. 94, pp. 30–33, 59. 1914.
　wine, laws, affecting American exports. Chem. Bul. 61, p. 34. 1901.
Tunnels—
　evaporator—
　　construction and use. D.B. 1141, pp. 25–26, 27, 31, 32. 1923.
　　See also Drier, tunnel.
　gopher—
　　description. Y.B., 1909, pp. 210, 211. 1910; Y.B. Sep. 506, pp. 210, 211. 1910.
　　location by probes, and bait setting. Y.B., 1916, p. 389. 1917; Y.B. Sep. 708, p. 9. 1917.
Tuolumne Water Co., Calif., irrigation reservoirs with timber dams, details. O.E.S. Bul. 249, Pt. II, pp. 13–20. 1912.
Tupelo—
　annual consumption in Arkansas, amount and value. For. Bul. 106, pp. 7, 9–10, 13, 17, 21, 22, 40. 1912.
　distillation yields of alcohol, acetic acid. D.B. 129, pp. 7–16. 1914.
　gum, sap-rot, fungi causing destruction. B.P.I. Bul. 114, p. 32. 1907.
　lumber—
　　cut and value, 1906, several States. For. Cir. 122, p. 28. 1907.
　　production—
　　　1913, species and range. D.B. 232, pp. 24–25, 31–32. 1915.
　　　1916, by States, mills reporting, and lumber value. D.B. 673, p. 28. 1918.
　　　1917, by States, and value. D.B. 768, pp. 28, 38, 43. 1919.
　　　1918, by States. D.B. 845, pp. 31–32, 46. 1920.
　　　1920, by States. D.B. 1119, p. 51. 1923; Y.B., 1922, p. 927. 1923.
　pollen, type, shape of grains. Chem. Bul. 110, p. 77. 1908.
　production, 1899–1914, and estimates, 1915. D.B. 506, pp. 13–15, 29. 1917.
　quantity used in manufacture of wooden products. D.B. 605, p. 11. 1918.
　sour, characteristics. For. Bul. 103, pp. 19–20. 1911.
　stumpage value, 1907. For. Cir. 122, p. 42. 1907.
　utilization. H. B. Holroyd. For. Cir. 40, pp. 16. 1906.
Turarraea obtusifolia, importation and description. No. 34178, B.P.I. Inv. 32, p. 19. 1914.
Turbary sheep of Neolithic age, origin and description. B.A.I. An. Rpt., 1910, pp. 153, 155. 1912.
Turbidometer—
　instrument for determining turbidity of vaccine. An. Rpts., 1911, p. 240. 1912; B.A.I. Chief Rpt., 1911, p. 50. 1911.
　use for determining turbidities in vaccines. B.A.I. An. Rpt., 1911, p. 63. 1913.
Turbine—
　pumps, description and use in irrigation. F.B. 899, p. 13. 1917.
　wheels, sawmill, description. D.B. 718, pp. 60–61. 1918.
Turdidae—
　hosts of animal parasite, list. B.A.I. Bul. 60, p. 49. 1904.
　See also Thrushes.
Turdus—
　musicus, habitat, note. D.B. 280, p. 1. 1915.
　spp. See also Thrush.
Turf—
　Bermuda grass, value. F.B. 814, pp. 13–14. 1917.
　disease of lawns. News L., vol. 6, No. 47, p. 16. 1919.

Turf—Continued.
  repairing and reseeding for lawns. D.C. 49, p. 3. 1919.
"Turk" (insect). See Curculio, plum.
Turkestan—
  alfalfa—
    commercial, inferiority to American-grown strains. News L., vol. 4, No. 38, p. 9. 1917.
    group. F.B. 757, pp. 7–8. 1916.
    hardiness, comparison with other varieties. F.B. 514, pp. 14, 15, 16, 17. 1912.
    introduction and characteristics. F.B. 339, p. 37. 1908.
  seed—
    commercial, description, warning to farmers. News L., vol. 2, No. 7, p. 1. 1914.
    importations, value, and comparison with domestic alfalfa seed. News L., vol. 3, No. 52, p. 3. 1916.
    tests for hardiness and yield. B.P.I. Bul. 169, pp. 19, 21, 22, 23, 24. 1910.
    yield per acre, tests. B.P.I. Bul. 169, pp. 19, 21, 22, 23. 1910.
  animal remains, study. B.A.I. An. Rpt , 1910, pp. 125, 153, 157, 163, 196. 1912.
  climatic conditions. D.B. 138, pp. 1–2. 1914.
Turkey—
  citrus fruits, condition, 1914–1915, estimates. F.B. 629, p. 13. 1914.
  European—
    agricultural products, area, production, and value. Stat. Cir. 19, pp. 11–12. 1911.
    and Asiatic, grain production. Stat. Bul. 68, pp. 96–97. 1908.
    exports of mohair in 1904. B.A.I. Bul. 27, p. 70. 1906.
    forest resources. For. Bul. 83, p. 57. 1910.
    fruit production, exports, and imports, 1910–1911. D.B. 483, pp. 31–32. 1917.
    goats, numbers, maps. Atl. Am. Agr. Adv. Sh. 4, Pt. V, pp. 142, 144. 1918.
    hemp growing and uses. Y.B., 1913, p. 301. 1914; Y.B. Sep. 628, p. 301. 1914.
    laws on fruit and plant introduction. Ent. Bul. 84, p. 37. 1909.
    mules and asses, numbers. Atl. Am. Agr. Adv. Sh. 4, Pt. V, pp. 114, 116. 1918.
    red dye, preparation, use of castor oil. D.B. 867, p. 38. 1920.
    sheep, numbers, maps. Atl. Am. Agr. Adv. Sh. 4, Pt. V, pp. 137, 139. 1918.
Turkey(s)—
  American, tapeworms—
    B. H. Ransom. B.A.I. An. Rpt., 1904, pp. 268–285. 1905.
    infestation. B.A.I. Cir. 85, pp. 1–18. 1905.
  blackhead. See Blackhead.
  breeding—
    laying, incubation, and brooding, studies. News L., vol. 3, No. 34, pp. 5–6. 1916.
    stock, selection and management. F.B. 1409, pp. 6–11. 1924.
  brooding coop, requirements, care, and location. F.B. 791, pp. 16–18. 1917.
  buzzard. See Buzzard, turkey.
  California industry. B.A.I. An. Rpt., 1904, pp. 321–322. 1905.
  canned, directions. Chem. Bul. 13, Pt. X, p. 1392. 1902.
  diseases—
    ailments, and parasites, control. F.B. 1409, pp. 19–22. 1924.
    and parasites. An. Rpts., 1916, pp. 129, 130. 1917; B.A.I. Chief Rpt., 1916, pp. 63, 64. 1916.
    description and control. F.B. 791, pp. 24–26. 1917.
    transmission by ordinary fowls. F.B. 334, p. 28. 1908.
  domestic, origin, varieties, standard weights, and selection. F.B. 791, pp. 4–8. 1917.
  driving, in Texas. Y.B., 1916, p. 416. 1917; Y.B. Sep. 700, p. 6. 1917.
  economic—
    importance on farms, prices, 1917. News L., vol. 5, No. 29, p. 4. 1918.
    use and self-feeding value on farms. Sec. Cir. 107, p. 8. 1918.
  eggs—
    flavor and composition. D.B. 471, pp. 1, 6. 1917.

Turkey(s)—Continued.
  eggs—continued.
    freedom from parasite of blackhead. B.A.I. Cir. 119, pp. 3, 9. 1907.
    incubation period. F.B. 585, p. 3. 1914.
    fattening for market. F.B. 1409, pp. 16–17. 1924
  feeding—
    and fattening. D.C. 352, p. 24. 1925; F.B. 465, pp. 23–24. 1911.
    studies. B.A.I. Chief Rpt., 1924, p. 11. 1924.
  frozen, cold storage reports, 1917–1918. D.B. 776, pp. 32, 33, 35, 39, 41, 43. 1919.
  gapeworms, spread. B. H. Ransom. D.B. 939, pp. 13. 1921.
  grasshopper destruction. F.B. 691, rev. p. 17. 1920.
  grazing for control of range caterpillars. D.B. 443, p. 12. 1916.
  hatching and rearing by artificial methods. F.B. 465, pp. 22–24. 1911.
  hen, management on farm. Y.B., 1916, p. 415. 1917; Y.B. Sep. 700, p. 5. 1917.
  hens, laying time. F.B. 791, pp. 10–11. 1917.
  herding methods. News L., vol. 4, No. 32, p. 3. 1917.
  hunting in North Carolina. Biol. Bul. 24, p. 49. 1905.
  immunity from blackhead experiments. B.A.I. Cir. 119, p. 6. 1909.
  important factor in spread of gapeworms. B. H. Ransom. D.B. 939, pp. 13. 1921.
  industry, decrease, 1900–1910. F.B. 791, pp. 3–4. 1917.
  infection with gapeworms, dangers to young chicks. F.B. 1337, p. 30. 1923.
  infestation with fowl tick, notes. Ent. Cir. 170, pp. 2, 4. 1913.
  injury by turkey gnats. Y.B., 1912, pp. 385–386. 1913; Y.B. Sep. 600, pp. 385–386. 1913.
  killing and dressing, details. Y.B., 1916, p. 418. 1917; Y.B. Sep. 700, p. 8. 1917.
  laying and nesting habits. News L., vol. 3, No. 34, p. 5. 1916.
  market—
    examination for gapeworm infection. D.B. 939, pp. 1–3. 1921.
    grades and quotations. F.B. 1377, p. 9. 1924.
    marketing in Texas, 1923. Off. Rec., vol. 3, No. 28, p. 6. 1924.
  mating directions. F.B. 1409, pp. 8–9. 1924.
  medicines. D.C. 352, pp. 24–25. 1925.
  numbers, by countries. Y.B., 1924, pp. 991–992. 1925.
  origin of name, value as food, and source of supply. D.B. 467, pp. 2–3, 21. 1916.
  poults, raising in brooders and restricted quarters. B.A.I. Cir. 119, pp. 3, 9. 1907.
  prices—
    1914–1919. Y.B., 1918, p. 710. 1919; Y.B. Sep. 795, p. 46. 1919.
    1915, various States. F.B. 791, p. 4. 1917; Y.B., 1916, p. 413. 1917; Y.B. Sep. 700, p. 3. 1917.
    on farm. Y.B. 1924, p. 997. 1925.
  production—
    1900 and 1910, and decrease. Y.B., 1916, p. 414 1917; Y.B. Sep. 700, p. 4. 1917.
    decrease. Off. Rec. vol. 3, No. 45, p. 6. 1924.
    in United States. Y.B., 1902, pp. 301–303. 1903.
    investigations. An. Rpts., 1923, p. 210. 1923; B.A.I. Chief Rpt., 1923, p. 12. 1923.
  profits in raising. News L , vol. 3, No. 34, pp. 5–6. 1916.
  raising—
    Andrew S. Weiant. F.B. 791, pp. 27. 1917.
    Morley A. Jull and Alfred R. Lee. F.B. 1409, pp. 22. 1924.
    in—
      Nevada, Newlands farm. D.C. 352, pp. 23–25. 1925.
      North Dakota, McHenry County. Soil Sur Adv. Sh., 1921, p. 945. 1925; Soils F.O., 1921, p. 945. 1926.
      South. News L., vol. 6, No. 43, p. 3. 1919.
      Wyoming. Off. Rec., vol. 4, No. 50, p. 6. 1925.
    on the farm, management and care. Y.B., 1916, pp. 412–413, 415–416. 1917; Y.B. Sep. 700, pp. 2–3, 5–6. 1917.

Turkey(s)—Continued.
 raising—continued.
  study course, suggestions for teachers. S.R.S. Doc. 57, pp. 7-10. 1917.
  ranching, location and methods. News L., vol. 4, No. 32, p. 3. 1917.
  rearing by artificial methods. F.B. 465, pp. 22-24. 1911.
  standard varieties and management. T. F. McGrew. F.B. 200, p. 40. 1904.
  storage stocks. Off. Rec., vol. 3, No. 48, p. 3. 1924.
  susceptibility to gapeworms. D.B. 939, pp. 2, 7, 10-11, p. 12. 1921.
  tapeworms, identification key. B.A.I. An. Rpt., 1904, pp. 273-385. 1905.
 Thanksgiving—
  Andrew S. Weiant. Y.B., 1916, pp. 411-419. 1917; Y.B. Sep. 700, pp. 9. 1917.
  origin, demand, raising, and marketing. Y.B., 1916, pp. 411-419. 1917; Y.B. Sep. 700, pp. 9. 1917.
 use in—
  control of—
   alfalfa caterpillar. D.B. 124, pp. 28-29. 1914.
   grasshoppers. F.B. 1140, p. 12. 1920.
   destruction of grubs, infested fields. News L., vol. 1, No. 7, p. 3. 1913.
  value in—
   destruction of grasshoppers. F.B. 691, pp. 9, 13, 15. 1915.
   grasshopper control. F.B. 856, p. 18. 1917.
   grasshopper destruction, dangers. F.B. 747, p. 12. 1916.
 water, occurrence and breeding in Arkansas, need of protection. Biol. Bul. 38, p. 15. 1911.
 wild—
  and grouse, of United States, economic value. Sylvester D. Judd. Biol. Bul. 24, pp. 52. 1905.
  condition, 1908. Y.B., 1908, p. 583. 1909; Y.B. Sep. 500, p. 583. 1909.
  condition, 1909. Biol. Cir. 73, p. 6. 1910.
  occurrence in Arkansas, danger of extermination. Biol. Bul. 38, p. 35. 1911.
  origin of domestic fowl, description and habits. Y.B., 1916, pp. 411-412. 1917; Y.B. Sep. 700, pp. 1-2. 1917.
  species, distribution, habits, and extermination. Biol. Bul. 24, pp. 9, 48-52. 1905.
  varieties, description, and weight. F.B. 791, pp. 4-5. 1917.
  Wichita National Forest. M.C. 36, p. 6. 1925.
  See also Game.
 work of poultry club members. Y.B., 1915, p. 200. 1916; Y.B. Sep. 669, p. 200. 1916.
 worms, control by carbon tetrachlorid, tests. J.A.R., vol. 23, pp. 163-164. 1923.
 young, age and sex determination, rearing and feeding methods. F.B. 791, pp. 20-21. 1917.
Turkish pilaf, recipe. F.B. 391, p. 24. 1910.
TURLEY, T. B.: "Investigations of the manufacture of phosphoric acid by the volatilization process." With others. D.B. 1179, pp. 55. 1923.
TURLINGTON, J. E.: "Soil survey of Robeson County, N. C." With others. Soil Sur. Adv. Sh., 1908, pp. 28. 1909; Soils F.O., 1908, pp. 293-316. 1911.
Turlock Canal, injury by ground squirrels. Biol. Cir. 76, p. 7. 1910.
Turmeric—
 addition to mustard, food inspection opinion. Chem. S.R.A. 5, p. 313. 1914.
 adulteration and misbranding (starch and calcium sulphate). Chem. N.J. 996, p. 1. 1911.
 detection. Chem. Bul. 107, p. 199. 1907.
 ground, adulteration and misbranding. Chem. N.J. 871, pp. 2. 1911.
 importation and description. No. 34773, B.P.I. Inv. 34, p. 12. 1915.
 powdered, use in adulteration of baking powder. News L., vol. 1, No. 29, p. 8. 1914.
 stains, removal from textiles. F.B. 861, p. 34. 1917.
TURNER, C. W.: "The minimum milk requirement for calf raising." With A. C. Ragsdale. J.A.R., vol. 26, pp. 437-446. 1923.

TURNER, H. A.—
 "Buying farms with land-bank loans." With L. C. Gray. D.B. 968, pp. 27. 1921.
 "Farm ownership and tenancy." With others. Y.B., 1923, pp. 507-600. 1924; Y.B. Sep. 897, pp. 507-600. 1924.
 "Renting dairy farms." F.B. 1272, pp. 24. 1922.
 "Systems of renting truck farms in southwestern New Jersey." D.B. 411, pp. 20. 1916.
 "The farm lease contract." With L. C. Gray. F.B. 1164, pp. 36. 1920.
TURNER, H. C.—
 "Poisonous properties of Bikukulla cucullaria (Dutchman's breeches) and B. canadensis (squirrel corn)." With others. J.A.R., vol. 23, pp. 69-78. 1923.
 "The germination of alligator juniper seed." For. Serv. Inv. No. 2, pp. 49-52. 1913.
TURNER, W. B.—
 "Apple-grain aphis." With A. C. Baker. J.A.R., vol. 18, pp. 311-324. 1919.
 "Controlling the curculio, brown-rot, and scab in the peach belt of Georgia." With others. D.C. 216, pp. 30. 1922.
 "Effect of water in the ration on the composition of milk." With others. J.A.R., vol. 6, No. 4, pp. 167-178. 1916.
 "Female Lepidoptera at light traps." J.A.R., vol. 14, pp. 135-149. 1918.
 "Lepidoptera at light traps." J.A.R., vol. 18, pp. 475-481. 1920.
 "Morphology and biology of the green-apple aphis." With A. C. Baker. J.A.R., vol. 5, No. 21, pp. 955-994. 1916.
 "Prickly pears as a feed for dairy cows." With others. J.A.R., vol. 4, pp. 405-450. 1915.
 "Rosy apple aphis." With A. C. Baker. J.A.R., vol. 7, pp. 321-344. 1916.
 "The effect of the cattle tick upon the milk production of dairy cows." With others. D.B. 147, pp. 22. 1915.
 "The open shed compared with the closed barn for dairy cows." With others. D.B. 736, pp. 15. 1918.
Turnicidae, hosts of eye parasite. B.A.I. Bul. 60, p. 46. 1904.
Turnip(s)—
 adaptability for fall and winter gardens, sowing directions and varieties. News L., vol. 4, No. 4, pp. 1, 3. 1916.
 aphid, control. An. Rpts., 1923, p. 402. 1923; Ent. A.R., 1923, p. 22. 1923.
 beets, and other succulent roots and their use as food. C. F. Langworthy. D.B. 503, pp. 19. 1917.
 black rot, effect on, photomicrographs and explanatory text. Erwin F. Smith. B.P.I. Bul. 29 pp. 20. 1903.
 bushel weights, by States. Y.B., 1918, p. 725. 1919; Y.B. Sep. 795, pp. 61-62. 1919.
 canning—
  directions. F.B. 839, pp. 18, 29. 1917.
  inspection instructions. D.B. 1084, p. 38. 1922.
 composition and food value, comparison with other foods. D.B. 503, pp. 3, 5, 6, 12. 1917.
 cow horn, nurse crop for crimson clover, value. F.B. 550, p. 13. 1913.
 crown gall, description. B.P.I. Bul. 213, p. 132. 1911.
 cultivation in Alaska. Alaska A.R., 1907, pp. 40-41. 1908.
 cultural directions—
  and varieties. F.B. 934, p. 44. 1918.
  for home gardens. S.R.S. Doc. 49, p. 7. 1917.
  for small gardens. F.B. 1044, p. 25. 1919.
  storing and use. F.B. 937, pp. 16, 19, 23, 52. 1918.
 culture, varieties and yield. F.B. 309, pp. 12-14. 1907.
 diseases in Texas, occurrence and description. B.P.I. Bul. 226, pp. 44-45. 1912.
 dried—
  analysis. J.A.R., vol. 11, pp. 359-361. 1917.
  cooking recipes. F.B. 841, p. 29. 1917.
 drying directions. D.B. 1335, p. 39. 1925; D.C. 3, p. 12. 1919; F.B. 841, p. 20. 1917; F.B. 984, p. 50. 1918.

Turnip(s)—Continued.
effect of—
black rot on: Photomicrographs and explanatory text. Erwin F. Smith. B.P.I. Bul. 29, pp. 20. 1903.
milk, comparison with roughage. J.A.R., vol. 6, No. 4, pp. 173-174. 1916.
farm prices, 1912-1918. Y.B., 1918, p. 709. 1919; Y.B. Sep. 795, p. 45. 1919.
feeding—
effect on flavor and odor of milk. C. J. Babcock. D.B. 1208, pp. 8. 1923.
to cows, effect on—
cream flavor and odor. D.B. 1208, pp. 6-7. 1923.
milk flavor and odor. D.B. 1208, pp. 3-5. 1923.
fertilizers, tests. Soils Bul. 67, pp. 67-68. 1910.
flat, phosphorus in thickened root, reactions. J.A.R., vol. 11, pp. 359-370. 1917.
flower beetle, description. Sec. [Misc.], "A manual * * * insects * * *," pp. 218-219. 1917.
food—
use, and cooking directions. D.B. 123, p. 31. 1916.
use (and other succulent roots). C. F. Langworthy. D.B. 503, pp. 19. 1917.
value, comparisons, chart. D.B. 975, p. 13. 1921.
freezing points. D.B. 1133, pp. 6, 7, 8. 1923.
frost and freezing, gathering and storing methods. News L., vol. 6, No. 6, p. 5. 1918.
growing—
directions and varieties recommended for home gardens. F.B. 936, p. 52. 1918.
for winter use. F.B. 818, p. 43. 1917.
in Alaska—
1908, notes. Alaska A.R., 1908, pp. 31, 42, 51. 1909.
1909. Alaska A.R., 1909, p. 41. 1910.
1910, experiments. Alaska A.R., 1910, pp. 19, 59. 1911.
1911, experiments. Alaska A.R., 1911, pp. 45, 69, 70, 71, 73, 75. 1912.
1912, varieties. Alaska A.R., 1912, pp. 19-20, 67. 1913.
1914, varieties and yields. Alaska A.R., 1914, pp. 20-21, 32, 50, 65. 1915.
1917, for food and seed. Alaska A.R., 1917, pp. 69-70. 1919.
1918. Alaska A.R., 1918, pp. 26, 67, 80, 90-93. 1920.
1919, varieties. Alaska A.R., 1919, pp. 21, 52, 58, 74. 1920.
1920. Alaska A.R., 1920, pp. 19, 31, 34, 57, 64-66. 1922.
1921. Alaska A.R., 1921, pp. 12, 29, 48, 49. 1923.
1922. Off. Rec., vol. 1, No. 36, p. 1. 1922.
in—
central Alaska. Soil Sur. Adv. Sh., 1914, pp. 82, 132, 159. 1915; Soils F.O., 1914, pp. 116, 166, 193. 1919.
Guam, directions. Guam Bul. 2, pp. 12, 57. 1922; Guam Cir. 2, p. 15. 1921.
Hawaii. Hawaii A.R., 1919, p. 46. 1920.
manganiferous soils, note. Hawaii Bul. 26, p. 25. 1913.
Nevada, for home garden. B.P.I. Cir. 110, p. 25. 1913.
methods and varieties. F.B. 647, pp. 25-26. 1915.
with crimson clover as nurse crop. F.B. 550, p. 13. 1913.
home garden, cultural hints. F.B. 255, p. 45. 1906.
Indian, poisonous nature. D.B. 1245, p. 15. 1924.
injury by—
Australian tomato weevil. D.C. 282, pp. 6, 8. 1923.
webworm. Ent. Bul. 109, Pt. III, pp. 24, 25, 26, 27, 30, 32. 1912.
insect pests, description and list. Sec. [Misc.], "A manual of injurious * * *," pp. 218-219. 1917.
insects attacking, and control treatment. F.B. 856, pp. 31-38, 70. 1917.
leafspot disease caused by Colletotrichum fungus. J.A.R., vol. 10, pp. 157-162. 1917.

Turnip(s)—Continued.
louse, control. S.R.S. Rpt., 1916, Pt. I, p. 260. 1918; Work and Exp., 1914, p. 222. 1915.
mosaic. Max W. Gardner and James B. Kendrick. J.A.R., vol. 22, pp. 123-124. 1921.
prices—
1913-1922. Y.B., 1922, p. 771. 1923; Y.B. Sep. 884, p. 771. 1923.
1923. Y.B., 1923, p. 782. 1924; Y.B. Sep. 900, p. 782. 1924.
rape, seed, importation, description, and warning to farmers. News L., vol. 3, No. 37, p. 4. 1916.
relation to *Mucor racemosus*. J.A.R., vol. 30, p. 968. 1925.
roots, infestation with *Pemphigus populitransversus*. J.A.R., vol. 14, No. 13, pp. 578-580, 583-586, 588. 1918.
rot, caused by *Bacillus carotovorus*, experiments. J.A.R., vol. 6, No. 15, pp. 564-566, 569. 1916.
seed—
growing—
and saving, directions. F.B. 1390, pp. 11-12. 1924.
experiments in Alaska, 1915. Alaska A.R., 1915, pp. 14, 16, 42. 1916.
localities, acreage, yield, production, and consumption. Y.B., 1918, pp. 203, 206, 207. 1919; Y.B. Sep. 775, pp. 11, 14, 15. 1919.
production in Alaska, experiments. Alaska A.R., 1916, pp. 46. 1918.
quantity per acre. F.B. 255, p. 45. 1906; F.B. 309, pp. 12, 13, 1907.
saving. F.B. 884, p. 13. 1917.
supply, sources. Y.B., 1917, p. 532. 1918; Y.B. Sep. 757, p. 38. 1918.
seeding, directions for club members. D.C., 48, p. 10. 1919.
shipments by States, and by stations, 1916. D.B. 667, pp. 11, 169-170. 1918.
spraying calendar. S.R.S. Doc. 52, p. 10. 1917.
storage for home use. F.B. 879, p. 22. 1917.
susceptibility to sweetpotato pox. J.A.R., vol. 13, No. 9, p. 444. 1918.
tops, use as potherb, note. O.E.S. Bul. 245, p. 29. 1912.
use—
as feed for sheep, experiments. F.B. 469, p. 8. 1911.
as food, note. O.E.S. Bul. 245, p. 45. 1912.
in feeding exhibition cattle, notes. F.B. 486, pp. 10, 11, 12. 1912.
value for green-manure crop. F.B. 1250, p. 43. 1922.
varietal differences and composition. F.B. 295, p. 39. 1907.
variety tests, Yuma experiment farm. D.C. 75, p. 63. 1920.
water—
content, note. News L., vol. 4, No. 36, p. 1. 1917.
requirements. J.A.R., vol. 3, No. 1, pp. 41, 42, 52, 53, 59. 1914.
wild, habitat, range, description, collection, prices, and uses of roots. B.P.I. Bul. 107, p. 13. 1907.
Turnsick—
cattle. See Gid; Staggers.
disease. See Gid disease.
Turnstone, black (*Arenaria melanocephala*), range, and habits. N.A. Fauna 21, p. 41. 1901.
Turnstone—
black, breeding range and migration habits. Biol. Bul. 35, pp. 98-99. 1910.
breeding range and migration habits. Biol. Bul. 35, pp. 96-97. 1910.
occurrence on Laysan Island, number, and description. Biol. Bul. 42, pp. 21-22. 1912.
Pacific, description, and food habits. N.A. Fauna 46, pp. 80-81. 1923.
range—
and habits. N.A. Fauna 24, p. 64. 1904.
occurrence, and names. M.C. 13, pp. 71-72. 1923.
ruddy—
breeding range and migration habits. Biol. Bul. 35, pp. 97-98. 1910.
occurrence in Porto Rico, and food habits. D.B. 326, pp. 40-41. 1916.
(*Arenaria morinella*), range and habits. N.A. Fauna 22, p. 102. 1902.

Turnstone—Continued.
  varieties, breeding range, and migration habits. Biol. Bul. 35, pp. 96-99. 1910.
Turpentine—
  adulteration—
    and misbranding. See *Indexes to Notices of Judgment in bound volumes of Chemistry Service and Regulatory Announcements.*
    detection. Chem. Bul. 135, pp. 16-20, 29-31. 1911.
    studies. Chem. Cir. 85, pp. 15. 1912.
    studies by Chemistry Bureau, 1909. An. Rpts., 1909, p. 443. 1910; Chem. Chief Rpt., 1909, p. 33. 1909.
    tests. D.B. 898, pp. 36-38. 1920.
    with kerosene. Chem. Bul. 80, p. 20. 1904.
  analysis—
    by fractional distillation with steam. William C. Geer. For. Cir. 152, pp. 29. 1908.
    methods, discussion and directions. Chem. Bul. 135, pp. 13-22, 26-31. 1911.
    studies, Forest Service, 1910. An. Rpts., 1910, p. 411. 1911; For. A.R., 1910, p. 53. 1910.
  and rosin—
    distribution of world's production, trade, and consumption. V. E. Grotlisch. D.C. 258, pp. 13. 1923.
    increased yields from double chipping. A. W. Schorger and R. L. Pettigrew. D.B. 567, pp. 9. 1917.
  barrel, inspection, grading, and measuring. D.B. 898, pp. 10-13. 1920.
  beetles—
    and borers, injury to living trees. Ent. Bul. 58, pp. 61-62. 1910; Ent. Cir. 126, pp. 2-3. 1910.
    black and red, description, habits, control, and bibliography. Ent. Bul. 83, Pt. I, pp. 146-165. 1909.
    red, damage to standing timber, and control. Ent. Cir. 143, p. 6. 1912.
  borer, heartwood, description, habits and control. Y.B., 1909, pp. 410-412. 1910; Y.B. Sep. 523, pp. 410-412. 1910.
  boxing—
    injury to—
      pine forests. For. Cir. 129, p. 13. 1907.
      pine trees in forests. For. Bul. 43, rev., pp. 8, 9. 1907.
      trees. For. Bul. 90, p. 8. 1911.
  chipping methods as factor in production. Eloise Gerry. J.A.R., vol. 30, pp. 81-93. 1925.
  commercial—
    quality, and examination methods. F. P. Veitch and M. G. Donk. Chem. Bul. 135, pp. 46. 1911.
    utilization. D.B. 229, p. 8. 1915.
  crude—
    distillation methods and description. D.B. 1003, p. 31. 1921.
    products obtained in refining. D.B. 1003, pp. 37-41. 1921.
    refining apparatus, operation, and experiments. For. Bul. 105, pp. 28-50. 1913.
    wood, refining, methods and results. D.B. 1003, pp. 56-67. 1921.
    yield from slash pine, and value. F.B. 1256, pp. 7-8, 35, 37, 38, 39, 40. 1922.
  danger in use as hog-disease remedy. News L., vol. 3, No. 26, p. 4. 1916.
  distillation—
    comparison of fractionation. For. Bul. 105, pp. 18-32. 1913.
    from—
      pine lumber. For. Bul. 99, pp. 16, 56, 88. 1911.
      pine stumps, Jacksonville area, Fla. Soil Sur. Adv. Sh. 1910, p. 9. 1911; Soils F.O., 1910, p. 587. 1912.
      waste products of pine. Y.B., 1907, p. 567. 1908; Y.B. Sep. 470, p. 6. 1908.
      waste wood. Y.B., 1907, p. 567. 1908; Y.B. Sep. 470, p. 567. 1908.
    methods. Chem. Bul. 135, pp. 10, 15, 16, 26-31. 1911; Chem. Chief Rpt., 1921, pp. 31-34. 1921.
    product of longleaf pine, description. D.B. 1064, pp. 3-4. 1922.
  distillery, location, equipment, management, and cost. Chem. Bul. 144, pp. 51-52, 53-55. 1911.
  Douglas fir, test. An. Rpts., 1913, p. 188. 1914; For. A.R., 1913, p. 54. 1913.

Turpentine—Continued.
  drying properties, comparison of western with southern yellow pine. D.B. 1003, p. 68. 1921.
  examinations—
    Chemistry Bureau, 1908. An. Rpts., 1908, p. 481. 1909; Chem. Chief Rpt., 1908, p. 37. 1908.
    Chemistry Bureau, 1910. An. Rpts., 1910, p. 482. 1911; Chem. Chief Rpt., 1910, p. 58. 1910.
  exports—
    1860-1900, 10-year periods, by States. D.B. 229, pp. 7-8. 1915.
    1860-1913, quantity and value. D.B. 229, p. 7. 1915.
    1902-1904. Stat. Bul. 36, pp. 93-94. 1905.
    1906. For. Cir. 110, p. 9. 1907.
    1908. For. Cir. 162, p. 8. 1909.
    1919-1921 and 1852-1921. Y.B., 1922, pp. 957, 968, 975. 1923; Y.B. Sep. 880, pp. 957, 968, 975. 1923.
    1920. Y.B., 1921, pp. 745, 762. 1922; Y.B. Sep. 867, pp. 9, 26. 1922.
  and imports—
    1851-1908. Stat. Bul. 51, pp. 18, 21. 1909.
    1903-1907, 1904-1908. Y.B., 1908, pp. 707-708, 756, 766, 782. 1909; Y.B. Sep. 498, pp. 707-708, 756, 766, 782. 1909.
    1906-1910, 1851-1910. Y.B., 1910, pp. 611, 657, 668, 685. 1911; Y.B. Sep. 554, pp. 611, 657, 668, 685. 1911.
    1907-1911, and exports, 1851-1911. Y.B., 1911, pp. 661, 671, 689-690. 1912; Y.B. Sep. 588, pp. 661, 671, 689-690. 1912.
    1908-1912, and exports, 1851-1912. Y.B., 1912, pp. 662, 717, 729, 748-749. 1913; Y.B. Sep. 615, pp. 662, 717, 729, 748-749. 1913.
    1909-1917. Y.B., 1918, pp. 583, 637, 650, 659. 1919; Y.B. Sep. 792, p. 79. 1919; Y.B. Sep. 794, pp. 13, 26, 35. 1919.
    1911-1913, and 1852-1913. Y.B., 1913, pp. 453, 503, 513. 1914; Y.B. Sep. 360, pp. 453, 503, 513. 1914; Y.B. Sep. 361, pp. 503, 513. 1914.
    1913-1915, and 1852-1913. Y.B., 1915, pp. 505, 543, 550, 561, 570. 1916; Y.B. Sep. 683, p. 505. 1916; Y.B. Sep. 685, pp. 543, 550, 561, 570. 1916.
    1914. Y.B., 1914, pp. 609, 654, 661, 682. 1915; Y.B. Sep. 655, p. 609. 1915; Y.B. Sep. 657, pp. 654, 661, 682. 1915.
    1916. Y.B., 1916, pp. 655, 710, 717, 728, 737. 1917; Y.B. Sep. 720, p. 45. 1917; Y.B. Sep. 722, pp. 4, 11, 22, 31. 1917.
    1917. Y.B., 1917, pp. 705, 762, 770, 784, 793. 1918; Y.B. Sep. 760, p. 53. 1918; Y.B. Sep. 762, pp. 6, 14, 28, 37. 1918.
    1919. Y.B., 1919, pp. 642, 685, 693, 705, 715. 1920; Y.B. Sep. 827, p. 642. 1920; Y.B. Sep. 829, pp. 685, 693, 705, 715. 1920.
    1924. Y.B., 1924, pp. 1033, 1047. 1925.
    annual average, by countries. Stat. Cir. 31, pp. 28, 29, 30. 1912.
    by various countries, 1901-1910. D.B. 229, p. 5. 1915.
  farm, management, in Georgia. F.B. 1256, pp. 7-8, 35. 1922.
  Florida National Forest, sale, 1911. An. Rpts., 1911, pp. 362, 412. 1912; For. A.R., 1911, pp. 22, 72. 1911.
  grades, determination. An. Rpts., 1916, p. 199. 1917; Chem. Chief Rpt., 1916, p. 9. 1916.
  grading, marketing, and uses. Chem. Bul. 135, pp. 11-12. 1911.
  gum—
    chemical nature and properties. D.B. 898, pp. 4-7. 1920.
    comparison with wood turpentines. For. Bul. 105, pp. 9, 52-55. 1913.
    composition, from yellow pine, black jack, and piñon. For. Bul. 116, pp. 11-12, 18, 20. 1912.
    sources and manufacture and uses. D.B. 898, pp. 1-4, 7. 1920.
    yield from yellow pine, black jack, and piñon. For. Bul. 116, pp. 9, 11, 17, 19, 21. 1912.
  hack, description and use. For. Bul. 90, pp. 6, 11. 1911.
  imports—
    1901-1910, by various countries. D.B. 229, p. 5. 1915.
    1908. For. Cir. 162, p. 27. 1909.

Turpentine—Continued.
  in paint, precautions. F.B. 474, pp. 9, 10, 22. 1911.
  industry—
    conditions and possibilities. Sec. Cir. 140, p. 9. 1919.
    in Florida—
      national forests, receipts, etc. An. Rpts., 1913, p. 156. 1914; For. A.R., 1913, p. 22. 1913.
      Ocala area, costs. Soil Sur. Adv. Sh., 1912, pp. 13, 14. 1913; Soils F.O., 1912, pp. 677, 678. 1915.
      Putnam County. Soil Sur. Adv. Sh., 1914, p. 10. 1916; Soils F.O., 1914, p. 1002. 1919.
    in Georgia—
      Tatnall County, rise and decline. Soil Sur. Adv. Sh., 1914, p. 10. 1915; Soils F.O., 1914, p. 822. 1919.
      Turner County, rise and decline. Soil Sur. Adv. Sh., 1915, p. 9. 1916; Soils F.O., 1915, p. 663. 1919.
    in Michigan, Wexford County. Soil Sur. Adv. Sh., 1908, p. 16. 1909; Soils F.O., 1908, p. 1062. 1911.
    in North Carolina, Bladen County. Soil Sur. Adv. Sh., 1914, pp. 9, 10. 1915; Soils F.O., 1914, pp. 627, 628. 1919.
    in South Carolina, Georgetown County. Soil Sur. Adv. Sh., 1911, pp. 8, 14. 1912; Soils F.O., 1911, pp. 516, 522. 1914.
  inspection. Off. Rec., vol. 2, No. 18, p. 5. 1923; Off. Rec., vol. 3, No. 35, p. 5. 1924.
  investigations—
    1906. For. A.R., 1906, pp. 33–34. 1906.
    1907, and chemical studies. An. Rpts., 1907, p. 348. 1908; For. A.R., 1907, p. 8. 1907.
    1910, by Chemistry Bureau. An. Rpts., 1910, p. 107. 1911; Sec. A.R., 1910, p. 107. 1910; Y.B., 1910, p. 106. 1911.
    1919. An. Rpts., 1919, pp. 232, 233. 1920; Chem. A.R., 1919, pp. 22, 23. 1919.
    1922. An. Rpts., 1922, pp. 265–267. 1922; Chem. A.R., 1922, pp. 15–17. 1922.
  labeling. F.I.D. 103, p. 1. 1910; M.C. 22, p. 6. 1924.
  laws in various States. D.B. 898, pp. 38–41. 1920.
  manufacture from—
    Douglas fir, value. For. Bul. 88, p. 73. 1911.
    waste wood. An. Rpts., 1909, p. 407. 1910; For. A.R., 1909, p. 39. 1909.
  mineral oils, detection method. Chem. Cir. 5, pp. 14–15. 1912.
  obtaining from western yellow pine during Civil War. D.B. 1003, p. 2. 1921.
  oil—
    distillation from longleaf pine, study of substitutes. B.P.I. Bul. 235, p. 7. 1911.
    solutions, spectra. J.A.R., vol. 26, p. 337. 1923.
    use in bedbug eradication, methods. News L., vol. 1, No. 15, p. 4. 1913.
  operation—
    cost estimates. D.B. 229, pp. 51–52. 1915.
    effect on timber. D.B. 229, pp. 25–27. 1915.
    western yellow pine, problems. D.B. 229, pp. 45–49. 1915.
  orcharding, new method—
    Charles H. Herty. For. Bul. 40, pp. 43. 1903.
    Gifford Pinchot. For. Cir. 24, p. 8. 1903.
  origin, effect on wheat plants. Soils Bul. 47, pp. 36, 39. 1907.
  permits, number and value, national forests, 1910. An. Rpts., 1910, p. 381. 1911; For. A.R., 1910, p. 21. 1910.
  poisoning, cattle, symptoms and treatment. B.A.I. [Misc.], "Diseases of cattle," rev., p. 65. 1904; rev., p. 66. 1912.
  prices—
    1916, variation. D.B. 567, p. 8. 1917.
    1924. Y.B., 1924, pp. 1034–1035. 1925.
  processes, investigations. Chem. Chief Rpt., 1924, pp. 14–15. 1924.
  producers' associations. Off. Rec., vol. 2, No. 7, p. 2. 1923.
  production—
    1904. For. Cir. 129, p. 13. 1907.
    1906. For. Cir. 121, pp. 6–7. 1907.
    1908. For. Cir. 166, p. 22. 1909.

Turpentine—Continued.
  production—continued.
    and marketing, 1923. Y.B. 1923, pp. 1084–1085, 1089, 1090. 1924; Y.B. Sep. 904, pp. 1084–1085, 1089, 1090. 1924.
    decrease, 1906–1921. D.B. 1061, pp. 24, 36. 1922.
    discussion of height of chipping, experiments and results. J.A.R., vol. 30, pp. 91–93. 1925.
    from second-growth longleaf pine. D.B. 1061, pp. 22–25. 1922.
    improvement, 1923. An. Rpts., 1923, pp. 358–359, 362. 1923; Chem. Chief Rpt., 1923, pp. 14–15, 18. 1923.
    studies. Chem. Chief Rpt., 1925, p. 13. 1925.
  in—
    Florida, Flagler County. Soil Sur. Adv. Sh., 1918, p. 10. 1922; Soils F.O., 1918, p. 540. 1924.
    North Carolina. For. Cir. 121, p. 7. 1907.
    United States, 1810–1913, establishment, quantity and value. D.B. 229, p. 6. 1915.
  investigations, program for 1915. Sec. [Misc.], "A program of work * * *, 1915," pp. 186, 187. 1914.
  possibilities in western forests. An. Rpts., 1911, p. 413. 1912; For. A. R., 1911, p. 73. 1911.
  report. Off. Rec., vol. 1, No. 42, p. 2. 1922.
  sources and methods, quantity and value, 1870–1908. Chem. Bul. 135, pp. 9–11. 1911.
  recovery from waste lumber products. An. Rpts., 1912, pp. 57, 200. 1913; Sec. A.R., 1912, pp. 57, 200. 1912; Y.B., 1912, pp. 57, 200. 1913.
  refined—
    properties from various woods. D.B. 1003, pp. 37–39. 1921.
    yield calculations. D.B. 1003, pp. 41–43. 1921.
  refining method, application to commercial plant. D.B. 1003, pp. 66–67. 1921.
  sale(s)—
    basis, weight of gallons, car lots. D.B. 898, p. 27. 1920.
    national forests—
      1913. For. [Misc.], "The use book," 1913, p. 28. 1913.
      1916. An. Rpts., 1916, pp. 155, 162. 1917; For. A.R., 1916, pp. 1, 8. 1916.
      and improved methods of production. An. Rpts., 1912, pp. 497–498. 1913; For. A.R., 1912, pp. 39–40. 1912.
  samples, examination, results, and tables. Chem. Bul. 135, pp. 32–46. 1911.
  source and composition. For. Bul. 119, pp. 7–8. 1912.
  sources, properties, uses, transportation, and marketing. F. P. Veitch and V. E. Grotlisch. D.B. 898, pp. 51. 1920.
  specifications—
    and need of uniformity. D.B. 898, pp. 41–49. 1920.
    proposed. Chem. Bul. 135, pp. 24–26. 1911.
  spirits—
    imports, 1907–1909, quantity and value by countries from which consigned. Stat. Bul. 82, p. 68. 1910.
    standards. M.C., 22, p. 4. 1924.
    testing methods. Chem. Bul. 109, pp. 8–9. 1908; rev., pp. 13–15. 1910.
  standardizing, studies. An. Rpts., 1912, p. 597. 1913; Chem. Chief Rpt., 1912, p. 47. 1912.
  statistics—
    1906. Y.B., 1906, p. 626. 1907; Y.B. Sep. 436, p. 626. 1907.
    production and exports—
      1910–1920. D.B. 898, pp. 49–51. 1920.
      and consumption, 1910–1920. D.C. 258, p. 6. 1923.
  storage, effects and chemicals formed. D.B. 898, pp. 5–6, 35–36. 1920.
  studies, Chemistry Bureau—
    1909. An. Rpts., 1909, p. 102. 1910; Rpt. 91, p. 71. 1909; Sec. A.R., 1909, p. 102. 1909; Y.B., 1909, p. 102. 1910.
    1911. An. Rpts., 1911, p. 465. 1912; Chem. Chief Rpt., 1911, p. 51. 1911.
    1918. An. Rpts., 1918, p. 215. 1918; Chem. Chief Rpt., 1918, p. 15. 1918.
  testing methods, need of uniformity. D.B. 898, pp. 41–49. 1920.

Turpentine—Continued.
  thickening prevention. D.B. 898, p. 36. 1920.
  trade, international—
    1901–1910. Stat. Bul. 103, pp. 40–41. 1913.
    1902–1906. Y.B., 1907, pp. 692, 740, 750. 1908; Y.B. Sep. 465, pp. 692, 740, 750. 1908.
    1909–1920. Y.B., 1921, p. 672. 1922; Y.B. Sep. 869, p. 92. 1922.
    1909–1921. Y.B., 1922, p. 792. 1923; Y.B. Sep. 884, p. 792. 1923.
  transportation methods, shipping in barrels and tanks. D.B. 898, pp. 7–17. 1920.
  tree—
    Australia, importation and description. No. 42469, B.P.I. Inv. 47, p. 19. 1920.
    importation and description. No. 38731. B.P.I. Inv. 40, p. 21. 1917.
    See also *Syncarpia glomulifera*.
  use—
    as anthelmintic, results. J.A.R., vol. 12, pp. 425–427. 1918.
    for medicinal or veterinary purposes, warning to users. Chem. S.R.A. 3, p. 109. 1914.
    in control of—
      beet wireworms, experiments. Ent. Bul. 123, pp. 52, 53–54. 1914.
      worms in hogs. F.B. 566, p. 9. 1913.
    in house cleaning, and precautions. F.B. 1180, 8, 13. 1921.
    in wireworm control, experiments. D.B. 78, p. 27. 1914.
  weed, occurrence in Texas Panhandle, notes. Soil Sur. Adv. Sh., 1910, pp. 39, 42. 1911; Soils F.O., 1910, pp. 995, 998. 1912.
  weight, tables, and specific gravity. D.B. 898, pp. 28–35. 1920.
  wood—
    analysis, refining, and composition, based upon experiments at Forest Products Laboratory at Madison, Wis. L. F. Hawley. For. Bul. 105, pp. 69. 1913.
    comparison with gum turpentine. An. Rpts., 1912, p. 545. 1913; For. A.R., 1912, p. 87. 1912.
    distillation and properties. Chem. Cir. 36, pp. 29–30. 1907.
    investigations. An. Rpts., 1912, p. 597. 1913; Chem. Chief Rpt., 1912, p. 47. 1912.
    production—
      and yield from waste resinous wood. Chem. Bul. 159, pp. 8–15, 21–26, 27. 1913.
      refining properties, and uses. F. P. Veitch and M. G. Donk. Chem. Bul. 144, pp. 76. 1911.
    properties and composition. Chem. Bul. 144, pp. 20–23. 1911.
    quality standards. Chem. Bul. 144, pp. 56–57. 1911.
    refining experiments. Chem. Bul. 144, pp. 27–34, 55–56, 57–76. 1911.
    sources. D.B. 898, p. 2. 1920.
    utilization. An. Rpts., 1911, p. 83. 1912; Sec. A.R., 1911, p. 81. 1911; Y.B., 1911, p. 81. 1912.
  world production, trade and consumption, and rosin. V. E. Grotlisch. D.C. 258, pp. 13. 1923.
  yield—
    from chipping, laboratory experiments. For. Bul. 90, pp. 14–16. 1911.
    from western yellow pine and piñon. For. Bul. 116, pp. 12, 18, 20. 1912.
    increase under new methods. An. Rpts., 1912, p. 238. 1913; Sec. A.R., 1912, p. 238. 1912; Y. B., 1912, p. 238. 1913.
    per cord of pine wood. For. Cir. 114, pp. 6, 7. 1907.
    wood—
      and gum, distinction. Chem. Bul. 135, p. 17. 1911.
      commercial value, opinions of producers and users. Chem. Bul. 144, pp. 44–50, 57–76. 1911.
      comparison with gum turpentine. For. Bul. 105, pp. 9, 52–55. 1913.
      practical tests, reports. For. Bul. 105, pp. 61–69. 1913.
    yield—
      of yellow pine in Southwest, possibilities. For. Bul. 101, p. 59. 1911.

Turpentine—Continued.
  yield—continued.
    relation to light chipping. For. Bul. 90, pp. 36. 1911.
  See also Naval stores.
Turpentining—
  Alabama forest lands, damage. For. Bul. 68, pp. 34, 65. 1905.
  chipping experiments for effect on gum production. J.A.R., vol. 30, pp. 81–93. 1925.
  commercial, box system, description, methods, and tools. D.B. 229, pp. 14–18. 1915.
  commercial, cup systems, description, classes, methods, and tools. D.B. 229, pp. 18–22. 1915.
  cup and—
    box methods, comparison. For. Bul. 114, pp. 31, 37. 1912.
    gutter system—
      practical results. Charles H. Herty. For. Cir. 34, pp. 7. 1905.
      system, use on slash pine. F.B. 1256, pp. 7, 21–22, 38–40. 1922.
  data of equivalents, values. D.B. 1061, pp. 32–34. 1922.
  details, recommendations. D.B. 898, pp. 2–4. 1920.
  effect on timber. D.B. 1061, pp. 33–34. 1922.
  experiments—
    in Arizona, California, and Colorado. For. Bul. 116, pp. 5–23. 1912.
    in Florida national forests. D.B. 1064, pp. 26–27. 1922.
    in western forests, details of method. For. Bul. 116, pp. 8–9. 1912.
  French management and methods. D.B. 229, pp. 32–40. 1915.
  French system application to longleaf pine. E. R. McKee. D.C. 327, pp. 16. 1924.
  Louisiana, improved methods, suggestions. For. Bul. 114, pp. 31–32, 37. 1912.
  methods—
    and suggestions. D.B. 229, pp. 49–50. 1915.
    improved. F.B. 1256, pp. 20–23. 1922.
    improvement, work of Forest Laboratory. D.C. 231, p. 34. 1922.
    in France. F.B. 1256, pp. 23–27. 1922.
    investigations and purpose. D.B. 1064, pp. 2–3, 8–12. 1922.
    waste of saw timber. For. Cir. 166, p. 22. 1909.
    wasteful and conservative, different results. For. Cir. 171, pp. 10, 18. 1909.
    work of Forest Service. For. A. R. 1905, pp. 225–226, 228. 1905.
  permits, 1917. An. Rpts., 1917, pp. 163, 171. 1917; For. A.R., 1917, pp. 1, 9. 1917.
  practices, gum yields, and profits. D.B. 1061, pp. 25, 30. 1922.
  remedy for tree wounds, methods. Rpt. 83, p. 51. 1906.
  slash pine, effect on growth of trees. F.B. 1256, pp. 10–13. 1922.
  suggestions for future practice. D.B. 1064, pp. 33–38. 1922.
  systems and suggestions. D.B. 1061, pp. 26–27. 1922.
  waste in operations, causes, and control by face locations. D.B. 1064, pp. 33–34. 1922.
  wounding or scarifying the trees, methods. D.B. 1064, pp. 8–9. 1922.
  yellow pine in Oregon, experiments. D.B. 418, pp. 31–32. 1917.
  yields from cup and box systems, comparisons, 1902–1904. D.B. 229, pp. 22–24. 1915.
Turpin, H. W.: "Movement and distribution of moisture in the soil." With F. S. Harris. J.A.R., vol. 10, pp. 113–155. 1917.
Turps. *See* Turpentine.
TURRENTINE, J. W.—
  development of leaching process. Off. Rec., vol. 2, No. 12, p. 5. 1923.
  "Nitrogenous fertilizers obtainable in the United States." D.B. 37, pp. 12. 1913.
  "Potash from kelp; early development and growth of the giant kelp, *Macrocystis pyrifera*." With R. P. Brandt. D.B. 1191, pp. 40. 1923.
  "The fish-scrap fertilizer industry of the Atlantic coast." D.B. 2, pp. 50. 1913.
  "The occurrence of potassium salts in the salines of the United States." With others. Soils Bul. 94, pp. 96. 1913.

TURRENTINE, J. W.—Continued.
"The preparation of fertilizer from municipal waste." Y.B., 1914, pp. 295-310. 1915; Y.B. Sep. 643, pp. 295-310. 1915.
"Utilization of the fish waste of the Pacific coast for the manufacture of fertilizer." D.B. 150, pp. 71. 1915.
Turtledove. *See* Dove, mourning.
Turtlehead. *See* Balmony.
Turtles—
destruction by crows. D.B. 621, pp. 28, 89. 1918.
fat, digestibility, dietary experiments. D.B. 613, pp. 22-24. 1919.
green, use as food and digetibility of fat. D.B. 613, p. 22. 1919.
tick infestation. Ent. Bul. 72, p. 64. 1907.
Tusayan National Forest—
mistletoe studies. D.B. 1112, pp. 4-29. 1922.
pine reproduction, studies. D.B. 1105, pp. 1-144. 1923.
Tusk hunters, arrest and punishment in Alaska, 1907. Y.B., 1907, p. 592. 1908; Y.B. Sep. 469, p. 592. 1908.
Tuskegee Institute, Ala., aid to extension work among negroes. D.C. 190, pp. 3, 9, 19. 1921.
Tussilago farfara—
susceptibility to *Puccinia triticina*. J.A.R., vol. 22, pp. 152-172. 1921.
See also Coltsfoot.
Tussock grass—
importations and descriptions. No. 43564, B.P I. Inv. 49, p. 45. 1921; No. 44000, B.P.I. Inv. 50, pp. 8, 15. 1922.
occurrence and description. J.A.R., vol. 1, pp. 405, 406. 1914.
Tussock moth—
control. News L., vol. 6, No. 31, pp. 14-15. 1919.
control by *Compsilura concinnata*. D.B. 766, p. 24. 1919.
description. Sec. [Misc.], "A manual of important * * *." p. 66. 1917.
effects of nicotine sulphate as ovicide and larvicide. D.B. 938, pp. 9, 14. 1921.
egg clusters, exposure to X rays, experiments. J.A.R., vol. 6, No. 11, p. 387. 1916.
fumigation experiments. D.B. 186, p. 5. 1915.
hickory, former name of tiger-moth. D.B. 598, p. 2. 1918.
host of *Apanteles melanoscelus*. D.B. 1028, p. 13. 1922.
larvae, injury to cotton seedlings. J.A.R., vol. 6, No. 3, pp. 132-135. 1916.
parasitism by *Limnerium validum*. Ent. T.B. 19, Pt. V, p. 83. 1912.
spraying with arsenicals, tests. D.B. 278, pp. 16-17. 1915.
white-marked—
description, evidences, habits, and control. F.B. 1169, pp. 41-43. 1921; F.B. 1270, pp. 46-47. 1923.
injuries to shade tree. Ent. Bul. 67, p. 41. 1907.
Tutcheria spectabilis, importations and descriptions. No. 45720, B.P.I. Inv. 54, p. 10. 1922; No. 46982, B.P.I. Inv. 58, p. 15. 1922.
TUTTLE, FOLEY: "Soil survey of Stark County, Ohio." With others. Soil Sur. Adv. Sh., 1913, pp. 39. 1915; Soils F.O., 1913, pp. 1343-1377. 1916.
Tutton formula for water flow. D.B. 376, pp. 6, 48, 50. 1916.
Tutuila—
Experiment Station, desirability. An. Rpts., 1911, p. 144. 1912; Sec. A.R., 1911, p. 142. 1911; Y.B., 1911, p. 142. 1912.
shipments of—
copra to United States, 1906-1908. Stat. Bul. 76, p. 18. 1909.
domestic farm and forest products—
from United States, 1904-1906. Stat. Bul. 54, pp. 29-32. 1907.
from United States, 1905-1907. Stat. Bul. 71, p. 26. 1909.
to United States, 1907-1909. Stat. Bul. 82, pp. 14, 19. 1910.
to United States, 1909-1911. Stat. Bul. 95, p. 20. 1912.
See also Samoa.

Tuxedni Reservation, Alaska, description. Biol. Cir. 71, pp. 6-7. 1910.
Twenty-eight hour law—
administration—
1911, by department. An. Rpts., 1911, p. 38. 1912; Sec. A. R., 1911,p. 36. 1911; Y. B.,1911, p. 36. 1912.
1913, by department. Y.B., 1913, p. 132. 1914. Y.B. Sep. 619, p. 132. 1914.
1913, by solicitor. An. Rpts., 1913, pp. 300. 318-320. 1914; Sol. A.R., 1913, pp. 2, 20-22. 1913.
1914, by solicitor. An. Rpts., 1914, pp. 294-295. 1915; Sol. A.R., 1914, pp. 14-15. 1914.
1915, by solicitor. An. Rpts., 1915, pp. 330, 340-341. 1916; Sol. A.R., 1915, pp. 4, 14-15. 1915.
1916, by solicitor. An. Rpts., 1916, pp. 347, 360-361. 1917; Sol. A.R., 1916, pp. 3, 16-17. 1916.
1917, and violations. An. Rpts., 1917, pp. 401-402. 1917; Sol. A.R., 1917, pp. 21-22. 1917.
and fines. An. Rpts., 1918, p. 416. 1918; Sol. A.R., 1918, p. 24. 1918.
amendments desired, suggestions. D.B. 589, pp. 17-18. 1918.
annotations, "Accidental or unavoidable causes." Sol. [Misc.], "The 28-hour law and * * *," pp. 30-32. 1915.
cases—
1908. Y.B., 1908, p. 20. 1909.
1909, prosecution. An. Rpts., 1909, p. 42. 1910; Sec. A.R., 1909, p. 42. 1909; Rpt. 91, p. 32. 1909; Y.B., 1909, p. 42. 1910.
charge by Judge Lewis, United States District court, Colorado. Sol. Cir. 7, pp. 1-5. 1908.
convictions. *See B.A.I.S.A., various dates.*
decisions—
Sol. Cir. 30, pp. 1-4. 1910; Sol. Cir. 36, pp. 1-4. 1910; Sol. Cir. 37, pp. 1-5. 1910; Sol. Cir. 75, pp. 1-4. 1913.
and opinions on R.S. 4386-4390. Sol. Cir. 27, pp. 1-23. 1909.
for Omaha division, Nebraska. Sol. Cir. 42, pp. 1-2. 1911.
N. Y. Central & Hudson River R. R. Co. Sol. Cir. 62, pp. 1-8. 1912.
of—
C. J. Lacombe. Sol. Cir. 67, pp. 1-2. 1912.
Judge Adams, of Wyoming, Union Pac. R. R. Sol. Cir. 14, pp. 1-6. 1909.
Judge Coxe, Grand Trunk Ry. Co. Sol. Cir. 59, pp. 1-4. 1912.
Judge Cross. Sol. Cir. 65, pp. 1-3. 1912.
Judge Hazel, Erie R. R. Co. Sol. Cir. 61, pp. 1-3. 1912.
Judge Hazel, N. Y. Central and Hudson River R. R. Co. Sol. Cir. 60, pp. 1-4. 1912.
Judge Holt. Sol. Cir. 44, pp. 1-7. 1911.
Judge Riner, Minnesota, 1909. Sol. Cir. 33, pp. 1-6. 1910.
Judge Sanborn. Sol. Cir. 35, pp. 1-8. 1910; Sol. Cir. 36, pp. 1-4. 1910; Sol. Cir. 37, pp. 1-5. 1910.
Judge Sanborn, against Wabash R. R. Co. Sol. Cir. 43, pp. 1-4. 1911.
Judge Smith McPherson. Sol. Cir. 25, pp. 1-3. 1909.
Judge Willard. Sol. Cir. 23, pp. 1-2. 1909.
re transportation of—
horses. Sol. Cir. 73, pp. 1-4. 1913.
livestock. Sol. Cir. 20, pp. 1-6. 1909.
swine. Sol. Cir. 6, pp. 1-7. 1908.
U. S. vs. B. & O. S. W. R. R. Co. Sol. Cir. 31, pp. 1-2. 1910; Sol. Cir. 45, pp. 1-5. 1911.
U. S. vs. N. Y. C. & H. R. R. R. Co. Sol. Cir. 48, pp. 1-4. 1911.
defense. Sol. [Misc.], "The 28-hour law and * * *," pp. 42-43. 1915.
enactment purpose. D.B. 589, pp. 2-9. 1918.
enforcement—
1907, by solicitor. An. Rpts., 1907, pp. 762-766. 1908.
1908. An. Rpts., 1908, pp. 20, 791-799. 1909; Sol. A.R., 1908, pp. 3-11. 1908.

Twenty-eight hour law—Continued.
enforcement—continued.
1910, by—
department. An. Rpts., 1910, p. 35. 1911; Rpt. 93, p. 28. 1911; Sec. A.R., 1910, p. 35. 1910; Y.B., 1910, p. 35. 1911.
solicitor. An. Rpts., 1910, pp. 847-855. 1911; Sol. A.R., 1910, pp. 59-67. 1910.
1911, court decisions and list of cases. An. Rpts., 1911, pp. 773-778, 866-862. 1912; Sol. A.R., 1911, pp. 17-22, 106-110. 1911.
1912, by department. An. Rpts., 1912, pp. 34, 251. 1913; Sec. A.R., 1912, pp. 34, 251. 1912; Y.B., 1912, pp. 34, 251. 1913.
1912, court decisions and list of cases. An. Rpts., 1912, pp. 915-919, 989-993. 1913; Sol. A.R., 1912, pp. 31-35, 105-109. 1912.
1919, by solicitor. An. Rpts., 1919, p. 488. 1920; Sol. A.R., 1919, p. 20. 1919.
in northern district of California. Sol. Cir. 23, pp. 1-5. 1909.
livestock regulations. News L., vol. 6, No. 42, p. 14. 1919.
opinion of—
Judge Amidon. Sol. Cir. 77, pp. 1-3. 1914.
Judge Bean, syllabus. Sol. Cir. 28, pp. 1-4. 1909.
Judge De Haven of northern district of California. Sol. Cir. 9, pp. 1-4. 1908.
Judge Gilbert. Sol. Cir. 24, pp. 1-2. 1909.
Judge Holt, western New York. Sol. Cir. 19, pp. 1-3. 1909.
Judge Landis, northern district of Illinois. Sol. Cir. 4, pp. 1-8. 1908.
Judge Meek on Fort Worth Belt Ry. Sol. Cir. 11, pp. 1-4. 1908.
Judge Munger, District of Nebraska. Sol. Cir. 5, pp. 1-4. 1908.
Judge Pritchard. Sol. Cir. 21, pp. 1-10. 1909.
Judge Ross, Montana. Sol. Cir. 12, pp. 1-4. 1909.
Judge Severns. Sol. Cir. 3, pp. 1-3. 1908.
Judge Van Devanter. Sol. Cir. 17, pp. 1-5. 1909.
Justice Wolverton, Oregon. Sol. Cir. 8, pp. 1-3. 1908.
origin, efforts of department and enforcement. An. Rpts., 1907, pp. 762-766. 1908.
purpose, requirements, and enforcement. D.B. 589, pp. 1-20. 1918.
syllabus—
case No. 3636, C.B. & Q.R.R. Co. Sol. Cir. 64, pp. 1-3. 1912.
case No. 3637, C.B. & Q.R.R. Co. Sol. Cir. 63, pp. 1-5. 1912.
of opinion, Court of Appeals—
First Circuit. Sol. Cir. 15, pp. 1-13. 1909.
Second Circuit. Sol. Cir. 16, pp. 1-2. 1909.
text. B.A.I.O. 245, pp. 33-34. 1916; Sol. Cir. 12, pp. 2-3. 1909.
trial without jury, decision of Judge Van Devanter. Sol. Cir. 18, pp. 1-4. 1909.
violations—
1909. An. Rpts., 1909, p. 215. 1910; B.A.I. Chief Rpt., 1909, p. 25. 1909.
1909, details and summary. An. Rpts., 1909, pp. 759-773. 1910; Sol. A.R., 1909, pp. 25-39. 1909.
1911. An. Rpts., 1911, pp. 226-227. 1912; B.A.I. Chief Rpt., 1911, pp. 36-37. 1911.
and penalties, 1906-1917. D.B. 589, p. 17. 1918.
Circuit court decision, Oregon district, United States vs. Northern Pacific Terminl Co. Sol. Cir. 53, pp. 1-7. 1911.
negligence of employee imputable to carrier. Sol. Cir. 1, pp. 1-5. 1907.
unit. Sol. Cir. 2, pp. 1-6. 1908.
See also B. A. I. S. A., various dates.
Twig(s)—
blight—
disease occurrence on plants in Texas, and description. B.P.I. Bul. 226, pp. 27, 29, 32. 1912.
peach, California. See Gumming disease.
Quercus prinus and related species. Della E. Ingram. J.A.R., vol. 1, pp. 339-346. 1915.
white-pine, description and causes. B.P.I. Cir. 35, pp. 9-10. 1909.

Twig(s)—Continued.
borer, peach—
control by lime-sulphur spraying. Y.B., 1908, p. 270. 1909; Y.B. Sep. 480, p. 270. 1909.
description, life history, and treatment. Y.B., 1905, pp. 344-346. 1906; Y.B. Sep. 386, pp. 344-346. 1906.
canker—
apple, source of bitter-rot infection. J.A.R., vol. 4, p. 60. 1915.
occurrence on plants in Texas, and description. B.P.I. Bul. 226, pp. 29, 32. 1912.
cut, use in transpiration studies. D.B. 1059, p. 165. 1922.
cutter, apple, description. Sec. [Misc.] "A manual of important * * *," p. 173. 1917.
disease, new, of Engelmann spruce, description. J.A.R., vol. 4, pp. 251-254. 1915.
girdlers—
description, habits, and control. F.B. 1169, pp. 71-72. 1921.
hickory—
description, life history, and control. F.B. 1364, pp. 43-47. 1924.
description, life history, and injuries to trees. Y.B., 1910, pp. 356-357. 1911; Y.B. Sep. 542, pp. 356-357. 1911.
pecan enemy, description, life history, and control. F.B. 843, pp. 42-47. 1917.
peach, injury by oriental peach moth. J.A.R., vol. 13, pp. 61-62. 1918.
pruner, maple and oak, description, habits, and control. F.B. 1169, pp. 70-71. 1921.
weevil, birch, description. Sec. [Misc.], "A manual of dangerous * * *," p. 45. 1917.
Twin bearing, heredity studies, with Shropshire sheep. J.A.R., vol. 4, pp. 479-510. 1915.
Twin Falls, Idaho—
experiment station, products. O.E.S. Bul. 216, pp. 29-31. 1909.
Land and Water Company, irrigation work. O.E.S. Bul. 216, pp. 42-46. 1909.
Twin Lakes Dam Reservoir, Colo., details of foundation. O.E.S. Bul. 249, Pt. I, pp. 18-19. 1912.
Twin Mountain, Colo., fire lookout station. D.C. 34, pp. 8-10. 1919.
Twinberry. See Squaw vine.
Twine—
binder—
consumption. News L., vol. 6, No. 35, p. 13. 1919.
fiber—
outlook. Off. Rec. vol. 3, No. 43, p. 3. 1924.
production. An. Rpts., 1920, pp. 183-184. 1921; An. Rpts., 1922, p. 175. 1922; B.P.I. Chief Rpt., 1922, p. 15. 1922.
production in the Philippine Islands. H. T. Edwards. D.B. 930, pp. 19. 1920.
sisal and henequen. H. T. Edwards. Y.B., 1918, pp. 357-366. 1919; Y.B. Sep. 790, pp. 12. 1919.
used for. Lyster H. Dewey. Y.B., 1911, pp. 193-200. 1912; Y.B. Sep. 560, pp. 193-200. 1912.
varieties, production, distribution, and uses. News L., vol. 3, No. 30, pp. 1-2. 1916.
importance in grain industry consumption. Y.B., 1918, pp. 358-360. 1919; Y.B. Sep. 790, pp. 4-6. 1919.
new fiber sources. News L., vol. 6, No. 24, p. 2. 1919.
report on 1918 situation by Food Administration. News L., vol. 5, No. 42, p. 4. 1918.
requirements—
in wheat growing and prices. D.B. 1198, pp. 11, 15, 18-21. 1924.
in wheat production, and costs. D.B. 943, pp. 12, 13, 14, 37-38. 1921.
of American farmers. D.B. 930, pp. 2-3. 1920.
supply, relation to grain industry of world. Y.B., 1918, pp. 358-360. 1919; Y.B. Sep. 790, pp. 4-6. 1919.
use and cost, annual, in United States. Y.B., 1911, p. 193. 1912; Y.B. Sep. 560, p. 193. 1912.
use of sisal fiber in manufacture, amount required for 1915, etc. News L., vol. 2, No. 34, p. 1. 1915.

Twine—Continued.
  binding—
    requirement for wheat. D.B. 1296, p. 23. 1925.
    saving by large purchases in Colorado. News L., vol. 4, No. 11, p. 7. 1916.
  production in Philippine Islands, 1920, 1921. B.P.I. Chief Rpt., 1921, p. 45. 1921.
  sisal, injury to wool, influence on prices. D.B. 206, pp. 9, 30. 1915.
  tying, grain bundles, troubles and their remedies. F.B. 947, pp. 13–15. 1918.
  use and cost in grain farming, North Dakota. D.B. 757, pp. 11, 33, 35. 1919.
  wool tying, requirements. F.B. 527, p. 12. 1913.
Twinflower, occurrence in Colorado, description. N.A. Fauna 33, p. 245. 1911.
Twinleaf, habitat, range, description, collection, prices, and uses of roots. B.P.I. Bul. 107, p. 38. 1907.
Twins, foal, birth, natural and unnatural. B.A.I. [Misc.], "Diseases of the horse," rev., pp. 164, 176. 1903; rev., pp. 164, 176. 1907; rev., pp. 164, 176. 1911; rev., pp. 185–186. 1923.
Two-eyed berry. See Squaw vine.
Two-family garden, description, practicability, and value. News L., vol. 2, No. 22, p. 1. 1915.
Two-over-3, misbranding. See *Indexes, Notices of Judgments, in bound volumes, and in separates published as supplements to Chemistry Service and Regulatory Announcements.*
Two-striped chipmunk. See Squirrel, side-striped.
Tychius sordidus, weevil having boll-weevil parasites. Ent. Bul. 100, pp. 45, 51, 77. 1912.
Tydeus spp., description and habits. Rpt. 108, p. 21. 1915.
Tyding's remedy, misbranding. Chem. N.J. 12839. 1925.
Tylencholaimus aequalis, n. sp., description. Agr. Tech. Cir. 1, pp. 46–47. 1918.
Tylenchulus—
  citrus root parasite, control work. An. Rpts., 1913, p. 110. 1914; B.P.I. Chief Rpt., 1913, p. 6. 1913.
  semipenetrans—
    description, life history, and control. J.A.R., vol. 2, pp. 217–230. 1914.
    distribution. J.A.R., vol. 2, pp. 217–218, 225. 1914.
    injury to citrus trees. Y.B., 1914, p. 468. 1915; Y.B. Sep. 652, p. 468. 1915.
    investigations. An. Rpts., 1914, p. 106. 1915; B.P.I. Chief Rpt., 1914, p. 6. 1914.
Tylenchus—
  biformis, same as *Tylenchus similis.* J.A.R., vol. 4, pp. 561, 563. 1915.
  devastatrix—
    description, damage to bulbous crops. Y.B., 1914, p. 485. 1915; Y.B. Sep. 652, p. 485. 1915.
    See also Onion nematode.
  dipsaci—
    cause of—
      eelworm disease of alfalfa. D.C. 297, p. 5. 1923.
      tulip-root of wheat. D.B. 842, p. 9. 1920.
      on wild hosts in the Northwest. G. H. Godfrey and M. B. McKay. D.B. 1229, pp. 10. 1924.
  penetrans, infestation of cotton and potatoes. J.A.R., vol. 11, pp. 27–33. 1917.
  similis, cause of a root disease of sugarcane and banana. N. A. Cobb. J.A.R., vol. 4, pp. 561–568. 1915.
  spp.—
    destructiveness. J.A.R., vol. 4, p. 568. 1915.
    occurrence on plants in Texas, and description. B.P.I. Bul. 226, pp. 103, 112. 1912.
    synonyms of *Heterodera radicicola.* B.P.I. Bul. 217, p. 9. 1911.
  tritici—
    cause of—
      eelworm disease of wheat. F.B. 1041, p. 3. 1919.
      nematode disease of cereals, investigations. R.W. Leukel. J.A.R., vol. 27, pp. 925–956. 1924.
    wheat galls. Sec. Cir. 114, p. 3. 1918.

Tylenchus—Continued.
  tritici—continued.
    description, life history, and—control. D.B. 842, pp. 10–19. 1920.
    longevity. J.A.R., vol. 27, pp. 939–941, 949–952, 954. 1924.
    host plants and inoculation experiments. D.B. 842, p. 28. 1920.
TYLER, F. J.—
  "The nectaries of cotton." B.P.I. Bul. 131, Pt. V, pp. 45–54. 1908.
  "Varieties of American upland cotton." B.P.I. Bul. 163, pp. 127. 1910.
Tyloderma foveolatum, weevil having boll weevil parasites. Ent. Bul. 100, pp. 43, 45, 50, 53, 54, 78. 1912.
Tylose(s)—
  development in wood, type and degree. J.A.R., vol. 1, p. 448. 1914.
  effect on durability of wood. J.A.R., vol. 1, pp. 462–464. 1914.
  in hardwoods, description, and relation to preservative treatment. For. Bul. 118, p. 21. 1912.
  occurrence and practical significance. Eloise Gerry. J.A.R., vol. 1, pp. 445–470. 1914.
Tympanites—
  acute. See Bloating.
  chronic, treatment. B.A.I. [Misc.], "Diseases of cattle," rev., pp. 26–27, 50, 293. 1904; rev., pp. 26–27, 50, 303. 1912; rev., pp. 22–23, 48. 1923.
Tympanitis, sheep, cause and symptoms. F.B. 1155, pp. 28–29. 1921.
Tympanuchus americanus. See Prairie chicken.
Tyndarichus navae, description. Ent. T.B. 19, Pt. I, pp. 5–7. 1910.
Tyndaris spp., larval structure, distribution, habits, and host trees. D.B. 437, pp. 6, 7. 1917.
Type(s)—
  breeding, principles. B.A.I. An. Rpt., 1910, pp. 185–186. 1912.
  fixation by selection and inbreeding. D.B. 905, pp. 37–38. 1920.
Typewriter ribbons and carbon papers, testing. Chem. Bul. 109, rev., pp. 50–52. 1910.
Typewriters, exchange, provisions. Sol. [Misc.], "Laws applicable * * * Agriculture," Sup., p. 59. 1915.
Typewriting machines, reports from department heads. Sol. [Misc.], "Laws applicable * * * Agriculture, Sup. 2, pp. 104–105. 1915.
Typha latifolia. See Cat-tail.
Typhlitis coccidiosa. See Diarrhea, white.
Typhlocyba—
  comes. See Grape leaf-hopper.
  phytophila, same as *Empoasca mali.* D.B. 805, p. 2. 1919.
  rosae, same as *Empoa rosae.* D.B. 805, p. 20. 1919.
  tricincta, description. D.B. 19, pp. 10–11. 1914.
Typhoid—
  bacillus(i)—
    chronic carriers, notes. B.A.I. Cir. 153, pp. 11, 21. 1910.
    isolation from oysters. Chem. N.J. 1380, p. 1. 1912.
    transmission by house flies. F.B. 412, pp. 11–13. 1910.
    vitality in milk and butter. B.A.I. An. Rpt., 1908, pp. 33, 297–300. 1910; B.A.I. Chief Rpt. 1908, p. 26. 1910.
  bacteria, destruction by copper solution. An. Rpts., 1905, p. XLV. 1905; Sec. A.R., 1905, p. XLV. 1905.
  contamination, sources. B.A.I. An. Rpt., 1908, pp. 297–298. 1910.
  danger from polluted waters. F.B. 549, p. 5. 1913.
  epidemics caused by sewage-polluted shellfish. Chem. Bul. 156, pp. 44. 1912.
  fever—
    causes and treatment. For. [Misc.], "First-aid manual * * *," pp. 93–94. 1917.
    conditions, in country and city. Y.B., 1901, p. 177. 1902.
    control methods. News L., vol. 6, No. 19, p. 5. 1918.
    danger and causes. F.B. 478, pp. 4–5. 1911.
    death rate and water supply. F.B. 1448, p. 9. 1925.

Typhoid—Continued.
fever—continued.
germs—
dairy products, vitality. An. Rpts., 1908, pp. 36, 240. 1909; B.A.I. Chief Rpt., 1908, p. 26. 1908; Sec. A.R., 1908, p. 34. 1908.
personal carriers, cases. Ent. Bul. 78, p. 26. 1909.
transmission by flies, danger. Ent. Bul. 30, pp. 39-45. 1901.
horse. *See* Influenza.
in District of Columbia, investigations and report, 1894. B.A.I. Cir. 153, pp. 7-9. 1910.
infection from house fly danger. Ent. Bul. 78, pp. 23-36. 1909.
prevalence, percentage of fatalities. F.B. 412, p. 11. 1910.
prevention methods. Logan Waller Page and others. F.B. 478, pp. 8. 1911.
responsibility of contaminated oysters. Chem. Bul. 136, pp. 24-25. 1911.
rural, investigations in Minnesota. B.P.I. Bul. 154, pp. 81-83. 1909.
sources and protection. Y.B., 1901, p. 178. 1902.
spread—
by house flies. F.B. 679, p. 10. 1915; F.B. 851, pp. 9-10. 1917.
by lice. Sec. Cir. 61, pp. 1, 17. 1916.
causes, control methods. F.B. 463, pp. 8-10, 32. 1911.
traced to sewage contamination. Y.B., 1916, pp. 347-348. 1917; Y.B. Sep. 712, pp. 1-2. 1917.
transmission—
F.B. 490, p. 19. 1912.
by house flies, danger and prevention. F.B. 412, pp. 11-13. 1910.
by milk. Y.B., 1907, pp. 192-193. 1908; Y.B. Sep. 444, pp. 192-193. 1908.
fly. *See* Fly, house.
fowl, dissemination and control. B. F. Kaupp and R. S. Dearstyne. J.A.R., vol. 28, pp. 75-78. 1924.
germ(s)—
relation to bud-rot of coconut, note. An. Rpts., 1911, p. 56. 1912; Sec. A.R., 1911, p. 54. 1911; Y.B., 1911, p. 54. 1912.
spread by flies, control methods. F.B. 459, pp. 9-14, 15-16. 1911.
hog, study in 1923. Work and Exp., 1923, p. 68. 1925.
organisms—
found in Rockaway oysters, examination by Chemistry Bureau. Chem. Bul. 156, pp. 39-42. 1912.
longevity in soil. J.A.R., vol. 5, No. 20, pp. 928, 931. 1916.
poultry, description, cause, symptoms, and treatment. F.B. 957, pp. 17-18. 1918.
spread by sewage. F.B. 1227, pp. 5-9. 1922.
Typhonodorum lindleyanum, starch and fiber plant, importation and description. No. 42376, B.P.I. Inv. 46, p. 86. 1919.
Typhoon—
Chinese, forecast by Weather Bureau. Off. Rec., vol. 1, No. 33, p. 5. 1922.
damage in Guam. Guam A.R., 1923, pp. 1, 4. 1925.
in Guam, July, 1918, description and results. Guam A.R., 1919, pp. 5, 30, 32, 41, 51. 1921.
Tyrannidae—
hosts of eye parasite. B.A.I. Bul. 60, p. 48. 1904.
See also Flycatcher.
Tyrannus spp. *See* Kingbird.
Tyroglyphidae—
classification, description, and habits. Rpt. 108, pp. 18, 109-118. 1915.
enemies of boll weevil, list. Ent. Bul. 100, pp. 12, 40, 45, 47. 1912.
of United States, revision. Nathan Banks. Ent. T.B. 13, pp. 34. 1906.
Tyroglyphus—
americanus, enemy of cabbage webworm. Ent. Bul. 109, Pt. III, p. 32. 1912.
armipes, injury to *Calosoma sycophanta*. D.B. 251, p. 19. 1915.
breviceps, enemy of boll weevil, note. Ent. Bul. 100, pp. 12, 40, 45, 47. 1912; Ent. Bul. 114, p. 137. 1912.
lintneri. *See* Mite, mushroom.

Tyroglyphus—Continued.
malus, destruction of scurfy scale, note. F.B. 723, p. 9. 1916.
spp.—
description and habits. Rpt. 108, pp. 111, 113, 116. 1915.
enemy of grape scale. Ent. Bul. 97, Pt. VII, p. 120. 1912.
See also Mites.
Tyrosinane production, action on tyrosine. Soils Bul. 47, pp. 20-21. 1907.
Tyrosine—
determination in processed fertilizer base, methods. D.B. 158, pp. 11, 23. 1914.
origin, tests with wheat seedlings, changes under oxidation. Soils Bul. 47, pp. 18-22, 38. 1907.
soil constituent, wheat-growing tests. Soils Bul. 87, pp. 63-64. 1912.
Tyrrellia spp., description. Rpt. 108, pp. 49, 52. 1915.
TYSON, JAMES: "Reconnaissance soil survey of Ontonagon County, Mich." With others. Soil Sur. Adv. Sh., 1921, pp. 73-100. 1923.

U-Ko-Pine, misbranding. N.J. 741, Insect. S.R.A. 40, p. 946. 1922.
U-re-ka headache powders, misbranding. Chem. N.J. 260, p. 1. 1910.
U. S. D. A. Clubs. *See* Clubs, department.
Uapaca—
kirkiana, importation and description. No. 54769, B.P.I. Inv. 70, p. 17. 1923.
spp., importations and description. Nos. 48490-48494, B.P.I. Inv. 61, pp. 1, 14-15. 1922; Nos. 50190-50191, B.P.I. Inv. 63, pp. 3, 43. 1923.
Uaxactum, ancient city of Central America. Off. Rec., vol. I, No. 20, p. 3. 1922.
Uba cane. *See* Cane, Japanese.
Ucar tree in Porto Rico, description and uses. D.B. 354, pp. 34, 88. 1916.
Ucuúba, importations and descriptions. No. 43424, B.P.I. Inv. 49, pp. 10, 16. 1921; No. 47966, B.P.I. Inv. 60, pp. 3, 22. 1922.
UDALL, D. H.: "Diseases of the digestive system of cattle." B.A.I. Dairy [Misc.], "World's diary congress, 1923," pp. 1461-1468. 1924.
Udamoselinae subfamily, classification and description. Ent. T.B. 27, Pt. I, pp. 20-25. 1913.
Udamoselis spp., classification and description. Ent. T.B. 27, Pt. I, pp. 20-25. 1913.
Udder—
caked, of Angora goats, control measure. F.B. 1203, p. 26. 1921.
caking, of goats, control by washing with warm water. F.B. 920, p. 36. 1918.
cow—
abortion bacillus, occurrence and spread. J.A.R., vol. 9, pp. 9-15. 1917.
bacteria cultures, studies, characteristics, etc. J.A.R., vol. 1, pp. 492-511. 1914.
congestion—
treatment. B.A.I. [Misc.], "Diseases of cattle," rev., pp. 238, 447. 1912; rev., p. 234. 1923.
See also Garget.
in edible products, forbidden. B.A.I.S.A. 44, p. 82. 1910.
infection—
epidemic, study of sources. J.A.R., vol. 1, pp. 508-510. 1914.
with bacillus of infectious abortion. B.A.I. An. Rpt., 1911, pp. 142-143. 1913; B.A.I. Cir. 216, pp. 142-143. 1913.
inflammation, simple and contagious, symptoms, and treatment. B.A.I. [Misc.], "Diseases of cattle," rev., pp. 231-237. 1904; rev., pp. 238-244. 1912; rev., pp. 234-240. 1923.
injections, directions. B.A.I. [Misc.], "Diseases of cattle," rev., pp. 11-12, 228-230, 237. 1904; rev., pp. 11-12, 234-235. 1912; rev., pp. 9-10, 37. 1923.
testing for bacteria of abortion. J.A.R., vol. 5, No. 19, pp. 873, 874. 1916.
tubercular disease, dangers to milk. B.A.I. [Misc.], "Diseases of cattle," rev., pp. 406, 421, 424-425. 1904; rev., pp. 423, 437-438, 444. 1912; rev., pp. 415-416, 433-434, 437-438. 1923.

Udder—Continued.
dairy cow—
description and requirements for perfect score. D.B. 434, pp. 13–15. 1916.
diseases. Hubert Bunyea. F.B. 1422, pp. 18. 1924.
disease indication in bacterial examination of milk. B.A.I. Cir. 153, pp. 51–52. 1910.
examination during drying off. B.A.I. Dairy [Misc.], "World's dairy congress, 1923," p. 1035. 1924.
extract, effect on catalase. B.A.I. An. Rpt., 1911, pp. 205–206. 1913.
infection, causing bitter milk, control. F.B. 490, pp. 15–16. 1912.
inflammation—
diseased conditions. B.A.I. [Misc.], "Diseases of the horse," rev., pp 188–189. 1903; rev., pp. 188–189. 1907; rev., pp. 188–189. 1911; rev., pp. 208–209. 1923.
effect on milk. B.A.I. Dairy [Misc.], "World's dairy congress, 1923," pp. 300, 301. 1924.
relation of leucocyte content of milk. B.A.I. Bul. 117, pp. 8, 13. 1909.
streptococci, cultural characters and frequent occurrence. B.A.I. Dairy [Misc.], "World's dairy congress, 1923," p. 1128. 1924.
tuberculosis—
development, study, 1909. An. Rpts., 1909, p. 242. 1910; B.A.I. Chief Rpt., 1909, p. 52. 1909.
occurrence, and results on milk. B.A.I. An. Rpt., 1907, pp. 38, 58, 189. 1909; B.A.I. Cir. 143, p. 189. 1909.
tuberculous—
danger to milk. B.A.I. An. Rpt., 1908, pp. 117, 124, 131. 1910.
description. B.A.I. An. Rpt., 1908, pp. 124, 125, 127. 1910.
Udo—
a new winter salad. B.P.I. Bul. 42, pp. 17–19. 1903.
blanching, preparation for use, methods. D.B. 84, pp. 10–12. 1914.
climatic requirements, diseases. D.B. 84, p. 14. 1914.
diseases. J. L. Weimer. J.A.R., vol. 26, pp. 271–278. 1923.
growing in Guam, 1916, experiments. Guam A.R., 1916, p. 36. 1917.
importations and descriptions. Nos. 37145–37152. B.P.I. Inv. 38, pp. 5, 43. 1917.
introduction and culture in California. An. Rpts., 1911, p. 335. 1912; B.P.I. Chief Rpt., 1911, p. 87. 1911.
introduction, description, use, and value as food. D.B. 84, pp. 1–7, 14–15. 1914.
Japanese salad plant, introduction. An. Rpts., 1910, p. 78. 1911; Sec. A.R., 1910, p. 78. 1910; Y.B., 1910, p. 78. 1911.
new Japanese vegetable, experiments with. David Fairchild. D.B. 84, pp. 15. 1914.
salad plant from Japan. B.P.I. Bul. 42, p. 17. 1903.
testing, use as salad and vegetable. Y.B., 1916, p. 140. 1917; Y.B. Sep. 687, p. 6. 1917.
use as potherb, note. O.E.S. Bul. 245, p. 29. 1912.
uses and recipes. D.B. 84, pp. 13–14. 1914.
varieties—
growing methods. D.B. 84, pp. 8–12. 1914.
seeds. Nos. 32173, 32324, B.P.I. Bul. 261, pp. 36, 55. 1912.
Uganda, cotton crop, 1922–23. Off. Rec., vol. 3, No. 19, p. 3. 1924.
Uinta National Forest, land addition, bill. Off. Rec., vol. 1, No. 12, p. 2. 1922.
Ulceration—
horse, wounds, causes, symptoms, and treatment. B.A.I. [Misc.], "Diseases of the horse," rev., p. 474. 1903; rev., p. 474. 1907; rev., p. 474. 1911; rev., p. 499. 1923.
See Sore mouth, lip and leg, of goats.
Ulcers—
button, positive indication of hog cholera. F.B. 379, pp. 13–14. 1909.
nasal, horse, caused by smelter fumes, description. B.A.I. An. Rpt., 1908, pp. 247–250. 1910.
necrotic, hog, treatment. F.B. 1244, p. 12. 1923.

Ulcers—Continued.
of the cornea, cattle, symptoms and treatment. B.A.I. [Misc.], "Diseases of cattle," rev., pp. 346–347. 1904; rev., pp. 359–360. 1912; rev., pp. 347–348. 1923.
Ullucus—
importations and description. Nos. 41177–41184, B.P.I. Inv. 44, pp. 6, 48. 1918.
tuberosus, importation and description. No. 51403, B.P.I. Inv. 65, p. 14. 1923.
Ulmaceae—
characters and habitat. For. [Misc.], "Forest trees for Pacific * * *," pp. 322–323. 1908.
injury by sapsuckers. Biol. Bul. 39, pp. 35–36, 75–76. 1911.
Ulmic acid, definition. Soils Bul. 53, p. 17. 1909.
Ulmo, introduction, description, and uses. B.P.I. Bul. 205, p. 38. 1911.
Ulmus—
americana. See Elm, white.
pubescens. See Elm, slippery.
pumila. See Elm, dry-land, Chinese.
spp., injury by sapsuckers. Biol. Bul. 39, pp. 35–36, 75–76. 1911.
spp. See also Elm.
Ultramarine blue, use in paints, precautions. F.B. 474, pp. 17, 22. 1911.
Ululea cinerea, protection, exception from. Biol. Bul. 12, rev., p. 41. 1902.
Ulva. See Limer.
Umatilla experiment farm, work, 1912. R. W. Allen. B.P.I. Cir. 129, pp. 21–32. 1913.
Umatilla irrigation projects, Oregon. O.E.S. Bul. 209, pp. 13, 30–32, 41–43. 1909.
Umatilla National Forest—
For. [Misc.], "An ideal vacation * * *," pp. 31–33. 1923.
description and recreational uses. D.C. 4, pp. 45–46. 1919.
map and directions to tourists and campers. For. Map Fold. 1915.
Umatilla project, Oregon, hints to settlers. Byron Hunter. B.P.I. Doc. 495, pp. 12. 1909.
Umatilla reclamation project—
climatic and agricultural conditions—
1912. B.P.I. Cir., 129, pp. 21–23. 1913.
1913. B.P.I. [Misc.], "Work of the Umatilla * * *," pp. 2–4. 1914.
1914. W.I.A. Cir. 1, pp. 2–5. 1915.
1915 and 1916. W.I.A. Cir. 17, pp. 3–8. 1917.
1917. W.I.A. Cir. 26, pp. 4–7. 1919.
1918, 1919. D.C. 110, pp. 3–12. 1920.
1920–1922. D.C. 342, pp. 1–5. 1925.
experiment farm, work—
1913. R. W. Allen. B.P.I. [Misc.], "The work of the Umatilla * * *," pp. 14. 1914.
1914. R. W. Allen. W.I.A. Cir. 1, pp. 18. 1915.
1915 and 1916. R. W. Allen. W.I.A. Cir. 17, pp. 39. 1917.
1917. R. W. Allen. W.I.A. Cir. 26, pp. 30. 1919.
1918 and 1919. H. K. Dean. D.C. 110, pp. 24. 1920.
1920–1922. H. K. Dean. D.C. 342, pp. 24. 1925.
weeds, insects and diseases. D.C. 342, p. 7. 1925.
Umbelliferae—
poisonous nature. O.E.S. Bul. 245, p. 29. 1912.
See also Carrot tops.
Umbellularia californica—
injury by sapsuckers. Biol. Bul. 39, pp. 38, 79. 1911.
See also Laurel, California.
UMBERGER, H. J. C.: "The smuts of sorghum." With Edward T. Freeman. B.P.I. Cir. 8, pp. 9. 1908; rev., 1910.
Umbilical hernia—
calf, causes and treatment. B.A.I. [Misc.], "Diseases of cattle," rev., pp. 41–43, 248–249. 1904; rev., pp. 42–43, 257–258. 1912; rev., pp. 39–41, 252–253. 1923.
cattle, causes and treatment. B.A.I. [Misc.], "Diseases of cattle," rev., pp. 41–43. 1904; rev., pp. 42–43, 257. 1912; rev., pp. 39–41. 1923.
Umbrella—
China tree, root-rot, occurrence in Texas. B.P.I. Bul. 226, p. 80. 1912.

Umbrella—Continued.
  plants, occurrence and control in rice fields. F.B. 1240, p. 24. 1924.
  tree(s)—
    description and regions suited to. F.B. 1208, p. 15. 1922.
    injury by sapsuckers. Biol. Bul. 39, p. 37. 1911.
    Queensland, importation and description. No. 34123, B.P.I. Inv. 32, p. 12. 1914.
    tests for—
      mechanical properties, results. D.B. 556, pp. 33, 42. 1917.
      shrinkage and strength. D.B. 676, p. 27. 1919.
    See also Magnolia.
Umburana, importation and description. No. 37019, B.P.I. Inv. 38, p. 27. 1917.
Umealu. See Sandbur.
Umkolo, importation and description. No. 44847, B.P.I. Inv. 51, p. 78. 1922.
Umpqua National Forest, Oreg.—
  For. [Misc.], "An ideal vacation * * *," pp. 33-37. 1923.
  description and recreational uses. D.C. 4, pp. 46-48. 1919.
  map. For. Maps. 1925.
Umpqua Valley, Oreg., physical characteristics, water, soils, and climate. O.E.S. Bul. 226, pp. 13-15, 64. 1910.
Uncinariasis, prevention by burning. B.A.I. Bul. 35, pp. 15-17. 1902.
Uncinula—
  spp., occurrence on plants in Texas, and description. B.P.I. Bul. 226, pp. 67, 69, 81. 1912.
  See also Mildew.
Uncompahgre National Forest—
  Colorado, map. For. Maps. 1923.
  Ouray Mountains, Colo., vacations. For. [Misc.], "The Ouray Mountains * * *," pp. 14. 1919.
Uncompahgre project—
  Colorado, size and capacity. Y.B., 1908, p. 177. 1909.
  See also Colorado.
Uncompahgre Valley reclamation project, Colorado. O.E.S. Bul. 218, p. 28. 1910.
Undercooling—
  definition. D.B. 1099, p. 4. 1922.
  potatoes, relation to freezing point. D.B. 895, pp. 5-6. 1921.
Underdrainage—
  irrigated lands, beneficial results. F.B. 805, pp. 4-8. 1917.
  prairie soil, studies, Alabama. An. Rpts., 1912, p. 843. 1913; O.E.S. Chief Rpt., 1912, p. 29. 1912.
  use in reclamation of alkali soils. O.E.S. Cir. 103, p. 29. 1911.
Underdraining, value in erosion prevention. D.B. 512, p. 5. 1917.
Underwear, selection, and care of. F.B. 1089, pp. 18, 25-26. 1920.
Unicorn root—
  inferior—
    and adulterated. Item 215. Chem. S.R.A. 20, pp. 59-60. 1917.
    quality, opinion 215. Chem. S.R.A. 20, pp. 59-60. 1918.
  true. See Aletris.
Unification of terms, for reporting analytical results, report of committee, 1907. Chem. Bul. 116, pp. 10-104. 1908.
Uniforms, canning club, directions. D.C. 2, pp. 8-12. 1919.
Uniola spp., description, distribution, and uses. D.B. 772, pp. 10, 58-60, 61. 1920.
Union Academy, Belleville, N. Y.—
  destinations and occupations of students. D.B. 984, pp. 17-47. 1921.
  scope, endowment, and history. D.B. 984, pp. 9-17. 1921.
  teachers and students, relation to educational institutions. D.B. 984, pp. 42-44. 1921.
Union Pacific Railroad Co., case of violation of twenty-eight-hour law. Sol. Cir. 14, pp. 1-6. 1909; News L., vol. 1, No. 36. 1914.

United Kingdom—
  agricultural imports, 1896-1900. Frank H. Hitchcock. For. Mkts. Bul. 26, pp. 227. 1902.
  agricultural statistics, 1911-1920. D.B. 987, pp. 60-62. 1921.
  apples, acreage. Atl. Am. Agr. Adv. Sh., No. 4, Pt. V, pp. 77, 83. 1918.
  beef imports, 1913-1919, origin and changes. Sec. Cir. 146, p. 11. 1919; Sec. Cir. 147, pp. 5-6. 1919.
  butter—
    and cheese imports. B.A.I. Dairy [Misc.], "World's dairy congress, 1923," pp. 55-56, 60. 1924.
    trade. D.C. 70, pp. 8, 12. 1919.
  cattle and milch cows, numbers, maps. Atl. Am. Agr. Adv. Sh., 4, Pt. V, pp. 121, 123, 125. 1918.
  cheese trade. D.C. 71, p. 14. 1919.
  corn imports, 1906-1910, by countries of origin. Stat. Cir. 26, p. 6. 1912.
  cows and cattle, 1850-1918. D.C. 7, pp. 3, 10. 1919.
  crop yields, comparison with United States. Y.B., 1919, pp. 24, 25. 1920.
  dairy statistics, 1850-1920. B.A.I. Doc. 37, pp. 66-68. 1922.
  demand for American pork products. Y.B., 1922, pp. 251, 273. 1923; Y.B. Sep. 882, pp. 251, 273. 1923.
  exports from United States, 1900-1904, comparison with other countries. An. Rpts., 1905, pp. 48-50. 1905.
  food laws and their administration. F. L. Dunlap. Chem. Bul. 143, pp. 42. 1911.
  forest resources. For. Bul. 83, pp. 32-34. 1910.
  fruits, area, production, imports, exports, and reexports, 1909-1913. D.B. 483, pp. 35-37. 1917.
  grain—
    area, 1885, 1895, 1905. Stat. Bul. 68. pp. 8-9. 1908.
    imports from the United States, Pacific ports, and others. Stat. Bul. 89, pp. 36-37. 1911.
    production and acreage. Stat. Bul. 68, pp. 97-99. 1908.
    trade. Stat. Bul. 69, pp. 57-63. 1908.
  hogs, numbers, and maps. Atl. Am. Agr. Adv. Sh. 4, Pt. V, pp. 131, 133. 1918.
  horses and mules, numbers, maps. Atl. Am. Agr. Adv. Sh., No. 4, Pt. V, pp. 111, 113, 116. 1918.
  imports of—
    dairy produce. B.A.I. Dairy [Misc.], "World's dairy congress, 1923," pp. 21-24. 1924.
    mohair. B.A.I. Bul. 27, pp. 73-74. 1906.
  laws on fruit and plant introduction. Ent. Bul. 84, p. 37. 1909.
  livestock—
    conditions—
      1909-1918, losses. Y.B., 1918, pp. 239-295. 1919; Y.B. Sep. 773, pp. 7-9. 1919.
      1918, report. Sec. [Misc.], "Report of the agricultural * * * Europe," pp. 48-53. 1919.
      1919, and food demands. Y.B., 1919, pp. 418-421. 1920; Y.B. Sep. 821, pp. 418-421. 1920.
    statistics, numbers of cattle, sheep, and hogs. Rpt. 109, pp. 32, 38, 49, 52, 60, 63, 206, 214. 1916.
  meat—
    animals, slaughter percentage of stock on hand. Rpt. 109, pp. 126-127, 269, 270. 1916.
    consumption. Rpt. 109, pp. 17, 128, 130, 131, 132, 133, 271-273, 275. 1916.
    consumption per capita. B.A.I. An. Rpt., 1909, pp. 312-313. 1911.
    imports, statistics. Rpt. 109, pp. 102-114, 245-246, 257-258, 260, 262. 1916.
    inspection. B.A.I. An. Rpt., 1906, pp. 97-98. 1908; B.A.I. Cir. 125, pp. 37-38. 1908.
    production, 1890-1907, and percentages of beef, mutton, and pork. Rpt. 109, pp. 121-123, 268. 1916.
  oat acreage, production, and value, maps. Atl. Am. Agr. Adv. Sh. 4, Pt. V, pp. 36, 38. 1918.
  potato(es)—
    acreage, production and yield. Atl. Am. Agr. Adv. Sh. 4, Pt. V, pp. 68, 70. 1918.
    production, 1909-1913, 1921-23. S.B. 10, p. 19. 1925.

United Kingdom—Continued.
  rice exports to United States. D.B. 323, pp. 2, 3. 1915.
  sheep—
    industry. Y.B., 1923, p. 234. 1924; Y.B. Sep. 894, p. 234. 1924.
    numbers, maps. Atl. Am. Agr. Adv. Sh., 4, Pt. V, pp. 137, 139. 1918.
  statistics, crops and livestock, 1911–1913, graphs. Y.B., 1916, pp. 533, 536–552. 1917; Y.B. Sep. 713, pp. 3, 6–22. 1917.
  sugar industry, 1903–1914, sources. D.B. 473, pp. 33–34. 1917.
  trade with the United States, discussion, and notes. D.B. 296, pp. 3, 6–49. 1915.
  tuberculin tests of cattle for United States. An. Rpts., 1915, pp. 114–115. 1916; B.A.I. Chief Rpt., 1915, pp. 38–39. 1915.
  wheat—
    acreage, production and trade, 1909–1917, and war conditions. Y.B., 1917, pp. 463, 464, 466, 470, 472, 473, 475, 476. 1918; Y.B. Sep. 752, pp. 5, 6, 8, 12, 14, 15, 17, 18. 1918.
    flour imports, chief countries, 1885–1906. Stat. Bul. 66, pp. 87–85. 1908.
    imports, freight rates from different countries. Stat. Bul. 89, pp. 66–69. 1911.
    prices 1891–1908. Stat. Bul. 89, pp. 56–57. 1911.
    production and area, 1852–1912, ten-year periods. Stat. Cir. 47, pp. 7–8. 1913.
    with wheat flour imports. Stat. Bul. 66, pp. 27–35. 1908.
  wool imports, 1900, 1915. Y.B., 1917, p. 409. 1918; Y.B. Sep. 751, p. 11. 1918.
  See also Great Britain.
United States—
  Agricultural Society, report upon Davis importation of Angora goats. B.A.I. Bul. 27, p. 17. 1906.
  barley crops, 1866–1906. Stat. Bul. 59, p. 36. 1907.
  buckwheat crops, 1866–1906. Stat. Bul. 61, pp. 24. 1908.
  butter control. B.A.I. Dairy [Misc.], "World's dairy congress, 1923," p. 754. 1924.
  corn crop, 1866–1906. Stat. Bul. 56, pp. 37. 1907.
  fruit production, 1909. D.B. 483, pp. 2–7. 1917.
  hay crops, 1866–1906. Stat. Bul. 63, pp. 34. 1908.
  meat—
    consumption per capita. B.A.I. An. Rpt., 1909, p. 312. 1911.
    supply and surplus. Stat. Bul. 55, pp. 1–87. 1907.
  oats crops, 1866–1906. Stat. Bul. 58, pp. 35. 1907.
  potato crops, 1866–1906. Stat. Bul. 62, pp. 37. 1908.
  rye crops, 1866–1906. Stat. Bul. 60, pp. 35. 1908.
  wheat crops, 1866–1906. Stat. Bul. 57, pp. 35. 1907; rev., pp. 39. 1908.
  See also America; North America.
Universe vine. *See* Bearberry.
University(ies)—
  extension—
    L. E. Reber. O.E.S. Bul. 231, pp. 7–15. 1910.
  in agriculture—
    Cornell University. J. Craig. O.E.S. Bul. 99, pp. 137–138. 1901.
    description. O.E.S. Cir. 83, pp. 19–20. 1909.
  schools of agriculture, discussion. Y.B., 1902, pp. 487–489. 1903.
  State—
    national association convention, 1909. O.E.S. An. Rpt., 1909, p. 307. 1910.
    relation to land-grant colleges. W. J. Kerr. O.E.S. Bul. 164, pp. 119–124. 1906.
    statistics. O.E.S. An. Rpt., 1904, pp. 206–223. 1905.
Unloader, logs, types, description and cost. D.B. 711, p. 238. 1918.
Upland and Limestone Valleys province, soil studies. Soils Bul. 78, pp. 169–182. 1911.
Uplands—
  logged-off farming in western Washington. E. R. Johnson and E. D. Strait. D.B. 1236, pp. 36. 1924.
  sandy peach orchard, use of lime. Y.B., 1902, p. 626. 1903.
Upson, A. T.: "Standard grading specifications for yard lumber." With others. D.C. 296, pp. 75. 1923.

Uracanthus acutus, peach pest, hosts and description. Sec. [Misc.] "A manual * * * insects * * *, p. 166. 1917.
Urachus, diseased conditions, young calf, treatment. B.A.I., [Misc.], "Diseases of cattle," rev., pp. 245–246. 1904; rev., pp. 253–254. 1912; rev., pp. 248–249. 1923.
Uranium—
  salts, effect on growth, experiments. D.B. 149, p. 12. 1914.
  salts, use and effect in determination of malic acid. Chem. Cir. 76, pp. 1–9. 1911.
Uranotes melinus. See Cotton-square borer.
Uranyl acetate, use in determination of tartaric acid. Chem. Cir. 106, pp. 2–6. 1912.
Uraria lagopus, importation and description. No. 47857, B.P.I. Inv. 59, p. 68. 1922.
Urates, presence in urine. Chem. Bul. 84, Pt. V, p. 1371. 1908.
URBAHNS, T. D.—
  "Grasshopper control in the Pacific States." F.B. 1140, pp. 16. 1920.
  "Life history observations on four recentl described parasites of *Bruchophagus funebris*." J.A.R., vol. 16, pp. 165–174. 1919.
  "Life history of *Habrocytus medicaginis*, a recently discovered parasite of the chalcis fly in alfalfa seed." J.A.R., vol. 7, pp. 147–154. 1916.
  "*Tetrastichus bruchophagi*, a recently described parasite of *Bruchophagus funebris*," J.A.R., vol. 8, No. 7, pp. 277–282. 1917.
  "The chalcis-fly in alfalfa seed." F.B. 636, pp. 10. 1914.
  "The clover and alfalfa seed chalcis-fly." D.B. 812, pp. 20. 1920.
  "The spike-horned leaf miner, an enemy of grains and grasses." With Philip Luginbill. D.B. 432, pp. 20. 1916.
Urd—
  bean, importation and description. No. 39589, B.P.I. Inv. 41, p. 46. 1917.
  description, distribution, and introductions. D.B. 119, pp. 26–28. 1914.
  forage-crop experiments in Texas. B.P.I. Cir 106, p. 25. 1913.
Urea—
  content of cattle urine, effect of different feeds. B.A.I., [Misc.], "Diseases of cattle," rev., p. 113. 1904; rev., p. 115. 1912; rev., p. 115. 1923.
  effect on milk flow, experiments with goats. J.A.R., vol. 5, No. 13, pp. 563–565, 567. 1915.
Urease, jack beans, demand in medicine. D.C. 92, p. 11. 1920.
Uredinales, list for exchange. D.C. 195, pp. 11–50. 1922.
Urediniospores—
  Cronartium ribicola and *C. occidentale*, comparison. Reginald H. Colley. J.A.R., vol. 30, pp. 283–291. 1925.
  Puccinia graminis, effect of certain ecological factors on morphology of. E. C. Stakman and M. N. Levine. J.A.R., vol. 16, pp. 43–77. 1919.
Uredo—
  cocciporo, relation to coconut bud-rot. B.P.I. Bul. 228, p. 38. 1912.
  gossypii, cause of true rust of cotton. F.B. 1187, p. 31. 1921.
Uredospore, rust, dissemination methods. B.A.I. Bul 216, pp. 53–55. 1911.
Uremia—
  horse, symptoms and treatment. B.A.I., [Misc.], "Diseases of the horse," rev., p. 223. 1903; rev., p. 224. 1907; rev., p. 224. 1911; rev., pp. 245–246. 1923.
  sheep, cause, symptoms, and treatment. F.B. 1155, p. 32. 1921.
Urena lobata, importation from Cuba and description. No. 43074, B.P.I. Inv. 48, p. 16. 1921.
Ureteral calculi, cattle, description, symptoms and treatment. B.A.I., [Misc.], "Diseases of cattle," rev., pp. 136–139. 1904; rev., pp. 139–142. 1912; rev., pp. 139–142. 1923.
Urethra, cattle, inflammation, and treatment. B.A.I., [Misc.], "Diseases of cattle," rev., p. 152. 1904; rev., p. 156. 1912; rev., p. 152. 1923.

Urethral calculus, cattle, symptoms and treatment. B.A.I. [Misc.], "Diseases of cattle," rev., pp. 139–141, 143. 1904; rev., pp. 142–144, 146. 1912; rev., pp. 142–144, 146. 1923.
Uria spp. *See* Murres.
Urial, ancestor of turbary sheep. B.A.I. An. Rpt., 1910, pp. 153, 155, 156. 1912.
Uric acid, production and properties in poultry. B.A.I. Bul. 56, pp. 11–16, 34–41, 56. 1904.
Urinary—
  calculi, causes, classification, and treatment. B.A.I., [Misc.], "Diseases of the horse," rev., pp. 94–103. 1903; rev., pp. 94–103. 1907; rev., pp. 94–103. 1911; rev., pp. 154–163. 1923.
  disorders, result of use of antipyrin. Chem. Bul. 126, pp. 76–77. 1909.
  excretions, feed-utilization experiments. B.A.I. Bul. 128, pp. 100–102, 137–138, 167–168, 202, 204. 1911.
  organs—
    cattle—
      description. B.A.I. [Misc.], "Diseases of cattle," rev., pp. 117, 145. 1912.
      diseases, causes, symptoms, and treatment. B.A.I. [Misc.], "Diseases of cattle," rev., pp. 111–143, 245–246. 1904; rev., pp. 113–146, 253–254. 1912; rev., pp. 113–146, 248–249. 1923.
      diseases—
        James Law. B.A.I. [Misc.], "Diseases of cattle," rev., pp. 111–143. 1904; rev., pp. 111–143. 1908; rev., pp. 113–146. 1912; rev., pp. 113–146. 1923.
        James Law. B.A.I. [Misc.], "Diseases of the horse," rev., pp. 75–103. 1903; rev., pp. 75–103. 1907; rev., pp. 75–103. 1911; rev., pp. 134–163. 1916; rev., pp. 134–163. 1923.
    horse, examination for disease symptoms. B.A.I. [Misc.], "Diseases of the horse," rev., pp. 26–27. 1903; rev., pp. 26–27. 1907; rev., pp. 26–27. 1911; rev., pp. 24–26. 1923.
Urinator imber. See Loon.
Urine—
  analyses in sulphur dietary experiments, tables. Chem. Bul. 84, Pt. III, pp. 815, 829, 850, 1023, 1029. 1907.
  analysis methods. Rpt. 88, p. 51. 1909.
  bloody—
    cattle, symptoms, and treatment. B.A.I., [Misc.], "Diseases of cattle," rev., pp. 119–121. 1912; rev., pp. 119–121. 1923.
    sheep, cause and treatment. F.B. 1155, p. 31. 1921.
  calcium excretion studies, and review. Chem. Bul. 123, pp. 29, 46–48. 1909.
  cattle—
    as affected by tick fever. B.A.I. [Misc.], "Diseases of cattle," rev., pp. 481, 483, 486. 1904; rev., pp. 465, 467, 486. 1908; rev., pp. 481, 483, 486. 1912; rev., pp. 476, 477–478, 480. 1923.
    composition—
      amount, and specific gravity. B.A.I., [Misc.], "Diseases of cattle," rev., pp. 112–114. 1904; rev., pp. 114–116. 1912; rev., pp. 114–117. 1923.
      and conditions, relation to feed. B.A.I. [Misc.], "Diseases of cattle," rev., pp. 114–116. 1923.
    microscopic examination, directions. B.A.I, [Misc.], "Diseases of cattle," rev., p. 123. 1904; rev., p. 126. 1912; rev., p. 126. 1923.
    composition in—
      Minnesota nutrition experiment. O.E.S. Bul. 156, pp. 16–18. 1905.
      sodium benzoate experiments, tables. Rpt. 88, pp. 90–220, 302–397, 495–498, 663–749. 1909.
    condition in sodium benzoate, experiments. Rpt. 88, pp. 51–85. 1909.
    diet relations, study. O.E.S. Bul. 159, p. 15. 1905.
    effect(s)—
      by use of benzoate of soda in food. Chem. Cir. 39, pp. 9–11. 1908.
      of salicylates, study. Chem. Bul. 84, Pt. II, pp. 531–582, 704, 706–753. 1906.
      of sulphur in diet. Chem. Bul. 84, Pt. III, pp. 810–889, 1022–1038. 1907; Chem. Cir. 37, pp. 11–13. 1907.

Urine—Continued.
  examination and analyses, in saccharin experiments. Rpt. 94, pp. 24–26, 27–67, 95–97, 136–179, 236–375. 1911.
  excessive secretion, cause, symptoms, and treatment. B.A.I. [Misc.], "Diseases of the horse," rev., p. 79. 1903; rev., p. 79. 1907; rev., p. 79. 1911; rev., p. 138. 1923.
  fertilizer value, note. F.B. 588, p. 10. 1914.
  horse, examination for signs of disease. B.A.I. [Misc.], "Diseases of the horse," rev., pp. 77–78. 1903; rev., pp. 77–78. 1907; rev., pp. 77–78. 1911; rev., pp. 136–137. 1923.
  incontinence, cattle, treatment. B.A.I. [Misc.], "Diseases of cattle," rev., p. 130. 1912.
  microscopical examination. Chem. Bul. 84, Pt. III, pp. 867–877. 1907; Pt. V, pp. 1370–1374. 1908.
  nitrogenous elements, effect of salicylic acid and sodium salicylate. Chem. Bul. 84, Pt. II, pp. 707–753. 1911.
  phosphorus excretion, studies and review. Chem. Bul. 123, pp. 16–18, 44–45. 1909.
  poultry, analysis. B.A.I. Bul. 56, pp. 9–16, 78–88, 89–105. 1904.
  presence of humuslike bodies, study. Soils Bul. 53, p. 18. 1909.
  retention, cattle, treatment. B.A.I. [Misc.], "Diseases of cattle," rev., pp. 128–130. 1912; rev., pp. 128–130. 1923.
  specimens for examination, directions for sending. B.A.I. An. Rpt., 1906, p. 203. 1908; B.A.I. Cir. 123, p. 7. 1908.
Urnula craterium, description. D.B. 175, p. 55. 1915.
Urocyon cinereoargenteus. See Fox, gray.
Urocystis—
  cepulae—
    cause of onion smut. F.B. 1060, p. 5. 1919.
    susceptibility of onion varieties and of *Allium* species. P. J. Anderson. J.A.R., vol. 31, pp. 375–386. 1925.
    See also Onion smut.
  sp., occurrence on plants in Texas, and description. B.P.I. Bul. 226, p. 105. 1912.
  tritici—
    cause of flag smut of wheat, study. Marion A. Griffiths. J.A.R., vol. 27, pp. 425–450. 1924.
    development and relation to its host. J.A.R., vol. 27, pp. 453–470, 479–484. 1924.
    See also Smut, flag.
Urogaster canarsiae, parasite of grape-berry moth, description. Ent. Bul. 116, Pt. II, p. 47. 1912.
Uroglena, pollution of drinking water, discussion. Y.B., 1902, pp. 182–184. 1903.
Uromyces—
  appendiculatus—
    cause of bean rust. Guam A. R., 1917, p. 46. 1918.
    varietal susceptibility of beans. J.A.R., vol. 21, pp. 385–404. 1921.
  lili, injury to lilies, and remedy. D.B. 1331, p. 14. 1925.
  spp.—
    occurrence on plants in Texas, and description. B.P.I. Bul. 226, pp. 38, 48, 83, 91, 94, 103. 1912.
    See also Rusts.
Urophlyctis—
  alfalfae—
    cause of crownwart of alfalfa. Fred Reuel Jones and others. J.A.R., vol. 20, pp. 295–324. 1920.
    See also Crown-gall, alfalfa; Wart, alfalfa.
  spp., haustoria. J.A.R., vol. 20, p. 313. 1920.
Uropoda spp., description and habits. Rpt. 108, pp. 87–90. 1915.
Uropodinae, classification, description, and habits. Rpt. 108, pp. 87–90. 1915.
Urosigalphus spp., enemies of boll weevil. Ent. Bul. 100, pp. 11, 12, 42, 45, 53, 54–68. 1912; Ent. Bul. 114, p. 142. 1912.
Urotropin, use—
  and value in control of cerebrospinal meningitis. D.B. 65, p. 13. 1914.
  as anthelmintics, experiment, note. B.A.I. Bul. 153, p. 13. 1912.
Ursidae family. *See* Bears.

Ursus—
   alascensis group, description, characters, dental and cranial. N.A. Fauna 41, pp. 94–99. 1918.
   arizonae group, description, characters, cranial and dental. N.A. Fauna 41, pp. 53–76. 1918.
   dalli group, description, characters, cranial and dental. N.A. Fauna 41, pp. 116–124. 1918.
   gyas group, description, characters, cranial and dental. N.A. Fauna 41, pp. 124–127. 1918.
   horriaeus group, description, characters, cranial and dental. N.A. Fauna 41, pp. 84–88. 1918.
   horribilis group, description, characters, cranial and dental. N.A. Fauna 41, pp. 17–34. 1918.
   hylodromus group, description, characters, cranial and dental. N.A. Fauna 41, pp. 77–84. 1918.
   inuitus group, description, characters, cranial and dental. N.A. Fauna 41, pp. 110–115. 1918.
   kenaiensis group, description, characters, cranial and dental. N.A. Fauna 41, pp. 127–131. 1918.
   kidderi group, description, characters, cranial and dental. N.A. Fauna 41, pp. 106–110. 1918.
   planiceps group, description, characters, cranial and dental. N.A. Fauna 41, pp. 34–53. 1918.
   richardsoni group, description, characters, cranial and dental. N.A. Fauna 41, pp. 99–106. 1918.
   spp. *See also* Bear.
   stikeenensis group, description, characters, cranial and dental. N.A. Fauna 41, pp. 88–94. 1918.
Urtica dioica—
   resistance to *Puccinia rubigo-vera.* J.A.R., vol. 22, pp. 152–172. 1921.
   susceptibility to *Puccinia triticina.* J.A.R., vol. 22, pp. 152–172. 1921.
Urticaria—
   cattle, description, cause, and treatment. B.A.I. [Misc.], "Diseases of cattle," rev., pp. 324–325. 1904; rev., pp. 336–337. 1912; rev., pp. 324–325. 1923.
   hog(s)—
      causes. An. Rpts., 1907, p. 223. 1908.
      causes, lesions, and treatment. F.B. 1244, pp. 20–21. 1923.
      investigations. B.A.I. An. Rpt., 1907, p. 45. 1909.
Uruguay—
   agreement with Argentina as to importation and exportation of livestock. B.A.I. Bul. 48, pp. 39–41. 1903.
   agricultural statistics, 1910–1919. D.B. 987, pp. 62–63. 1921.
   bones and bone ash, export of. B.A.I. An. Rpt., 1900, p. 519. 1901.
   cattle—
      and sheep exports. Rpt. 109, pp. 71, 72, 225. 1916.
      numbers and distribution. Atl. Am. Agr. Adv. Sh. 4, Pt. V, pp. 121, 128. 1918.
   corn acreage. Atl. Am. Agr. Adv. Sh. 4, Pt. V, p. 34. 1918.
   crops, 1908–1911, acreage and production. Stat. Cir. 28, p. 15. 1912.
   dairy cows and cattle, 1850–1918. D.C. 7, pp. 3, 9. 1919.
   flax acreage. Atl. Am. Agr. Adv. Sh. 4, Pt. V, p. 60. 1918.
   fruits, area, production, imports, and exports, 1909–1911. D.B. 483, p. 15. 1917.
   grape acreage and production. Atl. Am. Agr. Adv. Sh. 4, Pt. V, pp. 84, 88. 1918.
   irrigation pictures. Off. Rec., vol. 1, No. 6, p. 7. 1922.
   livestock—
      conditions and demands. Y.B., 1919, pp. 374–376. 1920; Y.B. Sep. 818, pp. 374–376. 1920.
      statistics, numbers of cattle, sheep, and hogs. Rpt. 109, pp. 33, 38, 49, 52, 60, 63, 207–208, 215. 1916.
   meat—
      exports, statistics (and meat animals). Rpt. 109, pp. 15, 71–87, 93, 98, 225, 229. 1916.
      production and trade, 1905–1913. Y.B., 1913, pp. 359–360. 1914; Y.B. Sep. 629, pp. 359–360. 1914.
   potatoes, production, 1909–1913, 1921–1923. S.B. 10, p. 20. 1925.
   sheep, numbers—
      and wool production and exports. Y.B., 1917, pp. 404, 405, 413. 1918; Y.B. Sep. 751, pp. 6, 7, 15. 1918.

Uruguay—Continued.
   sheep, numbers—continued.
      map. Atl. Am. Agr. Adv. Sh. 4, Pt. V, pp. 137, 140. 1918.
   wheat acreage, map. Atl. Am. Agr. Adv. Sh. 4, Pt. V, p. 25. 1918.
Urundai-mi. *See* Urunday.
Urunday, importations and description. No. 30224, B. P. I. Bul. 233, pp. 68–69. 1912.
Urus, description and historical allusions. B.A.I. An. Rpt., 1910, pp. 157, 158, 197–202, 204. 1912.
Uscana semifumipennis, parasite of bean weevil, work, Hawaii. Hawaii A.R., 1912, p. 26. 1913.
USHER, SUSANNAH: "Dietary studies in Boston and Springfield, Mass., Philadelphia, Pa., and Chicago, Ill." With others. O.E.S. Bul. 129, pp. 103. 1903.
Ustilaginales, list for exchange. D C. 195, pp. 7–11. 1922.
Ustilago—
   crameri, smut of foxtail millet, control treatment. F.B.793, p. 26. 1917.
   cruenta, studies, notes. J.A.R., vol. 2, pp. 334, 348, 365. 1914.
   hordei, fumigation, experiments, notes. B.P.I. Bul. 171, p. 16. 1910.
   nuda, infection of barley. J.A.R., vol. 29, pp. 263, 284. 1924.
   relation to Sorosporium. J.A.R., vol. 2, No. 5, p. 340. 1914.
   spp.—
      effect of soil temperature. J.A.R., vol. 22, p. 242. 1920.
      grain inoculation experiments, 1906–7. B.P.I. Bul. 152, pp. 12–18. 1909.
      occurrence on plants in Texas, and description B.P.I. Bul. 226, pp. 46, 105. 1912.
      See also Smuts.
   vailantii, parasite of grape hyacinths. D.B. 1327, p. 12. 1925.
   zeae—
      infection of corn, studies. J.A.R., vol. 30, pp. 161–173. 1925.
      resemblance to sorghum head smut. J.A.R., vol. 2, pp. 343, 344, 357, 367. 1914.
Utah—
   accredited herds—
      list No. 3. D.C. 142, pp. 11, 16, 25, 37, 46, 47, 48, 49. 1920.
      list No. 3, supplement 1. D.C. 143, pp. 15, 48–49, 91. 1920.
      list No. 3, supplement 2. D.C. 144, pp. 15, 46. 1920.
      lists. D.C. 54, pp. 17, 25, 42, 69, 90. 1919.
   agricultural—
      colleges, appropriations. O.E.S. An. Rpt., 1911, p. 319. 1912.
      education, organization, lists, and courses of study. *See* Agriculture, workers, list.
   Experiment Station. *See* Utah Experiment Station.
   schools—
      aid to. O.E.S. An. Rpt., 1911, p. 334. 1912.
      work. O.E.S. Cir. 106, rev., pp. 18, 24. 1912.
   alfalfa—
      variety tests and results. B.P.I. Bul. 169, p. 21. 1910.
   weevil—
      infestation, 1904, investigations and control. Ent. Cir. 137, pp. 1–9. 1911.
      infestation, map of infested district. F.B. 741, pp. 2, 3. 1916.
      introduction and spread. D.B. 107, pp. 1–2. 1914.
      outbreak and spread, and control work, 1910–1911. Ent. Bul. 112, pp. 9–14. 1912.
      outbreaks in 1921. D.B. 1103, p. 21. 1922.
      spread. Off. Rec., vol. 2, No. 52, p. 4. 1923.
   alkali studies. J.A.R., vol. 10, pp. 336–351. 1917.
   alunite deposits—
      location, extent, and accessibility. D.B. 415, pp. 3–5. 1916.
      source of potash. D.C. 61, p. 6. 1919; Y.B., 1912, p. 528. 1913; Y.B. Sep. 611, p. 528. 1913; Y.B., 1916, p. 307. 1917; Y.B. Sep. 717, p. 307. 1917.
   and Idaho, sugar beets—
      growing, farm practice in three districts. L. A. Moorhouse and others. D.B. 693, pp. 44. 1918.

INDEX TO PUBLICATIONS, 1901–1925   2507

Utah—Continued.
and Idaho, sugar beets—continued.
 production cost, 1918–19. L. A. Moorhouse and S. B. Nuckols. D.B. 963, pp. 41. 1921.
antelope in, number and distribution. D.B. 1346, pp. 55–57. 1925.
antirat campaign. Off. Rec., vol. 1, No. 25, p. 4. 1922.
apple growing, areas and varieties. D.B. 485, pp. 35, 44–47. 1917.
arid experiment farms. B.P.I. Bul. 103, p. 14. 1907.
barley crops, 1882–1906, acreage, production, and value. Stat. Bul. 59, pp. 14–26, 35. 1907.
Bear River—
 irrigation, 1901. Arthur P. Stover. O.E.S. Bul. 119, pp. 243–298. 1902.
 marshes, wild ducks and duck foods. Alexander Wetmore. D.B. 936, pp. 20. 1921.
Bear River Canal, water quantity. F.B. 863, p. 20. 1917.
Bear River Valley—
 drainage methods for irrigated lands. O.E.S. An. Rpt., 1910, pp. 491–493. 1911.
 water rights, cost and duty of water, beet irrigation. F.B. 392, p. 42. 1910.
bee(s)—
 and honey statistics—
  1914–1915. D.B. 325, pp. 2, 6, 9, 10, 11, 12. 1915.
  1918. D.B. 685, pp. 7, 10, 13, 15, 17, 18, 20, 22, 24, 27, 30, 31. 1918.
 disease, occurrence. Ent. Cir. 138, p. 21. 1911.
beet—
 leaf-beetle, occurrence and injuries to crop D.B. 892, pp. 4–6. 1920.
 leafhopper, studies. Ent. Bul. 66, pp. 34, 36–40. 1910.
 sugar—
  factories, report. Rpt. 84, pp. 94–97. 1907.
  industry, conditions, 1904. Rpt. 80, pp. 79–82, 137–140. 1905.
  industry, development and conditions. Rpt. 92, pp. 37–39. 1910.
  industry, factories, location and capacity. Rpt. 86, pp. 57–59, 79–80. 1908.
  industry, factories, statistics. B.P.I. Bul. 260, pp. 15, 19, 20, 29, 30, 69, 73. 1912.
  mills, and sugar production, 1916–1917. D.B. 721, pp. 2–5, 34. 1918.
  production, 1912–1917. Sec. Cir. 86, p. 17. 1918.
  progress, 1900. Sec. A. R. 69, pp. 59–61, 66–67, 118–119. 1901.
birds—
 banded for migration records, returns. D.B. 1145, pp. 1–16. 1923.
 eating the alfalfa weevil, distribution and food habits. D.B. 107, pp. 3–57. 1914.
 protection. *See* Bird protection.
bounty laws, 1907. Y.B., 1907, p. 564. 1908; Y.B. Sep. 473, p. 564. 1908.
boys' and girls' pig club, organization, membership, and work, 1917. News L., vol. 5, No. 29, p. 6. 1918.
canals—
 concrete-lined, capacity, cost, and other data. D.B. 126, pp. 42–43, 74–76, 84. 1915.
 seepage measurements. D.B. 126, pp. 30–35. 1915.
cantaloupe shipments, 1914. D.B. 315, pp. 17, 19. 1915.
cattle feeding, contract system. Off. Rec., vol. 2, No. 38, p. 3. 1923.
cement factories, potash content and loss. D.B. 572, p. 6. 1917.
closed season for shorebirds and woodcock. Y.B., 1914, p. 293. 1915; Y.B. Sep. 642, p. 293. 1915.
convict road work, laws. D.B. 414, p. 214. 1916.
cooperative associations, statistics and details. D.B. 547, pp. 13, 23, 27. 1917.
corn—
 crops, 1882–1906, acreage, production, and value. Stat. Bul. 56, pp. 15–27, 36. 1907.
 yields and prices, 1882–1915. D.B. 515, p. 14. 1917.
cottonwood nursery, snow molding of coniferous seedlings. J.A.R., vol. 24, pp. 741–748. 1923.

Utah—Continued.
Crawford Mountains area, phosphate deposits, description and analyses. Soils Bul. 69, pp. 35–41. 1910.
credits, farm-mortgage loans, costs and sources. D.B. 384, pp. 2, 3, 6, 8, 10, 12. 1916.
dairy herds, improvement. Off. Rec., vol. 4, No. 8, p. 6. 1925.
demurrage provisions, regulations. D.B. 191, pp. 3, 27. 1915.
dog laws, digest. F.B. 935, p. 21. 1918; F.B. 1268, p. 22. 1922.
drainage—
 investigations, 1908. An. Rpts., 1908, pp. 143, 741. 1909; O.E.S. An. Rpt., 1908, pp. 26–27. 1908; Sec. A.R., 1908, p. 141. 1908; Y.B., 1908, p. 143. 1909.
 necessity. O.E.S. Bul. 158, pp. 652–656. 1905.
 of irrigated lands—
  1904. O.E.S. An. Rpt., 1904, pp. 454–457. 1905.
  experiments, work, cost, and results. F.B. 371, pp. 7–44. 1909.
 surveys—
  and construction, 1912. An. Rpts., 1912, pp. 842, 843. 1913; O.E.S. Chief Rpt., 1912, pp. 28, 29. 1912.
  location and kind of land, 1911. An. Rpts., 1911, p. 708. 1912; O.E.S. Chief Rpt., 1911, p. 26. 1911.
drug laws. Chem. Bul. 98, pp. 188–190. 1906; rev., Pt. I, pp. 303–306. 1909.
dry farming in the Great Basin. B.P.I. Bul. 103, pp. 1–43. 1907.
dry lands, grains for. Jenkin W. Jones and Aaron F. Bracken. F.B. 883, pp. 22. 1917.
duck—
 poisoning investigations. D.B. 793, p. 2. 1919.
 sickness. Alexander Wetmore. D.B. 672, pp. 26. 1918.
early settlement, historical notes. *See* Soil surveys, *various counties and areas*.
emmer—
 and spelt growing, experiments. D.B. 1197, pp. 45–46. 1924.
 growing experiments and yields. F.B. 466, p. 12. 1911.
Experiment Station—
 appropriations for work—
  1909. O.E.S. An. Rpt., 1909, pp. 64, 190. 1910.
  1911. O.E.S. An. Rpt., 1911, pp. 57, 59, 207, 209. 1912.
 investigations of the alfalfa weevil, 1910–1911. Ent. Bul. 112, pp. 11–14. 1912.
 irrigation work, cooperative. An. Rpts., 1923, p. 483. 1923; Rds. Chief Rpt., 1923, p. 21. 1923.
 soil moisture evaporation studies. J.A.R., vol. 7, pp. 443–459. 1916.
 sugar-beet experiments—
  1900. Chem. Bul. 64, pp. 21–23. 1901.
  1901. Chem. Bul. 74, pp. 22–24, 30. 1903.
  1902. Chem. Bul. 78, p. 32. 1903.
 work and expenditures—
  1905. P. A. Yoder. O.E.S. An. Rpt., 1905, pp. 136–138. 1906.
  1906. P. A. Yoder. O.E.S. An. Rpt., 1906, pp. 159–160. 1907.
  1907. E. D. Ball. O.E.S. An. Rpt., 1907, pp. 174–176. 1908.
  1908. E. D. Ball. O.E.S. An. Rpt., 1908, pp. 175–177. 1909.
  1909. E. D. Ball. O.E.S. An. Rpt., 1909, pp. 190–192. 1910.
  1910. E. D. Ball. O.E.S. An. Rpt., 1910, pp. 245–249. 1911.
  1911. E. D. Ball. O.E.S. An. Rpt., 1911, pp. 206–209. 1912.
  1912. E. D. Ball. O.E.S. An. Rpt., 1912, pp. 210–213. 1913.
  1913. E. D. Ball. O.E.S. An. Rpt., 1913, pp. 82–83. 1915.
  1914. E. D. Ball. O.E.S. An. Rpt., 1914, pp. 223–228. 1915.
  1915, report. E. D. Ball. S.R.S. Rpt., 1915, Pt. I, pp. 254–259. 1916.
  1916. E. D. Ball. S.R.S. Rpt., 1916, Pt. I, pp. 261–265. 1918.
  1917. F. S. Harris. S.R.S. Rpt., 1917, Pt. I, pp. 255–259. 1918.

Utah—Coutinued.
Experiment Station—Continued.
work and expenditures—continued.
1918. S.R.S. Rpt., 1918, pp. 28, 32, 34, 42, 50, 53, 56, 68, 71-80. 1920.
extension work—
funds allotment, and county-agent work. S.R.S. Doc. 40, pp. 4, 7, 11, 18, 23, 25, 28. 1918.
in agriculture and home economics—
1915. E. G. Peterson. S.R.S. Rpt., 1915, Pt. II, pp. 304-310. 1916.
1916. E. G. Peterson. S.R.S. Rpt., 1916, Pt. II, pp. 341-347. 1917.
1917. John T. Caine, III. S.R.S. Rpt., 1917. Pt. II, pp. 347-354. 1919.
statistics—
1922-1923. D.C. 253, pp. 6, 9, 12-13, 17, 18. 1923.
1923-1924. D.C. 306, pp. 4, 7, 12, 16, 20, 21. 1924.
fairs, number, kind, location, and dates. Stat. Bul. 102, pp. 13, 14, 63. 1913.
farm—
animals, statistics, 1883-1907. Stat. Bul. 64, p. 138. 1908.
values, changes, 1900-1905. Stat. Bul. 43, pp. 11-17, 30-46. 1906.
work by girls. News L., vol. 6, No. 27, p. 21. 1919.
farmers' encampment. Off. Rec., vol. 4, No. 33, p. 3. 1925.
farmers' institutes—
history. O.E.S. Bul. 174, p. 83. 1906.
legislation. O.E.S. Bul. 135, rev., p. 31. 1905; O.E.S. Bul. 241, pp. 38-39. 1911.
reports—
1904. O.E.S. An. Rpt., 1904, pp. 667-668. 1905.
1906. O.E.S. An. Rpt., 1906, p. 349. 1907.
1907. O.E.S. An. Rpt., 1907, p. 346. 1908; O.E.S. Bul. 199, p. 26. 1908.
1908. O.E.S. An. Rpt., 1908, p. 327. 1909.
1909. O.E.S. An. Rpt., 1909, p. 354. 1910.
1910. O.E.S. An. Rpt., 1910, p. 414. 1911.
1911. O.E.S. An. Rpt., 1911, pp. 50, 379. 1912.
1912. O.E.S. An. Rpt., 1912, p. 373. 1913.
See also Farmers' institute work.
field work of Plant Industry, December, 1924. M.C. 30, p. 50. 1925.
food laws—
1903. Chem. Bul. 83, Pt. I, pp. 130-137. 1904.
1905. Chem. Bul. 69, rev., Pt. VII, pp. 610-618. 1906.
1907. Chem. Bul. 112, Pt. II, pp. 104-115. 1908.
forest(s)—
area, 1918. Y.B., 1918, p. 718. 1919; Y.B. Sep. 795, p. 54. 1919.
consolidation. Off. Rec., vol. 2, No. 42, p. 3. 1923.
fires, statistics. For. Bul. 117, p. 36. 1912.
names, headquarters, and area. D.C. 198, pp. 5-6. 1921.
reserves. See Forests, national.
work, Government. D.C. 198, pp. 31. 1921.
funds for cooperative extension work, sources. S.R.S. Doc. 40, pp. 4, 6, 11, 18. 1917.
fur animals, laws—
1915. F.B. 706, p. 17. 1916.
1916. F.B. 783, pp. 18-19, 27. 1916.
1917. F.B. 911, pp. 22, 31. 1917.
1918. F.B. 1022, pp. 22, 31. 1918.
1919. F.B. 1079, pp. 6, 23. 1919.
1920. F.B. 1165, p. 22. 1920.
1921. F.B. 1238, p. 22. 1921.
1922. F.B. 1293, p. 19. 1922.
1923-24. F.B. 1387, pp. 22-23. 1923.
1924-25. F.B. 1445, p. 16. 1924.
1925-26. F.B. 1459, p. 20. 1925.
game—
and bird reservations, details and summary. Biol. Cir. 87, pp. 6, 8, 9, 10, 16. 1912.
laws—
1902. F.B. 160, pp. 22, 34, 52, 54, 56. 1902.
1903. F.B. 180, pp. 15, 25, 34, 39, 44, 46, 55. 1903.
1904. F.B. 207, pp. 34, 36, 40, 44, 62. 1904.
1905. F.B. 230, pp. 12, 23, 33, 39, 46. 1905.

Utah—Continued.
game—continued.
laws—continued.
1906. F.B. 265, pp. 21, 31, 38, 47. 1906.
1907. F.B. 308, pp. 8, 20, 30, 37, 46. 1907.
1908. F.B. 336, pp. 22-23, 34, 41, 45, 53. 1908.
1909. F.B. 376, pp. 6, 9, 14, 27, 35, 38, 40, 43, 44, 50. 1909.
1910. F.B. 418, pp. 20-21, 29, 34, 37, 38, 44. 1910.
1911. F.B. 470, pp. 14, 25, 34, 39, 42, 50. 1911.
1912. F.B. 510, pp. 20, 25-26, 30, 33, 35, 38, 39, 46. 1912.
1913. D.B. 22, pp. 16, 20, 21, 32, 41, 46, 49, 57. 1913; rev., pp. 15-16, 20, 21, 32, 41, 46, 49, 57. 1913.
1914. F.B. 628, pp. 10, 11, 12, 13, 24, 28-29, 33, 36, 38, 42, 52. 1914.
1915. F.B. 692, pp. 4, 16, 33, 43, 48, 50, 53, 60. 1915.
1916. F.B. 774, pp. 31, 41, 47, 49, 52, 60. 1916.
1917. F.B. 910, pp. 36, 55. 1917.
1918. F.B. 1010, p. 33. 1918.
1919. F.B. 1077, pp. 36, 50, 59. 1919.
1920. F.B. 1138, p. 39. 1920.
1921. F.B. 1235, pp. 41, 57. 1921.
1922. F.B. 1288, pp. 37, 55, 67. 1922.
1923-24. F.B. 1375, pp. 36, 51. 1923.
1924-25. F.B. 1444, pp. 26-27, 38. 1924.
1925-26. F.B. 1466, pp. 33, 45. 1925.
protection. See Game protection.
grain supervision district and headquarters. Mkts. S.R.A. 14, p. 33. 1916.
Great Salt Lake, mortality among waterfowl. Alex Wetmore. D.B. 217, pp. 10. 1915.
Greenville Experiment Station, experiments in manuring. J.A.R., vol. 6, No. 23, pp. 894-920. 1916.
Greenville farm, studies of soil nitrogen. J.A.R., vol. 9, pp. 300-336. 1917.
Greenville soil, plant germination and growth, notes. J.A.R., vol. 5, No. 1, pp. 14-17, 29-45. 1915.
hay crops, 1882-1906, acreage, production, and value. Stat. Bul. 63, pp. 13-25, 33. 1908.
hay shrinkage in stack, data. D.B. 873, pp. 5, 6. 1920.
hog improvement. News L., vol. 6, No. 32, pp. 12-13. 1919.
home and school garden work, experiments, methods. O.E.S. Bul. 252, pp. 28-33. 1912.
hunting laws. Biol. Bul. 19, pp. 22, 28, 32, 36, 65. 1904.
irrigated lands, drainage investigations, 1910. O.E.S. An. Rpt., 1910, pp. 51-52. 1911.
irrigation—
districts, and their statutory relations, notes. D.B. 1177, pp. 4, 5, 11-18, 26-31, 41, 52. 1923.
general discussion. R. P. Teele. O.E.S. Bul. 124, pp. 19-37. 1903.
history, water rights, and fees. O.E.S. Bul. 168, pp. 62-73. 1906.
in Bear River Valley. O.E.S. Bul. 119, p. 243. 1902.
investigations—
R. P. Teele and others. O.E.S. Bul. 124, pp. 330. 1903.
1910. O.E.S. An. Rpt., 1910, p. 40. 1911.
1912. O.E.S. An. Rpt., 1912, p. 27. 1913.
Logan River canals. O.E.S. Bul. 104, p. 179. 1902.
recent legislation. O.E.S. An. Rpt., 1909, pp. 400, 402, 403, 404, 405, 409. 1910.
regulations. D.B. 1340, p. 34. 1925.
reservoirs, dams, details, materials, etc. O.E.S. Bul. 249, Pt. I, pp. 21, 24, 33, 49-50, 53, 58-59, 60. 1912.
water systems on typical canals. O.E.S. Bul. 229, pp. 52-60. 1910.
jack rabbit extermination campaign. Y.B., 1917, p. 232. 1918; Y.B. Sep. 724, p. 10. 1918.
lake drainage system. Arthur P. Stover. O.E.S. Bul. 124, pp. 93-155. 1903.
Lake Valley, farming irrigated areas, profits. E. H. Thomas and H. M. Dixon. D.B. 117, pp. 21. 1914.
Laketown area, phosphate deposits, description and analyses. Soils Bul. 69, pp. 44-45. 1910.

INDEX TO PUBLICATIONS, 1901–1925   2509

Utah—Continued.
  law(s)—
    contagious diseases of domestic animals, control, 1902–3. B.A.I. Bul. 54, pp. 39–42. 1904.
    foulbrood of bees. Ent. Bul. 61, p. 198. 1906.
    nursery stock interstate shipment. Ent. Cir. 75, rev., p. 8. 1909.
    nursery stock interstate shipment, digest. F.H.B.S.R.A. 57, pp. 114, 115. 1919.
    restricting sale of infected fruit. Ent. Bul. 84, p. 39. 1907.
    stallions, regulations. B.A.I. An. Rpt. 1908, p. 333. 1910.
  legislation—
    protecting birds. Biol. Bul. 12, rev., pp. 19, 23, 30, 32, 35, 36, 37, 41, 44, 120, 137. 1902.
    relative to tuberculosis. B.A.I. Bul. 28, pp. 151–152. 1901.
  Lincoln Highway, location. Off. Rec., vol. 2, No. 23, p. 4. 1923.
  livestock—
    admission, sanitary requirements. B.A.I. Doc. A-28, pp. 39–40. 1917; B.A.I. Doc. A-36, pp. 59–60. 1920; B.A.I. [Misc.], "State * * * requirements * * * 1915," 1915; M. C. 14, pp. 77–78. 1924.
    associations. Y.B. Sep. 866, p. 531. 1921.
    poisoning on range by *Astragalus tetrapterus*. D.C. 81, pp. 3, 4. 1920.
    production, from reports of stockmen. Rpt. 110, pp. 5–27, 37–39, 47–48, 86–89. 1916.
  Logan, water requirements of several crops. D.B. 1340, pp. 41–45. 1925.
  lumber—
    cut, 1920, 1870–1920, value, and kinds. D.B. 1119, pp. 28, 30–35, 57, 59. 1923.
    output, 1870–1911. M.C. 47, p. 7. 1925.
    production, 1918, by mills, by woods, and lath and shingles. D.B. 845, pp. 6–11, 14, 16, 38, 42–47. 1920.
  Manti National Forest—
    erosion, occurrence. D.B. 675, pp. 4–5. 1918.
    grazing and flood conditions, study. Robert V. R. Reynolds. For. Bul. 91, pp. 16. 1911.
  Maple Creek watershed, snow survey, 1911. Y.B., 1911, pp. 392–395. 1912; Y.B. Sep. 578, pp. 392–395. 1912.
  Mapleton cherry farm location, protection from winds. Y.B., 1912, p. 317. 1913; Y.B. Sep. 593, p. 317. 1913.
  marketing work. An. Rpts., 1917, p. 450. 1917; Mkts. Chief Rpt. 1917, p. 20. 1917.
  marshes of Great Salt Lake, description. D.B. 672, pp. 2–5, 11, 15–18. 1918.
  milk supply and laws. B.A.I. Bul. 46, pp. 32, 158, 196. 1903.
  mountain regions, climatic variations, relation to fruit growing. Y.B., 1912, pp. 314–318. 1913; Y.B. Sep. 593, pp. 314–318. 1913.
  national forests—
    larkspur eradication, experiments and cost. F.B. 826, pp. 10, 13, 14, 16, 21. 1917.
    location, date and area, January 31, 1913. For. [Misc.], "The use book," 1913, p. 87. 1913.
    road building since 1912. Y.B., 1916, pp. 525. 1917; Y.B. Sep. 696, p. 5. 1917.
  Nephi—
    tillage and rotation experiments. P. V. Cardon. D.B. 157, pp. 45. 1915.
    wheat growing tests with Stoner and other varieties. D.B. 357, pp. 21–22. 1916.
  Nephi station, wheat growing experiments. D.B. 1173, pp. 1–60. 1923.
  Nephi substation—
    cereal investigations. D.B. 30, pp. 1–50. 1913.
    deep tillage experiments. J.A.R., vol. 14, pp. 517–518. 1918.
    description, location, climate, soil, and vegetation. B.P.I. Cir. 61, pp. 4–8. 1910.
  oat—
    acreage, production, and value—
      1866–1906. Stat. Bul. 58, p. 34. 1907.
      1882–1906. Stat. Bul. 58, pp. 13–25, 34. 1907.
    growing, varietal experiments. D.B. 823, pp. 54–55, 60, 67. 1920.
    tests, 60-day and other varieties. F.B. 395, p. 25. 1910.
  object-lesson roads, 1910. An. Rpts., 1910, pp. 772, 780. 1911; Rds. Chief Rpt., 1910, pp. 10, 18. 1910.

Utah—Continued.
  Ogden—
    sugar-beet culture and breeding. B.P.I. Bul. 260, p. 13. 1912.
    sugar-plant investigations office, studies on curly-top of beets. B.P.I. Bul. 277, p. 10. 1913.
  pasture land on farms. D.B. 626, pp. 15, 84. 1918.
  peach(es)—
    carload shipments from various stations, 1914. D.B. 298, pp. 14. 1915.
    growing, production districts, and varieties. D.B. 806, pp. 4, 5, 7, 8, 9, 31. 1919.
    industry, season and shipments, 1914. D.B. 298, pp. 4, 5, 7, 14. 1916.
    marketing, cooperation. News L., vol. 7, No. 5, p. 12. 1919.
    shipping season and area of production. D.B. 298, pp. 4, 5, 6, 14. 1915.
    varieties, names and ripening dates. F.B. 918, p. 12. 1918.
  pear growing, distribution and varieties. D.B. 822, p. 14. 1920.
  phosphate—
    fields, review. Soils Bul. 69, pp. 35–45. 1910.
    rock deposits and form. Y.B., 1917, pp. 178, 179, 180. 1918; Y.B. Sep. 730, pp. 4, 5, 6. 1918.
  plant shipments by mail, inspection regulations of Post Office Department. F.H.B.S.R.A. 72, pp. 89–90. 1922.
  pocket gopher(s)—
    control work. An. Rpts., 1923, p. 430. 1923; Biol. Chief Rpt., 1923, p. 12. 1923.
    occurrence and description. N.A. Fauna 39, pp. 9, 23–28, 75, 108, 112, 114. 1915.
  potash salts and other salines in the Great Basin region. D.B. 61, pp. 1–96. 1914.
  potato(es)—
    crops, 1882–1906, acreage, production, and value. Stat. Bul. 62, pp. 15–27, 36. 1908.
    under irrigation, acreage and production. F.B. 953, p. 4. 1918.
  Power and Light Co. v. U. S., decision on water power right. An. Rpts., 1917, pp. 164, 183, 393. 1917; For. A.R., 1917, pp. 2, 21. 1917; Sol. A.R., 1917, p. 13. 1917.
  prairie dogs, descriptions. N.A. Fauna 40, pp. 27–29. 1916.
  precipitation, climatic records, tables. D.B. 61, pp. 71–73. 1914.
  Provo area, freight charges, for farm products. D.B. 582, pp. 36, 37. 1918.
  public roads, mileage and expenditures, 1904. Rds. Cir. 68, pp. 3. 1907.
  quarantine, sheep scabies, area, 1913. B.A.I.O. 195, amdt. 1, p. 1. 1913; B.A.I.O. 195, rule 3, rev. 2, p. 2. 1913; B.A.I.O. 208, p. 1. 1914; B.A.I.O. 212, amdt. 1, p. 1. 1914; B.A.I.O. 212, rule 3, rev. 4, p. 1. 1914.
  rainfall—
    map and table. B.P.I. Bul. 188, pp. 44, 64. 1910.
    variations. B.P.I. Bul. 103, pp. 18–21. 1907.
  reclamation—
    experiments of Soils Bureau, 1902–1905. Soils Bul. 35, pp. 174–182. 1906.
    of alkali land near Salt Lake City. W. H. Heileman. Soils Cir. 12, pp. 1–8. 1904.
  reforestation, choice of sites, methods, and species. D.B. 475, pp. 37, 38, 39, 60, 63. 1917.
  regulations, cattle shipments. News L., vol. 6, No. 52, p. 4. 1919.
  reservoirs, timber and rock-fill dams, details. O.E.S. Bul. 249, Pt. II, pp. 10, 24, 45–52. 1912.
  road(s)—
    bond-built, amount of bonds and rate. D.B. 136, pp. 35, 48, 78, 85. 1915.
    building, rock-test results. D.B. 370, p. 77. 1916; D.B. 1132, pp. 34, 52. 1923.
    conditions, mileage, costs and bonds. D.B. 389, pp. 3, 4, 5, 6, 7, 47–49, XXVI, LX, LXXIV. 1917.
    laws and mileage. Y.B., 1914, pp. 214, 222. 1915; Y.B. Sep. 638, pp. 214, 222. 1915.
    materials, tests. Rds. Bul. 44, pp. 76–77. 1912.

Utah—Continued.
road(s)—continued.
mileage and expenditures—
1909. Rds. Bul. 41, pp. 36, 41, 42, 112. 1912.
January 1, 1915. Sec. Cir. 52, pp. 3, 5, 6. 1915.
1916. Sec. Cir. 74, pp. 4, 6, 7, 8. 1917.
national forest, work by department, 1913-1914. D.B. 284, pp. 55, 56. 1915.
projects approved 1918, 1919. An. Rpts., 1919, pp. 402, 404, 406, 408. 1920; Rds. Chief Rpt., 1919, pp. 12, 14, 16, 18. 1919.
rye crops, 1882-1906, acreage, production, and value. Stat. Bul. 60, pp. 13-25, 33. 1908.
salt deposits, occurrence and composition. Soils Bul. 94, pp. 11, 90. 1913.
Salt Lake City—
alkali-land reclamation. W. H. Heileman. Soils Cir. 12, pp. 8. 1904.
entomological laboratory, description and work. Y.B., 1913, pp. 86, 87. 1914; Y.B. Sep. 616, pp. 86, 87. 1914.
Salt Lake Valley, migration records from wild ducks and other birds banded. Alexander Wetmore. D.B. 1145, pp. 16. 1923.
Salt Lake Valley, reclamation of alkali land. Clarence W. Dorsey. Soils Bul. 43, pp. 28. 1907.
San José scale, occurrence. Ent. Bul. 62, p. 31. 1906.
Sevier Desert. See Utah, Delta area.
sheep—
"big head." B.A.I. An. Rpt., 1901, p. 230. 1902.
quarantine, removal. B.A.I.O. 146, amdt. 7, rule 3, rev. 1, pp. 2. 1910.
shipments of fruits and vegetables, and index to station shipments. D.B. 667, pp. 6-13, 46. 1918.
silos, increase, 1912-1918. News L., vol. 6, No. 35, p. 13. 1919.
soil survey of—
Ashley Valley. A. T. Strahorn and others. Soil Sur. Adv. Sh., 1920, pp. 907-937. 1924; Soils F.O., 1920, pp. 907-937. 1925.
Bear River area. Charles A. Jensen and A. T. Strahorn. Soil Sur. Adv. Sh., 1904, pp. 33. 1905; Soils F.O., 1904, pp. 995-1028. 1905.
Box Elder County. See Bear River and Weber areas.
Cache County. See Cache Valley area.
Cache Valley area. J. W. Nelson and E. C. Eckmann. Soil Sur. Adv. Sh., 1913, pp. 70. 1915; Soils F. O., 1913, pp. 2099-2164. 1916.
Davis County. See Weber area.
Delta area. A. T. Strahorn and others. Soil Sur. Adv. Sh., 1919, pp. 38. 1922; Soils F.O., 1919, pp. 1801-1834. 1925.
Millard County. See Delta area.
Provo area. Alfred M. Sanchez. Soil Sur. Adv. Sh., 1903, pp. 34. 1904; Soils F.O., 1903, pp. 1121-1150. 1904.
Sanpete County. See Sevier Valley.
Sevier Valley. Frank D. Gardner and Charles A. Jensen. Soils F.O., 1900, pp. 243-285. 1901; Soils F.O. Sep. 1900, pp. 243-285. 1902.
Uinta River Valley area. B. H. Hendrickson and others. Soil Sur. Adv. Sh., 1921, pp. 42. 1925.
Weber County. Frank D. Gardner and Charles A. Jensen. Soils F. O., 1900, pp. 207-242. 1901; Soils F. O. Sep., 1900, pp. 207-242. 1901.
Utah County. See Provo area.
soils—
and—
alkali surveys. Soils Bul. 35, pp. 62-68, 118-121, 133-136. 1906.
climatic data, precipitation and temperature. D.B. 1173, pp. 6-11. 1923.
experiments with manure. J.A.R., vol. 6, No. 23, pp. 894-920. 1916.
moisture distribution studies. D.B. 1221, pp. 4, 14-21. 1924.
sodium carbonate control experiments. J.A.R. vol. 24, pp. 322-326. 1923.
used in alkali studies, analyses. J.A.R., vol. 5, No. 1, p. 14. 1915.
sorghum growing, experiments. J.A.R., vol. 6, No. 7, pp. 261, 263-271. 1916.

Utah—Continued.
Spanish Fork Canyon, peculiar climatic features. Y.B., 1912, p. 317. 1913; Y.B. Sep. 593, p. 317. 1913.
spotted-fever tick, occurrence. Ent. Bul. 105, p. 17. 1911.
stallions, number, classes, and legislation controlling. Y.B., 1916, pp. 290, 291, 293, 296. 1917; Y.B. Sep. 692, pp. 2, 3, 5, 8. 1917.
Stansbury Mountains, typical vegetation. J.A.R., vol. 27, pp. 896-898. 1924.
State forest lands, grazing management. An. Rpts., 1910, p. 399. 1911; For. A.R., 1910, p. 39. 1910.
stock feeding tests with beet-top silage. F.B. 1095, p. 13. 1919.
strawberry shipments—
1914. D.B. 237, p. 10. 1915.
1914, 1915. F.B. 1028, p. 6. 1919.
sugar-beet—
club work, boys' and girls'. D.C. 152, p. 14. 1921.
data of industry, 1908. Rpt. 90, pp. 38, 50-51, 53. 1909.
growing—
details. Rpt. 90, pp. 50-51. 1909.
farm practice in three districts (and in Idaho) L. A. Moorhouse and others. D.B. 693, pp. 44. 1918.
nematode—
dormancy period. Gerald Thorne. D.C. 262, pp. 5. 1923.
infestation, surveys. F.B. 1248, p. 3. 1922.
production cost, 1918-19 (and in Idaho). L. A. Moorhouse and S. B. Nuckols. D.B. 963, pp. 41. 1921.
seed growing. F.B. 1152, pp. 8-21. 1920.
sweet clover, production. F.B. 485, pp. 22, 35-36. 1912.
temperature records, studies. J.A.R., vol. 18, pp. 499-510. 1920.
terminal inspection point. F.H.B.S.R.A. 78, p. 21. 1924.
timothy and clover, production, 1909, acreage and yield. F.B. 502, pp. 7-8. 1912.
Tooele Valley—
climate, geology, togography, soils, and vegetation. J.A.R., vol. 1, pp. 369-412. 1914.
indicator plants, tissue fluids, composition. J. Arthur Harris and others. J.A.R., vol. 27, pp. 893-924. 1924.
vegetation, indicator significance. T. H. Kearney and others. J.A.R., vol. 1, pp. 365-417. 1914.
trucking industry, acreage, and crops, notes. Y.B., 1916, pp. 455-465. 1917; Y.B., Sep. 702, pp. 21-31. 1917.
tuberculosis investigations, cooperative. An. Rpts. 1912, p. 254. 1913; B.A.I. Chief Rpt. 1912, p. 58. 1912.
Uinta National Forest, tree seed sowing, results. For. Bul. 98, pp. 46-47. 1911.
wage rates, farm labor, 1866-1909. Stat. Bul. 99, pp. 29-43, 68-70. 1912.
Wasatch Mountains, environmental conditions of trees, relation to density of cell sap. C. F. Korstain. J. A.R., vol. 28, pp. 845-907. 1924.
water—
administration. R. C. Gemmell. O.E.S. Bul. 104, pp. 159-179. 1902.
laws, notes. O.E.S. An. Rpt., 1908, p. 360. 1909.
rights, officials. D.B. 913, p. 3. 1920.
supply, wells and springs, records by counties. Soils Bul. 92, pp. 146-147. 1913.
waterfowl—
breeding grounds, location. Y.B., 1917, p. 197. 1918; Y.B. Sep. 723, p. 3. 1918.
disease caused by lead poisoning, study. An. Rpts., 1917, p. 257. 1917; Biol. Chief Rpt., 1917, p. 7. 1917.
Wendover road project. Off. Rec., vol. 2, No. 21, p. 1. 1923; Off. Rec., vol. 4, No. 25, pp. 1, 6. 1925.
wheat(s)—
acreage and varieties. D.B. 1074, pp. 215-216. 1922.
composition and value. F.B. 412, p. 30. 1910.

Utah—Continued.
wheat(s)—continued.
crops, acreage, production, and value. Stat. Bul. 57, pp. 13-25, 34. 1907; rev., pp. 13-25, 34, 39. 1908.
production—
by 10-year periods from 1881 to 1920. D.B. 1173, p. 2. 1923.
periods. Y.B., 1921, pp. 88, 90. 1922; Y.B. Sep. 873, pp. 88, 90. 1922.
varietal experiments, Marquis and other. D.B. 400, pp. 30-31. 1916.
yields—
and prices, 1882-1915. D.B. 514, p. 14. 1917.
at dry-farming stations, 1904-1906. B.P.I. Bul. 188, pp. 23-24. 1910.
wild ducks and other birds banded, migration records. Alexander Wetmore. D.B. 1145, pp. 16. 1923.
winter barley, properties. Chem. Bul. 124, pp. 18, 50, 64-67. 1909.
Woodruff Creek area, phosphate deposits, description and analyses. Soils Bul. 69, pp. 42-43. 1910.
wool—
handling methods. Y.B., 1914, p. 330. 1915; Y.B. Sep. 645, p. 330. 1915.
receipts, increase. News L., vol. 7, No. 5, p. 13. 1919.
yellow pine, area, annual cut, and stumpage. D.B. 1003, pp. 7-12, 12-13. 1921.
Zygadenus spp., occurrence and distribution. D.B. 1012, pp. 2, 3, 15, 16. 1922.
Utensils—
beech, advantages. D.B. 12, p. 4. 1913.
bread making. F.B. 807, pp. 9-11. 1917.
canning, suggestions. F.B. 853, pp. 10-11. 1917.
cleaning directions. F.B. 1180, p. 19. 1921.
cooking schools, list. D.B. 123, pp. 57, 77-78. 1916.
dairy—
cleansing and sterilizing. F.B. 748, pp. 9-11. 1916.
description, and care. B.A.I. An. Rpt., 1909, pp. 123, 126-128. 1911; B.A.I. Cir. 170, pp. 123, 126-128. 1911.
sterilizer, simple steam. S. Henry Ayers and George B. Taylor. F.B. 748, pp. 11. 1916.
sterilizing. An. Rpts., 1922, pp. 119, 120. 1922; B.A.I. Chief Rpt., 1922, pp. 21, 22. 1922.
sterilizing with steam, directions and details. F.B. 748, rev., pp. 7-16. 1919.
fireless cooker. F.B. 771, pp. 5-7. 1916; rev., pp. 5, 9-10. 1918.
fumigation for orchards, generators, wagons. F.B. 1321, pp. 6-9. 1923.
kitchen—
choice, use, and care of. Thrift Leaf, 10, p. 4. 1919.
handling. F.B. 375, pp. 38-44. 1909.
notes and regulations. B.A.I. Bul. 46, pp. 45-165, 166, 175, 176, 182, 186. 1903.
milk—
care of—
in production of good milk. Sec. [Misc.], Spec., "Production and care * * *," pp. 2-3. 1914.
on farm, conveniences. Sec. [Misc.], Spec. "Conveniences for handling * * *," pp. 5-6. 1914.
cleaning. B.A.I. An. Rpt., 1907, p. 166. 1909; B.A.I. Cir. 142, p. 166. 1909; S.R.S. Syl. 18, p. 12. 1915.
inspection and scoring. D.C. 276, pp. 14-15, 19-20, 27, 28. 1923.
requirements, score-card rating. B.A.I. Cir. 199, pp. 11, 16, 18, 27, 29. 1912.
source of Bacillus enteritidis sporogenes. D.B. 940, pp. 16, 18. 1921.
milking—
care. F.B. 541, pp. 7-8. 1913.
cleanliness, relation to colon count. D.B. 739, pp. 14-19. 1918.
picking, for—
peaches. F.B. 1266, p. 7. 1922.
tomatoes. F.B. 1291, pp. 8-9. 1922.
table and kitchen, selection. Y.B., 1914, pp. 357-359. 1915; Y.B. Sep. 646, pp. 357-359. 1915.
use in farm butter making, list, and description. F.B. 541, pp. 19-27. 1913.

Uterine—
polypus, cow, cause and treatment. B.A.I. [Misc.], "Diseases of cattle," rev., pp. 153-154. 1904; rev., p. 157. 1912; rev., p. 157. 1923.
tubes, cow, disease, relation to sterility. B.A.I. Dairy [Misc.], "World's dairy congress, 1923," p. 1518. 1924.
Uterus—
hernia, cow, treatment. B.A.I. [Misc.], "Diseases of cattle," rev., pp. 162, 221. 1912.
prolapsed, cow—
supports, illustrations. B.A.I. [Misc.], "Diseases of cattle," rev., p. 246. 1923.
treatment. B.A.I. [Misc.], "Diseases of cattle," rev., pp. 217-220, 251. 1912.
Utica, N. Y., milk supply, statistics, officials, prices, and laws. B.A.I. Bul. 46, pp. 32, 131-132. 1903.
Utricularia. See Bladderwort.
Uva grass, description. D.B. 772, p. 63. 1920.
Uva ursi. See Bearberry.
Uvaria rufa—
importations and descriptions. No. 42470, B.P.I. Inv. 47, p. 19. 1920; No. 44901, B.P.I. Inv. 50, p. 27. 1922.
introduction into Porto Rico, and description. P.R. An. Rpt., 1918, p. 14. 1920.
See also Banauac.
Uvitonic acid, soil constituent, wheat-growing tests, table Soils Bul. 87, pp. 66-67. 1912.

Vacation—
canning club project report, mother-daughter blanks. George E. Farrell. S.R.S. Doc. 19, pp. 8. 1915.
days in Colorado's national forests. For. [Misc.] "Vacation Days in Colorado * * *," pp. 60. 1919.
forest, equipment and food supplies. D.C. 105, pp. 22-24, 26. 1920.
grounds in Washington national forests. D.C. 132, pp. 1-10. 1920; D.C. 138, pp. 1-78. 1920.
land—
free use of national forests. News L., vol. 6, No. 51, p. 7. 1919.
ideal, the national forests in Oregon. For. [Misc.[, "An ideal vacation * * *," pp. 56. 1923.
national forests in Oregon. D.C. 4, pp. 72. 1919.
playgrounds in San Isabel National Forest, Colo. D.C. 5, pp. 1-19. 1919.
school excursions for nature study, England. O.E.S. Bul. 204, pp. 18, 20-23. 1909.
trips, in the Holy Cross National Forest, Colo. D.C. 29, pp. 15. 1919.
uses of—
Cascade National Forest. D.C. 104, pp. 1-28. 1920.
Colorado—
National Forest. D.C. 34, pp. 1-19. 1919.
national forests, benefit of good roads. Y.B., 1919, pp. 185, 188. 1920; Y.B. Sep. 806, pp. 185, 188. 1920.
Rainier National Forest. D.C. 103, pp. 1-26 1920.
Sopris National Forest, Colo. D.C. 6, pp. 1-15. 1919.
White Mountain National Forest. D.C. 100, pp. 23. 1921.
Vaccinating outfit, description and cost. B.A.I. Cir. 31, rev., pp. 21-22. 1911.
Vaccination—
animals, against anthrax. F.B. 784, pp. 11-15. 1917.
anthrax—
control, experiments. B.A.I. An. Rpt., 1910, p. 83. 1912.
experiments. Adoph Eichhorn. D.B. 340, pp. 16. 1915.
antityphoid, use, methods. F.B. 478, pp. 1-8 1911.
blackleg—
cause of increased calf production, 1916. News L. vol. 5, No. 26, p. 3. 1918.
methods. F.B. 1355, pp. 8-10. 1923.
preparation of virus. B.A.I. Cir. 31, rev., pp. 16-18. 1915.
calves—
against blackleg. F.B. 811, p. 17. 1917.
value. F.B. 1416, p. 8. 1924.

Vaccination—Continued.
cattle—
against—
anthrax. B.A.I. [Misc.], "Diseases of cattle," rev., pp. 456-458. 1923.
blackleg, description of vaccine. B.A.I. [Misc.], "Diseases of cattle," rev., pp. 450-451. 1908; rev., pp. 447-448. 1904; rev., p. 469. 1912; rev., pp. 463-464. 1923
tuberculosis. B.A.I. Cir. 190, pp. 327-343. 1912.
cost. Off. Rec. vol. 2, No. 29, p. 3. 1923.
infectious abortion control, experiments. J.A.R. vol. 28, pp. 609-620. 1924.
methods, Von Behring's and Pearson's. B.A.I. An. Rpt., 1910, pp. 332-335. 1912; B.A.I. Cir. 190, pp. 332-335. 1912.
chickens, for contagious epithelioma. S.R.S. Rpt., 1916, Pt. I, pp. 42, 184. 1918.
dogs, studies on the single-injection method as a prophylactic against rabies. Harry W. Schoening. J.A.R., vol. 30, pp. 431-439. 1925.
double, use in anthrax control, methods, and effectiveness. B.A.I. Bul. 137, pp. 24-27. 1911.
for prevention—
of anthrax, history and use of vaccine. B.A.I. An. Rpt., 1909, pp. 223-227. 1911; F.B. 439, pp. 11-15. 1911.
of blackleg, discovery, preparation of virus. B.A.I Cir 31, rev., pp. 16-18. 1907; rev., pp. 16-18. 1911.
of Texas fever and anthrax. Y.B., 1901, p. 21. 1902.
fowls, for control of typhoid. J.A.R., vol. 28, p. 78. 1924.
hog cholera—
experiments, 1903-1906. B.A.I. Cir. 102, pp. 7, 12, 27-81. 1907.
methods, comparative safety. Y.B., 1908, pp. 328-330. 1909; Y.B. Sep. 484, pp. 328-330. 1909.
prevention experiments, and results. B.A.I. An. Rpt., 1907, pp. 50-51. 1909.
serum and simultaneous method, experiments. B.A.I. Bul. 102, pp. 12-89. 1908.
horses, against anthrax, preparation of vaccine. B.A.I. [Misc.[, "Diseases of the horse," p. 531. 1903; rev., p. 532. 1907; rev., p. 532. 1911; rev., 543. 1923.
methods in control of animal diseases, and results. Y.B., 1915, pp. 163-166, 169. 1916; Y.B. Sep. 666, pp. 163-166, 169. 1916.
outfit, for blackleg vaccine, description. B.A.I. Cir. 23, rev., pp. 1-5. 1909; B.A.I. Cir. 31 rev., pp. 20-21. 1915.
Pasteur method. See Vaccination, double.
protective, methods, and discussion. D.B. 340, pp. 2-4. 1915.
sheep, value in hemorrhagic-septicemia control. F.B. 1018, pp. 7-8. 1918.
Vaccine(s)—
animals, meat inspection regulations, disposal of carcasses. B.A.I. An. Rpt., 1907, p. 368. 1909.
anthrax—
description, and precautions in use. B.A.I. [Misc.], "Diseases of cattle," rev., pp. 442-443. 1904; rev., p. 445. 1908; rev., pp. 463-464. 1912; rev., pp. 456-458. 1923.
handling. F.B. 784, p. 15. 1917.
preparation and use as preventive. B.A.I. An. Rpt., 1909, pp. 224-227. 1911; F.B. 439, pp. 12-15. 1911.
serum and spore, Animal Industry Bureau. F.B. 784, pp. 14-15. 1917.
antityphoid, methods of obtaining. F.B. 478, p. 3. 1911.
autogenic, production and use, animal diseases. B.A.I. An. Rpt., 1911, p. 63. 1913.
blackleg—
danger in use for control of cerebrospinal meningitis, investigations. D.B. 65, p. 13. 1914.
description and use. B.A.I. [Misc.], "Diseases of cattle," rev., pp. 447-448. 1904; rev., p. 451. 1908; rev., p. 469. 1912; rev., pp. 463-464. 1923.
distribution—
by department, conditions. News L., vol. 2, No. 46, p. 6. 1915.
discontinuance. B.A.I.S.R.A. 182, p. 76. 1922; F.B. 1355, p. 10. 1923.

Vaccine(s)—Continued.
blackleg—continued.
preparation, distribution, and use. B.A.I. Cir. 31, rev., pp. 16-24. 1907; rev., pp. 16-22. 1911; rev., pp. 16-21. 1915.
regulations and use methods. News L., vol. 3, No. 16, p. 4. 1915.
germ-free, blackleg preventive, manufacture, and tests. J.A.R., vol. 14, pp. 254-256, 261-262. 1918.
glanders, immunization tests. John R. Mohler and Adolph Eichhorn. D.B. 70, pp. 13. 1914.
hog cholera, and swine plague serum, Brunschettinis tests. James Wilson. Sec. Cir. 27, pp. 2. 1908.
injections, subcutaneous, experiments on cattle. B.A.I. Cir. 190, pp. 335-338. 1912.
kind, formula, tests, and experiments. B.A.I. Bul. 137, pp. 40-43. 1911.
Malta fever, experimental work. B.A.I. An. Rpt., 1911, pp. 134-135. 1913; B.A.I. Cir. 215, pp. 134-135. 1913.
preventives, use against anthrax. F.B. 784, pp. 11-15. 1917.
smallpox—
contamination with foot-and-mouth disease. B.A.I. Cir. 147, pp. 11-15, 25. 1909.
origin of foot-and-mouth disease outbreak, 1908. B.A.I. An. Rpt., 1908, pp. 387-389. 1910.
spore, production for use with anthrax serum. D.B. 340, pp. 10-11, 15-16. 1915.
use—
against rabies in dogs, preparation and sources. J.A.R., vol. 30, pp. 431-432. 1925.
in animal diseases. Y.B., 1915, pp. 163-166, 169-170. 1916; Y.B. Sep. 666, pp. 163-166, 169-170. 1916.
in sheep diseases. F.B. 1155, pp. 4, 5, 7, 8, 16, 17. 1921.
virus—
infected, source of foot-and-mouth disease outbreaks. F.B. 666, pp. 5, 6. 1915.
testing, experiments and requirements. B.A.I. Cir. 147, pp. 15-27, 29. 1909.
See also Serum; Virus.
Vacciniaceae, injury by sapsuckers. Biol. Bul. 39, pp. 48, 87. 1911.
Vaccinium—
floribundum—
importation and description. No. 51790, B.P.I. Inv. 65, p. 50. 1923.
See also Mortino.
glauco-album, importation and description. No. 391141, B.P.I. Inv. 40, pp. 82. 1917.
meyenianum, importation and description. No. 53488, B.P.I. Inv. 67, pp. 3, 55. 1923.
pennsylvanicum, drought resistance. B.P.I. Cir. 122, pp. 3. 1913.
reticulatum. See Ohelo.
spp.—
distribution. N.A. Fauna 21, p. 21. 1901.
importations and description. Nos. 47821-47823, B.P.I. Inv. 59, p. 64. 1922.
occurrence and abundance in China. B.P.I. Bul. 204, p. 50. 1911.
See also Blueberry; Huckleberry.
vitis-idaea. See Bilberry, red; Cranberry, mountain.
Vacuum—
canning, uses, and tests. D.B. 1022, pp. 3, 8, 16, 22, 26, 30, 33, 40, 48, 49. 1922.
cleaners, description, care, and use. F.B. 1180, pp. 7, 11, 26. 1921.
evaporation, cane-sirup manufacture. D.B. 921. pp. 12-13. 1920.
food-drying process. Sec. Cir. 126, p. 8. 1919.
fumigation—
facilities on the Pacific coast. F.H.B.S.R.A. 75, p. 92. 1923.
method for seeds. D.B. 186, pp. 1-5. 1915.
of subterranean larvae, experiments. J.A.R., vol. 15, pp. 133-136. 1918.
heating system for greenhouses. F.B. 1318, p. 29. 1923.
machine for sealing meat cans. Y.B., 1911, p. 386. 1912; Y.B. Sep. 577, p. 386. 1912.
treatment for destruction of fig moth larvae in figs. Ent. Bul. 104, p. 53. 1911.
use in wood preservation, effect on distribution of preservative. For. Bul. 118, pp. 27-29. 1912.

Vagina, cow—
  bacterial flora, study. B.A.I. An. Rpt., 1911, pp. 154–155. 1913; B.A.I. Cir. 216, pp. 154–155. 1913.
  diseased conditions after calving. B.A.I. [Misc.], "Diseases of cattle," rev., pp. 220, 223. 1923.
  polypus, lacerations and inflammation, treatment. B.A.I. [Misc.], "Diseases of cattle," rev., pp. 153–154, 215–216, 219. 1904; rev., pp. 157, 222. 1912; rev., pp. 157, 219–222. 1923.
Vaginal injections, cattle, directions. B.A.I. [Misc.], "Diseases of cattle," rev., pp. 11, 219, 220, 221. 1904; rev., pp. 11, 217, 225–228. 1912; rev., pp. 9, 149, 218, 223–226. 1923.
Vaginitis, infectious granular, symptoms and treatment. B.A.I. [Misc.], "Diseases of cattle," rev., pp. 172–173. 1923.
Vail, E. M., report as State collaborator on New Jersey roads. D.B. 286, pp. 6–14. 1916.
Valentine, A. T.—
  "The osmotic concentration, specific electrical conductivity, and chlorid content of tissue fluids of the indicator plants of Tooele Valley, Utah." With others. J.A.R., vol. 27, pp. 893–924. 1924.
  "The tissue fluids of Egyptian and upland cottons and their F_1 hybrid." With others. J.A.R., vol. 27, pp. 267–328. 1924.
Valentine, G. M.: "Some factors relating to the production of cream for butter making in New Zealand." With William Dempster. B.A.I. [Misc.], "World's dairy congress, 1923," pp. 993–997. 1924.
Valerian—
  culture and handling as drug plant, yield, and price. F.B. 663, p. 35. 1915.
  description, habits, and forage value on range. D.B. 545, pp. 49–50, 58, 60. 1917.
  growing and uses, harvesting, marketing and prices. F.B. 663, rev., pp. 47–48. 1920.
Valeriana—
  dioica, susceptibility to *Puccinia triticina*. J.A.R., vol. 22, pp. 152–172. 1921.
  See Valerian.
Valerianella congesta. See Lamb's lettuce.
Valeric acid, identification in hops. J.A.R., vol. 2, pp. 147, 157. 1914.
Valeric acid in cheese, origin, and study. J.A.R., vol. 2, p. 9. 1914.
Valgren, V. N.—
  "A system of records for local farmers' mutual fire insurance companies." D.B. 840, pp. 23. 1920.
  "Bank loans to farmers on personal and collateral security." With Elmer E. Engelbert. D.B. 1048, pp. 26. 1922.
  "Crop insurance: Risks, losses, and principles of protection." D.B. 1043, pp. 27. 1922.
  "Farm mortgage loans by banks, insurance companies, and other agencies." With Elmer E. Englebert. D.B. 1047, pp. 23. 1922.
  "Farmers' mutual life insurance." Y.B., 1916, pp. 421–433. 1917; Y.B. Sep. 697, pp. 13. 1917.
  "Hail insurance on farm crops in the United States." D.B. 912, pp. 32. 1920.
  "Prevailing plans and practices among farmers' mutual fire insurance companies." D.B. 786, pp. 16. 1919.
  "Suggestions for a State law providing for the organization of farmers' mutual fire insurance companies." D.C. 77, pp. 8. 1920.
  "The credit association as an agency for rural short-time credit." With Elmer E. Englebert. D.C. 197, p. 24. 1921.
  "The organization and management of a farmers' mutual fire insurance company." D.B. 530, pp. 34. 1917.
  "The sheep industry." With others. Y.B., 1923, pp. 229–310. 1924; Y.B., Sep. 894, pp. 229–310. 1924.
  "The wheat situation." With others. Y.B., 1923, pp. 95–150. 1924.
Vallaris heynei, importation and description. No. 53592, B.P.I. Inv. 67, p. 67. 1923.
Vallea stipularis, importation and description. No. 51800, B.P.I. Inv. 65, p. 51. 1923.
Valleau, W. D.—
  "Sterility in the strawberry." J.A.R., vol. 12, pp. 613–670. 1918.
  "Varietal resistance of plums to brown-rot." J.A.R., vol. 5, No. 9, pp. 365–396. 1915.

Vallisneria spiralis. See Celery, wild.
Valota—
  saccharata, distribution, description, and feed value. D.B. 201, p. 52. 1915.
  spp., description, distribution, and uses. D.B. 772, pp. 19, 214–215, 216. 1920.
Valsonectria parasitica, cause of chestnut-bark disease. B.P.I. Bul. 141, pp. 47–48. 1909; B.P.I. Bul. 149, p. 22. 1909.
Values, ebb and flow in markets, average prices for leading crops, 1918–1919. Y.B., 1919, pp. 109–110. 1920; Y.B., Sep. 797, pp. 109–110. 1920.
Valves—
  irrigation, description and use. F.B. 899, pp. 20–21. 1917.
  leaky, in milk plants, cause of waste. D.B. 973, pp. 5, 6. 1923.
Valvular disease, heart, horse, description and treatment. B.A.I. [Misc.], "Diseases of the horse," rev., p. 235. 1904; rev., p. 235. 1907; rev., p. 235. 1911; rev., pp. 257–258. 1923.
Vanadium—
  determination in plant ashes. D.B. 600, pp. 4, 24. 1917.
  occurrence in soils. D.B. 122, pp. 4, 12–13, 27. 1914.
Vanatta, E. S.: "Soil survey of—
  Anson County, N. C." With F. N. McDowell. Soil Sur. Adv. Sh., 1915, pp. 65. 1917; Soils F.O., 1915, pp. 361, 421. 1919.
  Ashley County, Ark." With others. Soil Sur. Adv. Sh., 1913, pp. 39. 1914; Soils F.O., 1913, pp. 1185–1219. 1916.
  Beaufort County, N. C." Soil Sur. Adv. Sh., 1917, pp. 40. 1919; Soils F.O., 1917, pp. 409–442. 1923.
  Carroll County, Mo." With L. V. Davis. Soil Sur. Adv. Sh., 1912, pp. 34. 1914; Soils F.O., 1912, pp. 1633–1662. 1915.
  Clay County, Ala." With others. Soil Sur. Adv. Sh., 1915, pp. 41. 1916; Soils F.O., 1915, pp. 827–863. 1921.
  Cleveland County, N. C." With F. N. McDowell. Soil Sur. Adv. Sh., 1916, pp. 37. 1919; Soils F.O., 1916, pp. 309–341. 1921.
  Cooper County, Mo." With others. Soil Sur. Adv. Sh., 1909, pp. 31. 1911; Soils F.O., 1909, pp. 1367–1397. 1912.
  Franklin County, Mo. With H. G. Lewis. Soil Sur. Adv. Sh., 1911, pp. 35. 1913; Soils F.O. 1911, pp. 1603–1633. 1914.
  Harrison County, Mo." With E. W. Knobel. Soil Sur. Adv. Sh., 1914, pp. 36. 1916; Soils F.O., 1914, pp. 1943–1974. 1919.
  Hertford County, N. C." With F. N. McDowell. Soil Sur. Adv. Sh., 1916, pp. 35. 1917; Soils F.O., 1916, pp. 431–451. 1921.
  Hoke County, N. C." With others. Soil Sur. Adv. Sh., 1918, pp. 32. 1921; Soils F.O., 1918, pp. 193–220. 1924.
  Marion County, Mo." With J. C. Britton. Soil Sur. Adv. Sh., 1910, pp. 26. 1911; Soils F.O., 1910, pp. 1295–1316. 1912.
  Newton County, Mo." With others. Soil Sur. Adv. Sh., 1915, pp. 41. 1917; Soils F.O., 1915, pp. 1851–1887. 1921.
  Nodaway County, Mo." With others. Soil Sur. Adv. Sh., 1913, pp. 31. 1915; Soils F.O., 1913, pp. 1757–1783. 1916.
  Orange County, N. C." With others. Soil Sur. Adv. Sh., 1918, pp. 44. 1921; Soils F.O., 1918, pp. 221–264. 1924.
  Pemiscot County, Mo." With others. Soil Sur. Adv. Sh., 1910, pp. 32. 1912; Soils F.O., 1910, pp. 1317–1344. 1912.
  Platte County, Mo." With others. Soil Sur. Adv. Sh., 1911, pp. 29. 1912; Soils F.O., 1911, pp. 1701–1725. 1914.
  Webster Parish, La." With others. Soil Sur. Adv. Sh., 1914, pp. 40. 1916; Soils F.O., 1914, pp. 1239–1274. 1919.
Vance, L. E.: "Sunflower silage." With Ray E. Neidig. J.A.R., vol. 18, pp. 325–327. 1919.
Vancouver swamp, blister-rust infection. J.A.R., vol. 30, pp. 597, 598. 1925.
Van Dam, Willem: "The importance of the equilibria in the system of milk fat in the making of butter." B.A.I. [Misc.], "World's dairy congress, 1923," pp. 1004–1008. 1924.

VAN DEMAN, RUTH: "The well-planned kitchen." D.C. 189, pp. 8. 1921; rev., pp. 4. 1923.
VAN DER BURG, BOKE—
"Definition of pasteurization by law." B.A.I. [Misc.], "World's dairy congress, 1923," pp. 578–582. 1924.
"Instruction in dairy science in the agricultural college at Wageningen." B.A.I. Dairy [Misc.], "World's dairy congress, 1923," pp. 631–633. 1924.
VAN DER ZANDE, K. H. M.: "Dairy instruction in the Netherlands." B.A.I. Dairy [Misc.], "World's dairy congress, 1923," pp. 638–649. 1924.
VAN DINE, D. L.—
"A sugar-cane leaf-hopper in Hawaii." Hawaii Bul. 5, pp. 29. 1904.
"Hawaiian honeys." With Alice R. Thompson. Hawaii Bul. 17, pp. 21. 1908.
"Impounding water in a bayou to control breeding of malaria mosquitoes." D.B. 1058, pp. 22. 1922.
"Insect enemies of tobacco in Hawaii." Hawaii Bul. 10, pp. 10. 1905.
"Mosquitoes in Hawaii." Hawaii Bul. 6, pp. 30. 1904.
"The sugar-cane insects of Hawaii." Ent. Bul. 93, pp. 54. 1911.
"Use of insecticides in Hawaii." Hawaii Bul. 3, pp. 25. 1903.
report of Entomologist, Hawaii Experiment Station—
1906. Hawaii A.R., 1906, pp. 18–32. 1907.
1907. Hawaii A.R., 1907, pp. 25–51. 1908.
1908. Hawaii A.R., 1908, pp. 17–41. 1908.
VAN DUYNE, CORNELIUS: "Soil survey of—
Allen County, Ind." With Grove B. Jones. Soil Sur. Adv. Sh., 1908, pp. 30. 1909; Soils F.O., 1908, pp. 1067–1092. 1911.
Cumberland County, Me." With M. W. Beck. Soil Sur. Adv. Sh., 1915, pp. 92. 1917; Soils F.O., 1915, pp. 37–124. 1921.
Dorchester County, S. C." With others. Soil Sur. Adv. Sh., 1915, pp. 45. 1917; Soils F.O., 1915, pp. 545–585. 1921.
Franklin County, Wash." With others. Soil Sur. Adv. Sh., 1914, pp. 101. 1917; Soils F.O., 1914, pp. 2531–2627. 1919.
Harrison County, Tex." With W. C. Byers. Soil Sur. Adv. Sh., 1912, pp. 47. 1913; Soils F.O., 1912, pp. 1055–1097. 1915.
Horry County, S. C." With others. Soil Sur. Adv. Sh., 1918, pp. 52. 1920; Soils F.O., 1918, pp. 329–376. 1924.
Kershaw County, S. C." With others. Soil Sur. Adv. Sh., 1919, pp. 71. 1922; Soils F.O., 1919, pp. 763–829. 1925.
Lexington County, S. C." With others. Soil Sur. Adv. Sh., 1922, pp. 50. 1925.
Marlboro County, S. C." With others. Soil Sur. Adv. Sh., 1917, pp. 73. 1919; Soils F.O., 1917, pp. 469–537. 1923.
Muskogee County, Okla." With others. Soil Sur. Adv. Sh., 1913, pp. 43. 1915; Soils F.O., 1913, pp. 1853–1891. 1915.
Richland County, S. C." With others. Soil Sur. Adv. Sh., 1916, pp. 72. 1918; Soils F.O., 1916, pp. 521–588. 1921.
Shelby County, Ky." With others. Soil Sur. Adv. Sh., 1916, pp. 67. 1919; Soils F.O., 1916, pp. 1415–1464. 1921.
Spartanburg County, S. C." With others. Soil Sur. Adv. Sh., 1921, pp. 409–449. 1924.
Spokane County, Wash." With others. Soil Sur. Adv. Sh., 1917, pp. 108. 1921; Soils F.O., 1917, pp. 2155–2258. 1923.
Stevens County, Wash." With Fred W. Ashton. Soil Sur. Adv. Sh., 1913, pp. 137. 1914; Soils F.O., 1913, pp. 2165–2295. 1916.
Tatnall County, Ga." With others. Soil Sur. Adv. Sh., 1914, pp. 48. 1915; Soils F.O., 1914, pp. 817–860. 1919.
the Fallon area, Nevada." With A. T. Strahorn. Soil Sur. Adv. Sh., 1909, pp. 44. 1911; Soils F.O., 1909, pp. 1477–1516. 1912.
the Livermore area, California." With others. Soil Sur. Adv. Sh., 1910, pp. 64. 1911; Soils F.O., 1910, pp. 1657–1716. 1912.

VAN DUYNE, CORNELIUS: "Soil survey of—Con.
the Madera area, California." With others. Soil Sur. Adv. Sh., 1910, pp. 43. 1911; Soils F.O., 1910, pp. 1717–1753. 1912.
the Marysville area, California." Soil Sur. Adv. Sh., 1909, pp. 56. 1911; Soils F.O., 1909, pp. 1689–1740. 1912.
the Quincy area, Washington." With others. Soil Sur. Adv. Sh., 1911, pp. 64. 1913; Soils F.O., 1911, pp. 2227–2286. 1914.
the White Plains area, New York." With J. H. Bromley. Soil Sur. Adv. Sh., 1919, pp. 44. 1922; Soils F.O., 1919, pp. 563–606. 1925.
Wayne County, N. Y." With others. Soil Sur. Adv. Sh., 1919, pp. 273–348. 1923; Soils F.O., 1919, pp. 273–348. 1925.
Vanellus vanellus, breeding and migration range. Biol. Bul. 35, p. 77. 1910.
Vanes, wind, use in forest, and cost of installation. D.B. 1059, pp. 147–151. 1922.
VAN ESELTINE, G. P.: "Korean lespedeza." With A. J. Pieters. D.C. 317, pp. 15. 1924.
VAN FLEET, WALTER—
"Goldenseal under cultivation." F.B. 613, pp. 15. 1914.
"The cultivation of American ginseng." F.B. 551, pp. 14. 1913.
"The cultivation of peppermint and spearmint." F.B. 694, pp. 13. 1915.
Vangueria infausta, importation and description. No. 35576, B.P.I. Inv. 35, p. 55. 1915; No. 54990, B.P.I. Inv. 71, p. 11. 1923.
Vanilla—
adulterants, detection. Chem. Bul. 107, p. 159. 1907.
adulteration and misbranding. See Indexes to Notices of Judgment, in bound volumes and in separates published as supplements to Chemistry Service and Regulatory Announcements.
analysis methods. Chem. Bul. 107, pp. 156–159. 1907.
as a promising tropical crop. Y.B., 1901, p. 366. 1902.
bean(s)—
curing experiments, Porto Rico, and methods. P.R. An. Rpt., 1921, pp. 11–12. 1922.
development, effects of foreign pollen. J.A.R., vol. 16, pp. 245–252. 1919.
imports—
1903–1907. Y.B., 1907, p. 746. 1908; Y.B. Sep. 465, p. 746. 1908.
1907–1909, quantity and value, by countries from which consigned. Stat. Bul. 82, p. 60. 1910.
1907–1911. Y.B., 1911, p. 667. 1912; Y.B. Sep. 588, p. 667. 1912.
1908–1910, quantity and value, by countries from which consigned. Stat. Bul. 90, p. 63. 1911.
1908–1912. Y.B., 1912, p. 724. 1913; Y.B. Sep. 615, p. 724. 1913.
1911–1913. Y.B., 1913, p. 500. 1914; Y.B. Sep. 361, p. 500. 1914.
1913–1915, and value. Y.B., 1915, pp. 547, 555. 1916; Y.B. Sep. 685, pp. 547, 555. 1916.
1917. Y.B., 1917, p. 767. 1918; Y.B. Sep. 762, p. 11. 1918.
1918. Y.B., 1918, pp. 634, 643. 1919; Y.B. Sep. 794, pp. 10, 19. 1919.
1921. Y.B., 1921, pp. 742, 749. 1922; Y.B. Sep. 867, pp. 6, 13. 1922.
1922–1924. Y.B., 1924, p. 1064. 1925.
odor, development during curing. B.P.I. Bul. 195, pp. 9–10. 1910.
origin, cultivation, pollenization, harvesting, and curing. Y.B., 1908, pp. 333–336. 1909; Y.B. Sep. 485, pp. 333–336. 1909.
picking, curing, and preparation for market. P.R. Bul. 26, pp. 27–31. 1919.
sugar, misbranding. Chem. N.J. 1561, p. 1. 1912.
varieties. Chem. Bul. 152, p. 146. 1912.
description, blossoming and pollination, and yields. P.R. Bul. 26, pp. 4, 18–27. 1919.
development of fruit, effect of foreign pollen. J.A.R., vol. 16, pp. 245–252. 1919.

Vanilla—Continued.
 extract(s)—
  adulteration and misbranding. See *Indexes to Notices of Judgment in bound volumes of Chemistry Service and Regulatory Announcements.*
  adulterations, detection. Chem. Bul. 100, pp. 54-55. 1906.
  analysis. Chem. Bul. 132, pp. 97-101. 1910; Chem. Bul. 152, pp. 128-136, 146-158. 1912.
  and its imitations, distinction. Chem. Bul. 132, pp. 109-111. 1910.
  color and resin determination. Chem. Bul. 132, pp. 56-57. 1910.
  composition, from Tahiti and Fiji beans, studies. Chem. Bul. 162, pp. 90-91. 1913.
  factitious, coumarin in small quantities, detection method. H. J. Wichmann. Chem. Cir. 95, pp. 2. 1912.
  manufacture, high and low grade. Y.B., 1908, p. 336. 1909; Y.B. Sep. 485, p. 336. 1909.
  preparation in laboratory, and analyses. Chem. Bul. 152, pp. 149-158. 1912.
 fungous infestation by *Gloeosporium* sp., studies. B.P.I. Bul. 252, p. 56. 1913.
 grass, description. D.B. 772, pp. 199, 201. 1920.
 importation and description. Nos. 45667, 45668, B.P.I. Inv. 53, p. 75. 1922.
 imports and value, and market prospects. P.R. Bul. 26, pp. 4-5. 1919.
 planifolia, host of *Bacterium solanacearum*. J.A.R., vol. 21, p. 260. 1921.
 pollination, effect of foreign pollen on fruit development. J.A.R., vol. 16, pp. 245-252. 1919.
 Porto Rican, product of experimental planting, reports on. P. R. Bul. 26, pp. 6-8. 1919.
 promising new crop for Porto Rico. T. B. McClelland. P.R. Bul. 26, pp. 32. 1919.
 propagation, length of cuttings, and covering methods. P.R. Bul. 26, pp. 10-15. 1919.
 use as food flavoring. O.E.S. Bul. 245, pp. 68, 70. 1912.
 value of beans from different countries. P.R. Bul. 26, pp. 4-8. 1919.
 wild, importation and description. No. 45669, B.P.I. Inv. 53, p. 75. 1922.
 yields and size of pods, 1917 crop, Porto Rico. P.R. Bul. 26, pp. 23-27. 1919.
Vanillery, site selection and preparation of land. P.R. Bul. 26, pp. 8-10. 1919.
Vanillic acid, formation, effect on wheat plants. Soils Bul. 47, pp. 32, 39. 1907.
Vanillin—
 adulteration and misbranding. Chem. N.J. 12818. 1925; Chem. N.J. 13445. 1925; Chem. N.J. 13684. 1925.
 artificial, use as substitute for vanilla extract. Y.B., 1908, p. 337. 1909; Y.B Sep. 485, p. 337. 1909.
 determination in vanilla extracts. Chem. Bul. 132, pp. 98-101, 111. 1910; Chem. Bul. 137, pp. 68-71. 1911; Chem. Bul. 152, pp. 147-149. 1912.
 effect on plant growth, experiment. Soils Bul. 77, pp. 19-22, 25-31. 1911.
 injury to plant growth. Soils Bul. 77, pp. 19-20. 1911.
 occurrence in vegetation and soils, and toxic character. D.B. 164, pp. 1-2. 1915.
 origin and effects on wheat plants. Soils Bul. 47, pp. 31, 39, 42, 45-48, 50. 1907.
 persistence in soil. D.B. 164, pp. 7-9. 1915.
 powder, misbranding. Chem. N.J. 1940, p. 1. 1913.
 presence in soils, and method of extraction. J.A.R., vol. 1, pp. 359-363. 1914.
 solutions, use in plant culture experiments. Soils Bul. 56, pp. 18, 43. 1909.
 synthetic, effect on market value of vanilla. P.R. Bul. 26, p. 4. 1919.
 toxicity in soils, field tests. J. J. Skinner. D.B. 164, pp. 9. 1915.
Van Kuren, S. J.: "Standardization." B.A.I. [Misc.], "World's dairy congress, 1923," pp. 1223-1228. 1924.
Van Leenhoff, J. W.:
 "Coffee industry in Porto Rico." P.R. Cir. 2, pp. 2. 1904.
 "Coffee planting in Porto Rico." P.R. Cir. 5, pp. 14. 1904.

Van Leenhoff, J. W.—Continued.
 Porto Rico Experiment Station—
 report of coffee expert—
  1906. P.R. An. Rpt., 1906, pp. 29-33. 1907.
  1907. P.R. An. Rpt., 1907, pp. 39-40. 1908.
  1908. P.R. An. Rpt., 1908, pp. 33-34. 1909.
  1909. P.R. An. Rpt., 1909, pp. 32-34. 1910.
  1910. P.R. An. Rpt., 1910, pp. 37-38. 1911.
  "Tobacco investigations in Porto Rico during 1903-4." (Also Spanish edition.) P.R. Bll. 5, pp. 44. 1905.
Van Norman, H. E.: "Essentials for the production of wholesome market milk, at Pittsburg, 1908." B.A.I. Cir. 151, pp. 18-20. 1909.
Vanquelinia californica, injury by sapsuckers. Biol. Bul. 39, pp. 40, 80. 1911.
Van Rensselaer, Martha—
 "Qualifications of women's institute teachers." O.E.S. Bul. 238, pp. 65-67. 1911.
 report on women's institutes. O.E.S. Bul. 251, pp. 53-54. 1912.
Van Slyke, L. L.—
 analysis method for proteins, application to feeds. J.A.R., vol. 12, pp. 1-2, 6-7. 1918.
 "Course in cheese making for movable schools of agriculture." O.E.S. Bul. 166, pp. 63. 1906.
 "Experiments in the cold curing of cheese." With others. B.A.I. Bul. 49, pp. 71-88. 1903.
 report on separation of nitrogeneous bodies. Chem. Bul. 73, pp. 87-98. 1903.
 "The chemistry of casein." B.A.I. Dairy [Misc.], "World's dairy congress, 1923," pp. 1145-1152. 1924.
 "The cold curing of cheese." With others. B.A.I. Bul. 49, pp. 88. 1903.
Van Volkenberg, H. L.: "Anthelmintic efficiency of carbon tetrachloride in the treatment of foxes." With Karl B. Hanson. J.A.R., vol. 28, pp. 331-337. 1924.
Van Zwaluwenburg, R. H.—
 "Rearing queen bees in Porto Rico." With Rafael Vidal. (Also Spanish edition.) P.R. Cir. 16, pp. 12. 1918.
 report of entomologist, Porto Rico Experiment Station—
  1914. P.R. An. Rpt., 1914, pp. 31-35. 1915.
  1916. P.R. An. Rpt., 1916, pp. 25-28. 1918.
  1917. P.R. An. Rpt., 1917, pp. 31-34. 1918.
 "Some means of controlling insects, fungi, and other pests in Porto Rico." With H. E. Thomas. P.R. Cir. 17, pp. 30. 1918.
 "The changa or West Indian mole cricket." P.R. Bul. 23, pp. 28. 1918.
Vanoleum, misbranding. Chem. N.J. 619, pp. 2. 1910.
Vapor(s),—
 absorption by solids, factors determining, and rate. Soils Bul. 51, pp. 40-43. 1908.
 absorption system, refrigeration, description, and operation methods. D.B. 98, pp. 38-40. 1914.
 chemicals, testing for volatility and toxicity to insects. J.A.R., vol. 10, pp. 365-371. 1917.
 effect on lemon coloration. J.A.R., vol. 27, p. 767. 1924.
 movement in soils, studies. D.B. 1059, pp. 109-120, 137-139. 1922.
 nicotine, effect on insects, studies. J.A.R., vol. 7, pp. 95-98. 1916.
 pressure tables, Wagon Wheel Gap, Colo. D.B. 1059, pp. 175-197. 1922.
 smudge, use in orchard protection. Y.B., 1909, pp. 359, 396. 1910; Y.B. Sep. 519, p. 359. 1910; Y.B. Sep. 522, p. 396. 1910.
 tensions, United States, report, 1873-1905. Frank H. Bigelow. W.B. Bul. S., pp. 302. 1909.
 water—
  absorption by soils. Soils Bul. 51, pp. 10-24. 1908.
  movement in soils, effect of temperature. J.A.R., vol. 5. No. 4, pp. 141-172. 1915.
Vaporizers, farm engine, discussion. F.B. 277, pp. 27-31. 1907.
Variability, burt oat, study of. Franklin A. Coffman and others. J.A.R., vol. 30, pp. 1-64. 1925.
Varichaeta aldrichi, parasitized by *Perilampus hyalinus*. Ent. Bul. 19, Pt. IV, pp. 36, 38, 42-43, 49, 52-54. 1912.

Variola—
  cattle. See Cowpox.
  communicability. B.A.I. Bul. 53, pp. 12–13. 1904.
  equine, description, causes, symptoms, and treatment. B.A.I. [Misc.], "Diseases of the horse," pp. 523–529. 1903; rev., pp. 524–529. 1907; rev., pp. 524–529. 1911; rev., pp. 535–540. 1923.
  legislation. B.A.I. Bul. 28, p. 108. 1901.
  ovina, nature, cause, and prevention. F.B. 1155, p. 17. 1921.
Varnish(es)—
  experiments with wood turpentine, analysis. Chem. Bul. 144, pp. 35–44, 57–76. 1911.
  for iron preservation. Rds. Bul. 35, p. 34. 1909.
  imports, 1922–1924. Y.B. 1924, p. 1067. 1925.
  kinds and use. F.B. 1452, p. 12. 1925.
  making, use of alcohol. Chem. Bul. 130, pp. 138–141. 1910.
  manufacture from Chinese wood-oil. B.P.I. Cir. 108, pp. 3–4. 1913.
  of Buchanamia tree, value. B.P.I. Inv. 48, pp. 7, 13. 1921.
  production, 1900 and 1905. Chem. Bul. 130, p. 138. 1910.
  removal from old floors, directions. F.B. 1219, pp. 15–16. 1921.
  resin-alcohol, formulas. Chem. Bul. 130, p. 140. 1910.
  stains, removal from textiles. F.B. 861, pp. 27–28. 1917.
  testing methods. Chem. Bul. 109, pp. 9. 1908.
  tests with wood turpentines, reports. For. Bul. 105, pp. 64–66. 1913.
  thinner, turpentine, use and value. D.B. 229, p. 8. 1915; D.B. 898, p. 7. 1920.
  use on—
    chocolate and confectionery. Chem. Bul. 132, pp. 58–60. 1910.
    tree wounds, directions. F.B. 1178, p. 10. 1920.
Varnishing, floor, directions. F.B. 1219, pp. 10–11. 1921.
Vasconcellos, Aleixod: "Dairying in Brazil." B.A.I. Dairy [Misc.], "World's dairy congress, 1923, pp. 1423–1437. 1924.
Vaseline—
  carbolated, use and value in control of sticktight fleas. D.C. 20, pp. 5, 6. 1919; F.B. 897, p. 14. 1917.
  formaldehyde ointment, treatment of favus. J.A.R., vol. 15, pp. 417–418. 1918.
  stains, removal from textiles. F.B. 861, p. 34. 1917.
  use—
    against flea bites. D.B. 248, p. 31. 1915.
    as chicken remedy. F.B. 1040, pp. 26, 27. 1919.
    on leather bags and bookbinding. F.B. 1183, rev., p. 18. 1920.
Vasey grass, description—
  and habits. F.B. 1433, pp. 22–26. 1925.
  and value for cotton States. F.B. 1125, rev., p. 11. 1920.
Vat(s)—
  cage, for cattle, description and use. B.A.I. An. Rpt., 1909, pp. 297–299. 1911; B.A.I. Cir. 174, pp. 297–299. 1911.
  cream ripening, description, use. F.B. 541, pp. 21–22. 1913.
  dipping. See Dipping vats.
  portable—
    for dipping sheep, description. F.B. 713, p. 28. 1916.
    galvanized metal, description and use. F.B. 909, pp. 17–18. 1918.
    sirup, for reheating for canning, description and use. D.C. 149, p. 11. 1920.
  specifications and plans. F.B. 1057, pp. 14–17. 1919.
  swim, for cattle, description and use. B.A.I. An. Rpt., 1909, pp. 293–297. 1911; B.A.I. Cir. 174, pp. 293–297. 1911.
  wade tank for cattle, description and use. B.A.I. An. Rpt., 1909, pp. 299–300. 1911; B.A.I. Cir. 174, pp. 299–300. 1911.
  wooden, for—
    cattle dipping, construction details. F.B. 909, pp. 22–25. 1918.
    sheep dipping, construction. F.B. 798, p. 30. 1917.

Veal—
  analyses, comparison of very young veal with market veal. J.A.R., vol. 6, No. 16, p. 581. 1916.
  birds, recipe for making. F.B. 391, p. 27. 1910.
  "bob"—
    examination. B.A.I. An. Rpt., 1910, p. 88. 1912.
    See also Calves, immature.
  calves, marketing methods, by States and by sections. Rpt. 113, pp. 9–10, 13, 15. 1916.
  composition, comparison with beef. B.A.I. Rpt., 1905, pp. 190–191. 1907.
  consumption per capita. Y.B., 1921, p. 316. 1922; Y.B. Sep. 874, p. 316. 1922.
  cooking, digestion experiments. O.E.S. Bul. 193, pp. 36–38. 1907.
  curry, recipe for making. F.B. 391, p. 39. 1910.
  cuts and grades. F.B. 435, pp. 18–19. 1911.
  demand, influence on cost of feeder cattle. F.B. 588, p. 5. 1914.
  digestibility studies. J.A.R., vol. 6, No. 16, pp. 577–588. 1916.
  digestion experiments, comparison with beef. J.A.R., vol. 5, No. 15, pp. 684–703. 1916.
  food value. News L., vol. 7, No. 10, p. 15. 1919.
  immature—
    analyses. J.A.R., vol. 3, pp. 670–684. 1916.
    biochemical comparisons with mature beef. J.A.R., vol. 5, No. 15, pp. 667–711. 1916.
  loaf, recipe for making. F.B. 391, p. 35. 1910.
  prices—
    1906. B.A.I. An. Rpt., 1906, pp. 316, 317, 318. 1908.
    United States and Europe, comparison, 1911–1913. Y.B., 1913, p. 484. 1914; Y.B. Sep. 361, p. 484. 1914.
  production—
    1900. Rpt. 109, pp. 117, 263. 1916.
    1907–1923. D.C. 241, pp. 15, 16. 1924.
    from dairy calves. Y.B., 1922, p. 338. 1923; Y.B. Sep. 879, pp. 47–48. 1923.
  slaughter of calves for, laws. Chem. Bul. 69, rev., pp. 95, 132, 168, 175, 220, 242, 249, 256–267, 360, 364, 431, 453, 463, 501, 511, 569, 592, 619, 620, 703, 756. 1905–6.
  trade conditions, December, 1918. Y.B., 1918, p. 381. 1919; Y.B. Sep. 788, p. 5. 1919.
  water percentage. J.A.R., vol. 5, No. 15, pp. 683–684. 1916.
Veatch, J. O.—
  "Reconnaissance soil survey of Ontonagon County, Mich." With others. Soil Sur. Ad. Sh., 1921, pp. 73–100. 1923.
  "Soil survey of—
    Archer County, Tex." With others. Soil Sur. Adv. Sh., 1912, pp. 52. 1914; Soils F.O., 1912, pp. 1007–1053. 1915.
    Blair County, Pa." With others. Soil Sur. Adv. Sh., 1915, pp. 48. 1917; Soils F.O., 1915, pp. 197–240. 1919.
    Brazos County, Tex." With C. S. Waldrop. Soil Sur. Adv. Sh., 1914, pp. 53. 1916; Soils F.O., 1914, pp. 1275–1323. 1919.
    Dubuque County, Iowa." With C. L. Orrben. Soil Sur. Adv. Sh., 1920, pp. 345–369. 1923; Soils F.O., 1920, pp. 345–369. 1925.
    Gordon County, Ga." Soil Sur. Adv. Sh., 1913, pp. 70. 1914; Soils F.O., 1913, pp. 335–400. 1916.
    Hall County, Nebr." With V. H. Seabury. Soil Sur. Adv. Sh., 1916, pp. 41. 1918; Soils F.O., 1916, pp. 2141–2177. 1921.
    Kimball County, Nebr." With others. Soil Sur. Adv. Sh., 1916, pp. 28. 1917; Soils F.O., 1916, pp. 2179–2202. 1921.
    Lubbock County, Tex." With H. G. Lewis. Soil Sur. Adv. Sh., 1917, pp. 32. 1920; Soils F.O., 1917, pp. 965–992. 1923.
    Orangeburg County, S. C." With others. Soil Sur. Adv. Sh., 1913, pp. 39. 1915; Soils F.O., 1913, pp. 267–301. 1916.
    Red River County, Tex." With others. Soil Sur. Adv. Sh., 1919, pp. 153–206. 1923; Soils F.O., 1919, pp. 153–206. 1925.
    San Saba County, Tex." With others. Soil Sur. Adv. Sh., 1916, pp. 67. 1917; Soils F.O., 1916, pp. 1315–1377. 1921.

INDEX TO PUBLICATIONS, 1901-1925   2517

VEATCH, J. O.—Continued.
"Soil survey of—Continued.
the Fort Laramie area, Wyoming-Nebraska." With R. W. McClure. Soil Sur. Adv. Sh., 1917, pp. 50. 1921; Soils F.O., 1917, pp. 2041-2086. 1923.
Walker County, Ala." With others. Soil Sur. Adv. Sh., 1915, pp. 30. 1916; Soils F.O., 1915, pp. 865-890. 1919.
Webster County, Iowa." With F. B. Howe. Soil Sur. Adv. Sh., 1914, pp. 44. 1916; Soils F.O., 1914, pp. 1785-1824. 1919.
Woodbury County, Iowa." With others. Soil Sur. Adv. Sh., 1920, pp. 759-784. 1923; Soils F.O., 1920, pp. 759-784. 1925.
York County, Pa." With others. Soil Sur. Adv. Sh., 1912, pp. 95. 1914; Soils F.O., 1912, pp. 155-245. 1915.
Vedalia. *See* Ladybird, Australian.
VEDDER, E. B.: "Beriberi and cottonseed poisoning in pigs." With George M. Rommel. J.A.R., vol. 5, No. 11, pp. 489-493. 1915.
VEEMAN, R. M.: "The methods that have been used by the cooperative marketing association in Holland, and the results that have been obtained. B.A.I. Dairy [Misc.], "World's dairy congress, 1923," pp. 926-928. 1924.
Veery, habits, migration, and food. D.B. 280, pp. 9-11. 1915; Y. B., 1913, pp. 137, 140. 1914; Y.B. Sep. 620, pp. 137, 140. 1914.
Vegetable(s)—
acids, cattle poisoning and treatment. B.A.I. [Misc.], "Diseases of cattle", rev., p. 61. 1912.
acreage—
and yields, 1914-1918. Sec. Cir. 125, pp. 5, 6. 1919.
on farms, 1909, graphic summary, maps. Y.B., 1915, pp. 330, 374-379. 1916; Y.B. Sep. 681, pp. 330, 374-379. 1916.
United States, by States, production and value. Sec. [Misc.] Spec, "Geography * * *. world's agriculture," pp. 97-99. 1917.
adaptability to—
Canal Zone. Rpt. 95, pp. 16, 19, 42, 43, 47-48. 1912.
dry farming. F.B. 329, p. 12. 1908.
San Luis Valley, Colo. Soils Cir. 52, pp. 22, 26. 1912.
American varieties, list for the years 1901 and 1902. W. W. Tracy, jr. B.P.I. Bul. 21, pp. 402. 1903.
analysis of plant ash. D.B. 600, p. 10. 1917.
and fruit(s)—
canneries, inspection. F.B. Linton. D.B. 1084, pp. 38. 1922.
canning—
at home. Mary E. Creswell and Ola Powell. F.B. 853, pp. 42. 1917.
temperature changes in container, factors affecting, study. C. A. Magoon and C. W. Culpepper. D.B. 956, pp. 55. 1921.
car-lot shipments in United States in 1916. Paul Froehlich. D.B. 667, pp. 196. 1918.
dehydration, commercial methods. P. F. Nichols and others. D.B. 1335, pp. 40. 1925.
farm and home drying of. Joseph S. Caldwell. F.B. 984, pp. 61. 1918.
fresh, as conservers of other staple foods. Caroline L. Hunt. F.B. 871, pp. 11. 1917.
gardens, permanent. W. R. Beattie and C. P. Close. F.B. 1242, pp. 23. 1921.
home canning—
Mary E. Creswell and Ola Powell. F.B. 853, pp. 42. 1917.
methods. F.B. 1211, pp. 51. 1921.
time-tables for. M.C. 24, pp. 4. 1924.
sale, outlets and methods for shippers. J. W. Fisher, jr., and others. D.B. 266, pp. 28. 1915.
shipments and unloads, 1918-1923. S.B. 7, pp. 110. 1925.
standard—
baskets for. F. P. Downing and H. A. Spillman. F.B. 1434, pp. 18. 1924.
containers for. F. P. Downing. F.B. 1196, pp. 34. 1921.
containers, law requirements. News L., vol. 5, No. 38, p. 3. 1918.

Vegetable(s)—Continued.
and fruit(s)—continued.
wholesale distribution on large markets, methods. J. H. Collins and others. D.B. 267, pp. 28. 1915.
and strawberries, shading, effects. F.B. 210, pp. 15-19. 1904.
antimony. *See* Boneset.
auctions, American. D.B. 1362, pp. 36. 1925.
baits, poison, preparation and use. Y.B., 1908, pp. 429, 430, 431, 432. 1909; Y.B. Sep. 491, pp. 429, 430, 431, 432. 1909.
blanching—
directions. F.B. 1211, pp. 26-27. 1921; S.R.S. Doc. 17, pp. 3-4. 1915.
during growth and during cooking. Y.B., 1911, pp. 445, 451. 1912; Y.B. Sep. 582, pp. 445, 451. 1912.
for canning. F.B. 853, pp. 13-14. 1917; F.B. 1211, pp. 26-27. 1921.
for drying, equipment. F.B. 984, p. 13. 1918.
breeding at Mandan, N. Dak. D.B. 1301, p. 44. 1925; D.B. 1337, p. 12. 1925.
buying at auction. D.B. 1362, pp. 13-15, 16, 19-21, 30, 32-33. 1925.
canned—
adulteration. Chem. Bul. 100, pp. 16-18. 1906.
analysis methods. Chem. Bul. 65, p. 50. 1902; Chem. Bul. 107, pp. 60-63. 1907.
definitions and standards, F.I.D. 173. Chem. S.R.A. 22, p. 85. 1918.
French, preparation and export. Chem. Bul. 102, pp. 41-43. 1906.
grades for. F.I.D. 173, pp. 1-2. 1918.
recipes, preparation for table use. S.R.S. Doc. 31, pp. 1-4. 1916.
score for judging quality. B.P.I. Doc. 631, rev., p. 5. 1915.
souring, causes and control. News L., vol. 3, No. 44, p. 3. 1916.
standards. B.P.I. Doc. 631, rev., pp. 3-4. 1915; F.B. 853, pp. 26-27. 1917; S.R.S. Doc. 22, rev., pp. 6-7. 1919.
storage. F.B. 281, pp. 22-24. 1907.
tin determination, method. Chem. Cir. 67, pp. 1-9. 1911.
value in winter diet. News L., vol. 1, No. 14, p. 2. 1913.
varieties, and canning methods. News L., vol. 2, No. 52, p. 8. 1915.
weights and table. F.B. 1211, p. 32. 1921.
canneries, cooperative, business essentials. Y.B. 1916, pp. 237-249. 1917; Y.B. Sep. 705, pp. 1-13. 1917.
canning—
acreage, 1915, with comparisons. News L., vol. 2, No. 48, p. 5. 1915.
and preserving at home. Y.B., 1911, pp. 451-452. 1912; Y.B. Sep. 582, pp. 451-452. 1912
and sealing, directions. F.B. 853, p. 14. 1917
"cold-pack" method, description and advantages. News L., vol. 3, No. 22, p. 5. 1916.
directions. B.P.I. Doc. 631, pp. 1-6. 1915, D.B. 123, pp. 65-68, 77-78. 1916; F.B. 839, pp. 15-19, 29-30, 32. 1917; F.B. 853, pp. 18-23, 26-28. 1917; S.R.S. Doc. 12, pp. 4-6. 1917.
for soup, directions. News L., vol. 3, No. 33, p. 2. 1916; S.R.S Doc. 9, p. 4. 1915.
in the home. J. F. Breazeale. F.B. 359, pp. 16. 1910.
industry, in Wisconsin, Jefferson County, details. Soil Sur. Adv. Sh., 1912, pp. 14, 24, 30, 38, 52. 1914; Soils F.O., 1912, pp. 1564, 1574, 1580, 1588, 1602. 1915.
inspection, points for different vegetables. D.B. 1084, pp. 28-38. 1922.
instructions for home club. S.R.S. Doc. 17, pp. 2-4. 1915.
methods. D.B. 196, pp. 53-70. 1915; News L. vol. 4, No. 44, pp. 6-7. 1917.
study of temperature changes in containers. C. A. Magoon and C. W. Culpepper. D.B. 956, pp. 55. 1921.
table, hot-water process. S.R.S. Doc. 22, p. 8. 1916.
cans per bushel, table. S.R.S. Doc. 97, p. 7. 1919.
carbons, use in making cane sirup. D.B. 1370, pp. 38-39. 1925.
care in the home. Thrift Leaf. 13, p. 4. 1919.

Vegetable(s)—Continued.
  carload shipments from stations in United States, 1920, 1921, 1922, and 1923. S.B. 9, pp. 99. 1925.
  cereal seeds, use and preparation. O.E.S. Bul. 245, pp. 59–60. 1912.
  Chinese—
    description, and adaptability to United States. Y.B., 1915, pp. 221–223. 1916; Y.B. Sep. 671, pp. 221–223. 1916.
    new importations. B.P.I. Bul. 153, p. 7. 1909.
    seed importations and description, Nos. 39465–39484. B.P.I. Inv. 41, pp. 32–33. 1917.
  choosing, judicious combinations. Y.B., 1913, pp. 155–156. 1914; Y.B. Sep. 621, pp. 155–156. 1914.
  chowder, recipe. F.B. 712, p. 21. 1916.
  classification. D.B. 123, pp. 2–9. 1916; Y.B., 1911, pp. 440–444. 1912; Y.B. Sep. 582, pp. 440–444. 1912.
  cleaning for food use, directions. D.B. 123, pp. 11–12, 55. 1916.
  cold dipping after blanching. F.B. 1211, pp. 27–28. 1921.
  cold storage, data from warehousemen. Chem. Bul. 115, pp. 18–23. 1908.
  color, indication of maturity. L. C. Corbett. Y.B., 1916, pp. 99–106. 1917; Y.B. Sep. 686, pp. 8. 1917.
  conditions, July 1, 1914, comparison with other years, by States. F.B. 611, pp. 3, 34. 1914.
  consumption by farm families. F.B. 1082, pp. 9, 14, 19. 1920; Farm M. Cir. 3, p. 5. 1919.
  containers, standards bill. Off. Rec., vol. 1, No. 18, p. 2. 1922.
  cooking—
    and serving. D.B. 123, pp. 54–59. 1916; F.B. 342, pp. 29–30. 1909.
    fireless-cooker recipes. F.B. 771, p. 15. 1916; rev., pp. 14–15. 1918; O.E.S. Syl. 15, p. 8. 1914.
    lessons for first year, and correlative studies. D.B. 540, pp. 25, 27, 28. 1917.
    recipes—
      and principles underlying. F.B. 256, pp. 9–48. 1906; U.S. Food Leaf. 9, pp. 2–4. 1917.
      for saving meat and cereals. F.B. 871, pp. 7–10. 1917.
    time table. F.B. 1202, p. 25. 1921.
    with mutton, recipes. F.B. 526, pp. 17, 18, 20, 22, 25, 28, 29. 1913.
    with rice, recipes. F.B. 1195, pp. 15–16. 1921.
  coppered, action on health and nutrition of man. Alonzo E. Taylor. Rpt. 97, pp. 13–208. 1913.
  crop(s)—
    conditions, June 1, 1914. F.B. 604, pp. 2, 5, 6, 7, 8, 17. 1914.
    diseases, 1907. Y.B., 1907, pp. 581–585. 1908; Y.B. Sep. 467, pp. 581–585. 1908.
    diseases, 1908. Y.B., 1908, pp. 533–534. 1909.
    hosts of onion thrips, list. F.B. 1007, p. 7. 1919.
    insects affecting in Porto Rico. Thomas H. Jones. D.B. 192, pp. 11. 1915.
    marketing methods. Rpt. 98, pp. 161–164, 166, 167, 181, 206, 233, 238, 242, 243, 252. 1913.
    some injurious insects. F. H. Chittenden. Ent. Bul. 33, pp. 117. 1902.
    succession for home garden. S.R.S. Doc. 49, p. 3. 1917.
    See also Truck crops.
  crown-gall inoculation experiments. B.P.I. Bul. 213, p. 34. 1911.
  cruciferous, injury by western cabbage flea-beetle. D.B. 902, pp. 1–2, 4–7, 20. 1920.
  cultivation—
    in Alaska. Alaska A.R., 1907, pp. 24, 47–49, 50–53. 1908.
    in Guam, methods and tools. Guam Bul. 2, pp. 15–17. 1922.
    in Porto Rico. P.R. An. Rpt., 1907, pp. 21–22. 1908.
    prevention of crusts on surface. F.B. 818, pp. 24–25. 1917.
  cultural suggestions. F.B. 818, pp. 28–42. 1917; F.B. 934, pp. 24–44. 1918.
  cut flowers and fruits, freezing temperatures of. R. C. Wright and George F. Taylor. D.B. 1133, pp. 8. 1923.

Vegetable(s)—Continued.
  dehydration details, table of. D.B. 1335, pp. 32–33. 1925.
  description, food-value comparisons. D.B. 975, pp. 5–6, 11–20. 1921.
  destruction by—
    melon fly, Hawaii. Y.B., 1917, pp. 189–190. 1918; Y.B. Sep. 731, pp. 7–8. 1918.
    rats, in field and storage or transit. Biol. Bul. 33, pp. 24–25. 1900.
    rodents. F.B. 484, pp. 12, 38. 1912.
  deterioration in Porto Rico, experimental studies. P.R. Bul. 20, pp. 1–30. 1916.
  diet, value for poultry. B.A.I. Bul. 56, pp. 77, 79. 1904.
  digestion experiments. O.E.S. Bul. 159, pp. 193–195. 1905.
  diseases—
    and insects, control, illustrated lecture. S.R.S. Syl. 27, pp. 11–12. 1917.
    including potatoes, sugar beets, and melons. Y.B., 1900, p. 730. 1901.
    occurring under market, storage, and transit conditions, handbook. George K. K. Link and Max W. Gardner. B.P.I. [Misc.], "Handbook of the * * *," pp. 73. 1919.
    problems in transit and marketing. B.P.I. Chief Rpt., 1923, p. 22. 1923; An. Rpts., 1923, p. 266. 1924.
  dried—
    canned, and pickled, imported into Porto Rico, 1912, table. D.B. 192, p. 2. 1915.
    cooking—
      in fireless cooker. U.S. Food Leaf. 13, p. 4. 1918.
      recipes. F.B. 841, pp. 26–29. 1917; F.B. 916, p. 11. 1917.
    packing and storing. F.B. 841, p. 25. 1917.
    preparation for table, and food value. U.S. Food Leaf., 9, p. 4. 1917.
    storing. D.C. 3, pp. 18–19. 1919.
    test of moisture content. D.B. 1335, p. 26. 1925.
    value, comparison with canned vegetables. O.E.S. Bul. 245, p. 78. 1912.
  drier, uses, method of manufacture. O.E.S. Bul. 245, p. 78. 1912.
  drying—
    and recipes for cooking. F.B. 841, pp. 17–22, 26–29. 1917.
    and storing. D.C. 3, pp. 8–19. 1919; O.E.S. Bul. 245, pp. 77–80. 1912.
    commercially. D.B. 1335, pp. 1–40. 1925.
    community plant, successful management. F.B. 916, pp. 1–12. 1917.
    directions. D.B. 1335, pp. 35–39. 1925; F.B. 984, pp. 47–56. 1918.
    for household use. Y.B., 1911, p. 452. 1912; Y.B. Sep. 583, p. 452. 1912.
    importance and advantages. Sec. Cir. 126, pp. 4–7. 1919.
    increase by war. News L., vol. 6, No. 32, p. 11. 1919.
  early—
    growing on Norfolk fine sand. Soils Cir. 23, pp. 10–15. 1911.
    market, growing on truck soils of Atlantic coast. Y.B., 1912, pp. 422–423, 429–431. 1913; Y.B. Sep. 603, pp. 422–423, 429–431. 1913.
    use of seed box(es)—
      hotbed, and coldframe. F.B. 818, pp. 9–12. 1917; F.B. 934, pp. 9–11. 1918.
      in production. News L., vol. 4, No. 34, p. 1. 1917.
  effect of shading. F.B. 210, pp. 15–19. 1904.
  emergency crops in overflowed lands, Mississippi Valley. B.P.I. Doc. 756, pp. 6–8. 1912.
  experiments at Mandan, N. Dak. D.B. 1337, p. 10. 1925.
  exports—
    1851–1908. Stat. Bul. 75, pp. 62–64. 1910.
    1902–1904. Stat. Bul. 36, pp. 90–91. 1905.
    1921, statistics. Y.B., 1921, pp. 748, 749. 1922; Y.B. Sep. 867, pp. 12, 13. 1922.
    and imports, 1922–1924. Y.B., 1924, pp. 1046, 1065. 1925.
  extension work with, 1923. C. P. Close and others. D.C. 346, pp. 16. 1925.

Vegetable(s)—Continued.
fall—
  garden, late planting dates, table. News L., vol. 6, No. 1, p. 5. 1918.
  growing in the South. News L., vol. 7, No. 1, p. 2. 1919.
farm(s)—
  prices, 1912–1918. Y.B., 1918, pp. 709–710. 1919; Y.B. Sep. 795, pp. 45–46. 1919.
  value per acre, by States and Territories, 1900–1905. Stat. Bul. 43, pp. 13, 14, 15–16, 17, 18, 19, 20, 34, 44. 1906.
fats, kinds, description, and value. D.B. 469, pp. 12–15. 1916.
fermentation—
  and salting. F.B. 1438, pp. 11–12. 1924.
  principles and directions. F.B. 1159, pp. 5–6, 15–17. 1920.
fermented or salted, preparation for table use. F.B. 881, pp. 12–15. 1917.
fertilizers—
  in Guam. Guam Bul. 2, pp. 8–10. 1922.
  of sulphur, experiments. J.A.R., vol. 5, No. 6, pp. 237–239, 241–245. 1915.
  tests. Soils Bul. 67, pp. 58–73. 1910.
flavoring in meat dishes, suggestions. F.B. 391, pp. 37–39. 1910.
food(s)—
  condimental, studies. O.E.S. Bul. 245, pp. 69–70. 1912.
  cost and nutritive value. Y.B., 1902, pp. 397–404. 1903; Y.B. Sep. 280, pp. 397–404. 1903.
  extension course for self-instructed classes in movable schools of agriculture. Anna Barrows. D.B. 123, pp. 78. 1916.
  preparation, extension course. D.B. 123, pp. 1–78. 1916.
  standards. Sec. Cir. 136, pp. 8–9. 1919.
  use and preparation, course for schools of agriculture. Anna Burrows. O.E.S. Bul. 245, pp. 98. 1912.
value(s)—
  and calorie portions in various weights. F.B. 1228, pp. 4–5, 10, 21. 1921.
  and charts showing per cent of constituents supplied. F.B. 1383, pp. 4–5, 9–17. 1924.
  and cooking directions. U.S. Food Leaf. 16, pp. 1–4. 1918.
for winter. U.S. Food Leaf. 9, pp. 4. 1917.
forcing—
  economic importance. F.B. 1431, p. 2. 1924.
  in greenhouses, growth of industry. F.B. 1320, pp. 1–2, 5–6. 1923.
forecasts—
  September, 1913. F.B. 558, pp. 14, 19. 1913.
  October 1, 1913. F.B. 560, pp. 7–8, 13–14. 1913.
freezing temperatures with fruits and flowers. R. C. Wright and George F. Taylor. D.B. 1133, pp. 8. 1923.
fresh, uses. U.S. Food Leaf. 16, pp. 4. 1918.
fumigated, hydrocyanic acid, absorption and retention. D.B. 1149, pp. 5–10. 1923.
garden(s)—
  alkali resistance. F.B. 446, pp. 29, 32. 1911.
  city and surburban. H. M. Conolly. F.B. 936, pp. 52. 1918.
  city home, cultural directions. F.B. 937, pp. 27–53. 1918; F.B. 1044, pp. 21–39. 1919.
  damage by Mexican conchuela, Texas, 1905. Ent. Bul. 64, Pt. I, p. 7. 1907.
  diseases and insect(s)—
    W. W. Gilbert and C. H. Popenoe. F.B. 1371, pp. 46, rev. 1927.
    pests, control. D.C. 35, pp. 5–26. 1919.
  farm, illustrated lecture. H. C. Thompson and H. M. Conolly. S.R.S. Syl. 27, pp. 15. 1917.
  home. W. R. Beattie. F.B. 255, pp. 48. 1906.
  in South. F.B. 647, pp. 1–28. 1915.
  injury by little-known cutworm. Ent. Bul. 109, Pt. IV, p. 47. 1912.
  permanent (with fruits). W. R. Beattie and C. P. Close. F.B. 1242, pp. 23. 1921.
  protection against insects and diseases. F.B. 818, pp. 25–27. 1917.
  small, suggestions for utilizing limited areas. F.B. 818, pp. 44. 1917.

Vegetable(s)—Continued.
garden(s)—continued.
  spraying calendar. S.R.S. Doc. 52, pp. 6–11. 1917.
  surplus distribution and utilization. Mkts. Doc. 6, pp. 1–10. 1917.
grades—
  adoption by Alabama. Off. Rec., vol. 3, No. 6, p. 5. 1924.
  adoption by South Carolina. Off. Rec., vol. 1, No. 40, p. 7. 1922.
  establishment. Off. Rec., vol. 2, No. 35, p. 5. 1923.
green—
  necessity in diet. F.B. 1313, p. 2. 1923.
  use in the diet. C. F. Langworthy. Y.B., 1911, pp. 439–452. 1912; Y.B. Sep. 582, pp. 439–452. 1912.
  value in child's diet, use methods. F.B. 712, pp. 6–7, 8, 10, 25. 1916.
greened with copper salts, influence on nutrition and health of man. Alonzo E. Taylor and others. Rpt. 97, pp. 461. 1913.
greenhouse, crop localization. F.B. 1431, pp. 1–2. 1924.
greening with copper salts, regulations. F.I.D. 102, p. 1. 1908.
growers' associations, reports and by-laws. Rpt. 98, pp. 166–284. 1913.
growing—
  and yield—
    in Oregon, Umatilla experiment farm. 1912. B.P.I. Cir. 129, pp. 28–29. 1913.
    in south Texas. Soil Sur. Adv. Sh., 1909, pp. 35, 51–58, 71, 74, 84, 88–92. 1910; Soils F.O., 1909, pp. 1059, 1075–1082, 1095, 1098, 1108, 1112–1116. 1912.
    on Norfolk sand. Soils Cir. 44, pp. 12–14, 17. 1911.
  as truck, notes and maps. Y.B., 1916, pp. 438–450, 455–465. 1917; Y.B. Sep. 702, pp. 4–16, 21–31. 1917.
  by cotton-mill workers. News L., vol. 5, No. 20, pp. 5–6. 1917.
  by girls' canning clubs, course extension work. News L., vol. 3, No. 28, pp. 2–3. 1916.
  environment experiments. J.A.R., vol. 18, pp. 564, 565–566, 578. 1920.
  for home garden on Truckee-Carson project, Nevada. B.P.I. Cir. 110, pp. 21–25. 1913.
  for seed, by contract. Rpt. 98, pp. 140, 141, 143–145. 1913.
  for winter use, and storing. F.B. 818, p. 43. 1917.
  in Alaska—
    C. C. Georgeson. Alaska Bul. 2, pp. 46. 1905.
    1914, reconnoissance. Soil Sur. Adv. Sh., 1914, pp. 50, 57, 62, 67, 81, 103, 158, 183–184, 192. 1915; Soils F.O., 1914, pp. 66, 84, 96, 101, 114–116, 119, 137, 163, 189, 191–194. 1919.
    central part. Soil Sur. Adv. Sh., 1914, pp. 81–82, 129, 132, 151, 158–160. 1915; Soils F.O., 1914, pp. 115–116, 163, 166, 185, 192–194. 1919.
    conditions, 1905. O.E.S. Bul. 169, pp. 34–39, 51–53, 58–65. 1906.
    Kenai Peninsula region. Soil Sur. Adv. Sh., 1916, pp. 70–78, 85, 86, 95–98, 133, 141. 1919; Soils F.O., 1916, pp. 102, 108, 117, 118, 125, 127–130. 1921.
  in Arizona, Yuma experiment farm, yields. W.I.A. Cir. 7, pp. 20–22. 1915; W.I.A. Cir. 25, pp. 41–45. 1919.
  in California, Yuma experiment farm. D.C. 75, pp. 46–64. 1920.
  in Georgia and Florida. Soils Cir. 21, pp. 4–7, 12, 14, 16, 20, 21. 1910.
  in Guam—
    Glen Briggs. Gaum Bul. 2, pp. 60. 1922.
    control of fungi attacking, formulas. Guam Bul. 2, pp. 21–22. 1922.
    cultural directions. Guam Cir. 2, pp. 9–15. 1921.
  in Hawaii, peculiarities. Ent. Bul. 109, Pt. I, pp. 1–2. 1911.
  in home gardens. S.R.S. Doc. 49, pp. 1–12. 1918.
  in Nebraska, water requirements. B.P.I. Doc. 1081, p. 19. 1914.

Vegetable(s)—Continued.
  growing—continued.
    in Nevada, Truckee-Carson experiment farm, 1912. B.P.I. Cir. 122, pp. 21-22. 1913.
    in Porto Rico—
      H. C. Henricksen. P.R. Bul. 7, pp. 58. 1906; Spanish edition, pp. 64. 1906.
      experiments with imported seed. P.R. Bul. 20, pp. 10-26. 1916.
      keeping qualities and seed preservation. P.R. Bul. 20, p. 32. (Also Spanish edition.) 1919.
    in South Dakota, cost and yield per acre. O.E.S. Bul. 210, pp. 26-27. 1909.
    in various counties and areas. See Soil surveys.
    in various States, relative importance. F.B. 1289, pp. 5, 6, 14, 18, 23. 1923.
    in Wyoming, acreage and value. O.E.S. Bul. 205, pp. 23-24. 1909.
    length of season. D.C. 48, p. 6. 1919.
    on irrigation projects, methods. B.P.I. Cir. 83, p. 9. 1911.
    on sassafras soils, yields. D.B. 159, pp. 20-23, 27, 31, 33, 36, 45-47, 49. 1915.
    on small lots by cotton-mill operatives. D.B. 602, pp. 4-7. 1918.
    under irrigation, California, Yuma experiment farm. W.I.A Cir. 12, pp. 17-23. 1916; W.I.A. Cir. 20, pp. 37-40. 1918.
  growth—
    effect of boron-treated manure, experiment. J.A.R., vol. 13, pp. 456-463. 1918.
    on the Clyde loam. Soils Cir. 37, pp. 8-9, 13. 1911.
  hauling from farm to shipping points, costs. Stat. Bul. 49, pp. 31-32, 41. 1907.
  Hawaiian—
    free list. F.H.B.S.R.A. 47, p. 144. 1918.
    local shipment in quarantined area, regulations. F.H.B, Quar. No. 13, rev., pp. 2-3. 1917.
    preservation. Hawaii A.R., 1921, p. 40. 1922.
    quarantine against Mediterranean fruit fly and melon fly, regulations. F.H.B.S.R.A. 2, pp. 2-4, 6-8. 1914.
  home—
    storage, how teachers may use department bulletins on. Alvin Dille. S.R.S. [Misc], "How teachers may use * * *," pp. 2. 1918.
    value in 1919, map. Y.B., 1921, p. 458. 1922; Y.B. Sep. 878, p. 52. 1922.
  immature, harvesting, disadvantages. Y.B., 1916, pp. 105-106. 1917; Y.B. Sep. 686, pp. 7-8. 1917.
  immune to Thielavia basicola, list. J.A.R., vol. 7, p. 295. 1916.
  importations under quarantine, 1924. F.H.B. An. Rpt., 1924, pp. 23-28. 1924.
  imports and exports—
    1903-1907. Y.B., 1907, pp. 746, 755. 1908; Y.B. Sep. 465, pp. 746, 755. 1908.
    1906-1910, and imports, 1851-1910. Y.B., 1910, pp. 664, 673, 681, 683. 1911; Y.B. Sep. 554, pp. 664, 673, 681, 683. 1911.
    1907-1911. Y.B., 1911, pp. 667, 676. 1912; Y.B. Sep. 588, pp. 667, 676. 1912.
    1908-1912. Y.B., 1912, pp. 725, 735. 1913; Y.B. Sep. 615, pp. 725, 735. 1913.
    1911-1913. Y.B., 1913, pp. 500, 506. 1914; Y.B. Sep. 361, pp. 500, 506. 1914.
    1917. Y.B., 1917, pp. 767, 774, 776. 1919; Y.B. Sep. 762, pp. 11, 18, 20. 1919.
    1918. Y.B., 1918, pp. 634, 641. 1919; Y.B. Sep. 794, pp. 10, 17. 1919.
    1919-1921. Y.B., 1922, pp. 954, 960, 961. 1923; Y.B. Sep. 880, pp. 954, 960, 961. 1923.
  improved utilization. Sec. A.R., 1924, p. 70. 1924.
  increase in acreage. Sec. A.R., 1924, pp. 9-10. 1924.
  infestation with dipterous larvae. Ent. T.B. 22, pp. 18, 23, 26, 28, 31, 32, 34, 35. 1912.
  injury by—
    bean thrips. Ent. Bul. 118, pp. 8, 16, 24, 27, 28. 1912.
    common red spider, list, control. Ent. Cir. 104, pp. 4, 6-10. 1909.
    corn borer. F.B. 1294, pp. 5, 11, 16-19. 1922.
    granulated cutworms. D.B. 703, pp. 9-10. 1918.

Vegetable(s)—Continued.
  injury by—continued.
    harlequin cabbage bug. F.B. 1061, pp. 8-9. 1920.
    southern green plant-bug. D.B. 689, pp. 2-3, 13-14. 1918.
    starlings. D.B. 868, pp. 34-35. 1921.
  insects—
    and diseases in Porto Rico. P.R. An. Rpt., 1907, pp. 35-36. 1908.
    and diseases of, and how to combat them. C. P. Close. S.R.S. Doc. 52, pp. 10. 1917.
    Hawaiian beet webworm. H. O. Marsh. Ent. Bul. 109, Pt. I, pp. 15. 1911.
    injurious, 1907. Y.B., 1907, pp. 543-546. 1908; Y.B. Sep. 472, pp. 543-546. 1908.
  inspection—
    and certification, regulations. B.A.E.S.R.A. 85, pp. 6. 1924.
    at shipping points. Off. Rec., vol. 1, No. 29, p. 7. 1922; Off. Rec., vol. 1, No. 42, p. 4. 1922; Off. Rec., vol. 1, No. 50, p. 3. 1922; Off. Rec., vol. 2, Nos. 32, 33, p. 4. 1923; Off. Rec., vol. 2, No. 34, p. 5. 1923.
  irrigation—
    in Montana, hints. B.P.I. Doc. 462, p. 2. 1909.
    methods. F.B. 263, pp. 35-36. 1906; F.B. 864, pp. 33-34. 1917.
  ivory. See Ivory, vegetable.
  Japanese—
    chemical composition. O.E.S. Bul. 159, pp. 40, 43-44. 1905.
    experiments with the udo. David Fairchild. D.B. 84, pp. 15. 1914.
  judging at shows, scales and regulations. D.C. 62, p. 27. 1919.
  leafy, value as food. B.A.I. [Misc.], "World's dairy congress, 1923," p. 422. 1924.
  loaf, utilization of, beans, peas, or cowpeas. F.B. 712, p. 23. 1916.
  losses, and changes in cooking. F.B. 256, pp. 11-13. 1906.
  manures and fertilizers for farm garden. F.B. 937, pp. 9-11. 1918.
  market—
    acreage in 1919, map. Y.B., 1921, p. 459. 1922; Y.B. Sep. 878, p. 53. 1922.
    periods, Atlantic and Gulf coastal plains. Soils Bul. 78, pp. 16-17. 1911.
    receipts, 1916-1921. Y.B., 1921, pp. 652-656. 1922; Y.B. Sep. 869, pp. 72-76. 1922.
    reporting service, details of work. Y.B., 1920, pp. 136-139. 1921; Y.B. Sep. 834, pp. 136-139. 1921.
    transportation, demand, supply, and distribution. Y.B., 1911, pp. 167-176. 1912; Y.B. Sep. 558, pp. 167-176. 1912.
  marketing—
    1923. Y.B., 1923, pp. 787-789. 1924; Y.B. Sep. 900, pp. 787-789. 1924.
    1924. B.A.E. Chief Rpt., 1924, pp. 31-35. 1924.
    bibliography. M.C. 35, pp. 41-44. 1925.
    by parcel post, selection and preparation. F.B. 703, pp. 15-19. 1916.
    news service, 1920. An. Rpts., 1920, pp. 541-543, 545-546. 1921.
    primary outlets for producers. D.B. 266, pp. 7-17. 1915.
    school work on problems. S.R.S. Doc. 72, pp. 2-6. 1917.
    wholesale, methods. D.B. 267, pp. 1-28. 1915.
  marrow—
    preparation for the table. F.B. 255, p. 45. 1906.
    See also Avocado.
  mixed, shipments by States and by stations, 1916. D.B. 667, pp. 13, 190-194. 1918.
  mixtures, canning directions. F.B. 853, pp. 22-23, 27. 1917; F.B. 1211, pp. 48, 50. 1921.
  mulching, practices. F.B. 202, pp. 8-12. 1904.
  new Japanese, udo, experiments with. David Fairchild. D.B. 84, pp. 15. 1914.
  oils—
    digestion experiments. D.B. 781, pp. 8-10, 12-16. 1919.
    exports and imports. Y.B., 1924, p. 835. 1925.
    food use and value. Y.B., 1902, p. 402. 1903.
    use as food. O.E.S. Bul. 245, p. 69. 1912.

INDEX TO PUBLICATIONS, 1901–1925   2521

Vegetable(s)—Continued.
  oyster. *See* Salsify.
  packing in jars and cans for canning, directions. F.B. 1211, pp. 29, 31–32. 1921.
  perennial—
    for family garden. F.B. 1242, pp. 4–9. 1921.
    shipments by States and by stations, 1916. D.B. 667, pp. 12, 182–183. 1918.
  pickling directions. D.B. 123, pp. 68–71. 1916.
  planting—
    dates for—
      different localities, table. F.B. 1044, p. 17. 1919.
      fall garden. S.R.S. Doc. 84, p. 7. 1919.
    directions for club members. D.C. 48, pp. 7–10. 1919.
    in Guam, directions for club members. Guam Bul. 2, pp. 10–14. 1922; Guam Cir. 2, pp. 7–15. 1921.
    in open, dates, depths, and other details. F.B. 818, pp. 16–24. 1917.
    latest dates, East and West. F.B. 937, pp. 21–23. 1918.
    seed rates, cultural directions. S.R.S. Doc. 49, pp. 4–7. 1917.
    tables for cotton States, spacing and dates. F.B. 1015, pp. 8–9. 1919.
  preparation, for—
    canning. F.B. 853, pp. 13–14. 1917; F.B. 1211, p. 15. 1921.
    drying. F.B. 916, pp. 9–10. 1917.
    table. Maria Parloa. F.B. 256, pp. 48. 1906.
    young children. F.B. 717, rev., pp. 15–16. 1920.
  preservation—
    by fermentation and salting. L. A. Round and H. L. Lang. F.B. 881, pp. 15. 1917.
    by fermentation, methods. News L., vol. 4, No. 47, p. 6. 1917.
    in transit and storage. An. Rpts., 1920, pp. 563–564. 1921.
    teaching by use of F.B. 881. Alvin Dille. S.R.S. [Misc.], "How teachers may use ***," pp. 2. 1918.
  preserving and canning methods. D.B. 123, pp. 59–62. 1916; O.E.S. Bul. 245, pp. 81–86. 1912.
  processing directions, and time table. F.B. 1211, pp. 43–50. 1921.
  products—
    cost factors. Y.B., 1912, p. 354. 1913; Y.B. Sep. 597, pp. 354. 1913.
    definitions and standards. Chem. [Misc.], "Food definitions and standards," pp. 4–10. 1903.
    distribution under cooperative system. Y.B., 1912, pp. 356, 362. 1913; Y.B. Sep. 597, pp. 356, 362. 1913.
    food standards. Sec. Cir. 136, pp. 6–21. 1919.
    marketing, cooperative method. Y.B., 1912, pp. 353–362. 1913; Y.B. Sep. 597, pp. 353–362. 1913.
    purity standards. Sec. Cir. 136, pp. 6–21. 1919.
    purity standards. Sec. Cir. 136, pp. 8–9. 1919.
  quarantine—
    for citrus black fly, regulations. F.H.B. Quar. 49, pp. 2–4. 1921.
    for Japanese beetle. F.H.B. Quar. 40, pp. 1–2. 1920.
    orders and announcements. F.H.B.S.R.A. 77, pp. 157–164. 1924.
  resistance to—
    alkali salts, table. Soils Bul. 35, p. 42. 1906.
    melon fly. D.B. 643, p. 22. 1918.
  root, use of leaves and stems as potherbs. D.B. 503, p. 2. 1917; O.E.S. Bul. 245, pp. 45–48. 1912.
  salad oil, misbranding. Chem. N.J. 12525. 1925.
  sales to canners, methods. Y.B., 1909, p. 172. 1910; Y.B. Sep. 502, p. 172. 1910.
  sauces and seasonings. F.B. 256, pp. 43–48. 1906.
  scalding—
    before canning, apparatus, methods, details, and effects. D.B. 1265, pp. 3–33, 37–38. 1924.
    blanching and sterilizing, time table. F.B. 839, pp. 29–30, 31. 1917.
  score card for school use. D.B. 132, p. 36. 1915.
  seed(s)—
    crop condition, June 28, 1918, estimates. News L., vol. 6, No. 1, p. 8. 1918.

Vegetable(s)—Continued.
  seed(s)—continued.
    exports, 1914–1918. Y.B., 1918, pp. 196, 198. 1919; Y.B. Sep. 775, pp. 4, 6. 1919.
    for the home and market garden. W. W. Tracy, sr., and D. N. Shoemaker. F.B. 1390, pp. 14. 1924.
    germination—
      Edgar Brown and Willard L. Goss. B.P.I. Bul. 131, pp. 5–10. 1908.
      necessity for guarantee. B.P.I. Cir. 101, p. 9. 1912.
    growing—
      as a business. Y.B., 1909, pp. 273–284. 1910; Y.B. Sep. 512, pp. 273–284. 1910.
      conditions and practices. B.P.I. Bul. 184, pp. 8–14. 1910.
      in various sections, demand and supply. Y.B., 1917, pp. 502, 503, 529–535. 1918; Y.B. Sep. 757, pp. 8, 9, 35–41. 1918.
      localities, acreage, yields, production, and consumption. Y.B., 1918, pp. 199–208. 1919; Y.B., Sep. 775, pp. 7–16. 1919.
    holding for replanting emergencies. News L., vol. 4, No. 37, p. 2. 1917.
    home gardens, selection time and methods. F.B. 936, pp. 15–17. 1918.
    packeted, germination of. Edgar Brown and W. L. Goss. B.P.I. Cir. 101, pp. 9. 1912.
    planting dates, quantities. F.B. 934, pp. 18–22. 1918; F.B. 937, pp. 18–21. 1918.
    prices, 1917, 1918, effect of the war. Y.B., 1918, pp. 209–211. 1919; Y.B. Sep. 775, pp. 17–19. 1919.
    production—
      1917–1919. Y.B., 1919, p. 734. 1920; Y.B. Sep. 830, p. 734. 1920.
      in Alaska for home use, advantage. Alaska A.R., 1911, pp. 26–27. 1912.
      in various States, stimulation of industry by war conditions. News L., Vol. 6, No. 13, p. 4. 1918.
      sweet corn, garden peas, and beans. W. W. Tracy, sr. B.P.I. Bul. 184, pp. 39. 1910.
      quantity for a family of four, estimate. F.B. 934, p. 15. 1918; S.R.S. Doc. 46, p. 2. 1917.
      shortage for 1919, and saving for 1918 urged. News L., vol. 5, No. 34, p. 7. 1918.
      statistics, acreage, yields, production, prices, and imports. S.B. 2, pp. 83–95. 1924.
    selection—
      for canning. F.B. 1211, pp. 7–8, 9, 25–26. 1921.
      for color in gathering seeds for home gardens. S.R.S. Doc. 87, p. 2. 1918.
      storage, and washing for table use. F.B. 375, pp. 24–25, 33, 39–41. 1909.
    shipments and unloads, 1918–1923, and fruits. S.B. 7, pp. 110. 1925.
    shipping, efficiency of short-type refrigerator car. D.B. 1353, pp. 1–28. 1925.
    shows, schedules, classes, arrangement, judging, and premiums. D.C. 62, pp. 6–11, 17–27, 32–34. 1919.
    sorting table, construction, school exercise. D.B. 527, pp. 25–26. 1917.
    soups, canning directions. F.B. 839, pp. 26, 31. 1917; F.B. 853, pp. 21, 27. 1917; S.R.S. Doc. 9, pp. 1–2. 1915.
    spoilage in transit and marketing studies. B.P.I. Chief Rpt., 1921, p. 33. 1921.
    spraying, danger of poisoning, study. D.B. 1027, pp. 1, 16–58. 1922.
    standards and grades, use. Off. Rec., vol. 3, No. 36, p. 4. 1924.
    statistics—
      1919. Y.B. 1919, pp. 13, 690, 697. 1920; Y.B. Sep. 829, pp. 690, 697. 1920.
      1923. Y.B. 1923, pp. 731–789. 1924; Y.B. Sep. 900, pp. i–ii, 731–789. 1924.
      1924. Y.B., 1924, pp. 664–739, 1043–1047, 1065, 1145, 1204–1205. 1925.
    storage—
      at home. James H. Beattie. F.B. 879, pp. 22. 1917.
      for winter use. F.B. 934, p. 24. 1918.
      in the home. F.B. 1374, p. 9. 1923.
    strong-smelling, cooking methods. F.B. 342, p. 30. 1909.
    structure and composition. F.B. 256, pp. 5–6. 1906.

Vegetable(s)—Continued.
  succulent, composition, and comparison with
    milk. Y.B. 1911, pp. 441, 447. 1912; Y.B.
    Sep. 582, pp. 441, 447. 1912.
  supply—
    family for a week, and place in menu. F.B.
      1228, pp. 8-11, 19. 1921.
    sources. Y.B. 1911, p. 171. 1912; Y.B. Sep.
      558, p. 171. 1912.
  surplus—
    distribution and utilization. Mkts. Doc. 6,
      pp. 1-10. 1917.
    keeping for winter use. News L., vol. 6, No. 7,
      p. 7. 1918.
    preserving and utilization, methods. F.B.
      936, pp. 34-35. 1918.
  susceptibility to—
    arsenical poisoning, differences. J.A.R., vol. 24,
      pp. 511-514. 1923.
    Sclerotium rot in South. J.A.R., vol. 18, pp.
      127, 130, 133. 1919.
  table, cultivation, and marketing. O.E.S. Bul.
    245, pp. 91-94. 1912.
  testing—
    commercial varieties. W. W. Tracy, jr. Y.B.,
      1900, pp. 543-550. 1901; Y.B. Sep. 220, pp.
      543-550. 1901.
    in Nebraska. B.P.I. Cir. 116, p. 21. 1913.
  thrips-resistant, availability in onion growing.
    F.B. 1007, p. 9. 1919.
  trade—
    customs and market conditions, studies. O.E.S.
      Bul. 245, pp. 92-93. 1912.
    with foreign countries, exports and imports.
      D.B. 296, pp. 40-41. 1915.
  tropical, the chayote. O. F. Cook. Bot. Bul. 28,
    pp. 31. 1901.
  unmailable in Hawaii, instructions. F.H.B.-
    S.R.A. 3, p. 21. 1914.
  unwashed, danger of infection by larvae of crane
    fly. Ent. Bul. 85, p. 131. 1911.
  use with cheese in soups. F.B. 487, pp. 32-33.
    1912.
  value—
    as hen feed. F.B. 889, p. 18. 1917.
    in diet, and week's supply for average family.
      F.B. 1313, pp. 2-3, 6-8. 1923.
    of cacti. B.P.I. Bul. 262, p. 16. 1912.
  varietal tests at—
    field station near Mandan, N. Dak. D.B. 1301,
      pp. 41-43. 1925.
    Yuma experiment farm, in 1910-1920. D.C.
      221, pp. 31-35. 1922.
  varieties—
    adaptability to Alaska, experiments. Alaska
      A.R., 1911, pp. 16-21, 26-27, 29, 40-42, 44-45,
      47-49, 66, 68-75. 1912.
    growing—
      directions. F.B. 936, pp. 35-52. 1918.
      on Truckee-Carson project, yield. B.P.I.
        Cir. 78, pp. 14-17. 1911.
      in Porto Rico, supposed deterioration of, ex-
        periments on. C. F. Kinman and T. B.
        McClelland. P. R. Bul. 20, pp. 30. 1916.
    sowing the seed and setting the plants, methods,
      depths, and distances. S.R.S. Doc. 49, pp.
      7-12. 1918.
    time from planting to table use. S.R.S. Doc.
      49, p. 7. 1918.
  vine, cultural directions. F.B. 1044, pp. 37-39.
    1919.
  waste, canning instructions for home clubs.
    O. H. Benson. S.R.S. Doc. 17, pp. 6. 1915.
  water content, list. News L., vol. 4, No. 37, p. 4.
    1917.
  weights and measures. O.E.S. Bul. 245, p. 92.
    1912.
  wholesale distribution and routes, studies. News
    L., vol. 3, No. 4, p. 4. 1915.
  wild plants, Palestine, useful for arid regions.
    B.P.I. Bul. 180, p. 35. 1910.
  wilted, unhealthiness. Y.B., 1911, p. 446. 1912;
    Y.B. Sep. 582, p. 446. 1912.
  yield—
    of cans per bushel. F.B. 853, p. 23. 1917.
    of dry product per 100 pounds, table. F.B. 984,
      p. 61. 1918.
    per 100-foot row, table. F.B. 1015, p. 7. 1919.
    under irrigation, Oregon. O.E.S. Bul. 226, pp.
      42, 45, 54, 56, 58, 59. 1910.

Vegetation—
  and alkali soils, mutual relations. Thomas H.
    Kearney and Frank K. Cameron. Rpt. 71,
    pp. 78. 1902.
  and animal life, injury by smelter wastes. J. K.
    Haywood. Chem. Bul. 113, pp. 40. 1908; rev.,
    pp. 63. 1910.
  and climate. Charles E. Linney. W.B. Bul. 31,
    pp. 98-104. 1902.
  Bear River marshes, Utah, value as duck food.
    D.B. 936, pp. 10-14. 1921.
  characteristic of alluvial land, Mississippi Valley.
    O.E.S. An. Rpt., 1908, p. 411. 1909.
  correlation with soil moisture and crop produc-
    tion. B.P.I. Bul. 201, pp. 11-15, 82. 1911.
  development stages and plant types on ranges.
    D.B. 791, pp. 2-54. 1919.
  effect of fungus fairy rings in eastern Colorado.
    J.A.R., vol. 11, pp. 229-237, 238-240. 1917.
  forest, environmental conditions, measurement.
    D.B. 1059, pp. 11-168. 1922.
  grazing land, damage from white ants. F.B.
    1037, pp. 8-9. 1919.
  green, varieties, use as food for beavers. D.B.
    1078, p. 26. 1922.
  Hawaiian, abundant growth cause of fruit fly
    ravages. D.B. 640, p. 25. 1918.
  herbaceous, of forests in Southwest. D.B. 1105,
    pp. 34-35, 38-55, 66-67, 137. 1923.
  in Central America, effect of agriculture. O. F.
    Cook. B.P.I. Bul. 145, pp. 30. 1909.
  indicator value. An. Rpts., 1910, pp. 305, 325.
    1911; B.P.I. Chief Rpt., 1910, pp. 35, 55. 1910.
  injury by—
    coke smoke. Y.B., 1909, pp. 323, 330. 1910;
      Y.B. Sep. 516, pp. 323, 330. 1910.
    rose chafer, control studies. News L., vol. 3,
      No. 43, pp. 1, 3. 1916.
    salt and kerosene in killing barberry. D.C.
      356, p. 4. 1925.
    smelter fumes—
      J. K. Haywood. Chem. Bul. 89, pp. 23.
        1905.
      analyses showing arsenic content. B.A.I.
        An. Rpt., 1908, pp. 241-242. 1910.
      smoke and gasses. F.B. 225, pp. 5, 7. 1905.
  Kansas pastures, effect of burning. R. L. Hensell.
    J.A.R. vol. 23, pp. 631-644. 1923.
  native—
    at Northern Great Plains Field Station, effects
      of different systems and intensities of grazing
      upon. J. T. Sarvis. D.B. 1170, pp. 46. 1923.
    guide in soil utilization. Soils Bul. 55, pp. 35-
      38. 1909.
    indication of soil. F.B. 864, p. 4. 1917.
    of alkali soils, potash source possibilities.
      S.R.S. Rpt., 1916, Pt. I, p. 263. 1918.
    of United States. Y.B., 1921, p. 421. 1922;
      Y.B. Sep. 878, p. 15. 1922.
    of sorghum belt of Great Plains. D.B. 1260,
      pp. 9-10. 1924.
    of western North Dakota, Mandan field sta-
      tion. J.A.R., vol. 19, pp. 63-72. 1920.
  natural—
    as indicator of capabilities of land for crop pro
      duction in the Great Plains area. H. L.
      Shantz. B.P.I. Bul. 201, pp. 100. 1911.
    of United States. Atl. Am. Ag. Adv. Sh. 6,
      pp. 29. 1924.
    See Soil surveys for various States, counties, and
      areas.
  percentage removed in grazing different areas to
    head. D.B. 1170, pp. 15-17, 40-41. 1923.
  range lands, life history and growth requirements.
    Arthur W. Sampson. J.A.R., vol. 3, pp. 93-
    148. 1914.
  ranges, southwestern, description and protection.
    D.B. 588, pp. 3, 5-9, 23-24, 28-29. 1917.
  semiarid and United States, types and signifi-
    cance. A. E. Aldous and H. L. Shantz. J.A.R.
    vol. 28, pp. 99-128. 1924.
  Tooele Valley, Utah, classification, types, and
    associations. J.A.R., vol. 1, pp. 374-413. 1914.
  types—
    eastern Colorado, study. B.P.I. Bul. 201, pp.
      19-62. 1911.
    in Utah, Tooele Valley, physicochemical
      characters. J.A.R., vol. 27, pp. 895-918.
      1924.

Vegetation—Continued.
   wild, usefulness as alkali indicators, Oregon, Klamath area. Soil Sur. Adv. Sh., 1908, pp. 43–44. 1910.
   yield on fenced area of protected range. B.P.I. Bul. 177, pp. 19–21. 1910.
Vegetative—
   associations, climate and plant growth in. Arthur W. Sampson. D.B. 700, pp. 72. 1918.
   organs, sugarcane, anatomy of. Ernst Artschwager. J.A.R., vol. 30, pp. 197–241. 1925.
   propagation—
      application to leguminous forage plants. J. M. Westgate and George W. Oliver. B.P.I. Bul. 102, pp. 33–37. 1907.
      plants, as method of line breeding. B.P.I. Bul. 146, pp. 11–13, 15–17. 1909.
      succession under irrigation. J. Francis Macbryde. J.A.R., vol. 6, No. 19, pp. 741–760. 1916.
Vehicle(s)—
   and implement woods, tests of. H. B. Holyroyd and H. S. Betts. For. Cir. 142, pp. 29. 1908.
   appropriations, March 5, 1915. Sol. [Misc.], "Laws applicable * * * Agriculture," Sup. 3, p. 7. 1915.
   cleaning and disinfecting in pink bollworm quarantine. F.H.B. Quar. 52, p. 7. 1921.
   construction, use of ash lumber. D.B. 523, pp. 30, 48, 49. 1917.
   cubical contents of road materials, table. D.B. 660, p. 44. 1918.
   demand for hickory and oak woods. Y.B., 1918, p. 321. 1919; Y.B. Sep. 779, p. 7. 1919.
   disinfection—
      for moving livestock, rules. B.A.I.O. 273, pp. 3–7, 17, 21, 26, 29, 33. 1921; B.A.I.O. 292, pp. 3–15, 17, 21, 24. 1925.
      general provisions. B.A.I.O. 245, pp. 3–6, 14–15, 23, 26. 1916; B.A.I.O. 263, pp. 26–27. 1919.
   factor in gipsy-moth spread. Ent. Bul. 119, pp. 8, 10, 11. 1913.
   horse-drawn, manufacture and sale, 1920, by kinds. D.C. 212, pp. 9–10. 1922.
   industry, hickory requirements. For. Bul. 80, pp. 7–9. 1910.
   inspection and cleaning in Japanese beetle quarantine. F.H.B. Quar. 48, rev., p. 4. 1922.
   manufacture from—
      basswood and other woods. D.B. 1007, p. 43. 1922.
      black walnut. D.B. 909, pp. 71–72, 89. 1921.
      elm lumber. D.B. 683, pp. 20–22, 40, 41, 42, 43. 1918.
      various woods and quantity used. D.B. 605, pp. 8–17. 1918; Rpt. 117, pp. 47–49, 72. 1917.
   milk transportation in England, inspection and control. B.A.I., [Misc.], Dairy "World's dairy congress, 1923," pp. 808–811. 1924.
   motor—
      increase in traffic and road needs. Y.B., 1919, pp. 53–54. 1920.
      purchase and restriction. Sol. [Misc.], "Laws applicable * * * Agriculture," Sup. 2, pp. 7–8. 1915.
      registrations—
         1924, by States. Y.B., 1924, pp. 1200–1201. 1925.
         and revenues, 1914. Sec. Cir. 49, pp. 1. 1915.
   official business, exchange, authorization. Off. Rec., vol. 1, No. 28, p. 2. 1922.
   personally-owned, mileage rates. B.A.I.S.R.A. 192, p. 42. 1923.
   purchase for executive departments, restrictions. Sol. [Misc.], "Laws applicable * * * Agriculture," Sup. 2, pp. 60, 102–103. 1915.
   stock—
      use of wood in Arkansas. For. Bul. 106, pp. 14–15. 1912.
      woods in demand by manufacturers. Y.B., 1914, p. 449. 1915; Y.B. Sep. 651, p. 449. 1915.
   transportation of quarantined plants, and cleaning. F.H.B. Quar. 43, rev., reg. 8, pp. 6–7. 1922.
VEIHMEYER, F. J.—
   "Pineapple rot caused by *Thielaviopsis paradoxa*." With others. B.P.I. Bul. 171, Pt. II, pp. 15–35. 1910.

VEIHMEYER, F. J.—Continued.
   "The mycogone disease of mushrooms and its control." D.B. 127, pp. 24. 1914.
Veins, horse, diseases, description and treatment. B.A.I. [Misc.], "Diseases of the horse," rev., pp. 246–247. 1903; rev., pp. 246–247. 1907; rev., pp. 246–247. 1911; rev., pp. 268–270. 1923.
VEITCH, F. P.—
   "A modification of the Herzfeld-Bohme method for the detection of mineral oil in other oils." With Marion G. Donk. Chem. Cir. 85, pp. 15. 1912.
   "American sumac: A valuable tanning material and dyestuff." With J. S. Rogers. D.B. 706, pp. 12. 1918.
   "Chemical methods for utilizing wood, including destructive distillation, recovery of turpentine, rosin, and pulp, and the preparation of alcohols and oxalic acid." Chem. Bul. 36, pp. 47. 1907.
   "Commercial Sicilian sumac." Chem. Bul. 117, pp. 32. 1908.
   "Commercial turpentines." With M. G. Donk. Chem. Bul. 135, pp. 46. 1911.
   "Country hides and skins." With others. F.B. 1055, pp. 64. 1919.
   "Grading rosin at the still." With C. F. Sammet. Chem. Cir. 100, pp. 4. 1912.
   "Home tanning." With others. D.C. 230, pp. 22. 1922.
   "Home tanning of leather and small fur skins." With others. F.B. 1334, pp. 29. 1923.
   "Leather investigations: The composition of some sole leathers." With J. S. Rogers. Chem. Bul. 165, pp. 20. 1913.
   "Official and provisional methods of analysis, A. O. A. C." With others. Chem. Bul. 107, pp. 230. 1907.
   "Paper-making materials and their conservation." Chem. Cir. 41, pp. 20. 1908.
   "Paper specifications." Rpt. 89, pp. 13–51. 1918.
   "Pulp and paper and other products from waste resinous woods." With J. L. Merrill. Chem. Bul. 159, pp. 28. 1913.
   report on—
      soils. Chem. Bul. 73, pp. 101–113. 1903; Chem. Bul. 81, pp. 134–146. 1904.
      tannin. Chem. Bul. 116, pp. 87–89. 1908; Chem. Bul. 132, pp. 189–192. 1910.
   "Some special uses of industrial alcohol." Chem. Bul. 130, pp. 138–141. 1910.
   "Suitable paper for permanent records." Y.B. 1908, pp. 261–266. 1909; Y.B. Sep. 479, pp. 261–266. 1909.
   "The care of leather." With others. F.B. 1183, rev., pp. 18. 1920; rev., pp. 22. 1922.
   "Turpentine: Its sources, properties, uses, transportation, and marketing." With V. E. Grotlisch. D.B. 898, pp. 51. 1920.
   "Wearing qualities of shoe leathers." With others. D.B. 1168, pp. 25. 1923.
   "Wood turpentine: Its production, refining, properties, and uses." With M. G. Donk. Chem. Bul. 144, pp. 76. 1911.
Velvet bean(s)—
   C. V. Piper. S.R.S. Doc. 44, pp. 6. 1917.
   C. V. Piper and W. J. Morse. F.B. 1276, pp. 27. 1922.
   S. M. Tracy and H. S. Coe. F.B. 962, pp. 39. 1918.
   acreage—
      and production, Southern States, 1916, 1918. D.C. 85, p. 19. 1920; S.R.S. Doc. 96, p. 16. 1919.
      and yield, 1923. Y.B., 1923, p. 794. 1924; Y.B. Sep. 901, p. 794. 1924.
      in 1918, studies. Sec. Cir. 75, p. 12. 1917.
      in 1919, map. Y.B., 1921, p. 444. 1922; Y.B. Sep. 878, p. 38. 1922.
      in South, 1916, 1917. F.B. 962, p. 11. 1918.
   and corn silage, value in South, and analysis. D.B. 827, pp. 42–43. 1918.
   as green manure, experiment. F.B. 278, p. 21. 1907.
   caterpillar, injury to velvet bean, description, distribution, and control. F.B. 1276, p. 27. 1922.
   cattle-feeding tests in South. News L., vol. 5, No. 49, p. 7. 1918.

Velvet bean (s)—Continued.
Chinese and Japanese varieties, description. F.B. 962, pp. 8-9. 1918.
composition—
  analysis. D.B. 1333, p. 1. 1925.
  and feeding value, experiments. F.B. 1276, pp. 22-27. 1922.
conditions in California and Florida, October 1, 1914, estimate. F.B. 629, p. 12. 1914.
cover crop for pecan orchards. D.B. 1102, p. 12. 1922.
description—
  and value. S.R.S. Syl. 34, p. 18. 1918.
  and varieties. F.B. 962, pp. 4-9. 1918.
  growing, uses, and varieties. D.C. 121, pp. 3. 1920.
digestibility studies, singly or in mixtures. J.A.R. vol. 13, pp. 611-618. 1918.
distribution, extent of culture, 1919-1921. D.B. 1276, pp. 8-10. 1922.
effect on—
  oat crop following. F.B. 1121, p. 9. 1920.
  succeeding crops, experiments. F.B. 1276, p. 20. 1922.
feed value, composition, and results. F.B. 962, pp. 30-36, 38-39. 1918.
feeding—
  methods and results. D.B. 1333, pp. 3-26. 1925.
  to livestock, practices and caution. F.B. 1125, rev., p. 42. 1920.
  value of pods and seeds, experiments. S.R.S. Doc. 44, p. 5. 1917.
fertilizer constituents, comparison with other legumes. F.B. 1153, p. 22. 1920.
Florida—
  and related plants. C. V. Piper and S. M. Tracy. B.P.I. Bul. 179, pp. 26. 1910.
  botanical identification. B.P.I. Bul. 141, Pt. III, pp. 28-32. 1909.
  classification and analytical description. B.P.I. Bul. 179, pp. 8, 11-12. 1910.
  crossing with Lyon bean, results. J.A.R., vol. 5, No. 10, pp. 410-419. 1915.
  description, history, and use. B.P.I. Bul. 141, Pt. III, pp. 25-32. 1909.
  in Porto Rico, value as cover crop. P.R. Bul. 19, p. 19. 1916.
from Java, collection, and importation. B.P.I. Bul. 153, p. 8. 1909.
Georgia, nutritive value. J. W. Read. J.A.R., vol. 24, pp. 433-440. 1923.
grazing crop for hogs. F.B. 985, pp. 7, 9, 10, 21-24, 27. 1918.
grinding for stock feed, fineness, and various mixtures. F.B. 1276, p. 22. 1922.
growing—
  and value for cotton States. F.B. 1125, rev., pp. 38-42. 1920.
  and yield in Florida, Ocala area. Soil Sur. Adv. Sh., 1912, pp. 14, 28, 32. 1913; Soils F. O., 1912, pp. 678, 692, 696. 1915.
  as forage crop for hogs. F.B. 951, pp. 5, 9, 13-14. 1918.
in—
  cotton States, value, uses, and seeding rate. F.B. 1125, rev., pp. 38-42. 1920.
  Guam, cultural directions and yields. Guam Bul. 4, pp. 7, 14-17, 28. 1922.
  Hawaii for hog pasture. Hawaii Bul. 48, pp. 31, 33. 1923.
  Hawaii, varieties, description, and planting methods. Hawaii Bul. 23, pp. 27-30. 1911.
  pecan orchard, caution. F.B. 700, p. 26. 1916.
  Porto Rico, value for cattle. P.R. Bul. 29, p. 11. 1922.
  South, seed rate, and yields. S.R.S. Syl. 24, p. 14. 1917.
increase. Y.B., 1917, p. 76. 1918.
on land for citrus grove, note. F.B. 542, p. 6. 1913.
on Norfolk fine sand, for forage and green manure. Soils Cir. 23, p. 9. 1911.
with Para grass. Guam Bul. 1, pp. 14, 15, 20. 1921.
habits of growth and value as hay and forage. F.B. 300, pp. 9-11. 1907.

Velvet bean (s)—Continued.
harvesting—
  by hand picking, and labor cost. F.B. 1276, p. 20. 1922.
  threshing, and grinding. F.B. 962, pp. 27-30. 1918.
  time, yield, and conditions governing yield. F.B. 1276, pp. 20-21. 1922.
hay, nutritive value in rations. J.A.R., vol. 24, pp. 435, 439. 1923.
history, growth habits, and feed value. F.B. 1125, rev., pp. 38-42. 1920.
in Porto Rico, value as cover crop. P.R. Bul. 19, pp. 15-16, 18-19. 1916.
injury by—
  Anticarsia gemmatilis. Ent. Bul. 54, pp. 77-79. 1905.
  velvet-bean caterpillar. F.B. 1276, p. 27. 1922.
insect enemies. F.B. 962, p. 37. 1918.
meal—
  feeding to cows, results. D.B. 1272, pp. 6-7. 1924.
  value as stock feed. S.R.S. Doc. 44, p. 5. 1917.
planting, time, methods, and seeding rate. F.B. 962, pp. 13-18, 20. 1918; F.B. 1276, pp. 11-16. 1922.
production and importance. Y.B., 1923, pp. 361-363. 1924; Y.B. Sep. 895, pp. 361-363. 1924.
root-knot resistant crop. News L., vol. 2, No. 40, p. 6. 1915.
root nodules, nitrogen-gathering, description. Y.B., 1910, p. 215. 1911; Y.B. Sep. 530, p. 215. 1911.
seed—
  demand and supply source. Y.B., 1917, pp. 524-525. 1918; Y.B. Sep. 757, pp. 30-31. 1918.
  quantity per acre. B.P.I. Doc. 555, p. 5. 1910.
  structure, microscopical study. J.A.R., vol. 11, pp. 673-676. 1917.
seeding methods and yield. F.B. 1125, rev., p. 42. 1920.
softening for hog feed, turning under or soaking. F.B. 985, pp. 22-24. 1918.
soil improvement crop for Southern States. F.B. 986, pp. 10-12, 21-26. 1918.
Stizolobium deeringianum, biological analysis of seed. Barnett Sure and J. W. Read. J.A.R., vol. 22, pp. 5-15. 1921.
structure of pod and seed. J.A.R., vol. 11, pp. 673-676. 1917.
use as—
  cover crop in peach orchard. Y.B., 1902, p. 617. 1903.
  forage crop in cotton region. F.B. 509, pp. 29-31. 1912; F.B. 962, pp. 19-26. 1918.
  green-manure crop, objections. F.B. 1250, pp. 41-42. 1922.
use in fattening steers. S. W. Green and Arthur T. Semple. D.B. 1333, pp. 27. 1925.
value—
  as feed and as soil renovator. B.P.I. Doc. 632, pp. 5-6. 1910.
  as legume in cotton rotations, use, and methods. F.B. 737, pp. 10-11. 1916.
  comparison with cowpeas and soy beans. F.B. 1148, pp. 25-26. 1920.
  in South for winter forage, utilization. D.B. 827, pp. 8, 12, 36-41, 44-46. 1921.
variety(ies)—
  and economic importance since 1906. S.R.S. Doc. 44, pp. 1-2. 1917.
  selection for various States. S.R.S. Doc. 44, p. 3. 1917.
weight of dried and green material, various States. F.B. 1276, p. 19. 1922.
yield per acre, and weight. S.R.S. Doc. 44, p. 5. 1917.
See also *Stizolobium deeringianum*.
Velvet grass—
analytical key and description of seedlings. D. B. 461, pp. 8, 22. 1917.
cultivation in Alaska. Alaska A.R., 1907, p. 28. 1908.
description and use. D.B. 772, pp. 118, 119. 1920; F.B. 1433, pp. 35-37. 1925.
forage value in Northwest. F.B. 271, pp. 28-29. 1906.
growing in Hawaii, characteristics. Hawaii Bul. 36, p. 18. 1915.
seeds, description. F.B. 428, pp. 23, 24. 1911.

INDEX TO PUBLICATIONS, 1901–1925 2525

Velvets—
  carpets and rugs, description and use. F.B. 1219, p. 22. 1921.
  freshening and "panning." F.B. 1099, p. 24. 1920; Thrift Leaf. 8, p. 3. 1919.
Vendors, itinerant, drug, State laws. Chem. Bul. 98, rev., Pt. I, pp. 31, 46–47, 58, 64, 74, 103, 117, 180, 239–240, 247–248, 320. 1906.
Veneer(s)—
  basswood, production and manufacture. D.B. 1007, pp. 6–7, 22–24. 1922.
  black walnut—
    market specifications. F.B. 1459, pp. 2–4. 1925.
    production, manufacture, grades, and prices. D.B. 909, pp. 44–58, 79. 1921.
  by kinds of wood, statistics. Y.B. 1924, p. 1025. 1925.
  hardwood trees most valuable for. F.B. 1123, p. 4. 1921.
  hemlock, production and use. D.B. 152, p. 14. 1915.
  logs—
    black walnut, grades. F.B. 1459, pp. 2–4. 1925.
    marketing from woodlots. Y.B., 1915, pp. 125–126. 1916; Y.B. Sep. 662, pp. 125–126. 1916.
    woods in demand by manufacturers. Y.B., 1914, p. 449. 1915; Y.B. Sep. 651, p. 449. 1915.
  manufacture, utilization of red gum and sycamore. D.B. 884, pp. 11, 12, 24. 1920.
  production in 1906, woods used. For. Bul. 77, pp. 96–99. 1908; For. Cir. 129, p. 12. 1907; For. Cir. 133, pp. 1–6. 1908.
  protection of trees from rabbits. Y.B., 1907, p. 341. 1908; Y.B. Sep. 452, p. 341. 1908.
  supply from woodlots, value. D.B. 481, pp. 24, 25, 27. 1917.
  utilization of—
    black walnut. For. Cir. 88, rev., p. 3. 1909.
    cottonwood in manufacture. D.B. 24, p. 4. 1913.
    diseased chestnut. F.B. 582, p. 23. 1914.
    pine wood. For. Bul. 99, p. 19. 1911.
    termite-resistant woods. D.B. 1231, p. 15. 1924.
    wood in United States, 1905. For. Bul. 74, pp. 63–66. 1903.
  wood—
    specifications. F.B. 715, pp. 3–4, 32, 41. 1916.
    used in 1905. H. M. Hale. For. Cir. 51, pp. 4. 1906.
Venereal disease—
  granular, cattle, and abortion. W. L. Williams. D.B. 106, pp. 57. 1914.
  horse, causes, symptoms, and treatment. B.A.I. [Misc.], "Diseases of the horse," rev., pp. 142–147. 1903; rev., pp. 142–147. 1907; rev., pp. 142–147. 1911; rev., pp. 164–168. 1923.
  sheep. See Lip-and-leg ulceration.
Venezuela—
  agricultural education, progress, 1909. O.E.S. An. Rpt., 1909, p. 268. 1910.
  coffee—
    and cacao growing. P.R. An. Rpt., 1913, pp. 24–25. 1914.
    fungous disease, difference from Porto Rico disease. J.A.R., vol. 2, pp. 231–233. 1914.
    production, quantity, value, and exports. Stat. Bul. 79, pp. 10, 29–31. 1912.
  livestock statistics, numbers of cattle, sheep, and hogs. Rpt. 109, pp. 33, 38, 49, 52, 60, 63, 208, 215. 1916.
Venison—
  mock, recipe. F.B. 391, p. 40. 1910.
  preserving and cooking. News L., vol. 6, No. 24, pp. 5–6. 1919.
  quality and food value. F.B. 330, pp. 5, 9, 13, 20. 1908.
  transportation and sale, laws governing. Biol. Bul. 36, pp. 52–59. 1910.
Ventilation—
  apples—
    in storage, importance in disease control. F.B. 1160, pp. 2, 19, 21, 22. 1920.
    prevention of internal browning, experiments. J.A.R., vol. 24, p. 176. 1923.
  barn, for sheep. F.B. 810, pp. 7–8. 1917.

Ventilation—Continued.
  bee cellars and hives. F.B. 1014, pp. 11–12, 14–16. 1918.
  bee hives, necessity. F.B. 357, p. 12. 1909; F.B. 1198, pp. 9–10. 1921.
  cheese making, relation to humidity. D.B. 1171, pp. 22–23. 1923.
  chemistry of, and human requirements. O.E.S. Bul. 175, pp. 237–261. 1907.
  citrus fruits, shipping from Florida. D. B. 63, pp. 9–11. 1914.
  corn, ocean transit, danger, and discussion. Rpt. 75, pp. 44–48. 1903.
  corncribs, necessity. D.C. 333, pp. 5–6. 1924.
  cow stables, requirements, the King system. B.A.I. Cir. 199, pp. 14–15. 1912.
  cranberry storage, importance in control of rots. D.B. 714, pp. 5, 12–13. 1918.
  dairy barn, principles. M.A.R. Kelley. F.B. 1393, pp. 22. 1924.
  definition, and requirements in sanitary buildings. B.A.I. An. Rpt., 1909, pp. 258–261. 1911. B.A.I. Cir. 173, pp. 258–261. 1911.
  effect on—
    apple shipments and marketing. D.B. 302, pp. 12–13. 1915.
    heavy loads of apples, of closed ventilators. Mkts. Doc. 13, pp. 1, 7. 1918.
  farm kitchens, methods. F.B. 607, pp. 7–8. 1914.
  frames in truck growing. F.B. 460, p. 18. 1911.
  grapes in transit, importance. D.B. 35, pp. 23–24. 1913.
  greenhouse—
    in cucumber raising. F.B. 1320, p. 20. 1923.
    requirements. F.B. 1318, p. 17. 1923.
  hay mows, to prevent spontaneous combustion. F.B. 1229, pp. 9, 11. 1921.
  hog houses, necessity, and methods. F.B. 438, p. 24. 1911.
  ice house, description and control. F.B. 623, p. 13. 1915; F.B. 1078, pp. 19–20. 1920.
  in barns. J.A.R., vol. 20, pp. 405–408. 1920.
  incubators, requirements and precautions. F.B. 236, pp. 18–19. 1905.
  King system, for stables. F.B. 190, pp. 29–31. 1904.
  kitchen, importance. D.C. 189, p. 5. 1921.
  milk—
    houses, directions. F.B. 1214, p. 4. 1921.
    plants, requirements and methods. D.B. 849, pp. 31–32. 1920.
  necessity for loaded lumber cars. D.B. 1037, pp. 23–24, 51. 1922.
  needs in farm homes. Rpt. 104, pp. 44–49. 1915.
  potato-storage cellars and houses. F.B. 847, pp. 8, 11–12, 16–17, 20. 1917.
  relation to transpiration of forest trees. J.A.R., vol. 24, pp. 116–117. 1923.
  requirements—
    and methods for homes. F.B. 1194, pp. 26–28. 1921.
    cow stables. B.A.I. An. Rpt., 1909, pp. 120, 123. 1911.
  sheep barns, necessary to health. F.B. 929, p. 22. 1918.
  stables—
    fundamentals of. Henry Prentiss Armsby and Max Kriss. J.A.R., vol. 21, pp. 343–368. 1921.
    requirements and devices. F.B. 190, pp. 23–31. 1904; F.B. 296, pp. 25–27. 1907.
  storage house for sweet potatoes. F.B. 1267, pp. 7, 10–11. 1922.
  sweet-potato house. F.B. 1442, pp. 5–6. 1925.
  system for—
    dairy barns, description and details. F.B. 1342, pp. 4–8, 9, 10, 11. 1923.
    grain bins. Off. Rec., vol. 3, No. 17, p. 3. 1924.
  tobacco barns—
    in air-curing process. B.P.I. Bul. 143, pp. 18–20. 1909.
    methods practiced. F.B. 343, pp. 23–25. 1909.
  tomatoes, effect on ripening. D.B. 859, pp. 24–30. 1920.
  value in incubation, supply methods. F.B. 585, pp. 12–14. 1914.
  weevil-proof corncribs. F.B. 1029, pp. 33, 34. 1919.

Ventilator(s)—
  barn, types. F.B. 1393, pp. 15-16. 1924.
  screened, insect-proof. D.C. 299, pp. 6-8. 1924.
  sorghum bin, description and construction. F.B. 1137, pp. 24-25. 1920.
  storage houses, size, arrangement, and operation methods. F.B. 852, pp. 13-16. 1917.
  use in sorghum grain bins, description. F.B. 972, pp. 10-11. 1918.
  warehouse, construction. D.B. 801, pp. 39, 48-49. 1919.
Venturi flume. V. N. Cone. J.A.R., vol. 9. pp. 115-129. 1917.
Venturia—
  inaequalis—
    spore content of orchard air, studies. J.A.R., vol. 30, pp. 529-537. 1925.
    spore dissemination in relation to apple scab. C. N. Frey and G. W. Keitt. J.A.R., vol. 30, pp. 529-540. 1925.
    vitality tests under low temperature. J.A.R., vol. 5, No. 14, pp. 652, 654, 655. 1916.
  pomi, cause of apple scab, growth. F.B. 492, pp. 24-25. 1912.
VER HULST, J. H.: "Distribution of pentosans in the corn plant at various stages of growth." With W. H. Peterson and E. B. Fred. J.A.R., vol. 23, pp. 655-663. 1923.
Vera Cruz, Mexico, yellow-fever eradication by mosquito work. Ent. Bul. 88, pp. 100-101. 1910.
Verania cardoni, enemy of white fly. Ent. Bul. 102, p. 9. 1912.
Veratrum—
  spp., source of hellebore supply. F.B. 679, p. 15. 1915.
  viride—
    alkaloidal reactions. Chem. Bul. 150, pp. 36, 37, 39. 1912.
    See also Hellebore, false.
Verbascum thapsus. See Mullein.
Verbena—
  bonariensis. See Oi.
  bud moth. D. E. Fink. D.B. 226, pp. 7. 1915.
  Chinese, importation and description. No. 44533, B.P.I. Inv. 51, p. 21. 1922.
  crown-gall inoculation from peach. B.P.I. Bul. 213, p. 65. 1911.
  description—
    cultivation, and characteristics. F.B. 1171, pp. 74-75, 83. 1921.
    of plant and seed. B. P. I. Doc. 433, p. 7. 1909.
  injury by verbena bud moth. D.B. 226, pp. 2, 6. 1915.
Verde River, Ariz., and tributaries, irrigation, and farm practices. O.E.S. Bul. 235, p. 77. 1911.
Verdigris—
  solution, formula. B.P.I. Bul. 155, p. 13. 1909.
  stains, removal from textiles. F.B. 861, p. 34. 1917.
Vermicelli—
  definition and standards. F.I.D. 171, p. 1. 1917.
  digestion experiments. O.E.S. Bul. 159, pp. 168, 204. 1905.
  imports, 1907-1909, quantity and value, by countries from which consigned. Stat. Bul. 82, p. 43. 1910.
  standards. News L., vol. 6, No. 52, p. 15. 1919.
  use and preparation in Japan. O.E.S. Bul. 159, pp. 20-21. 1905.
Vermicide(s)—
  formulas, for prevention and control of lice in camps. Sec. Cir. 61, pp. 17-19. 1916.
  N.C.I., formula. Sec. Cir. 61, p. 18. 1916.
Vermifuges—
  formulas for pigs. F.B. 1244, p. 24. 1923.
  use against dog parasites. B.A.I. Cir. 159, p. 7. 1910; D.C. 338, pp. 17, 18-19, 21-23, 26, 27. 1925.
Vermilion, use as coloring matter. Chem. Cir. 91, p. 1. 1912.
Vermin—
  bird, control. F.B. 1456, p. 19. 1925.
  canary, control. F.B. 1327, pp. 16-17. 1923.
  extermination, organized work, societies. Biol. Bul. 33, pp. 51-53. 1909.
  exterminator—
    composition. Chem. Bul. 76, p. 52. 1903.
    electric, analysis and value. Chem. Bul. 68, pp. 50-51. 1902.

Vermin—Continued.
  hog, prevention and destruction. B.A.I. Bul. 47, pp. 66-67. 1904.
  poultry, kinds and control. F.B. 1110, pp. 3-10. 1920.
Vermivora spp. See Warblers.
Vermont—
  agricultural—
    colleges and experiment stations, organization. O.E.S. Bul. 176, pp. 75-76. 1907.
    Experiment Station. See Vermont Experiment Station.
  aid to agricultural schools. O.E.S. An. Rpt., 1911, p. 334. 1912.
  apple growing, production, and varieties. D.B. 485, pp. 7, 14, 44-47. 1917.
  balsam fir, occurrence, yield, uses, and growth. D.B. 55, pp. 10, 18. 1914.
  barley crops, 1866-1906, acreage, production, and value. Stat. Bul. 59, pp. 7-26, 27. 1907.
  bee—
    and honey statistics, 1914-1915. D.B. 325, pp. 6, 9, 10, 11, 12. 1915; D.B. 685, pp. 6-19, 21, 23, 30. 1918.
    diseases, occurrence. Ent. Cir. 138, p. 22. 1911.
  bird protection. See Bird protection.
  bounty laws repeal, 1907. Y.B., 1907, p. 564. 1908; Y.B. Sep. 473, p. 564. 1908.
  buckwheat crops, 1866-1906, acreage, production, and value. Stat. Bul. 61, pp. 5-17, 18. 1908.
  convict road-work, laws. D.B. 414, p. 214. 1916.
  corn—
    crops, 1866-1906, acreage, production, and value. Stat. Bul. 56, pp. 7-27, 28. 1907.
    production, movements, consumption, and prices. D.B. 696, pp. 14, 16, 27, 29, 33, 36, 38, 40. 1918.
    yields and prices, 1866-1915. D.B. 515, p. 4. 1917.
  credits, farm-mortgage loans, costs and sources. D.B. 384, pp. 2, 3, 4, 7, 10. 1916.
  crop planting and harvesting dates, important crops. Stat. Bul. 85, pp. 18, 30, 41, 53, 67, 74, 84. 1912.
  dairy farms, cropping systems. F.B. 337, pp. 12-15. 1908.
  dairying costs. Y.B., 1922, pp. 346, 347, 348. 1923; Y.B. Sep. 879, pp. 55, 56, 57. 1923.
  deer reintroduction and conservation prior to 1897. D.B. 1049, pp. 37-38. 1922.
  demurrage provisions, regulations. D.B. 191, pp. 3, 14, 27. 1915.
  dog laws, digest. F.B. 935, p. 21. 1918; F.B. 1268, p. 22. 1922.
  drug laws. Chem. Bul. 98, rev., Pt. I, pp. 307-310. 1909.
  early settlement, historical notes. See Soil surveys, *various counties and areas*.
  East Alburg, quarantine station, designation, December 1, 1907. B.A.I.O. 142, amdt. 2, p. 1. 1907.
  Experiment Station—
    cooperative horse breeding, at Morgan farm. D.C. 199, pp. 5-6. 1921.
    work and expenditures—
      1906. J. L. Hills. O.E.S. An. Rpt., 1906, pp. 160-162. 1907.
      1907. J. L. Hills. O.E.S. An. Rpt., 1907, pp. 177-178. 1908.
      1908. J. L. Hills. O.E.S. An. Rpt., 1908, pp. 177-178. 1909.
      1909. J. L. Hills. O.E.S. An. Rpt., 1909, pp. 192-194. 1910.
      1910. J. L. Hills. O.E.S. An. Rpt., 1910, pp. 249-251. 1911.
      1911. J. L. Hills. O.E.S. An. Rpt., 1911, pp. 210-213. 1912.
      1912. J. L. Hills. O.E.S. An. Rpt., 1912, pp. 213-216. 1913.
      1913. J. L. Hills. O.E.S. An. Rpt., 1913, pp. 83-84. 1915.
      1914. J. L. Hills. O.E.S. An. Rpt., 1914, pp. 228-232. 1915.
      1915. J. L. Hills. S.R.S.Rpt., 1915, Pt. I, pp. 259-263. 1916.
      1916. J. L. Hills. S.R.S. Rpt., 1916, Pt. I, pp. 265-270. 1918.
      1917. J. L. Hills. S.R.S. Rpt. 1917, Pt. I, pp. 259-262. 1918.

Vermont—Continued.
 extension work—
  funds allotment, and county-agent work. S.R.S. Doc. 40, pp. 4, 7, 12, 18, 23, 25, 28. 1918.
  in agriculture and home economics—
   1915. Thomas Bradlee. S.R.S. Rpt., 1915, Pt. II, pp. 310-314. 1916.
   1916. Thomas Bradlee. S.R.S. Rpt., 1916, Pt. II, pp. 347-352. 1917.
   1917. Thomas Bradlee. S.R.S. Rpt., 1917, Pt. II, pp. 354-358. 1919.
  statistics. D.C. 253, pp. 6, 9, 12-13, 17, 18. 1923; D.C. 306, pp. 4, 7, 12, 16, 20, 21. 1924.
 fairs, number, kind, location, and dates. Stat. Bul. 102, pp. 13, 14, 63. 1913.
 farm(s)—
  animals, statistics, 1867-1907. Stat. Bul. 64, p. 97. 1908.
  conditions, letters from women. Rpt. 103, pp. 28, 67, 77. 1915; Rpt. 104, pp. 8, 15, 35, 43. 1915; Rpt. 105, p. 10. 1915; Rpt. 106, pp. 24, 43, 62. 1915.
  family, food, fuel, and housing, value, details. D.B. 410, pp. 7-35. 1916.
  leases, provisions. D.B. 650, p. 16. 1918.
  value(s)—
   changes, 1900-1905. Stat. Bul. 43, pp. 11-17, 29-46. 1906.
   income, and tenancy classification. D.B. 1224, p. 125. 1924.
 farmers' institutes—
  history. O.E.S. Bul. 174, pp. 84-86. 1906.
  laws. O.E.S. Bul. 135, rev., pp. 31-32. 1905.
  legislation. O.E.S. Bul. 241, pp. 39-42. 1911.
  work—
   1904. O.E.S. An. Rpt., 1904, p. 668. 1905.
   1906. O.E.S. An. Rpt., 1906, p. 349. 1907.
   1907. O.E.S. An. Rpt., 1907, pp. 346-347. 1908.
   1908. O.E.S. An. Rpt., 1908, p. 328. 1909.
   1909. O.E.S. An. Rpt., 1909, p. 354. 1910.
   1910. O.E.S. An. Rpt., 1910, p. 415. 1911.
   1911. O.E.S. An. Rpt., 1911, p. 379. 1912.
   1912. O.E.S. An. Rpt., 1912, p. 373. 1913.
 fertilizer prices, 1919, by counties. D.C. 57, p. 7. 1919.
 field work of Bureau of Plant Industry, December, 1924. M.C. 30, p. 51. 1925.
 food laws—
  1903. Chem. Bul. 83, Pt. I, pp. 138-142. 1904.
  1905. Chem. Bul. 69, rev., Pt. VII, pp. 619-637. 1904.
  1907. Chem. Bul. 112, pt. 2, pp. 115-120. 1908.
  enforcement. Chem. Cir. 16, rev., p. 23. 1908.
 forest—
  fires, statistics. For. Bul. 117, p. 36. 1912.
  legislation—
   1907. Y.B., 1907, p. 576. 1908; Y.B. Sep. 470, p. 16. 1908.
   1908. Y.B., 1908, p. 549. 1909.
  planting, State work. Y.B., 1909, p. 336. 1910; Y.B. Sep. 517, p. 336. 1910.
 Forestdale, example of good forestry practice. Y.B. 1922, p. 107. 1923; Y.B. Sep. 886, p. 107. 1923.
 forestry laws, 1921, summary. D.C. 239, pp. 25-26. 1922.
 funds for cooperative extension work, sources. S.R.S. Doc. 40, pp. 4, 6, 11, 18. 1917.
 fur animals, laws—
  1915. F.B. 706, pp. 17-18. 1916.
  1916. F.B. 783, pp. 19, 27. 1916.
  1917. F.B. 911, pp. 22, 31. 1917.
  1918. F.B. 1022, pp. 22, 31. 1918.
  1919. F.B. 1079, pp. 6, 24. 1919.
  1920. F.B. 1165, pp. 22-23. 1920.
  1921. F.B. 1238, p. 22. 1921.
  1922. F.B. 1293, p. 20. 1922.
  1923-24. F.B. 1387, p. 23. 1923.
  1924-25. F.B. 1445, p. 17. 1924.
  1925-26. F.B. 1469, pp. 21-22. 1925.
 game—
  laws—
   1902. F.B. 160, pp. 22-23, 34, 52, 54. 1902.
   1903. F.B. 180, pp. 15, 25, 34, 44, 55. 1903.
   1904. F.B. 207, pp. 24, 36, 40, 45, 62. 1904.
   1905. F.B. 230, pp. 12, 23, 33, 39, 46. 1905.
   1906. F.B. 265, pp. 22, 32, 38, 47. 1906.
   1907. F.B. 308, pp. 8, 20, 30, 37, 46. 1907.
   1908. F.B. 336, pp. 23, 34, 41, 45, 53. 1908.

Vermont—Continued.
 game—continued.
  laws—continued.
   1909. F.B. 375, pp. 6, 9, 14-15, 18, 27-28, 36, 40, 43, 50. 1909.
   1910. F.B. 418, pp. 21, 29, 34, 37, 38, 44. 1910.
   1911. F.B. 470, pp. 14, 25, 34, 39, 42, 50. 1911.
   1912. F.B. 510, pp. 10, 21, 25-26, 30, 35, 38, 46. 1912.
   1913. D.B. 22, pp. 16, 20, 33, 41, 46, 49, 57. 1913.
   1914. F.B. 628, pp. 10, 11, 13, 24, 28-29, 33, 36, 38, 42, 44, 52. 1914.
   1915. F.B. 692, pp. 4, 6, 16, 34, 43, 48, 51, 53, 61. 1915.
   1916. F.B. 774, pp. 31, 41, 47, 50, 52, 61. 1916.
   1917. F.B. 910, pp. 36, 48, 55. 1917.
   1918. F.B. 1010, pp. 33, 46, 61. 1918.
   1919. F.B. 1077, pp. 36, 50, 59, 72, 73. 1919.
   1920. F.B. 1138, pp. 39-40. 1920.
   1921. F.B. 1235, pp. 41, 57. 1921.
   1922. F.B. 1288, pp. 38, 55. 1922.
   1923-24. F.B. 1375, pp. 3, 37, 51. 1923.
   1924-25. F.B. 1444, pp. 27, 38. 1924.
   1925-26. F.B. 1466, pp. 33-34, 45. 1925.
  protection. See Game protection.
  value, estimate by State officials. D.B. 1049, p. 14. 1922.
 gipsy moth—
  and brown-tail moth, control work. F.B. 1335, p. 25. 1923.
  quarantine areas, July, 1922. F.H.B. Quar. 45, amdt. 3, pp. 1, 3. 1922.
 grain supervision district and headquarters. Mkts. S.R.A. 14, p. 1. 1916.
 grasshoppers, eradication work, 1915. Y.B., 1915, pp. 268, 269. 1916; Y.B. Sep. 674, pp. 268, 269. 1916.
 hardwoods, annual cut, and volume tables. D.B. 285, pp. 28-31, 64-66. 1915.
 hay crops, 1866-1906, acreage, production, and value. Stat. Bul. 63, pp. 5-25, 26. 1908.
 herds, lists of tested and accredited. D.C. 54, pp. 8, 18, 43, 70, 91. 1919; D.C. 143, pp. 5, 15, 49-52, 91-95. 1920; D.C. 144, pp. 7, 8, 15, 48. 1920.
 lard supply, wholesale and retail, August 31, 1917, tables. Sec. Cir. 97, pp. 13-31. 1918.
 law(s)—
  against Sunday shooting. Biol. Bul. 12, rev., p. 64. 1902.
  nursery stock shipments, interstate. Ent. Cir. 75, rev. 2, p. 8. 1909; F.H.B.S.R.A. 57, pp. 114, 115. 1919.
  on adulteration of maple sugar. For. Bul. 59, p. 48. 1905.
  on community buildings. F.B. 1192, p. 38. 1921.
  on contagious animal diseases. B.A.I. Bul. 43, p. 62. 1901; B.A.I. Bul. 54, pp. 42-44. 1904.
  relative to tuberculosis. B.A.I. Bul. 28, pp. 152-158. 1901.
 livestock—
  admission, sanitary requirements. B.A.I. Doc. 28, p. 40. 1917; B.A.I. Doc. 36, pp. 60-62. 1920; B.A.I. [Misc.], "State sanitary requirements * * *, 1911," p. 21. 1911; B.A.I. [Misc.], "State sanitary requirements * * *, 1915," pp. 37-38. 1915; M.C. 14, pp. 78-79. 1924.
  associations. Y.B., 1920, p. 532. 1921; Y.B. Sep. 866, p. 532. 1921.
 lumber—
  cut, 1920, 1870-1920, value, and kinds. D.B. 1119, pp. 28, 30-35, 45-59. 1923.
  production, 1918, by mills, by woods, and lath and shingles. D.B. 845, pp. 6-11, 14, 16, 21-25, 28, 30, 33, 37, 42-47. 1920.
 Lyndon Institute, establishment, 1910. O.E.S. An. Rpt., 1910, pp. 372-373. 1911.
 maple—
  sirup, investigations, tabulation of results. Chem. Bul. 134, pp. 42-45, 74. 1910.
  sugar analyses, results, table. D.B. 466, pp. 21-23. 1917.
  sugar and sirup, production. F.B. 516, pp. 44-46. 1912.
 market milk production, unit requirements. J. B. Bain, and others. D.B. 923, pp. 18. 1921.

2528   UNITED STATES DEPARTMENT OF AGRICULTURE

Vermont—Continued.
  marketing activities and organization. Mkts. Doc. 3, p. 7. 1916.
  Meadow soil, area and location. Soils Cir. 68, p. 21. 1912.
  milk—
    production, investigations, canvasses, and summaries. B.A.I. Bul. 164, pp. 29-30, 42, 45, 46, 47, 48, 49, 50, 51, 52, 54, 55. 1913.
    supply and laws. B.A.I. Bul. 46, pp. 158-159. 1903.
  mineral waters, analyses. Chem. Bul. 139, pp. 58-63. 1911.
  Morgan Horse Farm—
    breeding methods. B.A.I. Cir. 163, pp. 13-14. 1910.
    feeding experiment with coconut and peanut meals. B.A.I. Cir. 168, pp. 1-2. 1911.
    sheep-raising experiments. D.B. 996, rev., pp. 1, 3-8, 13, 14. 1923; News L., vol. 4, No. 10, p. 5. 1916.
  moth control, State work, area infested. F.B. 564, p. 21. 1914.
  muck areas, location. Soils Cir. 65, p. 15. 1912.
  oat crops, 1866-1906, acreage, production, and value. Stat. Bul. 58, pp. 5-25, 26. 1907.
  paper industry and pulp requirements. D.B. 1241, p. 43. 1924.
  pasture land on farms. D.B. 626, pp. 14, 85. 1918.
  peach varieties, names and ripening dates. F.B. 918, p. 12. 1918.
  pear growing, distribution, and varieties. D.B. 822, p. 6. 1920.
  pheasant raising, and results. F.B. 390, p. 17. 1910.
  plant diseases, control by law. F.B. 1398, p. 35. 1924.
  potato—
    crops, 1866-1906, acreage, production, and value. Stat. Bul. 62, pp. 7-27, 28. 1908.
    foliage diseases, conditions. J.A.R., vol. 25, pp. 257-263. 1923.
    infection, control methods. B.P.I. Bul. 245, pp. 33-42, 44-54, 60-69. 1912.
    production and yield, 1909, in five leading counties. F.B. 1064, p. 5. 1919.
  pulp wood consumption, woods used, and imports. D.B. 758, pp. 3, 4, 7, 10, 12, 13. 1919.
  quarantine areas for gipsy moth. F.H.B. Quar. 45, pp. 2, 3. 1920.
  road(s)—
    bond-built, amount of bonds and rate. D.B. 136, pp. 61-62, 78, 85. 1915.
    building rock tests. D.B. 670, pp. 19, 27. 1918; D.B. 1132, pp. 35, 50, 52. 1923.
    discussion and statistics. D.B. 388, pp. 1-6, 12-15, 30-34, 59-63. 1917.
    laws—
      1908. Y.B., 1908, pp. 595-596. 1909.
      1914, and mileage. Y.B., 1914, pp. 214, 222. 1915; Y.B. Sep. 638, pp. 214, 222. 1915.
    mileage and expenditures—
      1904. Rds. Cir. 87, p. 2. 1907.
      1909. Rds. Bul. 41, pp. 36, 41, 42, 113. 1912.
      1915. Sec. Cir. 52, pp. 3, 5, 6. 1915.
      1916. Sec. Cir. 74, pp. 4, 6, 7, 8. 1917.
    model county systems. An. Rpts., 1912, p. 873. 1913; Rds. Chief Rpt., 1912, pp. 29. 1912.
    superintendence by department, 1913-14. D.B. 284, pp. 26-50. 1915.
  rye crops, 1866-1906, acreage, production, and value. Stat. Bul. 60, pp. 5-25, 26. 1908.
  San Jose scale, occurrence. Ent. Bul. 62, p. 31. 1906.
  sheep industry, location and conditions. F.B. 929, pp. 3-6. 1918.
  shipments of fruits and vegetables, and index to station shipments. D.B. 667, pp. 6-13, 46. 1918.
  soil survey of—
    Addison County. See Vergennes area.
    Vergennes area. Henry J. Wilder and H. L. Belden. Soil Sur. Adv. Sh., 1904, pp. 26. 1905; Soils F.O., 1904, pp. 73-94. 1905.
    Windsor County. J. A. Kerr and Grove B. Jones. Soil Sur. Adv. Sh., 1916, pp. 24. 1919; Soils F. O., 1916, pp. 175-194. 1921.
  standard containers. F.B. 1434, p. 18. 1924.

Vermont—Continued.
  State aid for school-wagon transportation. O.E.S. Bul. 232, pp. 9, 35. 1910.
  State forestry laws. Jeannie S. Peyton. For. Law Leaf. 24, pp. 17. 1923; For. Misc. S-28, pp. 17. 1923.
  timber—
    stand of pulp-wood species, cut, and consumption. D.B. 1241, p. 96. 1924.
    tax. Y.B., 1914, pp. 440, 441. 1915; Y. B. Sep. 651, pp. 440, 441. 1915.
  trucking industry, acreage and crops, notes. Y.B., 1916, pp. 455-465. 1917; Y.B. Sep. 702, pp. 21-31. 1917.
  wage rates, farm labor, 1845, and 1866-1909. Stat. Bul. 99, pp. 20, 29-43, 68-70. 1912.
  wheat—
    acreage—
      and production, 1914-1919, and varieties. F.B., 1168, pp. 15, 16. 1920.
      and varieties. D.B. 1074, p. 216. 1922.
    crops, acreage, production, and value. Stat. Bul. 57, pp. 5-25, 26. 1907; rev., pp. 5-25, 26, 36. 1908.
    yields and prices, 1866-1915. D.B. 514, p. 4. 1917.
  Wilder community building, description, and plans. F.B. 1173, pp. 15-16. 1921.
  Woodstock, bird counts, by species, 1908-1915. D.B. 396, pp. 15-16. 1916.
Vermont Black Hawk (horse) description. B.A.I. An. Rpt., 1907, p. 114. 1909; B.A.I. Cir. 137, p. 114. 1908.
Vermorel spray nozzle, description. F.B. 908, p. 70. 1918; Y.B., 1908, p. 285. 1909; Y.B. Sep. 480, p. 285. 1909.
Vermouth, adulteration and misbranding. See Indexes to Notices of Judgment, in bound volumes and in separates published as supplements to Chemistry Service and Regulatory Announcements.
Vernal grass. See Sweet vernal grass.
VERNON, J. J.; "Irrigation investigations at New Mexico Experiment Station, Mesilla Park, 1904." O.E.S. Bul. 158, pp. 303-317. 1905.
Vernonia—
  noveboracencis. See Ironweed.
  vidalii. See Malasambon.
  volkameriaefolia, importation and description. No. 47824, B.P.I. Inv. 59, p. 64. 1922.
Veronica—
  cataractae, importation, and description. No. 40598, B.P.I. Inv. 43, p. 52. 1918.
  officinalis. See Speedwell, common.
  spp., importations and descriptions. Nos. 45893-45898, B.P.I. Inv. 54, pp. 36-37. 1922; Nos. 47574, 47575, B.P.I. Inv. 59, p. 34. 1922.
  water, misbranding. See Indexes, Notices of Judgment, in bound volumes and in separates published as supplements to Chemistry Service and Regulatory Announcements.
Verruca—
  cattle, description, causes, and treatment. B.A.I. [Misc.], "Diseases of cattle," rev., pp. 330-331. 1904; rev., p. 343. 1912; rev., p. 331. 1923.
  See also Warts.
Vertebra, fracture—
  cattle, symptoms and treatment. B.A.I. [Misc.], "Diseases of cattle," rev., pp. 275-276. 1904; rev., pp. 284-285. 1912; rev., p. 279. 1923.
  horse, symptoms and treatment. B.A.I. [Misc.], "Diseases of the horse," rev., pp. 313-315. 1903; rev., pp. 313-315. 1907; rev., pp. 313-315. 1911; rev., pp. 338-339. 1923.
Vertebrates, small, destruction by shrikes. Biol. Bul. 30, pp. 34, 37. 1907.
Verticillium—
  alboatrum—
    cause of—
      potato wilt. F.B. 544, p. 10. 1913.
      Verticillium wilt. Hawaii Bul. 45, pp. 39-40. 1920.
    potato inoculation experiments. J.A.R., vol. 5, No. 5, pp. 202, 203. 1915.
    presence in seed potatoes, symptoms. J.A.R., vol. 21, pp. 823-826. 1921.
  heterocladum. See Fungus, cinnamon.
  lycopersici, cause of collar-rot of tomato. J.A.R., vol. 21, pp. 179-184. 1921.

INDEX TO PUBLICATIONS, 1901–1925   2529

Verticillium—Continued.
spp.—
cause of potato disease, description. Sec. Cir. 92, p. 27. 1918.
data, comparison with *Acrostalagmus* spp. J.A.R., vol. 12, p. 533. 1918.
from potatoes in Idaho soils. J.A.R., vol. 13, pp. 80, 97. 1918.
injurious to mushrooms, discussion. D.B. 127, pp. 3–7. 1914.
relation to wilt diseases of okra. J.A.R., vol. 12, pp. 529–546. 1918.
temperature relations, studies. J.A.R., vol. 18, pp. 511–524. 1920.
wilt, description, cause, and control. D.B. 64, pp. 16–18. 1914; Hawaii Bul. 45, pp. 39–40. 1920.

Vertigo—
causes and treatment. For. [Misc.], "First-aid manual * * *," p. 75. 1917.
See also Gid disease.

Vervain—
description of seed, appearance in red clover seed. F.B. 260, p. 22. 1906.
seeds, description. F.B. 428, pp. 26, 27. 1911.

Vespamima sequoia—
associated with *Sesia novaroensis*. D.B. 255, pp. 17–18. 1915.
See also Moth, pitch, Sequoia.

Vespertilio spp. *See* Bat.

Vessels—
disinfection—
in Hawaii, regulations. F.H.B. Quar. 51, p. 2. 1921.
regulations. B.A.I.O. 266, pp. 9–10. 1919.
ocean, livestock transportation, regulations and specifications. B.A.I. An. Rpt., 1906, pp. 393–402. 1908.
See also Ships.

Vetch(es)—
C. V. Piper and Roland McKee. F.B. 515, pp. 28. 1912.
alkali tolerance. F.B. 446, rev., pp. 12, 13, 14, 15, 16. 1920.
as green manure, experiments. F.B. 278, p. 26. 1907.
Augusta—
grazing value for beef cattle. B.A.I. Bul. 159, p. 24. 1912.
growth habits, and seeding mixtures. F.B. 1125, rev., p. 44. 1920.
bee pasture, value. F.B. 529, p. 16. 1913.
bitter—
forage plant, value. F.B. 425, p. 12. 1910.
importations and descriptions. No. 45927, B.P.I. Inv. 54, p. 43. 1922; No. 54792, B.P.I. Inv. 70, p. 21. 1923.
use as cover crop in California, description. F.B. 515, pp. 7, 21–22. 1912.
black bitter—
description and uses. F.B. 515, pp. 21–22. 1912.
use as green-manure crop, California. B.P.I. Bul. 190, p. 29. 1910.
blackpurple—
adaptation to northern Texas and vicinity. Y.B., 1908, p. 260. 1909; Y.B. Sep. 478, p. 260. 1909.
use as green-manure, California. B.P.I. Bul. 190, p. 28. 1910.
common—
and its varieties. Roland McKee and Harry A. Schoth. D.B. 1289, pp. 20. 1925.
description. D.B. 1289, pp. 3–5, 6–9. 1925. F.B. 529, pp. 6–7. 1913.
seed crop, Pacific Northwest. F.B. 271, pp. 18–22. 1906.
use as green-manure crop, California orchards. B.P.I. Bul. 190, pp. 15–17. 1910.
value for various purposes. F.B. 360, pp. 29–30. 1909.
varieties and species. D.B. 1289, pp. 3–5, 7–9. 1925.
viability of seed. D.B. 1289, pp. 10–12. 1925.
description, occurrence, in Louisiana, Iberia Parish. Soil Sur. Adv. Sh., 1911, p. 19. 1912; Soils F.O., 1911, p. 1143. 1914.
dusting for corn earworm control, directions and formulas. F.B. 1206, pp. 15, 18. 1921.

Vetch(es)—Continued.
enemy, the corn earworm. Philip Luginbill and A. H. Beyer. F.B. 1206, pp. 19. 1921.
fertilizing—
constituents, comparison with other legumes. F.B. 1153, p. 22. 1920.
value as green manure. F.B. 529, p. 8. 1913.
for sheep pastures. D.B. 20, p. 41. 1913.
green, effect on nitrate nitrogen in soil, experiments. J.A.R., vol. 2, pp. 108–110. 1914.
growing in—
Alaska, experiments. Alaska A.R., 1915, pp. 19, 58–60. 1916.
cotton States, value and uses, and seeding rate. F.B. 1125, rev., pp. 42–44. 1920.
mixture with oats. F.B. 424, p. 12. 1910.
North, seeding rate, and uses. S.R.S. Syl. 25, p. 14. 1917.
old orchards, seeding rate. S.R.S. Syl. 31, pp. 10–11. 1918.
Oregon, seed harvesting, experiments. W.I.A. Cir. 17, pp. 7, 23, 25. 1917.
South, seed quantity, pasturing. S.R.S. Syl. 24, pp. 12–13. 1917.
South Atlantic States. A. G. Smith. F.B. 529, pp. 21. 1913.
growing on—
California peat lands, experimental work. B.P.I. Cir. 23, pp. 13–14. 1909.
sandy lands, directions. F.B. 716, pp. 2, 10, 12–14. 1916.
hairy—
adaptability to acid soils. D.B. 6, p. 10. 1913.
and purple, uses as cover and green-manure crops. F.B. 1250, pp. 39, 42. 1922.
cost of seed and requirements per acre. D.B. 876, p. 3. 1920.
description. F.B. 529, pp. 7–8. 1913.
diseases. D.B. 876, p. 32. 1920.
failure in Porto Rico. P.R. An. Rpt., 1912, p. 44. 1913.
faults. D.B. 876, pp. 2–3. 1920.
fertilizing value for Connecticut tobacco fields. T. R. Robinson. B.P.I. Cir. 15, p. 5. 1908.
green-manure crop, Oregon. W.I.A. Cir. 1, pp. 12–13. 1915.
growing—
and uses. F.B. 515, pp. 17–21. 1912.
for seed in United States. D.B. 876, pp. 7–29. 1920.
for seed, methods. B.P.I. Cir. 102, pp. 5–6. 1913.
in mixture with rye, advantages. D.B. 6, p. 10. 1913.
in Nebraska, experiments. B.P.I. Doc. 1081, p. 14. 1914.
with crimson clover. F.B. 1142, p. 19. 1920.
with rye. D.B. 876, p. 9. 1920.
growth habits, yield, and seeding methods. F.B. 1125, rev., p. 43. 1920.
hardy variety, development. Y.B., 1907, p. 225. 1908; Y.B. Sep. 466, p. 225. 1908.
harvesting for seed and threshing, methods. D.B. 876, pp. 14–19, 28. 1920.
in Cotton Belt. C. V. Piper. Sec. [Misc.], Spec. "Hairy vetch in * * *," pp. 4. 1914.
insects and diseases, control. D.B. 876, pp. 31–32. 1920.
objections. D.B. 876, p. 2. 1920.
seed—
adulteration. An. Rpts., 1911, p. 70. 1912; Y.B., 1911, p. 68. 1912; Sec. A.R., 1911, p. 68. 1911.
adulteration and misbranding. B. T. Galloway. Sec. Cir. 39, pp. 7. 1912.
adulteration and misbranding. Wm. A. Taylor. Sec. Cir. 45, pp. 6. 1913.
cleaning and separating, methods and cost. D.B. 876, pp. 19–22. 1920.
decrease since 1914. B.P.I. Chief Rpt., 1916, p. 18. 1916; An. Rpts., 1916, p. 154. 1917.
germination of hard seeds, tests. D.B. 876, pp. 30–31. 1920.
growing for home use. Sec. [Misc.], Spec., "Hairy vetch in * * *," p. 3. 1914.
growing in United States, experiments. B.P.I. Cir. 102, pp. 6–8. 1913.
growing methods in Europe. B.P.I. Cir. 102, p. 4. 1913.

Vetch(es)—Continued.
  hairy—continued.
    seed—continued.
      marketing. D.B. 876, pp. 22–24, 28. 1920.
      prices. News L., vol. 2, No. 5, p. 1. 1914.
      production. C. V. Piper and Edgar Brown. B.P.I. Cir. 102, pp. 8. 1912.
      production in the United States. L. W. Kephart and Roland McKee. D.B. 876, pp. 32. 1920.
      quantity per acre, and directions for sowing. Sec. [Misc.], Spec., "Hairy vetch in the * * *," pp. 1, 2. 1914.
      saving for home use. D.B. 876, pp. 29–30. 1920.
      sources and imports, 1905–1919, and map. D.B. 876, pp. 4–7. 1920.
      sources, importations, and price. B.P.I. Cir. 102, pp. 3–4. 1913.
      waste in harvesting, discussion. D.B. 876, pp. 14–15, 17. 1920.
      yields. D.B. 876, pp. 3, 24–25, 26. 1920.
    seeding, time, methods, rate, and mixture. D.B. 876, pp. 11–14, 28. 1920.
    use as—
      green-manure crop, California orchards. B.P.I. Bul. 190, pp. 23–24. 1910.
      rotation crop. D.B. 876, pp. 9–10, 27–28. 1920.
      tobacco cover crop. F.B. 343, p. 14. 1909.
    value for—
      green manure. D.B. 876, pp. 10, 24, 30. 1920; F.B. 245, p. 14. 1906.
      pasture and hay in South. D.B. 827, pp. 29, 36. 1921.
      with clover or wheat, value as cover crop and green manure. F.B. 472, pp. 10, 16, 17. 1911.
  hay—
    feed for cows. F.B. 360, pp. 29–30. 1909.
    production, and importance. Y.B., 1923, pp. 361, 363–364. 1924; Y.B. Sep. 895, pp. 361, 363–364. 1924.
    steaming, experiments on digestibility. F.B. 360, p. 30. 1909.
    use as horse feed. F.B. 1030, p. 19. 1919.
  Hungarian—
    Roland McKee and H. A. Schoth. D.B. 1174, pp. 12. 1923.
    seed, germination tests, yield, harvesting, and cleaning. D.B. 1174, pp. 2, 5, 9, 10. 1923.
  importations and description. Nos. 36786–36787. B.P.I. Inv. 37, p. 65. 1916; No. 52269–52280, B.P.I. Inv. 65, pp. 82–83. 1923.
  injury by corn earworm. F.B. 1310, p. 2. 1923.
  inoculation, field tests and results. F.B. 315, pp. 17, 19. 1908.
  kidney, importation and description. No. 53920, B.P.I. Inv. 68, p. 9. 1923.
  milling tests, comparison with wheat, rye, cockle, and kinghead. D.B. 328, p. 10. 1915.
  mixture with oats and crimson clover for winter hay. F.B. 312, pp. 9, 14. 1907.
  Narbonne, description, and source of seed. F.B. 515, p. 22. 1912.
  narrow-leaved, description and uses. F.B. 515, p. 21. 1912; F.B. 529, p. 6. 1913.
  pearl, forage value in Pacific Northwest. F.B. 271, p. 22. 1906.
  perennial, importation and description. No. 46457, B.P.I. Inv. 56, pp. 3, 18. 1922.
  planting—
    for hog pasture with oats or wheat. D.B. 68, pp. 13–14. 1914.
    season, quantity of seed, and inoculation of soil. F.B. 529, pp. 9–13. 1913.
  purple—
    Roland McKee. F.B. 967, pp. 12. 1918.
    description and seed habits. F.B. 515, p. 22. 1912
    harvesting for hay and for seed, methods. F.B. 967, pp. 9–10. 1918.
    history and seed production. Roland McKee. D.C. 256, pp. 5. 1923.
    injury by aphid. F.B. 967, p. 12. 1918.
    pollination, relation of insects. F.B. 967, pp. 11–12. 1918.
    seed—
      harvesting, threshing, cleaning, and yield. F.B. 967, pp. 9–11. 1918.
      price in 1921. D.C. 256, p. 5. 1923.

Vetch(es)—Continued.
  purple—continued.
    seed—continued.
      production and history. Roland McKee. D.C. 256, pp. 5. 1923.
      use and value for citrus orchards. F.B. 1447, p. 25. 1925.
  rotations for various kinds of farming. F.B. 529, pp. 16–19. 1913.
  Russian—
    use as cover crop for tobacco fields. F.B. 237, pp. 13–14. 1905.
    See also Vetch, hairy.
  scarlet—
    adaptation to semiarid conditions. Y.B., 1908, p. 260. 1909; Y.B. Sep. 478, p. 260. 1909.
    description and seed habits. F.B. 515, p. 22. 1912.
  seed—
    adulteration, and testing directions. F.B. 428, pp. 7, 46. 1911.
    and its adulterants. F. H. Hillman. F.B. 515, pp. 23–27. 1912.
    characteristics. F.B. 515, pp. 22, 23, 25. 1912.
    effect of disinfectants. B.P.I. Cir. 67, pp. 7–9. 1910.
    growing and yields. F.B. 515, pp. 13, 16, 19–20. 1912.
    imports, 1905–1919. D.B. 876, p. 4. 1920.
    injury by corn earworm. F.B. 1206, pp. 4, 14. 1921.
    production—
      in orchards, Oregon, Umatilla experiment farm. W.I.A. Cir. 26, pp. 29–30. 1919.
      practices. F.B. 529, pp. 14–16. 1913.
    quantity per acre—
      alone or in mixtures for cover crops. F.B. 472, pp. 11, 16. 1911.
      time and method of sowing. B.P.I. Bul. 190, p. 17. 1910; D.B. 68, p. 13. 1914; F.B. 147, pp. 12, 29, 30, 33. 1902. F.B. 515, pp. 9–11, 17–19. 1912; F.B. 529, p. 10. 1913.
    supply sources. Y.B., 1917, p. 522. 1918; Y.B. Sep. 757, p. 28. 1918.
    yield per acre and cost, California. B.P.I. Bul. 190, p. 33. 1910.
  silage—
    and forage, palatability. F.B. 529, p. 14. 1913.
    feed for cows. F.B. 360, pp. 29–30. 1909.
  soil-improvement crop for Southern States. F.B. 986, pp. 14–15. 1918.
  spraying for corn earworm, directions and formulas. F.B. 1206, pp. 14–15, 18. 1921.
  suitability for pasture crop in Pacific Northwest. F.B. 599, pp. 13–14. 1914.
  use—
    and value in soil improvement, coastal plain section. F.B. 924, pp. 11, 18. 1918.
    as orchard cover crop. F.B. 917, p. 20. 1918.
  value—
    as pasture with green oats. F.B. 436, p. 29. 1911.
    in soil improvement. F.B. 981, pp. 15–16, 24, 25. 1918.
  varietal test, Yuma experiment farm, 1915–1916. W.I.A. Cir. 20, p. 30. 1918.
  varieties—
    adapted to semiarid conditions. Y.B., 1908, p. 260. 1909; Y.B. Sep. 478, p. 260. 1909.
    description, and value as legumes, studies. S.R.S. Syl. 34, p. 18. 1918.
    for South, description. F.B. 528, pp. 5–8. 1913.
    forage-crop experiments in Texas. B.P.I. Cir. 106, p. 26. 1913.
    promising green-manure crops, California. B.P.I. Bul. 190, pp. 28–30. 1910.
    use as forage crop in cotton region, description. F.B. 509, pp. 31–32. 1912.
  water requirements. J.A.R., vol. 3, pp. 33, 34, 52, 59. 1914.
  wheat adulterant, milling and baking tests. D.B. 328, pp. 1–24. 1915.
  wild, seed, occurrence in wheat, and effect on flour. D.B. 328, pp. 9–10, 12–13, 15–18, 19–20. 1915.

INDEX TO PUBLICATIONS, 1901-1925 2531

Vetch(es)—Continued.
winter—
pasture. F.B. 411, p. 25. 1910.
use as green manure for Norfolk fine sand.
Soils Cir. 23, pp. 5-6, 11, 15. 1911.
value as forage crop. O.E.S. An. Rpt., 1911,
p. 132. 1912.
woolly-podded—
adaptation to semiarid conditions. Y.B., 1908,
p. 260. 1909; Y.B. Sep. 478, p. 260. 1909.
description. F.B. 515, p. 23. 1912.
use as green-manure crop, California. B.P.I.
Bul. 190, p. 30. 1910.
Veterans—
bonus, bill vetoed. Off. Rec., vol. 1, No. 39,
p. 2. 1922.
hunting licenses, free in certain States. F.B. 692,
pp. 6, 10. 1915.
rural home for, bill. Off. Rec., vol. 1, No. 21,
p. 2. 1922.
Veterinarian(s)—
accredited, for testing cattle, instructions.
B.A.I.S.R.A. 180, pp. 50-52. 1922.
Federal, work for hog cholera control. Y.B.,
1918, pp. 191-193. 1919; Y.B. Sep. 777, pp. 3-4.
1919.
foreign consulates, list. O.E.S. Bul. 232, pp.
8-13. 1910.
instruction for shipping pathological specimens
for diagnosis. B.A.I. An. Rpt., 1906, pp. 197-
206. 1908; B.A.I. Cir. 123, pp. 1-10. 1908.
qualifications. D.C. 249, p. 5. 1922.
Veterinary—
and medical zoology, index-catalogue, authors.
Ch. Wardell Stiles and Albert Hassall. B.A.I.
Bul. 39, pp. 2276. 1902-1912.
college(s)—
Argentine National University. Y.B., 1913,
pp. 356-357. 1914; Y.B. Sep. 629, pp. 356-
357. 1914.
entrance requirements. B.A.I. Cir. 133, pp.
5-9. 1912.
number and graduates. B.A.I. Chief Rpt.,
1924, pp. 4-5. 1924.
report and recommendations. B.A.I. Cir. 133,
pp. 13. 1908.
education, in Australia. Y.B., 1914, pp. 437-438.
1915; Y.B. Sep. 650, pp. 437-438. 1915.
inspector examination, regulations governing.
B.A.I. Cir. 150, pp. 11. 1909; B.A.I. Doc.
A-16, pp. 10. 1917; Sec. Cir. 128, pp. 11. 1919;
Sec. Cir. 128, rev., pp. 11. 1921.
Medical Association, American, report of Inter-
national Commission on the control of bovine
tuberculosis. B.A.I. Cir. 175, pp. 27. 1911.
supplies, licenses for, report by months. See
B.A.I. Service and Regulatory Announcements.
Vetiver—
culture and handling as drug plant, yield, and
price. F.B. 663, p. 36. 1915.
growing and uses, harvesting, marketing, and
prices. F.B. 663, rev., p. 48. 1920.
importation and description. No. 34928, B.P.I.
Inv. 34, p. 28. 1915.
Vetiveria zizanioides. See Vetiver.
Vetularctos genus, type description and characters.
N.A. Fauna 41, pp. 131-133. 1918.
Vibrio rugula, description. B.P.I. Bul. 266, p. 12.
1913.
Vibrissea rot, grape, cause and control. F.B. 1220,
pp. 63-64. 1921.
Viburnum—
few-flowered, occurrence in Colorado, description.
N.A. Fauna 33, p. 245. 1911.
fruiting season and use as bird food. F.B. 844,
pp. 12, 13. 1917.
hupehense, importation and description. No.
44404, B.P.I. Inv. 50, p. 67. 1922.
insect pests, list. Sec. [Misc.], "A manual of
dangerous * * *," p. 219. 1917.
kansuense, importations and description. Nos.
44547, 44548, B.P.I. Inv. 51, pp. 7, 23. 1922.
pauciflorum. See Viburnum, few-flowered.
prunifolium. See Haw, black.
sieboldii, importation and description. No.
52689, B.P.I. Inv. 66, p. 60. 1923.
small-flowered, distribution. N.A. Fauna 22,
p. 16. 1902.

Viburnum—Continued.
spp.—
importations and descriptions. Nos. 42630,
42697, 42698, B.P.I. Inv. 47, pp. 40, 53, 54.
1920; Nos. 43730-43736, 43924, 43925, 43944,
B.P.I. Inv. 49, pp. 70, 96, 102. 1921; Nos.
45974, 46109, B.P.I. Inv. 55, pp. 7, 25. 1922;
Nos. 47825-47827, B.P.I. Inv. 59, p. 64. 1922;
Nos. 53744-53752, B.P.I. Inv. 67, pp. 3, 84-85.
1923.
injury, by sapsuckers. Biol. Bul. 39, pp. 50,
89. 1911.
sweet—
description. B.P.I. Bul. 139, p. 49. 1909.
distribution and growth in Wyoming. N. A.
Fauna 42, p. 77. 1917.
tomentosum, growing in Alaska. Alaska A.R.,
1910, p. 26. 1911.
Vichy water, Ozone, adulteration and misbranding.
Chem. N.J. 876, pp. 2. 1911.
Vicia—
cracca, growing experiments in Alaska. Alaska
A.R., 1911, p. 43. 1912.
faba. See Horse beans.
sativa, description, soil requirements, growing,
and uses. F.B. 515, pp. 7-17. 1912.
spp.—
forage-crop experiments in Texas. B.P.I. Cir.
106, p. 26. 1913.
importations and descriptions. Nos. 45305-
45307, 45474-45476, P.B.I. Inv. 53, pp. 23, 38.
1922; Nos. 50315-50324, B.P.I. Inv. 63, pp.
55-56. 1923; Nos. 51791, 52269-52280, B.P.I.
Inv. 65, pp. 50, 82-83. 1923.
See also Vetch.
villosa, use as tobacco cover crop. F.B. 343, p. 14.
1909.
VICKERY, R. A.: "Contributions to a knowledge of
the corn root-aphis." Ent. Bul. 85, Pt. VI, pp.
97-118. 1910.
Vicksburg, Miss., milk supply, details, and statis-
tics. B.A.I. Bul. 70, pp. 6-7, 34-35. 1905.
Victoria soils, in South Texas, description and uses.
Soil Sur. Adv. Sh., 1909, pp. 48-58. 1910; Soils
F.O., 1909, pp. 1072-1082. 1912.
VIDAL, RAFAEL: "Rearing queen bees in Porto
Rico." With R. H. Van Zwaluwenburg. (Also
Spanish edition.) P.R. Cir. 16, pp. 12. 1918.
VIEHOEVER, ARNO:
"Chemistry and histology of the glands of the
cotton plant with notes on the occurrence of
similar glands in related plants." With Ernest
E. Stanford. J.A.R., vol. 13, pp. 419-436. 1918.
"Chemistry of the cotton plant, with special ref-
erence to upland cotton." With others. J.A.R.
vol. 13, pp. 345-352. 1918.
"Studies in mustard seeds and substitutes: I.
Chinese colza (Brassica campestris chinoleifera
Viehoever.) J.A.R., vol. 20, pp. 117-140. 1920.
VIERECK, H. L.:
"Hymenoptera of the Pribilof Islands, Alaska."
N.A. Fauna 46, Pt. II, pp. 229-236. 1923.
Vigna—
capensis, description and habitat. B.P.I. Bul.
229, p. 13. 1912.
catjang—
description. B.P.I. Bul. 229, p. 8. 1912.
growing in manganiferous soils. Hawaii Bul.
26, p. 25. 1912.
cultivated, botanical history. B.P.I. Bul. 229,
pp. 9-14. 1912.
glabra, cultivation. B.P.I. Bul. 229, p. 7. 1912.
sesquipedalis. See Bean, asparagus.
sinensis. See Cowpea.
spp., importations and descriptions. Nos. 44464-
44468, 44516, 44517, 44765, 44880-44882, B.P.I.
Inv. 51, pp. 15, 18, 61, 84. 1922; Nos. 45301,
45302, 45345, B.P.I. Inv. 53, pp. 22, 23, 28. 1922;
Nos. 47421, 47422, 47435, 47618, B.P.I. Inv. 59,
pp. 17, 18, 38. 1922; Nos. 49248, 49601, 49704-
49706, B.P.I. Inv. 62, pp. 16, 58, 73. 1923; Nos.
50930-50942, 51243, B.P.I. Inv. 64, pp. 34-35, 79.
1923; Nos. 52229-52237, B.P.I. Inv. 65, p. 80.
1923.
triloba, description, relation to cowpeas. B.P.I.
Cir. 124, pp. 30-32. 1913.
varieties cultivated. B.P.I. Bul. 229, pp. 7-9.
1912.

2532　UNITED STATES DEPARTMENT OF AGRICULTURE

Vigoron, misbranding. See *Indexes to Notices of Judgment, in bound volumes and in separates published as supplements to Chemistry Service and Regulatory Announcements.*

Village(s)—
  deserted, results of forest devastation in various States, examples. D.B. 638, pp. 4–6. 1918.
  planning—
    Wayne C. Nason. F.B. 1441, pp. 46. 1925.
    economic aspects. F.B. 1441, pp. 1–2, 6, 7–8, 11, 23–25, 26, 27–28, 31, 32–33, 35, 39. 1925.
  population, 1910. Atl. Am. Agr. Adv. Sh., 3, Pt. IX, sec. 1, pp. 3, 4, 5. 1919.
  sites, Lake Region, in settlement and colonization. D.B. 1295, p. 54. 1925.
  street improvements, examples. F.B. 1325, pp. 15–22. 1923.
  waterfront gateways, planning. F.B. 1441, pp. 30–31. 1925.

VINALL, H. N.:—
  "Effect of temperature and other meteorological factors on the growth of sorghums." With H. R. Reed. J.A.R., vol. 13, pp. 133–148. 1918.
  "Feterita, a new variety of sorghum." With Carleton R. Ball. B.P.I. Cir. 122, pp. 25–32. 1913.
  "Foxtail millet: Its culture and utilization in the United States." F.B. 793, pp. 28. 1917.
  "Forage crops for the sandhill section of Nebraska." B.P.I. Cir. 80, pp. 23. 1911.
  "Growing and utilizing sorghums for forage." With R. E. Getty. F.B. 1158, pp. 32. 1920.
  "Hay." With others. Y.B., 1924, pp. 285–376. 1925.
  "Meadow fescue." D.C. 9, pp. 4. 1919.
  "Meadow fescue: Its culture and uses." F.B. 361, pp. 22. 1909.
  "Moisture content and shrinkage of forage, and the relation of these factors to the accuracy of experimental data." With Roland McKee. D.B. 353, pp. 37. 1916.
  "New sorghum varieties for the central and southern Great Plains." With R. W. Edwards. D.B. 383, pp. 16. 1916.
  "Our forage resources." With others. Y.B., 1923, pp. 311–414. 1924; Y.B. Sep. 895, pp. 311–414. 1924.
  "Prickly comfrey as a forage crop." B.P.I. Cir. 47, pp. 9. 1910.
  "Sorghum experiments on the Great Plains." With others. D.B. 1260, pp. 88. 1924.
  "Sorghum for forage in the Cotton Belt." Sec. [Misc.], Special, pp. 4. 1914.
  "Sudan grass." F.B. 1126, pp. 30. 1920; rev., pp. 22. 1925.
  "Sudan grass and related plants." With R. E. Getty. D.B. 981, pp. 68. 1921.
  "Sudan grass as a forage crop." F.B. 605, pp. 20. 1914.
  "Sweet clover." With J. M. Westgate. F.B. 485, pp. 39. 1912.
  "The field pea as a forage crop." F.B. 690, pp. 24. 1915.
  "The sunflower as a silage crop." D.B. 1045, pp. 32. 1922.

Vinasse, as possible source of potash, fertilizer value. Y.B., 1912, p. 526. 1913; Y.B. Sep. 611, p. 526. 1913.

Vinca minor. See Myrtle.

Vincetoxicum, diseases, Texas, occurrence and description. B.P.I. Bul. 226, p. 103. 1912.

Vine(s)—
  chafers, injuries and remedies. Ent. Bul. 38, pp. 99–100. 1902.
  climbing, for desert homes, Yuma experiment farm. B.P.I. [Misc.], "The work of the Yuma * * * 1913," p. 17. 1914.
  hopper, cranberry, description, injuries, and control. F.B. 860, pp. 35. 1917.
  injury—
    by sapsuckers. Biol. Bul. 39, p. 22. 1911.
    to wood lots, control method. F.B. 711, p. 12. 1916.
  ornamental, tests at field station near Mandan, N. Dak. D.B. 1301, pp. 34–36. 1925.
  permanent, use in home adornment. Y.B., 1902, p. 515. 1903.
  sweetpotato, composition, comparison with other forage. Hawaii Bul. 50, p. 19. 1923.
  use on farm grounds. F.B. 1087, pp. 52–54. 1920; S.R.S. Syl. 28, p. 7. 1917.

Vine(s)—Continued.
  yam, pruning experiments. P.R. Bul. 27, pp. 10–11. 1921.

Vinegar(s)—
  adulteration—
    State laws, 1905. Chem. Bul. 69, rev., pp. 95, 155, 169, 179, 204, 242, 267, 304, 321, 339, 356, 400, 433. 1905.
    See also *Indexes to Notices of Judgment, in bound volumes and in separates published as supplements to Chemistry Service and Regulatory Announcements.*
  analysis methods. Chem. Bul. 107, pp. 102–105. 1907; Chem. Bul. 122, pp. 27–29. 1908; Chem. Bul. 129, p. 18. 1909; Chem. Bul. 152, pp. 188–189. 1912; Chem. Cir. 90, p. 11. 1912.
  and wines, volatile acids in, apparatus for use in determination. H. C. Gore. Chem. Cir. 44, pp. 2. 1909.
  antiseptic value, experiment. Chem. Bul. 119, p. 25. 1909.
  apple—
    and peach, comparative analyses. Chem. Cir. 51, p. 5. 1910.
    labeling regulation. Chem. S.R.A., 28, p. 41. 1923.
  bees—
    description. News L., vol. 6, No. 43, p. 15. 1919.
    other name for wild yeast, description, and warning. News L., vol. 4, No. 2, p. 3. 1916.
    use. F.B. 1424, p. 23. 1924.
  cider, requirements under F. I. D. 140. News L., vol. 7, No. 6, p. 4. 1919.
  coloring, prohibitions by State laws. Chem. Bul. 147, pp. 41–42. 1912.
  definition and standard, revised. F.I.D. 193, p. 1. 1924.
  eels—
    description and control. F.B. 1424, p. 22. 1924.
    in urine and vagina, clinical diagnosis, key. B.A.I. Bul. 35, p. 40. 1902.
    (*Anguillula aceti*), infection in the human bladder. Ch. Wardell Stiles and W. Ashby Frankland. B.A.I. Bul. 35, pp. 35–41. 1902.
    origin and presence in acid products. Y.B., 1911, p. 305. 1912.
  exports, 1851–1908. Stat. Bul. 75, pp. 63–64. 1910.
  filtering and "fining." S.R.S. Doc. 99, p. 5. 1919.
  food standard. Sec. Cir. 136, p. 21. 1919.
  glycerine determination, report. Chem. Bul. 137, pp. 61–64. 1911.
  honey, directions for making. F.B. 276, pp. 28–29. 1907; F.B. 1222, p. 24. 1922.
  imports—
    1907–1909, quantity and value by countries from which consigned. Stat. Bul. 82, p. 62. 1910.
    1908–1910, quantity and value, by countries from which consigned. Stat. Bul. 90, p. 66. 1911.
  and exports—
    1903–1907. Y.B., 1907, pp. 746, 755. 1908; Y.B. Sep. 465, pp. 746, 755. 1908.
    1911–1913. Y.B., 1913, pp. 500, 507. 1914; Y.B. Sep. 361, pp. 500, 507. 1914.
  injurious effects. Chem. Bul. 116, pp. 18. 1908.
  labeling, decision. F.I.D. 140, pp. 1–3. 1912.
  laws—
    and standards. Chem. Bul. 69, rev., pp. 20–21, 95, 108, 155, 169, 170, 179, 192, 193, 211, 213, 242–243, 267, 304, 321, 339, 356, 370, 400–403, 433, 441, 457, 488, 509, 541, 567, 574, 595, 598, 616, 618, 636, 650, 668, 689, 703, 775. 1905–6.
    State—
      1907. Chem. Bul. 112, Pt. I, pp. 61, 68, 73, 87–88, 119, 129, 133–134, 150. 1908; Pt. II, pp. 17–19, 120–103, 115, 131–132, 142–143, 147. 1908. 1908. Chem. Bul. 121, p. 35, 52, 58. 1909.
  making—
    as side line for cannery. Y.B., 1916, p. 246. 1917; Y.B. Sep. 705, p. 10. 1917
    at home and on farm. Edwin LeFevre. F.B. 1424, pp. 29. 1924.

INDEX TO PUBLICATIONS, 1901–1925 — 2533

Vinegar(s)—Continued.
  making—continued.
    from waste grapes. F.B. 517, pp. 19–21. 1912.
    in the home. S.R.S. Doc. 99, pp. 8. 1919.
    lesson outlines for first-year classes, and correlative studies. D.B. 540, p. 19. 1917.
    rapid method, suggestions. F.B. 233, pp. 31–32. 1905.
  manufacture from beet molasses. Rpt. 90, p. 27. 1909.
  orange—
    from cull oranges. Off. Rec., vol. 1, No. 15, p. 1. 1922.
    value, preparation, apparatus, description, and use methods. D.C. 232, pp. 4–7. 1922.
  parasites, description and control. F.B. 1424, pp. 22–23. 1924.
  peaches as stock, value. H. C. Gore. Chem. Cir. 51, pp. 7. 1910.
  pineapple, making in Hawaii. Hawaii A.R., 1913, p. 34. 1914.
  preservative effect on food. Chem. Bul. 116, p. 18. 1908.
  preservatives, decision. F.I.D. 15, pp. 20–21. 1905.
  purity standards. Sec. Cir. 136, p. 21. 1919.
  spiced, recipe. D. C. 3, p. 17. 1919; News L., vol. 3, No. 3, p. 7. 1915.
  stains, removal from textiles. F.B. 861, p. 34. 1917.
  sugar beet, cost of waste sirup per ton. [Misc.], "Progress of the beet * * *," 1903, p. 127. 1903.
  sweet, jelly, with apple-pectin extract, directions. D.C. 254, p. 11. 1923.
  use as food preservative. D.B. 123, pp. 68, 70. 1914. O.E.S. Bul. 245, pp. 87–90. 1912.
  use in—
    cooking meat. F.B. 391, p. 31. 1910.
    meats allowed. B.A.I.O. 150, amdt. 2, p. 1. 1913.
    pickling vegetables, studies. O.E.S. Bul. 245, pp. 87–90. 1912.
    ripening dates. B.P.I. Bul. 180, p. 23. 1910.
  volatile acids, determination, description of apparatus, with wines. H. C. Gore. Chem. Cir. 44, pp. 2. 1909.
  wine, labeling. F.I.D. 16, p. 21. 1905.
Vineyard(s)—
  acreage and management, California, Livermore area. Soil Sur. Adv. Sh., 1910, pp. 13–14. 1911; Soils F.O., 1910, pp. 1665–1666. 1912.
  acreage and production in United States and foreign countries. Sec. [Misc.], Spec. "Geography * * * world's agriculture," pp. 84–88. 1917.
  companion crops, recommendations. F.B. 709, p. 11. 1916.
  conditions—
    and yield, consequence of root-worm ravages. Ent. Bul. 68, Pt. VI, pp. 62–63, 64–65. 1908.
    favorable to grape-berry moth, elimination. D.B. 550, pp. 7–8, 40. 1917.
    in Lake Erie Valley, 1900–1909. Ent. Bul. 89, pp. 57–59. 1910.
  cooperative experiment, location, size, soil, climate, and purpose. D.B. 209, pp. 2–10. 1915.
  cultural methods for control of grape root-worm. Ent. Bul. 89, pp. 61–63. 1910.
  damage by white ants, and protection. F.B. 759, pp. 12, 18. 1916; F.B. 1037, pp. 9, 15. 1919.
  destruction by phylloxera, details. D.B. 903, pp. 15–18, 123–124. 1921.
  early planting in California, and phylloxera introduction. D.B. 903, pp. 4–7. 1921.
  experimental—
    in California, location, soils, and methods of work. B.P.I. Bul. 172, pp. 27–49, 70. 1910.
    location and environment, historical notes. J.A.R., vol. 30, pp. 1134–1137. 1925.
  Fresno Experimental, soil analysis. D.B. 349, p. 5. 1916.
  grape-berry moth, control measures, and experiments. Ent. Bul. 116, Pt. II, pp. 50–67. 1912.
  home, with special reference to northern conditions. W. H. Ragan. F.B. 156, pp. 24. 1902.
  in California—
    injury by little-leaf disease. J.A.R. vol. 8, pp. 381, 382–389. 1917.

Vineyard(s)—Continued.
  in California—continued.
    Pomona Valley, danger of overirrigation. O.E.S. Bul. 236, p. 85. 1911.
  injury by—
    grape leaf-folder. D.B. 419, p. 5. 1916.
    ground squirrels, California. Biol. Cir. 76, p. 6. 1910.
    rabbits. N.A. Fauna 29, p. 11. 1909.
    termites. D.B. 333, pp. 24, 32. 1916.
  interplanting—
    to currants and gooseberries. F.B. 1024, pp. 11–12. 1919.
    with cotton. D.C. 164, pp. 4–5. 1921.
  irrigation experiments. O.E.S. Cir. 108, pp. 16–17. 1911.
  material and implements, spread of phylloxera. D.B. 903, pp. 9–11, 115–117. 1921.
  phylloxera indications. D.B. 903, pp. 15, 18–22. 1921.
  posts, concrete, construction. F.B. 403, p. 30. 1910.
  protection from—
    frost, methods and devices. F.B. 104, rev., pp. 11–26. 1910.
    grasshoppers. F.B. 1140, pp. 14–15. 1920.
  raisin grapes, early plantings, California. D.B. 349, pp. 1–2. 1916.
  reconstruction, early attempts in California. B.P.I. Bul. 172, pp. 11–12. 1910.
  renovation—
    after injury by root-worm. Ent. Bul. 68, p. 65. 1909.
    experiments, details and results. Ent. Bul. 89, pp. 75–83. 1910.
  spraying—
    cost. D.B. 550, pp. 38–39, 41. 1917.
    experiments, 1906–1908. B.P.I. Bul. 155, pp. 13–37. 1909.
    for—
      leaf folder. D.B. 419, p. 12. 1916.
      grapeberry moth in northern Ohio. D.B. 837, pp. 7–22. 1920.
      grape leaf hopper. D.B. 19, pp. 35, 37–41. 1914; Ent. Bul. 116, Pt. I, pp. 1–13. 1912.
      rose chafer. Ent. Bul. 97, pp. 53–64. 1913; F.B. 721, p. 7. 1916.
    formulas, and dates, experiments, North East, Pa. Ent. Bul. 116, Pt. II, pp. 52–62. 1912.
    time, number, and pressure of applications. Ent. Bul. 89, pp. 86–88, 89–90. 1910.
Vinifera—
  grapes—
    grafted on resistant stocks, growth rates, California experiment vineyards, tables. B.P.I. Bul. 172, pp. 61–67. 1910.
    growing, attempts in Eastern States. D.B. 861, pp. 1–2. 1920.
    investigations in United States. George C. Hussmann. B.P.I. Bul. 172, pp. 86. 1910.
    regions of United States, grape varieties in, testing. George C. Hussman. D.B. 209, pp. 157. 1915.
Vining station, use in harvesting peas for canning. F.B. 1255, pp. 17–18. 1922.
VINNEDGE, R. W.: "Logging and mill losses in the Pacific Coast States." M.C. 39, pp. 29–37. 1925.
"Vino vito," misbranding. Chem. N.J., 1215, pp. 2. 1912.
VINSON, A. E.: "The auxotaxic curve as a means of classifying soils and studying their colloidal properties." With C. N. Catlin. J.A.R., vol. 26, pp. 11–13. 1923.
Viola—
  canina. See Violet, blue.
  spp., infection with Puccinia spp., discussion. J.A.R., vol. 2, pp. 303–319. 1914.
Violet(s)—
  black aphid, description, distribution, and remedies. Ent. Bul. 27, pp. 42–47. 1901.
  blue, occurrence on Washington prairie land, eastern Puget Sound Basin. Soils F. O., 1909, p. 1545. 1912; Soil Sur. Adv. Sh., 1909, p. 33. 1910.
  commercial, growing in New York, Dutchess County. Soil Sur. Adv. Sh., 1907, pp. 15, 34, 53. 1909; Soils F.O., 1907, pp. 41, 60, 79. 1909.
  diseases in Texas, occurrence and description. B.P.I. Bul. 226, p. 89. 1912.

Violet(s)—Continued.
 flavor, misbranding. Chem. N.J., 2146, pp. 2–3. 1913.
 flowering, relation to daylight length. J.A.R., vol. 23, pp. 880, 883, 887. 1923.
 fly, control. Ent. Bul. 67, p. 48. 1907.
 food plant of red spider. Ent. Cir. 172, pp. 6–7, 17, 22. 1913.
 gall—
  fly, greenhouse, description, distribution, and remedies. Ent. Bul. 27, pp. 47–49. 1901.
  midge, investigations. Ent. Bul. 67, p. 41. 1905.
 hairy yellow, occurrence on Washington prairie land, eastern Puget Sound Basin. Soil Sur. Adv. Sh., 1909, p. 33. 1910; Soils F.O., 1909, p. 1545. 1912.
 host of red spider of cotton, control methods. Ent. Cir. 150, pp. 5, 10. 1912; F.B. 831, pp. 9–11. 1917.
 importation and description. No. 51854, B.P.I. Inv. 65, p. 58. 1923.
 infection with root rot, *Thielavia basicola*. J.A.R., vol. 7, pp. 290, 293, 298. 1916.
 infestation by—
  red spider. Ent. Bul. 117, p. 14. 1913.
  Tylenchus penetrans. J.A.R., vol. 11, pp. 27, 30, 32. 1917.
 injury by—
  overfeeding with nitrogen. Y.B., 1901, p. 169. 1902; Y.B. Sep. 225, p. 169. 1902.
  red spider, treatment. Ent. Cir. 104, pp. 1, 3, 7, 9. 1909.
 insects injurious—
  description and control. Ent. Bul. 27, pp. 79–83. 1901; F.B. 1362, pp. 77–80. 1924.
  with rose and other ornamentals. F. H. Chittenden. Ent. Bul. 27, pp. 114. 1901.
 leaf tier, as enemy, discussion. Ent. Bul. 27, pp. 7–26. 1901.
 Mulford's, adulteration. Chem. N.J. 3513. 1915.
 new varieties, description. B.P.I. Bul. 207, pp. 40, 59, 70. 1911.
 rose, and other ornamental plants, some insects injurious to. F. H. Chittenden. Ent. Bul. 27, pp. 114. 1901.
 rove beetle. F. H. Chittenden. D.B. 264, pp. 4. 1915.
 sawfly, description, distribution, enemies, and remedies. Ent. Bul. 27, pp. 26–31. 1901.
 tongue-leaved, indicator value on range. D.B. 791, pp. 24, 37, 38, 40, 43, 44. 1919.
 use with food. O.E.S. Bul. 245, pp. 49, 50. 1912.
Vira-vira, importations and descriptions. No. 33810, B.P.I. Inv. 31, p. 57. 1914.
Viraro, importation and description. No. 41308, B.P.I. Inv. 44, p. 61. 1918.
Vireo—
 Bell's, food habits and range. D.B. 1355, pp. 2–3, 25–27, 28–42. 1925.
 belli, food habits and range. D.B. 1355, pp. 2–3, 25–27, 28–42. 1925.
 black-capped, distribution. D.B. 1355, p. 1. 1925.
 black-whiskered, distribution and food habits. D.B. 1355, pp. 1, 2–4. 1925.
 blue-headed, food habits and range. D.B. 1355, pp. 2–3, 18–21, 28–42. 1925.
 Cassin's, food habits. Biol. Bul. 30, p. 40. 1907.
 food habits—
  Edward A. Chapin. D.B. 1355, pp. 44. 1925.
  and occurrence in Arkansas. Biol. Bul. 38, pp. 73–74. 1911.
  geographic distribution of species. D.B. 1355, p. 1. 1925.
 gray, food habits and range. D.B. 1355, p. 27. 1925.
 griseus, food habits and range. D.B. 1355, pp. 2–3, 21–23, 28–42. 1925.
 habits and food in Porto Rico. D.B. 326, pp. 95–98. 1916.
 Hutton's, food habits. Biol. Bul. 30, p. 41. 1907; D.B. 1355, pp. 2–3, 23–25. 1925; N.A. Fauna 22, pp. 124–125. 1902.
 Jamaican, occurrence in Porto Rico, habits and food. D.B. 326, pp. 97–98. 1916.
 Latimer's, occurrence in Porto Rico, habits and food. D.B. 326, pp. 95–96. 1916.
 migration habits and routes. D.B. 185, pp. 36, 37, 40, 42. 1915.

Vireo—Continued.
 occurrence in Athabaska-Mackenzie region. N.A. Fauna 27, pp. 460–463. 1908.
 Philadelphia, description, food habits, and range. D.B. 1355, pp. 2, 10–13, 28–42. 1925.
 protection by law. Biol. Bul. 12, rev., pp. 38, 40. 1902.
 red-eyed, description, food habits, and range. D.B. 1355, pp. 1, 2–3, 4–10, 28–42. 1925.
 vicinior, food habits and range. D.B. 1355, p. 27. 1925.
 warbling, food habits and range. D.B. 1355, pp. 1, 2–3, 13–15, 28–42. 1925.
 western warbling—
  enemy of codling moth. Y.B., 1911, p. 241. 1912; Y.B. Sep. 564, p. 241. 1912.
  food habits. Biol. Bul. 30, p. 39. 1907.
 white-eyed, food habits and range. D.B. 1355, pp. 2–3, 21–23, 28–42. 1925.
 yellow-throated, food habits and range. D.B. 1355, pp. 2–3, 15–18, 28–42. 1925.
Vireosylva spp. *See* Vireos.
Virgilia capensis. *See* Keurboom.
Virgin Islands—
 Experiment Station, annual report—
  1919. Longfield Smith. Vir. Is. A.R., 1919, pp. 16. 1920.
  1920. Longfield Smith and C. E. Wilson. Vir. Is. A.R., 1920, pp. 35. 1921.
  1921. Longfield Smith and C. E. Wilson. Vir. Is. A.R., 1921, pp. 24. 1922.
  1922. J. B. Thompson and C. E. Wilson. Vir. Is. A.R., 1922, pp. 18. 1923.
  1923. J. B. Thompson and W. M. Perry. Vir. Is. A.R., 1923, pp. 13. 1924.
  1924. J. B. Thompson and others. Vir. Is. A.R., 1924, pp. 19. 1925.
 St. Croix, sea-island cotton. Longfield Smith. Vir. Is. Bul. 1, pp. 14. 1921.
 sugarcane production. Vir. Is. Bul. 2, pp. 1–23. 1921.
 sweet-potato seedlings, production at the experiment station. John B. Thompson and others. Vir. Is. Bul. 5, pp. 14. 1925.
 truck-crop insect pests and their control. Charles E. Wilson. Vir. Is. Bul. 4, pp. 35. 1923.
 weather observations, 1919–1923. Vir. Is. A.R., 1923, pp. 5–7. 1924.
Virgin River, basin, agriculture under irrigation. Frank Adams. O.E.S. Bul. 124, pp. 207–265. 1903.
Virginia—
 agricultural—
  colleges and experiment stations, organizations. O.E.S. Bul. 176, pp. 77–80. 1907.
  Experiment Station. *See* Virginia Experiment Station.
  high schools, establishment. O.E.S. An. Rpt., 1910, p. 373. 1911.
  schools, recent laws. O.E.S. An. Rpt., 1908, pp. 276–277. 1909.
 Albemarle area, soils revision, Shenandoah River terrace. Hugh H. Bennett. Soils Cir. 53, pp. 16. 1912.
 Alexandria and Fairfax Counties, experimental roads, 1915–16. Sec. Cir. 77, pp. 6–8. 1917.
 and Maryland, cereal experiments in. T. R. Stanton. D.B. 336, pp. 52. 1916.
 apple—
  growing, regions and varieties. D.B. 485, pp. 6, 25, 44–47. 1917; Y.B., 1918, pp. 370, 372, 378. 1919; Y.B. Sep. 767, pp. 6, 8, 14. 1919.
  orchards on Porters black loam. Soils Cir. 39, pp. 11, 13, 19. 1911.
  root borer, occurrence and habits. J.A.R., vol. 3, p. 180. 1914.
  varieties, phenological records. B.P.I. Bul. 194, pp. 53–87. 1911.
 associations, truck and fruit growers'. Rpt. 98, pp. 252–256, 271–275. 1913.
 barley—
  crops, 1867–1907, acreage, production, and value. Stat. Bul. 59, pp. 7–11, 13–19, 23–25, 29. 1907.
  rotation. F.B. 518, pp. 9–10. 1912.
 bee(s)—
  and honey statistics. D.B. 325, pp. 3, 9–12. 1915; D.B. 685, pp. 6, 9, 12, 14, 16, 17, 19, 21, 24, 26, 29, 31. 1918.
  disease, occurrence. Ent. Cir. 138, p. 22. 1911.

Virginia—Continued.
  bird(s)—
    protection. *See* Bird protection.
    reports from Viresco, 1911-1920. D.B. 1165, pp. 17-18. 1923.
  boll weevil, dispersion line, 1922. D.C. 266, pp. 3, 5. 1923.
  bounty laws, 1907. Y.B., 1907, p. 564. 1908; Y.B. Sep. 473, p. 564. 1908.
  buckwheat crops, 1866-1906, acreage, production, and value. Stat. Bul. 61, pp. 5-17, 20. 1908.
  bulb growing. D.B. 797, pp. 8, 11, 12, 14, 16. 1919.
  cabbage production, acreage, yield, and shipments. D.B. 1242, pp. 4, 7, 14, 15, 18, 23, 47, 49-52. 1924.
  cantaloupe shipments, 1914. D.B. 315, pp. 17, 19. 1915.
  Caroline County, soil improvement on corn farm, method and results. F.B. 924, pp. 19-20. 1918.
  cattle—
    feeding experiments. Y.B., 1913, p. 275. 1914; Y.B. Sep. 627, p. 275. 1914.
    industry, historical notes. Y.B., 1921, p. 232. 1922; Y.B. Sep. 874, p. 232. 1922.
    testing for tuberculosis. News L., vol. 7, No. 1, p. 8. 1919.
    tick conditions, 1911. B.A.I. An. Rpt., 1910, pp. 256, 257. 1912; B.A.I. Cir. 187, pp. 256, 257. 1912.
  cement factories, potash content and loss. D.B. 572, p. 6. 1917.
  cereal experiments, and Maryland. T. R. Stanton. D.B. 336, pp. 52. 1916.
  Chester loam, areas, location, and crops adaptable. Soils Cir. 55, pp. 5, 9, 10. 1912.
  Churchland area, trucking soils and crops. D.B. 1005, pp. 9-18. 1922.
  cities—
    dairy products, consumption and prices, 1905-6. B.A.I. An. Rpt., 1907, pp. 315-317. 1909; F.B. 349, pp. 14-16. 1909.
    milk supply, statistics. B.A.I. Bul. 70, pp. 6-7, 20-24. 1905.
  climatological records. B.P.I. Bul. 135, p. 24. 1908.
  clover, bacterial leaf spot, characteristics. J.A.R., vol. 25, pp. 486, 487. 1923.
  consolidated schools, conditions, and projects. O.E.S. Bul. 232, pp. 10, 94-97. 1910.
  convict road work, laws. D.B. 414, pp. 215-216. 1916.
  cooperative associations, statistics, details, and laws. D.B. 547, pp. 13, 23, 35, 40, 47, 75. 1917.
  corn—
    crops, 1866-1906, acreage, production, and value. Stat. Bul. 56, pp. 7-27, 30. 1907.
    growing, practices, and farm conditions in Augusta County. D.B. 320, pp. 49-51. 1916.
    production, movements, consumption, and prices. D.B. 696, pp. 14, 16, 20, 28, 29, 33, 36, 38, 40. 1918.
    yields and prices, 1866-1915. D.B. 515, p. 6. 1917.
  cotton—
    crop, movement, 1899-1904. Stat. Bul. 34, p. 32, 58. 1905.
    production and yield. D.B. 896, pp. 3-4. 1920.
  county organization, and expenditures for extension work, 1918. S.R.S. Rpt., 1918, pp. 33, 129-158. 1919.
  court decisions on nonresident license laws. Biol. Bul. 19, p. 49. 1904.
  Courtland, deposit of poisonous greensand. J.A.R., vol. 23, p. 223. 1923.
  crab-meat packers, misbranding practices. Off. Rec., vol. 1, No. 26, p. 4. 1922.
  credits, farm-mortgage loans, costs and sources. D.B. 384, pp. 2, 3, 5, 7, 10. 1916.
  crop(s)—
    acreage and production, 1909-1919. D.C. 85, pp. 14-19. 1920.
    planting and harvesting dates, important crops. Stat. Bul. 85, pp. 19, 31, 54, 75, 85, 104. 1912.
  cropping experiments to increase corn yields, results. F.B. 1121, pp. 11-13. 1920.
  crow roosts, location, and number of birds. Y.B., 1915, pp. 88, 95. 1916; Y.B. Sep. 659, pp. 88, 95. 1916.

Virginia—Continued.
  Culpeper County, farm demonstration work. Y.B., 1915, pp. 137-248. 1916; Y.B. Sep. 672, pp. 237-248. 1916.
  Dekalb silt loam, area and location. Soils Cir. 38, pp. 3, 17. 1911.
  Delaware, and Maryland, forest management of loblolly pine in. W. D. Sterrett. D.B. 11, pp. 59. 1914.
  demurrage provisions, regulations. D.B. 191, pp. 3, 12, 14, 16, 17, 24, 27. 1915.
  Diamond Springs area, trucking soils and crops. D.B. 1005, pp. 18-32. 1922.
  dog law, digest. F.B. 935, p. 21. 1918; F.B. 1268, p. 23. 1922.
  drainage surveys, location and kind of land, 1911. An. Rpts., 1911, pp. 708, 709. 1912; O.E.S. An. Rpt., 1911, pp. 42, 45, 47. 1912; O.E.S. Chief Rpt., 1911, pp. 26, 27. 1911.
  drug laws. Chem. Bul. 98, pp. 194-197. 1906; rev., Pt. I, pp. 311-318. 1909.
  early settlement, historical notes. *See* Soil surveys, *various counties and areas.*
  eastern—
    early potatoes, shipping and distribution. F.B. 1316, pp. 23-27. 1923.
    soils, and their uses for truck crop production. J. A. Bonsteel. D.B. 1005, pp. 70. 1922.
    soils and truck-crop production. J. A. Bonsteel. D.B. 1005, pp. 70. 1922.
  Eastern Shore—
    Produce Exchange—
      a type of cooperation. D.B. 547, pp. 47-48. 1917.
    Accomac and Northampton Counties. Soil Sur. Adv. Sh., 1917, p. 32. 1920; Soils F.O., 1917, p. 378. 1923.
    report and by-laws. Rpt. 98, pp. 252-254, 271-275. 1913.
    trucking—
      district, soils and crops. D.B. 1005, pp. 43-68. 1922.
      industry, acreage and crops. Y.B., 1916, pp. 438-440, 449, 450, 452, 455-465. 1917; Y.B. Sep. 702, pp. 4-6, 15, 16, 18, 21-31. 1917.
  Experiment Station—
    sugar-beet experiments. Chem. Bul. 74, pp. 24-25, 30. 1903; Chem. Bul. 78, pp. 19-21, 35. 1903.
    work and expenditures—
      1906. A. M. Soule. O.E.S. An. Rpt., 1906, pp. 162-164. 1907.
      1907. S. W. Fletcher. O.E.S. An. Rpt., 1907, pp. 178-180. 1908.
      1908. S. W. Fletcher. O.E.S. An. Rpt., 1908, pp. 178-181. 1909.
      1909. S. W. Fletcher. O.E.S. An. Rpt., 1909, pp. 194-198. 1910.
      1910. S. W. Fletcher. O.E.S. An. Rpt., 1910, pp. 254-258. 1911.
      1911. S. W. Fletcher. O.E.S. An. Rpt., 1911, pp. 213-216. 1912.
      1912. S. W. Fletcher. O.E.S. An. Rpt., 1912, pp. 217-220. 1913.
      1913 (Blacksburg). S. W. Fletcher. Work and Exp., 1913, pp. 85-86. 1915.
      1913 (Norfolk). T. C. Johnson. Work and Exp., 1913, pp. 86-87. 1915.
      1914 (Blacksburg). S. W. Fletcher. Work and Exp., 1914, pp. 233-236. 1915.
      1914 (Norfolk). T. C. Johnson. Work and Exp., 1914, pp. 236-237. 1915.
      1915. W. J. Schoene. S.R.S. Rpt., 1915, Pt. I, pp. 263-267. 1917.
      1916. W. J. Schoene. S.R.S. Rpt., 1916, Pt. I, pp. 271-275. 1918.
      1917. A. W. Drinkard, jr. S.R.S. Rpt., 1917, Pt. I, pp. 262-266. 1918.
  extension work—
    funds allotment, and county-agent work. S.R.S. Doc. 40, pp. 4, 7, 12, 20, 23, 25, 28. 1918.
    in agriculture and home economics—
      1915. J. D. Eggleston. S.R.S. Rpt., 1915, Pt. II, pp. 128-137. 1916.
      1916. J. D. Eggleston. S.R.S. Rpt., 1916, Pt. II, pp. 138-145. 1917.
      1917. Jesse M. Jones. S.R.S. Rpt., 1917, Pt. II, pp. 145-155. 1919.

2536 UNITED STATES DEPARTMENT OF AGRICULTURE

Virginia—Continued.
  extension work—continued.
    statistics. D.C. 253, pp. 6, 9, 12–13, 17, 18. 1923; D.C. 306, pp. 4, 7, 12, 16, 20, 21. 1924.
  fairs, number, kind, location, and dates. Stat. Bul. 102, pp. 13, 14, 63–64. 1913.
  Falls Church Field Station—
    sawfly studies. D.B. 1182, p. 1. 1923.
    study of nema parasites. J.A.R., vol. 23, pp. 921–926. 1923.
    termite studies and investigations. Ent. Bul. 94, Pt. II, pp. 19–75. 1915.
    wood-treating experiments. D.B. 1231, pp. 2–12. 1924.
  farm(s)—
    animals, statistics, 1867–1907. Stat. Bul. 64, p. 106. 1908.
    demonstration work, results. B.P.I. Cir. 21, p. 15. 1908.
    leases, provisions. D.B. 650, pp. 4, 5, 9, 16, 19. 1918.
    values—
      changes, 1900–1905. Stat. Bul. 43, pp. 11–17, 29–46. 1913.
      income, and tenancy classification. D.B. 1224, p. 125. 1924.
  farmers' institutes—
    for young people. O.E.S. Cir. 99, p. 23. 1910.
    history. O.E.S. Bul. 174, pp. 86–88. 1906.
    laws. O.E.S. Bul. 135, rev., p. 32. 1905.
    legislation. O.E.S. Bul. 241, pp. 42–44. 1911.
    work—
      1904. O.E.S. An. Rpt., 1904, p. 669. 1905.
      1906. O.E.S. An. Rpt., 1906, p. 350. 1907.
      1907. O.E.S. An. Rpt., 1907, p. 347. 1908.
      1908. O.E.S. An. Rpt., 1908, p. 328. 1909.
      1909. O.E.S. An. Rpt., 1909, p. 354. 1910.
      1910. O.E.S. An. Rpt., 1910, p. 415. 1911.
      1911. O.E.S. An. Rpt., 1911, p. 380. 1912.
  Farmville, poultry work, organization and results. Y.B., 1918, p. 110. 1919; Y.B. Sep. 778, p. 4. 1919.
  fertilizer prices, 1919, by counties. D.C. 57, pp. 4, 5–6, 9. 1919.
  field work of Plant Industry, December, 1924. M.C. 30, pp. 51–62. 1925.
  food law(s)—
    1903, enactment. Chem. Bul. 83, Pt. I, p. 143. 1904.
    1904. Chem. Cir. 16, pp. 19, 23, 29. 1904; rev., pp. 24, 36. 1908.
    1905. Chem. Bul. 69, rev., Pt. VIII, pp. 639–652. 1906.
    1906. Chem. Bul. 104, p. 53. 1906.
    1907. Chem. Bul. 112, Pt. II, p. 121. 1908.
  foot rot of sweet potato, prevalence, 1912. J.A.R., vol. 1, p. 251. 1913.
  forest—
    area, 1918. Y.B., 1918, p. 718. 1919; Y.B. Sep. 795, p. 54. 1919.
    fires, statistics. For. Bul. 117, p. 36. 1912.
    lands, Monongahela unit and others. D.C. 313, pp. 7–8. 1924.
    management of loblolly pine, and in Maryland and Delaware. W.D. Sterrett. D.B. 11, pp. 59. 1914.
  funds for cooperative extension work, sources. S.R.S. Doc. 40, pp. 4, 6, 11, 18. 1917.
  fur animals, laws—
    1915. F.B. 706, p. 18. 1916.
    1916. F.B. 783, pp. 2, 19–20. 1916.
    1917. F.B. 911, pp. 22, 31. 1917.
    1918. F.B. 1022, pp. 22, 31. 1918.
    1919. F.B. 1079, pp. 24–25. 1919.
    1920. F.B. 1165, p. 23. 1920.
    1921. F.B. 1238, p. 22. 1921.
    1922. F.B. 1293, pp. 20–21. 1922.
    1923–24. F.B. 1387, pp. 23–24. 1923.
    1924–25. F.B. 1445, p. 17. 1924.
    1925–26. F.B. 1469, p. 21. 1925.
  game—
    associations. Biol. Cir. 65, pp. 12–13. 1908.
    killed, records in 1920. D.B. 1049, pp. 20–22. 1922.
    laws—
      1902. F.B. 160, pp. 23–25, 34, 42, 46. 1902.
      1903. F.B. 180, pp. 15, 25, 34, 39, 56. 1903.
      1904. F.B. 207, pp. 24, 36, 40, 45, 51, 62. 1904.
      1905. F.B. 230, pp. 12, 23, 33, 39, 46. 1905.
      1906. F.B. 265, pp. 9, 22, 32, 39, 47. 1906.

Virginia—Continued.
  game—continued.
    laws—continued.
      1907. F.B. 308, pp. 20, 30, 37, 46. 1907.
      1908. F.B. 336, pp. 10, 23, 34, 41, 53. 1908.
      1909. F.B. 376, pp. 9, 18, 28, 36, 40, 43, 50. 1909.
      1910. F.B. 418, pp. 9, 11, 21, 29, 31, 34, 37, 39, 45. 1910.
      1911. F.B. 470, pp. 25, 34, 39, 42, 51. 1911.
      1912. F.B. 510, pp. 4, 7, 9, 10, 21, 25–26, 30, 35, 36, 38, 40, 47. 1912.
      1913. D.B. 22, pp. 20, 21, 33, 41, 46, 49, 57. 1913; rev., pp. 19, 20, 21, 33, 41, 46, 49, 57. 1913.
      1914. F.B. 628, pp. 2, 3, 4, 6, 10, 11, 12, 14, 24, 28–29, 33, 38, 39, 42, 43, 52. 1914.
      1915. F.B. 692, pp. 7, 34, 43, 48, 53, 61. 1915.
      1916. F.B. 774, pp. 10, 31–32, 41, 47, 52, 64. 1916.
      1917. F.B. 910, pp. 36–37. 1917.
      1918. F.B. 1010, pp. 33, 49. 1918.
      1919. F.B. 1077, pp. 37, 50, 72, 73. 1919.
      1920. F.B. 1138, pp. 39–40. 1920.
      1921. F.B. 1235, pp. 42–43, 57. 1921.
      1922. F.B. 1288, pp. 39, 55. 1922.
      1923–24. F.B. 1375, pp. 37–38, 51. 1923.
      1924–25. F.B. 1444, pp. 27–28, 38. 1924.
      1925–26. F.B. 1466, pp. 34, 45. 1925.
    protection. See Game protection.
  girls' canning clubs, records and work. S.R.S. Doc. 28, pp. 1–4. 1915.
  grain supervision districts, counties. Mkts. S.R.A. 14, pp. 4–5, 9, 10. 1916.
  grains, fall sown, and in Maryland. T. R. Stanton. F.B. 786, pp. 24. 1917.
  grape(s)—
    1908–1910, and analytical data on samples. Chem. Bul. 145, pp. 18–19, 35. 1911.
    chemical composition, studies and tables. D.B. 452, pp. 7, 15, 17–19. 1916.
    shipments, 1916–1919. D.B. 861, pp. 3, 48. 1920.
  grazing industry in bluegrass region (with other States). D.B. 397, pp. 1–18. 1916.
  Hagerstown clay, acreage and location. Soils Cir. 64, pp. 3, 12. 1912.
  hay crops, 1866–1906, acreage, production, and value. Stat. Bul. 63, pp. 5–25, 28. 1908.
  hemp growing, early history. Y.B., 1913, p. 291. 1914.
  herds, lists of tested and accredited. D.C. 54, pp. 6, 9, 18, 25, 26, 43, 70, 75, 90, 91. 1919; D.C. 143, pp. 6, 16, 52–54, 95. 1920; D.C. 144, pp. 4, 15, 18, 47. 1920.
  highway department establishment, and road mileage. Y.B., 1914, pp. 214, 219, 222. 1915; Y.B. Sep. 638, pp. 214, 219. 1915.
  horse-radish webworm, occurrence. D.B. 966, pp. 1, 5, 6, 9, 10. 1921.
  hunting laws. Biol. Bul. 19, pp. 10, 11, 13, 21, 28, 30, 56–59, 62, 65. 1904.
  land supply, wholesale and retail, August 31, 1917, tables. Sec. Cir. 97, pp. 13–31. 1918.
  lands purchased under Weeks law. D.C. 313, pp. 7, 8. 1924.
  laws—
    nursery stock interstate shipment, digest. Ent. Cir. 75, rev., p. 8. 1909; F.H.B.S.R.A. 57, p. 114. 1919.
    protecting forests. D.B. 364, pp. 2, 7. 1916.
  Lee County, road improvement. F.B. 505, pp. 8, 15. 1912.
  lettuce disease, description and cause. J.A.R., vol. 13, pp. 370–371, 379–380, 387. 1918.
  livestock admission, sanitary requirements, 1911. B.A.I. [Misc.], "State sanitary requirements * * *, 1911," p. 22. 1911; B.A.I. Doc. A–28, p. 41. 1917; B.A.I. Doc. A–36, pp. 62–63. 1920; D.C. 184, pp. 68–71. 1921; M.C. 14, pp. 80–81. 1924.
  locust stands, natural growth, freedom from borers. D.B. 787, pp. 3–5. 1919.
  lumber—
    cut, 1920, 1870–1920, value, and kinds. D.B. 1119, pp. 28, 30–35, 43–61. 1923.
    production, 1918, by mills, by woods, and lath and shingles. D.B. 845, pp. 6–11, 13, 16, 19, 21, 23, 26–28, 30, 31–37, 42–47. 1920.

INDEX TO PUBLICATIONS, 1901-1925   2537

Virginia—Continued.
  map of soil provinces and areas surveyed, 1901-1909. D.B. 46, p. 2. 1913.
  maple sugar and sirup, production. F.B. 516, pp. 44-46. 1912.
  marketing activities and organization. Mkts. Doc. 3, p. 7. 1916.
  Meadow soil, areas, location, and uses. Soils Cir., 68, pp. 14, 21. 1912.
  Middletown High School Poultry Club, scope and methods. News L., vol. 2, No. 44, p. 8. 1915.
  milk supply and laws. B.A.I. Bul. 46, pp. 32, 38, 159. 1903.
  Mount Vernon Avenue road, construction, maintenance, and cost. D.B. 407, pp. 2-23. 1916.
  narcissus growing on commercial scale. B.P.I. Doc. 984, p. 5. 1913.
  negro extension work and workers, 1908-1921. D.C. 190, pp. 6-9, 24. 1921.
  Norfolk—
    climatic notes. Soils Cir. 20, p. 3. 1910.
    region, truck growing, origin, specialties, and methods. Y.B., 1907, pp. 426-428, 430, 431. 1908; Y.B. Sep. 459, pp. 426-428, 430, 431. 1908.
    sand, areas, location, and uses. Soils Cir. 44, pp. 12, 13, 14, 19. 1911.
    sandy loam, areas, location, and uses. Soils Cir. 45, pp. 8, 9, 14. 1911.
    trucking district, soils, description and uses. D.B. 1005, pp. 2-42. 1922.
  oat—
    crops, 1866-1906, acreage, production, and value. Stat. Bul. 58, pp. 5-25, 28. 1907.
    testing, methods, yields per acre, comparisons. D.B. 99, pp. 19-20, 24, 25. 1914.
  Onley area, trucking soils and crops. D.B. 1005, pp. 48-59. 1922.
  orchard—
    fruits, Piedmont and Blue Ridge region, and South Atlantic States. H. P. Gould. B.P.I. Bul. 135, pp. 102. 1908.
    spraying experiments, one-spray method. Ent. Bul. 80, Pt. VII, pp. 130-137. 1910.
  parsley injury by stalk weevil. Ent. Bul. 82, Pt. II, p. 16. 1909.
  pasture land on farms. D.B. 626, pp. 15, 85-88. 1918.
  peach(es)—
    growing, production, districts, and varieties. D.B. 806, pp. 4, 5, 7, 8, 9, 20-21. 1919.
    industry, season and shipments, 1914. D.B. 298, pp. 4, 5, 15. 1916.
    preparation for market. F.B. 1266, pp. 10, 15, 16-27. 1922.
    trees, injury by bud mite, and control method. Ent. Bul. 97, pp. 105, 106-107, 114. 1913.
    varieties, names and ripening dates. F.B. 918, p. 12. 1918.
  pear growing, distribution and varieties. D.B. 822, p. 10. 1920.
  pecan rosette, occurrence. J.A.R., vol. 3, p. 150. 1914.
  phosphate-rock deposits. Y.B., 1917, p. 178. 1918; Y.B. Sep. 730, p. 4. 1918.
  plants, barium, occurrence. B.P.I. Bul. 246, pp. 41-44. 1912.
  plum curculio, control work, experiments. Ent. Bul. 103, pp. 197-198, 204, 208. 1912.
  Porter's black loam, area and location. Soils Cir. 39, pp. 3, 4, 10, 19. 1911.
  potato(es)—
    beetle, Colorado, in 1908. C. H. Popenoe. Ent. Bul. 82, Pt. I, pp. 8. 1909.
    crops, 1866-1906, acreage, production, and value. Stat. Bul. 62, pp. 7-27, 30. 1908.
    early crop, location, season, varieties, and shipments. F.B. 1316, pp. 3, 4, 5. 1923.
    exchange, methods. Sec. Cir. 48, pp. 5-6. 1915.
    growing—
      and diseases, climatic relations. J.A.R., vol. 13, pp. 507-509. 1918.
      Norfolk, importance. F.B. 407, p. 7. 1910.
    marketing, digging, and grading, details. F.B. 753, pp. 5-10, 24, 31. 1916.
  poultry clubs, origin and results. Y.B., 1915, pp. 195, 199-200. 1916; Y.B. Sep. 669, pp. 195, 199-200. 1916.

Virginia—Continued.
  pulpwood consumption, and woods used. D.B. 758, pp. 3, 10, 12, 13. 1919.
  quarantine area for—
    foot-and-mouth disease, modification. B.A.I.O. 236, amdt. 3, p. 5. 1915; B.A.I.O. 238, amdt. 8, pp. 1, 3, 4. 1915; B.A.I.O. 238, amdt. 12, 19, p. 3. 1915.
    Texas fever. B.A.I. An. Rpt., 1904, p. 567. 1905; B.A.I.O. 151, rule 1, rev. 3, p. 7. 1908; B.A.I.O. 158, rule 1, rev. 4, pp. 7-8. 1909; B.A.I.O. 166, p. 7. 1909; B.A.I.O. 168, rule 1, rev. 6, p. 7. 1910; B.A.I.O. 187, rule 1, rev. 9, p. 8. 1912; B.A.I.O. 194, rule 1, rev. 10, p. 9. 1913; B.A.I.O. 207, rule 1, rev. 12, pp. 1, 9, 13. 1914; B.A.I.O. 235, rule 1, rev. 13, pp. 8, 10. 1915; B.A.I.O. 241, pp. 8, 10. 1915; B.A.I.O. 271, pp. 6-7. 1920; B.A.I.O. 285, pp. 4, 5. 1923; B.A.I.O. 290, p. 4. 1924.; News L., vol. 5, No. 7, p. 6. 1917.
  raw rock phosphate, field experiments, and results. D.B. 699, pp. 109-111. 1918.
  road(s)—
    bond-built, amount of bonds, and rate. D.B. 136, pp. 48, 78-79, 83, 85. 1915.
    building, rock tests, results. D.B. 370, pp. 79-87. 1916; D.B. 670, pp. 20, 28. 1918; D.B. 1132, pp. 35-41, 50, 52. 1923.
    construction and surfacing, experiments, 1915. D.B. 407, pp. 2-23. 1916.
    improvement in various counties, financing, management, maintenance, and effect on land values and schools. D.B. 393, pp. 10-52. 1916.
    laws, 1908. Y.B., 1908, p. 596. 1909.
    materials, tests. Rds. Bul. 44, pp. 77-83. 1912.
    mileage and expenditures—
      1904. Rds. Cir. 44, pp. 4. 1906.
      1909. Rds. Bul. 41, pp. 37, 41, 42, 114-116. 1912.
      1914. D.B. 387, pp. 3-8, 45-49. 1917.
      1915. Sec. Cir. 52, pp. 3, 5, 6. 1915.
      1916. Sec. Cir. 74, pp. 4, 6, 7, 8. 1917.
    model county systems. An. Rpts., 1912, p. 874. 1913; Rds. Chief Rpt., 1912, p. 30. 1912.
    preservation, and dust prevention, 1916, reports. D.B. 586, pp. 2-27, 31-37. 1918.
    work by department, 1913-1914. D.B. 284, pp. 2, 3, 4, 63-64. 1915.
  rye crops, 1866-1906, acreage, production, and value. Stat. Bul. 60, pp. 5-25, 28. 1908.
  San Jose scale, occurrence. Ent. Bul. 62, p. 31. 1906.
  school(s)—
    agricultural education, State aid. Y.B., 1912, p. 472. 1913; Y.B. Sep. 607, p. 472. 1913.
    garden, Hampton Institute. O.E.S. Bul. 160, pp. 45-47. 1905.
  Shenandoah River terrace soils, Albemarle area, revision. Hugh H. Bennett. Soils Cir. 53, pp. 16. 1912.
  shipments of fruits and vegetables, and index to station shipments. D.B. 667, pp. 6-13, 47-48. 1918.
  shortleaf pine, yields. D.B. 308, pp. 41-45. 1915.
  soil survey of—
    Accomac and Northampton Counties. E. H. Stevens. Soil Sur. Adv. Sh., 1917, pp. 62. 1920; Soils F.O., 1917, pp. 351-408. 1923.
    Albemarle area. Charles N. Mooney and F. E. Bonsteel. Soil Sur. Adv. Sh., 1902, pp. 52. 1903; Soils F.O., 1902, pp. 187-238. 1903.
    Albemarle County. See Albemarle area.
    Alexandria County. See Fairfax and Alexandria Counties.
    Amelia County. See Prince Edward area.
    Appomattox County. Thomas A. Caine and Hugh H. Bennett. Soil Sur. Adv. Sh., 1904, pp. 22. 1905; Soils F.O., 1904, pp. 151-168. 1905.
    Arlington County. See Alexandria and Fairfax Counties.
    Augusta County. See Albemarle area.
    Bedford area. Charles N. Mooney and others. Soils F.O., 1901, pp. 239-257. 1902.
    Bedford County. See Bedford area.
    Botetourt County. See Bedford area.
    Buckingham County. See Albemarle area.

Virginia—Continued.
  soil survey of—continued.
    Campbell County. R. A. Winston. Soil Sur. Adv. Sh., 1909, pp. 39. 1911; Soils F.O., 1909, pp. 309–343. 1912.
    Charlotte County. *See* Prince Edward area.
    Chelan County. *See* Wenatchee area.
    Chesterfield County. Frank Bennett and others. Soil Sur. Adv. Sh., 1906, pp. 32. 1908; Soils F.O., 1906, pp. 195–222. 1908.
    Elizabeth City County. *See* Yorktown area.
    Fairfax and Alexandria Counties. William T. Carter, jr., and C. K. Yingling, jr. Soil Sur. Adv. Sh., 1915, pp. 43. 1917; Soils F.O., 1915, pp. 299–337. 1919.
    Franklin County. *See* Bedford area.
    Frederick County. J. B. R. Dickey and W. B. Cobb. Soil Sur. Adv. Sh., 1914, pp. 48. 1916; Soils F.O., 1914, pp. 429–472. 1919.
    Gloucester County. *See* Yorktown area.
    Greene County. *See* Albemarle area.
    Hanover County. Hugh H. Bennett and W. E. McLendon. Soil Sur. Adv. Sh., 1905, pp. 37. 1906; Soils F.O., 1905, pp. 213–245. 1907.
    Henrico County. W. J. Latimer and M. W. Beck. Soil Sur. Adv. Sh., 1913, pp. 38. 1914; Soils F.O., 1913, pp. 143–176. 1916.
    James City County. *See* Yorktown area.
    Leesburg area. William T. Carter, jr., and W. S. Lyman. Soil Sur. Adv. Sh., 1903, pp. 45. 1904; Soils F.O., 1903, pp. 191–231. 1904.
    Loudon County. *See* Leesburg area.
    Louisa County. Hugh H. Bennett and W. E. McLendon. Soil Sur. Adv. Sh., 1905, pp. 26. 1906; Soils F.O., 1905, pp. 191–212. 1907.
    Lunenburg County. *See* Prince Edward area.
    Montgomery County. R. A. Winston and Ora Lee, jr. Soil Sur. Adv. Sh., 1907, pp. 37. 1908; Soils F.O., 1907, pp. 193–225. 1909.
    Nansemond County. *See* Norfolk area.
    Nelson County. *See* Albemarle area.
    Norfolk area. J. E. Lapham. Soil Sur. Adv. Sh., 1903, pp. 24. 1904; Soils F.O., 1903, pp. 233–252. 1904.
    Norfolk County. *See* Norfolk area.
    Northampton County. *See* Accomac and Northampton Counties.
    Nottoway County. *See* Prince Edward area.
    Page County. *See* Albemarle area.
    Pittsylvania County. N. M. Kirk and others. Soil Sur. Adv. Sh. 1918, pp. 46. 1922; Soils F.O., 1918, pp. 121–162. 1924.
    Prince Edward area. Charles N. Mooney and Thomas A. Caine. Soils F.O., 1901, pp. 259–271. 1902; Soils F.O. Sep., 1901, pp. 13. 1903.
    Prince Edward County. *See* Prince Edward area.
    Princess Anne County. *See* Norfolk area.
    Roanoke County. *See* Bedford area.
    Rockingham County. *See* Albemarle area.
    Warwick County. *See* Yorktown area.
    York County. *See* Yorktown area.
    Yorktown area. R. T. Avon Burke and Aldert S. Root. Soil Sur. Adv. Sh., 1905, pp. 28. 1906; Soils F.O., 1905, pp. 247–270. 1907.
  soils—
    analyses for boron and nitrogen. J.A.R., vol. 13, p. 457. 1918.
    descriptive catalogue, areas surveyed, 1901–1909. D.B. 46, pp. 1–21. 1913.
    relation to tobacco quality. Y.B. 1905, pp. 220, 221, 224. 1906; Y.B. Sep. 378, pp. 220, 221, 224. 1906.
  Southampton County, soil improvement on cotton farm, method and results. F.B. 924, pp. 20–22. 1918.
  spinach—
    blight, occurrence, and experimental work. J.A.R., vol. 14, pp. 1, 4–5, 16–46. 1918.
    growing and car-lot shipments. F.B. 1189, p. 3. 1921.
  spraying experiments for codling moth and plum curculio. Ent. Bul. 115, Pt. II, pp. 88–92. 1912.
  State forestry laws. Jeannie S. Peyton. For. Law Leaf. 7, pp. 6. 1915; For. Misc. S–8, pp. 6. 1915.
  State Horticultural Society, adoption of grades for barreled apples. Off. Rec., vol. 1, No. 28, p. 4. 1922.

Virginia—Continued.
  strawberry—
    growing, practices. F.B. 1026, pp. 3, 8, 13, 16, 33, 35. 1919.
    shipments, 1914, 1915. D.B. 237, p. 10. 1915; F.B. 1028, p. 6. 1919.
  studies of codling moth, 1911, 1912, 1913. D.B. 189, pp. 2, 4–12, 21–32, 40–48, 49. 1915.
  Sudan-grass growing, experiments. B.P.I. Cir. 125, p. 17. 1913.
  sugar-beet growing, experiments and results. Chem. Bul. 96, pp. 20–22. 1905; Rpt. 90, pp. 69–71. 1909.
  "sun cured" tobacco, uses, production, and distribution. B.P.I. Bul. 244, pp. 91–93. 1912.
  sweet-potato scurf, occurrence. J.A.R., vol. 5, No. 21, p. 995. 1916.
  termites, occurrence and damage. D.B. 333, p. 12. 1916.
  tobacco—
    acreage and production. Sec. [Misc.], Spec. "Geography * * * world's agriculture," pp. 61, 62, 63. 1917.
    conditions, 1911. Stat. Cir. 27, pp. 6–7. 1912.
    crop, 1912. Stat. Cir. 43, pp. 2, 3, 7–8. 1913.
    culture, beginning of industry. B.P.I. Cir. 48, p. 4. 1910.
    districts. Stat. Cir. 18, pp. 13–14. 1909.
    fire-cured, improvement. George T. McNess and others. Soils Bul. 46, pp. 40. 1907.
    growing—
      and industry, details. B.P.I. Bul. 244, pp. 32, 33–35, 37–41, 56–64, 67–70, 91–93, 99. 1912.
      historical notes. B.P.I. Bul. 244, pp. 12–15, 16, 28, 29. 1912.
      historical notes, and present conditions. Y.B., 1922, pp. 400–404, 406–411, 413, 418. 1923; Y.B. Sep. 885, pp. 400–404, 406–411, 413, 418. 1923.
      industry, early history, and change. Y.B., 1919, pp. 152–154. 1920; Y.B. Sep. 805, pp. 152–154. 1920.
      inspection laws. B.P.I. Bul. 268, pp. 8, 13, 20, 34. 1913.
      marketing, inspection and sales. B.P.I. Bul. 268, pp. 13–31. 1913.
      production and yield. B.P.I. Cir. 48, pp. 7, 8–9. 1910.
      report for July 1, 1912. Stat. Cir. 38, pp. 3, 4, 6, 7. 1912.
    wireworm, so-called. G. A. Runner. D.B. 78, pp. 30. 1914.
  Truck Experiment Station Farm—
    establishment, Norfolk, Va. O.E.S. An. Rpt., 1908, p. 57. 1909.
    soils. D.B. 1005, p. 25. 1922.
  trucking soils and districts now used. Y.B., 1912, pp. 427, 431. 1913; Y. B. Sep. 603, pp. 427, 431. 1913.
  tuberculosis legislation. B.A.I. Bul. 28, pp. 158–162. 1901.
  valley and ridge region, description and pomological features. D.B. 1189, pp. 10–12, 75–77. 1923.
  Viresco, bird counts by species, 1911–1915, results. D.B. 396, pp. 15, 17. 1916.
  wage rates, farm labor, 1845 and 1866–1909. Stat. Bul. 99, pp. 21, 29–43, 68–70. 1912.
  walnut—
    growing and yield. B.P.I. Bul. 254, pp. 19, 102. 1913.
    range and estimated stand. D.B. 933, pp. 7, 8, 23. 1921.
    stand and quality. D.B. 909, pp. 9, 10, 15, 19, 21. 1921.
  water supply, records, by counties. Soils Bul. 92, pp. 148–151. 1913.
  wheat—
    acreage and varieties. D.B. 1074, p. 216. 1922.
    crops, acreage, production, and value. Stat. Bul. 57, pp. 5–25, 28. 1907; rev., pp. 5–25, 28, 36. 1908.
    eelworm-disease outbreak. F.B. 1041, pp. 3, 4–5. 1919.
    production periods. Y.B., 1921, pp. 87, 88. 1922; Y.B. Sep. 873, pp. 87, 88. 1922.
    varieties grown. F.B. 616, p. 10. 1914; F.B. 1168, pp. 13, 15. 1921.
    yields and prices, 1866–1915. D.B. 514, pp. 1917.

Virginia—Continued.
  women's rest rooms, establishment and use.
    Y.B., 1917, pp. 222, 223–224. 1918; Y.B. Sep.
    726, pp 8, 9–10. 1918.
Virginia creeper—
  diseases, Texas, occurrence and description.
    B.P.I. Bul. 226, pp. 80, 109. 1912.
  distinction from poison ivy. F.B. 1166, pp. 7–8.
    1920.
  fruiting season, and use as bird food. F.B. 912,
    pp. 12, 13. 1918.
  injury by grapevine looper. D.B. 900, pp. 1–2.
    1920.
  occurrence and distinctive characters. F.B.
    1166, pp. 7–8. 1920.
  use on lawns as substitute for grass. F.B. 494,
    pp. 35, 36, 48. 1912.
Virginia horehound. See Bugleweed.
Virgin's-bower, diseases, Texas, occurrence and
    description. B.P.I. Bul. 226, pp. 104, 110. 1912.
Virola sp., importation and description. No. 46325,
    B.P.I. Inv. 56, p. 10. 1922.
Virus(es)—
  animal—
    diseases, preparation and sale regulations.
      B.A.I.O. 265, amdt., pp. 4. 1920.
    treatment, regulations governing. B.A.I.O.
      196, pp. 8. 1913.
  blackleg vaccination, preparation, distribution,
    and use. B.A.I. Cir. 31, rev., pp. 16–21. 1907.
  control, State laws. D.B. 584, p. 16. 1917.
  diseases, potato, immunity. F.B. 1436, p. 16.
    1924.
  filterable—
    cause of sacbrood. D.B. 671, p. 10. 1918.
    hog cholera, cause and discovery. Y.B., 1908,
      pp. 323–324. 1909; Y.B. Sep. 484, pp. 323–324.
      1909.
    hog cholera, investigations and experiments.
      B.A.I. Bul. 72, pp. 41–98. 1905.
    foot-and-mouth disease, destruction by heat.
      J.A.R., vol. 6, No. 9, pp. 333, 336, 338. 1916.
    harmful, sale and shipment, restrictions. Sol.
      [Misc.], "Laws applicable * * * Agricul-
      ture." Sup. 2, pp. 20–22. 1915.
  hog-cholera—
    attenuation by heat. An. Rpts., 1912, pp. 377–
      378. 1913; B.A.I. Chief Rpt., 1912, pp. 81–82.
      1912.
    dosage label, regulation. B.A.I.O. 265, amdt.
      1, p. 4. 1920; B.A.I.O. 276, amdt. 1, pp. 1–2.
      1923.
    mixing and testing. B.A.I.S.R.A. 122, pp. 68–
      76. 1917; B.A.I.S.R.A. 143, p. 21. 1919.
    production methods. B.A.I.O. 276, pp. 18–20,
      21, 22. 1922.
    quantities collected, 1916–1919. B.A.I.S.R.A.
      147, p. 72. 1919.
  importation regulations. Chem. [Misc.], "Food
      and drug manual," pp. 93–94. 1920.
  labels, regulation. B.A.I.O. 265, amdt. 2, pp. 2.
      1921.
  manufacture, licenses. B.A.I.S.R.A. 99, p. 89.
      1915; B.A.I.S.R.A. 101, p. 109. 1915.
  mixed, inoculation experiments. B.A.I. Cir. 147,
      pp. 15–25, 27–28. 1909.
  mosaic—
    disease of tobacco, dilution, effect on infectivity.
      J.A.R., vol. 3, pp. 295–299. 1915; J.A.R., vol.
      6, No. 17, pp. 649–674. 1916; J.A.R., vol. 10,
      pp. 615–621, 630. 1917.
    inoculation into sugarcane, experiments.
      J.A.R., vol. 19, pp. 136–137. 1920.
    nature and properties, effect of heat and chemi-
      cals. D.B. 879, pp. 19–29. 1920.
    preparation and sale. Regulations 22, 23, 24.
      B.A.I.O. 196, amdt. 1, pp. 2. 1915; B.A.I.O.
      265, pp. 34. 1919; B.A.I.O. 276, amdt. 2, pp. 2.
      1923.
  production under veterinary license, report by
      months. See B.A.I. Service and Regulatory
      Announcements.
  rabies, inoculation method, cause and nature of
      contagion. B.A.I. An. Rpt., 1909, pp. 201–205.
      1911; F.B. 449, pp. 5–8. 1911.
  rat disease, experiments with. F.B. 1302, p. 11.
      1923.
  regulations by Secretary, and text of law. B.A.I.O.
      276, pp. 35. 1922.

Virus(es)—Continued.
  serum control plants, by license numbers and
      stations. B.A.I. [Misc.], "Directory of * * *
      animal industry, 1925," pp. 54–56. 1925.
  serum-toxin act—
    status in 1920. An. Rpts., 1920, pp. 51–52.
      1921; Sec. A.R., 1920, pp. 51–52. 1920.
    text. B.A.I. [Misc.], "Notice of hearings on
      proposed regulations * * *," pp. 19–20.
      1915.
    violations. Off. Rec., vol. 2, No. 15, p. 3. 1923.
  shipment, control by department. An. Rpts.,
      1913, p. 101. 1914; B.A.I. Chief Rpt., 1913, p.
      31. 1913.
  source of fowl pest. Off. Rec., vol. 4, No. 10, pp.
      1–2. 1925.
  use in rat control, discussion. F.B. 896, pp. 19–20.
      1917.
  See also Serum; Vaccine.
Viscera—
  animal, inspection. Y.B., 1916, pp. 84–85. 1917;
      Y.B. Sep. 714, pp. 8–9. 1917.
  edible, of—
    meat-producing animals, chemical composition.
      Wilmer C. Powick and Ralph Hoagland.
      J.A.R., vol. 28, pp. 339–346. 1924.
    ox, sheep, and hog, vitamin B content. D.B.
      1138, pp. 21–46. 1923.
Viscogen—
  use in whipping cream. F.B. 384, p. 21. 1910.
  See also Lime, milk of.
Viscosimeter—
  description. D.B. 949, p. 45. 1921.
  Engler, description. D.B. 314, pp. 7–8. 1915.
Viscosity, determination for bituminous materials,
      method. D.B. 1216, pp. 59–60. 1924.
Viscum album. See Mistletoe, European.
Vita Rica tonic pills and laxative, misbranding.
      Chem. N.J. 13625. 1925.
Vitali reaction test with alkaloids, discussion.
      Chem. Bul. 150, pp. 36–40. 1912.
Vitamin(s)—
  A—
    and B, effects in wheat rations. J.A.R., vol. 31,
        pp. 367–373. 1925.
    foods containing. Y.B., 1922, pp. 186, 287.
        1923; Y.B. Sep. 882, p. 186. 1923; Y.B. Sep.
        879, p. 6. 1923.
    occurrence in—
      beef, pork, and lamb. J.A.R., vol. 31, pp.
          201–221. 1925.
      cod-liver oil. D.B. 1033, pp. 3, 4. 1922.
    requirements of different kinds of animals.
        O.E.S. An Rpt., 1922, p. 81. 1924.
    variations in cows' milk under different condi-
        tions. B.A.I. Dairy [Misc.], "World's dairy
        congress, 1923," pp. 164–168. 1924.
  "alfalfa," action in dairy feed. B.A.I. Dairy
      [Misc.], "World's dairy congress, 1923," pp.
      1052–1053. 1924.
  antineuritic, in poultry flesh and eggs. Ralph
      Hoagland and Alfred R. Lee. J.A.R., vol. 28,
      pp. 461–472. 1924.
  antirachitic, sources, in food materials. O.E.S.
      An. Rpt., 1922, pp. 81, 83, 84, 85. 1924.
  antiscorbutic, variation and effects of heat and
      oxidation. B.A.I. Dairy [Misc.], "World's
      dairy congress, 1923," pp. 1061, 1063, 1065. 1924.
  B—
    content of dried poultry flesh and eggs, studies.
        J.A.R. vol. 28, pp. 462–472. 1924.
    in diet, antineuritic value. D.B. 1138, pp.
        6–46. 1923.
    in edible tissues of ox, sheep, and hog. Ralph
        Hoagland. D.B. 1138, pp. 48. 1923.
    substitute in dried Azotobacter cells. J.A.R.,
        vol. 23, pp. 826–830. 1923.
  C, injury by cooking. F.B. 1359, pp. 4, 5. 1923.
  content of—
    corn in grain, skin, and germ. F.B. 1236, p. 5.
        1923.
    cow's milk, factors influencing. R. Adams
        Dutcher. B.A.I. Dairy [Misc.], "World's
        dairy congress, 1923," pp. 1060–1067. 1924.
    foods, study. Chem. Chief Rpt., 1925, p. 3.
        1925.
    various foods, discussion. F.B. 717, rev., pp.
        1–3. 1920.
  fat-soluble, in food materials, experiment station
      work. O.E.S. An. Rpt., 1922, pp. 79–87. 1924.

Vitamin(s)—Continued.
  in foods—
    deficiency in polished rice. F.B. 1195, pp. 7–8. 1921.
    waste in course of preparation. B.A.I. [Misc.], Dairy "World's dairy congress, 1923," p. 171. 1924.
  in milk—
    Cornelia Kennedy. B.A.I. Dairy [Misc.], "World's dairy congress, 1923," pp. 198–206. 1924.
    descriptions and food value. F.B. 1207, pp. 6, 32. 1922.
    effect of heat and oxidation. B.A.I. Dairy [Misc.], "World's dairy congress, 1923," pp. 1062–1066. 1924.
    kinds and proportions. F.B. 1359, pp. 3–4, 5. 1923.
    value in diet. D.C. 121, p. 3. 1921.
  in palm-kernel meal, growth-promoting value. experiments. J.A.R., vol. 25, pp. 165–169. 1923.
  necessity in rations. J.A.R., vol. 10, pp. 175, 187–189, 195. 1917.
  need for growth and health of livestock. M.C. 12, pp. 4, 38. 1924.
  potencies in milk. B.A.I. Dairy [Misc.], "World's dairy congress, 1923," pp. 443–444. 1924.
  relation to dairy feeding. Y.B., 1922, p. 335. 1923; Y.B. Sep. 857, pp. 44–45. 1923.
  sources in foods, notes. D.B. 975, pp. 4, 5, 6, 7, 9. 1921; F.B. 1228, pp. 4, 5, 6, 7, 9, 16. 1921.
  supply by milk in food. D.C. 129, p. 3. 1920.
  value, and foods containing. F.B. 1383, pp. 3–4, 5, 6, 7, 8, 34–35. 1924; Off Rec., vol. 4, No. 29, p. 1. 1925.
  variation of content in milk. B.A.I. Dairy [Misc.], "World's dairy congress, 1923," p. 1061. 1924.
Viter—
  divaricata. See Fiddlewood, Pendula.
  grandifolia, importation and description. No. 47220, B.P.I. Inv. 58, pp. 7, 42. 1922.
  lucens. See Puriri.
  montevidiensis, importations and descriptions. No. 41314, B.P.I. Inv. 44, p. 62. 1918; No. 42332, B.P.I. Inv. 46, p. 79. 1919.
  rehmanni, importation and description. No. 50193, B.P.I. Inv. 63, p. 44. 1923.
  spp., importations and description. Nos. 48495, 48496, B.P.I. Inv. 61, p. 15. 1922.
Viticultural industry, California, extent. B.P.I. Bul. 172, p. 9. 1910.
Viticulture. See Grape growing; Vineyards.
Vitis—
  aestivalis—
    description and resistance to phylloxera. B.P.I. Bul. 172, p. 19. 1910.
    varieties and hybrids, resistance to crown-gall. B.P.I. Bul. 183, pp. 10, 15, 19. 1910.
  amurensis, description and uses. B.P.I. Bul. 204, p. 42. 1911.
  labrusca, varieties and hybrids, resistance to crown-gall. B.P.I. Bul. 183, pp. 10, 15, 19. 1910.
  munsoniana, description and growth habits. F.B. 709, p. 3. 1916.
  rupestris, immunity to grape crown-gall. B.P.I. Bul. 183, pp. 10, 16, 18. 1910.
  spp.—
    description and various names. B.P.I. Bul. 273, pp. 12–15. 1913.
    distribution and characteristics. J.A.R., vol. 23, pp. 47–53. 1923.
    host of Cyllene pictus. J.A.R., vol. 22, pp. 198–203. 1921.
    hybrids, American-Italian, importations. Nos. 42477–42519, B.P.I. Inv. 47, pp. 6, 21–24. 1920.
    importations and description. Nos. 41707, 41877, 42320. B.P.I. Inv. 46, pp. 7, 12, 27, 77. 1919.
    native, resistance to phylloxera. D.B. 903, p. 2. 1921.
    susceptibility to crown-gall. B.P.I. Bul. 183, pp. 10, 15–16, 19–20. 1910.
    See also Grapes.
  tiliaefolia, importation and description. No. 38853, B.P.I. Inv. 40, p. 36. 1917.

Vitis—Continued.
  vinifera—
    adulterant of sumac. Chem. Bul. 117, p. 7. 1908.
    importance in grape hybridization. J.A.R., vol. 4, pp. 316, 323, 328. 1915.
    succinic acid. J.A.R., vol. 22, p. 224. 1921.
    susceptibility to crown-gall disease. B.P.I. Bul. 183, pp. 10, 15–18, 28. 1910.
    vulpina, injury by sapsuckers. Biol. Bul. 39, p. 22. 1911.
Vitriol, blue—
  use against wireworms and tapeworms. B.A.I. Bul. 35, pp. 9–11. 1902.
  See also Copper sulphate.
Vitadinia triloba, importation and description. No. 44838, B.P.I. Inv. 51, p. 76. 1922.
Viviania georgiae, injury to Calosoma sycophanta. D.B. 251, p. 19. 1915.
Vixen. See Fox.
VLIET, E. B.: "Greenhouse experiments with atmospheric nitrogen fertilizers and related compounds." With others. J.A.R., vol. 28, pp. 971–976. 1924.
Voandzeia subterranea—
  importations and descriptions. No. 44817, B.P.I. Inv. 51, p. 73. 1922; No. 46870, B.P.I. Inv. 57, p. 44. 1922; No. 49881, B.P.I. Inv. 63, p. 16. 1923; Nos. 50944–50946, B.P.I. Inv. 64, p. 35. 1923; No. 55104, B.P.I. Inv. 71, p. 23. 1923.
  See also Bambara; Bean, Juga; Groundnut.
Vocational—
  education—
    act—
      Federal, drafting of State laws by solicitor. An. Rpts., 1917, pp. 396–397. 1917; Sol. A.R., 1917, pp. 16–17. 1917.
      objects. Y.B., 1919, p. 57. 1920.
      text. D.C. 251, pp. 14–19. 1925.
    Federal Board of, creation and provision for. D.C. 251, p. 16. 1925.
  instruction in dairying in secondary schools. J. R. Dice. B.A.I. Dairy [Misc.], "World's dairy congress, 1923," pp. 603–609. 1924.
Vodka, adulteration and misbranding. See Indexes to Notices of Judgment in bound volumes of Chemistry Service and Regulatory Announcements.
Voivodina, agricultural conditions. D.B. 1234, pp. 109–110. 1924.
Volatile—
  acid, determination of milk in lactation studies. B.A.I. Bul. 155, pp. 59–62. 1913.
  oil in Chinese colza seed. J.A.R. vol. 20, pp. 127–132. 1920.
Volatility, organic compounds, relation to toxicity. J.A.R., vol. 10, pp. 365–371. 1917.
Volatilization—
  creosote, after injection into wood. For. Cir. 188, pp. 5. 1911.
  process for phosphoric acid, principles and advantages. D.B. 1179, pp. 2–5. 1923.
  test, road materials. D.B. 314, pp. 19–20. 1915.
Volcanic eruptions—
  damage to crops. Off. Rec., vol. 3, No. 5, p. 2. 1924.
  in Alaska, ash disappearance, value to vegetation. Alaska A.R., 1913, pp. 21–22, 48–49, 50, 51, 52, 53, 54, 55, 56–59, 60. 1914.
Volcano, Krakatoa, explosion, 1883, effect on sunset colors. Y.B., 1915, p. 322. 1916; Y.B. Sep., 680, p. 322. 1916.
VOLCK, W. H.—
  "Apple powdery mildew and its control in the Pajaro Valley." With W. S. Ballard. D.B. 120, pp. 26. 1914.
  "Winter spraying with solutions of nitrate of soda." With W. S. Ballard. J.A.R., vol. 1, pp. 437–444. 1914.
Vole(s)—
  American, genus Microtus, description. Biol. Bul. 31, pp. 1–88. 1907.
  bluegrass, description and habits. N.A. Fauna 45, p. 55. 1921.
  Drummond, occurrence in Alaska. N.A. Fauna 30, pp. 24–25. 1909.
  long-tailed, occurrence in Alaska. N.A. Fauna 30, p. 25. 1909.

INDEX TO PUBLICATIONS, 1901-1925 — 2541

Vole(s)—Continued.
  range and habits. N.A. Fauna 19, pp. 9, 15, 17, 35-36. 1914; N.A. Fauna 21, pp. 59, 64-66. 1901; N.A. Fauna 22, pp. 51-54. 1902; N.A. Fauna 24, pp. 34-35. 1904.
  varieties, description, and habits in Athabaska-Mackenzie region. N.A. Fauna 27, pp. 183-191. 1908.
  yellow-nosed, occurrence in Alaska. N.A. Fauna 30, pp. 24-25. 1909.
  See also Mouse, field.
Volta powder, misbranding. See *Indexes to Notices of Judgment, in bound volumes, and in separates published as supplements to Chemistry Service and Regulatory Announcements*.
Volucella spp., injury to cactus plants. Ent. Bul. 113, p. 38. 1912.
Volume—
  determination, Utah juniper in Arizona, methods and tables. For. Cir. 197, pp. 12-17. 1912.
  food inspection, opinion. Chem S.R.A. 5, p. 312. 1914.
  tables—
    lodgepole pine, measurement. D.B. 234, pp. 49-54. 1915.
    Norway pine, measurement. D.B. 139, pp. 19-20, 34-42. 1914.
    spruce, measurement. D.B. 544, pp. 68-100. 1918.
    use in timber and lumber measurement, methods. For. Bul. 96, pp. 61-70. 1912.
Volumetric method of estimating phosphoric acid, Kilgore's modification. Chem. Bul. 62, p. 55. 1901.
Volusia—
  loam, soils of the eastern United States and their use—XXXV. Jay A. Bonsteel. Soils Cir. 60, pp. 13. 1912.
  silt loam—
    description and tests with slag fertilizer. D.B. 143, pp. 9-10, 11. 1914.
    soils of the eastern United States and their use—XXXVI. Jay A. Bonsteel. Soils Cir. 63, pp. 16. 1912.
    soils, in southwestern Pennsylvania, area and location. Soil Sur. Adv. Sh., 1909, pp. 42-44. 1911; Soils F.O., 1909, pp. 242-244. 1912.
Volutella—
  circinans. See *Colletotrichum circinans*.
  fructi, cause of—
    fruit rot, temperature studies. J.A.R., vol. 8, pp. 142, 148, 152, 155, 162, 163. 1917.
    spongy dry-rot of apple. F.B. 1160, p. 17. 1920.
Volutin bodies, formation in Azotobacter, influence of nitrates. J.A.R., vol. 12, pp. 205-208. 1918.
Volvaria bombycina, description. D.B. 175, p. 27. 1915.
Volvulus, or twisting of bowels, in horse, treatment. B.A.I. [Misc.], "Diseases of the horse," rev., p. 56. 1903; rev., p. 56. 1907; rev., p. 56. 1911; rev., p. 72. 1923.
Vomiting, cattle, cause, symptoms, and treatment. B.A.I. [Misc.], "Diseases of cattle," rev., pp. 29-30. 1912; B.A.I. Cir. 68, rev., pp. 6-7. 1905.
Vomitwort. See Lobelia.
VON HERRMANN, C. F.—
  "Climatological studies with reference to the crops of the several sections." W.B. Bul. 31, pp. 198-200. 1902.
  "Forecasting for rivers of small drainage area, especially those of North Carolina." W.B. 31, pp. 158-167. 1902.
  "How farmers may utilize the special warnings of the Weather Bureau." Y.B., 1909, pp. 387-398. 1910; Y.B. Sep. 522, pp. 387-398. 1910.
  "The advent of spring." W.B. Bul. 31, pp. 69-75. 1902.
VON SCHRENK, HERMANN—
  "A disease of the white ash caused by *Polyporus fraxinophilus*." B.P.I. Bul. 32, pp. 28. 1903.
  "Bitter rot of apples." With Perley Spaulding. B.P.I. Bul. 44, pp. 54. 1903.
  "Cross-tie forms and rail fastenings, with special reference to treated timbers." For. Bul. 50, pp. 70. 1904.
  "Diseases of deciduous forest trees." With Perley Spaulding. B.P.I. Bul. 149, pp. 85. 1909.

VON SCHRENK, HERMANN—Continued.
  "Fungous diseases of forest trees." Y.B., 1900, pp. 199-210. 1901; Y.B. Sep. 208, pp. 12. 1901.
  "Recent progress in timber preservatives." Y.B., 1903, pp. 427-440. 1904; Y.B. Sep. 315, pp. 427-440. 1904.
  "Report on the condition of treated timbers laid in Texas, February, 1902." For. Bul. 51, pp. 45. 1904.
  "Sap-rot and other diseases of the red gum." B.P.I. Bul. 114, pp. 37. 1907.
  "Seasoning of timber." With Reynolds Hill. For. Bul. 41, pp. 48. 1903.
  "The 'blueing' and the 'red rot' of the western yellow pine, with special reference to the Black Hills Forest Reserve." B.P.I. Bul. 36, pp. 40. 1903.
  "The decay of timber and methods of preventing it." B.P.I. Bul. 14, pp. 96. 1902.
  "The redwood." With others. For. Bul. 38, pp. 40. 1903.
  "The wrapping of apple grafts and its relation to the crown-gall disease." With George G. Hedgcock. B.P.I. Bul. 100, Pt. II, pp. 13-20. 1907.
VOORHEES, E. B.—
  "A review of investigations in soil bacteriology." With Jacob G. Lipman. O.E.S. Bul. 194, pp. 108. 1907.
  "Irrigation experiments in New Jersey in 1903." O.E.S. Bul. 148, pp. 19-20. 1904.
  "Irrigation in New Jersey, 1901." O.E.S. Bul. 119, pp. 353-364. 1902.
  "Irrigation investigations in New Jersey, 1902." O.E.S. Bul. 133, pp. 235-248. 1903.
  "Market-garden irrigation in the vicinity of eastern cities." O.E.S. Bul. 148, pp. 9-16. 1904.
  report of New Jersey Experiment Station, work and expenditures—
    1906. O.E.S. An. Rpt., 1906, pp. 132-134. 1907.
    1907. O.E.S. An. Rpt., 1907, pp. 136-139. 1908.
    1908. O.E.S. An. Rpt., 1908, pp. 134-136. 1909.
    1909. O.E.S. An. Rpt., 1909, pp. 149-152. 1910.
    1910. O.E.S. An. Rpt., 1910, pp. 193-196. 1911.
VORHIES, C. T.: "Life history of the kangaroo rat." With Walter P. Taylor. D.B. 1091, pp. 40. 1922.
VOSBURY, E. D.—
  "Citrus-fruit growing in the Gulf States." F.B. 1122, pp. 46. 1920.
  "Culture of citrus fruits in the Gulf States." With T. R. Robinson. F.B. 1343, pp. 42. 1923.
  "Pineapple culture in Florida." With J. R. Winston. F.B. 1237, pp. 35. 1921.
VOSBURY, M. C.—
  "Methods of manufacturing potato chips." D.B. 1055, pp. 20. 1922.
  "Size of potato sets: Comparisons of whole and cut seed." With others. D.B. 1248, pp. 44. 1924.
VOSHELL, J. T.—
  "Portland cement concrete pavements for country roads." With Charles H. Moorefield. D.B. 249, pp. 34. 1915.
  "Portland cement concrete roads." With R. E. Toms. D.B. 1077, pp. 67. 1922.
Vouacapoua inermis, importation and description. No. 48509, B.P.I. Inv. 61, p. 17. 1922.
Vouchers—
  false, certification, prosecution by Solicitor. An. Rpts., 1912, pp. 927, 1012. 1913; Sol. A.R., 1912, pp. 43, 128. 1912.
  forms for various purposes. Adv. Com. F. and B.M. [Misc.], "Fiscal regulations * * *," pp. 35-40, 52-53. 1922.
  road-building, payment, regulation 11. Sec. Cir. 161, p. 6. 1922.
VROOMAN, CARL—
  "Grain farming in the Corn Belt: With all bulletins to which reference is made." Sec. [Misc.], "Grain farming in * * *," pp. 48. 1916.
  "Grain farming in the Corn Belt, with livestock as a side line." F.B. 704, pp. 48. 1916.
  "Meeting the farmer halfway." Y.B., 1916, pp. 63-75. 1917; Y.B. Sep. 698, pp. 13. 1917.

Vulpes spp. *See* Fox.
Vulture—
    black—
        occurrence in Arkansas. Biol. Bul. 38, p. 36. 1911.
        See also Crow, carrion.
    turkey—
        occurrence in Porto Rico, and habits. D.B. 326, pp. 14, 30–31. 1916.
        See also Buzzard, turkey.

Wabash—
    clay, soils of the eastern United States and their use—XIX. Jay A. Bonsteel. Soils Cir. 41, pp. 16. 1911.
    silt loam, soils of the eastern United States and their use—XVIII. Jay A. Bonsteel. Soils Cir. 40, pp. 15. 1911.
Wabash River, overflowed lands, reclamation. O.E.S. Bul. 158, p. 675. 1905.
WADDILL, EDMUND, judgment in case of misbranding of meal. Chem. N.J., 44. 1909.
WADE, H. R.: "The mineral composition of soil particles." With others. Soils. Bul. 54, pp. 36. 1908.
WADE, J. S.—
    "A bibliography of the European corn borer (*Pyrausta nubilalis* Hbn.). M.C. 46, pp. 20. 1925.
    "Biology of *Embaphion muricatum*." With Adam G. Böving. J.A.R., vol. 22, pp. 323–334. 1921.
    "Biology of the false wireworm *Eleodes suturalis* Say." With R. A. St. George. J.A.R., vol. 26, pp. 547–566. 1923.
Wafels, creme, adulteration. Chem. N.J. 1039, p. 1. 1911.
Wafers—
    balsam of fir, Freeman's, misbranding. Chem. S.R.A., sup. 18, pp. 595–597. 1916.
    cream, adulteration with petroleum oil, siezure. News L., vol. 1, No. 12, p. 4. 1913.
    imports, 1907–1909, value, by countries from which consigned. Stat. Bul. 82, p. 62. 1910.
    sugar, adulteration. Chem. N.J. 3321. 1914.
Waffles—
    corn-meal—
        and wheat, recipe. F.B. 559, p. 5. 1913.
        recipes. F.B. 565, p. 22. 1914; F.B. 1236, pp. 14–15. 1923.
    recipes and directions. F.B. 1136, pp 31–32. 1920; F.B. 1450, pp. 8, 11. 1925.
Wages—
    comparison of farm and city values. F.B. 325, p. 6. 1908.
    dairy work, New York, Michigan, Ohio, and Illinois. D.B. 423, p. 9. 1916.
    day labor in Alaska. Alaska A.R., 1911, p. 23. 1912; Alaska Cir. 1, pp. 14–15. 1916.
    Europe, comparison with prices of commodities. Y.B., 1919, p. 193. 1920; Y.B. Sep. 807, p. 193. 1920.
    farm—
        1910–1921. Y.B., 1921, pp. 784–785. 1922. Y.B. Sep. 871, pp. 15–16. 1922.
        and city, comparison. Y.B., 1923, p. 6. 1924.
        as factor of corn cost. Y.B., 1921, pp. 192–193. 1922; Y.B. Sep. 872, pp. 192–193. 1922.
        by classes and by States—
            1910–1918. Y.B., 1918, pp. 697–698. 1919; Y.B. Sep. 795, pp. 33–34. 1919.
            1913–1922. Y.B., 1922, pp. 996–997. 1923; Y.B. Sep. 887, pp. 996–997. 1923.
        by States, 1924. Y.B., 1924, pp. 1117–1120. 1925.
        changes, graphic showing. Y.B., 1921, p. 119. 1922; Y.B. Sep. 873, p. 119. 1922.
        comparison with—
            other occupations. F.B. 746, pp. 5–7. 1916.
            prices of cotton, 1910–1921. Y.B., 1921, pp. 364–365. 1922; Y.B. Sep. 877, pp. 364–365. 1922.
        decline, 1922. Off. Rec., vol. 1, No. 44, p. 8. 1922.
        effects of near-by cities, rates, 1909, by States. Stat. Bul. 94, pp. 38–40. 1912.
        for 21 regions, in United States. D.B. 320, p. 9. 1916.

Wages—Continued.
    farm—continued.
        in Iowa—
            1914–1918. D.B. 874, p. 38. 1920.
            Des Moines County. Soil Sur. Adv. Sh., 1921, p. 1104. 1925; Soils F.O., 1921, p. 1104. 1927.
        in Massachusetts. D.B. 1220, pp. 15–20. 1924.
        in Russia. Stat. Bul. 42, pp. 76–80. 1906.
        in various sections. Off. Rec., vol. 3, No. 15, p. 1. 1924.
        increase—
            1896–1908. Rpt. 87, p. 97. 1908.
            1917. News L., vol. 5, No. 42, p. 6. 1918.
            1924. Off. Rec., vol. 3, No. 2, p. 1. 1924; Off. Rec., vol. 3, No. 14, p. 3. 1924.
        investigations by Statistics Bureau, 1866–1908. Y.B., 1910, pp. 194–199. 1911; Y.B. Sep. 528, pp. 194–199. 1911.
        labor—
            George K. Holmes. Y.B., 1910, pp. 189–200. 1911; Y.B. Sep. 528, pp. 189–200. 1911.
            in United States, 1866–1899. Stat. Bul. 22, pp. 47. 1901.
            in United States, results of 12 statistical investigations, 1866–1902. James H. Blodgett. Stat. Bul. 26, pp. 62. 1903.
            investigations in 1909. George K. Holmes. Stat. Bul. 99, pp. 72. 1912.
            on southern plantations. D.B. 1260, pp. 27–29, 68. 1924.
        per month and per day, with supplementary wages, discussion. Stat. Bul. 73, pp. 16–18, 65–66. 1909; Y.B., 1910, pp. 194–198. 1911; Y.B. Sep. 528, pp. 194–198. 1911.
        records, early, in various States. Stat. Bul. 99, pp. 7–22. 1912.
        relation to products, and to other pursuits, 1899, 1902, 1909. Stat. Bul. 94, pp. 42–43. 1912.
        suggestions. F.B. 432, pp. 9–10. 1911.
        value in comparison with city salaries. F.B. 325, p. 6. 1908.
        See also Soil surveys, *various States, counties, and areas.*
    harvest labor in wheat belt. D.B. 1020, pp. 30–34. 1922; D.B. 1230, pp. 32–37, 42–45. 1924.
    industrial workers, amount paid by farmers' purchases. B.A.I. Dairy [Misc.], "World's dairy congress, 1923," p. 208. 1924.
    investigations, 1845–1909, table. Stat. Bul. 99, p. 24. 1912.
    logging, and board. D.B. 711, pp. 10–11. 1918.
    lumber industry. D.B. 440, pp. 4–8, 15, 37, 40, 50, 65, 84. 1917.
    records, 1866–1909, by States and geographic divisions, tables. Stat. Bul. 99, pp. 28–40. 1912.
    reduction, disproportionate. Y.B., 1921, pp. 5, 12. 1922; Y.B. Sep. 875, pp. 5, 12. 1922.
    relation to farm prices. D.B. 999, pp. 10–12. 1921.
    retail meat stores, percentage of sales. D.B. 1317, pp. 53–56. 1925.
    road builders', trend. Off. Rec., vol. 1, No. 27, p. 5. 1922.
    table, by hours. D.B. 660, pp. 48–49. 1918.
    trend, by year, month, and day, 1866–1909. Stat. Bul. 99, pp. 27–48. 1912.
    truck-farm, in New Jersey. D.B. 1285, pp. 28–31. 1925.
    workers of different classes. F.B. 746, pp. 6–7. 1916.
    See also Labor.
WAGGAMAN, W. H.—
    "A report on the natural phosphates of Tennessee, Kentucky, and Arkansas." Soils Bul. 81, pp. 36. 1912.
    "A report on the phosphate fields of South Carolina." D.B. 18, pp. 12. 1913.
    "A review of the phosphate fields of Florida." Soils Bul. 76, pp. 23. 1911.
    "A review of the phosphate fields of Idaho, Utah, and Wyoming." Soils Bul. 69, pp. 48. 1910.
    "Absorption by soils." With Harrison E. Patten. Soils Bul. 52, pp. 95. 1908.
    "Alunite as a source of potash." Soils Cir. 70, pp. 4. 1912.
    "Analysis of experimental work with ground raw rock phosphate as a fertilizer." With others. D.B. 699, pp. 119. 1918.

WAGGAMAN, W. H.—Continued.
"Investigations of the manufacture of phosphoric acid by the volatilization process." With others. D.B. 1179, pp. 55. 1923.
"Phosphate rock and methods proposed for its utilization as a fertilizer." With William H. Fry. D.B. 312, pp. 37. 1915.
"Phosphate rock our greatest fertilizer asset." Y.B., 1917, pp. 177-183. 1918; Y.B. Sep. 730, pp. 9. 1918.
"Phosphorus in fertilizer." Y.B., 1920, pp. 217-224. 1921; Y.B. Sep. 840, pp. 217-224. 1921.
"The manufacture of acid phosphate." D.B. 144, pp. 28. 1914.
"The production and fertilizer value of citric-soluble phosphoric acid and potash." D.B. 143, pp. 12. 1914.
"The production of sulphuric acid and a proposed new method of manufacture." D.B. 283, pp. 39. 1915.
"The recovery of potash from alunite." With J. A. Cullen. D.B. 415, pp. 14. 1916.
"The utilization of acid and basic slags in the manufacture of fertilizers." Soils Bul. 95, pp. 18. 1912.

WAGNER, C. R.—
"Analysis of experimental work with ground raw rock phosphate as a fertilizer." With others. D.B. 699, pp. 119. 1918.
"The recovery of potash as a by-product in the cement industry." With others. D.B. 572, pp. 23. 1917.

Wagon(s)—
boxes, grain-tight, need for bulk handling of grain. F.B. 1290, pp. 13-14. 1922.
farm—
 draft, influence of height of wheel. F.B. 162, p. 31. 1903.
 manufacture and sale. Y.B., 1922, pp. 1026-1027. 1923; Y.B. Sep. 887, pp. 1026-1027. 1923.
fire, for forest work, equipment and use. For. Bul. 82, p. 43. 1910.
hauling—
 corn, wheat, and cotton, mileage and cost. Y.B., 1918, p. 712. 1919; Y.B. Sep. 795, p. 48. 1919.
 for farm products, cost. F.B. 672, p. 13. 1915.
hauls—
 distance, load, and cost, various sections, 1906-1918. Y.B., 1921, p. 791. 1922; Y.B. Sep. 871, p. 22. 1922.
 farm products, distance and trips per day. F.B. 672, pp. 11-14. 1915.
 loads and cost, for corn, wheat, and cotton. Y.B., 1919, p. 746. 1920; Y.B. Sep. 830, p. 746. 1920.
horse, requirements from market standpoint. F. B. 334, p. 23. 1908.
milk, loading and unloading at milk plants, methods. D.B. 849, pp. 16-19, 35. 1920.
orchard, type useful to fruit growers. Hawaii A.R. 1915, p. 68. 1916.
parts, manufacture from wood. For. Bul. 99, pp. 20, 23, 35, 51. 1911.
school, description and cost of conveyance, per pupil. O.E.S. Bul. 232, pp. 23, 26, 27. 1910.
stock—
 insect injury, cause, and prevention. Ent. Cir. 128, pp. 2, 3, 5, 6. 1910.
 use of tanbark oak. For. Bul. 75, p. 32. 1911.
tires, width recommended for loads of varying magnitudes on earth and gravel roads. E.B. McCormick. Sec. Cir. 72, pp. 6. 1917.

Wagtail—
eye parasite of. B.A.I. Bul. 60, p. 49. 1904.
yellow, Alaska, range and habits. N.A. Fauna 24, pp. 22, 79. 1904.

WAHL, ROBERT: "Chemical studies of American barleys and malts." With J. A. LeClerc. Chem. Bul. 124, pp. 75. 1909.

WAHLENBERG, W. G.—
"Fall sowing and delayed germination of western white pine seed." J.A.R., vol. 28, pp. 1127-1131. 1924.
"Reforestation by seed sowing in the northern Rocky Mountains." J.A.R., vol. 30, pp. 637-641. 1925.

WAHLENBERG, W. G.—Continued.
"Sowing and planting season for western yellow pine." J.A.R., vol. 30, pp. 245-251. 1925.

Wahoo—
bark, adulteration and misbranding. Chem. N.J. 13237, 13240. 1925.
names, range, description, root bark, prices, and uses. B.P.I. Bul. 139, p. 35. 1909.
root bark, adulteration and misbranding. Chem. N.J. 12781. 1925.
scale infestation, remedies. Ent. Cir. 114, pp. 1-5. 1909.

Waipio substation, Hawaii sugar planters, field experiments. O.E.S. An. Rpt., 1912, pp. 105-106. 1913.

WAIT, C. E.—
"Dietary studies of families living in the mountain regions of eastern Tennessee." O.E.S. Bul. 221, pp. 21-116. 1909.
"Experiments on the effect of muscular work upon the digestibility of food and the metabolism of nitrogen." O.E.S. Bul. 117, pp. 43. 1902.
"Studies on the digestibility and nutritive value of legumes at the University of Tennessee, 1901-1905." O.E.S. Bul. 187, pp. 55. 1907.

WAITE, M. B.—
"Commercial pear culture." Y.B., 1900, pp. 369-396. 1901; Y. B. Sep. 215, pp. 369-396. 1901.
"Cultivation and fertilization of peach orchards." Y.B., 1902, pp. 607-626. 1903; Y.B. Sep. 293, 607-626. 1903.
"Experiments on the apple with some new and little-known fungicides." B.P.I. Cir. 58, pp. 19. 1910.
"Fruit growing." Y.B., 1904, pp. 169-181. 1905; Y.B. Sep. 340, pp. 169-181. 1905.
"Fruit trees frozen in 1904." B.P.I. Bul. 51, Pt. III, pp. 15-19. 1905.
"Fungicides and their use in preventing diseases of fruits." F.B. 243, pp. 32. 1906.
"Opportunities in agriculture." With others. Y.B., 1904, pp. 161-190. 1905; Y.B. Sep. 340, pp. 161-190. 1905.
"Poisonous metals on sprayed fruits and vegetables." With others. D.B. 1027, pp. 66. 1922.
report of Insecticide and Fungicide Board—
1912. With others. An. Rpts., 1912, pp. 1093-1100. 1913; I. and F. Bd. Rpt., 1912, pp. 10. 1912.
1915. With others. An. Rpts., 1915, pp. 347-350. 1916; I. and F. Bd. Rpt., 1915, pp. 4. 1915.

Wakefield, Mass., milk supply, statistics, officials, and prices. B.A.I. Bul. 46, pp. 40, 98. 1903.

WAKSMAN, S. A.—
"Contribution to the chemistry of decomposition of proteins and amino acids by various groups of microorganisms." With S. Lomanitz. J.A.R. vol. 30. pp. 263-281. 1925.
"Oxidation of sulphur by microorganisms in black alkali soils." With others. J.A.R., vol. 24, pp. 297-305. 1923.

Walburgia ugandensis, African substitute for green heart. For. Cir. 211, p. 11. 1913.

WALDEN, B. H.: "Notes on a new sawfly attacking the peach." Ent. Bul. 67, pp. 85-87. 1907.

WALDRON, C. B., discussion of Nelson amendment for instruction of teachers. O.E.S. Bul. 196, p. 88. 1907.

WALDRON, L. R.—
"Cold resistance of alfalfa, and some factors influencing it." With Charles J. Brand. B.P.I. Bul. 185, pp. 80. 1910.
"Improvement of Kubanka durum wheat by pure-line selection." With others. D.B. 1192, pp. 13. 1923.
"Kota wheat." With J. Allen Clark. D.C. 280, pp. 16. 1923.
"Plant breeding in conjunction with dry-land agriculture." B.P.I. Bul. 130, pp. 55-57. 1908.
"Rate of culm formation in Bromus inermis." J.A.R., vol. 21, pp. 803-816. 1921.
"Rate of sowing durum wheat." B.P.I. Bul. 130, pp. 59-60. 1908.

WALDROP, C. S.: "Soil survey of—
Autauga County, Ala." With L. A. Hurst. Soil Sur. Adv. Sh., 1908, pp. 43. 1910; Soils F.O. 1908, pp. 515-553. 1911.

WALDROP, C. S.: "Soil survey of—Continued.
 Baldwin County, Ala." With others. Soil Sur. Adv., Sh., 1909, pp. 74. 1911; Soils F.O., 1909, pp. 705-774. 1912.
 Brazos County, Tex." With J. O. Veatch. Soil Sur. Adv. Sh., 1914, pp 53. 1916; Soils F. O., 1914, pp. 1275-1323. 1919.
 Chickasaw County, Miss." With E. M. Jones. Soil Sur. Adv. Sh., 1915, pp. 38. 1917; Soils F.O., 1915, pp. 939-972. 1921.
 Clarke County, Ala." With others. Soil Sur. Adv. Sh., 1912, pp. 31. 1913; Soils F.O., 1912, pp. 725-751. 1915.
 Cleburne County, Ala." With others. Soil Sur. Adv. Sh., 1913, pp. 38. 1915; Soil F.O., 1913, pp. 793-826. 1916.
 Colbert County, Ala. Soil Sur. Adv. Sh., 1908, pp. 34. 1909; Soils F.O., 1908, pp. 555-584. 1911.
 Etowah County, Ala." With W. S. Lyman. Soil Sur. Adv. Sh., 1908, pp. 31. 1910; Soils F.O., 1908, pp. 709-735. 1911.
 Hale County, Ala." With others. Soil Sur. Adv. Sh., 1909, pp. 40. 1910; Soils F.O., 1910, pp. 677-703. 1912.
 Jackson County, Ala." With N. Eric Bell. Soil Sur. Adv. Sh., 1911, pp. 32. 1912; Soils F.O., pp. 777-790. 1914.
 Marshall County, Ala." With N. Eric Bell. Soil Sur. Adv. Sh., 1911, pp. 32. 1912; Soils F.O., 1911, pp. 831-858. 1914.
 Montgomery County, Kans." With F. V. Emerson. Soil Sur. Adv. Sh., 1913, pp. 36. 1915; Soils F.O., 1913, pp. 1893-1924. 1916.
 Putnam County, Tenn." Soil Sur. Adv. Sh., 1912, pp. 32. 1914; Soils F.O., 1912, pp. 1099-1123. 1915.

Wales—
 agricultural education, conditions. O.E.S. An. Rpt., 1909, pp. 258-263. 1910.
 and England, food crops, acreage and decrease of feed and pasture. Sec. [Misc.], "Report * * * agricultural commission * * *," pp. 35-47. 1919.
 continuance of barberry bushes, and of black rust. D.C. 269, pp. 3-5. 1923.
 cooperative dairying. B.A.I. Dairy [Misc.], "World's dairy congress, 1923," pp. 695-699. 1924.
 dairy education, status. V. E. Wilkins. B.A.I. Dairy [Misc.], "World's dairy congress, 1923." pp. 624-628. 1924.
 farm products and livestock, estimate, 1914, with comparisons. F.B. 620, p. 16. 1914.
 milk administration. B.A.I. Dairy [Misc.], "World's dairy congress, 1923," pp. 1287-1295. 1924.
 nursery-stock inspection, officials. F.H.B.S.R. A. 7, p. 53. 1914; F.H.B.S.R.A. 20, pp. 61-62. 1915; F.H.B.S.R.A. 32, p. 106. 1916.
 plant imports, regulations. F.H.B.S.R.A. 74, pp. 46-48. 1923.
 soils, chemical composition. Soils Bul. 57, p. 99. 1909.

WALKER, E. P.: "Blue-fox farming in Alaska." With Frank G. Ashbrook. D.B. 1350, pp. 35. 1925.

WALKER, H. F.—
 "Peach supply and distribution in 1914." With others. D.B. 298, pp. 16. 1915.
 "Rail shipments and distribution of fresh tomatoes, 1914." With others. D.B. 290, pp. 12. 1915.
 "Strawberry supply and distribution in 1914." With others. D.B. 237, pp. 10. 1915.

WALKER, J. C.—
 "A fusarium bulb rot of onion and the relation of environment to its development." With E. C. Tims. J.A.R., vol. 28, pp. 683-694. 1924.
 "Cabbage-seed treatment." D.C. 311, pp. 4. 1924.
 "Control of mycelial neck rot of onion by artificial curing." J.A.R., vol. 30, pp. 365-373. 1925.
 "Disease resitance to onion smudge." J.A.R., vol. 24, pp. 1019-1040. 1923.
 "Further studies on the relation of onion scale pigmentation to disease resistance." With Carl C. Lindegren. J.A.R., vol. 29, pp. 507-514. 1924.

WALKER, J. C.—Continued.
 "Further studies on the toxicity of juice extracted from succulent onion scales." With others. J.A.R., vol. 30, pp. 175-187. 1925.
 "Fusarium resistant cabbage; progress with second early varieties." With others. J.A.R., vol. 30, pp. 1027-1034. 1925.
 "Onion diseases and their control." F.B. 1060, pp. 24. 1919.
 "Onion smudge." J.A.R., vol. 20, pp. 685-722. 1921.
 "Relation of soil temperature and other factors to onion smut infection." With L. R. Jones. J.A.R., vol. 22, pp. 235-262. 1921.
 "Seed treatment and rainfall in relation to the control of cabbage blackleg." D.B. 1029, pp. 27. 1922.

WALKER, M. N.: "Further studies on the overwintering and dissemination of cucurbit mosaic." With S. P. Doolittle. J.A.R., vol. 31, pp. 1-58. 1925.

WALKER, P. H.—
 analyses of condensed milk. Chem. Bul. 116, p. 59. 1908.
 "Platinum laboratory utensils." With F. W. Smither. Chem. Bul. 137, pp. 180-181. 1911.
 "Some technical methods of testing miscellaneous supplies, including paints and paint materials, inks, lubricating oils, soaps, etc." Chem. Bul. 109, pp. 48. 1908; rev., pp. 67. 1910.
 "The fluorescent test for mineral and rosin oils." With E. W. Boughton. Chem. Cir. 84, pp. 2. 1911.
 "The ignition of precipitates without the use of the blast lamp." With J. B. Wilson. Chem. Cir. 101, pp. 8. 1912.
 "The unification of reducing sugar methods. (A correction.)" Chem. Cir. 82, pp. 6. 1911.
 "The use of paint on the farm." F.B. 474, pp. 22. 1911.

WALKER, R. M.: "Sea-island cotton in Porto Rico." P.R. Cir. 3, pp. 4. 1904.

WALKER, W. B.: "Farming on the cut-over lands of Michigan, Wisconsin, and Minnesota." With J. C. McDowell. D.B. 425, pp. 24. 1916.

Walker's tonic, misbranding. Chem. N.J. 982, pp. 2. 1911.

Walking-stick, green, injury to coconut trees in Guam. Guam A.R., 1920, p. 61. 1921.

Walks—
 farm home, arrangements for beautification of premises. F.B. 1087, pp. 21-31. 1920.
 greenhouse, composition and dimensions. F.B. 1318, p. 30. 1923.
 relation to—
  lawns. F.B. 494, p. 46. 1912.
  planting for home adornment. Y.B., 1902, p. 504. 1903.

Wall—
 board, substitute for laths, production. Rpt. 117, pp. 37-39, 71. 1917.
 papers, suggestions. Y.B., 1914, pp. 349-352. 1915; Y.B. Sep. 646, pp. 349-352. 1915.

Walla Walla Valley irrigation projects, description. O.E.S. Bul. 214, pp. 56-58. 1909.

Wallaba wood, associate of greenheart, British Guiana. For. Cir. 211, pp. 7, 8. 1913.

Wallaby grass—
 importation and description. No. 54736, B.P.I. Inv. 70, pp. 2, 14. 1923.
 introduction, value for heavy lands. B.P.I. Bul. 205, pp. 8, 16. 1911.

WALLACE, ERRETT: "Commercial Bordeaux mixtures." With L. H. Evans. F.B. 994, pp. 11. 1918.

WALLACE, H. C., Secretary—
 address—
  at Packers' conference. Off. Rec., vol. 1, No. 18, p. 1. 1922.
  at Portland club. Off. Rec., vol. 2, No. 29, p. 4. 1923.
  in Cincinnati. Off. Rec., vol. 2, No. 19, p. 6. 1923.
  to county agents. Off. Rec., vol. 1, No. 49, p. 6. 1922.
  to meat packers. Off. Rec., vol. 2, No. 8, p. 1. 1923.
  to Michigan farmers. Off. Rec., vol. 2, No. 35, p. 2. 1923.

WALLACE, H. C., Secretary—Continued.
address—continued.
to Pennsylvania farmers. Off. Rec., vol. 2, No. 34, pp. 1-2. 1923.
to State grange. Off. Rec., vol. 1, No. 2, p. 7. 1922.
to wholesale grocers. Off. Rec., vol. 2, No. 22, p. 4. 1923.
complaint against—
Armour Co. Off. Rec., vol. 2, No. 9, p. 1. 1923.
boycott of cooperatives. Off. Rec., Vol. 1, No. 10, p. 4. 1922.
"Crop report regulations." Effective January 1, 1922. Sec. [Misc.], "Crop report * * *," pp. 4. 1922.
designation of contract markets. Off. Rec., vol. 1, No. 7, p. 4. 1922.
endorsement of rural credits bill. Off. Rec., vol. 2, No. 9, p. 4. 1923.
European corn borer quarantine, notice and regulations. F.H.B.S.R.A. 72, pp. 72-77. 1922.
importation of potatoes, regulations. F.H.B. [Misc.], "regulations governing importation of potatoes," pp. 7, 1922; F.H.B.S.R.A. 72, pp. 81-88. 1922.
importation prohibitions of Hawaiian fruits, nuts, etc. F.H.B. [Misc.], "Warning to passengers * * * from Hawaii * * * fruits," pp. 4. 1921.
instructions to county agents. M.C. 3, pp. 10-11. 1923.
"Modification of cotton regulations." F.H.B. [Misc.], "Rules and regulations * * *," amdt. 1, pp. 2. 1924.
order restraining Baltimore exchange. Off. Rec., vol. 1, No. 37, p. 2. 1922.
quarantine of citrus black fly on Cuban railroads and yards, letter. F.H.B.S.R.A. 72, pp. 80-81. 1922.
"Quarantine on account of pink bollworm, quarantine 52, and enforcement rules." F.H. B.S.R.A. 72, pp. 44-52. 1922.
regulations proposed by Holland to govern plant exports, letter. F.H.B.S.R.A. 72, pp. 40-41. 1922.
report—
1921. Sec. A.R., 1921, pp. 67. 1921.
1922. An. Rpts., 1922, pp. 1-64. 1922; Sec. A.R., 1922, pp. 64. 1922.
1923. An. Rpts., 1923, pp. 1-100. 1923; Sec. A.R. 1923, pp. 100. 1923.
1924. An. Rpts., 1924, pp. 1-96. 1925; Sec. A.R., 1924, pp. 96. 1924.
on farm situation. Off. Rec., vol. 2, No. 50, pp. 1, 3. 1923.
statement on—
agricultural situation. Off. Rec., vol. 2, No. 35, pp. 1-2. 1923.
economic condition of the farmer. Off. Rec., vol. 1, No. 40, p. 4. 1922.
"The wheat situation. A report to the President." Sec. [Misc.], "The wheat situation," pp. 126. 1923.
"The year in agriculture—
1921." Y.B., 1921, pp. 1-76. 1922; Y.B. Sep. 875, pp. 1-76. 1922.
1922." Y.B., 1922, pp. 1-82. 1923; Y.B. Sep. 883, pp. 1-82. 1923.
1923." Y.B., 1923, pp. 1-93. 1924; Y.B. Sep. 892, pp. 1-93. 1924.
1924." Y.B., 1924, pp. 1-97. 1925.
white-pine blister rust, quarantine 54, notice. F.H.B.S.R.A. 72, pp. 70. 1922.
WALLACE, J. H., Jr., list of mammals of Alabama. N.A. Fauna 45, pp. 18, 80. 1921.
WALLACE, M. A.: "The woman lecturer." O.E.S. Bul. 199, p. 55. 1908.
WALLACE, ROBERT: "Live stock of Great Britain." O.E.S. Bul. 196, pp. 42-47. 1907.
WALLER, O. L.—
"Irrigation in the State of Washington." O.E.S. Bul. 214, pp. 64. 1909.
"Irrigation in Washington." O.E.S. Bul. 133, pp. 124-136. 1903.
"Irrigation investigations in Yakima Valley, Wash., 1904." O.E.S. Bul. 158, pp. 267-278. 1905.
"The use of water in irrigation in Washington for the season of 1901." O.E.S. Bul. 119, pp. 191-198. 1902.

WALLER, O. L.—Continued.
"Use of water in irrigation in the Yakima Valley." O.E.S. Bul. 104, pp. 241-266. 1902.
Wallichia densiflora, importation and description. No. 47858, B.P.I. Inv. 59, p. 68. 1922.
Wallowa Mountains, reseeding experiments. D.B. 4, pp. 9-25, 27, 31. 1913.
Wallowa National Forest, Oreg.—
description and recreational uses. D.C. 4, pp. 48-50. 1919; For. [Misc.], "An ideal vacation * * *," pp. 37-38. 1923.
map. For. Map Fold. 1913; For. Maps. 1924.
revegetation of grazing lands, study. For. Cir. 158, pp. 5-21. 1908; For. Cir. 169, pp. 1-28. 1909.
vegetation studies. J.A.R., vol. 3, pp. 93-148. 1914.
Wallows, hog—
description, construction, and use. F.B. 1085, pp. 14-15, 20-22. 1920.
importance and uses. Hawaii Bul. 48, p. 11. 1923.
Wallrothiella arceuthobii, growing on mistletoe, description. J.A.R., vol. 4, pp. 369-378. 1915.
Walls—
and ceiling, farm kitchens, materials, finishing, and color suitability. F.B. 607, p. 6. 1914.
cellar, building and waterproofing directions. Y.B., 1919, pp. 428-449. 1920; Y.B. Sep. 824, pp. 428-449. 1920.
cleaning directions. F.B. 1180, pp. 11-12. 1921.
core, for earth-fill dams, purpose, and details of construction. O.E.S. Bul. 249, Pt. I, pp. 23-24, 32-36. 1912.
house, painting and papering, suggestions. Y.B., 1914, pp. 349-352. 1915; Y.B. Sep. 646, pp. 349-352. 1915.
kitchen, washable paint. D.C. 189, p. 4. 1921.
retaining, use in control of soil erosion. Soils Bul. 71, p. 54. 1911.
warehouse, types, construction. D.B. 801, pp. 17-24, 42-44, 50-53. 1919.
Walnut(s)—
acreage—
1910, by States, map. Y.B., 1915, p. 386. 1916; Y.B. Sep. 681, p. 386. 1916.
1919, map. Y.B., 1921, p. 468. 1922; Y.B. Sep. 878, p. 62. 1922.
airplane propeller stock, prices and consumption. D.B. 909, pp. 74, 77-79. 1921.
analysis, relation to fertilizer. B.P.I. Bul. 254, p. 86. 1913.
and meats, adulteration. See *Indexes to Notices of Judgment*, in bound volumes and in separates published as supplements to *Chemistry Service and Regulatory Announcements*.
aphid(s)—
American, description and life history. D.B. 100, pp. 19-26. 1914.
control by spraying, spring, summer, and winter. D.B. 100, pp. 40-45. 1914.
European, description, and life history. D.B. 100, pp. 2-19. 1914.
in California. W. M. Davidson. D.B. 100, pp. 48. 1914.
black—
adaptability to Great Plains. F.B. 1312, pp. 13-15. 1923.
and others, production and value, 1909. F.B. 700, p. 1. 1916.
caterpillar, control by parasites. An. Rpts., 1908, p. 564. 1909; Ent. A.R., 1908, p. 42. 1908.
characteristics—
and reproduction. For. Bul. 98, p. 52. 1911.
description and identification key. Chem. Bul. 160, pp. 18-19, 36. 1912.
uses, propagation, and rate of growth. For. Cir. 161, pp. 16, 19, 23, 24, 47. 1909.
conservation on farms, and replanting. Y.B., 1918, pp. 319, 324. 1919; Y.B. Sep. 779, pp. 5, 10. 1919.
curculio, description, life history, enemies, and control. D.B. 1066, pp. 7-11, 16. 1922.
description—
and physical properties of wood. D.B. 909, pp. 2-6. 1921.
and uses. For. Cir. 88, pp. 5. 1907; rev., 1909.

Walnut(s)—Continued.
black—continued.
description—continued.
habits, uses, propagation, and planting directions. For. Cir. 88, pp. 1-5. 1907.
desirability for tree planting on farms. News L., vol. 3, No. 25, p. 6. 1916.
diseases caused by fungi. B.P.I. Bul. 149, pp. 27, 33, 37, 48, 56. 1909.
exports, amounts and value, 1912-1917. D.B. 909, pp. 74-76. 1921.
firearms, manufacture, demands, and value. D.B. 909, pp. 60, 68-70, 76-79. 1921.
for timber and nuts. Wilbur R. Mattoon and C. A. Reed. F.B. 1392, pp. 30. 1924.
growth—
and management. F. S. Baker. D.B. 933, pp. 43. 1921.
rate. For. Bul. 36, pp. 189, 193. 1910.
spacing, planting methods, and products. Y.B., 1911, pp. 260, 261, 263, 265, 267. 1912; Y.B. Sep. 566, pp. 260, 261, 263-265, 267. 1912.
habits, uses, cost and yield of plantations, Nebraska. For. Cir. 45, pp. 19-22. 1906.
injury by aphids. D.B. 100, pp. 1-2, 19, 27. 1914.
location of timber for war work. News L., vol. 5, No. 44, p. 5. 1918.
logging methods and costs. D.B. 909, pp. 41-42, 81-85. 1921.
lumber manufacture details, grades and prices. D.B. 909, pp. 32-41. 1921.
market conditions and marketing. D.B. 909, pp. 79-85. 1921.
planting—
growing. F.B. 1392, pp. 11-30. 1924.
in sand hills. M.C. 16, pp. 5, 7. 1925.
time, methods, and distance. News L., vol. 3, No. 25, p. 6. 1916.
uses, yield, and value. D.B. 153, pp. 9, 17, 18, 19, 22, 30-31, 35. 1915.
production and demand, war emergency. An. Rpts., 1918, p. 198. 1918; For. A.R., 1918, p. 34. 1918.
profitable planting in South, suggestions. Y.B., 1902, p. 138. 1903.
quantity used in manufacture of wooden products. D.B. 605, p. 12. 1918.
range—
and supply. D.B. 909, pp. 7-9. 1921; F.B. 1392, p. 3. 1924.
habits, uses, propagation, planting, and care. For. Cir. 88, rev., pp. 1-5. 1909.
regional distribution. F.B. 1459, pp. 1, 2. 1925.
related species and hybrids. F.B. 1392, pp. 8-9. 1924.
soil requirements. News L., vol. 3, No. 25, p. 6. 1916.
stains, removal from textiles. F.B. 861, pp. 34-35. 1917.
stand in various States. D.B. 909, p. 9. 1921.
supply, growth, range, and quality from various sections. D.B. 909, pp. 7-21. 1921.
tests for mechanical properties, results. D.B. 556, pp. 33, 42. 1917.
timber selling. Warren D. Brush. F.B. 1459, pp. 21. 1925.
tree census, work of Boy Scouts in location. News L., vol. 5, No. 45, p. 4. 1918.
use(s)—
for farm planting. F.B. 228, pp. 12-13. 1905.
forest planting. For. Bul. 65, pp. 17, 18, 24, 26, 27, 29. 1905.
marketing, grades, sizes, and prices. News L., vol. 5, No. 48, pp. 1, 8. 1918.
value, planting advice and methods. News L., vo.. 6, No. 8, p. 6. 1918.
utilization. Warren D. Brush. D.B. 909, pp. 89. 1921.
value—
and marketing, cooperative methods. News L., vol. 4, No. 46, p. 6. 1917.
and uses, amount cut for war purposes. Y.B., 1918, pp. 318, 319. 1919; Y.B. Sep. 779, pp. 4, 5. 1919.
as grafting stock for Persian walnut. B.P.I. Bul. 254, pp. 15, 17, 61-62. 1913.

Walnut(s)—Continued.
black—continued.
value—continued.
of products, cost of planting, and habits of growth. For. Cir. 81, pp. 13-14, 24, 32. 1907.
veneer, production, manufacture, grades, and prices. D.B. 909, pp. 44-58, 79. 1921.
war-time demands and consumption. D.B. 909, pp. 69, 76-79. 1921.
worm, fumigation in containers, experiments. J.A.R., vol. 15, p. 264. 1918.
bleaching, reasons for. Rpt. 98, p. 173. 1913.
blight—
description, cause, and control. B.P.I. Bul. 254, pp. 89-92. 1913.
distribution, importance of disease, and history. D.B. 611, pp. 1-4, 6. 1917.
in eastern United States. S. M. McMurran. D.B. 611, pp. 8. 1917.
resistant varieties adapted to California. B.P.I. Bul. 254, pp. 23, 75. 1913.
See also Bacteriosis.
blossoms, botanical details. B.P.I. Bul. 254, pp. 76, 79, 80. 1913.
budding, directions. B.P.I. Bul. 254, pp. 69-74. 1913.
bushel weights, by States. Y.B. 1918, p. 725. 1919; Y.B. Sep. 795, p. 61. 1919.
California—
black, description, characteristics, and identification key. Chem. Bul. 160, pp. 21-23, 36. 1912.
description, range, and occurrence on Pacific slope. For. [Misc.], "Forest trees for Pacific * * *," pp. 206-208. 1908.
two forms, value as stock and for hybridizing. B.P.I. Bul. 254, pp. 11, 15, 61-62, 91. 1913.
caterpillar—
description, habits, and control. F.B. 1169, pp. 46-47. 1921; F.B. 1364, pp. 31-32. 1924.
pecan enemy, description, life history, and control. F.B. 843, pp. 28-31. 1917.
Caucasian, distinction from Circassian walnut. For. Cir. 212, p. 12. 1913.
characteristics, silvical, reproduction, diseases, and insects. D.B. 933, pp. 18-21. 1921.
characters—
description. F.B. 468, p. 43. 1911.
species on Pacific slope. For. [Misc.], "Forest trees for Pacific * * *," pp. 206-208. 1908.
Chinese—
adulteration. Chem. N.J. 2562, p. 1. 1913.
importation and description. No. 36082. B.P.I. Inv. 36, pp. 6, 50. 1915; Nos. 44936-44937, B.P.I. Inv. 52, p. 9. 1922.
Circassian—
George B. Sudworth and Clayton D. Mell. For. Cir. 212, pp. 12. 1913.
common names, various localities. For. Cir. 212, p. 5. 1913.
growing for timber, logging, and transportation. For. Cir. 212, pp. 7-8. 1913.
quantity used in manufacture of wooden products. D.B. 605, p. 15. 1918.
substitutes. For. Cir. 212, pp. 11-12. 1913.
See also Walnut, English.
codling-moth infestation, nature of injury. Ent. Bul. 80, Pt. V, p. 68. 1910.
composition and food value, and uses. F.B. 332, pp. 12, 13, 15, 18. 1908.
consumption in Arkansas, amount and value. For. Bul. 106, pp. 7, 11, 16, 19, 22, 32, 40. 1912.
cracked, use and prices. B.P.I. Bul. 254, pp. 12-13. 1913.
Cuban importations and description. Nos. 43032-43033, B.P.I. Inv. 48, p. 12. 1921.
demand for. D.B. 909, pp. 21-22. 1921.
depletion of supply and future possibilities. Sec. Cir. 140, pp. 10-11. 1919.
diseases, description. D.B. 933, p. 21. 1921.
description—
and management. D.B. 933, pp. 15-18. 1921.
key, and list of kinds. D.C. 223, pp. 7, 11. 1922.
disease, melaxuma, cause and control. S.R.S. Rpt., 1916, Pt. I, p. 71. 1916.
distribution, range, and associated species. D.B. 933, pp. 2-6. 1921.

INDEX TO PUBLICATIONS, 1901-1925   2547

Walnut(s)—Continued.
  dust sprayer, description, cost, and use. D.C. 154, pp. 4-5, 13, 14. 1921.
  English—
    food value, chart. F.B. 1383, p. 32. 1924.
    grafting on Texas native black walnut. B.P.I. Cir. 120, p. 16. 1913.
    growing in California, Pasadena area. Soil Sur. Adv. Sh., 1915, pp. 13-14, 34, 52. 1917; Soils F.O., 1915, pp. 2323-2324, 2344, 2362. 1919.
    importations and description. Nos. 39839-39844, 39881-39886, 39966, 40016, B.P.I. Inv. 42, pp. 6, 7, 25, 31, 44, 52. 1918.
    irrigation methods, value and cost, Pomona Valley, Calif. O.E.S. Bul. 236, pp. 80-81. 1911.
    origin, description, and key to microscopic identification. Chem. Bul. 160, pp. 15-17, 36. 1912.
    production and value, 1909. F.B. 700, p. 1. 1916.
    See also Walnut, Circassian.
  European, injury by aphids. D.B. 100, pp. 1, 3, 4, 27. 1914.
  food value, comparison with other food products. B.P.I. Bul. 254, pp. 103-104. 1913.
  grafting, methods and directions. B.P.I. Bul. 254, pp. 64-69. 1913.
  green, pickle, directions for making. F.B. 332, p. 24. 1908.
  Growers' Association—
    Los Angeles, Calif., report. Rpt. 98, pp. 173-175. 1913.
    Rivera, Calif., instructions for handling walnuts. B.P.I. Bul. 254, pp. 96-97. 1913.
  growing—
    climatic conditions required. B.P.I. Bul. 254, pp. 20-23. 1913.
    for nuts, yields, and care. D.B. 933, pp. 37-40, 42. 1921.
    from seed, directions. D.B. 933, pp. 40-41. 1921.
    in California—
      Anaheim County. Soil Sur. Adv. Sh., 1916, pp. 14, 16, 17. 1919; Soils F.O., 1916, pp. 2280-2285, 2300-2325. 1921.
      central southern area. Soil Sur. Adv. Sh., 1917, pp. 27-28, 58, 62-66, 91-120. 1921; Soils F.O., 1917, pp. 2425-2426, 2456, 2460-2464, 2489-2517. 1923.
      Los Angeles area. Soil Sur. Adv. Sh., 1916, pp. 15-16, 44, 54, 65, 67. 1919; Soils F.O., 1916, pp. 2357, 2381-2407. 1921.
      Riverside area. Soil Sur. Adv. Sh., 1915, pp. 15-16. 1917; Soils F.O., 1915, pp. 2377-2388. 1919.
      San Fernando Valley area. Soil Sur. Adv. Sh., 1915, pp. 16, 44, 46, 51. 1917; Soils F.O., 1915, pp. 2462, 2490, 2492, 2497. 1919.
      San Francisco Bay region. Soil Sur. Adv. Sh., 1914, pp. 24-25. 1917; Soils F.O., 1914, pp. 2696-2697. 1919.
      Santa Maria area. Soil Sur. Adv. Sh., 1916, pp. 14, 41, 44. 1919; Soils F.O., 1916, pp. 2540, 2567, 2570. 1921.
      Ventura area. Soil Sur. Adv. Sh., 1917, pp. 16, 57-76. 1920; Soils F.O., 1917, pp. 2332, 2373-2392. 1923.
    in Oregon—
      Washington County. Soil Sur. Adv. Sh., 1919, pp. 14, 26, 27. 1923; Soils F.O., 1919, pp. 1844, 1856, 1857. 1925.
      Yamhill County. Soil Sur. Adv. Sh., 1917, pp. 15, 17, 26-32, 66. 1920; Soils F.O., 1917, pp. 2269, 2271, 2280-2286, 2320. 1923.
    in Texas, variety and stock testing. D.B. 162, pp. 20, 22-23, 26. 1915.
  growth, height, diameter, and volume. D.B. 933, pp. 22-25. 1921.
  Guatemalan, importation and description. No. 45352, B.P.I. Inv. 53, pp. 6, 30. 1922.
  hull decoction, use as floor stain. F.B. 1219, p. 9. 1921.
  husk maggot. Fred E. Brooks. D.B. 992, pp. 8. 1921.
  hybrids, value, and injury by aphids. D.B. 100, pp. 1-2, 19, 27. 1914.

Walnut(s)—Continued.
  importations, and description. Nos. 30331, 30407, B.P.I. Bul. 223, pp. 77, 84. 1912; Nos. 35303, 35463, 35610-35613, B.P.I. Inv. 35, pp. 7, 35, 48, 59-60. 1915; Nos. 36599, 36662-36663, 36865, B.P.I. Inv. 37, pp. 6, 35, 46, 75. 1916; Nos. 38427, 38741-38742, B.P.I. Inv. 39, pp. 129, 134. 1917; Nos. 41776-41778, 41930, 42023, 42041-42045, 42313, B.P.I. Inv. 46, pp. 6, 21, 36, 44, 47-48, 76. 1919; Nos. 43799-43801, B.P.I. Inv. 49, p. 70. 1921; Nos. 44199, 44200, B.P.I. Inv. 50, p. 41. 1922; Nos. 45774, 45775, 45799, 45922, B.P.I. Inv. 54, pp. 18, 22, 41. 1922; Nos. 45988, 46004, B.P.I. Inv. 55, pp. 10, 12. 1922; Nos. 48571, 49033-49034, B.P.I. Inv. 61, pp. 24, 70. 1922; Nos. 49375, B.P.I. Inv. 62, pp. 2, 32. 1923; Nos. 52511, 52681-52683, B.P.I. Inv. 66, pp. 50-51, 59. 1923; Nos. 53198, B.P.I. Inv. 67, pp. 1, 39. 1923; Nos. 54788-54790, B.P.I. Inv. 70, pp. 3, 21. 1923; Nos. 55373-55374, B.P.I. Inv. 71, p. 37. 1923.
  imports—
    1851-1908. Y.B., 1908, p. 776. 1909; Y.B. Sep. 498, p. 776. 1909.
    1901-1924. Y.B., 1924, pp. 1062, 1077. 1925.
    1903-1912. Y.B., 1912, p. 746. 1913; Y.B. Sep. 615, p. 746. 1913.
    1903 and 1914, value and sources. D.B. 296, p. 36. 1915.
    1907-1909, quantity and value, by countries from which consigned. Stat. Bul. 82, p. 49. 1910.
    1908-1910, quantity and value, by countries from which consigned. Stat. Bul. 90, pp. 52-53. 1911.
    1909-1911, by countries from which consigned. Stat. Bul. 95, p. 56. 1912.
    1911-1913 and 1852-1913. Y.B., 1913, pp. 498, 512. 1914; Y.B. Sep. 361, pp. 498, 512. 1914.
    1913-1915 and 1852-1915 and country of origin. Y.B., 1915, pp. 545, 560, 574. 1916; Y.B. Sep. 685, pp. 545, 560, 574. 1916.
    1918-1920, statistics. Y.B. 1921, pp. 741, 755. 1922; Y.B. Sep. 867, pp. 5, 19. 1922.
    1919-1921 and 1852-1921. Y.B. 1922, pp. 953, 967, 972. 1923; Y.B. Sep. 880, pp. 953, 967, 972. 1923.
  in package form, opinion 156. Chem. S.R.A. 16, p. 28. 1916.
  infestation by codling moth, California. Ent. Bul. 80, Pt. V, pp. 67, 68, 69. 1910; Ent. Bul. 80, pp. 67, 68, 69. 1912.
  injury by fungous diseases. B.P.I. Bul. 149, pp. 27, 33. 1909.
  insect pests, list. Sec. [Misc.], "A manual * * * of dangerous * * *," pp. 219-220. 1917.
  Jamaican, description. D.B. 354, p. 66. 1916.
  Japanese—
    disease-resistant, importation. Y.B., 1911, p. 421. 1912; Y.B. Sep. 580, p. 421. 1912.
    injury by butternut curculio. D.B. 1066, pp. 2, 3, 4. 1922.
    trial in Pike County, Ga. Soil Sur. Adv. Sh., 1909, p. 17. 1910; Soils F.O., 1909, p. 587. 1912.
    varieties, description and identification key. Chem. Bul. 160, pp. 19-21, 36. 1912.
  juice, use as food relish, note. O.E.S. Bul. 245, p. 68. 1912.
  leaf spot, occurrence and description, Texas. B.P.I. Bul. 226, pp. 81, 110. 1912.
  lice. See Walnut aphids.
  logs or stumpage, Army claim relinquished. News L., vol. 6, No. 18, p. 20. 1918.
  lumber—
    cut and value, 1906, several States. For. Cir. 122, p. 28. 1907.
    prices and uses. For. Cir. 88, rev., p. 3. 1909.
    production—
      1913, species and range. D.B. 232, pp. 26, 31-32. 1915.
      1916, by States, mills reporting, and lumber value. D.B. 673, pp. 33-34. 1918.
      1917, and value, by States. D.B. 768, pp. 34, 38, 44. 1919.
      1918, and States producing. D.B. 845, pp. 36-37, 47. 1920.
      1920, by States. D.B. 1119, p. 54. 1923; Y.B., 1922, p. 928. 1923.

Walnut(s)—Continued.
  Manchurian—
    adulteration. Chem. N.J. 13327. 1925.
    importation and description, No. 44233, B.P.I. Inv. 50, p. 44. 1922.
  oak hybrids, California Experiment Station. O.E.S. An. Rpt., 1911, p. 79. 1912.
  oil—
    digestion experiments, food weights, and constituents. D.B. 630, pp. 6-8, 11-13, 17. 1918.
    manufacture, yield and uses. B.P.I. Bul. 254, pp. 13-14. 1913.
    misbranding. Chem. N.J. 1677, pp. 2. 1912.
  orchard, cultivation, irrigation, cover crops, and fertilizers. B.P.I. Bul. 254, pp. 84-89. 1913.
  "peanut" black, new variety, description. B.P.I. Bul. 208, p. 11. 1911.
  Persian—
    crown-gall inoculation from daisy and peach. B.P.I. Bul. 213, pp. 50, 74. 1911.
    cultural range, climate, and soil requirements. B.P.I. Bul. 254, pp. 15-24. 1913.
    English or European, varieties, recommendations for various fruit districts. B.P.I. Bul. 151, pp. 55. 1909.
    growing in Pajaro Valley, Calif. Soil Sur. Adv. Sh., 1908, p. 17. 1910; Soils F.O., 1908, p. 1343. 1911.
    harvesting, cleaning, and curing. B.P.I. Bul. 254, pp. 93-100. 1913.
    historical notes, various names. B.P.I. Bul. 254, pp. 9-11. 1913.
    industry of the United States. E. R. Lake. B.P.I. Bul. 254, p. 112. 1913.
    injury by butternut curculio. D.B. 1066, pp. 2, 3. 1922.
    production—
      and consumption, 1902-1911. B.P.I. Bul. 254, pp. 100-101. 1913.
      in China. Off. Rec. vol. 2, No. 3, p. 3. 1923.
    uses as food, oil, and pickles. B.P.I. Bul. 254, pp. 12-15, 103-104. 1913.
    value on farms in Eastern States. D.B. 611, p. 7. 1917.
    varieties suitable to Maryland. F.B. 329, p. 20. 1908.
    weight and size of typical specimens, by varieties. B.P.I. Bul. 254, p. 58. 1913.
    yield, 1909. B.P.I. Bul. 254, pp. 101-103. 1913.
    See also Walnut, English.
  pests and diseases. B.P.I. Bul. 254, pp. 89-93. 1913.
  pickles, directions for making. B.P.I. Bul. 254, pp. 14-15. 1913.
  plantations, management, and production of lumber and nuts. D.B. 933, pp. 31-40. 1921.
  planting and transplanting, directions. B.P.I. Bul. 254, pp. 78-81. 1913.
  Porto Rican, importations and descriptions, No. 40233, B.P.I. Inv. 42, pp. 6, 99. 1918; No. 45033, B.P.I. Inv. 52, pp. 6, 24. 1922.
  preservative treatment, results. F.B. 744, p. 28. 1916.
  production—
    1899-1914, and estimates, 1915. D.B. 506, pp. 13-15, 31-32. 1917.
    by States. D.B. 933, pp. 37-39. 1921.
  propagation, budding, grafting, planting, pruning, and training. B.P.I. Bul. 254, pp. 58-84. 1913.
  Royal, value. F.B. 1392, p. 9. 1924.
  Santa Barbara, origin, description, and commercial value. B.P.I. Bul. 254, pp. 22, 27, 30, 52-53, 112. 1913.
  sapwood formation, relation to diameter growth. D.B. 933, pp. 25-26. 1921.
  seedlings, transplanting and spacing. D.B. 933, pp. 41-42. 1921.
  shelled, food-value comparisons, chart. D.B. 975, p. 35. 1921.
  Sorrento, importation and description. No. 40394, B.P.I. Inv. 43, p. 13. 1918.
  spraying—
    and hybridization work. An. Rpts., 1904, pp. 98, 100. 1904.
    for control of aphids. D.B. 100, pp. 40-45. 1914.
    for husk maggots, directions. D.B. 992, pp. 7-8. 1921.

Walnuts(s)—Continued.
  stands, growth, and yield per acre. D.B. 933, pp. 26-28. 1921.
  statistics—
    1907-1911, imports and exports. Y.B. 1911, pp. 665, 687. 1912; Y.B. Sep. 588, pp. 665, 687. 1912.
    1909, farms reporting trees and yield. B.P.I. Bul 254, pp. 102-103. 1913.
    1917, imports. Y.B., 1917, pp. 765, 782. 1918. Y.B. Sep. 762, pp. 9, 26. 1918.
    1919, imports. Y.B. 1919, pp. 688, 704, 720. 1920; Y.B. Sep. 829, pp. 688, 704, 720. 1920.
    receipts and shipments, San Francisco. Rpt. 98, p. 382. 1913.
  structure description. D.B. 909, p. 6. 1921.
  supplies for future. D.B. 933, pp. 14-15. 1921.
  Texas, value as stock for walnut propagation. B.P.I. Bul. 254, pp. 61-62. 1913.
  timber, selling to large manufacturer. F.B. 1459, pp. 9-10. 1925.
  tree(s)—
    budding and grafting, methods and wax formula. News L., vol. 2, No. 35, pp. 2-4. 1915.
    description of famous specimens and yield. B.P.I. Bul. 254, pp. 11, 101. 1913.
    injury by—
      hickory tiger-moth. D.B. 598, pp. 1, 5-6, 11, 12. 1918.
      leaf chewer. F.B. 1169, p. 100. 1921.
      sapsuckers. Biol. Bul. 39, pp. 29-31, 51, 68. 1911.
    protection from grazing. D.B. 933, pp. 42-43. 1921.
    wounds, protection. B.P.I. Bul. 254, p. 83. 1913.
  use—
    for gunstocks, drying schedule. D.B. 1136, pp. 41, 43. 1923.
    in airplane propellers. D.B. 1128, pp. 4, 42. 1923.
  varieties—
    adapted to different sections. B.P.I. Bul. 254, pp. 75-76. 1913.
    and types, description and classification. B.P.I. Bul. 254, pp. 26-58, 112. 1913.
    attacked by codling moth. Ent. Bul. 80, p. 68. 1912.
    characteristics, uses, and microscopic identification. Chem. Bul. 160, pp. 15-26, 36. 1912.
    in United States. D.B. 909, p. 2. 1921.
  warehouse receipts, use as security for loans. Y.B. 1914, p. 206. 1915; Y.B. Sep. 637, p. 206. 1915.
  webworm, infestation. Ent. Bul. 60, p. 43. 1906.
  weevil, infestation with boll weevil parasites. Ent. Bul. 100, pp. 45, 48, 53, 78. 1912.
  weight, uses, freight rates, and charges. F.B. 715, pp. 4, 10, 22, 34, 35, 38, 39. 1916.
  white. See Butternut.
  wood, importance and demand. D.B. 933, p. 1 1921.
  yields, tests of individual trees and plots. J.A.R., vol. 12, pp. 250, 256-263, 272. 1918.
  See also *Juglans* spp.
Walnut Bayou—
  Anopheles, survey, 1914-1915. D.B. 1098, pp. 4-9, 21. 1922.
  survey, plants, vegetation, and water depth, 1914-1915. D.B. 1098, pp. 4-9. 1922.
Walnut Hall (horse), description and pedigree. B.A.I. An. Rpt., 1907, p. 92. 1909; B.A.I. Cir. 137, p. 92. 1908.
Walrus—
  Alaska—
    conditions in 1919, report. D.C. 88, p. 10. 1920.
    danger of extinction. Y.B., 1907, p. 481. 1908; Y.B. Sep. 462, p. 481. 1908.
  Atlantic, range, and habits. N.A. Fauna 22, pp. 69-70. 1902.
  conditions in Alaska, and need of protection. D.C. 168, p. 10. 1921; N.A. Fauna 24, p. 49. 1904.
  hunting season, Alaska game regulations. Biol. Cir. 75, pp. 1-2. 1910.
  killing season in Alaska, regulation 6. Biol. Cir. 89, p. 2. 1912.
  occurrence in Athabaska-Mackenzie region N. A. Fauna 27, p. 241. 1908.

Walrus—Continued.
  Pacific—
    occurrence in—
      Alaska. Y.B., 1907, p. 481. 1908; Y.B. Sep. 462, p. 481. 1908.
      Pribilof Islands. N.A. Fauna 46, pp. 106–107. 1923.
      range and habits. N.A. Fauna 24, p. 49. 1904.
    protection in Alaska, regulations. Biol. Cir. 90, p. 14. 1913.
Walshia amorphella—
  enemy of loco weed. B.A.I. Bul. 112, p. 106. 1909; F.B. 380, p. 15. 1909.
  See also Gall-moth, false indigo.
WALSTER, H. L.: "Soil survey of McHenry County, N. Dak." With others. Soil Sur. Adv. Sh., 1921, pp. 45. 1925; Soils F.O., 1921, pp. 929–973. 1926.
WALTER, H. L.: "Improvements in the Knorr fat extraction apparatus." With C. E. Goodrich. Chem. Cir. 69, pp. 4. 1911.
WALTERS, E. H.—
  "A nitrogenous soil constituent, tetracarbonimid." With Edmund C. Shorey. J.A.R., vol. 3, pp. 175–178. 1914.
  "Crotonic acid, a soil constituent." With Louis E. Wise. J.A.R., vol. 6, No. 25, pp. 1043–1046. 1916.
  "Isolation of cyanuric acid from soil." With Louis E. Wise. J.A.R., vol. 10, pp. 85–92. 1917.
Waltheria americana, growing in manganiferous soils. D.C. 42, p. 2. 1914; Hawaii Bul. 26, p. 25. 1912.
WALTON, C. F., Jr.—
  "A study of the electrolytic method of silver cleaning." With H. L. Lang. D.B. 449, pp. 12. 1916.
  "Boiling and skimming method." With M. A. McCalip. D.B. 1370, pp. 21–28. 1925.
  "Cans and canning equipment." D.B. 1370, pp. 60–61. 1925.
  "Clarification by lime alone." D.B. 1370, pp. 32–35. 1925.
  "Considerations governing size of sirup plant." D.B. 1370, pp. 9–13. 1925.
  "Equipment and costs for making sirup on a small scale." With M. A. McCalip. D.B. 1370, pp. 13–21. 1925.
  "Marketing cane sirup." With H. S. Paine. D.B. 1370, pp. 72–75. 1925.
  "Mechanical clarification." D.B. 1370, pp. 35–38. 1925.
  "Prevention of crystallization by the invertase process." With H. S. Paine. D.B. 1370, pp. 61–68. 1925.
  "Sugar-cane sirup manufacture." With H. S. Paine. D.B. 1370, pp. 76. 1925.
  "Treatment with decolorizing carbons." D.B. 1370, pp. 38–39. 1925.
WALTON, G. P.—
  "A chemical and structural study of mesquite, carob, and honey locust beans." D.B. 1194, pp. 20. 1923.
  "Apple by-products as stock foods." With G. L. Bidwell. D.B. 1166, pp. 40. 1923.
  "Determination of starch content in the presence of interfering polysaccharids." With Mayne R. Coe. J.A.R., vol. 23, pp. 995, 1006. 1923.
WALTON, T. O., report of extension work in agriculture and home economics in Texas, 1917. S.R.S. Rpt., 1917, Pt. II., pp. 135–145. 1919.
WALTON, W. R.—
  "Cutworms and their control in corn and other cereal crops." With J. J. Davis. F.B. 739, pp. 4. 1916.
  "Diptera, family Callifordae, of the Pribilof Islands, Alaska." N.A. Fauna 46, Pt. II, p. 228. 1923.
  "European corn borer in American corn." Y.B., 1920, pp. 85–104. 1921. Y.B. Sep. 831, pp. 85–104. 1921.
  "Grasshopper control in relation to cereal and forage crops." F.B. 747, pp. 20. 1916.
  "How to detect outbreaks of insects and save the grain crops." F.B. 835, pp. 24. 1917; rev., pp. 24. 1920.
  "Red-clover culture." With A. J. Pieters. F.B. 1339, pp. 33. 1923.

WALTON, W. R.—Continued.
  "The fall army worm or 'grass worm' and its control." With Philip Luginbill. F.B. 752, pp. 16. 1916.
  "The green-bug or spring grain-aphis." F.B. 1217, pp. 11. 1921.
  "The Hessian fly." F.B.1083, pp. 16. 1920.
  "The true army worm and its control." F.B. 731, pp. 12. 1916.
WALZ, F. J.: "The relation between general and local forecast." W.B. Bul. 31, pp. 117–127. 1902.
Wampee—
  fruit, infestation with Mediterranean fruit fly in Hawaii. D.B. 536, pp. 24, 34. 1918.
  growing in Hawaii, description. Hawaii A.R., 1914, p. 33. 1915.
  importations and descriptions. Nos. 38708, 39176, B.P.I. Inv. 40, pp. 6, 14, 87. 1917; No. 39568, B.P.I. Inv. 41, pp. 7, 42. 1917; No. 45161, B.P.I. Inv. 52, p. 41. 1922; No. 45328, B.P.I. Inv. 53, pp. 5, 26. 1922; No. 55598, B.P.I. Inv. 72, p. 9. 1924.
  susceptibility to citrus canker. J.A.R., vol. 19, p. 341. 1920.
Wampole's, misbranding. See *Indexes to Notices of Judgment in bound volumes, and in separates published as supplements to Chemistry Service and Regulatory Announcements*.
Wandering Jew. *See* Honohono.
WANGLER, J. G.: "Physiological and biochemical studies on cereals. IV. On the presence of amino acids and polypeptides in the ungerminated rye kernel." With S. L. Jodidi. J.A.R., vol. 30, pp. 989–994. 1925.
WANK, M. E.: "Soil survey of the—
  Brawley area, California." With others. Soil Sur. Adv. Sh., 1920, pp. 76. 1923; Soils F.O., 1920, pp. 641–716. 1925.
  Shasta Valley area, California." With others. Soil Sur. Adv. Sh., 1919, pp. 99–152. 1923; Soils F.O., 1919, pp. 99–152. 1925.
Wapato—
  description, distribution, and propagation, as wild-duck food. D.B. 58, pp. 5–7. 1914.
  food of mallard ducks. D.B. 720, pp. 6, 17. 1918.
  local names. D.B. 58, p. 5. 1914.
  value as duck food. D.B. 58, p. 5. 1914; D.B. 465, pp. 24–27. 1917.
  See also Arrowgrass.
Wapiti—
  Canadian, occurrence in Athabaska-Mackenzie region. N.A. Fauna 27, pp. 129–130. 1908.
  occurrence in Colorado, and description. N.A. Fauna 33, pp. 53–54. 1911.
  See also Elk.
War—
  activities, agricultural, county agents South and West 1917. S.R.S. Rpt., 1917, Pt. II, pp. 25–27, 168–169. 1919.
  and agriculture, address by Assistant Secretary Pearson. Sec. [Misc.], "The business of agriculture during the War * * *," pp. 17–25. 1918.
  banking and farming activities, address by Assistant Secretary Ousley. Sec. [Misc.], "The business of agriculture during the war * * *," pp. 26–35. 1918.
  causes, discussion. Sec. [Misc.], "The business of agriculture during the war * * *," pp. 9–15, 17–18, 26–27, 30. 1918.
  conditions following. Sec. Cir. 147, pp. 3–5. 1919.
  effect(s) on—
    beekeeping. An. Rpts., 1919, p. 271. 1920; Ent. A.R., 1919, p. 25. 1919.
    seed industry of the United States. W. A. Wheeler and G. C. Edler. Y.B., 1918, pp. 195–214. 1919; Y.B. Sep. 775, pp. 22. 1919.
  wheat—
    acreage, production, and trade. Y.B., 1917, pp. 461–480. 1918; Y.B. Sep. 752, pp. 22. 1918.
    production of world. Sec. Cir. 90, pp. 3–7. 1918.
  emergency—
    entomological intelligence service. An. Rpts., 1918, pp. 249–250. 1919; Ent. A.R., 1918, pp. 17–18. 1918.

War—Continued.
  emergency—continued.
    fund, food production, proposed uses by Agriculture Secretary, 1918-1919. News L., vol. 5, No. 34, p. 1. 1918.
    methods for supplying farm labor. Sec. Cir. 112, pp. 4-6. 1918.
    seed corn, sale to farmers in certain States by Department of Agriculture, method. Sec. Cir. 105, pp. 3. 1918.
  European—
    corn crop, 1917, use and value as world food. Y.B., 1918, pp. 135-136. 1919; Y.B. Sep. 776, 1918, pp. 15-16. 1919.
    effect on fustic importation and price. Y.B., 1915, p. 201. 1916; Y.B. Sep. 670, p. 201. 1916.
  finance corporation—
    act, amendment. Off. Rec., vol. 1, No. 13, p. 2. 1922; Off. Rec., vol. 3, No. 1, p. 2. 1924.
    activities. Off. Rec., vol. 2, No. 36, p. 3. 1923.
    extension. Off. Rec., vol. 1, No. 16, p. 2. 1922; Off. Rec., vol. 1, No. 24, p. 1. 1922; Off. Rec., vol. 3, No. 6, p. 1. 1924; Off. Rec., vol. 3, No. 10, p. 2. 1924; Sec. A.R., 1921, p. 15. 1921; Y.B., 1921, p. 14. 1922; Y.B., Sep. 875, p. 14. 1922.
    functions transfer. Off. Rec., vol. 2, No. 6, p. 1. 1293.
    loans to farmers, restrictions and regulations. News L., vol. 6, No. 1, p. 14. 1918.
    provision for emergency credit. Y.B., 1924, pp. 231-232. 1925.
  forest products, demands and uses. Y.B., 1918, pp. 317-326. 1919; Y.B. Sep. 779, pp. 1-12. 1919.
  Industries Board—
    control of linters supply during war. D.C. 175, pp. 3, 8. 1921.
    schedule of prices for hides and skins, 1918. F.B. 1055, pp. 55-58. 1919.
    wool clip control, regulations. Mkts. S.R.A. 50, p. 2. 1919.
  issue, determining causes, message of President to Farmers' Conference, Urbana, Ill., January, 1918. W.I.A. Cir. 21, p. 28. 1918.
  Labor Policies Board, organization, and cooperative work of various Government departments. News L., vol. 5, No. 48, pp. 7, 8, 10. 1918.
  materials—
    black walnut, demand and use. D.B. 909, pp. 76-79. 1921.
  surplus—
    disposal. Off. Rec., vol. 2, No. 23, p. 2. 1923.
    distribution for roads use, legislation. M.C. 60, pp. 5-7. 1925.
    transfer to Agriculture Department. Y.B. 1921, pp. 50, 51. 1922; Y.B. Sep. 875, pp. 50, 51. 1922.
  memorial, use of community buildings. F.B. 1274, p. 22. 1922.
  national spirit of American people. Sec. Cir. 133, pp. 13-15. 1919.
  periods, effect on rise and fall of prices. D. B. 999, pp. 1-4, 12-16, 28-35. 1921.
  President's address on country's needs for 1918. News L., vol. 5, No. 28, pp. 1-3. 1918.
  reason for entering. David F. Houston. Sec. [Misc.], "Why we went * * *," pp. 23. 1918.
  relief, work by women's rural organizations. D.B. 719, pp. 14, 15. 1918.
  revenue act, exemptions of Government business. B.A.I.S.R.A. 126, pp. 112-114. 1917.
  savings stamps—
    and thrift, plea of Agriculture Secretary to farmers. News L., vol. 5, No. 32, p. 5. 1918.
    description and issuance plan, Treasury Department document. News L., vol. 5, No. 24, pp. 1-2. 1918.
  significance to United States, and its results, President's message. News L., vol. 5, No. 20, pp. 1-3. 1917.
  Trade Board—
    cooperation in enforcement of plant quarantine act. F.H.B.S.R.A. 54, pp. 71-73. 1918.
    plant imports, restrictions. F.H.B.S.R.A. 51, pp. 45-46. 1918.
  work, cooperation of farmers, colleges and county agents. S.R.S. Rpt., 1918, pp. 27, 35, 44-47, 55-59, 73-76. 1919.
  See also World War.

War Department—
  aid by Chemistry Bureau in study of army supplies. D C. 137, p. 22. 1922.
  relation to land-grant colleges. O.E.S. Bul. 153, p. 100. 1905.
  Secretary—
    authority for permits on forest reservations. Sol. [Misc.], "Laws * * forests * * *," p. 23. 1916.
    furloughs to soldiers to do farm work, general order 31. News L., vol. 5, No. 37, p. 9. 1918.
Waratah, importations and descriptions. No. 40841, B.P.I. Inv. 43, p. 89. 1918; No. 44837, B.P.I. Inv. 51, p. 76. 1922.
Warber, G. P.—
  "A study of prices and quality of creamery butter." D.B. 682, pp. 24. 1918.
  "The market milk business of Detroit, Mich., in 1915." With Clarence E. Clement. D.B. 639, pp. 28. 1918.
Warble—
  fly—
    cattle, description, life history, injuries, and treatment. B.A.I. [Misc.], "Diseases of cattle," rev., pp. 478-479. 1904; rev., pp. 499-500. 1908; rev., pp. 522-524. 1912; rev., 507-511. 1923.
    reindeer, description, habits, and injuries. D.B. 1089, pp. 61-64. 1922.
    See also Botfly.
  grubs, injury to reindeer, description, and treatment. D.B. 1089, p. 55. 1922.
Warbler—
  Alaska, yellow—
    migration. Biol. Bul. 18, p. 12. 1904.
    occurrence in Yukon Territory and Alaska. N.A. Fauna 30, pp. 42, 63. 1909.
  Audubon's—
    food, animal and vegetable. F.B. 506, pp. 32-33. 1912.
    migration. Biol. Bul. 18, pp. 12, 65. 1904.
    range and breeding. Biol. Bul. 18, pp. 64-65. 1904; Biol. Bul. 30, pp. 43-46. 1907.
  Bachman's—
    migration. Biol. Bul. 18, pp. 9, 14-15, 31-32. 1904.
    range. Biol. Bul. 18, p. 31. 1904.
  bay-breasted, migration. Biol. Bul. 18, pp. 10, 13, 15, 75-76. 1904.
  Bell's, range. Biol. Bul. 18, p. 139. 1904.
  black and white—
    migration. Biol. Bul. 18, pp. 9-14, 19-22. 1904.
    occurrence in Porto Rico, habits and food. D.B. 326, p. 108. 1916.
  black-fronted, range, breeding, and migration. Biol. Bul. 18, p. 65, 77-80. 1904.
  black-poll, occurrence in Alaska and Yukon Territory. N.A. Fauna 30, pp. 42, 64, 91. 1909.
  black-throated blue—
    migration. Biol. Bul. 18, pp. 9-10, 14, 15-16, 58-61. 1904.
    gray, migration. Biol. Bul. 18, pp. 12, 87. 1904.
    green, migration. Biol. Bul. 18, pp. 10-11, 14-15, 88-90. 1904.
  Blackburnian, migration. Biol. Bul. 18, pp. 10-11, 13-15, 83-84. 1904.
  blue-winged, migration. Biol. Bul. 18, pp. 11, 13-15, 33-34. 1904.
  Brasher's, range. Biol. Bul. 18, p. 139. 1904.
  Cairn's, range and breeding. Biol. Bul. 18, p. 57. 1904.
  Calaveras, range, breeding, and migration. Biol. Bul. 18, p. 39. 1904.
  Canada, migration. Biol. Bul. 18, pp 10-11, 15, 131-132. 1904.
  Cape May, migration. Biol. Bul. 18, pp. 9, 16, 50-52. 1904.
  Cerulean, migration. Biol. Bul. 18, pp. 10, 13, 15, 70-71. 1904.
  chestnut-sided, migration. Biol. Bul. 18, pp. 10, 11, 13, 15, 72-74. 1904.
  Connecticut, migration. Biol. Bul. 18, pp. 9, 15, 110-112. 1904.
  dusky, range. Biol. Bul. 18, p. 42. 1904.
  eye parasites of. B.A.I. Bul. 60, p. 49. 1904.
  food habits. D.B. 107, p. 4. 1914; Biol. Bul. 38, pp. 74-83. 1911.
  golden-cheeked, migration. Biol. Bul. 18, p. 12. 1904.

INDEX TO PUBLICATIONS, 1901–1925

Warbler—Continued.
  golden pileolated—
    food habits. Biol. Bul. 30, pp. 51-52. 1907.
    migration. Biol. Bul. 18, pp. 12, 129. 1904.
  golden-winged, migration. Biol. Bul. 18, pp. 10, 14, 36-37. 1904.
  Grace's, range. Biol. Bul. 18, p. 86. 1904.
  hermit, range. Biol. Bul. 18, p. 91. 1904.
  hooded, migration. Biol. Bul. 18, pp. 10-11, 14-15, 124-126. 1904.
  Kentucky, migration. Biol. Bul. 18, pp. 10, 15, 108-110. 1904.
  Kirtland's, migration. Biol. Bul. 18, pp. 9, 16, 91-92. 1904.
  Lucy's, range. Biol. Bul. 18, p. 37. 1904.
  lutescent—
    enemy of codling moth. Y.B., 1911, p. 242. 1912; Y.B. Sep. 564, p. 242. 1912.
    range. Biol. Bul. 18, pp. 41-42. 1904.
  Macgillivray's—
    migration. Biol. Bul. 18, pp. 12, 15. 1904.
    stomach contents. D.B. 107, p. 41. 1914.
  magnolia, migration. Biol. Bul. 18, pp. 10-11, 13-15, 66-68. 1904.
  mangrove, range. Biol. Bul. 18, p. 57. 1904.
  migration habits and routes. D.B. 185, pp. 5, 9, 13, 14, 15, 18, 19, 21, 25, 29, 30, 32, 36, 38, 39, 43. 1915.
  mourning, migration. Biol. Bul. 18, pp. 10, 13, 15, 113-114. 1904.
  myrtle—
    description, range, and habits. F.B. 513, p. 12. 1913.
    food habits. Biol. Bul. 30, p. 46. 1907.
    migration. Biol. Bul. 18, pp. 9-11, 14-15, 62-64. 1904.
    occurrence in Yukon Territory. N.A. Fauna 30, p. 63. 1907.
  Nashville, migration. Biol. Bul. 18, pp. 11, 13, 15, 38-39. 1904.
  North American, distribution and migration. Wells W. Cooke. Biol. Bul. 18, pp. 142. 1904.
  occurrence—
    and food habits. Biol. Bul. 30, pp. 42-52. 1907.
    in Porto Rico, habits and food. D.B. 326, pp. 101-106. 1916.
    in Pribilof Islands. N.A. Fauna 46, p. 97. 1923.
  olive, migration. Biol. Bul. 18, p. 12. 1904.
  orange-crowned—
    in Alaska. N.A. Fauna 30, p. 42. 1909.
    migration. Biol. Bul. 18, pp. 11, 15, 40-41. 1904.
  palm, migration. Biol. Bul. 18, pp. 9-10, 15, 94-95. 1904.
  parula—
    migration. Biol. Bul. 18, pp. 9-11, 13, 15, 45-50. 1904.
    northern, occurrence in Porto Rico, habits and food. D.B. 326, pp. 107-108. 1916.
    range. Biol. Bul. 18, pp. 45-46. 1904.
  pileolated—
    migration. Biol. Bul. 18, pp. 12, 129. 1904.
    occurrence in Alaska and Yukon. N.A. Fauna 30, pp. 43, 64, 91. 1909.
  pine, migration. Biol. Bul. 18, pp. 16, 93. 1904.
  prairie, migration. Biol. Bul. 18, pp. 9-10, 16, 97-99. 1904.
  protection by law. Biol. Bul. 12, rev., pp. 38, 40, 41. 1902.
  prothonotary, migration. Biol. Bul. 18, pp. 10, 14, 24-27. 1904.
  range and habits. N.A. Fauna 21, pp. 49, 79. 1901; N.A. Fauna 22, pp. 125, 126-128. 1902; N.A. Fauna 24, pp. 78-81. 1904.
  red-faced, range. Biol. Bul. 18, p. 139. 1904.
  Sennett's, migration. Biol. Bul. 18, p. 12. 1904.
  Sonora yellow, range. Biol. Bul. 18, p. 56. 1904.
  summer, occurrence, habits, and food. Biol. Bul. 30, pp. 47-49. 1907.
  Swainson's, migration. Biol. Bul. 18, pp. 8, 9, 15, 27-28. 1904.
  sycamore, migration. Biol. Bul. 18, pp. 11, 14-15, 86. 1904.
  Tennessee, migration. Biol. Bul. 18, pp. 11, 13, 15, 43-45. 1904.

Warbler—Continued.
  Townsend—
    food habits. Biol. Bul. 30, p. 46. 1907.
    migration. Biol. Bul. 18, pp. 12, 90-91. 1904.
  varieties in—
    Alaska. N.A. Fauna 24, pp. 78-81. 1904.
    Athabaska-Mackenzie region. N.A. Fauna 27, pp. 463-475, 477-479. 1908.
  Virginia's, migration. Biol. Bul. 18, p. 12. 1904.
  Wilson's, migration. Biol. Bul. 18, pp. 11, 13, 15, 127-128. 1904.
  wood, food habits. Y.B., 1907, p. 168. 1908; Y.B. Sep. 443, p. 168. 1908.
  worm-eating, migration. Biol. Bul. 18, pp. 9-10, 15, 29-30. 1904.
  yellow—
    enemy of codling moth. Y.B., 1911, p. 242. 1912; Y.B. Sep. 564, p. 242. 1912.
    food habits. D.B. 107, p. 41. 1914.
    range. Biol. Bul. 18, pp. 7, 8, 10-11, 13-15, 52-54. 1904.
    useful food habits. Biol. Bul. 38, p. 77. 1911.
  yellow-throated, migration. Biol. Bul. 18, pp. 9-10, 14, 16, 84-85. 1904.
WARBURTON, C. W.—
  "Diversified farming in the Cotton Belt: IV. Texas." Y.B., 1905, pp. 212-218. 1906; Y.B. Sep. 377, pp. 212-218. 1906.
  "Experiments with Kherson and Sixty-day oats." With T. R. Stanton. D.B. 823, pp. 72. 1920.
  "Fall-sown oats." With T. R. Stanton. F.B. 1119, pp. 21. 1920.
  "Hog production and marketing." With others. Y.B., 1922, pp. 181-280. 1923; Y.B. Sep. 882, pp. 181-280. 1923.
  "Improved oat varieties for the Corn Belt." With others. D.B. 1343, pp. 31. 1925.
  "Improvement of the oat crop." B.P.I. Cir. 30, pp. 10. 1909.
  "Oats: Distribution and uses." F.B. 420, pp. 24. 1910.
  "Oats: Growing the crop." F.B. 424, pp. 44. 1910.
  report as director of Extension Service. Ext. Dir. Rpt. 1924, pp. 22. 1924.
  "Sixty-day and Kherson oats." F.B. 395, pp. 27. 1910.
  "Spring oat production." F.B. 892, pp. 23. 1917.
  "Tests of selections from hybrids and commercial varieties of oats." With others. D.B. 99, pp. 25. 1914.
  "The corn crop." With others. Y.B., 1921, pp. 161-226. 1922; Y.B. Sep. 872, pp. 161-226. 1922.
  "The nonsaccharine sorghums." F.B. 288, pp. 28. 1907.
  "Winter oats for the South." F.B. 436, pp. 32. 1911.
  "Winter oats in the Cotton Belt." Sec. [Misc.], Spec., pp. 4. 1914.
WARD, A. R.: "An intradermal test for Bacterium pullorum infection in fowls." With Bernard A. Gallagher. D.B. 517, pp. 15. 1917.
WARD, E. G., Jr.—
  "Methods and routes for exporting farm products." Stat. Bul. 29, pp. 62. 1904.
  "Milk transportation: Freight rates to the largest fifteen cities in the United States." Stat. Bul. 25, pp. 60. 1903.
  "Rates of charge for transporting garden truck, with notes on the growth of the industry." With Edwin S. Holmes, jr. Stat. Bul. 21, pp. 86. 1901.
WARD, F. E.—
  "Status and results of home demonstration work, Northern and Western States—
    1919." D.C. 141, pp. 25. 1921.
    1920." D.C. 178, pp. 30. 1921.
    1921." D.C. 285, pp. 26. 1923.
  "The farm woman's problems." D.C. 148, pp. 24. 1920.
WARD, FREEMAN: "Soil survey of Pennington County, Minn." With others. Soil Sur. Adv. Sh., 1914, pp. 28. 1916; Soils F.O., 1914, pp. 1727-1750. 1919.
WARD, MABEL: "School lunches." With Caroline L. Hunt. F.B. 712, pp. 27. 1916.

WARD, W. F.—
"A comparison of concentrates for fattening steers in the South." With others. D.B. 761, pp. 16. 1919.
"A comparison of roughages for fattening steers in the South." With others. D.B. 762, pp. 36. 1919.
"Beef production in Alabama." With Dan T. Gray. B.A.I. Bul. 131, pp. 47. 1911.
"Beef production in the South." With Dan T. Gray. F.B. 580, pp. 20. 1914.
"Boys' pig clubs, with special reference to their organization in the South." F.B. 566, pp. 16. 1913.
"Breeds of beef cattle." F.B. 612, pp. 26. 1914.
"Cottonseed meal for feeding beef cattle." F.B. 655, pp. 8. 1915.
"Economic cattle feeding in the Corn Belt." With J. S. Cotton. F.B. 588, pp. 19. 1914.
"Effects of cattle tick eradication on the cattle industry of the South." B.A.I. Doc. A–4, pp. 26. 1914; B.A.I. Doc. A–4, rev., pp. 26. 1917.
"Experiments in beef production in Alabama." With J. F. Duggar. B.A.I. Bul. 103, pp. 28. 1908.
"Fattening calves in Alabama." With Dan T. Gray. B.A.I. Bul. 147, pp. 40. 1912.
"Fattening cattle in Alabama." With Dan T. Gray. D.B. 110, pp. 41. 1914.
"Fattening steers on summer pasture in the South." With others. D.B. 777, pp. 24. 1919.
"Feeding beef cattle in Alabama." With Dan T. Gray. B.A.I. Bul. 159, pp. 56. 1912.
"Five years' calf-feeding work in Alabama and Mississippi." D.B. 631, pp. 54. 1918.
"Methods and costs of growing beef cattle in the Corn Belt States." With others. Rpt. 111, pp. 64. 1916.
"Northwestern and southwestern shrinkage work of 1911." D.B. 25, Pt. III, pp. 50–70. 1913.
"Raising and fattening beef calves in Alabama." With Dan T. Gray. D.B. 73, pp. 11. 1914.
"Silage for beef cattle." F.B. 556, pp. 19–23. 1913; F.B. 578, pp. 19–23. 1914.
"Southwestern shrinkage work of 1910–11." D.B. 25, Pt. I, pp. 1–23. 1913.
"Summary of three years' shrinkage work." D.B. 25, Pt. IV, pp. 71–78. 1913.
"The boys' pig club work." Y.B., 1915, pp. 173–188. 1916; Y.B. Sep. 667, pp. 173–188. 1916.
"The production of beef in the South." Y.B., 1913, pp. 259–282. 1914; Y.B. Sep. 627, pp. 259–282. 1914.
"The shrinkage in weight of beef cattle in transit." With James E. Downing. D.B. 25, Pts. I–IV, pp. 78. 1913.
"Utilization and efficiency of available American feed stuffs." With S. H. Ray. Rpt. 112, pp. 27. 1916.
"Wintering and fattening beef cattle in North Carolina." With others. D.B. 628, pp. 53. 1918.

Wardens, game. See Game wardens.
WARE, J., kaoliang introductions. B.P.I. Bul. 253, pp. 41, 44. 1913.

Warehouse(s)—
act—
administration problems. Off. Rec., vol. 4, No. 17, p. 5. 1925.
aid to farmers. Off. Rec., vol. 2, No. 35, p. 2. 1923.
amendment. B.A.E. Chief Rpt., 1924, p. 4. 1924; Off. Rec., vol. 1, No. 10, p. 8. 1922; Off. Rec., vol. 1, No. 17, p. 2. 1922; Off. Rec., vol. 1, No. 22, p. 1. 1922; Off. Rec., vol. 2, No. 10, p. 2. 1923.
and the banker. H. S. Yohe. B.A.E. [Misc.], "The banker and the warehouse act." pp. 12. 1924; rev., pp. 12. 1925.
approved, July 24, 1919, text. Sec. Cir. 158, pp. 31–37. 1922.
as amended, July 25, 1919, and February 23, 1923. B.A.E. [Misc.], "United States warehouse act * * *," pp. 7. 1923.
benefit to cotton farmers. Y.B., 1921, p. 378. 1922; Y.B. Sep. 877, p. 378. 1922.

Warehouse(s)—Continued.
act—continued.
cotton—
of August 11, 1916, regulations of Secretary of Agriculture. Sec. Cir. 94, pp. 43. 1918.
regulations of Secretary, approved June 23, 1922. Sec. Cir. 158, pp. 1–37. 1922.
effect on cotton improvement. Sec. Cir. 88, p. 28. 1918.
general regulations. B.A.E.S.R.A. 71, pp. 4–6. 1922.
licensing and bonding warehousemen. B.A.E. S.R.A. 71, pp. 2–4. 1922.
object and results. Y.B., 1919, p. 56. 1920.
once again. H. S. Yohe. B.A.E. [Misc.], "Once again the * * *," pp. 12. 1925.
provisions, 1916. Sol. [Misc.], "Laws applicable * * * Agriculture * * *," sup. 4, pp. 84–95. 1917.
purposes and requirements. Y.B., 1918, pp. 427–432. 1919; Y.B. Sep. 763, pp. 33–36. 1919.
regulations for—
cotton warehouses. Sec. Cir. 94, pp. 1–43. 1918; Sec. Cir. 143, pp. 1–41. 1919; Sec. Cir. 158, pp. 1–37. 1922
grain warehouses. Sec. Cir. 141, pp. 1–46. 1919.
storing dry beans. B.A.E.S.R.A. 87, pp. 21. 1924.
tobacco warehouses. Sec. Cir. 154, pp. 1–35. 1920.
wool warehouses. Sec. Cir. 150, pp. 1–31. 1920.
text. B.A.E.S.R.A. 81, pp. 28–33. 1923; B.A.E.S.R.A. 83, pp. 22–27. 1924; B.A.E. S.R.A. 84, pp. 22–27. 1924; Mkts. S.R.A. 27, pp. 35–40. 1917; Mkts. S.R.A. 53, pp. 35–40. 1919; Sec. Cir. 94, pp. 33–38. 1918; Sec. Cir. 141, pp. 34–40. 1919; Sec. Cir. 141, pp. 34–40. 1919; Sec. Cir. 143, pp. 31–36. 1919; Sec. Cir. 150, pp. 26–31. 1920; Sec. Cir. 154, pp. 29–35. 1920.
warehousing farm products under. Sec. [Misc.] "Warehousing farm products * * *," pp. 12. 1923; rev. 1924; rev. 1925.
auction facilities. D.B. 1362, pp. 12–15. 1925.
bonded, act, passage, benefits to farmers. Y.B., 1916, pp. 10, 73–74. 1917; Y.B. Sep. 698, pp. 11–12. 1917.
bonds, regulations. B.A.E.S.R.A. 81, pp. 4–6. 1923; B.A.E.S.R.A. 83, pp. 4–5. 1924; Mkts. S.R.A. 27, pp. 14–17. 1917; Mkts. S.R.A. 53, pp. 7–8. 1919; Sec. Cir. 150, pp. 9–10. 1920; Sec. Cir. 154, pp. 9–10. 1920.
broomcorn, regulations. B.A.E.S.R.A. 84, pp. 27, 1924.
certificates—
Argentina law. Y.B., 1915, p. 298. 1916; Y.B. Sep. 677, p. 298. 1916.
loans on. Off. Rec., vol. 4, No. 48, p. 3. 1925.
combination, cotton warehouse act, general regulation 1. Sec. Cir. 158, p. 30. 1922.
commodities covered. Off. Rec., vol. 3, No. 10, p. 3. 1924.
construction for fire protection, details and materials. D.B. 801, pp. 16–41. 1919.
cooperative—
cotton, location, requirements, construction, and insurance. Y.B., 1918, pp. 406–416. 1919; Y.B. Sep. 763, pp. 10–20. 1919.
use by farmers' clubs. Y.B., 1915, p. 79. 1916; Y.B. Sep. 658, p. 79. 1916.
cotton—
accounts system for. Roy L. Newton and John R. Humphrey. D.B. 520, pp. 32. 1917.
and tobacco, application for licenses. Off. Rec. vol. 1, No. 30, p. 4. 1922.
construction—
Robert L. Nixon. D.B. 277, pp. 38. 1915.
and fire protection. Y.B., 1918, pp. 408–416. 1919; Y.B. Sep. 763, pp. 12–20. 1919.
and fire protection. J. M. Workman. D.B. 801, pp. 79. 1919.
distribution in Southern States. D.B. 216, pp. 6–10. 1915.
fire-protective equipment. D.B. 801, pp. 61–75. 1919.

INDEX TO PUBLICATIONS, 1901-1925   2553

Warehouse(s)—Continued.
  cotton—continued.
    functions. Y.B., 1918, p. 400. 1919; Y.B. Sep. 763, p. 4. 1919.
    handling and marketing, need of system. Y.B., 1912, pp. 453-455. 1913; Y.B. Sep. 605, pp. 453-455. 1913.
    insurance rates and cost of buildings. D.B. 216, pp. 19-22, 23. 1915.
    licensed—
      May 1, 1922, with capacities of 5,000 bales or more, number and capacity. B.A.E.S.R.A. 71, p. 3. 1922.
      classification, regulation 4. Sec. Cir. 94, pp. 10-12. 1918.
    licenses and location, list. B.A.E.S.R.A. 71, pp. 16-21. 1922.
    location, platforms, floors, sprinklers, and fences. D.B. 277, pp. 30-37. 1915.
    plans, recommendations. D.B. 801, p. 79. 1919.
    receipt, forms, description and use. D.B. 520, pp. 4-7, 12, 15-23. 1917.
    regulations—
      of Secretary of Agriculture under United States warehouse act of August 11, 1916, as amended July 24, 1919. Sec. Cir. 143, pp. 41. 1919.
      revised, approved June 23, 1922. Sec. Cir. 158, pp. 1-37. 1922.
    screening and safeguarding, instructions. F.H.B.S.R.A. 22, p. 88. 1915.
    seed, cleaning, for pink bollworm control. D.B. 918, pp. 55, 57. 1921.
    standard, types, description, capacity, and fire protection. D.B. 277, pp. 7-27, 37-38. 1915.
    storage facilities available in South. Robert L. Nixon. D.B. 216, pp. 26. 1915.
  design, primary factors and selection. D.B. 801, pp. 1-15, 76-78. 1919.
  employment of licensed inspectors of grain. Mkts. S.R.A. 15, p. 16. 1916.
  farm products, methods of sale. Y.B., 1909, pp. 165-166. 1910; Y.B. Sep. 502, pp. 165, 166. 1910.
  Federal system, expansion. Sec. A.R., 1924, pp. 30-33. 1924.
  fees, tobacco markets. B.P.I. Bul. 268, pp. 10, 17, 50, 60-61. 1913.
  frame construction. D.B. 801, p. 57. 1919.
  fumigation. Ent. Cir. 112, pp. 8-22. 1910.
  grain—
    advantages in storing wheat. Y.B. 1921, p. 134. 1922; Y.B. Sep. 873, p. 134. 1922.
    fumigation experiments with chick peas. J.A.R., vol. 28, pp. 650-659. 1924.
    licenses, 1922, list. B.A.E.S.R.A. 71, pp. 36-43. 1922.
    regulations. Sec. Cir. 141, pp. 1-46. 1919.
    rules and regulations. Mkts. S.R.A. 53, pp. 2-34. 1919.
  hay—
    inspection. D.B. 980, p. 12. 1921.
    storing system. Rpt. 98, pp. 81-82. 1913.
    use—
      and value. D.B. 977, pp. 22-23. 1921.
      by country shippers. D.B. 979, pp. 6-9. 1921.
    weighing, directions. D.B. 978, pp. 7-13. 1921.
  holdings of animal food products in the United States on August 31, 1917. Sec. Cir. 101, pp. 1-19. 1918.
  inspectors, graders, and weighers, regulations. Sec. Cir. 154, pp. 19-24. 1920.
  "ironclad" construction. D.B. 801, pp. 57-58. 1919.
  licensed—
    classification, regulations. Mkts. S.R.A. 27, pp. 3-11. 1917.
    number and capacity. Y.B., 1922, pp. 24-25. 1923; Y.B. Sep. 883, pp. 24-25. 1923.
    licenses, regulations. Sec. Cir. 154, pp. 6-9. 1920.
    location in Cotton Belt, and use. Y.B., 1921, pp. 376-378. 1922; Y.B. Sep. 877, pp. 376-378. 1922.
  peanut—
    desirable building and arrangement. B.P.I. Cir. 88, p. 5. 1911.
    regulations. B.A.E.S.R.A. 81, pp. 133. 1923.
    storing. Sec. Cir. 81, p. 6. 1917.

Warehouse(s)—Continued.
  potato, regulations under U.S. warehouse act B.A.E.S.R.A. 83, pp. 1-27. 1924.
  protection against lightning. D.B. 801, p. 73. 1919.
  receipts—
    agricultural, loans. Sec. A.R., 1924, pp. 32-33. 1924.
    as collateral. Off. Rec., vol. 2, No. 14, pp. 1-2. 1923. Off. Rec., vol. 2, No. 37, p. 5. 1923; Off. Rec., vol. 3, No. 10, p. 2. 1924.
    cotton, negotiable value and uniformity. D.B. 277, p. 6. 1915.
    cotton, regulation 5. Sec. Cir. 94, pp. 12-15. 1918.
    forms approved. B.A.E.S.R.A. 71, pp. 10-15. 1922.
    requirements and scope. News L., vol. 4, No. 3, p. 2. 1916.
    security. Off. Rec., vol. 1, No. 49, p. 3. 1922.
    use as security for loans. Y.B., 1914, pp. 206-207. 1915; Y.B. Sep. 637, pp. 206-207. 1915.
  regulations, amendments and additions. B.A.E. S.R.A. 71, pp. 4-6. 1922.
  reports, cold-storage, compilation and distribution. D.B. 709, pp. 10-14. 1918; Stat. Bul. 93, pp. 9-49. 1913
  rice, licensing. Off. Rec., vol. 1, No. 43, p. 4. 1922.
  slow-burning, construction, details. D.B. 801, pp. 41-56. 1919.
  stocks of foodstuffs, cereal and vegetable, Aug. 31, 1917, notes and tables. Sec. Cir. 99, pp. 3-28. 1918.
  storage, cooperative ownership of farmers, recommendation. D.B. 277, pp. 37, 38. 1915.
  sugar stocks reported, 1916, 1917. Sec. Cir. 96, pp. 7, 10-12, 19, 25, 26, 28-31, 37-39, 42-44. 1918.
  tariff, terms, and conditions governing cold storage, Center Market, Washington, D.C. B.A.E. [Misc.], "Warehouse tariff and terms * * *," pp. 7. 1922.
  terminal market, sales of hay. D.B. 979, pp. 36-37. 1921.
  tobacco—
    licenses. B.A.E.S.R.A. 71, p. 61. 1922; Off. Rec., vol. 1, No. 8, p. 2. 1922.
    receipts, farm, and value. Sec. Cir. 154, pp. 10-13. 1920; Y.B., 1922, pp. 444-448. 1923; Y.B. Sep. 885, pp. 444-448. 1923.
    rules and regulations of Secretary of Agriculture, under United States warehouse act of August 11, 1916, as amended July 24, 1919. Sec. Cir. 154, pp. 35. 1921.
  typical for cotton, description. D.B. 801, pp. 3-5. 1919.
  wool—
    licenses, 1922. B.A.E.S.R.A. 71, p. 58. 1922.
    regulations and amendments. Sec. Cir. 150, pp. 5-25. 1920.
Warehousemen—
  cotton—
    duties, regulations. Sec. Cir. 143, pp. 13-17. 1919.
    licenses, termination, 1921-1922. B.A.E.S.R.A. 71, pp. 31-33 1922.
    duties, regulations. B.A.E.S.R.A. 81, pp. 9-16. 1923.
  grain—
    duties. Sec. Cir. 141, pp. 13-20. 1919.
    licenses, 1921-22. B.A.E.S.R.A. 71, pp. 52-53. 1922.
  license regulations. Sec. Cir. 154, pp. 13-18. 1920.
  license termination, 1921-22. B.A.E.S.R.A. 71, p. 60. 1922.
  licensed—
    duties. Mkts. S.R.A. 27, pp. 20-24. 1917; Mkts. S.R.A. 53, pp. 11-19. 1919; Sec. Cir. 94, pp. 15-19. 1918; Sec. Cir. 158, pp. 9-15. 1922.
    for wool warehouses, duties. Sec. Cir. 150, pp. 13-18. 1920.
  opinions of licensed warehouses. B.A.E.S.R.A. 71, pp. 9-10. 1922.
  regulations for storing dry beans. B.A.E.S.R.A. 87, pp. 21. 1924.
  tobacco, licenses, termination, 1921-22. B.A.E. S.R.A. 71, p. 62. 1922.

Warehousing—
  cold-storage, method. Y.B., 1922, pp. 367–371. 1923; Y.B. Sep. 879, pp. 74–77. 1923.
  cotton—
    and number of warehouses, by States. Atl. Am. Agr. Adv. Sh., 4, Pt. V. sec. A, p. 25. 1919.
    benefits of adequate system. Roy L. Newton and James M. Workman. Y.B., 1918, pp. 399–432. 1919; Y.B. Sep. 763, pp. 36. 1919.
    cooperation in protection of crop. Y.B. 1921, pp. 376–378, 403–404. 1922; Y.B. Sep. 877, pp. 376–378, 403–404. 1922.
  farm products, under the United States warehouse act. Sec. [Misc.], "Warehousing farm products * * *," pp. 12. 1923; rev. 1924; rev. 1925.
Wark, C. H.: "Oxidation of sulphur by microorganisms in black alkali soils." With others. J. A. R., vol. 24, pp. 297–305. 1923.
Warmot. See Wormwood.
Warner, H. J.—
  "Arsenic in papers and fabrics." With J. K. Haywood. Chem. Bul. 86, pp. 53. 1904.
  "Commercial feeding stuffs of the United States: Their chemical and microscopical examination." With others. Chem. Bul. 108, pp. 94. 1908.
Warner, H. W.: "Soil survey of—
  Buena Vista County, Iowa." With L. Vincent Davis. Soil Sur. Adv. Sh., 1917, pp. 37. 1919; Soils F.O., 1917, pp. 1595–1627. 1923.
  Fayette County, Iowa. With others. Soil Sur. Adv. Sh., 1919, pp. 40. 1922; Soils F.O., 1919, pp. 1459–1494. 1925.
  Woodbury County, Iowa." With others. Soil Sur. Adv. Sh., 1920, pp. 759–784. 1923; Soils F.O., 1920, pp. 759–784. 1925.
Warner, J. F.: "Soil survey of the—
  Modesto-Turlock area, California." With others. Soil Sur. Adv. Sh., 1908, pp. 70. 1909; Soils F.O., 1908, pp. 1229–1294. 1911.
  Woodland area, California." With others. Soil Sur. Adv. Sh., 1909, pp. 57. 1911; Soils F.O., 1909, pp. 1635–1687. 1912.
Warneria—
  augusta. See Cape jasmine.
  thunbergia, importations and descriptions. No. 34167, B.P.I. Inv. 32, p. 18. 1914.
Warping—
  bogs, method. O.E.S Bul. 240, pp. 94–95. 1911.
  wood—
    causes. D.B. 552, p. 12. 1917.
    in kiln drying. D.B. 1136, p. 25. 1923.
Warren G. F.: "Prices of farm products in the United States." D.B. 999, pp. 72. 1921.
Warren, G. L.—
  "Boys' and girls' club work, 1922." With Ivan L. Hobson. D.C. 312, pp. 52. 1924.
  "Boys' and girls' 4-H club work, 1923." With I. W. Hill. D.C. 348, pp. 47. 1925.
  "Organization and results of boys' and girls' club work (Northern and Western States), 1918." With O. H. Benson. D.C. 66, pp. 38. 1920.
  "Status and results of boys' and girls' club work, Northern and Western States, 1921." With George E. Farrell. D.C. 255, pp. 29. 1923.
Warren, G. M.—
  "Farm plumbing." F.B. 1426, pp. 34. 1924.
  "Farmstead water supply." F.B. 1448, pp. 38. 1925.
  "Securing a dry cellar." Y.B., 1919, pp. 425–449. 1920; Y.B. Sep. 824, pp. 425–449. 1920.
  "Sewage and sewerage of farm homes." F.B. 1227, pp. 55. 1922.
  "Sewage disposal on the farm." Y.B., 1916, pp. 347–373. 1917; Y.B. Sep. 712, pp. 27. 1917.
  "Simple plumbing repairs in the home." F.B. 1460, pp. 14. 1925.
  "Tidal marshes and their reclamation." O.E.S. Bul. 240, pp. 99. 1911.
  "Water systems for farm homes." F.B. 941, pp. 68. 1918.
Warren, H. F., experience on a 40-acre farm in Nebraska. F.B. 325, pp. 17–21. 1908.
Warren, J. A.—
  "Additional notes on the number and distribution of native legumes in Nebraska and Kansas." B.P.I. Cir. 70, pp. 8. 1910.

Warren, J. A.—Continued.
  "Agriculture in the central portion of the Great Plains." B.P.I. Bul. 215, pp. 43. 1911.
  "Hints to settlers on the North Platte project, Nebraska." B.P.I. Doc. 454, pp. 4. 1909.
  "Hog houses." F.B. 438, pp. 29. 1911.
  "Notes on the number and distribution of native legumes in Nebraska and Kansas." B.P.I. Cir. 31, pp. 9. 1909.
  "Small farms in the Corn Belt." F.B. 325, pp. 29. 1908.
Warren, L. E.: "Examination of hydrogen dioxid solutions." With others. Chem. Bul. 150, Pt. I, pp. 5–23. 1912.
Warren, Ohio, milk supply, statistics, officials, prices, and laws. B.A.I. Bul. 46, pp. 42, 141. 1903.
Warren-Buffalo line, experimental chestnut poles, condition. For. Cir. 198, pp. 5–11, 12–13. 1912.
Warren district, farm earnings and incomes, 1913, 1915, 1918, 1919. D.B. 874, pp. 20–37. 1920.
Warrior table land and basin, Alabama, location and description. N.A. Fauna 45, p. 8. 1921.
Warship (horse), history and pedigree. B.A.I. An. Rpt., 1907, pp. 97, 143. 1908; B.A.I. Cir. 137, pp. 97, 143. 1911.
Warszewiczia coccinea, importation and descriptions. No. 54297, B.P.I. Inv. 68, pp. 4, 46. 1923.
Warts—
  cattle, description and treatment. B.A.I. [Misc.], "Diseases of cattle," rev., pp. 152–153, 240, 313–314, 330–331. 1904; rev., pp. 156, 247, 248, 324–325, 343. 1912; rev., pp. 156, 243, 312–313, 331. 1923.
  cauliflower leaves, occurrences after spraying, cause. J.A.R., vol. 8, pp. 171–172, 181, 182. 1917.
  cow teats and udder, treatment. F.B. 1422, pp. 9–10. 1924.
  horse, description and treatment. B.A.I. [Misc.], "Diseases of the horse," rev., pp. 145, 260, 448. 1903; rev., pp. 145, 260, 448. 1907; rev., pp. 145, 260, 448. 1911; rev., pp. 167, 476, 283. 1923.
  reindeer, treatment. D.B. 1089, p. 56. 1922.
Warty lip. See Lip-and-leg ulceration.
Wasabi—
  roots, Japan, importation and description. No. 41567, B.P.I. Inv. 45, p. 48. 1919.
  use by Japanese. B.P.I. Bul. 42, pp. 20–21. 1903.
Wasatch National Forest, Utah, map. For. Maps. 1925.
Wash(es)—
  Allan's red, misbranding. See Indexes to Notices of Judgment, in bound volumes, and in separates published as supplements to Chemistry Service and Regulatory Announcements.
  antiseptic, use in tree pruning, formula. News L., vol. 3, No. 27, pp. 1, 4. 1916.
  apple-tree bark, use in control of borers, tests. D.B. 847, pp. 32–38, 41. 1920.
  bottle, directions for making and uses. F.B. 408, p. 10. 1910.
  caustic, for bores in fruits trees, formulas. F.B. 908, pp. 46–49. 1918.
  coal-tar, effectiveness against dog fleas. D.B. 888, p. 13. 1920.
  drill outfit for testing foundations, description. Rds. Bul. 43, p. 9. 1912.
  effectiveness against dog fleas. D.B. 888, p. 13. 1920.
  fruit-tree, for prevention of bark-beetles. Ent. Cir. 29, rev., p. 7. 1903.
  lime-sulphur, for San Jose scale. A.L. Quaintance. Y.B., 1906, pp. 429–446. 1907; Y.B. Sep. 433, pp. 429–446. 1907.
  peach tree, for borer control. F.B. 1246, p. 9. 1921.
  repellent, for prevention of mouse injury. F.B. 1397, p. 7. 1924.
  San Jose scale, description and formulas. F.B. 650, pp. 14–27. 1915.
  tree, rabbit deterrents. F.B. 702, pp. 10–11. 1916.
  white and colored, uses and formulas. F.B. 499, pp. 23–24. 1912.
  See also Fungicides; Insecticides; Sprays.
Washburn, F. L.: "Insect notes from Minnesota, 1906." Ent. Bul. 67, pp. 13–17. 1907.

WASHBURN, H. J.—
"Anthrax." B.A.I. An. Rpt., 1909, pp. 217-228. 1911.
"Anthrax or charbon." F.B. 784, pp. 16. 1917.
"Anthrax: With special reference to its suppression." F.B. 439, pp. 16. 1911.
"Foot-rot of sheep." With John R. Mohler. B.A.I. Cir. 94, pp. 21. 1906; B.A.I. An. Rpt., 1904, pp. 117-137. 1905.
"Foot-rot of sheep: Its nature, cause, and treatment." With John R. Mohler. B.A.I. Bul. 63, pp. 39. 1904.
"Hemorrhagic septicemia." D.B. 674, pp. 11. 1918; F.B. 1018, pp. 8. 1918.
"Susceptibility of tubercle bacilli." With John R. Mohler. B.A.I. An. Rpt., 1906, pp. 113-163. 1908.
"Takosis, a contagious disease of goats." With John R. Mohler. B.A.I. Bul. 45, pp. 44. 1903.
"The transmission of avian tuberculosis in mammals." With John R. Mohler. B.A.I. An. Rpt., 1908, pp. 165-176. 1910.
"The vaccination of cattle against tuberculosis." With others. B.A.I. An. Rpt., 1910, pp. 327-343. 1912; B.A.I. Cir. 190, pp. 327-343. 1912.
"The viability of tubercle bacilli in butter and cheese." With others. B.A.I. An. Rpt., 1909, pp. 179-191. 1911.
"The vitality of typhoid bacilli in milk and butter." B.A.I. An. Rpt., 1908, pp. 297-300. 1910.
"Tuberculosis of hogs." With John R. Mohler. B.A.I. An. Rpt., 1907, pp. 215-246. 1909; B.A.I. Cir. 144, pp. 215-246. 1909; B.A.I. Cir. 201, pp. 40. 1912; F.B. 781, pp. 20. 1917.
"Tuberculosis of hogs and how to control it." With John R. Mohler. Y.B., 1909, pp. 227-238. 1910; Y.B. Sep. 508, pp. 227-238. 1910.
"Tuberculosis of hogs: Its cause and suppression." With John R. Mohler. B.A.I. Cir. 144, pp. 32. 1909.
WASHBURN, R. S.—
"Cost of producing wheat." With M.R. Cooper. D.B. 943, pp. 59. 1921.
"Cost of producing winter wheat in central Great Plains region of the United States." D.B. 1198, pp. 36. 1924.
"Farm practice in growing sugar beets for three districts in Colorado, 1914-1915." With others. D.B. 726, pp. 60. 1918.
"Farm practice in growing sugar beets for three districts in Utah and Idaho, 1914-1915." With others. D.B. 693, pp. 44. 1918.
"Farm practice in growing sugar beets in Michigan and Ohio." With others. D.B. 748, pp. 45. 1919.
"Farm practice in growing sugar beets in three California districts." With others. D.B. 700, pp. 48. 1919.
"Sugar." With others. Y.B., 1923, pp. 151-228. 1924; Y.B., Sep. 893, pp. 98. 1924.
Washburn Irrigation Project, N. Dak., proposed work. O.E.S. Bul. 219, p. 27. 1909.
Washed lands, reclamation methods, cost. Y.B., 1913, pp. 216-217. 1914; Y.B. Sep. 624, pp. 216-217. 1914.
Washers—
bottle and can, for milk plants. D.B. 890, pp. 29-32. 1920; D.B. 973, pp. 16-23. 1923.
phosphate rock, description. D.B. 18, pp. 7-8. 1913.
Washing—
clothes, methods for saving labor and materials. F.B. 1099, pp. 5-9. 1920; Thrift Leaf. No. 5, pp. 1-4. 1919.
fruits and vegetables, methods and apparatus. D.B. 1084, pp. 5, 14-15. 1922; F.B. 1374, p. 10. 1923.
machine(s)—
electric, description and use. Y.B., 1919, pp. 223, 224, 238. 1920; Y.B. Sep. 799, pp. 223, 224, 238. 1920.
types, description, use in home. F.B. 1099, pp. 6-9. 1920.
milk—
bottles, methods, labor requirements and cost. D.B. 973, pp. 16-25. 1923.
cans, directions. D.B. 973, p. 25. 1923.
oysters, methods and effects on chemical composition. D.B. 740, pp. 17-23. 1919.

Washing—Continued.
powder(s)—
manufacturers' notice. I. and F.Bd. S.R.A., 17, p. 296. 1917.
spray for control of chinch bugs. F.B. 835, rev., p. 8. 1920.
use in home laundering. F.B. 1099, p. 27. 1920.
soil, prevention by use of cover crops and terraces. F.B. 414, pp. 8-9. 1910.
See also Laundering.
WASHINGTON, B. T., aid to extension work among negroes. D.C. 190, pp. 3-4. 1921.
Washington, D. C.—
Agriculture Department grounds and experiment roads, description. D.B. 53, p. 32. 1913.
Atlanta highway construction and maintenance. An. Rpts., 1916, p. 332. 1917; D.B. 284, pp. 59-63. 1915; Rds. Chief Rpt., 1916, p. 4. 1916.
Center Market, control by department. Off. Rec., vol. 1, No. 14, p. 2. 1922.
experiments with calcium chloride as road binder. Rds. Cir. 90, p. 22. 1909.
farms near, an economic study. W. C. Funk. D.B. 848, pp. 19. 1920.
laboratory for—
bacteriological-chemical work. An. Rpts., 1908, pp. 484-485. 1909; Chem. Chief Rpt., 1908, pp. 40-41. 1908.
food inspection, work, 1909. An. Rpts., 1909, pp. 449-451. 1910; Chem. Chief Rpt., 1909, pp. 39-41. 1909.
losses from depredations of rats and mice. Biol. Bul. 33, p. 30. 1909.
macadam roads, 1912-1916. Sec. Cir. 77, pp. 5-6. 1917.
market preferences in grapes. D.B. 861, p. 51. 1920.
market statistics, for fruits and vegetables, 1919, 1920. D.B. 982, pp. 224, 225, 250, 252, 254, 255, 257, 259, 261-264. 1921.
meteorological data, May-October, 1903. Chem. Bul. 95, p. 7. 1905.
milk—
pasteurized and raw, comparison and study. B.A.I. Bul. 126, pp. 39-41. 1910.
supply—
danger from tuberculous cattle. B.A.I. An. Rpt., 1907, p. 149. 1909.
investigations. B.A.I. An. Rpt., 1907, pp. 75, 179. 1909.
laws. B.A.I. Bul. 46, pp. 167-169. 1903.
organization of Columbian Agricultural Society, 1809. Stat. Bul. 102, pp. 9-11. 1913.
Potomac Flats, experiments with sugar-beets, 1904. Chem. Bul. 96, pp. 6-7. 1905.
road—
experiments, 1910, supplemental report. Rds. Cir. 98, p. 41. 1912.
preservation—
and dust prevention, 1914, report. D.B. 257, pp. 22-25. 1915.
and dust prevention, 1916, report. D.B. 586, pp. 42, 52-55. 1918.
experiments with sulphite liquors. Rds. Cir. 92, pp. 1-4. 1910.
spraying experiments with Paris green. Chem. Bul. 82, pp. 8-11. 1904.
sugar-beet experiments, 1900. Chem. Bul. 64, pp. 11-12. 1901.
women's rest rooms, establishment. Y.B., 1917, pp. 219, 220. 1918; Y.B. Sep. 726, pp. 5, 6. 1918.
See also District of Columbia.
Washington—
Agricultural Experiment Station. See Washington Experiment Station.
alfalfa—
looper, depredations. Ent. Bul. 95, Pt. VII, pp. 109-118. 1912.
seed growing experiments. B.P.I. Cir. 24, pp. 10, 17, 22. 1909.
and Oregon—
eastern, and northern Idaho, cropping systems for moister portions. Lee W. Fluharty. D.B. 625, pp. 12. 1918.
western, fire-killed Douglas fir, damage to wood, and prevention of losses, methods. A. D. Hopkins. Ent. Cir. 159, pp. 4. 1912.

Washington—Continued.
apple(s)—
  distribution. D.B. 935, pp. 1-27. 1921.
  growing—
    areas, production, and varieties. D.B. 485, pp. 6, 36, 44-47. 1917.
    importance and localities. Y.B., 1918, pp. 370, 374-375, 378. 1919; Y.B. Sep. 767, pp. 6, 10-11, 14. 1919.
    irrigation experiments. J.A.R., vol. 12, pp. 111-134. 1918.
    packing methods, preliminary report. Mkts. Doc. 4, pp. 1-31. 1917.
    producing areas, location and description. D.B. 446, pp. 2-6. 1917.
  production—
    1913. D.B. 587, pp. 1-2. 1917.
    cost in Wenatchee Valley. G. H. Miller and S. M. Thomson. D.B. 446, pp. 35. 1917.
appropriations for—
  agricultural colleges—
    1909. O.E.S. An. Rpt., 1909, p. 292. 1910.
    1911. O.E.S. An. Rpt., 1911, pp. 277, 319. 1912.
  experiment station work and substations. O.E.S. An. Rpt., 1911, pp. 57, 220. 1912.
barley crops, 1882-1906, acreage, production and value. Stat. Bul. 59, pp. 14-26, 36. 1907.
bean growing, profits. News L., vol. 6, No. 43, p. 10. 1919.
bee—
  and honey statistics. D.B. 325, pp. 9, 10, 11, 12. 1915; D.B. 685, pp. 7, 10, 13, 15, 17, 18, 20, 22, 24, 27, 30, 31. 1918.
  diseases, occurrence. Ent. Cir. 138, p. 22. 1911.
beet-sugar industry report—
  1903. [Misc.], "Progress of the beet * * *," 1903, pp. 44-45, 156-157. 1904.
  1906. Rpt. 84, p. 99. 1907.
  1907. Rpt. 86, p. 59, 81. 1908.
  1908. Rpt. 90, pp. 51, 71. 1909.
  1909. Rpt. 92, pp. 45-46. 1910.
Bellingham—
  bulb propagation garden, progress. D.B. 28. pp. 1-21. 1913; D.C. 65, p. 4. 1919.
  Plant Introduction Garden, work. Y.B., 1916, pp. 135, 136, 143. 1917; Y.B. Sep. 687, pp. 1, 2, 9. 1917.
Big Bend region, work on false wireworms. Ent. Bul. 95, Pt. V, pp. 76-78. 1912.
Biological Survey work in 1921. Biol. Chief Rpt., 1921, p. 16. 1921.
bird—
  protection. See Bird protection.
  reports from observers, 1916, 1917, 1920. D.B. 1165, p. 14. 1923.
  reservation, establishment, 1914. F.B. 628, p. 4. 1914.
blister-rust—
  infection, locations. J.A.R., vol. 30, p. 605. 1925.
  occurrence. D.C. 226, pp. 3, 7. 1922; Off. Rec., vol. 2, No. 31, p. 1. 1923.
  quarantine, discussion. Off. Rec., vol. 1, No. 6, p. 3. 1922.
bounty laws, 1907. Y.B., 1907, p. 564. 1908; Y.B. Sep. 473, p. 564. 1908.
brown rot of prunes and cherries, control work. D.B. 368, pp. 1, 2, 3, 4, 5, 7, 9. 1916.
buckwheat crops, 1882, 1889-1892, acreage, production, and value. Stat. Bul. 61, pp. 9, 11-13, 23. 1908.
bulb-growing work. B.P.I. Doc. 984, p. 5. 1913; D.B. 797, pp. 3, 6, 12, 15-19, 27, 29, 34. 1919.
canals—
  concrete-lined, capacity, cost, and other data. D.B. 126, pp. 42-43, 66-67, 68-70, 76, 79, 84. 1915.
  seepage measurements. D.B. 126, pp. 34-36. 1915.
canned salmon stocks, 1917. Sec. Cir. 98, pp. 4, 5. 1918.
cantaloupe shipments, 1914. D.B. 315, pp. 17, 19. 1915.
Cascade Mountains, avalanches and forest cover. For. Cir. 173, pp. 1-12. 1911.
cement factories, potash content and loss. D.B. 572, p. 7. 1917.
central, soil description. O.E.S. Bul. 214, pp. 16-17. 1909.

Washington—Continued.
Chelan County, apple growing, methods and cost. D.B. 446, pp. 1-35. 1917.
Chelan National Forest, description and privileges to tourists and campers. D.C. 91, pp. 1-15. 1920. D.C. 138, pp. 6-12. 1920.
climate and soil at Bellingham. D.B. 28, pp. 3-4. 1913.
climatic conditions in irrigated regions. O.E.S. Bul. 214, pp. 24, 29, 32, 35, 38, 46, 49, 53, 54, 55. 1909.
closed season for shorebirds and woodcock. Y.B., 1914, pp. 292, 293. 1915; Y.B. Sep. 642, pp. 292, 293. 1915.
club—
  wheat growing. F.B. 1303, pp. 3, 4. 1923.
  work in school. Y.B., 1915, p. 176. 1916; Y.B. Sep. 667, p. 176. 1916.
coast, kelp beds. Rpt. 100, pp. 33-39. 1915.
codling moth, life history in the Yakima Valley. E. J. Newcomer and W. D. Whitcomb. D.B. 1235, pp. 77. 1924.
Columbia Basin, irrigation projects, ditches, and canals. O.E.S. Bul. 214, pp. 24-58. 1909.
Columbia National Forest, description, natural features, etc. D.C. 138, pp. 12-15. 1920.
Columbia River Valley, sandy soils, suggestions to settlers. Byron Hunter and S. O. Jayne. B.P.I. Cir. 60, pp. 23. 1910.
Colville National Forest, description and natural features. D.C. 138, pp. 16-18. 1920.
convict road-work, laws. D.B. 414, pp. 216-217. 1916.
cooperative associations, statistics, details, and laws. D.B. 547, pp. 13, 23, 32, 36, 39, 76. 1917.
corn—
  crops, 1882-1906, acreage, production, and value. Stat. Bul. 56, pp. 15-27, 37. 1907.
  production, movements, consumption, and prices. D.B. 696, pp. 15, 16, 28, 30, 33, 36, 38, 41. 1918.
  yields and prices, 1882-1915. D.B. 515, p. 15. 1917.
court decisions on nonresident license laws. Biol. Bul. 19, pp. 46-47. 1904.
cranberry industry, and occurrence of blackhead fireworm. D.B. 1032, pp. 2-6. 1922.
credits, farm-mortgage loans, costs and sources. D.B. 384, pp. 2, 3, 6, 8, 10. 1916.
crops under irrigation. O.E.S. Bul. 214, pp. 18-23, 43. 1909.
crow roosts, location and numbers of birds. Y.B., 1915, p. 95. 1916; Y.B. Sep. 659, p. 95. 1916.
currants, eradication and plant diseases, control by law. F.B. 1398, p. 36. 1924.
dairying opportunities. Y.B., 1906, pp. 423-425. 1907. Y.B. Sep. 432, pp. 423-425. 1907.
demurrage provisions, regulations. D.B. 191, pp. 3, 12, 13, 27. 1915.
Digitalis, growing. Y.B. 1917, p. 127. 1918; Y.B. Sep. 734, p. 6. 1918.
dog law, digest. F.B. 935, p. 22. 1918; F.B. 1268, p. 23. 1922.
drainage surveys, location and kind of land, 1911. An. Rpts., 1911, p. 708. 1912; O.E.S. An. Rpt., 1911, pp. 45-46. 1912; O.E.S. Chief Rpt. 1911, p. 26. 1911.
drug laws. Chem. Bul. 98, pp. 198-199. 1906; rev., Pt. I, pp. 319-324. 1909.
dry-farming region and practices. F.B. 1047, pp. 124. 1919.
early settlement, historical notes. See Soil surveys for various counties and areas.
eastern—
  alfalfa growing, special instructions. F.B. 339, pp. 47-48. 1908.
  bean growing. F.B. 561, pp. 1-12. 1913; F.B. 907, pp. 1-16. 1917.
  forage conditions and problems, and Oregon. David Griffiths. B.P.I. Bul. 38, pp. 52. 1903.
  ponds and coulees, description. D.B. 54, pp. 55-56. 1914.
  subsoil water, field records. Soils Bul. 93, pp. 7-8. 1913.
emmer and spelt growing, experiments. D.B. 1197, p. 48. 1924.

INDEX TO PUBLICATIONS, 1901-1925 2557

Washington—Continued.
evaporation—
experiments. O.E.S. Bul. 248, pp. 24-26, 29, 31-33, 50, 59, 67. 1912.
soil moisture under mulches of different depths. Y.B., 1908, p. 469. 1909; Y.B. Sep. 495, p. 469. 1909.
Experiment Station—
work and expenditures—
1906. E. A. Bryan. O.E.S. An. Rpt., 1906, pp. 164-165. 1907.
1907. R. W. Thatcher. O.E.S. An. Rpt., 1907, pp. 180-183. 1908.
1908. R. W. Thatcher. O.E.S. An. Rpt., pp. 181-183. 1909.
1909. R. W. Thatcher. O.E.S. An. Rpt., 1909, pp. 198-200. 1910.
1910. R. W. Thatcher. O.E.S. An. Rpt., 1910, pp. 251-254. 1911.
1911. R. W. Thatcher. O.E.S. An. Rpt., 1911, pp. 216-220. 1912.
1912. R. W. Thatcher. O.E.S. An. Rpt., 1912, pp. 220-223. 1913.
1913. I. D. Cardiff. O.E.S. An. Rpt., 1913, pp. 85-86. 1915.
1914. I. D. Cardiff. O.E.S. An. Rpt., 1914, pp. 237-241. 1915.
1915. I. D. Cardiff. S.R.S. Rpt., 1915, Pt. I, pp. 267-272. 1916.
1916. I. D. Cardiff. S. R.S. Rpt., 1916, Pt. I, pp. 276-281. 1918.
1917. George Severance. S.R.S. Rpt., 1917, Pt. I, pp. 266-271. 1918.
work and publications, 1905. O.E.S. An. Rpt. 1905, pp. 142-144. 1906.
extension work—
funds allotment, and county-agent work. S.R.S. Doc. 40, pp. 4, 7, 12, 20, 23, 25, 28. 1918.
in agriculture and home economics—
1915. J. A. Tormey. S.R.S. Rpt., 1915, Pt. II, pp. 314-318. 1916.
1916. W. S. Thornber. S.R.S. Rpt., 1916, Pt. II, pp. 352-358. 1917.
1917. W. S. Thornber. S.R.S. Rpt., 1917, Pt. II, pp. 358-363. 1919.
statistics. D.C. 253, pp. 6, 9, 12-13, 17, 18. 1923; D.C. 306, pp. 4, 7, 12, 16, 20, 21. 1924.
fairs, number, kind, location and dates. Stat. Bul. 102, pp. 13, 14, 64-65. 1913.
farm(s)—
animals, statistics, 1883-1907. Stat. Bul. 64, p. 141. 1908.
leases, provisions. D.B. 650, p. 17. 1918.
poultry and dairy. F.B. 355, pp. 1-40. 1909.
sheep-raising practices. F.B. 1051, pp. 17, 20, 27-29. 1919.
value(s)—
changes, 1900-1905. Stat. Bul. 43, pp. 11-17, 30-46. 1906.
in undeveloped regions. F.B. 1385, pp. 12, 13. 1923.
income, and tenancy classification. D.B. 1224, p. 126. 1924; F.B. 1385, pp. 12, 13. 1923.
wheat, labor distribution, seasonal. Y.B., 1917, p. 545. 1918; Y.B. Sep. 758, p. 11. 1918.
farmers' institute(s)—
for young people. O.E.S. Cir. 99, p. 23. 1910.
history. O.E.S. Bul. 174, p. 88. 1906.
laws. O.E.S. Bul. 135, rev., pp. 32-33. 1905; O.E.S. Bul. 241, p. 44. 1911.
work—
1904. O.E.S. An. Rpt., 1904, p. 669. 1905.
1906. O.E.S. An. Rpt., 1906, p. 351. 1907.
1907. O.E.S. An. Rpt., 1907, pp. 347-348. 1908.
1908. O.E.S. An. Rpt., 1908, p. 329. 1909.
1909. O.E.S. An. Rpt., 1909, p. 354. 1910.
1910. O.E.S. An. Rpt., 1910, p. 416. 1911.
1911. O.E.S. An. Rpt., 1911, pp. 50, 380. 1912.
1912. O.E.S. An. Rpt., 1912, p. 374. 1913.
fescue seed-growing experiments. F.B. 361, p. 19. 1909.
flora characteristic of different soils, eastern Puget Sound Basin. Soil Sur. Adv. Sh., 1909, pp. 30-43. 1911; Soils F.O., 1909, pp. 1540-1543. 1912.

Washington—Continued.
food law(s)—
1905. Chem. Bul. 69, rev., Pt. VIII, pp. 653-669. 1906.
1907. Chem. Bul. 112, Pt. II, pp. 122-133. 1908.
forage crops, practices, and western Oregon. Byron Hunter. F.B. 271, pp. 39. 1906.
forest(s)—
area, 1918. Y.B., 1918, p. 718. 1919; Y.B. Sep. 795, p. 54. 1919.
fires—
1924. Off. Rec., vol. 3, No. 30, p. 3. 1924.
statistics. For. Bul. 117, pp. 36-37. 1912.
lands, exchange. Off. Rec. vol. 3, No. 25, p. 2. 1924.
legislation, 1907. Y.B., 1907, p. 576. 1908; Y.B. Sep. 470, p. 16. 1908.
reserves. See Forests, national.
forestry laws, 1921, summary. D.C. 239, pp. 26-27. 1922.
fruit growing, irrigation practices. O.E.S. Bul. 108, pp. 7-54. 1902.
funds for cooperative extension work, sources. S.R.S. Doc. 40, pp. 4, 6, 12, 18. 1917.
fur animals, laws—
1915. F.B. 706, p. 18. 1916.
1916. F.B. 783, pp. 20, 28. 1916.
1917. F.B. 911, pp. 23, 31. 1917.
1918. F.B. 1022, p. 23. 1918.
1919. F.B. 1079, pp. 6, 25. 1919.
1920. F.B. 1165, p. 23. 1920.
1921. F.B. 1238, pp. 23, 31. 1921.
1922. F.B. 1293, p. 21. 1922.
1923-24. F.B. 1387, p. 24. 1923.
1924-25. F.B. 1445, pp. 17-18. 1924.
1925-26. F.B. 1469, p. 21. 1925.
game—
laws—
1902. F.B. 160, pp. 25, 34, 42, 46, 52, 54, 56. 1902.
1903. F.B. 180, pp. 16, 25, 34, 39, 40, 46, 56. 1903.
1904. F.B. 207, pp. 25, 36, 40, 45, 51, 63. 1904.
1905. F.B. 230, pp. 12, 23, 33, 39, 46. 1905.
1906. F.B. 265, pp. 23, 32, 39, 47. 1906.
1907. F.B. 308, pp. 8, 21, 30, 37, 46. 1907.
1908. F.B. 336, pp. 23-24, 34, 42, 45, 53. 1908.
1909. F.B. 376, pp. 6, 15, 28, 36, 40, 43. 1909.
1910. F.B. 418, pp. 21, 29, 34, 37, 45. 1910.
1911. F.B. 470, pp. 14, 25, 34, 39, 42, 51. 1911.
1912. F.B. 510, pp. 21, 25-26, 30, 32, 35, 38, 39, 47. 1912.
1913. D.B. 22, pp. 16, 20, 21, 33, 41, 46, 49, 57. 1913.
1914. F.B. 628, pp. 4, 10, 11, 24-25, 28-29, 33, 36, 39, 42, 52. 1914.
1915. F.B. 692, pp. 2, 3, 5, 7, 8, 16, 34, 43, 48, 51, 53, 61. 1915.
1916. F.B. 774, pp. 32, 41, 47, 50, 52, 61. 1916.
1917. F.B. 910, pp. 37, 48, 55. 1917.
1918. F.B. 1010, pp. 35, 46. 1918.
1919. F.B. 1077, pp. 38, 50, 60, 72, 73. 1919.
1920. F.B. 1138, pp. 41-42. 1920.
1921. F.B. 1235, pp. 43-44, 57. 1921.
1922. F.B. 1288, pp. 40, 55. 1922.
1923-24. F.B. 1375, pp. 38-39, 51. 1923.
1924-25. F.B. 1444, pp. 28, 38. 1924.
1925-26. F.B. 1466, pp. 34-35, 45. 1925.
protection. See Game protection.
grain—
dust explosions in threshers and separators. D.B. 379, pp. 1, 3. 1916.
supervision district and headquarters. Mkts. S.R.A. 14, p. 34. 1916.
grape shipments, 1916-1919, and destinations. D.B. 861, pp. 3, 49, 55-61. 1920.
hay—
crops, 1882-1906, acreage, production, and value. Stat. Bul. 63, pp. 13-25, 34. 1908.
making practices. F.B. 943, pp. 29-30. 1918.
herds, lists of tested and accredited. D.C. 54, pp. 9, 19, 47, 73, 91. 1919; D.C. 142, pp. 6, 12, 16, 28, 38, 47-49. 1920; D.C. 143, pp. 6, 17, 54, 95. 1920; D.C. 144, pp. 7, 15, 47. 1920.
hog raising, pasture and grain crops and feeding methods. D.B. 68, pp. 1-27. 1914.
hop oils, comparison with hop oils from other sources. J.A.R., vol. 2, pp. 117-147, 157. 1914.
hunting laws. Biol. Bul. 19, pp. 13, 18, 21, 28, 30, 31, 63, 65. 1904.

Washington—Continued.
  inland waterways. Stat. Bul. 89, pp. 15, 17, 79–80. 1911.
  insecticide and fungicide laws. I. and F. Bd., S.R.A. 13, pp. 146–150. 1916.
  irrigation—
    districts, and their statutory relations. D.B. 1177, pp. 4, 5, 15, 16, 26, 27, 31, 33, 43, 52. 1923.
    history. O.E.S. Bul. 214, pp. 17–18. 1909.
    in the State. O. L. Waller. O.E.S. Bul. 214, pp. 64. 1909.
    investigations. O. L. Waller. O.E.S. Bul. 133, pp. 124–136. 1903.
    methods for grain and orchard fruits, notes. Y.B., 1909, pp. 304–307. 1910; Y.B., Sep. 514, pp. 304–307. 1910.
    recent legislation. O.E.S. An. Rpt., 1909, pp. 407, 414. 1910.
    reservoirs, dams, details, and cost. O.E.S. Bul. 249, Pt. I, pp. 33, 63, 78–80. 1912.
    water use. O.E.S. Bul. 104, p. 241. 1902.
    water use, 1901. O. L. Waller. O.E.S. Bul. 119, pp. 191–198. 1902.
  Lake Chelan County, description, and camping privileges. D.C. 91, pp. 1–15. 1920.
  Lake Keechelus Dam, description and details. O.E.S. Bul. 249, Pt. II, pp. 20–23. 1912.
  land(s)—
    area, character, and value. O.E.S. Bul. 214, pp. 7–9. 1909.
    clearing, cost. O.E.S. Bul. 214, pp. 58–59. 1909.
  lard supply, wholesale and retail, August 31, 1917, tables. Sec. Cir. 97, pp. 14–32. 1918.
  laws—
    contagious and infectious diseases of animals, 1902 and 1903. B.A.I. Bul. 54, pp. 44–45. 1904.
    contagious animal diseases, 1901. B.A.I. Bul. 43, pp. 62–68. 1901.
    foulbrood of bees. Ent. Bul. 61, pp. 198–200. 1906.
    governing composition and sale of insecticides. Chem. Bul. 76, p. 63. 1903.
    nursery stock shipments, interstate. Ent. Cir. 75, rev., p. 8. 1909; F.H.B.S.R.A., 57, pp. 114, 115. 1919.
    on community buildings. F.B. 1192, p. 38. 1921.
    restricting sale of infested fruits. Ent. Bul. 84, p. 39. 1909.
  Lind Station, wheat growing experiments. D.B. 1173, pp. 2–60. 1923.
  livestock—
    admission, sanitary requirements. B.A.I. Doc. A-28, pp. 41–42. 1917; B.A.I. Doc. A-36, pp. 63–64. 1920; B.A.I. [Misc.], "State sanitary requirements * * * 1911," p. 22. 1911; B.A.I. [Misc.], "State sanitary requirements * * * 1915," p. 39. 1915; M.C. 14, pp. 81–85. 1924.
    associations. Y.B., 1920, p. 532. 1921; Y.B. Sep. 866, p. 532. 1921.
    production from reports of stockmen. Rpt. 110, pp. 5–27, 39–40, 47–48, 89–93. 1916.
  lobelia, occurrence and danger to livestock. D.B. 1240, pp. 2, 13. 1924.
  lumber—
    cut—
      1905. For. Cir. 52, pp. 8, 12, 15, 22, 23. 1906'
      1906. For. Cir. 129, p. 6. 1907.
      1920, 1870–1920, value, and kinds. D.B. 1119, pp. 28, 30–35, 43–61. 1923.
      increase since 1880. For. Cir. 166, pp. 18, 19. 1909.
    industry, comparison with New England. Y.B., 1922, pp. 105–106. 1923; Y.B. Sep. 886, pp. 105–106. 1923.
    production, 1918, by mills, by woods, and lath and shingles. D.B. 845, pp. 6–11, 13, 16, 20–24, 29, 31, 32, 40, 42–47. 1920.
  mouse outbreak, control by cooperative work. F.B. 1397, p. 14. 1924.
  milk supply and laws. B.A.I. Bul. 46, pp. 32, 38, 159–161. 1903.
  Mt. Baker, region sketch map and trails. D.C. 132, pp. 2–4. 1920.
  mountain meadows, seeding to redtop and timothy. B.P.I. Bul. 117, p. 13. 1907.

Washington—Continued.
  Naches valley, description. D.C. 103, pp. 11–19. 1920.
  National Forest—
    a mountain vacation land. D.C. 132, pp. 10. 1920.
    description of natural features. D.C. 138, pp. 41–49. 1920.
    map and directions to hunters and campers. For. Map. Fold. 1914.
  national forests—
    in the open. D.C. 138, pp. 78. 1920.
    vacation grounds. D.C. 138, pp. 1–78. 1920.
  navel orange. See Orange, navel.
  North Head cranberry regions, temperature studies. J.A.R., vol. 11, pp. 522–523, 528. 1918.
  oat—
    acreage, production and value, 1866–1906. Stat. Bul. 58, p. 35. 1907.
    crops, 1882–1906, acreage, production, and value. Stat. Bul. 58, pp. 13–25, 35. 1907.
    growing, varietal experiments. D.B. 823, pp. 57–58, 59, 60, 67. 1920.
    tests, Kherson and Sixty-day, with other varieties. F.B. 395, pp. 25–26. 1910.
  Okanagan National Forest, description and natural features. D.C. 138, pp. 18–21. 1920.
  Olympi National Forest—
    description and natural features. D.C. 138, pp. 22–26. 1920.
    tree-seed sowing, results. For. Bul. 98, pp. 42–43. 1911.
  Olympic Peninsula—
    forest destruction by hurricane, 1921. D.B. 1030, p. 22. 1922.
    timber blown down, protection. For. Chief Rpt., 1921, p. 13. 1921.
  onions, production and varieties. D.B. 1325, p. 11. 1925.
  Oregon—
    cut-over fir lands, speculative ownership. D.B. 638, p. 13. 1918.
    soil survey of Hood River-White Salmon River area. A. T. Strahorn and E. B. Watson. Soil Sur. Adv. Sh., 1912, pp. 45. 1914; Soils F. O., 1912, pp. 2047–2087. 1915.
  Palouse irrigation project, Franklin County, description of soils. Soil Sur. Adv. Sh., 1914, pp. 92–98. 1917; Soils F. O. 1914, pp. 2618–2524. 1919.
  partridge rearing experiments. Y.B., 1909, p. 257. 1910; Y.B. Sep. 510, p. 257. 1910.
  pasture land on farms. D.B. 626, pp. 15, 88–89. 1918.
  peach—
    growing, production, districts, and varieties. D.B. 806, pp. 4, 5, 7, 8, 9, 31–32. 1919.
    industry, season, and shipments, 1914. D.B. 298, pp. 4, 5, 7, 15. 1915.
    varieties, names, and ripening dates. F.B. 918, p. 12. 1918.
  pear—
    growing, distribution and varieties. D.B. 822, pp. 14–15. 1920; D.B. 1072, pp. 3, 7–9. 1922.
    leaf worm, occurrence, study, and control. D.B. 438, pp. 1–3, 9–10, 14, 15, 17, 21–22. 1916.
  pioneer picnic grounds, description. F.B. 1388, pp. 17–18. 1924.
  plant-terminal inspection point, additional. F.H.B.S.R.A. 73, p. 134. 1923.
  plum growing for prunes. F.B. 1372, pp. 2–3, 4, 8–12, 14–15, 16, 17, 19, 21–25, 45–48, 56, 57. 1924.
  pocket gophers, occurrence and description. N.A. Fauna 39, pp. 9, 23–28, 107, 115–120, 128, 130. 1915.
  poppy experiments. An. Rpts., 1908, p. 304, 1909; B.P.I. Chief Rpt., 1908, p. 32. 1908.
  potato(es)—
    crops, 1882–1906, acreage, production, and value. Stat. Bul. 62, pp. 15–27, 36. 1908.
    production, 1909, by counties. F.B. 1064, p. 5. 1919.
    under irrigation, acreage and production. F.B. 953, p. 4. 1918.
  property, real and personal, value 1890–1908. O.E.S. Bul. 214, p. 8. 1909.
  Puyallup Valley, shipping red raspberries, factors governing. D.B. 274, pp. 1–37. 1915.

Washington—Continued.
 rabies outbreak, fatalities and control. Off. Rec., vol. 1, No. 11, p. 1. 1922.
 rainfall, map and table. B.P.I. Bul. 188, pp. 45, 65. 1910.
 Rainier National Forest, description and natural features. D.C. 103, pp. 1-26. 1920; D.C. 138, pp. 27-31. 1920.
 reclamation experiments, tract. Soils Bul. 35, pp. 186-189. 1906.
 reconnoissance soil survey of—
  eastern part of Puget Sound Basin. A. W. Mangum and others. Soil Sur. Adv. Sh., 1909, pp. 90. 1911; Soils F. O., 1909, pp. 1517-1600. 1912.
  southwestern part. A. W. Mangum and others. Soil Sur. Adv. Sh., 1911, pp. 136. 1913; Soils F. O., 1911, pp. 2097-2226. 1914.
  western part of Puget Sound Basin. A. W. Mangum and others. Soil Sur. Adv. Sh., 1910, pp. 116. 1912; Soils F. O., 1910, pp. 1491-1600. 1912.
 reforestation, choice of sites, methods, and species. D.B. 475, pp. 25, 38, 39, 61-62, 63. 1917.
 roads—
  bond-built, amount of bonds and rate. D.B. 136, pp. 35, 48, 79, 85. 1915.
  building rock tests, results. D.B. 370, pp. 88-92. 1916; D.B. 670, p. 21. 1918; D.B. 1132, pp. 41, 52. 1923.
  laws and mileage. Y.B., 1914, pp. 214, 222. 1915; Y.B. Sep. 638, pp. 214, 222. 1915.
  materials, tests. Rds. Bul. 44, pp. 83-88. 1912.
  mileage and expenditures—
   1904. Rds. Cir. 39, pp. 2. 1906.
   1909. Rds. Bul. 41, pp. 37, 41, 42, 116-117. 1912.
   1915. Sec. Cir. 52, pp. 3, 5, 6. 1915.
   1916. Sec. Cir. 74, pp. 4, 6, 7, 8. 1917.
 rye crops, 1882-1906, acreage, production, and value. Stat. Bul. 60, pp. 13-25, 34. 1908.
 San Jose scale, occurrence. Ent. Bul. 62, p. 32. 1906.
 seed loans, amount. Off. Rec., vol. 1, No. 19, p. 1. 1922.
 school—
  garden work. O.E.S. Bul. 160, pp. 8-19. 1905.
  lands, exchange. Sol. [Misc.l, "Laws * * * forests," p. 78. 1916.
 sheep quarantine, removal. B.A.I.O. 146, amdt. 7, rule 3, rev. 1, pp. 2. 1910.
 shipments of fruits and vegetables, and index to station shipments. D.B. 667, pp. 6-13, 47-48. 1918.
 Sitka spruce—
  stand, 1918, and cut, 1915-1918. D.B. 1060, pp. 4, 5. 1922.
  volume tables. D.B. 1060, pp. 33-37. 1922.
 Snoqualmie National Forest—
  description, various regions. D.C. 138, pp. 31-41. 1920.
  land exchange. Off. Rec., vol. 1, No. 4, p. 2. 1922.
 soil survey of—
  Bellingham area. A. W. Mangum and Lewis A. Hurst. Soil Sur. Adv. Sh., 1907, pp. 39. 1909; Soils F.O., 1907, pp. 1015-1049. 1909.
  Benton County. A. E. Kocher and A. T. Strahorn. Soil Sur. Adv. Sh., 1916, pp. 72. 1919; Soils F.O., 1916, pp. 2203-2270. 1921.
  Everett area. E. P. Carr and A. W. Mangum. Soil Sur. Adv. Sh., 1905, pp. 31. 1906; Soils F.O., 1905, pp. 1053-1079. 1907.
  Franklin County. C. Van Duyne and others. Soil Sur. Adv. Sh., 1914, pp. 101. 1917; Soils F.O., 1914, pp. 2531-2627. 1919.
  Grant County. See Quincy area.
  Island County. E. P. Carr and A. W. Mangum. Soil Sur. Adv. Sh., 1905, pp. 23. 1906; Soils F.O., 1905, pp. 1033-1051. 1907.
  Klickitat County. See Hood River area.
  Quincy area. A. W. Mangum and others. Soil Sur. Adv. Sh., 1911, pp. 64. 1913; Soils. F.O., 1911, pp. 2227-2286. 1914.
  Skamania County. See Hood River area.
  Snohomish County. See Everett area.
  Spokane County. Cornelius Van Duyne and others. Soil Sur. Adv. Sh., 1917, pp. 108. 1921; Soils F.O., 1917, pp. 2155-2258. 1923.

Washington—Continued.
 soil survey of—continued.
  Stevens County. Cornelius Van Duyne and Fred W. Ashton. Soil Sur. Adv. Sh., 1913, pp. 137. 1915; Soils F.O., 1913, pp. 2165-2295. 1916.
  Walla Walla area. J. Garnett Holmes. Soils F.O., Sep., 1902, pp. 711-728. 1903; Soils F.O., 1902, pp. 711-728. 1903.
  Walla Walla County. See Walla Walla area.
  Wenatchee area. A. E. Kocher. Soil Sur. Adv. Sh., 1918, pp. 91. 1922; Soils F.O., 1918, pp. 1515-1631. 1924.
  Whatcom County. See Bellingham area.
  Yakima area. Charles A. Jensen and B. A. Olshausen. Soils F.O. Sep., 1901, pp. 31. 1903. Soils F.O., 1901, pp. 389-419. 1902.
  Yakima County. See Yakima area.
 soils and—
  alkali surveys. Soils Bul. 35, pp. 76, 104. 1906
  climatic data, precipitation and temperature. D.B. 1173, pp. 6-11. 1923.
 Spokane, school-garden work, methods. O.E.S. Bul. 252, pp. 54-56. 1912.
 spotted-fever tick, occurrence. Ent. Bul. 105, p. 17. 1911.
 stallions, number, classes, and legislation controlling. Y.B., 1916, pp. 290, 291, 293, 296, 297. 1917; Y.B. Sep. 692, pp. 2, 3, 6, 8, 9. 1917.
 standard containers. F.B. 1434, p. 18. 1924.
 State forestry laws. Jeannie S. Peyton. For. Laws Leaf. 12, pp. 8. 1915; For. Misc. S-13, pp. 8. 1915.
 State College, teachers' courses. O.E.S. Cir. 118, p. 25. 1913.
 strawberry shipments, 1914, 1915. D.B. 237, p. 10. 1915; F.B. 1028, p. 6. 1919.
 Sumas, designation as animal quarantine station. B.A.I.O. 209, amdt. 5, p. 1. 1916.
 Sunnyside Canal, duty of water. O.E.S. An. Rpt., 1908, pp. 366, 369. 1909.
 Sunnyside Reclamation Project, water supply system. O.E.S. Bul. 229, pp. 68-76. 1910.
 Swedish Select oat, experiments and results. B.P.I. Bul. 182, pp. 18, 20-21. 1910.
 timber—
  area and industry. O.E.S. Bul. 214, pp. 14-15. 1909.
  conditions, stand and cut. Rpt. 114, pp. 11, 13, 16, 27, 48, 62, 64. 1917.
  lands, elimination from national forests, and disposal to speculators. D.B. 638, pp. 12-13. 1918.
 timothy and clover, production, 1909, acreage and yield. F.B. 502, pp. 7-8. 1912.
 transportation facilities, railroads and water. O.E.S. Bul. 214, pp. 9-12. 1909.
 Tri-State Terminal Company, operation. D.B. 937, p. 18. 1921.
 trucking industry, acreage and crops. Y.B., 1916, pp. 445, 455-465. 1917; Y.B. Sep. 702, pp. 11, 21-31. 1917.
 United Dairy Association, handling dairy products, cooperatively. B.A.I. Dairy [Misc.], "World's dairy congress, 1923," pp. 911-917. 1924.
 wage rates, farm labor, 1866-1909. Stat. Bul. 99, pp. 29-43, 68-70. 1912.
 walnut growing and yield. B.P.I. Bul. 254, pp. 19, 75, 102. 1913.
 water—
  power and industries, and natural resources. O.E.S. Bul. 214, pp. 12-16. 1909.
  rights, laws, and officials. D.B. 913, p. 3. 1920.
  supply, records, by counties. Soils Bul. 92, pp. 151-153. 1913.
 weather conditions and sorghum growth. J.A.R., vol. 13, pp. 136-142. 1918.
 Wenaha National Forest, description. D.C. 138, pp. 50-52. 1920.
 Wenatchee National Forest, lands. Off. Rec., vol. 1, No. 7, p. 2. 1922.
 Wenatchee Valley, cost of producing apples. G. H. Miller and S. M. Thomson. D.B. 446, pp. 35. 1917.
 western—
  and western Oregon—
   forage crop practices. Byron Hunter. B.P.I. Bul 94, pp. 39. 1906; F.B. 271, pp. 39. 1906.

Washington—Continued.
western—continued.
and western Oregon—continued.
land-plaster application, farm methods. Byron Hunter. B.P.I. Cir. 22, pp. 14. 1909.
logged-off land, utilization for pasture. Byron Hunter and Harry Thompson. F.B. 462, pp. 20. 1911.
climate and soil, description. F.B. 271, pp. 7-9. 1906.
description, agricultural development. D.B. 1236, pp. 1-5. 1924.
fire-killed Douglas fir, damage and prevention of losses, and Oregon. A. D. Hopkins. Ent. Cir. 159, pp. 4. 1912.
forage crop practices. Byron Hunter. F.B. 271, pp. 39. 1906.
land clearing, methods and cost. Harry Thompson. B.P.I. Bul. 239, pp. 60. 1912.
milk production, unit requirements. J. B. Bain and G. E. Braun. D.B. 919, pp. 19. 1920.
subsoil water, field records. Soils Bul. 93, pp. 8-13. 1913.
Whatcom County, community programs and results. D.C. 106, pp. 8-9. 1920.
wheat—
acreage and varieties. D.B. 1074, p. 216. 1922.
bunt studies. D.B. 1239, pp. 1-30. 1924.
crops, acreage, production, and value. Stat. Bul. 57, pp. 13-25, 35. 1907; rev., pp. 13-25, 35, 39. 1908.
growing importance. F.B. 1301, p. 3. 1923.
production by 10-year periods from 1881 to 1920. D.B. 1173, p. 2. 1923.
yields and prices, 1882-1915. D.B. 514, p. 15. 1917.
white-pine blister-rust quarantine. F.H.B.S.R.A. 72, p. 71. 1922; F.H.B.S.R.A. 74, pp. 40-41. 1923.
Wind River Forest Experiment Station, work, 1913. An. Rpts., 1913, p. 183. 1914; For. Chief Rpt., 1913, p. 49. 1913.
winds. J.A.R., vol. 30, p. 602. 1925.
wool-handling method. Y.B., 1914, p. 330. 1915; Y.B. Sep. 645, p. 330. 1915.
workmen's compensation act, practical working. D.B. 711, pp. 16-17. 1918.
Yakima Valley—
apples, production cost. G. H. Miller and S. M. Thomson. D.B. 614, pp. 75. 1918.
crops. O.E.S. Bul. 188, pp. 58-66. 1907.
irrigation. S. O. Jayne. O.E.S. Bul. 188, pp. 89. 1907.
irrigation investigations, 1904. O. L. Waller. O.E.S. Bul. 158, pp. 267-278. 1905.
production cost of apples. G. H. Miller and S. M. Thomson. D.B. 614, pp. 75. 1918.
use of water in irrigation, 1900. O. L. Waller. O.S.E. Bul. 104, pp. 241-266. 1902.
yellow pine, area, annual cut, and stumpage. D.B. 1003, pp. 6-7, 12-13. 1921.
See also Pacific Northwest.
Washington Bridge, over Harlem River, description and cost. Rds. Bul. 43, p. 6. 1912.
Washingtonia—
filifera, adaptation to arid conditions. B.P.I. Bul. 192, p. 25. 1911.
palm, description, use as street tree, and regions adapted to. D.B. 816, pp. 37-38. 1920.
spp., growing and description, Yuma experiment farm. D.C. 75, pp. 65, 66. 1920.
Washoe—
reduction plant, injury to crops and soil by tailings and slag. Chem. Bul. 113, pp. 30-34. 1908.
smelter—
Anaconda, Mont., effects on foliage, soils, and animals. Chem. Bul. 113, pp. 19-34. 1908; rev., pp. 21-57. 1910.
injury to cattle in vicinity by arsenic. Chem. Bul. 113, pp. 27-30. 1908.
location and appearance of surrounding vegetation. Chem. Bul. 113, pp. 19-22. 1908.
Washstands, farmhouse plumbing, directions. F.B. 1426, pp. 20-21. 1924.
Wasp(s)—
agents in cotton pollination in Arizona. D.B. 1134, p. 37. 1923.

Wasp(s)—Continued.
bird enemies, Southeastern States, notes. F.B. 755, pp. 6, 10, 11, 24, 25, 30, 36, 37. 1916.
black digger, destruction of white grubs and description. F.B. 543, pp. 14-15. 1913.
destruction—
by birds. Biol. Bul. 30, pp. 25, 33, 36, 40, 42, 44, 55, 59, 63, 64, 67, 69, 71, 72, 81, 85, 87. 1907; D.B. 621, p. 25. 1918.
of stable flies. F.B. 1097, p. 14. 1920.
detection in stomach of bird. Biol. Bul. 15, p. 14. 1901.
digger, enemy of green June beetle, description and habits. D.B. 891, pp. 33-35, 36. 1922.
enemy of—
grasshoppers. F.B. 691, rev., p. 10. 1920.
Tabanid flies, exportation to Algeria. An. Rpts., 1908, p. 538. 1909; Ent. A.R., 1908, p. 16. 1908.
gall, life history on oak tree, and control. F.B. 1169, pp. 92-93. 1921.
larger digger, enemy of periodical cicada. Ent. Bul. 71, pp. 132-135, 139. 1907.
sphecid, enemy of long-winged grasshopper, habits. D.B. 293, pp. 8-10. 1915.
stings, horse, treatment. B.A.I. [Misc.], "Diseases of the horse," rev., p. 454. 1903; rev., p. 454. 1907; rev., p. 454. 1911; rev., p. 483. 1923.
Tiphia, enemy of white grubs. F.B. 940, p. 13. 1918.
weevil-stinging, habits. Ent. T.B. 10, pp. 44-46. 1905.
Waste(s)—
acreage, use as sheep pasture. Lib. Leaf. 3, p. 1. 1918.
apples, utilizing in sirup and concentrated cider. Y.B., 1914, pp. 227-244. 1915; Y.B. Sep. 639, pp. 227-244. 1915.
arising from extraction of metals from ores. Chem. Bul. 113, pp. 6-7. 1908.
arsenical dips, rendering harmless. F.B. 504, pp. 19-20. 1912.
beet-seed growing, utilization as stock feed. Y.B., 1916, pp. 409-410. 1917; Y.B. Sep. 695, pp. 11-12. 1917.
cannery, use in manufacture of alcohol, and cost. Chem. Bul. 130, p. 27. 1910.
city—
classification, and annual yield and value. Y.B., 1914, pp. 296, 298, 299, 301, 309-310. 1915; Y.B. Sep. 643, pp. 296, 298, 299, 301, 309-310. 1915.
utilization as hog feed, saving and collection. F.B. 1133, pp. 3-9. 1920.
cocks, repair in home. F.B. 1460, pp. 5-6. 1925.
coffee cherries, utilization in by-products. Hawaii A.R. 1919, pp. 34-37. 1920.
corn, by weevil, reduction method. C. H. Kyle. F.B. 915, pp. 8. 1918.
cotton—
entry ports. F.H.B.S.R.A. 39, pp. 37-38. 1917.
grades, which may be distributed without restriction. F.H.B.S.R.A. 27, p. 54. 1916.
imports—
1919. An. Rpts., 1919, pp. 522, 523. 1920; F.H.B. Chief Rpt., 1919, pp. 18, 19. 1919.
1920-1921. F.H.B. Chief Rpt., 1921, pp. 11, 12. 1921.
1922-23. An. Rpts., 1923, p. 641. 1923; F.H.B. An. Rpt., 1923, p. 27. 1923.
in manufacture of airplane cloth. D.B. 882, p. 9. 1920.
long-staple, comparisons. D.B. 359, pp. 4-7, 17-18. 1916.
part in pink bollworm spread. D.B. 918, pp. 35, 55. 1921.
percentages obtained from Meade and sea-island cottons. D.B. 946, p. 3. 1921.
seed in planting, cause and prevention. D.B. 668, pp. 1-2, 3-7, 10-12. 1918.
tinged and stained, in manufacturing tests. D.B. 990, pp. 3-4, 11. 1921.
use in packing, dangers, restrictions. F.H.B.S.R.A. 41, pp. 69-70. 1917; F.H.B.S.R.A. 52, p. 59. 1918.
See also Cotton waste.
disposal, on cut-over land. F.B. 974, pp. 4-6. 1918.

Waste(s)—Continued.
  dumping in water, dangers. Off. Rec. vol. 1, No. 33, p. 4. 1922.
  economic, from soil erosion. R. O. E. Davis. Y.B., 1913, pp. 207-220. 1914; Y.B. Sep. 624, pp. 207-220. 1914.
  eggs, reduction work of egg and poultry demonstration car. M. E. Pennington and others. Y.B., 1914, pp. 363-380. 1915; Y.B. Sep. 647, pp. 363-380. 1915.
  farm—
    causes and correction. A. F. Woods. Y.B., 1908, pp. 195-216. 1909; Y.B. Sep. 475, pp. 195-216. 1909.
    products, in marketing. Y.B., 1914, pp. 187, 198. 1915; Y.B. Sep. 637, pp. 187, 198. 1915.
    use as fertilizer and to prevent erosion. F.B. 981, pp. 12-13. 1918.
    utilization in feeding livestock. F.B. 873, pp. 12. 1917; M.C. 12, p. 8. 1924.
    value in soil improvement. F.B. 986, p. 9. 1918.
  feed—
    stuffs, United States. Rpt. 112, pp. 9, 14, 15-16, 18, 27. 1916.
    utilization by hogs. F.B. 874, pp. 3, 5. 1917.
  fish—
    canneries, value as fertilizer, composting. F.B. 320, pp. 6-7. 1908.
    disposal methods. D.B. 150, pp. 25-27. 1915.
    Pacific coast, utilization for manufacture of fertilizer. J. W. Turrentine. D.B. 150, pp. 71. 1915.
    value as feed and fertilizer. D.B. 378, pp. 1-11, 18, 19-20. 1916.
  flax, imported, quantity and value. D.B. 322, pp. 2, 5, 13. 1916.
  food—
    and time, avoidance, problem of housekeeper. Y.B., 1913, pp. 159-161. 1914; Y.B. Sep. 621, pp. 159-161. 1914.
    or by-products, label provisions, regulation 22. Sec. Cir. 21, rev., p. 11. 1922.
  forest—
    products. Off. Rec., vol. 3, No. 47, pp. 1, 5. 1924.
    resources. Rpt. 114, pp. 64-66, 73. 1917.
  from resinous woods, pulp, paper, and other products. F. P. Veitch and J. L. Merrill. Chem. Bul. 159, pp. 28. 1913.
  fruit and vegetables, saving by canning, instructions. S.R.S. Doc. 17, pp. 6. 1915.
  fuel, in dairy work, importance of reduction. D.B. 747, p. 1. 1919.
  fumigating chemicals, injury to roots. Ent. Bul. 90, pp. 50-51. 1912.
  gates, uses, types, construction methods. D.B. 115, pp. 59-61. 1914.
  grape-juice industry, utilization, cost, and profits. D.B. 952, pp. 24. 1921.
  handling in fruit evaporation. D.B. 1141, pp. 44-45. 1923.
  home and farm, discussion. O.E.S. Bul. 256, pp. 18-19. 1913.
  household, care and disposal, receptacles. F.B. 1133, p. 6. 1920.
  in marketing, reduction. Frank Andrews. Y.B., 1911, pp. 165-176. 1912; Y.B. Sep. 558, pp. 165-176. 1912.
  industrial—
    C. H. MacDowell. M.C. 39, pp. 15-19. 1925.
    sources of fertilizer. Wm. H. Ross. Y.B., 1917, pp. 177, 178, 253-263. 1918; Y.B. Sep. 728, pp. 13. 1918; Y.B. Sep. 730, pp. 3, 4. 1918.
  kitchen, use as feed and in compost. Y.B., 1917, p. 283. 1918; Y.B. Sep. 733, p. 3. 1918.
  land—
    and wasted land on farms. James S. Ball. F.B. 745, pp. 18. 1916.
    expense to farmers. News L., vol. 4, No. 7, pp. 1, 4. 1916.
    forest production, possibility. For. Cir. 172, pp. 6, 11. 1909.
    making profitable by growing trees. F.B. 1071, pp. 29-33. 1920.
    source of insect trouble, control measures. Y.B., 1908, pp. 369, 377-378. 1909; Y.B. Sep. 488, pp. 369, 377-378. 1909.

Waste(s)—Continued.
  land—continued.
    value for sheep raising. An. Rpts., 1916, p. 20. 1917; Sec. A.R., 1916, p. 22. 1916; Y.B., 1916, p. 30. 1917.
  leaks in a nation's strength. Sec. [Misc.], "Wastes, the leaks * * *," pp. 4. 1917.
  lime, composition, and agricultural use. F.B. 921, p. 5. 1918.
  logging, forms and prevention. For. Cir. 131, pp. 5-6. 1907.
  lumber, problems in southern hardwoods. M.C. 39, pp. 43-45. 1925.
  materials, utilization. D.B. 927, pp. 1-2. 1921.
  milk—
    causes and prevention. D.B. 973, pp. 28-34. 1923.
    in making butter and cheese. Y.B., 1922, pp. 294-295. 1923; Y.B. Sep. 879, pp. 13-14. 1923.
    prevention methods. D.B. 890, pp. 5-6. 1920.
  mills and furnaces, potash sources. D.C. 61, pp. 5-6. 1919.
  municipal, utilization as fertilizer. J. W. Turrentine. Y.B., 1914, pp. 295-310. 1915; Y.B. Sep. 643, pp. 295-310. 1915.
  oily, fire danger. D.B. 801, p. 76. 1919.
  organic, fermentation from Psilocybe. Charles Thom and Elbert C. Lathrop. J.A.R., vol. 30, pp. 625-628. 1925.
  osage orange, as a substitute for fustic dyewood. F. W. Kressman. Y.B., 1915, pp. 201-204. 1916; Y.B. Sep. 670, pp. 201-204. 1916.
  paper disposition, order of the Secretary. An. Rpts., 1911, pp. 805-806. 1912; Sol. A.R., 1911, pp. 49-50. 1911.
  pea canneries, utilization for forage. B.P.I. Cir. 45, pp. 1-12. 1910.
  picker, burning, instructions. F.H.B.S.R.A. 21, pp. 81-82. 1915.
  places, burning over for destruction of southern corn rootworm. F.B. 850, p. 9. 1918.
  prevention in use of cereal foods. F.B. 817, pp. 17-21. 1917.
  products—
    burning, fertilizer value. Guam Bul. 2, p. 8. 1922.
    carriers of corn borers. F.B. 1294, p. 35. 1922.
    plant, presence in soil, nature. Soils Bul. 55, pp. 17-18, 58-60, 64-66. 1909.
    use as road binders. Y.B., 1907, p. 265. 1908; Y.B. Sep. 448, p. 265. 1908.
    utilization—
      by animals. F.B. 812, pp. 6, 10. 1917.
      studies, importance. An. Rpts., 1919, p. 160. 1920; B.P.I. Chief Rpt., 1919, p. 24. 1919; Sec. Cir. 153, pp. 6-7. 1920.
  resinous woods, supply, yields, and cost. Chem. Bul. 159, pp. 24-26. 1913.
  salmon, amount, character, composition, products, and uses. D.B. 150, pp. 16-25, 28-52. 1915.
  sardine packing, elimination, suggestions. D.B. 908, pp. 102-115. 1921.
  sawmill, and its remedy. M.C. 39, pp. 41-43. 1925.
  sheep slaughtering. F.B. 1324, p. 5. 1923.
  shrimp, utilization. D.B. 538, pp. 7-8. 1917.
  sisal—
    after decortication, value as a fertilizer, study, Hawaii. O.E.S. An. Rpt., 1912, pp. 19, 62, 102. 1913.
    value as fertilizer. Hawaii A.R., 1912, pp. 12, 59. 1913.
  skins in liming and dehairing, utilization. F.B. 1334, p. 11. 1923.
  slag, steel and iron manufacture, utilization. Soils Bul. 95, pp. 7-18. 1913.
  smelter, character and injurious qualities. Chem. Bul. 113. rev., pp. 8-9. 1910.
  sugar factories—
    composting with peats. D.C. 252, pp. 10-11. 1922.
    value as feed for dairy cows. B.A.I. Dairy [Misc.], "World's dairy congress 1923," pp. 1055-1056. 1924.
  timber—
    avoidance by production of dimension stock. M.C. 39, pp. 47-50. 1925.
    reduction possibilities. Y.B., 1922, pp. 130-135. 1923; Y.B. Sep. 886, pp. 130-135. 1923.

Waste(s)—Continued.
  tomato—
    cooperative handling for utilization, suggestions. D.B. 927, pp. 20-23. 1921.
    nature and source. D.B. 927, p. 3. 1921.
    seeds and skins, utilization. Frank Rabak. D.B. 632, pp. 15. 1917.
    utilization, cost and profits, summary. D.B. 927, pp. 20-29. 1921.
  use in manufacture of denatured alcohol. Chem. Bul. 130, pp. 27, 29, 88, 98, 99, 101, 104, 157. 1910.
  utilization—
    by hogs. Sec. Cir. 84, pp. 13-14. 1918.
    work of Forest Products Laboratory. D.C. 231, pp. 30, 35, 37, 38. 1922.
  walnut logs, utilization. D.B. 909, pp. 42-44, 56-58. 1921.
  water from reservoirs, disposition. F.B. 828, pp. 13-14. 1917.
  weevil, in southern corn, reduction. C. H. Kyle, F.B. 915, pp. 8. 1918.
  wood—
    in thinning trees, utilization and value. F.B. 1177, rev., p. 9. 1920.
    utilization—
      Samuel T. Dana. Y.B., 1920, pp. 439-462. 1921; Y.B. Sep. 856, pp. 439-462. 1921.
      work of Forest Service, 1909. An. Rpts., 1909, pp. 406-407. 1910; For. A R. 1909, pp. 38-39. 1909.
  wool—
    potash recovery. Y.B., 1916, pp. 304-305. 1917; Y.B. Sep. 717, pp. 4-5. 1917.
    scouring, utilization and value. Chem. Chief Rpt., 1921, pp. 38-39. 1921.
Wastemo, misbranding. Chem. N.J. 4144. 1916.
Wasteways for reservoirs, types illustrated. O.F.S. Bul. 249, Pt. I, pp. 55-60. 1912.
Watchman, service in fire control, cotton warehouses. D.B. 801, p. 74. 1919.
Water(s)—
  absorption by—
    flour, relation to gluten content. J.A.R., vol. 23, pp. 543-544. 1923.
    irrigated soil. O.E.S. Bul. 203, pp. 23-32, 37, 40-46, 48-52. 1908.
    plants, relation to osmotic pressure. D.B. 1059, pp. 66-70, 120. 1922.
    seed coats. F.B. 844, p. 34. 1920.
    wheat varieties. D.B. 1183, pp. 9, 28, 40, 52, 75, 84, 85. 1924.
  abundant supply and free use, necessities in cider plant. F.B. 1264, pp. 6-8. 1922.
  added, detection by freezing point of milk. B.A.I. Dairy [Misc.], "World's dairy congress, 1923," p. 1173. 1924.
  administration in Utah. R. C. Gemmell. O.E.S. Bul. 104, pp. 159-179. 1902.
  adsorption by colloidal material in soils. D.B. 1193, pp. 7-33. 1924.
  adulteration—
    "Diamond distilled." Chem. N.J. 175, pp. 2. 1910.
    "Great Bear Spring." Chem. N.J. 39-42, pp. 5-6. 1909.
  agricultural—
    duty. Soils Bul. 71, pp. 7-14, 16-32. 1911.
    reserve, economic use. Y.B., 1911, p. 490. 1912; Y.B. Sep. 585, p. 490. 1912.
  alkaline, use in irrigation of date palms. B.P.I. Bul. 53, pp. 47, 52, 76, 77, 85-96, 105, 120-121. 1904.
  allowance to cows, effect on milk composition. J.A.R., vol. 6, No. 4, pp. 169-172. 1916.
  American—
    mineral, New England States, with bacteriological examination. W. W. Skinner and G. W. Stiles, jr. Chem. Bul. 139, pp. 111. 1911.
    spring, bacterial examinations, table. D.B. 369, pp. 9-13. 1916.
  amount required for given horsepower. D.B. 718, p. 60. 1918.
  analyses—
    for irrigation purposes, discussion. Y.B., 1902, pp. 286-291. 1903.
    Great Basin region. F.B. 61, pp. 27-30, 80, 83-84, 86, 87, 88, 89. 1914.
    Great Salt Lake. J.A.R., vol. 1, p. 372. 1914.

Water(s)—Continued.
  analyses—continued.
    indexes by class and name. Chem. Bul. 139, pp. 106-107. 1911.
    methods in smelter waste investigations. Chem. Bul. 113, p. 37. 1908; rev., p. 60. 1910.
    report of referee. Chem. Bul. 152, pp. 72-82. 1912; Chem. Cir. 52, pp. 3, 4-14. 1910.
    results. J. K. Haywood. Y.B., 1902, pp. 283-294. 1903; Y.B. Sep. 272, pp. 283-294. 1903.
  and aqueous solutions, action upon soil carbonates. Frank K. Cameron and James M. Bell. Soils Bul. 49, pp. 64. 1907.
  anthracnose spreading agency. D.B. 727, pp. 34-42. 1918.
  application—
    cost and amount, alfalfa irrigation. F.B. 373, pp. 19, 20, 23, 24, 33-35. 1909.
    method, effect on evaporation from soil. J.A.R., vol. 7, pp. 457-458. 1916.
    to crops—
      methods. Samuel Fortier. Y.B., 1909, pp. 293-308. 1910; Y.B. Sep. 514, pp. 293-308. 1910.
      on eastern farms, methods and cost. F.B. 899, pp. 27-35. 1917.
      studies in California. O.E.S. Cir. 108, pp. 23-27. 1911.
  apportionment in irrigation districts. D.B. 1177, pp. 36-37. 1923.
  appropriation(s)—
    Kings River (Calif.). C. E. Grunsky. O.E.S. Bul. 100, pp. 259-325. 1901.
    legal rights, suggestions and warnings to settlers. O.E.S. Bul. 214, pp. 61-64. 1909.
    Logan River. George L. Swendsen. O.E.S. Bul. 124, pp. 301-316. 1903.
  areas, preservation for game. Biol. Chief Rpt., 1924, p. 33. 1924.
  artesian—
    analysis, and supply in Louisiana, Lake Charles area. Soils F.O., 1901, p. 646. 1902; Soils F.O. Sep. 1901, p. 646. 1903.
    rights of farmers in Western States. D.B. 913, pp. 8-9. 1920.
  artificially treated, labeling, food inspection opinion. Chem. S.R.A. 5, p. 313. 1914.
  bacteriological analysis, methods. Chem. Bul. 139, pp. 22-29. 1911.
  bags, equipment for fire fighting in forests. For. Bul. 113, p. 17. 1912.
  bearing gravels tributary to underground water supply, of Salinas Valley, Calif. O.E.S. Bul. 100, p. 130. 1901.
  belly, sheep, cause, symptoms, and treatment. F.B. 1155, p. 19. 1921.
  bituminous emulsions, tests. D.B. 1216, pp. 69-71. 1924.
  boiler—
    analysis, discussion. Y.B., 1902, pp. 293-294. 1903.
    feed, and wash water, heating with exhaust steam, in milk plants, creameries, and dairies. John S. Bowen. B.A.I. Cir. 209, pp. 13. 1913.
  bottled—
    bacteria content. D.B. 369, pp. 1-14. 1916.
    pollution, causes and dangers. Chem. Bul. 139, pp. 22-23. 1911.
  brackish, effect on crops, irrigation experiments. Hawaii A.R., 1923, p. 11. 1924.
  bug(s)—
    control directions. F.B. 1180, p. 28. 1921.
    exterminator, composition. Chem. Bul. 76, pp. 47-48. 1903.
    poison, misbranding. I. and F. Bd. S.R.A. 9, pp. 16-17. 1915.
    See also Roaches.
  California resources, uses and value. O.E.S. Bul. 237, pp. 14-28. 1911.
  canning, character. S.R.S. Doc. 33, p. 4. 1917.
  capacity—
    Nebraska soils, and hygroscopic coefficients. J.A.R., vol. 7, pp. 348-359. 1916.
    soils, studies. J.A.R., 13, pp. 1-36. 1918.
  capillary movement in soils. D.B. 355, pp. 26-28. 1916; D.B. 521, pp. 13-14. 1917; D.B. 1221, pp. 1-23. 1924; Hawaii Bul. 38, pp. 9-17. 1915.
  carbonated, labeling, opinion. Chem. S.R.A. 2, pp. 24-25. 1914.

Water(s)—Continued.
 carrying capacity of soil material. D.B. 180, pp. 2-4, 22, 23. 1915.
 channel flow, computation, value of Kutter's formula. D.B. 832, pp. 1-2. 1920.
 clean, procuring on farm. Robert W. Trullinger. Y.B., 1914, pp. 139-156. 1915; Y.B. Sep. 634, pp. 139-156. 1915.
 clear, distinction from clean water. Y.B., 1914, pp. 139-140. 1915; Y.B. Sep. 634, pp. 139-140. 1915.
 closets, farmhouse plumbing. F.B. 1426, pp. 21-23. 1924.
 Colorado rivers, stream flow, measurements. O.E.S. Bul. 218, pp. 14-23. 1910.
 commercial bottled, bacteria in. Maud Mason Obst. D.B. 369, pp. 14. 1916.
 composition, chemical and physical agencies affecting. Chem. Bul. 139, pp. 11-13. 1911.
 conduits, wooden and concrete. O.E.S. Bul. 158, pp. 368-373. 1905.
 conservation—
  flood and storm water, use for irrigation in South Dakota. O.E.S. Bul. 210, pp. 57-59. 1909.
  in semiarid soils, methods. F.B. 773, pp. 8-9. 1916.
  relation of forest growth. For. Cir. 171, pp. 3-4. 1909.
 consumption, estimate per person. Soils Bul. 71, pp. 13-14. 1911.
 contaminated—
  diseases caused by. F.B. 941, pp. 5-6. 1918.
  source of disease in horse epidemics. B.A.I. An. Rpt., 1906, pp. 165, 167. 1908; B.A.I. Cir. 122, pp. 1, 3. 1908.
 content—
  of alfalfa soils, before and after irrigation. J.A.R., vol. 13, pp. 8-28. 1918.
  of corn and sorghum leaves, daily variation. Edwin C. Miller. J.A.R., vol. 10. pp. 11-46. 1917.
  of grain kernels, relation to development. J.A.R., vol. 23, pp. 333-360. 1923.
  of lemons, loss in curing. B.P.I. Cir. 26, pp. 10-11. 1909.
  optimum, significance. Soils Bul. 50, p. 8. 1908.
 control—
  and use, laws of—
   New Mexico. O.E.S. Bul. 215, pp. 33-36. 1909.
   South Dakota. O.E.S. Bul. 210, pp. 46-51. 1909.
  hill land, forms and necessity. S.R.S. Doc. 41, pp. 1-2. 1917.
 conveyance for irrigation on farms, methods. F.B. 899, pp. 9-11. 1917.
 cooler, care. F.B. 375, pp. 42-43. 1909.
 core, apple(s)—
  description, cause, and varieties susceptible. F.B. 1160, p. 10. 1920.
  on market, inspection data, 1917-1920. D.B. 1253, pp. 5, 6, 22, 23. 1924.
 cost and duty in 1904, for sixty irrigation pumping plants. O.E.S. Bul. 158, pp. 87-90. 1905.
 courses, effects of forest destruction on mountain slopes. For. Cir. 168, pp. 9-11, 16, 27-30. 1909.
 cress
  leaf beetle—
   F. H. Chittenden. Ent. Bul. 66, Pt. II, pp. 16-20. 1907; Ent. Bul. 66, pp. 16-20. 1910.
   description, life history, food plants, and control. Ent. Bul. 66, pp. 16-20, 96. 1910.
  leaf blight, occurrence and description, Texas. B.P.I. Bul. 226, pp. 104, 109. 1912.
  new method for extermination of Spirogyra. Y.B., 1902, pp. 178-185. 1903.
  sowbug—
   F. H. Chittenden. Ent. Bul. 66, Pt. II, pp. 11-15. 1907; Ent. Bul. 66, pp. 11-15. 1910.
   description, control. Ent. Bul. 66, pp. 11-15, 97. 1910.
  use and value as salad. News L., vol. 4, No. 38, p. 11. 1917.
  value as duck food, description, distribution, and propagation. D.B. 205, pp. 19-22. 1915.
 crystal lithium, adulteration and misbranding. Chem. N.J. 4174. 1916.

Water(s)—Continued.
 cucumber requirements. F.B. 1320, p. 23. 1923.
 cultures, plant absorption of nutrients, experiments. J.A.R., vol. 18, pp. 86-101. 1919.
 cutting stream, use in hydraulic construction. F.B. 828, p. 23. 1917.
 danger in impurity. F.B. 1448, p. 3. 1925.
 deep-well, mixing with emulsified lubricating oils. D.B. 1217, pp. 1-6. 1924.
 delivery—
  annual cost, summary for 17 typical systems. O.E.S. Bul. 229, p. 96. 1910.
  to irrigators. Frank Adams. O.E.S. Bul. 229, pp. 99. 1910.
 determination in—
  bitumens. D.B. 949, p. 58. 1921.
  canned meats. Chem. Bul. 13, Pt. X, p. 1395. 1902.
  flour and meal, flash for. John H. Cox. D.B. 56, pp. 7. 1914.
  foods, report of referee. Chem. Bul. 105, pp. 38-65. 1907; Chem. Bul. 116, p. 25. 1908; Chem. Bul. 132, pp. 150-153, 165. 1910; Chem. Bul. 137, pp. 138-141. 1911; Chem. Bul. 152, p. 167. 1912; Chem. Bul 162, pp. 138-139, 164. 1913.
  milk powder. B.A.I. Dairy [Misc.], "Worlds' dairy congress, 1923," pp. 1154-1157. 1924.
 development on New Mexico stock ranges, importance and methods. D.B. 211, pp. 30-31, 38. 1915.
 discharge—
  formulas, derivation and tables. D.B. 1110, pp. 5-12. 1922.
  tables, for weirs of different shapes. F.B. 813, pp. 13, 15, 17. 1917.
 disposition and movement. F.B. 941, pp. 6-7. 1918.
 distilled—
  filtering. Soils Bul. 56, p. 15. 1909.
  for drinking purposes. F.B. 124, pp. 5-7. 1901.
  preparation. Soils Bul. 70, p. 24. 1910.
  properties, discussion. Soils Bul. 36, pp. 57-71. 1907.
  use in farm homes, value. D.B. 57, p. 6. 1914.
 distribution—
  and delivery, studies, California. O.E.S. Cir. 108, pp. 21-23. 1911.
  and use, California, Modesto and Turlock Irrigation Districts. O.E.S. Bul. 158, pp. 93-136. 1905.
  arid States, recent legislation. O.E.S. An. Rpt., 1909, pp. 406-407. 1910.
  in irrigation, Eastern States. F.B. 899, pp. 18-27. 1917.
  in soil in furrow irrigation. R. H. Loughridge. O.E.S. Bul. 203, pp. 63. 1908.
  methods in—
   Pomona Valley, Calif., cost. O.E.S. Bul. 236, rev, pp. 55-65. 1912.
   Washington. O.E.S. Bul. 214, p. 58. 1909.
  systems, requirements, duties of ditch tenders. O.E.S. Bul. 15s, pp. 129-134. 1905.
  to farmers from streams or canals, methods in use. D.B. 913, p. 13-14. 1920.
  to fields, methods in western Oregon. O.E.S. Bul. 226, pp. 31-34. 1910.
 domestic—
  consumption per year, uses and waste. Y.B., 1911, pp. 489-490. 1912; Y.B. Sep. 585, pp. 489-490. 1912.
  use, characteristics, studies. F.B. 941, pp. 8-10. 1918.
 drainage—
  and seepage, analyses for alkali. D.B. 502, pp. 7-11. 1917.
  as factor in regulation, notes. Y.B., 1902, p. 232. 1903.
  cause of plant-disease distribution. News L., vol. 5, No. 45, p. 4. 1918.
  responsibility for dissemination of plant diseases. F. B. 488, p. 8. 1912.
 drinking—
  disinfection. F.B. 1448, pp. 10-12. 1925.
  suggestions. F.B. 262, pp. 5-7. 1906.
 duty—
  agricultural. Soils Bul. 71, pp. 7-14, 16-32. 1911.

Water(s)—Continued.
  duty—continued.
    by streams, canals, and ditches, measurements. O.E.S. An. Rpt., 1908, pp. 363-370. 1909.
    definition. D.B. 1340, p. 3. 1925.
    determinations, various crops in California. O. E. S. Cir. 108, pp. 12-18. 1911.
    gross and net, measurement methods. O.E.S. An. Rpt., 1908, pp. 363-370. 1909.
    in—
      California, King's River. O.E.S. Bul. 100, p. 259. 1901.
      Montana. O.E.S. Bul. 172, pp. 27-32, 57-89. 1906.
      orchard irrigation. F.B. 404, pp. 25-27. 1910; F.B. 882, pp. 28-31. 1917.
      Pomona Valley, Calif. O.E.S. Bul. 236, pp. 86-90. 1911; rev., 1912.
      rice irrigation in Texas and Louisiana. O.E.S. Bul. 158, pp. 526-533. 1905.
      Sacramento Valley, Calif. O.E.S. Bul. 207, pp. 41-43, 82-99. 1909.
      southern Texas. O.E.S. Bul. 158, pp. 482-483. 1905.
      Yakima Valley, Wash. O.E.S. Bul. 158, pp. 273-278. 1905.
      Raft River, Idaho. O.E.S. Bul. 158, pp. 292-295. 1905.
      under Gage Canal, Riverside, Calif., 1900. W. Irving. O.E.S. Bul. 104, pp. 137-146. 1902.
      under typical ditches, in Santa Clara Valley, Calif. O.E.S. Bul. 158, pp. 82-85. 1905.
      Yuba River, Calif. O.E.S. Bul. 100, p. 130. 1901.
    See also Irrigation.
  economy of dry-land crops. Thos. H. Kearney and H. L. Shantz. Y.B., 1911, pp. 351-362. 1912; Y.B. Sep. 574, pp. 351-362. 1912.
  effect on—
    availability of iron in soil. J.A.R., vol. 20, pp. 54-58. 1920.
    bacterial activities of the soil. J.A.R., vol. 6, No. 23, pp. 889-926. 1916; J.A.R., vol. 9, pp. 293-341. 1917.
    hypertrophy of conifers. J.A.R., vol. 20, pp. 258-262. 1920.
    milk composition from mixing in feeds of dairy cows. J.A.R., vol. 6, No. 4, pp. 167-178. 1916.
    phylloxera. D.B. 903, pp. 98-100. 1921.
    pine seedlings. J.A.R., vol. 21, No. 3, pp. 158-159. 1921.
    rock powders. Allerton S. Cushman. Chem. Bul. 92, pp. 24. 1905.
    tempering of wheat. J.A.R., vol. 20, pp. 272-275. 1920.
    wheat growth, nitrogen content, and location. J.A.R., vol. 24, pp. 943-944, 946-948. 1923.
  electrolytic dissociation, measuring, new method for. C. S. Hudson. Chem. Cir. 45, pp. 2. 1909.
  elm—
    other names. D.B. 205, p. 10. 1915.
    value as duck food, description, distribution, and propagation. D.B. 205, pp. 9-12. 1915.
  evaporation—
    from irrigated soil. O.E.S. Bul. 203, p. 51. 1908.
    losses from orchard soils. F.B. 882, pp. 31-35. 1917.
  exchange system, Colorado reservoirs. O.E.S. Bul. 218, pp. 36-38. 1910.
  expansion, volume at different temperatures, table. D.B. 1022, p. 15. 1922.
  extract of soil, effect of various crops. J.A.R., vol. 20, pp. 663-667. 1921.
  extractions of soils as criteria of their crop-producing power. John S. Burd. J.A.R., vol. 12, pp. 297-309. 1918.
  extracts, relation to soil solution. J.A.R., vol. 12, pp. 387-391. 1918.
  factor in plant growth. Y.B., 1911, pp. 351-353. 1912; Y.B. Sep. 574, pp. 351-353. 1912.
  farm—
    home supplies, classification. F.B. 270, pp. 3-9. 1906; F.B. 941, pp. 10-17. 1918.
    pumping and distribution, suggestions. Y.B., 1908, p. 201. 1909; Y.B. Sep. 475, p. 201. 1909.

Water(s)—Continued.
  farm—Continued.
    storing for irrigation and livestock by reservoirs. News L., vol. 5, No. 16, p. 4. 1917.
  supply(ies)—
    and storage conveniences. F.B. 270, pp. 3-7. 1906.
    care in source and use. Y.B., 1908, p. 201. 1909; Y.B. Sep. 475, p. 201. 1909.
    Minnesota. Karl F. Kellerman and H. A. Whittaker. B.P.I. Bul. 154, pp. 87. 1909.
    purity requirements and methods. News L., vol. 6, No. 21, p. 2. 1918.
    sanitary studies and examples. F.B. 941, pp. 4-6. 1918.
  filtration, effect on typhoid incidence, District of Columbia. B.A.I. Cir. 153, pp. 14-18. 1910.
  flood storage in Texas. O.E.S. Bul. 158, pp. 335-337. 1905.
  flow—
    drainage, experiments, measurements, computation, and channel descriptions. D.B. 832, pp. 1-58. 1920.
    experiments in drainage ditches, number and location. D.B. 832, p. 2. 1920.
    in drain tile. D. L. Yarnell and Sherman M. Woodward. D.B. 854, pp. 50. 1920.
    in dredged drainage ditches, results of experiments to determine roughness coefficient n, in Kutter's formula. C. E. Ramser. D.B. 832, pp. 60. 1920.
    in irrigation channels. Fred C. Scobey. D.B. 194, pp. 68. 1915.
    in pipes, friction for different diameters. F. B. 866, p. 11. 1917.
    in tile, measurement, formulae, and comparisons. D. B. 854, pp. 9-12, 34-49. 1920.
    in wood-stave pipe. Fred C. Scobey and others. D.B. 376, pp. 96. 1916.
    measurement, use of—
      current meters in irrigation canals. J.A.R., vol. 5, No. 6, pp. 217-232. 1915.
      submerged rectangular orifices. J.A.R., vol. 9, pp. 97-114. 1917.
      weir notch with thin edges and full contractions. J.A.R., vol. 5, No. 23, pp. 1051-1113. 1916.
    new formulas. D.B. 376, pp. 48-54. 1916.
    velocity, formulas, description and discussion. D.B. 376, pp. 4-14, 48-57. 1916.
  flowing—
    evaporation studies. J.A.R., vol. 10, pp. 227-229. 1917.
    part in pink bollworm spread. D.B. 918, pp. 36-38. 1921.
    phylloxera spread. D.B. 903, pp. 117-120. 1921.
    transporting capacity, table. O.E.S. Bul. 249, Pt. I, p. 70. 1912.
  for—
    chickens, fountain. F.B. 1107, p. 7. 1920.
    horses, quality, quantity, and time of giving. B.A.I. [Misc.], "Diseases of the horse," rev., pp. 34-36. 1903; rev., pp. 34-36. 1907; rev., pp. 34-36. 1911; rev., pp. 49-50. 1923.
    irrigation—
      purposes, storage. Samuel Fortier and F.L. Bixby. O.E.S. Bul. 249, Pt. I, pp. 95. 1912; O.E.S. Bul. 249, Pt. II, pp. 64. 1912.
      wood pipe for conveying. S. O. Jayne. D.B. 155, pp. 40. 1914.
    stock, purity requirements. Sec. Cir. 156, p. 9. 1922.
  freezing in barrels, prevention. D.B. 801, pp. 62-63. 1919.
  fresh, use and value in control of waterfowl mortality, methods, and birds recovered. D.B. 217, pp. 8-10. 1915.
  friction in flowing through pipes, determination, table. F.B. 394, pp. 12-13. 1910.
  from—
    different soils and strata, character. F.B. 549, p. 8. 1913.
    Logan River, appropriation. George L. Swendsen. O.E.S. Bul. 124, pp. 301-316. 1903.
    mining tunnels, use for stock. F.B. 592, p. 20. 1914.
    Wood Rivers, Idaho, use in irrigation. J. D. Stannard. O.E.S. Bul. 133, pp. 71-98. 1903.

INDEX TO PUBLICATIONS, 1901-1925   2565

Water(s)—Continued.
front, village, beautification. F.B. 1441, pp. 30-31. 1925.
geographical names, regulation of labels. Chem. F.I.D. 94, p. 2. 1908.
glass, egg preservation method. B.A.I. Doc. A-30, pp. 1-2. 1917; B.A.I. Doc. A.H.G-25, pp. 3-4. 1918; D.B. 471, p. 22. 1917; D.C. 15, p. 3. 1919; D.C. 36, pp. 13-14. 1919; F.B. 287, p. 41. 1907; F.B. 287, rev., p. 33. 1921; F.B. 296, pp. 29-31. 1907; F.B. 353, pp. 14-15. 1909; F.B. 594, pp. 4, 14. 1914; F.B. 830, pp. 5-6. 1917; F.B. 889, pp. 21-22. 1917; F.B. 1109, p. 3, 1920; F.B. 1331, p. 19. 1923; News L., vol. 5, No. 29, p. 8. 1918; News L., vol. 6, No. 2, p. 4. 1918; News L., vol. 6, No. 46, p. 9. 1919; S.R.S. Doc. 75, pp. 1-2, 1918; S.R.S. Doc. 91, pp. 13-14. 1919.
good, characteristics. F.B. 1448, p. 5. 1925.
grass(es)—
Australian, history, description, and growth in Hawaii. Hawaii Bul. 36, pp. 11, 13, 14-17, 39, 41. 1915.
large—
testing for forage crop, Guam. O.E.S. An. Rpt., 1910, p. 505. 1911.
use on shady lawns. F.B. 494, p. 34. 1912.
See also Dallis grass.
occurrence and control in rice fields. F.B. 1240, pp. 20-23. 1924.
See also Paspalum grass.
ground—
alfalfa injury, and testing for injurious salts. F.B. 373, pp. 44-45. 1909.
and alkali, studies, Nevada. B.P.I. Cir. 122, pp. 22-23. 1913.
Arizona, area and location. O.E.S. Bul. 235, pp. 53-56. 1911.
damage to land and crops, Fresno County, Calif. O.E.S. Bul. 217, pp. 9-19. 1909.
infiltration galleries, description. F.B. 941, pp. 36-37. 1918.
measurement and analyses, Worden tract, Montana. D.B. 135, p. 5. 1914.
movements. F.B. 371, pp. 45-47. 1909.
origin. Chem. Bul. 139, pp. 10-11. 1911.
records, drainage, and test wells. O.E.S. Bul. 158, pp. 645-652. 1905.
relation to—
soil, studies, 1910. An. Rpts., 1910, pp. 506-507. 1911; Soils Chief Rpt., 1910, pp. 18-19. 1910.
wet cellars. Y.B., 1919, pp. 426-428. 1920; Y.B. Sep. 824, pp. 426-428. 1920.
rise in alfalfa fields and effects on crop. F.B. 865, pp. 39-40. 1917.
sources. F.B. 1448, pp. 12-13. 1925.
suitability for farm supply, description and methods of securing. F.B. 941, pp. 21-37. 1918.
table, effect of shallow well pumping. J.A.R., vol. 11, pp. 339-357. 1917.
hard—
softening, directions. F.B. 933, p. 23. 1918.
softening for cooking purposes. D.B. 123, p. 42. 1916.
treatment with Bordeaux-mixture for oil emulsions. D.B. 1178, p. 21. 1923.
Harris Springs, adulteration and misbranding Chem. S.R.A. Sup. 19, p. 701. 1916.
Hawaiian, analyses. Hawaii A.R., 1908, p. 62. 1908.
heater for milk-house conveniences. Sec. [Misc.], Spec., "Production and care of * * *," p. 5. 1915.
heating by exhaust steam, saving effected in fuel. B.A.I. Cir. 209, pp. 4-6, 10. 1913.
hemlocks—
characters, distribution, poison, and damage. Y.B., 1900, pp. 310-314. 1901.
poisoning symptoms. B.A.I. [Misc.], "Diseases of cattle," rev., p. 66. 1923.
stock poisoning, cause and control. F.B. 536, pp. 3-4. 1913; F.B. 720, pp. 4, 7. 1916.
See also Cicuta.
holding capacity of—
silt-loam soil, influence of organic matter. J.A.R., vol. 16, pp. 263-278. 1919.
soils and subsoils. J.A.R., vol. 27, pp. 618-624. 1924.

Water(s)—Continued.
hot—
acid, and alkalis, destruction of enzym invertase by. H. S. Paine. Chem. Cir. 59, pp. 5. 1910.
effect in destruction of the enzym invertase. Chem. Cir. 59, pp. 1-5. 1910.
grain treatment, for smut, directions. F.B. 939, pp. 21-24. 1918.
treatment of sugar-cane insect pests—a precaution. P. A. Yoder and J. W. Ingram. D.C. 303, pp. 4. 1923.
use in treatment of grain smuts, methods. F.B. 507, pp. 15-18, 26-27, 31, 32. 1912.
hyacinth, drainage-canal obstruction in Louisiana. O.E.S. An. Rpt., 1909, pp. 434-435. 1910.
importance in feeding children. F.B. 717, rev., pp. 19-20. 1920.
imported, bacteriological examination. D.B. 369, p. 5. 1916.
impounding in bayou to control breeding of malaria mosquitoes. D. L. Van Dine. D.B. 1098, pp. 22. 1922.
in butter, effects. F.B. 133, pp. 30-31. 1901.
injury—
by smelter wastes, methods of analysis. Chem. Bul. 113, p. 37. 1908.
to wool. D.B. 206, pp. 8, 30. 1915.
interstate, legislative needs. O.E.S. Bul. 210, pp. 40, 59-60. 1909.
irrigation—
acidulation in potato growing, experiments. B.P.I. Cir. 127, pp. 9-10. 1913.
agency in spread of hog cholera. D.R.P. Cir. 1, pp. 18, 22. 1915.
and manure, influence on corn kernel. J.E. Greaves and D. H. Nelson. J.A.R., vol. 31, pp. 183-189. 1925.
application—
methods, grain growing. F.B. 863, pp. 4-14. 1917.
to furrows, directions and cost. F.B. 404, pp. 20-22. 1910.
comparison with underground waters. J.A.R., vol. 27, pp. 678-683. 1924.
cost—
and value in Sacramento Valley, Calif. O.E.S. Bul. 207, pp. 24-27, 50-51, 67-68, 73-74, 81-99. 1909.
ditches and pumping plants. O.E.S. Bul. 158, pp. 90-91. 1905.
in Modesto-Turlock area, California. Soil Sur. Adv. Sh., 1908, p. 60. 1909; Soils F.O., 1908, p. 1284. 1911.
delivery problem. O.E.S. Bul. 207, pp. 24-27, 46-51, 62-63, 67-68. 1909.
distribution methods, Pomona Valley, Calif. O.E.S. Bul. 236, pp. 55-65. 1911.
duty, experiments. D.C. 342, pp. 13-16. 1925.
effect on nitrates and soluble salts of the soil. J.A.R., vol. 8, pp. 333-359. 1917.
fertilizing value. F.B. 132, pp. 26-29. 1901.
flow through weir notches with thin edges and full contractions. J.A.R., vol. 5, No. 23, pp. 1051-1113. 1916.
for farms, obtaining. F.B. 864, pp. 5-8. 1917.
for rice growing, sources. F.B. 1240, p. 3. 1924.
from Los Angeles River, Calif., distribution, use, and cost. O.E.S. Bul. 100, pp. 343-346. 1901.
in—
central semiarid Great Plains, limitations. B.P.I. Bul. 215, pp. 17-18. 1911.
Florida, sources. D.B. 462, pp. 18-19. 1917.
Idaho, economical use, experiments. Don H. Bark. D.B. 339, pp. 58. 1916.
Modesto-Turlock districts, California, distribution and use. Frank Adams. O.E.S. Bul. 158, pp. 93-136. 1905.
relation to crop production. D.B. 1340, pp. 13-19. 1925.
Saharan Algeria, analyses. B.P.I. Bul. 53, pp. 72-99. 1904.
injury by smelter wastes. Chem. Bul. 113, rev., pp. 22, 32-33. 1910.
lavish use as cause of serious difficulties. Y.B., 1909, pp. 202-205. 1910; Y.B. Sep. 505, pp. 202-205. 1910.

Water(s)—Continued.
 irrigation—continued.
  loss(es)—
   and their prevention. O.E.S. An. Rpt., 1907, pp. 369-386. 1908.
   by seepage from canals, Western States. D.B. 126, pp. 2-37. 1915.
   in transit. O.E.S. Bul. 158, p. 85. 1905.
   in transmission, causes and control methods. O.E.S. An. Rpt., 1908, pp. 371-379, 380-383. 1909.
   prevention. F.B. 864, pp. 34-35. 1917.
  measurement, use of Venturi flume. J.A.R., vol. 9, pp. 115-129. 1917.
  measuring flume, short-box, for farmers. D.B. 1110, pp. 1-14. 1922.
  methods of applying to grain crops. F.B. 399, pp. 4-14. 1910.
  penetration, rate and measurement. J.A.R., vol. 27, pp. 626-631. 1924.
  percolation rate and factors influencing. J.A.R., vol. 27, pp. 631-635. 1924.
  proportional division box, description. F.B. 1348, p. 6. 1923.
  quality, relation to land reclamation. Carl S. Scofield and Frank B. Headley. J.A.R., vol. 21, pp. 265-278. 1921.
  quantities applied to various crops. O.E.S. An. Rpt., 1908, p. 370. 1909.
  relation to crop production in Great Basin. D.B. 1340, pp. 13-19. 1925.
  root-knot spread. F.B. 1345, p. 12. 1923.
  sediment, value as fertilizer. F.B. 281, pp. 8-16. 1907.
  source of alkali salts. J.A.R., vol. 10, pp. 332-333. 1917.
  sources. Y.B., 1920, pp. 203, 206, 213-214. 1921. Y.B. Sep. 839, pp. 203, 206, 213-214. 1921.
  spread of sugar-beet nematodes. F.B. 1248, p. 12. 1922.
  units of measure. F.B. 813, pp. 17-18. 1917.
  use, possibilities, storage, and loss prevention. O.E.S. Bul. 236, rev., pp. 95-99. 1912.
  value and waste. Y.B., 1908, p. 465. 1909; Y.B. Sep. 495, p. 465. 1909.
  waste by use of earth ditches. B.P.I. Cir. 132, p. 16. 1913.
 laboratory, organization and duties. Chem. Cir. 14, p. 9. 1908.
 laws—
  arid region, evolution. O.E.S. Bul. 105, pp. 10-13. 1901.
  decisions in Oregon. O.E.S. Bul. 209, pp. 46-55. 1909.
  governing in California. O.E.S. Bul. 237, pp. 38-41. 1911.
  in Italy. O.E.S. Bul. 190, pp. 62-79. 1907.
  in Texas. O.E.S. Bul. 222, pp. 77-83. 1910.
 lily—
  aphid, occurrence on plum trees, description, habits, and control. F.B. 1128, pp. 17-18, 47-48. 1920.
  banana, description, distribution, and propagation. D.B. 58, pp. 14-19. 1914; D.B. 465, pp. 39-40. 1917.
  food for ducks, various names, and propagation methods. D.B. 465, pp. 35-36. 1917.
  food of shoal-water ducks. D.B. 862, pp. 7, 14, 25, 34, 42, 53. 1920.
  genera, description and identification, comparison. D.B. 58, p. 15. 1914.
  importations and description. No. 36258, B.P.I. Inv. 36, p. 68. 1915; No. 46464, B.P.I. Inv. 56, p. 18. 1922; No. 54982, B.P.I. Inv. 71, p. 9. 1923.
  occurrence in fresh-water bogs, Washington, eastern Puget Sound Basin. Soil Sur. Adv. Sh., 1909, p. 29. 1911; Soils F.O., 1909, p. 1541. 1912.
 lime solubility. Soils Bul. 49, pp. 20-22. 1907.
 lithia, "Londonderry," misbranding. Chem. N.J. 822, pp. 3. 1911.
 loss(es)—
  due to percolation in irrigated orchard. F.B. 882, pp. 35-37. 1917.
  from reservoirs. F.B. 828, pp. 6-9. 1917.
  in irrigation, prevention. R. P. Teele. O.E.S. An. Rpt., 1907, pp. 369-386. 1908.
  seepage and evaporation. O.E.S. Bul. 158, pp. 35-38. 1905.

Water(s)—Continued.
 meal, use of term. D.B. 214, p. 4. 1915.
 measurement(s)—
  by Cipolletti weirs, Idaho irrigation. D.B. 339, pp. 3-4. 1916.
  cup current meters, experiments. J.A.R., vol. 2, pp. 77-83. 1914.
  devices. O.E.S. Bul. 229, pp. 15, 18, 21, 24, 30, 46, 47, 73-75, 80, 98. 1910.
  equipment and methods. D.B. 376, pp. 16-26. 1916.
  for irrigation ditches. F.B. 864, p. 9. 1917.
  in open channels, studies. J.A.R., vol. 9, pp. 97-114. 1917.
  in rice irrigation, comparison, four years. O.E.S. Bul. 158, pp. 533-534. 1905.
  miner's method, discussion. F.B. 138, pp. 9-11. 1901.
  on farms and under canal systems. D.B. 339, pp. 43-46. 1916.
  pressure and velocity. D.B. 718, pp. 57-58. 1918.
  studies. J.A.R., vol. 9, pp. 115-129. 1917.
 medication for mite control with chickens. D.B. 1228, p. 3. 1924.
 medicinal and table, labeling. F.I.D. 93-95, pp. 2-3. 1908.
 meters—
  authorization to Agriculture Secretary, appropriation. Sol. [Misc.], "Laws applicable * * * Agriculture," Sup. 2, p. 14. 1915.
  ratings, standard, variations in field use. J.A.R., vol. 2, pp. 77-83. 1914.
 method of use in irrigation. O.E.S. Cir. 92, pp. 21-22. 1910.
 mineral—
  adulteration and misbranding. See Indexes to Notices of Judgment in bound volumes of Chemistry Service and Regulatory Announcements.
  Buffalo Lithia, misbranding. Sol. Cir. 78, pp. 1-4. 1914.
  condition, improvement by food and drugs act. News L., vol. 5, No. 23, p. 7. 1918.
  decision by Justice Lamar, case of "Imperial Spring Water." Sol. Cir. 58, pp. 1-4. 1911.
  definition. Chem. Bul. 139, pp. 7-8. 1911.
  in New England States, with bacteriological examination. W. W. Skinner and G. W. Stiles, jr. Chem. Bul. 139, pp. 111. 1911.
 miner's inch, production from irrigation in year, instances. Y.B., 1907, p. 410. 1908; Y.B. Sep. 458, p. 410. 1908.
 moccasin, occurrence in Texas. N.A. Fauna 25, p. 49. 1905.
 movement—
  and distribution in the soil. J.A.R., vol. 10, pp. 113-155. 1917.
  in irrigated soils. Carl S. Scofield. J.A.R., vol. 27, pp. 617-693. 1924.
  in irrigation furrows. O.E.S. Bul. 203, pp. 16-17. 1908.
  in shale lands. D.B. 502, pp. 6-7, 39. 1917.
  in soil—
   effect of hardpan. O.E.S. Bul. 203, pp. 32-37. 1908.
   relation to hydroscopicity and initial moistness. J.A.R., vol. 10, pp. 391-428. 1917.
 natural, definition. Chem. Bul. 139, pp. 8-10. 1911.
 navigable, pollution by oil. Off. Rec., vol. 1, No. 24, p. 2. 1922.
 necessity in sugar-beet production, and sources. D.B. 995, pp. 19-22. 1921.
 New Mexico, deep-seated and surface, analyses for salts. Soils Cir. 61, pp. 4, 6. 1912.
 nut. See Wapato.
 oxygen content, relation to cranberry injury. D.B. 960, pp. 5-7, 11. 1921.
 pans for poultry. F.B. 317, pp. 28-30. 1908.
 penetration, in gumbo soils of Belle Fourche reclamation project. O. R. Mathews. D.B. 447, pp. 12. 1916.
 percolation—
  in Hawaiian soils, studies. Hawaii Bul. 38, pp. 17-19. 1915.
  through irrigated soil. O.E.S. Bul. 203, pp. 17-23, 40-51. 1908.

INDEX TO PUBLICATIONS, 1901–1925 — 2567

Water(s)—Continued.
 pipe(s)—
  bamboo for. D.B. 1329, p. 18. 1925.
  clogged in home, repair. F.B. 1460, pp. 7–9. 1925.
  frozen in home, thawing. F.B. 1460, pp. 9–10. 1925.
  wood, for irrigation. S. O. Jayne. D.B. 155, pp. 40. 1914.
 plants. See Plants, aquatic.
 pollution—
  by oil waste, danger to game. Off. Rec., vol. 1, No. 19, p. 4. 1922.
  laws—
   1905. Chem. Bul. 69, rev., pp. 44, 71, 96, 169, 179, 233, 243, 268, 346, 357, 360, 371, 403, 410, 433, 441. 1905–6.
   State, 1906. Chem. Bul. 69, rev., Pt. VIII, pp. 651–652, 671. 1906; Chem. Bul. 104, pp. 31, 41–42. 1906.
   State, 1907. Chem. Bul. 112, Pt. I, pp. 29, 108, 134–136, 145. 1908; Pt. II, pp. 71–72. 1908.
  penalty in Montana. For. [Misc.], "Trespass on national * * *," pp. 23, 32, 36. 1922.
  protection of farm supplies, and examination methods. B.P.I. Bul. 154, pp. 13–19. 1909.
  sources and protection. Y.B., 1907, pp. 402–408. 1908; Y.B. Sep. 457, pp. 402–408. 1908.
 ponds, lakes, or creeks, use for beaver farms. D.B. 1078, p. 18. 1922.
 potable—
  bacteria, significance. D.B. 369, pp. 2–3. 1916.
  examination by Chemistry Bureau. 1908. An. Rpts., 1908, pp. 453–454. 1909; Chem. Chief Rpt., 1908, pp. 9–10, 33. 1908.
 power—
  conservation. Off. Rec., vol. 3, No. 13, p. 1. 1924.
  control by Forest Service provisions. An. Rpts., 1910, pp. 371–372. 1911; For. A.R., 1910, pp. 11–12. 1910.
  dependence upon forest preservation. For. Cir. 157, pp. 10–13. 1908.
  development in Utah national forests. D.C. 198, p. 23. 1921.
  development, relation of southern Appalachian Mountains to. M. O. Leighton and others. For. Cir. 144, pp. 54. 1908.
  farm, from small streams. A. M. Daniels and others. F.B. 1430, pp. 36. 1925.
  from small streams, utilization on farms. Y.B., 1918, pp. 235–238. 1919; Y.B. Sep. 770, pp. 17–20. 1919.
  from Washington rivers. O.E.S. Bul. 214, pp. 12–14. 1909.
  generation, use of St. Francis Valley, Ark., reservoir, cost and profit. O.E.S. Bul. 230, pp. 82–85. 1911.
  in—
   Alabama, Choctaw County. Soil Sur. Adv. Sh., 1921, p. 977. 1925.
   Alaska, Tongass National Forest, sources and sites. D.B. 950, pp. 4, 16–18, 39. 1921.
   Crater National Forest, location and description. For. Bul. 100, pp. 8–9. 1911.
   forest reserves, development. News L., vol. 1, No. 4, pp. 1–2. 1913.
   Idaho, development. O.E.S. Bul. 216, pp. 19–21. 1909.
   in national forests—
    act, provisions and commission. D.B. 950, pp. 18, 27. 1921.
    development, permits, and receipts, 1912. An. Rpts., 1912, pp. 527–528. 1913; For. A.R., 1912, pp. 69–70. 1912.
    development, permits, and receipts, 1913. An. Rpts., 1913, pp. 172–175. 1914; For. A.R., 1913, pp. 38–41. 1913.
    development, permits, and receipts, 1914. An. Rpts., 1914, p. 152. 1914; For. A.R., 1914, p. 24. 1914.
    development, permits, and receipts, 1915. An. Rpts., 1915, pp. 47–48, 174–175. 1916; For. A.R., 1915, pp. 16–17. 1915; Sec. A.R., 1915, pp. 49–50. 1915.
    development, permits, and receipts, 1916. An. Rpts., 1916, pp. 155, 157, 173–176. 1917; For. A.R., 1916, pp. 1, 3, 19–22. 1916.

Water(s)—Continued.
 power—continued.
  in national forests—continued.
   development, permits, and receipts, 1917. An. Rpts., 1917, pp. 182–184. 1918; For. A.R., 1917, pp. 20–22. 1917.
   development, permits, and receipts, 1918. An. Rpts., 1918, pp. 187–188. 1919; For. A.R., 1918, pp. 23–24. 1918.
   development, permits, and receipts, 1919. An. Rpts., 1919, pp. 193–194. 1920; For. A.R., 1919, pp. 17–18. 1919.
   development, permits, and receipts, 1920. An. Rpts., 1920, p. 238. 1921.
   development, permits, and receipts, 1921. For. A.R., 1921, pp. 29–31. 1921.
   development, permits, and receipts, 1922. An. Rpts., 1922, pp. 231–232. 1923; For. A.R., 1922, pp. 37–38. 1922.
   development, permits, and receipts, 1924. For. A.R., 1924, pp. 29–30. 1924.
   development, permits, and receipts, 1925. For. A.R., 1925, pp. 39–40. 1925.
   licences. D.C. 211, pp. 20–21. 1922.
   policy. For. Misc., F-1, p. 9. 1916.
  in New England, influence of White Mountain forests. For. Cir. 168, pp. 15–26. 1909.
  in Olympic National Forest, sources and uses. For. Bul. 89, p. 10. 1911.
  in South, relation of Appalachian Mountains to development. For. Cir. 144, pp. 1–54. 1908.
  in Texas, description of rivers, springs, and wells. O.E.S. Bul. 222, pp. 13–29. 1910.
  latent sources, utilization on farms. Y.B., 1918, pp. 221–222, 238. 1919; Y.B. Sep. 770, pp. 3–4, 20. 1919.
  measurement unit. O.E.S. Bul. 209, p. 19. 1909.
  principles of determination. Y.B., 1918, pp. 225–226. 1919; Y.B. Sep. 770, pp. 7–8. 1919.
  relation to paper industry. News L., vol. 4, No. 34, p. 2. 1917.
  sites on national forests. Sol. [Misc.], "Laws * * * forests * * *," p. 22. 1916.
  supply, North Carolina, Orange County. Soil Sur. Adv. Sh., 1918, p. 6. 1921; Soils F.O., 1918, p. 222. 1924.
 problems and needs in the West. Y.B., 1901, pp. 95–96. 1902.
 public control, 1905. Y.B., 1905, p. 649. 1906; Y.B. Sep. 405, p. 649. 1906.
 pumping—
  for irrigation, power required. F.B. 394, pp. 12–14. 1910.
  head and friction loss, studies. F.B. 941, pp. 43–45. 1918.
  horsepower necessary. F.B. 1448, pp. 29–31. 1925.
  storage and distribution in farm homes. D.B. 57, pp. 13–30. 1914.
 pure—
  and wells on the farm. F.B. 296, pp. 5–6. 1907; Y.B., 1914, pp. 140–144. 1914; Y.B. Sep. 634, pp. 140–144. 1914.
  definition. D.B. 369, p. 3. 1916.
  for cows, importance. F.B. 169, pp. 5–6. 1903.
  requirements for ethyl alcohol plant. D.B. 983, p. 67. 1922.
 purification—
  in soil. Y.B., 1907, p. 403. 1908; Y.B. Sep. 457, p. 403. 1908.
  methods. F.B. 1448, pp. 9–12, 36–38. 1925.
 purity—
  importance. F.B. 1448, pp. 1–3. 1925.
  laws, State, fiscal year 1907. Chem. Bul. 112, Pt. I, pp. 134–136, 145. 1908; Pt. II, pp. 71–72. 1908.
  requirements for concrete. F.B. 1279, p. 6. 1922.
 quantity—
  diverted for irrigation in United States. Y.B., 1909, p. 294. 1910; Y.B. Sep. 514, p. 294. 1910.
  used for wheat, in dry farming during growing season. D.B. 1004, pp. 20–26. 1923.
  used per diem. F.B. 1448, pp. 4–5. 1925.
 radioactive, fraudulent, warning. News L., vol. 1, No. 8, pp. 2–3. 1913.
 rain, description and uses. F.B. 941, p. 11. 1918.

Water(s)—Continued.
  raising—
    methods with different wells. F.B. 941, pp. 37-56. 1918.
    power calculation, formulas. O.E.S. Cir. 101, pp. 8-9. 1910.
  raking, cranberries, relation to keeping quality. Neil E. Stevens and H. F. Bergman. D.B. 960, pp. 12. 1921.
  ranges—
    development and distribution. D.B. 1031, pp. 52, 67. 1922.
    supply and development. F.B. 1395, pp. 11-14. 1925.
  receptacles, dangers as breeding places of yellow-fever mosquitoes. Sec. Cir. 61, pp. 12, 13, 15. 1916.
  records, farm suggestions. O.E.S. Bul. 229, pp. 89-94. 1910.
  relation(s)—
    in plants, effects of photoperiodism. J.A.R., vol. 27, pp. 121-122. 1924.
    to plant growth. Y.B., 1901, pp. 172-173. 1902; Y.B. Sep. 225, pp. 172-173. 1902.
  rents, regulation, discussion. O.E.S. Bul. 222, p. 89. 1910.
  report of referees. Chem. Bul. 132, p. 49. 1910; Chem. Bul. 137, pp. 42-45. 1911; Chem. Bul. 162, pp. 43-47, 49. 1913.
  requirement(s)—
    and supply, for poultry. News L., vol. 5, No. 24, p. 4. 1918.
    and value for hens. F.B. 889, pp. 18-19. 1917.
    effect of climatic conditions, experiments in Colorado and Texas, 1911. B.P.I. Bul. 284, pp. 42-46. 1913.
    for flumes, weight and velocity tables. D.B. 87, pp. 32-34. 1914.
    for spray irrigation, and pump capacity. D.B. 495, pp. 5-6. 1917.
    in relation to regulations on use. D.B. 1340, pp. 33-36. 1925.
    in rural homes, consumption per person. F.B. 941, p. 10. 1918.
    net, for each Great Basin subdivision. D.B. 1340, pp. 38-40. 1925.
    of—
      alfalfa, effect of frequent cutting and its bearing on pasturage. Lyman J. Briggs and H.L. Shantz. D.B. 228, pp. 6. 1915.
      Angora goat. F.B., 1203, p. 16. 1921.
      cattle, in prevention of calculi. B.A.I. [Misc.], "Diseases of cattle," rev., pp. 137-138. 1904; rev., pp. 140-141. 1912; rev., pp. 140-141. 1923.
      conifers, studies. J.A.R., vol. 24, pp. 114, 124, 126. 1923.
      corn and sorghums, relative. J.A.R., vol. 6, No. 13, pp. 473-484. 1916.
      crops. F.B. 435, pp. 5-6. 1911; O.E.S. Bul. 177, pp. 51-64. 1907.
      dairy cows fed on prickly pears. J.A.R., vol. 4, p. 428. 1915.
      goats. D.B. 749, pp. 5-6. 1919.
      millet and sorgo, studies. D.B. 291, pp. 15-18. 1916.
      plants, determination methods. Y.B., 1911, p. 353. 1912; Y.B. Sep. 574, p. 353. 1912.
      plants, influence of hybridization and cross-pollination. J.A.R., vol. 4, pp. 391-402. 1915.
      plants, investigations in Great Plains, 1910 and 1911. Lyman J. Briggs and H. L. Shantz. B.P.I. Bul. 284, pp. 49. 1913.
      plants, review of literature. Lyman J. Briggs and H. L. Shantz. B.P.I. Bul. 285, pp. 96. 1913.
      poultry. F.B. 1331, p. 16. 1923.
      rust-infected wheat. Freeman Weiss. J.A.R., vol. 27, pp. 107-118. 1923.
      28-hour law. D.B. 589, pp. 3-4. 1918.
    per person or animal. D.B. 57, p. 13. 1914.
    relation to fertility. D.B. 1340, p. 40. 1925.
    use of term. B.P.I. Bul. 284, pp. 7-8, 46. 1913.
  resources—
    conservation, declaration of governors, 1908. F.B. 340, p. 7. 1908.
    drainage and power, Oregon. O.E.S. Bul. 209, pp. 12-20. 1909.

Water(s)—Continued.
  resources—continued.
    in—
      Arizona. O.E.S. Bul. 235, pp. 28-52, 53-56. 1911.
      San Joaquin Valley, Calif. O.E.S. Bul. 239, pp. 14-16, 20-58. 1911.
      Wyoming, drainage areas. O.E.S. Bul. 205, pp. 11-17. 1909.
  rights—
    acquirement—
      and transfer, recent legislation, various States. O.E.S. An. Rpt., 1909, pp. 402-406, 407-410. 1910.
      Colorado law. O.E.S. Bul. 218, pp. 34-36. 1910.
      procedure. O.E.S. Bul. 216, pp. 53-58. 1909.
    and features of Yuba River, Calif. Marsden Manson. O.E.S. Bul. 100, pp. 115-154. 1901.
    Canadian, northwest irrigation act. O.E.S. Bul. 96, p. 11. 1901.
    contracts in—
      irrigation. D.B. 1340, p. 36. 1925.
      Sacramento Valley, Calif. O.E.S. Bul. 207, pp. 24-27, 50-51, 64, 67-68. 1909.
    cost in Idaho. O.E.S. Cir. 65, p. 2. 1906.
    in California—
      Los Angeles River, study. Edward M. Boggs. O.E.S. Bul. 100, pp. 327-351. 1901.
      Modesto and Turlock irrigation districts. O.E.S. Bul. 158, pp. 102-104. 1905.
      need of better laws. O.E.S. Cir. 108, pp. 7-12. 1911.
    in Colorado—
      Arkansas Valley, acquirement. J. S. Greene. O.E.S. Bul. 140, pp. 83. 1903.
      Cache la Poudre Valley canals, comparison. D.B. 1026, pp. 13-19. 1922.
    in Montana. O.E.S. Bul. 172, pp. 33-47, 101-106. 1906.
    in national forests, regulations. Sol. [Misc.], "Laws * * * forests," pp. 12, 14-15. 1916.
    in Oregon, recent legislation. O.E.S. Bul. 209, pp. 51-55. 1909.
    in Wyoming, board of control, duties. O.E.S. Bul. 205, pp. 53-56. 1909.
    influence on waste of water. O.E.S. An. Rpt., 1907, pp. 383-386. 1907.
    irrigation, meaning of term, and contracts. O.E.S. Bul. 105, pp. 15, 22, 25-26, 37-38. 1901.
    landowner, discussion. Y.B. 1918, p. 235. 1919; Y.B. Sep. 770, p. 17. 1919.
    laws—
      North Dakota. O.E.S. Bul. 219, pp. 28-38. 1909.
      State. O.E.S. Bul. 158, pp. 63-68. 1905.
    litigation, Los Angeles River, Calif. O.E.S. Bul. 100, pp. 332-343, 347. 1901.
    Los Angeles River, Calif. Edward M. Boggs. O.E.S. Bul. 100, pp. 327-351. 1901.
    meaning, general characteristics, and acquirement. D.B. 913, pp. 1-4. 1920.
    officials in charge in Western States. D.B. 913, p. 3. 1920.
    on—
      Government irrigation projects, cost. F.B. 864, p. 8. 1917.
      interstate streams, Platte River and tributaries. R. P. Teele and Elwood Mead. O.E.S. Bul. 157, pp. 118. 1905.
      Sevier River, court adjudications. Frank Adams. O.E.S. Bul. 124, pp. 267-300. 1903.
    payment requirements, suggestions. Sec. Cir. 124, pp. 12-13, 14. 1919.
    regulations, Italian canals. O.E.S. Bul. 190, pp. 13-16, 18-24, 46-62. 1907.
    title, evidences. D.B. 913, pp. 4-8. 1920.
    value in Bear River system. D.B. 1340, p. 29. 1925.
    western farmers. R. P. Teele. D.B. 913, pp. 14. 1920.
    within the States (Platte River and tributaries). Elwood Mead. O.E.S. Bul. 157, pp. 97-116. 1905.
Rio Grande, analysis for salt content. O.E.S. Cir. 103, pp. 23-25. 1911.
river and lake, analyses and comparisons. D.B. 61, pp. 27-30, 80. 1914.

Water(s)—Continued.
  rock spring, misbranding. See *Indexes to Notices of Judgment, in bound volumes and in separates published as supplements to Chemistry Service and Regulatory Announcements.*
  running, value in control of rice water-weevil. Ent. Cir. 152, p. 15. 1912.
  salt content, determination by electrical bridge. Soils Bul. 61, p. 9. 1910.
  samples—
    for examination, directions for collection, etc. B.A.I.S.R.A. 87, pp. 95–96. 1914.
    Railroad Valley, Nev., analyses. D.B. 61, pp. 83–85. 1914.
  sampling—
    directions. Chem. [Misc.], "Food and drug manual," pp. 39–40. 1920.
    for open market, directions. Chem. [Misc.], "Directions for sampling water * * *," p. 1. 1907.
  sanitary standards, Public Health Service. Chem. S.R.A. 21, p. 71. 1918.
  scarcity—
    cause of farm abandonment. Rpt. 70, p. 10. 1901.
    in pasture lands, cause of injury to range. Y.B. 1915, p. 303. 1916; Y.B. Sep. 678, p. 303. 1916.
  screening for irrigation pumps, methods. D.B. 495, pp. 12–14. 1917.
  sea—
    constituents. Soils Bul. 33, p. 65. 1906.
    salinity, relation to kelp. Rpt. 100, pp. 50–52, 62. 1915.
  seepage losses in irrigation. O.E.S. Bul. 207, pp. 43–46, 63, 68–69, 80–81. 1909.
  sewage-polluted, contamination of shellfish by. Chem. Bul. 136, pp. 53. 1911.
  shield, description, eastern Puget Sound Basin, Wash. Soil Sur. Adv. Sh., 1909, p. 29. 1911; Soils F.O., 1909, p. 1541. 1912.
  softening—
    for farmstead. F.B. 1448, pp. 36–38. 1925.
    for laundry work. F.B. 1099, pp. 25–26. 1920.
    methods and chemical requirements. F.B. 941, pp. 64–65. 1918.
  soil—
    availability, relation to type of soil. J.A.R., vol. 27, pp. 624–626. 1924.
    capillary—
      distribution. D.B. 1221, pp. 1–23. 1904.
      rise, school studies. D.B. 521, pp. 13–14. 1917.
    classification and source of supply. Soils Bul. 92, pp. 8–9. 1913.
    conditions, relation to irrigation. J.A.R., vol. 27, pp. 624–626. 1924.
    evaporation, factors affecting. J.A.R., vol. 7, pp. 439–461. 1916.
    forms, study. Soils Bul. 55, pp. 14–17. 1909.
    movement, studies, history and experiments. J.A.R., vol. 10, pp. 392–426. 1917.
    relation to productivity, studies, 1909. An. Rpts., 1909, pp. 483–485. 1910; Soils Chief Rpt., 1909, pp. 13–15. 1909.
    requirements for oats. F.B. 892, pp. 4–5. 1917.
    rise to surface from subsoils, studies. J.A.R., vol. 9, pp. 27–71. 1917.
    sources, and variations in quantity. An. Rpts., 1911, pp. 486–487, 493. 1912; Soils Chief Rpt., 1911, pp. 14–15, 21. 1911.
    use by crop plants, discussion, and conclusions, studies. D.B. 1004, pp. 30–33. 1923.
    water-level studies, 1912. An. Rpts., 1912, pp. 615–616. 1913; Soils Chief Rpt., 1912, pp. 13–14. 1912.
  solubility of—
    calcium carbonate. Soils Bul. 49, pp. 38, 54. 1907.
    carbon dioxide. Soils Bul. 49, pp. 8–10. 1907.
    magnesia. Soils Bul. 49, p. 57. 1907.
  soluble—
    nitrates in cropped and uncropped soils. J.A.R., vol. 20, pp. 663–667. 1921.
    phosphorus in wheat, changes due to tempering. J.A.R., vol. 20, pp. 272–275. 1920.
  sources, annual supply, distribution, and uses. Soils Bul. 71, pp. 7–14, 16–32. 1911.

Water(s)—Continued.
  spots, removal from textiles. F.B. 861, p. 35. 1917.
  spray—
    dry kiln, Forest Service, design and installation. L. V. Teesdale. D.B. 894, pp. 47. 1920.
    for greenhouse thrips. Ent. Bul. 64, Pt. VI, p. 58. 1909.
  spraying for control of mealybug. F.B. 862, p. 10. 1917.
  spring—
    and well, comparison. Chem. Bul. 139, p. 10. 1911.
    misbranding. Chem. N.J. 4072, 4073. 1916.
    uses and value. News L., vol. 6, No. 22, p. 16. 1919.
  stage registers, Marvin, instructions for installation and maintenance. Roy N. Covert. W.B. Cir. J, pp. 24. 1921.
  standing, breeding place for mosquitoes. Ent. Bul. 88, pp. 19–22, 27–30, 65. 1910; P.R. Cir. 14, pp. 9–10, 13–18, 19. 1912; P.R. Cir. 20, pp. 5–8, 9–10. 1921.
  storage—
    capacity of certain plants. Y.B., 1911, p. 354. 1912; Y.B. Sep. 574, p. 354. 1912.
    for irrigation purposes. I. Earth-fill dams and hydraulic-fill dams. Samuel Fortier and F. L. Bixby. O.E.S. Bul. 249, Pt. I, pp. 95. 1912.
    for irrigation purposes. II. Timber dams and rock-fill dams. Samuel Fortier and F. L. Bixby. O.E.S. Bul. 249, Pt. II, pp. 64. 1912.
    for spray irrigation, sources and requirements. D.B. 495, p. 8. 1917.
    in soil, and its utilization by spring wheat. O. R. Mathews and E. C. Chilcott. D.B. 1139, pp. 28. 1923.
    in soils, and utilization by spring wheat, average of results, by all stations. D.B. 1139, pp. 19–24. 1923.
    on Cache la Poudre and Big Thompson Rivers. C. E. Tait. O.E.S. Bul. 134, pp. 100. 1903.
    on torrential streams of southern California as typified by Sweetwater and San Jacinto Rivers, problems. James D. Schuyler. O.E.S. Bul. 100, pp. 353–395. 1901.
    supply sources. O.E.S. Bul. 249, Pt. I, pp. 10–11. 1912.
    systems, tanks, pumps, and machinery, description. D.B. 57, pp. 14–30. 1914.
  subsoil—
    and wells. W. J. McGee. Soils Bul. 92, pp. 185. 1913.
    field records relating to. W. J. McGee. Soils Bul. 93, pp. 40. 1913.
    indicators, value of wells. Soils Bul. 92, pp. 12–15. 1913.
    lowering of level, cause and remedies. Soils Bul. 92, pp. 179–185. 1913.
    movement through soils. Y.B., 1911, pp. 480–482. 1912; Y.B. Sep. 585, pp. 480–482. 1912.
    of central United States. W. J. McGee. Y.B., 1911, pp. 479–490. 1912; Y.B. Sep. 585, pp. 479–490. 1912.
  sugar-beet requirements. D.B. 721, pp. 18–21. 1918.
  supply (ies)—
    and irrigation, intermountain forests. For. [Misc.], "Intermountain district forests * * *," pp. 32–33. 1925.
    and streams, Mississippi, George County. Soil Sur. Adv. Sh., 1922, p. 34. 1925.
    beet irrigation sections. F.B. 392, pp. 41–43. 1910.
    camp, cost of use. D.B. 583, pp. 19–22. 1918.
    cattle ranges in Southwest, development. D.B. 588, pp. 9–12, 29. 1917.
    chickens, importance. B.A.I. Cir. 208, p. 6. 1913.
    chickens, purifying. Y.B., 1911, pp. 180, 185. 1912; Y.B. Sep. 559, pp. 180, 185. 1912.
    circulatory system, discussion. Soils Bul. 92, p. 7. 1913.
    city, composition. Off. Rec., vol. 1, No. 50, p. 5. 1922.
    copper as algicide and disinfectant in. George T. Moore and Karl F. Kellerman. B.P.I. Bul. 76, pp. 55. 1905.

Water—Continued.
supply(ies)—continued.
data for States, by counties, various dates. Soils Bul. 92, pp. 29–159. 1913.
defilement, laws, 1908. Chem. Bul. 121, p. 41. 1909.
delivery, duties of employees. O.E.S. Bul. 229, pp. 12–13. 1910.
dependence on forested hillsides. D.C. 265, pp. 9–10. 1923.
development for spray irrigation. D.B. 495, pp. 6–12. 1917.
examination for pollution, methods. B.P.I. Bul. 154, pp. 17–19. 1909.
farm—
contamination, dangers, and control methods. D.B. 57, pp. 2–13. 1914.
home, sources and management. Y.B., 1914, pp. 139–156. 1915; Y.B. Sep. 634, pp. 139–156. 1915.
hygienic. Y.B., 1907, pp. 399–408. 1908; Y.B. Sep. 457, pp. 399–408. 1908.
in semiarid West, tests. F.B. 394, p. 6. 1910.
methods of conveying into house. Y.B., 1909, pp. 345, 349–351. 1910; Y.B. Sep. 518, pp. 345, 349–351. 1910.
suggestions. F.B. 432, p. 9. 1911.
farmstead, pumps, kinds. F.B. 1448, pp. 24–27. 1925.
fire prevention. F.B. 1448, p. 36. 1925.
for—
beef cattle. F.B. 1379, p. 3. 1923.
birds. F.B. 621, rev., p. 5. 1921; F.B. 760, pp. 3–4. 1916; F.B. 844, p. 5. 1917; F.B. 912, p. 5. 1918.
cattle in the Piney Woods region. D.B. 827, pp. 48–49. 1921.
cranberry fields, use. F.B. 1400, pp. 14, 20–22. 1924.
dairy cows, quantity and quality. F.B. 743, p. 23. 1916.
dairy farms, investigation. B.A.I. Cir. 153, pp. 16–18. 1910; D.C. 276, p. 25. 1923.
dairy house, importance. B.A.I. An. Rpt., 1907, p. 174. 1909; B.A.I. Cir. 142, p. 174. 1909.
farmstead. George M. Warren. F.B. 1448, pp. 38. 1925.
fire control in cotton warehouses. D.B. 801, pp. 70–73. 1919.
fire protection in forests. For. Bul. 113, p. 16. 1912.
grazing stock, importance and protection. D.B. 1001, p. 12. 1922.
greenhouses. F.B. 1318, p. 30. 1923.
irrigation in Eastern States, sources. F.B. 899, pp. 7–9. 1917.
irrigation, sources, Santa Clara Valley. O.E.S. Bul. 158, pp. 78–79. 1905.
laundry, discussion. F.B. 1099, pp. 25–26. 1920.
livestock. M.C. 12, pp. 6–7, 13, 19, 23, 29, 32, 35. 1924.
protection against forest-fire menace. M.C. 19, pp. 2, 8, 9–11. 1924.
warehouse protection, freezing control. D.B. 801, pp. 62–63, 72. 1919.
in California—
Butte Valley area, source and quality. Soil Sur. Adv. Sh., 1907, pp. 15–16. 1909; Soils F.O., 1907, pp. 1011–1012. 1909.
Pajaro Valley. Soil Sur. Adv. Sh., 1908, pp. 20–24. 1910; Soils F.O., 1908, pp. 1366–1370. 1911.
Pomona Valley, sources, irrigation companies. O.E.S. Bul. 236, rev., pp. 17–43. 1912.
Sacramento Valley, use for irrigation and transportation. O.E.S. Bul. 207, pp. 19–27, 79–80. 1909.
Victorville area. Soil Sur. Adv. Sh., 1921, pp. 626–627. 1924; Soils F.O., 1921, pp. 626–627. 1926.
in—
Great Basin. D.B. 1340, pp. 6–12. 1925.
Iowa, Benton County. Soil Sur. Adv. Sh., 1921, p. 1223. 1925; Soils F. O., 1921, p. 1223. 1926.

Water—Continued.
supply(ies)—continued.
in—continued.
Minnesota farms. Karl F. Kellerman and H. A. Whittaker. B.P.I. Bul. 154, pp. 87. 1909.
national forests, protection, use to farms. Y.B., 1914, pp. 73–77. 1915; Y.B. Sep. 633, pp. 73–77. 1915.
Nebraska, Boone County. Soil Sur. Adv. Sh., 1921, pp. 1171–1172. 1925.
San Bernardino Valley. E. W. Hilgard. O.E.S. Bul. 119, pp. 103–146. 1902.
southern California, relation to chaparral. For. Bul. 85, pp. 14–22. 1911.
Wyoming, future development. O.E.S. Bul. 205, pp. 16–17. 1909.
influence on farm selection. F.B. 1088, pp. 19, 20. 1920.
irrigated—
farms, obtaining. F.B. 263, pp. 7–10. 1906.
regions, need of economy in conveyance and use. O.E.S. An. Rpt., 1911, pp. 37–38. 1912.
irrigation districts, sources and use. F.B. 882, pp. 4–7. 1917.
kitchen, description and value. D.C. 189, p. 6. 1921.
location on farmstead, importance. F.B. 1132, pp. 9, 18, 21, 22, 24. 1920.
method of destroying algae and certain pathogenic bacteria. George T. Moore and Karl F. Kellerman. B.P.I. Bul. 64, pp. 44. 1904.
municipal—
in national forests, inspection. Y.B., 1913, p. 132. 1914; Y.B. Sep. 619, p. 132. 1914.
on Utah National Forest watersheds, water use. D.C. 198, pp. 23–24. 1921.
need in forest nursery. D.B. 479, pp. 2–3. 1917.
Ohio farms, systems, cost, and value as farm equipment. B.P.I. Bul. 212, pp. 14–15, 18, 19, 21–22, 24, 41–42. 1911.
plumbing, and sewage disposal for country homes. Robert W. Trullinger. D.B. 57, pp. 30. 1914.
preservation by national forests. For. [Misc.], "The red book," p. 20. 1907.
protection—
from pollution, suggestions. B.P.I. Bul. 154, pp. 13–17. 1909.
in forests. D.C. 211, pp. 28–29. 1922.
laws. Chem. Bul. 69, rev., Pts. I–IX, pp. 44, 49, 71, 96–98, 169, 179, 233, 243, 268–271, 346, 357, 360–361, 371–372, 403–407, 410, 433–434, 441, 489, 509, 605, 628–631, 651–652, 671, 798. 1905–6.
national forests, regulations. For. [Misc.], "The use book," rev., pp. 25–26. 1915.
public—
contamination by algae. George T. Moore. Y.B., 1902, pp. 175–186. 1903.
protection by disinfection of sewage effluents. Karl F. Kellerman and others. B.P.I. Bul. 115, pp. 47. 1907.
quantity needed in irrigation from wells. F.B. 1404, p. 2. 1924.
raising from wells and canyons, methods. F.B. 592, pp. 17–18. 1914.
regulation, value in control of soil erosion. Soils Bul. 71, pp. 56–60. 1911.
relation to sap density of leaves and roots. J.A.R., vol. 28, pp. 885–888. 1924.
requirements of city milk plants. D.B. 849, pp. 30–31. 1920.
sardine canneries, bacteriological examination. D.B. 908, pp. 98–99. 1921.
small—
experiments in supplemental irrigation at Cheyenne, Wyo., in 1909. John H. Gordon. O.E.S. Cir. 95, pp. 11. 1910.
irrigation. O.E.S. Cir. 92, pp. 5–6. 1910.
use for irrigation. Samuel Fortier. Y.B., 1907, pp. 409–424. 1908; Y.B. Sep. 458, pp. 409–424. 1908.
soil, study course. D.B. 355, pp. 24–31. 1916.
sources—
semiarid regions, and quantity available. F.B. 866, pp. 3–4. 1917.
origin of springs. Y.B., 1907, p. 401. 1908; Y.B. Sep. 457, p. 401. 1908.

INDEX TO PUBLICATIONS, 1901–1925   2571

Water—Continued.
supp.y(ies)—continued.
  subterranean, San Bernardino Valley, Calif., studies. O.E.S. Bul. 119, p. 103. 1902.
  systems on typical enterprises, Western States. O.E.S. Bul. 229, pp. 11–68. 1910.
  underground, Salinas Valley, Monterey County, Calif. O.E.S. Bul. 100, p. 208. 1901.
  wells for. F.B. 1448, pp. 14–31. 1925.
  See also Drainage; Irrigation.
surface—
  and underground, analysis. D.B. 61, pp. 24, 77–78. 1914.
  for farmsteads. F.B. 1448, pp. 12–13. 1925.
  tension and viscosity, relation to temperature. J.A.R., vol. 5, No. 4, pp. 141–142. 1915.
  use rights and methods. D.B. 495, pp. 6–8. 1917.
system(s)—
  experiment station, charging of expenditure. D.C. 251, p. 27. 1925.
  for farm homes. George M. Warren. F.B. 941, pp. 68. 1918.
  for tomato greenhouses. F.B. 1431, p. 7. 1924.
  forest nurseries, irrigation and sprinkling. D.B. 479, pp. 10–14, 32–34. 1917.
  installation, result of home demonstration work. D.C. 285, pp. 12–14. 1923.
table—
  definition. Y.B., 1911, p. 481. 1912; Y.B. Sep. 585, p. 481. 1912.
  relation to vegetation. O.E.S. Bul. 240, p. 56. 1911.
  tanks for storage, kinds, description, and capacity. F.B. 941, pp. 57–62. 1918.
testing—
  for use in concrete. D.B. 1216, pp. 26–27. 1924.
  road materials for. D.B. 1216, pp. 69–71. 1924.
translocation of soil, effects on soil formation. Soils Bul. 68, pp. 17–21. 1911.
transportation—
  of logs. D.B. 711, pp. 238–248. 1918.
  traffic on Chesapeake Bay and Tennessee River. Y.B., 1907, pp. 289–304. 1908; Y.B. Sep. 449, pp. 289–304. 1908.
under Gage Canal, Riverside, Calif., 1900. W. Irving. O.E.S. Bul. 104, pp. 137–146. 1902.
underground—
  accumulation and movement. J.A.R., vol. 27, pp. 668–678. 1924.
  comparison with irrigation waters. J.A.R., vol. 27, pp. 678–683. 1924.
  composition. J.A.R., vol. 27, pp. 644–648. 1924.
  development methods, and machinery requirements. D.B. 495, pp. 8–12. 1917.
  rights of farmers in Western States. D.B. 913, pp. 8–9. 1920.
  sources, difficulty of drainage. Y.B., 1902, p. 242. 1903.
  use for irrigation at Pomona, Calif. C. E. Tait. O.E.S. Bul. 236, pp. 99. 1911.
unfree, caused by seeds, measurement and amount of water-soluble material. George J. Bouyoucos and M. M. McCool. J.A.R., vol. 20, pp. 587–593. 1921.
use—
  and necessity in sheep feeding. D.B. 20, p. 46. 1913.
  by spring wheat on the Great Plains. John S. Cole and others. D.B. 1004, pp. 34. 1923.
  for control of melon fly, experiments. D.B. 491, pp. 51–52. 1917.
  for irrigation, various sections of California, 1912. O.E.S. Bul. 254, pp. 45–95. 1913.
  from flume for irrigation. D.B. 87, p. 26. 1914.
in—
  concrete roads, purity requirements. D.B., 1077, pp. 5–6. 1922.
  concrete, selection. F.B. 461, p. 9. 1911.
  control of farm fires. F.B. 904, pp. 12–13. 1918.
  cooling food. Thrift Leaf. 14, pp. 2–3. 1919.
  fighting forest fires. For. Bul. 82, pp. 44–45. 1910.
  irrigation in Yakima Valley. O. L. Waller. O.E.S. Bul. 104, pp. 241–266. 1902.

Water—Continued.
use—continued.
in—continued.
  sugar-beet production, California areas, cost. D.B. 760, p. 39. 1919.
  on crops in Great Basin. D.B. 1340, pp. 39–55. 1925.
  rate daily, for growing wheat, in dry farming. D.B. 1004, pp. 6–11, 12–20. 1923.
Users, Association, Yuma County, Arizona, organization. D.C. 75, pp. 23–24. 1920.
vapor, movement in soils, effect of temperature. G. J. Bouyoucos. J.A.R., vol. 5, No. 4, pp. 141–172. 1915.
vaporization during muscular and mental work. O.E.S. Bul. 208, pp. 31, 95. 1909.
velocity, friction losses in wood-stave pipes, tests. D.B. 376, pp. 26–39. 1916.
warm, value in irrigation of date palms. B.P.I. Bul. 53, pp. 49–50. 1904.
waste—
  factor in requirements for irrigation. D.B. 1340, p. 29. 1925.
  in irrigations, prevention. D.B. 1340, pp. 29–32. 1925.
  injurious effects and remedy. O.E.S. Bul. 222, pp. 90–91. 1910.
  removal in irrigated orchards, methods and tests. F.B. 882, pp. 37–38. 1917.
weed(s)—
  injury to navigation and irrigation. Y.B., 1917, pp. 207–208. 1918; Y.B. Sep. 732, pp. 5–6. 1918.
  other names. D.B. 205, p. 23. 1915.
  value as duck food, description, distribution and propagation. D.B. 205, pp. 22–23. 1915.
weights and measures, conversion factors. D.B. 894, p. 47. 1920.
well—
  depth averages, and lowering in level per decade. Y.B., 1911, pp. 483–488. 1912; Y.B. Sep. 585, pp. 483–488. 1912.
  or spring, use for cooling milk, arrangement. F.B. 976, pp. 12–14. 1918.
  temperature in Arizona, New Mexico, and Utah. O.E.S. Bul. 158, pp. 316–317. 1905.
wheels—
  electric plant, types and operation. F.B. 1430, pp. 16–21, 23–25, 28–30. 1925.
  sawmills, types, description. D.B. 718, pp. 59–61. 1918.
Waterbury, Conn., milk supply, statistics, officials, prices, and ordinances. B.A.I. Bul. 46, pp. 34, 55. 1912.
Watercourses, Red River of the North Valley, utilization. D.B. 1017, pp. 5–10. 1922.
Waterfalls—
  erosion, cause of gullies. F.B. 1234, pp. 6–7. 1922.
  Pike National Forest. D.C. 41, pp. 11–12. 1919.
Waterfowl—
  and their food plants in sandhill region of Nebraska. Part I. Waterfowl in Nebraska. II. Wild-duck foods in sandhill region of Nebraska. Harry C. Oberholser and W. L. McAtee. D.B. 794, pp. 79. 1920.
  attracting to reservations, public and semipublic. D.B. 715, pp. 3, 10. 1918.
  Bear River Marshes, Utah, discussion. D.B. 936, pp. 3–10. 1921.
breeding grounds—
  Great Plains, protection. Y.B., 1917, pp. 197–204. 1918; Y.B. Sep. 733, pp. 10. 1918.
  in Nebraska, number of lakes and location, protection investigations. D.B. 794, pp. 2–3. 1920.
closed season. Biol. Cir. 92, pp. 4, 5. 1914; Biol. S.R.A. 9, pp. 2, 3, 4. 1916; Biol. S.R.A. 16, p. 1. 1917.
distribution, sale restrictions, numbers killed, and estimated value. D.B. 1049, pp. 7–9. 1922.
food plants—
  five important. D.B. 58, pp. 1–19. 1914.
  in the Sandhill region of Nebraska. Harry C. Oberholser and W. L. McAtee. D.B. 794, pp. 79. 1920.
  lead poisoning. Alexander Wetmore. D.B. 793, pp. 12. 1919.
  losses, causes and prevention. Y.B., 1917, pp. 202–203. 1918; Y.B. Sep. 723, pp. 6–7. 1918.

36167°—32——162

Waterfowl—Continued.
  migratory, propagation and sale, permits. Biol.
    S.R.A. 23, pp. 10-11. 1918; Biol. S.R.A. 25,
    p. 3. 1918; F.B. 1288, p. 69. 1922.
  mortality—
    around Great Salt Lake, Utah. Alex Wetmore.
      D.B. 217, pp. 10. 1915.
    in Utah and California, various years, history,
      numbers, and investigations. D.B. 217, pp.
      1-4. 1915.
  New Brunswick law, changes. F.B. 418, p. 9.
    1910.
  New Jersey law, changes. F.B. 418, p. 8. 1910.
  New York law, new changes. F.B. 418, p. 8.
    1910.
  North American, distribution, and migration.
    Biol. Bul. 26, pp. 1-90. 1906.
  open seasons—
    by States. F. B. 1466, p. 8. 1925.
    under Federal regulations. Y.B., 1918, p. 312.
      1919; Y.B., Sep. 785, p. 12. 1919.
    under treaty act. Biol. S.R.A. 23, p. 8. 1918.
  propagation and sale permits. Biol. S.R.A. 55,
    pp. 10-12. 1923.
  protection—
    by States, 1870-1918, phases of legislation.
      Y.B., 1918, p. 304. 1919; Y.B. Sep. 785, p. 4.
      1919.
    closed seasons, proposed amendment. Biol.
      S.R.A. 14, p. 2. 1917.
    in Alaska, Yukon Delta Reservation. Biol.
      S.R.A. 6, p. 1. 1915.
    increase by migratory bird law. D.B. 794, pp.
      3-4. 1920.
    on rivers, explanation. Biol. Cir. 93, p. 4. 1913.
    proclamation of President. Biol. S.R.A. 11,
      pp. 6. 1916.
    reservations, public and private. Y.B., 1917,
      pp. 203-204. 1918; Y.B. Sep. 723, pp. 9-10.
      1918.
  shooting in autumn, conditions governing. D.B.
    794, pp. 8-9. 1920.
  species wintering in U. S. and southward, lists.
    Biol. Bul. 26, pp. 13, 16, 18. 1906.
  stomach examinations, character of food. D.B.
    58, pp. 1, 5, 8, 12, 15. 1914.
Waterhouse test, modified, for detection of renovated butter. Chem. Bul. 81, pp. 81-83. 1904.
Watering—
  conifer seedlings, methods injurious to plants.
    J.A.R., vol. 15, p. 552. 1918.
  crops under frames. F.B. 460, pp. 16-17. 1911.
  forest seed beds and seedlings. D.B. 479, pp.
    32-34, 40-41, 60-61. 1917.
  hog, devices. Hawaii Bul. 48, pp. 12-13. 1923.
  lawn, directions. D.C. 49, p. 5. 1919.
  livestock, improvement under 28-hour law.
    D.B. 589, pp. 14-16. 1918.
  places—
    range stock, requirements. F.B. 1428, p. 8.
      1925.
    stock, on western grazing lands. Will C.
      Barnes. F.B. 592, pp. 27. 1914.
  plants, prevention of injury from disinfectants.
    D.B. 169, pp. 10-12, 16-19, 35. 1915.
  shade trees on streets, directions. D.B. 816, p.
    55. 1920.
  sheep, on ranges. D.B. 738, p. 30. 1918.
  steers, during fattening. D.B. 762, pp. 5, 11, 18,
    27. 1919.
  sweet-potato beds. F.B. 999, p. 13. 1919.
  troughs—
    for sheep. F.B. 810, p. 26. 1917.
    use of oil-mixed concrete. Rds. Bul. 46, p. 16.
      1912.
    location, pipes suitable. F.B. 592, p. 7. 1914.
Watermelon(s)—
  W. R. Beattie. F.B. 1394, pp. 22. 1924.
  acreage—
    1909. Sec. [Misc.] Spec., "Geography * * *
      world's agriculture," p. 99. 1917.
    1919, map. Y.B., 1921, p. 461. 1922; Y.B.
      Sep. 878, p. 55. 1922.
    and value, by States. Y.B., 1924, p. 732. 1925.
  African (Tsama), value as drink in arid regions.
    Nos. 34484, B. P. I. Inv. 33, pp. 7, 24. 1915.
  alcohol source, experimental run. Chem. Bul.
    130, pp. 66-67. 1910.

Watermelon(s)—Continued.
  anthracnose—
    control by spraying. F. C. Meier. D.C. 90,
      pp. 11. 1920.
    description, cause, and control. D.B. 727,
      pp. 1-64. 1918; F.B. 821, pp. 3, 6-11. 1917;
      F.B. 1277, pp. 4, 9-18. 1922.
  blossom-end blight and rot, description. B.P.I.
    Bul. 226, p. 45. 1912.
  cost of production per acre. Y.B., 1921, p. 829.
    1922; Y.B. Sep. 876, p. 26. 1922.
  cultivation and pruning. F.B. 1394, p. 12. 1924.
  cultural directions, and varieties. F.B. 934,
    p. 36. 1918; S. R.S. Doc. 49, p. 7. 1917.
  culture in—
    Georgia. F.B. 193, pp. 8-10. 1904.
    North. F.B. 193, pp. 5-7. 1904.
  destruction by melon fly in Hawaii. D.B. 491,
    pp. 8-13. 1917.
  diseases—
    W. A. Orton. F.B. 821, pp. 18. 1917.
    W. A. Orton and F. C. Meier. F.B. 1277,
      pp. 31. 1922.
    description and control. F.B. 1394, pp. 13-17.
      1924.
    descriptive key. F.B. 821, p. 3. 1917; F.B.
      1277, p. 4. 1922.
    occurrence and description, Texas. B.P.I.
      Bul. 226, pp. 45-46, 111. 1912.
    occurring under market, storage, and transit
      conditions. B.P.I. (Misc.), "Handbook of
      the * * *," pp. 72-73. 1919.
  distillation experiments. Chem. Bul. 130, p. 66.
    1910.
  dusting with nicotine sulphate, experiments.
    D.C. 224, pp. 3-6. 1922.
  emergency crop, overflowed lands. B.P.I. Doc.
    756, p. 5. 1912.
  field, cleaning up to prevent disease. F.B. 1277,
    pp. 8, 10-11. 1922.
  fungous attack by Gloeosporium lagenarium,
    studies. B.P.I. Bul. 252, pp. 18-19. 1913.
  ground rot, symptoms, cause, and control. F.B.
    821, p. 18. 1917; F. B. 1277, pp. 4, 8-9. 1922.
  growing—
    acreage and States, notes. Y.B., 1916, pp.
      443, 446, 449. 1917; Y.B. Sep. 702, pp. 9, 12,
      15. 1917.
    and yield—
      in south Texas. Soil Sur. Adv. Sh., 1909,
        pp. 51, 91-92. 1910; Soils F.O., 1909, pp.
        1075, 1115-1116. 1912.
      on Norfolk sand. Soils Cir. 44, pp. 12, 17.
        1911.
    in Arkansas, Howard County. Soil Sur. Adv.
      Sh., 1917, pp. 9, 22, 36, 38, 40. 1919; Soils
      F.O., 1917, pp. 1359, 1372, 1386, 1388, 1390.
      1923.
    in Florida, Ocala area, varieties. Soil Sur.
      Adv. Sh., 1912, pp. 15, 28, 33. 1913; Soils
      F.O., 1912, pp. 679, 692, 697. 1915.
    in Georgia—
      Brooks County, acreage, 1892, 1914. Soil
        Sur. Adv. Sh., 1916, p. 13. 1918; Soils
        F. O., 1916, p. 597. 1921.
      Brooks County, methods, yields, cost, and
        profits. D.B. 648, pp. 22, 23, 29, 30, 37, 46,
        47, 54. 1918.
      Colquitt County, acreage, cost, and yields.
        Soil Sur. Adv. Sh., 1914, pp. 11, 16-17.
        1915; Soils F. O., 1914, pp. 967, 972-973.
        1919.
      Columbia County, yields and soils. Soil
        Sur. Adv. Sh., 1911, pp. 12, 36, 40. 1912;
        Soils F.O., 1911, pp. 652, 676, 680. 1914.
      Grady County. Soil Sur. Adv. Sh., 1908,
        pp. 17-18, 41, 42. 1909; Soils F.O., 1908,
        pp. 353-354, 377, 378. 1911.
      Mitchell County. Soil Sur. Adv. Sh., 1920,
        p. 36. 1922; Soils F. O., 1920, p. 36. 1925.
      Tattnall County. Soil Sur. Adv. Sh., 1914,
        pp. 12, 24. 1915; Soils F.O., 1914, pp. 822,
        833, 1919.
      Thomas County. Soil Sur. Adv. Sh., 1908,
        pp. 22-23, 49. 1909; Soils F.O., 1908, pp.
        412-413, 439. 1911.
    in Guam, directions. Guam Bul. 2, pp. 12,
      57-59. 1922; Guam Cir. 2, p. 15. 1921.

INDEX TO PUBLICATIONS, 1901–1925

Watering—Continued.
in Iowa—
Louisa County. Soil Sur. Adv. Sh., 1918, pp. 14–15, 43. 1921; Soils F. O., 1918, pp. 1028–1029, 1057. 1924.
Muscatine County. Soil Sur. Adv. Sh., 1914, pp. 11–17, 30–45. 1916; Soils F.O., 1914, pp. 1837, 1850–1865. 1919.
in Maryland, Anne Arundel County. Soil Sur. Adv. Sh., 1909, pp. 16–17, 24, 28, 33, 35. 1910; Soils F.O., 1909, pp. 282–283, 290, 294, 299, 301. 1912.
in Missouri—
Dunklin County, yields. Soil Sur. Adv. Sh., 1914, pp. 18, 29. 1916; Soils F.O., 1914, pp. 2106, 2117. 1919.
Mississippi County. Soil Sur. Adv. Sh., 1921, pp. 559, 566, 568. 1924.
in North. F.B. 193, pp. 5–7. 1904.
in North Carolina, Scotland County. Soil Sur. Adv. Sh., 1909, pp. 15–16. 1911; Soils F.O., 1909, pp. 431–432. 1912.
in Oregon, variety experiments. W.I.A. Cir. 1, p. 17. 1915.
in South Carolina—
Barnwell County. Soil Sur. Adv. Sh., 1912, pp. 15, 22, 30, 32. 1914; Soils F.O., 1912, pp. 421, 428, 436, 438. 1915.
Hampton County. Soil Sur. Adv. Sh., 1915, pp. 21, 23, 24. 1917; Soils F.O., 1915, pp. 603, 605, 606. 1919.
in Texas, southwest, varieties, yield. Soil Sur. Adv. Sh., 1911, pp. 33, 75, 81. 1912; Soils F.O., 1911, pp. 1201, 1243, 1249. 1914.
in Virginia trucking districts. D.B. 1005, pp. 37, 38, 43. 1922.
labor and implements. D.B. 1292, pp. 6, 7. 1925.
labor, day's work. D.B. 1292, pp. 27–28. 1925.
on Norfolk fine sand. Soils Cir. 23, p. 14. 1911.
profit per acre, Georgia, Troup County. Soil Sur. Adv. Sh., 1912, p. 10. 1913; Soils F.O., 1912, p. 638. 1915.
gummy stem-blight, symptoms, cause, and control. F.B. 1277, pp. 4, 7–8. 1922.
hybrids, resistance to—
root-knot. B.P.I. Bul. 217, p. 71. 1911.
wilt disease. F.B. 1277, p. 6. 1922.
importations and description. Nos. 29998, 30396–30398, B.P.I. Bul. 233, pp. 47, 83. 1912; Nos. 40763, 40769, 40809, B.P.I. Inv. 43, pp. 77–78, 85. 1918; Nos. 44474, 44842, B. P. I. Inv. 51, pp. 9, 16, 77. 1922; Nos. 48558, 48760–48762, B.P.I. Inv. 61, pp. 2, 22, 44. 1922; Nos. 49872, 49873, 50437, B.P.I. Inv. 63, pp. 2, 15, 69. 1923.
in Palestine, varieties, quality, and exports. B.P.I. Bul. 180, p. 34. 1910.
injury by—
cucumber beetles. F.B. 1322, pp. 4, 5, 6. 1923.
melon fly. D.B. 643, pp. 8–20. 1918; Y.B., 1917, p. 190. 1918; Y.B. Sep. 731, p. 8. 1918.
rabbits. Y.B., 1907, p. 332. 1908; Y.B. Sep. 452, p. 332. 1908.
insect control. F.B. 856, pp. 43, 45, 70. 1917.
inspection of carloads. F.B. 1277, p. 28. 1922.
juice, alcohol yield and cost per gallon. F.B. 429, p. 12. 1911.
labor requirements. D.B. 1181, pp. 9, 33–34, 61. 1924.
leaf temperature, studies. J.A.R., vol. 26, pp. 20, 31, 32, 33, 37. 1923.
losses from disease and mechanical injuries. J.A.R., vol. 6, No. 4, p. 152. 1916.
marketing, 1923. Y.B., 1923, p. 782. 1924; Y.B. Sep, 900, p. 782. 1924.
Monketaan, importation from South Africa, description. B.P.I. Bul. 176, pp. 7–8, 27–28. 1910.
new varieties from Formosa. B.P.I. Bul. 176, pp. 10, 20, 27. 1910.
planting, directions for club members. D.C. 48, p. 10. 191.
preserves, directions. F.B. 853, p. 36. 1917.
rind, preserves, directions for making. S.R.S. Doc. 22, p. 12. 1916.
root knot, description, cause, and control. F.B. 821, pp. 3, 6. 1917; F.B. 1277, pp. 7, 30. 1922.
rotting in transit. F.B. 1277, pp. 8, 10, 18–20, 24, 28–29. 1922.

Watering—Continued.
seed(s)—
extract, misbranding—"Gin cucurbita." Chem. N.J. 1672, p. 1. 1912.
extraction methods. D.B. 727, pp. 47–49. 1918.
growing, localities, acreage, yield, production, and consumption. Y.B., 1918, pp. 201, 206, 207. 1919; Y.B. Sep. 775, pp. 9, 14, 15. 1919.
quantity per acre, and quality requirements. F.B. 1394, pp. 7–8. 1924.
saving, directions. F.B. 884, p. 6. 1917; F.B. 1390, p. 5. 1924; F.B. 1394, pp. 8–9. 1924.
supply. Y.B. 1917, p. 534. 1918. Y.B. Sep. 757, p. 40. 1918.
treatment to prevent anthracnose. F.B. 1277, p. 11. 1922.
use as food in China. B.P.I. Bul. 204, p. 56. 1911; F.B. 332, p. 11. 1908.
shipments—
1917–1922. Y.B., 1922, pp. 773, 775. 1923; Y.B. Sep. 884, pp. 773, 775. 1923.
1924, car lot, by States. Y.B., 1924, p. 733, 1925.
Siberian, importation and description. Nos. 32244–32245, B.P.I. Bul. 261, p. 47. 1912.
sirup, recipe. News L., vol. 3, No. 4, pp. 1–2. 1915; News L., vol. 7, No. 5, p. 7. 1919.
special truck crop of Georgia. Y.B., 1907, p. 427. 1908; Y.B. Sep. 459, p. 427. 1908.
spraying, directions. D.C. 90, pp. 4–8. 1920; F.B. 821, pp. 8–11, 15. 1917; F.B. 1277, pp. 13–18. 1922; S.R.S. Doc. 52, p. 10. 1917.
statistics, receipts and shipments at trade centers. Rpt. 98, pp. 290, 382–383. 1913.
stem end rot—
description, cause, and control. F.B. 821, pp. 3, 11–17. 1917; F.B. 1277, pp. 4, 18–27. 1922.
fungus causing. J.A.R., vol. 6, No. 4, pp. 149–152. 1916.
prevention. News L., vol. 6, No. 46, p. 5. 1919; News L., vol. 6, No. 47. p. 2. 1919.
stem treatment to prevent stem-end rot. F.B. 1277, pp. 25–27. 1922.
transportation problems. F.B. 1277, pp. 27–29. 1922.
use—
for pickles. O.E.S. Bul. 245, p. 88. 1912.
in vinegar making. F.B. 1424, p. 5. 1924.
varietal tests and yields, Yuma experiment farm. D.C. 75, pp. 63–64. 1920.
varieties, growing on Truckee-Carson project, method, yield, and weight. B.P.I. Cir. 78, pp. 14–15. 1911.
water requirements. J.A.R., vol. 3, pp. 40, 41, 52, 53, 59. 1914.
wilt—
description, cause, and control. F.B. 821, pp. 3, 4–6. 1917; F.B. 1277, pp. 4–6. 1922.
resistant—
hybrid with citron. Y.B., 1908, p. 464. 1909; Y.B. Sep. 494, p. 464. 1909.
varieties. F.B. 821, p. 5. 1917.
See also Melons.
Waterproofing—
boots and shoes, directions and formulas. F.B. 1183, rev., pp. 9–12. 1920.
brick and concrete work. F.B. 623, p. 13. 1915.
buildings and floors, by use of oil-mixed cement concrete. Rds. Bul. 46, pp. 13–18. 1912.
cellar, directions and methods. Y.B., 1919, pp. 437–449. 1920; Y.B. Sep. 824, pp. 437–449. 1920.
cloth for hay caps. F.B. 977, p. 3. 1918.
concrete—
for use in cistern construction. Y.B., 1914, p. 146. 1915; Y.B. Sep. 634, p. 146. 1915.
in warehouse construction. D.B. 801, pp. 30–31. 1919.
cotton duck, formulas and cost. F.B. 1157, pp. 9–13. 1920.
ice house, methods and materials. F.B. 1078, p. 20. 1920.
leather, directions and formulas. F.B. 1183, rev., pp. 10–13. 1922; F.B. 1334, pp. 15, 20. 1923.
liquid made from Shibu kaki. No. 30678, B.P.I. Bul. 242, pp. 9, 31. 1912.
tree wounds. F.B. 1178, pp. 8–11, 14, 15, 21. 1920; Y.B., 1913, pp. 170–171. 1914; Y.B. Sep. 622, pp. 170–171. 1914.

2574 UNITED STATES DEPARTMENT OF AGRICULTURE

WATERS, H. J.—
  discussion of teaching force of land-grant colleges. O.E.S. Bul. 196, p. 73. 1907.
  "Functions of land-grant colleges in promoting collegiate instruction outside of course." O.E.S. Bul. 228, pp. 80–84. 1910.
  "Irrigation during the season of 1903 at Missouri Agricultural Experiment Station." O.E.S. Bul. 148, pp. 21–27. 1904.
  "Irrigation experiments at the Missouri Experiment Station 1901." O.E.S. Bul. 119, pp. 305–311. 1902.
  "Irrigation experiments at the Missouri Experiment Station, 1902." O.E.S. Bul. 133, pp. 218–222. 1903.
  report of Missouri Experiment Station, work and expenditures—
    1906. O.E.S. An. Rpt., 1906, pp. 123–125. 1907.
    1908. O.E.S. An. Rpt., 1908, pp. 122–124. 1909.
Watershed(s)—
  conditions, studies. For. Cir. 176, pp. 11–16. 1910.
  damage by fire. D.B. 1294, pp. 44–45. 1924; D.C. 358, pp. 11–12. 1925.
  fire protection, cooperative. Sol. [Misc.], "Laws applicable * * * Agriculture," Sup. 4, p. 47. 1917.
  forested, cooperative fire protection, appropriation, 1915. Sol. [Misc.], "Laws applicable * * * Agriculture," Sup. 2, p. 68. 1915.
  navigable streams, protection, cooperative, provisions. Sol. [Misc.], "Laws applicable * * * Agriculture," Sup. 3, p. 37. 1915.
  of South Carolina, Black and Boggy Swamp district. D.B. 114, pp. 5, 11–20. 1914.
  protection—
    appropriations and expenditures—
      1911. An. Rpts., 1912, pp. 533–535. 1913; For. A.R., 1912, pp. 75–77. 1912.
      1912. An. Rpts., 1913, pp. 181–183. 1914; For. A.R., 1913, pp. 47–49. 1913.
      1914. An. Rpts., 1914, pp. 156–157. 1914; For. A.R., 1914, pp. 28–29. 1914.
      1915. An. Rpts., 1916, pp. 179–180, 181. 1917; For. A.R., 1916, pp. 25–26, 27. 1916.
      1916. An. Rpts., 1917, pp. 189–191. 1918; For. A.R., 1917, pp. 27–29. 1917.
      1917. An. Rpts., 1918, p. 193. 1919; For. A.R., 1918, p. 193. 1918.
      1918. An. Rpts., 1919, pp. 203–204. 1920; For. A.R., 1919, pp. 27–28. 1919.
      1919. An. Rpts., 1920, pp. 245–246. 1921.
    by forest cover. D.C. 100, p. 21. 1921; D.C. 240, p. 6. 1922; Sec. Cir. 183, pp. 9–11. 1921.
    by stock exclusion. D.B. 790, pp. 6, 70–71. 1919; For. [Misc.], "The use book, 1921," p. 9. 1922.
    by trees. D.C. 8, p. 16. 1919.
    loss by forest fires. M.C. 19, pp. 9–11. 1924.
    national forests. Y.B., 1914, pp. 73–74. 1915; Y.B. Sep. 633, pp. 73–74. 1915.
    need. D.C. 313, p. 1. 1924.
    regulations, penalty for violation. For. [Misc.], "Trespass on national * * *," pp. 16, 32, 36. 1922.
  value in water supply for tree planting, forests. Y.B., 1914, pp. 74–75. 1915; Y.B. Sep. 633, pp. 74–75. 1915.
Watertown, N. Y., milk supply, statistics, officials, prices, and ordinances. B.A.I. Bul. 46, pp. 40, 134. 1903.
Waterville, Me., milk supply, statistics, officials, and prices. B.A.I. Bul. 46, pp. 40, 82. 1903.
Waterways—
  Great Lakes region, facilities afforded by. Stat. Bul. 81, pp. 55–58. 1910.
  groups, freight rates, studies. D.B. 74, pp. 12, 17–31. 1914.
  in Russia, commercial importance, wheat transportation. Stat. Bul. 65, pp. 50–55, 69–70. 1908.
  inland—
    and coast, freight tonnage, 1906. Stat. Bul. 81, p. 58. 1910.
    private carriers of farm products. Y.B., 1907, p. 291. 1908; Y.B. Sep. 449, p. 291. 1908.
  National Commission, appointment, work, and suggestions. For. Cir. 157, pp. 13, 21. 1908.

Waterworks—
  farm kitchen, description and cheapness. F.B. 927, pp. 23–29. 1918.
  use of wood pipes. D.B. 155, pp. 2, 4, 34, 35. 1914.
WATHEN, J. A.—
  "Distillery operation and control." Chem. Bul. 130, pp. 109–113. 1910.
  "Yeasting." Chem. Bul. 130, pp. 113–116. 1910.
WATKINS, C. R., Jr.: "Soil survey of Shelby County, Tenn." With others. Soil Sur. Adv. Sh., 1916, pp. 39. 1919; Soils F.O., 1916, pp. 1379–1413. 1921.
WATKINS, J. L.—
  "Consumption of cotton in the cotton States." Y.B., 1903, pp. 463–478. 1904; Y.B. Sep. 308, pp. 463–478. 1904.
  "Future demand for American cotton." Y.B., 1901, pp. 193–206. 1902; Y.B. Sep. 234, pp. 193–206. 1902.
  "The commercial cotton crop of 1903–1904." Stat. Bul. 34, pp. 101. 1905.
  "The commercial cotton crops of 1900–1901, 1901–1902, and 1902–1903." Stat. Bul. 28, pp. 83. 1904.
  "The cotton crop of 1899–1900." Stat. Bul. 19, pp. 46. 1901.
WATKINS, W. I.: "Soil survey of—
  Beadle County, S. Dak." With others. Soil Sur. Adv. Sh., 1920, pp. 1475–1499. 1924; Soils F.O., 1920, pp. 1475–1499. 1925.
  Bottineau County, N. Dak." With others. Soil Sur. Adv. Sh., 1915, pp. 54. 1917; Soils F.O., 1915, pp. 2129–2178. 1919.
  Bowie County, Tex." With others. Soil Sur. Adv. Sh., 1918, pp. 62. 1921; Soils F.O., 1918, pp. 715–772. 1924.
  Chariton County, Mo." With others. Soil Sur. Adv. Sh., 1918, pp. 34. 1921; Soils F.O., 1918, pp. 1277–1306. 1924.
  Dickey County, N. Dak." With others. Soil Sur. Adv. Sh., 1914, pp. 56. 1916; Soils F.O., 1914, pp. 2411–2462. 1919.
  Dunklin County, Mo." With others. Soil Sur. Adv. Sh., 1914, pp. 47. 1916; Soils F.O., 1914, pp. 2095–2135. 1919.
  Eastland County, Tex." With others. Soil Sur. Adv. Sh., 1916, pp. 37. 1918; Soils F.O., 1916, pp. 1281–1313. 1921.
  Grant County, Ind." With others. Soil Sur. Adv. Sh., 1915, pp. 36. 1917; Soils F.O., 1915, pp. 1353–1384. 1919.
  Greenville County, S. C." With others. Soil Sur. Adv. Sh., 1921, pp. 189–212. 1924.
  Grundy County, Mo." With A. T. Sweet. Soil Sur. Adv. Sh., 1914, pp. 34. 1916; Soils F.O., 1914, pp. 1975–2004. 1919.
  Lamar County, Miss." With others. Soil Sur. Adv. Sh., 1919, pp. 42. 1922; Soils F.O., 1919, pp. 973–1010. 1925.
  Lexington County, S. C." With others. Soil Sur. Adv. Sh., 1922, pp. 50. 1925.
  McCook County, S. Dak." With others. Soil Sur. Adv. Sh., 1921, pp. 451–471. 1924.
  Nodaway County, Mo." With others. Soil Sur. Adv. Sh., 1913, pp. 31. 1915. Soils F.O., 1913, pp. 1757–1783. 1916.
  Pike County, Miss." With others. Soil Sur. Adv. Sh., 1918, pp. 32. 1921; Soils F.O., 1918, pp. 649–676. 1924.
  Ralls County, Mo." With A. T. Sweet. Soil Sur. Adv. Sh., 1913, pp. 41. 1914; Soils F.O., 1913, pp. 1815–1851. 1916.
  Reynolds County, Mo." With others. Soil Sur. Adv. Sh., 1918, pp. 30. 1921; Soils F.O., 1918, pp. 1307–1332. 1924.
  Taylor County, Tex." With others. Soil Sur. Adv. Sh., 1915, pp. 40. 1918; Soils F.O., 1915, pp. 1127–1162. 1919.
  Texas County, Mo." With others. Soil Sur. Adv. Sh., 1917, pp. 37. 1919; Soils F.O., 1917, pp. 1523–1555. 1923.
  Union County, S. Dak." With others. Soil Sur. Adv. Sh., 1921, pp. 473–508. 1924.
WATSON, C. W.: "Soil survey of Richardson County, Nebr." With others. Soil Sur. Adv. Sh., 1915, pp. 36. 1917; Soils F.O., 1915, pp. 2027–2058. 1919.

INDEX TO PUBLICATIONS, 1901–1925 2575

WATSON, E. B.: "Soil survey of—
Ashley County, Ark." With others. Soil Sur.
Adv. Sh., 1913, pp. 39. 1914; Soils F.O., 1913,
pp. 1185–1219. 1916.
Bienville Parish, La." With others. Soil Sur.
Adv. Sh., 1908, pp. 36. 1909; Soils F.O., 1908,
pp. 843–874. 1911.
Bremer County, Iowa." With others. Soil Sur.
Adv. Sh., 1913, pp. 37. 1914; Soils F.O., 1913,
pp. 1689–1721. 1916.
Camp County, Tex." With others. Soil Sur.
Adv. Sh., 1908, pp. 20. 1910; Soils F.O., 1908,
pp. 953–968. 1911.
Cedar County, Mo." With H. F. Williams.
Soil Sur. Adv. Sh., 1909, pp. 34. 1911; Soils
F.O., 1909, pp. 1337–1366. 1912.
Concordia Parish, La." With others. Soil Sur.
Adv. Sh., 1910, pp. 35. 1911; Soils F.O., 1910,
pp. 827–857. 1912.
Juneau County, Wis." With others. Soil Sur.
Adv. Sh., 1911, pp. 54. 1913; Soils F.O., 1911,
pp. 1463–1512. 1914.
Morris County, Tex." With Risden T. Allen.
Soil Sur. Adv. Sh., 1909, pp. 24. 1910; Soils
F.O., 1909, pp. 985–1004. 1912.
Richland County, N. Dak." With others.
Soil Sur. Adv. Sh., 1908, pp. 38. 1909; Soils
F.O., 1908, pp. 1121–1154. 1911.
the Big Valley, Calif." With Stanley W. Cosby.
Soil Sur. Adv. Sh., 1920, pp. 1005–1032. 1924;
Soils F.O., 1920, pp. 1005–1032. 1925.
the El Centro area, California." With others.
Soil Sur. Adv. Sh., 1918, pp. 59. 1922; Soils
F.O., 1918, pp. 1633–1687. 1924.
the Eureka area, California." With others.
Soil Sur. Adv. Sh., 1921, pp 31. 1925.
the Grass Valley area, California." With J. B.
Hammon. Soil Sur. Adv. Sh., 1918, pp. 40.
1921; Soils F.O., 1918, pp. 1689–1724. 1924.
the Healdsburg area, California." With others.
Soil Sur. Adv. Sh., 1915, pp. 59. 1917; Soils
F.O., 1915, pp. 2199–2253. 1921.
the Hood River-White Salmon River area, Oregon-Washington." With A. T. Strahorn.
Soil Sur. Adv. Sh., 1912, pp. 45. 1914; Soils
F.O., 1912, pp. 2047–2087. 1915.
the Los Angeles area, California." With others.
Soil Sur. Adv. Sh., 1916, pp. 78. 1919; Soils
F.O., 1916, pp. 2347–2420. 1921.
the Merced area, California." With others.
Soil Sur. Adv. Sh., 1914, pp. 70. 1916; Soils
F.O., 1914, pp. 2785–2850. 1919.
the Riverside area, California." With others.
Soil Sur. Adv. Sh., 1915, pp. 88. 1917; Soils
F.O., 1915, pp. 2367–2450. 1919.
the Santa Maria area, California." With Alfred
Smith. Soil Sur. Adv. Sh., 1916, pp. 48. 1919;
Soils F.O., 1916, pp. 2531–2574. 1921.
the Shasta Valley area, California." With others.
Soil Sur. Adv. Sh., 1919, pp. 99–152. 1923; Soils
F.O., 1919, pp. 99–152. 1925.
the Ukiah area, California." With R. L. Pendleton. Soil Sur. Adv. Sh. 1914, pp. 53. 1916;
Soils F.O., 1914, pp. 2629–2677. 1919.
the Ventura area, California." With others.
Soil Sur. Adv. Sh., 1917, pp. 87. 1920; Soils
F.O., 1917, pp. 2321–2403. 1923.
Titus County, Tex." With Thomas D. Rice.
Soil Sur. Adv. Sh., 1909, pp. 27. 1910; Soils
F.O., 1909, pp. 1005–1027. 1912.
Washington County, Oreg." With others.
Soil Sur. Adv. Sh., 1919, pp. 51. 1923; Soils
F.O., 1919, pp. 1835–1881. 1925.
Wattle(s)—
Australian, cultivation. David G. Fairchild.
B.P.I. Bul. 51, Pt. IV, pp. 21–25. 1905.
black—
cultivation, seed quantity to acre. Hawaii
Bul. 11, pp. 8–9. 1906.
(*Acacia decurrens*), in Hawaii—
J. G. Smith. Hawaii Bul. 11, pp. 16. 1906.
value in tan-bark production and other uses.
O.E.S. Bul. 170, pp. 11–12, 27. 1906.
insect enemies. D.B. 9, p. 5. 1913; Hawaii Bul.
11, p. 16. 1906.
tanning value. D.B. 9, pp. 2, 16–25. 1913.
forest planting directions, safeguards against
fires. Hawaii Bul. 11, p. 9. 1906.

Wattle(s)—Continued.
golden—
importation and description. No. 35088, B.P.I.
Inv. 34, pp. 39–40. 1915.
See also *Acacia pycnantha*.
importations and descriptions. Nos. 44320–44323,
B.P.I. Inv. 50, pp. 57–58. 1922; Nos. 46871,
46872, B.P.I. Inv. 57, p. 44. 1922; Nos. 52333,
52800, B.P.I. Inv. 66, pp. 3, 11, 77. 1923.
insect pests, list. Sec. [Misc.], "A manual * * *
insects * * *," pp. 9–11. 1917.
prickly, importation and description. No. 46357,
B.P.I. Inv. 56, p. 11. 1922.
varieties and descriptions. D.B. 816, pp. 20–21.
1920.
See also Acacia; Huisache tree.
WATTS, C. E.: "Soil survey of Palo Alto County,
Iowa." With others. Soil Sur. Adv. Sh., 1918,
pp. 36. 1921; Soils F.O., 1918, pp. 1133–1164.
1924.
WATTS, H. M.—
"The forecaster and the newspaper." W.B. Bul.
31, pp. 43–57. 1902.
"The public and the forecaster." W.B. Bul. 31,
pp. 142–145. 1902.
WATTS, L. F.: "A chlorosis of conifers corrected by
spraying with ferrous sulphate." With others.
J.A.R., vol. 21, No. 3, pp. 153–171. 1921.
WATTS, R. L., report of Pennsylvania State College Agricultural Experiment Station—
1912. O.E.S. An. Rpt., 1912, pp. 189–192. 1913.
1913. O.E.S. An. Rpt., 1913, pp. 74–75. 1915.
1914. O.E.S. An. Rpt., 1914, pp. 199–202. 1915.
1915. S.R.S. Rpt., 1915, Pt. I, pp. 227–231. 1916.
1916. S.R.S. Rpt., 1916, Pt. I, pp. 233–237. 1918.
1917. S.R.S. Rpt., 1917, Pt. I, pp. 229–233. 1918.
WAUGH, F. A.—
"A plan for the development of the village of
Grand Canyon, Ariz." For. [Misc.], pp. 23.
1918.
"Bulletin illustration." O.E.S. Bul. 123, pp.
113–114. 1903.
"Recreation uses of the national forests." For.
[Misc.], pp. 43. 1918.
Waukesha, Wis., milk supply, statistics, officials,
and prices. B.A.I. Bul. 46, pp. 42, 165. 1903.
Waves, action on kelp growth. D.B. 1191, p. 27.
1923.
Wax—
bayberry, use in making candles. B.P.I. Bul.
139, p. 14. 1909.
berry. See Bayberry.
bleaching, directions. F.B. 334, p. 30. 1908.
cluster. See Wintergreen.
coating, wrapper, effect on apple scald prevention.
J.A.R., vol. 16, pp. 215, 216. 1919.
empty combs, care. Ent. Bul. 75, Pt. I, p. 7. 1907.
extraction and extractors, directions. F.B. 334,
pp. 29–30. 1908.
floor, formulas and use. F.B. 1180, pp. 9, 13.
1921; F.B. 1219, p. 12. 1921.
foundation, description and use. F.B. 447, pp.
12, 21, 23, 37. 1911.
from infected combs, utilization. F.B. 1084,
p. 12–13. 1920.
grafting. See Grafting wax.
honey, and bees, production and value. Y.B.,
1901, pp. 784–785. 1902.
laboratory, purpose. Chem. Cir. 14, p. 5. 1908.
making, by honeybees, details. Ent. Cir. 161,
pp. 1–13. 1912.
maple, preparation. D.B. 466, p. 42. 1917.
mineral, source, use in waterproofing duck, and
cost. F.B. 1157, pp. 11–13. 1920.
moths. See Moths, wax.
plates, honeybee, anatomical details, methods of
observation. Ent. Cir. 161, pp. 3–6. 1912.
production—
ability of bees at different times. Ent. Bul.75,
p. 73. 1911.
in Hawaiian beekeeping. Ent. Bul 75, pp. 54–
56. 1911.
scales, honeybee, manipulation. D.B. Casteel.
Ent. Cir. 161, pp. 13. 1912.
secretion by—
honeybee, details. Ent. T.B. 18, pp. 71–72.
1910.
woolly aphid. Rpt. 101, pp. 46–47. 1915.
shoemaker's, manufactured from pitch pine. For.
Bul. 99, p. 33. 1911.

Wax—Continued.
use—
in determining wilting coefficient, method. B.P.I. Bul. 230, pp. 8, 10-24, 49, 75, 76. 1912.
on apples to prevent scald. F.B. 1380, pp. 12-14. 1923; J.A.R., vol. 26, pp. 529-531, 532. 1923.
vegetable imports—
1910-1912. Y.B., 1912, p. 725. 1913; Y.B. Sep. 615, p. 725. 1913.
1911-1913. Y.B., 1913, p. 500. 1914; Y.B. Sep. 361, p. 500. 1914.
1913-1915. Y.B. 1915, p. 547. 1916; Y.B. Sep. 685, p. 547. 1916.
1917. Y.B., 1917, p. 767. 1918; Y.B. Sep. 762, p. 11. 1918.
1921, statistics. Y.B. 1921, pp. 743, 749. 1922; Y.B. Sep. 867, pp. 7, 13. 1922.
1922-1924. Y.B., 1924, p. 1063. 1925.
See also Beeswax.
Waxwing—
cedar—
food habits, and occurrence in Arkansas. Biol. Bul. 38, p. 72. 1911.
fruit eating and food of nestlings. Y.B., 1900, pp. 304, 417. 1901; Y.B. Sep. 194, pp. 304, 417. 1901.
See also Cedar bird.
protection by law. Biol. Bul. 12, rev., p. 40. 1902.
range and habits. N.A. Fauna 22, p. 124. 1902.
varieties, occurrence in Athabaska-Mackenzie region. N.A. Fauna 27, pp. 61-62, 457-459. 1908.
Waxwork, Roxbury. See Bittersweet, false.
Waynesboro soils, description, crops, and treatment, Albemarle area, Va. Soils Cir. 53, pp. 8-12. 1912.
We fruit, importations and description. No. 30495, B.P.I. Bul. 242, p. 14. 1912; No. 32110, B.P.I. Bul. 261, p. 29. 1912.
Weakfish, cold-storage holdings, 1918, by months. D.B. 792, pp. 65-66. 1919.
WEAKLEY, H. E.: "Soil survey of—
Antelope County, Nebr." With others. Soil Sur. Adv. Sh., 1921, pp. 757-816. 1924.
Deuel County, Nebr." With others. Soil Sur. Adv. Sh., 1921, pp. 707-755. 1924.
Weaning—
Angora kids, age. F.B. 1203, p. 21. 1921.
calf(ves)—
directions. F.B. 1135, p. 17. 1920.
in range. F.B. 1395, pp. 28-29. 1925.
foal, time, and methods. F.B. 803, p. 19. 1917; rev., pp. 16-17. 1923.
lambs, directions. D.B. 573, p. 14. 1917; F.B. 840, pp. 18-19. 1917.
pigs, time and management. B.A.I. Bul. 47, pp. 56-60. 1904; F.B. 874, pp. 23-24. 1917; F.B. 1437, pp. 15-16. 1925; News L., vol 6, No. 44, p. 7. 1919.
Weasel—
Arctic—
description, habits, and occurrence in east central Alaska. N.A. Fauna 30, pp. 29-31. 1909.
range and habits. N.A. Fauna 24, p. 46. 1904.
bounty laws, summary. F.B. 911, p. 30. 1917.
bridled, Texas, occurrence and description. N.A. Fauna 25, p. 198. 1905.
description and beneficial habits. F.B. 335, p. 30. 1908.
dwarf, occurrence in Colorado, description. N.A. Fauna 33, pp. 187-188. 1911.
habits, enemy of rodents. F.B. 484, p. 45. 1912.
hunting and bounty laws, 1919, notes. F.B. 1079, pp. 3, 6, 11, 15, 17, 22, 30. 1919.
long-tailed, occurrence in Colorado, description. N.A. Fauna 33, pp. 185-186. 1911.
mountain, occurrence in Colorado, description. N.A. Fauna 33, pp. 186-187. 1911.
occurrence in—
Alabama, description and habits. N.A. Fauna 45, pp. 35-36. 1921.
Athabaska-Mackenzie region, description. N.A. Fauna 27, pp. 230-234. 1908.
Colorado, description. N.A. Fauna 33, pp. 186-188. 1911.
Montana, host of fever ticks. Biol. Cir. 82, p. 1911.
protection—
in Alaska, regulations. Biol. S.R.A. 56, pp. 1-3. 1923.
laws, summary, 1918. F.B. 1022, p. 30. 1918.

Weasel—Continued.
range and habits. N.A. Fauna 22, pp. 67-68. 1902.
trapping directions, and casing skins. Y.B., 1919, pp. 461-462. 1920; Y.B. Sep. 823, pp. 461-462. 1920.
usefulness as field-mouse hunter. F.B. 352, p. 21. 1909.
value—
as ratters and mousers. Biol. Bul. 33, p. 36. 1909.
in destruction of gophers. Y.B., 1909, p. 217. 1910; Y.B. Sep. 506, p. 217. 1910.
Weather—
and the dairy cow. F.B. 149, pp. 28-31. 1902.
changes, relation to shedding in Angora goat. B.A.I. An. Rpt., 1904, pp. 402-403. 1905.
code—
W.B. [Misc.], "Weather code," rev., pp. 90. 1907; rev., pp. 100. 1916; rev., pp. 80. 1923.
for West Indian and Caribbean Sea observers. W.B. [Misc.], "Weather code for * * *," pp. 32. 1917.
radiographic, for vessel observers. W.B. [Misc.], "Radiographic weather code * * *," pp. 51. 1917.
conditions—
1902, review. Y.B., 1902, pp. 693-713. 1903.
1906, crop season, review. James Berry. Y.B., 1906, pp. 473-491. 1907.
1907, review. Y.B., 1907, pp. 524-541. 1908.
1908, review. P. C. Day. Y.B., 1908, pp. 516-532. 1909.
1909, review. P. C. Day. Y.B., 1909, pp. 419-428. 1910.
1911. P. C. Day. Y.B., 1911, pp. 507-515. 1912.
1912. P. C. Day. Y.B., 1912, pp. 546-556. 1913.
at Huntley project, 1911-1913, tables. B.P.I. [Misc.], "The work of the Huntley * * * 1913," pp. 1-2. 1914.
at Truckee-Carson experiment farm, 1906-1917. W.I.A. Cir. 23, pp. 3-6. 1918.
effect on—
cankerworms. D.B. 1238, pp. 28-29. 1924.
chemical composition of grape juice. J.A.R., vol. 30, pp. 1133-1134, 1141-1157, 1174-1175. 1925.
crop yields in Guam, 1913. Guam A.R., 1913, p. 6. 1914.
markets. Y.B., 1918, pp. 282-283. 1919; Y.B. Sep. 768, pp. 8-9. 1919.
root rot of cotton and alfalfa. J.A.R., vol. 26, pp. 411-412. 1923.
essential to cotton classification. D.C. 278, pp. 34-35. 1924.
favorable for cotton growing. Atl. Am. Agr. Adv. Sh., 4, Pt. V, sec. A, pp. 9-10. 1919.
in California—
in January and February, discussion, with table and charts. Y.B., 1902, pp. 198-203. 1903.
wet and dry. A. G. McAdie. Y.B., 1902, pp. 187-204. 1903.
in Nevada, Newlands experiment farm, 1906-1921. D.C. 267, pp. 5-6. 1923.
influence on—
apple browning. D.B. 1104, p. 23. 1922.
earworm control. F.B. 1310, p. 12. 1923.
flea abundance. D.B. 248, pp. 9-10. 1915.
relation to—
anthracnose of mango, studies. D.B. 52, pp. 11-14, 15. 1914.
cotton yield in Louisiana. Bradford B. Smith. J.A.R., vol. 30, pp. 1083-1086. 1925.
crops. F.B. 560, pp. 16-17. 1913.
grasshopper outbreaks. D.B. 293, p. 5. 1915.
growth and development of cotton. J. B. Marbury. Y.B., 1904, pp. 141-150. 1905; Y.B. Sep. 338, pp. 141-150. 1905.
insect pests. D.B. 1103, pp. 3-4, 12, 15, 17-18, 21, 23, 26, 28, 34, 35, 36, 37, 41, 48. 1922.
tobacco production and yield. Y.B., 1922, pp. 419-420. 1923; Y.B. Sep. 885, pp. 419-420. 1923.
study in frost prevention. F.B. 401, pp. 13-17. 1910.

INDEX TO PUBLICATIONS, 1901-1925   2577

Weather—Continued.
cooperative observers, instructions for. W. B. [Misc.], "Instructions for cooperative * * *," pp. 31. 1906; rev., pp. 29. 1911; rev., pp. 37. 1915; rev., pp. 39. 1919; rev., pp. 35. 1924.
damage to cement and concrete, prevention. F.B. 235, p. 13. 1905.
description and record, for various States, counties, and areas. *See* Soil surveys.
effect on—
  bacterial activities of the soil. J.A.R., vol. 9, pp. 293-341. 1917.
  citrus scab distribution and prevalence. J.A.R., vol. 28, pp. 250-252. 1924.
  codling moth, records, 1909, 1910, 1911. Ent. Bul. 115, Pt. I, pp. 66-70. 1912.
  dormancy of plants. J.A.R., vol. 20, pp. 151-160. 1920.
  farm crop production. D.B. 999, pp. 6-7. 1921.
  gas engines. F.B. 1013, pp. 12-15. 1919.
  greenhouse fumigation. D.B. 513, pp. 8-9. 1917.
  honey flow of bees. James I. Hambleton. D.B. 1339, pp. 52. 1925.
  insect ravages. Y.B., 1908, pp. 385-387. 1909; Y.B. Sep. 488, pp. 385-387. 1909.
  seed production of sweet clover. D.B. 844, pp. 20-21. 1920.
factors influencing. Y.B., 1924, pp. 458-463. 1925.
folk-lore, and local weather signs. Edward B. Garriott. W.B. Bul. 33, pp. 153. 1903.
forecast(s)—
  aid to aviation. Off. Rec. vol. 1, No. 25, p. 4. 1922; Off. Rec. vol. 2, No. 20, p. 3. 1923; Off. Rec., vol. 2, No. 35, p. 3. 1923; Off. Rec., vol. 3, No. 46, p. 4. 1924; Off. Rec., vol. 4, No. 10, p. 2. 1925; Off. Rec., vol. 4, No. 39, p. 6. 1925; News L., vol. 6, No. 46, p. 7. 1919; News L., vol. 7, No. 9, p. 7. 1919.
  amplification—
    Alfred J. Henry. Y.B., 1900, pp. 107-114. 1901; Y.B. Sep. 202, pp. 107-114. 1901.
  for benefit of perishable products. W. M. Wilson. W.B. [Misc.], "Proceedings, third convention * * *," pp. 49-52. 1904.
  and maps, service work. Y.B., 1921, pp. 39-40. 1922; Y.B. Sep. 875, pp. 39-40. 1922.
  and the public. H. B. Boyer. W.B. Bul. 31, pp. 151-152. 1902.
  at sea. Off. Rec., vol. 2, No. 18, p. 2. 1923.
  broadcasting. Sec. A.R., 1925, pp. 63-64. 1925.
  farm, inauguration of service, scope, and distribution. News L., vol. 2, No. 38, p. 7. 1915.
  for hog-killing. Off. Rec. vol. 2, No. 51, p. 2. 1923.
  importance to farmers. Y.B., 1908, p. 434. 1909; Y.B. Sep. 492, p. 434. 1909.
  long-range. E. B. Garriott. W.B. Bul. 35, pp. 68. 1904; W.B. [Misc.] "Proceedings, third convention * * *," pp. 38-42. 1904.
  seasonal. Alexander G. McAdie. W.B. [Misc.] "Proceedings, third convention * * *," pp. 38-42. 1904.
  value, instances. An. Rpts., 1912, pp. 36-37, 177-178, 180. 1913; News L., vol. 5, No. 1, p. 6. 1917; Off. Rec., vol. 1, No. 7, p. 8. 1922; Sec. A.R., 1912, pp. 36-37, 177-178, 180. 1912; Y.B., 1912, pp. 36-37, 177-178, 180. 1913.
  wireless, for Great Lakes, inauguration of daily service. News L., vol. 1, No. 45, p. 4. 1914.
  work and value. Y.B., 1923, pp. 45-47. 1924.
forecasting—
  George S. Bliss. W.B. Bul. 42, pp. 34. 1913.
  an aid in. F. H. Brandenburg. W.B. [Misc.], "Proceedings, third convention * * *," pp. 52-54. 1904.
  in the United States. Alfred J. Henry and others. W.B. [Misc.], "Weather forecasting in * * *," pp. 370. 1916.
  special service for cranberry growers. F.B. 1401, p. 5. 1924.
  work for any year. *See* Weather Bureau, report of chief.
humidity and moisture content, relation to cotton-spinning tests. D.B. 591, pp. 13-17. 1917.
importance to the farmer. J. Warren Smith. Y.B., 1920, pp. 181-202. 1921; Y.B. Sep. 838, pp. 181-202. 1921.

Weather—Continued.
indications in sun, moon, sky, and winds, proverbs regarding. Y.B., 1912, pp. 373-382. 1913; Y.B. Sep. 599, pp. 373-382. 1913.
influence on flight of bees. D.B. 1328, pp. 14-23. 1925.
information, distribution by naval radio, Pacific coast. W.B. [Misc.], "Distribution of weather * * *," pp. 4. 1922.
instructions to storm-warning displaymen. W.B. [Misc.], "Instructions to storm-warning * * *," pp. 10. 1912.
instruments—
  homemade, directions. Y.B., 1907, pp. 272-274. 1908; Y.B. Sep. 471, pp. 272-274. 1908.
  needful in orchard protection from frosts. F.B. 401, pp. 22-23. 1910.
international exchange of forecasts. An. Rpts., 1922, pp. 75-77. 1923; W.B. Chief Rpt., 1922, pp. 9-11. 1922.
map(s)—
  commercial, of the United States Weather Bureau. Y.B., 1912, pp. 537-539. 1913; Y.B. Sep. 612, pp. 537-539. 1913.
  daily, with explanation. W.B. [Misc.], "Daily weather map, 1908," pp. 7. 1917.
  purpose, scope, interpretation, and educational value. Y.B., 1915, pp. 323-327. 1916; Y.B. Sep. 680, pp. 323-327. 1916.
  six Washington daily, February 1 to 6, 1903, showing movement of typical storm.. W.B. [Misc.], "Climatic charts of United States," pp. 3-6. 1904.
  use in schools. Y.B., 1907, p. 271. 1908; Y.B. Sep. 471, p. 271. 1908.
new problems. Willis L. Moore, W. J. Humphreys, and O. L. Fassig. Y.B., 1906, pp. 121-124. 1907; Y.B. Sep. 410, pp. 121-124. 1907.
observations, instruments, making on the farm. Dewey A. Seeley. Y.B., 1908, pp. 433-442. 1909; Y.B. Sep. 492, pp. 433-442. 1909.
observers—
  instruction requirements and recommendations. An. Rpts., 1907, pp. 188-189. 1908.
  number in service June 30, 1915. News L., vol. 3, No. 24, p. 2. 1916.
of—
  Guam, report 1922-1923. Guam A.R., 1923, p. 12. 1925.
  Nebraska, Scottsbluff, 1916. W.I.A. Cir. 18, pp. 1-4. 1918.
  Nevada, Newlands farm. D.C. 352, p. 6. 1925.
  Virgin Islands, records for 1924. Vir. Is. A.R., 1924, pp. 1, 8-9. 1925.
  Yuma project, conditions, in 1911-1920. D.C. 221, pp. 4-5. 1922.
poultry-house relations. F.B. 1413, pp. 8, 9. 1924.
predictions from moon. Off. Rec., vol. 2, No. 47, p. 5. 1923.
proverbs, useful. W. J. Humphreys. Y.B., 1912, pp. 373-382. 1913; Y.B. Sep. 599, pp. 373-382. 1913.
radio reports. Sec. A.R., 1924, p. 55. 1924.
records—
  in sugar-beet sections. Rpt. 80, pp. 169-170. 1905.
  of Plains States, 1889-1907. Y.B., 1908, pp. 294-295. 1909; Y.B. Sep. 481, pp. 294-295. 1909.
relation to—
  agriculture. A. J. Henry and others. Y.B., 1924, pp. 457-558. 1925.
  fruit setting. J.A.R., vol. 17, pp. 105-118. 1919.
  fruitfulness in the plum. J.A.R., vol. 17, pp. 103-126. 1919.
  gas injury of citrus trees. F.B. 1321, pp. 40-45. 1923.
  smut infection in corn. J.A.R., vol. 30, p. 165. 1925.
  spread of white-pine blister rust in the Pacific Northwest. L. H. Pennington. J.A.R., vol. 30, pp. 593-607. 1925.
  streams and forests. F.B. 358, pp. 29-40. 1909.
  wheat growing. Y.B., 1921, pp. 107-108, 122-124. 1922; Y.B. Sep. 873, pp. 107-108, 122-124. 1922.

Weather—Continued.
report(s)—
by States, January–December, 1922. Y.B. 1922, pp. 1033–1044. 1923; Y.B. Sep. 887, pp. 1033–1044. 1923.
enciphering code—
1916. W.B. [Misc.], "Weather code," pp. 100. 1916.
1924. W.B. [Misc.], "Weather code," pp. 80. 1923.
prepared for Brazil Centennial Exposition (also in Spanish and Portuguese text). W.B. [Misc.], "Report prepared for Brazil; * * *," pp. 8. 1922.
telegraphing and telephoning, instructions to operators. S. P. Minnick. W.B. [Misc.], "Instructions to operators * * *," pp. 35. 1918.
service, instructions governing the corn, wheat, cotton, sugar, and rice region. Willis L. Moore. W.B. [Misc.], "Instructions governing corn * * *," No. 304, pp. 8. 1904; rev., pp. 8. 1912; rev., pp. 8. 1918.
speaking of. J. W. Smith. Y.B., 1920, pp. 181–202. 1921; Y.B. Sep. 838, pp. 181–202. 1921.
spread of white-pine blister rust. L. H. Pennington. J.A.R., vol. 30, pp. 593–607. 1925.
statistics—
1912–1923. Y.B., 1923, pp. 1199–1222. 1924; Y.B. Sep. 906, pp. 1199–1222. 1924.
1924. Y.B., 1924, pp. 1206–1230. 1925.
stripping, windows and doors. F.B. 1194, pp. 14–17. 1921.
symbols on rural free-delivery wagons. L. M. Pindell. W.B. Bul. 31, p. 208. 1902.
synopsis of conditions, discussion. F. P. Chaffee. W.B. Bul. 31, pp. 137–142. 1902.
types, study facilities. F. H. Brandenburg. W.B. Bul. 31, pp. 136–137. 1902.
voluntary observers, instructions for. W.B. [Misc.], "Instructions for voluntary * * *," pp. 27. 1901.

Weather Bureau—
and the—
cranberry industry. Henry J. Cox. Y.B., 1911, pp. 211–222. 1912; Y.B. Sep. 562, pp. 211–222. 1912.
homeseeker. Edward L. Wells. Y.B., 1904, pp. 353–358. 1905; Y.B. Sep. 352, pp. 353–358. 1905.
public schools. John R. Weeks. Y.B., 1907, pp. 267–276. 1908; Y.B. Sep. 471, pp. 267–276. 1908.
appropriations, 1915, salaries and general expenses. Sol. [Misc.], "Laws applicable * * * Agriculture," sup. 2, pp. 14–16. 1915.
buildings, purchase, 1888. Off. Rec., vol. 1, No. 27, p. 2. 1922.
climatic studies, value to forest investigators. D.B. 1059, pp. 11–12. 1922.
collection of data on winds, apparatus and records. Y.B., 1911, p. 337. 1912; Y.B. Sep. 573, p. 337. 1912.
commercial weather map, history. Y.B., 1912, pp. 537–539. 1913; Y.B. Sep. 612, pp. 537–539. 1913.
daily cabling of American weather conditions to Europe. News L., vol. 5, No. 47, p. 11. 1918.
employees, travel expenses, allowance. Sol. [Misc.], "Laws applicable * * * Agriculture," sup. 2, p. 14. 1915.
flood warnings, accuracy and value. Off. Rec., vol. 1, No. 14, p. 4. 1922.
Hawaiian Volcano Observatory, transfer to Geological Survey. Off. Rec., vol. 3, No. 29, p. 2. 1924.
history and work, Henry E. Williams. W.B. [Misc.], "The Weather Bureau," pp. 58. 1915; rev., pp. 59. 1916; rev., pp. 55. 1923.
hurricane-service extension. News L., vol. 6, No. 41, pp. 14–15. 1919.
instruction(s)—
and research by officials. Cleveland Abbe. W.B. [Misc.], "Proceedings, third convention * * *," pp. 133–164. 1904.
to special river and rainfall observers. W.B. [Misc.], "Instructions to special * * *," pp. 46. 1904; rev., pp. 47. 1909; rev., pp. 24. 1912; rev., pp. 27. 1915.

Weather Bureau—Continued.
kiosk. C.F. Marvin. W.B. [Misc.], "Weather Bureau kiosk," pp. 6. 1914.
laws applicable and appropriations, Aug. 28, 1912–March 1, 1913. Sol. [Misc.], "Laws applicable * * * Agriculture," sup. 1, pp. 10–12. 1913.
maps and publications, sale regulations. Adv. Com. F. and B.M., [Misc.], "Property Regulations," p. 28. 1916.
nature of work and distribution of information. Y.B., 1909, pp. 387–389. 1910; Y.B. Sep. 522, pp. 387–389. 1910.
officials, second convention, proceedings. James Berry and W. F. R. Phillips. W.B. Bul. 31, p. 246. 1902.
organization and work. Sol. [Misc.], "A * * * statutory history * * *," p. 8. 1916.
records, use in court. Henry J. Cox. Y.B., 1903, pp. 303–312. 1904; Y.B. Sep. 307, pp. 303–312. 1904.
relation to homeseeker. Edward L. Wells. Y.B., 1904, pp. 353–358. 1905; Y.B. Sep. 352, pp. 353–358. 1905.
report of Chief—
1901. Willis L. Moore. An. Rpts., 1901, pp. 3–14. 1901; W.B. Chief Rpt., 1901, pp. 12. 1901.
1902. Willis L. Moore. An. Rpts., 1902, pp. 3–23. 1902; W.B. Chief Rpt., 1902, pp. 21. 1902.
1903. Willis L. Moore. An. Rpts., 1903, pp. 3–46. 1903.
1904. Willis L. Moore. An. Rpts., 1904, pp. 3–42. 1904.
1905. Willis L. Moore. An. Rpts., 1905, pp. 3–28. 1905.
1906. Willis L. Moore. An. Rpts., 1906, pp. 103–121. 1907; W.B. Chief Rpt., 1906, pp. 23. 1906.
1907. Willis L. Moore. An. Rpts., 1907, pp. 143–189. 1908; W.B. Chief Rpt., 1907, pp. 49. 1907.
1908. Willis L. Moore. An. Rpts., 1908, pp. 189–218. 1909; W.B. Chief Rpt., 1908, pp. 31. 1908.
1909. Willis L. Moore. An. Rpts., 1909, pp. 155–193. 1910; W.B. Chief Rpt., 1909, pp. 43. 1909.
1910. Willis L. Moore. An. Rpts., 1910, pp. 161–198. 1911; W.B. Chief Rpt., 1910, pp. 40. 1910.
1911. Willis L. Moore. An. Rpts., 1911, pp. 155–193. 1912; W.B. Chief Rpt., 1911, pp. 43. 1911.
1912. Willis L. Moore. An. Rpts., 1912, pp. 263–301. 1913; W.B. Chief Rpt., 1912, pp. 43. 1912.
1913. C. F. Marvin. An. Rpts., 1913, pp. 63–70. 1914; W.B. Chief Rpt., 1913, pp. 8. 1913.
1914. C. F. Marvin. An. Rpts., 1914, pp. 49–56. 1914; W.B. Chief Rpt., 1914, pp. 8. 1914.
1915. C. F. Marvin. An. Rpts., 1915, pp. 57–76. 1916; W.B. Chief Rpt., 1915, pp. 20. 1915.
1916. C. F. Marvin. An. Rpts., 1916, pp. 49–66. 1917; W.B. Chief Rpt., 1916, pp. 18. 1916.
1917. C. F. Marvin. An. Rpts., 1917, pp. 47–65. 1918; W.B. Chief Rpt., 1917, pp. 19. 1917.
1918. C. F. Marvin. An. Rpts., 1918, pp. 57–70. 1919; W.B. Chief Rpt., 1918, pp. 14. 1918.
1919. C. F. Marvin. An. Rpts., 1919, pp. 49–72. 1920; W.B. Chief Rpt., 1919, pp. 24. 1919.
1920. C. F. Marvin. An. Rpts., 1920, pp. 65–88. 1921; W.B. Chief Rpt., 1920, pp. 24. 1920.
1921. C. F. Marvin. W.B. Chief Rpt., 1921, pp. 22. 1921.
1922. C.F. Marvin. An. Rpts., 1922, pp. 67–97. 1923; W.B. Chief Rpt., 1922, pp. 31. 1922.
1923. C. F. Marvin. An. Rpts., 1923, pp. 103–130. 1924; W.B. Chief Rpt., 1923, pp. 28. 1923.
1924. C.F. Marvin. W.B. Chief Rpt., 1924, pp. 19. 1924.

INDEX TO PUBLICATIONS, 1901–1925

Weather Bureau—Continued.
reports, discussion. G.A. Loveland. W.B. Bul. 31, pp. 187–188. 1902.
river and flood service, extension. H.C. Frankenfield. Y.B., 1905, pp. 231–240. 1906; Y.B. Sep. 379, pp. 231–240. 1906.
salaries, 1915. Sol. [Misc.], "Laws applicable * * * Agriculture," sup. 2, pp. 14–15. 1915.
service, career for young men. Roscoe Nunn. W.B. Bul. 31, pp. 78–81. 1902.
special warnings, use by farmers. Charles F. von Herrmann. Y.B., 1909, pp. 387–398. 1910; Y.B. Sep. 522, pp. 387–398. 1910.
stations—
and their duties. James Kenealy. Y.B., 1903, pp. 109–120. 1904; Y. B. Sep. 301, pp. 109–120. 1904.
cranberry regions. Y.B., 1911, pp. 213–214. 1912; Y.B. Sep. 562, pp. 213–214. 1912.
map showing location. Atlas Am. Agr. Adv. Sh., 2, Pt. II, sec. A, pp. 2–3. 1922.
regulations. W.B. [Misc.], "Station regulations," pp. 97. 1905.
storm-warning, instructions for care and management. W.B. [Misc.], "Instructions for care * * *," pp. 26. 1916.
third convention of officials, proceedings. W.B. [Misc.], "Proceedings, third convention * * *," pp. 267. 1904.
work—
for Ohio River navigation system. Off. Rec. vol. 4, No. 27, p. 4. 1925.
in West Indies. Oliver L. Fassig. W.B. [Misc.], "The U.S. Weather Bureau * * *," pp. 4. 1924.
organization—
1900, and duties. Y.B., 1900, pp. 10, 14–15, 633. 1901.
1905–1906, and duties. Pub. Cir. 1, rev., pp. 3–7. 1906.
1907, and duties. Pub. Cir. 1, rev., pp. 3–8. 1908; Y.B., 1907, p. 500. 1908; Y.B. Sep. 4¯4, p. 500. 1908.
1908, and duties. Pub. Cir. 1, rev., pp. 3–8. 1909; Y.B., 1908, p. 492. 1909; Y.B., Sep. 497, p. 492. 1909.
1909, and duties. An. Rpts., 1909, pp. 794, 804–805. 1910; Appt. Clerk A.R., 1909, pp. 6, 16–17. 1909; Pub. Cir. 1, rev., pp. 3–8. 1909.
1912, and duties. Pub. Cir. 1, rev., pp. 5–10. 1912.
1919, and duties. An. Rpts., 1919, pp. 49–52. 1920; W.B. Chief Rpt., 1919, pp. 1–4. 1919.
"Weather, Crops, and Markets"—
discontinuance. Off. Rec., vol. 3, No. 4, p. 4. 1924.
distribution restriction. Off. Rec., vol. 1, No. 23, p. 2. 1922.
new periodical. Y.B., 1922, p. 56. 1923; Y.B. Sep. 883, p. 56. 1923.
WEATHERFIELD, D. L.: "Index of refraction of ether extract of paprika and pimento." Chem. Bul. 152, pp. 95–96. 1912.
Weathering—
cause of acid condition of soils. J.A.R., vol. 26, pp. 114–116. 1923.
zone, reactions. D.B. 61, pp. 20–27. 1914.
WEAVER, J. T.: "Soil survey of—
Ransom County, N. Dak." With others. Soil Sur. Adv. Sh., 1906, pp. 39. 1907; Soils F.O., 1906, pp. 963–997. 1908.
the Morton area, North Dakota." With others. Soil Sur. Adv. Sh., *1907, pp. 26. 1908; Soils F.O., 1907, pp. 837–858. 1909.
WEBB, J. L.—
"A preliminary synopsis of cerambycoid larvae." Ent. T.B. 20, Pt. V, pp. 149–155. 1912.
"Horse-flies: Biologies and relation to western agriculture." With R. W. Wells. D.B. 1218, pp. 36. 1924.
"How insects affect the rice crop." F.B. 1086, pp. 11. 1920.
"Injuries to forests and forest products by roundheaded borers." Y.B., 1910, pp. 341–358. 1911; Y.B. Sep. 542, pp. 341–358. 1911.
"The southern pine sawyer." Ent. Bul. 58, Pt. IV, pp. 41–56. 1909.
"The western pine-destroying bark beetle." Ent. Bul. 58, Pt. II, pp. 17–30. 1910.

WEBB, R. W.—
"The intracellular bodies associated with rosette disease and mosaiclike leaf mottling of wheat." With others. J.A.R., vol. 26, pp. 605–608. 1923.
"The rosette disease of wheat and its control." With others. F.B. 1414, pp. 10. 1924.
"Varietal resistance in winter wheat to the rosette disease." With others. J.A.R., vol. 26, pp. 261–270. 1923.
Webb soils, of south Texas, distribution, description, and uses. Soil Sur. Adv. Sh., 1909, pp. 33–36. 1910; Soils F.O. 1909, pp. 1057–1060. 1912.
WEBBER, H. J.—
"Distribution of the rustic citrange in 1907." B.P.I. Doc. 273, pp. 5. 1907.
"Improvement of cotton by seed selection." Y.B., 1902, pp. 365–386. 1903; Y.B. Sep. 279, pp. 365–386. 1903.
"New citrus and pineapple production of the Department of Agriculture." Y.B., 1906, pp. 329–346. 1907; Y.B. Sep. 427, pp. 329–346. 1907.
"New citrus creations of the Department of Agriculture." With Walter T. Swingle. Y.B., 1904, pp. 221–240. 1905; Y.B. Sep. 343, pp. 221–240. 1905.
"New fruit productions of the Department of Agriculture." Y.B., 1905, pp. 275–290. 1906; Y.B. Sep. 383, pp. 275–290. 1906.
"Root knot of the cowpea." O.E.S. Bul. 115, pp. 113–115. 1902.
"Selection and care of seed corn." F.B. 229, pp. 21–23. 1905.
"Some diseases of the cowpea." With W. A. Orton. B.P.I. Bul. 17, pp. 36. 1902.
"Spermatogenesis and fecundation of Zamia." B.P.I. Bul. 2, pp. 92. 1901.
"The advantage of planting heavy cotton seed." With E. B. Boykin. F.B. 285, pp. 16. 1907.
"The growing of long-staple upland cottons." Y.B., 1903, pp. 121–136. 1904; Y.B. Sep. 314, pp. 121–136. 1904.
Webbia dipterocarpi, new genus and species, description. Ent. T.B. 17, Pt. II, pp. 222–224. 1915.
WEBER, F. C.—
"Benzoic acid and benzoates." With others. Chem. Bul. 84, Pt. IV, pp. 1043–1294. 1908.
"Determination of water in foods." Chem. Bul. 116, p. 25. 1908.
"Fish meal: Its use as a stock and poultry food." D.B. 378, pp. 23. 1916.
"Formaldehyde." With others. Chem. Bul. 84, Pt. V, pp. 1295–1500. 1908.
report as associate referee on meat and fish. Chem. Bul. 132, pp. 119–120. 1910.
"Salicylic acid and salicylates." With others. Chem. Bul. 84, Pt. II, pp. 479–760. 1906.
"Sulphurous acid and sulphites." With others. Chem. Bul. 84, Pt. III, pp. 761–1041. 1907.
"The Maine sardine industry." With others. D.B. 908, pp. 127. 1921.
Weber Valley, irrigation. Jay D. Stannard. O.E.S. Bul. 124, pp. 171–206. 1903.
WEBSTER, E. H.—
"An outline of the work of the Dairy Division." B.A.I. [Misc.], "An outline of * * *," pp. 15. 1906.
"Butter making on the farm." F.B. 241, pp. 31. 1905.
"Designs for dairy buildings." B.A.I. An. Rpt., 1906, pp. 304–308. 1908; B.A.I. Cir. 131, pp. 26. 1908.
report of Kansas Experiment Station, work and expenditures—
1908. O.E.S. An. Rpt., 1908, pp. 98–101. 1909.
1909. O.E.S. An. Rpt., 1909, pp. 110–112. 1910.
1910. O.E.S. An. Rpt., 1910, pp. 141–145. 1911.
1911. O.E.S. An. Rpt., 1911, pp. 112–115. 1912.
1912. O.E.S. An. Rpt., 1912, pp. 118–121. 1913.
"Some important factors in the production of sanitary milk." B.A.I. An. Rpt., 1907, pp. 161–173. 1909; B.A.I. C'r. 142, pp. 18. 1909.
"The cream separator on western farms." With C. E. Gray. F.B. 201, pp. 24. 1904.
"The farm separator: Its relation to the creamery and creamery patron." B.A.I. Bul. 59, pp. 47. 1904.
"The fat testing of cream by the Babcock method." B.A.I. Bul. 58, pp. 29. 1904.

WEBSTER, F. M.—
"A predaceous mite proves noxious to man." Ent. Cir. 118, pp. 24. 1910.
"Alfalfa attacked by the clover-root curculio." F.B. 649, pp. 8. 1915.
"Alfalfa seed production." With others. F.B. 495, pp. 36. 1912.
"Bringing applied entomology to the farmer." Y.B., 1913, pp. 75–92. 1914; Y.B. Sep. 616, pp. 75–92. 1914.
"Farm practice in the control of field-crop insects." Y.B., 1905, pp. 465–476. 1906; Y.B. Sep. 396, pp. 465–476. 1906.
"Preliminary report on the alfalfa weevil." Ent. Bul. 112, pp. 47. 1912.
"Recent grasshopper outbreaks and latest methods of controlling them." Y.B., 1915, pp. 263–272. 1916; Y.B. Sep. 674, pp. 263–272. 1916.
"Some insects affecting the production of red-clover seed." Ent. Cir. 69, pp. 9. 1906.
"Some insects attacking the stems of growing wheat, rye, barley, and oats, with methods of prevention and suppression." Ent. Bul. 42, pp. 62. 1903.
"Some things the grower of cereal and forage crops should know about insects." Y.B., 1908, pp. 367–388. 1909; Y.B. Sep. 488, pp. 367–388. 1909.
"The alfalfa gall midge." Ent. Cir. 147, pp. 4. 1912.
"The alfalfa weevil." Ent. Cir. 137, pp. 9. 1911.
"The chinch bug." Ent. Bul. 69, pp. 95. 1907. Ent. Cir. 113, pp. 27. 1909; F.B. 657, pp. 28; 1915.
"The clover mite." Ent. Cir. 158, pp. 5. 1912.
"The clover root borer." Ent. Cir. 67, pp. 5. 1905; Ent. Cir. 119, pp. 5. 1910.
"The corn leaf-aphis and corn root-aphis." Ent. Cir. 86, pp. 3. 1907.
"The grasshopper problem and alfalfa culture." Ent. Cir. 84, pp. 10. 1907; F.B. 637, pp. 10. 1915.
"The Hessian fly." Ent. Cir. 70, pp. 16. 1906; F.B. 611, pp. 12–16. 1914; F.B. 640, pp. 20. 1915.
"The Hessian fly situation in 1915." With E. O. G. Kelly. Sec. Cir. 51, pp. 10. 1915.
"The joint worm." Ent. Cir. 66, pp. 5. 1905.
"The lesser clover-leaf weevil." Ent. Bul. 85, Pt. I, pp. 1–12. 1911.
"The serpentine leaf-miner." With T. H. Parks. J.A.R., vol. 1, pp. 59–88. 1913.
"The slender seed-corn ground-beetle." Ent. Cir. 78, pp. 6. 1906.
"The so-called 'curlew bug'." Ent. Bul. 95, Pt. IV, pp. 53–71. 1912.
"The southern corn rootworm or budworm." D.B. 5, pp. 11. 1913.
"The spring grain-aphis." Ent. Cir. 85, pp. 7. 1907.
"The spring grain aphis or 'green bug'." With W. J. Phillips. Ent. Bul. 110, pp. 153. 1912.
"The spring grain aphis or 'green bug' in the Southwest and the possibilities of an outbreak in 1916." Sec. Cir. 55, pp. 3. 1916.
"The spring grain-aphis or so-called 'green bug'." Ent. Cir. 93, pp. 18. 1907; rev., pp. 22. 1909.
"The value of insect parasitism to the American farmer." Y.B., 1907, pp. 237–256. 1908; Y.B. Sep. 447, pp. 237–256. 1908.
"The western corn rootworm." D.B. 8, pp. 8. 1913.
"The western grass-stem sawfly." With Geo. I. Reeves. Ent. Cir. 117, pp. 6. 1910.
"The wheat strawworm." Ent. Cir. 106, pp. 15. 1909.
"Value of parasites in cereal and forage crops." Ent. Bul. 67, pp. 94–100. 1907.
WEBSTER, P. J.: "Roselle: Its culture and uses." F.B. 307, pp. 16. 1907.
Webworm(s)—
alfalfa, control. F.B. 339, p. 41. 1908.
alternate hosts of tachinids. Ent. T.B. 12, Pt. VI, pp. 112–113. 1908.
beet. See Beet webworm.
bluegrass, description and habits. F.B. 1258, p. 12. 1922.

Webworm(s)—Continued.
cabbage—
control methods, recommendations. Ent. Bul. 109, Pt. III, pp. 42–43. 1912.
imported, description and life history. Ent. Bul. 109, Pt. III, pp. 27–30. 1912.
control—
by plant insecticides, notes. D.B. 1201, pp. 4–9, 21–24. 1924.
by quassia extracts, experiments. J.A.R., vol. 10, pp. 519–520. 1917.
on seed beets. F.B. 1152, p. 18. 1920.
corn root, description, habits, and control. F.B. 1258, pp. 8–10. 1922.
currant, description. Sec. [Misc.], "A manual of * * * insects * * *," p. 120. 1917.
description, habits, injuries, and control. F.B. 1270, p. 39. 1923.
fall—
arsenical sprays, tests. D.B. 1147, pp. 24–32, 35–41, 49. 1923.
control by—
Compsilura concinnata. D.B. 766, p. 24. 1919.
derris spray. J.A.R., vol. 17, pp. 189, 196. 1919.
evidence, habits, seasonal history, and control. F.B. 1169, pp. 40–41. 1921.
feeding with lime-sulphur sprays, experiments. Ent. Bul. 116, Pt. IV, pp. 81–90. 1913.
food plants, lists. Ent. Bul. 60, pp. 41–43. 1906.
injury to—
cotton, and control. F.B. 890, pp. 15–16. 1917.
pecan trees, description and control. F.B. 1364, pp. 28–30. 1924.
migrating, feeding, and nesting habits. Ent. Bul. 60, pp. 41–51. 1906.
parasites and hyperparasites. Ent. T.B. 19, Pt. IV, pp. 34–55. 1912.
parasitism by Limnerium validum, studies. Ent. T.B. 19, Pt. V, pp. 72, 90–91. 1912.
pecan enemy, description, life history, and control. F.B. 843, pp. 27–28. 1917.
spraying tests with various insecticides. D.B. 278, pp. 2–7, 14, 15, 19–25. 1915.
garden—
control—
in alfalfa fields. E. O. G. Kelly and T. S. Wilson. F.B. 944, pp. 7. 1918.
methods. F.B. 1283, p. 34. 1922.
description, life history, and control. Ent. Bul. 57, pp. 11–14. 1906; F.B. 944, pp. 4–7. 1918.
enemy of southern field crops. Y.B., 1911, pp. 203, 204, 206, 209. 1912; Y.B. Sep. 561, pp. 203, 204, 206, 209. 1912.
horse-radish—
description, life history, and control. Ent. Bul. 109, Pt. VII, pp. 71–76. 1913.
European—
F. H. Chittenden. D.B. 966, pp. 10. 1921.
description, life history, and control. D.B. 966, pp. 1–10. 1921.
injury to—
cereal and forage crops, control. G. G. Ainslie. F.B. 1258, pp. 16. 1922.
grain and sod, distribution in United States. F.B. 1258, pp. 2–6. 1922.
nicotine poisoning, studies. J.A.R., vol. 7, pp. 95, 97. 1916.
parasites, description. Ent. Bul. 109, Pt. VII, p. 75. 1913.
silver-striped—
description, habits, and control. F.B. 1258, pp. 14–16. 1922.
history, distribution, and habits. George G. Ainslie. J.A.R., vol. 24, pp. 415–426. 1923.
sod—
black-headed, description, habits, and control. F.B. 1258, pp. 12–13, 15–16. 1922.
leather-colored, description, habits, and control. F.B. 1258, pp. 13–14, 15–16. 1922.
sorghum, outbreaks in 1921. D.B. 1103, pp. 24–28. 1922.
southern beet, injury to beans in Porto Rico. D.B. 192, pp. 8, 10. 1915.

INDEX TO PUBLICATIONS, 1901-1925   2581

Webworm(s)—Continued.
  striped—
    description, habits, and control. F.B. 1258, pp. 10-11. 1922.
    sod, distribution, description, life history, and control. J.A.R., vol. 24, pp. 399-414. 1923.
    sugar-beet, life history, habits, and control. Ent. Bul. 109, Pt. VI, pp. 57-70. 1912.
Wedges, steel, logging work, description and prices. D.B. 711, pp. 31, 35, 42. 1918.
Weed(s)—
  adaptation to crops. Y.B., 1917, pp. 208-209. 1918; Y.B. Sep. 732, pp. 6-7. 1918.
  and tillage in relation to farm practice, studies. B.P.I. Bul. 259, pp. 56-58, 78. 1912.
  as honey sources. Ent. Bul. 75, p. 49. 1911.
  associated with sagebrush, Great Basin region. J.A.R., vol. 1, pp. 378-385. 1914.
  attack by corn borer, list. F.B. 1294, p. 5. 1922.
  beneficial effects in certain conditions. F.B. 660, p. 3. 1915; Y.B., 1917, pp. 209-210. 1918; Y.B. Sep. 732, pp. 7-8. 1918.
  burdock and fennel, use as potherbs. D.B. 123, pp. 16-17. 1916.
  burning—
    for control of—
      beet leaf-beetle. F.B. 1193, p. 8. 1921.
      insect pests. Ent. Bul. 82, Pt. V, p. 66. 1910.
    with oil torches for control of borers. F.B. 1294, p. 42. 1922.
  cause of crop reductions, and of abandoned land. News L., vol. 5, No. 33, p. 8. 1918.
  cleaning wheat lands. B.P.I. Bul. 178, p. 18. 1910.
  clearing land, use of oat crop. F.B. 424, p. 11. 1910.
  clover pests, description and control. F.B. 1339, pp. 28-30. 1923.
  collection contest, rules. O.E.S. Bul. 255, pp. 37-38. 1913.
  control by—
    chemical sprays. D.B. 78, pp. 23-24. 1914.
    corn tillage, experiments, 1905-1911, results. B.P.I. Bul. 257, pp. 12-24. 1912.
    cultivation and spraying, in oat fields, list. F.B. 892, pp. 15-17. 1917.
    disinfectants. D.B. 453, pp. 23-24, 26, 31. 1917.
    diversified crops. Off. Rec., vol. 2, Nos. 32, 33, p. 3. 1923.
    irrigation, management. F.B. 399, pp. 15-16. 1910.
    pasture mowing before seed ripening. News L., vol. 4, No. 38, p. 11. 1917.
    poison washes. D.B. 247, pp. 18-19. 1915.
    smother crops. F.B. 1307, pp. 21-24. 1923.
    use of arsenite of soda. Hawaii A.R. 1915, pp. 14, 32, 43. 1916.
  control in—
    barley growing. F.B. 427, p. 12. 1910.
    corn growing, tillage practices in various regions, United States. D.B. 320, pp. 4-5. 1916.
    cranberry fields. F.B. 1401, pp. 6-16. 1924.
    flax growing. F.B. 274, p. 22. 1907; F.B. 669, pp. 9, 19. 1915.
    irrigation ditches. B.P.I. Bul. 260, pp. 63-64. 1912.
    oat fields. F.B. 892, p. 8. 1917; F.B. 1119, p. 18. 1920.
    old fields, by barley growing. F.B. 968, p. 9. 1918.
    rice fields, experiments. D.B. 1155, pp. 47-55. 1923; D.B. 1356, pp. 30-31, 32. 1925.
    rye. F.B. 894, p. 13. 1917.
    strawberry growing. F.B. 1028, p. 28. 1919.
    timothy meadows. F.B. 990, pp. 17-18. 1918.
    wheat fields. F.B. 885, pp. 11-12. 1917.
    Wisconsin, Door County. Soil Sur. Adv. Sh., 1916, p. 13. 1916; Soils F.O., 1916, p. 1747. 1921.
  control, methods—
    development. An. Rpts., 1908, pp. 382-383. 1909; B.P.I. Chief Rpt., 1908, pp. 110-111. 1908.
    for wheat-growing regions. F.B. 833, pp. 11-16. 1917.
    in dry farming. D.B. 498, p. 13. 1917.

Weed(s)—Continued.
  control, methods—continued.
    without stirring the soil. B.P.I. Bul. 257, pp. 28-30. 1912.
  control, teaching by use of F.B. 660. S.R.S. [Misc.], "How teachers may use Farmers' Bulletin 660 * * *," pp. 1-2. 1917.
  cutting implements, description. F.B. 368, pp. 12-13. 1909.
  damage to farm crops, annual losses. D.B. 253, p. 4. 1915; F.B. 646, p. 12. 1915; News L., vol. 2, No. 39, p. 6. 1915; News L., vol. 5, No. 33, p. 8. 1918; News L., vol. 5, No. 46, pp. 12, 13. 1918; S.R.S. Rpt., 1915, Pt. I, pp. 37, 109. 1917; Y.B., 1913, pp. 316-317. 1914; Y.B. Sep. 628, pp. 316-317. 1914.
  dead, overwintering of leaf-spot fungus. D.B. 1288, pp. 2-4. 1924.
  definition. Biol. Bul. 15, p. 8. 1901; News L., vol. 2, No. 50, p. 5. 1915.
  destruction by—
    arsenite of soda, Hawaii experiments. O.E.S. An. Rpt., 1910, p. 25. 1911.
    birds. F.B. 513, pp. 9, 15, 16, 17, 18, 20, 22, 28, 29. 1913.
    buckwheat growing. F.B. 1062, p. 19. 1919.
    dry-farming methods. D.B. 268, pp. 24-25. 1915.
    grouse and wild turkey. Biol. Bul. 24, pp. 16, 22, 52. 1905.
    hemp growing. Y.B., 1913, p. 309. 1914; Y.B. Sep. 628, p. 309. 1914.
    horned larks. Biol. Bul. 23, pp. 19-22, 28, 34-35. 1905.
    means of chemicals. W. H. Evans. F.B. 124, pp. 19-21. 1901.
    sheep. D.B. 20, p. 3. 1913; News L., vol 5, No. 8, p. 4. 1917.
    spraying. F.B. 360, pp. 15-17. 1909.
  destruction for control of—
    bean thrips. Ent. Bul. 118, pp. 40, 43. 1912.
    clover stem-borer. D.B. 889, p. 22. 1920.
    corn borers. F.B. 1294, p. 42. 1922.
    flea-beetles. F.B. 1352, p. 7. 1923.
    insects in cotton. F.B. 890, pp. 4, 26, 27. 1917.
    red spider. F.B. 735, pp. 8, 12. 1916; F.B. 831, pp. 11, 15. 1917; News L., vol. 3, No. 49, p. 3. 1916.
  destruction in—
    cranberry bogs. F.B. 227, p. 17. 1905; F.B. 860, p. 27. 1917.
    dry farming, Washington, Franklin County. Soil Sur. Adv. Sh., 1914, pp. 27-28. 1917; Soils F.O. 1914, pp. 2553-2554. 1919.
    orchards as control method for dock false-worm. D.B. 265, pp. 35-37. 1916.
  destruction with—
    arsenate of soda. An. Rpts., 1911, p. 700. 1912; O.E.S. Chief Rpt., 1911, p. 18. 1911.
    arsenite of soda, experiments in Hawaii. O.E.S. An. Rpt., 1911, pp. 23, 98. 1912.
    carbon bisulphide. O.E.S. An. Rpt., 1909, p. 24. 1910.
    chemicals. F.B. 124, pp. 19-21. 1901.
  effects of disinfectants, experiments. D.B. 169, pp. 16-19, 21, 28. 1915.
  enemies of alfalfa seed crop, description and control methods. F.B. 495, pp. 31-33. 1912.
  eradication—
    for control of—
      flea beetle. D.B. 436, p. 21. 1917.
      hay fever. News L., vol. 6, No. 3, p. 4. 1918.
      wireworms. An. Rpts., 1912, p. 627. 1913; Ent. A.R., 1912, p. 15. 1912.
    from grain fields, sprays, experiments. F.B. 424, pp. 23-24. 1910.
    hints. News L., vol. 1, No. 8, p. 4. 1913.
    importance, methods. News L., vol. 2, No. 39, p. 6. 1915.
    in lawns, methods. D.C. 49, pp. 5-6. 1919.
    in pasture lands. F.B. 687, pp. 1-12. 1915.
    methods—
      Canada-thistle control. F.B. 1002, pp. 8-14. 1918.
      control of chicory. D.C. 108, p. 4. 1920.
      on fallow lands, and directions. B.P.I. Cir. 61, p. 22. 1910.
      spraying with iron sulphate. O.E.S. An. Rpt., 1908, p. 149. 1909.

Weed(s)—Continued.
　eradication—continued.
　　use of—
　　　arsenical sprays, Hawaii. J.A.R., vol. 5, No. 11, pp. 459, 461. 1915.
　　　chemicals, methods and cost, studies. News L., vol. 2, No. 7, pp. 3-4. 1914.
　　value in control of—
　　　soil erosion. Soils Bul. 71, pp. 44-45. 1911.
　　　wireworms, list. D.B. 78, pp. 14, 15-16, 23-24, 28. 1914.
　　See also Herbicides.
　factor in—
　　cultivation of corn. J. S. Cates and H. R. Cox. B.P.I. Bul. 257, pp. 35. 1912.
　　spread of root knot. F.B. 648, pp. 7, 9, 17. 1915.
　forage value in Hawaii. Hawaii Bul. 13, pp. 10, 17. 1906; Hawaii Bul. 36, pp. 32-36. 1915.
　growing in Nebraska, Perkins County. Soil Sur. Adv. Sh., 1921, p. 893. 1925.
　growth, checking by grass. B.P.I. Cir. 115, pp. 23-24. 1913.
　gumbo. See Weed, poverty.
　habits, study, importance in control. Y.B., 1917, p. 213. 1918; Y.B. Sep. 732, p. 11. 1918.
　harboring tobacco blue-mold disease, list. D.C. 176, p. 4. 1921.
　harmful effects on lawns. Soils Bul. 75, p. 34. 1911.
　honey sources, value. Ent. Bul. 75, pp. 92, 93, 94, 95. 1911.
　horsetail, effect on horses. F.B. 273, p. 16. 1906.
　hosts of—
　　onion thrips, list. F.B. 1007, p. 7. 1919.
　　sugar-beet nematode. F.B. 772, p. 11. 1916; F.B. 1248, p. 15. 1922.
　how to control them. H. R. Cox. F.B. 660, pp. 29. 1915.
　in—
　　alfalfa fields, nature and prevention. F.B. 339, pp. 38-40. 1908.
　　Canada bluegrass. F.B. 402, p. 15. 1910.
　　grain fields in Sacramento Valley, Calif. D.B. 1172, p. 5. 1923.
　　pastures, control by mowing. D.B. 397, pp. 15-16. 1916.
　　pea fields, control. F.B. 1255, p. 14. 1922.
　　rice fields, varieties, damage, and control. F.B. 1092, pp. 21-23. 1920; F.B. 1240, pp. 20-26. 1924; F.B. 1141, pp. 17-21. 1920; Sec. Cir. 89, pp. 19-21. 1918.
　indicating soil acidity. F.B. 356, p. 13. 1909.
　infestation with—
　　European corn borer. F.B. 1046, pp. 6-7. 1919.
　　harlequin cabbage bug, list. F.B. 1061, p. 9. 1920.
　　sugar-beet nematodes. D.C. 262, p. 4. 1923.
　injurious—
　　control in Oregon, Umatilla reclamation project. D.C. 110, pp. 10-11. 1920.
　　description and occurrence, Washington, eastern Puget Sound Basin. Soils F.O., 1909, pp. 1549-1553. 1912; Soil Sur. Adv. Sh., 1909, pp. 39-42. 1911.
　　in Arizona and California, names. D.C. 75, 22-24. 1920.
　　in North Dakota, Lamoure County. Soil Sur. Adv. Sh., 1914, p. 15. 1917; Soils F.O., 1914, p. 2371. 1919.
　　to alfalfa, control. F.B. 1283, p. 31. 1922.
　　to rice—
　　　control in Louisiana, Iberia Parish. Soil Sur. Adv. Sh., 1911, p. 18. 1912; Soils F.O. 1911, p. 1142. 1914.
　　　fields in California. F.B. 688, pp. 15-19. 1915.
　Jimson, relation to insect pests. News L., vol. 5, No. 16, p. 8. 1917.
　killing, value and use of arsenic. D.B. 1316, pp. 2-3, 7-12. 1925.
　laws, State, importance. Y.B., 1917, p. 214. 1918; Y.B. Sep. 732, p. 214. 1918.
　list—
　　of plants named. B.P.I. S.R.A. 3, pp. 16-18. 1916; Sec. Cir. 42, pp. 3-5. 1913.
　　seed importation regulations. B.P.I.S.R.A. 1, pp. 1-3. 1914.

Weed(s)—Continued.
　loco—
　　destruction, method and cost. F.B. 1054, pp. 17-19. 1919.
　　effects. B.P.I. Bul. 129, pp. 10, 35. 1908.
　　varieties, description. F.B. 380, pp. 5-9. 1909.
　losses caused to crop yields, dairy products. Y.B., 1917, pp. 205-208. 1918; Y.B. Sep. 732, pp. 3-6. 1918.
　management in Arkansas crop systems, methods. F.B. 1000, pp. 20-23. 1918.
　meadows, control by grass mixtures. An. Rpts., 1909, p. 364. 1910; B.P.I. Chief Rpt., 1909, p. 112. 1909.
　mowing, value to land. F.B. 981, pp. 27-28. 1918.
　native pastures, use as sheep feed. B.P.I. Bul. 117, p. 21. 1907.
　nature, classification and methods of introduction. F.B. 660, pp. 2-6, 12-18. 1915.
　new, reporting, value in weed control. Y.B., 1917, p. 213. 1918; Y.B., Sep. 732, p. 11. 1918.
　noxious—
　　control by cover crops. Vir. Is. Bul. 1, p. 11. 1921.
　　spread by adulteration of forage-plant seeds. F.B. 382, p. 6. 1909.
　occurrence—
　　and control. D.C. 342, p. 7. 1925.
　　in timothy fields, list, and injurious effects. F.B. 502, pp. 23-25, 32. 1912.
　　of Arkansas, Lonoke County, injury to rice. Soil Sur. Adv. Sh., 1921, p. 1286. 1925.
　　of Nebraska, Perkins County. Soil Sur. Adv. Sh., 1921, p. 893. 1924.
　　on Alaska range, check list. D.B. 1089, pp. 71-72. 1922.
　　on alkali land, infestation with beet leaf-beetle. D.B. 892, pp. 7-8. 1920.
　　on mountain range land, growth and reproduction. J.A.R., vol. 3, pp. 97, 118, 129-141. 1914.
　on ranges—
　　description and forage value. D.B. 545, pp. 37-54. 1917.
　　shelter for range caterpillars. Ent. Bul. 85, p. 61. 1911.
　pasture, effect of burning. J.A.R., vol. 23, pp. 637-638. 1923.
　pests—
　　control on Yuma reclamation project, Arizona. W.I.A. Cir. 12, p. 7. 1916; W.I.A. Cir. 25, p. 14. 1919.
　　in—
　　　fields, list. F.B. 360, p. 16. 1909.
　　　hay meadows of Nebraska. B.P.I. Cir. 80, pp. 13-14. 1911.
　　　meadow fescue. F.B. 361, pp. 15-16. 1909.
　　　Texas, Wayne County. Soil Sur. Adv. Sh., 1917; p. 19. 1919; Soils F.O., 1917, p. 1971. 1923.
　poisonous—
　　action on crops. F.B. 257, p. 31. 1906.
　　losses to livestock. Y.B., 1917, p. 207. 1918; Y.B. Sep. 732, p. 5. 1918.
　poisons, kinds, cost, and use methods. News L., vol. 2, No. 7, pp. 3-4. 1914.
　poverty, native vegetation of Belle Fourche region. D.B. 1039, pp. 4-5. 1922.
　presence in wheat, cause and prevention. F.B. 1287, pp. 8-9. 1922.
　protein content and forage value. F.B. 320, p. 17. 1908.
　reduction of crop yields. News L., vol. 5, No. 43, p. 7. 1918.
　relation to agriculture, and control methods. Y.B., 1917, pp. 205-215. 1918; Y.B. Sep. 732, pp. 1-11. 1918.
　ruderal early type of range vegetation, composition, and uses. D.B. 791, pp. 44-54, 70-71. 1919.
　school lesson on control. D.B. 258, p. 36. 1915.
　seed(s)—
　　adulterants of—
　　　alfalfa seed. F.B. 1283, pp. 7, 31. 1922.
　　　clover seed. F.B. 260, p. 24. 1906.
　　amount in imported clover and alfalfa seed. B.P.I. Bul. 111, pp. 20-28. 1907.
　　birds eating, Southeastern States. F.B. 755, pp. 14, 16, 21, 36. 1916.

Weed(s)—Continued.
  seed(s)—continued.
    collection contest, rules. O.E.S. Bul. 255, pp. 37-38. 1913.
    commonly found with commercial bluegrass seeds. B.P.I. Bul. 84, pp. 32-38. 1905.
    damage to wheat, and relief. Sec. A.R., 1924, pp. 39-40. 1924.
    description and characteristics. F.B. 428, pp. 17-18. 1911.
    destruction by—
      birds. Biol. Bul. 30, pp. 17, 19, 22, 45, 65. 1907; Biol. Bul. 32, pp. 11-13, 26, 29, 32, 41, 58, 67, 76, 80-81, 85. 1908; F.B. 506, pp. 24, 26, 29, 33, 35. 1912; F.B., 513, pp. 4, 5. 1913; F.B. 630, pp. 3, 10, 11, 13, 15, 16. 1915; Y.B., 1907, p. 172. 1908; Y.B. Sep. 443, p. 172. 1908.
      bobwhite and quail. Biol. Bul. 25, pp. 14, 31-35, 52-55, 62-63. 1906.
    food of birds on a Maryland farm. Biol. Bul. 17, pp. 70-79. 1902.
    found in rice, names, descriptions, and quanties per acre. F.B. 1420, pp. 5-7. 1924.
    grinding and utilization as feed. An. Rpts., 1915, p. 158. 1916; B.P.I. Chief Rpt., 1915, p. 16. 1915.
    imported in clover seed. B.P.I. Bul. 111, pp. 20-27. 1907; B.P.I. Bul 111, Pt. III, pp. 8-15. 1907.
    impurities found in bent-grass seed. D.B. 692, pp. 22-24. 1918.
    in—
      feeding stuffs, spread of noxious weeds. F.B. 334, p. 18. 1908.
      manure, vitality experiments. F.B. 334, pp. 18-19. 1908.
      spring wheat. F.B. 1287, pp. 3-6. 1922.
      vetch seed, description. F.B. 515, pp. 26-27. 1912.
      wheat, description and screening. F.B. 1118, pp. 10-12, 15-19. 1920.
    injury to—
      grains, annual losses. News L., vol. 2, No. 39, p. 6. 1915.
      red clover seed, control methods. F.B. 455, p. 41. 1911.
      wheat. Y.B., 1924, pp. 38-39. 1925.
    noxious, description. F.B. 428, pp. 18-22. 1911.
    study in agriculture. F.B. 586, p. 9. 1914.
    similarity to Canada thistle. F.B. 545, p. 6. 1913; F.B. 1002, pp. 5-6. 1918.
    smothering for control. F.B. 660, pp. 21-22. 1915.
    specifications in large-scale farm contract. D.C. 351, p. 29. 1925.
    spraying—
      for extermination. F.B. 360, pp. 15-17. 1909.
      with arsenic, effect on soils and on plant growth. J.A.R., vol. 5, No. 11, pp. 459-463. 1915.
    spread—
      by seed in barnyard manure. F.B. 366, p. 17. 1909.
      of plant diseases and insect pests. Y.B., 1917, p. 207. 1918; Y.B. Sep. 732, p. 5. 1918.
    study(ies)—
      for southern rural schools. D.B. 305, pp. 31, 38, 50. 1915.
      in southern schools. D.B. 521, pp. 33-34. 1917.
    suppression in willow holts. F.B. 341, pp. 14, 22, 44-45. 1909.
    susceptible to root knot. B.P.I. Cir. 92, p. 8. 1912.
    use—
      and value as fertilizer. F.B. 1250, pp. 44-45. 1922.
      as sheep feeds. F.B. 704, p. 35. 1916.
      in medicine. Alice Henkel. F.B. 188, pp. 47. 1904.
    usefulness and harmfulness. News L., vol. 2, No. 39, p. 6. 1915.
    useless or injurious on Arizona ranges. B.P.I. Bul. 177, pp. 17-19. 1910.
    utilization for drugs. Y.B., 1905, pp. 535-536. 1906; Y.B. Sep. 401, pp. 535-536. 1906.
    value—
      in production of mutton and wool. News L., vol. 5, No. 47, p. 13. 1918.

Weed(s)—Continued.
  value—continued.
    when plowed under before seeding. News L., vol. 3, No. 12, p. 6. 1915; News L., vol. 5, No. 32, p. 7. 1918.
  varieties—
    injury to—
      crops on Yuma reclamation project. D.C. 221, p. 13. 1922.
      pastures. F.B. 509, pp. 41-42. 1912.
    prevalent in twenty-one regions, United States. D.B. 320, pp. 24, 26, 28, 31, 32, 34, 35, 37, 39, 41, 43, 45, 49, 51, 52, 53, 56, 58, 61, 63, 66. 1916.
  vitality of buried seeds, experimental results. J.A.R., vol. 29, pp. 349-362. 1924.
  water requirements in Colorado, 1911, experiments. B.P.I. Bul. 284, pp. 33-34, 47. 1913.
  winter elimination for red-spider control. D.B. 416, pp. 59-60, 68. 1917.
  worst 50, description, distribution, and habits. F.B. 660, pp. 27-29. 1915.
Weeder(s)—
  bar, use in extermination of weeds in dry farming. D.B. 498, p. 13. 1917.
  corn culture, description. D.B. 320, p. 28. 1916.
  harrow for dry farms, description. F.B. 465, pp. 9-11. 1911.
  kinds, use in dry farming, description and use methods. F.B. 769 p. 9. 1916.
  peanut, uses. F.B. 1127, p. 14. 1920.
  use in wheat growing. F.B. 1047, pp. 10, 11, 20, 21. 1919.
Weeks, J. R.: "The Weather Bureau and the public schools." Y.B., 1907, pp. 267-276. 1908; Y.B. Sep. 471, pp. 267-276. 1908.
Weeks & Co. vs. United States, food and drugs act, violation, appeal decision by Rogers, circuit judge. Sol. Cir. 81, pp. 12. 1914.
Weeks Act—
  land purchases, administration—
    1911. An. Rpts., 1911, pp. 88, 102. 1912; Sec. A.R., 1911, pp. 86, 100. 1911; Y.B., 1911, pp. 86, 100. 1912.
    1916. An. Rpts., 1916, p. 40. 1917; Sec. A.R., 1916, p. 42. 1916.
  work and expenditures, 1911. An. Rpts., 1911, pp. 345, 401-402. 1912; For. A.R., 1911, pp. 5, 61-62. 1911.
Weeks forestry law—
  administration by solicitor—
    1912. An. Rpts., 1912, pp. 914-915. 1913; Sol. A.R., 1912, pp. 30-31. 1912.
    1913. An. Rpts., 1913, pp. 301, 317-318. 1914; Sol. A.R., 1913, pp. 3, 19-20. 1913.
    1914. An. Rpts., 1914, pp. 289-290. 1914; Sol. A.R., 1914, pp. 9-10. 1914.
    1915. An. Rpts., 1915, pp. 329, 330, 336-337. 1916; Sol. A.R., 1915, pp. 3, 4, 10-11. 1915.
    1916. An. Rpts., 1916, pp. 347, 355-357. 1917; Sol. A.R., 1916, pp. 3, 11-13. 1916.
    1917. An. Rpts., 1917, pp. 383, 384, 385, 397. 1918; Sol. A.R., 1917, pp. 3, 4, 5, 17. 1917.
    1918. An. Rpts., 1918, pp. 395, 406. 1919; Sol. A.R., 1918, pp. 3, 14. 1918.
    1919. An. Rpts., 1919, pp. 473, 480-481. 1920; Sol. A.R., 1919, pp. 5, 12-13. 1919.
  enforcement, work done in 1911, results. For. Cir. 105, pp. 8-12. 1912.
  for land purchase, text. D.C. 313, pp. 12-14. 1924; Sol. [Misc.], "Laws * * * forests," pp. 17-22. 1916.
  forest fire protection in cooperation with States. J. Girvin Peters. For. Cir. 205, pp. 15. 1912.
  land acquisition—
    1912, acreage and cost per acre. An. Rpts., 1912, pp. 530-533. 1913; For. A.R., 1912, pp. 72-75. 1912.
    1913, location and acreage. An. Rpts., 1913, pp. 180-181. 1914; For. A.R., 1913, pp. 46-47. 1913.
    1914, location and acreage. An. Rpts., 1914, p. 156. 1914; For. A.R., 1914, p. 28. 1914.
    1919. Y.B., 1919, p. 34. 1920.
    1920. An. Rpts., 1920, pp. 582, 588. 1921.
    1923, acreage, by States. An. Rpts., 1923, p. 700. 1924; Sol. A.R., 1923, p. 8. 1923.
  land purchase(s)—
    1912. An. Rpts., 1912, pp. 69, 248, 257-258. 1913; Sec. A.R., 1912, pp. 69, 248, 257-258. 1912; Y.B., 1912, pp. 69, 248, 257-258. 1913.

Weeks forestry law—Continued.
 land purchase(s)—continued.
  1916. An. Rpts., 1916, pp. 159, 160, 178, 179–180. 1917; For. A.R., 1916, pp. 5, 6, 24, 25–26. 1916.
  1918. An. Rpts., 1918, p. 172. 1919; For. A.R., 1918, p. 8. 1918.
  for national forests. D.C. 313, pp. 1–15. 1924.
  for national forests under act of March 1, 1911. For. [Misc.], "Purchase of * * *," rev., pp. 16. 1921.
  in southern Appalachian and White Mountains. For. [Misc.], "Purchase of * * *," pp. 9. 1911; rev. pp. 13. 1913.
  object and passage. D.C. 100, p. 21. 1921.
  provision for forest protection, and States cooperating. D.B. 364, p. 13. 1916.
  purpose—
   and application. D.C. 313, pp. 1–15. 1924.
   scope, appropriation, and administration. For. Cir. 205, pp. 6–8. 1912.
  timberland purchases by Government, prices and acreage. News L., vol. 1, No. 2, pp. 1–2. 1913.
"Weeping," jelly, directions for making. F.B. 1454, p. 14. 1925.
WEEVER, J. T.: "Soil survey of the Williston area, North Dakota." With others. Soil Sur. Adv. Sh., 1906, pp. 28. 1908; Soils F.O., 1906, pp. 999–1022. 1908.
Weevil(s)—
 and infested squares, collection for control of cotton boll weevil in Mississippi Delta. B. R. Coad and T. F. McGehee. D.B. 564, pp. 51. 1917.
 borer. See Sugarcane weevil borer.
 collection for control of boll weevil in Mississippi Delta. D.B. 564, pp. 1–51. 1917.
 conditions, cotton improvement under. O. F. Cook. F.B. 501, pp. 22. 1912.
 conifers, description. Sec. [Misc.], "A manual of dangerous * * *," p. 65. 1917.
 control—
  by—
   crib construction, directions and cost. F.B. 1029, pp. 31–35. 1919.
   dry, hot weather and open rows. D.B. 1153, pp. 5–7. 1923.
   gases, fumigation experiments. D.B. 893, pp. 4, 6, 7, 10. 1920.
   in stored products. An. Rpts., 1920, pp. 311–312. 1921; Ent. A.R., 1925, pp. 13–17. 1925.
  damage to—
   crops. Biol. Bul. 15, p. 10. 1901.
   stored products, investigations. B.P.I. Bul. 220, pp. 8–10. 1911; Ent. A.R., 1924, pp. 11–13. 1924; News L., vol. 6, No. 18, p. 5. 1918; News L., vol. 6, No. 26, p. 17. 1919.
  destruction by—
   crows. D.B. 621, pp. 18, 58. 1918.
   starlings. D.B. 868, pp. 16–18, 39, 42, 44, 62–63. 1921.
  detection in—
   seed beans, signs. Y.B., 1918, pp. 327, 331–333. 1919; Y.B. Sep. 786, pp. 3, 7–9. 1919.
   stomach of bird. Biol. Bul. 15, p. 14. 1901.
  eradication in corn, shippers' aid. News L., vol. 6, No. 41, p. 8. 1919.
  food destruction. F.B. 1374, p. 3. 1923.
  forest pests in New England. Off. Rec., vol. 2, No. 51, p. 5. 1923.
  holes, detection on freshly harvested beans. Y.B., 1918, pp. 331–332. 1919; Y.B. Sep. 786, pp. 7–8. 1919.
  hosts of boll-weevil parasites and their food plants. Ent. Bul. 100, pp. 35–38, 42–54, 73–82, 84, 88, 90. 1912.
  in beans and peas. E. A. Back. F.B. 1275, pp. 35. 1923.
  in garden vegetables, treatment and prevention. F.B. 1371, rev., pp. 10–11, 30–31, 35–36, 1927.
  in stored grain, control by heat and cold, studies. An. Rpts., 1917, p. 245. 1918; Ent. A.R., 1917, p. 19. 1917.
  infestation of Argentine corn. An. Rpts., 1914, pp. 195–196. 1914; Ent. A.R., 1914, pp. 13–14. 1914.
  injurious—
   introductions. Off. Rec., vol. 2, No. 30, p. 3. 1923.

Weevil(s)—Continued.
 injurious—continued.
  introductions—continued.
   to legumes, varieties, and description. F.B. 1275, p. 9. 1923.
   to stored grains, Hawaii, description and control. Hawaii Bul. 27, pp. 18–20. 1912.
  kinds—
   having same insect enemies as boll weevil. Ent. Bul. 100, pp. 35–38, 42–54, 73–82, 84, 88, 90. 1912.
   related to cotton boll weevil, biology. W. Dwight Pierce. Ent. Bul.. 63, Pt. II, pp. 39–44. 1907.
  limitation of leguminous-crop acreage. F.B. 1275, pp. 21–22. 1923.
  nut-feeding species. Ent. Bul. 44, pp. 24–39. 1904.
  origin, fictional beliefs. Y.B., 1918, p. 329. 1919; Y.B. Sep. 786, p. 5. 1919.
  picking, moral effect on laborers. D.B. 382, p. 9. 1916.
  reinfestation after seed treatment, prevention methods. F.B. 1275, pp. 33–35. 1923.
  resistance—
   in cotton, relation of drought. O. F. Cook. B.P.I. Bul. 220, pp. 30. 1911.
   to high and low temperatures. J.A.R., vol. 28, pp. 1043–1044. 1924.
   plant varieties. An. Rpts., 1909, p. 303. 1910; B.P.I. Chief Rpt., 1909, p. 51. 1909.
  resisting cotton plant—
   adaptations—
    O. F. Cook. B.P.I. Bul. 88, pp. 87. 1906.
    classification and summary. B.P.I. Bul. 88, pp. 72–74. 1906.
    types and acclimatization. B.P.I. Cir. 13, p. 14. 1908.
  signs for detection in seed beans, in the field, and in storage. Y.B., 1918, pp. 327, 331–333. 1919; Y.B. Sep. 786, pp. 3, 7–9. 1919.
  See also under specific hosts and individual names.
WEIANT, A. S.—
 "The guinea fowl." F.B. 858, pp. 24. 1917.
 "The guinea fowl." Revised by Alfred R. Lee. F.B. 1391, pp. 13. 1924.
 "The Thanksgiving turkey." Y.B., 1916, pp. 411–419. 1917; Y.B. Sep. 700, pp. 9. 1917.
 "Turkey raising." F.B. 791, pp. 27. 1917.
WEICHMANN, P. C.: "Soil survey of Adair County, Iowa." With others. Soils F.O., 1919, pp. 1405–1425. 1925.
WEIDMAN, S.: "Soil survey of Marinette County, Wis." With Percy O. Wood. Soil Sur. Adv. Sh., 1909, pp. 39. 1911; Soils F.O., 1909, pp. 1233–1267. 1912.
WEIGEL, C. A.—
 "Chrysanthemum midge." With H. L. Sanford. D.B. 833, pp. 23. 1920.
 "Insect enemies of chrysanthemums." F.B. 1306, pp. 36. 1923.
 "Insects injurious to ornamental greenhouse plants." With E. R. Sasscer. F.B. 1362, pp. 81. 1924.
 "The greenhouse leaf-tyer, Phlyctaenia rubigalis." With others. J.A.R., vol. 29, pp. 137–158. 1924.
 "The strawberry rootworm as an enemy of the greenhouse rose." With C. F. Doucette. F.B. 1344, pp. 14. 1923.
Weigher(s)—
 cotton, licensed, regulations. Mkts. S.R.A. 27, pp. 25–31. 1917; Sec. Cir. 143, pp. 18–23. 1919.
 license issuance and revocation, conditions. News L., vol. 4, No. 3, p. 2. 1916.
 licensed, for wool warehouses, regulations. Sec. Cir. 150, pp. 19–23, 25. 1920.
 peanut, regulations. B.A.E.S.R.A. 81, pp. 17–22. 1923.
 threshing machine, care and repair. F.B. 1036, p. 12. 1919.
Weighing—
 butter, methods of market men. D.B. 690, pp. 8–10. 1918.
 cattle, warm and cool, comparison. D.B. 25, pp. 30–31. 1913.
 cotton—
  equipment. D.B. 801, p. 7. 1919.
  equipment, types of scales. Y.B., 1918, pp. 417–420. 1919; Y.B. Sep. 763, pp. 21–24. 1919.

Weighing—Continued.
  cotton—continued.
    labor requirements. D.B. 896, pp. 37–38. 1920.
  dairy products, school lesson. D.B. 763, pp. 9–11. 1919.
  food packages, methods and maximum errors. D.B. 897, pp. 2–10. 1920.
  hand versus machine, in package-food industry. D.B. 897, pp. 13–19. 1920.
  hay, methods. Rpt. 98, pp. 82–83, 92, 96, 97–98. 1913.
  market hay. G. A. Collier and H. B. McClure. D.B. 978, pp. 30. 1921.
  stockyard, accuracy requirements. Sec. Cir. 156, p. 9. 1922.
Weigh masters, duties. D.B. 978, p. 16. 1921.
Weight(s)—
  and measures—
    conversion factors for water. D.B. 894, p. 47. 1920.
    decimal system, bill. Off. Rec., vol. 1, No. 22, p. 2. 1922.
    foods and drugs, revised regulation. F.I.D. 168, reg. 29, p. 1. 1916.
    foreign, equivalents. Stat. Bul. 68, p. 100. 1908.
    standard. Off. Rec., vol. 2, No. 7, p. 2. 1923.
  and volume—
    food packages, regulations, opinions, 45–53. Chem. S.R.A. 6, pp. 416–419. 1914.
    law, rulings. B.A.I.S.R.A. 48, pp. 65–68. 1915.
  bushel—
    averages. Y.B., 1924, p. 1111. 1925.
    farm products. F.B. 1182, p. 30. 1921.
    legal standards of States for leading crops. Y.B., 1902, pp. 758–759. 1903.
    of pop corn. F.B. 554, rev., p. 10. 1920.
  butter, causes of errors, and elimination methods. Sec. Cir. 95, pp. 5–14. 1918.
  cut-out of canned food. Off. Rec., vol. 4, No. 23, p. 4. 1925.
  feed table, for work horses. F.B. 1419, p. 6. 1924.
  foods, contents quantity, marking requirements, regulation 26. Sec. Cir. 21, rev., pp. 13–15. 1922.
  foreign, equivalents in United States. D.B. 987, pp. 68–69. 1921.
  grain, accuracy of testing apparatus. Off. Rec., vol. 1, No. 23, p. 5. 1922.
  lambs, comparison of single and twin. D.B. 996, pp. 11–13, 14. 1921.
  legal—
    and customary, per bushel of seeds. Edgar Brown. B.P.I. Bul. 51, Pt. V, pp. 27–34. 1905.
    per bushel, by States—
      1902. Y.B., 1902, p. 758. 1903.
      1903. Y.B., 1903, p. 584. 1904.
      1905. Y.B., 1905, p. 651. 1906.
      1906. Y.B., 1906, pp. 690–693. 1907; Y.B. Sep. 436, pp. 690–693. 1907.
  marking on meat, requirements. News L., vol. 7, No. 6, p. 7. 1919.
  metric—
    equivalents. Y.B., 1902, p. 754. 1903.
    rice equivalents. Mkts. Doc. 16, p. 6. 1918.
  package foods, variation. H. Runkel. D.B. 897, pp. 20. 1920.
  print butter, errors, causes and prevention. H. Runkel and H. M. Roeser. Sec. Cir. 95, pp. 15, 1918.
  tables for boys and girls, with height. D.C. 250, pp. 14–15. 1923.
  tare and net, requirements for meat containers. B.A.I.S.R.A. 116, p. 109. 1917.
WEIGLE, W. G.: "The aspens: Their growth and management." With E. H. Frothingham. For. Bul. 93, pp. 35. 1911.
WEIMER, J. L.—
  "A comparison of the pectinase produced by different species of Rhizopus." With L. L. Harter. J.A.R., vol. 22, pp. 371–377. 1921.
  "Alternaria leafspot and brownrot of cauliflower." J.A.R., vol. 29, pp. 421–441. 1924.
  "Glucose as a source of carbon for certain sweet potato storage-rot fungi." With L. L. Harter. J.A.R., vol. 21, pp. 189–210. 1921.
  "Hydrogen-ion changes induced by species of Rhizopus and by *Botrytis cinerea*." With L. L. Harter. J.A.R., vol. 25, pp. 155–164. 1923.

WEIMER, J. L.—Continued.
  "Influence of the substrate and its hydrogen-ion concentration on pectinase production." With L. L. Harter. J.A.R., vol. 24, pp. 861–877. 1923.
  "Reduction in the strength of the mercuric-chlorid solution used for disinfecting sweet potatoes." J.A.R., vol. 21, pp. 575–587. 1921.
  "Respiration and carbohydrate changes produced in sweet potatoes by *Rhizopus tritici*." With L. L. Harter. J.A.R., vol. 21, pp. 627–635. 1921.
  "Respiration of sweet potato storage-rot fungi when grown on a nutrient solution." With L. L. Harter. J.A.R., vol. 21, pp. 211–226. 1921.
  "Some physiological variations in strains of *Rhizopus nigricans*." With L. L. Harter. J.A.R., vol. 26, pp. 363–371. 1923.
  "Studies in the physiology of parasitism with special reference to the secretion of pectinase by *Rhizopus tritici*." With L. L. Harter. J.A.R., vol. 21, pp. 609–625. 1921.
  "Susceptibility of the different varieties of sweet potatoes to decay by *Rhizopus nigricans* and *R. tritici*." With L. L. Harter. J.A.R., vol. 22, pp. 511–515. 1922.
  "Sweet-potato storage rots." With others. J.A.R., vol. 15, pp. 338–368. 1918.
  "Temperature relations of 11 species of Rhyzopus." With L. L. Harter. J.A.R., vol. 24, pp. 1–40. 1923.
  "Two diseases of Udo." J.A.R., vol. 26, pp. 271–278. 1923.
  "Wound-cork formation in the sweet potato." With L. L. Harter. J.A.R., vol. 21, pp. 637–647. 1921.
WEIR, J. R.—
  "A needle blight of Douglas fir." J.A.R., vol. 10, pp. 99–104. 1917.
  "A new leaf and twig disease of *Picea engelmanni*." J.A.R., vol. 4, pp. 251–254. 1915.
  "A serious disease in forest nurseries caused by *Peridermium filamentosum*." With Ernest E. Hubert. J.A.R., vol. 5, No. 17, pp. 781–785. 1916.
  "A study of heart-rot in western hemlock." With Ernest E. Hubert. D.B. 722, pp. 37. 1918.
  "A study of the rots of western white pine." With Ernest E. Hubert. D.B. 799, pp. 24. 1919.
  "Effect of mistletoe on young conifers." J.A.R., vol. 12, pp. 715–718. 1918.
  "Forest disease surveys." With Ernest E. Hubert. D.B. 658, pp. 23. 1918.
  "*Hypoderma deformans*, an undescribed needle fungus of western yellow pine." J.A.R., vol. 6, No. 8, pp. 277–288. 1916.
  "Larch mistletoe: Some economic considerations of its injurious effects." D.B. 317, pp. 27. 1916.
  "Mistletoe injury to conifers in the Northwest." D.B. 360, pp. 39. 1916.
  "Observations on *Rhizina inflata*." J.A.R., vol. 4, pp. 93–95. 1915.
  "Observations on the pathology of the jack pine." D.B. 212, pp. 10. 1915.
  "Two new wood-destroying fungi." J.A.R., vol. 2, pp. 163–166. 1914.
  "*Wallrothiella arceuthobii*." J.A.R., vol. 4, pp. 369–378. 1915.
WEIR, W. W.: "Effect of pumping from a shallow well on the ground water table." J.A.R., vol. 11, pp. 339–357. 1917.
Weir(s)—
  Cipolletti, description and discharge tables. F.B. 813, pp. 14–15. 1917.
  definition and description, crests, sides, box, and gauge. F.B. 813, pp. 3–12. 1917.
  discharge table. Y.B., 1918, p. 232. 1919; Y.B. Sep. 770, p. 14. 1919.
  experimental, description. J.A.R., vol. 9, pp. 99–102. 1917.
  farm, construction and use. Victor M. Cone. F.B. 813, pp. 19. 1917.
  formula, derivation for new irrigation weir. J.A.R., vol. 5, No. 25, pp. 1135–1141. 1916.
  irrigation—
    dimensions and discharge tables. D.B. 906, pp. 32–37. 1921.
    new, description, construction, and advantages. J.A.R., vol. 5, No. 24, pp. 1127–1143. 1916.

Weir—Continued.
irrigation—continued.
new pattern construction. S.R.S. Rpt., 1916, Pt. I, p. 75. 1918.
method of stream measurement. Y.B., 1918, pp. 230–232. 1919; Y.B. Sep. 770, pp. 12–14. 1919.
notches—
discharges and formulas. J.A.R., vol. 5, No. 23, pp. 1059–1088. 1916.
water flow measurements, studies. V. M. Cone. J.A.R., vol. 5, No. 23, pp. 1051–1113. 1916.
rectangular, description, and discharge tables. F.B. 813, pp. 12–13. 1917.
triangular-notch, description and discharge table. F.B. 813, pp. 16–17. 1917.
types and operation. F.B. 1430, pp. 6–8. 1925.
use in catching sea herring for sardines. D.B. 908, pp. 7, 19. 1921.
Weisbach formula for water flow. D.B. 376, pp. 6, 55–56. 1916.
Weiser Irrigation District, Idaho, organization, location, and work. O.E.S. Bul. 216, p. 35. 1909.
Weiser National Forest, Idaho, map. For. Maps. 1925.
WEISS, FREEMAN—
"Catalase, hydrogen-ion concentration and growth in the potato wart disease." With R. B. Harvey. J.A.R., vol. 21, pp. 589–592. 1921.
"Investigations of potato wart." With others. D.B. 1156, pp. 22. 1923.
"The effect of rust infection upon the water requirement of wheat." J.A.R., vol. 27, pp. 107–118. 1923.
"The stability of wart immunity." D.B. 1156, pp. 20–21. 1923.
"The varietal and species hosts of *Synchytrium endobioticum*." With C. R. Orton. D.B. 1156, pp. 16. 1923.
WEISS, H. F.—
"Progress in chestnut pole preservation." For. Cir. 147, pp. 14. 1908.
"Prolonging the life of cross-ties." For. Bul. 118, pp. 51. 1912.
"Service tests of ties: Progress report." With Carlile P. Winslow. For. Cir. 209, pp. 25. 1912.
"Tests of wood preservatives." With C. H. Teesdale. D.B. 145, pp. 20. 1915.
"The preservative treatment of fence posts." For. Cir. 117, pp. 15. 1907.
"The prevention of sap stain in lumber." With Charles T. Barnum. For. Cir. 192, pp. 19. 1911.
WEITZ, B. O.: "Land utilization for crops, pasture, and forests." With others. Y.B., 1923, pp. 415–506. 1924; Y.B. Sep. 896, pp. 415–506. 1924.
WELCH, R. R.: "An experiment in community dairying." Y.B., 1916, pp. 209–216. 1917; Y.B. Sep. 707, pp. 8. 1917.
WELCH, W. H., report as chairman of meat inspection commission—
1907. B.A.I. An. Rpt., 1907, pp. 361–373. 1909.
1915. Y.B., 1915, p. 279. 1916; Y.B. Sep. 676, p. 279. 1916.
WELCOME, C. J.: "Further studies in the deterioration of sugars in storage." With others. J.A.R., vol. 20, pp. 637–653. 1921.
WELD, I. C.—
"A city milk and cream contest as a practical method of improving the milk supply." With C. B. Lane. B.A.I. Cir. 117, pp. 28. 1907.
"Competitive exhibitions of milk and cream with report of an exhibition held at Pittsburgh." With C. B. Lane. B.A.I. Cir. 151, pp. 36. 1909.
"The scoring of milk and cream." B.A.I. Cir. 151, pp. 26–29. 1909.
WELD, L. D. H.—
"Fundamental aspects of dairy marketing." B.A.I. Dairy [Misc.], "World's dairy congress, 1923," pp. 77–82. 1924.
"The meat packer as a distributor of dairy products." B.A.I. Dairy [Misc.], "World's dairy congress, 1923," pp. 223–235. 1924.

WELDON, G. P.: "Insects in Maryland, 1906." With A. B. Gahan. Ent. Bul. 67, pp. 37–39. 1907.
Welfare—
agencies, factor in educating consumers in the use of milk. B.A.I. Dairy [Misc.], "World's dairy congress, 1923," pp. 669–674. 1924.
Association—
campaign, and relief work. Off. Rec., vol. 1, No. 21, pp. 1, 6. 1922.
charter. Off. Rec., vol. 2, No. 6, p. 3. 1923.
organization. Off. Rec., vol. 2, No. 17, p. 5. 1923.
Well(s)—
alkali, injury to vegetation. F.B. 1404, p. 2. 1924.
air-displacement pumps. F.B. 1448, p. 29. 1925.
and subsoil water. W. J. McGee. Soils Bul. 92, pp. 185. 1913.
around graded trees. F.B. 360, pp. 10, 13. 1909.
artesian—
and pumped in Texas, cost, capacity, area irrigated, and location. O.F.S. Bul. 158, pp. 488–490, 502–507. 1905.
description and use methods. F.B. 941, pp. 3, 37. 1918.
for irrigation in New Mexico. O.E.S. Bul. 215, p. 14. 1909.
in Arizona, number and description. O.E.S. Bul. 235, pp. 55–56. 1911.
in Florida, size, depth, and volume flow. D.B. 462, pp. 18–19, 20. 1917.
origin of name and conditions necessary to flow. Soils Bul. 92, pp. 13–15. 1913.
use for irrigation in southwest Texas, cost. Soil Sur. Adv. Sh., 1911, pp. 24, 75, 80, 90, 111–112, 114. 1912; Soils F.O., 1911, pp. 1192, 1243, 1248, 1258, 1279–1280, 1282. 1914.
battery, kinds of pumps used with. F.B. 1404, p. 14. 1924.
bored—
advantages over dug wells. F.B. 549, pp. 6–7. 1913.
and artesian, use for irrigation, Pajaro Valley, Calif. Soil Sur. Adv. Sh., 1908, pp. 41–42. 1910; Soils F.O., 1908, pp. 1367–1368. 1911.
description and use methods. F.B. 941, p. 31. 1918.
making. F.B. 1448, p. 18. 1925.
boring methods—
strainers, and cost. O.E.S. Bul. 158, pp. 357–364. 1905.
suggestions to farmer. F.B. 394, pp. 9–10. 1910.
casing—
and curbing, semiarid regions. F.B. 866, pp. 5–10. 1917.
cost of different materials. F.B. 592, p. 16. 1914.
requirements for irrigation plant. F.B. 1404, p. 2. 1924.
semiarid West, suggestions and management. F.B. 394, pp. 7–9. 1910.
construction and care. F.B. 296, pp. 5–6. 1907.
curbing, suggestions. F.B. 394, p. 10. 1910.
deep, pumping plant, description, cost, and profits. Y.B., 1907, pp. 418–421. 1908; Y.B. Sep. 458, pp. 418–421. 1908.
drainage, experimental data. Off. Rec., vol. 1, No. 30, p. 6. 1922.
drilled—
necessity for rock formations, description, cost, and use methods. F.B. 941, pp. 35–36. 1918.
price. F.B. 1448, pp. 20–21. 1925.
driller—
irrigation, outfit. F.B. 1404, p. 4. 1924.
services needed for irrigation projects. F.B. 1404, p. 2. 1924.
driven—
construction. F.B. 1448, pp. 18–21. 1925.
description, driving methods, material used, development, and use. F.B. 941, pp. 32–35. 1918.
dug—
cleaning methods and times. F.B. 941, pp. 30–31. 1918; F.B. 1448, pp. 17–24. 1925
description, linings, use methods, and cleaning. F.B. 941, pp. 26–31. 1918.
value as soil-water level indicators. Soils Bul. 92, pp. 13, 15. 1913.

INDEX TO PUBLICATIONS, 1901-1925

Well(s)—Continued.
 farm—
  location—
   and danger of pollution. News L., vol. 1, No. 32, pp. 1-2. 1914.
   health considerations of first importance. Y.B., 1908, p. 201. 1909; Y.B. Sep. 475, p. 201. 1909.
   selection, influence on water purity. F.B. 927, pp. 23-24. 1918; F.B. 941, pp. 7-9. 1918.
  types, description, and construction methods. D.B. 57, pp. 6-12. 1914.
  pollution, causes, and control methods. D.B. 57, pp. 6-12. 1914.
  protection from pollution, methods. F.B. 927, pp. 23-24. 1918.
  types, and care of. Y.B., 1914, pp. 140-144. 1915; Y.B. Sep. 634, pp. 140-144. 1915.
 flowing—
  description. F.B. 1448, pp. 15, 21. 1925.
  distinction from artesian. Soils Bul. 92, p. 14. 1913.
  friction loss and pumping head. F.B. 1448, pp. 23-24. 1925.
 ground water, kinds, description, cost, and care. F.B. 941, pp. 26-37. 1918.
 hydraulic rams, quantity of water raised. F.B. 1448, p. 21. 1925.
 in south Texas, analyses of artesian water. Soil Sur. Adv. Sh., 1909, pp. 101-102. 1910; Soils F.O. 1909, pp. 1125-1126. 1912.
 in Texas, use in rice irrigation. O.E.S. Bul. 222, p. 47. 1910.
 irrigation—
  battery of, description and operation. F.B. 1404, pp. 13-14. 1924.
  casing, varieties and use. F.B. 1404, pp. 5-9. 1924.
  costs, estimates. F.B. 1404, pp. 9-10. 1924.
  development and testing. F.B. 1404, pp. 9-13. 1924.
  drilling contract. F.B. 1404, pp. 4-5. 1924.
  for farms in semiarid West, suggestions and management. F.B. 394, pp. 6-12. 1910.
  in Pomona Valley, Calif., description, and cost per foot. O.E.S. Bul. 236, pp. 44-45. 1911.
  of rice by pumping, cost in Louisiana and Arkansas. W. B. Gregory. O.E.S. Bul. 201, pp. 39. 1908.
  paying for drilling. F.B. 1404, pp. 4-5. 1924.
 location—
  and production. Y.B., 1907, pp. 403-406. 1908; Y.B. Sep. 457, pp. 403-406. 1908.
  depth, and protection from surface water. F.B. 549, pp. 6-9. 1913.
 observation, on irrigated farms, need and use. F.B. 805, pp. 9, 23-24. 1917.
 points, use in windmill irrigation, caution. F.B. 394, p. 11. 1910.
 pumping—
  capacity, study. An. Rpts., 1923, pp. 483, 484. 1923; Rds. Chief Rpt., 1923, pp. 21, 22. 1923.
  for irrigation. Paul A. Ewing. F.B. 1404, pp. 28. 1924.
 records—
  collection, classification, and recapitulation in central United States. Y.B., 1911, pp. 482-488. 1912; Y.B Sep. 585, pp. 482-488. 1912.
  for States, by counties, and by regions. Soils Bul. 92, pp. 29-178. 1913.
  inquiry, inception and conduct of work. Soils Bul. 92, pp. 16-25. 1913.
 relief, in drainage system for irrigated lands. F.B. 805, pp. 13, 25. 1917.
 shallow, pumping, effect on the ground-water table. J.A.R., vol. 11, pp. 339-357. 1917.
 sinking—
  in semiarid region, suggestions. F.B. 866, pp. 4-5. 1917.
  suggestion. F.B. 394, pp. 9-12. 1910.
 soil, use in determining soil moisture. D.B. 1059, pp. 73-79, 136. 1922.
 source of irrigation water supply, and types. F.B. 899, pp. 8-9. 1917.
 sucker-rods, value of hickory wood. For. Cir. 187, p. 4. 1911.
 supply source. Y.B., 1911, pp. 481-482. 1912; Y.B. Sep. 585, pp. 481-482. 1912.

Well(s)—Continued.
 test, for—
  irrigation water. F.B. 394, p. 6. 1910.
  rise of ground water in irrigated lands, description. O.E.S. Bul. 217, pp. 15-17. 1909.
 tubular, description. F.B. 941, p. 31. 1918.
 types—
  in use for water supplies on farms, relation to pollution. B.P.I. Bul. 154, pp. 13-15. 1909.
  used for irrigation by pumping on the farm. Y.B., 1916, pp. 517-519. 1917; Y.B. Sep. 703, pp. 11-13. 1917.
 use—
  and value in drainage of shale lands, depths. D.B. 502, pp. 16-20, 40. 1917.
  in rice irrigation. F.B. 673, pp. 4-5. 1915.
 water level, lowering per decade. Y.B., 1911, pp. 486-488. 1912; Y.B. Sep. 585, pp. 486-488. 1912.
 western range lands, cost and location. F.B. 592, pp. 15-18. 1914.
Wellhouse process for wood preservation. B.P.I. Bul. 214, pp. 28, 29. 1911; For. Bul. 78, p. 17. 1909; For. Cir. 209, pp. 11-14, 18. 1912.
WELLINGTON, J. W.: "Station investigations on fruit-bud formation." O.E.S. An. Rpt., 1922, pp. 89-93. 1924.
WELLS, C. F.: "A study of the essential plant foods recoverable from the manure of dairy cows." With B. A. Dunbar. J.A.R., vol. 30, pp. 985-988. 1925.
WELLS, E. L.—
 "Cloud-bursts, so called." Y.B., 1906, pp. 325-328. 1907; Y.B. Sep. 426, pp. 325-328. 1907.
 "The Weather Bureau and the homeseeker. Y.B., 1904, pp. 353-358. 1905; Y.B. Sep. 352, pp. 353-358. 1905.
Wells, Helen, report on method of conducting women's institutes. O.E.S. Bul. 238, pp. 64-65. 1911.
WELLS, LEVI—
 "Condensed and desiccated milk." Y.B., 1912, pp. 335-344. 1913; Y.B. Sep. 595, pp. 335-344. 1913.
 "Renovated butter: Its origin and history." Y.B., 1905, pp. 393-398. 1906; Y.B. Sep. 390, pp. 393-398. 1906.
WELLS, R. W.: "Horse-flies: Biologies and relation to western agriculture." With J. L. Webb. D.B. 1218, pp. 36. 1924.
WELSH, F. S.: "Soil survey of—
 Berks County, Pa." With others. Soil Sur. Adv. Sh., 1909, pp. 47. 1911; Soils F.O., 1909, pp. 161-203. 1912.
 Fairfield County, S. C." With others. Soil Sur. Adv. Sh., 1911, pp. 37. 1913; Soils F.O., 1911, pp. 479-511. 1914.
 Georgetown County, S. C." With others. Soil Sur. Adv. Sh., 1911, pp. 54. 1912; Soils F.O., 1911, pp. 513-562. 1914.
 Sumter County, Ga." With J. C. Britton. Soil Sur. Adv. Sh., 1910, pp. 47. 1911; Soils F.O., 1910, pp. 501-543. 1912.
 Washington County, Pa." With others. Soil Sur. Adv. Sh., 1910, pp. 34. 1911; Soils F.O., 1910, pp. 267-296. 1912.
Wenaha National Forest, Oreg., description and recreational uses. D.C. 4, pp. 50-52. 1919.
Wenatchee National Forest, Wash.—
 consolidation. Off. Rec., vol. 1, No. 5, p. 2. 1922.
 map. For. Folder, pp. 15. 1923; For. Maps. 1925.
Wenatchee River—
 lands, irrigation projects, description. O.E.S. Bul. 214, pp. 30-32. 1909.
 water power. O.E.S. Bul. 214, p. 14. 1909.
Wenatchee Valley, Wash., fruit growing, acreage and returns. O.E.S. Bul. 214, p. 19. 1909.
Wens, cattle, description and treatment. B.A.I. [Misc.], "Diseases of cattle," rev., pp. 318-319, 330. 1904; rev., pp. 342-343. 1912; rev., pp. 330-331. 1923.
WENTE, A. O.: "Potato culls as a source of industrial alcohol." With L. M. Tolman. F.B. 410, pp. 40. 1910.
WENTLING, J. P.: "Woods used for packing boxes in New England." For. Cir. 78, pp. 4. 1907.
WENTWORTH, E. N.—
 "A sex-limited color in Ayrshire cattle." J.A.R., vol. 6, No. 4, pp. 141, 147. 1916.

WENTWORTH, E. N.—Continued.
"Inheritance in swine." With Jay L. Lush. J.A.R., vol. 23, pp. 557–582. 1923.
"Inheritance of fertility in swine." With C. E. Anbel. J.A.R., vol. 5, No. 25, pp. 1145–1160. 1916.
Wercklea insignis, importations and description. Nos. 51124–51125, B.P.I. Inv. 64, pp. 2, 60. 1923.
Werderkase. *See* Cheese, Ebbing.
WESCOTT, N. P., report of Eastern Shore of Virginia Produce Exchange, Olney, Va. Rpt. 98, pp. 252–254. 1913.
WESLOW, J. A.: "Soil survey of Adams County, Wis." With others. Soil Sur. Adv. Sh., 1920, pp. 1121–1152. 1924; Soils F.O., 1920, pp. 1121–1152. 1925.
WESSELS, P. H.: "Reactions of the phosphorus of the thickened root of the flat turnip." With others. J.A.R., vol. 11, pp. 359–370. 1917.
WESSENER, P. A., testimony on use of Coca Cola. Chem. N.J. 1455, pp. 40–43. 1912.
WESSLING, H. L.—
"Baking in the home." F.B. 1136, pp. 40. 1920.
"Bread and bread making in the home." With Caroline L. Hunt. F.B. 807, pp. 26. 1917.
"Partial substitutes for wheat in bread making." S.R.S. Doc. 64, pp. 11. 1917.
"The chemical analysis of wheat-flour substitutes and of the breads made therefrom." With J. A. Le Clerc. D.B. 701, pp. 12. 1918.
"Use of wheat flour substitutes in baking." F.B. 955, pp. 22. 1918.
Wesson oil, misbranding. *See Indexes to Notices of Judgment, in bound volumes and in separates, published as supplements to Chemistry Service and Regulatory Announcements.*
WEST, C. J.: "Market statistics." With Lewis B. Flohr. D.B. 982, pp. 279. 1921.
WEST, F. L.—
"Determination of normal temperatures by means of the equation of the seasonal temperature variation and a modified thermograph record." With others. J.A.R., vol. 18, pp. 499–510. 1920.
"Freezing of fruit buds." With N. E. Edlefsen. J.A.R., vol. 20, pp. 655–662. 1921.
WEST, R. M.—
"Effect of climatic factors on the hydrocyanic-acid content of sorghum." With J. J. Willaman. J.A.R., vol. 6, No. 7, pp. 261–272. 1916.
"Notes on the composition of the sorghum plant." With others. J.A.R., vol. 18, pp. 1–31. 1919.
"Notes on the hydrocyanic-acid content of sorghum." With J. J. Willaman. J.A.R., vol. 4, pp. 179–185. 1915.
West Indies—
agricultural education, progress—
1910. O.E.S. An. Rpt., 1910, p. 331. 1911.
1912. O.E.S. An. Rpt., 1912, p. 294. 1913.
(Spain and the Orient), agriculture. David G. Fairchild. B.P.I. Bul. 27, pp. 40. 1902.
black-fly infestation. D.B. 885, pp. 3, 5, 6, 14, 47, 51–52. 1920.
bollworm, pink, infestation, and source. F.H.B. S.R.A. 71, pp. 101–102. 1922.
British—
agricultural education, progress, 1910. O.E.S. An. Rpt., 1910, pp. 325–326. 1911.
sugar industry, 1902–1914. D.B. 473, pp. 22–24. 1917.
citrus—
fruits, varieties, and adaptability. F.B. 538, p. 15. 1913.
trees, injury by gummosis. J.A.R., vol. 24, p. 193. 1923.
coconut bud-rot investigations. B.P.I. Bul. 228, pp. 11–18, 22–36, 162. 1912.
coffee production, exports. Stat. Bul. 79, pp. 10, 11, 50–51. 1912.
cotton production. Atl. Am. Agr., Pt. V, sec. A, p. 7. 1919.
forest resources. For. Bul. 83, p. 66. 1910.
fruit(s)—
and vegetables, quarantine restrictions. F.H.B. Quar. 56, p. 5. 1923.
fly, distribution, and fruits infested. F.B. 1257, p. 22. 1922; Y.B., 1917, p. 191. 1918; Y.B. Sep. 731, p. 9. 1918.
production, and exports, 1909–1912. D.B. 483, pp. 10–11. 1917.

West Indies—Continued.
greenheart substitutes. For. Cir. 211, pp. 11–12. 1913.
hay and straw importations into United States, regulation, 1909. B.A.I. An. Rpt., 1909, pp. 379, 380. 1911.
hurricanes. Oliver L. Fassig. W.B. Bul. X, pp. 28. 1913.
importation of ruminants other than cattle, inspection. B.A.I.O. 281, pp. 14–15. 1923.
industries, value of climate and crop and storm-warning services of the Weather Bureau. M. W. Hayes. W.B. Bul. 31, pp. 58–60. 1902.
Mediterranean fruit fly, distribution and ravages. D.B. 536, p. 6. 1918.
normal temperature of Porto Rico. Oliver L. Fassig. W.B. [Misc.], "The normal temperature * * *," pp. 6. 1911.
occurrence of—
red-banded thrips. Ent. Bul. 99, Pt. II, pp. 18, 19, 20. 1912.
sugar-cane root-boring weevils. J.A.R., vol. 4, pp. 255–264. 1915.
trade with United States. D.B. 296, pp. 7–47. 1915.
use of fish in mosquito eradication. Ent. Bul. 88, pp. 69–70. 1910.
weather code for observers. W.B. [Misc.], "Weather code for * * * West Indian * * *," pp. 32. 1917.
white flies on orange, economic importance. J.A.R., vol. 6, No. 12, pp. 459, 463–466, 470. 1916.
work of Weather Bureau in. W.B. [Misc.], "The United States Weather Bureau * * *," pp. 4. 1924.
yautias and taros, growing. B.P.I. Bul. 164, pp. 17, 18, 19, 20, 22, 23, 24, 26, 32, 33. 1910.
West Virginia—
agricultural—
colleges and experiment stations, organization—
1905. O.E.S. Bul. 161, pp. 72–73. 1905.
1906. O.E.S. Bul. 176, pp. 82–83. 1907.
1907. O.E.S. Bul. 197, pp. 87–88. 1908.
1910. O.E.S. Bul. 224, pp. 73–74. 1910.
colleges. *See* Agriculture, workers' list.
Experiment Station. *See* West Virginia Experiment Station.
organizations, directory. Farm. M. [Misc.] "Directory * * * agricultural * * *," pp. 55–56. 1920.
and Kentucky, corn crop, management. J. H. Arnold. F.B. 546, pp. 7. 1913.
apple—
growing localities, varieties, and production. D.B. 485, pp. 6, 25, 44–47. 1917; Y.B., 1918, pp. 370, 372, 378. 1919; Y.B. Sep. 767, pp. 6, 8, 14. 1919.
root borer, occurrence and habits. D.B. 847, pp. 20–27. 1920; J.A.R., vol. 3, pp. 180, 181. 1914.
tree spotted borer, introduction and habits. D.B. 886, pp. 2, 4, 5, 6. 1920.
barley crops, 1867–1906, acreage, production, and value. Stat. Bul. 59, pp. 7–19, 29. 1907.
bee(s)—
and honey statistics. D.B. 325, pp. 9–12. 1915; D.B. 685, pp. 6, 9, 12, 14, 16, 17, 19, 21, 24, 26, 29, 31. 1918.
diseases, occurrence. Ent. Cir. 138, p. 22. 1911.
bird protection. *See* Bird protection.
bounty laws, 1907. Y.B., 1907, p. 565. 1908; Y.B. Sep. 473, p. 565. 1908.
buckwheat crops, 1867–1906, acreage, production, and value. Stat. Bul. 61, pp. 5–17, 20. 1908.
cement factories, potash content and loss. D.B. 572, p. 7. 1917.
chestnut bark disease. Y.B., 1912, p. 363. 1913; Y.B. Sep. 598, p. 363. 1913.
cicada distribution, brood 5. Ent. [Misc.], "The periodical cicada in 1914," p. 2. 1914.
cities, dairy products, consumption and prices, 1905–6. B.A.I. An. Rpt., 1907, pp. 315–317. 1909; F.B. 349, pp. 14–16. 1909.
closed season for shorebirds and woodcock. Y.B., 1914, pp. 292, 293. 1915; Y.B. Sep. 642, pp. 292, 293. 1915.
codling moth, studies, 1911, 1912, and 1913. D.B. 189, pp. 2, 32–40, 40–48. 1915.

West Virginia—Continued.
  convict road-work, laws. D.B. 414, p. 217. 1916.
  cooperative extension work. News L., vol. 6, No. 25, pp. 4-6. 1919.
  corn—
    club, labor records. D.B. 385, p. 26. 1916.
  crop(s)—
    1866-1906, acreage, production, and value. Stat. Bul. 56, pp. 7-27, 30. 1907.
    management (and Kentucky). J. H. Arnold. F.B. 546, pp. 7. 1913.
    production, movements, consumption, and prices. D.B. 696, pp. 14, 16, 20, 28, 29, 33, 36, 38, 40. 1918.
    yields and prices, 1866-1915. D.B. 515, p. 7. 1917.
  county organization, and expenditures for extension work, 1918. S.R.S. Rpt., 1918, pp. 32, 129-158. 1919.
  credits, farm-mortgage loans, costs, and sources. D.B. 384, pp. 2, 3, 5, 7, 10. 1916.
  crop planting and harvesting dates, important crops. Stat. Bul. 85, pp. 19, 32, 54, 76, 86, 104. 1912.
  demurrage provisions, regulations. D.B. 191, pp. 3, 24, 27. 1915.
  drug laws. Chem. Bul. 98, pp. 200-202. 1906. rev., Pt. I, pp. 325-330. 1909.
  early settlement, historical notes. *See* Soil surveys, *various counties and areas*.
  Experiment Farm in Greenbrier County. D.B. 870, pp. 1-3. 1920.
  Experiment Station—
    calf-feeding experiments. D.B. 1024, pp. 1-17. 1922; D.B. 1042, pp. 1-15. 1922.
    cowpea hay as feed for lambs. F.B. 1153, p. 16. 1920.
    steer-feeding experiment studies. D.B. 870, pp. 3-20. 1920.
    work and expenditures—
      1906. J. H. Stewart. O.E.S. An. Rpt., 1906, pp. 165-167. 1907.
      1907. J. H. Stewart. O.E.S. An. Rpt., 1907, pp. 183-185. 1908.
      1908. J. H. Stewart. O.E.S. An. Rpt., 1908, pp. 184-186. 1909.
      1909. J. H. Stewart. O.E.S. An. Rpt., 1909, pp. 201-203. 1910.
      1910. J. H. Stewart. O.E.S. An. Rpt., 1910, pp. 258-261. 1911.
      1911. E. D. Sanderson. O.E.S. An. Rpt., 1911, pp. 220-222. 1912.
      1912. E. D. Sanderson. O.E.S. An. Rpt., 1912, pp. 224-226. 1913.
      1913. E. D. Sanderson. O.E.S. An. Rpt., 1913, pp. 87. 1915.
      1914. E. D. Sanderson. O.E.S. An. Rpt., 1914, pp. 241-245. 1915.
      1915. J. L. Coulter. S.R.S. Rpt., 1915, Pt. I, pp. 272-277. 1916.
      1916. J. L. Coulter. S.R.S. Rpt., 1916, Pt. I, pp. 281-286. 1918.
      1917. J. L. Coulter. S.R.S. Rpt., 1917, Pt. I, pp. 271-276. 1918.
      1918. S.R.S. Rpt., 1918, pp. 31, 36, 44, 45, 47, 50, 62, 65, 68, 71-80. 1920.
    work on sunflower silage. D.B. 1045, pp. 10, 12, 14, 22, 23. 1922.
  extension, work—
    1906. O.E.S. Bul. 196, p. 35. 1907.
    1922-23. D.C. 253, pp. 6, 9, 12-13, 17, 18. 1923.
    funds allotment, and county-agent work. S.R.S. Doc. 40, pp. 4, 7, 12, 20, 23, 25, 28. 1918.
    in agriculture and home economics—
      1915. C. R. Titlow. S.R.S. Rpt., 1915, Pt. II, pp. 137-144. 1916.
      1916. C. R. Titlow. S.R.S. Rpt., 1916, Pt. II, pp. 145-150. 1917.
      1917. C. R. Titlow. S.R.S. Rpt., 1917, Pt. II, pp. 155-162. 1919.
    statistics. D.C. 306, pp. 4, 7, 12, 16, 20, 21. 1924.
  fairs, number, kind, location, and dates. Stat. Bul. 102, pp. 13, 14, 65-66. 1913.
  farm—
    animals, statistics, 1867-1907. Stat. Bul. 64, p. 107. 1908.

West Virginia—Continued.
  farm—continued.
    conditions, letters from women. Rpt. 103, pp. 26, 39, 60, 71. 1915; Rpt. 104, pp. 12, 28, 38, 53, 68. 1915; Rpt. 105, pp. 16, 25, 28, 51, 65. 1915; Rpt. 106, pp. 13, 50. 1915.
    leases, provisions. D.B. 650, p. 4. 1918.
    values, changes, 1900-1905. Stat. Bul. 43, pp. 11-17, 29-46. 1906.
  farmers' institutes—
    history. O.E.S. Bul. 174, pp. 89-94. 1906.
    laws. O.E.S. Bul. 135, rev., pp. 33-34. 1905; O.E.S. Bul. 241, pp. 44-46. 1911.
    work—
      1904. O.E.S. An. Rpt., 1904, p. 670. 1905.
      1906. O.E.S. An. Rpt., 1906, p. 351. 1907.
      1907. O.E.S. Bul. 199, p. 26. 1908.
      1908. O.E.S. An. Rpt., 1908, p. 330. 1909.
      1909. O.E.S. An. Rpt., 1909, p. 355. 1910.
      1910. O.E.S. An. Rpt., 1910, p. 416. 1911.
      1911. O.E.S. An. Rpt., 1911, p. 380. 1912.
      1912. O.E.S. An. Rpt., 1912, p. 374. 1913.
  fertilizer prices, 1919, by counties. D.C. 57, pp. 4, 7, 9. 1919.
  food laws—
    1905. Chem. Bul. 69, rev., Pt. VIII, pp. 670-671. 1906.
    1907. Chem. Bul. 112, Pt. II, pp. 134-135. 1908.
  forest—
    area, 1918. Y.B., 1918, p. 718. 1919; Y.B. Sep. 795, p. 54. 1919.
    fires, statistics. For. Bul. 117, p. 37. 1912.
    lands, Monongahela unit and others. D.C. 313, pp. 7-8. 1924.
  forestry laws—
    1918. For. Law Leaf. 22, pp. 10. 1918.
    1921, summary. D.C. 239, p. 27. 1922.
  fruit(s)—
    growers' association. Rpt. 98, pp. 256-262. 1913.
    statistics and shipments, 1910, 1914, 1920, 1921. D.B. 1189, pp. 3-7, 11. 1923.
    with Kentucky and Tennessee. George M. Darrow. D.B. 1189, pp. 82. 1923.
  funds for cooperative extension work, sources. S.R.S. Doc. 40, pp. 4, 6, 12, 18. 1917.
  fur animals, laws—
    1915. F.B. 703, p. 19. 1916.
    1916. F.B. 783, pp. 20, 28. 1916.
    1917. F.B. 911, pp. 23, 31. 1917.
    1918. F.B. 1022, pp. 23, 31. 1918.
    1919. F.B. 1079, pp. 6, 25, 31. 1919.
    1920. F.B. 1165, pp. 23-24. 1920.
    1921. F.B. 1238, p. 23. 1921.
    1922. F.B. 1293, p. 21. 1922.
    1923-24. F.B. 1387, pp. 24-25. 1923.
    1924-25. F.B. 1445, p. 18. 1924.
    1925-26. F.B. 1469, pp. 21-22. 1925.
  game—
    laws—
      1902. F.B. 160, pp. 25, 35, 46, 54. 1902.
      1903. F.B. 180, pp. 16, 25, 34, 39, 44, 46, 56. 1903.
      1904. F.B. 207, pp. 25, 36, 51, 63. 1904.
      1905. F.B. 230, pp. 24, 33, 46. 1905.
      1906. F.B. 265, pp. 23, 32, 39, 47. 1906.
      1907. F.B. 308, pp. 6, 21, 31, 46. 1907.
      1908. F.B. 336, pp. 24, 34, 45, 53. 1908.
      1909. F.B. 376, pp. 6, 15, 28, 36, 40, 43, 51. 1909.
      1910. F.B. 418, pp. 22, 29, 34, 37, 45. 1910.
      1911. F.B. 470, pp. 14, 26, 34, 39, 42, 51. 1911.
      1912. F.B. 510, pp. 22, 25-26, 30, 32, 35, 38, 47. 1912.
      1913. D.B. 22, pp. 17, 20, 34, 41, 46, 49, 57. 1913; D.B. 22, rev., pp. 16, 20, 21, 33, 41, 46, 49, 57. 1913.
      1914. F.B. 628, pp. 10, 11, 12, 25, 28-29, 33, 36, 39, 42, 44, 52. 1914.
      1915. F.B. 692, pp. 2, 3, 4, 5, 6, 8, 17, 35, 43, 48, 51, 53, 61. 1915.
      1916. F.B. 774, pp. 32-33, 41, 47, 50, 52, 61. 1916.
      1917. F.B. 910, pp. 38, 48. 1917.
      1918. F.B. 1010, pp. 36, 47, 61, 70. 1918.
      1919. F.B. 1077, pp. 39, 51, 60, 72, 73. 1919.
      1920. F.B. 1138, pp. 42-43. 1920.
      1921. F.B. 1235, pp. 44, 57, 80. 1921.
      1922. F.B. 1288, pp. 41, 55, 66, 67, 69. 1922.
      1923-24. F.B. 1375, pp. 39, 51. 1923.

West Virginia—Continued.
  game—continued.
    laws—continued.
      1924-25. F.B. 1444, pp. 28-29. 1924.
      1925-26. F.B. 1466, p. 35. 1925.
    protection. See Game protection.
  grain—
    acreage. F.B. 786, pp. 3-4. 1917.
    supervision districts and counties. Mkts. S.R.A. 14, pp. 3-4, 10. 1916.
  grazing industry in bluegrass region (with other States). D.B. 397, pp. 1-18. 1916.
  Greenbrier County, experiment farm, study of effect of winter rations on pasture gains of yearling steers. D.B. 870, pp. 3-20. 1920.
  hay crops, 1867-1906, acreage, production, and value. Stat. Bul. 63, pp. 5-25, 28. 1908.
  hemlock growing, value and uses. D.B. 152, pp. 3, 5, 13, 15. 1915.
  herds, lists of tested and accredited. D.C. 54, pp. 9, 10, 20, 26, 48, 74, 91. 1919; D.C. 142, pp. 6, 7, 12, 28, 38, 46-49. 1920; D.C. 144, pp. 6, 15, 47. 1920; D.C. 143, pp. 6, 17, 55, 96-97. 1920.
  hunting laws. Biol. Bul. 19, pp. 13, 21, 28, 30, 32, 36, 61, 65. 1904.
  Jackson Mills, State camping grounds. F.B. 1388, pp. 23-25. 1924.
  Kentucky, and Tennessee—
    fruits in. George M. Darrow. D.B. 1189, pp. 82. 1923.
    strawberry culture. George M. Darrow. F.B. 854, pp. 24. 1917.
  land purchases under Weeks law. D.C. 313, pp. 7, 8. 1924; For. [Misc.], "Purchase of land under * * *," p. 7. 1913.
  lard supply, wholesale and retail, Aug. 31, 1917, tables. Sec. Cir. 97, pp. 13-31. 1918.
  laws—
    against Sunday shooting. Biol. Bul. 12, rev., p. 64. 1902.
    dog control, digest. F.B. 935, p. 22, 31-32. 1918; F.B. 1268, p. 23. 1922.
    nursery stock shipments, interstate. Ent. Cir. 75, rev., p. 8. 1909; F.H.B.S.R.A. 57, pp. 114, 115. 1919.
    relating to contagious animal diseases. B.A.I. Bul. 43, pp. 68-70. 1901.
    legislation protecting birds. Biol. Bul. 12, rev., pp. 30, 41, 44, 123-124, 137. 1902.
  livestock admission, sanitary requirements. B.A.I. Doc. A-28, p. 42. 1917; B.A.I. Doc. A-36, p. 64. 1920; M.C. 14, pp. 85-86. 1924.
  lumber—
    cut, 1870-1920, value, and kinds. D.B. 1119, pp. 28, 30-35, 44-61. 1923.
    production—
      1918, by mills, by woods, and lath and shingles. D.B. 845, pp. 6-11, 13, 16, 22-25, 28, 30, 33-36, 40, 42-47. 1920.
      decrease. Sec. Cir. 183, p. 26. 1921.
  maple—
    sirup, investigations, tabulations of results. Chem. Bul. 134, pp. 46-47, 75. 1910.
    sugar—
      analyses, results, table. D.B. 466, p. 23. 1917.
      and sirup, production. F.B. 516, pp. 44-46. 1912.
  marketing activities and organization. Mkts. Doc. 3, p. 7. 1916.
  Meadow soil, area, location, and uses. Soils Cir. 68, pp. 14, 21. 1912.
  milk supply, laws. B.A.I. Bul. 46, pp. 38, 161. 1903.
  Negro extension work and workers, 1908-1921. D.C. 190, pp. 6-9, 24. 1921.
  oat crops, 1867-1906, acreage, production, and value. Stat. Bul. 58, pp. 5-25, 28. 1907.
  orcharding, crew work, costs and returns. J. H. Arnold. D.B. 29, pp. 24. 1913.
  pasture land on farms. D.B. 626, pp. 15, 89-90. 1918.
  peach(es)—
    growing, production, districts, and varieties. D.B. 806, pp. 4, 5, 7, 8, 9, 21. 1919.
    industry, season, and shipments, 1914. D.B. 298, pp. 4, 5, 7, 15. 1916.
    preparation for market. F.B. 1266, pp. 4, 7, 10, 15, 16-27. 1922.

West Virginia—Continued.
  peach(es)—continued.
    varieties, names and ripening dates. F.B. 918, p. 12. 1918.
  pear growing, distribution and varieties. D.B. 822, p. 10. 1920.
  potato—
    crops, 1867-1906, acreage, production, and value. Stat. Bul. 62, pp. 7-27, 30. 1908.
    wart distribution. D.B. 1156, p. 2. 1923.
    wart, occurrence and location. D.C. 111, pp. 7-8, 9. 1920.
  pulp wood consumption, woods used, and imports. D.B. 758, pp. 3, 4, 6, 10, 12, 13. 1919.
  road(s)—
    bond-built, amount of bonds, and rate. D.B. 136, pp. 49, 79, 83, 85. 1915.
    building rock tests—
      1916 and 1917. D.B. 670, pp. 21-22, 28. 1918; D.B. 370, pp. 92-95. 1916.
      1916-1921, results. D.B. 1132, pp. 41-43, 51, 52. 1923.
    expenditures, bonds, and mileage, 1914. D.B. 387, pp. 3-8, 49-52. 1917.
    laws and mileage. Y.B., 1914, pp. 214, 222. 1915; Y.B. Sep. 638, pp. 214, 222. 1915.
    materials, tests. Rds. Bul. 44, pp. 88-90. 1912
    mileage and expenditures—
      1904. Rds. Cir. 78, pp. 3. 1907.
      1909. Rds. Bul. 41, pp. 38, 41, 42, 117-118. 1912.
      1915. Sec. Cir. 52, pp. 3, 5, 6. 1915.
      1916. Sec. Cir. 74, pp. 6, 7, 8. 1917.
    model county systems. An. Rpts., 1912, pp. 874-875. 1913; Rds. Chief Rpt., 1912, pp. 30-31. 1912.
  rye crops, 1867-1906, acreage, production, and value. Stat. Bul. 60, pp. 5-25, 28. 1908.
  salt deposits, occurence and composition. Soils Bul. 94, pp. 37, 56, 65. 1913.
  San Jose scale, occurrence. Ent. Bul. 62, p. 32. 1906.
  schools, agricultural, work. O.E.S. Cir. 106, rev., pp. 18, 24. 1912.
  shipments of fruits and vegetables, and index to station shipments. D.B. 667, pp. 6-13, 48-49. 1918.
  soil survey of—
    Barbour and Upshur Counties. W. J. Latimer and Hugh H. Bennett. Soil Sur. Adv. Sh., 1917, pp. 51. 1919; Soils F.O., 1917, pp. 993-1039. 1923.
    Berkeley County. See Jefferson, Berkeley, and Morgan Counties.
    Boone County. W. J. Latimer. Soil Sur. Adv. Sh., 1913, pp. 26. 1915; Soils F.O., 1913, pp. 1295-1316. 1916.
    Braxton and Clay Counties. W. J. Latimer and Charles N. Mooney. Soil Sur. Adv. Sh., 1918, pp. 39. 1920; Soils F.O., 1918, pp. 885-919. 1924.
    Brooke County. See Wheeling area.
    Cabell County. See Huntington area.
    Calhoun County. See Spencer area.
    Clarksburg area. Charles N. Mooney and W. J. Latimer. Soil Sur. Adv. Sh., 1910, pp. 32. 1912; Soils F.O., 1910, pp. 1049-1076. 1912.
    Clay County. See Braxton and Clay Counties.
    Doddridge County. See Clarksburg area.
    Fayette County. J. A. Kerr. Soil Sur. Adv. Sh., 1919, pp. 30. 1921; Soils F.O., 1919, pp. 1175-1200. 1925.
    Gilmer County. See Lewis and Gilmer Counties.
    Hancock County. See Wheeling area.
    Harrison County. See Clarksburg area.
    Huntington area. W. J. Latimer. Soil Sur. Adv. Sh., 1911, pp. 44. 1912; Soils F.O., 1911, pp. 1287-1326. 1914.
    Jackson County. See Point Pleasant area.
    Jefferson, Berkeley, and Morgan Counties. W. J. Latimer. Soil Sur. Adv. Sh., 1916, pp. 74. 1918; Soils F.O., 1916, pp. 1479-1548. 1921.
    Kanawha County. W. J. Latimer and M. W. Beck. Soil Sur. Adv. Sh., 1912, pp. 30. 1914; Soils F.O., 1912, pp. 1179-1204. 1915.
    Lewis and Gilmer Counties. W. J. Latimer. Soil Sur. Adv. Sh., 1915, pp. 34. 1917; Soils F.O., 1915, pp. 1237-1266. 1919.
    Lincoln County. See Huntington area.

INDEX TO PUBLICATIONS, 1901-1925   2591

West Virginia—Continued.
soil survey of—continued.
Logan and Mingo Counties. W. J. Latimer. Soil Sur. Adv. Sh., 1913, pp. 30. 1915; Soils F.O., 1913, pp. 1317-1342. 1916.
McDowell and Wyoming Counties. W. J. Latimer. Soil Sur. Adv. Sh., 1914, pp. 32. 1916; Soils F.O., 1914, pp. 1427-1454. 1919.
Marion County. *See* Morgantown area.
Marshall County. *See* Middlebourne and Wheeling areas.
Mason County. *See* Point Pleasant area.
Middlebourne area. Thomas A. Caine and others. Soil Sur. Adv. Sh., 1907, pp. 32. 1909; Soils F.O., 1907, pp. 165-192. 1909.
Mingo County. *See* Logan and Mingo Counties.
Monongalia County. *See* Morgantown area.
Morgan County. *See* Jefferson, Berkeley, and Morgan Counties.
Morgantown area. Charles N. Mooney and W. J. Latimer. Soil Sur. Adv. Sh., 1911, pp. 42. 1912; Soils F.O., 1911, pp. 1327-1364. 1914.
Nicholas County. S. W. Phillips. Soil Sur. Adv. Sh., 1920, pp. 31. 1922; Soils F.O., 1920, pp. 39-69. 1925.
Ohio County. *See* Wheeling area.
Parkersburg area. F. N. Meeker and W. J. Latimer. Soil Sur. Adv. Sh., 1908, pp. 36. 1909; Soils F.O., 1908, pp. 1019-1050. 1911.
Pleasant County. *See* Parkersburg area.
Point Pleasant area. W. J. Latimer and Charles N. Mooney. Soil Sur. Adv. Sh., 1910, pp. 50. 1911; Soils F.O., 1910, pp. 1077-1122. 1912.
Preston County. W. J. Latimer. Soil Sur. Adv. Sh., 1912, pp. 43. 1914; Soils F.O., 1912, pp. 1205-1243. 1915.
Putnam County. *See* Point Pleasant area.
Raleigh County. W. J. Latimer. Soil Sur. Adv. Sh., 1914, pp. 34. 1916; Soils F.O., 1914, pp. 1397-1426. 1919.
Ritchie County. *See* Parkersburg area.
Roane County. *See* Spencer area.
Spencer area. W. J. Latimer and F. N. Meeker. Soil Sur. Adv. Sh., 1909, pp. 32. 1910; Soils F.O., 1909, pp. 1175-1202. 1912.
Taylor County. *See* Morgantown area.
Tucker County. S. W. Phillips. Soil Sur. Adv. Sh., 1921, pp. 1329-1365. 1925.
Tyler County. *See* Middlebourne area.
Upshur County. A. M. Griffin and Orla L. Ayrs. Soil Sur. Adv. Sh., 1905, pp. 20. 1906; Soils F.O., 1905, pp. 175-190. 1907.
Wayne County. *See* Huntington area.
Webster County. Charles N. Mooney. Soil Sur. Adv. Sh., 1918, pp. 24. 1920; Soils F.O., 1918, pp. 921-940. 1924.
Wetzel County. *See* Middlebourne area.
Wheeling area. Thomas A. Caine and G. W. Tailby, jr. Soil Sur. Adv. Sh., 1906, pp. 32. 1907; Soils F.O., 1906, pp. 167-194. 1908.
Wirt County. *See* Spencer area.
Wood County. *See* Parkersburg area.
Wyoming County. *See* McDowell and Wyoming Counties.
soils—
Dekalb silt loam, area and location. Soils Cir. 38, pp. 3, 17. 1911.
Hagerstown clay, acreage and location. Soils Cir. 64, pp. 3, 12. 1912.
southern, adaptability for cattle raising. D.B. 954, pp. 2-3. 1921.
standard containers. F.B. 1434, p. 18. 1924.
stock value, increase by breeding. News L., vol. 6, No. 31, p. 11. 1919.
strawberry culture, with Kentucky and Tennessee. George M. Darrow. F.B. 854, pp. 24. 1917.
tight cooperage production, 1905, 1906. For. Cir. 125, pp. 5-6. 1907.
tobacco—
growing and industry, details, statistics. B.P.I. Bul. 244, pp. 81-84, 99. 1912.
production and yield of Burley type. B.P.I. Cir. 48, p. 8. 1910.
trucking industry, acreage and crops, notes. Y.B., 1916, pp. 455-465. 1917. Y.B. Sep. 702, pp. 21-31. 1917.

West Virginia—Continued.
Tucker County, topography, drainage, and climate. Soil Sur. Adv. Sh., 1921, pp. 1329-1334. 1925.
University, teachers' courses. O.E.S. Cir. 118, pp. 25-26. 1913.
wage rates, farm labor, 1845, and 1866-1909. Stat. Bul. 99, pp. 21, 29-43, 68-70. 1912.
walnut—
range and estimated stand. D.B. 933, pp. 7, 10-11. 1921.
stand and quality. D.B. 909, pp. 9, 10, 15, 19, 21. 1921.
water supply, records by counties. Soils Bul. 92, pp. 153-155. 1913.
wheat—
acreage and varieties. D.B. 1074, p. 216. 1922.
crops, acreage, production, and value. Stat. Bul. 57, pp. 6-25, 28. 1907; Stat. Bul. 57, rev., pp. 6-25, 28, 36. 1908.
varieties, adapted. F.B. 616, pp. 10, 11. 1914; F.B. 1168, pp. 13, 15. 1921.
yields and prices, 1866-1915. D.B. 514, p. 7. 1917.
WESTERMAN, J. D.: "Soil survey of Antelope County, Nebraska." With others. Soil Sur. Adv. Sh., 1921, pp. 757-816. 1924.
Western—
blight, beet. *See* Curly-top.
farmer's water right. R. P. Teele. D.B. 913, pp. 14. 1920.
irrigated regions, apple growing. Y.B., 1918, pp. 370, 374. 1919; Y.B. Sep. 767, pp. 6, 10. 1919.
national forests, reforestation work of forest experiment stations. Sec. Cir. 183, pp. 5-6. 1921.
pastures, improvement and management. James T. Jardine. Y.B., 1915, pp. 299-310. 1916; Y.B. Sep. 687, pp. 299-310. 1916.
range—
beef-cattle industry. Y.B., 1921, pp. 245-253. 1922; Y.B. Sep. 874, pp. 245-253. 1922.
States, livestock production. Will C. Barnes and James T. Jardine. Rpt. 110, pp. 100. 1916.
Western Basin—
and coast areas, altitudes, climate, and soil types. D.B. 823, pp. 52-54. 1920.
emmer and spelt growing, experiments. D.B. 1197, pp. 43-46, 55. 1924.
Western States—
and Northern—
club work, boys' and girls' organization and results, 1919. George Farrell and Ivan L. Hobson. D.C. 152, pp. 35. 1921.
county agent work—
1921. W. A. Lloyd. D.C. 244, pp. 42. 1922.
status and results, 1919. W. A. Lloyd. D.C. 106, pp. 19. 1920.
status and results, 1920. W. A. Lloyd. D.C. 179, pp. 36. 1921.
home demonstration work—
1920. Florence E. Ward. D.C. 178, pp. 30. 1921.
1921, status and results. Florence E. Ward. D.C. 285, pp. 26. 1923.
bears in, description and characters. N.A. Fauna 41, pp. 17-33, 37-40, 54-60, 64, 68, 72-76, 84, 87, 93, 104. 1918.
dairy farming, market milk, and creameries. An. Rpts., 1916, pp. 97-98. 1917; B.A.I. Chief Rpt., 1916, pp. 31-32. 1916.
extension work, report—
1915 (with Northern States). S.R.S. Rpt., 1915, Pt. II, pp. 145-326. 1917.
1917 (and Northern States). S.R.S. Rpt., 1917, Pt. II, pp. 163-410. 1919.
farm conditions and labor data. Y.B., 1911, pp. 270, 278-280. 1912; Y.B. Sep. 567, pp. 270, 278-280. 1912.
field rot of potatoes caused by *Fusarium radicicola*. J.A.R., vol. 6, No. 9, pp. 297-310. 1916.
oat-growing altitudes, climate, and soil types. D.B. 823, pp. 36-66. 1920.
potato—
diseases, distribution and estimated losses. J.A.R., vol. 21, pp. 842-843. 1921.
irrigation, acreage, production, and practices. F.B. 953, pp. 1-24. 1918.

Western States—Continued.
  principal crops. Y.B., 1915, p. 332. 1916; Y.B. Sep. 681, p. 332. 1916.
  road mileage and revenues. D.B. 389, pp. 1-56. 1917.
  strawberry culture. George M. Darrow. F.B. 1027, pp. 29. 1919.
  sugar—
    beet nematode. Gerald Thorne and L. A. Giddings. F.B. 1248, pp. 16. 1922.
    production. Sec. [Misc.], Spec. "Geography * * * world's agriculture," pp. 71, 72. 1917.
  tractor use, data from bankers and farmers. D.B. 174, pp. 6-41. 1915.
  wheat production on dry lands, experiments. David E. Stephens and others. D.B. 1173, pp. 60. 1923.
  windbreaks, direction and composition. F.B. 788, pp. 11-12. 1917.
  wool-clip handling, progress. F. R. Marshall. Y.B., 1916, pp. 227-236. 1917; Y.B. Sep. 709, pp. 10. 1917.
Western United States—
  water right of farmer. R. P. Teele. D.B. 913, pp. 14. 1920.
  white-pine blister rust. D.C. 226, pp. 5. 1922.
WESTGATE, J. M.—
  "Alfalfa." F.B. 339, pp. 48. 1908.
  "Alfalfa in cultivated rows for seed production in semiarid regions." With Charles J. Brand. B.P.I. Cir. 24, pp. 23. 1909.
  "Alfalfa seed production." With others. F.B. 495, pp. 36. 1912.
  "Crimson clover: Growing the crop." F.B. 550, pp. 15. 1913.
  "Crimson clover: Seed production." F.B. 646, pp. 13. 1915; F.B. 1411, pp. 12. 1924.
  "Crimson clover: Utilization." F.B. 579, pp. 10. 1914.
  "Reclamation of Cape Cod sand dunes." B.P.I. Bul. 65, pp. 38. 1904.
  "Red clover." With F. H. Hillman. F.B. 455, pp. 48. 1911.
  "Red-clover seed production: Pollination studies." With others. D.B. 289, pp. 31. 1915.
  report of, Hawaii Experiment Station—
    1915. With others. Hawaii A.R., 1915, pp. 73. 1916.
    1916. With others. Hawaii A.R. 1916, pp. 46. 1917.
    1917. With others. Hawaii A.R., 1917, pp. 56. 1918.
    1918. With others. Hawaii. A.R., 1918, pp. 55. 1919.
    1919. With others. Hawaii A.R., 1919, pp. 73. 1920.
    1920. With others. Hawaii A.R., 1920, pp. 72. 1921.
    1921. With others. Hawaii A.R., 1921, pp. 65. 1922.
    1922. With others. Hawaii A.R., 1922, pp. 23. 1924.
    1923. With others. Hawaii A.R., 1923, pp. 16. 1924.
    1924. With others. Hawaii A.R., 1924, pp. 24. 1925.
  "Sweet clover." With H. N. Vinall. F.B. 485, pp. 39. 1912.
  "The application of vegetative propagation to leguminous forage plants." With George W. Oliver. B.P.I. Bul. 102, Pt. IV, pp. 33-37. 1907.
  "The control of blowing soils." With E. E. Free. F.B. 421, pp. 23. 1910.
  "Variegated alfalfa." B.P.I. Bul. 169, pp. 63. 1910.
Westmoreland soils, southwestern Pennsylvania, area and location. Soil Sur. Adv. Sh., 1909, pp. 25-39. 1911; Soils F. O., 1909, pp. 225-239. 1912.
WESTON, W. H., Jr.—
  "A method of treating maize seed to destroy adherent spores of downy mildew." J.A.R., vol. 24, pp. 853-860. 1923.
  "Another conidial Sclerospora of Philippine maize." J.A.R., vol. 20, pp. 669-684. 1921.
  "Nocturnal production of conidia by Sclerospora graminicola." J.A.R., vol. 27, pp. 771-784. 1924.

WESTON, W. H., Jr.—Continued.
  "Production and dispersal of conidia in the Philippine sclerosporas of maize." J.A.R., vol. 23, pp. 239-278. 1923.
  "Report on the plant disease situation in Guam." Guam A.R., 1917, pp. 45-65. 1918.
  "The occurrence of wheat downy mildew in the United States." D.C. 186, pp. 6. 1921.
WESTOVER, H. L.—
  "Commercial varieties of alfalfa." With R. A. Oakley. F.B. 757, pp. 24. 1916.
  "Effect of the length of day on seedlings of alfalfa varieties and the possibility of utilizing this as a means of identification." With R. A. Oakley. J.A.R., vol. 21, pp. 599-608. 1921.
  "Forage crops in relation to the agriculture of the semiarid portion of the northern Great Plains." With R. A. Oakley. D.B. 1244, pp. 54. 1924.
  "How to grow alfalfa." With R. A. Oakley. F.B. 1283, pp. 36. 1922.
  "Illustrated lecture on the production of alfalfa east of the ninety-fifth meridian." With H. B. Hendrick. S.R.S. Syl. 20, pp. 17. 1916.
  "Soil survey of—
    Butler County, Ala." With A. E. Kocher. Soil Sur. Adv. Sh., 1907, pp. 33. 1909; Soils F.O., 1907, pp. 437-465. 1909.
    Goodhue County, Minn." With others. Soil Sur. Adv. Sh., 1913, pp. 34. 1915; Soils F.O. 1913, pp. 1659-1683. 1916.
    Henry County, Ala." With others. Soil Sur. Adv. Sh., 1908, pp. 55. 1909; Soils F.O., 1908, pp. 483-513. 1911.
    Lee County, S. C." With others. Soil Sur. Adv. Sh., 1907, pp. 27. 1908; Soils F.O., 1907, pp. 323-343. 1909.
    Marion County, Ala." Soil Sur. Adv. Sh., 1907, pp. 24. 1908; Soils F.O., 1907, pp. 381-400. 1909.
    Merrimack County, N. H." With others. Soil Sur. Adv. Sh., 1906, pp. 37. 1908; Soils F.O., 1906, pp. 33-67. 1908.
    Sumter County, S. C." With others. Soil Sur. Adv. Sh., 1907, pp. 27. 1908; Soils F.O., 1907, pp. 299-321. 1909.
    the Caribou area, Maine." With R. W. Rowe. Soil Sur. Adv. Sh., 1908, pp. 40. 1910; Soils F.O., 1908, pp. 35-70. 1911.
    the Corpus Christi area, Texas." With A. W. Mangum. Soil Sur. Adv. Sh., 1908, pp. 29. 1909; Soils F.O., 1908, pp. 899-923. 1911.
    the Livermore area, California." With Cornelius Van Duyne. Soil Sur. Adv. Sh., 1910, pp. 64. 1911; Soils F.O., 1910, pp. 1657-1716. 1912.
    the Madera area, California." With others. Soil Sur. Adv. Sh., 1910, pp. 43. 1911; Soils F.O., 1910, pp. 1717-1753. 1912.
    the Marysville area, California." With others. Soil Sur. Adv. Sh., 1909, pp. 56. 1911; Soils F.O., 1909, pp. 1689-1740. 1912.
    the Quincy area, Washington." With others. Soil Sur. Adv. Sh., 1911, pp. 64. 1913; Soils F.O., 1911, pp. 2227-2286. 1914.
    the Woodland area, California." With others. Soil Sur. Adv. Sh., 1909, pp. 57. 1911; Soils F.O., 1909, pp. 1635-1687. 1912.
  "The development of the Peruvian alfalfa industry in the United States." D.C. 93, pp. 8. 1920.
  "Utilization of alfalfa." With R. A. Oakley. F.B. 1229, pp. 44. 1921.
Wet lands—
  acreage by States. Y.B., 1923, p. 425. 1924; Y.B. Sep. 896, p. 425. 1924.
  seeding to alsike clover, advantages. F.B. 1151, p. 18. 1920.
  use for flax growing. D.B. 883, p. 3. 1920.
Wethers—
  Angora—
    disposal. D.B. 749, p. 22. 1919.
    marketing age. F.B. 1203, p. 23. 1921.
  grading for market. F.B. 360, pp. 23, 26. 1909.
  See also Lambs; Sheep.
WETHY, J. M., report of Chautauqua & Erie Grape Co., Westfield, N. Y. Rpt. 98, pp. 237-238. 1913.

WETMORE, ALEXANDER—
"Birds of Porto Rico." D.B. 326, pp. 140. 1916.
"Canaries: Their care and management." F.B. 770, pp. 20. 1916; F.B. 1327, pp. 22. 1923.
"Food and economic relations of North American grebes." D.B. 1196, pp. 24. 1924.
"Food of American phalaropes, avocets, and stilts." F.B. 1359, pp. 20. 1925.
"Lead poisoning in waterfowl." D.B. 793, pp. 12. 1919.
"Migration records from wild ducks and other birds banded in the Salt Lake Valley." D.B. 1145, pp. 16. 1923.
"Mortality among waterfowl around Great Salt Lake, Utah." D.B. 217, pp. 10. 1915.
"The duck sickness in Utah." D.B. 672, pp. 26. 1918.
"Wild ducks and duck foods of the Bear River marshes, Utah." D.B. 936, pp. 20. 1921.

WEYL, L. H.: "Range preservation and its relation to erosion control on western grazing lands." With Arthur W. Sampson. D.B. 675, pp. 35. 1918.

Whale(s)—
finback—
description. N.A. Fauna 46, p. 116. 1923.
range and habits. N.A. Fauna 21, p. 25. 1901.
killer, description and habits, and food. N.A. Fauna 46, pp. 117–118. 1923.
occurrence in—
Alaska region. N.A. Fauna 24, p. 27. 1904.
Athabaska-Mackenzie region. N.A. Fauna 27, pp. 126–128. 1908.
Pribilof Islands region. N.A. Fauna 46, pp. 115–118. 1923.
oil—
emulsion, formulas for white flies. Ent. Cir. 168, pp. 5–6. 1913.
soap—
emulsion use on flea-beetle. Ent. Bul. 66, Pt. VI, pp. 85–87. 1909.
labeling. Insect. N.J. 27, I. and F. Bd. S.R.A. 2, p. 29. 1914.
Mt. Hood, misbranding. Insect. N.J. 121, I. and F. Bd. S.R.A. 6, pp. 89–90. 1914.
solution, use against green bugs, experiments. Ent. Cir. 63, rev., pp. 7, 19. 1905.
solution, use in control of spring grain aphid. Ent. Bul. 110, p. 138. 1912.
spray formula. Ent. Cir. 121, p. 14. 1910; Y.B., 1908, p. 276. 1909; Y.B. Sep. 480, p. 276. 1909.
sprays for rose aphid. D.B. 90, pp. 12–14. 1914.
use in insecticides. Ent. Bul. 97, pp. 87, 114, 121. 1913.
use in nicotine sulphate solutions for onion thrips. Y.B., 1912, pp. 323–324. 1913; Y.B. Sep. 594, pp. 323–324. 1913.
wash, formula. Ent. Cir. 121, p. 14. 1910.
range and habits. N.A. Fauna 22, pp. 39, 40. 1902.
right, Pacific, range and habits. N.A. Fauna 24, p. 27. 1904.
white, range and habits. N.A. Fauna 24, p. 27. 1904.

WHALIN, C. V.—
"Country hides and skins." With others. F.B. 1055, pp. 64. 1919.
"Market classes and grades of dressed beef." With W. C. Davis. D.B. 1246, pp. 48. 1924.

Whaling industry, on Pacific coast. D.B. 150, pp. 70–71. 1915.

Wharf—
boats, use on Tennessee River. Y.B., 1907, p. 302. 1908; Y.B. Sep. 449, p. 302. 1908.
building, use of greenheart, durability. For. Cir. 211, p. 6. 1913.
rat. See Rat, brown.

Whau, importation and description. Nos. 30833–30834, B.P.I. Bul. 242, p. 44. 1912.

Whaw tree. See Cork, New Zealand.

Wheat(s)—
absorption and distribution of boron. J.A.R., vol. 5, No. 19, pp. 880, 883, 884, 886, 887, 888. 1916.
acidity—
and titrable nitrogen determination. J.A.R., vol. 16, pp. 1–13. 1919.

Wheat(s)—Continued.
acidity—continued.
changes during growth, relation to stem-rust resistance. Annie May Hurd. J.A.R., vol. 27, pp. 725–735. 1924.
Acme—
characteristics. D.B. 878, p. 8. 1920.
nature and value. F.B. 1304, pp. 8–10. 1923.
rust resistance. Y.B., 1917, p. 492. 1918; Y.B. Sep. 755, p. 13. 1918.
acre value in food. F.B. 877, pp. 4, 7. 1917.
acreage—
1909–1923. Y.B., 1923, pp. 133–135. 1924.
1914, estimates by States, and condition. F.B. 645, p. 37. 1914.
1918, and acreage and production since 1909, in South. S.R.S. Doc. 96, pp. 11, 13. 1919.
1919, and estimate of yield, acreage, and production, 1914–1919. An. Rpts. 1919, pp. 4, 6, 7. 1920; Sec. A.R., 1919, pp. 6. 8, 9. 1919.
abandoned, loss. D.B. 943, pp. 44–45. 1921.
and estimated yield, 1919. Y.B., 1919, p. 10. 1920.
and production—
1909, and estimate 1915, by States, maps. Y.B., 1915, pp. 352–354. 1916; Y.B. Sep. 681, pp. 352–354. 1916.
1910–1914, in world countries. Y.B., 1916, pp. 533, 537. 1917; Y.B. Sep. 713, pp. 3, 7. 1917.
1910–1923, and exports. An. Rpts., 1923, pp. 90, 91, 92. 1923; Sec. A. R., 1923, pp. 90, 91, 92. 1923.
1918, comparison with previous years. An. Rpts., 1918, pp. 5, 7. 1919; Sec. A.R., 1918, pp. 5, 7. 1919; Y.B., 1918, pp. 12, 14. 1919.
1922, and prices. Y.B., 1922, pp. 69, 70, 73, 581–617. 1923; Y.B. Sep. 881, pp. 581–619. 1923; Y.B. Sep. 883, pp. 69, 70, 73. 1923.
in Southern States, 1909–1919. D.C. 85, p. 16. 1920; S.R.S. Rpt., 1917, Pt. II, pp. 25–26. 1919.
in Wheat Belt, 1918–1920. D.B. 1020, p. 5. 1922.
and value in Southern States, 1900–1909, comparison with corn and oats. F.B. 436, p. 5. 1911.
and yield—
50-year record. Y.B., 1921, pp. 85–110, 149–151. 1922; Y.B. Sep. 873, pp. 85–110, 149–151. 1922.
on Hagerstown clay. Soils Cir. 64, pp. 8, 9. 1912.
per farm. D.B. 320, p. 10. 1916.
by countries of Europe, 1885, 1895, 1905. Stat. Bul. 68, pp. 15–16. 1908.
condition—
April 1, 1915, with comparisons. F.B. 672, p. 21. 1915.
June 1, 1914. F.B. 604, p. 12. 1914.
cut—
by binders and labor cost per acre. D.B. 627, pp. 3–6. 1918.
per day by various machines. D.B. 1230, pp. 17–19. 1924.
per day per man. D.B. 1230, pp. 20–21. 1924.
decrease in war countries, 1914, estimates. F.B. 672, pp. 8–9. 1915.
expansion and contraction. D.B. 1020, pp. 5–11. 1922.
harvested in Kansas, 1918, methods of handling. Edward C. Johnson. Sec. Cir. 121, pp. 7. 1918.
in—
Europe, 1924. Off. Rec., vol. 3, No. 14, p. 3. 1924.
foreign countries, 1911–1912. Stat. Cir. 37, pp. 4, 5, 6, 9, 11, 14, 15, 17–19. 1912.
foreign countries, percentage of total land areas. Y.B., 1909, pp. 262–264. 1910; Y.B. Sep. 511, pp. 262–264. 1910.
India, 1910–1912. Stat. Cir. 28, p. 5. 1912.
Northern Hemisphere. Off. Rec., vol. 3, No. 30, p. 3. 1924.
older States, increase since 1870. Y.B., 1909, p. 267. 1910; Y.B. Sep. 511, p. 267. 1910.
increase—
for 1919, statement of Agriculture Secretary. News L., vol. 6, No. 15, pp. 1, 2. 1918.

Wheat(s)—Continued.
  acreage—continued.
    increase—continued.
      in South, suggestions. News L., vol. 5, No. 5, pp. 1-2. 1917.
      map, 1919. D.B. 943, p. 7. 1921.
    per cent grown at various costs per bushel. D.B. 943, pp. 49-51. 1921.
    present and future of United States. Y.B., 1909, pp. 259-262. 1910; Y.B. Sep. 511, pp. 259-262. 1910.
    production—
      and exports, trend. Y.B., 1923, p. 444. 1924; Y.B. Sep. 896, p. 444. 1924.
      and feed use. Y.B., 1923, pp. 249-251. 1924; Y.B. Sep. 895, pp. 249-251. 1924.
      and value, 1913, estimate. F.B. 570, pp. 7, 8, 16, 17, 18, 19-20, 23, 26-27, 34-35. 1913; F.B. 645, pp. 25-27. 1914.
      and value, 1914, estimate and comparison. F.B. 611, pp. 3-6, 27-28. 1914.
      exports and imports, world countries. Sec. Cir. 90, pp. 3-8. 1918.
      in Iowa, Delaware County. Soil Sur. Adv. Sh., 1922, pp. 6, 8. 1925.
      in Nebraska, Nance County. Soil Sur. Adv. Sh., 1922, pp. 230, 231. 1925.
      in North Carolina, Haywood County. Soil Sun. Adv. Sh., 1922, pp. 207, 208, 209. 1925.
      in South Carolina, Lexington County. Soil Sur. Adv. Sh., 1922, pp. 157, 158. 1925.
      ratio to population increase, 1871-1915. D.B. 594, pp. 30-34. 1918.
      yield per acre, and cost in western North Dakota. Soil Sur. Adv. Sh., 1908, pp. 27-28. 1910; Soils F.O., 1908, pp. 1175-1176. 1911.
    winter and spring, leading States and counties. Sec. [Misc.], Spec. "Geography * * * world's agriculture," pp. 18-19. 1917.
    world countries, average, 1909-1913, and annual, 1913-1917. Y.B., 1917, pp. 463-470. 1918; Y.B. Sep. 752, pp. 5-12. 1918.
    yield—
      and foreign trade, 1925. Sec. A.R., 1925, pp. 2, 4-6, 102-104. 1925.
      and prices, 1866-1915. News L., vol. 4, No. 28, p. 2. 1917.
      and variety tests in Nevada, Truckee-Carson project. W.I.A. Cir. 3, pp. 4. 6-7. 1915.
      in North Dakota, McHenry County. Soil Sur. Adv. Sh., 1921, pp. 934, 935, 936, 937, 938. 1925.
      prices, marketing, 1923. Y.B., 1923, pp. 602-635, 646-661. 1924; Y.B. Sep. 898, pp. 602-635, 646-661. 1924.
  adaptability to—
    Cecil clay. Soils Cir. 28, pp. 6, 9. 1911.
    Cecil sandy loam. Soils Cir. 27, pp. 13-14. 1911.
    irrigated regions. F.B. 732, pp. 6-7. 1916.
    Marion silt loam, eastern United States, yield. Soils Cir. 59, pp. 4, 8, 9. 1912.
    Penn loam, eastern United States. Soils Cir. 56, pp. 6, 7. 1912.
    San Luis Valley, Colo. Soils Cir. 52, pp. 22, 26. 1912.
  adaptation—
    breeding and varieties. An. Rpts., 1911, pp. 289, 292. 1912; B.P.I. Chief Rpt., 1911, pp. 41, 44. 1911.
    experiments. B.P.I. Bul. 260, p. 47. 1912.
    to dry farming. F.B. 329, pp. 11, 14. 1908.
  adulterated, milling and baking tests. R. C. Miller. D.B. 328, pp. 24. 1915.
  adulteration—
    and misbranding. See *Indexes to Notices of Judgment, in bound volumes and in separates published as supplements to Chemistry Service and Regulatory Announcements.*
    of buckwheat flour. Chem. N.J. 60. 1909.
  Alaska and Stoner, or "miracle," two varieties much misrepresented. Carleton R. Ball and Clyde E. Leighty. D.B. 357, pp. 29. 1916.
  Algerian—
    cultivation. B.P.I. Bul. 80, pp. 74-75. 1905.
    durum, classified list, with descriptions. Carl S. Scofield. B.P.I. Bul. 7, pp. 19. 1902.

Wheat(s)—Continued.
  alkali—
    soils, wilting coefficient, experiments. B.P.I. Cir. 109, pp. 20-25. 1913.
    tolerance. F.B. 446, rev., pp. 12, 13, 14, 25. 1920.
  Alton, description. F.B. 1280, p. 10. 1922.
  American—
    classes, comparison, and consideration of some factors influencing quality. L. M. Thomas. D.B. 557, pp. 28. 1917.
    Club, rust resistance, studies. B.P.I. Bul. 216, pp. 70-71. 1911.
    comparison of classes, and factors influencing quality. L. M. Thomas. D.B. 557, pp. 28. 1917.
    varieties, classification. J. Allen Clark and others. D.B. 1074, pp. 238. 1922.
  amount fed to livestock, 1914, estimate. F.B. 598, pp. 3-4. 1914.
  analyses—
    and testing, methods and results. Chem. Bul. 152, pp. 101-114. 1912.
    comparison with oats and other grains. F.B. 420, pp. 16, 18. 1910.
    discussion of results. Chem. Bul. 120, pp. 32-34, 45-46, 56. 1909.
    environment studies. J.A.R., vol. 1, pp. 278-282. 1914.
    reference tables. D.B. 1187, pp. 48-52. 1924.
    with and without impurities. D.B. 328, p. 21. 1915.
  analytical key and description of seedlings. D.B. 461, pp. 27, 28, 29, 30. 1917.
  and—
    flour, commercial stock in United States, August 31, 1917. Sec. Cir. 100, pp. 37. 1918.
    mill products, moisture in. J. H. Shollenberger. D.B. 788, pp. 12. 1919.
    other cereals, specific gravity determination method. C. H. Bailey and L. M. Thomas. B.P.I. Cir. 99, pp. 7. 1912.
    peas, silage examination for acidity. J.A.R., vol. 14, pp. 401, 402, 405, 408. 1918.
  Angoumois grain moth, development. F.B. 1260, pp. 14, 43. 1922.
  aphid, western, control. S.R.S. Rpt., 1916, Pt. I, p. 172. 1918.
  area—
    and production—
      by world countries, 1907-1911. Stat. Cir. 29, pp. 5-8. 1912.
      in various countries. Stat. Cir. 24, pp. 3, 5, 6, 8, 9, 12, 13, 14. 1911.
      leading countries, 1914, with comparisons. F.B. 665, p. 6. 1915.
    in Canada, decrease. Off. Rec. vol. 3, No. 22, p. 3. 1924.
    in India, decrease. News L., vol. 6, No. 45, p. 8. 1919.
    increase in Southeastern States. F.B. 885, p. 3. 1917.
    map, and description, by zones. Y.B., 1919, pp. 124-126. 1920; Y.B. Sep. 804, pp. 124-126. 1920.
    production and exports, in various countries. Stat. Cir. 19, pp. 4-9, 11-12. 1911.
    sown in 1913, condition and estimate. F.B. 570, pp. 19-20. 1913.
  Arnautka, characteristics. D.B. 878, pp. 8-9. 1920.
  artificial drying as means of removing garlic bulblets. F.B. 610, p. 8. 1914.
  Australian—
    bunt resistance. D.B. 1299, pp. 20-22. 1925.
    disease susceptibility. D.B. 877, p. 23. 1920.
    milling and baking tests. D.B. 877, pp. 18-25. 1920.
    on Pacific coast. J. Allen Clark and others. D.B. 877, pp. 25. 1920.
  Baart—
    early, introduction and value. D.B. 877, p. 8. 1920.
    stem-rust infection, studies and experiments. J.A.R., vol. 23, pp. 134-139. 1923.
  Bacska, description. F.B. 1280, pp. 8-9. 1922.
  bacteriosis, description and prevention, studies, 1917. An. Rpts., 1917, pp. 134-135. 1918; B.P.I. Chief Rpt., 1917, pp. 4-5. 1917.

Wheat(s)—Continued.
baking tests—
Montana-grown varieties. D.B. 522, pp. 8–11, 22, 24, 26–28, 30, 31, 34. 1917.
when affected with nematode-gall. D.B. 734, p. 12. 1918.
bearded—
and beardless, yield comparison. Work and Exp., 1914, p. 83. 1915.
comparison with beardless in sterility of spikelets. J.A.R., vol. 6, No. 6, pp. 236–241. 1916.
spring, characteristics. F.B. 1281, pp. 16–28. 1922.
winter, groups and characteristics. F.B. 616, p. 5. 1914; F.B. 1280, pp. 3–10. 1922.
Bearded Fife, characteristics and varieties. D. B. 878, pp. 5–6. 1920.
Bearded Winter Fife, yield tests. D.B. 336, pp. 21, 22. 1916.
beardless—
spring, characteristics. F.B. 1281, pp. 6–16. 1922.
winter, groups. F.B. 616, p. 7. 1914; F.B. 1280, p. 10. 1922.
Belt—
agricultural depression. Off. Rec., vol. 2, No. 41, pp. 1–2. 1923.
farms, sizes, crops, acreage, harvest labor, and wages. D.B. 1230, pp. 4, 38–45. 1924.
harvest labor—
demand. Don D. Lescohier. D.B. 1230, pp. 46. 1924.
problems. Don D. Lescohier. D.B. 1020, pp. 35. 1922.
source and conditions of employment, Don D. Lescohier. D.B. 1211, pp. 27. 1924.
location—
acreage, and farm lands 1910, map. Y.B., 1915, p. 335. 1916; Y. B. Sep. 681, p. 335. 1916.
and characteristics of farming. D.B. 850, pp. 1–3. 1920; D.B. 1020, p. 2–3. 1922.
Oklahoma, Kansas, and Nebraska, tractors and horses. H. R. Tolley and W. R. Humphries. D.B. 1202, pp. 60. 1924.
rent contracts. E. A. Boeger. D.B. 850, pp. 15. 1920.
wages for harvest labor, 1919–1921. D.B. 1230, pp. 32–37, 42–45. 1924.
berry, toxicity in unbalanced rations for cattle. J.A.R., vol. 10, pp. 180, 183, 189, 192–196. 1917.
bin-burn—
cause. B.P.I. Cir. 68, pp. 6–7. 1910.
distinction from other impurities. D.B. 734, p. 7. 1918.
binders, prices, labor cost, acreage, life, and repairs. D.B. 627, pp. 3–11. 1918.
bird, protection and exception from. Biol. Bul. 12, rev., p. 43. 1902.
black-chaff, seed treatment, presoak method. J.A.R., vol. 19, pp. 366–386. 1920.
black stem-rust—
epidemics, occurrence, spread, and life history. D.C. 188, pp. 3–8. 1921.
relation to barberry plants. An. Rpts., 1918, p. 153. 1919; B.P.I. Chief Rpt., 1918, p. 19. 1918.
Blackhull, description. F.B. 1280, p. 9. 1922.
blight, control treatment of seed. F.B. 419, p. 18. 1910.
blooming, meterological relations. J.A.R., vol. 27, pp. 240–242. 1924.
Bluestem—
characteristics and varieties. D.B. 878, pp. 3, 5. 1920.
description—
and value for hard spring wheat belt. News L., vol. 5, No. 31, pp. 3, 5–6. 1918.
value, comparison with Fife. News L., vol. 3, No. 9, p. 4. 1915.
group, origin, and description of varieties. F.B. 680, pp. 13–15. 1915.
introduction on Pacific coast, and value. D.B. 877, p. 2. 1920.
tests, description, and yields, South Dakota experiments. D.B. 39, pp. 8–12, 15–17. 1914.
yield per acre, western North and South Dakota. B.P.I. Cir. 59, pp. 8, 9, 10. 1910.

Wheat(s)—Continued.
botanical classification. B.P.I. Bul. 180, pp. 38–39. 1910.
bran—
diet without flour, digestibility experiments. Arthur D. Holmes. D.B. 751, pp. 20. 1919.
See also Bran.
bread. See Bread.
breeding—
crosses with emmer and spelt. D.B. 1197, p. 9. 1924.
directions. F.B. 334, pp. 6–8. 1908.
effect of competition between rows. B.P.I. Bul. 269, p. 47. 1913.
experiments—
Kansas and results. B.P.I. Bul. 240, pp. 7, 8, 12–15. 1912.
in Missouri and Nebraska Experiment Stations. O.E.S. An. Rpt., 1912, pp. 63, 155. 1913.
nitrogen and yield. E. G. Montgomery. B.P.I. Bul. 269, pp. 61. 1913.
first attempts at selection of uniform types. B.P.I. Bul. 274, pp. 38–39. 1913.
for bunt resistance. J.A.R., vol. 23, pp. 460–472. 1923.
for rust resistance, studies. J.A.R., vol. 14, pp. 111–124. 1918; J.A.R., vol. 24, pp. 457–470. 1923.
rows, centgeners, blocks, and field plats, comparisons and cost. B.P.I. Bul. 269, pp. 55–57. 1913.
studies and experiments. Work and Exp., 1919, pp. 44–45, 50. 1921.
tests. Sec. A.R., 1924, pp. 75–77. 1924.
use of emmer. F.B. 466, pp. 22–23, 24. 1911.
British India, statistics, 1891–1912. Stat. Cir. 36, pp. 7–8. 1912.
Buford, characteristics. D.B. 878, p. 9. 1920.
bunt. See Bunt; Smut.
bushel weights—
Federal and State. Y.B., 1918, p. 725. 1919; Y.B. Sep. 795, p. 61. 1919.
in northern Great Plains. D.B. 878, pp. 40–41. 1920.
buying, fair-price bases, grades, and regulations. News L., vol. 5, No. 52, pp. 8–9. 1918.
California—
production and value. F.B. 1240, p. 2. 1924.
See also Shallu.
Champlain, description. F.B. 1281, p. 23. 1922.
changes during development, factors affecting. J.A.R., vol. 24, pp. 944–950. 1923.
Changli, characteristics. D.B. 878, p. 7. 1920.
characteristics, physical and chemical, influence of environment. J.A.R., vol. 1, pp. 275–291. 1914.
characters and flour characters, correlations. Jacob Zinn. J.A.R., vol. 23, pp. 529–548. 1923.
Cheyenne farm, experiments and results. O.E.S. Cir. 92, pp. 33–37. 1910.
China beardless, yield tests. D.B. 336, pp. 20, 21, 22. 1916.
Chul—
description. F.B. 1281, pp. 24–25. 1922.
origin, history, description, yield, and milling qualities. B.P.I. Bul. 178, pp. 26–29. 1910.
classes—
five American, comparative studies. D.B. 557, pp. 5–28. 1917.
varieties, and grades, official standards fixed by Agriculture Secretary. Mkts. S.R.A. 33, pp. 1–21, 29. 1918.
classification, standards, grades, and subgrades. Y.B., 1921, pp. 122–126, 129, 143–145. 1922; Y.B. Sep. 872, pp. 122–126, 129, 143–145. 1922.
clean, comparison with mixtures, milling and baking tests. D.B. 328, p. 11. 1915.
cleaning—
methods and machines. D.B. 328, p. 22. 1915; F.B. 1287, pp. 11–21. 1922.
suggestions. Sec. A.R., 1924, pp. 39–40. 1924.
club—
J. Allen Clark and John H. Martin. F.B. 1303, pp. 18. 1923.
bunt resistance, list. D.B. 1299, p. 17. 1925.
spring and winter, value, comparison with other wheats in Northwest. News L., vol. 5, No. 31, p. 6. 1918.
commercial stocks, Sept. 1, 1918, comparison with 1917. News L., vol. 6, No. 10, p. 13. 1918.

Wheat(s)—Continued.
common—
and red durum (class 2), standards. Mkts. [Misc.], "Standards for common * * *," pp. 2. 1917.
bunt resistance, list. D.B. 1299, pp. 6-16. 1925.
white. J. Allen Clark and others. F.B. 1301, pp. 42. 1923.
comparison with rye—
as winter crop. Sec. Cir. 108, pp. 8-9. 1918.
for bread, straw, and soil improvement. Sec. Cir. 90, pp. 28-30. 1918; Y.B., 1918, pp. 171-174. 1919; Y.B. Sep. 769, pp. 5-8. 1919.
composition—
and quality, effect of nitrogen compounds. J. Davidson and J. A. Le Clerc. J.A.R., vol. 23, pp. 55-68. 1923.
and variety tests. O.E.S. An. Rpt., 1911, pp. 65, 100, 115, 141, 173, 208, 217. 1912.
effect of—
climate, heredity, and soil. Chem. Bul. 128, pp. 8-9, 14-16. 1910.
magnesium and calcium. J.A.R., vol. 6, No. 16, pp. 597, 599, 604-609, 611, 613. 1916.
premature freezing. J. M. Blish. J.A.R., vol 19, pp. 181-188. 1920.
influence of environment, trilocal experiments. J. A. LeClerc and Sherman Leavitt. Chem. Bul. 128, pp. 18. 1910.
relation to water and nitrogen in soil. S.R.S. Rpt., 1916, Pt. I, pp. 30, 76, 104. 1918.
types and varieties. S.R.S. Syl. 11, rev., pp. 6-7. 1918.
conditions—
and price April 1, 1915, estimates. F.B. 672, pp. 1-2. 1915.
in 1918, need for home use and for Allies. Sec. Cir. 90, pp. 1-32. 1918.
in European countries, needs. Sec. [Misc.] "Report of * * * the agricultural commission * * *," pp. 16, 23, 35-47, 59, 64, 67, 70, 72. 1919.
conservation, suggestions. Sec. Cir. 90, p. 12. 1918.
constituents oxidized in respiration. J.A.R., vol. 12, pp. 685-686. 1918.
consumption—
domestic, and in world countries. Y.B., 1921, pp. 151-155, 159-160, 580. 1922; Y.B. Sep. 873, pp. 151-155, 159-160. 1922; Y.B. Sep. 868, p. 74. 1922.
in Russia, total and per capita. Stat. Bul. 66, pp. 19-20. 1908.
per capita—
1894-1905. Stat. Bul 66, pp. 19-20. 1908. 1910. F.B. 389, p. 5. 1910.
in various countries, and total. Y.B., 1918, pp. 681, 685. 1919; Y.B. Sep. 795, pp. 17, 21. 1919.
in various sections of United States. Sec. Cir. 90, p. 11. 1918.
total and per capita, 1870-1908. Y.B., 1909, pp. 269-270. 1910; Y.B. Sep. 511, pp. 269-270. 1910.
containing admixtures of rye, corn, cockle, kinghead, and vetch, milling and baking tests. R. C. Miller. D.B. 328, pp. 24. 1915.
content of manganese, occurrence. J.A.R., vol. 5, No. 5, pp. 349-355. 1915.
continuous, cropping, 1907-1920, experiments at Fort Hays branch station. D.B. 1094, pp. 8-12. 1922.
control by Food Administration, and prices, 1917, 1918. Sec. Cir. 90, pp. 31-32. 1918; News L., vol. 5, No. 52, pp. 8-9. 1918.
Converse, characters. D.B. 878, p. 6. 1920; F.B. 1281, p. 23. 1922.
cooking, effect on cattle rations. J.A.R., vol. 10, pp. 183-184. 1917.
corn, and other grains, weights of mechanical separations, conversion into percentages. E. G. Boerner. D.B. 574, pp. 22. 1917.
correlation between water use and yield, North Dakota and Nebraska stations. D.B. 1004, pp. 26-30. 1923.
cost of—
a bushel. F. W. Peck. Y.B., 1920, pp. 301-308. 1921; Y.B. Sep. 846, pp. 301-308. 1921.

Wheat(s)—Continued.
cost of—continued.
production—
1921. Y.B., 1921, pp. 111-121, 813, 820-821. 1922; Y.B. Sep. 873, pp. 111-121. 1922; Y.B. Sep. 876, pp. 10, 17-18. 1922.
1923. Y.B., 1923, pp. 122-126. 1924.
and threshing, and value per bushel. Stat. Bul. 48, pp. 54, 56, 83. 1906.
discussion. D.B. 214, pp. 8-11. 1915.
labor and material requirements, per acre. Y.B., 1921, pp. 813, 820-821. 1922; Y.B. Sep. 876, pp. 10, 17-18. 1922.
questionnaire. D.B. 994, p. 25. 1921.
cost per kilogram of constituents. B.A.I. Bul. 56, p. 69. 1904.
Crimean—
composition and influence of environment. An. Rpts., 1909, pp. 417-418. 1910; Chem. Chief Rpt., 1909, pp. 7-8. 1909.
description, belt where grown. B.P.I. Cir. 12, p. 10. 1908.
environment experiments, 1905-1908. Chem. Bul. 128, pp. 9, 10-11. 1910.
value as winter wheat for Kansas. B.P.I. Bul. 240, pp. 8, 14, 21. 1912.
varieties, and comparison with other wheats. F.B. 769, pp. 17-18. 1916.
crop(s)—
1907, size and value. Y.B., 1907, p. 15. 1908.
1909, and price. Sec. A.R., 1909, p. 11. 1909; Y.B., 1909, p. 11. 1910.
1914, estimate. F.B. 598, p. 3. 1914.
1914, marketing, car supply, studies and tables. F.B. 611, pp. 23-26. 1914.
and exports, relation, United States and Russia, 1891-1905. Stat. Bul. 66, pp. 15-19. 1908.
average, 1900-1909. F.B. 420, p. 7. 1910.
cost per acre. B.P.I. Bul. 236, pp. 33, 41. 1912.
distribution. Y.B., 1921, pp. 151-155. 1922; Y.B. Sep. 873, pp. 151-155. 1922.
dry farming methods, experiments. Y.B., 1907, pp. 457-459. 1908; Y.B. Sep. 461, pp. 457-459. 1908.
effect of—
borax, residual in soils. D.B. 1126, pp. 25-26. 1923.
of fertilizing with raw ground rock phosphate. D.B. 699, pp. 31-98. 1918.
European, 1914. estimate. F.B. 598, pp. 4-6. 1914.
following tobacco, directions for planting. Y.B., 1908, p. 416. 1909; Y.B. Sep. 490, p. 416. 1909.
foreign—
July 1, 1914, forecast. F. B. 611, pp. 5-6. 1914.
August 1, 1914, estimate, by countries. F.B. 615, pp. 11-13. 1914.
outlook, June, 1914. F.B. 604, pp. 8-9. 1914.
improvement in California. Henry F. Blanchard. B.P.I. Bul. 178, pp. 37. 1910.
in North and West, county-agent work. D.C. 37, p. 10. 1919.
labor required, schedule. Y.B., 1911, pp. 282-283. 1912; Y.B. Sep. 567, pp. 282-283. 1912.
losses, causes and extent, 1909-1919. D.B. 1020, pp. 12-13. 1922; Y.B., 1922, p. 596. 1923; Y.B. Sep. 881, p. 596. 1923.
of—
Southern Hemisphere. F.B. 645, pp. 15-17. 1914.
Spain, 1924. Off. Rec., vol. 3, No. 27, p. 3. 1924.
United States—
1866-1906. Stat. Bul. 57, pp. 35. 1907; pp. 39. 1908.
1915-1919. Sec. Cir. 142, p. 8. 1919.
world, 1891-1905, United States and Russia, percentage. Stat. Bul. 66, p. 10. 1908.
uses as cover crop, pasture, and hay. F.B. 885, pp. 12-13. 1917.
value, rank, area, and position in American agriculture. Y.B., 1922, pp. 470, 561, 562, 563. 1923; Y.B. Sep. 891, pp. 470, 561, 562, 563. 1923.
visible supplies, yields, prices, exports, values, and freight rates. Y.B., 1902, pp. 768-780. 1903.

Wheat(s)—Continued.
crop(s)—continued.
yearly, possibility in semiarid district without irrigation, discussion. Y.B., 1900, pp. 530–533. 1901.
cropping—
and summer tillage experiments, Great Plains area. B.P.I. Bul. 187, pp. 14–20. 1910.
systems. Y.B., 1921, pp. 97–103. 1922; Y. B. Sep. 873, pp. 97–103. 1922.
cross(es)—
F_1, and their parents, comparative vigor. Fred Griffee. J.A.R., vol. 22, pp. 53–63. 1921.
fertilization, adaptations of some varieties. B.P.I. Bul. 274, pp. 13–19. 1913.
inheritance of pubescent nodes. H. H. Love and W. T. Craig. J.A.R., vol. 28, pp. 841–844. 1924.
sterility. J.A.R., vol. 19, pp. 527–532. 1920.
vigor of F_1 seedlings. J.A.R., vol. 22, pp. 53–63. 1921.
crossbred, variation. W. M. Hays. O.E.S. Bul. 115, pp. 98–101. 1902.
cultivation in permanent alfalfa fields. David Fairchild. B.P.I. Bul. 72, Pt. I, pp. 5–7. 1905.
cultural—
methods—
for control of jointworm. F.B. 1006, pp. 12–13. 1918.
in Great Plains area, comparison. D.B. 595, pp. 7–10, 29–32. 1917.
practice for control of Hessian fly. F.B. 640, pp. 16–20. 1915; F.B. 835, pp. 4–6. 1917.
suggestions for prevention of Hessian fly infestation. F.B. 835, rev., pp. 4–6. 1920.
culture—
continuous for long periods, experiments, results. Soils Bul. 66, pp. 20–46. 1910.
illustrated lecture. J. I. Schulte. O.E.S.F.I.L. 11, pp. 22. 1910; rev., pp. 20. 1918.
cultures, preparation for solution-culture experiments. Soils Bul. 70, pp. 22–24. 1910.
Currell—
susceptibility to mosaic disease. D.B. 1361, pp. 4, 8. 1925.
yield tests. D.B. 336, pp. 22, 23, 24. 1916.
cutting, costs, comparison of old and new methods. D.B. 627, pp. 11–13. 1918.
Dakota, description. D.B. 878, p. 5. 1920; F.B. 1281, p. 18. 1922.
Dalaika, in Palestine, characteristics. B.P.I. Bul. 180, pp. 32, 33. 1910.
damage by—
chinch bug, historical notes. F.B. 1223, pp. 3–4. 1922.
heat, cause. B.A.I. Cir. 68, pp. 6–7. 1910.
rust, various States, 1904. B.P.I. Bul. 216, pp. 7–8. 1911.
damaged, use as feed. F.B. 237, pp. 18–20. 1905.
damp—
and dried, baking tests of flour. D.B. 455, p. 2. 1916.
and garlicky, drying for milling purposes. J. H. Cox. D.B. 455, pp. 11. 1916.
conditioning by mixing with dry wheat, experiments. News L., vol. 3, No. 6, pp. 3–4. 1915.
danger from freezing. F.B. 704, p. 11. 1916.
Dawson, yield tests. D.B. 336, pp. 21, 22. 1916.
Defiance—
high quality for milling. F.B. 320, p. 19. 1908.
spring, description, value in Pacific Northwest. News L., vol. 5, No. 31, p. 6. 1918.
demands by Germany. Off. Rec., vol. 2, No. 47, p. 1. 1923.
demonstration work, seed selection and increased production, 1921. S.R.S. [Misc.], "Cooperative extension work, 1921," pp. 7, 8. 1923.
destruction by—
chinch bugs. Ent. Cir. 113, pp. 7–9. 1909; F.B. 657, pp. 5, 7–9. 1915.
jointworm. Ent. Cir. 66, pp. 1–2. 1905.
detection in rye flour, modification of Bamihl test. Chem. Bul. 122, pp. 217–219. 1909.
Dietz, yield and seeding tests. D.B. 336, pp. 19, 21, 22, 23, 24, 25, 26. 1916.
digestibility, experiments with poultry. B.A.I. Bul. 56, pp. 53–55, 62–63, 64, 96–98. 1904.

Wheat(s)—Continued.
dirt other than material considered in dockage. F.B. 1118, pp. 5–7. 1920.
diseases—
affecting the grain, distinctions. D.B. 734, p. 7. 1918.
and insect enemies, control. S.R.S. Syl. 11, rev., pp. 16–17. 1918.
and new varieties. B.P.I. Chief Rpt., 1924, pp. 15–17. 1924.
caused by *Tylenchus tritici*. L. P. Byars. D.B. 842, pp. 40. 1920.
control. F.B. 885, pp. 10–11. 1917; S.R.S. Syl. 11, rev., pp. 16–17. 1918; Sec. Cir. 142, pp. 14–16. 1919.
description and control. Sec. Cir. 90, pp. 26–28. 1918.
discovery in Illinois. News L., vol. 6, No. 43, p. 6. 1919.
in Texas, occurrence and description. B.P.I. Bul. 226, p. 47. 1912.
losses, and control measures—
1917. Y.B., 1917, pp. 75, 483–489. 1918; Y.B. Sep. 755, pp. 4–8. 1918.
1921. Y.B., 1921, p. 110. 1922; Y.B. Sep. 873, p. 110. 1922.
nematode and tulip root, comparison. D.B. 842, pp. 8–9. 1920.
new, description. J.A.R., vol. 10, pp. 51–54. 1917.
quarantines. An. Rpts., 1923, pp. 627, 646, 649. 1924; F.H.B. Chief Rpt., 1923, pp. 13, 32, 35. 1923.
resistance—
relation of cross-fertilization. B.P.I. Bul. 274, pp. 39–40. 1913.
use as varietal character. D.B. 1074, p. 48. 1922.
take-all and flag smut. Harry B. Humphrey and Aaron G. Johnson. F.B. 1063, pp. 8. 1919.
distribution—
changes on account of war. Sec. Cir. 90, pp. 7–10. 1918.
of crop. Y.B., 1923, pp. 102–110. 1924.
district, humid, location, area, and description. F.B. 596, pp. 1–3. 1914.
diversity in wild and domesticated varieties, results. B.P.I. Bul. 274, pp. 34–43, 52–53. 1913.
Dixon, description. F.B. 1281, p. 24. 1922.
dockage—
determination method and equipment, details, F.B. 1118, pp. 8–20. 1920; F.B. 1287, pp. 5–6, 1922.
removal on farm. F.B. 919, p. 12. 1917.
system, improper application. F.B. 919, pp. 10–11. 1917.
under Federal grades. Ralph H. Brown. F.B. 1118, pp. 26. 1920.
dragging or rolling seed-bed. Y.B., 1919, pp. 132–135, 150. 1920; Y.B. Sep. 804, pp. 132–135, 150. 1920.
dried, artificially, tempering method. D.B. 455, p. 5. 1916.
drilling and broadcasting, practices in various localities. Y.B., 1919, pp. 129, 135–139, 141–143, 148. 1920; Y.B. Sep. 804, pp. 129, 135–139, 141–143, 148. 1920.
dry farming in—
Montana, Huntley project, varieties and yields. 1914–1920. D.C. 204, pp. 12–15. 1921.
Nebraska, Scottsbluff experiment farm, yields. D.C. 289, pp. 28, 29. 1924.
dry land—
rotation at Huntley farm. D.C. 330, pp. 13–14. 1925.
varieties, belts and groups. B.P.I. Cir. 12, pp. 8–13. 1908.
durum—
Cecil Salmon and J. Allen Clark. F.B. 534, pp. 16. 1913.
J. Allen Clark and John H. Martin. F.B. 1304, pp. 16. 1923.
acreage—
comparative yields, and uses. D.B. 1192, pp. 1–13. 1923.
increase and production. An. Rpts., 1916, pp. 25–26. 1917; Sec. A.R., 1916, pp. 27–28. 1916; Y.B., 1916, p. 37. 1917.

Wheat(s)—Continued.
 durum—continued.
  acreage—continued.
   locality and varieties. F.B. 680, pp. 17-20. 1915.
  adaptability for manufacture of semolina. D.B. 522, p. 7. 1917.
  adaptation to Montana dry lands. F.B. 749, pp. 14-15, 22. 1916.
  agronomic adaptation and production. D.B. 618, pp. 5-9. 1918.
  Algerian, classified list, with descriptions. Carl S. Scofield. B.P.I. Bul. 7, pp. 19. 1902.
  areas—
   and uses. F.B. 1304, pp. 2-3. 1923.
   in United States, 1909. F.B. 678, p. 3. 1915.
  baking and milling tests. D.B. 357, pp. 12-14. 1916.
  bread and macaroni, value. F.B. 251, pp. 14-18. 1906.
  bunt resistance, list. D.B. 1299, p. 18. 1925.
  characteristics—
   and varieties. D.B. 878, pp. 8-10. 1920.
   popularity, yield, and use. B.P.I. Cir. 12, pp. 8-10. 1908.
  commercial status. Mark Alfred Carleton and Joseph S. Chamberlain. B.P.I. Bul. 70, pp. 70. 1904.
  comparison with other wheats. F.B. 412, p. 32. 1910.
  conditions and increase in demand. An. Rpts., 1910, p. 309. 1911; B.P.I. Chief Rpt., 1910, p. 39. 1910
  crosses, resistance to *Puccinia graminis*, inheritance mode. J.A.R., vol. 24, pp. 979-996. 1923.
  cultivation in semiarid region. B.P.I. Bul. 215, p. 33. 1911.
  description and—
   key to groups and varieties. D.B. 618, pp. 9-13. 1918.
   value for hard-spring wheat belt. News L., vol. 5, No. 31, pp. 3, 5-6. 1918.
  effect of—
   climatic conditions on composition. J. A. Le Clerc. Y.B., 1906, pp. 199-212. 1907; Y.B. Sep. 417, pp. 199-212. 1907.
   excessive moisture. Y.B., 1906, p. 202. 1907; Y.B. Sep. 417, p. 202. 1907.
  experiments. Carleton R. Ball and J. Allen Clark. D.B. 618, pp. 64. 1918.
  exports—
   1910-1914, and receipts at various ports. F.B. 615, p. 15. 1914.
   1913, receipts, estimates, and comparison. F.B. 570, p. 23. 1913.
  factors influencing quality of grain. Y.B., 1906, pp. 200-202. 1907; Y.B. Sep. 417, pp. 200-202. 1907.
  growing—
   in North Dakota, Lamoure County, yield and seeding. Soil Sur. Adv. Sh., 1914, p. 12. 1917; Soils F.O., 1914, pp. 2368, 2379-2405. 1919.
   methods, seeding rates. F.B. 534, p. 16. 1913.
  history, and introduction into United States. D.B. 618, pp. 3-5. 1918.
  importations. Nos. 35314, 35480, B.P.I. Inv. 35, pp. 37, 50. 1915; Nos. 45441-45446, B.P.I. Inv. 53, p. 36. 1922; Nos. 55528-55546, 55556, B.P.I. Inv. 71, pp. 55, 56. 1923.
  ntroduction—
   1907, uses, exports, value, and extension of crop. An. Rpts., 1907, pp. 10, 53, 312, 313. 1908; Rpt. 85, pp. 3, 38. 1907; Sec. A.R., 1907, pp. 8, 51. 1907; Y.B., 1907, pp. 9, 52. 1908.
   1914, origin, qualities, uses, and success of industry. Y.B., 1914, pp. 405-419. 1915; Y.B. Sep. 649, pp. 405-419. 1915.
   1916, cost, and present value as crop. Y.B. 1916, p. 66. 1917; Y.B. Sep. 698, p. 4. 1917.
   cost and results. B.P.I. Cir. 100, p. 21. 1912.
  milling and baking tests. F.B. 412, pp. 29-32. 1910.
  price variations. F.B. 1304, pp. 3-4. 1923.
  production—
   1906, varieties, studies. An. Rpts., 1906, p. 223. 1907.

Wheat(s)—Continued.
 durum—continued.
  production—continued.
   1908, and uses. An. Rpts., 1908, pp. 45-46, 327-328. 1909; B.P.I. Chief Rpt., 1908, pp. 55-56. 1908; Y.B., 1908, p. 46. 1909.
   1910, increase. An. Rpts., 1910, p. 65. 1911; Rpt. 93, p. 48. 1911; Sec. A.R., 1910, p. 65. 1910; Y.B., 1910, p. 64. 1911.
   1913-1917, and principal markets. News L., vol. 6, No. 14, p. 13. 1918.
   1915, comparison wtih 1914, 1913. News L., vol. 3, No. 34, p. 3. 1916.
  qualities, comparisons with other wheats. D.B. 557, pp. 5-28. 1917; F.B. 732, p. 5. 1916.
  rate of sowing. L. R. Waldron. B.P.I. Bul. 130, pp. 59-60. 1908.
  rust resistance—
   1914. Y.B., 1914, pp. 407-408. 1915; Y.B. Sep. 649, pp. 407-408. 1915.
   1917. Y.B., 1917, p. 491. 1918; Y.B. Sep. 755, p. 12. 1918.
   studies. B.P.I. Bul. 216, p. 70. 1911.
  tests, description, and yields, South Dakota experiments. D.B. 39, pp. 8-12, 17-19. 1914.
  uses and value. F.B. 534, pp. 14-15. 1913.
  value—
   comparison with other wheat. F.B. 534, pp. 13-14. 1913.
   in bread making. F.B. 320, p. 21. 1908.
  varietal—
   experiments, various stations, annual and average yields. D.B. 618, pp. 13-60. 1918.
   tests at Belle Fourche farm, South Dakota. D.B. 297, pp. 15, 17, 18, 20-21. 1915.
  varieties—
   adaptability to Great Plains area, distribution and comparative tests. F.B. 534, pp. 6-10. 1913.
   characteristics and origin. Y.B., 1914, pp. 406-407. 1915; Y.B. Sep. 649, pp. 406-407. 1915.
   description and uses. D.B. 878, pp. 8-10. 1920; F.B. 1304, pp. 4-15. 1923.
   description, distribution, and synonymy. D.B. 1074, pp. 183-192. 1922.
  yields—
   1924. Off. Rec., vol. 3, No. 16, p. 2. 1924.
   comparison with other wheat, experimental tests. F.B. 534, pp. 10-13, 15. 1913.
   in Kansas, experiments, 1904-1909. B.P.I. Bul. 240, p. 18. 1912.
   per acre in western North and South Dakota. B.P.I. Cir. 59, pp. 8-12. 1910.
 earliness inheritance, studies. Victor H. Florell. J.A.R., vol. 29, pp. 333-347. 1924.
 Early Baart, introduction and history. D.B. 877, pp. 3, 6, 12, 13, 15, 16. 1920.
 eelworm—
  disease, control methods. Luther P. Byars. F.B. 1041, pp. 10. 1919.
  or nematode disease. Sec. Cir. 114, pp. 7. 1918.
 effect of—
  boron, three annual applications. J.A.R., vol. 10, pp. 591-597. 1917.
  manganese—
   experiments at Arlington farm, 1907-1912, 1913-1915. D.B. 441, pp. 2, 3, 4, 6-11. 1916.
   sulphate. D.B. 42, pp. 20-21. 1914.
  salicylic aldehyde in solution cultures, and in soil tables. D.B. 108, pp. 3, 5-6. 1914.
 egg-producing value, comparison with corn. B.A.I. Bul. 56, p. 76. 1904.
 Egyptian. *See* Shallu.
 embryo—
  in cattle rations, effect on reproduction. J.A.R., vol. 10, pp. 189-190, 193. 1917.
  rich in factor X. B.A.I. Dairy [Misc.], "World's dairy congress, 1923," pp. 1031, 1032, 1033. 1924.
  seat of respiration. J.A.R., vol. 12, pp. 687-688. 1918.
 emmer—
  and spelt, bunt resistance. D.B. 1299, pp. 18-20. 1925.
  species, crosses with vulgare strains, studies. J.A.R., vol., 28, pp. 1018-1031. 1924.
 enemies, diseases, and insects. O.E.S.F.I.L. 11, pp. 18-19. 1910.

INDEX TO PUBLICATIONS, 1901–1925   2599

Wheat(s)—Continued.
 entry, regulations. F.H.B. Quar. 39, pp. 1–3. 1919.
 environment—
  experiments, 1905–1908. Chem. Bul. 128, pp. 1–18. 1910.
  studies, 1909–1912. J.A.R., vol. 1, pp. 275–291. 1914.
 Erivan, characteristics. D.B. 878, p. 6. 1920.
 estimates, 1910–1922. M.C. 6, pp. 5–6. 1923.
 European—
  requirements for 1919–1920. Sec. Cir. 142, pp. 4–6. 1919.
  Russia, crop of 1915, estimate. News L., vol. 3, No. 1, p. 2. 1915.
 experiments—
  at—
   Akron field station, Colo., 1908–1915, varieties, yields, and ripening date. D.B. 402, pp. 14–24, 33–34. 1916.
   Cheyenne farm, Wyo., varieties, seeding rates, dates, and yields, 1913–1915. D.B. 430, pp. 12–24, 38–39. 1916.
   Copper Center station, Alaska. O.E.S. An. Rpt., 1904, pp. 322–326. 1905.
   Newlands farm, Nevada. D.C. 352, p. 9. 1925.
  with fertilizers. Soils Bul. 28, pp. 16–37. 1905.
  with toxic salts, value of results. B.P.I. Bul. 79, pp. 44–45. 1905.
  yield of different varieties. Soils Bul. 22, p. 57. 1903.
 exports—
  1791–1914, and foreign trade, discussion. D.B. 296, pp. 24–25. 1915.
  1900. Y.B., 1900, pp. 766, 849. 1901.
  1890–1908. Y.B., 1909, pp. 270–271. 1910; Y.B. Sep. 511, pp. 270–271. 1910.
  1901–1924. Y.B., 1924, pp. 1044, 1075. 1925.
  1902–1904, tables. Stat. Bul. 36, pp. 17–18, 60–62. 1905.
  1909–1910 to 1914–1915. F.B. 665, p. 3. 1915.
  1909–1917. Sec. Cir. 90, p. 9. 1918.
  1917–1919, 1910–1919. Y.B., 1920, pp. 15, 36. 1921; Y.B. Sep. 864, pp. 15, 36. 1921.
  and imports—
   1904–1908, world countries. Y.B., 1909, p. 455. 1910; Y.B. Sep. 524, p. 455. 1910.
   1906–1910. Y.B., 1910, pp. 659, 669, 677. 1911; Y.B. Sep. 554, pp. 659, 669, 677. 1911.
   1918. Y.B., 1918, pp. 631, 639, 657. 1919; Y.B. Sep. 794, pp. 7, 15, 33. 1919.
   1919–1921 and 1852–1921. Y.B., 1922, pp. 952, 958, 964–966, 973. 1923; Y.B. Sep. 880, pp. 952, 958, 964–966, 973. 1923.
   commission, Federal, discussion. An. Rpts., 1923, pp. 14, 17–18. 1924; Sec. A.R., 1923, pp. 14, 17–18. 1923.
   comparison with other crops. Y.B., 1921, pp. 80, 154. 1922; Y.B. Sep. 873, pp. 80, 154. 1922.
   from leading ports, 1904–1905. Stat. Bul. 38, pp. 28–29. 1905.
   from Russia—
    1851–1905. Stat. Bul. 66, p. 8. 1908.
    and United States, comparison. Stat. Bul. 66, pp. 12–13. 1908.
   review since 1839. Y.B., 1921, pp. 152–155. 1922; Y.B. Sep. 873, pp. 152–155. 1922.
   to Orient, increase. Off. Rec., vol. 3, No. 4, p. 3. 1924.
   total and per capita, 1851–1908. Stat. Bul. 75, pp. 6, 13, 44. 1910.
  trade—
   conditions, in Russia, contracts and arbitration. Stat. Bul. 65, pp. 28–31. 1908.
   from Pacific coast. Rpt. 98, pp. 69, 70–71. 1913.
   with flour, 1899–1923. Y.B., 1924, pp. 577, 578. 1925.
 exposure to weather, effect on quality. B.P.I. Cir. 68, pp. 4–6. 1910.
 extension program for Western States, report. D.C. 335, pp. 11–12, 14. 1924.
 Extra Squarehead, rust-resistance, studies. B.P.I. Bul. 216, p. 70. 1911.
 fall-sown—
  suggestions, 1918, by States. Sec. Cir. 108, pp. 4–6. 1918.

Wheat(s)—Continued.
 fall-sown—continued.
  time, method, and rate, Maryland and Virginia. F.B. 786, pp. 10, 11, 12. 1917.
 farina, digestibility, comparison with rolled oats. F.B. 316, p. 18. 1908.
 farm(s)—
  and terminal sales, 1920, 1921, tables and review. D.B. 1083, pp. 6–8. 1922.
  crops, acreage, climate, and soils. D.B. 943, pp. 6–11. 1921.
  in Delaware, soil-improvement method, results and comparison. F.B. 924, pp. 22–23. 1918.
  in eastern plains, tenure. Off. Rec., vol. 3, No. 12, p. 1. 1924.
  prices—
   1871–1915, retrospective studies, tables. D.B. 594, pp. 24–30. 1918.
   1911–1915, correlation with production costs, by States. D.B. 594, pp. 20–24. 1918.
   by States and counties, 1910–1914. D.B. 594, pp. 34–46. 1918.
  supplies, March 1, 1914. F.B. 584, pp. 1–3, 12. 1914.
 farmer's situation. Off. Rec., vol. 2, No. 35, pp. 1–2. 1923.
 farming, management in operation by tenants. Walter H. Baumgartel. D.C. 351, pp. 35. 1925.
 Federation group, history, introduction, description, and testing. D.B. 877, pp. 4, 6, 7, 10–12, 19–23. 1920.
 feed—
  for hogs—
   experiments. D.R.P. Cir. 1, p. 10. 1915.
   value compared with corn and other grains. B.A.I. Bul. 47, pp. 97–100. 1904; F.B. 411, p. 13. 1910.
  use, comparison with corn. Y.B., 1923, pp. 129–130. 1924.
 fertilizer(s)—
  and rotations. F.B. 885, pp. 4–6. 1917; S.R.S. Syl. 11, rev., pp. 9–11. 1918.
  constituents removed from soil. F.B. 437, p. 15. 1911.
  effect on composition and yields, studies. An. Rpts., 1917, pp. 199–200. 1918; Chem. Chief Rpt., 1917, pp. 1–2. 1917.
  experiments. J.A.R., vol. 28, pp. 972–975. 1924.
  experiments in control of Ophiobolus cariceti. J.A.R., vol. 25, pp. 354–356. 1923.
  ingredients, in Kentucky, Shelby County. Soil Sur. Adv. Sh., 1916, p. 55. 1919; Soils F.O., 1916, p. 1465. 1921.
  proportions and directions. S.R.S. Doc. 30, p. 12. 1916.
  requirements, comparison with other crops. D.B. 721, p. 25. 1918.
  results of different ingredients. O.E.S. An. Rpt., 1908, p. 169. 1909.
  study and experiments. J.A.R., vol. 23, pp. 55–69. 1923; Work and Exp., 1923, p. 27. 1925.
  test plats for long periods. Soils Bul. 66, pp. 20–46. 1910.
 fertilizing and top-dressing practices. O.E.S. An. Rpt., 1911, p. 196. 1912.
 fields—
  Hessian-fly infested, spring plowing as control measure. News L., vol. 2, No. 34, p. 1. 1915; News L., vol. 2, No. 48, pp. 1–3. 1915.
  infestation by Angoumois grain moth. F.B. 1156, pp. 7, 13–14. 1920.
  injury by rodents. F.B. 484, p. 12, 22. 1912.
  pasturing, mowing, and rolling, advantages and disadvantages. F.B. 596, p. 10. 1914.
  presence of white-fungus disease of chinch bugs. Ent. Bul. 107, pp. 11, 13, 18–20. 1911.
  soil treatment for control of "take-all" disease, results. J.A.R., vol. 25, pp. 354–356. 1923.
 Fife—
  characteristics and varieties. D.B. 878, pp. 3–5. 1920.
  description—
   introduction and value. Y.B., 1914, p. 393. 1915; Y.B. Sep. 649, p. 393. 1915.

Wheat(s)—Continued.
  Fife—Continued.
    description—continued.
      relation to Marquis wheat, value for spring-wheat belt. News L., vol. 5, No. 31, pp. 3, 5-6. 1918.
      groups, description of varieties. F.B. 680, pp. 9-12. 1915.
      tests, description, and yields, South Dakota experiments. D.B. 39, pp. 8-12, 13-15. 1914.
    varieties—
      tested at Belle Fourche farm, South Dakota. D.B. 297, pp. 15, 17, 19. 1915.
      yield per acre, western North and South Dakota. B.P.I. Cir. 59, pp. 8, 9, 10, 11. 1910.
  financial outlook, 1924. Off. Rec., vol. 3, No. 47, p. 3. 1924.
  flag smut. *See* Smut; *Urocystis tritici.*
  flour. *See* Flour, wheat.
  flowers, blooming. C. E. Leighty and W. J. Sando. J.A.R., vol. 27, pp. 231-244. 1924.
  "fly-free date." Off. Rec., vol. 4, No. 4, p. 5. 1925.
  "fly-proof," recommendations. Ent. Cir. 70, pp. 9-10. 1906.
  foot-rot diseases in America. Harold H. McKinney. D.B. 1347, pp. 40. 1925.
  forecast—
    for world crop, September, 1913. F.B. 558, pp. 8-9. 1913.
    general and by States, September, 1913, price. F.B. 558, pp. 7-9, 15. 1913.
  foreign crop, outlook for May, 1914. F.B. 598, pp. 4-6. 21. 1914.
  freezing point and sap density. J.A.R., vol. 13, pp. 500-504. 1918.
  Fretes. description. F.B. 1281, p. 24. 1922.
  freight rates—
    1900. Y.B., 1900, pp. 762-773. 1901.
    1906, and market values. Y.B., 1906, pp. 377-384. 1907; Y.B. Sep. 430, pp. 377-384. 1907.
    1907. Y.B., 1907, pp. 731, 733, 735. 1908; Y.B. Sep. 465, pp. 731, 733, 735. 1908.
    1908. Y.B., 1908, p. 749. 1909; Y.B. Sep. 498, p. 749. 1909.
    1923. Y.B., 1923, pp. 1166-1167. 1924; Y.B. Sep. 906, pp. 1166-1167. 1924.
    from farms to England. Y.B., 1909, pp. 161, 162. 1910; Y.B. Sep. 502, pp. 161, 162. 1910.
    from Pacific ports. Stat. Bul. 89, pp. 66-71. 1911.
    rail and ocean. Y.B., 1921, pp. 135-137, 207-208. 1922; Y.B. Sep. 873, pp. 135-137. 1922; Y.B. Sep. 872, p. 207-208. 1922.
  frosted—
    baking qualities, investigations. Work and Exp., 1919, pp. 29-30. 1921.
    composition, studies. J.A.R., vol. 19, pp. 181-188. 1920.
    respiration rate. J.A.R., vol. 12, pp. 697-701. 1918.
  Fultz—
    introduction into United States, cost and results. B.P.I. Cir. 100, p. 21. 1912.
    yield and seeding tests. D.B. 336, pp. 22, 23, 24, 25, 26. 1916.
  fumigated, absorption of hydrocyanic acid. D.B. 1149, p. 13. 1923.
  fungi, study. J.A.R., vol. 1, pp. 475-490. 1914.
  future supply of the United States. Mark Alfred Carleton. Y.B., 1909, pp. 259-272. 1910; Y.B. Sep. 511, pp. 259-272. 1910.
  futures—
    price fluctuations. Off. Rec., vol. 4, No. 20, pp. 1-2. 1925.
    trading—
      1922-1924, report. Gr. Fut. Ad. A.R., 1924, pp. 17-74. 1924.
      1924-1925. Gr. Fut. Ad. A.R., 1925, pp. 2-4, 7-8, 16-17, 19-32. 1925.
      daily data, Jan. 1, 1921-May 31, 1924. S.B. 6, pp. 6-25. 1924.
  Galgalos, characteristics. D.B. 878, p. 7. 1920; F.B. 680, pp. 16-17. 1915.

Wheat(s)—Continued.
  galls—
    caused by eelworm disease, similarity to other diseases. F.B. 1041, pp. 5-7. 1919.
    of *Tylenchus tritici,* description. D.B. 842, pp. 9-10. 1920.
  garlicky—
    J. W. T. Duvel. B.P.I. Bul. 100, pp. 21-30. 1907.
    various moisture contents, drying and milling tests. D.B. 455, pp. 6-7. 1916.
  germ, flour and bread, analyses and characteristics. D.B. 701, pp. 4-9. 1918.
  Germany, cost of imports. Y.B., 1919, p. 191. 1920; Y.B. Sep. 807, p. 191. 1920.
  germination—
    and growth, effect of alkali salts, studies. J.A.R., vol. 5, No. 1, pp. 4-11, 14-23, 26-51. 1915.
    effect of hot-water treatment of seed. B.P.I. Bul. 152, pp. 21-24, 37-38. 1909.
    forcing. George T. Harrington. J.A.R., vol. 23, pp. 79-100. 1923.
    in culture solutions of varying reaction. J.A.R., vol. 19, pp. 88-92, 93. 1920.
    results of forcing methods. J.A.R., vol. 23, pp. 82, 84, 85, 87, 90, 93. 1923.
  Ghirka—
    adaptability to western Kansas. Soil Sur. Adv. Sh., 1910, p. 94. 1912; Soils F.O., 1910, p. 1432. 1912.
    yield per acre, western North and South Dakota. B.P.I. Cir. 59, pp. 8-9, 10, 11. 1910.
  Ghirka Spring—
    characteristics. D.B. 878, p. 5. 1920; F.B. 680, p. 12. 1915; F.B. 1281, p. 12. 1922.
    improvement—
      by selection, 1909-1914. D.B. 450, pp. 12-16, 18, 19. 1916.
      in yield and quality. J. Allen Clark. D.B. 450, pp. 20. 1916.
    milling and baking qualities, 1911, 1913-1914, comparison with other wheats. D.B. 450, pp. 9-12, 17. 1916.
    yields, 1908-1914, comparison with other wheats. D.B. 450, pp. 3-9, 18, 19. 1916.
  glumerot, basal. Lucia McCulloch. J.A.R. vol. 18, pp. 543-552. 1920.
  gluten—
    and protein content, study. An. Rpts., 1904, p. 208. 1904.
    colloidal swelling, studies. S.R.S. Rpt., 1916. Pt. I, pp. 31, 181. 1918.
    feed for cattle, energy value. J.A.R., vol. 3, pp. 452, 482, 485. 1915.
  glutenous and starchy, value. F.B. 262, pp. 14-15. 1906.
  Glyndon—
    charactersitics. D.B. 878, p. 4. 1920; F.B. 1281, p. 11. 1922.
    comparison with Marquis and Haynes. F.B. 732, pp. 2, 3, 4. 1916.
  Gold Coin, production in Idaho, description. F.B. 769, p. 18. 1916.
  Golden Ball, characteristics. D.B. 878, p. 10. 1920.
  grades—
    and milling quality, effect of nematode galls. D.B. 734, pp. 8-13. 1918.
    factors influencing. News L., vol. 6, No. 36, pp. 3-4. 1919.
    for Northwest, Federal standards, changes. News L., vol. 5, No. 51, p. 15. 1918.
    requirements. Mkts. S.R.A. 35, pp. 5-7. 1918.
    Washington varieties. News L., vol. 6, No. 47, p. 7. 1919.
  grading—
    and prices, various cities, since 1858. Y.B., 1914, pp. 394-395, 402-403, 413-418. 1915; Y.B. Sep. 649, pp. 394-395, 402-403, 413-418. 1915.
    at country elevators, details and advantages. Y.B., 1918, pp. 336-339, 342-344. 1919; Y.B. Sep. 766, pp. 4-7, 10-12. 1919.
    by weight, plan, Russia. Stat. Bul. 65, pp. 26-27. 1908.
    customs at country elevators. D.B. 558, pp. 36-37, 38. 1917.

Wheat(s)—Continued.
  grading—continued.
    directions and apparatus. Mkts. S.R.A. 26, pp. 7-9, 13. 1917.
    effect on dockage. F.B. 919, p. 11. 1917.
    for interstate shipment. News L., vol. 7, No. 5, pp. 1-2. 1919.
  grain—
    morphology, description. D.B. 839, p. 4. 1920.
    nitrogen content, variations, studies. J.A.R., vol. 19, pp. 294-295. 1920.
    standards act, effect on dockage discount. F.B. 919, p. 12. 1917.
    yields, weight and protein content, relation to fertilizers. J.A.R., vol. 23, pp. 63-65. 1923.
  grinding at home, and use of whole flour. F.B. 817, pp. 6, 20. 1917.
  gross returns per acre, 1871-1915, by States. F.B. 594, p. 29. 1918.
  group of cereals, digestible nutrients. Chem. Bul. 120, pp. 44, 45-46, 47. 1909.
  growers, organization, need. An. Rpts., 1923, pp. 14, 17. 1924; Sec. A.R., 1923, pp. 14, 17. 1923.
  growing—
    acreage—
      and yield, Missouri, Cape Girardeau County. Soil Sur. Adv. Sh., 1910, pp. 17, 23, 30, 33, 35, 43. 1912; Soils F.O., 1910, pp. 1229, 1235, 1242, 1245, 1247, 1255. 1912.
      production, and threshing cost, Richland County, N. Dak. Soil Sur. Adv. Sh., 1908, p. 10. 1909; Soils F.O., 1908, p. 1126. 1911.
    adaptability of Carrington loam. Soils Cir. 34, pp. 9-10, 13. 1911.
    and—
      disease control. B.P.I. Chief Rpt., 1925, pp. 13-14. 1925.
      fertilization, experiments. S.R.S. Rpt., 1917, Pt. I, pp. 19, 75, 101, 119, 168, 209. 1918.
    general agricultural conditions, Pacific coast. Edwin S. Holmes, jr. Stat. Bul. 20, pp. 44. 1901.
    harvesting, day's work. D.B. 1292, pp. 26-27. 1925.
    value, comparison with rye. F.B. 756, pp. 7-8. 1916.
    and yield—
      in Alabama, Madison County. Soil Sur. Adv. Sh., 1911, pp. 11, 25, 27, 31, 33, 35, 39. 1913; Soils F.O., 1911, pp. 804, 812, 818, 820, 824, 827. 1914.
      in Kansas, Reno County. Soil Sur. Adv. Sh., 1911, pp. 13-14, 29-61. 1913; Soils F.O., 1911, pp. 1999-2000, 2015-2051. 1914.
      in Washington, eastern Puget Sound Basin. Soil Sur. Adv. Sh., 1909, p. 27. 1911; Soils F.O., 1909, pp. 1537-1538. 1912.
      in Washington, Quincy area. Soil Sur. Adv. Sh., 1911, pp. 17, 19, 31, 33, 35. 1913; Soils F.O., 1911, pp. 2239, 2241, 2253, 2255, 2257. 1914.
      in western South Dakota. F.B. 1163, pp. 6-8, 11-13. 1920.
    on Knox silt loam, Central Prairie States. Soils Cir. 33, pp. 11-12. 1911.
    on Marshall silt loam, Central Prairie States Soils Cir. 32, p. 11. 1911.
    at field stations, Great Plains, methods, yields, and cost. D.B. 595, pp. 10-28. 1917.
    belt, climatic divisions. F.B. 732, p. 5. 1916.
    classification, breeding, and diseases. An. Rpts., 1919, pp. 138-139, 150-151, 153, 168-172. 1920. B.P.I. Chief Rpt., 1919, pp. 2-3, 14-15, 17, 32-36. 1919.
    conditions in semiarid regions. Y.B., 1914, pp. 391-420. 1915; Y.B. Sep. 649, pp. 391-420. 1915.
    contest, rules, blanks, and score cards. O.E.S. Bul. 255, pp. 12-15. 1913.
    cost in South, comparison with corn. Sec. [Misc.], Spec., "Winter wheat in the * * *," p. 1. 1914.
    credits, for straw, pasture, and insurance. D.B. 943, p. 46. 1921.
    cultural methods for control of Hessian fly. Sec. Cir. 51, pp. 3-10. 1915.
    date of various operations in North Dakota. D.B. 757, pp. 25-26. 1919.

Wheat(s)—Continued.
  growing—continued.
    effect of magnesium and calcium in soil. J.A.R., vol. 6, No. 16, pp. 596-615. 1916.
    experiments—
      and milling tests. O.E.S. An. Rpt., 1922, pp. 24-25. 1924.
      and studies, Idaho. O.E.S. An. Rpt., 1910, pp. 128-129. 1911.
      in Alaska. D.B. 50, pp. 11, 17, 21-22. 1914.
      in dry farming, Nephi substation, Utah. D.B. 157, pp. 1-45. 1915.
      in Idaho, Kansas, and Utah. An. Rpts., 1912, pp. 97, 98. 1913; Sec. A.R., 1912, pp. 97, 98. 1912; Y.B., 1912, pp. 97, 98. 1913.
      with culture solutions, methods, and tables. Soils Bul. 87, pp. 16-17, 20-25, 26-69. 1912.
      with nitrogen fertilizers. D.B. 1180, pp. 15, 16, 17. 1923.
    failures in dry farming, causes. Y.B., 1912, pp. 463, 464. 1913; Y.B. Sep. 606, pp. 463, 464. 1913.
    farm practices. J. H. Arnold and R. R. Spafford. Y.B., 1919, pp. 123-150. 1920; Y.B. Sep. 804, pp. 123-150. 1920.
    fertilizer requirements for different soils, methods and table. F.B. 398, pp. 22-23. 1910.
    field experiments in northern Great Plains, results. D.B. 878, pp. 13-41. 1920.
    hand and machine labor, comparison, time and cost. Stat. Bul. 94, pp. 61, 69. 1912.
    hard spring varieties in Great Plains. F.B. 678, pp. 1-16. 1915.
    history, yields, profits, and fertilizers in Bates County, Mo. Soils F.O., 1908, pp. 1097, 1908. 1911; Soil Sur. Adv. Sh., 1908, pp. 9, 10. 1910.
    implements and machinery. Y.B., 1921, pp. 87-89, 92, 93. 1922; Y.B. Sep. 873, pp. 87-89, 92, 93. 1922.
    importance, conditions, and outlook. Y.B., 1921, pp. 77-80, 147-160. 1922; Y.B. Sep. 873, pp. 77-80, 147-160. 1922.
    important practices. Sec. Cir. 90, pp. 22-24. 1918.
    in Alabama—
      Limestone County. Soil Sur. Adv. Sh., 1914, pp. 12, 22-35. 1916; Soils F.O., 1914, pp. 1124, 1134-1147. 1919.
      Madison County, varieties and yields. Soil Sur. Adv. Sh., 1911, pp. 11, 25-39. 1913; Soils F.O. 1911, pp. 799, 813-827. 1914.
      Morgan County. Soil Sur. Adv. Sh., 1918, pp. 10-15, 20-39. 1921; Soils F.O., 1918, pp. 578-583, 588-607. 1924.
      Randolph County, methods and yields. Soil Sur. Adv. Sh., 1911, pp. 12, 21-35. 1912; Soils F.O., 1911, pp. 904, 913-927. 1914.
      Shelby County. Soil Sur. Adv. Sh., 1917, pp. 11, 13, 24-56. 1920; Soils F.O., 1917, pp. 743, 746, 759-777. 1923.
    in Alaska—
      1909. Alaska A.R., 1909, pp. 14-15, 21, 45, 48, 52-53, 55, 56. 1910.
      1920. Alaska A.R., 1920, pp. 5-6, 9, 24, 25-26, 39, 53. 1922.
      and hybridization. Alaska A.R., 1916, pp. 19, 28, 30-32, 41, 44, 67. 1918.
      central part. Soil Sur. Adv. Sh., 1914, pp. 57, 87, 148, 164, 165. 1915; Soils F.O., 1914, pp. 91, 121, 182, 198, 199. 1919.
    in Argentina, location, seeding, harvesting, and threshing. Y.B., 1915, pp. 282, 292-294. 1916; Y.B. Sep. 677, pp. 282, 292-294. 1916.
    in Arizona—
      acreage, and yields. W.I.A. Cir. 25, pp. 9, 10. 1919.
      Benson area. Soil Sur. Adv. Sh., 1921, pp. 252-254, 260-274. 1924.
      Yuma reclamation project, 1911-1918. D.C. 75, pp. 17-18. 1920.
    in Arkansas, place in crop rotations. F.B. 1000, pp. 6, 8, 10, 12, 15-18. 1918.
    in California—
      Colusa area. Soil Sur. Adv. Sh., 1907, pp. 14-16. 1909; Soils F.O., 1907, pp. 936-938. 1909.
      Fresno area, decline, and causes. Soil Sur. Adv. Sh., 1912, pp. 13-14. 1914; Soils F.O., 1912, pp. 2097-2098. 1915.

Wheat(s)—Continued.
  growing—continued.
    in California—Continued.
      Imperial Valley. Soil Sur. Adv. Sh., 1920, pp. 649-654, 668-683, 698. 1923; Soils F.O., 1920, pp. 649-654, 668-683, 698. 1925.
      Lower San Joaquin Valley. Soil Sur. Adv. Sh., 1915, p. 17. 1918; Soils F.O., 1915, p. 2593. 1919.
      Madera area, decrease. Soil Sur. Adv. Sh., 1910, pp. 12-13. 1911; Soils F.O., 1910, pp. 1722-1723. 1912.
      Merced area, increase and decline. Soil Sur. Adv. Sh., 1914, pp. 10, 12-13. 1916; Soils F.O., 1914, pp. 2790, 2792-2793. 1919.
      Modesto-Turlock, methods, yield and seeding area. Soil Sur. Adv. Sh., 1908, pp. 12-15. 1909; Soils F.O., 1908, pp. 1236-1239. 1911.
      Portersville area, methods and yield. Soils F.O., 1908, p. 1301. 1911; Soil Sur. Adv. Sh., 1908, p. 21. 1909.
      Red Bluff area, rise and decline. Soil Sur. Adv. Sh., 1910, pp. 13, 26, 34, 56. 1912; Soils F.O., 1910, pp. 1609, 1630, 1652. 1912.
      rise and decline, Sacramento Valley, Marysville area. Soil Sur. Adv. Sh., 1909, pp. 11-12. 1911; Soils F.O., 1909, pp. 1695-1696. 1912.
      San Diego region. Soil Sur. Adv. Sh., 1915, p. 14. 1918; Soils F.O., 1915, p. 2518. 1919.
      San Fernando Valley area. Soil Sur. Adv. Sh., 1915, pp. 14-15. 1917; Soils F.O., 1915, pp. 2460-2461. 1919.
      Shasta Valley area. Soil Sur. Adv. Sh., 1919, pp. 105, 117-128. 1923; Soils F.O., 1919, pp. 105, 117-128. 1925.
      Ukiah area. Soil Sur. Adv. Sh., 1914, pp. 16, 28-50. 1916; Soils F.O., 1914, pp. 2640, 2652-2674. 1919.
      varietal experiments. D.B. 1172, pp. 12-24, 33. 1923.
    in Colorado—
      experiments. D.B. 1287, pp. 21-40. 1925.
      farm practices. D.B. 917, pp. 11-40. 1921.
      labor distribution and cost. D.B. 917, pp. 10, 11, 12, 45. 1921.
      Uncompahgre Valley area. Soil Sur. Adv, Sh., 1910, pp. 12, 36, 38, 40, 42, 45, 47. 1912; Soils F.O., 1910, pp. 1450, 1474, 1476, 1478, 1483. 1912.
    in date gardens for green manure. F.B. 1016, p. 14. 1919.
    in Delaware—
      Kent County. Soil Sur. Adv. Sh., 1918, pp. 8-11, 16-26. 1920; Soils F.O., 1918, pp. 48-51, 56-66. 1924.
      New Castle County. Soil Sur. Adv. Sh., 1915, pp. 10, 12, 19-30. 1917; Soil F.O., 1915, pp. 274, 276, 284, 294. 1919.
      Sussex County. Soil Sur. Adv. Sh., 1920, pp. 1535, 1545-1558. 1924; Soils F.O., 1920, pp. 1535, 1545-1558. 1925.
    in Georgia—
      Jackson County. Soil Sur. Adv. Sh., 1914, pp. 11, 16-19. 1915; Soils F.O., 1914, pp. 735, 740-743. 1919.
      Jasper County. Soil Sur. Adv. Sh., 1916, pp. 10, 12, 19. 1918; Soils F.O., 1916, pp. 652, 654, 661. 1921.
      Laurens County, acreage increase. Soil Sur. Adv. Sh., 1915, p. 14. 1916; Soils F.O., 1915, p. 630. 1919.
      Monroe County. Soil Sur. Adv. Sh., 1920, pp. 10, 18, 22, 26, 29. 1922; Soils F.O., 1920. pp. 76, 84, 88, 92, 95. 1925.
      Pulaski County. Soil Sur. Adv. Sh., 1918, pp. 8, 10, 14-17. 1920; Soils F.O., 1918, pp. 516, 517, 523-526. 1924.
      Sumter County, acreage and yields. D.B. 1034, pp. 12, 13, 18, 20. 1922.
      Turner County, increasing acreage. Soil Sur. Adv. Sh., 1915, p. 10. 1916; Soils F.O., 1915, p. 664. 1919.
    in Great Plains—
      adaptation of durum wheat. Y.B., 1914, pp. 405-406, 407. 1915; Y.B. Sep. 649, pp. 405-406, 407. 1915.
      area, cultural practices and yields. D.B. 268, pp. 6-11. 1915.

Wheat(s)—Continued.
  growing—continued.
    in Great Plains—Continued.
      varieties, seeding rate, and date. F.B. 895, pp. 4-5. 1917.
    in Idaho—
      Kootenai County. Soil Sur. Adv. Sh., 1919, pp. 10, 21-38. 1923; Soils F.O., 1919, pp. 10, 21-38. 1925.
      Latah County, acreage, varieties, and yields. Soil Sur. Adv. Sh., 1915, pp. 11-18. 1917; Soils F.O., 1915, pp. 2184-2185, 2192, 2197. 1919.
      Lewiston area. Soils F.O., 1902, p. 707. 1903; Soil F.O. Sep. 1902, p. 707. 1903.
      Nez Perce and Lewis Counties. Soil Sur. Adv. Sh., 1917, pp. 12, 23-28. 1920; Soils F.O., 1917, pp. 2128, 2129, 2139-2145. 1923.
      Portneuf area. Soil Sur. Adv. Sh., 1918, pp. 12, 13-14, 29-47. 1921; Soils F.O., 1918, pp. 1504, 1505-1503, 1521-1539. 1924.
      Twin Falls area. Soil Sur. Adv. Sh., 1921, pp. 1372, 1380, 1383. 1925.
    in Illinois, Will County, yields. Soil Sur. Adv. Sh., 1912, pp. 10, 17, 19. 1914; Soils F.O., 1912, pp. 1526, 1535, 1550. 1915.
    in Indiana—
      Adams County. Soil Sur. Adv. Sh., 1921, pp. 4, 5, 12-18. 1923.
      Boone County, acreage and yield. Soil Sur. Adv. Sh., 1912, pp. 10, 21, 27. 1914; Soils F.O., 1912, pp. 1414, 1425, 1431. 1915.
      Clinton County, acreage, methods and yields. D.B. 1258, pp. 11-19. 1924; Soil Sur. Adv. Sh., 1914, pp. 8, 9, 16, 21, 23. 1915; Soils F.O., 1914, pp. 1634. 1635, 1642-1651. 1919.
      Decatur County. Soil Sur. Adv. Sh., 1919, pp. 5, 11-31. 1922; Soils F.O., 1919, pp. 1290, 1297-1318. 1925.
      Delaware County, acreage, and yields. Soil Sur. Adv. Sh., 1913, p. 11. 1915; Soils F.O., 1913, p. 1385. 1916.
      Elkhart County, acreage and yields. Soil Sur. Adv. Sh., 1914, pp. 8, 13, 15, 16, 22, 23. 1916; Soils F.O., 1914, pp. 1574, 1579-1589. 1919.
      Grant County. Soil Sur. Adv. Sh., 1915, pp. 9, 10-11, 21. 1917; Soils F.O., 1915, pp. 1357, 1358-1359, 1369. 1919.
      Hamilton County, acreage, methods, and yield. Soil Sur. Adv. Sh., 1912, p. 11. 1914; Soils F.O., 1912, p. 1451. 1915.
      Hendricks County, acreage and production. Soil Sur. Adv. Sh., 1913, pp. 10, 23, 25, 27, 37. 1915; Soils F.O., 1913, pp. 1412, 1425, 1427, 1429, 1439. 1916.
      Lake County. Soil Sur. Adv. Sh., 1917, pp. 11, 22, 33-43. 1921; Soils F.O., 1917, pp. 1145, 1156, 1167-1177. 1923.
      Porter County. Soil Sur. Adv. Sh., 1916, pp. 11, 12, 15, 21-39. 1919; Soils F.O., 1916, pp. 1701-1704, 1711-1733. 1921.
      Starke County, acreage, methods, and yields. Soil Sur. Adv. Sh., 1915, pp. 10, 11, 14, 22, 26-36. 1917; Soils F.O., 1915, pp. 1391, 1394, 1405, 1414. 1921.
      Warren County, acreage, methods, and yields. Soil Sur. Adv. Sh., 1914, pp. 9, 11, 17, 22, 26, 29. 1916; Soils F.O., 1914, pp. 1599-1601, 1607-1622. 1919.
      Wells County, acreage and yields. Soil Sur. Adv. Sh., 1915, pp. 8, 11, 17, 24. 1917; Soils F.O., 1915, pp. 1426-1427, 1429-1430, 1435, 1446. 1921.
      White County, acreage, methods, and yields. Soil Sur. Adv. Sh., 1915, pp. 12, 15, 21-40. 1917; Soils F.O., 1915, pp. 1456, 1458, 1459, 1471. 1921.
    in Iowa—
      Adair County. Soil Sur. Adv. Sh., 1919, pp. 9, 11, 16, 20, 23, 24. 1921; Soils F.O., 1919, pp. 1408-1409, 1411, 1416-1420, 1423, 1424. 1925.
      Boone County. Soil Sur. Adv. Sh., 1920, pp. 139, 140, 149-161. 1923; Soils F.O., 1920, pp. 139, 140, 149-161. 1925.
      Cedar County. Soil Sur. Adv. Sh., 1919, pp. 10, 11, 12. 1921; Soils F.O., 1919, pp. 1432, 1433, 1434. 1925.

Wheat(s)—Continued.
  growing—continued.
    in Iowa—Continued.
      Clay County. Soil Sur. Adv. Sh., 1916, pp. 12, 21–41. 1918; Soils F.O., 1916, pp. 1840, 1849–1869. 1921.
      Clinton County, acreage and yields. Soil Sur. Adv. Sh., 1915, pp. 13, 15–17, 31–60. 1917; Soils F.O., 1915, pp. 1656, 1657, 1659. 1921.
      Dallas County. Soil Sur. Adv. Sh., 1920, pp. 1158, 1159, 1170–1189. 1924; Soils F.O., 1920, pp. 1158, 1159, 1170–1189. 1925.
      Des Moines County. Soil Sur. Adv. Sh., 1921, pp. 1097, 1099. 1925.
      Dickinson County. Soil Sur. Adv. Sh., 1920, pp. 601–604, 615–632. 1923; Soils F.O., 1920, pp. 601–604, 615–632. 1925.
      Emmet County. Soil Sur. Adv. Sh., 1920, pp. 413, 414, 426–434. 1923; Soils F.O., 1920, pp. 413, 414, 426–434. 1925.
      Fayette County. Soil Sur. Adv. Sh., 1919, pp. 11, 12, 24, 32. 1922; Soils F.O., 1919, pp. 1465, 1466, 1478, 1486. 1925.
      Grundy County. Soil Sur. Adv. Sh., 1921, pp. 1043, 1045. 1925.
      Hardin County. Soil Sur. Adv. Sh., 1920, pp. 723, 724, 725, 736. 1923; Soils F.O., 1920, pp. 723, 724, 725, 736. 1925.
      Jasper County. Soil Sur. Adv. Sh., 1921, pp. 1132, 1134. 1925.
      Jefferson County. Soil Sur. Adv. Sh., 1922, pp. 311, 312, 315. 1925.
      Lee County, methods and yields. Soil Sur. Adv. Sh., 1914, pp. 12, 18–34. 1916; Soils F.O., 1914, pp. 1916, 1918, 1924–1940. 1919.
      Louisa County. Soil Sur. Adv. Sh., 1918, pp. 11, 14, 16, 24–45. 1921; Soils F.O., 1918, pp. 1025, 1028, 1030, 1038–1059. 1924.
      Madison County. Soil Sur. Adv. Sh., 1918, pp. 10, 11–12, 23–37. 1921; Soils F.O., 1918, pp. 1070, 1071–1072, 1082–1096. 1924.
      Mahaska County. Soil Sur. Adv. Sh., 1919, pp. 12, 15, 23, 28–39. 1922; Soils F.O., 1919, pp. 1550, 1551, 1553, 1561, 1567–1574. 1925.
      Marshall County. Soil Sur. Adv. Sh., 1918, pp. 11, 21, 26, 30. 1921; Soils F.O., 1918, pp. 1107, 1117, 1122, 1126. 1924.
      Mills County. Soil Sur. Adv. Sh., 1920, pp. 107, 108, 110, 119–134. 1923; Soils F.O., 1920, pp. 107, 108, 110, 119–134. 1925.
      Mitchell County. Soil Sur. Adv. Sh., 1916, pp. 8, 9, 22. 1918; Soils F.O., 1916, pp. 1878, 1879, 1892. 1921.
      Montgomery County. Soil Sur. Adv. Sh., 1919, pp. 9–10, 14, 19–27. 1919; Soils F.O., 1919, pp. 1728–1729, 1734, 1739–1747. 1923.
      Muscatine County, acreage and yields. Soil Sur. Adv. Sh., 1914, pp. 13, 16, 27, 33, 43–57. 1916; Soils F.O., 1914, pp. 1832–1836, 1847–1877. 1919.
      Page County. Soil Sur. Adv. Sh., 1921, p. 354. 1924.
      Palo Alto County. Soil Sur. Adv. Sh., 1918, pp. 12, 13, 20–27. 1921; Soils F.O., 1918, pp. 1140, 1141, 1148–1155. 1924.
      Polk County. Soil Sur. Adv. Sh., 1918, pp. 12, 15, 25–60. 1921; Soils F.O., 1918, pp. 1172, 1175, 1185–1220. 1924.
      Pottawattamie County, acreage, methods, and yields. Soil Sur. Adv. Sh., 1914, pp. 9, 11, 17, 19, 23, 25. 1916; Soils F.O., 1914, pp. 1889–1891, 1897–1907. 1919.
      Ringgold County. Soil Sur. Adv. Sh., 1916, pp. 9, 10, 12, 17, 20, 24, 25. 1918; Soils F.O., 1916, pp. 1909–1912, 1917–1927. 1921.
      Scott County. Soil Sur. Adv. Sh., 1915, pp. 11, 21, 41. 1917; Soils F.O., 1915, pp. 1713, 1723, 1743. 1919.
      Sioux County, acreage and yields. Soil Sur. Adv. Sh., 1915, pp. 11, 13, 16, 24, 25, 29, 32, 34. 1917; Soils F.O., 1915, pp. 1755, 1763. 1921.
      Van Buren County, acreage and yields. Soil Sur. Adv. Sh., 1915, pp. 10, 17, 19, 21, 27, 28, 29. 1917; Soils F.O., 1915, pp. 1786, 1793, 1795, 1797, 1803, 1804, 1805. 1919.
      Wapello County. Soil Sur. Adv. Sh., 1917, pp. 10, 13–14, 20–42. 1919; Soils F.O., 1917, pp. 1757, 1759–1760, 1766–1788. 1923.

Wheat(s)—Continued.
  growing—continued.
    in Iowa—Continued.
      Wayne County. Soil Sur. Adv. Sh., 1918, pp. 9, 12, 16–23. 1920; Soils F.O., 1918, pp. 1233, 1236, 1240–1247. 1924.
      Webster County, acreage, method, and yields. Soil Sur. Adv. Sh., 1914, pp. 13–14, 28. 1916; Soils F.O., 1914, pp. 1793, 1806–1819. 1919.
      Winnebago County. Soil Sur. Adv. Sh., 1918, pp. 9–11, 16–24. 1921; Soils F.O., 1918, pp. 1253–1255, 1260–1268. 1924.
      Woodbury County. Soil Sur. Adv. Sh., 1920, pp. 764, 769–783. 1923; Soils F.O., 1920, pp. 764, 769–783. 1925.
      Worth County. Soil Sur. Adv. Sh., 1922, pp. 274–275. 1925.
      Wright County. Soil Sur. Adv. Sh., 1919, pp. 13, 16, 27–29. 1922; Soils F.O., 1919, pp. 1587, 1589–1590, 1601–1603. 1925.
    in Kansas—
      Cherokee County, methods and yields. Soil Sur. Adv. Sh., 1912, pp. 11, 18–35, 40. 1914; Soils F.O., 1912, pp. 1791–1792, 1798–1815. 1915.
      Cowley County. Soil Sur. Adv. Sh., 1915, pp. 9–12, 21–44. 1917; Soils F.O., 1915, pp. 1926, 1928, 1938, 1943, 1946, 1952, 1960, 1962. 1921.
      Greenwood County, practices and importance. Soil Sur. Adv. Sh., 1912, p. 11. 1914; Soils F.O., 1912, p. 1829. 1915.
      Jewell County, methods and yields. Soil Sur. Adv. Sh., 1912, pp. 10, 11, 13, 18–38. 1914; Soils F.O., 1912, pp. 1858, 1859, 1861, 1866–1886. 1915.
      Leavenworth County. Soil Sur. Adv. Sh., 1919, pp. 213, 214, 218, 229–268. 1923; Soils F.O., 1919, pp. 213, 214, 218, 229–268. 1925.
      Montgomery County, acreage and yields. Soil Sur. Adv. Sh., 1913, pp. 11, 24, 27, 28–34. 1915; Soils F.O., 1913, pp. 1899, 1912, 1915–1924. 1916.
      Parsons area. Soil Sur. Adv. Sh., 1903, p. 893. 1904; Soils F.O., 1903, p. 893. 1904.
      Reno County, and yield. Soil Sur. Adv. Sh., 1911, pp. 13–14, 29–61. 1913; Soils F.O., 1911, pp. 1999–2000, 2015–2047. 1914.
      Shawnee County, methods, varieties, and yields. Soil Sur. Adv. Sh., 1911, pp. 10, 13, 22, 26, 28, 29, 36. 1913; Soils F.O., 1911, pp. 2064, 2067, 2076, 2080, 2082, 2083, 2090. 1914.
    in Kentucky—
      Christian County, yields. Soil Sur. Adv. Sh., 1912, pp. 13, 20, 22, 24, 27, 28, 33. 1914; Soils F.O., 1912, pp. 1157–1158, 1165–1172, 1175. 1915.
      Garrard County. Soil Sur. Adv. Sh., 1921, pp. 513, 515, 527–541. 1924.
      Jessamine County, acreage and yields. Soil Sur. Adv. Sh., 1915, pp. 8, 13, 14. 1916; Soils F.O., 1915, pp. 1270, 1275, 1279, 1282. 1921.
      Logan County. Soil Sur. Adv. Sh., 1919, pp. 10, 20–38, 55. 1922; Soils F.O., 1919, pp. 1206, 1216–1234, 1251. 1925.
      Madison County. Soil Sur. Adv. Sh., 1905, pp. 20–21. 1906; Soils F.O., 1905, pp. 674–675. 1907.
      Muhlenberg County. Soil Sur. Adv. Sh., 1920, pp. 942, 943, 949, 952, 964. 1924; Soils F.O., 1920, pp. 942, 943, 949, 952, 964. 1925.
      Scott County. Soil Sur. Adv. Sh., 1903, pp. 7, 10, 12, 15. 1904; Soils F.O., 1903, pp. 624, 626, 628, 629. 1904.
      Shelby County. Soil Sur. Adv. Sh., 1916, pp. 12, 15, 16–17, 36–47. 1919; Soils F.O., 1916, pp. 1422–1424, 1425–1426, 1446–1463. 1921.
    in Maryland—
      Allegany County, 1879–1919. Soil Sur. Adv. Sh., 1921, p. 1068. 1925.
      Baltimore County. Soil Sur. Adv. Sh., 1917, pp. 8, 9, 11, 19–41. 1919; Soils F.O., 1917, pp. 274, 275, 277, 285–308. 1923.
      Carroll County. Soil Sur. Adv. Sh., 1919, pp. 13, 18–34. 1922; Soils F.O., 1919, pp. 612, 615, 620–636. 1925.

Wheat(s)—Continued.
  growing—continued.
   in Maryland—Continued.
    Charles County. Soil Sur. Adv. Sh., 1918, pp. 7, 8–9, 14, 24–39, 46. 1922; Soils F.O., 1918, pp. 79, 80–81, 86, 96–111, 118. 1924.
    Frederick County. Soil Sur. Adv. Sh., 1919, pp. 8–14, 26–49, 54–72, 79. 1922; Soils F.O., 1919, pp. 648–654, 667–690, 697–715, 721. 1925.
    Howard County. Soil Sur. Adv. Sh., 1916, pp. 9, 12, 18–30. 1917; Soils F.O., 1916, pp. 283, 292–305. 1921.
    Montgomery County, acreage, methods, and yields. Soil Sur. Adv. Sh., 1914, pp. 9, 11, 17, 19, 21, 24, 26, 28, 30–32. 1916; Soils F.O., 1914, pp. 397, 399, 405–425. 1919.
    Somerset County. Soil Sur. Adv. Sh., 1920, pp. 1291–1292, 1302–1309. 1924; Soils F.O., 1920, pp. 1291–1292, 1302–1309. 1925.
    Washington County. Soil Sur. Adv. Sh., 1917, pp. 10, 15, 20–45. 1919; Soils F.O., 1917, pp. 314, 318, 324–348. 1923.
    Wicomico County. Soil Sur. Adv. Sh., 1921, pp. 1016, 1017. 1925.
   in Michigan—
    Calhoun County. Soil Sur. Adv. Sh., 1916, pp. 11–12, 25–48. 1919; Soils F.O., 1916, pp. 1635, 1641, 1642–1675. 1921.
    Genesee County, methods and yields. Soil Sur. Adv. Sh., 1912, pp. 9, 15–32. 1914; Soils F.O., 1912, pp. 1377, 1383–1400. 1915.
    Ontonagon County. Soil Sur. Adv. Sh., 1921, pp. 79, 80, 89, 92, 93. 1923.
    St. Joseph County. Soil Sur. Adv. Sh., 1921, pp. 53–54, 60–67. 1923.
   in Minnesota—
    Anoka County. Soil Sur. Adv. Sh., 1916, pp. 9, 10, 17–24. 1918; Soils F.O., 1916, pp. 1811, 1812, 1819–1826. 1921.
    Goodhue County, yield. Soil Sur. Adv. Sh., 1913, pp. 9, 17, 19. 1915; Soils F.O., 1913, pp. 1663, 1671, 1673. 1916.
    Pennington County, methods and yields. Soil Sur. Adv. Sh., 1914, pp. 9, 17. 1916; Soils F.O., 1914, pp. 1731, 1732, 1739. 1919.
    southwestern part. D.B. 1271, pp. 6–8. 1924.
    Stevens County. Soil Sur. Adv. Sh., 1919, pp. 10, 11, 21–31. 1922; Soils F.O., 1919, pp. 1382–1383, 1393–1403. 1925.
   in Missouri—
    Andrew County. Soil Sur. Adv. Sh., 1921, p. 822. 1925.
    Atchison County. Soil Sur. Adv. Sh., 1909, pp. 11, 20, 25, 26, 27, 32. 1910; Soils F.O., 1909, pp. 1311, 1320, 1325, 1326, 1327, 1332. 1912.
    Barry County. Soil Sur. Adv. Sh., 1916, p. 11–15, 24–43. 1918; Soils F.O., 1916, pp. 1939–1943, 1950–1969. 1921.
    Buchanan County, acreage, and yields. Soil Sur. Adv. Sh., 1915, pp. 12, 14, 24, 32, 33, 41. 1917; Soils F.O., 1915, pp. 1816, 1817, 1818–1819, 1928, 1945. 1921.
    Caldwell County. Soil Sur. Adv. Sh., 1921, pp. 327, 336–347. 1924.
    Callaway County. Soil Sur. Adv. Sh., 1916, pp. 9, 11, 20–36. 1919; Soils F.O., 1916, pp. 1977, 1986, 1993–2002. 1921.
    Carroll County, methods and yield. Soil Sur. Adv. Sh., 1912, pp. 10, 19, 20, 29. 1914; Soils F.O., 1912, pp. 1638, 1647, 1648, 1656. 1915.
    Cass County, varieties, methods, and yields. Soil Sur. Adv. Sh., 1912, pp. 11–12, 21, 24. 1914; Soils F.O., 1912, pp. 1669–1670, 1682–1684. 1915.
    Chariton County. Soil Sur. Adv. Sh., 1918, pp. 8, 16–33. 1921; Soils F.O., 1918, pp. 1280, 1287–1305. 1924.
    Cole County. Soil Sur. Adv. Sh., 1920, pp. 1505, 1514–1527. 1924; Soils F.O., 1920, pp 1505, 1514–1527. 1925.
    Cooper County. Soil Sur. Adv. Sh., 1909, pp. 17, 18, 26, 27, 28, 31, 34. 1911; Soils F.O., 1909, pp. 1381, 1382, 1388, 1389, 1390, 1393, 1396. 1912.
    crops, and yield per acre, 1913–1914. D.B. 633, pp. 2–3, 4, 5, 6. 1918.
    De Kalb County. Soil Sur. Adv. Sh., 1914, pp. 9, 16–23. 1916; Soils F.O., 1914, pp. 2009, 2016–2023. 1919.
    Dunklin County, acreage, methods, and yields. Soil Sur. Adv. Sh., 1914, pp. 17–18, 36, 37, 44. 1916; Soils F.O., 1914, pp. 2105, 2118–2132. 1919.
    Franklin County, methods and yields. Soil Sur. Adv. Sh., 1911, pp. 9–10, 17–31. 1913; Soils F.O., 1911, pp. 1607–1608, 1615–1629. 1914.
    Greene County. Soil Sur. Adv. Sh., 1913, pp. 11, 23, 25. 1915; Soils F.O., 1913, pp. 1729, 1741, 1743. 1916.
    Grundy County, acreage, methods, and yields. Soil Sur. Adv. Sh., 1914, pp. 12, 20, 23, 26, 28, 32. 1916; Soils F.O., 1914, pp. 1982, 1990–2002. 1919.
    Harrison County, acreage, methods, and yields. Soil Sur. Adv. Sh., 1914, pp. 10, 18, 22–33. 1916; Soils F.O., 1914, pp. 1947, 1948, 1956–1970. 1919.
    Johnson County, acreage, mathods, and yields. Soil Sur. Adv. Sh., 1914, pp. 9–10, 20. 1916; Soils F.O., 1914, pp. 2031, 2040–2054. 1919.
    Laclede County, acreage, methods, and yields. Soil Sur. Adv. Sh., 1911, pp. 10, 13, 23–43, 1912; Soils F.O., 1911, pp. 1640, 1643, 1653–1673. 1914.
    Lafayette County. Soil Sur. Adv. Sh., 1920, pp. 817, 823–837. 1923; Soils F.O., 1920, pp. 817, 823–837. 1925.
    Lincoln County. Soil Sur. Adv. Sh., 1917, pp. 11–13, 18–41. 1920; Soils F.O., 1917, pp. 1489, 1490–1491, 1496–1509. 1923.
    Marion County, methods and varieties adaptable. Soil Sur. Adv. Sh., 1910, p. 11. 1911; Solls F.O., 1910, p. 1301. 1912.
    Miller County, methods and yields. Soil Sur. Adv. Sh., 1912, pp. 11, 16, 18, 21, 22, 23, 24, 25. 1914; Soils F.O., 1912, pp. 1693, 1698, 1700, 1703–1706. 1915.
    Mississippi County. Soil Sur. Adv. Sh., 1921, pp. 557, 566–581. 1924.
    Newton County, acreage, methods, and yields. Soil Sur. Adv. Sh., 1915, pp. 11, 15, 16, 27, 29, 33, 38. 1917; Soils F.O., 1915, pp. 1857, 1859, 1862. 1921.
    Nodaway County, acreage, production, and yield. Soil Sur. Adv. Sh., 1913, pp. 10, 13, 17, 20, 21, 24, 27, 28. 1915; Soils F.O., 1913, pp, 1762, 1765, 1769, 1772, 1773, 1776, 1777. 1916.
    Ozark region, acreage, production, and yield. D.B. 941, pp. 18, 19, 24. 1921.
    Perry County, acreage, methods, and yields. Soil Sur. Adv. Sh., 1913, pp. 10–11, 17, 20, 29, 30. 1915; Soils F.O., 1913, pp. 1790–1791, 1797, 1800, 1809, 1810. 1916.
    Pettis County, acreage, methods, and yields. Soil Sur. Adv. Sh., 1914, pp. 10, 19, 21, 23, 25, 38, 40. 1916; Soils F.O., 1914, pp. 2062, 2071–2092. 1919.
    Pike County, methods, varieties, and yields. Soil Sur. Adv. Sh., 1912, pp. 12, 15, 25, 29, 31, 34. 1914; Soils F.O., 1912, pp. 1718, 1721, 1731, 1735–1737. 1915.
    Platte County, varieties and yields. Soil Sur. Adv. Sh., 1911, pp. 10, 19, 21, 22, 25. 1912. Soils F.O., 1911, pp. 1706, 1707, 1716, 1717, 1720. 1914.
    Ralls County, yields. Soil Sur. Adv. Sh., 1913, pp. 11, 24, 35, 40. 1914; Soils F.O., 1913, pp. 1821, 1834, 1845, 1850. 1916.
    Reynolds County. Soil Sur. Adv. Sh., 1918, pp. 10, 18, 23, 25, 27. 1921; Soils F.O., 1918, pp. 1312, 1320–1325, 1327, 1329. 1924.
    Ripley County, acreage and yields. Soil Sur. Adv. Sh., 1915, pp. 11, 20–35. 1917; Soils F.O., 1915, pp. 1895, 1904, 1918. 1921.
    St. Francois County. Soil Sur. Adv. Sh., 1918, pp. 10, 19, 24, 26. 1921; Soils F.O., 1918, pp. 1338, 1347, 1352, 1354. 1924.
    St. Louis County. Soil Sur. Adv. Sh., 1919, pp. 523, 524, 541–558. 1923; Soils F.O., 1919, pp. 523, 524, 541–558. 1925.

Wheat(s)—Continued.
 growing—continued.
  in Missouri—Continued.
   Shelby County. Soil Sur. Adv. Sh., 1903, p. 884. 1904; Soils F.O., 1903, p. 884. 1904.
   Stoddard County, yields. Soil Sur. Adv. Sh., 1912, pp. 14, 17, 23, 28. 1914; Soils F.O., 1912, pp. 1760, 1763, 1774. 1915.
   Texas County. Soil Sur. Adv. Sh., 1917, pp. 10, 21–36. 1919; Soils F.O., 1917, pp. 1528–1529, 1541–1555. 1923.
  in Montana—
   Bitterroot Valley area, acreage and yields. Soil Sur. Adv. Sh., 1914, pp. 15, 35–63. 1917; Soils F.O., 1914, pp. 2473, 2493–2526. 1919.
   characteristics and quality. Levi M. Thomas. D.B. 522, pp. 34. 1917.
   eastern, details. F.B. 878, pp. 10–15. 1917.
   Judith Basin Substation. D.B. 398, pp. 14–26. 1916.
  in Nebraska—
   acreage and yield. Soil Sur. Adv. Sh., 1911, pp. 28–29. 1913; Soils F.O., 1911, pp. 1896–1897. 1914.
   Antelope County. Soil Sur. Adv. Sh., 1921, pp. 763, 764. 1924.
   Banner County. Soil Sur. Adv. Sh., 1919, pp. 12, 13, 29–40, 49–55. 1921; Soils F.O., 1919, pp. 1624, 1625, 1641–1652, 1661–1667. 1925.
   Boone County. Soil Sur. Adv. Sh., 1921, pp. 1176, 1177. 1925.
   Box Butte County. Soil Sur. Adv. Sh., 1916, pp. 11, 12, 13, 21, 23, 25. 1918; Soils F.O., 1916, pp. 2047, 2048, 2057–2069. 1921.
   Cass County, acreage, production, and yield. Soil Sur. Adv. Sh., 1913, pp. 10, 12, 22, 25–37. 1914; Soils F.O., 1913, pp. 1930, 1932, 1942, 1945–1957. 1916.
   Chase County. Soil Sur. Adv. Sh., 1917, pp. 13, 20, 27–45, 51–60. 1919; Soils F.O., 1917, pp. 1799–1800, 1806, 1813–1831, 1837–1846. 1923.
   Cheyenne County. Soil Sur. Adv. Sh., 1918, pp. 11, 14, 21–33. 1920; Soils F.O., 1918, pp. 1411, 1414, 1421–1433. 1924.
   Dakota County. Soil Sur. Adv. Sh., 1919, pp. 11, 12, 23–39. 1921; Soils F.O., 1919, pp. 1681, 1682, 1693–1709. 1925.
   Dawes County. Soil Sur. Adv. Sh., 1915, pp. 12, 21, 28, 30. 1917; Soils F.O., 1915, pp. 1970, 1979, 1986, 1988. 1919.
   Dawson County. Soil Sur. Adv. Sh., 1922, p. 397. 1925.
   Deuel County. Soil Sur. Adv. Sh., 1921, pp. 714, 715, 719. 1924.
   Dodge County. Soil Sur. Adv. Sh., 1916, pp. 10–13, 22–51. 1918; Soils F.O., 1916, pp. 2077, 2078, 2088–2118. 1921.
   Douglas County, methods and yields. Soil Sur. Adv. Sh., 1913, pp. 11, 12, 26–42. 1915; Soils F.O., 1913, pp. 1973, 1974, 1988–2004. 1916.
   fall irrigation experiments. D.B. 133, pp. 5–7, 14. 1914.
   Fillmore County. Soil Sur. Adv. Sh., 1916, pp. 9, 18–23. 1918; Soils F.O., 1916, pp. 2125, 2128, 2134–2140. 1921.
   Gage County, acreage, methods, and yields. Soil Sur. Adv. Sh., 1914, pp. 10, 12, 22, 25, 29, 33, 35, 37, 39. 1916; Soils F.O., 1914, pp. 2330, 2340–2358. 1919.
   Grand Island area. Soil Sur. Adv. Sh., 1903, pp. 933, 935, 942. 1904; Soils F.O., 1903, pp. 933, 935, 942. 1904.
   Hall County. Soil Sur. Adv. Sh., 1916, pp. 9, 11, 17–38. 1918; Soils F.O., 1916, pp. 2145–2148, 2153–2176. 1921.
   Howard County. Soil Sur. Adv. Sh., 1920, pp. 969, 979–1000. 1924; Soils F.O., 1920, pp. 969, 979–1000. 1925.
   irrigation and dry farming, results. D.C. 173, pp. 28, 32–34. 1921.
   Jefferson County. Soil Sur. Adv. Sh., 1921, pp. 1448, 1478. 1925.
   Johnson County. Soil Sur. Adv. Sh., 1920, pp. 1259, 1260, 1270–1284. 1924; Soils F.O., 1920, pp. 1259, 1260, 1270–1284. 1925.

Wheat(s)—Continued.
 growing—continued.
  in Nebraska—Continued.
   Kimball County. Soil Sur. Adv. Sh., 1916, pp. 9, 12, 20, 24. 1917; Soils F. O., 1916, pp. 2183, 2194–2202. 1921.
   Madison County. Soil Sur. Adv. Sh., 1920, pp. 206, 207, 217–245. 1923; Soils F.O., 1920, pp. 206, 207, 217–245. 1925.
   Morrill County. Soil Sur. Adv. Sh., 1917, pp. 12, 15, 28–56. 1920; Soils F. O., 1917, pp. 1860, 1863, 1876–1906. 1923.
   Nemaha County, acreage, methods, and varieties. Soil Sur. Adv. Sh., 1914, pp. 10, 11, 21, 24, 26, 28, 29, 32, 33. 1916; Soils F. O. 1914, pp. 2294, 2295, 2305–2319. 1919.
   North Platte reclamation project, statistics. D.C. 173, pp. 8, 9. 1921.
   Otoe County, varieties, methods, and cost. Soil Sur. Adv. Sh., 1912, pp. 9, 10, 12–13, 16, 21, 23, 25, 27. 1913; Soils F.O., 1912, pp. 1897, 1898, 1900–1901, 1903, 1908–1915. 1915.
   Pawnee County. Soil Sur. Adv. Sh., 1920, pp. 1322–1323, 1332–1347. 1924; Soils F.O., 1920, pp. 1322–1323, 1332–1347. 1925.
   Perkins County. Soil Sur. Adv. Sh., 1921, pp. 889–890, 893. 1925.
   Phelps County. Soil Sur. Adv. Sh., 1917, pp. 10, 15. 1919; Soils F.O., 1917, pp. 1924, 1929. 1923.
   Polk County, acreage and yields. Soil Sur. Adv. Sh., 1915, pp. 10, 17, 20, 24. 1917; Soils F.O., 1915, pp. 2005, 2006, 2007, 2013, 2016. 1921.
   Redwillow County. Soil Sur. Adv. Sh. 1919, pp. 12, 13, 14, 26–45. 1921; Soils F. O., 1919, pp. 1720, 1721, 1722, 1734–1753. 1925.
   Richardson County. Soil Sur. Adv. Sh., 1915, pp. 10, 11, 21–32. 1917; Soils F.O., 1915, pp. 2033, 2043, 2048, 2051, 2053, 2057. 1921.
   rotations, varieties, and yield. B.P.I. Doc. 1081, pp. 8, 11–12. 1914.
   Saunders County, acreage, methods, and yields. Soil Sur. Adv. Sh., 1913, pp. 11, 12, 21, 25, 32, 40, 42, 44. 1915; Soils F.O., 1913, pp. 2017, 2018–2019, 2029–2040, 2048–2050. 1916.
   Seward County, acreage, methods, and yields. Soil Sur. Adv. Sh., 1914, pp. 9, 10–11, 20, 23, 25, 32, 35, 38. 1916; Soils F.O., 1914, pp. 2258, 2268–2286. 1919.
   Sheridan County. Soil Sur. Adv. Sh., 1918, pp. 11, 12, 25–50, 54. 1921; Soils F.O., 1918, pp. 1447, 1448, 1461–1486, 1490. 1924.
   Sioux County. Soil Sur. Adv. Sh., 1919, pp. 10, 20–38. 1922; Soils F.O., 1919, pp. 1767, 1777–1793. 1925.
   Thurston County, acreage, methods, and yields. Soil Sur. Adv. Sh., 1914, pp. 10, 11, 23, 26, 29, 32, 34, 37, 39. 1916; Soils F.O., 1914, pp. 2220, 2231–2248. 1919.
   Washington County. Soil Sur. Adv. Sh., 1915, pp. 11, 12–13, 16, 23–26. 1917; Soils F.O., 1915, pp. 2066–2067, 2077, 2079, 2080, 2083. 1919
   Wayne County. Soil Sur. Adv. Sh., 1917, pp. 11, 14, 26–46. 1919; Soils F. O., 1917, pp. 1963, 1966, 1978–1998. 1923.
   western, yields. Soil Sur. Adv. Sh., 1911, pp. 28–29, 47, 51, 56, 61, 89, 98, 114. 1913; Soils F.O., 1911, pp. 1896–1897, 1915, 1919, 1924, 1929, 1957, 1966, 1982. 1914.
  in New Jersey—
   Belvidere area. Soil Sur. Adv. Sh., 1917, pp. 12–15, 25–66. 1920; Soils F.O., 1917, pp. 132–135, 145–186. 1923.
   Bernardsville area. Soil Sur. Adv. Sh., 1919, pp. 415–418, 428–459. 1923; Soils F.O., 1919, pp. 415–418, 428–459. 1925.
   Chatsworth area. Soil Sur. Adv. Sh., 1919, pp. 476, 478, 498–500. 1923; Soils F.O., 1919, pp. 476, 478, 498–500. 1925.
   Sussex County. Soil Sur. Adv. Sh., 1911, pp. 41, 42, 43. 1913; Soils F.O., 1911, pp. 365, 366, 367. 1914.

Wheat(s)—Continued.
growing—continued.
in New Mexico and Texas, Mesilla Valley, yield. Soil Sur. Adv. Sh., 1912, pp. 12, 30, 32. 1914; Soils F.O., 1912, pp. 2018, 2036, 2038. 1915.
in New York—
Chautauqua County. Soil Sur. Adv. Sh., 1914, pp. 14, 27, 30, 32. 1916; Soils F.O., 1914, pp. 280, 293, 296, 298. 1919.
Chenango County. Soil Sur. Adv. Sh., 1918, pp. 9, 28, 29. 1920; Soils F.O., 1918, pp. 15, 34, 35. 1924.
Jefferson County, decline since 1869. Soil Sur. Adv. Sh., 1911, p. 16. 1913; Soils F.O., 1911. p. 106. 1914.
Monroe County. Soil Sur. Adv. Sh., 1910, pp. 12, 14, 23, 24, 28, 30, 31, 33, 34, 36, 38. 1912; Soils F.O., 1910, pp. 50, 52–53, 61, 62, 66, 68, 69, 71, 72, 74, 76. 1912.
Tompkins County. Soil Sur. Adv. Sh., 1921, pp. 1571, 1574. 1924.
Wayne County. Soil Sur. Adv. Sh., 1919, pp. 280–283, 300–342. 1923; Soils F.O., 1919, pp. 280–283, 300–342. 1923.
Yates County. Soil Sur. Adv. Sh., 1916, pp. 8–9, 11, 16–32. 1918; Soils F.O., 1916, pp. 223, 230–244. 1921.
in North Carolina—
Alleghany County, acreage and yields. Soil Sur. Adv. Sh., 1915, pp. 9, 10, 17, 21, 23. 1917; Soils F.O., 1915, pp. 343, 344, 351, 355, 357. 1919.
Buncombe County. Soil Sur. Adv. Sh., 1920, pp. 789–791, 796–810. 1923; Soils F.O., 1920, pp. 789–791, 796–810. 1925.
Caldwell County. Soil Sur. Adv. Sh., 1917, pp. 9, 10, 18–26. 1919; Soils F.O., 1917, pp 447, 448, 456–464. 1923.
Catawba County. D.B. 1070, pp. 8, 9, 10–11. 1922.
Cherokee County. Soil Sur. Adv. Sh., 1921, p. 309. 1924.
Cleveland County. Soil Sur. Adv. Sh., 1916, pp. 9, 10, 18–34. 1919; Soils F.O., 1916, pp. 314, 322–339. 1921.
Davidson County, acreage methods, and yields. Soil Sur. Adv. Sh., 1915, pp. 9, 17–37. 1917; Soils F.O., 1915, pp. 464, 465, 474, 476, 486, 490, 493, 495. 1919.
Durham County. Soil Sur. Adv. Sh., 1920, pp. 1353–1356, 1363–1376. 1924; Soils F.O., 1920, pp. 1353–1356, 1363–1376. 1925.
Forsyth County, acreage, and yield. Soil Sur. Adv. Sh., 1913, pp. 10, 14–24. 1914; Soils F.O., 1913, pp. 182, 186–196. 1916.
Guilford County. Soil Sur. Adv. Sh., 1920, pp. 171, 172, 181–194. 1923; Soils F.O., 1920, pp. 171, 172, 181–194. 1925.
Halifax County. Soil Sur. Adv. Sh., 1916, pp. 9–11, 20–25, 38. 1918; Soils F.O., 1916, pp. 347–349, 358–363, 376. 1921.
Harnett County. Soil Sur. Adv. Sh., 1916, pp. 9, 25, 26, 30. 1917; Soils F.O., 1916, pp. 392, 407, 408, 412. 1921.
Hoke County. Soil Sur. Adv. Sh., 1918, pp. 12, 19–25. 1921; Soils F.O., 1918, pp. 200, 207–213. 1924.
Lincoln County, acreage and yields. Soil Sur. Adv. Sh., 1914, pp. 10, 17, 18, 19, 23, 29, 31. 1916; Soils F.O. 1914, pp. 564, 571–585. 1919.
Moore County. Soil Sur. Adv. Sh., 1919, pp. 9, 10, 23–43. 1922; Soils F.O., 1919, pp. 727, 728, 741–753. 1925.
Orange County. Soil Sur. Adv. Sh., 1918, p. 10. 1921; Soils F.O., 1918, p. 226. 1924.
Randolph County, acreage, production, and yield. Soil Sur. Adv. Sh., 1913, pp. 9–10. 1915; Soils F.O., 1913, p. 205. 1916.
Rowan County, methods and yields. Soil Sur. Adv. Sh., 1914, pp. 9, 10, 11, 18–41. 1915; Soils F.O., 1914, pp. 478, 479, 486–509. 1919.
Stanly County. Soil Sur. Adv. Sh., 1916, pp. 9–11, 16–29. 1918; Soils F.O., 1916, pp. 457–459, 464–477. 1921.
Union County. Soil Sur. Adv. Sh., 1914, pp. 9, 10, 11. 1916; Soils F.O., 1914, pp. 593, 594, 595. 1919.

Wheat(s)—Continued.
growing—continued.
in North Carolina—Continued.
Vance County. Soil Sur. Adv. Sh., 1918, pp. 8, 9, 10, 13–28. 1921; Soils F.O., 1918, pp. 268, 269, 270, 273–288. 1924.
Wilkes County. Soil Sur. Adv. Sh., 1918, pp. 9-11, 16-36. 1921; Soils F.O., 1918, pp. 297–299, 304–324. 1924.
in North Central States on Miami clay loam. Soils Cir. 31, pp. 11–12. 1911.
in North Dakota—
acreage, 1891–1916. D.B. 757, pp. 1, 6, 7. 1919.
Barnes County, methods and yields. Soil Sur. Adv. Sh., 1912, pp. 11–12, 19, 21, 22, 45. 1914; Soils F.O., 1912, pp. 1927–1928, 1935, 1937, 1961. 1915.
Bottineau County. Soil Sur. Adv. Sh., 1915, pp. 10–11, 15, 20–26, 31, 33. 1917; Soils F.O., 1915, pp. 2134–2135, 2146, 2148, 2165, 2166, 2176. 1921.
Dickey County, acreage and yields. Soil Sur. Adv. Sh., 1914, pp. 10, 12, 21–49. 1916; Soils F.O., 1914, pp. 2416, 2418, 2427–2459. 1919.
Jamestown area. Soil Sur. Adv. Sh., 1903, p. 1024. 1904; Soils F.O., 1903, p. 1024. 1904.
Lamoure County, methods and yields. Soil Sur. Adv. Sh., 1914, pp. 11, 12, 15, 22–49. 1917; Soils F.O., 1914, pp. 2367, 2368, 2371, 2378–2405. 1919.
Richland County, production and threshing cost. Soil Sur. Adv. Sh., 1908, p. 10. 1909; Soils F.O., 1908, p. 1126. 1911.
Sargent County. Soil Sur. Adv. Sh., 1917, pp. 12, 19–35. 1920; Soils F.O., 1917, pp. 2010, 2017–2033. 1923.
Traill County. Soil Sur. Adv. Sh., 1918, pp. 11, 12, 24–44. 1920; Soils F.O., 1918, pp. 1367, 1368, 1380–1400. 1924.
western part. Soil Sur. Adv. Sh., 1908, pp. 27–28. 1910; Soils F.O., 1908, pp. 1175–1176. 1911.
yields, 1891–1916, and factors affecting. D.B. 757, pp. 27–33. 1919.
in Ohio—
Auglaize County. Soil Sur. Adv. Sh., 1909, pp. 11, 17, 19, 21. 1910; Soils F.O., 1909, pp. 1137, 1143, 1145, 1147. 1912.
Hamilton County, acreage, varieties, and yields. Soil Sur. Adv. Sh., 1915, pp. 10, 21–35. 1917; Soils F.O., 1915, pp. 1322, 1325, 1332. 1921.
Mahoning County. Soil Sur. Adv. Sh., 1917, pp. 9–11, 19–38. 1919; Soils F.O., 1917, pp. 1045–1047, 1055–1075. 1923.
Marion County. Soil Sur. Adv. Sh., 1916, pp. 9, 10, 11, 18–24. 1918; Soils F.O., 1916, pp. 1553–1557, 1563–1580. 1921.
Miami County. Soil Sur. Adv. Sh., 1916, pp. 9, 20, 24–46. 1918; Soils F.O., 1916, pp. 1587, 1595–1625. 1921.
Paulding County. Soil Sur. Adv. Sh., 1914, pp. 11, 17, 19, 21, 22, 23, 24, 26, 27. 1915; Soils F.O., 1914, pp. 1551, 1557–1567. 1919.
Portage County. Soil Sur. Adv. Sh., 1914, pp. 11, 18–31. 1916; Soils F.O., 1914, pp. 1511, 1518–1535. 1919.
Sandusky County. Soil Sur. Adv. Sh., 1917, pp. 9, 10, 19–53, 57, 61, 62. 1920; Soils F.O., 1917, pp. 1083, 1084, 1093–1127, 1135, 1136. 1923.
soils adapted to. Soil Sur. Adv. Sh., 1912, pp. 35, 41, 54, 75, 90, 104, 111. 1914; Soils F.O., 1912, pp. 1273, 1279, 1292, 1312, 1328, 1342, 1349. 1915.
Stark County. Soil Sur. Adv. Sh., 1913, pp. 10, 11, 33. 1915; Soils F.O., 1913, pp. 1348, 1350, 1371. 1916.
Trumbull County. Soil Sur. Adv. Sh., 1914, pp. 10, 20–46. 1916; Soils F.O., 1914, pp. 1460, 1470–1498. 1919.
in Oklahoma—
Canadian County. Soil Sur. Adv. Sh., 1917, pp. 11, 16, 21–57. 1919; Soils F.O., 1917, pp. 1405, 1410, 1415–1451. 1923.
Kay County. Soil Sur. Adv. Sh., 1916, pp. 10, 12, 20–38. 1917; Soils F.O., 1915, pp. 2098, 2099, 2100, 2110, 2114, 2125, 2127. 1921.

INDEX TO PUBLICATIONS, 1901–1925   2607

Wheat(s)—Continued.
  growing—continued.
    in Oklahoma—Continued.
      Payne County. Soil Sur. Adv. Sh., 1916, pp. 9, 21–37. 1919; Soils F.O., 1916, pp. 2009, 2012, 2018–2039. 1921.
      Roger Mills County, yields. Soil Sur. Adv. Sh., 1914, pp. 23, 25, 26, 27. 1916; Soils F.O., 1914, pp. 2143–2145, 2155–2161. 1919.
    in Oregon—
      Benton County. Soil Sur. Adv. Sh., 1920, pp. 1435–1437, 1446–1472. 1924; Soils F.O., 1920, pp. 1435–1437, 1446–1472. 1925.
      eastern part, varieties and methods. F.B. 800, pp. 17–18. 1917.
      Josephine County. Soil Sur. Adv. Sh., 1919, pp. 354–357, 373–404. 1923; Soils F.O., 1919, pp. 354–357, 373–404. 1925.
      Multnomah County. Soil Sur. Adv. Sh., 1919, pp. 51, 52, 64–94. 1922; Soils F.O., 1919, pp. 51, 52, 64–94. 1925.
      Washington County. Soil Sur. Adv. Sh., 1919, pp. 10, 11, 12, 35–41. 1923; Soils F.O., 1919, pp. 1840, 1841, 1865–1871. 1925.
      Yamhill County. Soil Sur. Adv. Sh., 1917, pp. 11, 12, 13, 17, 26–60. 1920; Soils F.O., 1917, pp. 2265, 2266, 2267, 2271, 2280–2314. 1923.
    in Pennsylvania—
      Blair County, acreage and yield. Soil Sur. Adv. Sh., 1915, pp. 10, 27, 30, 32, 37, 40. 1917; Soil F.O., 1915, pp. 202, 219, 222, 224, 229, 232. 1919.
      Bradford County, yields and decline. Soil Soil Sur. Adv. Sh., 1911, pp. 12, 24, 28, 33, 35, 37. 1913; Soils F.O., 1911, pp. 238, 250, 254, 259, 261, 263. 1914.
      Cambria County. Soil Sur. Adv. Sh., 1915, pp. 11, 13. 1917; Soils F.O., 1915, pp. 245, 247. 1919.
      Clearfield County. Soil Sur. Adv. Sh., 1916, pp. 11, 12, 25, 26. 1919; Soils F.O., 1916, pp. 257, 258, 271, 272. 1921.
      Greene County. Soil Sur. Adv. Sh., 1921, pp. 1257, 1258, 1259. 1925.
      Lancaster County, acreage and yields. Soil Sur. Adv. Sh., 1914, pp. 10–11, 21–61. 1916; Soils F.O., 1914, pp. 332, 333, 337, 343–387. 1919.
      Lehigh County. Soil Sur. Adv. Sh., 1912, pp. 15, 25–50. 1914; Soils F.O., 1912, pp. 115, 125–150. 1915.
      Mercer County. Soil Sur. Adv. Sh., 1917, pp. 9, 19–28, 31–34. 1919; Soils F.O., 1917, pp. 239, 249–258, 261–264. 1923.
      southeastern part, acreages, and yields. Soil Sur. Adv. Sh., 1912, pp. 19, 33–95. 1914; Soils F.O., 1912, pp. 259, 273–336. 1915.
      York County. Soil Sur. Adv. Sh., 1912, pp. 13, 33–92. 1914; Soils F.O., 1912, pp. 163, 183–242. 1915.
    in Russian dry-prairie regions. Y.B., 1914, pp. 392, 398–400, 407. 1915; Y.B. Sep. 649, pp. 392, 398–400, 407. 1915.
    in Saskatchewan, cost per bushel. News L., vol. 1, No. 41, p. 3. 1914.
    in South Carolina—
      Greenville County. Soil Sur. Adv. Sh., 1921, pp. 193, 194, 202. 1924.
      Kershaw County. Soil Sur. Adv. Sh., 1919, pp. 12, 14, 28, 30, 45, 50, 57. 1922; Soils F.O., 1919, pp. 770, 772, 786, 789, 803, 808, 815. 1925.
      Newberry County. Soil Sur. Adv. Sh., 1918, pp. 10–13, 19–42. 1921; Soils F.O., 1918, pp. 382–385, 391–414. 1924.
      Spartanburg County. Soil Sur. Adv. Sh., 1921, p. 415. 1924.
    in South Dakota—
      acreage, production, and yield. D.C. 60, pp. 5–6, 10, 11. 1919.
      Beadle County. Soil Sur. Adv. Sh., 1920, pp. 1479, 1480. 1924; Soils F.O., 1920, pp. 1479, 1480. 1925.
      experiments. D.B. 39, pp. 7-19. 1914; D.B. 297, pp. 14–29. 1915.
      McCook County. Soil Sur. Adv. Sh., 1921, pp. 455, 462–470. 1924.
      Union County. Soil Sur. Adv. Sh., 1921, pp. 478–479, 488–505. 1924.

Wheat(s)—Continued.
  growing—continued.
    in South Dakota—Continued.
      western part and crops of 1904 and 1909. Soil Sur. Adv. Sh., 1909, p. 68. 1911; Soils F.O., 1909, p. 1464. 1912.
    in Southeastern States. Clyde E. Leighty. F.B. 885, pp. 14. 1917.
    in Tennessee—
      Jackson County. Soil Sur. Adv. Sh., 1913, pp. 8–9, 15, 18. 1915; Soils F.O., 1913, pp. 1272–1273, 1279, 1283. 1916.
      Meigs County. Soil Sur. Adv. Sh., 1919, pp. 11, 17–29. 1921; Soils F.O., 1919, pp. 1259, 1265–1276. 1925.
      Sumner County. Soil Sur. Adv. Sh., 1909, pp. 17, 24, 25. 1910; Soils F.O., 1909, pp. 1161, 1168, 1169. 1912.
    in Texas—
      Archer County, methods and yields. Soil Sur. Adv Sh., 1912, pp. 10, 13, 25–48. 1914; Soils F.O., 1912, pp. 1012, 1015, 1027–1050. 1915.
      Bell County. Soil Sur. Adv. Sh., 1916, pp. 10, 11, 13, 21–43. 1918; Soils F.O., 1916, pp. 1244, 1245, 1255–1277. 1921.
      Dallas County. Soil Sur. Adv. Sh., 1920, pp. 1218–1219, 1228–1247. 1924; Soils F.O., 1920, pp. 1218–1219, 1228–1247. 1925.
      Denton County. Soil Sur. Adv. Sh., 1918, pp. 7–9, 12–14, 27–37, 44, 51, 58. 1922; Soils F.O., 1918, pp. 779–781, 784–786, 798–808, 816, 823, 830. 1924.
      Eastland County. Soil Sur. Adv. Sh., 1916, pp. 12, 20–35. 1917; Soils F.O., 1916, pp. 1288, 1296–1311. 1921.
      Erath County. Soil Sur. Adv. Sh., 1920, pp. 375–377, 398, 400, 404. 1923; Soils F.O., 1920, pp. 375–377, 398, 400, 404. 1925.
      Lubbock County. Soil Sur. Adv. Sh., 1917, pp. 11, 22, 25. 1920; Soils F.O., 1917, pp. 971, 982, 985. 1923.
      northwest part. Soil Sur. Adv. Sh., 1919, pp. 13–41, 45, 53–74. 1922; Soils F.O., 1919, pp. 1111–1117, 1130, 1135–1139, 1143, 1151–1172. 1925.
      Panhandle, methods and yields. Soil Sur. Adv. Sh., 1910, pp. 39, 52–53. 1911. Soils F.O., 1910, pp. 995, 1008–1009. 1912.
      Panhandle, yields, varieties, seeding dates, and rates. F.B. 738, pp. 10–12. 1916.
      Red River County. Soil Sur. Adv. Sh., 1919, pp. 160, 179, 182, 186, 194. 1923; Soils F.O., 1919, pp. 160, 179, 182, 186, 194. 1925.
      San Saba County, decrease. Soil Sur. Adv. Sh., 1916, p. 13. 1917; Soils F.O., 1916, p. 1322. 1921.
      Tarrant County. Soil Sur. Adv. Sh., 1920, pp. 865, 866, 877–899. 1924; Soils F.O., 1920, pp. 865, 866, 877–899. 1925.
      Taylor County. Soil Sur. Adv. Sh., 1915, pp. 11, 13, 21. 1918; Soils F.O., 1915, pp. 1133, 1135, 1143. 1919.
    in United States, trend of production, and rotations. Y.B., 1921, pp. 85–110. 1922; Y.B. Sep. 873, pp. 85–110. 1922.
    in Utah—
      Cache Valley, varieties and yields. Soil Sur. Adv. Sh., 1913, pp. 11–12, 34, 58. 1915; Soils F.O., 1913, pp. 2105–2106, 2128, 2152. 1916.
      dry lands, details. F.B. 883, pp. 14–18. 1917.
    in various States, acreage and relative importance. F.B. 1289, pp. 3, 4, 5, 13, 19, 20, 23, 24, 25. 1923.
    in Virginia—
      Culpeper County, demonstration work. Y.B., 1915, p. 244. 1916; Y.B. Sep. 672, p. 244. 1916.
      Fairfax and Alexandria Counties, acreage and yields. Soil Sur. Adv. Sh., 1915, pp. 10, 11, 19–38. 1917; Soils F.O., 1915, pp. 304, 305, 313, 315, 318, 324, 326. 1919.
      Frederick County, acreage, methods, and yields. Soil Sur. Adv. Sh., 1914, pp. 12, 27, 29, 30, 34, 36, 37, 39, 42, 43, 46. 1916; Soils F.O. 1914, pp. 436, 451–470. 1919.
      Pittsylvania County. Soil Sur. Adv. Sh., 1918, pp. 8, 10–13, 20–30, 34–41. 1922; Soils F.O., 1918, pp. 128–129, 135–161. 1924.

Wheat(s)—Continued.
growing—continued.
 in Washington—
  Benton County. Soil Sur. Adv. Sh., 1916, pp. 12, 15, 17, 27–46, 71. 1919; Soils F.O., 1916, pp. 2210, 2213–2215, 2225–2244, 2269, 1921.
  eastern Puget Sound Basin. Soils F.O., 1906. pp. 1537, 1572, 1584, 1586. 1912; Soil Sur. Adv. Sh., 1909, pp. 25, 60, 72, 74. 1911.
  Franklin County, acreage, methods, and yields. Soil Sur. Adv. Sh., 1914, pp. 26–29, 47, 50, 66, 69, 99. 1917; Soils F.O., 1914, pp. 2546–2548, 2552–2555, 2573, 2576, 2592. 1919.
  Quincy area and yields. Soil Sur. Adv. Sh., 1911, pp. 17, 19, 27, 31, 33, 35. 1913; Soils F.O., 1911, pp. 2239, 2241, 2249, 2253, 2255, 2257. 1914.
  Spokane County. Soil Sur. Adv. Sh., 1917, pp. 20, 22, 27, 39–94. 1921; Soils F.O., 1917, pp. 2170, 2171, 2172, 2177, 2189–2244. 1923.
  Stevens County, soils and yields. Soil Sur. Adv. Sh., 1913, p. 29. 1915; Soils F.O., 1913, p. 2187. 1916.
  Wenatchee area. Soil Sur. Adv. Sh., 1918, pp. 14–24, 44–60. 1922; Soils F.O., 1918, pp. 1550–1560, 1580–1596. 1924.
  western Puget Sound Basin. Soil Sur. Adv. Sh., 1910, pp. 69, 71, 79, 91, 104. 1912; Soils F.O., 1910, pp. 1553, 1555, 1563, 1575, 1588. 1912.
 in West Virginia—
  Barbour and Upshur Counties. Soil Sur. Adv. Sh., 1917, pp. 10, 12, 27–44. 1919; Soils F.O., 1917, pp. 999, 1000, 1015–1032. 1923.
  Braxton and Clay Counties. Soil Sur. Adv. Sh., 1918, pp. 10–12, 23–36. 1920; Soils F.O., 1918, pp. 890–892, 903–914. 1924.
  Fayette County, decrease. Soil Sur. Adv. Sh., 1919, p. 11. 1921; Soils F.O., 1919, p. 1181. 1925.
  Huntington area and yields. Soil Sur. Adv. Sh., 1911, pp. 12, 14, 22, 27, 29, 35. 1912; Soils F.O., 1911, pp. 1294, 1296, 1304, 1309, 1311, 1317. 1914.
  Jefferson, Berkeley, and Morgan Counties. Soil Sur. Adv. Sh., 1916, pp. 14, 15. 1918; Soils F.O., 1916, pp. 1489, 1492, 1505–1546. 1921.
  Kanawha County. Soil Sur. Adv. Sh., 1912, pp. 9, 15, 17, 19, 20, 28. 1914; Soils F.O., 1912, pp. 1183, 1189, 1191, 1193, 1194, 1202. 1915.
  Lewis and Gilmer Counties, acreage and yield. Soil Sur. Adv. Sh., 1915, pp. 11, 22, 24, 27, 28. 1917; Soils F.O., 1915, pp. 1243, 1254, 1266, 1269, 1270. 1919.
  McDowell and Wyoming Counties. Soil Sur. Adv. Sh., 1914, pp. 19–29. 1916; Soils F.O., 1914, pp. 1441–1451. 1919.
  Preston County. Soil Sur. Adv. Sh., 1912. pp. 13, 15, 24, 32, 34, 36. 1914; Soils F.O., 1912, pp. 1213, 1215, 1224, 1232, 1234, 1236. 1915.
  Spencer area. Soil Sur. Adv. Sh., 1909, pp. 11, 18, 19, 21, 23, 26, 30. 1910; Soils F.O., 1909, pp. 1181, 1188, 1189, 1191, 1193, 1196, 1200. 1912.
 in western North and South Dakota, details. F.B. 878, pp. 10–15. 1917.
 in Wisconsin—
  Buffalo County, yields and decline. Soil Sur. Adv. Sh., 1913, pp. 10, 12, 20, 24, 30, 35. 1915; Soils F.O., 1913, pp. 1446, 1448, 1456, 1460, 1466, 1471. 1916.
  Dane County, acreage and yields. Soil Sur. Adv. Sh., 1913, pp. 12, 13, 32, 36, 38, 56, 60, 63. 1915; Soils F.O., 1913, pp. 1494, 1495, 1514, 1518, 1520, 1538, 1542, 1545. 1916.
  Door County. Soil Sur. Adv. Sh., 1919, pp. 9–10, 22, 33. 1918; Soils F.O., 1916, pp. 1743, 1756, 1767. 1921.
  Fond du Lac County, yields. Soil Sur. Adv. Sh., 1911, pp. 11, 18–36. 1913; Soils F.O., 1911, pp. 1429, 1436–1454. 1914.
  Iowa County, decline of industry. Soil Sur. Adv. Sh., 1910, pp. 8, 9, 17. 1912; Soils F.O., 1910, pp. 1150, 1151, 1159. 1912.

Wheat(s)—Continued.
growing—continued.
 in Wisconsin—Continued.
  Jackson County. Soil Sur. Adv. Sh., 1918, pp. 8, 9, 12, 17, 18, 27. 1922; Soils F.O., 1918, pp. 944, 945, 948, 953, 954, 963. 1924.
  Jefferson County. Soil Sur. Adv. Sh., 1912, pp. 10, 13, 30. 1914; Soils F.O., 1912, pp. 1560, 1563, 1580. 1915.
  Juneau County, yield. Soils F.O., 1911, pp. 1468, 1470, 1480–1498. 1914; Soil Sur. Adv. Sh., 1911, pp. 10, 12, 22–40. 1913.
  Kewaunee County, yields. Soil Sur. Adv. Sh., 1911, pp. 12, 20–42. 1913; Soils F.O., 1911, pp. 1520, 1528–1550. 1914.
  La Crosse County, yields. Soil Sur. Adv. Sh., 1911, pp. 11, 18, 24. 1913; Soils F.O., 1911, pp. 1567, 1574, 1580. 1914.
  north part of north-central. Soil Sur. Adv. Sh., 1914, pp. 20, 21. 1916; Soils F.O., 1914, pp. 1670, 1671. 1919.
  northeastern part, acreage and yields. Soil Sur. Adv. Sh., 1913, pp. 20, 22, 57, 74, 80, 90. 1915; Soils F.O., 1913, pp. 1576, 1578, 1613, 1630, 1636, 1646. 1916.
  Portage County. Soil Sur. Ady. Sh., 1915, pp. 10, 11. 1917; Soils F.O., 1915, pp. 1493, 1495. 1919.
  Rock County. Soil Sur. Adv. Sh., 1917, pp. 9, 10, 26–33. 1920; Soils F.O., 1917, pp. 1187, 1188, 1204–1211. 1923.
  Walworth County. Soil Sur. Adv. Sh., 1920, pp. 1385–1387, 1401–1423. 1924; Soils F.O., 1920, pp. 1385–1387, 1401–1423. 1925.
 in world, acreage, maps, and discussion, by countries. Sec. [Misc.], Spec. "Geography * * * world's agriculture," pp. 13–26. 1917.
 in Wyoming—
  dry-farming experiments. D.B. 1315, pp. 5–8. 1925.
  experiments. D.B. 1306, pp. 6–17, 20–22, 29–30. 1925.
  Nebraska, Fort Laramie area. Soil Sur. Adv. Sh., 1917, pp. 11, 12, 31, 37, 42, 46. 1931; Soils F.O., 1917, pp. 2047, 2048, 2067, 2073, 2078, 2082. 1923.
 increase, fall planting, and disease control. Y.B., 1917, pp. 38–41, 74–75. 1918.
 labor—
  and implements. D.B. 1292, pp. 5, 7. 1925.
  and materials, requirements in various States. D.B. 1000, pp. 29–33. 1921.
  and practices in central Kansas. D.B. 1296, pp. 12–26. 1925.
  distribution, one-man acreage, summer fallow system. News L., vol. 1, No. 14, pp. 1–2. 1913.
 methods—
  and yield, Fargo clay loam. Soils Cir. 36, pp. 9–11. 1911.
  improvement and results. B.P.I. Bul. 178, pp. 10–24. 1910.
 moisture requirements, experiments. J.A.R., vol. 18, pp. 361–377. 1920.
 on—
  alkali land, Montana, experiments, and yields. D.B. 135, pp. 2, 3, 9, 10, 14, 18. 1914.
  alkali land, Nevada, experiments. D.C. 136, pp. 16–17, 21. 1920.
  Arlington farm, varieties and yields. D.B. 1309, pp. 3–5, 8–15, 26. 1925.
  Clyde soils, yields. D.B. 141, pp. 31, 33, 36, 41, 46. 1914.
  disked corn stubble, Great Plains area. B.P.I. Bul. 187, p. 59. 1910.
  manganiferous soils. Hawaii Bul. 26, pp. 24, 26, 34. 1912.
  Miami soils, yields. D.B. 142, pp. 24, 29, 38, 39, 47. 1914.
  Montana dry lands, varieties, and methods. F.B. 749, pp. 10–15. 1916.
  rice land. F.B. 1240, p. 5. 1924.
  Sassafras soils, yields. D.B. 159, pp. 19, 25, 27, 29, 33, 35, 41. 1915.
 operations, typical report of farmer. Y.B., 1919, pp. 125–126. 1920; Y.B. Sep. 804, pp. 125–126. 1920.
 organization for profit. Y.B., 1921, pp. 104–106. 1922; Y.B. Sep. 873, pp. 104–106. 1922.

Wheat(s)—Continued.
  growing—continued.
    precautions against Hessian-fly infestation. F.B. 1083, pp. 13-16. 1920.
    principal insect enemies. C. L. Marlatt. F.B. 132, pp. 40. 1901.
    rate of seeding tests, Stoner and other varieties. D.B. 357, pp. 22-24. 1916.
    regions of principal production. Y.B., 1921, pp. 88-96. 1922; Y.B. Sep. 873, pp. 88-96. 1922.
    relation of input to output, analyses. D.B. 1277, pp. 12-16, 23-24. 1924.
    rotation for control of nematode disease. D.B. 842, pp. 34-35. 1920.
    slag fertilizer tests with different soils. D.B. 143, pp. 9-12. 1914.
    successful, in semiarid districts of United States. Mark Alfred Carleton. Y.B., 1900, pp. 529-542. 1901; Y.B. Sep. 195, pp. 529-542. 1901.
    to secure premium grade, precautions. Y.B., 1918, p. 335. 1919; Y.B. Sep. 766, p. 3. 1919.
    transition zones. F.B. 616, p. 3. 1914.
    under irrigation, southern Idaho. F.B. 1103, pp. 19-21. 1920.
    water requirements, experiments. D.B. 877, pp. 17-18. 1920.
    with—
      crimson clover as mixture for hay. F.B. 1142, p. 19. 1920.
      crimson clover, value of crop. F.B. 550, pp. 14-15. 1913.
      flax, advantages. D.C. 341, pp. 4-7, 10-11, 12-13. 1925.
  growth—
    acidity changes, studies. J.A.R., vol. 27, pp. 726-731. 1924.
    and water requirements—
      experiments. D.B. 700, pp. 9-14, 71-72. 1918.
      on typical range soils. D.B. 791, p. 50. 1919.
    effect of—
      alkali salts in soil, experiments. J.A.R., vol. 24, pp. 319-335. 1923.
      barium and strontium compounds. J.A.R., vol. 16, pp. 187-191. 1919.
      manures treated with borax and colemanite. J.A.R., vol. 13, pp. 455-456. 1918.
      mineral phosphates, analyses. J.A.R., vol. 6, No. 13, pp. 492, 495. 1916.
      street sweepings, comparison with manure. Soils Cir. 66, pp. 4-5, 7, 8. 1912.
    habit, inheritance mode. J.A.R., vol. 24, pp. 461-463. 1923.
    results from potassium salts, experiments, J.A.R., vol. 15, pp. 487-492. 1918.
    temperatures, minimum, optimum, and maximum. J.A.R., vol. 13, p. 133. 1918.
  hairs in flour, microscopical examination, significance. George L. Keenan. D.B. 1130, pp. 8. 1923.
  handling from field to mill. Leslie A. Fitz. B.P.I. Cir. 68, pp. 12. 1910.
  hard—
    adaptation to dry regions. Y.B., 1914, pp. 392, 396-397, 407. 1915; Y.B. Sep. 649, pp. 392, 396-397, 407. 1915.
    distribution in Russia. Y.B., 1914, p. 400. 1915; Y.B. Sep. 649, p. 400. 1915.
    origin, introduction, varieties, and successful growing. Y.B., 1914, pp. 391-420. 1915; Y.B. Sep. 649, pp. 391-420. 1915.
    soft, and blended, flours, examination. D.B. 839, pp. 17-18, 21-26, 27-28. 1920.
    spring—
      area, wild oat in, controlling or eradicating, methods. H. R. Cates. F.B. 833, pp. 16. 1917.
      growing. Carleton R. Ball and J. Allen Clark. F.B. 678, pp. 16. 1915.
      winning their way. Mark Alfred Carleton. Y.B., 1914, pp. 391-420. 1915; Y.B. Sep. 649, pp. 391-420. 1915.
    See also *Triticum durum*; Wheat, spring; Wheat, winter.
  harvest—
    1918, handling in Kansas. Edward C. Johnson. Sec. Cir. 121, pp. 7. 1918.
    dependence on climatic conditions. D.B. 1020, pp. 11-12. 1922.

Wheat(s)—Continued.
  harvest—continued.
    in Kansas, 1918, handling. Edward C. Johnson. Sec. Cir. 121, pp. 7. 1918.
    labor, amounts used in Oklahoma, Kansas, and Nebraska. D.B. 1230, pp. 5-14. 1924.
    laborers from outside States for Kansas. News L., vol. 5, No. 45, p. 2. 1918.
    world, progress, June, 1914. F.B. 604, p. 10. 1914.
  Harvest Queen, inoculation with mosaic, experiments. D.B. 1361, pp. 7-8. 1925.
  harvesting—
    and seeding times. D.B. 1094, p. 30. 1922.
    and storing. S.R.S. Syl. 11, rev., pp. 15-16. 1918.
    by combined header and thresher, methods in West. News L., vol. 2, No. 51, p. 1. 1915.
    by different methods, cost. Arnold P. Yerkes and L. M. Church. D.B. 627, pp. 22. 1918.
    cost by different methods. Arnold P. Yerkes and L. M. Church. D.B. 627, pp. 22. 1918.
    cutting, shocking, and stacking, time and methods. F.B. 596, pp. 10-12. 1914; F.B. 885, pp. 13-14. 1917.
    delay, cause of moth infestation. F.B. 1156, pp. 14-15. 1920.
    directions. F.B. 678, pp. 14-16. 1915.
    effect on grain. Y.B., 1906, pp. 208-210. 1907; Y.B. Sep. 417, pp. 208-210. 1907.
    methods—
      and implements, development. D.B. 627, pp. 1-3. 1918.
      effect on quality. B.P.I. Cir. 68, pp. 3-5. 1910; Y.B., 1919, pp. 143-146. 1920; Y.B Sep. 804, pp. 143-146. 1920.
    school instruction. News L., vol. 6, No. 44, pp. 6, 12. 1919.
    value of twilight labor crews in Kansas. News L., vol. 6, No. 9, p. 16. 1918.
  hauling by wagon or truck—
    1918, loads, mileage, and cost. Y.B., 1918, p. 712. 1919; Y.B. Sep. 795, p. 48. 1919.
    1919, cost. Y.B., 1919, p. 746. 1920; Y.B. Sep. 830, p. 746. 1920.
    1921, cost per ton per mile. Y.B., 1921, p. 791. 1922; Y.B. Sep. 871, p. 22. 1922.
    from farm to shipping points, costs. Stat. Bul. 49, pp. 32-33, 42. 1907.
  hay—
    grades and quality. Rpt. 98, p. 100. 1913.
    prices at San Francisco, monthly. S.B. 11, p. 84. 1925.
    production on Medford area, Oregon, yield per acre. Soil Sur. Adv. Sh., 1911, pp. 12-13. 1913; Soils F.O., 1911, pp. 2294-2295. 1914.
  Haynes—
    Bluestem, description. F.B. 1281, pp. 17-18. 1922.
    characteristics. D.B. 878, p. 5. 1920.
    comparison with Marquis and Glyndon. F.B. 732, pp. 3, 4. 1916.
    yield, and milling and baking quality, comparison with Ghirka wheat, 1908-1914. D.B. 450, pp. 1-12, 18. 1916.
  headers, advantages, disadvantages and costs. D.B. 627, pp. 15-18. 1918.
  heritable properties, relation to their capacity to increase protein content of grain. W. F. Gericke. J.A.R., vol. 31, pp. 67-70. 1925.
  Hessian-fly infestation, investigations by Entomology Bureau. News L., vol. 1, No. 48, pp. 3-4. 1914.
  hog pasture, value. D.B. 68, pp. 7, 14, 17-18, 23-24. 1914.
  holdings—
    June 1, 1918. News L., vol. 5, No. 51, p. 11. 1918.
    October 1, 1918, comparison with 1917. News L., vol. 6, No. 14, p. 2. 1918.
  home-ground, use as cereal, bread recipes. Food Thrift Ser., 2, p. 3. 1917; News L., vol. 4, No. 25, pp. 2-3. 1917.
  hot-water treatment, modified, effect on germination, growth and yield. V. F. Tapke. J.A.R., vol. 28, pp. 79-98. 1924.
  humidity and moisture content, influence on flour. J. H. Shollenberger. D.B. 1013, pp. 12. 1921.

Wheat(s)—Continued.
  Humpback—
    characteristics. D.B. 878, pp. 7-8. 1920; F.B. 680, p. 17. 1915; F.B. 1281, p. 28. 1922.
    origin, characteristics, and quality. Levi M. Thomas. D.B. 478, pp. 4. 1916.
  Huron—
    characteristics. D.B. 878, p. 7. 1920.
    description. F.B. 680, p. 17. 1915.
  Huston, description. F.B. 1281, p. 16. 1922.
  hybrid(s)—
    bunt resistance. D.B. 1299, p. 24. 1925; J.A.R., vol. 23, pp. 463-476. 1923.
    club and common, description. F.B. 1303, pp. 8-11. 1923.
    experimental growing, Maryland and Virginia. D.B. 336, pp. 17-18. 1916.
    Marquis, origin and yields, description. F.B. 732, pp. 1-8. 1916.
    study, genetic and cytological. Karl Sax and E. F. Gaines. J.A.R., vol. 28, pp. 1017-1032. 1924.
    susceptibility to rusts. J.A.R., vol. 14, pp. 112, 117-121. 1918.
    water requirements, studies. J.A.R., vol. 4, pp. 399-400, 401. 1915.
  hydrogen-ion concentration and resistance to stemrust and other diseases. Annie May Hurd. J.A.R., vol. 23, pp. 373-386. 1923.
  importance—
    and value of high grades, comparisons. News L., vol. 5, No. 12, p. 6. 1917.
    of crop in Idaho, varieties, seeding time, rate, and method. F.B. 769, pp. 16-21. 1916.
  importations—
    and description. Nos. 31780-31891, B.P.I. Bul. 248, pp. 7, 47-48. 1912; Nos. 32405, 32765-32766, B.P.I. Bul. 282, pp. 16, 45-46. 1913; No. 34126, B.P.I. Inv. 32, p. 13. 1914; Nos. 38343-38353, 38528-39529, 38534, 38535, 38618-38621, B.P.I. Inv. 39, pp. 6, 120, 143, 144, 153. 1917; Nos. 40938-40969, 41009-41029, 41032-41051, 41064-41087, B.P.I. Inv. 44, pp. 17-22, 31, 33, 36. 1918; Nos. 41342-41356, 41402, 41510-41516, B.P.I. Inv. 45, pp. 7, 19, 24, 42. 1918; Nos. 41991-42016, 42102-42136, 42205-42209, B.P.I. Inv. 46, pp. 5, 42-43, 57-58, 68. 1919; Nos. 42391-42426, 42568-42571, 42905-42966, B.P.I. Inv. 47, pp. 5, 10, 29, 81. 1922; Nos. 43244-43252, 43319-43327, 43340-43373, B.P.I. Inv. 48, pp. 33, 44, 46. 1921; Nos. 44943-44953, 45142-45151, B.P.I. Inv. 52, pp. 10, 39. 1922; Nos. 45221-45225, 45233-45234, 45323-45325, 45368-45447, 45566-45567, B.P.I. Inv. 53, pp. 13, 14, 26, 34-36, 38. 1922; Nos. 46038-46046, B.P.I. Inv. 55, p. 16. 1922; Nos. 46590-46594, 46766, 46767, 46794-46799, 46812-46817, B.P.I. Inv. 57, pp. 6, 11, 30, 36, 38. 1922; Nos. 47379-47395, 47543-47547, B. P. I. Inv. 59, pp. 14, 29. 1922; Nos. 47882-47894, 47941, 47934-47936, 48097-48101, 48147-48149, 48193-48213, B. P. I. Inv. 60, pp. 11, 17, 24, 42-43, 48, 55. 1922; Nos. 48590-48594, 48646, 48651, 48788, 48789, B.P.I. Inv. 61, pp. 26, 31, 47. 1922; Nos. 49300, 49304, B.P.I. Inv. 63, pp. 6, 7. 1923; Nos. 51418, 51683-51695, 52227, B.P.I. Inv. 65, pp. 15, 36, 80. 1923; Nos. 52318-52329, 52493-52503, 52523, 52529, 52553-52565, 52737, 52738, 52830, 52842-52844, B.P.I. Inv. 66, pp. 9, 34, 39, 69, 82, 83. 1923; Nos. 52956-53005, 53077, 53079, 53113, 53544, 53548, 53590, 53865, B.P.I. Inv. 67, pp. 19-20, 25, 26, 28, 59. 60, 66, 93. 1923; Nos. 53915-53916, 53979, 54029-54031, B.P.I. Inv. 68, pp. 8, 14, 19. 1923; Nos. 54745-54747, 54909, B.P.I. Inv. 70, pp. 15, 27. 1923; Nos. 55842-55870, 55882-55884, 56032-56057, B.P.I. Inv. 73, pp. 3, 10-11, 12, 32. 1924.
    by Bureau of Plant Industry. B.P.I. Bul. 223, pp. 15-16, 30. 1911.
  imports—
    1900. Y.B. 1900, p. 842. 1901.
    1901-1924. Y.B. 1924, pp. 1062, 1075, 1076. 1925.
    1907-1909, quantity and value, by countries from which consigned. Stat. Bul. 82, p. 43. 1910.
    and ocean rates, Great Britian. Y.B., 1906, p. 384. 1907; Y.B. Sep. 430, p. 384. 1907.

Wheat(s)—Continued.
  imports—continued.
    entry regulations under Plant Quarantine No. 37, and forms. F.H.B.S.R.A. 64, pp. 78-81. 1919.
    for world countries, 1909-1921. Y.B., 1921, p. 538. 1922; Y.B. Sep. 868, p. 32. 1922.
    graphic showing. Y.B., 1921, pp. 156, 157. 1922; Y.B. Sep. 873, pp. 156, 157. 1922.
    into Great Britain, France and Germany, 1907-1911. Stat. Cir. 37, pp. 8, 10, 13. 1912.
    into Netherlands by countries of origin, 1907-1911. Stat. Cir. 41, p. 14. 1912.
    statistics, 1921. Y.B., 1921, pp. 740, 753, 754. 1922; Y.B. Sep. 867, pp. 4, 17, 18. 1922.
  improved situation. Sec. A.R., 1924, pp. 6-8, 75-77. 1924.
  improvement—
    investigations. An. Rpts., 1904, pp. 87-89. 1904.
    necessity, value and progress. F.B. 1168, pp. 16-17. 1921; Y.B., 1902, pp. 221-225. 1903.
    of quality. T. L. Lyon. B.P.I. Bul. 78, pp. 13-14. 1905.
  impurities—
    distinctions. D.B. 734, p. 7. 1918.
    effect on quality and price. News L., vol. 3, No. 23, pp. 2-3. 1916.
  in—
    Alaska—
      description, history, exploitation, and tests. D.B. 357, pp. 2-14. 1916.
      growing at Fairbanks station. Alaska A.R., 1910, pp. 36-37, 54-55, 56. 1911.
      varieties. Alaska A.R., 1907, pp. 17, 27, 30, 44, 54. 1908.
      yields and milling tests. D.B. 357, pp. 9-14. 1916.
    Argentina, statistics, 1890-1912. Stat. Cir. 30, pp. 4-8, 11. 1912.
    arid and humid regions, comparison. Y.B., 1906, p. 202. 1907; Y.B. Sep. 417, p. 202. 1907.
    Canada, situation. Off. Rec. vol. 3, No. 26, p. 3. 1924.
    Columbia Basin, varieties grown. F.B. 294, pp. 22-23. 1907.
    Europe—
      decrease of acreage. Off. Rec., vol. 1, No. 29, p. 3. 1922.
      situation in 1919. Sec. [Misc.], "Report of agricultural * * *," pp. 11, 13, 21-24, 26, 35-64, 67, 70-72, 80. 1919.
    foreign countries—
      acreage and conditions, July, 1911. Stat. Cir. 21, pp. 4, 5, 9, 10, 11, 12, 13, 14. 1911.
      acreage and condition, August, 1911. Stat. Cir. 23, pp. 5, 7, 8, 9, 10, 11, 12, 13, 14. 1911.
      yield and production, 1899-1921. Y.B., 1922, pp. 584-587. 1923. Y.B. Sep. 881, pp. 584-587. 1923.
    France, government price and subsidy. Y.B., 1919, p. 190. 1920; Y.B. Sep. 807, p. 190. 1920.
    Great Plains area, yield per acre, and water use, by stations, tables. D.B. 1139, pp. 9-13. 1923.
    Hawaii, insects injurious. Hawaii A.R., 1910, pp. 22, 23. 1911.
    Hessian-fly area, and sowing dates. News L., vol. 2, No. 52, p. 7. 1915.
    Italy, crop increase. Off. Rec., vol. 4, No. 27. p. 6. 1925.
    Pacific Northwest, grade comparisons. News L. vol. 7, No. 10, p. 8. 1919.
    Palestine—
      drought-resistant. An. Rpts., 1910, p. 77. 1911; Sec. A.R., 1910, p. 77. 1910; Y.B., 1910, p. 77. 1911.
      varieties suited to different localities. B.P.I. Bul. 180, pp. 32-33. 1910.
    Russia, yield per acre, tables. Stat. Bul. 42, pp. 27-31, 47-51. 1906.
    world, visible supply, table. D.B. 1351, p. 38. 1925.
    Wyoming, acreage, and value. O.E.S. Bul. 205, p. 23. 1909.
  increase in Argentina, 1891-1919. News L., vol. 6, No. 40, p. 8. 1919.

Wheat(s)—Continued.
Indian—
bunt resistance. D.B. 1299, p. 22. 1925.
variety, introduction. B.P.I. Bul. 176, p. 25. 1910.
See also Buckwheat, Tartary.
infection by—
flag smut, studies. J.A.R., vol. 27, pp. 435-447, 470-479. 1924.
Puccinia graminis tritici. Ruth F. Allen. J.A.R., vol. 23, pp. 131-152. 1923.
rust, sizes of urediniospores. J.A.R., vol. 16, pp. 52-55. 1919.
stripe rust, studies. J.A.R., vol. 24, pp. 612-614, 619. 1923.
infestation by—
Angoumois grain moth, and losses. F.B. 1156, pp. 7, 8, 10, 13-15. 1920.
Hessian fly, area. Y.B., 1921, p. 109. 1922; Y.B. Sep. 873, p. 109. 1922.
rice moth. D.B. 783, p. 10. 1919.
influence of rye on price. Edward T. Peters. Y.B., 1900, pp. 167-182. 1901; Y.B. Sep. 209, pp. 16. 1901.
injury by—
billbugs. F.B. 1003, pp. 6-7, 18. 1919.
chinch bug. Ent. Bul. 69, pp. 33-36. 1907.
eelworms, distribution and control studies and work. News L., vol. 6, No. 12, pp. 1, 7. 1918.
European fruit fly. J.A.R., vol. 18, pp. 452, 453, 465, 469. 1920.
false wireworms. J.A.R., vol. 26, pp. 551-552. 1923.
Helminthosporium spp. J.A.R., vol. 24, pp. 642, 694-700, 704. 1923.
Hessian fly. F.B. 640, pp. 9-10. 1915; F.B. 1083, pp. 4-7. 1920; D.B. 1103, pp. 9-11. 1922.
jointworms, and control. D.B. 808, pp. 2-5, 23-25. 1920; D.B. 1006, pp. 5-8. 1918; Ent. Bul. 42, pp. 24, 25. 1903.
leaf hoppers. Ent. Bul. 108, pp. 15, 42-46, 54, 57, 73-76, 78, 98, 99. 1912.
nematode disease. J.A.R., vol. 27, pp. 928-932. 1924.
oat aphid. D.B. 112, pp. 7-9. 1914.
sheath miner, *Cerodonta femoralis.* J.A.R., vol. 9, pp. 20-21. 1917.
spring grain aphid. Ent. Bul. 110, pp. 14, 21-40, 139. 1912.
strawworm and control. D.B. 808, pp. 5-8, 23-25. 1920; Ent. Cir. 106, pp. 1, 4, 12-14. 1909.
vanillin, tests in pots. D.B. 164, pp. 2, 3-4, 8. 1915.
western grass-stem sawfly. Ent. Cir. 117, pp. 1-6. 1910.
wireworms, control studies. News L., vol. 3, No. 41, pp. 1-2. 1916.
inoculation with—
cereal fungi, experiments. J.A.R., vol. 1, pp. 476-481. 1914.
Puccinia graminis, experiments. D.B. 1046, pp. 4-24. 1922; J.A.R., vol. 4, pp. 194-198. 1915.
stem rust, experiments and results. J.A.R., vol. 19, pp. 261-262. 1920.
timothy rust, experiments. J.A.R., vol. 5, No. 5, pp. 211-215. 1915.
insects—
attacking growing stems. Ent. Bul. 42, pp. 7-62. 1903.
control by parasites. Y.B., 1907, pp. 239-246, 250, 252-256. 1908; Y.B. Sep. 447, pp. 239-246, 250, 252-256. 1908.
injurious, 1921. Y.B., 1921, pp. 108-109. 1922; Y.B. Sep. 873, pp. 108-109. 1922.
inspection—
details. Y.B., 1921, pp. 129-130. 1922; Y.B. Sep. 873, pp. 129-130. 1922.
under new standards, results. Y.B., 1917, pp. 55, 99. 1918.
international trade—
1917, changes caused by war. Y.B. 1917, pp. 475-478. 1918; Y.B. Sep. 752, pp. 17-20. 1918.
1921. Y.B., 1921, pp. 155, 156, 157, 538. 1922; Y.B. Sep. 873, pp. 155, 156, 157. 1922; Y.B. Sep. 868, p. 32. 1922.

Wheat(s)—Continued.
invoicing law, violations. Mkts.S.R.A. 40, p. 2. 1918.
irrigated—
Belle Fourche farm. D.B. 1039, pp. 51-52, 71, 72. 1922.
land cost per acre in Colorado. O.E.S. Bul. 218, p. 41. 1910.
rotations, yields, and varieties. W.I.A. Cir. 2, pp. 6, 7, 18, 22, 23. 1915.
irrigation—
experiments. D.B. 10, pp. 18-19. 1913; O.E.S. Cir. 95, pp. 5, 6, 7. 1910; O.E.S. Cir. 108, pp. 17-18. 1911.
in Colorado, 1916, 1917. D.B. 1026, pp. 63-64, 84. 1922.
varietal studies, Marquis and others. D.B. 400, pp. 34-38. 1916.
with pumped water, cost and yield per acre. O.E.S. Bul. 158, pp. 311-313. 1905.
Java, description. F.B. 1281, pp. 21-22. 1922.
jointworm—
and its control. W. J. Phillips. F.B. 1006, pp. 14. 1918.
description, life history, and control. F.B. 1006, pp. 1-14. 1918.
injury and preventive measures. Ent. Cir. 66, pp. 45. 1905.
parasite introduced for control. Y.B., 1907, p. 255. 1908; Y.B. Sep. 447, p. 255. 1908.
present distribution, map of locality. F.B. 1006, p. 4. 1918.
juice, acidity, relation to disease resistance. J.A.R., vol. 23, pp. 375-383. 1923.
Kahla characteristics. D.B. 878, p. 10. 1920; F.B. 680, p. 20. 1915.
Kanred—
J. Allen Clark and S. C. Salmon. D.C. 194, pp. 13. 1921.
Argentina seeding. Off. Rec., vol. 4, No. 19, p. 3. 1925.
characters, crossing with Marquis, results. J.A.R., vol. 24, pp. 457, 458, 459-467. 1923.
description. F.B. 1280, pp. 7-8. 1922.
milling and baking value, comparisons. D.C. 194, pp. 11-13. 1921.
resistance to black stem rust. Y.B., 1918, p. 87. 1919; Y.B. Sep. 796, p. 15. 1919.
rust resistance and agronomic value. D.B. 1046, pp. 24-27. 1922; J.A.R., vol. 23, pp. 139-145, 146. 1923; Y.B., 1917, p. 493. 1918; Y.B. Sep. 755, p. 493. 1918.
yields, comparison with other wheats. D.C. 194, pp. 7-9, 11. 1921.
kernel(s)—
analyses with reference to specific gravity. B.P.I. Bul. 78, pp. 49, 50. 1905.
composition, nitrogen compounds. S.R.S. Rpt., 1916, Pt. I, pp. 277, 278. 1918.
condition, relation to rate of respiration. J.A.R. vol. 12, pp. 694-701, 709. 1918.
infection with stem rust, method. J.A.R., vol. 19, pp. 261-262. 1920.
location of respiration. J.A.R., vol. 12, pp. 687-688. 1918.
Kharkof—
adaptability to western Kansas. Soil Sur. Adv. Sh., 1910, pp. 93-94. 1912; Soils F.O., 1910, pp. 1431-1432. 1912.
adaptation to Montana dry lands. F.B. 749, pp. 11-12, 22. 1916.
description. B.P.I. Bul. 79, p. 14. 1905; F.B. 1280, p. 6. 1922.
extension and successful growing in South Dakota. An. Rpts., 1907, pp. 312-314. 1908.
introduction and origin. Y.B., 1914, pp. 404-405. 1915; Y.B. Sep. 649, pp. 404-405. 1915.
production, and value for drought resistance. An. Rpts., 1911, p. 71. 1912; Sec. A.R., 1911, p. 69. 1911; Y.B., 1911, p. 69. 1912.
trials and results. An. Rpts., 1908, p. 327. 1909; B.P.I. Chief Rpt., 1908, p. 55. 1908.
value as winter wheat for Kansas. B.P.I. Bul. 240, pp. 8, 14, 21. 1912.
Kinney, description. F.B. 1281, pp. 15-16. 1922.
Kitchener, characteristics. D.B. 878, p. 4. 1920; F.B. 1281, pp. 12-14. 1922.

Wheat (s)—Continued.
 Kota—
  J. Allen Clark and L. R. Waldron. D.C. 280, pp. 16. 1923.
  and Hard Federation, crosses for rust and drought resistance, segregation and correlated inheritance. J. Allen Clark. J.A.R., vol. 29, pp. 1–47. 1924.
  characteristics. D.B. 878, p. 6. 1920; F.B. 1281, pp. 22–23. 1922.
  comparison with Marquis in rust resistance and yields. D.C. 280, pp. 5–18. 1923.
  history, description, rust resistance, yields, and value. D.C. 280, pp. 1–7, 8–16. 1923.
  seed purity. D.C. 280, p. 14. 1923.
 Kubanka—
  characteristics. D.B. 878, p. 8. 1920.
  description. B.P.I. Bul. 79, p. 15. 1905.
 durum—
  improvement by pure-line selection. Ralph W. Smith and others. D.B. 1192, pp. 15. 1923.
  yield per acre, western North and South Dakota. B.P.I. Cir. 59, pp. 8, 9, 10, 11, 12. 1910.
  environment experiments 1905–1908. Chem. Bul. 128, pp. 9, 12–13. 1910.
  group, descriptions of varieties. F.B. 680, pp. 18–20. 1915.
  growing under field conditions, and water requirement, determination. B.P.I. Bul. 284, pp. 38–41, 47, 48. 1913.
  history, adaptation, yields and characteristics. D.B. 1192, pp. 1–13. 1923.
  value for bread, experiment. F.B. 412, p. 29. 1910.
  yield, milling and baking quality, comparison with Ghirka wheat, 1908, 1914. D.B. 450, pp. 1–12, 18. 1916.
 abor—
  income, relation to crop area, studies in eastern Pennsylvania. D.B. 341, pp. 36–38. 1916.
  requirements. D.B. 1181, pp. 9, 20–21, 61. 1924.
 Ladoga, characteristics and varieties. D.B. 878, p. 7. 1920; F.B. 1281, pp. 25–26. 1922.
 land—
  plowing time. News L., vol. 6, No. 51, pp. 1–2. 1919.
  summer tillage, advantages. F.B. 388, p. 9. 1910.
 Laramie, characteristics. D.B. 878, p. 7. 1920.
 late sowing for control of Hessian fly. An. Rpts., 1909, p. 514. 1910; Ent. A. R., 1909, p. 28. 1909; F.B. 640, pp. 17–18. 1915; News L., vol. 3, No. 9, p. 1. 1915.
 leaf—
  miner, spike-horned, occurrence. D.B. 432, pp. 2, 3, 5, 9. 1916.
  mottling, mosaiclike, intracellular bodies associated with. Harold H. McKinney and others. J.A.R., vol. 26, pp. 605–608. 1923.
 oad, field to market, story of. Y.B., 1918, pp. 335–341. 1919; Y.B. Sep. 766, pp. 3–9. 1919.
 lodging tendency. D.B. 1309, p. 13. 1925.
 losses—
  caused by—
   black stem rust. D.C. 188, p. 4. 1921; Y.B., 1918, pp. 75–77, 95–97. 1919; Y.B. Sep. 796, pp. 3–5, 23–25. 1919.
   crows. D.B. 621, pp. 48–49. 1918.
  causes and extent, 1909, 1920. Y.B. 1921, p. 529. 1922; Y.B. Sep. 868, p. 23. 1922.
  from—
   bunt. J.A.R., vol. 23, p. 445. 1923.
   smuts. News L., vol. 6, No. 33, p. 1, 6. 1919.
   specified causes in various localities, 1909–1918. D.B. 1043, pp. 6, 8, 10. 1922.
  of feeding constituents, experiments. Y.B., 1908, pp. 393–396, 397, 398. 1909; Y.B. Sep. 489, pp. 393–396, 397, 398. 1909.
  various causes. Y.B., 1921, pp. 107–110. 1922; Y.B. Sep. 873, pp. 107–110. 1922.
 macaroni—
  James H. Shepard. Y.B., 1903, pp. 329–336. 1904; Y.B. Sep. 326, pp. 329–336. 1904.
  Mark Alfred Carleton. B.P.I. Bul. 3, pp. 62. 1901.
  description. F.B. 186, pp. 6–8. 1904.

Wheat (s)—Continued.
 macaroni—continued.
  development of industry. Y.B., 1902, p. 34. 1903.
  experiments and qualities. F.B. 186, pp. 6–8. 1904.
  growing in—
   North Dakota, Jamestown area. Soil Sur. Adv. Sh., 1903, p. 1024. 1904; Soils F.O., 1903, p. 1024. 1904.
   United States. F.B. 186, pp. 6–8. 1904.
 Manchuria, description. F.B. 680, p. 17. 1915.
 market(s)—
  home and foreign, United States and Russia, comparison. Stat. Bul. 66, pp. 20–24. 1908.
  price, influence of wild onion. F.B. 610, pp. 7–8. 1914.
  statistics, prices, imports, and exports, 1910–1921. D.B. 982, pp. 155–173. 1921.
 marketing—
  and exports, Pacific ports, monthly, 1908, 1909, 1910. Stat. Bul. 89, pp. 38–40. 1911.
  and milling, nematode galls as factor in. D. A. Coleman and S. A. Regan. D.B. 734, pp. 16. 1918.
  bibliography. M.C. 35, pp. 20–21. 1925.
  conditions—
   investigations. Mkts. S.R.A. 35, p. 2. 1918.
   Montana. D.B. 522, p. 3. 1917.
  cooperative, in California, Oregon, Washington, and Idaho. Stat. Bul. 89, p. 87. 1911.
  influence of nematode infection. D.B. 734, pp. 8–13. 1918.
  monthly—
   1913–1918. Y.B., 1918, p. 680. 1919; Y.B. Sep. 795, p. 16. 1919.
   1914–1922, by farmers. M.C. 6, p. 23. 1923.
  movement, routes, seasons, and freight rates. Y.B., 1921, pp. 88, 122–147. 1922; Y.B. Sep. 873, pp. 88, 122–147. 1922.
  shipping direct to grain corporation, handling. News L., vol. 5, No. 52, pp. 8–9. 1918.
 Marouani, characteristics. B.P.I. Bul. 79, p. 16. 1905; D.B. 878, p. 9. 1920.
 Marquis—
  Carleton R. Ball and J. Allen Clark. F.B. 732, pp. 8. 1916.
  characters, crossing with Kanred, results. J.A.R., vol. 24, pp. 457, 458, 459–467. 1923.
  comparison with Kota, rust resistance and yields. D.C. 280, pp. 5–13. 1923.
  description. F.B. 1281, pp. 6–9. 1922; News L., vol. 5, No. 31, pp. 3, 5–6. 1918.
  development, soil-temperature relation. J.A.R., vol. 23, pp. 847–849. 1923.
  experiments with. Carleton R. Ball and J. Allen Clark. D.B. 400, pp. 40. 1916.
  Kota cross—
   infection with stem rust, experiments. J.A.R., vol. 24, pp. 1001–1010. 1923.
   rust resistance, study. H. K. Hayes and O. S. Aamodt. J.A.R., vol. 24, pp. 997–1012. 1923.
  milling and baking quality. D.B. 400, p. 40. 1916; F.B. 732, p. 7. 1916.
  origin, description, and comparison with winter wheats. News L., vol. 3, No. 45, p. 4. 1916.
  popularity. Y.B., 1921, p. 123. 1922; Y.B. Sep. 873, p. 123. 1922.
  spring value in stem-rust control. News L., vol. 5, No. 35, pp. 4, 7. 1918.
 Martin Amber, yield and seeding tests. D.B. 336, pp. 24, 25, 26. 1916.
 maturing and fertilizing for production increase. News L., vol. 6, No. 5, p. 16. 1918.
 meals, description, and analyses. Chem. Bul. 164, pp. 54–55. 1913.
 measures, units of weight, in California. Stat. Bul. 89, p. 86. 1911.
 methods of culture. Y.B., 1900, pp. 538–542. 1901.
 middlings—
  adulteration and misbranding. See *Indexes. Notices of Judgment*, in bound volumes and in separates published as supplements to *Chemistry Service and Regulatory Announcements*.
  See also Shorts.

INDEX TO PUBLICATIONS, 1901–1925   2613

Wheat(s)—Continued.
midge—
habits, preventives. F.B. 132, pp. 22–24. 1901.
parasite, beneficial effect. Ent. Bul. 67, p. 94. 1907.
mildew, occurrence, description, and cause. William H. Weston, jr. D.C. 186, pp. 6. 1921.
mill products—
characteristics. F.B. 1450, pp. 1–2. 1925.
weights and measures. Off. Rec., vol. 2, No. 10, p. 2. 1923.
milling—
and baking tests—
at Dickinson substation, 1913. D.B. 33, pp. 40–41, 43. 1914.
comparison of Humpback with others. D.B. 478, pp. 2–4. 1916.
effect of nematode infestation. D.B. 734, pp. 8–13. 1918.
experiments, Markets Bureau, material, methods, and results. D.B. 1013, pp. 1, 3–12. 1921.
gains and losses, relation to moisture content. D.B. 788, pp. 10–12. 1919.
recommendations for trial in northern Great Plains. B.P.I. Cir. 59, p. 23. 1910.
yields, comparison with rye, cockle, kinghead, and vetch. D.B. 328, p. 10. 1915.
Mindum, characteristics. D.B. 878, p. 9. 1920.
Minturki, description. F.B. 1280, pp. 9–10. 1922.
mixture with flax, uses and disadvantages. F.B. 1328, pp. 9–11. 1924.
moisture—
allowance per cent for different grades. Y.B., 1918, pp. 337, 339, 344. 1919; Y.B. Sep. 766, pp. 5, 7, 12. 1919.
contents—
and mill products. J. H. Shollenberger. D.B. 788, pp. 12. 1919.
determination, and electrical resistance method. B.P.I. Cir. 20, pp. 1–8. 1908.
relation to rate of respiration. J.A.R., vol. 12, pp. 689–694, 709. 1918.
requirements in rainfall or irrigation. S.R.S. Syl. 11, rev., pp. 13–14. 1918.
Monad, characteristics. D.B. 878, p. 9. 1920.
movement on Chesapeake Bay. Y.B., 1907, p. 293. 1908; Y.B. Sep. 449, p. 293. 1908.
needs, for 1917–1918, estimates. Sec. Cir. 75, p. 5. 1917.
nematode—
disease—
control measure. D.B. 842, pp. 32–37. 1920; J.A.R., vol. 27, pp. 952–953. 1924.
history, distribution, and description. D.B. 842, pp. 1–8. 1920.
symptoms. J.A.R., vol. 27, pp. 936–939. 1924.
galls, factor in milling and marketing. D. A. Coleman and S. A. Regan. D.B. 734, pp. 16. 1918.
new—
value of mixing with old wheat. News L., vol. 4, No. 21, p. 3. 1916.
varieties—
description. B.P.I. Bul. 208, pp. 16, 46, 55, 56. 1911.
seed importations, 1909. B.P.I. Bul. 162, pp. 18–19, 28, 48. 1909.
warning. News L., vol. 6, No. 4, p. 1. 1918.
New Zealand spring, test, and yield in Utah. B.P.I. Cir. 61, p. 12. 1910.
nitrogen—
content, factors affecting, and changes during development. George A. Olson. J.A.R., vol. 24, pp. 939–953. 1923.
phosphorus, and potassium content in Kentucky, Muhlenberg County. Soil Sur. Adv. Sh., 1920, p. 958. 1924; Soils F.O., 1920, p. 958. 1925.
Norka, characteristics. D.B. 878, p. 7. 1920.
northwestern, grading at terminals. Mkts. S.R.A. 48, pp. 7. 1919.
No. 2, Red, adulteration and misbranding. Chem. N.J. 1135, pp. 9. 1911.
nurse crop for clover-seeding method. F.B. 323, p. 13. 1908.

Wheat(s)—Continued.
nutritive value, effect of variation of sodium in wheat ration. George A. Olson and J. L. St. John. J.A.R., vol. 31, pp. 365–375. 1925.
ocean freight rates—
1913, per bushel. D.B. 591, pp. 16–19. 1918.
1914–1915. News L., vol. 2, No. 52, p. 2. 1915.
from United States and Russia. Stat. Bul. 65, pp. 60–63. 1908.
to Liverpool and to Cork "for orders", from United States ports, 1886–1906. Stat. Bul. 67, pp. 9, 11. 1907.
official grain standards of United States, establishment, order of Agriculture Secretary. Mkts. S.R.A. 33, pp. 1–21, 29. 1918.
on Yuma project, acreage, production, yield, and value, in 1919–20 and 1911–1920. D.C. 221, pp. 7, 9, 10. 1922.
orange leaf rust, aecial stage. H. S. Jackson and E. B. Mains. J.A.R., vol. 22, pp. 151–172. 1921.
origin and botanical description. S.R.S. Syl. 11, rev., pp. 3–6. 1918.
outline of topics for secondary instruction. O.E.S. Cir. 77, rev., pp. 6–8. 1908.
outlook, improvement, 1924. Off. Rec., vol. 3, No. 33, p. 3. 1924.
Pacific—
Bluestem, introduction and history. D.B. 877, pp. 2, 12, 13, 15. 1920.
varieties, characteristics. B.P.I. Cir. 12, p. 12. 1908.
Padui, description. B.P.I. Bul. 79, p. 14. 1905.
parasites, description, and work of jointworm. F.B. 1006, pp. 11–12. 1918.
pasture for hogs, value and number of hogs per acre. B.P.I. Bul. 111, pp. 10–11. 1907; F.B. 331, pp. 10–11. 1908.
Pelissier, description. F.B. 680, p. 20. 1915.
pests, insects, diseases, and weed control. F.B. 885, pp. 8–12. 1917.
physical—
character and milling quality, correlation. D.B. 522, pp. 11–16, 23, 27, 29, 32. 1917.
properties and chemical constituents, correlation. J.A.R., vol. l, pp. 288–289. 1914.
Pioneer, characteristics. D.B. 878, p. 6. 1920.
plant(s)—
characters—
interrelation, yields, and height. J.A.R., vol. 14, pp. 380–389. 1918.
relation to weight of seed used. J.A.R., vol. 14, pp. 376–380. 1918.
effects of certain toxic compounds in soils, table. Soils Bul. 47, pp. 38–39. 1907.
food demands, experiments with nutrient solutions. J.A.R., vol. 24, pp. 41–50. 1923.
from inoculated seed, root development, and comparison with clean seed. J.A.R., vol. 1, p. 476. 1914.
growing in nutrient solutions, experiments. J.A.R., vol. 24, pp. 41–50. 1923.
growth and oxidation in solutions, experiments. Soils Bul. 56, pp. 21–51. 1909.
nitrogen content, variation, studies, and tables. B.P.I. Bul. 269, pp. 9–19. 1913.
root penetration. D.B. 253, p. 7. 1915.
wild, Aaronsohn's. B.P.I. Bul. 256, p. 13. 1913.
planting—
and harvesting dates, by season and by States. Stat. Bul. 85, pp. 28–45, 119–122, 128–129. 1912.
date, relation to development of seedling blight. J.A.R., vol. 23, pp. 859–865. 1923.
intentions, and outlook for 1924. M.C. 23, pp. 2, 4, 8–9. 1924.
preparation of seed. F.B. 584, p. 6. 1914.
plat, nitrification variations. B.P.I. Bul. 173, pp. 14–16, 28. 1910.
plowing—
and subsoiling, experiments. B.P.I. Cir. 61, pp. 19, 30. 1910.
experiments, in Colorado. D.B. 253, pp. 1–15. 1915.
in fall in Wyoming, study. D.B. 1306, p. 8. 1925.
poison bait, preparation and use. Y.B., 1908, pp. 427–429. 1909; Y.B. Sep. 491, pp. 427–429. 1909.

Wheat(s)—Continued.
poisoned—
crushed, formula, efficiency in rodent destruction. Y.B., 1908, pp. 307–308. 1909; Y.B. Sep. 482, pp. 307–308. 1909.
use against ground squirrels, preparation. Biol. Cir. 76, p. 13. 1910.
use in control of forest rodents. For. Bul. 98, p. 38. 1911.
use in field-mouse destruction. F.B. 352, p. 17. 1909.
Polish—
and Poulard. John H. Martin. F.B. 1340, pp. 10. 1923.
description, history, adaptation, and uses. D.B. 1074, pp. 197–198. 1922; F.B. 1340, pp. 1–3. 1923.
ports on Pacific coast. Y.B. 1901, pp. 567–580. 1902; Y.B. Sep. 256, pp. 567–580. 1902.
Poulard, rust resistant, importation. No. 45447, B.P.I. Inv. 53, p. 36. 1922.
Powder, characteristics. D.B. 878, p. 4. 1920.
Power, description. F.B. 1281, pp. 10–11. 1922.
Power's Fife, yield per acre, western North and South Dakota. B.P.I. Cir. 59, pp. 8, 9, 10, 11. 1910.
Prelude, characteristics. D.B. 878, p. 7. 1920.
preparation, with and without bran, comparison of digestibility. F.B. 249, pp. 19–20. 1906.
pressures, determination. D.B. 789, pp. 2–3. 1919.
Preston—
characteristics and varieties. D.B. 878, pp. 3, 5–6. 1920; F.B. 680, pp. 15–16. 1915; F.B. 1281, pp. 19–21. 1922.
comparison with Marquis wheat. F.B. 732, p. 6. 1916.
origin and description. B.P.I. Bul. 79, p. 12. 1905.
spring, description and value for hard-spring wheat belt. News L., vol. 5, No. 31, pp. 3, 5–6. 1918.
price(s)—
1913–1918. News L., vol. 6, No. 14, p. 9. 1918.
1917, 1918, and control by Food Administration. Sec. Cir. 90, pp. 31–32. 1918.
1923. Y.B., 1923, pp. 96, 98–99. 1924.
1925. D.B. 1351, p. 37. 1925.
and grades, studies by Advisory Board. News L., vol. 5, No. 52, p. 6. 1918.
and purchasing power. Y.B., 1923, pp. 95–98. 1924.
at principal markets. Y.B., 1921, pp. 143–146, 531–532. 1922; Y.B. Sep. 873, pp. 143–146. 1922; Y.B. Sep. 868, pp. 25–26. 1922.
changes, 1921. Y.B. 1921, pp. 119, 139–141. 1922; Y.B. Sep. 873, pp. 119, 139–141. 1922.
comparative study. D.B. 1351, pp. 23–25. 1925.
differences—
causes underlying, discussion and tables. D.B. 591, pp. 4–11. 1918.
regional, significance, and discussion. D.B. 594, pp. 1–3. 1918.
factors in making, and purchasing power. Y.B., 1921, pp. 137–146, 148. 1922; Y.B. Sep. 873, pp. 137–146, 148. 1922.
farm and wholesale, comparisons in different States. D.B. 999, p. 18. 1921.
fixing for 1919, proclamation and memorandum of President. News L., vol. 6, No. 6, pp. 1, 4–5. 1918.
geography survey studies. D.B. 591, pp. 3–4. 1918.
guarantee, law enforcement. News L., vol. 6, No. 23, pp. 1, 3–6. 1919; Sec. Cir. 130, p. 8. 1919; Sec. Cir. 131, pp. 10–11. 1919; Sec. Cir. 133, pp. 7–8. 1919.
in 1924, complaint. Off. Rec. vol. 4, No. 2, pp. 2, 5. 1925.
injury to rye mixture. F.B. 756, p. 9. 1916.
international market, 1884–1906. Stat. Bul. 66, pp. 59–64. 1908.
low, effect of dockage system in protecting from. F.B. 919, p. 12. 1917.
Odessa, comparison with other markets. Stat. Bul. 66, pp. 59–64. 1908.

Wheat(s)—Continued.
price(s)—continued.
on farms—
1909–1924. Y.B., 1924, p. 581. 1925.
1921, variations. Y.B., 1921, pp. 138–142. 1922; Y.B. Sep. 873, pp. 138–142. 1922.
See also Wheat statistics.
Pacific coast, 1870–1910. Stat. Bul. 89, pp. 42–57. 1911.
ratios, sectional shifting, discussion and tables. D.B. 591, pp. 11–13, 24–27. 1918.
relation of—
foreign exporters and foreign exchange. Y.B., 1919, pp. 191–196. 1920; Y.B. Sep. 807, pp. 191–196. 1920.
supply and demand, discussion of variations, 1870–1908. Y.B., 1909, pp. 264–267. 1910; Y.B. Sep. 511, pp. 264–267. 1910.
Russian markets, 1887–1906, and 1883–1906. Stat. Bul. 66, pp. 64–70. 1908.
stabilization. Off. Rec., vol. 3, No. 18, pp. 1–2. 1924.
table of coefficients of multiple correlation. D.B. 1351, p. 25. 1925.
war-time, 1913–1918. Y.B., 1919, p. 734. 1920; Y.B. Sep. 830, p. 734. 1920.
wholesale—
1896–1909. Y.B., 1909, p. 453. 1910; Y.B. Sep. 524, p. 453. 1910.
during Civil War and World War periods. D.B. 999, pp. 13, 30. 1921.
world, influence of Russian wheat. Stat. Bul. 66, pp. 70–82. 1908.
zones, comparison with corn and oats. D.B. 591, p. 4. 1918.
primitive types, cross-fertilization. An. Rpts., 1910, p. 294. 1911; B.P.I. Chief Rpt., 1910, p. 24. 1910.
production—
1869–1878 and 1899–1908. Y.B., 1914, pp. 396–397. 1915; Y.B. Sep. 649, pp. 396–397. 1915.
1901–1920, and foreign countries. D.B. 982, pp. 168–171. 1921.
1908. Y.B. 1908, pp. 11, 609. 1909.
1914. Y.B., 1914, p. 12. 1915.
1914, exports and prices, 1915. An. Rpts., 1915, pp. 3, 4, 5. 1916; Sec. A.R., 1915, pp. 5, 6, 7. 1915.
1916. Y.B., 1917, p. 9. 1918.
1918. Sec. Cir. 125, pp. 4, 6. 1919; Sec. Cir. 133, p. 6. 1919.
1918, estimates, annual report of Agriculture Secretary. News L., vol. 5, No. 19, pp. 1–2. 1917.
1919, map. Y.B., 1921, p. 440. 1922; Y.B. Sep. 878, p. 34. 1922.
1919–1920, average. D.B. 1020, p. 3. 1922.
acreage, distribution, and climate. D.B. 943, pp. 6–11. 1921.
and—
farm life in Argentina. Frank W. Bicknell. Stat. Bul. 27, pp. 100. 1904.
harvest for 1919, Agriculture Department plans. News L., vol. 5, No. 52, pp. 1, 13. 1918.
marketing. C. R. Ball and others. Y.B., 1921, pp. 77–160. 1922; Y.B. Sep. 873, pp. 77–160. 1922.
population, outlook. Y.B., 1921, pp. 155–160. 1922; Y.B. Sep. 873, pp. 155–160. 1922.
portion fed. Y.B., 1923, pp. 334–335. 1924; Y.B. Sep. 895, pp. 334–335. 1924.
prices, recommendations of advisory committee. News L., vol. 5, No. 37, p. 2. 1918.
supply, European countries. Stat. Bul. 68, pp. 29–32. 1908.
value, 1908. An. Rpts., 1908, p. 12. 1909; Sec. A.R., 1908, p. 10. 1908.
value, 1912, third in size on record. An. Rpts. 1912, p. 14. 1913; Sec. A.R., 1912, p. 14. 1912; Y.B., 1912, p. 14. 1913.
value, 1917. News L., vol. 5, No. 35, p. 6. 1918.
yield, 1913. An. Rpts., 1913, pp. 54, 55, 59. 1914; Sec. A.R., 1913, pp. 52, 53, 57. 1913; Y.B., 1913, pp. 67, 68, 72. 1913.
changes caused by war. Y.B., 1917, pp. 470–473. 1918; Y.B. Sep. 752, pp. 12–15. 1918.

Wheat(s)—Continued.
production—continued.
cost—
M. R. Cooper and R. S. Washburn. D.B. 943, pp. 59. 1921.
1923. D.C. 340, pp. 4, 11–15. 1925.
in Nebraska and Kansas. B.P.I. Bul. 130, pp. 48–49. 1908.
in regions of different land values, comparison. D.B. 1198, pp. 21–22. 1924.
items and analysis. D.B. 943, pp. 25–46. 1921.
per acre on owned land, table. D.B. 943, pp. 54–59. 1921.
per bushel, relation of yield. D.B. 943, pp. 21–25. 1921.
range per acre and variation. D.B. 943, pp. 16–21. 1921.
study, factors in reckoning. Y.B., 1920, pp. 302–305. 1921; Y.B. Sep. 846, pp. 302–305. 1921.
decrease in western Oregon. O.E.S. Bul. 223, p. 7. 1910.
disposition, movement, 1913–1914, by months, estimates. F.B. 629, pp. 4–5. 1914.
exports, and consumption per capita. Y.B., 1921, pp. 159–160, 432. 1922; Y.B. Sep. 873, pp. 159–160. 1922; Y.B. Sep. 878, p. 26. 1922.
extension work, 1920. S.R.S. [Misc.], "Report on cooperative extension work in agriculture and home economics, 1920," pp. 3, 12, 14. 1922.
forecast for—
1918, with comparisons. News L., vol. 5, No. 52, pp. 1, 13. 1918.
1919. News L., vol. 6, No. 26, pp. 1, 13–14. 1919.
harvesting, and yields. F.B. 454, pp. 12–13. 1911.
in—
Argentina and farm life. Frank W. Bicknell. Stat. Bul. 27, pp. 100. 1904.
Columbia Basin, rainfall, minimum. B.P.I. Bul. 188, pp. 24–25. 1910.
Cotton States, 1909–1915. Sec. Cir. 56, p. 4. 1916.
Europe, 1913, comparison with 1912. News L., vol. 1, No. 18, p. 4. 1913.
European countries, tables, 1883–1906. Stat. Bul. 68, pp. 25–27, 50–99. 1908.
foreign countries, 1907–1910. Stat. Cir. 25, pp. 4–5, 9, 10, 11, 14, 15. 1911.
foreign countries, 1908–1912, comparison of years. Stat. Cir. 42, p. 20. 1912.
France, 1818–1917. News L., vol. 6, No. 40, p. 12. 1919.
Indiana, Grant County, yield, 1880–1910. Soil Sur. Adv. Sh., 1915, pp. 10–11. 1917; Soils F. O., 1915, pp. 1358–1359. 1919.
Minnesota, North and South Dakota, 1909–1914. Y.B., 1914, p. 397. 1915; Y.B. Sep. 649, p. 397. 1915.
Minnesota, North and South Dakota, 1909–1916, and per cent of durum wheat. D.B. 618, pp. 6–9. 1918.
Oregon. Off. Rec., vol. 2, No. 7, p. 5. 1923.
Russia, area, yields, and comparisons, 1901–1910. Stat. Bul. 84, pp. 8–98. 1911.
Southern Hemisphere, 1913–1914, estimate. F.B. 575, p. 43. 1914.
Tennessee, Robertson County, 1899, 1909, 1910. Soil Sur. Adv. Sh., 1912, pp. 9, 10, 25. 1914; Soils F. O., 1912, pp. 1131, 1132–1133. 1915.
Washington, 1907, and 1908. O.E.S. Bul. 214, p. 9. 1909.
wheat regions. Y.B., 1923, pp. 130–137. 1924.
on dry lands—
Great Basin, yield, cost, and profits. B.P.I. Cir. 61, pp. 37–39. 1910.
western United States, experiments. David E. Stephens and others. D.B. 1173, pp. 60. 1923.
per acre, variations since 1866. An. Rpts., 1910, p. 710. 1911; Stat. Chief Rpt., 1910, p. 20. 1910.
per capita, and yield per acre, graph. Y.B., 1921, p. 432. 1922; Y.B. Sep. 878, p. 26. 1922.
percentages by counties (197 farms), 1919. D.B. 943, pp. 51–53. 1921.

Wheat(s)—Continued.
production—continued.
principal States, 1905. Stat. Bul. 38, p. 18. 1905.
relation to World War. Y.B., 1921, pp. 79, 85–87, 96, 139–141, 149, 155–160. 1922; Y.B. Sep. 873, pp. 79, 85–87, 96, 139–141, 149, 155–160. 1922.
requirements. D.B. 943, pp. 12–13. 1921.
rise and decline in Lenawee County, Mich., 1860–1910. D.B. 694, p. 5. 1918.
statistics. D.B. 1351, p. 36. 1925.
supply and consumption, 1917–1918. Sec. Cir. 90, pp. 10–11. 1918.
value per farm, comparison with cotton and corn. D.C. 85, p. 6. 1920.
war measures in regard to, and response of farmers. Sec. Cir. 90, pp. 13–15. 1918.
world—
1891–1913, estimates. F.B. 575, pp. 32, 41–43. 1914.
1891–1921, percentage. Y.B., 1921, pp. 81–84. 1922; Y.B. Sep. 873, pp. 81–84. 1922.
1905–1909. Y.B., 1909, pp. 444–445. 1910; Y.B. Sep. 524, pp. 444–445. 1910.
1909–1916. Y.B., 1917, pp. 461–462. 1918; Y.B. Sep. 752, pp. 3–4. 1918.
effect of war upon. Sec. Cir. 90, pp. 3–7. 1918.
outside of United States. Y.B., 1909, p. 272. 1910; Y.B. Sep. 511, p. 272. 1910.
statistics by countries. Sec. [Misc.], Spec. "Geography * * * world's agriculture," pp. 13–17. 1917.
yields—
prices and weight per bushel, by States. F.B. 563, pp. 2, 4, 12. 1913.
statistics. O.E.S.F.I.L. 11, p. 19. 1910.
products—
duties, increase. Off. Rec., vol. 2, No. 52, pp. 2, 8. 1923.
protein factor, opinion 84. Chem. S.R.A. 8, p. 635. 1914.
profits to growers, need in Kansas. Jesse W. Tapp and W. F. Grimes. F.B. 1440, pp. 14. 1924.
proposed official grain standards. Mkts. S.R.A. 19, pp. 3–9. 1917.
protection—
against spring grain aphid, suggestions. Sec. Cir. 55, pp. 1–3. 1916.
by barberry quarantine. News L., vol. 6, No. 28, p. 7. 1919.
from Hessian fly. News L., vol. 7, No. 6, pp. 1–2. 1919.
from mice and rats. News L., vol. 6, No. 47, p. 14. 1919.
proteins—
analyses, A. O. A. C. report, 1903. Chem. Bul. 81, pp. 94–96. 1904.
and ash content, conversion to moisture base, tables. J. H. Shollenberger and D. A. Coleman. M.C. 28, pp. 30. 1924.
and gliadin content, correlations. J.A.R., vol. 23, p. 533. 1923.
combination with milk protein in bread. B.A.I. Dairy [Misc.], "World's dairy congress, 1923," pp. 173–174. 1924.
content—
effect of soil and climate. J.A.R., vol. 1, pp. 285–288. 1914.
relation of hardness and other factors to. Herbert F. Roberts. J.A.R., vol. 21, pp. 507–522. 1921.
relation to flour characters and yields. J.A.R. vol. 23, pp. 531, 534–538. 1923.
prototype, characters and historical interest. B.P.I. Bul. 274, pp. 23–30. 1913.
Puccinia graminis on, a third biological form. M. N. Levine and E. C. Stakman. J.A.R., vol. 13, pp. 651–654. 1918.
purchase by Government, discussion by Secretary. An. Rpts., 1923, pp. 14, 16, 17–18. 1924; Sec. A.R., 1923, pp. 14, 16, 17–18. 1923.
purchasing power—
1890–1920, 1909–1921, and 1867–1920. D.B. 999, pp. 20, 57, 60, 63, 69, 72. 1921.
per acre, 1899, 1909, and 1910. An. Rpts., 1911, pp. 654–656. 1912; Stat. Chief Rpt., 1911, pp. 18–20. 1911.

Wheat(s)—Continued.
Purple-straw Tuscan, introduction and value. D.B. 877, p. 2. 1920.
quality—
  factors—
    influencing, and comparison of classes. L. M. Thomas. D.B. 557, pp. 28. 1917.
    of importance. D.B. 522, pp. 6–7. 1917; F.B. 320, pp. 18–22. 1908.
    improvement. T. L. Lyon. B.P.I. Bul. 78, pp. 120. 1905.
    relation to price. Y.B., 1923, pp. 128–129. 1924.
    variations. Y.B., 1921, pp. 127–130. 1922; Y.B. Sep. 873, pp. 127–130. 1922.
raising for grain or hay, handling methods, for South. News L., vol. 2, No. 42, p. 5. 1915.
rations for hens and hogs. News L., vol. 7, No. 7, p. 3. 1919.
records—
  plantings for principal wheat States. Sec. Cir. 90, p. 17. 1918.
  summary for spring and winter wheat. D.B. 943, p. 3. 1921.
red, qualities, comparisons with other wheats. D.B. 557, pp. 5–28. 1917.
Red Bobs, description. F.B. 1281, pp. 14–15. 1922.
Red Fife—
  description. F.B. 1281, pp. 9–10. 1922.
  high quality for baking. F.B. 320, p. 19. 1908.
Red Walla, name changed to Western Red. Off. Rec., vol. 1, No. 17, p. 2. 1922.
Regenerated Defiance, characteristic. D.B. 878, p. 7. 1920.
region—
  growing hard-spring wheat, wild oat control. H. R. Cates. F.B. 733, pp. 16. 1917.
  spring, labor distribution, graph. D.C. 183, p. 9. 1922.
  winter, labor distribution, graph. D.C. 183, p. 9. 1922.
relation to—
  intensive farming. Stat. Bul. 73, pp. 55, 56. 1909.
  scab fungus propagation. J.A.R., vol. 19, pp. 235–237. 1920.
relative resistance to bunt in Pacific Coast States. W. H. Tisdale and others. D.B. 1299, pp. 29. 1925.
replacement by stock and feed crops. Off. Rec., vol. 3, No. 17, pp. 1, 5. 1924.
requirements—
  1917–1918, estimates. News L., vol. 5, No. 6, p. 5. 1917.
  1919–1920, and available stocks. Sec. Cir. 125, pp. 10–11. 1919.
  and surplus, various countries. Sec. Cir. 142, pp. 5–6. 1919.
Rerrarf, rust-resistance, studies. B.P.I. Bul. 216, p. 70. 1911.
reserves, percentage of crop on farms, March 1, 1890–1908. Y.B., 1909, pp. 270–271. 1910., Y.B. Sep. 511, pp. 270–271. 1910.
resistance to—
  Puccinia graminis, inheritance mode, relation to seed color in varietal crosses. J.B. Harrington and O. S. Aamodt. J.A.R., vol. 24, pp. 979–996. 1923.
  stem rust, studies. C. R. Hursh. J.A.R., vol. 27, pp. 381–412. 1924.
respiration in—
  absence of oxygen. J.A.R., vol. 12, pp. 708, 710. 1918.
  storage. C. H. Bailey and A. M. Gurjar. J.A.R., vol. 12, pp. 685–713. 1918.
Ridit, smut resistance. Off. Rec., vol. 2, No. 43, p. 1. 1923.
roguing for prevention of loose smut. B.P.I. Bul. 152, pp. 20, 34–37. 1909.
root—
  development. F.B. 233, p. 8. 1905.
  rots and blight, control treatment of seed. F.B. 419, p. 18. 1910.
  system extension into subsoil. Y.B., 1911, p. 255. 1912; Y.B. Sep. 565, p. 255. 1912.
rosette (disease)—
  cause and control. Harold H. McKinney. J.A.R., vol. 23, pp. 771–800. 1923.
  control. Aaron G. Johnson and others. F.B. 1414, pp. 10. 1924.

Wheat(s)—Continued.
rosette (disease)—continued.
  intracellular bodies associated with. J.A.R., vol. 26, pp. 605–608. 1923.
  symptoms, comparison with those produced by certain insects. Harold H. McKinney and Walter H. Larrimer. D.B. 1137, pp. 8. 1923.
rotation—
  and tillage, tests at field station near Mandan, N. Dak. D.B. 1301, pp. 50–52. 1925.
  for control of jointworm. F.B. 1006, pp. 13–14. 1918.
  in potato-growing districts of New Jersey. F.B. 472, p. 25. 1911.
  on hog farms in Indiana. F.B. 1463, pp. 4–10. 1925.
  practices. Sec. Cir. 90, p. 23. 1920; Soils Bul. 40, pp. 30–36. 1907.
  systems, Eastern and Southern States. News L. vol. 5, No. 6, pp. 1, 7. 1917.
  with beet crop, result of experiment. Rpt. 92, p. 23. 1910.
  with tobacco, yield under different fertilizers. F.B. 381, pp. 11–12. 1909.
row-breeding work, yield variations, studies. B.P.I. Bul. 269, pp. 33–45, 47. 1913.
Ruby—
  characteristics. D.B. 878, p. 5. 1920.
  description. F.B. 1281, p. 15. 1922.
Russian—
  analysis. Stat. Bul. 65, p. 18. 1908.
  and wheat flour, in European markets. I. M. Rubinow. Stat. Bul. 66, pp. 99. 1908.
  classification. Stat. Bul. 65, pp. 24–27. 1908.
  crop movement, currents of trade. Stat. Bul. 65, pp. 64–77. 1908.
  high-protein content. Chem. Bul. 120, p. 33. 1909.
  in world's market, comparison with United States. Stat. Bul. 66, pp. 9–13. 1908.
  influence on world price. Stat. Bul. 66, pp. 70–82. 1908.
  statistics, production, average yield, acreage, with tables. Stat. Bul. 42, pp. 18–30, 45–50. 1906.
Russia's—
  surplus, conditions under which produced. I. M. Rubinow. Stat. Bul. 42, p. 103. 1906.
  trade. I. M. Rubinow. Stat. Bul. 65, pp. 77. 1908.
rust—
  infection, effect on water requirement. Freeman Weiss. J.A.R., vol. 27, pp. 107–118. 1923.
  resistance—
    in crosses. J.A.R., vol. 19, pp. 523–542. 1920.
    inheritance mode. J.A.R., vol. 24, pp. 464–466, 467. 1923.
    of durum group. Y.B., 1908, p. 464. 1909; Y.B. Sep. 494, p. 464. 1909.
    results of experiments with varieties. D.B. 1046, pp. 8–13, 17–23. 1922.
    winter varieties. D.B. 1046, pp. 24–26. 1922.
  resistant varieties—
    importations. Nos. 44925–44934, B.P.I. Inv. 51, p. 92. 1922.
    selection, and breeding. B.P.I. Bul. 216, pp. 70–73. 1911.
rye hybrids—
  growing in North Dakota. O.E.S. An. Rpt., 1910, p. 212. 1911.
  hairy neck segregates. Clyde E. Leighty and J. W. Taylor. J.A.R., vol. 28, pp. 567–576. 1924.
Rysting—
  characteristics. D.B. 878, p. 4. 1920.
  yield, and milling and baking quality, comparison with Ghirka wheat, 1908–1914. D.B. 450, pp. 1–12, 18. 1916.
salt nutrition. J.A.R., vol. 28, pp. 387–393. 1924.
samples for dockage determination, taking and grading. F.B. 1118, pp. 8–9, 20–21. 1920.
sap, physicochemical properties, relation to rust resistance. J.A.R., vol. 27, pp. 401–404. 1924.
Saragolla—
  David G. Fairchild. B.P.I. Bul. 25, Pt. II, pp. 9–12. 1903.
  characteristics. D.B. 878, p. 10. 1920.

INDEX TO PUBLICATIONS, 1901–1925 2617

Wheat(s)—Continued.
 save—
  use wheat substitutes. S.R.S. [Misc.], "Save wheat— * * *." 1918.
 saving by—
  clean threshing. News L., vol. 7, No. 5, p. 12. 1919.
 use of—
  barley flour. Sec. Cir. 111, pp. 4. 1918.
  potatoes. Sec. Cir. 106, pp. 6. 1918.
  soy-bean flour. Sec. Cir. 113, pp. 4. 1918.
 scab—
  and its control. Aaron G. Johnson and James G. Dickson. F.B. 1224, pp. 16. 1921.
  cause of corn rots. B.P.I. Chief Rpt., 1921, p. 33. 1921.
  caused by—
   Gibberella saubinetii, relation to crop successions. Benjamin Koehler and others. J.A.R., vol. 27, pp. 861–880. 1924.
   infection from diseased corn. F.B. 1176, p. 5. 1920.
  control measures. F.B. 1224, pp. 2, 14–16. 1921; Sec. Cir. 142, p. 15. 1919.
  distribution and description. F.B. 1224, pp. 5–8. 1921.
  investigations. B.P.I. Chief Rpt., 1921, p. 34. 1921.
  life history. F.B. 1224, pp. 12–13. 1921.
  on grains and grasses, injury and losses, 1919. F.B. 1224, pp. 2, 3–4, 5. 1921.
  relation to corn rootrot, and control. J.A.R., vol. 14, pp. 611–612. 1918.
  symptoms and method of attack. F.B. 1224, pp. 4–5. 1921.
  See also Fusarium blight.
 screening, for dockage determination. F.B. 1118, pp. 4, 9–20. 1920.
 seed(s)—
  anatomy description. D.B. 839, p. 4. 1920.
  bed preparation. F.B. 596, p. 7. 1914; F.B. 885, p. 6. 1917; F.B. 1047, p. 7. 1919; Sec. [Misc.], Spec., "Winter wheat in * * *," pp. 2–3, 1914; Y.B., 1919, pp. 126–141. 1920; Y.B. Sep. 804, pp. 126–141. 1920.
  catalase and oxidase content, studies. J.A.R., vol. 15, pp. 146–163. 1918.
  coats, permeability to iodine. Harry Braun. J.A.R., vol. 28, pp. 225–226. 1924.
  color, relation to rust reaction. J.A.R., vol. 24, pp. 986–987, 994. 1923.
  composition—
   and effect of green manures. J.A.R., vol. 5, No. 25, pp. 1162, 1163. 1916.
   during germination and growth of plant. Chem. Bul. 138, pp. 11, 21–32. 1911.
  desiccation and germination tests. J.A.R., vol. 14, pp. 527–531. 1918.
  wild, inequality of germination and position on head. B.P.I. Bul. 274, pp. 21–23, 51. 1913.
 (for) seed—
  adaptability to local conditions, relation to 1919 crop. News L., vol. 6, No. 4, p. 1. 1918.
  Alaska, exploitation. D.B. 357, pp. 6–9. 1916.
  availability due to regulation of grain storage. Sec. Cir. 90, pp. 24–25. 1918.
  bunt infection, seeding-time test in Utah, 1910, 1912. D.B. 30, pp. 43–48, 50. 1913.
  cleaning—
   and treating for wheat scab control, importance. F.B. 1224, pp. 2, 15. 1921.
   salt-brine method, hot water treatment. D.B. 842, p. 32. 1920.
   to control nematode disease. J.A.R., vol. 27, p. 952. 1924.
  cost per acre. D.B. 214, p. 7. 1915.
  disinfection, injury from formaldehyde after drying. Annie May Hurd. J.A.R., vol. 20, pp. 209–244. 1920.
  electrochemical treatment. C. E. Leighty and J. W. Taylor. D.C. 305, pp. 7. 1924.
  formalin and copper-sulphate treatment, effects. J.A.R., vol. 19, pp. 366–386. 1920.
  furnishing to Oklahoma farmers through seed fund. News L., vol. 5, No. 15, p. 8. 1917.
  germination, stimulation by presoak treatment. J.A.R., vol. 19, pp. 367–379, 391. 1920.
  good, as preventive of Hessian-fly infestation. Ent. Cir. 70, p. 15. 1906.

Wheat(s)—Continued.
 (for) seed—continued.
  grading with fanning mill, value. F.B. 769, pp. 13–14. 1916.
  home-grown or imported, purity studies. F.B. 769, pp. 13–14. 1916.
  hot-water treatment for smut, directions. B.P.I. Bul. 152, pp. 39–41. 1909.
  immature, influence on yield. B.P.I. Bul. 78, p. 20. 1905.
  importance of cleanness. F.B. 1287, pp. 8–9. 1922.
  importation(s)—
   January 1–March 31, 1914. Nos. 36940, 37154, 37157–37160, 37164, 37167, 37601–37603, B.P.I. Inv. 38, pp. 6, 11, 44, 45, 83. 1917.
   prohibition. News L., vol. 6, No. 43, p. 6. 1919.
  improvement by growers. B.P.I. Bul. 178, pp. 23–24. 1910.
  injury from drying after disinfection with formaldehyde. Annie May Hurd. J.A.R., vol. 20, pp. 209–244. 1920.
  iron and manganese content. J.A.R., vol. 23, pp. 396, 398. 1923.
  kernel, influence of specific gravity on yield. B.P.I. Bul. 78, pp. 37–40. 1905.
  onion-free, use as means of wild onion eradication. F.B. 610, pp. 7, 8. 1914.
  per acre, dry lands. B.P.I. Cir. 59, pp. 6–7, 20. 1910.
  planting dates and rate, Colorado. D.B. 917, p. 21. 1921.
  plat management. B.P.I. Bul. 178, p. 23. 1910.
  preparation—
   and quantity per acre. Sec. [Misc.] Spec., "Winter wheat * * * Cotton Belt," p. 4. 1914.
   for sowing in western South Dakota. B.P.I. Cir. 79, p. 7. 1911.
   methods. Sec. Cir. 90, p. 24. 1918.
   sowing methods, time and rate. F.B. 596, pp. 8–10. 1914.
  presoak treatment, directions for farm practice. J.A.R., vol. 19, pp. 390, 391. 1920.
  protection. Off. Rec., vol. 4, No. 45, p. 6. 1925.
  quantity per acre in dry farming, Modesto-Turlock area, California. Soil Sur. Adv. Sh., 1908, p. 15. 1909; Soils F.O., 1908, p. 1239. 1911.
  requirements and cost. D.B. 943, pp. 12, 13, 14, 36–37. 1921.
  running out. F.B. 237, p. 11. 1905.
  rust infection, relation to seedling infection. Charles W. Hungerford. J.A.R., vol. 19, pp. 257–278. 1920.
  salt-brine treatment. News L., vol. 6, No. 35, p. 15. 1919.
  score card, contest work. O.E.S. Cir. 99, pp. 33–34. 1910.
  selection—
   and storage for 1918 crop. News L., vol. 5, No. 4, p. 1. 1917.
   as prevention of stripe rust. News L., vol. 3, No. 33, p. 1. 1916.
   for high-protein content. F.B. 237, pp. 11–12. 1905.
   practices. D.B. 1440, p. 7. 1924; F.B. 237, pp. 11–12. 1915; F.B. 262, pp. 13–14. 1906; F.B. 334, p. 6. 1908; F.B. 680, pp. 3–4. 1915; F.B. 1168, pp. 16–17. 1921; News L., vol. 6, No. 4, p. 1. 1918.
   treatment for smut, and germination tests. F.B. 678, pp. 12–13. 1915.
  sizes, varietal tests in Utah, 1909–1912. D.B. 30, pp. 36–43, 50. 1913.
  small and large, comparison. B.P.I. Bul. 178, p. 23. 1910.
 smut—
  infected, cleaning and treatment. News L., vol. 6, No. 5, pp. 8, 9. 1918.
  protection. News L., vol. 7, No. 10, pp. 6–7. 1919.
 sowing—
  dry farming, time, rate, and depth experiments. D.B. 157, pp. 21–31. 1915.
  method, time, rate, and depth. F.B. 678, pp. 13–14. 1915; F.B. 885, pp. 6–8. 1917.
 specific gravity, relation to yield. B.P.I. Bul. 78, pp. 37–39. 1905.

Wheat(s)—Continued.
  (for) seed—continued.
    supply for the United States. News L., vol. 5, No. 24, p. 7. 1918; Y.B., Sep. 757, pp. 10-12. 1918; Y.B., 1917, pp. 504-506. 1918.
    testing—
      cleaning and sowing. S.R.S. Syl. 11, rev., pp. 11-12, 15. 1918.
      directions. F.B. 428, p. 44. 1911.
    threshing and separating. B.P.I. Cir. 114, pp. 5-6. 1913.
    transmission of stripe rust, investigations and results. J.A.R., vol. 24, pp. 615-618, 619. 1923.
    treatment—
      by dry heat, experiments. J.A.R., vol. 18. pp. 381-388. 1920.
      for bunt. D.B. 1239, pp. 18-21. 1924; F.B. 769, p. 14. 1916; Y.B., 1921, p. 110. 1922; Y.B. Sep. 873, p. 110. 1922.
      for eelworms, brine method. F.B. 1041, pp. 8-10. 1919.
      for false wireworm control. J.A.R., vol. 26, p. 564. 1923.
      for flag-smut control. F.B. 1213, pp. 2, 5. 1921.
      for nematode disease. D.B. 842, pp. 32-34. 1920.
      for smut control. F.B. 250, pp. 3-4, 16. 1906; News L., vol. 4, No. 37, pp. 5, 11. 1917; News L., vol. 5, No. 4, pp. 1, 3. 1917.
      for wireworm prevention. D.B. 156, pp. 30-32. 1915.
      variety and selection. F.B. 680, pp. 3-4. 1915; O.E.S.F.I.L. 11, pp. 13-15. 1910.
    warning against impostors. News L., vol. 5, No. 7, p. 6. 1917.
    weight—
      of different varieties. B.P.I. Bul. 130, pp. 12, 59. 1901.
      relation to variation and correlation. A. C. Arny and R. J. Garber. J.A.R., vol. 14, pp. 359-392. 1918.
  seeding—
    and harvest dates, graphic summary. Y.B., 1917, pp. 550-558. 1918; Y.B. Sep. 758, pp. 16-24. 1918.
    date(s)—
      and rates, Belle Fourche farm, S.Dak. D.B. 1039, pp. 20-26, 70-71. 1922.
      and rates, Moccasin, Mont. D.B. 398, pp. 19-20. 1916.
      and rates, Montana dry lands. F.B. 749, pp. 12-13, 15, 22. 1916.
      and rates, relation to sterility of spikelets. J.A.R., vol. 6, No. 6, pp. 236-242. 1916.
      influence on flag-smut control. D.C. 273, p. 4. 1923.
      relation to Helminthosporium infection. J.A.R., vol. 26, pp. 212-214, 215. 1923.
      relation to rosette disease. J.A.R., vol. 23, pp. 795-797. 1923.
    in dry farming, directions. F.B. 1047, pp. 20-22. 1919.
    rate, experiments. D.B. 1309, pp. 13-15. 1925.
    specifications in large-scale contract. D.C. 351, p. 28. 1925.
    time and management. F.B. 704, pp. 11-12. 1916.
  seedling(s)—
    absorption of plant food, effect of sodium salts in water cultures. J. F. Breazeale. J.A.R., vol. 7, pp. 407-416. 1916.
    availability of potassium, relation to concentration in orthoclase solutions. J. F. Breazeale and Lyman J. Briggs. J.A.R., vol. 20, pp. 615-621. 1921.
    blight development—
      influence of soil temperautre and moisture. James G. Dickson. J.A.R., vol. 22, pp. 837-870. 1921.
      relation to soil temperature. J.A.R., vol. 23, pp. 850-854. 1923.
    effect of organic constituents of soil, testing methods. Soils Bul. 47, pp. 14-15. 1907.
    germination, experiments with culture solutions. Soils Bul. 87, p. 24. 1912.
    growing in—
      acid solutions, changes in acidity. J.A.R., vol. 27, pp. 210-216. 1924.

Wheat(s)—Continued.
  seedling(s)—continued.
    growing in—continued.
      culture solutions of varying reaction. J.A.R., vol. 19, pp. 73, 78-88, 92. 1920.
      distilled water and nutrient solutions. Chem. Bul. 138, pp. 8-19. 1911.
      nutrient solution, changes in acidity. J.A.R., vol. 27, pp. 208-209. 1924.
      nutrient solutions, results. J.A.R., vol. 26, pp. 303-310. 1923.
    growth—
      as affected by acid or alkaline conditions. J. F. Breazeale and J. A. LeClerc. Chem. Bul. 149, pp. 18. 1912.
      effects of sodium salts. J.A.R., vol. 6, No. 22, pp. 863-868. 1916.
    infection by Helminthosporium sativum. H. H. McKinney. J.A.R., vol. 26, pp. 195-218. 1923.
    inoculation with rust spores, experiments. D.B. 1046, pp. 5-6, 14-16. 1922.
    plant food translocation, and elaboration of organic plant material in. J. A. LeClerc and J. F. Breazeale. Chem. Bul. 138, pp. 32. 1911.
    preparation for solution-culture experiments. Soils Bul. 70, pp. 22-24. 1910.
    rust infection, relation to rust in seed wheat. J.A.R., vol. 19, pp. 257-278. 1920.
    tolerance of sodium chloride, effect of lime upon. J.A.R., vol. 18, pp. 347-356. 1920.
    translocation of plant food and elaboration of organic plant material. J. A. LeClerc and J. F. Breazeale. Chem. Bul. 138, pp. 32. 1911.
  selection—
    and holding of seed for 1918, official action. News L., vol. 5, No. 11, p. 3. 1917.
    experiments, Belle Fourche farm. D.B. 1039, pp. 22-23, 70, 71. 1922.
    for suppression of adaptive characters. B.P.I. Bul. 274, pp. 43-45. 1913.
  sheath-gall jointworm, life history, injury to grain, and control. D.B. 808, pp. 8-11, 23-25. 1920.
  sheath miner—
    distribution, description, life history, and control. J.A.R., vol. 9, pp. 17-25. 1917.
    parasites. J.A.R., vol. 9, p. 24. 1917.
  shipments—
    Pacific ports, foreign and domestic trade. Stat. Bul. 89, pp. 14, 15, 21, 22, 29, 34, 37-39. 1911.
    reports of grain inspectors at markets and elevators. Mkts., S.R.A., 37, pp. 2, 3, 40-64, 74-82. 1918.
  shipping papers, forms. Stat. Bul. 89, pp. 87-90. 1911.
  shock-threshed and stack-threshed, milling and baking tests. B.P.I. Cir. 68, pp. 7-10. 1910.
  shocking methods, effect on quality, etc. B.P.I. Cir. 68, pp. 4-5, 8. 1910.
  shorts—
    value as hog feed. F.B. 316, pp. 25, 26, 27. 1908.
    adulteration and misbranding. See also Indexes to Notices of Judgment, in bound volumes and in separates published as supplements to Chemistry Service and Regulatory Announcements.
  shrinkage in storage. F.B. 149, pp. 11-12. 1902.
  Siberian, movements. Stat. Bul. 65, pp. 70-73. 1908.
  situation—
    1923, report to President. Y.B., 1923, pp. 95-150. 1924; Y.B. Sep. 892, pp. 95-150. 1924.
    1924. Sec. A.R., 1925, pp. 2, 4-6. 1925.
    causes and possible remedies, discussion by Secretary. An. Rpts., 1923, pp. 4-5, 14-19. 1923; Sec. A.R., 1923, pp 4-5, 14-19. 1923.
    improvement suggestions. Y.B., 1923, pp. 14-19. 1924.
    report to President. Henry C. Wallace. Sec. [Misc.], "The wheat situation," pp. 126. 1923.
    statistics, 1923. Y.B., 1923, pp. 646-661. 1924; Y.B. Sep. 898, pp. 646-661. 1924.
  smuggling into Texas, detection. Off. Rec. vol. 1, No. 26, p. 3. 1922.

Wheat(s)—Continued.
  smut—
    control—
      by crop rotation, experiments. An. Rpts., 1914, p. 104. 1914; B.P.I. Chief Rpt., 1914, p. 4. 1914.
      by formalin treatment of seed. Sec. [Misc.], Spec., "Winter wheat in * * *," p. 4. 1914.
      treatment. B.P.I. Bul. 283, p. 69. 1913; F.B. 419, pp. 16–17. 1910; F.B. 885, pp. 10–11. 1917; Sec. Cir. 90, pp. 26–27. 1918.
      description, losses caused, and control. F.B. 939, pp. 4–10, 15–27. 1918.
      distinction from nematode galls. D.B. 734, p. 7. 1918.
      distribution and control. B.P.I. Chief Rpt., 1921, p. 38. 1921.
      hot-water treatment modified, results. J.A.R, vol. 28, pp. 79–98. 1924.
      in Pacific Northwest. News L., vol. 6, No. 36, pp. 4–5. 1919.
      relation to dust explosions in grain separators. D.B. 379, pp. 7, 15–16, 18. 1916.
      resistance studies. S.R.S. Rpt., 1916, Pt. I, pp. 48, 277. 1918.
      varieties affected, description, habits, and control methods. F.B. 507, pp. 6–7, 11–12,13–14, 15–28, 28–30, 31, 32. 1912.
      See also Bunt; Smut.
    smutted, percentage. News L., vol. 6, No. 33, pp. 1, 6. 1919.
  soil(s)—
    adaptability in eastern United States. F.B. 596, pp. 2–3. 1914.
    fertilizers. Milton Whitney. Soils Bul. 66, pp. 48. 1910.
  soiling crop for dairy cows. F.B. 355, p. 16. 1909.
  Sonora, comparison with wild wheat. B.P.I. Bul. 274, pp. 46–47. 1913.
  South African, bunt resistance. D.B. 1299, p. 23. 1925.
  sowing—
    date(s)—
      by States. Y.B., 1921, p. 775. 1922; Y.B. Sep. 871, p. 6. 1922.
      for various localities, to prevent Hessian fly. F.B. 1083, pp. 12, 15–16. 1920.
      suitable for Hessian-fly control. F.B. 611, pp. 14–16. 1914; News L., vol. 5, No. 48, pp. 1–3. 1915; News L., vol. 7, No. 6, pp. 1–2. 1919.
    in cool weather and cool soil, for scab control. F.B. 1224, pp. 2, 16. 1921.
    in fall, suggestions based on world conditions. Sec. Cir. 142, pp. 6–10. 1919.
    method, season, rate, and depth. B.P.I. Bul, 130, pp. 12, 59. 1908; F.B. 678, pp. 13–14. 1915.
  spacing, effect on nitrogen content. J.A.R., vol. 24, pp. 941–943. 1923.
  specific gravity, determination method. B.P.I. Cir. 99, pp. 1–7. 1912.
  spelt hybrid, fungus disease suppressing expression of awns. Lloyd E. Thatcher. J.A.R., vol. 21, pp. 699–700. 1921.
  spraying for chinch bugs. F.B. 1223, p. 29. 1922.
  spring—
    acreage—
      1908–1917, by States, increase needed for 1918. News L., vol. 5, No. 30, pp. 1, 2, 3. 1918; Sec. Cir. 90, pp. 16–20. 1918.
      1909. F.B. 616, pp. 2–3. 1914.
      1917, with comparisons, 5 and 10 year periods. Sec. Cir. 103, pp. 5–8. 1918.
      and estimated production, 1917. Sec. Cir. 75, p. 9. 1917.
      analyses and weights, Moro, 1913–1915. D.B. 498, pp. 23–24. 1917.
      and fall, suggested acreage to be sown, 1919–1920. News L., vol. 7, No. 9, pp. 1, 3. 1919.
      area, and relation to other crops. Y.B. 1921, pp. 100, 101. 1922; Y.B. Sep. 873, pp.100, 101. 1922.
      council on. Y.B., 1923, p. 25. 1924.
    cultural methods—
      cost comparisons, and yields, various stations, D.B. 214, pp. 8–42. 1915.

Wheat(s)—Continued.
  spring—continued.
    cultural methods—continued.
      relation to production in Great Plains area. E. C. Chilcott and others. D.B. 214, pp. 43. 1915.
    days from emergence to maturity in northern Great Plains. D.B. 878, pp. 34–36. 1920.
    early sowing, importance, and date in various localities. News L., vol. 5, No. 35, pp. 1, 5. 1918.
    flour yields, tests. D.B. 878, pp. 41–46. 1920.
    foreign material in. R. H. Black and C. R. Haller. F.B. 1287, pp. 22. 1922.
    grades. Mkts. S.R.A. 22, pp. 29. 1917.
    growing—
      acreage, production, and varieties. News L., vol. 2, No. 47, pp. 1–2. 1915.
      at Rampart Experiment Station, Alaska. Alaska A.R. 1910, p. 45. 1911.
      at Williston Experiment Station, 1908–1914, varieties and yields. D.B. 270, pp. 13–22, 33, 34, 35. 1915.
      in Alaska, 1915. Alaska A.R., 1913, pp. 28, 30, 31, 45–46, 52. 1914; Alaska A.R., 1915, pp. 13, 14, 20–21, 44–46, 56, 62–63, 98. 1916.
      in eastern Colorado, effect of plowing stubble fields at different times. D.B. 253, pp. 1–5, 6–15. 1915.
      in northern Great Plains, experiments. D.B. 878, pp. 13–41. 1920.
      in Pacific Northwest, methods and varieties adaptable. News L., vol. 5, No. 31, pp. 3, 6. 1918.
    hard—
      area, wild oat in, control methods. H. R. Cates. F.B. 833, pp. 16. 1917.
      baking and milling tests. D.B. 357, pp. 12–14. 1916.
      growing. Carleton R. Ball and J. Allen Clark. F.B. 678, pp. 16. 1915.
      Marquis, comparison with other varieties. F.B. 732, pp. 2–4. 1916.
      origin, kinds, introduction and spread. Y.B., 1914, pp. 393–397. 1915; Y.B. Sep. 649, pp. 393–397. 1915.
      varieties. Carleton R. Ball and J. Allen Clark. F.B. 680, pp. 20. 1915.
    hard red—
      J. Allen Clark and John H. Martin. F.B. 1281, pp. 28. 1922.
      and winter. Y.B., 1921, pp. 123, 124, 125. 1922; Y.B. Sep. 873, pp. 123, 124, 125. 1922.
      class 1, standards. Mkts. [Misc.], "Standards for hard * * *," pp. 2. 1917.
      milling and baking value, tests. D.B. 1183, pp. 3, 11–28, 77–90. 1924.
      standards and grades, letter to Commissioner of Agriculture, of North Dakota, by C. J. Brand. Mkts. S.R.A. 34, pp. 10. 1918.
    harvest time, graphs. D.C. 183, pp. 20–21. 1922.
    in Great Plains area. F.B. 678, pp. 2–3. 1915.
    in Great Plains area, relation of cultural methods to production. E. C. Chilcott and others. D.B. 214, pp. 43. 1915.
    leading variety. News L., vol. 6, No. 46, p. 13. 1919.
    planting—
      and care. B.P.I. Cir. 61, pp. 26–27. 1910.
      dates, by States. Y B., 1922, p. 989. 1923; Y.B. Sep. 887, p. 989. 1923.
    prices at farm, various States, 1904–1914. D.B. 214, p. 10. 1915.
    production—
      areas. F.B. 1287, p. 6. 1922.
      at various stations, yields, profits, or losses, etc., comparison. D.B. 214, pp. 37–42. 1915.
      cost per acre in Minnesota. Stat. Bul. 73, pp. 49–50, 67. 1909.
      experiments in Great Plains area, scope, methods and studies. D.B. 214, pp. 2–4, 5–43. 1915.
      in United States and world, 1909–1914. F.B. 680, p. 2. 1915.
      results at Akron Experiment Station, Colo. D.B. 1304, pp. 12–14. 1925.
      Russian, classification. Stat. Bul. 65, pp. 25–26. 1908.

Wheat(s)—Continued.
  spring—continued.
    seed-bed, preparation. F.B. 678, pp. 11-12. 1915.
    seeding—
      rate and date, experiments, Moro, 1912-1915. D.B. 498, pp. 25-26, 37. 1917.
      tests in Texas, rate, date, and yield. B.P.I. Bul. 283, pp. 29, 30, 50-52, 74, 77, 78. 1913.
      time, graphs. D.C. 183, pp. 18-19. 1922.
      time in various localities. News L., vol. 5, No. 35, pp. 1, 5. 1918.
    unprofitableness for Idaho dry farms. F.B. 769, p. 20. 1916.
    utilization of water stored in soil. O. R. Mathews and E. C. Chilcott. D.B. 1139, pp. 28. 1923.
    varietal—
      experiments on northern Great Plains. J. Allen Clark, and others. D.B. 878, pp. 48. 1920.
      experiments in Texas. B.P.I. Bul. 283, pp. 27, 28, 49-50, 73, 77, 78. 1913.
      tests at Dickinson substation, 1907-1913, and yields. D.B. 33, pp. 13-23, 43. 1914.
    variety(ies)—
      and sectional adaptability. News L., vol. 5, No. 31, pp. 3, 4, 5, 6. 1918.
      durum and common. F.B. 680, pp. 1-20. 1915.
      for stem-rust control. News L., vol. 5, No. 35, pp. 4, 7. 198.
      grown on Idaho dry farms, comparison. F.B. 769, pp. 20-21. 1916.
      key and descriptions. D.B. 878, pp. 2-10. 1920.
      milling and baking value, experiments. D.B. 878, pp. 41-46. 1920.
      production, 1914, yield, prices, value, and estimates. F.B. 665, pp. 4-5. 1915.
      tests and yields, Moro substation 1911-1915. D.B. 498, pp. 14-26, 37. 1917.
      tests for milling and baking. F.B. 320, pp. 18-19. 1908.
      yield per acre, in western North and South Dakota. B.P.I. Cir. 59, pp. 8-12. 1910.
      yields, and weights per bushel. D.B. 878, pp. 32-36, 40-41. 1920.
      yields, seeding rate, experiments at Akron station, 1908-1915. D.B. 402, pp. 19-23, 33-34. 1916.
    water use on Great Plains. John S. Cole, O. R. Mathews, and E. C. Chilcott. D.B. 1004, pp. 34. 1923.
    yield(s)—
      in Colorado from fall-plowed and spring-plowed stubble, 1909-1914. D.B. 253, p. 4. 1915.
      of different varieties in northern Great Plains. D.B. 878, pp. 13-34. 1920.
      per acre, estimate, June 1, by States. F.B. 598, p. 21. 1914.
  "stack-burnt," cause. B.P.I. Cir. 68, p. 6. 1910.
  "stacked," advantages over shocked wheat. B.P.I. Cir. 68, pp. 10-11. 1910.
  stacking, methods and costs per acre and per bushel. D.B. 627, pp. 13-15, 18. 1918; News L., vol. 5, No. 37, pp. 9-10. 1918.
  standards—
    1917, and comparisons with revised standards. Mkts. S.R.A. 36, pp. 16. 1918.
    1918. Mkts. [Misc.], "Standards for wheat," pp. 2. 1918.
    1918, changes, summary. Mkts. S.R.A. 36, pp. 12-16. 1918.
    and their application, address. Mkts. S.R.A. 35, pp. 1-10. 1918.
    discussion. Mkts. S.R.A. 29, p. 4. 1917.
    establishment by Agriculture Secretary, summary. News L., vol. 5, No. 38, pp. 1-2. 1918.
    official—
      adoption. B.A.E. [Misc.], "Handbook of official * * *," rev., pp. 58. 1922; Mkts. [Misc.], "Handbook, official standards * * *," pp. 1-17, 42-47. 1918; Mkts. [Misc.], "Handbook, official grain * * *," pp. 53. 1919; Mkts. S.R.A. 22, pp. 29. 1917; Mkts. S.R.A. 35, p. 11. 1918.

Wheat(s)—Continued.
  standards—continued.
    official—continued.
      handbook. E. G. Boerner. B.A.E. [Misc.], "Handbook of official * * *," (with other grains,) rev., pp. 74. 1924.
      tabulated. Y.B., 1918, p. 345. 1919; Y.B. Sep. 766, p. 13. 1919.
  starch, microscopical examinations. Chem. Bul. 130, p. 136. 1910; Y.B., 1907, p. 380. 1908; Y.B. Sep. 455, p. 380. 1908.
  statistics—
    1905. Y.B., 1905, pp. 663-674. 1906; Y.B. Sep. 404, pp. 663-674. 1906.
    1906. Y.B., 1906, pp. 549-561. 1907; Y.B. Sep. 436, pp. 549-561. 1907.
    1907, acreage, yield, value, exports, and imports. Y.B., 1907, pp. 616-626, 742, 751. 1908; Y.B. Sep. 465, pp. 616-626, 742, 751. 1908.
    1908. Y.B., 1908, pp. 606-618, 758, 758. 1909; Y.B. Sep. 498, pp. 606-618, 758, 768. 1909.
    1908-1912, acreage, production, value, imports, and exports. Y.B., 1912, pp. 565-579, 720, 731, 740-741. 1913; Y.B. Sep. 614, pp. 565-579. 1913; Y.B. Sep. 615, pp. 720, 731, 740-741. 1913.
    1910, acreage, production, value, prices, exports, and imports. Y.B., 1910, pp. 503-522. 1911; Y.B. Sep. pp. 508, 522. 1911.
    1910-1922, acreage, exports, and production. An. Rpts., 1922, pp. 53, 54, 56. 1922; Sec. A.R., 1922, pp. 53, 54, 56. 1922.
    1911, acreage, production, value, imports, and exports. Y.B. 1911, pp. 527-540, 663, 672, 681-682. 1912; Y.B. Sep. 587, pp. 527-540. 1912; Y.B. Sep. 588, pp. 663, 672, 681-682. 1912.
    1913, acreage production, yield, value, exports, and imports. Y.B., 1913, pp. 376-386, 497, 504. 1914; Y.B. Sep. 360, pp. 376-386. 1914; Y.B. Sep. 361, pp. 497, 504. 1914.
    1914, acreage, production, yield, value, imports, and exports. Y.B., 1914, pp. 519-531, 649, 655, 662. 1915; Y.B. Sep. 654, pp. 519-531. 1915; Y.B. Sep. 656, p. 649. 1915; Y.B. Sep. 657, pp. 655, 662. 1915.
    1914-1921, acreage, production, and exports, Sec. A.R., 1921, pp. 62, 63, 65. 1921.
    1915, acreage, production, yield, prices, exports, and imports. Y.B., 1915, pp. 418-429, 544, 551, 557, 568. 1916; Y.B. Sep. 682, pp. 418-429. 1916; Y.B. Sep. 685, pp. 544, 551, 557, 568. 1916.
    1916, acreage, production, yield, prices, exports, and imports. Y.B., 1916, pp. 568-579, 711, 718, 725, 735. 1917; Y.B. Sep. 719, pp. 8-19. 1917; Y.B. Sep. 722, pp. 5, 12, 19, 29. 1917.
    1917, acreage, production, yield, prices, exports, and imports. Y.B., 1917, pp. 612-623, 763, 771. 1918; Y.B. Sep. 759, pp. 22-27. 1918; Y.B. Sep. 762, pp. 7-15. 1918.
    1918, acreage, production, yield, prices, exports, and imports. Y.B., 1918, pp. 458-472. 1919; Y.B. Sep. 791, pp. 12-26. 1919.
    1919, acreage, production, prices, exports, and imports. Y.B., 1919, pp. 517-530, 565, 567. 1920; Y.B. Sep. 826, pp. 517-530, 565, 567. 1920.
    1920, acreage, production, and yield. Y.B., 1920, pp. 546-563. 1921; Y.B. Sep. 861, pp. 15-32. 1921.
    1921, acreage production, and value. Y.B., 1921, pp. 71, 72, 74, 520-538, 770. 1922; Y.B. Sep. 868, pp. 14-32. 1922; Y.B. Sep. 871, p. 1. 1922; Y.B. Sep. 875, pp. 71, 72, 74. 1922.
    1922. D.B. 1020, pp. 3, 5, 13. 1922.
    1923. Sec. [Misc.], "The wheat situation," pp. 78-125. 1923.
    1924. Y.B., 1924, pp. 560-592, 1044, 1062, 1075, 1076, 1133-1135, 1140, 1158. 1925.
    for—
      Austria, pre-war and 1919-1922. D.B. 1234, pp. 48-54. 1924.
      Czechoslovakia, pre-war and 1920-1922. D.B. 1234, pp. 71-76, 80, 81, 82, 84-88, 90-92. 1924.
      Hungary, pre-war surplus, and exports, 1921-22. D.B. 1234, pp. 13-16, 18-19, 38, 42. 1924.

INDEX TO PUBLICATIONS, 1901-1925   2621

Wheat(s)—Continued.
  statistics—continued.
    for—continued.
      Yugoslavia. D.B. 1234, pp. 95-100, 104-109. 1924.
      foreign countries, 1908-1912, and 1891-1912. Stat. Cir. 45, pp. 5-8. 1913.
    graphic showing of average production—
      United States. Stat. Bul. 78, p. 16. 1910.
      world. Stat. Bul. 78, p. 54. 1910.
    production and yield. S.R.S. Syl. 11, rev., pp. 17-18. 1918.
    receipts and shipments at trade centers. Rpt. 98, pp. 290, 383-389. 1913.
    stocks, marketings, prices, and consumption. Y.B., 1918, pp. 679-682. 1919; Y.B. Sep. 792, pp. 15-18. 1919.
    world—
      countries, 1908-1912. Stat. Cir. 44, p. 17. 1913.
      crop, and of United States, acreage, yield, value, and prices. Y.B., 1900, pp. 762-773. 1901.
  stem—
    maggot—
      destruction by *Pediculoides ventricosus*. Ent. Cir. 118, p. 5. 1910.
      greater, description, food plants, enemies, and prevention. Ent. Bul. 42, pp. 43-51. 1903.
      lesser, description, prevention, and enemies. Ent. Bul. 42, pp. 51-56. 1903.
      symptoms produced by, and comparison with rosette symptoms. D.B. 1137, p. 7. 1923.
    morphology, relation to rust resistance. J.A.R. vol. 27, pp. 390-394, 404-406. 1924.
    rust—
      biological forms. J.A.R. vol. 15, pp. 221-250. 1918; J.A.R., vol. 16, pp. 103-105. 1919.
      changes, and relation to rust resistance, studies. J.A.R. vol. 14, pp. 111-124. 1918.
      control, 1917. Y.B., 1917, pp. 490-494. 1918; Y.B. Sep. 755, pp. 11-15. 1918.
      control, 1922. Y.B. 1922, pp. 26-28. 1923; Y.B. Sep. 883, pp. 26-28. 1923.
      control by eradication of barberry, appeal to nurserymen. F.H.B.S.R.A. 51, pp. 42-43. 1918.
      cytology. Ruth F. Allen. J.A.R., vol. 26, pp. 571-604. 1923.
      infection, in spring wheat variety, experiments. D.B. 878, pp. 37-40. 1920.
      infection of seed, and transmission, studies. J.A.R. vol. 19, pp. 258, 259-274. 1920.
      relation to fertilizers. E. C. Stakman and O. S. Aamodt. J.A.R., vol. 27, pp. 341-380. 1924.
      resistance in a cross of common wheat. Olaf S. Aamodt. J.A.R. vol. 24, pp. 457-470. 1923.
      resistance, relation to acidity changes during growth. Annie May Hurd. J.A.R., vol. 27, pp. 725-735. 1924.
      studies. J.A.R., vol. 10, pp. 432-492. 1917; J.A.R., vol. 23, pp. 131-152. 1923.
      studies of biologic form. J.A.R., vol. 13, pp. 651-654. 1918; J.A.R., vol. 24, pp. 539-568. 1923.
  sterile spikelets, occurrence. J.A.R., vol. 6, No. 6, pp. 235-250. 1916.
  stocks—
    geographic distribution, August 31, 1916, 1917. Sec. Cir. 100, pp. 3-8, 14-17. 1918.
    held by warehouses and retail dealers, August 31, 1917. Sec. Cir. 100, pp. 6, 12-13. 1918.
    holdings of elevators, mills, and wholesale dealers, August 31, 1916, 1917. Sec. Cir. 100, pp. 5-6, 10-11. 1918.
    increase, 1919 over 1918. News L., vol. 6, No. 40, p. 7. 1919.
    on hand—
      December 31, 1917, comparison with 1916. News L., vol. 5, No. 33, p. 6. 1918.
      January 1, 1918, 1919. News L., vol. 6, No. 28, p. 16. 1919.
      March 1, 1918, 1919. News L., vol. 6, No. 36, p. 7. 1919.
      November 1, 1918, with comparisons. News L., vol. 6, No. 19, p. 6. 1918.

Wheat(s)—Continued.
  stocks—continued.
    on hand—continued.
      December 1, 1918. News L., vol. 6, No. 23, p. 6. 1919.
    survey and visible supply, 1918. News L., vol. 6, No. 1, p. 9. 1918.
  Stoner—
    description, history, and experimental data. D.B. 357, pp. 14-27. 1916.
    other names, description, false claims, warnings. News L., vol. 3, No. 40, pp. 1-2. 1916.
    seed, exploitation. D.B. 357, pp. 17-19. 1916.
    tillering—
      habits and yields. D.B. 336, pp. 19, 22, 24, 25, 26. 1916.
      power, tests. D.B. 357, pp. 24-25. 1916.
    yields and seeding rate, tests, comparisons with other varieties. D.B. 357, pp. 19-27. 1916.
  storage—
    effect on quality. F.B. 320, pp. 19-20. 1908.
    needs and costs. Y.B., 1921, pp. 132-134. 1922; Y.B. Sep. 873, pp. 132-134. 1922.
    stored, insect pests. F.B. 1260, pp. 3-41. 1922.
  straw—
    and grain, after use of borax and colemanite, analyses. J.A.R., vol. 10, pp. 593-594. 1917.
    ash and silica content, effect of fertilizers. J.A.R., vol. 23, p. 67. 1923.
    bedding for stock, water-holding capacity. J.A.R., vol. 14, pp. 187-190. 1918.
    feed value and cost. D.B. 1024, pp. 7-16. 1922.
    gas production, qualities and uses. D.B. 1203, pp. 4-5. 1923.
    manganese content. D.B. 42, p. 2. 1914.
    silage mixtures, acidity. J.A.R., vol. 14, pp. 406, 407. 1918.
    use as mulch for potatoes. F.B. 353, pp. 9-10. 1909.
  strawworm—
    F. M. Webster and George I. Reeves. Ent. Cir. 106, pp. 15. 1909.
    control—
      W. J. Phillips and F. W. Poos. F.B. 1323, pp. 10. 1923.
      by parasites. Y.B., 1907, p. 255. 1908; Y.B. Sep. 447, p. 255. 1908.
    description, distribution, enemies, and remedies. Ent. Bul. 42, pp. 14-23. 1903.
    outbreak in Washington, investigations. An. Rpts., 1908, pp. 544, 545. 1909; Ent. A.R., 1908, pp. 22, 23. 1908.
    parasites. Ent. Cir. 106, pp. 8-10. 1909; F.B. 1323, p. 8. 1923.
  stripe rust, susceptibility of wheat varieties, experiments. J.A.R., vol. 25, pp. 371-399. 1923.
  structure, milling and tests. F.B. 389, pp. 8-14. 1910.
  stubble—
    burning over for Hessian-fly control. News L., vol. 2, No. 48, pp. 1-3. 1915.
    plowing under for chinch-bug control. F.B. 1223, p. 33. 1922.
    source of Hessian-fly infestation. F.B. 1083, pp. 14, 16. 1920.
  subsoiling, effect on yield, experiments. J.A.R., vol. 14, pp. 488-489, 503. 1918.
  substitute(s)—
    barley, use and value. F.B. 968, pp. 27-28. 1918; Sec. Cir. 111, pp. 1-4. 1918.
    corn meal and corn flour, use and recipes. Sec. Cir. 117, pp. 1-4. 1918.
    in bread, work of bread-club members. D.C. 66, pp. 30, 36. 1920.
    oats, use in breads and cakes. Sec. Cir. 118, pp. 1-4. 1918.
    partial use in bread making. Hannah L. Wessling. S.R.S. Doc. 64, pp. 11. 1917.
    peanut—
      flour, recipes. Sec. Cir. 110, pp. 1-4. 1918.
      value of. Y.B., 1917, pp. 293-294, 295-297. 1918; Y.B. Sep. 746, pp. 7-8, 9-11. 1918.
    potato products. Sec. Cir. 106, p. 8. 1918.
    quackgrass seed. F.B. 1307, p. 31. 1923.
    recipes. S.R.S. [Misc.], "Save wheat * * *." 1918.
    rice flour recipes. Sec. Cir., 119, pp. 1-4. 1918.

Wheat(s)—Continued.
  substitute(s)—continued.
    soy bean and pea flour. S.R.S. Rpt., 1917, Pt. I, pp. 40–268. 1918.
    use to save wheat. Lib. Leaf. No. 4, pp. 2–4. 1918.
  substitution for oats and corn as crop. Sec. Cir. 108, p. 9. 1918.
  suitability for—
    hog forage. News L., vol. 3, No. 35, p. 1. 1916.
    hogging-off, variety, and experiments. F.B. 599, pp. 6, 7, 9–10, 11, 13, 14, 17, 18, 20, 23–24, 25, 26, 27. 1914.
  supply(ies)—
    and demand—
      1915. News L., vol. 2, No. 30, p. 1. 1915.
      for 1917, discussion by Agriculture Secretary. News L., vol. 4, No. 31, pp. 2, 3. 1917.
      relation to prices, discussion of variations, 1870–1908. Y.B., 1909, pp. 264–267. 1910; Y.B. Sep. 511, pp. 264–267. 1910.
    and requirements, 1914–1915, estimates, table. F.B. 629, pp. 5–6, 18. 1914.
    in United States, March 1, 1915, estimates. F.B. 665, pp. 2–5. 1915.
    increase in, May, 1919. News L., vol. 6, No. 45, p. 7. 1919.
    location—
      and character. Y.B., 1923, pp. 104–110. 1924.
      in various States. News L., vol. 6, No. 14, p. 14. 1918.
      on farms and elsewhere, 1909–1914, by months. Y.B., 1918, p. 679. 1919; Y.B. Sep. 795, p. 15. 1919.
    surplus—
      countries producing. Y.B., 1921, p. 81. 1922; Y.B. Sep. 873, p. 81. 1922.
      in Pacific Coast States, 1856–1870, 1896–1909. Stat. Bul. 89, pp. 12, 28–29. 1911.
    Russia's, conditions under which produced. I. M. Rubinow. Stat. Bul. 42, pp. 103. 1906.
    sweating, effect. B.P.I. Cir. 68, pp. 6, 7, 10. 1910.
  take-all—
    cause, symptoms, and control. D.B. 1347, pp. 14–17. 1925; F.B. 1063, pp. 3–6, 8. 1919.
    control. Harry B. Humphrey and others. F.B. 1226, pp. 12. 1921.
    outbreaks. News L., vol. 6, No. 47, p. 14. 1919.
    relation to weakened plants, and control. J.A.R., vol. 25, pp. 351–358. 1923.
    symptoms. F.B. 1226, p. 7. 1921.
  tempering—
    changes taking place in. E. L. Tague. J.A.R., vol. 20, pp. 271–275. 1920.
    methods and results on moisture content. D.B. 788, pp. 2–3, 6–10. 1919.
  test(s)—
    at field station near Mandan, N. Dak. D.B. 1301, pp. 68–69. 1925.
    weight, relation of moisture. B.P.I. Cir. 68, p. 5. 1910.
    testing for moisture, directions. B.P.I. Cir. 72, rev., p. 12. 1914.
  threshing—
    day's work, horses and men. D.B. 412, p. 7. 1916.
    delay cause of moth infestation. F.B. 1156, p. 16. 1920.
    practices. Y.B., 1919, pp. 146–148. 1920; Y.B. Sep. 804, pp. 146–148. 1920.
    time and methods. F.B. 596, p. 12. 1914.
    use of combined harvester, acreage and cost. D.B. 627, pp. 18–21. 1918.
  thrips—
    control by insects and by cultural methods. J.A.R., vol. 4, No. 3, p. 223. 1915.
    new, *Prosopothrips cognatus*. E. O. G. Kelly. J.A.R., vol. 4, No. 3, pp. 219–224. 1915.
    parasites. Ent. T.B. 23, Pt. II, pp, 25, 42, 43. 1912.
  tillage—
    dry farming. Y.B., 1911, p. 254. 1912; Y.B. Sep. 565, p. 254. 1912.
    experiments at dry-land substations, results. D.B. 1173, pp. 12–46. 1923.
    methods and results, in Great Plains area. D.B. 595, pp. 29–32. 1917.

Wheat(s)—Continued.
  tolerance of—
    salts solutions, experiments. B.P.I. Bul. 113, pp. 12, 13, 19. 1907.
    sodium salts, experiments. J.A.R., vol. 6, No. 22, pp. 863–868. 1916.
  trade—
    centers, receipts at interior cities, 1899–1904. Stat. Bul. 38, p. 19. 1905.
    international, 1901–1910. Stat. Bul. 103, pp. 48–49, 52–53. 1913.
    international, 1909–1921. Y.B., 1922, p. 617. 1923; Y.B. Sep. 881, p. 617. 1923.
  transpiration—
    and enrivonmental data, June and July, 1912. J.A.R., vol. 5, No. 14, pp. 586–592, 624. 1916.
    studies, Akron, Colo. J.A.R., vol. 7, pp. 157–161, 165, 168–195, 201–203. 1916.
  transportation—
    cost, United States and Russia, comparisons. Stat. Bul. 65, pp. 63–64. 1908.
    routes, comparison of distances. Stat. Bul. 38, pp. 20–22. 1905.
  treatment—
    for nematode galls. D.B. 734, pp. 13–15. 1918.
    for smut. F.B. 704, pp. 29–30. 1916.
    with sulphur, effects. J.A.R., vol. 11, pp. 94, 95–99. 1917.
  tulip-root disease, cause and comparison with nematode disease. D.B. 842, pp. 8–9. 1920.
  Turkestan, importation and description. No. 33423, B.P.I., Inv. 31, p. 21. 1914.
  Turkey—
    description. B.P.I. Bul. 79, p. 13. 1905; F.B. 1280, pp. 3–6. 1922.
    description and yield, Utah. B.P.I. Cir. 61, pp. 10–11, 16. 1910.
    description, origin, introduction and success. Y.B., 1914, pp. 397–405. 1915; Y.B. Sep. 649, pp. 397–405. 1915.
    development, soil temperature relation. J.A.R., vol. 23, p. 849. 1923.
    production in Snake River Valley, Idaho, description and value. F.B. 769, pp. 17–18. 1916.
    value as winter wheat for Kansas. B.P.I. Bul. 240, pp. 8, 14, 21. 1912.
  Turkey Red, high quality for milling purposes. F.B. 320, p. 19. 1908. O.E.S. An. Rpt., 1911, p. 208. 1912.
  type selection a modern art. B.P.I. Bul. 274, pp. 38–39. 1913.
  United Kingdom, area, and production, 1852–1912, ten-year periods. Stat. Cir. 47, pp. 7–8. 1913.
  use(s)—
    and value as—
      hog feed, pork-producing capacity, comparison with other feeds, etc. News L., vol. 2, No. 28, p. 2. 1915.
      nurse and cover crops. F.B. 596, p. 6. 1914.
    as forage crop in cotton region. F.B. 509, p. 18. 1912.
    as temporary pasture for sheep. F.B. 1181, pp. 7, 11, 13, 14, 16. 1921.
    as vegetable. O.E.S. Bul. 245, p. 59. 1912.
    for sheep pastures and sheep feed. D.B. 20, pp. 41, 43. 1913.
    in—
      Corn-Belt rotations. Y.B., 1911, pp. 329–332. 1912; Y.B. Sep. 572, pp. 329–332. 1912.
      crop rotation for commercial bean growing. F.B. 425, p. 6. 1910.
      manufacture of alcohol, and cost per gallon. Chem. Bul. 130, pp. 31, 95. 1910.
      manufacture of denatured alcohol. Chem. Bul. 130, p. 31. 1910.
      soy-bean sauce, preparation and proportions. D.B. 1152, pp. 6–8, 11, 17–18. 1923.
    production, yields, various countries, and statistics. S.R.S. Syl. 11, rev., pp. 16, 17–18. 1918.
    value—
      as cover and green manure crop. F.B. 472, pp. 10, 17, 25. 1911.
      as food, previous investigations, review. D.B. 751, pp. 1–7. 1919.
      for malt. F.B. 410, p. 23. 1910.
      for 3-year rotations. B.P.I. Bul. 187, pp 40–54. 1910.

Wheat(s)—Continued.
  value—continued.
    in pig feeding. B.A.I. An. Rpt., 1903, p. 270. 1904; B.A.I. Cir. 63, p. 270. 1904.
    in purchasing power. Y.B., 1921, pp. 147–148. 1922; Y.B. Sep. 873, pp. 147–148. 1922.
    of early plowing. News L., vol. 6, No. 3, p. 4. 1918.
    on farms, 1910–1921, graph. Y.B., 1921, p. 163. 1922; Y.B. Sep. 872, p. 163. 1922.
  variation and correlation, relation to seed weight. J.A.R., vol. 14, No. 9, pp. 359–392. 1918.
  varietal—
    experiments—
      in Porto Rico. P.R. An. Rpt., 1921, p. 19. 1922.
      on irrigated land, Belle Fourche farm. D.B. 1039, pp. 45, 46–48, 71, 72. 1922.
    resistance to rosette disease, tests. J.A.R., vol. 23, pp. 790–795. 1923.
    studies and experiments, 1914, 1915, Marquis and other. D.B. 400, pp. 7–40. 1916.
  variety(ies)—
    acreage by States, and for entire United States. D.B. 1074, pp. 207–218. 1922.
    adaptability—
      southeastern States. F.B. 885, p. 8. 1917.
      various climatic conditions. F.B. 732, pp. 5–7. 1916.
      western Kansas. Soil Sur. Adv. Sh., 1910, pp. 92, 93–94. 1912; Soils F.O., 1910, pp. 1430, 1431–1432. 1912.
      western South Dakota. B.P.I. Cir. 79, p. 6. 1911.
    Alaska and Stoner, or "miracle," misrepresentation. Carleton R. Ball and Clyde E. Leighty. D.B. 357, pp. 29. 1916.
    American, milling and baking experiments. J. H. Shollenberger and J. Allen Clark. D.B. 1183, pp. 93. 1924.
    and breeding experiments. An. Rpts., 1920, pp. 167–169. 1921.
    best adapted to Southeastern States. F.B. 885, p. 8. 1917.
    bibliography. D.B. 1074, pp. 219–230. 1922.
    bunt resistance, comparison. J.A.R., vol. 23, pp. 453–458. 1923.
    changes, advice against. News L., vol. 6, No. 5, p. 3. 1918.
    choice for Cotton Belt. Sec. [Misc.], Spec. "Winter wheat in the * * *," p. 3. 1914.
    classification, and improvement methods. S.R.S. Syl. 11, rev., pp. 6–7. 1918.
    composition of flour, in Oregon and Oklahoma. O.E.S. Bul. 156, pp. 13–14. 1905.
    crosses with emmer, studies. J.A.R., vol. 28, pp. 1018–1031. 1924.
    culture and quality. F. B. 210, pp. 9–11. 1904.
    description—
      Carl S. Scofield. B.P.I. Bul. 47, pp. 18. 1903.
      and yields. D.B. 498, p. 16–22, 35. 1917.
    disease-resistant, breeding possibility. B.P.I. Bul. 274, pp. 39–40. 1913.
    dry-land experiments, Belle Fourche farm. D.B. 1039, pp. 20–26, 70–71. 1922.
    experiments—
      at Scottsbluff experiment farm, Nebr., 1916. W.I.A. Cir. 18, pp. 12–13. 1918.
      with toxic salts. B.P.I. Bul. 79, pp. 16–20, 37–39. 1905.
    for Maryland, Virginia, and Delaware. F.B. 786, pp. 15–16. 1917.
    grouped by characters. F.B. 1168, pp. 17–18. 1921.
    growing experiments in Alaska. Alaska A.R., 1911, pp. 25–26, 52. 1912.
    grown in flag-smut area in Illinois. D.C. 273, p. 6. 1923.
    hard spring. Carleton R. Ball and J. Allen Clark. F.B. 680, pp. 20. 1915.
    immune to Hessian fly. F.B. 640, pp. 10–11. 1915.
    importations and descriptions. Nos. 31940, 32038, 32039, 32156, 32157, 32175–32177, B.P.I. Bul. 261, pp. 7, 11, 21, 34, 37. 1912; Nos. 36388–36390, 36392, 36498–36527, 36577–36587, 36622, B.P.I. Inv. 37, pp. 7, 20, 27, 34, 41. 1916; Nos. 38687, 38889, 39152, 39193, B.P.I. Inv. 40, pp. 11, 43, 84, 91. 1917; Nos. 49342, 49571–49581, B.P.I. Inv. 62, pp. 28, 55. 1923.

Wheat(s)—Continued.
  variety(ies)—continued.
    improvement—
      and grouping of adapted varieties. F.B. 616, pp. 12–14. 1914.
      methods. O.E.S.F.I.L. 11, pp. 9–10. 1910.
    in Argentina, description. Y.B., 1915, pp. 293–294. 1916; Y.B. Sep. 677, pp. 293–294. 1916.
    in California, adaptation, tests, and yields. B.P.I. Bul. 178, pp. 20–29. 1910.
    misrepresentations by seedsmen, warnings. News L., vol. 3, No. 40, pp. 1–2. 1916.
    occurrence of iron and manganese. J.A.R., vol. 5, No. 8, pp. 351–354. 1915.
    percentage and yield, 1914–1917. Y.B., 1918, p. 682. 1919; Y.B. Sep. 795, p. 18. 1919.
    quality tests for milling and baking. F.B. 320, pp. 18–22. 1908.
    relation to Hessian-fly injury, studies. J.A.R., vol. 12, pp. 519–527. 1918.
    resistance to toxic salts, variability. L. L. Harter. B.P.I. Bul. 79, pp. 48. 1905.
    resistant to—
      bunt. D.B. 1299, pp. 24–25. 1925.
      disease, relation to acidity. J.A.R., vol. 23, No. 5, pp. 375–383. 1923.
      flag smut, lists, and description. D.C. 273, pp. 4–6. 1923; F.B. 1213, pp. 5–6. 1921.
      Hessian-fly injury. J.A.R., vol. 12, pp. 524. 1918.
      rosette disease, list. J.A.R., vol. 26, pp. 265–269. 1923.
      rust breeding, results. Y.B., 1917, pp. 490–494. 1918; Y.B. Sep. 755, pp. 11–15. 1918.
      smut, comparison. B.P.I. Bul. 152, pp. 9–10. 1909.
      take-all disease. F.B. 1226, pp. 9–10. 1921.
    seed improvement. An. Rpts., 1918, pp. 141–142. 1918; B.P.I. Chief Rpt., 1918, pp. 7–8. 1918.
    technical description. D.B. 772, pp. 89–90. 1920.
    testing—
      and yields, 1904–1909, in Kansas. B.P.I. Bul. 240, pp. 12–15, 21. 1912.
      Belle Fourche experiment farm, S. Dak. D.B. 297, pp. 14–20, 22–24. 1915; D.C. 60, pp. 12–14. 1919; W.I.A. Cir. 9, pp. 18–19. 1916; W.I.A. Cir. 14, pp. 20–22. 1917; W.I.A. Cir. 24, pp. 24, 25. 1918.
      California. B.P.I. Bul. 178, p. 20. 1910.
      for bunt resistance. J.A.R., vol. 23, pp. 459–460. 1923.
      Huntley experiment farm, Mont. W.I.A. Cir. 8, pp. 19–20. 1916.
      in rod rows, field technic. J.A.R., vol. 11, pp. 402–413, 416. 1917.
      Nephi substation, Utah, 1908–1912, yields and tables. D.B. 30, pp. 12–26, 36–50. 1913.
      Newlands experiment farm, Nev. D.C. 80, pp. 10–11. 1920; D.C. 136, p. 8. 1920.
      Scottsbluff experiment farm, Nebr. B.P.I. Cir. 116, pp. 14–16. 1913; D.C. 173, p. 28. 1921; W.I.A. Cir. 6, pp. 9–10, 1915; W.I.A. Cir. 11, pp. 13–14. 1916.
      South Dakota. D.B. 39, pp. 8–19. 1914.
      Truckee-Carson reclamation project, Nev. W.I.A. Cir. 13, p. 9. 1916; W.I.A. Cir. 19, pp. 8–9. 1918; W.I.A. Cir. 23, pp. 14–16. 1918.
      Wyoming. O.E.S. An. Rpt., 1910, p. 268. 1911.
      Yuma experiment farm, Calif., in 1919–1920. D.C. 221, pp. 25–26. 1922.
    trial in California. An. Rpts., 1908, p. 329. 1909; B.P.I. Chief Rpt., 1908, p. 57. 1908.
    unidentified, list and descriptions. D.B. 1074, pp. 199–207. 1922.
    variability in resistance to toxic salts. L. L. Harter. B.P.I. Bul. 79, pp. 48. 1905.
  Velvet Chaff—
    characteristics and varieties. D.B. 878, pp. 5–6. 1920.
    comparison with Humpback wheat. D.B. 478, pp. 2–4. 1916.
  Velvet Don—
    characteristics. D.B. 878, p. 10. 1920.
    description. F.B. 680, p. 20. 1915.
  vicinity-grown, increased value for seed. News L., vol. 5, No. 7, p. 6. 1917.

Wheat(s)—Continued.
  volunteer, destruction for control of—
    grain aphid. Sec. Cir. 55, p. 3. 1916.
    Hessian fly. F.B. 640, p. 19. 1915; F.B. 835, rev., pp. 5–6. 1920; F.B. 1083, p. 14. 1920; News L., vol. 2, No. 48, pp. 1–3. 1915.
  war-control measures in various countries. Y.B., 1917, pp. 473–474. 1918; Y.B. Sep. 752, pp. 15–16. 1918.
  Ward's Prolific, rust-resistance, studies. B.P.I. Bul. 216, p. 70. 1911.
  Washington Hybrid, Nos. 123 and 143, description. F.B. 769, p. 18. 1916.
  water—
    requirement—
      experiments. O.E.S. Bul. 177, pp. 51–54. 1907.
      in Colorado and Texas, 1910–1911, experiments. B.P.I. Bul. 284, pp. 14–20, 35, 36, 38–41, 47, 48. 1913.
      of different varieties. J.A.R., vol. 3, pp. 3, 5, 8–10, 50, 51, 52, 55, 56. 1914.
    transportation in Russia, cost. Stat. Bul. 65, pp. 50–55. 1908.
  weight(s)—
    influence of soil and climate. J.A.R., vol. 1, p. 283. 1914.
    of mechanical separations, conversion into percentages. D.B. 574, pp. 1–22. 1917.
    per bushel, different grades. D.B. 472, pp. 5, 6, 7. 1916; Y.B., 1918, pp. 337, 345. 1919; Y.B., Sep. 766, pp. 5, 13. 1919; Y.B. 1921, p. 778. 1922; Y.B. Sep. 871, p. 9. 1922.
  Wellman, description. F.B. 1281, pp. 11–12. 1922.
  white—
    common and club (classes 5 and 6), standards. Mkts. [Misc.], "Standards for common * * *," pp. 2. 1917.
    milling and baking value, tests. D.B. 1183, pp. 3, 60–75, 77–90. 1924.
    qualities, comparisons with other wheats. D.B. 557, pp. 5–28. 1917.
  White Australian, introduction and growing in California. D.B. 877, pp. 2, 15, 16. 1920.
  whole, bread making, recipes and directions. F.B. 955, pp. 8, 14, 16, 18–21. 1918.
  wild—
    adaptations for cross-fertilization, dissemination, and germination. B.P.I. Bul. 274, pp. 13–23. 1913.
    botanical classification and name. B.P.I. Bul. 274, pp. 13, 52. 1913.
    discovery in Palestine. Rpt., 91, p. 50. 1909; An. Rpts., 1909, p. 69. 1910; Sec. A.R., 1909, p. 69. 1909; Y.B., 1909, p. 69. 1910.
    distinction from cultivated forms. B.P.I. Bul. 274, pp. 10–13, 50–52. 1913.
    domestication conditions. B.P.I. Bul. 274, pp. 30–34. 1913.
    economic value. B.P.I. Bul. 274, pp. 49–50. 1913.
    in Palestine. O. F. Cook. B.P.I. Bul. 274, pp. 56. 1913.
    large-seeded variety grown in California. B.P.I. Bul. 274, pp. 45–48, 56. 1913.
    Palestine, importation, and description. No. 29026, B.P.I. Bul. 227, pp. 8, 27. 1911.
    prototypes in Palestine, studies. B.P.I. Bul. 180, pp. 36–42. 1910.
    relationships, historical interest, and characters. B.P.I. Bul. 274, pp. 23–30, 52. 1913.
    researches, historical notes. B.P.I. Bul. 180, pp. 36–37, 49–50. 1910.
  wilting coefficient, determinations. B.P.I. Bul. 230, pp. 15–20, 22–24, 26–33, 35–46, 52, 53, 57, 59–63, 75. 1912.
  winter—
    acreage—
      1914–1918, by States. Sec. Cir. 142, p. 9. 1919.
      abandonment, 1918. News L., vol. 5, No. 42, p. 1. 1918.
      and condition, 1914, comparison with 1913. F.B. 645, pp. 7–8. 1914.
      and condition, 1917. Sec. Cir. 90, pp. 15–16. 1918.
      and condition, estimates and prices, May 1, for various years, by States. F.B. 598, pp. 1–3, 15. 1914.

Wheat(s)—Continued.
  winter—continued.
    acreage—continued.
      recommendations for 1917–1918. Sec. Cir. 75, pp. 5–9. 1917.
    adaptability to dry farming. B.P.I. Bul. 130, pp. 11–12. 1908.
    advantages and cost variations. Y.B., 1921, pp. 100, 101, 113. 1922; Y.B. Sep. 873, pp. 100, 101, 113. 1922.
    and spring—
      comparative test. F.B. 534, pp. 12–14, 15. 1913.
      yield comparisons. D.B. 402, pp. 23–24, 33–34. 1916; D.B. 430, pp. 24, 38–39. 1916.
      yield comparisons in Idaho. F.B. 769, pp. 17–21. 1916.
      yield per acre, in Utah, 1904–1909. B.P.I. Cir. 61, pp. 10–12. 1910.
    and winter rye, mosaic disease of. Harold H. McKinney. D.B. 1361, pp. 11. 1925.
    bunt resistance. D.B. 1299, pp. 25–27. 1925.
    cattle grazing. Rpt. 112, pp. 21–22. 1916.
    comparison with spring wheat, Great Plains area. D. B. 595, pp. 32–34. 1917.
    crop condition—
      May, 1914. F.B. 598, pp. 1–4, 15, 21. 1914.
      May 1, 1918, with comparisons. News L., vol., 5, No. 42, p. 1. 1918.
    cultivation in dry farming, experiments and yields. D.B. 157, pp. 31–37. 1915.
    culture—
      and diseases. F.B. 262, pp. 12–14. 1906.
      in eastern United States. Clyde E. Leighty. F.B. 596, pp. 12. 1914.
    date when seeding begins, graph. D.C. 183, p. 14. 1922.
    desirability for Great Plains area, water requirements. News L., vol. 5, No. 7, p. 7. 1917.
    environmental experiments in Texas. B.P.I. Bul. 283, pp. 47–48, 77, 78. 1913.
    experiments, results at Akron, Colo., station. D.B. 1304, pp. 10–12. 1925.
    extension—
      experiments with different varieties. An. Rpts., 1910, pp. 309, 310. 1911; B.P.I. Chief Rpt., 1910, pp. 39, 40. 1910.
      of area, varieties. Rpt. 83, pp. 31–32. 1906.
    following and continuous cropping as preparation in Texas, yields in 1905–1906. B.P.I. Bul. 283, pp. 29–30, 47. 1913.
    forecast, April, 1914. F.B. 590, pp. 10, 14. 1914.
    foreign, introduction in 1902. Rpt. 73, pp. 23–24. 1902.
    growing—
      experiments at Williston station, 1909–1914, varieties and yields. D.B. 270, pp. 22–23, 35. 1915.
      experiments in Alaska, 1915. Alaska A.R., 1915, pp. 14, 15, 48–49, 61, 63. 1916.
      on Great Plains. E. C. Chilcott and John S. Cole. F.B. 895, pp. 12. 1917.
    hard—
      origin, introduction, and success of industry. Y.B., 1914, pp. 397–405, 420. 1915; Y.B. Sep. 649, pp. 397–405, 420. 1915.
      strains and varieties, percentage of yellow-berry. J.A.R., vol. 18, pp. 158–161. 1919.
      yellow-berry disease, nature and results. J.A.R., vol. 18, pp. 155–169. 1919.
    hard red—
      J. Allen Clark and John H. Martin. F.B. 1280, pp. 10. 1922.
      adaptable areas. F.B. 1281, pp. 4–5. 1922.
      class 3, standards. Mkts. [Misc.], "Standards for hard * * *," pp. 2. 1917.
      description, varieties, and distribution. F.B. 1281, pp. 3–4. 1922.
      grade, tentative draft. Mkts. S.R.A. 19, pp. 9–11. 1917.
      grades under Federal standards. Mkts. S.R.A. 54, pp. 12. 1919.
      names of varieties. F.B. 616, p. 4. 1914.
      rust infection. D.B. 1276, pp. 37–39. 1925.
      varieties and strains. F.B. 1168, p. 6. 1921.
      varieties, description, and characteristics. F.B. 1281, pp. 5–28. 1922.

Wheat(s)—Continued.
  winter—continued.
    hard red—continued.
      varieties, experiments in dry areas. J. Allen Clark and John H. Martin. D.B. 1276, pp. 1-48. 1925.
      yields in dry areas. D.B. 1276, pp. 14-33. 1925.
    harvest time, graphs. D.C. 183, pp. 16-17. 1922.
    hybridization experiments at Dickinson substation. D.B. 33, pp. 41-42, 44. 1914.
    in the Cotton Belt. Clyde E. Leighty. Sec. [Misc.], Spec. pp. 6. 1914.
    in western South Dakota. Cecil Salmon. B.P.I. Cir. 79, pp. 10. 1911.
    introduction, results. Y.B., 1908, p. 156. 1909.
    investigations, tests of different varieties. F.B. 262, pp. 11-14. 1906.
    mosaic disease of, with rye. Harold H. Mc Kinney. D.B. 1361, pp. 11. 1925.
    need of summer fallow in western South Dakota. B.P.I. Cir. 59, pp. 21-22. 1910.
    northward advance, and acreage, 1909. F.B. 616, pp. 2-3. 1914.
    planting—
      and care. B.P.I. Cir. 61, pp. 23-27, 28-29, 31. 1910.
      experiments and smut studies. B.P.I. Bul. 152, p. 19. 1909.
    production—
      1918, estimates. News L., vol. 5, No. 42, pp. 1, 6-7. 1918.
      cost in central Great Plains. R. S. Washburn. D.B. 1198, pp. 36. 1924.
      methods at Fort Hays branch station. John S. Cole and A. L. Hallsted. D. B. 1094, pp. 31. 1922.
    protein content. D.B. 1276, p. 44. 1925.
    red, hard and soft, States producing. F.B. 616, pp. 4-11. 1914.
    rolling in spring. F.B. 388, pp. 16-17. 1910.
    Russian, classification. Stat. Bul. 65, pp. 25. 1908.
    seeding—
      tests in Texas, rate, date, and yield. B.P.I. Bul. 283, pp. 28-29, 30, 44-47, 73-74, 77, 78, 79. 1913.
      time to avoid Hessian-fly injury, graph. D.C. 183, p. 15. 1922.
    soft, growing in Pennsylvania, Blair County. Soil Sur. Adv. Sh., 1915, pp. 10, 11, 14. 1917; Soils F.O., 1915, pp. 202, 203, 206. 1919.
    soft red—
      Clyde E. Leighty and John H. Martin. F.B. 1305, pp. 54. 1922.
      (class 4), standards. Mkts. [Misc.], "Standards for soft * * *," pp. 2. 1917.
      varieties adapted to different States. F.B. 1168, pp. 6-14. 1921.
    soft, white, States producing, and varieties adapted. F.B. 616, pp. 11-12. 1914; F.B. 1168, pp. 14-16. 1921.
    sowing on Idaho dry farms, time, rate, and depth. F.B. 769, pp. 18-19. 1916.
    spring pasturing in Idaho, value in frost avoidance. F.B. 769, p. 17. 1916.
    treatment after seeding in western South Dakota. B.P.I. Cir. 79, pp. 8-9. 1911.
    value as dry-land crop. Y.B., 1911, p. 361. 1912; Y.B. Sep. 574, p. 361. 1912.
    varietal tests—
      North Dakota, Dickinson substation 1912-1913, yields. D.B. 33, pp. 24, 43. 1914.
      eastern United States. F.B. 616, pp. 2-3. 1914; F.B. 1168, pp. 4-8. 1921.
      Maryland and Virginia. D.B. 336, pp. 9-26. 1916.
      South Dakota, Belle Fourche farm. D.B. 297, pp. 22-24. 1915.
      Texas. B.P.I. Bul. 283, pp. 25, 26, 42, 43, 49-50, 72, 76, 78, 79. 1913.
    varieties—
      adapted to eastern United States. Clyde E. Leighty. F.B. 1168, pp. 18. 1921.
      adaptability to various States. News L., vol. 2, No. 19, pp. 2-3. 1914.
      for eastern United States. Clyde E. Leighty. F.B. 616, pp. 14. 1914.
      rust resistance. Leo E. Melchers and John H. Parker. D.B. 1046, pp. 32. 1922.

Wheat(s)—Continued.
  winter—continued.
    varieties—continued.
      tests for milling and baking. F.B. 320, pp. 18-19. 1908.
      yield per acre, Belle Fourche, S. Dak., 1908, 1909. B.P.I. Cir. 59, pp. 13-14. 1910.
      yields, seeding and ripening date, experiments at Akron Experiment Station, 1908-1915. D.B. 402, pp. 14-19, 33-34. 1916.
    world area. Off. Rec., vol. 3, No. 22, p. 3. 1924.
    yellow berry disease. F.B. 262, pp. 12-13. 1906.
    yield per acre, estimate, June 1, by States. F.B. 598, p. 21. 1914.
  winterkilled—
    advice to farmers. News L., vol. 4, No. 35, p. 2. 1917.
    flax sowing on fields. B.P.I. Cir. 114, pp. 3-7. 1913.
  winterkilling, prevention by use of straw. News L., vol. 6, No. 21, pp. 1-2. 1918.
  wireworm—
    description, life history, and control. F.B. 725, pp. 3-5, 8-10. 1916.
    injuries and control. D.B. 156, pp. 3, 4-7, 9, 10, 12-16, 24, 30-32. 1915.
  world—
    acreage and production, 1920-1922. Y.B., 1922, pp. 581-582. 1923; Y.B. Sep. 881, pp. 581-582. 1923.
    crop—
      acreage, 1915. Charles M. Daugherty. F.B. 672, pp. 7-9. 1915.
      Nov. 1, 1914, estimates, with comparisons. F.B. 641, pp. 7-9. 1914.
      market, comparison of United States with Russia. Stat. Bul. 66, pp. 9-13. 1908.
    production—
      1890-1908, U. S. reserves and exports. Y.B., 1909, pp. 270-271. 1910; Y.B. Sep. 511, pp. 270-271. 1910.
      1914, by countries, estimates, with comparisons with 1912, 1913. F.B. 629, pp. 6-7. 1914.
      1921, exports and imports. Y.B., 1921, pp. 538, 781. 1922; Y.B. Sep. 868, p. 32. 1922; Y.B. Sep. 871, p. 12. 1922.
    shortage, outlook. Off. Rec., vol. 4, No. 14, p. 1. 1925.
    supply, 1917-1918. O. C. Stine. Y.B., 1917, pp. 461-480. 1918; Y.B. Sep. 752, pp. 22. 1918.
  yellow berry—
    cause. F.B. 320, p. 30. 1908.
    cause and elimination, studies. F.B. 366, pp. 13-16. 1909.
    chemical composition, comparison with other diseases. J.A.R., vol. 18, p. 167. 1919.
    control by fertilizers in soil. S.R.S. Rpt., 1915, Pt. I, pp. 55, 78. 1917.
    nature. Herbert F. Roberts. J.A.R., vol. 18, pp. 155-169. 1919.
    prevention by nitrogen fertilizers. J.A.R., vol. 23, pp. 55, 60, 63, 67. 1923.
  yield(s)—
    after cowpeas. F.B. 1153, p. 22. 1920.
    after deep tillage. J.A.R., vol. 14, pp. 506-516. 1918.
    and nitrogen content, as affected by growing period. B.P.I. Bul. 78, pp. 104-111. 1905.
    and value—
      comparison with oats and barley, Moro, Oreg., 1911-1915. D.B. 498, p. 35. 1917.
      per acre, and price. Y.B., 1921, p. 528. 1922; Y.B. Sep. 868, p. 22. 1922.
      per acre, in Oregon, Willamette Valley farms. D.B. 705, p. 13. 1918.
    and varietal experiments, Belle Fourche farm. D.B. 1039, pp. 13-32, 70-71. 1922.
    and water relations. D.B. 1340, pp. 15, 17, 19, 20, 23, 43-44, 47, 48, 49. 1925.
    as affected by cold. B.P.I. Bul. 78, pp. 100-104. 1905.
    at Akron Field Station, 1909-1923. D.B. 1304, pp. 9-14. 1925.
    at Mandan, N. Dak. D.B. 1337, p. 14. 1925.
    by States, 1909-1924. Y.B., 1924, pp. 563, 564. 1925.
    centgener plats, variations. B.P.I. Bul. 269, pp. 41-42, 48-55. 1913.

Wheat(s)—Continued.
 yields—continued.
  changes—
   in 25-years. Y.B., 1921, pp. 85-87. 1922; Y.B. Sep. 873, pp. 85-87. 1922.
   since 1876. Y.B., 1919, pp. 19, 22, 23. 1920.
  comparison of spring and winter. D.B. 943, pp. 11-12. 1921; D.B. 1039, pp. 22-27, 70, 71. 1922.
  continuous cropping and interval plowing, experiments, Fort Hays branch station, 1916-1920. D.B. 1094, pp. 22-23. 1922.
  cost and prices on Shenandoah Valley farm. F.B., 432, pp. 20-21. 1911.
  effect of—
   hot-water treatment of seeds. B.P.I. Bul. 152, pp. 30-32. 1909.
   windbreaks. F.B. 1405, pp. 9-10. 1924.
  experiments, 1909-1918. News L., vol. 6, No. 5, p. 13. 1918.
  fall-irrigated plats, South Dakota, 1914, 1915, 1916. D.B. 546, pp. 6-7. 1917.
  for past 10 years in Missouri, Cooper County. Soil Sur. Adv. Sh., 1909, pp. 18-20. 1911; Soils F.O., 1909, pp. 1380-1382. 1912.
  from different—
   fallow methods, Fort Hays branch station, 1914-1920. D.B. 1094, pp. 19-20, 30. 1922.
   rates of seeding. D.B. 1309, pp. 14-15. 1925.
  improvement under dry farming. Byron Hunter. F.B. 1047, pp. 24. 1919.
  in—
   border rows in plot tests, experiments. J.A.R., vol. 15, pp. 254-261. 1918.
   dry-land experiments, N. Dak. D.B. 1293, pp. 6-17, 19. 1925.
   11 producing countries, 1908-1912. Stat. Cir. 40, p. 24. 1912.
   European countries, 1886-1905. Stat. Bul. 68, pp. 19, 21. 1908.
   15 producing countries, 1908-1912. Stat. Cir. 41, p. 24. 1912.
   Great Plains, relation to rainfall. B.P.I. Bul. 188, pp. 23-31. 1910.
   Pennsylvania, south-central part. Soil Sur. Adv. Sh., 1910. pp. 32, 34, 35, 36, 38, 41, 44, 46, 47, 53, 55, 56, 68, 6.. 1912; Soils F.O., 1910, pp. 201, 202, 204, 220, 221, 222, 224, 226, 229, 231, 234, 241, 243, 247, 248, 252, 255, 256, 258, 262, 263. 1912.
   Pennsylvania, State, and Chester County, and selected farms. F.B. 978, pp. 3-4. 1918.
   rotations, experiments. W.I.A. Cir. 22, pp. 10, 11, 12. 1918.
  South, acreage increase urged by department. News L., vol. 5, No. 7, p. 9. 1917.
  Southeastern States. F.B. 885, p. 3. 1917.
  2-year rotations with corn and kafir, experiments, Fort Hays branch station, 1916-1920. D.B. 1094, pp. 23-24, 31. 1922.
  increase—
   1919. News L., vol. 6, No. 48, pp. 1, 8. 1919.
   after cowpeas, experiment. F.B. 318, p. 23. 1908.
   and method, 1916. News L., vol. 5, No. 16, p. 3. 1917.
   by use of limestone. News L., vol. 7, No. 5, p. 13. 1919.
   by use of suitable seed. News L., vol. 6, No. 4, p. 1. 1918.
   methods. News L., vol. 5, No. 2, p. 3. 1917.
   possibilities in dry farming. F.B. 1047, pp. 4-5. 1919.
  influence of—
   farming systems. F.B. 1121, pp. 16-17. 1920.
   immature seed. B.P.I. Bul. 78, p. 20. 1905.
   of grain, as affected by susceptibility to cold. B.P.I. Bul. 78, pp. 100-104. 1905.
   of straw and grain, variations, studies. J.A.R. vol. 19, p. 291. 1920.
   on Delaware tidal-marsh reclamation. O.E.S. Bul. 240, p. 27. 1911.
   on important American soils. Y.B., 1911, pp. 225, 228-230, 236. 1912; Y.B. Sep. 563, pp. 225, 228-230, 236. 1912.
   on reclamation projects, and value as supplementary feed. D.B. 752, pp. 6, 17. 1919.

Wheat(s)—Continued.
 yields—continued.
  per acre—
   1867-1906, by States. Soils Bul. 57, pp. 29-44. 1909.
   1871-1915, by States. D.B. 594, p. 28. 1918. 1925. D.B. 1338, pp. 4-5. 1925.
   and cost per bushel, relations. D.C. 307, pp. 11-12. 1924.
   and prices by States, 1866-1915. D.B. 514, pp. 16. 1917.
   by countries. Y.B., 1923, p. 467. 1924; Y.B. Sep. 896, p. 467. 1924.
   in Palmer Township, Ohio, 1912-1916. D.B 716, pp. 39-40. 1918.
   increase since 1908. An. Rpts., 1919, pp. 12, 15. 1920; Sec. A.R., 1919, pp. 14, 17. 1919.
   on Maryland tenant farms, 5-year periods, 1890-1909. F.B. 437, pp. 14-15. 1911.
   relation to acreage. News L., vol. 3, No. 40, pp. 3-4. 1916.
   10-year periods from 1866 to 1895. Y. B., 1909, p. 268. 1910; Y.B. Sep. 511, p. 268. 1910.
  relation to—
   cost per bushel. D.B. 943, pp. 21-25. 1921.
   fertilizers. F.B. 320, pp. 21-22. 1908.
   rainfall. D.B. 1309, p. 4. 1925.
   under different volumes of water, Idaho. D.B. 339, pp. 10-14, 16, 20, 24, 26. 1916.
   under summer tillage system, dry farming. B.P.I. Bul. 215, p. 27. 1911.
   under various cropping schemes. B.P.I. Bul. 236, pp. 19, 26, 29, 31-33, 36. 1912.
  Zeriin, Palestine, characteristics. B.P.I. Bul. 180, pp. 32, 33. 1910.
  Zimmerman, description. B.P.I. Bul. 79, p. 13. 1905.
  zones, spring and winter, conditions. Y.B., 1919, pp. 124-126, 149. 1920; Y.B. Sep. 804, pp. 124-126, 149. 1920.
  See also Cereals; Crops; Grain; Triticum spp.
Wheatear—
 Greenland, range and habits. N.A. Fauna 22, p. 131. 1902.
 occurrence in—
  Alaska and Yukon Territory. N.A. Fauna 30, pp. 44, 65. 1909.
  Pribilof Islands. N. A. Fauna 46, p. 101. 1923;
Wheatgrass—
 and quack grass, seeds of, distinguishing characters of. F. H. Hillman. B.P.I. Cir. 73, pp. 9. 1911.
 breeding for drought-resistance experiments. B.P.I. Bul. 196, pp. 9-10, 30-32. 1910.
 cultivation in Alaska. Alaska A.R., 1907, p. 27. 1908.
 description, growth requirements, and forage value. D.B. 791, pp. 8-22, 48. 1919.
 mountain, description, habits, and forage value. D.B. 545, pp. 28-29, 58, 59. 1917.
 nutritive value and experiments. F.B. 374, pp. 13-14. 1909.
 O'Gara's disease, similarity to bacterial blight of barley. J.A.R., vol. 11, pp. 627, 642. 1917.
 slender—
  description and habitat. F.B. 1433, pp. 4-7. 1925.
  mixture with bromegrass hay and pasture. B.P.I. Bul. 111, Pt. V, p. 8. 1907.
  seed, description. B.P.I. Cir. 73, p. 7. 1911.
 value—
  as soil binder on canal banks. B.P.I. Cir. 115, pp. 27-28, 29. 1913.
  in crop rotation. B.P.I. Bul. 111, Pt. V, p. 12. 1907.
 See also Agropyron tenerum.
 susceptibility to forms of Puccinia graminis. J.A.R., vol. 10, pp. 430-492. 1917.
 technical description. D.B. 772, pp. 87-88. 1920.
 type of range vegetation, composition, and uses. D.B. 791, pp. 8-22, 63-68. 1919.
 varieties, value for canal banks, South Dakota. B.P.I. Cir. 115, pp. 27-28, 31. 1913.
 western—
  characters, and value as soil binder. B.P.I. Cir. 115, p. 27. 1913.
  growth on old ranges, requirements. B.P.I. Bul. 117, pp. 9, 20. 1907.
  native vegetation of Belle Fourche region. D.B. 1039, p. 4. 1922.

Wheatgrass—Continued.
western—continued.
occurrence, and soil indications. B.P.I. Bul. 201, pp. 23, 48, 66. 1911.
seed description. B.P.I. Cir. 73, p. 8. 1911.
value as—
hay and pasture in western South Dakota. Soil Sur. Adv. Sh. 1909, p. 69. 1911; Soils F.O. 1909, p. 1465. 1912.
soil binder on canal banks. B.P.I. Cir. 115, pp. 27, 29, 30. 1913.
See also Couch grass; Quack grass.
Wheatless—
breads and cakes. U. S. Food Leaf. 20, pp. 4. 1918.
meals, use of corn meal, and recipes. News L., vol. 4, No. 43, p. 8. 1917; Food Thrift Ser. 5, p. 1. 1917.
Wheatstone bridge, description and use in calorimeter. J.A.R., vol. 5, No. 8, pp. 313, 327-330. 1915.
Wheel(s)—
current, use in lifting water for irrigation. O.E.S. Bul. 146, pp. 38. 1904.
rims, steam bending. D.C. 231, p. 20. 1922.
scoop, use in pumping. O.E.S. Bul. 243, p. 32. 1911.
WHEELER, C. S., report of Ohio extension work in agriculture and home economics—
1916. S.R.S. Rpt., 1916, Pt. II, pp. 311-319. 1917.
1917. S.R.S. Rpt., 1917, Pt. II, pp. 316-326. 1919.
WHEELER, G. C.: "The marketing of mill feeds." D B. 1124, pp. 20. 1922.
WHEELER, H. J.—
report of—
committee on fertilizer legislation. Chem. Bul. 73, p. 169. 1903.
Rhode Island Experiment Station, work and expenditures—
1905. O.E.S. An. Rpt., 1905, pp. 127-128. 1906.
1906. O.E.S. An. Rpt., 1906, pp. 151-153. 1907.
1907. O.E.S. An. Rpt., 1907, pp. 164-165. 1908.
1908. O.E.S. An. Rpt., 1908, pp. 164-166. 1909.
1909. O.E.S. An. Rpt., 1909, pp. 178-180. 1910.
1910. O.E.S. An. Rpt., 1910, pp. 231-233. 1911.
1911. O.E.S. An. Rpt., 1911, pp. 191-194. 1912.
"Syllabus of illustrated lecture on acid soils." O.E.S.F.I.L. 3, pp. 28. 1904.
WHEELER, R. V., classification of grain dusts as to inflammability. D.B. 631, p. 5. 1918.
WHEELER, W. A.—
"Know your markets." With Frank George. Y.B., 1920, pp. 127-146. 1921; Y.B. Sep. 834, pp. 127-146. 1921.
"Some effects of the war upon the seed industry of the United States." With G. C. Edler. Y.B., 1918, pp. 195-214. 1919; Y.B. Sep. 775, pp. 22. 1919.
Wheeler Peak, N. Mex., location and description. N.A. Fauna 35, pp. 9, 53, 54. 1913.
Wheeling, W. Va., milk supply, statistics, officials, and prices. B.A.I. Bul. 46, pp. 38, 161. 1903.
WHEETING, L. C.—
"Movement of soluble salts through soils." With M. M. McCool. J.A.R., vol. 11, pp. 531-547. 1917.
"Soil survey of St. Joseph County, Mich." With S. G. Bergquist. Soil Sur. Ad. Sh., 1921, pp. 49-72. 1923.
WHELDALE, M., studies of anthocyanin formation. B.P.I. Bul. 264, pp. 17-18, 18-19. 1912.
WHERRY, E. T.—
"Changes in hydrogen-ion concentration produced by growing seedlings in acid solution." With Jehiel Davidson. J.A.R., vol. 27, pp. 207-217. 1924.
"The application of optical methods of identification to alkaloids and other organic compounds.", D.B. 679, pp. 11. 1918.

WHETZEL, H. H.—
"Ginseng diseases and their control." With others. F.B. 736, pp. 23. 1916.
"The composite life history of *Puccinia podophylli* Schw." With others. J.A.R., vol. 30, pp. 65-79. 1925.
"The diseases of ginseng and their control." With J. Rosenbaum. B.P.I. Bul. 250, pp. 44. 1912.
Whey—
analyses, showing lactic acid as zinc lactate. J.A.R., vol. 2, No. 3, pp. 207-210. 1914.
butter. C. F. Doane. B.A.I. Cir. 161, pp. 7. 1910.
cheese-making by-product—
description and making methods. F.B. 1207, p. 23. 1921.
fat content of pasteurized and raw milk. B.A.I. Bul. 165, pp. 69-73. 1913.
composition and food value. F.B. 363, pp. 9, 40. 1909; F.B. 413, pp. 12-13. 1910; F.B. 486, pp. 21-24. 1912; F.B. 1359, pp. 11, 14. 1923.
expulsion, effect of acid. B.A.I. Bul. 150, p. 18. 1912.
feed for—
dairy calves. F.B. 430, p. 9. 1911.
hogs. B.A.I. Bul. 47, pp. 147-148. 1904; B.A.I. Doc. A-31, p. 1. 1917; Y.B., 1917, p. 151. 1918; Y.B. Sep. 737, p. 151. 1918.
pasteurization, usefulness. S.R.S. Rpt., 1916, Pt. I, p. 205. 1918.
product, adulteration and misbranding (as butter). Chem. N.J. 721, pp. 2. 1911.
recipes. Sec. Cir. 109, pp. 18-19. 1918.
removal from cheese curd. B.A.I. Bul. 122, pp. 14-61. 1910; F.B. 1191, pp. 11-13. 1921.
testing in cheese making. O.E.S. Bul. 166, pp. 27, 29. 1906.
use in bread. B.A.I. Dairy [Misc.], "World's dairy congress, 1923," p. 182. 1924.
value—
as hog feed, comparison with other feeds. B.A.I. Doc. A-31, p. 1. 1918.
for butter making and as feed. B.A.I. Cir. 161, pp. 2, 6-7. 1910.
waste product of cheese factories, use and value. B.A.I. Bul. 55, p. 38. 1903.
Whimbrel, range, occurrence, and names. Biol. Bul. 35, p. 77. 1910; M.C. 13, p. 67. 1923.
WHIPPLE, O. B.: Line-selection work with potatoes. J.A.R., vol. 19, pp. 543-573. 1920.
Whippoorwill—
beneficial food habits, and occurrence in Arkansas. Biol. Bul. 38, p. 50. 1911.
occurrence in Porto Rico. D.B. 326, p. 69. 1916.
protection by law. Biol. Bul. 12, rev., pp. 38, 39, 40, 41, 42. 1902.
range and habits. N.A. Fauna 22, p. 113. 1902.
Whipworm(s)—
control by various anthelmintics. J.A.R., vol. 12, No. 7, pp. 399-437, 441-443. 1918.
description, occurrence in sheep, and prevention. F.B. 1150, pp. 48-49. 1920.
efficacy of carbon tetrachlorid against. J.A.R., vol. 21, No. 2, pp. 163-175. 1921.
presence in dogs, effect and treatment. D.C. 338, pp. 22-23. 1925.
sheep, description, symptoms, and prevention. F.B. 1330, pp. 48-49. 1923.
Whirlwinds, dust, description, origin, and characteristics. Soils Bul. 68, pp. 82-88. 1911.
WHISENAND, J. W.: "Water-holding capacities of bedding materials for live stock, amounts required to bed animals, and amounts of manure saved by their use." J.A.R. vol. 14, pp. 187-190. 1918.
Whisk broom, use in spraying. S.R.S. Doc. 52, p. 2. 1917.
Whisky—
adulteration and misbranding. Chem. S.R.A. Sup. 3, p. 129. 1915. See *Indexes to Notices of Judgment found in Chemistry Service and Regulatory Announcements.*
and rock candy drips, misbranding. Chem. N.J. 467, p. 1. 1910.
Chinese, manufacture from kaoliangs. B.P.I. Bul. 253, pp. 15, 16, 17, 20. 1913.

Whisky—Continued.
compounds—
and imitation, use of neutral spirits from beet-sugar molasses, F.I.D. 95. F.I.D. 93-95, pp. 3-4. 1908.
labeling. F.I.D. 45, pp. 2-3. 1906; F.I.D. 98, pp. 2. 1908; F.I.D. 113, p. 1. 1910.
definition of the term in the United Kingdom, report of the Royal Commission. Chem. Bul. 143, p. 16. 1911.
Great Britain, and Ireland. Chem. Bul. 102, pp. 7-29. 1906.
labeling—
decision of Attorney General. F.I.D. 127, pp. 1-6. 1910.
opinion of President and Attorney General. F.I.D. 65, pp. 1-16. 1907.
with mixtures and imitations thereof. F.I.D. 113, pp. 1-2. 1910.
misbranded, seizures and disposal. An. Rpts., 1908, pp. 459, 460. 1909; Chem. Chief Rpt., 1908, pp. 15, 16. 1908.
quinine, adulteration and misbranding. Chem. N.J. 885, pp. 2. 1911.
Scotch, labeling, opinion 160. Chem. S. R. A. 16, p. 29. 1916.
statistics, imports and exports, 1907-1911. Y.B. 1911, pp. 663, 673. 1912; Y.B. Sep. 588, pp. 663, 673. 1912.
stored in wood, changes. Chem. Bul. 116, p. 23. 1908.
trade with foreign countries, imports and exports. D.B. 296, p. 37. 1915.
use in control of Zygadenus poisoning of sheep. D.B. 125, p. 38. 1915.
See also Alcoholic beverages.
Whistle, soft drink beverage, adulteration. Chem. N.J. 12738. 1925.
Whistler—
occurrence in Alaska. N.A. Fauna 30, p. 23. 1909.
See also Marmot, hoary.
WHITAKER, G. M.—
"Opportunities for dairying. II. New England." Y.B., 1906, pp. 408-412. 1907; Y.B. Sep. 432, pp. 408-412. 1907.
"The care of milk and its use in the home." With others. F.B. 413, pp. 20. 1910.
"The dairy industry in the South." F.B. 349, pp. 37. 1909.
"The extra cost of producing clean milk." B.A.I. An. Rpt., 1909, pp. 119-131. 1911; B.A.I. Cir. 170, pp. 13. 1911.
"The milk supply of Boston, New York, and Philadelphia." B.A.I. Bul. 81, pp. 62. 1905.
"The milk supply of Chicago and Washington." B.A.I. Bul. 138, pp. 40. 1911.
"The milk supply of southern cities." B.A.I. An. Rpt., 1907, pp. 318-329. 1908; F.B. 349, pp. 17-28. 1909.
"The score-card system of dairy inspection." B.A.I. Cir. 199, pp. 32. 1912.
"The score-card system of dairy inspection." With Clarence B. Lane. B.A.I. Cir. 139, pp. 32. 1909.
WHITCOMB, W. D.—
"Control of the codling moth in the Pacific Northwest." With others. F.B. 1326, pp. 27. 1924.
"Life history of the codling moth in the Yakima Valley of Washington." With E. J. Newcomer. D.B. 1235, pp. 77. 1924.
WHITE, B. D.—
"A simple method of keeping creamery records." B.A.I. Cir. 126, pp. 12. 1908.
"Opportunities for dairying. III. The North-Central States." Y.B. 1906, pp. 412-417. 1907; Y.B. Sep. 432, pp. 412-417. 1907.
"The grading of cream." Y.B., 1910, pp. 275-280. 1911; Y.B. Sep. 536, pp. 275-280. 1911.
WHITE, C. C.: "Car supply in relation to marketing the wheat crop of 1914." F.B. 611, pp. 23-26. 1914.
WHITE, D. G.: "Standard grading specifications for yard lumber." With others. D.C. 296, pp. 75. 1923.
WHITE, E. A.: "A study of the plow bottom and its action upon the furrow slice." J.A.R., vol. 12, pp. 149-182. 1918.

WHITE, E. C.: blueberry culture work. D.B. 974, pp. 1-2, 12, 14. 1921.
WHITE, G. C.—
"Demurrage information for farmers." D.B. 191, pp. 27. 1915.
"Handling and marketing Durango cotton in the Imperial Valley." With J. G. Martin. D.B. 458, pp. 22. 1917.
"Possibilities of a market-train service." With T. F. Powell. Y.B., 1916, pp. 477-487. 1917; Y.B. Sep. 701, pp. 11. 1917.
WHITE, G. F.—
"American foulbrood." D.B. 809, pp. 64. 1920.
"Cutworm septicemia." J.A.R., vol. 26, pp. 487-496. 1923.
"Destruction of germs of infectious bee diseases by heating." D.B. 92, pp. 8. 1914.
"European foulbrood." D.B. 810, pp. 39. 1920.
"Historical notes on the causes of bee diseases." With E. F. Phillips. Ent. Bul. 98, pp. 96. 1912.
"Hornworm septicemia." J.A.R., vol. 26, pp. 477-486. 1923.
"Nosema disease." D.B. 780, pp. 59. 1919.
"Sacbrood." D.B. 431, pp. 55. 1917.
"Sacbrood, a disease of bees." Ent. Cir. 169, pp. 5. 1913.
study of bee diseases, 1903-1908, review. Ent. Bul. 98, pp. 58-63, 66, 76, 80, 85. 1912.
"The bacteria of the apiary, with special reference to bee diseases." Ent. T.B. 14, pp. 50. 1906.
"The cause of American foulbrood." Ent. Cir. 94, pp. 4. 1907.
"The cause of European foulbrood." Ent. Cir. 157, pp. 15. 1912.
"The diagnosis of bee diseases by laboratory methods." With Arthur H. McCray. D.B. 671, pp. 15. 1918.
"The relation of the etiology (cause) of the [bee] diseases to the treatment." Ent. Bul. 75, Pt. IV, pp. 33-42. 1908.
WHITE, H. C.: "Dietary studies in Georgia." O.E.S. Bul. 221, pp. 117-136. 1909.
WHITE, H. D., Importation of Angora goats into United States. B.A.I. Bul. 27, p. 15. 1906.
WHITE, H. L., report as referee on cereal products. Chem. Bul. 152, pp. 101-114. 1912; Chem. Bul. 162, pp. 121-124. 1913.
WHITE, H. M.—
"The decay of Florida oranges while in transit and on the market." With others. B.P.I. Cir. 19, pp. 8. 1908.
"The decay of oranges while in transit from California." With others. B.P.I. Bul. 123, pp. 79. 1908.
WHITE, J. W.: "Soil acidity as influenced by green manures." J.A.R., vol. 13, pp. 171-197. 1918.
WHITE, L. L.: "Production of red cedar for pencil wood." For. Cir. 102, pp. 19. 1907.
WHITE, O. E.: "Inheritance studies in Pisum.— IV: Interrelation of the genetic factors of Pisum." J.A.R., vol. 11, pp. 167-190. 1917.
WHITE, T. P.—
"Diseases, ailments, and abnormal conditions of swine." F.B. 1244, pp. 26. 1923.
"Practical points in hog cholera control." Y.B., 1919, pp. 197-204. 1920; Y.B. Sep. 798, pp. 197-204. 1920.
report of work at Kodiak Station, Alaska, 1920. Alaska A.R., 1920, pp. 58-63. 1922.
WHITE, W. H.—
"Nicotine dust for control of the striped cucumber beetle." D.C. 224, pp. 8. 1922.
"The sugar-beet thrips." D.B. 421, pp. 12. 1916
WHITE, W. T.—
"Eradication of tuberculosis in cattle at the Kodiak Experiment Station." With C. C. Georgeson. Alaska Bul. 5, pp. 11. 1924.
report of Kodiak station, Alaska—
1919. Alaska A.R., 1919, pp. 55-65. 1920.
1921. Alaska A.R., 1921, pp. 44-46. 1923.
WHITE, WILLIAM:—
"Making butter on the farm." F.B. 876, pp. 23. 1917; rev., pp. 22. 1924.
"Suggestions for the manufacture and marketing of creamery butter in the South." With Roy C. Potts. Sec. Cir. 66, pp. 12. 1916.
"The preparation of standardized mix in country plants." B.A.I. Dairy [Misc.], "World's dairy congress, 1923," pp. 474-477. 1924.

INDEX TO PUBLICATIONS, 1901–1925 2629

White—
  ants. *See* Termites; Ants, white.
  ash lands—
    alkali affected, Fresno, Calif., reclamation. W. W. Mackie. Soils Bul. 42, pp. 47. 1907. *See also* Alkali lands.
  comb disease—
    pheasant, cause and treatment. F.B. 390, p. 39. 1910.
    cause, symptoms, and treatment. F.B. 530, pp. 24–25. 1913; J.A.R., vol. 15, pp. 415–418. 1918.
    See also Favus.
  drops, Russell's, misbranding. Chem. S.R.A., Sup. 18, pp. 590–592. 1916.
  eye, enemy of codling moth. Y.B., 1911, p. 245. 1912; Y.B. Sep. 564, p. 245. 1912.
  fly, woolly, parasites, description, and effectiveness. F.B. 1011, pp. 9–10, 12. 1919.
  fungous disease—
    artificial infection of chinch bug, experiments. Ent. Bul. 107, pp. 21–42. 1911.
    natural presence among insects and in soil. Ent. Bul. 107, pp. 17–21. 1911.
    use in Kansas, results. Frederick H. Billings and Pressley A. Glenn. Ent. Bul. 107, pp. 58. 1911.
  grubs. *See* Grubs, white.
  lead, use as paint in blight eradication, objections. News L., vol. 3, No. 17, p. 4. 1915.
  mixture, Schuh's, misbranding. Chem. S.R.A., Sup. 18, pp. 607–608. 1916.
  pickle—
    cucumber disease, description, and control studies. News L., vol. 2, No. 13, p. 2. 1914. *See also* Mosaic disease.
  pine blister rust. *See* Blister rust; *Cronartium ribicola;* Rust, currant.
  rot—
    caused by coral fungus. B.P.I., Bul. 149, pp. 44, 76. 1909.
    caused by *Polyporus squamosus*, description. B.P.I. Bul. 149, pp. 48–49. 1909.
    egg, description. D.B. 565, p. 16. 1918.
    ginseng disease, history, symptoms, cause, and control. B.P.I. Bul. 250, pp. 34–36. 1912; F.B. 736, pp. 10–11. 1916.
    top of black walnut trees, indications. D.B. 933, p. 21. 1921.
  sauce, recipe. F.B. 712, p. 23. 1916.
  scours, lambs, cause, symptoms, and treatment. F.B. 1155, p. 13. 1921.
  spot—
    conifer seedlings—
      control. D.B. 44, p. 4. 1913.
      description and cause. J.A.R., vol. 15, p. 551. 1918.
    nursery seedlings, cause and description. J.A.R., vol. 14, pp. 595–599. 1918.
  substitute, nature. D.B. 867, p. 38. 1920.
White Cross Congress, Second International, recommendations, coal-tar colors. Chem. Bul. 147, pp. 172–173, 175–176. 1912.
White House governors' conference, May, 1908, extracts from addresses. For. Cir. 157, pp. 1–24. 1908.
White Mountain(s)—
  and Appalachian National Forests, area, 1918. Y.B., 1918, p. 718. 1919; Y.B. Sep. 795, p. 54. 1919.
  description, citation from Belknap's history. D.C. 100, p. 19. 1920.
  forest(s)—
    commercial importance. Philip W. Ayres. For. Cir. 168, pp. 32. 1909.
    lands in Maine and New Hampshire. D.C. 313, pp. 6–7. 1924.
    history and description. D.C. 100, pp. 17–19. 1921.
    land purchases under Weeks law. For. [Misc.], "Purchase of land * * *," pp. 1–13. 1913.
  National Forest—
    addition. Off. Rec. vol. 4, No. 13, p. 3. 1925.
    N. H. and Me., map. For. Maps. 1924.
    vacation use. D.C. 100, pp. 23. 1920.
  timber, marking for sale, principles. D.B. 285, pp. 42–44. 1915.
Whiteball. *See* Buttonbush.
Whitebeam, importation and description. No. 37583, B.P.I. Inv. 38, p. 77. 1917.

Whitefish—
  cold storage holdings, 1918, by months. D.B. 792, pp. 67–68. 1919.
  common names of species. F.I.D. 105, pp. 1–2. 1909.
  labeling decision. F.I.D. 105, pp. 1–2. 1909; Chem. S.R.A. 18, p. 45. 1916.
  occurrence in Athabaska-Mackenzie region, value as food. N.A. Fauna 27, pp. 505–508. 1908.
  substitution of lake herring. Chem. N.J. 306, pp. 2. 1910.
Whiteheart, synonym of mockernut hickory. For. Bul. 80, p. 21. 1910.
WHITEHOUSE, W. L.: "Wagner method for determination of soluble phosphoric acid in basic slags." Chem. Bul. 137, pp. 12–14, 1911.
Whites, zinc and lead, testing methods. Chem. Bul 109, pp. 12–14. 1908.
Whitetop—
  elimination as agent in wireworm control. D.B. 78, pp. 15–16, 28. 1914.
  injuries in fescue meadows. F.B. 361, p. 16. 1916.
Whitevein—
  tobacco, cause and control. Ent. Bul. 65, pp. 6–7. 1907; F.B. 416, pp. 19, 23. 1910.
  wrapper tobacco, remedies. W. A. Hooker. Ent. Cir. 68, pp. 6. 1906.
Whitewash—
  carbolic acid or cresol, use in control of chicken mites. F.B. 801, p. 8. 1917.
  disinfectant—
    for infected stables, formula. B.A.I. An. Rpt., 1906, p. 171. 1908; B.A.I. Cir. 122, p. 7. 1908.
    formula and directions for applying. F.B. 480, pp. 14–16. 1912.
  factory, weather-proof, and lighthouse, formulas. F.B. 474, p. 20. 1911.
  for poultry houses. F.B. 574, p. 20. 1914; F.B. 1337, pp. 3, 40. 1923; F.B. 1413, pp. 19–21. 1924.
  formula(s)—
    and directions. F.B. 474, pp. 19–20. 1911; F.B. 499, pp. 23–24. 1912; F.B. 499, rev. p. 23. 1917; F.B. 1202, pp. 53, 61. 1921; F.B. 1447, p. 33. 1925; F.B. 1452, pp. 20–21. 1925; News L., vol. 1, No. 37, pp. 3–4. 1914.
    for chickenhouses. F.B. 1110, p. 9. 1920.
    for interior use. D.B. 801, p. 56. 1919.
  Government, formula—
    and use. F.B. 305, p. 31. 1907.
    school exercises. F.B. 638, pp. 13–14. 1915.
    use on fruit trees. F.B. 908, p. 48. 1918.
  interior and exterior surfaces, formulas. F.B. 474, p. 20. 1911.
  preparation and use against poultry vermin. F.B. 1110, p. 9. 1920.
  stains, removal from textiles. F.B. 861, p. 35. 1917.
  use—
    and value as paint, formulas. News L., vol. 1, No. 37, pp. 3–4. 1914.
    as disinfectant formula. F.B. 465, p. 20. 1911.
    as scale insecticide, experiment. Ent. Bul. 30, pp. 38–39. 1901.
    in chicken houses, formula. D.B. 16, p. 8. 1919; F.B. 1110, p. 9. 1920.
    in control of bark beetles, times for application. F.B. 763, pp. 12–13. 1916.
    in destruction of aphid eggs. Ent. Bul. 67, p. 30. 1907.
    on frost-injured citrus trees. F.B. 1447, pp. 38–39. 1925.
    value as wood preservative, and application. F.B. 744, pp. 10, 23. 1916.
Whitewashing—
  cow stables, rules for dairymen, Boston, Mass. B.A.I. Bul. 46, p. 181. 1903.
  trees, objections. F.B. 1209, p. 33. 1921.
Whitewood, injury by sapsuckers. Biol. Bul. 39, pp. 77–78. 1911.
Whiting, use in—
  calcimine, necessity of binder. F.B. 474, p. 21. 1911.
  house cleaning. F.B. 1180, pp. 9, 17, 19. 1921.
  making grape juice and sirup. F.B. 1454, p. 5. 1925.
Whiting (fish), cold storage holdings, 1918, by months. D.B. 792, pp. 69–70. 1919.

Whitman National Forest, Oreg.—
  description. For. [Misc.], "An ideal vacation * * *," pp. 38-42. 1923.
  description and recreational uses. D.C. 4, pp. 52-53. 1919.
  law for lands reserved for Baker, Oreg., water supply. Sol. [Misc.], "Laws applicable * * * Agriculture," sup. 2, pp. 57-58. 1915.
  map. For. Maps, 1923. 1925.
  map and directions to tourists and campers. For. Map Fold. 1915.
WHITMORE, N. D.: "Report of study of California highway system." With others. Rds. [Misc.], "Report of study * * *," pp. 171. 1920; rev., 1921; rev., 1922.
WHITNEY, CASPAR, explorations in Athabaska-Mackenzie region, 1895. N.A. Fauna 27, p. 79. 1908.
WHITNEY, MILTON—
  "A study of crop yields and soil composition in relation to soil productivity." Soils Bul. 57, pp. 127. 1909.
  "Assignment of field parties." Soils [Misc.], "Assignment of field * * *," pp. 6, December, 1905; rev., pp. 5, January 13, 1906; rev., pp. 7, February 13, 1906; rev., pp. 7, March 15, 1906.
  "Authorizations." Soils [Misc.], "Authorizations," pp. 10. 1906; rev., pp. 11. 1907.
  "Exhaustion and abandonment of soils." Rpt. 70, pp. 48. 1901.
  "Fertilizers for corn soils." Soils Bul. 64, pp. 31. 1910.
  "Fertilizers for cotton soils." Soils Bul. 62, pp. 24. 1909.
  "Fertilizers for potato soils." Soils Bul. 65, pp. 19. 1910.
  "Fertilizers for wheat soils." Soils Bul. 66, pp. 48. 1910.
  "Fertilizers on soils used for oats, hay, and miscellaneous crops." Soils Bul. 67, pp. 73. 1910.
  "Field operations of the Bureau of Soils—
    1900. General review of the work." Soils F.O., 1900, pp. 19-60. 1901; Soils F.O. Sep. 1900, pp. 41. 1901.
    1901. General review of the work." Soils F.O., 1901, pp. 23-74. 1902; Soils F.O. Sep., 1901, pp. 51. 1902.
    1902. General review of the work." Soils F.O., 1902, pp. 25-123. 1903; Soils F.O. Sep., 1902, pp. 88. 1903.
    1903. General review of the work." Soils F.O., 1903, pp. 33-37. 1904.
    1904. General review of the work." Soils F.O., 1904, pp. 29-46. 1905.
    1905. General review of the work." Soils F.O., 1905, pp. 29-37. 1907.
    1906. General review of the work." Soils F.O., 1906, pp. 21-31. 1908.
    1907. General review of the work." Soils F.O., 1907, pp. 25-30. 1909.
    1908. General review of the work." Soils F.O., 1908, pp. 29-34. 1911.
    1909. General review of the work." Soils F.O., 1909, pp. 35-40. 1912.
    1910. General review of the work." Soils F.O., 1910, pp. 37-41. 1912.
    1911. General review of the work." Soils F.O., 1911, pp. 27-30. 1914.
    1912. General review of the work." Soils F.O., 1912, pp. 25-29. 1915.
    1913. General review of the work." Soils F.O., 1913, pp. 33-37. 1916.
    1914. General review of the work." Soils F.O., 1914, pp. 37-42. 1919.
    1915. General review of the work." Soils F.O., 1915, pp. 31-35. 1919.
    1916. General review of the work." Soils F.O., 1916, pp. 35-38. 1921.
    1917. General review of the work." Soils F.O., 1917, pp. 1-5. 1923.
    1918. General review of the work." Soils F.O., 1918, pp. 1-9. 1924.
    1919. General review of the work." Soils F.O., 1919, pp. xiii-xvi. 1925.
    1920. General review of the work." Soils F.O., 1920, pp. xiii-xvi. 1925.
  "Growing Sumatra tobacco under shade in the Connecticut Valley." Soils Bul. 20, pp. 31. 1902.

WHITNEY, MILTON—Continued.
  "Investigations in soil fertility." With F. K. Cameron. Soils Bul. 23, pp. 48. 1904.
  "List of soil types established by the Division of Soils in 1899 and 1900, with brief description." Soils [Misc.], "List of soil * * *," pp. 11. 1901.
  "Opportunities for the production of cigar-leaf tobacco in east Texas and Alabama." Soils Cir. 14, pp. 4. 1904.
  report as Chief of—
    Soils Bureau—
      1902. An. Rpts., 1902, pp. 155-188. 1902; Soils Chief Rpt., 1902, pp. 34. 1902.
      1903. An. Rpts., 1903, pp. 199-226. 1903 Soils Chief Rpt., 1903, p. 28. 1903.
      1904. An. Rpts., 1904, pp. 241-269. 1904; Soils Chief Rpt., 1904, pp. 29. 1904.
      1905. An. Rpts., 1905, pp. 239-272. 1905.
      1906. An. Rpts., 1906, pp. 333-361. 1907; Soils Chief Rpt., 1906, pp. 31. 1906.
      1907. An. Rpts., 1907, pp. 411-441. 1908; Soils Chief Rpt., 1907, pp. 35. 1907.
      1908. An. Rpts., 1908, pp. 499-525. 1909; Soils Chief Rpt., 1908, pp. 29. 1908.
      1909. An. Rpts., 1909, pp. 473-490. 1910; Soils Chief Rpt., 1909, pp. 20. 1909.
      1910. An. Rpts., 1910, pp. 493-507. 1911; Soils Chief Rpt., 1910, pp. 19. 1910.
      1911. An. Rpts., 1911, pp. 475-494. 1912; Soils Chief Rpt., 1911, pp. 22. 1911.
      1912. An. Rpts., 1912, pp. 605-616. 1913; Soils Chief Rpt., 1912, pp. 14. 1912.
      1913. An. Rpts., 1913, pp. 201-208. 1914; Soils Chief Rpt., 1913, pp. 8. 1913.
      1914. An. Rpts., 1914, pp. 175-182. 1914; Soils Chief Rpt., 1914, pp. 8. 1914.
      1915. An. Rpts., 1915, pp. 201-210. 1916; Soils Chief Rpt., 1915, pp. 10. 1915.
      1916. An. Rpts., 1916, pp. 205-211. 1917; Soils Chief Rpt., 1916, pp. 7. 1916.
      1917. An. Rpts., 1917, pp. 219-226. 1918; Soils Chief Rpt., 1917, pp. 8. 1917.
      1918. An. Rpts., 1918, pp. 225-232. 1919; Soils Chief Rpt., 1918, pp. 8. 1918.
      1919. An. Rpts., 1919, pp. 235-246. 1920; Soils Chief Rpt., 1919, pp. 11. 1919.
      1920. An. Rpts., 1920, pp. 285-305. 1921; Soils Chief Rpt., 1920, pp. 21. 1920.
      1922. An. Rpts., 1922, pp. 289-298. 1923; Soils Chief Rpt., 1922, pp. 10. 1922.
      1923. An. Rpts., 1923, pp. 373-379. 1924; Soils Chief Rpt., 1923, pp. 7. 1923.
      1924. An. Rpts., 1924, pp. 13. 1924.
    Soils Division. An. Rpts., 1901, pp. 113-140. 1901; Soils Chief Rpt., 1901, pp. 28. 1901.
  "Soil fertility." F.B. 257, pp. 40. 1906.
  "Soil survey assignment sheet." Soils [Misc.], "Soil survey assignment * * *," pp. 3. July 1, 1908; rev., pp. 4. December 1, 1908.
  "Soils of the United States." Soils Bul. 55, pp. 243. 1909.
  "The chemistry of the soil as related to crop production." With F. K. Cameron. Soils Bul. 22, pp. 71. 1903.
  "The composition of commercial fertilizers." Soils Bul. 58, pp. 39. 1910.
  "The purpose of a soil survey." Y.B., 1901, pp. 117-132. 1902; Y.B. Sep. 232, pp. 117-132. 1902.
  "The use of soils east of the Great Plains region." Soils Bul. 78, pp. 292. 1911.
  "The work of the Bureau of Soils." Soils Cir. 13, pp. 13. 1904; rev., 1905.
WHITSON, A. R.—
  cooperation in " Soil survey of—
    Iowa County, Wis." Soil Sur. Adv. Sh., 1910, pp. 29. 1912.
    Waushara County, Wis." Soil Sur. Adv. Sh., 1909, pp. 33. 1911.
  "Extension course in soils for self-instructed classes in movable schools of agriculture." With H. B. Hendrick. D.B. 355, pp. 92. 1916.
  "Irrigation in Wisconsin in 1902." O.E.S. Bul. 133, pp. 223-234. 1903.
  "Management of marsh soils." With F. J. Sievers. F.B. 465, pp. 7-9. 1911.

WHITSON, A. R.—Continued.
"The irrigation and drainage of cranberry marshes in Wisconsin." O.E.S. Bul. 158, pp. 625–642. 1905.

WHITTAKER, H. A.—
"Effect of various factors on the creaming ability of market milk." With others. D.B. 1344, pp. 24. 1925.
"Farm water supplies of Minnesota." With Karl F. Kellerman. B.P.I. Bul. 154, pp. 87. 1909.
"The supervision of the pasteurization of milk by State authorities." B.A.I. Dairy [Misc.], "World's dairy congress, 1923," pp. 549–555. 1924.

WHITTELSEY, A. H.—
"Home canning club aprons and caps." S.R.S. Doc. 35, pp. 7. 1917.
"Removal of stains from clothing and other textiles." With Harold L. Lang. F.B. 861, pp. 35. 1917.

Wholesale dealers, stocks of foodstuffs, cereal and vegetable, August 31, 1917, notes and tables. Sec. Cir. 99, pp. 3–28. 1918.
Wholesalers, car-lot, of fruits and vegetables, commissions. D.B. 267, pp. 16–17. 1915.
Whooping cough remedy, misbranding. Chem. N.J. 13317. 1925.
Whortleberry, bear's. See Bearberry.
Wi fruits, infestation with Mediterranean fruit fly. D.B. 536, pp. 24, 47. 1918.

WIANCKO, A. T.—
"Red-clover seed production: Pollination studies." With others. D.B. 289, pp. 31. 1915.
"The management of Decatur County soils." With S. D. Conner. Soil Sur. Adv. Sh., 1919, Pt. II, pp. 21–32. 1922; Soils F.O., 1919, pp. 1307–1318. 1925.

Wichita, Kans., trade center for farm products, statistics. Rpt. 98, pp. 287–290. 1913.
Wichita—
Game Preserve, buffalo protection, 1909. Biol. Cir. 73, p. 9. 1910.
game refuge, Oklahoma, condition of game, 1908. Y.B., 1908, p. 584. 1909; Y.B. Sep. 500, p. 584. 1909.
National Forest—
and Game Preserve. S. N. Shanklin and James E. Scott. M. C. 36, pp. 11. 1925.
buffalo-herd establishment. Y.B., 1907, p. 70. 1908.
Wichita River, Tex., description, drainage area, and discharge. O.E.S. Bul. 222, pp. 20–21. 1910.

WICHMANN, H. J.—
"A method for the detection of small quantities of coumarin, particularly in factitious vanilla extracts." Chem. Cir. 95, pp. 2. 1912.
"Detection of lime used as a neutralizer in dairy products." D.B. 524, pp. 23. 1917.

WICKHAM, H. F.: "Coleoptera of the Pribilof Islands, Alaska." N.A. Fauna 46, Pt. II, pp. 150–157. 1923.
Wickham soils, Virginia, description, uses, and location. D.B. 46, pp. 15–16, 19, 20. 1913.

WICKSON, E. J.—
"How can agricultural colleges best serve farmers in solving rural problems?" O.E.S. Bul. 228, pp. 94–96. 1910.
"Irrigation in field and garden." F.B. 138, pp. 40. 1901.
"Irrigation practice among fruit growers on the Pacific coast." O.E.S. Bul. 108, pp. 54. 1902.
"Relation of irrigation to yield, size, quality, and commercial suitability of fruits." O.E.S. Bul. 158, pp. 141–174. 1905.
report of California Experiment Station—
1909. O.E.S. An. Rpt., 1909, pp. 80–82. 1910.
1910. O.E.S. An. Rpt., 1910, pp. 102–106. 1911.
1911. O.E.S. An. Rpt., 1911, pp. 78–81. 1912.
1912. O.E.S. An. Rpt., 1912, pp. 80–83. 1913.

Widgeon—
American. See Baldpate.
breeding habits, range, and migration. Biol. Bul. 26, p. 28. 1906.
European—
description, occurrence, and food habits. D.B. 862, pp. 16–17. 1920.

Widgeon—Continued.
European—Continued.
occurrence in Pribilof Islands, description. N.A. Fauna 46, pp. 44–45. 1923.
occurrence in Yukon Territory. N.A. Fauna 30, p. 85. 1909.

WIDTSOE, J. A.: "General problems of irrigation and methods of attacking them experimentally." O.E.S. Bul. 228, pp. 112–117. 1910.

WIECHMANN, P. C.: "Soil survey of—
Adair County, Iowa." With C. Lounsbury and T. H. Benton. Soil Sur. Adv. Sh., 1919, pp. 25. 1921; Soils F.O., 1919, pp. 1405–1425. 1925.
Wayne County, Iowa." With others. Soil Sur. Adv. Sh., 1918, pp. 24. 1920; Soils F.O., 1918, pp. 1229–1248. 1924.

WIEST, J. D., experience in farming at Fairbanks, Alaska. Alaska A.R., 1910, pp. 74–75. 1911.

Wigandia—
caracasana, importation and description. No. 43671, B.P.I. Inv. 49, p. 60. 1921.
spp., importations and descriptions. Nos. 51152–51154, B.P.I. Inv. 64, p. 65. 1923.
Wigeon-grass, value as duck food, description, distribution and propagation. D.B. 205, pp. 16–19. 1915.

WIGHT, A. E.—
"The dairy industry." With others. Y.B., 1922, pp. 281–394. 1923; Y.B. Sep. 879, pp. 98. 1923.
"Tuberculosis in live stock." With John A. Kiernan. F.B. 1069, pp. 31. 1919.

WIGHT,, W. F.—
"Native American species of Prunus." D.B. 179, pp. 75. 1915.
"The history of the cowpea and its introduction into America." B.P.I. Bul. 102, Pt. VI, pp. 43–59. 1907.
"The varieties of plums derived from native American species." D.B. 172, pp. 44. 1915.
"Wigwam," method of piling wood, use against borers. F.B. 1197, pp. 10–12. 1921.
Wijs iodin solution, use in analyses of oils, preparation. Chem. Bul. 77, pp. 21, 22, 23, 24, 25. 1905.
Wikstroemia chamaedaphne, importation and description. No. 38236, B.P.I. Inv. 39, p. 105. 1917.
WILBER, J. H., experience in vegetable growing at Deadwood, Alaska. Alaska A.R., 1910, p. 74. 1911.

WILCOX, E. M.:—
"Plant breeding to secure resistant forms." O.E.S. Bul 123, pp. 117–118. 1903.

WILCOX, E. V.—
"A cultura da banana." Hawaii [Misc.], "A cultura * * *," (in Portuguese and Hawaiian) pp. 7. 1911.
"Experiments in tapping Ceara rubber trees." Hawaii Bul. 19, pp. 27. 1909.
"How Hawaii helps her farmers to market their produce." Y.B., 1915, pp. 131–146. 1916; Y.B. Sep. 663, pp. 131–146. 1916.
"Lease contracts used in renting farms on shares." D.B. 650, pp. 36. 1918.
"Ornamental hibiscus in Hawaii." With V. S. Holt. Hawaii Bul. 29, pp. 60. 1914.
"Production and inspection of milk." Hawaii [Misc.], "Production and inspection * * *," pp. 348. 1912.
report of Hawaii Experiment Station—
1910. With others. Hawaii A.R., 1910, pp. 64. 1911.
1911. With others. Hawaii A.R., 1911, pp. 63. 1912.
1912. With others. Hawaii A.R., 1912, pp. 91. 1913.
1913. With others. Hawaii A.R., 1913, pp. 53. 1914.
1914. With others. Hawaii A.R., 1914, pp.73. 1915.
summary of investigations—
1909. Hawaii A.R., 1909, pp. 9–16. 1910.
1910. Hawaii A.R., 1910, pp. 9–18. 1911.
1911. Hawaii A.R., 1911, pp. 7–16. 1912.
1912. Hawaii A.R., 1912, pp. 7–15. 1913.
1913. Hawaii A.R., 1913, pp. 7–17. 1914.
1914. Hawaii A.R., 1914, pp. 7–24. 1915.
work—
1909. O.E.S. An. Rpt., 1909, pp. 95–97. 1910.
1910. O.E.S. An. Rpt., 1910, pp. 124–125. 1911.

WILCOX, E. V.—Continued.
report of Hawaii Experiment Station—Contd.
work—continued.
1911. Hawaii A.R., 1911, pp. 97–99. 1912.
1912. O.E.S. An. Rpt., 1912, pp. 101–104. 1913.
1913. O.E.S. An. Rpt., 1913, pp. 42–43. 1915.
1914. O.E.S. An. Rpt., 1914, pp. 93–96. 1915.
"The effect of manganese on pineapple plants, and the ripening of the pineapple fruits." With W. P. Kelley. Hawaii Bul. 28, pp. 20. 1912.
"The stock-poisoning plants of Montana: A preliminary report." With V. K. Chesnut. Bot. Bul. 26, pp. 150. 1901.
"Work and expenditures of the agricultural experiment stations, report—
1914." With E. W. Allen. O.E.S. An. Rpt., 1914, pp. 289. 1915.
1915." With others. S.R.S. Rpt., 1915, Pt. I, pp. 321. 1917.
WILCOX, L. S., letter on yang-taw or *Actinidia chinensis*. B.P.I. Cir. 110, p. 9. 1913.
WILCOX, M. S.: "Botryosphaeria and Physalospora on currant and apple." With others. J.A.R., vol. 28, pp. 585–598. 1924.
WILCOX, R. B.—
"Eastern blue-stem of the black raspberry." D.C. 227, pp. 12. 1922; rev., pp. 10. 1923.
"Further studies of the rots of strawberry fruits." With Neil E. Stevens. D.B. 686, pp. 14. 1918.
"Rhizopus rot of strawberries in transit." With Neil E. Stevens. D.B. 531, pp. 22. 1917.
"Spoilage of cranberries after harvest." With others. D.B. 714, pp. 20. 1918.
WILCOX, R. H.—
"Hog production and marketing." With others. Y.B., 1922, pp. 181–280. 1923.; Y.B. Sep. 882, pp. 181–280. 1923.
"Our beef supply." With others. Y.B., 1921, pp. 227–322. 1922; Y.B. Sep. 874, pp. 227–322. 1922.
wheat situation, report. Y.B., 1923, pp. 95–150. 1924.
Wild—
Cherry Tar, Gooch's Mexican Syrup, misbranding. Chem. S.R.A. Sup. 19, pp. 672–673. 1916.
fowl, Maryland law, new enactments. F.B. 418, p. 7. 1910.
life—
associations, conservation of antelope. D.B. 1346, pp. 10–11. 1925.
conservation in 1920. An. Rpts., 1920, p. 55. 1921; Sec. A.R., 1920, p. 55. 1920.
refuge—
islands in Mississippi River. Off. Rec., vol. 4, No. 37, p. 2. 1925.
purchase. Off. Rec., vol. 4, No. 36, pp. 1, 8. 1925.
plants—
diseases, in Texas, occurrence and description. B.P.I. Bul. 226, pp. 90–106. 1912.
medicinal, United States. Alice Henkel. B.P.I. Bul. 89, pp. 76. 1906.
tobacco. See Lobelia.
Wildcat—
bounties paid by different States. F.B. 1238, pp. 7–23. 1921.
bounty laws, summary. F.B. 911, p. 29. 1917.
hunting and bounty laws, 1919. F.B. 1079, pp. 3–28. 1919.
mountain, occurrence in Colorado, description. N.A. Fauna 33, pp. 168–169. 1911.
occurrence in Alabama, description, and habits. N.A. Fauna 45, pp. 42–43. 1921.
plateau, occurrence in—
Colorado, description, etc. N.A. Fauna 33, pp. 167–168. 1911.
Texas, habits and food. N.A. Fauna 25, pp. 170–171. 1905.
protection laws, summary, 1918. F.B. 1022, p. 59. 1918.
trapping directions, and casing skins. Y.B., 1919, pp. 463–464. 1920; Y.B. Sep. 823, pp. 463–464. 1920.
See also Bobcat.
WILDER, H. J.—
"Agriculture in the coal regions of southwestern Pennsylvania." Y.B., 1909, pp. 321–332. 1910; Y.B. Sep. 516, pp. 321–332. 1910.

WILDER, H. J.—Continued.
"Orchard soils of Livingston County, N. Y." Soil Sur. Adv. Sh., 1908, pp. 87–89. 1910; Soils F. O., 1908, pp. 153–155. 1911.
"Reconnoissance of northwestern Pennsylvania," With others. Soil Sur. Adv. Sh., 1908, pp. 51. 1910; Soils F. O., 1908, pp. 197–243. 1911.
"Reconnoissance of southwestern Pennsylvania." With Charles F. Shaw. Soil Sur. Adv. Sh., 1909, pp. 69. 1911; Soils F. O., 1909, pp. 205–269. 1912.
"Soil survey of—
Caddo Parish, La." With others. Soil Sur. Adv. Sh., 1906, pp. 36. 1907; Soils F. O., 1906, pp. 427–458. 1908.
Livingston County, N. Y." With others. Soil Sur. Adv. Sh., 1908, pp. 91. 1910; Soils F.O., 1908, pp. 71–157. 1911.
the Fayetteville area, Arkansas." With others. Soil Sur. Adv. Sh., 1906, pp. 45. 1907; Soils, F. O., 1906, pp. 587–627. 1908.
"Soils of Massachusetts and Connecticut, with special reference to apples and peaches." D.B. 140, pp. 73. 1915.
Wilder grass, growing in Hawaii, description and forage value. Hawaii A.R., 1915, pp. 42–43. 1916.
WILDERMUTH, ROBERT: "Soil survey of—
Cole County, Missouri." With A. T. Sweet. Soil Sur. Adv. Sh., 1920, pp. 1501–1530. 1924.
Henry County, Tenn." With others. Soil Sur. Adv. Sh., 1922, pp. 77–109. 1925.
Mississippi County, Mo." With William De Young. Soil Sur. Adv. Sh., 1921, pp. 551–581. 1924.
Washington Parish, La." With others. Soil Sur. Adv. Sh., 1922, pp. 345–390. 1925.
WILDERMUTH, V. L.—
"California green lacewing fly." J.A.R., vol. 6, No. 14, pp. 515–525. 1916.
"Clover stem borer as an alfalfa pest." With F. H. Gates. D.B. 889, pp. 25. 1920.
"The alfalfa caterpillar." D.B. 124, pp. 40. 1914; Ent. Cir. 133, pp. 14. 1911; F.B. 1094, pp. 16. 1920.
"The clover-root curculio." Ent. Bul. 85, Pt. III, pp. 29–38. 1910; Ent. Bul. 85, pp. 29–38. 1911.
"The desert corn flea-beetle." D.B. 436, pp. 23. 1917.
"The New Mexico range caterpillar and its control." With D. J. Caffrey. D.B. 443, pp. 12. 1916.
"Three-cornered alfalfa hopper." J.A.R., vol. 3, pp. 343–362. 1915.
Wilder's Georgia Cane Syrup, adulteration and misbranding. Chem. N.J. 324, pp. 2. 1910.
Wildfire—
sheep disease, symptoms. F.B. 713, p. 11. 1916.
tobacco—
cause and description. J.A.R., vol. 23, pp. 482, 483. 1923.
cause and prevention. Y.B., 1922, pp. 424–425. 1923; Y.B. Sep. 885, pp. 424–425. 1923.
description. Frederick A. Wolf and A. C. Foster. J.A.R., vol. 12, pp. 449–458. 1918.
WILDS, W. G., experience in growing vegetables at Chittyna, Alaska. Alaska A.R., 1910, p. 74. 1911.
WILEY, H. W.—
"A preliminary study of the effects of cold storage on eggs, quail, and chickens." With others. Chem. Bul. 115, pp. 117. 1908.
address as honorary president before Official Agricultural Chemists. Chem. Bul. 162, p. 188. 1913.
"American wines at the Paris Exposition of 1900. Their composition and character." Chem. Bul. 72, pp. 24. 1903.
"Benzoic acid and benzoates." With others. Chem. Bul. 84, Pt. IV, pp. 1043–1294. 1908.
"Boric acid and borax." With others. Chem. Bul. 84, Pt. I, pp. 1–477. 1904.
beet-sugar report, 1900. Rpt. 69, pp. 123–171. 1901.
"Determination of effect of preservatives in foods on health and digestion." Y.B., 1903, pp. 289–302. 1904; Y.B. Sep. 328, pp. 289–302. 1904.

WILEY, H. W.—Continued.
"Durability and economy in papers for permanent records." With C. Hart Merriam. Rpt. 89, pp. 51. 1909.
"Experimental work in the production of table sirup at Waycross, Ga., 1905, together with a summary of the four-year experiment on fertilization of sugar cane." With others. Chem. Bul. 103, pp. 38. 1906.
"Experiments in the culture of sugar cane and its manufacture into table sirup." With others. Chem. Bul. 93, pp. 78. 1905.
"Foreign trade practices in the manufacture and exportation of alcoholic beverages and canned goods * * *." Chem. Bul. 102, pp. 45. 1906.
"Formaldehyde." With others. Chem Bul. 84, Pt. V, pp. 1295-1500. 1908.
"General results of the investigations showing the effect of salicylic acid and salicylates upon digestion and health." Chem. Cir. 31, pp. 12. 1906.
"Industrial alcohol: Sources and manufacture." F.B. 268, pp. 47. 1906.
"Industrial alcohol: Sources and manufacture." Revised by H. E. Sawyer. F.B. 429, pp. 32. 1911.
"Industrial alcohol: Uses and statistics." F.B 269, pp. 31. 1906.
"Influence of environment on the chemical composition of plants." Y.B., 1901, pp. 299-318. 1902; Y.B. Sep. 257, pp. 299-318. 1902.
"Influence of environment on the composition of the sugar beet, 1904." Chem. Bul. 96, pp. 66. 1905.
"Inspection of foreign food products." Y.B., 1904, pp. 151-160. 1905; Y.B. Sep. 339, pp. 151-160. 1905.
introduction and conclusion to bulletin on "Influence of environment on composition of sweet corn." Chem. Bul. 127, pp. 5-8, 68-69. 1909.
"Manufacture of denatured alcohol." With others. Chem. Bul. 130, pp. 166. 1910.
"Manufacture of table sirups from cane sugar." Chem. Bul. 70, pp. 32. 1902.
"Methods of studying effect of preservatives and other substances added to foods upon health and digestion." Pub. [Misc.], "Methods of studying * * *," pp. 14. 1903.
"Proceedings of the eighteenth annual convention of the Association of Official Agricultural Chemists, held in Washington, D. C., Nov., 1901." Chem. Bul. 67, pp. 184. 1902.
"Proceedings of the twenty-eighth annual convention of A. O. A. C., 1911." With A. L. Pierce. Chem. Bul. 152, pp. 268. 1912.
"Provisional methods for the analysis of foods adopted by the Association of Official Agricultural Chemists, Nov. 14-16, 1901." With W. D Bigelow. Chem. Bul. 65, pp. 169. 1902.
report—
as Chief of Chemistry Division. 1901. An. Rpts., 1901, pp. 95-111. 1902; Chem. Chief Rpt., 1901, pp. 17. 1901.
of Chief of Chemistry Bureau—
1902. An. Rpts., 1902, pp. 137-154. 1903; Chem. Chief. Rpt., 1902, pp. 18. 1902.
1903. An. Rpts., 1903, pp. 171-197. 1903; Chem. Chief Rpt., 1903, pp. 27. 1903.
1904. An. Rpts., 1904, pp. 207-240. 1904; Chem. Chief Rpt. 1904, pp. 34. 1904.
1905. An. Rpts., 1905, pp. 495-523. 1906; Chem. Chief Rpt., 1905, pp. 28. 1905.
1906. An. Rpts., 1906, pp. 307-331. 1907; Chem. Chief Rpt., 1906, pp. 25. 1906.
1907. An. Rpts., 1907, pp. 381-409. 1908; Chem. Chief Rpt., 1907, pp. 31. 1907.
1908. An. Rpts., 1908, pp. 449-498. 1909; Chem. Chief Rpt., 1908, pp. 54. 1908.
1909. An. Rpts., 1909, pp. 415-471. 1910; Chem. Chief Rpt., 1909, pp. 61. 1909.
1910. An. Rpts., 1910, pp. 429-491. 1911; Chem. Chief Rpt., 1910, pp. 67. 1910.
1911. An. Rpts., 1911, pp. 419-473. 1912; Chem. Chief Rpt, 1911, pp. 59. 1911.
"Results of borax experiment." Chem. Cir. 15, pp. 27. 1904.
"Salicylic acid and salicylates." With others. Chem. Bul. 84, Pt. II, pp. 479-760. 1906.

WILEY, H. W.—Continued.
"Sugar-cane culture in the Southeast for the manufacture of table sirup." Chem. Bul. 75, pp. 40. 1903.
"Sulphurous acid and sulphites." With others. Chem. Bul. 84, Pt. III, pp. 761-1041. 1907.
"Table sirups." Y.B., 1905, pp. 241-248. 1906; Y.B. Sep. 380, pp. 241-248. 1906.
"The adulteration of maple products." For. Bul. 59, pp. 47-54. 1905.
"The influence of environment upon the composition of the sugar beet." Chem. Bul. 64, pp. 32. 1901.
"The influence of environment upon the composition of the sugar beet, 1902." Chem. Bul. 78, pp. 50. 1903.
"The influence of environment upon the composition of the sugar beet, 1903." Chem. Bul. 95, pp. 39. 1905.
"The influence of soil and climate upon the composition of the sugar beet, 1901." Chem. Bul. 74, pp. 42. 1903.
"The sunflower: Its cultivation, composition, and uses." Chem. Bul. 60, pp. 31. 1901.
"Yeast cultures for experimental purposes." Chem. [Misc.], "Yeast cultures for experimental * * *," pp. 3. 1908; rev. 1909.
WILEY, W. E.: "Soil survey of Wells County, Ind." With W. E. Tharp. Soil Sur. Adv. Sh., 1915, pp. 29. 1917; Soils F.O. 1915, pp. 1423-1447. 1921.
Wilga, importation and description. No. 48836, B.P.I. Inv. 61, p. 54. 1922.
Wilkes-Barre, Pa., milk supply, statistics, officials, prices, and ordinances. B.A.I. Bul. 46, pp. 32, 148. 1903.
WILKINS, R. H.: "Effect of certain grain rations on the growth of the white leghorn chick." With others. J.A.R., vol. 16, pp. 305-312. 1919.
WILKINS, V. E.—
remarks on financing farmers. B.A.I. Dairy [Misc.[, "Worlds dairy congress, 1923," p. 221. 1924.
"The status of dairy education in England and Wales." B.A.I. Dairy [Misc.], "World's dairy congress, 1923," pp. 624-628. 1924.
WILKINSON, F. B.: "History and status of tobacco culture." With others. Y.B., 1922, pp. 395-468. 1923; Y.B. Sep. 885, pp. 395-468. 1923.
WILKINSON, J. A., cooperation in soil survey of Coffee County, Ala. Soil Sur. Adv. Sh. 1909, pp. 51. 1911.
WILKINSON, J. B.: "Soil survey of Covington County, Ala." With others. Soil Sur Adv. Sh., 1912, pp. 37. 1914; Soils F.O., 1912, pp. 797-829. 1915.
WILKINSON, W. E.: "Soil survey of—
Bullock County, Ala." With Howard C. Smith. Soil Sur. Adv. Sh., 1913, pp. 50. 1915; Soils F.O., 1913, pp. 747-792. 1916.
Chilton County, Ala." With L. Cantrell. Soil Sur. Adv. Sh., 1911, pp. 36. 1913; Soils F.O., 1911, pp. 689-720. 1914.
Covington County, Ala." With others. Soil Sur. Adv. Sh., 1912, pp. 37. 1914; Soils F.O., 1912, pp. 797-829. 1915.
Mobile County, Ala." With others. Soil Sur. Adv. Sh., 1911, pp. 42. 1912; Soils F.O., 1911, pp. 859-896. 1914.
Pike County, Ala." With others. Soil Sur. Adv. Sh., 1910, pp. 67. 1911; Soils F.O., 1910, pp. 641-702. 1912.
Randolph County, Ala." With others. Soil Sur. Adv. Sh., 1911, pp. 40. 1912; Soils F.O., 1911, pp. 897-932. 1914.
Tuscaloosa County, Ala." With others. Soil Sur. Adv. Sh., 1911, pp. 74. 1912; Soils F.O., 1911, pp. 933-1002. 1914.
WILLAMAN, J. J.—
"Effect of climatic factors on the hydrocyanic-acid content of sorghum." With R. M. West. J.A.R., vol. 6, No. 7, pp. 261-272. 1916.
"Notes on the composition of the sorghum plant." With others. J.A.R., vol. 18, pp. 1-31. 1919.
"Notes on the hydrocyanic-acid content of sorghum." With R. M. West. J.A.R., vol. 4, pp. 179-185. 1915.
"Some modifications of the picric acid method for sugars." With F. R. Davison. J.A.R., vol. 28, pp. 479-488. 1924.

WILLAMAN, J. J.—Continued.
"Studies in greenhouse fumigation with hydrocyanic acid: Physiological effects on the plant." With William Moore. J.A.R., vol. 11, pp. 319–338. 1917.
Willamette Valley, Oreg.—
drainage measurement. O.E.S. Bul. 209, p. 17. 1909.
physical characteristics, water, soils, and climate. O.E.S. Bul. 226, pp. 8–13, 64–65. 1910.
winds. J.A.R., vol. 30, p. 602. 1925.
WILLARD, H. F.—
"A contribution to the biology of fruit-fly parasites in Hawaii." With C. E. Pemberton. J.A.R., vol. 15, pp. 419–466. 1918.
"Fruit fly parasitism in Hawaii during 1916." With C. E. Pemberton. J.A.R., vol. 12, No. 2, pp. 103–108. 1918.
"Interrelations of fruit-fly parasites in Hawaii." With C. E. Pemberton. J.A.R., vol. 12, pp. 285–296. 1918.
"*Opius fletcheri* as a parasite of the melon fly of Hawaii." J.A.R. vol. 20, pp. 423–438. 1920.
"Work and parasitism of the Mediterranean fruit fly in Hawaii during 1917." With C. E. Pemberton. J.A.R., vol. 14, pp. 605–610. 1918.
"Work and parasitism of the Mediterranean fruit fly in Hawaii during 1918." J.A.R., vol. 18, pp. 441–446. 1920.
"Work and parasitism of the Mediterranean fruit fly in Hawaii during 1919 and 1920." J.A.R., vol. 25, pp. 1–7. 1923.
WILLARD, JUDGE, decision in twenty-eight hour law. Sol. Cir. 26, pp. 1–2. 1909.
WILLARD, R. E.—
"A farm management study of cotton farms of Ellis County, Tex." D.B. 659, pp. 54. 1918.
"Farm practices in grain farming in North Dakota." With C. M. Hennis. D.B. 757, pp. 35. 1919.
"Soil survey of—
Ransom County, N. Dak." With others. Soil Sur. Adv. Sh., 1906, pp. 39. 1907; Soils F.O., 1906, pp. 963–997. 1908.
Richland County, N. Dak." With others. Soil Sur. Adv. Sh., 1908, pp. 38. 1909; Soils F.O., 1908, pp. 1121–1154. 1911.
the Williston area, North Dakota." With others. Soil Sur. Adv. Sh., 1906, pp. 28. 1908; Soils F. O. 1906, pp. 999–1022. 1908.
"Status of farming in the lower Rio Grande irrigated district of Texas." D.B. 665, pp. 24. 1918.
Willet—
breeding—
grounds, in Great Plains, description. Y.B., 1917, pp. 198–200. 1918; Y.B. Sep. 723, pp. 4–6. 1918.
range and migration habits. Biol. Bul. 35, pp. 61–62. 1910.
protection need. Y.B., 1914, p. 285. 1915; Y.B. Sep. 642, p. 285. 1915.
range, occurrence, and names. M.C. 13, p. 62. 1923.
western, breeding range and migration habits. Biol. Bul. 35, pp. 62–63. 1910.
varieties, breeding range and migration habits. Biol. Bul. 35, pp. 61–63. 1910.
WILLEY, H. F.—
report of farm superintendent. Hawaii A.R., 1924, p. 18. 1925.
report of Hawaii Experiment Station, Haleakala substation, and demonstration farm, 1923. Hawaii A.R. 1923, pp. 14–15. 1924.
WILLIAMS, C. B.—
comparison of volumetric and gravimetric methods of determining total phosphoric acid in soils. Chem. Bul. 81, pp. 163–168. 1904.
"Formulas for corn fertilizers in Southeastern States." F.B. 1149, pp. 6–9. 1920.
report of North Carolina Experiment Station, work and expenditures—
1907. O.E.S. An. Rpt., 1907, pp. 146–148 1908.
1908. O.E.S. An. Rpt., 1908, pp. 144–148. 1909.
1909. O.E.S. An. Rpt., 1909, pp. 160–162. 1910.
1910. O.E.S. An. Rpt., 1910, pp. 206–209. 1911.

WILLIAMS, C. B.—Continued.
report of North Carolina Experiment Station, work and expenditures—Continued.
1911. O.E.S. An. Rpt., 1911, pp. 168–171. 1912.
1912. O.E.S. An. Rpt., 1912, pp. 173–176. 1913.
WILLIAMS, C. G., remnant system of corn breeding. Y.B., 1909, pp. 312–313. 1910; Y.B. Sep. 515, pp. 312–313. 1910.
WILLIAMS, FRANKLIN, Jr.: "Clearing new land." F.B. 150, pp. 24. 1902.
WILLIAMS, G. P.: "The Angora goat." F.B. 1203, pp. 26. 1921.
WILLIAMS, G. S.: "Discussion of water flow in wood stave pipes." With others. D.B. 376, pp. 81–96. 1916.
WILLIAMS, H. E.—
"Protection of food products from injurious temperatures." F.B. 125, pp. 28. 1901.
"The Weather Bureau." W.B. [Misc.], "The Weather Bureau," pp. 58. 1915; rev., pp. 59. 1916; (rev. by E. B. Calvert), pp. 55. 1923.
WILLIAMS, H. F.: "Soil survey of Cedar County, Mo." With E. B. Watson. Soil Sur. Adv. Sh., 1909, pp. 34. 1911; Soils F.O., 1909, pp. 1337–1366. 1912.
WILLIAMS, H. W., statement on coal-tar colors, harmfulness. Chem. Bul. 147, p. 55. 1912.
WILLIAMS, J. O.—
"Care and management of farm work horses." With Earl B. Krantz. F.B. 1419, pp. 18. 1924.
"Cost of using horses on Corn Belt farms." With M. R. Cooper. F.B. 1298, pp. 16. 1922.
"Cottonseed meal for horses." With G. A. Bell. D.B. 929, pp. 10. 1920.
"Developing an American utility horse." D.C. 153, pp. 22. 1921.
"Feeding horses." With G. A. Bell. F.B. 1030, pp. 24. 1919.
"Mule production." F.B. 1341, pp. 28. 1923.
WILLIAMS, M. B.—
"Possibilities and need of supplemental irrigation in the humid region." Y.B., 1911, pp. 309–320. 1912; Y.B. Sep. 570, pp. 309–320. 1912.
"Spray irrigation." D.B. 495, pp. 40. 1917.
WILLIAMS, O. E.—
"Effect of composition on the palatability of ice cream." With George R. Campbell. D.B. 1161, pp. 8. 1923.
"Proportioning the ingredients for ice cream and other frozen products by the balance method." D.B. 1123, pp. 13. 1922.
"Sandy crystals in ice cream: Their separation and identification." With Harper F. Zoller. J.A.R., vol 21, pp. 791–796. 1921.
WILLIAMS, R. S.—
discussion of milk control in England and Wales. B.A.I. Dairy [Misc.], "World's dairy congress, 1923," p. 1294. 1924.
"Effect of topographical considerations on the problem of milk distribution." B.A.I. Dairy [Misc.], "World's dairy congress 1923," pp. 800–805, 832–833. 1924.
WILLIAMS, R. W.—
opinion of effect of grain appeals. Mkts. S.R.A. 49, pp. 6–9. 1919.
report of solicitor for—
1920. An. Rpts., 1920, pp. 577–605. 1920.
1922. An. Rpts., 1922, pp. 583–593. 1922; Sol. A.R., 1922, pp. 11. 1922.
1923. An. Rpts., 1923, pp. 693–716. 1923; Sol. A.R., 1923, pp. 24. 1923.
1924. Sol. A.R. 1924, pp. 16. 1924.
WILLIAMS, R. W., Jr.—
"Game commissions and wardens, their appointment, powers, and duties." Biol. Bul. 28, pp. 285. 1907.
"Game laws for—
1903." With others. F.B. 180, pp. 56. 1903.
1904." With others. F.B. 207, pp. 63. 1904.
1905." With T. S. Palmer and Henry Oldys. F.B. 230, pp. 54. 1905.
1906." With T. S. Palmer. F.B. 265, pp. 54. 1906.
"Game protection in Florida." Biol. Cir. 59, pp. 11. 1907.
"Summary of game laws, 1905. With others. F.B. 230, pp. 56. 1905.

WILLIAMS, R. W., Jr.—Continued.
"The game warden of to-day." Y.B., 1906, pp. 213-224. 1907; Y.B. Sep. 418, pp. 213-224. 1907.
"The migratory bird treaty act." D.C. 202, pp. 6. 1921.
WILLIAMS, T. A.: "Forage plant and grass investigations in United States." O.E.S. Bul. 99, pp. 148-152. 1901.
WILLIAMS, W. B.: "Dispersion of the boll weevil in—
1921." With others. D.C. 210, pp. 3. 1922.
1922." With others. D.C. 266, pp. 6. 1923.
WILLIAMS, W. L.: "The granular venereal disease and abortion in cattle." D.B. 106, pp. 57. 1914.
WILLIAMS, W. M., report of the Solicitor for—
1917. An. Rpts., 1917, pp. 381-409. 1917; Sol. A.R., 1917, pp. 29. 1917.
1918. An. Rpts., 1918, pp. 383-424. 1918; Sol. A.R., 1918, pp. 32. 1918.
1919. An. Rpts., 1919, pp. 469-497. 1920; Sol. A.R., 1919, pp. 29. 1919.
Williams-Hazen, formula for water flow. D.B. 376, pp. 6, 10, 48, 51, 55, 96. 1916.
Williams' method of flagella staining. J.A.R., vol. 8, No. 11, p. 403. 1917.
WILLIAMSON, A. W.: "Cottonwood in the Mississpii Valley." D.B. 24, pp. 62. 1913.
WILLIAMSON, M. M.—
"Bacterial leafspot of clovers." With others. J.A.R., vol. 25, pp. 471-490. 1923.
"Bacterial spot of Lima bean." With W. B. Tisdale. J.A.R., vol. 25, No. 3, pp. 141-154. 1923.
Williamson corn-raising method, modified, use in North Carolina, Scotland County. Soil Sur. Adv. Sh., 1909, pp. 11, 19. 1910; Soils F.O., 1909, pp. 427, 435. 1912.
Williamsport, Pa., milk supply, statistics, officials, and prices. B.A.I. Bul. 46, pp. 38, 151. 1903.
WILLIER, J. G.—
"A statistical study of the relation between seed-ear characters and productiveness in corn." With Frederick D. Richey. D.B. 1321, pp. 20. 1925.
"Pop corn for the home." With C. P. Hartley. F.B. 553, pp. 13. 1913.
"Pop corn for the market." With C. P. Hartley. F.B. 554, pp. 16. 1913; rev., pp. 12. 1920.
WILLIS, C. P.: "The preservative treatment of farm timbers." F.B. 387, pp. 19. 1910.
WILLIS, H. H.: "Utilization of Pima cotton." D.B. 1184, pp. 27. 1923.
WILLIS, L. G.—
"Influence of some nitrogenous fertilizers on the development of chlorosis in rice." With J. O. Carrero. J.A.R., vol. 24, pp. 621-640. 1923.
Porto Rico Experiment Station, chemist and assistant chemist report—
1919. With J. O. Carrero. P.R. An. Rpt., 1919, pp. 14-16. 1920.
1920. With J. O. Carrero. P.R. An. Rpt., 1920, pp. 13-15. 1921.
1921. With J. O. Carrero. P.R. An. Rpt., 1921, pp. 7-9. 1922.
1922. With J. O. Carrero. P.R. An. Rpt., 1922, pp. 3-4. 1923.
Williston reclamation project, North Dakota—
hints to settlers. J. C. McDowell. B.P.I. Doc. 455, pp. 4. 1909.
irrigation work. O.E.S. Bul. 219, p. 23. 1909.
location and description. Soil Sur. Adv. Sh., 1908, p. 76. 1910; Soils F.O., 1908, p. 1224. 1911.
Williston station—
location, description, and physical factors. D.B. 270, pp. 1-8. 1915.
spring wheat production, various methods, 1910-1914, yields and cost. D.B. 214, pp. 15-17, 37-42. 1915.
WILLITS, F. P., remarks to delegates. B.A.I. Dairy [Misc.], "World's dairy congress, 1923," pp. 109, 110, 112, 114, 121, 123. 1924.
Willkommia spp., description, distribution, and uses. D.B. 772, pp. 17, 179, 180. 1920.
WILLOUGHBY, C. H., remarks on financing farmers. B.A.I. Dairy [Misc.], "World's dairy congress, 1923," pp. 219-220, 228-230. 1924.
Willow(s)—
adaptability to Great Plains. F.B. 1312, p. 13. 1923.

Willow(s)—Continued.
almond, description—
in detail. F.B. 341, pp. 33-34. 1909.
range and occurrence on Pacific coast. For. [Misc.], "Forest trees for the Pacific * * *," pp. 216-217. 1908.
American green, description and yield, and returns. F.B. 622, pp. 5-7, 30-31. 1914.
and poplars, satin moth on, an introduced enemy. A. F. Burgess. D.C. 167, pp. 16. 1921.
bark, uses. For. Cir. 148, p. 6. 1908.
basket—
William F. Hubbard. F.B. 341, pp. 45. 1909; For. Bul. 46, pp. 9-61. 1904.
bundling, pitting, peeling, and drying. F.B. 622, pp. 24-28. 1914.
cultivation methods. F.B. 341, pp. 13-14, 22, 44-45. 1916.
culture—
George N. Lamb. F.B. 622, pp. 34. 1914.
practical results. C.D. Mell. For. Cir. 148, pp. 7. 1908.
upland and inundation methods, cost and returns. F.B. 341, pp. 27-31. 1909.
cuttings—
directions for planting. F.B. 341, pp. 13, 20-21, 44. 1909.
distribution, 1913. An. Rpts., 1913, p. 187. 1914; For. A.R., 1913, p. 53. 1913.
distribution, 1914, and experimental growing. An. Rpts., 1914, p. 160. 1915; For. A.R., 1914, p. 32. 1914.
distribution, 1915. An. Rpts., 1915, p. 184. 1916; For. A.R., 1915, p. 26. 1915.
distribution, 1916. An. Rpts., 1916, p. 186. 1917; For. A.R., 1916, p. 32. 1916.
demand in United States, effect of European war. News L., vol. 3, No. 1, pp. 3, 4. 1915.
diseases, precautions. F.B. 622, pp. 6, 7, 15. 1914.
experimental plats at Arlington, Va. F.B. 341, p. 32. 1909.
growing—
methods and profits. News L., vol. 3, No. 1, pp. 3, 4. 1915.
returns. F.B. 622, pp. 28-31. 1914.
holt(s)—
location, preparation, and care. F.B. 341, pp. 11-15, 19-27, 44-45. 1909
requirements, moisture, and soil. F.B. 622, pp. 1-3. 1914.
imported and home-grown, consumption by States, 1906 and 1907. For. Cir. 155, pp. 9-13. 1909.
industry, source and cost of material, market and competition with foreign product. F.B 341, pp. 37-42. 1909.
insects injurious. F. H. Chittenden. For. Bul. 46, pp. 63-100. 1904.
insects, injurious, control. F.B. 341, pp. 22-23. 1909.
investigations and experiments—
1910. An. Rpts., 1910, p. 410. 1911; For. A.R., 1910, p. 50. 1911.
1912. An. Rpts., 1912, p. 539. 1913; For. A.R., 1912, p. 81. 1912.
marketing rods. For. Cir. 148, p. 7. 1908.
planting, spacing, cultivation, and mulching. F.B. 622, pp. 15-20. 1914.
production and consumption in United States for 1906 and 1907. C. D. Mell. For. Cir. 155, pp. 14. 1909.
range. F.B. 622, pp. 1, 2. 1914.
rods, classes, prices, quality, and consumption. For. Cir. 155, pp. 6-13. 1909.
soil requirements. F.B. 341, pp. 9-11. 1909.
use, history, and production in foreign countries. F.B 341, pp. 7-8, 42. 1909.
varieties—
description, yield, and value. F.B. 622, pp. 5-9, 11, 16, 17, 30-31. 1914.
for growing in America, description in detail. F.B. 341, pp. 33-34, 43-44. 1909.
used. For. Cir. 155, pp. 5-6. 1909.
used and experimental growing. D.B. 316, pp. 1, 34. 1915.
work of Forest Service. For. A.R., 1906, p. 34. 1906.

Willow(s)—Continued.
black—
description, range, and occurrence on Pacific slope. For. [Misc.], "Forest trees * * * Pacific. * * *," pp. 213–215. 1908.
life history, types, growth, volume, and form. D.B. 316, pp. 9–27. 1915.
range, description, and uses of bark and catskins. B.P.I. Bul. 139, p. 13. 1909.
borer—
life history, control, and spraying cost per tree. Ent. Bul. 67, pp. 27–29. 1907.
mottled, description, habits, and control. F.B. 1169, pp. 65–66. 1921.
brittle, range, description, and uses in medicine. B.P.I. Bul. 139, p. 13. 1909.
broadleaf, description, range, occurrence, Pacific slope. For. [Misc.], "Forest trees for Pacific * * *," pp. 229–231. 1908.
canker, caused by *Cytospora chrysosperma*, control. J.A.R., vol. 13, pp. 331–345. 1918.
Caspian, description. F.B. 622, p. 9. 1914.
characters—
and description. F.B. 468, p. 41. 1911; M.C. 31, p. 10. 1925.
species on Pacific slope, etc. For. [Misc.] "Forest trees for Pacific * * *," pp. 212–238. 1908.
Chinese, drought resistant, description. Y.B., 1915, p. 220. 1916; Y.B. Sep. 671, p. 220. 1916.
control in cranberry fields. F.B. 1401, p. 15. 1924.
crack, range, description, and uses in medicine. B.P.I. Bul. 139, p. 13. 1909.
crown-gall occurrence, and injury to trees. B.P.I. Bul. 213, pp. 20, 131, 193, 196. 1911.
cuttings—
description, and directions for handling. D.B. 316, pp. 44–48. 1915.
distribution by Forest Service. News L., vol. 3, No. 1, pp. 3, 4. 1915.
price, size, selection, and care. F.B. 622, pp. 9–15. 1914.
Truckee-Carson project, varieties, and experiments, 1913. B.P.I. [Misc.], "The work of the Truckee-Carson * * *," pp. 9, 10. 1914.
description—
and key. D.C. 223, pp. 5, 9. 1922.
uses, and planting details. F.B. 888, pp. 8, 19. 1917.
desert, description, range, and occurrence on Pacific slope. For. [Misc.], "Forest trees for Pacific * * *," pp. 429–431. 1908.
diseases, in Texas, occurrence and description. B.P.I. Bul. 226, p. 82. 1912.
distribution and growth in Wyoming. N.A. Fauna 42, pp. 61–63. 1917.
drying, directions. F.B. 622, pp. 27–28. 1914.
European. See Willow, white.
feltleaf, description, range, occurrence, Pacific slope. For. [Misc.], "Forest trees for * * *," pp. 236–238. 1908.
fence posts, preservative treatment. D.C. 75, pp. 76–77. 1920.
fire, description, habits, and forage value. D.B. 545, pp. 40–41, 58, 59. 1917.
forms, description and uses. D.B. 316, pp. 2–7. 1915.
French, use by American manufacturers. F.B. 341, pp. 8, 36–37. 1909.
gall midge, description. Sec. [Misc.], "A manual of insects * * *," p. 222. 1917.
growing, cost and yield from plantations. D.B. 316, pp. 49–52. 1915.
growth, use, and importance. George N. Lamb. D.B. 316, pp. 52. 1915.
hardy, importation and uses. Nos. 30923–30929, B.P.I. Bul. 242, pp. 8, 52–53. 1912.
harvesting, directions and cost. F.B. 622, pp. 22–24. 1914.
herb—
hooded. See Skullcap.
night. See Primrose, evening.
holts—
experimental plots for selection work. F.B. 622, p. 34. 1914.
management, number, value, etc. For. Cir. 155, pp. 7–8, 13. 1909.

Willow(s)—Continued.
hooker, description, range, and occurrence on Pacific slope. For. [Misc.], "Forest trees for Pacific * * *," pp. 232–233. 1908.
host of bagworm. F.B. 701, p. 3. 1916.
importations—
by Bureau of Plant Industry. B.P.I. Bul. 223, pp. 42–43. 1911.
and descriptions. Nos. 30051–30053, 30058, 30144, 30145, 30151, B.P.I. Bul. 233, pp. 54, 55, 62, 63. 1912; Nos. 38179, 38233–38235, 38238, B.P.I. Inv. 39, pp. 100, 105, 106. 1917; Nos. 39901, 39921–39922, B.P.I. Inv. 42, pp. 35, 39. 1918; No. 47854, B.P.I. Inv. 59, p. 68. 1922.
indicator of land value and possibilities. J.A.R., vol. 28, No. 2, pp. 114, 118, 119, 123, 124, 125, 126. 1924.
infestation with May beetles. F.B. 543, pp. 10, 19. 1913.
injury by—
borers. Ent. Bul. 67, p. 27. 1907.
gipsy moth. D.B. 204, p. 14. 1915; F.B. 564, p. 5. 1914.
pith-ray flecks. For. Cir. 215, p. 9. 1913.
sapsuckers. Biol. Bul. 39, pp. 27, 28–29, 50–51, 67, 89. 1911.
insect pests, description and list. Sec. [Misc.], "A manual of * * * insects," pp. 221–223. 1917.
Kiisterman, description. F.B. 622, p. 9. 1914.
leaf-beetles—
description, and control. F.B. 1169, pp. 50–51. 1921.
list and description. Sec. [Misc.], "A manual * * * insect * * *," p. 221. 1917.
Lemley—
description, yield, and value. F.B. 622, pp. 7, 11, 16, 17. 1914.
or Capian, description in detail. F.B. 341, p. 34. 1909.
long-leaf, description, range, occurrence, on Pacific slope. For. [Misc.], "Forest trees for Pacific * * *," pp. 222–223. 1908.
lumber production, 1917, by States. D.B. 768, pp. 35, 36. 1919.
Mackenzie, description, range, occurrence, on Pacific slope. For. [Misc.], "Forest trees for the Pacific * * *," pp. 225–226. 1908.
management on overflowed lands. D.B. 316, pp. 25–26. 1915.
manufactures and markets. F.B. 622, pp. 31–34. 1914.
mountain, distribution. N.A. Fauna 21, pp. 12–13. 1901.
new varieties. B.P.I. Bul. 207, pp. 33–34. 1911.
Nuttall, occurrence in Colorado, and description. N.A. Fauna 33, p. 226. 1911.
occurrence in east central Alaska. N.A. Fauna 30, pp. 11–12. 1909.
peach-leaved, occurrence in Colorado, and description. N.A. Fauna 33, p. 226. 1911.
plantations, cultivation and care, cost and yields. D.B. 316, pp. 48–52. 1915.
planting, species, cuttings, description, handling, and care. D.B. 316, pp. 43–48. 1915.
preservation, characteristics, and results of treatment. D.B. 606, pp. 27, 28, 33. 1918.
preservative treatment results. F.B. 744, pp. 17, 28. 1916.
purple, description, yield, value, and returns. F.B. 622, pp. 7–9, 16, 17, 30. 1914.
pussy. See Willow, black.
quantity used in manufacture of wooden articles. D.B. 605, p. 13. 1918.
quarantine for satin moth. F.H.B. Quar. 53, pp. 1, 3. 1922.
replacing with redtop and timothy. B.P.I. Bul. 117, p. 13. 1907.
replanting methods. F.B. 622, pp. 20–22. 1914.
rods, sprouting, method used. For. Cir. 155, p. 7. 1909.
root, damage by root knot. F.B. 648, pp. 8, 10. 1915.
Russian, importation and description. No. 32304, B.P.I. Bul. 261, p. 53. 1912.
sawfly, description and control. F.B. 1169, pp. 51–52. 1921.
silky, description, range, and occurrence on Pacific slope. For. [Misc.], "Forest trees for Pacific * * *," pp. 233–235. 1908.

INDEX TO PUBLICATIONS, 1901–1925   2637

Willow(s)—Continued.
  silverleaf, description, range, occurrence, on Pacific slope. For. [Misc.], "Forest trees for Pacific * * *," pp. 223–224. 1908.
  smooth, description, range, occurrence, on Pacific slope. For. [Misc.], "Forest trees for * * * Pacific * * *," pp. 217–219. 1908.
  soil requirements. D.B. 316, pp. 43–44. 1915.
  tests for mechanical properties, results. D.B. 556, pp. 33, 42. 1917; D.B. 676, p. 27. 1919.
  trees, propagating from cuttings. W.I.A. Cir. 12, p. 24. 1916.
  use—
    as sand binder. D.B. 316, pp. 41–42. 1915.
    for prevention of erosion. D.B. 316, pp. 37–43. 1915.
    in—
      sand-dune control. F.B. 421, p. 23. 1910.
      shelter-belt planting. D.B. 1113, pp. 10, 12, 13, 15. 1923.
      windbreak planting, recommendations and returns. F.B. 788, pp. 13, 14. 1917.
    value for windbreaks. F.B. 1405, pp. 13, 14. 1924.
  varieties, importations and descriptions. Nos. 39070, 39191, B.P.I. Inv. 40, pp. 71, 91. 1917.
  water, leaf-spot, occurrence and description, Texas. B.P.I. Bul. 226, p. 104. 1912.
  weeping, root-knot, description, etc. B.P.I. Cir. 91, pp. 9, 10. 1912.
  Welsh, description in detail. F.B. 341, p. 34. 1916.
  western·black, description, range, occurrence, on Pacific slope. For. [Misc.], "Forest trees for the Pacific * * *," pp. 219–221. 1908.
  white—
    description—
      and range. For. Cir. 87, pp. 3. 1907.
      range, occurrence, Pacific slope. For. [Misc.] "Forest trees for * * *," pp. 226–227. 1908.
    growth, spacing, planting methods, and products. Y.B., 1911, pp. 259, 263, 267. 1912; Y.B. Sep. 566, pp. 259, 263, 267. 1912.
    habits, uses, cost and yield of plantations in Nebraska. For. Cir. 45, pp. 27–28. 1906.
    names, range, description, bark, prices, and uses. B.P.I. Bul. 139, pp. 12–13. 1909.
    value for posts and fuel, per acre. For. Bul. 86, pp. 81–83. 1911.
    windbreaks, characteristics and value. For. Bul. 86, pp. 23, 41, 42, 77, 81–83. 1911.
    wood, characteristics and uses. D.B. 316, pp. 26–36. 1915.
Willow ware, manufacture—
  problems. F.B. 341, pp. 35–42. 1916.
  value by States, 1890–1900. For. Cir. 155, pp. 13–14. 1909.
WILLSON, D. A., report on land reform in Hungary. D.B. 1234, pp. 39–42. 1924.
Willswood plantation, Louisiana, notes on reclamation work. O.E.S. An. Rpt., 1909, pp. 420, 426–430, 436. 1910.
Wilmering (horse), pedigree. D.C. 153, p. 10. 1921.
Wilmington, Del., milk supply, statistics, officials, prices, and ordinances. B.A.I. Bul. 46, pp. 30, 56. 1903.
Wilmington, N. C.—
  milk supply, details and statistics. B.A.I. Bul. 70, pp. 6–7, 24–25. 1905.
  trade center for farm products, statistics. Rpt. 98, pp. 288, 329. 1913.
WILSON, A.: "Feeding garbage to hogs." With F. C. Ashbrook. F.B. 1133, pp. 26. 1920.
WILSON, A. D.—
  "Farm management: Organization of research and teaching." With others. B.P.I. Bul. 236, pp. 96. 1912.
  report of Minnesota, extension work in agriculture and home economics—
    1915. S.R.S. Rpt., 1915, Pt. II, pp. 234–239. 1917.
    1916. S.R.S. Rpt., 1916, Pt. II, pp. 258–263. 1917.
  "What plans should be adopted in organizing young people's institutes?" O.E.S. Bul. 238, pp. 13–16. 1911.

WILSON, A. S., determination of reducing sugar and cane sugar in various flowers. Chem. Bul. 110, p. 11. 1908.
WILSON, C. E.—
  report of entomologist, Virgin Islands Experiment Station—
    1920. Vir. Is. A.R., 1920, pp. 20–34. 1921.
    1921. Vir. Is. A.R., pp. 12–24. 1922.
    1922. Vir. Is. A.R., 1922, pp. 15–18. 1923.
  "Truck-crop insect pests in the Virgin Islands, and methods of combating them." Vir. Is. Bul. 4, pp. 35. 1923.
WILSON, C. P.: "The composition of California lemons." With others. D.B. 993, pp. 18. 1922.
WILSON, E. A., value of Florida velvet bean. B.P.I. Bul. 141, Pt. III, p. 27. 1909.
WILSON, E. H.—
  agricultural explorations in China, 1907. An. Rpts., 1907, p. 331. 1908.
  collection of Citrus species from China. J.A.R., vol. 1, pp. 1–2, 13–14. 1913.
  importations of plants collected in China. Nos. 34523–34601. B.P.I. Inv. 33, pp. 5, 31–37. 1915.
  notes on kaoliang, its names and uses. B.P.I. Bul. 253, pp. 9, 20, 21, 39–40. 1913.
WILSON, E. T.—
  "Modern conveniences for the farm home." F.B. 270, pp. 48. 1906.
  "Syllabus of illustrated lecture on farm architecture." O.E.S., F.I.L. 8, pp. 19. 1907.
WILSON, F. W., sheep-breeding and crossing experiments in Arizona. F.B. 532, pp. 19–22. 1913.
WILSON, H. F.: "The peach-tree barkbeetle." Ent. Bul. 68, Pt. IX, pp. 91–108. 1909.
WILSON, ISAAC, first canner of sweet corn, 1839. D.B. 196, p. 57. 1915.
WILSON, J. A., report of Oklahoma Experiment Station, work and expenditures—
  1910. O.E.S. An. Rpt., 1910, pp. 219–222. 1911.
  1911. O.E.S. An. Rpt., 1911, pp. 180–181. 1912.
  1912. O.E.S. An. Rpt., 1912, pp. 183–186. 1913.
  1916. S.R.S. Rpt., 1916, Pt. II, pp. 105–113. 1917.
  1917. S.R.S. Rpt., 1917, Pt. II, pp. 109–118. 1919.
WILSON, J. B.—
  "Boron: Its effect on crops and its distribution in plants and soil in different parts of United States." With F. C. Cook. J.A.R., vol. 13, pp. 451–470. 1918.
  "Effect of three annual applications of boron on wheat." With F. C. Cook. J.A.R., vol. 10, pp. 591–597. 1917.
  "The ignition of precipitates without the use of the blast lamp." With Percy H. Walker. Chem. Cir. 101, pp. 8. 1912.
  "The Maine sardine industry." With others. D.B. 908, pp. 127. 1921.
WILSON, J. F.: "The sheep-killing dog." F.B. 935, pp. 32. 1918.
WILSON, J. M.: "Irrigation investigations—
  in Nevada." O.E.S. Bul. 104, pp. 147–158. 1902.
  on Cache Creek." O.E.S. Bul. 100, pp. 155–191. 1901.
WILSON, J. W., report of South Dakota Experiment Station, work and expenditures—
  1906. O.E.S. An. Rpt., 1906, pp. 155–156. 1907.
  1907. O.E.S. An. Rpt., 1907, pp. 168–169. 1908.
  1909. O.E.S. An. Rpt., 1909, pp. 182–184. 1910.
  1910. O.E.S. An. Rpt., 1910, pp. 237–240. 1911.
  1911. O.E.S. An. Rpt., 1911, pp. 198–201. 1912.
  1912. O.E.S. An. Rpt., 1912, pp. 202–205. 1913.
  1913. Work and Exp., 1913, p. 79. 1915.
  1914. Work and Exp., 1914, pp. 213–216. 1915.
  1915. S.R.S. Rpt., 1915, Pt. I, pp. 242–246. 1916.
  1916. S.R.S. Rpt., 1916, Pt. I, pp. 248–252. 1918.
  1917. S.R.S. Rpt., 1917, Pt. 1, pp. 243–247. 1918.
WILSON, JAMES, Secretary—
  address before A. O. A. C.—
    1902. Chem. Bul. 73, pp. 120–121. 1903.
    1903. Chem. Bul. 81, p. 75. 1904.
  address on work of department. Pub. [Misc.], "Speech by Hon. * * *," pp. 6. 1902.
  "Adulteration of Kentucky bluegrass and orchard grass seed." Sec. Cir. 15, pp. 5. 1906.
  "Agriculture in our industries." Sec. Cir. 23, pp. 8. 1907.
  "Importation of snakes into Hawaii." Biol. Cir. 48, p. 1. 1905.

2638 UNITED STATES DEPARTMENT OF AGRICULTURE

WILSON, JAMES, Secretary—Continued.
"Interstate commerce in birds and game." Biol. Cir. 38, pp. 3. 1902.
"Meat inspection rulings 1A." B.A.I. [Misc.], "Meat inspection * * *," pp. 3. 1906.
"Meat inspection rulings 2A." B.A.I. [Misc.], "Meat inspection * * *," pp. 2. 1907.
"Notice regarding interstate movement of horses, mules, and asses affected with glanders." B.A.I. [Misc.], "Notice regarding * * *," p. 1. 1907.
order regarding distribution of publications. An. Rpts., 1912, pp. 767-769. 1913; Pub. A.R., 1912, pp. 11-13. 1912.
"Regulations for the importation of eggs and game birds for propagation." Biol. Cir. 37, pp. 2. 1902.
"Regulations for the protection of game in Alaska. Biol. Cir. 39, pp. 6. 1903.
"Regulations for the protection of game in Alaska for the year 1904." Biol. Cir. 42, pp. 6. 1904.
"Regulations governing appointments to positions of mere unskilled labor under the Department of Agriculture." With Theodore Roosevelt. Misc., "Regulations governing appointments * * *," pp. 4. 1902.
report of the Department of Agriculture—
1900. Y.B., 1900, pp. 3-78. 1901
1901. An. Rpts., 1901, pp. IX-CXV. 1901.
1902. An. Rpts., 1902, pp. IX-CXXIV. 1902; Rpt. 73, pp. 96. 1902; Y.B., 1902, pp. 9-124. 1903.
1903. An. Rpts., 1903, pp. IX-CVIII. 1903; Rpt. 76, pp. 99. 1903; Y.B., 1903, pp. 9-108. 1904.
1904. An. Rpts., 1904, pp. IX-CXVII. 1904; Rpt. 79, pp. 99. 1904; Y.B., 1904, pp. 9-132. 1905.
1905. An. Rpts., 1905, pp. IX-CXXXIV. 1905; Rpt. 81, pp. 100. 1905; Y.B., 1905, pp. 9-122. 1906.
1906. An. Rpts., 1906, pp. 9-100. 1907; Rpt. 83, pp. 94. 1906; Y.B., 1906, pp. 9-120. 1907.
1907. An. Rpts., 1907, pp. 9-140. 1908; Rpt. 85, pp. 100. 1907; Y.B., 1907, pp. 9-138. 1908.
1908. An. Rpts., 1908, pp. 9-186. 1909; Rpt. 87, (abridged ed.), pp. 100. 1908; Y.B., 1908, pp. 9-186. 1909.
1909. An. Rpts., 1909, pp. 9-152. 1910; Rpt. 91, pp. 100. 1909; Sec. A.R., 1909, pp. 169. 1909; Y.B., 1909, pp. 9-152. 1910.
1910. An. Rpts., 1910, pp. 9-158. 1911; Rpt. 93, pp. 98. 1911; Sec. A.R., 1910, pp. 170. 1910; Y.B., 1910, pp. 9-156. 1911.
1911. An. Rpts., 1911, pp. 11-152. 1912; Sec. A.R., 1911, pp. 162. 1911; Y.B., 1911, pp. 9-162. 1912.
1912. An. Rpts., 1912, pp. 9-259. 1913; Sec. A.R., 1912, pp. 279. 1912; Y.B., 1912, pp. 9-259. 1913.
"Tests of Bruschettini's hog cholera vaccine and Bruschettini's hog cholera and swine plague serum." Sec. Cir. 27, pp. 2. 1908.
"The Department of Agriculture in relation to a national law to prevent the importation of insect-infested or diseased plants." Sec. Cir. 37, pp. 11. 1911.
"The present outbreak of the fall army worm and recommendations for its control." Sec. Cir. 40, pp. 2. 1912.
"The unproductive farm." Sec. Cir. 25, pp. 8. 1907.
"Warning against trespass on the Breton Island Reservation." Biol. Cir. 45, pp. 1. 1905.
WILSON, M. B., experiments with suckling pigs on skim-milk diet. B.A.I. Bul. 47, pp. 232-236. 1904.
WILSON, M. C.: "A system of field and office records for county extension workers." D.C. 107, pp. 13. 1920; rev. 1924.
WILSON, WOODROW, PRESIDENT—
address to Congress on war, February 11, 1918. News L., vol. 5, No. 29, pp. 1-2. 1918.
advice on self-control, address at Buffalo, N. Y., November 12, 1917. News L., vol. 5, No. 18, p. 8. 1917.
executive order on anti-trust laws, and effect on farmers. News L., vol. 5, No. 37, p. 5. 1918.

WILSON, WOODROW, PRESIDENT—Continued.
Flag Day address. News L., vol. 4, No. 47, pp. 1-2. 1917.
food conservation, letter to Agriculture Secretary. News L., vol. 4, No. 52, p. 1. 1917.
grain production, 1917, 1918, message to Farmers' Conference, Urbana, Ill., 1918. F.B. 1008, p. 15. 1918.
letter on road construction. News L., vol. 6, No. 20, p. 1. 1918.
message—
on cost of living. News L., vol. 7, No. 8, p. 1. 1919.
to farmers—
at farm-bureau conference, California, March 11, 1918. News L., vol. 5, No. 33, p. 8. 1918.
of America, January 31, 1918. Sec. [Misc.], "The President to the farmers * * *," pp. 4. 1918.
on "War's culminating crisis, and country's needs for 1918." News L., vol. 5, No. 28, pp. 1-3. 1918.
proclamation on—
Migratory Bird Treaty Act. Biol. S.R.A. 23, pp. 6-12. 1918; Biol. S.R.A. 25, pp. 4. 1918; Biol. S.R.A. 55, pp. 1-4. 1923; D.B. 22, rev., pp. 17-22. 1913; F.B. 628, pp. 9-13. 1914; F.B. 692, pp. 19-23. 1915.
stockyard regulations. News L., vol. 6, No. 1, pp. 1, 2, 3. 1918.
telegram to Emergency Food Production Conference, Berkeley, Calif. News L., vol. 5, No. 41, p. 4. 1918.
wheat prices, proclamation and statement. News L., vol. 5, No. 31, pp. 1-2. 1918.
"The President to the Farmers of America." [Misc.] "The President to the Farmers of America," pp. 4. 1918.
WILSON, R. J., study of bee diseases, 1905, review. Ent. Bul. 98, pp. 67-68. 1912.
WILSON, R. N.: "Report on fertilizers for pineapples." With A. W. Blair. F.B. 412, pp. 6-7. 1910.
WILSON, ROBERT—
"Development of cooperative shelter-belt demonstrations on the northern Great Plains." With F. E. Cobb. D.B. 1113, pp. 28. 1923.
"Report of the Northern Great Plains Field Station for the 10-year period, 1913-1922, inclusive." With others. D.B. 1301, pp. 80. 1925.
"Work of the Northern Great Plains Field Station in 1923." With others. D.B. 1337, pp. 18. 1925.
WILSON, T. R. C.—
"Mechanical properties of woods grown in the United States." With J. A. Newlin. D.B. 556, pp. 47. 1917.
"Strength tests of cross-arms." For. Cir. 204, pp. 15. 1912.
"The relation of the shrinkage and strength properties of wood to its specific gravity." With J. A. Newlin. D.B. 676, pp. 35. 1919.
WILSON, T. S.: "Controlling the garden webworm in alfalfa fields." With E. O. G. Kelly. F.B. 944, pp. 7. 1918.
WILSON, W. M.—
address on amplification of forecasts for benefit of shippers of perishable products. W.B. [Misc.], "Proceedings, third convention * * *," pp. 49-52. 1904.
"Climate and man: With special regard to climate and climatic elements as curative or causative agencies of disease." W.B. Bul. 31, pp. 104-107. 1902.
Wilsonia mitrata. See Warbler, hooded.
Wilt—
bacterial—
control on cucumbers, squash, and cantaloupes. J.A.R., vol. 6, No. 11, pp. 426-434. 1916.
distribution and control. D.B. 828, pp. 34-40, 43. 1920.
infection studies. D.B. 828, p. 11. 1920.
inoculation into soil, experiments. D.B. 828, pp. 11-12, 42. 1920.
of castor bean (*Ricinus communis* L.). Erwin F. Smith and G. H. Godfrey. J.A.R. vol. 21, pp. 255-262. 1921.
of cucumber, control in greenhouse. F.B. 1320, p. 26. 1923.

Wilt—Continued.
  bacterial—continued.
    of cucurbits—
      Frederick V. Rand and Ella M. A. Enlows. D. B. 828, pp. 43. 1920.
      dissemination. J.A.R., vol. 5, No. 6, pp. 257-260. 1915.
      spread by cucumber beetle. F.B. 1038, p. 4. 1919.
      transmission and control. J.A.R., vol. 6, No. 11, pp. 417-434. 1916.
    of tomatoes, spread. F.B. 1431, pp. 16-17. 1924.
    of watermelon—
      description. F.B. 821, p. 17. 1917.
      detection. F.B. 1277, p. 30. 1922.
      resistance of beans, study. J.A.R., vol. 31, pp. 102, 110-145, 151, 153. 1925.
      transmission by soil and by seed, studies. J.A.R., vol. 6, No. 11, pp. 423-425. 1916.
      wintering in soil, experiments. D.B. 828, pp. 17-18, 41. 1920.
  banana—
    control work in Porto Rico. P.R. An. Rpt., 1919, pp. 27-28. 1920.
    in West Indies, description and cause. P.R. An. Rpt., 1916, pp. 29-31. 1918.
  bean—
    cause and spread. J.A.R., vol. 28, No. 5, pp. 490-493. 1924.
    moisture effect. Lewis T. Leonard. J.A.R., vol. 24, pp. 749-752. 1923.
  cabbage, description, distribution, control methods, etc. F.B. 488, pp. 18-21. 1912.
  cotton—
    W. A. Orton. F.B. 333, pp. 24. 1908.
    and cowpea, notes. Y.B., 1902, p. 19. 1903.
    and root-knot, control—
      W. A. Orton. B.P.I. Doc. 648, pp. 4. 1911.
      W. A. Orton and W. W. Gilbert. B.P.I. Cir. 92, pp. 19. 1912.
    cause and—
      control. F.B. 302, pp. 43-46. 1907.
      prevention. Y.B., 1921, pp. 355-356. 1922; Y.B. Sep. 877, pp. 355-356. 1922.
    control—
      by use of wilt resistant varieties. An. Rpts., 1918, p. 157. 1918; B.P.I. Chief Rpt., 1918, p. 23. 1918.
      methods. News L., vol. 5, No. 241, p. 3. 1918.
    crop rotation as remedy. F.B. 333, pp. 13-21. 1908.
    description, cause, and control. F.B. 787, pp. 35-38. 1916; F.B. 1187, pp. 3-9. 1921; News L., vol. 5, No. 15, pp. 3-4. 1917.
    distribution, description, and control. F.B. 625, pp. 1-8, 13-21. 1914.
    fungi causing. J.A.R., vol. 12, pp. 533-534, 537. 1918.
    life history and spread. F.B. 333, pp. 5-11. 1908.
    relation to root-knot, discussion. F.B. 333, pp. 18-20. 1908.
    symptoms—
      and cause. B.P.I. Cir. 92, pp. 3-4, 6-7. 1912.
      cause, and spread. F.B. 625, pp. 3-6. 1914.
  cowpea—
    and Fusarium causing. J.A.R., vol. 8, pp. 421, 424, 430-437. 1917.
    control. B.P.I. Bul. 17, pp. 9-22. 1902.
    description and control. F.B. 1148, pp. 22-23. 1920.
    occurrence on. B.P.I. Bul. 229, p. 25. 1912.
  cucumber—
    cause of disease. Y.B., 1917, p. 77. 1918.
    description and—
      control. F.B. 856, pp. 43, 46-47, 50, 61. 1917; News L., vol. 2, No. 13, p. 1. 1914.
      treatment. D.C. 35, p. 13. 1919.
    spread by cucumber beetle. News L., vol. 3, No. 20, p. 8. 1915.
  cucurbits—
    cause and dissemination. J.A.R., vol. 8, p. 459. 1917.
    control. D.B. 828, pp. 36-37, 42. 1920.
  currant cane, description and treatment. F.B. 1024, pp. 20-21. 1919.

Wilt—Continued.
  disease(s)—
    control studies. S.R.S. Rpt., Pt. I, pp. 42, 44, 45, 91, 164, 204, 278. 1918.
  gipsy-moth—
    caterpillars. R. W. Glaser. J.A.R., vol. 4, pp. 101-128. 1915.
    cause and artificial use. Ent. Cir. 164, pp. 3-7. 1913.
    control. F.B. 1335, p. 10. 1923.
    identity, prevalence, and control studies. D.B. 204, pp. 12-14. 1915.
    pathology, studies. J.A.R., vol. 4, pp. 104-115. 1915.
    nun-moth, similarity to gipsy-moth wilt, studies. J.A.R., vol. 4, pp. 102, 103, 114, 115, 127. 1915.
  eggplant, description and control suggestions. F.B. 856, p. 49. 1917.
  flax—
    description and control. F.B. 419, p. 17. 1910; F.B. 1328, pp. 6-7. 1924; Soils Cir. 58, p. 8. 1912.
    prevention—
      by seed treatment. F.B. 785, pp. 9-10. 1917.
      in seed for spring planting. F.B. 584, p. 7. 1914.
    resistant varieties. D.B. 883, pp. 15, 29. 1920.
    temperature relation. D.C. 264, p. 1. 1923.
  fungi as cause. F.B. 625, p. 5. 1914.
  Fusarium—
    cause, description, and control. Hawaii Bul. 45, pp. 5, 17, 18-20. 1920.
    description and control on watermelons. F.B. 1394, p. 13. 1924.
    effect on potato plants. D.C. 214, pp. 4-5. 1922.
  of potato—
    description, relations, and control. D.B. 64, pp. 5-16. 1914.
    losses, caused in Western States. J.A.R., vol. 21, pp. 842-844. 1921.
  of tobacco. James Johnson. J.A.R., vol. 20, pp. 515-536. 1921.
  of tomato—
    control. F.B. 1431, p. 21. 1924.
    resistant variety. F.B. 1338, pp. 5, 27. 1923.
  ginseng, description and control. B.P.I. Bul. 250, pp. 24-26. 1912; F.B. 736, pp. 7-8. 1916.
  nasturtium, caused by *Bacterium solanacearum*. Mary K. Bryan. J.A.R., vol. 4, pp. 451-458. 1915.
  okra, and fungi causing. J.A.R., vol. 12, No. 9, pp. 529-546. 1918.
  peanut, caused by *Sclerotium rolfsii*. J. A. McClintock. J.A.R., vol. 8, pp. 441-448. 1917.
  pineapple—
    cause and control. Hawaii A.R., 1918, pp. 25-26. 1919.
    control experiments in Hawaii. Hawaii A.R., 1916, pp. 9, 23. 1917; Hawaii A.R., 1920, pp. 14, 15, 35. 1921; Hawaii A.R., 1921, pp. 36-38. 1922.
    description, cause, and remedies. P.R. Bul. 8, pp. 38-39. 1909.
    See also Wilt, red.
  plum—
    cause and control. S.R.S. Rpt., 1916, Pt. I, pp. 49, 94. 1918.
    relation to gum formation. J.A.R., vol. 24, pp. 227, 229. 1923.
  potato—
    cause, description, and control. B.P.I. Cir. 23, pp. 4-8. 1909; D.B. 64, pp. 5-18. 1914.
    control treatment. F.B. 856, p. 58. 1917.
    description and prevention. D.C. 35, pp. 22-23. 1919; F.B. 544, pp. 9-11. 1913.
    distribution and control experiments in Hawaii. Hawaii A.R., 1917, pp. 35, 37-38. 1918.
    fungi causing. J.A.R., vol. 12, No. 9, pp. 530, 543. 1918.
    leaf-roll, and related diseases. D.B. 64, p. 48. 1914.
    study in 1923. Work and Exp., 1923, p. 45. 1925.
    temperature relations, studies. J.A.R., vol. 18, pp. 511-524. 1920.

Wilt—Continued.
  potato—continued.
    transmission. M. B. McKay. J.A.R., vol. 21, No. 11, pp. 821-848. 1921.
    See also Fusarium blight.
  red—
    injury to pineapple, description and control. F.B. 1237, pp. 28-31. 1921.
    relation to nematodes. F.B. 1237, pp. 28-31. 1921.
    See also Wilt, pineapple.
  relation of root knot. F.B. 333, pp. 18-20. 1908.
  resistance—
    cotton—
      breeding. F.B. 625, pp. 13-21. 1914.
      varieties, description, and breeding. F.B. 333, pp. 13-18, 22-24. 1908.
      varieties originated by breeding. F.B. 1187, pp. 5-7. 1921.
    flax varieties—
      nature and inheritance, study. J.A.R., vol. 11, pp. 573-606. 1917.
      studies. D.B. 1092, pp. 8-9. 1922.
    tomatoes—
      testing and results. D.B. 1015, pp. 3-15. 1922.
      value. D.C. 40, p. 17. 1919.
  resistant—
    cotton—
      breeding work. B.P.I. Cir. 92, pp. 8-19. 1912.
      breeding, progress of work. An. Rpts., 1915, p. 146. 1916; B.P.I. Chief Rpt., 1915, p. 4. 1915.
      Dillon variety, origin, description, and seed distribution. B.P.I. Doc. 633, pp. 11-12. 1911.
      Dixie variety, description. B.P.I. Doc. 813, pp. 13-14. 1913.
      Dixie variety, description and origin. B.P.I. Doc. 716, p. 10. 1912.
      seed selection and production. News L., vol. 3, No. 18, p. 3. 1915.
      strains, cooperative breeding. News L., vol. 1, No. 11, p. 2. 1913.
      strains, dissemination. An. Rpts., 1910, p. 286. 1911; B.P.I. Chief Rpt. 1910, p. 16. 1910.
      varieties. B.P.I. Cir. 92, pp. 8-9. 1912; B.P.I. Doc. 648, p. 3. 1911.
      varieties, breeding methods. F.B. 333, pp. 22-24. 1908.
      varieties, discussion. F.B. 333, pp. 13-18. 1908.
      varieties, distribution by department, 1909, description. B.P.I. Doc. 432, pp. 14-16. 1908.
      varieties, distribution by department in 1910. B.P.I. Doc. 535, pp. 11-12. 1910.
      variety needed, description. F.B. 333, p. 18. 1908.
    cowpeas variety. An. Rpts., 1907, p. 264. 1908.
    flax varieties. D.B. 883, pp. 15, 29. 1920; Y.B., 1908, p. 464. 1909; Y.B. Sep. 494, p. 464. 1909.
    pineapple, importation and description. No. 52492, B.P.I. Inv. 66, p. 33. 1923.
    varieties, cotton, cowpeas, and other crops. Y.B., 1908, pp. 463-464. 1909; Y.B. Sep. 494, pp. 463-464. 1909.
  Sclerotium, potato, history, cause, description, and control. Hawaii Bul. 45, pp. 13, 17, 25-26. 1920.
  soil infection, preventives. B.P.I. Bul. 141, pp. 21-24. 1909.
  southern bacterial, on potato, description and control. Hawaii Bul. 45, p. 39. 1920.
  soybean, and Fusarium causing. J.A.R., vol. 8, No. 11, pp. 421-440. 1917.
  spring, appearance and spread. D.B. 828, pp. 18-20. 1920.
  studies by experiment stations. S.R.S. Rpt., 1915, Pt. I, pp. 95, 131, 209, 210. 1917.
  sweet potato—
    Fusarium species causing, notes. J.A.R., vol. 2, pp. 251, 266, 268. 1914.
    See also Stem rot.

Wilt—Continued.
  tobacco—
    control—
      in flue-cured district. W. W. Garner and others. D.B. 562, pp. 20. 1917.
      measures. O.E.S.F.I.L. 9, p. 10. 1907.
    description, cause, and control. D.B. 1256, pp. 13-17. 1924.
    crops immune and not immune. D.B. 562, pp. 11-15, 19. 1917.
    description and control. F.B. 571, rev., pp. 21-22. 1920.
    disease, and its control. R.E.B. McKenney. B.P.I. Bul. 51, Pt. I, pp. 8. 1905.
    Granville, history, origin, description, and control. B.P.I. Bul. 141, pp. 17-24. 1909; D.B. 16, p. 26. 1913.
    symptoms, cause, and distribution. D.B. 562, pp. 3-5, 18. 1917.
  tomato—
    cause, description, and control. S.R.S. Doc. 95, pp. 11, 18. 1919.
    control—
      by resistant varieties. An. Rpts., 1918, pp. 156-157. 1918; B.P.I. Chief Rpt., 1918, pp. 22-23. 1918.
      studies. S.R.S. Rpt., 1916, Pt. I, pp. 132, 143. 1918.
    description and control. D.C. 35, p. 25. 1919; D.C. 40, p. 11. 1919; F.B. 1338, pp. 26-27. 1923.
    injury—
      in South, and control. F.B. 856, p. 70. 1917.
      to tomatoes on Truckee-Carson project. B.P.I. Cir. 78, p. 16. 1911.
    prevalence and characteristics. D.B. 1015, pp. 1-3, 17. 1922.
    resistant strains of tomatoes. F.B. 1233, p. 11. 1921.
    transmission, experiments. D.B. 828, pp. 2, 16-21, 41, 42. 1920.
  udo, cause, description, and control. J.A.R., vol. 26, pp 276-277. 1923.
  Verticillium—
    description, distribution, and control. D.B. 64, pp. 16-18. 1914.
    of potato, cause and control. Hawaii Bul. 45, pp. 39-40. 1920.
  watermelon—
    cause, symptoms, spread, and control methods. News L., vol. 3, No. 45, pp. 1-2. 1916.
    control method in Georgia, Thomas County. Soil Sur. Adv. Sh., 1908, p. 23. 1909; Soils F. O., 1908, p. 413. 1911.
    description, cause, and control. F.B. 821, pp. 3, 4-6. 1917; F.B. 1277, pp. 4-6, 30. 1922.
    See also Blackleg, cabbage; Stem rot.
Wilting coefficient—
  forest soils and tree species. J.A.R., vol. 24, pp. 145-152. 1923.
  plants—
    determination. Lyman J. Briggs and H. L. Shantz. B.P.I. Bul. 230, pp. 83. 1912.
    in alkali soils. B.P.I. Cir. 109, pp. 17-25. 1913.
    meaning. Y.B., 1911, p. 352. 1912; Y.B. Sep. 574, p. 352. 1912.
  soils, relation to inactive moisture of soils. J.A.R., vol. 8, pp. 203, 213-215. 1917.
Wimer, D. C.: "Soil survey of—
  Cambria County." With B. B. Derrick and A. L. Patrick. Soil Sur. Adv. Sh., 1915, pp. 32 1917; Soils F. O., 1915, pp. 241-268. 1919.
  Clearfield County, Pa." With others. Soil Sur. Adv. Sh., 1916, pp. 32. 1919; Soils F.O., 1916, pp. 251-278. 1921.
Winchell, A. N.: "The dustfall of February 13, 1923." With Eric R. Miller. J.A.R., vol. 29, pp. 443-450. 1924.
Wincklemann, H.: "Action of manganese sulphate in soils." With others. D.B. 42, pp. 32. 1914.
Wind(s)—
  agency in spread of—
    blister rust, remarks. J.A.R., vol. 30, pp. 604-606. 1925.
    coconut bud-rot. B.P.I. Bul. 228, pp. 48-50. 1912.
    gipsy moth. Y.B., 1916, p. 221. 1917; Y.B. Sep. 706, p. 5. 1917.
    white-pine blister rust in Pacific Northwest. J.A.R., vol. 30, pp. 600-606. 1925.

INDEX TO PUBLICATIONS, 1901-1925   2641

Wind(s)—Continued.
  barometer table. Y.B., 1908, p. 439. 1909; Y.B. Sep. 492, p. 439. 1909.
  canyon, effect on fruit growing. Y.B., 1912, pp. 316-318. 1913; Y.B. Sep. 593, pp. 316-318. 1913.
  carrying capacity of soil material. D.B. 180, p. 5. 1915.
  cause of flooding, study by Weather Bureau. An. Rpts., 1902, pp. 14-15. 1902.
  characteristic and special description. Y.B., 1911, pp. 344-347. 1912; Y.B. Sep. 573, pp. 344-347. 1912.
  Chinook. Alvin T. Burrows. Y.B., 1901, pp. 555-566. 1902; Y.B. Sep. 255, pp. 555-566. 1902.
  corrosion, effects on rocks and vegetation. Soils Bul. 68, pp. 24-28. 1911.
  daily movement, day and night velocities. Y.B., 1911, pp. 341-344. 1912; Y.B. Sep. 573, pp. 341-344. 1912.
  damage to longleaf pines. D.B. 1061, pp. 48-49. 1922.
  danger to citrus-fruit groves, studies. F.B. 538, p. 11. 1913.
  data for forest stations, central Rocky Mountains. D.B. 1233, pp. 52-63, 135. 1924.
  destruction of Sitka spruce. D.B. 1060, p. 22. 1922.
  direction, device for showing and directions for making. Y.B., 1907, p. 274. 1908; Y.B. Sep. 471, p. 274. 1908.
  dispersion of gipsy moths, experimental work. Ent. Bul. 119, pp. 16-23. 1913.
  dissemination of chestnut-blight fungus, ascospores. F. D. Heald and others. J.A.R., vol. 3, pp. 493-526. 1915.
  dry hot, rice injury, symptoms. F.B. 1212, p. 5. 1921.
  economic use, windmills, electricity, and aviation. Y.B., 1911, pp. 347-350. 1912; Y.B. Sep. 573, pp. 347-350. 1912.
  effect in—
    beet seed production. Y.B., 1909, p. 175. 1910; Y.B. Sep. 503, p. 175. 1910.
    dispersion of gipsy moth larvae, investigations. D.B. 1093, pp. 3-9. 1922.
  effect on—
    agriculture. B.P.I. Bul. 215, p. 16. 1911.
    barn ventilation. F.B. 1393, pp. 6-7. 1924.
    Cercospora beticola. J.A.R., vol. 6, No. 1, p. 35. 1916.
    date palm. B.P.I. Bul. 53, pp. 70-72. 1904.
    diffusion of spring grain aphid. Ent. Bul. 110, pp. 81-88. 1912.
    fumigation. Ent. Bul. 90, Pt. 1, p. 72. 1911.
    insects. Y.B., 1908, p. 387. 1909; Y.B. Sep. 488, p. 387. 1909.
    rain spreading disease. J.A.R., vol. 10, pp. 639-648. 1917.
  erosion, sandy lands, control methods. F.B. 323, pp. 16-18. 1908.
  factor in weed-seed introduction on farm. F.B. 660, pp. 17-18. 1915.
  flower diseases, in Texas, occurrence and description. B.P.I. Bul. 226, p. 105. 1912.
  hot—
    description and locality. Y.B., 1911, pp. 346-347. 1912; Y.B. Sep. 573, pp. 346-347. 1912.
    effect on land in dry farming. Y.B., 1911, pp. 249-250. 1912; Y.B. Sep. 565, pp. 249-250. 1912.
    injury to corn in Nebraska, Gage County. Soil Sur. Adv. Sh., 1914, pp. 17, 26. 1916; Soils F.O., 1914, pp. 2339, 2353. 1919.
    losses caused by, 1909-1918. D.B. 1043, pp. 6, 7, 8, 9, 10, 11. 1922.
    important, of United States, classification. For. Bul. 86, pp. 9-12. 1911.
  injurious, control by windbreaks, various localities. F.B. 788, pp. 3-8, 11-13. 1917.
  injury to—
    aspens. For. Bul. 93, p. 19. 1911.
    conifer seedlings, description. J.A.R., vol. 15, pp. 552-554. 1918.
    cottonwood trees. D.B. 24, p. 14. 1913.
    Emory oak. For. Cir. 201, p. 11. 1912.
    forest trees, relation of mistletoe growths. D.B. 317, pp. 6-10. 1916.

Wind(s)—Continued.
  injury to—continued.
    jack pine. D.B. 212, p. 9. 1915; D.B. 820, p. 20. 1920.
    scrub pine, control methods. For. Bul. 94, pp. 15, 25. 1911.
    sugar pine. D.B. 426, pp. 4-5. 1916.
    western yellow pine. For. Bul. 101, p. 19. 1911.
    willow. D.B. 316, p. 8. 1915.
  mechanical power, effects, and control by windbreaks. For. Bul. 86, pp. 40-43. 1911.
  movement—
    central Rocky Mountains, relation to forest types. D.B. 1233, pp. 52-63, 135. 1924.
    measurement, study in forests, cost of instruments. D.B. 1059, pp. 146-151. 1922.
    of soil material. E. E. Free. Soils Bul. 68, pp. 13-173. 1911.
    of vegetable matter. Soils Bul. 68, pp. 160-162. 1911.
  prevailing in—
    California, Victorville area. Soil Sur. Adv. Sh., 1921, p. 631. 1924.
    Nebraska, Sioux County. Soil Sur. Adv. Sh., 1919, p. 8. 1922; Soils F. O., 1919, p. 1764. 1925.
  protection for avocado trees. Hawaii Bul. 25, pp. 11, 21. 1911.
  records—
    and effect on crops, Akron field station, 1912-1923. D.B. 1304, p. 5. 1925.
    Nevada, Truckee-Carson project. B.P.I. Cir. 114, pp. 28-29. 1913.
    Pacific Northwest. J.A.R., vol. 30, p. 601. 1925.
  relation to—
    erosion of range lands. D.B. 675, pp. 15-17. 1918.
    fruit setting. J.A.R., vol. 17, pp. 107-108, 124. 1919.
    fumigation. Ent. Bul. 90, p. 72. 1912.
    gipsy-moth dispersion, experiments. Ent. Bul 119, pp. 16-23, 31-60. 1913.
    irrigation. D.B. 1340, pp. 23-25; 28. 1925.
    kelp growth. D.B. 1191, pp. 24-26, 31. 1923.
    sugar-beet growing and stand. D.B. 721, p. 15. 1918.
  responsibility for dissemination of plant diseases. F.B. 488, p. 9. 1912.
  rôle in spread of gipsy moth. D.B. 204, pp. 18-19. 1915.
  scale, Beaufort, nature. Off. Rec., vol. 3, No. 48, p. 5. 1924.
  shake—
    injury to hemlock trees. D.B. 152, pp. 16, 28. 1915.
    relation to pitch seams in Douglas fir. D.B. 255, pp. 12-15. 1915.
  soil transportation, competence, capacity, and distance. Soils Bul. 68, pp. 41-49. 1911.
  spread of Mediterranean fruit fly. D.B. 536, p. 21. 1918.
  thick, of horse, description and treatment. B.A.I. [Misc.], "Diseases of the horse," rev., pp. 117-119, 128, 131. 1903; rev., pp. 117-119, 128, 131. 1907; rev., pp. 117-119, 128, 131. 1911; rev., pp. 108-110, 119, 122. 1923.
  translocation of soil, mechanics. Soils Bul. 68, pp. 24-53. 1911.
  types and causes. Y.B., 1924, pp. 460-463. 1925.
  United States, economic uses. P. C. Day. Y.B., 1911, pp. 337-350. 1912; Y.B. Sep. 573, pp. 337-350. 1912.
  velocity(ies)—
    and fluctuations of water level on Lake Erie. Alfred J.Henry. W. B. Bul. J, pp. 22. 1902.
    Belle Fourche experiment farm, April-September, 1908-1919. D.B. 1039, p. 9. 1922.
    classification. Off. Rec., vol. 4, No. 22, p. 5. 1925.
    Colorado field station. D.B. 1304, p. 5. 1925.
    Dickinson substation, 1908-1913. D.B. 33, pp. 7-8, 42. 1914.
    effect on evaporation of soil moisture. J.A.R., vol. 7, pp. 441, 449-450. 1916; O.E.S. Bul. 248, pp. 69-74. 1912.
    factor in determining size of windmill for irrigation, discussion, and tables. F.B. 394, pp. 14-21. 1910.

Winds(s)—Continued.
  velocity(ies)—continued.
    hourly and daily, limitations, discussion. Y.B., 1911, pp. 338-344. 1912; Y.B. Sep. 573, pp. 338-344. 1912.
    relation to elevation. Y.B., 1911, pp. 338-340. 1912; Y.B. Sep. 573, pp. 338-340. 1912.
    Texas, Panhandle region. Soil Sur. Adv. Sh., 1910, p. 19. 1911; Soils F. O., 1910, p. 975. 1912.
    Wyoming, 1904–1908, relation to windmills. F.B. 866, pp. 13–19. 1917.
  warm, names and description, and relation to forest fires. For. Bul. 117, pp. 14–15. 1912.
  weather indications, proverbs regarding. Y.B., 1912, p. 380. 1913; Y.B. Sep. 599, p. 380. 1913.
Wind cave National Game Preserve, S. Dak., report—
  1915. An. Rpts., 1915, p. 243. 1916; Biol. Chief Rpt., 1915, p. 11. 1915.
  1916. An. Rpts., 1916, p. 245. 1917; Biol. Chief Rpt., 1916, p. 9. 1916.
Wind River Nursery, practices, irrigation, and shading. D.B. 479, pp. 2, 17–18, 29, 31, 34, 35, 37, 43, 47, 49, 50, 55, 62, 64, 65, 67, 69, 73. 1917.
Windbreak(s)—
  bamboo, uses. D.B. 1329, p. 20. 1925.
  Columbia River Valley, trees recommended. B.P.I. Cir. 60, pp. 20–21. 1910.
  composition, width, and money returns from trees. F.B. 788, pp. 11–15. 1917.
  conifer—
    choice for planting. F.B. 1453, p. 6. 1925.
    spacing the trees. F.B. 1453, p. 30. 1925.
  cottonwood trees, value. D.B. 24, pp. 49–50. 1913.
  drifting soil, value and methods of establishing. F.B. 342, pp. 9–10. 1909.
  effect on—
    crop yields. F.B. 1405, pp. 9–11. 1924.
    evaporation of soil moisture. J.A.R., vol. 7, p. 441. 1916.
    physical factors affecting plant growth. For. Bul. 86, pp. 71–74. 1911.
  eucalypts, use and value. For. Bul. 87, p. 14. 1911.
  experiments with pigeon peas in Guam. Guam A.R., 1920, p. 28. 1921.
  farm—
    asset. Carlos G. Bates. F.B. 788, pp. 16. 1917; F.B. 1405, pp. 16. 1924.
    nature, and location in planning farmsteads. F.B. 1132, pp. 11, 19, 21, 22, 24. 1920.
  for—
    apple orchards. F.B. 1360, pp. 7–8. 1924.
    avocado orchard protection. Hawaii Bul. 51, p. 8. 1924.
    citrus—
      groves. F.B. 1122, pp. 9–10. 1920; F.B. 1447, pp. 39–40. 1925.
      trees in Porto Rico. An. Rpts., 1907, p. 685. 1908; P.R. An. Rpt., 1911, p. 34. 1912; P.R. An Rpt., 1919, pp. 8, 24. 1920; P.R. An. Rpt., 1920, p. 25. 1921.
    fig protection, trees best adapted. F.B. 342, p. 20. 1909.
    gardens in Guam. Guam Cir. 2, pp. 7–8. 1921.
    irrigated sections, Montana, hints. B.P.I Doc. 462, p. 3. 1909.
    orange groves, beneficial in conserving moisture. An. Rpts., 1912, p. 220. 1913; Sec. A.R., 1912, p. 220. 1912; Y.B., 1912, p. 220. 1913.
    sandy lands, necessity and value. F.B. 323, pp. 16–17. 1908.
    vegetable gardens in Guam. Guam Bul. 2, p. 17. 1922.
  forest trees, recommendations for Nebraska. For. Cir. 45, pp. 25, 27, 29, 32. 1906.
  gum and cypress, methods of planting. For. Cir. 59, rev., p. 5. 1907.
  hardwood trees most valuable for. F.B. 1123, p. 4. 1921.
  influence and value. Carlos G. Bates. For. Bul. 86, pp. 100. 1911.
  leguminous trees—
    use in Guam. Guam Bul. 4, p. 5. 1922.
    value in Porto Rico. P.R. An. Rpt., 1912, p. 9. 1923.
  location on farms. F.B. 1123, pp. 6–7. 1921.

Windbreaks(s)—Continued.
  necessity in irrigation projects, trees suitable for. B.P.I. Cir. 83, pp. 7–8. 1911.
  olive trees, planting distance. F.B. 1249, p. 23. 1922.
  on northern prairies, planting suggestions. For. Cir. 145, pp. 1–9. 1908.
  orientation, importance in shading crops. For. Bul. 86, pp. 23–27, 32. 1911.
  planting—
    and care in Iowa. For. Cir. 154, pp. 15–19. 1908.
    and trees adapted to. Y.B., 1911, pp. 258–260. 1912; Y.B. Sep. 566, pp. 258–260. 1912.
    in eastern United States. D.B. 153, pp. 3, 4, 19, 23, 25, 28, 35. 1915.
    in Nevada, and trees recommended. B.P.I. Bul. 157, pp. 10, 15, 28. 1909.
    timber yield and value. For. Bul. 86, pp. 75–89. 1911.
  protection to crops, planting methods, and cost. News L., vol. 4, No. 43, p. 5. 1917.
  shelter belts in Wyoming. D.B. 1306, pp. 28–29. 1925.
  size and form in relation to value. For. Bul. 86, pp. 90–94. 1911.
  space necessary. F.B. 788, pp. 13–14. 1917.
  trees—
    adapted to—
      Plains region. F.B. 888, pp. 6, 8, 9, 10, 11, 13, 19. 1917.
      semiarid regions. B.P.I. Bul. 215, p. 38. 1911; For. Cir. 99, pp. 3, 7–14. 1907.
    in use in Porto Rico. P.R. An. Rpt., 1907, pp. 26, 33. 1908.
    suitable for—
      farm planting. Y.B., 1909, pp. 339, 342. 1910; Y.B. Sep. 517, pp. 339, 342. 1910.
      Oregon. B.P.I. Cir. 129, p. 31. 1913; B.P.I. Doc. 495, p. 10. 1909; W.I.A. Cir. 1, pp. 17–18. 1915.
      Nebraska. B.P.I. Cir. 116, p. 21. 1913.
      Nevada, Fallon area. Soil Sur. Adv. Sh., 1909, p. 14. 1911; Soils F.O., 1909, p. 1486. 1912.
  use(s)—
    and planting directions, trees adaptable to western Kansas. For. Cir. 161, pp. 11–12, 27. 1909.
    and value of white pine. D.B. 13, p. 47. 1914.
    in blowing soils. B.P.I. Bul. 130, pp. 10, 53. 1908.
    in prevention of blowing sands—
      in south Texas. Soils F.O., 1909, p. 1091. 1912; Soil Sur. Adv. Sh., 1909, p. 67. 1910.
      soil blowing. Soils Bul. 68, pp. 171–172. 1911.
    in protection of citrus fruits, planting methods. Porto Rico Bul. 10, pp. 16–18, 35. 1911.
  value—
    in attracting birds. F.B. 1239, p. 6. 1921.
    of surplus wood. News L., vol. 4, No. 43, p. 5. 1917.
    of woodlots, and relations to crops. D.B. 481, pp. 25, 37–39. 1917.
  white pine, uses. D.C. 177, p. 3. 1921.
  willow trees, use. D.B. 316, pp. 42–43. 1915.
Windfall—
  Alabama, tract. For. Bul. 68, pp. 64–65. 1905.
  lodgepole pine, susceptibility and injury. D.B. 154, pp. 23–24. 1915.
  timber, economy in use. For. Cir. 131, p. 5. 1907.
Windgalls, in horse, cause, symptoms, and treatment. B.A.I. [Misc.], "Diseases of the horse," rev., pp. 330–331, 375–376. 1903; rev., pp. 330–331, 375–376. 1907; rev., pp. 330–331, 375–376. 1911; rev., pp. 355–356, 401–402. 1923.
Windmills—
  and feed mills, discussion. F.B. 149, p. 31. 1902.
  capacity, requirements—
    for farmstead. F.B. 1448, p. 31. 1925.
    for given plants, determination. F.B. 394, pp. 11–21. 1910.
  cost—
    and expense for maintenance and repairs. Y.B., 1907, p. 415. 1908; Y.B. Sep. 458, p. 415. 1908.
    care, and uses. F.B. 592, p. 17. 1914.

INDEX TO PUBLICATIONS, 1901–1925   2643

Windmills—Continued.
 erection—
  and maintenance. F.B. 866, pp. 23–24. 1917.
  directions. F.B. 394, pp. 24–25. 1910.
 for pumping, efficiency and cost. O.E.S. An. Rpt., 1908, pp. 390–393. 1909.
 irrigation—
  capacity, power, sizes, and tests. F.B. 866, pp. 10–22. 1917.
  cost in Kansas. O.E.S. Bul. 211, pp. 20, 27. 1909.
  fruits and gardens in Great Plains. B.P.I. Bul. 130, p. 67. 1908.
  in Kansas, duty and cost. O.E.S. Bul. 158, pp. 589–592. 1905.
  in western semiarid regions, data. F.B. 866, pp. 29–37. 1917.
  in Wyoming. O.E.S. Cir. 95, pp. 10–11. 1910.
  pumps, discharge, and cost. O.E.S. Bul. 158, pp. 61–63. 1905.
  uses. O.E.S. An. Rpt., 1904, pp. 430–433. 1905.
 load regulators, suggestions. F.B. 394, pp. 22–23. 1910.
 localities favorable. Y.B., 1911, pp. 348–349. 1912; Y.B. Sep. 573, pp. 348–349. 1912.
 maintenance, suggestions. F.B. 394, pp. 35–36. 1910.
 mechanical features and tests. F.B. 394, pp. 21–22. 1910.
 power for pumping domestic-water supply. Y.B., 1914, p. 152. 1915; Y.B. Sep. 634, p. 152. 1915.
 size, determination for given power. F.B. 866, pp. 12–19. 1917.
 small-water supplies, cost and maintenance. Y.B., 1907, pp. 413–418. 1908; Y.B. Sep. 458, pp. 413–418. 1908.
 tests in Wyoming, 1910. An. Rpts., 1910, p. 760. 1911; O.E.S. Chief Rpt., 1910, p. 30. 1910.
 types, choosing for irrigation. F.B. 394, pp. 19–21. 1910.
 use in—
  filling reservoirs. F.B. 828, pp. 19–20. 1917.
  irrigation, semiarid West. P. E. Fuller. F.B. 394, pp. 44. 1910; F.B. 866, pp. 38. 1917.
 value for raising water, horsepower determination. F.B. 941, pp. 55–56. 1918.
 wooden and steel manufacture, United States. Rpt. 117, pp. 54–56, 72. 1917.
Window, J. J.—
 "Livestock, 1922. Farm animals and their products." With others. Y.B., 1922, pp. 795–913. 1923; Y.B. Sep. 888, pp. 795–913. 1923.
 "Statistics of crops other than grain crops." With others. Y.B., 1922, pp. 666–794. 1923; Y.B. Sep. 884, pp. 666–794. 1923.
 "Statistics of grain crops, 1922." With others. Y.B., 1922, pp. 569–665. 1923; Y.B. Sep. 881, 569–665. 1923.
Window(s)—
 air leakage, control methods, relation to heating houses. F.B. 1194, pp. 13–19. 1921.
 barn, suggestions. F.B. 1393, p. 15. 1924.
 boxes—
  construction and care, studies for southern rural schools. D.B. 305, pp. 37–38. 1915.
  for early plants, starting. F.B. 1044, pp. 11–13. 1919.
 cleaning directions. F.B. 1180, p. 16. 1921.
 gardens, vegetable production, cost, and value. F.B. 936, pp. 6–10. 1918.
 kitchen, description and location. D.C. 189, p. 5. 1921.
 location in hog houses, use of sunshine tables in determining. F.B. 438, pp. 24–29. 1911.
 market for retail meats. M.C. 54, p. 33. 1925.
 poultry-house construction. F.B. 1413, pp. 8, 9. 1924.
 screens, homemade, for farm home, description. F.B. 927, p. 30. 1918.
 storage—
  box, description. F.B. 375, pp. 31–32. 1909.
  houses, requirements for insulation. F.B. 852, p. 23. 1917.
 ventilation, by use in barns, F.B. 1393, pp. 12–13. 1924.

Windpipe, of horse, description, functions, and affections. B.A.I. [Misc.], "Diseases of the horse," rev., pp. 127–128. 1903; rev., p. 128 1907; rev., p. 128. 1911; rev., p. 119. 1923.
Windsor sand, constituents, water-soluble. Soils Bul. 22, p. 23. 1903.
Windstorm—
 insurance, losses. D.B. 530, p. 13. 1917.
 spread of blister rust to pines. J.A.R., vol. 28, pp. 1253–1255, 1257. 1924.
Wine(s)—
 acids, determination, methods. Chem. Bul. 122, pp. 18–24. 1909.
 adulteration and misbranding. See also *Indexes to Notices of Judgment, in bound volumes and in separates published as supplements to Chemistry Service and Regulatory Announcements.*
 alcohol production. F.B. 269, pp. 18–21. 1906.
 American, at Paris Exposition of 1900, composition and character. H. W. Wiley. Chem. Bul. 72, pp. 1–24. 1903.
 analysis—
  by Bureau of Chemistry. Chem. N.J. 3271. 1914.
  methods, report of referee. Chem. Bul. 107, pp. 83–89. 1907; Chem. Bul. 123, pp. 12–25. 1909; Chem. Bul. 132, pp. 71–85. 1910; Chem. Cir. 43, pp. 9–10. 1909.
  and vinegars, apparatus for determination of volatile acids. H. C. Gore. Chem. Cir. 44, pp. 2. 1909.
 Berre, adulteration and misbranding. See *Indexes, Notices of Judgment, in bound volumes and in separates, published as supplements to Chemistry Service and Regulatory Announcements.*
 bond forfeiture. Chem. N.J. 1016, pp. 2. 1911.
 Burgundy, misbranding. Chem. N.J. 1726, pp. 2. 1912.
 chemical examination, Chemistry Bureau, 1911. An. Rpts., 1911, pp. 462–463. 1912; Chem. Chief Rpt., 1911, pp. 48–49. 1911.
 claret, adulteration and misbranding. Chem. N.J. 2401, pp. 2. 1913.
 coloring matter, examination. Chem. Bul. 122, pp. 16–18. 1909.
 Concord grape, industry in northwestern Pennsylvania. Soil Sur. Adv. Sh., 1908, p. 45. 1910; Soils F.O., 1908, p.237. 1911.
 curative Jasnogorskie, misbranding. Chem. S.R.A. sup. 19, pp. 621–622. 1916.
 definition. F.I.D. 156, p. 1. 1914; Chem. S.R.A. 6, p. 415. 1914; News L., vol. 1, No. 47, p. 1. 1914.
 dry, glycerin determination. Chem. Bul. 132, pp. 85–87. 1910.
 examination, Chemistry Bureau, work, 1910. An. Rpts., 1910, pp. 452–455. 1911; Chem. Chief Rpt., 1910, pp. 28, 31. 1910.
 extract, specific gravity, table. Chem. Bul. 107, pp. 218–220. 1907.
 fermentation control experiment. Chem. Bul. 129, pp. 21–32. 1909.
 French, manufacture and export. Chem. Bul. 102, pp. 33–38. 1906.
 German manufacture and export. Chem. Bul. 102, pp. 29–33. 1906.
 glycerin determination. S. H. Ross. Chem. Bul. 132, pp. 85–87. 1910.
 grape(s)—
  Algerian. B.P.I. Bul. 80, pp. 60–63. 1905.
  description. B.P.I. Bul. 172, pp. 24–25. 1910.
  from Muscadine grapes. F.B. 709, pp. 20, 21. 1916.
  studies and analyses in New York, Ohio, and Virginia. Chem. Bul. 145, pp. 1–35. 1911.
 Hochheimer, misbranding. Chem. N.J. 711, p. 1. 1911.
 imported and fermented, labeling ruling. Chem. S.R.A. 18, p. 44. 1916.
 imported, standards for limit of sulphurous acid. F.I.D. 13, pp. 19–20. 1905.
 imports—
  1907–1909, quantity and value, by countries from which consigned. Stat. Bul. 82, pp. 46–47. 1910.
  1908–1910, quantity and value, by countries from which consigned. Stat. Bul. 90, pp. 49–50. 1911.

Wine (s)—Continued.
 imports and exports—
  1903-1907. Y.B., 1907, pp. 743, 753. 1908; Y.B. Sep. 465, pp. 743-753. 1908.
  1907-1911. Y.B., 1911, pp. 664, 674. 1912; Y.B. Sep. 588, pp. 664, 674. 1912.
  1908-1912. Y.B., 1912, pp. 721, 733. 1913; Y.B. Sep. 615, pp. 721, 733. 1913.
  1918. Y.B., 1918, pp. 632, 640. 1919; Y.B. Sep. 794, pp. 8, 16. 1919.
  by countries from which consigned, 1909-1911. Stat. Bul. 95, p. 53. 1912.
 inspection, internal revenue records. Sol. [Misc.] "Laws applicable * * * Agriculture," Sup. 4, pp. 48-49. 1917.
 Japanese, making. O.E.S. Bul. 159, p. 36. 1905.
 labeling, item 224. Chem. S.R.A. 20, pp. 63-64. 1917; F.I.D. 109, p. 1. 1909.
 Laubenheimer, adulteration and misbranding. Chem. N.J. 1701, pp. 2. 1912.
 law (s)—
  and standards. Chem. Bul. 69, rev., pp. 19-20, 50, 71, 108, 136, 143, 191-192, 418-419, 442, 466-469. 1905-6.
  Argentine Republic, regarding importation. F.I.D. 3, pp. 9-11. 1905.
  Belgium, affecting American export. Chem. Bul. 61, pp. 15-16. 1901.
  Denmark, affecting American export. Chem. Bul. 61, pp. 16-17. 1901.
  France, affecting American export. Chem. Bul. 61, p. 19. 1901.
  Germany, affecting American export. Chem. Bul. 61, pp. 22-23. 1901.
  Hungary, affecting American export. Chem. Bul. 61, pp. 24-25. 1901.
  Roumania, affecting American export. Chem. Bul. 61, pp. 28-29. 1901.
  State, 1907. Chem. Bul. 112, Pt. I, p. 22. 1908.
  Switzerland, affecting American export. Chem. Bul. 61, pp. 35-39. 1901.
  Tunis, affecting American export. Chem. Bul. 61, p. 34. 1901.
 lees—
  imports—
   1907-1909, amount and value, by countries from which consigned. Stat. Bul. 82, p. 34. 1910.
   1907-1911, and 1861-1911. Y.B., 1911, pp. 658, 683. 1912; Y.B. Sep. 588, pp. 658, 683. 1912.
  See also Argols.
 makers, hearing by Department of Agriculture, announcement. News L., vol. 1, No. 11, p. 1. 1913.
 making—
  from kaoliangs. B.P.I. Bul. 253, pp. 9, 15, 16, 17, 20. 1913.
  investigations, Chemistry Bureau. An. Rpts., 1912, p. 590. 1913; Chem. Chief Rpt., 1912, p. 40. 1912.
  relation to rotundifolia-grape industry. B.P.I. Bul. 273, pp. 36-38. 1913.
 use of—
  pure yeasts. Chem. Bul. 129, pp. 21-32. 1909.
  scuppernong grapes, methods, and profits. F.B. 457, pp. 15-16. 1911.
 Malaga, adulteration and misbranding. Chem. N.J. 2643, pp. 2. 1914; Chem. N.J. 2647, pp. 2. 1914; Chem. N.J. 2652, pp. 2. 1914.
 manufacture—
  discussion. Y.B., 1902, pp. 416-419. 1903.
  from excess raisin grapes. D.B. 349, p. 4. 1916.
  in California, monograph. Henry Lachman. Chem. Bul. 72, pp. 25-40. 1903.
 misbranding—
  (commercial dextrose and benzoic acid). Chem. N.J. 83. 1909.
  champagne. Chem. N.J. 1144, pp. 2. 1911.
  Chateau Yquem. Chem. N.J. 1417, p. 1. 1912.
  claret. Chem. N.J. 2088, pp. 2. 1913.
  "sparkling burgundy" and "champagne." Chem. N.J. 828, pp. 2. 1911.
 Ohio and Missouri, labeling. F.I.D. 120, pp. 2. 1910.
 port—
  adulteration and misbranding. Chem. N.J. 824, pp. 2. 1911.
  and sherry, labeling, produced in United States. F.I.D. 122, p. 1. 1910.

Wine (s)—Continued.
 port—continued.
  misbranding. N.J. 2902, Chem. S.R.A. 3, pp. 131-132. 1914.
 production—
  and grape acreage, 1906-1911, Germany. Stat. Cir. 41, p. 15. 1912.
  in United States. George C. Husmann. Y.B., 1902, pp. 407-420. 1903; Y.B. Sep. 281, pp. 407-420. 1903.
 recommendation of committee. Chem. Bul. 162, p. 165. 1913.
 ripening, use of sulphur. Chem. Cir. 37, pp. 1-3. 1907; Chem. Bul. 84, Pt. III, pp. 761-763. 1907.
 scuppernong, adulteration, and misbranding. Chem. N.J. 2402, pp. 2. 1913; Chem. N.J. 2404, p. 1. 1913; Chem. N.J. 2447, pp. 2. 1913; Chem. N.J. 3035, pp. 2. 1914; Chem. N.J. 3524, p. 1. 1915.
 sparkling, definition. Chem. S.R.A. 17, p. 39. 1916; Chem. S.R.A. 20, p. 63. 1917.
 stains, removal from textiles. F.B. 861, p. 35. 1917.
 sugar—
  correction, opinion 67. Chem. S.R.A. 7, p. 528. 1914.
  deficiency, opinion 93. Chem. S.R.A. 9, p. 689. 1914.
 sulphurous acid content. F.I.D. 28, p. 2. 1905.
 trade with foreign countries, exports and imports. D.B. 296, pp. 37-38. 1915.
 tree. See Ash, American mountain.
 volatile acids, determination, description of apparatus. H. C. Gore. Chem. Cir. 44, pp. 2. 1909.
 See also Alcoholic beverages.
Wineberry—
 importation and description. No. 52949, B.P.I. Inv. 67, p. 18. 1923.
 Japanese—
  cultivation in Guam. O.E.S. Doc. 1137, p. 410. 1908.
  fruiting season and use as bird food. F.B. 844, pp. 11, 13, 15. 1917.
WINEGERT, SAMUEL, beekeeping record. News L., vol. 6, No. 44, p. 10. 1919.
WINELAND, G. O.: "An ascigerous stage and synonomy for *Fusarium moniliforme*." J.A.R., vol. 28, pp. 909-922. 1924.
Wingandia urens, importation and description. No. 44126, B.P.I. Inv. 50, p. 32. 1922.
WINGARD, S. A.: "Varietal susceptibility of beans to rust." With F. D. Fromme. J.A.R., vol. 21, pp. 385-404. 1921.
WINKENWERDER, H. A.: "Forestry in the public schools." For. Cir. 130, p. 20. 1907.
Wings, insect, anatomical details. Ent. T.B. 18, pp. 22-24, 59-66. 1910.
WINKJER, J. G.: "Cooperative bull associations." F.B. 993, pp. 35. 1918; Y.B., 1916, pp. 311-319. 1917; Y.B. Sep. 718, pp. 9. 1917.
WINKLER, A. J.: "A study of the internal browning of the Yellow Newton apple." J.A.R., vol. 24, pp. 165-184. 1923.
WINKLER, WILLIBALD: "Dairy instruction in Austria." B.A.I. Dairy [Misc.], "World's dairy congress, 1923," p. 628. 1924.
Winnetka, Ill., community building, control, description, cost, and uses. F.B. 1274, pp. 29-32. 1922.
Winnipeg Grain Exchange, grain sales, methods. D.B. 937, pp. 6, 13-14. 1921.
WINOGRADOW, Mr., report on coal-tar colors, harmfulness. Chem. Bul. 147, pp. 52, 79-145. 1912.
WINOGRADSKY, S., experiment in nitrogen fixation, medium used. J.A.R., vol. 24, pp. 185, 190, 1923.
Winona Agricultural Institute, instruction in agriculture. O.E.S. An. Rpt., 1907, pp. 293-294. 1908.
WINSLOW, C. P.—
 "Commercial creosotes with special reference to protection of wood from decay." For. Cir. 206, pp. 38. 1912.
 "Conditions of experimental chestnut poles in the Warren-Buffalo and Poughkeepsie-Newton Square Lines after five and eight years' service." For. Cir. 198, pp. 13. 1912.

INDEX TO PUBLICATIONS, 1901–1925   2645

WINSLOW, C. P.—Continued.
"Service tests of ties. Progress report." With Howard F. Weiss. For. Cir. 109, pp. 25. 1912.
WINSLOW, D. H.: "Special road problems in the Southern States." Rds. Cir. 95, pp. 15. 1911.
WINSLOW, E. A.—
"Food values and body needs shown graphically." F.B. 1383, pp. 36. 1924.
"Food values: How foods meet body needs." D.B. 975, pp. 37. 1921.
WINSTON, J. R.—
"Bordeaux-oil emulsion." With others. D.B. 1178, pp. 24. 1923.
"Citrus scab: Its cause and control." D.B. 1118, pp. 39. 1923.
"Commercial control of citrus melanose." With John J. Bowman. D.C. 259, pp. 8. 1923.
"Commercial control of citrus scab." D.C. 215, pp. 8. 1922.
"Commercial control of citrus stem-end rot." With others. D.C. 293, pp. 10. 1923.
"Mixing emulsified mineral lubricating oils with deep-well waters and lime-sulphur solutions." With W. W. Yothers. D.B. 1217, pp. 6. 1924.
"Pineapple culture in Florida." With E. D. Vosbury. F.B. 1237, pp. 35. 1921.
"Preliminary report on colloidal clays as emulsifiers for mineral oils used in spraying citrus groves." With W. W. Yothers. J.A.R., vol. 31, pp. 59–65. 1925.
"Relative susceptibility of some rutaceous plants to attack by the citrus scab fungus." With others. J.A.R., vol. 30, pp. 1087–1093. 1925.
"Tear-stain of citrus fruits." D.B. 924, pp. 12. 1921.
"The field testing of copper-spray coatings." With H. R. Fulton. D.B. 785, pp. 9. 1919.
WINSTON, R. A.: "Soil survey of—
Bastrop County, Tex." With others. Soil Sur. Adv. Sh., 1907, pp. 46. 1908; Soils F.O., 1907, pp. 663–704. 1909.
Campbell County, Va." Soil Sur. Adv. Sh., 1909, pp. 39. 1911; Soils F.O., 1909, pp. 309–343. 1912.
Chesterfield County, Va." With others. Soil Sur. Adv. Sh., 1906, pp. 32. 1908; Soils F.O., 1906, pp. 195–222. 1908.
Clearfield County, Pa." With others. Soil Sur. Adv. Sh., 1916, pp. 32. 1919; Soils F.O., 1916, pp. 251–278. 1921.
Conecuh County, Ala." With others. Soil Sur. Adv. Sh., 1912, pp. 48. 1914; Soils F.O., 1912, pp. 753–796. 1915.
Elmore County, Ala." With A. C. McGehee Soil Sur. Adv. Sh., 1911, pp. 47. 1913; Soils F.O., 1911, pp. 721–763. 1914.
Marengo County, Ala." With others. Soil Sur. Adv. Sh., 1920, pp. 555–597. 1923; Soils F.O., 1920, pp. 555–597. 1925.
Mercer County, Pa." With others. Soil Sur. Adv. Sh., 1917, pp. 40. 1919; Soils F.O., 1917, pp. 235–270. 1923.
Monroe County, Miss." With others. Soil Sur. Adv. Sh., 1908, pp. 48. 1910; Soils F.O., 1908, pp. 799–842. 1911.
Montgomery County, Va." With Ora Lee, jr. Soil Sur. Adv. Sh., 1907, pp. 37. 1908; Soils F.O., 1907, pp. 193–225. 1909.
Pontotoc County, Miss." With Frank Bennett. Soil Sur. Adv. Sh., 1906, pp. 26. 1907; Soils F.O., 1906, pp. 405–426. 1908.
Talbert County, Ga." With H. W. Hawker. Soil Sur. Adv. Sh., 1913, pp. 40. 1914; Soils F.O., 1913, pp. 607–642. 1916.
the Scranton area, Mississippi." With others. Soil Sur. Adv. Sh., 1909, pp. 38. 1910; Soils F.O., 1909, pp. 887–920. 1912.
Tuscaloosa County, Ala." With others. Soil Sur. Adv. Sh., 1911, pp. 74. 1912; Soils F.O., 1911, pp. 933–1002. 1914.
Washington County, Ga." With others. Soil Sur. Adv. Sh., 1915, pp. 39. 1916; Soils F.O., 1915, pp. 683–717. 1919.
Wilcox County, Ala." With N. Eric Bell. Soil Sur. Adv. Sh., 1916, pp. 71. 1918; Soils F.O., 1916, pp. 939–1005. 1921.
WINTER, O. B., report as referees on nitrogen determination in milk and cheese. With A. W. Bosworth. Chem. Bul. 152, pp. 185–187. 1912.

Winter—
blight. See Blight, winter.
care of sheep, feeding, exercise, and shelter. F.B. 840, pp. 12–13. 1917.
chipping of cupped trees, gain. For. Bul. 90, pp. 27–28. 1911.
climate, invariability. Wm. B. Stockman. W.B. [Misc.], "Invariability of * * * climate," pp. 5. 1904.
clover. See Squaw vine.
cold, relation to boll-weevil control. Ent. Bul. 74, pp. 15–19. 1907.
cover, destruction in control of field mice. F.B. 352, p. 19. 1909.
cress—
characters. News L., vol. 2, No. 40, p. 3. 1915.
description and distribution. F.B. 660, p. 29. 1915; F.B. 1411, p. 11. 1924.
crops for South, sowing after cowpeas. F.B. 326, p. 15. 1908.
crow roost. E. R. Kalmbach. Y.B., 1915, pp. 83–100. 1916; Y.B. Sep. 659, pp. 83–100. 1916.
cycle of egg production in Rhode Island Reds. H. D. Goodale. J.A.R., vol. 12, pp. 547–574. 1918.
dairying, profitableness. News L., vol. 4, No. 1, p. 7. 1916.
destruction of cotton-boll weevil, directions. W. D. Hunter. Ent. Cir. 107, pp. 4. 1909.
dewberries, protection. F.B. 1403, pp. 11–12. 1924.
effect on parasites of moth eggs. J.A.R., vol. 30, pp. 649–651. 1925.
employment in woodlands. F.B. 1071, pp. 19–20. 1920.
feed(s)—
for cattle in South. D.B. 827, pp. 34–38. 1921.
for hogs, Pacific Northwest. D.B. 68, pp. 13, 15, 21, 25, 26. 1914.
for poultry. News L., vol. 7, No. 6, p. 8. 1919.
raising, practices. Y.B., 1906, pp. 233–235. 1907; Y.B. Sep. 419, pp. 233–235. 1907.
feeding—
cattle—
cost per head and per hundredweight. B.A.I. Bul. 131, pp. 16–17, 33–35. 1911.
in South, recommendations. D.B. 827, pp. 43–46. 1921.
test of hays. F.B. 479, p. 18. 1912.
dairy cows. F.B. 743, pp. 8–10. 1916.
of steers, effect on growth on pasture. E. W. Sheets. D.C. 166, pp. 11. 1921.
forage crops for South. Carleton R. Ball. F.B. 147, pp. 36. 1902.
freezing of water pipes in home. F.B. 1460, pp. 9–10. 1925.
fruit protection at field station near Mandan, N. Dak. D.B. 1301, p. 28. 1925.
gardens, girls' canning clubs, suggestions. S.R.S. Doc. 28, pp. 2–3. 1915.
grains, hardiness, relation to cell-sap density. S. C. Salmon and F. L. Fleming. J.A.R., vol. 13, pp. 497–506. 1918.
grazing—
effect on sod. D.B. 397, pp. 3–5. 1916.
experiments in cattle feeding, North Carolina, conclusions. D.B. 628, pp. 18–19. 1918.
green-manure crops now used in California. B.P.I. Bul. 190, pp. 15–24. 1910.
high school, agricultural, examples in Europe. O.E.S. An. Rpt., 1908, p. 298. 1909.
injury to—
peach trees, prevention, discussion. F.B. 632, pp. 21–23. 1915.
trees in Great Plains. F.B. 1312, p. 30. 1923.
irrigation—
importance in—
Kansas. O.E.S. Bul. 211, p. 28. 1909.
preparation of seed bed. B.P.I. Bul. 260, pp. 50, 51, 58. 1912.
alfalfa. F.B. 373, p. 41. 1909.
orchards. F.B. 144, pp. 12–16. 1901.
practices. Y.B. 1905, p. 434. 1906.
losses, beekeeping. Ent. Bul. 75, p. 72. 1911; Ent. Bul. 75, Pt. VI, p. 72. 1909.
pastures, establishment on cut-over mountain lands. D.B. 954, pp. 5–6. 1921.
pink. See Gravel pink.

Winter—Continued.
 plowing—
  advantages, Bienville Parish, La. Soil Sur. Adv. Sh., 1908, pp. 14–15, 20. 1910; Soils F.O., 1908, pp. 852–853, 858. 1911.
  value in destruction of corn root-aphid. Ent. Bul. 85, pp. 106–107. 1911.
 protection of—
  blackberries. F.B. 1399, p. 12. 1924.
  raspberries, methods, and cost. F.B. 887, pp. 30–31. 1917.
 rations, effect on pasture gains of steers—
  E. W. Sheets. J.A.R., vol. 28, pp. 1215–1232. 1924.
  2-year-old steers. E. W. Sheets and R. H. Tuckwiller. D.B. 1251, pp. 24. 1924.
  yearling steers. E. W. Sheets and R. H. Tuckwiller. D.B. 870, pp. 20. 1920.
 spraying with solutions of nitrate of soda. W. S. Ballard and W. H. Volck. J.A.R., vol. 1, pp. 437–444. 1914.
 sweet, importations and descriptions. Nos. 37487, 37488, 37522–37524, B.P.I. Inv. 38, pp. 64, 69. 1917.
 temperature of honey bee cluster. E. F. Phillips and George S. Demuth. D.B. 93, pp. 16. 1914.
 vegetable garden, suggestions. F.B. 818, p. 43. 1917.
 vetch. See Vetch, hairy.
Winterberry, common. See Alder, black.
Winterbloom. See Witch-hazel.
Wintergreen—
 adulterated with talc, classed as confectionery. An Rpts., 1915, p. 339. 1916; Sol. A.R., 1915, p. 13. 1915.
 adulteration. Chem. N.J. 3440, pp. 674–680. 1915.
 bitter. See Pipsissewa.
 culture and handling as drug plant, yield, and price. F.B. 663, p. 37. 1915.
 distillation, and uses. B.P.I. Bul. 235, pp. 7, 8. 1912.
 essence, adulteration, and misbranding. Chem. N.J. 1126, pp. 2. 1911; Chem. N.J. 1928, pp. 3. 1913; Chem. N.J. 2529, pp. 2. 1913.
 extract—
  adulteration and misbranding. Chem. N.J. 1672, p. 2. 1912; Chem. N.J. 2242, pp. 2. 1913; Chem. N.J. 2734, pp. 3–4. 1914; Chem. N.J. 3416, pp. 2. 1915.
  analysis methods and results. Chem. Bul. 152, 141–142. 1912.
  determination in flavoring extracts. Chem. Bul. 137, p. 76. 1911.
  manufacture, details. Y.B., 1908, p. 341. 1909; Y.B. Sep. 485, p. 341. 1909.
 flavoring, adulteration, and misbranding. Chem. N.J. 936, p. 2. 1911.
 growing and uses, harvesting, marketing, and prices. F.B. 663, rev., pp. 48–49. 1920.
 habitat, range, description, uses, collection, and prices. B.P.I. Bul. 219, p. 19. 1911.
 oil—
  adulteration and misbranding. Chem. N.J. 3201, 3202, 3213, 3323. 1914.
  and substitutes, studies, Chemistry Bureau. An. Rpts., 1910, p. 440. 1911; Chem. Chief Rpt., 1910, p. 16. 1910.
  distillation and value. B.P.I. Bul. 195, pp. 37–38. 1910.
  misbranding. Chem. N.J. 2631, p. 1. 1914.
  so-called, adulteration. Chem. S.R.A. Sup. 2, p. 117. 1915.
  sweet-birch distillation product. For. Cir. 114, p. 4. 1907.
 spotted, description. B.P.I. Bul. 219, p. 16. 1911.
Wintering—
 and summer fattening of steers in North Carolina. F. W. Farley and others. D.B. 954, pp. 18. 1921.
 bees—
  buckwheat region, studies. F.B. 1216, pp. 9, 13–16. 1922.
  clover region. F.B. 1215, pp. 16–18. 1922.
  directions. F.B. 447, pp. 40–42. 1911.
  factors, and measures of success. F.B. 1012, pp. 19–20. 1918; F.B. 1014, pp. 20–21. 1918.
  feeding and protection. F.B. 1039, p. 15. 1919.
  humidity and temperature requirements, studies. An. Rpts., 1914, pp. 197–198. 1914.

Wintering—Continued.
 bees—continued.
  in cellars. E. F. Phillips and George S. Demuth. F.B. 1014, pp. 24. 1918.
  insulation requirements, studies. An. Rpt., 1915, p. 230. 1916; Ent. A.R., 1915, p. 20. 1915.
  losses, 1919–1920, and brood measurements, studies. An. Rpts., 1920, p. 340. 1921.
  methods and losses. D.B. 685, pp. 11–21. 1918.
  mortality under different methods. Ent. Bul. 75, pp. 98–99. 1911; Ent. Bul. 75, Pt. VII, pp. 98–99. 1909.
  outdoor, preparation for. E. F. Phillips and George S. Demuth. F.B. 1012, pp. 24. 1918.
  responses to changes in temperature, studies. An. Rpts., 1913, pp. 13–14. 1914; Ent. A.R., 1913, pp. 13–14. 1913.
  temperature—
   and meterological records. An. Rpts., 1916, pp. 234–235. 1917.
   studies. D.B. 96, pp. 1–19. 1914.
  tests of commercial insulated hives, studies. An. Rpts., 1917, p. 249. 1918; Ent. A.R., 1917, p. 23. 1917.
  tulip-tree region. F.B. 1222, pp. 14–16. 1922.
 calf, rations, formulas, feed value, and costs. D.B. 1042, pp. 1–15. 1922.
 cattle—
  on range. F.B. 1395, pp. 33–37. 1925.
  Southern States. An. Rpts., 1919, pp. 80, 81. 1920; B.A.I. Chief Rpt., 1919, pp. 8, 9. 1919.
 honeybees, 1914–1915, statistics, various States. D.B. 325, pp. 1-3, 9-10. 1915.
 horses—
  and preparation for spring work. F.B. 1419, pp. 9-11. 1924.
  for farm work. F.B. 384, pp. 11–12. 1910
 poultry, methods. News L., vol. 3, No. 20, p. 8. 1915.
 steers—
  North Carolina, and summer fattening of. F. W. Farley and others. D.B. 954, pp. 18. 1921.
  preparatory to summer pasturing, results and cost. B.A.I. Bul. 131, pp. 25–36. 1911.
 See also Hibernation.
Winterkilling—
 alfalfa—
  causes and protection. F.B. 373, pp. 41-42. 1909.
  prevention. F.B. 865, pp. 38–39. 1917.
 clover, prevention. F.B. 1365, p. 21. 1924.
 conifers, causes and prevention. D.B. 44, pp. 11-12, 20. 1913.
 drought-resistant forage plants. B.P.I. Bul. 196, pp. 9, 11–14, 18-19, 33. 1910.
 forest plantings in intermountain region. D.B. 1264, p. 45. 1925.
 Grimm alfalfa, comparison with other alfalfas, experiments. B.P.I. Bul. 209, pp. 17–48. 1911.
 injury to—
  fruit trees. F.B. 227, pp. 12–15. 1905.
  pine seedlings. D.B. 1105, p. 23. 1923.
  winter wheat in western South Dakota. B.P. I. Cir. 79, pp. 3-4. 1911.
 method of eradicating Bermuda grass. F.B. 945, pp. 2, 9–10. 1918.
 nursery stock, prevention. D.B. 479, p. 72. 1917.
 peach buds, prevention. F.B. 316, pp. 6-8. 1908.
 peaches, prevention methods. F.B. 917, pp. 41–44. 1918.
 resistance—
  comparison of Kanred with other wheats. D.C. 194, p. 4. 1921.
  of conifers, comparison of species. J.A.R., vol. 24, pp. 154-160. 1923.
Winthemia quadripustulata, parasitic enemy of—
 army worm. F.B. 731, pp. 3, 8, 9. 1916; F.B. 835, p. 9. 1917; Y.B., 1907, pp. 246–248. 1908; Y.B. Sep. 447, pp. 246–248. 1908.
 corn earworm. F.B. 1206, p. 13. 1921.
 fall army worm. F.B. 752, p. 10. 1916.
WINTON, A. L.—
 "Chloral hydrate test for charlock." Chem. Bul. 162, pp. 94–95. 1913.
 "Color of flour and a method for the determination of the gasoline color value." Chem. Bul 137, pp. 144–148. 1911.

WINTON, A. L.—Continued.
"Composition of corn (maize) meal manufactured by different processes, and the influence of composition on the keeping qualities." With others. D.B. 215, pp. 31. 1915.
discussion of flour bleaching by Alsop process. Chem. N.J. 382, pp. 6-8. 1910.
discussion of spices, 1907. Chem. Bul. 116, pp. 11-12. 1908.
inventor of lead number in pure maple sirup determination. Chem. Cir. 53, p. 1. 1910.
"Method of detection of imitation vanilla extract." With C. I. Lott. Chem. Bul. 132, pp. 109-111. 1910.
"Official and provisional methods of analysis, Association of Official Agricultural Chemists." With others. Chem. Bul. 107, pp. 230. 1907.
report of chairman of committee of referees. Chem. Bul. 152, pp. 188-192. 1912; Chem. Cir. 90, pp. 10-15. 1912.
"Report of effects of time and temperature of digestion on acidity and nitrous nitrogen of flour." With A. W. Hansen. Chem. Bul. 152, pp. 114-116. 1912.
"Report of the chemical composition of authentic vanilla extracts, together with analytical methods." With E. H. Berry. Chem. Bul. 152, pp. 146-158. 1912.
report on—
coal tar colors, harmfulness. Chem. Bul. 147, p. 59. 1912.
flavoring extracts. Chem. Bul. 81, pp. 31-33. 1904.
Winton lead number—
for maple and cane sugar sirups, modification. S. H. Ross. Chem. Cir. 53, pp. 9. 1910.
modification suggestion by S. H. Ross. Chem. Bul. 132, p. 58. 1910.
Wipfelkrankheit. See Wilt, nun moth.
Wire(s)—
binding, use for egg cases, description and value. News L., vol. 2, No. 39, p. 1. 1915.
broken, danger to cattle, precautions. B.A.I. Dairy [Misc.], "World's dairy congress, 1923," pp. 1463-1464. 1924.
brush machine for control of alfalfa weevil, experiment. Ent. Bul. 112, pp. 12, 27-28. 1912.
electric, injury by rats. Biol. Bul. 33, p. 28. 1909.
fence—
corrosion. Allerton S. Cushman. F.B. 239, pp. 32. 1905.
fabricated wire, information and hints to purchasers. Allerton S. Cushman. Y.B., 1909, pp. 285-292. 1910; Y.B. Sep. 513, pp. 285-292. 1910.
stretching, directions. For. Bul. 97, pp. 15-16. 1911.
See also Fences, wire.
fencing—
deterioration, causes, discussion. Y.B., 1909, pp. 285-286. 1910; Y.B. Sep. 513, pp. 285-286. 1910.
durability test, method and solution formula. News L., vol. 3, No. 29, pp. 7-8. 1916.
per cent used for all farm fences, North Central States. News L., vol. 3, No. 23, p. 1. 1916.
requirements for fox ranches. D.B. 1151, pp. 10-16, 30-31. 1923.
galvanized, use for corn cribs and protection from mice and rats. S.R.S. Syl. 21, p. 21. 1916.
grass(es)—
gathering and uses in Wisconsin, Juneau County. Soil Sur. Adv. Sh., 1911, pp. 11, 13, 46-47, 50. 1913; Soils F.O., 1911, pp. 1469, 1471, 1504-1505, 1508. 1914.
indication of marshy conditions in Wyoming. J.A.R., vol. 6, No. 19, p. 753. 1916.
land, crop production. B.P.I. Bul. 201, pp. 75-76, 78-82. 1911.
nutritive value, experiments. F.B. 374, p. 14. 1909.
occurrence, description, and soil indications. B.P.I. Bul. 201, pp. 41, 47-49, 50, 51, 65, 84, 90. 1911.
guards, protection of orchard trees, management and value. F.B. 702, pp. 11-12. 1916.
guy, attachment to shade trees. F.B. 360, p. 9. 1909.

Wire(s)—Continued.
heavy, advantages, in use for fences. Y.B., 1909, p. 290. 1910; Y.B. Sep. 513, p. 290. 1910.
netting, use in—
protection of stored corn from rats, mice, and sparrows. F.B. 313, p. 27. 1907.
rabbit control. News L., vol. 3, No. 21, p. 2. 1915.
rabbit-proof fences. Y.B., 1907, p. 339. 1908; Y.B. Sep. 452, p. 339. 1908.
rat control. Y.B., 1917, pp. 240-241. 1918; Y.B. Sep. 725, pp. 8-9. 1918.
tree protection, directions. Ent. Cir. 32, rev., p. 6. 1907; Y.B., 1907, p. 341. 1908; Y.B. Sep. 452, p. 341. 1908.
rope—
for yarding logs, life and costs. D.B. 711, pp. 102-108, 119, 132-133, 174. 1918.
testing for road-building use. D.B. 1216, pp. 91-92. 1924.
screen, use—
as tree banding for insect traps. F.B. 908, p. 57. 1918.
in rat prevention. F.B. 1302, p. 9. 1923.
sizes and weights. Y.B., 1909, pp. 288, 289. 1910; Y.B. Sep. 513, pp. 288, 289. 1910.
steel, preservation tests. Rds. Bul. 35, pp. 19-21. 1909.
stretcher, description and cost. F.B. 347, p. 21. 1909.
stretching, in fence building. For. Cir. 156, pp. 15-17. 1908.
telegraph, use for lightning rods. F.B. 367, pp. 14-16. 1909.
telephone, injury by rats. Biol. Bul. 33, p. 28. 1909.
use in—
killing tree borers. F.B. 708, p. 9. 1916.
reenforcement of concrete posts. F.B. 403, pp. 18-20. 1910.
Wireless telegraph—
use in—
distribution of weather forecasts, extension of service. News L., vol. 3, No. 24, p. 2. 1916.
forest fires. News L., vol. 6, No. 37, p. 2. 1919.
See also Telegraphy.
Wiring—
electric, for light, heat, and power. Y.B., 1919, pp. 228-230. 1920; Y.B. Sep. 799, pp. 228-230. 1920.
separators for grounding electricity. D.B. 379, pp. 11-12, 19. 1916.
Wireworm(s)—
abbreviated, occurrence, description, and control. D.B. 156, pp. 19-20, 23. 1915.
attacking cereal and forage crops. J.A. Hyslop. D.B. 156, pp. 34. 1915.
beetles, description, life history, and control. F.B. 725, pp. 2-7, 10. 1916.
bulb, interception in plant imports. F.H.B. An. Let. No. 36, pp. 2, 24, 33. 1923.
collared, description, life history, and habits. D.B. 156, pp. 24-25. 1915.
confused, description and food plants. D.B. 156, pp. 18-19. 1915.
control methods. D.B. 156, pp. 7, 14-18, 25-34. 1915; S.R.S. Rpt., 1917, Pt. I, pp. 32, 187, 241. 1918.
corn—
and cotton—
description and occurrence. F.B. 725, pp. 6-7. 1916.
relation to cereal and forage crops, control measures. Edmund H. Gibson. F.B. 733, pp. 8. 1916.
description, and injuries to corn, cotton, and cowpeas. D.B. 156, pp. 7-9, 16-18, 21-22. 1915.
cotton—
description, and injuries to corn, cotton, and cowpeas. D.B. 156, pp. 7-9. 1915.
enemy of Southern field crops. Y.B., 1911, pp. 203, 204, 207. 1912; Y.B. Sep. 561, pp. 203, 204, 207. 1912.
damage to chestnut poles. Ent. Bul. 94, Pt. I, p. 8. 1910.
description—
and control. D.B. 156, pp. 9-16. 1915; F.B. 835, rev., pp. 22-23. 1920; F.B. 1362, p. 76. 1924.

Wireworm(s)—Continued.
　description—continued.
　　　similarity, and comparisons. Ent. Bul. 123, pp. 12–13. 1914.
　　destruction by—
　　　birds, toads, insects, and diseases. D.B. 156, pp. 25–29. 1915.
　　　crows. D.B. 621, p. 19. 1918.
　　destructive to cereal and forage crops. J. A. Hyslop. F.B. 725, pp. 12. 1916.
　　detection and control in grain fields. F.B. 835, pp. 22–23. 1917.
　　dry-land, description, life history, and control. D.B. 156, pp. 12–16. 1915; F.B. 725, pp. 7–10. 1916.
　　Embaphion muricatum, biology of. J. S. Wade and Adam G. Böving. J.A.R., vol. 22, pp. 323–334. 1921.
　　enemies of codling moth. Ent. Bul. 115, Pt. I, p. 74. 1912.
　　false—
　　　biology, and control. J.A.R., vol. 22, pp. 323–334. 1921.
　　　biology of. J. S. Wade and R. A. St. George. J.A.R., vol. 26, pp. 547–566. 1923.
　　　control measures. J.A.R., vol. 26, pp. 563–565. 1923.
　　　description—
　　　　and comparison with true wireworm. D.B. 156, pp. 1–2. 1915; F.B. 725, p. 2. 1916.
　　　　life history, and control. Ent. Bul. 95, Pt. V, pp. 76–87. 1912; J.A.R., vol. 26, pp. 548–561. 1923.
　　　enemies—
　　　　and parasites. Ent. Bul. 95, Pt. V, pp. 84–85. 1912.
　　　　natural. J.A.R., vol. 26, pp. 561–563. 1923.
　　　Pacific Northwest. James A. Hyslop. Ent. Bul. 95, Pt. V, pp. 73–87. 1912.
　　　parasites. Ent. Bul. 95, Pt. V, p. 85. 1912.
　　　See also *Embaphion muricatum*.
　　habits—
　　　and control. D.C. 35, p. 4. 1919.
　　　description, and economic importance. D.B. 78, pp. 2–4. 1914.
　　in sweet-corn fields, control studies. O.E.S. An. Rpt., 1912, p. 129. 1913.
　　inflated, description, life history, and control. D.B. 156, pp. 10–12, 23, 27, 29. 1915; F.B. 725, pp. 7–10. 1916.
　　injuries to—
　　　corn and cotton. Hawaii Bul. 27, p. 7. 1912.
　　　corn and cotton, control methods. Hawaii Bul. 27, p. 7. 1912; News L., vol. 3, No. 47, p. 3. 1916.
　　　cotton roots, description and control. F.B. 890, p. 22. 1917.
　　　crops, control methods. News L., vol. 4, No. 46, p. 1. 1917.
　　　gardens, habits, and control remedies. F.B. 856, pp. 17, 30, 42, 57. 1917.
　　　onions, control method. Y.B., 1912, pp. 333–334. 1913; Y.B. Sep. 594, pp. 333–334. 1913.
　　　ornamental plants, remedies. Ent. Bul. 27, pp. 77–78. 1901.
　　　potatoes, and control methods. Sec. Cir. 92, p. 33. 1918.
　　　sugar beets, and control methods. D.B. 238, p. 16. 1915.
　　interception in soil imported on plants. F.H.B. An. Let. No. 36, pp. 2, 6, 7, 16, 18, 33, 37. 1923.
　　moths, history, description, habits, and injuries caused by. D.B. 78, pp. 4–12. 1914.
　　sheep—
　　　cause of—
　　　　disease. B.A.I. An. Rpt., 1904, pp. 341–343. 1905.
　　　　lombris, fatal in Uruguay. O.E.S. Bul. 196, p. 46. 1907.
　　　source and damage. Rpt. 83, p. 23. 1906.
　　spread and control. Y.B., 1908, pp. 411, 416, 419. 1909; Y.B. Sep. 490, pp. 411, 416, 419. 1909.
　　study in 1923. Work and Exp., 1923, p. 52. 1925.
　　sugar beet—
　　　control methods, experiments, etc. Ent. Bul. 123, pp. 46–65. 1914.
　　　control methods. D.B. 721, p. 48. 1918.
　　　enemies, description and control studies. D.B. 995, pp. 18, 48–49. 1921.

Wireworm(s)—Continued.
　sugar beet—continued.
　　injuries to—
　　　corn and alfalfa. D.B. 156, p. 19. 1915.
　　　sugar beets and Lima beans. Ent. Bul. 123, pp. 11–12. 1914.
　tobacco—
　　control—
　　　by cultural means. An. Rpts., 1911, p. 115. 1912; Sec.A.R., 1911, p. 113. 1911; Y.B., 1911, p. 113. 1912.
　　　experiments in weed destruction. An. Rpts., 1912, p. 627. 1913; Ent. A.R., 1912, p. 15. 1912.
　　methods and experiments. D.B. 78, pp. 14–29. 1914.
　　work, 1910. An. Rpts., 1910, p. 520. 1911; Ent. A.R., 1910, p. 16. 1910.
　　work, 1911. An. Rpts., 1911, p. 504. 1912; Ent. A.R., 1911, p. 14. 1911.
　　work, 1923. An. Rpts., 1923, p. 406. 1923; Ent. A.R., 1923, p. 26. 1923.
　description. Sec. [Misc.], "A manual of * * * insects * * *," p. 214. 1917.
　destruction. Off. Rec., vol. 2, No. 14, p. 3. 1923.
　enemies. D.B. 78, pp. 13–14. 1914.
　injury—
　　control. Ent. Bul. 67, p. 110. 1907.
　　to corn. D.B. 78, pp. 4, 28. 1914.
　other names. D.B. 78, p. 1. 1914.
　so-called, in Virginia. G. A. Runner. D.B. 78, pp. 30. 1914.
　treatment with bluestone. B.A.I. Bul. 35, pp. 9–11. 1902.
　true and false, comparison. D.B. 156, pp. 1–4. 1915.
　twisted—
　　killing by fire. B.A.I. Bul. 35, pp. 15–17. 1902.
　　prevention and treatment, methods. B.A.I. Cir. 93, pp. 6–7. 1906.
　(*Haemonchus contortus*), sheep and other ruminants, life history of. B. H. Ransom. B.A.I. Cir. 93, pp. 7. 1906.
　treatment with coal-tar creosote. B.A.I. Bul. 35, pp. 7–8. 1902.
　varieties, description, control methods, and studies. News L., vol. 3, No. 41, pp. 1–2. 1916.
　wheat—
　　larvae in soil fumigation in vacuum, experiments. J.A.R., vol. 15, pp. 134–136. 1918.
　　life history, food plants, and control. D.B. 156, pp. 2, 4–7. 1915.
Wis, black, use for mat making in Virgin Islands. Vir. Is. A.R., 1920, p. 6. 1921.
Wisconsin—
　agricultural—
　　colleges and experiment stations, organization—
　　　1905. O.E.S. Bul. 161, pp. 73–74. 1905.
　　　1906. O.E.S. Bul. 176, pp. 83–85. 1907.
　　　1910. O.E.S. Bul. 224, pp. 74–76. 1910.
　　　1911. O.E.S. Bul. 247, p. 76. 1912.
　　　workers, list. M.C. 4, Pt. II, pp. 76–79. 1923; M.C. 17, pp. 71–72. 1924.
　conditions. See Soil Surveys, *various counties and areas.*
　Experiment Stations. See Wisconsin Experiment Stations.
　high schools, work. O.E.S. Cir. 83, p. 21. 1909.
　Schools, State aid. O.E.S. An. Rpt., 1911, p. 334. 1912; Y.B., 1912, p. 475. 1913; Y.B .Sep. 607, p. 475. 1913.
　schools, work. O.E.S. Cir. 106, rev., pp. 18, 21, 24, 25, 26, 29. 1912.
　alfalfa, variety tests and results. B.P.I. Bul. 169, p. 21. 1910.
　alsike clover growing and seed production. F.B. 1151, pp. 12, 17, 21, 23. 1920.
　and Illinois, diminished flow of Rock River, and relation to surrounding forests. G. Frederick Schwarz. For. Bul. 44, pp. 27. 1903.
　and Minnesota, creameries, marketing practices. Roy C. Potts. D.B. 690, pp. 15. 1918.
　apple growing, areas, production, and varieties. D.B. 485, pp. 6, 20, 44–47. 1917.

Wisconsin—Continued.
  appropriations for—
    agricultural college work. O.E.S. An. Rpt., 1912, p. 311. 1913.
    experiment station work, buildings. O.E.S. An. Rpt., 1911, pp. 57-58. 1912.
  balsam fir, occurrence, stand, and uses. D.B. 55, pp. 7, 10-11. 1914.
  barberry occurrence and eradication work. D.C. 188, pp. 10, 15-18, 20, 35. 1921.
  barley crops, 1866-1906, acreage, production, and value. Stat. Bul. 59, pp. 7-26, 31. 1907.
  bee—
    and honey statistics. D.B. 325, pp. 5, 9-12. 1915; D.B. 685, pp. 7, 9, 13, 14, 16, 18, 19, 22, 24, 26, 29, 31. 1918.
    disease—
      inspection, and history. Ent. Bul. 70, pp. 73-75. 1907.
      occurrence. Ent. Cir. 138, p. 23. 1911.
  beet-sugar—
    factories—
      location, and use of by-products. Rpt. 90, pp. 37-38, 51, 53. 1909.
      report. Rpt. 84, pp. 100-102. 1907.
    industry—
      acreage, tonnage, costs, and factories. Rpt. 86, pp. 14-15, 35, 59-61. 1908.
      development and conditions. Rpt. 92, pp. 39-40. 1910.
      factories, and statistics. B.P.I. Bul. 260, pp. 15, 21, 22, 29, 30, 69, 73. 1912.
      factories, location, and capacity. Rpt. 86, pp. 59-61. 1908.
      progress, 1903. [Misc.] "Report * * * beet sugar * * * 1903," pp. 62-63, 67-68, 120-122. 1901.
      progress, 1900. Rpt. 69, pp. 62-63, 67-68. 1901.
  biological survey work, 1921. Biol. Chief Rpt., 1921, p. 17. 1921.
  bird protection. See Bird protection.
  bird reservation, details and summary. Biol. Cir. 87, pp. 9, 10, 16. 1912.
  blue field pea, description and value. F.B. 690, p. 6. 1915.
  bounty laws, 1907. Y.B., 1907, p. 565. 1908; Y.B. Sep. 473, p. 565. 1908.
  boys'—
    and girls' clubs. O.E.S. Bul. 251, pp. 19-20. 1912.
    clubs and contests, premiums. An. Rpts,. 1911, p. 134. 1912; Sec A.R., 1911, p. 132. 1911; Y.B., 1911, p. 132. 1912.
  buckwheat crops, 1866-1906, acreage, production, and value. Stat. Bul. 61, pp. 5-17, 21. 1908.
  bulls, methods of use. News L., vol. 6, No. 29, p. 9. 1919.
  butter analyses. B.A.I. Bul. 149, pp. 14, 17-19. 1912.
  cabbage—
    growing, methods, and yields. D.B. 141, p. 56. 1914.
    production, acreage, yield, and shipments. D.B. 1242, pp. 4, 9, 14-26, 36, 47, 50-54. 1924.
  Carrington clay loam, acreage, location, and crops adapted. Soils Cir. 58, pp. 3, 4, 5, 6, 7, 8, 11. 1912.
  Carrington silt loam, acreage, location, and crops adapted. Soils Cir. 57, pp. 7, 8, 10. 1912.
  cattle crossbreeding, experiments. B.A.I. Dairy [Misc.], "World's dairy congress, 1923," pp. 1383-1389. 1924.
  cheese—
    boards as price makers. Y.B., 1922, pp. 385-386. 1923; Y.B. Sep. 879, pp. 90-91. 1923.
    cold curing. B.A.I. Bul. 85, pp. 11-16, 19, 21-22, 24-26, 30, 31, 33. 1906.
    cold-curing work. B.A.I. Bul. 85, pp. 13-16. 1906.
    factories, cooperative. Y.B., 1922, p. 386. 1923; Y.B. Sep. 879, p. 91. 1923.
    marketing, cooperative, advantages and weaknesses. B.A.I. Dairy [Misc.], "World's dairy congress, 1923," pp. 938-945. 1924.
  cherry growing. D.B. 350, pp. 2, 3. 1916.
  cigar tobacco districts. Stat. Cir. 18, pp. 7-8. 1909.

Wisconsin—Continued.
  closed season for shorebirds and woodcock. Y.B., 1914, pp. 292, 293. 1915; Y.B. Sep. 642, pp. 292, 293. 1915.
  clover bacterial leafspot, characteristics. J.A.R., vol. 25, No. 12, pp. 486-487. 1923.
  College of Agriculture, new buildings, description. O.E.S. An. Rpt., 1907, p. 271. 1908.
  community buildings, cost and details. F.B. 1192, pp. 8, 9, 16. 1921.
  Como community house, description and plans. F.B. 1173, p. 9. 1921.
  convict road-work, laws. D.B. 414, p. 218. 1916.
  cooperative—
    associations, statistics, details, and laws. D.B. 547, pp. 13, 24, 30, 35, 38, 48-49, 77. 1917.
    service to farmers by merchants. News L., vol. 6, No. 25, p. 3. 1919.
  corn—
    crops, 1866-1906, acreage, production, and value. Stat. Bul. 56, pp. 7-27, 32. 1907.
    growing, practices, and farm conditions in Waushara County. D.B. 320, pp. 51-52. 1916.
    production, movements, consumption, and prices. D.B. 696, pp. 15, 16, 20, 28, 29, 33, 36, 38, 41. 1918.
    yield(s)—
      and prices, 1866-1915. D.B. 515, p. 9. 1917.
      increase, results of club work. D.C. 152, p. 11. 1921.
  county—
    agents, endorsement of demonstration work, by Defense Council Committee. News L., vol. 5, No. 32, p. 3. 1918.
    agricultural high schools. O.E.S. An. Rpt., 1904, pp. 677-686. 1905; O.E.S. Cir. 106, p. 22. 1911.
    schools of agriculture and domestic economy. A. A. Johnson. O.E.S. Bul. 242, pp. 24. 1911.
    schools, statistics. O.E.S. Bul. 242, pp. 19-21. 1911.
  cranberry—
    growing, methods, and yields. Y.B., 1911, pp. 211-221. 1912; Y.B. Sep. 562, pp. 211-221. 1912.
    growing, water-raking, studies. D.B. 960, pp. 1-12. 1921.
    handling methods and yields. F.B. 1402, pp. 2-27. 1924.
    marshes—
      description. O.E.S. Bul. 158, pp. 73-75. 1905.
      frost and temperature conditions. Henry J. Cox. W.B. Bul. T, pp. 121. 1910.
      irrigation and drainage. A. R. Whitson. O.E.S. Bul. 158, pp. 625-642. 1905.
  creameries, marketing practices (and Minnesota). Roy C. Potts. D.B. 690, pp. 15. 1918.
  credits, farm-mortgage loans, costs, and sources. D.B. 384, pp. 2, 3, 4, 7, 8, 10, 13. 1916.
  crop planting and harvesting dates, important crops. Stat. Bul. 85, pp. 22, 34, 42, 56, 69, 78, 87, 91, 105. 1912.
  cucurbit-anthracnose outbreaks. D.B. 727, pp. 6, 7, 9. 1918.
  currants and gooseberries, growing, control by law. F.B. 1398, p. 36. 1924.
  cut-over lands—
    not taken for farming. Y.B., 1922, p. 87. 1923; Y.B. Sep. 886, p. 87. 1923.
    per cent of agricultural value. D.B. 638, pp. 7-8. 1918.
    sales methods. Off. Rec., vol. 2, No. 34, p. 3. 1923.
    undeveloped acreage. Y.B., 1915, p. 151. 1916; Y.B. Sep. 664, p. 151. 1916.
  dairy—
    cows, number and value. Sec. [Misc.], Spec. "Geography * * * world's agriculture," p. 124. 1917.
  farms—
    data, comparison with Massachusetts. Y.B. 1913, pp. 101-105. 1914; Y.B. Sep. 617, pp. 101-105. 1914.
    milk production cost, data. D.B. 501, pp. 2, 5, 6-7, 10, 11, 15, 17, 18, 25, 28. 1917.
    renting practices, studies. F.B. 1272, p. 4, 1922.

Wisconsin—Continued.
 diary—continued.
  farms—continued.
   share-rented, studies (and Illinois). E. A. Boeger. D.B. 603, pp. 15. 1918.
  industry, in southeast, counties. B.A.I. Bul. 138, pp. 8, 15. 1911.
  products, improvement, exhibition contests. F.B. 499, pp. 15–16, 18. 1912.
 Dane County—
  dairy cows, raising, records for 5 years. D.B. 49, pp. 3–17. 1914.
  farms, profits, and losses. D.B. 920, pp. 3, 5, 41–55. 1920.
 demonstration farm work—
  1910. O.E.S. An. Rpt., 1910, pp. 66, 264. 1911.
  at State insitutions, 1909. O.E.S. An. Rpt., 1909, pp. 59, 60, 206. 1910.
 demurrage provisions, regulations. D.B. 191, pp. 3, 24, 27. 1915.
 dog law, digest. F.B. 935, p. 22. 1918; F.B. 1268, p. 24. 1922.
 drainage of marsh land, example showing increase of value. O.E.S. An. Rpt., 1907, p. 396. 1908.
 drug—
  laws. Chem. Bul. 98, pp. 203–306. 1906; Chem. Bul. 98, rev., Pt. I, pp. 331–336. 1909.
  plants investigations. B.P.I. An. Rpts., 1912, p. 409. 1913; B.P.I. Chief Rpt., 1912, p. 29. 1912.
  testing garden, Madison, belladonna growing and testing. J.A.R., vol. 1, pp. 137–138, 142. 1913.
 early settlement, historical notes. See Soil surveys for various counties and areas.
 emmer and spelt growing, experiments. D.B. 1197, pp. 22–23. 1924.
 Experiment Station—
  experiments in the cold curing of cheese. B.A.I. Bul. 49, pp. 11–70. 1903.
  sugar-beet experiments—
   1900. Chem. Bul. 64, pp. 23–25. 1901.
   1901. Chem. Bul. 74, pp. 26–28, 30. 1903.
   1902. Chem. Bul. 78, pp. 21–25, 35. 1903.
   1903. Chem. Bul. 95, pp. 20–22. 1905.
  work and expenditures—
   1906. W. A. Henry. O.E.S. An. Rpt., 1906, pp. 167–169. 1907.
   1907. H. L. Russell. O.E.S. An. Rpt., 1907, pp. 186–189. 1908.
   1908. H. L. Russell. O.E.S. An. Rpt., 1908, pp. 186–188. 1909.
   1909. H. L. Russell. O.E.S. An. Rpt., 1909, pp. 203–207. 1910.
   1910. H. L. Russell. O.E.S. An. Rpt., 1910, pp. 261–267. 1911.
   1911. H. L. Russell. O.E.S. An. Rpt., 1911, pp. 223–227. 1912.
   1912. H. L. Russell. O.E.S. An. Rpt., 1912, pp. 226–229. 1913.
   1913. H. L. Russell. Work and Exp., 1913, pp. 88–89. 1915.
   1914. H. L. Russell. Work and Exp. 1914, pp. 245–250. 1915.
   1915. H. L. Russell. S.R.S. Rpt., 1915, Pt. I, pp. 277–282. 1917.
   1916. H. L. Russell. S.R.S. Rpt., 1916, Pt I, pp. 286–293. 1918.
   1917. H. L. Russell. S.R.S. Rpt., 1917, Pt. I, pp. 277–282. 1918.
   1918. Work and Exp. 1918, pp. 31, 32, 38, 39, 41, 65, 71–80. 1920.
  work and publications, 1905. O.E.S. An. Rpt., 1905, pp. 147–149. 1906.
  work, sources of income. O.E.S. An. Rpt., 1907, pp. 186–189. 1908.
 extension work—
  funds allotment, and county-agent work. S.R.S. Doc. 40, pp. 4, 7, 12, 20, 23, 25, 28. 1918.
  in agriculture and home economics—
   1915. H. L. Russell. S.R.S. Rpt., 1915, Pt. II, pp. 318–323. 1916.
   1916. H. L. Russell. S.R.S. Rpt., 1916, Pt. II, pp. 358–367. 1917.
   1917. H. L. Russell. S.R.S. Rpt., 1917, Pt. II, pp. 363–372. 1919.
  statistics. D.C. 253, pp. 6, 9, 14–15, 17, 18. 1923; D.C. 306, pp. 4, 7, 12, 18, 20, 21. 1924.

Wisconsin—Continued.
 fairs, number, kind, location, and dates. Stat. Bul. 102, pp. 13, 14, 66–68. 1913.
 farm(s)—
  animals, feed cost, studies. Y.B., 1915, p. 117. 1916; Y.B. Sep. 661, p. 117. 1916.
  animals, statistics, 1867–1907. Stat. Bul. 64, p. 116. 1908.
  conditions, letters from women, citations. Rpt. 103, pp. 13, 16, 29, 32, 46, 63, 69. 1915; Rpt. 104, pp. 11, 26, 32, 47, 58, 67, 71, 74, 76. 1915; Rpt. 105, pp. 13, 27, 31, 39, 45, 49, 63, 65. 1915; Rpt. 106, pp. 28, 47, 59, 64. 1915.
  family, food, fuel, and housing value, details. D.B. 410, pp. 7–35. 1916.
  labor distribution. D.B. 1000, p. 56. 1921.
  labor hours in day, and use of horses, by months. Y.B., 1922, pp. 1075, 1077, 1078. 1923; Y.B. Sep. 890, pp. 1075, 1077, 1078. 1923.
  leases and provisions. D.B. 650, pp. 3, 4, 12, 13, 16, 18, 19. 1918.
  value(s)—
   changes, 1900–1905. Stat. Bul. 43, pp. 11–17, 29–46. 1906.
   income, and tenancy classification. D.B. 1224, p. 127. 1924.
   undeveloped regions. F.B. 1385, pp. 2, 14. 1923.
 farmers'—
  living, cost. F.B. 635, pp. 1–21. 1914.
  park, description. F.B. 1388, pp. 6–9. 1924.
  purchase of purebred cattle. News L., vol. 6, No. 45, p. 5. 1919.
 farmers' institutes—
  history. O.E.S. Bul. 174, pp. 94–96. 1906.
  laws. O.E.S Bul 135, rev, p. 24. 1905.
  legislation. O.E.S. Bul. 241, p. 46. 1911.
  work—
   1904. O.E.S. An. Rpt., 1904, p. 671. 1905.
   1906. O.E.S. An. Rpt., 1906, p. 352. 1907.
   1907. O.E.S. An. Rpt., 1907, pp. 348–349. 1908; O.E.S. Bul. 199, p. 26. 1908.
   1908. O.E.S. An. Rpt., 1908, p. 330. 1909.
   1909. O.E.S. An. Rpt., 1909, p. 355. 1910.
   1910. O.E.S. An. Rpt., 1910, p. 417. 1911.
   1911. O.E.S. An. Rpt., 1911, p. 381. 1912.
   1912. O.E.S. An. Rpt., 1912, p. 374. 1913.
 farming on cut-over lands in (with Michigan and Minnesota). J. C. McDowell and W. B. Walker. D.B. 425, pp. 24. 1916.
 feed-production campaign. News L., vol. 6, No. 34, p. 6. 1919.
 fees collected for hunting licenses. Biol. Bul. 19, p. 9. 1904.
 fertilizer prices, 1919, by counties. D.C. 57, pp. 4, 9. 1919.
 field work of Plant Industry, December, 1924. M.C. 30, pp. 60–62. 1925.
 flax acreage, 1899, 1909, 1913. D.B. 322, p. 4. 1916.
 food—
  and drug officials. Chem. S.R.A. 13, p. 8. 1915.
  law(s)—
   1903. Chem. Bul. 83, Pt. I, pp. 144–147. 1904.
   1905. Chem. Bul. 69, rev., Pt. VIII, pp. 672–692. 1906.
   1906. Chem. Cir. 16, pp. 20. 1904; rev., p. 24. 1908.
   1907. Chem. Bul. 112, Pt. II, pp. 136–148, 152–155. 1908.
 foot-and-mouth disease, quarantine area. B.A.I.O. 229, amdt. 1, p. 1. 1914; B.A.I.O. 231, p. 8; amdt. 3, p. 3. 1915; B.A.I.O. 232, and amdt. 1915; B.A.I.O. 234, pp. 7–8. 1915; B.A.I.O. 234, amdt. 1, pp. 4–5. 1915; B.A.I.O. 234, amdt. 2, pp. 4–5. 1915; B.A.I.O. 236, pp. 1, 8. 1915; B.A.I.O. 236, amdt. 2, pp. 1, 5. 1915; B.A.I.O. 238, p. 8. 1915; B.A.I.O. 238, amdts. 1, 2, 4, 5, 6, 7, 8, pp. 3, 4, 5. 1915; B.A.I.O. 238, amdt. 8, pp. 1, 4. 1915; B.A.I.O. 238, amdt. 12, p. 3. 1915; News L., vol. 2, No. 18, pp. 3, 4. 1914.
 forest—
  acreage owned by State. D.B. 364, p. 9. 1916.
  fires, statistics. For. Bul. 117, p. 37. 1912.
  legislation, 1907. Y.B., 1907, p. 576. 1908; Y.B. Sep. 470, p. 16. 1908,

INDEX TO PUBLICATIONS, 1901–1925   2651

Wisconsin—Continued.
 forest—continued.
   products, investigations, cooperation with Forest Service. An. Rpts., 1910, pp. 97–98. 1911; Sec. A.R., 1910, pp. 97–98. 1910; Y.B. 1910, pp. 96–97. 1911.
   Products Laboratory, timber tests, and scope. D.B., 556, pp. 3–4. 1917.
   reserves, State. For. Bul. 114, p. 36. 1912.
 forestry laws—
   1921, summary. D.C. 239, p. 28. 1922.
   text. For. Law Leaf. 1, pp. 16. 1915; For. Misc. S–2, pp. 16. 1915.
 frost and temperature in relation to cranberry growing. Y.B., 1911, pp. 212–219. 1912; Y.B. Sep. 562, pp. 212–219. 1912.
 funds for cooperative extension work, sources. S.R.S. Doc. 40, pp. 4, 6, 12, 18. 1917.
 fur animals, laws—
   1915. F.B. 706, pp. 19–20. 1915.
   1916. F.B. 783, pp. 20–21, 28. 1916.
   1917. F.B. 911, pp. 24, 31. 1917.
   1918. F.B. 1022, p. 24. 1918.
   1919. F.B. 1079, pp. 6, 25–26. 1919.
   1920. F.B. 1165, p. 24. 1920.
   1921. F.B. 1238, p. 24. 1921.
   1922. F.B. 1387, p. 25. 1922.
   1923–24. F.B. 1387, p. 25. 1923.
   1924–25. F.B. 1445, p. 18. 1924.
   1925–26. F.B. 1469, p. 22. 1925.
 game—
   laws—
     1902. F.B. 160, pp. 25, 35, 43, 46, 52, 54. 1902.
     1903. F.B. 180, pp. 16, 25, 34, 39, 44, 46, 56. 1903.
     1904. F.B. 207, pp. 25, 36, 40, 45, 51, 63. 1904.
     1905. F.B. 230, pp. 12, 23, 33, 39, 46. 1905.
     1906. F.B. 265, pp. 23, 32, 39, 47. 1906.
     1907. F.B. 308, pp. 8, 22, 31, 37, 47. 1907.
     1908. F.B. 336, pp. 24, 34, 42, 45, 53. 1908.
     1909. F.B. 376, pp. 6, 15, 29, 36, 40, 43, 51. 1909.
     1910. F.B. 418, pp. 22, 29, 34, 37, 45. 1910.
     1911. F.B. 470, pp. 14, 26, 34, 39, 42, 51. 1911.
     1912. F.B. 510, pp. 4, 6, 9, 10, 22, 25–26, 30, 33, 35, 36, 38, 47. 1912.
     1913. D.B. 22, pp. 17, 20, 34, 41, 46, 50, 58. 1913; rev., pp. 16–17, 19, 20, 34, 41, 46, 50, 58. 1913.
     1914. F.B. 628, pp. 4, 10, 11, 12, 13, 25–26, 28–29, 33, 36, 39, 40, 42, 44, 52. 1914.
     1915. F.B. 692, pp. 2, 3, 4, 7, 8, 17, 35, 43, 48, 51, 53, 61. 1915.
     1916. F.B. 774, pp. 33, 41, 47, 50, 53, 61. 1916.
     1917. F.B. 910, pp. 39, 48, 56. 1917.
     1918. F.B. 1010, pp. 6, 36, 47. 1918.
     1919. F.B. 1077, pp. 40, 51. 1919.
     1920. F.B. 1138, p. 43. 1920.
     1921. F.B. 1235, pp. 45, 57. 1921.
     1922. F.B. 1288, pp. 42, 55. 1922.
     1923–24. F.B. 1375, pp. 40, 51. 1923.
     1924–25. F.B. 1444, pp. 29, 38. 1924.
     1925–26. F.B. 1466, pp. 35–36, 45. 1925.
   protection. See Game protection.
   refuge, establishment, 1914. F.B. 628, p. 4. 1914.
 grain supervision districts, counties. Mkts. S.R.A. 14, pp. 14, 15, 17–18, 20. 1916.
 Grand Rapids, cranberry regions, temperature studies. J.A.R., vol. 11, pp. 522–523, 527. 1917.
 grazing lands for drought-stricken livestock. Y.B., 1919, pp. 400, 401. 1920; Y.B. Sep. 820, pp. 400, 401. 1920.
 Green County—
   and Kane County, Ill., share-rented dairy farms in, study. E. A. Boeger. D.B. 603, pp. 15. 1918.
   share-rented dairy farms, regions studied. D.B. 603, pp. 2, 4–5. 1918.
 halo-blight of oats, occurrence and investigations. J.A.R., vol. 19, pp. 139–172. 1920.
 hardwoods, annual cut and volume tables. D.B. 285, pp. 28–30, 48–61, 67–74. 1915.
 hay crops, 1866–1906, acreage, production, and value. Stat. Bul. 63, pp. 5–25, 29. 1908.
 haymaking methods and costs. D.B. 578, p. 7. 1918.
 hemlock growing, value and volume. D.B. 152, pp. 3, 4, 6, 9, 12, 13, 31, 32, 37, 38. 1915.

Wisconsin—Continued.
 hemp experiments, 1909. An. Rpts., 1909, p. 77. 1910; Rpt., 91, p. 55. 1909; Sec. A.R. 1909, p. 77. 1909; Y.B., 1909, p. 77. 1910.
 hemp growing, increased acreage and production. An. Rpts., 1918, p. 162. 1918; B.P.I. Chief Rpt., 1918, p. 28. 1918.
 herds accredited—
   Off. Rec., vol. 3, No. 6, p. 3. 1924.
   list No. 3. D.C. 142, pp. 6, 7, 13, 28–29, 38, 40, 46, 47, 48, 49. 1920.
   list No. 3, sup. 1. D.C. 143, pp. 6, 17–20, 55–60, 97. 1920.
   list No. 3, sup. 2. D.C. 144, pp. 6, 7, 15, 18, 48. 1920.
   lists. D.C. 54, pp. 6, 10, 20, 48, 74, 91. 1919.
 Honey Creek community house, description and plans. F.B. 1173, pp. 11, 12. 1921.
 horse labor, on farm, daily distribution by operations. Y.B., 1919, pp. 485–486, 490, 495. 1920; Y.B. Sep. 825, pp. 485–486, 490, 495. 1920.
 insecticide and fungicide laws. I. and F. Bd. S.R.A. 13, pp. 150–152. 1916; I. and F. Bd. S.R.A. 21, pp. 446–450. 1918.
 irrigation—
   and drainage of cranberry marshes. O.E.S. Bul. 158, pp. 625–642. 1905.
   experiments—
     F. H. King. O.E.S. Bul. 119, pp. 313–352. 1902.
     1902. A. R. Whitson. O.E.S. Bul. 133, pp. 223–234. 1903.
   need and possibilities. Y.B., 1911, pp. 313–314, 319. 1912; Y.B. Sep. 570, pp. 313–314, 319. 1912.
 jack pine stands, measurement tables. D.B. 820, p. 15. 1920.
 laboratory of forest products, establishment and work, 1910. An. Rpts., 1910, pp. 412–414. 1911; For. A.R., 1910, pp. 52–54. 1910
 La Crosse County School of Agriculture, establishment. O.E.S An. Rpt., 1910, p. 373. 1911.
 land(s)—
   classes, acreage, and value. D.B. 91, pp. 2, 3. 1914.
   clearing, work with picric acid. An. Rpts., 1923, p. 492. 1923; Rds. Chief Rpt., 1923, p. 30. 1923.
   colonization plan. F.B. 1388, pp. 28–30. 1924.
   utilization on farms, survey studies. F.B. 745, pp. 13, 14, 17. 1916.
 Langlade County. See Wisconsin, northeastern.
 lard supply, wholesale and retail, August 31, 1917, tables. Sec. Cir. 97, pp. 13–31. 1918.
 laws—
   community centers and buildings. F.B. 1192, pp. 29, 35–37, 39. 1921.
   contagious animal diseases. B.A.I. Bul. 43, pp. 70–72. 1901; B.A.I. Bul. 54, pp. 45–46. 1904.
   foulbrood of bees. Ent. Bul. 61, p. 200. 1906.
   nursery stock shipments, interstate. Ent. Cir. 75, rev., p. 8. 1909; F.H.B.S.R.A. 57, pp. 114, 115. 1919.
   stallion and jack, regulations. B.A.I. An. Rpt., 1908, pp. 335–338. 1910.
   tuberculosis. B.A.I. Bul. 28, pp 165–168. 1901.
   turpentine sale. D.B. 898, p. 41. 1920.
 livestock—
   admission, sanitary requirements. B.A.I. Doc. 28, pp. 42–43. 1917; B.A.I. Doc. 36, pp. 64–66. 1920; M. C. 14, pp. 86–89. 1924.
   associations. Y.B., 1920, p. 533. 1921; Y.B. Sep. 866, p. 533. 1921.
   sales, cooperation. News L., vol. 6, No. 31, p. 15. 1919.
   shipping associations, development. F.B. 1292, p. 2. 1923.
 lumber—
   cut—
     1906. For. Cir. 129, p. 7. 1907.
     1920, 1870–1920, value, and kinds. D.B. 1119, pp. 28, 30–35, 45–61. 1923.
   decrease since 1900. For. Cir. 166, p. 18. 1909.
   production—
     1918, by mills, by woods, and lath and shingles. D.B. 845, pp. 6–11, 13, 16, 21–25, 28–37, 40, 42–47. 1920.
   decrease, and conditions of forests. Sec. Cir. 183, p. 23. 1921.
   statistics. Rpt. 116, pp. 9–11. 1918.

36167°—32——167

Wisconsin—Continued.
  Madison—
    climatic conditions, temperature, and humidity. J.A.R., vol. 6, pp. 26-35. 1916.
    Forest Products Laboratory, object and work. D.C. 231, pp. 1-49. 1922.
    studies of sugar-beet seedling diseases. J.A.R., vol. 4, pp. 135-168. 1915.
    sugar-beet laboratory. B.P.I. Bul. 260, p. 13. 1912.
  maple sugar and sirup, production for many years. F.B. 516, pp. 44-46. 1912.
  market prices of cheese, 1919-1920. D.B. 982, pp. 148-149. 1921.
  marketing—
    activities and organization. Mkts., Doc. 3, p. 7. 1916.
    cranberries, cooperation. F.B. 1402, pp. 26-27. 1924.
  marsh lands, drainage. O.E.S. Bul. 158, Sep. 9, pp. 718-728. 1905
  meat inspection, report. Sec. Cir. 58, pp. 4-10. 1916.
  meteorological data, May-October, 1903. Chem. Bul. 95, p. 22. 1905.
  Miami soils, crop uses and adaptations. D.B. 142, pp. 51-58. 1914.
  Michigan, and Minnesota, cut-over lands, farming on. J. C. McDowell and W. B. Walker. D.B. 425, pp. 24. 1916.
  milk—
    production—
      cost on 48 farms. S. W. Mendum. D.B. 1144, pp. 23. 1923.
      investigations, canvasses, summaries, etc. B.A.I. Bul. 164, pp. 13, 19, 22-23, 31, 42, 43, 45, 46, 47, 48, 49, 50, 51, 52, 53, 54, 55. 1913.
    supply and laws. B.A.I. Bul. 46, pp. 28, 38, 42, 161-165, 179. 1903.
  muck areas, uses and location. Soils Cir. 65, pp. 12, 15. 1912.
  northeastern, reconnaissance soil survey. W. J. Geib and others. Soil Sur. Adv. Sh., 1913, pp. 101. 1915; Soils F.O., 1913, pp. 1561-1657. 1916.
  oat—
    acreage, production, and value—
      B.P.I. Bul. 182, pp. 35-37. 1910.
      1866-1906. Stat. Bul. 58, pp. 5-25, 30. 1907.
      1900-1909. F.B. 420, pp. 8, 9, 10. 1910.
    growing, varietal experiments. D.B. 823, pp. 15-16, 19, 66. 1920.
    tests, Kherson and 60-day, with other varieties. F.B. 395, p. 17. 1910.
  paper industry and pulp resources. D.B. 1241, pp. 45-46. 1924.
  pasture land on farms. D.B. 626, pp. 14, 91-92. 1918.
  peat soils, studies. J.A.R., vol. 24, pp. 474, 483-485, 488-489, 497. 1923.
  perfumery-plant industries. B.P.I. Bul. 195, pp. 9, 30, 35. 1910.
  Peshtigo, fire of 1871, effect on development of Marinette County. Soil Sur. Adv. Sh., 1909, p. 8. 1911; Soils F.O., 1909, p. 1236. 1912.
  plum curculio, occurrence and distribution. Ent. Bul. 103, p. 20. 1912.
  pop corn, production and value, 1909. F.B. 554, pp. 6-7. 1913.
  potato(es)—
    crops, 1866-1906, acreage, production, and value. Stat. Bul. 62, pp. 7-27, 32. 1908.
    growing, methods. F.B. 365, pp. 18-20. 1909.
    handling and marketing. F.B. 753, pp. 11, 24. 1916.
    production—
      1909, by counties. F.B. 1064, p. 4. 1919.
      costs and farm practices. D.B. 1188, pp. 1-40. 1924.
    seed treatment. Off. Rec., vol. 2, No. 42, p. 6. 1923.
    storage cellar, concrete, description and cost. F.B. 847, p. 25. 1917.
  poultry club membership, 1919. D.C. 152, p. 22. 1921.
  pulp-wood consumption—
    1906. For. Cir. 120, pp. 5, 6, 8. 1907.
    hauling distance, and imports. D.B. 758, pp. 3, 5, 6, 7, 10, 11, 13, 15. 1919.

Wisconsin—Continued.
  raw rock phosphate, field experiments, and results. D.B. 699, p. 112. 1918.
  road(s)—
    bond-built, amount of bonds and rate. D.B. 136, pp. 49, 62, 80, 83, 85. 1915.
    building rock tests—
      1916 and 1917. D.B. 670, pp. 22, 28. 1918.
      results. D.B. 370, pp. 95-99. 1916; D.B. 1132, pp. 44, 51, 52. 1923.
    materials, tests. Rds. Bul. 44, pp. 90-91. 1912.
    mileage and expenditures—
      1904. Rds. Cir. 79, pp. 3. 1907.
      1909. Rds. Bul. 41, pp. 38, 41, 42, 119-120. 1912.
      1914. D.B. 389, pp. 3, 4, 5, 6, 7, 51-54, XXVIII, LXII-LXIII, LXXV. 1917.
      January 1, 1915. Sec. Cir. 52, pp. 3, 5, 6. 1915.
      1916. Sec. Cir. 74, pp. 4, 6, 7, 8. 1917.
    object-lesson, description and cost. An. Rpts., 1908, p. 749. 1909; Rds. Chief Rpt., 1908, p. 9. 1908.
    projects approved, 1918, 1919. An. Rpts., 1919, pp. 402, 404, 406, 408. 1920; Rds. Chief Rpt., 1919, pp. 12, 14, 16, 18. 1919.
  Rock River, diminished flow, relation to surrounding forests. For. Bul. 44, pp. 7-27. 1903.
  rural credit law. Off. Rec. vol. 2, No. 46, p. 1. 1923.
  rye crops, 1866-1906, acreage, production, and value. Stat. Bul. 60, pp. 5-25, 30. 1908.
  settlers, types on new lands. D.B. 1295, p. 31. 1925.
  Sheboygan County Cheese Producers Federation, a type of cooperation. D.B. 547, pp. 48-49. 1917.
  shipments of fruits and vegetables, and index to station shipments. D.B. 667, pp. 6-13, 49-50. 1918.
  silos, modified, description, cost and objections. F.B. 855, pp. 4, 5, 43-49. 1917.
  silos, number and materials used in construction. Rpt. 117, p. 53. 1917.
  soil survey of—
    Adams County. W. J. Geib and others. Soil Sur. Adv. Sh., 1920, pp. 1121-1152. 1924; Soils F.O., 1920, pp. 1121-1152. 1925.
    Ashland County. See Bayfield area.
    Bayfield area. Gustavus B. Maynaider and others. Soil Sur. Adv. Sh., 1910, pp. 28. 1912; Soils F.O., 1910, pp. 1123-1146. 1912.
    Bayfield County. See Bayfield area.
    Buffalo County. W. J. Geib and others. Soil Sur. Adv. Sh., 1913, pp. 50. 1915; Soils F.O., 1913, pp. 1441-1486. 1916.
    Columbia County. W. J. Geib and others. Soil Sur. Adv. Sh., 1911, pp. 61. 1913; Soils F.O., 1911, pp. 1365-1421. 1914.
    Dane County. W. J. Geib and others. Soil Sur. Adv. Sh., 1913, pp. 78. 1915; Soils F.O., 1913, pp. 1487-1560. 1916.
    Door County. W. J. Geib and others. Soil Sur. Adv. Sh., 1916, pp. 44. 1918; Soils F.O., 1916, pp. 1739-1778. 1921.
    Fond du Lac County. W. J. Geib and others. Soil Sur. Adv. Sh., 1911, pp. 43. 1913; Soils F.O., 1911, pp. 1423-1461. 1914.
    Iowa County. Clarence Lounsbury and others. Soil Sur. Adv. Sh., 1910, pp. 29. 1912; Soils F.O., 1910, pp. 1147-1171. 1912.
    Jackson County. W. J. Geib and others. Soil Sur. Adv. Sh., 1918, pp. 44. 1922; Soils F.O., 1918, pp. 941-980. 1924.
    Janesville area. Jay A. Bonsteel. Soil Sur. Adv. Sh., 1902, pp. 22. 1903; Soils F.O., 1902, pp. 549-570. 1903.
    Jefferson County. W. J. Geib and others. Soil Sur. Adv. Sh., 1912, pp. 58. 1914; Soils F.O., 1912, pp. 1555-1608. 1915.
    Juneau County. W. J. Geib and others. Soil Sur. Adv. Sh., 1911, pp. 54. 1913; Soils F.O., 1911, pp. 1463-1512. 1914.
    Kenosha and Racine Counties. W. J. Geib and others. Soil Sur. Adv. Sh., 1919, pp. 58. 1922; Soils F.O., 1919, pp. 1319-1376. 1925.
    Kewaunee County. W. J. Geib and others. Soil Sur. Adv. Sh., 1911, pp. 51. 1913; Soils F.O., 1911, pp. 1513-1559. 1914.

Wisconsin—Continued.
  soil survey of—continued.
    La Crosse County. W. J. Geib and others. Soil Sur. Adv. Sh., 1911, pp. 45. 1913; Soils F.O., 1911, pp. 1561-1601. 1914.
    Marinette County, reconnoissance. S. Weidman and Percy O. Wood. Soil Sur. Adv. Sh., 1909, pp. 39. 1911; Soils F.O., 1909, pp. 1233-1267. 1912.
    Milwaukee County. W. J. Geib and T. J. Dunnewald. Soil Sur. Adv. Sh., 1916, pp. 32. 1918; Soils F.O., 1916, pp. 1779-1806. 1921.
    Monroe County. *See* Viroqua area.
    north-central, south part, reconnaissance. W. J. Geib and others. Soil Sur. Adv. Sh., 1915, pp. 65. 1917; Soils F.O., 1915, pp. 1585-1645. 1919.
    north-central, north part, reconnaissance. W. J. Geib and others. Soil Sur. Adv. Sh., 1914, pp. 76. 1916; Soils F.O., 1914, pp. 1655-1726. 1919.
    Outagamie County. W. J. Geib and others. Soil Sur. Adv. Sh., 1918, pp. 42. 1921; Soils F.O., 1918, pp. 981-1018. 1924.
    Portage County. F. N. Meeker and R. T. Avon Burke. Soil Sur. Adv. Sh., 1905, pp. 32. 1906; Soils F.O., 1905, pp. 837-854. 1907.
    Portage County. W. J. Geib and others. Soil Sur. Adv. Sh., 1915, pp. 52. 1917; Soils F.O., 1915, pp. 1489-1536. 1919.
    Racine County. Grove B. Jones and Orla L. Ayrs. Soil Sur. Adv. Sh., 1906, pp. 25. 1907; Soils F.O., 1906, pp. 791-811. 1908.
    Racine County. *See also* Kenosha and Racine Counties.
    Rock County. W. J. Geib and others. Soil Sur. Adv. Sh., 1917, pp. 51. 1920; Soils F.O., 1917, pp. 1183-1229. 1923.
    Superior area. Thomas A. Caine and W. S. Lyman. Soil Sur. Adv. Sh., 1904, pp. 22. 1905; Soils F.O., 1904, pp. 751-768. 1905.
    Vernon County. *See* Viroqua area.
    Viroqua area. William G. Smith. Soil Sur. Adv. Sh., 1903, pp. 16. 1904; Soils F.O., 1903, pp. 799-814. 1904.
    Walworth County. W. J. Geib and others. Soil Sur. Adv. Sh., 1920, pp. 1381-1430. 1924; Soils F.O., 1920, pp. 1381-1430. 1925.
    Waukesha County. W. J. Geib and others. Soil Sur. Adv. Sh., 1910, pp. 48. 1912; Soils F.O., 1910, pp. 1173-1216. 1912.
    Waupaca County. W. J. Geib and others. Soil Sur. Adv. Sh., 1917, pp. 51. 1920; Soils F.O., 1917, pp. 1231-1277. 1923.
    Waushara County. J. W. Nelson and others. Soil Sur. Adv. Sh., 1909, pp. 33. 1911; Soils F.O., 1909, pp. 1203-1231. 1912.
    Wood County. W. J. Geib and others. Soil Sur. Adv. Sh., 1915, pp. 51. 1917; Soils F.O., 1915, pp. 1537-1583. 1921.
  soils—
    bacteria, influence of carbonates of magnesium and calcium. H. L. Fulmer. J.A.R., vol. 12, pp. 463-504. 1918.
    inoculation for study of *Corticium vagum*, experiments. J.A.R., vol. 23, pp. 762-768. 1923.
    Knox silt loam, location, area, and crops grown. Soils Cir. 33, pp. 3, 4, 5, 11, 12, 13, 17. 1911.
    liming experiments. F.B. 1365, pp. 9, 16. 1924.
    Meadow area and location. Soils Cir. 68, p. 21. 1912.
    Miami clay loam, location, area, and crops grown. Soils Cir. 31, pp. 3, 11, 13, 17. 1911.
    use in beet inoculation experiments. J.A.R., vol. 4, pp. 154-159. 1915.
    yellows-sick, relation to cabbage growing. J.A.R., vol. 30, pp. 1030-1033. 1925
  southern, farms owning motor trucks, reports. D.B., 931, pp. 3, 4. 1921.
  stallions, number, classes, and legislation controlling. Y.B., 1916, pp. 289, 291, 293, 295, 296. 1917; Y.B. Sep. 692, pp. 1, 2, 3, 5, 7, 8. 1917.
  standard containers. F.B. 1434, p. 18. 1924.
  State aid to roads, appropriations and mileage. Y.B., 1914, pp. 214, 220-221, 222. 1915; Y.B. Sep. 638, pp. 214, 220-221, 222. 1915.
  strawberry shipments—
    1914. D.B., 237, p. 10. 1915.
    1914, 1915. F.B. 1028, p. 6. 1919.

Wisconsin—Continued.
  substations, progress and work, 1912. O.E.S. An. Rpt., 1912, p. 226. 1913.
  Sudan grass, growing experiments. B.P.I. Cir. 125, p. 14. 1913.
  sugar-beet—
    experiments, 1904. Chem. Bul. 96, pp. 22-24. 1905.
    growing importance, location and methods. D.B. 141, pp. 49-54. 1914.
    industry, condition in 1904. Rpt. 80, pp. 85-94, 141-149. 1905.
  Swedish Select oat—
    experiments and results. B.P.I. Bul. 182, pp. 9-13, 25-28, 29-31. 1910.
    weight, comparison with other oats. O.E.S. Bul. 182, pp. 32, 34-35. 1910.
    yield per acre, 1889 to 1908, comparison with other oats. B.P.I. Bul. 182, pp. 11-13. 1910.
  tanning materials, consumption, 1906. For. Cir. 119, pp. 4, 5, 8. 1907.
  testing garden for drug plants, establishment. An. Rpts., 1910, p. 296. 1911; B.P.I. Chief Rpt., 1910, p. 26. 1910.
  tobacco—
    acreage and production. Atl. Am. Agr. Adv. Sh. 4, Pt. V, pp. 61, 62, 63. 1918.
    cigar type, production. B.P.I. Cir. 48, pp. 5, 6. 1910.
    conditions, 1911. Stat. Cir. 27, p. 4. 1912.
    crop, 1912. Stat. Cir. 43, pp. 2, 3, 5. 1913.
    growing—
      and industry, details, statistics, etc. B.P.I. Bul. 244, pp. 18, 22, 24-25, 99. 1912.
      historical notes and present conditions. Y.B., 1922, pp. 403-404, 407, 409, 418. 1923; Y.B., Sep. 885, pp. 403-404, 407, 409, 418. 1923.
    rank, 1914-1918. Y.B., 1919, p. 154. 1920; Y.B. Sep. 805, p. 154. 1920.
    report for July 1, 1912. Stat. Cir. 38, pp. 3, 4, 5. 1912.
  trucking industry, acreage and crops. Y.B., 1916, pp. 447, 455-465. 1917; Y.B. Sep. 702, pp. 13, 21-31. 1917.
  tuberculosis-free herd association. News L., vol. 6, No. 52, p. 12. 1919.
  University—
    changes, administration and extension work. O.E.S. An. Rpt., 1907, p. 285. 1908.
    courses in agricultural economics. O.E.S. Cir. 115, pp. 10-11. 1912.
    dairying course. O.E.S. Cir. 83, pp. 17-18. 1909.
    short-course instruction in the manufacture of dairy products. B.A.I. Dairy [Misc.], "World's dairy congress, 1923," pp. 655-659. 1924.
    teachers' courses. O.E.S. Cir. 118, pp. 26-27. 1913.
  testing T.N.T. as blasting explosive and water-resisting. D.C. 94, pp. 17, 23-24. 1920.
  use of lime as fertilizer. Off. Rec vol. 2, No. 38, p. 6. 1923.
  villages, deserted as result of forest devastation. D.B. 638, p. 6. 1918.
  wage rates, farm labor, 1840-1865, and 1866-1909. Stat. Bul. 99, pp. 17, 29-43, 68-70. 1912.
  walnut—
    range and estimated stand. D.B., 933, pp. 7, 10. 1921.
    stand and quality. D.B. 909, pp. 9, 10, 17-18. 1921.
  water supply, wells, springs, etc., records, by counties. Soils Bul. 92, pp. 155-158. 1913.
  Waupaca potato-shipping district and methods. F.B. 1317, pp. 19, 21, 23, 24-26. 1923.
  well records, depth of water tables (with other States). Y.B., 1911, pp. 483-489. 1912; Y.B. Sep. 585, pp. 483-489. 1912.
  wheat—
    acreage and varieties. D.B. 1074, p. 216. 1922.
    acreage, production, and value. Stat. Bul. 57, pp. 5-25, 30. 1907; rev., pp. 5-25, 30, 37. 1908.
    production periods. Y.B., 1921, pp. 88, 89, 93. 1922; Y.B. Sep. 873, pp. 88, 89, 93. 1922.
    yields and prices, 1866-1915. D.B. 514, p. 9. 1917.

Wisconsin-Minnesota, soil survey of the Superior area. Thomas A. Caine and W. S. Lyman. Soil Sur. Adv. Sh., 1904, pp. 22. 1905; Soils F.O., 1904, pp. 751–768. 1905.

WISE, F. B.—
"Importance and character of the milled rice imported into the United States." D.B. 323, pp. 8. 1915.
"Instructions for the sampling, handling, analyzing, and grading of samples of milled rice." Mkts. Doc. 16, pp. 6. 1918.
"The milling of rice and its mechanical and chemical effect upon the grain." With A. W. Broomell. D.B. 330, pp. 31. 1916.

Wise, L. E.—
"Crotonic acid, a soil constituent." J.A.R., vol. 6, No. 25, pp. 1043–1046. 1916.
"Isolation of cyanuric acid from soil." With E. H. Walters. J.A.R., vol. 10, pp. 85–92. 1917.
"Wiseola," misbranding. Chem. N.J. 594, p. 1. 1910.

Wistaria—
leaf-spot, occurrence and description. B.P.I. Bul. 226, p. 82. 1912.
venusta, importation and description. Nos. 43792, 43794, 43795, B.P.I. Inv. 49, p. 78. 1921.

Witch grass—
seed, description. F.B. 428, pp. 23, 24. 1911.
seed, description, appearance in red clover seed. F.B. 260, p. 24. 1906.
spreading, analytical key and description of seedlings. D.B. 461, pp. 8, 22. 1917.
See Quackgrass.

Witch hazel—
adulteration and misbranding. See *Indexes to Notices of Judgment, in bound volumes and in separates, published as supplements to Chemistry Service and Regulatory Announcements.*
habitat, range, description, uses, collection, and prices. B.P.I. Bul. 219, p. 12. 1911.
host of plant lice. Ent. T.B. 9, pp. 7–44. 1901.
injury from gipsy moth. D.B. 204, p. 14. 1915.
names, range, description, bark, prices, and uses. B.P.I. Bul. 139, pp. 27–28. 1909.
tests for mechanical properties, results. D.B. 556, pp. 33, 42. 1917; D.B. 676, p. 27. 1919.

Witches broom(s)—
bamboo, cause and description. B.P.I. Bul. 171, pp. 9–11. 1910.
caused by knot on citrus trees. B.P.I. Bul. 247, p. 11. 1912.
conifers, caused by mistletoe infection. D.B. 360, pp. 13–20. 1916.
disease of jack pine, cause. D.B. 820, p. 21. 1920.
form of orange rust on *Rubus* spp. J.A.R., vol. 25, pp. 233, 238. 1923.
fungous growth of jack pine, description, injuries, etc. D.B. 212, p. 7. 1915.
in pine trees, caused by needle fungus, *Hypoderma deformans*. J.A.R., vol. 6, No. 8, pp. 283–285, 287. 1916.

Withania berries, for vegetable rennett. B.A.I. Bul. 146, p. 60. 1911.

Wither-tip—
and other diseases of citrous trees and fruits, caused by *Colletotrichum gloeosporioides*. P. H. Rolfs. B.P.I. Bul. 52, pp. 22. 1904.
disease of plants, occurrence and description, Texas. B.P.I. Bul. 226, p. 27. 1912.
tear-stain, citrus fruits, investigations. D.B. 924, pp. 1–12. 1921.

WITHERS, W. A.—
"Comparative toxicity of cottonseed products." With F. E. Carruth. J.A.R., vol. 14, pp. 425–452. 1918.
"Determination of nitrifying and ammonifying powers of soils." With F. L. Stevens. Chem. Bul. 132, pp. 34–38. 1910.
"Gossypol, the toxic substance in cottonseed." With Frank E. Carruth. J.A.R., vol. 12, pp. 83–102. 1918.
"Gossypol, the toxic substance in cottonseed meal." With F. E. Carruth. J.A.R., vol. 5, No. 7, pp. 261–288. 1915.
"Nitrification on ammonium sulphate and cottonseed meal in different soils." With G. S. Fraps. Chem. Bul. 67, pp. 36–41. 1902.
"The teaching of chemistry in American agricultural colleges." Chem. Bul. 137, pp. 91–97. 1911.

Withers Canal, irrigation system, details. O.E.S. Bul. 222, p. 56. 1910.

Withers, casting by cow—
treatment. B.A.I. [Misc.], "Diseases of cattle," rev., pp. 217–220, 251. 1912; rev., pp. 215–218. 1923.
See also Womb, cow, eversion.

WITHYCOMBE, JAMES—
report of Oregon Experiment Station, work and expenditures—
1906. O.E.S. An. Rpt., 1906, pp. 146–147. 1907.
1907. O.E.S. An. Rpt., 1907, pp. 157–159. 1908.
1908. O.E.S. An. Rpt., 1908, pp. 156–159. 1909.
1909. O.E.S. An. Rpt., 1909, pp. 171–172. 1910.
1910. O.E.S. An. Rpt., 1910, pp. 222–225. 1911.
1911. O.E.S. An. Rpt., 1911, pp. 182–185. 1912.
1912. O.E.S. An. Rpt., 1912, pp. 186–189. 1913.
1913. Work and Exp., 1913, pp. 73–74. 1915.
"The farmers' institute." O.E.S. Bul. 225, pp. 24–26. 1910.

WITMER, EVELYN—
"The comparative rate of decomposition in drawn and undrawn market poultry." Chem. Cir. 70, pp. 22. 1911.
"The refrigeration of dressed poultry in transit." With others. D.B. 17, pp. 35. 1913.

Witteboom—
importation and description. No. 51623, B.P.I. Inv. 65, p. 33. 1923.
See also Silver tree.

WITTER, D. P.: "Certificates of qualification of farmers' institute lecturers." O.E.S. Bul. 238, pp. 42–45. 1911.

WITTHAUS, RUDOLPH, testimony on caffeine effects. Chem. N.J. 1455, pp. 44–45. 1912.

Wizard oil, Hamlin's, misbranding. Chem. S.R. A., Sup. 18, pp. 529–530. 1916.

Wizzard sediment test, milk, comparison with other methods. D.B. 361, pp. 2–6. 1916.

Woburn, Mass., milk supply, statistics, officials, and prices. B.A.I. Bul. 46, pp. 40, 97. 1903.

Wodka, adulteration and misbranding—Tigero Slivowitz. Chem. N.J. 2731, p. 6. 1914.

WOGLUM, R. S.—
"Control of the Argentine ant in California citrus orchards." With A. D. Borden. D.B. 965, pp. 43. 1921.
"Control of the citrophilus mealybug." With A. D. Borden. D.B. 1040, pp. 20. 1922.
"Fumigation investigations in California." Ent. Bul. 79, pp. 73. 1909.
"Fumigation of citrus trees." Ent. Bul. 90, pp. 81. 1912. F.B. 923, pp. 31. 1918.
"Fumigation of citrus trees for control of insect pests." F.B. 1321, pp. 59. 1923.
"Fumigation of citrus plants with hydrocyanic acid: Conditions influencing injury." D.B. 907, pp. 43. 1920.
"Hydrocyanic-acid gas fumigation in California: Fumigation of citrus trees." Ent. Bul. 90, Pt. I, pp. 81. 1911.
"Hydrocyanic-acid gas fumigation in California: The value of sodium cyanid for fumigation purposes." Ent. Bul. 90, Pt. II, pp. 83–90. 1911.
"Report of a trip to India and the Orient in search of the natural enemies of the citrus white fly." Ent. Bul. 120, pp. 58. 1913.
"The common mealybug and its control in California." With J. D. Neuls. F.B. 862, pp. 16. 1917.
"The value of sodium cyanid for fumigation purposes." Ent. Bul. 90, pp. 83–90. 1912.

Wojnowicia graminis, parasite on wheat. D.B. 1347, pp. 29, 30. 1925.

WOLF, F. A.—
"A plant-disease survey in the vicinity of San Antonio, Tex." With Frederick D. Heald. B.P.I. Bul. 226, pp. 129. 1912.
"A squash disease caused by *Choanephora cucurbitarum*." J.A.R., vol. 8, pp. 319–328. 1917.
"Bacterial leafspot of clovers." With L. R. Jones and others. J.A.R., vol. 25, pp. 471–490. 1923.
"Bacterial pustule of soybean." J.A.R., vol. 29, pp. 57–68. 1924.
"Citrus canker." J.A.R., vol. 6, pp. 69–99. 1916.

INDEX TO PUBLICATIONS, 1901-1925   2655

WOLF, F. A.—Continued.
"*Eupatorium ageratoides*, cause of trembles." With R. S. Curtis. J.A.R., vol. 9, pp. 397-404. 1917.
"Further studies of peanut leafspot." J.A.R., vol. 5, No. 19, pp. 891-902. 1916.
"Intumescences, with a note on mechanical injury as a cause of their development." J.A.R., vol. 13, pp. 253-260. 1918.
"The control of tobacco wilt in the flue-cured district." With others. D.B. 562, pp. 20. 1917.
"Tobacco wildfire." With A. C. Foster. J.A.R., vol. 12, pp. 449-458. 1918.
"Xylaria rootrot of apple." With Richard O. Cromwell. J.A.R., vol. 9, pp. 269-276. 1917.
Wolf(ves)—
adult and pup, key for identification. Biol. Cir. 69, pp. 2-3. 1909.
and coyotes—
bounties paid, key to animals. Vernon Bailey. Biol. Cir. 69, pp. 3. 1909.
destruction, directions. Vernon Bailey. Biol. Cir. 55, pp. 6. 1907.
destruction, results obtained during 1907. Vernon Bailey. Biol. Cir. 63, pp. 11. 1908.
bounties—
Alaska, 1921. D.C. 225, pp. 3-4. 1922.
Alaska, territorial law, text. Biol. Doc. 105, pp. 15-16. 1917.
in Texas. N.A. Fauna 25, pp. 172, 174. 1905.
paid by different States. F.B. 1238, pp. 6-29. 1921.
breeding habits—
location of dens, and capture of pups. Biol. Cir. 55, pp. 1-2. 1907.
Wyoming and Michigan. Biol. Cir. 63, pp. 2, 3-4, 8. 1908.
cause of spread of gid parasite. B.A.I. Cir. 159, pp. 4, 6. 1910.
control—
by hunters. Biol. Chief Rpt., 1921, pp. 3-5. 1921.
experiments and demonstrations. An. Rpts., 1915, p. 235. 1916; Biol. Chief Rpt., 1915, p. 3. 1915.
importance to stock owners. Y.B., 1908, p. 112. 1909.
in Alaska, studies. Off. Rec., vol. 1, No. 44, p. 5. 1922.
in western forests. D.C. 51, p. 17. 1919.
measures. An. Rpts., 1907, p. 487. 1908; An. Rpts., 1908, p. 572. 1909; Biol. Chief Rpt., 1908, p. 4. 1908.
on ranges. An. Rpts., 1920, pp. 345-346. 1921.
work and number killed. An. Rpts., 1923, pp. 422, 423-424, 450. 1923; Biol. Chief Rpt., 1923, pp. 4, 5-6, 32. 1923.
damage and control. Biol. Chief Rpt., 1924, pp. 2-3, 4-5. 1924.
damage to game in Alaska, and increasing numbers. D.C. 88, pp. 11-12. 1920.
depredations on—
game in Alaska, and need of extermination. D.C. 168, pp. 6, 7, 13. 1921.
livestock, control work proposed. D.C., vol. 1, No. 1, p. 23. 1915.
destruction—
Vernon Bailey. Biol. Cir. 63, pp. 11. 1908.
by trapping, poisoning, or hunting, directions. Vernon Bailey. Biol. Cir. 55, pp. 6. 1907.
for protection of game. Vernon Bailey. Biol. Cir. 58, pp. 2. 1907.
methods. Biol. Cir. 82, pp. 5-6. 1911.
of—
elk in Wyoming. Biol. Bul. 40, p. 20. 1911.
game in Alaska. D.C. 225, pp. 3-4. 1922.
livestock, and control methods. An. Rpts., 1916, pp. 19-20. 1917; Sec. A.R., 1916, pp. 21-22. 1916.
stock and game. For. Bul. 72, pp. 1-31. 1907.
progress. Off. Rec., vol. 3, No. 53, p. 5. 1924.
ruling by Treasury Comptroller. D.C., vol. 1, No. 4, p. 2. 1915.
work by Biological Survey. An. Rpts., 1908, p. 112. 1909; Sec. A.R. 1908, p. 110. 1908
extermination by hunters. An. Rpts., 1922, p. 335. 1922; Biol Chief Rpt., 1922, p. 5. 1922.

Wolf(ves)—Continued.
gray—
Athabaska-Mackenzie region. N.A. Fauna 27, pp. 211-213. 1908.
occurrence in—
Colorado, description. N.A. Fauna 33, pp. 169-171. 1911.
Montana. Biol. Cir. 82, p. 21. 1911.
hunters, payment by month, Texas. N.A. Fauna 25, pp. 172, 176. 1905.
hunting and bounty laws, 1919, notes. F.B. 1079, pp. 3-30. 1919.
in—
Alabama, description and habits. N.A. Fauna 45, pp. 30-32. 1921.
Alaska, numbers and destructiveness, notes. Alaska A.R., 1909, p. 65. 1910.
Alaska, occurrence. N.A. Fauna 24, pp. 39-40. 1904.
North America, distribution. For. Bul. 72, pp. 5-6, map. 1907.
northern Alaska and Yukon Territory, notes. N.A. Fauna 30, pp. 56, 80-81. 1909.
Texas, occurrence, habits. N.A. Fauna 25, pp. 171-174. 1905.
injuries to livestock, destruction by steel traps and strychnin. News L., vol. 4, No. 40, p. 11. 1917.
injurious habits. Y.B., 1908, p. 188. 1909. Y.B. Sep. 474, p. 188. 1908.
killing. For. Bul. 72, pp. 22-31. 1907.
mating with domestic dogs. An Rpts., 1923, pp. 423, 424. 1923; Biol. Chief Rpt., 1923, pp. 5, 6. 1923.
menace to sheep. Y.B., 1923, p. 265. 1924; Y.B. Sep. 894, p. 265. 1924.
northern (*Canis albus*), range and habits. N.A. Fauna 24, pp. 39-40. 1904.
poisoning, directions. Y.B., 1908, p. 427. 1909; Y.B. Sep. 491, p. 427. 1909.
predatory, control work. Off. Rec., vol. 2, No. 50, p. 3. 1923.
(*Canis occidentalis*) range and habits. N.A. Fauna 21, p. 67. 1901.
range and habits. N.A. Fauna 22, pp. 61-62. 1902.
relation to stock game, and the national forest reserves. Vernon Bailey. For. Bul. 72, pp. 31. 1907.
southeastern, description and habits. N.A. Fauna 45, pp. 30-32. 1921.
Texan red, occurrence in Texas, habits. N.A. Fauna 25, p. 174. 1905.
timber, killing. Off. Rec., vol. 3, No. 10, p. 6. 1924.
trapping directions, and casing skins. Y.B., 1919, pp. 468-470. 1920; Y.B. Sep. 823, pp. 468-470. 1920.
Wolf-grape. See Bittersweet.
Wolf-in-tail, cattle, imaginary disease, caution against local treatment. B.A.I. Cir. 68, rev., p. 6. 1908.
Wolf tail grass, description. D.B. 772, p. 139. 1920.
WOLFANGER, L. A.: "Soil survey of—
Chase County, Nebr." With R. F. Rogers. Soil Sur. Adv. Sh., 1917, pp. 66. 1919; Soils F.O., 1917, pp. 1791-1852. 1923.
Cheyenne County, Nebr." With others. Soil Sur. Adv. Sh., 1918, pp. 39. 1920; Soils F.O., 1918, pp. 1405-1439. 1924.
Deuel County, Nebr." With others. Soil Sur. Adv. Sh., 1921, pp. 707-755. 1924.
Perkins County, Nebr." With others. Soil Sur. Adv. Sh., 1921, pp. 46. 1925; Soils F.O., 1921, pp. 883-928. 1927.
Perry County, Ark." With others. Soil Sur. Adv. Sh., 1920, pp. 493-536. 1923; Soils F.O., 1920, pp. 493-536. 1925.
Redwillow County, Nebr." With A. W. Goke. Soil Sur. Adv. Sh., 1919, pp. 48. 1921; Soils F.O., 1919, pp. 1713-1756. 1925.
Sheridan County, Nebr." With others. Soil Sur. Adv. Sh., 1918, pp. 60. 1921; Soils F.O., 1918, pp. 1441-1496. 1924.
Wolfberry—
distribution. N.A. Fauna 22, p. 12. 1902.
in Colorado, description. N.A. Fauna 33, p. 245. 1911.

Wolfberry—Continued.
   in Wyoming, distribution and growth. N.A. Fauna 42, p. 78. 1917.
WOLFE, S. L.: "Pointers on marketing woodlot products." Y.B., 1915, pp. 121-129. 1916; Y.B. Sep. 662, pp. 121-129. 1916.
WOLFF, MAX, experiments concerning tuberculosis. B.A.I. Bul. 52, Pt. II, p p. 90-91, 99. 1905; B.A.I. Bul. 53, pp. 41-42, 62. 1904.
Wolff Eisner, ophthalmo-tuberculin test. F.B. 351, p. 4. 1909; B.A.I. An. Rpt., 1907, p. 202. 1909.
Wolff-Lehmann feeding standards for cattle. F.B. 325, p. 16. 1908.
Wolffia. See Duckweeds.
Wolffiella. See Duckweeds.
WOLL, F. W.—
   "Official and provisional methods of analysis, A. O. A. C." With others. Chem. Bul. 107, pp. 230. 1907.
   report on dairy products, 1907. Chem. Bul. 116, pp. 53-59. 1908.
WOLLABER, A. B.: "Should not thermographs be furnished to voluntary observers * * *?" W.B. Bul. 31, pp. 219-220. 1902.
WOLLENWEBER, H. W.—
   "Fundamentals for taxonomic studies of Fusarium." With others. J.A.R., vol. 30, pp. 833-843. 1925.
   "Identification of species of Fusarium occuring on the sweet potato, *Ipomea batatas*." J.A.R., vol. 2, pp. 251-286. 1914.
Wolverene—
   Alaska and Yukon Territory. N.A. Fauna 24, pp. 26-27. 1904; N.A. Fauna 30, pp. 57-58, 83-84. 1909.
   Athabaska-Mackenzie region, description. N.A. Fauna 27, pp. 239-241. 1908.
   Hudson Bay (*Gulo luscus*), range and habits. N.A. Fauna 22, p. 69. 1902.
   occurrence in—
      Colorado, description. N.A. Fauna 33, pp. 191-192. 1911.
      Montana. Biol. Cir. 82, p. 23. 1911.
   protection in Alaska regulations. Biol. S.R.A. 56, pp. 1-3. 1923.
   range and habits. N.A. Fauna 21, p. 70. 1901; N.A. Fauna 24, pp. 46-47. 1904.
"Wolves," common name for ox warbles. News L. vol. 3, No. 24, p. 1. 1916.
WOLVERTON, C. E., Judge, decision on 28-hour law, Oregon, 1906. Sol. Cir. 30, pp. 4. 1910.
Woman's Christian Temperance Unions, number in United States. D.B. 719, p. 3. 1918.
Womb—
   cow—
      dilation, directions. B.A.I., [Misc.], "Diseases of cattle," rev., pp. 147,173. 1904; rev., pp. 150, 177-178. 1912; rev., pp. 150, 176. 1923.
      diseased conditions before and after calving. B.A.I. [Misc.], "Diseases of cattle," rev., pp. 154, 158, 159-161, 174-175, 210-222. 1904; rev., pp. 157, 161-162, 163-164, 178-179, 216-228. 1912; rev., pp. 157, 162, 163-164, 176-178, 214-226. 1923.
      inflammation, causes, symptoms, and treatment. B.A.I., [Misc.], "Diseases of cattle," rev., pp. 220-222. 1904; rev., pp. 226-228. 1912; rev., pp. 224-226. 1923
      rupture, cause, and treatment. B.A.I., [Misc.], "Diseases of cattle," rev., p. 215. 1904; rev., p. 221. 1912; rev., pp. 219-220. 1923.
   mare, diseased conditions. B.A.I., [Misc.]. "Diseases of the horse," rev., pp. 158, 168-171, 184-188. 1903; rev., pp. 158, 168-171, 184-188. 1907; rev., pp. 158, 168-171, 184-188. 1911; rev. pp. 179-180, 189-185. 1923.
Women—
   adaptability to seed selection requiring fine discrimination. B.P.I. Cir. 66, p. 11. 1910.
   agents—
      demonstration work in Kentucky and Virginia. Y.B., 1915, pp. 234, 245. 1916; Y.B. Sep. 672, pp. 234, 245. 1916.
      in extension work, number, and duties. An. Rpts., 1916, pp. 315, 316-317, 319, 323. 1917; S.R.S. Rpt., 1916, pp. 19, 20-21, 23-27. 1916.

Women—Continued.
   agricultural—
      education, continental countries. O.E.S. Bul. 163, pp. 10, 13, 32. 1905.
      education, progress in Belgium. O.E.S. An. Rpt., 1912, pp. 287-288. 1913.
      instruction, various colleges. O.E.S. Cir. 106, rev., pp. 27-28. 1912.
      laborers, percentages. Stat. Bul. 94, pp. 13, 14, 16, 22-29. 1912.
   aid—
      in farm labor during war. D.C. 37, p. 15. 1919.
      in fruit gathering in Oregon. News L., vol. 5, No. 48, p. 7. 1918.
      to armies, appeal of President. Food Thrift Ser., No. 4, p. 1. 1917.
   colleges offering agricultural education to. O.E.S. Cir. 106, p. 24. 1911.
   county agents—
      home demonstration work. S.R.S. Doc. 40, pp. 27-28, 30. 1918.
      number in different States. S.R.S. Doc. 40, pp. 25-26. 1917.
      number of counties having, by States. S.R.S. Doc. 40, rev., p. 29. 1919.
      work in South. Sec. Cir. 56, p. 13. 1916.
      work in South, instances and results. Y.B., 1916, pp. 251-266. 1917; Y.B. Sep. 710, pp. 1-16. 1917.
   crop reporting work. Rpt. 106, p. 22. 1915.
   extension work in North and West. S.R.S. An. Rpt., 1921, pp. 5, 44-48. 1921.
   farm—
      address by Assistant Secretary Clarence Ousley Sec. [Misc.], "Women on the farm," pp. 12. 1918.
      agricultural extension work in foreign countries. O.E.S. An. Rpt., 1912, pp. 355, 356. 1913.
      aid by home demonstration work. Y.B., 1921, pp. 36-37. 1922; Y.B. Sep. 875, pp. 36-37. 1922.
      American conditions. Edward B. Mitchell. Y.B., 1914, pp. 311-318. 1915; Y.B. Sep. 644, pp. 311-318. 1915.
      cooperation for broader agricultural opportunities. D.B. 719, pp. 8-9. 1918.
      demonstration and extension work—
         1917. An. Rpts., 1917, pp. 340-342, 353-354. 1918; S.R.S. An. Rpt., 1917, pp. 18-20, 31-32. 1917.
         1918; An. Rpts., 1918, pp. 355, 366-367. 1919; S.R.S. An. Rpt., 1918, pp. 21, 32-33. 1918.
         1919. An. Rpts., 1919, pp. 372-374, 381-383. 1920; S.R.S. An. Rpt., 1919, pp. 20 22, 29-31. 1919.
      economic importance and home conditions. D.C. 148, pp. 3, 6-16. 1920.
      help under the Smith-Lever Extension Act. Rpt., 103, pp. 89-90. 1915; Rpt. 104, pp. 89-90. 1915; Rpt. 105, pp. 77-80. 1915.
      insanity, statements refuted. Stat. Bul. 99, pp. 71-72. 1912.
      interests, list of free and available publications of the United States Department of Agriculture. Sec. [Misc.], "List of free * * *," pp. 11. 1913.
      labor in allied countries of Europe. Sec. [Misc.], "Report * * * agricultural commission * * *," pp. 10-11, 12, 32. 1919.
      outdoor working conditions, reports. D.C. 148, pp. 10-12, 18, 21-22. 1920.
      problems. Florence E. Ward. D.C. 148, pp. 24. 1920.
      remuneration. Rpt. 106, pp. 7-20. 1915.
      short courses by agricultural high school. Y.B., 1910, p. 186. 1911.
      summer camps for. Off. Rec., vol. 4, No. 25, p. 6. 1925.
      use of city exchange for sale of products. News L., vol. 7, No. 5, p. 7. 1919.
      vacation camps. Off. Rec., vol. 4, No. 35, p. 2. 1925.
      wages, rates, and conditions affecting, tables. Stat. Bul. 99, pp. 66-70. 1912.
   work—
      conditions and changes since 1781. Stat. Bul. 94, pp. 27-29. 1912.
      in caring for livestock. Sec. Cir. 122, pp. 4-5. 1918.
   See also Farm women.

Women—Continued.
farmers' institutes for. John Hamilton. O.E.S. Cir. 85, pp. 16. 1909.
food—
needs. F.B. 1383, pp. 1, 2. 1924.
requirements—
as compared to men. Y.B. 1907, p. 365. 1908; Y.B. Sep. 454, p. 365. 1908.
comparison with men and children. O.E.S. Cir. 110, pp. 13-14. 1911.
foreign—
aid by thrift kitchens. News L., vol. 6, No. 44, p. 15. 1919.
born, Americanization. News L., vol. 6, No. 24, p. 14. 1919.
teaching to cook. News L., vol. 6, No. 45, p. 15. 1919.
garments, suitability and economy in material, design, and color. F.B. 1089, pp. 14-20. 1920.
home demonstration work—
1918. S.R.S. Rpt., 1918, pp. 17-18, 49-59, 74, 87-95. 1919.
in South. S.R.S. Rpt., 1921, pp. 32-34, 37. 1921.
horticultural courses in England. O.E.S. Bul. 204, pp. 34-37. 1909.
house work on farms, conditions, and means of improvement. D.C. 148, pp. 7-10, 19, 24. 1920.
Indian, class organization for food studies. News L., vol. 5, No. 51, p. 8. 1918.
institutes in England, activities. Off. Rec., vol. 2, No. 19, p. 5. 1923.
labor on—
farms, usefulness. Sec. Cir. 112, pp. 4, 7, 9. 1918.
New Jersey farms. D.B. 1285, pp. 13, 22, 26, 30. 1925.
membership in farm bureau organizations. D.C. 141, p 11. 1920.
money-making methods. News L., vol. 7, No. 15, p. 13. 1919.
Negro, demonstration work, results. D.C. 190, pp. 13-16. 1921.
organized work, benefit to home life, rural sections. D.B. 719, pp. 5-8. 1918.
remuneration on farm. Rpt. 106, pp. 7-20. 1915.
rest rooms in marketing centers. Anne M. Evans. Y.B., 1917, pp. 217-224. 1918; Y.B. Sep. 726, pp. 10. 1918.
rural organizations and their activities. Anne M. Evans. D.B. 719, pp. 15. 1918.
selection and efficiency as meat inspectors. News L., vol. 6, No. 25, p. 10. 1919.
success in sorting and packing fruit. F.B. 1204, p. 14. 1921.
wages on—
farm, rates and and conditions affecting, tables, Stat. Bul. 99, pp. 66-70. 1912.
Southern plantations. D.B. 1269, p. 26. 1924.
work—
and efficiency as cow testers. News L., vol. 6, No. 17, p. 6. 1918.
as farm help, methods. News L., vol. 5, No. 36, p. 6. 1918.
in food production, letter of Agriculture Secretary to Council of National Defense. News L., vol. 6, No. 3, p. 2. 1918.
in homes for Government, appeal by Secretary. News L., vol. 4, No. 41, p. 1. 1917.

Women's—
Bureau, for farm women, suggestions. Rpt. 105, pp. 59-60. 1915.
clubs—
canning and home-demonstration, work in South, 1916-1917. News L., vol. 5, No. 21, p. 4. 1917.
desirability in rural sections. Rpt. 103, pp. 27-31. 1915.
enrollment and work, 1918. S.R.S. An. Rpt., 1918, pp. 17, 50-59. 1919.
establishment of rest and lunch rooms. News L., vol. 3, No. 49, p. 2. 1916.
marketing of own production in Tennessee. News L., vol. 6, No. 7, pp. 6-7. 1918.
meetings in demonstration kitchen. News L., vol. 6, No. 42, p. 15. 1919.
use of community buildings. F.B. 1274, pp. 14, 28, 31-32. 1922.

Women's—Continued.
clubs—continued.
work in homes and communities. An. Rpts., 1916, pp. 316, 317. 1917; S.R.S. An. Rpt., 1916, pp. 20, 21. 1916.
exchanges for farm women, suggestion. Rpt. 106, p. 51. 1915.
institutes—
importance. An. Rpts., 1910, pp. 743, 744. 1911; O.E.S. Chief Rpt., 1910, pp. 13, 14. 1910.
method of conducting. O.E.S. Bul. 238, pp. 64-65. 1911.
needs of farm women, discussion. Rpt. 105, pp. 57-59. 1915.
number and attendance, 1911. An. Rpts., 1911, p. 692. 1912; O.E.S. Chief Rpt., 1911, p. 10. 1911.
organization—
1910, and objects. O.E.S. An. Rpt., 1910, pp. 57, 388, 392. 1911.
1911. O.E.S. An. Rpt., 1911, pp. 50, 349. 1912.
1912. O.E.S. An. Rpt., 1912, p. 335. 1913.
and results. O.E.S. Bul. 225, pp. 40-45. 1910.
plans and objects. O.E.S. Bul. 238, pp. 55-64. 1911.
report and discussion. O.E.S. Bul. 256, pp. 16, 70, 75. 1913.
teachers' qualifications, discussion. O.E.S. Bul. 238, pp. 65-67. 1911.
Land Army—
Great Britain, organization and work. Sec. [Misc.], "Report * * * agricultural commission * * *," pp. 10-11. 1919.
labor during war. S.R.S. An. Rpt., 1918, p. 85. 1919.
organizations for conservation work. Mkts. Doc. 6, p. 7. 1917.
rest rooms, equipment, description, and cost. Y.B., 1917, pp. 219-220. 1918; Y.B. Sep. 726, pp. 5-6. 1918.
Volunteer Aid, American Red Cross, organization in Agriculture Department, officers, members, and work. News L., vol. 5, No. 46, p. 15. 1918.
work, aid by women county agents. News L., vol. 2, No. 21, p. 4. 1914.
Wonder herbs, Dr. Sayman's, misbranding. Chem. N.J. 13191. 1925.
Wonder oil, Dr. Bennett's, misbranding. Chem. N.J. 2106, p. 1. 1913.
Wonder workers, danger in use. F.B. 393, p. 15. 1910.
Wonderberry—
growing, Nevada, for home garden. B.P.I. Cir. 110, p. 25. 1913.
poisonous property, study. An. Rpts., 1910, p. 298. 1911; B.P.I. Chief Rpt., 1910, p. 28. 1910.
Wong pi. See Wampi.
Wood, A. K.: "Studies of fungous parasites belonging to the genus Glomerella." With C.L. Shear. B.P.I. Bul. 252, pp. 110. 1913.
Wood, Angeline—
"Illustrated lecture on the homemade fireless cooker." With K. C. Davis. O.E.S. Syl. 15, pp. 15. 1914.
recipes for use with fireless cooker. F.B. 771, pp. 13-16. 1916.
Wood, H. P.—
"Eradication of lice on pigeons." D.C. 213, pp. 4. 1922.
"Experiments in the use of sheep in the eradication of the Rocky Mountain spotted fever tick." D.B. 45, pp. 11. 1913.
"Mites and lice on poultry." With F. C. Bishopp. F.B. 801, pp. 27. 1917.
"The chicken mite: Its life history and habits." D.B. 553, pp. 15. 1917.
"The life-history and bionomics of some North American ticks." With others. Ent. Bul. 106, pp. 239. 1912.
"Tropical fowl mite in the United States." D.C. 79, pp. 8. 1920.
Wood, I. C.: "The relation of the dairy industry to child welfare." B.A.I. Dairy [Misc.], "World's dairy congress, 1923," pp. 139-142. 1924.
Wood, M. N.: "Almond varieties in the United States." D.B. 1282, pp. 142. 1924.

2658 UNITED STATES DEPARTMENT OF AGRICULTURE

WOOD, P. O.: "Soil survey of—
Bradford County, Pa." With others. Soil Sur. Adv. Sh., 1911, pp. 41. 1913; Soils F.O., 1911, pp. 231–267. 1914.
Cherokee County, Kans." With R. I. Throckmorton. Soil Sur. Adv. Sh., 1912, pp. 42. 1914; Soils F. O., 1912, pp. 1785–1822. 1915.
Concordia Parish, La." With others. Soil Sur. Adv. Sh., 1910, pp. 35. 1911; Soils F.O., 1910, pp. 827–857. 1912.
East Feliciana Parish, La." With C. J. Mann. Soil Sur. Adv. Sh., 1912, pp. 41. 1913; Soils F.O., 1912, pp. 969–1105. 1915.
Grayson County, Tex." With others. Soil Sur. Adv. Sh., 1909, pp. 35. 1910; Soils F.O., 1909, pp. 951–983. 1912.
Jeff Davis County, Ga." With others. Soil Sur. Adv. Sh., 1913, pp. 34. 1914; Soils F.O., 1913, pp. 445–474. 1916.
Livingston County, N. Y." With others. Soil Sur. Adv. Sh., 1908, pp. 91. 1910; Soils F.O., 1908, pp. 71–157. 1911.
Marinette County, Wis." With S. Weidman. Soil Sur. Adv. Sh., 1909, pp. 39. 1911; Soils F. O., 1909, pp. 1233–1267. 1912.
Tift County, Ga." With J. C. Britton. Soil Sur. Adv. Sh., 1909, pp. 20. 1910; Soils F.O., 1909, pp. 603–618. 1912.
Waukesha County, Wis." With others. Soil Sur. Adv. Sh., 1910, pp. 48. 1912; Soils F.O., 1910, pp. 1173–1216. 1912.
WOOD, PETER: "Value of the dew point in forecasting weather under certain conditions." W.B. Bul. 31, pp. 152–153. 1902.
WOOD, R. H.: "Incubation and incubators." F.B. 236, pp. 31. 1905.
WOOD, W. B.—
"Further notes on *Laspeyresia molesta*." With E. R. Selkregg. J.A.R., vol. 13, pp. 59–72. 1918.
"*Laspeyresia molesta*, an important new insect enemy of the peach." With A. L. Quaintance. J.A.R., vol. 7, pp. 373–378. 1916.
WOOD, W. D.: "Unit requirements for producing market milk in southeastern Louisiana." With others. D.B. 955, pp. 15. 1921.
WOOD, W. L.: "Experiments in the use of sheep in the eradication of the Rocky Mountain spotted-fever tick." D.B. 45, pp. 9. 1913.
Wood(s) (timber)—
absorption of creosote by cell walls. Clyde H. Teesdale. For. Cir. 200, pp. 7. 1912.
airplane—
decays and discolorations. J. S. Boyce. D.B. 1128, pp. 52. 1923.
drying schedules D.B. 1136, pp. 38–39. 1923.
Alaskan, study. Off. Rec., vol. 1, No. 30, p. 2. 1922.
alcohol. See Alcohol, wood.
American—
composition, discussion. Y.B., 1902, pp. 321–331. 1903.
testing, references to publications, and list. D.B. 556, pp. 4–5, 46–47. 1917.
tyloses, occurrence and significance. J.A.R., vol. 1, pp. 445–470. 1914.
analyses, methods, results, and discussion. Chem. Bul. 90, pp. 198–205. 1905.
annual—
consumption in States by wood manufacturing industries. D.B. 605, pp. 4–7. 1918.
production and consumption. Y.B., 1923, p. 1077. 1924; Y.B. Sep. 904, p. 1077. 1924
ash(es)—
characteristics. D.B. 523, pp. 15–27. 1917.
fuel value, equivalent to coal. D.B. 523, p. 15. 1917.
potash—
and phosphoric acid content, fertilizer value. News L., vol. 3, No. 14, p. 6. 1915.
source, quantity and value, United States. Y.B., 1912, pp. 524–525. 1913; Y.B. Sep. 611, pp. 524–525. 1913.
use on rose beds to control strawberry root-worm. F.B. 1344, p. 12. 1923.
See also Ashes, wood.
aspen, consumption in United States, 1908, yield per acre. For. Bul. 93, pp. 13–14. 1911.
aspen, uses. F.B. 1154, p. 4. 1920.

Wood(s) (timber)—Continued.
Australian, kiln drying. Off. Rec., vol. 1, No. 30, p. 3. 1922.
avocado, uses, note. D.B. 743, p. 5. 1919.
balsam fir, structure. D.B. 55, pp. 31–32. 1914.
bending tests. D.B. 556, pp. 12–16, 24. 1917.
betony. See Bugleweed.
blocks, sampling and testing for road work. D.B. 1216, pp. 42–43. 1924.
"blued," cause for color unknown. D.B. 1037, pp. 11–12. 1922.
boring insects, damage to telephone and telegraph poles. T. E. Snyder. Ent. Cir. 134, pp. 6. 1911.
Brazilian, importations and descriptions. Nos. 34356–34359, B.P.I. Inv. 33, p. 11. 1915.
broad-leaved, use in production of ethyl alcohol, experiments. D.B. 983, pp. 58–59, 62–63. 1922.
bug, name for lesser grain borer. Ent. Bul. 96, Pt. III, p. 33. 1911.
burning for relief to freight congestion. News L., vol. 5, No. 17, p. 7. 1917.
cabinet—
imports—
1851–1908. Stat. Bul. 51, p. 29. 1909.
1908. For. Cir. 162, p. 27. 1909.
See also Forest products, imports.
properties, and prices, comparison with black walnut. D.B. 909, pp. 5, 41. 1921.
chemical—
composition, methods of analysis. For. [Misc.], "Forest products * * *," p. 37. 1922.
treatment for fungi control. D.B. 1037, pp. 32–48, 51. 1922.
coatings, moisture-proof. For. [Misc.], "Forest products * * *," p. 27. 1922.
coffee tree, description and use. For. Cir. 91, rev., p. 2. 1907.
color changes, causes and indications. D.B. 1128, pp. 14–17. 1923.
commercial—
of United States—
beech, birches, and maples. H. Maxwell. D.B. 12, pp. 56. 1913.
uses: I. Cedars, cypresses, and sequoias. William L. Hall and Hu Maxwell. For. Bul. 95, pp. 62. 1911.
uses: II. Pines. William L. Hall and Hu Maxwell. For. Bul. 99, pp. 96. 1911.
runs, kinds. D.B. 343, pp. 148–149. 1916.
composition and condition in gipsy-moth infested territory. D.B. 484, Pt. I, pp. 4–8. 1917.
computing, formulae used. D.B. 556, pp. 24–25. 1917.
compression tests. D.B. 556, pp. 16–17, 25. 1917.
conductivity, determination. J.A.R., vol. 2, p. 423. 1914.
coniferous, use in production of ethyl alcohol, experiments. D.B. 983, pp. 57–58, 62. 1922.
conservation studies. An. Rpts., 1923, p. 279. 1923; B.P.I. Chief Rpt., 1923, p. 25. 1923.
consumption—
for family use on farm. D.B. 410, p. 30. 1916.
for pulpwood, by species, and States, cost, etc. D. B. 758, pp. 3, 9–14. 1919.
in Arkansas, amount, value, etc. For. Bul. 106, pp. 7–21. 1912.
in Porto Rico. D.B. 354, pp. 40–42. 1916.
in United States. Off. Rec., vol. 2, Nos. 32, 33. p. 3. 1923.
per capita, United States, Germany, and France. For. Cir. 166, p. 23. 1909.
total annual. For. Cir. 129, p. 14. 1907.
cord measurement, directions for spruce and fir, D.B. 55, pp. 20–22, 49–56. 1914.
creosote, volatilization of various fractions after injection. C. H. Teesdale. For. Cir. 188, pp. 5. 1911.
creosoted—
moisture estimation. Arthur L. Dean. For. Cir. 134, pp. 7. 1908.
pavement, cost, service, and durability. For. Cir. 141, pp. 7–10. 1908.
crops, time requirements to grow. F.B. 1202, p. 54. 1921.
cypress, physical and mechanical properties. D.B. 272, pp. 6–10. 1915.
dead, preservative treatment. For. Bul. 78, p. 31. 1909.

INDEX TO PUBLICATIONS, 1901–1925

Wood(s) (timber)—Continued.
 decay—
  caused by fungi. F.B. 744, pp. 2–4. 1916.
  causes, list of fungi. D.B. 1298, pp. 4–6. 1925.
  diagnosis. Ernest E. Hubert. J.A.R., vol. 29, pp. 523–567. 1924.
  sap-stain, and mold control. Nathaniel O. Howard. D.B. 1037, pp. 55. 1922.
  susceptibility, relation to origin and cutting time. B.P.I. Bul. 149, pp. 65–66. 1909.
 defects and preservative treatment, bibliography. D.B. 1128, pp. 45–49. 1923.
 demand, means of meeting. For. Cir. 159, pp. 13–15. 1909.
 density—
  and porosity. J.A.R., vol. 2, pp. 423–428. 1914.
  determinations, various kinds. J.A.R., vol. 2, pp. 426–427. 1914.
  measure of strength. News L., vol. 6, No. 52, p. 7. 1919.
 destroying fungi, two new species. J.A.R., vol. 2, pp. 163–166. 1914.
 destruction by fungi, study. B.P.I. Bul. 266, pp. 25, 42. 1913.
 distillation—
  W. C. Geer. For. Cir. 114, pp. 8. 1907.
  alcohol production from mill waste. An. Rpts., 1912, p. 239. 1913; Sec. A.R., 1912, p. 239. 1912; Y.B., 1912, p. 239. 1913.
  apparatus—
   and manufacturing processes. Chem. Cir. 36, pp. 12–23. 1907.
   temperatures and results. D.B. 129, pp. 1–16. 1914.
  encouragement by Mississippi laws. News L., vol. 6, No. 7, p. 7. 1918.
  experiments. An. Rpts., 1911, pp. 410–411. 1912; For. A.R., 1911, pp. 70–71. 1911.
  methods, improvement. News L., vol. 6, No. 47, p. 6. 1919.
  products—
   1912. An. Rpts., 1912, pp. 57, 200. 1913; D.C. 231, pp. 33–35. 1922; Sec. A.R., 1912, pp. 57, 200. 1912; Y.B., 1912, pp. 57, 200. 1913.
   development of industries, suggestions. Chem. Cir. 36, pp. 43–47. 1907.
   industries demanding. For. Serv. Inv. No. 2, pp. 43–48. 1913.
   values, yields, operating expenses. Chem. Cir. 36, pp. 43–45. 1907.
   yield per cord, different methods. For. Cir. 114, pp. 3, 5, 7. 1907.
  statistics—
   Chem. Cir. 36, pp. 7–9. 1907.
   by States. Y.B., 1924, pp. 1036–1037. 1925.
  studies—
   1910, scope and value. An. Rpts., 1910, p. 413. 1911; For. A.R., 1910, p. 53. 1910.
   1912. An. Rpts., 1912, pp. 545–546. 1913; For. A.R., 1912, pp. 87–88. 1912.
   1913. An. Rpts., 1913, p. 188. 1914; For. A.R., 1913, p. 54. 1913.
 distilling plants, portable, description, capacity, and cost. D.B. 1003, pp. 53–54, 67. 1921.
 drying—
  investigations. An. Rpts., 1911, p. 407. 1912; For. A.R., 1911, p. 67. 1911.
  principles. D.B. 1136, p. 5. 1923.
  schedules. For. [Misc.], "Forest products * * *," p. 18. 1922.
  studies—
   and cooperative work. An. Rpts., 1917, pp. 166, 167, 195, 196. 1917; For. A.R., 1917, pp. 4, 5, 33, 34. 1917.
   and new type of kiln. An Rpts., 1912, p. 542. 1913; For. A.R., 1912, p. 84. 1912.
   Forest Products Laboratory. An. Rpts., 1919, pp. 205–206. 1920; For. A.R., 1919, pp. 29–30. 1919.
   Forest Service. An. Rpts., 1914, p. 162. 1915; For. A.R., 1914, p. 34. 1914.
 durability, factors affecting. D.B. 1128, p. 31. 1923.
 elm, characteristics, properties, and structure. D.B. 683, pp. 2–7. 1918.
 equivalent in coal as fuel, weight per cord, etc. D.B. 718, p. 59. 1918.
 eucalyptus, characteristics. For. Cir. 179, p. 8. 1910.

Wood(s) (timber)—Continued.
 exports—
  1851–1908. Stat. Bul. 51, pp. 18–22. 1909.
  1881–1903, from countries. For. Cir. 159, pp. 10, 12. 1909.
  1907–1914, countries to which consigned. Y.B., 1914, p. 682. 1915; Y.B. Sep. 657, p. 682. 1915.
  1908, unmanufactured. For. Cir. 162, p. 9. 1909.
  1908, summary. For. Cir. 162, p. 19. 1909.
  1921. Y.B., 1921, pp. 745, 749, 768. 1922; Y.B. Sep. 867, pp. 9, 13, 22. 1922.
  1922–1924, by kinds. Y.B., 1924, pp. 1047–1048. 1925.
  and imports—
   1907. For. Cir. 153, pp. 5, 6, 8–17, 19–26. 1908.
   forest countries. For. Cir. 140, p. 30. 1908.
  See also Forest products, exports.
 farm, care and improvement. C. R. Tillotson. F.B. 1177, rev., pp. 27. 1920.
 fiber, paper making, microscopic identification. Rpt. 89, p. 27. 1909.
 fireproofing—
  investigations. For. [Misc.], "Forest products * * *," p. 25. 1922.
  work of Forest Products Laboratory. D.C. 231, p. 25. 1922.
 firms using, lists for farmers. Y.B., 1914, pp. 447, 449, 450. 1915; Y.B. Sep. 651, pp. 447, 449, 450. 1915.
 flooring, soft and hard, qualities. F.B. 1219, pp. 5–6. 1921.
 flumes, various States, description, values, etc. D.B. 194, pp. 21, 32–35, 48–50, 64. 1915.
 for meat smoking, varieties in use. For. Cir. 187, pp. 7–8. 1911.
 for packing boxes, use in New England. J. P. Wentling. For. Cir. 78, pp. 4. 1907.
 formation of, study with microscope. J.A.R., vol. 30, pp. 88–91. 1925.
 fuel—
  burning in stoves, furnaces, or fireplaces, methods. D.B. 753, pp. 24–27. 1919.
  heating value of different woods. D.B. 753, pp. 27–33. 1919.
  preparation for sawing, methods. F.B. 1023, pp. 3–6. 1919.
  producing and marketing, various storages, methods, cost, etc. D.B. 753, pp. 9–24. 1919.
  proportion of timber cut. Off. Rec., vol. 3, No. 25, p. 5. 1924.
  reserve for 1918–1919 winter, necessity. News L., vol. 5, No. 32, p. 7. 1918.
  selling by weight. News L., vol. 6, No. 32, pp. 9–10. 1919.
  use—
   annual consumption, 1916, 1917. D.B. 753, p. 3. 1919.
   importance in coal conservation. D.B. 753, pp. 2–6, 38. 1919.
   increase. An. Rpts., 1918, p. 199. 1918; For. A.R., 1918, p. 35. 1918.
   increased by coal shortage. Y.B., 1918, pp. 322–323. 1919; Y.B. Sep. 779, pp. 8–9. 1919.
   on farms, number of farms, cords per farm, value, by States. D.B. 753, p. 4. 1919.
   promotion and methods. D.B. 753, pp. 35–36, 38. 1919.
   value of various kinds, studies. News L., vol. 2, No. 23, p. 1. 1915.
 furniture, selection. Y.B., 1914, p. 356. 1915; Y.B. Sep. 646, p. 356. 1915.
 fustic, substitutes and adulterants. George B. Sudworth and Clayton D. Mell. For. Cir. 184, pp. 14. 1911.
 future supply. For. Cir. 166, p. 23. 1909.
 gluing, demonstration course, details and cost. M.C. 8, pp. 15–18, 20. 1923.
 green—
  and air-dry, weight, discussion. D.B. 556, pp. 11–12. 1917.
  mold, sap-stain, and incipient decay, with special reference to vehicle stock. Nathaniel O. Howard. D.B. 1037, pp. 55. 1922.
 grinding for paper making, efficiency-increasing methods. D.B. 343, pp. 64–66. 1916.

Wood(s) (timber)—Continued.
  grown in United States, mechanical properties—
    J. A. Newlin and Thomas R. C. Wilson. D.B. 556, pp. 47. 1917.
  tests. For. Cir. 213, pp. 4. 1913.
  heating value—
    comparison to coal. Sec. Cir. 79, pp. 4–5. 1917.
    of various species compared to coal. D.B. 481, p. 36. 1917.
  hickory, strength, tests, and factors affecting. For. Bul. 80, pp. 41–57. 1910.
  home production in United States, importance for future. D.B. 638, p. 10. 1918.
  identification. D.C. 231, p. 20. 1922; Off. Rec., vol. 3, No. 50, p. 5. 1924.
  importance in New England towns. M.C. 39, p. 24. 1925.
  importation and description. No. 42182, B.P.I. Inv. 46, p. 62. 1919.
  imports—
    1907–1909, quantity and value by countries from which consigned. Stat. Bul. 82, pp. 69–72. 1910.
    1908–1910, quantity and value, by countries from which consigned. Stat. Bul. 90, pp. 72–76. 1911.
    1917–1919, 1910–1919. Y.B., 1920, pp. 7, 44. 1921; Y.B. Sep. 864, pp. 7, 44. 1921.
    and exports—
      1903–1907. Y.B., 1907, pp. 741, 750. 1908; Y.B. Sep. 465, pp. 741, 750. 1908.
      1907–1911, and imports, 1862–1911. Y.B., 1911, pp. 661–662, 671, 689–691. 1912; Y.B. Sep. 588, pp. 661–662, 671, 689–691. 1912.
      1908–1912, and imports, 1862–1912. Y.B., 1912, pp. 718–719, 729–730, 748–750. 1913; Y.B. Sep. 615, pp. 718–719, 729–730, 748–750. 1913.
      1911–1913, and 1852–1913. Y.B., 1913, pp. 495, 503, 513. 1914; Y.B. Sep. 360, pp. 495, 503, 513. 1914.
      1912–1914 and 1907–1914. Y.B., 1914, pp. 654, 661, 682, 687. 1915; Y.B. Sep. 657, pp. 654, 661, 682, 687. 1915.
      1913–1915 and 1852–1915. Y.B., 1915, pp. 543, 550, 561, 570, 575. 1916; Y.B. Sep. 685, pp. 543, 550, 561, 570, 575. 1916.
      1914–1916, and 1852–1916. Y.B., 1916, pp. 710, 717, 728, 737, 742. 1917; Y.B. Sep. 722, pp. 4, 11, 22, 31, 36. 1917.
      1919–1921. Y.B., 1922, pp. 951, 957, 961, 981. 1923; Y.B. Sep. 880, pp. 951, 957, 961, 981. 1923.
    by countries from which consigned, 1909–1911. Stat. Bul. 95, pp. 76–80. 1912.
    in detail, 1851–1908. Stat. Bul. 51, pp. 29–31. 1909.
    statistics. Y.B., 1921, pp. 739–740, 749, 768. 1922; Y.B. Sep. 867, pp. 3–4, 13, 32. 1922.
    See also Forest products, imports.
  industrial uses in New England, 1917–1918, cost, comparison with soft coal. D.B. 753, pp. 5–6. 1919.
  industries—
    help by forestry war work. News L., vol. 6, No. 47, p. 5. 1919.
    investigations. An. Rpts., 1913, p. 189. 1914; For. A.R., 1913, p. 55. 1913.
    New England, value, and number of employees. Sec. Cir. 129, p. 5. 1919.
    studies by Forest Service. An. Rpts., 1914, pp. 163–164. 1915; For. A.R., 1914, pp. 35–36. 1914.
    using sycamore. D.B. 884, pp. 9–18, 24. 1920.
  injury(ies)—
    by lead-cable borers. D.B. 1107, pp. 10–11. 1922.
    by sapsuckers, list. Biol. Bul. 39, pp. 62–91. 1911.
    in seasoning. D.B. 552, pp. 11–12. 1917.
  insect injuries—
    dying and dead trees. A. D. Hopkins. Ent. Cir. 127, pp. 3. 1910.
    living and dead trees. Ent. Bul. 58, pp. 60–64. 1910. Ent. Bul. 58, Pt. V, pp. 60–64. 1909.
  jack pine, characteristics, comparison with other pines. D.B. 820, pp. 22–23. 1920.

Wood(s) (timber)—Continued.
  kinds—
    and conditions, in cooking before grinding. D.B. 343, p. 123. 1916.
    for pulping. D.B. 1298, pp. 6–7. 1925.
    for sulphite-process pulp, and consumption, 1900–1916. D.B. 620, pp. 2–4. 1918.
  kitchen utensils, advantages and disadvantages. Thrift Leaf. 10, p. 3. 1919.
  laminated, investigations. For. [Misc.], "Forest products * * *," p. 27. 1922.
  liability to powder-post injury. F.B. 778, p. 4. 1917.
  loblolly pine, characteristics, physical properties, shrinkage, and kiln drying. D.B. 11, p. 44. 1914.
  long-lived and short-lived, list. B.P.I. Bul. 149, p. 62. 1909.
  longleaf pine, classification, various uses. D.B. 1061, pp. 13–22. 1922.
  losses in conversion into pulp. D.B. 343, pp. 10–11, 14–15. 1916.
  losses, study. M.C. 39, p. 71. 1925.
  louse, description, habits, injury to marine woods. For. Cir. 128, pp. 6–8. 1908.
  lumber production by kinds, and States producing, 1918. D.B. 845, pp. 15–39, 42–47. 1920.
  machinery, improvement as a means of saving timber. M.C. 39, pp. 59–62. 1925.
  mahogany, characteristics and uses. D.B. 474, pp. 5–8. 1917.
  manufactures—
    miscellaneous, use of substitutes for wood. Rpt. 117, pp. 62–63, 73. 1917.
    uses of elm lumber. D.B. 14–28, 39–43. 1918.
  map showing surplus and deficiency, by States. M.C. 39, p. 84. 1925.
  marketing, cooperation advantages. Y.B., 1918, pp. 323–324. 1919; Y.B. Sep. 779, pp. 9–10. 1919.
  materials for repairing farm implements. F.B. 347, pp. 28–29. 1916.
  meal, processed, feed value. J.A.R., vol. 27, pp. 250, 251. 1924.
  mechanical properties—
    formulae for computing. D.B. 556, pp. 24–25. 1917.
    glossary. D.B. 556, pp. 20–24. 1917.
  minor species, lumber production, 1916, by States, kind, quantity, and lumber value. D.B. 673, p. 35. 1918.
  mixtures—
    grinder runs, tables. D.B. 343, pp. 121–122. 1916.
    quality tests, table. D.B. 343, p. 146. 1916.
  moisture—
    effect upon strength and stiffness. Harry Donald Tiemann. For. Bul. 70, pp. 144. 1906.
    occurrence and determination method. D.B. 1136, pp. 1–3. 1923.
  mold penetration, studies. Eloise Gerry. J.A.R., vol. 26, pp. 219–230. 1923.
  native, varieties, and electric conductivity. For. Bul. 111, pp. 31–35. 1912.
  Norway pine—
    description, strength tests, preservation, measurement. D.B. 139, pp. 7–11, 34–42. 1914.
    grades and prices. D.B. 139, pp. 13–14. 1914.
    volume tables. D.B. 139, pp. 34–42. 1914.
  oak—
    examination, structural characteristics, etc. For. Bul. 102, pp. 9–21. 1911.
    identification, analytical key and characteristics. For. Bul. 102, pp. 22–56. 1911.
    North American, identification. George B. Sudworth and Clayton D. Mell. For. Bul. 102, pp. 56. 1911.
  odorous, insecticidal value. An. Rpts., 1923, p. 397. 1923; Ent. A.R., 1923, p. 17. 1923.
  oils—
    distillation and refining. Chem. Cir. 36, pp. 27–31. 1907.
    from kukui and Chinese wood-oil trees. Hawaii A.R., 1915, pp. 13, 25. 1916.
    production, cost, possibilities of industry. B.P.I. Cir. 108, pp. 4–7. 1913.
    production, economic value, and cost. B.P.I. Cir. 108, pp. 3–5. 1913.

INDEX TO PUBLICATIONS, 1901–1925 2661

Wood(s) (timber)—Continued.
  oils—Continued.
    tree(s)—
      Chinese. David Fairchild. B.P.I. Cir. 108, pp. 7. 1913.
      Chinese, adaptability to various States. B.P.I. Cir. 108, p. 6. 1913.
      Chinese, cultivation and cost. B.P.I. Cir. 108, p. 4. 1913.
      Chinese, growing in Florida. An. Rpts., 1912, p. 424. 1913; B.P.I. Chief Rpt., 1912, p. 44. 1912.
      Chinese, importation and description. No. 29630, B.P.I. Bul. 233, p. 33. 1912; No. 34423, B.P.I. Inv. 33, p. 18. 1915; No. 35210, B.P.I. Inv. 35, p. 23. 1915.
      Chinese, introduction and use. B.P.I. Bul. 205, p. 34. 1911.
      Chinese, introduction into Gulf States. An. Rpts., 1912, p. 119. 1913; Sec. A. R., 1912, p. 119. 1912; Y.B., 1912, p. 119. 1913.
      Chinese, testing, in California and Gulf States. Y.B., 1916, p. 139. 1917; Y.B. Sep. 687, p. 5. 1917.
      free distribution by Agricultural Department, conditions, etc. B.P.I. Cir. 108, pp. 6, 7. 1913.
      hybrid with kukui nut, Hawaii, experiment. Hawaii A.R. 1916, pp. 8, 19. 1917.
      importations and description. Nos. 36574, 36608, 36897, B.P.I. Inv. 37, pp. 8, 33, 37–38, 80–81. 1916; Nos. 38945, 38986, B.P.I. Inv. 40, pp. 50, 54. 1917.
      importations, value. Y.B., 1916, p. 139. 1917; Y.B. Sep. 687, p. 5. 1917.
      introduction and value. An. Rpts., 1907, p. 332. 1908.
      Japan and China, seed importations, 1909, description and uses. B.P.I. Bul. 162, pp. 56–57. 1909.
  opportunity for choppers. News L., vol. 5, No. 14, p. 5. 1917.
  ornaments and blemishes caused by insects and birds, notes. Biol. Bul. 39, pp. 57–58. 1911.
  painting, preparation for. F.B. 1452, pp. 21–22. 1925.
  paper—
    from 125 species. Off. Rec., vol. 1, No. 30, p. 5. 1922.
    making—
      Rpt. 89, pp. 9, 14–15, 27. 1909.
      experimental problems. D.B. 343, p. 64. 1916.
      future supplies. D.B. 343, pp. 66–67. 1916.
  pavements, cost, durability, and methods. For. Cir. 141, pp. 1–24. 1908.
  paving in—
    Minneapolis, experiments, progress report. Francis M. Bond. For. Cir. 194, pp. 19. 1912.
    United States. C. L. Hill. For. Cir. 141, pp. 24. 1908.
  pencil, production of red cedar for. L. L. White. For. Cir. 102, pp. 19. 1907.
  penetrability, factors affecting. D.B. 606, pp. 9, 16–17. 1918.
  physical properties, definition. For. Bul. 95, pp. 6–11. 1911.
  pipe(s)—
    costs of laying and repairs. D.B. 155, pp. 22–24, 27–28, 32–33. 1914.
    durability, factors affecting. D.B. 155, pp. 33–40. 1914.
    for conveying water for irrigation. S.O. Jayne. D.B. 155, pp. 40. 1914.
  pith-ray flecks. H. P. Brown. For. Cir. 215, pp. 15. 1913.
  poplar—
    use for pulp making. F.B. 1154, p. 4. 1920.
    yellow, description and use. For. Cir. 93, rev., p. 2. 1910.
  porosity, substance, and density. Frederick Dunlap. J.A.R., vol. 2, pp. 423–428. 1914.
  Porto Rico, demand, supply and uses. D.B. 354, pp. 36, 40–44. 1916.
  preparation and grinding for pulp, methods. D.B. 343, pp. 9–10. 1916; For. Bul. 127, pp. 7, 8, 28. 1913.

Wood(s) (timber)—Continued.
  preservation—
    D.B. 606, pp. 1–36. 1918.
    and testing, laboratory work, 1915. An. Rpts., 1915, pp. 187–188. 1916; For. A.R., 1915, pp. 29–30. 1915.
    by—
      painting, study and records. M.C. 39, p. 65. 1925.
      seasoning. D.B. 1262, pp. 1–20. 1924.
      treatment. News L., vol. 6, No. 29, p. 13. 1919.
    chestnut pole, progress. For. Cir. 147, pp. 1–14. 1908.
    commercial processes, strength tests of structural timbers. H. S. Betts and J. A. Newlin. D.B. 286, pp. 15. 1915.
    creosote treatment of conifers. D.B. 101, pp. 1–43. 1914.
    economic value to United States. For. Bul. 78, pp. 23–30. 1909.
    experimental tests at Forest Products Laboratory, scope, and methods. D.B. 227, pp. 14–31. 1915.
    experiments, methods, and apparatus. D.B. 606, pp. 1–2, 4–7. 1918.
    fence posts, methods. F.B. 320, pp. 30–32. 1908.
    for use in warehouse construction. D.B. 801, pp. 54–56. 1919.
    from insect injury. Ent. Bul. 58, pp. 79–84. 1910.
    general principles, studies. For. Bul. 84, pp. 7–8. 1911.
    in relation to railways. R. H. Aishton. M.C. 39, pp. 62–66. 1925.
    in the United States. W. F. Sherfesee. For. Bul. 78, pp. 31. 1909.
    oils and salts used, toxicity to fungi. C. J. Humphrey and Ruth M. Fleming. D.B. 227, pp. 38. 1915.
    on farm. D.C. 345, pp. 6–9. 1925.
    pressure processes. For. Bul. 78, pp. 14–21. 1909.
    primer. W. F. Sherfesee. For. Cir. 139, pp. 15. 1908.
    processes, and merits of different methods. For. Bul. 118, pp. 25–35. 1912.
    railroads committee and instructions. M.C. 39, p. 64. 1925.
    red-oak and hard-maple crossties, experiments. For. Bul. 126, pp. 1–92. 1913.
    suggestions for wood-lot owners. F.B. 715, pp. 47–48. 1916.
    telephone poles, durability. Y.B., 1905, pp. 455–464. 1906; Y.B. Sep. 395, pp. 455–464. 1906.
    treatment for prevention of powder-post beetles. J.A.R., vol. 6, No. 7, pp. 275–276. 1916.
    treatment of paving blocks. For. Cir. 194, pp. 5, 12, 14–15. 1912.
    work of Forest Products Laboratory. D.C. 231, pp. 22–25. 1922.
  preservatives—
    coal-tar and creosotes used in experiments. D.B. 607, pp. 3–4. 1918.
    consumption in United States in 1910. For. Cir. 186, pp. 1–2. 1911.
    in lumber yards. D.B. 510, pp. 38–40. 1917.
    kinds, description, concentration, etc., tests. D.B. 227, pp. 19–35, 36. 1915.
    methods, testing. D.B. 1231, p. 11. 1924.
    oils and salts, toxicity to fungi. C. J. Humphrey and Ruth M. Fleming. D.B. 227, pp. 38. 1915.
    penetration in treated wood, testing, visual method. For. Cir. 190, pp. 3–5. 1911.
    penetration tests. D.B. 145, pp. 4, 9, 17. 1915.
    testing for fungicidal properties. An. Rpts., 1914, p. 162. 1914; For. A.R., 1914, p. 34. 1914.
    tests. Howard F. Weiss and C. H. Teesdale. D.B. 145, pp. 20. 1915.
    toxicity tests, literature review and studies. D.B. 227, pp. 11–14, 36. 1915.
    treatment—
      1909–1922. Y.B., 1923, pp. 1091–1093. 1924; Y.B. Sep. 904, pp. 1091–1093. 1924.
    for paving. For. Cir. 141, pp. 7–23. 1908.

Wood(s) (timber)—Continued.
   preservatives—continued.
      use and methods of treating. For. Cir. 139, pp. 6-11. 1908.
      value, methods of use, and cost. F.B. 744, pp. 7-28. 1916.
      varieties, toxicity to various wood-destroying and other fungi. D.B. 227, pp. 31-35. 1915.
      volatility tests. D.B. 145, pp. 4-5, 10, 17. 1915.
      wood treated in United States, in 1910, quantity. For. Cir. 186, pp. 2-3. 1911.
      work of Forest Products Laboratory. D.C. 231, pp. 22, 25. 1922.
   preserver—
      red-cedar brand, composition. Chem. Bul. 76, p. 54. 1903.
      use in control of chicken mites, method. F.B. 801, p. 7. 1917.
   prices, in Alaska, and consumption for fuel. For. Bul. 81, pp. 15, 21. 1910.
   prices per cord, 1905, 1906. For. Cir. 120, p. 8. 1907.
   products—
      and trees, woodpeckers in relation to. W. L. McAtee. Biol. Bul. 39, pp. 99. 1911.
      conference report, discussion. M.C. 39, pp. 72-75. 1925.
      finished, sapsuckers work, effect. Biol. Bul. 39, pp. 56-91. 1911.
      from farm woodlots, description and protection. F.B. 1210, pp. 3-17, 59-60. 1921.
      materials, dimension requirements. For. Bul. 106, p. 37. 1912.
      recovery by treatment with chemicals. Chem. Cir. 36, pp. 39-43. 1907.
      seasoned, powder-post injury. A. D. Hopkins. Ent. Cir. 55, pp. 5. 1903.
   properties—
      and uses—
         demonstration course, details and cost. M.C. 8, pp. 18-20. 1923; M.C. 29, pp. 18-21. 1924; M.C. 39, pp. 39, 71. 1925.
         information from Forest Service. D.C. 211, pp. 42-43. 1922.
      mechanical and physical, publications, Forest Service. For. Cir. 189, p. 8. 1912.
      studies and tests. An. Rpts., 1920, pp. 247-249. 1921.
   protection—
      against termites or white ants. Thomas E. Snyder. D.B. 1231, pp. 16. 1924.
      by oil solutions, theory and mechanism. D.B. 1036, pp. 84-86. 1922.
      from decay by use of commercial creosotes. Carlile P. Winslow. For. Cir. 206, pp. 38. 1912.
   pulp—
      and sawdust, utilization in manufacture of alcohol. F.B. 268, pp. 34-35. 1906.
      exports, 1922-1924. Y.B., 1924, p. 1049. 1925.
      grinding experiments, methods and equipment. D.B. 343, pp. 7-34. 1916.
      ground, manufacture. J. H. Thickens and G. C. McNaughton. D.B. 343, pp. 151. 1916.
      imports—
         1899-1924. Y.B., 1924, pp. 1029, 1068. 1925.
         and exports, 1902-1906. For. Cir. 120, pp. 9-10. 1907.
      making, grinding and quality tests, tables, Appendix A. D.B. 343, pp. 67-150. 1916.
      production, and pulpwood consumption, 1918. Franklin H. Smith. For. [Misc.], "Pulpwood consumption * * *," pp. 20. 1919.
      products—
         protection against termites. Ent. Bul. 94, Pt. II, p. 79. 1915.
         treatment for protection against termites. D.B. 333, p. 30. 1916.
      See also Pulp wood.
   quantity treated with preservatives in United States in 1910. For. Cir. 186, pp. 2-4. 1911.
   quebracho, description and uses. For. Cir. 202, pp. 6-9. 1912.
   relation to ethyl alcohol production from wood waste, studies. D.B. 983, pp. 56-59. 1922.
   requirements and consumption of different forms. Y.B., 1922, pp. 108-114, 123-127, 175. 1923; Y.B. Sep. 886, pp. 108-114, 123-127, 175. 1923.

Wood(s) (timber)—Continued.
   reserve supply, time for preparation and storage. D.B. 753, pp. 37-38. 1919.
   resinous—
      distillation by saturated steam. L.F. Hawley and R. C. Palmer. For. Bul. 109, pp. 31. 1912.
      distillation, yields of various products. Chem. Bul. 144, pp. 17-19. 1911.
   resistance to termites. D.B. 1231, p. 14. 1924.
   waste, pulp and paper and other products from. F. P. Veitch and J. L. Merrill. Chem Bul. 159, pp. 28. 1913.
   resistance to termites, use in buildings. D.B. 333, p. 27. 1916; Ent. Bul. 94, Pt. II, pp. 79-82. 1915.
   Rocky Mountain, tests for telephone poles. Norman de W. Betts and A. L. Heim. D.B. 67, pp. 28. 1914.
   rot, pecan, cause and prevention. F.B. 1129, pp. 9-10. 1920.
   rot, prevention in pecan trees. S. M. McMurran. F.B. 995, pp. 8. 1918.
   rotted, burning for prevention of spread of dry rot. B.P.I. Bul. 214, p. 29. 1911.
   rotting fungi, description, prevention, and treatment. Y.B., 1907, pp. 491-494. 1908; Y.B. Sep. 463, pp. 491-494. 1908.
   rotting fungi, pure cultures, on artificial media. W. H. Long and R. H. Marsch. J.A.R., vol. 12, pp. 33-82. 1918.
   sap-stain, mold, and incipient decay, control. Nathaniel O. Howard. D.B. 1037, pp. 55. 1922.
   sawing—
      outfits, description and cost. D.B. 753, p. 12. 1919.
      tractor, use on farms. F.B. 1093, pp. 5, 12. 1920.
   seasoning. Harold S. Betts. D.B. 552, pp. 28. 1917.
   shortage—
      remedy, problem for forest experiment station. Sec. Cir. 183, p. 18. 1921.
      statistics. F.B. 1417, pp. 1, 2-4, 9, 15. 1924.
   shortleaf pine, physical characteristics and uses. D.B. 308, pp. 6-11. 1915.
   shrinkage—
      and strength properties, relation to specific gravity. J. A. Newlin and T. R. C. Wilson. D.B. 676, pp. 35. 1919.
      in kiln drying, and defects caused by. D.B. 1136, pp. 23-26. 1923.
      kinds and determination. D.B. 556, p. 12. 1917.
      of various species. D.B. 552, pp. 7-10. 1917.
   slash-pine, utilization for livestock grazing. F.B. 1256, pp. 6-7. 1922.
   small-dimension stock, utilization. D.C. 231, pp. 38-39. 1922.
   source of volatile oils. B.P.I. Bul. 195, pp. 12, 36, 37. 1910.
   species-locality tests for shrinkage, strength, weight, etc. D.B. 676, pp. 13-35. 1919.
   specific—
      gravity—
         determination. D.B. 556, pp. 9-11. 1917.
         importance in airplane contruction. D.B. 1128, pp. 5-9. 1923.
         relation to shrinkage and strength. J. A. Newlin and T. R. C. Wilson. D.B. 676, pp. 35. 1919.
      heat. Frederick Dunlap. For. Bul. 110, pp. 28. 1912.
   specimens, use for agriculture study, collection methods, and time. F.B. 586, pp. 18-20. 1911.
   spruce, characteristics and uses. D.B. 1060, pp. 5-8. 1922.
   spruce, cooked and uncooked, grinding influence on pulp production and yield. D.B. 343, pp. 32-34. 1916.
   stained or molded, durability. D.B. 1037, p. 17. 1922.
   stainer, apple, description, habits, and injuries. F.B. 763, pp. 13-14. 1916.
   stave pipe, water flow in. Fred C. Scobey and others. D.B. 376, pp. 96. 1916.
   statistics. Y.B., 1924, pp. 1020, 1028, 1029, 1030, 1036-1038, 1049, 1068, 1070. 1925.
   steam bending. D.C. 231, p. 20. 1922.

INDEX TO PUBLICATIONS, 1901-1925   2663

Wood(s) (timber)—Continued.
  steamed before grinding, tests. D.B. 343, p. 48. 1916.
  steaming—
    and bending, precautions. D.B. 1128, pp. 9-10. 1923.
    in alkali, data. Chem. Bul. 159, pp. 10-11. 1913.
  strength—
    and other properties, studies at Wisconsin, Forest Products Laboratory. D.C. 198, p. 29. 1921.
    as influenced by moisture. Harry Donald Tiemann. For. Cir. 108, pp. 42. 1907.
    determination by density. News L., vol. 6, No. 52, p. 7. 1919.
    effect of kiln drying. M.C. 29, p. 5. 1924.
    relation to shrinkage and specific gravity. J. A. Newlin and T. R. C. Wilson. D.B. 676, pp. 35. 1919.
    variations and use of term. D.B. 556, pp. 5, 6, 23. 1917.
  structure(s)—
    damage by termites, and protection methods. D.B. 333, pp. 13-16, 26-32. 1916.
    discussion. For. [Misc.], "Guidebook for * * *," pp. 4-11. 1917.
    relation to penetration by creosote. D.B. 606, pp. 11-16, 17. 1918.
  substitutes—
    in railway operation and saving. M.C., 39, p. 66. 1925.
    use to save lumber supply. For. Cir. 171, p. 23. 1909.
  substitution of other materials, studies of lumber industry. Pt. XI. Rolf Thelen. Rpt. 117, pp. 78. 1917.
  suitability as spruce substitutes in pulp manufacture, tests. D.B. 343, pp. 34-151. 1916.
  supply—
    community action, farmers' club and cooperative mill. Sec. Cir. 79, p. 8. 1917.
    for the Nation. W. B. Greeley. Y.B., 1920, pp. 147-158. 1921; Y.B. Sep. 835, pp. 147-158. 1921.
    of the United States. For. Cir. 166, pp. 1-24. 1909.
  surfaces—
    cleaning directions. F.B. 1180, pp. 12-14. 1921.
    coatings for moisture control. D.C. 231, p. 27. 1922.
  susceptibility to—
    decay, relation to origin, and time of cutting. B.P.I. Bul. 149, pp. 65-66. 1909.
    sap-stain fungi. D.B. 1037, pp. 10-11, 51. 1922.
  sycamore—
    appearance, properties, and structures. D.B. 884, pp. 1-5. 1920.
    uses by factories, classified list. D.B. 884, p. 24. 1920.
  tanbark oak—
    description, characteristics, and tests. For. Bul. 75, pp. 24-29. 1911.
    utilization. For. Bul. 75, pp. 22, 24-32. 1911.
  tar, source of creosote. For. Cir. 206, pp. 13, 35. 1912.
  termite-resistant, tests. D.B. 1231, pp. 14-15. 1924.
  tests for stiffness and strength. For. Bul. 70, pp. 1-44. 1906.
  tests, mechanical properties of 49 species, preliminary summary. For. Cir. 213, pp. 4. 1913.
  testing. See Timber testing.
  tick. See Dermacentor electus; Tick, wood.
  treated, visual method of determining the penetration of inorganic salts. E. Bateman. For. Cir. 190, pp. 5. 1911.
  treated with preservatives, inflammability tests. D.B. 145, pp. 6, 10-11, 18. 1915.
  treating-plant operation, processes, etc. For. Bul. 118, pp. 26-35. 1912.
  treatment, practical assistance of Forestry Bureau. For. Cir. 28, pp. 2. 1904.
  tropical, research proposal. M.C. 39, p. 71. 1925.
  turpentine, analysis, refining and composition, experiments at Madison, Wis. L. F. Hawley. For. Bul. 105, pp. 69. 1913.

Wood(s) (timber)—Continued.
  use(s)—
    and supply in Arkansas. J. T. Harris and Hu Maxwell. For. Bul. 106, pp. 7-26. 1912.
    by Arkansas manufacturers, summary. For. Bul. 106, pp. 38-40. 1912.
    comparison with coal, per family, eight States. D.B. 753, p. 5. 1919.
    for—
      airplane construction, kinds for various parts. D.B. 1128, pp. 3-5. 1923.
      coal, legislation regulating. D.B. 753, p. 36. 1919.
      distillation, 1906. For. Cir. 121, pp. 7. 1907.
      fuel. D.B. 753, pp. 40. 1919.
      paper pulp, United States, 1905. For. Bul. 74, pp. 44-49. 1907.
      piling. For. Cir. 128, p. 3. 1908.
      pulp, list and tests. D.B. 343, pp. 26-28. 1916.
    in firing orchards. F.B. 401, pp. 7, 8, 12, 21. 1910.
    on farms, products of home woodlands. D.B. 863, pp. 14-15. 1920.
    per capita, in United States and European countries. For. Cir. 171, p. 12. 1909.
    social and economic changes affecting. Rpt. 117, pp. 3-6, 74-75. 1917.
    United States, changes and substitutes. Rpt. 117, pp. 3-8, 70-75. 1917.
  used for—
    distillation—
      1905. H. M. Hale. For. Cir. 50, pp. 3. 1906.
      1906, processes. For. Bul. 77, pp. 91-95. 1908.
    pulp, 1905. H. M. Hale. For. Cir. 44, pp. 11. 1906.
    pulp, 1906, by species, States, and processes. For. Cir. 120, pp. 4-7. 1907.
    ties and timber, identification guidebook. For. [Misc.], "Guidebook for * * *," pp. 79. 1917.
    tight cooperage stock in 1905. H. M. Hale. For. Cir. 53, pp. 8. 1907.
    veneer, 1905. H. M. Hale. For. Cir. 51, pp. 4. 1906.
  using industries—
    and national forests of Arkansas. J. T. Harris and others. For. Bul. 106, pp. 40. 1912.
    dependence on forest supplies, discussion. Sec. Cir. 140, pp. 12-14. 1919.
    present consumption of lumber. Rpt. 117, pp. 62-63. 1917.
    reports, list. Y.B., 1915, pp. 129-130. 1916; Y.B. Sep. 662, pp. 129-130. 1916.
    utilization of ash lumber. D.B. 523, pp. 27-39, 48-52. 1917.
  utilization—
    demonstration courses. M.C. 29, pp. 22. 1924.
    laboratories, location, scope of work. For. [Misc.], "The use book," p. 96. 1908.
    problems of forest management. Sec. Cir. 183, pp. 14-15. 1921.
    studies—
      1911. An. Rpts., 1911, pp. 413-414. 1912; For. A.R., 1911, pp. 73-74. 1911.
      1912. An. Rpts., 1912, pp. 547-548. 1913; For. A.R., 1912, pp. 89-90. 1912.
    three ways. M.C. 39, p. 23. 1925.
  utilizing, chemical methods. F. P. Veitch. Chem. Cir. 36, pp. 47. 1907.
  value as farm crop. Sec. Cir. 79, pp. 5-6. 1917.
  value of cacti. B.P.I. Bul. 262, pp. 17-18. 1912.
  varieties—
    acid yields. D.B. 983, p. 84. 1922.
    selection and preparation for heat determination. For. Bul. 110, p. 13. 1912.
    substitutes for spruce in pulp manufacture, list, and tests. D.B. 343, pp. 34-151. 1916.
    sugar and alcohol yields. D.B. 983, pp. 69-83. 1922.
  use—
    for railroad ties, hewed and sawed. For. Cir. 124, pp. 3-5. 1907.
    for slack cooperage. For. Cir. 123, pp. 4-8. 1907.
    in manufacture of wooden products. D.B. 605, pp. 8-17. 1918.

Wood(s) (timber)—Continued.
  varieties—continued.
    use—continued.
      in paper making. Chem. Cir. 41, pp. 5–6. 1908.
    various—
      kinds, comparative strength. For. Cir. 204, pp. 7–9. 1912.
      results of preservative treatment. F.B. 744, pp. 17, 28. 1916.
      strength of packing boxes. W. Kendrick Hatt. For. Cir. 47, pp. 8. 1906.
    vehicle and implement, tests. H. B. Holroyd and H. S. Betts. For. Cir. 142, pp. 29. 1908.
    veneer, production in 1906. For. Cir. 133, pp. 1–6. 1908.
    walnut, properties. D.B. 909, pp. 2–6. 1921; F.B. 1392, pp. 1, 5. 1924.
    waste—
      amount available in lumber production. D.B. 983, pp. 3–4. 1922.
      burner, use and discontinuance. M.C. 39, p. 28. 1925.
      in thinning trees, utilization and value. F.B. 1177, rev., p. 9. 1920.
      potash source. Y.B., 1916, pp. 305–306. 1917; Y.B. 717, pp. 5–6. 1917.
      present value. D.B. 983, pp. 4–5. 1922.
      prevention problem. Rolf Thelen. M.C. 39, pp. 83–100. 1925.
      utilization—
        Samuel T. Dana. Y.B., 1920, pp. 439–462. 1921; Y.B. Sep. 856, pp. 439–462. 1921.
        for manufacture of turpentine, industrial development. Chem. Bul. 144, pp. 52–53. 1911.
        for paper making. News L., vol. 4, No. 34, pp. 2–3. 1917.
        limitations. D.B. 983, pp. 5–6. 1922.
    water-logging, relation to tyloses. J.A.R., vol. 1, p. 467. 1914.
    weight for logs, lumber, and other products, by species. F.B. 715, pp. 4, 6, 7, 8, 9. 1916.
    weights of various species. D.B. 552, pp. 3–6. 1917.
    willow, characteristics and uses. D.B. 316, pp. 26–36. 1915.
    work, lumbering and planting, methods. F.B. 358, pp. 21–29. 1909.
    workers, courses at Forest Products Laboratory. Off. Rec., vol. 2, No. 45, p. 3. 1923.
    working, relation of forestry, studies. For. Cir. 130, pp. 13, 20. 1907.
    yards, municipal, legislation need, by States. D.B. 753, pp. 36–37. 1919.
    See also Forestry; Lumber; Timber.
Wood-apple—
  importations and descriptions. No. 42268, B.P.I. Inv. 46, pp. 69–70. 1919; No. 43956, B.P.I. Inv. 49, p. 104. 1921; No. 48626, B.P.I. Inv. 61, p. 29. 1922.
  susceptibility to citrus canker. J.A.R., vol. 19, p. 342. 1920.
Wood duck—
  and woodcock, two vanishing game birds. A. K. Fisher. Y.B., 1901, pp. 447–458. 1902; Y.B. Sep. 247, pp. 12. 1902.
  descriptions. F.B. 697, p. 8. 1915.
Wood lot(s)—
  abandoned farms in New York, recommendations. B.P.I. Cir. 64, pp. 15–16. 1910.
  acreage, eastern United States. D.B. 153, p. 1. 1915.
  application of term. News L., vol. 6, No. 52, p. 15. 1919.
  care and improvement. C. R. Tillotson. F.B. 711, pp. 24. 1916.
  conifers, sites, planting stock, and labor. F.B. 1453, pp. 28–32. 1925.
  crop, definition. F.B. 711, p. 1. 1916.
  Eastern States, income, and relation to agriculture. D.B. 481, pp. 1–3. 1917.
  farm—
    area and stand, estimates of value. Y.B., 1914, pp. 442–443. 1915; Y.B. Sep. 651, pp. 442–443. 1915.
    growing and planting conifers. C. R. Tillotson. F.B. 1453, pp. 38. 1925.
    in Louisiana, development and maintenance. For. Bul. 114, pp. 34–35. 1912.

Wood lot(s)—Continued.
  farm—continued.
    investigations. An. Rpts., 1916, p. 417. 1917; Farm M. Chief Rpt., 1916, p. 3. 1916.
    management. F.B. 276, pp. 29–32. 1907.
    problem. Herbert A. Smith. Y.B., 1914, pp. 439–456. 1915; Y.B. Sep. 651, pp. 439–456. 1915.
    status and value in eastern United States. E. H. Frothingham. D.B. 481, pp. 44. 1917.
    usefulness in war emergencies. Y.B. 1918, pp. 317–326. 1919; Y.B. Sep. 779, pp. 12. 1919.
    See also Woodlands, farm.
  farmers' problem, studies. News L., vol. 3, No. 9, p. 5. 1915.
  forest planting, exhibit at Louisiana Purchase Exposition. For. Cir. 30, pp. 11. 1904.
  future value as national asset. D.B. 481, pp. 25–29. 1917.
  gipsy-moth control, recommendations by Forest Service. D.B. 484, Pt. I, p. 16. 1917.
  handbook for owners of woodlands in southern New England. Henry Solon Graves and Richard Thornton Fisher. For. Bul. 42, pp. 89. 1903.
  improvement, care, and perpetuation, studies and method. F.B. 711, pp. 4, 9–24. 1916.
  injury from grazing. News L., vol. 3, No. 47, p. 2. 1916.
  inventory, data records, etc., methods. Y.B., 1915, pp. 121–124. 1916; Y.B. Sep. 662, pp. 121–124. 1916.
  Iowa, planting and care. For. Cir. 154, pp. 10–13, 19–21. 1908.
  management problems, study. An. Rpts., 1916, p. 186. 1917; For. A.R., 1916, p. 32. 1916.
  need of replanting. Y.B., 1909, pp. 335, 337, 338, 340. 1910; Y.B. Sep. 517, pp. 335, 337, 338, 340. 1910.
  New England, timely suggestions. Ent. [Misc.], "Some timely suggestions * * *," pp. 8. 1917.
  owners, Ohio Valley region, suggestions. Samuel J. Record. For. Cir. 138, pp. 15. 1908.
  plantations, tabulated description according to locality. For. Cir. 30, pp. 10–11. 1904.
  planting—
    and care, species adaptable in western Kansas. For. Cir. 161, pp. 12–13, 28–29. 1909.
    plans for farmers. An. Rpts., 1914, p. 160. 1914; For. A.R., 1914, p. 32. 1914.
  products—
    marketing. Stanley L. Wolfe. Y.B., 1915, pp. 121–129. 1916; Y.B. Sep. 662, pp. 121–129. 1916.
    measuring and marketing. Wilbur R. Mattoon and Wm. B. Barrows. F.B. 715, pp. 48. 1916.
    profitable, essentials. F.B. 711, pp. 1–4. 1916.
  protection and management, cooperation of Forest Service. Sec. A.R., 1921, pp. 47, 48. 1921.
  regeneration method. F.B. 711, pp. 19–24. 1916.
  roads clearing, cost. For. Bul. 82, p. 33. 1910.
  special products, marketing. Y.B., 1914, pp. 449–450. 1915; Y.B. Sep. 651, pp. 449–450. 1915.
  thinning, suggestions for New England owners. Ent. [Misc.], "Some timely suggestions * * *," pp. 5–8. 1917.
  timber—
    estimation. F.B. 715, pp. 16–26. 1916.
    measuring and marketing. F.B. 1210, pp. 1–62. 1921.
    sale, suggestions. News L., vol. 2, No. 20, pp. 5–6. 1914.
    trimming rules. News L., vol. 6, No. 28, p. 3. 1919.
    types, description and characteristics. F.B. 711, pp. 4, 9. 1916.
  typical stands for gipsy-moth control. D.B. 484, Pt. II, pp. 28–48. 1917.
  use in prevention of erosion. Y.B., 1916, p. 127. 1917; Y.B. Sep. 688, p. 21. 1917.
  uses, model. For. Cir. 138, pp. 6–7, 10–12. 1908.
  value(s)—
    as sources of income, notes. Y.B., 1922, pp. 152–157, 168. 1923; Y.B. Sep. 886, pp. 152–157, 168. 1923.
    for timber and protection. For. Cir. 159, p. 9. 1909.

Wood lot(s)—Continued.
  value(s)—continued.
    in protection of water supply. News L., vol. 6, No. 23, p. 6. 1919.
    present and future. Y.B., 1914, pp. 451–456. 1915; Y.B. Sep. 651, pp. 451–456. 1915.
    to owners. For. Cir. 165, p. 1. 1908.
  See also Woodlands, home.
Woodbury, T. D.—
  "Sugar pine." With Louis T. Larsen. D.B. 426, pp. 40. 1916.
  "The business aspect of national forest timber sales." Y.B., 1911, pp. 363–370. 1912; Y.B. Sep. 575, pp. 363–370. 1912.
  "Yield and returns of blue gum in California." For. Cir. 210, pp. 8. 1912.
Woodchuck(s)—
  as tick hosts. F.B. 484, p. 28. 1912.
  Athabaska-Mackenzie region. N.A. Fauna 27, 159–161. 1908.
  bounties paid by different States. F.B. 1238, pp. 8, 10, 14, 17. 1921.
  Canadian (*Arctomys monax empetra*), range and habits. N.A. Fauna 22, pp. 47–48. 1902.
  damage and control. An. Rpts., 1920, p. 352. 1921; An. Rpts., 1923, pp. 432–433. 1924; Biol. Chief Rpt., 1923, pp. 14–15. 1923; Biol. Chief Rpt., 1924, p. 12. 1924; Biol. Chief Rpt., 1925, p. 8. 1925.
  description, habits—
    and control. F.B. 932, pp. 17–18. 1918.
    characteristics and varieties. N.A. Fauna 37, pp. 8, 9, 10, 21–36. 1915.
    destruction, methods. Biol. Cir. 82, p. 6. 1911.
    distribution and habits. F.B. 484, pp. 27–29. 1912.
  Englehardt, occurrence in Colorado, description. N.A. Fauna 33, pp. 98–99. 1911.
  habits—
    and control. An. Rpts., 1919, p. 281. 1920; Biol. Chief Rpt., 1919, p. 7. 1919; Y.B., 1916, pp. 393–394. 1917; Y.B. Sep. 708, pp. 13–14. 1917.
    injurious. N.A. Fauna 37, pp. 12–15. 1915.
  injury to crops. F.B. 484, p. 28. 1912.
  occurrence in Montana, host of fever ticks, etc. Biol. Cir. 82, p. 15. 1911.
  Southern, description and habits. N.A. Fauna 45, pp. 60–61. 1921.
  susceptibility to spotted fever. Ent. Bul. 105, p. 34. 1911.
  value as food. N.A. Fauna 37, p. 14. 1915.
Woodcock—
  and wood duck—two vanishing game birds. A. K. Fisher. Y.B., 1901, pp. 447–458. 1902; Y.B. Sep. 247, pp. 12. 1902.
  Athabaska-Mackenzie region. N.A. Fauna 27, p. 317. 1908.
  breeding range and migration habits. Biol. Bul. 35, pp. 21–23. 1910.
  closed season—
    laws governing, various States. Y.B., 1914, pp. 292, 293. 1915; Y.B. Sep. 642, pp. 292, 293. 1915.
    proposed. Biol. S.R.A. 9, pp. 2, 4. 1916.
    zones 1 and 2. Biol. Cir. 92, pp. 4, 5. 1913.
  condition in United States—
    1908. Y.B., 1908, p. 583. 1909; Y.B. Sep. 500, p. 583. 1909.
    1909. Biol. Cir. 73, p. 7. 1910.
  distribution, habits, protection, decrease causes, etc. Y.B., 1914, pp. 280–283, 292, 293. 1915; Y.B. Sep. 642, pp. 280–283, 292, 293. 1915.
  European, breeding range and migration habits. Biol. Bul. 35, p. 21. 1910.
  occurrence, in Arkansas, and decreasing number. Biol. Bul. 38, p. 29. 1911.
  range and habits. N.A. Fauna 22, p. 94. 1902.
  range, occurrence, and names. M.C. 13, p. 49. 1923.
  varieties, breeding range and migration habits. Biol. Bul. 35, pp. 21–23. 1910.
Wooden—
  boxes, and fiber boxes. Hu Maxwell and H. S. Sackett. For. Cir. 177, pp. 14. 1911.
  fences, description, and cost. D.B. 321, pp. 6–8. 1916.
  hoops used on silos, description and cost. F.B. 855, pp. 5, 49–55. 1917.

Wooden—Continued.
  products, lumber used in manufacture. J. C. Nellis. D.B. 605, pp. 18. 1918.
Wooden tongue—
  sheep, cause and treatment. F.B. 1155, p. 17. 1921.
  See also Actinomycosis.
Woodenware, use of—
  basswood, grades and prices. D.B. 1007, pp. 32–36. 1922.
  birch and maple in manufacture. D.B. 12, pp. 21–22, 27–28, 31–32, 34–36, 43–44, 52. 1913.
Woodland(s)—
  acreage—
    and value. Y.B., 1921, p. 54. 1922; Y.B. Sep. 875, p. 54. 1922.
    in 1920, maps. Y.B., 1921, pp. 426–427. 1922; Y.B., Sep. 878, pp. 20–21. 1922.
  advantages to home and farm. D.B. 863, pp. 1–2, 10–13. 1920.
  area on farms in eastern United States, 1880–1910. D.B. 481, pp. 11–13. 1917.
  benefits by advice of products association manager. F.B. 1100, pp. 13–14. 1920.
  bird life reports from observers. D.B. 1165, pp. 27–28. 1923.
  brown-tail moth control. F.B. 1335, p. 24. 1923.
  care and improvement. C. R. Tillotson. F.B. 1177, rev. pp. 27. 1920.
  cause of waste land on farms. F.B. 745, p. 9. 1916.
  Connecticut, area, growth types, etc. For. Bul. pp. 12–14. 1912.
  cuttings for improvement, directions. F.B. 1176, pp. 6–10. 1920.
  definition. D.B. 1001, p. 6. 1922; News L., vol. 6, No. 52, p. 15. 1919.
  essentials of good crops, stand and species. F.B. 1177, rev. pp. 4–6. 1920.
  examinations for private owners by Forest Service. An. Rpts., 1912, p. 538. 1913; For. A.R., 1912, p. 80. 1912.
  extent and importance arable lands, in future. Y.B., 1918, p. 436. 1919; Y.B. Sep. 771, p. 6. 1919.
  farm—
    and the war. Henry S. Graves. Y.B., 1918, pp. 317–326. 1919; Y.B. Sep. 779, pp. 12. 1919.
    areas, by States. Y.B., 1923, p. 1052. 1924; Y.B. Sep. 904, p. 1052. 1924.
    cutting, pictures. D.C. 345, p. 7. 1925.
    demands. News L., vol. 6, No. 39, pp. 15–16. 1919.
    extent. D.C. 345, pp. 2–3. 1925.
    extent in eastern United States, and value of products. F.B. 1117, pp. 4–7, 8, 16, 17, 29, 34. 1920.
    forestry practice extension. An. Rpts., 1919, pp. 177–178, 210. 1920; For. A.R., 1919, pp. 1–2, 34. 1919.
    fuel, emergency supply. A. F. Hawes. Sec. Cir. 79, pp. 8. 1917.
    importance and value. Y.B., 1919, p. 33. 1920.
    improvement by thinning. Sec. Cir. 79, pp. 6–8. 1917.
    management, lesson for rural schools. D.B. 863, pp. 32–33. 1920.
    Southern States, acreage and income. F.B. 1071, pp. 2, 36. 1920.
    See also Wood lots.
  gipsy-moth control. F.B. 1335, pp. 21–23. 1923.
  home—
    forestry lessons on. Wilbur R. Mattoon and Alvin Dille. D.B. 863, pp. 46. 1920.
    improvement by cutting, directions. D.B. 863, pp. 23–25. 1920.
    products, utilization, study for rural schools. D.B. 863, pp. 13–15. 1920.
  improvement methods. F.B. 1117, pp. 7–12, 35. 1920; Y.B., 1918, pp. 324–325. 1919; Y.B. Sep. 779, pp. 10–11. 1919.
  infestation with gipsy moth, danger to orchards. D.B. 899, pp. 15–16. 1920.
  location and extent, study, lesson for rural schools. D.B. 863, pp. 9–10. 1920.
  management, reproduction, protection, and selection of species. For. Bul. 96, pp. 44–59. 1912.

Woodland(s)—Continued.
  moth-control work, New England States. F.B. 845, pp. 22-24. 1917.
  owners, aid from extention service. D.C. 345, p. 10. 1925.
  pasture, distribution. D.B. 626, pp. 5-6. 1918.
  pasturing. F.B. 1176, pp. 10-14. 1920.
  percentage in farms by States. Y.B., 1911, p. 692. 1912; Y.B. Sep. 588, p. 692. 1912.
  products—
    cooperative marketing. A. F. Hawes. F.B. 1100, pp. 15. 1920.
    markets, special demands of industries. F.B. 1117, pp. 19, 35. 1920.
  protection—
    for States. News L., vol. 6, No. 44, pp. 1, 14. 1919.
    from fire, grazing, and insect damage. F.B. 1117, pp. 20-23, 35. 1920.
    from injury by stock grazing and fire. F.B. 1071, pp. 22-24. 1920.
    lesson for rural schools. D.B. 863, pp. 20-23. 1920.
    of wild fur bearers by owners. D.C. 135, pp. 3-4, 10, 11. 1920.
  Southern States, making profitable. Wilbur R. Mattoon. F.B. 1071, pp. 38. 1920.
  spraying for gipsy and brown-tail moths, directions. D.B. 480, pp. 12-13. 1917.
  thinning and pruning. F.B. 1071, pp. 20, 25-28. 1920.
  types and handling, methods. F.B. 1177, rev., p. 4. 1920.
WOODMAN, A. G.—
  report as associate referee on tea, coffee, and cocoa products. Chem. Bul. 132, pp. 134-136. 1910.
  "The estimation of minute amounts of arsenic in foods." With Edmund Clark. Chem. Cir. 99, pp. 7. 1912.
Woodpecker(s)—
  Alaska three-toed, Yukon Territory, and Alaska, notes. N.A. Fauna 30, pp. 39, 61, 89. 1909.
  banded, returns, 1920 to 1923. D.B. 1268, pp. 30-31. 1924.
  beetle destruction in forests. Ent. Bul. 83, Pt. I, pp. 27, 35. 1909.
  beneficial and injurious, comparison. Biol. Bul. 39, pp. 98-99. 1911.
  California—
    distribution, food habits, and destruction to insects. Biol. Bul. 37, pp. 43-45. 1911.
    food habits—
      F. B. 506, pp. 7-8. 1912.
      relation to agriculture. Biol. Bul. 34, pp. 22-24. 1910.
  carrier of chestnut-blight fungus. J.A.R., vol. 2, pp. 407, 409-414, 420. 1914.
  damage to trees, wooden posts, and structures, control methods, etc. Biol. Bul. 39, pp. 7-16. 1911.
  description, occurrence, and food habits. Biol. Bul. 38, pp. 45-49. 1911; F.B. 630, pp. 25-27. 1915.
  destruction of borers. Ent. Cir. 32, rev., pp. 5, 11. 1907.
  downy—
    description, range, and habits. F.B. 513, p. 25. 1913.
    food habits—
      destruction to insects, etc. Biol. Bul. 37, pp. 17-22. 1911.
      relation to agriculture. Biol. Bul. 34, pp. 17-19. 1910.
    occurrence and useful food habits. Biol. Bul. 38, p. 46. 1911.
    protection by law. Biol. Bul. 12, rev., pp. 38, 40. 1902.
  enemies of—
    borers. D.B. 847, pp. 29-30, 41. 1920.
    borers in apple trees. D.B. 886, pp. 8-9. 1920.
    codling moth larvae. Y.B., 1911, pp. 238-240. 1912; Y.B. Sep. 564, pp. 238-240. 1912.
    huisache girdlers. D.B. 184, p. 8. 1915.
  eye parasites of, list. B.A.I. Bul. 60, pp. 47-48. 1904.
  family, habits, relation to fruit industry in California. Biol. Bul. 34, pp. 14-29. 1910.

Woodpecker(s)—Continued.
  food—
    F. E. L. Beal. Biol. Bul. 37, pp. 64. 1911.
    animal and vegetable. F.B. 506, pp. 5-12. 1912.
    habits. Y.B., 1907, p. 167. 1908; Y.B. Sep. 443, p. 167. 1908.
  Gila, food habits. Biol. Bul. 37, p. 64. 1911.
  golden-fronted, food habits. Biol. Bul. 37, p. 64. 1911.
  golden-winged. See Flicker.
  habits, beneficial. Biol. Bul. 39, p. 9. 1911.
  hairy—
    food habits—
      and destruction to insects. Biol. Bul. 37, pp. 13-17. 1911.
      relation to agriculture. Biol. Bul. 34, pp. 15-17. 1910.
    protection by law. Biol. Bul. 12, rev., pp. 38, 40. 1902.
    Rocky Mountain, enemy of Zimmerman pine moth. D.B. 295, pp. 6-7. 1915.
  injury to timber. An. Rpts., 1910, p. 552. 1911; Biol. Chief Rpt., 1910, p. 6. 1910.
  ivory-billed—
    description, distribution, food habits, and economic value. Biol. Bul. 37, pp. 62-63. 1911.
    occurrence and danger of extermination. Biol. Bul. 38, pp. 45-46. 1911.
  Lewis's—
    destruction of California almonds. News L., vol. 1, No. 7, p. 4. 1913.
    distribution, food habits, and destruction of insects. Biol. Bul. 37, pp. 45-47. 1911.
    food habits—
      F.B. 506, pp. 8-10. 1912.
      relation to agriculture. Biol. Bul. 34, p. 28. 1910.
  northern hairy, in Yukon Territory, note. N.A. Fauna 30, pp. 35, 89. 1909.
  Nuttall's, food habits—
    and destruction of insects. Biol. Bul. 37, pp. 23-25. 1911.
    relation to agriculture. Biol. Bul. 34, pp. 19-21.
  of United States, food of. F. E. L. Beal. Biol. Bul. 37, pp. 64. 1911.
  pileated—
    distribution, food habits and destruction of insects. Biol. Bul. 37, pp. 33-35. 1911.
    enemy of codling moth. Y.B., 1911, p. 240. 1912; Y.B. Sep. 564, p. 240. 1912.
    occurrence and habits. Biol. Bul. 38, pp. 47-48. 1911.
    protection by law. Biol. Bul. 12, rev., pp. 38, 40. 1902.
  Porto Rican, occurrence in Porto Rico, habits and food. D.B. 326, pp. 62-64. 1916.
  protection by law. Biol. Bul. 12, rev., pp. 38, 39, 40, 41, 42. 1902.
  range and habits. N.A.Fauna 21, pp. 18, 44-45, 76. 1901; N.A.Fauna 22, pp. 111-112. 1902; N.A.Fauna 24, p. 70. 1904.
  red-bellied—
    distribution, food habits, and destruction of insects. Biol. Bul. 37, pp. 47-52. 1911.
    food habits. F.B. 506, pp. 10-12. 1912.
    occurrence and food habits. Biol. Bul. 38, p. 48. 1911.
    protection by law. Biol. Bul. 12, rev., pp. 38, 40. 1902.
  red-cockaded—
    description and food habits. F.B. 755, pp. 31-32. 1916.
    food habits and destruction of insects. Biol. Bul. 37, pp. 22-23. 1911.
  red-headed—
    distribution, food habits, and destruction of insects. Biol. Bul. 37, pp. 35-42. 1911.
    enemy of codling moth, note. Y.B., 1911, p. 240. 1912; Y.B. Sep. 564, p. 240. 1912.
    occurrence and food habits. Biol. Bul. 38, p. 48. 1911.
    range, description, and food habits. F.B. 630, pp. 26-27. 1915.
  relation to trees and wood products. W. L. McAtee. Biol. Bul. 39, pp. 99. 1911.
  spread of chestnut bark disease. F.B. 467, p. 9. 1911.

Woodpecker(s)—Continued.
  Texan, food habits and destruction of insects. Biol. Bul. 37, p. 63. 1911.
  three-toed, food habits—
    destruction of insects. Biol. Bul. 37, pp. 25-27. 1911.
    effect on forests. F.B. 506, pp. 5-7. 1912.
    usefulness as enemy of mangrove borer. J.A.R., vol. 16, p. 161. 1919.
    varieties, Athabaska-Mackenzie region. N.A. Fauna 27, pp. 379-389. 1908.
  white-headed, food habits. Biol. Bul. 37, p. 63. 1911.
  yellow-bellied, distribution, food habits, destruction of insects, etc. Biol. Bul. 37, pp. 27-31. 1911.
  Yellow-bellied. *See also* Sapsuckers.
WOODROFFE, H. B.: "Soil survey of Madison County, Iowa." With T. H. Benton. Soil Sur. Adv. Sh., 1918, pp. 40. 1921; Soils F.O., 1918, pp. 1065-1100. 1924.
WOODRUFF, G. W.: "Federal and State forest laws." For. Bul. 57, pp. 259. 1904.
WOODS, A. F.—
  "Fertilizers for special crops." With R. E. B. McKenney. Y.B., 1902, pp. 553-572. 1903; Y.B. Sep. 290, pp. 553-572. 1903.
  "Inoculation of soil with nitrogen-fixing bacteria." B.P.I. Bul. 72, Pt. IV, pp. 23-30. 1905.
  "Mosaic disease of tobacco." B.P.I. Bul. 18, pp. 24. 1902.
  report of Minnesota Experiment Station, work and expenditures—
    1909. O.E.S. An. Rpt., 1909, pp. 128-132. 1910.
    1910. O.E.S. An. Rpt., 1910, pp. 166-172. 1911.
    1911. O.E.S. An. Rpt., 1911, pp. 133-137. 1912.
    1912. O.E.S. An. Rpt., 1912, pp. 140-143. 1913.
    1913. Work and Exp., 1913, pp. 55-56. 1915.
    1914. Work and Exp., 1914, pp. 139-143. 1915.
    1915. S.R.S. Rpt., 1915, Pt. I, pp. 154-159. 1917.
    1916. S.R.S. Rpt., 1916, Pt. I, pp. 157-162. 1918.
    1917. S.R.S. Rpt., 1917, Pt. I, pp. 152-156. 1918.
  "The present status of the nitrogen problem." Y.B., 1906, pp. 125-136. 1907; Y.B. Sep. 411, pp. 125-136. 1907.
  "The relation of nutrition to the health of plants." Y.B. 1901, pp. 155-176. 1902; Y.B. Sep. 255, pp. 155-176. 1902.
  "The relation of plant physiology to the development of agriculture." Y.B., 1904, pp. 119-132. 1905; Y.B. Sep. 336, pp. 119-132. 1905.
  "The wastes of the farm." Y.B., 1908, pp. 195-216. 1909; Y.B. Sep. 475, pp. 195-216. 1909.
WOODS, C. D.—
  "Cereal breakfast foods." With Harry Snyder. F.B. 249, pp. 36. 1906.
  "Feeding fat into milk. Recent experimental inquiry upon milk secretion." B.A.I. Cir. 75, pp. 4-23. 1905.
  "Food value of corn and corn products." F.B. 298, pp. 40. 1907.
  "Poultry investigations at the Maine Agricultural Experiment Station." With Gilbert M. Gowell. B.A.I. Bul. 90, pp. 42. 1906.
  report of Maine Experiment Station, work and expenditures—
    1908. O.E.S. An. Rpt., 1908, pp. 106-109. 1909.
    1909. O.E.S. An. Rpt., 1909, pp. 117-120. 1910.
    1910. O.E.S. An. Rpt., 1910, pp. 153-156. 1911.
    1911. O.E.S. An. Rpt., 1911, pp. 121-123. 1912.
    1912. O.E.S. An. Rpt., 1912, pp. 128-130. 1913.
    1913. Work and Exp., 1913, pp. 51-52. 1915.
    1914. Work and Exp., 1914, pp. 123-128. 1915.
    1915. S.R.S. Rpt., 1915, Pt. I, pp. 135-139. 1916.
    1916. S.R.S. Rpt., 1916, Pt. I, pp. 136-141. 1918.
    1917. S.R.S. Rpt., 1917, Pt. I, pp. 133-138. 1918.
  "Studies of the food of Maine lumbermen." With E. R. Mansfield. O.E.S. Bul. 149, pp. 60. 1904.
  "Studies on the digestibility and nutritive value of bread at the Maine Agricultural Experiment Station, 1899-1903." With L. H. Merrill. O.E.S. Bul. 143, pp. 77. 1904.

WOODS, C. D.—Continued.
  "Wheat flour and bread." With Harry Snyder. Y.B., 1903, pp. 347-362. 1904; Y.B. Sep. 324, pp. 347-362. 1904.
Woodsman's handbook. Henry Solon Graves. For. Bul. 36, Pt. I, pp. 148. 1902; Revised by Henry S. Graves and E. A. Ziegler. Pp. 208. 1910.
WOODWARD, B. T.: "Surgical operations." B.A.I. [Misc.], "Diseases of cattle," rev., pp. 289-302. 1923.
WOODWARD, JOHN: "Soil survey of Trumbull County, Ohio." With others. Soil Sur. Adv. Sh., 1914, pp. 53. 1916; Soils F.O. 1914, pp. 1455-1503. 1919.
WOODWARD, S. M.—
  "Land drainage by means of pumps." O.E.S. Bul. 243, pp. 44. 1911.
  "Land drainage by means of pumps." With C. W. Okey. D.B. 304, pp. 60. 1915.
  "Tests of internal combustion engines on alcohol fuel." With Charles Edward Lucke. O.E.S. Bul. 191, pp. 89. 1907.
  "The flow of water in drain tile." With D. L. Yarnell. D.B. 854, pp. 50. 1920.
  "The use of alcohol and gasoline in farm engines." F.B. 277, pp. 40. 1907.
WOODWARD, T. E.—
  "Digestion of starch by the young calf." With others. J.A.R., vol. 12, pp. 575-578. 1918.
  "Making and feeding of silage." F.B. 556, pp. 17. 1913; F.B. 578, pp. 17. 1914.
  "Prickly pears as a feed for dairy cows." With others. J.A.R. vol. 4, pp. 405-450. 1915.
  "The effect of the cattle tick upon the milk production of dairy cows." With others. D.B. 147, pp. 22. 1915.
  "The influence of calcium and phosphorus in the feed on the milk of dairy cows." With Edward B. Meigs. D.B. 945, pp. 28. 1921.
  "The open shed compared with the closed barn for dairy cows." With others. D.B. 736, pp. 15. 1918.
  "Values of various new feeds for dairy cows." With others. D.B. 1272, pp. 16. 1924.
Woodward Field Station, Oklahoma, location, soil, and climate. D.B. 1175, pp. 1-12. 1923.
Woodwasps. *See* Horntails.
Woodwork—
  damage from ants, and control. F.B. 1037, pp. 2, 3, 6-7, 10-14. 1919.
  destruction by termites, and protection methods. D.B. 333, pp. 14-16, 25-32. 1916.
  in structures, preservation. Ent. Bul. 58, pp. 83-84. 1910.
  injury by termites. J.A.R., vol. 26, pp. 283, 289, 290. 1923.
  kitchen, washable paint. D.C. 189, p. 4. 1921.
  painting, exterior and interior, directions. F.B. 474, pp. 10-12. 1921.
WOODWORTH, C. W.: "A new spray nozzle." J.A.R., vol. 5, No. 25, pp. 1177-1182. 1916.
Woodworth fumigation system, measurement and dosage of trees. Ent. Bul. 79, p. 27. 1909.
Wool(s)—
  American, handling, need of improvement, suggestions. News L., vol. 1, No. 38, pp. 3-4. 1914.
  American-grown—
    grading and handling methods, improvements. D.B. 206, pp. 11-13, 24-30. 1915.
    preparation for market, defects. Y.B., 1914, pp. 329-331. 1915; Y.B. Sep. 645, pp. 329-331. 1915.
  amount in manufacturers' hands, January 1, 1915, with comparison. F.B. 665, p. 7. 1915.
  and sheep—
    agricultural situation for 1918, Pt. X. Sec. Cir. 93, pp. 15. 1918.
    Conference, report of Committee. News L., vol. 1, No. 47, pp. 1-2. 1914.
  black, separate packing, influence on wool prices. D.B. 206, pp. 10, 29. 1915.
  burry fleeces, carbonizing methods. D.B. 206, pp. 8-9. 1915.
  buyers' permits, reports. News L., vol. 6, No. 51, p. 1. 1919.
  certification and disinfection, regulations. Joint Order No. 1, pp. 4-5. 1916.
  choice, price quotations. News L., vol. 6, No. 48, p. 4. 1919.

Wool (s)—Continued.
  classification and preparation for market, methods and cost. D.B. 313, pp. 22, 23–26, 28. 1915.
  classifying, sorting, and baling. News L., vol. 2, No. 45, pp. 5–6. 1915.
  clip(s)—
    1918, government control. Mkts. S.R.A. 50, p. 13. 1919.
    1923, value. Off. Rec., vol. 3, No. 9, p. 4. 1924.
    classification methods, Australian and American. Y.B., 1914, pp. 327–333. 1915; Y.B. Sep. 645, pp. 327–333. 1915.
    estimates for 1923. Off. Rec., vol. 2, No. 34, p. 4. 1923.
    excess profits—
      collection and distribution. An. Rpts., 1922, p. 585. 1923; Sol. A. R., 1922, p. 3. 1922.
      crop of 1918, collection. Sol. A.R., 1924, pp. 14–15. 1924.
    handling, progress, development in the West. F. R. Marshall. Y.B., 1916, pp. 227–236. 1917; Y.B. Sep. 709, pp. 10. 1917.
    improvement, advantages and methods, studies. News L., vol. 2, No. 52, p. 2. 1915.
    increase, methods. F.B. 929, pp. 14–15. 1918.
    on irrigated farms. F.B. 1051, pp. 17, 19, 21, 24, 28, 29. 1919.
    preparation, Australian method, adoption in America. Y.B., 1914, pp. 332–333. 1915; Y.B. Sep. 645, pp. 332–333. 1915.
    sheep on experiment farms. News L., vol. 6, No. 44, p. 16. 1919.
    statistics, graphic showing of average production, world. Stat. Bul. 78, p. 52. 1910.
    under pasturage system, advantage over herding. For. Cir. 178, p. 26. 1910.
    world, 1901–1906. Y.B., 1908, pp. 737–738. 1909; Y.B. Sep. 498, pp. 737–738. 1909.
    world countries, 1901–1906, estimated. Y.B., 1907, pp. 761–762. 1908; Y.B. Sep. 465, pp. 761–762. 1908.
    yield and value, western North Dakota. Soil Sur. Adv. Sh., 1908, p. 80. 1911; Soils F. O., 1908, pp. 1188. 1911.
  committee approval of grades. Off. Rec., vol. 1, No. 51, p. 4. 1922.
  comparison to mohair fiber. B.A.I. Bul. 27, p. 48. 1901.
  conditioning for weighing. D.B. 1100, pp. 6–11. 1922.
  conservation work. News L., vol. 6, No. 44, p. 9. 1919.
  consumption—
    1918, decrease. News L., vol. 6, No. 32, p. 7. 1919.
    1918–1919, increase. News L., vol. 6, No. 41, p. 4. 1919.
    February 1, 1918–1919, decrease. News L., vol. 6, No. 36, p. 8. 1919.
    April, 1918 and 1919. News L., vol. 6, No. 44, p. 8. 1919.
    June, 1918, comparison with May, 1918. News L., vol. 6, No. 1, p. 13. 1918.
    August and September, 1918. News L., vol. 6, No. 14, p. 14. 1918.
    July, 1919. News L., vol. 7, No. 6, p. 4. 1919.
    per capita, and percentage of production and supply. Y.B., 1917, pp. 417–420. 1918; Y.B. Sep. 751, pp. 19–22. 1918.
  cooperative sales in New Jersey. News L., vol. 7, No. 10, p. 13. 1919.
  cost of production. Y.B., 1923, pp. 269–274. 1924; Y.B. Sep. 894, pp. 269–274. 1924.
  damage by carpet beetles. F.B. 1346, pp. 1, 2, 4, 5, 6, 8. 1923.
  dealers, permits, and forms. Mkts. S.R.A. 50, pp. 3–4. 1919.
  decrease in dealers' hands, March, 1919. News L., vol. 6, No. 42, p. 9. 1919.
  Division, War Industries Board, transfer to Markets Bureau. Mkts. S.R.A. 50, p. 2. 1919.
  domestic section, work completion. An. Rpts., 1922, p. 541. 1923; Mkts. Chief Rpt., 1922, p. 37. 1922.
  dyeing, detection of artificial colors. Chem. Bul. 107, pp. 190–191. 1907.
  dyes, color identification. Chem. Bul. 122, pp. 230–233. 1909.

Wool (s)—Continued.
  eating habit, sheep, cause, symptoms, and treatment. F.B. 1155, p. 21. 1921.
  Europe, situation in 1919. Sec. [Misc.], "Report of agricultural * * *," pp. 65, 76–77. 1919.
  excess profits—
    1918, collection and distribution. B.A.E. Chief Rpt., 1924, pp. 35–36. 1924; Sol. A.R., 1924, pp. 14–15. 1924.
    cases. Off. Rec., vol. 2, No. 5, p. 1. 1923.
    collection—
      and distribution. B.A.E. Chief Rpt., 1925, p. 26. 1925.
      decision. Off. Rec., vol. 1, No. 36, p. 1. 1922.
    distribution order, and regulations. Mkts. S.R.A. 50, pp. 9–13. 1919.
    refunding, 1918–1922. Off. Rec., vol. 1, No. 21, p. 3. 1922.
  exhibit, Markets Bureau, description. Off. Rec., vol. 1, No. 21, p. 3. 1922.
  exports—
    1851–1908. Y.B., 1908, pp. 736, 763. 1909; Y.B. Sep. 498, pp. 736, 763. 1909.
    1851–1910. Y.B., 1910, pp. 641, 665. 1911; Y.B. Sep. 533, pp. 641, 665. 1911.
    1851–1911. Y.B., 1911, pp. 645, 668. 1912; Y.B. Sep. 588, pp. 645, 668. 1912.
    1851–1912. Y.B., 1912, pp. 699, 726. 1913; Y.B. Sep. 615, pp. 699, 726. 1913.
    1852–1908. Stat. Bul. 75, pp. 26–27. 1910.
    1852–1913. Y.B., 1913, pp. 478, 501. 1914; Y.B. Sep. 631, pp. 478, 501. 1914.
    1852–1914. Y.B., 1914, pp. 637, 659. 1915; Y.B. Sep. 656, p. 637. 1915; Y.B. Sep. 657, p. 659. 1915.
    1852–1915. Y.B., 1915, pp. 534, 548, 555. 1916; Y.B. Sep. 684, p. 534. 1916; Y.B. Sep. 685, pp. 548, 555. 1916.
    1852–1916. Y.B., 1916, pp. 691, 715. 1917; Y.B. Sep. 721, p. 33. 1917; Y.B. Sep. 722, p. 9. 1917.
    1852–1917. Y.B., 1917, pp. 742, 768. 1918; Y.B. Sep. 761, p. 32. 1918; Y.B. Sep. 762, p. 19. 1918.
    1852–1918. Y.B., 1918, pp. 622, 635. 1919; Y.B. Sep. 793, p. 38. 1919; Y.B. Sep. 794, p. 11. 1919.
    1852–1919. Y.B., 1919, pp. 675, 691. 1920; Y.B., 1920, pp. 752, 770. 1921; Y.B. Sep. 828, p. 675. 1920; Y.B. Sep. 829, p. 699. 1920; Y.B. Sep. 863, p. 54. 1921; Y.B. Sep. 864, p. 12. 1921.
    1852–1920. Y.B., 1921, pp. 722, 743. 1922; Y.B. Sep. 867, pp. 7, 13. 1922; Y.B. Sep. 870, p. 48. 1922.
    1852–1923. Y.B., 1923, pp. 1004, 1103. 1924; Y.B. Sep. 903, p. 1004. 1924; Y.B. Sep. 905, p. 1103. 1924.
    1896–1900. Y.B., 1900, p. 849. 1901.
    1897–1901. Y.B., 1901, p. 801. 1902.
    1898–1902. Y.B., 1902, p. 862. 1903.
    1899–1903. Y.B., 1903, p. 691. 1904.
    1900–1904. Y.B., 1904, p. 732. 1905.
    1900–1905. Y.B., 1905, pp. 749, 773. 1906.
    1901–1906. Y.B., 1906, pp. 639, 681. 1907; Y.B. Sep. 436, pp. 639, 681. 1907.
    1901–1924. Y.B., 1924, pp. 955, 1043. 1925; Y.B. Sep. 911, pp. 955, 1043. 1925.
    1902–1907. Y.B., 1907, pp. 727, 747. 1908; Y.B. Sep. 465, pp. 727, 747. 1908.
    1904–1909. Y.B., 1909, pp. 585, 609. 1910; Y.B. Sep. 524, pp. 601, 625. 1910.
    1909–1921. Y.B., 1922, pp. 888, 955. 1923; Y.B. Sep. 880, p. 955. 1923; Y.B. Sep. 888, p. 888. 1923.
    and imports, 1910–1920, by world countries. D.B. 982, pp. 135–141. 1921.
    from Montevideo, 1901. B.A.I. An. Rpt., 1901, p. 607. 1902.
    imports and manufactures, 1904. B.A.I. An. Rpt., 1904, pp. 497–500. 1905.
    world countries and United States. Y.B., 1917, pp. 412–416. 1918; Y.B. Sep. 751, pp. 14–18. 1918.
    See also Farm products, exports.
  fiber—
    breaking stress and tensile strength, testing. J.A.R., vol. 4, pp. 381–382. 1915.
    dyed, color reactions, method, and table. Chem. Cir. 63, pp. 3, 36–48. 1911.

Wool(s)—Continued.
fiber—continued.
  Shropshire, testing, results. J.A.R., vol. 4, pp. 381, 384. 1915.
  strength and elasticity, influence of humidity upon. J. I. Hardy. J.A.R., vol. 14, pp. 285-296. 1918.
  strength and elasticity, influence of humidity upon, further studies. J. I. Hardy. J.A.R., vol. 19, pp. 55-62. 1920.
  testing, methods. J.A.R., vol. 14, pp. 286-291. 1918.
  tests, comparison with mohair. F.B. 137, p. 18. 1901.
fine, sheep breeds producing. F.B. 576, pp. 3, 13-16. 1914.
fineness, comparison with strength, discussion. Y.B., 1914, pp. 324-326. 1915; Y.B. Sep. 645, pp. 324-326. 1915.
fleece, production—
  1912-1923. Y.B., 1923, pp. 1002-1003. 1924; Y.B. Sep. 903, pp. 1002-1003. 1924.
  1913-1923. Y.B., 1924, pp. 953-954. 1925.
fleeces, tying improperly. D.B. 206, pp. 9, 30. 1915.
foreign, grades and classification basis. D.B. 206, pp. 20-21. 1915.
foreign trade surplus, percentage of production and consumption. Y.B., 1917, pp. 416-417. 1918; Y.B. Sep. 751, pp. 18-19. 1918.
freight rates, 1913 and 1923. Y.B., 1923, p. 1168. 1924; Y.B. Sep. 906, p. 1168. 1924.
goat, camel, etc., import statistics. Y.B., 1921, p. 737. 1922; Y.B. Sep. 867, p. 1. 1922.
graders, licenses, 1922. B.A.E.S.R.A. 71, pp. 59, 60. 1922.
grades—
  aid to woolgrowers. Off. Rec., vol. 3, No. 30, p. 8. 1924.
  and uses. Y.B., 1923, pp. 297-298. 1924; Y.B. Sep. 894, pp. 297-298. 1924.
  description. B.A.E.S.R.A. 75, pp. 2-3. 1923.
  for various States. D.B. 206, pp. 14-21. 1915.
  in Great Britain. Off. Rec., vol. 2, No. 41, p. 2. 1923.
  instruction, Ohio. Off. Rec., vol. 3, No. 33, p. 8. 1924.
  preparation and distribution. Y.B., 1922, p. 20. 1923; Y.B. Sep. 883, p. 20. 1923.
  standardization. Off. Rec., vol. 1, No. 50, p. 2. 1922.
  tentative, distribution. Off. Rec., vol. 1, No. 14, p. 4. 1922.
grading—
  and packing, advantages. News L., vol. 5, No. 9, p. 6. 1917.
  Australian methods, description and advantages. News L., vol. 1, No. 34, p. 1. 1914.
  baling, marketing, etc., on the range, studies. D.B. 206, pp. 27-29. 1915.
  character, tenderness, etc., influence on prices. D.B. 206, pp. 6-7. 1915.
  on ranch, methods and advantages. Y.B., 1916, pp. 231-233. 1917; Y.B. Sep. 709, pp. 5-7. 1917.
  warehouse regulations. Sec. Cir. 150, p. 24. 1920.
grease and dirt determination method. D.A. Spencer and others. D.B. 1100, pp. 20. 1922.
grease, source, use in waterproofing duck, and cost. F.B. 1171, pp. 11-13. 1921.
grower(s)—
  and the wool trade. F. R. Marshall and L. L. Heller. D.B. 206, pp. 32. 1915.
  Association—
    national, officers, 1907. Y.B., 1907, p. 514. 1908; Y.B. Sep. 464, p. 514. 1908.
    national, officers, 1908. Y.B., 1908, p. 506. 1909; Y.B. Sep. 497, p. 506. 1909.
    State and national, directory. Y.B., 1917, pp. 596-603. 1918; Y.B. Sep. 742, pp. 4-11. 1918.
  education, Australia and New Zealand. D.B. 313, pp. 31-33. 1915.
  fundamental rules. D.B. 206, pp. 29-30. 1915.
growing—
  cooperative association, Virginia. Off. Rec., vol. 1, No. 9, p. 3. 1922.

Wool(s)—Continued.
growing—continued.
  Pennsylvania, Washington County, rise and decline, yield. Soil Sur. Adv. Sh., 1910, pp. 10-11, 15. 1911; Soils F.O., 1910, pp. 272-273, 277. 1912.
  handling, Wyoming plan, adaptability to other States. Y.B., 1916, pp. 234-235. 1917; Y.B. Sep. 706, pp. 8-9. 1917.
  hauling from farm to shipping points, costs. Stat. Bul. 49, pp. 33-34, 42. 1907.
  holdings, September 30, 1919. News L., vol. 7, No. 17, p. 4. 1919.
importation—
  annual. Y.B., 1916, p. 30. 1917.
  from Argentina, 1915-1918. News L., vol. 7, No. 15, p. 16. 1919.
  from Australasia, probable extent in future. D.B. 313, pp. 34-35. 1915.
imports—
  1851-1908. Y. B., 1908, pp. 736, 753, 773. 1909; Y.B. Sep. 498, pp. 736, 753, 773. 1909.
  1851-1910. Y.B., 1910, pp. 641, 654, 679. 1911; Y.B. Sep. 533, pp. 641, 654, 679. 1911.
  1851-1911. Y.B., 1911, pp. 645, 657, 683-684. 1912; Y.B. Sep. 588, pp. 645, 657, 683-684. 1912.
  1851-1912. Y.B., 1912, pp. 699, 713, 741-742. 1913; Y.B. Sep. 615, pp. 699, 713, 741-742. 1913.
  1852-1913. Y.B., 1913, pp. 479, 493, 510. 1914; Y.B. Sep. 631, pp. 479, 493, 510. 1914.
  1852-1914. Y.B., 1914, pp. 637, 651, 669, 683. 1915; Y.B. Sep. 656, p. 637. 1915; Y.B. Sep. 657, pp. 651, 669, 683. 1915.
  1852-1915. Y.B., 1915, pp. 535, 540, 558, 571. 1916; Y.B. Sep. 684, p. 535. 1916; Y.B. Sep. 685, pp. 540, 558, 571. 1916.
  1852-1916. Y.B., 1916, pp. 691, 707, 725, 738. 1917; Y.B. Sep. 721, p. 33. 1917; Y.B. Sep. 722, pp. 1, 19, 32. 1917.
  1852-1917. Y.B., 1917, pp. 742, 760, 780, 795. 1918; Y.B. Sep. 761, p. 32. 1918; Y.B. Sep. 762, p. 19. 1918.
  1852-1918. Y.B., 1918, pp. 622, 627, 647, 661. 1919; Y.B. Sep. 793, p. 38. 1919; Y.B. Sep. 794, pp. 3, 23, 37. 1919.
  1852-1919. Y.B., 1919, pp. 675, 682, 702-703, 717. 1920; Y.B. Sep. 752, 761, 778, 782, 798. 1921; Y.B. Sep. 828, p. 675. 1920; Y.B. Sep. 829, pp. 682, 702-703, 717. 1920; Y.B. Sep. 863, p. 54. 1921; Y.B. Sep. 864, pp. 3, 40. 1921.
  1852-1920. Y.B., 1921, pp. 722, 737, 749, 753, 764. 1922; Y.B. Sep. 867, pp. 1, 17, 28. 1922; Y.B. Sep. 870, p. 48. 1922.
  1852-1923. Y.B., 1923, pp. 1004, 1094, 1114, 1127. 1924; Y.B. Sep. 903, p. 1004. 1924; Y.B. Sep. 905, pp. 1094, 1114, 1127. 1924.
  1896-1900. Y.B., 1900, p. 841. 1901.
  1897-1901. Y.B., 1901, p. 793. 1902.
  1898-1902. Y.B., 1902, p. 854. 1903.
  1899-1903. Y.B., 1903, p. 681. 1904.
  1900-1904. Y.B., 1904, p. 722. 1905.
  1900-1905. Y.B., 1905, pp. 749, 762. 1906.
  1901-1906. Y.B., 1906, pp. 639, 671. 1907; Y.B. Sep. 436, pp. 639, 671. 1907.
  1901-1924. Y.B., 1924, pp. 955, 1060, 1069, 1071, 1072, 1075, 1088-1089. 1925; Y.B. Sep. 911, pp. 1060, 1069, 1071, 1072, 1075, 1088-1089. 1925.
  1902-1904. Stat. Bul. 35, pp. 12, 13, 32. 1905.
  1902-1907. Y.B., 1907, pp. 727, 737. 1908; Y.B. Sep. 465, pp. 727, 737. 1908.
  1904-1909. Y.B., 1909, pp. 585, 598. 1910; Y.B. Sep. 524, pp. 601, 614. 1910.
  1907-1909, amount and value, by countries from which consigned. Stat. Bul. 82, pp. 23-25. 1910.
  1908-1910, amount and value, by countries from which consigned. Stat. Bul. 90, pp. 24-26. 1911.
  1909-1911, by countries from which consigned. Stat. Bul. 95, pp. 24-25. 1912.
  1909-1921. Y.B., 1922, pp. 888, 949, 961, 965, 977. 1923; Y.B. Sep. 880, pp. 949, 961, 965, 977. 1923; Y.B. Sep. 888, p. 888. 1923.
and manufactures, 1904. B.A.I. An. Rpt. 1904, pp. 497-500. 1905.
control, regulations. Joint Order No. 2, pp. 4-5. 1917.
exports, and prices. Y.B., 1901, pp. 776-780. 1902.

UNITED STATES DEPARTMENT OF AGRICULTURE

Wool(s)—Continued.
 imports—continued.
  increase, 1910–1919. News L., vol. 7, No. 18, pp. 7–8. 1919.
  world countries and United States. Y.B., 1917, pp. 408–411. 1918; Y.B. Sep. 751, pp. 10–13. 1918.
  See also Farm products, imports.
 Improvement Association, American, grading method. Y.B., 1916, pp. 230–231. 1917; Y.B. Sep. 709, pp. 4–5. 1917.
 improvement in grades and prices. News L., vol. 2, No. 45, p. 6. 1915.
 increase, 1918. News L., vol. 6, No. 29, p. 12. 1919.
 industry, situation, 1925. Sec. A.R., 1925, pp. 3–4, 10–11. 1925.
 infestation by maggots, prevention. F.B. 1150, p. 16. 1920.
 injury—
  by—
   cockleburs. D.C. 109, p. 5. 1920.
   sheep-branding paints. F.B. 522, pp. 20–21. 1913.
   sheep maggot. Ent. T.B. 22, pp. 11, 22. 1912.
  from paint in branding sheep. D.B. 206, pp. 7–8, 30. 1915.
 in handling, suggestions for improvement. News L., vol. 1, No. 38, p. 3. 1914.
 international trade, 1906. Y.B., 1906, p. 639. 1907; Y.B. Sep. 436, p. 639. 1907.
 judging, points. D.B. 593, pp. 12–13. 1917.
 laboratory, Beltsville, Md., fleece improvement studies. D.B. 1100, pp. 1–2, 15–17. 1922.
 length, influence of classification on prices. D.B. 206, pp. 5–6. 1915.
 Livestock and Meats Division, report. B.A.E. Chief Rpt. 1924, pp. 23–27. 1924.
 long, sheep breeds producing. F.B. 576, pp. 3, 10–13. 1914.
 losses caused by sheep scab. B.A.I. An. Rpt., 1910, pp. 457–458. 1912; B.A.I. Cir. 193, pp. 457–458. 1912.
 machinery—
  active and idle, percentage in United States. News L., vol. 6, No. 21, p. 12. 1918.
  idle—
   February 1, 1919. News L., vol. 6, No. 32, p. 7. 1919.
   March 1, 1919. News L., vol. 6, No. 37, p. 4. 1919.
  decrease in 1919. News L., vol. 6, No. 41, p. 8. 1919.
 maggots, description, habits, and control. F.B. 857, pp. 13–14, 18. 1917.
 manufactures, imports and exports, 1904. B.A.I. An. Rpt., 1904, pp. 497–500. 1905.
 market—
  classes and grades. Off. Rec., vol. 1, No. 36, p. 5. 1922.
  reports and standards. An. Rpts., 1923, pp. 161, 163. 1924; B.A.E. Chief Rpt., 1923, pp. 31, 33. 1923.
 statistics, prices, exports and imports, 1910–1920. D.B. 982, pp. 131–142. 1921.
 marketing—
  1924. B.A.E. Chief Rpt., 1924, p. 27. 1924.
  conditions governing. News L., vol. 6, No. 35, p. 6. 1919.
  cooperative demonstrations in Texas. Y.B., 1919, pp. 219–220. 1920; Y.B. Sep. 808, pp. 219–220. 1920.
  international trade. Y.B., 1923, pp. 290–303. 1924; Y.B. Sep. 894, pp. 290–303. 1924.
  investigations. B.A.E. Chief Rpt., 1925, pp. 27–32. 1925.
  method(s)—
   1916. Y.B., 1916, pp. 233–234, 235–236. 1917; Y.B. Sep. 709, pp. 7–8, 9–10. 1917.
   classification and grading. Rpt. 98, pp. 165–166. 1913.
   Wyoming. Y.B., 1909, p. 169. 1910; Y.B. Sep. 502, p. 169. 1910.
  on Minidoka project, 1915–1916, methods and prices. D.B. 573, pp. 24, 25. 1917.
  reclamation projects, need of cooperation. Y.B. 1916, p. 193. 1917; Y.B. Sep. 690, p. 17. 1917.

Wool(s)—Continued.
 marketing—continued.
  shearing, packing, tying, and storing. F.B. 527, pp. 9–13. 1913.
  standardization work. An. Rpts., 1920, pp. 535–536, 538. 1921.
 Merino and Delaine, comparison. F.B. 576, p. 13. 1914.
 mineral, use in storage-house insulation. F.B. 852, p. 22. 1917.
 mohair, and goat hair, value, North Carolina, Haywood County. Soil Sur. Adv. Sh., 1922, p. 207. 1925.
 mordanting, methods. Chem. Cir. 63, p. 7. 1911.
 packing, grades, methods, etc., influence on wool prices. D.B. 206, pp. 3–11. 1915.
 pine, manufacture and use. For. Bul. 99, p. 16. 1911.
 pooling—
  in Idaho. News L., vol. 6, No. 45, p. 12. 1919.
  in Louisiana. News L., vol. 6, No. 47, p. 13. 1919.
  in Missouri, Marion County. News L., vol. 6, No. 52, p. 12. 1919.
 preparation for market—
  cleaning and grading. Y.B., 1916, pp. 230–233. 1917; Y.B. Sep. 709, pp. 4–7. 1917.
  methods, Australian and American. Y.B., 1914, pp. 326–331. 1915; Y.B. Sep. 645, pp. 326–331. 1915.
 price(s)—
  1867–1918. Y.B., 1917, pp. 421–422. 1918; Y.B. Sep. 751, pp. 23–24. 1918.
  1890–1923. Y.B., 1923, pp. 298–301. 1924; Y.B. Sep. 894, pp. 298–301. 1924.
  1895–1908. Y.B., 1908, pp. 733–735. 1909; Y.B. Sep. 498, pp. 733–735. 1909.
  1896–1900. Y.B., 1900, pp. 832–834, 854, 856. 1901.
  1896–1909. Y.B., 1909, pp. 582–584. 1910; Y.B. Sep. 524, pp. 598–600. 1910.
  1897–1901. Y.B., 1901, pp. 778–780, 806, 809. 1902.
  1897–1910. Y.B., 1910, pp. 638–640. 1911; Y.B. Sep. 533, pp. 638–640. 1911.
  1898–1902. Y.B., 1902, pp. 842–844. 1903.
  1898–1911. Y.B., 1911, pp. 642–644. 1912; Y.B. Sep. 588, pp. 642–644. 1912.
  1899–1903. Y.B., 1903, pp. 670–672. 1904.
  1899–1912. Y.B., 1912, pp. 696–698. 1913; Y.B. Sep. 615, pp. 696–699. 1913.
  1899–1913. Y.B., 1913, pp. 477–478. 1914; Y.B. Sep. 631, pp. 477–478. 1914.
  1900–1904. Y.B., 1904, pp. 711–713. 1905.
  1900–1914. Y.B., 1914, pp. 635–636. 1915; Y.B. Sep. 656, pp. 635–636. 1915.
  1900–1915. Y.B., 1915, pp. 533–534. 1916; Y.B. Sep. 684, pp. 533–534. 1916.
  1900–1924. Y.B., 1924, pp. 956–959. 1925.
  1901–1905. Y.B., 1905, pp. 750–752. 1906.
  1902–1906. Y.B., 1906, pp. 659–661. 1907; Y.B. Sep. 436, pp. 659–661. 1907.
  1903–1907. Y.B., 1907, pp. 724–726. 1908; Y.B. Sep. 465, pp. 724–726. 1908.
  1910–1919. Y.B., 1919, pp. 672–674. 1920; Y.B. Sep. 828, pp. 672–674. 1920.
  1910–1921. Y.B., 1921, pp. 720–721. 1922; Y.B., Sep. 870, pp. 46–47. 1922; Y.B. Sep. 875, p. 76. 1922; Y.B. Sep. 878, p. 80. 1922.
  1910–1922. Y.B., 1922, pp. 886–887. 1923; Y.B. Sep. 888, pp. 886–887. 1923.
  1910–1923. Y.B., 1923, pp. 1004–1008. 1924; Y. B. Sep. 903, pp. 1004–1008. 1924.
  1911–1920. Y.B., 1920, pp. 749–751. 1921; Y.B. Sep. 863, pp. 51–53. 1921.
  1912–1916. Y.B., 1916, pp. 688–690. 1917; Y.B. Sep. 721, pp. 30–32. 1917.
  1912–1917. Y.B., 1917, pp. 739–741. 1918; Y.B. Sep. 761, pp. 33–35. 1918.
  1913–1918. Y.B., 1918, pp. 619–621. 1919; Y.B. Sep. 793, pp. 35–37. 1919.
 farm and—
  market. Y.B., 1924, pp. 957–959, 1175. 1925.
  wholesale, comparisons in different States. D.B. 999, p. 18. 1921.
 increase, 1918. F.B. 929, pp. 12, 13. 1918.
 influence of burs. D.B. 206, pp. 8–9. 1915.

Wool( )—Continued.
price(s)—continued.
on farm, comparison with wages and articles, chart. Y.B., 1923, p. 271. 1924; Y.B. Sep. 894, p. 271. 1924.
wholesale—
1899–1913. F.B. 575, p. 16. 1914.
during Civil War and World War periods. D.B. 999, pp. 13, 14, 31. 1921.
production—
1900, by States. Y.B., 1900, p. 831. 1901.
1901, by States. Y.B., 1901, p. 777. 1902.
1902, by States. Y.B., 1902, p. 841. 1903.
1903, by States. Y.B., 1903, p. 669. 1904.
1904, by States. Y.B., 1904, p. 710. 1905.
1905, by States. Y.B., 1905, p. 748. 1906.
1906, by States. Y.B., 1906, p. 658. 1907; Y.B. Sep. 436, p. 658. 1907.
1907, by States. Y.B., 1907, p. 723. 1908; Y.B. Sep. 465, p. 723. 1908.
1908, by States. Y.B., 1908, p. 732. 1909; Y.B. Sep. 498, p. 732. 1909.
1909, by States. Y.B., 1909, p. 581. 1910; Y.B. Sep. 524, p. 597. 1910.
1910, by States. Y.B., 1910, p. 637. 1911; Y.B. Sep. 553, p. 637. 1911.
1910–1921. Y.B., 1921, pp. 718–719. 1922; Y.B. Sep. 870, pp. 44–45. 1922; Y.B. Sep. 875, p. 76. 1922; Y.B. Sep. 878, p. 80. 1922.
1911–1922. Y.B., 1922, pp. 884–885. 1923; Y.B. Sep. 888, pp. 884–885. 1923.
1914, by States, and United States totals, 1899–1914. Y.B., 1914, p. 634. 1915; Y.B. Sep. 656, p. 634. 1915.
1915 and 1916, by States. Y.B., 1916, p. 687. 1917; Y.B. Sep. 721, p. 29. 1917.
1915, by States. Y.B., 1915, p. 532. 1916; Y.B. Sep. 684, p. 532. 1916.
1916 and 1917, by States. Y.B., 1917, p. 738. 1918; Y.B. Sep. 761, p. 32. 1918.
1917 and 1918. Y.B., 1918, p. 618. 1919; Y.B. Sep. 793, p. 34. 1919.
1918 and 1919. Y.B., 1919, p. 672. 1920; Y.B. Sep. 828, p. 672. 1920.
1919 and 1920. Y.B., 1920, p. 748. 1921; Y.B Sep. 863, p. 50. 1921.
1920, estimate. An. Rpts., 1920, p. 8. 1921; Sec. A.R., 1920, p. 8. 1920.
1923, and outlook for 1924. M.C. 23, p. 21. 1924.
and—
consumption increase, 1914–1917. News L. vol. 5, No. 37, p. 6. 1918.
marketing, 1925. Sec. A.R., 1925, pp. 10–11. 1925.
prices. Sec. A.R., 1924, pp. 11–12. 1924.
value, census 1909, by States, map. Y.B., 1915, p. 400. 1916; Y.B. Sep. 681, p. 400. 1916.
value, 1919, map. Y.B., 1921, p. 486. 1922; Y.B. Sep. 878, p. 80. 1922.
by States and countries. Y.B., 1924, pp. 539, 954. 1925.
estimates, 1909, 1914–1921. Sec. A.R., 1921, p. 67. 1921.
foreign trade, supply and consumption. George K. Holmes. Y.B., 1917, pp. 401–424. 1918; Y.B. Sep. 751, pp. 26. 1918.
increase, 1918, suggestions. Sec. Cir. 103, pp. 10–11. 1918.
North Carolina, Davidson County. Soil Sur. Adv. Sh., 1915, p. 8. 1917; Soils F.O., 1915, p. 464. 1919.
on farms. Y.B., 1917, pp. 313–314. 1918; Y.B. Sep. 750, pp. 5–6. 1918.
prices and marketing, 1923. Y.B., 1923, pp. 1001–1008. 1924; Y.B. Sep. 903, pp. 1001–1008. 1924.
requirements, and supplies, 1917, 1918. Sec. Cir. 123, p. 10. 1918.
selection of breeds of sheep. D.B. 905, p. 61. 1920.
study in 1923. O.E.S. [Misc.], Work and Exp., 1923, p. 59. 1925.
United States—
1900. B.A.I. An. Rpt., 1900, p. 589. 1901.
1904. B.A.I. An. Rpt., 1904, pp. 509–513. 1905.
1911. Y.B., 1911, p. 641. 1912; Y.B. Sep. 588, p. 641. 1912.

Wool(s)—Continued.
production—continued.
United States—Continued.
1912. Y.B., 1912, p. 695. 1913; Y.B. Sep. 615, p. 695. 1913.
1913. Y.B., 1913, p. 476. 1914; Y.B. Sep. 631, p. 476. 1914.
value, 1913, estimate. F.B. 570, p. 17. 1913.
West Virginia, Middlebourne area, decrease. Soil Sur. Ad. Sh., 1907, pp. 10–11, 14. 1909; Soils F.O., 1907, pp. 171, 174. 1909.
world countries and grand divisions. Y.B., 1917, pp. 404–408. 1918; Y.B. Sep. 751, pp. 6–10. 1918.
profits, 1918, dealers' excess, distribution to growers, announcement concerning. George Livingston. Mkts. [Misc.], "Announcement concerning * * *," p. 1. 1920.
pulled, regulations. Mkts. S.R.A. 50, pp. 7–8. 1919.
range production, decrease. Y.B., 1917, p. 314. 1918; Y.B. Sep. 750, p. 6. 1918.
raw, production, imports, exports, and apparent consumption, United States—
1870–1923. Y.B., 1923, pp. 1001–1002. 1924; Y.B. Sep. 903, pp. 1001–1002. 1924.
1910–1924. Y.B., 1924, p. 953, 960. 1925.
receipts, increase in Utah. News L., vol. 7, No. 5, p. 13. 1919.
regulations. Mkts. S.R.A. 50, pp. 13. 1919.
sacks, effect on value of wool. D.B. 20, pp. 48–49. 1913.
schedules, tariff bill, completion. Off. Rec., vol. 1, No. 32, p. 1. 1922.
scoured and unscoured, elasticity and breaking strength. J.A.R., vol. 19, pp. 58–62. 1920.
scouring—
to remove grease and dirt. D.B. 1100, pp. 2–6, 11–17. 1922.
waste—
recovery and utilization. An. Rpts., 1922, p. 264. 1922; Chem. Chief Rpt., 1922, p. 14. 1922.
utilization and value. Chem. Chief Rpt., 1921, pp. 38–39. 1921.
work of Chemistry Bureau. Off. Rec., vol. 3, No. 17, p. 4. 1924.
selling—
cooperative. News L., vol. 6, No. 49, p. 7. 1919.
in Australia and United States, methods. D.B. 313, pp. 26–28, 29–31. 1915.
shearing tests, by experiment stations, results. Work and Exp., 1921, p. 83. 1923.
sheep of various breeds. D.B. 206, p. 21. 1915.
shipments from south-central Texas, 1908–1912. Soil Sur. Adv. Sh., 1913, p. 31. 1915; Soils F.O., 1913, p. 1098. 1916.
shipping pool of Idaho farmers, handling cost. News L., vol. 6, No. 8, p. 8. 1918.
shrinkage, testing. Off. Rec., vol. 2, No. 29, p. 3. 1923.
situation, 1918 (and sheep). Sec. Cir. 93, pp. 15. 1918.
sorter's disease—
caused by anthrax spores. B.A.I. [Misc.], "Diseases of cattle," rev., p. 465. 1912.
See also Anthrax.
sorting, objects and methods. D.B. 208, pp. 21–23, 29, 30. 1915.
standardization work. B.A.E.S.R.A. 75, pp. 4–7. 1923.
standards—
international plans and work. B.A.E. Chief Rpt., 1924, p. 27. 1924.
official—
establishment. Off. Rec., vol. 2, No. 22, p. 2. 1923.
for grades of wool. B.A.E.S.R.A. 75, pp. 7. 1923.
request from Japan. Off. Rec., vol. 3, No. 30, p. 4. 1924.
statistics—
1913–1917, production, imports, exports, and prices. Sec. Cir. 93, pp. 3–7. 1918.
receipts and shipments at trade centers. Rpt. 98, pp. 290, 390–391. 1913.
steel, use in house cleaning. F.B. 1180, pp. 9, 10. 1921.

Wool(s)—Continued.
   stocks—
      in hands of dealers and manufacturers. Y.B., 1917, p. 422. 1918; Y.B. Sep. 751, p. 24. 1918.
      on hand—
         March 31, 1918. News L., vol. 5, No. 42, p. 3. 1918.
         September 30, 1918, comparison with 1917. News L., vol. 6, No. 15, p. 6. 1918.
         December 31, 1918. News L., vol. 6, No. 30, p. 13. 1919.
         report. Off. Rec., vol. 1, No. 40, p. 6. 1922.
         United States, June 30, 1919. News L., vol. 7, No. 5, p. 8. 1919.
      storing, methods. D.B. 20, p. 49. 1913.
   studies—
      1922. An. Rpts., 1922, pp. 109–110. 1923; B.A.I. Chief Rpt., 1922, pp. 11–12. 1922.
      1923. An. Rpts., 1923, p. 208. 1924; B.A.I. Chief Rpt., 1923, p. 10. 1923.
   substitutes, uses. Y.B., 1917, pp. 423–424. 1918; Y.B. Sep. 751, pp. 25–26. 1918.
   supply—
      increase by conservation of sheep. Sec. Cir. 93, pp. 9–11. 1918.
      market report. An. Rpts., 1917, p. 460. 1918; Mkts. Chief Rpt., 1917, p. 30. 1917.
      national, and per capita. Y.B., 1917, p. 412. 1918; Y.B. Sep. 751, p. 14. 1918.
      quarterly report of Markets Bureau, 1917. News L., vol. 5, No. 20, p. 4. 1917.
   survey, scope, and supply on hand, June 30, 1917. News L., vol. 5, No. 3, p. 8. 1917.
   tensile strength and elasticity. Robert F. Miller and William D. Tallman. J.A.R., vol. 4, pp. 379–390. 1915.
   tentative grades, demand. Off. Rec., vol. 1, No. 21, p. 3. 1922.
   testing—
      for strength and elasticity. J.A.R., vol. 4, pp. 379–390. 1915.
      relation to humidity and temperature. S.R.S. Rpt., 1916, Pt. I, pp. 40, 173. 1918.
   textiles, quality and testing directions. F.B. 1089, pp. 9, 10, 11, 12. 1920.
   trade—
      glossary of terms used. D.B. 206, pp. 31–32. 1915.
      international, 1901–1910. Stat. Bul. 103, pp. 56–57. 1913.
      international, changes since 1913. Sec. Cir. 93, pp. 5–6. 1918.
   treatment, after shearing. F.B. 840, p. 17. 1917.
   unwashed, prices, 1912–1918. News L., vol. 6, No. 33, p. 12. 1919.
   use decrease, November, 1918, with comparisons. News L., vol. 6, No. 23, p. 6. 1919.
   values, factors determining. D.B. 206, pp. 3–11. 1915.
   warehouse(s)—
      and Storage Company, National, grading method. Y.B., 1916, p. 230. 1917; Y.B. Sep. 709, p. 4. 1917.
      licenses, 1922. B.A.E.S.R.A. 71, p. 58. 1922.
      number and capacity. An. Rpts., 1923, pp. 29, 172. 1924; B.A.E. Chief Rpt., 1923, p. 42. 1923; Sec. A.R., 1923, p. 29. 1923.
      regulations. Sec. Cir. 150, pp. 5–25. 1920.
   washing—
      and pressing directions. F.B. 1099, pp. 20–22. 1920.
      potash source, quantity, composition, and value, United States. Y.B., 1912, pp. 525–523. 1913; Y.B. Sep. 611, pp. 525–526. 1913.
   waste, potash recovery. Y.B., 1916, pp. 304–305. 1917; Y.B. Sep. 717, pp. 4–5. 1917.
   western—
      and eastern, selling methods of growers. D.B. 206, pp. 2–3, 24–30. 1915.
      growing and handling. B.A.I. [Misc.], "Growing and * * *," pp. 4. 1916.
   world statistics, collection. Off. Rec., vol. 4, No. 25, p. 2. 1925.
   yolk. See Wool washings.
   See also Sheep.
Woolen(s)—
   cleaning and pressing, special directions. F.B. 1099, pp. 23–24. 1920.
   freshening methods. Thrift Leaf., No. 8, pp. 2–3. 1919.

Woolen(s)—Continued.
   goods, manufacture with use of turpentine. D.B. 229, p. 8. 1915.
   goods, protection from moths, methods. F.B. 659, pp. 6–8. 1915; News L., vol. 6, No. 14, p. 5. 1918.
   mills, per cent idle, January 2, 1919. News L., vol. 6, No. 28, p. 16. 1919.
Woolgrowers—
   contracts, repayment. News L., vol. 6, No. 22, p. 8. 1919.
   legislation urged. News L., vol. 1, No. 47, pp. 1–2. 1914.
"Woolless" sheep. See Sheep, Barbados.
"Woolly bear" larvae, injury to cotton. J.A.R., vol. 6, No. 3, pp. 134–135, 139. 1916.
Woolly knot, apple, relation to stem tumors. B.P.I. Cir. 3, p. 12. 1908.
Woolly weed, description, habits, and forage value. D.B. 545, pp. 51–52, 58, 60. 1917.
WOOLMAN, H. M.—
   "Relative resistance of wheat to bunt in Pacific Coast States." With others. D.B. 1299, pp. 29. 1925.
   "Studies in the physiology and control of bunt, or stinking smut, of wheat." With Harry B. Humphrey. D.B. 1239, pp. 30. 1924.
   "Summary of literature on bunt, or stinking smut of wheat." With Harry B. Humphrey. D.B. 1210, pp. 44. 1924.
WOOLSEY, T. S., Jr.—
   "Norway pine in the Lake States." With Herman H. Chapman. D.B. 139, pp. 42. 1914.
   "Western yellow pine in Arizona and New Mexico." For. Bul. 101, pp. 64. 1911.
WOOSLEY, H.: "The cultivation of tobacco in Kentucky and Tennessee." With others. F.B. 343, pp. 31. 1909.
WOOTON, E. O.—
   "Carrying capacity of grazing ranges in southern Arizona." D.B. 367, pp. 40. 1916.
   "Certain desert plants as emergency stock feed." D.B. 728, pp. 31. 1918.
   "Factors affecting range management in New Mexico." D.B. 211, pp. 39. 1915.
   "Saltbushes and their allies in the United States." With G. L. Bidwell. D.B. 1345, pp. 40. 1925.
   "The relation of land tenure to the use of the arid grazing lands of the southwestern States." D.B. 1001, pp. 72. 1922.
Worcester, Mass., milk supply, statistics, officials, prices, and ordinances. B.A.I. Bul. 46, pp. 26, 87, 204, 206. 1903.
WORDEN, S.: "Plate counts of soil microorganisms." With N. R. Smith. J.A.R., vol. 31, pp. 501–517. 1925.
Work—
   Agriculture Department, program for—
      1916. E. H. Bradley. Sec. [Misc.], "Program work * * *," pp. 447. 1915.
      1917. E. H. Bradley. Sec. [Misc.], "Program of work * * *," pp. 502. 1916.
      1919. E. H. Bradley. Sec. [Misc.], "Program of work * * *," pp. 617. 1919.
   meaning of the term as applied to wood. D.B. 556, pp. 24. 1917.
   mechanical, of bicyclers, relation to efficiency. R. C. Carpenter. O.E.S. Bul. 98, pp. 57–67. 1901.
   mental and muscular, relation to bodily activity, studies. Y.B., 1910, pp. 313–316. 1911; Y.B. Sep. 539, pp. 313–316. 1911.
   muscular—
      effect on food—
         consumption, digestion, and metabolism. O.E.S. Bul. 98, pp. 1–56. 1901.
         digestibility and metabolism of nitrogen, experiments, 1899–1900. Charles E. Wait. O.E.S. Bul. 117, pp. 43. 1902.
      relation to food requirements. Y.B., 1907, p. 369. 1908; Y.B. Sep. 454, p. 369. 1908.
   program for farm bureau development and revision. D.C. 30, pp. 8–11. 1919.
   schedule on farms, value. B.P.I. Bul. 259, p. 33. 1912.
   stock—
      cost of keeping, relative importance of items. Y.B., 1921, p. 840. 1922; Y.B. Sep. 876, p. 37. 1922.
      hardy, securing in Southwest. News L., vol. 6, No. 46, p. 13. 1919.

INDEX TO PUBLICATIONS, 1901–1925 2673

Workbench, farm, type, and description. F.B. 347, pp. 22–23. 1909.
Workers—
bee. See Bee workers.
department, educational advantages. Y.B., 1921, pp. 65–66. 1922; Y.B. Sep. 875, pp. 65–66. 1922.
extension, kinds and number, 1917–1922. D.C. 253, p. 19. 1923.
farm, houses for. E. B. McCormick. Y.B., 1918, pp. 347–356. 1919; Y.B. Sep. 789, pp. 12. 1919.
insects, development, classes. Ent. T.B. 10, pp. 12–13, 24–26, 27, 28, 29, 35. 1905.
lists—
subjects pertaining to agriculture—
1914. [Misc.], "List of workers * * *," pp. 1–89. 1914.
1915. [Misc.], "List of workers * * *," pp. 1–122. 1915.
1916. [Misc.], "List of workers * * *," pp. 100. 1916.
1917–18. [Misc.], "List of workers * * *." Pt. I, pp. 1–55. 1918; Pt. II, pp. 1–88. 1918.
1918–19. [Misc.], "List of workers * * *." Pt. I, pp. 1–73. 1919; Pt. II, pp. 1–89. 1919.
1921–22. [Misc.], "List of workers * * *." Pt. I, pp. 1–87. 1922; Pt. II, pp. 1–103. 1922.
1922–23. M.C. 4, Pt. II, pp. 1–108. 1923.
1923–24. M.C. 17, Pt. II, pp. 103. 1924.
1924–25, in State agricultural colleges and experiment stations. Mary A. Agnew. M.C. 34, pp. 96. 1925.
technical, in Department of Agriculture, 1924–25. M.C. 45, pp. 91. 1925.
WORKING, D. W.—
"Attendance pledge for farmers' institutes." O.E.S. Bul. 238, pp. 39–41. 1911.
"Introduction and maintenance of a movable school in each State and Province." O.E.S. Bul. 225, pp. 38–40. 1910.
Workingman, food requirement, daily. F.B. 808, pp. 4–6. 1917.
WORKMAN, J. M.—
"Construction and fire protection of cotton warehouses." D.B. 801, pp. 79. 1919.
"Cotton warehousing, benefits of adequate system." With Roy L. Newton. Y.B., 1918, pp. 399–432. 1919; Y.B. Sep. 763, pp. 36. 1919.
Workmen—
compensation act—
California. D.B. 440, p. 6. 1917.
Oregon and Washington. D.B. 711, pp. 15–17. 1918.
qualifications, for tree surgery. Y.B., 1913, pp. 167, 183, 185. 1914; Y.B. Sep. 622, pp. 167, 183, 185. 1914.
Workshop, farm, plan. F.B. 347, pp. 26–27. 1916.
Workstock. See Horses, work.
World—
agricultural survey, object. D.B. 1234, pp. 1–2. 1924.
countries—
productivity, index numbers. Y.B., 1919, p. 735. 1920; Y.B. Sep. 830, p. 735. 1920.
statistics of important agricultural products. Stat. Cir. 31, pp. 1–30. 1912.
production and export trade, ten principal crops, 1909–1913. Y.B., 1919, p. 735. 1920; Y.B. Sep. 830, p. 735. 1920.
World War—
effect on rye production. Y.B., 1922, pp. 501–502. 1923; Y.B. Sep. 891, pp. 501–502. 1923.
homing pigeons, record flights. F.B. 1373, p. 1. 1924.
period, effect on prices. D.B. 999, pp. 1–4, 12–16, 28–35. 1921.
See also War.
World's Dairy Congress, proceedings, October 2–10, 1923. L. A. Rogers and others. B.A.I. [Misc.], "World's dairy congress, 1923," pp. 1599. 1924.
Worms—
Ascaris lumbricoides, egg production. Eloise B. Cram. J.A.R., vol. 30, pp. 977–983. 1925.
cabbage. See Cabbage worm.
capsules, misbranding. N.J. 821, I. and F. Bd. S.R.A. 43, pp. 1028–1029. 1923.

Worms—Continued.
cause of—
abortion in cows. B.A.I. [Misc.], "Diseases of cattle," rev., pp. 161–162. 1904; rev., p. 165. 1912; rev., pp. 165–166. 1923.
epilepsy in cattle. B.A.I. [Misc.], "Diseases of cattle," rev., p. 105. 1904; rev., p. 107. 1912; rev., p. 107. 1923.
kidney disease of cattle. B.A.I. [Misc.], "Diseases of cattle," rev., p. 125. 1904; rev., pp. 127–128. 1912; rev., p. 127. 1923.
staggers in cattle, treatment. B.A.I. [Misc.], "Diseases of cattle," rev., p. 101. 1904; rev., pp. 103, 539. 1912; rev., pp. 103, 529. 1923.
verminous bronchitis in cattle. B.A.I. [Misc.], "Diseases of cattle," rev., pp. 97, 492. 1904; rev., p. 99. 1912; rev., p. 100. 1923.
control—
in dogs, test of raw onions in the diet. M. C. Hall, J. E. Shillinger, and E. B. Cram. J.A.R., vol. 30, pp. 155–159. 1925.
on lawns. Off. Rec., vol. 4, No. 6, p. 8. 1925.
use of wormseed oil. Chem. Cir. 73, p. 1. 1911.
cotton. See Bollworm.
damage to—
conifer seed and cones, studies. D.B. 95, pp. 2–5. 1914.
corn, control by shuck extension. D.B. 708, pp. 9–10. 1918.
destroyers—
poisonous properties and solubility. J.A.R., vol. 30, pp. 949–950. 1925.
See also Anthelmintics.
destruction—
in turkeys. D.C. 352, p. 24. 1925.
of corn, early records, and control work. Y.B., 1913, pp. 78–79. 1914; Y.B. Sep. 616, pp. 78–79. 1914.
eggs, transmission by house fly. F.B. 412, p. 12. 1910.
efficacy of carbon tetrachlorid against. J.A.R., vol. 21, No. 2, pp. 157–175. 1921.
eradicator, misbranding. I. and F. Bd. S.R.A. 24, pp. 517–518. 1919.
extractors, use in chicken-disease control methods, description. F.B. 530, pp. 31–32. 1913.
eye. See Manson's eye worm.
food of mallard ducks. D.B. 720, p. 10. 1918.
gullet. See Threadworms.
holes, wood, causes. D.B. 1128, p. 12. 1923.
in fruit products, origin and detection. Y.B., 1911, p. 305. 1912.
in ostriches, remedies. B.A.I. An. Rpt., 1909, p. 237. 1911; B.A.I. Cir. 172, p. 237. 1911.
lung, symptoms in hogs. F.B. 379, p. 17. 1909.
medicines, for horses. B.A.I. [Misc.], "Diseases of the horse," rev., pp. 60–61. 1903; rev., pp. 60–61. 1907; rev., pp. 60–61. 1911; rev., pp. 91–92, 93. 1923.
nematode, enemies of codling moth. Ent. Bul. 115, Pt. I, p. 76. 1912.
nest, spruce, description. Sec. [Misc.]. "A manual of insects * * *," pp. 80–81. 1917.
outside of alimentary canal, anthelmintics, action. B.A.I. Bul. 153, pp. 1–23. 1912.
parasitic—
blood-destroying power, studies. J.A.R., vol. 16, pp. 253–258. 1919.
control by carbon tetrachlorid, tests. J.A.R., vol. 23, pp. 163–192. 1923.
hemotoxins from. Benjamin Schwartz. J.A.R., vol. 22, pp. 379–432. 1921.
spread by dogs. D.B. 260, pp. 5–20, 23–24. 1915.
pig, control studies. J.A.R., vol. 27, No. 3, pp. 167–175. 1924.
powder, misbranding. I. and F. Bd. S.R.A. 43, N.J. 807, pp. 1013–1015. 1923.
railroad. See Maggot, apple.
remedies—
experiments with dogs, hogs, and sheep. J.A.R., vol. 12, pp. 397–447. 1918.
studies in 1923. Work and Exp., 1923, pp. 69–70. 1925.
round. See also Ascaris lumbricoides.
scavenger. See Pyroderces rileyi.
syrup misbranding—Dr. Kennedy's. Chem. N.J. 1234, pp. 3. 1912.
thread. See Threadworms.

Worms—Continued.
   See also Screw worms; Stomach worms; Tapeworms. See also *under hosts and individual names.*
Wormeley, P. L.: "Cement mortar and concrete." F.B. 235, pp. 32. 1905.
Worming—
   apple-trees for—
      borer control, directions. D.B. 847, pp. 31-32, 41. 1920.
      destruction of roundheaded borers. F.B. 675, pp. 13-16. 1915.
   fruit tree for borers. F.B. 908, pp. 45-46. 1918.
   peach trees—
      cost. D.B. 29, pp. 11, 18. 1913.
      for borers, directions. Ent. Bul. 97, pp. 85-86, 88. 1913; F.B. 1246, pp. 8-9. 1921.
Wormseed—
   American—
      culture and handling as drug plant, yield, and price. F.B. 663, pp. 37-38. 1915.
      growing and uses, harvesting, marketing, and prices. F.B. 663, rev., pp. 49-50. 1920.
      growth for volatile oil. B.P.I. Bul. 195, p. 35. 1910.
   growing—
      experiments, South Carolina. An. Rpts. 1908, p. 303. 1908; B.P.I. Chief Rpt. 1908, p. 31. 1908.
      in Maryland, Carroll County, for oil. Soil Sur. Adv. Sh., 1919, pp. 11, 23. 1922; Soils F.O. 1919, pp. 613, 625. 1925.
   importations and descriptions. No. 36814, B.P.I. Inv. 37, p. 69. 1916; Nos. 42682, 42791, B.P.I. Inv. 47, pp. 51, 65. 1920; No. 46712, B.P.I. Inv. 57, pp. 8, 23. 1922.
   oil—
      American—
         chemical investigation. Chem. Cir. 73, pp. 1-10. 1911.
         making and description. D.B. 1332, p. 3. 1925.
         use as worm-control remedy. Chem. Cir. 73, p. 1. 1911.
      chemical investigation. Chem. Cir. 73, pp. 1-10. 1911.
      emulsions—
         for destruction of Japanese beetle larvae. D.B. 1332, pp. 4-13. 1925.
         making and use. D.B. 1332, pp. 3-6. 1925.
      use in—
         control of hog worms. D.R.P. Cir. 1, p. 25. 1915; News L., vol. 3, No. 26. p. 4. 1916.
         treatment of corn seed before planting. Ent. Bul. 85. pp. 24, 25. 1911.
      other names, habitat, description, collection, uses, and prices. D.B. 26, pp. 4-5. 1913.
Wormwood—
   culture and handling as drug plant, yield, and prices. F.B. 663, p. 38. 1915.
   growing and uses, harvesting, marketing, and prices. F.B. 663, rev., p. 50. 1920.
   habitat, range, description, uses, collection, and prices. B.P.I. Bul. 219, p. 41. 1911.
   harvesting for perfumery. B.P.I. Bul. 195, pp. 31-34, 35. 1910.
   importation and description. No. 36797, B.P.I. Inv. 37, pp. 7, 66. 1916.
   shade drying, methods. F.B. 1231, pp. 6-7. 1921.
   Siberian, importation and description. No. 32237, B.P.I. Bul. 261, p. 45. 1912.
   See also Absinthe.
Worst, J. H., report of North Dakota Experiment Station, work and expenditures—
   1906. O.E.S. An. Rpt., 1906, pp. 141-142. 1907.
   1907. O.E.S. An. Rpt., 1907, pp. 148-151. 1908.
   1908. O.E.S. An. Rpt., 1908, pp. 149-151. 1909.
   1909. O.E.S. An. Rpt., 1909, pp. 163-166. 1910.
   1910. O.E.S. An. Rpt., 1910, pp. 210-214. 1911.
   1911. O.E.S. An. Rpt., 1911, pp. 172-176. 1912.
   1912. O.E.S. An. Rpt., 1912, pp. 177-179. 1913.
   1913. Work and Exp., 1913, pp. 69-70. 1915.
Worthen, E. L.: "Soil survey of—
   Berks County, Pa." With others. Soil Sur. Adv. Sh., 1909, pp. 47. 1911; Soils F.O., 1909, pp. 161-203. 1912.
   Clay County, Miss." Soil Sur. Adv. Sh., 1909, pp. 41. 1911; Soils F.O., 1909, pp. 849-885. 1912.

Worthen, E. L.: "Soil survey of—Continued.
   East Carroll and West Carroll Parishes, La." With H. L. Belden. Soil Sur. Adv. Sh., 1908, pp. 28. 1909; Soils F.O., 1908, pp. 875-898. 1911.
   Jasper County, Miss." With H. Jennings. Soil Sur. Adv. Sh., 1907, pp. 36. 1908; Soils F.O., 1907, pp. 525-556. 1909.
   Lancaster County, Nebr." With J. L. Burgess. Soil Sur. Adv. Sh., 1906, pp. 24. 1908; Soils F.O., 1906, pp. 943-962. 1908.
   Prairie County, Ark." With others. Soil Sur. Adv. Sh., 1906, pp. 36. 1907; Soils F.O., 1906, pp. 629-660. 1908.
   Richland County, N. Dak." Soil Sur. Adv. Sh., 1908, pp. 38. 1909; Soils F.O., 1908, pp. 1121-1154. 1911.
   the North Platte area, Nebraska." With O. L. Eckman. Soil Sur. Adv. Sh., 1907, pp. 28. 1908; Soils F.O., 1907, pp. 813-836. 1909.
Worthley, L. H.—
   "Solid-stream spraying against the gipsy moth and the brown-tail moth in New England." D.B. 480, pp. 16. 1917.
   "The European corn borer and its control." With D. J. Caffrey. F.B. 1294, pp. 45. 1922.
Worts, beer—
   analyses, comparison of all-malt with mixed. D.B. 493, pp. 5-23. 1917.
   extract, specific gravity and percentage, tables. Chem. Bul. 107, pp. 207-217. 1907.
Wounding, resistance of certain small fruits and cherries, effect of temperature on. Lon A. Hawkins and Charles E. Sando. D.B. 830, pp. 6. 1920.
Wounds—
   and their treatment. Ch. B. Michener. Revised by John R. Mohler. B.A.I. [Misc.], "Diseases of the horse," rev., pp. 459-481. 1903; rev., pp. 459-481. 1907; rev., pp. 459-481. 1911; rev., pp. 484-506. 1923.
   animal, protection from flies, formulas for repellents. D.B. 131, pp. 11, 12, 24. 1914.
   arteries and veins, cattle, treatment. B.A.I. [Misc.], "Diseases of cattle," rev., p. 81. 1912.
   calk, of horse, treatment. B.A.I. [Misc.], "Diseases of the horse," rev., p. 379. 1903; rev., p. 379. 1907; rev., p. 379. 1911; rev., p. 405. 1923.
   cattle, kinds, causes, and treatment. B.A.I. [Misc.], "Diseases of cattle," rev., pp. 295-299. 1904; rev., pp. 67-70, 304-310, 345-346. 1912; rev., pp. 295-299. 1923.
   cedar trees, causes, and relation to dry-rot. D.B. 871, pp. 37-49. 1920.
   citrus bark, relation to gum formation. J.A.R., vol. 24, pp. 224-226. 1923.
   colts, treatment. F.B. 803, p. 21. 1917.
   cork formation in the sweet potato. J. L. Weimer and L. L. Harter. J.A.R. vol. 21, pp. 637-647. 1921.
   ear, of cattle, treatment. B.A.I. [Misc.], "Diseases of cattle," rev., p. 356. 1904; rev., p. 369. 1912; rev., p. 357. 1923.
   eyelid of horse, treatment. B.A.I. [Misc.], "Diseases of the horse," rev., pp. 260-261. 1903; rev., pp. 260-261. 1907; rev., pp. 260-261. 1911; rev., p. 284. 1923.
   first-aid treatment. D.C. 4, p. 70. 1919.
   foot, of cattle, treatment. B.A.I. [Misc.], "Diseases of cattle," rev., p. 350. 1912; rev., pp. 338-339. 1923.
   foot, of sheep, causes and treatment. B.A.I. Bul. 63, pp. 29-32. 1905.
   fruit tree bark, entrance of arsenical poisoning in sprays. J.A.R., vol. 8, pp. 290-306. 1917.
   fruit trees, relation to injury by arsenical sprays. J.A.R., vol. 24, p. 531. 1923.
   horse—
      closing of suture. B.A.I. [Misc.], "Diseases of the horse," rev., p. 461. 1903; rev., p. 461. 1907; rev., p. 461. 1911; rev., p. 486. 1923.
      healing methods, description. B.A.I. [Misc.], "Diseases of the horse," rev., pp. 461-473. 1903; rev., pp. 461-473. 1907; rev., pp. 461-473. 1911; rev., pp. 486-498. 1923.
      incised, description and treatment. B.A.I. [Misc.], "Diseases of the horse," rev., p. 459. 1903; rev., p. 459. 1907; rev., p. 459. 1911; rev., p. 484. 1923.

INDEX TO PUBLICATIONS, 1901–1925

Wounds—Continued.
  horse—continued.
    penetration of chest walls, treatment. B.A.I. [Misc.], "Diseases of the horse," rev., pp. 139–140. 1903; rev., pp. 140–141. 1907; rev., pp. 140–141. 1911; rev., pp. 131–132. 1923.
    rules for treatment. B.A.I. [Misc.], "Diseases of the horse," rev., p. 463. 1903; rev., p. 463. 1907; rev., p. 463. 1911; rev., p. 488. 1923.
    infestation with maggots, treatment. F.B. 857, p. 17. 1917; Sec. Cir. 61, pp. 1, 9. 1916.
    nostrils, of horse, treatment. B.A.I. [Misc.], "Diseases of the horse," rev., p. 106. 1903; rev., p. 106. 1907; rev., p. 106. 1911; rev., p. 97. 1923.
  pecan, protection by paint. F.B. 995, pp. 6–8. 1918.
  plant, cause of intumescences. J.A.R., vol. 13, pp. 253–258. 1918.
  pruning, treatment and protective materials. F.B. 1333, pp. 21–25, 31. 1923.
  punctured, foot of horse, symptoms and treatment. B.A.I. [Misc.], "Diseases of the horse," rev., pp. 400–403, 465–467. 1903; rev., pp. 400–402, 465–467. 1907; rev., pp. 400–402, 465–467. 1911; rev., pp. 426–429, 490–492. 1923.
  skin, of cattle, treatment. B.A.I. [Misc.], "Diseases of cattle," rev., pp. 333–334. 1904; rev., pp. 345–346. 1912; rev., pp. 333–334. 1923.
  skin, of horse, kinds and treatment. B.A.I. [Misc.], "Diseases of the horse," rev., pp. 456–458. 1903; rev., pp. 456–458. 1907; rev., pp. 456–458. 1911.
  treatment, directions for campers. D.C. 138, p. 73. 1920.
  tree. See Tree surgery; Tree wounds.
Woundwort, soldier's. See Yarrow.
Wrappers—
  apple, scald prevention, experiments. J.A.R., vol. 16, pp. 214–216. 1919.
  oiled, use in control of apple scald. F.B. 1380, pp. 9–12. 1923; J.A.R., vol. 18, pp. 233–236. 1919; J.A.R., vol. 26, pp. 513–529. 1923.
Wrapping—
  fruit, injurious effect. D.B. 859, p. 27. 1920.
  paper, materials used, sources, and consumption. D.B. 1241, pp. 20, 21, 23, 24. 1924.
  paper, specifications. Rpt. 89, pp. 12, 49. 1909.
  tomatoes, effect on ripening. D.B. 859, pp. 24–27. 1920.
Wren—
  Alaska, occurrence in Pribilof Islands, habits, and food. N.A. Fauna 46, pp. 98–100. 1923.
  Bewick's, food habits. Biol. Bul. 30, pp. 57–60. 1907.
  cactus, food habits. Biol. Bul. 30, pp. 64–65. 1907.
  Carolina—
    description, and food habits. F.B. 755, pp. 7–9. 1916.
    enemy of boll weevil. Biol. Bul. 22, p. 8. 1905; Biol. Bul. 25, p. 14. 1906.
    useful food habits, and occurrence in Arkansas. Biol. Bul. 38, p. 86. 1911.
  cotton boll weevil destruction in winter. Biol. Cir. 64, p. 4. 1908.
  European, enemy of codling moth. Y.B., 1911, p. 244. 1912; Y.B. Sep. 564, p. 244. 1912.
  eye parasite of. B.A.I. Bul. 60, p. 49. 1904.
  food habits. Biol. Bul. 30, pp. 57–66. 1907.
  food habits, and occurrence in Arkansas. Biol. Bul. 38, pp. 86–87. 1911.
  house—
    description, range, and habits. F.B. 513, p. 10. 1913; F.B. 630, p. 6. 1915; F.B. 755, pp. 5–7. 1916.
    protection by law. Biol. Bul. 12, rev., p. 40. 1902.
    western, food habits. Biol. Bul. 30, pp. 60–62. 1907.
  long-billed, marsh, enemy of rice water-weevil. Ent. Cir. 152, p. 12. 1912.
  prairie marsh, nesting habits. Biol. Bul. 38, p. 87. 1911.
  protection by law. Biol. Bul. 12, rev., pp. 38, 39, 40, 41. 1902.
  range and habits. N.A. Fauna 22, p. 128. 1902.
  relation to starlings. D.B. 868, pp. 48–49, 58. 1921.
  tit, food habits. Biol. Bul. 30, pp. 71–74. 1907.

Wren—Continued.
  varieties, in Athabaska-Mackenzie region. N.A. Fauna 27, pp. 483–484. 1908.
  western marsh, food habits. Biol. Bul. 30, pp. 62–64. 1907.
  winter, protection by law. Biol. Bul. 12, rev., p. 40. 1902.
  winter, western (Anorthura hiemalis pacifica), range and habits. N.A. Fauna 21, pp. 18, 49–50. 1901.
Wrenches, various kinds, descriptions and cost. F.B. 347, pp. 12–13. 1909.
Wretweed. See Celandine.
WRIEDT, CHRISTIAN: "Correlation between the size of cannon bone in the offspring and the age of the parents." J.A.R., vol. 7, pp. 361–371. 1916.
Wright Act, California, provisions, revision, and establishment. D.B. 1177, pp. 9, 11, 15, 18, 41–45. 1923.
WRIGHT, A. E.—
  "Irrigation in the Sacramento Valley, Calif." With others. O.E.S. Bul. 207, pp. 99. 1909.
  "Irrigation in the Valley of Lost River, Idaho." O.E.S. Cir. 58, pp. 24. 1904.
  "Irrigation near Garden City, Kans., 1904." With A. B. Collins. O.E.S. Bul. 158, pp. 585–594. 1905.
  "Irrigation near Rockyford, Colo., 1904." O.E.S. Bul. 158, pp. 609–623. 1905.
WRIGHT, C. D.: "The melting temperature of aspirin and salicylic acid mixtures." With W. O. Emery. Chem. Bul. 162, pp. 202–203. 1913.
WRIGHT, J. O.—
  "Excavating machinery used for digging ditches and building levees." O.E.S. Cir. 74, pp. 40. 1907.
  "Reclamation of tide lands." O.E.S. An. Rpt., 1906, pp. 373–397. 1907.
  "Swamp and overflowed lands in the United States. Ownership and reclamation." O.E.S. Cir. 76, pp. 23. 1907.
  "The prevention of injury by floods in the Neosho Valley, Kansas." O. E. S. Bul. 198, pp. 44. 1908.
WRIGHT, L. H.—
  "A study of the physical changes in feed residues which take place in cattle during digestion." With P. V. Ewing. J.A.R., vol. 13, pp. 639–646. 1918.
  "Further investigations of infectious equine anemia in Nevada." J.A.R., vol. 30, pp. 683–691. 1925.
  "Iron content of the blood and spleen in infectious equine anemia." J.A.R., vol. 26, pp. 239–242. 1923.
  "Some observations regarding Eosinophiles." J.A.R., vol. 21, pp. 677–688. 1921.
WRIGHT, P. A.—
  "A comparative study of the composition of the sunflower and corn plants at different stages of growth." With R. H. Shaw. J.A.R., vol. 20, pp. 787–793. 1921.
  "A study of ensiling a mixture of Sudan grass with a legume." With R. H. Shaw. J.A.R., vol. 28, pp. 255–259. 1924.
  "Nitrogen and other losses during the ensiling of corn." With others. D.B. 953, pp. 16. 1921.
  work on sunflower composition. With R. H. Shaw. D.B. 1045, pp. 14–15. 1922.
WRIGHT, R. C.—
  "Coloring Satsuma oranges in Alabama." D.B. 1159, pp. 23. 1923.
  "Freezing injury of apples." With H. C. Diehl. J.A.R., vol. 29, pp. 99–127. 1924.
  "Freezing injury to potatoes when undercooled." With George F. Taylor. D.B. 916, pp. 15. 1921.
  "Freezing temperatures of some fruits, vegetables, and cut flowers." With George F. Taylor. D.B. 1133, pp. 8. 1923.
  "Frost injury to tomatoes." With R. B. Harvey. D.B. 1099, pp. 10. 1922.
  "Relation of bacterial transformations of soil nitrogen to nutrition of citrous plants." With Karl F. Kellerman. J.A.R., vol. 2, pp. 101–113. 1914.
  "The efficiency of a short-type refrigerator car." With others. D.B. 1353, pp. 28. 1925.

WRIGHT, R. C.—Continued.
"The freezing point of potatoes as determined by the thermoelectric method." With R. B. Harvey. D.B. 895, pp. 7. 1921.
"The freezing temperatures of some fruits, vegetables, and cut flowers." With George F. Taylor. D.B. 1133, pp. 8. 1923.

WRIGHT, SEWALL—
"An approximate method of calculating coefficients of inbreeding and relationship from livestock pedigrees." With Hugh C. McPhee. J.A.R., vol. 31, pp. 377–383. 1925.
"Corn and hog correlations." D.B. 1300, pp. 59. 1925.
"Correlation and causation." J.A.R., vol. 20, pp. 557–585. 1921.
"Factors which determine otocephaly in guinea pigs." With O. N. Eaton. J.A.R., vol. 26, pp. 161–182. 1923.
"Principles of livestock breeding." D.B. 905, pp. 67. 1920.
"The effects of inbreeding and crossbreeding on guinea pigs. III. Crosses between highly inbred families." D.B. 1121, pp. 61. 1922.
"The effects of inbreeding and crossbreeding on guinea pigs. I. Decline in vigor; II. Differentiation among inbred families." D.B. 1090, pp. 63. 1922.

WRIGHT, TURNER: "Live stock conditions in Europe." With George A. Bell. Y.B., 1919, pp. 407–424. 1920; Y.B. Sep. 821, pp. 407–424. 1920.

Wrightia tomentosa, importation and description. No. 52297, B.P.I. Inv. 65, p. 86. 1923.

Writing papers, specifications. Rpt. 89, pp. 12, 45–48. 1909.

WYATT, F. A.: "Influence of calcium and magnesium compounds on plant growth." J.A.R., vol. 6, No. 16, pp. 589–619. 1916.

Wyoming—
agricultural—
colleges and experiment stations, organization—
1905. O.E.S. Bul. 161, pp. 75. 1905.
1906. O.E.S. Bul. 176, p. 85. 1907.
1907. O.E.S. Bul. 197, pp. 90–91. 1908.
1910. O.E.S. Bul. 224, pp. 76–77. 1910.
See also Agriculture, workers list.
education—
extension, 1906. O.E.S. Bul. 196, p. 35. 1907.
organization, lists, and courses of study. See Colleges, Agricultural.
Experiment Stations. See Wyoming Experiment Station.
alfalfa weevil infestation, map of infested district. F.B. 741, pp. 2, 3. 1916.
alkali studies. J.A.R., vol. 10, pp. 336–351. 1917.
antelope—
in, number and distribution. D.B. 1346, pp. 57–60. 1925.
legislation, note. D.B. 1346, p. 8. 1925.
apple, growing, areas, and varieties, and production. D.B. 485, pp. 33, 44–47. 1917.
Archer Field Station, wheat growing methods, yields, and cost. D.B. 595, pp. 19–21, 33. 1917.
barberry occurrence and eradication work. D.C. 188, pp. 15–18, 36–37. 1921.
barley crops, 1901–1906, acreage, production, and value. Stat. Bul. 59, pp. 23–26, 34. 1907.
bears, description and characters. N.A. Fauna 41, pp. 20, 40, 65, 104. 1918.
Beckwith Hills area, phosphate deposits, description and analyses. Soils Bul. 69, pp. 32–34. 1910.
bee—
and honey statistics—
1914–1915. D.B. 325, pp. 6, 9, 10, 11, 12. 1915.
1918. D.B. 685, pp. 7, 10, 13, 15, 17, 18, 19, 22, 24, 26, 29, 31. 1918.
disease, occurrence. Ent. Cir. 138, p. 23. 1911.
beet-sugar industry—
1903. Sec. [Misc.], "Report of the beet-sugar * * *." 1903, pp. 51–52. 1904.
1904. Rpt. 80, pp. 94–97. 1905.
1908. Rpt. 90, p. 71. 1909.
prospects. Rpt. 86, p. 82. 1908.
Bighorn and Sheridan counties, quarantine release, sheep. B.A.I.O. 169, amdt. 1, rule 8, rev., 2, p. 1. 1910.

Wyoming—Continued.
bird—
protection. See Bird protection.
refuge, Flat Creek National Reservation. Off. Rec., vol. 1, No. 44, p. 4. 1922.
reservations, work in 1921. Biol. Chief Rpt., 1921, p. 24. 1921.
boreal zone importance to adjoining areas. N.A. Fauna 42, pp. 52–54. 1917.
bounty laws, 1907. Y.B., 1907, p. 565. 1908; Y.B. Sep. 473, p. 565. 1908.
Buffalo horse-breeding station, horses, pedigrees and records. D.C. 153, pp. 6–22. 1921.
cabbage flea-beetle, occurrence and injuries to crops. D.B. 902, p. 4. 1920.
canals, seepage measurements. D.B. 126, pp. 36–37. 1915.
cereal field station. An. Rpts., 1913, p. 119. 1914; B.P.I. Chief Rpt., 1913, p. 15. 1913.
Cheyenne, irrigation experiments. O.E.S. Cir. 92, pp. 6–41. 1910.
Cheyenne experiment farm, cooperative work. An. Rpts., 1913, p. 123. 1914; B.P.I. Chief Rpt., 1913, p. 19. 1913.
Cheyenne Field Station, wheat-growing experiments. D.B. 878, pp. 26–28. 1920.
Cokeville area, phosphate deposits, description and analyses. Soils Bul. 69, pp. 29–31. 1910.
colleges, litigation, termination. O.E.S. An. Rpt., 1907, p. 285. 1908.
convict road work, laws. D.B. 414, p. 218. 1916.
cooperative associations, statistics, and laws. D.B. 547, pp. 13, 24, 77. 1917.
corn—
crops, 1892–1906, acreage, production, and value. Stat. Bul. 56, pp. 20–27, 35. 1907.
production, movements, consumption, and prices. D.B. 696, pp. 15, 16, 30, 33, 36, 38, 41. 1918.
yields and prices, 1892–1915. D.B. 515, p. 13. 1917.
counties released from quarantine of cattle scabies. B.A.I.O. 197, amdt. 3, pp. 2. 1914.
credits, farm-mortgage loans, costs and sources. D.B. 384, pp. 2, 3, 6, 8, 10. 1916.
demurrage provisions, regulations, etc. D.B. 191, pp. 3, 27. 1915.
desert lands, location and conditions. N.A. Fauna, 42, pp. 11, 19–21. 1917.
drought conditions and removal of livestock. Y.B., 1919, pp. 394, 395, 398. 1920; Y.B. Sep. 820, pp. 394, 395, 398. 1920.
drug laws. Chem. Bul. 98, pp. 207–210. 1906; rev., Pt. I, pp. 337–343. 1909.
dry farming—
crops. F.B. 388, p. 11. 1910.
experimental work, appropriations. O.E.S. An. Rpt., 1910, pp. 66, 72. 1911.
experiments with alfalfa, potatoes, and wheat. O.E.S. Cir. 95, pp. 8–9. 1910.
early settlement, historical notes. See Soil Surveys, various counties and areas.
elk, conditions at Jackson Hole, 1911, report. Edward A. Preble. Biol. Bul. 40, pp. 23. 1911.
Elk Refuge, Jackson Hole, purchase and cost. D.B. 1049, pp. 45, 46. 1922.
emmer and spelt growing, experiments. D.B. 1197, pp. 34–35. 1924.
emmer growing, experiments and yields. F.B. 466, pp. 13–16. 1911.
Experiment Station—
fiber testing work. J.A.R., vol. 4, pp. 379–380. 1915.
soil studies. Soils Bul. 35, pp. 54–58. 1906.
sugar-beet experiments, 1903. Chem. Bul. 95, pp. 27–28. 1905.
work and expenditures—
1906. B. C. Buffum. O.E.S. An. Rpt., 1906, pp. 169–170. 1907.
1907. J. D. Towar. O.E.S. An. Rpt., 1907, pp. 189–191. 1908.
1908. J. D. Towar. O.E.S. An. Rpt., 1908, pp. 189–190. 1909.
1909. J. D. Towar. O.E.S. An. Rpt., 1909, pp. 208–209. 1910.
1910. H. G. Knight. O.E.S. An. Rpt., 1910, pp. 267–269. 1911.
1911. H. G. Knight. O.E.S. An. Rpt., 1911, pp. 227–230. 1912.

INDEX TO PUBLICATIONS, 1901-1925 2677

Wyoming—Continued.
 Experiment Station—Continued.
  work and expenditures—continued.
   1912. H. G. Knight. O.E.S. An. Rpt., 1912, pp. 229–231. 1913.
   1913. H. G. Knight. Work and Exp., 1913, pp. 89–90. 1915.
   1914. H. G. Knight. Work and Exp., 1914, pp. 250–253. 1915.
   1915. H. G. Knight. S.R.S.Rpt., 1915, Pt. I, pp. 282–285. 1916.
   1916. H. G. Knight. S.R.S. Rpt., 1916, Pt. I, pp. 293–297. 1918.
   1917. H. G. Knight. S.R.S. Rpt., 1917, Pt. I, pp. 282–285. 1918.
   1918, notes. Work and Exp., 1918, pp. 41, 48, 62, 63, 71–80. 1920.
  extension work—
   funds allotment, and county-agent work. S.R.S. Doc. 40, pp. 4, 7, 12, 20, 23, 25, 28. 1918.
   in agriculture and home economics—
    1915. A. E. Bowman. S.R.S. Rpt., 1915, Pt. II, pp. 323–326. 1916.
    1916. A. E. Bowman. S.R.S. Rpt., 1916, Pt. II, pp. 367–371. 1917.
    1917. A. E. Bowman. S.R.S. Rpt., 1917, Pt. II, pp. 372–375. 1919.
   statistics. D.C. 253, pp. 7, 9, 14–15, 17, 18. 1923; D.C. 306, pp. 4, 7, 12, 18, 20, 21. 1924.
  fairs, number, kind, location, and dates. Stat. Bul. 102, pp. 13, 14, 68. 1913.
  farm—
   animals, statistics, 1883–1907. Stat. Bul. 64, p. 134. 1908.
   values, changes, 1900–1905. Stat. Bul. 43, pp. 11–17, 30–46. 1906.
  farmers' institutes—
   history. O.E.S. Bul. 174, p. 96. 1906.
   legislation. O.E.S. Bul. 135, rev., p. 34. 1905; O.E.S. Bul. 241, p. 46. 1911.
   work—
    1904. O.E.S. An. Rpt., 1904, pp. 671–672. 1905.
    1906. O.E.S. An. Rpt., 1906, p. 352. 1907.
    1907. O.E.S. An. Rpt., 1907, p. 349. 1908; O.E.S. Bul. 199, p. 27. 1908.
    1908. O.E.S. An. Rpt., 1908, p. 330. 1909.
    1909. O.E.S. An. Rpt., 1909, p. 355. 1910.
    1910. O.E.S. An. Rpt., 1910, p. 417. 1911.
    1911. O.E.S. An. Rpt., 1911, p. 381. 1912.
    1912. O.E.S. An. Rpt., 1912, p. 374. 1913.
  farming experiments, 1917–1923, summary. D.B. 1306, pp. 29–30. 1925.
  field—
   station—
    Sheridan, work from 1917 to 1923, inclusive. R. S. Towle. D.B. 1306, pp. 30. 1925.
    subsoiling experiments. J.A.R., vol. 14, pp. 494–495. 1918.
   work of Plant Industry, December, 1924. M.C. 30, p. 62. 1925.
  Flat Creek Bird Refuge, report, 1923. An. Rpts., 1923, p. 454. 1924; Biol. Chief Rpt., 1923, p. 36. 1923.
  food legislation—
   1903. Chem. Bul. 83, Pt. I, pp. 148–157. 1904.
   1904, and officials. Chem. Cir. 16, pp. 20, 23, 29. 1905.
   1907. Chem. Bul. 112, Pt. II, pp. 144–147. 1908.
  forest(s)—
   area, 1918. Y.B., 1918, p. 718. 1919; Y.B. Sep. 795, p. 54. 1919.
   fires, statistics. For. Bul. 117, pp. 37–38. 1912.
   legislation, 1907. Y.B., 1907, p. 576. 1908; Y.B. Sep. 470, p. 16. 1908.
   planting, South Platte Valley. For. Cir. 109, pp. 1–20. 1907.
   reserves. See Forests, national.
   trees, species adaptable and planting details. F.B. 888, pp. 5–10, 19. 1917.
   value. N.A. Fauna 42, pp. 41, 42, 53. 1917.
  forestry laws, parallel classification. For. Law Leaf. 10, pp. 1–3. 1915; For. Misc. S–11, pp. 1–3. 1915.
  Foxpark Plateau, forest types, study. D.B. 1233, pp. 14–15. 1924.
  funds for cooperative extension work, sources. S.R.S. Doc. 40, pp. 4, 6, 12, 18. 1917.

Wyoming—Continued.
  fur animals, laws—
   1915. F.B. 706, p. 20. 1916.
   1916. F.B. 783, pp. 21, 28. 1916.
   1917. F.B. 911, pp. 24, 31. 1917.
   1918. F.B. 1022, pp. 24–25, 30, 31. 1918.
   1919. F.B. 1079, pp. 7, 26. 1919.
   1920. F.B. 1165, pp. 24–25. 1920.
   1921. F.B. 1238, pp. 4, 24. 1921.
   1922. F.B. 1293, p. 22. 1922.
   1923–24. F.B. 1387, p. 25. 1923.
   1924–25. F.B. 1445, p. 18. 1924.
   1925–26. F.B. 1469, p. 22. 1925.
  game—
   and bird reservations, details and summary. Biol. Cir. 87, pp. 4, 9, 10, 15, 16. 1912.
   laws—
    1902. F.B. 160, pp. 25, 35, 43, 46, 52, 54, 56. 1902.
    1903. F.B. 180, pp. 16, 26, 34, 39, 44, 46, 48, 56. 1903.
    1904. F.B. 207, pp. 26, 36, 40, 45, 51, 63. 1904.
    1905. F.B. 230, pp. 12, 23, 33, 39, 46. 1905.
    1906. F.B. 265, pp. 23, 32, 39, 47. 1906.
    1907. F.B. 308, pp. 8, 22, 31, 37, 47. 1907.
    1908. F.B. 336, pp. 24, 35, 45, 53. 1908.
    1909. F.B. 376, pp. 6, 15, 29, 36, 41, 44, 51. 1909.
    1910. F.B. 418, pp. 22, 29, 34, 37, 45. 1910.
    1911. F.B. 470, pp. 14, 26, 34, 39, 42, 51. 1911.
    1912. F.B. 510, pp. 5, 22, 25–26, 30, 35, 38, 39, 40, 47. 1912.
    1913. D.B. 22, pp. 17, 20, 34, 42, 46, 50, 58. 1913; rev., pp. 17, 19. 1913.
    1914. F.B. 628, pp. 10, 11, 26, 28–29, 33, 36, 39, 42, 43, 44, 52. 1914.
    1915. F.B. 692, pp. 3, 4, 5, 6, 7, 8, 17, 35, 43, 48, 51, 53, 61. 1915.
    1916. F.B. 774, pp. 33, 42, 47, 50, 53, 61. 1916.
    1917. F.B. 910, pp. 40, 48, 56. 1917.
    1918. F.B. 1010, pp. 37, 47, 61. 1918.
    1919. F.B. 1077, pp. 41, 51, 60, 72, 73. 1919.
    1920. F.B. 1138, p. 44. 1920.
    1921. F.B., 1235, pp. 45–46, 57. 1921.
    1922. F.B. 1288, pp. 42, 55, 66, 67. 1922.
    1923–24. F.B. 1375, pp. 40–41, 51. 1923.
    1924–25. F.B. 1444, pp. 29–30, 38. 1924.
    1925–26. F.B. 1466, pp. 36–37, 46. 1925.
   protection. See Game protection.
  grain supervision district and headquarters. Mkts. S.R.A. 14, p. 33. 1916.
  Gross Ventre Valley, description, availability for Elk refuge. Biol. Bul. 40, pp. 10, 22–23. 1911.
  hay crops, 1882–1906, acreage, production, and value. Stat. Bul. 63, pp. 13–25, 33. 1908.
  hay growing and other crops. O.E.S. Bul. 157, p. 22. 1905.
  herds, lists of tested and accredited. D.C. 54, pp. 49, 91. 1919; D.C. 143, p. 60. 1920.
  hunting laws. Biol. Bul. 19, pp. 11, 16, 18, 21, 28, 30, 31, 57, 60–61, 65. 1904.
  irrigation—
   Clarence T. Johnston. O.E.S. Bul. 205, pp. 60. 1909.
   and drainage laws. D.B. 1257, pp. 18, 25. 1924.
   and dry farming, experiments, 1909. O.E.S. Cir. 95, pp. 1–11. 1910.
   by use of windmills. Y.B., 1907, pp. 413–418. 1908; Y.B. Sep. 458, pp. 413–418. 1908.
   districts, and their statutory relations, notes. D.B. 1177, pp. 4, 5, 11, 16, 19, 26, 31, 33, 53. 1923.
   experiments with small water supplies. O.E.S. Cir. 92, pp. 1–51. 1910.
   history, officers and water distribution. O.E.S. Bul. 168, pp. 19–39. 1906.
   investigations—
    1910. O.E.S. An. Rpt., 1910, p. 41. 1911.
    1911. O.E.S. An. Rpt., 1911, p. 35. 1912.
    1912. O.E.S. An. Rpt., 1912, pp. 27–28. 1913.
    cooperation. An. Rpts., 1910, p. 151. 1911; Sec. A.R., 1910, p. 151. 1910; Y.B., 1910, p. 149. 1911.
    on Sand Creek, Albany County. Burton P. Fleming. O.E.S. Bul. 133, pp. 101–123. 1903.
   laws. O.E.S. An. Rpt., 1909, pp. 400, 403, 404, 407–412. 1910; O.E.S. Bul. 96, pp. 47–90. 1901.
   projects under the Carey Act. Sec. Cir. 124, pp. 6, 7. 1919.

Wyoming—Continued.
  irrigation—continued.
    supplemental, with small water supplies at Cheyenne in 1909, experiments. John H. Gordon. O.E.S. Cir. 95, pp. 11. 1910.
    system. O.E.S. Bul. 96, p. 47. 1901.
    under Carey Act. O.E.S. An. Rpt., 1910, pp. 474–475. 1911.
    use of water at Wheatland. C. T. Johnston. O.E.S. Bul. 104, pp. 207–220. 1902.
  Jackson Hole—
    description, flora, and climate, with map. Biol. Bul. 40, pp. 8–11. 1911.
  Elk Refuge—
    conditions. An. Rpts., 1914, pp. 208, 209. 1914; Biol. Chief Rpt., 1914, pp. 10, 11. 1914.
    uses and needs. D.C. 51, pp. 25–26, 33, 34. 1919.
  Laramie Plains, duty of water. O.E.S. Bul. 104, p. 215. 1902.
  lard supply, wholesale and retail, Aug. 31, 1917, tables. Sec. Cir. 97, pp. 14–32. 1918.
  law(s)—
    dog control, digest. F.B. 935, p. 22. 1918; F.B. 1268, p. 24. 1922.
    food, 1907. Chem. Bul. 112, Pt. II, pp. 144–147. 1908.
    nursery stock shipments, interstate. Ent. Cir. 75, rev., p. 9. 1909.
    protecting birds. Biol. Bul. 12, rev., pp. 18, 32–34, 36, 37, 42, 44, 46, 47, 50, 125–126, 137. 1902.
    relative to tuberculosis. B.A.I. Bul. 28, pp. 168–173. 1901.
  leucite deposits, potash source. D.C. 61, p. 6. 1919; Y.B., 1912, p. 518. 1913; Y.B. Sep. 611, p. 528. 1913.
  life zone investigations. Merritt Cary. N.A. Fauna 42, pp. 95. 1917.
  lip-and-leg ulceration—
    of sheep, quarantine regulations. B.A.I.O. 169, rev., rule 8, pp. 4. 1910; B.A.I.O. 181, rule 9, p. 1. 1911.
    outbreak, control methods. B.A.I. Cir. 160, pp. 6–11. 1910.
  livestock—
    admission, sanitary requirements. B.A.I. Doc. 28, pp. 43–44. 1917; B.A.I. Doc. 36, pp. 66–67. 1920; M.C. 14, pp. 90–91. 1924.
    associations. Y.B., 1920, p. 533. 1921; Y.B. Sep. 866, p. 533. 1921.
    production, from reports of stockmen. Rpt. 110, pp. 5–27, 40–42, 47–48, 93–98. 1916.
  lodgepole pine—
    conditions. D.B. 154, pp. 1–35. 1915.
    forest tables. For. Cir. 126, pp. 10–13, 15, 20–21, 24. 1907.
  lumber—
    cut, 1920, 1870–1920, value, and kinds. D.B. 1119, pp. 28, 30–35, 54, 57, 59. 1923.
    production, 1918, by mills, by woods, and lath and shingles. D.B. 845, pp. 6–11, 14, 16, 38, 42–47. 1920.
  maps, showing precipitation, drainage, irrigable areas, national forests. O.E.S. Bul. 205, pp. 10–16. 1909.
  marketing activities and organizations. Mkts. Doc. 3, p. 6. 1916.
  meteorological data, May–October, 1903. Chem. Bul. 95, p. 27. 1905.
  milk supply, laws. B.A.I. Bul. 46, p. 165. 1903.
  Montana, and South Dakota, small reservoirs. F. C. Herrmann. O.E.S. Bul. 179, pp. 100. 1907.
  mountain—
    meadows, seeding to redtop and timothy. B.P.I. Bul. 117, p. 11. 1907.
    regions, value for game and sport. N.A. Fauna 42, p. 54. 1917.
  national forests—
    location, date, and area, January 31, 1913. For. [Misc.], "The use book," 1913, pp. 87–88. 1913.
    map. For. Maps. 1925.
    road building since 1912. Y.B., 1916, p. 525. 1917; Y.B. Sep. 696, p. 5. 1917.
  Newcastle, irrigation experiments. O.E.S. Cir. 92, pp. 6, 41–51. 1910.

Wyoming—Continued.
  North Platte reclamation project, hog raising. D.R.P. Cir. 1, pp. 1–26. 1915.
  oat—
    acreage, production, and value, 1866–1906. Stat. Bul. 58, p. 33. 1907.
    crops, 1882–1906, acreage, production, and value. Stat. Bul. 58, pp. 13–25, 33. 1907.
    growing, varietal experiments. D.B. 823, pp. 46–47, 49, 67. 1920.
    Kherson tests. F.B. 395, p. 24. 1910.
  officials, dairy, drug, feeding stuffs, and food. See Dairy officials; Drug officials.
  Palisade National Forest, cattle losses from larkspur poisoning. F.B. 826, pp. 16, 17. 1917.
  pasture land on farms. D.B. 626, pp. 15, 93. 1918.
  pear growing, distribution and varieties. D.B. 822, p. 13. 1920.
  phosphate—
    fields, review. Soils Bul. 69, pp. 23–34. 1910.
    rock deposits and forms. Y.B., 1917, pp. 178, 179, 180. 1918; Y.B. Sep. 730, pp. 4, 5, 6. 1918.
  physical features, railroads, climate, and water resources, irrigated sections. O.E.S. Bul. 205, pp. 1–60. 1909.
  physiography and climate. N.A. Fauna 42, pp. 9–12. 1917.
  plants, barium, occurrence. B.P.I. Bul. 246, pp. 39–41. 1912.
  pocket gophers, occurrence and description. N.A. Fauna 39, pp. 9, 23–28, 100–114, 128. 1915.
  potato crops, 1882–1906, acreage, production, and value. Stat. Bul. 62, pp. 15–27, 36. 1908.
  potatoes under irrigation, acreage and production. F.B. 953, p. 4. 1918.
  prairie dogs, destruction. Off. Rec. vol. 1, No. 6, p. 7. 1922.
  public roads, mileage and expenditures in 1904. Rds. Cir. 55, pp. 2. 1906.
  public State lands, system of leasing. For. Bul. 62, pp. 54–60. 1905.
  quarantine for—
    cattle scabies—
      area. B.A.I.O. 213, rule 2, rev. 5, p. 1. 1914.
      establishment. B.A.I.O. 197, rule 2, rev. 4, pp. 1, 2. 1913.
      prevention of spread, January 15, 1910. B.A.I.O. 167, rule 2, rev. 3, p. 1. 1910.
      removal. B.A.I.O. 213, amdt. 1. 1914.
    lip and leg disease of sheep—
      areas. B.A.I.O. 163, rule 8, pp. 3; amdt. 1, p. 1. 1909.
      release. B.A.I.O. 181, rule, 9 p. 1. 1911.
  rainfall, map and table. B.P.I. Bul. 188, pp. 45, 66. 1910.
  range sheep investigations, 1916. An. Rpts., 1916, pp. 79–80. 1917; B.A.I. Chief Rpt., 1916, pp. 13–14. 1916.
  reforestation, choice of sites, methods, and species. D.B. 475, pp. 37, 39, 57–58, 63. 1917.
  reservoirs—
    small (and in Montana and South Dakota). F. C. Herrmann. O.E.S. Bul. 179, pp. 100. 1907.
    water losses, types. F.B. 828, pp. 7, 15, 24. 1917.
  revenue from fur animals, possibilities. D.C. 135, p. 10. 1920.
  road(s)—
    materials, tests. Rds. Bul. 44, p. 91. 1912.
    mileage and expenditures—
      1909. Rds. Bul. 41, pp. 39, 41, 42, 120. 1912.
      1914. D.B. 389, pp. 3, 4, 5, 6, 7, 54–56, XXIX, LXIII. 1917.
      1915. Sec. Cir. 52, pp. 3, 5, 6. 1915.
      1916. Sec. Cir. 74, pp. 6, 7, 8. 1917.
    national forests, work by department, 1913–1914. D.B. 284, pp. 55, 56. 1915.
    projects approved, 1918, 1919. An. Rpts., 1919, pp. 402, 404, 406, 408. 1920; Rds. Chief Rpt., 1919, pp. 12, 14, 16, 18. 1919.
    tests of rock used, results, table. D.B. 370, p. 99. 1916.
  Rock Creek project, pipe outlet, details and cost. O.E.S. Bul. 249, Pt. I, pp. 40–41. 1912.

Wyoming—Continued.
Rock Creek region, climate, physiography and plants. J.A.R., vol. 6, No. 19, pp. 742-745. 1916.
rural credit law. Off. Rec., vol. 2, No. 46, p. 1. 1923.
rye crops, 1901-1906, acreage, production, and value. Stat. Bul. 60, pp. 22-25, 34. 1908.
sale of farm products through Fremont County Farmers' Exchange. News L., vol. 2, No. 40, p. 2. 1915.
seed grain, cooperative growing. News L., vol. 2, No. 39, p. 8. 1915.
sheep—
  breeding experiments. An. Rpts., 1912, p. 44. 1913; Sec. A.R., 1912, p. 44. 1912; Y.B., 1912, p. 44. 1913.
  care and herding. News L., vol. 6, No. 35, pp. 13-14. 1919.
  clubs, work with orphan lambs. D.C. 152, p. 19. 1921.
  numbers, map. F. Sec. [Misc.] Spec., "Geography * * * world's agriculture," p. 138. 1917.
  statistics. D.B. 313, p. 3. 1915; Y.B., 1914, p. 335. 1915; Y.B. Sep. 645, p. 335. 1915.
shelter-belt demonstrations. D.B. 1113, pp. 3-6, 18-24. 1923.
Sheridan Field Station, wheat-growing experiments. D.B. 878, p. 26. 1920.
shipments of fruits and vegetables, and index to station shipments. D.B. 667, pp. 6-13, 50. 1918.
soil survey of—
  Albany County. See Laramie area.
  Fort Laramie area. J. O. Veatch and R. W. McClure. Soil Sur. Adv. Sh., 1917, pp. 50. 1921; Soils F.O., 1917, pp. 2041-2086. 1923.
  Goshen County. See Fort Laramie area.
  Laramie area. N. P. Neill and others. Soil Sur. Adv. Sh., 1903, pp. 31. 1904; Soils F.O., 1903, pp. 1071-1097. 1904.
southeastern, dry farming. A. L. Nelson. D.B. 1315, pp. 20. 1925.
spotted-fever tick occurrence. Ent. Bul. 105, p. 17. 1911.
State aid to roads. Y.B., 1914, pp. 215, 222. 1915; Y.B. Sep. 638, pp. 215, 222. 1915.
State forestry laws. Jeannie S. Peyton. For. Laws Leaf., pp. 3. 1915; For. Misc. S-11, pp. 3. 1915.
sweet-clover production. F.B. 485, pp. 36-37. 1912.
Teton Game Reservation, location and boundaries. D.B. 1049, p. 32. 1922.
Teton Range, description. Biol. Bul. 40, p. 10. 1911.
Thomas Fork area, phosphate deposits, description and analyses. Soils Bul. 69, pp. 23-28. 1910.
timothy and clover, production, 1909, acreage, and yield. F.B. 502, pp. 7-8. 1912.
trucking industry, acreage and crops, notes. Y.B., 1916, pp. 455-465. 1917; Y.B. Sep. 702, pp. 21-31. 1917.
University, teachers' courses. O.E.S. Cir. 118, p. 27. 1913.
wage rates, farm labor, 1866-1909. Stat. Bul. 99, pp. 29-43, 68-70. 1912.
water—
  laws. O.E.S. An. Rpt., 1908, pp. 359-362. 1909.
  rights—
    interstate streams. O.E.S. Bul. 157, pp. 58, 59-63, 65-74, 81-84. 1905.
    laws. O.E.S. Bul. 158, pp. 64-66. 1905.
    officials. D.B. 913, p. 3. 1920.
  supply, records, by counties. Soils Bul. 92, pp. 158-159. 1913.
wheat—
  acreage and varieties. D.B. 1074, p. 217. 1922.
  crops, acreage, production, and value. Stat. Bul. 57, pp. 13-25, 33. 1907; rev., pp. 13-25, 33, 39. 1908.
  varietal experiments, Marquis and other. D.B. 400, pp. 19-20. 1916.
  yields and prices, 1882-1915. D.B. 514, p. 13. 1917.
wheatland, irrigation. C. T. Johnston. O.E.S. Bul. 104, pp. 207-215. 1902.

Wyoming—Continued.
Wheatland Canal, water supply systems. O.E.S. Bul. 229, pp. 48-49. 1910.
windmill irrigation, tests and cost. O.E.S. An. Rpt., 1908, pp. 391-393. 1909.
wolves, breeding habits. Biol. Cir. 63, p. 2. 1908.
wool—
  classification and handling, adoption of Australian method. News L., vol. 2, No. 45, pp. 5-6. 1915.
  clip handling, development and progress. Y.B., 1916, pp. 227-236. 1917; Y.B. Sep. 709, pp. 1-10. 1917.
  handling method. Y.B., 1914, p. 330. 1915; Y.B. Sep. 645, p. 330. 1915.
  marketing method. Y.B., 1909, p. 169. 1910; Y.B. Sep. 502, p. 169. 1910.
yellow pine, area, annual cut, and stumpage. D.B. 1003, pp. 12, 13. 1921.
Wyoming-Nebraska, soil survey of Fort Laramie area. J. O. Veatch and R. W. McClure. Soil Sur. Adv. Sh., 1917, pp. 50. 1921; Soils F.O., 1917, pp. 2041-2086. 1923.

X-ray—
  effect on—
    tobacco beetle, experiments. D.B. 737, pp. 65-68. 1919.
    trichinae. Benjamin Schwartz. J.A.R., vol. 20, pp. 845-854. 1921.
  sterilization of stored products, experiments. An. Rpts., 1917, p. 245. 1917; Ent. A.R., 1917, p. 19. 1917.
See also Röntgen ray.
XX purple poison, and insecticide, analysis. Chem. Bul. 76, pp. 44-45. 1903.
Xanthine—
  bases, constituents of meat extracts. Chem. Bul. 114, pp. 40-41. 1908.
  identification in soils. Soils Bul. 80, p. 18. 1911; Soils Bul. 89, pp. 25, 28, 29. 1912.
  presence in human bodies, discussion. Chem. N.J. 1455, pp. 37, 38, 39, 42. 1912.
  soil constituent, wheat-growing tests. Soils Bul. 47, pp. 27, 38. 1907; Soils Bul. 87, p. 35. 1912.
Xanthium—
  spp. See Cockleburs.
  strumarium, use as substitute for Datura stramonium. Chem. S.R.A. 20, p. 59. 1917.
Xanthocephalus xanthocephalus. See Blackbird, yellow-headed.
Xanthoceras sorbifolia, importation and description. No. 39431, B.P.I. Inv. 41, pp. 27-28. 1917.
Xanthogramma grandicornis, enemy of plant lice, Hawaii. Hawaii Bul. 27, p. 10. 1912.
Xanthophyll—
  physical and chemical properties, and preparation of the pure pigment. F. M. Schertz. J.A.R., vol. 30, pp. 575-585. 1925.
  quantitative determination by means of the spectrophotometer and the colorimeter. F. M. Schertz. J.A.R., vol. 30, pp. 253-261. 1925.
Xanthosoma—
  sagittifolium. See Eksi-taya; Yautia.
  spp., importations and descriptions. Nos. 41097, 41101, 41119, 41120, B.P.I. Inv. 44, pp. 37, 38, 40. 1918.
Xanthoxylum—
  americanum. See Ash, northern prickly.
  flavum, injury by sapsuckers. Biol. Bul. 39, pp. 44, 82. 1911.
Xenia sabinii. See Gull, Sabine's.
Xenopicus albolarvatus. See Woodpecker, white-headed.
Xenopsylla cheopsis. See Flea, rat.
Xerophthalmia, caused by deficient diet. B.A.I., Dairy [Misc.], "World's dairy congress," 1923, pp. 447-456. 1924.
Xiphidium varipenne, damage to pineapples in Hawaii. Hawaii A.R., 1910, p. 19. 1911.
Xylan, rye straw, Fusarium infection experiments. J.A.R., vol. 6, No. 5, p. 192. 1916.
Xylaria—
  hypoxylon, cause of black root rot of apple. J.A.R. vol. 10, p. 170. 1917.
  root-rot, description and effects on apple. J.A.R., vol. 9, pp. 269-276. 1917.

Xylaria—Continued.
   spp., culture features and pathogenicity. J.A.R. vol. 10, pp. 167-170. 1917.
Xyleborus—
   affinis, enemy of Ceara rubber tree. Hawaii Bul. 16, p. 30. 1908.
   immaturus, ravages in Hawaii, and control. Hawaii A.R., 1912, p. 38. 1913.
Xylem, sugar-cane, anatomy. J.A.R., vol. 30, pp. 204-220. 1925.
Xylina spp., control and life histroy. F.B. 1270, p. 21. 1922.
Xylobiops basilaris. See Shot-hole borer, red-shouldered.
Xylococcus betulae. See Birch bark beetle.
Xylol, use as vermicide. Sec. Cir. 61, p. 18. 1916.
Xylomys, characters. N.A. Fauna 34, pp. 30-31. 1911.
Xylophruridea agrili, parasite of apple root borer. J.A.R., vol. 3, p. 184. 1914.
Xylorrhiza parreyi, poisonous to sheep. D.B. 575, p. 18. 1918.
Xylose, isolation and identification in soils. Soils Bul. 89, pp. 22-23. 1912.
Xylotrechus—
   colonus, flight period and control spraying. D.B. 1079, pp. 5-10. 1922.
   colonus, host selection. J.A.R., vol. 22, pp. 195-220. 1921.
   obliteratus, injury to aspen trees. F.B. 1154, p. 10. 1920.
Xysticus—
   ferox, destruction of apple-tree borer. D.B. 886, p. 9. 1920.
   gulosus, spider enemy of cucumber beetle. Ent. Bul. 82, Pt. VI, p. 75. 1910.
   triguttatus, enemy of leaf-hoppers. Ent. Bul. 108, p. 34. 1912.

Yahazuso. See Lespedeza.
Yak—
   breeding in Alaska for hardy bovine, plans. Alaska A.R., 1922, p. 10. 1923.
   crossbreeding with cattle. Alaska A.R., 1923, pp. 25, 26. 1925.
   crossing with Galloway and other cattle in Alaska, experiments proposed. Alaska A.R., 1915, p. 17. 1916.
   introduction and use in Alaska. Alaska A.R., 1920, pp. 3, 47. 1922.
   origin and classification. B.A.I. An. Rpt., 1910, p. 192. 1912.
Yakima, Wash., meteorological summary. D.B. 1235, p. 3. 1924.
Yakima reclamation project, Lake Keechelus Dam, description. O.E.S. Bul. 249, Pt. II, pp. 20-23. 1912.
Yakima River lands, irrigation projects, description. O.E.S. Bul. 214, pp. 32-38. 1909.
Yakima Valley—
   description. D.B. 1235, pp. 2-3. 1924.
   fruits, acreage and returns. O.E.S. Bul. 214, p. 19. 1909.
   irrigation—
      O. L. Waller. O.E.S. Bul. 104, pp. 241-266. 1902.
      investigations. O. L. Waller. O.E.S. Bul. 158, pp. 267-278. 1905.
      use of water in irrigation. O. L. Waller. O.E.S. Bul. 104, pp. 241-266. 1902.
Yale, Mme., skin food and other preparations, misbranding. Chem. N.J. 82, pp. 7. 1909.
Yale board, used in transplanting forest seedlings, description. D.B. 479, p. 56. 1917.
Yale College, historical notes on early scientific studies. O.E.S. Bul. 196, p. 19. 1907.
Yale Forest School laboratory, testing creosote absorption by wood. For. Cir. 200, pp. 3, 6. 1912.
Yam(s)—
   acreage by States, 1909, map, with sweet potatoes. Y.B., 1915, p. 373. 1916; Y.B. Sep. 681, p. 373. 1916.
   Agua, description and cultural treatment. P.R. Bul. 27, pp. 19-20. 1921.
   and related plants, identification under quarantine. F.H.B.S.R.A. 50, p. 30. 1918.
   description, food uses, and value. D.B. 468, pp. 23-24, 28. 1917.
   digestion experiment. O.E.S. Bul. 159, pp. 169, 171. 1905.

Yam(s)—Continued.
   Dioscorea—
      chondrocarpa, description and cultural treatment. P.R. Bul. 27, pp. 18-19. 1921.
      sativa, description and cultural treatment. P.R. Bul. 27, pp. 17-18. 1921.
      sp., "potato of the air" importation and description. No. 33350, B.P.I. Inv. 31, p. 16. 1914.
   fertilizer tests, four varieties, hill and ridge culture. P.R. Bul. 27, pp. 8-10. 1921.
   food value. F.B. 295, pp. 32-33. 1907; P.R. Bul. 27, p. 3. 1921.
   greater, importation and description. Nos. 55594-55597, 55712, B.P.I. Inv. 72, pp. 8-9, 23. 1924.
   growing—
      experiments with daylight of different lengths. J.A.R., vol. 23, p. 895. 1923.
      general practices. P.R. Bul. 27, pp. 4-6. 1921.
      in—
         Guam, directions. Guam Bul. 2, pp. 12, 59. 1922.
         Porto Rico. P.R. An. Rpt., 1919, pp. 8, 21, 33. 1920.
         Porto Rico. C. F. Kinman. P.R. Bul. 27, pp. 22. 1921.
         Porto Rico, experiments. P.R. An. Rpt., 1912, p. 26. 1913.
   Guam farm, experiments. Guam. A.R., 1923, pp. 8-9. 1925.
   Guinea, description and cultural treatment. P.R. Bul. 27, p. 12. 1921.
   harvesting, precautions. P.R. Bul. 27, p. 11. 1921.
   Hawaiian bitter, name for Hawaiian Dioscorea. B.P.I. Bul. 264, p. 7. 1912.
   "huanque," importations and descriptions. Nos. 33802-33806, B.P.I. Inv. 31, p. 57. 1914.
   importation(s)—
      and descriptions. No. 30269, B.P.I. Bul. 233, p. 72. 1912; Nos. 37701-37702, 38134, 38229, B.P.I. Inv. 39, pp. 22, 91, 104. 1917; No. 43488, B.P.I. Inv. 49, p. 36. 1921; No. 44588, B.P.I. Inv. 51, p. 28. 1922; Nos. 45990-45994, 46218, B.P.I. Inv. 55, pp. 10-11, 36. 1922; Nos. 46768, 46801, B.P.I. Inv. 57, pp. 7, 31, 36. 1922; Nos. 47001, 47263, B.P.I. Inv. 58, pp. 17, 46. 1922; Nos. 47398-47399, 47446, 47493-47495, B.P.I. Inv. 59, pp. 15, 20, 21. 1922; Nos. 49825, 50055, B.P.I. Inv. 63, pp. 9, 31. 1923; Nos. 52867, 52905-52908, 52927, 53006, 53443, 53475, B.P.I. Inv. 67, pp. 7, 11-12, 15, 20, 49, 53, 1923; Nos. 53924, 54048, 54055, 54057, 54309, B.P.I. Inv. 68, pp. 10, 24, 49. 1923; Nos. 54499, 54660-54602, 54675, B.P.I. Inv. 69 pp. 17, 35, 36. 1923; Nos. 54900-54901, B.P.I. Inv. 70, pp. 25-26. 1923; Nos. 54975, 54983, 55003, 55412, 55482, 55492, 55559-55562, 55567-55568, B.P.I. Inv. 71, pp. 8, 10, 13, 40, 48, 50, 57, 58. 1923.
      prohibition, from all foreign countries. F.H.B.S.R.A. 48, pp. 2-3. 1918.
   injury by maggots. Ent. Bul. 82, pp. 90-91. 1912.
   Key West, variations in Virgin Islands. Vir. Is. Bul. 5, pp. 6, 10-11, 13. 1925.
   maggots, affected in the South. Ent. Bul. 82, pp. 90-91. 1911.
   mailing restrictions in Hawaii and Porto Rico. F.H.B.S.R.A. 48, p. 3. 1918.
   manawa, importation and description. No. 42052, B.P.I. Inv. 46, pp. 6, 50. 1919.
   Mapuey morado, description, and cultural treatment. P.R. Bul. 27, p. 21. 1921.
   planting, distance apart. P.R. Bul. 27, p. 7. 1921.
   potato, description and cultural treatment. P.R. Bul. 27, pp. 13-15. 1921.
   Purple Ceylon, description and cultural treatment. P.R. Bul. 27, pp. 16-17. 1921.
   quarantine notices. F.H.B. Quar. No. 30, p. 1. 1917; No. 45, pp. 120-121. 1917; No. 47, pp. 144-145. 1918; No. 71, pp. 174, 176. 1922.
   root. See Dioscorea.
   seed roots, treatment to prevent decay. P.R. Bul. 27, pp. 6-7. 1921.
   seed tubers, greater, planting directions and treatment. D.B. 1167, pp. 5-8, 10. 1923.
   staking, experiments in Porto Rico. P.R. An. Rpt., 1921, p. 11. 1922.

Yam(s)—Continued.
  sweet potato, varieties, description. F.B. 324, p. 37. 1908.
  Tongo, description and cultural treatment. P.R. Bul. 27, pp. 15-16. 1921.
  tropical, growing, experiments. An. Rpts., 1920, p. 185. 1921.
  true, cultivation in the Gulf region. Robert A. Young. D.B. 1167, pp. 16. 1923.
  use as food. D.B. 123, p. 27. 1916; O.E.S. Bul. 245, p. 41. 1912.
  varieties—
    description, and cultural treatment. P.R. Bul. 27, pp. 11-21. 1921.
    from New Guinea, importations and description. Nos. 31914-31923, B.P.I. Bul. 248, pp. 9, 63. 1912.
    growing experiments in Hawaii. Hawaii A.R., 1920, p. 61. 1921.
    in Porto Rico—
      most promising. O.E.S. An. Rpt., 1911, p. 26. 1912.
      testing for quality and yield. P.R. An. Rpt., 1911, p. 26. 1912.
  weevils affecting, description. J.A.R., vol. 12, p. 611. 1918.
  wild, common name for Dioscorea. B.P.I. Bul. 189, pp. 20, 22-23, 25. 1910.
  wild, habitat, range, description, collection, prices, and uses of roots. B.P.I. Bul. 107, p. 21. 1907.
  Yellow Guinea, description, and cultural treatment. P.R. Bul. 27, pp. 20-21. 1921.
  yield tests in Porto Rico. P.R. An. Rpt., 1921, p. 11. 1922.
  See also Sweet potatoes.
Yam bean—
  growing in Guam, directions. Guam Bul. 2, p. 60. 1922.
  importations and descriptions. No. 33258, B.P.I. Bul. 282, pp. 87-88. 1913; Nos. 35134, 35135, B.P.I. Inv. 34, p. 45. 1915; Nos. 41712, 42029, B.P.I. Inv. 46, pp. 12, 45. 1919; Nos. 42552, 42567, 42740, B.P.I. Inv. 47, pp. 16, 29, 58. 1920; No. 43013, B.P.I. Inv. 48, p. 9. 1921; No. 43493, B.P.I. Inv. 49, p. 37. 1921; No. 44839, B.P.I. Inv. 51, p. 76. 1922.
Yampi—
  description. D.B. 1167, pp. 3-4. 1923.
  importations and descriptions. No. 45992, B.P.I. Inv. 55, p. 10. 1922; Nos. 53444, 53495, B.P.I. Inv. 67, pp. 49, 56. 1923; Nos. 53996, 54056, B.P.I. Inv. 68, pp. 17, 22. 1923; Nos. 54686, 54967, B.P.I. Inv. 70, pp. 7, 34. 1923.
Yampie, importation and description. Nos. 29539, 29540, 30091, 30268, 30274, B.P.I. Bul. 233, pp. 32, 58, 71, 72. 1912.
"Yando egg noodles" adulteration and misbranding. Chem. N.J. 686, p. 1. 1910.
Yang mae—
  Chinese evergreen tree with fruit, description. Y.B., 1915, p. 216. 1916; Y.B., Sep. 671, p. 216, 1916.
  importations and descriptions. No. 46571, B.P.I. Inv. 56, pp. 3, 27. 1922; No. 53982, B.P.I. Inv. 68, p. 14. 1923; No. 55735, B.P.I. Inv. 72, p. 27. 1924.
Yang-tao, importations and descriptions. No. 43258, B.P.I. Inv. 48, p. 34. 1921; No. 45588, B.P.I. Inv. 53, p. 64. 1922; No. 45946, B.P.I. Inv. 54, p. 46. 1922; Nos. 46120, 46124, 46131, B.P.I. Inv. 55, pp. 26, 27, 28. 1922; Nos. 46662, 46663, 46864, B.P.I. Inv. 57, pp. 18, 43. 1922.
Yang taw—
  description and—
    propagation. Sec. [Misc.], "Actinidia chinensis," p. 1. 1908.
    uses. B.P.I. Cir. 110, pp. 9-12. 1913.
  importations and descriptions. No. 33431, B.P.I. Inv. 31, pp. 5, 22. 1914; No. 35133, B.P.I. Inv. 34, pp. 6, 45. 1915; B.P.I. Bul. 233, p. 66. 1912.
YAO, H. H.: "Effectiveness of mulches in preserving soil moisture." With F. S. Harris. J.A.R., vol. 23, pp. 727-742. 1923.
Yard grass(es)—
  analytical key, and description of seedling. D.B. 461, pp. 6, 11. 1917.
  destruction by birds. Biol. Bul. 15, p. 26. 1901.

Yard grass(es)—Continued.
  Hawaii, composition and value. Hawaii Bul. 36, pp. 11, 13, 22, 32, 38, 39. 1915.
Yarding—
  cattle in disease, rule. B.A.I.O., 292, pp. 12-13. 1925.
  engines, for logs, description, use, prices, and maintenance. D.B. 711, pp. 57, 74-94, 110-114. 1918.
  log, ground system, methods, equipment, and costs. D.B. 711, pp. 64-115. 1918.
  log, power system, methods, equipment, and costs. D.B. 711, pp. 56-154. 1918.
  overhead systems, description and costs. D.B. 711, pp. 121-142. 1918.
  stock, promptness and fairness at stockyards. Sec. Cir. 156, pp. 9-11. 1922.
Yardlong bean. See Asparagus bean.
Yards—
  animal, disinfection by fire. B.A.I. Bul. 35, pp. 15-17. 1902.
  chicken—
    discussion. B.A.I. An. Rpt., 1905, p. 221. 1907.
    sanitation. P.R. Cir. 19, pp. 20-21. 1921.
    treatment. F.B. 1331, pp. 11-12. 1923.
  disinfection—
    for stock, rules. B.A.I.O., 292, pp. 3-5, 17, 21, 24. 1925.
    general provisions. B.A.I.O. 245, pp. 3-6. 1916.
  fox, description. F.B. 795, pp. 11-17. 1917.
  fox, location, equipment, and buildings. F.B 328, pp. 10-13. 1908.
  hen, description. F.B. 889, pp. 13-15. 1917.
  lumber, individual and line, operations. Rpt. 116, pp. 28-40. 1918.
  poultry, fencing. News L., vol. 1, No. 38, p. 3. 1914.
  quarantined, shipments from, rule. B.A.I.O. 292, p. 13. 1925.
Yarn(s)—
  cotton—
    bleaching—
      dyeing, and mercerizing, tests after fumigation. D.B. 356, pp. 10-12. 1916.
      tests and textile strength. D.B. 591, pp. 18-22, 23-24, 26-27. 1917.
    breaking strength and irregularity of superior varieties. D.B. 1148, pp. 4-5, 6. 1923.
    spinning tests. Off. Rec. vol. 4, No. 3, p. 4. 1925.
    tensile strength, experiments. D.B. 62, pp. 6, 8. 1914.
    testing in bales of varying densities. D.B. 1135, pp. 7-8, 10-11, 13-15, 17-18. 1923.
    tinged and stained, strength tests. D.B. 990, pp. 5-6. 1921.
    weight, strength, twist and weave, variations. D.B. 882, pp. 10-27. 1920.
  manufacturing properties, in cotton tests. D.B. 591, pp. 17-18. 1917.
YARNELL, D. L.:
  "A report on the reclamation of the overflowed lands in the Marais des Cygnes Valley, Kans." O.E.S. Bul. 234, pp. 53. 1911.
  "Excavating machinery used in land drainage." D.B. 300, pp. 39. 1915.
  "Report upon the Cypress Creek drainage district, Desha and Chicot Counties, Ark." With others. D.B. 198, pp. 20. 1915.
  "The flow of water in drain tile." With Sherman M. Woodward. D.B. 854, pp. 50. 1920.
  "Tile-trenching machinery." F.B. 1131, pp. 27. 1920.
  "Trenching machinery used for the construction of trenches for tile drains." F.B. 698, pp. 27. 1915.
Yarrow—
  description, habits, and forage value on range. D.B. 545, pp. 53-54, 58, 60. 1917.
  growth habits, indicator value. D.B. 791, pp. 23-27, 32-36, 43. 1919.
  habitat, range, description, uses, collection, and prices. B.P.I. Bul. 219, pp. 39-40. 1911.
  Plant Introduction Station, Md., corn growing experiments. D.B. 1011, pp. 4, 6, 7. 1922.
  seed, adulterant of redtop seed, description. D.B. 692, p. 22. 1918.
Yaruma, importation and description. No. 46742, B.P.I. Inv. 57, p. 28. 1922.

Yatay, importation and description. No. 33762, B.P.I. Inv. 31, pp. 6, 51. 1914.
Yate, distribution and description. For. Bul. 87, pp. 15, 17. 1911.
Yaupon. *See* Cassina.
Yautia(s)—
  description, culture, yield, composition, and use. B.P.I. Bul. 164, pp. 7–17. 1910.
  food use. B.P.I. Bul. 164, pp. 15–17. 1910; O.E.S. Bul. 245, p. 42. 1912.
  food value. F.B. 295, pp. 31–32. 1907.
  growing in Porto Rico. P.R. An. Rpt., 1919, p. 33. 1920; P.R. An. Rpt., 1922, p. 5. 1923.
  importations and descriptions. Nos. 29517, 30270, 30302, 30422, B.P.I. Bul. 233, pp. 29, 72, 74, 86. 1912; No. 34854, B.P.I. Inv. 34, p. 21. 1915; No. 35485–3,490, B.P.I. Inv. 35, p. 51. 1915; No. 43638, B.P.I. Inv. 49, p. 54. 1921; No. 46030, B.P.I. Inv. 55, pp. 4, 15. 1922; Nos. 47331, 47,36, B.P.I. Inv. 59, pp. 11, 28. 1922; No. 51388, B.P.I. Inv. 65, p. 11. 1923.
  or taniers of Porto Rico. O. W. Barrett. P.R. Bul. 6, pp. 27. 1905. (Also Spanish edition.)
  pig feeding experiments, Porto Rico. B.P.I. Bul. 164, pp. 16, 24. 1916.
  promising new food plants for the South, (and taros). Robert A. Young. D.B. 1247, pp. 24. 1924.
  root crop for South. B.P.I. Bul. 164, pp. 1–43. 1910.
  synonyms, and origin of names. B.P.I. Bul. 164, p. 10. 1910.
  varietal names. B.P.I. Doc. 1110, p. 2. 1914.
  varieties, description. B.P.I. Bul. 164, pp. 17–24. 1910.
  yield tests in Porto Rico. P.R. An. Rpt., 1921, p. 11. 1922.
  See also Dasheen.
Yaws, transmission by house flies. F.B. 412, p. 11. 1910.
Yazoo-Mississippi Delta, tenant farming systems, studies. E. A. Boeger and E. A. Goldenweiser. D.B. 337, pp. 18. 1916.
Yearbook(s)—
  1894–1900, index. Charles H. Greathouse. Pub. Bul. 7, pp. 196. 1902.
  1901–1905, index. Charles H. Greathouse. Pub. Bul. 9, pp. 166. 1908.
  1906–1910, index. Charles H. Greathouse. Pub. Bul. 10, pp. 146. 1913.
  1911–1915, index. Charles H. Greathouse. Pub. [Misc.], "index to yearbooks * * *," pp. 178. 1922.
  plates, scrapping. Off. Rec., vol. 1, No. 42, p. 4. 1922.
Yearlings—
  beef, marketing. F.B. 1416, pp. 1, 12. 1924.
  cattle, fattening for baby beef, methods, profitableness, rations, etc., studies. News L., vol. 2, No. 36, pp. 6–7. 1915.
  cost of production in Corn Belt States, 1914–15. News L., vol. 3, No. 52, pp. 1–2. 1916.
  sheep, grading for market, age index. F.B. 360, pp. 21–23. 1909.
Yeast(s)—
  ancient use, historical notes. F.B. 389, p. 19. 1910.
  and starch compounds—
    carbon dioxide value. Chem. Bul. 116, pp. 25–28. 1908.
    compressed, carbon dioxide value. Chem. Bul. 116, pp. 25–28. 1908.
  bread(s)—
    directions for making with or without flour substitutes. F.B. 955, pp. 4–13. 1918.
    recipe with potato. Sec. Cir. 106, pp. 3–4. 1918.
    wheat flour and partial substitutes. S.R.S. Doc. 64, pp. 5–10. 1917.
  cakes, superiority over vinegar bees. News L., vol. 4, No. 2, p. 3. 1916.
  carbon dioxide value. Chem. Bul. 116, pp. 25–28. 1908.
  cause of spoilage in fruits and vegetables. F.B. 1211, pp. 4–5. 1921.
  changes during dialysis. Chem. Cir. 55, pp. 1–7. 1910.
  comparison with baking powders in testing flours. F.B. 320, p. 20. 1908.

Yeast(s)—Continued.
  composition. Chem. Cir. 62, p. 2. 1910; O.E.S. Bul. 200, pp. 42–45. 1908.
  compressed—
    manufacture. F.B. 389, p. 19. 1910.
    pure carbon dioxide value. Chem. Bul. 116, pp. 25–28. 1908.
  counts, tomato products, microscopic, method and apparatus. D.B. 581, pp. 21, 22. 1917.
  cultures—
    determining chemical character of fermenting products. Chem. [Misc.], "Experimental work with pure yeast * * *," pp. 3. 1907.
    experimental. Chem. [Misc.], "Yeast cultures for experimental * * *," 1908; rev., 1909.
    for fruit juice fermentation, studies. An. Rpts., 1908, pp. 487–488, 498. 1909; Chem. Chief Rpt., 1908, pp. 43–44, 54. 1908.
    use in wine making, derivation and handling. Chem. Bul. 129, p. 22. 1909.
  description—
    action, and historical notes. F.B. 389, pp. 18–20. 1910.
    and—
      making, testing, lecture. O.E.S. Bul. 200, pp. 42–47. 1908.
      preparation. F.B. 410, pp. 24–27. 1910.
      uses. D.B. 123, pp. 49, 50. 1916.
    descriptive list. Chem. Bul. 111, pp. 25–28. 1908.
  detection in food products. Y.B. 1911, p. 302, 1912; Y.B. Sep. 569, p. 302. 1912.
  directions for use. F.B. 1136, pp. 5, 8, 10, 11, 12. 1920.
  dry, preparation. F.B. 389, p. 20. 1910.
  effect on—
    foods. F.B. 1374, p. 2. 1923.
    rapidity of fermentation. Chem. Bul. 111, pp. 15–17. 1908.
  exports—
    1874–1908. Stat. Bul. 75, pp. 63–64. 1910.
    1903–1907. Y.B. 1907, p. 755. 1908; Y.B. Sep. 465, p. 755. 1908.
  extracts—
    analysis. Chem. Bul. 114, pp. 20–23. 1908.
    chemical examination. Chem. Bul. 114, pp. 20–24. 1908.
    manufacture, use, and tests. Chem. Bul. 114, pp. 20–24. 1908.
    of unknown origin, comparison with beef extracts. F. C. Cook. Chem. Cir. 62, pp. 7. 1910.
  feeding for egg production, study in 1923. Work and Exp., 1923, p. 62. 1925.
  fermenting power, discussion of tests. Chem. Bul. 111, pp. 12–20. 1908.
  food, uses and control. F.B. 853, p. 4. 1917.
  forms for home bread making. F.B. 1450, pp. 3–4, 6–7. 1925.
  growth in sterilized and unsterilized juice. Chem. Bul. 111, pp. 13–15. 1908.
  in feeding experiments, comparison with Azotobacter. J.A.R., vol. 23, pp. 826, 828. 1923.
  labeling. F.I.D. 111, p. 1. 1910.
  laws, State, 1908. Chem. Bul. 121, p. 36. 1909.
  liquid, recipe and directions. F.B. 1136, pp. 5–6. 1920.
  manufacture, Ireland, from Indian corn. Chem. Bul. 102, p. 16. 1906.
  nature—
    and action in fermentation of saccharine materials. F.B. 429, pp. 22–23. 1911.
    and use. F.B. 375, pp. 7–8. 1909.
    preparation, souring, fermenting, and development. Chem. Bul. 130, pp. 48–52, 113, 122. 1910.
  pink—
    characteristics and control. D.B. 819, pp. 11–23. 1920.
    relation to spoilage of oysters. Albert C. Hunter. D.B. 819, pp. 24. 1920.
  powders, use in making bread. F.B. 389, p. 20. 1910.
  preparations, methods of detection in meat extracts. Chem. Bul. 114, p. 21. 1908.
  protein content and food value, discussion. J.A.R., vol. 24, p. 263. 1923.
  pure—
    and mixed, rate of fermentation. Chem. Bul. 111, pp. 18–20. 1908.

Yeast(s)—Continued.
pure—continued.
fermenting power (and some associated fungi). Wm. B. Alwood. Chem Bul. 111, pp. 28. 1908.
methods of testing. Chem. Bul. 111, pp. 7-20. 1908.
use in wine making, notes. William B. Allwood. Chem. Bul. 129, pp. 21-32. 1909.
races, investigations, Chemistry Bureau. An. Rpts. 1910, p. 453. 1911; Chem. Chief Rpt., 1910, p. 29. 1910.
studies, Chemistry Bureau—
1909. An. Rpts., 1909, p. 420. 1910; Chem. Chief Rpt., 1909, p. 10. 1909.
1911. An. Rpts., 1911, p. 462. 1912; Chem. Chief Rpt., 1911, p. 48. 1911.
substitutes, use in bread. F.B. 389, pp. 20-21. 1910.
tomato pulp, estimation. Chem. Cir. 68, pp. 4-5. 1911.
trouble in cheese making. D.B. 148, p. 13. 1915.
use—
as food, notes. O.E.S. Bul. 245, pp. 65-66. 1912.
in making kefir, note. B.A.I. An. Rpt., 1909, p. 150. 1911; B.A.I. Cir. 171, p. 150. 1911.
in milk fermentation, methods. News L., vol. 3, No. 26, p. 3. 1916.
in vinegar making. S.R.S. Doc. 99, pp. 4, 6, 7. 1919.
varieties—
description and care. F.B. 807, pp. 7-9. 1917.
preparation. Chem. Bul. 130, pp. 113-116, 127. 1910.
wild, description and names. News L., vol. 6, No. 43, p. 15. 1919.
Yeasting—
in manufacture of denatured alcohol, lecture. Chem. Bul. 130, pp. 113-116. 1910.
practical, grain distilleries, lecture. Chem. Bul. 130, pp. 121-125. 1910.
YEATMAN, F. W.: "Homemade apple and citrus pectin extracts and their use in jelly making." With others. D.C. 254, pp. 11. 1923.
YEAW, F. L.: "Cantaloupe marketing in the larger cities with car-lot supply, 1914." With others. D.B. 315, pp. 20. 1915.
YEGGE, C. F.: "Better design of containers as a means of saving lumber." M.C. 39, pp. 52-54. 1925.
Yegoma, oil plant, importation and description. Inv. No. 30298, B.P.I. Bul. 233, p. 73. 1912.
Yeheb nut, importations—
and descriptions. No. 43260, B.P.I. Inv. 48, pp. 6, 34. 1921; No. 47213, B.P.I. Inv. 58, p. 40. 1922; No. 48087, B. P. I. Inv. 60, p. 41, 1922.
description, use, and value. B.P.I. Bul. 226, pp. 8, 36. 1911.
Yellow berry. See under Wheat, yellow berry.
Yellow blight. See Stem rot.
"Yellow cling," use of term on canned peaches, Chemical Bureau opinion. Chem. S.R.A. 3, pp. 111-112. 1914.
Yellow, egg color, adulteration. Chem. N.J. 3203. 1914.
Yellow fever—
cause and prevention. F.B. 1354, pp. 10-12. 1923.
control, United States, Havana, and Panama, relation to mosquito extermination. Ent. Bul. 78, pp. 17-23. 1909.
mosquito—
L. O. Howard. F.B. 547, pp. 16. 1913.
transmitting, description and control. Sec. Cir. 61, pp. 12, 13-16. 1916.
See also Mosquito.
outbreaks in northern latitudes, cause. F.B. 547, pp. 12-13. 1913.
prevention, relation of mosquito extermination. Ent. Bul. 88, pp. 86-87, 92-98, 100-101. 1910.
relation to Texas fever. Off. Rec., vol. 2, No. 23, p. 6. 1923.
spread by—
insects, discussion. Y.B., 1901, p. 190. 1902; Y.B. Sep. 235, p. 190. 1902.
mosquitoes. F.B. 155, pp. 18-19. 1902.
Yellow injection, Schuh's, misbranding. Chem. S.R.A., sup. 18, pp. 607-608. 1916.
Yellow jackets. See Wasps, paper.

Yellow legs—
greater, range and habits. Biol. Bul. 5, pp. 54-56. 1910; N.A. Fauna 21, pp. 41, 74. 1901; N.A. Fauna 24, p. 63. 1904.
migration habits, and protection. Biol. Bul. 35, pp. 56-58. 1910; M.C. 13, pp. 60-61. 1923; N.A. Fauna 22, p. 98. 1902; Y.B., 1914, pp. 287, 290, 292. 1915; Y.B. Sep. 642, pp. 287, 290, 292. 1915.
occurrence in—
Arkansas, breeding range and migration. Biol. Bul. 38, pp. 30-31. 1911.
Porto Rico, and food habits. D.B. 326, pp. 42-43. 1916.
Pribilof Islands. N.A. Fauna 46, p. 75. 1923.
Yellow, lemon color, adulteration. Chem. N.J., 3308. 1914.
Yellow pine. See Pine, yellow.
Yellow rot. See Rot, stem.
Yellow rust. See Rust, stripe.
Yellow-stripe disease. See Mosaic disease.
Yellow trefoil. See Black medic.
Yellow wash, smoked beef, formula. F.B. 1415, p. 29. 1924.
Yellowbird, protection by law. Biol. Bul. 12, rev., pp. 38, 39, 40. 1902.
Yellowhammer. See Flicker.
Yellows—
cattle. See Jaundice.
hyacinths, description, detection, and control. D.B. 797, p. 35. 1919.
manganese. See Chlorosis.
peach, treatment. F.B. 243, p. 141. 1906.
See also Wilt.
Yellowstone National Park—
bird and animal protection. Biol. Bul. 12, rev., p. 75. 1902.
elk conservation. Henry P. Graves and E. W. Nelson. D.C. 51, pp. 34. 1919.
fossil remains of trees. D.B. 154, p. 27. 1915.
game conditions—
1907. Y.B., 1907, p. 597. 1908; Y.B. Sep. 469, p. 597. 1908.
1908. Y.B., 1908, pp. 583-584. 1909; Y.B. Sep. 500, pp. 583-584. 1909.
purchase and cost. D.B. 1049, p. 46. 1922.
report for 1909. Biol. Cir. 73, pp. 7-8. 1910.
tusk hunting, prosecution. An. Rpts., 1908, pp. 584, 590. 1909; Biol. Chief Rpt., 1908, pp. 16, 22. 1908.
Yellowstone Quadrangle, tourist guide map. For. [Misc.], "Tourist guide * * *," folder. 1922.
Yellowstone reclamation project timber dam, description. O.E.S. Bul. 249, Pt. II, pp. 26-29. 1912.
Yellowthorn. See Ash, southern prickly.
Yellowthroats—
breeding ranges, migratory habits and routes. Biol. Bul. 18, pp. 115-119. 1904; D.B. 185, pp. 8, 39. 1915.
Maryland, useful food habits and occurrence in Arkansas. Biol. Bul. 38, p. 82. 1911.
protection by law. Biol. Bul. 12, rev., p. 40. 1902.
western, food habits. Biol. Bul. 30, pp. 49-50. 1907.
Yellowweed. See Sneezeweed.
Yellowwood. See Ash, prickly; Bittersweet, false.
Yel-ros, emulsion for greenhouse plants, experiments. J.A.R., vol. 10, p. 387. 1917.
Yeng, importation and description. No. 34583, B.P.I. Inv. 33, p. 35. 1915.
Yerba maté, importations and descriptions. No. 29027, B.P.I. Bul. 227, pp. 8, 32-33. 1911; Nos. 43456, 43598, 43760, B.P.I. Inv. 49, pp. 8, 26, 502 73. 1921; No. 44676, B.P.I. Inv. 51, p. 42. 1923, No. 46564, B.P.I. Inv. 56, p. 26. 1922; No. 4730; B.P.I. Inv. 58, p. 48. 1922; Nos. 55489, 55499, 55566, B.P.I. Inv. 71, pp. 49, 50, 58. 1923; No. 55621, B.P.I. Inv. 72, p. 12. 1924.
Yerba rosario, value as cover crop, Porto Rico. P.R. Bul. 19, pp. 23-24. 1916.
Yerba santa—
description, collection, prices, and uses. B.P.I. Bul. 219, p. 15. 1911.
occurrence in chaparral. For. Bul. 85, p. 32. 1911.

2684 UNITED STATES DEPARTMENT OF AGRICULTURE

YERKES, A. P.—
"An economic study of the farm tractor in the Corn Belt." With L. M. Church. F.B. 719, pp. 24. 1916.
"Better use of man labor on the farm." With H. R. Tolley. F.B. 989, pp. 15. 1918.
"Cost of harvesting wheat by different methods." With L. M. Church. D.B. 627, pp. 22. 1918.
"Farm experience with the tractor." With H. H. Mowry. D.B. 174, pp. 44. 1915.
"Fire prevention and fire fighting on the farm." With H. R. Tolley. F.B. 904, pp. 16. 1918.
"Harvesting hay with the sweep-rake." With H. B. McClure. F.B. 838, pp. 12. 1917.
"Minor articles of farm equipment." With H. N. Humphrey. F.B. 816, pp. 15. 1917.
"Practical hints on running a gas engine." F.B. 1013, pp. 16. 1919.
"The farm tractor in the Dakotas." With L. M. Church. F.B. 1035, pp. 32. 1919.
"The gas tractor in eastern farming." With L. M. Church. F.B. 1004, pp. 32. 1918.
"Tractor experience in Illinois." With L. M. Church. F.B. 963, pp. 30. 1918.
YERKES, G. E.: "Bridge grafting." F.B. 1369, pp. 20. 1923.
Yew(s)—
absorption of creosote, experiments. For. Cir. 200, pp. 4, 5, 7. 1912.
characters, species on Pacific slope. For. [Misc.], "Forest trees * * * Pacific * * *," pp. 193–197. 1908.
fruiting season and use as bird food. F.B. 844, p. 13. 1917.
injury by sap suckers. Biol. Bul. 39, pp. 23, 62. 1911.
insect pests, list. Sec. [Misc.], "A manual of dangerous * * *," p. 223. 1917.
Pacific—
density determinations. J.A.R., vol. 2, pp. 426–427. 1914.
distribution. N.A. Fauna 21, pp. 11, 12. 1901.
reproduction on forest burns, studies. J.A.R., vol. 11, pp. 10, 20. 1917.
poisoning cattle. B.A.I. [Misc.], "Diseases of cattle," rev., p. 65. 1923.
relationships and characteristics. D.B. 680, pp. 39–44. 1918.
stinking, description, range and occurrence on Pacific slope. For. [Misc.], "Forest trees for Pacific * * *," pp. 191–193. 1908.
tests for mechanical properties, results. D.B. 556, pp. 35, 44. 1917; D.B. 676, p. 35. 1919.
treatment with creosote, tests and results. D.B. 101, pp. 15, 18, 36, 37. 1914.
western, description, occurrence, and habits. D.B. 680, pp. 41–44. 1918; For. [Misc.], "Forest trees for Pacific * * *," pp. 194–197. 1908.
YINGLING, C. K., Jr.: "Soil survey of Fairfax and Alexandria Counties, Va." With Wm. T. Carter, jr. Soil Sur. Adv. Sh., 1915, pp. 43. 1917; Soils F.O., 1915, pp. 299–337. 1919.
Ylang-ylang—
importation and description. No. 35243, B.P.I. Inv. 35, p. 26. 1915; No. 37013, B.P.I. Inv. 38, pp. 24–25. 1917; No. 51811, B.P.I. Inv. 65, p. 53. 1923.
value in perfumery production. B.P.I. Bul. 195, pp. 10, 45. 1910.
See also Ilang-ilang.
YODER, LESTER: "Influence of fermentation on the starch content of experimental silage." With Arthur W. Dox. J.A.R., vol. 19, pp. 173–188. 1920.
YODER, P. A.—
"Environmental influence on the physical and chemical characteristics of wheat." With J. A. Le Clerc. J.A.R., vol. 1, pp. 275–291. 1914.
"Growing sugar cane for sirup." F.B. 1034, pp. 35. 1919.
"Hot-water treatment of dormant and sprouted seed cane." D.C. 337, pp. 3. 1925.
"Hot-water treatment of sugar cane for insect pests—a precaution." With J. W. Ingram. D.C. 303, pp. 4. 1923.
"Influence of cultural conditions on quality and yield of sirup." D.B. 1370, pp. 3–9. 1925.

YODER, P. A.—Continued.
"Marking porcelain and silica crucibles, etc." Chem. Cir. 93, pp. 3. 1912.
"Sugar." With others. Y.B., 1923, pp. 151–228. 1924; Y.B. Sep. 893, pp. 98. 1924.
"Sugar-cane culture for sirup production in the United States." D.B. 486, pp. 46. 1917.
report of Utah Experiment Station, work and expenditures—
1905. O.E.S. An. Rpt., 1905, pp. 136–138. 1906.
1906. O.E.S. An. Rpt., 1906, pp. 159–160. 1907.
Yogurt—
biological studies. D.B. 319, pp. 20–24. 1916.
description, and directions for making. B.A.I., An. Rpt., 1909, pp. 153–156. 1911; B.A.I. Cir. 171, pp. 153–156. 1911; D.B. 319, pp. 22–24. 1916; D.C. 72, pp. 5–7. 1919.
YOHE, H. S.—
"History and status of tobacco culture." With others. Y.B., 1922, pp. 395–468. 1923; Y.B. Sep. 885, pp. 395–468. 1923.
"Once again the United States warehouse act." B.A.E. [Misc.], "Once again the * * *," pp. 12. 1925.
"Operating a cooperative motor truck route." F.B. 1032, pp. 24. 1919.
"Organization, financing, and administration of drainage districts." F.B. 815, pp. 37. 1917.
"The banker and the United States warehouse act." B.A.E. [Misc.], "The banker and the * * *," pp. 12. 1924; rev., 1925.
Yohimbin, alkaloidal reactions, comparison with strychnin. Chem. Bul. 150, pp. 37, 39. 1912.
Yohourth. See Yogurt.
Yolk(s)—
artificial, in natural eggs, experiments. J.A.R., vol. 6, No. 25, pp. 1033–1034. 1916.
egg, composition, and mineral elements. D.B. 471, pp. 6, 7, 8, 11. 1917.
Yonkers, N. Y., milk supply, statistics, officials, prices, and laws. B.A.I. Bul. 46, pp. 36, 132. 1903.
Yonpon, injury to wood by sapsuckers. Biol. Bul. 39, p. 83. 1911.
York, Pa., milk supply, statistics, officials, prices, and ordinances. B.A.I. Bul. 46, pp. 38, 150. 1903.
Yosemite National Park, Calif.—
condition of game, 1908. Y.B., 1908, p. 584. 1909; Y.B. Sep. 500, p. 584. 1909.
game protection, 1909. Biol. Cir. 73, p. 8. 1910.
law for land exchange for Sierra and Stanislaus National Forest land, land value, etc. Sol. [Misc.], "Laws applicable * * * Agriculture," sup. 2, pp. 36–37. 1915.
YOTHERS, M. A.: "Control of the codling moth in the Pacific Northwest." With others. F.B. 1326, pp. 27. 1924.
YOTHERS, W. W.—
"Bordeaux-oil emulsion." With others. D.B. 1178, pp. 24. 1923.
"Hibernation of the Mexican cotton boll weevil." With W. E. Hinds. Ent. Bul. 77, pp. 100. 1909.
"Mixing emulsified mineral lubricating oils with deep-well waters and lime-sulphur solutions." With J. R. Winston. D.B. 1217, pp. 6. 1924.
"Papaya fruit fly." With Frederick Knab. J.A.R., vol. 2, pp. 447–454. 1914.
"Preliminary report on colloidal clays as emulsifiers for mineral oils used in spraying citrus groves." With John R. Winston. J.A.R., vol. 31, pp. 59–65. 1925.
"Preparations for winter fumigation for the citrus white fly." With A. W. Morrill. Ent. Cir. 111, pp. 12. 1909.
"Some reasons for spraying to control insect and mite enemies of citrus trees in Florida." D.B. 645, pp. 19. 1918.
"Spraying for the control of insects and mites attacking citrus trees in Florida." F.B. 933, pp. 38. 1918.
"Spraying for white flies in Florida." Ent. Cir. 168, pp. 8. 1913.
"The camphor thrips." With Arthur C. Mason. D.B. 1225, pp. 30. 1924.
"The woolly white fly in Florida citrus groves." F.B. 1011, pp. 14. 1919.

YOUMANS, G. R.—
"Experimental work in the production of table sirup at Waycross, Ga., 1905, together with a summary of the 4-year experiment on fertilization of sugarcane." With others. Chem. Bul. 103, pp. 38. 1906.
"Experiments in the culture of sugarcane and its manufacture into table sirup." With others. Chem. Bul. 93, pp. 78. 1905.
YOUNG, G. J.: "Potash Salts and other salines in the Great Basin Region." D.B. 61, pp. 96. 1914.
YOUNG, H. D.—
"Effect of fertilizers on the composition and quality of oranges." J.A.R., vol. 8, pp. 127-138. 1917.
"Loss of nicotine from nicotine dusts during storage." With C. C. McDonnell. D.B. 1312, pp. 15. 1925.
YOUNG, H. G.: "Soil survey of Hamilton County, Ind." With others. Soil Sur. Adv. Sh., 1912, pp. 32. 1914; Soils F.O., 1912, pp. 1445-1472. 1915.
YOUNG, H. P.: "Soil survey of Blair County, Pa." With others. Soil Sur. Adv. Sh., 1915, pp. 48. 1917; Soils F.O., 1915, pp. 197-240. 1919.
YOUNG, M. T.: "Dispersion of the boll weevil in 1922." With others. D.C. 266, pp. 6. 1923.
YOUNG, R. A.—
"Cultivation of the true yams in the Gulf region." D.B. 1167, pp. 16. 1923.
"Forcing and blanching dasheen shoots." D.C. 125, pp. 6. 1920.
"Taros and yautias, promising new food plants for the South." D.B. 1247, pp. 24. 1924.
"The dasheen, a root crop for the South." B.P.I. Doc. 1110, pp. 11. 1914.
"The dasheen, a root crop for the Southern States." B.P.I. Cir. 127, pp. 25-36. 1913.
"The dasheen: A southern root crop for home use and market." F.B. 1396, pp. 36. 1924.
"The dasheen: Its uses and culture." Y.B., 1916, pp. 199-208. 1917; Y.B. Sep. 689, pp. 10. 1917.
"The forcing and blanching of dasheen shoots." B.P.I. [Misc.], "The forcing * * *," pp. 6. 1914.
YOUNG, T. B.: "American-grown paprika pepper." With Rodney H. True. D.B. 43, pp. 24. 1913.
YOUNG, W. J.—
"A microscopical study of honey pollen." Chem. Bul. 110, pp. 70-93. 1908.
"A study of nuts with special reference to microscopic identification." Chem. Bul. 160, pp. 37. 1912.
Young people's institutes, organization, discussion. O.E.S. Bul. 256, pp. 70, 75. 1913.
YOUNGBLOOD, B.—
report of Texas Experiment Station, work and expenditures—
1911. O.E.S. An. Rpt., 1911, pp. 203-206. 1912.
1912. O.E.S. An. Rpt., 1912, pp. 208-210. 1913.
1913. Work and Exp., 1913, pp. 81. 1915.
1914. Work and Exp., 1914, pp. 220-223. 1915.
1915. S.R.S. Rpt., 1915, Pt. I, pp. 250-254. 1916.
1916. S.R.S. Rpt., 1916, Pt. I, pp. 257-260. 1918.
1917. S.R.S. Rpt., 1917, Pt. I, pp. 251-255. 1918.
"Suggested cropping systems for the black lands of Texas." B.P.I. Cir. 84, pp. 21. 1911.
YOUNGS, F. O.: "Soil survey of Twin Falls area, Idaho." With Mark Baldwin. Soil Sur. Adv. Sh., 1921, pp. 1367-1394. 1925.
Young's modulus for testing elasticity of wool. J.A.R., vol. 4, pp. 381, 392-393. 1915.
Youngstown, Ohio, milk supply, statistics, officials, and prices. B.A.I. Bul. 46, pp. 36, 140. 1903.
Youth-and-old-age, description and growing. F.B. 1171, pp. 37-39, 83. 1921.
Ypsolophus ligulellus, control and life history. F.B. 1270, p. 58. 1922.
Yu. *See* Taro.
Yuba, digestion experiment. O.E.S. Bul. 159, p. 191. 1905.
Yuba River, Calif., water rights. Marsden Manso. O.E.S. Bul. 100, pp. 115-154. 1901.
Yucca—
arborescens. *See* Joshua tree.
baccata. *See* Spanish bayonet.

Yucca—Continued.
characters, species on Pacific slope. For. [Misc.], "Forest trees * * * Pacific * * *," pp. 201-205. 1908.
description, varieties, and climatic adaptations. F.B. 1381, pp. 53-55. 1924.
diseases, occurrence and description, in Texas. B.P.I. Bul. 226, p. 106. 1912.
elata—
feeding to range stock. D.B. 728, pp. 3, 6, 9, 11-22, 26. 1918.
See also Soap weed.
filamentosa. *See* Bear grass.
Harriman, occurrence in Colorado, and description. N.A. Fauna 33, p. 223. 1911.
indicator of land value and possibilities. J.A.R., vol. 28, pp. 103, 114. 1924.
Mohave, description, range, and occurrence on Pacific slope. For. [Misc.], "Forest trees * * * for Pacific * * *," pp. 203-205. 1908.
occurrence in Colorado, and description. N.A. Fauna 33, pp. 222-223. 1911.
quantity used in manufacture of wooden products. D.B. 605, p. 17. 1918.
spp., key for plants used as range stock feed. D.B. 728, pp. 9-10. 1918.
use as emergency stock feed in drought time. News L., vol. 6, No. 3, pp. 1-2. 1918.
Yucatan—
and Campeche, henequen fiber production. H. T. Edwards. D.B. 1278, pp. 20. 1924.
henequen fiber production, extent of industry. News L., vol. 3, No. 30, pp. 1-2. 1916.
source of henequen supply, and climate. D.B. 930, p. 2. 1920; Y.B., 1918, pp. 359, 360, 361. 1919; Y.B. Sep. 790, pp. 5, 6, 7. 1919.
Yuco. *See also* Arracacia.
Yugoslavia, agricultural situation. D.B. 1234, pp. 93-111. 1924.
Yukon—
agricultural development. Alaska A.R., 1907, pp. 17-18. 1908.
bears, description and characters. N.A. Fauna 41, pp. 47-49, 55, 79, 82, 90. 1918.
biological survey. N.A. Fauna 30, pp. 45-92. 1909.
fur animals, laws—
1915. F.B. 706, p. 24. 1916.
1916. F.B. 783, pp. 25, 28. 1916.
1917. F.B. 911, pp. 29, 31. 1917.
1918. F.B. 1022, pp. 28. 1918.
1919. F.B. 1079, pp. 30. 1919.
1920. F.B. 1165, pp. 5, 29-30. 1920.
1921. F.B. 1238, pp. 30, 31. 1921.
1922. F.B. 1293, p. 28. 1922.
1923-24. F.B. 1387, pp. 30-31. 1923.
1924-25. F.B. 1445, p. 22. 1924.
1925-26. F.B. 1469, p. 26. 1925.
game laws—
1904. F.B. 207, pp. 27, 41, 47. 1904.
1905. F.B. 230, p. 40. 1905.
1906. F.B. 265, pp. 25, 39, 49. 1906.
1907. F.B. 308, pp. 24, 39, 48. 1907.
1908. F.B. 336, pp. 27, 42, 46, 55. 1908.
1909. F.B. 376, pp. 15, 32, 37, 41, 44, 52. 1909.
1910. F.B. 418, pp. 9, 25, 30, 35, 37, 47. 1910.
1911. F.B. 470, pp. 29, 35, 40, 42, 52. 1911.
1912. F.B. 510, pp. 25, 31, 36, 39, 48. 1912.
1913. D.B. 22, pp. 36, 42, 47, 50, 59. 1913.
1914. F.B. 628, pp. 28, 34, 35, 39, 43, 54. 1914.
1915. F.B. 692, pp. 38, 44, 49, 53, 63, 64. 1915.
1916. F.B. 774, pp. 36, 43, 48, 53, 62. 1916.
1917. F.B. 910, p. 46. 1917.
1918. F.B. 1010, pp. 43-44, 70. 1918.
1919. F.B. 1077, pp. 47, 78. 1919.
1920. F.B. 1130, pp. 51-52. 1920.
1921. F.B. 1235, p. 53. 1921.
1922. F.B. 1288, pp. 50, 56, 72-78, 79. 1922.
1923-24. F.B. 1375, pp. 47, 52. 1923.
1924-25. F.B. 1444, pp. 34-35, 38. 1924.
1925-26. F.B. 1466, pp. 42, 46. 1925.
Macmillan River region, fauna. N.A. Fauna 30, pp. 66-92. 1909.
vegetation, Ogilvie Range and Macmillan River regions. N.A. Fauna 30, pp. 45-49, 66-71. 1909.
Yukon Delta Reservation, Alaska—
description. Biol. Cir. 71, pp. 10-11. 1910.
restoration to public. Off. Rec., vol. 1, No. 13, p. 4. 1922.

Yukon River, Alaska—
  description of region. N.A. Fauna 30, pp. 7-12. 1909.
  location and size. D.B. 50, pp. 6, 28. 1914.
Yuma, cotton. See Cotton, Egyptian; Cotton, Yuma.
Yuma experiment farm—
  climatic and agricultural conditions, 1917. W.I.A Cir. 25, pp. 5-14. 1918.
  work, 1912. W. A. Peterson. B.P.I. Cir. 126, pp. 15-25. 1913.
Yuma reclamation project—
  agriculture. Carl S. Scofield. B.P.I. Cir. 124, Pt. A, pp. 1-8. 1913.
  climatic and agricultural conditions. B.P.I. [Misc.], "The work of the Yuma * * *, 1913," pp. 3-5. 1914; B.P.I. Cir. 126, pp. 15-17. 1913; W.I.A. Cir. 7, pp. 3-9. 1915; W.I.A. Cir. 12, pp. 2-8. 1916; W.I.A. Cir. 20, pp. 4-13 1918; D.C. 75, pp. 3-24. 1920; D.C. 221, pp. 4-14. 1922.
  cotton as a crop for. Carl S. Scofield and others. B.P.I. Doc. 1009, pp. 6. 1913.
  experiment farm—
    buildings and improvements, 1913. B.P.I. [Misc.], "The work of the Yuma * * * 1913," pp. 2-3. 1914.
    demonstration of intensive farming, State aid. O.E.S. An. Rpt., 1911, p. 76. 1912.
    description, agricultural development, and conditions governing. W.I.A. Cir. 20, pp. 3-12. 1918.
    description, climate, and crops. D.C. 75, pp. 3-24. 1920.
    work—
      1912. W. A. Peterson. B.P.I. Cir. 126, pp. 15-25. 1913.
      1913. R. E. Blair. B.P.I. [Misc.], "The work of the Yuma * * * 1913," pp. 18. 1914.
      1914. R. E. Blair. W.I.A. Cir. 7, pp. 24. 1915.
      1915. R. E. Blair. W.I.A. Cir. 12, pp. 27. 1916.
      1916. R. E. Blair. W.I.A. Cir. 20, pp 40. 1918.
      1917. R. E. Blair. W.I.A. Cir. 25, pp. 45. 1918.
      1919 and 1920. E. G. Noble. D.C. 221, pp. 37. 1922.
      1918. R. E. Blair. D.C. 75, pp. 77. 1920.
Yuma Valley, alfalfa seed chalcis. Off. Rec., vol. 3, No. 27, p. 3. 1924.
Yungara potato, description and importation. No. 53195, B.P.I. Inv. 67, pp. 1, 69. 1923.

Zacata limon. See Lemon, grass.
Zacaton—
  as paper-making material. Charles J. Brand and Jason L. Merrill. D.B. 309, pp. 28. 1915.
  botanical history, description, names, and distribution. D.B. 309, pp. 3-10. 1915.
  fiber waste, paper pulp, experiments. An. Rpts., 1912, p. 417. 1913; B.P.I. Chief Rpt., 1912, p. 37. 1912.
  harvesting, yield per acre and cost of production. D.B. 309, pp. 6-10. 1915.
Zagrammosoma multilineata, parasite of—
  coffee leaf miner. P.R. An. Rpt., 1914, p. 33. 1915.
  corn-leaf miner. J.A.R., vol. 2, p. 27. 1914.
  serpentine leaf-miner. J.A.R., vol. 1, p. 81. 1913.
Zalophus californianus. See Sea lion.
Zamelodia spp. See Grosbeak.
Zamia, spermatogenesis and fecundation. Herbert J. Webber. B.P.I. Bul. 2, pp. 92. 1901.
Zanjeros. See Ditch riders.
Zanthosoma spp. See Yautia.
Zanthoxylum—
  alatum, importations and descriptions. No. 38825, B.P.I. Inv. 40, p. 33. 1917; No. 54698, B.P.I. Inv. 70, p. 9. 1923.
  oxyphyllum, importation and description. No. 46110, B.P.I. Inv. 55, p. 25. 1922.
  spp.—
    importations and descriptions. Nos. 47828-47830, B.P.I. Inv. 59, p. 65. 1922.
    See also Ash, prickly.
Zapallo, importations and descriptions. Nos. 41336, 41337, B.P.I. Inv. 45, pp. 16-17. 1918.

Zapata soils, south Texas, distribution, description, and uses. Soil Sur. Adv. Sh., 1909, pp. 36-40. 1910; Soils F.O., 1909, pp. 1060-1064. 1912.
ZAPOLEON, L. B.—
  "Geographical phases of farm prices: Corn." D.B. 696, pp. 53. 1918.
  "Geographical phases of farm prices: Oats." D.B. 755, pp. 28. 1919.
  "Geography of wheat prices." D.B. 594, pp. 46. 1918.
ZAPPONE, A.—
  "Compendium of the official, southern and western freight classifications with directions as to making shipments." Accts. [Misc.], "Compendium of the * * *," pp. 272. 1910.
  "Report of Chief of Accounts and Disbursements Division—
    1907." Accts. Chief Rpt., 1907, pp. 30. 1907; An. Rpts., 1907, pp. 507-540. 1908.
    1908." Accts. Chief Rpt., 1908, pp. 40. 1908; An. Rpts., 1908, pp. 591-626. 1909.
    1909." Accts. Chief Rpt., 1909, pp. 42. 1909; An. Rpts., 1909, pp. 553-590. 1910.
    1910." Accts. Chief Rpt., 1910, pp. 57. 1910; An. Rpts., 1910, pp. 567-619. 1911.
    1911." Accts. Chief Rpts., 1911, pp. 67. 1911; An. Rpts., 1911, pp. 551-613. 1912.
    1912." Accts. Chief Rpt., 1912, pp. 82. 1912; An. Rpts., 1912, pp. 681-758. 1913.
    1913." Accts. Chief Rpt., 1913, pp. 5. 1913; An. Rpts., 1913, pp. 237-241. 1914.
    1914." Accts. Chief Rpt., 1914, pp. 2. 1914; An. Rpts., 1914, pp. 211-212. 1914.
    1915." Accts. Chief Rpt., 1915, pp. 3. 1915; An. Rpts., 1915, pp. 249-251. 1916.
    1916." Accts. Chief Rpt., 1916, pp. 3. 1916; An. Rpts., 1916, pp. 253-255. 1917.
    1917." Accts. Chief Rpt., 1917, pp. 3. 1917; An. Rpts., 1917, pp. 267-269. 1918.
    1918." Accts. Chief Rpt., 1918, pp. 3. 1918; An. Rpts., 1918, pp. 277-279. 1919.
    1919." Accts. Chief Rpt., 1919, pp. 4. 1919; An. Rpts., 1919, pp. 299-300. 1920.
    1920." Accts. Chief Rpt., 1920, pp. 3. 1920; An. Rpts., 1920, pp. 379-381. 1921.
    1921." Accts. Chief Rpt., 1921, pp. 4. 1921.
    1922." Accts. Chief Rpt., 1922, pp. 6. 1922; An. Rpts., 1922, pp. 371-376. 1922.
    1923." Accts. Chief Rpt., 1923, pp. 7. 1923; An. Rpts., 1923, pp. 507-513. 1923.
    1924." Accts. Chief Rpt., 1924, pp. 6. 1924.
ZAPPONE, C. R., Jr.: "Soil survey of—
  Berks County, Pa." With others. Soil Sur. Adv. Sh., 1909, pp. 47. 1911; Soils F.O., 1909, pp. 161-203. 1912.
  Coffee County, Tenn." With W. E. McLendon. Soil Sur. Adv. Sh., 1908, pp. 33. 1910; Soils F.O., 1908, pp. 989-1017. 1911.
  Colbert County, Ala." With others. Soil Sur. Adv. Sh., 1908, pp. 34. 1909; Soils F.O., 1908, pp. 555-584. 1911.
Zapote prieto. See Persimmon, Mexican.
Zapupe—
  description, preparation, and use for binder twine. Y.B., 1911, p. 199. 1912; Y.B. Sep. 560, p. 199. 1912.
  fiber plant, investigation in Mexico. An. Rpts., 1907, p. 327. 1908.
  growing experiments. An. Rpts., 1910, p. 304. 1911; B.P.I. Chief Rpt., 1910, p. 34. 1910.
  importations, value as fiber plant, etc. B.P.I. Bul. 223, p. 11. 1911.
  introduction as fiber plant. B.P.I. Chief Rpt., 1907, p. 79. 1907.
  See also Agave.
Zapus spp. See Mouse, jumping.
Zarzabacoa—
  comun, value as cover crop, Porto Rico. P.R Bul. 19, p. 23. 1916.
  galana, value as cover crop, Porto Rico. P.R. Bul. 19, pp. 22-23. 1916.
Zaschizonyx, synonym for Opisthoneura. Ent. T.B. 20, Pt. II, p. 108. 1911.
Zatropis sp., parasite of broad-nosed grain weevil. D.B. 1085, p. 8. 1922.
Zavipio belfragei, parasite of the curlew bug. F.B. 1003, p. 20. 1919.
ZAVITZ, C. A.: "Field demonstration work." O.E.S. Bul. 199, pp. 46-48. 1908.

Zea—
  euchlaena hybrids, indication of maize-ear structure. G. N. Collins. J.A.R., vol. 17, No. 3, pp. 127-135. 1919.
  everta. See Pop corn.
  mays—
    assimilation of nutrient salts. J.A.R., vol. 21, pp. 545-573. 1921.
    host of *Physoderma zea-maydis*. J.A.R., vol. 20, p. 313. 1920.
    hybrids, water requirements, studies. J.A.R., vol. 4, No. 5, pp. 392-399. 1915.
    importations and descriptions. Nos. 34120-34121, 34214-34216, B.P.I. Inv. 32, pp. 12, 24. 1914.
    indentata, relation of length of kernel to yield of corn, study. C. C. Cunningham. J.A.R., vol. 21, pp. 427-438. 1921.
    occurrence in Guam. Guam A.R., 1913, p. 16. 1914.
    pistillate spikelet development and fertilization. Edwin C. Miller. J.A.R., vol. 18, pp. 255-266. 1919.
    See also Maize; Corn.
  ramosa—
    hybrid of, and *Zea tunicata*. G. N. Collins. J.A.R., vol. 9, pp. 383-396. 1917.
    origin and description. J.A.R., vol. 9, pp. 385-388. 1917.
    spp., description, distribution, and uses. D.B. 772, pp. 22, 283, 285-287. 1920.
  tunicata, origin and description. J.A.R., vol. 9, pp. 383-385. 1917.
Zebra(s)—
  ass hybrids, breeding experiments and results. B.A.I. An. Rpt., 1909, pp. 65, 229-232. 1911.
  hybrid breeding, a note on. E. H. Riley. B.A.I. An. Rpt. 1909, pp. 229-232. 1911.
  nematode parasite, *Cylindropharynx ornata*, with keys to related nematode parasites of the Equidae. Eloise B. Cram. J.A.R., vol. 28, pp. 661-672. 1924.
  variations in form and size for different habitats. B.A.I. An. Rpt., 1910, pp. 164-165, 168. 1912.
Zebra grass, importation and use. No. 35227, B.P.I. Inv. 35, p. 24. 1915.
Zebra wood, importation and description. No. 31725, B.P.I. Bul. 248, p. 41. 1912.
Zebu. See Cattle, Brahman; Cattle, zebu.
Zein—
  maize, bacterial decomposition in soils. Hawaii Bul. 39, pp. 22-24. 1915.
  presence in excrements of poultry, experiments. B.A.I. Bul. 56, pp. 32, 60, 61, 87. 1904.
Zelkova—
  serrata, importation and description. No. 35301, B.P.I. Inv. 35, p. 35. 1915.
  sinica, importation and description. No. 50530, B.P.I. Inv. 63, p. 77. 1923.
ZELLER, J. H.: "A simple hog-breeding crate." F.B. 966, pp. 4. 1918.
Zelus—
  renardii, parasite enemy of broad-bean weevil. Ent. Bul. 96, Pt. V, pp. 73-74. 1912.
  renardii. See also Assassin bug.
  rubidus, insect enemy of grass worm. D.B. 192, p. 7. 1915.
Zenaidura macroura—
  game bird status. Biol. Bul. 12, rev., pp. 22-24. 1902.
  See also Dove, mourning.
Zenetz case, alleged caffeine poisoning. Chem. N.J. 1455, pp. 20, 37, 41, 44, 45, 46. 1912.
Zenillia liberatix, notes on. Ent. T.B. 12, Pt. VI, pp. 100-101. 1908.
Zenodochium citricolella, similarity to *Pectinophora gossypiella*. J.A.R., vol. 20, pp. 817-818. 1921.
Zenodoxus palmii, similarity to *Pectinophora gossypiella*. J.A.R., vol. 20, pp. 826-827. 1921.
Zeolites, use as water softeners. F.B. 1448, pp. 35, 37-38. 1925.
Zephyranthes, sp., importation and description. No. 46710, B.P.I. Inv. 57, p. 23. 1922.
ZERBAN, FRITZ: "Determination of sulphurous acid in molasses." With W. P. Naquin. Chem. Bul. 116, pp. 77-80. 1908.
ZETEK, JAMES—
  "Damage by termites in the Canal Zone and Panama and how to prevent it." With Thomas E. Snyder. D.B. 1232, pp. 26. 1924.

ZETEK, JAMES—Continued.
  "The black fly of citrus and other subtropical plants." With Harry F. Dietz. D.B. 885, pp. 55. 1920.
Zeuzera pyrina—
  description, habits, and control. F.B. 1169, pp. 66-69. 1921.
  See also Leopard moth.
ZIEGLER, E. A.—
  "Forest tables—lodgepole pine." For. Cir. 126, pp. 24. 1907.
  "Forest tables—western yellow pine." For. Cir. 127, pp. 23. 1908.
  "The woodsman's handbook." With Henry S. Graves. For. Bul. 36, rev., pp. 208. 1910.
ZIMMER, J. F.: "The grape scale." Ent. Bul. 97, pp. 115-124. 1913.
ZIMMERMAN, C. W.: "Tests of western yellow pine car sills, joists, and small clear pieces." D.B. 497, pp. 16. 1917.
Zimmerman irrigated lands, Texas, canal details. O.E.S. Bul. 222, p. 72. 1910.
Zimmerman pine moth, description, injuries, and control. News L., vol. 3, No. 13, p. 7. 1915.
Zinc—
  action of fats upon, experiments. B.A.I. An. Rpt., 1909, pp. 275, 276, 277, 278, 282. 1911.
  arsenate—
    preparation and use as insecticide, investigations. D.B. 278, pp. 2, 4, 5, 7, 8, 9, 10, 11, 15, 16-19, 33, 34, 41, 43. 1915.
    recommendation for katydid control on oranges. D.B. 256, p. 24. 1915.
    use—
      against alfalfa weevil. F.B. 741, pp. 12, 16. 1916.
      against cucumber beetle. F.B. 1038, p. 15. 1919.
      as spray for control of sweet-potato leaf folder, formula. News L., vol. 5, No. 22, p. 4. 1917.
      as spray on sweet potatoes for weevils. F.B. 1020, p. 20. 1919.
      in control of velvet-bean larvae. F.B. 1276, p. 27. 1922.
  arsenite—
    adulteration and misbranding. See Indexes to Notices of Judgment, in bound volumes and in separates, published as supplements to Chemistry Service and Regulatory Announcements.
    composition. D.B. 1147, p. 10. 1923; Y.B. 908, p. 14. 1918.
    influence on nitrogen-fixing organisms of soil. J.A.R., vol. 6, No. 11, pp. 390-392, 411-412. 1916.
    preparation, and use as insecticide. J.A.R., vol. 24, No. 6, pp. 507-508, 519. 1923.
    spray formula or bean ladybird. F.B. 1074, p. 7. 1919.
    use—
      against bean ladybird. D.B. 843, p. 17. 1920.
      against beet-sugar webworm. Ent. Bul. 109, Pt. VI, p. 65. 1912.
      as insecticide, investigations. D.B. 278, pp. 4, 6, 7, 10, 11, 15, 17, 18, 20, 33, 34, 41. 1915.
      as remedy against the Colorado potato beetle. Fred A. Johnston. Ent. Bul. 109, Pt. V, pp. 53-56. 1912.
      in control of beet wireworms, experiments. Ent. Bul. 123, pp. 60-61. 1914.
      in control of western cabbage flea-beetle. D.B. 902, pp. 17, 20. 1920.
      in spray for fall army worm. F.B. 752, p. 14. 1916.
      in spraying alfalfa. F.B. 1185, p. 19. 1920.
      in sprays. F.B. 908, p. 14. 1918.
      with cactus solution, spraying experiments. D.B. 160, pp. 2-4, 13, 17, 18, 20. 1915.
  chloride—
    analyses. For. Bul. 126, pp. 82-83. 1913.
    determination in treated wood, method. For. Bul. 118, p. 27. 1912; For. Bul. 190, pp. 3-5. 1911.
    soil treatment for damping-off control, tests. D.B. 453, pp. 12-18, 20, 26, 28, 29, 31. 1917.
    tie preservation, limitations. Off. Rec. vol. 1, No. 17, p. 3. 1922.

Zinc—Continued.
chloride—continued.
  timber treatment successful. B.P.I. Bul. 214, pp. 28-29. 1911.
  treatment for cross-ties, absorption, etc. For. Cir. 146, p. 16. 1908.
  use—
    as timber preservative, absorption. For. Bul. 84, pp. 25-26, 28. 1911.
    as wood preservative. For. Bul. 78, pp. 13-14. 1909.
    in control of termites. D.B. 333, pp. 29, 30. 1916.
    in post treatment for preservation. D.C. 75, pp. 76-77. 1920.
    in preserving timber, methods. For. Cir. 139, pp. 7-11. 1908.
    in tie preservation, tables. For. Cir. 209, pp. 12, 13-14, 16-17, 18-19, 24. 1912.
    in treating wood against termites. D.B. 1231, pp. 12, 15. 1924.
    in wood preservation, 1908, 1909, 1910. For. Cir. 186, pp. 1, 4. 1911.
    in wood preservation, cost. For. Cir. 171, p. 22. 1909.
    in wood preservation tests. D.B. 227, pp. 1-26. 1915.
  value as wood preservative, and application. F.B. 744, pp. 9, 13-23. 1916.
  wood preservation, methods, cost, and results. For. Bul. 118, pp. 26-35, 42-47, 49. 1912.
cleaning directions. F.B. 1180, p. 10. 1921.
danger in use of galvanized dishes in making preserves and jellies. News L., vol. 6, No. 3, p. 3. 1918.
determination—
  electrolytic method, development. An. Rpts., 1914, p. 304. 1915; I. and F.Bd.A.R., 1914, p. 4. 1914.
  in fruit products. Chem. Bul. 66, rev., pp. 30-31, 39-40. 1905.
estimation in fat, method. B.A.I. An. Rpt., 1909, p. 273. 1911.
iron preservation, methods and tests. Rds. Bul. 35, pp. 17-21. 1909.
lactate in cheese and whey. J.A.R., vol. 2, pp. 207-208. 1914.
meat containers, use prohibited. B.A.I.S.A. 36, p. 24. 1910.
occurrence in soils, plants, and animals, and its possible function as a vital factor. J. S. McHargue. J.A.R., vol. 30, pp. 193-196. 1925.
perforated, use in bee hives. Ent. Bul. 75, Pt. I, p. 5. 1909.
poisoning, of cattle, treatment. B.A.I. [Misc.], "Diseases of cattle," rev., pp. 58-59. 1904; rev., p. 60. 1912; rev., p. 57. 1923.
salts, determination in treated wood, visual method. For. Cir. 190, pp. 3-5. 1911.
salts, tests as wood preservatives. D.B. 145, pp. 9-20. 1915.
smelter, injury to—
  foliage. Chem. Bul. 89, pp. 17-19. 1905.
  trees in vicinity. Chem. Bul. 89, pp. 17-19. 1905.
sulphate solutions, solubility of carbon dioxide. Soils Bul. 49, p. 19. 1907.
use in electrolytic method of silver cleaning. D.B. 449, pp. 9, 11. 1916.
white, description and cost, use in paint. F.B. 474, pp. 15, 16. 1911.
Zinckenia primordialis, synonym for Hymenia perspectalis, description, etc. Ent. Bul. 127, Pt. I, p. 1. 1913.
ZINN, C. J.: "Soil survey of—
  Healdsburg area, California." With others. Soil Sur. Adv. Sh., 1915, pp. 59. 1917; Soils F.O., 1915, pp. 2199-2253. 1919.
  the Honey Lake area, California. With others. Soil Sur. Adv. Sh., 1915, pp. 64. 1917; Soils F.O., 1915, pp. 2255-2314. 1919.
  the Los Angeles area, California." With others. Soil Sur. Adv. Sh., 1916, pp. 78. 1919; Soils F.O., 1916, pp. 2347-2420. 1921.
  the Pasadena area, California." With others. Soil Sur. Adv. Sh., 1915, pp. 56. 1917; Soils F.O., 1915, pp. 2315-2356. 1919.
  the San Fernando Valley area, California." With others. Soil Sur. Adv. Sh., 1915, pp. 61. 1917; Soils F.O., 1915, pp. 2451-2507. 1921.

ZINN, JACOB—
  "Correlations between various characters of wheat and flour as determined from published data from chemical, milling, and baking tests of a number of American wheats." J.A.R., vol. 23, pp. 529-548. 1923.
  "Studies on oat breeding—V: The F_1 and F generations of a cross between a naked and a hulled oat." With Frank M. Surface. J.A.R., vol. 10, No. 6, pp. 293-312. 1917.
Zinnia—
  adaptability for gardens, description. News L., vol. 2, No. 33, p. 4. 1915.
  description—
    and suggestions for growing. B.P.I. Doc. 433, p. 7. 1909.
    cultivation, and characteristics. F.B. 1171, pp. 37-39, 83. 1921.
    leaf-spot, occurrence and description. B.P.I. Bul. 226, pp. 89, 109. 1912.
ZINTHEO, C. J.: "Corn-harvesting machinery." F.B. 303, pp. 32. 1907; O.E.S. Bul. 173, pp. 48. 1907.
Zinziber—
  mioga, importation and use. No. 44579, B.P.I. Inv. 51, p. 27. 1922.
  officinale. See Ginger, white.
Zip, injection, misbranding. See Indexes, Notices of Judgment in bound volumes and in separates, published as supplements to Chemistry Service and Regulatory Announcements.
Zirconium, occurrence in soils. D.B. 122, pp. 4, 12-13, 16, 27. 1914.
Zizania aquatica—
  use as food. F.B. 1195, p. 21. 1921.
  See also Rice, wild.
Zizanieae, genera, key, and descriptions of grasses. D.B. 772, pp. 18, 206-213. 1920.
Zizaniopsis—
  miliacea, distribution, description, and feed value. D.B. 201, p. 52. 1915.
  spp., description, distribution, and uses. D.B. 772, pp. 18, 206, 208. 1920.
Ziziphus—
  jujuba, importation and description. B.P.I. Inv. 32, No. 34162, p. 17. 1914.
  mauritiana. See Bor.
  mucronata, importation and description. No. 44748, B.P.I. Inv. 51, p. 59. 1922.
  spp.—
    description and uses. D.B. 1215, pp. 4-8. 1924.
    importations and descriptions. Nos. 44203, 44361, 44436, 44442, B.P.I. Inv. 50, pp. 41, 62, 72, 75. 1922; Nos. 45227, 45625-45658, B.P.I. Inv. 53, pp. 10, 13, 72. 1922; Nos. 49219, 49220, B.P.I. Inv. 62, pp. 2, 13. 1923; Nos. 51408, 51741, 52255, B.P.I. Inv. 65, pp. 14, 43, 81. 1923; Nos. 52858, 53593, B.P.I. Inv. 67, pp. 2, 3, 6, 31. 1923; Nos. 51408, 51741, 52255, B.P.I. Inv. 65, pp. 14, 43, 81. 1923; Nos. 52858, 53593, B.P.I. Inv. 67, pp. 2, 3, 6, 31. 1923.
    testing in Texas. D.B. 162, pp. 20-21. 1915.
  trinervia. See Ligaa.
  xylopyrus, importation and description. No. 53593, B.P.I. Inv. 67, pp. 3, 67. 1923.
  See also Zizyphus.
Zizyphus—
  chloraxylon, description. For. Cir. 211, p. 12. 1913.
  sativa. See Jujube.
  spp., as stocks for fruit on alkaline soils. B.P.I. Bul. 180, pp. 13-14. 1910.
  See also Ziziphus.
Zoe tree, Africa, importation and description. No. 30005, B.P.I. Bul. 233, p. 48. 1912.
ZOLLER, H. F.: "Sandy crystals in ice cream: Their separation and identification." With Owen E. Williams. J.A.R., vol. 21, pp. 791-796. 1921.
ZON, RAPHAEL—
  "Balsam fir." D.B. 55, pp. 68. 1914.
  "Chestnut in southern Maryland." For. Bul. 53, pp. 31. 1904.
  "Cutting timber on the National forests and providing for a future supply." With E. H. Clapp. Y.B., 1907, pp. 277-288. 1908; Y.B. Sep. 466, pp. 277-288. 1908.
  "Eucalypts in Florida." With John M. Briscoe. For. Bul. 87, pp. 47. 1911.

ZON, RAPHAEL—Continued.
"Forest vegetation." Atl. Am. Agr. Adv. Sh. No. 6, pp. 3-15, 27. 1924.
"Land utilization for crops, pasture, and forests." With others. Y.B., 1923, pp. 415-506. 1924; Y.B. Sep. 896, pp. 413-506. 1924.
"Light in its relation to tree growth." With Henry S. Graves. For. Bul. 92, pp. 59. 1911.
"Loblolly pine in eastern Texas, with special reference to the production of cross-ties." For. Bul. 64, pp. 53. 1905.
"Management of second growth in the southern Appalachians." For. Cir. 118, pp. 22. 1907.
"Research methods in the study of forest environment." With Carlos G. Bates. D.B. 1059, pp. 209. 1922.
"Seed production of western white pine." D.B. 210, pp. 15. 1915.
"The forest resources of the world." For. Bul. 83, pp. 91. 1910.
"The future use of land in the United States." For. Cir. 159, pp. 15. 1909.
"Timber: Mine or crop." With others. Y.B., 1922, pp. 83-180. 1923; Y.B. Sep. 886, pp. 83-180. 1923.
Zones—
breeding and wintering of migratory birds, proposed. Biol. S.R.A. 9, p. 3. 1916.
forest, tree types and sites, study, objects and methods. J.A.R., vol. 24, pp. 97-102. 1923.
life—
Alaska Peninsula, base. N.A. Fauna 24, pp. 21-25. 1904.
and crop—
mapping, work of Biological Survey. An. Rpts., 1909, pp. 121-122. 1910; Sec. A.R. 1909, pp. 121-122. 1909; Y.B., 1909, pp. 121-122. 1910.
New Mexico. N.A. Fauna 35, pp. 100. 1913.
divisions in United States, with plants for attracting birds. Y.B., 1909, pp. 188-193. 1910; Y.B. Sep. 504, pp. 188-193. 1910.
Hudson Bay region. N.A. Fauna 22, pp. 22-23. 1902.
Zonotrichia—
sale as reedbirds. Biol. Bul. 12, rev., p. 26. 1902.
spp. *See* Sparrow.
ZOOK, L. L.—
"Corn growing under droughty conditions." With C. P. Hartley. F.B. 773, pp. 24. 1916.
"Cross-breeding corn." With others. B.P.I. Bul. 218, pp. 72. 1912.
"Tests of corn varieties on the Great Plains." D.B. 307, pp. 20. 1915.
Zoological—
gardens—
attraction for birds, methods. D.B. 715, p. 8. 1918.
disease prevention by fire. B.A.I. Bul. 35, p. 17. 1902.
nomenclature, rules for the designation of type species of genera. Ent. T.B. 20, Pt. II, pp. 71-72. 1911.
specimens, sale by Secretary. Sol. [Misc.], "Laws applicable * * * Agriculture," Sup. 2, p. 8. 1915.

Zoology, medical and veterinary, index-catalogue: Authors. Ch. Wardell Stiles and Albert Hassall. B.A.I. Bul. 39, pp. 2276. 1902-1912.
Zornia diphylla, importation and description. No. 45489, B.P.I. Inv. 53, p. 40. 1922.
Zostera marina—
resemblance to wild celery. Biol. Cir. 81, p. 8. 1911.
See also Eel-grass.
Zucchetta, importation and description. Nos. 37132, 37133, B.P.I. Inv. 38, p. 41. 1917.
Zuñi maize. *See* Corn, Pueblo varieties.
Zuñi Mountains, New Mexico, location, description, and climate. N.A. Fauna 35, pp. 61-61. 1913.
Zygadenus—
doses, toxic and lethal, for sheep, horses, and cattle. D.B. 125, pp. 30-35. 1915.
elegans, description, distribution, and experimental feeding. D.B. 1012, pp. 16-25. 1922.
feeding experiments in Colorado and Montana, 1909-1910, 1912-1914, review of work. D.B. 125, pp. 8-43. 1915.
gramineus, toxicity, comparison with other species. D.B. 1012, pp. 2, 15, 24, 25. 1922.
identification by sheep herders, importance. D.B. 125, pp. 42-43, 44. 1915.
or death camas. C. Dwight Marsh and others. D.B. 125. pp. 46. 1915.
paniculatus—
and *Z. elegans*, the death camas, as poisonous plants. C. Dwight Marsh and A. B. Clawson. D.B. 1012, pp. 25. 1912.
description, distribution, and experimental feeding. D.B. 1012, pp. 2-15. 1922.
poisoning—
control remedies. D.B. 125, pp. 37-44. 1915.
symptoms. D.B. 125, pp. 7-8, 24-30. 1915.
symptoms differing from sneezeweed poisoning. D.B. 947, p. 2. 1921.
seed, toxicity, comparison with other parts. D.B. 1012, pp. 14, 24-25. 1922.
spp.—
comparative toxicity, discussion. D.B. 1012, pp. 1-2, 15, 24-25. 1922.
description, habits, and common names. D.B. 125, pp. 4-6. 1915.
poisonous to sheep, description, distribution, symptoms, and control treatment. D.B. 575, pp. 14-15. 1918.
study of poisonous nature, importance. D.B. 1240, pp. 1-2, 11-12. 1924.
toxicity, comparative, variations. D.B. 125, p. 35. 1915.
venosus. *See* Death camas, meadow; Lobelia.
Zygobaris xanthoxyli, weevils having boll-weevil parasites. Ent. Bul. 100, pp. 45, 53, 67, 80. 1912.
Zygobothria—
nidicola—
an important parasite of the brown-tail moth. F. W. Muesebeck. D.B. 1088, pp. 9. 1922.
description. Ent. Bul. 91, pp. 289-295. 1911.
notes on. Ent. T. B. 12, Pt. VI, p. 105. 1908.
Zygospores, *Choanephora cucurbitarum*, description. J.A.R., vol. 8, pp. 324-325. 1917.